LANGENSCHEIDT'S NEW COLLEGE GERMAN DICTIONARY

GERMAN-ENGLISH
ENGLISH-GERMAN

LANGENSCHEIDT
NEW YORK · BERLIN · MUNICH · VIENNA · ZURICH

First Part

GERMAN-ENGLISH

By

HEINZ MESSINGER

Reprinted 1987
Langenscheidt's New College German Dictionary, German-English

Langenscheidt's Concise German Dictionary, German-English

Printed in Germany

Preface

Pronunciation and grammar

The keynote of this introduction is sackcloth and ashes. The Publishers, having stoutly defended themselves since the Concise Dictionary's first appearance in 1959 against persistent reproaches from the Anglo-Saxon world that insufficient information on grammar and pronunciation is provided, have thrown in the towel (= *das Handtuch* [*-s, ⸗er*] *geworfen*). Conceding that German *does* have a grammar as well as a vocabulary and that their defence — the book was intended originally only for the German market — has consequently been cold comfort for British and American users they now, with due humility, compound with their critics.

Designed for English-speaking users

The present "Concise German-English Dictionary" has been specifically prepared for the English-speaking user; it provides the pronunciation and stress of the German entry, states the genitive and plural of nouns and, in the case of verbs, indicates whether they are conjugated with "haben" or "sein". All irregular forms are also given. This meeting of the special problems of the Anglo-Saxon user has manifest advantages over the old, uneasy compromise between the often irreconcilable demands of both German and English-speaking user.

Neologisms

The "Concise German-English Dictionary" has been called by Anglo-Saxon reviewers the "strongest in modern vocabulary". It therefore goes without saying that the present edition has been radically updated by the addition of a great number of newly coined German words and new connotations, such as *Atommüll* (radioactive waste), *Bildplatte* (video disc), *Flugzeugentführung* (hijacking), *hochgestochen* (jumped-up; sophisticated), *Hochrechnung* (projection; projected result), *Kriechspur* (slow lane), *Punktstreik* (strike at selected sites), *Salamitaktik* (piecemeal [*or* salami] tactics), *umfunktionieren* (convert), *verunsichern* (rattle), *Zwergschule* (one-room school).

A practical dictionary, modern and matter-of-fact, without the traditional ballast — this has been the object of the author, Heinz Messinger, whose preface to the first edition applies fully to this present version, both where the author's approach and the user's expectations are concerned:

Fields of knowledge

"It is unavoidable, in so comprehensive a work, that special emphasis should be placed on certain fields of interest. So, in view of their importance, the fields of economics, business, law, administration and politics, have been exhaustively treated. The same applies to such vast domains as general technology and engineering, the various terms having been painstakingly defined. Apart from the inclusion of important technical terms such as *Einzelaufhängung* (independent suspension), *Erstmontage* (green assembly), *Fertigbearbeitung* (finishing, finish machining), *Gemischtbauweise* (composite construction), attention is drawn to the exact treatment of the technical aspects of such innocent-looking words as *Backe, Bügel, Dorn, Hub, Leistung, Schaltung, Spiel*. In like manner, the fields of medicine, chemistry, physics, etc., have been dealt with thoroughly and many new terms have been listed. Due attention has also been given to such areas of general interest as sport, the film industry, television, and military vocabulary.

Idiomatic expressions

Great care has been taken with the large body of words considered in general everyday usage. Each entry word has been carefully analyzed in order to provide exact and vivid translations. On the idiomatic side a multitude of modern words and phrases have been added that one misses in other works or whose various connotations demanded a more exact treatment, e.g. *Aussage, Anliegen* ("message" of a writer, etc.), *gewisse Ansätze zeigen* (show promise), *ein heißes Eisen anfassen* (tackle a hot problem, play with dynamite), *schnellebige Zeit* (giddy-paced times). In each case the stylistic level has been indicated and great pains have been taken to provide the

Everyday speech

closest equivalent in English. The same is true for such German colloquialisms and slang terms as *Masche* or *Tour* (racket, line, trick, dodge), *auf Draht sein* (be on the ball, on one's toes), *durchdrehen* (crack up, go mad), *das haut hin* (that works, does the trick), etc., which are generally and freely used today. A glance over such demanding articles as *Anspruch, Betrieb, Einsatz, Rahmen, Spitze, Zeichen* may give an idea of the scope and thoroughness of the book, and this applies equally to such notorious "tough nuts" as *aktuell, anspruchsvoll, bewährt, disponieren, sich durchsetzen, sich einschalten*, etc.

American English

In the translations American vocabulary has been given due attention, not only by the mention of colourful colloquial and slang expressions, but also to mark differences in terminology, whether commercial, political or otherwise.

Flexible arrangement

In structure the book has been kept flexible and self-explanatory as far as possible, since too strict a subdivision of the various articles would not seem practical in a book of this size. Long and complex articles have, however, been adequately subdivided and arranged. Detailed explanations will enable the user to orient himself quickly and accurately (see *Guide to the Dictionary*, p. 9)."

New appendices

For the special benefit of the English-speaking user the appendices to this new edition have been completely revised and vastly extended. Many hundreds of proper names and abbreviations, all provided with pronunciation, translation, and explanations, enhance the utility of the dictionary. Apart from geographical and historical proper nouns, the appendix also includes the names of German public figures of the seventies, such as *Bloch, Böll, Butenandt, Enzensberger, Grieshaber, Habermas, Heinemann, Scheel, Spranger, Walser*. The Abbreviations, too, have been brought up to date (cf. ARD, BDI, BND, TEE, VDS).

This new, grammar- and pronunciation-oriented edition of the Concise Dictionary should prove a reliable tool to the English-speaking user and to those having English as their second language. We confidently expect it to consolidate old friendships abroad — and to win us new ones.

Contents

Guide to the Dictionary

Hinweise für den Benutzer

I. Arrangement

1. *Alphabetic Order* has been maintained throughout the dictionary.
This applies equally to

a) the irregular forms of comparatives and superlatives;
b) the various forms of pronouns;
c) the principal parts (infinitive, past tense, and past participle) of both strong and irregular verbs.

Proper names and abbreviations are set forth in a special list provided at the end of the dictionary.

2. *Entry words*

a) each entry word is subject to the following sequence of translation:
primary meaning; secondary or derived meanings; phraseological examples with nouns, adjectives, prepositions, and verbs. As a rule, the alphabetic order has been observed in the translation of the individual entry word, too, while care has been taken not to separate what is logically related.

b) where an entry word has fundamentally different primary meanings or is derived from different roots, it has been subdivided by means of exponents:

sieben[1] *v/t.* (pass through a) sieve, sift *etc.*;
sieben[2] *adj.* seven;

or Arabic numerals:

Heft *n* **1.** handle *etc.*; **2.** copy-book *etc.*;

not so, however, in the case of direct derivatives.

I. Anordnung

1. *Die alphabetische Reihenfolge* der Stichwörter ist durchweg beachtet worden.
An ihrem alphabetischen Platz sind gegeben:

a) die unregelmäßigen Formen des Komparativs und Superlativs;
b) die verschiedenen Formen der Fürwörter;
c) die Stammformen (Infinitiv, Vergangenheit, Partizip der Vergangenheit) der starken und der unregelmäßigen schwachen Zeitwörter.

Die Eigennamen und Abkürzungen sind am Schluß des Bandes in einem besonderen Verzeichnis zusammengestellt.

2. *Das Stichwort*

a) bei der Übersetzung des einzelnen Stichworts wurde folgende Ordnung beachtet:
Grundbedeutung; abgewandelte Bedeutungen; Anwendungsbeispiele mit Substantiven, Adjektiven, Präpositionen, Verben. In der Regel wurde auch hier die alphabetische Reihenfolge gewahrt, doch wurde darauf geachtet, sinngemäß Zusammengehöriges nicht zu trennen.

b) weist ein Stichwort grundsätzlich verschiedene Bedeutungen auf, so erfolgt Unterteilung durch Exponenten:

sieben[1] *v/t.* (pass through a) sieve, sift *etc.*;
sieben[2] *adj.* seven;

oder mit arabischen Ziffern:

Heft *n* **1.** handle *etc.*; **2.** copy-book *etc.*;

nicht aber, wo sich die andere Wortbedeutung aus dem Ursinn des Grundwortes entwickelt hat.

Further, where a noun denotes a person as well as a thing, the entry word is subdivided by Arabic numerals, e.g.

Anhänger *m* **1.** adherent *etc.* (*a.* **~in** *f*); **2.** pendant *etc.*

II. Swung Dash or Tilde (**~**, **᷈**, ~, ᷈). Derivatives and compounds with a common root are frequently combined with the aid of the tilde to save room. The bold-faced tilde stands for the entry word or the part of it preceding the vertical line (|) or, respectively, the colon (...:). In the examples printed in lightface or *italics* the simple tilde stands for the preceding entry word, which itself may have been formed with the bold-faced tilde. In order to save room in many cases two such examples have been combined in the following way:

spreizen ...; *sich* ~ sprawl; ... *gegen* (= *sich spreizen gegen*) struggle against, ...

Where the initial letter changes from a capital to a small letter or vice-versa, a circle is added: **᷈** or ᷈.

Examples:

Brit|e *m*; **~in** *f*; **᷈isch** *adj.*; **falt|bar** *adj.*; **᷈blatt** *n*; **᷈boot** *n*; **höchst...:** **᷈wert** *m*; **᷈zahl** *f*; **~zulässig** *adj.*; **Güterstand** *m*: *ehelicher* ~ matrimonial regime; **heilig** *adj.* holy *etc.*; *der* ᷈*e Geist* the Holy Ghost; **hängen** *v/i.* hang *etc.*; ᷈ *n* hanging; **harsch** *adj.* harsh *etc.*; ᷈ *m* crust.

In explanations giving a synonym which is a compound formed of the entry word itself and some other word, the sign ᷈ or ~, following or preceding it, stands for the entry word, e.g.

Konserve *f* preserve *etc.*; *Fleisch*᷈*n* preserved meat.

III. Variety of Meanings. The various meanings of the German words are explained

a) by preceding or appended explanations in italics, e.g.

   Abfall fall (*of leaves*); defection (*von* from *a party, etc.*); *slaughtering*: offal; **einbringen** bring *or* enter *a motion*;

b) by preceding definitions, abbreviated or written in full (see list on page 12);

c) by stating the antonyms, e.g.

   Land (*ant. water*) land; (*ant. town*) country.

The semicolon separates a given meaning from another essentially different meaning.

Umfaßt die Bedeutung eines Hauptwortes gleichzeitig eine Person und eine Sache, so wird auch in diesem Falle mit arabischen Ziffern unterteilt, e.g.

Anhänger *m* **1.** adherent *etc.* (*a.* **~in** *f*); **2.** pendant *etc.*

II. Das Wiederholungszeichen oder die Tilde (**~**, **᷈**, ~, ᷈). Zusammengehörige oder verwandte Wörter sind häufig zum Zwecke der Raumersparnis unter Verwendung der Tilde zu Gruppen vereinigt. Die fette Tilde vertritt dabei entweder das ganze Stichwort oder den vor dem Strich (|) bzw. vor dem Doppelpunkt (...:) stehenden Teil des Stichworts. Bei den in Auszeichnungsschrift oder *Kursivschrift* gesetzten Redewendungen vertritt die einfache Tilde (~) stets das unmittelbar vorhergehende Stichwort, das auch mit Hilfe der fetten Tilde gebildet sein kann. Oft wurden aus Gründen der Platzersparnis zwei solcher Redewendungen in folgender Art gekoppelt:

spreizen ...; *sich* ~ sprawl; ... *gegen* (= *sich spreizen gegen*) struggle against, ...

Wenn sich die Anfangsbuchstaben ändern (groß zu klein oder umgekehrt), steht statt der Tilde das Zeichen **᷈** oder ᷈.

Beispiele:

Brit|e *m*; **~in** *f*; **᷈isch** *adj.*; **falt|bar** *adj.*; **᷈blatt** *n*; **᷈boot** *n*; **höchst...:** **᷈wert** *m*; **᷈zahl** *f*; **~zulässig** *adj.*; **Güterstand** *m*: *ehelicher* ~ matrimonial regime; **heilig** *adj.* holy *etc.*; *der* ᷈*e Geist* the Holy Ghost; **hängen** *v/i.* hang *etc.*; ᷈ *n* hanging; **harsch** *adj.* harsh *etc.*; ᷈ *m* crust.

Wird im Stichwortartikel ein sinnverwandtes Wort angegeben, das sich aus dem voraufgegangenen Stichwort und einem anderen Wort zusammensetzt, so vertritt das angehängte oder vorgesetzte Zeichen ᷈ oder ~ das Stichwort, e.g.

Konserve *f* preserve *etc.*; *Fleisch*᷈*n* preserved meat.

III. Bedeutungsunterschiede. Die Bedeutungsunterschiede sind gekennzeichnet:

a) durch vorgesetzte oder angehängte Erklärungen, e.g.

   Abfall fall (*of leaves*); defection (*von* from *a party, etc.*); *slaughtering*: offal; **einbringen** bring *or* enter *a motion*;

b) durch vorgesetzte ausgeschriebene oder abgekürzte Begriffsbestimmungen (s. Verzeichnis auf S. 12);

c) durch Angabe des Gegensatzes, e.g.

   Land (*ant. water*) land; (*ant. town*) country.

Das Semikolon trennt eine gegebene Bedeutung von einer neuen, wesentlich verschiedenen.

IV. Parentheses are used

a) to indicate American spelling, as in *labo(u)r*;

b) in compound words such as

Soll...: ~(l)leistung,
Sperr...: ~(r)ad,

where three like consonants are reduced, according to the orthographical rule, to two (while the third is restored when the compound is divided, e.g. *Soll-leistung*);

c) where a variation of meaning is explained by a synonym (see III);

d) to indicate the abbreviated use of the full translation, e.g. (penny-in-the-)slot machine, wire-hair(ed terrier), tight(ly twisted);

e) in such phrases as (blow up with) dynamite or (play the) clown where the noun (dynamite, clown), now operating as a verb, can be used alone to render the German phrase;

f) where two or more examples have been combined to save space, e.g. *sich vom Dienst (zum Urlaub) abmelden* report off duty (for leave).

V. The **Mark of Reference** has the following diverse uses:

a) direct reference (*see*), e.g. **Fachwissen** *n* → *Fachkenntnis*;

b) for further reference (*see also*) as in **horrend** *adj.* enormous; → *ungeheuer*; before a group of compounds, e.g. **Eisenbahn...:** → *Bahn...*;

c) in a few cases to direct attention to the specific explanations given in the translation of the corresponding verb, etc., e.g. **Anführung** *f* → *anführen*: lead(ership); allegation, statement, etc.; or **lackieren** *v/t.* → *Lack*: lacquer, varnish, etc.

VI. The **Short Hyphen** (-) is placed in entry words

a) before a vowel to mark the glottal stop, as in **Ab-art;** it is omitted, however, where it would coincide with the accent, as in **Be'obachtung;**

b) between two consonants to indicate that they must be pronounced separately, e.g. **Bläs-chen, Klump-fuß.**

VII. The **Gender** of the German nouns is always given: *m* = masculine, *f* = feminine, *n* = neuter.

IV. Die **runde Klammer** wird verwendet:

a) zur Kennzeichnung der amerikanischen Schreibweise, e.g. in *labo(u)r*;

b) bei in Untergruppen auftretenden Kuppelwörtern, in denen drei gleiche Konsonanten aufeinandertreffen, e.g.

Soll...: ~(l)leistung,
Sperr...: ~(r)ad,

entfällt nach der orthographischen Regel der eingeklammerte Konsonant, wird aber bei der Trennung beibehalten (*Soll-leistung*);

c) bei Bedeutungsunterschieden, wo die Erklärung durch ein sinnverwandtes deutsches Wort gegeben wird (s. III);

d) bei Vereinfachung des Gesamtwortes der Übersetzung, e.g. (penny-in-the-)slot machine, wire-hair(ed terrier), tight(ly twisted);

e) bei Wendungen wie (blow up with) dynamite oder (play the) clown, wo das ausgesparte Hauptwort (dynamite, clown) als Verbum verwendet den Sinn der ganzen Wendung wiedergeben kann;

f) zur Raumersparnis bei gekoppelten Anwendungsbeispielen, e.g. *sich vom Dienst (zum Urlaub) abmelden* report off duty (for leave).

V. Das **Verweiszeichen** (→) hat die folgenden, verschiedenen Bedeutungen:

a) direkter Verweis (= *siehe*), e.g. **Fachwissen** *n* → *Fachkenntnis*;

b) zur weiteren Orientierung (= *siehe auch*), e.g. **horrend** *adj.* anormous; → *ungeheuer*; vor Untergruppen: e.g. **Eisenbahn...:** → *Bahn...*;

c) in einigen Fällen zum Verweis auf die im zugehörigen Verbum etc. einzeln gegebenen Erklärungen, e.g. **Anführung** *f* → *anführen*: lead(ership); allegation, statement etc.; oder **lackieren** *v/t.* → *Lack*: lacquer, varnish etc.

VI. Der **verkürzte Bindestrich** (-) steht in Stichwörtern

a) vor einem Vokal zur Bezeichnung des Knacklauts, e.g. **Ab-art;** er entfällt jedoch, wenn die Trennung bereits durch das Betonungszeichen angezeigt wird, wie in **Be'obachtung;**

b) zwischen zwei Konsonanten, um anzuzeigen, daß sie getrennt auszusprechen sind, e.g. **Bläs-chen, Klump-fuß.**

VII. Das **Geschlecht** der deutschen Hauptwörter ist stets angegeben: *m* = männlich, *f* = weiblich, *n* = sächlich.

Abbreviations used in this Dictionary

Im Wörterbuch benutzte Abkürzungen

a. *also;* auch
abbr. *abbreviation;* Abkürzung.
acc. *accusative (case);* Akkusativ, 4. Fall.
adj. *adjective;* Adjektiv, Eigenschaftswort.
adm. *administrative term;* Ausdruck aus der Verwaltungssprache.
adv. *adverb;* Adverb, Umstandswort.
aer. *aeronautics, aviation;* Luftfahrt, Flugwesen.
agr. *agriculture;* Landwirtschaft.
Am. *Americanism;* Sprachliche Eigenheit aus dem oder (besonders) im amerikanischen Englisch.
anat. *anatomy;* Anatomie, Körperbaulehre.
ant. *antonym;* Antonym, Gegenwort.
arch. *architecture;* Architektur, Baukunst.
art. *article;* Artikel, Geschlechtswort.
ast. *astronomy;* Astronomie, Sternkunde.
attr. *attributively;* als Attribut oder Beifügung.
biol. *biology;* Biologie.
bibl. *biblical term;* Ausdruck aus der Bibel.
bot. *botany;* Botanik.
Brit. *British usage;* nur im britischen Englisch gebräuchlich.
b.s. *bad sense;* in schlechtem Sinne.
chem. *chemistry;* Chemie.
cj. *conjunction;* Konjunktion, Bindewort.
collect. *collectively;* als Sammelwort.
colloq. *colloquial;* umgangssprachlich.
comp. *comparative;* Komparativ, zweite Steigerungsstufe.
contp. *contemptuously;* verächtlich.
cul. *culinary, kitchen term;* Ausdruck aus der Kochkunst.
dat. *dative (case);* Dativ, 3. Fall.
dem. *demonstrative;* hinweisend.
ea., ea. einander; *one another, each other.*
eccl. *ecclesiastical;* kirchlich, geistlich.
econ. *economics, business term;* Ausdruck aus der Wirtschaftssprache.

e-e, *e-e* } eine; *a (an).*
e.g. *for instance;* zum Beispiel.
el. *electricity;* Elektrizität.
e-n, *e-n* } einen; *a (an).*
e-r, *e-r* } einer; *of a (an), to a (an).*
e-s, *e-s* } eines; *of a (an).*
esp. *especially;* besonders, hauptsächlich.
et., *et.* } etwas; *something.*
etc. *and so on, and the like;* und so weiter, und ähnliches.
f *feminine;* weiblich.
fenc. *fencing;* Fechtkunst.
fig. *figuratively;* figürlich, bildlich.
Fr. *French;* französisch.
gen. *genitive (case);* Genitiv, 2. Fall.
geogr. *geography;* Erdkunde.
geol. *geology;* Geologie.
ger. *gerund;* Gerundium.
gr. *grammar, linguistics;* Grammatik, Sprachwissenschaft.
gym. *gymnastics;* Turnen.
h. haben; *have.*
herald. *heraldry;* Wappenkunde.
hist. *history;* Geschichte.
humor. *humorously;* humoristisch.
hunt. *hunting;* Jagdwesen.
ichth. *ichthyology;* Fischkunde.
impers. *impersonal;* unpersönlich.
indef. *indefinite;* unbestimmt.
inf. *infinitive (mood);* Infinitiv, Nennform.
int. *interjection;* Empfindungswort, Ausruf.
interr. *interrogative;* fragend, Fragewort.
iro. *ironically;* ironisch.
irr. *irregular;* unregelmäßig.
j-d, j-s, j-m, j-n, *j-d, j-s, j-m, j-n* } jemand(es *gen. of;* -em *dat. to;* -en *acc.) somebody.*

jur.	*juristic, law term;* juristisch, Ausdruck aus der Rechtssprache.
m	*masculine;* männlich.
mar.	*maritime, nautical term;* seemännisch, Ausdruck aus der Seemannssprache.
math.	*mathematics;* Mathematik.
m-e	meine; *my.*
med.	*medicine;* Medizin.
metall.	*metallurgy;* Hüttenwesen.
meteor.	*meteorology;* Meteorologie.
mil.	*military term;* Ausdruck aus der Militärsprache.
min.	*mineralogy;* Mineralogie.
m-m	meinem; *to my.*
m-n	meinen; *my.*
mot.	*motoring;* Kraftfahrwesen.
mount.	*mountaineering;* Bergsteigerei.
mus.	*music;* Musik.
myth.	*mythology;* Mythologie.
n	*neuter;* sächlich.
neg.	*negative, negated;* verneinend, verneint.
nom.	*nominative (case);* Nominativ, 1. Fall.
npr.	*proper name;* Eigenname.
n.s.	*narrow sense;* im engeren Sinne.
obs.	*obsolete;* veraltet.
od., *od.*	oder.
opt.	*optics;* Optik.
orn.	*ornithology;* Vogelkunde.
o.s.	*oneself;* sich.
p., *p.*	*person;* Person.
paint.	*painting;* Malerei.
parl.	*parliamentary term;* parlamentarischer Ausdruck.
ped.	*pedagogics, school term;* Pädagogik, Schulausdruck.
pers.	*personal;* persönlich, Personal...
pharm.	*pharmacy;* Pharmazie.
phls.	*philosophy;* Philosophie.
phot.	*photography;* Photographie.
phys.	*physics;* Physik.
physiol.	*physiology;* Physiologie.
pl.	*plural;* Plural, Mehrzahl.
poet.	*poetry;* Dichtkunst.
pol.	*politics;* Politik.
poss.	*possessive;* besitzanzeigend.
p.p.	*past participle;* Mittelwort der Vergangenheit.
p. pr.	*present participle;* Mittelwort der Gegenwart.
pred.	*predicative;* prädikativ, als Teil der Satzaussage.
pret.	*preterit(e);* Präteritum, Vergangenheit.
pron.	*pronoun;* Pronomen, Fürwort.
prp.	*preposition;* Präposition, Verhältniswort.
psych.	*psychology;* Psychologie.
rail.	*railway, Am. railroad;* Eisenbahn.
R.C.	*Roman-Catholic;* römisch-katholisch.
refl.	*reflexive;* reflexiv, rückbezüglich.
rel.	*relative;* relativ, bezüglich.
rhet.	*rhetoric;* Rhetorik, Redekunst.
scient.	*scientific term;* (natur)wissenschaftlicher Ausdruck.
sculp.	*sculpture;* Bildhauerkunst.
s-e, *s-e*	seine; *his, one's.*
sg.	*singular;* Singular, Einzahl.
sl.	*slang;* Slang.
s-m, *s-m*	seinem; *to his, to one's.*
sn	sein (*verb*); *be.*
s-n, *s-n*	seinen; *his, ones.*
s-r, *s-r*	seiner; *of his, of one's.*
s-s, *s-s*	seines; *of his, of one's.*
su.	*substantive, noun;* Substantiv, Hauptwort.
sup.	*superlative;* Superlativ, 3. Steigerungsstufe.
surv.	*surveying;* Landvermessung.
tech.	*technology, engineering;* Technik.
th., *th.*	*thing;* Ding, Sache.
thea.	*theatre, theater;* Theater.
tel.	*telegraphy;* Telegraphie, Fernmeldewesen.
TV	*television;* Fernsehen.
typ.	*typography, printing.*
u., *u.*	und; *and.*
univ.	*university;* Hochschulwesen, Studentensprache.
usu.	*usually;* gewöhnlich, in den meisten Fällen.
v.	*von, vom; of, by, from.*
vb.	*verb;* Verb(um), Zeitwort.
v/aux.	*auxiliary verb;* Hilfszeitwort.
vet.	*veterinary medicine;* Tiermedizin.
v/i.	*verb intransitive;* intransitives Verb, nichtzielendes Zeitwort.
v/refl.	*verb reflexive;* reflexives Verb, rückbezügliches Zeitwort.
v/t.	*verb transitive;* transitives Verb, zielendes Zeitwort.
vulg.	*vulgar, indecent;* vulgär, unanständig.
w.s.	*wider sense;* im weiteren Sinne.
zo.	*zoology;* Zoologie.

Key to Pronunciation

The phonetic alphabet used in this German-English dictionary is that of the Association Phonétique Internationale (A. P. I. or I. P. A. = International Phonetic Association). The length of vowels is indicated by [:] following the vowel symbol, the stress by ['] preceding the stressed syllable. The glottal stop [ˀ] is the forced stop between one word or syllable and a following one beginning with a stressed vowel, as in "beobachten" [bə'ˀo:baxtən].

Symbol	Examples	Nearest English Equivalents	Remarks
		A. Vowels	
a	Mann [man]		short a as in French "carte" or in British English "c**a**st" said quickly
ɑ:	Wagen ['vɑ:gən]	f**a**ther	long a
e	egal [e'gɑ:l]	b**e**d	
e:	Weg [ve:k]		unlike any English sound, though it has a resemblance to the sound in "d**ay**"
ə	Bitte ['bitə]	**a**go	a short sound, that of unaccented e
ɛ	Männer ['mɛnər]	f**ai**r	There is no *-er* sound at the end. It is one pure short vowel-sound.
	Geld [gɛlt]		
ɛ:	wägen ['vɛ:gən]		same sound, but long
i	Wind [vint]	**i**t	
i:	hier [hi:r]	m**ee**t	
ɔ	Ort [ɔrt]	l**o**ng	
o	Advokat [atvo'kɑ:t]	m**o**lest [mo'lest]	
o:	Boot [bo:t]		[o:] resembles the English sound in g**o** [gou] but without the [u]
ø:	schön [ʃø:n]		as in French "f**eu**". The sound may be acquired by saying [e] through closely rounded lips.
ø	Ödem [ø'de:m]		same sound, but short
œ	öffnen ['œfnən]		as in French "n**eu**f". The sound has a resemblance to the English vowel in "her". Lips, however, must be well rounded as for ɔ.
u	Mutter ['mutər]	b**oo**k	
u:	Uhr [u:r]	b**oo**t	
y	Glück [glyk]		almost like the French u as in s**u**r. It may be acquired by saying i through fairly closely rounded lips.
y:	führen ['fy:rən]		same sound, but long
		B. Diphthongs	
aɪ	Mai [maɪ]	l**i**ke	
aʊ	Maus [maʊs]	m**ou**se	
ɔʏ	Beute ['bɔʏtə]	b**oy**	
	Läufer ['lɔʏfər]		
		C. Consonants	
b	besser ['bɛsər]	**b**etter	
d	du [du:]	**d**ance	
f	finden ['findən]	**f**ind	
	Vater ['fɑ:tər]		
	Photo ['fo:to]		

Symbol	Examples	Nearest English Equivalents	Remarks
g	Gold [gɔlt] Geld [gɛlt]	**g**old	
ʒ	Genie [ʒe'ni:] Journal [ʒur'nɑ:l]	measure	
h	Haus [haʊs]	**h**ouse	
ç	Licht [liçt] manch [manç] traurig ['traʊriç]		An approximation to this sound may be acquired by assuming the mouth-configuration for [i] and emitting a strong current of breath.
x	Loch [lɔx]	Scotch: **loch**	Whereas [ç] is pronounced at the front of the mouth, x is pronounced in the throat.
j	ja [jɑ:]	**y**ear	
k	keck [kɛk] Tag [tɑ:k] Chronist [kro'nist] Café [ka'fe:]	**k**ick	
l	lassen [lasən]	**l**ump	pronounced like English initial "clear l"
m	Maus [maʊs]	**m**ouse	
n	nein [naɪn]	**n**ot	
ŋ	klingen ['kliŋən] sinken ['ziŋkən]	si**ng**, dri**n**k	
p	Paß [pas] Weib [vaɪp] obgleich [ɔp'glaɪç]	**p**ass	
r	rot [ro:t]	**r**ot	There are two pronunciations: the frontal or lingual r and the uvular r (the latter unknown in England).
s	Glas [glɑ:s] Masse ['masə] Mast [mast] naß [nas]	mi**ss**	unvoiced when final, doubled, or next a voiceless consonant
z	Sohn [zo:n] Rose ['ro:zə]	**z**ero	voiced when initial in a word or a syllable
ʃ	Schiff [ʃif] Charme [ʃarm] Spiel [ʃpi:l] Stein [ʃtaɪn]	**sh**op	
t	Tee [te:] Thron [tro:n] Stadt [ʃtat] Bad [bɑ:t] Findling ['fintliŋ] Wind [vint]	**t**ea	
v	Vase ['vɑ:zə] Winter ['vintər]	**v**ast	

ɑ̃, ɛ̃, ɔ̃ are nasalized vowels. Examples: Ensemble [ɑ̃'sɑ̃:bəl], Terrain [tɛ'rɛ̃:], Feuilleton ['fœjə'tɔ̃:].

List of Suffixes

often given without Phonetic Transcription

Suffix	Phonetic Tran- scription	Examples	Suffix	Phonetic Tran- scription	Examples
-bar	-bɑːr	'schein**bar**	-isch	-iʃ	'belg**isch**
-chen	-çən	'Lieb**chen**	-ist	-ist	Pessi'm**ist**
-d	-t	'fesseln**d**	-keit	-kaɪt	'Männlich**keit**
-ei	-aɪ	Reede'**rei**	-lich	-liç	'sach**lich**
-en	-ən	zer'stör**en**	-losigkeit	-loːziçkaɪt	'Rücksichts**losigkeit**
-end	-ənt	'ätz**end**	-nis	-nis	'Wirr**nis**
-er	-ər	Trans'port**er**	-sal	-zɑːl	'Trüb**sal**
-haft	-haft	'fabel**haft**	-sam	-zɑːm	'furcht**sam**
-heit	-haɪt	Be'sonder**heit**	-schaft	-ʃaft	'Wähler**schaft**
-ie	-iː	Philolo'**gie**	-ste	-stə	'dreißig**ste**
-ieren	-iːrən	organi'**sieren**	-tät	-tɛːt	Morali'**tät**
		mystifi'**zieren**	-tum	-tuːm	'Wachs**tum**
-ig	-iç	'traur**ig**	-ung	-uŋ	Ge'wöhn**ung**
-ik	-ik	Belle'trist**ik**	-ungs-	-uŋs-	Ge'sinn**ungs**wechsel
-in	-in	'Sänger**in**			

Grammatical References

Parts of speech (adjective, verb, etc.) have been indicated throughout. Entries have been subdivided by Roman numerals to distinguish the various parts of speech.

I. Nouns. The inflectional forms (*genitive singular/nominative plural*) follow immediately after the indication of gender. No forms are given for compounds if the parts appear as separate headwords.

The horizontal stroke replaces that part of the word which remains unchanged in the inflexion: *Affe m* (*-n*; *-n*); *Affäre f* (*-*; *-n*).

The sign ⁼ indicates that an Umlaut appears in the inflected form in question: *Blatt n* (-[e]s; *⁼er*).

II. Verbs. Verbs have been treated in the following ways:

a) *bändigen v/t.* (*h.*): The past participle of this verb is formed by means of the auxiliary verb *haben*: *er hat gebändigt*.

b) *gehen v/i.* (*... sn*): The past participle of this verb is formed by means of the auxiliary verb *sein*: *er ist gegangen*.

c) *gehen v/i.* (*irr. ...*): *irr.* following the verb refers the reader to the list of irregular German verbs on p. 17 for the principal parts of this particular verb: *er ging*; *er ist gegangen*.

d) *abfallen v/i.* (*irr. ...*): The reference *irr.* indicates that the compound verb *abfallen* is conjugated exactly like the primary verb *fallen* as given in the list of irregular verbs: *er fiel ab*; *er ist abgefallen*.

III. Prepositions. Prepositions governing a headword are given in both languages. The grammatical construction following a German preposition is indicated only if the preposition governs two different cases. If a German preposition applies to all translations it is given only with the first whereas its English equivalents are given after each translation: *schützen ...* defend (*gegen* against, *vor dat.* from); secure ... (against); keep (from); shelter (from); protect (from).

Alphabetical List of the German Irregular Verbs

Infinitive — Preterite — Past Participle

backen - backte (buk) - gebacken
bedingen - bedang (bedingte) - bedungen (*conditional:* bedingt)
befehlen - befahl - befohlen
beginnen - begann - begonnen
beißen - biß - gebissen
bergen - barg - geborgen
bersten - barst - geborsten
bewegen - bewog - bewogen
biegen - bog - gebogen
bieten - bot - geboten
binden - band - gebunden
bitten - bat - gebeten
blasen - blies - geblasen
bleiben - blieb - geblieben
bleichen - blich - geblichen
braten - briet - gebraten
brauchen - brauchte - gebraucht (*v/aux.* brauchen)
brechen - brach - gebrochen
brennen - brannte - gebrannt
bringen - brachte - gebracht
denken - dachte - gedacht
dreschen - drosch - gedroschen
dringen - drang - gedrungen
dürfen - durfte - gedurft (*v/aux.* dürfen)
empfehlen - empfahl - empfohlen
erkiesen - erkor - erkoren
erlöschen - erlosch - erloschen
erschrecken - erschrak - erschrocken
essen - aß - gegessen
fahren - fuhr - gefahren
fallen - fiel - gefallen
fangen - fing - gefangen
fechten - focht - gefochten
finden - fand - gefunden
flechten - flocht - geflochten
fliegen - flog - geflogen
fliehen - floh - geflohen
fließen - floß - geflossen
fressen - fraß - gefressen
frieren - fror - gefroren
gären - gor (*esp. fig.* gärte) - gegoren (*esp. fig.* gegärt)
gebären - gebar - geboren
geben - gab - gegeben
gedeihen - gedieh - gediehen
gehen - ging - gegangen
gelingen - gelang - gelungen
gelten - galt - gegolten
genesen - genas - genesen
genießen - genoß - genossen
geschehen - geschah - geschehen
gewinnen - gewann - gewonnen
gießen - goß - gegossen
gleichen - glich - geglichen
gleiten - glitt - geglitten
glimmen - glomm - geglommen
graben - grub - gegraben
greifen - griff - gegriffen
haben - hatte - gehabt
halten - hielt - gehalten
hängen - hing - gehangen
hauen - haute (hieb) - gehauen
heben - hob - gehoben
heißen - hieß - geheißen
helfen - half - geholfen
kennen - kannte - gekannt
klimmen - klomm - geklommen
klingen - klang - geklungen
kneifen - kniff - gekniffen
kommen - kam - gekommen
können - konnte - gekonnt (*v/aux.* können)
kriechen - kroch - gekrochen
laden - lud - geladen
lassen - ließ - gelassen (*v/aux.* lassen)
laufen - lief - gelaufen
leiden - litt - gelitten
leihen - lieh - geliehen
lesen - las - gelesen
liegen - lag - gelegen
lügen - log - gelogen
mahlen - mahlte - gemahlen
meiden - mied - gemieden
melken - melkte (molk) - gemolken (gemelkt)
messen - maß - gemessen
mißlingen - mißlang - mißlungen
mögen - mochte - gemocht (*v/aux.* mögen)

müssen - mußte - gemußt (*v/aux.* müssen)
nehmen - nahm - genommen
nennen - nannte - genannt
pfeifen - pfiff - gepfiffen
preisen - pries - gepriesen
quellen - quoll - gequollen
raten - riet - geraten
reiben - rieb - gerieben
reißen - riß - gerissen
reiten - ritt - geritten
rennen - rannte - gerannt
riechen - roch - gerochen
ringen - rang - gerungen
rinnen - rann - geronnen
rufen - rief - gerufen
salzen - salzte - gesalzen (gesalzt)
saufen - soff - gesoffen
saugen - sog - gesogen
schaffen - schuf - geschaffen
schallen - schallte (scholl) - geschallt (*for erschallen a.* erschollen)
scheiden - schied - geschieden
scheinen - schien - geschienen
scheißen - schiß - geschissen
schelten - schalt - gescholten
scheren - schor - geschoren
schieben - schob - geschoben
schießen - schoß - geschossen
schinden - schund - geschunden
schlafen - schlief - geschlafen
schlagen - schlug - geschlagen
schleichen - schlich - geschlichen
schleifen - schliff - geschliffen
schleißen - schliß - geschlissen
schließen - schloß - geschlossen
schlingen - schlang - geschlungen
schmeißen - schmiß - geschmissen
schmelzen - schmolz - geschmolzen
schnauben - schnob - geschnoben
schneiden - schnitt - geschnitten
schrecken - schrak - *obs.* geschrocken
schreiben - schrieb - geschrieben
schreien - schrie - geschrie(e)n
schreiten - schritt - geschritten
schweigen - schwieg - geschwiegen
schwellen - schwoll - geschwollen
schwimmen - schwamm - geschwommen
schwinden - schwand - geschwunden
schwingen - schwang - geschwungen
schwören - schwor - geschworen
sehen - sah - gesehen
sein - war - gewesen
senden - sandte - gesandt
sieden - sott - gesotten
singen - sang - gesungen
sinken - sank - gesunken
sinnen - sann - gesonnen
sitzen - saß - gesessen
sollen - sollte - gesollt (*v/aux.* sollen)
spalten - spaltete - gespalten (gespaltet)
speien - spie - gespie(e)n
spinnen - spann - gesponnen
sprechen - sprach - gesprochen
sprießen - sproß - gesprossen
springen - sprang - gesprungen
stechen - stach - gestochen
stecken - steckte (stak) - gesteckt
stehen - stand - gestanden
stehlen - stahl - gestohlen
steigen - stieg - gestiegen
sterben - starb - gestorben
stieben - stob - gestoben
stinken - stank - gestunken
stoßen - stieß - gestoßen
streichen - strich - gestrichen
streiten - stritt - gestritten
tragen - trug - getragen
treffen - traf - getroffen
treiben - trieb - getrieben
treten - trat - getreten
triefen - triefte (troff) - getrieft
trinken - trank - getrunken
trügen - trog - getrogen
tun - tat - getan
verderben - verdarb - verdorben
verdrießen - verdroß - verdrossen
vergessen - vergaß - vergessen
verlieren - verlor - verloren
verschleißen - verschliß - verschlissen
verzeihen - verzieh - verziehen
wachsen - wuchs - gewachsen
wägen - wog (wägte) - gewogen (gewägt)
waschen - wusch - gewaschen
weben - wob - gewoben
weichen - wich - gewichen
weisen - wies - gewiesen
wenden - wandte - gewandt
werben - warb - geworben
werden - wurde - geworden (worden*)
werfen - warf - geworfen
wiegen - wog - gewogen
winden - wand - gewunden
wissen - wußte - gewußt
wollen - wollte - gewollt (*v/aux.* wollen)
wringen - wrang - gewrungen
zeihen - zieh - geziehen
ziehen - zog - gezogen
zwingen - zwang - gezwungen

* only in connection with the past participles of other verbs, *e.g. er ist gesehen worden* he has been seen.

A

A, a [aː] *n* A, a (*a. mus.*); *das A und O* Alpha and Omega, *w.s.* the most important thing (*gen.* of); *von A bis Z* from A to Z, from first to last; *wer A sagt, muß auch B sagen* in for a penny, in for a pound; *mus. A-Dur* A major; *a-Moll* A minor.

à [a] *econ. prp.* at ... each; *5 Zigarren ~ 20 Cent* 5 cigars 20 cents each.

Aal [aːl] *m* (-[e]s; -e) eel; *mil. sl.* (*torpedo*) tin-fish; *sich winden wie ein ~* wriggle like an eel; **ˈ≈en** *v/i.* (*h.*) fish for eels; *v/refl. fig. sich ~* (*h.*) laze, lounge about; *sich* (*in der Sonne etc.*) *~* bask (in the sun, *etc.*); **≈glatt** *adj.* slippery (as an eel); **ˈ~reuse** *f* eel-buck.

Aar [aːr] *poet. m* (-[e]s; -e) eagle.

Aas [aːs] *n* (-es; -e) carrion, carcass; *tanning*: fleshings *pl.*; *colloq.* (*pl.* Äser) beast; **≈en** [ˈaːzən] *colloq. v/i.* (*h.*): *mit et. ~* squander, waste; **ˈ~fliege** *f* carrion fly; **ˈ≈fressend** *adj.* necrophagous; **ˈ~geier** *m* carrion-vulture; *fig.* vulture; **≈ig** [ˈaːziç] **I.** *adj.* carrionlike; *fig.* foul, dirty; *colloq.* beastly; **II.** *adv. colloq.* beastly; *er hat ~ viel Geld sl.* he is lousy with money.

ab [ap] *adv. and prp.* (*dat.*) **1.** *space*: off, down; away (from); *thea.* exit (*Romeo, etc.*), *pl.* exeunt; *Hut ~!* off with your hat(s *pl.*), (*a. fig. vor dir, etc.*) hat(s *pl.*) off (to you, *etc.*); *von da ~* from there; *weit ~* (*von dat.*) far off (*a th. or* from *a th.*); *rail. ~* dep. (= departure); *rail. ~ Brüssel* from Brussels; *econ. ~ Berlin* (*Fabrik, Lager, etc.*) ex Berlin (works, warehouse, *etc.*); *~ dort* loco your town, (to be) delivered at yours; *~ hier* loco here, (to be) delivered here; *die Preise verstehen sich ~ hier* prices are quoted from here; **2.** *time*: from; *adm.* as of, on or after, effective; *~ heute* from today; *von jetzt ~* from now on, in (the) future; *von da ~* from that time; *~ und zu* now and then, off and on, (every) once in a while; **3.** less, deducting; **4.** *colloq. ~ sein* be (quite) exhausted, be all in.

abänder|lich [ˈapˀɛndərliç] *adj.* alterable, modifiable, (*a. gr.*) variable; *jur.* commutable; **~n** *v/t.* (*h.*) alter, change; vary; modify; correct, rectify; revise, recast; *parl.* amend; *jur.* commute; **≈ung** *f* alteration; modification; rectification; revision; *parl.* amendment; **≈ungsantrag** *parl. m* amendment; **~ungsfähig** *adj.* modifiable; **≈ungspatent** *n* reissue patent.

Abandon-erklärung [abɑ̃ːˈdɔ̃ː-] *econ. f* notice of abandonment.

abandonnieren [-dɔˈniːrən] *econ. v/t.* (*h.*) abandon.

ˈab-arbeiten *v/t.* (*h.*) work off (*a. debt*); overwork, overtask; wear out; *sich ~* slave, drudge; spare no pains; overwork o.s., work o.s. to the bone; *abgearbeitet* overworked, worn out.

ˈab-ärgern: *sich ~* (*h.*) fret o.s. to death.

ˈAb-art *f* variety (*a. bot., zo.*), species, modification; *fig.* variety, version; **≈en** *v/i.* (*sn*) deviate from type, vary; degenerate; **≈ig** *adj.* abnormal.

ˈab-ätzen *v/t.* (*h.*) remove (with caustics); corrode; *med.* cauterize.

ˈabbalgen *v/t.* (*h.*) skin, flay.

ˈAbbau *m* (-[e]s) pulling-down, demolition (*of buildings, etc.*); *tech.* disassembly; *a. w.s.* (*mil.*) dismantling, stripping; (*pl.* -e) *mining*: **a)** working, exploitation (*of a mine*), mining (*of coal*), **b)** exhaustion (*of a mine*); *~ unter Tage* underground working; *chem.* decomposition, breaking-down; *physiol.* catabolism; *fig.* retrenchment, economies *pl.*, cut, cut-back, slash(es *pl.*); reduction, cut(s *pl.*) (*in prices, wages, etc.*); retrenchment (*of expenses or officials*), staff reduction; *temporary*: laying off; discharge, dismissal (*of employees*); lifting *of restrictions*, relaxation *of controls*; **≈en** *v/t. and v/i.* (*h.*) pull (*or* take) down, demolish; *tech.* disassemble; dismantle, strip; work (*a mine*); mine, win (*coal, etc.*); *film*: strike a set; *chem.* break down, disintegrate; *fig.* retrench (*expenses*); reduce, cut (*prices, wages*); retrench, (give the) ax(e) (to) (*offices*); reduce, cut down (*personnel*); dismiss, discharge (*employees*), *temporarily*: lay off; work off (*backlog*); repay (*debt*); *colloq. sports*: wilt; **~feld** *n* working field; **~gerechtigkeit** *f* mining franchise; **~mittel** *chem. n* disintegrant; **~produkt** *chem. n* decomposition product; **≈würdig** *adj.* workable.

ˈabbefördern *v/t.* (*h.*) remove, carry off; evacuate.

ˈabbeißen *v/t.* (*irr., h.*) bite off.

ˈabbeiz|en *v/t.* (*h.*) remove (with caustics); pickle, scour (*metal*); dress, taw (*skins*); *med.* cauterize; **≈mittel** *n* caustic; *metall.* pickling agent; paint remover.

ˈabbekommen *v/t.* (*irr., h.*) get off *or* loose; *s-n Teil ~* get (*or* come in for) one's share; et. *~* come in for a th., *colloq.* get hurt, be hit, *thing*: be damaged.

ˈabberuf|en *v/t.* (*irr., h.*) call away; recall (*diplomat*); remove (*or* relieve) from office; **≈ung** *f* recall; removal, suspension (*from office*).

ˈabbestell|en *v/t.* (*h.*) *econ.* countermand, cancel (*an order*); discontinue, cancel (*the subscription*); *j-n*: tell *a p.* not to come; **≈ung** *f* countermand; cancellation.

ˈabbetteln *v/t.* (*h.*): *j-m* et. *~* wheedle a th. out of a p.

ˈabbieg|en I. *v/t.* (*irr., h.*) bend off; turn aside; deflect; *fig.* ward off (*danger*); *colloq.* take care of, handle (*a matter*); **II.** *v/i.* (*irr., sn*): *nach rechts* (*links*) *~* turn right (left); *mar., mil.* change course; *road*: branch off, turn off; **≈ung** *f* road juncture, fork; bend.

ˈAbbild *n* copy, duplicate; replica; image (*a. opt.*), effigy; likeness, portrait; *fig. das ~ s-s Vaters* the spit and image of his father; **≈en** *v/t.* (*h.*) copy, duplicate; represent, show (*a th.*); take the likeness of, portray, paint (*a p.*); draw; *sculp.* model; *oben abgebildet* shown above; **~ung** *f* representation; picture, illustration; *tech.* diagram, graph, *esp. in caption*: figure (*abbr.* fig.); *mit ~en versehen* illustrate (*a book, etc.*).

ˈabbinden I. *v/t.* (*irr., h.*) untie, unbind, loosen, remove; *med.* tie off, ligature; apply a tourniquet to (*wound*); wean; *el.* lace (*cable*), lash (*wire*); **II.** *v/i.* (*irr., h.*) *chem.* bond; *cement*: set.

ˈAbbinden *n* (-s) untying, *etc.*; *med.* ligature; *chem.* bonding; *cement*: setting.

ˈAbbitte *f* apology; *~ tun or leisten* make one's apology, apologize (*bei j-m wegen et.* to a p. for a th.); **≈n** *v/t.* (*irr., h.*): *j-m* et. *~* apologize to a p. for a th., beg a p.'s forgiveness.

ˈabblase|n *v/t.* (*irr., h.*) blow off (*a. steam*) *or* away; *tech.* (sand)blast; *mil.* dust (*toxic agents*), release (*gas*); *fig.* call off, cancel; break off (*an attack*); **≈ventil** *n* blowoff valve.

ˈabblättern I. *v/t.* (*h.*) strip the leaves off, defoliate; **II.** *v/i.* (*sn*), *a. sich* (*h.*) shed the leaves; flake off, peel off; *skin*: desquamate; *bone*: exfoliate.

ˈabblend|en *v/t.* (*h.*) screen, dim; *mot.* (*a. v/i.*) dim (*or* dip) the headlights; *phot.* stop down; *film, radio*: fade down *or* out; **≈en** *n* dimming; *mot.* dipping; *phot.* stop-down; *film, radio*: fading down; **≈licht** *n* (-[e]s; -er) passing beam; **≈schal-**

ter *m* dip-switch; **2ung** *mot. f* dimming, screening; antidazzling.
'**abblitzen** *v/i.* (*sn*) meet with a rebuff (*bei j-m* from), be sent away; *j-n ~ lassen* send a p. about his business, snub a p. (off).
'**abblühen** *v/i.* (*sn*) droop, wither; *fig.* fade; *abgeblüht sein* be over.
abböschen ['-bœʃən] *v/t.* (*h.*) slope.
'**abbrausen I.** *v/t. and sich ~* (*h.*) douche, shower; *sich ~ a.* have a shower; **II.** *colloq. v/i.* (*sn*) rush off, whiz(z) *or* buzz off.
'**abbrechen I.** *v/t.* (*irr., h.*) break off; pluck, pick (*fruit*); pull down (*houses*), take down (*a. scaffolding*); demolish; break up (*camp*); strike (*tent*); *typ.* break (*line*); *fig.* stop, interrupt; cut short; break off (*relations, etc.*); raise (*a siege*); call off (*a strike*); **II.** *v/i.* (*irr., sn*) break off, snap off; *fig.* stop, cease; be interrupted; *kurz ~* stop short *or* dead, break off (abruptly); interrupt o.s.
'**abbrems|en** *v/t. and v/i.* (*h.*) brake, apply the brakes; make a brake test; *aer.* run up, power-test *the engine*; *fig.* brake, put the brake on; retard, slow down; cushion, absorb; *phys.* moderate; **2vorrichtung** *f* arresting gear.
'**abbrenn|en I.** *v/t.* (*irr., h.*) burn down, destroy by fire; burn off; assart (*the ground*); *metall.* refine; temper (*steel*); *el.* spark; let off (*fireworks*); **II.** *v/i.* (*irr., sn*) burn down *or* to the ground; *person*: lose one's property through a fire, be burnt out; *candle*: burn away; → *abgebrannt*; **2schweißung** *tech. f* flash-butt welding; **2schweißverfahren** *n* gas welding method.
'**abbringen** *v/t.* (*irr., h.*) get off; deflect, divert; *mar.* unmoor; float (*stranded ship*); *fig. j-n ~ von* argue (*or* talk, reason) a p. out of (*a project*), dissuade a p. from *a th.*; *j-n von e-r Gewohnheit ~* break a p. of a habit; *j-n von e-m Thema ~* lead a p. away from a topic; *j-n vom (rechten) Wege ~* (*a. fig.*) lead a p. astray; *sich nicht ~ lassen von et.* cling (*or* stick) to a th., persist in (doing) a th., stick to one's guns; *davon lasse ich mich nicht ~* you won't change my mind about this.
'**abbröckeln** *v/i.* (*sn*) crumble away; *fig. econ. prices*: crumble (away), drop off.
'**Abbruch** *m* pulling down, demolition, taking down; debris, rubble; *mount.* descent; *auf ~ verkaufen* sell for scrap *or* for the material; *fig.* breaking off (*of diplomatic relations, etc.*), discontinuance; rupture; damage, prejudice; *e-r Sache ~ tun* impair, detract from, damage, injure, prejudice *a th.*; **~arbeiter** *m* demolition worker, wrecker; **~höhe** *aer. f* break-off height; **2reif** *adj.* ripe for demolition, dilapidated, derelict; **~unternehmer** *m* housebreaker, *pl. Am.* wrecking company.
'**abbrühen** *v/t.* (*h.*) (par)boil (*poultry, etc.*); scald (*pig*); *fig.* → *abgebrüht*.
'**abbuch|en** *econ. v/t.* (*h.*) charge, debit; write off, get off the books; **2ung** *f* charge, debit (entry); write-off.
'**abbürsten** *v/t.* (*h.*) brush (down) (*clothes*); brush off (*dust*).
'**abbüßen** *v/t.* (*h.*) expiate, atone for; serve *a sentence*.
'**Abbüßen** *n* (*-s*) expiation, atonement; *nach ~ der Freiheitsstrafe* after expiry of the term of imprisonment.
ABC [aːbeˈtseː] *n* (*-; -*) ABC, alphabet; *fig. the* (first) rudiments; *nach dem ~* alphabetically; **Abc-Buch** *n* spelling-book, primer; **~-Kriegführung** *f* ABC warfare; **Abc-Schüler(in** *f*) *m*, **Abc-Schütze** *m* abecedarian; **~-Waffen** *mil. f/pl.* ABC-weapons.
abdach|en ['apdaxən] *v/t.* (*h.*) slope, slant; **2ung** *f* (*-; -en*) slope, declivity; glacis.
'**abdämm|en** *v/t.* (*h.*) dam up *or* off; embank; *el.* insulate; *fig.* stem off; **2ung** (*-; -en*) damming up, embankment; insulation.
'**Abdampf** *m* exhaust steam; **2en I.** *v/i.* (*sn*) evaporate; *train*: steam (*or* chuff) off, pull out; *colloq.* beat it; **II.** *v/t.* (*h.*) (*a. ~ lassen*) evaporate, vaporize; **~en** *n* (*-s*) evaporation.
'**abdämpfen** *v/t.* (*h.*) *cul.* steam; damp, deaden, soften (*sound*).
'**Abdampf...: ~energie** *f* energy in the exhaust steam; **~heizung** *f* waste-steam heating; **~ofen** *m* slip kiln; **~rohr** *n* exhaust pipe; **~turbine** *f* waste-steam turbine.
'**abdank|en I.** *v/t.* (*h.*) discharge, dismiss; *mar.* pay off *the crew*; retire, pension off (*civil servant*); cashier (*officer*); *fig.* lay up (*ship*); **II.** *v/i.* (*sn*) resign (one's office), tender one's resignation, retire; quit the service; *ruler*: abdicate; **2ung** *f* (*-; -en*) discharge, dismissal; resignation, retirement; abdication.
'**abdarben** *v/refl.* (*h.*): *sich et. ~* deny o.s. a th., stint o.s. of a th.
Abdeck|blech ['apdɛk-] *n* cover (-ing) sheet; **~blende** *f* shutter; **2en** *v/t.* (*h.*) uncover; untile (*roof*); unroof (*house*); strip (*bed*); clear (*the table*); *tech.* mask, cover, conceal, shield; *phot.* screen off; flay (*cattle*); *econ.* meet, cover; pay back, repay; *football, etc.*: mark; *boxing*: guard, cover (up).
'**Abdecker** *m* (*-s; -*) knacker, flayer;
Abdecke'rei *f* (*-; -en*) knacker's yard, knackery, *Am.* bone yard.
'**Abdeck...: ~plane** *f* cover; **~platte** *f* cover plate.
abdeichen ['apdaɪçən] *v/t.* (*h.*) → *abdämmen*.
'**abdekantieren** *chem. v/t.* (*h.*) decant.
'**abdestillieren** *chem. v/t.* (*h.*) distil(l) off.
'**abdicht|en** *v/t.* (*h.*) make tight; *tech.* seal, pack; *mar.* caulk; *gegen Gas (Wasser) ~* gasproof (waterproof); → *dichten*; **2ung** *f* sealing, *etc.*; → *Dichtung*.
'**abdienen** *v/t.* (*h.*): *s-e Zeit ~* serve one's time; work off (*debt*).
'**abdorren I.** *v/i.* (*sn*) wither, dry up; **II.** *tech. v/t.* (*h.*) kiln-dry.
'**abdörren** *v/t.* (*h.*) dry up, parch, desiccate.
'**abdräng|en** *v/t.* (*h.*) push off *or* aside, force away; *mot. seitlich ~* side-swipe; *aer., mar.* deflect from course (*wind*); **2ung** *f* (*-; -en*) *aer.* deflection from course (by wind), drift; *mar.* leeway.
'**abdreh|en I.** *v/t.* (*h.*) twist off; turn off (*the gas, etc.*); *el.* switch off; *tech.* strip (*thread*); true, dress (*polishing disk*); turn off (*or* down) (*work*); face; **II.** *v/i.* (*sn*) *mar.* change one's course, turn off; veer off; *aer.* **a**) break away (*in dogfight*), **b**) go into a nose-dive; **2maschine** *f* finishing machine, lathe; **2spindel** *f* lathe spindle; **2werkzeug** *n* dressing (*or* turning) tool.
Abdrift ['apdrift] *f* (*-; -en*) *aer., mar.* drift; *mar.* leeway; **~anzeiger** *m* drift indicator; **~platz** *m for paratroops*: jump area.
'**abdrosseln** *v/t.* (*h.*) *mot.* throttle (down), stall; *a. el.* choke.
'**Abdruck** *m* (*-[e]s; ⸚e*) impression, mark, stamp; fingerprint, smudge; cast; *of tooth*: mo(u)ld; fossil remains *pl.*, *of plants*: dendrolite, *of fish*: ichthyolite; *typ.* impression; (*pl. -e*) copy, print; reprint; proof; *of signet, etc.*: mark, stamp; *of coin*: ectype; **2en** *v/t.* (*h.*) *typ.* print (off); *wieder ~* reprint; publish.
'**abdrücken** *v/t.* (*h.*) mo(u)ld; discharge, fire off (*gun*), (*a. v/i.*) pull the trigger (of); hug, squeeze, cuddle; *j-m das Herz ~* break a p.'s heart.
'**Abdruckrecht** *n* right of reproduction, copyright.
'**Abdruckstempel** *typ. m* impression block.
'**abducken** *v/t. and v/i.* (*h.*) dodge, duck.
Abduktion [apduktsiˈoːn] *med. f* (*-; -en*) abduction.
'**abdunkeln** *v/t.* (*h.*) darken, dim, black out (*light*); deepen, shade down (*colour*); *TV*: blank.
'**abdunst|en** *v/t.* (*h.*) evaporate; **2ung** *f* (*-; -en*) evaporation.
'**ab-ebben** *v/i.* (*sn*) ebb away; *fig.* ebb, die down, fizzle out.
Abend ['aːbənt] *m* (*-s; -e*) evening; *poet.* eve; *thea.* night; *mus.* recital; evening party, soirée; *bunter ~* variety show; → *heilig*; *geogr. the* West; *am ~, des ~s* in the evening, at night; *diesen ~, heute 2* this evening, tonight; *morgen (gestern) 2* tomorrow (last) night; *Guten ~!* good evening!; *zu ~ essen* have supper, sup; have dinner, dine (in the evening); *es wird ~* it is getting dark, night is drawing in; *fig. man soll den Tag nicht vor dem ~ loben* don't halloo till you are out of the wood; *es ist noch nicht aller Tage ~* things may take a turn yet.
'**Abend...: ~andacht** *f* evening prayers *pl.*; **~anzug** *m* evening dress; **~ausgabe** *f* evening edition; **~blatt** *n* evening paper; **~börse** *econ. f* evening exchange; **~brot** *n* supper; **~dämmerung** *f* (evening) twilight, dusk; **~essen** *n* supper, dinner; **2-füllend** *adj.* full-length (*film*); **~gebet** *n* evening prayer; **~geläute** *n* evening bells *pl.*; **~gesellschaft** *f* evening party, soirée; **~gottesdienst** *m* evening service, *R.C.* vespers *pl.*; **~kasse** *thea. f* box-office; **~kleid** *n* evening gown (*or*

dress); **~kühle** *f* cool of the evening; **~kurs** *m* → *Abendschule*; **~land** *n* (-[e]s) *the* Occident; **2ländisch** ['-lɛndiʃ] *adj.* western, occidental; **2lich** *adj.* evening, of (*or* in) the evening; *~er Wind* evening breeze; **~mahl** *n* (-[e]s; -e) → *Abendessen*; *eccl. the* (Holy) Communion, *the* Lord's Supper; *das ~ empfangen* partake of the Lord's Supper, communicate; *das ~ reichen* administer the sacrament; **~messe** *eccl. f* vespers *pl.*; **~rot** *n*, **~röte** *f* evening (*or* sunset) glow, afterglow.

abends ['ɑ:bənts] *adv.* in the evening; *spät ~* late in the evening; *um 7 Uhr ~* at 7 o'clock in the evening (*or* p.m.); *von ~ bis früh* from nightfall to sunrise; *von morgens bis ~* from dawn to dusk, from morning till night.

'Abend...: **~schule** *f* evening classes *pl.*, night-school; **~seite** *ast. f* western aspect; **~sonne** *f* setting sun; **~stern** *m* evening star, Venus; **~tisch** *m* supper table; **~toilette** *f* evening dress (*or* toilet); **~umhang** *m* evening wrap; **~unterricht** *m* → *Abendschule*; **~wind** *m* evening breeze; **~zeit** *f* night-time; **~zeitung** *f* evening paper.

Abenteuer ['ɑ:bəntɔʏər] *n* (-s; -) adventure; venture; → *galant*; *auf ~ ausgehen* seek adventures; **~geschichte** *f* adventure story; **2lich** *adj.* adventurous; *fig.* strange, quixotic, romantic; wild, fantastic; *ein ~es Leben führen* lead an adventurous life, live by one's wits; **~lichkeit** *f* (-; -en) adventurousness; *fig.* strangeness, quixotry; extravagance; **~lust** *f* (-) spirit of adventure; **2n** *v/i.* (*h.*) lead an adventurous life, knock about.

'Abenteurer *m* (-s; -) adventurer; daredevil; **~in** *f* (-; *-nen*) adventuress; **~leben** *n* (-s): *ein ~ führen* → *abenteuern*.

aber ['ɑ:bər] **I.** *adv.* again; *~ und abermals* again and again, over and over again; *Tausende und ~ Tausende* thousands and (*or* upon) thousands; **II.** *cj.* but; *~ d(enn)och* (but) yet, still, however; *oder ~* otherwise, (or) else; **III.** *int.*: *~!* now then!; *~, ~!* now, now!, come, come!, how could you!; *~ nein!* no!, on the contrary!; you don't say!, go on!; *~ schnell!* and make it quick!; *~ tüchtig!* and how!

'Aber *n* (-s; -) but, objection; *die Sache hat ein ~* there is a 'but' in it, there is a catch to it; *er hat immer ein (Wenn und) ~* he always has his objection; *ohne Wenn und ~* without any 'ifs' and 'buts'.

'Aber|glaube *m* superstition; **~gläubigkeit** *f* superstitiousness; **2gläubisch** ['-glɔʏbiʃ] *adj.* superstitious.

'ab-erkenn|en *v/t.* (*irr.*, *h.*): *j-m et. ~* deny a p. a th.; *jur.* deprive of (*right*); declare a p. disentitled to, dispossess a p. of *a th.* by judgment; disallow (*damages*); **2ung** *f* denial; *jur.* deprivation; dispossession; abjudication; *~ der bürgerlichen Ehrenrechte* deprivation (*or* loss) of civic rights, civic degradation.

aber|malig ['-mɑ:liç] *adj.* repeated, reiterated, renewed; **~mals** ['-mɑ:ls] *adv.* again, anew, once more.

'ab-ernten *v/t.* (*h.*) reap, harvest.

Aberration [ap'ɛratsi'o:n] *phys. f* (-; *-en*) aberration.

'Aberwitz *m* (-es) folly, madness, craziness; absurdity; **2ig** *adj.* crazy, mad, frantic; absurd.

'ab-essen **I.** *v/t.* (*irr.*, *h.*) eat off; clear (*plate*); *e-n Knochen ~* pick a bone; **II.** *v/i.* (*irr.*, *h.*) finish eating.

Abessin|ier [abɛ'si:niər] *m* (-s; -), **~ierin** *f* (-; *-nen*), **2isch** *adj.* Abyssinian.

abfachen ['apfaxən] *v/t.* (*h.*) partition, divide into compartments.

'abfahren **I.** *v/i.* (*irr.*, *sn*) leave, start; set out *or* off (*all*: *nach* for); drive off; pedal off; *rail.* pull out (*of the station*); *mar.* clear (*nach* for), depart, (set) sail; *mount.* glissade; *ski*: race downhill, run down; *rail. ~!* ready!, go!; *fig.* meet with a rebuff, be snubbed (off); *j-n ~ lassen, mit j-m ~* snub a p., give a p. the cold shoulder; **II.** *v/t.* (*irr.*, *h.*) cart (*or* carry) off, remove; pass (*or* drive) through, cover, do (*a distance*); patrol; wear out (*tyres*); *ihm wurde ein Bein abgefahren* he lost a leg in a motor-accident.

'Abfahrt *f* departure, start; setting-out; *mar.* sailing (*all*: *nach* for); *mount.* glissade; *ski*: downhill run, descent; *bei ~ des Zuges* at train-time; **~(s)bahnsteig** *m* departure platform; **2bereit** *adj.* ready to leave *or* start; **~(s)hafen** *m* port of departure *or* sailing; **~(s)lauf** *m ski*: downhill race; **~s-läufer(in** *f*) *m* straight-racer; **~s-tag** *m* day of departure; **~s-zeit** *f* time of departure.

'Abfall *m* (-[e]s) falling-off; fall (*of leaves*); steep slope, descent, declivity; *fig.* decrease; *a. el.* drop; defection, secession, backsliding (*von* from *a party, etc.*); desertion (*zu* to); *eccl.* apostasy (*von* from); revolt; *usu. Abfälle pl.* waste; refuse, rubbish, *Am.* garbage; *slaughtering*: offal; *tech.* chips, clippings, filings, shavings *pl.*; *fig.* unfavo(u)rable contrast; **~behälter** *m* refuse bin, *Am.* garbage can; **~eimer** *m* dust-bin, *Am.* ash-can; **~eisen** *n* scrap iron; **2en** *v/i.* (*irr.*, *sn*) fall *or* drop off; *fig.* decrease, fall off, drop; fall away, desert; break away, defect, *Am. a.* bolt (*von* from *a party, etc.*); *eccl.* apostatize (*von* from); *ground*: slope (away); lose flesh, grow thin; *es wird dabei für ihn etwas ~* there will be something in it for him, too; *es fällt sehr ab gegen* (*acc.*) it is far inferior to, it compares badly with; **2end** *adj.* sloping (*ground*); *steil ~* precipitous; *econ.* inferior (*quality*); **~energie** *f* waste energy; **~erzeugnis** *n* waste product; by-product; **~grube** *f* refuse pit; **~händler** *m* junk dealer; **~haufen** *m* refuse heap, dump.

'abfällig **I.** *adj.* disapproving, critical; disparaging, derogatory, depreciatory; adverse (*criticism*); **II.** *adv.* disparagingly, *etc.*; *~ sprechen über j-n* speak disparagingly of a p., run a p. down; *j-n (j-s Bitte) ~ bescheiden* give a negative answer to a p., refuse (*or* turn down) a p.'s request.

'Abfall...: **~moment** *tech. n* breakdown torque; **~produkt** *n* by-product; **~verwertung** *f* waste utilization, salvage.

'abfälschen *v/t.* (*h.*) *sports*: divert *the ball.*

'abfang|en *v/t.* (*irr.*, *h.*) catch, capture, snatch; intercept (*letter, message, plane, etc.*); check (*attack*); entice (*or* draw) away (*customers*); *sports*: overtake; *mot.* get *a car* under control; *hunt.* kill, stab; *arch.*, *mining*: prop, support; *tech.* absorb, cushion (*shocks*); *aer.* flatten out, pull out (*of a dive*); **2jäger** *aer. m* interceptor.

'abfärben *v/i.* (*h.*, *sn*) lose colo(u)r, stain, bleed, come off; *~ auf* (*acc.*) stain, *fig.* influence, colo(u)r (*a p.*).

abfasen ['apfɑ:zən] *tech. v/t.* (*h.*) chamfer, face.

'abfasern **I.** *v/t.* (*h.*) string (*beans*); **II.** *v/i.* (*sn*) *fabric*: (*a. sich*, *h.*) ravel out, fray, fuzz.

'abfassen *v/t.* (*h.*) catch (*a p.*); intercept (*a p., a letter, etc.*); arrest; compose, write, pen; draft; word, formulate; couch (*in dat.* in *careful words, etc.*); draw up, originate; *kurz abgefaßt* concise(ly worded), brief; **'Abfassen** *n* (-s) composition; wording; formulation; drawing up, drafting.

'abfaulen *v/i.* (*sn*) rot (and fall) off.

'abfeder|n *v/t.* (*h.*) pluck (*poultry*); *tech.* spring(-load), suspend; cushion (*against shocks*); *einzeln abgefederte Räder* independently sprung wheels; **2ung** *f* cushioning; *mot.* spring suspension, springing.

'abfegen *v/t.* (*h.*) sweep off.

'abfeilen *v/t.* (*h.*) file off; *fig.* polish.

'abfeilschen (*h.*): *j-m et. ~* bargain a p. out of a th.; *et. vom Preise*: beat down *the price* (in bargaining).

'abfertig|en *v/t.* (*h.*) dispatch (*a. rail, etc.*); *customs*: clear; dispatch, forward, expedite; serve, attend to, deal with (*customers*); deal with *a p.*, *adm.*: *Am.* process; *fig. j-n ~* dismiss a p. without ceremony, send a p. about his business; *j-n kurz ~ a.* treat a p. curtly, snub a p., *a. sports*: make short work of; **2ung** *f* dispatching (*a. aer., rail.*); (customs) clearance; expedition; service; *fig.* snub; **2ungs-schein** *m* customs declaration; *econ.* dispatch note; **2ungsstelle** *f* dispatch office; **2ungs-zeit** *f* handling time; *customs*: hours *pl.* of clearance.

'abfeuern *v/t.* (*h.*) fire off, discharge; *sports*: shoot, let go with.

'abfind|en *v/t.* (*irr.*, *h.*) pay off, satisfy; compound with (*creditors*); buy out (*a partner*); indemnify, compensate (*für* for); portion off (*a child*); *sich mit j-m ~* come to terms with a p., settle (things) with a p.; *sich mit et. ~* resign o.s. to a th., make the best of a th.; *mit j-m or et.*: put up with *a p. or th.*; *sich mit den Gegebenheiten ~ a.* face the facts; **2ung** ['-finduŋ] *f* (-; *-en*) settlement, arrangement; composition (*mit den Gläubigern* with the creditors); *of employees*: severance pay; satisfaction; indemnification, compensation; ≈**ungs-entschädigung** *f* severance compensation; ≈**ungssumme** *f* sum of indemnity; compensation; ≈**ungsvertrag** *m* (deed of) composition.

ˈ**abfischen** *v/t.* (*h.*) fish off, empty.

abflachen [ˈapflaxən] *v/t.* (*h.*) flatten, level; *tech.* truncate (*thread*); *sich* ~ level, flatten, slope down, *water*: become shallow.

abflächen [apflɛçən] *tech. v/t.* (*h.*) face, surface; bevel.

Abflachung [ˈapflaxuŋ] *f* (-; -*en*) flattening, slope.

abflauen [ˈapflauən] *v/i.* (*sn*) *wind*: calm down, lull, drop; *fig.* ebb, subside, wane; *prices*: slacken off, give away; *business*: slacken, recede, slump; *interest*: fall off, flag, wane.

ˈ**abfliegen I.** *v/i.* (*irr.*, *sn*) fly off; *aer.* take off, start; **II.** *v/t.* (*irr.*, *h.*) patrol, cover.

ˈ**abfließen** *v/i.* (*irr.*, *sn*) flow (*or* run) off, drain off; leak off; ~ *lassen* run (*or* drain) off.

ˈ**abfluchten** *tech. v/t.* (*h.*) align.

ˈ**Abflug** *m* take-off, start, departure; ~ *mit Starthilfe* assisted take-off; *im* ~ outbound; ~**deck** *n* flight deck.

ˈ**Abfluß** *m* flowing off, draining off; *a. med.* discharge; outflow, efflux, (foreign) drain (*of money*); sink; gutter, gully; outlet; ~**gebiet** *n* catchment area; ~**graben** *m* drain (-age ditch); ~**hahn** *m* drain cock; ~**kanal** *m* discharge conduit; spillway; ~**menge** *f* (river) discharge; ~**rohr** *n* waste-pipe, drain pipe; *tech.* outlet pipe; ~**ventil** *n* drain valve.

ˈ**Abfolge** *f* succession; sequence; *geol.* origin.

ˈ**abfordern** *v/t.* (*h.*): *j-m et.* ~ demand (*or* claim) a th. of *or* from a p.; *a. fig.* exact a th. from a p.

ˈ**abformen** *v/t.* (*h.*) mo(u)ld, model; copy; *tech.* shape, mo(u)ld.

abforsten [ˈapfɔrstən] *v/t.* (*h.*) deforest, cut down.

ˈ**abfragen** *v/t.* (*h.*): *j-n et.* ~ question (*Am.* quiz) a p. about; *e-n Schüler die Grammatik* ~ hear a student's grammar; *teleph.* test the line.

ˈ**abfräsen** *tech. v/t.* (*h.*) mill off.

ˈ**abfressen** *v/t.* (*irr.*, *h.*) eat off; graze (down), browse on, crop; *tech.* corrode; *geol.* erode; *fig.* gnaw at *a p.'s heart.*

ˈ**abfrieren** *v/i.* (*irr.*, *sn*) freeze off, be bitten off by cold; *abgefroren* frost-bitten.

ˈ**abfühlen** *v/t.* (*h.*) touch, feel; *med.* palpate; *tel.* scan.

Abfuhr [ˈapfuːr] *f* (-; -*en*) removal, hauling off; cartage; *fenc.* disabling; *sports and fig.*: defeat, beating; rebuff; *Am.* brush-off; *fig. e-e* ~ *erteilen* (*dat.*) **a**) *sports*: beat (hollow), trounce, **b**) *fig.* settle *a p.*, snub, rebuff.

ˈ**abführen I.** *v/t.* (*h.*) lead off *or* away; carry (*or* cart, haul) off; remove, escort away (*prisoner*); drain off (*water, etc.*); *phys.* eliminate; carry off (*heat*); exhaust (*gas*); *econ.* **a**) pay over (*an acc.* to), **b**) pass *to a p.'s credit*, **c**) branch (*or* draw) off, **d**) pay off, clear off, discharge (*debt*); *fenc.* disable; *fig.* snub; **II.** *v/i.* (*h.*) *med.* purge (the system), be aperient, loosen the bowels; ~**d** *adj. med.* purgative, aperient, laxative.

ˈ**Abfuhr...:** ~**kosten** *pl.* carriage *sg.*; ~**lohn** *m* cartage.

ˈ**Abführ...:** ~**mittel** *n* aperient, laxative, purgative; ~**tee** *m* aperient tea; ~**ung** *f* → *abführen*; removal, carriage; payment, settlement, clearance; *med.* purging.

Abfüll|anlage [ˈapfyl-] *f* filling (*or* bottling) plant; ≈**en** *v/t.* (*h.*) fill; decant; draw (*or* rack) off (*beer, wine, etc.*), bottle; ~**station** *f* filling station; ~**waage** *f* weigher-filler.

ˈ**abfüttern** *v/t.* (*h.*) feed; *tech.* line.

ˈ**Abgabe** *f* delivery; surrender; *sports*: pass; transmission (*of message*); issue; sale; ~ *e-r Erklärung* (making of a) statement; ~ *der Wahlstimme* casting one's vote, voting, polling; tribute; *esp.* customs, duty; tax, impost; (*communal*) rate; ~*n pl. stock exchange*: sales; *soziale* ~*n pl.* social contribution *sg.*; *phys.* emission (*of rays, etc.*); *el.* output; release (*of energy*); ≈**nfrei** *adj.* duty-free; tax-exempt; ~**nfreiheit** *f* (-) exemption from duties; immunity; ≈**npflichtig** *adj.* dutiable; liable to duty *or* taxes; ~**nwesen** *n* (-s) (system of) imposts and taxes; ~**pumpe** *mot. f* dispensing pump.

ˈ**Abgang** *m* departure, start; *mar.* sailing; *thea.* exit; *gym.* dismount; retirement, resignation (*aus* from *a post*); leaving (*von der Schule* school); graduation (from); sale (*of merchandise*); tare; waste, wastage, loss; *at weighing*: deficiency, shortage; *of liquids*: leakage, ullage; decrease; diminution, reduction; *Abgänge pl. of personnel*: separations; dispatch (*of goods*); *banking*: items disposed of; *med.* discharge, flux; *econ. guten* ~ *finden* meet with a ready sale, find a ready market, go off well; *schlechten* ~ *finden* have a poor sale, be a drug in the market.

ˈ**abgängig** *adj. econ.* **a**) missing, deficient, **b**) sal(e)able, marketable.

ˈ**Abgangs...:** ~**alter** *n* school-leaving age; ~**hafen** *m* port of clearance; ~**mikrophon** *n* sound emission microphone; ~**prüfung** *f* leaving examination; ~**schüler** *m* school-leaver, graduate; ~**station** *f* station of departure; ~**verkehr** *m* outgoing traffic; ~**zeit** *f* time of departure (*or of goods*: of dispatch); ~**zeugnis** *n* (school-)leaving certificate; diploma.

ˈ**Abgas** *n* waste (*esp. mot.*: exhaust) gas; ~**gebläse** *n* exhaust-gas-driven compressors; ~**kanal** *m* exhaust flue; ~**reinigungs-anlage** *f* waste-gas purification plant; ~**turbine** *f* exhaust(-gas) turbine; ~**turbolader** [ˈ-turboˈlaːdər] *aer. m* (-s; -) exhaust-driven turbosupercharger; ~**verwertung** *f* waste-gas utilization.

ˈ**abgaunern** *v/t.* (*h.*): *j-m et.* ~ trick (*or* cheat) a p. out of a th.

ˈ**abge-arbeitet** *adj.* toilworn, worn-out, overwrought; *pred.* run down.

ˈ**abgeben I.** *v/t.* (*irr.*, *h.*) deliver (up), hand over (*an, bei* to); give up, hand over (*ticket, passport*); submit *a document* (to), file (with); hand in; turn in (*tool, etc.*); deposit, leave *one's baggage, etc.*, (with); *abzugeben bei* to be handed to, c/o. (= care of); *s-e Karte bei j-m* ~ leave one's card on a p.; *econ.* supply, let have, (*a. stock exchange*) sell; *blanco* ~ sell bear, *Am.* sell short; give up, dispose of, make over (to); draw *a bill of exchange* (*auf j-n* on); transmit (*message*); detach (*a p.*); *e-e Erklärung* ~ make a statement, *jur. a.* depose, → *eidlich*; *e-e Meinung* ~ give (*or* deliver) an opinion (*über* on), comment (on), pass one's verdict (on); → *hergeben, Stimme*; *e-n Schuß* ~ fire a shot, shoot, *sports*: deliver a shot, shoot; *den Ball* ~ pass the ball; *tech.* give off (*steam*), radiate, emit (*heat, etc.*), deliver (*current*); *abgegebene Leistung* (effective) output; *vending machine, etc.*: dispense, meter out; yield; *von et.* ~ give some of, share a th. (*an* with); *kannst du mir eine Zigarette* ~ can you spare me a cigarette; serve as, *person*: act as; *er würde e-n guten Verkäufer* ~ he would make a good salesman; *sich* ~ *mit et.* deal with, occupy *or* concern o.s. with, have to do with *a th.*, spend (*b.s.* waste) much time on; *mit j-m*: have to do with, have dealings with *a p.*, *socially*: *a.* mix with, associate with, frequent *a p.'s* company; *mit ihm gebe ich mich gar nicht ab* I want no truck with him; **II.** *v/i.* (*irr.*, *h.*) *sports*: pass (the ball).

ˈ**abge|brannt** *adj.* burnt down; *person*: burnt out; *colloq. fig.* broke; ~**brochen** *adj.* broken off; *fig.* broken, abrupt, disjointed; chopped (*speech, style*); ~**brüht** [ˈ-gəbryːt] *fig. adj.* hardboiled, hardened, callous; ~**droschen** *fig. adj.* commonplace, trite, hackneyed, well-worn (*phrase, etc.*); ~**feimt** [ˈ-gəfaɪmt] *adj.* artful, crafty, wily; insidious; ~*er Spitzbube* out-and-out rascal; ~**griffen** *adj.* worn (-out); well-thumbed (*book*); *fig.* → *abgedroschen*; ~**hackt** *fig. adj.* → *abgebrochen*; ~**härmt** [ˈ-gəhɛrmt] *adj.* care-worn, haggard; ~**härtet** [ˈ-gəhɛrtət] *adj.* hardened (*gegen* against), inured (to); weather-beaten.

ˈ**abgehen I.** *v/i.* (*irr.*, *sn*) go off *or* away; *a. rail, etc.*: leave, start, depart (*nach* for); *ship*: sail (for); *thea.* (*a. fig.*) make one's exit; *geht* (*gehen*) *ab* exit (exeunt); *mail*: leave, go; *med.* be discharged, pass; *button, etc.*: come off; *lane*: branch off; ~ *lassen* dispatch, forward (*shipment*), send out (*ship*); *mit dem Tode* ~ depart this life; *fig. merchandise*: sell; *reißend* ~ sell like hot cakes; *von e-m Amt*: retire (from *an office*), resign; *von der Schule*: leave *school*, *successfully*: graduate from; *von e-r Meinung*: alter (*one's opinion*), change (*one's view*); *von e-m Thema*: digress from *a subject*, swerve from, drop; *von e-m Vorhaben*: drop, abandon (*a project*); *von der Wahrheit*: deviate from, depart from (*the truth*); *vom (rechten) Wege* ~ go astray (*a. fig.*); *vom Preise* ~ *person*: lower the price, grant a reduction (in the price); *nicht* ~ *von* persist in, insist on; *davon gehe ich nicht ab* nothing can change my mind about this; be missing *or* wanting, lack; *was ihm abgeht, ist Mut* what he wants is courage, he has no courage; *davon geht (gehen) ab* deduct (from this), less, minus; *sich nichts* ~ *lassen* deny o.s. nothing, not to stint in any way; *ihm geht nichts ab* he doesn't go short of anything; *ihr soll nichts* ~ she shall not want for anything; *er geht mir sehr ab* I miss him badly; end; *gut* ~ pass off well, succeed; *schlecht* ~ turn out badly, fail; **II.** *v/t.* (*irr.*, *sn*) measure by steps, pace off; patrol.

abge|hetzt [ˈapgəhɛtst] *adj.* harassed, hardpressed; exhausted, overwrought; *pred.* run down; breathless, panting; **~kämpft** [-kɛmpft] *adj.* battle-weary; *w.s.* worn-out, spent, weak and weary; **~kartet** *adj.* → *abkarten*; **~klärt** [-klɛ:rt] *adj.* detached, mellow, wise; **~lagert** *adj.* matured, aged (*wine*); seasoned (*wood*); well-seasoned (*cigar, etc.*); *geol.* deposited; **~lebt** [-le:pt] *adj.* decrepit, effete; **~legen** *adj.* remote, distant, far--away; secluded, retired; out-of--the-way, *pred.* out of the way; **2legenheit** *f* (-) remoteness; seclusion; **~lehrt** *tech. adj.* calibrated.

ˈ**abgelt|en** *v/t.* (*irr.*, *h.*) meet (*expenses*); discharge, compensate (*debt*); **2ung** *f* discharge; settlement; compensation delivery; *zur* ~ *von Barleistungen* in lieu of cash.

ˈ**abgemacht** → *abmachen.*

abgemagert [ˈapgəma:gərt] *adj.* emaciated, shrunken; *pred. a.* mere skin and bone.

ˈ**abgemessen** *adj.* measured; *genau* ~ exact, precise, accurate(ly dimensioned); *fig.* measured (*speech, etc.*); **2heit** *f* (-) exactness, accuracy; formality, stiffness; regularity.

ˈ**abgeneigt** *adj.* disinclined *or* unwilling (*dat.* for *or* to *a th.*; *zu inf.* to), averse (to); loath (to *do*); *j-m* ~ ill-disposed towards a p.; *ich bin nicht* ~, *zu inf.* I am quite prepared to *inf.*; **2heit** *f* → *Abneigung.*

abgenutzt [ˈapgənutst] *adj.* worn--out (*a. fig.*); used up; **~e** *Schneide* blunt edge.

Abge-ordnet|e(r *m*) [ˈapgəˀɔrdnətə(r)] *f* (*-n*; *-n*; *-en*; *-en*) deputy, delegate, representative; *Brit. parl.* Member of Parliament (*abbr.* M.P.); **~enhaus** *n* chamber of deputies, Lower House; *Great Britain*: House of Commons; *USA*: House of Representatives.

ˈ**abgerissen** *adj.* torn; ragged, in rags and tatters; shabby, threadbare, frayed; *person*: out-at-elbow, seedy; *fig.* abrupt, broken, disjointed (*speech, style*); incoherent, disconnected (*speech, thoughts*); **2heit** *f* (-) raggedness; shabbiness; abruptness; incoherence.

abgerundet [ˈapgərundət] **I.** *adj.* round (*figure*); *fig.* well-rounded; **II.** *adv.* in round figures.

ˈ**Abgesandte(r** *m*) *f* messenger; *w.s.* delegate; *pol.* envoy; emissary; ambassador (ambassadress *f*).

ˈ**abgeschieden** *adj.* solitary, isolated, secluded, retired; (*dead*) departed, deceased, defunct; **2heit** *f* (-; *-en*) seclusion; retirement.

ˈ**abgeschliffen** *adj. tech.* polished, finished; *fig.* polished, elegant, refined; **2heit** *f* (-) polish, elegance, refinement.

ˈ**abgeschlossen** *adj.* → *abschließen*; *fig.* retired, secluded; ~ *leben* live in seclusion, shut o.s. up, live in an ivory-tower; (*in sich*) ~ self-contained, independent (*dwelling, machine*); complete, well-rounded (*education*); agreed, settled, final; **2heit** *f* (-) seclusion, isolation; privacy; compactness.

abgeschmackt [ˈapgəʃmakt] *adj.* insipid, tasteless, flat; *fig.* absurd, fatuous; in bad taste, vulgar; garish; mawkish, *Am. sl.* corny; flat, dull, insipid; **2heit** *f* (-; *-en*) absurdity; bad taste; insipidity.

ˈ**abgesehen:** ~ *von* apart (*Am. a.* aside) from, except for, exclusive of, leaving out; ~ *davon, daß* not to mention that, let alone that; *ganz* ~ *davon, daß* quite apart from the fact that; → *absehen.*

ˈ**abgesondert** *adj.* separate (*von* from); *fig.* → *abgeschieden, abgeschlossen.*

ˈ**abgespannt** *adj. fig.* exhausted, weary, run down, washed up; unstrung; *med.* debilitated; **2heit** *f* (-) exhaustion, weariness.

ˈ**abgestanden** *adj.* stale, flat.

ˈ**abgestorben** *adj.* numb (*limbs*); *gänzlich* ~ dead (*a. wood*); *med.* dead, necrotic (*tissue*).

abgestumpft [ˈapgəʃtumpft] *adj.* blunt(ed), dull (*edge*); *math.* truncated; **~er** *Kegel* truncated cone, frustrum of cone; **~e** *Pyramide* frustrum of pyramid; *chem.* neutralized; *fig.* dull(ed), deadened, indifferent, insusceptible (*gegen* to); **2heit** *f* (-) dullness; apathy; indifference, insensibility (*gegen* to).

abgetakelt [ˈapgəta:kəlt] *adj. mar.* unrigged; *fig.* → *abgekämpft.*

ˈ**abgetan** → *abtun.*

abgeteilt [ˈapgətaılt] *adj.* divided up, partitioned; **~er** *Raum* compartment.

ˈ**abgetragen** *adj.* worn-out; threadbare, shabby (*clothes*).

ˈ**abgewinnen** *v/t.* (*irr.*, *h.*): *j-m et.* ~ win a th. from (*or* of) a p.; *e-r Sache Geschmack* ~ acquire a taste for a th.; *j-m e-n Vorsprung* ~ get the start of a p., steal a march on a p.; *j-m e-n Vorteil* ~ get the better of a p.

abgewirtschaftet [ˈapgəvirtʃaftət] *adj.* ruined by mismanagement; *a. person*: exhausted, run down.

ˈ**abgewöhnen** *v/t.* (*h.*): *j-m et.* ~ wean a p. from, break (*or* cure) a p. of *a th.*; *sich (das Rauchen)* ~ give up *or* leave off (smoking); *das muß er sich* ~ he had better drop that.

abgezehrt [ˈapgətse:rt] *adj.* emaciated, skinny, worn to a shadow.

ˈ**abgießen** *v/t.* (*irr.*, *h.*) pour off; *chem.* decant; *mil.* spray (*toxic agent*); *tech.* cast.

ˈ**Abglanz** *m* reflection; reflected glory *or* splendo(u)r; *colloq. ein schwacher* ~ *s-s Vaters* a feeble copy (*or* weak edition) of his father.

ˈ**abgleich|en** *v/t.* (*irr.*, *h.*) equalize, adjust, balance (*all a. tech.*); *econ.* square (*accounts*); level; *el.* balance; *radio, radar*: match, align, trim; *radio*: gang, track; **2fehler** *m* balance error; matching error; **2kondensator** *m* trimming capacitor; **2mittel** *n radio, radar*: matching equipment; **2ung** *f* equalization; adjustment, balancing; level(l)ing; matching, alignment; tracking.

ˈ**abgleiten** *v/i.* (*irr.*, *sn*), ˈ**abglitschen** *v/i.* (*sn*) glide (*or* slide, slip) off; *econ. prices, etc.*: slide down; *weapon*: glance off; *mot.* skid; *aer. seitlich* ~ side-slip; *fig. Vorwürfe, etc., gleiten von ihm ab* he is deaf to reproaches, *etc.*

ˈ**abglühen I.** *v/t.* (*h.*) *metall.* heat red-hot; mull (*wine*); **II.** *v/i.* (*sn*) cool off, cease glowing.

ˈ**Abgott** *m* idol; *j-n zu s-m* ~ *machen* idolize a p.

Abgötteˈrei *f* (-; *-en*) idolatry; ~ *treiben* worship idols; ~ *treiben mit j-m* idolize a p.

ˈ**abgöttisch I.** *adj.* idolatrous; **II.** *adv.*: ~ *lieben* idolize, adore; *of mothers, etc.*: *a.* dote on.

ˈ**Abgottschlange** *f* anaconda.

ˈ**abgraben** *v/t.* (*irr.*, *h.*) dig off *or* away; level; drain (*or* draw) *a river* off; *fig. j-m das Wasser* ~ cut the ground from under a p.'s feet.

ˈ**abgrämen:** *sich* ~ (*h.*) pine away (with grief), grieve, eat one's heart out.

ˈ**abgrasen** *v/t.* (*h.*) graze; cut off; *fig.* hunt, scour.

abgraten [ˈapgra:tən] *tech. v/t.* (*h.*) trim, (de)burr.

ˈ**Abgrätschen** *n* (*-s*) *gym.* straddle dismount.

ˈ**abgreifen** *v/t. and sich* ~ (*irr.*, *h.*) wear out by constant handling; thumb, wear *book* (at the edges); plot (*map*); *die Entfernung* ~ measure map distances with dividers; → *abgegriffen.*

ˈ**abgrenz|en** *v/t.* (*h.*) mark off, (de-)limit; divide by boundaries, demarcate, *fig.* differentiate; delimitate; define; **2ung** *f* (-; *-en*) demarcation, delimitation; definition; ~ *der Hoheitsgewässer* delimitation of territorial waters; **2ungs-konten** *econ. n/pl.* deferrals and accruals; **2ungsposten** *econ. m/pl.* deferred and accrued items.

ˈ**Abgrund** *m* abyss; precipice; chasm, gulf.

abgründig [ˈapgryndiç] *adj.* abysmal (*a. fig.*).

ˈ**abgrundtief** *adj.* abysmal, unfathomable (*both a. fig.*).

ˈ**abgucken** *colloq. v/t.* (*h.*) → *absehen.*

ˈ**Abguß** *m* casting, copy; *tech.* (*process*) cast; *chem.* decanting; *typ.* plate.

ˈ**abhaben** *v/t.* (*irr.*, *h.*): *et.* ~ *von* (*dat.*) have a share of, share in; *willst du etwas* ~? do you want some (of it)?; have *one's hat, etc.*, off.

ˈ**abhacken** *v/t.* (*h.*) chop (*or* cut) off; chop (*words*); → *abgehackt*.
ˈ**abhaken** *v/t.* (*h.*) unhook; *in a list*: tick (*or* check) off.
ˈ**abhalftern** *v/t.* (*h.*) take the halter off, unharness; *colloq. fig.* sack, ax(e).
ˈ**abhalt|en I.** *v/t.* (*irr.*, *h.*) hold off *or* back, keep off; ward off; *mil.* check, head off (*the enemy*); *fig.* keep, detain; hinder; prevent; debar; restrain; deter; hold out (*child*); keep out (*rain*); hold (*examination, meeting, etc.*); *abgehalten werden* be held, take place; give (*a lesson*); give, deliver (*lecture*); keep (*school*); hold, celebrate, observe (*feast*); **II.** *v/i.* (*irr.*, *h.*): ~ *auf* make (*or* head) for; *vom Land* ~ bear off from the land; **2ung** *f* hindrance, prevention; holding (*of meeting, etc.*); celebration (*of feast*); conducting (*of lessons*); delivery (*of lecture*); ~ *haben* be otherwise engaged, be prevented; **2ungsgrund** *m* prevention, previous engagement.
ˈ**abhandeln** *v/i.* (*h.*): *j-m et.* ~ **a**) buy (*or* purchase) a th. of (*or* from) a p., **b**) bargain a th. out of a p.; *et. vom Preise* ~ beat down the price, knock something off the price; negotiate, transact; treat of, deal with; discuss, debate; discourse on.
abhanden [apˈhandən] *adv.*: ~ *kommen* get lost, be mislaid; ~ *gekommen sein* be lost, be missing.
ˈ**Abhandlung** *f* treatise, essay; dissertation, article; paper; (*doctor's*) thesis; discourse, discussion.
ˈ**Abhang** *m* slope, incline, declivity; precipice; (hill)side.
ˈ**abhängen I.** *v/i.* (*irr.*, *h.*) *teleph.* hang up, restore the receiver; *fig.* ~ *von* (*dat.*) depend (up)on, be dependent (up)on; be contingent (up)on, be conditional on (*circumstances*); *letztlich* ~ *von* hinge *or* pivot (up)on; *vom Zufall* ~ be at the mercy of chance; be subject to (*approval, a rule*); *es hängt von dir ab* it lies (*or* rests) with you, it is for you to decide; **II.** *v/t.* (*h.*) unhang, take down, detach; unhook, unhitch (*a trailer*); *el.* disconnect; *rail.* uncouple; *teleph.* restore (*the receiver*); *colloq. fig.* leave far behind, give the slip to (*pursuer or competitor*).
ˈ**abhängig** *adj.* sloping, declined; *fig.* dependent (*von* [up]on); contingent (up)on (*circumstances*); subject (to) (*approval*); ~ *sein von* → *abhängen*; *voneinander* ~ interdependent; *gr.* ~*e Rede* indirect (*or* oblique) speech; ~*er Satz* subordinate clause; **2keit** *f* (-) slope, declivity; *fig.* dependence; *gegenseitige* ~ interdependence; **2keitsgebiet** *pol. n* dependency; **2keitsverhältnis** *n* dependent condition, state of dependence.
ˈ**abhärmen:** *sich* ~ (*h.*) pine away; *sich* ~ *über* grieve about (*or* for, over); → *abgehärmt*.
ˈ**abhärt|en** *v/t.* (*h.*) harden (*gegen* against), inure (to); → *abgehärtet*; **2ung** *f* hardening, inurement.
ˈ**abhaspeln** *v/t.* (*h.*) reel off.
ˈ**abhauen I.** *v/t.* (*h.*) cut (*or* chop) off *or* down; **II.** *v/i.* (*sn*) *colloq.* be off, buzz off; beat it; turn tail, bolt, *Am. sl.* skedaddle, vamoose, take a powder; *sports*: break away, leave the pack; *hau ab!* off with you!, get out!, beat it!, *Am.* scram!
ˈ**abhäuten** *v/t.* (*h.*) skin, flay.
ˈ**abheben** *v/t.* (*irr.*, *h.*) lift (*or* take) off, remove; *teleph.* lift *or* unhook (the receiver *v/i.*); cut (*cards*); *Sie heben ab!* it is your cut!; *tech.* raise off, remove (*cuttings*); clear (*tool from work*); withdraw, draw (*money*); bring into relief, contrast; *sich* ~ *von* contrast with, *against a background*: stand out against, be set off against, be silhouetted against; *aer.* pull up, become airborne; *fig.* ~ *auf* (*acc.*) aim at, refer to.
abhebern [ˈapheːbərn] *v/t.* (*h.*) siphon off.
ˈ**Abhebung** *f* withdrawal (*of money*); ~**sbefugnis** *f* drawing right.
ˈ**abheilen** *v/i.* (*sn*) heal (up).
ˈ**abhelfen** *v/i.* (*irr.*, *h.*) help, remedy (*e-r Sache* a th.); redress; correct (*mistake*); supply, meet (*a want*); remove (*difficulties*); *dem ist nicht abzuhelfen* that cannot be helped.
ˈ**abhetzen** *v/t.* (*h.*) run down, fatigue, harass; overdrive, override (*horse*); *sich* ~ wear *or* tire o.s. out, work under pressure, fight the hands of the clock.
ˈ**Abhilfe** *f* remedy, redress, relief; ~ *schaffen* take remedial measures, afford relief; → *abhelfen*; ~**maßnahme** *f* corrective measure, remedial action.
ˈ**abhobeln** *v/t.* (*h.*) plane off; dress (*parquetry*); *fig.* polish (off).
ˈ**Abhocken** *n* (*-s*) *gym.* squat dismount.
ˈ**abhold** *pred. adj.*: *j-m*: ill-disposed towards (*a p.*); *e-r Sache*: averse to (*a th.*).
Abhol|dienst [ˈaphoːl-] *m* pick-up service; **2en** *v/t.* (*h.*) fetch; call for, come for, pick up; collect; *j-n von der Bahn* ~ go to meet a p. at the station; ~ *lassen* send for; ~**fach** *n* post-office box (*abbr.* P.O.B.); ~**ung** *f* (-) fetching; pick-up; collection.
ˈ**abholzen** *v/t.* (*h.*) clear (of timber), cut down, deforest.
ˈ**abhorchen** *v/t.* (*h.*) listen in on; overhear (*secret*); *med.* auscultate, sound; → *abhören*.
Abhör|dienst [ˈaphøːr-] *m* intercepting service; *tech.* monitoring service; **2en I.** *v/t.* (*h.*): *e-n Schüler* ~ hear a student's lesson; question, *Am. a.* quiz; *med.* auscultate; listen in on, intercept, pick up, overhear (*radio message, etc.*), *teleph. a.* tap *the wire*; monitor; **II.** *v/i.* (*h.*) *radio*: listen in; ~**gerät** *n* listening device, monitor, bug; ~**station** *f* interception station.
ˈ**Abhub** *m* (-[e]s) leavings *pl.*; refuse, waste; *tech.* clearing (*of tool from work*).
ˈ**abhülsen** *v/t.* (*h.*) shell, hull, husk.
ˈ**ab-irr|en** *v/i.* (*sn*) lose one's way, go astray; *fig.* err, deviate (*von* from); **2ung** *f* deviation; *opt.* aberration.
Abitur [abiˈtuːr] *n* (*-s*; *-e*) *ped.* final examination; → *Reifezeugnis*.
Abiturient(in *f*) [-turiˈɛnt-] *m* (*-en*; *-en*; *-*; *-nen*) *ped.* candidate for the final examination; *successful*: graduate from a secondary school.
ˈ**abjagen** *v/t.* (*h.*) override, overdrive (*horse*); rush about (*a p.*); *j-m et.* ~ recover a th. from a p., snatch a th. away from a p.; *sich* ~ → *abhetzen*.
ˈ**abkämmen** *v/t.* (*h.*) comb off; card (*wool*); *fig.* comb.
ˈ**abkanten** *tech. v/t.* (*h.*) round off; chamfer, bevel; fold.
ˈ**abkanzeln** *v/t.* (*h.*) reprimand, lecture, take *a p.* to task, *sl.* tell *a p.* off, give *a p.* a dressing-down.
ˈ**abkappen** *v/t.* (*h.*) *agr.* lop off, clip; *mar.* cut; *phys.* limit (*amplitude*).
ˈ**abkarten** *v/t.* (*h.*) prearrange, concert, plot; *abgekartete Sache* prearranged affair, put-up job.
ˈ**abkauen** *v/t.* (*h.*) chew off; *sich die Fingernägel* ~ bite one's nails.
ˈ**abkaufen** *v/t.* (*h.*): *j-m et.* ~ buy *or* purchase a th. of (*or* from) a p.
Abkehr [ˈapkeːr] *f* (-) turning away (*von* from); departure (from); renunciation (of); estrangement (from); aversion (to); **2en** *v/t.* (*h.*) → *abfegen*; (*a. sich*) turn away (*von* from); *sich von j-m* ~ *a.* turn one's back (up)on a p.
ˈ**abketten** *v/t.* (*h.*) unchain.
ˈ**abkippen I.** *v/t.* (*h.*) tip; dump; **II.** *v/i.* (*sn*) *aer.* pitch down, wing over.
ˈ**abklappen** *v/t.* (*h.*) swing (*or* hinge, let) down.
ˈ**abklappern** *colloq. v/t.* (*h.*) scour; *eine Straße*: go from house to house, call at every door *in a street*; do (*a town, the sights*).
ˈ**abklär|en** *v/t.* (*h.*) clarify, clear, *chem.* decant, filter; *sich* ~ (become) clear; → *aufklären*; *fig.* become detached, mellow; → *abgeklärt*; **2ung** *f* clarification; *chem.* decantation; *fig.* detachment, mellowing.
ˈ**Abklatsch** *typ. m* impression, stereo(type plate); proof(-sheet); *fig.* (*schwacher*) ~ (poor) copy; **2en** *v/t.* (*h.*) *typ.* print off, stereotype; strike off (*proofs*); *fig.* copy.
ˈ**abklauben** *v/t.* (*h.*) pick off.
ˈ**abklemmen** *v/t.* (*h.*) pinch (*or* nip) off; *el.* disconnect from binding-post.
ˈ**abklingeln** *teleph. v/t.* (*h.*) ring off.
ˈ**abklingen** *v/i.* (*irr.*, *sn*) die away, (*a. disease, feeling*) fade away; *fig. a.* subside, ebb.
ˈ**abklopfen I.** *v/t.* (*h.*) beat off, knock off; dust off; knock at, test (by knocking); *med.* percuss; *tech.* rap (*casting*); scale (*boiler*); *mus.* rap to a stop; *colloq.* scour, search high and low; **II.** *v/i.* (*h.*) *mus.* stop the music.
ˈ**abknabbern** *v/t.* (*h.*) nibble off, gnaw off; pick (*bone*).
ˈ**abknallen I.** *v/i.* (*sn*) explode, detonate, go off; **II.** *v/t.* (*h.*) fire off, let off; *sl.* bump off.
abknappen [ˈapknapən] *v/t.* (*h.*), **abknapsen** [ˈ-knapsən] *v/t.* (*h.*) pinch, stint; *sich et.* ~ stint o.s. in a th.
ˈ**abkneifen** *v/t.* (*irr.*, *h.*) pinch (*or* nip) off.

ˈ**abknicken** *v/t.* (*h.*) snap (*or* crack) off; bend off; kink (*hose*).

ˈ**abknöpfen** *v/t.* (*h.*) unbutton; *colloq. j-m et.* ~ **a**) do a p. out of a th., **b**) make a p. shell out a sum of money.

ˈ**abkochen I.** *v/t.* (*h.*) boil (down); *chem.* decoct; scald (*milk*); **II.** *v/i.* (*h.*) cook (in camp), *Am. a.* cook out.

ˈ**abkommandier|en** *mil. v/t.* (*h.*) detach, detail, assign, order off; second *officer* (for a special task); *abkommandiert sein* be on detached duty; **2ung** *f* (-; -*en*) detached duty; assignment.

Abkomme [ˈapkɔmə] *m* (-*n*; -*n*) descendant; ~*n pl. a.* offspring, issue; *jur. ohne leibliche ~n sterben* die without issue.

ˈ**abkommen** *v/i.* (*irr.*, *sn*) come away, get away *or* off; *aer.* take off, become airborne; *shooting*: mark; *sports*: *gut* ~ get a good start; *fig. von et.* ~ give up, abandon, drop; *von e-r Ansicht*: alter *one's opinion*, change *one's views*; *von e-m Thema*: digress from, stray from *a subject*; *von e-m Verfahren, etc.*: depart from *a procedure, etc.*; *von der Wahrheit, mar. vom Kurs*: deviate from *the truth, the course*; *vom Wege* ~ lose one's way, go astray; *davon bin ich abgekommen* I have given it up; *davon ist man jetzt abgekommen* **a**) this practice has now been discarded *or* abandoned, **b**) it (*the custom*) has fallen into disuse, **c**) it went out (of fashion); *er kann nicht* ~ he cannot get away.

ˈ**Abkommen** *n* (-*s*) *sports*: start, take-off; *mil.* point of aim; *das ~ melden* call the shot; (-*s*; -) accord, arrangement, settlement, *a. pol.* agreement; *pol.* pact, convention, treaty; *econ.* composition (*with creditors*); *ein ~ treffen* make (*or* enter into) an agreement; **~schaft** *f* (-) descendants *pl.*, offspring.

abkömmlich [ˈapkœmliç] *adj.* dispensable; available; *er ist nicht* ~ he cannot be spared, he cannot get away.

Abkömmling [ˈapkœmliŋ] *m* (-*s*; -*e*) → *Abkomme*; *chem.* derivative.

ˈ**Abkomm...:** **~punkt** *m* point of aim; **~rohr** *mil. n* subcalibre barrel; **~schießen** *n* subcalibre firing.

ˈ**abkonterfeien** *v/t.* (*h.*) take *a p.'s* likeness, portray.

ˈ**abkoppeln** *v/t.* (*h.*) uncouple; unleash (*dogs*).

ˈ**abkosten** *v/t.* (*h.*) taste.

ˈ**abkratzen I.** *v/t.* (*h.*) scrape (*or* scratch) off, remove; **II.** *v/i.* (*sn*) *colloq.* kick the bucket, peg out; push off, beat it.

ˈ**abkriegen** *v/t.* (*h.*) → *abbekommen.*

ˈ**abkühl|en** *v/t.* (*h.*) cool (off *or* down), chill; *sich* ~ cool down (*a. fig.*); refresh o.s.; **2ung** *f* cooling; *fig.* damper.

Abkunft [ˈapkunft] *f* (-) descent; parentage, lineage; extraction, origin; birth; *von guter* ~ of a good family; *von edler* ~ of noble birth; *von niedriger* ~ of humble origin; *deutscher* ~ of German extraction.

ˈ**abkuppeln** *tech. v/t.* (*h.*) uncouple.

ˈ**abkürz|en** *v/t.* (*h.*) shorten; curtail; *math.* reduce (to a lower term); abridge, condense; abridge (*negotiations, etc.*); abbreviate (*word, a. visit*); (*den Weg*) ~ take a short-cut; *eine abgekürzte Fassung von* condensed from; *abgekürztes Verfahren* short-cut; **2ung** *f* shortening; short-cut; *a. typ.* abbreviation; abridgement, condensation; *math.* reduction; **2ungs-taste** *f* abbreviation key; **2ungsweg** *m* short-cut; **2ungs-zeichen** *n* sign of abbreviation; grammalogue.

ˈ**abküssen** *v/t.* (*h.*) kiss away; *j-n*: smother *a p.* with kisses.

ˈ**Ablade|gebühr** *f* discharging fee; **~kosten** *pl.* unloading charges; **2n** *v/t.* (*irr.*, *h.*) unload, discharge; dump; *vom Lastwagen* (*Zug*) ~ *a.* detruck (detrain); *econ. nach Bremen abgeladen* shipped to Bremen; **~platz** *m* unloading point; dump (-ing ground); *mar.* port (of discharge); **~r** *m* (-*s*; -) unloader; *econ.* shipper.

ˈ**Ablage** *f* place of deposit; warehouse, depot; cloak-room; *of documents*: **a**) filing, **b**) files, records *pl.*

ˈ**ablager|n I.** *v/t. and sich* ~ (*h.*) deposit; store (up); mature (*wine*); season (*tobacco, wood*); settle (*beer*); ~ *lassen* store, season well; → *abgelagert*; **II.** *v/i.* (*sn*) settle, deposit; mature (*wine, etc.*); **2ung** *f geol., med.* deposition; storage; maturing; deposit; *chem., geol.* sedimentation; sediment; (*Rückstand*) residue.

ˈ**ablängen** *v/t.* (*h.*) cut to length.

Ablaß [ˈaplas] *m* (-*sses*; ¨*sse*) outlet, drain; *econ.* reduction; *eccl.* indulgence; **~brief** *eccl. m* letter of indulgence; **~hahn** *tech. m* drain cock; **~krämer** *m* seller of indulgences; **~schraube** *tech. f* drain plug; **~ventil** *n* safety (*or* drain) valve.

ˈ**ablassen I.** *v/t.* (*irr.*, *h.*) let off; blow off (*steam*); start (*train, etc.*); drain off, run off (*water*); drain (*pond*); *mot.* bleed (*air*); deflate (*tyre*); let down, lower; *j-m et.*: **a**) let *a p.* have *a th.*, **b**) sell; *unter dem Selbstkostenpreis* ~ sell below cost-price; *et. vom Preise* ~ allow *or* grant a reduction in the price; **II.** *v/i.* (*irr.*, *h.*) stop, discontinue, cease; ~ *von* (*dat.*) leave off (doing *a th.*), desist from.

Ablativ [ˈablati:f] *gr. m* (-*s*; -*e*) ablative (case).

ˈ**ablauern** *v/t.* (*h.*) lie in wait for, waylay; *fig.* spy (out).

ˈ**Ablauf** *m* flowing off; outlet, drain; waste-pipe; (kitchen-)sink; gutter; *sports*: start; launch (*of ship*); expiration, lapse, termination; *econ.* maturity (*of bill*); issue; *nach ~ von* at the end of, *adm.* at (*or* upon) the expiration of; *vor ~ der Woche* before the end of this week; ~ *der Ereignisse* run of events; **2en I.** *v/i.* (*irr.*, *sn*) run *or* flow off (*or* down); drain off; *sports*: start (*a. ~ lassen*); *fig.* lapse, expire, terminate; *bill of exchange*: fall (*or* become) due, mature; end, turn out; *gut* ~ come to a good end, come off well; *schlecht* ~ pass off badly; *clock*: run down; *fig. deine Uhr ist abgelaufen* your sands have run out, your hour is come; **II.** *v/t.* (*irr.*, *h.*) wear out (*shoes*); scour, run through (*region*); *sich die Beine* ~ run one's legs off; → *Horn, Rang*; ~ *lassen* **a**) let off, start, **b**) run off, drain off (*water*, **c**) launch (*ship*); *colloq. j-n ~ lassen* snub a p. (off); **~frist** *f* term, time--limit; time of payment; **~härtung** *metall. f* temper hardening; **~termin** *m* expiration date, deadline; *bill of exchange*: date of maturity.

ˈ**Ablauge** *tech. f* black (*or* spent) liquor.

ˈ**ablauschen** *v/t.* (*h.*) learn by listening; intercept, listen in on, pick up (*radio message*); *fig. dem Leben abgelauscht* caught from life, life-like.

ˈ**Ablaut** *gr. m* vowel gradation, ablaut; **2en** *v/i.* (*h.*) change the radical vowel; *~de Zeitwörter* strong verbs.

ˈ**abläuten** *teleph. v/i.* (*h.*) ring off.

ˈ**abläutern** *chem. v/t.* (*h.*) purify, filter; refine (*sugar*); wash (*ore*).

ˈ**ableben** *v/i.* (*sn*) die, pass away;

ˈ**Ableben** *n* (-*s*) death, *a. jur.* decease.

ˈ**ablecken** *v/t.* (*h.*) lick off.

ˈ**abledern** *v/t.* (*h.*) wipe with chamois skin.

Ableg|ekorb [ˈaple:gə-] *m* letter tray; **~emappe** *f* letter file; **2en** *v/t.* (*h.*) lay down (*a. arms*), lay off *or* aside, put away; file (*letters, etc.*); take off (*clothes*); leave off, discard (*used clothes*); *abgelegte Kleider* cast-off clothing; *fig.* make (*confession, vow*); give up, leave off (*smoking, etc.*), drop, break oneself of (*a habit*); → *Eid, Probe*; *e-e Prüfung* ~ take (*successfully*: pass) an examination; → *Rechenschaft*; *econ. Rechnung* ~ render an account; → *Zeugnis*; *bitte, legen Sie ab!* take off your things, please!; **~er** *m* (-*s*; -) *bot.* layer, shoot, (*a. colloq. fig.*) scion; *colloq. econ., etc.* offshoot, branch; **~ung** *f* (-) laying down, *etc.*; taking *of an oath*; taking *of an examination*; rendering *of accounts.*

ˈ**ablehn|en I.** *v/t.* (*h.*) decline, refuse; reject; turn down; *parl.* defeat, throw out (*a bill*); disapprove of, object to, view with disfavo(u)r; *jur.* challenge (*witnesses, etc.*); *thea.* condemn, damn (*play*); disclaim, assume no *responsibility*; **II.** *v/i.* (*h.*) refuse; *dankend* ~ decline with thanks, beg to be excused; **~end** *adj.* negative; critical, censorious; ~ *gegenüberstehen* (*dat.*) disapprove, be antipathetic to, frown upon; **2ung** *f* (-; -*en*) (*gen.*) refusal; rejection (*a. of ideas and tech.*); disapprobation (of), objection (to), criticism (of); *jur., etc.* dismissal; *econ.* non-acceptance; *thea.* condemnation; *parl. Antrag auf ~ e-r Vorlage stellen* move a rejection of a bill; **2ungsbescheid** *m* notice of rejection.

ˈ**ablehren** *tech. v/t.* (*h.*) ga(u)ge; *e-e Bohrung* ~ caliper a hole against standard.

ˈ**ableiern** *fig. v/t.* (*h.*) reel off.

ˈ**ableisten** *v/t.* (*h.*) fulfil(l), perform; pass (*time of service*); complete *one's period of military service*, serve (*one's time*); *e-n Schwur* ~ take an oath.

ableit|bar ['aplaɪtbaːr] *adj.* derivable (*von* from); *phls.* deducible; **~en** *v/t.* (*h.*) lead off, turn aside; divert (*river*); drain off (*water*); *el.* shunt, leak off (*current*); abduct (*heat*); *gr.*, *math.*, *and fig.* derive; deduce; *j-s Herkunft* ~ *von* trace a p.'s descent back to; *abgeleitete Einkommen* derived incomes; **2er** *el. m* conductor; surge suppressor; **2kondensator** *el. m* by-pass capacitor; **2strom** *el. m* leakage current; **2ung** *f* diversion (*of river*); drainage (*of water*); *el.* shunt conductance, leakage; *gr.*, *math.* **a)** derivation, **b)** derivative; deduction, inference; **2ungssilbe** *gr. f* derivative affix.

'**ablenk|en** *v/t.* (*h.*) turn away (*or* aside *or* off); (*a. mil.*) divert, (*a. phys.*, *opt.*, *radio*, *radar*) deflect; diffract (*light*); refract (*sound waves*); take off, divert, distract (*attention, thoughts*); avert, ward off (*danger*); avert (*suspicion*); parry (*blow*); **2platte** *tech. f* baffle plate; **2spule** *el. f* deflector coil.

'**Ablenkung** *f* → *ablenken*; turning away *or* off; diversion, distraction; deflection; diffraction; refraction; averting.

'**Ablenkungs...:** **~angriff** *mil. m* diversionary attack; **~manöver** *mil. n* diversionary manoeuvre (*Am.* maneuver), diversion; *fig.* diversionary move, red herring.

Ablese|fenster ['apleːzə-] *tech. n* reading window; **~genauigkeit** *f* reading accuracy; **~gerät** *n* direct-reading instrument; **~marke** *f* reference point, index mark; **2n** *v/t.* (*irr.*, *h.*) gather, pick off; read off (*speech*); read (*map, instrument, etc.*); *ped. b.s.* crib (*von* from); *j-m et. vom Gesicht* ~ read a th. in a p.'s face; **~strich** *m* graduation mark.

'**Ablesung** *f* reading.

'**ableucht|en** *v/t.* (*h.*) pass a light over, light off; **2lampe** *f* inspection lamp.

'**ableugn|en** *v/t.* (*h.*) deny, disavow, disown; **2ung** *f* (-; -*en*) denial, disavowal; *jur.* traverse.

'**ablicht|en** *v/t.* (*h.*) (make a) photostat (of); **2ung** *f* photostat(ic copy).

'**abliefern** *v/t.* (*h.*) deliver; hand over; surrender.

'**Ablieferung** *f* delivery; *econ. bei or nach* ~ on delivery; **~s-schein** *m* receipt of delivery; **~s-soll** *n* delivery quota; **~s-tag** *m* day of delivery; *stock exchange*: settling day.

'**abliegen** *v/i.* (*irr.*, *h.*) lie at a distance, be far off (*von dat.* from), → *abgelegen*; ripen (in storage); *wine*: mature.

ablisten ['aplɪstən] *v/t.* (*h.*): *j-m et.* ~ trick a p. out of a th., wangle a th. out of a p.

'**ablocken** *v/t.* (*h.*): *j-m et.* ~ coax a p. out of a th.; draw *tears* from a p.

'**ablohn|en** *v/t.* (*h.*) pay off; dismiss; **2ung** *f* (-) payment; dismissal.

'**ablösbar** *adj.* separable, detachable; *econ.* callable (*loan*); redeemable (*debt, pension*).

'**ablöschen** *v/t.* (*h.*) extinguish, put out; *tech.* chill, quench; slake (*lime*); temper (*steel*); *phot.* frill (*emulsion*); shade (*colour*); wipe off (*writing*); blot.

'**ablösen** *v/t.* (*h.*) loosen, take off, detach; *fig. mil.* relieve (*guard, unit*); supersede, take the place of, take over from, relieve (*official, etc.*); discharge (*debt*); redeem (*loan*); *sich* ~ *paint.*, *etc.*: come off; peel (flake, scale) off; *sich* ~ (*bei et.*) relieve one another (at), alternate (in), take turns (at), *bei der Arbeit*: *a.* work in shifts.

'**Ablösung** *f* loosening, detaching; *mil.*, *etc.* relief (*a. unit*); supersession (*in office*); *econ.* discharge (*of debt*); redemption (*of loan*); withdrawal (*of capital*); (working) shift; *turnusmäßige* ~ *von Personal* rotating of personnel; **~s-anleihe** *f* redemption loan; **~s-anstalt** *f* liquidating institution; **~smannschaft** *f* relief (troops); **~swert** *m* surrender value; **~s-zahlung** *f* composition payment.

'**ablotsen,** '**abluchsen** *v/t.* (*h.*) → *ablisten.*

'**Abluft** *tech. f* (-) exhaust air; **~schlitz** *m* air louver; **~stutzen** *m* air vent.

'**abmach|en** *v/t.* (*h.*) undo, loosen, detach; *fig.* settle, arrange, agree (up)on (*deal*); *abgemacht!* agreed!, all right!, it's a bargain!, O.K.!, it's a deal!; **2ung** *f* (-; -*en*) arrangement, settlement; agreement; *vertragliche* ~ conventional agreement; stipulation; *e-e* ~ *treffen* make an agreement, agree (*mit j-m über et.* with a p. on a th.).

abmager|n ['apmaːgərn] *v/i.* (*sn*) lose flesh (*or* weight); grow lean *or* thin; → *abgemagert*; **2ung** *f* (-; -*en*) emaciation; **2ungskur** *f* slimming cure.

'**abmähen** *v/t.* (*h.*) mow off *or* down.

'**abmalen** *v/t.* (*h.*) paint, portray; *fig. a.* depict; copy.

'**Abmangel** *m* deficit, deficiency.

'**Abmarsch** *m* departure, marching off, start; *colloq.* ~! off with you!; **2bereit** *adj.* ready to start; **2ieren** *v/i.* (*sn*) march off, depart; file off.

'**Abmaß** *tech. n* **1.** measurement, dimension; **2.** variation, off size.

abmatten ['apmatən] *v/t.* (*h.*) fatigue, exhaust.

'**abmeißeln** *v/t.* (*h.*) chisel off.

'**abmeld|en** *v/t.* (*h.*): *j-n* ~ give notice of a p.'s leaving (*or at a club, etc.*: withdrawal); *mil. sich vom Dienst* (*zum Urlaub*) ~ report off duty (for leave); **2ung** *f* notice of departure (*or* withdrawal); leaving-certificate (*of police*).

'**abmess|en** *v/t.* (*irr.*, *h.*) measure (off *or* out); survey; *tech.* ga(u)ge; time; *fig.* measure, ga(u)ge; proportion; *s-e Worte* ~ weigh one's words; → *abgemessen*; **2ung** *f* measurement; dimension, ga(u)ge; proportion; *Gesamtabmessungen pl.* overall dimensions.

'**abmiet|en** *v/t.* (*h.*) hire; rent (*a house*) (*both*: *j-m* from a p.); **2er** *m* tenant, lessee.

'**abmildern** *v/t.* (*h.*) moderate, mitigate.

'**abminder|n** *v/t.* (*h.*) diminish, reduce; **2ung** *f* reduction.

'**abmontieren I.** *v/t.* (*h.*) disassemble; dismantle, strip; detach, remove; *mil.* dismount (*gun*); **II.** *v/i.* (*sn*) *sl. aer.* break up (in the air).

'**abmühen:** *sich* ~ (*h.*) strive hard, sweat and strain, labo(u)r; *sich* ~ *mit* struggle with.

'**abmurksen** *colloq. v/t.* (*h.*) kill, make away with, *Am. sl.* give *a p.* the works, croak.

'**abmustern** *mar. v/t.* (*h.*) pay off.

'**abnagen** *v/t.* (*h.*) gnaw off; *e-n Knochen* ~ pick a bone.

'**abnäh|en** *v/t.* (*h.*) sew edge-wise; tuck; **2er** *m* (-*s*; -) tuck.

Abnahme ['apnaːmə] *f* (-) taking down *or* off; removal; *med.* amputation; *eccl.* (*Kreuz2*) *the* Descent; *econ.* taking (*of shipment*); purchase; sale; acceptance; taking over; *der Bilanz*: approval (*of balance-sheet*); administering (*of oath*); *tech.*, *mot.* removal (*of tyres*); (final) inspection, acceptance test, acceptance; weighing-in; decrease, diminution; shrinkage; drop; loss(es *pl.*); shortening (*of days*); waning (*of moon*); loss (*of weight*); deceleration, loss (of speed); *el.* fall in tension; *bei* ~ *von* on orders of; **~be-amte(r)** *m* inspector, testing officer; **~bericht** *m* acceptance report; **~flug** *m* test flight; **~lauf** *m* acceptance run; **~prüfung** *f* acceptance test, specification test; **~station** *tech. f* receiving head end; **~verpflichtung** *econ. f* commitment (to take delivery of); **~verweigerung** *f* rejection; **~verzug** *m*: *in* ~ *sein* be in default with taking deliveries; **~vorschrift** *f* quality specification(s *pl.*).

abnehm|bar ['apneːmbaːr] *adj.* removable, detachable; **~en I.** *v/t.* (*irr.*, *h.*) take off *or* down, remove; detach; *med.* amputate; take off, doff (*hat*); shave off (*beard*); narrow (*meshes*); gather (*fruit*); *el.* collect (*current*); *teleph. den Hörer* ~ unhook the receiver, answer the telephone; *j-m et.* ~ take away a th. from a p.; *a.* deprive (*or* rob) a p. of a th.; *w.s.* relieve a p. of a th., take a th. off a p.'s shoulders; *ein Versprechen*: make a p. promise a th.; *e-n Eid*: administer an oath to a p.; *j-m zuviel* ~ overcharge a p.; *fig. das nimmt ihm keiner ab* nobody will believe (*or sl.* buy) that; *econ.* take *goods* (*dat.* from), buy *or* purchase (from); *tech.* accept; approve; inspect, (perform an acceptance) test; **II.** *v/i.* (*irr.*, *h.*) decrease, diminish, lessen; (*a. prices*) dwindle, drop, fall (off); shrink; decline; *strength*: begin to fail, dwindle; lose weight; *speed*: slacken (off), slow down, decelerate; *moon*: (be on the) wane; *storm*: abate, subside; *water*: fall, ebb, recede; *fig. power, etc.*: decline, wane, decay, crumble; *fig. es nimmt mit ihm ab* he is going downhill.

'**Abnehmer** *econ. m* buyer, purchaser; customer, client; consumer; ~ *sein* be in the market (*von* for); *keine* ~ *finden* find no market (*für* for); **~arm** *el. m* trolley pole (*or* arm); **~kreis** *m* custom(ers *pl.*); **~nation** *f* consumer nation; **~stelle** *f radio*: sound gate, pick-up.

ˈ**Abneigung** *f* disinclination, reluctance, unwillingness (*vor dat.* to); dislike (to), distaste (for), aversion (to); (*natürliche*) ~ (natural) antipathy, loathing (*gegen* to, for); *e-e ~ fassen* take a dislike (*gegen* to).
ˈ**abnieten** *tech. v/t. (h.)* unrivet.
abnorm [apˈnɔrm] *adj.* abnormal.
Abnormiˈtät *f* (-; -*en*) abnormity, anomaly; monstrosity.
ˈ**abnötigen** *v/t. (h.)*: *j-m et. ~* extort (*or* wrench) from a p.; *j-m Bewunderung ~* compel a p.'s admiration; *er hat mir Bewunderung abgenötigt* I couldn't help admiring him.
ˈ**abnutschen** *tech. v/t. (h.)* filter (by means of suction).
ˈ**abnutz|en,** ˈ**abnütz|en** *v/t. (h.)* use up, wear out; *sich ~* wear (out), get worn out, be subject to wear (and tear); **2barkeit** *f* (-) wearing capacity, wearability.
ˈ**Abnutzung** *f* (-; -*en*) wear (and tear); abrasion; *a. mil.* attrition; *of gun barrel*: erosion; depreciation; **~sbeständigkeit** *f* wearability, resistance to wear; **~s-erscheinung** *f* sign of wear; **~skrieg** *m* war of attrition; **~s-prüfung** *f* wearing test; **~sstrategie** *f* strategy of attrition.
Abonnement [abɔnəˈmɑ̃:] *n* (-*s*; -*s*) subscription (*auf acc.* to); *a.* = **~skarte** *f* subscription ticket; *rail.* season-ticket, *Am.* commutation ticket; **~svorstellung** *f* subscription performance.
Abonn|ent [abɔˈnɛnt] *m* (-*en*; -*en*) subscriber; **2ieren** *v/t. and v/i. (h.)* subscribe (*auf acc.* to), become a subscriber (to); *abonniert sein auf e-e Zeitung*: take in (*a paper*).
ˈ**ab-ordn|en** *v/t. (h.)* delegate, depute, *Am. a.* deputize; **2ung** *f* (*act and group*) delegation, deputation.
Abort[1] [aˈbɔrt] *m* (-[*e*]*s*; -*e*) water-closet, W. C., lavatory, privy, toilet; men's (ladies') room; *mil.* latrine.
Abort[2] [aˈbɔrt] *m* (-*s*; -*e*), **~us** [apˈˀɔrtus] *m* (-; -) abortion.
ˈ**Abortgrube** *f* cesspool.
ˈ**abpachten** *v/t. (h.)* lease (*j-m* from a p.).
ˈ**abpassen** *v/t. (h.) tech.* fit, adjust; watch for, wait for (*a p., a chance*); waylay (*a p.*); *e-n günstigen Moment ~* bide one's time; *gut (schlecht) ~* time well (ill).
ˈ**abpatroullieren** *v/t. (h.)* patrol.
ˈ**abpfeifen** *v/t. and v/i. (irr., h.)*: (*das Spiel*) *~* stop the game; blow the final whistle.
ˈ**abpflöcken** *v/t. (h.)* mark out with pegs.
ˈ**abpflücken** *v/t. (h.)* pluck off, gather.
ˈ**abplacken,** ˈ**abplagen:** *sich ~ (h.)* drudge, slave, work o.s. to death; *sich ~ (mit)* struggle (with).
abplatten [ˈapplatən] *v/t. (h.)* flatten (off).
ˈ**abprägen** *v/t. (h.)* stamp; *sich ~* leave an impress; *es hat sich auf s-m Gesicht abgeprägt* it has left its mark on his face.
ˈ**Abprall** *m* rebound; *tech.* resilience; *bullet*: (*a.* **~er** *m*, -*s*; -) ricochet; **2en** *v/i. (sn)* rebound, bounce off; ricochet; *fig. attack*: be stopped; *smile, etc.*: glance off; *es prallte von ihm ab* it left him cold.
ˈ**abpressen** *v/t. (h.)* squeeze off; *fig. j-m et. ~* extort a th. from a p.
ˈ**abprotzen** *mil. v/t. (h.)* unlimber.
ˈ**abputzen** *v/t. (h.)* clean (off *or* up); wipe off; polish; rub down (*horse*).
ˈ**abquälen:** *sich ~ (h.)* **a)** worry o.s., fret, **b)** *bodily*: → *abrackern*; *sich ~ mit* struggle with.
ˈ**abqualifizieren** *v/t. (h.)* dismiss *a p.* (*als* as).
ˈ**abquetschen** *v/t. (h.)* squeeze (*or* crush) off.
abrackern [ˈaprakərn]: *sich ~ (h.)* drudge, slave, sweat and strain, spare no efforts.
ˈ**abrahmen** *v/t. (h.)* skim (*milk*).
ˈ**abrasieren** *v/t. (h.)* shave off.
ˈ**abraspeln** *v/t. (h.)* rasp off.
ˈ**abraten** *v/i. (irr., h.)* dissuade (*j-m* [*von*] *et.* a p. from a th.), advise *or* warn (a p. against [doing] a th.).
ˈ**Abraum** *m* (-[*e*]*s*) *mining*: rubble, waste; overlay shelf.
ˈ**abräumen** *v/t. (h.)* clear (away), remove; *den Tisch ~* clear the table.
ˈ**abreagieren** *v/t. (h.) psych.* abreact, work off (*sich* one's anger, *etc.*); *sich ~ a.* let off steam; simmer down.
ˈ**abrechnen I.** *v/t. (h.)* deduct, subtract; *econ.* **a)** deduct, discount, **b)** allow for, **c)** account for (*expenses*); *abgerechnet* apart from, setting aside, discounting, with the exception of; **II.** *v/i. (h.)* settle (*or* square) accounts (*mit j-m* with a p.); *fig. a.* get even (with a p.), catch up (with a p.).
ˈ**Abrechnung** *f* deduction, discount; allowance (for); settlement (of accounts); accountancy; *banking*: clearing; account; *fig.* reckoning, pay-off; *~ halten* → *abrechnen II*; *auf ~* on account; *laut ~* as per account rendered; *nach ~ von* after deduction of; *Tag der ~* day of reckoning; **~s-stelle** *f* clearing-house; **~skurs** *m* rate of settlement; **~s-tag** *m* settling day; **~s-verkehr** *m* clearing (system).
ˈ**Abrede** *f* agreement, understanding; stipulation; *in ~ stellen* deny (*or* question) *a th.*; **2n** *v/i. (h.)*: *j-m (von et.) ~* dissuade a p. (from a th.), advise *or* warn a p. (against a th).
ˈ**abregnen** *v/t. (h.) esp. aero.* spray.
ˈ**abreib|en** *v/t. (irr., h.)* rub off; rub down *the body*, give a rub-down; polish; pumice; *tech.* abrade; wipe, scrape (*one's shoes*); *sich ~* wear off *or* down; **2ung** *f* (-; -*en*) rubbing off; *tech.* abrasion; rubbing-down, sponge-down; *colloq.* (*defeat*) beating; **2ungsfestigkeit** *f* resistance to abrasion; **2ungsmittel** *tech. n* abrasive.
ˈ**Abreise** *f* departure (*nach* for); *bei m-r ~* on my departure; **2n** *v/i. (sn)* depart, leave, set out, start (*nach* for).
ˈ**abreiß|en I.** *v/t. (irr., h.)* tear off *or* down; pull (*or* rip) off; pull down (*building*); strip, dismantle (*factory*); wear out (*clothes*); → *abgerissen*; **II.** *v/i. (irr., sn)* break off, tear off, snap; *fig.* break off, cease abruptly, come to a dead stop; *das reißt nicht ab* there is no end to it; *die Arbeit reißt nicht ab* there is no end of work; **2kalender** *m* tear-off (*Am.* pad) calendar, date-block; **2knopf** *m* fuse-cord button (*of hand grenade*); **2leine** *f* rip cord (*of parachute*); fuse cord (*of hand grenade*); **2(notiz)block** *m* tear-off note-block; **2zündung** *mot. f* make-and-break ignition.
ˈ**abreiten I.** *v/i. (irr., sn)* ride away; **II.** *v/t. (irr., h.)* override (*horse*); ride down (*the front*); ride (*distance*); patrol (on horseback).
ˈ**abrennen I.** *v/i. (irr., sn)* run off, start; **II.** *v/t. (irr., h.)*: *sich (die Beine) ~* run o.s. off one's legs.
ˈ**abricht|en** *v/t.* train (*animal*), teach tricks; break in (*horse*); *j-n zu et. ~* coach (*or* drill) a p. for a th. *or* to do a th.; *tech.* dress, true; **2er** *m* trainer; *tech.* dressing tool; **2ung** *f* training; breaking-in; *tech.* dressing.
ˈ**Abrieb** *tech. m* abrasion, wear; abraded particles *pl.*, dust; **2beständig** *adj.* wear-resistant.
ˈ**abriegel|n** *v/t. (h.)* bolt, bar (*door*); block (off) (*street*), *by police*: cordon off; *mil.* block, *by artillery*: box in; seal off (*breach*); **2ung** *mil. f* (-; -*en*) interdiction; **2ungsfeuer** *mil. n* (box) barrage; **2ungsfront, 2ungsstellung** *mil. f* bolt position.
abrinden [ˈaprindən] *v/t. (h.)* bark, decorticate.
ˈ**abringen** *v/t. (irr., h.)* wrest (*j-m et.* a th. from a p.).
ˈ**abrinnen** *v/i. (irr., sn)* run off *or* down.
ˈ**Abriß** *m* pulling-down (*of house*); sketch, draft; *fig.* summary, epitome, abstract, brief outlines *pl.*; brief survey; compendium; **~punkt** *mot. m* firing point; **~zündung** *mot. f* make-and-break ignition.
ˈ**abrollen I.** *v/i. (sn)* roll off; **II.** *v/t. (h.)* uncoil, unreel; (*a. phot.*) unwind; pay out (*cable*); roll off; *econ.* transport, forward; *sich ~* unroll, unreel; *fig.* pass off, unroll itself.
ˈ**abrücken I.** *v/t. (h.)* move away (*von* from), remove; **II.** *v/i. (sn) esp. mil.* march *or* move off, withdraw; *fig. ~ von* withdraw from, disassociate from, disavow; ˈ**Abrücken** *n* (-*s*) marching-off, departure.
ˈ**Abruf** *econ., etc. m* call (*von* for); *auf ~* on call; recall; **2en** *v/t. (irr., h.)*: *j-n ~* call away; recall; *econ.* call; *rail.* call out (*train*).
ˈ**abrund|en** *v/t. (h.)* round (off) (*corners, figures, style*); *tech.* chamfer (*teeth*); blunt (*thread*); → *abgerundet*; **2ung** *f* curvature; rounding (off).
ˈ**abrupfen** *v/t. (h.)* pluck off.
abrupt [apˈrupt] *adj.* abrupt.
ˈ**abrüst|en I.** *v/t. (h.)* take down (*scaffolding*); **II.** *v/i. (h.) mil.* disarm; **2ung** *f* disarmament; **2ungskonferenz** *f* disarmament conference.
ˈ**abrutschen** *v/i. (sn)* slip off, glide down; *mot.* skid; *aer., ski*: side-slip.
ˈ**absäbeln** *colloq. v/t. (h.)* chop off.
ˈ**absack|en I.** *v/i. (sn) arch., mar.* sag, sink; *mot.* bog down; *aer. on landing*: pancake; **II.** *v/t. (h.)* pack

in bags; **2ung** *f* sag; **2waage** *f* bagging scale.

ˈAbsage *f* cancellation; *econ.* countermand; refusal, negative reply; *fig.* disowning (*an* of); break (with); **2n I.** *v/t.* (*h.*) cancel, call off; *econ.* countermand; (*wieder*) ~ recall (*invitation*); decline; *j-m* ~ *lassen* send a p. word to cancel *a th.*; **II.** *v/i.* (*h.*) cry off; *guest*: decline (the invitation), beg off; renounce.

ˈabsägen *v/t.* (*h.*) saw off; *colloq. fig.* (give the) ax(e), oust, sack.

ˈabsatteln *v/t.* (*h.*) unsaddle; *mot.* unhitch *a trailer.*

ˈAbsatz *m* stop, (*a. mus.*) pause; *typ.* period, break; paragraph (*a. jur.*; *abbr.* para.); *on terrain*: terrace; *in rock*: shelf, ledge; *stairs*: landing; *of shoe*: heel; *mit flachen Absätzen* flat-heeled shoes; *econ.* sale(s *pl.*); marketing, distribution; ~ *finden* be sal(e)able, find a ready market; *keinen* ~ *finden* be unsal(e)able, find no sale; *reißenden* ~ *finden* meet with a rapid sale, sell like hot cakes; **~belebung** *f* increase in sales; **~chancen** *f/pl.* sales prospects; **2fähig** *adj.* sal(e)able, marketable; **~forschung** *f* marketing research; **~gebiet** *n* market(ing area); **~gefüge** *n* marketing structure; **~krise** *f* sales crisis; **~lenkung** *f* market control; **~markt** *m* market, outlet; **~möglichkeit** *f* opening, outlet; *w.s.* marketing potentiality; **~organisation** *f* marketing organization; **~steigerung** *f* increase of trade; **~stockung** *f* falling-off in sales; stagnation (in the market); **~teer** *chem. m* by-product tar; **~umfang** *m* volume of trade; **2weise** [ˈvaɪzə] *adv.* by paragraphs; *tech.* by steps.

ˈabsäuer|n *chem. v/t.* (*h.*) acidify; **2ungsbad** *n* acid bath.

ˈabsaufen *v/i.* (*irr.*, *sn*) *mar.* sink, go down; *glider*: lose height.

ˈabsaug|en *v/t.* (*h.*) suck off; exhaust (*gas*); vacuum (*carpet, etc.*); **2pumpe** *mot. f* scavenge pump; **2ung** *f* (-; -*en*) sucking off; exhaust.

ˈabschab|en *v/t.* (*h.*) scrape off; abrade, wear off; *abgeschabt* shabby, threadbare (*fabric*); **2sel** *n/pl.* parings, scrapings.

ˈabschaff|en *v/t.* (*h.*) abolish, discontinue; repeal, abrogate (*law*); redress, suppress (*abuse*); do away with, get rid of (*thing*); give up keeping (*horse, etc.*); **2ung** *f* abolition; repeal, abrogation; redress, removal; doing away with.

ˈabschälen *v/t.* (*h.*) peel (off), pare; bark; *sich* ~ peel (*or* come) off; scale off.

ˈabschalten I. *v/t.* (*h.*) switch (*or* turn) off *or* out (*the light, etc.*); *el.* break, disconnect, cut off (*contact*); turn off, put out of action, cut (*machine*); **II.** *colloq. v/i.* (*h.*) (*a. v/t. seine Gedanken* ~) turn off one's mind; relax.

ˈabschätz|en *v/t.* (*h.*) estimate; value, rate; appraise, evaluate; assess; (*j-n* ~*d betrachten*) size *a p.* up; **2er** *m* appraiser; assessor; **~ig** *adj.* disparaging; **2ung** *f* estimation; appraisal, valuation; assessment.

ˈAbschaum *m* (-[e]s) scum, dross, refuse; *fig.* ~ (*der Menschheit*) scum, dregs of society.

ˈabschäumen *v/t.* (*h.*) skim off, scum.

ˈabscheid|en I. *v/t.*, *a. sich* (*irr.*, *h.*) separate (*von* from); *chem.* disengage, eliminate, *sich* ~ be precipitated; refine (*metal*); *physiol.* secrete; **II.** *v/i.* (*irr.*, *sn*) depart (*von dieser Welt* this world); *die Abgeschiedenen* the departed; → *abgeschieden*; **2en** *n* death, decease; **2er** *tech. m* separator; **2stoff** *chem. m* precipitate; **2ung** *f* separation; *chem.* precipitation, liberation; *med.* secretion.

ˈabscher|en *v/t.* (*h.*) shear off; cut, crop (*hair*); **2festigkeit** *tech. f* shearing strength.

ˈAbscheu *m* (-[e]s) abhorrence, horror (*vor dat.* of); loathing (of); disgust (for, against); *j-m* ~ *einflößen* fill a p. with loathing, disgust a p.; *e-n* ~ *haben vor* abhor, detest, loathe.

ˈabscheuern *v/t.* (*h.*) scrub *or* scour (off); wear away; chafe, abrade (*skin*); *sich* ~ wear off; **ˈAbscheuern** *n* (-*s*) abrasive wear, scuffing.

abˈscheulich *adj.* abominable, horrible, horrid, dreadful, awful (*all a. colloq. fig.*); detestable; heinous, atrocious (*crime*); *colloq.* nasty, beastly; **2keit** *f* (-; -*en*) abomination, horror; detestableness; heinousness; atrocity.

ˈabschicken *v/t.* (*h.*) send off, dispatch; *Brit.* post, *Am.* mail.

ˈabschieben I. *v/t.* (*irr.*, *h.*) push (*or* shove) off; expel (*vagrant, etc.*); deport (*undesirable aliens*); evacuate (*population*); *colloq. fig.* get rid of, send off (*nach* to); **II.** *v/i.* (*irr.*, *sn*) *colloq.* push off, *Am. a.* shove off.

Abschied [ˈapʃiːt] *m* (-[e]s) departure; parting, leave-taking, farewell; dismissal, *mil.* discharge; resignation; ~ *nehmen* take (one's) leave (*von* of), bid (*a p.*) farewell, say good-by(e) (to); *j-m den* ~ *geben* dismiss (*mil.* discharge) a p., place *officer* on the retired list, *dishonorably*: cashier; *s-n* ~ *erhalten* be dismissed, be retired, get the sack; *mil.* be placed on the retired list, *dishonorably*: be cashiered; *s-n* ~ *nehmen* send in one's resignation, resign, *official*: *a.* quit the service, retire; *mil. a.* resign one's commission; **~s-ansprache** *f* farewell address, (*Am. univ.*) valedictory; **~s-essen** *n* farewell dinner, parting treat; **~sfeier**, **~sgesellschaft** *f* farewell party; **~sgesuch** *n* resignation; *sein* ~ *einreichen* send in (*or* tender) one's resignation; **~skuß** *m* parting kiss; **~s-schmerz** *m* (-es) wrench.

ˈabschießen *v/t.* (*irr.*, *h.*) shoot off; discharge, fire (off), shoot (off) (*gun*); shoot, let fly (*arrow*); launch (*rocket*); catapult (*plane from ship*); release, *sl.* uncork (*blow*); (*kill*) shoot, pick off, *sl.* bump off; bring down, drop (*bird*); *aer. mil.* (shoot *or* bring) down (*plane*); knock out, disable (*tank*); *colloq. fig. j-n* ~ get rid of (*or* oust) a p., do for a p. → *Vogel.*

abschilfern [ˈapʃilfərn] *v/i.* (*sn*) peel (*or* scale) off.

abschinden *v/t.* (*irr.*, *h.*) flay; → *abschürfen*; *sich* ~ toil and moil, slave, drudge, work o.s. to the bone.

Abschirm|dienst [ˈapʃirm-] *mil. m* counterintelligence; **2en** *v/t.* (*h.*) shield (*gegen* from), guard (against); *mil. tactically, by smoke*: screen, *by fire*: cover; *el.*, *radio*: screen, *Am.* shield; **~ung** *f* (-; -*en*) screening, shielding.

ˈabschirren *v/t.* (*h.*) unharness.

ˈabschlachten *v/t.* (*h.*) slaughter, butcher.

ˈAbschlag *m econ.* abatement, fall in prices; allowance, reduction; *auf* ~ on account; *auf* ~ *bezahlen* pay by instal(l)ments; *mit e-m* ~ at a discount; *mit* ~ *verkaufen* sell at a reduced price; *soccer*: goal-kick; *golf*: teeshot; *hockey*: bully; **2en** *v/t.* (*irr.*, *h.*) knock off, beat off, strike off; cut off (*head*); strike (*coin*); cut down (*tree*); slough (*thread*); strike (*camp, tent*); *tech.* take down, disassemble; partition off (*room*); *soccer*: kick off; *golf*: tee off; leave *a runner* far behind, run away from; beat off, repel, repulse (*attack*); parry (*thrust*); *das Wasser* ~ pass water, urinate; decline, refuse, turn down; *er schlug mir die Bitte rundweg ab* he gave me a flat refusal; *Sie dürfen es mir nicht* ~ I will take no refusal; *econ. et. vom Preis* ~ grant a reduction.

abschlägig [ˈapʃlɛːgiç] *adj.* negative; ~*e Antwort* negative reply, refusal, denial; *e-e* ~*e Antwort erhalten* meet with a refusal; *e-e Bitte* ~ *bescheiden* reject, refuse, turn down a request; *j-n* ~ *bescheiden* turn down a p.'s request.

ˈAbschlags...: **~dividende** *econ. f* initial (*or* interim) dividend; **~verteilung** *f bankruptcy*: distribution of dividend; **~zahlung** *f* **1.** payment on account; **2.** part payment, (payment by) instal(l)ment.

ˈabschlämm|en *v/t.* (*h.*) decant, clear of mud; wash (*ore*); **2hahn** *mot. m* (sludge)drain cock.

ˈabschleifen *v/t.* (*irr.*, *h.*) *tech.* grind off *or* down, finish, mill; *fig.* polish, refine; *sich* ~ *fig.* acquire polish.

Abschlepp|dienst [ˈapʃlɛp-] *m* recovery (*or* wrecker) service; **2en** *v/t.* (*h.*) drag off, haul off; *mot.* (take in) tow, tow off; *sich* ~ struggle under a load; **~kran** *mot. m* towing crane; → *Abschleppwagen*; **~seil** *n* tow rope; **~wagen** *m Brit.* breakdown lorry, recovery vehicle, *Am.* wrecker (truck).

ˈabschleudern *v/t.* (*h.*) hurl off; *aer.* catapult; *tech.* centrifuge.

ˈabschließ|bar *adj.* lockable; **~en I.** *v/t.* (*irr.*, *h.*) lock (up); *tech.* seal (off); *el.* terminate; *fig.* seclude, isolate; end, terminate, (bring to a) close; settle; conclude, close (*letter, speech*); *econ.* negotiate, contract (*loan, etc.*); close, balance (*the books*); settle (*accounts, bills*); *e-n Handel*: transact (*a business*), strike (*a bargain*), close (*a deal*); *e-n Vergleich* ~ compound (*mit Gläubigern* with creditors); effect (*sale*); *e-e*

Versicherung: effect (*insurance*), take out (*a policy*); *e-n Vertrag*: conclude, make, enter into, sign (*an agreement*); *sich* ~ *fig.* keep aloof, seclude o.s., retire from the world; **II.** *v/i.* (*irr.*, *h.*) *mit j-m* ~ come to an arrangement *or* understanding with a p., come to terms with a p.; *mit et.* ~ *speaker*, *etc.*: end *or* wind up (by saying), close (with the words); *mit dem Leben* ~ settle accounts with life; *ich hatte bereits mit dem Leben abgeschlossen* I thought my hour was come; **~end I.** *adj.* concluding; final, *w.s. a.* definitive; **II.** *adv.* in conclusion; finally.

'**Abschluß** *m* closing; termination, conclusion, end(ing); completion; settlement; *vor dem* ~ *stehen* be drawing to a close; *zum* ~ *bringen* bring to a close; *econ.* conclusion, signing (*of contract*, *deal*); transaction, deal; sale; closing, balancing, settlement (*of books*, *etc.*); balance; effecting (*insurance*); *jährlicher* ~ annual accounts *pl.*; *mehrere Abschlüsse wurden getätigt* several sales were effected; *tech.* seal; *el.* termination; *gasdichter* ~ gastight seal; *wasserdichter* ~ water seal; **~klasse** *f* graduating class; **~provision** *econ. f* (sales) commission; **~prüfung** *f* final examination, *Am. a.* graduation; *s-e* ~ *machen* graduate (*an* at, *Am.* from); **~termin** *econ. m* closing date; **~zeugnis** *n* leaving-certificate; diploma.

'**abschmecken** *v/t.* (*h.*) taste.

'**abschmeicheln** *v/t.* (*h.*): *j-m* **et.** ~ coax a th. out of a p.

Abschmelz|dauer ['apʃmɛlts-] *f* fusing time; **~draht** *m* fuse wire; **2en I.** *v/t.* (*irr.*, *h.*) melt off; fuse (*metal*); smelt (*ore*); **II.** *v/i.* (*irr.*, *sn*) melt (off); dissolve; *tech.* fuse; *el.* blow; **~schweißung** *tech. f* flash welding; **~sicherung** *el. f* fusible cut-out, fuse.

'**abschmier|en I.** *v/t.* (*h.*) copy carelessly, scribble off; *tech.* lubricate, grease; **II.** *v/i.* (*h.*) give off colour (*or* grease); (*sn*) *aer. sl.* crash; **2fett** *n* lubricating grease; **2nippel** *m* grease nipple.

'**abschminken** *v/t.* (*h.*) remove *a p.'s* make-up.

'**abschmirgeln** *v/t.* (*h.*) finish (*or* rub down) with emery, sand-paper.

'**abschnallen I.** *v/t.* (*h.*) unbuckle, unstrap; *ski*: take off; **II.** *v/i.* (*h.*) *colloq.* be flabbergasted.

'**abschneiden I.** *v/t.* (*irr.*, *h.*) cut off *or* away; clip, *a. tech.* shear off; slice off; *agr.* prune, trim; crop (*hair*); detach (*coupon*, *etc.*); *j-m die Kehle* ~ cut a p.'s throat; *fig.* cut off (*retreat*, *supply*); *mil. tactically*: isolate; *j-m die Ehre* ~ calumniate (*or* backbite) a p.; *j-m e-e Möglichkeit* ~ deprive a p. of a chance; *den Weg* ~ take a short-cut; *j-m den Weg* ~ intercept a p.; *j-m das Wort* ~ cut a p. short; **II.** *v/i.* (*irr.*, *h.*) *gut* (*schlecht*) ~ come off (*or* fare) well (badly), do well (badly); '**Abschneiden** *n* (-s) performance.

'**abschnellen I.** *v/t.* (*h.*) jerk (*or* flip) off; **II.** *v/i.* (*sn*) *or sich* ~ (*h.*) jerk off, bound *or* bounce (off).

'**Abschnitt** *m* cut, section; *math.* segment; *mil.* sector; section, passage, paragraph (*of book*); stage, leg (*of trip*, *etc.*); phase (*of evolution*, *etc.*); epoch, period; *econ.* **a**) item, article, **b**) counterfoil, *Am.* stub, **c**) denomination, **d**) coupon, **e**) dividend warrant; *Banknoten in kleinen* ~*en* bank notes in small denominations; **2sweise** ['-svaɪzə] *adv.* by sectors; in stages.

'**abschnüren** *v/t.* (*h.*) unlace, untie; constrict, strangulate; *med.* → *abbinden*; *fig.* cut off.

'**abschöpfen** *v/t.* (*h.*) skim (off); *econ.* skim off (*profits*); *überschüssige Kaufkraft* ~ *a.* drain off *or* absorb excessive buying power; → *Rahm.*

'**abschräg|en** *v/t.*, *a. sich* (*h.*) slope, slant; *tech.* bevel, chamfer; **2ung** *f* (-; -*en*) slant, slope; bevelling.

abschraub|bar ['apʃraupbaːr] *adj.* unscrewable, detachable; **~en** ['-bən] *v/t.* (*h.*) screw off, unscrew.

'**abschreck|en** *v/t.* (*h.*) scare away; frighten off; deter, discourage (*j-n von et.* a p. from); *metall.*: chill (*a. eggs*), quench; **~end** *adj.* deterrent; forbidding; ~*es Beispiel* warning, horrible example; **2ung** *f* (-; -*en*) deterrance; intimidation; **2ungsmittel** *n* deterrent.

'**abschreib|en I.** *v/t.* (*irr.*, *h.*) copy; transcribe (*from shorthand*); *jur.* engross; *b.s.* plagiarize; *ped.*, *a. author* crib (*von* from); *econ. debts*: **a**) *totally*: write off (*a. fig.*); **b**) *in part*: write down; depreciate (*value*); deduct (*sum*); cancel, countermand (*order*); **II.** *v/i.* (*irr.*, *h.*) send a refusal; **2er** *m* copyist; *b.s.* plagiarist.

'**Abschreibung** *econ. f* writing off, write-off; depreciation; ~*en für Devisenverluste* write-offs for losses on foreign exchange; ~*en auf Werksanlagen* depreciation on plant equipment; *Konto „Abschreibungen"* depreciation account; *nach* ~ *aller Verluste* after charging off all losses; **~srücklage** *f* depreciation reserve.

'**abschreiten** *v/t.* (*irr.*, *h.*) pace off; *mil. die Front* ~ take the review; receive the military hono(u)rs.

'**Abschrift** *f* copy, duplicate; transcript; *beglaubigte* ~ certified copy; *e-e getreue* ~ a true copy; *handschriftliche* ~ manuscript copy; **e-e** ~ *nehmen* take a copy; **2lich** *adj.* copied, in duplicate; *adv.* by (*or* as a) copy.

'**abschroten** *v/t.* (*h.*) chip, chop off, crosscut, hew.

'**abschrubben** *v/t.* (*h.*) scour (*the floor*); *tech.* turn roughly; plane off.

'**Abschub** *m* deportation (*of aliens*); evacuation (*of population*).

'**abschuften** → *abrackern.*

'**abschuppen** *v/t.* (*h.*) scale; *sich* ~ scale (*or* peel) off, *skin*: desquamate.

'**abschürf|en** *v/t.* (*h.*): *sich die Haut* ~ graze (*or* chafe, abrade) one's skin; bark, skin (*one's knee*, *etc.*); **2ung** *f* abrasion.

'**Abschuß** *m* firing, discharge (*of weapon*); launching (*of rocket*, *torpedo*); shooting (*of game*); *aer.* downing, victory in aerial combat; knocking-out, disabling (*of tanks*); **~rampe** *f* launching platform.

abschüssig ['apʃysɪç] *adj.* sloping; steep, precipitous; **2keit** *f* (-) steepness, declivity.

'**abschütteln** *v/t.* (*h.*) shake off (*a. fig. a pursuer*), cast off; *fig.* get rid of.

'**abschütten** *v/t.* (*h.*) pour off (*or* out).

'**abschützen** *tech. v/t.* (*h.*) shield, screen.

'**abschwäch|en** *v/t.* (*h.*) weaken, lessen, diminish; mitigate; extenuate, find excuses for; qualify (*an expression*); cushion (*a fall*); tone down (*colors*); *phot.* reduce (*a negative*); *sich* ~ diminish, decline, fall off; *econ. prices*: weaken, sag, ease off; *die Börse war abgeschwächt* there was a weaker tendency on stock exchange; **2ung** *f* weakening, lessening; decrease; mitigation; extenuation; qualification; sagging (*of prices*); ease (*in money rates*); *phot.* reduction.

'**abschwarten** *v/t.* (*h.*) square (*wood*).

'**abschwatzen** *v/t.* (*h.*): *j-m* et. ~ talk a p. out of a th.; *dem Teufel ein Ohr* ~ talk the hind leg off a donkey.

'**abschweif|en I.** *v/i.* (*sn*) deviate, depart (*von* from); *von e-m Thema*: digress, stray, wander (*from a topic*); *schweifen Sie nicht ab!* keep to the point!; **II.** *tech. v/t.* (*h.*) scallop; ungum (*silk*); **~end** *adj.* digressive, rambling; **2ung** *f* deviation, digression.

'**abschwelen** *tech. v/t.* (*h.*) carbonize at low temperature.

'**abschwellen** *v/i.* (*irr.*, *sn*) *med.* shrink; *noise*: ebb away.

'**abschwemm|en** *v/t.* (*h.*) wash away (*or* off); erode (*soil*); *tech.* rinse, flush; **2ung** *f* (-; -*en*) erosion.

'**abschwenken I.** *v/t.* (*h.*) cleanse by rinsing; wash off; **II.** *v/i.* (*sn*) swerve, turn away (*von* from); *mil.* wheel aside; *fig.* veer off.

'**abschwindeln** *v/t.* (*h.*): *j-m* **et.** ~ swindle (*or* cheat) a p. out of a th.

'**abschwör|en** *v/t. and v/i.* (*h.*) abjure, foreswear (*s-m Glauben* one's faith); *colloq.* swear off *alcohol*; *jur.* deny upon oath; recant; **2ung** *f* (-; -*en*) abjuration.

'**Abschwung** *m gym.* dismount; *aer.* sharp bank.

'**absedimentieren** *geol. v/i.* (*sn*) sediment out.

'**absegeln** *v/i.* (*sn*) sail away, set sail (*nach* for).

absehbar ['apzeːbaːr] *adj.* within sight; *fig.* conceivable; possible, potential; *in* ~*er Zeit* within a measurable (*or* reasonable) space of time; before long, in a near future; *nicht* ~ not to be foreseen.

'**absehen I.** *v/t.* (*irr.*, *h.*) (for)see; foretell; *es ist kein Ende abzusehen* there is no end in sight; *die Folgen sind nicht abzusehen* there is no telling what will happen, this may have dire consequences; *j-m et.* ~ learn a th. from a p.; *j-m e-n Wunsch an den Augen* ~ anticipate a p.'s wish; *es abgesehen haben auf* (*acc.*) be aiming (*or* driving) at, be out for, have an eye on; *es war auf dich abgesehen* it was meant for you; **II.** *v/i.* (*irr.*, *h.*): *von et.* ~ refrain (*or* abstain) from, *von e-m Plan*: abandon (*a plan*), *fig.* disregard, leave out of account; → *abgesehen.*

'**Abseide** *f* flock silk.

'**abseifen** *v/t.* (*h.*) (clean with) soap.

'**abseigern** *v/t.* (*h.*) *metall.* liquate, separate (by fusion); *tech.* plumb.

'**abseihen** *v/t.* (*h.*) filter off, strain.

'**abseilen** *mount. v/t. and sich* ~ (*h.*) rope down.

'**absein** *v/i.* (*irr.*, *sn*) be off, be broken off; be (far) away; be exhausted *or* run down, be all in.

abseits ['apzaɪts] **I.** *adv.* aside, apart; *soccer*: offside; *fig. sich* ~ *halten* keep aloof (*von* from); *soccer*: ~ *stellen* put offside; **II.** *prp.* (*gen. or von*) aside of, off from *the street*; **2falle** *f soccer*: offside trap.

'**absend|en** *v/t.* (*irr.*, *h.*) send off, forward, dispatch, *econ. a.* consign, ship; remit (*money*); mail, post (*letters*); send out *a p.*, *mil.* detach; depute; commission; **2er(in** *f*) *m* sender, *econ.* dispatcher, consignor, forwarder; **2ung** *f* dispatching, *etc.*

absengen *v/t.* (*h.*) singe off, scorch.

'**absenk|en** *v/t.* (*h.*) *agr.* layer; *min.* sink (*a shaft*); **2er** *bot. m* layer, slip, shoot.

'**Absenkformmaschine** *f* drop-plate-type mo(u)lding machine.

absetz|bar ['apzɛtsbɑːr] *adj.* removable; *econ.* sal(e)able, marketable; *sum*: deductible; **2behälter** *tech. m* settling tank; **2bewegung** *mil. f* disengagement, withdrawal; **~en I.** *v/t.* (*h.*) set *or* put down, deposit; *econ.* strike (*or* write) off, deduct (*item, sum*); cancel (*entry*); *typ.* set up in type; *thea. ein Stück* ~ take a play off (the repertoire); throw (*rider*); drop (*passengers, paratroopers*), put down; remove, dismiss (*officials*); dethrone, depose (*a king*); interrupt, break off; *ohne die Feder abzusetzen* without lifting one's pen; separate (*a word*); begin a new line (*a. v/i.*); *econ.* sell, dispose of; *sich leicht* ~ *lassen* sell readily, meet with a ready sale; *sich schwer* ~ *lassen* go off heavily, sell badly; *chem.* deposit, *sich* ~ *a.* be precipitated, settle; set off (*gegen acc.* against); *sich* ~ stand out (*von dat.* against), contrast, *fig.* retreat, make off, put distance between, *mil. vom Feinde*: disengage o.s. from the enemy; **II.** *v/i.* (*h.*) break off, stop, pause; *ohne abzusetzen* without a break (*or* halt), without let-up, uninterruptedly, *drinking*: at a draught; *es wird et.* ~ we are in for something; **2en** *n* (-s) setting down; writing-off, deduction; separating; precipitation; *mil.* disengagement; parachute drop, airborne assault; → *Absatz*; **2ung** *f* (-; -*en*) removal (from office), dismissal; dethronement, deposition.

'**absichern** *v/t.* (*h.*) guard against; *econ.* provide security for *credits, etc.*

'**Absicht** *f* (-; -*en*) intention; design; aim, object, end (in view); purpose; **~en** *haben auf* (*acc.*) have designs upon; *in der* ~ *zu inf.* with the intention of *ger.*, with a view to *ger.*; *in der besten* ~ with the best intention; *jur.* (specific) intent; → *betrügerisch*; *mit e-r bestimmten* ~ for a purpose; *mit der festen* ~ with the determination (to *inf.*); *ich habe die* ~ *zu inf.* I intend to *inf.*, I am planning to *inf.*; **2lich I.** *adj.* intentional, deliberate; *jur.* wilful; **II.** *adv.* intentionally, *etc.*; on purpose, designedly; *du scheinst mir* ~ *auf die Nerven zu gehen* you seem to make a point of getting on my nerves; **2slos** *adj.* unintentional.

'**absickern** *v/i.* (*sn*) trickle down (*or* off).

'**absieden** *v/t.* (*h.*) boil, decoct; poach (*eggs*).

'**absingen** *v/t.* (*irr.*, *h.*) sing off (*or* to the end); *vom Blatt* ~ sing at sight.

Absinth [ap'zɪnt] *m* (-[e]s; -e) absinth.

'**absitzen I.** *v/i.* (*irr.*, *h.*): *von j-m* (*weit*) ~ sit (far) away from a p.; *vom Pferde*: (*sn*) get off (*a horse*), dismount; **II.** *v/t.* (*irr.*, *h.*) *e-e Strafe* ~ serve a sentence *or* one's time; ~ *lassen chem.* allow to settle, deposit.

absolut [apzo'luːt] **I.** *adj.* absolute (*a. pitch, majority, monarch, chem. alcohol*); *phys.* **~e** *Festigkeit* ultimate strength; **~e** *Temperatur* degree Kelvin; **~er** *Unsinn* perfect nonsense; **II.** *adv.* absolutely, positively; *er hat* ~ *keine Skrupel* he has no scruples whatever; *wenn du* ~ *gehen willst* if you insist on going; ~ *nicht* by no means; ~ *trocken tech.* oven-dry; **2e** *n* (-*n*): *das* ~ the absolute.

Absolution [apzolutsi'oːn] *f* (-; -*en*) absolution; *j-m* ~ *erteilen* give absolution to a p.

absolvieren [apzɔl'viːrən] *v/t.* (*h.*) *eccl.* absolve; complete (*one's studies, etc.*); pass, get through graduate from (*school, etc.*); pass (*an examination*).

ab'sonderlich *adj.* peculiar, singular; strange, odd, bizarre; **2keit** *f* (-; -*en*) peculiarity; strangeness, oddity.

'**absondern** *v/t.* (*h.*) set apart, separate (*von* from); detach; isolate; segregate; *physiol.* secrete, discharge; *phls.* abstract; *chem.* separate, eliminate; *sich* ~ withdraw, seclude o.s., keep aloof; dissociate o.s. (*von* from); **~d** *adj. physiol.* secretory.

'**Absonderung** *f* separation (*a. chem.*); detachment; isolation; seclusion; *physiol.* secretion; *phls.* abstraction; **~s-anspruch** *jur. m* claim of exemption; **2sberechtigt** *adj. bankruptcy*: secured; **~sdrüse** *f* secretory gland.

absorbier|bar [apzɔr'biːrbɑːr] *adj.* absorbable; **~en** *v/t.* (*h.*) absorb; *on surface*: occlude; *wieder* ~ resorb; **~end** *adj.* absorbing, (*a. su.* **~es** *Mittel*) absorbent.

'**absorgen:** *sich* ~ (*h.*) worry (o.s. to death).

Absorption [apzɔrptsi'oːn] *f* (-; -*en*) absorption; *through surface*: occlusion; **~sfähigkeit** *f* (-), **~skraft** *f* absorptive power; **~skühlmaschine** *f* absorption refrigerator; **~smittel** *n* absorbent; **~svermögen** *n* (-*s*) absorbing power (*a. fig.*).

'**abspalten** *v/t. and sich* ~ (*h.*) split off, cleave off; *a. chem.* separate.

Abspann|draht ['apʃpan-] *tech. m* anchoring (*or* stay) wire; **2en** *v/t.* (*h.*) unbend, unhook; *mus.* slacken (*strings*); unharness, unyoke (*oxen, etc.*); *el.* **a)** terminate (*a wire*), **b)** lower the pressure of (*current*); *tech.* stay, anchor, brace; *fig.* **a)** relax, **b)** exhaust, → *abgespannt*; **~er** *el. m* (step-down) transformer; **~klemme** *f* terminal clamp; **~ung** *f* unbending; relaxation; fatigue; *tech.* staying, anchoring, bracing; *el.* terminating.

'**absparen:** *sich et. vom Mund* ~ (*h.*) stint o.s. of a th., pinch o.s. for a th; pinch and scrape in order to be able to afford a th.

'**abspeisen** *v/t.* (*h.*) feed; *fig.* fob *or* put *a p.* off (*mit leeren Worten* with fair words).

abspenstig ['apʃpɛnstɪç] *adj.* alienated, disloyal, unfaithful; ~ *machen* alienate, estrange, entice away (*von* from); ~ *werden* desert, quit.

'**absperr|en** *v/t.* (*h.*) lock, bolt, shut off; block, barricade (*a street*), *police, etc.*: cordon off; isolate, confine; turn (*or* shut) off (*gas, water, etc.*); **2hahn** *m* stopcock; **2posten** *m/pl.* cordon (of sentries); **2ung** *f* shutting-off; barricade, block(ing), cordon; isolation, separation; stoppage.

'**abspiegel|n** *v/t.* (*h.*) mirror, reflect (*a. fig.*); *sich* ~ be reflected; **2ung** *f* reflection.

'**abspiel|en** *v/t.* (*h.*) *mus. vom Blatt* ~ play at sight; play back (*sound recordings*); wear out *a record, etc.* (by playing); *sich* ~ happen, occur, take place; *thea., etc.*: *die Szene spielt sich in X. ab* the scene is laid in X.; **2kopf** *m* play-back head.

'**absplittern** *v/t.* (*h.*) *and v/i.* (*sn*) splinter off; *v/i. a. sich* ~ (*h.*) come off in splinters, chip (off).

'**Absprache** *f* arrangement, agreement.

'**absprechen** *v/t.* (*irr.*, *h.*) deny, dispute, question; *Talent kann man ihm nicht* ~ there is no denying that he is talented; *jur. j-m et.* ~ dispossess a p. of a th.; disallow (*damages*); *esp. econ.* arrange, agree; **~d** *adj.* disparaging, unfavourable.

'**absprengen** *v/t.* (*h.*) blast (*or* blow) off; *mil.* cut off (*troops*); sprinkle (*flowers*).

'**absprießen** *arch. v/t.* (*h.*) strut, brace.

'**abspringen** *v/i.* (*irr.*, *sn*) jump (*or* leap) off *or* down; dismount, alight (*von* from) (*a horse*); *sports*: take (*or* jump) off; *enamel, chips, etc.*: crack (*or* chip, come) off; *spring, string*: snap; rebound, bounce off; *aer.* parachute, jump; *in emergency*: bale (*or* bail) out; *fig.* (*vom Thema*) drop *or* leave *a subject* abruptly, digress; ~ *von* quit, desert; *von e-m Handel* ~ back out of a bargain; *colloq. und was springt für mich ab?* what's in it for me?

ˈ**abspritzen** *v/t.* (*h.*) cleanse (with a hose), spray off; *tech.* spray-coat.
ˈ**Absprung** *m* jump-off, leap; *sports* (*a. aer.*) take-off; *by parachute*: descent, jump; *phys.* reflection; **~balken** *m sports*: take-off board; **~gebiet** *aer. n* descent area; **~höhe** *f* drop altitude.
ˈ**abspulen** *v/t.* (*h.*) unwind, reel off.
ˈ**abspülen** *v/t.* (*h.*) wash (off), rinse.
abstamm|en *v/i.* (*sn*) descend (*or* be descended) from; come of; *gr. and chem.* derive from; **2ung** *f* (-; -*en*) descent, extraction, birth, origin; ~ *in gerader Linie* lineal descent; ~ *von e-r Seitenlinie* collateral descent; (*von*) *deutscher* ~ of German extraction; *gr.* derivation, etymology; **2ungslehre** *f* theory of evolution; anthropogeny.
ˈ**Abstand** *m* distance (*von* from); space, spacing; *a. time*: interval; gap; *tech. a.* clearance, *of thread*: pitch; *in gleichen Abständen* spaced equidistantly; *in regelmäßigen Abständen* (*time*) at regular intervals, periodically; ~ *halten fig.* keep one's distance; *fig. mit* ~ far and away *better, etc.*; *mit* ~ *gewinnen* win by a wide margin; *fig.* ~ *nehmen* refrain, desist (*von* from); **~scheibe** *tech. f* spacer washer; **~sgeld** *n*, **~summe** *f* compensation, indemnification, forfeit-money; *stock exchange*: option money; *for employees*: severance pay; **~s-taste** *f* blank (*or* spacing) key; **~zünder** *mil. m* proximity fuse.
abstatten [ˈapʃtatən] *v/t.* (*h.*) pay, make, give, render; *e-n Bericht* ~ (send in a) report; *e-n Besuch* ~ pay a visit; *Dank* ~ return *or* render thanks.
ˈ**abstauben**, *a.* ˈ**abstäuben** *v/t.* (*h.*) dust; *colloq.* (*steal*) swipe.
ˈ**abstauen** → *abdämmen.*
ˈ**abstech|en I.** *v/t.* (*irr.*, *h.*) prick off; cut (*sods*); *tech.* tap (*furnace*); cut (*canal*); drain (*pond*); draw off, tap (*wine*); *fenc.* disable; (*kill*) stab; stick (*hogs*); **II.** *v/i.* (*irr.*, *h.*): *gegen or von et.* ~ contrast (strongly) with, stand out against *or* from; *mar.* veer off; **2er** *m* (-*s*; -) excursion, (side-)trip (*nach* to); detour; *fig.* digression; **2stahl** *tech. m* cutting blade (*or* tool).
ˈ**absteck|en** *v/t.* (*h.*) unpin, undo (*one's hair*); fit, pin (*a dress*); plot (*a course*); *surv.* mark out, stake out, peg out; trace (*or* lay) out (*ground plan*); demarcate, locate (*boundary*); **2fähnchen** *n* surveyor's flag; **2leine** *f* tracing cord; **2pfahl** *m* picket, stake; **2pflock** *m* (tracing) peg.
ˈ**abstehen** *v/i.* (*irr.*, *h.*) be *or* stand off (*von* from); stand *or* stick out; (*irr.*, *sn*) *fig. von et.* ~ desist (*or* refrain) from, renounce, forgo, waive; get stale, grow flat; ~ *lassen* allow to stand *or* cool off; **~d** *adj.* distant; projecting; prominent, jughandle *ears.*
ˈ**absteif|en** *arch. v/t.* (*h.*) (under-)prop, support; strut; **2ung** *f* (-; -*en*) support; strutting, strut(s *pl.*); reinforcement.
ˈ**absteige|n** *v/i.* (*irr.*, *sn*) descend, climb down (*von* from); get off (one's horse), dismount; alight (from *vehicle*); put up (*at an inn*); *sports*: go down (*club team*); → *Ast*; **2quartier** *n* night-lodging, accommodation.
Abstell|bahnhof [ˈapʃtɛl-] *m* railway (*Am.* railroad) yard; **2en** *v/t.* (*h.*) put down, deposit; *tech.* stop, throw *a machine* out of gear; *el.*, *radio*: switch off; stall, cut (*the engine*); turn off (*gas, etc.*); *mot.* cut (*or* switch) off (*the ignition*); park (*a car*); *fig. mil.* → *abkommandieren*; put an end to, redress, remedy; ~ *auf* gear to, make accord with; focus on; *darauf abgestellt sein zu inf.* be designed (*or* calculated) to *inf.*; **~fläche** *f* storage surface; **~gleis** *n* siding; **~hahn** *m* stopcock; **~platz** *m* parking area (*Am. a.* lot); *aer.* apron, tarmac; **~raum** *m* storage room; **~ung** *mil. f* detaching, seconding.
ˈ**abstemmen** *v/t.* (*h.*) chisel off; *sich* ~ push o.s. off.
ˈ**abstempeln** *v/t.* (*h.*) stamp; punch; *mail.* deface, cancel (*stamps*); *min.* prop; *fig. j-n* ~ *als* stamp (*or* label) a p. as.
ˈ**absteppen** *v/t.* (*h.*) quilt.
ˈ**absterben** *v/i.* (*irr.*, *sn*) die away (*or* out); fade (away), wither (*a. colloq. sports*); *med.* mortify (*limb*); get numb; *engine*: conk *or* peter out; → *abgestorben.*
ˈ**Absterben** *n* death, extinction; *med.* mortification; atrophy; numbness.
Abstieg [ˈapʃti:k] *m* (-[e]s; -e) descent, downward climb; *fig.* decline; *sports*: relegation.
Abstimm|anzeigerröhre [ˈapʃtim-] *f radio*: tuning indicator valve, *a.* magic eye; **2en I.** *v/t.* (*h.*) *mus.*, *radio*: tune (in) (*auf acc.* to); *fig. aufeinander* ~ harmonize, reconcile; coordinate, bring into line (*auf acc.* with); time, synchronize; adjust (to); shade off (*colours*); *econ.* balance, check (off) (*the books*); **II.** *v/i.* (*h.*) *parl.*, *etc.* vote; *über e-n Antrag* ~ *lassen* put a motion to the vote; **~knopf** *m radio*: tuning knob; **~kondensator** *m* tuning capacitor; **~schärfe** *f* sharpness of tuning, selectivity; **~skala** *f* tuning dial; **~spule** *f* tuning coil.
ˈ**Abstimmung** *f* **1.** voting, poll; *geheime* ~ (voting by) ballot; *namentliche* ~ poll(ing); *offene* ~ vote by open ballot; *durch Handzeichen*: vote by show of hands; *durch Zuruf*: vote by acclamation; *durch Teilung des Hauses*: division; plebiscite, referendum; *zur* ~ *bringen* put to the vote; **2.** harmonizing; coordination; timing, synchronization; *radio*: tuning (control); *feine* (*grobe*, *unscharfe*) ~ sharp (coarse, flat) tuning.
abstinent [apstiˈnɛnt] *adj.* abstemious; teetotal.
Abstinenz [-ˈnɛnts] *f* (-) (total) abstinence, teetotalism; **~ler(in** *f*) [-lər(in)] *m* (-*s*; -; -; -*nen*) total abstainer, teetotal(l)er.
ˈ**abstoppen** *v/t.* (*h.*) stop (*a. v/i.* = come to a halt); slow down; *with stop watch*: clock, time.
ˈ**abstoß|en** *v/t.* (*irr.*, *h.*) knock (*or* push) off; *soccer*: make a goal-kick; shed (*antlers*); *tech.* plane off (*corners*); flesh (*hides*); wear away, mar; *fig.* repel, disgust, sicken; *econ.* dispose of, get rid of (*goods*); dispose of, unload (*stocks*); discharge (*debt*); → *Horn*; **~end** *fig. adj.* repulsive, disgusting, forbidding; **2ung** *phys. f* (-; -*en*) repulsion,
ˈ**abstottern** *colloq. v/t.* (*h.*) pay by (*Am.* on) instal(l)ments.
ˈ**abstrafen** *v/t.* (*h.*) punish, chastise.
abstrahieren [apstraˈhi:rən] *v/t.* (*h.*) abstract.
abstrakt [apˈstrakt] **I.** *adj.* abstract; *~e Kunst* non-representational (*or* abstract) art; *~e Malerei* abstract painting; **II.** *adv.* in the abstract.
Abstraktion [-tsiˈo:n] *f* (-; -*en*) abstraction.
Abˈstraktum [-tum] *gr. n* (-*s*; -*ta*) abstract noun.
ˈ**abstreb|en** *arch. v/t.* (*h.*) strut, brace; **2ung** *f* (-; -*en*) strutting, bracing.
ˈ**abstreichen** *v/t.* (*irr.*, *h.*) wipe off; *sich die Füße* ~ scrape (*or* wipe) one's shoes; *med.* swab; skim (*foam*); strop (*razor*); *in a list*: tick (*or* check) off; deduct; cancel, strike out; *math.* point off; scour; *mil.* sweep (*with fire, search-lights*).
ˈ**abstreifen I.** *v/t.* (*h.*) slip (*or* strip) off; wipe (*shoes*); cast, shed (*antlers, skin, a. fig.*); patrol, scour; **II.** *v/i.* (*h.*) *fig.* digress, stray (off).
ˈ**abstreiten** *v/t.* (*irr.*, *h.*) dispute, contest; deny.
ˈ**Abstrich** *m writing*: down-stroke; deduction; curtailment, cut; *~e machen* make cuts, *fig.* subtract (*von* from); *med. e-n* ~ *machen* take a smear from.
abstrus [apˈstru:s] *adj.* abstruse.
ˈ**abstuf|en** *v/t. and sich* ~ (*h.*) form into steps *or* terraces; *fig.* grade, graduate; shade (off), gradate (*colours*); modulate (*sound*); **2ung** *f* (-; -*en*) grad(u)ation, shade; *mus.* modulation; *fig.* nuance.
ˈ**abstumpfen** *v/t.* (*h.*) blunt, take the edge off; truncate (*cone*); *sich* ~ (grow) blunt; *fig. senses*: dull, deaden; → *abgestumpft*; *chem.* neutralize (*acids*).
ˈ**Absturz** *m* (sudden) fall, plunge, *aer.* crash; precipice; *aer. zum* ~ *bringen* (shoot) down, force down.
ˈ**abstürzen** *v/i.* (*sn*) fall down (*kopfüber* headlong), be precipitated; *aer.* go down, crash; *slope*: descend steeply.
ˈ**abstutzen** *v/t.* (*h.*) cut off (*or* short), trim, lop; clip (*wings*); dock (*tail*).
ˈ**abstützen** *v/t.* (*h.*) prop, strut, brace, support; *mar.* shore up.
ˈ**absuchen** *v/t.* (*h.*) search all over (*nach* for); scour, comb; *hunt.* beat; *with radar, searchlight*: sweep; *alles* ~ hunt high and low.
ˈ**Absud** *chem. m* decoction, extract.
absurd [apˈzurt] *adj.* absurd; *~es Theater* theater of the absurd.
Absurdiˈtät *f* (-; -*en*) absurdity.
Abszeß [apsˈtsɛs] *med. m* (-*sses*; -*sse*) abscess.
Abt [apt] *m* (-[e]*s*; ⸚e) abbot.
ˈ**abtakeln** *mar. v/t.* (*h.*) unrig, dismantle; strip (*masts*); lay up (*ship*); *fig. abgetakelt* used up, worn out.

Abtast|dose ['aptast-] *f* pick-up; **2en** *v/t.* (*h.*) feel (with one's fingers); *med.* palpate; *boxing*: feel out, study; *fig.* probe, sound; *sich* ~ *a.* measure weapons, spar; *el.*, *TV*, *etc.*: scan; **~strahl** *m* scanning beam.

'**abtauen** *v/i.* (*sn*) thaw off, defrost.

Abtei [ap'taɪ] *f* (-; -*en*) abbey.

'**Abteil** *rail.* *n* (railway-)compartment; ~ *für Raucher* smoking compartment, smoker; → *Abteilung²*; **2bar** *adj.* divisible; **2en** *v/t.* (*h.*) divide; set apart, separate; *by walls*, *etc.*: partition off; portion out (*quantity*); *econ.* parcel (*goods*); graduate; classify.

'**Abteilung¹** *f* division, portioning-off; *econ.* parcelling; classification.

Ab'teilung² *f* section; *adm.*, *ped.*, *jur.*: division; *of agency*, *firm*, *store*, *a. univ.*: department; *of hospital*: ward; *mil.* detachment, detail; battalion; *of workmen*: gang; partition; compartment; **~s-chef**, **~sleiter**, **~svorstand** *m* head of a department, departmental chief.

'**abtelegraphieren** *v/t. and v/i.* (*h.*) cancel (the engagement, *etc.*) by telegram.

'**abteufen** *v/t.* (*h.*) *mining*: sink (*a shaft*).

Äbtissin [ɛp'tisin] *f* (-; -*nen*) abbess.

'**abtön|en** *v/t.* (*h.*) *paint.* shade, tone (down); → *abstufen*; **2ung** *f* shading, shade.

'**abtöten** *v/t.* (*h.*) kill; *fig. a.* deaden; *das Fleisch* ~ mortify the flesh.

Abtrag ['aptra:k] *m* (-[e]s; ⸚e): *j-m* ~ *tun* prejudice (*or* injure) a p.; **2en** *v/t.* (*irr.*, *h.*) carry off, remove; *den Tisch* ~ clear the table; pull down (*building*); excavate, level (*ground*); *med.* excise (*tumor*); clear off, pay (*debt*); amortize, sink (*mortgage*); wear out (*clothes*).

abträglich ['aptrɛ:kliç] *adj.* injurious, detrimental; unfavo(u)rable (*criticism*).

'**Abtrans|port** *m* transport, removal; evacuation; **2portieren** *v/t.* (*h.*) carry off, remove; evacuate.

'**abträufeln** → *abtröpfeln.*

'**abtreib|en I.** *v/t.* (*irr.*, *h.*) drive off; *med.* expel, purge (off) (*worms*); *ein Kind* ~ procure abortion, bring on a miscarriage; jade, overdrive (*a horse*); *metall.* refine; *chem.* separate; **II.** *v/i.* (*irr.*, *sn*) *aer. mar.* drift off, be drifted off (the course); **~end** *med. adj.* abortifacient; **2ung** *f* (-; -*en*) *med. of the human fetus*: abortion, *jur.* criminal abortion, foeticide; *selbst herbeigeführte* ~ self-induced abortion; *tech.* refining; **2ungsmittel** *n* abortifacient.

'**abtrenn|bar** *adj.* separable, detachable; *nicht* ~ non-detachable; **~en** *v/t.* (*h.*) separate; detach (*a. coupon*, *etc.*); unstitch (*a seam*), rip off; *hier* ~! detach here; **2ung** *f* separation, severance (*von* from); unstitching.

'**abtret|en I.** *v/t.* (*irr.*, *h.*) tread down *or* off; (*a. sich*): wear down (*shoes*); wear off (*steps*); *fig.* cede (*a. territory*), transfer, assign; transfer *property* (*dat.* to), make over (to), sign away; **II.** *v/i.* (*irr.*, *sn*) withdraw; *thea.*, *a. fig.*: (make one's) exit; *mil.* break ranks; *fig.* retire (*von* from), quit; resign, go out of office; **2er** *m* (-*s*; -) door-mat, scraper; *jur.* transferor, assignor; **2ung** *f* (-; -*en*) cession, transfer, assignment; conveyance; *marine insurance*: abandonment; retirement, withdrawal; resignation; abdication (*of throne*); *thea.* exit; **2ungs-urkunde** *f* transfer deed; *for real estate*: deed of conveyance; *bankruptcy*: deed of assignment.

'**Abtrieb** *mot. m* driven end of shaft; **~sdrehzahl** *f* r.p.m. (= revolutions per minute) of the driven side.

'**Abtrift** *f agr.* right of pasture; *aer. mar.* drift, *mar. a.* leeway.

'**Abtritt** *m* withdrawal, retirement; *thea.* exit; → *Abort¹*.

'**abtrocknen I.** *v/t.* (*h.*) dry up, wipe dry; **II.** *v/i.* (*sn*) dry up.

'**abtröpfeln**, '**abtropfen** *v/i.* (*sn*) drip (*or* trickle) off *or* down; ~ *lassen* drain (off).

'**abtrotzen** *v/t.* (*h.*): *j-m* et. ~ wrest a th. from a p.

'**abtrudeln** *v/i.* (*sn*) *aer.* go into a spin; *colloq.* toddle off.

abtrünnig ['aptryniç] *adj.* unfaithful, disloyal; rebellious; *eccl.* apostate; ~ *machen* draw off (*von* from), alienate; ~ *werden* → *abfallen*; **2e(r** *m*) ['-gə(r)] *f* (-*n*; -*n*; -*en*; -*en*) deserter, renegade, backslider; *eccl.* apostate; **2keit** *f* (-) disloyalty, desertion; *eccl.* apostasy.

'**abtun** *v/t.* (*irr.*, *h.*) remove, take off; dispose of; settle (*dispute*, *etc.*); abolish, do away with (*abuse*); dismiss (*als* as); *das ist alles abgetan* that's over and done with; et. *kurz* ~ make short work of a th., *in words*: dismiss a th. shortly; et. *mit e-m Achselzucken* (*Lachen*) ~ shrug (laugh) a th. off; kill, dispatch.

'**abtupfen** *v/t.* (*h.*) dab; swab (*wound*).

'**ab-urteil|en** *v/t.* (*h.*) try *a p. or a case*, bring *a p.* to trial; pass sentence upon *a p.*; *fig.* criticize severely, condemn; **2ung** *f* (-; -*en*) trial.

'**abverdienen** *v/t.* (*h.*) work off [(*debt.*).]

'**abverlangen** → *abfordern.*

'**abvermieten** *v/t.* (*h.*) sublet.

'**abwägen** *v/t.* (*h.*) weigh out; level; *fig.* weigh, consider carefully.

'**abwälz|en** *v/t.* (*h.*) roll off *or* down; *fig.* (*von sich*) ~ shift off (from o.s.), clear o.s. of (*a charge*, *suspicion*); *die Schuld auf j-n* ~ lay the blame at a p.'s door; *die Verantwortung auf e-n anderen* ~ shift the responsibility to someone else, pass the buck; **2fräsen** *n* (-*s*) self-generating milling; **2fräsmaschine** *f* hobbing machine.

'**abwandel|bar** *gr. adj. substantive*: declinable; *verb*: (in)flexional; **~n** *v/t.* (*h.*) vary, modify; *gr. substantive*: decline, *verb*: conjugate.

'**abwander|n** *v/i.* (*sn*) wander away *or* off; drift away; migrate (*von* from); **2ung** *f* migration; exodus (*a. econ. of capital*); *of scientists*, *etc.*: (brain-)drain.

'**Abwandlung** *f* modification; *gr.* declension (*of substantive*); conjugation (*of verb*).

'**Abwärme** *tech. f* waste heat.

'**abwarten** *v/t. and v/i.* (*h.*) wait for, await; *das Ende* ~ wait to the end (of); *s-e Zeit* ~ bide one's time, temporize; *e-e Gelegenheit* ~ watch (*or* wait for) one's opportunity; *es ruhig* ~ wait and see (what happens); *das bleibt abzuwarten* that remains to be seen; **~d** *adj.* observant, temporizing; *~e Haltung* policy of wait and see; *e-e ~e Haltung einnehmen* assume an observant attitude, temporize.

abwärts ['apvɛrts] *adv.* down, downward(s); *den Fluß* ~ down the river, downstream; *fig. mit ihm geht's* ~ he is going downhill; ~ *schalten mot.* change down; **2bewegung** *econ. f* downward trend, downswing; **2hub** *mot. m* downstroke; **2transformator** *el. m* step-down transformer.

'**abwasch|bar** *adj.* washable; **~en** *v/t.* (*irr.*, *h.*) wash (off); wash down (*body*), bathe; sponge off; wash up (*dishes*); *geol.* wash away; *fig.* wipe off (*disgrace*).

'**Abwasser** *n* (-*s*; ⸚) waste water, sewage.

'**abwassern** *aer. v/i.* (*sn*) take off on water.

'**abwässern** *v/t.* (*h.*) drain.

'**abwechseln** *v/t. and v/i.* (*h.*) alternate; vary; *miteinander or sich* ~ alternate with each other; *mit j-m* ~ take turns (*bei* in), relieve one another; **~d I.** *adj.* alternate, alternating; varying; periodic; **II.** *adv.* alternately; by turns.

'**Abwechs(e)lung** *f* (-; -*en*) change; alternation; variation; variety, diversity; diversion; ~ *bringen in* (*acc.*) relieve, liven up; *zur* ~ for a change; **2s-reich**, **2svoll** *adj.* varied, diversified; eventful; **2sweise** ['-svaɪzə] *adv.* alternately, by turns.

'**Abweg** *m* by-road; detour; wrong way; *fig. auf ~e führen* lead astray, mislead; *auf ~e geraten* go astray; **2ig** ['-giç] *adj.* devious, misleading; wrong, incorrect; inept, out of place; irrelevant, *pred.* not to the point.

'**Abwehr** *f* (-) defen|ce, *Am.* -se; resistance; guard, protection (*gegen* from, against); *fenc.* parry, (*a. fig.*) warding off; → **~dienst** *mil. m* counter-espionage, military security service; **2en** *v/t. and v/i.* (*h.*) beat back, repulse (*attack*); *fenc.* parry, ward off (*both a. fig.*); *boxing*, *soccer*, *etc.*: block; avert, head (*or* stave) off (*disaster*); *fig.* refuse; **2end** *adj.* defensive (*a. biol.*); **~griff** *m wrestling*: counterhold; **~jagdflugzeug** *n* interceptor, pursuit plane; **~kampf** *m mil.* defensive warfare; *physiol.* campaign; **~kraft** *f* power of resistance; **~mittel** *n* means of defen|ce, *Am.* -se; *med.* prophylactic; **~schlacht** *mil. f* defensive battle; **~spiel** *n sports*: defensive play; **~stoff** *biol. m* antibody; **~waffe** *mil. f* counter-weapon.

'**abweichen** *v/i.* (*irr.*, *sn*) deviate, diverge (*von* from); *fig.* deviate, depart (from); swerve (from); *voneinander* ~ differ (from one another), *sehr*: differ widely; *phys.* vary; deflect; *compass needle*: decline; **~d** *adj.* divergent, varying, deviating; *a. gr.* irregular; *bot., zo.* aberrant.

ˈ**Abweichung** *f* (-; -en) deviation; difference, discrepancy; *phys.* variation (*a. econ.*), deflection; *of compass needle, sun*: declination; *gr. etc.* anomaly; *tech.* allowance, tolerance; *fig.* departure (*von* from *a rule, etc.*).

ˈ**abweiden** *v/t.* (*h.*) graze, feed on.

ˈ**abweis|en** *v/t.* (*irr., h.*) refuse, reject, turn down; *jur.* dismiss, nonsuit; *mil.* beat back, repulse (*attack*); *j-n ~* turn away a p., *curtly*: rebuff; *j-n kurz ~* send a p. about his business; *glatt abgewiesen werden* meet with a flat refusal; *er läßt sich nicht ~* he will take no refusal; refuse admittance (*acc.* to); **~end** *adj.* unfriendly, cool; *j-n ~ behandeln* be short with a p.: **2ung** *f* refusal, rejection; *jur.* dismissal, nonsuit; *mil.* repulse; *econ.* non--acceptance; rebuff (*of a p.*).

abwendbar [ˈapvɛntbaːr] *adj.* preventable, avertible.

abwend|en [ˈ-dən] *v/t.* (*irr., h.*) turn off (*or* away); *s-e Augen ~* avert one's eyes; parry (*a thrust*); avert, head (*or* stave) off (*danger, etc.*); *sich ~* turn away (*von* from); *fig.* → *abkehren*; **~ig** → *abspenstig*; **2ung** *f* averting, prevention.

ˈ**Abwerbung** *econ. f* enticing away *an employee*.

ˈ**abwerfen** *v/t.* (*irr., h.*) throw off, (*or* down); *aer.* release (*bombs*), drop (*bomb, container*); (para)drop; throw (*rider*); cast, shed (*antlers, skin*); shake off (*yoke*); discard (*card*); *econ.* yield (*profit*); bear (*interest*); *es wirft nichts ab* it does not pay.

ˈ**abwert|en** *v/t.* (*h.*) devaluate, devalorize; **2ung** *f* devaluation.

abwesend [ˈapveːzənt] *adj.* absent, away; not in; missing; *fig.* absent--minded, (*adv. a.* absently), lost in thought; **2e(r** *m*) [ˈ-də(r)] *f* (*-n*; *-n*; *-en*; *-en*) absentee; *die ~n pl.* those absent.

ˈ**Abwesenheit** *f* absence; absenteeism; *in ~ von* in the absence of; *jur.* non-attendance, *deliberate*: contumacy; *durch ~ glänzen* be conspicous by one's absence; *fig.* absent-mindedness; **~spfleger** *m* trustee in absentia; **~s-urteil** *n* judgment in default.

ˈ**abwetzen** *v/t.* (*h.*) whet, sharpen; rub (*or* wear) off.

ˈ**abwickeln** *v/t.* (*h.*) unwind, reel off, uncoil; *econ.* adjust; liquidate (*debt*); transact (*business*); effect, handle; complete; *jur.* liquidate, wind up; *sich ~* pass off.

ˈ**Abwick(e)lung** *f* unwinding; *econ.* transaction, settlement; execution, carrying out; *econ., jur.* winding--up, *Am.* wind-up; liquidation; *reibungslose ~* smooth handling (*or* disposal) *of a matter*; **~sstelle** *f* clearing office.

Abwickler [ˈapviklər] *jur. m* (-s; -) liquidator.

Abwiege|maschine [ˈapviːgə-] *f* weighing machine; dosing machine, dispenser; **2n** *v/t.* (*irr., h.*) weigh out.

ˈ**abwimmeln** *colloq. v/t.* (*h.*) brush off *a p.*; shake off, get rid of *a p. or. th.*

ˈ**Abwind** *aer. m* down(ward) current, *Am.* downdraft.

ˈ**abwinden** *v/t.* (*h.*) reel off, unwind (*a. sich and fig.*).

ˈ**abwinken** *v/i.* (*h.*) give the starting signal; *fig.* give a sign of refusal (*or* warning).

ˈ**abwinkeln** *v/t.* (*h.*) square off; *sports*: flex, jackknife.

ˈ**abwirtschaften** *v/i.* (*h.*) get ruined *or* ruin o.s. (by mismanagement); → *abgewirtschaftet.*

ˈ**abwischen** *v/t.* (*h.*) wipe off; dust (off); mop; sponge; *sich den Mund ~* wipe *one's mouth, die Stirn*: mop *one's brow, die Tränen*: dry *one's tears*.

ˈ**abwracken** *mar. v/t.* break up, scrap.

ˈ**Abwurf** *m* throwing off *or* down; *aer.* drop(ping), release; yield, profit; *sports*: goal-throw; **~behälter** *aer. m* aerial delivery container; *for fuel*: slip tank; **~stelle** *f* drop point.

ˈ**abwürgen** *v/t.* (*h.*) strangle, throttle; *mot.* stall, kill.

abzahl|en *v/t.* (*h.*) pay off; pay by (*Am.* on) instal(l)ments; **2ung** *f* payment (in full), liquidation; payment by (*Am.* in) instal(l)ments; *auf ~ kaufen* buy on the instal(l)ment plan, purchase on account; **2ungsgeschäft** *n* hire purchase business; **2ungssystem** *n* hire--purchase system, instal(l)ment plan; **2ungsverpflichtung** *f* hire--purchase commitment.

ˈ**abzählen** *v/t.* (*h.*) count off (*or* out); *an den Fingern ~* tick off on one's fingers; *fig. das kannst du dir an den Fingern ~* that's obvious enough; *mil. ~!* count off!

ˈ**abzapfen** *v/t.* (*h.*) tap (*a. barrel*), draw off; *med.* drain (*pus, etc.*) draw (*blood*); *j-m Blut ~* bleed a p.; *fig. j-m Geld, etc., ~* tap (*or* bleed) a p. for money, *etc.*

ˈ**abzappeln:** *sich ~* (*h.*) fight the hands of the clock.

ˈ**abzäumen** *v/t.* (*h.*) unbridle.

abzäunen [ˈaptsɔynən] *v/t.* (*h.*) fence off (*or* in).

ˈ**abzehr|en** *v/t.* (*h.*) consume, waste; emaciate; *sich ~* waste away; **2ung** *f* wasting away, consumption; emaciation.

ˈ**Abzeichen** *n* mark of distinction; badge (*of club, etc.*; *mil. of rank*); *mil.* stripe; decoration; *pl.* insignia; *national*: emblem, *aer.* marking.

ˈ**abzeichnen** *v/t.* (*h.*) copy, draw, sketch (*von* from); mark off, initial (*document*); check off (*item in list*); *fig. sich ~* appear in outlines, *danger*: loom; *sich ~ gegen* stand out against.

Abzieh|apparat [ˈaptsiː-] *m* mimeograph; **~bild** *n* transfer-picture; *tech.* decalcomania; **~bilderverfahren** *n* decalcomania, metachromotype process; **~bürste** *f* letterbrush; **2en I.** *v/t.* (*irr., h.*) draw off, pull down *or* off, remove; strip (*bed*); mimeograph; *typ.* pull off *a proof*; *phot.* print; transfer (*picture*); *tech.* smooth (*knife*), grind, sharpen (*knife*), strop (*razor*); take out (*key*); *das Fell ~* skin (*animals*); scrape (*hide*); plane off, surface (*parquetry*); bottle (*wine, etc.*); drain; *chem.* distil, decant; subtract, deduct (*von* from); *econ. et. vom Preise ~* take something off the price; *fig.* withdraw (*a. money, mil. troops*); divert; *s-e Hand von j-m ~* withdraw one's help (*or* support) from a p.; **II.** *v/i.* (*irr., sn*) go away, depart, march off; *smoke*: escape, disperse; *fig. mit langer Nase ~* depart with one's tail between one's legs; release *or* pull the trigger (*of a gun*); **~feile** *f* smooth file; **~muskel** *anat. m* abductor; **~papier** *n* duplicating paper; **~riemen** *m* razor strop.

ˈ**abzielen** *v/i.* (*h.*): *auf et. ~* aim at, have in view; tend to; *worauf zielte er ab?* what was he driving at?

ˈ**abzirkeln** *v/t.* (*h.*) measure (*or* mark) with compasses; *fig.* define precisely.

ˈ**Abzug** *m* departure; *mil.* withdrawal, retreat; *econ.* deduction (*of sum*); allowance, rebate, discount; *in ~ bringen* deduct, allow; *nach ~ der Kosten* charges deducted; *frei von ~* net, clear; *tech.* outlet, escape; drain; *on gun*: trigger; *typ.* proof (-sheet); (mimeograph) copy; *phot.* print.

abzüglich [ˈaptsyːkliç] *adv.* less, minus; deducting, allowing for; *~ der Kosten* charges deducted.

Abzugs... [ˈaptsuːks-]: **~bogen** *typ. m* proof (-sheet); **~bügel** *m* trigger guard; **2sfähig** *adj.* deductible; **~graben** *m* drain, gully; **~kanal** *m* drain; sewer; **~rohr** *n* waste pipe; escape pipe.

ˈ**abzwacken** *v/t.* (*h.*): *fig. j-m et. ~* squeeze a th. out of a p.

ˈ**Abzweig** *el. m* branch; **~dose** *f* junction box; **2en** [ˈ-tsvaɪgən] **I.** *v/t., a. sich* (*h.*) branch off (*a. fig.*); *fig.* earmark, put *money* on one side; **II.** *v/i.* (*h.*) branch off; **~klemme** *el. f* branch terminal; **~leitung** *el. f* branch (conduit); **~ung** *f* (-; -en) branching-off; bifurcation; *el.* branch, shunt.

ˈ**abzwicken** *v/t.* (*h.*) pinch (*or* nip) off.

ach [ax] *int.* ah!, *rhet.* alas!; *~ nein?* you don't say?, is that (really) so?; *~ so!* oh, I see!; so that's what you mean!; *~ wo!* certainly not!, not a bit of it!; *~ was!* tut, tut!

Ach *n* (*-s*; *-*): *~ und Weh schreien* wail of woe, cry murder; *mit ~ und Krach* with great difficulty, by the skin of one's teeth, barely.

Achat [aˈxaːt] *m* (-[e]s; -e) agate.

Achilles|ferse [aˈxiləs-] *fig. f* vulnerable (*or* soft) spot; **~sehne** *anat. f* Achilles tendon.

achroˈmatisch *adj.* achromatic.

Achs... [ˈaks-]: → *Achsen...*

Achse [ˈaksə] *f* (-; *-n*) **1.** axis, *pl.* axes; *sich um s-e ~ drehen* make a full turn; *die Erde dreht sich um ihre ~* the earth rotates about its axis; **2.** *tech.* axle(-tree); shaft; *bewegliche* (*feststehende*) *~* articulated (stationary) axle; *econ. per ~* **a)** by land carriage, **b**) by rail, **c**) by lorry (*Am.* truck); *fig. colloq. auf der* ~ on the move.

Achsel ['aksəl-] *f* (-; -*n*) shoulder; *die* ~ *zucken* shrug one's shoulders; *fig. über die* ~ *ansehen* look down upon; *auf die leichte* ~ *nehmen* make light of; ~**bein** *anat. n* shoulder-blade; ~**gelenk** *n* shoulder-joint; ~**höhle** *f* armpit; ~**klappe** *f*, ~**stück** *n* → *Schulterklappe*, *-stück*; ~**träger** *m* shoulder-strap.; *fig.* (*person*) timeserver, opportunist; ~**zucken** *n* (-*s*) shrug (of the shoulders).

'**Achsen...:** ~**abstand** *mot. m* wheel base; ~**antrieb** *m* axle drive; ~**aufhängung** *f* axle suspension; ~**bruch** *m* breakdown of an axle; ~**schnitt** *math. m* axial intercept; ~**system** *math. n* system of coordinates; ~**welle** *f* axle (driving) shaft.

'**achs-parallel** *adj.* axially parallel; *tech.* paraxial, axis parallel.

acht [axt] *adj.* eight; *in* ~ *Tagen* within a week, today week; *vor* ~ *Tagen* a week ago; *alle* ~ *Tage* every other week.

Acht[1] *f* (-; -*en*) (number *or* figure) [eight.]

Acht[2] *f* (-) outlawry, ban; proscription; *in* ~ *und Bann* under the ban; *in die* ~ *erklären*, *in* ~ *und Bann tun* outlaw, proscribe; *fig.* ostracize *a p.*, ban *a th.*

Acht[3] *f* (-) attention; *außer* ≈ *lassen* disregard, pay no heed to, leave out of account; ≈ *geben*, ≈ *haben auf* pay attention, be attentive (*or* alert) to; *gib* ≈*!* look (*or* watch) out!, careful!; *sich in* ≈ *nehmen* take care (of o.s.), be on one's guard (*vor dat.* against); *nimm dich vor dem Hund in* ≈*!* mind (*or* beware of) the dog!

'**achtbar** *adj.* respectable, hono(u)rable; ≈**keit** *f* (-) respectability.

achte ['axtə] *adj.* eighth; ~*s Kapitel* eighth chapter *or* chapter eight; *Heinrich VIII.* Henry VIII (= the Eighth); *am* (*or den*) ~*n April* (on) the eighth of April, 8th April, April 8th.

Achteck ['-ʔɛk] *math. n* (-[e]s; -e) octagon; ≈**ig** *adj.* octagonal.

Achtel ['axtəl] *n* (-*s*; -) eighth (part); *ein* ~*pfund* an eighth of a pound; ~**note** *mus. f* quaver, *Am.* eighth note; ~**pause** *mus. f* quaver rest, *Am.* eighth rest.

achten ['axtən] **I.** *v/t.* (*h.*) *j-n*: respect, (hold in high) esteem, have a high opinion of *a p.*; observe, abide by (*laws*); respect (*rights*); → *beachten, erachten*; **II.** *v/i.* (*h.*): ~ *auf* pay attention to; *achte auf meine Worte* mark my words; *darauf* ~, *daß* see to it that, take care that; *nicht* ~ *auf* be heedless of, disregard.

ächten ['ɛçtən] *v/t.* (*h.*) outlaw, proscribe; *fig.* ban; *socially*: ostracize.

Achtender ['-ʔɛndər] *hunt. m* (-*s*; -) stag of eight points.

achtens ['axtəns] *adv.* eighth(ly), in the eighth place.

'**achtenswert** *adj.* estimable, respectable.

'**Achter** *m* (-; -) (figure) eight; (*boat*) eight; *skating*: circle eight.

'**achter(n)** *mar. adj.* (ab)aft; ~**aus** *adv.* (ab)aft, astern.

'**Achter...:** ~**bahn** *f* switchback (railway), *Am.* roller-coaster; ~**deck** *n* quarter-deck; ≈**lei** ['laɪ] *adj.* of eight different kinds (*or* types), eight (different kinds of); ~**raum** *m* afterhold; ~**rennen** *n*: *das* ~ the Eights *pl.*; ~**schiff** *n* stern; ~**steven** *m* stern post.

'**acht...:** ~**fach**, ~**fältig** ['-fɛltiç] *adj.* eightfold, octuple; ~**flächig** *math. adj.* octahedral; ≈**füßer** ['-fy:sər] *zo. m* (-*s*; -) octopod.

'**acht|geben**, ~**haben** → *Acht*[3].

'**acht...:** ~**hundert** *adj.* eight hundred; ~**jährig** *adj.* eight years old; of eight years.

'**achtlos** *adj.* inattentive, unheeding, careless; inconsiderate; ≈**igkeit** *f* (-) inattention, carelessness, unconcern, negligence.

'**acht...:** ~**mal** *adv.* eight times; ≈**polröhre** *f radio*: hexagrid valve.

'**achtsam** *adj.* attentive (*auf acc.*) to; careful (of); ≈**keit** *f* (-) attentiveness; carefulness.

Acht...: ~**stundentag** *m* eight-hour day; ≈**stündig** ['-ʃtyndiç] *adj.* eight-hour; ≈**tägig** *adj.* eight-day, lasting a week.

'**Achtung** *f* (-) **1.** attention; (*a. mil.*) ~*!* attention!; look out!, *Am.* watch out!; ~ *Stufe!* careful! mind the step!; *on signboards*: danger!, caution!, warning!; **2.** respect, esteem, regard; *alle* ~*!* congratulations!, not (at all) bad!; *bei aller* ~ *vor Ihnen* with due deference to you; ~ *erweisen* (*dat.*) pay respect to; ~ *gebieten* command respect; ~ *hegen für* have a high opinion of; *in hoher* ~ *stehen* be held in high esteem; *sich* ~ *verschaffen* make o.s. respected.

'**Ächtung** *f* (-) outlawing, proscription; *fig.* ban (on); *social*: ostracism.

'**Achtung...:** ≈**einflößend**, ≈**gebietend** *adj.* inspiring (*or* commanding) respect, authoritative; ~**s-erfolg** *m* succes d'estime (*Fr.*); ≈**svoll** *adj.* respectful.

'**achtzehn** *adj.* eighteen; ~**te** *adj.* eighteenth.

achtzig ['axtsiç] *adj.* eighty; *in den* ~*er Jahren* in the eighties; ≈**er(in** *f*) ['-gər(in)] *m* (-*s*; -; -; -*nen*) octogenarian; ~**jährig** *adj.* eighty (years old), octogenarian; ~**ste** ['-stə] *adj.* eightieth.

'**Achtzylindermotor** *m* eight-cylinder engine.

ächzen ['ɛçtsən] *v/i.* (*h.*) moan, groan (*vor dat.* with); ≈ *n* (-*s*) groan(s *pl.*), groaning.

Acker ['akər] *m* (-*s*; ¨) field; arable (*or* farm) land; soil, ground; (*measure*) acre.

'**Ackerbau** *m* (-[e]s) agriculture; *n.s.* tillage, arable farming; ~**maschine** *f* agricultural machine; ≈**treibend** *adj.* agricultural.

'**Acker...:** ~**bestellung** *f* tillage; ~**boden** *m* (arable) soil; ~**bohne** *f* broad bean; ~**erbse** *f* field pea; ~**fläche** *f* acreage; ~**furche** *f* furrow; ~**gaul** *m* farm-horse; ~**gerät** *n* agricultural implements *pl.*, farming tools *pl.*; ~**gesetz** *n* agrarian law; ~**krume** *f* top soil; ~**land** *n* arable land; tilled land.

'**ackern** *v/t. and v/i.* (*h.*) plough (*Am.* plow), till; *fig.* work hard; → *durchackern.*

'**Acker...:** ~**schleife** *f* field drag, *Am.* clod crusher; ~**schlepper** *m* farm tractor; ~**schnecke** *zo. f* field slug; ~**scholle** *f* clod; ~**walze** *f* land roller; ~**winde** *bot. f* lesser bindweed.

a conto [a'kɔnto] *econ. adv.* on account.

Acrylsäure [a'kry:l-] *chem. f* acrylic acid.

ad absurdum [at ap'zurdum]: ~ *führen* reduce to absurdity.

ad acta [at 'akta]: ~ *legen* file away; *fig.* shelve, table *a matter.*

Adam ['ɑ:dam] *m* (-*s*; -*s*) Adam; *fig. den alten* ~ *ausziehen* turn over a new leaf; *nach* ~ *Riese* according to Spoker, *w.s.* obviously enough; ~**s-apfel** *anat. m* Adam's apple; ~**skostüm** *n*: *im* ~ in one's buff (*or* birthday suit).

addier|en [a'di:rən] *v/t.* (*h.*) add, sum up; ≈**maschine** *f* adding machine.

Addition [aditsi'o:n] *f* (-; -*en*) addition.

Additiv [-'ti:f] *chem. n* (-*s*; -*e*) additive.

ade [a'de:] → *adieu.*

Adel ['ɑ:dəl] *m* (-*s*) nobility, aristocracy; *Brit. niederer* ~ *the* gentry; *fig.* noble-mindedness; *von* ~ *sein* be of noble birth.

'**ad(e)lig** *adj.* noble (*a. fig.*), titled, of noble birth; ≈**e(r** *m*) ['-gə(r)] *f* (-*n*; -*n*; -*en*; -*en*) nobleman, aristocrat, peer; *f* noblewoman, lady of title; *die* ~*en pl.* the nobles, the nobility.

'**adeln** *v/t.* (*h.*) ennoble (*a. fig.*); *Brit.* knight, raise to the peerage.

'**Adels...:** ~**brief** *m* patent of nobility; ~**buch** *n* peerage-book; ~**krone** *f* coronet; ~**prädikat** *n* nobiliary prefix; ~**stand** *m* nobility; *Brit.* peerage; *in den* ~ *erheben* knight; ~**stolz** *m* aristocratic pride.

Ader ['ɑ:dər] *f* (-; -*n*) *anat.* vein, vessel, artery; *bot., geol., in marble, etc.* (*a. fig., poetic, etc.*) vein; *in wood*: *a.* grain, streak; *of cable*: core; *j-n zur* ~ *lassen* bleed a p. (*a. fig.*); *er hat e-e leichte* ~ he is a happy-go-lucky fellow.

Äderchen ['ɛ:dərçən] *n* (-*s*; -) small vein, veinlet.

'**Aderlaß** ['-las] *m* (-*sses*; ¨*sse*) blood-letting.

'**ädern** *v/t.* (*h.*) vein, streak.

'**Ader...:** ~**presse** *f* tourniquet; ~**ung** *f* (-; -*en*) veining; *bot.* nervation.

Adhäsion [athɛzi'o:n] *phys. f* (-; -*en*) adhesion.

adieu [a'djø:] *int.* good-by(e), farewell, adieu; **A'dieu** *n* (-*s*; -*s*) farewell, adieu.

Adjektiv ['atjekti:f] *gr. n* (-*s*; -*e*) adjective; ≈**isch I.** *adj.* adjectival; **II.** *adv.* adjectively.

Adjutant [atju'tant] *m* (-*en*; -*en*) adjutant, *of general*: aide(-de-camp), *Am.* aid.

Adler ['ɑ:dlər] *m* (-*s*; -) eagle; *junger* ~ eaglet; *herald.* (*Doppel*≈ double-

-headed) eagle; **~auge** *fig. n*: *mit e-m ~* eagle-eyed; **~horst** *m* aerie; **~nase** *f* aquiline nose.

adlig ['ɑːdliç] *adj.* → *adelig.*

Admiral [atmi'rɑːl] *mar. m* (-*s*; -*e*) admiral (*a. butterfly*); **~i'tät** *f* (-; -*en*) admiralty; **~sflagge** *f* admiral flag; **~s-schiff** *n* flagship; **~stab** *m the* naval staff; **~swürde** *f* admiralship.

adop'tieren *v/t.* (*h.*) adopt.

Adopti'on *f* adoption.

Adoptiv|bruder [adɔp'tiːf-] *m* brother by adoption; **~eltern** *pl.* adoptive parents; **~kind** *n* adoptive child.

Adrenalin [adrena'liːn] *n* (-*s*) adrenaline.

Adressant [adrε'sant] *m* (-*en*; -*en*) sender; drawer (*of bill of exchange*).

Adressat ['-sɑːt] *m* (-*en*; -*en*) addressee; *of goods*: consignee; *of bill of exchange*: drawee.

Adreßbuch [a'drεs-] *n* directory.

Adresse [a'drεsə] *f* (-; -*n*) address; *per ~* care of (*abbr.* c/o); *falsche ~* misdirection; *econ. money market*: *erste ~* first-class borrower; *fig. an die falsche ~ kommen* go to the wrong shop, *w.s.* come to the wrong address, catch a Tartar; **~n-nachweis** *m* address bureau.

adres'sier|en *v/t.* (*h.*) address, direct (*an acc.* to); *econ.* consign (*goods*); *falsch ~* misdirect; **≈ma-schine** *f* addressing machine.

adrett [a'drεt] *adj.* smart, dressy, neat.

adsorbieren [atzɔr'biːrən] *chem. v/t.* (*h.*) adsorb; *~de Substanz* adsorbate.

Adsorption [-ptsi'oːn] *f* (-; -*en*) adsorption; **~svermögen** *n* (-*s*) adsorbing power.

'A-Dur *n* A major.

Advektion [atvεktsi'oːn] *phys. f* (-; -*en*) advection.

Advent [at'vεnt] *eccl. m* (-[*e*]*s*) advent; **Adventist** *m* (-*en*; -*en*) Adventist.

Ad'vents|sonntag *m* Advent Sunday; **~zeit** *f* Advent season.

Adverb [at'vεrp] *gr. n* adverb; **≈ial** [-bi'ɑːl] *adj.* adverbial; *~e Bestimmung* adverbial qualification; **~i'alsatz** *m* adverb clause.

Advokat [atvo'kɑːt] *m* (-*en*; -*en*) advocate, lawyer; **~enkniff** *m* lawyer's trick.

Aero|dy'namik [aero-] *phys. f* aerodynamics *pl.*; **≈dy'namisch** *adj.* aerodynamic; streamlined; **~me'chanik** *f* aeromechanics *pl.*; **~'nautik** *f* aeronautics *pl.*; **~sol** [-'zoːl] *n* (-*s*; -*e*) aerosol; **~stat** [-'stɑːt] *m* (-*en*; -*en*) aerostat; **~'statik** *f* aerostatics *pl.*

Affäre [a'fεːrə] *f* (-; -*n*) (*a. love-*) affair; incident; matter, business; case; *sich aus der ~ ziehen* back out (of the business), wriggle out, *adroitly*: master the situation, rise to the occasion.

Affe ['afə] *m* (-*n*; -*n*) monkey; ape; *colloq. fig.* **a**) dandy, coxcomb, **b**) silly fool, ass; *sl. mil.* pack, knapsack; *e-n ~n haben sl.* be plastered; *e-n ~n an j-m gefressen haben* be infatuated with a p., be nuts about a p.; *colloq. ich denke, mich laust der ~* well, I'll be hanged.

Affekt [a'fεkt] *m* (-[*e*]*s*; -*e*) emotion, passion; *im ~* under the urge of passion; *im ~ begangen*, *~... a.* emotional; **~handlung** *jur. f* act committed in the heat of passion

affek'tier|en *v/t.* (*h.*) affect; **~t** *adj.* affected, artificial; conceited; **≈t-heit** *f* (-) affectation; mannerism.

äffen ['εfən] *v/t.* (*h.*) mock, tease; dupe, hoax.

'Affen...: ≈artig ['-ɑːrtiç] *adj.* apish, simian; *colloq. mit ~er Geschwindigkeit* like a greased lightning; **~brotbaum** *m* baobab; **~komödie** *f* → *Affentheater*; **~liebe** *f* (-) doting love; **~mensch** *m* pithecanthropus; **~pinscher** *m* Brussels griffon, pug; **~schande** *f* (-) crying shame; **~theater** *n* complete farce, foolery; *w.s.* crazy business; **~weibchen** *n* → *Äffin.*

'affig *colloq. adj.* foppish; silly.

'Äffin *f* (-; -*nen*) she-ape, female ape (*or* monkey).

affinieren [afi'niːrən] *chem. v/t.* (*h.*) refine.

Affini'tät *f* (-) affinity.

Afrika ['ɑːfrika] *n* (-*s*) Africa; **~forscher** *m* African explorer; **Afrika|ner(in** *f*) [afri'kɑːnər-] *m* (-*s*; -; -; -*nen*), **≈nisch** *adj.* African.

After ['aftər] *anat. m* (-*s*; -) anus; *ichth., orn.* vent; *mining*: tailings; **~gelehrter** *m* pseudoscholar; **~kritiker** *m* would-be critic; **~lehen** *n* mesne-fief; **~miete** → *Untermiete*; **~pacht** *f* subtenancy; **~rede** *f* slander, calumny.

ägäisch [εː'gεːiʃ] *adj.*: *≈es Meer* Aegean sea.

agam [a'gɑːm] *bot., zo. adj.* agamic.

Agat [a'gɑːt] *m* (-[*e*]*s*; -*e*) → *Achat.*

Agave [a'gɑːvə] *bot. f* (-; -*n*) agave.

Agend|a [a'gεnda] *f* (-; -*den*) memorandum-book; **~e** *eccl. f* (-; -*n*) liturgy.

Agens ['ɑːgεns] *chem. n* (-) (re-) agent; *fig.* driving force; (decisive) factor.

Agent(in *f*) [a'gεnt-] *m* (-*en*; -*en*; -; -*nen*) agent; *pol.* (intelligence) agent; confidential agent.

Agentur [agεn'tuːr] *f* (-; -*en*) agency; bureau.

Agglomerat [aglome'rɑːt] *n* (-[*e*]*s*; -*e*) *geol.* agglomerate, sinter cake; *fig.* agglomeration.

agglutinieren [agluti'niːrən] *v/i.* (*h.*) agglutinate.

Aggregat [agre'gɑːt] *n* (-[*e*]*s*; -*e*) *phys.* aggregate; *tech.* set (of machines), unit, aggregate; (*admixture*) aggregate; **~zustand** *m* state of aggregation.

Agres|sion [agrεsi'oːn] *f* (-; -*en*) aggression; **≈siv** [-'siːf] *adj.* aggressive, belligerent.

Ägide [εː'giːdə] *f* (-) aegis, protection; *unter der ~* (*gen.*) under the auspices of.

agieren [a'giːrən] *v/i.* (*h.*) act, operate.

agil [a'giːl] *adj.* agile.

Agio ['ɑːdʒo] *econ. n* (-*s*) premium, agio; **~papiere** *n/pl.* premium bonds; **~'tage** *f* stock-jobbing.

Agitation [agitatsi'oːn] *f* (-; -*en*) agitation (*a. tech.*).

Agitator [-'tɑːtɔr] *m* (-*s*; -'*toren*) agitator, fomenter, rabble-raiser; demagogue; **agitatorisch** [-ta'toːriʃ] *adj.* fomenting, demagogical; seditious.

Agnost|iker [a'gnɔstikər] *m* (-*s*; -), **≈isch** *adj.* agnostic.

Agonie [ago'niː] *f* (-; -*n*) *med., a. fig.* agony, death-struggle.

Agraffe [a'grafə] *f* (-; -*n*) clasp, brooch.

Agrar|gesetze [a'grɑːr-] *n/pl.* agrarian laws; **~politik** *f* agrarian policy; **~preise** *m/pl.* prices of farm products, farm prices; **~reform** *f* agrarian reform; **~staat** *m* agrarian state; **~wirtschaft** *f* farming.

Ägypt|en [εː'gyptən] *n* (-*s*) Egypt; *sich nach den Fleischtöpfen ~s sehnen* long for the fleshpots of Egypt; **~er(in** *f*) *m* (-*s*; -; -; -*nen*), **≈isch** *adj.* Egyptian; *es herrschte eine ägyptische Finsternis* it was pitch-dark.

ah [ɑː] *int.* ah!; pooh!, ugh!; **aha** [a'ha] *int.* aha!, Oh, I see!; there you see!

äh [εː] *int.* pooh!, ugh!; er!

Ahle ['ɑːlə] *f* (-; -*n*) awl, pricker; *typ.* point, bodkin; *tech.* reamer, broach.

Ahn [ɑːn] *m* (-[*e*]*s*; -*en*) ancestor, forbear; grandfather; *~en pl. a.* forefathers; ancestry *sg.*

ahnd|en ['ɑːndən] *v/t.* (*h.*) avenge; punish; **≈ung** *f* (-; -*en*) revenge, punishment.

ähneln ['εːnəln] *v/i.* (*h.*) (*dat.*) look (*or* be) like, resemble, bear a (remote) resemblance to; take after (*the mother, father*).

ahnen ['ɑːnən] *v/t.* (*h.*) anticipate, foresee; have a presentiment (*or* hunch) of (*or* that); have a foreboding of; divine, sense; suspect; *ohne zu ~, daß* without dreaming that; *wie konnte ich ~* how was I to know (*or* tell); *~ lassen* foreshadow, presage, *w.s.* give an idea of.

'Ahnen...: ~forschung *f* ancestry research; **~kult** *m* ancestor worship; **~reihe** *f* line of ancestors; **~schein** *m* genealogical chart; **~tafel** *f* genealogical tree, pedigree.

'Ahn|frau *f* ancestress; **~herr** *m* ancestor.

'ähnlich *adj.* resembling; similar (*dat.* to) like, alike; analogous (to), corresponding; *e-e ~e Methode wie die* a method similar to the one *that*; *j-m ~ sehen* look (very much) like a p.; *iro. das sieht dir ganz ~* that's just like you, you would do (*or* say) that; *er wird der Mutter ~* he takes after his mother; → *sprechend*; **≈keit** *f* (-; -*en*) resemblance (*mit* to), likeness (to); *fig.* similarity (to), analogy (to); *viel ~ haben mit* be *or* look very much like, be very similar to, resemble strongly.

'Ahnung *f* (-; -*en*) presentiment, hunch; foreboding, misgiving; suspicion; idea; *ich hatte keine blasse ~ davon* I had not the faintest notion (*or* idea) of it; *colloq. er hatte keine ~ von Tuten und Blasen* he didn't know the first thing about it; *keine ~!* no idea!; **≈slos** *adj.* unsuspecting, without misgivings; innocent; **≈svoll** *adj.* full of presentiment; ominous, portentous.

Ahorn ['ɑːhɔrn] *bot. m* (-*s*; -*e*)

maple(-tree); **~holz** *n* maple (wood).
Ähre ['ɛːrə] *bot. f* (-; -n) ear; *of flower*: spike, *of grass*: head; *~n lesen* glean; *~n tragend* eared; **~nleser(in** *f*) *m* gleaner.
ais ['aːʔis] *n* (-) A sharp.
Akademie [akade'miː] *f* (-; -n) academy.
Akademiker [-'deːmikər] *m* (-s; -) university(-bred) man, (university) graduate; professional man; academician.
aka'demisch *adj.* academic(ally *adv.*); e-e *~e Frage* an academic problem; *~ gebildet* having a university education, university-bred.
Akazie [a'kaːtsiə] *f* (-; -n), **~nholz** *n* acacia; **~ngummi** *m* gum arabic.
akklimatisier|en [aklimati'ziːrən] *v/t.* (*h.*) (*a. fig.*) acclimatize, acclimate; **2ung** *f* (-) acclimatization, acclimation.
Akkord [a'kɔrt] *mus. m* (-[e]s; -e) chord; *fig.* accord, harmony; *econ.* settlement; composition (*with creditors*); *wages*: piece-work; *im ~* by the piece (*or* job); *in ~ geben* (*nehmen* let by (take in) contract; **~arbeit** *f* piece-work; **~arbeiter** *m* piece worker.
Akkordeon [a'kɔrdeɔn] *n* (-s; -s) accordion.
akkordieren [akɔr'diːrən] **I.** *v/t.* (*h.*) arrange; **II.** *v/i.* (*h.*) agree, compromise (*mit* with, *über* upon); *econ.* arrange, compound (*mit* with, *wegen* for).
Ak'kord...: **~lohn** *m* piece-wages *pl.*; **~satz** *m* piece(-per-hour) rate; **~system** *n* competitive wage system.
akkreditieren [akredi'tiːrən] *v/t.* (*h.*) accredit (*bei* to); *econ.* open a credit in favo[u]r of *a p.*
Akkreditiv [-'tiːf] *econ. n* (-s; -e) letter of credit (*abbr.* L/C); *bestätigtes ~* confirmed (letter of) credit; *unwiderrufliches ~* irrevocable L/C; *~ mit Dokumentenaufnahme* documentary L/C; *j-m ein ~ eröffnen* open a credit in favo(u)r of a p.; **~gestellung** *f* opening of a credit; **~schreiben** *n* credentials *pl.*
Akku ['aku] *m* (-s; -s) → *Akkumulator.*
Akku|mulator [akumu'laːtɔr] *tech. m* (-s; -'toren) (battery) accumulator, storage battery; **~mu'latorelement** *n* storage-battery cell; **~mulatorenfahrzeug** [-mula'toːrən-] *n* accumulator (*or* battery) car; **~mu'latorsäure** *f* accumulator acid, electrolyte.
akkumu'lieren *v/t.* (*h.*) accumulate.
akkurat [aku'raːt] *adj.* accurate.
Akkuratesse [-ra'tɛsə] *f* (-) accuracy.
Akkusativ ['akuza'tiːf] *gr. m* (-s; -e) accusative, objective case; **~objekt** *n* direct object.
Akontozahlung [a'kɔnto-] *econ. f* payment on account; instal(l)ment; *als ~ erhalten* received on account.
Akquisiteur [akvizi'tøːr] *m* (-s; -e) agent, canvasser; insurance agent.
Akribie [akri'biː] *f* (-) scientific precision, meticulosity.
Akridin|farbstoff [akri'diːn-] *m* acridine dye; **~säure** *f* acridic acid.
Akrobat [akro'baːt] *m* (-en; -en), **~in** *f* (-; -nen) acrobat; **~ik** *f* (-) acrobatics *pl.*; **2isch** *adj.* acrobatic.
Akt [akt] *m* (-[e]s; -e) act; *~ der Verzweiflung* desperate deed; *thea.* act; *physiol.* act (of love), coitus; *paint.* nude.
Akte ['aktə] *f* (-; -n) (official) document, (legal) instrument, deed; file, record; *zu den ~n* to be filed; *zu den ~n legen* put on file, *fig.* shelve, pigeon-hole.
'Akten...: **~deckel** *m* folder; **~einsicht** *f* inspection of records; **~hefter** *m* document file; **~klammer** *f* paper clip; **2kundig** *adj.* on (the) record; **~mappe** *f* document-case, portfolio; brief-case; **2mäßig** *adj.* documentary; *~ festlegen* place on record; **~mensch** *m* red-tapist; **~notiz** *f* memo(randum); **~papier** *n* foolscap (paper); **~schrank** *m* filing cabinet; **~stoß** *m* bundle (*or* pile) of documents; **~stück** *n* document; file; **~tasche** *f* → *Aktenmappe*; **~zeichen** *n* reference (number), file number.
Aktie ['aktsiə] *econ. f* (-; -n) share, *Am.* stock; share (*Am.* stock) certificate; *die ~n stehen gut* shares are at a premium, *colloq. fig.* prospects are fine; *s-e ~n sind gestiegen* (*a. fig.*) his stock has gone up.
Akteur [ak'tøːr] *m* (-s; -e) *thea. and fig.* actor.
'Aktien...: **~ausgabe** *f* issue of shares (*Am.* stock); **~bank** *f* (-; -en) joint-stock (*Am.* incorporated) bank; **~besitz** *m* (share, *Am.* stock) holdings; **~besitzer** *m* shareholder, *esp. Am.* stockholder; **~börse** *f* stock exchange; **~gesellschaft** *f* (public) limited company, *Am.* (stock) corporation; **~kapital** *n* share capital, *Am.* capital stock; **~markt** *m* market for shares, *Am.* stock market; **~mehrheit** *f* majority stock; *die ~ besitzen* hold the control(l)ing interest; **~notierung** *f* quotation of shares; **~paket** *n* block (*or* parcel) of shares; **~schein** *m* share warrant, *Am.* certificate of stock; **~zertifikat** *n* share certificate.
aktinisch [ak'tiːniʃ] *adj. chem.* actinic.
Aktion [aktsi'oːn] *f* (-; -en) action; measure; (*advertising, etc.*) campaign, drive; scheme, project; *~en pl.* activities; *in ~* in action; *in ~ setzen* (*treten*) bring (enter) into action.
Aktionär [aktsio'nɛːr] *m* (-s; -e) shareholder, *Am.* stockholder; **~versammlung** *f* → *Generalversammlung.*
Akti'ons...: **~bereich** *m* radius (*or* range) of action, *mil. a.* (effective) range; *tech. and fig.* range; **~freiheit** *f* (-) freedom of action; **~radius** *m* → *Aktionsbereich.*
aktiv [ak'tiːf] *adj.* active (*a. participation*; *a. person*); *chem.* activated (*carbon, etc.*); *econ.* favo(u)rable (*balance-sheet*); *~er Dienst* active duty; regular (*soldier, troops*); *~e Konjunkturpolitik* positive counter-cyclical policy; *~es Personal* serving staff *of a bank, etc.*; *~er Student* member of an academic fraternity; *~es Wahlrecht* franchise; *~er Wortschatz* using vocabulary.
Aktiva [ak'tiːva] *econ. n/pl.* assets, resources; *~ und Passiva* assets and liabilities.
Ak'tiv...: **~bestand** *m* assets *pl.*; **~bilanz** *f* favo(u)rable balance; **~geschäft** *n* business on the assets side, credit transaction; **~handel** *m* active trade.
aktivieren [akti'viːrən] *v/t.* (*h.*) *econ.* enter on the asset side, assetize; *chem. and fig.* activate.
Akti'vierung *f* (-; -en) *econ.* entry on the asset side; assigning asset-value (*gen.* to); *w.s.* improvement, surplus; *phys. and fig.* activation.
Akti'vist *m* (-en; -en) activist.
Aktivi'tät *f* (-) activity.
Ak'tiv...: **~kohle** *f* activated carbon; **~posten** *m* credit item, asset; **~saldo** *m* credit balance; **~seite** *f* asset side; **~zinsen** [-tsinzən] *m/pl.* outstanding interest *sg.*
'Akt|modell *n* nude-model; **~studie** *f* study from the nude.
Aktualität [aktuali'tɛːt] *f* (-; -en) topicality; **~enkino** *n* newsreel cinema.
aktuell [-'ɛl] *adj.* topical, of immediate interest; *report* on current affairs; current-events *lecture*; present-day, immediate, acute *problem*; urgent.
Akust|ik [a'kustik] *f* (-) acoustics; **2isch** *adj.* acoustic.
akut [a'kuːt] *adj. med.* acute; *fig. a.* burning, pressing.
Akzent [ak'tsɛnt] *m* (-[e]s; -e) accent; stress (*a. fig.*); **2los** *adj.* without accent; **2uieren** [-tu'iːrən] *v/t.* (*h.*) accent, (*a. fig.*) accentuate, stress; **~verschiebung** *f* shift of emphasis.
Akzept [ak'tsɛpt] *econ. n* (-[e]s; -e) acceptance; accepted bill; *mangels ~* in default of acceptance; *zum ~ vorlegen* present for acceptance.
akzeptabel [-'taːbəl] *adj.* acceptable (*für* to).
akzep'tieren *v/t.* (*h.*) accept; *econ. a.* hono(u)r (*a bill*); *nicht ~* dishonour.
Akzidenz|druck [aktsi'dɛnts-] *typ. m* (-[e]s; -e) job-printing; **~schrift** *f* job types *pl.*
Akzise [ak'tsiːzə] *f* (-; -n) excise.
Alabaster [ala'bastər] *m* (-s) alabaster; **~gips** *m* gypseous alabaster.
Alarm [a'larm] *m* (-[e]s; -e) alarm; air-raid warning, alert; → *blind*; *~ blasen or schlagen* sound *or* give the alarm; **~anlage** *f* alarm system; **2bereit** *adj.* on the alert; **~bereitschaft** *f* alert, stand-by; **~glocke** *f* alarm bell, tocsin.
alar'mieren *v/t.* (*h.*) alarm (*a. fig.*), alert.
A'larm...: **~signal** *n* alarm signal; **~stufe** *f* alert phase; **~zeichen** *n* danger signal (*a. fig.*); **~zustand** *m* (*im ~* on the) alert.
Alaun [a'laʊn] *m* (-[e]s; -e) alum; **~erde** *f* alumina; **2haltig** *adj.* aluminous; **~werk** *n* alum-works *pl. and sg.*
Alban|ien [al'baːniən] *n* (-s) Albania; **~ier(in** *f*) *m* (-s; -; -; -nen), **2isch** *adj.* Albanian.
albern ['albərn] *adj.* foolish, silly,

absurd; *sei nicht* ~! be your age!; 2**heit** *f* (-; *-en*) foolishness, silliness.
Albino [al'bi:no] *m* (*-s*; *-s*) albino.
Album ['album] *n* (*-s*; *-ben*) album.
Albumin [albu'mi:n] *n* (*-s*; *-e*) albumen; ~**stoff** *m* albuminous substance, protein.
Alchimie [alçi'mi:] *f* (-) alchemy.
Aldehyd [alde'hyt] *n* (*-s*; *-e*) aldehyde.
Alge ['algə] *f* (-; *-n*) alga (*pl.* -ae), seaweed.
Algebra ['algebra] *f* (-) algebra; **algebraisch** [-'brɑ:iʃ] *adj.* algebraic(al).
algerisch [al'ge:riʃ] *adj.* Algerian.
alias ['ɑ:lias] *jur.* alias, also known as.
Alibi ['ɑ:libi] *jur. n* (*-s*; *-s*) alibi; *sein* ~ *nachweisen* prove one's alibi.
Alimente [ali'mɛntə] *pl.* alimony; 2**npflichtig** *adj.* liable to pay alimony.
aliphatisch [ali'fɑ:tiʃ] *chem. adj.* aliphatic.
Alkali [al'kɑ:li] *chem. n* (*-s*; *-en*) alkali; 2**artig** [-ɑ:rtiç] *adj.* alkaloid; 2**fest** *adj.* alkali-proof; 2**sch** *adj.* alkaline; 2'**sieren** *v/t.* (*h.*) alkalize.
Alkohol ['alkohol] *m* (*-s*; *-e*) alcohol; *drink*: *usu.* liquor, spirits *pl.*; 2**frei** *adj.* non-alcoholic, soft (*drink*); ~**gehalt** *m* alcoholic strength (*or* content); 2**haltig** *adj.* alcoholic.
Alkoholiker [-'ho:likər] *m* (*-s*; -) alcoholic, dipsomaniac; **alko'holisch** *adj.* alcoholic; ~*e Getränke* alcoholic drinks, spirits; **alkoholi'sieren** *v/t.* (*h.*) alcoholize.
'**Alkohol...:** ~**probe** *mot. f* alcohol test; ~**schmuggler** *m* liquor smuggler, bootlegger; ~**verbot** *n* Prohibition; ~**vergiftung** *f* alcoholic poisoning.
Alkoven [al'ko:vən] *m* (*-s*; -) alcove, recess.
all [al] **I.** *pron.* all; ~*e beide* both of them; ~*e und jeder* all and sundry; *sie* (*wir*) ~*e* all of them (us); ~*e außer* all but; ~*e die* all who *or* that, whoever, *officially*: any persons who; *das* ~*es* all that *or* this; **II.** *adj.* all; every, each; any; ~*e Augenblicke* ever so often; ~*e (zwei) Tage* every (other) day; ~*e acht Tage* once a week; *auf* ~*e Fälle* in any case, at all events; *ein für* ~*emal* once for all; ~*e Menschen* all men, everybody; ~*e Welt* all the world; *in* ~*er Form* in good and due form; ~*es Gute* all the best; → *alle, alles* (*su.*).
All *n* (*-s*) universe, cosmos, world.
all...: ~**abendlich** *adv.* every evening; ~**bekannt** *adj.* universally known, *b.s.* notorious; *es ist ja* ~ it is nobody's secret; ~**deutsch** *pol. adj.*, 2**deutsche(r** *m*) *f* pan-German.
alle ['alə] *colloq. adv.* at an end, (all) gone; ~ *machen* do away with, finish; ~ *werden* run out; *die Dummen werden nie* ~ fools will never die out, there is a sucker born every minute.
Allee [a'le:] *f* (-; *-n*) avenue; (tree-lined) walk.
Allegorie [alego'ri:] *f* (-; *-n*) allegory; **allegorisch** [-'go:riʃ] *adj.* allegoric(al).
allein [a'laɪn] **I.** *adj. pred. and adv.* alone; unassisted, single-handed, by oneself; solo; *für sich* ~ separately, individually; only, merely; exclusively; no less than; *dies* ~ *genügt nicht* this alone won't do; *das schafft er ganz* ~ he will do it single-handed; *schon* ~ *der Gedanke* the mere thought, the very idea; **II.** *cj.* yet, but, however.
Al'lein...: ~**besitz** *m* exclusive possession; ~**erbe** *m*, ~**erbin** *f* sole (*or* universal) heir(ess *f*); ~**flug** *m* solo flight; ~**gang** *m sports*: solo run; *fig. et. im* ~ *machen* do a th. on one's own; ~**herrscher** *m* autocrat, absolute monarch; ~**hersteller** *m* sole manufacturer.
al'leinig *adj.* only, sole, exclusive.
Al'lein...: ~**sein** *n* loneliness, solitariness; 2**seligmachend** *adj. the* only true *or* saving *faith*; 2**stehend** *adj.* standing apart, isolated; detached (*building*); *person*: **a**) alone (in the world), **b**) single, unmarried; ~**unterhalter** *thea. m* solo entertainer; ~**verkauf** *m* monopoly, exclusive right of sale; ~**vertreter** *m* sole *or* exclusive agent (*or* distributor); '2**vertretungsberechtigt** *adj.* having sole power of representation; ~**vertrieb** *m* exclusive distribution.
allemal ['alə'mɑ:l] *adv.* every time, always; *ein für* ~ once for all; *colloq.* ~! any time!, you bet!
allenfalls ['alən'fals] *adv.* at all events; if need be; at most, at best; possibly, perhaps.
allenthalben ['alənt'halbən] *adv.* everywhere, on all sides.
aller... ['alər-]: ~**art** *adj.* of all kinds *or* sorts, all kinds of; ~**äußerst** *adj.* outermost; *fig.* utmost; keenest, (rock)bottom *price*; ~**best** *adj.* best of all, very best; *aufs* ~*e* in the best possible manner, greatly; ~**dings** ['-'diŋs] **I.** *adv.* certainly; of course, to be sure; indeed; at any rate; it is true, though; ~! certainly!, sure!; *das ist* ~ *wahr* I must admit (*or* as a matter of fact) this is true; **II.** *cj.* though; ~**erst** **I.** *adj.* first and foremost, prime; **II.** *adv.*: *zu* ~ first of all.
Allergie [alɛr'gi:] *f* (-; *-n*) allergy; **allergisch** [a'lɛrgiʃ] *adj.* allergic(al) (*gegen* to).
'**aller...:** ~**hand** *adj.* all kinds (of), diverse, sundry; ~ *Geld* quite a pile of money; *colloq. das ist* ~! **a**) not bad!, **b**) that's a bit thick!; 2'**heiligen** *n* (-) All Saints Day; ~'**heiligst** *adj.* most holy; 2'**heiligste(s)** *n* (*-n*) Holy of Holies; *esp. fig.* inner sanctum; ~**höchst** *adj.* highest of all; *auf* ~*en Befehl* by command of His Majesty; ~**höchstens** *adv.* at the very most, *Am. a.* at the outside; ~**lei** ['-laɪ] *adj.* → *allerhand*; 2**lei** *n* (*-s*; *-s*) medley; ~**letzt** *adj.* very last; latest (*fashion, etc.*); *das* 2*e* the last word; ~**liebst** *adj.* (most) lovely, sweet; *am* ~*en* best of all; ~**mindestens** *adv.* at the very least; ~**nächst** *adj.* very next; *in* ~*er Zeit* in a very near future; ~**neu(e)st** *adj.* very newest *or* latest; *die* ~*e Mode* the latest fashion *or* cry; *das* 2*e a.* the last word; 2'**seelen** *eccl. n* (-) All Souls' Day; ~**seits** ['-'zaɪts] *adv.* on all sides; to all (of you); 2'**weltskerl** *m* devil of a fellow, crackerjack; ~**wenigst** *adj.*: *am* ~*en* least of all; 2**werteste(r)** *colloq. m* (*-n*; *-n*) backside, behind.
alles ['aləs] *pron.* all, everything, the whole (of it), the lot, the works; all people, everybody; ~ *in allem* all things considered, all told; ~ *Amerikanische* all things American; ~ *was* all that; *er kann* ~ he can do anything; *er ist mein* 2 he is my all; ~ *zu seiner Zeit* everything at its proper time; *auf* ~ *gefaßt sein* be prepared for the worst; → *Mädchen*; → *all*.
'**alle·samt** *adv.* altogether; all of them, to a man.
'**alles...:** ~**fressend** *adj.* omnivorous; 2**kleber** *m* hold-all liquid glue.
'**allezeit** *adv.* all the time, always.
'**All|gegenwart** *f* omnipresence, ubiquity; 2**gegenwärtig** *adj.* omnipresent, ubiquitous.
'**allgemein** **I.** *adj.* general, common; overall, universal; ~*e Redensart* generality; *mit* ~*er Zustimmung* by common consent; 2*es* General (Data); **II.** *adv.* generally, in general; generically; ~ *anerkannt* generally accepted; ~ *gesprochen* generally speaking; ~ *verbreitet* widespread, popular.
Allge'mein...: ~**befinden** *n* general condition; ~**bildung** *f* general (*or* all-round) education; 2**gültig** *adj.* generally accepted; ~**gut** *n* public property; *fig. a.* common knowledge; ~**heit** *f* (-) generality, universality; general public; ~**unkosten** *pl.* overhead (charges); 2**verständlich** *adj.* intelligible to all, popular; ~**wohl** *n* common weal.
All...: '~**gewalt** *f* omnipotence; '2**gewaltig** *adj.* all-powerful, omnipotent; ~'**heilmittel** *n* panacea, cure-all (*a. fig.*).
Allianz [ali'ants] *f* (-; *-en*) alliance.
Alligator [ali'gɑ:tɔr] *m* (*-s*; -'*toren*) alligator.
alliier|en [ali'i:rən]: *sich* ~ (*h.*) ally o.s. (*mit* to, with); *alliierte Truppen* allied forces; 2**te(r)** [-tə(r)] *m* (*-n*; *-n*) ally; *die* ~*n pl.* the Allies.
'**all...:** ~**jährlich** *adj.* yearly, annual(ly *adv.*); *adv. a.* every year; 2**macht** *f* omnipotence; ~**mächtig** *adj.* all-powerful, omnipotent; *der* 2*e* (*Gott*) our Lord; ~**mählich** ['al'mɛ:liç] *adj.* gradual(ly *adv.*); *adv. a.* by degrees, little by little; ~**monatlich** *adj. and adv.* monthly; every month.
Allonge [a'lɔŋʒə] *f* (-; *-n*) allonge; *typ.* fly leaf.
Allopath [alo'pɑ:t] *m* (*-en*; *-en*) allopath(ist); **Allopa'thie** *f* (-) allopathy; **allo'pathisch** *adj.* allopathic(ally *adv.*).
Allotria [a'lo:tria] *pl.* pranks *pl.*, merrymaking, *Am. a.* monkey-shines; ~ *treiben* make merry, skylark.
'**All...:** ~**parteien...** all-party ...; ~**rad-antrieb** *mot. m* all-wheel drive; 2**seitig** ['-zaɪtiç] *adj.* universal, all-round; ~**strom** *m el.* universal current, alternating cur-

rent-direct current (*abbr.* AC-DC); **~strom-empfänger** *m* AC-DC (*or* all-mains) receiver; **~tag** *m* everyday life, workaday routine; **≈täglich** *adj.* daily; *fig.* everyday, common, trivial, routine; **~täglichkeit** *f* (-; -*en*) everyday occurrence, triteness, triviality; **~tags...** common(place), everyday, routine; **~tagsleben** *n* (-*s*) everyday (*or* workaday) life; **≈umfassend** *adj.* all-embracing, comprehensive.

Allüren [a'ly:rən] *pl.* (grand) airs, mannerisms.

All|wellenempfänger *m* all-wave receiver; **~wetterkarosse'rie** *mot. f* all-weather body; **≈wissend** *adj.* all-knowing, omniscient; **~wissenheit** *f* (-) omniscience; **≈wöchentlich** *adj.* weekly, hebdomadal; **≈zu** *adv.* (much) too, far too; **≈zuviel** *adv.* too much, overmuch; ~ *ist ungesund* enough is as good as a feast; **~zweck...** all-purpose ..., general-purpose ..., all-duty ..., universal.

Alm [alm] *f* (-; -*en*) Alpine pasture.

Almanach ['almanax] *m* (-*s*; -*e*) almanac.

Almosen ['almo:zən] *n* (-*s*; -) alms, charity, *contp.* hand-out.

Aloe ['a:loe] *bot. f* (-; -*n*) aloe; **~hanf** *m* agava.

Alp[1] [alp] *m* (-[*e*]*s*; -*e*), **'~drücken** *n* nightmare.

Alp[2], **~e** *f* (-; -*pen*) → *Alm.*

Alpaka [al'paka] *n* (-*s*; -*s*) (*wool*) alpaca; (*alloy*) = **~silber** *n* plated German silver.

al pari [al 'pa:ri] *econ. adv.* at par; **Al-'pari-Emission** *f* at par issue.

Alpen ['alpən] *pl.* Alps; *diesseits der* ~ cisalpine; *jenseits der* ~ transalpine; **~bahn** *f* Alpine railway; **~glühen** *n* (-*s*) alpenglow; **~jäger** *mil. m* chasseur alpin (*Fr.*); **~rose** *f* Alpine rose, rhododendron; **~veilchen** *n* cyclamen.

Alpha ['alfa] *n* (-[*s*]; -*s*) alpha.

Alphabet [-'be:t] *n* (-[*e*]*s*; -*e*) alphabet; **≈isch** *adj.* alphabetic(al).

'Alpha|strahlen *phys. m/pl.* alpha rays; **~teilchen** *n* alpha particle.

alpin [al'pi:n] *adj.* Alpine; **Alpi'nist(in** *f*) *m* (-*en*; -*en*; -; -*nen*) Alpinist, mountaineer.

Alraun [al'raun] *bot. m* (-[*e*]*s*; -*e*), **~e** *f* (-; -*n*) mandrake.

als [als] *cj. after comp. and rather, else, other, otherwise*: than; *ich würde eher sterben* ~ I should die rather than; *after neg.*: but, except; *alles andere als hübsch* anything but pretty; as, like: *er behandelte mich* ~ *einen Freund* he treated me as a friend; ~ *Entschuldigung* by way of excuse; ~ *Geschenk* for a present; *er starb* ~ *Held* he died (as) a hero; as, in one's capacity of; *time*: when, as; ~ *er nach Berlin abreiste a.* on leaving for Berlin; ~ *ob* as if, as though; *er ist zu gut erzogen,* ~ *daß er das tun könnte* he is too well-bred to do such a thing; *er bot zu wenig,* ~ *daß ich es hätte annehmen können* he offered too little for me to accept it; ~ *da sind* such as; **~bald** *adv.* forthwith, directly; **~dann** *adv.* then, thereupon.

also ['alzo:] **I.** *adv.* thus, so; **II.** *cj.* therefore, consequently, hence; logically; ~ *doch* after all; *du kommst* ~ *nicht?* you won't come, then?; ~, *los!* well, here goes!

alt [alt] *adj.* old; → *älter, ältest*; aged, advanced in years; ancient, antique; → *altmodisch*; *custom, friendship, etc.*: of long standing; secondhand (*clothes, etc.*), worn; (*ant. fresh*) stale; experienced, seasoned; ~ *werden* → *altern*; *das* ≈*e Testament* the Old Testament; *die* ~*en Germanen* the ancient Teutons; ≈*er Herr univ.* old boy, alumnus; ~*e Sprachen* ancient languages, classics; *ein 6 Jahre* ~*er Junge* a boy six years old, a six year-old boy; *wie* ~ *bist du?* what is your age?; *er ist (doppelt) so* ~ *wie ich* he is (twice) my age; *er sieht nicht so* ~ *aus, wie er ist* he does not look his age; *alles bleibt beim* ~*en* everything stands as it was.

Alt *mus. m* (-*s*; -*e*) alto; counter-tenor.

Altan [al'ta:n] *m* (-[*e*]*s*; -*e*), **~e** *f* (-; -*n*) platform, gallery; balcony.

Altar [al'ta:r] *m* (-[*e*]*s*; ≈*e*) altar; **~bild, ~blatt, ~gemälde** *n* altar-piece; **~decke** *f*, **~tuch** *n* (-[*e*]*s*; ≈*er*) altar-cloth; **~raum** *m* chancel.

'alt...: ~backen *adj.* stale; **~bekannt** *adj.* long-known; **~bewährt** *adj.* of long standing, well-proved, tried; **~deutsch** *adj.* Old German.

Alte ['altə] **1. ~r** *m* (-*en*; -*en*) old man, *colloq.* oldster; *die* ~*n pl.* the old; *hist.* the ancients; ~ *und Junge* old and young; *colloq. der* ~ **a)** (*father*) the old man, **b)** the boss; *er ist immer noch der* ≈ he is still the same; *er ist wieder ganz der* ≈ he is quite himself again; **2.** ~ *f* (-*n*; -*n*) old woman; *colloq.* (*wife*) *meine* ~ my old lady; **3. ~**(*s*) *n* (-*n*) *an* old thing; *das* ~*e* old things, old time.

'alt...: ~ehrwürdig *adj.* time-honoured; **~eingeführt** ['-'aɪngəfy:rt], **~eingesessen** *adj.* old-established; **≈eisen** *n* scrap iron; **≈eisenhändler** *m* junk dealer; **~englisch** *adj.* Old English.

Alter ['altər] *n* (-*s*; -) age; old age; *adm.* seniority; *er ist in m-m* ~ he is my age; *im* ~ *von 20 Jahren* at an age of twenty; *von* ≈*s her* of old, from ancient times; *mittleren* ~*s*, *von mittlerem* ~ middle-aged.

älter ['ɛltər] *adj.* older; *der* ~*e Bruder* the elder brother; *ein* ~*er Herr* an elderly gentleman; *er ist (10 Jahre)* ~ *als ich* he is my senior (by 10 years); *er sieht (20 Jahre)* ~ *aus als er ist* he looks (20 years) more than his age.

'altern I. *v/i.* (*sn*) grow old, age, advance in years; **II.** *v/t.* (*h.*) *tech.* age.

Alternativ|e [alterna'ti:fə] *f* (-; -*n*) alternative; *keine* ~ *haben* have no choice.

'Alters...: ~aufbau *m* age structure (*of the population*); **~blödsinn** *med. m* senile dementia; **~erscheinung** *f* symptom of old age; **~genosse** *m*, **~genossin** *f* person of same age, contemporary; **~grenze** *f* age limit; retirement age; **~heim** *n* old-age asylum, home for the aged; **~klasse** *f* age group; **~krankheit** *f* disease of old age; ~*en...* geriatric; *Facharzt für* ~*en* geriatrician; **~präsident** *m* chairman by seniority; **~rente** *f* old-age pension; **≈schwach** *adj.* decrepit; **~schwäche** *f* (-) senile decay, decrepitude; **~stufe** *f* stage of life; → *Altersklasse*; **~unterstützung** *f* old age relief; **~versorgung** *f* old-age pension (scheme); **~zulage** *f* superannuation, seniority allowance.

'Altertum *n* (-*s*; ≈*er*) antiquity.

altertümlich ['-ty:mliç] *adj.* ancient, antique; archaic; antiquated.

'Altertums...: ~forscher *m* archaeologist; **~forschung** *f*, **~kunde** *f* (-) archaelogy.

'Alterung *tech. f* (-) seasoning; **≈sbeständig** *adj.* non-ag(e)ing; **~sverfahren** *n* ag(e)ing process.

ältest ['ɛltəst] *adj.* oldest; eldest; **≈e(r)** *m* (-[*e*]*n*; -[*e*]*n*) elder, senior; *mein* ~*r* my eldest son; **≈enrat** *m* (-[*e*]*s*; ≈*e*) council of elders.

'alt...: ~fränkisch *adj.* old-fashioned, old-world; **~gläubig** *adj.* orthodox; **~'hergebracht, ~'herkömmlich** *adj.* traditional, time-hono(u)red, ancient; **~hochdeutsch** *adj.* Old High German.

Al'tist(in *f*) *m* (-*en*; -*en*; -; -*nen*) alto(-singer).

'alt...: ~jüngferlich *adj.* old-maidish; **~katholisch** *adj.* Old Catholic; **~klug** *adj.* precocious.

'ältlich *adj.* elderly, oldish.

'Alt...: ~material *n* junk, scrap; salvage; **~meister** *m* past master; *sports*: ex-champion; **~metall** *n* scrap metal; **≈modisch** *adj.* old-fashioned; outmoded, antiquated; **~papier** *n* waste paper; **~philologe** *m* classical scholar; **~schrift** *typ. f* Roman type; **~silber** *n* oxidized silver; **≈sprachlich** *adj.* classical; **~stadt** *f* old town, city; **~stimme** *mus. f* alto (voice); **~warenhändler** *m* secondhand dealer; **~weibersommer** *m* Indian summer; gossamer.

Aluminium [alu'mi:nium] *n* (-*s*) aluminium, *Am.* aluminum; **~hütte** *f* aluminium works *pl. and sg.*; **~oxyd** *n* alumina.

am [am] = **an dem** → *an.*

Amalgam [amal'ga:m] *n* (-*s*; -*e*) amalgam.

amalga'mier|en *chem. v/t.* (*h.*) amalgamate (*a. fig.*); **≈ung** *f* (-; -*en*) amalgamation.

Amal'gamsilber *n* native amalgam.

Amateur [ama'tø:r] *m* (-*s*; -*e*) amateur; **~bestimmungen** *f/pl.* amateur rules; **~photograph** *m* amateur photographer; **~sport** *m* amateur athletics.

Amazone [ama'tso:nə] *f* (-; -*n*) Amazon.

Amboß ['ambɔs] *m* (-*sses*; -*sse*) anvil; *anat.* incus.

Ambra ['ambra] *f* (-; -*s*) amber; *graue* ~ amber-gris; **≈farben** *adj.* amber(-colo[u]red); **~holz** *n* yellow sandalwood.

Ambros|ia [am'bro:zia] *f* (-) ambrosia; **≈isch** *adj.* ambrosial.

ambulan|t [ambu'lant] *adj. med.* out-patient (*a. su.* = ~ *behandelter Patient*); ~*es Gewerbe* itinerant trade; **≈z** [-ts] *f* (-; -*en*) out-patient department; *mot.* ambulance.

Ameise ['ɑ:maɪzə] *f* (-; -*n*) ant; **~nbär** *m* ant-eater; **~n-ei** *n* ant's egg; **~nhaufen** *m* ant-hill; **~nkönigin** *f* queen-ant; **~nsäure** *chem. f* (-) formic acid.
Amen ['ɑ:mən] *int. and n* (-s; -) amen.
Amerikan|er [ameri'kɑ:nər] *m* (-s; -), **~erin** *f* (-; -*nen*), **&isch** *adj.* American; **amerikanisieren** [-kani'zi:rən] *v/t.* (*h.*) Americanize; **Amerikanismus** [-ka'nismus] *m* (-) Americanism; **Amerika'nistik** *f* (-) (study of) American language and literature.
Amethyst [ame'tyst] *m* (-[e]s; -e) amethyst; **&artig** [-'ɑ:rtiç], **&farben** *adj.* amethystine.
Amino|säure [a'mi:no-] *chem. f* amino-acid; **~verbindung** *f* amino-compound.
Amme ['amə] *f* (-; -*n*) nurse, *n.s.* wet-nurse; **~nmärchen** *contp. n* old wives' tale, cock-and-bull story.
Ammer ['amər] *orn. f* (-; -*n*) bunting.
Ammoniak [amoni'ak] *chem. n* (-s) ammonia; **&artig** [-ɑ:rtiç], **&haltig** *adj.* ammoniacal; **~gewinnung** *f* ammonia recovery; **~wasser** *n* ammonia water.
Ammonium [a'mo:nium] *chem. n* (-s) ammonium; *wolframsaures ~* ammonium tungstate.
Amnesie [amne'zi:] *med. f* (-; -*n*) amnesia.
Amnestie [amnɛs'ti:] *f* (-; -*n*) amnesty, general pardon; **&ren** *v/t.* (*h.*) amnesty, (grant a) pardon.
Amöbe [a'mø:bə] *f* (-; -*n*) am(o)eba; **~nruhr** *f* am(o)ebic dysentery.
Amok ['ɑ:mɔk] *m* (-s): *~ laufen* run amuck; **~läufer** *m* runner amuck.
a-'Moll *n* (-) a minor.
Amor ['ɑ:mɔr] *myth. m* (-s) Cupid.
amoralisch ['ɑ:morɑ:liʃ] *adj.* amoral.
amorph [a'mɔrf] *chem. adj.* amorphous.
Amortisation [amɔrtizatsi'o:n] *f* (-; -*en*) amortization, liquidation; redemption (*of loan*); **~sfonds** *m*, **~skasse** *f* sinking-fund; **~swert** *m* amortized value.
amortisier|bar [-'zi:rbɑ:r] *adj.* amortizable, redeemable; **~en** *v/t.* (*h.*) amortize, pay off; redeem (*a loan*).
Ampel ['ampəl] *f* (-; -*n*) hanging (*or* swinging) lamp; traffic light.
Ampere [am'pɛ:r] *el. n* (-[s]; -) ampere; **~meter** *n* ammeter; **~stunde** *f* ampere-hour; **~zahl** *f* amperage.
Ampfer ['ampfər] *bot. m* (-s; -) dock.
Amphib|ie [am'fi:biə] *zo. f* (-; -*n*) amphibious animal, amphibian; **~ienfahrzeug** *n* amphibian vehicle; **~ienflugzeug** *n* amphibian plane; **~ienpanzerwagen** *m* amphibian tank; **&isch** *adj.* amphibious, *a. tech.* amphibian.
Amphitheater [am'fi:-] *n* amphitheatre.
Amplitude [ampli'tu:də] *phys. f* (-; -*n*) amplitude.
Ampulle [am'pulə] *f* (-; -*n*) ampulla; *pharm.* ampoule.
Amputation [amputatsi'o:n] *f* (-; -*en*) amputation; **~sbesteck** *n* surgical instrument case; **~ssäge** *f* amputation saw; **~sstumpf** *m* amputation stump.
ampu'tier|en *v/t.* (*h.*) amputate; **&ter** [-tər] *m* (-*en*; -*en*) amputee.
Amsel ['amzəl] *f* (-; -*n*) blackbird.
Amt [amt] *n* (-[e]s; ⸚er) office; post; charge, task; official duty, function; office, board, agency, bureau; (law-)court; *die Ämter pl.* the authorities; *teleph.* exchange; → *auswärtig*; → *antreten, bekleiden, entheben, etc.*; *von ~s wegen* ex officio, officially; *kraft meines ~es* by virtue of my office; *es ist nicht meines ~es* it is not in my province, it is not my business; *teleph. ~ bitte!* calling exchange!
am'tieren *v/i.* (*h.*) hold office, be in charge; *~ als* act as; *eccl., a. fig.* officiate; **~d** *adj.* acting, in charge.
'amtlich *adj.* official; *~e Mitteilung* official bulletin, communiqué; *in ~er Eigenschaft* in one's official capacity.
'Amtmann *m* bailiff.
'Amts...: ~anmaßung *f* (false) assumption of authority; **~anruf** *m* exchange call; **~antritt** *m* entering upon office; **~arzt** *m* public-health officer; **~befugnis** *f* authority, competence; **~bereich, ~bezirk** *m* jurisdiction; **~blatt** *n* official gazette; **~bruder** *m* colleague; **~dauer** *f* term of office; **~delikt** *n* criminal offence committed by a public official in breach of duty; **~diener** *m* beadle, usher, *Am.* marshal; **~eid** *m* oath of office; *den ~ ablegen* be sworn in; **~einführung** *f* inauguration (into an office); **~enthebung** *f* removal from office, dismissal; *vorläufige ~* suspension; **~führung** *f* administration (of an office); **~geheimnis** *n* official secret; **~gericht** *n* District Court (Amtsgericht); **~geschäfte** *n/pl.* (official) functions, (official duties; **~gewalt** *f* (official) authority; **~handlung** *f* official act; **~miene** *f* solemn air; **~mißbrauch** *m* abuse of power; malversation; **~müde** *adj.* weary of one's office; **~niederlegung** *f* resignation; **~periode** *f* term of office; **~richter** *m* district judge; **~schimmel** *m* (-s) red tape, red-tapism; **~siegel** *n* official seal; **~sprache** *f* official (*or* administrative) language; *iro.* officialese; **~stunden** *f/pl.* office hours; **~tracht** *f* official attire; *eccl., jur.* robe; *univ.* gown; **~träger** *m* functionary, office-holder; **~überschreitung** *f* official excess; **~unterschlagung** *f* malversation; **~verletzung** *f* misconduct in office; **~vorgänger** *m* predecessor in office; **~vormund** *m* public guardian; **~vorsteher** *m* head official; **~weg** *m*: *auf dem ~* through official channels; **~zeichen** *teleph. n* dial tone; **~zeit** *f* tenure (*or* term) of office.
Amulett [amu'lɛt] *n* (-[e]s; -e) amulet, charm.
amüs|ant [amy'zant] *adj.* amusing; **~ieren** *v/t.* (*h.*) amuse, entertain; *sich ~* amuse o.s., enjoy o.s., have a good time, have fun; *sich ~ über* (*acc.*) be amused at, *b.s.* gloat over.
an [an] **I.** *prp.* (*where, when? dat.*; *where to? acc.*) at; on, upon; by; against; to; as far as, (*a. numerically*) up to; about, near(ly); in respect to; in the way of; *am 1. März* on March 1st; *am Abend* (*Morgen*) in the evening (morning); *am Tage* by day, during day-time; *am Tage* (*gen.*) on the day of; *am* (*~ das, ans*) *Fenster* at (to) the window; *~ der* (*die*) *Arbeit* at (to) work; *~ der Grenze* at (*or* on) the frontier; *~ der Hand führen* lead by the hand; *am Himmel* in the sky; *~ e-r Krankheit sterben* die of a disease; *~ Land gehen* go on land *or* ashore; *am Leben* alive; *~ e-m Ort* in a place; → *Reihe*; *~ e-r Schule* at a school; *~ der Themse* on the Thames; *~ der Wand* on (*or* against) the wall; *~ die Wand* against (*or* to) the wall; *fünf ~ der Zahl* five in number; *ein Brief ~ mich* a letter to *or* for me; *Schaden am Dach* damage to the roof; *~ sich* in itself, as such; in principle (*or* theory; inherently, properly speaking), → *eigentlich*; *~ und für sich* properly speaking; *es ist ~ dir zu sagen, ob* it is for (*or* up to) you to say whether; *arm* (*reich, gleich*) *~* (*dat.*) poor (rich, equal) in; *am besten* best; *am ehesten* soonest; *denken ~* (*acc.*) think of; → *glauben, leiden, etc.*; **II.** *adv.* on, onward; up; *von heute ~* from today (on); *von nun ~* from now on, henceforth; *mit dem Mantel ~* with his coat on; *das Gas ist ~* the gas is on; *tech. ~ — aus* on — off.
Anachronismus [anakro'nismus] *m* (-; -*men*) anachronism.
analog [ana'lo:k] *adj.* analogous (*dat.* to, with); *adv. a.* by analogy.
Analogie [-lo'gi:] *f* (-; -*n*) analogy (*mit* to, with).
Analphabet|(in *f*) [an^ʔalfa'be:t-] *m* (-*en*; -*en*; -; -*nen*) illiterate; **~entum** *n* (-s) illiteracy.
Analy|se [ana'ly:zə] *f* (-; -*n*) analysis; **&'sieren** *v/t.* (*h.*) analyze; **~tiker** [-tikər] *m* (-s; -) analyst; **&tisch** *adj.* analytic(al).
Anämie [anɛ'mi:] *med. f* (-; -*n*) an(a)emia; **anämisch** [a'nɛ:miʃ] *adj.* an(a)emic.
Anamnese [anam'ne:zə] *med. f* (-; -*n*) anamnesis.
Ananas ['ananas] *f* (-; -) pine-apple.
'an-arbeiten *v/i.* (*h.*): *~ gegen* (*acc.*) oppose, counteract.
Anarchie [anar'çi:] *f* (-; -*n*) anarchy; **an'archisch** *adj.* anarchic(al); **Anarchismus** [-'çismus] *m* (-) anarchism.
Anar'chist|(in *f*) *m* (-*en*; -*en*; -; -*nen*) anarchist; **&isch** *adj.* anarchist(ic).
Anästhesie [aneste'zi:] *med. f* (-; -*n*) an(a)esthesia; **&ren** *v/t.* (*h.*) an(a)esthetize.
Anatom [ana'to:m] *m* (-*en*; -*en*) anatomist; **Anatomie** [-to'mi:] *f* (-) anatomy; *a.* = **~saal** *m* anatomic theatre; dissecting-room; **ana'tomisch** *adj.* anatomical.
'anbahn|en *v/t.* (*h.*) pave the way

for, prepare (the ground for), initiate; open (up) (*negotiations, etc.*); *sich* ~ be in the offing, be at hand *or* under way, *b.s.* be in store (*für j-n* for); 2**er** *m* (-s; -) initiator.
ˈ**anbacken I.** *v/t.* (*h.*) bake gently; **II.** *v/i.* (*sn*) cake (*an acc.* upon).
anbändeln [ˈanbɛndəln] *v/i.* (*h.*): *mit j-m* ~ make up to, (*a. fig.*) flirt with; (*seek quarrel*) → *anbinden.*
ˈ**Anbau** *m* (-[e]s) *agr.* cultivation, growing; tillage; (*pl.* -ten) *arch.* annex, extension, addition; wing; outbuilding; 2**en** *v/t.* (*h.*) *agr.* cultivate, grow, raise; till; *arch.* add, annex (*an acc.* to); *tech.* attach; *sich* ~ (become) settle(d); 2**fähig** *adj.* arable; ~**fläche** *f* (arable) acreage; area under cultivation; ~**flansch** *tech. m* mounting flange; ~**gerät** *tech. n* attachment, mounted implement; ~**möbel** *n/pl.* sectional *or* add-on furniture; ~**motor** *el. m* built-on motor.
ˈ**anbefehlen** → *befehlen.*
ˈ**Anbeginn** *m* earliest beginning, outset; *von* ~ from the outset.
ˈ**anbehalten** *v/t.* (*irr., h.*) keep on.
anˈ**bei** *econ. adv.* herewith, (please find) enclosed; attached.
ˈ**anbeißen I.** *v/t.* (*irr., h.*) bite at, take a bite of; **II.** *v/i.* (*irr., h.*) bite; *fig.* take the bait; *zum* 2 very appetizing.
ˈ**anbelangen** *v/t.* (*h.*) concern, regard, relate to; *was mich anbelangt* as for me, I for one, as far as I am concerned.
ˈ**anbellen** *v/t.* (*h.*) bark at (*a. fig.*).
ˈ**anbequemen:** *sich* ~ (*h.*) (*dat.*) accommodate o.s. (to).
anberaum|en [ˈanbəraumən] *v/t.* (*h.*) appoint, fix, schedule; *jur. e-n Termin* ~ set (*or* fix) a date for hearing a case; call (*a meeting*); 2**ung** *f* (-; -en) appointment.
anbet|en *v/t. and v/i.* (*h.*) adore, worship, idolize (*all a. fig.*); 2**er(in** *f*) *m* (-s; -; -; -nen) worship(p)er, adorer; *fig. a.* admirer.
ˈ**Anbetracht** *m*: *in* ~ (*gen.*) considering, in consideration (*or* view) of.
ˈ**anbetreffen** *v/t.* (*irr., h.*) → *anbelangen.*
ˈ**anbetteln** *v/t.* (*h.*) solicit alms of; importune by begging.
Anbetung [ˈanbe:tuŋ] *f* (-; -en) adoration, worship; 2**swürdig** *adj.* adorable.
anbiedern [ˈanbi:dərn]: *sich* ~ (*h.*) *mit or bei j-m* chum up to a p.
ˈ**anbieten** *v/t.* (*irr., h.*) offer, tender; *sich* ~ offer one's services, volunteer; *chance*: present itself.
ˈ**anbinden I.** *v/t.* (*irr., h.*) bind, tie up, fasten; ~ *an* (*acc.*) tie to; moor (*a boat*); chain up (*a dog*), leash; **II.** *v/i.* (*irr., h.*): *mit j-m* ~ pick a quarrel with a p., start a fight with a p., tangle with a p.; *fig. kurz angebunden sein* be short (*or* curt) (*mit, gegen* with).
ˈ**anblasen** *v/t.* (*irr., h.*) blow at *or* on; blow, fan (*a fire*); blow in (*a furnace*); *colloq. fig.* blow up.
ˈ**anblecken** *v/t.* (*h.*) show one's teeth (to).
ˈ**Anblick** *m* look, sight, view, aspect; spectacle; *beim ersten* ~ at first sight; *ein trauriger* ~ a sorry sight; 2**en** *v/t.* (*h.*) look at; glance at; view; eye.
ˈ**anblinzeln** *v/t.* (*h.*) blink (*slyly*: wink) at.
ˈ**anbohren** *v/t.* (*h.*) *tech.* bore, spot-drill; (drill) open (*a tooth*); broach, tap (*a barrel*); scuttle (*a ship*); *colloq. fig.* bei j-m ~ sound a p.
ˈ**anbraten** *v/t.* (*irr., h.*) roast gently.
ˈ**anbrausen** *v/i.* (*h.*) come rushing along; approach at full speed.
ˈ**anbrechen I.** *v/t.* (*irr., h.*) break into, tap (*supplies*); open (*a bottle, etc.*); **II.** *v/i.* (*irr., sn*) begin; *winter, etc.*: *a.* set in; *day*: dawn; *night*: come on.
ˈ**anbrennen I.** *v/i.* (*irr., sn*) catch fire, (begin to) burn; *meals*: ~ (*lassen*) burn; *angebrannt schmecken* taste burnt; **II.** *v/t.* (*irr., h.*) kindle, burn; light (*a cigar, etc.*).
ˈ**anbringen** *v/t.* (*irr., h.*) bring in *or* on; fix, *tech.* attach, mount (*an dat.* to); affix (*seal, signature*), set (to); place (*a. money, goods*), settle; *econ.* dispose of, sell, knock off; find a place for (*one's son, etc.*); put forward (*arguments*); put in (*a word*); bring home, land (*a blow*); effect (*improvements*); *e-e Beschwerde* ~ lodge a complaint; *e-e Klage* ~ bring an action; *das ist bei ihm nicht angebracht* that won't do with him; → *angebracht.*
ˈ**Anbruch** *m* (-[e]s) opening (up), beginning; (*bei*) ~ *des Tages* (at) daybreak; (*bei*) ~ *der Nacht* (at) nightfall; (*pl.* ⸚e) *mining*: **a**) opening (*of a pit*), **b**) open lode.
ˈ**anbrühen** *v/t.* (*h.*) scald, infuse (*tea*).
ˈ**anbrüllen** *v/t.* (*h.*) roar (*or* bellow) at.
ˈ**anbrummen** *colloq. v/t.* (*h.*) growl at, grumble at.
ˈ**anbrüten** *v/t.* (*h.*) begin to hatch; *halb angebrütet* half-hatched.
Andacht [ˈandaxt] *f* (-; -en) devotion; prayers *pl.*, service; *s-e* ~ *verrichten* say one's prayers; *mit* ~ *zuhören* listen raptly (*or* absorbedly).
andächtig [ˈandɛçtiç] *adj.* devout, pious; devotional; *fig.* attentive, absorbed, rapt, religious.
Andante [anˈdantə] *mus. n* (-[s]; -s) andante.
ˈ**andauern** *v/i.* (*h.*) last, continue, keep on; persist; → *anhalten*; ~**d** *adj.* lasting, continuous; persistent, incessant, ceaseless.
ˈ**Andenken** *n* (-s; -) memory, (*a. thing*) remembrance; keepsake, token; souvenir (*an acc.* of); *seligen* ~*s* of blessed memory; *zum* ~ *an* (*acc.*) in memory of; *das* ~ *feiern* commemorate; *ein freundliches* ~ *bewahren* keep in kind remembrance; ~**jäger** *m* souvenir hunter.
ander [ˈandər] **I.** *adj.* other; different; second; next; opposite; *am* ~*n Tag* the next day; *e-n Tag um den* ~*n* every other day; *der* ~*e Strumpf, etc.* the fellow of this sock, *etc.*; → *Ansicht*; *ein* ~*es Hemd anziehen* change one's shirt; → *ein III*; *eine ganz* ~*e Welt* a world quite different from ours; **II.** *pron. ein* ~*er, eine* ~*e* another (person); someone else; *die* ~*n* the others; *e-r um den* ~*n* **a**) one by one, **b**) by turns, alternately; *kein* ~*er* **a**) no one else (*als* but), **b**) no less a person (than); ~*es, andres* other things; *alles* ~*e* everything else; *alles* ~*e als* anything but; *unter* ~*em* among other things, including, such as; *sofern nichts* ~*es bestimmt ist* unless otherwise provided; → *anders.*
ander(er)seits [ˈ-(ər)zaɪts] *adv.* on the other side *od.* hand.
ändern [ˈɛndərn] *v/t.* (*h.*) change, alter; modify; vary; → *abändern*; *s-n Sinn* ~ change one's mind; *s-n Standpunkt* ~ shift one's ground; *zum Vorteil (Nachteil)* ~ change for the better (worse); *ich kann es nicht* ~ I can't help it; *das ist nicht zu* ~ that cannot be helped; *es ändert nichts an der Tatsache, daß* it does not alter the fact that; *das ändert natürlich die Sache* that puts a different complexion on the matter; *sich* ~ change, alter, vary; *wind, etc.*: shift; fluctuate.
ˈ**andern|falls** *adv.* otherwise, else; ~**teils** *adv.* on the other hand.
anders [ˈandərs] *adv.* **I.** otherwise; differently; ~ *werden* change; ~ *als seine Freunde* unlike his friends; ~ *Herr X* not so Mr. X; *er spricht* ~ *als er denkt* he says one thing and means another; *das ist nun einmal nicht* ~ it cannot be helped; *ich kann nicht* ~, *ich muß lachen* I can't help laughing; *ich weiß es* ~ I know better; → *besinnen*; *falls nicht* ~ *bestimmt ist* unless otherwise provided; **II.** *with pron.* else; *jemand* ~ somebody (*or* anybody) else; *niemand* ~ *als er* nobody (else) but he; *wer* ~? who else?; ~**denkend** *adj.* dissenting, differently minded, (being) of a different opinion; ~**farbig** *adj.* of a different colo(u)r; ~**ge-artet** *adj.* of another kind; different, heterogeneous; ~**gesinnt** *adj.* differently minded; ~**gläubig** *adj.* of a different faith, heterodox; ~**herum** *adv.* the other way round; ~**wo** *adv.* elsewhere, somewhere else; ~**woher** *adv.* from elsewhere; ~**wohin** *adv.* to another place, elsewhere.
anderthalb [ˈandərtˈhalp] *adj.* one and a half; ~ *Pfund* a pound and a half; 2**decker** [ˈ-dɛkər] *aer. m* (-s; -) sesquiplane; ~**fach** *adj.* one and a half times; ~**jährig** *adj.* eighteen months old.
ˈ**Änderung** *f* (-; -en) change, alteration; modification; (*a. econ. of prices*) variation; *technische* ~*en* engineering changes; → *Abänderung*; *e-e* ~ *treffen (erfahren)* make (undergo) a change; ~**sgesetz** *n* amending law; ~**svorschlag** *parl. m* amendment.
ander|wärts [ˈ-vɛrts] *adv.* elsewhere; ~**weitig** [ˈ-vaɪtiç] **I.** *adj.* other, further; **II.** *adv.* in another way *or* manner; elsewhere.
ˈ**andeuten** *v/t.* (*h.*) indicate; hint; intimate, give to understand, imply; suggest; announce, foreshadow; *paint.* outline.
ˈ**Andeutung** *f* indication; hint (*a. fig.*); *fig.* trace; intimation; suggestion (*an acc., auf acc.* of); innuendo; *paint.* outline; *e-e* ~ *machen* drop a hint, → *andeuten*;

2sweise ['-svaɪsə] *adv.* by way of suggestion, allusively; in outlines.
'**andichten** *v/t.* (*h.*): *j-m et.* ~ ascribe *or* impute a th. (falsely) to a p.
Andienung ['andi:nuŋ] *econ. f* (-; -*en*) tender, offer; delivery.
'**andonnern** *fig. v/t.* (*h.*) thunder at.
'**Andrang** *m* rush, throng; concourse; *econ.* run (*auf acc.* on); *of work*: pressure; *in traffic*: rush hours *pl.*; *med.* congestion.
'**andrängen** *v/i.* (*h.*) crowd, press, rush (*gegen* to *or* against).
'**andreh|en** *v/t.* (*h.*) turn on (*gas, etc.*); switch on (light, *etc.*); start up (*an engine*); *fig.* set going, start; tighten (*a screw*); screw on; *colloq. j-m et.* ~ palm a th. off (up)on a p.; **2kurbel** *f* starting crank; **2ritzel** *m* turn pinion.
'**andringen** *v/i.* (*irr., sn*) push forward, press on (*gegen* towards); *enemy, etc.*: draw near, advance; *blood*: *gegen den Kopf* ~ rush to the head.
'**androh|en** *v/t.* (*h.*): *j-m et.* ~ threaten (*or* menace) a p. with a th.; *die vom Gesetz angedrohte Strafe* the punishment laid down in the law; **2ung** *f* threat, menace; warning; *jur. unter* ~ *von or gen.* under penalty of, on pain of.
'**andrück|en** *v/t.* (*h.*) (*an acc.*) press (against *or* on to); press close (to); **2walze** *f* feed roll.
anecken ['an'ɛkən] *v/i.* (*sn*) (*bei dat.*) give offen|ce, *Am.* -se, (to).
'**an-eifern** *v/t.* (*h.*) stimulate, incite.
'**an-eign|en** *v/t.*: *sich* (*dat.*) *et.* ~ (*h.*) appropriate (to o.s.), make one's own; contract (*a habit*); adopt (*a view*); acquire (*knowledge*), master (*a language, etc.*); *pol.* annex (*territory*); *unlawfully*: usurp, *jur.* convert to one's own use, misappropriate; **2ung** *f* appropriation, acquisition; adoption; conversion, misappropriation; annexation.
an-ein'ander *adv.* together; **~binden** *v/t.* (*irr., h.*) bind together; **~fügen** *v/t.* (*h.*) join; **~geraten** *v/i.* (*irr., sn*) clash (*mit* with); fly at each other; come to blows *or* grips; **~grenzen** *v/i.* (*h.*) be adjacent, border on each other; **~hängen** *v/i.* (*irr., h.*) cohere, stick together; **~prallen** *v/i.* (*sn*) collide; **~reihen** *v/t.* (*h.*) string (*or* join) together; **~rücken** *v/t.* (*h.*) *and v/i.* (*sn*) move closer together; **~stoßen** *v/i.* (*irr., sn*) meet; → *~grenzen, ~prallen.*
Anekdote [anɛk'do:tə] *f* (-; -*n*) anecdote; **2nhaft** *adj.* anecdotal.
an-ekeln *v/t.* (*h.*) disgust, sicken, nauseate; *es ekelt mich an* I am disgusted with it, I loathe it.
Anemone [ane'mo:nə] *f* (-; -*n*) anemone.
'**an-empfehlen** *v/t.* (*irr., h.*) recommend.
'**An-erbe** *jur. m* next heir, heir to entailed property.
'**An-erbieten** *n* (-*s*) offer, proposal; → *Angebot.*
anerkannt ['an'ɛrkant] *adj.* acknowledged, recognized, admitted; accepted; *~e Tatsache* recognized *or* established fact; *gerichtlich ~er Gläubiger* judgment creditor; *staatlich* ~ certified; *ein ~es Werk* standard work; *e-e ~e Bedeutung* accepted meaning (of a word); **~ermaßen** ['-ər'ma:sən] *adv.* admittedly.
'**an-erkenn|bar** *adj.* recognizable; **~en** *v/t.* (*irr., h.*) acknowledge, recognize (*als* as); accept; appreciate; approve; allow (*a claim*); admit (*debt*); hono(u)r, accept (*bill of exchange*); *nicht* ~ repudiate, (*als or für das Seinige etc.*) disown; *sports*: *ein Tor* (*nicht*) ~ signal (disallow) a goal; → *anerkannt*; **~end** *adj.* approving, appreciative; **~enswert** *adj.* laudable, commendable, creditable.
'**An-erkennung** *f* acknowledgement, recognition; *in* ~ *s-r Verdienste* in recognition of his merits; appreciation; hono(u)rable mention; tribute (*gen.* to); *jur.* legitimation (*of child*); legalization (*of documents*); acceptance (*of bill*); ~ *finden* win recognition, meet with approval; *j-m* ~ *zollen* pay tribute to; **~s-schreiben** *n* letter of commendation; **~s-urteil** *n* consent judgment; **~szahlung** *f* token payment.
Aneroid [anero'i:t] *n* (-[*e*]*s*; -*e*) aneroid (barometer).
'**an-erziehen** *v/t.* (*irr., h.*): *j-m et.* ~ breed a th. into a p.; *anerzogen* acquired (by education).
anfachen ['anfaxən] *v/t.* (*h.*) fan *or* blow into *a flame*; *fig.* fan, kindle.
'**anfahr|en I.** *v/t.* (*irr., h.*) carry up, convey to the spot; run into, hit; *mar.* **a**) run foul of (*a ship*), **b**) call at (*a port*); *fig. j-n* ~ bellow at, fly at a p., snap a p.'s nose off; **II.** *v/i.* (*irr., sn*) start; start up (*a. machine, reactor*); *angefahren kommen* approach in a vehicle, drive up; **2t** *f* approach; arrival; *traffic sign*: 'way in'; *to a house*: drive(way).
'**Anfall** *m* attack, *med. a.* fit, seizure, touch; *fig. in e-m* ~ *von Großzügigkeit* in a burst of generosity; yield; accrual (*of interest*); accession (*gen.* to), reversion; amount *produced, etc.*; number *of cases, etc.*; accumulation; **2en I.** *v/t.* (*irr., h.*) attack, assault, (*a. fig.*) assail; **II.** *v/i.* (*irr., sn*) result, occur; *work, etc.*: *a.* transpire; *interest, profit*: accrue; *angefallene Kosten* costs incurred.
'**anfällig** *adj.* susceptible (*für acc.* to); prone (*für* to *diseases, accidents, etc.*); of delicate health.
'**Anfallsrecht** *jur. n* reversionary interest.
'**Anfang** *m* beginning, start; commencement; origin; opening (*of letter*); *am* (*or im*) ~ in the beginning, at the start (*or* outset); *von* ~ *an* from the beginnung, *etc.*, from the first; ~ *Januar* early in January; ~ *1971* early in 1971; ~ *der dreißiger Jahre* in the early Thirties; *den* ~ *machen* begin, (*a. sports*) lead off; *die Anfänge pl.* (→ *~sgründe*) elements, rudiments; *in den Anfängen stecken* be in its infancy; *am, zu* ~ → *anfangs*; **2en** *v/t. u. v/i.* (*irr., h.*) begin; start (*mit et.* on; *zu inf. ger.*); *formally*: commence; set about, take up (*work*); *mit der Arbeit* ~ set to work; do; manage; open (*a business*); *jur. e-n Prozeß* ~ file suit, bring an action; *immer wieder vom gleichen Thema* ~ harp on a th.; *ich weiß nichts damit anzufangen* I don't know what to do with (*fig.* make of) it; *was wirst du morgen* ~? what are you going to do (with yourself) tomorrow?; *das hat er geschickt angefangen colloq.* that was slick work; *da fängst du schon wieder an!* there you go again!
'**Anfänger**(**in** *f*) *m* (-*s*; -; -; -*nen*) beginner; novice, tyro, tiro, *Am. a.* rookie.
anfänglich ['anfɛŋliç] **I.** *adj.* initial; original; **II.** *adv.* → *anfangs.*
anfangs ['anfaŋs] *adv.* in the beginning, at first, originally; *gleich* ~ at the very beginning.
'**Anfangs...**: **~bestand** *m* → *Anfangskapital*; **~buchstabe** *m* initial letter; *großer* (*kleiner*) ~ capital (small) letter; **~gehalt** *n* commencing (*or* initial) salary; **~geschwindigkeit** *f* initial velocity; **~gründe** ['-gryndə] *m/pl.* elements, rudiments; *j-n in den ~n unterrichten* ground; **~kapital** *n* opening capital; original (*or* capital) stock; **~kurs** *m* opening price; **~punkt** *m* starting point; **~spannung** *el. f* input voltage; **~sstadium** *n* initial stage; **~unterricht** *m* elementary instruction; **~zeile** *f* first line.
'**anfassen I.** *v/t.* (*h.*) take hold of, grasp, seize; touch, handle; *fig.* treat, handle *a p. or th.*; approach, tackle, set about *a th.*; *sich* ~ → *anfühlen*; (*a. einander* ~) take hands; **II.** *v/i.* (*h.*) (*a. mit* ~) give *or* lend a hand.
'**anfauchen** *v/t.* (*h.*) *cat*: spit at; *fig.* → *anschnauzen.*
'**anfaulen** *v/i.* (*sn*) begin to rot, go bad.
anfecht|bar ['anfɛçtba:r] *adj.* disputable, controversial; contestable, *jur. a.* voidable; **2barkeit** *f* (-) voidableness; relative nullity; **~en** *v/t.* (*irr., h.*) contest, *jur. a.* avoid; attack, oppose (*an opinion*); challenge (*juror, validity, etc.*); contest (*last will*); appeal from (*a judgment*); impugn (*a contract*); trouble; *was ficht dich an?* what is the matter with you?; **2ung** *f* (-; -*en*) contestation; attack; *jur.* avoidance; appeal (*gen.* from); *eccl.* temptation; **2ungsklage** *f* action to set aside, action of voidance; *patent law*: interference proceedings *pl.*
anfeind|en ['anfaɪndən] *v/t.* (*h.*) bear ill-will to, be hostile to, persecute; **2ung** *f* (-; -*en*) hostility (*gen.* to), persecution (of).
'**anfertig|en** *v/t.* (*h.*) make, manufacture, fabricate; prepare, *in writing*: *a.* draw up; **2ung** *f* making, manufacture; preparation.
'**anfetten** *v/t.* (*h.*) grease.
'**anfeuchten** *v/t.* (*h.*) moisten, wet, damp.
'**anfeuer|n** *v/t.* (*h.*) fire, heat; *fig.* fire *or* ginger *or* pep up; *sports*: cheer (on), root (for); *~de Ansprache* pep-talk; **2ung** *f* heating; *fig.* incitement, stimulation; *a.* = **2ungsruf** *m* cheer(s *pl.*), club-yell.
'**anflanschen** *tech. v/t.* (*h.*) flange on.
'**anflehen** *v/t.* (*h.*) implore, beseech.

ˈ**anflicken** *v/t.* (*h.*) (*a. fig.*) patch on (*an acc.* to).

ˈ**anfliegen I.** *v/t.* (*irr., h.*) fly toward, approach; head for, land (*or* call) at (*an airport*); *in feint attack*: buzz; *airline*: provide an air service to (*an area*); **II.** *v/i.* (*irr., sn*): *angeflogen kommen* come flying (along).

ˈ**Anflug** *m aer.* approach; *on target*: run-up; *tech.* film; *metall.* efflorescence; *fig.* touch, tinge; smack (*a. fig.*); ~ *von Bart* down; ~ *von Kenntnissen* smattering; (sudden) fit, attack (*of illness*); *leichter* ~ *von* slight case of; ~**hafen** *m* port of call; ~**radar** *n* approach control radar (*abbr.* ACR); ~**weg** *m* approach route.

ˈ**anforder|n** *v/t.* (*h.*) demand, claim, call for; request; *mil.* requisition; 2**ung** *f* demand, claim, call; requirement; ~*en pl.* requirements, standard(s), *tech. a.* specifications; *auf* ~ on request; *allen* ~*en genügen* meet all requirements, qualify, *colloq.* fill the bill; *den* ~*en nicht genügen* not to qualify, not to be up to standard; *hohe* ~*en stellen an* (*acc.*) make high demands on *a p. or th.*; tax *a p. or th.* severely; be very exacting about; *die* ~*en sind hoch* the standard is high.

ˈ**Anfrage** *f* inquiry, question; (*Antrag*) application; *parl.* interpellation; *e-e* ~ *richten an* (*acc.*) address a question to; 2**n** *v/i.* (*h.*) inquire (*nach* for; *bei j-m* of a p.; *nach et.* about a th.); ask; apply (*bei* to; *wegen* for).

ˈ**anfressen** *v/t.* (*irr., h.*) gnaw at; *bird*: peck; *chem.* corrode, eat into.

anfreunden [ˈanfrɔyndən] *v/t. or sich* ~ (*h.*) become friends, fraternize; *sich mit j-m* ~ make friends with a p.

ˈ**anfrieren** *v/i.* (*irr., sn*) freeze on (*an acc.* to).

ˈ**anfüg|en** *v/t.* (*h.*) join, attach, add, annex (*an acc.* to); affix (*one's signature*); 2**ung** *f* addition, annex, attachment (*an acc.* to); *tech.* union, (flush) joint.

ˈ**anfühlen** *v/t.* (*h.*) feel, touch; *fig. man fühlt dir an, daß* one feels that you; *sich weich etc.* ~ feel soft, *etc.*; *es fühlt sich kalt an* it is cold to the touch.

Anfuhr [ˈanfu:r] *f* (-; -*en*) transport(ation); carriage; supply; ~ *zum Bauplatz* transport to building-site.

ˈ**anführ|en** *v/t.* (*h.*) lead (*a. dance*); conduct; *mil.* **a**) command, be at the head of, **b**) spearhead (*a. fig.*); mention, state; specify; allege, put forward (*reasons*); quote, cite, refer to; *falsch* ~ misquote; adduce, produce (*evidence*); *in defense*: invoke *a law, etc.*; *zur Entschuldigung* ~ plead (in excuse); hoax, dupe, fool, take in; 2**er**(**in** *f*) *m* leader; commander; ringleader.

ˈ**Anführung** *f* → *anführen*; lead (-ership); allegation, statement; specification; adduction; quotation, citation; reference (*gen.* to); ~**szeichen** *n* quotation mark, inverted comma.

ˈ**anfüllen** *v/t.* (*h.*) fill (up); cram, stuff; *tech.* charge.

ˈ**Angabe** *f* declaration; statement; information; description; specification; detail; *technische* ~*n pl.* (engineering) data; instruction(s *pl.*); *tennis*: service; *colloq.* showing off; *falsche* ~ misrepresentation; *besondere* ~*n* particular items; *genauere* (*or nähere*) ~*n* particulars, details; *nach* ~ *des Antragstellers* according to the applicant.

ˈ**angaffen** *v/t.* (*h.*) gape at.

ˈ**angängig** *adj.* admissible, permissible; feasible, practicable.

ˈ**angeben I.** *v/t.* (*irr., h.*) give (*facts, reasons, one's name, etc.*); state; specify, particularize; declare; allege (*daß* that); *econ.* show, return; quote (*prices*); indicate (*direction*); denounce, inform against; pretend; *mus.* sound (*a note*); → *Tempo, Ton*; *zu hoch* (*niedrig*) ~ overstate (understate); *falsch* ~ misstate; **II.** *v/i.* (*irr., h.*) *cards*: deal first; *tennis*: serve; *colloq.* show off (*mit a th.*); brag (with), talk big.

ˈ**Angeber**(**in** *f*) *m* informer; *ped.* sneak; braggart, show-off; **Angebeˈrei** *f* (-; -*en*) denunciation, talebearing; showing off; ˈ**angeberisch** *colloq. adj.* boastful; showy, ostentatious.

ˈ**Angebinde** *n* gift, present.

angeblich [ˈange:pliç] **I.** *adj.* pretended, alleged; ostensible; *contp.* so-called, self-styled (*artist, etc.*); ~*er Wert* nominal value; **II.** *adv.* ostensibly, *etc.*; ~ *ist er* he is said (*or* reported, reputed) to be.

ˈ**angeboren** *adj.* inborn, innate (*dat.* in); *med.* congenital, hereditary.

ˈ**Angebot** *n* offer (*a. econ.*); *auction*: bid, quotation (*of prices*); *in competition*: tender, bid; *of merchandise, a. stock exchange*: supply; ~ *und Nachfrage* supply and demand; *ein* ~ *machen* make an offer, *econ. a.* submit a tender.

ˈ**angebracht** *adj.* advisable; *gut* ~ appropriate, reasonable; apt (*remark*); *schlecht* ~ inappropriate, out of place; ill-timed; *et. für* ~ *halten* see fit to do a th.; → *anbringen*.

ˈ**angedeihen:** *j-m et.* ~ *lassen* grant (*or* afford) a th. to a p.; bestow (*or* confer) a th. on a p.

ˈ**angegossen** *adj. tech.* integrally cast; *fig. wie* ~ *sitzen* fit like a glove, be a perfect fit.

angeheiratet [ˈangəhaɪra:tət] *adj.* (related) by marriage; ~*er Vetter* cousin by marriage; *die* ~*en Verwandten* one's in-laws.

angeheitert [ˈangəhaɪtərt] *adj.* (slightly) tipsy, mellow, half-tight.

ˈ**angehen I.** *v/i.* (*irr., sn*) begin; → *anfangen*; catch fire, burn; *agr.* take root; (*function*) work; be tolerable, be passable, be not so bad (after all); spoil, go bad; *angegangenes Fleisch* tainted meat; be admissible; *das geht* (*nicht*) *an* that will (won't) do; **II.** *v/t.* (*irr., h., sn*) charge, assail, (*a. fig.*) tackle; *fig. j-n* ~ concern, regard a p.; *j-n um et.* ~ apply to (*or* solicit) a p. for a th., approach a p. with *a request*; *was geht das mich an?* what's that to me?; *das geht dich nichts an* that's no concern (*or* business) of yours, that's none of your business; *an alle, die es angeht* to whom it may concern; ~**d** *adj.* beginning, incipient; future, would-be (*lawyer, etc.*); prospective (*buyer*); budding (*artist, beauty*); ~*er Vater* father to be.

ˈ**angehören** *v/i.* (*h.*) (*dat.*) belong to; be a member of, be affiliated with; sit on (*a committee*); *der Vergangenheit* ~ be a matter of the past.

ˈ**angehörig** *adj.* (*dat.*) belonging to; affiliated with *an organization*; 2**e**(**r** *m*) [ˈ-gə(r)] *f* (-*n*; -*n*; -*en*; -*en*) member; national; dependant; *nächster* (*nächste pl.*) ~ next of kin; *meine* ~*n pl.* my relations, my people, *colloq.* my folks.

Angeklagte(**r** *m*) [ˈangəkla:ktə(r)] *f* (-*n*; -*n*; -*en*; -*en*) defendant.

Angel [ˈaŋəl] *f* (-; -*n*) → *Angelgerät*; *door*: hinge; *tech.* pivot; *mit* ~*n versehen* hinged; (*a. fig.*) *aus den* ~*n heben* unhinge; *aus den* ~*n geraten* come off the hinges; *fig.* → *Tür*.

ˈ**An-geld** *econ. n* earnest-money.

ˈ**angelegen** *adj.* → *anliegend*; *sich et.* ~ *sein lassen* make a th. one's business, take a matter in hand; *es sich* ~ *sein lassen zu inf.* make a point of *ger.*; 2**heit** *f* matter, business, concern, affair; *das ist s-e* ~ that's his concern (*or* business); *kümmere dich um deine* ~*en* mind your own business; ~**tlich I.** *adj.* urgent; earnest; **II.** *adv.* urgently, *etc.*; strongly; warmly.

angelehnt [ˈangəle:nt] *pred. and adv.* ajar.

ˈ**angelernt** *adj.* taught, (mechanically) acquired; ~*er Arbeiter* semiskilled workman.

Angel... [ˈaŋəl-]: ~**fliege** *f* (fishing-) fly; ~**gerät** *n* fishing gear (*or* tackle); ~**haken** *m* fish-hook; 2**n** *v/t. and v/i.* (*h.*) fish, angle (*nach* for); *fig.* fish (for); ~**platz** *m* fishing nook (*or* water); ~**punkt** *m* pivot; *ast.* pole; *fig.* cardinal (*or* pivotal, crucial) point; ~**rute** *f* fishing rod.

ˈ**Angel|sachse** *m*, ~**sächsin** *f*, 2**sächsisch** *adj.* Anglo-Saxon.

ˈ**Angelschnur** *f* fishing-line.

ˈ**angemessen** *adj.* suitable, appropriate, fit; reasonable, fair; adequate; proper, fitting (*conduct*); adapted (*dat.* to), commensurate (with), proportionate (to), in keeping (with); *für* ~ *halten* think fit; 2**heit** *f* suitability; adequacy; fitness; propriety.

ˈ**angenehm** *adj.* agreeable, pleasant (*dat., a. für* to); pleasing; comfortable, cosy; restful; welcome; ~*es Wesen* engaging manners; *das* 2*e mit dem Nützlichen verbinden* combine business with pleasure.

ˈ**angenommen** → *annehmen*.

Anger [ˈaŋər] *m* (-*s*; -) meadow, pasture; common, (village) green.

angeregt [ˈangəre:kt] *adj.* stimulated; animated, lively.

angeschlagen [ˈangəʃla:gən] *adj. boxer*: groggy; chipped, marred (*china, etc.*).

angesäuselt [ˈangəzɔyzəlt] *colloq. adj.* → *angeheitert*.

Angeschuldigte(**r** *m*) [ˈangəʃuldiç-

tə(r)] *f* (-*n*; -*n*; -*en*; -*en*) *jur.* accused.
angesehen ['angəze:ən] *adj.* respected, esteemed, distinguished; *~e Firma* firm of good standing (*or* repute).
'**Angesicht** *n* face, countenance; → *Schweiß*; *von ~* by sight; *von ~ zu ~* face to face; *dem Tod ins ~ schauen* look death in the face; **Ωs** *prp.* (*gen.*) in the presence of, (*a. fig.*) in view of; *fig.* considering, seeing that.
'**angespannt** *adj.* strained, tense, hard; *~e Finanzlage* financial stringency.
angestammt ['angəʃtamt] *adj.* ancestral; hereditary, innate.
Angestellt|e(r *m*) ['angəʃtɛltə(r)] *f* (-*n*; -*n*; -*en*; -*en*) (salaried) employee, white-collar worker; clerk; domestic (servant); *die ~n pl.* the staff, the salaried personnel; **~en-versicherung** *f* employees insurance.
angestrengt ['angəʃtrɛŋt] *adj.* → *anstrengen.*
'**angetan** *p.p.*: *~ mit* (*dat.*) attired in, clad in; (*ganz*) *danach ~, zu* (very) likely (*or* apt) to *inf.*; *~ sein von* be pleased with, have a liking for *a p. or th.*; be taken with *a th.*; *er war von dem Gedanken wenig ~* the idea did not appeal to him; → *antun.*
'**angetrunken** *adj.* intoxicated, tipsy, tight.
'**angewandt** *adj.* applied (*art, research, science*).
'**angewiesen** *pred. and p.p.*: *~ sein auf* (*acc.*) be dependant (*or* be thrown *or* depend) (up)on; *auf sich selbst ~ sein* be left to one's own resources; be on one's own.
'**angewöhnen** *v/t.* (*h.*): *j-m et. ~* accustom a p. (*or* get a p. used) to a th.; *sich et. ~* get into the habit of a th.; take to *smoking, etc.*
'**Angewohnheit** *f* (old) habit, custom; *aus ~* from habit.
angewurzelt ['angəvurtsəlt] *adj.*: *wie ~ dastehen* stand rooted to the spot.
Angina [aŋ'gi:na] *med. f* (-) angina; *~ pectoris* angina pectoris, stenocardia.
'**angleich|en** *v/t. and sich ~* (*irr., h.*) (*dat.*) assimilate (to, with); adapt (*a. tech.*), adjust, approximate (to); **Ωung** *f* assimilation; (*a. tech.*) adaptation, adjustment; approximation; (approximate) matching (*of colors*).
Angler(in *f*) ['aŋlər-] *m* (-*s*; -; -; -*nen*) angler.
'**anglieder|n** *v/t.* (*h.*) (*dat. or an acc.*) link up (with), join; affiliate *an organization* (with), incorporate (in); attach *a p.* (to); annex (*a territory*); integrate (within); **Ωung** *f* affiliation, incorporation; annexion.
Anglikan|er(in *f*) [aŋgli'kɑ:nər-] *m* (-*s*; -; -; -*nen*), **Ωisch** *adj.* Anglican; *die Anglikanische Kirche* the Anglican Church, the Church of England.
angli'sieren *v/t.* (*h.*) anglicize.
An'glist|(in *f*) *m* (-*en*; -*en*; -; -*nen*) English philologist; professor (*or* student) of English, angli(ci)st; **~ik** *f* (-) English philology; study of English language and philology, Anglistics.
Anglizismus [-'tsismus] *m* (-; -*men*) Anglicism, Briticism.
Anglo... ['aŋglo-] Anglo-...
anglotzen ['anglɔtsən] *v/t.* (*h.*) stare at, goggle at.
Angora|katze [aŋ'go:ra-] *f* Angora cat; **~wolle** *f* mohair.
'**angreif|bar** *adj.* assailable, open to attack; *fig.* vulnerable; **~en** *v/t.* (*irr., h.*) touch, handle; *fig.* tackle, set about, approach (*a task*); break into, tap (*supplies*), touch, draw on, dip into (*capital, etc.*); *b.s.* embezzle; weaken, exhaust; attack, assail (*both a. fig.*), charge; *mil. im Sturm ~, jur. tätlich ~* assault; *er griff ihn mit e-r Axt an* he charged him with an axe; try, strain (*the eyes*); affect, injure, impair (*a p.'s health*); *die Krankheit hat ihn angegriffen* the illness has told on him; *chem.* corrode; *phys. die Kraft greift in einem Punkt an* the force acts on a point; *angegriffen aussehen* look poorly; *sich rauh, etc., ~* feel rough, *etc.*, be rough, *etc.*, to the touch; **~end** *adj.* aggressive, offensive; *physically*: trying, exhausting; *~e Kraft* acting force; *tech. ~es Ende* business end (*of tool*); **Ωer(in** *f*) *m* (-*s*; -; -; -*nen*) attacker, assailant; *pol.* aggressor.
'**angrenzen** *v/i.* (*h.*): *~ an* (*acc.*) border (up)on, adjoin; abut (up)on; **~d** *adj.* adjacent, contiguous, adjoining (*an acc.* to).
'**Angriff** *m* attack (*a. fig. and sports*); assault, charge; offensive; *pol.* aggression; air-raid; low-level attack; ground attack, strafing; *chemischer ~* attack by chemical action, corrosion; *jur. tätlicher ~* assault and battery; *in ~ nehmen* start on, tackle, set about; *zum ~ übergehen* take the offensive.
'**Angriffs...**: **~fläche** *tech. f* working surface; **~krieg** *m mil.* offensive war(fare); *pol.* war of aggression; **~lust** *f* (-) aggressiveness; **Ωlustig** *adj.* aggressive; **~punkt** *m mil.* point of attack; *tech.* working point, point of contact; point of wear; **~spitze** *f* spearhead; **~waffe** *f* weapon of attack, offensive weapon; **~welle** *f* assault wave; **~ziel** *n* objective, target.
'**angrinsen** *v/t.* (*h.*) grin (*or b.s.* leer) at.
Angst [aŋst] *f* (-; ⸚e) fear (*vor dat.* of); anxiety; fright; dread, terror; anguish; *~ haben* be afraid (*vor dat.* of), be in fear (of); *~ haben vor a.* fear, dread; *in ~ geraten* take fright, get scared *or* alarmed; *j-n in ~ versetzen* frighten (*or* terrify) a p., *colloq.* throw a scare in a p.; **Ω** *pred. adj.*: *mir ist ~* I am afraid (*vor dat.* of); *~ und bange* terribly frightened, *colloq.* scared stiff; '**Ωerfüllt** *adj.* fearful, terrified; '**~geschrei** *n* screams *pl.* of terror (*or* anguish); '**~hase** *m* coward, poltroon, chicken.
ängstigen ['ɛŋstigən] *v/t.* (*h.*) alarm, frighten, strike with fear; worry; *sich ~* be afraid (*vor dat* of), be alarmed *or* worried (*um* about).
Angstkäufe ['-kɔʏfə] *m/pl.* panic buying *sg.*
'**ängstlich** *adj.* anxious, fearful; uneasy, nervous, jittery; timid; *fig.* scrupulous; **Ωkeit** *f* (-) anxiety, nervousness; timidity; scrupulousness.
'**Angströhre** *colloq. f* stovepipe hat.
Angströmeinheit ['aŋstrø:m-] *phys. f* Angstrom unit (*abbr.* A.U.).
'**Angst...**: **~meier** *m* alarmist, coward; **~neurose** *f* anxiety neurosis; **~schweiß** *m* cold sweat; **Ωvoll** *adj.* fearful, frightened, terrified.
'**angucken** *v/t.* (*h.*) look at, peek at.
'**anhaben** *v/t.* (*irr., h.*) have *clothes* on, wear, be dressed in; *fig. j-m et. ~ wollen* have designs on a p.; *sie konnten ihm nichts ~* they could find (*or* do) nothing against him; *er kann mir nichts ~* he has nothing on me; *das kann mir nichts ~* that can't do me any harm.
'**anhaften** *v/i.* (*h.*) stick, cling, adhere (*dat.* to); *fig. ihm haftete etwas Eigentümliches an* there was something peculiar about him; **~d** *adj.* adhesive.
'**anhaken** *v/t.* (*h.*) hook *or* hitch on (*an acc.* to); *on a list, etc.*: tick off, check off.
'**Anhalt** *m* support, hold; footing; *fig.* → *Anhaltspunkt*; *e-n ~ gewähren* give a clue (*für* to); **Ωen I.** *v/t.* (*irr., h.*) stop; *tech.* arrest, check; *police*: arrest, seize; hold (*one's breath, a note*); *mit angehaltenem Atem* with bated breath; block, hold up, impede (*traffic*); pull up (*a horse, etc.*), stop, halt (*a car*); *j-n ~* accost a p., buttonhole a p.; *j-n ~ zu et.* keep a p. to a th., urge (*or* encourage) a p. to do a th.; *sich ~* cling (*an acc.* to), hold on (to); **II.** *v/i.* (*irr., h.*) stop, halt, come to a stop *or* standstill; *fig.* last, continue, keep on; persist, endure; *die Kältewelle hielt noch an* the cold spell still held; *um ein Mädchen ~* propose to a girl, *colloq.* pop the question; **Ωend** *adj.* continuous, sustained; persistant; lasting; *~e Bemühungen* prolonged efforts; *~er Fleiß* assiduity; *~er Beifall* rounds and rounds of cheers; **~er** *colloq. m* hitch-hiker; *per ~ fahren* hitch-hike, thumb a ride; **~s-punkt** *m* clue, pointer, lead; criterion; basis; *tech.* reference point.
'**Anhang** *m* appendage; annex, enclosure, schedule; appendix, supplement (*to a book, etc.*); annex; *of last will*: codicil; adherents *pl.*, following; dependants *pl.*, family.
Anhängelast ['anhɛŋə-] *mot. f* towed load.
'**anhangen** *v/i.* (*h.*) (*dat.*) adhere to, follow; cling (*or* be attached) to.
'**anhängen I.** *v/t.* (*h.*) hang on, suspend; append, affix, add (*an acc.* to); *teleph. den Hörer ~* hang up; *fig. j-m et. ~* implicate a p., cast a slur on a p., *sl.* frame a p.; *j-m e-n Prozeß ~* involve a p. in a law-suit; infect with (*a disease*); **II.** *v/i.* (*h.*) *teleph.* hang up, ring off; *fig.* → *anhangen.*
Anhänger ['anhɛŋər] *m* (-*s*; -) **1.** adherent, follower, supporter; *esp. pol.* henchman, partisan, hanger-on; disciple; devotee; (*all a.* **~in** *f*, -; -*nen*); **2.** pendant, locket; *mot.* trailer; label, tag;

~schaft *f* (-) following; adherents *pl.*, → *Anhang.*
'**Anhänge...:** **~schloß** *n* padlock; **~silbe** *gr. f* suffix; **~zettel** *m* tag.
'**anhängig** *jur. adj.* pending; *e-n Prozeß ~ machen gegen j-n* institute legal proceedings against a p.
'**anhänglich** *adj.* attached, devoted (*an acc.* to); affectionate; **2keit** *f* (-) attachment (*an acc.* to); devotion, affection, loyalty.
Anhängsel ['anhɛŋzəl] *n* (*-s*; -) appendage; label, tag; pendant.
'**anhauchen** *v/t.* (*h.*) breathe on; *die Finger*: blow; *colloq. fig.* blow *a p.* up; *rosig angehauchte Wangen* rosy-tinged cheeks; *er ist künstlerisch angehaucht* he has an artistic turn; *er ist kommunistisch angehaucht* he sympathizes with the Communists, he is pink.
'**anhauen** *colloq. v/t.* (*h.*) accost *a p.*; molest; *j-n ~ um* touch a p. for.
'**anhäuf|en** *v/t.* (*h.*) heap up, (*a. sich*) pile up, accumulate; amass (*money*); hoard up; *econ. sich ~* (*capital*) accumulate, (*a. phys.*) aggregate; *interest*: accrue; **~end** *adj.* accumulative; **2ung** *f* piling-up; accumulation, increase; aggregation.
'**anheben** *v/t.* (*irr.*, *h.*) lift, raise; *fig.* (*a. v/i.*) begin.
'**anheften** *v/t. and sich ~* (*h.*) attach, fasten, affix (*an acc.* to); tack on; pin on; stitch, baste.
'**anheilen** *v/i.* (*sn*) heal on *or* up.
anheimeln ['anhaɪməln] *v/t.* (*h.*): *j-n ~* remind a p. of home, make a p. feel at home; **~d** *adj.* homelike, hom(e)y; cosy, snug.
anheim|fallen [an'haɪm-] *v/i.* (*irr.*, *sn*) (*dat.*) fall to (*a p.'s* share), devolve on, revert to *a p.*; **~geben** (*irr.*, *h.*), **~stellen** *v/t.* (*h.*): *j-m et. ~* leave a th. to a p.('s discretion); *et. dem Urteil j-s ~* submit a th. to a p.'s judgement.
anheischig ['anhaɪʃɪç] *adj.*: *sich ~ machen et. zu tun* undertake (*or* offer, pledge o.s.) to do a th., volunteer to do a th. *or* for a th.
'**anheiz|en** *v/t.* (*h.*) heat up (*a. fig.*); **2kerze** *mot. f* heating plug.
'**anherrschen** *v/t.* (*h.*) address *a p.* gruffly, bark at.
'**anheuern** *v/t.* (*h.*) hire; *sich ~ lassen* sign on.
'**Anhieb** *m*: *auf* (*den ersten*) *~* at the first attempt, right away; *colloq.* right off the bat; *tell, etc.*, off the cuff *or* offhand; at once.
anhimmeln ['anhiməln] *v/t.* (*h.*) adore, idolize; gush (*or* rave) about *a p.*
'**Anhöhe** *f* rise, height, hill.
'**anhören** *v/t.* (*h.*) listen (*or* attend) to, lend an ear (to), hear; *sich gut* (*schlecht*) *~* sound well (badly); *j-n ~* give a p. a hearing; *j-n ganz ~* hear a p. out; tell (by listening); *man hört ihm den Ausländer an* one can tell by his accent that he is a foreigner; *colloq. hör dir das mal an!* now listen to this!
'**Anhub** *tech. m* lift; **~moment** *n* initial power.
anhydrisch ['anhy:driʃ] *chem. adj.* anhydrous.
Anilin [ani'li:n] *n* (*-s*) anilin(e); **2-blau** *adj.* anilin(e)-blue; **~farbstoff** *m* anilin(e) (*or* coal-tar) dye; **2rot** *adj.* anilin(e)-red, magenta.
animalisch [ani'mɑ:liʃ] *adj.* animal; *b.s. a.* brutish.
Animier|dame [ani'mi:r-] *f* hostess, taxi-dancer; **2en** *v/t.* (*h.*) incite, animate, stimulate; encourage, urge; *animierte Stimmung* high spirits.
Animosität [animozi'tɛ:t] *f* (-; *-en*) animosity.
Anion ['anio:n] *phys. n* (*-s*; -'*onen*) anion.
Anis [a'ni:s] *bot. m* (*-es*; *-e*) anise, aniseed; **~likör** *m* anisette.
'**ankämpfen** *v/i.* (*h.*) struggle, battle (*gegen* against), combat.
'**Ankauf** *m* buying, purchase; *w.s.* acquisition; **2en** *v/t.* (*h.*) buy, purchase; *sich ~* buy land, settle.
'**ankeilen** *v/t.* (*h.*) fasten with a wedge.
Anker ['aŋkər] *m* (*-s*; -) **1.** *mar.* anchor; *vor ~ gehen* cast (*or* drop) anchor; *den ~ lichten* weigh anchor; *vor ~ liegen* ride at anchor; *vor ~ treiben* drag the anchor; **2.** *tech.* anchor, brace, stay; *of watch*: anchor (*or* lever) escapement; *el.* **a**) armature, **b**) rotor, **c**) stator; **~boje** *f* mooring buoy; **~draht** *m* armature wire; *of mast*: stay wire; **~feld** *el. n* armature field; **~gang** *m of watch*: anchor escapement; **~geld** *n* anchorage; **~grund** *m* berth, anchorage; **~hub** *el. m* armature stroke; **~mine** *mar. f* moored mine.
'**ankern** *v/i.* (*h.*) (cast) anchor, moor.
'**Anker...:** **~platz** *m* → *Ankergrund*; **~spill** *n* capstan; **~tau** *n* cable; **~uhr** *f* lever-watch; **~unruhe** *f* anchor escapement; **~wicklung** *el. f* armature winding; **~winde** *f* capstan.
anketteln ['ankɛtəln] *v/t.* (*h.*) stitch on.
'**anketten** *v/t.* (*h.*) (fasten with a) chain (*an acc.* to).
'**ankeuchen** *v/i.* (*sn*): *~, angekeucht kommen* come panting.
'**ankippen** *v/t.* (*h.*) tilt.
'**ankitten** *v/t.* (*h.*) cement (*an acc.* to); (fix with) putty.
'**anklagbar** *adj.* indictable, triable.
'**Anklage** *f* accusation, charge (*gegen* against); *jur. a.* indictment, *formal*: arraignment; *esp. parl.* impeachment; *~ erheben* prefer a charge (*gegen* against), → *anklagen*; *unter ~ stehen* be on trial (*wegen* for), stand trial (for); *unter ~ stellen* place on trial, arraign (*wegen* for); *die ~ vertreten* be counsel for the prosecution; **~bank** *f* (-; *¨e*) (prisoner's) dock; *auf der ~* in the dock; **~behörde** *f* prosecution; **2n** *v/t.* (*h.*) (*gen. or wegen*) accuse (of), charge (with); *jur. a.* indict (for); *parl., etc.*: impeach (of, for); *formally*: arraign (for); **2nd** *adj.* accusing(ly *adv.*); **~punkt** *m* count (of an indictment), charge.
'**Ankläger(in** *f*) *m* accuser; *jur.* plaintiff; *öffentlicher ~* Public Prosecutor, *Am. a.* district attorney.
'**Anklage...:** **~schrift** *f* (bill of) indictment; *esp. mil.* charge-sheet; **~verlesung** ['-fɛrle:zuŋ] *f* (-; *-en*) arraignment; **~vertreter** *m* counsel for the prosecution; **~zustand** *m*: *j-n in ~ versetzen* commit a p. for trial.
'**anklammern** *v/t.* (*h.*) *tech.* clamp (*an acc.* to), cleat (on); peg (out) (*laundry*); clip on (*letter, etc.*); *sich ~* cling (*an acc.* to); hold on for dear life.
'**Anklang** *m mus.* accord; *fig.* undertone; reminiscence, suggestion (*an acc.* of); *~ finden* be well received, meet with approval (*or* a favo[u]rable response); *thea., etc.* catch on, draw; appeal (*bei dat.* to); *merchandise*: go well, take; *keinen ~ finden* meet with no approval; fall flat, (be a) flop.
'**ankleben I.** *v/t.* (*h.*) fasten with adhesive, stick on; paste on; glue on; gum on (*all*: *an acc.* to); post (up) (*a bill, etc.*); **II.** *v/i.* (*sn*) adhere, stick, cling (*an acc.* to).
'**ankleide|n** *v/t. and sich ~* (*h.*) dress (*zum Abendessen* for dinner); **2zimmer** *n* dressing-room.
'**ankleistern** *v/t.* (*h.*) paste on.
'**anklingeln** *v/t.* (*h.*) ring *a p.* up, give *a p.* a ring, call *or* phone *a p.*
'**anklingen** *v/i.* (*irr.*, *sn*): *~ an* (*acc.*) be suggestive of, suggest, remind slightly of; *~ lassen* evoke, call to mind, call *or* conjure up (*memories*).
'**anklopfen** *v/i.* (*h.*): (*an die Tür ~*) knock *or* rap at the door; *fig. bei j-m ~* sound a p. (*wegen* about).
'**anknipsen** *el. v/t.* (*h.*) turn (*or* switch, flick) on (*the light*).
'**anknöpfen** *v/t.* (*h.*) button on (*an acc.* to).
'**anknüpf|en I.** *v/t.* (*h.*) tie (*an acc.* to); fasten (with a knot); *w.s.* connect, join (to); *fig.* begin, enter into; *e-e Bekanntschaft ~* make a *p.'s* acquaintance, take up with; *Beziehungen ~* establish (*or* form) connections *or* contacts; *ein Gespräch ~* start (*or* enter into) a conversation, engage *a p.* in a conversation; *Verhandlungen ~* enter into negotiations; *wieder ~* resume; **II.** *v/i.* (*h.*): *an et. ~* start (*or* go on) from a th., resume (*or* pick up the threads of) a th.; refer to (*a p.'s words, etc.*); continue (*a tradition*); **2ungs-punkt** *m* point of contact, starting-point.
ankommen I. *v/i.* (*irr.*, *sn*) arrive; reach (*in dat. a place*); *train*: pull in; *worker*: be accepted (*bei* by), get employment (at), get a job (with); *fig.* go down (*bei* with), get across, click, take; *gegen j-n ~* cope (*or* deal) with a p.; *gegen ihn kann man nicht ~* there is no getting at him, he is more than a match for us; *iro. da ist er schön angekommen* he had a nice reception, he came to the wrong address; *bei mir kommst du damit nicht an* that cuts no ice with me; *es kommt mich hart an* I find it hard, it is hard on me; *~ auf* (*acc.*) depend (up)on; *es kommt darauf an, ob* the question is whether; *worauf es ankommt, ist* what matters is; *darauf kommt es an* that is (just) the point; *es kommt ganz darauf an* it all depends; *es kommt nicht auf den Preis an* it is not a matter of price, money is no object; *es kommt mir viel darauf an*

it is very important to me, I set great store by it; *es kommt mir darauf an zu inf.* I am concerned to *inf. or* that, what I want is; *es darauf ~ lassen* run a risk, take a (*or* one's) chance, risk it; **II.** *v/t.* (*impers., irr., sn*) befall, come over *a p.*; *es kam ihm die Lust an zu inf.* he took it in his head to *inf.*, he felt like *ger.*; *es kam ihn die Furcht an* he was seized by fear; **~d** *econ. adj.* incoming.

Ankömmling ['ankœmliŋ] *m* (-s; -e) newcomer, arrival.

'**anköpfen** *tech. v/t.* (*h.*) head.

Ankoppel|kreis ['ankɔpəl-] *el. m* coupling circuit; **2n** *v/t.* (*h.*) couple (*an acc.* to); **~ung** *f radio*: coupling.

'**ankörn|en** *tech. v/t.* (*h.*) center-punch, countersink; **2ung** *f* punch mark.

'**ankotzen** *vulg. fig. v/t.* (*h.*) make *a p.* sick.

ankreiden ['ankraɪdən] *v/t.* (*h.*) chalk up (*j-m* against a p.); *fig. das werde ich ihm ~* I'll make him pay for that.

'**ankreischen** *v/t.* (*h.*) scream at, shrill at.

'**ankreuzen** *v/t.* (*h.*) check off.

'**ankündig|en** *v/t.* (*h.*) announce (*j-m et.* a th. to a p.); proclaim; publish, advertise; *fig.* herald, usher in (*an era, etc.*); **2ung** *f* announcement, notification, proclamation; advertisement; *of book*: prospectus; **2ungskommando** *mil. n* preparatory command.

Ankunft ['ankunft] *f* (-) arrival; *fig. a.* advent; *bei ~, nach ~* on arrival; **~shafen** *m* port of arrival; **~sverkehr** *m* incoming traffic; **~szeit** *f* time of arrival.

'**ankuppeln** *v/t.* (*h.*) couple (*an acc.* to).

'**ankurbeln** *v/t.* (*h.*) *mot.* start, crank up; *fig.* stimulate, ginger up; step up (*production, etc.*).

'**anlächeln,** '**anlachen** *v/t.* (*h.*) smile at, give *a p.* a smile.

'**Anlage** *f* laying-out (*a garden, etc.*); construction; installation; *of novel, etc.*: plot, structure; (manufacturing) plant, works *pl. and sg.*; equipment, facility, installation(s *pl.*); plant, (*machine*) unit; *elektrische ~* electrical system; sport field (*or* facility), athletic grounds *pl.*; pleasure-ground, grounds *pl.*, park; *öffentliche ~* public gardens *pl.*; talent, aptitude, ability; (natural) tendency, bent, *a. med.* (pre)disposition; *~n haben zu et.* be talented *or* gifted for; *econ.* (*capital*) investment; invested capital; employment (*of funds*); *balance-sheet*: *~n pl.* assets; inclosure (*zu* in *a letter*); (*document*) exhibit, schedule; *in der ~* enclosed; **~güter** *n/pl.* capital goods; items of equipment; **~kapital** *n* invested capital; stock (*or* business, original) capital; **~kosten** *pl.* first (*or* prime) cost; cost of construction; **~kredit** *m* investment credit; **~papiere** *n/pl.* investment securities; **~vermögen** *n* fixed assets, invested capital.

'**anlagern** *v/t.* (*h.*) accumulate, store up; *sich ~* add.

'**anlangen I.** *v/i.* (*sn*) arrive (*an dat., bei* in, at), come (to), reach; **II.** *v/t.* (*h.*) concern, regard, relate to; *was ... anlangt* as to (*od.* for); → *anbelangen.*

Anlaß ['anlas] *m* (-sses; ⸚sse) occasion; *a.* motive, reason (*zu* for); cause, ground (*für* for; *zu* to do, to doing); incident; provocation; *aus ~* (*gen.*) on the occasion of; *aus diesem ~* for this reason, to mark the occasion; *bei diesem ~* on this occasion; *beim geringsten ~* at the slightest provocation, at the drop of a hat; *~ geben zu* give rise (*or* occasion) to; *j-m ~ geben zu* give a p. reason for; *allen ~ haben zu* have every reason for; *ohne jeden ~* for no reason at all; *ein besonderer ~* a special occasion *or* event; et. *zum ~ nehmen zu inf.* take occasion to *inf.*; *dem ~ entsprechend* to fit the occasion; **~drehmoment** *tech. n* starting torque; **~druckknopf** *mot. m* self-starter push-button.

'**anlassen** *v/t.* (*irr., h.*) keep on (*dress*); leave on, leave running (*water, etc.*); set going, set in motion, start; start (up) (*the engine*); turn on (*steam, water*); prime (*a pump*); temper (*steel*); *fig. j-n hart ~* rebuke a p. sharply; *sich ~* appear; *sich gut ~* promise well, make good progress; *thing a.* shape (up) well; *wie läßt er sich an?* how is he making out?; *er läßt sich gut an a.* he is quite a success.

Anlasser ['anlasər] *mot. m* (-s; -) starter; starting motor; **~fußschalter** *m* foot-operated starting switch; **~motor** *m* starting motor.

'**anlasten** *v/t.* (*h.*): *j-m et. ~* charge a p. with a th.

anläßlich ['anlɛsliç] *prp.* (*gen.*) on the occasion of; at.

'**Anlaß...: ~magnet** *mot. m* starting (*Am.* booster) magneto; **~schalter** *m* starter switch; **~ventil** *n mot.* starting-air valve; **~widerstand** *el. m* (starting) resistance.

'**Anlauf** *m* start (*auf acc.* for), run; *aer.* take-off run; *sports*: approach-run; *Sprung mit ~* running jump; *ski jumping*: **a)** inrun, **b)** slope; onset, charge; *e-n ~ nehmen* take a run (*auf* for); *im ersten ~* at the first attempt (*or* start); **~bahn** *aer. f* runway; *sports*: approach-path; *ski jump*: slope; **2en I.** *v/t.* (*irr., h.*) run *or* rush upon; *mar.* call at, touch at, put into (*a port*); **II.** *v/i.* (*irr., sn*) start; *film*: be started (*or* shown), *at movies*: open; *sports*: take the run (*auf* for); *angelaufen kommen* come running up *or* along; *fig.* become operative; get going, get under way; *~ lassen* set going, set in motion; *mot.* run up; rise; *econ. cost, interest*: accumulate, accrue; *debts*: mount up; *mirror, etc.*: dim, fog, cloud over; *metall*: tarnish; *person*: *rot ~* turn red, blush, flush; **~en** *n* start; increase; accumulation, accrual; dimming, fogging; tarnish; **~hafen** *m* port of call; **~kredit** *m* opening credit; **~leistung** *tech. f* starting output; **~moment** *tech. n* starting torque; **~zeit** *f* initial period; *mot.* machine inertia constant.

'**Anlaut** *gr. m* initial sound, anlaut; *im ~* when initial; **2en** *v/i.* (*h.*) begin (*mit* with).

'**anläuten** *v/t. and v/i.* (*h.*) ring the bell (for); *teleph. bei j-m ~* ring a p. up, give a p. a ring, phone to a p.

'**anlautend** *adj.* initial.

Anlege|brücke ['anle:gə-] *f* landing stage, jetty; **~gebühren** *f/pl.* anchorage *sg.*; **~hafen** *m* port of call; **2n I.** *v/t.* (*h.*) lay *or* put (*an acc.* to, against); put on (*dress, jewelry*); apply (*a standard, med. dressing*); *typ.* feed; lay *a boat* alongside (of); *~ lassen* dock (*a ship*); set *fire* (*an, in* to); level *or* point *a rifle*; → *Hand*; tie up, chain up (*a dog*); lay in (*a stock*); *fig.* design, plan; lay out (*a garden, etc.*); instal(l); construct; set up, erect (*a factory, etc.*); cut (*a canal*); set up (*a card index*); invest (*money*); *mit Zinsen ~* put out at interest; *fest angelegt* permanently invested, safely placed; open (*an account*); found, establish (*a colony, town*); *sich ~ gegen* (*acc.*) lean against; *fig. es ~ auf* (*acc.*) aim at, make it one's object; *es war darauf angelegt zu inf.* it was calculated to *inf.*; **II.** *v/i.* (*h.*) *shooting*: *~ auf* (*acc.*) (take) aim at; *mar.* land, moor, take berth; lie alongside; **~stelle** *f* landing (-place), moorings *pl.*; → *Anlegebrücke*; pier.

Anlegung ['anle:guŋ] *f* (-; -*en*) laying out; setting up; application; foundation.

'**anlehn|en** *v/t. or sich ~* (*h.*) lean (*an acc.* against); leave ajar (*door*); *fig. sich ~ an* (*acc.*) lean upon, take pattern from, follow, be model(l)ed on; *der Autor lehnt sich stark an frühere Werke an* the author heavily relies on earlier works; **2ung** *f* (-; -*en*) contact; *in ~ an* (*acc.*) in imitation of; after, in accordance with.

Anleihe ['anlaɪə] *f* (-; -*n*) loan; advance; *öffentliche ~* public (*or* government) loan; *e-e ~ aufnehmen* raise a loan; *e-e ~ lancieren* float a loan; *e-e* (*kleine*) *~ bei j-m machen* borrow money of a p., *fig.* borrow from a p.; **~kapital** *n* loan capital, *Am.* bonded debt; **~papier** *n* stock, *Am.* bond; **~schuld** *f* funded debt, *Am.* bonded debt.

'**anleimen** *v/t.* (*h.*) glue on (*an acc.* to).

'**anleit|en** *v/t.* (*h.*) guide (*zu* to); *fig.* instruct, school, train (*in dat.* in); **2ung** *f* guidance, instruction, direction; text-book, guide, primer; introduction; *technische ~* (engineering) manual; *Bedienungs2* (operating) instructions *pl.*

Anlenkbolzen ['anlɛŋk-] *m* articulated rod pin.

'**anlern|en** *v/t.* (*h.*) train, instruct, school (*zu et.* in a th.); break *a p.* in, show *a p.* the ropes; *angelernt* acquired (by routine), mechanical; *angelernter Arbeiter* semi-skilled worker; **2ling** ['liŋ] *m* (-s; -e) trainee.

'**anlesen** *v/t.* (*irr., h*). acquire by reading; *angelesenes Wissen* book knowledge.

'**anliefer|n** *v/t.* (*h.*) deliver, supply; **2ung** *f* delivery, supply.

'**anliegen** *v/i.* (*irr., h.*): *~ an* (*dat.*) lie close to, border on, be adjacent to; *tech.* butt *or* rest against; *clothes*: fit well, cling; *mar.* stand to; 2 *n* (-*s*; -) request; *w. s.* preoccupation, concern; object; intent, message; *ich habe ein ~ an Sie* I want to ask a favo(u)r of you; **~d I.** *adj.* adjacent, adjoining, neighbo(u)ring; (tight) fitting (*clothes*); **II.** *adv. econ.* inclosed, attached, in the inclosure.

Anlieger ['anli:gər] *m* (-*s*; -) adjoining owner, abutter; *mot.* local resident; *nur für ~!* closed for non-resident traffic; **~siedlung** *f* factory estate.

'**anlocken** *v/t.* (*h.*) bait; decoy (*birds*); *fig.* allure, attract, entice.

'**anlöten** *v/t.* (*h.*) solder on (*an acc.* to).

'**anlügen** *v/t.* (*irr.*, *h.*): *j-n ~* lie to a p.('s face), tell a p. a lie.

'**anmachen** *v/t.* (*h.*) attach, fix, fasten (*an acc.* to); mix (*mit dat.* with), prepare; temper (*color, lime*); dress (*salad*); make, light (*a fire*); switch on (*the light*).

'**anmalen** *v/t.* (*h.*) paint; *colloq. sich ~* paint one's face.

'**Anmarsch** *m* approach (march); *im ~ sein* (*auf acc.*) be advancing (towards); 2**ieren** *v/i.* (*sn*) approach, advance, march (against *or* towards); **~weg** *m* approach (route).

anmaß|en ['anmɑ:sən]: *sich et. ~* (*h.*) arrogate a th. to o.s.; assume, usurp (*right, title*); pretend to, presume, have the impudence to; *ich maße mir kein Urteil darüber an* I don't presume (*or* pretend) to give an opinion (on it); *ich würde mir nicht ~, als Experte gelten zu wollen* I would never claim to be an expert; **~end** *adj.* arrogant, presumptuous; overbearing; impudent; 2**ung** *f* (-; -*en*) arrogance; presumption; impudence; *widerrechtliche ~* assumption, usurpation.

Anmelde|formular ['anmɛldə-] *n* registration form; **~frist** *f* period for registration (*or* application); **~gebühr** *f* registration fee; 2**n** *v/t.* (*h.*) announce; notify, report; *econ.* advise (*a shipment*); *jur.* give notice of *appeal*; submit (*a claim*); announce, usher in (*guests*); *teleph.* place *or* book (*a call*); → *Konkurs*; → *Patent*; enrol(l), enter (*a pupil*); *sports*: enter (*zu* for); declare; report (*bei* to *the police*), give notice of *one's arrival*; *sich ~* make an appointment (*bei* with *a doctor*); *sich ~ zu* book for (*participation*), enrol(l) for, *sports*: enter for; apply for; *sich ~ lassen* have o.s. announced, send in one's card (*guest*); **~pflicht** *f* compulsory registration; 2**pflichtig** *adj.* notifiable; **~schein** *m* entry-form; **~termin** *m* → *Anmeldefrist.*

'**Anmeldung** *f* announcement, notification; report; registration; booking; (patent) application; *ped.* enrol(l)ment; *sports*: entry; *customs*: declaration; *nach vorheriger ~* by appointment (only); *hotel*: reception (desk); **~sgegenstand** *m patent*: object of invention.

'**anmerk|en** *v/t.* (*h.*) mark; note (*or* write, jot) down; make an annotation (*or* foot-note); *j-m et. ~* notice (*or* observe, perceive) a th in a p.; *an et.*: tell (*a th.*) by; *sich nichts ~ lassen* not to show (*or* betray) a th. *or* one's feelings; *laß dir nichts ~!* *colloq.* don't let on!; 2**ung** *f* (-; -*en*) observation, remark (*über acc.* on); comment (on); note; annotation, foot-note; *mit ~en versehen* annotate (*a text*); *Ausgabe mit ~en* annotated edition.

'**anmessen** *v/t.* (*irr.*, *h.*) take the measure for; *j-m e-n Rock ~* measure a p. for a coat; → *angemessen.*

'**anmustern** *v/t.* (*h.*) *mil.* enlist; *mar.* enrol(l); *sich ~ lassen* sign on, be enrolled.

Anmut ['anmu:t] *f* (-) grace(fulness); charm, loveliness, sweetness; 2**en** *v/t.* (*h.*): *j-n ~* seem (*or* appear) to a p.; *j-n seltsam ~* strike a p. as (being) curious; *j-n heimatlich ~* remind a p. of home; 2**ig** *adj.* graceful; charming, lovely, winsome; pleasant (*country*).

'**annageln** *v/t.* (*h.*) nail on (*an acc.* to); *fig. wie angenagelt* as if nailed (*or* riveted, glued) to the spot.

'**annagen** *v/t.* (*h.*) gnaw at.

'**annähen** *v/t.* (*h.*) sew on (*an acc.* to); *med.* suture.

'**annähern** *v/t. a. sich ~* (*h.*) approach, draw near (*dat.*, *an acc.* to); *einander ~* approximate (*two things*); *fig.* approach, approximate; *die Standpunkte ~* bring the views closer (together); **~d I.** *adj.* approximat(iv)e, rough, fairly exact; **II.** *adv.* about, approximately, roughly; *nicht ~* not nearly, far from, not by a far cry.

'**Annäherung** *f* approach (*an acc.* to); *fig. ~en* approaches, advances; *pol.* rapprochement (*Fr.*); approximation; **~s-politik** *f* policy of rapprochement; **~sversuch** *m* attempt at reconciliation; *~e pl.* approaches; *amorous*: advance, pass; 2**sweise** ['-svaɪzə] *adv.* approximately; **~swert** *m* approximate value.

Annahme ['annɑ:mə] *f* (-; -*n*) acceptance (*a. fig.*), reception; adoption (*of child, motion, plan, view*); *parl.* passing *of a bill*, passage; engagement (*of worker*); admission (*of pupil, etc.*); → *Annahmestelle*; assumption; supposition, belief, hypothesis; *~ verweigern* refuse (to accept), reject, dishono(u)r (*a bill of exchange*); *zur ~ vorlegen* present for acceptance; *alles spricht für die ~* there is every reason to believe; *in der ~, daß* on the supposition that, believing that; **~stelle** *f* receiving (*or* collecting) office; *mil.* recruiting office; **~vermerk** *m* acceptance; **~verweigerung** *f* refusal of acceptance, non-acceptance.

Annalen [a'nɑ:lən] *pl.* annals; *in den ~ der Geschichte verzeichnet sein* be on historic record.

annehm|bar ['anne:mbɑ:r] *adj.* acceptable (*für* to); *condition, price*: fair, reasonable; admissible; passable, tolerable; **~en** *v/t.* (*irr.*, *h.*) accept (*a. fig.*; *a. v/i.*); take, receive; *parl.* carry, adopt (*a motion*); engage, hire, take on (*a worker*); undertake (*a commission*); take (on) (*a tint*); *parl.* pass (*a bill*); take, assume (*shape*); grant (*a petition*); contract, fall into (*a habit*); embrace (*a faith*); take, adopt (*an attitude*); take up (*a challenge*), pick up (*the gauntlet*); adopt (*a child*); admit (*a pupil, etc.*); assume (*a title, etc.*); → *Vernunft*; *econ.* accept, hono(u)r (*a bill*), *nicht ~* dishono(u)r; think, assume, suppose, take it, guess; *nehmen wir an, angenommen* suppose, supposing, (let's) say; *et. als ausgemacht* (*or erwiesen*) *~* take a th. for granted; *sich e-r Sache ~* take care (*or* charge) of, attend to a matter; see about a th.; *sich j-s ~* assist, look after, care for a p.; 2**lichkeit** *f* (-; -*en*) amenity, agreeableness; *~en pl.* amenities, comforts of life.

annektieren [anɛk'ti:rən] *v/t.* (*h.*) annex.

Annex [a'nɛks] *m* (-*es*; -*e*) annex, inclosure (to); **~bau** *m* (-[e]s; -ten) annex.

Annexion [anɛksi'o:n] *f* (-; -*en*) annexation.

'**anniet|en** *tech. v/t.* (*h.*) rivet on (*an acc.* to); 2**mutter** *f* (-; -*n*) rivet nut.

Anno ['ano] *adv.* in the year (of); *~ Domini* in the year of our Lord; *~ dazumal* erstwhile, in the olden times; *von ~ dazumal* of yore.

Annon|ce [a'nɔ̃sə] *f* (-; -*n*) advertisement, ad; → *Anzeige*; 2'**cieren** *v/t. u. v/i.* (*h.*) advertise, insert.

Annuität [anui'tɛ:t] *f* (-;-*en*) annuity; *lebenslängliche ~* life annuity.

annulier|en [anu'li:rən] *v/t.* (*h.*) annul, nullify, *jur. a.* declare null and void; set aside (*judgment*); *econ.* cancel (*an order*); *soccer*: *ein Tor ~* disallow a goal; 2**ung** *f* (-; -*en*) annulment; cancellation; 2**ungsgebühr** *aer. f* cancellation fee.

Anode [a'no:də] *el. f* (-; -*n*) anode, *Am.* plate.

anöden ['anʔø:dən] *colloq. v/t.* (*h.*) bore to death; get on *a p.'s* nerves; rib.

An'oden...: **~batterie** *f* anode (*Am.* plate) battery; **~gleichrichter** *m* anode bend detector; **~kreis** *m* anode circuit; **~stecker** *m* anode plug; **~strahlen** *m/pl.* anodal rays; **~strom** *m* anode (*Am.* plate) current.

an'odisch *el. adj.* anodic, anodal.

anomal ['anomɑ:l] *adj.* anomalous; **Anoma'lie** *f* (-; -*n*) anomaly.

anonym [ano'ny:m] *adj.* anonymous; 2**ität** *f* (-) anonymity.

Anorak ['anorak] *m* (-*s*; -*s*) parka, anorak, anarak.

'**an-ordn|en** *v/t.* (*h.*) (*a. tech.*) arrange, design, group, *a. mil.* dispose; *tech. hintereinander angeordnet* in tandem arrangement; order, direct; instruct; 2**ung** *f* arrangement; *a.* design, *Am.* layout; *a. mar.* disposition; grouping; structure; pattern, scheme; order, direction, instruction; regulation, rule; *~en treffen* give orders *or* instructions; make arrangements, arrange *that*; *auf ~ von* by order of, at the instance of.

'**an-organisch** *chem. adj.* inorganic.

'**anormal** *adj.* abnormal, anomalous.

'**anpacken** *v/t.* (*h.*) lay hold of, seize, grasp; tackle (*problem, task, etc.*);

mit ~ lend a (helping) hand, do one's share; *e-e Sache anders* ~ approach (*or* set about) a th. differently.

'anpass|en *v/t.* (*h.*) fit (on), adapt, accommodate (*dat.* to); adjust, tune (to *a norm, purpose*); proportion; *in colour, etc.*: match; *der Gelegenheit angepaßt* to fit the occasion; *sich* ~ adapt (*or* accommodate) o.s., conform (*dat.* to); **≈ung** *f* (-) adaptation, adjustment (*a. psych.*); accommodation; matching; *tech.* ~ *an den Körper* body conformity; **~ungsfähig** *adj.* adaptable, flexible; versatile; **≈ungsfähigkeit** *f* (-) adaptability; **≈ungskreis** *el. m* matching circuit.

'anpeil|en *v/t.* (*h.*) take the bearings of, locate; **≈ung** *f* direction finding, location.

'anpfeifen *v/t.* (*irr.*, *h.*) *sports*: *das Spiel* ~ give the starting signal; *colloq. j-n* ~ blow a p. up.

'Anpfiff *m sports*: starting signal; *colloq. fig.* dressing-down.

'anpflanz|en *v/t.* (*h.*) plant, cultivate; **≈ung** *f* planting, cultivation; plantation.

anpflaumen ['anpflaʊmən] *colloq. v/t.* (*h.*) pull *a p.'s* leg, kid, rib.

'anpflöcken *v/t.* (*h.*) peg (*an acc.* to).

'anpicken *v/t.* (*h.*) peck.

'anpinseln *v/t.* (*h.*) paint *a th.* over.

'anpirschen: *sich* ~ creep up (*an acc.* to).

anpöbeln ['anpø:bəln] *v/t.* (*h.*) abuse, molest, mob.

'Anprall *m* impact, *a. mil.* shock; *den ersten* ~ *aushalten* bear the brunt (of attack); **≈en** *v/i.* (*sn*) bound, strike, bump (*an acc.* against), impinge (on).

anpranger|n ['anpraŋərn] *v/t.* (*h.*) pillory, denounce, brand; **≈ung** *f* (-; -en) denunciation.

'anpreis|en *v/t.* (*irr.*, *h.*) (re)commend; extol; *by advertising*: boost, crack up, *b.s.* puff up, *Am.* push; **≈ung** *f* (-; -en) praising; boosting; puffing; *a. w.s.* claptrap, ballyhoo.

'Anprob|e *f* try-on, fitting; **≈ieren** *v/t.* (*h.*) try (*or* fit) on.

anpumpen *colloq. v/t.* (*h.*) *j-n*: touch *a p.* (*um* for).

Anrainer ['anraɪnər] *m* (-s; -) → *Anlieger.*

anranzen ['anrantsən] *colloq. v/t.* (*h.*) blow a *p.* up.

'anraten *v/t.* (*irr.*, *h.*) advise (*j-m* et. a p. to do a th.); recommend.

'Anraten *n* (-s): *auf sein* ~ at his suggestion, on his advice.

'anrauchen *v/t.* (*h.*) blow (*or* puff) smoke against; begin to smoke (*a cigar*); season, colo(u)r (*a pipe*), break in (*a new pipe*).

'anrechn|en *v/t.* (*h.*): *j-m et.* ~ charge (*or* put) to a p.'s account, pass to a p.'s debit; *j-m zuviel* ~ overcharge a p.; credit; deduct, allow, credit against, set off against; *jur.* make allowance for, deduct (*detention pending trial*); *fig. j-m* et. *als Verdienst* ~ credit a p. for a th.; *hoch* ~ value highly, appreciate; *j-m* et.: *a.* think highly of a p. for a th.; *ich rechne es mir zur Ehre an* I consider it an hono(u)r; **≈ung** *f* charge, debiting; *j-m* et. *in* ~ *bringen* → *anrechnen*; *jur. unter* ~ *der Untersuchungshaft* the time of detention pending trial being deducted from the sentence.

'Anrecht *n* right, title, claim (*auf acc.* to); qualification, eligibility; (*ein*) ~ *haben auf* have a right (*or* legitimate claim) to, be entitled to; be eligible to.

'Anrede *f* address; *in letters*: salutation; **≈n** *v/t.* (*h.*) address, speak to, accost.

'anreg|en *v/t.* (*h.*) touch, handle; *fig.* suggest; incite, animate, encourage; stimulate; *es regt den Appetit an* it gives an edge to the appetite; → *angeregt*; **~end** *adj.* stimulating, inspiring, exciting; **≈ung** *f* stimulation, encouragement; impulse; *a. med.* stimulus; suggestion; *erste* ~ first impulse, stimulus; *auf* ~ *von* at the suggestion (*or* instigation) of; **≈ungsmittel** *n* stimulant.

anreicher|n ['anraɪçərn] *chem. v/t.* (*h.*) enrich; concentrate; *sich* ~ accumulate, grow rich; **≈ung** *f* (-; -en) enrichment; concentration.

'anreihen *v/t.* (*h.*) add; string (*pearls, etc.*); arrange (*or* attach) in a series, align; *sich* ~ join, rank; form a queue (*Am.* line), queue (*Am.* line) up; *fig. sich würdig* ~ be a worthy successor (*dat.* of).

'anreiß|en *v/t.* (*irr.*, *h.*) tear off; *colloq. fig.* → *anbrechen*; mark out, trace, delineate; tout (*customers*); **≈er** *econ. m* tout; **≈lehre** *f* margin ga(u)ge; **≈nadel** *f* marking tool, scriber; **≈schablone** *f* stencil, template; **≈winkel** *m* square.

'anreiten *v/i.* (*irr.*, *sn*): ~, *angeritten kommen* come riding up, approach (on horseback); ~ *gegen* (*acc.*) charge.

'Anreiz *m* incentive (*a. econ.*), stimulus, impulse; incitement; **≈en** *v/t.* (*h.*) incite, stimulate; induce; *jur.* abet; *el.* energize, excite; **≈end** *adj.* incentive.

'anrempeln *v/t.* (*h.*) jostle against, run (*or* bump) into, elbow; *fig.* bait, provoke, pick a quarrel with.

'anrennen I. *v/t.* (*irr.*, *h.*) run against, jostle (against); ~ *gegen a. mil.* assault, charge; *fig.* assail, run full tilt against; **II.** *v/i.* (*irr*, *sn*): *angerannt kommen* come running (along).

'anrichte|n *v/t.* (*h.*) dress, prepare (*dishes*); serve, dish up (*a meal*); *es ist angerichtet!* dinner, *etc.*, is served!; cause, do (*damage, harm, etc.*); work (*mischief*), cause (*havoc*); *da hast du was Schönes angerichtet* now you have put your foot in it; **≈(tisch** *m*) *f* (-; -n) sideboard; *kitchen*: dresser.

'Anriß *techn. m* (superficial) fissure, crack.

'anrollen *v/i.* (*sn*) approach, be under way; *merchandise, etc.*: be on track; *aer.* taxi.

'anrosten *v/i.* (*sn*) (begin to) rust.

anrüchig ['anryçiç] *adj.* disreputable, notorious, shady; infamous.

'anrücken *v/i.* (*sn*) approach, draw near; *mil.* advance.

'Anruf *m* call; *mil. of guard*: challenge; *teleph.* call, ring; **≈en** *v/t.* (*irr.*, *h.*) call; *mil.* challenge; *teleph.* call *or* ring (up), phone; *wieder* ~ call back; hail (*a ship, taxi*); implore, invoke, appeal to; *jur. ein höheres Gericht* ~ appeal to a higher court; *j-n zum Zeugen* ~ call a p. to witness; **~ung** *f* (-; -en) invocation; *jur., etc.*: appeal (*gen.* to).

'anrühren *v/t.* (*h.*) touch, handle; mix, stir (up); temper (*paints*); *fig.* touch (upon); *ich konnte keine Speise* ~ I couldn't touch the food; *ich rühre keinen Alkohol mehr an* I am off the stuff for good.

ans [ans] = **an das** → *an.*

'Ansage *f* announcement (*a. radio, etc.*), notification; *cards*: bidding; **≈n** *v/t.* (*h.*) announce, notify; *sich* ~ announce one's visit; *radio etc.*: announce; *thea., etc.* present, *Am.* emcee; *j-m den Kampf* ~ challenge, fling down the gauntlet to a p; *cards*: call; *Trumpf* ~ declare trumps; **~r(in** *f*) *m* (-s; -; -; -nen) announcer (*a. radio*); compère, *Am.* Master of Ceremony (*abbr.* M.C.).

'ansamm|eln *v/t., a. sich* (*h.*) collect; *a. persons*: gather, assemble, concentrate (*troops*); amass, hoard (*or* pile) up (*treasures, etc.*); *interest*: *sich* ~ accrue, accumulate; **≈lung** *f* collection; accumulation, accrual; heap, pile; *of people*: gathering; assembly (*a. jur.*), crowd; *of troops*: concentration, massing.

ansässig ['anzɛsiç] *adj.* resident; settled; ~ *in a.* domiciled at *or* in; *nicht* ~ non-resident; *sich* ~ *machen*, ~ *werden* settle (down), take up residence; **≈e(r** *m*) ['-gə(r)] *f* (-n; -n; -en; -en) resident.

'Ansatz *m tech.* extension; shoulder, neck; *anat.* appendage; peg (*of heel, nose*); *wind instruments*: **a)** embouchure, lipping; **b)** mouthpiece; *geol.* deposit, sediment, crust; *zo.* rudiment; *usu. pl.* trace(s *pl.*); disposition; start; *math.* statement; *econ. in a bill*: rate, charge; *j-m et. in* ~ *bringen* charge (*or* debit) a p. with; estimate, assessessment; *in an estimate*: appropriation, amount budgeted; *er (es) zeigt gewisse Ansätze* he (it) shows some promise; **~punkt** *m* starting point, point of departure; **~rohr** *n* connecting tube; **~säge** *f* tenonsaw; **~stück** *tech. n* extension, attachment.

'ansäuern *v/t.* (*h.*) leaven (*dough*); *chem.* acidify, acidulate.

'ansaug|en *v/t.* (*h.*) suck in; *med.* aspirate; prime (*a pump*); **≈hub** *mot. m* suction stroke; **≈leistung** *f* suction capacity; **≈leitung** *f* intake manifold; **≈luft** *f* (-) induction air; **≈rohr** *n* induction pipe; **≈ventil** *n* suction valve.

'anschaff|en *v/t.* (*h.*) procure, provide; buy, purchase; *sich et.* ~ *a.* supply (*or* furnish, provide) o.s. with a th.; **≈ung** *f* procurement; purchase, acquisition; **≈ungskosten** *pl.* prime cost, purchase cost *sg.*; **≈ungspreis** *m* cost price; *zum* ~ at cost; **≈ungswert** *m* cost value.

'anschalten *v/t.* (*h.*) switch on, turn on (*the light, etc.*); *tech.* connect, wire up; → *einschalten.*

'anschau|en *v/t.* (*h.*) look at, view

(*both a. fig.*); **~lich** *adj.* graphic(ally *adv.*); clear, vivid; concrete; ~ *machen* demonstrate, illustrate, give a clear idea of; ~ *schildern* give a vivid description of; **²lichkeit** *f* (-) clearness, vividness.

Anschauung [ˈanʃauuŋ] *f* (-; -*en*) view, opinion; perception, notion, idea; conception; *phls.* intuition; approach, point of view.

ˈ**Anschauungs...:** **~material** *n* illustrative material; audiovisual aids *pl.*; **~unterricht** *m* visual instruction; object teaching; *fig.* object lesson; **~vermögen** *n* (-*s*) intuitive faculty; **~weise** *f* approach, point of view; mentality.

ˈ**Anschein** *m* (-[*e*]*s*) appearance; look, semblance; probability; *allem ~ nach* to all appearances, apparently; *den ~ erwecken* give the impression; *es hat den ~ als ob* it looks (*or* seems) as if; *sich den ~ geben* assume the appearance, pretend *or* make out *to be*, pose *as*, make believe; **²end** *adj.* (*and adv.*) apparent(ly), seeming(ly).

ˈ**anschichten** *v/t.* (*h.*) pile up in layers, stratify.

ˈ**anschicken:** *sich ~* (*h.*) *zu* get ready for, prepare o.s. *to do*, set about *doing a th.*; proceed *to do*; be going to, be on the point of *ger.*

ˈ**anschieben I.** *v/t.* (*irr.*, *h.*) push (*an acc.* against); give a shove *or* push; **II.** *v/i.* (*irr.*, *h.*) *skittles*: have the first throw.

ˈ**anschielen** *v/t.* (*h.*) squint at; cast a sidelong glance at, look at *a p.* from the corner of one's eyes; leer at.

ˈ**anschienen** *med. v/t.* (*h.*) splint.

ˈ**anschießen I.** *v/i.* (*irr.*, *sn*) shoot first; *chem.* crystallize; **II.** *v/t.* (*irr.*, *h.*) shoot, wound; wing (*a bird*; *a p.*, *esp. in the arm*); test, try (*a rifle*).

ˈ**Anschießen** *n chem.* crystallization; *mil.* firing test.

ˈ**anschimmeln** *v/i.* (*sn*) go mouldy.

ˈ**anschirren** *v/t.* (*h.*) harness.

ˈ**Anschlag** *m* **1.** stroke; impact; ~ *der Wellen* breaking of waves; *mus.* touch; *alarm-clock*: striking; *of key*: depression, *typing*: stroke; *hockey*: bully; *swimming*: touch; *tennis*: service; **2.** placard, poster, bill; notice, announcement; *e-n ~ machen* post up a notice; **3.** *rifle*: aiming (*or* firing) position; *im ~ halten auf* (*acc.*) level (*or* point) at; **4.** *tech.* stop, detent; *rückwärtiger ~* backstop; **5.** plot, scheme; attempt(ed assassination); *e-n ~ verüben auf* make an attempt on; **6.** estimate, valuation, (*esp. tax*) assessment; calculation; *in ~ bringen* take into account; allow for; *nicht in ~ bringen* leave out of account; **~brett** *n* noticeboard, *Am.* bulletin board, billboard.

ˈ**anschlagen I.** *v/t.* (*irr.*, *h.*) strike, knock, beat (*an acc.* at *or* against); → *angeschlagen*; fasten, (af)fix, nail; stick (*or* put, post) up; *mus.* touch, strike; sound, ring, toll (*a bell*); strike (*the hour*); *den Ton ~* give the key-note; *fig. e-n anderen Ton ~* change one's tone *or* tune; *e-n tragischen Ton ~* strike a tragic note; level *rifle*, aim (*auf acc.* at); calculate; estimate, value, rate; *zu hoch ~* overestimate, overrate; *zu niedrig ~* underrate; **II.** *v/i.* (*irr.*, *h.*) strike (*or* beat, butt, dash) (*an acc.* against); *mit dem Kopf an die Wand ~* strike one's head against the wall; *waves*: break; *dog*: bark, give tongue; *swimmer*: touch; *tennis*: serve; *medicament*: take (effect) (*bei j-m* on); *food*: agree (with).

ˈ**Anschlag...:** **~fläche** *tech. f* stop face; **~platte** *f* impact plate; **~raste** *f* quantity stop; **~ring** *m* stop ring, end collar; **~säule** *f* advertisement pillar, *Am.* advertising pillar, pillar post; **~schraube** *f* stop screw; **~stellung** *mil. f* firing position; **~stift** *m* stop pin; **~tafel** *f* → *Anschlagbrett*; **~zettel** *m* bill, placard, poster; **~zünder** *m* percussion fuse.

ˈ**anschließen** *v/t.* (*irr.*, *h.*) fasten with a lock (*an acc.* to); chain (to); *tech.* connect, join (to), link up (with); *el.* connect, wire (to); plug in; add, join (to); attach, annex (to); affiliate (to), link up (with), incorporate; *sich ~* (*dat.*) **a**) join, attach o.s. to, befriend *a p.*, **b**) take *a p.'s* side, side with, **c**) agree with, subscribe to, endorse, follow (*a view*), **d**) (*j-s*) *Beispiel*: follow (suit *v/i.*), **e**) join (*a p.'s company*, *demand*, *etc.*), **f**) *jur.* concur with (*a judgment*); *clothes*: *sich* (*eng*) ~ fit close, be a tight fit; border on, be adjacent to; follow; *an den Vortrag schloß sich e-e Diskussion an* the lecture was followed by a discussion; **~d** *adj. space*: adjacent, next, neighbo(u)ring; *time*: subsequent(-ly *adv.*; *an acc.* to), following, ensuing.

ˈ**Anschluß** *m* joining; *el.*, *rail*, *teleph.* connection; *teleph. a.* line; (*gas*, *water*, *etc.*) supply; *pol.* **a**) union, **b**) annexation; *teleph.* ~ *bekommen* get through; *sports*: pull up to; *rail.* ~ *haben* **a**) communicate, correspond, **b**) meet a train, make connections with a train; *s-n ~ erreichen* get one's connection; *den ~ verpassen* miss one's connection, *fig.* miss the bus; ~ *suchen* seek company; ~ *finden* meet company, make friends (*bei* with); *im ~ an* following, subsequent to; in connection with; *im ~ an mein Schreiben vom* referring (*or* reverting) to my letter of.

ˈ**Anschluß...:** **~auftrag** *econ. m* follow-up order; **~bahn** *rail. f* branch (*or* feeder) line; **~berufung** *jur. f* cross-appeal; **~dose** *el. f* junction box, (wall) socket; **~gerät** *n* connector set; **~gleis** *n* siding; **~kabel** *n* connection cable, *teleph.* subscriber's cable; **~klemme** *f* (connecting) terminal; **~leitung** *f* connection (pipe); *el.* lead (wire); *teleph.* subscriber's line; **~linie** *aer.*, *rail. f* feeder line; **~muffe** *f* jointing sleeve; **~mutter** *f* (-; -*n*) union nut; **~nippel** *m* connection fitting; **~schnur** *f* (connection) cord, flex(ible cord); **~station** *rail. f* junction; **~stecker** *m* (wall) plug; **~strecke** *rail. f* feeder line; **~stutzen** *m* pipe union; **~szene** *f film*: connecting scene; **~zapfen** *tech. m* male connection; **~zug** *m* corresponding train, connection.

ˈ**anschmachten** *v/t.* (*h.*) cast sheep's eyes at.

ˈ**anschmieden** *v/t.* (*h.*) forge on (*an acc.* to); chain up (*a criminal*).

ˈ**anschmiegen** *v/t.* (*h.*) join closely, adapt (*an acc.* to); *sich ~ an* nestle against, snuggle up to; *dress*: cling to; *fig.* conform to.

ˈ**anschmieren** *v/t.* (*h.*) (be)smear, daub; grease; *colloq. fig.* cheat, take in.

ˈ**anschmutzen** *v/t.* (*h.*) soil.

ˈ**anschnall|en** *v/t.* (*h.*) strap on (*an acc.* to), buckle on; *sich ~ aer.* fasten the seat belt, strap o.s. in; *bitte ~!* fasten seat belts!; **²gurt** *aer.*, *mot. m* safety-belt, seat belt.

ˈ**anschnauz|en** *colloq. v/t.* (*h.*) snarl *or* snap at; blow up, *Am.* bawl out; **²er** *colloq. m* blowing-up, dressing-down.

ˈ**anschneiden** *v/t.* (*irr.*, *h.*) cut (from); *das Brot ~* cut a fresh loaf; *fig.* broach, bring up (*a topic*, *etc.*), raise (*a question*); chamfer (*castings*); *mil.* locate by intersections.

ˈ**Anschnitt** *m* first cut *or* slice; *roast meat*: outside slice; *tech. casting*: gate; *road construction*: side cutting; *screw tap*: chamfer.

ˈ**anschrauben** *v/t.* (*h.*) bolt, screw on (*an acc.* to); fasten (*a screw*).

ˈ**anschreiben** *v/t.* (*irr.*, *h.*) write down, book; chalk up; *econ.* write to *a p*; *at games*: score (*a. v/i.*); charge (*a debt*); *j-m et. ~* debit a p. with, put to a p.'s account; ~ *lassen* buy *or* take *a th.* on credit; *fig. bei j-m gut angeschrieben sein* be in a p.'s good books, be in good with a p.; *bei j-m schlecht angeschrieben sein* be in a p.'s bad books; ˈ**Anschreiben** *n econ.* cover note.

ˈ**anschreien** *v/t.* (*irr.*, *h.*) shout (*or* yell) at.

ˈ**Anschrift** *f* address.

anschuhen [ˈanʃuːən] *tech. v/t.* (*h.*) shoe, tip with iron; lengthen.

anschuldig|en [ˈanʃuldigən] *v/t.* (*h.*) accuse (*gen.* of), charge (with), incriminate; **²ung** *f* (-; -*en*) accusation, charge, incrimination.

ˈ**anschüren** *v/t.* (*h.*) → *schüren.*

ˈ**Anschuß** *m* first (*or* sighting) shot; *chem.* crystallization.

ˈ**anschütten** *v/t.* (*h.*) fill (*or* heap) up.

ˈ**anschwärz|en** *v/t.* (*h.*) blacken; *fig.* blacken, denigrate, calumniate; denounce, sneak against; **²ung** *f* (-; -*en*) blackening; calumny.

ˈ**anschweißen** *v/t.* (*h.*) weld on (*an acc.* to).

ˈ**anschwell|en** *v/i.* (*irr.*, *sn*) swell (*a. mus.*); bag, bulge, puff; *river*: rise; *fig.* swell up, increase; **~end** *mus. adj. and adv.* crescendo; **²ung** *f* swelling (*a. med.*).

ˈ**anschwemm|en** *v/t.* (*h.*) wash ashore; deposit (*soil*); *angeschwemmtes Land* alluvium; *angeschwemmtes Wrackgut* flotsam and jetsam; **²ung** *f* (-; -*en*) wash; (alluvial) deposit, alluvium; ~ *der Eiszeit* glacial drift.

ˈ**anschwimmen** *v/i.* (*irr.*, *sn*): *gegen den Strom ~* swim against the current.

'**anschwindeln** *v/t.* (*h.*): *j-n* ~ lie to a p.; tell a p. a (white) lie.

'**ansegeln I.** *v/i.* (*sn*) open the yachting season; *angesegelt kommen* come up (sailing), draw near; **II.** *v/t.* (*h.*) make for (*a port*).

'**ansehen** *v/t.* (*irr., h.*) look at *or* (up)on; view; inspect, examine (closely), scrutinize; *sich et.* (*genau*) ~ *a.* take *or* have a (close) look at; watch; *et. mit* ~ witness, look on, (stand by and) watch; *fig. ich kann es nicht länger mit* ~ I cannot bear (*or* stand) it any longer; *j-m et.* ~ read a th. in a p.'s face, tell (a th.) by a p.'s face; *man sieht ihm sein Alter nicht an* he doesn't look his age; *fig.* ~ *für or als* look upon as, regard as, think (to be), consider; *wrongly*: take for; treat as; *j-n finster* ~ scowl (*or* frown) at; *j-n giftig* ~ look daggers at; → *schief, Schulter, etc.*; *et. mit anderen Augen* ~ see a th. in a different light; *wie ich die Sache ansehe* as I see it; *colloq. sieh mal einer an!* look at that now!, what do you know!; → *angesehen*.

'**Ansehen** *n* appearance, aspect, look(s *pl.*); credit, prestige; authority, standing; repute, reputation; *berufliches* ~ professional standing; *j-n von* ~ *kennen* know a p. by sight; *dem* ~ *nach urteilen* judge by appearances; *dem* ~ *nach zu urteilen* on the face of it; *in hohem* ~ *stehen* enjoy (*or* be held in) great esteem; ~ *verlieren* be discredited, lose prestige (*or* face); *sich ein* ~ *geben* give o.s. airs; *ohne* ~ *der Person* without respect of persons.

'**ansehnlich** *adj.* imposing; stately; fine-looking (*person*); considerable, important (*amount, etc.*); sizeable; ample; handsome (*sum, etc.*); notable, eminent.

'**Ansehung** *f* (-): *in* ~ (*gen.*) in consideration of, considering, in respect of; on account of.

anseilen ['anzaɪlən] *mount. v/t.* (*h.*) rope.

'**ansengen** *v/t.* (*h.*) singe.

'**ansetz|en I.** *v/t.* (*h.*) (*an acc.*) put *or* set on (to); add, piece on (to); fasten (to); sew on (to); put *a cup etc.* to one's lips; apply *leeches* (to); take up, put *the flute, etc.* to one's lips; *die Feder* ~ take up pen, set pen to paper; make, prepare, brew, mix (*vinegar, liqueur, etc.*); *for cooking*: put on; fix, appoint, schedule, set (*a date*); *thea. ein Stück* ~ put on a play; rate, value, assess; *zu hoch* ~ overstate; *zu niedrig* ~ understate; *econ.* fix, quote (*prices*), charge; *zum Verkauf* ~ put up for sale; *math.* put up (*an equation*); develop, produce, form; put forth (*leaves, etc.*); put on *flesh*; *Fett* ~ grow fat; *Rost* ~ gather rust; *wrestling*: *e-n Griff* ~ secure a hold; *e-n Schlag* ~ deliver a blow; **II.** *v/i.* (*h.*) try; *zu et.* ~ begin to do a th., prepare to do a th.; → *Landung*; *zum Sprung* ~ **a**) prepare (*or* get ready) for the jump, **b**) take a run (before leaping); grow fat, put on flesh *or* weight; *sich* ~ *chem.* (leave a) deposit, be deposited; crystallize; **2ung** *f* (-; -*en*) application; quotation (*of prices*); appointment, fixing (*of date*).

'**Ansicht** *f* (-; -*en*) view, sight; *econ. zur* ~ on approval, for inspection; *tech.* ~ *im Aufriß*, ~ *von der Seite* side view, elevation; ~ *im Grundriß* plan view; ~ *im Schnitt* sectional view; ~ *von oben* top plan view, *w.s.* bird's eye view; ~ *von unten* worm's eye view; *schematische* ~ diagram; ~*en pl. von London* views of London; *fig.* opinion, view, notion; conviction, persuasion; *anderer* ~ *sein* differ; *ich bin anderer* ~ I beg to differ, I cannot quite agree with you; *anderer* ~ *werden* change one's mind; *die* ~*en sind geteilt* opinion is divided; *sich e-e* ~ *bilden* form an opinion; *der* ~ *sein, daß, die* ~ *vertreten, daß* be of opinion that, take the view that, hold that; *zu der* ~ *kommen, daß* decide that; **2ig** *adj.*: *j-s* ~ *werden* catch sight of a p., spot a p.; **~s-(post)karte** *f* picture postcard; **~s-sache** *f* matter of opinion; **~s-sendung** *f* consigment (sent) for inspection *or* on approval.

'**ansied|eln** *v/t. and sich* ~ (*h.*) settle, colonize; establish o.s.; *fig.* place *the scene of novel, etc.* (*in dat.* in); **2ler(in** *f*) *m* settler, colonist; **2lung** *f* settlement; colony; colonization.

'**Ansinnen** *n* (-*s*; -) (*unzumutbares*: unfair *or* strange) demand, (unreasonable) request; *ein* ~ *stellen an j-n* put a demand to a p., expect a th. of *or* from a p.

'**ansitzen** *v/i.* (*irr., h.*) be (firmly) attached; *clothes*: be a tight fit, fit close.

'**anspann|en** *v/t.* (*h.*): stretch; put to, harness up, *esp. Am.* hitch (up) (*horses*); ~ *lassen* order the carriage; *fig.* tense (*a. sich*), strain, tax; flex, tense (*muscles*); tax (*resources*); strain (*credit*); *aufs äußerste* ~ strain to breaking-point; *alle Kräfte* ~ strain every nerve, do one's utmost, exert o.s.; *colloq. j-n* ~ make a p. work; **2ung** *f fig.* tension, strain, exertion; *econ.* ~ *des Geldmarktes* monetary strain; ~ *des Notenumlaufs* overissue of currency notes; ~ *der Reserven* drain on reserves.

'**anspeien** *v/t.* (*irr., h.*) spit at *or* (up)on.

'**Anspiel** *n soccer*: kick-off; *cards*: lead; **2en I.** *v/i.* (*h.*) play first, lead; *sports*: lead off; *soccer*: kick off; *cards*: have the lead; *tennis*: serve; *fig.* ~ *auf* (*acc.*) allude to, hint at, insinuate; **II.** *v/t.* (*h.*) lead (*a card*); *soccer*: pass (the ball) to *a player*; **~ung** *f* (-; -*en*) allusion (*auf acc.* to), hint, insinuation; *versteckte* ~ innuendo.

'**anspinnen** *v/t.* (*irr., h.*) join (*thread*); *fig. sich* ~ develop, arise, spring up.

'**anspitzen** *v/t.* (*h.*) point, sharpen.

'**Ansporn** *m* (-[e]s) spur (*dat. or für j-n* to), incitement, stimulus, encouragement; incentive; **2en** *v/t.* (*h.*) give spurs to; *fig.* spur, goad (on), stimulate, incite.

'**Ansprache** *f* address, speech (*an acc.* to); *e-e* ~ *halten* deliver an address.

ansprech|bar ['anʃprɛçbaːr] *adj.* responsive; **~en** *v/t.* (*irr., h.*) speak to, address; *in the street*: accost, *b.s.* solicit; *j-n um et.* ~ beg a th. of a p., ask a p. for a th.; *fig. with advertising, etc.*: reach; ~ *als* consider, regard as; *et. für gut* ~ declare *a th.* to be good; appeal to (*a p.*), interest, please; ~ *auf* (*acc.*) respond to, be susceptible to; *tech.* respond; *el.* be actuated; *sofort* ~ give instant response; **2en** *mot.* engine response; **~end** *adj.* appealing, attractive; engaging; impressive, considerable (*performance*).

'**anspringen I.** *v/t.* (*irr., h.*) jump on, pounce on; leap against; **II.** *v/i.* (*irr., sn*) jump, pounce (*gegen* on); *shot-put*: (do the) shift; *engine*: start, catch; '**Anspringen** *n mot.*: *leichtes* ~ starting ability; *schlechtes* ~ hard starting.

'**anspritzen** *v/t.* (*h.*) splash; bespatter; spray, (be)sprinkle (*mit* with).

'**Anspruch** *m* (*auf acc.*) claim (to), *unfounded*: pretension (to); demand (for); *jur.* title, legal claim (to; *aus dat.* under); (*patent*) claim; *älterer* ~ prior claim; *verjährter* ~ stale claim; ~ *auf Schadenersatz* claim for damages; *fig. kein leerer* ~ no idle boast; *fig. bescheidene Ansprüche* modest pretensions; *hohe Ansprüche* high demands; *starke Ansprüche stellen an* make heavy demands on, tax severely; *große Ansprüche machen* be exacting, be heard to please; ~ *erheben or machen auf, für sich in* ~ *nehmen* lay claim to, claim *a th.*, claim to be, *unfoundedly*: *a.* pretend to, *jur.* enter a claim for; ~ *haben auf* be entitled to, have a right to, *jur.* have a title (*or* legitimate claim) to; *e-n* ~ *geltend machen* assert (*or* lodge) a claim; *in* ~ *nehmen* **a**) → ~ *erheben auf*, **b**) call on (*a p., a p.'s services or help*); retain, employ (*a lawyer*); tax (*a p.'s patience*); have recourse to (*a p.'s kindness*); draw on (*a p.'s strength, means*); take up (*attention, credit, time*); *es nimmt mir zuviel Zeit in* ~ it takes up too much of my time; *ganz in* ~ *nehmen* engross; *ganz und gar für sich in* ~ *nehmen* monopolize (*a. the conversation, a p., etc.*); *die Arbeit nimmt mich sehr in* ~ this job is making heavy calls on my time, it keeps me very busy; (*sehr*) *in* ~ *genommen* engrossed, absorbed, wrapped up (*von* in), *by work*: very much engaged, very busy.

'**anspruchs|los** *adj.* unpretending, unpretentious; unassuming, modest, simple, plain; *food*: frugal; **2losigkeit** *f* (-) unpretentiousness, modesty; frugality; **~voll** *adj.* pretentious; exacting, hard to please; fastidious, discriminating; fussy; *of things*: ambitious; demanding (*music, etc.*), sophisticated, high-brow (*literature, etc.*).

'**anspucken** *v/t.* (*h.*) spit at *or* [(up)on.

'**anspülen** *v/t.* (*h.*) → *anschwemmen.*

'**anstacheln** *v/t.* (*h.*) goad on, prod, spur on, incite.

Anstalt ['anʃtalt] *f* (-; -*en*) establishment, institution; institute; *öffentliche* ~ public institution; *med.* sanatorium, (*Am. often* sanitarium), asylum; *ped.* educational establishment, school; home; (experiment) station; ~*en pl.* **a**) preparations, **b**) measures; ~*en machen zu* get ready for, prepare for *or* to *do*; *fig. er machte keine* ~*en zu gehen* he would not budge; ~*en treffen zu* make arrangements for, arrange for; **~s-arzt** *m* resident (*or* house) physician; **~sfürsorge** *f* institutional care; **~sinsasse** *m* in-patient, inmate.

'**Anstand** *m hunt.* stand; *mine*: ore in sight; *fig.* (-[e]s) good behavio(u)r *or* breeding *or* manners *pl.*; bearing, deportment; decency, propriety, decorum; *den* ~ *verletzen* offend against decency; *mit* ~ decently, properly; *mit* ~ *verlieren* lose with a good grace, be a good loser; *j-n* ~ *lehren* teach a p. manners; pause, delay; objection (*an dat.* to); *keinen* ~ *nehmen a.* make no bones (about *a th.*).

anständig ['anʃtɛndiç] **I.** *adj. generally*: decent; proper, seemly; respectable; *price, etc.*: reasonable, fair; sufficient; comfortable (*living*); handsome, generous (*sum, etc.*); *colloq.* ~*es Essen* decent food; *ein* ~*es Stück* a sizeable piece, quite a hunk; **II.** *adv.* decently, *etc.*; fair and square, *Am. sl.* on the level; thoroughly, soundly, awfully; *sich* ~ *benehmen* behave (o.s.); *es regnet* ~ it's raining pretty hard; **2keit** *f* (-) decency; propriety; respectability; fairness.

'**Anstands...**: **~besuch** *m* formal call; **~dame** *f* chaperon; **~formen** *f/pl.* proprieties; **~gefühl** *n* (-[e]s) sense of propriety; delicacy, tact; **2halber** *adv.* for decency's sake; **2los** *adv.* unhesitatingly, readily, promptly, without objection (*or* further ado); freely; **~regel** *f* (rule of) etiquette; **~schenkung** *jur. f* donation based on moral considerations; **2widrig** *adj.* indecent, improper, unseemly.

'**anstarren** *v/t.* (*h.*) stare at.

an'statt I. *prp.* (*gen.*) instead of, in the place of, in lieu of, in preference to; **II.** *cj.*: ~ *daß er kam*, ~ *zu kommen* instead of coming.

'**anstau|en** *v/t.* (*h.*) dam (*or* pen) up; *sich* ~ accumulate; **2ung** *f* damming up; accumulation.

'**anstaunen** *v/t.* (*h.*) gaze *or* stare at (in wonder), gape (at).

'**anstechen** *v/t.* (*irr.*, *h.*) prick; broach, tap (*a barrel*); *frisch angestochen* fresh on tap; *tech.* tap off (*a furnace*); prime (*a pump*); *med.* pierce, puncture.

'**anstecken I.** *v/t.* (*h.*) stick on; pin on (*a badge, etc.*); put (*or* slip) on (*a ring*); set on fire; kindle (*a fire*); light (*a candle, cigar*); *med.* infect (*mit dat.* with); *fig.* contaminate; *angesteckt werden* catch a disease, be infected; **II.** *v/i.* (*h.*) be catching *or* infectious; **~d** *adj.* infectious, communicable; contagious; *fig.* infectious, catching.

Ansteckung ['anʃtɛkuŋ] *f* (-; -*en*) *med.* infection; contagion; **2sfrei** *adj.* free from infection; **~sherd** *m* cent|re (*Am.* -er) of infection; **~sstoff** *m* infectious matter, virus.

'**anstehen** *v/i.* (*irr.*, *h.*) stand in a queue, queue up *or* on (*nach* for), *Am.* stand in line, line up (for); *fig. j-m* ~ suit (*or* become, fit) a p.; *es steht ihm schlecht an* it ill becomes him; last; be delayed *or* deferred; ~ *lassen* put off, delay, defer; defer payment of (*a debt*); hesitate, waver; be to be expected, impend; *zur Entscheidung* ~ be up for decision; *ich stehe nicht an, zu sagen* I am quite prepared to say; '**Anstehen** *n* delay; hesitation; (standing in a) queue.

'**ansteigen** *v/i.* (*irr.*, *sn*) *terrain*: rise, slope; *a. rank, tone, etc.*: ascend; *fig.* increase, rise, mount; *jäh* ~ sky-rocket, *Am. sl.* zoom; *air pressure*: surge; '**Ansteigen** *n* rising, rise; ascending, ascent; increase, rise; surge.

'**anstell|en** *v/t.* (*h.*) place (*an acc.* against); engage, employ, appoint, take on, *Am. a.* hire (*applicants*); *angestellt bei* in the employ of, (employed) with; start, set *a machine* going (*or* in motion); turn (*or* switch) on (*the light, radio, etc.*); carry out, conduct; make; do, cause (*mischief*); → *Betrachtung*; → *Vergleich*; *wie hast du das angestellt?* how did you manage that?; *was hast du wieder angestellt?* what have you been up to again?; *colloq. was hast du die letzte Woche angestellt?* what have you been doing with yourself last week?; *sich* ~ (*nach*) queue (*Am.* line) up (for); act, behave; *sich* ~ *als ob* pretend to *inf.*, act as if; *sich (un)geschickt* ~ go (*or* set) to work cleverly (clumsily); *stell dich nicht so an!* don't make such a fuss!; **~ig** *adj.* able, handy, skil(l)ful; clever; *er ist sehr* ~ *a.* he can turn his hand to anything; **2ung** *f* employment, appointment; position, situation, place, job; **2ungsbedingungen** *f* condition of employment; **~ungsfähig** *adj.* qualified for a post; **2ungsprüfung** *f* qualifying test.

'**anstemmen** *v/t.* (*h.*) stem *or* press against; *sich* ~ *gegen* (*acc.*) stem *a th.*; *fig.* oppose, resist, set one's face against.

'**ansteuer|n** *mar. v/t.* (*h.*) steer *or* head *or* make for; shape a course for; **2ungsfeuer** *aer. n* approach beacon.

'**Anstich** *m of barrel*: broaching; *frischer* ~ fresh tap; *in fruits*: worm-bite, canker.

Anstieg ['anʃti:k] *m* (-[e]s) ascent; *rail., road*: gradient, *Am.* grade; *fig.* rise, increase; progress.

'**anstieren** *v/t.* (*h.*) stare (*or* glare) at.

'**anstift|en** *v/t.* (*h.*) cause, set on foot; provoke, stir up; instigate; *j-n zu et.* ~ *a.* set a p. on (*or* put a p. up) to a th.; *jur.* abet, instigate; suborn (*a witness*); *tech.* peg, pin (on); **2er(in** *f*) *m* (prime) author; instigator, *jur. a.* abettor, accessary before the fact; ringleader; **2ung** *f* instigation; incitement; abetment, subornation; *auf* ~ *von* at the instigation of.

'**anstimmen** *v/t.* (*h.*) strike up (*a tune*); tune (*an instrument*); *den Grundton* ~ give the key-note; → *Klagelied.*

'**Anstoß** *m soccer*: kick-off; *hockey*: bully; *weight lifting*: jerk; *fig.* impulse, impetus; *den (ersten)* ~ *geben zu* start, initiate; take the initiative in; offen|ce, *Am.* -se; → *Stein*; ~ *erregen (bei j-m)* give *or* cause offence (to a p.), scandalize (a p.); *an et.* ~ *nehmen* take offence at, be scandalized at, take exception to, disapprove; impediment, snag; *ohne* ~ **a**) without hesitation, **b**) fluently; *tech.* point of contact; *bündiger* ~ flush joint; *el.* impulse.

'**anstoßen I.** *v/t.* (*irr.*, *h.*) push, strike, knock, bump (*acc. or an acc.* against); nudge; *soccer*: kick off; *el.* impulse (*the circuit*); **II.** *v/i.* (*irr.*, *sn*) bump, knock, stumble (*an acc.* against); *mit dem Kopf* ~ *an* knock one's head against; *mit den Gläsern* ~ touch (*or* clink) glasses; *auf j-s Wohl* ~ drink a p.'s health; *beim Sprechen* ~ stammer, stutter; *mit der Zunge* ~ lisp; ~ *an fig.* border on, abut on; *bei j-m* ~ offend, shock, scandalize (*a p.*); **~d** *adj.* adjoining, adjacent, contiguous (*an acc.* to).

anstößig ['anʃtø:siç] *adj.* objectionable, offensive; indecent; shocking, scandalous; **2keit** *f* (-) offensiveness; indecency; scandalousness.

'**anstrahlen** *v/t.* (*h.*) irradiate, shed rays on, beam on; flood(light); *angestrahlt* floodlit; *fig.* beam at, give a sunny smile.

'**anstreben** *v/t.* (*h.*) aim at, aspire to, strive for (*or gegen* against).

'**anstreich|en** *v/t.* (*irr.*, *h.*) paint, coat; whitewash; mark, underline (*a mistake, etc.*); check (*or* tick) off; *fig. das werde ich dir* ~ I'll make you pay for this; **2er** *m* (-s; -) (house-)painter; **2gerät** *n* spray diffuser; **2spritzpistole** *f* paint-spraying pistol, spray gun; **2technik** *f* painting (*or* coating) practice.

'**anstreifen** *v/i.* (*h.*): ~ *an* (*acc.*) brush against, touch lightly, graze *a th.*

anstreng|en ['anʃtrɛŋən] **I.** *v/t.* (*h.*) exert; tax, try, exhaust, strain (*body, mind*); *übermäßig* ~ overtax; fatigue, tire (out), be a strain to (*a p.*); *sich* ~ exert o.s., tax one's energies, *Am. a.* drive o.s.; over-exert o.s., overdo it; make every effort (*zu inf.*, to *inf.*), endeavo(u)r (to *inf.*), strive hard (to *inf.*); *streng dich mal an!* pull yourself together!; *alle Kräfte* ~ strain every nerve, do one's utmost; *angestrengt* strenuous, strained, intense; *angestrengt arbeiten (nachdenken)* work (think) hard; *jur.* bring (*an action*) (*gegen* against); **II.** *v/i.* (*h.*): *das strengt an* it is a strain (*or* hard work), it is rather trying; **~end** *adj.* fatiguing, exhausting, strenuous, hard; trying (*für* to; *für die Augen* for the eyes); back-breaking; **2ung** *f* (-; -*en*) strain, stress, exertion; exhaustion, fatigue; effort, *w.s. a.*

endeavo(u)r, attempt; *mit äußerster* ~ by supreme effort; *ohne* ~ → *mühelos*.

ˈ**Anstrich** *m* painting, coating; whitewash; paint, colo(u)r; coat (-ing); film; *fig.* veneer, varnish; tinge; air, appearance; *sich den* ~ *geben gen. or von* give o.s. the air of.

ˈ**anstücken** *v/t.* (*h.*) piece on (*an acc.* to); patch (on to); *tech.* join, joint, connect.

ˈ**Ansturm** *m* assault, charge, onset, onslaught; *erster* ~ (first) onset *or* shock; *fig.* onset; ~ *auf* (*acc.*) rush for, *econ.* run on (*a bank*).

ˈ**anstürmen** *v/i.* (*sn*) assault, assail, charge, storm, rush (*gegen, auf acc.* against).

ˈ**anstürzen** *v/t.* (*h.*) arrive in hot haste.

ˈ**ansuchen** *v/i.* (*h.*): (*bei j-m*) *um et.* ~ apply (to) *or* ask (a p.) for a th; solicit, request, petition (*um* for).

ˈ**Ansuchen** *n* (-*s*; -) request, application, petition; *auf* ~ by (*or* on) request; *auf j-s* ~ at a p.'s request.

Antarkt|is [antˈʔarktis] *f the* Antarctic; ♀**isch** *adj.* antarctic, south-polar.

ˈ**antasten** *v/t.* (*h.*) touch, handle, finger; *fig.* touch; draw (*capital*); break into (*supplies*); infringe (*or* encroach) upon (*a p.'s rights*); offend, injure; attack; question, dispute.

ˈ**Anteil** *m* part, portion, *a. legitimate*: share; *jur.* portion (*of heir*); *econ.* interest; share (certificate), *Am.* share of stock; participating share; share in profits, interest; share (of contribution); allotment; quota; *fig.* interest; sympathy; ~ *haben an* (*dat.*) **a**) share (*or* participate) in, **b**) take an active part in; ~ *nehmen an* **a**) take an interest in, **b**) sympathize (*or* feel) with; ♀**ig**, ♀**mäßig** *adj.* proportionate; ~**nahme** [ˈ-naːmə] *f* (-) interest; sympathy; ~**schein** *m* share certificate, *Am.* share of stock; ~**s-eigner** *m* → *Aktionär*.

ˈ**antelephonieren** *v/t.* (*h.*) (telephone, ring (*or* call) up, give *a p.* a ring.

Antenne [anˈtɛnə] *f* (-; -*n*) aerial, *Am.* antenna; *abgeschirmte* ~ screened aerial; *abgestimmte* ~ tuned aerial; *ausziehbare* ~ telescope aerial.

Antennen...: ~**ableitung** *f* aerial down-lead; ~**abstimmung** *f* aerial tuning; ~**draht** *m* aerial wire; ~**kreis** *m* aerial circuit; ~**leistung** *f* aerial output, *Am.* antenna power, aerial input; ~**mast** *m* aerial mast (*or* tower); ~**stab** *m* aerial rod.

Anthologie [antoloˈgiː] *f* (-; -*n*) anthology.

Anthrazit [antraˈtsiːt] *min. m* (-*s*; -*e*) anthracite, carbonite, *Am. a.* hard coal; ♀**farben** *adj.* charcoal (*dress, etc.*).

Anthropo|ˈloge [antropoˈloːgə] *m* (-*n*; -*n*) anthropologist; ~**logie** [-loˈgiː] *f* (-) anthropology; ♀ˈ**logisch** *adj.* anthropological; ♀**morph** [-ˈmɔrf] *adj.* anthropomorphous.

Anti..., anti... [anti-] anti...

ˈ**Anti-alkoholiker(in** *f*) *m* total abstainer, teetotaller.

Antibiotikum [antibiˈoːtikum] *med. n* (-*s*; -*ka*) antibiotic.

Antiblendungsfarbe [antiˈblɛnduŋs-] *f* antiglare paint.

antichambrieren [antiʃamˈbriːrən] *v/i.* (*h.*) wait in the anteroom; *fig.* dance attendance upon.

Antifaˈschi|smus *m* antifascism; ~**st** *m*, ♀**stisch** *adj.* antifascist.

Antifriktionslager [antifriktsiˈoːns-] *tech. n* antifriction bearing.

antik [anˈtiːk] *adj.* antique, classical; ♀**e** *f* (-; -*n*) (*work of art*) antique; (*epoch*) (-) *die* ~ the (classical) antiquity.

Antiklopf|brennstoff [antiˈklɔpf-] *mot. m* antiknock fuel; ~**mittel** *n* anti-knock agent.

ˈ**Antikörper** *physiol. m* antibody.

Antilope [antiˈloːpə] *f* (-; -*n*) antelope.

Antimon [antiˈmoːn] *chem. n* (-*s*) antimony; ♀**artig** [-ɑːrtiç] *adj.* antimonial; ~**blei** *n* antimonial lead; ~**blende** *f* kermesite; ~**glanz** *m* antimony glance, stibnite; ~**silber** *n* antimonial silver, dyscrasite.

Anti-oxydatiˈonsmittel *n* antioxydant.

Antipathie [antipaˈtiː] *f* (-; -*n*) antipathy (*gegen* against, to), dislike, aversion (to).

Antipod|e [antiˈpoːdə] *m* (-*n*; -*n*) antipode; ♀**isch** *adj.* antipodal.

ˈ**antippen** *colloq. v/t.* (*h.*) tap, touch lightly; *fig.* touch upon; *bei j-m* ~ sound (*or* pump) a p.

Antipyrin [antipyˈriːn] *n* (-*s*) antipyrine.

Antiqua [anˈtiːkva] *typ. f* (-) Roman (type).

Antiquar [antiˈkvaːr] *m* (-*s*; -*e*) secondhand bookseller; → *Antiquitätenhändler*; ~**iat** [-kvariˈaːt] *n* (-[*e*]*s*; -*e*) second-hand bookshop; ♀**isch** *adj. u. adv.* second-hand.

Antiquitäten [antikviˈtɛːtən] *f/pl.* antiques; ~**händler** *m* antique dealer; ~**laden** *m* antique shop; ~**sammler** *m* collector of antiques.

Anti|seˈmit *m* anti-Semite; ♀**seˈmitisch** *adj.* anti-Semitic; ~**semitismus** [-zemiˈtismus] *m* (-) anti-Semitism.

antiˈseptisch *adj.* antiseptic.

Antiˈthese *f* antithesis.

Antizyˈklon *meteor. m* anticyclon, high pressure area.

Antlitz [ˈantlits] *n* (-*es*; -*e*) face, countenance.

Antrag [ˈantrɑːk] *m* (-[*e*]*s*; ¨*e*) offer, proposal (*a. of marriage*), proposition; petition, application (*auf acc.* for); *parl.* **a**) *in session*: motion, **b**) bill; *jur.* petition, prayer; complaint; ~ *auf Entmündigung* petition in lunacy; *auf* (*den*) ~ *von* on the application of, on the motion of, *jur. a.* ex parte, at the suit of; ~ *stellen auf* (*acc.*) make (*or* file) an application for, apply for, *parl. and in assemblies*: make (*or* bring forward) a motion for, move for, *jur.* move for *or* that, petition for; *e-n* ~ *durchbringen* carry a motion; *e-n* ~ *unterstützen* second a motion; *e-r Dame e-n* ~ *machen* propose to a lady; ♀**en** *v/t.* (*irr., h.*) offer, propose; ~ *auf* (*acc.*) *parl.* move for;

~**sformular** *n* application form; ~**steller(in** *f*) [ˈ-ʃtɛlər-] *m* (-*s*; -; -; -*nen*) proponent, *parl.* mover; applicant, *jur. mostly* petitioner; claimant; appellant; *in court*: party moving.

ˈ**antreffen** *v/t.* (*irr., h.*) *a th.*: meet with, find; come across, chance (*or* hit) upon; *a p.*: meet, find (*a. p. well, in a good mood, etc.*).

ˈ**antreiben I.** *v/t.* (*irr., h.*) drive (*or* push) on; urge on (*a horse*); drive (*a machine, vehicle*), *a.* propel; power (*an airplane, etc.*); *med.* spur (*glands*), stimulate (*the heart*); *fig.* impel, urge (*or* goad, egg) on; drive, sweat; hurry; **II.** *v/i.* (*irr., sn*) come floating; drift (*or* float) ashore.

ˈ**antreten I.** *v/i.* (*irr., sn*) take one's place; *mil.* line up, fall in; *angetreten!* fall in!; *cycling*: jump; *zum Kampf* ~ enter the lists (*gegen* against), *sports*: participate (in a competition); ~ *gegen* compete against (*a team, etc.*); **II.** *v/t.* (*irr., h.*) start up (*a motorcycle*); *ein Amt* ~ enter upon (*or* take up) an office, assume one's duties; *den Beweis* ~ offer (*or* tender) evidence, undertake to prove *a th.*; *die Arbeit* (*den Dienst*) ~ report for work (duty); *e-e Erbschaft* ~ enter upon an inheritance, succeed (to an estate); *die Regierung* ~ come into power, take over (the administration); *monarch*: accede to the throne; *jur. e-e Strafe* ~ begin to serve a sentence; *e-e Reise* ~ set out (*or* leave, start) on a trip.

ˈ**Antrieb** *m* **1.** impulse; motive, inducement; incentive; *phys.* impetus (*a. fig.*); *fig.* stimulus; *neuen* ~ *verleihen* give fresh impetus (*dat.* to); *aus eigenem* ~ of one's own accord *or* initiative, spontaneously; *aus innerem* ~ by impulse, from inclination; **2.** *tech.* drive, propulsion; motive power; power source; *elektrischer* ~ electric drive; *mit eigenem* ~ *versehen* self-powered; *mit Raketen*♀ *versehen* rocket-powered.

ˈ**Antriebs...:** ~**achse** *f* driving axle; ~**aggregat** *n* engine unit, prime mover; ~**kraft** *f* motive power, driving force; ~**kupplung** *f* driving clutch; ~**motor** *el. m* drive motor; ~**organ** *n* driving element; ~**rad** *n* driving gear; ~**riemen** *m* driving belt; ~**ritzel** *n* driving pinion; ~**welle** *f* driving shaft.

ˈ**antrinken:** *sich e-n Rausch* ~ (*irr., h.*) get o.s. drunk; *sich Mut* ~ fire one's courage by a drink, *colloq.* get bottle courage, *Am.* get Dutch courage; → *angetrunken*.

ˈ**Antritt** *m* (-[*e*]*s*) *sports*: **a**) start; **b**) spurt; *fig.* commencement, beginning; first step; ~ *e-s Amtes* entrance upon (*or* assumption of) an office; ~ *e-r Erbschaft* entry upon (*or* accession to) an inheritance; ~ *der Macht* accession to power; ~ *e-r Reise* start of (*or* setting out on) a journey; ~**s-audienz** *f* first audience; ~**sbesuch** *m* first visit; ~**srede** *f* inaugural speech; *parl.* maiden speech; ~**svorlesung** *f* inaugural lecture.

ˈ**antrocknen** *v/i.* (*sn*) begin to dry,

dry on; ˈ**Antrocknen** *n* (-s) surface drying (*of lacquer*).

ˈ**antun** *v/t.* (*irr.*, *h.*) put on, don (*clothes*); *fig. j-m* et. ~ do a th. to a p., inflict a th. on a p.; *j-m Ehre* ~ do honor *or* credit to a p.; → *Gewalt*; *j-m Schaden* ~ harm a p., do a p. harm; *sich* et. (*or ein Leid*) ~ lay hands upon o.s.; → *Zwang*; *es j-m* ~ bewitch (*or* charm) a p.; *sie hat's ihm angetan* he is under her spell, *colloq.* he is smitten by her, he has got her under his skin; → *angetan*.

Antwort [ˈantvɔrt] *f* (-; -*en*) answer, reply (*auf acc.* to); (*sharp*) retort; *fig.* answer, reaction, response, echo; *abschlägige* ~ negative reply, refusal; → *schlagfertig*; *in* ~ *auf* (*acc.*) in answer to; *um* ~ *wird gebeten* an answer is requested (R.S.V.P.); (*j-m*) *keine* ~ *schuldig bleiben* have an answer to everything (*a p. says*), give tit for tat; *er weiß immer eine* ~ he is never at a loss for an answer; *keine* ~ *ist auch e-e* ~ silence gives consent; ≈**en** *v/i.* (*h.*) answer, reply, give an answer (*auf acc.* to); retort; react, respond (*mit* with); ~**karte** *f* reply card; ~**schein** *m* (international) reply coupon; ~**schreiben** *n* (written) reply, answer (in writing).

ˈ**anvertrauen** *v/t.* (*h.*) confide, entrust (*dat.* to); *j-m* et. ~ *a.* trust a p. with a th., put a th. into a p.'s hands, commit a th. to a p.'s care *or* custody; *jur.* (deliver in) trust; *anvertrautes Gut* trust; *fig. sich j-m* ~ confide in a p., unbosom o.s. to a p., make a p. one's confidant.

ˈ**anverwandt** *adj.* related; ≈**e**(**r** *m*) *f* relation.

ˈ**anvisieren** *v/t.* (*h.*) *mil.* sight, take aim (*acc.* at); *surv.* align sights on; *mar.* take bearing on.

ˈ**anwachs|en** *v/i.* (*irr.*, *sn*) take root; grow on (*an acc.* to; together); *fig.* grow, increase, augment, (*a. river*) rise; accumulate, *interest*: accrue; *sum*: ~ *auf* run up to; *mus.* swell; ≈**en** *n* (-s) growing, growth, increase, augmentation; *im* ~ *begriffen* on the increase, waxing; ≈**ung** *f* (-; -*en*) *econ.* accretion, increment.

Anwalt [ˈanvalt] *m* (-[e]s; ⸚e) lawyer, solicitor, *esp. Am.* attorney; *pleading at the bar*: barrister, *Am.* counselor-at-law; *in court*: counsel (des *Angeklagten* for the defence); *klägerischer* ~ plaintiff's counsel; *private law*: agent, proxy, attorney-in-fact; *fig.* advocate, champion; *als* ~ *zugelassen werden* be called to the bar; *e-n* ~ *befragen* consult a lawyer, take counsels opinion; *e-n* ~ *nehmen* retain counsel; ~**schaft** *f* (-) attorneyship; *collect. the* Bar; ~**sgebühr** *f* attorney's fee; retainer; ~**skammer** *f* Bar Association; ~**szwang** *m* (-[e]s) compulsion to be represented by counsel.

ˈ**anwand|eln** *v/t.* (*h.*) befall, seize; come over *or* upon; *was wandelte dich an?* what has come over you?; *ihn wandelte die Lust an, zu* the fancy took him to *inf.*; ≈**lung** *f med. etc.* fit, touch; *fig. a.* (*plötzliche* ~ sudden) impulse; *in e-r* ~ *von Schwäche* in a weak moment; *in e-r* ~ *von Großzügigkeit* in a burst (*or* fit) of generosity.

ˈ**anwärmen** *v/t.* (*h.*) warm up (*a. mot.*), take the chill off; *tech.* preheat.

ˈ**Anwärteri(n** *f*) *m* (-**s**; -; -; -*nen*) aspirant (*a. sports*; *auf acc.* to *a title*), candidate (for); *jur.* **a**) expectant, **b**) reversioner, **c**) claimant; applicant.

Anwartschaft [ˈanvartʃaft] *f* (-) (*auf acc.*) candidacy, qualification (for); *jur.* (legal) expectancy; reversion(ary interest); *insurance*: qualifying period; claim (to); prospect (of).

ˈ**anwassern** *aer. v/i.* (*h.*) alight on water.

ˈ**anwässern** *tech. v/t.* (*h.*) moisten slightly, dampen.

ˈ**anwehen** *v/t.* (*h.*) blow *or* breathe upon *or* against; *snow, etc.*: (*a. v/i.*, *sn*) drift (against).

ˈ**anweis|en** *v/t.* (*irr.*, *h.*) teach, instruct; direct, order; assign, allot; show *a p.* to (*a seat*); *angewiesen sein* have orders (*or* instructions) to; *fig.* → *angewiesen*; *econ.* make *a sum* payable at (*a bank*); ≈**ung** *f* direction, instruction, order; regulation, specification; *of money*: assignment, remittance, transfer; cheque, *Am.* check, draft; *mail.* money-order.

anwendbar [ˈanvɛntbaːr] *adj.* applicable (*auf acc.* to); feasible, practicable; relevant; *allgemein* ~ of universal application; *leicht* ~ easy-to-apply; ~ *sein* apply (to); ≈**keit** *f* (-) applicability, *of a law*: *a.* operation; feasibility.

ˈ**anwenden** *v/t.* (*irr.*, *h.*) (*zu dat.*) apply (to), employ (for), use (for); make use of, utilize; apply *a law, principle, etc.* (*auf acc.* to); bring *influence, etc.* to bear (on); et. *falsch* ~ misapply a th.; et. *gut* ~ make good use of a th.; et. *nützlich* ~ turn a th. to good account; et. *sparsam* ~ economize a th.; *Vorsicht* ~ take precautions; *sich* ~ *lassen* be applicable (*auf acc.* to); *Gewalt* ~ use force; *ohne Gewalt anzuwenden* without resort to force; → *angewandt*.

ˈ**Anwendung** *f* employment, application, use, utilization; *zur* ~ *bringen* → *anwenden*; ~ *finden* be used, *law, principle, etc.*: apply, be applicable (to); ~**sbereich** *m* scope, range of application; ~**sgebiet** *n* field of application; ~**smöglichkeit** *f* applicability, use; ~**sweise** *f* mode (*or* method) of application.

ˈ**anwerb|en** *v/t.* (*irr.*, *h.*) *mil.* enlist, recruit, levy, *Am. a.* enrol(l); recruit, engage (*labour*); *sich* ~ *lassen* enlist; sign on; ≈**ung** *f* enlistment, recruitment, *Am.* enrol(l)ment; recruitment, recruiting drive, engagement (*of labour*).

ˈ**anwerf|en I.** *v/i.* (*irr.*, *h.*) have the first throw; **II.** *v/t.* (*irr.*, *h.*) *mot.* crank *or* start (up); *aer.* swing (*the propeller*); *arch.* roughcast; ≈**kurbel** *f* starting crank.

ˈ**Anwesen** *n* property, real estate, premises *pl.*; *agr.* farm; estate.

anwesen|d [ˈanveːzənt] *adj.* present (*bei* at); ~ *sein* attend, be present, *Am. a.* be on hand; *die* ≈*en pl.* those (*or* the persons) present; *jeder* ≈*e* everyone present; ≈*e ausgenommen* present company excepted; *Verehrte* ≈*e!* Ladies and Gentlemen!; ≈**heit** *f* (-) presence; attendance; *in* ~ (*gen.*) in the presence of; ≈**heitsliste** *f* attendance list (*for labour*: sheet).

ˈ**anwidern** → *anekeln*.

Anwohner(in *f*) [ˈanvoːnər-] *m* (-s; -; -; -*nen*) neighbo(u)r; → *Anlieger*.

ˈ**Anwurf** *m* throw-off; *arch.* roughcast; *fig.* aspersion; ~**schalter** *el. m* motor-starting switch.

ˈ**anwurzeln** *v/i.* (*sn*) strike (*or* take) root; → *angewurzelt*.

ˈ**Anzahl** *f* (-) number, quantity; e-e *große* ~ a great number (*or* many), a multitude.

ˈ**anzahl|en** *v/t.* (*h.*) pay on account; et. ~ pay a first instal(l)ment *or* a deposit on a th; ≈**ung** *f* payment on account; (first) instal(l)ment; deposit, downpayment.

ˈ**anzapfen** *v/t.* (*h.*) tap, broach (*a barrel*); *tech. el. teleph.* tap; *colloq. j-n* ~ (*um Geld*) touch a p. (for money).

ˈ**Anzeichen** *n* sign, indication, mark; *a. med.* symptom (*für* of); omen, warning.

ˈ**anzeichnen** *v/t.* (*h.*) mark, note; index.

Anzeige [ˈantsaɪgə] *f* (-; -*n*) announcement, notification, notice; *econ.* advice; *jur.* notice; *bei der Polizei*: information with, denunciation to *the police*; → *erstatten*; advertisement, ad; insertion; *kleine* ~*n pl.* classified ads; → *Annonce*; *tech.* signal; (instrument) reading; ~**bereich** *tech. m* indicating range; ~**gerät** *n* indicator, indicating instrument; ~**lampe** *f* pilot lamp; ≈**n** *v/t.* (*h.*) notify (*j-m* et. a p of a th.), give notice of, announce; *econ.* advise; *fig.* be indicative (*or* symptomatic) of, point to; insert, advertise, publish; *jur.* (bei) report (*a p. or th.*) (to), inform against (with), denounce (to), bring a charge against (with); *tech.* record, register; *mil.* mark (*a shot*); *fig. angezeigt* indicated, advisable; *für angezeigt halten* think fit (*or* expedient); ~**n-annahme** *f*, ~**nbüro** *n* advertising agency *or* office; ~**ngebühr** *f* ad(vertising) rate; ~**nteil** *m* advertisements *pl.*, classified section; ≈**pflichtig** *adj.* notifiable, reportable; ~**r(in** *f*) *m* (-s; -; -; -*nen*) *jur.* informer; *mil.* marker (*of shots*); *tech.* indicator; (*newspaper, a.* ~**nblatt** *n*) advertiser; *official*: gazette; ~**röhre** *tech. f* visual indicator valve (*Am.* tube); ~**vorrichtung** *tech. f* indicating (*or* recording) device.

ˈ**anzetteln** *v/t.* (*h.*) plot, scheme, hatch, engineer; e-e *Verschwörung* ~ gegen plot against; *tech.* warp.

ˈ**anzieh|en I.** *v/t.* (*irr.*, *h.*) draw, pull (on *or* in); stretch; pull, apply (*the brakes*); tighten (*a screw*), *fig.* → *Schraube*; *Zügel*: draw in (*the reins*); put on, don (*clothes*), *hastig* ~ slip (*or* fling) on; *j-n or sich* ~ dress; *fig.* attract (*a. magnet*; *econ. capital*), appeal to; quote, cite, refer to (*an example, etc.*); **II.** *v/i.* (*irr.*, *h.*) *chess, etc.*: make the first move; *econ.*

prices, etc.: rise, advance, stiffen; **~end** *adj.* attractive, charming, interesting; **2er** *anat. m* adductor.

'**Anziehung** *f* (*a. phys.*) attraction; **~skraft** *f phys.* attractive power, magnetism; *of moon, etc.*: pull; *of the earth*: gravitation (*or* pull); *fig.* attraction, appeal, magnetism; sex appeal; **~s-punkt** *m* centre (*Am.* center) of attraction; chief attraction.

'**Anziehvermögen** *mot. n* (-*s*) starting (*or* snap) power.

'**Anzug** *m* dress, clothing, garb, apparel; *of men*: suit; *mil.* dress, uniform; *of troops*: approach, advance; *im ~e sein* draw near, approach; *es ist et. im ~e* there is something in the wind (*or* brewing) *chess*: opening (move); *mot.* (*a.* **~skraft** *f*) getaway power, *sl.* zip.

anzüglich ['antsy:kliç] *adj.* suggestive, personal; risqué (*Fr.*); *~ werden* become personal; *~e Redensart* → **2keit** *f* (-; -*en*) suggestive (*or* personal) remark; *pl.* personalities; suggestiveness.

'**Anzugs-stoff** *m* suiting.

'**anzünd|en** *v/t.* (*h.*) light, kindle; ignite; strike (*a match*); set on fire, set fire to (*a house*); **2er** *m* lighter.

'**anzweifeln** *v/t.* (*h.*) doubt, (call in) question, dispute.

Aorta [a'ɔrta] *anat. f* (-; -*ten*) aorta.

apart [a'part] *adj.* exquisite.

Apathie [apa'ti:] *f* (-) apathy, listlessness; **apathisch** [a'pɑ:tiʃ] *adj.* apathetic, listless.

aperi'odisch *el. adj.* aperiodic.

Apfel ['apfəl] *m* (-*s*; ⸚) apple; *~ im Schlafrock* apple dumpling; *fig. in den sauren ~ beißen* swallow the bitter pill; *der ~ fällt nicht weit vom Stamm* like father, like son; **~baum** *m* apple-tree; **~blüte** *f* apple blossom; **~kern** *m* pip; **~kuchen** *m* apple flan (*Am.* cake); **~most** *m* (new) cider; **~mus** *n* apple-sauce; **~pastete** *f* apple-pie; **~saft** *m* apple juice; **~säure** *chem. f* malic acid; **schale** *f* apple-peel; **~schimmel** *m* (-*s*; -) dapple-grey horse; **~schnitz** *m* apple-slice.

Apfelsine [-'zi:nə] *f* (-; -*n*) orange; **~nbaum** *m* orange-tree; **~nsaft** *m* orange juice.

Apfel...: **~torte** *f* apple-tart; **~wein** *m* cider.

Aphoris|mus [afo'rismus] *m* (-; -*men*) aphorism; **2tisch** *adj.* aphoristic(ally *adv.*).

Aphrodisiakum [afrodi'zi:akum] *n* (-*s*; -*ka*) aphrodisiac.

Apokalyp|se [apoka'lypsə] *f* (-; -*n*) apocalypse; **2tisch** *adj.*: *die 2en Reiter* the horsemen of the apocalypse.

Apostel [a'pɔstəl] *m* (-*s*; -) apostle; **~geschichte** *f the* Acts *pl.* (of the Apostles); **apostolisch** [apɔ'sto:liʃ] *adj.* apostolic; *das 2e Glaubensbekenntnis* The Apostles' Creed, The Belief; *R.C. der 2e Stuhl* the Apostolic See.

Apostro|ph [apɔ'stro:f] *m* (-*s*; -*e*) apostrophe; **2'phieren** *v/t.* (*h.*) apostrophize.

Apotheke [apo'te:kə] *f* (-; -*n*) chemist's shop; *Am.* pharmacy, apothecary.

Apo'theker|(in *f*) *m* (-*s*; -; -*nen*) (dispensing) chemist, pharmacist; *Am.* apothecary, druggist; **~gehilfe** *m* chemist's assistant; **~gewicht** *n* apothecaries' (*or* troy) weight; **~waren** *f/pl.* (medicinal) drugs.

Apparat [apa'rɑ:t] *m* (-[*e*]*s*; -*e*) *generally*: apparatus; (*precision*) instrument; device, appliance; machine, mechanism; telephone; *phot.* camera; (wireless, *Am.* radio) set; *teleph.*: *am ~!* speaking!; *am ~ bleiben* hold the line (*Am.* wire); *fig.* apparatus, organization; *political, party* machine; **~ebau** *m* (-[*e*]*s*) manufacture of instruments.

Apparatur [apara'tu:r] *f* (-; -*en*) equipment, mechanical outfit, device; fixtures *pl.*

Appell [a'pɛl] *m* (-*s*; -*e*) *mil.* **a)** roll-call, **b)** inspection, muster, parade; *fig.* appeal (*an acc.* to).

Appellation [-atsi'o:n] *jur. f* (-; -*en*) appeal; **~sgericht** *n* court of appeal.

appel'lieren *v/i.* (*h.*) (make an) appeal (*an acc.* to).

Appetit [ape'ti:t] *m* (-[*e*]*s*; -*e*) appetite (*a. fig.*; *auf acc.* for); *~ haben auf* (*acc.*) have an appetite for; *~ bekommen* get an appetite (for); *~ machen* give an (*or* whet the) appetite; *j-m den ~ verderben* take away (*or* spoil) *a p.'s* appetite; *den ~ verlieren* lose one's appetite; **2anregend** *adj.* appetizing; **~bissen** *m*, **~happen** *m* appetizer, canapé (*Fr.*); **2lich** *adj.* appetizing, delicious (*both a. person*); savo(u)ry; **2los** *adj.* having no appetite; **~losigkeit** *f* (-) loss (*or* lack) of appetite.

applaudieren [aplau'di:rən] *v/i.* (*h.*) *j-m*: applaud.

Applaus [a'plaus] *m* (-*es*) applause; → *Beifall.*

Applikatur [aplika'tu:r] *mus. f* (-; -*en*) fingering.

applizieren [-'tsi:rən] *v/t.* (*h.*) apply.

apport! [a'pɔrt] *to dog*: go fetch!

appor'tieren *v/t.* (*h.*) retrieve, fetch.

Apres-Ski-Kleidung [aprɛ:'ʃi:-] *f* after-ski clothing.

appre|tieren [apre'ti:rən] *v/t.* (*h.*) dress, finish (*cloth*); glaze (*paper*); **2tur** [-'tu:r] *f* (-; -*en*) dressing, finish; *paper*: glazing.

approbiert [apro'bi:rt] *adj.* qualified, *Am.* licensed (*doctor*); *~er Mediziner* licensed medical practitioner.

Aprikose [apri'ko:zə] *f* (-; -*n*) apricot; **~nbaum** *m* apricot-tree.

April [a'pril] *m* (-[*s*]; -*e*) April; *der erste ~* the first of April, *a.* All Fools' Day; *j-n in den ~ schicken* make an April fool of a p.; *~, ~!* April-fool!; **~scherz** *m* April-fool prank.

Apsis ['apsis] *f* (-; -'*siden*) apse.

Aquamarin [akvama'ri:n] *m* (-*s*; -*e*) aquamarine.

Aquarell [akva'rɛl] *n* (-*s*; -*e*) water-colo(u)r (painting); **~farbe** *f* water-colo(u)r; **~maler** *m* aquarellist, water-colo(u)rist; **~male'rei** *f* water-colo(u)r(s *pl.*).

Äquator [ɛ'kvɑ:tɔr] *m* (-*s*) equator, *the* line; **2ial** [-i'ɑ:l] *adj.* equatorial; **~taufe** *f* ducking on ‚crossing the line'.

äquivalent [ɛkviva'lɛnt] *adj. and* **2** *n* (-[*e*]*s*; -*e*) equivalent.

Ar [ɑ:r] *n* (-*s*; -[*e*]) are (= 119,6 *square yards*).

Ära ['ɛ:ra] *f* (-; -*ren*) era.

Araber ['arabər] *m* (-*s*; -) Arab, Arabian; Arab (horse); **~in** *f* (-; -*nen*) Arabian (woman).

Arabeske [ara'bɛskə] *f* (-; -*n*) arabesque.

Arab|ien [a'rɑ:biən] *n* (-*s*) Arabia; **2isch** *adj.* Arabian, Arabic.

Arbeit ['arbaɪt] *f* (-; -*en*) work; labo(u)r, toil, hard work, *tech.* heavy duty; effort, trouble, pains *pl.*; employment, occupation, job; *a. ped.* task, assignment; *econ.* order in hand; *scientific* paper, treatise; operation, activities *pl.*; business, concern; service; *phys. mechanics*: work; *el.* energy; *tech.* performance, output; functioning, operation; working operation; make, product, piece of work; project; workmanship, craftsmanship; *gute* (*schlechte*) *~* good (bad) piece of work, good (bad) job; *~ und Kapital* Capital and Labo(u)r; *geistige ~* brainwork; (*un*)*gelernte ~* (un)skilled work; *hochwertige ~* high-class workmanship; *körperliche ~* manual work; *öffentliche ~en* public works; *an od. bei der ~* at work, *tech. a. machine, etc.*: in action (*or* operation); *ohne ~* unemployed, out of work, jobless; *die ~ aufnehmen* start work, go (*or* set) to work, *wieder*: resume work; *in ~ geben* (*nehmen*) put (take) *a th.* in hand; *an die ~ gehen, sich an die ~ machen* go (*or* set) to work, buckle down to work, *Am. a.* get busy; *die ~ einstellen* cease (*or* stop) work; *gute ~ leisten* make a good job of it; *j-m ~ machen* put a p. to trouble; *bei j-m in ~ stehen* be employed with; *~ suchen* seek employment, look for a job; *~ vergeben* (*an acc.*) give out work (to), place contracts (with); *~ macht das Leben süß* no sweet without sweat.

'**arbeiten I.** *v/i.* (*h.*) work (*an acc.* at), be at work (on); *schwer ~* work hard, labour, toil, drudge, slave; *bei j-m ~* be employed with, be in the employ of, work for; *mit e-r Firma* (*geschäftlich*) *~* deal with, do (*or* transact) business with; *im Bankfach ~* be in the banking business; *mit Gewinn ~* operate at a profit; operate (on); serve; make, produce, manufacture, fabricate; *machine*: function, work, operate; *facial muscles*: work; *wood*: warp; *capital*: operate, yield profit (*or* bear interest); *~ lassen* employ, invest (*capital*); *cider*: ferment; *dough*: rise; *an et. ~* be working on, be busy with; *an j-m ~* work on a p.; *sich durch den Schlamm ~* work one's way through the mud; **II.** *v/t.* (*h.*) work, fashion; *die ~den Klassen pl.* the working classes; *tech. ~de Maschinenteile* moving parts; '**Arbeiten** *n* (-*s*) working, labo(u)ring; functioning, performance; *einwandfreies ~* efficiency, smooth running; *schlechtes ~* malfunctioning.

'**Arbeiter** *m* (-*s*; -) worker (*a. zo.*);

workman; labo(u)rer, hand; (machine) operator, attendant; → *angelernt, ungelernt; geistiger ~, ~ der Stirn* brainworker; *collect. die ~ pl.* labo(u)rer *sg.*; manpower *sg.*; *~ pl. und Unternehmer* labo(u)r and management; → *Arbeiterin*.

'Arbeiter...: ~belegschaft *f* labo(u)r force; **~bewegung** *f* labo(u)r movement; **~familie** *f* working-class family; **≈feindlich** *adj.* anti-labo(u)r; **~frage** *f* labo(u)r question; **~führer** *m* labo(u)r leader (*or colloq.* boss); **~fürsorge** *f* workers' relief, (industrial) welfare work; **~gewerkschaft** *f* trade union, labo(u)r union; **~in** *f* (-; -*nen*) (female) worker; *a.* working woman, workwoman; factory girl; *zo.* **a**) worker ant, **b**) worker bee; **~klasse** *f* working class(es *pl.*); **~mangel** *m* (-*s*) manpower shortage; **~partei** *f* Labo(u)r Party; **~rat** *m* works council; **~schaft** *f* (-) → *Arbeiterbelegschaft; Arbeiterstand*; **~schutz** *m* protection of labo(u)r; **~siedlung** *f* workers' settlement; **~stand** *m* working class(es *pl.*); *esp. pol.* labo(u)r; **~vertreter** *m* labo(u)r representative; **~viertel** *n* working-class district.

'Arbeit...: ~geber *m* employer; **~geber-anteil** *m social insurance*: employer's contribution; **~geberverband** *m* employers' association; **~nehmer** *m* employé(e *f*), employee; **~nehmerverband** *m* employees' association.

'arbeitsam *adj.* industrious, diligent, hardworking, active.

'Arbeits...: ~abgabe *el. f* power output; **~amt** *n* Labour Exchange; **~anfall** *m* volume of work (arising); **~angebot** *n* offer of employment; **~anzug** *m* working clothes; overalls; **~auftrag** *m* job order; **~aufwand** *m* expenditure of work, energy expended; *econ.* labo(u)r cost; **~ausfall** *m* loss of working hours; **~ausschuß** *m* working committee, study group; **~bedingungen** *f/pl.* conditions of work; *tech.* operating conditions; **~bereich** *m* → *Arbeitsfeld*; **~beschaffung** *f* provision of work; *Maßnahmen zur ~* work-providing measures; **~beschaffungsprogramm** *n* works program(me), employment scheme; **~bescheinigung** *f* certificate of employment; **~bewertung** *f* job evaluation; **~blatt** *n* work sheet; *for wages*: time sheet; **~buch** *n* employment record; workmen's passport; *for work done*: time book; **~dienst** *m* labo(u)r service; *mil.* fatigue duty; **~dienstpflicht** *f* industrial conscription; **~einheit** *tech. f* unit of work; **~einkommen** *n* earned income; **~einsatz** *m* mobilization (*or* allocation) of labo(u)r; → *Arbeitsdienstpflicht*; **~einstellung** *f* stoppage of work; *of plant*: closure, shutdown; strike, *Am. a.* walkout; **~erlaubnis** *f* work permit; **~ersparnis** *f* labo(u)r saving; **~ertrag** *m* yield of work; **~essen** *n* working dinner; **≈fähig** *adj.* able (*or* fit) to work, able-bodied; *~e Mehrheit* working majority; **~fähigkeit** *f* (-) fitness for work; **~feld** *n* field (*or* scope) of work *or* activity; *tech.* radius of action; **~freude** *f* (-) zest for work; **≈freudig** *adj.* willing to work; **~frieden** *m* industrial peace; **~gang** *m* working process; pass; *of machine*: (cycle *or* phase of) operation, service; *in e-m ~* in a single operation; **~gemeinschaft** *f* working pool; working (*or* study) group; team; *ped.* seminar group; **~gericht** *n* labo(u)r (*or* industrial) court; **~gruppe** *f* working (*or* study) group, team; **~haus** *n* workhouse; **~hub** *tech. m* power (*or* expansion) stroke; **~kleidung** *f* work clothes *pl.*, overalls *pl.*; **~kollege** *m* workmate, associate; **~kommando** *mil. n* fatigue party, detail; **~kontakt** *el. m* make contact; **~kopie** *f film*: studio print; **~kosten** *pl.* operating cost, labo(u)r cost *sg.*; *~anteil* work cost per unit; **~kraft** *f* working power, capacity for work; worker, *pl. collect.* labo(u)r, manpower; *volle ~* full-time worker; **~lager** *n* labo(u)r camp; **~leistung** *f* working capacity, efficiency, productivity; *tech., a. of person*: performance; *tech., factory, a. of person*: output; man-hours *pl.*; **~lohn** *m* wage(s *pl.*), pay; **≈los** *adj.* unemployed, out of work, idle; *~ machen* put out of work; **~lose(r** *m*) ['-lo:zə(r)] *f* (-*n*; -*n*; -*en*; -*en*) unemployed (person); **~losenfürsorge** *f* unemployment relief; **~losen-unterstützung** *f* unemployment benefit (*or* pay), dole; *~ beziehen* be on the dole; **~losenversicherung** *f* (-) unemployment insurance; **~losigkeit** *f* (-) unemployment; **~markt** *m* labo(u)r market; *Lage auf dem ~* job situation; **~maschine** *tech. f* machine; **~medizin** *f* industrial medicine; **~methode** *f* working (*or* operating) method; **~minister** *m* Minister of Labour, *Am.* Secretary for Labor; **~ministerium** *n* ministry of labour, *Am.* Department of Labor; **~moral** *f* (working) morale; **~nachweis(stelle** *f*) *m* employment registry office; **~niederlegung** *f* strike, *Am. a.* walkout; **~papiere** *n/pl.* working papers; **~pause** *f* intermission, interval, break; **≈pflichtig** *adj.* liable to work; **~plan** *m* working plan; production schedule; *tech.* functional diagram; tooling layout; **~planung** *f* production scheduling; **~platz** *m* place of work (*or* employment); workshop place; situation, job; *freier ~* vacancy; *tech.* operator's position; *Sicherung des ~es* job security; **~prozeß** *m* (-*sses*) working process; *in den ~ eingliedern* rehabilitate, give a job; **~psychologie** *f* industrial psychology; **~raum** *m* workroom; **~recht** *n* (-[e]s) industrial law; **≈reich** *adj.* busy; **≈scheu** *adj.* work-shy, unwilling to work; **~scheu** *f* aversion to work; **~scheue(r** *m*) ['-ʃɔʏə(r)] *f* (-*n*; -*n*; -*en*; -*en*) shirker, work dodger; **~schicht** *f* shift; **~schutz** *m* protection of labo(u)r; **~soll** *n* target; **~spannung** *el. f* working voltage; **≈sparend** *adj.* labo(u)r-saving; **~stahl** *m* cutting tool; **~streckung** *f* spreading(-over), spread-work system; **~streitigkeit** *f* labo(u)r dispute *or* conflict; **~stück** *tech. n* work(piece); **~stunden** *f/pl.* working hours; hours of work, man-hours; **~tag** *m* working-day, *Am.* workday; **~tagung** *f* technical meeting, symposium; **~takt** *mot. m* power stroke; **~therapie** *med. f* ergotherapy; **~teilung** *f* division of labo(u)r; **~tier** *colloq. n* glutton (*or* demon) for work; **≈unfähig** *adj.* unfit for work; (permanently) disabled; **~unfähigkeit** *f* temporary (*or* permanent) disablement; **~unfall** *m* industrial accident; **~urlaub** *m* working holiday; **~vereinfachung** *f* job simplification; **~verdienst** *m* wage-earnings *pl.*; **~verfahren** *n* working method, technique, manufacturing process; **~verhältnis** *n* contractual relation between employer and employee; *pl. a.* labo(u)r conditions, *tech.* shop conditions; **~verlangsamung** *f* go-slow strike; **~vermittlungsbüro** *n* employment agency; **~verpflichtung** *f* industrial conscription; **~versäumnis** *n* absenteeism; **~vertrag** *m* employment contract; **~vorbereitung** *f* operations scheduling; tool engineering; **~vorgang** *m* operation; **~weise** *f* (mode of) operation; *of person, department, etc.*: practice; **~willige(r)** ['-viligə(r)] *m* (-*n*; -*n*) non-striker; **~woche** *f* working week; **~zeit** *f* working time; working hours; *tech.* operating time; machining time; production time; *garantierte ~* contract hours *pl.*, guaranteed employment; **~zeitverkürzung** *f* reduction of working hours; **~zeug** *n* tools *pl.*; **~zimmer** *n* study.

Arbitrage [arbi'trɑ:ʒə] *econ. f* (-; -*n*) arbitrage.

archaisch [ar'çɑ:iʃ] *adj.* archaic.

Archäo|loge [arçeo'lo:gə] *m* (-*n*; -*n*) archaeologist; **~logie** [-lo'gi:] *f* (-) archaeology; **≈'logisch** *adj.* archaeologic(ally *adv.*).

Arche ['arçə] *f* (-; -*n*) ark; *~ Noah* Noah's ark.

Archipel [arçi'pe:l] *m* (-*s*; -*e*) archipelago.

Archi|tekt [arçi'tɛkt] *m* (-*en*; -*en*) architect; *film*: *a.* art director; **≈tektonisch** [-tɛk'to:niʃ] *adj.* architectural, architectonic; **~tektur** [-tɛk'tu:r] *f* (-; -*en*) architecture.

Archiv [ar'çi:f] *n* (-*s*; -*e*) record-office, archives *pl.*, records *pl.*; *newspaper*: morgue.

Archivar [arçi'vɑ:r] *m* (-*s*; -*e*) keeper of public records, registrar, archivist.

Ar'chiv-aufnahme *f film*: stock shot.

Areal [are'ɑ:l] *n* (-*s*; -*e*) area.

Arena [a're:na] *f* (-; -*nen*) arena (*a. fig.*); bullring.

arg [ark] **I.** *adj.* bad (*comp.* worse, *sup.* worst); utter; (*morally*) bad, wicked, evil; malicious; → *schlimm*; grave, gross (*mistake*); hopeless (*sinner*); *sein ärgster Feind* his worst enemy; *das ist* (*doch*) *zu ~* that's too much (of a good thing); *im ~en liegen* be in a sad (*or* sorry, deplorable) state, be in a bad way; **II.** *adv.* badly, severely, utterly, awfully;

immer ärger worse and worse, from bad to worse; → *mitspielen*; **Arg** *n* (-s) malice, harm; *er ist ohne ~* he is a kindly soul; *~es denken von* (*dat.*) think ill of; *nichts ~es denken bei et.* mean no harm by a th.

Argentin|ien [argɛnˈtiːniən] *n* (-s) Argentina, *the* Argentine (Republic); **~ier(in** *f*) *m* (-s; -; -; -nen) Argentine; **2isch** *adj.* Argentine, Argentinian.

Ärger [ˈɛrgər] *m* (-s) annoyance, vexation, irritation, chagrin (*über acc.* at); anger; *j-m zum ~* to spite a p.; *j-m ~ machen* give a p. trouble; *s-n ~ an j-m auslassen* vent one's spite on a p.; *viel ~ haben mit* have a good deal of trouble with; **2lich** *adj.* angry, annoyed, vexed, irritated, *Am. a.* mad (*auf, über et. acc.* at, about *a th.*, *j-n* with *a p.*); *thing*: annoying, irritating, vexing, aggravating; *~e Sache* nuisance; *wie ~!* oh bother!, how awkward!; **2n** *v/t.* (*h.*) make angry, anger, annoy, vex, irritate, exasperate, madden; provoke, nettle; tease, chaff; *sich ~* (*über acc.*) be *or* feel angry (*or* annoyed) (at, about *a th.*; with *a p.*), be vexed (by), fret (at); *ärgere dich nicht!* take it easy!, keep your hair on!; **~nis** *n* (-ses; -se) scandal, offen|ce, *Am.* -se; annoyance, vexation; bother; nuisance; *~ erregen* give offence; create a scandal; *~ nehmen an* (*dat.*) be scandalized at; *öffentliches ~ jur.* public nuisance.

ˈ**Arg|list** *f* (-) craftiness, deceitfulness, malice; *jur.* fraud; **2listig** *adj.* crafty, malicious, insidious; *jur.* fraudulent, mala fide; *~e Täuschung* wil(l)ful deceit; **2los** *adj.* guileless; artless, innocent, harmless; unsuspecting; unsuspicious; **~losigkeit** *f* (-) guilelessness; harmlessness; innocence.

Argu|ment [arguˈmɛnt] *n* (-[e]s; -e) argument, contention; *ein ~ vortragen* make a point; **2menˈtieren** *v/i.* (*h.*) argue (*über acc.* about; *mit* with), reason.

Arg|wohn [ˈarkvoːn] *m* (-[e]s) suspicion (*gegen acc.* of), mistrust, distrust; *~ erregen* arouse suspicion; *~ fassen* grow suspicious; *~ hegen* (*gegen j-n*) suspect (a p.); **2wöhnen** [ˈ-vøːnən] *v/t.* (*h.*) suspect, be suspicious of; **2wöhnisch** *adj.* suspicious, distrustful (*gegen* of).

Arie [ˈɑːriə] *mus. f* (-; -n) aria.

Arier(in *f*) [ˈɑːriər-] *m* (-s; -; -; -nen), ˈ**arisch** *adj.* Aryan.

Aristo|krat(in *f*) [aristoˈkrɑːt] *m* (-en; -en; -; -nen) aristocrat; **~kratie** *f* (-; -n) aristocracy; **2ˈkratisch** *adj.* aristocratic.

Arithmet|ik [aritˈmeːtik] *f* (-) arithmetic; **~iker** *m* (-s; -) arithmetician; **2isch** *adj.* arithmetic(al); *~e Reihe* arithmetic progression.

Arkade [arˈkɑːdə] *f* (-; -n) arcade.

Arkt|is [ˈarktis] *f* (-) *the* Arctic; **2isch** *adj.* arctic; *~e Kaltluft* arctic (*or* polar) air.

arm [arm] *adj. generally*: poor (*an dat.* in); *~ an a.* wanting in, lacking in, destitute of; needy, indigent; penniless, impecunious, poverty-stricken; *fig.* poor, meagre (*Am.* meager), deficient; poor, low-grade, cheap (*quality*); *chem.* weak; *mein ~es Kind* my poor child; *~ machen* impoverish, pauperize; **2e(r** *m*) *f* (-n; -n; -en; -en) poor man (*f* woman), pauper; *die ~n pl.* the poor; *der ~!* poor (*or* wretched) fellow!; *ich ~r!* poor me!

Arm [arm] *m* (-[e]s; -e) arm; *of river*: branch, tributary; *of chandelier*: branch; *tech.* arm, bracket, support; *of wheel*: spoke; *of scales*: beam; *der ~ des Gesetzes* the arm of the law; *~ in ~ gehen* go arm in arm (*or* arms linked); *in die ~e schließen* clasp in one's arms, embrace; *auf den ~ nehmen* **a)** take *a child* in one's arms, **b)** *fig.* pull *a p.'s* leg; *j-m unter die ~e greifen* give a p. a lift, help a p. (out); *j-m in den ~ fallen* restrain a p.; *j-n mit offenen ~en empfangen* receive a p. with open arms; *j-m in die ~e laufen* bump into a p.; *er hat e-n langen ~* he casts a long shadow, *Am. a.* he has a lot of pull.

Armatur [armaˈtuːr] *f* (-; -en) *el.* armature; *tech.* (*a.* **~en** *pl.*) fittings, mountings *pl.*; accessories *pl.*; joints, connections *pl.*; valves *pl.*; **~enbrett** *mot.*, *aer. n* dashboard, instrument panel *or* board; *vom ~ aus regelbar* dash-controlled.

ˈ**Arm...:** **~band** *n* (-[e]s; ¨er) bracelet, *of watch*: *a.* watch band (*or* strap); *for protection*: wristlet; **~band-uhr** *f* wrist-watch; **~bandwecker** *m* wrist alarm; **~bein** *anat. n* humerus; **~binde** *f* armlet, brassard; *med.* (arm) sling; **~blatt** *n* dress-shield; **~bruch** *med. m* fracture of the arm, fractured arm; **~brust** *f* crossbow.

Armee [arˈmeː] *f* (-; -n) army; **~befehl** *m* army field order; **~korps** *n* army corps.

Ärmel [ˈɛrməl] *m* (-s; -) sleeve; *mit kurzen ~n* short-sleeved; *aus dem ~ schütteln* do *a th.* offhand; **~abzeichen** *n* sleeve badge; **~aufschlag** *m* cuff; **~kanal** *m* (-s) *the* (English) Channel; **2los** *adj.* sleeveless; **~schoner** *m* sleeve-protector, oversleeve; **~streifen** *m* stripe.

Armen... [ˈarmən-]: **~anstalt** *f* almshouse; → *Armenhaus*; **~anwalt** *jur. m* poor litigants' counsel; **~haus** *n* poorhouse; *modern*: public assistance institution; **~kasse** *f* poor-box; relief fund; **~pflege** *f* poor relief; **~pfleger** *m* guardian of the poor; **~recht** *n* (-[e]s) *jur.* poor law, forma pauperis; *unter ~ klagen* sue in forma pauperis; **~schule** *f* charity school.

Armeˈsündergesicht *n* hang-dog look.

ˈ**Armhöhle** *f* armpit.

arˈmier|en *v/t.* (*h.*) *mil.* arm, equip; *tech.* shield, sheath; reinforce (*concrete*); *of cable, hose*: armo(u)r; **2ung** *f* (-; -en) armament, equipment; *tech.* armo(u)ring, sheathing, reinforcement.

...armig [-armiç] ...-armed, ...-branched.

ˈ**Arm...:** **~lehne** *f* arm-rest; **~leuchter** *m* chandelier; *colloq.* idiot.

ärmlich [ˈɛrmliç] *adj.* poor; shabby; *fig.* paltry, scanty, meag|re, *Am.* -er; poor, wretched, miserable; shabby, stingy, mean; **2keit** *f* (-) poorness; shabbiness, misery.

ˈ**Arm...:** **~schiene** *med. f* splint; **~schlinge** *f* arm sling; **2selig** *adj.* → *ärmlich*; **~sessel** *m* arm-chair; **~spange** *f* bracelet; **~stuhl** *m* arm-chair; **~stütze** *f* arm rest.

Armut [ˈarmuːt] *f* (-) poverty; destitution, indigence, penury, distress; lack, deficiency; *in ~ geraten* be reduced to penury; **~szeugnis** *n fig.*: *sich ein ~ ausstellen* demonstrate one's incapacity, give a poor account of o.s.

Armvoll [ˈ-fɔl] *m* (-; -) armful.

Aroma [aˈroːma] *n* (-s; -men) aroma, flavo(u)r; fragrance.

aromatisch [aroˈmɑːtiʃ] *adj.* aromatic; spicy; fragrant.

Arrak [ˈarak] *m* (-s; -e) arrack.

arrangieren [arɑ̃ˈʒiːrən] *v/t.* (*h.*) arrange; *econ. sich ~ mit Gläubigern* compound with *creditors* (*über acc.* for).

Arrest [aˈrɛst] *m* (-es; -e) arrest (*a. mil.*), detention (*a. ped.*), confinement; *jur.* (*dinglicher*) *~* attachment, distraint; *mar.* embargo; *in ~ halten* hold under detention; *mit ~ belegen* distrain, attach, seize; *mit ~ bestrafen* put under arrest.

Arrestant(in *f*) [-ˈtant] *m* (-en; -en; -; -nen) prisoner.

Arˈrest...: **~befehl** *m jur.* warrant of arrest; writ of attachment; **~lokal** *n* detention room, guardhouse (cell); **~strafe** *f* (sentence of) confinement, detention.

arretieren [areˈtiːrən] *v/t.* (*h.*) arrest, take into custody; *tech.* arrest, stop, lock.

arrogant [aroˈgant] *adj.* arrogant.

Arsch [arʃ] *vulg. m* (-es; ¨e) arse; backside, bottom, behind; *leck mich am ~!* go to hell!, *Am. sl.* nuts to you!; *der ~ der Welt* the back of beyond; ˈ**~backe** *f* buttock; ˈ**~kriecher** *m* arse-crawler.

Arsenal [arzeˈnɑːl] *n* (-s; -e) arsenal, armo(u)ry.

Arsen(ik) [arˈzeːn(ik)] *chem. n* (-s) arsenic.

Art [ɑːrt] *f* (-; -en) kind, sort, *esp. biol.*: species, variety, class; race, breed, stock; type; style; manner, way, fashion, mode, style; method, procedure; model, pattern; behavio(u)r, manners *pl.*; nature, quality, character; *e-e ~ Dichter* a poet of sorts; *ein Mann s-r ~* a man of his stamp; *einzig in s-r ~* unique; *Fortpflanzung der ~* propagation of the species; *Geräte jeder ~* tools of every description; *auf die(se) ~* in this way; *auf irgendeine ~* somehow or other; *er auf s-e ~* he in his way; *auf keine ~* nowise, in no way; *nach der ~ des* along the lines of; *aus der ~ schlagen* go one's own ways, degenerate; ˈ**2eigen** *adj.* proper, true to type, characteristic.

ˈ**arten** *v/i.* (*sn*): *nach j-m ~* take after (*or* resemble) a p.; *gut geartet* well-bred; *schlecht geartet* ill-behaved.

Arterie [arˈteːriə] *f* (-; -n) artery; **~nverkalkung** *f* arteriosclerosis.

ˈ**art|fremd** *adj.* alien, of alien blood;

~gemäß *adj.* → *arteigen*; **2gewicht** *n* specific gravity.

Arthritis [arˈtriːtis] *med. f* (-; *-iˈtiden*) arthritis.

artig [ˈɑːrtiç] *adj. of children*: well-behaved, good; *sei ~!* be good!, be (*or* there's) a good boy (*or* girl); civil, polite, courteous; nice, pretty; **2keit** *f* (-; *-en*) good behaviour (*or* manners); civility, politeness, courteousness; niceness, prettiness; *j-m ~en sagen* pay a p. compliments.

Artikel [arˈtiːkəl] *m* (-*s*; -) *gr.* article; *in books, etc.*: article, section; *econ.* article, commodity, line, item; (press) article, (news) item.

artikulieren [artikuˈliːrən] *v/t.* (*h.*) articulate.

Artillerie [artiləˈriː] *f* (-; *-n*) artillery; *bespannte ~* horse-drawn artillery; *motorisierte ~* mechanized artillery; *reitende ~* horse artillery; **~beobachter** *m* artillery observer, spotter; **~beschuß** *m*, **~feuer** *n* artillery bombardment *or* fire, shelling, cannonade; **~flieger** *m* artillery spotting pilot; **~flugzeug** *n* (artillery) spotting (air)plane; **~führer** *m* (division) artillery commander; **~geschoß** *n* artillery projectile, shell; **~geschütz** *n* gun, piece of ordnance; **~schießplatz** *m* artillery range; **~vorbereitung** *f* preparatory bombardment.

Artilleˈrist *m* (*-en*; *-en*) artilleryman, gunner.

Artischocke [artiˈʃɔkə] *f* (-; *-n*) artichoke.

Artist [arˈtist] *m* (*-en*; *-en*), **~in** *f* (-; *-nen*) acrobat, variety artiste, circus performer; **2isch** *adj.* acrobatic(ally *adv.*).

ˈ**Artmerkmal** *n* characteristic of the species.

ˈ**Artung** *f* (-; *-en*) character, nature.

ˈ**artverwandt** *adj.* of related stock.

Arznei [artsˈnaɪ] *f* (-; *-en*) medicine, medicament, *colloq.* physic; drug; **~buch** *n* pharmacopoeia; **~flasche** *f* medicine bottle; **~formel** *f* prescription; **~gabe** *f* dose; **~glas** *n* phial; **~kasten** *m* → *Arzneischrank*; **~kraut** *n* medicinal herb; **~kunde**, **~kunst** *f* (-) pharmaceutics *pl.*; **~mittel** *n* medicine, medicament, drug; remedy; → *Arzneiwaren*; **~mittellehre** *f* pharmacology; **~schrank** *m* medicine-chest; **~trank** *m* potion, draught; **~verordnung** *f* prescription; **~waren** *f/pl.* drugs, pharmaceutics, medical supplies.

Arzt [ɑːrtst] *m* (*-es*; ⸚*e*) physician; medical practitioner, doctor, *colloq.* medical man; *praktischer ~* general practitioner; surgeon; specialist; ˈ**~hilfe** *f* medical secretary; ˈ**~honorar** *n* doctor's fee.

Ärzt|in [ˈɛːrtstin] *f* (-; *-nen*) lady (*or* woman) doctor *or* physician; **2lich** *adj.* medical; *~e Behandlung* medical treatment; *in ~er Behandlung* under medical care; *~e Hilfe* medical assistance; *~e Verordnung* medical prescription; *~es Zeugnis* medical certificate.

As[1] [as] *n* (*-ses*; *-se*) *cards*: ace (*a. fig.*).

As[2] *mus. n* (-; -) A flat; *As-Dur* (*as-Moll*) A flat major (minor).

Asbest [asˈbɛst] *m* (*-es*; *-e*) asbestos; **~anzug** *m* asbestos suit; **~dichtung** *tech. f* asbestos gasket; **~faserstoff** *m* asbestos fib|re (*Am.* -er); **~pappe** *f* asbestos millboard.

aschblond [ˈaʃ-] *adj.* ash-blonde.

Asche [ˈaʃə] *f* (-; *-n*) ash, ashes *pl.*; *glühende ~* embers *pl.*; cinders *pl.*; *fig.* ashes *pl.*, dust, (mortal) remains *pl.*; *in ~ verwandeln* reduce to ashes, incinerate; *in ~ legen* lay in ashes; *Friede s-r ~!* may he rest in peace.

ˈ**Aschen...**: **~bahn** *f* cinder track, *mot.* dirt-track; **~bahnrennen** *mot. n* dirt-track racing; **~becher** *m* ash-tray; **~brödel** [ˈ-brøːdəl] *n* (*-s*; -) Cinderella (*a. fig.*); **~kasten** *m* dustbin, ash-can; **~puttel** [ˈ-putəl] *m* (*-s*; -) → *Aschenbrödel*; **~lauge** *f* lye from ashes; **~urne** *f* cinerary urn.

ˈ**Aschermittwoch** *m* Ash-Wednesday.

ˈ**asch...**: **~fahl** *adj.* ashen, ashy-pale; **~farben** *adj.* ash-colo(u)red; **~grau** *adj.* ash-grey (*Am.* -gray).

Ascorbinsäure [askɔrˈbiːn-] *f* ascorbic acid.

ˈ**As-Dur** *mus. n* (-) A flat major.

äsen [ˈɛːzən] *v/i. and v/t.* (*h.*) *hunt.* graze, browse; feed (et. on a th.).

aˈseptisch *adj.* aseptic.

Asiat [aziˈɑːt] *m* (*-en*; *-en*), **~in** *f* (-; *-nen*), **2isch** *adj.* Asiatic.

Asien [ˈɑːziən] *n* (*-s*) Asia.

Aske|se [asˈkeːzə] *f* (-) asceticism; **~t** *m* (*-en*; *-en*) ascetic; **2tisch** *adj.* ascetic.

Askorbinsäure [askɔrˈbiːn-] *f* ascorbic acid.

Äskulapstab [ɛskuˈlɑːp-] *m* caduceus.

as-Moll *mus. n* (-) a flat minor.

ˈ**asozial** *adj.* anti-social.

Aspekt [asˈpɛkt] *m* (*-[e]s*; *-e*) aspect.

Asphalt [asˈfalt] *m* (*-[e]s*; *-e*) asphalt; **~beton** *m* asphaltic concrete.

asphalˈtieren *v/t.* (*h.*) asphalt.

Aˈsphalt...: **~lack** *m* black japan; **~presse** *f* yellow press; **~straße** *f* asphalt (bitumen) road.

aß [ɑːs] *pret. von essen.*

Assekuranz [asekuˈrants] *f* (-; *-en*) insurance.

Assel [ˈasəl] *f* (-; *-n*) isopod; wood-louse.

Assessor [aˈsɛsɔr] *m* (*-s*; *-ˈoren*) assessor, *jur.* assistant judge; **~examen** *n* final State Examination.

Assimilation [asimilatsiˈoːn] *f* (-; *-en*) assimilation; **~skraft** *f* assimilative power.

assimiˈlieren *v/t.* (*h.*) assimilate.

Assist|ent(in *f*) [asisˈtɛnt-] *m* (*-en*; *-en*; -; *-nen*) assistant, aid; **~enzarzt** [-ˈtɛnts-] *m* assistant-surgeon, doctor's assistant; *Am. at hospital*: intern; **2ieren** *v/t.* (*h.*) assist, aid.

Assozi|ation [asotsiatsiˈoːn] *f* (-; *-en*) association; *econ.* partnership; **~atiˈonsaufreihung** *f* stream of consciousness; **2ˈieren** *v/t.* (*h.*) associate; *sich ~ mit j-m* enter into a partnership *with a p.*; **2ˈiert** [-ˈiːrt] *econ. adj.* associate(d), co-operant.

Ast [ast] *m* (*-es*; ⸚*e*) bough; branch (*a. fig. or anat.*); *in wood*: knot; *ballistics*: *absteigender* (*aufsteigender*) *~* descending (ascending) branch; *fig. er ist auf dem absteigenden ~* he is going downhill, he is on the downgrade; → *lachen.*

Ästchen [ˈɛstçən] *n* (*-s*; -) twig.

Aster [ˈastər] *bot. f* (-; *-n*) aster.

Asthenie [asteˈniː] *med. f* (-; *-n*) asthenia; **Astheniker** [aˈsteːnikər] *m* (*-s*; -) asthenic person.

Ästhet|ik [ɛsˈteːtik] *f* (-) (a)esthetics; **~iker** *m* (*-s*; -) (a)esthete; **2isch** *adj.* (a)esthetic(al).

Asth|ma [ˈastma] *n* (*-s*) asthma; **~matiker(in** *f*) [-ˈmɑːtikər-] *m* (*-s*; -; -; *-nen*), **2ˈmatisch** *adj.* asthmatic.

astigmatisch [astigˈmɑːtiʃ] *adj.* astigmatic.

ˈ**Astloch** *n* knothole.

Astralleib [asˈtrɑːl-] *m* astral body.

ˈ**astrein** *adj.* branchless; *wood*: free from knots; *colloq. fig. nicht ganz ~* not quite the thing.

Astro|loge [astroˈloːgə] *m* (*-n*; *-n*) astrologer; **~logie** [-loˈgiː] *f* (-) astrology; **2ˈlogisch** *adj.* astrological; **~naut** [-ˈnaʊt] *m* (*-en*; *-en*) astronaut; **~ˈnautik** *f* (-) astronautics *pl.*; **~nom** [-ˈnoːm] *m* (*-en*; *-en*) astronomer; **~nomie** [-noˈmiː] *f* (-) astronomy; **2ˈnomisch** *adj.* astronomic(al) (*a. fig.*); ˈ**~photographie** *f* astrophotography; **~physik** *f* astrophysics *pl.*; **~ˈphysiker** *m* astrophysicist.

ˈ**Astwerk** *n* branches, boughs *pl.*; *arch.* branch work.

ˈ**Äsung** *f* (-; *-en*) pasture; *hunt.* grazing, browsing; food.

Asyl [aˈzyːl] *n* (*-s*; *-e*) asylum, refuge; asylum, home; *fig.* sanctuary; *~ suchen* seek asylum; **~recht** *n* (*-[e]s*) right of asylum.

ˈ**asymmetrisch** *adj.* asymmetric(al).

ˈ**asynchron** *el. adj.* asynchronous.

Atavis|mus [ataˈvismus] *m* (-; *-men*) atavism; **2tisch** *adj.* atavistic.

Atelier [atəliˈeː] *n* (*-s*; *-s*) studio; *film*: *ins ~ gehen* go into production; **~arbeiter** *m* stage hand; **~aufnahme** *f* studio shot.

Atem [ˈɑːtəm] *m* (*-s*) breath; breathing, respiration; *außer ~* out of breath, panting; *~ holen* draw breath, pause for breath; *den ~ anhalten* hold one's breath; *mit angehaltenem ~* with bated breath; *außer ~ kommen* get out of breath, get winded; *wieder zu ~ kommen* recover one's breath; *j-n in ~ halten* **a)** keep a p. busy, **b)** keep a p. in suspense; *j-m den ~ benehmen* take a p.'s breath away; **~beschwerde** *f* difficulty of breathing; **~einsatz**, **~filter** *m gas mask*: filter (element); **~gerät** *n* oxygen (*or* breathing) apparatus, respirator; **~geräusch** *n* respiratory sounds *pl.*; **~gymnastik** *f* → *Atemübungen*; **~holen** *n* (*-s*) respiration, breathing; **~lähmung** *f* respiratory paralysis; **2los** *adj.* breathless (*a. fig.*); out of breath, panting; **~not** *f* shortness of breath; asthma; **~pause** *f* breathing-time; breathing-space, breather; *fig. a.* reprieve; **2raubend** *adj.* breath-taking (*a. fig.*); **~übungen** *f/pl.* breathing exercises; **~wege** [ˈ-veːgə] *m/pl.*

respiratory ducts (*or* tract *sg.*); **~zug** *m* breath, respiration; *bis zum letzten ~* to the last gasp; *den letzten ~ tun* breathe one's last; *in e-m ~* in one breath.

Atheis|mus [ate'ˀismus] *m* (-) atheism; **~t** *m* (*-en*; *-en*), **~tin** *f* (-; *-nen*) atheist; **2tisch** *adj.* atheistic(al).

Athen [a'te:n] *n* (*-s*) Athens; → *Eule.*

Äther ['ɛ:tər] *m* (*-s*; -) *phys. and chem.* ether; *radio*: *a.* air; *über den ~* on the air; *mit ~ betäuben* etherize.

ätherisch [ɛ'te:riʃ] *adj. poet.* ethereal; *phys.*, *radio*: etheric; *chem.* volatile; *~e Öle* quick-drying (*or* essential) oils.

'**Äther...:** **~krieg** *m* radio war; **~narkose** *f* etherization; **~recht** *n* broadcasting law; **~welle** *phys. f* ether wave.

Äthiop|ien [ɛti'o:piən] *n* (*-s*) Ethiopia; **~ier(in** *f*) *m* (*-s*; -; -; *-nen*), **2isch** *adj.* Ethiopian.

Athlet [at'le:t] *m* (*-en*; *-en*), **~in** *f* (-; *-nen*) athlete; **~enherz** *med. n* athlete's heart; **~ik** *f* (-) athletics; **2isch** *adj.* athletic.

Äthyl [ɛ'ty:l] *chem. n* (*-s*) ethyl; **Äthylen** [ɛty'le:n] *n* (*-s*) ethylene.

Atlant [at'lant] *geogr. m* (*-en*; *-en*) atlas.

At'lantik *m* (*-s*) *the* Atlantic (Ocean); **~verkehr** *m* transatlantic traffic.

at'lantisch *adj.* Atlantic; → *Atlantik.*

Atlas ['atlas] *m* (-; *-se*) *geogr. and myth.* Atlas; (*maps*) atlas (*a. anat. vertebra*); satin; (*cotton*) sateen; **2artig** ['-ɑ:rtiç] *adj.* satiny; **~brokat** *m* brocaded satin; **~papier** *n* satin paper.

atmen ['ɑ:tmən] **I.** *v/i.* (*h.*) breathe, respire; *schwer ~* breathe hard, gasp; *tief ~* breathe deep, draw a deep breath, *fig.* swallow hard; **II.** *v/t.* (*h.*) breathe (*a. fig.*); inhale; '**Atmen** *n* (*-s*) breathing, breath, respiration.

Atmosphär|e [atmɔ'sfɛ:rə] *f* (-; *-n*) atmosphere (*a. fig.*); **~endruck** *m* (*-[e]s*; *¨e*) atmospheric pressure; **2isch** *adj.* atmospheric(al); *~e Störungen radio*: atmospherics, statics; **~enüberdruck** *m* (*-[e]s*; *¨e*) (*abbr. atü*) plus pressure.

'**Atmung** *f* (-) breathing, respiration; **~s-organ**, **~swerkzeug** *n* respiratory organ; *Erkrankungen der ~e* respiratory diseases; **~sstoffwechsel** *m* respiratory exchange; **~szentrum** *n* respiratory cent|re, *Am.* -er.

Atoll [a'tɔl] *n* (*-s*; *-e*) atoll.

Atom [a'to:m] *n* (*-s*; *-e*) atom; **~antrieb** *m* atomic propulsion.

atomar [ato'mɑ:r] *adj.* atomic, nuclear.

A'tom...: **~artillerie** *f* atomic artillery; **~batterie** *f* atomic pile; **~bombe** *f* atomic bomb, atom bomb, A-bomb; **2bombensicher** *adj.* atom-bomb-proof; **~brenner** *m* → *Atombatterie*; **~energie** *f* (-) atomic (*or* nuclear) energy; **~energie-ausschuß** *m* Atomic Energy Commission (*abbr.* AEC); **~forscher** *m* nuclear scientist, A-man; **~forschung** *f* nuclear research; **~gemeinschaft** *f* (-) Atomic Pool; *Europäische ~* (*Euratom*) European Atomic Energy Community; **~geschoß** *n*, **~granate** *f* atomic shell; **~geschütz** *n*, **~kanone** *f* atomic cannon (*or* gun); **~gewicht** *n* atomic weight; **~hülle** *f* electron shell; **2isch** *adj.* atomic; **~kern** *m* atomic nucleus; **~kernforschung** *f* nuclear research; **~kraft** *f* atomic power (*or* energy); *mit ~ betrieben* atomic-powered; **~kraftwerk** *n* nuclear power station; **~krieg** *m* atomic (*or* nuclear) warfare; **~lehre** *f* atomic theory; **~meiler** *m* atomic pile; **~modell** *n* atom model; **~müll** *m* radioactive waste; **~physik** *f* atomic (*or* nuclear) physics *pl.*; **~reaktor** *m* atomic reactor; **~regen** *m* (atomic) fall-out; **~schlag** *m* nuclear strike; **~spaltung** *f* atomic fission; atom-splitting; **~strahlenspürtrupp** [-ʃtrɑ:lən'ʃpy:rtrup] *m* radiation detection team; **~stützpunkt** *m* atomic base; **~teilchen** *n* atomic particle; **~treibstoff** *m* atomic fuel; **~unterseeboot** *n* atomic submarine; **~versuch** *m* atomic test; **~waffe** *f* atomic (*or* nuclear) weapon; **~wissenschaft** *f* (-) atomics *pl.*, nuclear science; **~zahl** *f* atomic number; **~zeitalter** *n* (*-s*) atomic age; **~zerfall** *m* atomic disintegration *or* decay; **~zertrümmerer** [-tsɛr'trymərər] *m* (*-s*; -) atom-smasher; cyclotrone; **~zertrümmerung** *f* atom-smashing; → *Atomspaltung.*

atonal ['atonɑ:l] *mus. adj.* atonal.

Atonali'tät *mus. f* (-) atonality.

ätsch! [ɛ:tʃ] *int.* serves you right!; surprise, surprise!

Attaché [ata'ʃe:] *m* (*-s*; *-s*) attaché.

Attacke [a'takə] *f* (-; *-n*), **atta'ckieren** *v/t.* (*h*). attack, charge.

Atten|tat [atɛn'tɑ:t] *n* (*-[e]s*; *-e*) attempted assassination (*or* murder), attempt *on a p.'s life*; *fig.* outrage; *ein ~ auf j-n verüben* make an attempt on a p.'s life, (attempt to) assassinate a p.; **~'täteri(n** *f*) *m* assassin, *humor.* perpetrator.

Attest [a'tɛst] *n* (*-es*; *-e*) attest(ation), certificate; *ärztliches ~* medical certificate; *ein ~ ausstellen* grant a certificate.

atte'stieren *v/t.* (*h.*) attest, certify.

Attraktion [atraktsi'o:n] *f* (-; *-en*) attraction.

attraktiv [-'ti:f] *adj.* attractive.

Attrappe [a'trapə] *f* (-; *-n*) *econ.* dummy, display package; *mil.* dummy; trap; *Versuchs2* test model, *Am.* mock-up.

Attribut [atri'bu:t] *n* (*-[e]s*; *-e*) characteristic, property.

attributiv [-bu'ti:f] *adj.* attributive.

atü [a'ty:] → *Atmosphärenüberdruck.*

'**atypisch** *adj.* non-typical.

atz|en ['atsən] *v/t.* (*h.*) feed; **2ung** *f* (-; *-en*) feeding; food.

Ätz|druck ['ɛts-] *m* (*-[e]s*; *-e*) etching, engraving; **2en** *v/t.* (*h.*) corrode, eat into; *tech.* etch; *med.* cauterize; **2end** *adj.* caustic (*a. fig.*), corrosive, mordant; *~er Kampfstoff* vesicant (agent); **~kali** *n* caustic potash; **~kraft** *f* corrosive power; **~mittel** *n*, **~stoff** *m* corrosive; *med.* caustic; **~natron** *n* caustic soda, sodium hydroxide; **~ung** *f* (-; *-en*) corrosion; *med.* cauterization; *arts*: etching; **~wirkung** *f* corrosive action.

au! [aʊ] *int.* oh!, ouch!

auch [aʊx] *cj. and adv.* also; too; as well; likewise; even; at that; *wenn ~* even if, even though, although; really; indeed; *ich glaube es — ich ~! I believe it* — so do I!, *colloq.* me too!; *ich kann es nicht — ich ~ nicht! I cannot do it* — nor (*or* neither) can I!; *nicht nur ..., sondern ~* not only ..., but also; *sowohl ... als ~* both ... and; *wo ~ (immer)* wherever; *wer es ~ sei* whoever it may be, no matter who it is; *mag er ~ noch so reich sein* let him be ever so rich, however rich he may be; *so sehr ich ~ bedaure* much as I regret; *was er ~ (immer) sagen mag* whatever he may say; *ohne ~ nur zu fragen* without so much as asking; *da können wir ~ daheim bleiben* we may as well stay at home; *ich gebe dir das Buch, nun lies es aber ~!* now mind you read it!; *wirst du es ~ (wirklich) tun?* are you really going to do so?; *ist es ~ wahr?* is it really true?; *haben Sie ihn ~ (wirklich) gesehen?* are you sure you saw him?; *so ist es ~!* so it is indeed!

Audienz [aʊdi'ɛnts] *f* (-; *-en*) audience (*bei dat.* with); interview; hearing.

Audion ['aʊdiɔn] *n* (*-s*; *-s*) grid-leak detector; **~empfänger** *m* audion receiver.

Auditorium [aʊdi'to:rium] *n* (*-s*; *-ien*) auditorium, lecture-hall; audience.

Aue ['aʊə] *f* (-; *-n*) (rich) pasture; meadow, *poet.* mead; green, common.

Auer|hahn ['aʊər-] *m* capercaille, wood-grouse; **~henne** *f*, **~huhn** *n* mountain-hen; **~ochs** *m* aurochs.

auf [aʊf] **I.** *prp.* **a)** *with dat.*: on, upon; in, at; of; by; *auf dem Tische* (up)on the table; *~ Erden* on earth; *~ der Welt* in the world; *~ der Ausstellung (der Post)* at the exhibition (the post-office); *~ e-m Balle (e-r Schule, Universität)* at a ball (a school, university); *~ dem Markte* in the market, at market; *~ der Stelle* on the spot, forthwith; *~ der Straße* in (*Am.* on) the street, on the road; *~ s-r Seite* at (*or* by) his side, *fig.* on his side; *~ Seite 15* on page 15; *~ s-m Zimmer* in his room; *~ dem nächsten Wege* by the nearest way; *~ (in)direktem Wege* (in)directly; *~ der Jagd* hunting; *~ Reisen* travel(l)ing, on a journey; *~ der Geige, etc., spielen* play on the violin, *etc.*; **b)** *with acc.*: on; in; at; to; towards (*a. ~ zu*); up; *~ den Tisch* on the table; *~ die Leinwand* on(to) the screen; *~ Bestellung* to order; *~ englisch* in English; *~ e-e Entfernung von* at a distance (*or* range) of; *~ die Erde fallen* fall to the ground; *~ die Jagd gehen* go (a-)hunting; *auf die Post, etc., gehen* go to the post-office, *etc.*; *~s Land gehen* go into the country; *~ sein Zimmer gehen* go to one's room; *es geht ~ neun (Uhr)* it is getting on to nine; *~ ... hin* **a)** on the strength of, **b)** in answer to, **c)** as a result of, following; ~ *m-e Bitte* at my request; ~ *m-n Befehl* by my order; ~ *s-e Gefahr* at his risk; ~ *s-e Veranlassung* at his instance; ~ *s-n Vorschlag* at his suggestion; ~ *Jahre hinaus* for years to come; ~ *einige Tage* for some days; ~ *Lebenszeit* for life; ~ *ewig* for ever (and ever); ~ *die Minute* to the minute; ~ *morgen* **a)** for tomorrow, **b)** till tomorrow; ~*s beste* in the best way, wonderfully; ~*s höchste* in the highest degree; *alle bis* ~ *einen* all but one; *es hat nichts* ~ *sich* it does not matter (much), it is of no consequence; **II.** *adv.* up, upwards; open; awake; astir, up (and doing); ~ *und ab gehen* walk up and down *or* to and fro; ~ *und davon gehen* run away, make off; **III.** *cj.* ~ *daß* (in order) that; ~ *daß nicht* that not, for fear that, to avoid that, lest; **IV.** *int.* ~! (get) up!, up (and doing)!; *colloq.* go it!, step on it!; hurry up!, let's go! come on!, cheer up!

'**auf-arbeit|en** *v/t.* (*h.*) work (*or* clear) off (*backlog*); *tech.* work (*or* furbish) up; *colloq.* do up (*a dress*); renovate; *tech.* recondition; dress (*a tool*); use up; **≈ung** *f* (-; -*en*) working up; renovating; reconditioning, dressing.

'**auf-atmen** *v/i.* (*h.*) draw a deep breath; *fig.* breathe again *or* freely; *erleichtert* ~ heave a sigh of relief; *fig. wieder* ~ (*können*) recover, revive.

'**Aufatmen** *n* sigh of relief.

aufbahr|en ['aufba:rən] *v/t.* (*h.*) put *coffin* on the bier; lay out *body* (in state); **≈ung** (-; -*en*) laying-out; laying-in-state.

'**Aufbau** *m* (-[e]s) building(-up), erection, construction; → *Wieder≈*; disposition, arrangement, set-up; *tech.* assembly, mounting; *mar., rail.* (*pl.* -*ten*) superstructure; *mot.* (*pl.* -*ten*) (car) body; *chem.* synthesis; structure, system; grouping(s *pl.*); *of drama, etc.*: construction; *im* ~ *begriffen* in the process of organization, in the initial stages; ~**deck** *mar. n* superstructure deck; **≈en** *v/t.* (*h.*) build up, erect, construct; *tech.* assemble, mount, set up; *chem.* synthesize; arrange; group; *fig.* build up *an existence, a theory, etc.* (*auf acc.* on); base, found (on); establish, organize, set up (*an organization*); construct (*a drama, etc.*); *sich* ~ *auf* be based (up)on; *er baute sich vor mir auf* he planted himself before me; **≈end** *adj.* constructive; developing.

'**aufbäumen** *v/t.* (*h.*) **1.** *sich* ~ *horse*: rear (up), prance; *aer.* buck; *person*: struggle up; *fig.* rebel (*colloq.* kick) (*gegen* against); **2.** *weaving*: roll *the warp* on the beam, take up.

'**Aufbau...**: ~**mittel** *med. n* roborans, restorative; ~**programm** *n* developing program(me); ~**rahmen** *mot. m* body frame.

'**aufbauschen** *v/t.* (*h.*) puff (up), swell (up); *fig.* exaggerate, overstate, magnify, play up.

'**Aufbau...**: ~**schule** *f* continuation school; ~**ten** ['-tən] *m/pl. mar.* superstructure; *film*: set *sg.*

'**aufbegehren** *v/i.* (*h.*) flare up, bluster, start up in anger; protest, revolt (*gegen* against).

'**aufbehalten** *v/t.* (*irr., h.*) keep on (*one's hat*); keep *one's eyes* open.

'**aufbekommen** *v/t.* (*irr., h.*) get *the door, etc.* open; get *a knot* undone; eat up, *sl.* polish off (*a meal*); be given *a task*.

'**aufbereit|en** *tech. v/t.* (*h.*) prepare, work up; refine, separate; dress (*hides, ore*); process (*food*); prepare (*coal*); **≈ung** *f* preparation; treatment; dressing; processing.

'**aufbesser|n** *v/t.* (*h.*) raise, increase (*salary*); improve (*prices*); **≈ung** *f* rise, *Am.* raise, increase (of pay); improvement (*of prices*).

'**aufbewahren** *v/t.* (*h.*) keep; preserve; *bank*: deposit for safekeeping; store (up); *gut aufbewahrt* in safe keeping.

'**Aufbewahrung** *f* keeping, preservation, storage; *sichere* ~ safe keeping; *j-m et. zur* ~ *geben* entrust a th. to a p.('s custody), deposit a th. with a p.; ~**sgebühr** *f* charge for storage (*or rail.* for left luggage); *for securities*: safe-deposit charges *pl.*

'**aufbiet|en** *v/t.* (*irr., h.*) proclaim; publish (*or* put up) the banns of (*engaged couple*); call up, summon; *mil.* raise, levy, mobilize (*troops*); muster, summon (*courage, resources, strength, etc.*); *alle s-e Kräfte* ~, *alles* ~ make every (possible) effort, do one's utmost, move heaven and earth; → *Einfluß* **≈ung** *f* (-) summoning; proclamation; mobilization; *unter* ~ *aller Kräfte* with all one's might; by supreme effort, with the utmost exertion; *attr.* all-out (*campaign, etc.*).

'**aufbinden** *v/t.* (*irr., h.*) untie, undo, loosen; tie up; truss up, turn up; *fig. j-m et.* (*od. e-n Bären*) ~ hoax a p., impose on a p., put a th. over on a p.; *er läßt sich alles* ~ he swallows anything.

'**aufblähen** *v/t.* (*h.*) blow out, swell, puff up; blow up, (*a. fig. or econ.*) inflate; *sich* ~ *med.* balloon, *sail*: fill, belly out, *fig.* be puffed up (*vor dat.* with), swagger, strut.

'**aufblasen** *v/t.* (*irr., h.*) blow up, inflate; *fig. sich* ~ puff o.s. up; → *aufgeblasen*.

'**aufbleiben** *v/i.* (*irr., sn*) remain open; *person*: stay (*or* sit) up (*spät* late); (*immer*) *lang* ~ keep late hours.

'**aufblenden I.** *v/t.* (*h.*) *film*: fade in, light up; **II.** *v/i.* (*h.*) *mot.* turn on the headlights.

'**aufblicken** *v/i.* (*h.*) look *or* (glance) up, raise one's eyes (*zu* to); *fig. zu j-m* ~ look up to a p.

'**aufblitzen** *v/i.* (*sn, h.*) flash, flare (up).

'**aufblühen** *v/i.* (*sn*) (burst into) blossom *or* bloom, open; *fig.* blossom (out); *culturally, etc.*: flourish, thrive, prosper; *wieder* ~ revive, be rejuvenated; '**Aufblühen** *n* (-s) blossoming; *fig.* rise, growth, flourishing.

'**aufbocken** *tech. v/t.* (*h.*) jack up, [prop up.]

'**aufbohren** *tech. v/t.* (*h.*) bore open; rebore.

'**aufbrauchen** *v/t.* (*h.*) use up, consume, exhaust.

'**aufbrausen** *v/i.* (*sn; h.*) bubble up, (*a. chem.*) effervesce, fizz; *sea*: surge, (*a. fig. laughter, etc.*) roar; *fig.* fly in(to) a passion, bridle up; *er braust leicht auf* he fires (*or* flares) up quickly; **≈** *n* effervescence; fermentation; roar; *fig.* (burst of) passion, fit of temper; ~**d** *adj.* effervescent; *fig.* hot-headed, irascible, boisterous.

'**aufbrechen I.** *v/t.* (*irr., h.*) break open, force open; open (*a letter*); pick (*a lock*); *hunt.* disembowel; **II.** *v/i.* (*irr., sn*) burst open; (*boil*) break (open); *skin*: crack, chap; start, depart, set out (*nach* for); *mil.* move off, break camp.

'**aufbringen** *v/t.* (*irr., h.*) bring up, produce; apply, *paint. a.* coat on; get open; find, procure; muster (*a. fig.*); raise (*money*); meet, defray (*expenses*); start, introduce (*fashion*); summon up, muster (*courage*); *mar.* capture (*ship*); *fig.* provoke, infuriate, anger; vex, exasperate.

'**Aufbruch** *m* departure, start, setting-out (*nach, zu* for); *fig. pol.* awakening, uprising; fundamental change; *hunt.* bowels, entrails *pl.*

'**aufbrühen** *v/t.* (*h.*) scald.

'**aufbügeln** *v/t.* (*h.*) iron, press; *colloq.* brush up (*knowledge*).

aufbürden ['aufbyrdən] *v/t.* (*h.*): *j-m et.* ~ burden (*or* saddle) a p. with a th.; impute a th. to a p., charge a p. with a th.

'**aufdecken I.** *v/t.* (*h.*) uncover, (lay) bare; *fig.* lay bare, unveil, reveal, expose; detect; clear up, *colloq.* crack; show; → *Karte*; turn down the sheets of (*bed*); spread (*cloth*); **II.** *v/i.* (*h.*) lay the cloth (*or* table).

'**aufdrängen** *v/t.* (*h.*) force, intrude, obtrude (*j-m* [up]on a p.); *person*: *a.* press, urge ([up]on a p.); *sich* ~ force o.s., obtrude o.s., intrude o.s. (*dat.* [up]on); *der Gedanke drängte sich auf* the idea suggested itself.

'**aufdrehen I.** *v/t.* (*h.*) untwist, unravel (*thread, etc.*); turn on (*the gas, etc.*); loosen (*a screw*), unscrew; **II.** *v/i.* (*h.*) *mot. colloq. sl.* step on the gas, let her rip; *sports*: open up, *sl.* go it; *w.s.* let go (*or* loose); *er war mächtig aufgedreht* he was in high spirits (*or sl.* all pepped up).

'**aufdringen** → *aufdrängen*.

'**aufdringlich** *adj.* obtrusive (*a. thing*), importunate, *colloq.* pushing; *colour, etc.*: gaudy, showy; **≈keit** *f* obtrusiveness, importunity.

'**Auf|druck** *m* (-[e]s; -e) *typ.* imprint, impression; *on postcards*: surcharge; **≈drucken** *v/t.* (*h.*) (im-)print (*auf acc.* on); stamp; **≈drücken** *v/t.* (*h.*) press (*or* push) open; squeeze open; impress, affix, put *a seal, etc.* (*dat. or auf acc.* on).

aufeinander [aufˀaɪ'nandər] *adv.* one on top of the other; one against the other; one after another, one by one; **≈folge** *f* (-) succession; series, round (*of events*); *in rascher* ~ in rapid succession; ~**folgen** *v/i.* (*sn*) succeed (one another); ~**folgend** *adj.* successive, consecutive; *während drei* ~*er Tage* for three days running; **~häufen** *v/t.* (*h.*) pile (*or* heap) up; **~prallen, ~stoßen** *v/i.* (*sn*) collide; *fig. persons, views*: clash; *things*: meet, touch, rest against each other.

Aufenthalt [ˈaufɛnthalt] *m* (-[e]s; -e) stay, sojourn; whereabouts; (place of) residence, abode, domicile; halt, delay, stop(page), hindrance; *rail, etc.*: stop; *ohne ~* without delay, *attr.* non-stop (*train*); *wie lange haben wir ~?* how long do we stop here?; **~sbestätigung** *f* residence certificate; **~sdauer** *f* (duration of) stay; **~sgenehmigung** *f* residence permit; **2slos** *adj.* non-stop; **~s-ort** *m* (-[e]s; -e) stay, abode; (place of) residence, domicile; *sein gegenwärtiger ~ ist unbekannt* his present whereabouts is unknown; **~sraum** *m* lounge; recreation (*or* day) room.

ˈ**auf-erleg|en** *v/t.* (*h.*): *j-m als Pflicht ~* enjoin on a p. (et. a th.; *zu inf.* to *inf.*); impose (*a condition, duty, tax, task, one's will, etc.*) (*j-m* on a p.); inflict, impose (*a penalty*); (*j-m* on a p.); → *Zwang*; **2ung** *f* (-) imposition, infliction.

ˈ**auf-ersteh|en** *v/i.* (*irr., sn*) rise (from the dead); **2ung** *f* resurrection; **2ungsfest** *n* Resurrection-Day.

ˈ**auf-erweck|en** *v/t.* (*h.*) raise (from the dead); restore to life, resuscitate; **2ung** *f* raising; resuscitation.

ˈ**auf-essen** *v/t.* (*irr., h.*) eat up; consume; *schnell ~* gobble off.

auffädeln [ˈauffɛ:dəln] *v/t.* string (*pearls*).

ˈ**auffahren I.** *v/i.* (*irr., sn*) rise, ascend; drive up, pull up; *mil.* drive into position; drive *or* run (*auf acc.* against, into); *~ auf* ram, run on; *ship*: (*auf Grund*) *~* run aground; *person*: **a)** (*angrily*) flare up, fly out, **b)** (*frightened*) start (*or* jump) up, give a start; **II.** *v/t.* (*irr., h.*) range up, array; park (*car*); bring *guns* into action, bring up, place; (*a. ~ lassen*) dish up (*meal, etc.*); *fig.* adduce (*evidence*); churn (*or* cut) up (*road*); **~d** *adj.* vehement, irascible, irritable.

ˈ**Auffahrt** *f mine*: ascent; driving up; approach; drive(way *Am.*).

ˈ**Auffahr-unfall** *m* front-end collision.

ˈ**auffallen I.** *v/i.* (*irr., sn*) fall (*auf acc.* upon), hit; *fig.* be conspicuous, attract attention; *j-m ~* strike a p., *n.s.* catch a p.'s eye; astonish, surprise; *er fiel unangenehm auf* he made a bad impression; *es fiel allgemein auf* it was generally noticed; **II.** *v/t.* (*irr., h.*) (*sich*) *das Knie, etc. ~* bark, skin (*one's knee, etc.*); ˈ**~d,** ˈ**auffällig** *adj.* striking; *b.s.* blatant; conspicuous, eye-catching; spectacular; peculiar, strange; shocking; *clothes, colours, etc.*: eccentric, gaudy, showy, loud (in pattern), *colloq.* flashy; *~ gekleidet* showily dressed.

ˈ**auffang|en** *v/t.* (*irr., h.*) catch (up), snatch; *a. tech.* collect; intercept (*letter, radio message, etc.*); cushion (*fall, shock*); parry (*attack, blow*), *boxing*: block; *aer.* pull out (*of a dive*); pick up (*news, etc.*); *econ., etc.* cushion, absorb, head off (*adverse development*); **2elektrode** *el. f* collector electrode; **2lager** *n* reception camp; **2schale** *tech. f* collecting reservoir, drip pan; **2stellung** *mil. f* (prepared) rear position.

ˈ**auffärben** *v/t.* (*h.*) redye; lift, touch up.

ˈ**auffassen I.** *v/t.* (*h.*) *fig.* conceive; understand, comprehend, grasp; interpret, construe, read; *thea., etc.* interpret (*rôle*); *falsch ~* misunderstand, misconceive; **II.** *v/i.* (*h.*) *leicht ~* be quick of understanding (*or* in the uptake); *schwer ~* be slow (of apprehension), be slow in the uptake; et. *anders ~* see a th. differently.

ˈ**Auffassung** *f* conception; interpretation, reading; apprehension, grasp; opinion, view; *falsche ~* misconception; *nach m-r ~* as I take it, from my point of view; *die ~ vertreten, daß* take the view that, hold (*or* argue) that; **~svermögen** *n* (-s) intellectual grasp, intelligence.

auffind|bar [ˈauffintba:r] *adj.* discoverable, traceable; **~en** [ˈ-dən] *v/t.* (*irr., h.*) find out, trace, discover, locate; **2ung** *f* (-) discovery, finding.

ˈ**auffischen** *v/t.* (*h.*) fish (up); *fig.* pick up.

ˈ**aufflackern** *v/i.* (*sn*) flare up (*a. fig.*).

ˈ**aufflammen** *v/i.* (*sn*) blaze (*or* flame) up, burst into flames; *chem.* deflagrate; *fig.* flare up, flame out.

ˈ**aufflechten** *v/t.* (*irr., h.*) untwine, untwist; unbraid (*hair*).

ˈ**auffliegen** *v/i.* (*irr., sn*) fly up; *bird*: soar, take wing, flush; *aer.* ascend, take off; *door*: fly open; *mine, etc.*: explode; *fig.* be dissolved; *undertaking*: fail, end in smoke, explode; *~ lassen* blow up; spring (*a mine*); *fig.* clear out, crack.

ˈ**aufforder|n** *v/t.* (*h.*) call (up)on *a p.* (*zu inf.* to *inf.*); ask, request; approach (for); bid, order; urge, exhort; encourage; invite, ask; call in; *to fight*: challenge; *jur.* summon; *zur Zahlung ~* demand (*or* call for) payment, dun; **~nd** *adj. glance*: provocative, challenging, come-hither; **2ung** *f* call, request; order; urging; invitation; challenge; *jur.* summons *sg.*; instigation.

aufforst|en [ˈauffɔrstən] *v/t.* (*h.*) afforest; restock with seedlings; **2ung** *f* (-; -en) afforestation.

ˈ**auffressen** *v/t.* (*irr., h.*) devour, eat up; *colloq. mit den Augen ~* look hungrily at, devour with one's eyes.

ˈ**auffrisch|en** *v/t., a. sich* (*h.*) freshen up (*a. wind*), refresh; touch up (*paintings*); varnish, do up (*furniture, etc.*); renew, regenerate; replenish (*stocks*); *mot.* purify (*oil*); revive (*memories, sorrow*); refresh (*one's memory*); brush up (*knowledge*); ˈ**2ungskurs(us)** *m* refresher course.

aufführ|bar [ˈauffy:rba:r] *thea. adj.* actable; **~en** *v/t.* (*h.*) build, erect; enumerate; enter, book; *in a list*: state, show, list, set out; *einzeln ~* specify, *Am.* itemize; *thea.* perform, play, act, (put on the) stage; *a. film*: present, show; produce (*witness*); *sich* (*schlecht*) *~* (mis)behave, → *benehmen*; **2ung** *f* construction; *thea.* representation, performance, *film*: showing, presentation; (variety, *etc.*) show; *in a list*: entry, specification; *of witnesses*: production; behavio(u)r, conduct; **2ungsrecht** *n thea.* performing rights *pl.*

ˈ**auffüll|en** *v/t.* (*h.*) fill (*or* top) up; refill; replenish (*supply, etc.*); restock.

ˈ**auffüttern** *v/t.* (*h.*) feed up, rear.

ˈ**Aufgabe** *f* **1.** task, operation, job, assignment; business, concern; duty, responsibility, function; mission; problem; *ped.* task, problem, lesson; homework; exercise; **2.** (-) delivery, surrender; *of letters*: posting, *Am.* mailing; *of luggage*: registration, booking, *Am.* checking; *of telegrams*: handing in, dispatch; advice, communication; *tennis*: service; **3.** (-) discontinuation; *of an office*: resignation; *of business, shop*: giving up, closing down; *sports*: giving up, withdrawal; *of a right*: relinquishment, waiver; abandonment; sacrifice; e-e *~ lösen* solve a problem; e-e *~ übernehmen* accept a task, take over (*or* assume) a function; *j-m e-e ~ stellen* set a p. a task; *er machte es sich zur ~* he made it his business; *es ist nicht m-e ~* it is not my office (*or* business); *econ. laut ~* as per advice.

ˈ**aufgabeln** *v/t.* (*h.*) pick up.

ˈ**Aufgabe...:** **~nbereich** *m,* **~ngebiet** *n* field (of activity), scope (of duties), functions *pl.*; **~nheft** *n* exercise book; **~nkreis** *m* → *Aufgabenbereich*; **~ort** *m* (-[e]s; -e) place of dispatch; **~schein** *m* certificate of delivery, receipt; **~stempel** *m* date stamp; **~trichter** *m* feeding hopper; **~vorrichtung** *tech. f* feed mechanism.

ˈ**Aufgang** *m* rising, ascent; *of stars*: rising, rise; staircase, stairs, *Am.* stairway; *agr.* germination (*of seed*).

ˈ**aufgeben** *v/t.* (*irr., h.*) give up, deliver; post, *Am.* mail (*a letter*); book, register, *Am.* check (*luggage*); hand in, send, dispatch (*telegram*); *econ.* give, place (*an order*); insert, run (*ad*); *tech.* charge; *tennis*: serve; *econ.* advise, give notice of, let know; quote (*prices*); *j-m et. ~* order (*or* commission) a p. to do a th., charge a p. with a th.; ask, set (*riddle*); *ped.* set, assign (*task*); abandon, lose (*hope*); give up (*patient*), despair of (*a p.'s* recovery); give up, abandon (*a. mil.*); do without, renounce; resign; waive, relinquish (*claim*); forgo (*advantage, pleasure*); discontinue, cease; drop, have done with (*acquaintance*); leave, quit (*service, work*); give up, close (*shop, etc.*), retire from (*business*); discard, drop (*habit*); *es* (*or den Kampf, das Spiel*) *~, a. v/i.* give up (*or* in), capitulate, *boxing and fig.*: throw in the towel, throw up the sponge; give up (*the ghost*).

aufgeblasen [ˈaufgəbla:zən] *adj.* puffed up, inflated; *fig. a.* arrogant, conceited, bumptious; **2heit** *f* (-) arrogance, conceit.

ˈ**Aufgebot** *n* public notice, citation; (publication of the) banns, banns *pl.* of marriage, *Am.* official wedding notice; *das ~ bestellen* ask the banns; array; *mil.* levy, conscription; *allgemeines ~* levée en masse; body (of men); posse; *letztes ~* last reserves; *mit starkem ~ erscheinen* turn up in full force; *fig. unter ~ aller Kräfte* with the utmost exertion, with might and main, by supreme effort; **~sverfahren** *n jur.* public citation; *for securities*: cancellation proceedings *pl.*

ˈ**aufgebracht** *adj.* angry (*gegen* with; *über acc.* at, about); upset (by); furious, sore, stung to the soul.

aufgedonnert [ˈaufgədɔnərt] *adj.* dressed up (to the nines), in full feathers, *Am. a.* dolled up.

ˈ**aufgedunsen** *adj.* bloated, puffed up.

ˈ**aufgehen** *v/i.* (*irr.*, *sn*) *curtain, dough, star*: rise; *plants, seed*: come up, shoot up (*or* forth); open; *knot, etc.*: come undone, get loose; *seam*: come open; *ice, boil, etc.*: break (up); *flower*: unfold; *math.* leave no remainder; *fig.* prove right; *4 geht in 12 auf* 4 goes into 12 without remainder; *9 geht nicht in 5 auf* 9 will not divide into 5; *gegeneinander ~* compensate each other; *fig. ~ in* (*dat.*) be(come) merged (*or* incorporated) in (*a company, community*), *intellectually*: be absorbed (*or* deeply engrossed) in, be wrapt up in *work, one's family, etc.*; → *Flamme, Licht, Rauch*; *die Wahrheit ging mir auf* the truth dawned (*or* burst, flashed) upon me.

aufgeklärt [ˈaufgəklɛ:rt] *adj.* enlightened; *sie ist ganz ~* she knows all the facts of life; **2heit** *f* (-) enlightenment.

aufgeknöpft [ˈaufgəknœpft] *colloq. adj.* communicative, chatty, expansive.

aufgekratzt [ˈaufgəkratst] *colloq. adj.* cheerful, in high spirits, chipper.

aufgelaufen [ˈaufgəlaufən] *adj. feet*: sore, blistered, chafed; *econ. interest*: accumulated, accrued.

ˈ**Aufgeld** *econ. n* premium, agio; *stock exchange*: contango; earnest-money; extra-charge.

aufgelegt [ˈaufgəle:kt] *adj.*: *~ zu* disposed (for, *a th.*; to *do*); inclined (to *do*); *zu et. ~ sein* feel like (doing) a th.; *ich bin heute nicht dazu ~* I am not in the mood for it today; *ich bin nicht zum Arbeiten ~* I don't feel like working; *econ. zur Zeichnung ~* open for subscription; *ship*: laid up; *colloq. ein ~er Schwindel* a barefaced (*or* blatant) swindle.

aufgelöst [ˈaufgəlø:st] *fig. adj.* upset, hysterical.

aufgeräumt [ˈaufgərɔymt] *fig. adj.* cheerful, jovial, in high spirits, expansive.

aufgeregt [ˈaufgəre:kt] *adj.* excited, nervous, flustered; upset; excitable.

ˈ**aufgeschlossen** *fig. adj.* open (*dat.* to), alert (to); open-minded, free-minded; communicative; enlightened; **2heit** *f* (-) open-mindedness.

ˈ**aufgeschmissen** *colloq. adj.*: *~ sein* be stuck; be in an awful fix.

ˈ**aufgeschossen** → *aufschießen*.

aufgestaut [ˈaufgəʃtaut] *adj.* pent-up (*feelings, econ. demand, etc.*).

ˈ**aufgeweckt** *adj.* intelligent, bright, alert, quick-witted.

ˈ**aufgeworfen** *adj.* pouting (*lips*); turned-up (*nose*).

ˈ**aufgießen** *v/t.* (*irr.*, *h.*) pour (*auf acc.* upon); *chem.* infuse; *tea*: *a.* make.

Aufgleitfront [ˈaufglaɪt-] *f meteor.* warm front.

ˈ**aufglieder|n** *v/t.* (*h.*) split up, subdivide, *Am.* break down; analyse; specify, *Am.* itemize; departmentalize; **2ung** *f* subdivision, *Am.* breakdown; analysis; departmental classification; structure.

ˈ**aufgraben** *v/t.* (*irr.*, *h.*) dig up.

ˈ**aufgreifen** *v/t.* (*irr.*, *h.*) snatch up, seize *a th.*; pick up, seize *a p.*; *fig.* take up (*a subject, etc.*).

ˈ**Aufguß** *m* infusion; **~tierchen** *biol. n/pl.* infusoria.

ˈ**aufhaben I.** *v/t.* (*h.*) have on, wear (*a hat, etc.*); have *the door* open; have *homework* to do; **II.** *v/i.* (*h.*): *das Geschäft hat auf* the shop is open.

ˈ**aufhacken** *v/t.* (*h.*) hoe up; cut open.

ˈ**aufhaken** *v/t.* (*h.*) unhook, undo.

aufhalsen [ˈaufhalzən] *v/t.* (*h.*) thrust (*dat.* upon); saddle (with *a duty, etc.*); palm *wares, etc.* off (on).

ˈ**aufhalten** *v/t.* (*irr.*, *h.*), keep *the door* open; stop, *fig. a.* check, stay, stem, arrest, *Am. a.* halt; delay, retard, brake; hold up (*a p., a car, traffic*), detain *a p.*; waste (*or* trespass on) *a p.'s* time; *mil.* hold, stop, delay (*the enemy*); *sich ~* **a)** stop, **b)** stay; live, be (*all*: *in dat.* at; *bei* with), **c)** *fig.* dwell (*bei* on), **d)** linger (*fig. bei* over *or* upon); *sich ~ über* find fault with, criticise, take exception to; *ich kann mich damit nicht ~* I cannot spend (*or* waste) any time on it; *ich brauche mich bei diesem Punkt nicht aufzuhalten* I need not belabo(u)r this point; *lassen Sie sich* (*von mir*) *nicht ~!* don't let me keep you!

ˈ**aufhäng|en** *v/t.* (*h.*) hang up; *tech.* suspend (*an dat.* from); *j-n ~* hang a p. (by the neck); *sich ~* hang o.s.; *fig. j-m et. ~* → *aufhalsen*; **2er** *m* (-s; -) tab; *colloq.* peg (on which to hang *a story, etc.*), gimmick; **2ung** *f* (-; -*en*) suspension; *mot.* (*halb*)*starre ~* (semi-) rigid suspension; *elastische* (*vollschwebende*) *~* flexible (fully floating) suspension.

ˈ**aufhäuf|en** *v/t.* (*h.*) heap up, (*a. sich*) pile up, accumulate; *treasures, etc.*: amass; **2ung** *f* accumulation.

ˈ**aufheben** *v/t.* (*irr.*, *h.*) take up, pick up; lift (up), raise; hold up (*one's hand, etc.*); help *a p.* up; keep, preserve; store, warehouse; stop, end; raise (*blockade, siege, measure*); remove, cancel (*decree, prohibition*), lift (*a ban*); call off (*boycott, strike*); dissolve (*organization*); break (*silence*); break up, dismiss, adjourn (*a meeting*); break off (*an engagement*); *math.* reduce (*a fraction*); abolish; revoke; supersede; declare null and void, invalidate, cancel; annul (*a. marriage*); suspend; repeal, abrogate (*a law*); rescind, terminate (*a contract*); *jur.* quash, reverse, set aside (*a judgment*); balance, set off, *Am.* offset; cancel, neutralize, negative (*an effect*); *sich gegenseitig ~* neutralize each other, cancel each other out; *die Tafel ~* rise from the table; *gut* (*or sicher*) *aufgehoben sein* be in safe keeping, *person*: be in good hands (*bei* with), be well looked after (*or* taken care of) (by); ˈ**Aufheben** *n*: *viel ~s* (*von et.*) *machen* make a great fuss (about a th.); *viel ~s um nichts* much ado about nothing.

ˈ**Aufhebung** *f* raising (*of siege, etc.*); removal, lifting (*of restrictions, etc.*); abolition; cancellation, nullification; suspension; annulment (*of marriage*), (judicial) separation (*of conjugal community*); repeal, abrogation (*of laws*); rescission, termination (*of contract*); *jur.* reversal (*of judgment*); *~ e-r Klage* withdrawal of an action, nonsuit; dissolution (*of organisation*); breaking up, adjournment (*of meeting*); neutralization (*of an effect*).

aufheiter|n [ˈaufhaɪtərn] *v/t.* (*h.*) cheer *a p.* up; *sich ~ weather*: clear up, *sky*: clear, (*a. face*) brighten; **2ung** *f* (-; -*en*) cheering up; amusement; *weather*: clearing up, brightening; *zeitweise ~* bright periods *pl.*, sunny spell.

ˈ**aufhelfen** *v/i.* (*irr.*, *h.*): *j-m ~* help a p. up.

aufhellen [ˈaufhɛlən] *v/t.* (*h.*) clear, brighten, light up; *fig.* enlighten, throw light upon, illuminate; *sich ~* brighten, *weather*: *a.* clear up.

ˈ**aufhetz|en** *v/t.* (*h.*) instigate, incite, stir up; **2er**(**in** *f*) *m* instigator; *pol.* agitator, fomenter; **2ung** *f* (-; -*en*) instigation, incitement; *pol.* agitation, fomenting.

ˈ**aufhol|en I.** *v/t.* (*h.*) *mar.* haul up; *sailing*: bring close to the wind; *fig.* make up (for *lost time, etc.*); **II.** *v/i.* (*h.*) gain (*gegen* on); *sports*: *a.* pull up, close the gap; recover lost ground, make up leeway; **2konjunktur** *econ. f* backlog boom.

ˈ**aufhorchen** *v/i.* (*h.*) prick (up) one's ears, listen attentively; *fig.* sit up and take notice.

ˈ**aufhören** *v/i.* (*h.*) cease; *~ zu inf.* cease to *inf., or ger.*; stop, leave off, *Am.* quit *ger.*; have done (with *ger.*); discontinue; subside, ebb; *~ zu arbeiten* knock off work; *ohne aufzuhören* incessantly, without let-up; *der Sturm hat aufgehört* the storm has calmed down *or* blown over; *colloq. da hört doch alles auf!* that's the limit!, that beats everything!; *hör auf damit!* stop it!, *sl.* cut it out!

ˈ**aufjagen** *v/t.* (*h.*) start, raise (*game*).

ˈ**aufjauchzen**, ˈ**aufjubeln** *v/i.* (*h.*) shout with joy, jubilate.

ˈ**Aufkauf** *econ. m* buying up; *speculative*: cornering, forestalling; **2en** *v/t.* (*h.*) buy up; *speculative*: corner (*goods or the market*), forestall (*the market*); discount (*bill of exchange*).

ˈ**Aufkäufer** *m* wholesale buyer; buying agent; speculative buyer, forestaller.

ˈ**aufkeimen** *v/i.* (*sn*) bud, burgeon, germinate, sprout (*all a. fig.*); **~d** *adj. fig.* budding, nascent.

aufklapp|bar [ˈaʊfklapbɑːr] *adj.* hinged, collapsible; **~en** *v/t.* (*h.*) open; *knife*: *a.* unclasp; put up the folds of (*table*).

ˈ**aufklär|en** *v/t.* (*h.*) clear up (*a. weather*: *sich ~*); clarify (*liquid*); *fig.* clear up, clarify; throw light on, illuminate *a th.*; enlighten *a p.* (*über acc.* on); inform, instruct, orient; solve, *colloq.* crack (*crime, secret*); enlighten on sexual matters, explain the facts of life to; *mil.* (*a. v/i.*) reconnoit|re, *Am.* -er, scout; *j-n über e-n Irrtum ~* correct a p.'s mistake, undeceive a p.; **≈er** *m* (*-s*; *-*) enlightener, pioneer of progress (*a.* **≈erin** *f*, *-*; *-nen*); *mil.* scout; → *Aufklärungsflugzeug*.

ˈ**Aufklärung** *f* clearing-up; *fig.* enlightenment, *hist.* the Enlightenment; educational work; explanation; information; clarification; *sexuelle ~* sex enlightenment, sex-instruction; *of crime, etc.*: solution; *weather*: bright period, sunny spell; *mil.* reconnaissance, scouting; **~s-abteilung** *mil. f* reconnaissance detachment; **~s-arbeit** *f* educational work (*or* campaign); **~sfahrzeug** *mar. n* scout vessel; **~sfeldzug** *m* campaign of enlightenment; **~sflugzeug** *n* reconnaissance plane, observation aircraft, scout; **~s-schrift** *f* informative pamphlet; **~s-tätigkeit** *f* reconnaissance activity; **~s-zeitalter** *n* (*-s*) Age of Enlightenment.

ˈ**aufklauben** *v/t.* (*h.*) pick up, glean.

ˈ**auf|kleben, ~kleistern** *v/t.* (*h.*) stick on, paste on; gum *or* glue on; affix, put *post-stamp* on (*auf acc.* to, on); **~klebe-etikett** *n* adhesive label, *Am.* sticker.

ˈ**aufklingen** *v/i.* (*irr.*, *sn*) resound, ring out.

ˈ**aufklinken** *v/t.* (*h.*) unlatch (*a door*).

ˈ**aufknacken** *v/t.* (*h.*) crack (open) (*a. sl. a safe*).

ˈ**aufknöpfen** *v/t.* (*h.*) unbutton; → *aufgeknöpft*.

ˈ**aufknüpfen** *v/t.* (*h.*) tie up; untie, undo; hang *a p.*

ˈ**aufkochen** *v/i.* (*sn*) *and v/t.* (*h.*) boil (up); *v/t. ~ (lassen)* bring to the boil.

ˈ**aufkommen** *v/i.* (*sn*) rise, get up; *weather*: come up; *wind*: spring up; *fig.* spring up, arise; *custom, etc.*: come into fashion (*or* vogue, use); spread; *thought, etc.*: arise; *med.* recover; *für et. ~* answer (*or* be responsible, liable) for a th.; *für die Kosten ~* pay, defray the expenses; *für den Schaden ~* compensate for, make good the damage; make o.s. liable for (*debts, losses*); *gegen j-n ~* prevail against, cope with, *sports*: gain on a p., decrease the gap; *Zweifel ~ lassen* give rise to doubts; *nicht ~ lassen* suppress, control *a th.*, give *a p.* no chance; *niemand ~ lassen* admit (*or* suffer) no rival; *gegen ihn kann ich nicht ~* I am no match for him; ˈ**Aufkommen** *n* recovery; origin, rise; coming into fashion, introduction; revenue; *tax*: yield.

ˈ**aufkratzen** *v/t.* (*h.*) scratch up (*or* open); card (*wool*); *sich ~* scratch o.s. sore; → *aufgekratzt*.

aufkrempeln [ˈaʊfkrɛmpəln] *v/t.* (*h.*) turn up (*brim, trousers*); roll up (*sleeves*).

ˈ**aufkreuzen** *v/i.* (*sn*) *mar.* bear to windward; *fig.* turn up, appear (on the scene).

ˈ**aufkriegen** *v/t.* (*h.*) → *aufbekommen*.

ˈ**aufkündig|en** *v/t.* (*h.*) → *kündigen*; *j-m die Freundschaft ~* renounce a p.'s friendship, break with a p.; refuse (*obedience*); *econ.* call in, foreclose (*mortgage*); recall (*capital*); cancel (*a purchase*); give notice of termination of, revoke (*contract*); **≈ung** *f* warning, notice; recall(ing); termination, revocation.

ˈ**auflachen** *v/i.* (*h.*) burst out laughing, give a laugh.

ˈ**auflad|en** *v/t.* (*irr.*, *h.*) load, lade; *mot.* boost, supercharge; *el.* charge, *wieder ~* recharge; *fig. j-m et. ~* burden (*or* charge) a. p. with a th.; *sich et. ~* saddle o.s. with a th.; **≈er** *m* (*-s*; *-*) loader, packer; *mot.* (*a.* **≈e-gebläse** *n*) supercharger, *Am.* booster.

ˈ**Auflage** *f* imposition, levy; tax, duty; direction, instruction; condition; (*official*) order, injunction; *of a book*: **a)** edition, **b)** number of copies, **c)** reprint; *of newspaper*: circulation; *tech.* support, rest, seat; lining; coat(ing); layer; *shooting*: rest; **~fläche** *f* bearing (*or* contact) surface; **~r** *tech. n* support, bearing, seat; **~ziffer** *f* circulation, issue, run (*of newspaper*).

ˈ**auflass|en** *v/t.* (*irr.*, *h.*) leave open; *jur.* convey, cede (*real estate*); abandon (*a pit*); send up (*a balloon*); **≈ung** *f* (*-*; *-en*) *jur.* conveyance.

ˈ**auflauern** *v/i.* (*h.*): *j-m ~* waylay (*a. w.s. or humor.*) *or* (lie in) wait for a p.

ˈ**Auflauf** *f* (*jur.* unlawful) assembly, crowd; tumult, commotion, riot; *food*: soufflé; **~bremse** *mot. f* overrunning brake; **≈en I.** *v/i.* (*irr.*, *sn*) rise, swell; *money*: accumulate, *a. bill*: run up, mount up; *interest, etc.*: accrue, accumulate; *mar.* run aground; **II.** *v/t.* (*irr.*, *h.*) *sich die Füße ~* get footsore.

ˈ**aufleben** *v/i.* (*sn*): (*wieder*) *~ (lassen)* revive (*a. rights*); come to life again; ˈ**Aufleben** *n* (*h.*) revival.

ˈ**auflecken** *v/t.* (*h.*) lick (*or* lap) up.

ˈ**aufleg|en** *v/t.* (*h.*) lay, put (*auf acc.* on); put on (*coal, etc.*); *teleph.* restore (the receiver), hang up (*a. v/i.*); lay, spread (*the table-cloth*); apply (*a plaster, etc.*); lay on (*paint*); publish, print (*books*); *wieder ~* reprint, republish; lay out (*magazins, etc.*); lay up (*goods*), display (for sale); lay up (*a ship*); impose (*a burden*) (*j-m* on a p.); inflict (*a penalty*); *econ.* bring out (*an issue*); (*zur Zeichnung*) *~* invite subscriptions for (*a loan*), offer for subscription; *sich ~* lean (*auf acc.* on); → *aufgelegt*; **≈ung** *f* (*-*; *-en*) imposition; infliction.

ˈ**auflehn|en** *v/t.*, *a. sich ~* (*h.*) lean (*or* rest) (*auf acc.* on); *fig. sich ~* (*gegen*) rebel, revolt, *colloq.* kick (against); oppose; **≈ung** *f* (*-*; *-en*) rebellion, revolt, mutiny; opposition, resistance.

ˈ**aufleimen** *v/t.* (*h.*) glue (*auf acc.* on to).

ˈ**auflesen** *v/t.* (*irr.*, *h.*) gather, pick up (*a. colloq. fig.*).

ˈ**aufleuchten** *v/i.* (*h.*) flash (*or* light) up.

ˈ**aufliegen I.** *v/i.* (*irr.*, *h.*) lie *or* rest (*auf dat.* upon); weigh (on); be laid out (*zu* for *inspection*); *goods*: be exposed (for sale); *zur Zeichnung ~* be offered for subscription; **II.** *v/t. sich ~* (*irr.*, *h.*) get bedsore.

ˈ**auflockern** *v/t.*, *a. sich* (*h.*) loosen; *agr.* break (up), loosen (*soil*); *mil.* disperse (*a. industrial centres*); *tech.* disaggregate; aerate; *sports*: limber up; *fig.* loosen up (*a p.*); relax, slacken; *aufgelockerte Bebauung* low-density housing.

ˈ**auflodern** *v/i.* (*sn*) (*a. fig.*) blaze (*or* flare, flame) up.

ˈ**auflös|bar** *adj.* (dis)solvable; *chem.* soluble; **~en** *v/t.* (*h.*) loosen, untie; disentangle, unravel; *chem.* (*a. sich ~*) **a)** dissolve, melt, **b)** disintegrate, resolve, break up, **c)** decompose; solve (*equation, parenthesis, riddle, task*); *chem.*, *gr.* analyse; *math.* reduce (*fractions*); sever, break up (*relations*); dissolve (*club, marriage, parliament, etc.*); cancel, annul (*contract*); liquidate, wind up (*a company*); dissolve, break up (*a meeting*); disband (*an organization, troops, etc.*), *Am. mil.* phase out; → *aufgelöst, Träne, Wohlgefallen*.

ˈ**Auflösung** *f* loosening; disentanglement; solution (*a. chem., math.*); *of a novel, etc.*: denouement; decomposition, disintegration; *chem.* analysis; *mus.* resolution; *med.* break-up, final stage; death, decease; dissolution (*of a marriage, Parliament, etc.*); disintegration (*a. fig.*); *econ.* liquidation, winding-up; closing (*of accounts*); *mil.* disbandment, *Am.* phase-out; severance (*of relations*); annulment, cancellation (*of contract*); *in der ~ begriffen* in the process of disintegration; *phot. Aufnahmen mit großer ~* photographs faithful to minute details; **~smittel** *n* (dis)solvent; **~svermögen** *n* (*-s*) *chem.* solvent power; *opt.* resolving power; *phot.* acuity of image; *film*: fineness of grain; **~s-zeichen** *mus. n* natural.

ˈ**auflöten** *v/t.* (*h.*) solder on; unsolder.

ˈ**aufmach|en** *v/t.* (*h.*) open; *die Augen ~* watch out; *die Ohren ~* listen attentively, prick one's ears; unlock; answer *the door*; get up, raise (*steam*); uncork (*a bottle*); undo (*dress, knot*); undo, unpack (*parcel*); put up (*curtain, umbrella*); unlace; unbutton, unfasten; make up, get up, pack attractively; open, set up, establish (*a business*); draw up, make out (*a bill*); *sich ~ wind*: rise, *person*: (*nach acc.*) set out, start (for), make (for); **2ung** *f* (-; -*en*) make-up, (*a. of book, newspaper*) get-up; *of a page*: layout, make-up; *w.s.* style, presentation; *fig.* display, window-dressing, splash; *et. in großer ~ herausbringen* feature, highlight.

ˈ**Aufmarsch** *m* marching-up; line-up; *mil.* **a**) initial assembly, (strategic) concentration, **b**) deployment; parade, march-past; **~bewegung** *f* assembly (*or* concentration) movement; **~gebiet** *mil. n* concentration (*or* marshalling) area; deployment zone.

ˈ**aufmarsch|ieren** *v/i.* (*sn*) draw (*or* march, form) up; *mil.* assemble, *tactically*: deploy (*a. v/t. ~ lassen*); **2plan** *m* operational plan.

ˈ**aufmerk|en** *v/i.* (*h.*) attend, pay attention (*auf acc.* to); → *aufhorchen*; **~sam** *adj.* attentive (*auf acc.* to); watchful, vigilant; keen; *fig.* obliging, courteous, kind (*gegen acc.* to); *j-n ~ machen auf* call (*or* draw) a p.'s attention to, point *a th.* out to a p.; *~ werden auf* become aware of (*or* alert to), notice; *~ verfolgen* follow closely; *~ zuhören* be all ears; **2samkeit** *f* (-) attention, attentiveness; watchfulness, alertness, vigilance; (-; -*en*) courtesy, civility, kindness; *e-e kleine ~* a small token (*or* gift), a little attention; *~ erregen* attract attention; *s-e ~ richten auf* (*acc.*) direct one's attention to; *~ schenken* (*dat.*) pay attention (to *a p. or th.*); *er überschüttete sie mit ~en* he showered her with his attentions.

aufmöbeln [ˈaʊfmøːbəln] *colloq.* (*h.*) buoy (*or* ginger) up, *Am. sl.* pep up.

aufmunter|n [ˈaʊfmʊntərn] *v/t.* (*h.*) rouse; *fig. a.* encourage, reassure, buoy up, *Am. sl.* pep up; cheer up; animate; **2ung** *f* (-; -*en*) encouragement, uplift.

ˈ**aufnageln** *v/t.* (*h.*) nail down (*auf acc.* on).

ˈ**aufnäh|en** *v/t.* (*h.*) sew (*auf acc.* on); tuck; **2er** (-*s*; -) tuck.

Aufnahme [ˈaʊfnaːmə] *f* (-) taking up, lifting up; absorption (*a. fig. econ. of the market, of supply*), uptake; *physiol. or fig.* assimilation; accommodation (*of guests, etc.*); starting, initiation; assumption (*of activity*); integration (*in dat.* within), incorporation (into), inclusion (into); reception; admission, admittance; enrol(l)ment, registration; listing, entry; *econ.* raising, floatation (*of a loan*); assessment (*of damage*); contraction (*of debts*); establishing (*relations*); stock-taking, inventory; taking up (*of capital*), borrowing, loan; intake (*of food, etc.*); drawing up (*of minutes, etc.*), record(ing); (-; -*n*) *film*: **a**) shooting, **b**) shot; *phot.* **a**) taking (*or* shooting) (*a picture*), **b**) photo(graph), picture, shot; snapshot; recording (*of gramophone record*); reception, (*intellectual*) grasp; *geogr.* mapping-out; (*topographical*) survey, plotting; *el.* input; *j-m e-e freundliche ~ bereiten* receive a p. kindly; *~ finden* be admitted (*bei dat.* to, into); *fig. e-e herzliche* (*kühle*) *~ finden* meet with a warm (cool) reception (*bei* from); *e-e ~ machen phot.* take a picture, *film*: take a shot, *gramophone disc, etc.*: make a recording; *film*: *Achtung, ~!* Action!, camera!; **~atelier** *n* (film) studio; **~bedingungen** *f/pl.* terms of admission; **2fähig** *adj.* capacious; *chem.* absorbable; *fig.* receptive (*für* of); *econ.* active (*market*); **~fähigkeit** *f* capacity (of absorption, *a. econ.*); (*intellectual*) receptivity; **~gebühr** *f* admission (*Am.* initiation) fee; **~gerät** *n sound*: recording equipment, recorder; *phot.* camera; *film*: pickup unit; *surv.* surveying apparatus; **~leiter** *m film*: production manager; *radio*: recording manager; **~objektiv** *n* photographic field lens; **~prüfung** *f* entrance examination; **~raum** *m*, **~studio** *n* studio; **~vermögen** *n* (-*s*) (absorption) capacity; (*intellectual*) receptivity; **~wagen** *m* recording van, *Am.* pickup truck.

ˈ**aufnehmen** *v/t.* (*irr., h.*) take up (*a. a mesh*), lift up, raise; pick up; (*a. in sich ~*) absorb (*a. intellectually*; *a. econ. market*), assimilate, take up; *intellectually*: take in; grasp, comprehend, make *a th.* one's own; receive; *fig. a.* welcome; accept; accommodate, shelter; hold, contain, carry; store; include (*in acc.* into), integrate (within), incorporate (in), embody (in); insert (*a clause*); list, enter; *in e-n Verein, etc.*: admit to (*club*), enrol(l); catalogue; *Inventar*: make *an inventory*, take *stock*; *Schaden*: assess *damages*; take up, start (*den Betrieb* operation), enter into (*Verhandlungen* negotiations); *Beziehungen*: establish (*relations*); → *Verbindung*; *et. wieder ~* resume; borrow (*money*); raise, float (*a loan*); raise (*a mortgage*); take up (*capital*); contract (*debts*); hono(u)r (*bill of exchange*); take (down) (*dictation, etc.*), *das Protokoll*: draw up *the minutes*, record; *geogr.* map out; survey; photograph; shoot, take (*j-n* a p.'s picture), take pictures of; shoot (*a film*), photograph (*details, scene*); record (*music, disk*); copy (*telegram*); *e-e Spur ~* follow a trail, pick up the scent; *fig. es mit j-m ~* be able to cope with (*or* be a match for) a p.; *gut ~* take *a th.* well, take in good part; *et. übel ~* take a th. ill (*or* amiss).

ˈ**aufnotieren** *v/t.* (*h.*) note (down).

aufoktroyieren [ˈaʊfˀɔktroaˈjiːrən] *v/t.* (*h.*) force upon, impose on (from above).

ˈ**auf-opfer|n** *v/t.* (*h.*) (*für or dat.*) sacrifice (to); **~nd** *adj.* sacrificing, devoted; **2ung** *f* (self-) sacrifice; devotion.

ˈ**aufpacken** *v/t.* (*h.*) pack up, load (*auf acc.* on); *j-m et. ~* load a p. with a th.; → *aufbürden*; unpack, undo.

ˈ**aufpäppeln** *v/t.* (*h.*) bring up by hand; (*a. fig.*) spoon-feed.

ˈ**aufpass|en I.** *v/i.* (*h.*) *~ auf* (*acc.*) attend to, take care of, look after, mind; watch; be attentive, be all ears, pay attention; look (*Am.* watch) out, be on one's guard, be on the alert; *aufgepaßt!, paßt auf!* attention!, look (*Am.* watch) out!; *colloq. paß* (*mal*) *auf!* look (*Am.* see) here!, listen!; **II.** *v/t.* (*h.*) adapt, fit on; **2er(in** *f*) *m* (-*s*; -; -; -*nen*) watcher, overseer, watch-dog; spy.

ˈ**aufpeitschen** *v/t.* (*h.*) whip up (*the heart, etc.*); stimulate (*the nerves*); lash *a p.* into a fury; *by drugs, a. w.s.* stimulate, rouse, fire; arouse, whip up (*passions*), *pol.* foment, agitate.

ˈ**aufpflanzen** *v/t.* (*h.*) set up; *mil.* fix (*the bayonet*); *sich vor j-m ~* plant o.s. before a p.

ˈ**aufpfropfen** *v/t.* (*h.*) graft (*auf acc.* on).

ˈ**aufpicken** *v/t.* (*h.*) pick up.

ˈ**aufplatzen** *v/i.* (*sn*) burst (open), crack.

aufplustern [ˈaʊfpluːstərn] *v/t.*: *sich ~* (*h.*) *bird*: ruffle one's feathers; *fig.* puff o.s. up.

ˈ**aufpolieren** *v/t.* (*h.*) polish up (*a. colloq. fig.*), refurbish, refinish.

ˈ**aufpräg|en** *v/t.* (*h.*) impress, stamp (*auf acc.* on); **2ung** *f* impress, embossing.

ˈ**Aufprall** *m* bound; impact; **2en** *v/i.* (*sn*) bounce, (re)bound (*auf acc.* against); *auf den Boden ~* strike the ground; *~ lassen* bounce.

ˈ**Aufpreis** *econ. m* additional price, surcharge, premium.

ˈ**aufprobieren** *v/t.* (*h.*) try on.

aufpulvern [ˈaʊfpʊlfərn] *colloq. v/t.* (*h.*) ginger (*or* pep) up.

ˈ**aufpumpen** *v/t.* (*h.*) pump up; blow up, inflate (*tyres*).

ˈ**aufputschen** *v/t.* (*h.*) incite; *sl.* pep up.

ˈ**Aufputz** *m* finery, attire, *colloq.* get-up; **2en** *v/t.* (*h.*) dress up, deck out, smarten up; clean (*or* mop) up.

ˈ**aufquellen I.** *v/i.* (*irr., sn*) well (*or* bubble) up; swell up, rise; **II.** *v/t.* (*irr., h.*) soak, steep.

ˈ**aufraffen** *v/t.* (*h.*) snatch up; *sich ~* struggle to one's feet; *fig.* rouse (*or* brace) o.s., pull o.s. together (*zu* for); recover, rally; *ich konnte mich nicht dazu ~* I couldn't bring myself to do it.

ˈ**aufragen** *v/i.* (*h.*) rise (on high), loom (up), tower (up), jut.

ˈ**aufrauhen** *tech. v/t.* (*h.*) roughen, buff; nap (*cloth*); card (*wool*).

ˈ**aufräum|en** *v/t. and v/i.* (*h.*) remove, clear away; put in order; tidy up, *Am.* straighten up (*a room*); *fig. mit et. ~* do away with, make a clean sweep of; *~ unter* (*dat.*) decimate, play havoc among *the population*; *mil.* mop up; → *aufgeräumt*; **2ung** *f* removal, clearing-up; *mil.* mopping-up (operation); **2ungsarbeiten** *f/pl.* clearance; salvage work.

ˈ**aufrechn|en** *v/t. and v/i.* (*h.*) reckon (*or* count) up; charge, credit (*gegen* against); balance, square, settle; set off (*Am.* offset) (*gegen* against); *jur.* compensate; **2ung** *f* balancing, squaring; *jur.* compensation.

ˈ**aufrecht** *adj. and adv.* upright, erect; *~ sitzen* sit up; *~ stehen* stand erect; *fig.* upright, trustworthy; **~(er)halten** *v/t.* (*irr., h.*) hold upright; *fig.* maintain; adhere to; up-

hold, sustain (*a doctrine, custom, judgment*); 2(**er**)**haltung** *f* (-) maintenance; support; ~**stehend** *adj.* upright.
'**aufreg|en** *v/t.* (*h.*) excite, agitate; stir up; alarm, disturb, worry; irritate, exasperate; *sich* ~ *über* (*acc.*) get excited (*or* alarmed, upset) about, get all worked up about; *reg dich nicht auf!* don't get excited!, take it easy!; ~**end** *adj.* stirring, exciting, thrilling, hair-raising; 2**ung** *f* excitement, agitation; irritation; fuss.
'**aufreiben** *v/t.* (*irr., h.*) rub off; *med.* rub sore (*or* open), gall, chafe; *tech.* ream out, broach; wear away; *mil.* annihilate, wipe out; *fig.* exhaust, wear out; (*sich*) ~ wear (o.s.) out; worry (o.s.) to death; ~**d** *adj.* exhausting, harassing, trying.
'**aufreihen** *v/t.* (*h.*) string, thread (*auf acc.* on).
'**aufreißen I.** *v/t.* (*irr., h.*) rip (*or* tear) up *or* open; wrench (*or* fling) open (*the door*); open *one's eyes* wide; gap; **II.** *v/i.* (*irr., sn*) split, open, burst, crack; *skin*: chap.
'**aufreiz|en** *v/t.* (*h.*) incite, provoke, stir up, instigate, *colloq.* egg on; ~**end** *adj.* provocative; inflammatory (*speech, etc.*); 2**ung** *f* incitement, provocation, instigation.
'**aufrichten** *v/t.* (*h.*) raise, set up, erect; help (*or* lift) up; *mar.* right; *aer.* **a**) pull out (*from a dive*), **b**) level off (*before landing*); establish, found; *fig.* comfort, console; *sich* ~ arise, stand up; straigthen o.s.; *in bed*: sit up; *sich an j-m* ~ take heart from a p.('s words).
'**aufrichtig** *adj.* sincere (*a. regret, etc.*); candid, frank; honest, upright; 2**keit** *f* sincerity, cando(u)r, frankness; honesty, uprightness.
'**aufriegeln** *v/t.* (*h.*) unbar, unbolt, open.
'**Aufriß** *m* draught (*Am.* draft), layout; sketch; *arch.* **a**) elevation, **b**) front elevation (*or* view); *math.* vertical section.
'**aufritzen** *v/t.* (*h.*) slit (*or* rip) open; scratch open.
'**aufrollen** *v/t., v/i. a. sich* ~ (*h.*) roll (*or* coil) up; reel in; curl (*hair*); *mil.* roll up; turn the (*enemy's*) flank; unroll, unfurl (*a flag, etc.*; *a. fig.*).
'**aufrücken** *v/i.* (*sn*) move up, advance (*a. fig.*); *sports*: close in, gain ground; *mil.* close the ranks; *in rank*: be promoted, rise.
'**Aufruf** *m* call, summons; call-up; *of government*: proclamation; *for assistance*: appeal; *e-n* ~ *erlassen* (make an) appeal (*an acc.* to); *of bank-notes*: withdrawal (from circulation); 2**en** *v/t.* (*irr., h.*) call up (*a. mil. an age-grade*); give public notice; call over (*names*); call in (*bank-notes*); *zur Einzahlung auf Aktien* ~ make a call on shares (*Am.* stock); *fig. j-n* ~ *zu inf.* call upon a p. to *inf.*; *zum Streik* ~ call a strike.
Aufruhr ['aufru:r] *m* (-[e]s; -e) rebellion, revolt, sedition, insurrection; mutiny; riot (*a. jur.*), tumult, unrest; *a. fig.* uproar; ~**stifter** *m* agitator, rabble-rouser.
'**aufrühren** *v/t.* (*h.*) stir up, rouse; *fig.* rake up (*old stories*); revive (*memories*); stir, inflame (*passions*).
Aufrührer ['aufry:rər] *m* (-s; -), ~**in** *f* (-; -nen) rebel, insurgent, mutineer; *pol.* agitator, fomenter; 2**isch** *adj.* rebellious, insurgent, mutinous; seditious, inflammatory (*speeches, etc.*).
'**aufrunden** *v/t.* (*h.*) round off.
'**aufrüst|en** *v/t. and v/i.* (*h.*) *mil.* (re)arm; *tech.* assemble; 2**ung** *f* (re)armament. '**aufrütteln** *v/t.* (*h.*) shake up; *fig. a.* shake into action; rouse (*from sleep, inaction, etc.*).
'**aufsagen** *v/t.* (*h.*) say, repeat; recite; → *aufkündigen.*
'**aufsammeln** *v/t.* (*h.*) gather (up), pick up, collect.
aufsässig ['aufzesiç] *adj.* restive; rebellious; refractory, wayward.
'**Aufsatz** *m* treatise, essay; *ped.* composition, paper; (newspaper) article; headpiece, top; *of table*: centre- (*Am.* center)piece, epergne; *tech.* fixture, attachment; *artillery*: quadrant elevation; ~**fernrohr** *n* telescopic sight; ~**thema** *n* subject (for an essay), theme.
'**aufsaug|en** *v/t.* (*h.*) suck up (*or* in), aspirate; *chem.* (*a. fig.*) absorb; ~**end** *adj.* absorbent; 2**ung** *f* (-) absorption.
'**auf|scharren** *v/t.* (*h.*) scrape up; ~**schauen** *v/i.* (*h.*) look up (*zu* to; *a. fig.*); glance up; ~**schäumen** *v/i.* (*sn*) foam up, froth, effervesce; ~**scheuchen** *v/t.* (*h.*) scare, frighten (up); *hunt.* startle, scare away; ~**scheuern** *v/t.* (*h.*) scour, scrub; *med.* rub (*sich* o.s.) sore, chafe (*the skin*).
'**aufschicht|en** *v/t.* (*h.*) stack (*or* pile) up, staple; arrange in layers; *geol.* stratify; 2**ung** *geol. f* stratification.
'**aufschieben** *v/t.* (*irr., h.*) push (*or* shove) open; *fig.* put off; defer, postpone; delay; adjourn; *es läßt sich nicht* ~ it brooks no delay; ~**d** *jur. adj.* suspensive.
'**aufschießen** *v/i.* (*irr., sn*) *bot.* shoot up, sprout; *flame*: leap (*or* blaze) up; *fig.* rise, spring up; grow up rapidly, grow tall; *hoch aufgeschossen* lanky, tall, gangling.
'**Aufschlag** *m on sleeve*: cuff; *mil.* facing; *on trousers*: turn-up; *on jacket*: lapel, facing, revers; striking; *of a bomb, etc.*: impact; (*noise*; *a. aer.*) crash; *econ.* **a**) advance, rise, **b**) additional (*or* extra) charge, **c**) premium, **d**) surtax, additional duty; *tennis*: (*a.* ~**ball** *m*) service, serve; 2**en I.** *v/i.* (*irr., sn*) hit, strike; *aer.* strike ground, crash; *dumpf* ~ thud; *flames*: leap (*or* blaze) up; *tennis*: serve; *goods*: rise, go up (in price); **II.** *v/t.* (*irr., h*). break open; crack (*an egg*); turn up (*sleeves, etc.*); open (*one's eyes*); raise, cast up (*one's eyes*); set (*or* put) up (*the bed*); open (*a book*); erect, put up (*a scaffold*); bruise (*one's knee, etc.*); charge (*costs*); increase, raise (*prices*); take up (*one's residence*), make (*one's home*); pitch (*camp, tent*); *sein Hauptquartier* ~ *in* (*dat.*) make one's headquarters at; *sich den Kopf, etc.* ~ bruise one's head, *etc.*; ~**spiel** *n* service game; ~**ventil** *n* kickoff valve; ~**zünder** *m* percussion (*or* impact) fuse.
'**aufschließen I.** *v/t.* (*irr., h.*) unlock, open; *chem.* disintegrate, break up; *a. mining*: develop (*an area*); *econ.* open up, develop (*markets*); *fig. sich* ~ open (*or* pour out) one's heart, unbosom o.s. (*dat.* to); **II.** *v/i.* (*irr., sn*) *mil.* close (the) ranks; join up (*with a unit*).
'**aufschlitzen** *v/t.* (*h.*) slit, rip up *or* open.
'**aufschluchzen** *v/i.* (*h.*) (give a loud) sob.
'**Aufschluß** *m fig.* explanation, information, data *pl.* (*über acc.* about); ~ *geben über* (*acc.*) give information about, explain *a th.*; *chem.* disintegration; *geol.* exposure; *mining*: open lode, outcrop; 2**reich** *adj.* informative, instructive; *w.s.* revealing, illuminating, tell-tale.
'**aufschlüsseln** *v/t.* (*h.*) subdivide, break down; distribute *costs* (in a fixed ratio), allocate.
'**aufschmieren** *v/t.* (*h.*) smear *or* spread (*auf acc.* on).
'**aufschnallen** *v/t.* (*h.*) buckle *or* strap on (*auf acc.* to); unbuckle, unstrap.
'**aufschnappen I.** *v/t.* (*h.*) snap up, snatch; *fig.* pick up; **II.** *v/i.* (*sn*) spring open.
'**aufschneid|en I.** *v/t.* (*irr., h.*) cut up (*or* open); cut up, carve (*meat*); slice; cut the leaves of *a book*; *med.* lance; **II.** *v/i.* (*irr., h.*) boast, brag, show off; exaggerate, talk big; 2**er** *m* braggart, boaster, show-off; 2**e'rei** *f* bragging, boast(ing), exaggeration, tall talk; ~**erisch** *adj.* boastful, exaggerated.
aufschnellen *v/i.* (*sn*) bound up.
'**Aufschnitt** *m* (-[e]s) cut; *kalter* ~ (slices *pl.* of) cold meat, *Am.* cold cuts *pl.*
'**aufschnüren** *v/t.* (*h.*) lace, tie (*auf acc.* on); untie; unlace (*shoes*); undo (*knots*).
'**aufschrauben** *v/t.* (*h.*) screw on (*auf acc.* to); unscrew.
'**aufschrecken I.** *v/t.* (*h.*) startle, frighten up; rouse (*aus* from); **II.** *v/i.* (*sn*) start (up), jump.
'**Aufschrei** *m* cry, yell; scream, shriek; *fig.* outcry.
'**aufschreiben** *v/t.* (*irr., h.*) write (*or* take) down, record; make a note of, note *or* jot down; *at games*: score; *econ.* **a**) put to a p.'s account, **b**) book, enter; *j-n polizeilich* ~ take a p.'s name.
'**aufschreien** *v/i.* (*irr., h.*) cry out, give a yell; scream, shriek, screech.
'**Aufschrift** *f* inscription, legend; *on letter*: address, direction; *on bottle, etc.*: label, ticket; heading.
'**Aufschub** *m* deferment; delay; postponement; adjournment; *jur.* stay (*of execution*), arrest (*of judgment*), reprieve (*of death sentence*); *econ.* respite, grace; *e-n* ~ *bewilligen* allow (*od.* grant) respite; *ohne* ~ without delay; *die Sache duldet keinen* ~ the matter is urgent (*or* brooks no delay).
'**aufschürfen** *v/t.* (*h.*) graze, abrade (*one's skin*); bark, skin (*one's knee*).
'**aufschütteln** *v/t.* (*h.*) shake up.
'**aufschütt|en** *v/t.* (*h.*) heap up;

pour on; store up; charge, fill, feed; throw up, raise (*a dam*); deposit (*earth*); coat *a road* (with broken stones); **2ung** *f* (-; -en) *geol.* accumulation, deposit; storage; embankment, barrier.

'aufschwatzen *colloq. v/t.* (h.): *j-m et.* ~ talk a p. into buying a th.; palm off a th. on a p.

'aufschwellen *v/i.* (*irr., sn*) swell (up).

'aufschwemmen *v/t.* (h.) bloat.

'aufschwingen *v/t.*: *sich* ~ (*irr., h.*) swing o.s. up; *birds*: soar (up); *fig.* make one's way; *sich zu et.* ~ brace o.s. up for a th., bring o.s. to do a th.

'Aufschwung *m gym.* upward circle, swing-up; *fig.* impetus, stimulus; improvement, recovery; progress, rise, advance; *esp. econ.* boom, *Am. a.* upswing; elevation, uplift (*of soul*); *e-n neuen* ~ *nehmen* receive a fresh impetus, revive; *econ.* be booming; *neuen* ~ *verleihen* give a fresh impetus (*dat.* to).

'aufsehen *v/i.* (*irr., h.*) look up; → *aufblicken*; 2 *n* sensation, stir; ~ *erregen* cause (*or* create) a sensation, make a stir; *um* ~ *zu vermeiden* to avoid notice; **~erregend** *adj.* startling, sensational.

'Aufseher(in *f*) *m factory, etc.*: overseer, foreman; *public service, etc.*: supervisor, inspector; *museum, park, etc.*: guardian; *parking-place*: attendant; *department store*: shopwalker, *Am.* floorwalker.

'aufsein *v/i.* (*irr., sn*) be up; be open.

'aufsetzen I. *v/t.* (h.) set (*or* pile) up; put on (*hat, kettle, patch, etc.*); draw up (*in writing*), compose, word; draft (*document, telegram*); → *abfassen*; *tech.* attach, mount; superimpose; *aufgesetzte Taschen pl.* patch pockets; *fig. ein Gesicht* ~ make (*or* pull) a face; *s-n Kopf* ~ be obstinate, remain adamant; → *Horn*; **II.** *v/i.* (h.) *aer.* touch down; *sich* ~ sit up.

'aufseufzen *v/i.* (h.): (*tief*) ~ heave a (deep) sigh.

'Aufsicht *f* (-; -en) supervision, inspection, control; superintendence; (police) surveillance; *jur.* guardianship, tutorage; care, custody; *tech.* top plan view; *die* ~ *führen über* (*acc.*) superintend, be in charge of; *unter* ~ *stehen* be under supervision, *by police*: under surveillance, *prisoner*: be in custody, *mental patient*: be under restraint; **2führend** *adj.* superintending, control(l)ing; **~s-be-amte(r)** *m* supervisor, inspector; **~sbehörde, ~s-instanz** *f*, **~s-organ** *n* supervisory authority, board of control; **~sdame** *f*, **~s-herr** *m econ.* shop-(*Am.* floor)walker; **~s-personal** *n* superintending staff; **~srat** *econ. m* (-[e]s; ⸚e) supervisory board (*of German-type corporation*); **~sratsmitglied** *n* member of the supervisory board; **~sratsvorsitzender** *m* chairman (of the supervisory board).

'aufsitzen *v/i.* (*irr., sn, h.*) sit (*auf dat.* on); *at night*: sit up; get on horseback, mount; ~!, *aufgesessen!* mount!; *tech.* rest, be seated; *mil. das Ziel* ~ *lassen* aim at the bottom edge of the target; *fig. colloq.* be dished, be taken in; *j-n* ~ *lassen* leave a p. in the lurch.

'aufspalt|en *v/t. or sich* ~ (h.) split, cleave, break up; *chem.* disintegrate; **2ung** *f* splitting, split-up, division; dispersion; *biol.* fission (*of cell*); *chem.* disintegration.

'aufspann|en *v/t.* (h.) stretch; mount (*map, etc.*); *tech.* fix, clamp (*the work*); put on (*strings*); put up, open (*umbrella*); spread (*sail*); pitch (*tent*); **2vorrichtung** *f* clamping device, jig.

'aufsparen *v/t.* (h.) save, put *or* lay by (*zu, für* for); (keep in) reserve; *fig.* reserve.

'aufspeicher|n *v/t.* (h.) store up (*a. fig.*); *a.* warehouse; hoard; *el.* store, accumulate; **2ung** *f* storage (*of electricity*); accumulation (*of energy*); impounding (*of water*).

'aufsperren *v/t.* (h.) unlock; open (wide); *fig.* → *Mund.*

'aufspielen *v/t. and v/i.* (h.) strike up; *zum Tanz*: play (to the dance); *sports*: (*ganz groß*) ~ give a demonstration (of); *sich* ~ give o.s. (*or* put on) airs, show off; *sich* ~ *als* pose as, set up for.

'aufspießen *v/t.* (h.) spit; pierce; gore; impale; run through, spear.

'aufsprengen *v/t.* (h.) burst (*or* force) open; blow up.

'aufspringen *v/i.* (*irr., sn*) jump up, leap up, bound up, spring to one's feet; *ski jump, etc.*: land; *auf e-n Zug* ~ jump (on) a train; *ball*: bounce, rebound; *hands*: chap; *buds*: burst; *lips, varnish, etc.*: crack; *door*: fly (*or* burst) open.

'aufspritzen I. *v/t.* (h.) spray (on), squirt on; **II.** *v/i.* (*sn*) splash up.

'aufsprudeln *v/i.* (*sn*) bubble up.

'Aufsprung *m* bounce; *sports*: landing; **~bahn** *f* landing slope.

'aufspulen *v/t.* (h.) wind, spool, reel (up; *auf acc.* onto).

'aufspüren *v/t.* (h.) hunt up (*or* out), track down, trace (out), ferret out.

'aufstacheln *v/t.* (h.) goad (*a. fig.*); *fig.* spur (on), incite, stimulate; rouse (*passions*); *b.s.* instigate.

'aufstampfen *v/i.* (h.) stamp one's foot (*or* feet); *tech.* tamp down.

'Aufstand *m* revolt, rebellion, insurrection, uprising; mutiny.

aufständisch ['aufʃtɛndiʃ] *adj.* rebellious, insurgent; **2e(r** *m*) *f* (-n; -n; -en; -en) rebel, insurgent.

'aufstapeln *v/t.* (h.) pile (*or* stack, heap) up; *econ.* store (up).

'aufstäuben *v/t.* (h.) dust, spray, atomize (*auf acc.* on).

'aufstechen *v/t.* (*irr., h.*) pierce, prick open, puncture; lance (*a boil*).

'aufsteck|en *v/t.* (h.) put (*or* stick) up; fix; pin up; put (*or* do) up (*curtains, one's hair*); *tech.* attach, slip on; → *Licht*; *colloq.* chuck up, (*a. v/i.*) give up, throw up the sponge; **2kamm** *m* dressing-comb; **2kappe** *tech. f* slip-on cap; **2rohr** *n* extension tube.

'aufstehen *v/i.* (*irr., sn, h.*) stand *or* be open; *door*: (*a. halb* ~) be ajar; rise, get up (*a. from bed*); *a.* rise to one's feet, stand up; *von e-r Krankheit*: recover (from *an illness*); rise (in arms), revolt.

'aufsteigen *v/i.* (*irr., sn*) go up, rise; *alpinist, balloon*: ascend; *aer.* take off, take the air; climb; *rider*: mount; *bird*: soar; *fig. menace, etc.*: loom; *feeling*: well up; *storm*: come up; *sports*: go up (into higher league); *ein Gedanke stieg in mir auf* a thought struck (*or* occured to) me; *ein Verdacht stieg in mir auf* I had a suspicion.

'aufstell|en *v/t.* (h.) set up, put up; *mil.* range, draw up; line up; organize (*a unit*); emplace (*a gun*); post, station (*guards*); erect (*buildings*); set (*a trap*); raise (*a ladder*); set up, assemble, install (*a machine*); park (*cars*); expose, display (*goods*); *fig.* make (*an assertion*); set (*an example*); make up, prepare (*balance-sheet*); lay down (*a principle*): nominate (*candidate*); specify, *Am.* itemize (*costs, etc.*); propound, advance (*theories, etc.*); make out, prepare (*a list*); make out *od.* up (*a bill*); state; establish, set (up) (*a record*); appoint (*an arbiter*); organize, raise (*armed forces*); establish (*a system*); compile (*a table, etc.*); *sports*: nominate, put *a player* on *the team*; compose (*a team*); produce (*witnesses*) *sich* ~ take one's stand, station (*od.* place) o.s., *mil.* form up, fall in (line); *sich* ~ *lassen für e-n Sitz im Parlament*: stand for (*Parliament*), *Am.* run for (*Congress*); **2ung** *f* setting up; *tech.* assembly, installation; *mil.* drawing up; alignment; arrangement, (*a. mil.*) formation, disposition; *sports*: team composition; list, schedule, statement; table, tabulation; survey; report; specification, *Am.* itemization; inventory; nomination; assertion (*of argument*); preparation (*of balance-sheet, etc.*).

'aufstemmen *v/t.* (h.) force (*or* prize) open; open with a chisel (*or* crowbar); *sich* ~ lean (up)on *a th.*

Aufstieg ['aufʃti:k] *m* (-[e]s; -e) ascent, *Am. mst.* ascension; *aer. a.* take-off; *fig.* rise; promotion; *sozialer* ~ advancement; **~smöglichkeit** *f* promotional opportunity.

'aufstöbern *v/t.* (h.) stir up; start, rouse (*game*); *fig.* hunt up, ferret out, unearth, discover.

'aufstocken I. *v/t.* (h.) *arch.* raise (*by one story or more*); **II.** *v/i.* (h.) *econ.* raise additional funds; increase; stockpile.

'aufstören *v/t.* (h.) stir up; disturb.

'aufstoßen I. *v/t.* (*irr., h.*) push open; (*sich*) *das Knie* ~ bruise one's knee; ~ *auf* (*acc.*) knock against; **II.** *v/i.* (*irr., sn*) ~ *auf* (*acc.*) knock *or* run against; *mar.* run aground; *food*: rise, repeat; *person*: belch; *fig. j-m* ~ occur to a p., come across a p.'s mind; → *sauer*; **'Aufstoßen** *n* (-s) belch(ing), eructation; *med. saures* ~ heart-burn.

'aufstreben *v/i.* (*sn*) rise, soar, tower up; *fig.* aspire (*zu* to).

'aufstreichen *v/t.* (*irr., h.*) lay (*or* brush, coat) on; *on bread*: spread.

'aufstreifen *v/t.* (h.) tuck (*or* turn) up (*sleeves, etc.*); slip on (*a ring, etc.*).

'aufstreuen *v/t.* (h.) strew *or* sprinkle (*auf acc.* upon).

'**Aufstrich** *m writing*: upstroke; *mus.* up-bow; *on bread*: spread; *of colour*: coat, layer.

'**aufstülpen** *v/t.* (*h.*) tuck (*or* turn) up (*sleeves, etc.*); *sich den Hut* ~ clap on one's hat; *tech.* slip on (*or* over); *aufgestülpte Nase* turned-up nose.

'**aufstützen** *v/t.* (*h.*) (*auf acc.*) prop up (with), support (by); *sich* ~ lean (up)on; prop o.s. up.

'**aufsuchen** *v/t.* (*h.*) seek out, search for, locate; *j-n* ~ go to see a p., call on a p., look up a p.; see, consult (*a doctor, etc.*); visit, go (*or* resort) to (*a place*); *in a book*: look up.

'**auftakeln** *v/t.* (*h.*) *mar.* rig up; *colloq. fig. sich* ~ rig *or* tog o.s. up; *aufgetakelt* → *aufgedonnert.*

'**Auftakt** *mus. m* upward beat, arsis (*a. poet*); *fig.* prelude (zu to).

'**auftanken** *v/t. and v/i.* (*h.*) refuel.

'**auftauchen** *v/i.* (*sn*) rise up, emerge; *U-boat*: surface; *fig.* appear suddenly, emerge, turn up; spring up, *colloq.* pop up; *question, etc.*: arise, crop up.

'**auftauen** *v/i.* (*sn*) *and v/t.* (*h.*) thaw (*a. fig.*).

'**aufteil|en** *v/t.* (*h.*) divide (up), split up, partition; distribute, apportion, *esp. land*: parcel out, allot; 2**ung** *f* division, partition(ing); allotment; distribution.

auftischen ['aʊftiʃən] *v/t.* (*h.*) dish up (*a. fig.*), serve up; *j-m et.* ~ regale a p. with a th., treat a p. to a th.

Auftrag ['aʊftrɑːk] *m* (-[e]s; ⸚e) commission; charge; mission (*a. mil.*); task (*a. mil.*); errand; message; *jur.* contract of agency, mandate; *econ.* order, indent; *arch., etc.* contract; appointment; direction, instruction; *of paint*: application, laying on; *im* ~ (*i.A.*) on instruction, for, *adm.* by order; *im* ~ *von* by order (*or* on behalf) of; *im* ~ *und auf Rechnung von* by order and for account of; *in besonderem* ~ on a (special) mission; *e-n* ~ *ausführen* execute (*or* fill) an order; *e-n* ~ *erteilen* place an order (*dat.* with); *im* ~ *handeln von j-m* act on (*or* in) behalf of a p.; *in* ~ *geben* put in hand (*bei* with); order (from); 2**en** ['-gən] **I.** *v/t.* (*irr.*, *h.*) serve (up), dish up (*food*); coat (*or* lay) on, apply (*paint*); *typ.* distribute, roll on; *surv.* plot, protract; wear out (*clothing*); *road building*: embank, fill; *j-m et.* ~ charge a p. with a th., instruct *or* direct a p. to do a th.; *er trug mir Grüße an dich auf* he asked me to give you his regards; **II.** *v/i.* (*irr.*, *h.*) *fig. dick* ~ exaggerate, *sl.* lay it on thick.

'**Auftrag...:** ~**geber(in** *f*) *m* employer; orderer; customer, client; *jur.* mandator; *stock exchange*: principal; ~**nehmer(in** *f*) *m* consignee; contractor, supplier; ~**sbestand** *m* orders in hand, unfilled orders; ~**sbestätigung** *f* confirmation of order; ~**sbuch** *n* order-book; ~**seingang** *m* orders received, incoming orders; ~**s-erteilung** *f* placing of order; conferring of contract; *call for tenders*: award; ~**sformular** *n* order form (*Am.* blank); 2**sgemäß** *adv.* as ordered; ~**srückstand** *m* backlog of orders; ~**swalze** *typ. f* inking roller; ~**szettel** *m* order slip.

'**auftreff|en** *v/i.* (*irr.*, *sn*) strike, hit, impinge (*auf acc.* on); 2**punkt** *m* point of impact; 2**winkel** *m* angle of incidence.

'**auftreiben** *v/t.* (*irr.*, *h.*) drive up; *game*: rouse, start; swell (*or* blow) up, distend; find, hunt (*or* dredge) up, get hold of; raise (*money*).

'**auftrennen** *v/t.* (*h.*) rip (up *or* open); undo, unpick (*a seam*).

'**auftreten I.** *v/i.* (*irr.*, *sn*) step, tread (*auf acc.* on); appear (*a. thea. als* as); *thea.*, *n.s.* enter; *zum ersten Mal* ~ make one's debut (*a. fig.*); *speaker, singer*: take the floor; *als Schriftsteller* ~ come forward as an author; act, proceed, behave; ~ *als* act as, *b.s.* pose as; *jur. als Kläger* ~ appear as plaintiff, bring an action; *als Zeuge* ~ appear as witness, *Am.* take the (witness-)stand; ~ *gegen* rise against, oppose; *energisch* ~ take a firm stand, put one's foot down; *fig.* occur, happen, arrive; *doubts, fears*: arise; *consequences*: result, ensue; *difficulties*: set in, be encountered; crop up; **II.** *v/t.* (*irr.*, *h.*) kick open *a door, etc.*; '**Auftreten** *n* (-*s*) appearance; occurrence, *a. of disease*: incidence; behavio(u)r, bearing; *sicheres* ~ aplomb; *thea.* performance; *erstes* ~ debut.

'**Auftrieb** *m* driving of cattle to the Alpine pastures; *econ.* cattle-supply; *phys. and fig.* buoyancy; *aer.* (aerodynamic) lift; *fig.* impetus, stimulus, encouragement, tonic, *Am.* lift; *e-n* ~ *geben* (*dat.*) *a.* buoy up; *neuen* ~ *verleihen* give a fresh impetus.

'**Auftritt** *m* step, foothold; *thea.* **a)** appearance, **b)** scene; *fig.* scene; *e-n* ~ *haben mit j-m* have a row with a p.; *j-m e-n* ~ *machen* make a p. a scene.

'**auftrocknen** *v/t.* (*h.*) *and v/i.* (*sn*) dry up; mop up.

'**auftrumpfen** *fig. v/i.* (*sn*, *h.*) put one's foot down.

'**auftun** *v/t.* (*irr.*, *h.*) open; *sich* ~ open (*a. fig.*), *flower*: expand, *abyss*: yawn; *colloq. club, etc.*: form, get started.

'**auftupfen** *v/t.* (*h.*) mop up, dab up.

'**auftürmen** *v/t.* (*h.*) heap (*or* pile) up; *sich* ~ tower (*or* loom) up; accumulate, mount (up).

'**aufwachen** *v/i.* (*sn*) awake(n), wake up.

'**aufwachsen** *v/i.* (*irr.*, *sn*) grow up.

'**aufwall|en** *v/i.* (*sn*) bubble up; boil up; effervesce; *fig. blood, passion*: boil, surge up; 2**ung** *f* bubbling up, boiling; *chem.* ebullition; *phys.* surge; *fig.* emotion, flush; exuberance, transport; outburst, (fit of) passion.

'**aufwalzen** *v/t.* (*h.*) roll on.

Aufwand ['aʊfvant] *m* (-[e]s) cost, expense, expenditure; expenditure (*an dat.* of *energy, money, time*); *unnützer* ~ waste; pomp, extravagance, splurge; display; volubility, profusion; *der* ~ *an Material war beträchtlich* a considerable amount of material was applied; *großen* ~ *treiben* live in grand style; ~**s-entschädigung** *f* expense allowance; ~**steuer** *f* excess consumption tax.

'**aufwärmen** *v/t.* (*h.*) warm up; *fig.* bring up again, rake up, rehash.

Aufwartefrau ['aʊfvartə-] *f* charwoman.

'**aufwarten** *v/i.* (*h.*) *j-m*: wait (up)on, attend on *a p.*; *at table*: wait; ~ *mit* offer, *fig. a.* come up with, show.

aufwärts ['aʊfvɛrts] *adv.* upward(s), up; uphill; *den Fluß* ~ up-stream; *von 4 Millionen* ~ from 4 million up; *mit ihm geht es* ~ he is getting on, *patient*: he is improving; 2**bewegung** *f* upward movement (*econ. a.* tendency); *tech.* upstroke; 2**flug** *m* climbing flight; 2**haken** *m boxing*: uppercut; ~**schalten** *mot. v/i.* (*h.*) change up, shift into higher gear; 2**wandler** *el. m* step-up transformer.

'**Aufwartung** *f* attendance, service; (formal) visit; *j-m s-e* ~ *machen* pay a visit (*or* one's respects) to a p.

'**aufwasch|en** *v/t.* (*irr.*, *h.*) wash up; 2**küche** *f* scullery; 2**wasser** *n* (-*s*; ⸚) dish-water.

'**aufwecken** *v/t.* (*h.*) rouse (from sleep), waken, wake up; *fig.* rouse, animate, enliven.

'**aufwehen** *v/t.* (*h.*) blow up *or* open.

'**aufweichen I.** *v/t.* (*h.*) soften, mollify; soak, moisten; temper (*colours*); **II.** *v/i.* (*sn*) grow soft, soften; ~**d** *adj.* softening, emollient.

'**aufweisen** *v/t.* (*irr.*, *h.*) show, present; have; *et. aufzuweisen haben* boast a th.; *er hatte nichts aufzuweisen* he had nothing to show for it.

'**aufwend|en** *v/t.* (*h.*) spend, expend; use, employ, apply, devote; take *pains*, bestow (*great*) *efforts* (*auf acc.* on); *viel Geld* ~ go to great expense; ~**ig** *adj.* costly, expensive; large-scale; 2**ungen** *f/pl.* expenditure(s), expense(s).

'**aufwerfen** *v/t.* (*irr.*, *h.*) throw open (*the door*); raise (*blisters*); throw up (*a dam*); toss (*one's head*); *fig.* raise, pose, start (*a question*); *sich* ~ *zu et.* set o.s. up as, constitute o.s. *a judge*; → *aufgeworfen.*

'**aufwert|en** *v/t.* (*h.*) revalorize; 2**ung** *f* revalorization.

'**aufwickeln** *v/t. or sich* ~ (*h.*) roll (*or* turn) up; curl up (*hair*); wind, spool (*auf acc.* onto); take up (*film*); unwind, unfold; unwrap (*parcel*); let down (*one's hair*).

aufwiegel|n ['aʊfviːgəln] *v/t.* (*h.*) stir up, foment, incite, instigate; 2**ung** *f* (-) instigation, agitation, sedition.

'**aufwiegen** *v/t.* (*irr.*, *h.*) *fig.* offset, compensate for, make up for.

Aufwiegler ['aʊfviːglər] *m* (-*s*; -), ~**in** *f* (-; -*nen*) agitator, fomenter, demagogue; instigator; 2**isch** *adj.* seditious, agitating; inflammatory.

'**Aufwind** *aer. m* up-wind, up-current, anabatic wind.

'**aufwinden** *v/t.* (*irr.*, *h.*) wind up; lift, jack up; hoist; raise (*by crane*); weigh (*anchor*).

'**aufwirbeln** *v/t.* (*h.*) whirl up (*a. v/i.*, *sn*); raise (*dust*); *fig. viel Staub*

~ make quite a stir, create a sensation.

'aufwisch|en *v/t.* (*h.*) wipe up, mop up; clean; **2lappen** *m* mop, floor-cloth; dishcloth.

'aufwühlen *v/t.* (*h.*) turn up (*earth*); *swine*: root (*or* grub) up; toss up (*the sea*); *fig.* move, stir, agitate (*the soul*); → *aufwiegeln*; **~d** *adj. fig.* heart-stirring, haunting.

'Aufwurf *m* embankment, mound.

'aufzähl|en *v/t.* (*h.*) count up; *fig.* enumerate, *Am. a.* call off; list, specify, *Am.* itemize; count down (*money*); **2ung** *f* addition; enumeration, specification.

'aufzäumen *v/t.* (*h.*) bridle; → *Pferd.*

'aufzehr|en *v/t.* (*h.*) eat up, consume (*a. fig.*); *phys. and fig.* absorb; **2ung** *f* consumption.

'aufzeichn|en *v/t.* (*h.*) draw (*auf acc.* upon), sketch; note (*or* write, take) down; register, record (*a. tech. instrument*); enter, book; *historically*: chronicle, record; *tech.* plot; **2ung** *f* drawing; note; entry; record; *tech.* recording.

'aufzeigen *v/t.* (*h.*) show, present, set forth; demonstrate, make evident; point out (*mistakes, etc.*); disclose.

'aufziehen I. *v/t.* (*irr., h.*) draw (*or* pull) up; lift, hoist (*a. flag*), wind up, raise; *mar.* weigh (*anchor*); open, draw (*or* pull) open; uncork (*bottles*); mount, paste on (*pictures, etc.*); bring up (*a child*); rear, breed (*animals, children*); cultivate, grow, raise (*plants*); fit on (*tyres*); put on (*strings*); *fig. andere Saiten* ~ change one's tune; *gelindere Saiten* ~ relent, come down a peg or two; set, hoist up (*sails*); wind up (*clock, etc.*); *Spielzeug zum* 2 clockwork toys *pl.*; *fig.* arrange, organize, stage (*an enterprise, etc.*); *j-n* ~ tease (*or* chaff, rally, *sl.* kid) a p., pull a p.'s leg; **II.** *v/i.* (*irr., sn*) march up, appear; *mil.* draw up; *auf Wache* ~ mount guard; *storm*: come up, gather.

'Aufzucht *f* breeding, rearing.

'Aufzug *m* procession, cortège, pageant, parade; attire, appearance, *colloq.* get-up; show, pomp; *thea.* act; lift, *Am.* elevator; *tech.* hoist; crane; *weaving*: warp; *phot.* winding-key; *watch*: winder; *arch.* second coat; *gym.* pull-up; **~kabine** *f* cage; **~schacht** *m* lift (*or* elevator) shaft.

'auf|zwängen *v/t.* (*h.*) force open; → **~zwingen** *v/t.* (*irr., h.*): *j-m et.* ~ force a th. upon a p.; push a th. down a p.'s throat; *j-m s-n Willen* ~ impose one's will on a p.

Augapfel ['auk-] *m* eyeball; *fig.* apple of one's eye, darling.

Auge ['augə] *n* (-s; -n) eye; (eye-)sight; *bot.* bud; *on dress, etc.*: eye, eyelet; *tech.* lug, boss; *on cards, dice*: pip, spot; grease drop; *of potato*: eye; *das* ~ des Gesetzes the eye of the law; *bewaffnetes* ~ aided eye; *mit dem bloßen* ~ with the naked eye; *blau(geschlagen)es* ~ black eye; *künstliches* ~ artificial (*or* glass)eye; *in die* ~*n fallend* evident, obvious, striking; *in die* ~*n springend* salient, eye-catching; ~ *um* ~ an eye for an eye; *in meinen* ~*n* in my view, as I see it; *mit verbundenen* ~*n* blindfolded; *nur fürs* ~ mere window-dressing, just for show; *unter vier* ~*n* face to face, in private; *vor aller* ~*n* openly, publicly, in full view; *aus den* ~*n verlieren* lose sight (*fig. a.* track) of; *aus den* ~*n, aus dem Sinn* out of sight, out of mind; *das* ~ *beleidigen* offend the eye, be an eyesore; *die* ~*n offenhalten* keep one's eyes open, keep a sharp lookout; (*sich*) *die* ~*n verderben* spoil one's eyes; *die* ~*n verdrehen* turn up the whites of one's eyes; *die* ~*n verschließen* shut one's eyes (*vor* to); *die* ~*n weiden an* feast one's eyes on; *ein* ~ *haben auf* have an eye upon; *bei et. ein* ~ *zudrücken* wink at, connive at, turn a blind eye to; *große* ~*n machen* open one's eyes (wide), goggle, gape; *gute* (*schlechte*) ~*n haben* have good (bad) eyes; *et. im* ~ *behalten* keep one's eye on, keep track of, keep in mind; *im* ~ *haben* have in view (*or* mind); *ins* ~ *sehen* (*dat.*) **a)** look *a p.* full in the face, face *a p.*, **b)** *fig.* (look in the) face, envisage (*a danger, fact*); *ins* ~ *fallen* attract (*or* catch, strike) the (*or* a p.'s) eye, stand out; *fig. ins* ~ *fassen* consider, envisage; *in die* ~*n springen, deutlich vor* ~*n stehen* stare *a p.* in the face; *j-m* (*schöne*) ~*n machen* make eyes at a p., give a p. the glad eye; *j-m die* ~*n öffnen* open a p.'s eyes, undeceive a p.; *a thing*: *a.* be an eye-opener; → *verbinden*; *kein* ~ *zutun* not to sleep a wink (all night); *mit anderen* ~*n ansehen* take a different view (of); *mit e-m blauen* ~ *davonkommen* get off cheaply; *nicht aus den* ~*n lassen* keep one's eyes upon; *sich vor* ~*n halten* realize, bear in mind; *vor* ~*n führen* demonstrate, point out; *das sieht man doch mit einem* ~ you can see that with half an eye; *die* ~*n gehen mir auf* I am seeing daylight; *geh mir aus den* ~*n!* get out of my sight; *ich traute meinen* ~*n nicht* I did not believe (*or* trust) my eyes; *wie die Faust aufs* ~ like a square peg in a round hole.

äugeln ['ɔygəln] **I.** *v/i.* (*h.*) ogle (*mit* at); **II.** *v/t.* (*h.*) *bot.* graft, bud.

'Augen...: **~abstand** *m* interpupillary (*of instruments*: interoculary) distance; **~arzt** *m* oculist, eye-doctor; **~binde** *f* bandage; **~blick** *m* moment, instant; *entscheidender* ~ critical moment; *richtiger* ~ psychological moment; *alle* ~*e* every now and then; *im* ~ **a)** at the moment, **b)** in an instant, in the twinkling of an eye, in no time; *im ersten* ~ on the spur of the moment; *in diesem* ~ at this moment *or* instant; **2blicklich I.** *adj.* instantaneous; immediate; momentary; present; **II.** *adv.* at the moment, at (*or* for the) present, just now; instant(aneous)ly, immediately; **~blicksaufnahme** *phot. f* instantaneous photograph, snapshot; **~blickserfolg** *m* short-lived success; **~blickswirkung** *f* momentary effect; **~braue** *f* eyebrow; **~brauenstift** *m* eyebrow pencil; **~entzündung** *f* inflammation of the eye, opthalmia; **2fällig** *adj.* conspicuous, eye-catching; *fig.* evident, obvious; **~farbe** *f* colo(u)r of the eye; **~glas** *n* (-es; ⸗er) eye-glass; *opt.* eyepiece; **~heilkunde** *f* ophthalmology; **~höhe** *f*: *in* ~ at eye-level; **~höhle** *f* eye socket, orbit(al cavity); **~klappe** *f* patch, eye-shield; **~klinik** *f* ophthalmic (*or* eye-)hospital, *Am.* eye-clinic; **~leiden** *n* eye-disease, eye trouble; **~licht** *n* (-[e]s) eyesight; **~lid** *n* eyelid; **~maß** *n* sense of proportion; *ein gutes* ~ *haben* have a sure eye; *nach dem* ~ by eye; **~merk** ['-mɛrk] *n* (-[e]s) attention; aim; *sein* ~ *auf et. richten* direct one's attention to, *fig. a.* have a th. in view, aim at a th.; **~nerv** *m* optic nerve; **~reim** *m* sight rhyme; **~salbe** *f* ointment for the eyes; **~schein** *m* (-[e]s) appearance, evidence; *dem* ~ *nach* to all appearances; inspection, examination; *in* ~ *nehmen* inspect, examine, view; **2scheinlich** *adj.* evident, obvious, apparent; **~scheinlichkeit** *f* (-) obviousness; **~schirm** *m* eye-shade; **~spiegel** *m* ophthalmoscope; **~sprache** *f* language of the eyes; **~stern** *m* pupil; **~täuschung** *f* optical illusion; **~trost** *bot. m* eye-bright; **~wasser** *n* eye-lotion; **~weide** *f* (-) feast for the eyes, sight for sore eyes; **~wimper** *f* eyelash; **~winkel** *m* corner of the eye; **~zahn** *m* eye-tooth; **~zeuge** *m* eyewitness; **~zeugenbericht** *m* eyewitness report.

...äugig [-ɔygiç] ...-eyed.

August [au'gust] *m* (-[e]s; -[e]) (month of) August.

Auktion [auktsi'o:n] *f* (-; -*en*) (sale by) auction, public sale; *in die* ~ *geben* put up for auction; *zur* ~ *kommen* be sold by auction; **Auktionator** [-o'na:tɔr] *m* (-s; -'toren) auctioneer; **Aukti'onslokal** *n* sale-room.

Aula ['aula] *f* (-; -*len*) great (*or* assembly-)hall, *Am.* auditorium.

aus [aus] **I.** *prp.* (*dat.*) out of; from; of; by; through; on, upon; in; off; ~ *Achtung* out of respect; ~ *Berlin* of Berlin, *kommend*: from Berlin; ~ *Ehrgeiz* through ambition; ~ *Erfahrung* by experience; ~ *guter Familie* from a good family; ~ *dem Fenster* out of the window; ~ *dem Französischen* from (the) French; ~ *Furcht vor* for (*or* from) fear of; *gebürtig sein* ~ be a native of, come from; ~ *Gehorsam zu* in obedience to; ~ *diesem Grunde* for this reason; ~ *e-m Glas trinken* drink out of (*or* from) a glass; ~ *Grundsatz* on principle; ~ *Haß* through hatred, out of spite; ~ *Holz* (made *or* consisting) of wood; ~ *Liebe* from love; ~ *Liebe zu* out of love to, for the love of; ~ *Mangel an* for want of; ~ *Mitleid* out of pity; ~ *unserer Mitte* from our midst, from among us; ~ *Notwendigkeit* out of necessity; ~ *guter Quelle* on good authority; ~ *Shakespeare* from (*or* out of) Shakespeare; ~ *Scherz* for (*or* in) fun; ~ *Unwissenheit* from ignorance; ~ *bloßem Verdacht* on mere suspicion; ~ *Versehen* by mistake; ~ *der Zeit Cromwells* from the time of Cromwell; ~ *der Zeitung* from the newspaper; ~ *Ihrem Schreiben ersehe ich* I see by (*or* from) your letter; *was ist ~ ihm geworden?* what has become of him?; **II.** *adv.* out; over; finished, done with; ~ *sein* be at an end; *die Kirche ist ~* church is over; *von Grund ~* thoroughly, radically; *von mir ~* for all I care; *auf* et. ~ *sein* be set (*or* bent, keen) on, be anxious *or* eager to do a th.; *es ist ~ mit ihm* it is all over (*or* up) with him, he is done for; *das Spiel ist ~!* the game is up!; *er weiß weder ein noch ~* he is at his wit's end; *tech. an — ~* on — off.

'aus-arbeit|en *v/t.* (*h.*) work out; elaborate; prepare, draw up; compose, formulate, write; perfect, finish; **2ung** *f* (-; -en) preparation; working out; elaboration; composition; *tech.* finish(ing); *physical*: workout.

'aus-art|en *v/i.* (*sn*) degenerate (*in acc.* into); *game, party, etc.*: turn rowdy, get out of hand; **2ung** *f* degeneration.

ausästen ['aus?ɛstən] *v/t.* (*h.*) prune, trim.

'aus-atm|en *v/i. and v/t.* (*h.*) breathe out, exhale; breathe one's last; **2ung** *f* exhalation.

'ausbaden *v/t.* (*h.*) *fig.* pay (*or* suffer) for; *die Sache ~* face the music.

'ausbaggern *v/t.* (*h.*) dredge, excavate.

'ausbalancieren *v/t.* (*h.*) balance (out), counterbalance, counterpoise.

'Ausbau *m* (-[e]s) completion; extension, enlargement; development, improvement; consolidation; *arch.* (*pl.* -ten) **a**) outbuilding, **b**) timbering, walling, **c**) inside finish; *tech.* removal, dismounting.

ausbauch|en ['ausbauxən] *v/t. or sich ~* (*h.*) bulge (out), belly out; **2ung** *f* (-; -en) bulge.

'ausbau|en *v/t.* (*h.*) complete; extend, enlarge; develop, improve; cultivate; consolidate; *arch. finish*; *tech.* remove, dismount, disassemble; **~fähig** *adj.* extensible; detachable; promising, progressive, offering scope.

'ausbedingen *v/t.* (*irr., h.*) stipulate; *sich et. ~* reserve *a th.* to o.s.; insist on, make a point of, make it a condition *that.*

'ausbeißen *v/t.* (*irr., h.*) bite out; *sich e-n Zahn ~* break a tooth.

'ausbesser|n *v/t.* (*h.*) mend, repair, *Am. a.* fix; *tech.* overhaul; patch up; darn; restore (*work of art*); touch up (*a picture*); **2ung** *f* repair, mending, patching.

'Ausbesserungs|arbeit *f* repair work; **2bedürftig** *adj.* in need of repair; **2fähig** *adj.* reparable; **~werkstatt** *f* repair shop.

ausbeulen ['ausbɔylən] *v/t.* (*h.*) bulge, bag; *tech.* beat out, round out, take out dents in.

'Ausbeut|e *f* gain, profit; yield, output (*a. tech. or mining*); **2en** *v/t.* (*h.*) exploit (*a. b.s.*); *mining*: work; sweat (*labour*); *fig.* make the most of, take advantage of; exhaust, deplete (*the soil*); **~er(in** *f*) (-s; -; -; -nen) exploiter; sweater, slave-driver; **~ertum** *n* (-s) sweating (system), slave-driving; **~ung** *f* (-; -en) exploitation (*a. b.s.*); *mining*: working; *fig.* spoliation; *of workers*: sweating.

'ausbezahl|en *v/t.* (*h.*) pay out, pay off (in full); **2ung** *f* payment; paying off.

'ausbiegen I. *v/t.* (*irr., h.*) bend out(wards), deflect; **II.** *v/i.* (*irr., sn*) turn aside; *j-m, e-m Auto usw.*: make way for, avoid *a p., a car, etc.*

'ausbieten *v/t.* (*irr., h.*) offer *or* exhibit (*zum Verkauf* for sale).

'ausbild|en *v/t.* (*h.*) form, develop; cultivate, educate; instruct, train, *mil. a.* drill; *sports*: train, *Am.* coach; *tech.* design; form, develop; *sich ~* train, study (*zu* for); acquire a knowledge (in): perfect o.s. (in); → *ausgebildet*; **2er(in** *f*) *m* (-s; -; -; -nen) instructor; *mil.* (drill) instructor; **2ung** *f* formation, development; instruction, education; training (*a. mil.*); physical training; *praktische ~* practical (*Am.* on-the-job) training.

'Ausbildungs...: ~bataillon *n* training battalion; **~beihilfe** *f* education grant, training benefit; **~lager** *n* training camp; **~lehrgang** *m* course of instruction, training course; **~leiter** *m* chief instructor; **~möglichkeiten** *f/pl.* training facilities; **~zeit** *f* period of training.

'ausbitten *v/t.* (*irr., h.*): *sich et. ~* ask (*or* request) a th., beg for a th.; *das bitte ich mir aus* **a**) I must insist on this, **b**) I won't have it.

'ausblasen *v/t.* (*irr., h.*) blow out; blow down (*a furnace*); exhaust (*steam*); → *Lebenslicht*.

'ausbleiben *v/i.* (*irr., sn*) stay away (*or* out), fail to appear *or* come; (*nicht*) *lange ~* be (not) long in coming, **b**) be overdue; *es konnte nicht ~, daß* it could not be helped that, it was inevitable that; be wanting; *puls, etc.*: stop; **'Ausbleiben** *n* non-appearance, absence; non-arrival; *jur.* default.

'ausbleichen I. *v/t.* (*irr., h.*) bleach (out); **II.** *v/i.* (*irr., sn*) bleach out, fade.

'ausblenden *v/t.* (*h.*) *radio, film*: fade out; *tech.* diaphragm out, mask.

'Ausblick *m* outlook, prospect, view (*auf acc.* of), (*a. fig.*) vista (of); *opt.* objective lens; *fig.* outlook (*in acc.* on *the future*), prospect.

'ausblühen *v/i.* (*h.*) cease blooming, fade; *min.* effloresce; *ausgeblüht haben* be over.

'ausblut|en I. *v/i.* (*sn*) *wound*: cease bleeding; *person*: bleed to death; *~ lassen* allow to bleed (*a wound*); **II.** *v/t.* (*h.*) bleed to death; **2ungsschlacht** *f* battle of attrition.

'ausbohren *v/t.* (*h.*) bore.

ausbomben ['ausbɔmbən] *v/t.* (*h.*) bomb out.

ausbooten ['ausbo:tən] *v/t.* (*h.*) put into boats, disembark; *fig.* oust; *w.s.* put out of the running.

'ausborgen *v/t.* (*h.*): *sich et. ~* borrow a th. (*von* from); *j-m et. ~* lend a th. (out) to a p.

'ausbrech|en I. *v/t.* (*irr., h.*) break out; quarry out (*stones*); clear (*a furnace*); *med.* vomit; **II.** *v/i.* (*irr., sn*) break out (*or* loose); *fig. disease, fire, war, etc.*: break out; *prisoner*: break out (*aus* of), escape (from); *mil.* sally forth, make a sortie; *horse*: bolt; *volcano*: break out, erupt; *in Schweiß ~* break into a sweat; *fig. in Beifall ~* break into applause; *in Tränen ~* burst out crying, burst into tears → *Gelächter*; **2er** *m* prison- (*Am.* jail-) breaker.

'ausbreit|en *v/t.* (*h.*) spread (out); extend, expand (*a. business, power, etc.*); unfold, display; spread (*news, etc.*), circulate, disseminate; propagate (*a doctrine, etc.*); *a. phys.* diffuse; *sich ~* spread; extend, expand; gain ground, make headway; *wave*: propagate, travel; scatter; *tech.* flatten, plate out; *fig.* go into details; *sich über ein Thema ~* enlarge upon; **2ung** *f* (-) spread(ing); extension, expansion; propagation, circulation; diffusion.

'ausbrennen I. *v/t.* (*irr., h.*) burn out; bake (*bricks*); *med.* cauterize; cut out, weld; **II.** *v/i.* (*irr., sn*) cease burning, go out; *house, etc.*: be burnt out; *mil. gun barrel*: erode; *ausgebrannt* extinct (*volcano*), gutted (*house*), spent (*bulb*).

'ausbringen *v/t.* (*irr., h.*) bring out; *mar.* hoist out; yield, produce; *j-s Gesundheit ~* propose a p.'s health, toast a p.; **'Ausbringen** *tech. n* (-s) output, capacity.

'Ausbruch *m* outbreak (*a. fig. of disease, war*); eruption (*of vulcano; a. fig.*); escape, *Am. a.* jailbreak; *mil.* breakout; *fig.* outburst, paroxysm, *of joy*: ecstasy, transport, *of passion*: blaze, *of anger*: explosion; *zum ~ kommen* break out, come to a head; **~sversuch** *m* attempted escape; *mil* sally, sortie.

'ausbrühen *v/t.* (*h.*) scald (out).

'ausbrüt|en *v/t.* (*h*). brood, hatch (*a. fig.*); *artificially*: incubate; *fig.* hatch, plot; **2ung** *f* (-) hatching, incubation.

'ausbuchen *v/t.* (*h.*) *econ.* cancel, get off the books; transfer.

Ausbuchtung ['ausbuxtuŋ] *f* (-; -en) convexity, (*a. mil.*) bulge; protrusion; indentation.

'ausbuddeln *colloq. v/t.* (*h.*) dig out.

'ausbügeln *v/t.* (*h.*) iron out (*a. fig.*).

'Ausbund (-[e]s) pattern, model; *fig.* paragon *of beauty, etc.*; *~ von Gelehrsamkeit* prodigy of learning; *ein ~ von Bosheit* a regular demon, an out-an-out rascal.

ausbürger|n ['ausbyrgərn] *v/t.* (*h.*) deprive of citizenship; expatriate; **2ung** *f* (-; -en) expatriation.

'ausbürsten *v/t.* (*h.*) brush (out).

'ausdampfen *v/i.* (*sn*) evaporate.

'ausdämpfen *v/t.* (*h.*) steam out.

'Ausdauer *f* perseverance; endurance (*a. tech.*); stamina, staying-power; patience; persistence, tenacity; **2n** *v/i.* (*h.*) hold out, last; *fig.* persevere, persist; **2nd** *adj.* persevering, unflagging; enduring, patient; assiduous, plodding; persistent, tenacious; *bot.* perennial.

'**ausdehn|bar** *adj.* extensible, expansible; **~en** *v/t., a. sich ~ (h.)* extend (*auf acc.* to; *a. fig.*); *a. phys. u. fig.*: expand; *tech.* stretch, elongate; enlarge; *med.* dilate; → *ausgedehnt*; **2ung** *f* extension (*a. phys.*), expansion, spread; extent, scope, range; *tech.* stretching, elongation; *math.* dimension, increase in volume; deformation; *med.* dilatation; **2ungszahl** *f* co-efficient of expansion.

'**ausdenken** *v/t. (irr., h.)* think out; *sich et. ~* think *a th.* out (*Am.* up), invent, contrive, devise, cook up; imagine, think of; *nicht auszudenken* inconceivable; *w.s. es ist nicht auszudenken* it would be disastrous.

'**ausdeuten** *v/t. (h.)* interpret, explain.

'**ausdienen** *v/i. (h.)* serve (*or* complete) one's time; → *ausgedient.*

'**ausdocken** *mar. v/t. (h.)* undock.

'**ausdorren** *v/i. (sn)* dry up.

'**ausdörren** *v/t. (h.)* dry up, parch (*a. throat*); scorch; season (*wood*); *ausgedörrt* arid.

'**ausdrehen** *v/t. (h.)* turn off (*tech.* out) (*gas, lamp, etc.*); *el.* switch off; *tech.* hollow.

'**Ausdruck** *m* (-[e]s; ⸗e) *generally*: expression, (*a. of face*; *a. fig.*); phrase; word, term; *bildlicher ~* figure of speech; *fachlicher ~* technical term; *gemeiner ~* vulgarism; *veralteter ~* archaism; *~ geben (dat.)* give utterance (*or* voice) to *a feeling, etc.*; *zum ~ bringen* give expression to, express, voice; *zum ~ kommen* be expressed, manifest itself; **2en** *typ. v/t. (h.)* print out (*or* in full).

'**ausdrück|en** *v/t. (h.)* press (out), squeeze out; stub (out) (*cigarette*); *fig.* utter, express, voice; *sich ~* express o.s.; *sich kurz ~* be brief; **2lich** *adj.* express, explicit; strict (*order*); intentional, on purpose.

'**Ausdrucks...:** **2fähig** *adj.* expressionable; **~kraft** *f* (-) expressiveness; **2los** *adj.* inexpressive, expressionless; blank, vacant; *~es Gesicht* pokerface, *Am. sl.* deadpan; **~tanz** *m* expressional dance; **2voll** *adj.* expressive, full of expression; *style*: *a.* pithy; **~weise** *f* (mode of) expression; diction, style; *w.s.* language.

ausdünnen ['ausdynən] *v/t. (h.)* thin out.

ausdunst|en ['ausdunstən], '**ausdünst|en** *v/i. (sn) and v/t. (h.)* evaporate; *body*: transpire (*a. bot.*), perspire; *v/t.* exhale; sweat out; **2ung** *f* (-; -*en*) evaporation; exhalation; perspiration.

aus-ein'ander *adv.* asunder, apart; separate(d); *weit ~* wide (*colloq.* miles) apart; **~brechen** *v/t. (irr., h.) and v/i. (irr., sn)* break asunder (*or* in two); **~bringen** *v/t. (irr., h.)* separate, sever; **~fallen** *v/i. (irr., sn)* fall asunder *or* to pieces; disintegrate; **~falten** *v/t. (h.)* unfold; **~gehen** *v/i. (irr., sn)* go asunder; come apart; *persons*: part (company), separate; *crowd*: disperse; *assembly*: break up; *roads*: branch off; *opinions*: differ, be divided, diverge (*a. math.*); *~d* divergent; **~halten** *v/t. (irr., h.)* keep asunder *or* apart; *fig.* distinguish between, tell apart *or* one from the other; **~jagen** *v/t. (h.)* scatter; **~kommen** *v/i. (irr., sn)* be separated; lose (sight of) each other; *mit j-m ~* fall out with a p.; **~laufen** *v/i. (irr., sn)* → *auseinandergehen*; **~leben** *v/t.*: *sich ~ (h.)* drift apart; **~liegen** *v/i. (irr., h.)* lie apart; **~nehmen** *v/t. (irr., h.)* take to pieces; dismember; *tech.* disassemble, strip; knock down; **~reißen** *v/t. (irr., h.)* tear asunder; **~setzen** *v/t. (h.)* put *or* place asunder; *fig.* explain, make clear, point out; *sich mit j-m ~* argue (*or* have an explanation) with a p., have it out with a p.; come to an understanding (*or* to terms) with a p. (*über acc.* about), settle (a matter) with a p.; *econ.* arrange (*or* compound) with *a creditor*; *sich mit e-m Problem ~* get down to (*or* tackle) a problem; *sich mit et. ~ (hostilely)* take issue with a th.; **2setzung** *f* (-; -*en*) explanation, exposition, analysis; discussion; arrangement, settlement; *econ.* composition (*with creditors*); separation; *jur. of estate*: partition; argument, difference, altercation; (*a. kriegerische ~* armed) conflict; *endgültige ~ colloq.* showdown; **~sprengen** *v/t.* burst asunder; disperse, scatter (*crowd, enemy*); **~treiben** **I.** *v/i. (irr., sn)* drift apart; **II.** *v/t. (irr., h.)* disperse, scatter; *with wedge*: cleave asunder; **~wickeln** *v/t. (h.)* disentangle; **~ziehen** *v/t. (irr., h.)* draw asunder; (*a. sich*) stretch; *mil.* deploy, spread (out); disperse (*vehicles*); *sich ~ column*: string out.

'**aus-erkoren** *adj.* chosen, select(ed), elect.

'**aus-erlesen** **I.** *v/t. (irr., h.)* → *ausersehen*; **II.** *adj. persons*: chosen, (hand-)picked; exquisite, choice.

'**aus-ersehen** *v/t. (irr., h.)* choose, select, pick; designate, destine, earmark (*für, zu* for).

'**aus-erwählen** *v/t. (h.)* choose (out), select; *auserwählt* elect, chosen; *s-e Auserwählte* the girl of his choice *or* his bride elect; *das Auserwählte Volk* the chosen people.

'**aus-essen** *v/t. (irr., h.)* eat up; clear, empty (*dish*); *colloq. fig.* pay for.

'**ausfahren** **I.** *v/i. (irr., sn)* drive out, go for a drive (*or* spin); *rail.* pull out; *mar.* leave (port), put to sea; *miners*: ascend; **II.** *v/t. (irr., h.) j-n ~* take out for a drive; *aer. das Fahrgestell ~* lower (*or* extend) the undercarriage; *mar. das Sehrohr ~* lift the periscope; *mot.* run (*the engine*) up to top speed; round (*a curve*); wear out, rut (*roads*); *ausgefahrener Weg* rutted *or* bumpy road.

'**Ausfahrt** *f a. mar.* departure; *mining*: ascent; drive, (motor-)trip; excursion; doorway, gateway; *in traffic*: exit; *~!* out!; *of port*: mouth.

'**Ausfall** *m* falling out; *of hair*: thinning; loss; deficit; deficiency, shortage; *mil. Ausfälle pl.* casualties *pl.*, loss in men and material; result, outcome; *chem.* precipitate; (*radioactive*) fall-out; *tech.* failure, breakdown; *of factory*: stoppage; *el.* cutting out of the circuit; waste, scrap; *fenc.* pass, lunge, (long) thrust; *mil.* sally, sortie; *fig.* attack; invective; **~bürgschaft** *f* deficit guarantee, *Am.* (indemnity) bond; **2en** *v/i. (irr., sn)* fall out (*or* off); *teeth*: come out; be omitted; not (*or* fail) to take place, not to come off, be cancelled (*or* called off); *~ lassen* drop (*a lesson, meeting, etc.*); *die Schule fällt heute aus* there is no school today; *tech.* fail, break down, get out of commission; *sports, etc.*: be eliminated, drop out; *chem.* precipitate, be deposited; *result*: turn out, prove; *gut (schlecht) ~* turn out well (badly), be a success (failure): *nach Wunsch ~* answer one's expectations, be satisfactory; *mil.* sally out, make a sortie; *fenc.* (make a) lunge.

'**ausfällen** *chem. v/t. (h.)* precipitate.

'**aus|fallend, ~fällig** *adj.* aggressive; insulting; *~ werden* become personal *or* abusive.

'**Ausfall...:** **~muster** *econ. n* outturn (*or* type) sample; **~s-erscheinung** *med. f* withdrawal symptom; **~straße** *f* arterial road; **~winkel** *phys. m* angle of reflection.

'**ausfasern** **I.** *v/t. (h.)* unravel; **II.** *v/i. (sn) or sich ~ (h.)* fray (out), ravel out.

'**ausfechten** *v/t. (irr., h.)* fight out; *et. mit j-m ~* fight a th. out with a p.

'**ausfegen** *v/t. (h.)* sweep out.

'**ausfeilen** *v/t. (h.)* file out; *fig.* file, give the finishing touches.

'**ausfertig|en** *v/t. (h.)* dispatch, expedite; draw up (*a document*), *jur.* execute; exemplify, issue (*a certified copy*); make out (*a bill*), *passport a.* issue; **2ung** *f* dispatch; drawing up; making out; *jur.* execution; (certified) copy; *of passport*: issue; *erste ~* original (script); *in doppelter ~* in duplicate, in two copies; → *dreifach, etc.*; **2ungstag** *m* date of issue.

'**ausfindig:** *~ machen* find out; discover; locate; ferret out, trace (out).

'**ausflicken** *v/t. (h.)* patch up.

'**ausfliegen** *v/i. (irr., sn)* fly out (*or* away); *birds*: leave the nest; *fig.* leave home; make an excursion, go on a trip; *der Vogel ist ausgeflogen* the bird is flown.

'**ausfließen** *v/i. (irr., sn)* flow out, discharge, drain; leak, escape; *phys. or fig.* emanate (*von* from).

'**Ausflucht** *f* (-; ⸗e) evasion, subterfuge, shift; excuse, pretext; *Ausflüchte machen* prevaricate, shuffle, dodge, hedge; **2en** *tech. v/t. (h.)* align; **2ung** *f* (-) alignment.

'**Aus|flug** *m* excursion, outing, trip; *a.* hike; *e-n ~ machen* go for (*od.* on) an excursion; **~flügler** ['-fly:glər] *m* (-s; -) excursionist, tripper.

'**Ausfluß** *m* outflow, effluence; *med. of pus*: discharge; *of vagina*: flux; *of glands*: secretion; outlet, mouth; drain, outlet; *phys.* emanation (*a. fig.*); *fig.* result; **~rohr** *n* discharge (*or* wash) pipe; **~ventil** *n* discharge valve.

'**ausfolgen** *v/t. (h.)* deliver up, hand over; pay (up).

'**ausforschen** *v/t. (h.)* search out,

explore; investigate, inquire into; *j-n* ~ sound (*or* pump) a. p., draw a p. out.

'**Ausfracht** *econ. f* outward freight.

'**ausfragen** *v/t.* (*h.*) interrogate, question; *esp. Am.* quiz; sound, draw out, *colloq.* pump; cross-examine.

'**ausfransen** *v/i.* (*sn*) fray (out).

'**ausfräsen** *tech. v/t.* (*h.*) mill out, ream; notch, recess.

'**ausfressen** *v/t.* (*irr., h.*) clear, empty; *geol.* erode; *chem.* corrode; *colloq. was hat er ausgefressen?* what has he been up to?; *er hat wieder etwas ausgefressen* he has been up to mischief again.

Ausfuhr ['ausfu:r] *econ. f* (-; -*en*) export(ation), export trade; exports *pl.*; **~artikel** *m* export(ed) article.

ausführbar ['ausfy:rba:r] *adj.* practicable, feasible, workable; *econ.* exportable; **2keit** *f* (-) practicability.

'**Ausfuhr...: ~beschränkung** *f* restriction(s *pl.*) on export; **~bestimmungen** *f/pl.* export regulations; **~bewilligung** *f* export permit.

'**ausführen** *v/t.* (*h.*) take *a p.* out; *econ.* export, ship (*nach* to); carry out, perform; effect, execute, *Am. a.* fill (*orders*); commit, perpetrate (*crimes*); realize; erect, construct; *tech.* design; finish; *fig.* explain, point out, argue, say; specify.

Ausfuhr...: ~güter *n/pl.* exports *pl.*; **~hafen** *m* shipping port; **~handel** *m* export trade; **~kontingent** *n* export quota; **~land** *n* exporting country.

'**ausführlich I.** *adj.* detailed, ample; full(-length); comprehensive, exhaustive; circumstantial; **II.** *adv.* in detail; fully, *etc.*; *sehr* ~ at full (*or* great) length, in great detail; *ziemlich* ~ at some length; ~ (*be*)*schreiben* write fully, give full details (*über acc.* about); **2keit** *f* (-) minuteness of detail; particularity; comprehensiveness; copiousness.

'**Ausfuhr...: ~prämie** *f* (export) bounty; **~schein** *m* export permit; **~sperre** *f* embargo on export; **~tätigkeit** *f* export activity; **~überschuß** *m* export surplus.

'**Ausführung** *f* carrying-out, effectuation; realization (*of a plan*); execution (*of orders, etc.*), *a. of a contract*: performance; implementation (*of a law, order*); construction, completion (*of building project*); *jur.* perpetration (*of crime*); *tech.* **a**) design, finish, **b**) type, model, version; make; style, pattern, **c**) workmanship, quality; explanation, (detailed) statement; comment (*zu, über acc.* on); ~*en pl.* words, representations, arguments; *zur* ~ *bringen* put into effect *or* execution, put into practice; **~sbeispiel** *n patent law*: embodiment, applications; **~sbestimmungen** *f/pl.* regulations, implementing statutes; **~skommando** *mil. n* command of execution.

'**Ausfuhr...: ~verbot** *n* embargo on exports; **~waren** *f/pl.* export(ed) goods, exports; **~zoll** *m* export duty.

'**ausfüllen** *v/t.* (*h.*) fill out *or* (*a. time*) up; stuff, pad; fill in (*Am.* out), complete (*a formular*); stop, fill (*a gap*); fill (*a position*); employ, occupy (*time*); absorb, engross *a p.*

'**ausfüttern** *v/t.* (*h.*) line (*a. tech.*); fur; pad, upholster.

'**Ausgabe** *f* delivery (*of letters, etc.*); distribution; edition; *neue* ~ reprint; *bearbeitete* ~ revised edition; copy (*of a book*); issue (*of stamps*); *econ.* emission, issue (*of loans, notes, shares*); expense, expenditure (*of money*); outlay, disbursement; cost *sg.*; *kleine* ~*n pl.* petty expenses; *Neben2n pl.* incidentals; *einmalige* ~*n* non-recurrent expenses; *laufende* ~*n* current expenses, running costs; *unvorhergesehene* ~*n pl.* contingencies; → *Ausgabestelle*; **~bank** *f* (-; -*en*) bank of issue; **~kurs** *m* rate of issue, issue; **~nbuch** *n* cash-book; **~posten** *m* expense item; **~stelle** *f econ.* issuing office; *mil.* supply point; *rail.* booking-office.

'**Ausgang** *m* going out, exit, egress; way out, exit; outlet; day (*or* afternoon, evening) off *or* out; *econ.* export; *of goods*: outgo, outturn; *Ausgänge pl. mail.* outgoing mail, *econ.* outgoing stocks; *Ausgänge machen* go shopping; *el. Schalter mit fünf Ausgängen* five-point switch; *fig.* end(ing), close; upshot, issue, result; *Unfall mit tödlichem* ~ fatal accident; ~ *haben* (*servant*) have one's day off; *e-n guten* ~ *nehmen* turn out well.

'**Ausgangs...: ~baumuster** *tech. n* prototype; **~element** *phys. n* parent element; **~erzeugnis** *n* initial product; **~impedanz** *el.* output impedance; **~kapital** *n* original investment; **~leistung** *el. f* power output; **~material** *n* original material; **~produkt** *n* primary product; **~punkt** *m* (*a. fig.*) starting point, point of departure; **~stellung** *f* starting-position, *mil.* line of departure; **~stufe** *el. f* output stage; **~zoll** *m* export duty.

'**ausgeben I.** *v/t.* (*irr., h.*) give out; distribute; issue (*orders, tickets*); deliver; deal (*cards*); spend, expend (*money*); *econ.* issue, emit (*shares*); issue, circulate (*bank-notes*); *zuviel* ~ overspend, overissue; *sich* ~ **a**) run out of money, **b**) *fig.* spend (*or* extend) o.s. (*bei* in); *sich* ~ *als, für* pass o.s. off for, pose as, claim (*or* pretend) to be; → *Runde*; **II.** *v/i.* (*irr., h.*) yield well, be thrifty.

ausgebeult ['ausgəbɔylt] *adj.* baggy.

'**ausgebildet** *adj.* trained (*a. lawyer, etc.*), skilled; *voll* ~ fully qualified.

ausgebombt ['ausgəbɔmpt] *adj.* bombed(-)out.

'**Ausgeburt** *fig. f* (monstrous) product, monstrosity; phantom, illusion; ~ *der Hölle* fiend.

ausgedehnt ['ausgəde:nt] *adj.* expansive, vast, extensive, wide(-spread); *fig.* extensive, lengthy.

ausgedient ['ausgədi:nt] *adj. person or thing*: superannuated; ~*er Soldat* ex-service man, veteran; *civil servant*: retired, pensioned-off; *professor*: emeritus; *thing*: past use, worn out.

'**ausgefallen** *adj.* eccentric, unusual, odd, (*Fr.*) outré.

ausgefeilt ['ausgəfailt] *adj. fig.* elaborate, flawless.

'**ausgeglichen** *adj.* → *ausgleichen*; *fig.* balanced, elegant (*style*); *mind, person*: well-balanced, (well-)-poised, equable, harmonious; **2heit** *f* (-) roundness (*of style*), harmony; poise, mental balance.

Ausgehanzug ['ausgə:-] *m* lounge-suit, outdoor-dress; *mil.* dress uniform.

'**ausgehen** *v/i.* (*irr., sn*) go out; go for (*or* take) a walk; go out, *colloq.* step out, *Am.* go places; *mein Vater ist ausgegangen* my father is out (*or* not in); end (*auf acc.* in); come to an end (*or* close); *gut etc.* ~ turn out well, *etc.*; fail; *hair*: fall out; *colour*: fade; *fire, light*: go out; *money, supply*: run short, give out; *mir ging das Geld aus* I ran short (*or* out) of money; *merchandise*: give (*or* sell) out; *die Geduld geht mir aus* that's about all I can stand, that's the last straw; *phys.* emanate, irradiate (*von* from), *fig.* derive (*or* result, emanate) from; *von j-m* ~ *plan, etc.*: come from; *die Sache ging von ihm aus a.* it was his idea, it was suggested *or* initiated by him; *von et.* ~ start (*or* proceed) from, base (one's considerations) on; *wenn wir davon* ~, *daß* proceeding on the assumption that; *frei* ~ go unpunished, get off scot-free; *leer* ~ come away empty-handed, get nothing; *auf et.* ~ **a**) go in quest (*or* search) of, seek *a th.*, **b**) aim at, have in view, *colloq.* be out (*or* in the market) for; **~d** *adj.* outgoing; *mar.* outward-bound; ~*e Fracht* outward freight; ending, waning; *of time*: late.

Ausgehverbot ['ausgə:-] *mil. n* confinement to barracks; *w.s.* curfew.

ausgeklügelt ['ausgəkly:gəlt] *adj.* ingenious, clever.

ausgekocht ['ausgəkɔxt] *fig. adj.* hardboiled, out-and-out; seasoned.

'**ausgelassen** *adj.* frolicsome, rollicking, frisky; boisterous, tumultuous; unrestrained, unruly; **2heit** *f* (-) exuberance, high spirits *pl.*, hilarity; noisiness; unruliness.

ausgeleiert ['ausgəlaiərt] *adj.* worn out; ~*es Gewinde a.* (*nut with*) slipped thread; *fig.* hackneyed, trite.

ausgemacht ['ausgəmaxt] *p.p. and adj.* settled, perfect; confirmed, established, positive; ~*e Sache* foregone conclusion; *et. als* ~ *ansehen* take a th. for granted; thorough, downwright, out-and-out (*fool, etc.*).

ausgemergelt ['ausgəmɛrgəlt] *adj.* emaciated.

'**ausgenommen I.** *adv.* except, with the exception of, save; *alle,* ~ *ihn* all but him; *Anwesende* ~ present company excepted; *du nicht* ~ not excepting you; **II.** *cj.* ~, *daß* except, saving that; unless.

ausgeprägt ['ausgəprɛ:kt] *adj.* distinct, marked, pronounced.

ausgerechnet ['ausgərɛçnət] *adv. fig.* just, exactly; ~ *er* he of all people; ~ *heute* today of all days; ~ *das* this of all things.

ausgereift ['ausgəraɪft] *adj.* mature; *tech.* perfected, fully developed.
ausgeruht ['ausgəru:t] *adj.*: ~ *aussehen* look rested.
ausgeschaltet ['ausgəʃaltət] *adj.* out of gear (*or* action); *on apparatus*: off.
'**ausgeschlossen** *adj.* impossible, out of the question; *int.* ~! impossible!, not on your life!, nothing doing!, *Am. sl.* no soap.
'**ausgeschnitten** *adj. Kleid*: (*tief* ~) low(-necked).
Ausgesiedelte(r *m*) ['ausgəzi:dəltə(r)] *f* (-*n*; -*n*; -*en*; -*en*) evacuee.
'**ausgesprochen** *adj.* decided, pronounced, positive.
'**ausgestalt|en** *v/t.* (*h.*) shape; develop, design; arrange, organize; 2**ung** *f* shaping; arrangement, design.
Ausgestoßene(r *m*) ['ausgəʃto:sənə(r)] *f* (-*n*; -*n*; -*en*; -*en*) outcast.
'**ausgesucht** *adj.* exquisite, choice; *person*: (hand-)picked; *words*: well-chosen; studied, *politeness*: *a.* exquisite.
ausgetreten ['ausgətre:tən] *adj.* trodden-down (*shoes*); *fig.* ~*er Weg* beaten path.
'**ausgewachsen** *adj.* full-grown; full-fledged; *fig. a.* full-blown.
Ausgewiesene(r *m*) ['ausgəvi:zənə(r)] *f* (-*n*; -*n*; -*en*; -*en*) expellee.
'**ausgewogen** *adj.* well-balanced.
'**ausgezeichnet** *adj.* distinguished, decorated; excellent, outstanding, first-class; splendid, capital, fine.
ausgiebig ['ausgi:biç] **I.** *adj.* → *reichlich, ergiebig*; **II.** *adv.*: ~ *Gebrauch machen von* make full (*or* good) use of.
'**ausgieß|en** *v/t.* (*irr.*, *h.*) pour out; empty; spill; fill up; 2**ung** *eccl.* (-) *des Heiligen Geistes*: effusion *of the Holy Spirit*.
Ausgleich ['ausglaɪç] *m* (-[e]s; -e) arrangement, settlement, compromise; *econ.* **a**) balance, balancing, **b**) set-off, *Am.* offset, **c**) (final) settlement, **d**) adjustment (*a. of taxes*), **e**) compensation; *zum* ~ *unseres Kontos* in settlement of (*or* in order to balance) our account; *zum* ~ *unserer Tratte* as cover for our draft; equalization; *tech. el.* compensation, balance; *sports*: handicap; *soccer, etc.*: equalization; *tennis*: deuce.
'**ausgleich|en** *v/t.* (*irr.*, *h.*) make even; equalize (*a. tech. pressure, el. frequencies*; *econ. burden*; *a. sports*); outweigh; make up for, compensate (*a loss*); *econ.* balance, square, settle (*accounts*); compound (*a debt, etc.*); cover; set off, *Am.* offset (*contra accounts*); settle (*differences*), adjust, smooth over; *tech.* balance, adjust, level; *el.* balance (out), compensate; *mot.* synchronize (*speed*); ~*de Gerechtigkeit* poetical justice; → *ausgeglichen*; 2**getriebe** *mot. n* differential (gear); 2**skondensator** *el. m* balancing capacitor; 2**s-spule** *el. f* compensating coil; 2**s-strom** *el. m* balance current; 2**ung** *f* equalization; adjustment; settlement; balancing, compensation; → *Ausgleich*; 2**ungsfehler** *tech. m* balance error, unbalance; 2**zahlung** *f* equalization payment.
'**ausgleiten** *v/i.* (*irr.*, *sn*) slip (*a. fig.*), slide, lose one's footing; *vehicle*: skid.
'**ausglühen I.** *v/i.* (*sn*) cease glowing, cool down; **II.** *v/t.* (*h.*) *metall.* anneal; *chem.* calcine.
'**ausgrab|en** *v/t.* (*irr.*, *h.*) dig out (*or* up), unearth (*all a. fig.*); exhume, disinter (*a corpse*); *arch.* excavate (*a. ruins*); 2**ung** *f* (-; -*en*) excavation; exhumation.
'**ausgreifen** *v/i.* (*irr.*, *h.*) *horse*: step out; ~**d** *adj. fig.*: *weit* ~ far-reaching.
'**ausgrübeln** *v/t.* (*h.*) puzzle out.
Ausguck ['ausguk] *mar. m* (-[e]s; -e) look-out, crow's nest.
'**Ausguß** *m kitchen*: sink; *mar.* rubbish-shoot; *of vessels*: spout, lip; gutter; *tech.* outlet, drain; delivery, discharge; ~**eimer** *m* slop-pail; ~**röhre** *f* drain-pipe.
'**aushacken** *v/t.* (*h.*) hew (*or* hack) out; *agr.* grub (*or* hoe) up.
'**aushaken** *v/t. or sich* ~ (*h.*) unhook.
'**aushalten I.** *v/t.* (*irr.*, *h.*) endure, suffer, bear; stand (*attack, comparison, heat, test, etc.*); *kannst du es* ~? can you take it?; *nicht zum* 2 beyond endurance; sustain, hold (*a. mus.*); support; keep (*a woman*); **II.** *v/i.* (*irr.*, *h.*) endure, last, hold out; *fig.* persevere; *er hält es nirgends lange aus* he never stays (*or* lasts) long in one place.
'**aushandeln** *v/t.* (*h.*) bargain (for); negotiate; settle.
aushändig|en ['aushendigən] *v/t.* (*h.*) hand *a th.* over (*j-m* to a p.); *a. econ.* deliver (up), surrender; 2**ung** *f* (-) delivery, surrender, handing over.
'**Aushang** *m* notice, bulletin; placard, poster.
Aushänge|bogen ['aushɛŋə-] *typ. m* clean sheet; 2**n** *v/t.* (*h.*) hang out (*a. v/i.*); post (up), put up (*placard*); unhinge (*door*); display, show (*goods*); unhook; *sich* ~ (*dress*) smooth out; ~**schild** *n* sign(-board), shop sign, *Am. a.* shingle; *fig.* front, cover, preten|ce, *Am.* -se, show-place.
'**ausharren** *v/i.* (*h.*) persevere; hold out, endure to the end; *auf s-m Platz* ~ stick to one's place.
'**aushärten** *tech. v/t.* (*h.*) harden, cure.
'**aushauchen** *v/t.* (*h.*) exhale, breathe out; *sein Leben* ~ breathe one's last.
'**aushauen** *v/t.* (*h.*) clear, thin (*a wood*); hew *stones, etc.* (*aus dat.* out of); hew (*or* chisel) out, carve.
'**aushebl|en** *v/t.* (*irr.*, *h.*) lift out; take *a door* off the hinges; (*sich*) *die Schulter*: dislocate, put *one's shoulder* out (of joint); dig, excavate; *mil.* levy *troops*, enrol(l), enlist, *esp. Am.* draft (*recruits*); capture (*sentry*); clear out, raid (*nest of criminals*); 2**ung** *f* levy, recruiting, conscription, draft(ing).
aushebern (*h.*) siphon out.
'**aushecken** *fig. v/t.* (*h.*) hatch, concoct, cook (*Am. a.* think) up.
'**ausheilen** *v/t.* (*h.*) *and v/i.* (*sn*) heal (up); cure completely.
'**aushelfen** *v/i.* (*irr.*, *h.*) help out, assist; supply, *colloq.* fix *a p.* up (*mit* with).
'**Aushilf|e** *f* (temporary) help, assistance, aid; makeshift, substitute, stopgap; *with money*: accommodation; *person*: help, auxiliary, handyman, *Am.* hired man; ~**skraft** *f* occasional (*or* relief) worker, temp(orary); ~**skraftwerk** *n* emergency power station; ~**smädchen** *n* between-maid, part-time girl; 2**sweise** ['-svaɪzə] *adv.* as a makeshift (*or* stopgap); temporarily.
aushöhl|en ['aushø:lən] *v/t.* (*h.*) hollow out, excavate; *tech.* groove (out); *fig.* sap, undermine, erode; 2**ung** *f* excavation; grooving; sapping.
'**ausholen I.** *v/i.* (*h.*) swing (back) (*for a blow, throw, etc.*); *a. swimming*: strike out; *fig.* (*weit*) ~ go far back; **II.** *v/t.* (*h.*) draw *a p.* out, sound, pump.
'**aushorchen** *v/t.* (*h.*) → *ausholen II.*
'**Aushub** *m* (-[e]s) excavated material.
aushülsen ['aushylzən] *v/t.* (*h.*) hull, husk, shell.
'**aushungern** *v/t.* (*h.*) starve (out); *ausgehungert* famished, starved.
'**aushusten** *v/t.* (*h.*) cough (*or* bring) up, expectorate.
'**ausjäten** *v/t.* (*h.*) weed out.
'**auskämmen** *v/t.* (*h.*) comb out (*a. fig.*); *tech.* card, comb.
'**auskämpfen** *v/t.* (*h.*) fight out.
'**auskehl|en** *tech. v/t.* (*h.*) flute, groove, chamfer, hollow out; 2**ung** *f* (-; -*en*) fillet, groove, flute.
'**auskehren** *v/t.* (*h.*) sweep (out), (sweep) clean.
'**auskeilen I.** *v/t.* (*h.*) *tech.* wedge out; *mining*: (*a. sich*) peter out; **II.** *v/i.* (*sn*) *horse*: lash out, kick.
'**auskeimen** *v/i.* (*sn*) germinate.
'**auskeltern** *v/t.* (*h.*) press (out).
'**auskennen**: *sich* ~ (*irr.*, *h.*) (*in dat.*) know (one's way about) *a place*; *fig.* be versed (*or* quite at home) in; know all about *a th.*; *er kennt sich aus* he knows what's what; *ich kenne mich nicht mehr aus* I am completely at a loss.
auskernen ['auskɛrnən] *v/t.* (*h.*) take out the kernel (*or* pips) of (*apples*); stone; shell (*pulse*).
'**auskippen** *v/t.* (*h.*) dump (*or* pour) out.
'**ausklammern** *v/t.* (*h.*) *fig.* leave out of consideration.
'**Ausklang** *mus. m* final notes; *fig.* end, finale, (fall of the) curtain.
ausklappbar ['ausklapba:r] *adj.* swinging out, hinged.
'**ausklarieren** *mar. v/t.* (*h.*) clear out.
'**ausklauben** *v/t.* (*h.*) pick out; *fig.* puzzle out.
'**auskleiden** *v/t.* (*h.*) undress; *sich* ~ *a.* take off one's clothes; *tech.* line, coat, plate.
'**ausklingen** *v/i.* (*irr.*, *sn*) die (*or* fade) away; *fig.* end (*in acc.* in).
'**ausklinken** *v/t.* (*h.*) disengage (*the clutch*); release (*a. aer. bombs, glider*); unlatch (*door*).
'**ausklopfen** *v/t.* (*h.*) beat out; scale (*boiler*); dust (*clothes*); knock out (*pipe*).
'**ausklügeln** *v/t.* (*h.*) puzzle out; contrive; → *ausgeklügelt*.

'**auskneifen** *v/i.* (*irr.*, *sn*) decamp, bolt, cut and run, *Am. sl.* take a powder.
'**ausknipsen** *v/t.* (*h.*) *el.* switch off, flick out.
'**ausknobeln** *v/t.* (*h.*) dice (*or* toss) for; *fig.* puzzle out, *Am. a.* figure out.
'**auskochen** *v/t.* (*h.*) boil (out); decoct, extract (*juice*); scald (*vessels*); → *ausgekocht.*
auskommen *v/i.* (*irr.*, *sn*) come out; *fire*: break out; *mit et.* ~ do with, manage with, get by with; *mit s-m Geld* ~ manage to live within one's money, make both ends meet; *ohne et.* ~ manage (*or* do, get along) without, be able to dispense with; *mit j-m* ~ get on (*or* along) with a p., be on friendly terms with a p., hit it off well with a p.; '**Auskommen** *n* competency, living, livelihood; *sein* ~ *haben* make a living; have a competency, be in easy circumstances; *es ist kein* ~ *mit ihm* there is no getting on with him.
auskömmlich ['auskœmliç] *adj.* sufficient.
'**auskosten** *v/t.* (*h.*) enjoy to the full, *a. iro.* taste fully; *iro. ich habe es ausgekostet* I had my fill of it.
'**auskramen** *v/t.* (*h.*) rummage up; *fig.* dig up; trot out (*knowledge*).
'**auskratz|en I.** *v/t.* (*h.*) scrape out; rake out; *med.* curette; **II.** *colloq. fig. v/i.* (*sn*) bolt, hook (*or sl.* beat) it; **2ung** *med. f* (-; -*en*) curettage.
'**auskriechen** *v/i.* (*irr.*, *sn*) come (*or* creep) forth; be hatched.
'**auskugeln** *v/t.* (*h.*): *sich den Arm* ~ dislocate one's arm.
auskultieren [auskul'ti:rən] *med. v/t.* (*h.*) auscultate.
'**auskundschaften** *v/t.* (*h.*) explore, spy out, ferret out; *mil.* scout, reconnoit|re, *Am.* -er.
Auskunft ['auskunft] *f* (-; ⸚e) information; inquiry-office, *Am.* information desk; *teleph.* inquiries; *nähere* ~ details *pl.*; *nähere* ~ *bei or in* see (*or* consult); ~ *einholen* seek (*or* obtain) information; ~ *erteilen* give (*or* supply) information; *Auskünfte einziehen lassen* have inquiries made; **Auskunf'tei** *f* (-; -*en*) inquiry office, *esp. Am.* information bureau.
'**Auskunfts...:** ~**beamter** *m*, ~**beamtin** *f* inquiry clerk; *teleph.* information operator; ~**mittel** *n* expedient; ~**person** *f* informant; ~**pflicht** *f* obligation to give information; ~**stelle** *f* information bureau.
'**auskuppeln** *v/t. and v/i.* (*h.*) uncouple; disconnect, release; *mot.* disengage (the clutch), declutch, put into neutral gear.
'**auslachen** *v/t.* (*h.*): *j-n* ~ laugh (*or* jeer) at, deride a p. (*wegen gen.* for); *sich* ~ laugh one's fill.
Auslade|bahnhof ['auslɑ:də-] *m* railhead, *mil. a.* detraining point; **2n I.** *v/t.* (*irr.*, *h.*) discharge, unload; *mar.* discharge, clear, lighten; disembark, land (*passengers*, *troops*); *mil. rail.* detrain; debus; *aer.* deplane; *Am.* detruck; *j-n* ~ cancel a p.'s invitation, ask a p. not to come; **II.** *v/i.* (*irr.*, *h.*) jut out, project; ~**hafen** *m* port of discharge; ~**r** *m* (-*s*; -) stevedore, unloader; *mar.* stevedore, lighterman, *Am.* longshoreman; *el.* conducting arc; ~**rampe** *f* handling (*or* loading) platform.
'**Ausladung** *f* discharge, unloading; *arch.* projection; *tech.* radial range, working radius; *of machine tool*: overhang; *of swing crane*: length of jib; *of plate shears*: depth of throat.
'**Auslage** *f* outlay, disbursement, advance; expenses *pl.*; *j-m s-e* ~*n zurückerstatten* reimburse a p. (for his expenses); *of goods*: display, show; goods exhibited; (shop-) window; *die* ~*n ansehen gehen* go window-shopping; *fenc. or boxing*: on-guard position, guard; *Links*2 left-hand guard; *rowing*: coming forward; ~**kästchen** *n of jeweller, etc.*: tray.
'**auslagern** *v/t.* (*h.*) store outdoors; evacuate, disperse; *tech.* settle (*beer*); age(-harden) (*aluminium*).
'**Auslagewerbung** *f* window display; counter display.
'**Ausland** *n* (-[e]*s*) foreign country; foreign countries *pl.* (*or* parts, nations *pl.*); *ins* ~, *im* ~ abroad; *im* ~ *geboren* foreign born; *vom* ~ from abroad; *fürs* ~ *bestimmt* outward bound.
Ausländ|er(in *f*) ['auslɛndər(in)] *m* (-*s*; -; -; -*nen*) foreigner; *jur.* alien; *feindlicher* ~ enemy alien; *unerwünschte* ~ *pl.* undesirable aliens; **2isch** *adj.* foreign; *econ. a.* external; *jur.* alien; *bot.* exotic; *fig.* exotic, outlandish, strange; ~*e Besucher* visitors from abroad.
'**Auslands...:** ~**abteilung** *econ. f* Foreign Department; ~**anleihe** *f* external loan; ~**aufenthalt** *m* stay abroad; ~**bank** *f* (-; -*en*) foreign bank, *Am.* overseas bank; ~**bericht-erstatter** *m* foreign correspondent; ~**deutsche(r** *m*) *f* German abroad; ~**dienst** *m* foreign service; ~**filiale** *f* foreign branch; ~**geschäft** *n* foreign business; ~**gespräch** *teleph. n* international foreign call; ~**guthaben** *n*/*pl.* deposits *pl.* in foreign countries; ~**korrespondent(in** *f*) *m* foreign correspondent; ~**paß** *m* foreign passport; ~**patent** *n* foreign patent; ~**presse** *f* (-) foreign press; ~**reise** *f* trip (*or* tour) abroad, outward journey; ~**vermögen** *n* external assets *pl.*, property abroad; ~**verschuldung** *f* foreign debt; ~**zahlungsverkehr** *m* external exchange of payments; ~**zulage** *f* foreign service allowance.
Auslaß ['auslas] *m* (-*sses*; ⸚*sse*) outlet, exit, discharge, delivery, exhaust.
'**auslass|en** *v/t.* (*irr.*, *h.*) let out (*or* off); let (*or* blow) off (*steam*); melt, render down, extract (*fat*); strain (*honey*); let out; leave out, omit (*a word, etc.*); skip (*a page, etc.*); delete, strike (out), cancel, cut (out); *fig. s-e Gefühle* ~ give vent to one's feelings; *s-n Zorn an j-m* ~ vent one's anger on a p.; *er ließ s-e Wut* (*darüber*) *an ihr aus* he took it out on her; *sich* ~ (*über acc.*) express o.s. (about); *sich weitläufig* ~ *über* expatiate (*or* enlarge, dilate) upon; *er ließ sich nicht weiter aus* he did not explain himself further; **2ung** *f* (-; -*en*) omission; deletion; remark, utterance; *gr.* ellipsis, elision; **2ungszeichen** *n* apostrophe.
'**Auslaßventil** *n* exhaust valve; escape valve; ~ *für Luft* air vent.
'**auslasten** *tech. v/t.* (*h.*) balance, equalize (*loads*); *fig.* employ to capacity.
'**Auslauf** *m* outflow, discharge; outlet, drain; mouth (*of river*); *for animals*: run; *mar.* sailing; *aer.* landingrun; *skiing*: outrun; *swimming*: glide; *tennis*: margin; *arch.* projection; **2en** *v/i.* (*irr.*, *sn*) run (*or* flow) out; *vessel*: leak (out), trickle out; *mar.* sail, put to sea, clear (the port); *aer.* taxi (to a standstill); *colour*: run, blur; *fig.* (come to an) end, expire; slow down, die out; *engine*: run down, *car*: coast; *arch.* project; ~ *in or auf* (*acc.*) end (*or* terminate, result) in; *in ein Vorgebirge* ~ run out into a promontory; *spitz* ~ taper (off); *Produktion* ~ *lassen* taper off production; *sich* ~ *person*: have a good run; **2end** *adj. mar.* outward bound; *fig.* ending.
'**Ausläufer** *m* errand-boy; *bot.* runner, offshoot; *mining*: branch lode; *of mountain*: spur, foot-hills *pl.*; *of town*: outskirts *pl.*; *fig.* branches, ramification.
'**Auslauf...:** ~**hahn** *m* drain cock; ~**strecke** *aer. f* landing run *or* distance; ~**stutzen** *m* drain plug.
'**auslaugen** *v/t.* (*h.*) lixiviate, extract; *geol.* leach out; *mining*: wash.
'**Auslaut** *gr. m* final (*or* terminal) sound; *im* ~ when final; **2en** *gr. v/i.* (*h.*) terminate, end (*auf acc.* in).
'**ausläuten I.** *v/i.* (*h.*) cease ringing; **II.** *v/t.* (*h.*) ring out.
'**ausleben:** *sich* ~ (*h.*) enjoy life to the full; sow one's wild oats.
'**auslecken** *v/t.* (*h.*) lick out *or* clean.
'**ausleeren** *v/t.* (*h.*) empty, clear (out); drink up, drain; *med.* evacuate; void (*the bladder*); *fig. sein Herz* ~ pour out one's heart.
'**auslegen** *v/t.* (*h.*) lay out, spread; *econ.* display, exhibit, expose *goods* (for sale); lay open (*a patent specification*); lay out (*a corpse*); run, lay (*a cable*); line, cover; floor; design, plan; inlay, lay out; *ausgelegte Arbeit* inlaid work; advance, disburse, pay (*für* for); interpret, construe, explain; *wie legst du diesen Satz aus?* how do you read this sentence?; *falsch* ~ misinterpret, misconstrue; *gut* (*schlecht*) ~ put a good (bad) construction on *a th.*; *j-m et. als Eitelkeit* ~ set a th. down to a p.'s vanity.
Ausleger ['ausle:gər] *m* (-*s*; -) expositor, interpreter, commentator; *tech. of crane*: derrick, jib; *arch.* cantilever; *of machine tool*: arm; *arch.* outrigger; ~**arm** *tech. m of crane*: jib; *of machine tool*: arm; ~**boot** *n* outrigger; ~**brücke** *f* cantilever bridge.
Auslegeschrift *f* patent specification.
'**Auslegung** *f* (-; -*en*) laying out; explanation; interpretation, con-

struction; *eccl.* exegesis; reading; *falsche* ~ misinterpretation, erroneous construction; publication.

'**ausleiden** *v/i.* (*irr., h.*): *er hat ausgelitten* his sufferings are over.

'**ausleihen** *v/t.* (*irr., h.*) lend (out), hire out, *esp. Am.* loan; *econ. Kapital auf Zinsen* ~ put out principal at interest; *sich* et. ~ borrow a th.

'**auslernen** *v/i.* (*h.*) finish learning; complete one's apprenticeship (*or* training); *man lernt nie aus* we live and learn.

'**Auslese** *f* sorting; choice, selection; *literary*: *a.* digest; *natürliche* ~ natural selection; wine made from the choicest late-gathered grapes; *fig. die* ~ the pick (*or* cream, flower, élite); 𝔖**n** *v/t.* (*irr., h.*) select, choose, pick out; *econ.* sort, grade; read through, finish (*a book*); *von A bis Z* ~ read from cover to cover.

'**ausleucht|en** *v/t.* (*h.*) *tech. film*: illuminate; 𝔖**ung** *f* (-; -*en*) illumination.

'**ausliefer|n** *v/t.* (*h.*) deliver (up), hand (*or* turn) over (*dat.* to); *econ.* deliver (*goods*); *jur.* **a**) surrender, **b**) extradite (*criminals*); restore; *j-m ausgeliefert sein* be at the mercy (*or* in the power, clutches) of a p.; 𝔖**ung** *f* delivery; *jur.* **a**) surrender, **b**) restitution, **c**) extradition.

'**Auslieferungs...**: ~**auftrag** *m* delivery order; ~**lager** *n* delivery stores *pl.*, supply depot; ~**schein** *m* delivery order, bill of delivery; ~**stelle** *f* distribution cent|re, *Am.* -er; ~**vertrag** *m* extradition treaty.

'**ausliegen** *v/i.* (*irr., h.*) be displayed (*or* exhibited), be on show; *zur Einsichtnahme* ~ be exposed (*or* open) to inspection; *newspapers*: be kept.

Auslobung ['auslo:buŋ] *f* (-; -*en*) public reward.

'**auslochen** *tech. v/t.* (*h.*) punch out.

'**auslöffeln** *v/t.* (*h.*) spoon (*or* ladle) out; *fig.* → *Suppe*.

'**auslösch|en** *v/t.* (*h.*) extinguish, put out (*fire, etc.*; *a. fig.*); *el.* switch off, turn out; stub (*or* put) out (*a cigarette*); efface, obliterate, blot out (*writing*); wipe out (*a. fig.*), erase; cancel, delete; 𝔖**ung** *f* extinction; obliteration; deletion.

Auslöse|feder ['auslø:zə-] *tech. f* release (*or* tripping) spring; ~**hebel** *m* release (*or* trip) lever; ~**knopf** *m* release button.

'**auslosen** *v/t.* (*h.*) draw lots for; toss for; *with dice*: raffle for; distribute by lot, allot; *econ.* draw (by lot); *ausgeloste Obligation* drawn bond.

'**auslös|en** *v/t.* (*h.*) loosen, release; *tech.* disengage, throw out of gear; *el.* break the circuit; release (*a. bombs, torpedo*), actuate, trip; redeem, ransom (*prisoners*); redeem (*a pawn*), take out of pledge; *econ.* redeem, cash (*a bill of exchange*); *fig.* start, spark, trigger; unleash; draw (*applause*), call forth, arouse (*a. enthusiasm*); engender (*feelings*); produce (*an effect*); 𝔖**er** *tech. m* (-s; -) release (lever), *esp. phot.* trigger; *el.* **a**) release, **b**) circuit-breaker; 𝔖**evorrichtung** *f* release (gear *or* mechanism), tripping device; *aer.* (bomb-)release control; 𝔖**ung** *econ. f* redemption; severance pay; ransom; *tech.* release; → *Auslösevorrichtung*; *of watches*: detent.

'**Auslosung** *f* draw(ing of lots); *econ.* drawing of bonds; allotment; *tennis*: draw; ~**s-schein** *m* letter of allotment; drawing certificate.

'**ausloten** *mar. v/t.* (*h.*) sound (*a. fig.*).

'**auslüften** *v/t.* (*h.*) air, ventilate.

'**ausmachen** *v/t.* (*h.*) put out, extinguish (*a fire*); *el.* switch (*or* turn) out; open, shell (*oysters*); gut (*fish*); draw (*poultry*); husk, shell (*pulse*); dig up (*potatoes*); make out, sight, spot; locate; *fig.* stipulate, (make it a) condition; settle, decide; fight out (*unter sich* between themselves); arrange, settle, agree; make up, constitute, form; amount (*or* come, run) to, total; *das macht nichts aus* it does not matter, it is of no consequence, never mind; *es macht viel aus* it matters a great deal; *würde es Ihnen et.* ~, *wenn?* would it make any difference to you if?, would you mind (*ger.*)?

'**ausmahlen** *v/t.* (*h.*) grind up, extract.

'**ausmalen** *v/t.* (*h.*) paint (*a room*); illuminate, colo(u)r (*a picture*); *fig.* depict, picture (*dat.* to); amplify, embroider; *sich* et. ~ picture a th. to o.s.

'**ausmanövrieren** *v/t.* (*h.*) outmanoeuvre, *Am.* outmaneuver.

'**Ausmarsch** *m* marching out, departure; 𝔖**ieren** *v/i.* (*sn*) march out, depart.

'**Ausmaß** *n* measurement(s *pl.*), dimension(s *pl.*), size; *fig.* extent; scale; degree; *in großem* ~ on a large scale, *fig.* to a great extent; *erschreckende* ~*e annehmen* assume alarming proportions.

'**ausmauern** *v/t.* (*h.*) wall (*or* brick) up; line with brick.

'**ausmeißeln** *v/t.* (*h.*) chisel out; sculpture, carve; *tech.* chase.

'**ausmergeln** *v/t.* (*h.*) emaciate; *fig.* impoverish, exhaust.

ausmerzen ['ausmɛrtsən] *v/t.* (*h.*) *agr.* cull, weed out; cast off, reject; expunge, strike out; eliminate; eradicate, wipe out; efface, blot out.

'**ausmess|en** *v/t.* (*irr., h.*) measure (out); survey (*land*); gauge (*vessel*); 𝔖**ung** *f* measuring, measurement; survey; ga(u)ge.

'**ausmisten** *v/t.* (*h.*) clear *a stable* (of manure); *colloq. fig.* (*esp. v/i.*) clear up the mess.

ausmitt|eln ['ausmitəln] *v/t.* (*h.*) *math.* form the average; *fig.* identify, determine; ~**ig** *tech. adj.* eccentric, off-cent|re, *Am.* -er.

'**ausmünden** *v/i.* (*h.*): ~ *in* (*acc.*) *river*: fall (*or* discharge, empty) into; *road, etc.*: open (*or* lead) into.

'**ausmünzen** *v/t.* (*h.*) coin, stamp, mint.

'**ausmuster|n** *v/t.* (*h.*) discard, reject; scrap (*a machine*); *aer. mil.* discharge (as unfit); 𝔖**ung** *f* rejection; discharge; 𝔖**ungsgeld** *n* mustering-out pay.

Ausnahme ['ausna:mə] *f* (-; -*n*) exception; exemption; *mit* ~ *von or gen.* except(ing), with the exception of, save; *ohne* ~ without exception, all of them; *e-e* (*keine*) ~ *machen* make an (admit of no) exception; *die* ~ *bestätigt die Regel* the exception proves the rule; *e-e* ~ *von der Regel* an exception to the rule; ~**bestimmung** *f* saving clause; ~**fall** *m* exceptional case, exception; ~**zustand** *m* (state of) emergency; *mil.* (state of) martial law; *den* ~ *verhängen* establish martial law.

ausnahms|los ['ausna:ms-] *adv.* without exception; ~**weise** ['-vaɪzə] *adv.* exceptionally, by way of exception; for once.

'**ausnehmen** *v/t.* (*irr., h.*) take out; disembowel; gut (*fish*); draw (*poultry*); *fig.* except, exclude; exempt (*von* from); *sich gut* (*schlecht*) ~ look well (bad); *er nahm sich schlecht aus* he cut a poor figure; ~**d I.** *adj.* exceptional; **II.** *adv.* exceptionally, exceedingly.

'**ausnutz|en, ausnütz|en** *v/t.* (*h.*) utilize (fully), profit by, make the best (*or* most) of, turn to account; take advantage of (*a. b.s.*); *a. mil., mining*: exploit; *workers*: *a.* drive, sweat; *er nützte ihre Schwäche aus* he practised (*or* played) on her weakness; 𝔖**ung** *f* utilization; exploitation.

'**auspacken I.** *v/t.* (*h.*) unpack; uncase; **II.** *v/i.* (*h.*) *colloq. fig.* speak up, speak one's mind, not to mince words.

'**auspeitschen** *v/t.* (*h.*) whip, flog.

'**auspfänden** *v/t.* (*h.*): *j-n* ~ seize a p.'s goods, distrain (up)on a p.

'**auspfeifen** *v/t.* (*irr., h.*) *thea.* hiss off the stage; hoot, catcall; *sports, etc.*: boo.

'**auspflanzen** *v/t.* (*h.*) transplant, bed out; pot out.

'**auspichen** *v/t.* (*h.*) (coat with) pitch; *fig. ausgepicht* seasoned, hardened.

Auspizien [au'spi:tsiən] *pl.* auspices.

'**ausplätten** *v/t.* (*h.*) iron (*or* smooth) out.

'**ausplaudern** *v/t.* (*h.*) blab (*or* let) out.

'**ausplündern** *v/t.* (*h.*) ransack, loot, pillage; rob, clean out; *j-n* ~ rob (*or* fleece) a p.; *bis aufs Hemd* ~ strip to the skin.

'**auspolstern** *v/t.* (*h.*) stuff, pad; wad; *tech.* lag, line.

'**ausposaunen** *colloq. v/t.* (*h.*) trumpet (*or* blazon) forth, noise abroad.

'**ausprägen** *v/t.* (*h.*) coin, stamp, mint; *sich* ~ show (*or* reveal) itself, find its expression (*in dat.* in); → *ausgeprägt*.

'**auspressen** *v/t.* (*h.*) press (*or* squeeze) out; crush.

'**ausprobieren** *v/t.* (*h.*) try (out), (put to the) test; sample, taste (*wine*).

'**Auspuff** *mot. m* (-[e]s; -e) exhaust; ~**gas** *n* exhaust gas; ~**hub** *m* exhaust stroke; ~**klappe** *f* exhaust valve; ~**krümmer** *m*, ~**leitung** *f* exhaust manifold; ~**rohr** *n* exhaust pipe; ~**takt** *m* exhaust cycle (*or* stroke); ~**topf** *m* silencer, *Am.* (exhaust) muffler.

'auspumpen *v/t.* (*h.*) pump out, evacuate; *phys. air*: exhaust, rarefy; *colloq. fig. ausgepumpt* exhausted; panting; in a sweat.
auspunkten ['auspuŋktən] *v/t.* (*h.*) *boxing*: beat by points, outpoint.
'auspusten *v/t.* (*h.*) blow out.
'Ausputz *m* adornment; trimmings *pl.*; **2en** *v/t.* (*h.*) clean (out); prune (*trees*); trim (*vine*); adorn, decorate; *sich* ~ dress up; **~er** *m soccer*: sweeper(-up).
ausquartier|en ['auskvarti:rən] *v/t.* (*h.*) dislodge; *mil.* billet out; *sich* ~ change one's quarters; **2ung** (-; -en) *mil.* billeting out; change of quarters.
'ausquetschen *v/t.* (*h.*) squeeze (*or* crush) out; *fig. colloq.* pump, grill, cross-examine.
'ausradieren *v/t.* (*h.*) erase; (*a.fig.*) rub out.
'ausrangieren *v/t.* (*h.*) *rail.* shunt off; scrap; *fig.* discard, cast off; shelve (*officials*).
'ausrauben *v/t.* (*h.*) rob; ransack.
'ausrauchen *v/t.* (*h.*): *s-e Pfeife* ~, *etc.* finish one's pipe, *etc.*
'ausräuchern *v/t.* (*h.*) fumigate; smoke out (*bees, fox, enemy*).
'ausraufen *v/t.* (*h.*) pull (*or* tear) out; *fig. sich die Haare* ~ tear one's hair.
'ausräumen *v/t.* (*h.*) empty, evacuate, clear; remove (*furniture, etc.*); *econ.* clear off (*goods*); *tech.* broach.
'ausrechn|en *v/t. or sich* ~ (*h.*) calculate, compute; *a. fig.* reckon out, *Am.* figure out; do *a sum*; *falsch* ~ miscalculate; → *ausgerechnet*; **2ung** *f* calculation, computation.
'ausrecken *v/t.* (*h.*) stretch (out), extend; *sich* ~ stretch (*or* draw) out; *sich den Hals* ~ crane one's neck.
'Ausrede *f* excuse, pretext, evasion; subterfuge; → *faul*; *~n machen a.* be evasive, quibble, shuffle; *er weiß immer e-e* ~ he is never at a loss for an excuse; **2n I.** *v/i.* (*h.*) finish speaking; *j-n* ~ *lassen* hear a p. out; *lassen Sie mich* ~ *a.* let me have my say; *j-n nicht* ~ *lassen* cut a p. short; **II.** *v/t.* (*h.*): *j-m et.* ~ dissuade a p. from doing a th., talk (*or* argue) a p. out of a th.; *sich* ~ speak one's mind, have one's say.
'ausreiben *v/t.* (*irr., h.*) rub out; *tech.* ream.
'ausreichen *v/i.* (*h.*) suffice, be sufficient (*or* enough); do, last; *das wird kaum* ~ that will hardly do; *es wird für eine Woche* ~ it will last you a week; *mit et.* ~ make a th. do, manage with a th.; **~d** *adj.* sufficient.
'ausreifen *v/i.* (*sn*) ripen *or* mature (thoroughly); → *ausgereift.*
'Ausreise *f* departure, exit; *mar.* voyage out; **~genehmigung** *f* exit permit; **~visum** *n* exit visa.
'ausreißen I. *v/t.* (*irr., h.*) tear (*or* pluck, pull) out; pull up (*a tree*); uproot; pull out, extract (*teeth*); *colloq.* → *Bein*; **II.** *v/i.* (*irr., sn*) run away, decamp; *a. horse*: bolt.
'Ausreißer *m* fugitive, runaway, deserter; *mil.* stray shot.
'ausreiten I. *v/i.* (*irr., sn*) ride out (on horseback), go for (*or* take) a ride; **II.** *v/t.* (*irr., h.*) take out, exercise (*horses*).
ausrenken ['ausrɛŋkən] *v/t.* (*h.*) dislocate (*sich den Arm* ~ one's arm); disjoint.
'ausricht|en *v/t. or sich* ~ (*h.*) straighten; *tech.* true; adjust (*a. one's behaviour, etc.*; *nach* to); align; *mil.* dress (*ranks*); orient (*a map*); *fig.* coordinate, align; *pol.* orientate, bring into line, *b.s.* streamline; organize (*event*); do, effect; accomplish; succeed (*acc.* in); obtain; *nichts* ~ fail; *damit richtet er nichts aus* that won't get him anywhere; *gegen sie konnte er nichts* ~ he was no match for her; execute (*orders, etc.*); deliver (*message, etc.*); *richten Sie ihm meinen Gruß aus* give him my kind regards; *kann ich et.* ~? can I take a message?; *fig. ausgerichtet auf* (*acc.*) keyed to; **2ung** *f* alignment, adjustment; *fig.* orientation, coordination.
'ausringen *v/t.* (*irr., h.*) wring (out); *fig. er hat ausgerungen* his struggles are over.
'Ausritt *m* ride.
'ausroden *v/t.* (*h.*) root out, stub up; clear (*woods*).
'ausrollen I. *v/t.* (*h.*) roll out (*dough*); run out (*cable*); **II.** *v/i.* (*sn*) *aer.* taxi to a stop; **'Ausrollen** *aer. n* landing-run.
'ausrott|en *v/t.* (*h.*) root out (*plants*; *a. fig.*); *fig.* extirpate, eradicate, stamp out; exterminate (*a people*); **2ung** *f* (-; -en) uprooting; extirpation, eradication; extermination, *pol. a.* genocide.
'ausrück|en I. *v/i.* (*sn*) march (*or* turn) out, depart; *colloq.* run away, make off, bolt; **II.** *v/t.* (*h.*) *tech.* disengage, disconnect, throw out (of gear), unmesh; declutch, shift (*clutch*); **2er** *m* (-s; -) disengaging gear, releasing lever; **2stellung** *tech. f* disengaged position; **2ung** *tech. f* (-; -en) disengagement.
'Ausruf *m* (out)cry; exclamation; *gr.* interjection; proclamation; **2en I.** *v/i.* (*irr., h.*) cry (*or* call) out, exclaim; **II.** *v/t.* (*irr., h.*) proclaim; call out, cry, hawk (*goods*); *j-n* ~ *als or zu* proclaim a p. *a th.*; *et.* ~ *lassen* publish a th., have a th. proclaimed (by the town-crier); **~er** *m* (-s; -) public (*or* town-)crier, bellman; *at fairs*: tout, *Am.* barker; **~ung** *f* (-; -en) proclamation; **~ungswort** *gr. n* (-[e]s; ⸚er) interjection; **~ungszeichen** *n* exclamation mark (*Am.* point).
'ausruhen I. *v/i. or sich* ~ (*h.*) rest (*von* from), take (a) rest; repose (*auf dat.* on); relax, take breath; *ausgeruht* rested; fresh; → *Lorbeer*; **II.** *v/t.* (*h.*) *a.* ~ *lassen* (give a) rest; **'Ausruhen** *n* rest, repose, recreation.
'ausrupfen *v/t.* (*h.*) pull (*or* pluck) out.
'ausrüst|en *v/t.* (*sich* o.s.) (*h.*) furnish, provide, supply; fit out (mit with); *mil.* arm, equip; *mar.* rig (*or* fit) out, man; *tech.* finish (*cloth, paper*); *fig.* endow, equip; **2ung** *f* fitting out; *sports, etc.*: outfit, *a. mil.* equipment, *of soldier*: kit; *tech.* equipment; appliance, device; accessories *pl.*, fittings *pl.*; attachment; *of paper*: finish(ing); *mar.* armament.
'ausrutsch|en *v/i.* (*sn*) slip (*auf dat.* on), lose one's footing; *esp. mot., etc.*: skid; **'2er** *m* (-s; -) slip.
'Aussaat *f* sowing; seed.
'aussäen *v/t.* (*h.*) *agr.* sow; *fig.* disseminate, spread.
'Aussage *f* statement, assertion, declaration; *gr.* predicate; *of author*: message, statement, what *an author* has to say; *s-r* ~ *nach* according to his statement, from what he says; *jur.* **a)** evidence, **b)** deposition, **c)** testimony, **d)** *of the parties*: pleadings *pl.*; *eidliche* ~ sworn evidence, affidavit; ~ *verweigern* refuse to give evidence; *e-e* ~ *machen* testify, give evidence; **2n** *v/t. and v/i.* (*h.*) state, declare, assert; *jur.* testify (*gegen* against), give evidence, depose; *the parties*: plead, allege; *e*.*dlich* ~ attest (*or* depose) on oath; **2nd** *gr. adj.* predicatory.
'aussägen *v/t.* (*h.*) saw out.
'Aussage|satz *gr. m* affirmative proposition; **~zwang** *jur. m* compellability of witnesses.
aussaigern ['auszaɪgərn] *chem. v/t.* (*h.*) segregate, liquate.
'Aus|satz *m med.* leprosy; *vet.* scab; *billiards*: lead; **2sätzig** ['-zɛtsiç] *adj.* leprous; **~sätzige(r** *m*) ['-gə(r)] *f* (-n; -n; -en; -en) leper.
'aussaugen *v/t.* (*h.*) suck out; suck (*fruit, wound*); *fig.* drain, exhaust; *j-n* ~ bleed a p. white.
ausschacht|en ['ausʃaxtən] *v/t.* (*h.*) excavate; sink (*a well, shaft*); **2ung** *f* (-; -en) excavation.
'ausschälen *v/t.* (*h.*) peel (*apples, etc.*); shell (*beans, etc.*).
'ausschalt|en *v/t.* (*h.*) eliminate (*a. fig.*); dispose of (*a th.*); compensate for, correct; *el. tech.* switch off, turn off *or* out; break, cut out (*current*); *tech.* disengage, throw out (*the clutch*); *mil.* neutralize; **2er** *el. m* circuit-breaker, cut-out; **2stellung** *tech. f* off position; **2ung** *f* elimination, exclusion, disposal; *el.* circuit break, switching off.
'Ausschank *m* retail *of liquor*; (retail-)bar, *colloq.* pub; retail-licence.
'ausscharren *v/t.* (*h.*) dig up, rake (*or* scratch) up.
'Ausschau *f*: ~ *halten nach* (*dat.*) watch out for, be on the look-out for; **2en** *v/i.* (*h.*) look (*or* watch) out (*nach* for); → *aussehen.*
'ausschaufeln *v/t.* (*irr., h.*) shovel out.
'ausscheiden I. *v/t.* (*irr., h.*) eliminate, separate; remove, exclude, rule out; *chem., math.* **a)** eliminate, **b)** extract, **c)** settle out, precipitate, **d)** liberate; *physiol.* secrete; *med.* excrete, discharge, pass; **II.** *v/i.* (*irr., sn*) *aus e-m Amt*: retire *from an office*; (*a. aus e-m Verein, etc.*) withdraw (*from a club, etc.*); *sports, etc.*: be eliminated, drop out; *chem.* deposit; *das scheidet aus* that's out (of the question); **'Ausscheiden** *n* elimination, removal; retirement, resignation.

ˈ**Ausscheidung** *f* elimination, removal, separation; *med.* secretion, excretion; *chem.* precipitation, deposit; *sports*: elimination (contest), trials *pl.*; **~skampf** *m* elimination (*or* qualifying) contest, tie; **~smittel** *chem. n* separating agent, precipitant; **~s-prüfung** *f* elimination test; **~s-spiel** *n* eliminating game, try-out, tie.

ˈ**ausschelten** *v/t.* (*irr., h.*) chide, scold, upbraid, *Am.* berate.

ˈ**ausschenken** *v/t. and v/i.* (*h.*) pour out; *publican*: retail; sell (*liquor*).

ˈ**ausscheren** *v/i.* (*sn*) *aer., mar.* leave formation, fall out; *mar., mot. a.* veer out.

ˈ**ausschicken** *v/t.* (*h.*) send out (*nach* for), dispatch.

ˈ**ausschießen I.** *v/t.* (*irr., h.*) shoot out; shoot for (*a prize*); reject, cast out; *typ.* impose; *mining*: clear (by blasting); **II.** *v/i.* (*irr., sn*) *bot.* shoot (forth), sprout.

ˈ**ausschiff|en** *v/t. or sich ~* (*h.*) disembark, debark, put ashore, land; discharge (*cargo*); **2ung** *f* (-; -*en*) disembarkation, debarkation.

ˈ**ausschimpfen** *v/t.* (*h.*) → *ausschelten.*

ˈ**ausschirren** *v/t.* (*h.*) unharness.

ˈ**ausschlachten** *v/t.* (*h.*) cut up; *tech.* take to pieces for reutilization; scrap, salvage, cannibalize; *fig.* exploit, make the most of, capitalize on.

ˈ**ausschlacken** *v/t.* (*h.*) (clear of) slag.

ˈ**ausschlafen I.** *v/i.* (*irr., h.*) sleep one's fill; **II.** *v/t.* (*irr., h.*) → *Rausch.*

ˈ**Ausschlag** *m med.* eruption, rash, pimples *pl.*; *tech.* deflection (response), beat (*of pointer*); turn *of the scale*(*s*); swing (*of pendulum*); *mot.* steering lock; *phys.* amplitude; scum, exudation; lining; *fig.* decisive factor; *of price barometer, etc.*: movement; *den ~ geben* decide the issue, settle it, turn the scale; **2en I.** *v/t.* (*irr., h.*) knock (*or* beat, dash) out; line, face, cover; *tech.* flatten out (*metal*); *mining*: crush and sift; refuse, decline, *Am. a.* pass up; decline (*inheritance*); **II.** *v/i.* (*irr., h.*) *horse*: kick, lash out; *pointer*: deflect; *scales*: turn; *pendulum*: swing; grow moist (*or* damp); *bot.* sprout, bud; *trees*: break into leaf; *fig.* result, turn out; *es schlug zu seinem Nachteil aus* it went against him; **2gebend** *adj.* decisive, determining (*factor*); *~e Stimme* casting vote; **~ung** *jur f* (-; -*en*) disclaimer (*of inheritance*).

ˈ**ausschleifen** *tech. v/t.* (*irr., h.*) grind out.

ˈ**ausschließ|en** *v/t.* (*irr., h.*) shut (*or* lock) out; *fig.* exclude, preclude; rule out; expel; bar (*aus* from); *eccl.* excommunicate; *from society, etc*: ostracize; lock out (*workers*); *sports*: disqualify, suspend; *typ.* justify; *sich ~* exclude o.s. (*von* from); *sich ausgeschlossen fühlen* feel left out in the cold; → *ausgeschlossen*; **~lich I.** *adj.* exclusive; **II.** *prp.* (*gen.*) exclusive of; **2lichkeit** *f* (-) exclusivity; **2ung** *f* exclusion, expulsion; *sports*: disqualification, suspension; *econ.* lockout; → *Ausschluß*; **2ungsfrist** *f* time limit; **2ungsverfahren** *jur. n* foreclosure proceedings *pl.*

ˈ**ausschlüpfen** *v/i.* (*sn*) slip out; *aus dem Ei*: hatch out (*of the egg*).

ˈ**ausschlürfen** *v/t.* (*h.*) sip up.

ˈ**Ausschluß** *m* exclusion, expulsion; exemption; *sports*: disqualification; *eccl.* excommunication; *typ.* spaces *pl.*; *jur.* **a**) preclusion, foreclosure, **b**) estoppel (*of demurrer*); *unter ~ der Öffentlichkeit* in camera, in closed session; *mit ~ von* with the exception of.

ˈ**ausschmelzen I.** *v/t.* (*irr., h.*) melt out; fuse (*ore*); render (*fat*); try (*tallow*); **II.** *v/i.* (*irr., sn*) melt out; fuse.

ausschmieren *v/t.* (*h.*) smear (*mit* with); point (up) (*joints*); grease.

ˈ**ausschmück|en** *v/t.* (*h.*) adorn, decorate, ornament; trim (*dress*); *colloq.* trick out; *fig.* embroider, embellish; **2ung** *f* (-; -*en*) adornment, decoration, ornamentation; *fig.* embellishment, embroidering.

ˈ**ausschnauben** *v/t.* (*h.*): *sich die Nase ~* blow one's nose.

ˈ**ausschnaufen** *v/i.* (*h.*) recover one's breath; *fig.* relax, take breath.

ˈ**ausschneiden** *v/t.* (*irr., h.*) cut out, clip; *med.* excise; prune (*trees*); *tief ausgeschnitten* low-necked *dress.*

ˈ**Ausschnitt** *m* cut (*a. fig.*); (*newspaper*) cutting, *Am.* clipping; *on dresses*: neck, *w.s.* neck-line, décolleté (*Fr.*); *tech.* cutout, notch, aperture; *math.* (*Kreis2*) sector, segment; *fig.* part, section.

ˈ**ausschnitzen** *v/t.* (*h.*) carve out.

ˈ**ausschnüffeln** *colloq. v/t.* (*h.*) nose (*or* ferret) out.

ˈ**ausschöpfen** *v/t.* (*h.*) scoop, ladle out, empty; bale out (*a boat*); *tech.* drain; *fig.* exhaust (*a topic*).

ˈ**ausschreib|en** *v/t.* (*irr., h.*) write out; write *a letter, etc.* to the end, finish; write *a word, etc.* in full; expand (*abbreviation, figure*); *shorthand*: extend; *econ.* make out, draw up (*a bill, etc.*); copy; plagiarize, pirate; *thea.* write out, transcribe (*a part*); announce; advertise (*a post*), invite applications for; convoke; *e-n Wettbewerb*: invite entries for (*a competition*), invite tenders (*or* bids) for; *Wahlen ~* issue the writs for elections; impose (*taxes*); *sich ~ author*: write o.s. out, run dry; **2ung** *f* making out; announcement; convocation; imposition (*of taxes*); advertisement (*of post*); call for tenders, invitation to bid; *sports*: invitation to a competition; **2ungsverfahren** *n* competitive procurement procedure.

ˈ**ausschreien** *v/t.* (*irr., h.*) cry out; proclaim; *colloq. er schrie sich den Hals aus* he yelled his lungs out.

ˈ**ausschreit|en I.** *v/i.* (*irr., sn*) step (*or* strike) out, stride (out), take long strides; **II.** *v/t.* (*irr., h.*) pace; measure by steps; **2ung** *f* (-; -*en*) excess; outrage, transgression; *mostly ~en pl.* riots *pl.*, rioting *sg.*

ˈ**Ausschuß** *m* refuse, waste, scrap; *econ.* low-quality goods *pl.*, rejects *pl.*; damaged goods; *med.* exit wound; committee, board, commission, panel; *beratender* (*leitender, ständiger*) *~* advisory (executive, standing) committee; *e-m ~ angehören* sit on a committee; *e-m ~ übergeben* refer to a committee; **~mitglied** *n* member of a committee; **~sitzung** *f* committee meeting; **~ware** *f* defective rejects *pl.*; damaged goods *pl.*; sub-standard goods; **~wunde** *med. f* exit wound.

ˈ**ausschütteln** *v/t.* (*h.*) shake out.

ˈ**ausschütt|en** *v/t.* (*h.*) pour (*or* dump) out; empty; spill; *econ.* distribute, pay (*dividends*); divide (*bankrupt's estate*); (*j-m*) *sein Herz ~* pour out (*or* open, unburden) one's heart (to a p.), unbosom o.s.; *sich vor Lachen ~* split one's sides with laughter; **2ung** *f* (-; -*en*) (*atomic*) fallout.

ˈ**ausschwärmen** *v/i.* (*sn*) swarm (out); *mil. ~* (*lassen*) extend, deploy, fan out.

ˈ**ausschwatzen** *v/t.* (*h.*) blab out.

ˈ**ausschweben** *v/i.* (*sn*) *aer.* flatten out; *~ lassen* flatten out, hold off.

ˈ**ausschweif|en I.** *v/i.* (*sn*) *fig.* roam about, stray; digress; lead a dissolute (*or* fast) life; **II.** *v/t.* (*h.*) rinse, wash; *tech.* scallop, curve; **~end** *adj.* extravagant, excessive; debauched, dissipated, licentious, fast; *~es Leben* life of dissipation; **2ung** *f* extravagance; aberration; dissipation; excess, orgy.

ˈ**ausschweigen**: *sich ~* (*irr., h.*) say nothing, persist in silence; *a. fig.* be silent (*über acc.* on).

ˈ**ausschwenken** *v/t.* (*h.*) rinse; swing (over *or* out) *a crane, etc.*

ˈ**ausschwitz|en** *v/t.* (*h.*) exude; sweat out; **2ung** *f* (-; -*en*) exudation.

ˈ**aussehen** *v/i.* (*irr., h.*): *nach j-m ~* look out for a p.; look, appear; have the appearance (*wie* of); *er sieht blaß aus* he looks pale; *gesund ~* look well; *gut* (*schlecht*) *~* be good-looking (bad-looking); *wie du nur aussiehst!* what a sight you are!; *colloq. ich sah vielleicht aus!* I did look a sight!; *wie sieht er aus?* what does he look (*or* is he) like?; *so siehst du aus!* not on your life!, that's what you say (*or* think)!; *es sieht nach Regen aus* it looks like rain; *er sieht wie ein Narr aus* he looks a fool; *er sieht ganz danach aus* he looks it; *~, als ob* look as if; *nach et. ~ fig.* make a great show; *damit es nach et. aussieht* just for looks; *wie sieht es bei dir aus?* how are you getting on?; *es sieht schlecht mit ihm aus* he is in a bad way.

ˈ**Aussehen** *n* appearance, exterior, look(s *pl.*); air, aspect; *tech.* finish, make-up; *dem ~ nach* in appearance, to outward view, on the face (of it); *dem ~ nach urteilen* judge by appearances.

außen [ˈaʊsən] *adv.* out; without, (on the) outside; out of doors; *~ und innen* without and within, outside and inside; *nach ~* (*hin*) outward(s), externally; *von ~* from (the) outside, from without; **2abmessung** *f* external dimension; **2abteilung** *f* outlying agency; **2ansicht** *f* outside view, exterior; **2antenne** *f* outdoor aerial (*Am.* antenna); **2aufnahme** *f film*: location shot, exterior (shot); *auf ~* on location;

~be-amte(r) *m* field officer, field man; **ⵒbezirk** *m* outlying district; ~e *pl.* outskirts *pl.*; **~bilanz** *f* balance of payments; **ⵒbordmotor** *m* outboard motor.

'aussenden *v/t.* (*h.*) send out, dispatch; transmit (*radio message*); *phys.* send out, emit.

'Außen...: **~dienst** *m mil.* field duty; *w.s.* field service; **~durchmesser** *m* outside diameter; **~fläche** *f* face, surface; periphery; **~gewinde** *n* external thread; **~hafen** *m* outport, outer harbo(u)r; **~handel** *m* foreign (*or* export) trade; **~handels-bilanz** *f* balance of trade; **~haut** *f mar.* outer skin, hull plating; *aer.* covering wing fabric; *anat.* epidermis; **ⵒliegend** *adj.* outlying, external; **~luft** *f* outside air; **~luft-druck** *m* barometric pressure; **~maß** *n* outside (*or* external) measurement; **~minister** *m* foreign minister; *Brit.* Foreign Secretary, Secretary of State for Foreign Affairs, *Am.* Secretary of State; **~ministerium** *n* Foreign Ministry; *Brit.* Foreign Office; *Am.* Department of State; **~politik** *f* foreign policy; **ⵒpolitisch** *adj.* of (*or* referring, *adv.* with regard to) foreign affairs; international; **~seite** *f* outside, exterior, surface; periphery; *an der ~ befindlich* peripheral; **~seiter** ['-zaɪtər] *m* (-s; -) *sports or fig.*: outsider, dark horse; **~stände** ['-ʃtɛndə] *econ. pl.* outstanding debts, *Am.* accounts receivable; **~stehender** ['-ʃteːəndər] *m* (-en; -en) outsider, looker-on; **~stelle** *f* branch office; field agency; **~stürmer** *m soccer*: wing-forward, winger; **~tasche** *f* outer pocket; **~temperatur** *f* outdoor temperature; **~wand** *f* outer wall; **~welt** *f* (-) outer (*or* outside) world; **~wirtschaft** *f* foreign trade (and payments).

außer ['aʊsər] **I.** *prp. space*: out of, outside; beyond, beside; beside(s), apart from, not counting, *Am.* aside from; in addition to; except, save, but, other than; → *Betrieb, Dienst, Frage, etc.*; *alle ~ einem* all but one; *alle ~ den hier erwähnten Personen* all persons other than those named here; *~ sich sein or geraten* be *or* get beside o.s. (*vor Freude* with joy); *seien Sie ~ Sorge* don't worry; **II.** *cj.* *~ daß* except (*or* save, but) that; *~ wenn* if not, unless; **~amtlich** *adj.* non-official, unofficial, private; **~beruflich** *adj.* extra-professional; **~betrieblich** *adj.* external; **ⵒbetriebsetzung** ['-zɛtsuŋ] *f* (-; -en) putting out of operation; stoppage; **~dem** *adv.* besides, moreover; what is more; **~dienstlich** *adj.* unofficial, private; off-duty; **ⵒdienststellung** *f* putting out of commission; laying off; retirement.

äußere ['ɔʏsərə] *adj.* outer, outward, exterior, external; *~r Durchmesser* outside diameter; **'Äußere(s)** *n* (-[e]n) outside, exterior, outward appearance; *a. fig.* surface; *nach dem ~n zu urteilen* judging by appearances, on the face of it; *Minister des ~n* → *Außenminister.*

'außer...: **~ehelich** *adj.* illegitimate, *child* born out of wedlock; extramarital (*intercourse*); **~etatsmäßig** *adj.* extra-budgetary, extraordinary; **~europäisch** *adj.* extra- (*or* non-) -European; **~fahrplanmäßig** *adj.* special, non-scheduled; **~gerichtlich** *adj.* extra-judicial, private; *~e Regelung* settlement out of court; *j-n gerichtlich und ~ vertreten* represent in and out of court; **~gewöhnlich** *adj.* extraordinary; → *außerordentlich*; *nichts ⵒes* nothing out of the way *or* ordinary; **~halb I.** *prp.* (*gen.*) out of, outside; beyond; *~ der Geschäftsstunden* out of office hours; → *außer*; **II.** *adv.* externally, (on the) outside; *live* outside the town; *von ~* **a)** from outside, **b)** from abroad; **ⵒkurssetzung** [-zɛtsuŋ] *f* (-; -en) withdrawal from circulation, demonetization; **~lehrplanmäßig** *adj.* extracurricular.

äußerlich ['ɔʏsərliç] *adj.* external, exterior, outward; *med. ~es Mittel* topical remedy; *zum ~en Gebrauch* to be applied externally; *fig.* apparent, seeming; superficial; shallow; sham, insincere; *rein ~ betrachtet* on the face of it; **ⵒkeit** *f* (-; -en) exterior, external appearance; *fig.* formality, matter of form; superficiality; insincerety; *~en pl.* externals; formalities.

äußern ['ɔʏsərn] *v/t.* (*h.*) utter, express, voice; advance; show, manifest; *sich or s-e Meinung ~* (*über acc.*) express o.s. (on), give (*or* voice) one's opinion (on); comment (on), submit one's comments (on); *thing*: *sich ~* manifest itself, be expressed, become apparent; make itself felt.

'außer-ordentlich *adj.* extraordinary, uncommon, unusual, exceptional, singular; amazing, remarkable; eminent, outstanding; enormous, immense, extreme; extraordinary, special; *~e Ausgaben* extras *pl.*; *~es Gericht* special court; *~er Professor* senior lecturer, *Am.* associate professor; *ⵒes leisten* do (*or* work) wonders.

'außerparlamentarisch *adj.*: *~e Opposition* extra-parliamentary opposition.

'außerplanmäßig *adj.* extraordinary, additional; unscheduled; supernumerary (*civil servant*); extra-budgetary.

äußerst ['ɔʏsərst] **I.** *adj. space*: outermost, extreme; farthest, most remote; *time*: last, latest, final, closing; *fig.* utter, utmost, extreme; *~es Ende* extreme end; *~e Grenze* utmost limit, deadline; *~er Preis* lowest (*or* rockbottom) price; *im ~en Falle* at the worst; *mit ~er Anstrengung* by supreme effort; *mit ~er Kraft* at full speed, *fig.* at top-speed; at full pressure; *von ~er Wichtigkeit* of utmost importance; **II.** *adv.* extremely, exceedingly, utterly, highly, most; **ⵒe(s)** *n* (-[e]n) extremity, extreme (case); *auf das ~ treiben* push (*matters*) to extremes; drive *a p.* to extremities; *bis zum ~n gehen* go to extremes, *Am.* go the limit; *sein ~s tun* do one's very best (*or* one's utmost); *aufs ~* to the utmost, for all it is worth; *bis zum ~n* to the bitter end; *auf das ~ gefaßt* prepared for the worst; *zum ~n entschlossen* desperate.

außerstande [-'ʃtandə] *adj. pred.* unable, not in a position (*zu inf.* to *inf.*).

Äußerung ['ɔʏsəruŋ] *f* (-; -en) utterance, statement, declaration; remark, observation, comment; *w.s.* manifestation; demonstration, expression.

'aussetzen I. *v/t.* (*h.*) put out, set out; *mar.* disembark, put ashore, land; maroon *a p.*; lower, launch (*boats*); post, station (*sentries*); release (*fish*); expose (*a child*; *a. fig. dat. a p. to weather, danger, etc.*); *fig. dem Gelächter ~* expose (*or* turn) to ridicule, make *a p.* the laughing-stock (*of the town, etc.*); *sich e-r Gefahr ~* expose o.s. to danger, run a risk, take a chance; offer, hold out, promise (*a prize, reward*); set *a price on a p.'s head or life*; bequeath; settle *a sum, etc.* (*j-m* on), allow; *ausgesetzter Betrag* allowance; intermit, interrupt; discontinue, stop; *e-n Tag ~* take a day off; *jur.* **a)** arrest, suspend *judgment*, **b)** stay *proceedings*; suspend *payment*; defer, postpone; put off; adjourn; *et. ~, et. auszusetzen haben an* (*dat.*) find fault with, object to, criticize; *was ist daran auszusetzen?* what's wrong with it?; *was haben Sie an ihm auszusetzen?* what is your objection to him?, what's wrong with him?; *ich habe nichts daran auszusetzen* I cannot find anything wrong with it; **II.** *v/i.* (*h.*) fail; pause, stop, break off; *in games*: miss a turn; *mit et. ~* discontinue, interrupt; *pulse, heart*: miss a beat, skip, *often*: be irregular; *mot.* stall, misfire; *person*: take a rest, have a breather, pause; *~ müssen* lose a turn (*at game*); *ohne auszusetzen* without interruption (*or* let-up), without stopping; **'Aussetzen** *n* (-s) interruption, cessation, stoppage; failure; *of ignition spark*: misfiring; *med. of pulse*: intermittence.

'aussetz|end *adj.* discontinuous, intermittent; **ⵒung** *f* (-; -en) *of children, to danger, weather, etc., a. jur.*: exposure (*dat.* to); *mar.* disembarkation; bequest, settlement; settlement (*of annuity, etc.*); offer, promise (*of prize*); *jur.* **a)** *der Strafvollstreckung*: suspension, arrest *of judgment*, **b)** *e-s Verfahrens*: stay *of proceedings*, **c)** *der Zahlungen*: suspension (*of payments*); deferment, postponement; adjournment; criticism, objection, censure.

'Aussicht *f* (-; -en) view (*auf acc.* of), outlook; *fig.* prospect, chance (*auf* of), outlook (for); *weite ~* vista; *~ haben auf* (*in acc., über acc.*) look down on (into, over), command a view of; *j-m die ~ versperren* obstruct a p.'s view; *~en haben auf* be in the running (*Am.* in line) for, be in a fair way to; *gute* (*schlechte*) *~ haben* have good (poor) chances; *in ~ nehmen* consider, contemplate, plan; *in ~ haben* have in prospect; *in ~ sein* be in the offing; *in ~ stellen* promise, hold out a prospect of; *er hat nicht die geringste ~* he has not the slightest chance; 2**slos** *adj.* hopeless, desperate; ~*er Kampf a.* losing fight; ~**slosigkeit** *f* (-) hopelessness, futility; ~**s-punkt** *m* spot commanding a good view; vantage point; 2**sreich** *adj.* promising, full of promise; ~**s-turm** *m* look-out (*or* observation) tower, *Am.* observatory; 2**svoll** *adj.* → *aussichtsreich*; ~**swagen** *m* observation car.

ˈ**aussieben** *v/t.* (*h.*) sift (*or* sieve) out; screen, filter; *radio*: filter (out); *fig.* screen.

ˈ**aussied|eln** *v/t.* (*h.*) evacuate, transfer (compulsorily); 2**lung** *f* compulsory transfer, evacuation.

ˈ**aussinnen** *v/t.* (*irr.*, *h.*) think out, *Am.* up; invent, contrive; devise.

aussöhn|en [ˈausˌzøːnən] *v/t. or v/refl.* (*h.*) *j-n* (*sich*) ~ *mit et. or j-m* (*a. fig.*) reconcile a p. (o.s.) to a th. *or* with a p.; *sich* ~ *mit a.* make (one's) peace with, make it up with; 2**ung** *f* (-; -*en*) reconciliation.

ˈ**aussonder|n** *v/t.* (*h.*) sort (out), single out, select; separate; → *ausscheiden*; *bankruptcy*: recover; 2**ung** *f* selection; separation; *med.* secretion; excretion; 2**ungsrecht** *n* right of separation.

ˈ**aussortieren** *v/t.* (*h.*) sort (*or* pick, single) out, select; classify.

ˈ**ausspähen I.** *v/t.* (*h.*) spy out; *mil.* scout, reconnoitre; **II.** *v/i.* (*h.*): ~ *nach* peer *or* look out for.

ˈ**ausspann|en I.** *v/t.* (*h.*) stretch, extend; spread; unharness (*horses*); unyoke (*oxen*); *tech.* release, unclamp (*work*); *fig. j-m et.* ~ do a p. out of a th.; steal a p.'s *girl*, cut a p. out with; **II.** *v/i.* (*h.*) (take a) rest, relax, *Am.* take it easy; 2**ung** *f* relaxation, recreation, rest.

ˈ**ausspar|en** *v/t.* (*h.*) leave open (*or* vacant); *tech.* recess; 2**ung** *f* (-; -*en*) recess, notch, cutout.

ˈ**ausspeien** *v/t. and v/i.* (*irr.*, *h.*) spit out, expectorate; *fig.* vomit.

ˈ**aussperr|en** *v/t.* (*h.*) shut (*a. workers*: lock) out; 2**ung** *f of workers*: lock-out.

ˈ**ausspielen I.** *v/t.* (*h.*) play to the end, finish; play (*a card*); play for (*a prize*); *fig. j-n* ~ *gegen j-n* play a p. off against; → *Trumpf*; **II.** *v/i.* (*h.*) finish playing; *cards*: lead; *wer spielt aus?* whose lead is it?; *fig. ausgespielt haben* be played out; *er hat ausgespielt* he is done for, his goose is cooked.

ˈ**ausspinnen** *v/t.* (*irr.*, *h.*) *fig.* spin (*or* draw) out; think out, devise.

ˈ**ausspionieren** *v/t.* (*h.*) spy out.

ˈ**ausspotten** *v/t.* (*h.*) → *verspotten*.

ˈ**Aussprache** *f* pronunciation, accent; *deutliche or genaue* ~ distinct articulation; *fremdartige* ~ (foreign) accent; discussion, talk, exchange of views; debate; *freundschaftliche* ~ heart-to-heart talk; ~**bezeichnung** *f* phonetic transcription; ~**wörterbuch** *n* pronouncing dictionary.

aussprechbar [ˈausʃprɛçbaːr] *adj.* pronounceable, speakable.

ˈ**aussprechen I.** *v/t.* (*irr.*, *h.*) pronounce, *distinctly*: articulate; speak to the end, finish; voice, express, utter; give, express, submit (*an opinion*); *jur.* pronounce, deliver, pass (*judgment*); *gr. nicht ausgesprochen werden* be silent *or* mute; *sich* ~ speak one's mind, express o.s. *or* one's opinion (*über acc.* about, on); unburden o.s., make a clean breast of it; declare o.s. (*für* for, *gegen* against); *er sprach sich für den Plan aus* he advocated (*or* supported, endorsed) the plan; *sie sprachen sich gegen die Politik aus* they rejected (*or* opposed, warned against) the policy; *sich mit j-m über et.* ~ talk a th. over with a p.; → *ausgesprochen*; **II.** *v/i.* (*irr.*, *h.*) finish speaking; *laß mich* ~ let me finish, let me have my say.

ˈ**ausspreizen** *v/t.* (*h.*) spread (out), stretch apart, extend, distend.

ˈ**aussprengen** *v/t.* (*h.*) blast out; *fig.* spread (*a rumour, etc.*).

ˈ**ausspringen** *v/i.* (*irr.*, *sn*) snap out; ~*der Winkel* salient angle.

ˈ**ausspritzen I.** *v/t.* (*h.*) squirt out, spout; *med.* syringe (*ear*); inject (*wound*); *tech.* flush (out); **II.** *v/i.* (*sn*) spurt (*or* gush) out.

ˈ**Ausspruch** *m* utterance, saying; remark, observation, dictum; *jur.*, *etc.*: → *Spruch*.

ˈ**ausspucken** *v/i. and v/t.* (*h.*) spit out (*vor j-m* in front of a p.).

ˈ**ausspülen** *v/t.* (*h.*) wash out, rinse; flush (*a basin*); *tech.* flush, scavenge; *sich den Mund* ~ rinse one's mouth; *geol.* wash away, erode.

ˈ**ausspüren** *v/t.* (h.) track (down), trace.

ˈ**ausstaffier|en** *v/t.* (*h.*) equip, fit out, furnish (*mit* with); trim, garnish; dress up, rig out; 2**ung** *f* (-; -*en*) equipment, outfit; dressing up, garnishing.

ˈ**Ausstand** *m* strike, *Am. a.* walkout; *in den* ~ *treten* go on strike, *Am. a.* walk out; *econ. Ausstände pl.* outstanding debts *pl.*, *Am.* accounts receivable; liabilities.

ˈ**ausständig** *adj.* on strike, striking; *econ.* outstanding, in arrears; 2**e(r** *m*) [ˈ-gə(r)] *f* (-*n*; -*n*; -*en*; -*en*) striker.

ˈ**ausstanzen** *tech. v/t.* (*h.*) punch [out.]

ausstatt|en [ˈausʃtatən] *v/t.* (*h.*) provide, furnish, equip, fit out, supply (*mit* with); give a dowry to *daughter*, portion (off); get up (*a book, etc.*); furnish (*a room*); *with personnel*: staff; *econ. with funds*: capitalize; *fig.* vest (*with powers*); endow, equip; *sich mit et.* ~ provide (*or* supply) o.s. with a th., fit o.s. out with a th.; 2**ung** *f* (-; -*en*) equipment, outfit; provision, supply; furniture, appointments *pl.*; dowry; trousseau; decoration; *of books, etc.*: get-up, make-up; *thea.* scenery, settings, décor (*Fr.*); *tech.* fittings *pl.*, mountings *pl.*; *econ.* terms *pl.* (*of an issue, etc.*); allocation; 2**ungsfilm** *m* spectacle picture; 2**ungsstück** *n thea.* spectacular show; (*object*) fitment.

ˈ**ausstäuben** *v/t.* (*h.*) dust.

ˈ**ausstechen** *v/t.* (*irr.*, *h.*) dig; cut (out) (*peat, etc.*); put out (*eyes*); core (*apples*); *tech.* engrave, carve; prick out (*pattern*); pay out (*cable*); slacken (*chain*); *fig.* cut out, supplant; excel, outdo, put in the shade, eclipse.

ˈ**ausstehen I.** *v/i.* (*irr.*, *h.*) *payments*: be outstanding (*or* owing), be in arrears; *shipment*: be overdue; ~*de Forderungen* outstanding debts, arrears, *Am.* accounts receivable; *Geld* ~ *haben* have money owing; *die Nachricht steht noch aus* the message has not yet arrived; *die Entscheidung steht noch aus* the matter is still pending; **II.** *v/t.* (*irr.*, *h.*) endure, bear, stand; *er hat viel auszustehen* he has a great deal to put up with; *ich kann ihn nicht* ~ I can't bear (*or* stand, stomach) him.

ˈ**aussteifen** *v/t.* (*h.*) stay, strut, brace.

ˈ**aussteigen** *v/i.* (*irr.*, *sn*) get out (*a. colloq. fig.*), *esp. Am.* get off; alight (*aus dat.* from); *mar.* disembark, land; *aer.* deplane, disembark; *colloq.* bale (*esp. Am.* bail) out.

aussteinen [ˈausʃtaɪnən] *v/t.* (*h.*) stone, *Am. a.* pit.

ˈ**ausstell|en** *v/t.* (*h.*) put out (*or* forth); expose (to view); show, display, exhibit; draw up, issue, execute (*documents*); issue, make out (*bill, cheque, passport*); make *a cheque* payable (*auf j-n* to); give (*receipt*); write out (*prescription*); *Wechsel auf j-n* ~ draw upon a p.; 2**er(in** *f*) *m* (-*s*; -; -; -*nen*) issuer; *of bill of exchange*: drawer; *at trade fair*: exhibitor; 2**fenster** *n* ventipane.

ˈ**Ausstellung** *f* exhibition, show, *Am.* exposition; fair; *of goods*: show, display; *of documents*: issue, *Am.* issuance, drawing up, execution; *of bill, passport*: making out; *of bill of exchange*: drawing; censure, criticism (*an acc.* of); ~*en machen an* (*dat.*) find fault with, criticize; ~**s-datum** *n* date of issue; ~**sgelände** *n* exhibition grounds *pl.*; ~**shalle** *f* exhibition hall, pavilion; ~**sraum** *m* show-room; ~**sstand** *m* exhibition stand (*or* booth); ~**sstück** *n* exhibit; ~**s-tag** *m* date of issue.

ˈ**ausstemmen** *v/t.* (*h.*) *tech.* chisel out; slide *skis* into stem position.

Aussterbe-etat [ˈausʃtɛrbə-] *m*: *auf den* ~ *kommen* be destined to die (out); *office*: lapse; *auf dem* ~ *stehen* be doomed.

ˈ**aussterben** *v/i.* (*irr.*, *sn*) die out (*a. fig.*); *esp. family*: become extinct; *fig.* become deserted; *wie ausgestorben* deserted; ˈ**Aussterben** *n* extinction; *im* ~ dying out.

ˈ**Aussteuer** *f* trousseau, outfit; dowry, (marriage) portion; 2**n** *v/t.* (*h.*) → *ausstatten*; *radio*: modulate; ~**ung** *f radio*: modulation, level control; ~**versicherung** *f* endowment insurance.

Ausstieg [ˈausʃtiːk] *m* (-[e]s; -e) trap door, manhole.

ˈ**ausstochern** *v/t.* (*h.*): *sich die Zähne* ~ pick one's teeth.

ˈ**ausstopf|en** *v/t.* (*h.*) stuff; *mit Watte*: wad, pad; 2**er** *m* (-*s*; -) taxidermist.

ˈ**Ausstoß** *m* (-*es*) *fenc.* thrust, pass; *of barrel*: tapping; *econ.* output, production; *tech.* ejection; *mar.* discharge (*of torpedo*); 2**en I.** *v/t.* (*irr.*, *h.*) push (*or* thrust) out; knock (*or* gouge) out (*eyes*); stave in, tap (*barrel*); expel, exclude, oust, turn out; *mil.* cashier; *eccl.* excommunicate; banish, exile; *socially*: ostracize; *math.* eliminate; *gr.* drop, suppress (*letters*), elide (*vowels*); *physiol.* excrete, discharge; *tech.* exhaust, blow off (*gases, etc.*); *phys.* emit, give off; *tech.* eject, throw out; extrude; *mar.* discharge, launch (*torpedo*); utter, give (*cry, oath*); heave (*a sigh*); **II.** *v/i.* (*irr., h.*) *fenc.* thrust, lunge; *swimming*: strike out; **~rohr** *mar. n* torpedo tube; **~ung** *f* (-; -en) expulsion, ejection; *eccl.* excommunication; banishment; *social*: ostracism; *mil.* cashiering; *gr.* **a**) suppression, **b**) elision; **~vorrichtung** *tech. f* ejector, throw-out; **~zahlen** *f/pl.* production (*or* output) figures.

'**ausstrahl|en I.** *v/t.* (*h.*) (ir)radiate, emit, beam (*or* give) forth; *radio*: beam, broadcast; *fig.* radiate; **II.** *v/i.* (*sn*) radiate, emanate (*a. fig.*); *pain*: extend (*zu* to); **2ung** *f* (ir)radiation, emission, emanation (*a. fig.*); vibration, oscillation; wave; **2ungsvermögen** *n* (-s) radiating power.

'**ausstreben** *v/t.* (*h.*) strut, brace.

'**ausstrecken** *v/t.* (*h.*) stretch (out); *die Hand ~* hold (*or* extend, reach) out one's hand (*nach* for); *mit ausgestreckten Händen* with outstretched hands; put out (*feelers*); stretch, elongate; *sich ~* stretch o.s. (out); sprawl.

'**ausstreich|en** *v/t.* (*irr., h.*) strike (*or* score, cross) out; cancel, delete; smooth (down); grout, point (*joints*); paint; grease; **2messer** *tech. n* smoothing blade, scraper.

'**ausstreuen** *v/t.* (*h.*) scatter; spread (*rumours*).

'**ausström|en I.** *v/i.* (*sn*) stream (*or* flow, gush) forth, issue; *gas, steam*: escape, exhaust; *phys. light, rays*: emanate (*a. fig.*), radiate; *gas*: effuse; **II.** *v/t.* (*h.*) pour out (*or* forth); emit, give forth; *~ lassen* discharge, drain (off) (*water*); *fig.* spread, breathe, exude; **2ung** *f* outflow, issue; discharge; *of gas*: escape; *of light*: emanation; *phys.* radiation.

'**ausstudieren I.** *v/i.* (*h.*) complete one's studies; take one's degree, *esp. Am.* graduate; **II.** *v/t.* (*h.*) study thoroughly, explore.

'**aussuchen** *v/t.* (*h.*) search; choose, select, pick (*or* single) out; *suchen Sie sich nur et. aus* take your pick, just pick and choose; → *ausgesucht*.

'**austäfeln** *v/t.* (*h.*) wainscot, panel.

'**austapezieren** *v/t.* (*h.*) paper.

'**austast|en** *v/t.* (*h.*) *TV*: blank; **2ung** *f* (-; -en) blanking.

'**Austausch** *m* (-es) (*a. cultural*) exchange; *of goods*: *a.* barter; interchange (*or* exchange) of ideas; *im ~ gegen* in exchange for; **2bar** *adj.* interchangeable, exchangeable; **~barkeit** *f* (-) interchangeability; **2en** *v/t.* (*h.*) exchange (*gegen* for); interchange; barter, truck, swap; exchange (*looks, words*), bandy; exchange (*ideas*), compare (*notes*); substitute; **~programm** *n* exchange program(me); **~stahl** *m* substitute steel; **~stück** *tech. n* duplicate (*or* spare) part; **~student(in** *f*) *m* exchange student; **~werkstoff** *m* alternat(iv)e material, substitute.

'**austeil|en** *v/t.* (*h.*) distribute, hand out (*an, unter acc.* to, among); allot (to); dispense; give, issue (*orders*); serve out (*food*); bestow (*grace*); deal out (*blows*); deal (out) (*cards*); *eccl. das Abendmahl ~* administer the Sacrament; *den Segen ~* impart the blessing; **2ung** *f* distribution; allotment; administration.

Auster ['aʊstər] *f* (-; -n) oyster; **~nbank** *f* (-; ⸚e) oyster bed; **~nfang** *m*, **~nfische'rei** *f* oyster-dredging; **~nhändler** *m* oyster-man; **~nschale** *f* oyster shell; **~nzucht** *f* oyster-culture.

'**austilg|en** *v/t.* (*h.*) efface, obliterate, wipe out; exterminate, eradicate, wipe out; *esp. fig.* extirpate (*vice, etc.*); **2ung** *f* obliteration; extermination, extirpation.

'**austoben I.** *v/i.* (*h.*) cease raging, calm down, abate; **II.** *v/t.* (*h.*) give full vent to (*one's rage, etc.*); *sich ~ youth*: sow one's wild oats, have one's fling; *w.s.* let off steam.

'**austollen**: *sich ~* (*h.*) frolic, (have a good) romp, have one's fling.

Austrag ['austra:k] *m* (-[e]s) decision, settlement; *zum ~ bringen* settle (*vor Gericht* in court); *fig.* bring to a head; *zum ~ kommen* come up for decision, come off (*or* to a head); *bis zum ~ der Sache* while the matter is pending; **2en** *v/t.* (*irr., h.*) carry out (*or* round); deliver (*letters*); carry *a child* to term; wear out (*clothes*); *econ.* **a**) transfer, **b**) cancel; *fig.* retail; gossip, spread, circulate (*rumours*); determine, settle; hold, stage (*competition*).

'**Austräger(in** *f*) *m* carrier, roundsman; errand-boy; *b.s. fig.* telltale.

Austral|ien [au'stra:liən] *n* (-s) Australia; **~ier(in** *f*) *m* (-s; -; -; -nen), **2isch** *adj.* Australian.

'**austreib|en** *v/t.* (*irr., h.*) drive out (*cattle, a. wedge*); expel, oust; exorcize (*devil*); *med.* extrude (*baby*); *tech.* beat out; *fig. j-m et. ~* take a th. out of a p.; *ich werde ihm das schon ~* I'll cure him of that; **2ung** *f* (-; -en) expulsion; exorcism.

'**austreten I.** *v/t.* (*irr., h.*) tread out; stamp out (*fire*); wear out (*shoes*), *new ones*: break in; wear down (*or* out) (*stairs*); → *ausgetreten*; **II.** *v/i.* (*irr., sn*) come forth; *med. blood from vessels*: extravasate; *hernia*: protrude; *light*: emerge; *river*: overflow (its banks), be flooded; retire *or* withdraw (*aus* from); leave (*a firm, school*); *eccl.* secede (*aus* from); *physiol.* ease o.s., go somewhere, wash one's hands; *~ aus* leave (*a party*); resign membership of (*a society, club, etc.*).

'**austrinken** *v/t. and v/i.* (*irr., h.*) drink up; empty, drain, finish (one's glass).

'**Austritt** *m* retirement, withdrawal, resignation; *eccl.* secession, leaving; *of air, gas*: exit, egress; *of light*: emergence; *tech.* outlet, vent, port; *med. of blood*: extravasation; *of nerve, vessel*: exit; *of groin*: protrusion.

'**Austritts...**: **~düse** *f* outlet nozzle; **~erklärung** *f* notice of withdrawal; **~geschwindigkeit** *f* discharge velocity, *mil.* muzzle velocity; **~phase** *med. f* third stage (*of birth*); **~ventil** *n* outlet valve.

'**austrocknen I.** *v/t.* (*h.*) dry up, dessicate (*a. med.*); parch (*soil, throat*); drain; season (*wood*); wipe dry; **II.** *v/i.* (*sn*) dry up, become (*or* run) dry.

'**austrommeln** *v/t.* (*h.*) publish by beat of drum; *fig.* noise abroad.

'**austrompeten** *v/t.* (*h.*) → *ausposaunen.*

'**auströpfeln** *v/i.* (*sn*) trickle (*or* [drip) out.]

'**austüfteln** *v/t.* (*h.*) puzzle out; think out, contrive.

'**aus-üb|en** *v/t.* (*h.*) exercise (*power, right, supervision, etc.*); exert (*influence*); practise (*law, medicine, etc.*); carry on (*a trade*); conduct, perform, carry on (*activity*); → *Druck*; *ein Verfahren ~* (*Patent Law*) perform a system; commit, perpetrate (*a crime*); → *Rache*; **~end** *adj.* practising; *~er Arzt* (general) practitioner; *~e Gewalt* executive power; **2ung** *f* exercise; practice; performance, execution (*of duty*); perpetration (*of a crime*); *in ~ des Dienstes* in performance of one's duty, *Am.* in line of duty; *in ~ s-s Berufes* in pursuance of one's vocation.

'**Ausverkauf** *m* selling off; clearance sale; seasonal sale; bargain sale; *fig.* sellout; *et. im ~ kaufen* buy a th. at a clearance sale; **2en** *v/t.* (*h.*) sell out; sell off, clear (off the stocks), *Am. a.* close out; *ausverkauft* sold out, out of stock, *thea.* sold out, filled to capacity, (*notice*) "house full"; *vor ausverkauftem Hause spielen* play to a full house.

'**auswachsen I.** *v/i.* (*irr., sn*) *bot.* sprout; *person*: grow up, reach one's full growth; *b.s.* grow deformed; grow hunchbacked; *med.* heal up; *colloq. es war zum 2* **a**) it was frightfully boring, **b**) it was enough to drive you crazy; **II.** *v/t.* (*irr., h.*) outgrow (*clothes*); *sich ~ zu* (*dat.*) grow *or* develop into.

'**auswägen** *v/t.* (*irr., h.*) → *auswiegen.*

'**Auswahl** *f* choice, selection; *econ.* assortment, collection; *market research*: sample; *e-e reiche ~* a great variety (*or* wide choice, range) *of goods, etc.*; *e-e ~ treffen* make a selection, take one's choice; *Hunderte von Büchern zur ~* hundreds of books to choose from; choice articles *pl.*, the pick (of the bunch); *of people*: élite, cream, pick; *of poems*: anthology; *of condensed books*: digest.

'**auswählen** *v/t.* (*h.*) choose, select (*aus* from, from among), *carefully*: *a.* pick (*or* single) out; *wähl dir das Beste aus!* take your pick!

'**Auswahl...**: **~mannschaft** *f sports*: select (*or* representative) team; **~prinzip** *phys. n* selection principle; **~sendung** *econ. f* samples *pl.* (sent for selection).

'**auswalzen** *metall. v/t.* (*h.*) roll out.
'**Auswander|er(in** *f*) *m* emigrant; **ᒠn** *v/i.* (*sn*) emigrate (*von* from, *nach* to); *birds, tribes*: migrate; *ballistics*: get out of range.
'**Auswanderung** *f* emigration; migration; *fig.* exodus; **~sbehörde** *f* board of emigration.
auswärtig ['ausvɛrtiç] *adj.* out-of--town; non-resident; foreign; external; *das* ᒠ*e Amt* → *Außenministerium*; *~e Angelegenheiten* foreign (*or* external) affairs; *~er Ausschuß* foreign relations committee.
auswärts ['ausvɛrts] *adv.* outward(s); away from home; out of doors; out of town; abroad; *~ wohnend* non-resident; *~ essen etc.* dine, *etc.*, out; **ᒠspiel** *n sports*: away (*or* out) match.
'**auswaschen** *v/t.* (*irr., h.*) wash out, cleanse; rinse; *med.* bathe; *geol.* erode.
'**auswässern** *v/t.* (*h.*) (soak in) water.
auswechsel|bar ['ausvɛksəl-] *adj.* interchangeable, exchangeable; replaceable; **~n** *v/t.* (*h.*) exchange, interchange; replace (*all a. tech.*); change (*battery, tyre, wheel*); *fig. sich wie ausgewechselt fühlen* feel a new (wo)man; **ᒠung** *f* (-; -*en*) exchange, interchange; replacement; changing.
'**Ausweg** *m* way out; *tech.* exit, vent; *das Wasser sucht sich e-n ~* the water seeks an outlet; *fig.* way out, loophole; alternative; expedient, shift; *letzter ~* last resort; *ich sehe keinen ~ mehr* I am at my wits' end; **ᒠlos** *adj.* hopeless.
Ausweich|bewegung ['ausvaiç-] *mil. f* evading movement; **ᒠen** *v/i.* (*irr., sn*) turn (*or* step) aside, make way (*dat.* for); avoid; dodge; *boxing*: **a)** duck, **b)** side-step; *mil.* withdraw, avoid contact (by an evading movement); *fig.* elude; avoid, dodge; evade, shirk (*a duty*); evade *or* side-step (*the issue*); be evasive, hedge; switch over (*auf acc.* to); **ᒠend** *adj.* evasive, non--committal; **~flugplatz** *m* alternative airfield; **~frequenz** *f* alternative frequency; **~klausel** *f* escape clause; **~krankenhaus** *n* out (*or* reserve) hospital; **~lager** *n* reserve store; **~manöver** *mil. n* evading movement; **~plan** *m* alternative plan; **~schritt** *m* side-step; **~stelle** *f mot.* by-pass; out-office; **~stellung** *mil. f* alternate position; **~stoff** *m* alternate, substitute, ersatz; **~ung** *tech. f* (-; -*en*): *plastische ~* plastic flow; *seitliche ~* lateral flow (*or* deformation); **~ziel** *mil. n* alternat(iv)e target.
'**ausweiden** *v/t.* (*h.*) disembowel, eviscerate (*game*); gut (*fish*); draw (*poultry*).
'**ausweinen I.** *v/i.* (*h.*) cease weeping; **II.** *v/t. and sich ~* (*h.*): *sich* (*or s-n Kummer*) *~* relief one's grief by weeping; *sich* (*ordentlich*) *~* cry one's fill, have a good cry; *sich die Augen ~* cry one's eyes out.
Ausweis ['ausvais] *m* (-*es*; -*e*) voucher; documentary proof, evidence; (bank) return, *Am.* statement; *of balance*: report; statement (of account); certificate; identity card, *Am.* identification (card); → *Ausweiskarte*; **ᒠen** *v/t.* (*irr., h.*) expel, eject; banish, exile; deport (*undesirable aliens*); *jur.* evict (*aus dat.* from *dwelling, lease, etc.*); *econ.* show, present, prove, *in books*: set out, give an account (of); *j-n* (*sich*) *als ~* identify a p. (o.s.) as; *sich ~* prove (*or* establish) one's identity, show one's papers, *fig.* prove (*or* show) o.s. *a good diplomat, etc.*; *ordentlich ausgewiesen* duly evidenced (*or* identified); well authenticated; **~karte** *f* identity card, *Am.* identification (card); (admission) ticket; *w.s.* pass, permit; **ᒠlich** *prp.* (*gen.*) as shown in, as evidenced by, according to; **~papiere** *n/pl.* identity papers *pl.*, documents *pl.*; **~ung** *f* expulsion; deportation; eviction; proof of identity; **~ungsbefehl** *m* order of expulsion; *for aliens*: deportation warrant.
'**ausweit|en** *v/t. or sich ~* (*h.*) widen; expand, extend (*all a. fig.*); stretch (*gloves, shoes*); *fig.* spread; extend (*a. econ. credit*), expand; **ᒠung** *f* widening; expansion; extension (*a. des Krieges* of warfare).
'**auswendig** *adj.* (*and adv.*) outward(ly), external(ly), outside; *~ angebracht* mounted externally; *fig.* by heart; by rote; *~ lernen* learn by heart, commit to memory, memorize; et. *~ können* **a)** know by heart, **b)** know a th. inside out; *~ spielen* play from memory.
'**auswerf|en** *v/t.* (*irr., h.*) throw (*or* cast) out; cast (*fishing-line, anchor*); eject, vomit (*lava*); *med. Blut*: expectorate, bring up (*blood, phlegm*); allow, grant, allot, fix (*a sum*); *tech.* **a)** reject, discard, **b)** discharge (*a. mil. cartridges*); eject; **ᒠer** *tech. m* knock-out, *esp. mil.* ejector.
'**auswert|en** *v/t.* (*h.*) evaluate (*data, results*); analyze, interpret; estimate; utilize, make (full) use of, (*a. commercially*) exploit (*a film, patent*); **ᒠestelle** *f* computing (*or* plotting) station; **ᒠeverfahren** *n* evaluation method; **ᒠung** *f* evaluation; analysis; interpretation; utilization; (*a. commercial*) exploitation; *~ der Versuchsergebnisse* analysis of the data obtained; *zeichnerische ~* graphical solution.
'**auswetzen** *v/t.* (*h.*) grind out; *fig.* → *Scharte.*
'**auswickeln** *v/t.* (*h.*) unwrap, unfold; unswathe (*a baby*).
'**auswiegen** *v/t.* (*irr., h.*) weigh (out); balance out; → *ausgewogen.*
'**auswinden** *v/t.* (*irr., h.*) wring out.
Auswinterungsschäden ['ausvintəruŋsʃɛ:dən] *m/pl.* winter killing.
'**auswirk|en** *v/t.* (*h.*) work out; knead (*dough*); *fig.* effect, bring about; *sich ~* take effect, operate, make itself felt; *sich ~ auf* (*acc.*) affect; bear (*or* tell) on; *es wirkte sich ungünstig aus* it worked out badly, it had unpleasant consequences; → *einwirken*; **ᒠung** *f* effect; bearing (*auf* on); result, outcome; implication; consequence, impact, aftermath, repercussion.
'**auswischen** *v/t.* (*h.*) wipe out; wipe off, obliterate, efface; sponge out; *sich die Augen ~* wipe one's eyes; *colloq. j-m eins ~* **a)** paste a p. one, *a. fig.* land on a p., **b)** play a trick on a p., put one over on a p.
'**auswittern I.** *v/i.* (*sn*) effloresce (*ore, salts, etc.*); decompose, decay (*wood*); **II.** *v/t.* (*h.*) (*a. ~ lassen*) season (*wood*).
'**auswringen** *v/t.* (*irr., h.*) wring out.
'**Auswuchs** *m* (-*es*; ⸚*e*) outgrowth (*a. fig.*); *med.* excrescence, protuberance; *of bones*: exostosis; deformity; hunch, hump; *bot.* tumo(u)r; *fig. Auswüchse pl.* **a)** aberrations, products (*of a morbid imagination*), **b)** abuse, excrescence, exaggeration.
'**auswuchten** *tech. v/t.* (*h.*) balance out.
'**auswühlen** *v/t.* (*h.*) dig (*or* grub, root) up; undermine.
'**Auswurf** *m* throwing out; *tech.* discharge, ejection; *of volcano*: eruption; *med.* expectoration, sputum; ejection (*of blood*); *ohne ~* (*cough*) unproductive; refuse; rubbish, trash; *fig. ~* (*der Menschheit*) the dregs *pl. or* scum (of society).
'**auszacken** *v/t.* (*h.*) jag; *tech.* indent, tooth.
'**auszahlen** *v/t.* (*h.*) pay (out), disburse; *in bar ~* pay cash down; *voll ~* pay in full; pay off (*workers, creditors, etc.*); buy out; *fig. sich ~* pay.
'**auszählen I.** *v/t.* (*h.*) *parl., boxing, etc.*: count out; *boxing*: *ausgezählt werden* take the count; **II.** *v/i.* (*h.*) count to the end.
'**Auszahlung** *f* payment, disbursement; pay-off, discharge; *to creditors*: reimbursement; *telegraphische ~* telegraphic (*or* cable) transfer; **~s-anweisung** *f* disbursing order; **~ssperre** *f* stop-payment order; **~sstelle** *f* paying office.
'**auszahnen** *tech. v/t.* (*h.*) tooth, indent.
'**auszanken** *v/t.* (*h.*) scold, upbraid.
'**auszehr|en** *v/t.* (*h.*) waste, consume; impoverish, drain (*a country*); *sich ~* pine away (*vor* with), eat one's heart out; **ᒠung** *med. f* consumption, phthisis.
'**auszeichn|en** *v/t.* (*h.*) mark (out); label, ticket, price (*goods*); *fig.* **a)** distinguish, make stand out *a p. or a th.*; *das zeichnet ihn aus* that does him credit; *was diesen Artikel auszeichnet ist* the special merits (*or* features) of this article are, **b)** hono(u)r, treat with distinction; *j-n mit ~* award *a prize, etc.* to a p.; *with an order*: decorate a p.; *sich ~* distinguish o.s., excel (*als* as; *durch* by; *in* at, in); *dieser Wagen zeichnet sich durch ... aus* this car stands out for (*or* is superior by); **ᒠung** *f* marking; *econ.* label(l)ing, ticketing; pricing; *fig.* distinction, hono(u)r (*für* to); *mit ~ bestehen* pass with distinction, take first-class hono(u)rs; hono(u)rable mention, award of hono(u)r, citation; decoration, medal; award, prize.
'**auszieh|bar** *tech. adj.* extensible,

telescopic, pull-out; removable; **~en I.** *v/t.* (*irr.*, *h.*) draw (*or* pull) out; take off, doff (*clothes*); draw off (*gloves*); undress, strip, *fig.* fleece *a p.*; *sich ~* take off one's clothes, undress, strip; *chem. math.* extract (*aus* from); *aus e-m Buch, etc.*: make an abstract of, extract from *a book, etc.*, summarize, epitomize *a book, etc.*; make out (*an account*), make a statement of; ink in (*a drawing*), trace (*with Indian ink*); stretch; *chem. ~ lassen* infuse; **II.** *v/i.* (*irr.*, *sn*) march off, set out, depart; *aus e-r Wohnung*: (re)move (from *a dwelling*); *colour*: fade; **2leiter** *f* extension ladder; **2platte** *f of table*: leaf; **2rohr** *n* telescopic tube; **2sicherung** *f* pull-out (*or* push-in) fuse; **2tisch** *m* pull-out (*or* extension) table; **2tusche** *f* drawing ink; **2ung** *chem. f* extraction.

'auszimmern *v/t.* (*h.*) timber, frame; *mining*: prop *the shaft.*

'auszirkeln *v/t.* (*h.*) measure (*or* mark out) with compasses.

'auszischen *thea. v/t.* (*h.*) hiss (at).

'Auszug *m* departure, *mil.* marching out; *bibl. or fig.* exodus; *aus e-r Wohnung*: removal (*from dwelling*); evacuation; *chem.* extract, essence; *phot.* separation; *from a book, etc.*: abstract, extract, excerpt; abridgement, condensation; epitome; summary, compendium; *econ. from a bill*: abstract; statement (of account); **~mehl** *n* super-fine flour; **2sweise** ['-svaɪzə] *adv.* by (way of) extract, in extracts, in the form of an abstract; *~ darstellen or wiedergeben* epitomize.

'auszupfen *v/t.* (*h.*) pluck out; *tech.* unravel (*silk, threads*); pick, bur (*wool*).

autark [aʊ'ta:rk] *adj.* self-supporting, self-sufficient, independent; **Autar'kie** *f* (-; -*n*) autarky, autarchy, self-sufficiency.

authentisch [aʊ'tɛntiʃ] *adj.* authentic(ally *adv.*); genuine; *von ~er Seite* on good authority.

Auto ['aʊto] *n* (-*s*; -*s*) (motor-)car, *Am. a.* auto(mobile); motor-vehicle; *n.s.* passenger car; *~ fahren* drive (a car), go (*or* travel) by car; go motoring; *sich im ~ mitnehmen lassen* hitch-hike; **~ausstellung** *f* motor-show; **~bahn** *f* motorway, *Am.* superhighway; autobahn; **~-büche'rei** *f* bookmobile.

'Autobio|gra'phie *m* autobiography; **2'graphisch** *adj.* autobiographic(al).

'Auto...: ~brille *f* (motor) goggles *pl.*; **~bus** *m* (motor-)bus, *Am.* (auto)bus; motor coach; trolley-bus; **~bus-haltestelle** *f* bus stop.

'Autochrom *n* autochrome.

Autodidakt [aʊtodi'dakt] *m* (-*en*; -*en*) self-taught person, autodidact.

'Auto...: ~droschke *f* taxi(-cab), cab; **~'dyn-empfänger** *m* autodyne oscillator; **~empfänger** *m* car radio (receiver); **2e'rotisch** *psych. adj.* auto-erotic; **~fahrer** *m* motorist, (car-)driver; **~falle** *f* police trap; **~flugzeug** *n* road-going aircraft, air car.

autogen [aʊto'ge:n] *adj.* autogenous; *~e Schweißung* autogenous welding.

'Autogiro *n* gyroplane, autogiro.

Auto|'gramm *n* (-*s*; -*e*) autograph; **~'grammjäger** *m* autograph hunter; **~graphie** [-gra'fi:] *typ. f* (-; -*n*) autography, autographical printing.

'Auto...: ~händler *m* car dealer; **~hof** *m* motor-court, auto court; **~hupe** *f* horn; **~industrie** *f* motor industry, *Am.* automotive industry; **~karte** *f* road map (for motorists); **~kino** *n* drive-in (cinema); **~koffer** *m* motor-car trunk; **~kolonne** *f* motor-vehicle column; motor cavalcade, *Am.* motorcade.

Auto|krat [aʊto'kra:t] *m* (-*en*; -*en*) autocrat; **2'kratisch** *adj.* autocratic; **~kratie** [-kra'ti:] *f* (-; -*n*) autocracy.

Automat [aʊto'ma:t] *m* (-*en*; -*en*) automatic machine; *a. fig.* automaton, robot; automatic lathe; trip fuse; automatic vending machine, (penny-in-the-)slot machine, *Am.* vendomat; musical automaton, *Am.* juke box; **~enrestaurant** *n* self-service restaurant, *Am.* cafeteria, automat; **~enstahl** *m* free-cutting steel; **~ion** [-matsi'o:n] *f* (-) automation; **2isch** *adj.* automatic(ally *adv.*), mechanic, self-acting; push-button; **~ik** *f* (-) automatism; *tech.* automatic; *radio*: automatic (sharp) tuning means; **2i'sieren** *v/t.* (*h.*) automate; **~i'sierung** *f* (-; -*en*) automation; **~tismus** [-ma'tismus] *m* (-) automatism.

'Auto...: ~mechaniker *m* car-mechanic; **~mobil** [-mo'bi:l] *n* (-*s*; -*e*) → *Auto*; **~mo'bilausstellung** *f* motor-show; **~mo'bilbau** *m* (-[e]*s*) motor (*Am.* automotive) industry.

auto|nom [aʊto'no:m] *adj.* autonomous (*a. fig., econ.*), self-governing; **2nomie** [-no'mi:] *f* (-; -*n*) autonomy.

'Auto...: ~pi'lot *aer. m* autopilot; **~reifen** *m* tyre, *Am.* tire; **~rennbahn** *f* racing track; **~rennen** *n* motor race.

Autor ['aʊtɔr] *m* (-*s*; -'*toren*), **Autorin** [aʊ'to:rin] *f* (-; -*nen*) author(ess *f*), writer; **2isieren** [-tori'zi:rən] *v/t.* (*h.*) authorize, empower; license; *autorisierte Übersetzung* authorized translation; **2itär** [-i'tɛ:r] *adj.* authoritarian; **~i'tät** *f* (-; -*en*) authority; expert (*auf dem Gebiete gen.* of), authority (on); **2itativ** [-ita'ti:f] *adj.* authoritative.

'Auto...: ~schleppstart *m* auto-towed take-off; **~schlosser** *m* car-mechanic; **~schuppen** *m* car-shed; **~straße** *f* motor-road, *Am.* highway; **~suggesti'on** *f* auto-suggestion; **~technik** *f* (-) automobile (*Am.* automotive) engineering; **~typie** [-ty'pi:] *typ. f* (-; -*n*) half-tone engraving; **~unfall** *m* motoring accident, motor-crash; **~verkehr** *m* motor traffic; **~vermietung** *f* car-hiring service; **~versicherung** *f* motor-car insurance; **~wäsche** *f* car wash; **~zubehör** *n* automotive accessory parts *pl.*

Aval [a'val] *econ. m* (-*s*; -*e*) surety, guarantee, guaranty; **~akzept** *n* guaranteed bill of exchange, collateral acceptance; **ava'lieren** *v/i.* (*h.*) stand security, guarantee (payment).

Avancen [a'vɑ̃:sən] *f/pl.*: *j-m ~ machen* make advances to a p.

avan'cieren *v/i.* (*sn*) be promoted, rise (in rank).

avantgardistisch [avɑ̃:gar'distiʃ] *adj.* avant-garde.

Avers [a'vɛrs] *m* (-*es*; -*e*) obverse (*of coin*).

Avis [a'vi:] *econ. n* (-; -) advice; *laut ~* as advised; **avisieren** [avi'zi:rən] *v/t.* (*h.*) advise, notify.

axial [aksi'a:l] *adj.* axial; **2be-anspruchung** *f* axial stress; **2druck** *m* (-[e]*s*) axial pressure; **2turbine** *f* axial flow turbine.

axiomatisch [aksio'ma:tiʃ] *adj.* axiomatic(al).

Axt [akst] *f* (-; ⸚e) ax(e); hatchet.

Azalee [atsa'le:ə] *bot. f* (-; -*n*) azalea.

Azetat [atse'ta:t] *n* (-*s*; -*e*) acetate; **~seide** *f* acetate (*or* cellulose) silk.

Azetylen [atsety'le:n] *n* (-*s*) acetylene; **~gas** *n* oxyacetylene; **~schweißung** *f* oxyacetylene welding.

Azimut [atsi'mu:t] *n* (-*s*; -*e*) azimuth.

Azoren [a'tso:rən] *pl. the* Azores.

Azur [a'tsu:r] *m* (-*s*) *min.* lapis lazuli; (*colour*) azure, sky-blue; **2(e)n** *adj.* azure, sky-blue.

azyklisch [a'tsy:kliʃ] *adj.* acyclic.

B

B [be:], **b** *n* B, b; *mus.* B flat; (*symbol*) flat.

babbeln ['babəln] *v/i.* (*h.*) babble, prattle.

Baby|artikel ['be:bi-] *m/pl.* baby goods; **~ausstattung** *f* layette.

Bacchant [ba'xant] *m* (*-en*; *-en*), **~in** *f* (*-*; *-nen*) bacchant(e *f*); **2isch** *adj.* bacchanal.

Bach [bax] *m* (*-[e]s*; *⸚e*) brook, rivulet, *Am. a.* run; '**~e** *f* (*-*; *-n*) wild sow; '**~forelle** *f* brook trout.

Bächlein ['bɛçlaın] *n* (*-s*; *-*) brooklet, rill.

Bachstelze ['-ʃtɛltsə] *f* (*-*; *-n*) wagtail.

back [bak] *mar. adv.* aback; **2** *f* (*-*; *-en*) *mar.* forecastle; mess tin; mess (table).

'**Back|apfel** *m* baking-apple; **~aroma** *n* aromatic essence, flavo(u)r; **~blech** *n* baking tin.

'**Backbord** *n a. m* port(side), larboard; **2** *adv.* aback; *~ achteraus* port aft; *~ voraus* on the port bow; **~motor** *m* port engine.

backbrassen ['-brasən] *mar. v/t.* (*h.*) heave to.

Backe ['bakə] *f* (*-*; *-n*) cheek; *of rifle-butt*: cheek (piece); *of ski*: toe piece (*or* iron); *tech.* **a)** jaw, **b)** chuck jaw, **c)** *for cutting*: die; *e-e dicke ~ haben* have a swollen cheek; *mit vollen ~n kauen* munch (heartily).

backen ['bakən] *v/t. and v/i.* (*h.*) bake; fry; dry (*fruit*); burn, fire (*brick*); *clay, mud, etc.*: cake (together); **2** *n* (*-s*) baking, *etc.*

'**Backen...**: **~bart** *m* (side-)whiskers *pl.*, *Am.* sideburns *pl.*; **~bein** *anat. n* jawbone; **~bremse** *mot. f* shoe brake; **~futter** *tech. n* jaw chuck; *auswechselbares ~* jaw liner; **~knochen** *m* cheek-bone; **~sessel** *m* wing-chair; **~streich** *m* box on the ear(s); **~tasche** *zo. f* cheek-pouch; **~zahn** *m* molar (tooth).

Bäcker ['bɛkər] *m* (*-s*; *-*) baker.

Bäckerei [-'raı] *f* (*-*; *-en*) bakehouse, bakery; → *Bäckerladen.*

'**Bäcker...**: **~geselle** *m* journeyman baker; **~laden** *m* baker's (shop), *Am.* bakery; **~meister** *m* master baker.

'**Back...**: **~fett** *n* cooking fat, *Am.* shortening; **~fisch** *m* fried fish; *fig.* girl in her teens, flapper, teenager, *Am.* bobbysoxer; **~form** *f* baking tin, (pastry-)mo(u)ld; **~hähnchen** *n*, **~huhn** *n* fried chicken; **~kohle** *f* bituminous (*or* caking) coal; **~mannschaft** *mar. f* mess (party); **~mulde** *f* kneading-trough; **~obst** *n* dried fruit; **~ofen** *m* (baking) oven; **~pfeife** *f* box on the ear(s); **~pflaume** *f* prune; **~pulver** *n* baking powder; **~stein** *m* brick; **~steinmauer** *f* brickwall; **~teig** *m* batter; **~trog** *m* kneading-trough; **~vermögen** *n* coking quality (*of coal*); **~ware** *f* baker's ware; **~werk** *n* (*-[e]s*) pastries.

Bad [ba:t] *n* (*-[e]s*; *⸚er*) bath (*a. chem.*); *outdoors*: bathe, dip, swim; *tech.* dip, dye; *ein ~ nehmen* take (*or* have) a bath; → *Badeanstalt, Badeort, Schwimmanstalt*; → *Kind.*

Bade...: **~anstalt** ['ba:də-] *f* bathing establishment, baths *pl.*; '**~anzug** *m* bathing costume (*or* suit), swim(ming) suit; '**~arzt** *m* spa-doctor; '**~gast** *m* visitor (at a spa); *at swimming pool*: bather; '**~hose** *f* bathing trunks (*or* shorts) *pl.*; '**~kabine** *f* bathing-cabin (*or* cubicle); '**~kappe** *f* bathing-cap; '**~kur** *f* course of treatment at a spa; *die ~ in X. nehmen* take the waters at X.; '**~mantel** *m* bathing-gown, bathrobe; '**~meister** *m* bath attendant; swimming instructor.

baden ['ba:dən] *v/t. and v/i.* (*h.*) bath, *Am. a.* bathe; *sich ~* bathe; bathe, go swimming; *in tub*: take a bath; bath (*a child*); **2de(r** *m*) *f* (*-n*; *-n*; *-n*; *-n*) bather.

'**Bade...**: **~ofen** *m* bath-heater, geyser, *Am.* hot-water heater; **~ort** *m* watering-place; spa; **~salz** *n* bath-salts *pl.*; **~schuhe** *m/pl.* bathing slippers; **~strand** *m* bathing beach; **~tuch** *n* bath-towel; **~wanne** *f* bath, (bath-)tub; **~wärter** *m* bath attendant; **~wasser** *n* bath-water; **~zimmer** *n* bathroom, bath.

baff [baf] *colloq.*: (*ganz*) *~ sein* be dumbfounded, be flabbergasted.

Bagage [ba'ga:ʒə] *f* (*-*) luggage, *Am. or mil.* baggage; *fig. contp.* rabble, lot, pack.

Bagatell|e [baga'tɛlə] *f* (*-*; *-n*) trifle, trifling matter, bagatelle; **2i'sieren** *v/t.* (*h.*) minimize (the importance of), make light of, belittle, play down; **~sache** *jur. f* petty case; summary offen|ce, *Am.* -se; **~schaden** *m* petty damage.

Bagger ['bagər] *m* (*-s*; *-*) dredge(r), excavator; power shovel; **~eimer** *m* (dredging) bucket; **~löffel** *m* shovel; **2n** *v/i. and v/t.* (*h.*) dredge, excavate.

bähen ['bɛ:ən] **I.** *v/t.* (*h.*) *med.* foment; **II.** *v/i.* (*h.*) *sheep*: bleat.

Bahn [ba:n] *f* (*-*; *-en*) course; path, track; road, way; *fig. a.* career; railway, *Am.* railroad, *n.s.* line; *mot.* lane; *ballistics*: trajectory; *of paper*: web; *of cloth, etc.*: width; *ast.* course; *of electron, planet, etc.*: orbit; *of comet*: path; *sports*: (cinder-)track; *racing, skiing, swimming*: course; *of individual runner, etc.*: lane; (ice-)rink; (bowling) alley; (shooting) range, *covered*: shooting gallery; *Golfplatz mit 10 Bahnen* 10-hole course; *tech.* face (*of anvil, hammer, plane*); set (*of saw*); edge, cutting point (*of cutting tool*); *~ brechen* pave (*or* prepare) the way (*dat.* for); *sich ~ brechen* force one's way (*zu* to), forge ahead; *auf die schiefe ~ geraten* go astray, get into evil ways; *in die richtigen ~en lenken* direct into the right channels; *j-n zur ~ bringen* see a p. off; *zur ~ gehen* go to the station; *an der ~* at the station; *in der ~* on the train; *mit der ~* by train, *econ.* by rail.

'**Bahn...**: (→ *Eisenbahn...*); **~anlagen** *f/pl.* railway installations; **~anschluß** *m* rail connection; **~arbeiter** *m* railway worker; **~be-amte(r)** *m* railway official; **2brechend** *adj.* pioneer(ing), epoch-making; *~ wirken* blaze a trail; **~brecher** *m* (*-s*; *-*) pioneer, trailblazer; *art*: avant-gardist; **~damm** *m* railway embankment.

bahnen ['ba:nən] *v/t.* (*h.*) *Weg*: beat, clear, open (up) *a path*; *fig. den Weg ~* (*dat.*) prepare (*or* pave) the way (for), pioneer, blaze the trail; smooth the way (for), facilitate; *sich e-n Weg ~* force (*or* work) one's way; elbow one's way (*durch* through).

'**Bahn...**: **~fahrt** *f* train journey; **~fracht** *f* rail(way) carriage, *Am.* rail(road) freight; **~frachtsätze** *m/pl.* railway rates; **2frei** *econ. adv.* free station; **~gleis** *n* track.

'**Bahnhof** *m* (railway-)station; junction; *auf dem ~* at the station; *diplomacy*: *großer ~* red carpet treatment; **~shalle** *f* station hall, *Am.* concourse; **~smission** *f* Travellers Aid (Society); **~svorsteher** *m* station-master, *Am.* station agent; **~swirtschaft** *f* station restaurant.

'**Bahn...**: **~körper** *m* permanent way, road-bed; **2lagernd** *adv.* to be collected from the station; **~lieferung** *f* rail shipment (*or* consignment); **2mäßig** *econ. adv.*: *~ verpackt* packed for rail transport; **~polizei** *f* railway police; **~post** *f* railway postal service; **~postamt** *n* railway post-office; **~postwagen** *m* mail-van, *Am.* mail car; **~schranke** *f* railway-barrier; **~schwelle** *f* sleeper, *Am.* tie.

'**Bahnsteig** *m* platform; **~karte** *f* platform ticket; **~schaffner** *m* ticket collector, *Am.* gateman; **~sperre** *f* (platform) barrier *or* gate; **~unterführung** *f* platform underpass.

'**Bahn...**: **~strecke** *f* line, section, *esp. Am.* track; **~transport** *m* railway transport(ation); **~überführung** *f* railway-surpass; **~übergang** *m* level (*Am.* grade) crossing; **~verbindung** *f* → *Bahnanschluß*; **~verkehr** *m* railway traffic; **~versand** *m* railway dispatch, forwarding (*Am.* shipping) by rail; **~wärter** *m* linesman; gate-keeper; **~wärterhäus-chen** *n* signal-box.

Bahr|e ['ba:rə] *f* (*-*; *-n*) barrow; stretcher, litter; *for corpses*: bier; → *Wiege*; **~tuch** *n* pall.

Bähung ['bɛ:uŋ] *med. f* (*-*; *-en*) fomentation, stupe; **~smittel** *n* fomentation agent.

Bai [baı] *f* (*-*; *-en*) bay.

Baiser [bɛ'ze:] *n* (*-s*; *-s*) meringue.

Baisse ['bɛ:sə] *econ. f* (*-*; *-n*) slump, depression (of the market), bear market; fall (of prices); *auf ~ spekulieren* speculate (*or* operate) for a fall, (sell) bear, sell short; **~an-**

griff *m* bearish operations *pl.*, *Am.* bearish demonstrations *pl.*; **~klausel** *f* depression clause; **~spekulant** *m* bear; **~spekulation** *f* bear speculation (*or* operation); **~tendenz** *f* downward tendency, bearish tone.

Baissier [bɛsiˈeː] *econ. m* (-s; -s) bear.

Bajazzo [baˈjatso] *m* (-s; -s) buffoon.

Bajonett [bajoˈnɛt] *mil. n* (-[e]s; -e) bayonet; *das ~ aufpflanzen* fix the bayonet; **~angriff** *m* bayonet charge; **~fassung** *el. f* bayonet socket; **~stoß** *m* bayonet thrust; **~verbindung** *tech. f*, **~verschluß** *m* bayonet catch.

Bake [ˈbɑːkə] *mar. f* (-; -n) beacon.

Bakelit [bakəˈliːt] *n* (-s) bakelite.

Baken... [ˈbɑːkən]: **~antenne** *f* beacon antenna, radio-range aerial; **~blindlandesystem** *aer. n* blind approach beacon system; **~boje**, **~tonne** *f* beacon buoy.

Bakterie [bakˈteːriə] *f* (-; -n) bacterium (*pl.* -ia), microbe, germ; **♀nartig** *adj.* bacteroid; **~nforschung** *f* bacteriological research; **~ngift** *n* bacterial toxin; **♀nhaltig** *adj.* containing bacteria; **~nkrieg** *m* bacterial (*or* germ) warfare; **♀nreich** *med. adj.* rich in causative organisms; **♀nsicher** *adj.* germ-proof; **~nstamm** *m* strain; **♀ntötend** *adj.* bactericidal; *~es Mittel* bactericide; **~nzucht** *f* culture of bacteria.

Bakteriolog|e [-terioˈloːgə] *m* (-n; -n), **~in** *f* (-; -nen) bacteriologist; **Bakteriolo'gie** *f* (-) bacteriology.

Balance [baˈlaŋsə] *f* (-; -n) balance; → *Gleichgewicht.*

balancier|en [-ˈsiːrən] *v/t.* (*h.*) *and v/i.* (*sn*) balance, poise; **♀stange** *f* balancing-pole.

bald [balt] *adv.* soon; shortly, directly; before long, in a near future; almost, nearly; early, in good time; *so ~ als möglich* as soon as possible; *~ darauf* soon (*or* shortly) after, presently; *~, ~* sometimes ..., sometimes ...; now ..., now ...; now ..., then ...

Baldachin [ˈbaldaxiːn] *m* (-s; -e) canopy (*a. aer.*).

Bälde [ˈbɛldə] *f*: *in ~* soon, before long, in a near future.

bald|ig [ˈbaldiç] *adj.* early, speedy; **ˈ~igst**, **ˈ~möglichst** *adv.* as soon as possible; at your earliest convenience (*or* opportunity).

Baldrian [ˈbaldriɑːn] *m* (-s; -e) valerian; **~säure** *f* valeric acid; **~tropfen** *m/pl.* valerian drops.

Balg [balk] *m* (-[e]s; ¨e) skin; *of snakes*: slough; *of a doll*: body; *colloq.* (*child*) [*pl. Bälger*] brat, urchin; *of organ*: bellows *pl.*; *phot.* (*usu.* **ˈ~en** *m* [-s; -]) bellows *pl.*; **ˈ~drüse** *f* follicular gland; **ˈ~(en)-auszug** *m phot.* bellow extension.

balge|n [ˈbalgən] (*h.*): *sich ~* wrestle, scuffle, scramble, tussle (*um* for); *children*: *a.* romp; **♀rei** [-ˈraɪ] *f* (-; -en) scuffle, tussle, scramble (*um* for); *of children*: romp.

Balken [ˈbalkən] *m* (-s; -) beam; girder; joist; rafter; *of balance*: beam; *mus.* bar; *her.* chevron; *anat.* corpus callosum cerebri; *bibl. der ~ im eigenen Auge* the beam in one's own eye; *Wasser hat keine ~* the sea is not planked over; *er log, daß sich die ~ bogen* he lied like a trooper; **ˈ~brücke** *f* girder bridge; **ˈ~decke** *f* timbered ceiling; **ˈ~gerüst** *n* scaffolding of girders; timber-work; **ˈ~holz** *n* squared timber; beam, joist; **ˈ~träger** *m* plate girder; **ˈ~überschrift** *f* banner headline; **ˈ~waage** *f* beam balance, steelyard; **ˈ~werk** *n* (-[e]s) beams and joists, timber-work.

Balkon [balˈkɔŋ] *m* (-s; -s) balcony; *thea.* dress circle, balcony; **~tür** *f* French window.

Ball[1] [bal] *m* (-[e]s; ¨e) ball; *geogr.*, *ast. a.* globe; *sports*: *scharfer ~* hard ball.

Ball[2] *m* (-[e]s; ¨e) ball, dance; fancy-ball; *auf dem ~* at the ball; *auf den ~ gehen* go to a ball.

Ballade [baˈlɑːdə] *f* (-; -n) ballad.

Ballast [baˈlast] *m* (-es) ballast; *fig.* drag, burden, dead weight; **~ladung** *f* dead freight; **~stoff** *m* bulk material; **~widerstand** *el. m* fixed resistance.

Ball...: **~auslöser** *phot. m* (-s; -) bulb release; **~behandlung** *f* ball work; **~beherrschung** *f* ball control; **~dame** *f* (lady) partner at a dance.

ballen [ˈbalən] *v/t.* (*h.*) *or sich ~* (form into a) ball; clench, double (*fist*); *fig.* cluster; *a. bacteria, cells*: conglomerate; → *geballt.*

ˈBallen *m* (-s; -) **1.** *anat.* ball; *med. entzündeter Fuß♀* bunion; **2.** *econ.* bale, pack, bundle; *~ Papier* ten reams *pl.* (*or* 5,000 sheets of paper); basil; **~packmaschine** *f* baler; **~presse** *f* baling press; **~waren** *f/pl.* baled goods *pl.*; **♀weise** *adv.* by the bale, in bales.

ballern [ˈbalərn] *colloq. v/i.* (*h.*) bang (away).

Ballett [baˈlɛt] *n* (-[e]s; -e) ballet; corps de ballet (*Fr.*); **~meister** *m* maître de ballet (*Fr.*); **~röckchen** *n* tutu; **~tänzer(in** *f*) *m* ballet dancer, *f a.* ballerina; (*a.* = **~ratte** *colloq. f*) chorus-girl.

ˈBall...: **♀förmig** [ˈ-fœrmiç] *adj.* spherical, globular; **~hupe** *f* bulb horn.

Ballisti|k [baˈlistik] *f* (-) ballistics *pl.*; **♀sch** *adj.* ballistic.

ˈBall...: **~kleid** *n* ball-dress; **~königin** *f* belle of the ball; **~künstler** *m soccer*: ball wizard.

Ballon [baˈlɔŋ] *m* (-s; -s) balloon; *chem.* carboy; demijohn; *colloq.* (*head*) *sl.* nut; **~führer** *m* balloon pilot; **~hülle** *f* balloon cover; **~korb** *m* car, nacelle; **~reifen** *m* balloon tyre (*Am.* tire); **~seide** *f* balloon silk; **~sperre** *f* balloon barrage.

ˈBall...: **~saal** *m* ball-room; **~schuhe** *m/pl.* dancing-shoes; **~senden** *n* (-s) *radio*: rebroadcasting; **~sender** *m* rebroadcast station; **~spiel** *n* ball game.

Ballung [ˈbaluŋ] *f* (-; -en) agglomeration; concentration *or* massing (*a. mil.* of troops); **ˈ~sgebiet** *n* overcrowded region.

Balsaholz [ˈbalza-] *n* balsa(wood).

Balsam [ˈbalzɑːm] *m* (-s; -e) balsam, (*a. fig.*) balm.

balsamieren [-zaˈmiːrən] *v/t.* (*h.*) embalm.

balsamisch [-ˈzɑːmiʃ] *adj.* balmy.

baltisch [ˈbaltiʃ] *adj.* Baltic; *das ♀e Meer* the Baltic (Sea).

Balustrade [balusˈtrɑːdə] *f* (-; -n) balustrade; parapet.

Balz [balts] *f* (-; -en) pairing (time), mating; **ˈ♀en** *v/i.* (*h.*) pair, mate; call; display.

Bambus [ˈbambus] *m* (-ses; -se) bamboo; **ˈ~rohr** *n* bamboo (cane); **ˈ~stab** *m sports*: bamboo pole; **ˈ~vorhang** *pol. m the* Bamboo Curtain; **ˈ~zucker** *m* tabasheer.

Bammel [ˈbaməl] *colloq. m* (-s): *mächtig ~ haben sl.* be in a blue funk; *~ bekommen sl.* get cold feet; **ˈ♀n** *v/i.* (*h.*) dangle.

banal [baˈnɑːl] *adj.* banal, commonplace, trite; trivial; **Banaliˈtät** *f* (-; -en) banality; commonplace; triviality.

Banane [baˈnɑːnə] *f* (-; -n) banana; **~nbaum** *m* banana-tree; **~nstecker** *el. m* banana plug.

Banaus|e [baˈnaʊzə] *m* (-n; -n) philistine; vulgarian, low-brow, cad; **♀isch** *adj.* philistine; low-brow, caddish.

Band [bant] **1.** *n* (-[e]s; ¨er) string, cord; (*insulating, measuring, recording, etc.*) tape; (*watch, etc.*) band, bracelet; (*leather*) strap; elastic band; webbing; (*shoe*) lace, *Am. a.* string; (*decoration*) ribbon (*a. typewriter*), riband; (*frequency*) band; *das Blaue ~* the Blue Riband; *mit Bändern versehen* ribboned; streamer; *anat.* **a)** ligament, ligature, **b)** cord, band; *med.* bandage; *of barrel*: band, hoop; *of saw*: blade, web; (*fastening*) tie, bond; *of conveyor*: belt; (assembly-)line; *fig.* **a)** *usu. Bande pl.* fetters, trammels, chains, **b)** *of friendship, etc.*: tie, bond, link; *am laufenden ~ tech.* on the assembly-line, *fig.* without intermission, continuously, incessantly; **2.** *m* (-[e]s; ¨e) (*book*) volume; tome; *das spricht Bände fig.* that speaks volumes (*für* for).

band [bant] *pret. von binden.*

Bandage [banˈdɑːʒə] *f* (-; -n) bandage.

bandagieren [-daˈʒiːrən] *v/t.* (*h.*) (apply a) bandage.

ˈBand...: **~antenne** *f* tape antenna, band aerial; **~arbeit** *f* moving-belt production; **~aufnahme** *f* tape recording; **~breite** *f radio*: band width; *statistics*: spread; **~breitenregelung** *f* band-width control; **~bremse** *f* band brake.

Bändchen [ˈbɛntçən] *n* (-s; -) small ribbon; (*book*) small volume.

Bande [ˈbandə] *f* (-; -n) company, troop, team; *of criminals*: band, gang, ring; *contp.* horde, bunch, pack; clan; *die ganze ~* the whole lot; *e-e schöne ~!* a fine lot!; *billiard, etc.*: cushion.

Band-eisen [ˈbant-] *n* band (*or* strip) iron.

ˈBanden...: **~führer** *m* chief(tain), gang (*or* ring) leader; **~krieg** *m* guerilla (warfare).

bändern [ˈbɛndərn] *v/t.* (*h.*) form into ribbons (*or* stripes); stripe, streak.

Banderole [bandə'ro:lə] *f* (-; -*n*) revenue stamp; *of cigar*: band.

'**Band...:** **~fabrikation** *f* assembly--line production; **~feder** *tech. f* flat coil spring; **~filter** *m radio*: band(-pass) filter; **~förderer** *m* (-*s*; -) belt conveyor; **~führung** *f typewriter*: ribbon guide.

bändig|en ['bɛndigən] *v/t.* (*h.*) tame; break in (*horse*); *esp. fig.* subdue, restrain, master; *a. Naturkräfte*: control, harness; **2er(in** *f*) *m* (-*s*, -; -, -*nen*) tamer; conqueror; **2ung** *f* (-; -*en*) taming; breaking-in; *fig.* subduing; control; harnessing; subjugation.

Bandit [ban'di:t] *m* (-*en*; -*en*) bandit.

'**Band...:** **~maß** *n* measuring tape; **~mikrophon** *n* ribbon microphone; **~nudel** *f* ribbon-macaroni; **~säge** *f* band- (*or* ribbon-)saw; **~scheibe** *anat. f* (intervertebral) disc; **~scheibenschaden** *med. m* damaged intervertebral disc; **~scheibenvorfall** *m* prolapse of disc, slipped disc; **~stahl** *m* strip steel; **~waren** *f/pl.* small wares, ribbons; **~wurm** *m* tape-worm, t(a)enia.

bang [baŋ] *adj.*, '**~e** *pred.* anxious (*um* about); worried, uneasy (about), concerned (for); alarmed; disquieting, alarming; *e-e* **~***e Stunde* an anxious hour; *e-e* **~***e Sekunde lang* for one bad moment; *j-m* **~***e machen* frighten (*or* scare) a p., make a p. afraid; *mir ist* ~ *davor* I dread it; (*haben Sie*) *keine Bange!* don't worry!; '**2emacher** *m* (-*s*; -) alarmist; '**~en** *v/i.* (*h.*) be afraid (*vor dat.* of), dread; *sich* ~ *um* be anxious (*or* worried) about; *er bangt um sein Leben* he trembles for his life; *nach et.* ~ long (*or* yearn) for a th.; '**2igkeit** *f* (-) anxiety, uneasiness.

bänglich ['bɛŋliç] *adj.* (somewhat) anxious.

Banjo ['banjo] *n* (-*s*; -*s*) banjo; **~spieler** *m* banjoist.

Bank [baŋk] *f* **1.** (-; ⁼*e*) bench, seat; settee; *school*: form; *church*: pew; *for sales*: stand; *geol.* layer; seam, bed; → *Sand2*; *tech.* work-bench; → *Dreh2*; *wrestling*: mat position; *auf der ersten* ~ in the front row; *colloq. durch die* ~ without exception, all of them (*or* it), down the line; *auf die lange* ~ *schieben* put off, postpone; shelve, pigeonhole; **2.** (-; -*en*) *econ.* bank, banking establishment (*or* house); *bei e-r* ~ *zahlbar* payable at a bank; *wir haben unsere* ~ *angewiesen* we have instructed our bankers; *Geld auf der* ~ money in the bank; **3.** gaming-table, bank; ~ *halten* keep bank; *die* ~ *sprengen* break the bank.

'**Bank...:** **~agent** *m* exchange broker; **~aktie** *f* bank share (*Am.* stock); **~akzept** *n* bank(er's) acceptance; **~anweisung** *f* cheque, *Am.* check; **~aufsichtsbehörde** *f* bank supervisory authority; **~ausweis** *m* bank return (*Am.* statement); **~aval** ['-a'vɑ:l] *m* (-*s*; -*e*) bank guarantee (*Am.* guaranty); **~beamte(r)** *m* bank official (*or* clerk); **~betrieb** *m* banking operations *pl.*; **~buch** *n* bank book; passbook; **~depot** *n* bank deposit, *for securities*: safe custody (account), *Am.* custodianship (account); **~direktor** *m* bank director (*or* manager); **~diskont** *m* bank(er's) discount; bank rate; **~einlage** *f* deposit.

Bänkelsänger ['bɛŋkəl-] *m* ballad--singer.

Bank(e)rott [baŋk(ə)'rɔt] *m* (-[*e*]*s*; -*e*) bankruptcy (*a. fig.*); insolvency; (business *or* commercial) failure, smash, crash; *betrügerischer* (*einfacher*) ~ fraudulent (simple) bankruptcy; *den* ~ *erklären* declare o.s. bankrupt; ~ *machen* go (*or* become) bankrupt, *Am. sl.* (go) bust; 2 *adj.* bankrupt, insolvent; *sich für* ~ *erklären* declare o.s. bankrupt (*or* insolvent), file one's petition in bankruptcy; *jur. j-n für* ~ *erklären* adjudge a p. a bankrupt; **~erklärung** *f* declaration of bankruptcy.

Bank(e)rotteur [-'tø:r] *m* (-*s*; -*e*) bankrupt.

Bankett [baŋ'kɛt] *n* (-[*e*]*s*; -*e*) banquet, dinner; *tech.* (*a.* **~e** *f* [-; -*n*]) *of road*: banquette, *Am.* shoulder; *of walls*: footings *pl.*; berm; *rail.* side-space.

'**Bank...:** **~fach** *n* banking (business); safe (deposit box); **2fähig** *adj.* bankable; negotiable; **~feiertag** *m* bank holiday; **~filiale** *f* branch bank; **~geheimnis** *n* banker's discretion; **~geschäft** *n* bank(ing house *or* company); banking business; banking operation *or* transaction; **~guthaben** *n* bank balance; (*Bar2*) cash in the bank; **~halter** *m* (-*s*; -) *gaming*: banker.

Bankier [baŋki'e:] *m* (-*s*; -*s*) banker; financier.

'**Bank...:** **~kapital** *n* bank stock; **~konsortium** *n* banking syndicate; **~konto** *n* bank(ing) account; *ein* ~ *haben bei* bank with; **~krach** *m* bank failure; **~kredit** *m* bank(er's) credit; **2mäßig** *adj.* banking; *securities*: negotiable; **~note** *f* (bank-)note, *Am.* bill; **~notenausgabe** *f* issue of bank-notes, note issue; **~notenumlauf** *m* note circulation, notes *pl.* in circulation; **~obligationen** *f/pl.* bank bonds; **~rott** [-'rɔt] *m*, **2rott** *adj.* → *Bank(e)rott, etc.*; **~satz** *m* bank rate; **~scheck** *m* bank cheque (*Am.* check); **~spesen** *pl.* bank charges; **~tratte** *f* bank draft; **~verbindung** *f* bank(ing) account; **~verkehr** *m* banking (operations *pl.*); **~vollmacht** *f* banking authority; power of attorney; **~vorstand** *m* board of the management (of a bank); bank manager; **~wechsel** *m* bank(er's) bill *or* draft; **~werte** *m/pl.* bank shares (*Am.* stocks); **~wesen** *n* banking; **~woche** *f* bank-return week; **~zinsen** *m/pl.* banking interest.

Bann [ban] *m* (-[*e*]*s*; -*e*) ban; proscription; *eccl.* anathema; excommunication, interdict; *in den* ~ *tun* put under the ban; banish, outlaw; proscribe; *eccl.* anathemize; excommunicate; *socially*: ostracize; *econ.* boycott; *fig.* charm, spell; *unter dem* ~ *stehen von or gen.* be under the spell (*or* influence) of, be spell--bound (*or* fascinated, captivated) by; → *gebannt*; '**~bulle** *f* bull of excommunication; '**2en** *v/t.* (*h.*) banish (*a. fig.*); avert, obviate, keep (*or* stave) off (*danger*); lay, conjure (up) (*a ghost*); cast out, exorcize (*the devil*); *eccl.* excommunicate; *fig.* captivate, fascinate, spellbind; *on paper, etc.*: record; → *gebannt*.

Banner ['banər] *n* (-*s*; -) banner; standard (*both a. fig.*), flag; *fig. unter dem* ~ *gen.* under the standard of; '**~träger** *m* standard-bearer.

'**Bann...:** **~fluch** *m* anathema; **~kreis** *m* boundary, precinct; *fig.* sphere (of influence), spell; **~meile** *f* boundary, precinct; *of building*: neutral zone; **~strahl** *eccl. m* anathema; **~ware** *f* contraband (goods *pl.*).

Bantamgewicht ['bantam-] *n*, **~ler** *m* (-*s*; -) *sports*: bantam-weight.

bar [bɑ:r] *adj.* **I.** (*gen.*) *of things*: destitute (*or* devoid, void) of, innocent of, completely lacking in; *jeder Hoffnung* ~ utterly hopeless; ~ *jedes Interesses* void of any interest; bare, naked; pure, downright, blatant; **~***er Unsinn* sheer nonsense; **II.** *adj. and adv.*: **~***es Geld* ready money, cash; ~ *bezahlen* pay in cash, pay cash (down); *gegen* ~ for cash, cash down, on cash terms; ~ *gegen 2% Diskont* cash less 2% discount; *fig.* → *Münze*.

Bar[1] [bɑ:r] *f* (-; -*s*) bar; night club.

Bar[2] *phys. n* (-*s*; -*s*) *barometry*: bar.

Bär [bɛ:r] *m* (-*en*; -*en*) (he-)bear; *ast. der Große* ~ the Great Bear, *Am.* the Big Dipper; *der Kleine* ~ the Little (*or* Lesser) Bear, *Am.* the Little Dipper; *tech.* rammer, pile-driver; → *aufbinden*.

'**Bar-abfindung** *f* cash settlement.

Baracke [ba'rakə] *f* (-; -*n*) barrack, hut, *Am. a.* shack; **~nlager** *n* hutted camp, hutment; **~nzelt** *n* barrack tent.

'**Bar...:** **~anschaffung** *f* cash remittance; **~auslage** *f* cash disbursement (*or* outlay), out-of-pocket expenses *pl.*; **~auszahlung** *f* payment in cash.

Barbar [bar'bɑ:r] *m* (-*en*; -*en*), **~in** *f* (-; -*nen*) barbarian.

Barbarei [-ba'raɪ] *f* (-; -*en*) barbarism; barbarity, savagery.

barbarisch [-'bɑ:riʃ] **I.** *adj.* barbarian; *b.s.* barbarous; savage, cruel; *fig. contp.* barbaric (*taste, etc.*); **II.** *colloq. adv.* fearfully, awfully, beastly.

Barbe ['barbə] *ichth. f* (-; -*n*) barbel.

'**bärbeißig** *adj.* bearish, surly.

'**Bar...:** **~bestand** *m* cash balance; ready money, cash in hand; *of a bank*: cash holdings *pl.*; **~betrag** *m* amount in cash, cash value.

Barbier [bar'bi:r] *m* (-*s*; -*e*) barber; **2en** *v/t.* (*h.*) shave; *fig.* → *Löffel*.

Barchent ['barçənt] *m* (-*s*; -*e*) fustian.

Bardame ['bɑ:r-] *f* barmaid.

Barde ['bardə] *m* (-*n*; -*n*) bard, minstrel.

'**Bar...:** **~deckung** *f* cash in hand available for cover; cash reimbursement; **~dividende** *f* cash bonus; **~eingang** *m* cash receipts *pl.*; cash item; **~einlage** *f* cash deposit (*or* investment); **~einnahme** *f* cash

receipts *pl.*; **~ertrag** *m* net proceeds, takings *pl.*
Bären... ['bɛːrən]: **~dienst** *m*: *j-m e-n ~ leisten* do a p. a disservice; **~führer** *m* (*a. fig.*) bearleader; **²haft** *adj.* like a bear, bearish; **~hatz** *f* bear-baiting; **~haut** *f* bearskin; *auf der ~ liegen* → *faulenzen*; **~hunger** *m* ravenous hunger; **~höhle** *f* den of a bear; **~jäger** *m* bear-hunter; **~mütze** *mil. f* bearskin; **²stark** *adj.* strong as an ox, Herculean; **~zwinger** *m* bear pit.
Barett [ba'rɛt] *n* (-[e]s; -e) biretta, beret, cap.
bar|fuß ['baːr-], **~füßig** ['-fyːsiç] *adj. and adv.* barefoot(ed).
barg [bark] *pret. von bergen.*
'**Bar...**: **~geld** *n* cash, ready money; **²geldlos** *adj.* cashless; paid by cheque (*Am.* check); *~er Zahlungsverkehr* cashless money transfers; **~geschäft** cash business (*or* transaction); **~guthaben** *n* cash balance; **²häuptig** ['-hɔʏptiç] *adj. and adv.* bareheaded, uncovered; **~hocker** *m* bar stool.
Bärin ['bɛːrin] *f* (-; *-nen*) she-bear.
Bariton ['baːritɔn] *m* (-s; -e) baritone.
Barkasse [bar'kasə] *mar. f* (-; *-n*) (motor) launch.
'**Barkauf** *m* cash purchase.
Barke ['baːrkə] *mar. f* (-; *-n*) barque, barge; *poet.* bark.
'**Bar...**: **~kredit** *m* cash credit; **~lohn** *m* wages in cash, *Am.* take-home pay.
Bärme ['bɛːrmə] *f* (-) barm, yeast.
barmherzig [barm'hɛrtsiç] *adj.* merciful, lenient; compassionate; charitable; *²e Schwester* sister of mercy; → *Samariter*; **²keit** *f* (-) mercy; compassion, charity; *an j-m ~ üben* show mercy to a p.
'**Barmittel** *n/pl.* cash (funds *pl.*).
barock [ba'rɔk] *adj.* baroque; eccentric, quaint; **Ba'rock** *n* (-s), **~stil** *m* Baroque, baroque style.
Barometer [baro'meːtər] *n* (-s; -) barometer (*a. fig.*), weather-glass; *das ~ steigt* the glass is going up; *das ~ fällt* the glass is falling; *das ~ steht hoch* (*tief*) the barometer is high (low); **~säule** *f* barometric column; **~stand** *m* barometer reading; **baro'metrisch** *adj.* barometric(al).
Baron [ba'roːn] *m* (-s; -e) baron.
Baronesse [-ro'nɛsə] *f* (-; *-n*), **Ba'ronin** *f* (-; *-nen*) baroness.
'**Barpreis** *m* cash price.
Barre ['barə] *f* (-; *-n*) bar.
Barren ['barən] *m* (-s; -) billet; (*gold, silver*) bar, ingot, bullion; *~ Gold* gold bar; *gym.* parallel bars; **²förmig** ['-fœrmiç] *adj.* ingot-shaped; **~gold** *n* bullion.
Barriere [bari'ɛːrə] *f* (-; *-n*) barrier; railing; gate.
Barrikade [bari'kaːdə] *f* (-; *-n*) barricade; *~n errichten* raise barricades; **~nkampf** *m* barricade-fighting.
Barsch [barʃ] *m* (-es; -e) perch.
barsch *adj.* gruff, rough, brusque (gegen to).
Bar...: **~schaft** ['baːrʃaft] *f* (-; *-en*) ready money (*or* cash), cash; '**~scheck** *m* open *or* uncrossed cheque (*Am.* check).
Barschheit ['barʃhaɪt] *f* (-) gruffness, bluntness.
Barschuldner ['baːr-] *m/pl. balance-sheet of bank*: advances.
barst [barst] *pret. von bersten.*
Bart [baːrt] *m* (-[e]s; ⸚e) beard; *bot., ichth.* barb, beard; *of cock*: wattle; whiskers *pl.* (*a. of cat*); moustache; (key-)bit; *tech.* bur; *of casting*: seam; *sich e-n ~ stehen lassen* grow a beard; *fig. in den ~ brummen* mumble to o.s.; *j-m um den ~ gehen* curry favo(u)r with a p., wheedle *or* cajole a p.; → *Kaiser*; *colloq. Witz mit ~* chestnut; *so ein ~!* that's an old one!; '**~flechte** *f med.* barber's rash, sycosis; *bot.* beardmoss; '**~haar** *n* hair of the beard; *erste ~e pl.* fluff.
bärtig ['bɛːrtiç] *adj.* bearded; whiskered; *bot., zo.* barbate.
'**Bart...**: **²los** *adj.* beardless; **~nelke** *f* sweet-william.
'**Bar...**: **~vergütung** *f* compensation in cash; (*dividend*) cash bonus; **~verkauf** *m* cash sale; **~verkehr** *m* cash trade; **~wert** *m* cash (*or* actual) value; **~zahlung** *f* cash payment; *sofortige ~* prompt cash; *nur gegen ~* terms strictly cash; **~zahlungsgeschäft** *n* cash and carry store; **~zahlungsrabatt** *m* cash discount.
Basalt [ba'zalt] *m* (-[e]s; -e) basalt; **²en** *adj.* basalt(ic).
Basar [ba'zaːr] *m* (-s; -e) bazaar.
Base[1] ['baːzə] *f* (-; *-n*) (female) cousin.
'**Base**[2] *chem. f* (-; *-n*) base.
Basedow ['baːzədoː] *med. n* Graves' disease, exophthalmic goit|re (*Am.* -er).
basieren [ba'ziːrən] **I.** *v/t.* (*h.*) base *or* found (*auf dat.* upon); **II.** *v/i.* (*h.*) be based *or* founded (upon), rest upon.
Basis ['baːzis] *f* (-; *-sen*) *arch.* base, basement, substructure; *chem., math.* base; *mil.* base; (missile) site; *surv.* datum-line; *fig.* basis, footing; *auf gesunder ~* on a sound basis; *auf gleicher ~* on equal terms.
'**bas|isch** *chem. adj.* basic; *ein~* monobasic, *zwei~* dibasic; **²izität** [bazitsi'tɛːt] *f* (-) basicity.
Baskenmütze ['baskən-] *f* beret.
baß [bas] *adv.*: *~ erstaunt* very much (*or* greatly) surprised, taken aback.
'**Baß** *mus. m* (-sses; *Bässe*) bass, bass voice; *erster ~* baritone; *zweiter ~* contrabass; **~anhebung** *f radio*: bass control; **~ausgleich** *m* bass compensation; **~balken** *m* bass bar; **~bariton** *m* bass-baritone; **~geige** *f* bass-viol, double bass, contrabass.
Bassin [ba'sɛŋ] *n* (-s; -s) basin, reservoir, tank; swimming-pool.
Bassist [ba'sist] *m* (-en; -en) bass (singer *or* player).
Baß...: **~pfeife** *f* bassoon; **~regelung** *f radio*: automatic bass control; **~saite** *f* bass-string; **~schlüssel** *m* bass clef; **~stimme** *f* bass voice; bass part.
Bast [bast] *m* (-es; -e) bast; *zo.* velvet.
basta! ['basta] *int.* finished!, enough!; *und damit ~!* so that's that!; not another word!
Bastard ['bastart] *m* (-[e]s; -e) bastard, natural child; *bot., zo.* hybrid, cross (breed), mongrel; **~feile** *f* flat file.
bastardieren [-'diːrən] *v/t.* (*h.*) *or sich ~* mix, cross, hybridize.
Bastei [bas'taɪ] *f* (-; *-en*) bastion, bulwark.
Bastel|arbeit ['bastəl-] *f* craftwork, amateur construction; handicraft, technical hobby; '**²n** *v/t. and v/i.* (*h.*) tinker, potter, *Am.* putter (*an dat.* at); rig up; *w.s.* fumble (with); *selbstgebastelter • Apparat* home-assembled set; *generally*: be a hobbyist, work at a hobby.
'**Bast...**: **~faser** *f* bast-fib|re (*Am.* -er); **~hut** *m* chip-hat.
'**Bastler(in** *f*) *m* (-s, -; -, *-nen*) handicraft worker, amateur constructor, hobbyist, home-mechanic; radio amateur.
'**Bastseide** *f* raw silk.
bat [baːt] *pret. of bitten.*
Bataillon [batal'joːn] *n* (-s; -e) battalion; **~sgefechtsstand** *m* battalion command post; **~skommandeur** *m* battalion commander; **~sstab** *m* battalion staff; *a.* → **~sstabsquartier** *n* battalion headquarters *pl.*
Batate [ba'taːtə] *f* (-; *-n*) sweet potato.
Batik ['baːtik] *f* (-) batik.
Batist [ba'tist] *m* (-[e]s; -e) cambric.
Batterie [batə'riː] *f* (-; *-n*) *el., mil.* battery (*a. fig.*); *el.* storage battery; *tech.* group, set (*of machines*); *aus e-r ~ betreiben* run from a battery; **~betrieb** *m* battery operation; **~element** *n* battery cell; **~empfänger** *m* battery receiver; **~führer** *mil. m* battery commander; **²gespeist** [-gəʃpaɪst] *adj.* battery-operated; **~kohle** *f* battery carbon; **~ladegerät** *n* battery charger; **~prüfer** *m* battery tester.
Batzen ['batsən] *m* (-s; -) lump, caked mass; *das kostet e-n ~* that costs a tidy penny.
Bau [baʊ] *m* (-[e]s; *-ten*) building, construction, erection; *of machines, etc.*: manufacture, construction; *mining*: working; building, edifice, structure; structure, *tech.* design; *agr.* cultivation; *zo.* (*pl. ~e*) burrow, *of fox*: earth; *of beast of prey*: den (*a. fig.*); *of body, etc.*: build, frame; *~ten pl. film, thea.*: scenery, setting *sg.*; *im ~* under construction; *das Haus ist im ~ a.* the house is building (*or* being built); '**~abschnitt** *m* building section; '**~akademie** *f* school of architecture; '**~amt** *n* construction office, *Brit.* Surveyor's Office; '**~arbeiten** *f/pl.* construction work *sg.*; '**~art** *f* architecture, style; *tech.* **a)** design, construction, **b)** type, model; *mar.* class, type; '**~aufsichts·amt** *n* building supervisory board; '**~baracke** *f* building shed; '**~bedarf** *m* building materials *pl.*; '**~beschreibung** *f* building specification; '**~bewilligung** *f* building permit; '**~block** *m* building block.
Bauch [baʊx] *m* (-[e]s; ⸚e) belly; *anat.* abdomen; stomach; *contp.*

pot-belly, paunch; *of violin, etc.*: body; *of ship*: bottom; bulge, belly; *auf dem ~e liegen* lie flat on one's face; *e-n ~ bekommen* develop a paunch; *sich den ~ halten vor Lachen* roar with laughter; ˈ**~atmung** *f* diaphragmatic breathing; ˈ**~binde** *f* abdominal bandage; *on cigars*: cigar band; *round books*: blurb; ˈ**~decke** *f* abdominal wall; ˈ**~fell** *n* peritoneum; ˈ**~fellentzündung** *f* peritonitis; ˈ**~flosse** *f* ventral fin; ˈ**~freiheit** *mot. f* ground (*or* belly) clearance; ˈ**~gegend** *f* abdominal region; ˈ**~gurt** *m* belly-band; ˈ**~höhle** *f* abdominal cavity; ˈ**2ig** *adj.* bellied, bulgy; convex; ˈ**~laden** *m* vendor's tray; ˈ**~lage** *f gym.*: prone lying; *swimming*: prone position; *wrestling*: closed mat position; ˈ**~klatscher** *m* (-s; -) *swimming*: belly-flopper (dive); ˈ**~landung** *f* belly landing; ˈ**~muskel** *m* abdominal muscle; ˈ**~partie** *f* midriff; ˈ**2reden** *v/i.* (h.) ventriloquize; ˈ**~redner(in** *f*) *m* ventriloquist; ˈ**~schmerzen** *m/pl.* abdominal pain, belly-ache, gripes *pl.*; ˈ**~schuß** *m* abdominal gunshot wound; ˈ**~speicheldrüse** *f* pancreas; ˈ**~tanz** *m* belly-dance; ˈ**~ung** *f* (-; *-en*) convexity; bulge; swelling, inflation; ˈ**~weh** *n* stomach-ache.

bauen [ˈbauən] *v/t. and v/i.* (*h.*) build, construct; erect, raise; manufacture, fabricate, make, build; design; *agr.* cultivate, grow; till; *mining*: work; *fig.* ~ *auf* (*acc.*) trust in; rely (*or* build, count, depend) on; base (*or* rest) *one's hopes, judgement* upon; *sich ~ auf* be founded (*or* based) on, be grounded in, rest (up)on.

Bauer[1] [ˈbauər] *m* (-n; -n) peasant, farmer; countryman; *fig. contp.* boor, yokel; *tech.* builder; *chess*: pawn; *cards*: knave.

ˈ**Bauer**[2] *n* (-s; -) (bird-)cage.

Bäuer|in [ˈbɔvərin] *f* (-; *-nen*) peasant woman, farmer's wife; **2isch** *adj.* rustic; boorish; churlish.

ˈ**Bau-erlaubnis** *f* building permit.

ˈ**bäuerlich** *adj.* rural, rustic.

ˈ**Bauern...:** **~brot** *n* (coarse) brown bread; **~bursche** *m* young peasant, country lad; **~dirne** *f* country lass; **~fänger** *m* (-s; -) sharper, confidence man; **~fängeˈrei** *f* (-; *-en*) trickery, confidence trick (*Am.* game); **~gut** *n* peasant's holding, farm; **~haus** *n* farm-house; **~hochzeit** *f* country wedding; **~hof** *m* farm, farmstead; **~lümmel** *m* country-bumpkin, boor, *Am. a.* hick; **~regel** *f* peasant's proverb, weather maxim; **~schaft** *f* (-) peasantry; **2schlau** *adj.* shrewd, cunning, wily; **~schläue** *f* cunning; **~stand** *m* (-[e]s) peasantry; **~stolz** *m* peasant's (*fig.* foolish) pride; **~tölpel** *m* yokel; **~tracht** *f* peasant-dress; **~verband** *m* farmer's union.

ˈ**Bau...:** **~fach** *n* (-[e]s) architecture; building trade; **2fällig** *adj.* out of repair, dilapidated, tumble-down, ramshackle; **~fälligkeit** *f* (-) dilapidated condition, decay; **~firma** *f* (firm of) builders and contractors, building enterprise; **~flucht** *f* alignment; **~fluchtlinie** *f* building line; **~führer** *m* building supervisor (*or* foreman); **~gelände** *n* building land; *n.s.* building site; **~genehmigung** *f* building permit; **~genossenschaft** *f* cooperative building society; **~gerüst** *n* scaffold(ing); **~geschäft** *n* building trade; **~gesellschaft** *f* building society; **~gesuch** *n* application for building permit; **~gewerbe** *n* (-s) building trade; **~grube** *f* excavation; **~grund** *m* foundation soil; *w.s.* building plot; **~grundstück** *n* building plot (*or* site); **~handwerker** *m* craftsman in the building trade; **~herr** *m* building owner; **~höhe** *tech. f* overall height, headroom; **~holz** *n* timber, *Am.* lumber; **~hypothek** *f* building loan mortgage; **~ingenieur** *m* constructional engineer; *für Tiefbau*: civil engineer; *für Hochbau*: structural engineer; **~jahr** *n* year of construction; ~ *1968* 1968 model; **~kasten** *m* box of bricks; construction set; meccano; **~kastensystem** *tech. n* unitized construction; **~klotz** *m* brick; *colloq. da staunt man Bauklötze* that bowls you over; **~körper** *m* body of a building; **~kosten** *pl.* building expenses, cost of construction; production costs; **~kostenvoranschlag** *m* builder's estimate; **~kostenzuschuß** *m* contribution to building expenses; **~kredit** *m* building loan; **~kunst** *f* (-) architecture; **~land** *n* (-[e]s) building land; **~länge** *f* overall length; **~leiter** *m* superintendent of construction; **~leitung** *f* building supervision; **2lich** *adj.* architectural; constructional, structural; *in gutem ~em Zustand* in (good) repair; **~lichkeit** *f* (-; *-en*) building, edifice, structure.

Baum [baum] *m* (-[e]s; ⸚e) tree; *junger ~* sapling, young tree; *fig. der ~ der Erkenntnis* the tree of knowledge; *tech.* beam; *on cart, plough*: perch; pole, shaft; derrick; *mar.* boom; ˈ**2artig** *adj.* tree-like, arborescent.

ˈ**Baumaterial** *n* building material(s *pl.*).

ˈ**Baum...:** **~bestand** *m* stock of trees (*or* timber); **~blüte** *f* blossom of a tree; blossom(-time).

Baumégrad [boˈme:-] *phys. m* degree Baumé.

Baumeister [ˈbau-] *m* master builder; architect.

baumeln [ˈbauməln] *v/i.* (*h.*) dangle, bob, swing (*an dat.* from); *mit den Beinen ~* swing one's legs; *colloq. on gallows*: swing.

bäumen [ˈbɔymən] **I.** *v/t.* (*h.*) *weaving*: *die Kette ~* beam the warp; **II.** *sich ~ horse*: rear, prance; *person*: writhe (*with pain*).

ˈ**Baum...:** **~fraß** *m* (-es) tree-blight; **~frevel** *m* damaging of trees; **~garten** *m* orchard; **~grenze** *f* timber-line; **~gruppe** *f* group (*or* cluster) of trees; **~harz** *n* resin(ous exudate); **~krone** *f* tree-top; **~kuchen** *m* pyramid cake; **~kunde** *f* (-) dendrology; **2lang** *adj.* as tall as a lamppost; **~läufer** *zo. m* wood-pecker, tree-creeper; **~laus** *f* tree-louse; **2los** *adj.* treeless; **~marder** *m* pinemarten; **~öl** *n* olive-oil; **~pfahl** *m* prop, stay; **~säge** *f* pruning saw; **~schere** *f* pruning shears *pl.*; **~schlag** *m* (-[e]s) tree-felling; *paint.* foliage; **~schule** *f* (tree) nursery; **~sperre** *mil. f* abatis; **~stamm** *m* stem, trunk; **2stark** *adj.* robust, *Am.* husky, (as) strong as an ox; **~stumpf** *m* stump, stub; **~stütze** *f* tree-prop.

Baumuster [ˈbau-] *n* model, type of construction.

ˈ**Baumwoll...:** **~abfall** *m* cotton waste; **~baum** *m* cotton-tree; **~e** *f* cotton; **2en** *adj.* (of) cotton; **~faser** *f* cotton fib|re (*Am.* -er); **~garn** *n* cotton yarn (*or* twine); **~gewebe** *n* cotton fabric (*or* goods, textiles *pl.*); **~kämmeˈrei** *f* cotton combing; **~köper** *m* cotton twill; **~samen** *m* cotton seed; **~samt** *m* cotton velvet, velveteen; **~spinneˈrei** *f* cotton-mill; **~staude** *f* cotton-plant; **~stoff** *m* cotton-cloth; **~waren** *f/pl.* cottons; **~zwirneˈrei** *f* cotton twist mill.

ˈ**Baum...:** **~zucht** *f* arboriculture; **~züchter** *m* arborist, nurseryman.

ˈ**Bau...:** **~nummer** *f* serial number; **~ordnung** *f* building regulations *pl.*; **~plan** *m* architect's plan; *tech.* working drawing, blueprint; **~plastik** *f* (-; *-en*) architectural sculpture; **~platz** *m* building site (*or* plot), *Am.* location; **~polizei** *f* Surveyors' Office; **~programm** *n* building program(me), construction schedule; production program(me); **~rat** *m* (-[e]s; ⸚e) government surveyor (of works); **2reif** *adj.* developed; **~reihe** *f* range, class, series, model; **~sand** *m* building sand.

Bausch [bauʃ] *m* (-es; ⸚e) pad, bolster; *of cotton*: wad; *on sleeve, for powdering*: puff; *med.* swab, tampon, compress; *in ~ und Bogen* in the lump (*a. fig.* = altogether), in the bulk, wholesale; ˈ**2en I.** *v/i. or sich ~* (*h.*) swell (*or* bulge) out, bag; **II.** *v/t.* (*h.*) puff (out), inflate; ˈ**2ig** *adj.* puffy, swelled, baggy; ˈ**~preis** *econ. m* bulk price.

ˈ**Bau...:** **~schlosser** *m* building fitter, locksmith; **~schule** *f* school of architecture; **~schutt** *m* rubble; **~sparer(in** *f*) *m* building share investor; **~sparkasse** *f* building society, *Am.* building and loan association; **~sparvertrag** *m* building society savings agreement; **~stahl** *m* structural steel; **~stein** *m* brick; building stone; *fig., tech.* element, building block; **~stelle** *f* building site; **~stil** *m* (architectural) style; **~stoff** *m* building (*or* structural) material; **~tätigkeit** *f* building activity; **~technik** *f* structural engineering; **~techniker** *m* constructional engineer; **~teil** *m* structural member, component part; **~ten** *m/pl.* buildings, structures; **~tischler** *m* building joiner; **~träger** *m* builder; **~trupp** *m* construction team (*or* gang); **~unternehmer** *m* building contractor; → *Baufirma*; **~vorhaben** *n* building project; **~vorschrift** *f* building regulations (*or* specifications *pl.*);

~weise *f* (method of) construction; → *Bauart*; **~werk** *n* building, edifice, structure; **~wesen** *n* (-s) architecture, construction engineering, building industry; **~zeichnung** *f* construction drawing.

Bayer ['baɪər] *m* (-*n*; -*n*), **~in** *f* (-; -*nen*), '**bay**(**e**)**risch** *adj.* Bavarian; '**Bayern** *n* (-s) Bavaria.

Bazillen|herd [ba'tsilən-] *m* focus of bacilli; **~stamm** *m* strain of bacillus; **2tötend** *adj.* germicidal; **~träger** *med. m* carrier.

Bazillus [ba'tsilus] *m* (-; -*llen*) bacillus (*pl.* -*i*); germ.

'**B-Dur** *mus. n* (-) B flat major.

beabsichtigen [bə'ˀapziçtigən] *v/t.* (*h.*) intend, mean, propose (*zu tun* to do, doing); have in view (to do); contemplate, aim at (doing), *Am.* plan (to do); → *absichtlich*.

be'acht|en *v/t.* (*h.*) pay attention to, heed; note, notice, take notice of; observe; take care, mind (*daß* that); consider, bear in mind, take into account; *nicht* ~ disregard, ignore, take no notice of; *bitte zu* ~ kindly note; **~enswert** *adj.* noteworthy, remarkable; **~lich** *adj.* noticeable, marked, considerable; remarkable.

Be'achtung *f* (-) attention, notice; consideration, regard; observance; ~ *finden* be noticed (*or* taken notice of); ~ *schenken* (*dat.*) pay attention (to), regard; *keine* ~ *schenken* disregard, ignore, overlook, pay no attention (to); ~ *verdienen* be worthy of note; *unter* ~ *von* subject to (*regulations*); *zur* ~! Notice!

be'ackern *v/t.* (*h.*) till, cultivate; *fig.* go over, work up; range over *a wide field.*

Beamte(**r**) [bə'ˀamtə(r)] *m* (-*n*; -*n*) official; functionary, officer, executive; Government official, public servant, *Brit.* Civil Servant; employee; clerk; *teleph.* operator; *police, customs, of company*: officer.

Be'amten...: ~beleidigung *f* insult to an official (on duty); **~herrschaft** *f* (-) bureaucracy; **~laufbahn** *f* official career; public (*or* civil) service; **~schaft** *f* (-), **~tum** *n* (-s) civil servants *pl.*; *a. contp.* officialdom.

Be'amtin *f* (-; -*nen*) → *Beamter.*

be'ängstig|en *v/t.* (*h.*) make anxious (*or* uneasy), worry, alarm, frighten; **~end** *adj.* alarming, disquieting; fearful, appalling; **2ung** *f* (-) anxiety, uneasiness, worry.

beanspruchen [bə'ˀanʃpruxən] *v/t.* (*h.*) claim, demand; claim, lay claim to, enter a claim for (*a right, etc.*); *unjustified*: pretend to; require, take (up), call for (*care, room, time, etc.*); make use (*or* avail o.s.) of; strain, try, tax; *tech.* stress; *es hat mich stark beansprucht a.* it has kept me very busy; **2ung** *f* (-; -*en*) claim; pretension (*gen.* to); demand (*gen.* on *strength, time, money market, etc.*); drain; strain; *tech.* **a**) stress, strain, load, **b**) wear and tear, **c**) working conditions *pl.*; *für hohe* ~ for high-duty service; *für alle* ~*en im Betrieb* to suit all shop conditions.

beanstand|en [bə'ˀanʃtandən] *v/t.* (*h.*) object (*et.* to); take exception to, complain of, frown upon; demur to (*a claim, etc.*); contest, oppose (*an election, etc.*); reject, refuse (acceptance of), complain about (*merchandise*); **2ung** *f* (-; -*en*) objection, complaint, protest; *econ.* reclamation, complaint, rejection; ~*en erheben* raise objections.

beantragen [bə'ˀantrɑːgən] *v/t.* (*h.*) apply for; *econ., parl.* move, make a motion; propose.

be'antwort|en *v/t.* (*h.*) answer (*a. fig. mit* with), reply to; **2ung** *f* (-; -*en*) answer(ing), reply; *in* ~ *gen.* in answer (*or* reply) to.

be'arbeit|bar *tech. adj.* workable, machinable; **~en** *v/t.* (*h.*) work at; *agr.* work, till, cultivate; *tech.* fashion, model; work (*wood*); dress (*leather*); hew, face; work (*metal*), *by cutting*: machine, tool; process; dress; *chem.* treat (*mit* with); *fig.* treat, deal with; work up; attend to, handle; be in charge of; act upon; consider, treat, *Am. a.* process (*files, petitions*); work out, prepare; *econ.* canvass (*customers*); *jur.* *e-n Fall* ~ prepare a case; re-edit, revise (*books*); *for film, the stage, etc.*: adapt (*nach* from), *esp. mus.* arrange; *j-n* ~ **a**) work on a p., belabo(u)r a p., **b**) batter a p., *sl.* beat a p. up, work a p. over; et. *mit den Fäusten* (*Füßen*) ~ pound (kick) a th.; **2er**(**in** *f*) *m* official responsible (*or* in charge); examiner, inspector; *of books*: editor, revisor; *thea.* adapter; **2ung** *f* (-; -*en*) *agr.* working, cultivation; *of files, etc.*: treatment, consideration, *Am.* processing; preparation; *of customers*: canvassing; *of books*: revision, revised edition; *thea.* adaptation, *esp. mus.* arrangement; *tech.* mechanical treatment; *non-cutting*: working; *cutting*: machining, tooling; processing; dressing; *chem.* treatment.

Be'arbeitungs|grad *m* workability; **~kosten** *pl.* tooling costs; **~plan** *m* operation plan; **~verfahren** *n* method of treatment; *metal*: tooling method; **~vorgang** *m* machining operation.

be'argwöhnen *v/t.* (*h.*) suspect, be suspicious of.

beaufsichtig|en [bə'ˀaʊfziçtigən] *v/t.* (*h.*) supervise, superintend, control; watch over; look after (*a child*); **2ung** *f* (-; -*en*) supervision, superintendence, surveillance, inspection.

beauftrag|en [bə'ˀaʊftrɑːgən] *v/t.* (*h.*): *j-n mit* et. ~ charge (*or* entrust) a p. with a th.; direct (*or* instruct, order) a p. to do a th.; put a p. in charge of a th.; appoint; authorize, empower, commission; retain (*a lawyer*); **2te** [-trɑːktə] *m, f* (-*n*, -*n*; -*n*, -*n*) commissioner (for); delegate, deputy, authorized representative; agent, proxy, attorney(-in-fact).

be'bau|en *v/t.* (*h.*) *agr.* farm, till, cultivate; *arch.* build (up)on; *bebaute Fläche* tilled (*or* cultivated) area; *bebautes Gelände* built-up area; **2ung** *f* (-) *agr.* cultivation; *arch.* house-building, *Am.* development.

beben ['beːbən] *v/i.* (*h.*) shake, tremble; shiver, shudder; quiver, shake, tremble (*all*: *vor dat.* with *fear, etc.*); *earth*: quake; vibrate; **~d** *adj.* shaking, *etc.*; *voice a.* tremulous.

bebildern [bə'bildərn] *v/t.* (*h.*) illustrate.

bebrillt [bə'brilt] *adj.* bespectacled.

be'brüten *v/t.* (*h.*) sit on, hatch.

Becher ['bɛçər] *m* (-s; -) cup (*a. fig. des Leidens* of sorrow); beaker; *without foot*: tumbler, mug; drinking-cup; *bot.* cup, calix; *of dredger*: bucket; **2förmig** ['-fœrmiç] *adj.* cup-shaped; '**~glas** *chem. n* glass beaker; '**~kette** *f* conveyor (*or* bucket) chain; '**2n** *colloq. v/i.* (*h.*) tipple, booze; '**~werk** *n* bucket elevator.

Becken ['bɛkən] *n* (-s; -) basin, *Am. a.* bowl; *mus.* cymbal(s *pl.*); *anat.* pelvis; *tech.* basin (*a. of port*), reservoir; '**~knochen** *m/pl.* pelvic bones.

bedachen [bə'daxən] *v/t.* (*h.*) roof.

bedacht [-'daxt] *adj.* thoughtful, considerate; ~ *auf* intent (*or* keen, bent) on; *darauf* ~ *sein, zu inf.* be careful (*or* anxious) to *inf.*; *auf alles* ~ with an eye to everything.

Be'dacht *m* (-[e]s) consideration, deliberation; caution, circumspection, care; *mit* ~ advisedly, deliberately; ~ *nehmen auf* et. consider a th., take a th. into consideration; *mit* ~ *zu Werke gehen* proceed with care.

bedächtig [-'dɛçtiç] *adj.* cautious, guarded; deliberate; circumspect, prudent; gingerly (*a. adv.*); slow, measured; **2keit** *f* (-) cautiousness; circumspection; deliberation.

bedachtsam [-'daxtzaːm] *adj.* thoughtful, considerate; → *bedächtig.*

Be'dachung *f* (-; -*en*) roofing.

be'danken: *sich* ~ (*h.*) (*bei j-m*; *für* et.) thank (a p.; for a th.), express (*or* return) one's thanks (to a p.; for a th.); decline with thanks; *iro. dafür bedanke ich mich* thank you for nothing.

Be'darf *m* (-[e]s) need, want (*an dat.* of); *econ.* demand (for); requirements *pl.*; *Geld*2 financial requirements *pl.*; ~ *an Wasser* water requirements *pl.*; (necessary) supply, supplies *pl.*, material, stock; consumption; *Güter des gehobenen* ~*s* luxuries and semi-luxuries; high-quality products; *bei* ~ if required; *nach* ~ as (*or* when) required, as occasion demands; ~ *haben an* (*dat.*) be in need of, want, be in the market for; *den* ~ *decken* meet (*or* supply) the demand, satisfy the needs; *s-n* ~ *decken* cover one's requirements, supply o.s.; *e-n* ~ *schaffen* create a need; **~s-artikel** *m* article of consumption, commodity; *pl.* commodities, consumer goods, requisites; **~sdeckung** *f* satisfaction (*or* supply) of needs; commodity supply; **~sfall** *m* requirement; *im* ~*e* if required, in case of need; **~sgüter** *n/pl.* essential commodities; **~shaltestelle** *f* request stop; **~slenkung** *f* consumption control, distribution of supply; **~s-träger** *m* consumer; **~sweckung** *f* (-) creation of needs, consumptionism.

bedauerlich [bəˈdauərliç] *adj.* regrettable, deplorable, sad; *es ist sehr* ~ it is a great pity; **~erweise** *adv.* unfortunately, regrettably; sorry to say.

beˈdauern *v/t.* (*h.*): *j-n* ~ sympathize with a p.; feel (*or* be) sorry for a p.; pity a p.; et. ~ (feel) regret (at), deplore, lament; *ich bedaure sehr, daß* I am very sorry for *or* that; *wir* ~, *sagen zu müssen* we regret (*or* are sorry) to say; *er ist zu* ~ he is to be pitied; *bedaure!* (I am) sorry!; ≗ *n* (-*s*) regret (*über acc.* at, for); pity, compassion (*mit* for); sympathy (*wegen* in); *mit* ~ regretfully; *zu m-m* (*großen*) ~ (much) to my regret; et. *mit* ~ *ablehnen müssen* regret to decline a th.; **~swert, ~swürdig** *adj.* pitiable, deplorable, unfortunate.

beˈdeck|en *v/t.* (*h.*) cover; screen; coat (*mit* with *colour, etc.*); shelter, protect; *mil.* escort; *mar.* convoy; *sich* ~ cover o.s.; *sky*: cloud; *fig. sich mit Ruhm* (*Schande*) ~ cover o.s. with glory (shame); **~t** *adj.* covered (with); littered (*or* cluttered up) with; *sky*: overcast; **≗ung** *f* (-; -*en*) cover(ing); protection, safeguard; *mil.* escort; *mar.* convoy.

beˈdenken I. *v/t.* (*irr., h.*) consider; think over, deliberate on; remember, (bear in) mind; *die Folgen* ~ weigh the consequences; *zu* ~ *geben* argue; *wenn man sein Alter bedenkt* considering his age; provide, supply; → *Testament*; **II.** *sich* ~ deliberate, reflect; think it over; hesitate, waver; *sich anders* ~ change one's mind; ≗ *n* (-*s*; -) consideration, deliberation; objection; doubt, scruple; *pl. a.* second thoughts; concern, misgivings *pl.*; *kein* ~ *tragen* make (*or* have) no scruples (*wegen* about); *ohne* ~ without hesitation, unhesitatingly; **~los I.** *adj.* unscrupulous; **II.** *adv.* without hesitation.

beˈdenklich *adj.* doubtful; diffident; *character*: dubious, doubtful, objectionable; critical, grave, serious, disquieting; precarious, risky; delicate, ticklish; *es stimmt* ~ it is disquieting; **≗keit** *f* (-) doubtfulness, dubiosity; precariousness, critical state.

Beˈdenkzeit *f* time for reflection; respite; *ich gebe dir bis morgen* ~ I give you till tomorrow.

beˈdeut|en *v/t.* (*h.*) signify, mean; imply; represent; be important, matter; portend, (fore)bode; direct, enjoin, advise (*j-m* a p.); intimate, suggest; give (*j-m* a p.) to understand, make it clear (to); *was bedeutet dieses Symbol?* what does this symbol stand for?; *das bedeutet sicherlich Verdruß* it spells trouble; *sie bedeutet mir alles* she is (*or* means) everything to me; *was soll das denn* ~*!* what's the idea (of this)?; *es hat nichts zu* ~ it does not matter, it is of no consequence; **~end I.** *adj.* important, major; considerable; distinguished, eminent, great; remarkable; **II.** *adv.* considerably, much, a great deal; **~sam** *adj.* significant, suggestive.

Beˈdeutung *f* (-; -*en*) meaning, significance; *of word a.*: acceptation; importance, consequence, bearing; import, *b.s.* portent; *von* ~ *sein* be of importance (*or* consequence), matter; be relevant (*für* to); ~ *beimessen* attach importance (*dat.* to); *nichts von* ~ nothing to speak of; **≗slos** *adj.* insignificant, of no account; meaningless; **~slosigkeit** *f* (-; -*en*) insignificance; harmlessness; **≗svoll I.** *adj.* significant; *words*: pregnant, fraught with meaning; weighty, of great consequence, momentous; **II.** *adv.* meaningly, with meaning; **~swandel** *m* semantic change.

beˈdien|en I. *v/t.* (*h.*) serve, wait on; *econ.* attend (up)on; *tech.* attend, work, operate, control, manipulate (*a machine*); *mil.* serve (*a gun*); *teleph.* answer; *sich* ~ *at table*: help o.s.; *sich e-r Sache* ~ use (*or* make use of, avail o.s. of) a th.; ~ *Sie sich!* help yourself! *iro. ich bin bedient!* I had my fill!; **II.** *v/i.* wait (at table); *cards*: (*Farbe*) ~ follow suit, *nicht* ~ revoke; **≗stete(r** *m*) *f* (-*n*, -*n*; -*n*, -*n*) employé(e *f*) *m*, employee; **≗te(r)** *m* (-*n*; -*n*) (man-)servant, valet; lackey, footman; **≗tenseele** *f* flunkey.

Beˈdienung *f* (-) service (*a. mil.*), *usu. econ.* attendance; servants *pl.*, domestics *pl.*; *at restaurant, etc.*: service; waiter (*f* waitress); *tech.* working, operation, control; manipulation; **~s-anleitung, ~s-anweisung** *f* operating instructions *pl.*, directions *pl.* for use; **~sfeld** *el. n* control panel; **~shebel** *m* control (*or* operating) lever; **~sknopf** *m* control knob; **~smann** *tech. m* (-[e]*s*; -*leute*) attendant, *Am.* operator; **~smannschaft** *mil. f* gun crew, gunners *pl.*; **~s-pult** *n* control panel; **~sstand** *m* control station; operator's stand; **~svorschrift** *f* → → *Bedienungsanleitung*.

beding|en [bəˈdiŋən] *v/t.* (*h*). condition, stipulate, fix by contract; require, necessitate, call for; presuppose, postulate; imply, involve; cause, occasion; → *aus*~; **~t** *adj.* conditional (*durch* on); dependent *or* contingent (on); limited; *right, etc.*: qualified; *jur.* ~*e Freilassung* (release on) probation; ~*er Straferlaß* conditional pardon; ~*e Verurteilung* suspended sentence; ~ *arbeitsfähig* fit for limited service; ~ *sein durch* be conditioned by; **≗theit** *f* (-) limitation (by); relativity.

Beˈdingung *f* (-; -*en*) condition; provision, clause, stipulation, term (*of contract*); requirement; ~*en pl. econ.* terms; (*weather, etc.*) conditions; restriction, qualification, proviso; ~*en stellen* make one's terms; *es zur* ~ *machen* make it a condition; *unter der* ~, *daß* on condition that, provided (that); *econ. unter günstigen* ~*en* on easy terms; *unter keiner* ~ on no account; **≗slos** *adj.* unconditional; **~ssatz** *gr. m* conditional clause; **≗sweise** *adv.* conditionally; **~swort** *n* (-[e]*s*; ¨er) *gr.* conditional.

beˈdräng|en *v/t.* (*h.*) press hard; *fig. a.* afflict, beset; vex, harass; *in bedrängter Lage* in (great) distress, *financially*: *a.* in straitened circumstances; *schwer bedrängt* hard-pressed; **≗nis** *f* (-; -*se*) affliction; distress, trouble, plight; (*financial*) embarrassment.

beˈdroh|en *v/t.* (*h.*) threaten, menace (*mit* with); **~lich** *adj.* threatening; ominous; **≗ung** *f* (-; -*en*) threat, menace (*gen.* to); *jur.* threat, assault.

beˈdrucken *v/t.* (*h.*) print (on); *bedruckt* printed.

beˈdrück|en *v/t.* (*h.*) oppress, harass, crush; *mentally*: oppress, depress, afflict, prey on *a p.'s* mind; **≗er(in** *f*) *m* (-*s*, -; -, -*nen*) oppressor; **~t** *adj.* depressed, dejected, worried, gloomy; **≗ung** *f* (-; -*en*) oppression; depression, dejection.

beˈdürf|en *v/t.* (*irr., h.*) (*gen.*) need, want, require; be (*or* stand) in need of; *es bedarf großer Anstrengungen* it calls for a great effort; **≗nis** *n* (-*ses*; -*se*) need, want; necessity, requirement; *econ.* demand; urge; ~*se pl.* necessaries; *die dringendsten* ~*se des Lebens* the bare necessities; *e-m* ~ *abhelfen* supply a want; (*s*)*ein* ~ *verrichten* relieve nature, ease o.s., wash one's hands; *es ist mir ein* ~ *zu sagen* I feel bound to say, I cannot help saying; **≗nis-anstalt** *f* public convenience; **~nislos** *adj.* having few wants; frugal; **≗nislosigkeit** *f* (-) absence of wants; frugality.

beˈdürftig *adj.* needy, poor, indigent; (*gen.*) in need of, requiring; **≗keit** *f* (-) neediness, indigence, destitution.

Beefsteak [ˈbi:fste:k] *n* (-*s*; -*s*) steak; *deutsches* ~ hamburger.

beˈehren *v/t.* (*h.*) hono(u)r; *a. econ.* favo(u)r (*mit* with *orders, etc.*); *ich beehre mich zu inf.* I have the hono(u)r (*or* privilege) to, *econ.* I beg to *inf.*; *er beehrte mich mit seinem Besuch* he gave me the favo(u)r of a visit.

beeidig|en [bəˈˀaɪdigən] *v/t.* (*h.*) affirm by oath, take one's oath upon, swear to *a th.*; administer an oath to, swear *a p.*; *beeidigte Aussage* sworn evidence (*or* testimony), affidavit; *beeidigter Buchprüfer* chartered (*Am.* certified) public accountant; *beeidigter Dolmetscher* sworn interpreter; **≗ung** *f* (-; -*en*) affirmation by oath; → *Vereidigung*.

beˈeilen *v/t.* (*h.*) hasten, quicken (*one's steps*); *sich* ~ hasten, hurry, make haste, *Am. a.* hustle; *beeil dich!* be quick!, hurry up!, step on it!

beeindruck|en [bəˈaɪndrukən] *v/t.* (*h.*) make an impression upon, impress; **~bar** *adj.* impressionable, susceptible.

beeinflu|ßbar [bəˈaɪnflusba:r] *adj.* susceptible; impressionable; **~ssen** *v/t.* (*h.*) influence, exercise an influence on, control; *adversely*: affect; bias, prejudice, warp (*a p.'s judgement*); **≗ssung** *f* (-; -*en*) influence; *jur. ungebührliche* ~ undue influence; *radio*: **a)** control, modulation, **b)** interference; *gegenseitige* ~ interaction.

beeinträchtig|en [bəˈaɪntrɛçtigən]

v/t. (*h.*) impair, injure, affect (adversely); prejudice, infringe (*or* encroach) upon, interfere with (*a p.'s rights*); detract from (*beauty, etc.*); (*behindern*) hamper, handicap; **2ung** *f* (-; -*en*) impairment (*gen.* of); injury, prejudice (to); encroachment (on), infringement (of); detraction (from); handicap.

be'end(ig)|en *v/t.* (*h.*) (bring to an) end, finish, complete; terminate (*a. contract*); close, wind up, conclude (*speech, meeting, etc.*); **2ung** *f* (-) ending; termination; conclusion, close; completion; *jur.* ~ *des Vertragsverhältnisses* termination (*or* lapse, expiry) of the agreement.

beengen [bə'ˀɛŋən] *v/t.* (*h.*) cramp, narrow; choke; *fig. a.* confine, restrain, hamper; *sich beengt fühlen* feel cramped (*or* ill at ease).

be'erben *v/t.* (*h.*): *j-n* ~ be a p.'s heir, succeed to a p.'s property, inherit (a th.) from a p.

beerdig|en [bə'ˀeːrdigən] *v/t.* (*h.*) bury, inter; **2ung** *f* (-; -*en*) burial, funeral, interment.

Be'erdigungs...: **~institut** *n* undertaker's (establishment), *Am.* funeral home; **~kosten** *pl.* funeral expenses; **~unternehmer** *m* undertaker.

Beere ['beːrə] *f* (-; -*n*) berry; **~nobst** *n* soft fruit, berries *pl.*

Beet [beːt] *agr. n* (-[e]s; -e) bed; border.

befähig|en [bə'fɛːigən] *v/t.* (*h.*) enable (*to do*); qualify (*zu* for); **~t** *adj.* fit (*zu* for), capable (of); talented, gifted, (cap)able; **2ung** *f* (-; -*en*) qualification, fitness (for); aptitude, gift, talent; skill; efficiency; competence; ~ *zum Richteramt* qualification for holding judicial office; **2ungsnachweis** *m* certificate of qualification.

befahl [bə'faːl] *pret. of befehlen.*

befahr|bar [bə'faːr-] *adj.* passable, practicable, *Am. a.* trafficable; *mar.* navigable; *nicht* ~ impassable, *mar.* unnavigable; **~en** *v/t.* (*irr., h.*) travel (*or* ride, drive) on, pass over; *mar.* ply *or* navigate (on); sail along (*the coast*); *mining*: descend (into *the pit*); *mit Kies* ~ unload (*or* cover with) gravel; *eine sehr* ~*e Straße* a much frequented road.

Be'fall *m* attack, infestation, (insect) pest; **2en** *v/t.* (*irr., h.*) beset, befall, attack; *fear*: seize; *disease*: strike; ~ *werden* be attacked (*or* struck) (*von* by *a disease, etc.*), be seized (*or* taken) with; be infested with (*or* invaded by) *parasites*; *von Tuberkulose* ~*es Gebiet* tuberculosis-ridden area; *von Schrecken* ~ panic-stricken.

be'fangen *adj.* shy, timid, self-conscious; confused, embarrassed; partial, *a. jur.* bia(s)sed, prejudiced; *in e-m Irrtum* ~ *sein* labo(u)r under a delusion, be mistaken; **2heit** *f* (-) shyness; embarrassment; nervousness; partiality, prejudice, bias; *jur. wegen* ~ *ablehnen* challenge *a p.* for bias.

be'fassen *v/t.* (*h.*) touch, handle; *fig. sich* ~ *mit* (*dat.*) deal with, attend to, engage in, occupy (*or* concern) o.s. with; *contp.* meddle with; study, examine, consider, go into *a matter*; *der Aufsatz befaßte sich mit Gegenwartsproblemen* the article dealt with present-day problems.

befehden [bə'feːdən] *v/t.* (*h.*) make war upon, fight; *fig.* attack; *sich* ~ carry on a feud with one another; be at strife (*or* loggerheads).

Befehl [bə'feːl] *m* (-[e]s; -e) command (*über acc.* of); order, bidding; *jur. richterlicher* ~ (judicial) order, warrant; *auf* ~ *von or gen.* by order of, on the orders of; *bis auf weiteren* ~ till further orders; *den* ~ *haben zu inf.* be ordered (*or* under orders) to *do a th.*; *den* ~ *übernehmen* assume the command; **2en** *v/t. and v/i.* (*irr., h.*) (*dat.*; *über acc.*) command; order, direct, instruct, tell, bid; decree; *sich dem Schutze j-s* ~ commend (*or* entrust) o.s. to a p.; *ich lasse mir von ihm nichts* ~ I won't be ordered about (*or* dictated to, *Am. a.* bossed around) by him; *wie Sie* ~ as you wish; **2end** *adj.* mandatory; *voice, etc.*: commanding, imperative; **2erisch** *adj.* imperious, dictatorial, peremptory, *sl.* bossy; **2igen** [-igən] *v/t.* (*h.*) command, be in command of, have under one's command, lead.

Be'fehls...: **~ausgabe** *f* issuance of orders, briefing; **~bereich** *m* (area of) command; **~form** *gr. f* imperative (mood); **2gemäß** *adv.* as ordered, according to instructions; **~gewalt** *f* (authority of) command, authority; **~haber** [-haːbər] *m* (-s; -) commander-in-chief, commander; → *Kommandeur*; **2haberisch** *adj.* imperious, dictatorial; **~notstand** *jur. m* (acting under) binding orders; **~stand** *m*, **~stelle** *f* command post, headquarters *pl.*; **~verweigerung** *f* refusal to obey an order; **~wagen** *m* command (*or* staff) car; **2widrig** *adj.* contrary to orders; **~zentrale** *f* control room.

be'festig|en *v/t.* (*h.*) fasten, fix, attach (*an dat.* to); *tech. a.* mount (on); secure (to); clamp, cleat; *aneinander* ~ couple, connect; *mil.* fortify; *fig.* strengthen, secure, solidify, consolidate; *econ. sich* ~ *prices*: harden, stiffen; *befestigte Startbahn* hard-surface runway; **2ung** *f* (-; -*en*) fixing, fastening; *tech.* mounting, clamping; *mil.* fortification; *fig.* strengthening, consolidation, reinforcement; *econ.* strengthening, hardening; **2ungsanlagen** *f/pl.*, **2ungswerke** *n/pl.* fortifications, defences; **2ungsschraube** *f* clamping bolt, setscrew.

befeucht|en [bə'fɔʏçtən] *v/t.* (*h.*) moisten, damp, *stärker*: wet; *tech. a.* humidify; **2ung** *f* (-; -*en*) moistening, damping.

Be'feuerung *aer. f* (-; -*en*) (airway) lighting.

Beffchen ['bɛfçən] *eccl. n* (-s; -) bands *pl.*

befiedert [bə'fiːdərt] *adj.* feathered.

be'finden I. *v/t.* (*irr., h.*) find, deem, think; *sich* ~ be, be found; be contained; *Am. a.* be located; *tech.* be positioned; *as to health*: be, feel; *wie* ~ *Sie sich?* how are you?; **II.** *v/i.* decide, rule; ~ *über* (*acc.*) adjudicate on, hear and decide (*a case*); → *schuldig*; **2** *n* (-s) (state of) health, condition; (*expert*) opinion; discretion; decision, ruling; *sich nach j-s* ~ *erkundigen* inquire after a p.'s health.

befindlich [bə'fintliç] *adj.*: ~ *sein* → (*sich*) *befinden.*

be'flaggen *v/t.* (*h.*) flag.

befleck|en [bə'flɛkən] *v/t.* (*h.*) stain, spot, soil; *fig.* tarnish, sully, besmirch; *mit Blut befleckt* blood-stained; **2ung** *f* (-; -*en*) tarnishing, staining; *fig. a.* defilement.

befleißigen [-'flaɪsigən] (*h.*): *sich e-r Sache* ~ apply o.s. to *a th.*; exercise (great) care (*or* take pains) to *inf.*, be studious to *inf.*; *sich großer Höflichkeit* ~ be studiously polite.

be'fliegen *v/t.* (*irr., h.*): *Strecken* ~ fly routes.

beflissen [-'flisən] *p.p. and adj.* studious (*gen.* of); eager, assiduous, zealous; **2e(r** *m*) *f* (-*n*, -*n*; -*n*, -*n*) (eager) student; **2heit** *f* (-) assiduity, devotion; studiousness.

beflügel|n [-'flyːgəln] *v/t.* (*h.*) lend wings to (*a p.'s steps*), quicken, accelerate; *fig.* inspire; *es beflügelte s-e Phantasie* it fired his imagination; **~t** *adj.* winged.

befluten [-'fluːtən] *v/t.* (*h.*) flood.

befohlen [-'foːlən] *p.p. of befehlen.*

be'folg|en *v/t.* (*h.*) follow, take (*advice*); obey, observe, comply with (*rules*); adhere to, abide by (*principles*); *nicht* ~ disregard, ignore; **~enswert** *adj.* worth following, sound; **2ung** *f* (-; -*en*) (*gen.*) following, observance (of); compliance (with), adherence (to).

be'förder|n *v/t.* (*h.*) convey, carry; transport, *goods a.*: haul; forward, consign; *mar., Am. generally*: ship; *j-n schnell* ~ bundle (*or* rush) a p. (*in acc., zu* to, into); *colloq. j-n hinaus*~ chuck a p. out; → *Jenseits*; hasten; *fig.* further, promote; *in rank, etc.*: prefer (*zu* to), *a. mil.* promote, advance (*zum Major, etc.* to be major, *etc.*); **2ung** *f* (-; -*en*) carriage, conveyance; transport(ation *Am.*); shipment; dispatch; *mail.* transmission; advancement, furtherance; *in rank*: preferment, advancement, promotion; ~ *zum Offizier* commissioning; acceleration.

Be'förderungs...: **~art** *f* mode of conveyance (*Am.* shipment); **~gebühr** *f* postage, charges *pl.*; **~kosten** *pl.* charges for conveyance (*or* of transport); carriage; railway charges; **~liste** *f* promotion list; **~mittel** *n* means of transport(ation *Am.*); *tech.* material-handling equipment; **~schein** *m* waybill.

befracht|en [-'fraxtən] *v/t.* load; *mar.* charter, freight; **2er** *econ. m* consignor; *mar.* charterer, freighter; **2ung** *f* (-; -*en*) *econ.* loading; *mar.* charterage, affreightment; **2ungsvertrag** *m* charter, charterparty.

be'frag|en *v/t.* (*h.*) question, query, interview; (take a) poll (among); examine, interrogate; consult, turn to, see; **2te(r** *m*) *f* (-*n*, -*n*; -*n*, -*n*) interviewee; **2ung** *f* (-; -*en*) inquiry, query, interview; *jur.* examination, interrogation; consultation; poll; referendum.

be'frei|en I. *v/t.* (*h.*) (*von* from) free, deliver; liberate (*a country, etc.*); set free (*or* at liberty); release, discharge (*von* from *a liability*); rescue; excuse, dispense (*from a duty*); *officially*: exempt; relieve (*from burden, worry*); rid (of *troublesome th. or p.*); clear (of), exonerate (from *a charge*); unwrap, strip; **II.** *sich* ~ free o.s. (from), rid o.s. (*od.* get rid) of; shake off; extricate o.s., disentangle (*aus* from *difficulties*); *wrestling*: break a hold; **2er(in** *f*) *m* (-s, -; -, -nen) liberator; **~t** *adj.* freed, liberated; at liberty; relieved; exempt (*von* from *military service, taxes, etc.*); **2ung** *f* (-; -en) (*von* from) deliverance; liberation; release; exemption; **2ungsgriff** *m swimming*: releasing trick; **2ungskrieg** *m* war of liberation (*or* independence).

befremd|en [-'frɛmdən] *v/t.* (*h.*) astonish, surprise, appear strange to; *befremdet sein über et. a.* be disturbed at; *s-e Antwort hat mich etwas befremdet* his answer took me aback somewhat; **2en** *n* (-s) surprise, astonishment, displeasure, indignation (*all*: *über acc.* at); **~lich** [-'frɛmt-] *adj.* strange, surprising, disturbing.

befreund|en [-'frɔʏndən]: *sich* ~ (*h.*) become friends, make friends with one another; *sich mit j-m* ~ make friends with a p.; *sich mit et.* ~ get reconciled (*or* reconcile o.s.) to a th.; come to like (*or* warm to, get used to) a th.; **~et** *adj.* friendly; *pred.* on friendly (*or* intimate) terms (*mit* with); *e-e* **~e** *Nation* a friendly nation; *econ.* **~e** *Firma* friendly firm, business connection (*or* friends *pl.*); *wir sind eng* ~ we are close (*or* intimate) friends.

be'fried|en *v/t.* (*h.*) pacify, bring peace to; **2ung** *f* pacification.

befriedig|en [-'fri:digən] *v/t.* (*h.*) satisfy, give satisfaction (to), please; appease, satisfy, gratify (*desire, hunger*); meet, answer, come up to (*expectations*); serve, supply, provide for (*requirements*); *econ.* meet (*a demand*); satisfy (*claim, creditors*); appease; *schwer zu* ~ hard to please, exacting; **~end** *adj.* satisfying, satisfactory; ~ *ausfallen* prove satisfactory; **2ung** *f* (-; -en) satisfaction (*a. jur. of claims*), appeasement; (*feeling*) satisfaction, gratification; → *Zufriedenheit.*

Be'friedung *f* (-) pacification.

be'frist|en *v/t.* (*h.*) limit in time; fix a period for, set a time-limit on, *Am.* put a deadline on, deadline; **~et** *adj.* limited as to time; temporary; for a fixed period; *jur.* **~es** *Rechtsgeschäft* act subject to a stipulation as to time; **~e** *Sichtwechsel* sight drafts limited in time; **~e** *Verbindlichkeiten* time liabilities; **2ung** *f* (-; -en) (setting a) time-limit, *Am. a.* deadline.

be'frucht|en *v/t.* (*h.*) fecundate, fertilize, fructify (*all a. fig.*); pollinate (*a blossom*); impregnate; **~end** *adj.* fertilizing; **2ung** *f* (-; -en) fecundation, fertilization, fructification; pollination; impregnation; *künstliche* ~ **a)** *bot.* artificial pollination, **b)** *med., zo.* artificial insemination.

befug|en [-'fu:gən] *v/t.* (*h.*) empower, authorize, entitle; **2nis** *f* (-ses; -se) authority, power, right; privilege; *handelsrechtliche* ~ *e-r Gesellschaft* corporate authority; competence, jurisdiction; warrant; *j-m* ~ *erteilen* authorize *or* empower a p. (*zu inf.* to *do*); **2t** *adj.* authorized, empowered, entitled (*zu* to); competent (for a th., to do a th.), having jurisdiction (over); *er ist dazu nicht* ~ he has no right to do so.

be'fühlen *v/t.* (*h.*) feel, touch, handle.

Be'fund *m* state, condition; finding(s *pl.*) (*a. jur.*); result, outcome; facts, data *pl.*; opinion, report; *med.* findings *pl.*, medical evidence; (*je*) *nach* ~ according to circumstances.

be'fürcht|en *v/t.* (*h.*) fear, apprehend; suspect; *das Schlimmste ist zu* ~ we must be prepared for the worst; *dies ist nicht zu* ~ there is no fear (*or* danger) of that; **2ung** *f* (-; -en) fear, apprehension, misgivings *pl.*; suspicion.

befürwort|en [-'fy:rvɔrtən] *v/t.* (*h.*) speak *or* plead for; advocate, recommend; support, endorse, second, back; favo(u)r, sponsor; **2er(in** *f*) *m* (-s, -; -, -nen) advocate, supporter, backer; **2ung** *f* (-; -en) recommendation; endorsement, support.

begab|en [-'gɑ:bən] *v/t.* (*h.*): ~ *mit* endow with, bestow *a th.* upon; **~t** *adj.* gifted, endowed (*mit* with); talented (*für* for); able, clever; **2ung** *f* (-; -en) aptitude, gift; talent(s *pl.*); endowment(s *pl.*).

be'gaffen *v/t.* (*h.*) gape (*or* stare) at.

begann [-'gan] *pret. of beginnen.*

begatt|en [-'gatən] *v/t.* (*h.*) (*a. sich* ~) couple, copulate (with); have sexual intercourse (with); *orn.* mate, pair (with); **2ung** *f* (-; -en) copulation, sexual intercourse, coition; *orn.* pairing, mating; **2ungsorgan** *n* copulative organ; **~e** *pl.* genital apparatus *sg.*

be'gaunern *v/t.* (*h.*) cheat, swindle, victimize.

begebbar [-'ge:pbɑ:r] *econ. adj.* negotiable; transferable; marketable; **2keit** *f* (-) negotiability; transferability.

be'geb|en I. *sich* ~ (*irr., h.*) **1.** go, proceed, repair, betake o.s. (*nach, zu* to); *zu a.* join (*a p., one's regiment, etc.*); *sich an die Arbeit* ~ set to work; *sich auf die Flucht* ~ take to flight; *sich auf die Reise* ~ set out *or* start (on one's journey); → *Gefahr, Ruhe*; *sich unter den Schutz j-s* ~ place o.s. under the protection of; **2.** happen, occur, take place; *bibl. und es begab sich* and it came to pass; **3.** *sich e-r Sache* ~ give up, resign, renounce *a th.*; *sich e-s Rechts* ~ forgo (*or* divest o.s. of) a right, *jur.* waive a right; **II.** *v/t. econ.* **4.** issue, float (*a loan*); negotiate (*bill of exchange*); endorse; dispose of, sell (*goods*); **2enheit** *f* (-; -en), **2nis** *n* (-ses; -se) occurrence, incident, happening, event, affair; **2ung** *econ. f* (-; -en) negotiation; *of a loan*: issue; *jur.* waiver.

begegn|en [bə'ge:gnən] *v/i.* (*sn*) (*dat.*) meet (*a p.*); meet with, run (*or* bump) into; come across, happen (up)on (*a. a th.*); encounter (*enemy, difficulties*); happen to, befall; face, fight, counter; ~ *mit* answer with; anticipate, obviate; meet (*the demand, a danger, etc.*); *j-m freundlich* (*grob*) ~ treat a p. kindly (rudely); *sich* ~ meet; **2ung** *f* (-; -en) meeting; encounter.

be'gehen *v/t.* (*irr., h.*) walk (on); go (*or* pass) along; frequent; inspect; celebrate, commemorate; observe (*a holiday*); make, commit (*a mistake*); *ein Unrecht* ~ do wrong; commit, perpetrate (*a crime*).

Begehr [-'ge:r] *m* (*or n*) (-s) desire, wish; **2en** *v/t. and v/i.* (*h.*): *et. von j-m* ~ ask (*or* request, apply to) a p. for a th.; demand, require; clamo(u)r for; wish, desire, crave; covet; long (*or* yearn) for, hanker after; *sehr begehrt* in great (*or* much in) demand (*a. fig.*); *jur.* pray for (*divorce, etc.*); **2enswert** *adj.* desirable; **2lich** *adj.* desirous, covetous (of); greedy; **~lichkeit** *f* (-) greed(iness), covetousness, cupidity.

Be'gehung *f* (-) inspection; *of feast* celebration; commemoration; *of holiday*: observance; *of crimes*: commission, perpetration.

be'geifern *v/t.* (*h.*) beslobber, beslaver; *fig.* asperse, vituperate.

be'geister|n *v/t.* (*h.*) inspire, fill with enthusiasm, enthuse; electrify, carry away, send (*the audience*) into raptures; *sich* ~ be(come) (*or* feel) enthusiastic (*für* for; *über acc.* about, at); be fascinated (*or* thrilled); **~nd** *adj.* inspiring, rousing, heart-stirring; sensational; **~t** *adj.* enthusiastic(ally *adv.*); passionate, fervent, zealous; *poet.* inspired; *für die Fliegerei* ~ air-minded; *für den Fußball* ~ soccer-conscious *town, etc.*; *sie sprach* ~ *von der Gesellschaft* she raved about the party; *er war* ~ *von dem Plan* he was enthusiastic about (*or* heart and soul for) the project; **2ung** *f* (-) enthusiasm, inspiration, passion (*für* for, about); rapture, ecstasy; applause; *ein Sturm der* ~ a frenzy of enthusiasm; *mit* ~ with enthusiasm, enthusiastically.

Be'gier *f* (-), **~de** *f* (-; -n) desire, appetite (*nach* for); greed (after); sensual (*or* carnal) appetite, lust; eagerness, intentness, zeal; yearning, craving (*nach* for); passion (for); **2ig** *adj.* (*nach, auf acc.*) desirous (of); covetous (of); eager, anxious, impatient (*zu inf.* to *do*); eager, zealous, ardent; *ich bin* ~, *zu erfahren* I am anxious to know.

be'gießen *v/t.* (*irr., h.*) water, sprinkle; pour (*water, etc.*) over (*mit Wasser etc.*); baste (*the meat*); *colloq.* celebrate, wet (*a bargain, etc.*).

Beginn [bə'gin] *m* (-[e]s) beginning, commencement, outset, start; *of school, proceedings, etc.*: opening; → *Anfang*; **2en** *v/t. and v/i.* (*irr., h.*)

begin, start, commence; start, lead off; → *anfangen*; **~en** *n* (-*s*) undertaking, enterprise, venture.

beglaubig|en [-ˈglaubigən] *v/t.* (*h.*) confirm, corroborate, testify to; attest, certify, verify; *officially*: legalize, authenticate; notarize; *pol.* accredit *an ambassador* (*bei* to); **~t** *adj.* certified, attested; witnessed; notarized; *~e Abschrift* certified copy; **2ung** *f* (-; -*en*) attestation, certification; legalization, authentication; *of ambassador*: accrediting; *der öffentlichen ~ bedürfen* require public certification; **2ungsschreiben** *n* letter of credence, credentials *pl.*

beˈgleich|en *econ. v/t.* (*irr.*, *h.*) balance, pay, settle; **2ung** *f* (-) settlement, payment.

Beˈgleit...: **~adresse** *f* [bəˈglait-] declaration form, *Am.* pass-bill; **~brief** *m* covering letter; **2en** *v/t.* (*h.*) accompany (*a. mus. auf* on *the piano, etc.*); *officially*: attend (*a. fig.*); *a. mil.* escort; *mar.*, *mot.* escort, convoy; *j-n heim~, hinaus~, zur Bahn ~ etc.* see a p. home, out, off, *etc.*; *~d* accompanying; attendant; **~er(in** *f*) *m* (-*s*, -; -, -*nen*) companion, attendant (*gen.* to *or* of); *mus.* accompanist; escort; assistant; *ast.* satellite; **~erscheinung** *f* attendant symptom, concomitant (*or* secondary) phenomenon, accompaniment; **~flugzeug** *n* escort plane; **~jäger** *aer. m* escort fighter; **~mannschaft** *f* escort (party); **~musik** *f* accompanying music; *film, etc.*: incidental music; *fig.* obbligato; **~schein** *econ. m* way-bill; *customs*: pass-bill, permit; **~schiff** *n* escort vessel, convoy; **~schreiben** *n* covering note, accompanying letter; **~schutz** *m* (*aer.* fighter) escort; **~umstand** *m* attendant circumstance, concomitant; **~umstände** *m/pl.* concomitant (*or* attendant) circumstances; **~ung** *f* (-; -*en*) company; attendants *pl.*; train, retinue; *usu. mil.* escort; *mar.* convoy; *mus.* accompaniment; *in ~ von or gen.* accompanied (*or* attended) by, in the company of; **~wort** *n* (-[*e*]*s*; -*e*) word of explanation; **~zettel** *econ. m* way-bill.

beˈglück|en *v/t.* (*h.*) make happy; fill with happiness, delight; bless (*mit* with); **~end** *adj.* gladsome, pleasant, enchanting; **~t** *adj.* happy, blissful; *mit et. ~ werden* be favo(u)red (*or* blessed) with a th.; **~wünschen** *v/t.* (*h.*) congratulate *or* felicitate (*zu, wegen* on); *sich* (*selbst*) *~* congratulate (*or* hug) o.s.; **2wünschung** *f* (-; -*en*) congratulation, felicitation (*zu* on).

beˈgnadet *adj.* highly gifted, ingenious; *~er Künstler* inspired artist, genius; *~ sein mit* be blesses (*or* endowed) with.

begnadig|en [-ˈgnɑːdigən] *v/t.* (*h.*) pardon, reprieve; *pol.* amnesty; **2ung** *f* (-; -*en*) pardon, reprieve, clemency; *pol.* amnesty; **2ungsgesuch** *n* petition for mercy (*or* clemency); **2ungsrecht** *n* right of pardon.

begnügen [-ˈgnyːgən] (*h.*): *sich ~ mit* content o.s. (*or* put up) with, be satisfied (*or* content) with.

Begonie [beˈgoːniə] *bot. f* (-; -*n*) begonia.

begonnen [bəˈgɔnən] *p.p. of beginnen.*

begönnern [-ˈgœnərn] *v/t.* (*h.*) patronize.

beˈgraben *v/t.* (*irr.*, *h.*) bury (*a. fig.*); inter, entomb; *s-e Hoffnungen ~* bury one's hopes; → *Hund*; *colloq. du kannst dich ~ lassen!* go and be hanged!

Begräbnis [-ˈgrɛːpnis] *n* (-*ses*; -*se*) burial, interment; funeral; obsequies *pl.*; **~kosten** *pl.* funeral expenses.

begradigen [-ˈgrɑːdigən] *tech. v/t.* (*h.*) straighten (*a. mil. the front*); align.

beˈgreif|en *v/t.* (*irr.*, *h.*) feel, touch, handle, finger; include, comprise; understand, conceive, comprehend, realize, grasp, catch on to, get; *schnell* (*schwer*) *~* be quick (slow) of comprehension, be quick (slow) in the uptake; *ich kann das nicht ~ a.* that's beyond me; *ich kann nicht ~, weshalb er* I can't imagine (*or* I fail to see) why he; → *begriffen*; **~lich** *adj.* comprehensible, conceivable, understandable, natural; *j-m et. ~ machen* make a p. understand a th., make a th. clear to a p., bring a th. home to a p.; **~licherweise** *adv.* logically, naturally, of course.

beˈgrenz|en *v/t.* (*h.*) mark off, delimit; bound, form the boundary of, border; *fig.* limit, confine, restrict, narrow (*auf* to); circumscribe, determine, define; *begrenzte Mittel* limited means; *begrenzter Verstand* limited horizon, narrow mind; **2er** *el. m* (-*s*; -) limiter; **2theit** *f* (-) limitation; *fig.* narrowness; **2ung** *f* (-; -*en*) bounds *pl.*, limit; limitation; *tech.* stop; **2ungsfeuer** *aer. n* boundary light; **2ungslicht** *mot. n* position (*or* side) light.

Begriff [-ˈgrif] *m* (-[*e*]*s*; -*e*) conception, idea, notion; *phls.* concept; term, word; *falscher ~* misconception; *im ~ sein, zu inf.* be about (*or* going) to *inf.*, be on the point of *ger.*, be thinking of *ger.*; *schwer von ~* dense, slow in the uptake; *sich e-n ~ machen von* get (*or* form) an idea of, imagine, visualize *a th.*; *du machst dir keinen ~!* you have no idea!; *ist Ihnen das ein ~?* does that mean anything to you?, does that sound familiar to you?; *das übersteigt alle ~e* imagination boggles at it, that beats everything; *das geht über m-e ~e* that passes my comprehension, that's beyond me; *nach allgemeingültigen ~en* according to common standards; *nach m-n ~en* according to my judgement; *nach unseren ~en* according to our standards; *unser Fabrikat ist ein ~* our make is a byword for quality; **2en** *p.p. and adj.*: *~ sein in et.* be engaged in (*or* busy doing) a th.; *im Anmarsch ~* approaching; *im Schreiben ~* writing; *im Fortgehen ~* leaving; *im Entstehen ~* forming, growing, in (the process of) formation, *chem.* nascent; **2lich** *adj.* abstract, notional, conceptual; *~es Denken* abstract reasoning; **~sbestimmung** *f* definition; **2sstutzig** *adj.* dense, slow; **~svermögen** *n* (-*s*) intelligence, comprehension, grasp; **~sverwirrung** *f* confusion (of ideas).

beˈgründ|en *v/t.* (*h.*) establish, found, set up; create, constitute; *jur.* create, give rise to, vest (*a right, etc.*); give reasons for, substantiate, prove, make good; argue (*or* state one's case) for, *jur. a.* show cause why; motivate, explain; account for, justify (*an action*); **2er(in** *f*) *m* founder, initiator, originator; **~et** *adj.* well-founded, substantiated, justified; legitimate, valid (*claim, reason*); *~e Rechte* vested rights; *~er Verdacht* (*Zweifel*) reasonable suspicion (doubt); **2ung** *f* (-; -*en*) foundation, establishment; initiation; argument(ation), reason(s *pl.*), substantiation; motivation; proof(s *pl.*), statement of arguments; *jur.* **a**) *accusation*: statement of reasons, **b**) *judgement*: opinion, reasons *pl.*, **c**) creation (*of right, etc.*); *mit der ~, daß* on the grounds that; *zur ~* (*gen.*) in support of.

begrüß|en *v/t.* (*h.*) greet, salute, receive (*mit* with); welcome; hail (*all a. fig.*); **~enswert** *adj.* to be welcomed, welcome; **2ung** *f* (-; -*en*) greeting, salutation; welcome; *fenc.* salute; **2ungs-ansprache** *f* welcoming speech.

begünstig|en [-ˈgynstigən] *v/t.* (*h.*) favo(u)r; promote, foster, encourage; benefit; patronize; prefer (*a. a creditor*), favo(u)r; act as an accessory after the fact to *a p.'s* crime; **~t** *adj.* favo(u)red; *jur.* beneficiary, benefiting; **2te(r** *m*) *f* (-*n*, -*n*; -*n*, -*n*) beneficiary; *of letter of credit*: payee; **2ung** *f* (-; -*en*) promotion, encouragement; preference, preferential treatment, patronage, favo(u)ritism; aid, support, protection; *jur.* acting as an accessory after the fact; **2ungsklausel** *f* benefit clause; **2ungstarif** *m* preferential tariff.

beˈgutacht|en *v/t.* (*h.*) give an opinion (*or* one's judgement) on; give an expert's opinion on; examine; appraise (*damage*); *~ lassen* obtain expert opinion on, submit *a th.* to an expert; **2er(in** *f*) *m* expert, referee; appraiser; **2ung** *f* (-; -*en*) examination; appraisement; *concrete*: → *Gutachten.*

begütert [-ˈgyːtərt] *adj.* rich, wealthy, well-to-do; propertied.

begütigen [-ˈgyːtigən] *v/t.* (*h.*) soothe, calm, appease, placate.

behaart [-ˈhɑːrt] *adj.* hairy; *zo.* hirsute; *bot. and zo.* pilose.

behäbig [-ˈhɛːbiç] *adj.* sedate; phlegmatic, comfort-loving; *figure*: portly; **2keit** *f* (-) portliness; sedateness.

beˈhaftet *adj.*: *~ mit e-r Krankheit etc.* be afflicted (*or* affected, infected) with *disease, etc.*; subject to; covered with (*hair, etc.*); *mit Schulden ~* loaded with (*or* involved in) debt, *real estate*: encumbered.

behag|en [-ˈhɑːgən] *v/i.* (*h.*) (*dat.*)

suit, please, be pleasing to; *das behagt mir nicht* I don't like it; **2en** *n* (-s) comfort, ease, luxury; pleasure, delight, relish; ~ *finden an* revel (*or* delight, luxuriate) in, relish a th.; *mit* ~ with relish; **~lich** [-'hɑːk-] *adj.* comfortable; cosy, snug; *sich* ~ *fühlen* feel at one's ease; **2lichkeit** *f* (-) comfort(ableness), ease; cosiness, snugness.

be'halten *v/t.* (*irr.*, *h.*) keep (for oneself), retain; *im Gedächtnis*: remember, retain; *math.* carry (*a figure*); *recht* ~ be right (in the end), be confirmed (*in an opinion*); *et. für sich* ~ keep a th. to o.s.; *behalte das für dich!* keep it under your hat!

Behält|er [-'hɛltər] *m* (-s; -), **~nis** *n* (-ses; -se) container, receptacle; case, box; bin; hopper; *for liquids*: tank, reservoir, holder; basin.

Be'hälter...: ~verkehr *rail. m* container system; **~wagen** *m* tank wagon (*Am.* car).

be'hand|eln *v/t.* (*h.*) *generally*: treat; deal with (*a. a topic*); (*a. fig.*) handle; manage; manipulate; *tech.* treat, process; *med.* treat; attend (to *a p.*), dress (*a wound*); *schlecht* ~ ill-treat, use ill; **2lung** *f* (-; -en) treatment; *med. a.* medical attention; therapy; *tech. a.* processing; handling; manipulation; → *ärztlich*; **2lungsweise** *f* (method of) treatment.

Be'hang *m* (-[e]s; ⸚e) appendage; *on wall*: hangings *pl.*; drapery; decorations *pl.*; *of dog*: lop-ears *pl.*

be'hängen *v/t.* (*h.*) hang, drape (*mit* with); adorn, deck out (*mit* with).

be'harr|en *v/i.* (*h.*) persevere, continue; stand firm; persist (*auf dat.* in); ~ *auf a.* abide by, adhere (*or* cling, stick) to; ~ *bei* maintain, stand (*or* stick) to *one's opinion, statement, etc.*; hold on (*auf dat.* to *one's principle*); **~lich** *adj.* persevering, persistent, unwavering; constant, steady, steadfast; pertinacious, stubborn, dogged; **2lichkeit** (-), **2ung** *f* (-) perseverance, persistence, patience; pertinacity, tenacity, doggedness; determination; **2ungsvermögen** *phys. n* inertia; **2ungszustand** *m* state of inertia, steady condition.

be'hauen *v/t.* (*irr.*, *h.*) (rough-)hew; trim, dress; square; *sculp.* chisel; cut (*stone*).

behaupt|en [-'haʊptən] *v/t.* (*h.*) maintain, hold; → *Feld*; *sich* ~ hold one's own, stand one's ground, weather the storm, *econ.*, *prices*: remain steady *or* firm; ~, *daß* maintain (*or* hold) that; state, declare; assert, contend, claim; aver, assure; → *steif* II.; protest; *wrongly*: pretend; (*a. jur.*) allege; *ich habe nicht behauptet* I didn't say; *man behauptet von ihm, daß* he is said to *inf.*; **2ung** *f* (-; -en) assertion; statement, declaration; contention, allegation; conjecture; affirmation, assurance; *e-e* ~ *aufstellen* → *behaupten.*

Behausung [-'haʊzʊŋ] *f* (-; -en) habitation, housing, accommodation; lodging, dwelling, quarters *pl.*

be'heb|en *v/t.* (*irr.*, *h.*) *generally*: remove; clear away, eliminate overcome (*difficulties, obstacles*); remedy (*grievance*); repair (*damage*); dispel (*doubts*); ease, relieve, check (*pain, etc.*); **2ung** *f* (-) removal; elimination; redress; relief.

be'heimatet *adj.* domiciled (*in dat.* in); *er ist in X.* ~ he is a native of (*or* comes from) X.

be'heizen *v/t.* (*h.*) heat.

Behelf [-'hɛlf] *m* (-[e]s; -e) expedient, (make)shift; → *Notbehelf, Rechtsbehelf*; **2en:** *sich* ~ (*irr.*, *h.*) manage; *sich mit et.* ~ make shift (*or* manage) with a th., make a th. do; make both ends meet; *sich ohne et.* ~ do (*or* go, manage) without a th.; **~s-antenne** *f* auxiliary (*or* makeshift) aerial *or* antenna; **~s-brücke** *f* temporary bridge; **~s-heim** *n* temporary home; **~skon-struktion** *f* makeshift design; **~s-lösung** *f* → *Behelf*; **2smäßig I.** *adj.* makeshift, improvised, emergency, temporary, provisional; **II.** *adv.* by way of an expedient (*or* makeshift); temporarily.

behellig|en [-'hɛligən] *v/t.* (*h.*) bother, molest, importune (*mit* with); **2ung** *f* (-; -en) trouble, bother, molestation.

behend [-'hɛnt], **~e** [-də] *adj.* nimble, agile, quick; dexterous, adroit, handy; quick-witted, smart; **2igkeit** *f* nimbleness, agility, quickness; dexterity; smartness.

beherberg|en [-'hɛrbɛrgən] *v/t.* (*h.*) lodge, house, accommodate, put up, take in, (give) shelter (to); *fig.* harbo(u)r; **2ung** *f* (-) housing, lodging; shelter; accommodation.

be'herrsch|en *v/t.* (*h.*) rule (over), reign over, govern; hold sway over; *fig.* dominate, command, control (*the situation, etc.*) (*all a. mil.*); master, (keep in) check, (keep under) control (*passions, etc.*); know *one's trade*; have complete command (*or* grasp) of *a th.*; be master of *a subject*; have command of *a language*; *mountain, etc.*: command, dominate (*an area, etc.*); influence, sway; *sich* ~ control (*or* restrain) o.s., keep one's temper; **2er(in** *f*) *m* ruler, sovereign (*gen.* over, of); *fig.* master (*f* mistress) (over, of); **~t** *adj. person*: restrained, disciplined, selfpossessed; **2ung** *f* (-) rule, sway, domination, control; *mil.* supremacy; *fig.* command, mastery, grasp; self-control.

beherzig|en [bə'hɛrtsigən] *v/t.* take to heart, (bear in) mind; → *beachten*; **~enswert** *adj.* worth remembering.

be'herzt *adj.* courageous, brave, plucky; determined; **2heit** *f* (-) courage, pluck, gameness.

be'hexen *v/t.* (*h.*) bewitch.

behilflich [-'hilfliç] *adj.*: *j-m* ~ *sein* help *or* assist a p., lend a p. a helping hand (*bei* in); be of service to a p.

be'hinder|n *v/t.* (*h.*) hinder, hamper; handicap, impede; restrain, check; obstruct (*a. traffic, view, etc.*); **2ung** *f* (-; -en) hindrance, handicap, impediment, obstacle (*gen.* to); *sports*: bodychecking; *med.* disability.

be'horchen *v/t.* (*h.*) overhear.

Behörd|e [-'høːrdə] *f* (-; -n) (public) authority, *usu. pl.* the authorities; *n.s.* administrative body, board, agency, office; **~en-apparat** *m* official machinery; **2lich** [-'høːrt-] *adj.* official.

Be'huf *m* (-[e]s; -e): *zu diesem* ~ for this purpose, to this end; **2s** *prp.* (*gen.*) for the purpose of, with a view to, in order to; on behalf of.

be'hüten *v/t.* (*h.*) look after, watch over; guard, keep, protect, preserve (*vor dat.* from); *behüte!* dear me, no!, by no means!; *Gott behüte!* God forbid!

behutsam [-'huːt-] *adj.* cautious, careful, wary; gentle, gingerly; **2keit** *f* (-) caution, care(fulness).

bei [baɪ] *prp.* (*dat.*) **1.** *as to place*: ~ *Berlin* near Berlin; *dicht* ~ *dem Haus* close to the house; *~m Bache* by the brook; *die Schlacht* ~ *Waterloo* the Battle of Waterloo; ~ *Hofe* at court; *~m Buchhändler* at the bookseller's; ~ *m-n Eltern* at my parents', with my parents; *address*: ~ *Schmidt* care of (*abbr.* c/o) Schmidt; ~ *Tisch* at table; ~ *der Hand* at hand; *Besuch* ~ visit to; ~ *den Griechen* with (*or* among) the Greeks; *ich habe kein Geld* ~ *mir* I have no money about me; *man fand e-n Brief* ~ *ihm* a letter was found on him; *er hatte s-n Hund* ~ *sich* he had his dog with him; *Stunden nehmen* ~ take lessons from (*or* with) a p.; ~ *Schiller* (*we read*) in Schiller; ~ *Katzen ist das nicht so* it is not so with cats; *das ist oft so* ~ *Kindern* you will often find this in children; **2.** *as to time, circumstance*: ~ *m-r Ankunft* (*Abfahrt*) on my arrival (departure); ~ *Tagesanbruch* at dawn; ~ *Nacht* at night; ~ *Tag* by day; *~m ersten Anblick* at first sight; ~ *Gelegenheit* on occasion; ~ *der ersten Gelegenheit* at the first opportunity; ~ *e-m Glase Wein* over a glass of wine; ~ *Strafe von 5 Dollar* under penalty of five dollars; *econ.* ~ *Verfall* at maturity, when due; ~ *Unfällen* in case of accidents; **3.** *as to conditions, quality*: ~ *Appetit sein* have a healthy appetite; ~ *der Arbeit* at work; ~ *guter Gesundheit* in good health; ~ *offenem Fenster* with the window open; ~ *Geld* in cash; ~ *schönem Wetter* in fine weather; *~m Spiel* at play; *~m Lesen* while reading; **4.** *hold*: ~ *der Hand etc. fassen* take by the hand; *j-n ~m Namen nennen* call a p. by his name; **5.** *allowance*: ~ *so vielen Schwierigkeiten* considering (*or* in view of, in the face of, under) so many difficulties; ~ *all s-r Vorsicht* despite (*or* with, for) all his care; **6.** *invocation*: *schwören* ~ swear by; ~ *Gott!* by God!; ~ *m-r Ehre!* (up)on my hono(u)r!; **7.** ~ *weitem* by far.

'beibehalt|en *v/t.* (*irr.*, *h.*) retain, maintain, keep up; adhere to, abide by (*principle, etc.*); **2ung** *f* (-) (*gen.*) retention (of), maintenance (of), adherence (to).

'Beiblatt *n* supplement (*zu* to).

'Beiboot *n* dinghy.

'beibring|en *v/t.* (*irr.*, *h.*) bring forward; obtain, procure; adduce, produce, supply, furnish (*proof*, *etc.*); produce (*witnesses*); submit, allege (*reasons*); *j-m* et. ~ **a**) impart a th. to a p. (*a. knowledge*), break a th. (gently) to a p., **b**) teach a p. a th., show a p. how to do a th., **c**) make a th. clear to, explain a th. to a p., **d**) bring a th. home to a p., give a p. to understand (that); inflict *defeat, losses, wound, etc.*, on a p.; administer *poison, etc.*, to a p.; land *a blow* on a p.; *colloq. dir werd' ich's schon noch* ~! I'll teach you what's what!; **𝔏ung** *jur. f* (-) production.

Beicht|e ['baıçtə] *f* (-; -*n*) confession; ~ *ablegen* confess; *j-m die* ~ *abnehmen* confess a p.; *zur* ~ *gehen* go to confession; '**𝔏en** *v/t. and v/i.* (*h.*) confess (*bei* to); *fig. a.* (*v/i.*) make a clean breast of it; '**~geheimnis** *n* confessional secret; seal of confession; '**~kind** *n* penitent; '**~stuhl** *m* confessional; '**~vater** *m* father confessor.

beid|armig ['baıt-] *adj. sports*: two-handed, double; '**~äugig** *adj.* binocular.

beide ['baıdə] *adj.* both; the two; either (*sg.*); *m-e* **~***n Brüder* **a**) both my brothers, **b**) my two brothers; *wir* ~ both of us; we two, the two of us; *alle* ~ both of them; *in* **~***n Fällen* in either case; *kein(e)s von* **~***n* neither (of the two); *zu* **~***n Seiten* on both sides; on either side *sg.*; '**~mal** *adv.* both times.

beider|lei ['-dərlaı] *adj.* (of) both kinds, (of) either sort; ~ *Geschlechts* of either sex, *gr.* of common gender; '**~seitig** *adj.* on both sides; mutual, common; reciprocal; *contract*: bilateral; '**~seits I.** *prep.* (*gen.*) on both sides of; **II.** *adv.* on both sides; mutually, reciprocally.

Beid|händer ['baıthɛndər] *m* (-*s*; -) ambidexter; **𝔏händig** *adj.* ambidextrous; *sports*: *a.* two-handed.

'**beidrehen** *mar. v/i.* (*h.*) heave to.

'**beidrücken** *v/t.* (*h.*): *sein Siegel* ~ (*dat.*) affix one's seal (to).

bei-ein'ander *adv.* together.

'**Beifahrer(in** *f*) *m* driver's mate; *a. racing*: co-driver; pillion-rider; sidecar-rider.

'**Beifall** *m* (-[*e*]*s*) approval, approbation; applause, clapping; acclaim, (loud) cheers *pl.*; ~ *ernten or finden* **a**) meet with approval, **b**) earn (*or* get) applause; ~ *spenden* applaud, clap; cheer, acclaim; *stürmischen* ~ *hervorrufen* provoke thunders of applause, *Am. a.* get a big hand; *thea.* bring down the house.

'**beifällig I.** *adj.* approving, complimentary; favo(u)rable; **II.** *adv.* approvingly; *j-m* ~ *zulächeln* smile one's approval to a p.

'**Beifalls|ruf** *m* shout of applause, *a. pl.* acclaim; *pl.* cheers; **~sturm** *m* thundering applause.

'**Beifilm** *m* supporting film.

'**beifolgend** *adj.* (*a. adv.*) enclosed, inclosed; annexed, attached; ~ *sende ich* enclosed please find.

'**beifüg|en** *v/t.* (*h.*) add, join (*dat.* to); enclose, annex (*to letter*); attach; **𝔏ung** *f* (-; -*en*) addition; *gr.* attribute; enclosure.

'**Beifuß** *bot. m* (-*es*) mugwort.

'**Beigabe** *f* extra; (free) gift; *als* ~ *a.* into the bargain.

beige [beːʒ] *adj.* beige.

'**beigeben I.** *v/t.* (*irr.*, *h.*) add *or* attach *or* join (*dat.* to); *j-m e-n Gehilfen* ~ give a p. an assistant, assign an assistant to a p.; **II.** *v/i.* (*irr.*, *h.*) give in, yield; *klein* ~ eat humble pie, knuckle under.

'**Beige-ordnete(r** *m*) *f* (-*n*, -*n*; -*n*, -*n*) assistant (*gen.* to), deputy; ~ *des Bürgermeisters* deputy mayor.

'**Beigericht** *n* side-dish.

'**Beigeschmack** *m* (peculiar) flavo(u)r *or* taste; smack (*von* of); *fig.* tinge, smack; *e-n* ~ *haben von* be tinged with, smack of.

'**beigesellen** *v/t.* (*h.*) add, join (*dat.* to), associate (with); *sich j-m* ~ join (*or* associate with) a p.

'**Beihilfe** *f* aid, assistance, support; relief; allowance; (government) subsidy, grant (in aid); *jur.* aiding and abetting; ~ *leisten* aid and abet, act as accessory before the fact.

'**beiholen** *mar. v/t.* (*h.*) haul aft.

'**beikommen** *v/i.* (*irr.*, *sn*): *j-m* (*or e-r Sache*) ~ get at (*or* reach, lay hold of) a p., *fig.* get the better of (*or* catch up with) a p., find a p.'s weak spot; *e-r Sache beizukommen suchen* tackle (*or* cope with) a th.; *ihm ist nicht beizukommen* there is no getting at him.

Beil [baıl] *n* (-[*e*]*s*; -*e*) hatchet; *of butcher*: cleaver; *of executioner*: ax(e).

'**Beilag|e** *f* addition; enclosure (*gen.* to *a letter*); annex, appendix; supplement (*gen.* to *newspaper*); *advertising*: (loose) inset; *cul.* garnishing, vegetables *pl.*; **~scheibe** *tech. f* washer.

'**beiläufig I.** *adj.* casual; occasional, incidental; **II.** *adv.* casually; incidentally, by the way; ~ *erwähnen* mention in passing; → *ungefähr.*

'**beileg|en I.** *v/t.* (*h.*) add, adjoin (*dat.* to); enclose (with *a letter*); attribute, ascribe (to), credit (*a p.*) with; *b.s.* impute (to); confer *or* bestow *title* (on); give (*a name*); *e-r Sache Wert* ~ attach importance to a th.; settle (*a quarrel*); *sich e-n Titel etc.* ~ assume; **II.** *v/i.* (*h.*) *mar.* heave to, lie to; **𝔏ung** *f* (-; -*en*) addition; attribution, imputation; settlement; assumption.

beileibe [-'laıbə] *adv.*: ~ *nicht!* certainly not!, by no means!; ~ *kein Narr* certainly no fool.

Beileid ['-laıt] *n* (-[*e*]*s*) condolence; *w.s.* sympathy; *j-m sein* ~ *bezeigen* offer a p. one's condolences, express one's sympathy with a p.; **~sbesuch** *m* visit of condolence; **~sbezeigung** *f* (-; -*en*) condolence, expression of sympathy; **~skarte** *f* condolatory card; **~sschreiben** *n* letter of condolence.

'**beiliegen** *v/i.* (*irr.*, *h.*) be enclosed (*e-m Brief* with a letter); *mar.* lie to; **~d** *adv.* → *beifolgend.*

'**beimengen** *v/t.* (*h.*) → *beimischen.*

'**beimessen** *v/t.* (*irr.*, *h.*): *j-m* et. ~ ascribe a th. to a p., credit a p. with a th.; *j-m die Schuld* ~ put the blame on a p., blame a p. (*an dat.* for); *e-r Sache Glauben* ~ give credence (*or* credit) to a th.; *e-r Sache Bedeutung* ~ attach importance to a th.

'**beimisch|en** (*h.*) *v/t.*: *e-r Sache* et. ~ mix a th. with a th.; admix *or* add a th. to a th.; **𝔏ung** *f* admixture, addition; impurity; *mit e-r* ~ *von a.* with a dash of; *fig.* tinge, smack, dash.

Bein [baın] *n* (-[*e*]*s*; -*e*) leg (*a. of table, trousers, etc.*); bone; *sich auf den* **~***en halten* keep on one's feet; → *bringen*; *j-m auf die* **~***e helfen* set a p. on his feet, *fig.* give a p. a leg up; *j-m ein* ~ *stellen* trip a p. (up *a. fig.*); *dauernd auf den* **~***en sein* be always on the move (*or* trot); *fig.* et. *auf die* **~***e stellen* set a th. on foot; start *or* launch a th., raise (*an army*); *wieder auf die* **~***e kommen* recover, come round, pick o.s. up again; *colloq. j-m* **~***e machen* make a p. find his legs; *sich auf die* **~***e machen* start, be (*or* toddle) off, *sl.* get a move on; *die* **~***e in die Hand nehmen* take to one's heels; (*früh*) *auf den* **~***en sein* be up (and doing); *er reißt sich dabei kein* ~ *aus* he doesn't kill himself over the job; *die ganze Stadt war auf den* **~***en* all the town had turned out.

'**beinah(e)** *adv.* almost, nearly; well-nigh, all but; et. ~ *tun* come near doing a th.; ~ *unmöglich* next to impossible; *es ist* ~ *e-e Million a.* it is little short of a million; ~ *dasselbe* much the same thing.

'**Beiname** *m* surname; nickname, sobriquet; *j-m e-n* **~***n geben* surname (*or* nickname) a p.

'**Bein...: ~arbeit** *f boxing*: footwork; *swimming, wrestling*: legwork; **~ausheber** *m wrestling*: leg pick-up; **~bruch** *m* fracture of the leg; **~fäule** *f* caries; **~griff** *m* leg hold.

beinhalten [bə'ˀinhaltən] *v/t.* (*h.*) contain; say, express; imply.

'**Bein...: ~haus** *n* charnel-house; **~kleid(er** *pl.*) *n* trousers, *Am.* pants *pl.*; **~ling** *m* (-*s*; -*e*) leg of a stocking; **~prothese** *f* artificial leg; **~schere** *f wrestling*: leg scissors *pl.*; **~schiene** *f hist.* greaves; *sports*: leg guard, pad; *med.* (leg-)splint; **~stellen** *n* (-*s*) tripping; **~verkürzung** *f* short(ening of a) leg.

'**bei-ordn|en** *v/t.* (*h.*) adjoin; coordinate (*a. gr.*); *j-n* ~ assign a p. (*dat.* to), appoint a p. as assistant (to); **𝔏ung** *f* coordination; assignment.

'**beipacken** *v/t.* (*h.*) pack up with, add.

beipflicht|en ['-pflıçtən] *v/i.* (*h.*) (*dat.*) agree with *a p.*; assent to, concur with (*an opinion*); approve (of), endorse *an action*; **𝔏ung** *f* (-; -*en*) agreement, assent; approbation.

'**Beiprogramm** *n film*: supporting program(me).

'**Beirat** *m* (-[*e*]*s*; ⸚*e*) adviser, counsel(l)or; advisory board.

beirren [bə'ˀirən] *v/t.* (*h.*) confuse, mislead; disconcert, fluster; divert; *sich* ~ *lassen* allow o.s. to be discouraged; falter, waver; *er läßt sich nicht* ~ he stands firm, he sticks to his guns.

beisammen [baı'zamən] *adv.* to-

gether; s-e *Gedanken* ~ *haben* have one's wits about one; *colloq. schlecht* ~ *sein* be poorly, feel seedy; 2**sein** *n* (-*s*) being together; reunion; *geselliges* ~ (social) gathering, social.
ˈ**Beisatz** *m* admixture; *metall.* alloy; *gr.* apposition.
ˈ**Bei|schlaf** *m* cohabitation, coition, sexual intercourse; 2**schlafen** *v/i.* (*irr.*, *h.*) (*dat.*) sleep (*or* lie) with; ~**schläfer(in** *f*) *m* bedmate, lover.
ˈ**beischließen** *v/t.* (*irr.*, *h.*) enclose.
ˈ**bei|schreiben** *v/t.* (*irr.*, *h.*) add (*or* note) on the margin (*dat.* of), annotate; 2**schrift** *f* marginal note, annotation; postscript.
ˈ**Beisegel** *n* studding sail.
ˈ**Beisein** *n* (-*s*) presence; *im* ~ *von* (*or gen.*) in the presence of, before.
beiˈseite *adv.* aside, apart; *thea.* aside; *Scherz* ~! joking apart!; ~ *gehen* step aside; ~ *lassen* leave aside; disregard; ~ *legen* put (*or* set) aside; discard, junk; put (*or* lay) by, save; ~ *schaffen* remove, take away; make away with; remove, liquidate, do for *a p.*; ~ *schieben* push aside; *fig.* brush aside; ~ *setzen* set aside, overrule; ~ *stellen* put (*or* place) aside; earmark.
ˈ**beisetz|en** *v/t.* (*h.*) lay at rest, bury, inter (*corpse*); add; *chem. a.* admix; *mar.* spread (*sails*); *alle Segel* ~ crowd all sail; 2**ung** *f* (-; -*en*) burial, funeral.
ˈ**beisitz|en** *v/i.* (*irr.*, *h.*) sit by; *esp. jur.* sit in (*court, committee*); 2**er(in** *f*) *m* (-*s*, -; -, -*nen*) *jur.* assessor, court associate; associate judge; layjudge; member (*of a committee*).
ˈ**Beispiel** *n* (-[*e*]*s*; -*e*) example; model; instance; precedence; illustration; demonstration; *warnendes* ~ awful example; *zum* ~ (*z.B.*) for instance, for example (*abbr.* e.g.); *ich zum* ~ I for one; *wie zum* ~ as for instance, such as; *ein* ~ *geben* set an example; *sich ein* ~ *nehmen an* take example by *a p.*, take a leaf out of *a p.'s* book; *sich ein warnendes* ~ *nehmen an* take warning from; *mit gutem* ~ *vorangehen* set a good example (*dat.* to); → *folgen*; 2**haft** *adj.* exemplary; *attr.* model; ~ *für* representative of; 2**los** *adj.* unexampled, unprecedented, unparalleled, unheard of; peerless, matchless; ~**losigkeit** *f* (-) singularity; matchlessness; 2**sweise** *adv.* for (*or* by way of) example, for instance.
ˈ**beispringen** *v/i.* (*irr.*, *sn*): *j-m* ~ hasten (*or* come) to a p.'s aid; stand by a p.; help a p. (out).
beiß|en [ˈbaɪsən] *v/t. and v/i.* (*irr.*, *h.*) bite (*auf*, *in acc. a th.*); gnaw (*an dat.* at); chew; *insect, pepper, etc.*: sting, bite; burn; itch; smart; *nach j-m* ~ snap at; → *Apfel, Gras; Lippe*; *die Farben* ~ *sich* the colo(u)rs clash; *iro. er wird dich schon nicht* ~ he won't bite you; ~**end** *adj.* biting, pungent, caustic (*all a. fig.*); hot; *fig.* sarcastic, trenchant; biting, cutting (*cold, wind*); gnawing (*pain*); 2**korb** *m* muzzle; 2**zange** *f* (*e-e* ~ a pair of) pliers *pl.*, pincers *pl.*
ˈ**Beistand** *m* (-[*e*]*s*; ⸚*e*) aid, help, assistance, support; (*person*) assistant, standby; adviser; *jur.* → *Rechtsbeistand*; *j-m* ~ *leisten* lend a p. assistance, aid a p., *med.* attend to a p.; ~**s-pakt** *m* pact of mutual assistance.
ˈ**beistehen** *v/i.* (*irr.*, *sn*): *j-m* ~ stand by, assist, help a p.; stand up for, plead for a p.; 2**de(r)** [ˈ-də(r)] *m* (-*n*; -*n*) bystander, onlooker.
ˈ**Beisteuer** *f* contribution; 2**n** *v/t. and v/i.* (*h.*) contribute (*zu* to).
ˈ**beistimm|en** *v/i.* (*h.*) (*dat.*) agree (*or* concur) with *a p.*; assent (*or* agree, accede) to, fall in with (*a view, etc.*); 2**ung** *f* (-) agreement (with), assent (to); approval (to).
ˈ**Beistrich** *gr. m* comma.
Beitrag [ˈ-traːk] *m* (-[*e*]*s*; ⸚*e*) contribution; subscription; share, quota; portion; *insurance*: premium; membership fee (*or* dues *pl.*); *e-n* ~ *leisten* make a contribution (*zu* to); *schriftliche Beiträge liefern* write (articles) for, contribute to; 2**en** *v/t. and v/i.* (*irr.*, *h.*) contribute (*zu* to); *fig. a.* be conducive (to), promote, help; *wesentlich zu et.* ~ *a.* be instrumental in, go a long way towards a. th. *or ger.*; *das trägt nur dazu bei, zu inf.* that will only serve to *inf.*; ~**s-anteil** *m* subscription-fee; share, quota; 2**s-frei** *jur. adj.* non-contributory; without dues; 2**s-pflichtig** *adj.* liable to contribution; ~**s-pflichtige(r** *m*) *f* (-*n*, -*n*; -*n*, -*n*) contributory.
beitreib|bar [ˈ-traɪpbaːr] *adj.* recoverable; ~**en** *v/t.* (*irr.*, *h.*) collect, enforce payment of (*money*); recover (*debts*); exact, collect (*taxes*); 2**ung** *f* (-) recovery; enforcement (of payment); collection; exaction.
ˈ**beitreten** *v/i.* (*irr.*, *sn*) (*dat.*) agree (*or* assent) to, concur with (*an opinion, etc.*); accede to (*a. contract*); join, enter, become a member of (*a party, etc.*).
ˈ**Beitritt** *m* accession (*zu* to); entry (into); joining; ~**s-erklärung** *f* application for membership; enrol(l)ment; declaration of accession (*zu* to *a treaty*).
ˈ**Beiwagen** *m* sidecar; trailer; ~**fahrer(in** *f*) *m* sidecar-rider; ~**maschine** *f* (motorcycle) combination.
ˈ**Beiwerk** *n* accessories *pl.*
ˈ**Beiwert** *m* coefficient.
ˈ**beiwohn|en** *v/i.* (*h.*) (*dat.*) assist (*or* be present) at, attend; witness; *sexually*: cohabit (*or* sleep) with; 2**ung** *f* presence, attendance; sexual intercourse.
ˈ**Beiwort** (-[*e*]*s*; ⸚*er*) *n* epithet; *gr.* adjective.
Beize [ˈbaɪtsə] *f* (-; -*n*) corrosion, etching; staining (*of wood*); (*agent*) *chem.* corrosive, mordant; *agr.* disinfectant, dressing; *for wood*: stain; *dyeing*: mordant; *tanning*: bate; *etching*: aqua fortis; *metall.* pickle; *typ.* etching solution; *tobacco*: sauce; *med.* caustic; *hunt.* hawking.
beizeiten [baɪˈtsaɪtən] *adv.* early, betimes; in good time, on time.
beiz|en [ˈbaɪtsən] *v/t.* (*h.*) corrode; stain, *schwarz* ~ ebonize (*wood*); bate (*hides*); *dyeing*: (steep in) mordant; *metall.* pickle, dip; sauce (*tobacco*); *agr.* disinfect, dress; *med.* cauterize; *hunt.* hawk; ˈ~**end** *adj.* corrosive; caustic; *metall.* pickling; *dye*: mordant; ˈ2**mittel** *n* → *Beize*.
bejah|en [bəˈjaːən] *v/t.* (*h.*) answer in the affirmative (*a. v/i.*), affirm; grant, concede; *fig. et.* ~ accept (*or* welcome) a th., say yes to a th.; ~**end I.** *adj.* affirmative (*a. gr.*); positive; **II.** *adv.* in the affirmative.
bejahrt [-ˈjaːrt] *adj.* aged, elderly.
Beˈjahung *f* (-; -*en*) affirmation, affirmative answer; *fig.* acceptance.
beˈjammern *v/t.* (*h.*) bewail, bemoan; deplore, lament; ~**swert** *adj.* deplorable, lamentable.
beˈkämpf|en *v/t.* (*h.*) fight (against), combat; resist, struggle against; attack, oppose, *Am. a.* battle (*an opinion, etc.*); subdue, (strive to) control, (keep in) check (*passions*); 2**ung** *f* (-) fight(ing), combat, struggle (*gen.* against); control (*a. of insect-pests*).
bekannt [bəˈkant] *adj.* known (*dat.* to); well-known, noted (*wegen gen.* for); notorious; *mit j-m* ~ *sein* be acquainted with a p.; *mit et.* ~ *sein* be familiar (*or* acquainted, conversant) with; *j-n mit e-r Person* ~ *machen* introduce a p. to a p.; *j-n mit et.* ~ *machen* acquaint a p. with (*or* initiate a p. into) a th.; *sich* ~ *machen* make o.s. known; make o.s. a name; *sich mit j-m* ~ *machen* introduce o.s. to a p.; *sich mit et.* ~ *machen* acquaint o.s. (*or* make o.s. familiar, familiarize o.s.) with a th.; *et. als* ~ *voraussetzen* take a th. for granted; *er ist* ~ *als* he is known to be (*or* for being); *es ist allgemein* ~ it is generally known (*or* common knowledge); *dies dürfte Ihnen* ~ *sein* you are probably aware of it; 2**e(r** *m*) *f* (-*n*, -*n*; -*n*, -*n*) acquaintance, friend; 2**enkreis** *m* (circle of) acquaintances *or* friends; 2**gabe** *f* → *Bekanntmachung*; ~**geben** *v/t.* (*irr.*, *h.*) → *bekanntmachen*; ~**lich** *adv.* as you know, as everybody knows; ~**machen** *v/t.* (*h.*) make known, report, disclose; notify, give notice (of); make public, publish; announce, proclaim; promulgate (*a law*); advertise; *es wird hiermit bekanntgemacht* notice is hereby given; *j-n mit j-m or et.* ~ → *bekannt*; 2**machung** *f* (-; -*en*) publication, notification; announcement, proclamation; promulgation; disclosure, communiqué; advertisement, announcement; public notice, bulletin; poster; 2**schaft** *f* (-; -*en*) acquaintance (*mit* of); familiarity (with); *w.s.* acquaintance(s), friend(s); *flüchtige* ~ speaking acquaintance; *mit j-m* ~ *schließen* become acquainted with a p., make a p.'s acquaintance; scrape acquaintance with a p.; *bei näherer* ~ on closer acquaintance; ~**werden** *v/i.* (*irr.*, *sn*) become acquainted (*mit* with); *publicly*: become known; get abroad, come to light; leak out, transpire, *Am. a.* develop; become famous; acquire a reputation.
beˈkehr|en *v/t.* (*h.*) convert; *sich* ~ *zu* become a convert to; adopt, make *a th.* one's own; *fig. sich* ~ mend one's ways, turn over a new leaf; 2**te(r** *m*) *f* (-*n*, -*n*; -*n*, -*n*) convert, proselyte; 2**ung** *f* (-; -*en*) conver-

sion (*zu* to); christianization; reclamation (*of a sinner*); **2ungssucht** *f* proselytism.

be'kenn|en *v/t.* (*irr., h.*) admit; confess, acknowledge; *sich schuldig* ~ confess one's guilt, *esp. jur.* plead guilty; → *Farbe*; *sich* ~ *zu* **a)** declare o.s. for *a. p or th.*, **b)** confess to, own up to *a deed*, **c)** stand by *a p.*; *sich zu e-r Religion* ~ profess a religion; **2er** *m* (*-s; -*) confessor.

Be'kenntnis *n* (*-ses; -se*) confession; creed; denomination; **~christ** *m* professed Christian; **~freiheit** *f* religious freedom; **~schule** *f* denominational school.

be'klagen *v/t.* (*h.*) lament, deplore; bewail, bemoan; pity; *sehr zu* ~ much to be regretted, most deplorable; *Menschenleben sind nicht zu* ~ there were no casualties; *sich* ~ complain (*über acc.* of, about), make complaints (about); **~swert** *adj.* deplorable, lamentable; pitiable, poor.

Beklagte(r) [-'klɑːktə(r)] *m, f* (*-n; -n*) defendant; *divorce*: respondent; *appeal*: appellee, respondent.

be'klatschen *v/t.* (*h.*) applaud, clap.

be'kleben *v/t.* (*h.*) paste *a th.* over (*mit* with); label; paper, line.

be'kleckern, be'klecksen *v/t.* (*h.*) blotch, stain; spatter; dirty; *with ink*: blot; *with mud*: bespatter.

be'kleid|en *v/t.* (*h.*) clothe, dress; attire, array; drape; *tech.* → *verkleiden*; hold, occupy, fill *an office*; ~ *mit* invest with *an office, etc.*; **2ung** *f* clothing, clothes *pl.*; dress; attire; wearing apparel; draping; *tech.* → *Verkleidung*; *fig.* **a)** investiture; **b)** tenure, holding, exercise (*of an office*).

Be'kleidungs...: **~amt** *mil. f* clothing depot; **~gegenstände** *m/pl.* articles of clothing, wearing apparel *sg.*; **~industrie** *f* clothing industry; **~vorschrift** *mil. f* dress regulation.

be'klemm|en *v/t.* (*h.*) constrict, oppress; *fig.* oppress, weigh upon; *sich beklemmt fühlen* feel oppressed (*or* uneasy, anxious, heavy at heart); **~end** *adj.* oppressive, suffocating (*air*); *fig.* depressing; anxious, uneasy; **2ung** *f* (*-; -en*) constriction, oppression; *fig.* anguish, anxiety.

beklommen [-'klɔmən] *adj.* oppressed; anxious, uneasy; **2heit** *f* (*-*) uneasiness; anxiety.

be'klopfen *v/t.* (*h.*) tap; *med.* percuss.

bekloppt [-'klɔpt] *colloq. adj.* batty, barmy.

bekohl|en [-'koːlən] *mar., rail. v/t.* (*h.*) coal; **2ungsanlage** *f* coaling facility.

be'kommen I. *v/t.* (*irr., h.*) *generally*: get, receive; obtain; acquire; come by; have, be given; get (*a disease*); contract, catch (*an infection*); have (*children*; *zo. young*); *Zähne* ~ cut one's teeth; *e-n Bauch* ~ develop a paunch; *Hunger* (*Durst*) ~ get hungry (thirsty); *e-n Orden* ~ be awarded an order, be decorated; catch (*a train*); *wir werden Regen* ~ we'll have rain; *es ist nicht zu* ~ it is not to be had; *was* ~ *Sie?* what can I do for you?; *wieviel* ~ *Sie?* how much is it (*or* do I owe you)?; ~ *Sie schon?* are you being attended to?; *ich habe es geschenkt* ~ I had it as a gift; *ich bekomme es zugeschickt* I have it sent to me; **II.** *v/i.* (*irr., sn*): *j-m* (*gut*) ~ agree with a p.; *es bekommt ihm gut* it serves him well, it does him good, he feels all the better for it; *nicht* (*or schlecht*) ~ disagree with; *es wird ihm schlecht* ~ he will fare badly with it, he will suffer for it; *wohl bekomm's!* your health!, cheers!, *iro.* I wish you joy.

bekömmlich [-'kœmliç] *adj.* wholesome, beneficial (*dat.* to); salubrious (*air, climate*); easily digestible, light.

beköstig|en [-'kœstigən] *v/t.* (*h.*) board, feed; *sich selbst* ~ find o.s.; **2ung** *f* (*-*) board(ing), food; maintenance, keep; *Wohnung und* ~ board and lodging; *ohne* ~ without meals.

be'kräftig|en *v/t.* (*h.*) confirm, affirm; corroborate, substantiate; ratify (*contract*), *eidlich* ~ affirm upon one's oath; emphasize; **2ung** *f* (*-; -en*) confirmation, affirmation; corroboration, substantiation; *zur* ~ *s-r Worte* in support of his words.

be'kränzen *v/t.* (*h.*) wreathe, garland; festoon.

be'kreuz(ig)en: *sich* ~ (*h.*) cross o.s., make the sign of the cross.

be'kriegen *v/t.* (*h.*) make war (up)on, wage war against, fight; *sich* ~ be at war with one another.

be'kritteln *v/t.* (*h.*) carp *or* cavil at, criticize, find fault with.

be'kritzeln *v/t.* (*h.*) scribble (*or* scrawl) on *or* over.

be'kümmer|n *v/t.* (*h.*) afflict, grieve; trouble, alarm, distress; concern; *bekümmert sein über* (*acc.*) be grieved at; be concerned about; fret over; → *kümmern*; **2nis** *f* (*-; -se*) affliction, grief; distress, trouble.

bekund|en [-'kundən] *v/t.* (*h.*) state; *jur. a.* testify, depose; manifest, demonstrate, reveal, show; **2ung** *f* (*-; -en*) manifestation, demonstration, evidence; statement, testimony.

be'lächeln *v/t.* (*h.*) smile at.

be'lachen *v/t.* (*h.*) laugh at *or* over.

be'laden *v/t.* (*irr., h.*) load, lade, freight, charge (*mit* with); *fig.* burden, charge.

Belag [-'lɑːk] *m* (*-[e]s; ⸚e*) cover(-ing); coat(ing); lining (*a. of brake, clutch*); flooring, planking; *of mirror*: foil; *of road*: surface; deposit; incrustation; *med. of tongue*: fur; *on teeth*: film; *bot.* scald; *on bread*: spread, relish.

Belager|er [-'lɑːgərər] *m* (*-s; -*) besieger; **2n** *v/t.* (*h.*) beleaguer, besiege (*both a. fig.*), lay siege to; *fig. a.* throng, *Am.* crowd; **~ung** *f* (*-; -en*) siege; **~ungszustand** *m* state of siege; → *Ausnahmezustand*.

Belang [-'laŋ] *m* (*-[e]s; -e*) importance; concern, matter, issue; ~*e* *pl.* interests, concerns; *von* ~ of importance *or* consequence (*für* to); relevant, pertinent (to); *von finanziellem* ~ of financial interest; *ohne* ~ of no account; irrelevant, immaterial; *das ist hier ohne* ~ that does not matter (*or* count) here; **2bar** *jur. adj.* triable, liable to criminal prosecution; actionable; **2en** *v/t.* (*h.*) hold *a p.* responsible; *jur.* sue, prosecute, go to law with, take legal action against *a p.*; concern; *was mich belangt* as for me; **2los** *adj.* unimportant, insignificant; negligible, small, petty; irrelevant, immaterial; inconsequential; **~losigkeit** *f* (*-; -en*) insignificance; irrelevance; **2reich** *adj.* important, of (great) consequence; major, considerable; relevant; **~ung** *f* (*-; -en*) prosecution, legal action.

be'lassen *v/t.* (*irr., h.*): *et. an s-m Platz* ~ leave a th. in its place; *j-n in s-r Stellung* ~ retain a p., allow a p. to stay; *alles beim alten* ~ leave things unchanged (*or* as they are).

be'last|bar *tech. adj.* having a load capacity (*bis zu* of); *hoch* ~ heavy-duty; **2barkeit** *tech. f* (*-*) loading capacity, *el.* power rating; **~en** *v/t.* (*h.*) burden (*mit* with); load, charge (*both a. el., tech.*); *tech.* stress, load; weight; *fig.* burden, saddle (*mit* with); weigh on *a p.*; *sich* (*den Geist*) ~ *mit* encumber one's mind with; *econ. j-s Konto mit e-r Summe* ~ charge (*or* debit) a sum to a p.'s account, place a sum to a p.'s debit; encumber, mortgage (*house, etc.*); *jur.* incriminate (*sich selbst* o.s.), charge (*mit* with); oppress, weigh (up)on, prey on *the mind*; → *erblich*; *politisch belastet* politically incriminated; **~end** *adj.* irksome, onerous; *jur.* incriminating.

belästig|en [-'lɛstigən] *v/t.* (*h.*) molest, annoy; trouble, bother, inconvenience; pester, harass; importune; **2ung** *f* (*-; -en*) molestation; annoyance, bother, nuisance.

Be'lastung *f* (*-; -en*) load, burden; *el., tech.* load, stress; *zulässige* ~ maximum permissible load, *aer.* safe load; *fig.* burden, drag; encumbrance, handicap; worry; (*a. econ., etc.*) strain (*gen.* on); *econ.* debit; encumbrance, charge, mortgage; *jur.* incrimination; incriminatory evidence; *politische* ~ political incrimination; → *erblich*; **~s-anzeige** *f* debit advice (*or* note); **~sfähigkeit** *f* (*-*) load-carrying capacity, maximum load; **~smaterial** *jur. n* incriminatory evidence; **~s-probe** *f tech.* load test; *fig.* (severe) test; **~sspitze** *f* peak load; **~szeuge** *m* witness for the prosecution.

belaub|en [-'laubən]: *sich* ~ (*h.*) come into leaf; **~t** [-'laupt] *adj.* leafy.

be'lauern *v/t.* (*h.*) watch, spy on.

be'laufen (*h.*): *sich* ~ *auf* amount to, come (*or* run up) to; work out at; total, aggregate; number.

be'lauschen *v/t.* (*h.*) overhear, listen to; eavesdrop on.

be'leb|en *fig. v/t.* (*h.*) enliven, liven up, animate, vivify; stimulate; envigorate; brighten (*colours, face*); *neu* ~ put new life into; → *wieder*~; **~end** *adj.* animating; stimulating, envigorating; *med.* restorative (*a. su.* ~*es Mittel*); **~t** *adj.* animated (*a. econ.* = brisk); busy, bustling (*scene*); frequented, crowded (*street, etc.*); **2ung** *f* (*-*) *fig.* animation; stimulation; variegation; *econ.* upward movement, rise, increase *in* sales, growth in exports; upswing in economic activity; neue ~ revival; → Wieder2.

be'lecken v/t. (h.) lick; fig. von der Kultur kaum beleckt with hardly a trace of culture.

Beleg [-'le:k] m (-[e]s; -e) (authentic) record; (documentary) evidence or proof; voucher; (supporting) document, exhibit; receipt; example, instance, illustration; authority; **2bar** adj. provable, verifiable; **2en** [-gən] v/t. (h.) cover, (over)lay (mit with); line; coat; mit Fliesen ~ flag; mit Dielen ~ floor; mit Teppichen ~ carpet; zo. cover (a mare); mil. mit Beschuß ~ cover; mit Bomben ~ bomb; mit Soldaten ~ quarter or billet troops on; mit e-r Garnison ~ garrison; occupy, mil. requisition (a dwelling); mining: work (a pit); engage, reserve, book (a seat, etc.); sports: den ersten, zweiten etc. Platz ~ be placed (first, second, etc.); univ. e-e Vorlesung ~ to enrol(l) for a course (of lectures); mit Abgaben ~ impose taxes (up)on, tax; → Beschlag; mit e-r Strafe ~ inflict a penalty (up)on; prove, verify, support by documentary evidence; mit Beispielen ~ illustrate, exemplify; med. sich ~ tongue: fur; → belegt.

Be'leg...: **~exemplar** n voucher copy; author's copy; file copy; **~schaft** f (-; -en) personnel, staff; labo(u)r force, workers pl.; shift; **~schein** m voucher; receipt; **~stelle** f reference, authority; **2t** adj. coated, furred (tongue); husky, thick (voice); ~es Brot sandwich; room, seat, etc.: engaged, reserved; teleph. engaged, Am. busy; **~ung** f (-) occupancy; reservation, booking; mil. billeting; verification; illustration.

be'lehn|en v/t. (h.) invest with a fief, enfeoff; **2ung** f (-; -en) enfeoffment.

be'lehr|en v/t. (h.) instruct; advise, apprise (über of); enlighten; jur. ~ über warn (or advise) of, caution as to; → Bessere(s); sich ~ lassen take advice, listen to reason; **~end** adj. instructive; didactic; **2ung** f (-; -en) instruction; information, advice; correction.

beleibt [-'laɪpt] adj. corpulent, stout, fat; portly; **2heit** f (-) corpulence, stoutness; portliness.

beleidig|en [-'laɪdigən] v/t. (h.) offend (a. fig. the eye, etc.), give offen|ce (Am. -se) to; injure, hurt; insult, jur. a. defame, libel, slander; → tätlich; fig. offend, shock, outrage; sich beleidigt fühlen feel hurt (durch by), take offence (at); ich wollte Sie nicht ~ no offence meant; **~end** adj. offensive, insulting, injurious, abusive; jur. defamatory; libellous, slanderous; **2er(in f)** m (-s, -; -, -nen) offender, insulter; **2ung** f (-; -en) offen|ce (Am. -se); insult, injury; affront; jur. defamation; verleumderische ~ calummy; libel, slander; **2ungsklage** f action for defamation (or libel or slander).

be'leihen v/t. (irr., h.) (grant a) loan on, lend (money) on.

be'lesen adj. well-read; **2heit** f (-) (extensive) reading; ein Mann von großer ~ a man of wide reading.

be'leucht|en v/t. (h.) light (up), illumine, a. festively: illuminate (a. fig.); fig. throw light on, illustrate; näher ~ examine (more closely); **2er** m (-s; -) thea., film: lighter.

Be'leuchtung f (-; -en) lighting (system); illumination; lights pl. (a. paint.); tech. irradiance (in lux or candle-meter units); fig. elucidation, illumination, illustration; **~s-anlage** f lighting system or installation; **~skörper** m light(ing fixture), lamp (fitting); **~smesser** m lux (or illumination) meter; **~s-mittel** n illuminant; **~ungsstärke** f illumination (value); **~s-technik** f lighting engineering.

beleum(un)det [-'lɔym(un)dət] adj.: gut (schlecht) ~ in good (bad) repute, well (ill) reputed; of good (bad) report.

Belg|ien ['bɛlgiən] n (-s) Belgium; '**~ier(in f)** m (-s, -; -, -nen), '**2isch** adj. Belgian.

belichten [-'liçtən] v/t. (h.) irradiate; phot. expose.

Be'lichtung f (-; -en) illumination; phot. exposure; **~smesser** m exposure meter; **~s-tabelle** f exposure(-time) table; **~szeit** f exposure time.

be'lieben **I.** v/t. (h.) deign, choose; **II.** v/i. (h.) please; wie es Ihnen beliebt as you please; tu ganz was dir beliebt do as you like (or please), suit yourself; wie beliebt? I beg your pardon?; **Be'lieben** n (-s) will, pleasure, discretion; nach ~ at will (or pleasure); es steht in Ihrem ~ it rests with you; I leave it to you(r discretion).

be'liebig **I.** adj. any (you like), whatever (you choose); optional, arbitrary, discretionary; jeder ~e anyone, anybody; jedes ~e anything; zu jeder ~en Zeit at any time (that will suit); **II.** adv. at will (or pleasure); ~ viele as many as you like, any number.

beliebt [-'li:pt] adj. liked, favo(u)rite; popular (bei with); sought-after, in request (goods); ~ sein be in vogue; ~ werden come into vogue; sich bei j-m ~ machen ingratiate o.s. (or make o.s. popular) with a p.; **2heit** f (-) popularity (bei among); vogue; favo(u)r; sich großer ~ erfreuen enjoy great popularity.

be'liefer|n v/t. (h.) supply, furnish (mit with); cater for; **2er** m (-s; -) supplier; caterer; **2ung** f (-) supply; catering.

bellen ['bɛlən] v/t. (h.) bark (a.fig.).

Belletrist [bɛlə'trist] m (-en; -en) literary man, belletrist; **~ik** f (-) belles-lettres; **2isch** adj. belletristic; ~e Zeitschrift literary magazine.

be'lob(ig)|en v/t. (h.) praise, commend; **2ung** f (-; -en) praise, commendation; **2ungsschreiben** n laudatory letter.

be'lohn|en v/t. (h.) reward (für for); **2ung** f (-; -en) reward.

be'lüften v/t. (h.) ventilate, aerate.

Be'lüftung f ventilation, aeration; **~s-anlage** f ventilating system; **~s-klappe** f ventilating flap; **~s-schraube** f breather screw; **~s-ventil** n air-bleed valve.

be'lügen v/t. (irr., h.): j-n ~ lie to a p., tell a p. a lie (or lies).

belustig|en [-'lustigən] v/t. (h.) amuse, divert, entertain; sich ~ make merry, enjoy (or amuse) o.s.; be amused (über acc. with, at, by); **~end** adj. amusing, entertaining, funny; **2ung** f (-; -en) amusement, entertainment.

bemächtigen [-'mɛçtigən] (h.): sich e-r Person or Sache ~ seize, take (or get hold of) a p. or a th. (a. fig.); take possession (or possess o.s.) of, get control of a th.; b.s. usurp (the throne, etc.).

be'mäkeln v/t. (h.) cavil (or carp) at, find fault with.

be'malen v/t. (h.) paint (over); decorate; colloq. sich ~ paint one's face.

bemängel|n [-'mɛŋəln] v/t. (h.) find fault with, criticize; cavil at; **2ung** f (-; -en) (gen.) faultfinding (with), criticism (of).

bemann|en [-'manən] v/t. (h.) man; ungenügend ~ underman; bemannter Raumflug manned space flight; **2ung** f (-; -en) manning; crew.

bemäntel|n [-'mɛntəln] v/t. (h.) cloak, disguise, hide; palliate, gloss over, make excuses for; **2ung** f (-; -en) cloak(ing); palliation.

be'meistern v/t. (h.) master, conquer, subdue; sich ~ restrain (or check) o.s.

be'merk|bar adj. observable, perceptible; noticeable; sich ~ machen person: attract attention; es macht sich ~ it makes itself felt; die Anstrengung machte sich bei ihm ~ the strain told on him; **~en** v/t. (h.) perceive, observe, notice, note; ich habe das bemerkt I am aware of that; observe, remark; say; mention; **~enswert** adj. remarkable (wegen, durch for), noteworthy; **2ung** f (-; -en) remark, observation; comment; note; annotation; ~en machen über remark (or comment) on.

be'mess|en **I.** v/t. (irr., h.) proportion (nach to); time; tech. dimension (or design, calculate); rate (performance); adjust; estimate, assess, rate; fig. measure or judge (nach by); **II.** adj. measured, adjusted; dimensioned; meine Zeit ist knapp ~ I am short of time; **2ung** f proportioning (nach to); dimensioning, design; rating.

bemitleiden [-'mitlaɪdən] v/t. (h.) pity, commiserate, be sorry for; er ist zu ~ he is to be pitied; **~s-wert** adj. pitiable, poor.

bemittelt [-'mitəlt] adj. well-off, well-to-do; pred. well off.

be'mogeln v/t. (h.) cheat, trick.

bemoost [-'mo:st] adj. mossy; colloq. ~es Haupt old boy.

bemüh|en [-'my:ən] v/t. (h.) trouble (j-n mit or wegen or in et. a p. for a th.); sich ~ endeavo(u)r, take pains, strive, exert o.s., try hard; sich für j-n ~ exert o.s. (or intervene) on behalf of a p.; sich um et. ~ exert o.s. (or strive, labo[u]r) for a th.; apply for or seek a th.; sich um e-n Verletzten ~ attend to a wounded man; *sich um j-s Gunst or um j-n* ~ court a p.'s favo(u)r, woo a p.; *sich zu j-m* ~ betake o.s. to a p.; *bemüht sein, zu inf.* be anxious to; be endeavo(u)red to *inf.*; *darf ich Sie (darum)* ~? may I trouble you (for it)?; ~ *Sie sich nicht!* don't trouble (*or* bother)!; **2ung** *f* (-; -*en*) trouble, pains *pl.*; effort (*um* for, toward); endeavo(u)r; exertion.

bemüßigt [-'my:siçt] *adj.*: *sich* ~ *fühlen inf.* feel bound (*or* obliged) to.

be'muster|n *v/t.* (*h.*) *econ.* supply samples of, sample (*goods*); send samples to *a p.*; **2ung** *f* sampling.

bemuttern [-'mutərn] *v/t.* (*h.*) mother, baby.

be'nachbart *adj.* neighbouring; adjoining, adjacent (*dat.* to).

benachrichtig|en [-'nɑ:xriçtigən] *v/t.* (*h.*) inform (*von* of; *daß* that) send *a p.* word *or* let *a p.* know (that); notify; *econ.* advise; give *a p.* warning *or* notice (*von* of); **2ung** *f* (-; -*en*) information; notification; *econ.* advice; warning, notice; report; **2ungsschreiben** *econ. n* letter of advice.

benachteilig|en [-'nɑ:xtaɪligən] *v/t.* (*h.*) place *a p.* at a disadvantage, handicap; discriminate against *a p.*; prejudice, injure, wrong; **2ung** *f* (-; -*en*) (*gen.*) disadvantage, handicap (to); discrimination (against); prejudice, injury (to).

be'nagen *v/t.* (*h.*) gnaw at, nibble at.

benebel|n [-'ne:bəln] *v/t.* (*h.*) (be-)fog (*a. fig.*); ~**t** *colloq. adj.* fuddled.

benedeien [bene'daɪən] *v/t.* (*h.*) bless.

Benediktiner [benedik'ti:nər] *m* (-*s*; -) Benedictine (*a. liqueur*); ~**orden** *m* Benedictine Order.

Benefiz [bene'fi:ts] *n* (-*es*; -*e*) benefit; ~**vorstellung** *f* benefit performance.

be'nehmen *v/t.* (*irr., h.*) take away (*j-m den Atem etc.* a p.'s breath, *etc.*); *j-m die Hoffnung etc.* ~ deprive a p. of; *den Kopf* ~ make *a p.'s* head swim; → *benommen*; *sich* ~ behave, conduct (*or* deport, demean) o.s.; *sich* ~ *gegen j-n* act (*or* show o.s.) towards a p., treat a p. *kindly, etc.*; *benimm dich!* behave yourself!; *er weiß sich nicht zu* ~ he has no manners; **Be'nehmen** *n* (-*s*) behavio(u)r, conduct, demeano(u)r; (*gutes*) ~ (good) manners *pl.*; attitude, manner (of acting); *im* ~ *mit* in agreement (*or* conjunction) with; *sich ins* ~ *setzen mit j-m* contact (*or* get in touch with) a p.; confer (*or* consult) with a p. (*über acc.* about).

be'neiden *v/t.* (*h.*) envy *or* grudge (*j-n um et.* a p. a th.); be envious (*j-n um et.* of a p.'s th.); *ich beneide dich um deine Ruhe* I envy (you) your calm; ~**swert** *adj.* enviable.

be'nenn|en *v/t.* (*irr., h.*) name, call (*nach* after); designate, denominate, term; fix (*a day*); *math. benannt* concrete; **2ung** *f* naming, denomination; name, designation, term; nomenclature; *econ.* title (*of security*); *falsche* ~ misnomer.

be'netzen *v/t.* (*h.*) moisten, wet, sprinkle; bedew.

bengalisch [bɛŋ'gɑ:liʃ] *adj.*: ~*e Beleuchtung* Bengal light(s *pl.*).

Bengel ['bɛŋəl] *m* (-*s*; -) boor, booby; rascal, rogue; urchin, little rascal; silly fool; *typ.* bar; '**2haft** *adj.* boorish; clownish.

benommen [-'nɔmən] *adj.* benumbed, dazed, dizzy; **2heit** *f* (-) numbness, dizziness.

be'nötigen *v/t.* (*h.*) want, need, require; *dringend* ~ want badly, be in urgent want of; *die benötigten Mittel* the necessary funds.

benummern [-'numərn] *v/t.* (*h.*) number.

be'nutz|en, be'nütz|en *v/t.* (*h.*) use, make use of; employ, utilize; profit by, turn to account, capitalize on; seize, avail o.s. of (*an opportunity*); take, go by (*bus, etc.*); **2er** *m* (-*s*; -) user; *teleph., etc.*: subscriber; **2ung** *f* (-) use; utilization; *mit or unter* ~ *von* with the aid of; **2ungsrecht** *n* right of use.

Benzin [bɛn'tsi:n] *n* (-*s*; -*e*) *chem.* benzine; *mot.* petrol, *Am.* gas(oline); *mit* ~ *fahren* run on petrol; → *Kraftstoff*; ~**behälter** *m* petrol (*Am.* gas) tank; ~**hahn** *m* petrol tap, *Am.* fuel cock; ~**kanister** *m* petrol (*Am.* gas) container; ~**leitung** *f* petrol pipe, *Am.* gasoline line; ~**-Luft-Gemisch** *n* petrol-air mixture; ~**messer** *m* fuel gauge; ~**motor** *m* petrol (*or* gasoline) engine; ~**tank** *m* petrol *or* gasoline tank; fuel tank; ~**uhr** *f* fuel gauge; ~**verbrauch** *m* fuel consumption.

Benzoe ['bɛntsoe] *f* (-) benzoin; ~**säure** *f* benzoic acid.

Benzol [bɛn'tso:l] *n* (-*s*; -*e*) *chem.* benzene; *econ.* benzol(e).

beobacht|en [bə'ʔo:baxtən] *v/t.* (*h.*) observe; watch, keep an eye on; scan, survey (*the horizon, etc.*); shadow; *et. an j-m* ~ observe (*or* notice) a th. in a p.; *fig. et. mit Besorgnis* ~ view a th. with concern; observe, be observant of, respect (*a law, etc.*); observe, obey, follow, comply with (*an instruction*); observe (*a holiday*); **2er(in** *f*) *m* (-*s*, -; -, -*nen*) observer; *aer.* navigator; *artillery*: spotter.

Be'obachtung *f* (-; -*en*) observation; *fig.* (*gen.*) observance (of), compliance (with); ~**sfenster** *tech. n* viewing window; ~**sflugzeug** *n* observation plane; ~**sgabe** *f* (-) (power of) observation; ~**s-posten** *mil. m* observation post, sentinel; ~**sstation** *f med.* observation ward; *ast.* observatory.

be'ordern *v/t.* (*h.*) order, direct, commission; summon (*zu* to); order away (*or* assign) (*nach* to); *wir haben ihn nach X. beordert a.* we have arranged for him to proceed to X.

be'packen *v/t.* (*h.*) pack (*or* load, weight) (*mit* with).

be'pflanzen *v/t.* (*h.*) plant (*mit* with).

bequem [bə'kve:m] **I.** *adj.* comfortable; restful; cosy, snug; commodious (*für* for); *es sich* ~ *machen* make o.s. comfortable *or* at home, relax; effortless, (*a. econ.*) easy (*terms, etc.*); convenient, suitable; soft (*job*); handy; *person*: comfort-loving; easy-going, indolent; lazy; **II.** *adv.* easily; ~ *in drei Tagen* easily in three days; ~**en** (*h.*): *sich* ~ *zu* comply with, submit to; *sich dazu* ~, *et. zu tun* come round, condescend to do a th.; **2lichkeit** *f* (-; -*en*) convenience, facility; comfort, ease; indolence; laziness.

berappen [-'rapən] *v/t.* (*h.*) pay up, fork out.

be'rat|en *v/t. and v/i.* (*irr., h.*) advise, counsel (*a p.*); deliberate (on), discuss, debate *a th.*; ~ *werden* be under consideration; *sich* ~ deliberate (*über acc.* on, about); *mit j-m*: consult, confer with a p.; *sich* ~ *lassen von* (*dat.*) take the advice of, consult; *gut* (*schlecht*) ~ *sein* be well (ill) advised; ~**end** *adj.* advisory, consultative; ~*e Versammlung* deliberative assembly; ~*er Ingenieur* consulting engineer; *in* ~*er Eigenschaft* in an advisory capacity; **2er(in** *f*) *m* (-*s*, -; -, -*nen*) adviser, counsel(l)or; consultant; ~**schlagen** *v/i.* (*h.*) → (*sich*) *beraten.*

Be'ratung *f* (-; -*en*) deliberation (*über acc.* on), consideration (of), discussion, debate; conference, consultation (*mit j-m* with a p.); advice, counsel (*j-s* to a p.); (*occupational, marriage, etc.*) guidance; *ärztliche* ~ medical advice; ~**sgegenstand** *m* subject (of deliberation), item; ~**sstelle** *f* advisory board; information cent|re, *Am.* -er; *med.* health centre; welfare centre; guidance office; ~**szimmer** *n* conference-room.

be'raub|en *v/t.* (*h.*): *j-n e-r Sache* ~ rob (*or* strip) a p. of a th.; dispossess (of); divest (of *a right*); *fig.* deprive, bereave (of); *beider Eltern beraubt* bereaved (bereft) of both his parents; *jeder Romantik beraubt* shorn of all romance; **2ung** *f* (-; -*en*) robbery; deprivation; bereavement.

be'räuchern *tech. v/t.* (*h.*) fumigate.

be'rausch|en *v/t.* (*h.*) make drunk, intoxicate, inebriate (*all a. fig.*); fuddle, make tipsy; *sich* ~ get drunk; *fig. sich* ~ *an* (*dat.*) be enraptured (*or* intoxicated) with; ~**end** *adj.* alcoholic, heady; intoxicating (*a. fig.*); ~*e Schönheit* ravishing (*or* dazzling) beauty; ~**t** *adj.* drunk, intoxicated (*von* with; *a. fig.*).

be'rechenbar *adj.* calculable.

be'rechn|en *v/t.* (*h.*) calculate (*a. fig.*), compute; account, reckon, *Am. a.* figure (out); sum (*or* total) up; determine; value, estimate (*auf acc.* at); *econ. j-m et.* ~ charge a p. for a th.; invoice; price, quote; *darauf berechnet sein zu inf.* be calculated to *inf.*; *für j-n berechnet sein* be meant (*or* intended, calculated) for a p.; *für et.*: *tech.* be designed (*or* calculated) for a th.; ~**end** *adj.* calculating, selfish; **2ung** *f* calculation, computation; figure(s *pl.*); estimate; *econ.* charge; invoicing; debit; quotation, pricing; *fig.* expediency, policy; *mit* ~ deliberately, judiciously; *er tat es aus* ~ it (= his action) was well calculated; **2ungstabelle** *f tech.* chart; *insurance*: experience table.

berechtig|en [-'rɛçtigən] **I.** *v/t.* (*h.*)

j-n: entitle *a p.* (*zu et.* to *a th. or inf.*); give *a p.* a right (*or* claim) to; authorize, empower (to *inf.*); qualify (to), make eligible (for); **II.** *v/i.* (*h.*) *zu et.*: justify, warrant *a th.*; constitute (*claims*); → *Hoffnung*; **~t** *adj.* entitled (*zu* to); qualified (to), eligible (for); authorized (to *inf.*); justified (in *ger.*); legitimate (*claim, hope, etc.*); competent; **2te(r** *m*) *f* qualifying person; claimant; beneficiary; licensee; registered holder (*or* user); **~terweise** *adv.* legitimately; **2ung** *f* (-) right *or* title (*zu* to); authorization (to); power, warrant; licence; qualification *or* eligibility (for); justification; competence; **2ungsschein** *m* qualification certificate, permit; *econ.* licence; *for dividends, interest*: warrant.

be'red|en *v/t.* (*h.*) talk *a th.* over, discuss, debate; *sich mit j-m ~ über et.* (*acc.*) confer *or* consult with a p. about a th.; persuade *a p.*, talk *a p.* over; **2samkeit** [-'reːt-] *f* (-) eloquence; **~t** *adj.* eloquent (*a. fig.*); *~e Zunge* glib tongue.

Be'reich *m* (-[e]s; -e) reach; area, region; *fig.* range, reach (*a. mil.*); scope, purview; field, domain, sphere, area; orbit; *im ~ der Möglichkeit* within the range of possibility; *es fällt nicht in meinen ~* it is not within my province.

bereicher|n [-'raɪçərn] *v/t.* (*h.*) enrich; enlarge (*one's knowledge*); *sich ~* enrich o.s., *b.s. a.* feather one's nest; **2ung** *f* (-; -en) enrichment.

bereifen[1] [-'raɪfən] *v/t.* (*h.*) cover with hoarfrost, rime, frost (over).

be'reif|en[2] *v/t.* (*h.*) hoop (*a barrel*); tyre, *Am.* tire (*a wheel*).

be'reift *adj.* rimy.

Be'reifung *f* (-; -en) *mot.* (set of) tyres, *Am.* tires *pl.*; *doppelte ~* dual tyres.

be'reinig|en *v/t.* (*h.*) settle (*a quarrel*; *econ. account*); validate (*securities*); clear up, remove (*misunderstanding*); smooth *or* iron out; **2ung** *f* (-; -en) settlement; validation; *fig.* restoration (*or* creation) of healthy conditions.

be'reisen *v/t.* (*h.*) travel, tour (*a country*); visit (*a fair*); *econ. ein Gebiet ~ (lassen)* work a district.

bereit [bə'raɪt] *adj.* (*pred.*) ready, prepared (*zu, für* for; to *inf.*); willing; disposed (to *inf.*); *econ. wir sind gern ~ zu inf.* we shall be pleased (*or* are quite prepared) to *inf.*; *sich ~ erklären zu* (*et.*; *inf.*) agree (*or* consent) to (*a th.*; *inf.*); volunteer for (*a th.*; to *inf.*); *sich ~ finden, et. zu tun* agree (*or* consent, choose, deign, condescend) to do a th., see one's way to doing a th.; *sich zu et. ~ finden* be prepared to do (*or* make, give, *etc.*) a th.; deign a th.; **~en** *v/t.* (*h.*) make (*or* get) ready, prepare; prepare, make; *agr.* work; dress, curry (*leather*); *fig.* cause, make; → *Empfang*; give, afford (*pleasure*); *j-m Kummer ~* grieve a p.; inflict *a defeat* (*dat.* upon); *j-m den Untergang ~* work (*or* bring about) a p.'s ruin.

be'reit...: **~halten** *v/t.* (*irr., h.*) keep ready *or* in readiness (*für* for; *zu* to *inf.*); *für j-n*: *a.* hold at the disposal of a p.; *fig.* have in store for; **~legen** *v/t.* (*h.*) lay out, prepare; **~machen** *v/t.* (*h.*): *sich ~ zu* (*dat.*) get ready (*or* prepare o.s.) for; **~s** *adv.* already; previously; **2schaft** *f* (-) readiness, preparedness; willingness; (*police*) (*pl.* -en) squad; *in ~ sein* be ready (*or mil.* on the alert, at standby); **2schaftsdienst** *m* skeleton (*or* stand-by) service; **2schaftspolizei** *f* stand-by police; **~stehen** *v/i.* (*irr., h.*) be ready *or* in readiness; *mil., etc.*: stand by (*für* for); be available; **~stellen** *v/t.* (*h.*) make available, provide, supply; apportion, allocate (*funds*); reserve, earmark (*reserves*); *mil.* assemble, place (*troops*) in readiness; **2stellung** *f* (-; -en) preparation; provision, procurement, supply; *of funds*: appropriation, provision; *mil.* (final) assembly, concentration; **2ung** *f* (-; -en) preparation; *of leather*: dressing; manufacture, making; **~willig** *adj.* ready, willing; eager; obliging; **2willigkeit** *f* (-) readiness; willingness, *etc.*; *mit großer ~* with alacrity.

be'rennen *v/t.* (*irr., h.*) storm, assault.

be'reuen *v/t. and v/i.* (*h.*) repent (*acc.* of); regret, be sorry (for); rue.

Berg [bɛrk] *m* (-[e]s; -e) mountain; hill; *in die ~e gehen* go into the mountains; *über ~ und Tal* over hill and dale; *fig. usu. pl. ~e von* heaps (*or* piles, *sl.* oodles) of; *~e versetzen* move mountains; *j-m goldene ~e versprechen* promise a p. wonders (*or* the world); *über den ~ kommen* turn the corner; *vor e-m ~e stehen* be up against a great difficulty; *wir sind noch nicht über den ~* we are not yet out of the wood; *hinterm ~ halten mit et.* hold *a th.* back, keep *a th.* dark; *er hielt damit nicht hinterm ~* he was very outspoken, he made no bones about it; *über alle ~e* off and away; *die Haare standen ihm zu ~e* his hair stood on end.

'Berg...: → *Gebirgs...*; **2'ab** *adv.* downhill (*a. fig.*); **~abhang** *m* (mountain-)slope, hillside; **~akademie** *f* mining college; **~amt** *n* Mining Office; **2'an** *adv.* uphill (*a. fig.*), up(wards); **~arbeiter** *m* miner; pitman; collier; **2'auf** *adv.*: *fig. es geht wieder ~* things are looking up; → *bergan*; **~bahn** *f* mountain railway; **~bau** *m* (-[e]s) mining (industry); **~bewohner(in** *f*) *m* highlander.

Berge|geld *n* ['bɛrgə-] salvage (money); **~dienst** *m* recovery service; **'2hoch** *adj.* mountain-high, sky-high; **'2n** *v/t.* (*irr., h.*) save *or* shelter (*sich* o.s.) (*vor dat.* from); recover (*a. mot.*); *mar.* salvage; furl, take in (*sails*); hold, contain; *fig.* harbo(u)r; conceal, hide; involve (*danger*); → *geborgen*.

'Berg...: **~enge** *f* defile; **~fach** *min. n* (-[e]s) mining; **~fahrt** *f* mountain tour; *mot.* hill-climb; *of river-boats*: up-passage; **2freudig** *mot. adj.* quick on the upgrade; **~freudigkeit** *mot. f* (-) (good) hill-climbing ability; **~führer** *m* mountain guide; **~gipfel** *m* mountain-top, summit; **~grat** *m* ridge; **~halde** *f* mountain-slope; *mining*: spoil-dump, tip; **2ig** ['-giç] *adj.* mountainous, hilly; **~ingenieur** *m* mining engineer; **~kamm** *m* crest; **~kette** *f* chain of mountains, mountain range; **~knappe** *m* miner; **~krankheit** *f* (-) mountain sickness; **~kristall** *m* rock crystal; **~land** *n* mountainous *or* hilly country; highland; **~mann** (-[e]s; *-leute*) *m* → *Bergarbeiter*; **~predigt** *f* (-) Sermon on the Mount; **~recht** *n* (-[e]s) miners' statutes, mining laws *pl.*; **~rennen** *mot. n* mountain race; **~rücken** *m* ridge; **~rutsch** *m* landslip, (*a. fig.*) landslide; **~salz** *n* (-es) rock salt; **~sattel** *m* saddle; **~schuh** *m* climbing boot; **~spitze** *f* mountain peak; **~steiger(in** *f*) *m* (mountain-) climber, mountaineer, alpinist; **~steigerei** *f* [-'raɪ] mountaineering; **~stock** *m* alpenstock; *geol.* massif; **~straße** *f* mountain road; **~sturz** *m* → *Bergrutsch*; **~tour** *f* mountain tour, climb; **~- und Tal-Bahn** *f* switchback (railway), *Am.* roller-coaster.

Bergung ['bɛrguŋ] *f* (-) *mar.* salvage, *a. mot.* recovery; *of persons*: rescue; **'~s-arbeiten** *f/pl.* salvage operations; rescue work *sg.*; **'~s-dampfer** *m* salvage steamer; **'~s-fahrzeug** *n mot.* recovery vehicle, *Am.* wrecker truck; *aer.* crash tender; *mar.* salvage vessel; **'~s-kosten** *pl.* salvage charges; recovery costs; **'~smannschaft** *f* rescue party.

'Berg...: **~volk** *n* highlanders *pl.*; **~wacht** *f* mountain rescue service; **~wand** *f* steep mountain-side, rock face; **~welt** *f* alpine world.

'Bergwerk *n* mine; pit; *ein ~ betreiben* work a mine; **~s-aktie** *f* mining share (*Am.* stock); **~s-arbeiter** *m* → *Bergarbeiter*; **~s-gesellschaft** *f* mining company; **~s-ingenieur** *m* mining engineer.

'Berg|wesen *n* (-s) mining (industry); **~zinn** *m* mine (*or* pure) tin.

Bericht [bə'riçt] *m* (-[e]s; -e) report (*a. econ.*), account (*über acc.* on, of); minutes *pl.*; (official) statement, disclosure, communiqué, bulletin; commentary; narrative, relation, story; information, *econ.* advice; *kurzer ~* summary, survey; *statistische ~e pl.* official returns; *~ erstatten* (make *or* hand in a) report; → *berichten*; *e-n ~ einreichen* submit a report; *laut ~* as advised; **2en** *v/t. and v/i.* (*h.*) report (*über acc.* on; *j-m* to a p.); *press*: *a.* cover (*über et. acc.* a th.); give an account, give full particulars; narrate, relate; *j-m et. ~* inform (*or* advise) a p. of a th., tell a p. a th.; **~erstatter(in** *f*) *m* (-s, -; -, -nen) *press*: reporter, correspondent; informant; *radio*: commentator; *adm., etc.* reporter, *esp. Am.* referee; **~erstattung** *f* reporting, *in the press a.* coverage; report, information.

berichtig|en [-'riçtigən] *v/t.* (*h.*) rectify, set right, remedy (*a th.*); correct (*a p. or th.*); emend (*a text*);

tech. adjust; *econ.* settle, square; e-e *Buchung* ~ adjust an entry; **2ung** *f* (-; -*en*) rectification; correction; settlement; adjustment.

Be'richtigungs|anzeige *f* notice of error; **~beiwert** *m* corrective factor; **~posten** *econ.* adjusting entry, valuation item; **~wert** *m* correction value.

Be'richtsjahr *econ. n* year under review (*or* report).

be'riechen *v/t.* (*irr., h.*) smell (*or* sniff) at; *colloq. fig. sich* ~ size one another up.

be'riesel|n *v/t.* (*h.*) irrigate, water; sprinkle, spray; **2ung** *f* (-) irrigation; overhead irrigation; **2ungsanlage** *f* irrigation works *pl.*; *against fires*: sprinkling system.

beritten [-'ritən] *adj.* mounted, on horseback; ~ *machen* mount, horse.

Berliner [bɛr'li:nər] **I.** *m* (-*s*; -), **~in** *f* (-; -*nen*) Berlinian, Berliner; **II.** ~ *adj.* Berlin; ~ *Pfannkuchen* jelly doughnut; ~ **Blau** *n* Berlin blue.

Berme ['bɛrmə] *f* (-; -*n*) berm.

Bernstein ['bɛrnʃtaɪn] *m* (-[e]*s*) amber; *schwarzer* ~ jet; **2farben** *adj.* amber.

berst|en ['bɛrstən] *v/i.* (*irr., sn*) burst (*fig. vor dat.* with); *ice, glass, etc.*: break, crack; *bomb, etc.*: explode, detonate; *zum* 2 *voll von* bursting with; **2festigkeit** *tech. f* bursting strength.

berüchtigt [-'ryçtiçt] *adj.* notorious (*wegen* for); ill-famed, ill-reputed.

be'rücken *v/t.* (*h.*) captivate, charm, bewitch; **~d** *adj.* captivating, charming; bewitching (*eyes, smile*); **~e** *Schönheit* ravishing beauty.

berücksichtig|en [-'rykziçtigən] *v/t.* (*h.*) have regard (*or* respect) to *a th.*; consider, take into consideration; bear in mind, heed; allow (*or* make allowance) for, take into account; grant; consider *a p.*; give preference to; **2ung** *f* (-) consideration, regard; ~ *finden* be considered; *unter* ~ *gen.* in consideration of, with regard to; *unter* ~ *aller Vorschriften* with due regard to all regulations; *unter* ~ *eventueller Rückschläge* allowing for any setbacks that may occur; *in* ~, *daß* considering that.

Beruf [bə'ru:f] *m* (-[e]*s*; -*e*) calling; occupation, job; pursuit; trade; business; line; office, duty; career; profession; calling, vocation, mission; *in allen* **~n** *a.* in all walks of life; *freier* ~ liberal profession; *von* ~ by occupation, by trade, by profession; *e-n* ~ *ausüben* practise a profession; *e-n* ~ *ergreifen* go into a trade; enter a profession; enter upon a career; *e-m* ~ *nachgehen* pursue *or* follow a profession (*or* trade); *s-n* ~ *verfehlt haben* have missed one's vocation.

be'rufen I. *v/t.* (*irr., h.*) call; convoke, convene, call (*assembly*); *j-n zu e-m Amt* ~ call (*or* appoint *or* nominate) a p. to an office; ~ *werden* receive a call; *sich* ~ *auf j-n* appeal to; *sich auf j-n* (*als Zeugen*) ~ call a p. to witness; *sich auf et.* ~ refer to *a th.*; quote, rely on *a th.*; plead; *sich auf s-e Unkenntnis* ~ plead one's ignorance; *darf ich mich auf Sie* ~? may I use your name?; **II.** *adj.* called; authorized (*zu* to); competent (to); qualified (for); *sich* ~ *fühlen* feel called upon *or* competent (*zu* to *inf.*).

be'ruflich I. *adj.* vocational, occupational; professional; **II.** *adv.*: ~ *verreist* away on business; ~ *verhindert* professionally prevented.

Be'rufs...: **~ausbildung** *f* vocational (*or* professional) training; **~auslese** *f* vocational (*or* professional) selection; **~beamtentum** *n* officialdom, civil service; **~beamter** *m* civil servant; **~berater** *m* vocational counsel(l)or; **~beratung(sstelle)** *f* vocational guidance (office); **~boxer** *m* prize fighter, professional boxer; **~eignung** *f* vocational aptitude, qualification; **~fahrer** *m* commercial driver; *Radsport*: professional (cyclist); **~geheimnis** *n* professional secret *or* secrecy; **~genossenschaft** *f* professional association; trade association; employers' liability insurance association; **~gruppe** *f* occupational group (*or* category); **~heer** *n* professional army; **~kleidung** *f* work(ing) clothes *pl.*; **~krankenkasse** *f* vocational sick fund; **~krankheit** *f* occupational disease; **~leben** *n* professional (*or* active) life; **~lenkung** *f* (-) vocational guidance; **2mäßig** *adj.* professional; **~offizier** *m* career (*or* regular) officer; **~schule** *f* vocational school; **~soldat** *m* professional soldier, regular (soldier); **~spieler, ~sportler** *m* professional, pro; **~sportlertum** *m* (-*s*) professionalism; **2ständisch** [-ʃtɛndiʃ] *adj.* corporate; **2tätig** *adj.* working; (gainfully) employed; practising a profession; **~tätigkeit** *f* (-) professional activity; occupation; **~verband** *m* vocational association *or* federation; **~verbrecher** *m* professional criminal; **~vertretung** *f* professional representation *or* association; **~wahl** *f* (-) choice of a profession (*or* vocation, trade); **~zweig** *m* professional field (*or* branch, line).

Be'rufung *f* (-; -*en*) (*inner*) call (*zu* to); calling, vocation (*zu* for); appointment, nomination (*zu* to); convocation, summoning; reference (*auf acc.* to), reliance (on); *jur.* ~ *einlegen* appeal (*bei* to; *gegen* from, against); file (*or* lodge) an appeal, give notice of appeal; *e-r* ~ *stattgeben* allow an appeal; *e-e* ~ *verwerfen* dismiss an appeal; *unter* ~ *auf* with reference (*or* referring) to; **~sbeklagte(r** *m*) *f* appellee, respondent (to an appeal); **~sgericht** *n* appellate court; court of appeal(s); **~sgerichtsbarkeit** *f* appellate jurisdiction; **~s-instanz** *f* → *Berufungsgericht*; **~sklage** *f* (action of) appeal; **~skläger(in** *f*) *m* appellant; **~srecht** *n* (-[e]*s*) right of appeal; patronage; **~srichter** *m* appellate judge; **~sverfahren** *n* procedure (*concrete*: proceedings *pl.*) of appeal.

be'ruhen *v/i.* (*h.*): ~ *auf* (*dat.*) rest (*or* be founded, be based) on; depend on; be due (*or* owing) to; *et. auf sich* ~ *lassen* let a th. rest *or* pass *or* be; *lassen wir die Sache auf sich* ~ let's leave it at that; let us forget the whole matter.

beruhig|en [-'ru:igən] *v/t.* (*h.*) quiet, calm; lull (*a. fig.*); appease, soothe, placate, mollify; (set at) ease, reassure, comfort; assuage, soothe, still, alleviate (*pains, etc.*); *sich* ~ **a**) calm down, cool (off), **b**) reassure o.s., **c**) compose o.s., **d**) *situation*: stabilize, **e**) *chem.* abate; *er beruhigte sich bei dem Gedanken, daß* he found comfort in the thought that; ~ *Sie sich!* compose yourself!, take it easy!; **~end** *adj.* soothing, *etc.*; reassuring; *med.* sedative; **2ung** *f* (-) calming (down), quieting; appeasement, soothing; reassurance, comfort, relief; *of pains*: soothing, mitigation; *of situation*: stabilization; *of country*: pacification; *das wird zu s-r* ~ *beitragen* that will ease his mind; *zu unserer großen* ~ much to our relief; **2ungsmittel** *med. n* sedative; **2ungspille** *f* sedative; *fig.* soporific, placebo.

berühmt [-'ry:mt] *adj.* famous, famed (*wegen* for); noted; *b.s.* notorious; celebrated; renowned, illustrious, eminent; *sich* ~ *machen* make a name for o.s., rise to fame, distinguish o.s. (*mit* by); *colloq. nicht* ~ nothing to shout about, *Am. sl.* not so hot; **2heit** *f* (-) fame, renown, eminence; *person* (*pl.* -*en*): celebrity, lion, hero; *film, sport, etc.*: star; ~ *erlangen* achieve eminence, rise to fame, *a.* make the headlines.

be'rühren *v/t.* (*h.*) touch (*a. sich* ~ meet); handle, finger; (*a. sich* ~) be (*or* come) in contact with; graze; *fig.* border on, meet; *math.* be tangent of; touch (up)on, mention, allude to, refer to *a th.* briefly; concern, affect *a p.'s interests, etc.*; pass through (*a place*); call at, touch (*a port*); *j-n* (*un*)*angenehm* ~ produce an (un)pleasant impression (up)on a p.; (dis)please a p.; (*un-*)*angenehm berührt* (un)pleasantly affected; *es berührt seltsam, daß* it is strange that.

Be'rührung *f* (-; -*en*) touch, contact, contiguity; reference *or* allusion (*gen.* to), mention (of); *mit j-m in* ~ *bleiben* keep in touch with; *mit j-m in* ~ *kommen* come into contact with, get in touch with; *bei der leisesten* ~ at the slightest touch; **~s-ebene** *math. f* tangent(ial) plane; **~s-elektrizität** *f* contact electricity; **~sfläche** *f* contact surface, *chem.* interface; *fig.* area of contact; **~s-linie** *math. f* tangent; **~s-punkt** *m* point of contact (*a. fig.*); **~s-schutz** *m* contact safety device.

berußen [-'ru:sən] *v/t.* (*h.*) (cover with) soot.

be'sabbern *colloq. v/t.* (*h.*) slobber over.

be'säen *v/t.* (*h.*) sow.

be'sagen *v/t.* (*h.*) say, purport; mean, signify; *die Vorschrift besagt, daß* the regulation says that; *es besagt noch etwas anderes* it implies something else yet; *es will nicht viel* ~ it little matters; → *bedeuten.*

besaiten [-ˈzaɪtən] *v/t.* (*h.*) string; *fig. zart besaitet* thin-skinned, sensitive, touchy.
besam|en [-ˈzaːmən] *biol. v/t.* (*h.*) inseminate; **2ung** *f* (-; -*en*) insemination; *bot.* pollination.
besänftig|en [-ˈzɛnftigən] *v/t.* (*h.*) calm, appease, placate, soothe, assuage; *sich* ~ calm down; *nicht zu* ~ implacable; **~end** *adj.* calming, soothing; **2ung** *f* (-; -*en*) soothing, appeasement; → *Beruhigung.*
Besanmast [beˈzaːn-] *mar. m* mizzen-mast.
beˈsät *adj. fig.* covered, studded, dotted (*mit* with); littered *or* strewn (with); crawling (*or* alive) (*mit* with); *mit Sternen* ~ star-spangled.
Beˈsatz *m* trimming, border; braid (-ing); edging; flounce; piping; *of shoe*: vamp; **~leder** *n* trimming leather.
Beˈsatzung *f mil.* garrison; crew; occupation; **~sbehörde** *f* occupation authorities *pl.*; **~sheer** *n* army of occupation; **~skosten** *pl.* occupation costs; **~smacht** *f* occupying power; **~sstatut** *n* (-[e]*s*) Occupation Statute; **~sstreitkräfte** *f/pl.* occupation forces.
beˈsaufen: *sich* ~ get drunk; → *besoffen.*
beˈschädig|en *v/t.* (*h.*) damage; injure, disable; **~t** *adj.* damaged, injured; *ship*: disabled, averaged; *veteran*: war-disabled; **2ung** *f* (-; -*en*) damage, injury (*gen.* to); defect; *mar.* average.
beˈschaffen[1] *v/t.* (*h.*) *or sich* ~ procure, provide, make available; obtain, secure; furnish, supply; *econ.* provide (*cover*); find (*capital, work*).
beˈschaffen[2] *adj.* constituted, conditioned; *gut* (*schlecht*) ~ well-(ill-) -conditioned, in good (bad) condition *or* repair; *wie ist die Straße* ~? how is the road?; *die Sache ist so* ~ the matter stands thus; **2heit** *f* (-) state, condition; quality; property, characteristic; nature, character; design, structure, composition; *of body*: constitution; *glatte* (*rauhe*) ~ *der Oberfläche* smoothness (roughness) of surface.
Beˈschaffung *f* (-) procuring, procurement; providing; supply; acquisition; *econ.* provision (*of cover, etc.*); **~skosten** *pl.* cost of acquisition; **~sstelle** *f* procurement office.
beschäftig|en [-ˈʃɛftigən] *v/t.* (*h.*): *j-n* ~ keep a p. busy; employ, engage, give work to; apply (*mit* to); *sich* ~ *mit* be busy (*or* occupy o.s.) with, be engaged in, work at, be busy *ger.*; consider, examine; deal with, be concerned with; engage, engross, absorb, preoccupy (*a p.'s attention, etc.*); *der Gedanke beschäftigte ihn ständig* the thought was forever on his mind (*or* haunting him); **~t** *adj.* busy (*mit* with), engaged (in); *mentally*: preoccupied (with), absorbed (in); ~ *sein bei* be employed with, be in the employ of, work for; **2ung** *f* (-; -*en*) occupation, pursuit, work, activity; business; employment, engagement, job; *labo(u)r market*: employment; *industry*: activity; **2ungslage** *f* labo(u)r situation (*or* market); **~ungslos** *adj.* unemployed, out of work; **2ungslosigkeit** *f* (-) unemployment; inactivity, idleness; **2ungsnachweis** *m* certificate of employment; **2ungs-politik** *f* policy of promoting employment; **2ungs-therapie** *f* occupational therapy.
beˈschäl|en *v/t.* (*h.*) cover, serve (*mare*); **2er** *m* (-*s*; -) stallion.
beˈschäm|en *v/t.* (*h.*) (put to) shame, make ashamed; embarrass, confuse, put to the blush; eclipse, throw into the shade; humiliate; **~end** *adj.* shameful, disgraceful; **~t** *adj.* ashamed (*über acc.* of); **2ung** *f* (-) abashment, humiliation; confusion; shame; disgrace.
beschatten [-ˈʃatən] *v/t.* (*h.*) shade, overshadow, throw a shadow on; (*pursue*) shadow, *Am. a.* tail; *fig.* dim, cast a gloom over.
Beˈschau *f* (-) examination, inspection; *phls.* contemplation; **2en** *v/t.* (*h.*) (*sich*) *et.* ~ (have a) look at, view *a th.*; examine, inspect; contemplate; **~er(in** *f*) *m* (-*s*, -; -, -*nen*) observer, spectator, looker-on; → *Fleisch2*; **2lich** *adj.* contemplative, meditative; tranquil, peaceful; comfortable, leisurely; **~lichkeit** *f* (-) contemplativeness; tranquillity; leisure(liness).
Bescheid [bəˈʃait] *m* (-[e]*s*; -*e*) answer, reply; information, advice; direction, instruction; decision, ruling; *of arbiter*: award; *adm.* notice; *abschlägiger* ~ negative reply, rejection, refusal; *bis auf weiteren* ~ until further orders; ~ *erhalten* be informed, receive word (*or* notice); ~ *geben* send (*j-m* a p.) word, *j-m*: *a.* let *a p.* know, inform *a p.* (*über acc.* about); ~ *hinterlassen* leave word (*bei* with, at); *j-m gehörig* ~ *sagen* give a p. a piece of one's mind, *sl.* tick a p. off (properly); *j-m* ~ *tun* pledge (*or* toast) a p.; ~ *wissen mit or in* (*dat.*) *or über* (*acc.*) be acquainted (*or* conversant) with; be (fully) informed (*or* cognizant, aware) of; be in the secret, *Am.* in the know; know (how to *inf.*); *in e-r Sache genau* ~ *wissen* know the ins and outs of a th.; *ich weiß hier* ~ I know this place (*or* my way about here).
bescheiden[1] [-ˈʃaɪdən] *v/t.* (*irr.*, *h.*) *j-m et.*: allot, assign, award (to a p.); *j-n*: inform, notify a p., give notice to a p. (of), let a p. know; order, direct; instruct (*zu* to); summon; → *abschlägig*; *sich* ~ moderate o.s., be content; *sich* ~ (*mit et.*) resign o.s. (to), acquiesce (in), be satisfied (with); *es ist mir beschieden* it has fallen to my lot; *es war mir nicht beschieden* it was not granted to me.
beˈscheiden[2] *adj.* modest, unassuming, self-effacing; shy; unpretentious, simple, plain; frugal; humble; moderate, discreet, reserved; limited, restricted; small, modest; **2heit** *f* (-) modesty, humility; unpretentiousness; frugality; moderateness, discretion, reserve.
beˈscheinen *v/t.* (*irr.*, *h.*) shine (up)on, irradiate; *von der Sonne beschienen* sunlit, sunny.
bescheinig|en [-ˈʃaɪnigən] *v/t.* (*h.*) certify (*j-m* to a p.), attest; verify, vouch for, authenticate; *den Empfang* ~ acknowledge receipt of *a letter*, give a receipt for, receipt *a sum*; *es wird hiermit bescheinigt, daß* this is to certify that; **2ung** *f* (-; -*en*) attestation, certification; certificate; receipt; voucher; acknowledgement; declaration; *as heading*: To Whom It May Concern.
beˈscheißen *vulg. v/t.* (*irr.*, *h.*) cheat.
beˈschenk|en *v/t.* (*h.*): *j-n* ~ make a p. a present (*mit et.* of a th.), present a p. (with a th.); make a donation (of a th.) to a p.; *reichlich* ~ shower with gifts; **2te(r** *m*) *f* (-*n*, -*n*; -*n*, -*n*) recipient, *jur.* donee.
beˈscher|en *v/t.* (*h.*) (*dat.*) (give as a) present to, bestow upon (*a p.*); allot (*or* grant) to, mete out to; **2ung** *f* (-; -*en*) (giving of) Christmas presents *or* boxes; *iro.* e-e *schöne* ~! a fine business (this)!, a nice mess!; *da haben wir die* ~! there you are!, now we are in for it!; *die ganze* ~ the whole bag of tricks.
beˈschick|en *v/t.* (*h.*) send deputies to (*a congress, etc.*); *econ.* supply *market* (with goods); contribute to, exhibit (*or* expose) at an exhibition, send goods to, be represented at *a fair*; *tech.* feed, charge; *metall.* alloy; **2er(in** *f*) *m* (-*s*, -; -; -*nen*) exhibitor; **2ung** *f* (-; -*en*) sending of delegates (*gen.* to); representation (at); supply (to); *tech.* **a)** charging, feeding, **b)** charge, batch; **2ungs-anlage** *f* charging equipment; **2ungsgut** *metall. n* charge, melting stock.
beˈschieß|en *v/t.* (*irr.*, *h.*) fire (up)on *or* at; bombard (*a. phys.*), shell; cover, rake with fire; machine-gun; *low-flying aircraft*: strafe; **2ung** *f* (-) bombardment, shelling, fire.
beˈschiffen *v/t.* (*h.*) navigate (on); sail.
beˈschilder|n *v/t.* (*h.*) signpost; **2ung** *f* (-; -*en*) signposting.
beˈschimpf|en *v/t.* (*h.*) insult, abuse, revile, swear at, call *a p.* names; disgrace, dishono(u)r; **2ung** *f* (-; -*en*) insult (*gen.* to), abuse; affront, outrage; *fig.* disgrace (*gen.* to).
beˈschirmen *v/t.* (*h.*) protect, shield, shelter (*vor dat.* from).
beˈschlafen *colloq. v/t.* (*irr.*, *h.*): *et.* ~ sleep on a th., take counsel of one's pillow.
Beˈschlag *m tech.* (*usu. Beschläge pl.*) metal fitting(s *pl.*), hardware; *of box*: band; *of gun*: mounting; *of cane*: ferrule(s); *of shoe*: nails *pl.*; *of book*: clasp; *of horse*: shoe(ing); *arch.* mountings, fixtures *pl.*; *phys.* deposit; *on metal*: tarnish, *chem.* efflorescence; mo(u)ld; moisture, damp; *jur.* seizure; → *~nahme*; *in* ~ *nehmen, mit* ~ *belegen,* ~ *legen auf* (*acc.*) *jur.* seize, impound; attach, distrain upon (*debtor's assets*); confiscate; *mil.* requisition; lay an embargo on, embargo (*a ship*);

secure (*seats*); *fig.* claim, *impudently*: hog; monopolize (*conversation, etc.*); absorb, engross (*attention*); ≈**en I.** *v/t.* (*irr., h.*) cover, overlay (*mit* with); fit, mount; sheathe; shoe (*a horse*); tip *or* stud (*a stick*); square (*wood*); furl (*sail*); **II.** *v/i.* (*irr., sn*) *or sich ~ mirror, etc.*: cloud over, mist, dim; *wall*: sweat; *metal*: oxidize, effloresce, (be) tarnish(ed); grow mo(u)ldy; **III.** *adj.*: *mit Eisen (Silber) ~er Stock* iron-tipped (silver-mounted) stick; *mit Messingnägeln ~er Sessel* brass-studded armchair; *glass*: dimmed, clouded, steamed; *fig.* experienced; *in e-r Sache gut ~ sein* be well versed (*or* up) in, have a sound knowledge of, be (a) good (hand) at a th.; **~enheit** *f* (-) experience, (profound) knowledge (*in dat.* of); **~nahme** *f* (-; -*n*) seizure; attachment, sequestration; garnishment; confiscation; *mar.* embargo; *mil.* requisition; ≈**nahmen** *v/t.* (*h.*) seize, attach, distrain; confiscate; *mil.* requisition, commandeer; *mar.* embargo; **~teile** *m/pl.* fittings.

be'schleichen *v/t.* (*irr., h.*) sneak (*or* steal) up to, surprise *a p.*; stalk (*game*); *fig. fear, sleep, etc.*: steal (*or* creep) (up)on *or* over, seize, overcome.

beschleunig|en [-'ʃlɔʏnigən] *v/t.* (*h.*) accelerate; speed up, hasten; hurry along, expedite, push ahead; *das Tempo ~* increase one's speed, force one's pace; *s-e Schritte ~* quicken one's steps; *dies beschleunigte nur die unvermeidliche Katastrophe* it only precipitated the inevitable disaster; ≈**er** *mot., phot. m* (-s; -) accelerator (*a. nuclear physics*); **~t** *adj.* accelerated; speedy, expeditious; ≈**ung** *f* (-; -*en*) acceleration (*a. phys.*), speeding up, expedition; ≈**ungskraft** *f* (-) accelerative force; ≈**ungsmoment** *n* moment of acceleration; ≈**ungsvermögen** *mot. n* (-s) accelerating power, engine response.

be'schließen *v/t.* (*irr., h.*) end, close, conclude, finish, terminate, wind up; settle; *a marching column, etc.*: bring up the rear; determine, decide (*both a. jur.* decree, rule); resolve, make up one's mind (*et. or über acc.* on *or* to do *or* that); *parl.* vote; *e-n Antrag ~* carry a motion, *in assemblies*: pass a resoluton.

beschlossen [-'ʃlɔsən] *adj.* agreed, settled; **~ermaßen** *adv.* as agreed.

Be'schluß *m* decision, resolution, *Am.* resolve; *jur.* (*court*) order, decree; *parl. e-n ~ fassen* pass a resolution; ≈**fähig** *adj.*: *~ sein* be (*or* constitute) a quorum; *~e Anzahl (Versammlung)* quorum; *das Haus ist (nicht) ~* there is a (no) quorum; **~fähigkeit** *f* (-) quorum; competence; **~fassung** *f* (-) (passing of a) resolution.

be'schmieren *v/t.* (*h.*) (be)smear; daub (over); grease; tar; spread *bread* (*mit* with), butter; scrawl, scribble (over); → *beschmutzen.*

be'schmutzen *v/t.* (*h.*) soil, dirty; stain, smudge; bespatter, splash; *fig.* soil, besmirch, sully; → *Nest.*

Be'schneide|hobel *m bookbinding*: cutting knife; **~maschine** *f for paper, etc.*: trimming machine; ≈**n** *v/t.* (*irr., h.*) clip, cut; lop, prune (*trees*); trim (*hedge*); dress (*vine*); pare (*finger-nails*); cut (*books*); *vierkantig ~* square (*timber*); circumcise (*child*); *fig.* cut (down), curtail, reduce, *Am.* curb, slash; → *Flügel*; **~presse** *f* cutting press.

Be'schneidung *f* (-; -*en*) clipping, trimming, lopping; circumcision; *el.* cut-off; *fig.* curtailment, cut, reduction.

be'schneit *adj.* snowy, snow-covered (*or* -capped).

be'schnüffeln, be'schnuppern *v/t.* (*h.*) smell *or* sniff (at); *fig. alles ~* poke one's nose into everything.

beschönig|en [-'ʃø:nigən] *v/t.* (*h.*) colo(u)r; *fig.* gloss over, palliate, extenuate, find excuses for; *er beschönigte nichts* he did not mince matters; **~end** *adj.* palliative; ≈**ung** *f* (-; -en) palliation, extenuation, excuse.

beschotter|n [-'ʃɔtərn] *v/t.* (*h.*) ballast, gravel, metal; *neu ~ rail.* reballast; ≈**ung** *f* (-; -*en*) metal(l)ing, ballast(ing).

beschränk|en [-'ʃrɛŋkən] *v/t.* (*h.*) confine, limit, restrict (*auf acc.* to); restrain, curb, narrow; *sich ~ auf* **a**) confine o.s. to, **b**) *thing*: be confined, *etc.* to; **~end** *adj.* restrictive; **~t** *adj.* limited, confined, restricted; narrow; *~ sein durch* be bounded by; *~e Mittel* restricted means; *~e Sicht* low visibility; *~e Verhältnisse* straitened (*or* narrow) circumstances; *econ. ~e Annahme* conditional acceptance; *~es Giro* restrictive endorsement; *~e Haftung* limited liability; *~ lieferbar* in short (*or* limited) supply; *mentally*: dull, dense, obtuse; narrow-minded, hidebound; *~e Ansichten* narrow views; ≈**theit** *f* (-) limitedness, restrictedness; narrowness, scantiness; *as to time*: shortness; *fig.* dul(l)ness, stupidity; narrow-mindedness, narrowness; ≈**ung** *f* (-; -*en*) limitation, confinement; restriction, restrictive measure, restraint (*gen.* upon); curtailment; brevity; *~en auferlegen (dat.)* impose (*or* place) restrictions (up)on; *e-e ~ aufheben* lift a restriction (*or* ban).

be'schreib|en *v/t.* (*irr., h.*) write (up)on, cover (*or* fill) with writing; *fig.* describe *a circle, etc.*, trace; describe, give a description of; characterize; picture, depict, portray; relate; *genau ~* go into detail (about), particularize, *a. econ. or tech.* specify; *nicht zu ~* indescribable, past (*or* beyond) all description; **~end** *adj.* descriptive; ≈**ung** *f* (-; -*en*) description; representation; depiction, portrayal; *kurze ~* sketch, outlines *pl.*; account, narration; *econ. or tech.* specification; *es spottet jeder ~* it beggars all description; *er entsprach der ~* he answered the description; *Güter jeder Art und ~* goods of any kind and description.

be'schreiten *v/t.* (*irr., h.*) walk (*or* tread) on; step over; *fig. e-n Weg ~* follow a course; *neue Wege ~* apply new methods; → *Rechtsweg.*

beschrift|en [-'ʃriftən] *v/t.* (*h.*) inscribe, letter; mark (*boxes, etc.*), label; ≈**ung** *f* (-; -*en*) lettering; inscription; legend, caption; *econ.* marking.

beschuhen [-'ʃu:ən] *v/t.* (*h.*) shoe (*mostly in p.p.* shod).

beschuldig|en [-'ʃuldigən] *v/t.* (*h.*) accuse (*gen.* of), *esp. jur.* charge (with); *j-n e-r Sache ~ a.* impute a th. to a p., blame a p. for a th.; ≈**te(r** *m*) *f* (-*n*, -*n*; -*n*, -*n*) accused; ≈**ung** *f* (-; -*en*) accusation, charge.

be'schummeln *colloq. v/t.* (*h.*) cheat, trick (*um* out of).

Be'schuß *mil. m* (-sses) (gun) fire; *artillery*: *a.* shelling, (*a. phys.*) bombardment; *unter ~ halten* keep under fire; *unter ~ nehmen* → *beschießen.*

be'schütten *v/t.* (*h.*) *mit et.*: throw (*or* cast) a th. on *or* over; pour *liquid* on (*or* over); *mit Kies ~* gravel.

be'schütz|en *v/t.* (*h.*) (*vor dat., gegen*) protect, guard, shield, shelter (from); defend (against); watch over; escort (*a. mil.*); ≈**er(in** *f*) *m* (-*s*, -; -, -*nen*) protect|or (*f* -ress), defender; guard; guardian angel; ≈**ung** *f* (-) protection; → *Schutz.*

be'schwatzen *v/t.* (*h.*): *j-n zu et. ~* persuade a p. to *inf.*, talk a p. into *ger.*; wheedle (*or* coax) a p. into *ger.*

Beschwerde [bə'ʃve:rdə] *f* (-; -*n*) burden, hardship; trouble, annoyance; *med.* complaint, trouble, ailment, discomfort; *~n pl. des Alters* infirmities of old age; complaint (*über acc.* about), protest (against); grievance; *jur.* appeal (from), petition for review; *public*: remonstrance; *~ erheben or führen (gegen acc.)* lodge a complaint (about; *bei* with); (enter a) protest (against), appeal from; *j-m ~n machen* give a p. trouble, *food*: disagree with a p.; **~ausschuß** *m* grievance committee; **~buch** *n* complaints book; ≈**führend** *jur. adj.* appealing, appellant; **~führer(in** *f*) *m* complainant; *jur.* petitioner; **~punkt** *m* (subject of) complaint, grievance; **~schrift** *f* plaint, petition (for review); **~stelle** *f* complaint department (*or* desk); **~verfahren** *n* appeal procedure (*or* proceedings *pl.*); *patent law*: injunction method.

beschwer|en [-'ʃve:rən] *v/t.* (*h.*) burden, charge (*a. fig.*); weight; *fig.* weigh on, be a load on; *sich ~* complain (*über acc.* about, of; *bei* to), → *Beschwerde führen*; **~lich** *adj.* burdensome, onerous; fatiguing; troublesome, annoying; inconvenient, awkward; hard, heavy, difficult; *j-m ~ fallen* be a burden to (*or* trouble, inconvenience) a p.; ≈**lichkeit** *f* (-; -*en*) inconvenience; troublesomeness; difficulty; ≈**ung** *f* (-) load(ing), weight(ing).

beschwichtig|en [-'ʃviçtigən] *v/t.* (*h.*) soothe, appease, pacify; silence (*a. one's conscience*), quiet, hush; ≈**ung** *f* (-; -*en*) appeasement, pacification; silencing.

be'schwindeln *v/t.* (*h.*) swindle, cheat, trick, *sl.* bamboozle (*um* out of).

beschwingt [-'ʃviŋt] *adj.* winged; *fig.* wing-footed; elated, buoyant, animated; ~e *Melodien* racy melodies, pulsating rhythms.

beschwipst [-ˈʃvipst] *adj.* tipsy, mellow, gay, fuddled.

be'schwör|en *v/t.* (*irr., h.*) confirm *a th.* by oath, swear to, take an oath on *or* that; raise, conjure (*spirits*); exorcize, conjure away; *fig.* banish (*danger*); entreat, implore *a p.*; **2ung** *f* (-; -*en*) confirmation by oath, swearing; conjuration; exorcism; imploring, entreaty; **2ungsformel** *f* incantation.

beseel|en [-ˈze:lən] *v/t.* (*h.*) animate, inspire, fill (*mit* with); **~t** *adj.* animated; inspired (*playing, etc.*); soulful (*look*); **2ung** *f* (-; -*en*) animation, inspiration.

be'sehen *v/t.* (*irr., h.*) (*a. sich et.* ~) (have a) look at, view; inspect, examine, look over; → *Licht.*

beseitig|en [-ˈzaɪtigən] *v/t.* (*h.*) *generally*: remove; abolish, do away with, get rid of; dispose of (*a. fig.*); secrete, conceal (*assets, documents*); redress (*evil*); remedy (*a wrong*); cure, eliminate (*errors*); clear away, overcome (*obstacles*); settle (*a dispute*); remove, get rid of (*opponent*), (*kill*) do away with, *pol.* liquidate, purge; **2ung** *f* (-; -*en*) removal, disposal, elimination; redress; liquidation, purge.

beselig|en [-ˈze:ligən] *v/t.* (*h.*) make happy, fill with bliss; *eccl.* beatify, bless; **~t** [-liçt] *adj.* blissful; **2ung** *f* (-) bliss, rapture.

Besen [ˈbe:zən] *m* (-s; -) broom; besom; *kleiner* ~ brush, → *Hand2, etc.*; *fig. mit eisernem* ~ *auskehren* rule with a rod of iron; *neue* ~ *kehren gut* a new broom sweeps clean; *colloq. ich fresse e-n* ~, *wenn* I'll eat my hat if; **~binder** *m* broom-maker; **2rein** *adj.* well-swept; **~schrank** *m* broom cabinet; **~stiel** *m* broom-stick; *colloq. steif wie ein* ~ (as) stiff as a ramrod.

besessen [bəˈzɛsən] *adj.* possessed (*von* by); *fig.* obsessed (with); frantic; *wie* ~ like mad; **2e(r** *m*) *f* (-*n*, -*n*; -*n*, -*n*) man (woman) possessed; maniac; **2heit** *f* (-) possession; obsession; madness, frenzy.

be'setz|en *v/t.* (*h.*) trim (*dress, etc.*); fur; border; lace; *mit Edelsteinen etc.* set *or* stud with gems, *etc.*; *bot.* plant; *tech.* tamp (*blast-hole*); charge (*furnace*); *mil.* occupy (*country*), garrison (*town*), man (*position, etc.*), take (*enemy position*); populate, people; engage, occupy (*seat*); fill (*office, vacancy*); *thea. die Rollen* ~ cast the parts; **~t** *adj.* occupied (*area, house, room, etc.*); *teleph.* engaged, *Am.* busy; (*full*) crowded, packed, *colloq.* crammed (full); *bus, etc.*: ~! full up!; *mit Diamanten* ~ studded with diamonds; *meine Zeit ist* ~ my time is occupied; *gut* ~*es Stück* well-cast play; **2tzeichen** *teleph. n* "engaged (*Am.* busy)" signal; **2ung** *f* (-; -*en*) occupation; appointment (*gen.* to), filling (of *office, etc.*); staff, personnel; *thea.* cast(ing) (*of parts*), *of the house*: attendance; *sports*: field, team composition; *tech.* charge (*of furnace*); → *Besatz.*

besichtig|en [bəˈziçtigən] *v/t.* (*h.*) view, survey, look over; examine; inspect (*a. mil.*); visit; *zu* ~ *sein* to be on view; **2ung** *f* (-; -*en*) sightseeing, visit (*gen.* to); examination; inspection (*a. mil.*); review; **2ungsfahrt** *f* sightseeing tour; *mil., etc.*: tour of inspection.

be'siedel|n *v/t.* (*h.*) colonize, settle; populate; *dicht besiedelt* densely populated; **2ung** *f* (-) colonization, settlement; **2ungsdichte** *f* density of population.

be'siegeln *v/t.* (*h.*) seal (*a. fig.*); *sein Schicksal ist besiegelt* his fate is sealed.

be'sieg|en *v/t.* (*h.*) conquer, vanquish; *a. sports*: defeat, beat, whip, *sl.* lick; worst, outdo, *im Laufen (Boxen) etc.* outrun, (outbox), *etc.*; *fig.* conquer, overcome; *sich für besiegt erklären* give in, throw up the sponge, *Am. sl.* cry uncle; **2er** *m* conqueror, victor; **2te(r** *m*) *f* (-*n*, -*n*; -*n*, -*n*) defeated person, loser; **2ung** *f* (-) defeat.

be'singen *v/t.* (*irr., h.*) sing (of); *fig.* sing the praises of, celebrate.

be'sinn|en: *sich* ~ (*irr., h.*) reflect (*über acc.* on), consider; *sich* ~ *auf* (*acc.*) recall, remember, call to mind, hit on; come to think of; *sich anders or e-s anderen* ~ change one's mind; *sich e-s Besseren* ~ think better of it; *sich hin und her* ~ rack one's brain; *ohne sich (lange) zu* ~ without thinking twice; on the spur of the moment; ~ *Sie sich mal!* try to remember!, think back!; **~lich** *adj.* thoughtful, reflective, contemplative; *book, etc.*: contemplative, thought-provcking; profound; *ein heiter-~er Film* a film of whimsically contemplative content.

Be'sinnung *f* (-) reason; reflection; consideration; stock-taking; consciousness; *Stunde der* ~ hour of meditation; *bei* ~ *bleiben* retain one's consciousness, *fig.* keep a cool head; *die* ~ *verlieren* lose consciousness, faint, *fig.* lose one's head; (*wieder*) *zur* ~ *kommen* recover consciousness, come to, *fig.* come to one's senses; *j-n zur* ~ *bringen fig.* bring a p. to his senses; **2slos** *adj. med.* unconscious, insensible; *fig.* insensate, senseless; blind; **~slosigkeit** *f* (-) unconsciousness; *fig.* senselessness, blindness.

Besitz [bəˈzits] *m* (-es) possession (*gen., an dat., von* of); *concrete*: possession(s *pl.*); property, estate; *of land*: *a.* tenure, holding; *of shares, securities*: holdings *pl.*; *im* ~ *sein von* be in possession of, be the holder of, hold; *in* ~ *nehmen*, ~ *ergreifen von* take possession of, *von j-m*: take hold of a p.; *in den* ~ *e-r Sache gelangen* come into possession of *a th.*; obtain possession of, get hold of; *in j-s* ~ *übergehen* pass into a p.'s hand; *econ. im* ~ *Ihres Schreibens* in receipt of your letter; *in staatlichem* ~ state-owned; **~anspruch** *m* claim of ownership; *jur.* possessory title; **2anzeigend** *gr. adj.* possessive; ~*es Fürwort* possessive (pronoun); **~dauer** *f* tenure.

be'sitzen *v/t.* (*irr., h.*) possess, be in possession of; own, hold, be holder of, have; be endowed with, have (*talent, etc.*); be provided (*or* equipped) with; boast *a th.*; *die* ~*den Klassen* the propertied classes.

Be'sitzer(in *f*) *m* (-s, -; -, -*nen*) possessor, holder; occupant; owner; propriet|or (-ress *f*); *den* ~ *wechseln* change hands.

Be'sitz...: **~ergreifung** *f* taking possession (*von* of), entry (upon); occupation; *forcible*: seizure; *wrongful*: usurpation; **2erisch** *adj.* possessive; **2erlos** *adj.* abandoned; **~instinkt** *m* possessive instinct; **~klage** *f* possessory action; **2los** *adj.* unpropertied; **~nahme** [-na:mə] *f* (-) → *Besitzergreifung*; **~recht** *n* possessory right; **~stand** *m* (-[e]s) ownership, possessory title; *econ.* assets *pl.*; **~störung** *f* trespass; private nuisance; **~titel** *m* possessory title; title-deed; **~tum** *n* (-s; ⸗er) possession(s *pl.*), property, estate; **~übertragung** *f* conveyance (*or* transfer) of title; **~ung** *f* (-; -*en*) → *Besitztum*; ~*en pl. pol.* possessions; **~urkunde** *f* title-deed; **~wechsel** *m* change of ownership.

besoffen [-ˈzɔfən] *vulg. adj.* (dead) drunk, tight, *sl.* plastered; *total* ~ drunk as a lord, roaring drunk, *Am. sl.* stinko; **2heit** *f* (-) drunkenness.

be'sohlen *v/t.* (*h.*) sole; *mot.* retread (*tyres*); *neu* ~ resole.

besold|en [-ˈzɔldən] *v/t.* (*h.*) pay, (pay a) salary; **~et** *adj.* salaried; stipendiary.

Be'soldung *f* (-) pay, salary; **~sdienstalter** *n* pay seniority; **~sordnung** *f* pay regulations *pl.*; **~sstelle** *f* cashier's (*or* paymaster's) office; **~swesen** *n* (-s) pay and allowance system.

besonder [bəˈzɔndər] *adj.* particular, special; specific, peculiar; distinct(ive); separate; singular, unique; exceptional; ~*e Kennzeichen* distinctive marks; ~*e Wünsche* individual wishes; *ohne* ~*e Begeisterung* without any marked enthusiasm; **2e(s)** *n* (-*n*): *et.* ~ **a)** something apart, **b)** something special (*or* out of the common, out of the way); *nichts* ~*s* nothing unusual *or* out of the way, *contp.* nothing to write home about; *im* ~*n* in particular, above all; *das* ~ *daran ist* the remarkable thing about it is; **2heit** *f* (-; -*en*) particularity, characteristic, special feature (*or* quality); peculiarity, individuality; *esp. econ.* speciality, *Am.* specialty; **~s** *adv.* especially, particularly, in particular; above all; chiefly, mainly; separately, apart; exceptionally, singularly; expressly, specially; *nicht* ~ (*schön*) not so very beautiful, *sl.* not so hot; *ich bin nicht* ~ *zufrieden damit* I am not over-pleased with it.

besonnen [-ˈzɔnən] *adj.* sensible, sober, level-headed; prudent, circumspect, cautious; discreet; **2heit** *f* (-) considerateness, soberness; composure, self-possession; prudence, caution; presence of mind.

be'sonnt *adj.* sunny, sunlit.

be'sorg|en *v/t.* (*h.*) apprehend, fear; get (*j-m et.* ~ a p. a th., a th. for a p.), procure (a th. for a p.), provide *or* supply (a p. with a th.); *j-m* **e-e**

Stelle ~ find a p. a job; take care of, look after; attend to, see to, handle; undertake; carry out (*orders*); conduct *or* manage (*a p.'s affairs*); manage, run (*household*); post (*letters*); do; *colloq. dem habe ich es besorgt* I gave him what for; **2nis** *f* (-; -se) apprehension, fear, alarm, concern, anxiety (*über acc.* about, at; *um* for); *~se pl.* misgivings; *ernste* ~ grave concern; ~ *erregen* cause (*or* give rise to) concern; *in ~ geraten* get alarmed; **~niserregend** *adj.* alarming, disquieting; **~t** [-kt] *adj.* alarmed (*um* for; *wegen* at, about); uneasy, worried, concerned (about); anxious, solicitous (*um* for, about); **2theit** *f* (-) anxiety, uneasiness, concern; solicitude (*um* about); **2ung** *f* (-; -en) care, attention; procurement, provision; performance, handling; errand, commission; management, conduct (*of business*); *~en machen* go shopping.

be'spann|en *v/t.* (*h.*) put (the horses) to; *mus.* string; *mit Stoff* ~ cover with fabric; **~t** *adj.* horse-drawn; **2ung** *f* (-; -en) team (of horses); (covering) fabric; *aer.* wing covering.

be'speien *v/t.* (*irr., h.*) spit (*acc.* at, on).

be'spicken *v/t.* (*h.*) lard; *fig. bespickt mit* full of, larded *or* bristling with.

be'spiegeln: *sich* ~ look at o.s. (*or* admire o.s.) in a mirror; *fig.* admire o.s.

be'spitzeln *v/t.* (*h.*) spy on *a p.*

be'spötteln *v/t.* (*h.*) ridicule; scoff (*or* mock, gibe) at.

be'sprech|en *v/t.* (*irr., h.*) discuss, talk *a th.* over; arrange, agree (up)on; cure *a disease* by magic, conjure away; review (*a book*); *thea., etc.*: criticize, comment (up)on; make a recording on (*disc, tape*); *sich* ~ *mit* confer *or* consult with (*über acc.* about), deliberate (*über acc.* on); **2er(in *f*)** *m* (-s, -; -, -nen) reviewer (*of books, etc.*); **2ung** *f* (-; -en) discussion, talk; conference, interview; deliberation; negotiation; review (*of book*); *thea., etc.*: critique; commentary; charming *or* conjuring away; recording; **2ungsanlage** *f* sound pickup outfit; **2ungs-exemplar** *n* reviewer's copy; **2ungsraum** *m* conference room; *radio*: (sound) studio.

be'sprengen *v/t.* (*h.*) sprinkle, spray.

be'spritzen *v/t.* (*h.*) squirt at; spray; (be)spatter, splash.

be'spucken *v/t.* (*h.*) spit at *or* (up)on.

be'spulen *el. v/t.* (*h.*) load.

be'spülen *v/t.* (*h.*) wash (against *shore, etc.*); beat (*or* ripple) against (*rocks*); rinse.

besser ['bɛsər] *adj. and adv.* better; improved; superior; better-class, respectable (*family, etc.*); *um so* ~ all the better; ~ *gesagt* or rather, properly speaking; ~ *als nichts* better than nothing, *Am. colloq.* better than a kick in the pants; *je eher, desto* ~ the sooner, the better; ~ *ist* ~ (it is best) to be on the safe side; let's play it safe; → *Hälfte*; ~ *sein als* be better than, be superior *or* preferable to *a th.*; *et.* ~ *machen* make better, improve; *es* ~ *können* do better (*als* than); ~ *werden* improve; *es* ~ *wissen* know better; *es geht ihm heute* ~ he is better today; *es geht* ~ things are looking up; *er hat es* ~ *als ich* he is better off than I; *ich täte* ~ (*daran*), *zu gehen* I had better go; *er ist nur ein ~er Friseur* he is merely a better sort of (*or* a glorified) barber; **2e(s)** *n* (-n) something better (*or* superior); *~s leisten* do better; *j-n e-s ~n belehren* set a p. right, open a p.'s eyes; → *besinnen*; *Sie könnten nichts ~s tun* you could not do better; → *Wendung*; *ich habe ~s zu tun* I have other fish to fry.

'bessern *v/t.* (*h.*) (make) better, improve; ameliorate; *morally*: reform; *sich* ~ grow better, improve; change for the better; *morally*: amend, reform, mend one's ways, turn over a new leaf, *as to health*: recover, improve (*a. econ. market*); *econ. prices*: advance, rise, gain; *weather*: clear up, brighten.

'Besserung *f* (-; -en) amelioration, improvement; change for the better; *morally*: amendment, reform; *jur.* reformation (*of convicts*); *med.* improvement (in a p.'s health), recovery; *econ.* improvement, recovery; *of prices*: advance, rise, gain; *auf dem Wege der* ~ convalescing, on the way to recovery, on the mend; *gute* ~! I wish you a speedy recovery!; **~sanstalt** *f* corrective institution; *for juveniles*: reformatory, *Brit. a.* approved school, *Am. usu.* reform school; **2sfähig** *adj.* improvable; **~smaßregel** *jur. f* corrective measure.

'Besserwisser *m* (-s; -) know-all, prig, *sl.* smart aleck.

best [bɛst] *adj. and adv.* best (*a. econ. price*); *am ~en* best; *im ~en Falle* at best, at the most; *aufs ~e, ~ens* in the best (possible) manner *or* way; *~ens!* fine!; *auf dem ~en Wege sein zu inf.* be well on the (*or* in a fair) way to *inf.*; *der erste ~e* the first comer; *im ~en Alter* in the prime of life; *in ~em Zustand* in prime condition; *nach ~en Kräften* to the best of one's power; → *Wissen, Willen*; *zum ~en geben* **a**) oblige with *a song*, **b**) tell *or* relate *a story*; *j-n zum ~en haben* make fun of a p., pull a p.'s leg, hoax a p.; *sich von der ~en Seite zeigen* show o.s. (*or* be) at one's best; *es wäre am ~en, wenn ich jetzt ginge* I had best go; *empfehlen Sie mich ~ens!* remember me most kindly!; *ich danke ~ens!* **a**) thank you very much, **b**) I would rather be excused, *contp.* thank you for nothing; **2e(s)** *n* (-n; -n) the best (thing); *das ~e, die ~en pl.* the pick (of the bunch), the cream, the flower; *zu Ihrem ~en* in your interest, to your advantage; *zum ~en der Armen* for the benefit of the poor; *sein ~es geben* do one's best; *das ~e herausholen* make the best of it.

bestall|en [bə'ʃtalən] *v/t.* (*h.*): *j-n* ~ *in* (*dat.*) install a p. in, appoint a p. to, invest a p. with *an office*; **2ung** *f* (-; -en) appointment, installation; **2ungsurkunde** *f* certificate of appointment.

Be'stand *m* (-[e]s; ⸚e) existence; continuance, duration; stability, durability; consisten|ce, -cy; *a. Bestände pl.* (physical) stock, supply, store(s *pl.*), resources *pl.*; livestock; (sheep, cattle, swine, *etc.*) population (*of a country*); *agr.* crop, *Am. a.* stand; stock of trees, stand; tree population; *econ.* stock on hand, *balance-sheet*: inventory; cash (*or* balance) in hand, *of a bank*: cash (*or* liquid) assets *pl.*; *of securities*: holdings *pl.*; *of capital*: assets *pl.*; *of vehicles*: rolling stock, fleet; *mil.* (effective) strength; *von* ~ *sein*, ~ *haben* be durable, last (*or* be lasting), endure; ~ *aufnehmen* take stock (of); **2en** *adj.* successful (*examination*), *pred.* passed; *mit Bäumen* ~ covered (*road*: lined) with trees.

be'ständig *adj.* constant, steady; unchanging, invariable, unvarying; lasting, permanent, stable; constant, continual, persistent; persevering, persistent; steadfast, sta(u)nch (*friend, etc.*); *meteor.* settled; *on barometer*: set fair; *tech.* resistant; → *feuer~, hitze~ etc.*; fast (*colours*); *econ.* steady, stable (*demand, stock exchange, etc.*); *~e Valuta* stable currency; **2keit** *f* (-) constancy, steadiness; invariability; permanence, durability; continuance; perseverance; steadfastness; persistency, stability; resistence.

Be'stands...: **~aufnahme** *f* stocktaking (*a. fig.*), *Am.* (physical) inventory; **~buch** *n* stock-book; **~erhebung** *f* survey; **~liste** *f* stock list, inventory; **~meldung** *f* stock report; **~prüfung** *f* stock check.

Be'standteil *m* component, constituent (part); ingredient; element; *wesentlicher* ~ essential part; part, member; *die festen ~e des Eis* egg solids *pl.*; *sich in s-e ~e auflösen* disintegrate.

be'stärk|en *v/t.* (*h.*) *j-n*: confirm, strengthen, fortify, encourage, support *a p.* (*in dat.* in); *et.*: reinforce, lend force to *a th.*; confirm, corroborate, support; **2ung** *f* (-) confirmation; strengthening; encouragement; support.

bestätig|en [-'ʃtɛ:tigən] *v/t.* (*h.*) confirm; certify, attest; legalize; *jur.* confirm, uphold (*judgment*); probate (*last will*); *j-n* (*im Amt*) ~ confirm a p., ratify the appointment of a p.; corroborate, bear out; verify (*statement, etc.*); approve, endorse; authorize; ratify (*contract, law*); validate; *econ.* confirm (*orders*); acknowledge (*receipt of*); *sich* ~ be confirmed, prove (*or* come) true; **~end** *adj. and adv.* affirmative(ly), approving(ly); **2ung** *f* (-; -en) confirmation; attestation; corroboration; endorsement; verification; ratification; acknowledgement; probate; **2ungsschreiben** *n* letter of confirmation.

bestatt|en [-'ʃtatən] *v/t.* (*h.*) bury, inter; cremate; **2ung** *f* (-; -en) burial, funeral, interment; cremation; → *Beerdigungs...*

be'stäub|en *v/t.* (*h.*) cover with dust; *agr., etc.*: dust, spray; *bot.* pollinate; **2ung** *f* (-) dusting, spraying; *bot.* pollination; **2ungsmittel** *n* spray.

be'staunen *v/t.* (*h.*) gaze at in wonder, marvel (*or* gape) at.

be'stech|en *v/t. and v/i.* (*irr., h.*) bribe, corrupt, *colloq.* grease (*a p.'s* palm), *Am. a.* buy (off); *jur.* embrace (*jury*), suborn (*witnesses*); *sich ~ lassen* take bribes, be open to bribery; *fig.* fascinate, impress; **~end** *adj.* brilliant, fascinating, impressive; **~lich** *adj.* bribable, corrupt (-ible), venal; *pred.* open to bribery; **2lichkeit** *f* (-) corruptibility, venality; **2ung** *f* (-; -en) bribery, corruption; *aktive ~* offer of bribe to public officer; *passive ~* taking of bribes, bribery; **2ungsgeld** *n* bribe; hush-money; **2ungsversuch** *m* attempt at bribery.

Besteck [bə'ʃtɛk] *n* (-[e]s; -e) *med.* set of (surgical) instruments; (set of) knife, fork and spoon; (complete set of) cutlery; *~e pl.* cutlery, silverware; *sechsteiliges ~* six-piece set; *tech.* set of tools; *mar.* reckoning; *gegißtes ~* (ship's position found by) dead reckoning; *das ~ machen* prick the chart.

be'stecken *v/t.* (*h.*) stick *or* prick (*mit* with); garnish; *bot.* plant (*mit* with).

be'stehen I. *v/t.* (*irr., h.*) undergo, endure, go through *a th.*; get over, overcome (*dangers*); resist; *den Kampf ~* come off victorious, emerge as winner; stand (*the test*); pass (*an examination*); *e-e Prüfung nicht ~* fail in an examination; weather (*crisis, storm*); **II.** *v/i.* (*irr., h.*) be, exist, be in existence; *~ von* subsist *or* live on *food*; continue, last, endure; (*noch*) *~* remain, be extant, (have) survive(d); *law, etc.*: be in force, operate; *~ aus* (*dat.*) be made (*or* composed) of, consist of; *~ in* (*dat.*) consist in, lie in; *~ auf* (*dat.*) insist (up)on, persist in, make a point of; stand on (*one's right*); *gegen j-n ~* stand one's ground, hold one's own (against a p.); *~ bleiben* hold good, stand; *er bestand unerbittlich darauf* he was adamant (on it); *sie besteht auf ihrer Ansicht* she sticks to her opinion (*or* to her guns); *diese Marke kann neben unserem Erzeugnis nicht ~* this brand cannot compare with our make; **III.** *2 n* (-s) existence; continuance, duration; overcoming (*dangers*); passing (*an examination*); (*j-s*) *~ auf* (*acc.*) insistence (by a p.) on; *seit ~ unserer Firma* ever since our firm was established; **~d** *adj.* existing; present, current; prevailing; *prices*: *a.* ruling; *noch ~* extant, surviving.

be'stehlen *v/t.* (*irr., h.*) rob, steal from.

be'steig|en *v/t.* (*irr., h.*) ascend, climb (up), conquer (*mountain*); mount (*horse, etc.*); (go on) board (*of a ship*); enter, board (*car, etc.*); ascend (*the throne*); **2ung** *f* (-; -en) ascent, conquest; accession (*to the throne*).

Bestell|bezirk [bə'ʃtɛl-] *m* postal district; **~buch** *econ. n* order-book; **2en** *v/t.* (*h.*) order; *econ. a.* give (*or* place) an order for; subscribe to (*newspaper*); book, *Am.* reserve, ask for reservation of (*room, seat, etc.*); *jur.* **a**) appoint (*guardian, etc.*), **b**) create (*mortgage, right, etc.*); ask *a p.* to come, send for, make an appointment with; appoint (*zum Statthalter etc.* governor, *etc.*); attend to, carry out (*orders*); deliver (*letters*); give (*greetings, regards*); *agr.* till, cultivate (*fields*); → *Haus*; *econ. bestellt sein* be on order; *es ist schlecht um ihn (darum) bestellt* he (it) is in a bad way *or* sorry state; *haben Sie et. an ihn zu ~?* have you any message for him?; *colloq. er hatte nichts gegen ihn zu ~* he was no match for him; **~er** *m* (-s; -) orderer; customer, buyer; subscriber (*of newspaper*); deliverer; **~gebühr** *f*, **~geld** *n* charge for delivery, carrier's fee; postage; *for newspapers*: postal subscription fee; **~liste** *f* order list; **~nummer** *f* reference number; **~schein** *m* order form; **~ung** *f* (-; -en) *agr.* cultivation, tillage; delivery (*of letters, etc.*); message; appointment (*gen.* with); appointment (*zum* to the post of); order (*von or gen.* for), commission, indent; subscription (*gen.* to *newspaper*); booking; *auf ~ arbeiten (anfertigen)* work (make) to order; *auf ~ gemacht* made to order, *Am.* custom-made; *~en machen* give orders, *econ.* place orders (*auf acc.* for; *bei* with); **~zettel** *econ. m* order form (*or* slip).

'bestenfalls *adv.* at best; at the most.

'bestens *adv.* → *best.*

be'steuer|bar *adj.* taxable, assessable; **~n** *v/t.* (*h.*) impose *or* levy a tax (*or* duty) on, tax; assess (*mit* at); *zu hoch ~* overtax; **2ung** *f* (-; -en) taxation, assessment; **2ungsfähigkeit** *f* (-) taxable capacity; **2ungsfreigrenze** *f* tax immunity limit; **2ungsgrenze** *f* limit of taxation.

bestial|isch [bɛsti'a:liʃ] *adj.* bestial, brutish; atrocious, heinous; *colloq.* awful; **2ität** *f* (-) bestiality; atrocity.

be'sticken *v/t.* (*h.*) embroider.

Bestie ['bɛstiə] *f* (-; -n) beast; *fig.* (*person*) bestial person, beast, brute.

bestimm|bar [bə'ʃtimba:r] *adj.* determinable, definable, ascertainable; **~en I.** *v/t.* (*h.*) determine, decide; fix, appoint, set (*time, etc.*); fix (*place, price*); direct, prescribe, order, ordain; *law*: lay down, provide; ascertain, *a. chem., phys., etc.* determine; pin-point; *med.* diagnose; evaluate; define; *et. näher ~* specify; *in advance*: predestine, predestinate; choose, designate; *j-n zu, für*: destine (*or* intend) *a p.* for, *et.*: *a.* earmark *a th.* for; *j-n ~ et. zu tun* determine (*or* arrange for, direct) a p. to do a th., prevail on a p. to do a th., talk a p. into (doing) a th., induce (*or* motivate) a p. to do a th.; *sich von et. ~ lassen* be determined (*or* influenced, swayed) by a th; **II.** *v/i.*: *über et.* (*acc.*) *~* dispose of *a th.*, have *a th.* at one's disposal, be master of *a th.*; **~end** *adj.* determinant; decisive; *gr.* determinative.

be'stimmt I. *adj.* appointed, fixed, stated, specified; *fatefully*: destined (*zu* for); certain; *math.* determinate (*equation*); strict, exact, precise; (*a. gr.*) definite; clear, distinct, well-defined; decided, determined; firm, resolute, peremptory; *industrially, etc.*, minded; *~ sein für or zu* be intended (*or* meant, destined) for, *thing*: *a.* be earmarked for, be directed to; *mar., etc.*: *~ nach* bound for; certain, sure; **II.** *adv.* certainly, surely, without doubt; for certain; *ganz ~* (most) decidedly, positively; without fail; *et. ~ wissen* be positive about a th., know a th. for sure; *er kommt ~* he is sure to come; *er wird ~ gewinnen* he is safe to win; **2heit** *f* (-) determination, firmness; exactitude, accuracy, precision; certainty, positiveness; strictness; *mit ~* **a**) certainly, definitely, positively, **b**) confidently, **c**) emphatically, categorically.

Be'stimmung *f* (-; -en) decision, determination; *place*: destination; appointment, fixing (*of date, etc.*); designation (*of purpose*); disposition; determination; *chem. a.* analysis; definition (*of term, etc.*); evaluation; *med.* diagnosis; *nähere ~* specification, particulars *pl.*; *gr.* attribute; regulation, direction, rule; *of contract*: term, stipulation, clause; provision (*of law, will, etc.*); vocation, mission; destiny, fate.

Be'stimmungs...: **~gleichung** *math. f* conditional equation; **2gemäß** *adj. and adv.* as directed (*or* agreed); **~größe** *f* defining quantity; **~hafen** *m* port of destination; **~land** *n* country of destination; **~ort** *m* (place *or* point of) destination; **~satz** *gr. m* determinative clause; **~zweck** *m* designation.

bestirnt [bə'ʃtirnt] *adj.* starry.

'Bestleistung *f* record, best (*or* peak) performance; best mark (*or* time).

'bestmöglich *adj.* best possible; optimum.

be'stoßen *v/t.* (*irr., h.*) damage, mar; *tech.* smooth, trim; rough-plane; rough-file; *typ.* dress.

be'straf|en *v/t.* (*h.*) punish (*wegen, für* for; *mit* with); *jur. a.* sentence (*mit* to), *a. sports*: penalize; chastise; castigate; *Zuwiderhandlungen werden bestraft* violations will be prosecuted; **2ung** *f* (-; -en) punishment; penalty; *esp. sports*: penalization; *jur. a.* prosecution.

be'strahl|en *v/t.* (*h.*) shine (up)on; irradiate (*a. med.*); **2ung** *f* (-; -en) irradiation; exposure to radiation; *med.* ray treatment (*or* therapy); radiotherapy; **2ungslampe** *f* radiation lamp.

be'streb|en: *sich ~* (*or bestrebt sein*) *zu inf.* endeavo(u)r (*or* strive) to *inf.*; make an effort to *inf.*; aim at *ger.*; be anxious *or* eager to *inf.*; **2ung** *f* (-; -en) endeavo(u)r, effort, attempt, aspiration.

be'streichen *v/t.* (*irr., h.*) spread (over), smear; coat, paint (*mit* with); *mit Butter* ~ butter; *mit Fett (Öl)* ~ grease (oil), lubricate; *mil.* (*mit Feuer*) ~ rake, sweep.

bestreikt [-ˈʃtraɪkt] *adj.* struck, strikebound.

beˈstreit|bar *adj.* contestable, disputable, challengeable; **~en** *v/t.* (*irr.*, *h.*) contest, dispute, challenge; deny; doubt; defray, bear, pay (for) (*expenses, etc.*); cover, meet; supply (*wants*); fill (*programme*); *sie bestritt die Unterhaltung allein* she did all the talking; **2ung** *f* (-) contestation; argument; defrayal, payment.

beˈstreuen *v/t.* (*h.*) strew (*mit* with), cover; *mit Kies* ~ gravel; *cul.* sprinkle (*mit* with); *mit Mehl* ~ dredge, powder; *mit Zucker* ~ sugar; *mit Pfeffer* ~ pepper.

beˈstricken *v/t.* (*h.*) *fig.* ensnare; charm, fascinate, bewitch; **~d** *adj.* fascinating, bewitching, seductive.

bestück|en [bəˈʃtykən] *v/t.* (*h.*) arm (with guns); **2ung** *f* (-) armament, guns *pl.*

Beˈstuhlung *f* seating, seats *pl.*

beˈstürm|en *v/t.* (*h.*) storm, assail, assault; *fig. mit Bitten* ~ assail (*or* beset) with requests, implore; *mit Fragen* ~ assail (*or* ply, overwhelm) with questions; *diese Gedanken bestürmten mich* all these thoughts thronged in upon me; **2ung** *f* (-) storming (*gen.* of), assault (on).

beˈstürz|en *v/t.* (*h.*) dismay, startle, take *a p.* aback; **~t** *adj.* dismayed (*über acc.* at); dum(b)founded, thunderstruck, taken aback; perplexed, confused; ~ *dastehen* stand aghast; *e-e ~e Miene machen* look aghast; **2ung** *f* (-) dismay, alarm, consternation.

ˈBestwert *m* optimum value.

Besuch [bəˈzuːx] *m* (-[e]s; -e) visit (*gen., bei, in dat.* to); call (*bei* on; *in dat.* at); frequentation (*gen.* of *restaurant, etc.*); attendance (at *meeting, school, etc.*); stay; visit (*gen.* to); visitor(s *pl.*), company; attendance; *auf or zu* ~ on a visit; *e-n* ~ *machen* (*bei*) pay a visit (to) *or* call (on); **2en** *v/t.* (*h.*) go (*or* come) to see *a p.*; visit, pay a visit (to); call on, drop in on, look *a p.* up; visit, resort to (*a place*); *habitually*: frequent; patronize; go to, attend (*lecture, meeting, school, etc.*); *ich habe ihn besucht* I have been to see him; *gut (schwach) besucht* well (poorly) attended; *der Ort wird viel besucht* the place is much frequented; **~er(in** *f*) *m* (-s, -; -, -nen) visitor (*gen.* to), caller; guest; frequenter, habitué (*Fr.*); sightseer; spectator(s *pl.*), *pl. a.* audience; cinema-goer, theatre-goer; **~erliste** *f* visiting list; **~erzahl** *f* number of visitors, attendance; **~skarte** *f* (visiting) card; **~s-tag** *m* (regular) visiting-day; *of lady*: at-home (day); **~szeit** *f* visiting hours *pl.*; **~szimmer** *n* drawing room, *Am.* parlor.

beˈsudeln *v/t.* (*h.*) dirty, soil; scrawl (*or* scribble) over *or* on; *fig.* (be)foul, besmirch; sully; defile.

betagt [-ˈtaːkt] *adj.* aged, advanced (*or* stricken) in years.

beˈtakeln *mar. v/t.* (*h.*) rig.

beˈtast|en *v/t.* (*h.*) touch, feel, finger; *med.* palpate; *colloq.* paw; **2ung** *f* (-; -en) touch(ing); *med.* palpation.

Betastrahlen [ˈbeːta-] *phys. m/pl.* beta rays.

beˈtätig|en *v/t.* (*h.*) *tech.* manipulate; set in motion (*or* going); actuate, operate (*brake, etc.*); control; *sich* ~ bestir (*or* busy) o.s.; *sich* ~ *an or bei* participate in, take an active part in; *sich* ~ *als* act (*or* be active, work) as; **2ung** *f* (-; -en) manifestation, display; activity, work; (active) participation; *körperliche* ~ physical exercise; *tech.* actuation, operation; control; **2ungsfeld** *n* sphere of activity; field (of action); **2ungshebel** *m* operating (*or* control) lever.

betäub|en [-ˈtɔʏbən] *v/t.* (*h.*) *by noise*: deafen, din, stun; *by a blow, etc.*: *a. fig.* stun, daze; render insensible; drug; stupefy (*a. fig.*); *med.* an(a)esthetize, narcotize; (be-)numb (*muscles, etc.*); deaden (*nerves, pain*); blunt, dull; drug *one's conscience, sorrow, etc.*; *with drink*: drown; *sich* ~ divert o.s.; **~end** *adj.* deafening (*noise*); stunning *blow* (*a. fig.*); *med.* an(a)esthetic, narcotic (*a. smell*); pain-killing, analgesic; **2ung** *f* (-; -en) deafening; stunning; state of insensibility; *med.* **a)** narcotization, an(a)esthetization, **b)** (*condition*) narcosis, an(a)esthesia; *örtliche* ~ local an(a)esthesia; coma; torpor; numbness; deadening, soothing (*of nerves*); lethargy; stupefaction; distraction; **2ungsmittel** *n* narcotic, an(a)esthetic.

beˈtau|en *v/t.* (*h.*) *and sich* ~ bedew; **~t** *adj.* dewy.

Bete [ˈbeːtə] *bot. f* (-; -n) beetroot.

beteilig|en [bəˈtaɪligən] *v/t.* (*h.*): *j-n* ~ give a p. a share *or* interest (*an dat., bei dat.* to, in); *econ. a.* make a p. a partner; *sich* ~ *an dat. or bei* take part (*or* participate) in; join in, enter; contribute to; cooperate in; *beteiligt sein an* be interested (*or* concerned) in, *econ.* have an interest (*or* share) in; share in profits; be involved in; *jur.* be a party to (*a cause or an offence*); **2te(r** *m*) [-çtə(r)] *f* (-n, -n; -n, -n) participant; party (in interest), person concerned *or* involved; partner, associate; *jur.* party to an offence *or* cause; **2ung** [-guŋ] *f* (-; -en) (*an dat., bei dat.* in) participation (*a. econ. and jur.*), partnership; share, interest (*all a. econ.*); investment; holdings *pl.*; *maßgebliche* ~ control(l)ing interest; *tätige* ~ active share; (*number*) attendance; *in elections, etc.*: *a.* turn-out; cooperation; *sports*: participation, entry; support (of), contribution (to); **2ungsfonds** *m* participation fund; **2ungsgesellschaft** *f* associated company; **2ungsquote** *f* quota, share.

beten [ˈbeːtən] **I.** *v/i.* (*h.*): (*zu Gott*) ~ pray (to God); say one's prayer; *at table*: say grace; *um et.* ~ pray for a th.; **II.** *v/t.* (*h.*): *das Vaterunser* ~ say the Lord's prayer; → *Rosenkranz.*

beteuer|n [bəˈtɔʏərn] *v/t.* (*h.*) protest (*s-e Unschuld* one's innocence; *daß* that); swear (*zu inf.* to *ger.*); assert, aver; assure of, affirm (solemnly); **2ung** *f* (-; -en) protestation; assertion; solemn declaration; *jur. eidesgleiche* ~ affirmation (in lieu of oath).

betiteln [bəˈtiːtəln] *v/t.* (*h.*) entitle; give a title to, name; call, style; *betitelt sein* be (en)titled, bear the title of.

Beton [beˈtɔŋ] *m* (-s; -s) concrete; *armierter* ~ reinforced concrete; *gegossener* ~ cast concrete; *gestampfter* ~ rammed concrete; **~bauweise** *f* concrete construction.

betonen [bəˈtoːnən] *v/t.* (*h.*) stress, accent(uate); *fig.* stress; emphasize, declare emphatically, underline; → *betont.*

Betonie [beˈtoːniə] *bot. f* (-; -n) betony.

betonier|en [betoˈniːrən] *v/t.* (*h.*) (build with) concrete; **2en** *n* (-s), (*a.* **2ung** *f* [-; -en]) concreting, concrete work.

Beˈton...: ~mischmaschine *f* concrete mixer; **~platte** *f* concrete slab.

betont [bəˈtoːnt] **I.** *adj. gr.* stressed; *fig.* emphatic, insistent; *mit ~er Höflichkeit (Gleichgültigkeit)* with studied politeness (unconcern); ~ *einfach* insistently simple; **II.** *adv.* emphatically, insistently.

Beˈtonung *f* (-; -en) accentuation; *of syllables*: stress, emphasis (*both a. fig.*); intonation; *die* ~ *liegt auf der zweiten Silbe* the stress is on the second syllable.

betör|en [-ˈtøːrən] *v/t.* (*h.*) befool; delude, beguile; infatuate, bewitch, turn *a p.'s* head; *~des Lächeln* seductive smile; **2ung** *f* (-; -en) infatuation; delusion.

Betracht [bəˈtraxt] *m* (-[e]s): *et. außer* ~ *lassen* leave a th. out of consideration (*or* account), set a th. aside, disregard a th.; *außer* ~ *bleiben* be out (of the question); *in* ~ *kommen* **a)** come into question, **b)** be concerned (*or* involved), **c)** be eligible *or* qualified; *in* ~ *ziehen* **a)** consider, take into consideration (*or* account), **b)** allow (*or* make allowance) for; **2en** *v/t.* (*h.*) (have a) look at; view (*a. fig.*); inspect, examine; *j-n prüfend* ~ look a p. over, size a p. up, scrutinize a p.; observe, watch; contemplate, reflect on; ~ *als* regard *or* look (up)on as, consider; *genau betrachtet* strictly speaking; **~er(in** *f*) *m* (-s, -; -, -nen) viewer, onlooker, spectator.

beträchtlich [-ˈtrɛçtliç] *adj.* considerable, important, substantial; ample; heavy (*costs, losses*); *sein Auftreten erregte ~es Aufsehen* his appearance caused quite a stir.

Beˈtrachtung *f* (-; -en) view (*gen.* of), inspection; contemplation, meditation; consideration (of), reflection (on); study; *bei näherer* ~ looked at more closely; *in* ~ *versunken* lost in contemplation, absorbed; *~en anstellen* reflect (*über acc.* on); **~sweise** *f* approach (*gen.* to).

Betrag [-ˈtraːk] *m* (-[e]s; ⸗e) amount, sum; (sum) total, aggregate; *bookkeeping*: item; value (*a. cheque*);

im ~e von amounting to, to the amount of; *receipt*: *~ erhalten* payment (*or* value) received.

be'tragen I. *v/t.* (*irr.*, *h.*) amount (*or* come) to, run (up) to; total, aggregate; *wieviel beträgt die Rechnung?* how much is the bill?, what does the bill run to?; **II.** *v/refl.* *sich ~* behave (o.s.), conduct (*or* deport) o.s.; *sich ~ gegen* (*acc.*) behave *or* (show o.s.) towards; *sich schlecht ~* misbehave; **III.** *2 n* behavio(u)r, conduct.

be'trauen *v/t.* (*h.*): *j-n mit et. ~* entrust (*or* charge) a p. with a th.; *mit e-m Amt ~* appoint to an office; *betraut mit* entrusted with, in charge of.

be'trauern *v/t.* (*h.*) mourn for *a p.*; mourn *or* deplore (the loss of).

Betreff [-'trɛf] *m* (-[e]s; -e): *in ~ or 2s* (*gen.*) with (*or* in) regard *or* respect to; concerning; as to; *in letters* (*abbr. Betr.*): re:, subject:; *jur.* in re, in the matter of; *der im ~ erwähnte Auftrag* referenced order; **2en** *v/t.* (*irr.*, *h.*) *disaster*, *etc.*: befall, come upon, visit; *fig.* affect, touch; concern; *matter*: *a.* apply to; refer *or* relate to; deal (*or* be concerned) with; *was mich betrifft* as for me, as far as I am concerned; *was das betrifft* as for that, for that matter; → *betroffen*; **2end** *adj.* concerning, regarding, respecting; → *Betreff*; *das ~e Geschäft* the business in question *or* referred to; *die ~e Person* the person concerned; said; *matter* in hand, under consideration; respective; relevant; proper, competent.

be'treiben *v/t.* (*h.*) hasten, urge on, push forward *or* ahead; prosecute, follow up; carry on (*business*); manage, run (*enterprise*, *etc.*); follow, practise (*profession*); pursue (*policy*, *studies*, *trade*); cultivate (*arts*); **Be'treiben** *n* (-s) carrying on; management; → *Betrieb*; pursuit (*of profession*, *policy*, *studies*), cultivation (*of arts*); *auf sein ~* at his instigation.

be'treten[1] *v/t.* (*irr.*, *h.*) step (*or* tread) on; set foot on *or* in; enter (*room*); cross (*threshold*); trespass on; *2 verboten!* keep off!, no trespassing!, no entrance!, *mil. Brit.* out of bounds, *Am.* off limits.

be'treten[2] *adj.* beaten (*track*); *fig.* confused, embarrassed, awkward; *mit ~em Lächeln* with a sheepish grin.

betreu|en [-'trɔʏən] *v/t.* (*h.*) care for, have the care of; attend to, look after, nurse; assist, relieve; be in charge of, supervise, handle; **2er(in** *f*) *m* (-s, -; -, -nen) attendant, caretaker; relief worker; *sports*: coach; second; **2te(r** *m*) *f* (-n, -n; -n, -n) charge; **2ung** *f* (-) care (*gen.* of, for); **2ungsdienst** *m* welfare service; **2ungsstelle** *f* welfare cent|re, *Am.* -er.

Betrieb [bə'tri:p] *m* (-[e]s; -e) management; working, running, *esp. Am.* operation; enterprise, business, firm, concern; *produzierender ~* production unit; *landwirtschaftlicher ~* farm; *öffentlicher ~* public enterprise, (*traffic*, *etc.*) service, public utility; factory, manufacturing plant, works *usu. sg.*, mill; workshop; *tech.* manufacture; engineering practice; plant; system; operation, working; *fig.* activity, (hustle and) bustle, fuss; *in ~* working, in operation; *in vollem ~* in full action (*or* swing); *in ~ setzen* set in operation; start, actuate; open; *außer ~* out of operation (*or* service), inoperative, out of function; *außer ~ setzen* put out of operation; *rail.* close *a line*; **2lich** *adj.* operational; internal; company's ...

be'triebsam *adj.* active, busy, bustling; industrious, hard-working; **2keit** *f* (-) activity, bustle; industry.

Be'triebs...: **~anlage** *f* (manufacturing) plant; **~anleitung, ~anweisung** *f* operating instructions *pl.*; **~arzt** *m* company physician; **~ausflug** *m* works outing; **~ausgabe** *f* operating expenditure; **~ausstattung** *f* plant equipment; **2bedingt** *adj.* operational; **~bedingungen** *f/pl.* operating conditions; **~berater** *m* business adviser, industrial management consultant; **~buchführung** *f* internal accounting; **~chemiker** *m* industrial chemist; **~dauer** *f* working time; service life (*of machine*); **2eigen** *adj.* factory-owned; **~einnahmen** *f/pl.* operating income, (business) receipts; **~einschränkung** *f* cutting down a firm's activities; short-time working; **~einstellung** *f* closing down, shutdown; discontinuation of operations; **2fähig** *adj.* in working condition, serviceable; **~ferien** *pl.* works holidays; **2fertig** *adj.* ready for use (*or* service); **2fremd** *adj.* outside; **~führer** *m* general (*or* works) manager; **~führung** *f* management; **~gas** *n* fuel gas; **~geheimnis** *n* trade secret; **~gewinn** *m* operational profits *pl.*; **~handwerker** *m* staff craftsman (*e.g.* staff electrician); **~ingenieur** *m* production engineer; **~jahr** *n* working (*or* business) year; **~kapital** *n* working capital; **~klima** *n* working conditions *pl.*; **~kosten** *pl.* running *or* working expense(s), *Am.* operating cost(s); **~krankenkasse** *f* firm's sick-fund; **~leistung** *f* output, operating efficiency; **~leiter** *m* works manager; **~leitung** *f* management; **~material** *n* working-stock; factory supplies *pl.*; equipment; *rail.* rolling-stock; **~mittel** *n/pl.* working funds; → *Betriebsmaterial*; **~obmann** *m* workmen's representative, shop steward; **~ordnung** *f* rules and regulations *pl.*; **~personal** *n* staff, employees *pl.*; *tech.* operating personnel; **~rat** *m* (-[e]s; ⸚e) (member of the) works committee; **~schließung** *f* closing down, closure (of works); **2sicher** *adj.* safe (to operate); reliable (in service); *mot. a.* roadworthy; **~sicherheit** *f* safety (in operation); reliability (in operation); **~spannung** *f* working voltage; **~stellung** *tech.* *f* operating position; **~stilllegung** *f* shutdown; **~stockung** *f* interruption (of service); **~stoff** *m* (power) fuel; **~stoffwechsel** *physiol. m* catabolism; **~störung** *f* stoppage, breakdown; operating trouble; **~strom** *el. m* working current; **2technisch** *adj.* operational, technical; manufacturing; **~unfall** *m* industrial accident, accident suffered while at work; **~unkosten** *pl.* operating expenses; *allgemeine ~* overhead costs; **~veranstaltung** *f* staff party; **~verhältnisse** *pl.* shop-conditions; *tech.* operating conditions; **~versammlung** *f* workshop meeting; **~wirtschaft** *f* (industrial) management; **~wirtschaftler** *m* industrial management expert; **2wirtschaftlich** *adj.* related to operational economy *or* operating efficiency; business..., management ...; **~wirtschaftslehre** *f* (-) (science of) industrial management; **~zeit** *f* working period; **~zweig** *m* branch of manufacture *or* industry.

be'trinken: *sich ~* (*irr.*, *h.*) get drunk; → *betrunken*.

betroffen [bə'trɔfən] *adj.* afflicted, visited (*von* by), stricken (with); shocked, stunned, startled, taken aback; → *betreffend*; **2heit** *f* (-) shock, bewilderment.

betrüb|en [bə'try:bən] *v/t.* (*h.*) grieve, afflict, sadden; *sich ~* grieve (*über acc.* at, over); **~lich** [-'try:p-] *adj.* sad, distressing, deplorable; **2nis** *f* (-; -se) grief, sorrow, affliction, sadness; **~t** *adj.* grieved, distressed, afflicted (*über acc.* at); sad, sorrowful.

Be'trug *m* (-[e]s) cheat; *jur.*, *a. fig.* fraud; *usu. fig.* deceit, deception; swindle, trickery; imposture, confidence game (*Am.* trick); ruse; delusion.

be'trügen *v/t.* (*irr.*, *h.*) deceive (*a. one's husband or wife*); cheat, dupe, victimize; *jur.* defraud; *sl.* bamboozle; double-cross (*an accomplice*); *j-n um et. ~* cheat (*or* do, trick) a p. out of a th.; *sich ~* deceive (*or* cheat, delude) o.s.; *in s-n Hoffnungen betrogen werden* be disappointed in one's hopes.

Be'trüger(in *f*) *m* (-s, -; -, -nen) *jur.* defrauder; cheat, fraud, deceiver, impostor, confidence man; swindler, trickster, crook.

Betrügerei [-'raɪ] *f* (-; -en) cheating, deceit(fulness), fraud(ulence); → *Betrug*.

be'trügerisch *adj.* deceitful, fraudulent; *jur. in ~er Absicht* with intent to defraud; *~er Bankrott* fraudulent bankruptcy.

betrunken [bə'truŋkən] *adj.* drunken, *pred.* drunk; intoxicated, inebriated; *jur. in ~em Zustand fahren* drive under the influence of alcohol; → *besoffen*; **2e(r)** *m* (-n; -n) drunken man; **2heit** *f* (-) drunkenness, intoxication.

Bet|saal ['be:t-] *m* chapel, oratory; **'~schwester** *f* churchy woman; **'~stuhl** *m* praying-desk.

Bett [bɛt] *n* (-[e]s; -en) bed (*a. geol.*); bedstead; cot; *med.* sick-bed; *mar.*, *rail.* berth; *tech.* bed, base; *anat.*, *bot.* thalamus; *am ~* at the bedside; *im ~* in bed; *sich zu ~ legen* go to bed, turn in, *Am. a.* hit the hay, *due to illness*: take to one's bed;

das ~ *hüten (müssen)* be laid up, be bedridden, be confined to (one's) bed; *j-n zu* ~ *bringen* put a p. to bed, tuck a p. in; *das* ~ *machen* make the bed; '**~bezug** *m* bed-linen; sheets and pillow-cases *pl.*; '**~couch** *f* bed couch; '**~decke** *f* coverlet, beadspread; blanket; quilt.

Bettel ['bɛtəl] *m* (-s) begging; *fig.* trash, rubbish, trumpery; *der ganze* ~ the whole show; '**♀arm** *adj.* desperately poor, poverty-stricken; '**~brief** *m* begging letter.

Bettelei [-'laɪ] *f* (-; -en) begging, mendicancy.

'**bettel...**: **~haft** *adj.* beggarly; **♀kram** *m* → *Bettel*; **♀mönch** *m* mendicant friar; **~n** *v/t. and v/i.* (*h.*) beg (*um* for); cadge, *Am. a.* bum; ~ *gehen* go begging; **♀orden** *m* order of mendicant friars; **♀stab** *m*: *an den* ~ *bringen* reduce to beggary, ruin.

betten ['bɛtən] *v/t.* (*h.*) put *a p.* to bed; *fig.* embed; *tech.* bed, seat; *rail.* ballast; *sich* ~ make one's bed; *wie man sich bettet, so liegt man* as you make your bed, so you must lie on it.

'**Bett...**: **~flasche** *f* hot-water bottle; **~genosse** *m* bedfellow; **~gestell** *n* bedstead; **~himmel** *m* canopy; **~jacke** *f* bed jacket; **~kissen** *n* pillow; **~lade** *f* bedstead; **♀lägerig** ['-lɛːgəriç] *adj.* confined to bed, bedridden, laid up; **~er** *Patient* bed patient; **~lägerigkeit** *f* (-) confinement to bed; **~laken** *n* sheet; **~lektüre** *f* bedside books *pl.*

'**Bettler** *m* (-s; -), **~in** *f* (-; -nen) beggar(-woman), mendicant; tramp; *zum* ~ *machen* beggar, pauperize, ruin; **~oper** *f the* Beggar's Opera; **~stolz** *m* beggar's pride.

'**Bett...**: **~nässen** *med. n* (-s) bed-wetting; **~nässer** *m* (-s; -) bed-wetter; **~ruhe** *f* bed rest; **~schlitten** *tech. m* carriage; **~schüssel** *f* bed-pan; **~sofa** *n* sofa bed; **~statt**, **~stelle** *f* bedstead; **~(t)uch** *n* sheet; **~überzug** *m* pillow-case, bed-tick; **~ung** *f* (-; -en) *tech.* bed(ding); bed-plate; *mil.* platform (*of gun*); *rail.* roadbed; ballast; **~vorleger** *m* bed-side rug; **~wanze** *f* bed-bug; **~wäsche** *f* bed-linen, bed-clothes *pl.*; **~zeug** *n* bedding.

betulich [bə'tuːliç] *adj.* obliging, considerate; officious.

be'tupfen *v/t.* (*h.*) dab, *med.* swab; dot, spot.

Beuge ['bɔʏgə] *f* (-; -n) *gym.* bend; (*curve*) bend; flexure; **~haft** *jur. f* coercive detention; **~muskel** *m* flexor.

beug|en ['bɔʏgən] *v/t.* (*h.*) bend, bow, flex; *sich (nieder)*~ bow *or* bend (down), stoop; *phys.* deflect, diffract; *fig.* humble (*pride*); *by grief*: bow, afflict, crush; *das Recht* ~ pervert justice; *sich* ~ bow, submit, yield (*dat. or vor dat.* to); *gr.* inflect; decline (*noun*); conjugate (*verb*); *von Kummer gebeugt* bowed down by grief, broken-hearted, *vom Alter gebeugt* bowed by age; '**♀ung** *f* (-; -en) bend(ing), flexion; flexure; *phys.* diffraction; *gr.* inflection.

Beule ['bɔʏlə] *f* (-; -n) bump, lump, swelling; boil, tumo(u)r; chilblain; *in metal, etc.*: dent; '**~npest** *f* bubonic plague.

beunruhig|en [bə'ˀunruːigən] *v/t.* (*h.*) disturb, trouble; *mil.* harass; *fig.* disquiet, worry, alarm; *sich* ~ *über* (*acc.*) be alarmed (*or* troubled, uneasy) about, worry about; **~end** *adj.* disturbing, disquieting, alarming; **♀ung** *f* (-) disturbance; uneasiness, anxiety, alarm; trouble, worry.

beurkund|en [-'ˀuːrkundən] *v/t.* (*h.*) attest, certify; authenticate, verify; legalize; notarize; witness; **♀ung** *f* (-; -en) certification; authentication.

beurlaub|en [-'ˀuːrlaubən] *v/t.* (*h.*) give (*or* grant) leave (of absence); suspend (*vom Amt* from office); *sich* ~ take one's leave; **~t** [-pt] *adj.* (absent) on leave; **♀tenstand** *mil. m* (-[e]s) reserve status; **♀ung** [-buŋ] *f* (-; -en) (granting of a) leave; suspension.

be'urteil|en *v/t.* (*h.*) judge (*nach* by); pronounce (*or* pass) judg(e)ment (up)on; criticize, comment on; review, discuss (*book, etc.*); rate (*performance, value*); estimate, assess; view; *et. ernst* ~ view a th. with concern, take a grave view of; *falsch* ~ misjudge; **♀er** *m* (-s; -) judge, critic; reviewer; **♀ung** *f* (-; -en) judg(e)ment, opinion (*gen.* of, on); critical examination, criticism; review; assessment; rating; *of staff*: confidential (*Am.* efficiency) report; *fig.* view (*gen.* of).

Beute ['bɔʏtə] *f* (-) *mil.* booty, captured matériel; *a. of thieves*: loot, plunder; catch; *mar.* prize; *hunt.* bag; *zo.* prey, quarry; *fig.* prey, victim (*gen.* to); ~ *machen, auf* ~ *ausgehen* go marauding *or* plundering; *zur* ~ *fallen* (*dat.*) be captured by, fall into the hands of, *fig.* fall prey to; '**♀gierig** *adj.* eager for plunder; '**~gut** *mil. n* captured (enemy) matériel, booty.

Beutel ['bɔʏtəl] *m* (-s; -) bag; purse; *mail, zo.* (*a. tobacco*) pouch; *billiard*: pocket; *biol.* sac; *med.* cyst; '**♀ig** *adj.* baggy; '**♀n I.** *v/t.* (*h.*) shake; bolt, sift (*flour*); **II.** *v/i. and sich* ~ *clothes*: bag; bulge; '**~ratte** *f* opossum; '**~schneider** *m* cutpurse; → *Betrüger*; **~schneide'rei** *f* swindling, trickery; '**~tier** *n* marsupial.

'**Beutezug** *m* marauding expedition, raid.

bevölkern [bə'fœlkərn] *v/t.* (*h.*) people, populate, settle; *fig.* frequent, throng, swarm in (*street, etc.*); *sich* ~ become inhabited, grow populous, *fig.* become alive (*mit* with); *dicht bevölkert* densely populated.

Be'völkerung *f* (-; -en) population; inhabitants, people *pl.*; populace.

Be'völkerungs...: **~aufbau** *m* (-[e]s) structure of the population; **~dichte** *f* density of population; **~druck** *m* (-[e]s) population pressure; **~politik** *f* population policy; **♀politisch** *adj.* demographic, population *measures*; **~stand** *m* (-[e]s) (level of) population; **~statistik** *f* demography; population (*Am.* vital) statistics *pl.*; census; **~überschuß** *m* surplus population; **~zunahme** *f* increase in population.

bevollmächtig|en [-'fɔlmɛçtigən] *v/t.* (*h.*) authorize, empower; invest *a p.* with powers; *jur.* give *a p.* power of attorney; appoint and constitute *a p.* one's lawful agent and attorney; **~t** [-içt] *adj.* authorized; having power of attorney; *diplomacy*: **~er** *Minister* (minister) plenipotentiary; **♀te(r** *m*) *f* (-n, -n; -n, -n) authorized representative, deputy; agent, proxy, attorney-in-fact; trustee; *pol.* plenipotentiary; **♀ung** [-guŋ] *f* (-) authorization; *jur.* power of attorney; *durch* ~ by proxy; *jur.* by power of attorney; → *Vollmacht.*

be'vor *cj.* before; *poet.* ere; *nicht* ~ not until (*or* till).

bevormund|en [bə'foːrmundən] *v/t. fig.* hold in leading-strings, keep in tutelage, patronize; **♀ung** *f* (-; -en) tutelage; patronizing; regimentation.

be'vorrat|en [-rɑːtən] *v/t.* stock up; **♀ung** *f* (-) stocking, stockpiling, provision of reserves; stocks, supplies *pl.*

bevorrecht|(ig)en [-'foːrrɛçt(ig)ən] *v/t.* (*h.*) privilege, grant privileges (to); **~igt** [-tiçt] *adj.* privileged; preferential (*claim, etc.*); **~er** *Gläubiger* preferential (*Am.* preferred) creditor; **♀(ig)ung** *f* (-) (granting of a) privilege *or* prerogative; preference.

be'vorschuss|en [-ʃusən] *v/t.* (*h.*) advance money (*j-n für et.* to a p. on a th.); **♀ung** *f* (-; -en) advance.

be'vorstehen *v/i.* (*irr., h.*) be near (*or* forthcoming, approaching, at hand), lie ahead; *danger*: be imminent, impend, threaten; *j-m*: be in store for, await *a p.*; *ihm steht e-e große Enttäuschung bevor* he is in for a bad disappointment; **♀** *n* prospect, perspective; *of danger, etc.*: imminence; **~d** *adj.* forthcoming, approaching; next *week, etc.*; *danger*: impending, imminent.

be'vorzug|en [-tsuːgən] *v/t.* (*h.*) prefer; favo(u)r (*vor dat.* before, above), patronize; *jur.* privilege; **~t** *adj.* (specially) favo(u)red; privileged; favo(u)rite; **~e** *Behandlung* (*Forderung*) preferential treatment (claim); **~e** *Zuteilung* allocation by priority; *et.* ~ *behandeln* give a th. preference (*or* precedence); → *bevorrechtigt*; **♀ung** *f* (-; -en) preference *given to a p.*; favo(u)r *shown to a p.*; favo(u)ritism; *unstatthafte* ~ undue preference.

be'wach|en *v/t.* (*h.*) watch (over), guard; shadow; *sports*: mark, cover; **♀ung** *f* (-; -en) guard; custody; *untre strenger* ~ in close custody; *sports*: marking, covering.

be'wachsen *adj.*: ~ *mit* grown over (*or* covered, stocked) with.

be'waffn|en *v/t.* (*h.*) *and* (*sich* ~) arm (o.s.); provide *or* equip (o.s.) with arms *or* weapons; *bewaffnete Intervention* armed intervention; *mit bewaffneter Hand* by force of arms; **♀ung** *f* (-) arming; arms, weapons *pl.*; *mar.* armament; equipment.

Beˈwahr-anstalt *f* day-nursery.
beˈwahren *v/t.* (*h.*) keep, preserve (*usu. fig.*: *memory, secret, silence, etc.*); *j-n (sich) ~ vor (dat.)* save (*or* protect, preserve, guard, keep) a p. (o.s.) from; (*Gott*) *bewahre!* Heaven forbid!; far from it!
beˈwähren *v/t.* (*h.*) prove, verify; *sich ~* stand the test; prove good *or* useful *or* a success; *principle*: hold good; *sich nicht ~* prove a failure; → *bewährt.*
Beˈwahrer(in *f*) *m* (-s, -; -, -nen) keeper, custodian.
bewahrheiten [bəˈvaːrhaɪtən] *v/t.* (*h.*) verify; *sich ~* prove (to be) true.
bewährt [-ˈvɛːrt] *adj.* (well) tried, tested, proved; *tech. a.* service-proved; successful; trustworthy, reliable; deserving *employees*; true, genuine; *e-e ~e Kraft* a capable (*or* experienced) man, an old hand; *ein ~es System* an approved (*or* sound) system.
Beˈwahrung *f* keeping; preservation (*vor dat.* from).
Beˈwährung *f* (-) verification; (putting to the) proof *or* test; trial, crucial test; *jur.* (release on) probation, conditional discharge; **~sfrist** *f* (period of) probation; *~ von zwei Jahren erhalten* be put on a two-year probation, be bound over for two years; *auf ~ entlassen* release on probation.
bewaldet [-ˈvaldət] *adj.* wooded, woody.
bewältig|en [-ˈvɛltigən] *v/t.* (*h.*) get under control; master (*a. subject*), manage, handle; overcome, cope with (*difficulties*); conquer (*mountain*); accomplish, complete, dispose of (*work*); do, cover (*distance*); **2ung** *f* (-) mastering; overcoming; conquest; accomplishment.
bewandert [-ˈvandərt] *adj.* (*in dat.*) experienced, skilled (in); well acquainted (with), conversant (with), versed (in), at home (in), proficient (in), well up (in); well-read.
Bewandtnis [-ˈvantnis] *f* (-; -se): *damit hat es folgende ~* the matter is as follows; *das hat e-e ganz andere ~* the matter is quite different; *das hat s-e eigene ~* that is a matter apart; there is a special reason for that; thereby hangs a tale.
beˈwässer|n *v/t.* (*h.*) water; irrigate; **2ung** *f* (-; -en) watering; irrigation; **2ungsanlage** *f* irrigation plant; **2ungsgraben** *m* feeder; **2ungskanal** *m* irrigation canal.
bewegen[1] [-ˈveːgən] *v/t.* (*h.*) (*a. sich*) move, stir; set in motion (*or* going); carry, convey; *econ. prices*: fluctuate, vary; *sich in freier Luft ~* take outdoor exercise; *sich im Kreise ~* move in a circle, gyrate; *ast. sich ~ um* revolve around (*the sun, etc.*); *sich nicht von der Stelle ~* (*lassen*) not to budge *or* stir; *fig. sich in feinen Kreisen ~* move in good society; *die Kosten ~ sich zwischen 50 und 80 Dollar* the costs range between $50 and $80; stir, rouse, agitate; move, touch; *sich ~ lassen* be moved (*von, durch* with *pity, etc.*); give way, yield, relent; **~**[2] *v/t.*: *j-n zu et. ~* induce (*or* get, bring) a p. (to *inf.*; *was bewog ihn dazu?* what made him do it?; *sich nicht ~ lassen* stand firm, be adamant; *sich bewogen fühlen* feel moved (*or* urged, bound) to; **~d** *adj.* moving; *~e Kraft* motive power; *sich selbst ~* self-acting; *fig.* moving, touching.
Beweg|grund [-ˈveːk-] *m* motive (*für* for); inducement; **~kraft** *f* motive power.
beˈweglich *adj.* movable, moving, mobile; *tech. a.* flexible; portable; *~e Belastung* live load; *~e Teile* moving parts; *jur. ~es Eigentum* personal property, movables *pl.*; *fig.* active; agile, nimble, elastic, flexible; versatile; voluble, glib (*tongue*); moving, touching; **2keit** *f* (-) mobility, movableness; flexibility (*a. fig.*); nimbleness, agility (*a. fig.*); *of the tongue*: volubility, quickness; versatility; sprightliness; *mot. and sports*: flexibility, man(o)euvrability.
beˈwegt *adj.* rough, heavy (*sea*); *fig.* moved, touched; *voice*: choked, trembling; *conversation*: lively; excited, heated; *life*: **a**) restless, **b**) adventurous, eventful; exciting, thrilling; *times, etc.*: stirring, turbulent, troubled, hectic; **2heit** *f* (-) agitation, turbulence; emotion.
Bewegung (-) *f* (-; -en) movement; motion (*a. phys.*); move; stir; jerk; gesture; *körperliche ~* exercise; *fig. pol., etc.*: movement; *Lohn2* wage drive; *Jugend2* youth activities *pl.*; trend; *econ. rückläufige ~* downward *or* retrograde movement (*or* trend); emotion, agitation; *in ~ tech.* in motion; *fig.* astir, stirring, on the move; *in ~ setzen* start, set going (*or* in motion); → *Hebel*; *sich in ~ setzen* move, start, get going; *er machte keine ~ zu gehen* he made no move to go.
Beˈwegungs...: **~energie** *f* kinetic energy; **2fähig** *adj.* capable of movement, mobile; **~fähigkeit** *f* (-) mobility; **~freiheit** *f* (-) freedom of movement; clear space of action, room to move; *fig.* liberty of action; elbow-room, leeway; **~kraft** *f* (-) motive force; **~krieg** *m* mobile warfare; **~lehre** *f* (-) kinematics *sg.*; **2los** *adj.* motionless, immobile; **~losigkeit** *f* (-) immobility; **~spiel** *n* active game; **~studie** *f* motion study; **2unfähig** *adj.* unable to move, immobilized, out of action; **~zustand** *m* (-[e]s) state of motion.
beˈwehren *v/t.* (*h.*) arm; *tech.* reinforce, armo(u)r, sheath; *bewehrtes Kabel* armo(u)red cable.
beweibt [bəˈvaɪpt] *adj.* married, wedded.
beweihräuchern [-ˈvaɪrɔʏçərn] *v/t.* (*h.*) (in)cense; *fig.* adulate, flatter.
beˈweinen *v/t.* (*h.*) weep for, deplore, lament, mourn; **~swert** *adj.* deplorable, lamentable.
Beweis [bəˈvaɪs] *m* (-es; -e) proof (*für* of), evidence (*esp. jur. a. pl.*); argument; exhibit; demonstration (*a. math.*); mark, sign, token; *zum ~* in proof *or* support (*gen.* of); *den ~ für et. antreten* undertake to prove a th.; *den ~ erbringen für* prove, furnish proof of, *jur.* produce evidence of; demonstrate; *als ~ vorlegen* offer (*or* submit) in evidence; *als ~ zulassen* admit in evidence; *als ~ s-r Zuneigung* in token of his affection; *als ~ nenne ich Shakespeare* witness Shakespeare; *zum ~e dessen* in support of this; *er hat alle ~e beisammen* his case is complete; *er hat keine ~e gegen uns* he has no case against us, he hasn't a leg to stand on.
Beˈweis...: **~aufnahme** *f* hearing (*or* taking) of evidence; **2bar** *adj.* provable, demonstrable; **2en** [-zən] *v/t.* (*irr., h.*) prove, show, evidence; establish; demonstrate; substantiate; *jur. a.* furnish evidence (of); show, manifest; *zu ~ suchen, daß* argue that; *wenn du das Gegenteil ~ kannst* if you can disprove this; *dies beweist zur Genüge, daß* this is ample evidence that; **~ergebnis** *n* the evidence (taken); **2erheblich** *adj.* evidentiary, material; **~erhebung** → *~aufnahme*; **~führung** *f* argumentation, reasoning; **~grund** *m* argument; **~kraft** *f* (-) argumentative force, conclusiveness; *ohne ~* inconclusive; **2kräftig** *adj.* conclusive; **~last** *f* burden of proof, onus; **~material, ~mittel** *n* *or pl.* evidence; **2pflichtig** *adj.*: ... *ist ~* the burden of proof lies with ...; **~sicherung** *f* preservation of evidence. **~stück** *n* (piece of) evidence; *in court*: *a.* exhibit; voucher.
beˈwenden *v/i.*: *es ~ lassen bei (dat.)* leave it at, acquiesce in; *wir wollen es dabei ~ lassen* we'll leave it (*or* let it go) at that, let it rest there; **Beˈwenden** *n* (-s): *damit hat es sein ~* there the matter rests.
beˈwerb|en *sich ~ um* apply (*bei* to *a p.*) for, seek; stand for, *Am. a.* run for; canvass (*votes*); *econ.* solicit (*orders*); *in competitions*: bid *or* tender for (*a contract*); *sich um e-n Preis ~* compete *or* enter for a prize; *sich um e-e Dame ~* court, woo a lady; **2er** *m* (-s; -) applicant (*um* for); candidate, aspirant (to); *econ.* bidder, competitor; *sports*: entrant, competitor; contender [for; *all a.* **2erin** *f* (-; -nen)]; suitor, wooer; → *Thron2*; **2ung** *f* (-; -en) application (*um* for); candidature (for); solicitation (of); competition (for), *sports*: *a.* entry (for); courtship, wooing (of); **2ungsschreiben** *n* (letter of) application.
beˈwerfen *v/t.* (*irr., h.*): *j-n mit et. ~* throw a th. at a p.; pelt (*or* pepper) a p. with a th.; *mit Bomben ~* bomb; *arch.* plaster, rough-cast.
bewerkstellig|en [-ˈvɛrkʃtɛligən] *v/t.* (*h.*) manage, accomplish, contrive, bring about, effect, engineer, bring *a th.* off; **2ung** *f* (-) effecting, accomplishment, realization.
beˈwert|en *v/t.* (*h.*) value (*auf acc.* at; *nach* by); price; assess, estimate, appraise; rate, grade; *zu hoch ~* overrate; *sports*: judge; *dieser Sprung wird mit 7 Punkten bewertet* this jump rates 7 points; **2ung** *f* (-; -en) valuation; estimation, assessment; *of performance, etc.*: rating; *sports*: scoring, (awarding of) marks *or* points, judgment.
bewillig|en [-ˈviligən] *v/t.* (*h.*) grant,

allow, accord; license; *parl.* vote (for); appropriate; allocate, allot; concede; consent (*or* agree) to, approve; **2ung** *f* (-; *-en*) grant, allowance; vote, appropriation; allocation, allotment; concession, licence; **2ungs-ausschuß** *m* Authorizing Committee.

bewillkommn|en [-ˈvilkɔmnən] *v/t.* (*h.*) welcome, greet, receive; **2ung** *f* (-; *-en*) welcome, reception.

beˈwirken *v/t.* (*h.*) effect; cause (*daß j-m tut* a p. to do; *daß et. geschieht* a th. be done); produce, give rise to, result in; occasion, provoke.

bewirten [-ˈvirtən] *v/t.* (*h.*) entertain (*mit* with), treat (to); *glänzend ~* (*mit*) regale (with).

beˈwirtschaft|en *v/t.* (*h.*) *agr.* cultivate, till (*field*), manage, run (*estate*); administer; ration, control; *bewirtschaftete Waren* commodities subject to control, rationed goods; *das Hotel ist bewirtschaftet* the hotel is open; **2ung** *f* (-) cultivation; management, running; administration; control, rationing; *~ der Lebensmittel* controlled supply; *~ des Wohnraums* control over housing space; *unter ~ stellen* put under government control, put on the ration list; *die ~* (*gen.*) *aufheben* decontrol, deration.

Beˈwirtung *f* (-) entertainment, reception; *restaurant*: attendance; fare, food.

beˈwitzeln *v/t.* (*h.*) joke at.

bewog [bəˈvoːk] *pret. von bewegen*².

beˈwogen [-gən] *p.p. von bewegen*².

bewohn|bar [-ˈvoːnbaːr] *adj.* (in-)habitable; **2barkeit** *f* (-) habitable condition; **~en** *v/t.* (*h.*) inhabit, live in; reside in; occupy; **2er(in** *f*) *m* (*-s*, -; -, *-nen*) inhabitant, resident; citizen; occupant, inmate (*of house*); tenant; *of room*: lodger, *Am.* roomer.

bewölk|en [-ˈvœlkən] *v/t.* (*h.*) cloud; *sich ~* cloud over, become cloudy (*or* overcast); *fig.* darken (*a. sich*), overshadow; **~t** *adj.* clouded, cloudy; *sky*: *a.* overcast; *fig.* dark, gloomy; **2ung** *f* (-) clouding; cloudiness, clouds *pl.*

Bewunder|er [-ˈvundərər] *m* (*-s*; -), **~in** *f* (-; *-nen*) admirer; **2n** *v/t.* (*h.*) admire (*wegen* for), marvel at; **2nswert, 2nswürdig** *adj.* admirable, wonderful; **~ung** *f* (-) admiration (*gen.* of); → *abnötigen.*

Beˈwurf *arch. m* plaster(ing); rough-cast; second coat.

bewußt [-ˈvust] *adj.* conscious; known; deliberate, intentional; *sich e-r Sache ~ sein* be conscious (*or* aware) of, be alive to a th.; *sich e-r Sache ~ werden* realize (*or* awaken to) a th.; *soviel mir ~ ist* as far as I know; *er war sich dessen nicht mehr ~* he did not remember; *die ~e Angelegenheit* the matter in question; **~los** *adj.* unconscious; *~ werden* lose consciousness, faint; *~ schlagen* knock out (*or* unconscious); **2losigkeit** *f* (-) unconsciousness, insensibility; *fig. bis zur ~* to breaking-point, *Am.* to beat the band, *bore, etc.* to distraction (*or* death); *ein Wort bis zur ~ benützen* use a word ad nauseam; **2sein** *n* (*-s*) consciousness; awareness, knowledge; sense (*of duty, responsibility*); *in dem ~* conscious (*gen.* of; *daß* that); *bei ~ sein* be conscious; *das ~ verlieren* lose consciousness, faint; *j-n zum ~ bringen* restore a p. to consciousness, bring a p. round; *wieder zu(m) ~ kommen* recover consciousness, come round *or* to; *j-m et. zu(m) ~ bringen* bring a th. home to a p.; *j-m zu(m) ~ kommen* come home (*or* dawn upon) a p.; **2seinsschwelle** *f* threshold of consciousness; **2seinsspaltung** *f* schizophrenia; split personality; **2seinsstörung** *f* disturbance of consciousness; *jur.* temporary insanity.

beˈzahl|en *v/t. u. v/i.* (*h.*) pay; pay for (*goods*); pay off, discharge, settle (*debt*); hono(u)r (*bill of exchange*); *nicht ~* leave unpaid; dishono(u)r; pay, remunerate, compensate (*person*); fee; *schlecht ~* underpay *a p.*; *fig. et. teuer ~* pay dear for a th.; **2er(in** *f*) *m* (*-s*, -; -; *-nen*) payer; **~t** *adj.* paid, remunerated; salaried; *schlecht ~* ill-paid, underpaid; *sich ~ machen* pay (dividends), pay for o.s. (*or* one's way); *es macht sich bezahlt, zu inf.* it pays to *inf.*; **2ung** *f* (-; *-en*) payment; (full) settlement; (doctor's, etc.) fee, remuneration; pay; salary; wages *pl.*; *gegen ~* against payment; *bei ~ von* on payment of.

beˈzähmen *v/t.* (*h.*) tame; *fig.* restrain, control, (keep in) check, bridle; *sich ~* control (*or* restrain) o.s.

beˈzauber|n *v/t.* (*h.*) bewitch, enchant (*a. fig.*); *fig.* charm, captivate, fascinate; **~nd** *adj.* charming, enchanting, bewitching; lovely; **~t** *adj.*: *~ von* (*dat.*) enchanted (*or* enraptured) with; **2ung** *f* (-; *-en*) enchantment, spell; fascination.

beˈzechen: *sich ~* get drunk.

beˈzeichn|en *v/t.* (*h.*) mark (*goods, path, etc.*); label; designate (*als* as), name, call, term; point out (*dat.* to), show; characterize; *näher ~* define, specify; denote, signify, stand for; *er bezeichnete sich als Arzt* he styled himself a doctor; *er wurde sofort als Egoist bezeichnet* he was promptly stamped (*or* labelled) as an egotist; **~end** *adj.* characteristic, typical (*für* of); indicative (of); **2ung** *f* (-; *-en*) marking; label; designation; name, term, expression; characterization; mark, sign; symbol; *math., mus.* notation.

beˈzeig|en *v/t.* (*h.*) show, express, exhibit, manifest; **2ung** *f* (-; *-en*) expression, manifestation.

bezetteln [-ˈtsɛtəln] *v/t.* (*h.*) label.

beˈzeug|en *v/t.* (*h.*) *jur. or fig.* testify (to); bear witness to; attest, certify; *j-m s-e Achtung ~* pay one's respects to a p.; **2ung** *f* (-; *-en*) testimony, attestation.

bezichtigen [-ˈtsiçtigən] *v/t.* (*h.*): *j-n e-r Sache ~* accuse a p. of a th.; → *beschuldigen.*

beˈzieh|bar *adj.* habitable, ready for occupancy (*house*); *econ.* obtainable, to be had (*von* of) (*goods*); **~en** *v/t.* (*irr., h.*) (*neu ~* re)cover (*umbrella, etc.*); string (*violin, etc.*); put clean sheets on (*bed*); move into, occupy (*dwelling*); enter, go up to (*university*); frequent, visit (*market, fair*); *mil.* take up, move into (*a position*); *ein Lager ~* encamp; → *Quartier*; *Wache ~* mount guard; *econ.* obtain, procure, get, buy *goods* (*von* from); take in, subscribe to (*newspaper*); subscribe to, take up (*shares*); draw (*money, salary*); *fig. Schläge etc. ~* get (*a beating*); *~ auf* (*acc.*) connect with, apply (*or* refer) to; *er bezog es auf sich* he took it personal (*or* as meant for him); *sich ~ sky*: cloud over, become overcast; *sich ~ auf* (*acc.*) refer to, *matter*: *a.* have reference to, relate to; *sich auf j-n ~* use a p.'s name as (a) reference; *bezogen auf* corresponding to, as compared with; **2er(in** *f*) *m* (*-s*, -; -, *-nen*) subscriber (*gen.* to); *econ.* importer; buyer, customer; *of bill of exchange*: drawer.

Beˈziehung *f* (-; *-en*) reference, relation (*zu* to); connection (with); bearing (on); *gegenseitige ~* relationship, interrelation (*zwischen* between, of); *persönliche ~en pl.* relations (*zu* with); connections, contacts; *gute ~en haben* be well connected, have a lot of pull; *in dieser ~* in this respect (*or* connection); *in mancher ~* in some respects; *in gewisser ~* in a way; *in jeder ~* in every respect; *in ~ auf* (*acc.*) with regard to; *in politischer, wirtschaftlicher, etc. ~* politically, economically, *etc.*; *in ~ setzen* bring in relation (*mit* to); *in ~ stehen zu* (*matter*) be related to; *in guten, etc. ~en stehen* be on good, *etc.*, terms (*zu* with); **2slos** *adj.* irrelative, unconnected; **2svoll** *adj.* suggestive; **2sweise** *adv.* (*abbr. bzw.*) respectively (*abbr.* resp.); or (rather); *die Papiere bzw. Reisepässe* the papers or passports respectively; **~swort** *gr. n* (-[e]s; ¨er) antecedent.

beziffer|n [-ˈtsifərn] *v/t.* (*h.*) mark with figures, number; figure, estimate (*auf* at); *sich ~ auf* amount to, figure (*or* work) out at; **2ung** *f* (-; *-en*) estimate, figures *pl.*

Bezirk [-ˈtsirk] *m* (-[e]s; *-e*) district; ward; *Am.* (*police, election*) precinct; *fig.* → *Bereich*; **~sgericht** *n* local court; **~snotariat** *n* (office of the) district notary.

Bezogene(r) [bəˈtsoːgənə(r)] *m, f* (*-n*; *-n*) *econ.* drawee.

Beˈzug *m* (-[e]s; ¨e) cover(ing), case; *pillow*: slip; *violin, etc.*: set of strings; *of goods*: purchase, procurement, supply; order (*von* for); subscription (*gen.* to *newspaper, shares*); *bei ~ von* on orders for *25 pieces*; *Bezüge pl.* emoluments; drawings; income *sg.*; salary, pay; *insurance*: benefits; supplies, imports; *fig.* reference; *in ~ auf* (*acc.*) with regard (*or* reference) to, as to; *~ haben auf* have reference to, refer to; bear (up)on; *~ nehmen auf* refer (*or* make reference) to.

bezüglich [-ˈtsyːkliç] **I.** *adj.*: *~ auf* (*acc.*) relative to; *gr. ~es Fürwort* relative pronoun; **II.** *prp.* (*gen.*) regarding, concerning, in regard (*or* respect) of, referring to, relating to.

Beˈzugnahme [-naːmə] *f* (-) reference; *unter ~ auf (acc.)* with reference to, referring to.

Be'zugs...: ~bedingungen *f/pl.* terms of delivery; **≈berechtigt** *adj.* entitled to receive goods (*or* benefits); **~berechtigte(r** *m* [-*n*; -*n*]) *f* (-*n*; -*n*) beneficiary; **~ebene** *f* datum plane; **≈fertig** *adj.* ready for occupancy (*dwelling*); **~preis** *m newspaper*: subscription price; purchase price, prime cost; **~quelle** *f* source (of supply); **~recht** *n* subscription privilege; (right of) option (*für* on *shares*); **~schein** *m for shares*: subscription warrant; *for rationed goods*: purchase permit, priority voucher; **≈scheinpflichtig** *adj.* rationed; **~stoff** *m* cover fabric, covering; **~wert** *m* relative value.

bezwecken [-'tsvɛkən] *v/t.* (*h.*) aim at, have in view (*or* for object).

be'zweifeln *v/t.* (*h.*) doubt, (call in) question, refuse to believe; *nicht zu ~* unquestionable, beyond doubt.

be'zwing|en *v/t.* (*irr.*, *h.*) defeat, *sports*, *a.* beat; master, overcome (*difficulties, etc.*), restrain, control (*feelings, etc.*); subdue, conquer (*people, passions*); conquer (*mountain*); *sich ~* restrain (*or* control, check) o.s.; **≈er(in** *f*) *m* (-*s*, -; -, -*nen*) conqueror, subduer; *sports*: winner (*gen.* against); **≈ung** *f* (-) mastering; conquest.

Bibel ['bi:bəl] *f* (-; -*n*) Bible; **~auslegung** *f* exegesis; **≈fest** *adj.* well-versed in the Scriptures; **~forscher** *m* Bible student; **~gesellschaft** *f* Bible Society; **~sprache** *f* (-) scriptural language; **~spruch** *m* verse from the Bible, (Scripture, biblical) text; **~stelle** *f* scriptural passage, text.

Biber ['bi:bər] *m* (-*s*; -) beaver; **~bau** *m* (-[*e*]*s*; -*e*) beaver's lodge; **~geil** ['-gaɪl] *n* (-[*e*]*s*) castoreum; **~pelz** *m* beaver (fur); **~schwanz** *m arch.* flat (*or* plain) tile.

Biblio|graph [biblio'grɑ:f] *m* (-*en*; -*en*) bibliographer; **~graphie** [-gra'fi:] *f* (-; -*n*) bibliography; **≈graphisch** [-'grɑ:fiʃ] *adj.* bibliographical.

Bibliothek [-'te:k] *f* (-; -*en*) library.

Bibliothekar [-te'kɑ:r] *m* (-*s*; -*e*), **~in** *f* (-; -*nen*) librarian.

biblisch ['bi:bliʃ] *adj.* biblical, scriptural; *≈e Geschichte ped.* scripture.

Bichromat ['bi:kromɑ:t] *chem. n* (-[*e*]*s*; -*e*) dichromate.

Bickbeere ['bik-] *f* bilberry, whortleberry.

bieder ['bi:dər] *adj.* honest, upright, (*a. iro.*) worthy; loyal, true; simple, gullible, naive; **≈keit** *f* (-) honesty, uprightness; straightforwardness, probity; loyalty; gullibility, artlessness; **≈mann** *m* (-[*e*]*s*; ¨*er*) honest man; good fellow; *iro.* worthy (gentleman), *contp.* dupe; philistine.

'Biege|beanspruchung *tech. f* bending stress; **~festigkeit** *f* bending strength.

biegen ['bi:gən] **I.** *v/t.* (*irr.*, *h.*) *and sich ~* bend, bow; flex (*limbs*); curve; camber (*wood*), *b.s.* warp; *metal*: buckle; distort; *tech. im kalten* (*warmen*) *Zustand ~* cold-(hot-)bend; → *beugen*; → *Lachen*; **II.** *v/i.* (*irr.*, *sn*): *um e-e Ecke ~* turn (round) a corner; *auf ≈ oder Brechen* by hook or by crook, do or die.

'Biegewelle *tech. f* flexible shaft.

'biegsam ['-kzɑ:m] *adj.* pliable, flexible (*a. voice*); *tech.* malleable, ductile; supple, lithe (*figure*); *fig.* pliant, pliable (*mind*); malleable (*character*); **≈keit** *f* (-) pliability; flexibility; suppleness.

'Biegung ['-guŋ] *f* (-; -*en*) bend (-ing); *of path, river*: bend, turn (-ing); curve; curvature, flexure; *tech.* **a**) bend, set, **b**) *elastic*: deflection; arch; sag(ging); → *Beugung*; **~s-elastizität** *f* flexional elasticity; **~sfestigkeit** *f* bending strength.

Biene ['bi:nə] *f* (-; -*n*) bee; *männliche ~* drone; *fig. fleißig wie e-e ~* (as) busy as a bee.

'Bienen...: ~fleiß *m* assiduity, sedulousness; **~haus** *n* apiary; **~königin** *f* queen-bee; **~korb** *m* beehive; **~maske** *f* bee veils *pl.*; **~orchis** ['-ɔrçis] *bot. f* (-; -) bee-orchis; **~schwarm** *m* swarm of bees; **~stand** *m* apiary; **~stock** *m* (-[*e*]*s*; ¨*e*) beehive; **~wabe** *f* honeycomb; **~wabenkühler** *mot. m* honeycomb radiator; **~wachs** *n* beeswax; **~weisel** ['-vaɪzəl] *m* (-*s*; -) queen-bee; **~zelle** *f* cell (in a beehive); **~zucht** *f* bee-keeping, apiculture; **~züchter** *m* bee-keeper, apiarist.

Bier [bi:r] *n* (-[*e*]*s*; -*e*) beer; *helles ~* pale beer, *Brit.* ale; *dunkles ~* dark beer, *Brit.* stout, *leichter*: porter; *~ vom Faß* beer on draught; lager (beer); **'~bankpolitiker** *m* pothouse politician; **'~bankstratege** *m* pothouse strategist; **'~baß** *m* deep bass, beery voice; **'~brauer** *m* brewer; **'~braue'rei** *f* brewery; **'~eifer** *m* great zeal; **'~faß** *n* beer-barrel; **'~filz** *m* beer-mat; **'~flasche** *f* beer-bottle; **'~garten** *m* open-air restaurant, beer-garden; **'~glas** *n* beer-glass; **'~hefe** *f* brewer's yeast, barm; **'~keller** *m* beer-cellar; **'~krug** *m* beer-mug, *Am.* stein; **'~kutscher** *m* drayman; **'~reise** *f* pub-crawl; **'~ruhe** *f* imperturbable calm; **'~schank** *m* licence for (retailing) beer; **'~schenke, '~wirtschaft** *f* public house, pub, *Am.* beer-parlor (*or* -saloon); **'~wagen** *m* brewer's dray; **'~zeitung** *f* comic paper.

Biese ['bi:zə] *f* (-; -*n*) *esp. mil.* piping.

Biest [bi:st] *n* (-*es*; -*er*) beast (*a. colloq. fig.*); **'~milch** *f* beestings *pl.*

bieten ['bi:tən] *v/t.* (*irr.*, *h.*) offer (*j-m et.* a p. a th. *or* a th. to a p.); treat (*j-m et.* a p. to a th.); present (*difficulties*); afford (*pleasure, etc.*); (pr)offer, hold out; *econ.* bid (*für* for); *mehr* (*weniger*) *~ als* outbid (underbid); *sich ~* (*opportunity*) present (*or* offer) itself; *j-m e-n guten Morgen ~* bid a p. a good morning; *j-m den Rücken ~* turn one's back on a p.; → *Schach, Stirn*; *es bot sich uns eine feine Gelegenheit* a fine opportunity came our way; *das läßt er sich nicht ~* he won't stand (for) that.

'Bieter(in *f*) *m* (-*s*, -; -, -*nen*) bidder.

Bigam|ie [biga'mi:] *f* (-; -*n*) bigamy; **~ist** (-*en*; -*en*) *m* bigamist.

bigott [bi'gɔt] *adj.* bigoted; **≈e'rie** *f* (-; -*n*) bigotry.

Bijouterie [biʒutə'ri:] *f* (-; -*n*) costume jewelry.

Bilanz [bi'lants] *f* (-; -*en*) balance; balance-sheet, *Am.* statement (of condition); *aktive ~* credit balance; *fig.* result, outcome; review; estimation; *die ~ ziehen* strike the balance; *e-e ~ aufstellen* prepare a balance-sheet, make up the accounts; **~analyse** *f* analytical study of balance-sheet, *Am.* statement analysis; **~aufstellung** *f* (preparation of the) balance-sheet; **~auszug** *m* abstract of balance-sheet; **~buch** *n* balance ledger, *Am.* statement book; **~buchhaltung** *f* balance-sheet department.

bilanzieren [-'tsi:rən] **I.** *v/i.* (*h.*) make out a balance-sheet; **II.** *v/t.* (*h.*) show *item* in the balance-sheet; balance (*accounts*).

Bi'lanz...: ~konto *n* balance account; **~posten** *m* balance-sheet item; **~prüfer** *m* chartered accountant, *Am.* auditor; **~prüfung** *f* balance-sheet audit; **~verschleierung** *f* window-dressing; **~wert** *m* balance-sheet value.

Bild [bilt] *n* (-[*e*]*s*; -*er*) *generally*: picture; *a. TV* image; painting; portrait, likeness; drawing, sketch; engraving; illustration; *cards*: court-card; photo(graph); *on coin*: effigy; *thea.* scene, setting; *econ.* trade symbol; *tech.* diagram, chart; *in captions, usu. with number*: figure (*abbr.* fig.); *typ.* face; *fig.* sight, view; idea, notion, picture; picture, description, sketch, portrait; *rhet.* metaphor, figure (of speech); simile; *ein ~ des Elends* a picture of misery; *ein ~ von e-m Mädchen* a girl as pretty as a picture; *ein* (*anschauliches*) *~ entwerfen von et.* draw a picture of (*or* portray) a th.; *im ~e sein* (be in the) know, be in the picture; *im ~e sein über* (*acc.*) be aware of (*or* informed about, conversant with) *a th.*; *jetzt bin ich im ~e* now I see; *ich bin über dich im ~e* I've got you, *Am. sl.* I've got your number; *j-n ins ~ setzen* inform a p., put a p. in the picture; *sich ein ~ von et. machen* picture a th. to o.s., visualize (*or* imagine) a th.; *sich ein klares ~ von et. machen* have a clear idea of a th., see a th. clearly; *du machst dir kein ~* you can't imagine.

'Bild...: ~abtastung *f TV*: scanning; **~archiv** *n* photographic archives (*or* files) *pl.*; **~aufklärung** *aer. f* photo(graphic) reconnaissance; **~aufnahmeröhre** *f* image pickup tube; **~auswertung** *aer. f* photo(graphic) interpretation; **~band** *m* (-[*e*]*s*; ¨*e*) book of plates; **~bandgerät** *n TV*: video tape recorder; **~bericht** *m* picture-story; *film*: documentary film; **~berichterstatter** *m* press photographer, photo reporter.

bilden ['bildən] *v/t.* (*h.*) *generally*: (*a. sich* ~) form; shape, fashion, design; model, mo(u)ld; create; organize, set up, establish; form, constitute, be (*border, constituent, etc.*); cultivate, improve, educate (*the mind*); *sich* ~ **a)** improve one's mind; → *gebildet*, **b)** form, develop; arise, spring up; **e-e** *neue Organisation bildete sich* a new organization came into being; *die Hauptattraktion bildete ein Ballett* the chief attraction was a ballet; *e-e Parade bildete den Abschluß des Festes* a parade marked the end of the festival; **~d** *adj.* formative, forming; component, constituent; creative; instructive, broadening; educational, educating; ~*e Kunst* pictorial art; *die* ~*en Künste* the visual arts, the plastic and graphic arts.

'**Bilder...**: **~anbetung** *f* image-worship, iconolatry; **~bogen** *m* picture-sheet; **~buch** *n* picture-book; **~galerie** *f* picture-gallery; **~geschichte** *f* strip cartoon; **~rahmen** *m* picture-frame; **~rätsel** *n* picture-puzzle, rebus; **♀reich** *adj.* rich in pictures, amply illustrated; *fig.* flowery, ornate; **~schrift** *f* hieroglyphics *pl.*; *tech., etc.* pictography; **~sprache** *f* imagery; **~stürmer** *m* iconoclast; **♀stürmerisch** *adj.* iconoclastic.

'**Bild...**: **~feld** *phot. n* image field; **~fenster** *n* aperture; **~fernschreiber** *m* facsimile teletype; **~fläche** *f* perspective plane; *TV*: image area; *paint.* canvas; *fig. auf der* ~ *erscheinen* appear on the scene, turn up; *von der* ~ *verschwinden* vanish, disappear, drop out of sight; **~folge** *f* succession of pictures; *phot.* time interval between exposures; *film*: sequence; **~format** *n phot.* size of prints; *TV*: size of image; **~frequenz** *f* image frequency; **~funk** *m* (wireless) picture transmission; facsimile transmission; television (broadcasting); **~gießer** *m* bronze-founder; **♀haft** *adj.* plastic; **~hauer(in** *f*) *m* sculpt|or (ress); **~haue'rei** *f* sculpture; **♀hübsch** *adj.* (as) pretty as a picture, lovely; **~karte** *f* photographic map; *cards*: court-card; **♀lich** *adj.* pictorial, graphic; figurative, metaphorical; **~marmor** *m* figured marble; **~material** *n* pictures *pl.*; **~ner** ['biltnər] *m* (-*s*; -), **~in** *f* (-; -*nen*) sculpt|or (-ress); mo(u)lder; **~nis** *n* (-*ses*; -*se*) image; portrait, picture, likeness; *esp. on coins*: effigy; **~platte(nspieler** *m*) *f TV*: video disc (player); **~röhre** *f* picture tube; **♀sam** *adj. a. fig.* plastic; malleable; **~säule** *f* statue; **~schärfe** *f* definition (*or* sharpness) of a picture; **~schirm** *m* (viewing) screen, telescreen; **~schnitzer(in** *f*) *m* (wood-)carver; **~schnitze'rei** *f* (wood-)carving; **♀schön** *adj.* most beautiful, of breath-taking (*or* ravishing) beauty; **~seite** *f of coin*: face, obverse, head; **~sendung** *f tel.* picture-transmission; television broadcast, telecast; **~stock** *m* (-[*e*]*s*; ⸚*e*) *typ.* cut, electro, block; *eccl.* wayside shrine; **~streifen** *m* film strip; strip cartoon; **~sucher** *phot. m* finder; **~tafel** *f* (book) plate; **~telegraphie** *f* photo-telegraphy; **~telegramm** *n* phototelegram(me), wirephoto; **~teppich** *m* tapestry, gobelin; **~tongerät** *phot. n* sound camera; **~übertragung** *f* picture transmission.

Bildung ['bilduŋ] *f* (-; -*en*) *generally*: formation (*a. phys., biol., etc.*); development; structure; growth; form, shape; creation; foundation; organization, establishment; constitution, setting-up (*of committee*); formation (*of cabinet*); education, training; culture; knowledge, information; learning, scholarship, erudition; refinement, good breeding; *höhere* ~ higher education; *von hoher* ~ highly cultivated; *ohne* ~ uncultured, unrefined.

'**Bildungs...**: **~anstalt** *f* educational establishment; **♀beflissen** *adj.* studious, zealous for learning; **♀fähig** *adj.* capable of development; cultivable; **~gang** *m* course of education; **~gewebe** *n* formative tissue, meristem; **~grad** *m* educational standard; **~lücke** *f* gap in *a p.'s* education; **~monopol** *n* monopoly of learning; **~roman** *m* educational novel; **~stätten** *f/pl.* educational institutions, cultural facilities; **~stufe** *f* degree of culture; **~trieb** *m* thirst for knowledge, desire for learning; creative urge; **~wärme** *phys. f* heat of formation; **~wesen** *n* (-*s*) education; **~zelle** *f* embryonic cell.

'**Bild...**: **~unterschrift** *f* caption; **~wand** *f* projection screen; **~wandler** *m* image converter tube; *TV*: image section; **~werfer** *m* (still) projector; **~weite** *f* focal length; **~werbung** *f* pictorial advertising; **~werk** *n* sculpture, imagery; book of plates; **~wirkung** *f* pictorial (*or* photographic) effect; **~wörterbuch** *n* pictorial dictionary; **~zeichen** *n* symbol; **~zerlegung** *f* scanning.

Billard ['biljart] *n* (-*s*; -*e*) billiards *pl.*; billiard-table; ~ *spielen* play (at) billiards; **~beutel** *m*, **~loch** *n* pocket; **~kugel** *f* billiard ball; **~stock** *m* billiard cue; **~tisch** *m* billiard table; **~zimmer** *n* billiard room.

Billett [bil'jɛt] *n* (-[*e*]*s*; -*e*) ticket; **~ausgabe** *f*, **~schalter** *m* ticket-office; → *Karten...*

Billiarde [bili'ardə] *f* (-; -*n*) *a* thousand billions, *Am.* quadrillion.

billig ['biliç] *adj.* equitable, fair, just; reasonable, acceptable; cheap, inexpensive, low-priced; low, moderate, agreeable (*price*); *ein* ~*er Kauf* a bargain; ~*es Ermessen jur.* reasonable discretion; *iro.* ~ *und schlecht* cheap and nasty; *fig. contp.* cheap; → *recht*; **~denkend** *adj.* fair-minded, just, reasonable.

billigen ['-ligən] *v/t.* (*h.*) approve (of), consent (*or* agree) to; sanction; *stillschweigend* ~ condone.

'**billiger|maßen**, '**~weise** *adv.* fairly, in all fairness, justly.

Billigkeit ['-liç-] *f* (-) fairness, equity, justness; reasonableness; *of price*: moderateness; cheapness, low price; *aus* ~*sgründen* from reasons of fairness; *jur.* on grounds of equity; **~srecht** *n* equity; **~ssinn** *m* fair-mindedness, fairness.

Billigung ['-guŋ] *f* (-) approval, approbation, sanction (*gen.* of); consent (to); condonement.

Billion [bili'oːn] *f* (-; -*en*) billion, *Am.* trillion.

Bilsenkraut ['bilzən-] *n* (-[*e*]*s*) henbane.

Biluxlampe ['biːluks-] *el. f* two-filament lamp.

bimbam ['bimbam] *int.*, ♀ *n* (-*s*) ding-dong.

Bimetal|l ['biː-] *n* bimetal; **~'lismus** *econ. m* (-) bimetallism.

bimmeln ['biməln] *colloq. v/i.* (*h*) tinkle, jingle; *telephone, etc.*: ring.

bimsen ['bimzən] *v/t.* (*h.*) (rub with) pumice; *fig. mil.* drill.

'**Bimsstein** *m* pumice (stone).

Binde ['bində] *f* (-; -*n*) *generally*: band; *anat.* fascia; *med.* bandage, ligature; sling; sash, *med.* abdominal binder; *elastische* ~ elastic roller, *med. a.* swathe; sanitary towel, *Am.* napkin; (neck-)tie; *head*: fillet; *forehead*: bandeau; *arm*: badge, band; *arch.* plinth; *j-m e-e* ~ *vor die Augen tun* blindfold a p.; *fig. j-m die* ~ *von den Augen nehmen* open a p.'s eyes; *die* ~ *fiel ihm von den Augen* the scales fell from his eyes; *colloq. e-n hinter die* ~ *gießen* wet one's whistle, hoist one; '**~balken** *arch. m* tie-beam, girder; '**~draht** *m* binding wire; '**~fähigkeit** *tech. f* (-) bonding strength; *of cement, etc.*: binding property; '**~garn** *n* (binding-)twine; '**~gewebe** *anat. n* connective tissue; '**~glied** *n* connecting link; '**~haut** *anat. f* conjunctiva; '**~hautentzündung** *f* conjunctivitis; '**~kraft** *f* (-) → *Bindefähigkeit*; '**~mäher** *agr. m* reaper and binder (machine); '**~mittel** *n tech.* binder, bonding material, cement; *cul.*: thickening.

'**binden I.** *v/t.* (*irr., h.*) bind, tie, fasten, attach (*an acc.* to); wire; cord; bind (*book*); tie (*knot, laces, etc.*); make (*broom, bouquet*); pack (*bales*); hoop (*barrel*); bundle; bind (*sounds*); *mus.* tie, slur (*notes*); thicken (*soup*); *chem.* combine, bind; absorb; store up (*heat*); *econ.* tie up (*capital*); *mil.* engage (*enemy forces*); *fenc. die Klinge* ~ bind the blade; *fig.* bind, oblige, commit; → *Nase, Seele*; *sich* ~ bind (*or* engage, oblige, commit) o.s.; *gebunden sein* be bound (*an acc.* to); *ich fühle mich immer noch an die Klausel gebunden* that clause remains binding on me; *das bindet mir die Hände* this ties my hands; → *gebunden*; **II.** *v/i.* (*irr., h.*) *cement*: bind; *glue, plastic*: bond; *paint*: set; *mortar*: set, cement well; **~d** *adj.* binding, bonding, adhesive; *fig.* binding (*für* upon).

'**Binder** (-*s*; -) *m* tie; *arch.* header, binder; *agr.* → *Bindemäher*.

'**Binde...**: **~stoff** *m* binding agent; **~strich** *m* hyphen; *mit* ~ *schreiben* hyphen(ate); **~wort** *gr. n* (-[*e*]*s*; ⸚*er*) conjunction; **~zeichen** *mus. n* tie, legato sign; **~zeit** *tech. f* setting (*or* bonding) time.

Bindfaden ['bint-] *m* twine, (pack-) thread; (piece of) string, cord; es *regnet Bindfäden* it's raining cats and dogs.

Bindung ['-duŋ] *f* (-; -en) *tech.* bond(ing); cross-weaving; *chem.* **a**) combination, **b**) compound, **c**) absorption, *of gases*: mixing; *biol.* linkage; *med.* agglutination; *mus.* slur, tie, ligature; *ski*: binding; *fenc. and mil.* engagement; *econ.* tying up, inactivation (*of capital*); *fig.* engagement, obligation, commitment (*a. pol.*); **~en** *pl.* bonds, ties; '**~s-energie** *f* binding energy; '**~skraft** *f* cohesive force; '**~s-wärme** *f* heat of absorption (*or* combination).

binnen ['binən] *prp.* (*dat., a. gen.*) within; ~ *kurzem* shortly, before long, in a near future.

'**Binnen...**: **~gewässer** *n* inland water; **~hafen** *m* close port; inner harbo(u)r; **~handel** *m* inland (*or* domestic, home) trade; **~land** *n* (-[e]s; ⸗er) inland, interior; **~markt** *m* home (*Am.* domestic) market; **~meer** *n* inland sea; **~reim** *m* internal rhyme; **~schiffahrt** *f* inland navigation; **~see** *m* inland lake; **~verkehr** *m* inland traffic; **~währung** *f* internal currency; **~wanderung** *f* inland migration; **~wasserstraße** *f* inland waterway; **~zoll** *m* inland duty.

binokular [binoku'lɑːr] *adj.* binocular.

Binom [bi'noːm] *math. n* (-s; -e), **⁀isch** *adj.* binomial.

Binse ['binzə] *bot. f* (-; -n) rush; *colloq. fig. in die* **~n** *gehen* go phut (*or* to pot); **~nwahrheit** *f* truism.

Bio|chemie [bioçe'miː] *f* biochemistry; **~'chemiker** *m* biochemist; **⁀'chemisch** *adj.* biochemical.

bio|gen [-'geːn] *adj.* biogenic; **⁀ge'nese** *f* (-; -n) biogenesis.

Bio|graph(in *f*) [-'grɑːf] *m* (-en, -en; -, -nen) biographer; **~graphie** [-'fiː] *f* (-; -n) biography; **⁀graphisch** [-'grɑːfiʃ] *adj.* biographical.

Bio|loge [-'loːgə] *m* (-n; -n) biologist; **~logie** [-lo'giː] *f* (-) biology; **⁀logisch** [-'loːgiʃ] *adj.* biological; **~e** *Kriegführung* biological warfare.

Biophy'sik *f* (-) biophysics *sg.*

Biose [bi'oːzə] *chem. f* (-; -n) biose.

Bioskop [bio'skoːp] *n* (-s; -e) bioscope.

Bio'sphäre *n* biosphere.

Birke ['birkə] *f* (-; -n) birch-tree; **⁀n** *adj.* birch(en); **~nholz** *n* birch (wood); **~nteer** *m* birch oil; **~nwald** *m* birch wood (*or* grove).

'**Birk|hahn** *m* black cock; **~henne** *f*, **~huhn** *n* grey-hen.

Birnbaum ['birn-] *m* pear tree.

Birne ['birnə] *f* (-; -n) *bot.* pear; *el.* (electric) bulb; *metall.* converter; *boxing*: punching-ball; *colloq.* (*head*) pate, nut, bean; *colloq.* e-e *weiche* ~ *haben* be soft in the head; **~nfassung** *el. f* lamp socket; **⁀nförmig** [-fœrmiç] *adj.* pear-shaped; **~nmost**, **~nwein** *m* perry.

bis [bis] **I.** *prp.* **1.** *as to time*: till, until; until such time as; by; *adm. a.*: on or before, not later than; ~ *heute* till today, up to this day, *Am. a.* todate; ~ *jetzt* till now, up to the present, so (*or* thus) far, hitherto; ~ *jetzt noch nicht* not as yet; ~ *auf weiteres* until further notice; for the present; ~ *zur endgültigen Regelung* pending final settlement; *econ.* ~ *zur Verfallzeit* till due; ~ *in die Nacht* (far) into the night; *fast* ~ *Mitternacht* till near midnight; ~ *gegen Mittag* till about noon; ~ *zum späten Nachmittag* till late in the afternoon; ~ *zum Tode* till death; ~ *vor wenigen Jahren* until some few years back; ~ *über Weihnachten* (*hinaus*) beyond Christmas; ~ *zum Ende* (right) to the end; ~ *wann wird es dauern?* how long will it go (*or* last)?; ~ *wann ist es fertig?* by what time will it be finished?; *in der Zeit vom 1. Mai* ~ *31. Juli* during the period between ... and ...; *vom Montag* ~ *einschließlich Samstag* from Monday to Saturday inclusive(ly), *Am.* from Monday thru Saturday; *alle* ~ *31. Dezember* erteilten *Genehmigungen* any licences granted before ...; ~ *morgen!* see you tomorrow!; **2.** *as to space*: to, up to, as far as; ~ *hierher* up to here, thus far; ~ *dahin* as far as that place, up to there; ~ *wohin?* how far?; ~ *ans Knie* up to the knee; ~ *zum Himmel* up to the sky; ~ (*nach*) *Berlin* as far as Berlin; *von hier* ~ *Japan* from here to Japan; **3.** *with figures*: *sieben* ~ *zehn Tage* from seven to ten days; *fünf* ~ *sechs Wagen* five or six cars; ~ *zu hundert Mann* as many as a hundred men; ~ *zu neun Meter hoch* as high as 27 ft.; ~ *auf vier zählen* count up to four; ~ *auf das letzte Stück* (down) to the last piece; **4.** *as to degree*: ~ *aufs höchste* to the utmost; ~ *ins kleinste* down to the smallest detail; ~ *zur Tollkühnheit* to the point (*or* extent) of rashness; **5.** ~ *auf* except, with the exception of; *alle* ~ *auf einen* all but one; **II.** *cj.* ~ (*daß*) till, until; ~ *er Präsident wurde* until (*or* up to the time) he became President; *es wird lange dauern*, ~ *er es merkt* it will be long before he finds out, it will take him long to find out.

Bisam ['biːzam] *zo. m* (-s; -e) musk; (*fur*) musquash; **~katze** *f* civet-cat; **~kraut** *n* (-[e]s) musk-root; **~ratte** *f* muskrat.

Bischof ['biʃɔf] *m* (-s; ⸗e) bishop.

bischöflich ['-ʃøːfliç] *adj.* episcopal.

'**Bischofs...**: **~amt** *n* episcopate; **~hut** *m*, **~mütze** *f* mitre; **~sitz** *m* episcopal see; cathedral town; **~stab** *m* crosier; **~würde** *f* episcopal dignity.

bisexuell ['biː-] *adj.* bisexual.

bisher [bis'heːr] *adv.* hitherto, till (*or* up to) now, so (*or* thus) far; ~ (*noch*) *nicht* not as yet; *wie* ~ as in the past; **~ig** *adj.* hitherto existing; former; present, prevailing; **~e** *Tätigkeit a.* list of past employers.

Biskaya [bis'kɑːja] *f* (-) Biscay; *Golf von* ~ Bay of Biscay.

Biskuit [bis'kviːt] *n* (-[e]s; -s) biscuit, *Am. a.* cracker; *a.* **~kuchen** *m* sponge-cake; **~rolle** *f* Swiss cake.

bis'lang *adv.* → *bisher.*

Bison ['biːzɔn] *zo. m* (-s; -s) bison.

biß [bis] *pret. of beißen.*

Biß *m* (Bisses; Bisse) bite.

bißchen ['bisçən] *adj., adv., n*: *ein* ~ a little; a (little) bit; a trifle; somewhat, slightly; *kein* ~ not a bit; *auch nicht ein* ~ not the least bit; *ein* ~ *viel* rather much; *das ist ein* ~ *zuviel verlangt* that's asking a bit too much; *das* ~ *Einkommen* that measly income; *ein ganz kleines* ~ a wee bit; *ein* ~ *Wahrheit* a grain (*or* element, atom) of truth; *warten Sie ein* ~ wait a minute; *mein* ~ *Geld* what little money I have, my little all.

Bissen ['bisən] *m* (-s; -) bit, morsel; mouthful, bite; (*savoury*) titbit; sop; *sich den* ~ *vom Mund absparen* stint o.s. (*für* for); *fig. ein fetter* ~ a fine catch; '**⁀weise** *adv.* by bits.

'**bissig** *adj.* biting; *dog*: snappish; *dieser Hund ist nicht* ~ this dog doesn't bite; *fig.* waspish, snappy; biting, cutting, sarcastic; **⁀keit** *f* (-) snappishness; bitingness; sarcasm.

'**Bißwunde** *f* bite.

Bis-tum ['bistuːm] *eccl. n* (-s; ⸗er) bishopric, diocese.

bisweilen [-'vaılən] *adv.* sometimes, at times; now and then, occasionally.

Bitte ['bitə] *f* (-; -n) request; entreaty; supplication, prayer; petition; invitation; *auf m-e* ~ at my request; e-e ~ *richten an j-n* make a request to a p.; e-e ~ *gewähren* grant a request; *ich habe e-e* ~ *an Sie* I want to ask you a favo(u)r.

'**bitten** *v/t. and v/i.* (*irr., h.*): *j-n um et.* ~ ask a p. for a th. (*or* a th. of a p.); request; invite; beg, entreat; implore, beseech; trouble *a p.* (*um* for); *econ. um Aufträge* ~ solicit orders; → *Erlaubnis, Verzeihung*; *j-n zu sich* ~ ask a p. to come; *sich* (*lange*) ~ *lassen* want a lot of asking; ~ *für j-n* plead (*or* intercede) for a p.; *sollen wir ihn zum Tee* ~? should we ask him to tea?; *es wird gebeten*, (*daß*) it is requested (*that*); *wenn ich* ~ *darf* if you please; *ich lasse Herrn X.* ~ please show Mr. X. in; *da muß ich doch sehr* ~! now then, really!, be careful what you are saying!; *darf ich Sie um Ihren Namen* ~? may I ask your name?; *ich bitte um Verzeihung* I beg your pardon; excuse me; (I am) sorry; *ich bitte um Ruhe!* silence, please!; *bitte* please; *bitte, gib mir die Zeitung* hand me the paper, please (*or* will you?), would you kindly (*or* be kind enough to) give me the paper; *encouragingly*: (*Aber*) *bitte!* Please, do!, *Am. a.* go (right) ahead!; *wie bitte?* (I beg your)pardon?; *Bitte* (*sehr*)! (*affirmative answer*) yes, thank you, (*after "danke* [*schön*]") don't mention it!, (you are) welcome; never mind!, (*offering a. th.*) here you are!

bitter ['bitər] *adj. and adv.* bitter; ~ *schmecken* taste bitter, have a bitter taste; *fig.* bitter; **~e** *Armut* abject poverty; **~e** *Enttäuschung* bitter (*or* sad) disappointment; *aus* **~er** *Erfahrung* from bitter experience; **~er** *Feind* deadly foe; **~e**

Wahrheit sad truth; *~er Ernst* bitter earnest; *es ist mein ~er Ernst* I mean (every word of) it; *~es Lächeln* bitter smile; *~ notwendig* urgently necessary, imperative; *das ist ~* that's hard (*or* tough); *~e Tränen weinen* weep bitterly; **~böse** *adj.* furious, fuming; very wicked; **♀e(r)** *m* (-*n*; -*n*) bitters *pl.*; **♀erde** *chem. f* magnesia; **~ernst** *adj.* dead serious; **♀holz** *n* quassia(-wood); **♀kalk** *m* magnesian lime-stone, dolomite; **~kalt** *adj.* bitter cold; **♀keit** *f* (-) bitterness; *fig. a.* acrimony, sarcasm; bitter feeling, rancor, bad blood; **♀klee** *bot. m* buck-bean; **~lich I.** *adj.* bitterish; **II.** *adv.*: *~ weinen* weep bitterly; **♀ling** *bot. m* (-*s*; -*e*) yellow-wort; **♀mandelöl** *n* oil of bitter almonds; *chem.* benzaldehyde; **♀mittel** *n* bitter(s); **♀salz** *n* Epsom salts *pl.*, *chem.* magnesium sulphate; **♀spat** *min. m* magnesite; **~süß** *adj.* bitter-sweet; **♀wasser** *n* bitter mineral water.

'**Bitt|gebet** *n* petitionary prayer; '**~gesuch** *n*, '**~schrift** *f* petition; '**~steller(in** *f*) *m* (-*s*, -; -, -*nen*) petitioner.

Bitum|en [bi'tumən] *n* (-*s*; -) bitumen; **♀inös** [-'nø:s] *adj.* bituminous.

bizarr [bi'tsar] *adj.* bizarre.

Bizeps ['bi:tsɛps] *m* (-*es*; -*e*) biceps.

bläh|en ['blɛ:ən] **I.** *v/t.* (*h.*) swell, puff up, inflate; (*a. sich ~*) belly (*or* swell) out; *fig. sich ~* puff o.s. up; *mit et.*: brag of, be puffed up about *a th.*; **II.** *v/i.* (*h.*) *med.* cause flatulence; **~end** *med. adj.* flatulent; **♀ung** *med. f* (-; -*en*) wind, flatulence.

blam|abel [bla'mɑ:bəl] *adj.* disgraceful, shameful; **♀age** [-'mɑ:ʒə] *f* (-; -*n*) disgrace, shame; **~ieren** *v/t.* (*h.*) make *a p.* look like a fool, (expose to) ridicule, show *a p.* up; *sich ~* make a fool of o.s., make o.s. ridiculous; put one's foot in it.

blank [blaŋk] **I.** *adj.* bright (*a. tech.*), shining; polished; naked; bare (*a. tech.*); clean; smooth; blank (*sheet*); glossy, shiny; *~e Elektrode* bare electrode; *~e Waffe* cold steel; *fig.* pure, mere; *~er Unsinn* sheer nonsense; *colloq.* broke; **II.** *adv.*: *~ ziehen* draw (one's sword); *tech. ~ polieren* finish, polish, furbish; *~ glühen* bright-anneal; *~ scheuern* scour.

Blankett [blaŋ'kɛt] *n* (-[*e*]*s*; -*e*) blank form, *Am. a.* blank; → *Blankovollmacht.*

blanko ['blaŋko] *econ.* **I.** *adj.* blank, uncovered; **II.** *adv.* in blank; *stock exchange*: *~ verkaufen* bear, *Am.* sell short; **♀abgaben** *f/pl.* bearish operations, *Am.* short sales; **♀akzept** *n* blank acceptance; **♀formular** *n* blank (form); **♀giro** *n on bills of exchange*: blank endorsement; *on securities*: blank transfer; **♀kredit** *m* blank (*or* open) credit; **♀scheck** *m* blank cheque (*Am.* check); **♀vollmacht** *f* full discretionary power, carte blanche (*Fr.*); **♀wechsel** *m* blank bill.

'**Blankvers** *poet. m* blank verse.

Bläs-chen ['blɛ:sçən] *n* (-*s*; -) small bubble; *anat., bot.* vesicle; *med.* **a)** vesicle, (small) blister, **b)** pustule, pimple; **~flechte** *med. f* herpes; **♀förmig** ['-fœrmiç] *adj.* vesicular.

Blase ['blɑ:zə] *f* (-; -*n*) bubble; *anat.* bladder; *med.* blister, vesicle; *tech.* flaw, *raised*: blister, *inside*: bubble, *in glass*: bleb, seed; *chem.* still, alembic; inner-tyre (*Am.* tire); *colloq. contp.* set, gang, clan; *mit ~n bedeckte Füße* blistered feet; *~n werfen* bubble; *~n ziehen* raise blisters, vesicate; **~balg** *m* (-[*e*]*s*; ⸚*e*) (*ein ~* a pair of) bellows *pl.*

'**blasen** *v/i. and v/t.* (*irr., h.*) blow (*a. tech*); *wind a.*: waft; *mus.* play, blow; sound (*a. mil., zum Angriff* the charge); → *Trübsal.*

'**Blasen...:** **♀artig** *adj.* bladderlike, *med.* vesicular; **~ausschlag** *m* pemphigus; **~bildung** *f* bubble formation, blistering; **~entzündung** *f* inflammation of the bladder, cystitis; **~grieß** *m* urinary gravel; **~katarrh** *m* cystic catarrh; **~leiden** *n* bladder trouble; **~sonde** *f* catheder; **~stein** *m* (cystic) calculus; **♀ziehend** *adj.* blistering, *med.* vesicant.

Bläser ['blɛ:zər] *m* (-*s*; -) *mus.* player of a windinstrument; *die ~ pl.* (*orchestra*) the wind; *tech.* blower; fan, ventilator.

'**Blas(e)rohr** *n* blow-pipe (*a. tech.*); [pea-shooter.]

blasiert [bla'zi:rt] *adj.* blasé (*Fr.*).

blasig ['blɑ:ziç] *adj.* bubbly; like blisters; *med.* blistered (*a. tech.*), vesicular.

'**Blas...:** **~instrument** *n* wind-instrument; *die ~e pl.* (*orchestra*) the wind; **~kapelle** *f* brass-band.

Blasphemie [blasfe'mi:] *f* (-; -*n*) blasphemy; **blasphemisch** [-'fe:miʃ] *adj.* blasphemous.

blaß [blas] *adj.* pale (*vor dat.* with); pallid, colo(u)rless; sallow; *~rot etc.* pale red, *etc.*: *~ werden* turn pale, blanch; *colo(u)r*: fade; *fig. blasser Neid* green envy; *blasse Erinnerung* dim recollection; *keine blasse Ahnung* not the faintest idea.

Blässe ['blɛsə] *f* (-) paleness, pallor.

'**bläßlich** *adj.* palish, pallid.

Blatt [blat] *n* (-[*e*]*s*; ⸚*er*) *bot.* leaf; *of grass*: blade; *of flower*: petal; *of calyx*: sepal; *of mushroom*: gill, lamella; *of book*: leaf; sheet (*of paper*); page; (news)paper, daily, weekly; *art*: drawing, engraving, print; *mus.* sheet of music; *tech.* plate, lamina; *metal*: foil; blade (*of oar, saw, shovel, etc.*); *arch.* scarf; *weaving*: reed; (table) leaf; *zo.* shoulder, blade-bone; *cards*: *ein gutes ~* a good hand; *mus. vom ~ spielen* play at sight; *fig. ein unbeschriebenes ~* an unknown quantity, a dark horse; *kein ~ vor den Mund nehmen* not to mince matters, be plain-spoken; *das steht auf e-m andern ~* that's quite a different thing (*or* another story); *das ~ hat sich gewendet* the tide has (*or* the tables are) turned; **~ader** *f* leaf-vein, nerve; **~ansatz** *m* stipule; **♀artig** *adj.* leaf-like, foliaceous.

Blättchen ['blɛtçən] *n* (-*s*; -) small leaf, leaflet; *anat., bot., chem.* lamella; *tech.* foil; membrane; flake, scale.

'**blätt(e)rig** *adj. bot.* leafy, foliated; *in compounds*: ...leaved; *tech.* laminated.

'**Blätter...:** **~kohle** *f* lamellar coal; **~kuchen** *m* puff(-pastry); **~magnet** *el. m* lamellar magnet.

Blattern ['blatərn] *med. f/pl.* small-pox *sg.*; *of sheep*: rot; *of swine*: measles.

blättern ['blɛtərn] *v/i.* (*h.*) turn over the leaves (*in e-m Buch* of a book); flake *or* scale (off).

'**Blatter...:** **~narbe** *f* pock-mark, pit; **♀narbig** *adj.* pock-marked, pitted (with small-pox); **~ngift** *n* vaccine virus; **~n-impfung** *f* vaccination.

'**Blätter...:** **~pilz, ~schwamm** *m* agaric; **~tabak** *m* leaf tobacco; **~teig** *m* puff-paste.

'**Blatt...:** **~feder** *tech. f* plate-spring; *mot.* leaf-spring; **♀förmig** ['-fœrmiç] *adj.* leaf-shaped, lamelliform; **~gold** *n* gold leaf; **~grün** *bot. n* (-*s*) chlorophyll; **~halter** *m* (-*s*; -) *typ.* catch, viscorium; *of saw, etc.*: blade holder; *typewriter*: copy-holder; **~knospe** *f* leaf-bud; **~laus** *f* plant-louse, aphid; **♀los** *adj.* leafless; *of flowers*: apetalous; **~metall** *n* sheet metal, foil; **~pflanze** *f* foliage plant; **~rippe** *f* nerve (*or* vein); **~schreiber** *m* page printer; **~silber** *n* silver leaf; **~stiel** *m* leaf stalk; **~vergoldung** *f* leaf-gilding; **♀weise** *adv.* leaf by leaf; **~werk** *n* (-[*e*]*s*) foliage; **~wespe** *f* saw-fly; **~zinn** *n* tinfoil.

blau [blaʊ] *adj.* blue; azure; *~(geschlagen)es Auge* black eye; *~er Fleck* bruise, blue mark; *mar. das ♀e Band* the Blue Riband; *tech. ~ anlaufen lassen* blue, temper; *~ geglühter Flußstahl* blue annealed soft steel; *fig.* drunk, *sl.* tight, plastered; *colloq. ~e Bohne* bullet, *Am.* blue pill; *~er Montag* Saint Monday; *~ machen* take a day off; *mit e-m ~en Auge davonkommen* get off cheaply; → *Dunst, Wunder*; *er hat ~es Blut in s-n Adern* he is blue-blooded; ♀ *n* (-*s*) blue, blue colo(u)r; *Dame in ~* lady in blue; *das ~e vom Himmel herunterlügen* lie shamelessly; *ins ~e hineinreden* talk at random; *Fahrt ins ~e* random trip, mystery trip; *Schuß ins ~e* random shot; '**~äugig** ['-ʔɔʏgiç] *adj.* blue-eyed; '**♀bart** *m* Bluebeard; '**♀beere** *f* bilbery, *Am.* blueberry; '**~blütig** ['-blytiç] *adj.* (*fig.*) blue-blooded; '**♀buch** *pol. n* blue book.

Bläue ['blɔʏə] *f* (-) blue(ness); blue colo(u)r; azure (*of sky*); *for laundry*: blue.

blauen ['blaʊən] *v/i.* (*h.*) be blue; turn blue.

bläuen ['blɔʏən] *v/t.* (*h.*) (dye) blue.

'**blau...:** **♀felchen** ['-fe:lçən] *ichth. m* (-*s*; -) blue char; **♀fuchs** *zo. m* blue (*or* arctic) fox; **~grau** *adj.* bluish grey, livid; **~grün** *adj.* bluish green, glaucous; **♀holz** *n* logwood; **♀kohl** *m*, **♀kraut** *n* (-[*e*]*s*) red cabbage; **♀kreuz** *mil. n* (-*es*) blue-cross shell-gas.

'**bläulich** *adj.* bluish, *esp. med.* livid.

'**blau...:** **♀meise** *f* blue titmouse; **♀papier** *n* carbon paper; **♀pause** *f* blueprint; **♀säure** *f* (-) prussic (*or* hydrocyanic) acid; 2**specht** *m* nuthatch; 2**stift** *m* blue pencil; *mit ~ anstreichen, etc.* blue-pencil; 2**strumpf** *fig. m* blue-stocking; 2**wal** *zo. m* blue whale.

Blech [blɛç] *n* (-[e]s; -e) sheet metal; (*product*) metal sheet; sheet steel; sheet iron; plate; foil; *colloq. fig.* stuff, rubbish, *sl.* bosh; *rede doch kein ~ sl.* don't talk rot; **~bearbeitung** *f* tin-plate work(ing); **~bearbeitungsmaschine** *f* sheet-metal working machine; **~belag** *m* plate covering; **~beplankung** *aer., tech. f* (sheet-)metal skin; **~büchse, ~dose** *f* tin (box), *Am.* (tin) can; *in ~n verpackt* tinned, *Am.* canned; **~druck** *typ. m* tin-printing.

'**blechen** *colloq. v/t. u. v/i.* (*h.*) pay (up), fork (*or* shell) out, *sl.* cough up.

'**blechern** *adj.* (of) tin; tinny, brassy (*sound*).

'**Blech...:** **~erzeugnisse** *n/pl.* plate products; **~geschirr** *n* tinware, tin-plate vessels *pl.*; **~instrument** *mus. n* brass instrument; *die ~e pl.* (*orchestra*) the brass; **~kanister** *m* canister, metal container; **~kanne** *f* tin-can; **~konstruktion** *f* tin-plate construction; **~lehre** *f* sheet metal ga(u)ge; **~marke** *f* tin control plate; **~musik** *f* (music of a) brass band; **~orden** *m contp.* putty medal; **~schere** *f* plate-shears *pl.*; gate shears; lever shears; **~schmied** *m* tinsmith; sheet-metal worker; **~streifen** *m* sheet-metal strip, tinband; **~tafel** *f* sheet panel; 2**umhüllt** *adj.* metal-sheathed; **~verkleidung** *f* sheeting; **~walzwerk** *n* plate rolling mill, sheet mill; **~ware**(**n** *pl.*) *f* tinware.

blecken ['blɛkən] *v/t.* (*h.*): *die Zähne ~* show one's teeth; *animal*: bare one's fangs.

Blei[1] [blaɪ] *ichth. m* (-[e]s; -e) bream.

Blei[2] *n* (-[e]s; -e) lead; *aus ~* (of) lead, leaden; *mot. in petrol*: tetraethyl lead (*abbr.* TEL); *mar.* plummet, lead; (lead) pencil; *gun*: shot; *fig. es lag ihm wie ~ in den Gliedern* his limbs were leaden.

'**Blei...:** **~ader** *f* lead vein; **~arbeiter** *m* plumber; 2**artig** *adj.* leadlike, plumbeous; **~bad** *n* lead bath; **~barren** *m* lead pig; **~benzin** *n* leaded petrol (*Am.* gasoline).

Bleibe ['blaɪbə] *f* (-) shelter, place to stay, *sl.* digs; accommodation; *keine ~ haben* have no home, have no roof over one's head.

'**bleiben** *v/i.* (*irr., sn*) remain; stay; continue, keep; be left, remain; *in battle*: fall; *zu Hause ~* stay in; *fern ~* keep away; *draußen ~* stay out; *gesund ~* continue in good health, keep healthy; *ernsthaft ~* keep one's countenance; *ruhig ~* **a)** keep quiet, **b)** keep one's temper; *unbestraft ~* go unpunished; *sich gleich ~* be always the same; *treu ~* remain faithful; *bei et. ~* keep (*or* stick) to, abide by, persist in *one's opinion, etc.*; *am Leben ~* remain alive, survive; *ohne Folgen ~* be without (*or* have no) consequences; → *Sache*; *für sich ~* keep to o.s.; *dabei muß es ~* there the matter must rest; *dabei wird es nicht ~* matters won't stop there; *es bleibt babei!* agreed!; that's final!; *das bleibt unter uns* that's between ourselves, that's strictly confidential; *es bleibt abzuwarten* it remains to be seen; *wo bist du so lange geblieben?* where have you been all this time?; *wo ist sie nur geblieben?* what has become of her?; *colloq. und wo bleibe ich?* and where do I come in?; *zwei von sieben bleibt fünf* two from seven leaves five; *teleph. ~ Sie in der Leitung!* hold the line, please; *typ. bleibt!* let stand, stet; 2 *n* (-s) stay; *hier ist meines ~s nicht länger* I cannot stay here any longer; **~d** *adj.* lasting, enduring, permanent; everlasting; *colour*: fast; *~er Eindruck* lasting impression; *~er Zahn* permanent tooth; → *Stätte*; **~lassen** *v/t.* (*irr., h.*) leave *a th.* alone; *laß das bleiben!* don't do it!; leave it alone!; do nothing of the kind!; stop that (*noise, etc.*)!

'**Bleibergwerk** *n* lead mine.

bleich [blaɪç] *adj.* pale (*vor dat.* with), pallid, wan; faint, faded; *~ werden* turn pale, blanch.

'**Bleiche** *f* (-; -*n*) paleness, pallor; *of laundry*: bleaching; → *Bleichplatz*; 2**n I.** *v/t.* (*h.*) bleach, blanch; whiten; **II.** *v/i.* (*sn*) bleach; turn white, blanch; lose colo(u)r, fade; **~n** *n* bleaching.

'**Bleich...:** **~gesicht** *n* paleface; **~mittel** *n* bleaching agent; **~platz** *m* bleaching ground; **~sucht** *med. f* (-) greensickness, chlorosis, an(a)emia; 2**süchtig** *adj.* greensick, chlorotic, an(a)emic.

bleiern ['blaɪərn] *adj.* (of) lead, leaden; *fig.* leaden, as heavy as lead.

'**Blei...:** **~erz** *n* lead ore; **~essig** *m* lead vinegar, basic acetate of lead; **~farbe** *f* lead paint; 2**farbig** *adj.* lead-colo(u)red, livid; **~folie** *f* lead foil; 2**frei** *adj. petrol*: unleaded; **~gelb** *n* massicot, yellow lead; **~gewicht** *n* sinker, plummet; **~gießer** *m* lead smelter; **~gieße'rei** *f* lead-works *pl.*; **~glanz** *min. m* lead glance, galena; **~glas** *n* lead (*or* crystal) glass; 2**haltig** ['-haltiç] *adj.* plumbiferous; **~hütte** *f* lead-works *pl.*; **~kabel** *n* lead-covered cable; **~kugel** *f* lead bullet; **~legierung** *f* leadbase alloy; **~lot** *n arch.* plumb (-line); *mar.* plummet; **~mantel** *tech. m* lead sheathing; **~oxyd** *chem. n* lead oxide; **~plombe** *f* lead seal; **~rohr** *n* lead pipe; **~salbe** *f* lead ointment; **~säure** *chem. f* plumbic acid; 2'**schwer** *adj.* heavy as lead; *a. fig.* leaden; **~sicherung** *el. f* lead fuse; **~soldat** *m* tin soldier.

'**Bleistift** *m* lead pencil; **~halter** *m* (-s; -), **~hülse** *f* pencil case; **~spitzer** *m* (-s; -) pencil sharpener; **~zeichnung** *f* pencil-drawing.

'**Blei...:** **~vergiftung** *f* lead poisoning; **~verhüttung** *f* lead smelting; **~wasser** *pharm. n* goulard water; **~weiß** *chem. n* white lead, ceruse; **~zucker** *m* lead acetate.

Blende ['blɛndə] *f* (-; -*n*) blind; *arch.* **a)** blind window; **b)** blind front wall, dead face; **c)** niche, recess; *of horse*: blinker, eye-flap; blind, screen; *mil.* (gun) mantlet; *mar.* dead-light; *headlight*: shutter; *opt., phot.* diaphragm, stop; *phot. bei ~ 8* stop-opening of f 8; *in jets, etc.*: orifice; *min.* blende, blackjack; lantern; *on dress*: trimming, braiding, stripe.

'**blenden I.** *v/t.* (*h.*) *generally*: blind (*a. fig.*); put (*or* gouge) out the eyes; dazzle (*a. fig.*); screen; plate; dye dark (*fur*); *fig.* deceive, delude, hoodwink; dazzle, fascinate; **II.** *v/i.* (*h.*) glare, dazzle (the eyes); 2 *n* (-s) *mot.* headlight glare; **~d** *adj.* glaring, dazzling; *fig.* delusive; brilliant; splendid, excellent, marvellous; *e-e ~e Schönheit* a dazzling beauty.

'**Blenden...:** **~einstellung** *phot. f* diaphragm setting; **~öffnung** *f* diaphragm aperture; **~scheibe** *f opt.* diaphragm; *tech.* orifice plate.

'**Blender** *fig. m* (-s; -) bluff(er), dazzler.

Blend [blɛnt]...: '2**frei** *adj.* dazzle-free; '**~glas** *opt. n* moderating glass; '**~holz** *n* facing board; '**~laterne** *f* dark lantern; '**~ling** *m* (-s; -e) mongrel, bastard, hybrid; '**~rahmen** *m* blind frame; '**~scheibe** *f opt.* disk diaphragm, stop; *mot.* anti-glare shield; '**~schutz** *mot. m* headlight dimming, anti-dazzle device; '**~schutzglas** *n* anti-glare glass; '**~schutzscheibe** *mot. f* anti-glare screen, *Am.* visor; '**~stein** *m* facing brick.

Blendung ['-duŋ] *f* (-; -*en*) blinding; *w.s.* dazzling, glare; *fig.* deception; delusion.

Blendwerk ['blɛnt-] *n* (optical) delusion, illusion, mirage; deception; jugglery; eyewash.

Blesse ['blɛsə] *f* (-; -*n*) blaze, white spot; horse with a blaze.

Bleuel ['blɔʏəl] *m* (-s; -) mallet, beetle.

bleuen ['blɔʏən] *v/t.* (*h.*) beat (black and blue).

Blick [blik] *m* (-[e]s; -e) look (*auf acc.* at); *flüchtiger ~* glance (at), glimpse (of); *durchbohrender ~* glare; *finsterer ~* scowl; *starrer ~* gaze; *der böse ~* the evil eye; *~ in die Zukunft* forward look; view (of), *weiter ~* vista; *mit ~ auf* with a view of, overlooking, facing; *auf den ersten ~* at first sight, at a glance; *das sieht man doch auf den ersten ~* you can see that with half an eye; *e-n ~ werfen auf* (*acc.*) take a look at, cast a glance at; *j-m e-n ~ zuwerfen* give a p. a look; *j-n mit den ~en durchbohren* look daggers at a p.; *e-n ~ für et. haben* have an eye for a th.; 2**en** *v/i.* (*h.*) look, glance (*auf acc.* at); *finster ~* scowl; *starr ~* gaze; *sich ~ lassen* show o.s., appear, put in an appearance; *er läßt sich nicht mehr ~* he makes himself scarce; *das läßt tief ~* that's very significant, that speaks volumes; *Mitleid blickte aus ihren Augen* her eyes looked compassion; **~fang** *m* eye-catcher; **~feld** *n* field of vision; *fig.* range (of vision), horizon; **~feuer** *n* signal light; 2**los** *adj.* sightless(ly *adv.*); **~punkt** *m* point of vision; *fig.* focus; *im ~ stehen* be in the cent|re (*Am.* -er) of interest, be in the limelight; **~richtung** *f* line of sight; **~winkel** *m* visual

angle; *fig.* point of view, viewpoint.
blieb [bli:p] *pret. von bleiben.*
blies [bli:s] *pret. von blasen.*
blind [blint] **I.** *adj.* blind (*a. fig. gegen, für* to; *vor dat.* with); sightless; *völlig* ~ stone-blind; *metal, etc.*: dim, dull, tarnished; *arch.* blind, sham, dead; *mil.* blank (*cartridge*); *auf e-m Auge* ~ blind of (*or* in) one eye; *fig.* blind, implicit (*faith, obedience*); blind (*fury, love*); ~*es Glück* mere chance; ~*er Alarm* false alarm; ~*er Passagier* stowaway, *rail.* deadhead; ~*es Werkzeug* mere tool; ~*schreiben* type by touch; ~*fliegen* fly blind (*or* on instruments); ~ *schießen* fire blank cartridges; *j-n* ~ *machen* blind a p. (*gegen* to); *sie ist* ~ *für* she shuts her eyes to; ~*er Eifer schadet nur* haste makes waste; **II.** *adv.* → *blindlings.*
'**Blind...:** ~**boden** *m arch.* dead floor; ~**darm** *anat. m* blind gut, caecum; appendix; ~**darmentzündung** *med. f* appendicitis.
'**Blindekuh** *f* (-) blind-man's buff.
'**Blinden...:** ~**anstalt** *f* blind asylum, home for the blind; ~**(führ)hund** *m* blind-man's dog, guide-dog, *Am.* seeing-eye dog; ~**schrift** *f* braille; ~**schreibmaschine** *f* braille typewriter.
'**Blinde(r** *m*) *f* (-*n*, -*n*; -*n*, -*n*) blind (wo)man, blind person; *die* ~*n pl.* the blind; *das sieht doch ein* ~*r* you can see that with half an eye.
Blind...: ['blint-] ~**flug** *m* instrument (*or* blind) flying; ~**gänger** ['-gɛŋər] *m* (-*s*; -) *mil.* blind shell, blind bomb, dud; *colloq. fig.* washout; ♀**geboren** *adj.* born blind; ~**heit** *f* (-) blindness; *fig. mit* ~ *geschlagen* struck with blindness; ~**landung** *aer. f* instrument landing, blind approach; ~**leistung** *el. f* reactive volt-amperes *pl.*, *Am.* reactive power; ♀**lings** ['-liŋs] *adv.* blindly; rashly, recklessly; at random; implicitly; ~**schleiche** ['-ʃlaiçə] *zo. f* (-; -*n*) slow-worm, blind-worm; ~**schreiben** *n* (-*s*) touch typing; ~**strom** *el. m* reactive current; ~**widerstand** *el. m* reactance.
Blink|bake ['bliŋk-] *aer. f* flash beacon; '♀**en** *v/i.* (*h.*) glitter, gleam, sparkle, flash; *esp. stars*: twinkle; (*a. v/t.*) signal (with lamps), flash; '~**er** *mot. m* (-*s*; -) flashing trafficator; '~**feuer**, '~**licht** *n* intermittent (*or* flashing) light; *mot.* → *Blinker*; '~**gerät** *n* lamp-signal(l)ing apparatus, blinker; '~**spruch** *m* blinker(-signal)message; '~**zeichen** *n* lamp (*or* flashlight) signal; ~ *geben* flash.
blinzeln ['blintsəln] *v/i.* (*h.*) blink (one's eyes), twinkle; wink.
Blitz [blits] *m* (-*es*; -*e*) lightning; flash (of lightning); *der* ~ *schlug ein* the lightning struck; *vom* ~ *getroffen* struck by lightning; *fig. wie der* ~ like lightning; → *blitzschnell*; *colloq. wie ein geölter* ~ like a greased lightning; *wie vom* ~ *getroffen* thunderstruck; *ein* ~ *aus heiterem Himmel* a bolt from the blue; '~**ableiter** *m* (-*s*; -) lightning-conductor (*or* rod); '♀**artig** *adj.* lightninglike; abrupt; → *blitzschnell*; '♀**blank** *adj.* shining, *pred.* spick and span.
'**blitzen** *v/i. and v/impers.* (*h.*) lighten, flash; *es blitzt* it is lightning; *fig.* glitter, flash, sparkle; *s-e Augen blitzten* his eyes flashed (*vor Zorn* with anger), *vor Vergnügen*: glittered (*or* sparkled) with amusement.
'**Blitzesschnelle** *f* lightning-speed.
'**Blitz...:** ~**gerät** *phot. n* flash attachment; flash gun; ~**gespräch** *teleph. n* special priority call; ~**krieg** *m* lightning war(fare), blitz(krieg); ~**licht** *phot. n* flash-light; flash bulb; *mit* ~ *photographieren* flash-photograph; ~**lichtaufnahme** *f* flash-light photo(graph), photo-flash picture; ~**lichtbirne** *f* flash bulb, photo-flash; ~**lichtlampe** *f* flashlamp; ~**offensive** *mil. f* lightning offensive; ♀**sauber** *adj.* neat as a pin, spick and span; very pretty; ~**schaden** *m* damage caused by lightning; ~**schlag** *m* lightning-stroke; ♀**schnell** **I.** *adj.* lightning; *mot.* ~*es Starten* split-second starting; **II.** *adv.* with lightning speed, like a shot, in a flash; abruptly, all of a sudden; *es verbreitete sich* ~ it spread like wildfire; *es trocknet* ~ it dries like magic; ~**schutzsicherung** *el. f* lightning protection fuse; ~**strahl** *m* flash of lightning; ~**telegramm** *n* special priority telegram(me); ~**zug** *m* express train.
Block [blɔk] *m* (-[*e*]*s*; ⸚*e*) block (*a. rail*; *a. of houses* [*pl.* -*s*]); log; block, boulder; bar (*of chocolate, soap*); (writing) pad, block; book (*of tickets*); *of book*: stitched pack; (*executioner's*) block; stocks *pl.*; *parl. pol.*, *econ.* bloc; *metall.* ingot, pig; *vorgewalzter* ~ cogged ingot, *Am.* bloom; *tech.* (pulley-)block; *mot.* radiator core.
Blockade [blɔ'ka:də] *f* (-; -*n*) blockade; *die* ~ *aufheben* raise the blockade; *die* ~ *brechen* run the blockade; *typ.* turned letter(s *pl.*); ~**brecher** *m* (-*s*; -) blockade-runner.
'**Block...:** ~**bauart** *f* unitized construction; ~**druck** *typ. m* (-[*e*]*s*; -*e*) block printing; ♀**en** *v/t.* (*h.*) *rail.* block *a line* (by block-signal); block (*hats*); stretch (*shoes*); *boxing*: *e-n Schlag* ~ block a blow; ~**flöte** *f* recorder; ♀**frei** *pol. adj.* non-aligned (*nations*); ~**haus** *n* log-house; *mil.* blockhouse; ~**heftmaschine** *f* book stitching machine.
blo'ckier|en *v/t.* (*h.*) block (up); lock (*wheels*); jam (*line, machine, etc.*); clog; *typ.* turn (*letters*); ♀**ung** *f* (-; -*en*) blocking; *mil.* blockade.
'**Block...:** ~**kondensator** *el. m* block(-ing) condenser; ~**konstruktion** *f* unit construction; ~**säge** *f* pit-saw; ~**satz** *typ. m* grouped style; ~**schrift** *f* (-) block letters *pl.*; *typ.* Egyptian type; *in* ~ *schreiben* print (in block letters); ~**stelle** *rail. f* signal box.
blöd(e) [blø:t, 'blø:də] *adj.* imbecile, feeble-minded, barmy; stupid, dull, half-baked; foolish, silly; timid, bashful, shy; awkward, stupid (*matter*); ~*er Kerl* silly fool, idiot; ♀**heit** *f* (-) imbecility; stupidity; dullness; silliness; ♀**igkeit** *f* (-) timidity, bashfulness; ♀**sinn** *m* (-[*e*]*s*) imbecility, idiocy; nonsense, rubbish; antics, tricks *pl.*; ~! *sl.* bosh!, rot!; ~**sinnig** *adj.* idiotic, imbecile, crazy, silly; *adv. colloq.* awfully.
blöken ['blø:kən] *v/i.* (*h.*) *cattle*: low; *sheep, a. person*: bleat.
blond [blɔnt] *adj.* blond(e *f*); fair (-complexioned); light-colo(u)red, light; ♀**e** ['-də] *econ. f* (-; *n*) blonde (lace).
Blondine [-'di:nə] *f* (-; -*n*) blonde.
'**Blondkopf** *m* fair-haired person *or* child, *Am. colloq.* blondie.
bloß [blo:s] **I.** *adj.* bare, naked, uncovered; *mit* ~*en Füßen* barefoot(ed); *mit* ~*en Händen* with naked hands; *mit* ~*em Kopf* bare-headed; *mit dem* ~*en Auge* with the naked eye; mere, simple, sheer; ~*e Worte* mere (*or* empty) words; ~*er Neid* sheer envy; *der* ~*e Gedanke* the mere (*or* very) idea; *auf den* ~*en Verdacht hin* on the mere suspicion; **II.** *adv.* merely, simply, only, just, but; *es kostet* ~ *zwei Dollar* it's only two dollars; ~ *ein Mechaniker* a mere mechanic; *komm* ~ *nicht hier herein!* don't you (*or* dare you) come in here!; *wie machst du das* ~! how on earth are you doing it?; *wo sie* ~ *bleibt?* I wonder what has become of her; ~ *jetzt nicht!* not now, of all times! → *nur.*
Blöße ['blø:sə] *f* (-; -*n*) bareness, nakedness; clearing, glade; *tanning*: smoothed skin; *fig.* weak spot, weak side; *sports*: opening; *fenc.* e-e ~ *bieten* expose, uncover; *boxing*: drop one's guard, *a. fig. sich e-e* (*empfindliche*) ~ *geben* leave o.s. (wide) open.
'**bloß...:** ~**legen** *v/t.* (*h.*) lay bare, expose; *fig.* (lay) bare, reveal, unveil, bring to light; ~**stellen** *v/t.* (*h.*) expose, unmask, compromise, show *a p.* up; *sich* ~ compromise o.s., lose face; ♀**stellung** *f* exposure.
blühen ['bly:ən] *v/i.* (*h.*) bloom, blossom, flower (*a. fig.*); be in bloom (*or* blossom); *fig.* flourish, prosper, thrive, *econ. a.* boom; *wer weiß, was uns noch blüht* who knows what is in store for us; *ihm blüht e-e Tracht Prügel* he is in for a sound thrashing; *das kann uns auch* ~ that may well happen to us, too; ~**d** *adj.* blooming, flowering; *fig.* rosy (*looks*); vigorous (*health*); *im* ~*en Alter* in the prime of life, in his (her) prime; ~*er Unsinn* perfect nonsense, *sl.* tommy-rot; flourishing, *etc.* (*town, trade, etc.*).
Blümchen ['bly:mçən] *n* (-*s*; -) little flower, floweret; ~**kaffee** *m colloq.* water bewitched.
Blume ['blu:mə] *f* (-; -*n*) flower; *fig. of wine*: aroma, bouquet; *of beer*: froth; *hunt.* tail, brush; *fig.* flower, pick, choice; flower of speech, metaphor; *et. durch die* ~ *sagen* say a th. under the rose, hint at a th.; *laßt* ~*n sprechen* say it with flowers.
'**Blumen...:** ~**ausstellung** *f* flower-show; ~**beet** *n* flower-bed; ~**blatt** *n* petal; ~**draht** *m* florist's wire; ~**erde** *f* garden mo(u)ld; ~**garten** *m*

flower-garden; **~gärtner** *m* florist; **~händler(in** *f*) *m* florist; **~handlung** *f* flower-shop, florist's; **~kasten** *m* window-box; **~kelch** *m* calyx; **~kohl** *m* cauliflower; **~korso** ['-kɔrzo] *m* (-*s*; -*s*) battle of flowers; **~krone** *bot. f* corolla; **~laden** *m* → *Blumenhandlung*; **~liebhaber(in** *f*) *m* lover of flowers, flower-fancier; **~mädchen** *n* flower-girl; **~muster** *n* floral design; **2reich** *adj.* abounding in flowers; flowery (*a. fig.*); **~schale** *f* flower-bowl; **~ständer** *m* flower-stand; **~stengel, ~stiel** *m* flower-stalk, peduncle; **~stetigkeit** *f of bees*: preference for one flower; **~strauß** *m* (-es; ¨e) bunch (*or* bouquet) of flowers; nosegay; **~topf** *m* flower pot; **~vase** *f* flower-vase; **~zucht** *f* floriculture; **~züchter(in** *f*) *m* florist; **~zwiebel** flower-bulb.

'**blumig** *adj.* flowery (*a. fig.*); flowered *pattern, etc.*

Bluse ['blu:zə] *f* (-; -*n*) blouse; *mil.* field jacket.

Blut [blu:t] *n* (-[e]s) blood; *geronnenes* ~ coagulated (*or* clotted) blood, gore; *fig.* blood; race, breed; *junges* ~ young blood (*or* thing); → *blau*; *heißes* ~ passionate (*or* hot) temper; *bis aufs* ~ to the quick (*or* marrow), (almost) to death; ~ *lecken* taste blood; ~ *schwitzen* sweat blood; ~ *vergießen* shed blood; *böses* ~ *machen* breed bad blood, arouse ill feeling; *es liegt bei ihm im* ~ it runs in his blood; *immer ruhig* ~! keep cool!, take it easy!

'**Blut...:** **~ader** *f* vein; **~alkohol** *m* blood alcohol; **~andrang** *m* rush of blood (to the head), congestion; **2arm** *adj.* bloodless, an(a)emic (*a. fig.*); *fig.* ['blu:t'arm] (utterly) destitute, penniless; **~armut** *med. f* an(a)emia; **~auswurf** *m* sputum containing blood; **~bad** *n* carnage, massacre, butchery, slaughter; **~bahn** *f* blood stream; **~bank** *f* (-; -*en*) blood bank; **2befleckt** *adj.* blood-stained; **~bild** *n* blood-picture, blood count; **2bildend** *adj.* blood-forming; **~bildung** *f* formation of blood, h(a)emopoiesis; **~blase** *f* blood blister; **~buche** *bot. f* copper-beech; **~druck** *m* (-[e]s) blood-pressure; *den* ~ *messen* take the blood-pressure; **~druckmesser** *m* sphygmomanometer, blood-pressure apparatus; **~drüse** *f* endocrine gland; **~durst** *m* blood-thirst(iness); **2dürstig** *adj.* bloodthirsty.

Blüte ['bly:tə] *f* (-; -*n*) blossom, bloom; *esp. fig.* flower; *fig.* prosperity; heyday, climax, height; flower, élite; prime (of life); flush (of youth); *in* (*voller*) ~ in (full) bloom; ~*n treiben* put forth blossoms; *fig. sonderbare Blüten treiben* give rise to queer practices; *e-e neue* ~ *erleben* go through a time of revival; *zur* ~ *gelangen* come to fruition.

'**Blut·egel** *m* leech; ~ *setzen* apply leeches (*an dat.* to).

'**bluten** *v/i.* (*h.*) bleed (*aus* from); *aus der Nase* ~ bleed at the nose; *fig.* bleed, pay up; *schwer* ~ *müssen* pay through the nose; *j-n* ~ *lassen* bleed a p. (white); *mein Herz blutet* my heart bleeds (*um* for; *bei* at); ~*den Herzens* with a heavy heart, with great reluctance.

'**Blüten...:** **~becher** *bot. m* cupula; **~blatt** *n* petal; **~boden** *m* receptacle, torus; **~dolde** *f* umbel; **~honig** *m* honey of blossoms and flowers; **~kätzchen** *n* catkin; **~kelch** *m* calyx; **~kelchblatt** *n* sepal; **~knospe** *f* flower bud; **~lese** *fig. f* selection, anthology; **~stand** *m* inflorescence; **~staub** *m* pollen; **~stecher** *m* anthonomus; **~stengel** *m* peduncle.

'**Blut·entnahme** *f* taking of blood samples.

'**blütentragend** *adj.* floriferous.

'**Bluter** *med. m* (-*s*; -) bleeder, h(a)emophiliac.

'**Blut·erguß** *med. m* blood effusion.

'**Bluter·krankheit** *med. f* (-) h(a)emophilia.

'**Blütezeit** *f* flowering time (*a. fig.*); *fig.* heyday, golden season.

'**Blut...:** **~farbe** *f* blood-colo(u)r, (dark) crimson; **~farbstoff** *m* (-[e]s) blood pigment, h(a)emoglobin; **~faserstoff** *m* (-[e]s) fibrin; **~fink** *m* bullfinch; **~fleck** *m* blood-stain; **~fluß** *med. m* (-sses) h(a)emorrhage; **~gefäß** *anat. n* blood-vessel; **~gerinnsel** *n* clot of blood, thrombus; **~gerüst** *n* scaffold; **~geschwür** *med. n* furuncle; phlegmon; **2getränkt** *adj.* blood-drenched; **2gierig** *adj.* bloodthirsty, murderous; **~gifte** *n/pl.* blood-toxins; **~gruppe** *f* blood group; **~gruppenbestimmung** *f* blood-grouping (test); **~hochzeit** *f*: *die Pariser* ~ the Massacre of St. Bartholomew; **~hund** *m* bloodhound; **~husten** *med. m* h(a)emoptysis; **2ig** *adj.* bloody, blood-stained; bleeding (*wound*); sanguinary *or* bloody (*battle*); *fig.* cruel; ~*er Anfänger* rank beginner, greenhorn; ~*er Ernst* dead earnest; ~*e Tränen* bitter tears; '**2'jung** *adj.* very young; **~klumpen** *med. m* blood clot; **~konserve** *f* conserved blood; blood plasma; **~körperchen** *n* blood corpuscle; *weißes* ~ leucocyte; *rotes* ~ erythrocyte; **~körperchenzählung** *f* blood count; **~krankheit** *f* blood disease; **~kreislauf** *m* (-[e]s) blood circulation; **~lache** *f* pool of blood; **~lassen** *n* (-*s*) bloodletting; **~laugensalz** *n* potassium ferrocyanide; **2leer, 2los** *adj.* bloodless (*a. fig.*), an(a)emic; **~leere** *f* bloodlessness; local an(a)emia; ~ *im Gehirn* cerebral an(a)emia; **~mangel** *m* (-*s*) deficiency of blood, hyp(a)emia; **~orange** *f* blood orange; **~plasma** *n* blood plasma; **~probe** *f* blood test; *aufgenommene* ~ blood sample; **~rache** *f* blood revenge, vendetta; **~rausch** *m* bloodlust; **2reinigend** *adj.* purifying the blood, depurative; **~reinigungsmittel** *n* depurative; **2rot** *adj.* red as blood, blood red, (dark) crimson; **~rot** *physiol. n* h(a)emoglobin; **2rünstig** ['-rynstiç] *adj.* bloody; ~*e Geschichte* blood-curdling story; **~sauger** *m* blood-sucker, vampire; **~schande** *f* incest; **~schänder(in** *f*) *m* incestuous person; **2schänderisch** *adj.* incestuous; **~schuld** *f* (-) blood-guiltiness, murder; **~senkung** *f* blood sedimentation; **~senkungsgeschwindigkeit** *f* (blood-) sedimentation rate; **~serum** *n* blood serum; **~spender(in** *f*) *m* blood-donor; **~spucken** *n* (-*s*) spitting of blood, h(a)emoptysis; **~spur** *f* track (*or* mark) of blood; **~stauung** *f* vascular congestion; **~stein** *min. m* bloodstone, hematite; **2stillend** *adj.* blood-sta(u)nching, styptic; ~*es Mittel* styptic; **~stropfen** *m* drop of blood; **~sturz** *m* (violent) h(a)emorrhage; **2sverwandt** *adj.* related by blood (*mit* to), consanguineous; **~sverwandte(r** *m*) *f* blood-relation; *jur. der nächste* ~ next of kin; **~sverwandtschaft** *f* consanguinity, kinship; **~tat** *f* bloody deed, murder; **2triefend** *adj.* dripping with blood; **2überströmt** *adj.* bloody, covered with blood; **~übertragung** *f* blood transfusion; **~umlauf** *m* (-[e]s) circulation of the blood; **~ung** *f* (-; -*en*) h(a)emorrhage; **2unterlaufen** *adj.* bloodshot; **~untersuchung** *f* blood test; **~vergießen** *n* (-*s*) bloodshed; **~vergiftung** *f* blood-poisoning, sepsis; **~verlust** *m* loss of blood; **~wärme** *f* blood-heat; **~wasser** *n* lymph, serum; **~weg** *m* blood stream; *Verbreitung auf dem* ~ blood-spread; '**2'wenig** *adj.* wretchedly little, next to nothing; **~wurst** *f* black pudding; **~wurz** ['-vurts] *bot. f* (-) bloodwort; **~zeuge** *m* martyr; **~zoll** *m* toll; *e-n schweren* ~ *fordern* take a heavy toll (of lives); **~zucker** *med. m* blood sugar; **~zuckerspiegel** *m* blood-sugar level.

b-Moll *mus. n* B flat minor.

Bö [bø:] *f* (-; -*en*) squall, gust; *aer.* bump.

Boa ['bo:a] *f* (-; -*s*) boa.

Bob [bɔp] (*really*: '**~schlitten**) *m* (-*s*; -*s*) bob(sleigh), bobsled; ~ *fahren* bob; Zweier2 two-seater bob; '**~bahn** *f* bob(sleigh) run; '**~fahrer** *m* bobsleigh driver, bobsledder, bobber; '**~mannschaft** *f* bobsleigh team; '**~rennen** *n* bob race.

Bock [bɔk] *m* (-[e]s; ¨e) buck; ram; he-goat, billy-goat; *tech.* trestle, jack, stand, support; *gym.* buck (-horse); driver's seat, (coach-)box; *fig. alter* ~ old goat; *steifer* ~ clumsy fellow, gawk; ~ *springen* play (at) leap-frog; *e-n* ~ *schießen* commit a blunder *or* bloomer, *Am. a.* pull a boner; *den* ~ *zum Gärtner machen* set the fox to watch the geese; '**2beinig** ['-baınıç] *adj. fig.* stubborn (as a mule), pigheaded, mulish; '**~bier** *n* bock (beer).

Böckchen ['bœkçən] *n* kid.

bock|en ['bɔkən] *v/i.* (*h.*) *horse*: buck, prance; *fig.* be refractory, kick; sulk; *mot.* buck, conk; '**~ig** *adj.* stubborn, obstinate, pigheaded; sulky; *aer.* bumpy (*weather*); '**2leder** *n*, '**~ledern** *adj.* buckskin; '**2leiter** *f* step-ladder; '**2sattel** *m* hussar saddle; '**2sbart** *m* goat's beard (*a. bot.*); *of man*: goatee; '**2sbeutel** *m* flagon; '**2shorn** *n fig.*: *j-n ins* ~ *jagen* intimidate (*or* bully) a p.; frighten a p. out of his wits,

Am. a. throw a scare into a p.; '**♀springen** *n* (-*s*) leap-frog; '**♀sprung** *m gym.* buck-horse vaulting; *fig. Bocksprünge machen* caper, gambol.

Boden ['bo:dən] *m* (-*s*; ⸚) ground; *agr.* soil; *auf britischem* ~ on British soil; *Grund und* ~ landed property, real estate; *of sea, vessel*: bottom; *of car, room, etc.*: floor; garret, attic, loft; hay-loft; *ammunition*: base; *watch*: frame; *angeschwemmter* ~ alluvial deposits *pl.*; *doppelter* ~ false bottom; *mit flachem* ~ flat bottomed; *fester* ~ firm ground; *fruchtbarer* ~ fertile soil (*a. fig.*); (*festen*) ~ *fassen* get a (firm) footing; ~ *gewinnen* (*verlieren*) gain (lose) ground; *den* ~ *unter den Füßen verlieren* lose the ground under one's feet, *fig.* go beyond one's depth; *j-m* ~ *abgewinnen* gain ground (up)on a p.; *j-m den* ~ *unter den Füßen wegziehen* cut the ground from under a p.'s feet; *sich auf den* ~ *der Tatsachen stellen* take a realistic view, face the facts; *der* ~ *brennt ihm unter den Füßen* the place (*or* it) is getting too hot for him; *boxing*: *zu* ~ *gehen* go down; *zu* ~ *schlagen* (knock) down, *Am. a.* floor; *er war bis drei am* ~ he took count to three; *fig. zu* ~ *drücken* crush, overwhelm; *er bringt sie noch unter den* ~ he will be the death of her yet; → *stampfen*.

'**Boden...**: **~abstand** *mot. m* ground clearance; **~abwehr** *mil. f* ground defen|ce, *Am.* -se; **~angriff** *aer. m* ground attack *or* strafing; **~art** *f* soil type; **~auswaschung** *f* soil erosion; **~belag** *m* floor covering; **~beschaffenheit** *f* soil condition; condition of the ground; **~bewegung** *f arch.* earth work; *geol.* soil shifting; **~bö** *f* ground squall; **~/Bord-Verbindung** *aer. f* ground-to-aircraft communication; **~chemie** *f* agricultural chemistry; **~decke** *f* ground cover; *agr.* herbaceous soil-covering; **~erhebung** *f* rise, elevation; **~ertrag** *m* produce of the soil, crop yield; **~falte** *f* furrow, gully; **~fenster** *n* garret-window; dormer-window; **~fläche** *f* area, acreage; *of room, a. tech.* floor space; **~fräse** *agr. f* rotary hoe; **~freiheit** *mot. f* (-) ground clearance; **~frost** *m* ground frost; **~gestaltung** *f* topographical features *pl.*; **~haftung** *mot. f* ground adhesion; **~kammer** *f* garret, attic; **~kreditanstalt** *f* land mortgage bank, real estate credit institution; **~krume** *f* surface soil; **~kunde** *f* (-) soil science; **♀los** *adj.* bottomless; *fig. a.* enormous; indescribable, incredible; **~matte** *f* floor mat; **~nähe** *aer. f* zero altitude; **~nährstoff** *m* soil nutrient; **~nebel** *m* ground fog; **~organisation** *aer. f* ground organization; **~personal** *aer. n* ground personnel, *Am.* ground crew; **~platte** *mil. f of mortar*: base plate; **~raum** *m* attic, garret; **~reform** *f* agrarian reform; **~rente** *f* ground-rent; **~satz** *m* bottom settlings; grounds, dregs *pl.*; *chem.* (bottom) sediment; **~schätze** *m/pl.* treasures of the soil, mineral resources; **~see** *geogr. m* (-*s*) Lake Constance; **~sicht** *aer. f* ground visibility; **♀ständig** *adj.* native, rooted to the soil; permanent, static; *mil.* internal, home (*defence*); **~streitkräfte** *f/pl.* ground forces; **~turnen** *n gym.* mat-work; **~verbesserung** *agr. f* soil improvement.

Bodmerei [bo:dmə'raɪ] *econ. f* (-; -*en*) bottomry.

bog [bo:k] *pret. of biegen.*

Bogen ['bo:gən] *m* (-*s*; -) bow; *of river, etc.*: bend, curve; *ast., math.* arc; *arch.* arch, vault; *tech.* curvature; *of wood*: camber; *pipe*: bend; *skiing*: turn; *skating*: curve, circle; sheet (*of paper*); *of violin, a. weapon*: bow; *den* ~ *spannen* bend the bow; *fig. den* ~ *überspannen* go too far, overdo it; *e-n großen* ~ *um j-n machen* give a p. a wide berth, keep clear of a p.; *colloq. er hat den* ~ *raus* he has got the hang of it; *colloq. er spuckt große* ~ he talks big, he puts on airs; *er flog in hohem* ~ *hinaus* he was turned out on his ear; **~achter** *m* (-*s*; -) *skating*: curve (*or* circle) eight; **~anleger** *typ. m* (-*s*; -) layer-on; **~brücke** *f* arched bridge; **~fenster** *n* bow-window; **♀förmig** ['-fœrmiç] *adj.* arched; **~führung** *mus. f* (-) bowing (technique); **~gang** *arch. m* arcade; archway; **~gewölbe** *arch. n* (arched) vault; **~lampe** *f* arc-lamp; **~licht** *el. n* arc-light; **~linie** *f* circular line, curve; **~pfeiler** *arch. m* arched (*or* flying) buttress; **~säge** *f* bow-saw; **~schießen** *n* (-*s*) archery; **~schütze** *m* archer, bowman; **~sehne** *f* bow-string; **~strich** *mus. m* stroke of the bow; *w.s.* bowing; **~zirkel** *m* bow compasses *pl.*

Bohle ['bo:lə] *f* (-; -*n*) plank, (thick) board; '**♀n** *v/t.* (*h.*) line with planks, plank, board; '**~nbelag** *m* plank bottom, planking.

Böhm|e ['bø:mə] *m* (-*n*; -*n*), **~in** *f* (-; -*nen*) Bohemian; **♀isch** *adj.* Bohemian; *das sind mir* ~*e Dörfer* that's all Greek to me.

Bohne ['bo:nə] *f* (-; -*n*) bean; *grüne* ~*n pl.* French (*Am.* string-)beans; *weiße* ~*n pl.* haricot beans; *welsche* ~ kidney-bean; *Kaffee in* ~*n* unground coffee-beans; → *blau*; *keine* ~ *wert* not worth a straw; *nicht die* ~! not a word of it!, not in the least!; *er kümmert sich nicht die* ~ *darum* he doesn't care a rap for it; '**~nhülse** *f* bean pod; '**~nkaffee** *m* pure coffee; '**~ranke** *f* beanstalk; '**~nstange** *f*, '**~nstecken** ['-ʃtɛkən] *m* (-*s*; -) beanpole (*a. colloq. fig.*); *colloq. fig. sie ist die reinste Bohnenstange* she is as tall as a lamp-post; '**~nstroh** *n* bean straw; *colloq. fig. dumm wie* ~ infernally stupid; *grob wie* ~ very rude, gruff.

Bohner ['bo:nər] *m* (-*s*; -) floor-polisher; **~bürste** *f* polishing-brush; **~lappen** *m* rubbing-cloth; **~maschine** *f* floor conditioner; **♀n** *v/t.* (*h.*) polish, wax, rub; **~wachs** *n* floorpolish.

Bohr|arbeiten ['bo:r-] *tech. f/pl.* drilling work, drilling; '**~automat** *m* automatic boring (*or* drilling) machine; '**~bank** *f* (-; ⸚e) boring lathe; '**♀en** *v/t. and v/i.* (*h.*) drill; bore; bore (*wood*); sink, bore (*well*); drive (*tunnel*); *nach Öl* ~ prospect (*or* bore, drill) for oil; *mar. in den Grund* ~ sink, scuttle; pierce, dig (*in acc.* into); *in der Nase* ~ pick one's nose; *fig. eyes*: bore (*in acc.* into); bore, probe; press, pester, harass; *pain*: gnaw, rack; *hatred, etc.*: rankle; '**~er** *tech. m* (-*s*; -) borer, drill; auger; gimlet; piercer; terrier, ground auger; *med.* trepan, perforator; dentist's drill, burr; (*workman*) borer, drilling-machine worker; '**~erspitze** *f* drill bit; '**~futter** *n* (boring *or* drilling) jig; '**~gerät** *n* boring *or* drilling instrument (*or* tool); '**~käfer** *m* death-watch; '**~ladung** *f* blasting charge; '**~loch** *tech. n* drill-hole; bore-hole (*a. in wood*); *mining*: blast hole; '**~löffel** *m* scoop; '**~maschine** *f tech.* drilling (*or* boring) machine, drill; (dentist's) drill, dental engine; '**~schneide** *f* cutter, bit; '**~stahl** *m* (-[*e*]*s*) boring tool; '**~turm** *m* derrick; '**~ung** *f* (-; -*en*) boring, drilling; bore(-hole); (drilled) hole; diameter (of bore); *mot.* bore (*of cylinder*); calibre; '**~wurm** *m* wood fretter, ship's worm.

bö-ig ['bø:iç] *adj.* squally, gusty; *aer.* bumpy.

Boiler ['bɔʏlər] *m* (-*s*; -) *tech.* boiler; *household*: **a**) boiler, **b**) waterheater.

Boje ['bo:jə] *f* (-; -*n*) buoy.

Böller ['bœlər] *m* (-*s*; -) small mortar, saluting gun.

Bollwerk ['bɔl-] *n mil.* bastion, (*a. fig.*) bulwark; *mar.* mole.

Bolschewis|mus [bɔlʃe'vismus] *m* (-) Bolshevism; **~t(in** *f*) *m* (-*en*, -*en*; -, -*nen*) Bolshevist; **♀tisch** *adj.* Bolshevist(ic).

Bolzen ['bɔltsən] *m* (-*s*; -) bolt, dart; *tech.* bolt, pin; pivot; screw-bolt; *arch.* dowel, peg, pin; *mining*: prop; *mit* ~ *befestigen* bolt (*an dat.* to); '**♀ge'rade** *adj.* bolt upright.

Bombardement [bɔmbardə'mã:] *n* (-*s*; -*s*) bombardment (*a. phys.*); bombing; shelling.

bombardieren *v/t.* [-'di:rən] *v/t.* (*h.*) bomb; shell, (*a. fig. u. phys.*) bombard; *colloq.* plaster.

Bombast [bɔm'bast] *m* (-*es*) bombast, inflated style; **♀isch** *adj.* bombastic, pompous, inflated.

Bombe ['bɔmbə] *f* (-; -*n*) bomb; time bomb; ~*n abwerfen* drop bombs (*auf acc.* on); *mit* ~*n belegen* bomb; *fig.*: *es schlug wie eine* ~ *ein* it fell like a bombshell; *soccer*: cannon ball.

'**Bomben...**: **~abwurf** *m* bombing, bomb release; *gezielter* ~ precision (*or* pinpoint) bombing; **~abwurfvorrichtung** *f* bomb release gear; **~angriff** *m* bomb-raid; *on town*: *a.* blitz; **~anschlag** *m*, **~attentat** *n* bomb attempt (*or* outrage); **♀beschädigt** *adj.* bomb-damaged; **~erfolg** *colloq. m* huge (*or* howling) success, *sl.* smash hit; **~flugzeug** *n* bombing plane, bomber; → *Bomber*; **~geschädigte(r** *m*) *f* sufferer from bomb-damage; **~geschäft** *colloq. n* roaring trade; gold mine; **~geschwader** *n* bomber group (*Am.* wing); **~reihe** *f* bomb train; **~sache** *colloq. f* stunner, *Am.* knockout, humdinger; **~schacht** *m* bomb-bay; **~schaden** *m* bomb-damage; **~schütze** *m* bombardier; **2sicher** *adj.* bomb-proof; *colloq. fig.* dead sure, *Am.* sure-fire; **~splitter** *m* bomb splinter; **~teppich** *m* bomb carpet; **~teppichwurf** *m* carpet (*or* pattern) bombing; **~trichter** *n* bomb crater; **~visier** *n* bomb-sight; **~wurf** *m* bombing, bomb release; *gezielter ~* precision bombing; **~zielgerät** *n* bomb-sight.

Bomber ['bɔmbər] *aer. m* (-s; -) bomber; *leichter (mittlerer, schwerer) ~* light (medium, heavy) bomber; **~flotte** *f* bomber force; **~geschwader** *n* bomber group (*Am.* wing); **~gruppe** *f* bomber wing (*Am.* group); **~staffel** *f* bomber squadron; **~verband** *m* bomber formation.

Bon [bɔŋ] *econ. m* (-s; -s) coupon; voucher; credit note.

Bonbon [bɔŋ'bɔŋ] *m (n)* (-s; -s) bonbon, sweet(meat), goody, *Am.* (hard) candy; **~laden** *m* sweet-shop, *Am.* candy-store.

Bonbonniere [bɔŋbɔni'ɛːrə] *f* (-; -*n*) sweetmeat box.

Bonifikation [bonifikatsi'oːn] *econ. f* (-; -*en*) compensation, allowance; *on securities*: bonus.

Bonität [boni'tɛːt] *f* (-) *econ.* **a**) credit, solvency, soundness, **b**) *of goods*: (superior) quality; *agr.* yield power; security; intrinsic value.

Bonus ['boːnus] *econ. m* (-; -) bonus, premium; extra dividend, *Am. sl.* melon.

Bonze ['bɔntsə] *colloq. m* (-*n*; -*n*) bigwig, big bug, big shot; *pol.* (party-)boss; **~ntum** *n* (-s) bossdom.

Boot [boːt] *n* (-[e]s; -e) boat; *flaches ~* punt; *großes ~* launch, long-boat; *leichtes ~* gig; barge; *ein ~ voll Heringe* a boat-load of herring; *ein ~ aussetzen* lower a boat; *sports*: *das ~ führen* cox the boat.

'**Boots...**: **~bau** *m* (-[e]s; -*ten*) boat-building; **~besatzung** *f* crew; **~fahrt** *f* boating; **~führer** *m sports*: coxswain; **~haken** *m* boat-hook; **~haus** *n* boat-house; **~länge** *f* boat-length; **~leine** *f* tow-rope; **~maat** *m* boatswain's mate; **~mann** *m* (-[e]s; -*leute*) boatswain, *mil.* Petty Officer; **~rennen** *n* boat-race; **~steg** *m* landing stage; **~werft** *f* boat yard, boat builders *pl.*

Bor [boːr] *chem. n* (-s) boron.

Borax ['boːraks] *chem. m* (-es) borax; '**~säure** *f* bor(ac)ic acid.

Bord[1] [bɔrt] *n* (-[e]s; -e) *for books*: shelf; **~**[2] *m* (-[e]s; -e) border, edge, rim; *aer., mar.* board; *an ~* on board (ship), aboard; *an ~ der* „*United States*“ on board the "United States"; *econ. frei an ~* free on board (*abbr.* f.o.b.); *an ~ bringen* take on board, ship; *an ~ gehen* go on board (*or* aboard), board a ship, embark; *an ~ nehmen* take aboard (*or* in); *~ an ~ liegen* lie alongside; *über ~ gehen* go by the board; *über ~ werfen* throw overboard (*a. fig.*); jettison; *Mann über ~!* man overboard!; **~anlagen** *mil. f/pl.* airborne equipment; **~buch** *aer., mar. n* log book.

Bordell [bɔr'dɛl] *n* (-s; -e) brothel; **~viertel** *n* red-light district.

bördel|n ['bœrdəln] *tech. v/t.* (*h.*) flange, border; **2presse** *f* flanging press; **2schweißung** *f* double-flanged butt weld.

'**Bord...**: **~flugzeug** *n* ship-borne aircraft, ship-plane; **~funker** *aer., mar. m* wireless (*Am.* radio) operator; **~kanone** *aer. f* aircraft cannon; **~/-Land-Verbindung** *f* ship-to-shore communication; **~monteur** *aer. m* aircraft (*Am.* flight) mechanic; **~personal** *n* air-crew; **~radar** *aer. n* airborne radar; **~schütze** *m* (air)gunner; **~schwelle** *f*, **~stein** *m* kerb(stone), *Am.* curb (-stone); **~steinfühler** *mot. m* kerb (*Am.* curb) feeler.

Bordüre [bɔr'dyːrə] *f* (-; -*n*) trimming, edging; *of book*: border.

'**Bord...**: **~verständigungsanlage** *aer. f* intercom(munication system); **~waffen** *f/pl.* aircraft weapons; tank armament; *Erdziele mit ~ beschießen* strafe; **~wand** *mar. f* ship's side; **~wart** *m* flight engineer; **~werkzeuge** *aer., mot. n/pl.* tool kit.

Borg [bɔrk] *m*: *auf ~* on credit, *sl.* on tick; **2en** ['-gən] *v/t.* (*h.*) take on credit; *et. von j-m ~* borrow a th. of (*or* from) a p.; *j-m et. ~* lend, advance (*Am. a.* loan) a th. to a p. *or* a p. a th.

Bork|e ['bɔrkə] *f* (-; -*n*) bark, rind; crust; *med.* scab; **~enflechte** *med. f* ringworm; **~enkäfer** *m* bark-beetle; **2ig** *adj.* barky; *med.* scabby.

Born [bɔrn] *poet. m* (-[e]s; -e) spring, well, *fig. a.* fountain (*of life, etc.*); salt-well.

borniert [bɔr'niːrt] *adj.* narrow-minded, ignorant, dense; **2heit** *f* (-; -*en*) narrow-mindedness; denseness.

'**Bor...**: **~salbe** *f* (-) borax ointment; **~säure** *f* boric acid.

Börse ['bœrzə] *f* (-; -*n*) purse; *econ.* stock exchange, Exchange; money-market; *an der ~ notierte Aktien* shares officially quoted on Stock Exchange, *Am.* listed stocks; *an der ~ gehandelt werden* be dealt in on the (Stock) Exchange.

'**Börsen...**: **~bericht** *m* Exchange (*or* market) report; *in newspaper*: City article *or* news; **~blatt** *n* financial newspaper; financial section; **~drucker** *m* (quotation) ticker; **2fähig** *adj.* admitted to the (Stock) Exchange, *Am.* listed; negotiable, marketable; **2gängig** *adj.* quoted on (Stock) Exchange; *~es Wertpapier* stock exchange security; **~geschäft** *n* (Stock) Exchange transaction (*or* operation), bargain; **~index** *m* stock-price averages *pl.*; **~krach** *m* collapse *or* crash (of the stock market); **~kurs** *m* Exchange rate, market price; **~makler** *m* stock-broker; **~manöver** *n* market-rigging, *Am.* campaign; **2mäßig** *adj.* in conformity with (Stock) Exchange rules; customary on (Stock) Exchange; **~notierung** *f* quotation; **~ordnung** *f* (Stock) Exchange regulations *pl.*; **~papiere** *n/pl.* Stock Exchange securities, *Am.* listed securities; stocks; **~preis** *m* → *Börsenkurs*; **~schluß** *m* close of the Exchange; trading unit, full lot; **~spekulant** *m* stock-jobber; **~spiel** *n* stock-jobbing; **~telegraph** *m* → *Börsendrucker*; **~termingeschäft** *n* trading in futures (on Stock Exchange), forward operation; **~vorstand** *m* governing committee (of a stock exchange); **~zeitung** *f* financial paper; **~zettel** *m* stock-list, market report.

Borst|e ['bɔrstə] *f* (-; -*n*) bristle; *bot.* seta; fissure, crack; '**2enartig** *adj.* bristly, *bot.* setaceous; '**~enbesen** *m* hair-broom; '**~enpinsel** *m* bristle brush; '**~envieh** *n* swine, pig(s *pl.*); '**2ig** *adj.* bristly; *fig.* surly, gruff; *~ werden* bristle, fire up.

Borte ['bɔrtə] *f* (-; -*n*) border; braid, lace; galloon; *mit ~n besetzt* braided, gallooned.

bös [bøːs] *adj.* → *böse*; '**~artig** *adj.* ill-natured, malicious, *Am. a.* ugly, mean; venomous; *animal*: vicious; *med.* malignant, virulent; '**2artigkeit** *f* (-) ill-nature, malevolence, viciousness; *med.* malignity.

Böschung ['bœʃuŋ] *f* (-; -*en*) slope, bank; embankment; *mil.* scarp, escarpment; **~swinkel** *m* angle of slope, gradient.

böse ['bøːzə] *adj. generally*: bad; evil, wicked; malevolent, malicious, spiteful; pernicious, hurtful; bad, naughty, mischievous; angry, cross, *Am.* mad (*über et.* at, about; *auf acc.* with); malignant (*disease*), sore (*finger, tooth, throat, etc.*); *~ Erkältung* bad cold; *~r Fehler* bad mistake; *~ Folgen* dire consequences; *e-e ~ Sache* a bad (*or* nasty) business; → *Blick, Blut, Geist, etc.*; *es sieht ~ aus* things look bad; *er ist ~ dran* he is in a bad way; *sind Sie mir ~, wenn?* do you mind if?; *ich habe es nicht ~ gemeint* I meant no harm; **2(r** *m*) *f* (-*n*, -*n*; -*n*, -*n*) bad (*or* wicked) person, evil-doer; *die ~n pl.* the wicked; *der ~* the Evil One, the foul fiend; **2(s)** *n* (-*n*) evil; mischief; *~s tun* do evil (*or* ill); *j-m et. ~s antun* do a p. harm; *~s ahnen* have dark forbodings (*or* misgivings); *~s im Sinne haben* have evil intentions, be up to (some) mischief; *~s reden über* (*acc.*) speak ill of; *~s mit Gutem vergelten* return good for evil; **2wicht** *m* (-[e]s; -e[r]) villain, rascal, rogue (*all a. fig., iro.*).

'**bos|haft** *adj.* malicious; mischievous; gloating; spiteful, vicious; **2haftigkeit, 2heit** *f* (-; -*en*) malice, malignity, wickedness; spite; naughty trick; *aus ~* out of spite.

Bosn|ien ['bɔsniən] *n* (-s) Bosnia; '**~ier(in** *f*) *m* (-s, -; -, -*nen*), '**2isch** *adj.* Bosniac, Bosnian.

bossieren [bɔ'siːrən] *tech. v/t.* (*h.*) emboss.

'**böswillig I.** *adj.* malevolent; *jur.* malicious, wilful; *~e Absicht* malice

prepense; ~es *Verlassen* wilful desertion; **II.** *adv. jur.* with malice aforethought, wilfully; **2keit** *f* (-) malevolence, ill-will.
bot [bo:t] *pret. von bieten.*
Botan|ik [bo'ta:nik] *f* (-) botany; **~iker** *m* (-s; -) botanist; **2isch** *adj.* botanical.
botanisier|en [-ni'zi:rən] *v/t.* (*h.*) botanize; **2trommel** *f* vasculum.
Bote ['bo:tə] *m* (-*n*; -*n*) messenger; errand-boy; commissionaire; carrier; *geheimer* ~ emissary; courier, express; *fig.* envoy; apostle; herald; *durch* ~*n*! By Bearer!; '**~ngang** *m* errand; *Botengänge machen* run errands; '**~nlohn** *m* messenger's fee; porterage; '**~nzustellung** *f* delivery by messenger.
'**botmäßig** *adj.* subject; obedient; **2keit** *f* (-; -*en*) dominion, jurisdiction; rule, sway; *unter s-e* ~ *bringen* bring under one's sway.
'**Botschaft** *f* (-; -*en*) message (*a. fig.*), communication (*an acc.* to); news; *frohe* ~ glad tidings, good news; *eccl. die frohe* ~ the Word of God, the Gospel; intelligence; errand, mission; *pol.* embassy; *e-e* ~ *übermitteln* deliver a message; **~er**(**in** *f*) *m* (-s, -; -, -*nen*) ambassa|dor (-dress *f*); **~srat** *m* (-[e]s; ⸚e) council(l)or of Embassy.
Böttcher ['bœtçər] *m* (-s; -) cooper.
Böttcherei [-'raı] *f* (-; -*en*) cooper's workshop; cooper's trade.
Bottich ['bɔtiç] *m* (-[e]s; -e) tub, vat.
Bouillon [bul'jɔ̃:] *f* (-; -s) broth, beef-tea; **~würfel** *m* beef-tea cube.
Bowdenzug ['baudən-] *tech. m* bowden wire.
Bowle ['bo:lə] *f* (-; -*n*) bowl, tureen; (*drink*) (claret-, champagne-)cup.
Box [bɔks] *f* (-; -*en*) **1.** (*a.* **~e**) *for horses*: box; *for racing car*: pit; **2.** *phot.* box camera.
boxen ['bɔksən] *v/i.* (*h.*) (*and sich* ~) box, (have a) fight; spar.
'**Boxen** *n* (-s) boxing; pugilism.
'**Boxer** (-s; -) *m* boxer, fighter; → *Berufsboxer*; *zo.* boxer (dog); **2isch** *adj.* boxing, pugilistic; **~motor** *m* opposed cylinder-type engine.
'**Box...**: **~handschuh** *m* boxing-glove; **~kampf** *m* box(ing) match, fight, bout; **~kunst** *f* (-) art of boxing; **~ring** *m* ring; **~sport** *m* boxing; **~stellung** *f* boxing stance.
Boykott [bɔy'kɔt] *m* (-[e]s; -e), **boykot'tieren** *v/t.* (*h.*) boycott.
brabbeln ['brabəln] *v/i.* (*h.*) babble; mumble.
brach¹ [bra:x] *pret. von brechen.*
'**brach²** *agr. adj.* fallow, uncultivated (*both a. fig.*); ~ *legen* lay fallow; ~*liegen* lie fallow, *fig.* lie idle, run to waste; et. ~*liegen lassen* neglect a th., let a th. go to waste; **2acker** *m*, **2feld** *n* fallow (land); **2e** *f* (-; -*n*) fallow(ness); *fig.* idleness, stagnant state.
Brachialgewalt [braxi'a:l-] *f* (-) (*mit* ~ by) main force.
'**Brach...**: **~land** *n* fallow (land); **~monat** *m* June; **~schnepfe** *f*, **~vogel** *m* curlew.
brachte ['braxtə] *pret. of bringen.*
Brack [brak] *econ. n* (-[e]s; -e) refuse.
Bracke ['brakə] *m* (-*n*; -*n*) spaniel, hound, pointer.
'**brack|ig** *adj.* brackish; **2vieh** *n* cast-off cattle; **2wasser** *n* brackish water.
Brahman|e [bra'ma:nə] *m* (-*n*; -*n*), **2isch** *adj.* Brahman; **~entum** *n* (-s) Brahmanism.
Braille-Alphabet ['bra:j-] *n* (-[e]s) Braille system.
bramarbasieren [bramarba'zi:rən] *v/i.* (*h.*) brag, swagger, bluster.
Bramsegel ['bra:m-] *n* topgallant sail.
Branche ['brã:ʃə] *econ. f* (-; -*n*) branch, line, trade, industry; '**2nbedingt** *adj.* due to conditions in the particular trade; '**~nkenntnis** *f* knowledge of the trade; '**2(n)kundig** *adj.* experienced in the trade; '**2n-üblich** *adj.* usual in the industry concerned; '**~nverzeichnis** *n teleph.* classified directory.
Brand [brant] *m* (-[e]s; ⸚e) burning, combustion; fire, conflagration; blaze; *tech.* batch; *ceramics*: *a.* baking; *surgery*: cauterization; *med.* gangrene, (*kalter* ~) mortification; *of bones*: necrosis; *agr., bot.* blight, mildew, smut; scorching heat; *colloq.* parched throat, thirst; *fig.* ardo(u)r, burning passion; *in* ~ on fire, in flames, ablaze; *in* ~ *geraten* catch fire; et. *in* ~ *stecken* set a th. on fire, set fire to a th., ignite, kindle a th; light (*cigarette*); '**~bekämpfung** *f* fire fighting; '**~binde** *f* bandage (for burns); '**~blase** *f* blister; '**~bombe** *f* incendiary bomb; '**~brief** *m* threatening letter; *w.s.* urgent letter; begging-letter; '**~direktor** *m* fire-brigade superintendent, *Am.* fireward(en); '**2en** *v/i.* (*h.*) surge (*a. fig.*), break (*gegen* against); '**~er** *mar. m* (-s; -) fire-ship; '**~fackel** *f* incendiary torch, firebrand; *fig.* torch of war; '**~fäule** *agr. f* brown rot; '**2fest** *adj.* fire-proof; '**~flasche** *mil. f* incendiary bottle; Molotov cocktail; '**~flekk(en)** *m* burn; *med.* gangrenous spot; '**~fuchs** *m* sorrel (horse); '**~geruch** *m* burnt smell; '**~gold** *n* refined gold; '**~granate** *f* incendiary shell; '**2ig** *adj. agr., bot.* blighted, blasted, rusty; *med.* gangrenous; ~ *riechen* (*schmecken*) have a burnt smell (taste); '**~kasse** *f* fire(-insurance) office; '**~mal** *n* (-[e]s; -e) brand; *fig.* stigma; **~male'rei** *f* poker-work, pyrography; '**2marken** *v/t.* (*h.*) brand; *fig. a.* stigmatize, denounce; '**~markung** *fig. f* (-; -*en*) branding, stigmatization; denouncement; **~mauer** *f* fire-proof wall, partition wall; '**~meister** *m* fire chief; '**~opfer** *n* burnt-offering; '**~pilz** *bot. m* smut fungus; '**~rede** *f* inflammatory speech; '**~salbe** *f* anti-burn ointment; '**~schaden** *m* damage caused by fire; '**2schatzen** ['-ʃatzən] *v/t. and v/i.* (*h.*) lay under contribution; sack, pillage; '**~schatzung** *f* (-; -*en*) (war-)contribution; pillage, ravage; '**~schiefer** *m* bituminous shale; '**~schiff** *n* → *Brander*; '**~sohle** *f* insole; '**~silber** *n* refined silver; '**~stätte,** '**~stelle** *f* scene of fire; '**~stifter**(**in** *f*) *m* incendiary, *jur.* arsonist; *Am. colloq.* firebug; '**~stiftung** *f* arson; '**~tür** *f* fireproof door.
Brandung ['-duŋ] *f* (-; -*en*) surf, surge, breakers *pl.*; '**~sboot** *n* surf boat; '**~swelle** *f* breaker, surging billow.
'**Brand...**: **~wache** *f* fire-watch; **~wunde** *f* burn; scald; **~zeichen** *n* brand.
brannte ['brantə] *pret. von brennen.*
Branntwein ['brant-] *m* brandy, spirits *pl.*; '**~brenner** *m* distiller; **~brenne'rei** *f* distillery.
Brasil [bra'zi:l] *f* (-; -) Brazil cigar.
Brasilian|er [brazili'a:nər] *m* (-s; -), **~erin** *f* (-; -*nen*), **2isch, bra'silisch** *adj.* Brazilian.
Brasilien [-'zi:liən] *n* (-s) Brazil.
Brasse ['brasə] *mar. f* (-; -*n*) brace; '**2n** *v/t.* (*h.*) brace.
'**Brassen** *ichth. m* (-; -) bream.
Brat-apfel *m* ['bra:t-] baked apple.
'**braten** *v/t. and v/i.* (*irr., h.*) roast, frizzle; *im Ofen*: bake; grill, broil; fry; *am Spieß* ~ roast on a spit, barbecue; (*zu*) *wenig* (*stark*) *gebraten* underdone (overdone); *gut* (*durch*)*gebraten* well done; *colloq.* (*v/i.*) roast (*in the sun*).
'**Braten¹** *n* (-s) roasting.
'**Braten²** *m* (-s; -) roast (meat); joint; *Gänse2* roast goose; *Kalbs2* roast veal; *fig. fetter* ~ fat morsel; worthwile catch; *den* ~ *riechen* smell a rat, get wind of it; **~fett** *n* dripping; **~rock** *m* frock-coat; **~schüssel** *f* meat dish; **~soße** *f* gravy; **~wender** *m* (-s; -) roasting jack.
'**Brat...**: **~fisch** *m* fried fish; **~hering** *m* grilled herring; **~huhn** *n* roaster, broiler; **~kartoffeln** *f/pl.* fried potatoes; **~ofen** *m* (kitchen) oven; **~pfanne** *f* frying-pan; **~röhre** *f* → *Bratofen*; **~rost** *m* gridiron, grill.
Bratsche ['bra:tʃə] *mus. f* (-; -*n*) viola; '**~r** *m* (-s; -) violist.
'**Brat...**: **~spieß** *m* spit; **~spill** *mar. n* windlass; **~wurst** *f* frying sausage; fried sausage.
Bräu [brɔy] *n* (-[e]s; -e) brew; brewery.
Braubottich ['brau-] *m* (brewing-)-vat.
Brauch [braux] *m* (-[e]s; ⸚e) custom; use, habit; practice; *esp. econ.* usage; *herkömmlicher* ~ tradition; *es ist* ~ *zu inf.* it is the custom to *inf.*
'**brauchbar** *adj.* useful; *person*: *a.* able, efficient, reliable; *things*: *a.* serviceable, handy, *tech.* workable (*machine, method, plan*); **2keit** *f* (-) usefulness; fitness; serviceability.
brauchen ['brauxən] *v/t.* (*h.*) be in want (*or* need) of, want, need; require, take (*time, etc.*); use, make use of; → *gebrauchen, verbrauchen*; *wozu brauchst du einen Schirm?* what do you want with an umbrella?; *wir* ~ *es nicht länger* we have no use for it any more; we have done with it; we can do without it now; *Sie* ~ *drei Tage dazu* it will take you three days; *wie lange wird er* ~? how long will he take (*or* will it take him)?; *du brauchst* (*es*) *mir nicht zu sagen* you need not tell me; *er brauchte nicht zu kommen* he did not have to come; *er hätte nicht zu kommen* ~ he need not have come.
'**Brauch|tum** *n* (-s; ⸚er) customs

pl.; folklore; 2**tümlich** *adj.* customary, traditional.

Braue ['brauə] *f* (-; -*n*) eyebrow.

'**brau|en I.** *v/t.* (*h.*) brew; *fig.* brew, concoct, hatch; **II.** *v/i.* (*h.*) *fig. mischief, etc.*: brew, gather; 2**er** *m* (-*s*; -) brewer; 2**e'rei** *f* (-; -*en*) brewery; 2**gerste** *f* brewing barley; 2**haus** *n* brewery; 2**kessel** *m* coop; 2**malz** *n* brewing malt; 2**meister** *m* master brewer.

braun [braun] *adj.* brown; tan, tawny; *from the sun*: *a.* tanned, bronze; ~*e Butter* fried butter; ~*es Mädchen* dark(-complexioned) girl, brunette; ~*es Pferd* bay; ~*e Schuhe* tan shoes; ~ *braten* brown up; ~ *werden* brown, get brown; *person*: *a.* become sunburnt, get tanned (*or* a tan); '2(**e**) *n* (-*n*) brown; ~**äugig** ['-ɔʏgiç] *adj.* brown-eyed; '2**bär** *m* brown bear; '~**beizen** *v/t.* (*h.*) brown; '2**e**(**r**) *m* (-*n*; -*n*) bay (horse).

Bräune ['brɔʏnə] *f* (-) brownness; *med.* quinsy, angina; *häutige* ~ croup.

'**Braun-eisen|erz** *n* (-*es*), ~**stein** *m* (-[*e*]*s*) brown iron ore, limonite.

'**bräunen I.** *v/i.* (*sn*) (*a. sich* ~) grow (*or* become, turn) brown; *skin*: *a.* become sunburnt *or* bronzed, get a tan; **II.** *v/t.* (*h.*) brown (*a. cul.*, *dying*); *metall.* brown, burnish; burn (*sugar*); tan, bronze (*person*, *skin*).

'**braun...**: ~**gelb** *adj.* yellowish brown, tan; ~**haarig** *adj.* brown-haired; 2**holz** *n* brazilwood; 2**kohl** *m* broccoli; 2**kohle** *f* brown (*Am.* soft) coal, lignite; *bituminose* ~ bituminous lignite; 2**kohlenschwelung** *f* lignite (low temperature) carbonization.

bräunlich ['brɔʏnliç] *adj.* brownish, tawny.

Braunsche Röhre ['braunʃə] *tech. f* cathode-ray tube.

Braunschweig ['-ʃvaɪk] *n* (-*s*) Brunswick.

'**Braunstein** *min. m* mangane (ore).

Braus [braus] *m* → *Saus.*

Brause ['-zə] *f* rose, sprinkling nozzle; fizzy lemonade, pop; *a.* '~**bad** *n* shower(-bath), douche; '~**kabine** *f* shower cabinet; '~**kopf** *m* spray head; *fig.* hothead, hotspur; '~**limonade** *f* fizzy lemonade, pop.

'**brausen I.** *v/i.* (*h.*) roar, bluster; boom, hum, buzz; *organ*: peal; rush, sweep; rage, storm; fizz, foam; *chem.* effervesce; ferment; (*a. sich* ~) douche, take a shower-bath; *fig. feelings*: surge; *blood*: boil; *die Ohren* ~ *mir* I have a buzzing in my ears; **II.** *v/t.* (*h.*) spray; shower; 2 *n* (-*s*) roar(ing), raging; *chem.* effervescence; surge; ~**d** *adj.* roaring, boisterous; humming; *chem.* effervescent; ~*er Beifall* thunders of applause, ringing cheers *pl.*; ~*e Jugend* impetuous youth.

'**Brause...**: ~**pulver** *n* sherbet powder; ~**salz** *n* effervescent salt; ~**würfel** *m* effervescent tablet, sparklet.

Braut [braut] *f* (-; ⸚*e*) fiancée, bride-to-be, (*my, etc.*) betrothed; *on wedding-day*: bride; *sie ist s-e* ~ she is engaged to him; '~**ausstattung** *f* trousseau; '~**bett** *n* bridal bed; '~**führer** *m* best man.

Bräutigam ['brɔʏtigam] *m* (-*s*; -*e*) fiancé, betrothed; *on wedding-day*: bridegroom, *Am. a.* groom.

'**Braut...**: ~**jungfer** *f* bridesmaid; ~**kleid** *n* wedding-dress; ~**kranz** *m* bridal garland; ~**leute** *pl.* → *Brautpaar.*

bräutlich ['brɔʏtliç] *adj.* bridal.

'**Braut...**: ~**nacht** *f* wedding-night; ~**paar** *n* engaged couple, *on wedding-day*: bride and bridegroom, bridal pair; ~**schatz** *m* dowry; ~**schau** *f*: *auf die* ~ *gehen* look out for a wife; ~**schleier** *m* bridal veil; ~**vater** *m* the bride's father; *den* ~ *machen* give the bride away; ~**zug** *m* bridal procession.

brav [bra:f] *adj.* honest, upright, worthy; brave; good, well-behaved; ~ *gemacht!* well done!, good work!; *sei* ~ *und geh zu Bett!* go to bed like a good boy!; '2**heit** *f* (-) honesty, uprightness; good behavio(u)r.

bravo! ['bra:vo] *int.* bravo!; cheers!; well done!, *Am. colloq.* attaboy!; 2**rufen** *n* (-*s*) shouts *pl.* of bravo, cheers *pl.*

Bravour [bra'vu:r] *f* (-) bravado; dash; *mit* ~ brilliantly, elegantly; ~**arie** *mus. f* bravura-aria; ~**stück** *n* feat of daring, stunt; *mus.* bravura.

brech|bar ['brɛçba:r] *adj.* breakable; *opt.* refrangible; '2**bohnen** *f/pl.* broken French beans; '2**durchfall** *med. m* (-[*e*]*s*) diarrh(o)ea with vomiting, summer-cholera; '2**eisen** *tech. n* crowbar.

'**brechen I.** *v/t.* (*irr.*, *h.*) *generally*: break (*a. fig. ice, oath, record, silence, spell, will*); crack, snap; rupture; smash (to pieces); crush; (*med.*, *a. sich* ~) vomit; pluck, pick (*flowers, etc.*); beat (*flax*); fold, crease (*paper*); break, quarry (*stones*); refract (*ray of light*); *fig. die Ehe* ~ commit adultery; break, violate (*contract, law*); run (*a blockade*); break, crush (*resistance*); *es brach ihr das Herz* it broke her heart; → *Genick*; *sich* ~ break; *med.* be sick; *opt.* be refracted; *sich den Arm* ~ break one's arm; → *Bahn, Flasche, Knie, Stab, etc.*; **II.** *v/i.* (*irr.*, *sn*) break (*a. cold, resistance, voice, etc.*); fracture, snap; abate; break down, collapse; burst (forth); *tears, etc.*: gush (*aus* from); *eyes*: grow dim; *mit j-m* ~ break with a p., sever one's connection with a p.; *boxing*: ~! break!; → *gebrochen.*

'**Brechen** *n* (-*s*) breaking; *opt.* refraction; *med.* vomiting; breach, violation (*of contract, one's word*); *zum* ~ *voll* cram-full, jammed; → *Bruch.*

'**Brecher** *m* (-*s*; -) *tech.* crusher, breaker; *mining*: grinding mill; *mar.* (*wave*) breaker.

'**Brech...**: ~**koks** *m* crushed coke; ~**mittel** *n med.* emetic; *colloq. fig.* pest; ~**nuß** *f* vomit-nut; ~**reiz** *m* (-*es*) nausea; retching; ~**ruhr** *f* → ~*durchfall*; ~**stange** *f* crowbar.

'**Brechung** *f* (-; -*en*) breaking; *opt.* refraction; *gr.* fracture (of vowels); ~**s-ebene** *f* plane of refraction; ~**s-winkel** *m* angle of refraction; ~**s-zahl** *f* refractive index.

Brei [braɪ] *m* (-[*e*]*s*; -*e*) *for children*: pap; porridge; *Am.* mush; paste; mash; pulp, squash; *tech.* (*paper*) pulp; *zu* ~ *machen* mash, pulp, squash; *zu* ~ *kochen* cook to a pulp; *colloq. zu* ~ *schlagen* beat *a p.* to a pulp; → *Katze, Koch*; '2**ig** *adj.* pasty, pulpy.

breit [braɪt] *adj.* broad, (*a. tech.*) wide; square (*chin, shoulders*); large, vast, spacious; *zwei Zoll* ~ two inches wide (*or* in width); *fig.* diffuse, long-winded; ~*er Akzent* broad accent; ~*es Grinsen* broad grin; *die* ~*e Masse* the populace, the masses *pl.*; *ein* ~*es Publikum* a wide public; → *Rücken, breitmachen, breittreten*; '2**band** *n radio*: wide-band; '~**beinig** *adj.* straddle-legged; *adv. a.* squarely; ~ *stehen auf* straddle *a th.*; ~ *gehen* straddle; '~**drücken** *v/t.* (*h.*) flatten *or* spread (out).

'**Breite** *f* (-; -*n*) breadth, width; spaciousness; *ast.*, *geogr.* latitude; *tech.* width (*of machine, material*); *Arbeits*2 working width; *rail.* ga(u)ge; *mar.* beam; *fig.* breath, wideness, extent; diffuseness, verbosity; *in die* ~ *gehen* grow broader, get stout; *fig.* be diffuse (*or* long-winded), ramble; ~**nfeuer** *mil. n* traversing fire; ~**ngrad** *m* (degree of) latitude; ~**nkreis** *m* parallel (of latitude).

'**breit...**: ~**füßig** *adj.* broad-footed; 2**hacke** *f* mattock; ~**hüftig** *adj.* broad-hipped; ~**krempig** *adj.* broad-brimmed; 2**leinwand** *f film*: wide screen; ~**machen**: *sich* ~ spread o.s. out; *fig.* obtrude o.s., do as if one owned the place, *Am.* throw one's weight around; ~**randig** *adj.* broad-brimmed (*hat*); *book* with wide margins; ~**schlagen** *colloq. v/t.* (*irr.*, *h.*): *j-n* ~ talk (*or* bring) a p. round; *zu et.*: talk a p. into a th.; *sich* ~ *lassen* let o.s. be talked (*zu* into *ger.*), come round; ~**schult**(**e**)**rig** *adj.* broad-shouldered; 2**schwanz** *m* (*fur*) broadtail; 2**seite** *mar. f* broadside; ~**spurig** *adj. rail.* broad ga(u)ge; *skiing*: broad-track; *fig.* arrogant, swaggering, bumptious; 2**spurigkeit** *f* (-) arrogance, bumptiousness; ~**treten** *fig. v/t.* (*irr.*, *h.*) expatiate (*or* enlarge, dwell) on; 2**wand** *f film*: wide screen.

'**Brei-umschlag** *m* poultice.

Brems|anlage *f* ['brɛms-] brake system; '~**ausgleich** *m* brake compensator; '~**backe** *f* brake shoe; '~**band** *n* brake band; '~**belag** *m* brake lining; *den* ~ *erneuern* reline the brakes; '~**dauer** *f* braking period.

Bremse[1] ['brɛmzə] *zo. f* (-; -*n*) gadfly; horse-fly.

'**Bremse**[2] *f* (-; -*n*) brake; *vet.* barnacles *pl.*; *die* ~ *betätigen* (*ziehen*) apply the brake(s *pl.*), put on the brake.

'**bremsen I.** *v/t.* (*h.*) brake; *fig. a.* retard; check, curb; cushion; **II.** *v/i.* (*h.*) apply (*or* pull, put on) the brake(s *pl.*); *fig.* act as a brake (on *v/t.*); go slow; 2**prüfung** *f* brake test.

ˈ**Bremser** *m* (-*s*; -) brake(s)man; **~häuschen** *n* brakeman's cabin, *Am.* caboose.

ˈ**Brems...:** **~fallschirm** *m aer.* brake parachute; **~feder** *f* brake spring; **~feld** *el. n* retarding field; **~flüssigkeit** *f* brake fluid; **~fußhebel** *m* brake pedal; **~gitter** *el. n* suppressor grid; **~klotz** *m* brake block, *aer.* chock, *Am.* chock block; **~leistung** *f* brake horse power (*abbr.* B.H.P.); **~leuchte** *f*, **~licht** *n* stoplight; **~moment** *n* braking moment; **~öl** *n* brake fluid; **~pedal** *n* brake pedal; **~schuh** *m* brake shoe; **~spur** *f* skid mark; **~stand** *m* (-[e]*s*) (brake) test stand; **~ung** *f* (-) braking (effect); **~vorrichtung** *f* brake-mechanism; **~weg** *m* braking distance; **~welle** *f* brakeshaft; **~wirkung** *f* (-) braking effect; **~zug** *m* brake cable; **~zylinder** *m* brake-cylinder; *mil.* recoil cylinder.

brennbar [ˈbrɛnbaːr] *adj.* combustible, burnable; inflammable; ˈ**♀keit** *f* (-) combustibility; inflammability.

ˈ**Brenn|dauer** *f* burning-time; lighting hours *pl.*; **~ebene** *opt. f* focal plane; **~eisen** *n* branding iron; *for hair*: curling-irons *pl.* (*or* -tongs *pl.*).

brennen [ˈbrɛnən] **I.** *v/t.* (*irr.*, *h.*) burn; singe; distil(l *Am.*) (*brandy*); curl, wave (*hair*); roast (*coffee*, *flour*); burn, calcine (*lime*); burn, bake, fire (*porcelain*, *etc.*); burn (*light*); bream (*ship*); brand, mark (*cattle*); cauterize (*wound*); burn, bake (*bricks*); **II.** *v/i.* (*irr.*, *h.*) burn; be ablaze (*a. fig.*); *das Haus brennt* the house is on fire; es *brennt* there is a fire; fire!; *fig. eyes*, *wound*: burn, smart; *nettle*: sting; *pepper*, *etc.*: bite, be hot; *vor Ungeduld etc.* ~ burn (*or* be consumed) with impatience, *etc.*; *darauf* ~ *zu inf.* be dying (*or* itching) to *inf.*; → *Boden*, *Nägel*; *colloq. wo brennt's?* what's the hurry?, where's the fire?; *da* ~ *Sie sich aber* you are greatly mistaken, *Am.* that's where you make your big mistake.

ˈ**Brennen** *n* (-*s*) burning; *of brandy*: distillation; *med.* cauterization; heartburn; *of lime*: calcination.

ˈ**brennend I.** *adj.* burning (*a. fig. passion*, *question*, *thirst*); on fire, in flames, ablaze; *candle*: lighted, *cigarette*: *a.* live; *med.* caustic; *fig.* burning, searing, scorching (*heat*); burning (*thirst*); glaring (*colour*); acute, pungent (*pain*); **II.** *adv.*: es *interessiert ihn* ~ he is taking a keen interest in it; es *interessiert mich* ~, *ob* I am dying to know if.

ˈ**Brenner** *m* (-*s*; -) distiller; *tech.* (gas) burner; torch, blowpipe; (atomic) pile.

Brennerei [-ˈraɪ] *f* distillery.

ˈ**Brenn...:** **~gas** *n* fuel gas; **~gemisch** *mot. n* combustible mixture; **~glas** *n* burning-glass; **~holz** *n* (-es) firewood; **~kammer** *f* combustion chamber; **~material** *n* fuel; **~(n)essel** *f* (-; -*n*) stinging nettle; **~ofen** *m* furnace, kiln, (baking) oven; **~öl** *n* (-[e]*s*) lamp-oil; fuel oil; **~punkt** *m phys. and fig.* focus, focal point; *of oil*, *etc.*: fire point; *mit zwei* ~*en versehene Linse* bifocal lens; *in den* ~ *rücken* bring into focus (*a. fig.*); *im* ~ *des Interesses stehen* be the cent|re (*Am.* -er) of attraction, be in the limelight, hold the spotlight; *Berlin stand im* ~ *des Interesses* all eyes were focused on Berlin; **~schere** *f* curling-irons *pl.* (*or* -tongs *pl.*); **~schneider** *tech. m* oxy-acetylene cutter; **~spiegel** *m* burning-reflector, concave mirror; **~spiritus** *m* methylated spirit; **~stelle** *el. f* lighting point.

ˈ**Brennstoff** *m* combustible; *esp. mot.* fuel; *cigarette-lighter*: fluid; → *Kraftstoff...*; **~düse** *f* fuel jet (*Diesel*: nozzle); **~einspritzung** *f* fuel injection; **~pumpe** *f* fuel pump; **~verbrauch** *m* fuel consumption; **~zuführung** *f* fuel feed.

ˈ**Brenn|strahl** *opt. m* focal ray; **~stunde** *f* lamp hour; **~weite** *opt. f* focal distance; **~wert** *m* calorific value; **~zünder** *m* (-*s*; -) (time-)fuse.

brenzlig [ˈbrɛntsliç] *adj.* burnt (*smell*, *taste*); *colloq. fig.* precarious, ticklish; *es war ein* ~*er Augenblick* it was touch and go.

Bresche [ˈbrɛʃə] *f* (-; -*n*) breach, gap; e-e ~ *legen or schießen* make a breach (in); e-e ~ *schlagen* break through, clear the way; *fig. in die* ~ *springen* stand in (*or* enter) the breach.

Brett [brɛt] *n* (-[e]*s*; -er) board; plank; shelf; tray; *for games*: board, table; *sports*: springboard; *colloq. pl.* ~*er* skis, woods; *boxing*: *auf die* ~*er schicken* (knock) down, drop for a count; *thea. die* ~*er pl.* the boards, the stage; *das Stück geht über die* ~*er* the play is acted; *mit* ~*ern belegen* board, plank, floor; *mit* ~*ern verschalen* board; *fig. ein* ~ *vor dem Kopf haben* be block-headed; → *Stein*; *er kann durch ein* ~ *sehen* he can see through a brick-wall; ˈ**~chen** *n* (-*s*; -) small (*or* thin) board.

ˈ**Bretter...:** **~bude** *f* booth, shed; shanty, shack; **~dach** *n* board roof; **~fußboden** *m* boarded floor; **~verkleidung** *f* boarding, planking; **~verschlag** *m*, **~wand** *f* boarding, partition; **~zaun** *m* hoarding, *Am.* board-fence.

ˈ**Brett...:** **~nagel** *m* plank nail; **~säge** *f* pit-saw; **~schneider** *m* sawyer; **~spiel** *n* game played on a board, board game.

Brevier [breˈviːr] *n* (-*s*; -e) breviary.

Brezel [ˈbreːtsəl] *f* (-; -*n*) pretzel.

Brief [briːf] *m* (-[e]*s*; -e) letter; note, *colloq.* a few lines; epistle; document, charter, letters patent; *econ. on stock exchange list*: offered, seller; ~ *Nadeln* paper of needles *or* pins; ~*e pl. a.* correspondence; *mit j-m* ~*e wechseln* correspond with a p.; *unter* ~ *und Siegel* under (*my*) hand and seal.

ˈ**Brief...:** **~aufgabestempel** *m* date stamp, postmark; **~aufschrift** *f* address; **~beschwerer** *m* (-*s*; -) paperweight; **~beutel** *m* letter-bag, *Am.* mailbag; **~bogen** *m* sheet of note-paper; **~fach** *n* pigeonhole; post-office box (*abbr.* P.O.B.); **~geheimnis** *n* privacy of letters; **~hypothek** *f* certified mortgage; **~karte** *f* letter-card; **~kasten** *m* letter-box, *Am.* mail-box; *in newspapers*: Question and Answer Column; *den* ~ *leeren* clear the letter-box, *Am.* collect the mail; **~klammer** *f* letter- (*or* paper-)clip; **~korb** *m* letter tray; **~kopf** *m* letter-head; **~kurs** *econ. m* asked price, selling rate; **♀lich** *adj. and adv.* by letter, in writing; ~*er Verkehr* correspondence; *er teilte uns* ~ *mit, daß a.* he sent us a letter to the effect that, he wrote us that; **~mappe** *f* portfolio, writing-case.

ˈ**Briefmarke** *f* (postage) stamp; **~nalbum** *n* stamp album; **~nhändler** *m* stamp dealer; **~nsammler** *m* stamp-collector, philatelist; **~nsammlung** *f* stamp collection; **~nserie** *f* issue of stamps.

ˈ**Brief...:** **~muster** *n* specimen letter; **~öffner** *m* (-*s*; -) letter-opener; **~ordner** *m* (-*s*; -) letter-file; **~papier** *n* note-paper, stationery; **~porto** *n* postage; **~post** *f* mail, post, *Am. a.* first-class matter; **~schaften** *f/pl.* letters, correspondence *sg.*; papers; **~schalter** *m* → *Briefkasten*; **~schreiber(in** *f*) *m* letter-writer; **~schulden** *f/pl.* arrears of correspondence; **~steller** *m* (-*s*; -) letter-writer; (*book*) letter-writer's guide; **~stempel** *m* postmark; **~stil** *m* epistolary style; **~tasche** *f* wallet; pocket-book, *Am. a.* billfold; **~taube** *f* carrier pigeon, homing pigeon; **~telegramm** *n* letter telegram, *Am.* lettergram; **~träger** *m* postman, *Am. a.* mailman; **~umschlag** *m* envelope, (letter)cover; **~verkehr** *m* correspondence; **~waage** *f* letter-balance; **~wechsel** *m* exchange of letters, correspondence; *mit j-m im* ~ *stehen* exchange letters (*or* correspond) with a p., be in correspondence with a p.; **~zensur** *f* postal censorship.

briet [briːt] *pret. of braten.*

Brigade [briˈgaːdə] *mil. f* (-; -*n*) brigade; **~kommandeur** *m* brigadier, brigade commander.

Brigant [-ˈgant] *m* (-*en*; -*en*) brigand.

Brigg [brik] *mar. f* (-; -*s*) brig.

Brikett [briˈkɛt] *n* (-[e]*s*; -*s*) briquette, pressed coal.

Briketˈtierungsanlage *f* briquetting plant.

brillant [brilˈjant] *adj.* brilliant.

Brilˈlant *m* (-*en*; -*en*) brilliant, diamond; *typ.* four to pica; **~feuerwerk** *n* cascade; **~nadel** *f* diamond pin; **~ring** *m* diamond ring; **~schrift** *typ. f* (-) four to pica.

Brille [ˈbrilə] *f* (-; -*n*) (*eine* ~ a pair of) spectacles *pl.*, (eye)glasses *pl.*, specs *pl.*; goggles *pl.*; (toilet) seat; e-e ~ *tragen* wear spectacles; *die* ~ *aufsetzen* (*abnehmen*) put on (take off) one's glasses; *ein Herr mit* ~ a spectacled gentleman; *fig. durch e-e schwarze* ~ *betrachten* take a gloomy view of; → *rosig*; ˈ**~netui** *n*, ˈ**~nfutteral** *n* spectacle case; ˈ**~ngestell** *n* spectacle-frame; ˈ**~nglas** *n* lens; ˈ**~nschlange** *f* (spectacled) cobra; *humor.* bespectacled person; ˈ**♀ntragend** *adj.* spectacled; ˈ**~nträger(in** *f*) *m* wearer of glasses.

brillieren [bril'ji:rən] *v/i.* (*h.*) *esp. fig.* be brilliant, sparkle.

Brimborium [brim'bo:rium] *colloq. n* (*-s*) fuss.

bringen ['briŋən] *v/t.* (*irr.*, *h.*) bring; take; *bringe mir fünf Zigarren* bring (*or* get) me five cigars; *was ~ Sie (Neues)?* what's the news?; *bringe dieses Paket ins Haus* take (*or* carry, put) this parcel inside; *er wurde ins Krankenhaus gebracht* he was taken to the hospital; conduct, lead, take; *ich bringe dich zur Bahn* I'll see you off; *thea.*, *etc.* present, show; *newspaper*: contain, mention, say; bring (about *or* forth), cause, result in; *Gewinn ~* yield a profit; *Zinsen ~* bear (*or* yield) interest; *Glück (Unglück) ~* bring good (bad) luck; *Verdruß ~* cause (*or* give rise to) trouble; *with adv.*: *es dahin ~, daß* manage (*or* contrive) to *inf.*; *j-n dahin ~* induce (*or* persuade) a p. (to *inf.*); → *weit*; *es so weit ~, daß* bring things to such a pass that; *with prp.*: *an sich ~* acquire, appropriate, take possession of; → *Bühne, Herz, Mann, Tag, etc.*; *auf die Beine ~* raise, set up, organize; *j-n wieder auf die Beine ~* bring a p. round; *j-n auf et. ~* suggest a th. to a p., give a p. the idea of a th.; *das bringt mich auf etwas* that reminds me (of something); *es (bis) auf achtzig Jahre ~* live to be eighty; *er brachte es auf zwanzig Siege* he achieved (*or* scored) twenty wins; → *Nenner*; *auf die Spur ~* put on the track; *die Rede auf et. ~* broach a subject, turn the conversation to a th.; *j-n außer sich ~* enrage (*or* infuriate) a p.; → *Fassung*; *es bis zum Major etc. ~* rise to the rank of major, *etc.*; *in Aufregung ~* excite, agitate; → *Licht, Mode, Rechnung, Verruf*; *es mit sich ~, daß* involve, entail; require, necessitate; *die Umstände ~ es mit sich* the circumstances call for it *or* make it unavoidable; *über die Lippen ~* utter; *Unglück über j-n ~* bring down misfortune upon a p.; *j-n um et. ~* make a p. lose a th.; deprive (*or* rob) a p. of a th.; cheat (*or* do) a p. out of a th.; → *Verstand*; *unter die Leute ~* **a)** spend *money* freely (*or* lavishly), **b)** set *a rumo(u)r* afloat, spread (abroad), circulate; *unter sich (or s-e Gewalt) ~* get control over *a th.*; *vom Fleck, von der Stelle ~* remove; *er ist nicht vom Fleck zu ~* he won't stir (*or* budge); *(bis) vor ... ~* take (right) up to; *vor Gericht ~* bring before the court, go to law with; *j-n dazu ~, et. zu tun* induce a p. to do a th.; *zu Ende ~* bring to a close; *j-n zum Lachen (Weinen) ~* make a p. laugh (cry); → *Papier, Schweigen, Vernunft, Verzweiflung, Welt*; *es zu et. ~* succeed in life, make one's way, make a career for o.s.; *es zu nichts ~* fail (in life), be a failure.

'**Bringschuld** *f* debt to be discharged at creditor's domicile.

brisan|t [bri'zant] *adj.* high-explosive; **≈z** [-ts] *f* (*-; -en*) explosive effect; *Sprengstoffe geringer ~* mild explosives; **≈zmunition** *f* high-explosive (*abbr.* H.E.) ammunition.

Brise ['bri:zə] *f* (*-; -n*) breeze, (light) wind; *steife ~* strong wind.

Britannien [bri'taniən] *n* (*-s*) Britain; *poet.* Britannia.

Brit|e ['britə] *m* (*-n; -n*), **~in** *f* (*-; -nen*) Briton, English(wo)man, *Am.* Britisher; *die ~en pl.* the British; '**≈isch** *adj.* British; *≈e Inseln* British Isles; *das ≈e Weltreich* the British Empire.

Bröck|chen ['brœkçən] *n* (*-s; -*) little morsel, bit, crumb; **≈elig** *adj.* crumbly, friable; crumbling (away); brittle; crisp; **≈eln** *v/t.* (*h.*) *and v/i.* (*sn*) crumble.

Brocken ['brɔkən] *m* (*-s; -*) (small) piece; crumb (*a. fig.*); bit, scrap; morsel; lump, hunk; *fig.* snatches *pl. of conversation*, scraps *pl. of French*; *colloq. mil. dicke ~* heavy bombs (*or* shells), *boxing*: big punches, piledrivers; *ein harter ~* a hard nut (*to crack*), *Am. sl.* a toughie; **≈weise** *adv.* bit by bit, in lumps, piecemeal.

brodeln ['bro:dəln] *v/i.* (*h.*) bubble, simmer; seethe (*a. fig.*); *el.* hum; *es brodelte im Volk* there was a growing unrest among the masses.

Brodem ['bro:dəm] *m* (*-s; -*) steam, vapo(u)r, fumes *pl.*; exhalation.

Brokat [bro'ka:t] *m* (*-[e]s; -e*) brocade; **≈en** *adj.* brocade(d); **~papier** *n* brocade paper.

Brom [bro:m] *chem. n* (*-s*) bromine; *phot. mit ~ behandeln* bromize.

Brombeer|e ['brɔmbe:rə] *f* blackberry; '**~hecke** *f* brambles *pl.*; '**~strauch** *m* blackberry-bush, bramble.

'**Brom...:** **~'kalium** *chem. n* potassium bromide; **~öldruck** *phot. m* (*-[e]s*) bromoic print; **≈sauer** *adj.* bromate; *~es Natron* sodium bromate; **~säure** *f* bromic acid; **~silber** *n* silver bromide; **~silberpapier** *phot. n* bromide paper; **~verbindung** *f* bromide.

Bronchialkatarrh [brɔnçi'ɑ:lkatar] *med. m* bronchial catarrh.

Bronchien ['-çiən] *anat. f/pl.* bronchia.

Bronchitis [-'çi:tis] *f* (*-; -i'tiden*) bronchitis.

Bronze ['brɔ̃sə] *f* (*-; -n*) bronze, gun metal; **~farbe** *f* bronze; bronze paint; **≈farben** *adj.* bronze(-colo[u]red); **~lack** *m* bronze varnish; **~medaille** *f* bronze medal; **≈n** *adj.* (of) bronze; **~zeit** *f* (*-*) Bronze Age.

bronzieren [-'si:rən] *v/t.* (*h.*) bronze (over).

Brosame ['bro:za:mə] *f* (*-; -n*) crumb (*a. fig.*).

Brosche ['brɔʃə] *f* (*-; -n*) brooch.

Brös-chen ['brø:sçən] *n* (*-s; -*) *cul.* (calf's) sweet-bread.

broschier|en [brɔ'ʃi:rən] *v/t.* (*h.*) stitch, sew; **~t** *adj.* stitched, in paper cover(s *pl.*); *steif*: in stiff cover, in boards *pl.*

Broschüre [-'ʃy:rə] *f* (*-; -n*) brochure, booklet, pamphlet.

Brösel ['brø:zəl] *m* (*-s; -*) crumb; **≈n** *v/t.* (*h.*) crumble.

Brot [bro:t] *n* (*-[e]s; -e*) bread; loaf; *zwei ~e pl.* two loaves (of bread); → *belegt, frisch*; *geröstetes ~* toast; *fig.* bread, living, livelihood; *das tägliche (or liebe) ~* the daily bread; *der Kampf ums ~* the struggle for life; *ein hartes ~ essen* have to work hard (for a living); *sein eigenes ~ essen* be one's own master; *fremdes ~ essen* serve (other people); *sein ~ haben* have a (modest) competence; *sein ~ verdienen* earn one's living; *j-m et. aufs ~ schmieren* reproach a p. for a th., rub it in; *j-n um sein ~ bringen* rob a p. of his livelihood.

'**Brot...:** **~aufstrich** *m* spread; **~bäcker** *m* baker; **~baum** *m* bread-fruit-tree; **~beutel** *m* bread-bag, haversack.

Brötchen ['brø:tçən] *n* (*-s; -*) roll; *belegtes ~* sandwich.

'**Brot...:** **~erwerb** *m* (*-[e]s*) bread-winning, (earning one's) livelihood; **~getreide** *n* bread grain; **~herr** *m* master, employer, principal; **~kasten** *m* bread-bin; **~korb** *m* bread-basket; *fig. j-m den ~ höher hängen* put a p. on short rations, keep a p. short; **~krume** *f* bread-crumb; **~laib** *m* loaf (*pl.* loaves); **≈los** *fig. adj.* unemployed, out of work; unprofitable, not worthwhile; unavailing, useless; *~e Kunst* lost art, waste of time; *j-n ~ machen* rob a p. of his livelihood, throw a p. out of work; **~marke** *f* bread coupon; **~messer** *n* bread-knife; **~neid** *m* trade (*or* professional) jealousy; **~rinde** *f* crust; **~röster** *m* (*-s; -*) toaster; **~schneidemaschine** *f* bread-cutter; **~schnitte** *f* slice of bread; **~schrift** *typ. f* (*-*) body-type; **~studium** *n* bread-winning study; **~teig** *m* dough (for bread).

brr! [br] *int.* whoa!, wo!; ugh!

Bruch[1] [brux] *m* (*n*) (*-[e]s; ¨e*) marsh(y land), fen, bog.

Bruch[2] *m* (*-[e]s; ¨e*) breach (*a. fig. of friendship, promise, etc.*); break (-ing); *med.* **a)** fracture; *einfacher (komplizierter) ~* simple (compound) fracture, **b)** rupture, hernia; *tech. in steel*: failure, break, rupture; bursting; *min.* fracture; crack, crevice, fissure; *of machine*: failure, breakdown; *aer.*, *mot.* smash-up, crack-up; *aer. ~ machen* crash, crash-land; *mining*: downfall; thrust; *in cloth*: crease; *in paper*: fold; breakage, wreckage; scrap; *math.* fraction; *gewöhnlicher ~* vulgar fraction; *(un)echter ~* (im-) proper fraction; *unendlicher ~* recurring decimal; *fig.* violation (*of oath, peace, etc.*); violation, infringement, infraction (*of a law, etc.*); *e-r Verbindung*: breach, rupture (*of relations*); *~ mit der Vergangenheit* (clean) break with the past; *colloq. contp.* trash, rubbish; *in die Brüche gehen* be broken up, come to grief, go to pot, *esp. marriage*: go on the rocks; *es kam zwischen uns zum offenen ~* it came to an open quarrel between us.

'**Bruch...:** **~band** *med. n* (*-[e]s; ¨er*) (hernial) truss; **~belastung** *tech. f* ultimate load; **~bude** *colloq. f* tumble-down shanty, ramshackle house; **~dehnung** *tech. f* elongation at rupture; **~festigkeit** *tech. f* (*-*) ultimate strength; **~fläche** *f* (surface of) fracture; ≈**frei** *adj.* free from breakage; ~**gleichung** *math. f* fractional equation.

brüchig ['bryçiç] *adj.* fragile, tender; brittle; crumbly, friable; broken; cracked, burst; ~*e Stimme* cracked voice; ~ *werden* crack, develop cracks.

'**Bruch...:** ~**landung** *aer. f* crash landing; e-e ~ *machen* crash-land, smash up; ~**operation** *med. f* herniotomy; ~**rechnung** *f* fractional arithmetic, fractions *pl.*; ~**schaden** *m* breakage; ≈**sicher** *adj.* unbreakable; shatterproof; ~**stein** *m* quarry stone; ~**stelle** *f* site of fracture (*or* rupture); ~**strich** *math. m* fraction stroke; ~**stück** *n* fragment (*a. fig.*); *econ. of share*: fractional certificate; ~*e pl. a.* scraps; snatches (*of song*); ≈**stückhaft** *adj.* fragmentary; ~**teil** *m* fraction; *im ~ e-r Sekunde* in a split second; ~**zahl** *f* fractional number.

Brücke ['brykə] *f* (-; -*n*) bridge (*a. el., gym., mar., wrestling*); *schwimmende* ~ floating (*or* pontoon) bridge; (floor) rug; *anat.* pons; dental arch, bridge; half-hat; *fig.* bridge, link (*zwischen* between); e-e ~ *schlagen über* build (*or* throw) a bridge across, bridge (*a river*); *sports*: back-bend; *die* ~ *machen* bridge; *fig. die* ~*n hinter sich abbrechen* burn one's boats; *dem Gegner goldene* ~*n bauen* leave the door open for reconciliation, make it easy for one's opponent.

'**Brücken...:** ~**bahn** *f* floor (of a bridge); ~**balken** *m* bridge beam, girder; ~**bau** *m* (-[e]s; -*ten*) bridge-building; ~**bogen** *m arch*; girder; ~**boot** *n* pontoon, *Am.* ponton; ~**geländer** *n* bridge railing, side rail; ~**geld** *n* bridge-toll; ~**joch** *n* panel, bay; ~**kopf** *mil. m* bridge-head; ~**last** *f* bridge capacity; ~**oberbau** *m* (-[e]s; -*ten*) (bridge) superstructure; ~**pfeiler** *m* bridge pier; ~**steg** *m* foot-bridge; ~**tragwerk** *n* supporting structure of a bridge; ~**waage** *f* weighing-machine; platform scale; weighbridge; ~**wärter** *m* bridge tender; ~**widerlager** *n* abutment; ~**zoll** *m* bridge-toll.

Brüden ['bry:dən] *tech. m* (-*s*; -) water vapo(u)r.

Bruder ['bru:dər] *m* (-*s*; ¨) brother; *Brüder pl.* brothers, *eccl.* brethren; friar; *colloq.* fellow, bloke, *Am.* guy; *ein lustiger* ~ jolly fellow; *gleiche Brüder, gleiche Kappen* **a)** we are all in the same boat, **b)** share and share alike; *soviel ist es unter Brüdern wert* that's a bargain (*or* a fair price).

Brüderchen ['bry:dərçən] *n* (-*s*; -) little brother.

'**Bruder...:** ~**krieg** *m* fratricidal war; ~**kuß** *m* brotherly kiss.

'**brüderlich** *adj.* brotherly, fraternal; ≈**keit** *f* (-) brotherliness, fraternity.

'**Bruder...:** ~**liebe** *f* brotherly love; ~**mord** *m*, ~**mörder(in** *f*) *m* fratricide; ≈**mörderisch** *adj.* fratricidal.

'**Brüderschaft** *f* (-; -*en*) brotherhood, fellowship; ~ *schließen* fraternize, make close friends (*mit* with); ~ *trinken* pledge close friendship.

'**Bruder...:** ~**volk** *n* sister nation, cousins *pl.*; ~**zwist** *m* fraternal strife.

Brühe ['bry:ə] *f* (-; -*n*) broth, beef-tea; sauce; gravy; (soup) stock; juice; slop, wash, soup; *tech.* liquor.

'**brüh|en** *v/t.* (*h.*) scald; *laundry*: soak; '~'**heiß** *adj.* scalding (*or* boiling) hot, scalding; ≈**kartoffeln** *f/pl.* potatoes boiled in broth; ≈**kessel** *m* scalding-tub; '~'**warm** *fig. adj. news, etc.*: quite fresh, red hot, hot from the presses, *Am.* hot off the griddle; *j-m et.* ~ *wiedererzählen* take a story straight away to a p.; ≈**würfel** *m* beef-cube.

Brüll-affe ['bryl-] *m* howling monkey.

'**brüllen** *v/i.* (*h.*) roar; *cattle*: bellow; low; *person*: roar, (*a.* = *weep*) howl, bawl; *vor Lachen etc.* ~ roar with laughter, *etc.*; ~ *des Gelächter* roar of laughter; *er (es) ist zum* ≈ *sl.* he (it) is a (perfect) scream.

Brumm|bär ['brum-] *fig. m* grumbler, growler, *Am.* grouch; ~**baß** *mus. m of organ*: bourdon; *stringed instrument*: double bass; *voice*: rumbling bass.

'**brummen** *v/i. and v/t.* (*h.*) hum, buzz, drone; *engine*: *a.* purr, boom; *animal*: growl; *person*: growl, grumble, grunt (et. a th.; *über acc.* at, about); *colloq. in jail*: do time, do a stretch; *ped.* be kept in; *mir brummt der Kopf* my head is buzzing *or* throbbing; → *Bart.*

'**Brumm...:** ~**er** *m* (-*s*; -) meat fly, bluebottle; dung-beetle; ≈**frei** *el. adj.* hum-free; ≈**ig** *adj.* grumbling, grumpy, gruff; ~**kreisel** *m* humming-top; ~**schädel** *colloq. m* headache; hangover, head; ~**ton** *el. m* (alternating-current) hum.

brünett [bry'nɛt] *adj.* dark(-haired), dark-complexioned, *woman*: brunette (*a.* ≈*e f* [-*n*; -*n*]).

Brunft [brunft] *hunt. f* (-; ¨*e*), ≈**en** *v/i.* (*h.*) rut; ≈**ig** *adj.* rutting; ~**schrei** *m* bell; ~**zeit** *f* rutting-season.

brünier|en [bry'ni:rən] *tech. v/t.* (*h.*) brown; *tech.* burnish; ≈**stein** *m* burnishing stone; ≈**ung** *f* (-; -*en*) browning.

Brunnen ['brunən] *m* (-*s*; -) well; spring; fountain (*all a. fig.*); *med.* mineral spring, (mineral) waters *pl.*; e-*n* ~ *graben* sink a well; (*den*) ~ *trinken* take the waters; ~**becken** *n* basin; ~**kresse** *f* watercress; ~**kur** *f* mineral-water cure; e-e ~ *machen* take the waters (*or* a course); ~**loch** *n* well-pit; ~**vergiftung** *fig. f* vitiating the political atmosphere; calumny.

Brunst [brunst] *f* (-; ¨*e*) *zo. of male*: rut, *of female*: heat; *of person*: lust, sexual desire; → *Inbrunst.*

brünstig ['brynstiç] *adj. zo.* rutting, *of female* in heat; bullish; *person*: lustful, hot, *woman a.* in heat; *fig.* → *inbrünstig.*

brüsk [brysk] *adj.* brusque, curt, abrupt, blunt; rough, gruff.

brüskieren [-'ki:rən] *v/t.* (*h.*) snub, provoke, affront.

Brüssel ['brysəl] *n* (-*s*) Brussels; ~*er Spitzen* Brussels lace.

Brust [brust] *f* (-; ¨*e*) breast; chest, *anat.* thorax; *of woman*: breast(s *pl.*), bosom, bust, mamma(e *pl.*); *die ~ betreffend etc. med.* pectoral, thoracic; *cul.* breast; shirt-front; *fig.* breast, bosom, heart; *die Brüste der Weisheit* the breasts of wisdom; ~ *an* ~ shoulder to shoulder, neck and neck, abreast; *aus voller* ~ at the top of one's voice, lustily; (*dat.*) *die* ~ *geben* give the breast to, suckle, nurse; *ohne* ~ *aufziehen* dry-nurse; *es auf der* ~ *haben* have chest trouble; *schwach auf der* ~ *sein* have a weak chest, *colloq. fig.* be hard up; *sich reuevoll an die* ~ *schlagen* beat one's breast; *sich in die* ~ *werfen* give o.s. airs, bridle (up); *komm an meine* ~ come to my heart; ~**atmung** *f* chest-breathing; ~**beere** *f* jujube; ~**bein** *n* breastbone, sternum; *of fowl*: wish-bone; ~**beschwerden** *f/pl.* chest-trouble; ~**beutel** *m* money-bag; ~**bild** *n* half-length portrait *or* photo; ~**bonbon** *m* pectoral lozenge, cough-drop; ~**bräune** *med. f* (-) angina pectoris; ~**breite** *f sports*: *um* ~ *gewinnen* win by a whisker, nose out; ~**drüse** *anat. f* mammary gland; ~**drüsenentzündung** *f* mastitis.

brüsten ['brystən]: *sich* ~ boast, brag, give o.s. airs, strut; *sich mit et.* ~ pride (*or* plume) o.s. on a th., vaunt a th.; *sich* ~ *als* pose as.

'**Brust...:** ~**fell** *anat. n* pleura; ~**fellentzündung** *f* pleurisy; ~**flosse** *f* pectoral fin; ~**höhe** *f* breast-height; ~**höhle** *f* thoracic cavity.

...brüstig [brʏstiç] *adj.* ...breasted, ...chested.

'**Brust...:** ~**kasten**, ~**korb** *m* chest, thorax; ~**kind** *n* breast-fed child; ≈**krank** *adj.* suffering from the chest; consumptive; ~**krankheit** *f* chest-trouble, pectoral complaint; ~**kraul** *n* crawl (stroke); ~**krebs** *med. m* (-*es*) cancer of the breast, breast cancer; ~**leiden** *n* → *Brustkrankheit*; ~**mittel** *n* pectoral (remedy); ~**muskel** *m* pectoral muscle; ~**nadel** *f* breast-pin; ~**pulver** *n* pectoral powder; ~**röhre** *f* thoracic duct; ~**scheibe** *mil. f* half-figure target; ~**schild** *n* breast-plate; ~**schmerz** *m* pain in the chest; ~**schwimmen** *n* breast-stroke; ~**stimme** *f* chest-voice; ~**stück** *n zo.* thorax; *meat*: brisket; ~**tasche** *f* breast-pocket; inside pocket; ~**tee** *m* pectoral herb-tea; ~**ton** *m* ([e]s; ¨e) *mus.* chest-note; *fig.* ~ *der Überzeugung* true ring of conviction; ~**umfang** *m* → *Brustweite.*

Brüstung ['brʏstuŋ] *f* (-; -*en*) balustrade, parapet; sill.

'**Brust...:** ~**warze** *f* nipple; ~**wassersucht** *f* (-) pectoral dropsy, hydrothorax; ~**wehr** *f* (-; -*en*) breastwork, parapet; ~**weite** *f* width of chest, *of woman*: bust (measurement); ~**wirbel** *m* dorsal vertebra.

Brut [bru:t] *f* (-; -*en*) hatch(ing), incubation; brood; spawn; *fig. of persons*: brood, spawn; *b.s.* scum, (vicious) lot, pack.

brutal [bru'ta:l] *adj.* brutal, brutish.

Brutalität [-tali'tɛ:t] *f* (-; *-en*) brutality.

'**Brut...**: ~**anstalt** *f* hatchery; ~**apparat** *m* incubator.

Brüt-ei *n* [bry:t-] egg for hatching.

'**brüten I.** *v/i.* (*h.*) brood, sit (on eggs); incubate; *fig.* ~ *über* (*dat.*) brood (*or* pore) over, ponder on; **II.** *v/t.* (*h.*) *fig.* hatch, brew, scheme; ~*de Sonne*(*nhitze*) brooding heat of the sun.

'**Brut...**: ~**henne** *f* sitting-hen; ~**kasten** *m* incubator; ~**stätte** *f* breeding-place; *fig. a.* hotbed.

brutto ['bruto] *econ. adv.* gross, in (the) gross; '2**betrag** *m* gross amount; '2**einkommen** *n* gross income (*or* earnings *pl.*); '2**gewicht** *n* gross weight; '2**gewinn** *m* gross profit, gross proceeds *pl.*; '2**preis** *m* gross price; '2**registertonne** (B.R.T.) *f* gross register ton (*abbr.* G.R.T.); '2**sozialprodukt** *pol. n* gross national product.

Bübchen ['by:pçən] *n* (-*s*; -) little boy; baby-boy.

Bube ['bu:bə] *m* (-*n*; -*n*) boy, lad; *cards*: knave, jack; *b.s.* knave, rascal, rogue; ~**nstreich** *m*, ~**nstück** *n* boyish prank, lark; *b.s.* knavish trick, knavery, piece of villainy.

Bubikopf ['bu:bi-] *m* bobbed hair; *e-n* ~ *schneiden* bob the hair.

Bübin ['by:bin] *f* (-; -*nen*) knavish woman.

'**bübisch** *adj.* mischievous, roguish; *b.s.* knavish, villainous.

Buch [bu:x] *n* (-[*e*]*s*; ⸚*er*) book; volume; ~ *Papier* (*24—25 sheets*) quire; *econ.* book, *pl. a.* records; ledger; *eccl. das* ~ the Book, the Bible; *das erste* ~ *Moses* Genesis; *betting*: book; *cards*: full suit; *fig. das* ~ *des Schicksals etc.* the book of fate, *etc.*; *econ.* ~ *führen* keep book (*or* accounts *pl.*), do (the) bookkeeping; ~ *führen über* (*acc.*) keep book on, keep a record of; *in ein* ~ *eintragen* book, enter in a book; *zu* ~ *stehen mit* be valued at ... (as per books); *über den Büchern sitzen* be poring over one's books; *wie ein* ~ *reden* talk like a book; *wie es im* ~ *steht* as (it) should be, perfect; *das ist mir ein* ~ *mit sieben Siegeln* that's all Greek (*or* a sealed book) to me; ~**abschluß** *econ. m* closing of books; ~**ausstattung** *f* get-up of a book; ~**beschneidemaschine** *f* (book) trimmer; ~**besprechung** *f* book review; ~**binder** *m* (-*s*; -) bookbinder; ~**binderei** [-'raɪ] *f* (-; -*en*) bookbinder's (work)shop, (book)bindery; bookbinding; ~**bindergold** *n* gold leaf; ~**block** *m* (-[*e*]*s*; ⸚*e*) inner book; ~**deckel** *m* book cover, binding; ~**drama** *n* book drama, closet play.

'**Buchdruck** (-[*e*]*s*) *m* letterpress printing, typography; ~**er** *m* (-*s*; -) (letterpress) printer; ~**erei** [-'raɪ] *f* (-; -*en*) printing office, *Am.* printing-plant; printing (of books); ~**e'reimaschine** *f* printing machine; ~**erkunst** *f* (-) art of printing, typography; ~**erschwärze** *f* (-) printer's ink; ~**presse** *f* letterpress.

Buch|e ['bu:xə] *f* beech(-tree); ~**ecker** ['-ˀɛkər] *f* (-; -*n*) beech-nut.

'**Bucheinband** *m* (-[*e*]*s*; ⸚*e*) binding, cover.

buchen[1] ['bu:xən] *v/t.* (*h.*) enter (*or* pass) into the books, make an entry of; post (*into ledger*); book, reserve; *fig.* record, register, list; et. *als Erfolg* ~ put (*or* write) a th. down as a success.

'**buchen**[2] *adj.* beech(en); 2**farn** *m* beech fern; 2**holzteer** *m* beech tar; 2**wald** *m* beech wood.

Bücher...: ~**abschluß** ['by:çər-] *econ. m* closing of the books; ~**brett** *n* bookshelf.

Bücherei [-'raɪ] *f* (-; -*en*) library; *fahrbare* ~ *Am.* bookmobile.

'**Bücher...**: ~**freund**(**in** *f*) *m* book-lover, bibliophile; ~**kunde** *f* (-) bibliography; ~**mappe** *f* satchel; ~**mensch** *m* bookish person, scholar; ~**narr** *m* bibliomaniac; ~**regal** *n* bookshelf; ~**revisor** *m* auditor; *vereidigter* ~ chartered accountant, *Am.* certified public accountant; ~**sammlung** *f* collection of books; ~**schau** *f* book review(s *pl.*); ~**schrank** *m* bookcase; ~**stand** *m* bookstall, *Am.* bookstand; ~**ständer** *m* (*drehbarer* revolving) bookcase, bookstand; ~**stütze** *f* book-end; ~**verzeichnis** *n* catalog(ue *Brit.*) *or* list of books; ~**weisheit** *f* book-learning; ~**wurm** *m* bookworm.

'**Buch...**: ~**fink** *m* chaffinch; ~**forderungen** *econ. f/pl.* book claims, *Am.* accounts receivable; ~**format** *n* size of a book; ~**führer** *m* → *Buchhalter*; ~**führung** *f* bookkeeping, accounting; *amerikanische* ~ tabular (*or* columnar) bookkeeping; ~**führungspflicht** *f* statutory obligation to keep books; ~**geld** *n* money of transfer; ~**gemeinschaft** *f* book club; ~**gewerbe** *n* (-*s*) book trade; ~**gewinn** *m* book profit; ~**halter** *m* (-*s*; -) bookkeeper, accountant; ~**halterei** [-'raɪ] *f* (-; -*en*), ~**haltung** *f* bookkeeping department; → *Buchführung*; ~**haltungsmaschine** *f* bookkeeping machine; ~**handel** *m* book trade; *nicht im* ~ not for sale; ~**händler** *m* bookseller; ~**handlung** *f* book-shop, *Am.* book-store; ~**hülle** *f* dust-cover; ~**hypothek** *f* inscribed mortgage; ~**kredit** *m* book credit; ~**laden** *m* → *Buchhandlung*.

Büchlein ['by:çlaɪn] *n* (-*s*; -) small book, booklet.

'**Buch...**: ~**leinen** *n* book linen; ~**macher** *m* (-*s*; -) bookmaker, bookie; ~**malerei** *f* illumination; 2**mäßig** *adj. and adv.* as shown by the books; *attr.* bookkeeping..., accountancy...; ~**prüfer** *m* auditor, accountant; → *Bücherrevisor*; ~**prüfung** *f* audit; ~**rücken** *m* spine; ~**saldo** *m* book balance.

Buchsbaum ['buks-] *m* box(-tree); ~**holz** *n* boxwood.

'**Buch...**: ~**schmuck** *m* book ornamentation; ~**schuld** *f* book debt.

Buchse ['buksə] *tech. f* (-; -*n*) bush(ing); sleeve; *cylinder*: liner; (grease) cup; *el.* socket.

Büchse ['byksə] *f* (-; -*n*) box, case, container; tin (box), *Am.* can; rifle, carbine; *in* ~*n verpackt etc.* tinned, potted, *Am.* canned.

'**Büchsen...**: ~**fleisch** *n* tinned (*Am.* canned) meat; ~**lauf** *m* rifle (*or* gun) barrel; ~**licht** *hunt. n* (-[*e*]*s*) shooting light; ~**macher** *m* (-*s*; -) gunsmith, *mil.* armo(u)rer; ~**milch** *f* tinned (*or* evaporated) milk, *Am.* canned milk; ~**öffner** *m* (-*s*; -) tin-opener, *Am.* can opener; ~**schuß** *m* gunshot; ~**waren** *f/pl.* tinned (*Am.* canned) goods.

Buchstabe ['bu:xʃtɑ:bə] *m* (-*ns*; -*n*) letter; character; *typ.* type; sub-paragraph; *großer* (*kleiner*) ~ capital (small) letter; *fetter* ~ bold face; *dem* ~*n nach* literally; *bis zum letzten* ~*n* to the letter; *colloq. die vier* ~*n* bottom, behind.

'**Buchstaben...**: ~**bezeichnung** *f* lettering; ~**form** *typ. f* type mo(u)ld; ~**folge** *f* (-) alphabetical order; ~**glaube** *m* literalism; ~**gleichung** *math. f* algebraic equation; ~**mensch** *m* pedant; ~**rätsel** *n* anagram; ~**rechnung** *f* (-) algebra; ~**schloß** *n* puzzle lock.

buchstabieren [-ʃta'bi:rən] *v/t.* (*h.*) spell; *laboriously*: spell out; *falsch* ~ misspell.

buchstäblich ['-ʃtɛ:pliç] **I.** *adj.* literal, verbatim; *fig. a.* sheer, downright; **II.** *adv.* literally, word for word, verbatim; to the letter, exactly; virtually; ~ *wahr* literally true.

'**Buchstütze** *f* book-end, book-rest.

Bucht [buxt] *f* (-; -*en*) bay, inlet; bight, creek; gulf; *anat.*, *bot.* sinus; *of rope*: bight; box; *die Deutsche* ~ Heligoland Bight; '2**en**: *sich* ~ form (*or*) widen into a bay; '2**ig** *adj.* indented, creeky; *bot.* sinuate.

'**Buch...**: ~**titel** *m* title of a book; ~**umschlag** *m* wrapper, jacket.

'**Buchung** *econ. f* (-; -*en*) booking, posting; entry, item passed to account; *e-e* ~ *berichtigen* adjust an entry; *e-e* ~ *machen* make an entry.

'**Buchungs...**: ~**fehler** *m* error in the books; ~**maschine** *f* booking-machine; ~**methode** *f* accounting method; ~**nummer** *f* number of entry; ~**posten** *m* entry, item.

'**Buch...**: ~**weizen** *m* buckwheat; ~**wert** *m* book-value; ~**wissen** *n* book-learning, book-knowledge; ~**zeichen** *n* bookmark; ex libris.

Buckel[1] ['bukəl] *m* (-*s*; -) boss; knob, stud.

'**Buckel**[2] *m* hump, hunch; humpback, hunchback; stoop; *colloq.* back; hummock, knoll, hump; bulge; *e-n* ~ *machen* stoop, *cat*: put up (*or* arch) its back; *fig. sich e-n* ~ *lachen* split one's sides; *colloq. du kannst mir den* ~ *runter rutschen!* *sl.* go to blazes!, nothing doing!; *colloq. er hat einen breiten* ~ he has a broad back.

'**buck**(**e**)**lig** *adj.* humpbacked, hunchbacked; humped, hunched; 2**e**(**r** *m*) *f* (-*n*, -*n*; -*n*, -*n*) hunchback, humpback.

bücken ['bykən] *v/t.* (*h.*) *and sich* ~ bend, stoop; *fig. sich vor j-m* ~ bow to, *contp.* cringe to (*or* bow and scrape before) a p.; submit to a p.; *gebückte Haltung* stoop; *er bückte sich nach einem Stein* he stooped to pick up a stone.

Bück(l)ing ['byk(l)iŋ] *m* (-s; -e) red herring, bloater, kipper.

'**Bückling** *m* (-s; -e) bow, obeisance.

buddeln ['budəln] *colloq. v/i. and v/t.* (*h.*) dig.

Bud|dhismus [bu'dismus] *m* (-) Buddhism; **~'dhist(in** *f*) *m* (-en, -en; -, -nen), **ℒ'dhistisch** *adj.* Buddhist.

Bude ['bu:də] *f* (-; -n) stall, booth; shop; hut, cabin, *colloq.* hovel, shanty, *Am.* shack; *of student*: den, digs *pl.*; *colloq.* die ~ zumachen close down; *j-m auf die ~ rücken* drop in on a p., *sl.* blow in; *fig. j-m auf die ~ steigen* come down on a p., give a p. hell; *Leben in die ~ bringen* make things lively; '**~nbesitzer** *m* stall-holder; '**~nzauber** *m* rag.

Budget [by'dʒe:] *n* (-s; -s) budget, (annual) estimates *pl.*; *das ~ vorlegen* present the budget; *et. im ~ vorsehen* budget for a th.; **~beratung** *f* debate on the budget.

Büfett [by'fe:] *n* (-[e]s; -s) sideboard, buffet; refreshment-bar, buffet; (snack-)counter; *kaltes ~* cold buffet; **~fräulein** *n* barmaid.

Büfettier [-fɛti'e:] *m* (-s; -s) barman, *Am.* bartender.

Büffel ['byfəl] *m* (-s; -) buffalo; *colloq. fig.* lout, oaf; **~leder** *n* buff (-skin); **ℒn** *colloq. v/i.* (*h.*) grind, *Am. colloq.* bone; (*a. v/t.* [*h.*]) cram, *sl.* swot.

Bug [bu:k] *m* (-[e]s; ⸚e) *mar.* bow; *aer.* nose; bend; *zo.* **a**) joint (of the leg), **b**) hock, **c**) shoulder(-blade); *cul.* shoulder; '**~anker** *m* bow-anchor.

Bügel ['by:gəl] *m* (-s; -) bow; stirrup; (clothes-)hanger; *tech.* bow; strap; (curved) handle; clamp, bracket; shackle; *el.* bow (collector); *concrete*: loop; *headpiece*: harness; *spectacles*: bow, side-piece; *compasses*: gimbal; *gauge, saw, etc.*: frame; *rifle*: trigger-guard; *fenc.* (sabre) guard; '**~brett** *n* ironing-board; '**~eisen** *n* flat-iron; electric iron; pressing iron; '**~falte** *f* crease; '**ℒfrei** *adj.*: *~es Hemd* drip-dry shirt; '**ℒn** *v/t.* (*h.*) iron; press; smooth; '**~riemen** *m* stirrup-strap; '**~säge** *f* hacksaw; '**~schraube** *f* stirrup bolt; '**~stromabnehmer** *m* bow collector.

'**Bug...**: **~figur** *f* figure-head; **ℒlahm** *adj.* splay-shouldered; **ℒlastig** *aer. adj.* nose-heavy.

Bugsier|dampfer [bu'ksi:r-] *m* (steam-)tug; **ℒen** *v/t.* (*h.*) tow; *fig.* steer, man(o)euvre.

Bug...: **~spriet** ['bu:kʃpri:t] *mar. n* (-[e]s; -e) bowsprit; **~welle** *f* bow wave.

Buhl|e ['bu:lə] *poet. m* (-n; -n), *f* (-; -n) lover; paramour; **ℒen** *v/i.* (*h.*) *mit j-m*: make love to, live in sin with a p.; *fig. um et. ~* woo, court, strive for a th.; *um j-s Gunst ~* curry favo(u)r with a p.; **~erei** [-'raɪ] *f* (-; -en) love-making, illicit intercourse (*mit* with); coquetry; *fig.* courting (*um* of), rivalry (for); fawning; **~erin** *f* (-; -nen) courtesan, paramour; wanton; **ℒerisch** *adj.* amorous, wanton.

Buhne ['bu:nə] *f* (-; -n) groyne, breakwater.

Bühne ['by:nə] *f* (-; -n) scaffold; platform (*a. tech.*); *thea.* stage (*a. w. s.*); *fig.* stage, scene, arena; *auf der ~* on the stage; *hinter der ~* off the stage, behind the scenes, *Am.* backstage; *auf die ~ bringen* bring on (*or* to) the stage, stage, produce; *über die ~ gehen* be put on the stage, be enacted (*a. fig.*); *zur ~ gehen* go (*or* take to) the stage; *er trat von der politischen ~ ab* he quitted the political scene.

'**Bühnen...**: **~anweisung** *f* stage direction; **~ausstattung** *f* scene (-ry), decor; **~bearbeitung** *f* adaptation for the stage; **~bild** *n* décor; **~bildner(in** *f*) *m* stage designer; **~dichter** *m* playwright, dramatist; **~dichtung** *f* dramatic poetry; dramatic work; **~erfahrung** *f* stage-craft; **~erfolg** *m* stage-success; **ℒfähig** *adj.* stage-worthy; **ℒgerecht** *adj.* actable; **~held(in** *f*) *m* hero(ine); **~kritiker** *m* stage-critic; **~laufbahn** *f* stage career; **~leiter** *m* stage manager; **~licht** *n* limelight, footlights *pl.*; **~maler** *m* scene-painter; **~requisiten** *pl.* stage-properties (*abbr.* props) *pl.*; **~schriftsteller** *m* → *Bühnendichter*; **~star** *m* star of the stage; **~stück** *n* stage-play; **ℒtechnisch** *adj.* theatrical, scenic; **~werk** *n* dramatic work, stage-play; **ℒwirksam** *adj.* effective on the stage; **~wirkung** *f* stage-effect.

buk [bu:k] *pret. von backen.*

Bukarest [buka'rɛst] *n* (-s) Bucharest.

Bukett [bu'kɛt] *n* (-[e]s; -e) bouquet, nosegay; *of wine*: bouquet, aroma.

Bulette [bu'lɛtə] *f* (-; -n) rissole, meat-ball.

Bulgar|e [bul'gɑ:rə] *m* (-n; -n), **~in** *f* (-; -nen) Bulgarian; **~ien** *n* (-s) Bulgaria; **ℒisch** *adj.* Bulgarian.

Bull|auge ['bul-] *mar. n* bull's-eye, porthole; **~dog** ['-dɔk] *mot. m* (-s; -s) tractor; **~dogge** ['-dɔgə] *f* (-; -n) bulldog, mastiff.

Bulle[1] ['bulə] *m* (-n; -n) bull; *colloq. fig.* he-man, brawny fellow; cop (-per).

'**Bulle**[2] *f* (-; -n) seal; *eccl.* (*päpstliche* papal) bull.

'**Bullen|beißer** *m* (-s; -) bulldog; **~hitze** *colloq. f* awful heat; **~kalb** *n* bull-calf.

bullern ['bulərn] *colloq. v/i.* (*h.*) rumble; *fire in stove*: roar.

Bulletin [byl'tɛ̃:] *m* (-s; -s) bulletin.

bullig ['buliç] *adj.* beefy.

bum(m)! [bum] *int.* bang!, boom!

Bumerang ['bu:məraŋ] *m* (-s; -e) boomerang.

Bummel ['buməl] *colloq. m* (-s; -) stroll; spree, binge; *e-n ~ machen* go for a stroll; *auf den ~ gehen* go on the spree.

Bummelei [-'laɪ] *f* (-; -en) dawdling; loafing; carelessness, slackness.

'**bummel|ig** *adj.* dawdling, slothful; careless, slack; sluggish; **ℒleben** *n* idle life, loafing; **~n** *v/i.* (*h.*) stroll, saunter; go for a stroll; loaf, lounge (about), take it easy; dawdle, be sluggish, hang back; (be) idle; be on a spree; **ℒstreik** *m* go-slow strike; **ℒzug** *m* slow train.

'**Bumm|ler** *m* (-s; -) stroller; dawdler; idler, loafer; sluggard, slowpoke; **ℒlig** *adj.* → *bummelig.*

bums! [bums] *int.* bump!, bounce!, bang!, pop!; **ℒ** *m* (-es; -e) bang, bump, thump; **~en** *v/i.* (*h.*) bang, bump (*gegen* against); *er bumste geradewegs gegen die Wand* he ran smack into the wall; '**ℒlandung** *aer. f* bumpy *or* pancake landing; '**ℒlokal** *colloq. n* low dance-hall, *Am. sl.* honky-tonk, dive.

Bund [bunt] **1.** *n* (-[e]s; -e) bundle; *zwei ~ Holz* two bundles of sticks; bunch (*of keys*); truss, bottle (*of hay, straw*); hank (*of flax*); knot (*of yarn*); rope (*of onions*); **2.** *m* (-[e]s; ⸚e) band, tie; waistband; *tech.* collar (*of shaft*); rod-stop; flange; *bookbinding*: cording; *fig.* union (*a. marriage*); *pol.* alliance; federation, confederacy; Federal Republic *or* Government; association, league, organisation, federation; *eccl.* covenant; *im ~e mit* allied with, in league with; *e-n ~ schließen mit* (*dat.*) enter into an alliance with, ally o.s. with; *er steht in engem ~e mit dem Parteiführer* he is hand in glove with the party-boss.

Bündel ['byndəl] *n* (-s; -) bundle, bunch; sheaf; *econ.* packet, parcel; *anat.* fascicle; beam (*of rays, etc.*); → *Bund 1*; *sein ~ schnüren* pack up; '**ℒn** *v/t.* (*h.*) bundle (up), bunch (together); '**~ung** *el. f* (-) focusing, beaming; *a. phys.* bunching; '**ℒweise** *adv.* by (*or* in) bundles.

Bundes...: **~anwalt** *jur. m* attorney of the Federal Supreme Court; **~ausgleichs-amt** *n* Federal Equalization Office; **~bahn** *f* Federal Railway(s *pl.*); **~behörde** *f* Federal authority (*or* agency); **~bruder** *univ. m* fellow member of student's society, *Am.* fraternity brother; **~ebene** *f*: *auf ~* at the Federal level; **ℒeigen** *adj.* belonging to the Federal Government; Federal-owned; **~gebiet** *n* Federal territory; **~genosse** *m* confederate, (*a. fig.*) ally; **~gericht** *n* Federal Court; **~gerichtsbarkeit** *f* Federal jurisdiction; **~grenzschutz** *m* Federal Border Police; **~kanzler** *m* Federal Chancellor; **~lade** *eccl. f* (-) Ark of the Covenant; **~post** *f* Federal Postal Administration, *Am.* Federal Mails *pl.*; **~präsident** *m* President of the Federal Republic; **~rat** *m* Federal Council; *parl.* Upper House; **ℒrechtlich** *adj.* under Federal law; **~regierung** *f* Federal Government; **~republik** *f* **Deutschland** Federal Republic of Germany; **~staat** *m* federal state; (con)federation; **ℒstaatlich** *adj.* federal; **~straße** *f* Federal Highway; **~tag** *m* (-[e]s) Federal Diet; Lower House; **~verfassung** *f* federal constitution; **~verfassungsgericht** *n* Federal Constitutional Court; **~wehr** *mil. f* (-) (German) Federal Armed Forces.

bündig ['byndiç] *adj.* binding, valid; obligatory; conclusive; concise, terse (*speech, style*); precise; curt; *tech.* flush; *kurz und ~* to the point, succinctly, point-blank; bluntly; '**ℒkeit** *f* (-) validity; conclusiveness; conciseness, terseness.

ˈ**bündisch** *adj.* confederate, federated.

Bündnis [ˈbyntnis] *n* (-ses; -se) alliance, league; → *Bund* 2; agreement, pact.

Bunker [ˈbuŋkər] *m* (-s; -) *mar.* bunker; bin, hopper; silo; shelter; *mil.* concrete dug-out, pill-box, *a.* bunker; air-raid shelter; *sl.* clink, tank; ˈ**⁓kohle** *f* bunker coal; ˈ**2n** *v/t.* (*h.*) bunker (*coal*); (re)fuel (*oil*).

bunt [bunt] *adj.* (many-)colo(u)red, colo(u)rful, varicolo(u)red, *tech.* multicolo(u)r(ed); variegated, spotted; motley; gay; gaudy, loud; chequered; *fig.* mixed, motley; varied, variegated; *⁓es Glas* stained glass; *⁓e Wiesen* meadows gay with flowers; *⁓e Menge* motley crowd; *in ⁓er Folge* in colo(u)rful succession; *⁓er Abend, ⁓e Unterhaltung* variety program(me); musical medley; *⁓e Reihe machen* pair off, mix the sexes; *colloq. das wird mir doch zu ⁓!* that's going too far!; *er treibt es zu ⁓* he goes too far; *er ist bekannt wie ein ⁓er Hund* he is known all over the place; *es ging ⁓ zu* there were fine goings-on, everything was at sixes and sevens; *⁓ durcheinander* in a happy jumble; ˈ**2druck** *m* (-[e]s; -e) colo(u)r printing; colo(u)r-print, chromolithograph; ˈ**⁓fleckig** *adj.* spotted, speckled; ˈ**⁓gefiedert** *adj.* of gay plumage; ˈ**2gewebe** *n* colo(u)red fabric, dyed cloth; ˈ**2heit** *f* (-) gayness, gay colo(u)rs *pl.*; *fig.* variety, motley; ˈ**2kreuz-Kampfstoff** *m* colo(u)red cross gas; ˈ**2metall** *n* nonferrous metal; ˈ**2papier** *n* colo(u)red (*or* fancy) paper; ˈ**2sandstein** *m* (-[e]s) new red sandstone, *Am.* brownstone; ˈ**⁓scheckig** *adj.* variegated; spotted, dappled; piebald (*horse*); motley (*crowd*); ˈ**⁓schillernd** *adj.* irridescent, opalescent; ˈ**2specht** *m* spotted woodpecker; ˈ**2stift** *m* colo(u)red pencil, crayon.

Bürde [ˈbyrdə] *f* (-; -n) burden (*a. fig.*: *für j-n* to), load, charge; *phys.* apparent ohmic resistance; *unter der ⁓ der Jahre* under the weight of years; *j-m e-e ⁓ auferlegen* impose a burden on a p., burden a p.

Bure [ˈbu:rə] *m* (-n; -n) Boer; **⁓nkrieg** *m* (-[e]s) *the* Boer-War.

Bürette [byˈrɛtə] *f* (-; -n) burette.

Burg [burk] *f* (-; -en) castle; (*a. fig.*) citadel.

Bürge [ˈbyrgə] *m* (-n; -n) *criminal law*: bail, bailsman, surety; *civil law*: security, surety, guarantor (*a. fig.*); *Am. for immigrants, etc.*: sponsor; reference; *e-n ⁓n stellen* offer bail (*or* surety); ˈ**2n** *v/i.* (*h.*) *für j-n*: *jur.* go bail for, stand surety for, *Am.* bond *a p.*; *generally*: vouch for; *für et.*: guarantee, warrant *a th.*, answer (*or* vouch) for *a th.*; *mit s-m Wort ⁓* pledge one's word.

ˈ**Bürger** *m* (-s; -), **⁓in** *f* (-; -nen) citizen; townsman, *f* townswoman, *pl.* townsfolk; *w.s.* inhabitant; commoner; civilian; *contp.* bourgeois; *⁓ e-r Stadt werden* get the freedom of a city; **⁓eid** *m* civic oath; ˈ**⁓krieg** *m* civil war; ˈ**⁓kunde** *f* (-) civics *pl.*

ˈ**bürgerlich** *adj.* civil, civic; middle-class; *contp.* bourgeois; untitled, common; civilian; plain, simple; *⁓e Küche* plain cooking; *Verlust der ⁓en Ehrenrechte* loss of civil rights; *⁓es Gesetzbuch* (*German*) Civil Code; *⁓e Pflicht* civic duty, *one's* duty as a citizen; *⁓es Recht* civil law; *⁓es Drama* domestic drama; **2e(r** *m*) *f* (-n, -n; -n, -n) commoner.

ˈ**Bürger...: ⁓meister** *m* mayor; burgomaster; **⁓meisteramt** *n* mayor's office; **⁓pflicht** *f* civic duty, *one's* duty as a citizen; **⁓recht** *n* civic rights *pl.*; *n.s.* freedom of a city, municipal citizenship; **⁓schaft** *f* (-; -en) citizens *pl.*, citizenry, townsfolk; **⁓sinn** *m* (-[e]s) public spirit; **⁓stand** *m* (-[e]s) *the* middle classes *pl.*; *contp.* bourgeoisie; **⁓steig** [ˈ-ʃtaɪk] *m* (-[e]s; -e) pavement, causeway, *Am.* sidewalk; **⁓stolz** *m* civic pride; **⁓tum** *n* (-s) citizenship; *the* middle classes *pl.*; *the* citizens *pl.*; **⁓versammlung** *f* town meeting; **⁓wehr** *f* militia.

ˈ**Burg...: ⁓flecken** *m* borough; **⁓frau** *f* lady of the castle; **⁓friede** *m* precinct; *fig.* public peace; *pol.* party truce; *⁓n schließen* make truce; **⁓graben** *m* castle-moat; **⁓graf** *m* burgrave; **⁓herr** *m* lord of the castle.

Bürgschaft [ˈbyrk-] *f* (-; -en) security, surety, guarantee, *Am.* guaranty; bond, bail; *Am.* sponsorship (*for a p.*), assurance (*for immigrant*); *⁓ leisten* give security, provide (*or* stand) surety; guarantee (*für a bill of exchange*); *criminal law*: **a)** go bail, **b)** give bail (*accused*); *durch ⁓ aus der Haft befreien* bail *a p.* out; *gegen ⁓ freilassen* release on (*or* admit to) bail.

ˈ**Bürgschafts...: 2fähig** *adj.* bailable (*offence*); **⁓leistung** *f* suretyship, *Am. a.* sponsorship; giving security (*or* bail); **⁓provision** *econ. f* commission on bank guarantee (*Am.* guaranty); **⁓schein** *m* surety bond; *jur.* bail-bond; **⁓summe** *f* (amount of) security; bail; **⁓vertrag** *m* contract of surety; **⁓wechsel** *m* guaranteed bill of exchange.

Burgund [burˈgunt] *n* (-s) Burgundy; **⁓er(in***f*) *m*, (-s, -; -, -nen), **2isch** *adj.* Burgundian; **⁓er(wein)** *m* Burgundy.

ˈ**Burg...: ⁓verlies** *n* dungeon, keep; **⁓vogt** *m* castellan, steward.

burlesk [burˈlɛsk] *adj.* burlesque, farcical; **2e** *f* (-; -n) burlesque.

Burnus [ˈburnus] *m* (-[ses]; -se) burnous(e).

Büro [byˈro:] *n* (-s; -s) office; **⁓angestellte(r** *m*) *f* clerk, clerical employee; office-worker; black-coated (*Am.* white-collar) worker; **⁓arbeit** *f* clerical (*or* desk-)work; office routine; **⁓bedarf(sartikel** *m/pl.*) *m* office supplies *pl.*; **⁓chef** *m* head (*or* senior) clerk; **⁓diener** *m* office-boy; **⁓einrichtung** *f* office equipment; **⁓klammer** *f* (paper-) clip.

Bürokrat [-roˈkra:t] *m* (-en; -en) bureaucrat, red-tapist.

Bürokrat|ie [-kraˈti:] *f* (-; -n), **⁓ismus** [-ˈtismus] *m* (-) bureaucracy, officialism; officialdom; red-tapism.

büroˈkratisch *adj.* bureaucratic.

Büˈro...: ⁓maschine *f* office machine; **⁓mensch** *m* office-drudge; **⁓möbel** *n/pl.* office furniture; **⁓personal** *n* office personnel, clerical staff; **⁓schluß** *m* (-sses) closing-time; **⁓schrank** *m* office cabinet; **⁓stunden** *f/pl.* office-hours, *Am. a.* duty hours; **⁓vorsteher** *m* → *Bürochef.*

Bursch(e) [ˈburʃ(ə)] *m* (-[e]n; -[e]n) youth, boy, lad, youngster; fellow, bloke, chap, *Am.* guy; *univ.* **a)** senior man, **b)** *obs.* student; errand-boy; *mil.* batman, orderly; *ein feiner ⁓* a fine chap, a good egg, *Am. a.* quite a guy; *ein kluger ⁓* a bright boy, a clever fellow; *ein seltsamer ⁓* a queer bird; *ein übler ⁓* a bad egg, *Am. a.* a tough customer.

Bürsch|chen [ˈbyrʃçən], **⁓lein** [ˈ-laɪn] *n* (-s; -) little boy, laddie, *Am.* kid; little rascal, brat, whipper-snapper.

ˈ**Burschen|herrlichkeit** *f* (-) good old student days *pl.*; **⁓schaft** *f* (-; -en) students' association.

burschiˈkos *adj.* pert.

Bürste [ˈbyrstə] *f* (-; -n) brush (*a. el., tech.*); crew cut; ˈ**2n** *v/t.* (*h.*) brush; *sich die Haare ⁓* brush one's hair.

ˈ**Bürsten...: ⁓abzug** *typ. m* brush-proof; **⁓binder** *m* brush-maker; **⁓haarschnitt** *m* crew cut; **⁓halter** *tech. m* (-s; -) brush holder; **⁓walze** *f* rotary brush; **⁓waren** *f/pl.* brushware.

Bürzel [ˈbyrtsəl] *m* (-s; -) *orn.* rump; *cul.* parson's nose; *hunt.* tail.

Bus [bus] *m* (-ses; -se) bus; ˈ**⁓haltestelle** *f* bus stop.

Busch [buʃ] *m* (-es; ⁼e) bush (*a. geogr.*); shrub; copse, thicket, *Am.* brush; brushwood; tuft, wisp; shock (*of hair*); *fig. auf den ⁓ klopfen* draw a bow at a venture, *bei j-m*: sound *a p.*, feel *a p.'s* pulse; *hinterm ⁓ halten* temporize, shilly-shally, *Am.* sit on the fence; *sich (seitwärts) in die Büsche schlagen* slip away.

Büschel [ˈbyʃəl] *n* (-s; -) bunch; bundle; tassel; tuft, wisp (*of hair, etc.*); cluster, fascicle (*of flowers, fruits, leaves*); tuft (*of feathers*); *zo.* crest, plume; aigrette (*a. phys.*); ˈ**⁓entladung** *el. f* brush discharge; ˈ**2förmig** [ˈ-fœrmiç] *adj.* tufted, tasseled, (*a. tech.*) clustered, *bot.* fascicular; ˈ**2weise** *adv.* in bunches, *etc.*

ˈ**Busch...: ⁓hemd** *n* jacket-shirt; **⁓holz** *n* brushwood, underwood.

ˈ**buschig** *adj.* bushy; shrubby; dendroid.

ˈ**Busch...: ⁓klepper** *m* (-s; -) bandit, footpad; **⁓krieg** *m* bush-fighting; **⁓mann** *m* (-[e]s; ⁼er) bushman; **⁓messer** *n* machete; **⁓neger** *m* maroon; **⁓obst** *n* bush fruit; **⁓werk** *n* (-[e]s) bushes *pl.*, shrubbery, *Am.* brush; **⁓windrös-chen** [ˈ-rø:sçən] *n* (-s; -) wood-anemone.

Busen [ˈbu:zən] *m* (-s; -) gulf, bay; *anat.* bosom, breast(s *pl.*); *fig.*

bosom, breast, heart; *im ~ hegen* harbo(u)r, cherish (in one's heart); '**~freund(in** *f*) *m* bosom-friend.
Bussard ['busart] *m* (-[e]s; -e) buzzard.
Buße ['bu:sə] *f* (-; -*n*) penitence, penance; repentance; satisfaction; atonement, expiation; sanction, penalty, forfeit; fine; *~ tun* do penance; *für et.*: atone (*w.s.* make amends *pl.*) for *a th.*; *er wurde zu e-r ~ von 10 Dollar verurteilt* he was fined $ 10.
büßen ['by:sən] *v/t. and v/i.* (*h.*) *für et.*: atone for, *w.s.* make amends *pl.* for *a th.*; expiate (*a crime*); *fig.* suffer (*or* pay) for; *er büßte es mit s-m Leben* he paid for it with his life; *das sollst du mir ~* I'll make you pay for this; *er hat es ~ müssen* he has paid the penalty; do penance; repent.
'**Büßer** *m* (-*s*; -), **~in** *f* (-; -*nen*) penitent; **~bank** *f* penitent bench; **~gewand** *n* penitential robe; **~hemd** *n* hair-shirt.
'**buß...**: **~fertig** *adj.* penitent, repentant; contrite; **2fertigkeit** *f* (-) repentance; contrition.
Bussole [bu'so:lə] *mar. f* (-; -*n*) (nautical) compass.
'**Buß...**: **~predigt** *f* penitential sermon; **~tag** *m* day of penance; *Buß- und Bettag* day of repentance and prayer.
Büste ['bystə] *f* (-; -*n*) bust; '**~nformer** *m/pl.* pre-shaped brassière; '**~nhalter** *m* (-*s*; -) brassière, bra; '**~nhebe** ['-he:bə] *f* (-; -*n*) uplift brassière.
Butan [bu'ta:n] *chem. n* (-*s*) butane.
Butt [but] *ichth. m* (-[e]s; -e) butt, plaice.
Butte ['butə], **Bütte** ['bytə] *f* (-; -*n*) butt; tub, vat.
Büttel ['bytəl] *m* (-*s*; -) bailiff, beadle.
Bütten|papier ['bytən-] *n* hand-made paper; '**~rand** *m* deckle-edge.
Butter ['butər] *f* (-) butter; *braune* (*frische, gesalzene*) *~* fried (fresh, salt) butter; *mit ~ bestreichen* (spread with) butter; *colloq. alles in ~* everything is okay; '**~birne** *f* butterpear; '**~blume** *f* buttercup; '**~brot** *n* (slice *or* piece of) bread and butter; *belegtes ~* sandwich; *fig. für ein ~* for a song, dirt-cheap; '**~brotpapier** *n* greaseproof paper; '**~creme** *f* butter-cream; '**~dose** *f* butter-dish; '**~faß** *n* butter-tub; churn; '**~maschine** *f* butter churn; '**~messer 1.** *n* butter-knife; **2.** *m chem.* butyrometer; '**~milch** *f* buttermilk; '**2n I.** *v/t.* (*h.*) churn; (spread with) butter; **II.** *v/i.* (*h.*) turn to butter; '**~säure** *chem. f* butyric acid; '**~schmalz** *n* run butter; '**~schnitte** *f* → *Butterbrot*; '**~soße** *f* melted butter; '**~teig** *m* short pastry, puff-paste; **~wecken** ['-vekən] *m* (-*s*; -) bun, butter roll; '**2weich** *adj.* (as) soft as butter.
Butylalkohol [bu'ty:lˀ-] *chem. m* (-*s*) butyl alcohol.
Butzen ['butsən] *m* (-*s*; -) core (*of apple, etc.*); clump; **~mann** *m* (-[e]s; ⸚er) bog(e)yman; **~scheibe** *f* bull's-eye pane.
Byzantin|er [bytsan'ti:nər] *m* (-*s*; -), **~erin** *f* (-; -*nen*), **2isch** Byzantine; **~ismus** [-ti'nismus] *m* (-) *fig.* Byzantinism.
Byzanz [-'tsants] *n* (-) Byzantium.

C

C [tse:], **c** *n* C, c; *see also under K, Sch and Z*; **C, c** *mus. n* C.
Cadmium ['katmium] *n* (-*s*) cadmium; **2haltig** *adj.* cadmiferous.
Café [ka'fe:] *n* (-*s*; -*s*) café, coffee-house.
Campingplatz ['kɛmpiŋ-] *m* camping (*or* caravan) site.
Canaille [ka'naljə] *f* (-; -*n*) canaille, rabble, mob; rascal, scoundrel.
Cape [ke:p] *n* (-*s*; -*s*) cape.
Caritasverband ['ka:ritas-] *m* (-[e]s) (Catholic) Charity Organization Society.
Cäsar ['tsɛ:zar] *m* (-*en*; -*en*) Caesar.
Cäsaren|herrschaft [tsɛ'za:rən-] *f* (-), **~tum** *n* (-[e]s) Caesarism; **~wahn(sinn)** *m* Caesarean madness; **cä'sarisch** *adj.* Caesarean.
C-Dur ['tse:du:r] *n* (-) C major.
Cellist [(t)ʃɛ'list] *m* (-*en*; -*en*) cellist, (')cello player.
Cello ['(t)ʃɛlo] *n* (-*s*; -*s*) (')cello.
Cellophan [tsɛlo'fa:n] *n* (-*s*) cellophane.
Celsius ['tsɛlzius] *m* (degree) centigrade (*abbr.* °C); **~thermometer** *n* centigrade (*or* Celsius) thermometer.
Cembalo ['tʃɛmbalo] *n* (-*s*; -*s*) harpsichord.
Ces [tsɛs] *mus. n* (-; -) C flat.
'**Ces-Dur** *n* C flat major.
Cetanzahl [tse'ta:n-], **Cetenzahl** [-'te:n-] *mot. f* cetane number (*or* rating).
Ceylon ['tsailɔn] *n* (-*s*) Ceylon; *Einwohner von ~* Cingalese; **~tee** *m* Ceylon tea.
Chagrinleder [ʃa'grɛ̃-] *n* shagreen (leather).
Chaiselongue [ʃɛ:zə'lɔ̃:g] *f* (-; -*n*) lounge-chair.
Chamäleon [ka'mɛ:leɔn] *zo. n* (-*s*; -*s*) chameleon; **~lösung** *chem. f* potassium permanganate solution.
chamois [ʃamo'a] *adj.* tan, buff; **2leder** *n* chamois(-leather), shammy.
Champagner [ʃam'panjər] *m* (-*s*; -) champagne.
Champignon ['ʃampinjɔŋ] *m* (-*s*; -*s*) (field) mushroom.
Chance ['ʃɑ̃s(ə)] *f* (-; -*n*) chance, break; prospect; *geringe ~n pl.* small (*or* slim) chances; *nicht die geringste ~* not the least chance, not an earthly (chance), not a dog's chance; *j-m e-e ~ geben* give a p. a chance (*or* break); *die ~n stehen gleich* the odds are even; *die ~n stehen gut für uns* the odds are in our favo(u)r.
changeant [ʃɑ̃'ʒɑ̃:] *adj.* irredescent; shot(-colo[u]red) (*silk*).
changieren [-'ʒi:rən] *v/i.* (*h.*) change; *of horse*: change step; be irredescent; *silk*: be shot.
Chaos ['ka:ɔs] *n* (-) chaos.
chaotisch [ka'o:tiʃ] *adj.* chaotic.
Charakter [ka'raktər] *m* (-*s*; -'*tere*) character, nature, disposition; character, moral strength, backbone; characteristic feature(s *pl.*); stamp, quality; title, (official) rank, capacity; *mil.* brevet rank; *literary*: character; *thea.* part, rôle; *typ.* character, letter; *ein Mann von ~* a man of character; *der öde ~ dieser Landschaft* the dreariness of this landscape; **~bild** *n* character sketch, portrait; **2bildend** *adj.*, **~bildung** *f* character-forming (*or* -building); **~darsteller** *thea. m* character actor; **~darstellerin** *f* character actress; **~darstellung** *f* portraiture of *a p.'s* character; *thea.* character-work; **~erziehung** *f* character-training; **~fehler** *m* fault (*or* defect) in *a p.'s* character; weakness, drawback; **2fest** *adj.* of firm character, high-principled, incorruptible, steadfast; **~festigkeit** *f* firmness of character, moral strength, backbone.
charakteri'sier|en *v/t.* (*h.*) characterize, be characteristic (*or* typical) of; characterize, describe (*als acc.* as); depict, delineate; **2ung** *f* (-; -*en*) characterization; description, delineation.
Charakteristik [-'ristik] *f* (-; -*en*) characterization, character sketch, analysis; *tech.* characteristic (*a. of a logarithm*), diagram; **~um** *n* (-*s*; -*ka*) characteristic (feature).
charakte'ristisch *adj.* characteristic, typical (*für* of); *~e Eigenschaft* characteristic (feature *or* property).
Cha'rakter...: **~kopf** *m* characteristic head, fine head; **~kunde** *f* (-) characterology; **2lich I.** *adj.* personal, moral; *~e Anlage* strain; *~e Mängel* character defects; *s-e ~en Vorzüge pl.* his commendable character *sg.*; **II.** *adv.* in character; personally; *~ einwandfrei* of impeccable character; **2los** *adj.* of weak character, unprincipled, corrupt, spineless; **~losigkeit** *f* (-) lack of principle; **~rolle** *thea. f* character part; **~schilderung** *f* character-sketch; **~schwäche**, (**~stärke**) *f* weakness (strength) of character; **~stück** *thea. n* character-play; **~studie** *f* character-study; **2voll** *adj.* full of character; of strong personality; **~zug** *m* characteristic, trait, feature, strain.
Charge ['ʃarʒə] *f* (-; -*n*) *mil.* ap-

pointment, post; rank; official, officer, *esp.* non-commissioned officer; *tech. metall.* charge, heat; *thea.* (small) character part; **~ndarsteller** *m* character actor.
chargier|en [ʃar'ʒi:rən] *v/t.* (*h.*) *tech.* charge; *thea.* overact, overdo; **2te(r)** *univ. m* (*-n; -n*) office-bearer.
charmant [ʃar'mant] *adj.* charming, winning, engaging.
Charme [ʃarm] *m* (*-s*) charm, personality.
Charmeur [-'mø:r] *m* (*-s; -e*) charmer.
Charta ['karta] *f* charter, deed; grant of rights; *die ~ der Vereinten Nationen* the United Nations Charter.
Chartepar'tie ['ʃartə-] *mar., econ. f* (*-; -n*) charter-party.
chartern ['ʃartərn] *v/t.* (*h.*) charter.
Chassis [ʃa'si:] *n* (*-; -*) *mot., radio*: chassis.
Chauffeur [ʃɔ'fø:r] *m* (*-s; -e*) driver, chauffeur.
Chaussee [ʃo'se:] *f* (*-; -n*) main (*or* high) road, thoroughfare; *Am.* highway.
chaussieren [-'si:rən] *v/t.* (*h.*) macadamize.
Chauvi|nismus [ʃovi'nismus] *m* (*-*) chauvinism; jingoism; **~'nist(in *f*)** *m* (*-en, -en; -, -nen*), **2'nistisch** *adj.* chauvinist; jingo.
Chef [ʃɛf] *m* (*-s; -s*) chief, head; *econ.* principal, employer; *colloq.* governor, boss; (head) manager; senior partner; *of kitchen*: chef; *mil.* ~ *des Stabes* Chief of Staff; **~arzt** *m* medical superintendent, head physician; **~ingenieur** *m* chief engineer; **~konstrukteur** *m* chief designer; **~pilot** *m* chief pilot; **~redakteur** *m* chief editor.
Chemie [çe'mi:] *f* (*-*) chemistry; *analytische ~* analytical chemistry; *angewandte ~* applied chemistry; *anorganische ~* inorganic chemistry; *organische ~* organic chemistry; *technische ~* industrial chemistry, chemical engineering; **~aktien** *f/pl.* chemical shares (*Am.* stocks), chemicals; **~faser** *f* chemical fib|re, *Am.* -er.
Chemi|graph [-'grɑ:f] *typ. m* (*-en; -en*) chemigrapher; **~graphie** [-gra'fi:] *f* (*-*) chemigraphy; chemigraph.
Chemikalien [çemi'kɑ:liən] *pl.* chemicals; *pharm.* chemical drugs.
Chemiker ['çe:mikər] *m* (*-s; -*), **~in** *f* (*-; -nen*) (analytical) chemist.
chemisch ['çe:miʃ] **I.** *adj.* chemical; *~e Erzeugnisse* chemicals; *~e Kampfstoffe* chemical (warfare) agents; *~e Reinigung* dry-cleaning; *~e Wirkung* chemical action; **II.** *adv.*: *~ rein* chemically pure.
Chemo|'techniker(in *f*) [çe:mo-] *m* laboratory technician; **2'technisch** *adi.* chemicotechnical; **~thera'pie** *med. f* (*-*) chemotherapeutics *pl.*; chemotherapy.
Cherub ['çe:rup] *m* (*-s; -im*) cherub; *pl.* cherubs *or* cherubim.
Chesterkäse ['tʃɛstər-] *m* Cheshire cheese.
Chiffre ['ʃifrə] *f* (*-; -n*) cipher; *in ~n schreiben* cipher, (en)code; *ad: unter der ~* under box number; **~nummer** *f* box number; **~schlüssel** *m* cipher code; **~schrift** *f* cryptography; (secret) code.
Chiffreur [ʃi'frø:r] *m* (*-s; -e*) code clerk.
chiffrier|en [ʃi'fri:rən] *v/t.* (*h.*) cipher, (en)code; **2maschine** *f* cipher(ing) machine, converter; **2offizier** *m* cipher officer; **2schlüssel** *m* cipher code, code key; **2ung** *f* (*-; -en*) coding.
Chile ['tʃi:lə] *n* (*-s*) Chile; **Chilen|e** [-'le:nə] *m* (*-n; -n*), **~in** *f* (*-; -nen*), **2isch** *adj.* Chilian.
'Chilesalpeter *m* Chile saltpetre, nitrate of soda.
China ['çi:na] *n* (*-s*) China; **~baum** *m* Peruvian bark tree, chinchona tree; **~rinde** *f* Peruvian bark.
Chines|e [çi'ne:zə] *m* (*-n; -n*) Chinese, *iro.* Chinaman, *sl.* Chink; **~enviertel** *n* Chinatown; **~in** *f* (*-; -nen*) Chinese (woman).
chi'nesisch *adj.* Chinese; *die 2e Mauer* the Great Wall of China; *~-japanisch* Chino- (*or* Sino-) Japanese; *~es Grün* Chinese green; *~es Papier* India paper; *~e Tusche* Indian ink; *das 2e* Chinese, the Chinese language.
Chinin [çi'ni:n] *n* (*-s*) quinine.
Chintz [tʃints] *m* (*-es; -e*) chintz.
Chiromant [çiro'mant] *m* (*-en; -en*) chiromancer, palmist; **Chiromantie** [-'ti:] *f* (*-; -n*) chiromancy, palmistry.
Chirurg [çi'rurk] *m* (*-en; -en*) surgeon; **Chirurg|ie** [-'gi:] *f* (*-; -n*) surgery; **'2isch** *adj.* surgical.
Chlor [klo:r] *n* (*-s*) chlorine; **'~aluminium** *n* chloride of alumin(i)um; **'~ammonium** *n* ammonium chloride.
Chlorat [klo'rɑ:t] *n* (*-[e]s; -e*) chlorate.
'chloren *v/t.* (*h.*) chlorinate.
'Chlor...: ~gas *n* chloric gas; **2haltig** *adj.* chloridic, containing chlorine.
Chlorid [klo:'ri:t] *n* (*-s; -e*) chloride.
chlo'rier|en *v/t.* (*h.*) chlorinate; **2ung** *f* (*-; -en*) chlorination.
'chlorig *adj.* chlorous.
Chlorit [-'rit] *n* (*-s; -e*) chlorite.
'Chlor...: ~kalium *n* potassium chloride; **~kalk** *m*, **~kalzium** *n* chloride of lime, calcium chloride; **~natrium** *n* chloride of sodium.
Chloroform [kloro'fɔrm] *n* (*-s*), **chlorofor'mieren** *v/t.* (*h.*) chloroform.
Chlorophyll [-'fyl] *n* (*-s*) chlorophyll, leaf-green.
'Chlor...: 2sauer *adj.* chloric; *~es Kali* chlorate of potash; **~säure** *f* chloric acid; **~säuresalz** *n* chlorate; **~silber** *n* chloride of silver; **~verbindung** *f* chloride; **~wasserstoff** *m* chlorhydric acid.
Cholera ['ko:lera] *f* (*-*) cholera; **~erreger** *m* cholera bacillus; **~gift** *n* choleraic virus; **~schutzimpfung** *f* cholera inoculation.
Choler|iker [ko'le:rikər] *m* (*-s; -*) choleric (*or* irascible) person; **2isch** *adj.* choleric, irascible, temperamental.
Chor [ko:r] *m* (*-[e]s; ⸚e*) *thea.* chorus; *mus.* choir; *arch.* (*a. n*) *hoher ~* chancel, choir; *colloq. contp. das ~* pack, lot, gang; *im ~ einfallen* (*singen*) sing (*or* join) in chorus; *fig. im ~* in chorus; *im ~ sprechen* speak in chorus.
Choral [ko'rɑ:l] *m* (*-s; ⸚e*) choral(e), hymn; **~buch** *n* hymn-book.
'Chor...: ~altar *m* high altar; **~amt** *n* cathedral service.
Choreographie [koreogra'fi:] *f* (*-; -n*) choreography.
'Chor...: ~gang *m* aisle; **~gesang** *m* choral (*or* choir) singing *or* song, chorus; **~gestühl** *n* (choir-)stalls *pl.*; **~hemd** *n* surplice; **~herr** *m* canon.
Chorist [ko'rist] *m* (*-en; -en*), **~in** *f* (*-; -nen*) member of a choir; *thea.* chorus-singer.
'Chor...: ~knabe *m* choir-boy; **~konzert** *n* choral concert; **~leiter** *m* choirmaster, *Am.* chorister; **~nische** *f* apse; **~rock** *m* cope; **~sänger(in *f*)** *m* → *Chorist*; **~stuhl** *m* (choir) stall; **~us** ['ko:rus] *m* (*-; Chöre*) chorus; *im ~* in chorus; **~verein** *m* choral society.
Christ [krist] **1.** *m* (*-*) → *Christus*; *der Heilige ~* Christmas; **2.** **'~(in *f*)** *m* (*-en, -en; -, -nen*) Christian; → *Weihnachts...*; **'~abend** *m* Christmas Eve; **'~baum** *m* Christmas tree; *sl. aer.* target marker; **'~baumschmuck** *m* Christmas tree decoration; **'~dorn** *bot. m* (*-[e]s*) Christ's thorn, holly.
'Christen...: 2feindlich *adj.* antichristian; **~glaube** *m* Christian faith; **~heit** *f* (*-*): *die ~* Christendom, the Christian world; **~pflicht** *f* Christian's duty; *es ist mir e-e ~* it is my duty as a Christian; **~tum** *n* (*-s*) Christianity; *das ~ annehmen* adopt (*or* espouse) the Christian faith; *sich zum ~ bekennen* profess Christianity; *zum ~ bekehren* christianize; **~verfolgung** *f* persecution of Christians.
'Christ...: ~fest *n* Christmas; **~kind** *n* (*-[e]s*) Infant Jesus, Christ child.
'christlich *adj.* Christian; *~e Nächstenliebe* charity; *2er Verein Junger Männer* (*abbr.* C.V.J.M.) Young Men's Christian Association (*abbr.* Y.M.C.A.); *2e Wissenschaft* Church of Christ, Christian Science.
'Christ...: ~messe, ~mette *f* Christmas matins *pl.*; **~nacht** *f* night before Christmas, Christmas Eve.
'Christus *m* (*-ti*) Christ; *vor Christi Geburt* (*abbr. v. Chr.*) before Christ (*abbr.* B.C.); *nach Christi Geburt* (*abbr. n. Chr.*) Anno Domini (*abbr.* A.D.); **~bild** *n* image of Christ; crucifix.
Chrom [kro:m] *n* (*-s*) *metal.* chromium; *paint*: chrome, potassium dichromate.
Chromat [kro'mɑ:t] *n* (*-[e]s; -e*) chromate.
Chromatik [kro'mɑ:tik] *f* (*-*) *mus. and opt.* chromatics *pl.*
Chromatin [-ma'ti:n] *biol. n* (*-s*) chromatin.
chro'matisch *mus. and opt. adj.* chromatic; *~e Tonleiter* chromatic scale.

'**Chrom...:** **≈gelb** *adj.* chrome-yellow; **~gerben** *tech.* *n* (-*s*) chrome tanning; **≈haltig** *adj.* containing chromium, chromiferous; **~karbid** *n* chromium carbide; **~nickelstahl** *m* (-[e]*s*) chrome-nickel steel.
Chromo|lithogra'phie [kromo-] *typ.* *f* chromolithography; (*picture*) chromo(lithograph); '**~papier** *n* chromo paper.
Chromosom [-'zo:m] *biol.* *n* (-*s*; -*en*) chromosome; **~en-anordnung** *f* arrangement of chromosomes.
Chromo'sphäre *phys.* *f* (-) chromosphere.
Chromotypie [-'ty'pi:] *f* (-) chromotype.
'**Chrom...:** **≈sauer** *adj.* chromic, chromate of; ~*es Kali*(*um*) potassium chromate; **~säure** *f* chromic acid; **~stahl** *m* chromium (*or* chrome) steel; **~wolframstahl** *m* chrome-tungsten steel.
Chronik ['kro:nik] *f* (-; -*en*) chronicle; *eccl.* the Chronicles *pl.*; *in e-r ~ aufzeichnen* chronicle.
'**chronisch** *med. adj.* chronic (*a. fig.*).
Chronist [kro'nist] *m* (-*en*; -*en*) chronicler.
Chronograph [krono'gra:f] *m* (-*en*; -*en*) chronograph.
Chronologe [-'lo:gə] *m* (-*n*; -*n*) chronologist.
Chronologie [-lo'gi:] *f* (-) chronology.
chronologisch [-'lo:giʃ] *adj.* chronologic(al).
Chrono'meter *n* (-*s*; -) chronometer.
Chronoskop [-'sko:p] *n* (-*s*; -*e*) chronoscope.
Chrysanthem|e [kryzan'temə] *f* (-; -*n*), **~um** [-'zantemum] *n* (-*s*; -'*themen*) *bot.* chrysanthemum.
Chrysoberyll [kryzobe'ryl] *min.* *m* (-[e]*s*; -*e*) chrysoberyl.
Chrysolyth [-'lyt] *min.* *m* (-*en*; -*en*) chrysolite.
Chrysopras [-'pra:s] *min.* *m* (-*es*; -*e*) chrysoprase.
Ciceroschrift ['tsi:tsero-] *typ.* *f* (-) pica.
Cirruswolke ['tsirus-] *f* → *Zirruswolke*.
circa ['tsirka] → *zirka*.
Cis [tsis] *n* (-; -) C sharp; **Cis-Dur** *n* (-) C sharp major; **cis-Moll** *n* (-) c sharp minor.
Claque ['klakə] *f* (-) claque.
Clearing ['kli:riŋ] *econ.* *n* (-*s*; -*s*) clearing; **~haus** *n* clearing-house; **~verkehr** *m* clearing (system).
Clique ['klikə] *f* (-; -*n*) clique, coterie, gang; clan; **~nwirtschaft** *f* (-) cliquism.
Clou [klu:] *m* (-*s*; -*s*) chief attraction, highlight; climax; point.
c-Moll *n* (-) C minor.
Code [ko:t] *m* (-*s*; -*s*) code (*a. law-book*).
Cœur [kø:r] *n* (-[*s*]; -[*s*]) *cards*: hearts *pl.*
Comer See ['ko:mər-] *m* Lake Como.
Compoundmotor [kɔm'paʊnt-] *m* compound(-wound D.C.) motor.
Communiqué [kɔmyni'ke:] *n* (-*s*; -*s*) → *Kommuniqué*.
Conférencier [kɔ̃ferɑ̃si'e:] *m* (-*s*; -*s*) compère, *esp.* *Am.* master of ceremony (*abbr.* M. C.), emcee; *e-e Veranstaltung als ~ leiten* compère (*Am.* emcee) a show.
Contergankind [kɔntɛr'ga:n-] *n* thalidomide child.
Couch [kaʊtʃ] *f* (-; -*es*) couch.
Coulomb [ku'lɔ̃:] *phys.* *n* (-*s*; -) coulomb; ~*sches Gesetz* Coulomb's law; ~*sche Waage* Coulomb's (*or* torsion) balance; **~zähler** *m* Coulomb meter.
Coupé [ku'pe:] *n* (-*s*; -*s*) *a. mot.* coupé; compartment.
Couplet [ku'ple:] *n* (-*s*; -*s*) comic (*or* music-hall) song; topical song.
Coupon [ku'pɔ̃:] *m* (-*s*; -*s*) coupon; *econ.* (interest) coupon, dividend-warrant; *in cheque-book*: counterfoil; **~bogen** *m* coupon-sheet; **~steuer** *f* tax on coupons.
Cour [ku:r] *f at court*: levee; *e-r Dame die ~ machen or schneiden* court, pay court to, flirt with a lady; '**~macher** *m* (-*s*; -), '**~schneider** *m* (-*s*; -) ladies' man, philanderer; admirer.
Courage [ku'ra:ʒə] *f* (-) courage, pluck.
Courtage [kur'ta:ʒə] *econ.* *f* (-; -*n*) brokerage; **~satz** *m* commission rate.
Cousin [ku'zɛŋ] *m* (-*s*; -*s*) cousin; → *Kusine*.
Crack|anlage ['krɛk-] *f* cracking plant; **~benzin** *n* cracked petrol (*Am.* gasoline); **~verfahren** *n* cracking method.
Creme [krɛ:m] *f* (-; -*s*) cream; → *Krem*; **≈farben** *adj.* cream-colo(u)red; **~torte** *f* cream(-)tart.
Cumuluswolke ['ku:mulus-] *f* → *Kumuluswolke*.
Cutaway ['katəve:] *m* (-*s*; -*s*), **Cut** [kat] *m* (-*s*; -*s*) morning coat, cutaway.
Cutter ['katər] *m* (-*s*; -) *film*: cutter.

D

D, d [de:] *n* D, d; **D, d** *mus.* *n* (-; -) D.
da [da:] **I.** *adv.* **a)** *as to place*: **1.** there; *~ wo* where; *~ oben* (*unten*) up (down) there; *~ draußen*, *~ hinaus* out there; *~ drinnen*, *~ hinein* in there; *~ drüben*, *~ hinüber* over there; *~ und ~* at such and such a place; *hier und ~* here and there; *mil.* *wer ~?* who goes there?; *von ~* from there, thence; *~ ungefähr* thereabouts; **2.** here; *~ und dort* here and there; *der* (*das*) *~* that one; *~ bin ich* here I am; *ich bin gleich wieder ~* I'll be back in a minute; *~* (*hast du*)! here you are!; *~ haben wir es!* there we are!; **3.** in existence; there, here; *~ sein* be there (→ *dasein*); have (*or* be) arrived; → *dazu*; **4.** *int.* *sieh ~!* look (there)!, *surprised*: look at that now!, *iro.* lo and behold!; *nichts ~!* nothing of the kind!, nothing doing!; **5.** *expletive*: *als ~ sind* such are (for instance), such as; *als ich ihn sah, ~ lachte er* when I saw him he laughed; *es gibt Leute, die ~ glauben* there are people who do believe; *was ~ kommen mag* whatever may happen; **b)** *as to time*: then, at that time; *~ erst* only then, not till then; *von ~ an* from that time (on), from that moment, since then; *hier und ~* now and then, now and again; *~ gab es noch kein elektrisches Licht* there was no electric light then; **c)** in that case, this being so, under the circumstances; *was läßt sich ~ machen* what can be done in such a case (*or* there); *~ irren Sie sich* you are mistaken there; *~ wäre ich* (*doch*) *dumm* that would be silly of me; **II.** *cj.* **1.** *as to time*: as, when, while; *in dem Augenblick, ~* at the moment when; *nun, ~ du es einmal gesagt hast* now (that) you have mentioned it; **2.** *causal*: because, as, inasmuch as; *~ ja, ~ doch* since (indeed); *~ dem so ist* such being the case; *~ ich keine Nachricht erhalten hatte, ging ich weg* having received no news, I went away; **3.** *antithetic*: *~ aber, ~ jedoch* but since, but considering (that); *~ hingegen* whereas.
dabei [da'baɪ] (*emphatic*: '*dabei*) *adv.* **1.** near (at hand), close by; *ein Haus und ein Park ~* a house and a park attached to it; **2.** about *or* going to (*do a th.*), on the point of (*doing a th.*); *ich war gerade ~ zu packen* I was just packing; at the same time, in doing so; *~ sah er mich scharf an* saying so, he looked at me keenly; *essen und ~ stehen* eat while standing; **3.** besides; *er ist zurückhaltend und ~ freundlich* he is reserved and friendly as well; *sie ist hübsch und ~ auch noch klug* she is pretty and intelligent into the bargain; **4.** nevertheless, yet, for all that; *und ~ ist er doch schon alt* yet he is an old man, after all; *~ könnte er längst Doktor sein* he could long have taken his degree, for that matter; *~ konnte ich ihn nicht ausstehen* and all the time I couldn't stand him; **5.** present, there; *~sein* **a)** be there, **b)** take part, **c)** witness, watch; *darf ich ~sein?* may I join the party?; *ich bin ~!* agreed!, count me in!, I'm on!; *ich war ~, als er verunglückte* I was there when he had the accident; *sie war* (*auch*) *~* she was one of the party; **6.** on the occasion, then; by it *or* that, thereby, as a result; *~ kam es zu einer heftigen Auseinandersetzung* this occasioned (*or* gave rise to, resulted in) a heat-

ed argument; es *kommt nichts ~ heraus* it's no use, it's not worth the trouble, it doesn't pay; ~ *dürfen wir nicht vergessen* in this connection (*or* here) we must not forget; *jegliche ~ entstehenden Unkosten* any costs incident thereto; *alle ~ erzielten Gewinne* all profits accruing therefrom; **7.** *generally*: *ich dachte mir nichts Böses ~* I meant no harm (by it); *ich dachte mir nichts ~* (*at his words, etc.*) I gave it no thought, I paid no attention to it; *was ist schon ~?* what harm is there in that?, what does it matter?, what of it?; *lassen wir es ~* let's leave it at that.

da'bei...: ~bleiben *v/i.* (*irr.*, *sn*) persist in it, abide by it, keep (*or* stick) to it; *ich bleibe dabei, daß* I maintain that; *es bleibt dabei!* (it is) settled!, (we are) agreed!, done!; *dabei blieb's* there the matter ended; and that was all; **~sein** *v/i.* (*irr.*, *sn*) be there, be present, attend; *fig. ich bin ~* I am with you, I have no objection, I am on; → *dabei*; **~stehen** *v/i.* (*irr.*, *h.*) stand by, stand near; *idly*: look on; *die Dabeistehenden* the bystanders.

'dableiben *v/i.* (*irr.*, *sn*) stay, remain; *bleib doch noch ein Weilchen da* why not stay a little longer?

da capo [da 'ka:po] *adv.* encore!; *~ rufen* (call for an) encore.

Dach [dax] *n* (-[e]s; ⸚er) roof (*a. fig. house*); *mot.* top, roof; *Wagen mit festem ~* hard-top car; *anat.* **a**) cranial vault, **b**) roof (of mouth); *fig.* shelter; *ohne ~* roofless; *ein ~ über dem Kopf haben* have a roof over one's head; *unter demselben ~ wohnen* live under the same roof; *unter ~ und Fach* safely under cover, in safety; et. *unter ~ und Fach bringen* **a**) shelter (*or* house) a th., **b**) *fig.* get (everything) settled *or* arranged, **c**) secure, **d**) complete, bring to completion; *colloq. eins aufs ~ bekommen* get a thorough dressing-down, *w.s.* suffer a hard blow; *j-m aufs ~ steigen* come down on a p.

'Dach...: ~antenne *f* roof aerial; **~balken** *m* roof-tree; rafter; **~belag** *m* roofing; **~binder** *m* roof truss; **~boden** *m* loft; **~decker** ['-dɛkər] *m* (-s; -) roofer; tiler; slater; shingler; thatcher; **~deckerarbeit** *f* roofing; **~fenster** *n* dormer window, skylight; **~first** *m* ridge (of a roof); **≈förmig** ['-fœrmiç] *adj.* roofshaped, rooflike; **~garten** *m* roof-garden; **~geschoß** *n* attic story, loft; **~gesellschaft** *econ. f* holding company; **~gesims** *n* cornice; **~giebel** *m* gable; **~kammer** *f* attic, garret; **~korn** *n of rifle*: blade foresight, point sight; **~latte** *f* roof lath; **~leiste** *mot. f* roof cleat; **~luke** *f* → *Dachfenster*; **~organisation** *f* parent organization, control unit; **~pappe** *f* roofing felt; **~pfanne** *f* pantile; **~platte** *f* tile; slate; shingle; lead; **~reiter** *arch. m* ridge turret; **~rinne** *f* gutter.

Dachs [daks] *zo. m* (-es; -e) badger; *fig. wie ein ~ schlafen* sleep like a top; **'~bau** *m* (-[e]s; -e) badger's earth.

'Dach...: ~schiefer *m* roofing slate; **~schaden** *m* damage to the roof; *colloq. fig. e-n ~ haben* be not quite right in one's upper story; **~schindel** *f* shingle.

'Dachshund *m* badger-dog, dachshund.

'Dach...: ~sparren *m* rafter; **~stube** *f* attic, garret; **~stuhl** *m* roof framework; **~stuhlbrand** *m* fire in the woodwork (of a roof).

dachte ['daxtə] *pret. von denken.*

Dach...: ~traufe *f* eaves *pl.*; **~werbung** *econ. f* sky-sign advertising; **~werk** *n* (-[e]s) roofing; **~wohnung** *f* garret; **~ziegel** *m* (roofing) tile.

Dackel ['dakəl] *m* (-s; -) dachshund, badger-dog; *colloq.* idiot, numskull.

dadurch [da'durç] (*emphatic*: '*dadurch*) **I.** *adv.* **1.** through there, that way; **2.** *fig.* by it, through it, thereby; in this manner (*or* way), by that means, thus; *was hat er ~ erreicht?* what did he get by it?; *alle ~ verursachten Schäden* any damage caused thereby; **II.** ['dadurç] *cj.*: *~ daß* owing to *or* thanks to the fact that; by *ger.*; as, because, in that.

dafür [da'fy:r] (*emphatic*: '*dafür*) **I.** *adv.* for it, for that; instead (of it), in lieu of it; in return (for it), in exchange; *~ aber* but, but then; *arm, ~ aber glücklich* poor but happy; *er ist vielleicht jung, ~ aber sehr gescheit* he may be young, but then he is very intelligent; *~ sein* be in favo(u)r of it, advocate, support, endorse it, vote for it; *~ sein, et. zu tun* be for (*or* advocate) doing a th.; es *läßt sich vieles ~ und dagegen sagen* much may be said for and against it; *er kann nichts ~* it is not his fault (*or* doing); *ich kann nichts ~, daß ich lachen etc. muß* I can't help it, I can't help *laughing*, *etc.*; in this case; *~ wird e-e besondere Regelung getroffen* this matter will be subject to a special arrangement; **II.** ['da:fy:r] *cj.* ~ *daß*: *er wurde ~ bestraft, daß er gelogen hatte* he was punished for having told a lie.

Da'fürhalten *n*: *nach m-m ~* in my opinion; as I see it.

dagegen [da'ge:gən] (*emphatic*: '*dagegen*) **I.** *adv.* **1.** against it (*or* that); *s-e Gründe ~* his objections to it; *~ sein* be against (*or* opposed to) it; *~ stimmen* vote against it; *er sprach sich sehr ~ aus* he strongly opposed (*or* argued against) it; *haben Sie et. ~, wenn ich rauche?* (do you) mind if I smoke?, would you mind my smoking (a cigarette)?; *wenn Sie nichts ~ haben* if you don't mind, *iro.* if you please; *ich habe nichts ~* I have no objection (to it); I don't mind; *~ hilft nichts* there is no help (*or* remedy) (for it), *w.s.* it can't be helped; **2.** in return *or* exchange (for it); **3.** in comparison with it, compared to it; *unsere Qualität ist nichts ~* our quality can't compare with it; **4.** on the other hand, however; **II.** *cj.* on the contrary, but then; whereas, whilst, while.

da'gegenhalten *v/t.* (*irr.*, *h.*) hold *a th.* against (it); *fig. a.* argue; reply (*dat.* to); contrast, compare (*dat.* to, with).

daheim [da'haım] *adv.* at home; at one's house; in one's own (*or* native) country, back home; *ist er ~?* is he in?; *er wird bald ~ sein* he will be home soon; *~ ist ~* there's no place like home; *fig. er ist in dieser Materie ~* he is at home in this field;

Da'heim *n* (-s) home.

daher [da'he:r] (*emphatic*: '*daher* ['da:he:r]) **I.** *adv.* from there, from that place, thence; *fig. causal*: from this, hence; *~ (stammt) die ganze Verwirrung* hence the confusion; *~ kam es, daß* thus (*or* in that way) it happened that; **II.** *cj.* therefore, for that reason; that is why; accordingly; consequently, as a result.

da'her...: *in compounds* along, *e. g.* **~fliegen** (**~kommen**) *v/i.* (*irr.*, *sn*) fly (come) along; **~reden** *v/i.* (*h.*): *dumm ~* talk nonsense (*or* rot), babble.

daherum ['da:herum] *adv.* thereabouts.

dahin [da'hin] (*emphatic*: '*dahin*) *adv.* **1.** *as to space*: there, to that place, thither; *fig. das gehört nicht ~* that's beside the point (*or* irrelevant), that has no bearing on the subject; **2.** *as to time*: *bis ~* until then, up to that time; *hoffentlich bist du bis ~ fertig* I hope you will have finished by then; **3.** *purpose*: *sich ~ äußern, daß* speak to the effect that; *~ arbeiten, daß* endeavo(u)r (*or* make every effort) to *inf.*, aim at *ger.*; *man hat sich ~ geeinigt, daß* it has been agreed (upon) that, we have agreed that; *m-e Meinung geht ~, daß* my opinion is that; **4.** es *~ bringen, daß* carry matters so far that; *j-n ~ bringen, daß* bring a p. to *inf.*, make a p. do *a th.*; *ist es ~ gekommen?* has it come to that?; *nun ist es ~ gekommen, daß* things have come to such a pass that; **5.** away; past, over, gone; gone, lost; dead and gone; gone, broken.

dahin... ['da:hin-]: **~auf** *adv.* up there; **~aus** *adv.* out there, out that way; *fig. will er ~?* is that what he is driving at?

da'hineilen *v/i.* (*sn*) hurry along; *time*: pass swiftly, fly.

dahinein ['da:hinaın] *adv.* in there.

da'hin...: ~fahren *v/i.* (*irr.*, *sn*) travel (*or* drive, rush) along; **~fliegen** *v/i.* (*irr.*, *sn*) fly along; *time*: pass swiftly, fly; **~fließen** *fig. v/i.* (*irr.*, *sn*) flow on (smoothly, easily); **~gehen** *v/i.* (*irr.*, *sn*) go along; *time*: pass; (*die*) pass on (*or* away), depart this life.

'dahingehend [-ge:ənt] *cj.*: *~, daß* to the effect that; saying that.

da'hin...: ~gestellt [-gəʃtɛlt] *adj.*: *~ sein lassen* leave undecided *or* in the air; leave out of account; not to go (further) into *a matter*; es *bleibt ~* it remains to be seen; *es sei ~, ob* no matter whether ... or not; **~leben** *v/i.* (*h.*): *so ~* vegetate; **~raffen** *fig. v/t.* (*h.*) carry off; **~rasen** *v/i.* (*sn*) speed (*or* race, dash, rush) along; **~schwinden** *v/i.* (*irr.*, *sn*) dwindle (*or* melt) away; *person, from grief*: pine away; *beauty*: fade; **~siechen** *v/i.* (*sn*) waste away; **~stehen** *v/i.* (*impers.*, *irr.*, *h.*) be uncertain; es

steht noch dahin it is not yet decided, it remains to be seen.
dahinten [da'hintən] *adv.* back there.
dahinter [da'hintər] (*emphatic*: '*dahinter*) *adv.* behind it (*or* that), at the back of it, *Am.* back of it; *fig.* at the bottom of it, behind it; **~'her** *adv.*: (*sehr*) *~ sein* be after (*or* out for) it; make a point of (*zu inf. ger.*); spare no efforts.
da'hinter...: ~klemmen *colloq.*: *sich ~* (*h.*) buckle to it; **~kommen** *v/i.* (*irr.*, *sn*) discover, find out; get to the bottom of it; **~machen, ~setzen**: *sich ~* (*h.*) set to (work); buckle to it; **~stecken** *fig. v/i.* (*h.*) be at the bottom of it; *da muß et. ~* there is more in it than meets the eye; *es steckt nichts dahinter* there is nothing in it.
dahinunter ['da:hinuntər] *adv.* down there.
da'hin...: ~welken *v/i.* (*sn*) fade (*or* wither) away; **~ziehen** *v/i.* (*irr.*, *sn*) go (*or* move, travel) along.
Dahlie ['da:liə] *bot. f* (-; -*n*) dahlia.
Dakapo [da'ka:po] *n* (-*s*; -*s*) encore; → *da capo.*
Daktylus ['daktylus] *m* (-; -*ylen*) dactyl.
'**daliegen** *v/i.* (*irr.*, *h.*) lie there; *ausgestreckt ~* sprawl.
Dalmatien [dal'ma:tsiən] *n* (-*s*) Dalmatia; **Dalmatiner(in** *f*) [dalma'ti:nər(in)] *m* (-*s*, -; -, -*nen*), **dalma'tinisch, dal'matisch** *adj.* Dalmatian.
damalig ['da:ma:liç] *adj.* then, of that time (*or* period); *der ~e Besitzer* the then owner; *sein ~es Versprechen* the promise then given by him.
damals ['da:ma:ls] *adv.* then, at that time; in those days.
Damast [da'mast] *m* (-*es*; -*e*), **2en** *adj.* damask.
Damaszenerklinge [damas'tse:nər-] *f* Damascus blade.
damaszieren [-'tsi:rən] *v/t.* (*h.*) *cloth*: damask; *steel*: damascene.
Dambock ['dam-] *m* fallow buck.
'**Dam(e)brett** *n* draught- (*Am.* checker-)board.
Dämchen ['dɛ:mçən] *n* (-*s*; -) little lady, damsel.
Dame ['da:mə] *f* (-; -*n*) lady; *dancing*: partner; *die ~ des Hauses* the hostess; *address*: *m-e ~* Madam; *m-e Damen und Herren!* ladies and gentlemen!; *draughts*: king; *e-e ~ machen* crown a man; *~ spielen* play at draughts, have a game at draughts; *chess*: queen; *sich e-e ~ ziehen* queen a pawn; *cards*: queen.
'**Damen...: ~besuch** *m* lady-visitor(s *pl.*); **~binde** *f* sanitary towel (*Am.* napkin); **~doppel(spiel)** *n tennis*: (the) women's doubles *pl.*; **~einzel (-spiel)** *n* (the) women's singles *pl.*; **~frisör** *m* ladies' hairdresser; **2haft** *adj.* ladylike; **~hemd** *n* lady's vest; **~hut** *m* lady's hat; **~kleidung** *f* ladies' garments *pl.*, women's wear; **~konfektion** *f* ladies' ready-made clothes *pl.*, *Am.* ladies' ready-to-wear; **~mannschaft** *f sports*: woman team; **~mantel** *m* lady's coat; **~salon** *m* ladies' room, *Am.* ladies' parlor; **~sattel** *m* side-saddle; **~schneider(in** *f*) *m* ladies' tailor (*f* -ess, dressmaker); **~unterwäsche** *f* ladies' underwear; lingerie; **~wahl** *f* ladies' choice; **~welt** *f* (-) *the* ladies *pl.*, *the* fair sex.
'**Dame|spiel** *n* draughts, *Am.* checkers *pl.*; **~stein** *m* man (at draughts).
Damhirsch ['dam-] *m* fallow-deer.
damit [da'mit] (*emphatic*: '*damit*) **I.** *adv.* with that *or* it (*pl.* those *or* them), therewith, herewith; by that *or* it (*pl.* those *or* them), thereby; *was will er ~ sagen?* what does he mean by it?; *was soll ich ~?* what am I to do with it?, what good is that?; *wie steht es ~?* how about it?; *es ist nichts ~* it won't do, it's no go; *wir sind ~ einverstanden* we agree to it; *jegliche ~ verbundenen Ausgaben* any expenditure connected therewith (*or* incident thereto); *er fing ~ an, daß er versuchte zu inf.* he began by trying to *inf.*; *~ war ein neues Zeitalter angebrochen* this marked the beginning of a new epoch; **II.** (*only*: *da'mit*) *cj.* (in order) that, in order to *inf.*; with the object to *ger.*; so (that); *~ nicht* lest, (in order) that ... not, (so as) to avoid that; for fear that; *~ es alle sehen können a.* for all the world to see.
dämlich ['dɛ:mliç] *colloq. adj.* stupid, silly, idiotic; **2keit** *f* (-) silliness.
Damm [dam] *m* (-[*e*]*s*; ¨*e*) dam; dike, dyke; *rail.* embankment; *of river*: embankment, *Am.* levee; *of road*: **a)** bank, **b)** roadway; pier, mole, jetty; breakwater; *through moor*: causeway; *anat.* perineum; *fig.* barrier; *colloq. fig. auf dem ~ sein* feel up to it, be in good shape; be on the ball *or* beam; *j-n wieder auf den ~ bringen* set a p. up, put a p. on his feet again; *ich bin heute nicht auf dem ~* I don't feel up to the mark today; '**~bruch** *m* bursting of a dam; break in a dam, *Am.* crevasse; → *Dammriß.*
dämmen ['dɛmən] *v/t.* (*h.*) dam (up), dike; stem; embank, *Am.* levee (*river*); *fig.* stem, check, curb.
Dämmer ['dɛmər] *m* (-*s*) dusk, twilight; **2ig** *adj.* dusky; dim, obscure (*light*); **~licht** *n* (-[*e*]*s*) twilight; grey dawn of day; *w.s.* dim light; **2n** *v/i.* (*h.*) dawn; grow dusky; *es dämmert* **a)** it is dawning, the day breaks, **b)** it is getting dark, night is coming on; *fig. es dämmert bei ihm* it is beginning to dawn on him; *vor sich hin~* doze, drowse; **~schein** *m* → *Dämmerlicht*; **~schlaf** half-sleep; *med. m* twilight sleep; **~stunde** *f* hour of twilight; **~ung** *f* (-; -*en*) **a)** dawn(ing); *bei ~* at dawn (*or* daybreak); **b)** twilight, dusk; *in der ~* by twilight, at dusk (*or* nightfall); **~zustand** *med. m* twilight *or* semi-conscious state.
'**Damm...: ~riß** *med. m* perineal rupture; **~weg** *m* causeway.
Dämon ['dɛ:mɔn] *m* (-*s*; -'*monen*) demon; **dämonisch** [dɛ'mo:niʃ] *adj.* demoniacal; (*supernatural*) demonic, daemonic.
Dampf [dampf] *m* (-[*e*]*s*; ¨*e*) steam, *w.s.* vapo(u)r; smoke, reek; exhalation; (*chemische*) *Dämpfe pl.* vapo(u)rs, fumes; *vet.* broken wind; *~ ablassen* let off steam (*a. colloq. fig.*); *mit ~ behandeln* steam; *colloq. fig. ~ bekommen sl.* get cold feet; *~ dahinter machen* put on steam, put pressure behind it; '**~antrieb** *m* steam drive; '**~bad** *n* steam-bath; '**~bagger** *m* steam shovel; '**~betrieb** *m* steam drive (*or* power); '**~boot** *n* steamboat; '**~druck** *m* (-[*e*]*s*) steam pressure; '**~druckmesser** *m* steam ga(u)ge.
'**dampfen** *v/i.* (*h.*) steam, emit (*or* give off) steam *or* vapo(u)r; smoke (*a. person*), fume.
dämpfen ['dɛmpfən] *v/t.* (*h.*) steam (*a. food*); *fig.* damp; deaden, muffle, subdue (*sounds*); *mus.* mute; muffle (*drum*); *teleph.*, *nuclear physics*: attenuate; subdue, soften (*colour*, *light*); soft (*film*); cushion (*shock*, *etc.*); *aer.* stabilize; absorb (*vibrations*); soothe, assuage (*pain*); quench, put out; damp(en), put a damper on, throw cold water on (*enthusiasm*, *etc.*); subdue, check (*passion*); suppress; *mit gedämpfter Stimme* under one's breath, in an undertone, sotto voce.
'**Dampfer** *m* (-*s*; -) steamer; → *Dampfschiff.*
'**Dämpfer** *m* (-*s*; -) damper (*a. on piano*); *mus.*, *esp. for violin*: mute; *loudspeaker*: baffle; *mot.* silencer, *Am.* muffler; *tech.* shock-absorber; *aer.* stabilizer; *nuclear physics*: moderator; *cul.* steam (*esp. Am.* pressure) cooker, autoclave; *fig. j-m e-n ~ aufsetzen* **a)** damp a p.'s enthusiasm, **b)** take a p. down a peg or two; *e-r Sache e-n ~ aufsetzen* put a damper on a th.
'**Dampfer...: ~flotte** *f* steam-fleet; **~linie** *f* steamship line.
'**Dampf...: 2förmig** ['-fœrmiç] *adj.* vaporous; **~gebläse** *n* steam blower (*or* blast); **~hammer** *m* steam hammer; **~heizung** *f* steam heating.
'**dampfig** *adj.* steamy, vaporous.
'**dämpfig** *adj.* sultry, sweltering; *vet.* broken-winded (*horse*).
'**Dampf...: ~kessel** *m* boiler; **~kochtopf** *m* pressure cooker, autoclave; **~kraft** *f* (-) steam power; **~kraftwerk** *n* steam-power plant; **~leitung** *f* steam piping; **~maschine** *f* steam-engine; **~messer** *m* (-*s*; -) manometer, steam ga(u)ge; **~nudeln** *f/pl.* stewed dumplings; **~pfeife** *f* steam-whistle; **~pflug** *m* steam plough (*Am.* plow); **~rohr** *n*, **~röhre** *f* steam pipe; **~schiff** *n* steamship, steamboat, steamer; *mit dem ~* by steamer; **~schiffahrt** *f* steam-navigation; **~schiffahrtsgesellschaft** *f* steamship line; **~strahl** *m* steam jet; **~turbine** *f* steam turbine.
'**Dämpfung** *f* (-; -*en*) damping, *etc.*; → *dämpfen*; *phys.*, *el.*, *of energy*: loss; *of transmission line*: attenuation (*a. nuclear physics*); *of oscillating circuit*: damping; *aer.* stabilization; *fig.* suppression; slowing down; **~sflosse** *aer. f* stabilizer.
'**Dampf...: ~wäsche'rei** *f* steam laundry; **~walze** *f* steam-roller.
Damwild ['dam-] *n* fallow-deer.
danach [da'na:x] (*emphatic*: '*da-*

nach) *adv.* after that *or* it, *pl.* after them; afterwards, later on; subsequently, thereupon; according to it; accordingly; *er trägt ein Verlangen* ~ he has a desire for it; *ich sehnte mich* ~, *heimzukehren* I longed to return; *ich fragte ihn* ~ I asked him about it; *ich frage nichts* ~ I don't care; *er handelte genau* ~ he acted in strict adherence to it; *iro. er sieht ganz* ~ *aus* he looks very much like it; *es ist aber auch* ~ don't ask what it is like.

Danaergeschenk [ˈdɑːnaər-] *fig. n* Greek gift.

Däne [ˈdɛːnə] *m* (*-n*; *-n*) Dane.

daneben [daˈneːbən] *adv.* beside (*or* near) it, next to it; *dicht* ~ close (*or* hard) by it; besides, moreover, in addition (to that); at the same time, parallel to it; beside the mark; **~gehen** *v/i.* (*irr.*, *sn*) *shot, etc.*: miss (the mark), fail to hit, go astray; *fig.* go amiss, miscarry, fail; **~hauen** *v/i.* (*h.*) miss; *fig.* miss one's guess, be very wrong; **~schießen, ~schlagen, ~treffen** *v/i.* (*irr.*, *h.*) miss (the mark), fail.

Dänemark [ˈdɛːnəmark] *n* (*-s*) Denmark.

dang [daŋ] *pret. von dingen.*

daniederliegen [daˈniːdərliːgən] *v/i.* (*irr.*, *h.*) be laid up (*an dat.* with); *trade, etc.* languish, stagnate.

Dän|in [ˈdɛːnin] *f* (*-*; *-nen*) Dane; **≈isch** *adj.* Danish.

dank [daŋk] *prp.* (*gen. or dat.*) owing to, (*a. iro.*) thanks to.

ˈ**Dank** *m* (-[e]s) thanks *pl.*; gratitude; reward; acknowledgement; *schlechter* ~ ingratitude, small thanks; *besten or schönen* ~! many thanks!, thank you very much; *in letters*: *a.* accept my (kindest) thanks; *j-m* ~ *sagen* thank a p., return (*or* render, express one's) thanks to a p.; *j-m* ~ *schulden* be indebted to a p.; *j-m* ~ *wissen* be *or* feel obliged (*or* grateful) to a p.; *ist das der* ~ *für m-e Mühe?* is that the return for all my trouble?; *iro. das ist der* (*ganze*) ~! that's all the thanks one gets!; *zum* ~ *für s-e Dienste* as an acknowledgement for (*or* in recognition of) his services; **~adresse** *f* vote of thanks.

ˈ**dankbar** *adj.* thankful; grateful; obliged; worthwhile; profitable, paying; satisfactory; e-e ~e *Aufgabe* a rewarding task; *wir wären für e-e schnelle Erledigung* ~ we should appreciate an early settlement; *iro. ich wäre Ihnen* ~, *wenn Sie* I would thank you for *ger.*; **≈keit** *f* (-) gratitude, gratefulness, thankfulness (*gegen* towards); *aus* ~ *für* in gratitude for.

ˈ**Dankbrief** *m* letter of thanks.

ˈ**danken I.** *v/i.* (*h.*) thank (*j-m für et.* a p. for), return thanks; decline with thanks; *danke* (*schön*)! (many) thanks, thank you (very much); *danke*(, *ja*)! thank you!; *refusal*: no, thank you, thanks; *nichts zu* ~! don't mention it!, you are welcome!, not at all!; *iro. na, ich danke!* thank you for nothing!; → *Obst*; **II.** *v/t.* (*h.*): *j-m et.* ~ **a**) reward a p. for a th., **b**) owe a th. to a p.; *ihm* ~ *wir, daß* we owe it to him that, it is due (*or* thanks) to him that; **~d** *adv.* with thanks; **~swert** *adj.* deserving (of thanks), commendable, meritorious.

ˈ**dankerfüllt** *adj.* filled with (*or* full of) gratitude.

ˈ**Dankes|bezeigung, ~bezeugung** *f* mark (*or* proof) of gratitude; **~schuld** *f* (-) debt of gratitude, indebtedness; **~worte** *n/pl.* words of gratitude.

ˈ**Dank...**: **~fest** *n* thanksgiving (festival); *Am.* Thanksgiving Day; **~gebet** *n* thanksgiving (prayer); **~gottesdienst** *m* thanksgiving service; **~opfer** *n* thanks-offering; **~sagung** [ˈ-zɑːguŋ] *f* (*-*; *-en*) (expression of) thanks, *eccl.* thanksgiving; **~schreiben** *n* letter of thanks.

dann [dan] *adv.* then; thereupon; after that, afterwards; in that case, then; besides, moreover, then; ~ *und* ~ at such and such a time; ~ *und wann* now and then, occasionally; once in a while; here and there; *was geschah* ~? what happened next?; *selbst* ~ even then; *selbst* ~, *wenn es wahr wäre* even if it were true.

ˈ**dannen** *adv.*: *von* ~ *gehen or ziehen* go away, leave, march off.

daran [daˈran] (*emphatic*: ˈ*daran*), *colloq.* **dran** [dran] *adv.* at (*or* by, in, on, to) that *or* it; thereby; thereon; ~ *erkennst du ihn* by that you may know him; *befestige die Stange* ~ fasten (*or* attach) the rod to it; *nahe* ~ near it, close by it; *fig. nahe* ~ *sein zu inf.* be on the point of *ger.*, be near *ger.*; be all set to *inf.*; *es liegt mir viel* ~ it is very important to me, I am very much interested in it; *was liegt* ~? what does it matter?; *es liegt daran, daß* the reason is that; *es ist nichts* ~ there is nothing in it; *colloq. da ist alles dran* it's fantastic; *er ist gut* (*übel*) *dran* he is well (badly) off; *wie ist er mit Kleidern* ~? how is he off (*Am.* fixed) for clothes?; *wer ist dran?* whose turn is it?; *ich bin dran* it's my turn; *colloq. fig. jetzt ist er dran* now he is in for it; *er tut gut* ~ *zu inf.* he does well to *inf.*; ~ *ist nicht zu denken* that is out of the question; *er denkt nicht* ~, *es zu tun* he wouldn't dream of doing it; *ich dachte nicht* ~, *ihn zu beleidigen* I never meant to insult him; *jetzt weiß ich, wie ich dran bin* now I know where I stand; **~gehen** *v/i.* (*irr.*, *sn*), **~machen:** *sich* ~ (*h.*) set to work, get busy; set about (*zu inf. ger.*); **~nehmen** *v/t.* (*irr.*, *h.*) call *a p.* up; *fig.* let *a p.* have it; **~setzen** *v/t.* (*h.*) stake, risk, hazard; *fig. alles* ~ (*zu inf.*) spare no effort, do one's utmost (to *inf.*).

darauf [daˈrauf] (*emphatic*: ˈ*darauf*), *colloq.* **drauf** [drauf] *adv. as to space*: on it *or* that (*pl.* them); on top of it; there(up)on; *gerade* ~ *zu* straight towards (*or* up to) it; *as to time*: thereupon, after that, afterwards, then; *bald* ~ soon after (that); *gleich* ~ directly afterwards; *am Tage* (*or den Tag*) ~ the day after, the next (*or* following) day; *zwei Jahre* ~ two years later; *fig* on it (*or* that); → *oben, auf, etc.*; *drauf und dran sein zu inf.* be on the point of *ger.*, be just about (*or* going) to (*inf.*), be all set to (*inf.*); *wenn es drauf und dran geht* if things come to a head; ~ *steht Todesstrafe* it is a capital crime; ~ *kommt es an* that's what matters, that's the main point; *ich lasse es* ~ *ankommen* I'll risk it, I'll take a chance; **~folgend** *adj.* ensuing, subsequent, (then) following; → *drauf...*

daraufˈhin *adv.* after that, thereupon; as a result, on the strength of it; in answer to it; *er arbeitete* ~ *zu inf.* he endeavo(u)red to *inf.*, he aimed at *ger.*, his efforts were directed to *ger.*

daraus [daˈraus] (*emphatic*: ˈ*daraus*), *colloq.* **draus** [draus] *adv.* from this *or* that (*pl.* them); of it; thence; therefrom; *es folgt* ~ hence it follows; *es kann nichts* ~ *werden* nothing can come of it; ~ *wird nichts!* that's out (of the question)!, nothing doing!; *was ist* ~ *geworden?* what has become of it?; *was soll* ~ (*nur*) *werden?* what will come of it?; *ich mache mir nichts* ~ I don't care (about it), I am not particularly keen on it; ~ *können wir schließen* from this (*or* hence) we may infer; *jegliche* ~ *erwachsenden Schwierigkeiten* any difficulties arising therefrom.

darben [ˈdarbən] *v/i.* (*h.*) suffer want (*or* privations), be in want; starve (*a.* ~ *lassen*).

darbiet|en [ˈdɑːr-] *v/t.* (*irr.*, *h.*) offer, present (*dat.* to); present, perform, play; *fig. sich* ~ offer (*or* present) itself (*pl.* themselves), arise, emerge; **≈ung** *f* (*-*; *-en*) *thea., etc.*: performance, (re)presentation; *w.s.* entertainment, program(me); event.

ˈ**darbring|en** *v/t.* (*irr.*, *h.*) offer, present, give; make (*a sacrifice*); *als Opfer*: offer (up), sacrifice; **≈ung** *f* (*-*; *-en*) presentation, offering.

Dardanellen [dardaˈnɛlən] *pl.* the Dardanelles *pl.*

darein [daˈraɪn] (*emphatic*: ˈ*darein*), *colloq.* **drein** [draɪn] *adv.* into it *or* that, therein; **~finden** (*irr.*, *h.*), **~fügen:** *sich* ~ (*h.*) put up with it, resign o.s. (to it); **~geben** *v/t.* (*irr.*, *h.*) give into the bargain; **~mischen:** *sich* ~ (*h.*) meddle (with it); interfere; intervene; **~reden** *v/i.* (*h.*) interrupt; *fig.* interfere; **~schauen** *v/i.* (*h.*): *ernst etc.* ~ look grave, *etc.*; **~schicken** (*h.*) → *dareinfinden*; **~schlagen** *v/i.* (*irr.*, *h.*) strike (hard), inflict (*or* shower) blows, lay about one; **~willigen** *v/i.* (*h.*) consent (to it).

darin [daˈrin] (*emphatic*: ˈ*darin*), *colloq.* **drin** [drin] *adv.* in it, in that, *pl.* in them; in there, therein; *was ist* ~? what is inside?; *only darin*: in this respect; ~ *irren Sie sich* there you are mistaken; ~ *kann ich Ihnen nicht zustimmen* I can't agree with you there (*or* on this score); *dieses Material unterscheidet sich von anderen* ~, *daß es* this material differs from others in that it ...; *only drin*: *colloq. es ist für ihn nicht* ~, *zu inf.* it is not on the cards for him to *inf.*

darleg|en ['dɑːr-] *v/t.* (*h.*) lay open, expose, disclose; set forth, show; explain; represent, demonstrate; interpret, expound; state, point out; (state in) detail, specify, particularize; unfold; **2ung** *f* (-; -*en*) exposition, exposé; showing; explanation; representation; statement.

Darleh(e)n ['dɑːrleː(ə)n] *n* (-s; -) loan; advance; ~ *auf Hypotheken* mortgage loan; ~ *auf Pfandwerte* loan against security; ~ *auf Zinsen* loan on interest; *befristetes* ~ time loan; *jederzeit kündbares* ~ demand (*or* call) loan; *ein* ~ *aufnehmen* borrow money, raise a loan; *ein* ~ *geben* grant a loan; advance (*or* lend) *a p.* money; **~sbank** *f* (-; -*en*) loan bank; **~sgeber** *m* lender; **~sgesellschaft, ~skasse** *f*, **~skassenverein** *m* (mutual) loan society, *Am.* credit corporation; **~snehmer** *m* borrower; **~sschuld** *f* debt in the nature of an advance.

Darm [darm] *m* gut, intestine; *Därme pl.* intestines, bowels; *for sausages*: skin; '**~bein** *n* ilium; '**~blutung** *med. f* intestinal h(a)emorrhage; '**~entleerung** *f* evacuation of the bowels; '**~entzündung** *f* inflammation of the bowels, enteritis; '**~fistel** *f* intestinal fistula; '**~flora** *f* intestinal flora; '**~geschwür** *n* intestinal ulcer; '**~grimmen** *n* colic; '**~höhle** *f* intestinal cavity; '**~inhalt** *m* f(a)ecal matter; *of small intestine*: intestinal contents *pl.*; '**~katarrh** *m* enteritis; '**~krankheit** *f*, '**~leiden** *n* intestinal disease; '**~krebs** *m* (-es) intestinal cancer; '**~saft** *m* intestinal juice; '**~saite** *f* catgut string; '**~tätigkeit** *f* (-) bowel function; '**~trägheit** *f* constipation; '**~tuberkulose** *f* intestinal tuberculosis; '**~verschlingung** *f* twisting of the bowels; '**~verschluß** *med. m* ileus; '**~wand** *f* intestinal wall.

darnach [dar'naːx] *etc.* → *danach.*

darnieder [dar'niːdər] *etc.* → *danieder.*

Darre ['darə] *f* (-; -*n*) kiln-drying; (drying-)kiln; *orn.* roup.

darreichen ['dɑːr-] *v/t.* (*h.*): *j-m et.* ~ reach (*or* hand) a p. a th., (pr)offer (*or* hold out, present) a th. to a p.; *med. and eccl.* administer.

darr|en ['darən] *tech. v/t.* (*h.*) kiln-dry; **2malz** *n* kiln-dried malt; **2ofen** *m* (drying-)kiln; **2sau** *f* kiln heating system.

darstell|bar ['dɑːrʃtelbɑːr] *adj.* representable; **~en** *v/t.* (*h.*) *generally*: represent; show, depict, delineate, portray; describe, picture; *falsch* ~ misrepresent; *thea.* (im-)personate, play the part of, do; *graphically*: figure, plot, chart; *math.* describe; skeletonize; outline; *tech.* prepare, produce; *chem. a.* disengage, liberate; constitute, represent, mean, be; symbolize; *colloq.* do, manage; *was stellt dieses Zeichen dar?* what does that symbol stand for; *sich* ~ present itself; **~end** *adj.* representative (of); *~e Geometrie* descriptive geometry; *~e Kunst* interpretative art; **2er(in** *f*) *m* (-s, -; -, -*nen*) actor (*f* actress), performer, player; **~erisch** *adj.* acting, mimic, theatrical; **2ung** *f* (-; -*en*) presentation; representation, description; delineation, portrayal; statement; *falsche* ~ misrepresentation, *jur. des Sachverhaltes*: incorrect recital of fact; *thea.* (im)personation, acting, performance; *of play*: production; *graphische* ~ diagram, figure, graph(ic representation); *tech.* preparation; *chem. a.* disengagement; *math.* construction; *nach Ihrer* ~ *des Falles* as you describe it, as you present the case; **2ungskraft** *f* (-) descriptive power; **2ungskunst** *f* acting; **2ungsverfahren** *chem. n* process of preparation; **2ungsweise** *f* style (*or* manner) of representation.

dartun ['dɑːr-] *v/t.* (*irr., h.*) prove, show; substantiate; *praktisch* ~ demonstrate; set forth.

darüber [da'ryːbər] (*emphatic*: '*darüber* ['dɑːryːbər]), *colloq.* **drüber** ['dryːbər] *adv.* over that *or* it, *pl.* over them; above it; on top of it; across it; *as to time*: meanwhile, in the meantime; before that; on that point (*or* account, score, matter), about that; ~ *hinaus* beyond (*or* past) it, *fig.* in addition (to it), over and above it, on the top of it; *zwei Pfund* ~ two pounds more; *drei Jahre und* ~ three years and upward; *es geht nichts* ~ there is nothing like it; ~ *werden Jahre vergehen* it will take years; *wir sind* ~ *hinweg* we got over it; ~ *vergaß ich meine eigenen Sorgen* it made me forget my own cares; *darüber wird morgen verhandelt* this matter will be discussed tomorrow; *er beklagt sich darüber, daß er betrogen worden sei* he complains of having been deceived; **~stehen** *v/i.* (*irr., h.*) be (*or* stand) above it.

darum [da'rum] (*emphatic*: '*darum* ['dɑːrum]), *colloq.* **drum** [drum] *adv.* **1.** around that *or* it, *pl.* around them; *fig.* about that; *er weiß* ~ he knows about it, he is aware of it; *es ist mir nur* ~ *zu tun* all I ask (*or* my only object) is (zu to); *es ist mir sehr* ~ *zu tun, daß* I am very anxious to *inf.*, I set great store by *ger.*; *er kümmert sich nicht* ~ he does not care (about it); *es handelt sich* ~ *festzustellen* the point is to find out; **2.** therefore, for that reason, on that account; ~ *ist er nicht gekommen* that's (the reason) why he did not come; ~ *eben!* that's just the reason!, that's precisely why!; ~ *handelt es sich* (*eben*) that's (just) the point; *why have you done it?* ~*!* because!

darunter [da'runtər] (*emphatic*: '*darunter* ['dɑːruntər]), *colloq.* **drunter** ['druntər] *adv.* under that *or* it, *pl.* under them; underneath, beneath it; below; among them; including; less; *zwei Jahre und* ~ two years and under; *was verstehst du* ~*?* what do you understand by it?; ~ *kann ich mir nichts vorstellen* it doesn't mean anything to me, I can't make head or tail of it; *alles ging drunter und drüber* all was topsyturvy (*or* at sixes and sevens).

das [das] → *der.*

dasein ['dɑː-] *v/i.* (*irr., sn*) be there; be present; exist, be in existence; be available; *noch nie dagewesen* unprecedented, without precedent, unheard-of, unparalleled; *es ist alles schon dagewesen* there is nothing new under the sun; **2** *n* (-s) existence, being, life; presence; *ins* ~ *treten* come into being; **2sberechtigung** *f* right to exist, raison d'être (*Fr.*); **2skampf** *m* (-[e]s) struggle for existence *or* life.

da'selbst [da-] *adv.* there, in that very place; *in books, etc.*: ibidem; *wohnhaft* ~ residing at the same (*or* said) place *or* address.

dasitzen ['dɑː-] *v/i.* (*irr., h.*) sit there.

dasjenige ['dasjeːnigə] → *derjenige.*

daß [das] *cj.* that; *so* ~ so that; *nicht* ~ not that, lest; *es sei denn,* ~ unless; *ohne* ~ without (*ger.*); *auf* ~ in order that *or* to; *er entschuldigte sich,* ~ *er zu spät kam* he apologized for being late; *entschuldigen Sie,* ~ *ich Sie störe* excuse my disturbing you; ~ *es doch wahr wäre!* would (*or* I wish) it were true; *nicht* ~ *ich wüßte* not that I know of; *nicht* ~ *es etwas ausmachte* not that it mattered; ~ *du dich ja nicht rührst!* don't you move!; ~ *du ja kommst!* be sure to come!; *es muß so formuliert sein,* ~ *es* (*nicht*) *den Eindruck erweckt* it should be so worded as (not) to give the impression; *es sind zwei Jahre,* ~ *ich ihn nicht gesehen habe* it is two years now that I haven't seen him!

dasselbe [das'zɛlbə] → *derselbe.*

dastehen ['dɑː-] *v/i.* (*irr., h.*) stand (there); *fig. gut* ~ be in a splendid position, *w.s.* appear in a favo(u)rable light, *business*: be on a sound footing, flourish; *einzig* ~ stand alone, have no equal, be unrival(l)ed; *colloq. wie stehe ich nun da!* what a fool I look now!

Daten ['dɑːtən] *n/pl.* data (*a. tech.*), facts; *of person*: particulars; **2verarbeitend** *tech. adj.*, **~verarbeitung** *f* data processing.

datieren [da'tiːrən] **I.** *v/t.* (*h.*) date; *falsch* ~ misdate; *datiert sein* bear the date (*von* of), be dated *or* date (as of); **II.** *v/i.* (*sn*) be dated, date (*von* from); *dieses Dokument datiert aus der Zeit vor der Revolution* this document dates back to the time (*or* dates from) before the revolution.

Dativ ['dɑːtiːf] *gr. m* (-s; -e) dative (case); *a.* **~objekt** *n* indirect object.

dato ['dɑːto] *econ. adv.*: *drei Monate* ~ three months (after) date; *bis* ~ hitherto, till now; **2wechsel** *m* bill after date.

Dattel ['datəl] *f* (-; -*n*) date; **~baum** *m* → *Dattelpalme*; **~kern** *m* date-kernel; **~palme** *f* date-tree, date-palm; **~pflaume** *f* persimmon.

Datum ['dɑːtum] *n* (-s; -*ten*) date; → *Daten pl.*; *gleichen ~s* of same date; *heutigen ~s* of this date, of today; *ohne* ~ undated; *neueren ~s* of recent date; *unter demselben* ~

under same date; *welches* ~ *haben wir heute?* what is today's date?, which day of the month is it?; **~stempel** *m* date stamp; dater.

Daube ['daʊbə] *f* (-; -*n*) stave.

Dauer ['daʊər] *f* (-) duration; continuance; permanence; period, length (of time), *esp. econ., jur.* term, life; durability, lastingness; *die* ~ *der Rundfunksendung* the length of the broadcast; *auf die* ~ in the long run; *für die* ~ *von* for a period (*or* term) of; *für die* ~ *gearbeitet* made to last; *während der* ~ *dieses Vertrags* during the term hereof; *von* ~ lasting, permanent, durable; *von kurzer* ~ of brief duration, short-lived; *von langer* ~ of long duration (*or* standing); *von* ~ *sein* last; *cloth, dye*: wear well; **~anlagen** *econ. f/pl.* permanent investments; **~apfel** *m* keeping-apple, winter-apple; **~auftrag** *econ.*, **~befehl** *mil. m* standing order (*a. to a bank, etc.*); **~belastung** *f* constant load; **~betrieb** *m* continuous working (*or* operation); permanent service; **~brandofen, ~brenner** *m* slow-combustion stove; **~erfolg** *m* continuing success; **~ertrag** *m* sustained yield; **~fahrer** *m cycling*: stayer; **~fahrt** *f* endurance run; **~feuer** *mil. n* continuous (*or* sustained *or* automatic) fire; **~fleisch** *n* preserved meat; **~flug** *m* endurance (*or* duration) flight; non-stop flight; **~gast** *m* permanent guest; *colloq.* permanent fixture; **~geschwindigkeit** *f* cruising speed; **≈haft** *adj.* durable, lasting, *as to time*: *a.* long-term; stable, resistant; fast (*dye*); long-wearing (*cloth*); ~ *gearbeitet* made to last; **~haftigkeit** *f* (-) durability, lastingness; solidity; stability; *tech.* durability, resistance, long service life; *of cloth*: wear; **~karte** *f* season ticket, *Am.* commutation ticket; **~kredit** *m* permanent loan; **~lauf** *m* long-distance (*or* endurance) run; jog-trot; **~leistung** *f tech.* normal rating, continuous output; *aer., mot.* cruising power; **~marsch** *m* forced march; **~mieter** *m* permanent lodger; **~milch** *f* sterilized milk.

'**dauern I.** *v/i.* (*h.*) continue, last; take, require (*time*); *die Prüfung dauerte 5 Stunden* the examination took five hours; *es wird lange* ~, *bis er kommt* it will take him long to come *or* he will take long in coming; *es dauerte über e-e Woche, bis er schrieb* it was over a week before he wrote; *es wird nicht lange* ~, *dann* it won't be long before; **II.** *v/t.* (*h.*) *er* (*es*) *dauert mich* I feel sorry for him (it); I pity him; → *bedauern*; **~d** *adj.* lasting, permanent; durable, enduring; continuous, constant; incessant; *er lachte* ~ he kept laughing.

'**Dauer...:** **~pflanze** *f* perennial (plant); **~prüfung** *tech. f* endurance test; **~redner** *m* marathon speaker; **~regen** *m* constant rain; **~schlaf** *m med.* cataphora; **~schmierung** *f* self-lubrication; **~stellung** *f* permanency, permanent position (*or* employment); **~strich** *teleph. m* long dash; **~strom** *el. m* constant current; **~ton** *m* (-[e]s; ⸚e) continuous tone, steady hum; *teleph.* continued buzz; **~überweisung** *econ. f* standing order of remittance; **~welle** *f* permanent wave, perm; *sich* ~*n machen lassen* have one's hair permed; **~wirkung** *f* lasting effect; **~wurst** *f* hard sausage; **~zustand** *m* permanent condition.

Daumen ['daʊmən] *m* (-*s*; -) thumb; *tech.* cam; *fig. j-m den* ~ *halten* keep one's fingers crossed for a p.; *j-n unter dem* ~ *halten* keep a p. under one's thumb; *die* ~ *drehen* twiddle one's thumbs; *über den* ~ (*gepeilt*) at a guess, roughly; **~abdruck** *m* thumb-print; **~breite** *f* thumb's breadth; **~einschnitt** *m* → *Daumenregister*; **~nagel** *m* thumb-nail; **~rad** *tech. n* cam wheel; **~register** *n* side (*or* thumb) index; **~scheibe** *tech. f* cam disc; **~schraube** *f* thumbscrew (*a. fig.*); *j-m* ~*n anlegen* put the screw on a p.

Däumling ['dɔʏmlɪŋ] *m* (-*s*; -*e*) thumb-stall; *fig.* Tom Thumb.

Daune ['daʊnə] *f* (-; -*n*) down; **~ndecke** *f* eiderdown; down-quilt; **≈nweich** *adj.* downy.

davon [da'fɔn] (*emphatic*: '*davon*) *adv.* of that *or* it, *pl.* of them; thereof; by that *or* it, thereby; off, away; about it, of it; *was habe ich* ~? what does it get me?; *das kommt* ~! that comes of it!, that's what happens!; *jegliche* ~ *betroffenen Rechtsansprüche* any legal claims thereby affected; **~eilen** *v/i.* (*sn*) hurry (*or* hasten) away *or* off; **~fliegen** *v/i.* (*irr., sn*) fly off *or* away; **~kommen** *v/i.* (*irr., sn*) get away (*or* off); escape, survive; *mit knapper Not* ~ have a narrow escape (*or* close shave, *Am. a.* close call), escape by the skin of one's teeth; *wird er* ~? will he live?; → *Schrekken*; **~laufen** *v/i.* (*irr., sn*) run away; take to one's heels; *es ist zum* ≈! it's enough to drive you mad; **~machen:** *sich* ~ (*h.*) make off; **~schleichen** *v/i.* (*irr., sn*) *and sich* ~ (*h.*) sneak off, steal away; **~tragen** *v/t.* (*irr., h.*) carry off (*a. price*); *fig.* incur, sustain, suffer; get, catch (*disease*); → *Sieg*.

davor [da'foːr] (*emphatic*: '*davor* ['daːfoːr]) *adv.* before (*or* in front of) it *or* that, *pl.* them; *fig. er fürchtet sich* ~ he is afraid of it; *er bewahrte mich* ~ he saved (*or* kept) me from it.

dazu [da'tsuː] (*emphatic*: '*dazu* ['daːtsuː]) *adv.* to that *or* it, *pl.* to them; thereto; for it *or* that, for that purpose, to that end, therefor; besides, in addition; *noch* ~ at that; into the bargain, on the top of that; ~ *gehört Zeit* it requires time; ~ *kommt* add to this; ~ *ist er da* that's what he is here for; *er ist* ~ *da zu inf.* it is his duty (*or* job) to *inf.*; *ich riet ihm* (*sehr*) ~ I (strongly) advised him to do it; *er hat das Geld* ~ he can afford it; *jegliche* ~ *erforderlichen Unterlagen* any documents and data required therefor; **~gehören** *v/i.* (*h.*) belong to it (*or* them), appertain to it; **~gehörig** *adj.* belonging to it, forming part of it; pertinent; **~kommen** *v/i.* (*irr., sn*) come along; *er kam gerade dazu, als* he happened to arrive at the very moment when; *illness, etc.*: supervene; *dazu kommt* add to this; *ich kam nie dazu, zu inf.* I never found the time to *inf.*, I never got around to *ger*.

dazumal ['daːtsumaːl] *adv.* at that time, in those days; → *Anno*.

dazutun [da'tsuː-] *v/t.* (*irr., h.*) add (to); *colloq.* hurry up; *ohne sein* ≈ without his intervention; without so much as lifting a finger.

dazwischen [da'tsvɪʃən] *adv.* between (them), in between; in between, between times; **~fahren** *v/i.* (*irr., sn*), **~funken** *v/i.* (*h.*) interfere, *Am. a.* butt in; cut in, interrupt; **~kommen** *v/i.* (*irr., sn*) come (*or* stand) between; *event*: intervene, happen, turn up; *wenn nichts dazwischenkommt* if nothing happens; **≈kunft** ['-kʊnft] *f* (-; ⸚e) *f* intervention, interference; **~liegend** *adj.* intermediate, *fig. a.* intervening; **~treten** *v/i.* (*irr., sn*) *fig.* intervene, interfere; intercede, step in; **≈treten** *n* (-*s*) → *Dazwischenkunft*; **~werfen** *v/t.* (*irr., h.*) *fig.* interpose, interject, throw in.

'**D-Dur** *n* (-) D major.

Debakel [de'baːkəl] *n* (-*s*; -) breakdown; collapse; disaster.

Debatte [de'batə] *f* (-; -*n*) debate; discussion (*über acc.* on); *e-e erregte* ~ a heated debate; *e-e* ~ *eröffnen* open a debate; *in e-e* ~ *eintreten* enter into a discussion; *zur* ~ *stehen* be under discussion *or* at issue; *das steht hier nicht zur* ~ that's beside the point, that's not the issue here.

debat'tier|en I. *v/t.* (*h.*) debate, discuss; **II.** *v/i.* (*h.*) debate, deliberate (*über acc.* on); **≈klub** *m* debating society.

Debet ['deːbɛt] *econ. n* (-*s*; -*s*) debit; *im* ~ *stehen* be on the debit side; **~note** *f* debit note; **~posten** *m* debit entry (*or* item); **~saldo** *m* debit balance, balance due; *mein gegenwärtiger* ~ the balance standing to my debit.

Debit [de'biː] *econ. m* (-*s*) sale, market.

debi'tieren *econ. v/t.* (*h.*) charge, debit; *j-m e-n Betrag* ~ pass (*or* place) an amount to the debit of a p., charge a sum to a p.'s account.

Debitoren [debi'toːrən] *econ. m/pl.* debtors; receivables, advances.

Debüt [de'byː] *n* (-*s*; -*s*) first appearance, début.

Debütant(in *f*) [-by'tant(in)] *m* (-*en*, -*en*; -, -*nen*) beginner, débutant(e *f*); deb; **debü'tieren** *v/i.* (*h.*) make one's début; come out.

Dechant [dɛ'çant] *eccl. m* (-*en*; -*en*) dean.

dechif'frieren [de-] *v/t.* (*h.*) decipher, decode.

Deck [dɛk] *n* (-[e]s; -*s*) *mar.* deck; *an or auf* ~ on deck; *unter* ~ below deck; *of car*: top, roof; '**~adresse** *f* cover (address); '**~anstrich** *m* finishing coat; '**~aufbau** *mar. m* (-[e]s) superstructure; '**~bett** *n* feather-bed; '**~blatt** *n of cigar*: wrapper; *bot.* bract; *for books, etc.*:

correction sheet, errata slip; *transparent*: overlay.

Decke ['dɛkə] *f* (-; *-n*) cover(ing); surface; coverlet; counterpane, quilt, *Am.* comforter; blanket; rug; cover, cloth; awning; tarpaulin; ceiling; envelope; (*book*) jacket, wrapper; lining; layer, coat; *on liquids*: head, top; *anat.*, *bot.* (in-)tegument; *hunt.* skin; *mot.* outer cover, (tyre) casing; *mining*: roof; *mit fester ~* hard-surfaced (*parking place, etc.*); *fig. sich nach der ~ strecken* make both ends meet, cut one's coat according to one's cloth; make the best of it; *unter e-r ~ stecken* conspire together, be hand in glove (*mit* with), be in league (*Am. sl.* in cahoots) (*mit* with).

Deckel ['dɛkəl] *m* (*-s*; -) lid, (*a. book*) cover; top, cap; watch-cap; *typ.* tympan; *~ zum Aufklappen* hinged lid, flap; *~ zum Aufschrauben* screw-top (*or* cap); *colloq.* (*hat*) lid; *bot.*, *zo.* operculum; *colloq. j-m eins auf den ~ geben* give a p. a dressing-down; **~korb** *m* basket with (a) lid, hamper; **~krug** *m* tankard.

decken ['dɛkən] **I.** *v/t.* (*h.*) cover (*a. zo.*); cover, tile, slate, thatch (*a roof*); *den Tisch ~* lay the cloth *or* table, *für sechs Personen ~* lay covers for six persons; *mil.* shield, *a. chess, etc.*: cover, protect; escort, convoy; *artillery*: straddle; *boxing*: cover; *soccer, etc.*: cover, mark; *fenc.* parry, guard; *fig. j-n ~* shield a p.; *econ.* cover (*costs, etc.*); reimburse; meet, cover, supply (*demand*); make good (*damage*); meet, provide with security (*bill of exchange*); *hinlänglich gedeckt sein* have sufficient security; *sich ~* protect o.s.; *fig.* coincide (*mit* with) (*a. math.*), correspond *or* tally *or* be identical (with one another); *econ.* cover o.s., insure o.s.; *fenc.* guard (*a. fig. gegen* against); **II.** *v/i.* (*h.*) *colour, a. sports*: cover; *boxing*: cover, keep one's guard up.

'Decken...: ~beleuchtung *f* ceiling lighting *or* lamp(s *pl.*); **~gemälde** *n* ceiling fresco; **~licht** *n* (-[e]s) skylight; overhead light; *mot.* dome light; **~schalter** *m* ceiling switch.

'Deck...: ~farbe *f* body (*or* opaque) colo(u)r; **~gewebe** *anat. n* epithelial tissue; **~hülle** *f* covering; **~konto** *n* fictitious account; **~kraft** *f* (-) covering power (*of paint*); **~lack** *m* coating varnish; **~ladung** *f* deck cargo; **~landeflugzeug** *n* carrier--borne airplane; **~mantel** *m* cloak, mask, disguise; *unter dem ~ gen.* under the cloak of; posing as; **~name** *m* cover (*or* assumed) name, pseudonym, alias; *mil.* code name; **~offizier** *mar. m* warrant officer; **~platte** *f* cover plate.

'Deckung *f* (-; [*-en*]) covering; *mil., etc.* cover, shelter, (*a. mil., tactical*) protection; concealment, camouflage; *sports*: **a)** covering, **b)** defen|ce, *Am.* -se; *boxing, chess, fenc.*: guard; *unter ~* under cover; *~ suchen* take (*or* make for) cover; *mil. ~!* (take) cover!; *boxing*: *s-e ~ vernachlässigen* leave o.s. open, drop one's guard; *econ.* cover (*of costs, etc.*); reimbursement; payment; supply (*of the demand*); cover, security, collateral (security); margin; funds *pl.*; *ohne ~* unsecured, without funds in hand; *genügende ~* ample security; *mangels ~ zurück* returned for want of funds; *j-n mit ~ versehen* provide a p. with funds; **~sbetrag** *econ. m* margin (of loss), cover; **2sfähig** *adj.* valid as legal cover; reimbursable; **~sforderung** *f* covering claim; **2sgleich** *adj. math.* congruent; *tech.* non-overlapping; **~sgraben** *mil. m* shelter trench; **~skauf** *econ. m* covering purchase, bear (*Am.* short) covering; **~sklausel** *f* covering clause; **~sloch** *mil. n* foxhole; **2slos** ['-lo:s] *adj.*: *~es Gelände* open ground; **~smittel** *pl.* funds for reimbursement; cover fund(s).

'Deck...: ~weiß *n* zinc white; **~wort** *n* (-[e]s; ⸗er) code word.

Dedikation [dedikatsi'o:n] *f* (-; *-en*) dedication; **~s-exemplar** *n* presentation copy.

dedizieren [dedi'tsi:rən] *v/t.* (*h.*): *j-m et. ~* dedicate a th. to a p.

Deduk|tion [deduktsi'o:n] *f* (-; *-en*) deduction; **2tiv** [-'ti:f] *adj.* deductive; **deduzieren** [dedu'tsi:rən] *v/t.* (*h.*) deduce (*aus* from).

Defätis|mus [defɛ'tismus] *m* (-) defeatism; **~t** *m* (*-en*; *-en*), **2tisch** [-'tistiʃ] *adj.* defeatist.

defekt [de'fɛkt] *adj.* defective; faulty; damaged; **2** *m* (-[e]s; *-e*) defect (*an dat.* in); *typ.* imperfection; **2bogen** *m/pl.* imperfect sheets; **2buchstabe** *m* batter.

defensiv [defɛn'zi:f] *adj.* defensive; *sich ~ verhalten* be (*or* act, stand) on the defensive; **2e** *f* (-; *-n*) defensive; *in der ~* on the defensive.

defilieren [defi'li:rən] *v/i.* (*h., sn*) defile, pass in review; march past.

definier|bar [-'ni:rbɑ:r] *adj.* definable; **~en** *v/t.* (*h.*) define; **Definition** [-nitsi'o:n] *f* (-; *-en*) definition; **definitiv** [-'ti:f] *adj.* definite, positive; definitive, final.

Defizit ['de:fitsit] *econ. n* (*-s*; *-e*) deficit, deficiency, shortage; *ein ~ decken* make good a deficiency; *ein ~ von $ 100 haben* be $ 100 short; *mit e-m ~ abschließen* show a deficit.

Deflation [deflatsi'o:n] *f* (-; *-en*) deflation; **~sbewegung** *f* deflationary movement.

Deformati'on *f* deformation, *tech. a.* distortion.

defor'mier|bar *adj.* deformable; **~en** *v/t.* (*h.*) deform; distort; **2ung** *f* (-; *-en*) deformity.

Defraudant [defrau'dant] *m* (*-en*; *-en*) defrauder, embezzler; **Defraudation** [-tsi'o:n] *f* (-; *-en*) embezzlement.

defrau'dieren *v/t.* (*h.*) defraud; embezzle.

deftig ['dɛftiç] *colloq. adj.* robust (*person, humour, etc.*); juicy (*story*); mighty, heavy (*blow, etc.*).

Degen ['de:gən] *m* (*-s*; -) sword; *fenc.* épée (*Fr.*); warrior.

Degeneration [degeneratsi'o:n] *f* (-; *-en*) degeneration; degeneracy; **degene'rieren** *v/i.* (*sn*) degenerate; *degeneriert* degenerate(d); *ein Degenerierter* a degenerate.

'Degen...: ~fechten *n* épée-fencing; **~griff** *m* sword-hilt; **~knopf** *m* pommel; **~scheide** *f* scabbard.

degradier|en [degra'di:rən] *v/t.* (*h.*) degrade (*zu* to), reduce (in grade *or* rank), *Am.* demote; *mar.* disrate; **2ung** *f* (-; *-en*) degradation, *Am.* demotion.

Degression [degresi'o:n] *econ. f* (-; *-en*) lowering (*of costs, etc.*).

degressiv [-'si:f] *adj.* degressive; declining.

dehnbar ['de:nbɑ:r] *adj.* extensible; flexible, elastic; ductile, malleable (*metal*); extensible (*leather*); *fig.* vague, wide (*term*); elastic (*conscience*); **2keit** *f* (-) extensibility; flexibility; ductility; *fig.* vagueness; ambiguity.

'dehn|en *v/t.* (*h.*) extend; stretch (*both a. sich ~ and fig.*); strain; malleate (*metal*); lengthen (*syllable, vowel*); drawl (*words*); *sich ~ person*: stretch o.s., give a stretch; *phys. sich ~* expand, dilate; **2festigkeit** *f* tensile strength; **2fuge** *f* expansion joint; **2ung** *f* (-; *-en*) extension, stretch(ing); *tech.* extension; *elastische ~* stretch; longitudinal stress; *verformende ~* elongation; *bleibende ~* permanent extension; *phys.* expansion, dilatation; *gr.* lengthening (*of vowel*); **2ungsfuge** *f* expansion joint; **2ungshub** *m* expansion stroke; **2ungsmesser** *m* (*-s*; -) dilatometer; extensometer.

dehy'drieren [de-] *chem. v/t.* (*h.*) dehydrate.

Deich [daıç] *m* (-[e]s; *-e*) dike, dyke, dam; *of river*: embankment, *Am.* levee; **'~bruch** *m* breaking (*or* rupture) of a dike; **'~hauptmann** *m* dike-reeve.

Deichsel ['daıksəl] *f* (-; *-n*) shaft, pole; thills *pl.*; drawbar, *Am.* tractor hitch; **2n** *colloq. v/t.* (*h.*) manage, handle, wangle, engineer.

dein [daın] **1.** *adj. and pron.* your; *eccl., poet.* thy; *e-r ~er Freunde* a friend of yours; **2.** *pred.* yours; *eccl., poet.* thine; *ich bin ~* I am yours; **3.** (*gen. of du*) of you, *eccl., poet.* of thee; *ich werde ~(er) gedenken* I shall remember you; *ich wurde ~er ansichtig* I caught sight of you; **4.** *~er m, ~e f, ~es n, der (die, das) ~(ig)e* yours, *eccl. poet.* thine; *dieser Hut ist der ~e* this hat is yours; *immer der ~e* Yours ever; *die 2(ig)en pl.* your family (*or* folks, people); **~erseits** ['-ərzaıts] *adv.* for (*or* on) your part; **~esgleichen** ['-əsglaıçən] *pron.* your like(s *pl.*), the like of you.

deinet|halben ['-əthalbən], **'~wegen, (um) '~willen** *adv.* on your account, because of you; for your sake, on your behalf.

Deis|mus [de'ʔismus] *m* (-) deism; **~t(in** *f*) [de'ʔist(in)] *m* (*-en, -en*; -, *-nen*) deist; **2tisch** *adj.* deistical.

Dekade [de'kɑ:də] *f* (-; *-n*) decade; ten-day period.

dekaden|t [deka'dɛnt] *adj.* decadent; *biol.* degenerate; **2z** [-'dɛnts] *f* (-) decadence; *biol.* degeneracy.

Dekan [de'kɑ:n] *eccl. and univ. m* (*-s*; *-e*) dean; **Dekanat** [deka'nɑ:t] *n* (-[e]s; *-e*) deanery; deanship.

dekantieren [dekan'ti:rən] *v/t.* (*h.*) decant.

dekarboni'sieren *v/t.* (*h.*) decarbonize.
dekatieren [deka'ti:rən] *v/t.* (*h.*) hot-press, shrink.
Deklamation [deklamatsi'o:n] *f* (-; *-en*) declamation, recitation; **Deklamator** [-'mɑ:tɔr] *m* (*-s*; -'*toren*) declaimer, reciter; **deklamatorisch** [-ma'to:riʃ] *adj.* declamatory; **dekla'mieren** *v/t. and v/i.* (*h.*) recite; declaim, spout.
Deklaration [-ratsi'o:n] *f* (-; *-en*) declaration, entry; **dekla'rieren** *v/t.* (*h.*) declare, enter.
deklas'sieren *v/t.* (*h.*) outclass, trounce.
Deklination [deklinatsi'o:n] *f* (-; *-en*) *gr.* declension; *ast.* declination.
deklinier|bar [-'ni:rbɑ:r] *gr. adj.* declinable; **~en** *v/t.* (*h.*) decline.
Dekolleté [dekɔl'te:] *n* (*-s*; *-s*) neckline; *tiefes* ~ low-necked dress, low neckline.
dekolletiert [-'ti:rt] *adj. dress*: low(-necked), décolleté; *lady*: décolletée (*Fr.*).
Dekor [de'ko:r] *m* (*-s*; *-s*) decoration, design.
Dekorateur [dekora'tø:r] *m* (*-s*; *-e*) (painter and) decorator; upholsterer; window-dresser; *thea.* scene-painter.
Dekoration [-tsi'o:n] *f* (-; *-en*) decoration (*a.* = medal); window-dressing; *thea.* scenery, setting; **~smaler** *m* (painter and) decorator; *thea.* scene-painter; **~sstoff** *m* furnishing fabric.
dekorativ [-'ti:f] *adj.* decorative.
deko'rieren *v/t.* (*h.*) decorate (*a. with a medal*), adorn; drape dress (*shop-window*).
Dekret [de'kre:t] *n* (*-[e]s*; *-e*), **dekre'tieren** *v/t. and v/i.* (*h.*) decree.
Delegation [delegatsi'o:n] *f* (-; *-en*) delegation.
dele'gier|en *v/t.* (*h.*) delegate; **2te(r** *m*) *f* (*-n*, *-n*; *-en*, *-en*) delegate.
delikat [deli'kɑ:t] *adj.* delicate, dainty; delicious, savo(u)ry, exquisite; *fig.* delicate, ticklish.
Delikatesse [delika'tɛsə] *f* (-; *-n*) delicacy (*a. fig.*); dainty, titbit; *pl. a. esp. Am.* delicatessen; **~nhandlung** *f* delicatessen (store) *sg.*
Delikt [de'likt] *n* (*-[e]s*; *-e*) delict, offen|ce, *Am.* -se; tort(ious act).
Delinquent(in *f*) [deliŋ'kvɛnt(in)] *m* (*-en*, *-en*; -, *-nen*) delinquent, offender.
delirieren [deli'ri:rən] *v/i.* (*h.*) be delirious, rave.
Delirium [de'li:rium] *n* (*-s*; *-rien*) delirium; *fig. a.* ecstasy; ~ *tremens* delirium tremens (*abbr.* d.t.).
Delkredere [dɛl'kre:dere] *econ. n* (-; -) del credere, guaran|tee, *Am.* -ty; ~ *stehen* stand surety, guarantee payment; **~fonds** *m*, **~konto** *n* del credere (*or* contingent) fund; **~versicherung** *f* credit insurance.
Delle ['dɛlə] *f* (-; *-n*) dent, depression.
Delphin [dɛl'fi:n] *m* (*-s*; *-e*) dolphin.
Delta ['dɛlta] *n* (*-s*; *-s*) delta; **2förmig** ['-fœrmiç] *adj.* deltaic, deltoid; '**~metall** *n* delta metal; '**~muskel** *anat. m* deltoid; '**~schaltung** *el. f* delta connection.
dem [de:m] *dat./sg. of der, das*: to *the*; *as rel. pron.*: to whom, to which; ~ *steht nichts im Wege* that can be arranged, that's all right; *es ist an* ~ it is (actually) the case; *nach* ~, *was ich gehört habe* from what I have heard; *wenn* ~ *so ist* if that is true; *wie* ~ *auch sei* be that as it may.
Demagog|e [dema'go:gə] *m* (*-n*; *-n*) demagogue; **~entum** *n* (*-s*) demagogy, demagogism; **2isch** *adj.* demagogic.
Demarkationslinie [demarkatsi'o:ns-] *f* line of demarcation.
demas'kieren [de-] *v/t.* (*h.*) unmask.
Dementi [de'mɛnti:] *n* (*-s*; *-s*) (official) denial; **demen'tieren** *v/t.* (*h.*) deny, contradict.
dem... ['de:m-]: **~entsprechend**, **~gemäß** *adv.* according to that, accordingly, correspondingly; **~gegenüber** *adv.* in contrast, on the other hand, compared with this.
Demission [demisi'o:n] *f* (-; *-en*) resignation; **demissio'nieren** *v/i.* (*sn*) resign (office), tender (*or* hand in) one's resignation.
'**dem...**: **~nach** *adv.* therefore, hence, consequently; accordingly; **~nächst** *adv.* soon, shortly, before long, in a near future; ~ *stattfindend, etc.* forthcoming.
demobili'sier|en [de-] *v/t. and v/i.* (*h.*) demobilize, demob; **2ung** *f* (-; *-en*) demobilization.
demodu'lieren [de-] *v/t.* (*h.*) demod(ulat)e.
Demokrat(in *f*) [demo'krɑ:t(in)] *m* (*-en*, *-en*; -, *-nen*) democrat; **Demokratie** [-kra'ti:] *f* (-; *-n*) democracy; **demo'kratisch** *adj.* democratic; **demokratisieren** [-ti'zi:rən] *v/t.* (*h.*) democratize.
Demonstrant(in *f*) [demɔn'strant (-in)] *m* (*-en*, *-en*; -, *-nen*) demonstrator; **Demonstration** [-stratsi'o:n] *f* (-; *-en*) demonstration; **demonstrativ** [-'ti:f] *adj.* demonstrative (*a. gr.*); **demon'strieren** *v/t. and v/i.* (*h.*) demonstrate.
Demont|age [-'tɑ:ʒə] *f* (-; *-n*) disassembly; dismantling; **2ierbar** [-'ti:rbɑ:r] *adj.* removable, separable; **2ieren** *v/t.* (*h.*) disassemble, take apart; dismantle, pull down, strip.
demoralisieren [demorali'zi:rən] *v/t.* (*h.*) demoralize.
Demoskopie [-sko'pi:] *f* (-; *-n*) opinion poll(ing).
Demut ['de:mu:t] *f* (-) humility; submissiveness, meekness.
demütig ['de:my:tiç] *adj.* humble; submissive, *iro.* meek; **~en** ['-gən] *v/t.* (*h.*) humble, humiliate; mortify; *sich* ~ humble o.s. (*vor dat.* before); abase o.s., grovel (before); **2ung** ['-guŋ] (-; *-en*) humiliation; mortification.
demzufolge ['de:mtsu'fɔlgə] *adv.* accordingly.
den [de:n], **denen** ['de:nən] → *der.*
denaturier|en [denatu'ri:rən] *chem. v/t.* (*h.*) denature; *denaturierter Alkohol* methylated spirit, *Am.* denatured alcohol; **2ungsmittel** *n* denaturant.
dengeln ['dɛŋəln] *v/t.* (*h.*) sharpen, whet.
Denk(ungs)art ['dɛŋk(uŋs)ˀɑ:rt] *f* way of thinking; turn of mind, mentality; *edle* ~ high-mindedness.
denkbar ['dɛŋkbɑ:r] **I.** *adj.* conceivable, thinkable, imaginable, possible; *in der* ~ *kürzesten Zeit* in the shortest time imaginable *or* possible; **II.** *adv.*: *das ist* ~ *einfach* it's most simple, it's simplicity itself.
'**denken** *v/t.*, *v/i. and sich* ~ (*irr.*, *h.*) think; reflect; *phls.* cogitate; reason; think, believe, suppose; consider, think of (*doing a th.*); intend, propose; *sich* et. ~ imagine, fancy, visualize; ~ *an* (*acc.*) think of; remember; ~ *über* (*acc.*) think about, reflect on; *j-m zu* ~ *geben* set a p. thinking, give a p. food for thought, bemuse (*or* puzzle) a p.; ~ *Sie nur!* just imagine (*or* fancy)!; *ich denke* (*schon*) I think so; *das habe ich mir gedacht* I thought as much; *das kann ich mir* ~, *das läßt sich* ~, I can well imagine; *daran ist nicht zu* ~ that's out of the question; *ich denke nicht daran!* I wouldn't think of it!; *er denkt daran heimzugehen* he is thinking of going home; *es war für dich gedacht* it was meant (*or* intended) for you; *an was du jetzt wohl* ~ *magst* a penny for your thoughts; *wie denkst du über?* what are your views on?, what do you say to?; *wie Sie* ~ as you like, whatever you say; *wo* ~ *Sie hin?* what are you thinking of?, not on your life!, impossible!; *solange ich* ~ *kann* so long as I can remember; *der Mensch denkt, Gott lenkt* man proposes, God disposes; '**Denken** *n* (*-s*) thinking, thought; *phls.* cogitation; reasoning; way of thinking.
'**denkend** *adj.* thinking, reasoning, rational.
'**Denker** *m* (*-s*; -) thinker, philosopher.
'**Denk...**: **2fähig** *adj.* intelligent, rational; **~fähigkeit** *f* (-) thinking faculty, intelligence; **2faul** *adj.* too lazy to think, mentally inert; **~fehler** *m* false reasoning; **~freiheit** *f* (-) freedom of thought; **~gewohnheit** *f* habit of thought; **~kraft** *f* (-) → *Denkvermögen*; **~mal** *n* monument (*a. fig.*); memorial; statue; **~malpfleger** *m* curator of monuments; **~münze** *f* commemorative medal; **~prozeß** *m* process of reasoning; **~schrift** *f* memorial; *pol.* memorandum; memoir; **~sport** *m* mental exercise (*or* gymnastics *sg. or pl.*); **~sportaufgabe** *f* intelligence test, problem, brain twister, *Am.* quiz; **~spruch** *m* motto, sentence; aphorism; **~stein** *m* memorial stone; **~übung** *f* mental exercise; **~vermögen** *n* (*-s*) intellectual (*or* reasoning, brain) power; intelligence; **~weise** *f* → *Denkart*; **2würdig** *adj.* memorable (wegen for); **~würdigkeit** *f* memorableness; **~en** *pl.* memorabilia; memoirs, reminiscences; **~zettel** *fig. m* reminder, lesson.
denn [dɛn] **I.** *cj. causal*: for; *after comp.* than; *mehr* ~ *je* more than ever; **II.** *adv. wo* ~? where else?; *es sei* ~, *daß* unless, except; (*unstressed*) then; *wo* ~? where (then)?; *wo war es* ~? where (then) was

it?; *dies zeigt uns* ~ *doch* this shows us, after all; *ist er* ~ *so arm?* is he really so poor?; *was* ~? what is it now?; *wieso* ~? how so?, but why?; *es gelang ihm* ~ *auch* he succeeded after all; *wo bleibt er* ~? what may be keeping him, I wonder?

'dennoch *adv. and cj.* yet, still, however, nevertheless, for all that; though; ~ *bist du mir lieber* I like you better, though.

Dentist(in *f*) [dɛn'tist(in)] *m* (-*en*, -*en*; -, -*nen*) dentist.

Denunziant(in *f*) [denuntsi'ant (-in)] *m* (-*en*, -*en*; -, -*nen*) informer; **Denunziation** [-tsiatsi'o:n] *f* (-; -*en*) denunciation; **denun'zieren** *v/t.* (*h.*) inform against, denounce.

Depesche [de'pɛʃə] *f* (-; -*n*) dispatch; telegram, wire; wireless, radio; cablegram, cable message; **depe'schieren** *v/i.* (*h.*) telegraph, wire; cable.

deplaciert [depla'si:rt] *adj.* out of place.

depolarisieren [depolari'zi:rən] *el.*, *phys. v/t.* (*h.*) depolarize.

Deponens [de'po:nɛns] *gr. n* (-; -'*nentia*) deponent (*verb*).

Depon|ent(in *f*) [depo'nɛnt(in)] *m* (-*en*, -*en*; -, -*nen*) depositor; **⁓'ieren** *v/t.* (*h.*) (place on) deposit; **~'ierung** *f* (-) deposition.

Deport [de'pɔrt] *econ. m* (-*s*; -*s*) backwardation.

Deportation [depɔrtatsi'o:n] *f* (-; -*en*) deportation; *Brit.* transportation.

depor'tieren *v/t.* (*h.*) deport; *econ.* transact backwardation business.

Depositar [depozi'ta:r], **Depositär** [-'tɛ:r] *econ. m* (-*s*; -*e*) depositary, trustee.

Depositen [-'zi:tən] *econ. pl.* deposits; **~bank** *f* (-; -*en*) deposit bank; **~gelder** [-gɛldər] *n/pl.* deposits; **~geschäft** *n* deposit banking; **~kasse** *f* branch office (of a bank); deposit department; **~konto** *n* deposit account.

Depot [de'po:] *n* (-*s*; -*s*) *econ.* deposit; *for securities*: safe custody (account), *Am.* custodianship (account); depository, warehouse, (*a. mil.*) depot; *customs*: bonded warehouse; *in* ~ *geben* place *money* on deposit, deposit *papers* for safe custody; **~abteilung** *f* safe custody department, *Am.* customers' securities department; **~schein** *m* deposit receipt; **~wechsel** *m* bill on deposit.

Depression [depresi'o:n] *f* (-; -*en*) depression, *econ. a.* slump.

deprimieren [depri'mi:rən] *v/t.* (*h.*) depress.

Deputat [depu'ta:t] *n* (-[*e*]*s*; -*e*) (extra) allowance, emolument.

Deputation [-tatsi'o:n] *f* (-; -*en*) deputation, delegation; **depu'tieren** *v/t.* depute; **Depu'tierte(r** *m*) *f* (-*n*, -*n*; -*en*, -*en*) deputy.

der [de:r] *m*, **die** [di:] *f*, **das** [das] *n*, *pl.* **die I.** *art.* the; *der arme Hans* poor John; *die Königin Elisabeth* Queen Elizabeth; *die Oxford Straße* Oxford Street; *die Chemie* chemistry; *das Fernsehen* television; *ich wusch mir das Gesicht* I washed my face; *zwei Dollar das Pfund* two dollars a (*or* the) pound; **II.** *dem. pron.* that, this; he, she, it; *pl.* these, those, they, them; *der Mann hier* this man; *der* (*or die*) *mit der Brille* the one with the glasses; *nimm den hier!* take that one!; *sind das Ihre Bücher?* are those your books?; *das sind Sie* it is you; *das, was er sagt* what he says; *das waren Chinesen* they were Chinese; *zu der und der Zeit* at such and such a time; *es war der und der* it was Mr. So-and-So; *der und baden gehen?* go bathing?, not he!; → *dem*; **III.** *rel. pron.* who, which, that; *das Mädchen, mit dem* (*mit dessen Vater*) *ich sprach* the girl to whom (to whose father) I spoke; *das Material, dessen Eigenschaften* the material, whose properties (*or* the properties of which); *ich, der ich Zeuge davon war* I who witnessed it; *der Bezirk, der e-n Teil von X. bildet* the district forming part of X.; *er war der erste, der es fertigbrachte* he was the first to succeed; *keiner* (*jeder*), *der* no one (any one) that; *alle, die davon betroffen sein können* all that may be concerned.

derart ['de:r'ʔa:rt] *adv.* in such a manner (*or* way), to such a degree, to such an extent; ~ *daß a.* such as to; *ich war* ~ *zornig, daß* I was so (*colloq.* that) angry that; ~ *groß war seine Freude* so great (*or* such) was his joy that; **~ig** *adj.* such, of such a kind, of that kind; *e-e* ~*e Politik* such a policy, a policy such as this; *etwas* (*nichts*) **⁓es** something (nothing) of the kind; *er sagte etwas* **⁓es** he said some words to that effect.

derb [dɛrp] *adj.* firm, solid; robust, stout, sturdy; coarse, rough, uncouth; blunt; earthy (*humour*); coarse, gross, broad (*joke*); strong; severe (*rebuke*); **⁓heit** *f* (-; -*en*) compactness, solidity; robustness, sturdiness, roughness, bluntness; severity; ~*en pl.* rough words; coarse jokes.

der'einst *adv.* some day, in days to come; **~ig** *adj.* future.

deren ['de:rən] → *der*.

derent|halben ['de:rənthalbən], **~'wegen, (um) ~'willen** *adv.* for her (their) sake; on her (their) account *or* behalf; *die Leute,* ~ *er sprach* the people on whose behalf (*or* for whom) he spoke; *die Ware,* ~ *er gekommen war* the merchandise for which he had come.

dergestalt ['de:rgə'ʃtalt] *adv.* → *derart.*

dergleichen ['de:r'glaiçən] *adv.* such, suchlike, of that kind; *substantival*: the like, such a thing, something like that; *nichts* ~ no such thing, nothing of the kind (*or* sort), *und* ~ (*mehr*) (*abbr. u. dgl.*) and the like, and so forth (*or* on) (*abbr.* etc.).

Derivat [deri'va:t] *n* (-[*e*]*s*; -*e*) derivate.

'der-, 'die-, dasjenige ['-je:nigə] *dem. pron.* he who, she who; that which; the one who; *pl. diejenigen* they *or* those who; the ones who.

derlei ['de:r'lai] *adv.* → *dergleichen.*

dermaßen ['de:r'ma:sən] *adv.* → *derart.*

Dermatologie [dɛrmatolo'gi:] *f* (-) dermatology.

Dermatose [-'to:zə] *f* (-; -*n*) dermatosis.

Derm(at)o'plastik [-m(at)o-] *med. f* dermotaplasty.

der-, die-, dasselbe [-'zɛlbə] *dem. pron.* the same; he, she, it; *ein und* ~ one and the same; *ziemlich dasselbe* much the same (thing); *auf dieselbe Weise wie* the same (way) as; *es kommt auf dasselbe heraus* it comes to the same thing.

derweil ['de:r'vail] *cj.* whilst; **~e(n)** *adv.* meanwhile.

Derwisch ['dɛrviʃ] *m* (-[*e*]*s*; -*e*) dervish.

'derzeit *adv.* at present, at the moment, now, for the time being; **~ig** *adj.* **1.** present, current, actual; **2.** then, of (*or* at) that time.

des [dɛs-] (*minor*), **Des** (*major*) *n* (-; -) d, D flat.

'Des-Dur *n* (-) D flat major.

Desert|eur [dezɛr'tø:r] *m* (-*s*; -*e*) deserter, runaway; **⁓ieren** *v/t.* (*sn*) desert, run away.

des'gleichen *adv.* the like, such a thing; also, likewise; as well; *econ.* ditto, same; *ich stand auf und mein Freund tat* ~ *I got up* and so did my friend.

deshalb ['dɛshalp] *adv.* therefore, for that reason, on this account; that is why; for the purpose, to that end; *er ist* ~ *keineswegs gesünder* he isn't any healthier for it; *ich tat es nur* ~, *weil* I did it only because; *er tat es gerade* ~ he did it just because of it.

Des-infekti'on *f* disinfection; **~s-kraft** *f* (-) disinfecting power; **~s-mittel** *n* disinfectant; antiseptic.

des-infi'zieren *v/t.* (*h.*) disinfect, sterilize; **~d** *adj.* disinfectant.

Designer [di'zainər] *m* (-*s*; -) designer.

Desintegration [-integratsi'o:n] *f* (-; -*en*) disintegration.

desinteressiert [-interɛ'si:rt] *adj.* indifferent.

desodorisier|en [-odori'zi:rən] *v/t.* (*h.*) deodorize; **⁓ungsmittel** *n* deodorant.

'Des-organisati'on *f* disorganization.

Des-oxydati'on *f* deoxidation.

despektierlich [despɛk'ti:rliç] *adj.* disrespectful.

Despot [dɛs'po:t] *m* (-*en*; -*en*), **~in** *f* (-; -*nen*) despot; **⁓isch** *adj.* despotic; **Despotismus** [-po'tismus] *m* (-) despotism, tyranny.

dessen ['dɛsən] **I.** *rel. pron.* whose, of whom, of which; *sein Bekannter und* ~ *Frau* his friend and his (the latter's) wife; **II.** *dem. pron.*: ~ *bin ich sicher* I am quite certain of that; *bist du dir* ~ *bewußt?* are you aware of that?

dessen'ungeachtet *adv.* notwithstanding (that), nevertheless, for all that; → *dennoch.*

Dessert [dɛ'se:r] *n* (-*s*; -*s*) dessert.

Dessin [dɛ'sɛ̃:] *n* (-*s*; -*s*) design, pattern.

Destillat [dɛsti'la:t] *n* (-[*e*]*s*; -*e*) distillate.

Destillation [-latsi'o:n] *f* (-; -*en*) distillation.

Destillier|apparat [-ˈliːr-] *m* distilling apparatus, still; **2bar** *adj.* distillable; **~blase** *f* distilling vessel, (shell) still, retort; **2en** *v/t. and v/i.* (*h.*) distil; **~kolben** *m* distilling flask, retort.

desto [ˈdɛsto] *adv.* the; *~ besser* all (*or* so much) the better, *as cj.* the better; *~ weniger* the less; *je mehr, ~ besser* the more the better.

destruktiv [dɛstrukˈtiːf] *adj.* destructive.

deswegen [ˈdɛsˈveːgən] *adv.* → *deshalb.*

Detail [deˈtaɪ] *n* (*-s*; *-s*) detail; *ins ~ gehen* go into details (*or* particulars); *bis ins kleinste ~* (down) to the last detail; *econ. im ~ verkaufen* (sell by) retail; **~bericht** *m* detailed statement; **~geschäft** *n*, **~handel** *m* retail business (*or* trade); retail shop; **~händler** *m* retail dealer, retailer.

detaillier|en [detaˈjiːrən] *v/t.* (*h.*) particularize, specify, *Am. a.* itemize; give a detailed description of; *econ.* (sell by) retail; **~t** *adj.* detailed, stating full particulars.

Deˈtail...: ~preis *m* retail price; **~schilderung** *f* detail; particularization, detailed description; **~verkauf** *m* retail; **~zeichnung** *tech. f* detail drawing.

Detekt|ei [detɛkˈtaɪ] *f* (*-*; *-en*) detective agency, private investigators *pl.*; **~iv** [-ˈtiːf] *m* (*-s*; *-e*) detective; *of police*: *a.* plain-clothes man; *Am. colloq.* sleuth, gumshoe; **~ivroman** *m* detective story, *Am.* mystery, *sl.* whodunit.

Detektor [deˈtɛktɔr] *m* (*-s*; *-ˈtoren*) *radio*: detector; **~empfänger** *m* (wireless) detector, crystal set; **~röhre** *f* detector valve (*Am.* tube).

Detonation [detonatsiˈoːn] *f* (*-*; *-en*) detonation; **~sdruck** *m* blast (pressure); **~skapsel** *f* detonator; **~sladung** *f* detonation charge; **~swert** *m nuclear physics*: yield.

detoˈnieren *v/t.* (*h.*) detonate.

Deut [dɔʏt] *m*: *keinen ~ wert* not worth a fig (*or* farthing); *er kümmerte sich keinen ~ darum* he didn't care a rap about it.

Deutelei [dɔʏtəˈlaɪ] *f* (*-*; *-en*) sophistry, quibble, hair-splitting.

deuteln [ˈdɔʏtəln] *v/t. and v/i.* (*h.*) subtilize, split hairs; quibble (*an dat.* at).

deuten [ˈdɔʏtən] **I.** *v/i.* (*h.*): *~ auf* (*acc.*) point at (*or* to); *mit dem Finger ~* point one's finger (at); *fig.* point to, indicate, suggest; (fore-) bode, portend; *alles deutet darauf hin, daß* there is every indication that; **II.** *v/t.* (*h.*) interpret, construe; read; *falsch ~* misinterpret; *j-m et. ~* explain (*or* point out) a th. to a p.

Deuterium [dɔʏˈteːrium] *chem. n* (*-s*) deuterium, heavy hydrogen.

Deuteron [ˈdɔʏterɔn] *phys. n* (*-*; *-ˈronen*) deuteron.

deutlich [ˈdɔʏtliç] *adj.* clear, distinct, plain; intelligible; articulate; legible; evident, obvious, clear; blunt, plain(-spoken), outspoken; *~er Wink* broad hint; et. *~ machen* make a th. clear (*or* plain); *j-m*: *a.* explain (*or* point out) a th. to a p., bring a th. home to a p.; *e-e ~e Sprache führen* be plain-spoken, not to mince matters; **2keit** *f* (*-*) clearness, distinctness, plainness; bluntness, plain speaking.

deutsch [dɔʏtʃ] *adj.* German; *das 2e Reich* the (German) Reich, Germany; *~er Abstammung* of German extraction (*or* stock); **Deutsch(e)** *n* (*-[n]*) German, the German language; *fig. 2 reden* speak plainly, not to mince matters; *auf gut 2* in plain English.

ˈDeutsch...: ~amerikaner(in *f*) *m*, **2amerikanisch** *adj.* German-American; **2blütig** [ˈ-blyːtiç] *adj.* of German blood; **~e(r** *m*) *f* (*-n*, *-n*; *-en*, *-en*) German; **2feindlich** *adj.* anti-German, Germanophobe; **2freundlich** *adj.* pro-German, Germanophile; **~land** *n* (*-s*) Germany; **2sprechend** *adj.* German-speaking; **~tum** *n* (*-s*) German character, Germanity; *the* Germans *pl.*

ˈDeutung *f* (*-*; *-en*) interpretation, explanation, construction; *falsche ~* misinterpretation; *der Text läßt noch e-e andere ~ zu* the text admits of another construction.

Devalorisierung [devaloriˈziːruŋ] *econ. f* (*-*; *-en*) devalorization.

Devalvation [devalvatsiˈoːn] *econ. f* (*-*; *-en*) devaluation, depreciation.

Devinkulierung [deviŋkuˈliːruŋ] *f* (*-*; *-en*) conversion *of registered bonds* into bearer bonds.

Devise [deˈviːzə] *f* (*-*; *-n*) device, motto, maxim; *econ.* foreign bill; *~n pl.* foreign exchange(s *Brit.*), foreign currency; *1000 Mark in ~n* 1,000 marks of foreign exchange.

Devisen...: ~abkommen *n* foreign exchange clearing agreement; **~abschlüsse** [-apʃlysə] *m/pl.* exchange commitments; **~ausgleichsfonds** *m* exchange equalization funds; **~ausländer** *m* non-resident; **~bank** *f* (*-*; *-en*) exchange bank; **~bestand** *m* foreign exchange holdings; **~bestimmungen** *f/pl.* (foreign) exchange regulations; **~bewirtschaftung** *f* foreign exchange control; **~bilanz** *f* balance of foreign exchange payments; **~geschäfte** *n/pl.* foreign exchange operations, exchange deals; **~inländer** *m* resident; **~kontrollbehörden** *f/pl.* foreign exchange control authorities; **~kurs** *m* rate of exchange; **2politisch** *adj.* foreign exchange *margin, etc.*; **2rechtlich** *adj.* under exchange control legislation; *~e Genehmigung* exchange control approval; **~schmuggel** *m* currency smuggling; **~sperre** *f* exchange embargo; **~vergehen** *n* currency offen|ce, *Am.* -se.

devot [deˈvoːt] *adj.* humble, submissive.

Dextrin [dɛksˈtriːn] *n* (*-s*; *-e*) dextrin(e), starch-gum.

Dezember [deˈtsɛmbər] *m* (*-[s]*; *-*) December.

Dezennium [deˈtsɛnium] *n* (*-s*; *-nien*) decade.

dezent [deˈtsɛnt] *adj.* unobtrusive; subdued, mellow (*colour, light*); discreet (*language, taste*).

dezentraliˈsieren *v/t.* (*h.*) decentralize; departmentalize.

Dezernat [detsɛrˈnaːt] *n* (*-[e]s*; *-e*) department.

Dezigramm [detsi-] *n* decigram.

deziˈmal *adj.* decimal; **2bruch** *m* decimal fraction; **2rechnung** *f* decimal arithmetic; **2stelle** *f* decimal place; **2system** *n* decimal system; metric system; *auf das ~ umstellen* decimalize; **2waage** *f* decimal balance; **2zahl** *f* decimal.

Deziˈmeter *n radio*: decimeter; **~welle** *f* decimetric wave, microwave, *in frequencies*: ultra-high frequency wave (*abbr.* UHF).

dezimier|en [-ˈmiːrən] *v/t.* (*h.*) decimate; **2ung** *f* (*-*; *-en*) decimation; *fig. a.* drastic reduction.

Dia [ˈdiːa] *n* (*-s*; *-s*) → *Diapositiv.*

Diabe|tes [diaˈbeːtɛs] *med. m* (*-*) diabetes; **~tiker** [-ˈbeːtikər] *m* (*-s*; *-*), **2tisch** *adj.* diabetic.

diabolisch [diaˈboːliʃ] *adj.* diabolic(al), fiendish.

Diadem [diaˈdeːm] *n* (*-s*; *-e*) diadem.

Diagnose [-ˈgnoːzə] *f* (*-*; *-n*) diagnosis; **Diagnostiker** [-ˈgnɔstikər] *m* (*-s*; *-*) diagnostician; **diagnostizieren** [-stiˈtsiːrən] **I.** *v/t.* (*h.*) diagnose, state; **II.** *v/i.* (*h.*) make a diagnosis.

diagonal [-goˈnaːl] *adj.*, **2e** *f* (*-*; *-n*) diagonal.

Diaˈgramm *n* diagram, graph(ical representation); *in Form e-s ~s* diagrammatically.

Diakon [-ˈkoːn] *m* (*-s*; *-e[n]*), **Diakonus** [diˈaːkonus] *m* (*-*; *-ˈkone[n]*) deacon.

Diakonis|se [diakoˈnisə] *f* (*-*; *-n*), **~sin** [-ˈnisin] *f* (*-*; *-nen*) deaconess.

Dialekt [-ˈlɛkt] *m* (*-[e]s*; *-e*) dialect; *~ sprechen* speak dialect; **~ausdruck** *m* dialectism; **2frei** *adj.* pure, standard (*language*); **~ik** *phls. f* (*-*) dialectic(s *pl.*); **~iker** *m* (*-s*; *-*) dialectician; **2isch** *adj.* dialectal; *phls.* dialectic(al).

Dialog [-ˈloːk] *m* (*-[e]s*; *-e*) dialogue; **2isch** [-giʃ] *adj.* dialogic; **~regie** *f film*: direction of dialogues.

Diamant [-ˈmant] *m* (*-en*; *-en*) (*a. tech. and typ.*) diamond; *geschliffener (ungeschliffener) ~* cut (rough) diamond; *fig. schwarzer ~* black diamond, carbon; **2en** *adj.* diamond; *~e Hochzeit* diamond wedding; **~schleifer** *m* diamond cutter; **~schneider** *tech. m* diamond cutting point; **~schrift** *typ. f* diamond.

diametral [-meˈtraːl] *adj.* diametric(al); *~ entgegengesetzt* diametrically opposed.

diaphan [-ˈfaːn] *adj.* diaphanous.

Diaposiˈtiv *phot. n* (lantern) slide, (colour) transparency.

Diarrhöe [-ˈrøː] *f* (*-*; *-n*) diarrh(o)ea.

Diaspora [diˈaspora] *eccl. f* (*-*) diaspora.

Diät [diˈɛːt] *f* (*-*) (special) diet, regimen; *parl. Diäten pl.* (daily) allowance *sg.*; *2 leben* diet o.s.; *strenge ~ halten* observe a strict regimen; *j-n auf ~* setzen put a p. on a diet.

Diätet|ik [dieˈteːtik] *f* (*-*; *-en*) dietetics *pl.*; **~iker** *m* (*-s*; *-*) dietician; **2isch** *adj.* dietetic.

Diˈätfehler *m* dietetic error, faulty diet.

Diathermie [diatɛrˈmiː] *med. f* (*-*) diathermy.

Di'ät...: **~kost** *f* dietary; **~kur** *f* dietetic treatment, regimen.

dich [diç] *pron.* (*acc. of du*) you; *eccl., poet.* thee; *as rel.pron.* yourself, *after prp.*: you; *beruhige ~!* calm yourself!; *sieh hinter ~!* look behind you!

dicht [diçt] **I.** *adj.* tight (*a. fig.*), impervious; leakproof; close(ly packed), compact (*a. tech.*); *phys. and fig.* dense (*fog, population, traffic, wood, etc.*); thick (*crowd, foliage, hair*); thick, close (*fabric*); **II.** *adv.*: *~ an or bei* (*dat.*) close (*or* next) to; *~ aneinander* close together; *dress*: *~ anliegend* tight(ly fitting); *~ dabei* close (*or* hard) by; *~ hinter j-m her* close at (*or* hot on) a p.'s heels; *~ hintereinander* in rapid succession; **~be'haart** *adj.* thick with hair, hirsute; **~be'laubt** *adj.* thick with leaves; **'2e** *f* (-; *-n*) (*a. phys.*) density; *chem.* concentration; → *Dichtheit.*

dichten[1] ['diçtən] *v/t.* (*h.*) make tight; *tech.* pack, seal; flush (*joint*); lute; *mar.* ca(u)lk.

'dichten[2] **I.** *v/t.* (*h.*) compose, write: **II.** *v/i.* (*h.*) compose (*or* write) poetry, make verses, rhyme; **'Dichten** *n* (-*s*) composition (*or* writing) of poetry; *sein ganzes ~ und Trachten* all his thoughts and desires.

'Dichter|(in *f*) *m* (-*s*, -; -, -*nen*) poet(ess *f*); *w.s.* author(ess *f*), writer; **2isch** *adj.* poetic(ally *adv.*); *~e Freiheit* poetic licence; **~ling** ['-liŋ] *m* (-[e]*s*; -e) would-be poet, poetaster.

'dicht...: **~gedrängt** *adj.* closely packed, compact; **~halten** *colloq.* *v/i.* (*irr., h.*) keep mum; *jemand hat nicht dichtgehalten* there must have been a leak.

'Dicht|heit *f* (-), **~igkeit** *f* (-) → *dicht*: tightness; compactness; density; closeness; *of liquids*: consistency; *auf ~ prüfen* test for leaks.

'Dichtkunst *f* (-) poetry, poetic art.

dichtmachen *colloq.* *v/i.* (*h.*) lock up; (*a. v/t. den Laden ~*) shut up shop.

'Dichtung[1] *tech.* *f* (-; -*en*) sealing; seal; packing; gasket; washer; lute; ca(u)lking.

'Dichtung[2] *f* (-; -*en*) poetry; fiction; poem, poetical work; work of fiction; *fig.* fiction, invention; *~ und Wahrheit* fact and fiction.

'Dichtungs...: **~kitt** *m* lute; **~manschette** *f* gasket; **~masse** *f* sealing compound; *in tyres, etc.*: sealant; **~material, ~mittel** *n* sealing (*or* packing) material; **~muffe** ['-mufə] *f* (-; -*n*) *f* packing sleeve.

dick [dik] *adj.* thick; big, large, bulky; voluminous, stout; swollen; stout, corpulent, fat; viscid, sirupy; *~e Milch* curdled milk; *~e Luft* close air, *fig. colloq. ~e Luft!* trouble's brewing!, something is up (*or* in) the wind!; *~e Freunde* close friends, *they are* as thick as thieves; → *Ende*; *colloq.* (*sich*) *~ tun* talk big; *mit et.*: brag of a th.; *~ auftragen* lay it on thick; *durch ~ und dünn* through thick and thin; **~bäckig** ['-bɛkiç] *adj.* chubby; **'2bauch** *m* pot-belly, paunch; **~bäuchig** ['-bɔyçiç] *adj.* big-bellied; **'2darm** *m* great gut, colon; **'2e** *f* (-*n*; -*n*) thickness; bigness, bulk(iness); corpulence, stoutness; thickness; diameter; (*metal sheet, wire*) ga(u)ge; *chem.* consistency; viscosity; **'2er** (**-chen** *n*) *m* (-*en*, -*en*; -*s*, -) *colloq.* fatty; **~fellig** ['-fɛliç] *adj.* thick-skinned; **'2felligkeit** *f* (-) *fig.* stolidity, callousness; **'~flüssig** *adj.* viscid, viscous, syrupy; *~es Öl* high-viscosity oil; **2häuter** ['-hɔytər] *zo.* *m* (-*s*; -) pachyderm; **2icht** ['-içt] *n* (-[e]*s*; -e) thicket; **'2kopf** *m* pig-headed (*or* headstrong) fellow, mule; **~köpfig** ['-kœpfiç] *adj.* pig-headed, obstinate, mulish; **~leibig** ['-laɪbiç] *adj.* corpulent; *fig.* bulky; **'2wanst** *m* paunch, belly.

Didak|tik [di'daktik] *f* (-) didactics *pl.*; **2isch** *adj.* didactic.

die [di:] → *der.*

Dieb [di:p] *m* (-[e]*s*; -e) thief; burglar; *jur.* larcenist; *haltet den ~!* stop thief!; → *Gelegenheit*; **~erei** [di:bə'raɪ] *f* (-; -*en*) thieving, thievery.

Diebes... ['di:bəs-]: **~bande** *f* gang of thieves; **~gut** *n* stolen goods *pl.*; **2sicher** *adj.* theft-proof; burglar-proof; **~sprache** *f* thieves' cant.

diebisch ['di:biʃ] *adj.* thievish; *~e Elster* pilfering magpie; *fig.* fiendish, awful (*pleasure*); *sich ~ freuen* gloat (*über acc.* over), be tickled pink.

Diebstahl ['di:pʃtɑ:l] *m* (-[e]*s*; ⸚e) theft, *jur. a.* larceny; *leichter ~* petty larceny; *schwerer ~* aggravated (*or* grand) larceny; *räuberischer ~* theft attended with violence; *~ geistigen Eigentums* plagiarism.

Diele ['di:lə] *f* (-; -*n*) board; plank; floor; hall, vestibule; **2n** *v/t.* (*h.*) board, plank (*the floor*); floor (*room*).

dielektrisch [di-] *adj.* dielectric; *~er Verlust* power loss.

dienen ['di:nən] *v/i.* (*h.*) serve (*j-m* a p.; *als* as; *zu* for; *dazu, zu* to *inf.*); *zu et. ~* be conducive (*or* contribute) to, make for a th.; *mil.* serve one's time; *bei der Marine ~* serve in (*or* with) the Navy; *damit ist mir nicht gedient* that is of no use to me; *womit kann ich ~?* what can I do for you?; *welchem Zweck dient das?* what is the use of this?, what is that good for?; *es dient dazu* (*zu inf.*) it serves the purpose (of *ger.*); *es kann dazu ~, die Lage völlig zu verändern* it is apt to alter the situation completely; → *Warnung.*

'Diener *m* (-*s*; -) (man-)servant; footman, valet; *fig.* servant; *~ Gottes* servant (*or* man) of God; reverence, bow (*vor dat.* to); *stummer ~* (*table*) dumb-waiter, **~in** *f* (-; -*nen*) maid-servant, maid; *fig.* handmaid; **2n** *v/i.* (*h.*) bow and scrape; **~schaft** *f* (-) servants, domestics *pl.*

'dienlich *adj.* useful, serviceable (*j-m* to); expedient, suitable, handy; salutary, wholesome; *e-r Sache ~ sein* be conducive (*or* contribute) to a th., promote a th.; *jegliche für ~ erachteten Maßnahmen* any measures that may be deemed fit; *es war mir sehr ~* it was very helpful (*or* of great help) to me.

Dienst [di:nst] *m* (-*es*; -e) service; duty, function; situation, post, employment; *öffentlicher ~* **a**) Civil Service, **b**) service, *e.g. Telephon2* telephone service; *pol. gute ~e* good offices; *im* (*außer*) *~* on (off) duty; *außer ~* retired, in retirement; *Hauptmann außer ~* (*abbr.* a. D.) retired (*abbr.* rtd) captain, captain on half-pay; *~ haben* be on duty; *~ am Kunden* prompt service to the customer; *mil. in aktivem ~* on active service; *in Ausübung des ~es* in line of duty; *Offizier vom ~* officer of the day (*abbr.* O.D.); *Unteroffizier vom ~* charge of quarters (*abbr.* C.Q.); *j-m e-n guten ~ leisten or erweisen* render a p. a good service, do a p. a good turn; *gute ~e leisten* render good services; *~ tun* serve, be on duty; *in ~ nehmen* engage, *Am.* hire; *in ~ stellen* *mar.* commission; *außer ~ stellen* inactivate, *mar.* lay up; *in j-s ~ treten* enter a p.'s service; *sich zum ~ melden* report for duty; *sich in den ~ e-r Sache stellen* devote o.s. to a th., embrace a cause; *j-m zu ~en stehen* be at a p.'s service (*or* command).

Dienstag ['di:nstɑ:k] *m* (-[e]*s*; -e) Tuesday; **2s**, *an ~en* on Tuesdays.

'Dienst...: **~alter** *n* length of service, seniority, *Am.* time-in-grade; *nach dem ~* by seniority; **2ältest** ['-ɛltəst] *adj.*, **~älteste(r)** *m* (-[e]*n*; -[e]*n*) senior; **~antritt** *m* installation; entrance into (*or* on) one's office; entering upon service; **~anweisung** *f* service instruction(s *pl.*); **~anzug** *m* service dress (*a. mil.*), *Brit. mil.* battle dress; *großer ~* dress uniform; *kleiner ~* semidress; **~aufsichtsbeschwerde** *f* complaint; **2bar** *adj.* subservient (*dat.* to); *~er Geist fig.* factotum; *s-n Zwecken ~ machen* make *a p. or th.* serve one's purpose; harness, utilize (*natural forces*); **~barkeit** *f* (-) subjection, servitude, bondage; **~befehl** *m* routine order; **2beflissen** *adj.* zealous, assiduous (in office); obliging; officious; **2bereit** *adj.* ready for service; obliging; **~beschädigung** *f* injury (*or* damage) sustained while on duty; **~bezüge** ['-bətsy:gə] *m/pl.* official income *sg.*; **~bote** *m* domestic (servant), *Am.* help; **~eid** *m* oath of office; *den ~ leisten* be sworn in; **~eifer** *m* obligingness; zeal; *b.s.* officiousness; **2eifrig** *adj.* → *dienstbeflissen*; **~entlassung** *f* dismissal (*or* discharge) from service; suspension; **2fähig** *adj.* → *diensttauglich*; **~fahrt** *f* official trip; **2fertig** *adj.* → *dienstbeflissen*; **2frei** *adj.*: *~ sein* be off duty; *~er Tag* off day; **~gebrauch** *m*: *zum ~* for official purposes; *nur zum ~!* restricted!; **~geheimnis** *n* official secret; **~gespräch** *teleph.* *n* official (*or* service) call; **~grad** *m* rank; *Am. of enlisted personnel*: grade; *mar.* rating; **~gradabzeichen** *n/pl.* insignia of rank; **2habend** *adj.* (on) duty; **~herr** *m* master, employer, principal; **~jahre** *n/pl.* years of service;

⁀**leistend** *econ. adj.* service-rendering; **~leistung** *f* service; *~en pl. econ.* (*a.* **~leistungsverkehr** *m*, **~leistungswirtschaft** *f*) services; **~leitung** *teleph. f* service line; ⁀**lich** *adj.* official; *adv. a.* in official capacity; *~ verhindert* prevented by official duties; **~mädchen** *n* maid (-servant), domestic helper, *Am. a.* help; **~mann** *m* out-porter, commissionaire; **~mütze** *mil. f* service cap; **~ordnung** *f* service regulations *pl.*; **~pferd** *mil. n* troop horse; **~pistole** *f* service pistol; **~pflicht** *f* official duty; *mil.* compulsory (military) service; ⁀**pflichtig** *adj.* liable to conscription; **~pflichtige(r)** *m* (-[e]*n*; -[e]*n*) conscript, *Am.* draft registrant; **~plan** *m* duty roster, service schedule; **~prämie** *f* (service) gratuity; **~raum** *m* office; **~reise** *f* official journey (*or* trip); **~sache** *f* official matter; (*imprint*) *Brit.* On Her Majesty's Service (*abbr.* O.H.M.S.), *Am.* Official Business; **~siegel** *n* official seal; **~stelle** *f* agency, office; administrative department; police station; *mil.* headquarters *pl.*; **~stellung** *f* appointment, official function; service grade (*or* rank); **~strafe** *f* disciplinary punishment; **~strafsache** *f* disciplinary action; **~stunden** *f/pl.* office (*or* business) hours, hours of attendance; ⁀**tauglich** *adj.* fit for active service, able-bodied (*abbr.* A.B.); ⁀**tuend** [ˈ-tuːənd] *adj.* on duty; acting, in charge; *~er Offizier* officer of the day; ⁀**unfähig**, ⁀**untauglich** *adj.* unfit for service; disabled; **~vergehen** *n* official misdemeano(u)r; **~verhältnis** *n* employment, service (*a.* military) status; *~se pl.* conditions of service; terms of employment; ⁀**verpflichtet** *adj.* drafted (*or* conscripted) for essential service; **~verpflichtung** *f* labo(u)r conscription, compulsory direction; *mil.* commandeering; **~vertrag** *m* service contract; contract of employment; labo(u)r contract; **~vorschrift** *f* (service) regulations *pl.*; **~wagen** *m* official car; **~weg** *m* official channels *pl.*; *auf dem ~* through official channels; ⁀**willig** *adj.* → *dienstbereit*; **~wohnung** *f* official residence; **~zeit** *f of officials*: length of service; tenure; *mil.* period of service; → *Dienststunden*; **~zeugnis** *n* (service) certificate; testimonial; *for domestic servants*: character.

diesbezüglich [ˈdiːs-] *adj.* referring (*or* relating) to this *or* thereto, relevant, pertinent (to this); *e-e ~e Erklärung* a statement on this matter (*or* in this connection).

Diesel|antrieb [ˈdiːzəl-] *m* Diesel propulsion (*or* operation); *mit ~* Diesel-driven (*or* -powered); **~kraftstoff** *m* Diesel fuel-oil; **~motor** *m* Diesel engine; **~öl** *n* Diesel oil.

dies|er [ˈdiːzər], ˈ**~e**, ˈ**~es** *or* **dies** [diːs], *pl.* **diese** *dem.pron.* **1.** *adj.* this, that; *pl.* these; those; *dies alles* all this; *dieses Scheusal!* that monster!; *dieser Tage* the other day, *future*: one of these days; *diese Ihre Beobachtung* this observation of yours; **2.** *substantival*: this (*or* that) one; he, she; *pl.* these, those; the latter; *dieser ist es* this is the one; *diese sind es* these are the ones; *dies sind m-e Schwestern* these are my sisters; *dieser und jener* this one and that (one); *econ. am dritten dieses* (*Monats*) (3. d. M.) the third instant (*abbr.* 3rd inst.); *der Schreiber dieses* the present writer, the undersigned.

diesig [ˈdiːziç] *adj.* hazy, misty.

dies|jährig [ˈdiːs-] *adj.* this year's, of this year; **~mal** *adv.* this time; for (this) once; **~malig** *adj.* this, present; today's; **~seitig** [ˈ-zaɪtiç] *adj.* on this (*or* our) side; **~seits** [ˈ-zaɪts] *adv. and prp.* (*gen.*) on this side (of); ⁀**seits** *n*: *das ~* this life (*or* world).

Dietrich [ˈdiːtriç] *m* (-s; -e) picklock, skeleton key; *mit e-m ~ öffnen* pick (*a lock*).

diffamier|en [difaˈmiːrən] *v/t.* (*h.*) defame, calumniate, slander; **~end** *adj.* defamatory; ⁀**ung** *f* (-; -en) defamation.

Differential [difərɛntsiˈɑːl] *n* (-s; -e) differential; **~achse** *mot. f* live axle; **~getriebe** *mot. n* differential gear; **~gleichung** *f* differential equation; **~rechnung** *f* differential calculus; **~rente** *econ. f* differential profit.

Diffeˈrenz *f* (-; -en) difference; balance; surplus; difference, disagreement, tiff; **~geschäft** *econ. n* speculation for differences; *Am.* margin business (*or* transaction).

differenˈzieren *v/t.* (*h.*) differentiate; refine; *differenzierter Geschmack* discriminating taste.

diffeˈrieren *v/t.* (*h.*) differ, be different (*um* by).

diffus [diˈfuːs] *el. adj.* diffuse(d).

Diffusion [difuziˈoːn] *f* (-) diffusion; ⁀**sfähig** *adj.* diffusible.

Digitalrechengerät [digiˈtɑːl-] *n* digital computer.

Diktat [dikˈtɑːt] *n* (-[e]s; -e) dictation; dictate; *nach ~* from dictation; *ein ~ aufnehmen* take a dictation; **~or** *m* (-s; -ˈtoren) dictator; **diktatorisch** [-taˈtoːriʃ] *adj.* dictatorial; **Diktatur** [-ˈtuːr] *f* (-; -en) dictatorship (*des Proletariats* of the proletariat).

dikˈtier|en *v/t. and v/i.* (*h.*) dictate; ⁀**gerät** *n* dictating machine.

dilatorisch [dilaˈtoːriʃ] *adj.* dilatory.

Dilemma [diˈlɛma] *n* (-s; -s) dilemma; *sich in e-m ~ befinden* be on the horns of a dilemma.

Dilettant(in *f*) [dileˈtant(in)] *m* (-en, -en; -, -nen) dilettante, amateur, dabbler; smatterer; ⁀**isch** *adj.* amateurish, dilettante; **Dilettantismus** [-ˈtismus] *m* (-) dilettantism, amateurishness.

Dill [dil] *bot. m* (-[e]s; -e) dill.

Dimension [dimɛnziˈoːn] *f* (-; -en) dimension; *fig. a.* proportion.

dimensioˈnier|en *v/t.* (*h.*) dimension; ⁀**ung** *f* (-) dimensioning; design.

Diner [diˈneː] *n* (-s; -s) dinner(-party).

Ding [diŋ] *n* (-[e]s; -e) thing; object; matter, affair; *phls. das ~ an sich* the thing in itself; *das arme ~* the poor thing (*or* creature); *guter ~e* in good spirits; *sei guter ~e!* cheer up!; *vor allen ~en* first of all, above all, primarily; *aller guten ~e sind drei* all good things go by threes; *das geht nicht mit rechten ~en zu* there is something wrong (*or* funny, *sl.* fishy) about it; *es ist ein ~ der Unmöglichkeit* it's a physical impossibility, it's quite impossible; → *Lauf*; *wie die ~e liegen* as matters stand; *colloq. ein ~ drehen sl.* pull a job.

ˈ**dingen** *v/t.* (*h.*) hire (*a. criminals*), engage; bribe.

ˈ**dingfest** *adj.*: *j-n ~ machen* arrest a p., take a p. in custody.

ˈ**dinglich** *jur. adj.* real; *~er Anspruch* ad rem claim; *~er Arrest* attachment; *~e Klage* real action; *~es Recht* real right; *~ berechtigt* holding interests in rem.

Dings [diŋs] *colloq.* **1.** *n* (-; -ger) thing, thingumbob, what's-its-name; gadget, *sl.* contraption; **2.** *m, f* (-; -) *a.* **Dingsda** [ˈdiŋsdɑː] what's-his-(her-, its-)name, thingumbob.

diˈnieren *v/i.* (*h.*) dine.

Dinkel [ˈdiŋkəl] *bot. m* (-s; -) spelt.

Diode [diˈoːdə] *el.* (-; -n) diode, two-electrode valve; **~ngleichrichter** *m* diode detector.

Dioˈxyd *chem. n* dioxide.

Diözese [diøˈtseːzə] *eccl. f* (-; -n) diocese.

Diphtherie [difteˈriː] *f* (-; -n) diphtheria.

Diphthong [difˈtɔŋ] *gr. m* (-s; -e) diphthong.

Diplom [diˈploːm] *n* (-[e]s; -e) diploma, certificate, patent; → *diplomiert.*

Diplomat [diploˈmɑːt] *m* (-en; -en) diplomat; *w.s.* diplomatist; **~enlaufbahn** *f* diplomatic career.

Diplomatie [-maˈtiː] *f* (-) diplomacy.

Diploˈmatik *f* (-) diplomatics *pl.*

diploˈmatisch *adj.* diplomatic (*a. fig.*); *~es Korps* diplomatic body (*or* corps); *~er Schritt* démarche (*Fr.*); *~e Vertretung* diplomatic mission *of a state*; *die ~en Beziehungen abbrechen* (*wiederaufnehmen*) sever (restore) diplomatic relations.

diplomiert [-ˈmiːrt] *adj.* diplomaed, certificated, graduated.

Diˈplomingenieur *m* certificated (*Am.* graduated) engineer.

Dipol [diː-] *el. m* dipole.

dir [diːr] *pron. pers.* (*dat. of du*) **1.** (to) you, *eccl., poet.* (to) thee; *refl.* you; *er wird ~ helfen* he will help you; *ich werde es ~ erklären* I'll explain it to you; *nach ~!* after you!; *wasche ~ die Hände!* wash your hands; **2.** *colloq. das war ~ (vielleicht) ein Durcheinander!* there was a mess for you!

direkt [diˈrɛkt] **I.** *adj.* direct; immediate; lineal (*descent*); first-hand, inside (*information*); decided, perfect, plain; actual; *~e Rede* direct speech; *~er Wagen* (*Zug*) through carriage (train) (*nach* for); *~er Wahnsinn* sheer madness; **II.** *adv.* direct, straight (*zu* to); directly, presently, right (away); directly, exactly, right; point-blank; ~ *proportional* directly proportional; ~ *vom Hersteller* direct from the producer; *das ist ja ~ unangenehm* that's rather *or* downright awkward; *er rannte ~ gegen e-e Mauer* he ran smack into a wall.

Direktion [-ktsi'o:n] *f* (-; -*en*) direction; management, administration; board of directors, management; **~s-assistent** *m* assistant manager; **~ssekretär(in** *f*) *m* executive secretary.

Direktive [-'ti:və] *f* (-; -*n*) directive; (general) instruction, rule.

Direktor [-'rɛktɔr] *m* (-*s*; -'*toren*) director, manager, *Am. a.* vice-president; managing director; *of a bank*: governor, *Am.* president; *of a jail*: prison governor, *Am. a.* warden; *ped.* headmaster, *Am.* principal.

Direktorat [-'rɑ:t] *n* (-[*e*]*s*; -*e*) directorship; → *Direktorium*; *ped.* headmaster's office.

Direktorium [-'to:rium] *n* (-*s*; -*ien*) directorate, *Am.* directory; management committee; *econ.* board of directors, managing board.

Direktrice [-'tri:sə] *f* (-; -*n*) directress, manageress; *ped.* headmistress, *Am.* principal.

Di'rektübertragung *f radio*: live program(me).

Dirigent [diri'gɛnt] *m* (-*en*; -*en*) director, manager; *mus.* conductor, leader; **~enstab, ~stock** *m* baton.

diri'g|ieren *v/t.* (*h.*) direct, manage; control, rule; steer; *econ.* conduct; **2ismus** [-'gismus] *m* (-) *pol.* regimentation; *econ.* controlled economy.

Dirndl [dirndəl] *n* (-*s*; -) → *Dirne 1.*; (*a.* '**~kleid** *n*) dirndl, Bavarian costume.

Dirne ['dirnə] *f* (-; -*n*) **1.** girl, lass, maid; **2.** *b.s.* prostitute, street-walker, hussy.

dis [dis] (*minor*), **Dis** (*major*) *mus. n* (-; -) d, D sharp.

Disagio [dis'ʔɑ:dʒo] *econ. n* (-) discount.

Dis-Dur *n* D-sharp major.

Disharmo'nie *f mus.* disharmony, dissonance, discord (*all a. fig.*); **dishar'monisch** *adj.* discordant, dissonant.

Diskant [-'kant] *mus. m* (-*s*; -*e*) treble, soprano; **~schlüssel** *m* descant clef.

Dis'kont|(o) *econ. n* discount, rebate; bank-rate, discount, *Am.* rediscount; *e-n ~ gewähren* allow a discount; *in ~ nehmen* take on discount; *Wechsel zum ~ hereinnehmen* accept bills for discount; **~bank** *f* (-; -*en*) discount bank; **~bestand** *m*, **~en** *pl.* bills discounted, *Am.* discount holdings; **~erhöhung** *f* increase *or* rise in the bank-rate (*Am.* rediscount rate); **2fähig** *adj.* discountable; *Am.* eligible (for rediscount); **~geschäft(e** *pl.*) *n* discounting (business); **~herabsetzung** *f* reduction in the discount (*Am.* rediscount).

diskontieren [diskɔn'ti:rən] *v/t.* (*h.*) discount.

Dis'kont...: **~markt** *m* discount (*or* bill) market; **~politik** *f* (*Am.* rediscount policy; **~satz** *m* bank-rate, rate of discount, *Am.* rediscount rate; *den ~ erhöhen* raise the bank-rate; *den ~ herabsetzen* cut (*or* lower) the bank-rate; **~wechsel** *m/pl.* bills discounted, discounts.

Diskothek [disko'te:k] *f* (-; -*en*) discotheque.

diskredi'tieren *v/t.* (*h.*) discredit, throw discredit upon.

Diskrepanz [diskre'pants] *f* (-; -*en*) discrepancy.

diskret [dis'kre:t] *adj.* discreet, tactful.

Diskretion [-kretsi'o:n] *f* (-) discretion.

diskriminier|en [-krimi'ni:rən] *v/t.* (*h.*) discriminate (*acc.* against); **~end** *adj.* discriminatory; **2ung** *f* (-; -*en*) discrimination.

Diskus ['diskus] *m* (-; -*ken*) discus; *~ werfen* throw (*or* hurl, toss) the discus.

Diskussion [-kusi'o:n] *f* (-; -*en*) discussion, debate; *zur ~ stehend* under discussion; **~s-teilnehmer(in** *f*) *m TV, etc.*: panel member; **~sveranstaltung** *f* discussion meeting, *Am.* forum.

'**Diskus|werfer(in** *f*) *m* discus-thrower; **~wurf** *m* discus-throw (-ing).

diskutabel [-'tɑ:bəl] *adj.* discussible; *nicht ~* out of the question, preposterous.

disku'tieren *v/t. and v/i.* discuss, debate, argue.

dis-Moll *n* d-sharp minor.

Dispens [-'pɛns] *m* (-*es*; -*e*) dispensation, exemption; *~ erteilen* grant dispensation.

dispen'sieren *v/t.* (*h.*) dispense, exempt (*von* from).

Dispon|ent [-po'nɛnt] *econ. m* (-*en*; -*en*) manager, managing clerk; *banking*: dealer; **2ibel** [-'ni:bəl] *adj.* available, disposable, at (one's) disposal; **2ieren** *v/i.* (*h.*) make arrangements; plan ahead; dispose (*über acc.* of); place orders; **2'iert** *adj.*: *gut* (*schlecht*) *~* in good (bad) form.

Dispositi'on *f* disposition (*a. fig. inclination*), arrangement, preparation; disposal; instruction(s *pl.*); *laut ~* according to instructions; *~en pl. a.* planning ahead; action *sg.* taken; placing of orders; *s-e ~en treffen* make one's dispositions *or* arrangements; *mil. zur ~ stellen* place on half-pay.

Disput [-'pu:t] *m* (-[*e*]*s*; -*e*) dispute; **Disputation** [-putatsi'o:n] *f* (-; -*en*) controversy, debate; **dispu'tieren** *v/i.* (*h.*) (*über acc.*) dispute (about), debate *or* argue (a th.).

Disqualifikati'on *f* disqualification; ineligibility.

disqualifi'zieren *v/t.* (*h.*) disqualify.

Dissertation [dizɛrtatsi'o:n] *f* (-; -*en*) dissertation; (*doctorate*) *a.* thesis.

Dissident(in *f*) [disi'dɛnt(in)] *m* (-*en*, -*en*; -, -*nen*) dissident.

Dissonanz [diso'nants] *f* (-; -*en*) *mus.* dissonance; *fig. a.* discordant note.

Distanz [di'stants] *f* (-; -*en*) distance (*a. fig.*); *~ halten* keep one's distance, remain aloof, be exclusive; *sports*: distance; leeway, gap; *boxing*: *in der ~* at long range; **~boxer** *m* outfighter.

distan'zier|en *v/t.*: *sich ~* (*h.*) keep one's distance, *fig.* dis(as)sociate o.s. (*von* from); *sports*: *j-n mit fünf Metern ~* win by five yards against a p.; **~t** *adj. fig.* detached.

Di'stanz...: **~ritt** *m* long-distance ride, speed test; **~scheck** *m* out-of-town cheque (*Am.* check); **~wechsel** *econ. m* out-of-town bill.

Distel ['distəl] *f* (-; -*n*) thistle; **~fink** *m* goldfinch.

Distichon ['distiçɔn] *n* (-*s*; -*chen*) distich.

distinguiert [distiŋ'gi:rt] *adj.* distinguished.

Distrikt [dis'trikt] *m* (-[*e*]*s*; -*e*) district; → *Bezirk*.

Disziplin [distsi'pli:n] *f* (-; -*en*) discipline; branch, department; *sports*: event, competition.

Disziplinar|gewalt [-li'nɑ:r-] *f* disciplinary power (*über acc.* over); **2isch** *adj.* disciplinary; *~ vorgehen* take disciplinary action; **~strafe** *f* disciplinary punishment; **~verfahren** *n* disciplinary action (*or* proceedings *pl.*); **~vergehen** *n* infraction of discipline.

diszipli'niert *adj.* disciplined.

diszi'plinlos [-lo:s] *adj.* undisciplined, disorderly, unruly; **2igkeit** *f* (-) lack of discipline.

dito ['di:to] *adv.* ditto, (the) same (*abbr.* do).

Diva ['di:va] *f* (-; -*s*) star, prima donna.

divergieren [divɛr'gi:rən] *v/i.* (*h.*) diverge (*von* from).

divers [di'vɛrs] *adj.* sundry; **2es** [-'vɛrzəs] *n* (-*en*) sundries *pl.*

Dividend [divi'dɛnt] *math. m* (-*en*; -*en*) dividend; **~e** [-də] *econ. f* (-; -*n*) dividend; dividend rate; *e-e ~ ausschütten* pay (*or* distribute) a dividend; *e-e ~ erklären* declare a dividend; *einschließlich ~* cum dividend, *Am.* dividend on; *ohne ~* ex dividend, *Am.* dividend off; **~enausfall** *m* dividend omission; **~enausschüttung** *f* payment (*or* distribution) of dividend, *Am.* dividend disbursement; **2enberechtigt** *adj.* ranking for dividend; **~enbogen** *m* coupon sheet; **2enlos** [-lo:s] *adj.* ex dividend; **~enpapiere** *n/pl.* shares, *Am.* stocks; **~ensatz** *m* dividend rate; **~enschein** *m* dividend warrant (*or* coupon).

divi'dieren *v/t.* (*h.*) divide (*durch* by).

Divis [di'vi:s] *typ. n* (-*es*; -*e*) hyphen.

Division [divizi'o:n] *math., mil. f* (-; -*en*) division; **~s-abschnitt** *m* division combat sector; **~sbefehl** *m* division (combat) order; **~skommandeur** *m* division(al) commander; **~szeichen** *math. n* divisional mark.

Divisor [di'vi:zɔr] *math. m* (-*s*; -'*soren*) divisor.

Diwan ['di:van] *m* (-*s*; -*e*) divan, *Am.* davenport.

d-Moll *n* d minor.

doch [dɔx] *cj. and adv.* however, yet, still, for all that; all the same, nevertheless; after all; surely; *und*

~ and yet; er *kam also* ~? then he did come, after all; but; setz *dich* ~! do sit down; *after negative question*: *don't you see it*? ~! yes, I do; *won't you come*? ~! O, yes, I will!; *ja* ~! yes, indeed!, of course!, by all means!, *Am.* sure (thing)!; *nicht* ~! **a)** don't!, **b)** certainly not!; *du weißt* ~, *daß* surely (*or* I am sure) you know that; *du kommst* ~? you will come, won't you?; *das kann* ~ *nicht dein Ernst sein*? you don't really mean that, do you?; *das ist* ~ *zu arg*! that's really too bad!; *wenn er* ~ *käme* if only he would come; *wenn es* ~ *wahr wäre* I wish it were true; *hättest du das* ~ *gleich gesagt*! if you had but said so at once!

Docht [dɔxt] *m* (-[e]s; -e) wick; '~**schmierung** *mot. f* wick-feed lubrication.

Dock [dɔk] *mar. n* (-[e]s; -s) dock, dockyard; *auf* ~ *legen* (put into) dock; *ins* ~ *gehen* (go into) dock; '~**arbeiter** *m* docker, *Am.* longshoreman.

Docke ['dɔkə] *f* (-; -n) *tech.* mandril, arbor; baluster; skein, hank; bundle (*tobacco, etc.*); doll.

'**docken** *mar. v/t. and v/i.* (*h.*) dock.

Doge ['do:ʒə] *m* (-n; -n) doge; ~**n-palast** *m* ducal palace.

Dogge ['dɔgə] *zo. f* (-; -n) bulldog; *deutsche* ~ Great Dane; *englische* ~ mastiff.

Dogma ['dɔgma] *n* (-s; -men) dogma; *zum* ~ *erheben* dogmatize.

Dogma|tik [-'ma:tik] *f* (-; -en) dogmatics *pl.*; ~**tiker** *m* (-s; -) dogmatist; 2**tisch** *adj.* dogmatic; ~'**tismus** [-'tismus] *m* (-) dogmatism.

Dohle ['do:lə] *orn. f* (-; -n) (jack-) daw.

doktern ['dɔktərn] *colloq. v/i.* (*h.*) doctor.

Doktor ['dɔktɔr] *m* (-s; -'toren) doctor, → *Dr.* (*in annexed list of abbreviations*); *den* ~ *machen or colloq. bauen* take one's (doctor's) degree; doctor, medical man.

Doktorand [dɔkto'rant] *m* (-en; -en) candidate for a doctor's degree, doctorand.

'**Doktorarbeit** *f* (doctorate) thesis.

Doktorat [dɔkto'ra:t] *n* (-[e]s; -e) doctorate.

'**Doktor...:** ~**diplom** *n* doctor's diploma; ~**examen** *n* examination for a doctor's degree; ~**frage** *fig. f* vexed question, poser; ~**grad** *m* doctor's degree.

Doktorin [dɔk'to:rin] *f* (-; -nen) woman (*or* lady) doctor.

'**Doktorwürde** *f* doctorate; *j-m die* ~ *verleihen* confer the degree of doctor on a p.

Doktrin [dɔk'tri:n] *f* (-; -en) doctrin; **doktrinär** [-tri'nɛ:r] *adj.*, 2 *m* (-s; -e) doctrinaire.

Dokument [doku'mɛnt] *n* (-[e]s; -e) document; (legal) instrument, deed; record.

Dokumentarfilm [-'ta:r-] *m* documentary (film).

dokumen'tarisch *adj.* documentary.

Dokumentation [-tatsi'o:n] *f* (-; -en) documentation.

Doku'menten|akkreditiv *n* documentary letter of credit; ~**inkasso** *n* collection of documents; ~**papier** *n* bond paper; ~**tratte** *f* documentary draft.

dokumen'tieren *v/t.* (*h.*) document; establish by documentary evidence; *fig.* demonstrate, reveal.

Dolch [dɔlç] *m* (-[e]s; -e) dagger; *mil.* dirk; '~**messer** *n* case-knife, *Am.* bowie knife; '~**stich,** '~**stoß** *m* stab (*or* thrust) with a dagger; *pol. Dolchstoßlegende* myth of the "stab in the back".

Dolde ['dɔldə] *bot. f* (-; -n) umbel; ~**n-erbse** *f* crown pea; ~**ngewächse** *n/pl.* umbellate plants, umbellifers.

Dole ['do:lə] *f* (-; -n) drain, sewer.

Dollar ['dɔlar] *m* (-s; -s) dollar, *Am. sl.* buck; ~**bilanz** *f* dollar balance of payment; ~-**Lücke** *f* dollar gap; ~-**Raum** *m* dollar area; ~**schwund** *m* dollar drain.

Dolle ['dɔlə] *mar. f* (-; -n) thole, rowlock.

Dolmetsch ['dɔlmɛtʃ] *fig. m* (-es; -e) interpreter, spokesman, champion; 2**en** *v/i.* (*h.*) interpret (*a. v/t.*); act as interpreter; ~**er(in** *f*) *m* (-s, -; -, -nen) interpreter.

Dolomit [dolo'mi:t] *min. m* (-s; -e) dolomite.

Dom [do:m] *m* (-[e]s; -e) cathedral; *fig.* dome, arch.

Domäne [do'mɛ:nə] *f* (-; -n) domain, (state) demesne; *fig.* domain, province.

'**Dom...:** ~**chor** *m* cathedral choir; ~**herr** *m* canon, prebendary.

Dominant|e [domi'nantə] *f mus.* dominant; *fig.* dominant factor; ~**akkord** *m* dominant-chord.

dominieren *v/i.* (*h.*) *person*: dominate, lord it (*über acc.* over): have the upper hand; *matter*: (pre)dominate, prevail; ~**d** *adj.* dominating, preponderant, commanding.

Dominikaner|(in *f*) [-ni'ka:nər(in)] *eccl. m* (-s, -; -, -nen) Dominican (friar, *f* nun); ~**orden** *m* (-s) Order of St. Dominic, *the* Dominicans *pl.*

Domino ['do:mino] **1.** *m* (-s; -s) *a.* ~**maske** *f* domino; **2.** *n* (-s; -s) *a.* ~**spiel** *n* (game of) dominoes *pl.*; ~ *spielen* play at dominoes; ~**stein** *m* domino.

Domizil [domi'tsi:l] *n* (-s; -e) domicile (*a. econ.*); **domizilieren** [-tsi'li:rən] *econ. v/t.* (*h.*) domicile, domicilate *a bill* (*bei j-m* with a p.; *bei e-r Bank* at a bank).

Domi'zilwechsel *econ. m* domiciled bill.

'**Dom...:** ~**kapitel** *n* chapter (of a cathedral); ~**pfaff** [-pfaf] *orn. m* (-en; -en) bullfinch; ~**prediger** *m* preacher at a cathedral; ~**propst** *m* provost of a cathedral; ~**stift** *n* chapter; seminary.

Dompteur [dɔmp'tø:r] *m* (-s; -e) tamer, trainer.

Donau ['do:nau] *f* (-) Danube; *in compounds*: Danubian.

Donner ['dɔnər] *m* (-s; -) thunder; *wie vom* ~ *gerührt* thunder-struck; ~**getöse** *n* rolling of thunder; *fig.* thundering noise; 2**n** *v/i.* (*h.*) thunder (*a. fig., person or thing*); es *donnert* it thunders, it is thundering; 2**nd** *adj.* thundering, thunderous; ~**schlag** *m* peal (*or* crash) of thunder, thunderclap (*a. fig.*).

'**Donners-tag** *m* Thursday; 2**s**, *an* ~*en* on Thursdays.

'**Donner...:** ~**stimme** *f* thundering voice; ~**wetter** *n* thunderstorm; *colloq. fig. wie ein* ~ *dreinfahren* raise the roof, raise hell; *zum* ~! confound it!, hang it all!, damn it! ~! *surprised*: wow!

doof [do:f] *colloq. adj.* boring, dull; goofy, *Am. sl.* dopey.

dopen ['dɔpən] *v/t.* (*h.*) *sports*: dope.

Doppel ['dɔpəl] *n* (-s; -) duplicate; *tennis*: doubles *pl.*; *gemischtes* ~ mixed doubles; ~**adler** *m* double eagle; ~**belichtung** *phot. f* double exposure; ~**bereifung** *f* dual tyres (*Am.* tires); ~**besteuerung** *f* double taxation; ~**betrieb** *el. m* duplex operation; ~**bett** *n* double bed, twin-bed; ~**boden** *m* double (*or* false) bottom; ~**decker** ['-dɛkər] *m* (-s; -) *aer.* biplane; *bus, etc.*: double-decker; ~**deckung** *f boxing*: covering up; ~**ehe** *f* bigamy; 2**fädig** ['-fɛ:diç] *tech. adj.* bifilar; ~**fehler** *m tennis*: double fault; ~**fenster** *n* double window; ~**fernrohr** *n* binocular telescope; ~**flinte** *f* double-barrel(l)ed gun; ~**gänger** ['-gɛŋər] *m* (-s; -) double; 2**gängig** *adj.* double-threaded (*screw*); ~**gleis** *n* double rail (*or* track); 2**gleisig** ['-glaɪziç] *adj.* doubletrack; ~**griff** *mus. m* double-stop; ~**haus** *n* double house; semi-detached house; ~**kinn** *n* double chin; 2**kohlensauer** *adj.* bicarbonate of; → *doppeltkohlensauer*; ~**kolbenmotor** *m* opposed-piston engine; ~**kreuz** *mus. n* double sharp; ~**lauf** *m* double barrel; ~**laut** *gr. m* diphthong; ~**leitung** *f el.* twin conductor; *teleph.* loop circuit; ~**mord** *m* double murder; 2**n** *v/t.* (*h.*) double; ~**name** *m* compound name; 2**polig** *adj.* bipolar; ~**posten** *mil. m* double sentry; ~**punkt** *m* colon; ~**rad** *n* twin wheel; ~**reifen** *mot. m* dual tyre (*Am.* tire); ~**reihe** *f* double row; *mil.* double file, column by twos; ~**rumpf** *aer. m* twin-fuselage; ~**schalter** *el. m* duplex switch; 2**schichtig** *adj.* two-layered; ~**schlußmotor** *el. m* compound(-wound D.C.) motor; 2**seitig** ['-zaɪtiç] *adj.* double-sided, bilateral; reversible (*fabric, etc.*); *med.* ~*e Lungenentzündung* double pneumonia; ~ *bespielte Schallplatte* two-sided record; ~**sieg** *m* double win; ~**sinn** *m* (-[e]s) double meaning, ambiguity; 2**sinnig** *adj.* ambiguous, equivocal; ~**sitzer** *m* (-s; -) two-seater; ~**sohle** *f* clump sole; ~**spiel** *n tennis*: → *Doppel*; *fig.* double game (*or* dealing); ~**stecker** *el. m* two-pin plug, two-way adapter; ~**steuerung** *aer. f* dual control; ~**stück** *n* duplicate.

'**doppelt I.** *adj.* double; twofold; duplicate; twin (*engines, etc.*); → *Buchführung*; *in* ~*er Ausführung* in duplicate, in two copies; *ein* ~*es Spiel spielen* play a double game, *mit j-m*: *sl.* double-cross a p.; **II.** *adv.* double, twice; *before adj.*: doubly; ~ *schmerzlich* doubly painful; ~ *so alt wie ich* twice my age;

ich habe das Buch ~ I have two copies of the book; **2e(s)** *n* (-[e]*n*) *the* double; *das* ~*e des Betrages* double (*or* twice) the amount; *um das* ~*e größer* double the size; **~kohlensauer** *adj.*: ~*es Natron* bicarbonate of soda.

'Doppel...: ~tür *f* double-door; folding door; **~ung** *f* doubling; **~verdiener** *m* dual income recipient, double wage-earner; two-job man; **~währung** *f* double standard; **~zentner** *m* quintal; **~zimmer** *n* double(-bedded) room; twin-bedded room; **~zündung** *f* dual ignition; **2züngig** [-tsyŋiç] *adj.* double-faced, double-dealing; **~züngigkeit** *f* (-) double-dealing.

Dorf [dɔrf] *n* (-[e]s; ⸚er) village; **'~bewohner(in** *f*) *m* villager.

Dörfchen ['dœrfçən] *n* (-s; -) little village; hamlet.

'dörflich *adj.* village, *e.g.* ~*es Leben* village life; rustic.

'Dorf...: ~pfarrer *m* country parson; **~schenke** *f* village inn; **~trottel** *m* village idiot.

Dorn [dɔrn] *m* (-[e]s; ⸚er) thorn (*a. fig.*); (*pl.* -en) prickle, spine; *sports*: spike; *of buckle*: tongue; *tech.* (*pl.* -e) pin, bolt, stem; reamer; mandril; spike; *er ist ihnen ein* ~ *im Auge* he is a thorn in their sides; **'~busch** *m* brier, bramble; **'~enhecke** *f* thorn hedge; **'~enkrone** *f* crown of thorns; **2enlos** ['-lo:s] *adj.* thornless; **'~enpfad** *m* thorny path; **'2envoll** *adj.* thorny; **'2ig** *adj. bot., zo.* spinous, spiny; (*a. fig.*) thorny; **~röschen** ['-rø:sçən] *n* (-s; -) Sleeping Beauty; **'~strauch** *m* brier.

dorren ['dɔrən] *v/i.* (*sn*) dry (up), wither; parch.

dörr|en ['dœrən] *v/t.* (*h.*) dry, desiccate, dehydrate; kiln-dry; **2fleisch** *n* dried meat; **2gemüse** *n* dried vegetables *pl.*; **2obst** *n* dried fruit.

Dorsch [dɔrʃ] *m* (-es; -e) cod (-fish).

dort [dɔrt] *adv.* there; *econ.* at your end; ~ *drüben* over there, yonder; ~ *oben* up there; *von* ~ → **'~her** *adv.* from there, thence; **'~hin** *adv.* there, that way, to that place, thither; **'~hinaus** *adv.* out there; *colloq. fig. bis* ~ awfully; **'~hinein** *adv.* in there.

'dortig *adj.*: *die* ~*en Filmtheater* the cinemas there *or* of that place; *econ. die* ~*en Verhältnisse* the conditions at your end.

Dose ['do:zə] *f* (-; -*n*) box; *package*: tin, *Am.* can; *el.* (plug) socket; box, *e.g. Abzweig*2 distribution box; *in* ~*n einmachen* tin, *Am.* can.

dösen ['dø:zən] *v/i.* (*h.*) doze.

'Dosen...: ~öffner *m* tin-opener, *Am.* can opener; **~sicherung** *el. f* box fuse; **~stecker** *m* infinity plug.

dosier|en [do'zi:rən] *v/t.* (*h.*) dose, measure out; **2ung** *f* (-; -*en*) dosage; dosing.

'dösig ['dø:ziç] *colloq. adj.* dozy, drowsy, sleepy; → *doof*.

Dosis ['do:zis] *f* (-; -*sen*) dose (*a. fig.*); *zu große* ~ overdose; *zu kleine* ~ underdose; *fig. mit e-r leichten* ~ *Sarkasmus* with a dash of sarcasm.

Dotation [dotatsi'o:n] *f* (-; -*en*) dotation, endowment.

dotier|en [do'ti:rən] *v/t.* (*h.*) endow; **2ung** *f* (-; -*en*) endowment; allocation (of funds).

Dotter ['dɔtər] *m and n* (-s; -) yolk (of an egg); *bot.* gold-of-pleasure; **~blume** *f* marsh-marigold.

Double ['du:bəl] *n* (-s; -s) *film*: double, *Am.* stand-in.

Doyen [doa'jɛ̃:] *m* (-s; -s) (*Fr.*): ~ *des diplomatischen Korps* doyen, Dean of the Diplomatic Corps.

Doz|ent [do'tsɛnt] *m* (-*en*; -*en*) university lecturer, reader, *Am.* assistant professor, instructor; **2ieren** *v/t. and v/i.* (*h.*) lecture (*über acc.* on); *fig. contp.* hold forth (on), pontificate.

Drache|(n) ['draxə(n)] *m* (-*n*, -*n*; -*s*, -) dragon; kite; *e-n* ~*n steigen lassen* fly a kite; *fig.* termagant, shrew; **~nblut** *n* dragon's blood; **~nsaat** *fig. f* dragon-seed, dragon's teeth; **~ntöter** *m* (-s; -) dragon-slayer.

Drachme ['draxmə] *f* (-; -*n*) drachm(a); (*weight*) dram.

Dragée [dra'ʒe:] *n* (-s; -s) dragée, sugar-coated pill (*or* fruit), coated tablet.

Dragoner [dra'go:nər] *m* (-s; -) *mil.* dragoon; *colloq. fig.* virago, tough type.

Draht [dra:t] *m* (-[e]s; ⸚e) wire; filament; conductor; *sl.* (*money*) cash, brass; ~ *unter Strom* live wire; *toter* ~ idle wire; *fig. direkter* ~ pipe-line; *pol. heißer* ~ hot wire; *mit* ~ *befestigen, etc.* wire; *teleph. per* ~ *antworten* reply by wire, wire back; *colloq. auf* ~ *sein* be in good form, be on one's toes, be on the ball *or* beam, know one's stuff; *ich bin heute nicht ganz auf* ~ I don't feel quite up to the mark today.

'Draht...: ~anschrift *f* cable address; **~antwort** *f* telegraphic (*or* wire) reply; **~auslöser** *phot. m* cable release; **~bericht** *m* telegraphic report, wire; **~bürste** *f* wire brush; **~eisen** *n* drawing plate; **2en** *v/t.* (*h.*) telegraph, wire, cable; **~funk** *m* wired wireless (*Am.* radio), wire broadcasting, carrier transmission; *hochfrequenter* ~ carrier rediffusion; **~gaze** *f* wire gauze; **~geflecht** *n* wire netting; **~gewebe** *n* wire-cloth, wire fabric; **~gitter** *n* wire grating (*or* fence), *Am.* wire grille; **~glas** *n* wired *or* armo(u)red glass; **2haarig** *adj.* wire-haired; **~haarterrier** [-tɛriər] *zo. m* (-s; -) wire-hair(ed terrier); **~hefter** *m* wire stitcher; **2ig** *adj.* (*a. person*) wiry; **~kern** *m* wire core; **~lehre** *f* wire ga(u)ge; **2lich** *adj. and adv.* telegraphic(ally), by wire, wired; **~litze** *f* wire strand; **2los** [-lo:s] **I.** *adj.* wireless, radio-...; ~*e Nachricht* wire(less), radio(gram); ~*e Telegraphie* wireless telegraphy, radio-telegraphy; **II.** *adv.*: ~ *senden, telegraphieren* wireless, radio; **~nachricht** *f* telegraphic message, wire; **~netz** *n* wire netting; *el.* wiring; **~öse** *f* staple; **~puppe** *f* puppet, marionette; **~saite** *f* wire string; **~schere** *f* wire-shears *pl.*; **~seil** *n* wire rope, cable; **~seilakrobat** *m* wire-walker; **~seilbahn** *f* cable railway, funicular (railway); **~sieb** *n* wire sieve (*or* screen); **~spule** *f* wire spool, *Am.* wire reel; **~stärke** *f* wire ga(u)ge; **~stift** *m* wire tack; **~telegraphie** *f* line telegraphy; **~ung** *f* (-; -*en*) wire message, telegram, radiogram; **~verbindung** *f teleph.* wire communication (*or* connection); *el.* wiring; **~verhau** *mil. m* wire-entanglement; **~walzwerk** *n* wire mill; **~wurm** *m* wire-worm; **~zange** *f* wire-cutters *pl.*; **~zaun** *m* wire fence; **~zieher** *m tech.* wire-drawer; *fig.* wire-puller; *der* ~ *sein* pull the wires; **~ziehe'rei** *f tech.* wire (drawing) mill; *fig.* wire-pulling.

Drain... → *Drän...*

Draisine [drai'zi:nə] *f* (-; -*n*) draisine; *rail.* trolley.

drakonisch [dra'ko:niʃ] *adj.* Draconian, draconic.

drall [dral] *adj.* tight(ly twisted) (*thread*); *fig.* buxom, strapping (*girl*); **Drall** *m* (-[e]s; -e) *of thread*: twist; *of bullet, etc.*: twist; *of rifle*: rifling; *of ball*: spin; *phys.* moment of momentum.

Drama ['dra:ma] *n* (-s; -*men*) drama.

Dramatik [dra'ma:tik] *f* (-) dramatic art; drama (*a. fig.*); **~er** *m* dramatist.

dra'matisch *adj.* dramatic(ally *adv.*); ~*e Pause* stage-wait.

dramatisieren [dramati'zi:rən] *v/t.* (*h.*) dramatize (*a. fig.*), adapt for the stage.

Dramaturg [-'turk] *m* (-*en*; -*en*) dramatic adviser; *film*: scenario editor; **Dramaturgie** [-tur'gi:] *f* (-; -*n*) dramaturgy.

dran [dran] → *daran*.

Dränage [drɛ'na:ʒə] *f* (-; -*n*) drainage (*a. med.*).

Drang [draŋ] *m* (-[e]s; [⸚e]) pressure (*of business*); rush, stress; hurry; impetus, impulse; urge, drive, yearning; distress; *physiol. e-n heftigen* ~ *verspüren* feel a motion coming, need the lavatory badly.

drang *pret. of dringen*.

'drängeln *colloq. v/i.* (*h.*) press, push, jostle.

drängen ['drɛŋən] **I.** *v/t.* (*h.*) press, push, shove; *j-n in die Ecke* ~ drive a p. into a corner; *fig.* press, urge; press *debtor* for payment; hurry, urge; *ich lasse mich nicht* ~ I won't be rushed; *sich* ~ crowd, throng, mill; *sich durch e-e Menge* ~ force (*or* elbow) one's way through a crowd; *sich aneinander* ~ press closely together, *fearfully, etc.*: huddle (together); *sich um j-n* ~ crowd *or* press (a)round a p.; *sich zu e-r Sache* ~ volunteer for a th. *or* to do a th., go all out after a th.; *es drängt mich zu inf.* I feel moved to *inf.*; **II.** *v/i.* (*h.*) be pressing *or* urgent; *die Sache drängt a.* the matter presses (*or* admits of no delay); *die Zeit drängt* time presses; ~ *auf* (*acc.*) insist (up)on, urge; → *gedrängt*; **'Drängen** *n* (-s) pressing, pushing; crowd, crush; *fig.* pressure, insistence; urging, urgent request(s).

Drangsal ['draŋza:l] *f* (-; -e) affliction, distress, ordeal; ~e *pl.* hardships; **drangsa'lieren** *v/t.* (*h.*) harass, vex; torment, bully; persecute.
dränieren [drɛ'ni:rən] *v/t.* (*h.*) drain.
drapier|en [dra'pi:rən] *v/t.* (*h.*) drape; 2**ung** *f* (-; -en) draping, drapery.
Dräsine [drɛ'zi:nə] *f* (-; -n) → *Draisine.*
drastisch ['drastiʃ] *adj.* drastic(ally *adv.*).
drauf [drauf] **I.** *adv.* → *darauf*; **II.** *int.* ~! at it!, go it!, let him have it!; 2**gänger** ['-gɛŋər] *m* (-s; -) daredevil, plucky fellow; go-ahead fellow, *Am.* go-getter; *in love*: he-man, Casanova; ~**gängerisch** *adj.* daredevil, reckless; aggressive; plucky; go-ahead, *Am.* go-getting; '2**gängertum** *n* (-s) recklessness; pluck, dash; aggressiveness; go-aheadedness; '~**gehen** *colloq. v/i.* (*irr.*, *sn*) go west (*or* up in smoke); be lost, *money a.* go down the drain; go to pot; be killed, hand in one's dinner-pail, *Am. sl.* kick the bucket.
'**Draufgeld** *n* earnest-money.
drauf'los|arbeiten *v/i.* (*h.*) work away (*an dat.* at); ~**gehen** *v/i.* (*irr.*, *sn*) make straight for it, make a beeline for it; ~**reden** *v/i.* (*h.*) talk at random, ramble; ~**schlagen** *v/i.* (*irr.*, *h.*) hit wildly (*or* blindly), let fly; ~**wirtschaften** *v/i.* (*h.*) spend recklessly.
'**Draufsicht** *f* top (*Am.* plan) view.
draußen ['drausən] *adv.* out, outside, without; out of doors, outdoors, in the open (air); abroad; ~ *und drinnen* without and within; *da* ~ out there; ~ *im Garten* out in the garden; ~ *auf dem Lande* out in the country; ~ *in der Welt* out in the world.
Drechsel|bank ['drɛksəl-] *f* (-; ⸚e) turning-lathe; 2**n** *v/t. and v/i.* (*h.*) turn; *fig.* elaborate.
Drechsler ['-lər] *m* (-s; -) turner.
Dreck [drɛk] (-[e]s) dirt; mud, muck, mire; filth (*a. fig.*); *fig.* rubbish, trash; *vulg.* shit; *in den (aus dem)* ~ *ziehen* drag in (out of) the mud; *colloq. er kümmert sich um jeden* ~ he pokes his nose into everything; *er kümmert sich e-n* ~ *darum* he doesn't care a damn (about it); *das geht dich e-n* ~ *an!* that's none of your business!; *du verstehst e-n* ~ *davon* you don't know the first thing about it; *er hat Geld wie* ~ *sl.* he is lousy with money; '~**fink** *m* mudlark; '2**ig** *adj.* dirty; filthy (*both a. fig.*); *colloq. es geht ihm* ~ he is badly off; ~ *lachen* laugh nastily; '~(s)**kerl** *m* swine, skunk, *Am. sl.* heel, louse.
Dreh [dre:] *colloq. m* (-[e]s; -s) twist; *e-r Geschichte e-n heiteren* ~ *geben* give a story an amusing twist; trick, knack; *jetzt hat er den* ~ *weg* now he has got the hang of it.
'**Dreh...**: ~**achse** *f* axis of rotation; ~**arbeiten** *f/pl. film*: shooting *sg.*; ~**automat** *m* automatic lathe; ~**bank** *f* (-; ⸚e) (turning-)lathe; 2**bar** *adj.* revolving, rotating, rota(to)ry; swivel(l)ing; ~ *eingesetzt* pivoted; ~**be-anspruchung** *f* torsional strain; ~**beginn** *m film*: start of shooting; ~**bewegung** *f* rotation; twisting motion; ~**bleistift** *m* propelling pencil; ~**bohrer** *m* rotary drill; ~**bolzen** *m* pivot pin; ~**brücke** *f* swing (*or* turning) bridge; ~**buch** *n film*: scenario, script; ~**buchverfasser** *m* scenario (*or* script, screen) writer; ~**bühne** *thea. f* revolving stage.
drehen ['dre:ən] *v/t. and v/i.* (*h.*) turn (*a. tech.*); *round an axis*: *a.* rotate, swivel; twist, twine; roll (*cigarette*); grind (*organ*); shoot (*film*); dial; → *Ding*; *sich* ~ turn, spin, gyrate, rotate, pivot; *wind*: shift, veer; *fig.* twist; *sich* ~ *um* revolve round *a centre, on an axis*; *fig.* (be) center(ed) round; *es dreht sich darum, ob* the point is whether; *die Frage dreht sich um* the question hinges on; *das Gespräch drehte sich um* the conversation was about; *mir dreht sich alles im Kopfe* my head swims; *sich* ~ *und wenden* wriggle like an eel.
'**Dreh...**: ~**er** *tech. m* (-s; -) turner, lathe-hand; ~**feder** *f* torsion spring; ~**feld** *el. n* rotating field; ~**feldmotor** *el. m* revolving field motor; ~**flügelflugzeug** *n* gyroplane, autogyro; ~**gelenk** *tech. n* swivel joint; ~**geschwindigkeit** *f* rotating speed; ~**gestell** *n* bogie, *Am.* truck; ~**griff** *m* turning handle; *motorcycle*: control grip; ~**knopf** *m* (control) knob; ~**kondensator** *m* variable condenser; ~**kraft** *f* torsional force; torque; ~**kran** *m* swing crane; ~**krankheit** *vet. f* staggers *pl.*; ~**kranz** *m* circular track; *mil.* skate mount; ~**kreuz** *n* turnstile; *tech.* capstan handle; ~**kuppel** *mil. f* revolving turret; ~**moment** *n* torque; ~**orgel** *f* barrel-organ; ~**punkt** *m tech.* cent|re (*Am.* -er) of rotation, fulcrum point; *fig.* pivot; ~**schalter** *el. m* turn (*or* rotary) switch; ~**scheibe** *f* turntable; potter's wheel; *teleph.*, *etc.* dial; ~**schemel** *m bridge-building*: rolling segment; *rail.*, *mot.* bogie; *tractor*: fifth wheel; ~**schieber** *m* rotary slide valve; ~**schranke** *f* revolving (*or* swing) gate; ~**sinn** *tech. m* sense of rotation; ~**spindel** *f* (head-stock) spindle; ~**spule** *el. f* moving coil; ~**stahl** *m* turning tool; ~**strom** *el. m* three-phase current; ~**strommotor** *m* three-phase A.C. motor; ~**stuhl** *m* swivel-chair; ~**tag** *m film*: shooting day; ~**teil** *tech. n* lathe work; ~**tisch** *m tech.* revolving (*or* index) table; *opt.* revolving stage; ~**tür** *f* revolving door; ~**turm** *mar.*, *mil. m* revolving turret; ~**ung** *f* (-; -en) turn; *circular*: *a.* gyration; rotation (*um on an axis*); revolution (*um round a body*); torsion, twist; ~**ungsfestigkeit** *f* torsional strength; ~**wähler** *m* rotary selector (*or* switch); ~**zahl** *mot. f* speed, number of revolutions, revolutions per minute (*abbr.* r.p.m.); ~**zahlbereich** *m* speed range; ~**zahlmesser** *m* (-s; -) revolution indicator, tachometer; ~**zahlregler** *m* speed governor; ~**zapfen** *m* pivot; trunnion; *rail.* bogie pin, *Am.* truck center pin; *of crane*: slewing journal.
drei [draɪ] three; ~ *Uhr* three o'clock; ~*viertel zehn* a quarter to ten; *halb* ~ half past two; *sie waren ihrer* ~ there were three of them, they were three (in number); *ehe man bis* ~ *zählen konnte* in the twinkling of an eye, in a jiffy; *er sieht aus, als ob er nicht bis* ~ *zählen könnte* he looks as if butter would not melt in his mouth; ~ *Schritte vom Leib!* keep (*or* hands) off!; 2 *f* (-; -en) (number) three.
'**drei...**: 2**achser** ['-aksər] *mot. m* (-s; -) six-wheeler; 2**achteltakt** *mus. m* three-eight time; 2**akter** ['-aktər] *thea. m* (-s; -) three-act play; ~**armig** *adj.* three-armed; ~**atomig** *adj.* triatomic; ~**bändig** ['-bɛndiç] *adj.* (consisting) of three volumes, three-volume; ~**basisch** *chem. adj.* tribasic; 2**bein** *n* tripod; ~**beinig** *adj.* three-legged; 2**blatt** *bot. n* trefoil; ~**blätterig** ['-blɛtəriç] *adj.* three-leaved; 2**bund** *pol. m* (-[e]s) Triple Alliance; 2**decker** ['-dɛkər] *m* (-s; -) *mar.* three-decker; *aer.* triplane; ~**dimensional** *adj.* three-dimensional; *sound*: *a.* stereophonic; 2**eck** ['-ˀɛk] *n* (-s; -e) triangle; 2**eckgeschäft** *econ. n* triangular transaction; ~**eckig** *adj.* three-cornered; triangular, trigonal, V-shaped; 2**eckschaltung** *el. f* delta connection; 2**ecksverhältnis** *fig. n* triangle; ~**einig** *adj.* triune; 2**einigkeit** *eccl. f* Trinity; 2**einigkeits...** Trinitarian; ~**erlei** ['draɪərlaɪ] *adj.* of three kinds, three sorts of; *auf* ~ *Art* in three (different) ways; ~**fach** *adj.* threefold, treble, triple; *in* ~*er Ausfertigung* in triplicate, in three copies; 2**fachkondensator** *el. m* three-gang condenser; 2**fachschalter** *m* three-point switch; 2**fachschnur** *el. f* triple cord (*or* flex); 2**fachstecker** *el. m* three-pole pin plug; 2**fachverstärker** *m* three-phase amplifier; 2**fadenlampe** *f* three-filament (incandescent) lamp; ~**fältig** ['-fɛltiç] *adj.* → *dreifach*; 2**faltigkeit** [-'faltiçkaɪt] *eccl. f* (-) Trinity; 2**farbendruck** *m* (-[e]s; -e) three-colo(u)r print(-ing); 2**farbenphotographie** *f* three-colo(u)r photography; ~**farbig** *adj.* three-colo(u)r(ed), trichromatic; 2**felderwirtschaft** *agr. f* three-field system; 2**fuß** *m* tripod; ~**füßig** ['-fy:siç] *adj.* three-footed, tripedal; 2**ganggetriebe** *n* three-speed gear (*or* transmission); ~**gängig** *tech. adj.* triple-threaded (*screw*); 2**gespann** *n* three-horse carriage; *fig.* trio; 2**gestirn** ['-gəʃtirn] *n* (-[e]s; -e) triumvirate; ~**gestrichen** *mus. adj.* three-marked; 2**gitterröhre** *f radio*: three-grid valve (*Am.* tube); ~**glied(e)rig** ['-gli:d(ə)riç] *math. adj.* trinominal; *w.s.* triangular; ~**hundert** *adj.* three hundred; ~**hundertjährig** *adj.* tercentenary; ~**hundertst** *adj.*, 2**hundertstel** *n* three hundredth; ~**jährig** *adj.* three-year-old; of three years, three years', three-year; ~**jährlich** **I.** *adj.* triennial; **II.** *adv.*

every three years; **2kampf** *m sports*: triathlon; **⁓kantig** *adj.* three-edged, three-cornered; **2käsehoch** *colloq. m* (-*s*; -[*s*]) whipper-snapper, hop-o'-my-thumb; **2klang** *mus. m* triad; **2königsfest** *n* Epiphany; **2mächteabkommen** *pol. n* tripartite agreement; **⁓mal** *adv.* three times, thrice; **⁓malig** *adj.* done (*or* repeated) three times, triple; *sein ⁓er Versuch* his three attempts; **2master** *mar. m* (-*s*; -) three-master; (*hat*) three-cornered hat; **2meilenzone** *f* three-mile limit; **⁓monatig** ['-mo:natiç] *adj.* of three month, three months', three-month; **⁓monatlich I.** *adj.* three-monthly, quarterly; **II.** *adv.* every three months; **⁓motorig** *adj.* three-engined.

drein [draɪn] → *darein.*

'**drei...:** **⁓phasig** ['-fɑ:ziç] *el. adj.* three-phase; **⁓polig** ['-po:liç] *adj.* three-pole, triple-pole; **⁓prozentig** *econ. adj.* bearing three per cent (interest); *⁓e Papiere* three-per-cents; **2rad** *n* (*a.* child's) tricycle; *mot.* (**2radwagen** *m*) three-wheeler; **⁓räd(e)rig** ['-rɛ:d(ə)riç] *adj.* three-wheeled; **⁓reihig** ['-raɪiç] *adj.* (placed) in three rows *or* lines, triple-row; **2ruderer** *m* trireme; **2satz** *math. m* rule of three; **⁓säurig** ['-zɔʏriç] *chem. adj.* triacid; **⁓schichtig** ['-ʃiçtiç] *adj.* three-layered; *wood*: three-ply; **⁓seitig** ['-zaɪtiç] *adj.* three-sided, trilateral; **⁓silbig** ['-zilbiç] *adj.* trisyllabic; **⁓sitzig** ['-zitsiç] *adj.*, **2sitzer** *m* three-seater; **⁓spaltig** ['-ʃpaltiç] *adj.* three-columned; **2spänner** ['-ʃpɛnər] *m* (-*s*; -) → *Dreigespann*; **⁓spännig** ['-ʃpɛniç] *adj.* with (a team of) three horses; **⁓sprachig** ['-ʃprɑ:xiç] *adj.* in three languages, trilingual; **2springer** *m sports*: triple jump man; **2sprung** *m sports*: triple jump; hop, step (*Am.* skip), and jump.

dreißig ['draɪsiç] *adj.* thirty; *im Alter von ⁓ Jahren* at the age of thirty; *tennis*: *zu ⁓* thirty all; **2** *f* (-; -*en*) (number) thirty; **⁓er** ['-gər] *adj.*: *in den 2n* (*age*), *in den ⁓ Jahren* (*period*) in the thirties; **2er(in** *f*) *m* (-*s*, -; -, -*nen*) man (woman) of thirty *or* in his (her) thirties; **⁓jährig** *adj.* thirty-years-old; of thirty years; *der 2e Krieg* the Thirty Years' War; **⁓ste** *adj.*, **2stel** [-stəl] *n* (-*s*; -) thirtieth.

dreist [draɪst] *adj.* bold, audacious; impudent, cheeky, saucy; *ich darf ⁓ behaupten* I make bold to say.

'**dreistellig** *adj.* of three places (*or* digits); *⁓e Zahl a.* three-figure number.

'**Dreistigkeit** *f* (-) boldness, audacity; impudence, cheek; *die ⁓ haben zu inf.* have the face to *inf.*

'**drei...:** **⁓stimmig** ['-ʃtimiç] *adj.* for (*or* in) three voices; **⁓stöckig** ['-ʃtœkiç] *adj.* three-storied; **⁓stufig** ['-ʃtu:fiç] *adj.* with three steps; *tech.* three-stage (*a. rocket*); three-speed (*engine*); **⁓stündig** ['-ʃtyndiç] *adj.* of three hours, three hours', three-hour; **⁓tägig** *adj.* of three days, three days', three-day; **⁓teilig** *adj.* (consisting) of three parts, tripartite; three-piece (*dress, etc.*); **2viertelmehrheit** *f* three-quarter majority; **2vierteltakt** *mus. m* three-four time; **2zack** ['-tsak] *m* (-[*e*]*s*; -*e*) trident; *bot.* arrow-grass; **⁓zehn** *adj.* thirteen; *jetzt schlägt's aber ⁓!* that's the limit!; **⁓zehnte** *adj.* thirteenth; **2zylindermotor** *m* three-cylinder engine.

Drell [drɛl] *m* (-*s*; -*e*) → *Drillich.*

Dresch|e ['drɛʃə] *colloq. f* (-; -*n*) thrashing; **2en** *v/t. and v/i.* (*irr., h.*) thresh; (*beat*) thrash; → *Phrase, Stroh*; **⁓er** *m* (-*s*; -) thresher; **⁓flegel** *m* flail; **⁓maschine** *f* threshing-machine.

Dress|eur [drɛ'sø:r] *m* (-*s*; -*e*) trainer; tamer; **2ieren** *v/t.* (*h.*) train; break in (*horse*); *fig.* drill; *tech.* finish; **⁓ur** [drɛ'su:r] *f* (-; -*en*) training; breaking-in.

dribb|eln ['dribəln] *v/i.* (*h.*), **2ling** [-liŋ] *n* (-*s*; -*s*) *soccer*: dribble.

Drill [dril] *mil. m* (-[*e*]*s*) drill (*a. fig.*).

'**Drillbohrer** *m* (screw) drill.

'**drillen** *v/t.* (*h.*) *mil.* drill (*a. fig.*); *tech.* **a**) twist, **b**) drill.

Drillich ['driliç] *m* (-[*e*]*s*; -*e*) drill (cloth), tick(ing); **⁓anzug** *m* fatigue uniform, denims *pl.*; **⁓zeug** *n* fatigue clothes *pl.*

Drilling ['driliŋ] *m* (-*s*; -*e*) (*child*) triplet; *hunt., mil.* three-barrel(l)ed gun; **⁓turm** *mil. m* triple turret.

drin [drin] → *darin.*

dringen ['driŋən] *v/i.* (*irr., sn*) *durch et.*: force one's way through, break (*or* get) through (*a th.*); penetrate, pierce; pass through; *aus et.*: break forth from, *noise*: come from; *in et.*: penetrate into; invade, enter (by force), force one's way into; *fig.* search into, go to the bottom of; *in die Öffentlichkeit ⁓* get abroad, spread, leak out; *in j-n ⁓* urge (*or* press) a p., prevail on (*or* entreat) a p.; *er drang nicht weiter* (*in sie*) he didn't press the point any further; *bis zu et.*: get (*or* go, advance) as far as, reach; *zum Herzen ⁓* go (straight) to a p.'s heart; (*irr., h.*) *⁓ auf* (*acc.*) insist on, press for; urge, demand; → *gedrungen*; **⁓d I.** *adj.* urgent, pressing; priority; imminent, instant (*danger*); strong (*suspicion*); *⁓es Gespräch teleph.* emergency call; **II.** *adv.* urgently; *⁓ notwendig* imperative; *⁓ verdächtig* highly suspect; *⁓ abraten* (*zu inf., von*) strongly advise against; *⁓ bitten* plead hard (*acc.* with), request *a p.* earnestly, entreat; *⁓ brauchen* be in urgent need of, want badly.

dringlich ['driŋliç] *adj.* pressing, urgent; **2keit** *f* (-) urgency; priority.

'**Dringlichkeits...:** **⁓antrag** *m* application (*parl.* motion) of urgency; **⁓bescheinigung** *f* certificate of priority; **⁓fall** *m* case of (special) emergency; **⁓liste** *f* priority list; **⁓stufe** *f* priority (class); *höchste ⁓* top priority; **⁓vermerk** *m* priority note.

drinnen ['drinən] *adv.* inside, within; indoors.

dritt|(e) ['drit(ə)] *adj.* third; *aus ⁓er Hand* at third-hand, indirectly; *wir waren zu ⁓* we (*or* there) were three of us; *das ist sein ⁓es Wort* that's his pet saying; **2e(r)** *m* (-[*e*]*n*; -[*e*]*n*) *the* third; *jur.* third party; *Heinrich III.* (*der ⁓*) Henry III (the Third); third best; *er erreichte das Ziel als ⁓r* he came in third; **2el** *n* (-*s*; -) *and* **⁓el** *adj.* third; *zwei Drittel* two(-)thirds; **⁓eln** *v/t.* (*h.*) divide into three (parts); **⁓ens** *adv.* thirdly, in the third place; **⁓letzt** *adj.* last but two; **2schuldner** *m* third-party debtor.

droben ['dro:bən] *adv.* above (there), up there; on high.

Droge ['dro:gə] *f* (-; -*n*) drug;

Drogerie [drogə'ri:] *f* (-; -*n*) chemist's (shop), *Am.* drugstore.

Droge'riewaren *f/pl.* drugs.

Drogist [-'gist] *m* (-*en*; -*en*) druggist.

Drohbrief ['dro:-] *m* threatening letter.

drohen ['dro:ən] *v/i.* (*h.*) (*dat.*) threaten, menace; *mit der Faust*: shake a fist at; *mit Krieg ⁓* threaten war, rattle the sabre; warn; shake a warning finger at; *danger, etc.*: threaten, impend, approach, loom (up); *er weiß noch nicht, was ihm droht* he doesn't know yet what is in store for him; *die Firma drohte zusammenzubrechen* the firm threatened to collapse *or* was near (*or* in danger of) going bankrupt *or* was on the verge of failure; **⁓d** *adj.* threatening, menacing; imminent, impending.

Drohne ['dro:nə] *f* (-; -*n*) drone (*a. fig.*); **⁓nschlacht** *f* slaughter of the drones.

dröhnen ['drø:nən] *v/i.* (*h.*) rumble; *engine, gun, voice, etc.*: boom, roar; *machine, voice, etc.*: drone, hum; *thunder, etc.*: roll; *steps*: thud; *room*: resound, ring, echo (*von* with); *mir dröhnt der Kopf* my head is ringing; quake, shake.

'**Drohrede** *f* threatening speech.

Drohung ['dro:uŋ] *f* (-; -*en*) threat (*mit et.* of a th.; *gegen j-n* to a p.), menace; intimidation; *leere ⁓* bluff.

drollig ['drɔliç] *adj.* droll, funny, comical; **2keit** *f* (-) drollery, drollness.

Dromedar [drɔme'dɑ:r] *n* (-*s*; -*e*) dromedary.

drosch [drɔʃ] *pret. of dreschen.*

Droschke ['drɔʃkə] *f* (-; -*n*) cab, taxi(-cab); **⁓ngaul** *m* cab-horse; **⁓nhalteplatz** *m* cab-stand; **⁓nkutscher** *m* cabman.

Drossel ['drɔsəl] *f* (-; -*n*) *orn.* thrush; song-thrush, *poet.* mavis; *hunt.* throat; *mot.* throttle; *el.* choking coil, choke; **⁓ader** *anat. f* jugular vein; **⁓hebel** *mot. m* throttle (lever); **⁓klappe** *f* throttle(-valve); **2n** *v/t.* (*h.*) throttle, choke (*a. mot. and fig.*); **⁓spule** *el. f* choke coil; **⁓ung** *fig. f* (-) throttling, curb (-ing); **⁓ventil** *n* → *Drosselklappe.*

drüben ['dry:bən] *adv.* over there, on the other side, yonder.

drüber ['dry:bər] → *darüber.*

Druck [druk] *m* (-[*e*]*s*; [-*e*]) **1.** (*pl.* ⁓*e*) pressure (*a. med., tech.*); squeeze (*of hand*); *phys.* **a**) (surface) pressure, compression, **b**) *axial*: thrust, **c**) load, **d**) stress;

atmosphärischer ~ atmospheric pressure; blast; *Dampf unter* ~ live steam; ~ *und Gegendruck* action and reaction; *fig.* pressure; strain, stress; oppression; burden, weight; nightmare; ~ *ausüben auf* (*acc.*) exert pressure on, bring pressure to bear on; *j-n unter* ~ *setzen* put pressure (*or* the screw) on a p.; *colloq. im* ~ *sein* be rushed; **2.** (*pl.* -e) *typ.* impression, print; printing; copy, issue; *großer* (*kleiner*) ~ large (small) print *or* type; *im* ~ *erscheinen* appear in print, be published; *im* ~ *sein* be printing (*or* in the press); *in* ~ *senden* (*gehen*) send (go) to the press; ~ *und Verlag L.* Printers and Publishers L.; '**~anzug** *aer. m* pressure suit; '**~beanspruchung** *f* compressive stress; '**~behälter** *m* pressure tank; '**~bogen** *typ. m* (-s; -) printed sheet; '**~buchstabe** *m* block letter; *in* ~*n schreiben* print, write in block letters.

Drückeberger ['drykəbɛrgər] *colloq. m* (-s; -) shirker, dodger; malingerer; **Drückeberge'rei** *f* (-) shirking; absenteeism.

'**Druck...:** **2dicht** *tech. adj.* tight, pressurized; **2empfindlich** *adj.* sensitive to pressure, *med a.* tender.

'**drucken** *v/t.* (*h.*) print; ~ *lassen* have *a th.* printed, bring out, publish; *er lügt wie gedruckt* he lies by the book.

drücken ['drykən] **I.** *v/t.* (*h.*) press; depress (*key, lever*); *j-m die Hand* ~ shake hands with a p., press (*or* squeeze) a p.'s hand; *j-m et.* (*heimlich*) *in die Hand* ~ slip a th. into a p.'s hand; *j-n an sich* ~ press (*or* clasp) a p. to one's breast, give a p. a hug; *fig.* oppress, weigh down, depress, lie (*or* weigh) heavily (up)on; *shoe*: pinch; depress, bring (*or* force) down (*market, prices*); lower, better *a record* (*um* by); *aer.* nose down; **II.** *v/refl.* (*h.*): *colloq. sich* ~ sneak (*or* slip) away, *Am. a.* beat it, duck; *sich von e-r Pflicht* ~ shirk a duty; *sich* ~ *um* evade, dodge; back out of; *mil.* malinger; *du willst dich nur* ~! you only want to get out of it!; **III.** *v/i.* (*h.*): ~ *auf* (*acc.*) press, touch; *auf den Knopf* ~ press the button; → *drückend, gedrückt*; 2 *n* (-s) → *Druck*; *weight-lifting*: (*beidarmiges*) (two-hands) clean and press; *gym.* press-up; **~d** *adj.* heavy, oppressive (*a.* ~ *heiß* = sultry, sweltering); ~*e Last fig.* onerous charge; ~*e Armut* grinding poverty.

'**Drucker** *typ. m* (-s; -) printer (*a. device, e.g. Blatt*2 page-printer).

'**Drücker** *m* (-s; -) latch; latchkey; *on rifle*: trigger; *tech. a.* thumb-release; press-button.

'**Druckerarbeit** *f* press-work.

Drucke'rei *f* (-; -en) printing-office, *Am.* printery, printing shop.

'**Druck-erlaubnis** *f* printing licen|ce, *Am.* -se, imprimatur.

'**Drucker...:** **~presse** *f* (printing-) press; **~schwärze** *f* printer's ink; **~zeichen** *n* printer's mark.

'**Druck...:** **~fahne** *typ. f* (galley-) proof; **~farbe** *f* (printing-)ink; **~feder** *f* tension spring; **~fehler** *m* misprint, typographical error; **~fehlerteufel** *m* gremlin who causes misprints; **~fehlerverzeichnis** *n* errata *pl.*; **2fertig** *adj.* ready for the press; **2fest** *adj.* pressure-proof; **~festigkeit** *tech. f* compressive strength; **~füllstift** *m* automatic pencil; **~gas** *n* pressure gas; **~gefälle** *n* pressure drop; **~kabine** *f* pressurized cabin; **~knopf** *m tech.* push-button, press button; *on dress*: patent (*or* snap) fastener; **~knopfanlasser** *mot. m* push-button starter; **~knopfgetriebeschaltung** *mot. f* push-button drive (selection); **~knopfsteuerung** *f* push-button control; **~last** *f* load; **~legung** *f* (-; -en) printing, going to press; **~leitung** *f* pressure line; **~luft** *f* (-) compressed air; **~luftbehälter** *m* compressed air cylinder; **~luftbremse** *f* air(-pressure) brake; **~maschine** *typ. f* printing machine; **~messer** *tech. m* (-s; -) pressure ga(u)ge; *steam*: manometer; **~papier** *n* printing paper; **~platte** *f* printing plate; *el.* armature head; **~posten** *colloq. m* soft job; **~presse** *f* printing-press; **~pumpe** *f* pressure pump; **~punkt** *m tech.* working (*or* straining) point; *rifle, etc.*: pull--off; ~ *nehmen* **a)** take first pressure, **b)** *colloq. fig.* → *sich drücken*; **~raster** *m* (printer's) screen; **~regler** *tech. m* pressure governor; **2reif** *adj.* ready (*fig.* ripe) for the press.

drucksen ['druksən] *colloq. v/i.* (*h.*) hem and haw, beat about the bush, hesitate.

'**Druck...:** **~sache(n** *pl.*) *f* printed matter, *Am. a.* second-class (matter); *parl.* Document; **~sachenwerbung** *f* direct-mail advertising; **~schmierpresse** *f* grease gun; **~schmierung** *tech. f* forced-feed lubrication; **~schraube** *aer. f* pusher airscrew; *Flugzeug mit* ~ pusher (plane); **~schrift** *f* print, type; publication; **~stock** *m* (-[e]s; -stöcke) (printing) block, cut, electro(type); **~taste** *f* press key; **~telegraph** *m* (type) printing telegraph; **~umlaufschmierung** *mot. f* forced oil circulation, flooding system; **~ventil** *n* reduction (*hydraulics*: delivery) valve; **~verband** *med. m* pressure dressing; **~verfahren** *n* printing process (*or* method); **~walze** *f typ.* printing roller, cylinder; *agr.* press(ing) roll; **~waren** *pl.* printed goods, prints; **~wasser** *n* pressure water; *in compounds*: hydraulic; **~welle** *f* blast, pressure wave; **~zylinder** *m* pressure-cylinder; *typ.* impression; (*offset*: rubber) cylinder.

Drudenfuß ['dru:dən-] *m* pentagram; *bot.* clubmoss.

drum [drum] *adv.* → *darum*; *das* 2 *und Dran* everything (*or* all the little things) connected with it, the paraphernalia; *mit allem* 2 *und Dran* with all the trimmings.

drunten ['druntən] *adv.* down there, below (there); downstairs.

drunter und drüber *adv.* upside down, topsy-turvy, higgledy-piggledy; *alles ging* ~ everything was at sixes and sevens.

Druse ['dru:zə] *f* (-; -n) *min.* druse, geode; *vet.* strangles, glanders *pl.*

Drüse ['dry:zə] *f* (-; -n) *anat. f* gland; ~*n pl. mit innerer Sekretion* endocrine glands.

'**Drüsen...:** **~entzündung** *f* adenitis; **~krankheit** *f* glandular disease, scrofula; **~schwellung** *f* glandular swelling; **~tätigkeit** *f* (-) glandular activity.

Dryade [dry'ɑ:də] *f* (-; -n) dryad.

Dschungel ['dʒuŋəl] *m* (-s; -) jungle; **~fieber** *n* jungle-fever.

Dschunke ['dʒuŋkə] *f* (-; -n) junk.

du [du:] *pron. pers.* you; *eccl., poet.* thou; *bist* ~ *es?* is it you?; *auf* ~ *und* ~ *stehen* be on intimate terms (*mit* with).

Dualismus [dua'lismus] *m* (-) dualism.

Dübel *tech. m* ['dy:bəl] *m* (-s; -) dowel, peg, plug.

Dublee [du'ble:] *n* (-s; -s) rolled gold.

Dublette [du'blɛtə] *f* (-; -n) duplicate, double (specimen); *gr.* doublet; *hunt.* right-and-left (shot); *boxing*: doublette.

ducken ['dukən] *v/t.* (*h.*) duck (*one's head*); *fig.* take *a p.* down a peg or two; *sich* ~ **a)** stoop, cower, crouch, **b)** duck, **c)** *fig.* cringe, cower, knuckle under (*vor dat.* to).

Duckmäuser ['-mɔyzər] *m* (-s; -) sneak, cringer, *Am. sl.* pussyfoot; hypocrite; **2ig** *adj.* cringing, sneaking; hypocritical.

Dudelei [du:də'laɪ] *f* (-) tootling; **dudeln** ['du:dəln] *v/i. and v/t.* (*h.*) tootle; thrum, strum; skirl.

'**Dudelsack** *m* bagpipe; *auf dem* ~ *spielen* play (on) the bagpipe, skirl; **~pfeifer** *m* bagpiper.

Duell [du'ɛl] *n* (-s; -e) duel; ~ *auf Pistolen* duel with pistols; **Duellant** [-'lant] *m* (-en; -en) duellist; **duellieren:** *sich* ~ (*h.*) (fight a) duel.

Duett [du'ɛt] *n* (-[e]s; -e) duet.

Duft [duft] *m* (-[e]s; ⸗e) exhalation, haze; pleasant smell, fragrance, perfume, aroma, (sweet) scent; waft, whiff; **2en** *v/i.* exhale fragrance, have a perfume, smell sweet; ~ *von* be scented (*or* fragrant, sweet) with; be redolent with; '**2end** *adj.* fragrant, sweet-smelling (*or* -scented), aromatic; '**2ig** *adj.* fragrant; filmy, dainty; hazy; '**~stoff** *m* odorous substance, perfume, scent; *chem.* odiferous agent.

Dukaten [du'kɑ:tən] *m* (-s; -) ducat; **~gold** *n* ducat (*or* fine) gold.

duld|en ['duldən] *v/t.* (*h.*) bear (patiently), endure, suffer; tolerate, permit, put up with, shut one's eyes to; → *Aufschub*; *ich dulde nicht, daß* I won't have it that; **2er(in** *f*) *m* (-s, -; -, -nen) sufferer; **~sam** *adj.* tolerant (*gegen* of), indulgent (to), patient (with), forbearing; **2samkeit** *f* (-) tolerance (*gegen* of), forbearance; **2ung** *f* (-) toleration, sufferance.

dumm [dum] *adj.* stupid, dull, dense, *Am. a.* dumb; idiotic, brainless, blockheaded; silly, foolish; imprudent, unwise; fatuous; awkward (*thing*); dizzy, giddy (*von, vor dat.* with); *~er Junge* young shaver, jackanapes; e-e *~e Sache* an awkward business; *~er Streich* foolish prank; *~es Zeug!* nonsense!, rubbish!, bosh!; *~es Zeug reden* talk nonsense (*or* through one's hat, *or* hot air); *~ machen, für ~ verkaufen* dupe, *Am. sl.* play *a p.* for a sucker; *sich ~ stellen* play the fool; *er ist nicht so ~* he is no fool; *so ~ müßte ich sein!* catch me doing that!; *das ist zu ~!* how awkward!, what a nuisance (*or* bore)!; *schließlich wurde es mir zu ~* at last I got tired of all this; *das war ~ von mir* how stupid of me; '**ﾤe(r)** *m* (-[e]n; -[e]n) fool; *der ~ sein* be the loser (*or* dupe), (have to) pay the piper; *die ~n werden nicht alle* fools never die out, *Am.* there's a sucker born every minute; '**~dreist** *adj.* impudent, impertinent, saucy; '**ﾤheit** *f* (-; -*en*) stupidity, dullness; foolishness, silliness; ignorance; imprudence; folly; blunder; foolish prank; indiscretion, faux pas (*Fr.*); e-e *~ begehen or machen* do a foolish thing, put one's foot in it, *sl.* drop a brick; *~en (pl.) treiben* cut capers, (play the) clown; '**ﾤkopf** *m* blockhead, duffer, stupid, *Am. sl.* sap(head), dumbbell; fool.

dumpf [dumpf] *adj.* hollow, dull, muffled (*sound*); *~er Aufprall, etc., a. ~ aufprallen, etc.* thud; heavy, sultry, close (*air*); muggy, stifling (*weather*); stuffy, fusty; mo(u)ldy, musty; *fig.* dull; gloomy; dim, faint; e-e *~e Ahnung, ein ~es Gefühl* a dark feeling.

'**dumpfig** *adj.* damp, dank; mouldy, musty; close, stuffy, fusty; sultry, stifling.

Düne ['dy:nə] *f* (-; -*n*) dune, sandhill; '**~ngras** *n* beach grass.

Dung [duŋ] *m* (-[e]s) dung, manure.

Düngemittel ['dyŋə-] *n* fertilizer.

'**düngen** *v/t.* (*h.*) dung, manure; fertilize.

'**Dünger** *m* (-s; -) dung, manure; fertilizer.

'**Dung...:** **~erde** *f* vegetable earth, mo(u)ld, compost; **~grube** *f* manure pit; **~haufen** *m* dunghill.

'**Düngung** *f* (-) manuring, fertilizing.

dunkel ['duŋkəl] *adj. generally*: dark; dim, murky; dusky; gloomy, somb|re, *Am.* -er; *fig.* dark, obscure, deep, mysterious; vague, dim, hazy (*feeling, memory*); *~ machen* darken; *~ werden* get (*or* grow) dark, darken, dim; shady, dubious, obscure (*dealings, existence, etc.*); *das dunkle Mittelalter* the Dark Ages *pl.*; → *Punkt*; '**Dunkel** *n* (-s) *the* dark, darkness, gloom; *fig.* darkness, obscurity, mystery; *im ~ der Nacht* in the depth of night; *j-n im ﾤn lassen* leave a p. in the dark (*über acc.* about); *im ~n tappen* grope in the dark.

Dünkel ['dyŋkəl] *m* (-s) (self-)conceit, arrogance.

'**dunkel...:** **~blau** *adj.* dark-blue; **~braun** *adj.* dark-brown; tan(ned), tawny.

'**dünkelhaft** *adj.* (self-)conceited, arrogant.

'**dunkel...:** **~häutig** *adj.* swarthy; dark(-skinned); **ﾤheit** *f* (-) darkness; *tiefe ~* blackness, *of skin: a.* swarthiness; *fig.* obscurity; darkness, gloom; *in ~ hüllen* plunge into darkness, *fig.* wrap in obscurity, spread a veil of mystery over; *bei anbrechender ~* at nightfall; **ﾤkammer** *phot. f* dark room; **ﾤmann** *m* obscurant(ist); shady character; **~n** **I.** *v/i.* (*h.*) grow dark, darken; **II.** *v/t.* (*h.*) darken, deepen (*colours*); **~rot** *adj.* dark-red; **ﾤschalter** *m* dimmer switch; **ﾤziffer** *f* estimated figure of unknown cases.

dünken ['dyŋkən] *v/i.* (*h.*) seem, appear; *es dünkt mich* (*a. mir*) it seems to me; *es dünkt mich etwas seltsam* it strikes me as being a little odd; *sich weise ~* fancy (*or* imagine, think) o.s. wise.

dünn [dyn] *adj. generally*: thin (*a. voice*); fine, delicate; flimsy; sheer (*fabric*); slight, slender, slim; lean, spindly; weak, dilute(d) (*liquid*); *phys.* rare (*air*); *~ bevölkert* thinly (*or* sparsely) populated; *~ machen* (make) thin; *colloq. sich ~e machen* make o.s. scarce; *~ werden* grow thin; '**ﾤblech** *n* light-ga(u)ge steel sheet; '**ﾤbier** *n* small beer; '**ﾤdarm** *m* small intestine (*or* gut); '**ﾤdruckpapier** *n* India paper; '**ﾤe**, '**ﾤheit** *f* (-) thinness; fineness; flimsiness; slenderness; weakness (*of liquid*); *phys.* rarity (*of air*); '**~flüssig** *adj.* thinly liquid, watery, fluid; light, thin-bodied (*oil*); **~gesät** ['-gəzɛ:t] *adj.* thin-sown, thinly scattered; *fig.* sparse, scarce; '**~wandig** *adj.* thin-walled.

Dunst [dunst] *m* (-es; ⸚e) exhalation; vapo(u)r, steam; smoke; fume; haze, mist; *fig. j-m e-n blauen ~ vormachen* throw dust into a p.'s eyes, humbug a p.; *er hat keinen (blassen) ~ davon* he hasn't the foggiest idea about it.

dünsten ['dynstən] **I.** *v/t.* (*h.*) stew; **II.** *v/i.* (*h.*) stew; vapo(u)r, steam, smoke.

'**dunstig** *adj.* vaporous; damp; hazy, misty; → *dumpfig.*

'**Dunstkreis** *m* atmosphere.

'**Dünst-obst** *n* stewed fruit.

'**Dunstschleier** *m* haze.

Dünung ['dy:nuŋ] *f* (-; -*en*) swell, surf.

Duodez [du:o'de:ts] *typ. n* (-es) duodecimo; **~band** *m* (-[e]s; ⸚e) duodecimo (volume); **~fürst** *m* petty prince, princeling.

Duodezi'malsystem *n* duodecimal system.

düpieren [dy'pi:rən] *v/t.* (*h.*) dupe.

Duplex|bremse ['du:plɛks-] *mot. f* duplex brake; **~betrieb** *el. m* duplex operation; **~leitung** *f* duplex circuit.

Duplik [du'pli:k] *jur. f* (-; -*en*) (defendant's) rejoinder.

Duplikat [dupli'ka:t] *n* (-[e]s; -e) duplicate; (identical) copy; *arts*: replica; **~s-quittung** *f* duplicate receipt.

Duplizität [-litsi'tɛ:t] *f* (-) duplicity.

Dur [du:r] *mus. n* (-; -) major.

'**Dur-alumin(ium)** *n* duralumin.

durch [durç] **I.** *prp.* (*acc.*) through, *Am. a.* thru; across; *~ ganz England* throughout (*or* all over) England; through, by, by means (*or* the agency) of; → *wegen*; through(out), during; *das ganze Jahr ~* throughout the year, the whole year through; *den ganzen Tag ~* all day (long), the clock round; *die ganze Nacht ~* all night long; **II.** *adv.*: *es ist drei (Uhr) ~* it is past three; *hast du das Buch schon ~?* have you finished the book?; *~ und ~* through and through, thoroughly, completely, *fig. a. person*: to the backbone; *ein Politiker ~ und ~* a dyed-in-the-wool (*or* engrained) politician; *~ und ~ ein Ehrenmann* a thorough gentleman; *~ und ~ naß* wet (*or* drenched) to the skin.

'**durch-ackern** *fig. v/t.* (*h.*) plough through.

'**durch-arbeiten** **I.** *v/t.* (*h.*) work through; study thoroughly; exercise, train, give *the body* a work-out; work *or* knead (thoroughly); complete, finish; *sich ~* work (*or* make) one's way through; **II.** *v/i.* (*h.*) work without a break.

durch'aus *adv.* throughout, thoroughly; through and through, out and out; absolutely, quite, positively, definitely, by all means; downright; *~ nicht* not at all, not in the least, by no means; *~ nicht reich* far from rich; *wenn du es ~ willst* if you insist on (*or* make a point of) it; *sie wollte es ~ so haben* she wouldn't do it otherwise.

'**durchbacken** *v/t.* (*irr., h.*) bake thoroughly; *durchgebacken* well done.

durch'beben *v/t.* (*h.*) thrill (through), pervade, go through.

'**durch|beißen** *v/t.* (*irr., h.*) bite through (*or* in two); *fig. sich ~* fight it out, struggle through; weather the storm; **~betteln:** *sich ~* (*h.*) beg one's way; live by alms; **~biegen:** *sich ~* (*irr., h.*) bend through, sag; **~bilden** *v/t.* (*h.*) educate (*or* train) thoroughly; improve, perfect, develop fully (*or* to perfection); design; **~blättern** *v/t.* (*h.*) glance (*or* skim) through (*a book*), *Am.* leaf (*or* thumb) through; **~bleuen** *v/t.* (*h.*) beat soundly, thrash, give a sound hiding; **ﾤblick** *m* (*auf or in acc.* of), view, vista, perspective; peep; **~blicken** *v/i.* (*h.*) look (*or* peer) through; *fig.* become apparent, peep out, show; *colloq.* get it; *~ lassen* give to understand, hint.

durch'bluten *v/t.* (*h.*) supply with blood.

durch'bohren **I.** *v/t.* (*h.*) pierce; stab; run through; perforate; *fig.* → *Blick*; **II.** *v/i.* (*h.*) '*durchbohren* bore through; *sich ~* bore one's way (through); **~d** *adj.* piercing, keen (*glance*); gnawing (*pain*); **~boxen** *colloq. v/t.* (*h.*) push *a th.* through; *sich ~* struggle through.

'**durch|braten** *v/t.* (*irr., h.*) roast thoroughly; *durchgebraten* well done; **~brechen**[1] **I.** *v/t.* (*irr., h.*) break through (*or* in two), snap; *ein Loch ~* make *or* cut a hole; **II.** *v/i.* (*irr., sn*) break (*or* crash) through, force one's way (through); appear, show; break (*or* come) out; *blossoms*: come (*or* spring) forth; *teeth*: cut; **~'brechen**[2] *v/t.* (*irr., h.*) break through, pierce; run (*blockade*); perforate; *fig.* break, be contrary to; **~brennen** *v/t.* (*irr., h.*) *and v/i.* (*irr., sn*) burn through; burn a hole in; *el.* fuse, blow; burn out; *colloq. fig.* run away, bolt (*mit et.* with); *sie brannte mit ihm durch* she eloped with him; **~bringen** *v/t.* (*irr., h.*) bring (*or* get) through; see *a th. or p.* safely through; pull *a patient* through, bring *a p.* round; bring up, rear (*children*); pass (*law*) → *durchdrücken*; squander, *sl.* blue (*money*); *sich* ~ support o.s., make both ends meet; *sich ehrlich* ~ make an honest living; *sich kümmerlich* ~ make a poor living, scrape through.

durchbrochen [-ˈbrɔxən] *adj.* pierced, perforated; ~*e Arbeit* pierced work, *sewing*: openwork, *of goldsmith*: filigree(-work).

ˈ**Durchbruch** *m mil.* break-through, penetration; rupture, bursting (*of dam, etc.*); gap, breach, opening; *med.* eruption; *of teeth*: cutting; *of road*: piercing, cutting; *fig.* break-through, ultimate success; *zum* ~ *kommen* appear, show, burst forth; **~sschlacht** *mil. f* break-through battle; **~s-stelle** *mil. f* point of penetration; **~sversuch** *mil. m* attempted break-through, *Am.* probe.

durchdacht [-ˈdaxt] *adj.*: *gut* ~ well--reasoned, well weighed; well--devised.

durchˈdenken *v/t.* (*irr., h.*) think (*or* reason) out; think *a th.* over, turn *a th.* over in one's mind.

ˈ**durch|drängen** *v/t.* (*h.*) force (*or* press) through; *sich* ~ force (*or* squeeze, elbow, push) one's way through; **~drehen I.** *v/t.* (*h.*) crank *the engine* (through); *aer.* swing; pass *meat* through the mincer, mince; **II.** *colloq. v/i.* (*sn*) go mad, crack up; **~dringen I.** *v/i.* (*irr., sn*) get through, penetrate; *liquid*: permeate, ooze through; *news*: get abroad, leak out; *fig. person*: succeed, carry one's point, win through; *opinion*: prevail; **II.** *v/t.* (*irr., h.*) *durchˈdringen* penetrate, pierce; permeate, pass through; *fig.* penetrate; fill, imbue, inspire (*mit* with); **~d** *adj.* penetrating, piercing; piercing, cutting (*cold, wind*); piercing, shrill (*voice*); ~*er Schrei* scream, shriek; penetrating, keen (*intelligence*).

Durchdringung [-ˈdriŋuŋ] *f* (-) penetration, pervasion; *pol. friedliche* ~ peaceful penetration; **~s-vermögen** *n* penetrating power.

ˈ**durchdrücken** *v/t.* (*h.*) press (*or* squeeze) through; straighten (*knee, etc.*); *fig.* → *durchsetzen*; *pol.* rush (*or* railroad) *a bill* through.

durchdrungen [-ˈdruŋən] *adj.* imbued, impressed, inspired (*von* with).

durchˈeilen *v/t.* (*h.*) (*v/i.* [*sn*] ˈ*durcheilen*) hasten (*or* hurry, rush) through, pass through *or* across in haste; *sports*: cover (*a distance*).

durcheinˈander *adv.* in confusion; in a jumble, pell-mell, higgledy--piggledy; promiscuously; *ganz* ~ *sein person*: be all mixed up, be all upset; 2 *n* (-*s*; -) confusion; disorder, disarray; muddle, jumble; medley of voices; **~bringen** *v/t.* (*irr., h.*) muddle up; *j-n*: upset, bewilder a p.; mix up (*ideas*); **~geraten** *v/i.* (*irr., sn*) get mixed up; **~reden** *v/i.* (*h.*) talk (*or* speak) simultaneously *or* confusedly, speak all in a crowd; **~werfen** *v/t.* (*irr., h.*) throw into disorder, jumble up; *fig.* mix up.

ˈ**durchfahren I.** *v/i.* (*irr., sn*) pass (*or* drive *or mar.* sail *or rail.* run) through; go through (without stopping, *mar.* landing); *unter e-r Brücke*: shoot a bridge; **II.** *v/t.* (*irr., h.*) *durchˈfahren* pass through, → *I.*; *das Meer* ~ sail *or* cross the sea; *fig.* go (*or* run, rush) through; *der Gedanke durchfuhr mich* the idea flashed upon me.

ˈ**Durchfahrt** *f* passage (through); thoroughfare; gate(-way); channel; ~ *verboten!* no thoroughfare!; **~s-höhe** *f* clearance (height); **~srecht** *n* right of passage (*or* way); **~szoll** *m* transit-duty, toll.

ˈ**Durchfall** *m med.* diarrh(o)ea; *fig.* failure, *thea., etc. sl.* flop; 2**en I.** *v/i.* (*irr., sn*) fall through; *ped. etc.* fail, be rejected, flunk; *in election*: be unsuccessful, be defeated; *thea. sl.* turn out a flop; ~ *lassen* reject, flunk; *thea.* damn; **II.** *v/t.* (*irr., h.*) *durchˈfallen* fall (*or* drop) through.

ˈ**durch|faulen** *v/i.* (*sn*) rot through; **~fechten** *v/t.* (*irr., h.*) fight (*or* battle, see) *a th.* through, fight it out; carry one's point; *sich* ~ fight one's way through; **~feilen** *v/t.* (*h.*) file through; *fig.* polish, give the last finish to.

durchˈfeuchten *v/t.* (*h.*) wet thoroughly, soak.

ˈ**durchfinden:** *sich* ~ (*irr., h.*) find one's way through; *er findet sich nicht mehr durch* he is at his wit's end (*or* completely at a loss).

durchˈflechten *v/t.* (*irr., h.*) interlace, interweave, intertwine.

durchˈfliegen I. *v/t.* (*irr., h.*) fly through; fly (*or* cover) *a distance*; *fig.* skim over, run (*or* glance) through; **II.** *v/i.* (*irr., sn*) ˈ*durchfliegen* fly through *a book*; *colloq.* fail, get ploughed in, flunk *an examination*.

durchˈfließen *v/t.* (*irr., h.*) flow (*or* run) through (*a. fig.*); *el.* pass, traverse.

ˈ**Durchflug** *m* flying through, transit by air.

ˈ**Durchfluß** *m* flow(ing through), passage; *tech.* flow, discharge; **~erhitzer** *m* flow heater; **~geschwindigkeit** *f* velocity of flow (*or* circulation); **~menge** *f* rate (*or* quantity) of flow; **~messer** *m* (-*s*; -) flow meter.

durchˈfluten *v/t.* (*h.*) flow (*or* run) through; *fig. a.* flood, pervade.

durchˈforsch|en *v/t.* (*h.*) search through, investigate; scrutinize; explore (*country*); 2**ung** *f* search, investigation; scrutiny; exploration.

durchforsten [-ˈfɔrstən] *v/t.* (*h.*) thin (*a forest*).

ˈ**Durchfracht** *econ. f* through freight; **~brief** *m* through way-bill; **~konossement** *n* through bill of lading.

ˈ**durchfragen:** *sich* ~ (*h.*) ask one's way through.

ˈ**durchfressen** *v/t.* (*irr., h.*) eat through; *chem., geol.* corrode.

ˈ**durchfrieren** *v/i.* (*irr., sn*) freeze (*or* chill) through.

Durchfuhr [ˈ-fuːr] *econ. f* (-) transit.

ˈ**durchführ|bar** *adj.* practicable, feasible, workable; 2**barkeit** *f* (-) practicability, feasibility, workability; **~en** *v/t.* (*h.*) lead (*or* convey, take) through *or* across; pass *a wire* through; *fig.* carry through *or* out; conduct, effect (*investigation, etc.*); *parl.* implement, (*a. jur.*) enforce (*a law*); complete, accomplish; realize, go ahead with.

ˈ**Durchfuhr...:** **~handel** *m* transit trade; **~schein** *m* permit of transit.

ˈ**Durchführung** *f* carrying-out, execution; performance; completion; realization; implementation, (*a. jur.*) enforcement (*of law*); *tech.* passing through, wall entrance; **~sbestimmungen** *f/pl.* implementing regulations; **~sverordnung** *f* regulation.

ˈ**Durchfuhr...:** **~verbot** *n* transit embargo; **~zoll** *m* transit duty.

durchfurcht [-ˈfurçt] *adj.* furrowed.

ˈ**durchfüttern** *v/t.* (*h.*) feed through the winter; *j-n*: feed, support *a p.*; *sich* ~ *lassen von j-m* live (*or* sponge) on a p.

ˈ**Durchgabe** *f* transmission; special announcement.

ˈ**Durchgang** *m* passage; passageway, gateway, alley; *a. aer.* gangway, *Am.* aisle; *tech.* connecting passage; *of valve*: gate, diameter; *ast., econ.* transit; *sports*: round, heat, run; *kein* ~*!* no thoroughfare!, private (road)!

Durchgäng|er [ˈ-gɛŋər] *m* (-*s*; -) bolter, runaway (horse); *person*: (*a.* ~*in*) absconder, runaway; 2**ig I.** *adj.* general, universal; uniform (*prices*); **II.** *adv.* generally, as a rule.

ˈ**Durchgangs...:** **~bahnhof** *m* through-station; **~güter** *n/pl.* transit goods *pl.*; **~handel** *m* transit trade; **~konto** *n* transit account; **~lager** *n* transit camp; **~schein** *m* permit (of transit); **~straße** *f* thoroughfare, through road; **~verkehr** *m* through traffic; *mot.* non--resident traffic; transit trade; **~visum** *n* transit visa; **~wagen** *m* corridor carriage, through carriage; **~zoll** *m* transit duty; **~zug** *m* through (*or* express) train; corridor train.

ˈ**durchgeben** *v/t.* (*irr., h.*) pass on *news*, pass *the word*; *teleph.* transmit, *radio*: announce.

ˈ**durchgehen I.** *v/i.* (*irr., sn*) go (*or* walk) through, pass (through); go through, penetrate; abscond, run away, *lovers*: elope; *horse*: bolt; *tech., mot.* race, run away; *bill, motion*: pass, be carried; pass, be tolerated; *et.* ~ *lassen* let pass, overlook, close one's eyes to; *j-m nichts* ~ *lassen* pass a p. nothing; *mit j-m* ~ (*feeling, etc.*) run away with a p.; **II.** *v/t.* (*irr., sn*) *fig.* go through *a th.*; go over *a th.*; **~d I.** *adj.* through; continuous; ~*er Dienst* twenty-four--hour service; ~*er Zug* through (*or* non-stop) train; ~e *Fahrkarte* through-ticket; e-e ~e *Fahrkarte lösen* book through; **II.** *adv.* generally, usually; throughout; ~ *geöffnet* open throughout.

durch'geistigt *adj.* spiritual, highly intellectual.

'durch|gießen *v/t.* (*irr.*, *h.*) pour through; filter, strain; **~gleiten** *v/i.* (*irr.*, *sn*) glide (*or* slide, slip) through; **~glühen** *v/t.* (*h.*) make red-hot; *tech.* anneal thoroughly; *el.* burn out (*bulb*); *fig. durch'glühen* inflame, inspire; *durchglüht von a.* glowing with; **~graben** *v/t.* (*irr.*, *h.*) dig through, pierce; *sich* ~ dig one's way through; **~greifen** *v/i.* (*irr.*, *h.*) pass one's hand through; *fig.* take rigorous action, resort to drastic measures, use a strong hand; **~greifend** *adj.* drastic; radical, sweeping; **~halten** *v/t. and v/i.* (*irr.*, *h.*) hold out (to the end); see it through, stick (*or* sweat) it out; *verzweifelt* ~ hang on for dear life; *sports*: *a.* stay, last out; *das Tempo* ~ stand the pace; **≈haltevermögen** *n* (*-s*) stamina, staying power; **≈hang** *m* sag; **~hauen** *v/t.* (*h.*) cut (*or* hew) through; cleave, split; cut (*or* chop, hew) in two; flog, give *a p.* a thrashing; *sich* ~ hack one's way through; **~hecheln** *v/t.* (*h.*) *fig.* gossip about *a p.*; run down, pull to pieces; **~helfen** *v/i.* (*irr.*, *h.*) (*dat.*) help through; see *a p.* through, help *a p.* out of a difficulty; *sich* ~ get by, manage; **~hocken** *v/i.* (*h.*), **≈hocken** *n* (*-s*) *gym.* squat through.

durch'irren *v/t.* (*h.*) wander (*or* rove) through.

'durch|jagen I. *v/i.* (*sn*) rush (*or* race, tear) through; **II.** *v/t.* (*h.*) drive (*or* chase) through; *country*: (*durch'jagen*) hunt through *or* across; *fig.* → *I.*; **~kämmen** *v/t.* (*h.*) comb (thoroughly); *fig. mil.*, *etc.* comb (out); *pol.* screen; **~kämpfen** *v/t. and sich* ~ (*h.*) → *durchfechten*; **~kauen** *v/t.* (*h.*) chew through; *fig.* ruminate over *a th.*; repeat *a th.* over and over again, belabo(u)r *a th.*; **~kneten** *v/t.* (*h.*) knead (*or* work) thoroughly; **~kochen** *v/t.* (*h.*) boil thoroughly; *durchgekocht* well done; **~kommen** *v/i.* (*irr.*, *sn*) come (*or* get) through; *fig.* (manage to) get through, succeed; *ped.* pass; *patient*: pull through; *mit et.* ~ get along (*or* by) with a th., do (*or* manage) with a th.; *kümmerlich* ~ scrape through, make both ends meet; *damit kommst du bei ihm nicht durch sl.* that cuts no ice with him; **~kosten** *v/t.* (*h.*) taste one *dish*, *etc.*, after the other; *fig.* go through; endure, undergo.

durch'kreuzen *v/t.* (*h.*) cross; *fig. a.* thwart, foil, frustrate.

'durchkriechen *v/i.* (*irr.*, *sn*) creep (*or* crawl) through.

Durch|laß ['durçlas] *m* (*-sses*; *⸚sse*) passage; outlet, opening; conduit, duct; culvert; (*sluice*) gate; filter; *um* ~ *bitten* ask for permission to pass; ~ *erhalten* be allowed to pass; **≈lassen** *v/t.* (*irr.*, *h.*) let (*or* allow to) pass, let through; pass (*examinee*, *motion*); *phys.* be pervious *or* permeable to; transmit (*light*); *Wasser* ~ leak; filter, strain; *fig.* let pass; → *durchgehen lassen*; **≈lässig** *adj.* permeable, pervious (to); porous; leaky; translucent, diaphanous; **~lässigkeit** *f* permeability, perviousness; porosity; leakiness; translucence; *opt.* transmission factor; *elektrische* ~ electric constant.

Durchlaucht ['-lauxt] *f* (*-*; *-en*) (Serene) Highness; *Seine* ~ His Grace; **durchlauchtig(st)** [-'lauxtiç(st)] *adj.* (most) serene, illustrious.

'durchlauf|en I. *v/i.* (*irr.*, *sn*) run through, pass through (quickly); *liquid*: percolate, filter, ooze through; *econ.* ~*de Kredite* loans granted on a trust basis; ~*de Mittel* transitory monies; **II.** *v/t.* (*irr.*, *h.*) wear (*or* go) through (*shoes*); *sich die Füße* ~ walk one's feet sore (*or* off); *durch'laufen* run through (*a. fig. feeling, shudder*); traverse; *a. phys.*, *tech.* travel through; *sports*: *e-e Strecke* ~ cover a distance; *fig.* pass through (*a school*, *etc.*); spread (*over a town*); **~end** *adj.* continuous (*a. tech.*); **≈erhitzer** *m* continuous-flow water heater; **≈schmierung** *f* total-loss lubrication.

durch'leben *v/t.* (*h.*) go (*or* pass, live) through, experience.

'durch|leiten *v/t.* (*h.*) lead (*or* conduct, channel) through; **~lesen** *v/t.* (*irr.*, *h.*) read through *or* over, peruse; **~leuchten I.** *v/i.* (*h.*) shine through; *fig.* come to light, become apparent, show; **II.** *v/t.* (*h.*) *durch'leuchten* (flood with) light; *med.* X-ray, screen; *fig.* fill with light, illumine; investigate, analyze; clear up.

Durch'leuchtung *f* (*-*; *-en*) illumination; *med.* X-ray screening, radio(scopy); **~sschirm** *m* fluorescent screen.

'durchliegen: *sich* ~ (*irr.*, *h.*) get bed-sore.

durch'lochen *v/t.* (*h.*) punch (*tickets*, *etc.*); puncture.

durchlöcher|n [-'lœçərn] *v/t.* (*h.*) make holes into, perforate, punch; pierce; riddle (*with bullets*); **~t** *adj.* full of holes; perforated; punctured; riddled.

durch'lüft|en *v/t.* (*h.*) air, ventilate; **≈ung** *f* airing, ventilation.

'durchmachen *v/t.* (*h.*) go (*or* pass) through; go through (suffering, *etc.*); endure, suffer.

'Durchmarsch *m* passage *of troops*, march(ing) through; **≈ieren** *v/i.* (*sn*) march through.

durch'messen *v/t.* (*irr.*, *h.*) traverse, pass over; cover, travel (*distance*); walk; *er durchmaß das Zimmer mit langen Schritten* he paced the floor.

'Durchmesser *m* (*-s*; *-*) diameter; *äußerer* (*innerer*) ~ outside (inside) diameter.

'durch|mischen *v/t.* (*h.*) mix thoroughly, intermix; **~müssen** *v/i.* (*irr.*, *h.*) have (*or* be obliged) to pass; **~mustern** *v/t.* (*h.*) pass in review; scrutinize, scan.

durch'nässen *v/t.* (*h.*) wet through, soak, drench; *ganz durchnäßt* wet to the skin, soaked, drenched.

'durch|nehmen *v/t.* (*irr.*, *h.*) go through *or* over, deal with, treat (*subject*); *b.s.* → *durchhecheln*; **~numerieren** *v/t.* (*h.*) number consecutively; **~pausen** [-pauzən] *v/t.* (*h.*) trace, calk; **~peitschen** *v/t.* (*h.*) whip (soundly); *fig.* hurry (*or* rush) through; *parl.* rush (*or* hustle, *Am. a.* railroad) *a bill* through; **~pressen** *v/t.* (*h.*) press (*or* squeeze) through; *cul.* pass through; strain; **~prüfen** *v/t.* (*h.*) examine (*or* test) thoroughly; scan, screen; **~prügeln** *v/t.* (*h.*) beat soundly, thrash.

durchpulst [-'pulst] *fig. adj.*: ~ *von* (*dat.*) pulsating (*or* vibrating) with.

durchquer|en [durç'kve:rən] *v/t.* (*h.*) pass through, cross, traverse; *fig.* → *durchkreuzen*; **≈ung** *f* (*-*; *-en*) crossing.

'durchquetschen *v/t. and sich* ~ (*h.*) squeeze through.

durch'rasen *v/t.* (*h.*) (*and v/i.* [*sn*] *'durchrasen*) race (*or* rush, tear) through.

'durch|räuchern *v/t.* (*h.*) smoke thoroughly; fumigate (*air*, *etc.*); **~rechnen** *v/t.* (*h.*) count (*or* calculate, go) over, check; **~reiben** (*irr.*, *h.*) → *durchscheuern*; **≈reiche** [-raiçə] *f* (*-*; *-n*) (service) hatch; **~reichen** *v/t.* (*h.*) pass (*or* hand, reach) through; **≈reise** *f* passage, transit; *auf der* ~ on one's way through; **~reisen I.** *v/i.* (*sn*) travel (*or* pass) through; **II.** *v/t.* (*h.*) *durch'reisen* travel over, tour (*a country*); **≈reisende(r** *m*) *f* travel(l)er, *Am. a.* transient; *rail.* through passenger; **≈reisevisum** *n* transit visa; **~reißen I.** *v/i.* (*irr.*, *sn*) tear, get torn, break; **II.** *v/t.* (*irr.*, *h.*) *a. durch'reißen* tear asunder (*or* in two), rend; → *Zielband*.

'durchreiten I. *v/t.* (*irr.*, *h.*) gall *a horse* by riding; *sich* ~ chafe o.s. by riding; *durch'reiten* ride through, pass over (*or* cross) on horseback; **II.** *v/i.* (*irr.*, *sn*) ride through.

durch'rennen I. *v/t.* (*irr.*, *h.*) run (*or* race, dash) through; *j-n* ~ run a p. through; **II.** *v/i.* (*irr.*, *sn*) *'durchrennen* run through.

durch'rieseln I. *v/t.* (*h.*) trickle (*or* flow) through; *brook*: *poet.* murmur through; *fig.* run through, thrill *a p.*; **II.** *v/i.* (*sn*) *'durchrieseln* run through; trickle through.

'durchringen: *sich* ~ (*irr.*, *h.*) win (*or* struggle) through (*zu et.* to), fight one's way through; *sich zu e-m Entschluß* ~ make up one's mind (after long inner struggles).

'durch|rosten *v/i.* (*sn*) rust through; **~rühren** *v/t.* (*h.*) stir (*or* mix) thoroughly; **~rutschen** *v/i.* (*sn*) slide (*or* slip) through; **~rütteln** *v/t.* (*h.*) shake up *or* thoroughly; **~sacken** *aer. v/i.* (*sn*) pancake; **≈sage** *f*, **~sagen** *v/t.* (*h.*) → *Durchgabe*, *durchgeben*; **~sägen** *v/t.* (*h.*) saw through.

durch'säuern *v/t.* (*h.*) make sour; *chem.* acidify; leaven (*dough*).

'durchschalten *v/i.* (*h.*) *mot.* shift the gears through their full range; *teleph.* connect (*Am.* put) through.

'durchschauen I. *v/i.* (*h.*) look (*or* peer) through; **II.** *v/t.* (*h.*) *fig.* *durch'schauen* see through, find out, get to the bottom of.

durch'schauern *v/t.* (*h.*) shudder; *fig.* thrill (through); *es durchschauerte ihn* a cold shiver ran through him.

'durch|scheinen *v/i.* (*irr.*, *h.*) shine through; **~scheinend** *adj.* translucent, transparent, diaphanous; **~scheuern** *v/t.* (*h.*) rub through, gall, chaff; wear through; *sich* ~ get chafed; **~schießen I.** *v/i.* (*irr.*, *h.*) shoot through; dash through; **II.** *v/t.* (*irr.*, *h.*) shoot through; *typ. durch'schießen* interline, space (out); interleave.

durch'schiffen *v/t.* (*h.*) sail across (*or* through), cross, traverse.

'durchschimmern *v/i.* (*h.*) gleam (*or* shine) through.

'Durchschlag *m* colander, strainer; *typing*: (carbon-)copy, duplicate, carbon; *tech.* punch, drift pin; *mot.* puncture; *el.* disruptive discharge, *Am.* puncture, *dielectric*: breakdown; *of fuse*: blow-out; **2en I.** *v/i.* (*irr.*, *h.*) break (*or* pass, get) through, penetrate; *fig.* take (*or* have) effect, *med. a.* operate; *paper*: blot, run; *colour*: show through; *el.* break down; spark; *fig.* be dominant; become apparent, show, tell; **II.** *v/t.* (*irr.*, *h.*) strain; *sich* ~ fight one's way through, *fig.* scrape through, live from hand to mouth; *durch'schlagen* beat (*or* knock) through; pierce, penetrate, *bullet*: *a.* go through; cut (*or* slash) in two; **2end** *adj.* effective, telling, thorough; conclusive, irrefutable (*proof*); sweeping (*victory*); *~er Erfolg* striking (*or* sensational) success; **~festigkeit** *el. f* disruptive strength; **~papier** *n* carbon paper; → *Durchschreibepapier*; **~sicherung** *el. f* puncture cut-out; **~skraft** *f* (-) penetrating power, penetration; *fig.* force, impact; **~stoff** *m road-construction*: aggregate.

'durch|schlängeln: *sich* ~ (*h.*) *river, etc.*: wind (*or* meander) through; *person*: thread one's way through, *fig.* wriggle through; **~schleichen:** *sich* ~ (*irr.*, *h.*) sneak (*or* steal) through; **~schleppen** *v/t.* (*h.*) drag (*or* pull) through; *sich* ~ drag o.s. along, pull through; **~schleusen** *v/t.* (*h.*) pass *a vessel* through a lock; *fig. j-n*: guide (*or* get, see) through; *adm.* channel through, *Am.* process, stage; **~schlüpfen** *v/i.* (*sn*) slip through; **~schmelzen** *v/t.* (*irr.*, *h.*) *and v/i.* (*irr.*, *sn*) melt, fuse; **~schmoren** *el. v/i.* (*sn*) char through, *Am.* scorch; **~schneiden** *v/t.* (*irr.*, *h.*) cut through (*or* in two); *durch'schneiden* cut; *fig.* intersect (*a. math.*); cross, traverse; cleave, plough (*the waves*).

'Durchschnitt *m* cutting through; *tech.* section, profile; *math.* intersection; *rail.* cutting; mean, average; *fig.* average, standard; *der ~ der Leute* the common run of men; *im ~* on an average; *über* (*unter*) *dem ~* above (below) average *or* standard; *im ~ erzielen, etc.* average; *den ~ nehmen* strike an average; **2lich I.** *adj.* average, mean; medium (*price, quality*); common, ordinary; mediocre; middling, second-rate; **II.** *adv.* on an average; ~ *betragen, leisten, verdienen, etc.* average; *er raucht ~ zehn Zigaretten am Tage* he smokes an average of ten cigarettes a day.

'Durchschnitts...: *in compounds usu.* average; **~einkommen** *n* average income; **~geschwindigkeit** *f* average speed; **~linie** *math. f* line of intersection; **~mensch** *m* average person; man in the street; **~qualität** *f* fair average quality, standard quality; **~wert** *m* average (*or* mean) value; **~zeichnung** *tech. f* profile (*or* cross-section) drawing.

'Durchschreibe|block *m* (-[e]s; ⸚e) carbon-copy pad; **~buch** *n* copying (*or* duplicating) book; **~feder** *f* manifold pen; **2n** *v/t.* (*irr.*, *h.*) copy; **~papier** *n* duplicating paper; **~verfahren** *n* copying process.

'durchschreiten *v/i.* (*irr.*, *sn and v/t.* [*irr.*, *h.*] *durch'schreiten*) stride (*or* step, walk) through, pass (through); cross.

'Durchschrift *f* (carbon) copy; *econ.* ~ *an* carbon copy (*abbr.* c.c.) to.

'Durchschuß *m weaving*: weft; *typ.* lead, slug; *med.* shot-through, through and through (bullet) wound; *Arm2* shot through the arm; **~blatt** *n* interleaf.

'durchschütteln *v/t.* (*h.*) shake thoroughly; *cold, etc.*: *durch'schütteln* shake; *das Fieber durchschüttelte ihn* he was shivering with fever.

durch'schwärmen *v/t.* (*h.*) roam (*or* swarm) through (*streets*); *die Nacht ~* make a night of it.

durch'schweifen *v/t.* (*h.*) wander through, roam.

'durchschwimmen I. *v/i.* (*irr.*, *sn*) swim (*thing*: float) through *or* across; **II.** *v/t.* (*irr.*, *h.*) *durch'schwimmen* swim through *or* across, cross; swim (*a distance*).

'durchschwitzen *v/t.* (*h.*) soak with sweat; *durchgeschwitzt sein* (*person*) be all in a sweat.

durch'segeln I. *v/t.* (*h.*) sail, cross; sail through *or* across; **II.** *colloq. v/i.* (*sn*) *'durchsegeln candidate*: be ploughed, flunk.

'durch|sehen I. *v/i.* (*irr.*, *h.*) see (*or* look) through; **II.** *v/t.* (*irr.*, *h.*) look *a th.* over, go over *a th.*; glance over; examine, inspect, review; read (*proofs*); revise (*edition*); **~seihen** *v/t.* (*h.*) strain, (pass through a) filter, percolate; **~setzen** *v/t.* (*h.*) **1.** carry through, put through, succeed with; enforce; *s-n Kopf ~* have one's way; *~, daß j-d et. tut* compel *or* force a p. to do a th., make a p. do a th.; *~, daß et. geschieht* cause a th. to be done; *sich ~* assert o.s.; carry one's point (*bei* with); win through *or* recognition, succeed, prevail; *novel, etc.*: take; *Am.* (*person*) get there; make one's way; *product*: prevail on the market (*or* over competing articles); **2.** *durch'setzen* intersperse, mix, saturate (*mit* with).

'Durchsicht *f* perspective, vista; *fig.* looking over, perusal; examination, inspection, check(ing); *typ.* reading; revision (*of edition*); *bei* (*der*) ~ *unserer Bücher* on examining our books; **2ig** *adj.* transparent (*a. fig.*); *fig.* perspicuous, lucid; **~igkeit** *f* (-) transparency (*a. fig.*); *fig.* perspicuity, lucidity; **~ssucher** *phot. m* direct view finder.

'durchsickern *v/i.* (*sn*) trickle (*or* ooze, seep) through; percolate; *fig. mil.* infiltrate; *news*: leak out, seep, transpire; 2 *n* (-s) seepage; leakage (*a. fig.*).

'durchsieben *v/t.* (*h.*) **1.** sift, screen (*both a. fig.*); sieve; bolt (*flour*); **2.** *durch'sieben* riddle.

'durch|spielen *v/t.* (*h.*) *mus.* play through *or* over; play to the end; *sports*: *sich ~* dribble through; **~sprechen** *v/t.* (*irr.*, *h.*) talk over, discuss; **~starten** *aer. v/i.* (*sn*) go round again; **~stechen I.** *v/i.* (*irr.*, *h.*) pierce through; perforate; **II.** *v/t.* (*irr.*, *h.*) prick (*with needle*); (*copy*) pounce; cut, dig through (*dam*); *durch'stechen* → *durch'bohren*.

Durchsteche'rei *f* (-; -en) underhand dealing(s *pl.*); *Am. pol.* logrolling.

'durch|stecken *v/t.* (*h.*) pass (*or* stick, put) through; **~stehen** *v/t.* (*irr.*, *h.*) see *a th.* through; → *durchhalten*; **2stich** *m* cut (*a. rail., road-construction, etc.*); canal.

durch'stöbern *v/t.* (*h.*) ransack, rummage through (*nach* for); scour (*area*).

'durchstoßen I. *v/i.* (*irr.*, *sn*) *mil.* penetrate, *a. sports*: break through; **II.** *v/t.* (*irr.*, *h.*) **a)** push (*or* thrust) through; **b)** *durch'stoßen* pierce; → *durch'bohren*; *mil.* break through; fly through (*clouds*).

'durchstreichen *v/t.* (*irr.*, *h.*) **1.** cross (*or* strike) out, cancel; **2.** *durch'streichen* roam (through).

durch'streifen *v/t.* (*h.*) roam, rove, wander through; scour; prowl.

'durchströmen *v/i.* (*sn*) (*and v/t.* [*h.*] *durch'strömen*) flow (*or* run) through; *fig. a.* thrill through.

durch'such|en *v/t.* (*h.*) search (all over); ransack, hunt (*nach* for); comb, scour (*area*); search, *sl.* frisk (*person*); **2ung** *f* (-; -en) search; **2ungsbefehl** *m* search warrant.

'durchtanzen *v/t.* (*h.*) dance through; wear *shoes* out by dancing.

durch'toben *v/t.* (*h.*) roar through.

durch'tränken *v/t.* (*h.*) impregnate (*mit* with); soak.

'durchtrainiert *adj.* well-trained; in splendid condition, *Am.* in shape.

'durchtreten *v/t.* (*irr.*, *h.*) wear out (*shoes*); *mot.* floor (*pedal*); kick (*starter*).

durchtrieben [durç'tri:bən] *adj.* artful, cunning, sly, crafty; mischievous, roguish; **2heit** *f* (-) cunning, craftiness, slyness.

'durchverbinden *v/t.* (*irr.*, *h.*) connect (*teleph. a.* put, extend) through.

durch'wachen *v/t.* (*h.*) pass *the night* waking; lie awake (*die Nacht* all night).

'durchwachsen[1] *v/i.* (*irr.*, *sn*) grow through.

durch'wachsen[2] *adj.* streaky, marbled (*meat*).

'durch|wagen: *sich ~* (*h.*) venture through; **~wählen** *v/i.* (*h.*) *teleph.*

dial through; **~walken** ['-valkən] *v/t.* (*h.*) *tech.* full well; *fig.* thrash.
durch'wandern *v/t.* (*h.*) wander (*or* pass) through (*a. v/i.* [*sn*] *'durchwandern*); traverse, cross.
durch'wärmen *v/t.* (*h.*) warm through.
durch'waten *v/t.* (*h.*) (*and v/i.* [*sn*] *'durchwaten*) wade through, ford.
durch'weben *v/t.* (*h.*) interweave; *fig. a.* intersperse (*mit* with); *'durchgewebter Stoff* reversible fabric.
Durchweg ['durçve:k] *m* (-[e]s; -e) passage, way through.
durchweg ['durçvɛk] *adv.* throughout, down the line; without exception; all of them, (*persons a.*) every manjack.
durch'weich|en *v/t.* (*h.*) soften; soak, drench; **~t** *adj.* soaked, sodden, soggy.
'durchwinden: *sich ~* (*irr., h.*) wind (*or* meander) through; *person:* worm (*or* thread) one's way through; *fig.* wriggle through; struggle through.
durch'wirken *v/t.* (*h.*) interweave (*mit* with).
durch'wühlen *v/t.* (*h.*) rake (*or* root) up, burrow (*the ground*); search, rummage; ransack; *sich 'durchwühlen* burrow through; *fig.* work one's way through.
'durchwursteln: *sich ~* (*h.*) muddle through.
durch'würzen *v/t.* (*h.*) season (*mit* with; *a. fig.*); scent.
'durch|zählen *v/t.* (*h.*) count over; **~zeichnen** *v/t.* (*h.*) trace.
'durchziehen I. *v/t.* (*irr., h.*) **1.** draw (*or* pull) through; drag through; pass *thread* through; run *ditch, etc.* through; *aer.* pull out (of a dive); *arch.* lay (*beam, etc.*); *sich ~* run (*or* extend) through, *fig.* pervade; **2.** *durch'ziehen* pass (*or* march, travel) through, traverse; interlace; *fig.* pervade, thread; **II.** *v/i.* (*irr., sn*) pass (*or* march) through.
durch'zucken *v/t.* (*h.*) flash through.
'Durchzug *m* passage, march through; draught, *Am.* draft; circulation; *~ machen* let in fresh air; *arch.* girder; *of bridge:* intermediate tie; **~skraft** *mot. f* engine (*or* tractive) power.
'durch|zwängen *v/t.* (*h.*), **~zwingen** *v/t.* (*irr., h.*) force (*or* sqeeze) through; *sich ~* squeeze o.s. through, force one's way through.
dürfen ['dyrfən] *v/i.* (*irr., h.*) be permitted *or* allowed, have the right (*zu* to *inf.*); *ich darf* I may; *du darfst nicht* you must not; *darf man?* is it allowed to?; *es darf niemand herein* no one is admitted; *das hättest du nicht sagen ~* you ought not to have said that; dare; *ich darf sagen* I dare say, I am correct in saying; *man darf wohl annehmen* it is safe to assume; *wir ~ es bezweifeln* we have reason to doubt it; *man darf erwarten* it is to be expected; *es dürfte leicht sein* it should be easy; *es dürfte sich erübrigen* it would seem superfluous; *es dürfte zu e-r Krise führen* it is likely (*or* apt) to cause a crisis; *das dürfte Herr X. sein* that would be Mr. X. *or* this is Mr. X., I suppose; *er dürfte mein schlimmster Feind sein* he may well be (*or* is probably) my worst enemy.
durfte ['durftə] *pret. of dürfen.*
dürftig ['dyrftiç] *adj.* needy, indigent; *fig.* poor, inadequate; scanty, meag|re (*Am.* -er), skimpy; slim (*chance*); paltry, measly (*income, etc.*); humble, shabby; *in ~en Verhältnissen* in needy circumstances; *ein ~er Badeanzug* a scanty (*or* skimpy) bathing-suit; **'2keit** *f* (-) neediness, indigence; poverty, *fig. a.* poorness, inadequacy; scantiness, paltriness.
dürr [dyr] *adj.* dry; arid, barren, sterile (*soil*); gaunt, lean, skinny, spindly; *mit ~en Worten* in plain terms, in so many words.
'Dürre *f* (-) dryness; aridity, barrenness; drought; leanness, gauntness.
Durst [durst] *m* (-es) thirst (*nach* for; *a. fig.*); *~ bekommen* (*haben*) get (be) thirsty; *~ machen* make thirsty; *s-n ~ löschen* quench one's thirst.
dürsten ['dyrstən] *v/i.* (*h.*) be thirsty; *mich dürstet* I feel thirsty; *fig.* thirst *or* crave (*nach* for).
'durstig *adj.* thirsty (*nach* for); dry.
'durst|stillend *adj.* thirst-quenching; **2strecke** *fig. f* long pull, rough going.
'Dur-tonart *f* major key *or* mode.
Dusch|e ['du:ʃə] *f* (-; -n) douche, shower; shower bath; *med.* douche; feminine syringe; *fig. e-e kalte ~ verabreichen* cast a damp on, throw cold water on; *s-e Rede wirkte wie e-e kalte ~ auf sie a.* his words brought them down to earth (with a bang); **2en** *v/t. and v/i.* (*h.*) douche, shower; (*v/i.*) have *or* take a shower; **~raum** *m* shower room.
Düse ['dy:zə] *f* (-; -n) *tech.* nozzle; jet (*a. colloq. plane*); *metall.* blast pipe; *mot.* high speed nozzle; injector.
Dusel ['du:zəl] *colloq. m* (-s) dizziness, giddiness; fuddle; luck, fluke; *~ haben* be in luck, be lucky; *da haben wir noch einmal ~ gehabt* that was a close shave; **2ig** *adj.* dizzy; drowsy; **2n** *v/i.* (*h.*) doze, be half asleep; be daydreaming.
'Düsen|antrieb *m* jet propulsion; *mit ~* jet-powered *or* propelled; **~bomber** *aer. m* jet(-propelled) bomber; **~flugzeug** *n* jet(-propelled) aircraft; jet-plane; **~jäger** *aer. m* jet-fighter; **~triebwerk** *n* jet engine (*or* unit); **~vergaser** *mot. m* jet (*or* spray) carburet(t)or.
Dussel ['dusəl] *colloq. m* goof, sap.
düster ['dy:stər] *adj.* dark, gloomy, sombre (*all a. fig.*); dusky; dim (*light*); *fig.* sad, melancholy; dismal, depressing; shady; *ein ~es Licht werfen* cast a lurid light (*auf acc.* on); **2heit** *f* (-), **2keit** *f* (-) gloom(iness).
Dutzend ['dutsənt] *n* (-s; -e) dozen (*abbr.* doz.); *ein* (*zwei*) *~ Gläser* a (two) dozen glasses; *~e von Leuten* dozens of people; *im ~ billiger* cheaper by the dozen; **2(e)mal** *adv.* dozens of times; **~mensch** *m* commonplace (*or* mediocre) person; **2weise** ['-vaɪzə] *adv.* by the dozen.
Duz|bruder ['du:ts-] *m*, **~schwester** *f* intimate friend, crony, pal; **2en** *v/t.* (*h.*) (thee and) thou; call *a p.* by his Christian name; *sich mit j-m ~* be on intimate terms with a p.
dwars [dvars] *mar. adv.* abeam; **2linie** *f* line abreast; **2wind** *m* beam wind.
Dyn [dy:n] *phys. n* (-s; -) dyne.
Dynam|ik [dy'na:mik] *f* (-) dynamics *pl.*; *fig.* dynamic force; vitality; **2isch** *adj.* dynamic(al); progressive (*pension, etc.*).
Dynamismus [dyna'mismus] *phls. m* (-) dynamism.
Dynamit [-'mi:t] *n* (-s) dynamite; *mit ~ sprengen* (blow up with) dynamite; **~patrone** *f* dynamite cartridge.
Dynamo [dy'na:mo] *m* (-s; -s), **~maschine** *f* dynamo (machine), generator; **~meter** *n* dynamometer.
Dynastie [dynas'ti:] *f* (-; -n) dynasty; **dynastisch** [dy'nastiʃ] *adj.* dynastic(al).
Dysenterie [dyzente'ri:] *med. f* (-; -n) dysentery.
Dyspepsie [dyspe'psi:] *med. f* (-; -n) dyspepsia.
Dystrophie [dystro'fi:] *med. f* (-; -n) dystrophy.
D-Zug *m* corridor train, *Am. a.* vestibule train; express train.

E

E, e [eː] *n* E, e; **E, e** *mus. n* (-; -) E.

Ebbe [ˈɛbə] *f* (-; -*n*) ebb(-tide), low tide; ~ *und Flut* high tide and low tide, the tides *pl.*, *a. fig.* ebb and flow; *es ist* ~ the tide is out *or* down; *die* ~ *tritt ein* the tide is going out; *colloq. fig. in m-m Geldbeutel ist* ~ my purse is at low ebb; **2n** *v/i.* (*h.*) ebb; *es ebbt* it is ebb-tide.

eben [ˈeːbən] **I.** *adj.* even; level, flat, plain; *math.* plane; smooth; **II.** *adv.* evenly; exactly, precisely; ~! exactly!, quite!; *as to time*: just; *das wollte ich* ~ *sagen* that's just what I was going to say; ~ *damals* just then (*or* at that time); ~ *erst* (only) just now; *er wollte* ~ *gehen* he was just about (*or* going) to leave; *das* ~ *suche ich* that's the very thing I am looking for; *er kam* ~ *recht* he came in the (very) nick of time; *sie ist nicht* ~ *schön* she is not exactly a beauty; *es wird* ~ *reichen* it will just (*or* barely) do; *as expletive*: *er ist* ~ *schon alt* he is an old man after all; *da läßt sich* ~ *nichts machen* it can't be helped, I'm afraid; *es ist* ~ *zu gefährlich* it's too risky, there is no getting away from that; *das nun* ~ *nicht* not precisely that; **2bild** *n* image, (exact) likeness; *das* ~ *Gottes* God's image; *das* ~ *s-s Vaters* the very picture (*or* the spit and image) of his father; **~bürtig** [ˈ-byrtiç] *adj.* of equal birth (*dat.* with); *fig.* equal, of equal rank *or* value *or* quality; *j-m* ~ *sein* be a p.'s equal, be a match for a p.; *ein* ~*er Nachfolger* a worthy successor; **~da(selbst)** *adv.* at the very (same) place, just there; *in books*: ibidem (*abbr.* ib., ibid); **~der, ~die, ~das(selbe)** *adj.* the very same (person, thing).

eben'deswegen *adv.* for that very reason; that's just why.

Ebene [ˈeːbənə] *f* (-; -*n*) plain; level (*or* flat) land *or* ground; *math.* plane; *tech.* plane surface; *schiefe* ~ inclined plane, gradient, slope; *fig.* level, plane; *Besprechungen auf höherer* ~ high-level talks; *auf staatlicher* ~ at government level; *auf gleicher Ebene liegen mit* (*dat.*) be on a level with; *auf die schiefe* ~ *geraten* slide downhill, *Am.* be on the downgrade.

'eben...: ~erdig *adj.* on the ground (*Am.* first) floor; at road level; **~falls** *adv.* likewise, also; too, as well; ~ *nicht* (*kein*) neither, not ... either, nor; → *auch*; **2heit** *f* (-; -*en*) evenness; smoothness; **2holz** *n* ebony; **2maß** *n* symmetry, due proportion; harmony; shapeliness, beauty; **~mäßig** *adj.* symmetrical, well proportioned; harmonious; shapely, beautiful.

'ebenso *adv.* equally, just so; ~ *wie* just as ..., in the same way as ...; *in Amerika* ~ *wie in England* in America no less than in England; likewise; → *auch*; **~gut** *adv.* (just) as well; *wir können* ~ *wegbleiben* we may as well stay away; **~gern** *adv.* just as soon, rather; **~lange** *adv.* just as long; **~oft** *adv.* just as often, as many times (*wie* as); **~sehr, ~viel** *adv.* just as much, no less than; **~wenig** *adv.* just as little, no more than.

Eber [ˈeːbər] *m* (-*s*; -) (wild) boar; **~esche** *f* mountain-ash, rowan (-tree).

ebnen [ˈeːbnən] *v/t.* (*h.*) make even, level, plane, smooth; grade; *fig. j-m den Weg* ~ smooth (*or* pave) the way for a p.; *e-r Sache*: *a.* prepare the ground for *a th.*

Ebonit [eboˈniːt] *n* (-*s*) ebonite.

Echo [ˈɛçoː] *n* (-*s*; -*s*) echo; reverberation; *ein* ~ *geben* echo, resound, reverberate; *fig.* echo, response; *ein lebhaftes* ~ *finden* meet with a lively response; **2en** *v/i.* (*h.*) echo; **2frei** *adj.* anechoic; **~lot** *n mar.* echo depth sounder; *aer.* sonic altimeter.

echt [ɛçt] *adj.* genuine (*a. fig.*); true; real; pure; unadulterated, *metal*: unalloyed; legitimate, lawful; fast (*colour*); fadeless, unfading; natural (*hair*); authentic (*document, etc.*); *math.* ~*er Bruch* proper fraction; *ein* ~*er Engländer* a regular *or* true-born Englishman; *ein* ~*er Freund* a true friend; ~*e Gefühle* genuine feelings; *ein* ~*er Rembrandt* a genuine Rembrandt; *das ist* ~! that's typical (of him), that's him all over! → *durch* (*und durch*); **'2heit** *f* (-) genuineness; authenticity; purity; sterling quality; legitimacy; fastness.

Eck|ball [ˈɛk-] *m soccer*: corner (-kick); *waterpolo, etc.*: corner throw; **~blech** *tech. n* gusset, sheet-iron corner plate.

'Ecke *f* (-; -*n*) corner (*a. fig. region*); angle; edge; nook, recess; *arch.* quoin; *cheese*: wedge; turning; short distance; *an allen* ~*n und Enden* (here, there, and) everywhere; *in die* ~ *drängen a. fig.* corner; *colloq. fig. um die* ~ *bringen* murder, *sl.* bump off; *um die* ~ *gehen* turn (round) the corner, *colloq. fig.* bite the dust, kick the bucket; **~nsteher** *m* loafer.

Ecker [ˈɛkər] *bot. f* (-; -*n*) acorn.

'Eck...: ~fenster *n* corner-window; **~haus** *n* corner-house.

'eckig *adj.* angular, cornered; ~*e Klammer* bracket; *fig.* awkward, clumsy; unpolished.

'Eck...: ~laden *m* corner-shop; **~lohn** *m* basic wage; **~pfeiler** *m* corner pillar; *of bridge*: abutment pier; *fig.* corner-stone; **~stein** *m* corner-stone; kerbstone, *Am.* curbstone; *cards*: diamond; **~zahn** *n* eye-tooth, canine tooth; **~zimmer** *n* corner-room.

edel [ˈeːdəl] *adj.* noble, aristocratic; *von edler Herkunft* of noble birth, highborn; thoroughbred (*horse*); *fig.* noble, lofty (*mind*), → *edeldenkend*; *anat.* vital (*parts*); precious, noble (*metal*); generous; *die edle Kunst der Selbstverteidigung* the noble art of self-defen|ce, *Am.* -se; **~denkend** *adj.* noble- (*or* high-)minded; **2fäule** *f* overripeness; **2fichte** *f* silver pine; **2frau** *f* noblewoman, titled lady; **2gas** *n* rare gas; **~gesinnt** *adj.* → *edeldenkend*; **2hirsch** *m* stag, red deer; **2holz** *n* rare wood; **2kastanie** *f* sweet (*or* edible) chestnut; **2knabe** *m* page; **2mann** *m* (-*es*; -*leute*) noble(man), aristocrat; *pl. Edelleute* noblemen, nobility; gentry;

Edle(r) [ˈeːdlə(r)] *m* (-[*e*]*n*; -[*e*]*n*)→ *Edelfrau, Edelmann.*

E-Dur *n* (-) E major.

'Efeu [ˈeːfɔʏ] *m* (-*s*) ivy; **2umrankt** *adj.* ivyclad, ivied.

Effeff [ˈɛfˈʔɛf] *colloq. n*: *et. aus dem* ~ *können* have a th. at one's finger-ends, know the ins and outs of a th.

Effekt [ɛˈfɛkt] *m* (-[*e*]*s*; -*e*) effect; *tech. a.* efficiency; *weaving*: design; *nach* ~ *haschen* aim at effect, play to the gallery (*Am.* grandstand); *auf* ~ *angelegt* calculated for effect.

Ef'fekten *pl.* effects, movables, goods and chattels; *econ.* securities; bonds; stocks; **~börse** *f* stock exchange; **~geschäft** *n* stock-exchange transaction; **~handel** *m* dealing in stocks, stock-exchange business; **~händler** *m* stock jobber, *Am.* security dealer *or* trader; **~makler** *m* stock broker; **~markt** *m* stock market.

Ef'fekthascherei [-haʃəˈraɪ] *f* (-; -*en*) straining after effect, sensationalism, *Am.* grandstand-playing, showmanship; claptrap.

effektiv [ɛfɛkˈtiːf] *adj.* effective (*a. el., tech.*), real, actual; *econ.* ~*er Preis* cash price; ~*er Wert* effective value; ~*e Verzinsung* net yield; **2bestand** *econ. m* actual balance; **2leistung** *tech. f* actual power, effective output, brake horse power; **2lohn** *m* actual wage; **2stärke** *mil. f* effective strength.

effektuieren [-tuˈiːrən] *v/t.* (*h.*) effect; execute, carry out, *Am. a.* fill *orders.*

ef'fektvoll *adj.* effective, impressive; sensational, spectacular.

Effet [ɛˈfeː] *m* (-*s*; -*s*) *sports*: spin; **~ball** *m* spin ball.

egal [eˈgaːl] *adj.* equal, uniform; *colloq. das ist* ~ that makes no difference; *das ist mir* ~ it's all the same to me, I don't care; *ganz* ~ *wo* no matter where; over and over again.

egalisieren [egaliˈziːrən] *v/t.* (*h.*) equalize.

Egel [ˈeːgəl] *zo. m* (-*s*; -) leech.

Egge [ˈɛgə] *f* (-; -*n*) harrow; *road-building*: tamping roller; **2n** *v/t.* (*h.*) harrow.

Ego|ismus [egoˈʔɪsmus] *m* (-; -*men*) selfishness, egotism; *esp. phls.* egoism; **~'ist(in** *f*) *m* (-*en*, -*en*; -, -*nen*) selfish person, egotist;

2'istisch *adj.* selfish, egotistic(al); *phls.* egoistic(al); **2zentrisch** [-'tsɛntriʃ] *adj.* self-centred, egocentric.

ehe ['e:ə] *cj.* before, *poet.* ere; → *eher, ehestens.*

'**Ehe** *f* (-; -*n*) marriage; *a.* matrimony, married state *or* life, wedlock; union; *wilde* ~ concubinage, common-law marriage; *zerbrochene* ~ broken home; *aus erster* ~ by one's first marriage, by the first husband *or* wife; → *brechen*; e-e ~ *schließen* (*mit dat.*) contract a marriage (with), get married (to); **~anbahnung** *f* (-; -*en*) matchmaking; **~berater** *m* marriage guidance counsellor; **~beratung** *f* marriage guidance; **~bett** *n* marriage-bed; **2brechen** *v/i.* (*only inf.*) commit adultery; **~brecher(in** *f*) *m* (-*s*, -; -, -*nen*) adulterer (*f* adulteress); **2brecherisch** *adj.* adulterous; **~bruch** *m* adultery; ~ *begehen* commit adultery; **~delikt** *n* matrimonial offen|ce, *Am.* -se.

'**ehedem** *adv.* formerly.

'**Ehe...:** **~fähigkeit** *f* (-) **1.** fitness *or* freedom to marry; **2.** → *~mündigkeit*; **~frau** *f* wife, spouse; married woman; **~gatte** *m*, **~gattin** *f* spouse, marital partner; → *Ehemann, Ehefrau*; *Ehegatten pl. a.* husband and wife (*a. jur.*); **~glück** *n* connubial, domestic felicity; **~hälfte** *f* better half; **~hindernis** *n* impediment to marriage; **~leben** *n* (-*s*) married life; **~leute** *pl.* (married) couple, spouses, husband and wife; **2lich I.** *adj.* conjugal, matrimonial; wedded, married (*life*); legitimate (*child*), born in wedlock; *~e Gemeinschaft* (*Pflichten*) conjugal community (duties); *~er Verkehr* marital intercourse; *für* ~ *erklären* legitimate; **II.** *adv.*: ~ *verbinden* join in marriage; **2lichen** *v/t.* (-) marry; **~lichkeit** *f* legitimacy (*of child*); **~lichkeitserklärung** *f* declaration of legitimacy; **~losigkeit** *f* (-) single life, celibacy.

ehe|malig ['-mɑ:liç] *adj.* former, erstwhile, ex-..., *Am. a.* one-time; old; (*dead*) late; *~er König* (*Sträfling*) ex-king (ex-convict); **~mals** ['-mɑ:ls] *adv.* formerly, in former times, once; of old, in the old days.

'**Ehe...:** **~mann** *m* husband; **2mündig** *adj.* of marriageable age; **~mündigkeit** *jur. f* marriageable age; **~paar** *n* married couple; **~pflicht** *f* conjugal duty.

eher ['e:ər] *adv.* sooner, earlier; rather, sooner; *alles* ~ *als das* anything but that; *um so* ~ *als* all the more so that; *je* ~, *desto lieber* the sooner the better; *ich würde* ~ *sterben* I would rather die (*als* than); *das ist* ~ *möglich* that's more likely; *das läßt sich* ~ *hören* that sounds better.

'**Ehe...:** **~recht** *n* (-[e]s) marriage law; **~ring** *m* wedding-ring.

ehern ['e:ərn] *adj.* brazen, of brass; *fig.* firm, unshakeable, adamant; brazen; *~es Gesetz* iron rule; *mit ~er Stirn* brazen-faced.

'**Ehe...:** **~scheidung** *f* divorce; **~scheidungsklage** *f* petition for divorce; divorce-suit; **~schließung** *f* (contraction of) marriage; → *Trauung*; **~stand** *m* (-[e]s) matrimony, wedlock, married state; **~standsdarlehen** *n* (state) marriage loan.

ehestens ['e:əstəns] *adv.* as soon as possible, at the earliest (date *or* opportunity *or* convenience).

'**Ehe...:** **~stifter(in** *f*) *m* matchmaker; **~streit** *m* domestic dispute; **~trennung** *f* judicial separation; **~versprechen** *n* promise of marriage; **~vermittler(in** *f*) *m* matchmaker, marriage broker; **~vertrag** *m* marriage contract (*or* settlement); **~weib** *n* wife, spouse; **2widrig** *adj.* constituting a matrimonial offen|ce, *Am.* -se; adulterous (*relations*).

Ehrabschneider(in *f*) ['e:rˀapʃnaɪdər(in)] *m* (-*s*, -; -, -*nen*) calumniator, slanderer.

'**ehrbar** *adj.* hono(u)rable, upright, respectable; honest; **2keit** (-) honesty, respectability, integrity.

'**Ehrbegier(de)** *f* → *Ehrgeiz.*

Ehre ['e:rə] *f* (-; -*n*) hono(u)r; distinction; self-respect, dignity, pride; reputation, credit, prestige; glory; *~n pl.* hono(u)rs; *es sich zur* ~ *anrechnen* consider it an hono(u)r *or* privilege; → *antun*; *j-m* ~ *erweisen* pay hono(u)r *or* tribute to a p.; *j-m die* ~ *erweisen* do a p. the hono(u)r; *j-m die letzte* ~ *erweisen* pay a p. the last hono(u)rs; *j-m* (*keine*) ~ *machen* be a (no) credit to a p.; *j-m zur* ~ *gereichen* do a p. credit; *in ~n halten* hold in hono(u)r; *mit ~n bestehen* acquit o.s. creditably at; *s-e* ~ *darein setzen zu inf.* make it a point of hono(u)r to *inf.*; *wieder zu ~n kommen* come back into favo(u)r; ~, *wem* ~ *gebührt* hono(u)r to whom hono(u)r is due; *ich hatte noch nicht die* ~ you have the advantage of me; *Ihr Wort in ~n* with due deference to you; *ihm zu ~n* in his hono(u)r; *mit wem habe ich die* ~? whom have I the pleasure to address?; *ihm zu ~n* in his hono(u)r; *zu ~n des Tages* in hono(u)r of the day; *zur* ~ *Gottes* to the glory of God.

'**ehren** *v/t.* (*h.*) hono(u)r; pay hono(u)r *or* tribute to; respect, esteem; revere; *sein Vertrauen, etc., ehrt mich* his trust, *etc.*, is an hono(u)r to me, I feel hono(u)red by his confidence in me; *das ehrt dich* it does you credit.

'**Ehren...:** **~amt** *n* honorary post *or* office; dignity; **2amtlich** *adj.* honorary; unpaid, unsalaried; **~bezeigung, ~bezeugung** *f* mark of respect, tribute; *mil.* salute; *~en pl.* hono(u)rs; **~bürger** *m* freeman, honorary citizen; **~bürgerrecht** *n* (honorary) freedom of a city; **~dame** *f* maid of hono(u)r; **~doktor** *m* honorary doctor; **~erklärung** *f* (full) apology; amende honorable (*Fr.*); **~gast** *m* guest of hono(u)r; **~geleit** *n* escort of hono(u)r; **~gericht** *n* court of hono(u)r; **2haft** *adj.* hono(u)rable, high-principled, honest; **~haftigkeit** *f* (-) honesty, uprightness, integrity; **2halber** ['-halbər] *adv.* for hono(u)r's sake; *univ. Doktortitel* ~ honorary degree (of); **~handel** *m* affair of hono(u)r; duel; **~jungfrau** *f* maid of hono(u)r; **~karte** *f* complimentary ticket; **~kompanie** *mil. f* hono(u)r-guard company; **~kodex** *m* code of hono(u)r; **~kränkung** *f* insult to a p.'s hono(u)r, affront; → *Verleumdung*; **~legion** *f* Legion of Hono(u)r; **~mal** *n* monument; (war) memorial, cenotaph; **~mann** *m* man of hono(u)r, gentleman; **~mitglied** *n* honorary member; **~pflicht** *f*: *et. für s-e* ~ *halten* be in hono(u)r bound; **~pforte** *f* triumphal arch; **~platz** *m* place of hono(u)r; **~preis** *m* prize; *bot.* speedwell; **~recht** *n*: *Verlust der bürgerlichen ~e* loss of civil rights, civil degradation; **~rettung** *f* vindication (of a p.'s hono[u]r); rehabilitation; **2rührig** *adj.* defamatory; **~sache** *f* affair of hono(u)r; *das ist* ~! it's a point of hono(u)r to me; *colloq.* ~! you can rely (*or* count) on me!; **~salve** *f* volley; **~schuld** *f* debt of hono(u)r; **~sold** *m* honorary pay; **~tafel** *f* memorial tablet; *mil.* roll of hono(u)r; **~tag** *m* day of glory; (one's) great day; **~titel** *m* honorary title; **2voll** *adj.* hono(u)rable; glorious, creditable; **~wache** *f* guard of hono(u)r; **2wert** *adj.* hono(u)rable, respectable; **~wort** *n* (-[e]s; -e) word of hono(u)r, *mil.* parole (of hono[u]r); (*auf*) *mein* ~! upon my hono(u)r, hono(u)r bright!; *sein* ~ *geben* pledge one's word; *auf* ~ *entlassen* release *a p.* on parole; **2wörtlich** *adv.* on one's word of hono(u)r; **~zeichen** *n* badge of hono(u)r; decoration, medal.

'**ehr...:** **~erbietig** ['-ˀɛrbi:tiç] *adj.* respectful, deferential (*gegen* towards); **2erbietigkeit** *f* (-), **2erbietung** *f* (-) respect (-fulness), deference; veneration; **2furcht** *f* awe (*vor dat.* of), respect, reverence (for); ~ *einflößen* (*dat.*) (inspire with) awe; *von* ~ *gepackt* awestruck; **~furchtgebietend** *adj.* awe-inspiring, awesome; **~fürchtig** ['-fyrçtiç] **I.** *adj.* reverential, respectful; awestruck, awed; **II.** *adv.*: ~ *lauschen* listen in awe; **~furchtslos** *adj.* irreverent, disrespectful; **~furchtsvoll** *adj.* → *ehrfürchtig*; **2gefühl** *n* (-[e]s) sense of hono(u)r; self-respect; **2geiz** *m* ambition; **~geizig** *adj.* ambitious; high-flying.

'**ehrlich I.** *adj.* honest; → *ehrbar*; fair, *pred.* aboveboard, on the square (*Am. colloq.* level); sincere; genuine; open, frank, candid; reliable, loyal; good (*name*); ~ *währt am längsten* honesty is the best policy; *seien wir* ~! let's face it!; **II.** *adv.*: ~ *gesagt* frankly, to tell the truth; *er freute sich* ~ *darüber* he was genuinely pleased about it; *er meint es* ~ (*mit uns*) his intentions (towards us) are good, he can be trusted to act on the square; **2keit** *f* (-) honesty; uprightness; reliability, loyalty; fairness, plain dealing.

'**ehr...:** **~los** *adj.* dishono(u)rable, infamous; **2losigkeit** *f* (-) dishono(u)rableness, infamy; perfidy; **~sam** *adj.* → *ehrbar*; **2sucht** *f* (-) (inordinate) ambition; **~süchtig** *adj.* (over-)ambitious; **2ung** *f* (-; -*en*) hono(u)r (conferred on a p.), tribute (*gen.* to); **~vergessen** *adj.* unprincipled, disgraceful, infamous; **2verlust** *m* (-es) → *Ehrenrecht*; **2würden** ['-vyrdən] *m* (-s; -): *Ew.* ~ Reverend Sir; *Seine* ~ the Reverend (*abbr.* Rev.); **~würdig** *adj.* venerable (*a. R.C.*), reverend; patriarchal; *alt~* time-hono(u)red; **2würdigkeit** *f* (-) venerableness.

ei [aɪ] *int.* ah!, indeed!; *~, ~!* now, now!, *iro.* fancy that!, is that really so?; *~ wer kommt denn da!* look who is here!

Ei *n* (-[e]s; -er) egg; *physiol.* ovum; *altes (frisches, rohes)* ~ stale (new-laid, raw) egg; *eingelegte ~er* water-glass (*or* preserved) eggs; *faules* ~ rotten (*or* addled, bad) egg; *hart (weich) gekochtes* ~ hard (soft) boiled egg; *verlorene ~er* poached eggs; *aus dem ~ kriechen* creep out (of the shell); *fig. das ~ des Kolumbus* a solution of striking simplicity, a pat solution, simplicity itself; *wie auf ~ern gehen* walk gingerly; *wie ein ~ dem andern gleichen* be alike as two peas; *wie ein rohes ~ behandeln* handle *a p.* most gingerly (*Am.* with kid gloves); *wie aus dem ~ gepellt* as neat as a pin, spick and span; *will das ~ klüger sein als die Henne?* go and teach your grandmother how to suck eggs; **'~ausstoßung** *physiol. f* expulsion of the ovum.

Eibe ['aɪbə] *f* (-; -n) yew(-tree); **~nholz** *n* yew(-wood).

Eibisch ['aɪbiʃ] *bot.* *m* (-es; -e) marsh-mallow.

Eichamt ['aɪçˀamt *n* (-[e]s; ⸚er) Office of Weights and Measures, *Am.* Bureau of Standards.

'Eich-apfel *m* oak-apple, gall-nut.

Eiche ['aɪçə] *f* (-; -n) oak (tree); *junge ~, kleine ~* oakling.

Eichel ['aɪçəl] *bot. f* (-; -n) acorn; *anat.* glans (penis); *cards*: club; **2förmig** ['-fœrmiç] *adj.* acorn-shaped; **~häher** *m* jay.

eichen[1] ['aɪçən] *adj.* oaken, (of) oak.

'eichen[2] *v/t.* (*h.*) ga(u)ge; adjust (to standard), standardize; calibrate; *fig.* condition; → *geeicht.*

'Eichen...: ~blatt *m* oak leaf; **~holz** *n* oak(-wood); **~laub** *n* oak leaves *pl.* (*a. mil.*); **~lohe** *f* tanbark.

'Eich...: ~gewicht *n* standard weight; **~hörnchen, ~kätzchen** *zo. n* squirrel; **~lampe** *f* ga(u)ge lamp; **~maß** *n* ga(u)ge, standard (measure); **~meister** *m* ga(u)ger; calibrator; *for weights*: sealer; **~stab** *m* ga(u)ging rod; **~stempel** *m* ga(u)ger's stamp; **~ung** *tech. f* (-; -en) ga(u)ging; standardization; calibration; **~wert** *m* standard value.

Eid [aɪt] *m* (-[e]s; -e) oath; *falscher ~* false oath, perjury; *an ~es Statt* in lieu of oath, → *eidesstattlich*; *unter ~* under oath, → *eidlich*; *e-n ~ leisten* take an oath (*auf acc.* on), swear (to); *e-n falschen ~ schwören* foreswear (*or* perjure) o.s.; *j-m e-n ~ abnehmen* administer an oath to a p., swear a p. in; *unter ~ aussagen* testify (*or* give evidence) on oath; *darauf lege ich jeden ~ ab* I'll swear to that.

Eidam ['aɪdam] *m* (-[e]s; -e) son-in-law.

Eid... ['aɪt]: **~bruch** *m* breaking *one's* oath; **2brüchig** *adj.* oath-breaking; *~werden* break one's oath.

Eidechse ['aɪdɛksə] *f* (-; -n) lizard.

Eider|daunen ['aɪdər-] *f/pl.* eider-down; **~ente, ~gans** *f* eider(-duck).

Eides|abnahme ['aɪdəs-] *f* administering of an oath; **~formel** *f* form of (an) oath; **2gleich** *adj.* → *Beteuerung*; **2stattlich** *adj.* in lieu of oath; *~e Erklärung* statutory declaration; affidavit; → *eidlich.*

Eid... ['aɪt-]: **~genossenschaft** *f* confederacy; (*Schweizer ~*) Swiss Confederation; **2genössisch** ['-gənœsiʃ] *adj.* confederate, Federal; *n.s.* Swiss.

'eidlich I. *adj.* sworn; *~e Aussage* sworn statement (*or* testimony), deposition, affidavit; *e-e ~e Erklärung abgeben* swear an affidavit; **II.** *adv.* by (*or* upon, under) oath; *~bezeugen* testify on oath; *~ verpflichten* bind by oath, swear (*zur Geheimhaltung* to secrecy), swear in; *~ verpflichtet sein* be under oath.

Eier... ['aɪər-]: **~becher** *m* egg-cup; **~brikett** *n* egg coal; **~handgranate** *mil. f* Mill's bomb (*or* grenade); **~kette** *el. f* chain of egg insulators; **~kognak** *m* egg-nog (*or* flip); **~kuchen** *m* omelet, pancake; **~kürbis** *m* vegetable marrow; **~landung** *aer. f* three-point landing; **~laufen** *n* egg-and-spoon race; **2legend** *adj.* laying (eggs), oviparous; **~löffel** *m* egg-spoon; **~pflaume** *f* mirabelle-plum; **~punsch** *m* → *Eierkognak*; **~schale** *f* egg-shell; **~schnee** *m* whipped white of eggs; **~speise** *f* dish made of eggs; **~stock** *anat. m* (-[e]s; ⸚e) ovary; *den ~ betreffend* ovarian; **~tanz** *m* egg-dance.

Eifer ['aɪfər] *m* (-s) zeal, eagerness; *glühender ~* ardo(u)r, fervo(u)r; enthusiasm, devotion; assiduity; officiousness; *blinder ~* rashness; passion; *blinder ~ schadet nur* haste is waste; *in ~ geraten* fire (*or* flare) up; *im ~ des Gefechtes* in the heat of the moment.

'Eiferer *m* (-s; -), **'Eiferin** *f* (-; -nen) zealot, fanatic.

'eifern *v/i.* (*h.*) be zealous *or* eager (*nach* for), strive *or* strain (for); declaim, inveigh (*gegen* against), lash out (at).

'Eifersucht *f* (-) jealousy (*auf acc.* of).

Eifersüchtelei [-zyçtə'laɪ] *f* (-; -en) petty jealousy.

'eifersüchtig I. *adj.* jealous (*auf acc.* of); **II.** *adv.*: *~ wachen über et.* guard a th. jealously.

eiförmig ['-fœrmiç] *adj.* oval, egg-shaped.

eifrig ['aɪfriç] *adj.* eager, zealous, keen; passionate, ardent, fervent; enthusiastic; assiduous, studious; officious, fussy; *~ bestrebt sein zu* (*inf.*) be very anxious to (*inf.*), be keenly intent on (*ger.*); *sich ~ bemühen* make strenuous efforts (*um* for), do one's best *or* utmost.

'Eigelb *n* (-[e]s; -e) (egg-)yolk.

eigen ['aɪgən] *adj.* own, of one's own; particular, special; particular; fussy; proper, inherent; peculiar, odd, queer; squeamish; *j-m*: peculiar *or* special (to a p.), characteristic (of a p.); *in compounds*: -owned, *e.g. staats~* state-owned; *~e Ansichten* personal (*or* individual, independent) views; *ein ~es Zimmer* a room of one's own, a separate (*or* private) room; *econ. ~e Aktien* own shares, *Am.* treasury stock; *~e Order* my (our) order; *~er Wechsel* promissory note; *mil. ~e Truppe(n)* friendly troops; *auf or für ~e Rechnung* for (*or* on) one's own account; → *Antrieb*; *aus ~er Erfahrung* from personal experience; *sich et. zu ~ machen* make a th. one's own; adopt, endorse (*opinion*); *dies ist mein ~* this is my own *or* mine.

'Eigen...: ~antrieb *tech. m* self-propulsion; *mit ~ versehen* self-propelled, self-powered; **~art** *f* peculiarity, individuality, (peculiar) character *or* feature; *artistic, etc.*: originality; **2artig** ['-ɑːrtiç] *adj.* peculiar; odd, queer; characteristic; individual, special, original; **2artigerweise** ['-gərvaɪzə] *adv.* strange to say, oddly enough; **~artigkeit** *f* → *Eigenheit*; **~bedarf** *m* one's own requirements (*or* needs) *pl.*; home *or* domestic requirements *pl.* (*of country*) **~bericht** *m* special report; *~ unserer Zeitung* report from our correspondent; **~besitz** *jur. m* possession in fact and law; **~betrieb** *m*: *im ~ verwalten* run under (one's) own administration; **~brötler** ['-brøːtlər] *m* (-s; -) odd *or* eccentric person, crank; **2brötlerisch** *adj.* odd, eccentric, cranky; **~dünkel** *m* self-conceit; **~erzeugung** *f* domestic production; **~fabrikat** *n* self-produced article; **~geräusch** *n* *radio*: background noise; valve noise; **~gesetzlichkeit** *f* autonomy; *w.s.* inherent laws *pl.*; pattern; **~geschwindigkeit** *aer. f* air speed; **~gewicht** *n phys.* specific gravity; *tech.* dead (*or* net) weight; *of bridge*: own weight; *container*: weight empty, tare; *econ.* net weight; **2händig** ['-hɛndiç] *adj. and adv.* with one's own hand(s *pl.*); autograph (*letter*); holographic (*will*); *signature* in one's own hand; *~ übergeben* deliver personally; **~heim** *n* separate home, homestead; owner-occupied house; **~heit** *f* (-; -en) peculiarity; oddity; idiom(atic turn); idiosyncrasy; mannerism; **~kapital** *econ. n* privately owned capital, capital stock and reserve; capital resources *pl.*; **~leben** *n* (-s) individual existence; inner life; **~liebe** *f* (-) self-love, egotism; **~lob** *n* self-praise; *~ stinkt!* don't blow your own trumpet!; **~macht** *f* → *Eigenmächtigkeit*; *jur. verbotene ~* trespass; **2mächtig I.** *adj.* arbitrary, high-handed; unauthorized; independent; **II.** *adv.*: *~ handeln* act on one's own initiative, act off one's own bat; **~mächtigkeit** *f* (-; -en) arbitrariness; unauthorized action; *grobe ~* grossly high-handed action; **~name** *m* proper name; **~nutz** *m* self-interest, selfishness; *jur. aus grobem ~* from grossly selfish motives; **2nützig**

[ˈ-nytsiç] *adj.* selfish, self-interested.

ˈ**eigens** *adv.* expressly, on purpose; particularly; ~ *zu diesem Zweck* for that very (*or* particular) purpose; *er nahm sie ~ mit* he made it a point to take her along.

ˈ**Eigenschaft** *f* (-; -*en*) quality; attribute, (distinctive) feature, characteristic; *chem.*, *phys.* property; nature; peculiarity; *jur.* (*legal*) status; *gute* ~ (*a. tech.*) virtue; *gute* (*schlechte*) ~*en pl.* good (bad) points *pl.*; *in s-r* ~ *als* in his capacity of (*or* as), acting as; **~swort** *gr. n* (-[e]s; ⸚er) adjective.

ˈ**Eigen...:** **~sinn** *m* (-[e]s) wil(l)fulness; obstinacy, stubbornness; caprice; **≈sinnig** *adj.* wil(l)ful; obstinate, stubborn, headstrong, pigheaded; dogged; capricious; **~staatlichkeit** *f* (-) (autonomous) statehood, sovereignty; **≈ständig** *adj.* independent, self-reliant.

eigentlich [ˈaɪgəntliç] **I.** *adj.* real, true, actual, virtual; essential; precise, proper; intrinsic (*value, etc.*); *das ~e England* England proper; *im ~en Sinne* (*des Wortes*) in the true (*or* strict, literal) sense (of the word); **II.** *adv.* really, actually, as a matter of fact; originally; exactly; strictly speaking; by rights; to tell the truth; *was wollen Sie ~?* what do you want anyhow?; *wo geschah das ~?* where exactly did it happen?; *~ ist er ganz vernünftig* he is quite reasonable, after all; *~ nicht* not really.

ˈ**Eigentor** *n sports*: own goal.

ˈ**Eigentum** *n* (-*s*) property; *jur.* ~ (*an dat.*) (absolute) ownership (of) *or* title (to); → *beweglich, geistig, etc.*; *sich das ~ vorbehalten* reserve title (to); *das ist mein ~* this is my property, it is mine *or* my own, it belongs to me.

Eigentümer(**in** *f*) [ˈaɪgənty:mər(in)] *m* (-*s*, -; -, -*nen*) owner, proprie|tor (-tress *f*); *econ.* holder (*of securities, etc.*).

ˈ**eigentümlich I.** *adj.* peculiar, special (*j-m* to a p.); characteristic, specific; inherent (*dat.* in); peculiar, odd, strange, queer; **II.** *adv.*: *j-n ~ berühren* make a peculiar impression upon a p.; **≈keit** *f* (-; -*en*) peculiarity; oddity; characteristic, (peculiar) feature, (special) trait.

ˈ**Eigentums...:** **~nachweis** *m* evidence of ownership; abstract of title; **~recht** *n* proprietary right, title (*an dat.* to); ownership; copyright; *sich das ~ vorbehalten* reserve the right of property; **~übertragung** *f* transfer (of property *or* title), assignment; conveyance; **~vergehen** *n* offen|ce (*Am.* -se) against property; **~verhältnisse** *n/pl.* property relations, (status of) ownership *sg.*; **~vorbehalt** *m* reservation of title; **~wohnung** *f* freehold flat.

ˈ**Eigen...:** **~vermögen** *n* separate property (*of wife*); **~versorgung** *f* domestic supply; self-supply, self-sufficiency; **~wärme** *f* specific heat; body heat; **~wechsel** *econ. m* promissory note (*abbr.* P/N); **~wert** *m* (-[e]s) intrinsic value; **~wille** *m* selfwill, wil(l)fulness; **≈willig** *adj.* selfwilled, wil(l)ful; *fig.* individual, characteristic, original.

eignen [ˈaɪgnən] **I.** *sich ~* (*h.*) *für j-n* suit (*or* fit) *a p.*; *für et.*: be suited (*or* suitable) for *a th.*; *person*: be qualified for; *er würde sich zum Arzt ~* he would make a good physician; **II.** *v/i.* (*h.*) *j-m*: be peculiar (*or* inherent) in *a p.*; → *geeignet.*

ˈ**Eigner** *m* (-*s*; -) owner, proprietor.

ˈ**Eignung** *f* (-; -*en*) *person*: qualification, fitness, aptitude (*zu, für* for); *thing*: suitability, applicability; **~sprüfung** *f* aptitude test.

Eiland [ˈaɪlant] *n* (-[e]s; -e) island, isle.

Eil|auftrag [ˈaɪl-] *m* rush order; **~bestellung** *f* express (*Am.* special) delivery; **~bote** *m*: *durch ~n* (by) express (messenger), *Am.* by special delivery; **~brief** *m* express letter, *Am.* special delivery (letter).

ˈ**Eile** *f* (-) haste; *große ~* hurry, rush; speed; dispatch, expedition; urgency; *~ haben person*: be in a hurry, be pressed for time; *matter*: be urgent; *es hat keine ~* there is no hurry (about it), there is plenty of time; *in aller ~* **a**) in great haste, **b**) with great expedition, with the utmost dispatch; *in der ~* in the rush; *~ mit Weile* more haste less speed.

ˈ**Eileiter** *anat. m* oviduct, Fallopian tube.

ˈ**eilen** *v/i.* (*sn*) *and* (*h.*) *sich ~* make haste, hasten, hurry; hustle, bustle; rush, scurry; *~ zu or nach* hasten (*or* rush) to; *matter*: be urgent (*or* pressing); *er eilte nicht sehr damit* he took his own time about it; *es eilt nicht* (*damit*)! there is no hurry (about it)!; *die Zeit eilt* time flies; *inscription*: *Eilt!* Urgent!, Immediate!; **~d** *adj.* hurrying, hurried; **~ds** [ˈ-ts] *adv.* in a hurry, hastily; in (great *or* hot) haste, posthaste.

ˈ**eilfertig** *adj.* hasty; rash; **≈keit** *f* (-) hastiness, rashness.

ˈ**Eil...:** **~fracht** *f* express goods *pl.*, *Am.* fast freight; express (forwarding); **~gebühr** *f* express fee; **~gespräch** *teleph. n* express call; **~gut** *n* → *Eilfracht*; *~!* by express!; *als ~ befördern* send by express.

ˈ**eilig** *adj.* hasty, speedy, hurried; urgent, pressing; prompt; *es ~ haben* be in a hurry (*et. zu tun* to do a th.); *wohin so ~?* what's the hurry?, where's the fire?; *liegt et. ≈es vor?* are there any urgent matters?; **~st** *adv.* with utmost dispatch, with greatest expedition; in great (*or* hot) haste, posthaste; *er wurde ~ ins Krankenhaus gebracht* he was rushed to the hospital.

ˈ**Eil...:** **~marsch** *mil. m* forced march; **~post** *f* express (*Am.* special) delivery; **~sache** *f* urgent matter; **~schrift** *f* high-speed shorthand; **~schritt** *m*, **~tempo** *n*: *im ~* at high speed, quickly; **~zug** *m* semi-fast train.

Eimer [ˈaɪmər] *m* (-*s*; -) pail; bucket (*a. tech.*); **~kette** *f dredger*: bucket chain; **≈weise** [ˈ-vaɪzə] *adv.* by buckets, in bucketfuls.

ein [aɪn] **I.** *adj.* one; *um ~s* at one (o'clock); *~ für allemal* once for all; *~ und derselbe* one and the same, the (very) same; *er ist ihr ~ und alles* he means everything to her; *in ~em fort* incessantly, continuously; *~s sein mit j-m* agree with a p., see eye to eye (*or* be of one mind) with a p.; *sich ~s werden mit j-m* agree (*or* come to terms, settle) with a p.; *die beiden Begriffe sind ~s* the two terms are identical; *~s gefällt mir nicht* there is one thing I don't like; *~s trinken* have a glass, take a drop; *j-m ~s versetzen* deal a p. a blow, paste a p. one; *noch ~s!* one thing more; *es kommt alles auf ~s heraus* it (all) comes to the same thing; *es ist mir alles ~s* I don't care at all; **II.** *indef. art.* a, an; *~ Berg* a mountain; *~ Abend* an evening; *~ Europäer* a European; *~ jeder* each one; *~es Tages* one day; *die Beredsamkeit ~es X.* the eloquence of a man like X.; *welch ~ Glück* what luck; *~ Bernard Shaw* a Bernard Shaw; *~ (gewisser) Herr Braun* a (*or* one) Mr. Brown; **III.** *indef. pron.* **a**) someone, **b**) something; *~er m-r Freunde* a friend of mine; *~er von beiden* either of them; *~er nach dem andern* one after the other, one by one; *manch ~er* many a one; *so ~er* such a one; *wenn ~er behauptet* if a fellow says; *das tut ~em gut* that does one good; *~s ums andere* by turns, alternately; **IV.** *adv.*: *nicht ~ und aus wissen* be at one's wits' end, be (completely) at a loss; *~ und aus gehen* come and go, *bei j-m*: frequent a p.('s house); *on apparatus*: *~!* on!

ein|achsig [ˈ-ʔaksiç] *adj. vehicle*: two-wheel(ed); *bogie*: single-axle; *phys.* uniaxial; **≈akter** [ˈ-ʔaktər] *m* (-*s*; -) one-act play.

einˈander *adv.* each other; one another; mutually; *sie sind ~ im Wege* they are in each other's way; → *an-, auf-, auseinander, etc.*

ˈ**ein-arbeit|en** *v/t.* (*h.*): (*sich*) *~ in* (*acc.*) make (o.s.) acquainted with, familiarize (o.s.) with; work *or* break (o.s.) in; → *anlernen, einführen*; **≈ungszeit** *f* period of vocational adjustment, initial period.

ˈ**ein...:** **~armig** *adj.* one-armed; *anat.* one-branched; *~er Handstand* one-hand balance; *~er Hebel* one-armed lever; *machine-tool*: throat-type; **~äschern** [ˈ-ʔɛʃərn] *v/t.* (*h.*) incinerate; reduce (*or* burn) to ashes *or* cinders; lay in ashes; cremate; *chem.* calcine; **≈äscherung** *f* (-; -*en*) incineration; cremation; *chem.* calcination; **~atmen** *v/t.* (*h.*) *and v/i.* inhale, breathe (in); *tief ~* draw a deep breath; **≈atmung** *f* inhalation; **~atomig** [ˈ-ʔato:miç] *adj.* monatomic; **~ätzen** *v/t.* (*h.*) etch in; **~äugig** *adj.* one-eyed.

ˈ**Ein...:** **~bahnstraße** *f* one-way street; **≈bahnig** [ˈ-bɑ:niç] *adj.* single-lane; *esp. rail.* single-track; **≈balsamieren** *v/t.* (*h.*) embalm; **~balsamierung** *f* (-; -*en*) embalming; **~band** *m* (-[e]s; ⸚e) binding; cover; **≈bändig** [-bɛndiç] *adj.* in one volume, one-volume; **≈basig** [ˈ-bɑ:ziç] *chem. adj.* monobasic.

ˈ**Einbau** *tech. m* (-[e]s; -*ten*) building in, installation, fitting, mounting, insertion, incorporation; **2en** *v/t.* (*h.*) build in(to *in acc.*), incorporate, install, mount, fit (into); insert (into); **~möbel** *n/pl.* built-in *or* unit furniture *sg.*; **~motor** *m* built-in motor.

'**Einbaum** *m* (log-)canoe, dug-out.

'**ein...:** **~begreifen** *v/t.* (*irr.*, *h.*): (*mit*) ~ comprise (*or* include); be inclusive of; (*mit*) (*e*)*inbegriffen* including; inclusive (of); **~behalten** *v/t.* (*irr.*, *h.*) keep back, retain, withhold; **~beinig** ['-baɪnɪç] *adj.* one-legged.

'**einberuf|en** *v/t.* (*irr.*, *h.*) call, convene (*assembly*); *parl.* convoke, summon; *mil.* call up, *Am.* draft, induct (into military service); **2ene(r)** *m* (-[e]*n*; -[e]*n*) conscript, *Am.* draftee, inductee; **2ung** *f* convocation, summoning; *mil.* call-up, *Am.* draft, conscription, induction; **2ungsbescheid** *mil. m* call-up order, *Am.* induction order.

'**ein...:** **~betonieren** *v/t.* (*h.*) set (*or* embed) in concrete; **~betten** ['-bɛtən] *v/t.* (*h.*) embed (*a. tech.*).

Einbett|kabine ['aɪnbɛt-] *f* single-berth cabin; **~zimmer** *n* single (-bedded) room.

'**ein...:** **~beulen** ['-bɔʏlən] *v/t.* (*h.*), **2beulung** *f* (-; -*en*) dent; **~beziehen** *v/t.* (*irr.*, *h.*) include, cover; incorporate (*in acc.* in); **2beziehung** *f* inclusion, incorporation (*in acc.* into); **~biegen I.** *v/t.* (*irr.*, *h.*) bend *or* turn in(wards); **II.** *v/i.* (*irr.*, *sn*) turn (*or* swing) (*in acc.* into *a street*); *links* ~ make a left turn, turn left.

'**einbilden:** *sich et.* ~ (*h.*) fancy, imagine; think, believe; *iro.* flatter o.s. with the belief (*daß* that), labo(u)r (*or* be) under the delusion (*daß* that); *sich et. steif und fest* ~ be firmly convinced of a th.; *sich viel* ~ be full of conceit, have a high opinion of o.s.; *sich et.* ~ *auf* (*acc.*) pride (*or* pique) o.s. on a th.; *bilde dir ja nicht ein, daß* don't (you) think that; *darauf brauchst du dir nichts einzubilden* that's nothing to be proud of; *darauf kannst du dir et.* ~ that's a feather in your cap; *ich bilde mir nicht ein, ein Genie zu sein* I don't pretend (*or* claim) to be a genius; → *eingebildet*.

'**Einbildung** *f* fancy; imagination; idea; illusion, delusion, hallucination; conceit; presumption; *nur in der* ~ *existierend* only imaginary; **~skraft** *f* (-), **~svermögen** *n* (-*s*) (power of) imagination.

'**ein...:** **~binden** *v/t.* (*irr.*, *h.*) bind (*book*); **~blasen** *v/t.* (*irr.*, *h.*) blow in(to *in acc.*); *tech. a.* inject (into); *med.* insufflate (*with a th.*); *fig. j-m et.* ~ whisper (*or* prompt) a th. to a p.

'**Einbläser** *m* prompter.

'**Einblattdruck** *typ. m* (-[e]s; -e) broadsheet.

'**ein...:** **~blenden** *v/t.* (*h.*) fade in (*picture, sound*); *radar*: crossfade; **~bleuen** *v/t.* (*h.*) *j-m et.*: beat into; pound (*or* hammer, drum) *a th.* into *a p.'s* head (*or* skull).

'**Einblick** *m* view (*in acc.* into); *fig.* insight (into); glimpse (of); *opt.* eyepiece; ~ *gewinnen* (*in acc.*) gain an insight (into); ~ *gewähren* give (*or* afford) an insight (into); give a general idea of; ~ *nehmen* look (into), inspect; *er hat* ~ *in die internen Vorgänge* he is in a position to observe the internal affairs.

'**ein...:** **~booten** ['-bo:tən] *v/t.* (*h.*) embark; **~brechen I.** *v/t.* (*irr.*, *h.*) break (*or* force) open, smash (in); **II.** *v/i.* (*irr.*, *sn*) break (*or* sink) in, give way, collapse; *person*: enter forcibly; *thief*: break into (*in acc. a flat*), burgle, commit burglary, *Am.* burglarize; *bei ihm wurde eingebrochen* his house was broken into; *mil.* penetrate; invade (*in acc. a country*); *die Nacht bricht ein* night is falling; *bei* ~*der Nacht* at nightfall.

'**Einbrecher** *m* housebreaker; burglar; **2isch** *adj.* burglarious.

'**ein...:** **~brennen** *v/t.* (*irr.*, *h.*) burn in(to *in acc.*); anneal (*colours*); bake (*lacquer*); *ein Zeichen* ~ (*dat.*) (mark with a) brand; cauterize; **2brennlack** *m* baking (*or* stove) enamel; **~bringen** *v/t.* (*irr.*, *h.*) bring in; gather in, house (*harvest*); *parl.* bring *or* enter *a motion*; introduce *a bill*; *econ.* pay in, contribute, invest (*capital*); *jur.* bring, file (*an action*); yield net (*profit*); *j-m et.* ~ bring (*or* earn, win) a p. a th.; fetch *a prize* (*j-m* ~ for a p.); *das bringt nichts ein* it does not pay; make up for *time*; *typ.* get in *line*; *jur. eingebrachtes Gut* property brought in (*by a spouse*) upon marriage; **~brocken** ['-brɔkən] *v/t.* (*h.*) crumble (*in acc.* into); *fig. j-m et.* ~ land a p. in trouble; *sich et.* ~ get (o.s.) into trouble; *das hast du dir selbst eingebrockt* that's your own doing; *jetzt hat er sich aber et. eingebrockt* now he is in for it.

'**Einbruch** *m mil.* **a**) invasion (*of country*), **b**) penetration, breach (*in acc.* of *line, position*); *a. fig.* inroad (*in acc.* into); housebreaking, burglary; break-in; ~ *verüben* commit burglary; *econ.* fall, reduction; *stock exchange*: break, setback; ~ *der Nacht* nightfall, dusk; **~sdiebstahl** *m* housebreaking; burglary; **~sfront** *f meteor.* cold front; *mil.* frontage of penetration; **2ssicher** *adj.* burglar-proof; **~sversicherung** *f* insurance against burglary and theft.

'**einbucht|en** *v/t.* (*h.*) indent; *colloq.* lock up, jug *a p.*; **2ung** *f* (-; -*en*) bay, inlet, indentation; dent.

'**ein...:** **~buddeln** *colloq. v/t.* (*h.*) (*mil.*) *sich* ~ dig in; **~bürgern** ['-byrgərn] *v/t.* (*h.*) naturalize (*a. fig. foreign word, etc.*); *sich* ~ become naturalized, settle down; *fig.* be (generally) adopted, take root; come into use; *fig. sich fest eingebürgert haben* have come to stay; **2bürgerung** *f* (-) naturalization; *fig.* (general) adoption *or* acceptance.

'**Einbuße** *f* loss, damage; *das tut s-m Ansehen keine* ~ that won't injure (*or* detract from) his good reputation.

'**ein...:** **~büßen I.** *v/t.* (*h.*) forfeit, lose; **II.** *v/i.* (*h.*) lose; suffer (*or* sustain) losses; **~dämmen** *v/t.* (*h.*) dam up *or* in, embank; dike, dyke (*land*); *a. fig.* stem; check, locate (*fire*); *fig.* check, restrain; **~dampfen** *v/t.* (*h.*) evaporate; **~decken** *v/t.* (*h.*) cover; *mil.* straddle; *econ.* buy back, cover (*securities*); *sich* ~ provide o.s. (*mit* with), get a supply (of), stock up (on), buy heavily; *eingedeckt sein mit* be supplied (*or* provided) with; *stock exchange*: be long of.

Eindecker ['-dɛkər] *aer. m* (-*s*; -) monoplane.

'**ein...:** **~deichen** *v/t.* (*h.*) dike, dyke; **~deutig** ['-dɔʏtiç] *adj.* unequivocal, definite, clear-cut; clear, plain; *s-e Stellungnahme ist* ~ his comment leaves no doubt; *er wurde* ~ *geschlagen* he was clearly defeated; **~deutschen** *v/t.* (*h.*) Germanize; **~dicken** *v/t.* (*h.*) thicken; *chem.* condense, concentrate, inspissate; **~dosen** *v/t.* (*h.*) tin, *Am.* can; **~drängen:** *sich* ~ (*h.*) intrude (*in acc.* into), crowd in; **~drehen I.** *v/t.* (*h.*) turn in; **II.** *v/i.* (*sn*) *aer.* swing on a new course, *for attack*: close in; **~drillen** *v/t.* (*h.*) → *einexerzieren*.

'**eindring|en** *v/i.* (*irr.*, *sn*) enter forcibly *or* by force; break *or* burst in (*in acc.* into); intrude (into *company*), crash the gate; *sl.* muscle in; invade (*a country*); penetrate; *liquid*: soak in(to), ooze in(to), (*a. mil., pol.*) infiltrate; pierce, penetrate; *fig.* fathom (*or* delve into) (*in acc. a matter*); *auf j-n*: rush upon a p.; *fig. problems, etc.*: press, crowd (*auf j-n* upon a p.); *feelings*: throng in (upon a p.); **2en** *n* (-*s*) forcible (*jur.* unlawful) entry; invasion, inroad; penetration, infiltration; **~lich** *adj.* insistent, urgent, emphatic; striking, impressive, forcible; **2lichkeit** *f* insistence, urgency; force(fulness); **2ling** ['-lɪŋ] *m* (-[e]s; -e) intruder; invader.

'**Eindruck** *m* (-[e]s; ⸚e) imprint, impress(ion), mark; *fig.* impression; appeal; *bleibender* (*schlechter*) ~ lasting (poor) impression; ~ *machen auf* (*acc.*) impress, make (*or* leave) an impression on; appeal to; *den* ~ *erwecken, daß* give (*or* produce) the impression that; *ich habe den* ~, *daß* I have (*or* am under) the impression that, I have a feeling that; *colloq.* ~ *schinden* show off; *nur um* ~ *zu schinden* only for show; **2en** *v/t.* (*h.*) imprint; print on.

'**ein...:** **~drücken** *v/t.* (*h.*) press in; flatten, compress; crush, squash; dent, cave in; *mil.* break into (*the front*); *wrestling*: *die Brücke* ~ break the bridge; force, crash (*door*) break in (*window*); **~drucksfähig** *adj.* impressionable; **~drucksvoll** *adj.* impressive, spectacular, striking, appealing; **~dünsten** *v/t.* (*h.*) stew down, evaporate; → *dünsten*; **~ebnen** *v/t.* (*h.*) level, plane, grade; **2ehe** *f* monogamy.

'**einen** *v/t. and sich* ~ (*h.*) unite.

ein...: **~eiig** ['-ˀaɪɪç] *anat. adj.* uniovular; ~*e Zwillinge usu.* identical twins; '**~engen** *v/t.* (*h.*) constrict; confine, narrow (down), hem in, limit; cramp.

'**einer I.** *pron.* (some)one, somebody; → *ein*; **II.** 2 *m* (-*s*; -) *arith.* unit, digit; (*boat*) single (sculler); **~lei** *adj.* (one and) the same, of one (*or* the same) kind; indifferent, immaterial; *es ist ganz ~* it makes no difference; *es ist mir ~* it's all one (*or* the same) to me, I don't care; *~ ob* no matter (*or* regardless) whether; *~ wer, etc.* whoever, *etc.*, no matter who, *etc.*; *~, wir gehen hin!* all the same, let's go there!; **2lei** ['-'laɪ] *n* (*-s*) sameness, uniformity; monotony, humdrum.

'**einernten** *v/t.* (*h.*) gather in, harvest; *fig.* gain, win.

einerseits ['-zaɪts], '**einesteils** *adv.* on the one hand (*or* side).

'**einexerzieren** *v/t.* (*h.*) drill (*or* train) thoroughly; *fig.* coach; drill (*task, etc.*).

einfach ['-fax] **I.** *adj.* **1.** single; *~e Buchführung* book-keeping by single entry; *~e Fahrkarte* single (ticket), *Am.* one-way ticket; **2.** simple; *~er Bruch med.* simple fracture; *~er Bankrott* simple bankruptcy; **3.** simple, plain, homely; frugal, plain (*food*); *~er Soldat* private (soldier), *Am. a.* enlisted man, buck private; **4.** easy, simple; elementary; **II.** *adv.* simply, plainly; just; *das ist ~ herrlich* that's simply (*or* just) wonderful; *es ist ~ verbrecherisch* it's outright criminal; *es ist ~ unglaublich* it is fantastic; **2heit** *f* (-) simplicity; plainness, frugality; *der ~ halber* to simplify matters; **~wirkend** *tech. adj.* single-acting.

'**ein...:** **~fädeln** ['-fɛːdəln] *v/t.* (*h.*) thread (*needle, a. film, tape*); *fig.* start, set afoot; contrive, arrange, engineer; **~fahrbar** *aer. adj.* retractable (*landing gear*); **~fahren** **I.** *v/i.* (*irr., sn*) drive in(to *in acc.*); enter, come in, arrive; *train*: *a.* pull in; *mining*: descent; **II.** *v/t.* (*irr., h.*) cart in; carry *or* bring in; retract (*landing gear, periscope*); run in, *esp. Am.* break in (*car*); **2fahrt** *f* entrance, arrival; *mining*: descent; entrance; *of port*: mouth; *mining*: pit-head; gateway, drive(-way).

'**Einfall** *m* → *Einsturz*; *mil.* irruption, inroad, raid (*in acc.* into), invasion (of); *phys.* incidence (*of light*); *fig.* inspiration, idea, notion; *glücklicher ~* brain-wave; *witziger ~* flash of wit; whim; *er kam auf den ~* the idea occured to him, *iro. a.* he took it in his head; **2en** *v/i.* (*irr., sn*) fall in; *light*: be incident; *mil.* invade (a country); *mus.* chime (*or* join) in; *conversationally*: interrupt, cut short, *affirmatively*: chime in; collapse, tumble down; *j-m ~* come into a p.'s mind, occur to a p.; *dabei fällt mir et. ein* that reminds me of something; *es fällt mir jetzt nicht ein* I can't remember (*or* think of) it now; → *Traum*; *was fällt dir ein!* what are you thinking of?, what's the idea!; *wie es ihm gerade einfiel* as the humo(u)r seized him; *sich et. ~ lassen* **a)** take a th. into one's head, **b)** think of a th., *Am.* think a th. up; *laß dir das ja nicht ~!* don't (you) dare to do that; **2end** *phys. adj.* incident; **2slos** *adj.* unimaginative; dull, pointless; **2sreich** *adj.* imaginative, inventive; **~sreichtum** *m* (*-s*) wealth of invention; **~swinkel** *m* angle of incidence.

'**Ein...:** **~falt** ['-falt] *f* (-) simplicity, naïveté (*Fr.*); innocence; silliness; **2fältig** ['-fɛltiç] *adj.* simple(-minded); innocent, naïve; silly, foolish; **~faltspinsel** *m* simpleton, nincompoop, *Am.* dum(b)bell; **~familienhaus** *n* one-family house; **2fangen** *v/t.* (*irr., h.*) catch, seize; capture, apprehend (*criminal*); *fig.* ensnare, entrap *a p.*; capture (*mood, etc.*); **2farbig** *adj.* one-colo(u)red, unicolo(u)red; plain (*cloth*); *typ.* monochromatic; **2fassen** *v/t.* (*h.*) enclose; fence (in); border, edge, line; frame (*picture*); set (*gem*); **~fassung** *f* enclosure; fence; railing; rim; border, edge; *of dress*: *a.* trimming; *of shoe*: welt; *of gem*: setting; *picture, window, etc.*: frame; **2fetten** *v/t.* (*h.*) grease; oil; **~fetten** *n* (*-s*) greasing, lubrication; **2finden:** *sich ~* (*irr., h.*) appear (on the scene); arrive, turn up; attend; assemble; **2flechten** *v/t.* (*irr., h.*) interlace, weave in, work into; plait, braid (*hair*); *fig.* put in, insert, mention casually; weave in(to), insert *story*; **2flicken** *v/t.* (*h.*) patch in; *fig.* add, insert; **2fliegen** *aer.* **I.** *v/i.* (*irr., sn*) fly into, enter (by air); penetrate, intrude; **II.** *v/t.* (*irr., h.*) make test-flights with, test out; **~flieger** *m* test pilot; **2fließen** *v/i.* (*irr., sn*) flow in(to *in acc.*); *fig. mit ~ lassen* drop in, mention in passing; **2flößen** *v/t.* (*h.*) infuse, pour in(to *in acc.*); *med.* administer (*dat.* to); feed (*j-m* a p. with *food*); *fig. j-m et. ~* inspire (*or* fill) a p. with a th.; command (*respect, etc.*); kindle (*desire*); **2fluchten** *v/t.* (*h.*) align.

'**Einflug** *m aer.* approach (flight), entrance (by air); *mil.* intrusion; raid; **~erlaubnis** *f* entry-permit, clearance; **~schneise** *f* air corridor, lane of approach.

'**Einfluß** *m* flowing in, influx; *fig.* influence (*auf acc.* on, *bei* with), *esp. pol. a.* pull; power, control, sway (over), grip (on); effect; *~ haben auf* (*acc.*) influence; affect, have a bearing on; sway; *e-n ~ ausüben* (*auf*) exercise an influence (on); bring one's influence to bear (on); *unter dem ~ von j-m or et.* under the influence of *a p. or th.*; **~bereich** *m* sphere of influence, orbit; **2reich** *adj.* influential; *er ist sehr ~ a.* he casts a long shadow, he has a lot of pull.

'**ein...:** **~flüstern** *v/t.* (*h.*) *j-m* et.: whisper (*fig. a.* suggest, insinuate) a th. to a p., prompt a th. to a p.; **2flüsterung** *f* (-; -*en*) prompting; suggestion, insinuation; **~fordern** *econ. v/t.* (*h.*) call in, demand payment of (*debts*); call for (*or* in) (*capital*); collect (*taxes*); **2forderung** *f* calling-in, demand; call (for funds); collection (*of taxes*); **~förmig** ['fœrmiç] *adj.* uniform; → *eintönig*; **2förmigkeit** *f* (-) uniformity, monotony; **~fressen:** *sich ~ in* (*irr., h.*) eat into, corrode; **~fried(ig)en** ['-friːd(ig)ən] *v/t.* (*h.*) enclose; hedge (wall, fence) in; **2friedigung** *f* (-; -*en*) enclosure; **~frieren** *v/i.* (*irr., sn*) *water, econ. assets*: freeze; *sea, ship*: freeze in; *eingefroren* frozen (up); *ship*: *a.* ice-bound; *credit, etc.*: frozen; **~fugen** *v/t.* (*h.*) dovetail, rabbet; **~fügen** *v/t.* (*h.*) put (*or* fit) in, insert (*in acc.* into); sandwich in; *sich ~* fit in (well); *person*: *a.* adapt o.s., fall in (with others); **2fügung** *f* fitting in, insertion; interpolation; adaptation; **~fühlen:** *sich ~* (*h.*) (*in acc.*) feel one's way (into); acquire an insight (into); grasp (*by intuition*); feel (with) *a p.*; **2fühlungsvermögen** *n* (*-s*) sympathetic understanding; flair, intuition(al grasp); insight into people's nature; empathy.

Einfuhr ['-fuːr] *f* (-; -*en*) *econ.* import(ation); imports *pl.*; *~ und Ausfuhr* imports and exports; **~artikel** *m* import(ed) article, *pl.* imports; **~beschränkung** *f* import restriction; **~bestimmungen** *f/pl.* import regulations *pl.*; **~bewilligung** *f* import licen|ce (*Am.* -se).

'**einführ|bar** *adj.* importable; **~en** *v/t.* (*h.*) introduce; set, launch (*fashion*); initiate, adopt (*measures*); establish, set up (*institutions*); import (*goods*); obtain quotation of, *Am.* list (*securities*); introduce *a p.* (*bei j-m* to a p., *in acc.* into) (*a company*); present (*bei Hofe* at court); *j-n in et. ~* initiate into; install, inaugurate in *an office*; *med., tech., etc.*: introduce, insert *a th.* (into); *el.* lead in; feed in(to); *gut eingeführt person, merchandise*: well introduced, *business*: well established.

'**Einfuhr...:** **~erlaubnis, ~genehmigung** *f* import licence (*or* permit); **~hafen** *m* port of entry; **~handel** *m* import trade; **~kontingent** *n* import quota; **~land** *n* importing country; **~lizenz** *f* import licence; **~prämie** *f* bounty on imports; **~schein** *m* import permit; bill of entry; **~sperre** *f*, **~stop** *m* embargo on imports, import ban.

'**Einführung** *f generally*: introduction; presentation (*bei j-m* to a p., *bei Hofe* at court); initiation; installation, inauguration (*into an office*); introduction, adoption (*of measures, etc.*); establishment (*of institutions*); *econ.* importation; *el.* lead-in; **~sgesetz** *n* introductory law; **~skabel** *el. n* leading-in cable; **~skursus** *m* introductory course; **~sreklame** *f* introductory campaign; **~sschreiben** *n* letter of introduction.

'**Einfuhr...:** **~verbot** *n* import ban (*or* prohibition); **~waren** *f/pl.* import(ed) goods, imports; **~zoll** *m* import duty; **~zollschein** *m* bill of entry.

'**einfüll|en** *v/t.* (*h.*) fill *or* pour in(to *in acc.*); bottle; **2stutzen** *mot. m* filler-cap; **2trichter** *m* funnel; *tech.* feed hopper.

'**Ein...:** **~gabe** *f* petition, application, memorial (*an acc.* to, *um* for); *e-e ~ machen* submit *or* file a petition, apply (*um* for); **2gabeln** *v/t.* (*h.*) *mil.* bracket, straddle (*target*).

'**Eingang** *m* entrance, doorway, way in; entering, entry; access; introduction, opening; preamble; *econ.*

arrival, entry (*of goods*); receipt (*of letter, sum*); Eingänge *pl.* goods (payments) received; receipts, takings *pl.*; entries *pl.* (*of bookings, etc.*); *bei* ~, *nach* ~ on receipt; *kein* ~! no entrance!; no admittance!; *j-m* ~ *gewähren* give a p. access (*zu dat.* to); *sich* ~ *verschaffen* obtain entry (*or* access), gain admission (to).

eingangs ['aɪngaŋs] *adv.* at the beginning *or* outset; by way of introduction; **2anzeige, 2bestätigung** *f* notice of arrival; acknowledg(e)ment (*or* advice) of receipt; **2buch** *n* book of entries; **2datum** *n* date of arrival (*or* entry); *of cheque*: value date; **2formel** *f* preamble; **2halle** *f* entrance-hall; **2kreis** *m radio*: input circuit; **2spannung** *el. f* input voltage; **2stempel** *m* entry stamp; **2tor** *n* (entrance-)gate; **2zoll** *m* import duty.

'**ein...:** **~gebaut** ['-gəbaʊt] *tech. adj.* built-in, integral, installed, incorporated, mounted; **~geben** *v/t.* (*irr., h.*) give, administer *drug* (*dat.* to); submit (*petition*), hand in, → *einreichen*; *fig. j-n* (*zur Beförderung, etc.*): recommend (for *promotion, etc.*); *j-m* (*e-n Gedanken, etc.*) give, inspire *a p.* with (*an idea*), prompt (*or* suggest) *a th.* to; **2gebung** *f* (-; -en) inspiration; bright idea, brain-wave; **~gebildet** *adj.* imaginary (*disease, etc.*); *person*: conceited (*auf acc.* about), priggish; arrogant; **~geboren** *adj.* only-begotten (*son of God*); native, indigenous; inborn, innate; **2geborene(r** *m*) *f* (-n, -n; -en, -en) native; *~e pl. a.* aborigines; **~gedenk** ['-gədɛŋk] *adj.* mindful (*gen.* of), remembering; *e-r Sache ~ sein* (*bleiben*) bear (keep) a th. in mind, remember a th.; **~gefallen** *adj.* dilapitated (*house*); *med.* emaciated, shrunken; hollow-cheeked; sunken (*eyes*); **~gefleischt** ['-gəflaɪʃt] *adj.* incarnate; *fig.* inveterate, engrained, dyed-in-the-wool; *~er Junggeselle* confirmed bachelor.

'**eingehen I.** *v/i.* (*irr., sn*) *eccl.* go in, enter; *letters, goods*: come in (*or* to hand), arrive; *money*: be received *or* cashed; *bot., zo.* die; *colloq. fig.* die on the vine, wilt; cease (to exist); *factory*: close down; *enterprise*: fizzle out; *newspaper*: perish; *~ lassen* give up; *am 2 sein* (*a. matter*) be on one's last legs; *~ auf* (*acc.*) consent (*or* agree) to; comply with; accept (*proposal*); show interest for *a th.*; *auf Einzelheiten ~* go into details; *auf j-s Ansichten ~* enter into (*or* chime in with) a p.'s views; *auf j-n*: respond to a p., *indulgently*: humo(u)r; *j-m*: go down with a p.; → *Geschichte*; **II.** *v/t.* (*irr., h., sn*) contract (*marriage*); run *a risk*, take *a chance*; come to *an arrangement*; incur, enter into (*obligation*); make, enter into (*contract*); lay *a wager*, make a *bet*; **~d** *adj.* incoming; exhaustive, thorough, detailed; close (*inspection*); *nicht ~* shrink-proof (*fabric*).

'**ein...:** **~gelassen** *tech. adj.* sunk, flush(-mounted); countersunk (*screw*); **~gelegt** ['-gəle:kt] *adj.*: *~e Arbeit* inlaid work, inlay; *~e Eier* water-glass eggs; **2gemachte(s)** ['-gəmaxtə(s)] *n* (-[e]n) preserves *pl.*; preserved fruit; pickles *pl.*; **~gemeinden** ['-gəmaɪndən] *v/t.* (*h.*) incorporate (*dat.* into); **2gemeindung** *f* (-; -en) incorporation; **~genommen** *adj.* für *j-n*: prepossessed (*or* biassed) in favo(u)r of *a p.*, *von j-m*: fond of, taken with *a p.*; *gegen j-n*: prejudiced (*or* biassed) against; *für et.*: partial to, enthusiastic about, heart and soul for *a th.*; *von sich ~* conceited, having a high opinion of o.s.; *head*: dull, heavy; **2genommenheit** *f* (-) prepossession, bias (*für* in favo[u]r of); fondness (of); prejudice (*gegen* against); (self-)conceit; **~gerostet** ['-gərɔstət] *adj.* rusty (*a. fig.*); **2gesandt** ['-gəzant] *n* (-s; -s) Letter to the Editor; **~geschlechtig** *bot. adj.* unisexual; **~geschnappt** ['-gəʃnapt] *colloq. adj.* cross, piqued, peeved; **~gesehen** *mil. adj.* exposed (to observation); **~gesessen** ['-gəzɛsən] *adj.* resident, domiciled; **2gesessene(r** *m*) *f* (-n, -n; -en, -en) resident, inhabitant; **~gestandenermaßen** ['-gəʃtandənər'ma:sən] *adv.* avowedly, admittedly; **2geständnis** *n* avowal, confession, admission; **~gesteh(e)n** *v/t.* (*irr., h.*) avow, confess, admit, own (up).

Eingeweide ['-gəvaɪdə] *n/pl. anat.* viscera; bowels, entrails, guts, intestines; **~bruch** *m* hernia.

'**ein...:** **~geweiht** ['-gəvaɪt] *adj.* → *einweihen*; **2geweihte(r** *m*) *f* (-n, -n; -en, -en) initiate(d person), insider; *pl.* the initiated; **~gewöhnen** *v/t. and sich ~* (*h.*) accustom (o.s.) (*in acc.* to), acclimatize, *Am.* acclimate (to); get used to; **2gewöhnung** *f* acclimatization; familiarization; **~gewurzelt** ['-gəvurtsəlt] *adj.* deep-rooted; engrained, inveterate; **~gezahlt** ['-gətsa:lt] *econ. adj.* paid-up (*capital, stock*).

'**ein...:** **~gießen** *v/t.* (*irr., h.*) pour in(to *in acc.*); infuse; pour out; *tech.* cast in; **2glas** *n* monocle; **~gleisig** ['-glaɪziç] *adj.* single-line, single-track; **~gliedern** *v/t.* (*h.*) incorporate, integrate (*in acc.* into); classify (into); assign (to); annex (*territory*); enrol(l) (*in acc.* in), make a member (of); *sich ~* fit in, become a part (*person*: member) (*in acc.* of); **2gliederung** *f* integration, incorporation; annexation; enrolment; **~graben** *v/t.* (*irr., h.*) dig in(to *in acc.*); bury; hide in the ground; engrave (*in acc.* upon *steel, etc.*; *a. one's memory*); *sich ~ animal*: burrow in(to *in acc.*); *mil.* dig in, entrench o.s.; *fig. ins Gedächtnis*: engrave o. s. (on one's memory); **~gravieren** *v/t.* (*h.*) engrave (*in acc.* on); **~greifen** *v/i.* (*irr., h.*) *tech.* engage (*in acc.* in *or* with); gear in(to *in acc.*), mesh; *fig.* take action, step in; *mil.* come into action; intervene; interfere, meddle (*in* with); *in j-s Rechte ~* encroach (up)on a p.'s rights; *in ein Gespräch ~* engage (*or* join) in a discussion, cut in; **2greifen** *n* (-s) *tech.* engagement; gearing, meshing; *fig.* action; intervention; interference; **~greifend** *adj. fig.* → *durchgreifend*; **2greifgeschwader** *mil.* flying squadron; **2griff** *m med.* operation, surgical treatment; *tech.* gearing, contact; *ständiger ~* constant mesh; *im ~* in gear, engaged; *fig.* action; intervention; interference; encroachment.

'**ein...:** **~hacken** *v/i.* (*h.*) *bird*: *~ auf* (*acc.*) peck at; *fig.* pick at, pester; **~haken** *v/t.* (*h.*) hook in(to *in acc.*), fasten; *sich ~ bei* link arms with; *eingehakt* arm in arm; *fig.* cut in; *bei et.*: take a th. up; **2halt** *m*: *~ gebieten or tun* (*dat.*) stop, check, call a halt to; **~halten I.** *v/t.* (*irr., h.*) stop, check; *fig.* observe, adhere to, follow (*custom, contract*); keep (to *a term*, within *a time-limit*), *Am.* meet (*a deadline*), be punctual; keep (*promise*); meet (*obligation*); **II.** *v/i.* (*irr., h.*) stop, leave off; pause; *mit dem Lesen ~* stop reading; *halt ein!* stop!, leave off!; **2haltung** *f* (*gen.*) observance (of); adherence (to); compliance (with); **~hämmern** *v/t.* (*h.*) drive *a nail* in(to *in acc.*); *fig. j-m et. ~* hammer (*or* drum, pound) a th. into a p.'s head; **~handeln** *v/t.* (*h.*) purchase, buy; trade in, barter; get, obtain, chisel out; **~händig** ['-hɛndiç] *adj.* one-handed; **~händigen** ['-gən] *v/t.* (*h.*) *j-m et.*: hand (over) to, deliver to; **~hängen I.** *v/t.* (*h.*) hang *or* hook in(to *in acc.*); *tech.* suspend (into); hang up; put *door* on its hinges; replace, restore *telephone receiver*; *sich bei j-m ~* → *einhaken*; **II.** *v/i.* (*h.*) *teleph.* hang up, clear the line; **~hauchen** *fig. v/t.* (*h.*) inspire (*j-m et.* a p. with a th.); *j-m neues Leben ~* breathe new life into a p.; **~hauen I.** *v/i.* (*h.*): *~ auf* (*acc.*) fall upon, pitch into; *fig. at table*: fall to, tuck in; **II.** *v/t.* (*h.*) break in (*or* open); cut open; sink (a hole) in; **~heften** *v/t.* (*h.*) sew *or* stitch in(to *in acc.*); file; **~hegen** *v/t.* (*h.*) fence in, enclose; **~heimisch** *adj.* native; indigenous (*a. bot.*); *econ.* home, domestic, inland, home-made; *~er Markt* home-market; *~es Vieh* home-bred livestock; *~es Agrarprodukt* home-grown produce; endemic (*disease*); vernacular (*speech*); *die 2en* the natives; **~heimsen** ['-haɪmzən] *v/t.* (*h.*) reap; pocket, rake in; **2heirat** *f*: *~ in* (*acc.*) marriage into *a family or business firm*; **~heiraten** *v/i.* (*h.*): *~ in* (*acc.*) marry into.

Einheit ['-haɪt] *f* (-; -en) unity; oneness; uniformity; *math., phys., mil.* unit (*mil. Am. a.* outfit), *stock exchange*: unit of trade, *Am.* full lot; *thea. die drei ~en* the dramatic unities; *zu e-r ~ verbinden* unify; **2lich** *adj.* uniform; homogeneous; standardized; undivided; *econ.* regular (*prices*); central(ized) (*government*); **~lichkeit** *f* (-) uniformity, conformity to standard.

'**Einheits...:** **~bauart** *tech. f* standard type; **~bestrebungen** *f/pl.* unitary tendencies (*or* movement); **~front** *f* united front; **~gewicht** *n* standard weight; **~kurs** *econ. m* standard quotation; **~kurzschrift** *f* standard shorthand system; **~partei** *f* unity party; **~preis** *econ. m* uniform (*or* standard, flat) price;

~schule *f* comprehensive school; **~staat** *m* centralized state; **~strafe** *jur. f* global punishment; **~tarif** *m* uniform tariff; **~vordruck** *m* standard printed form; **~währung** *f* standard currency; **~wert** *m* standard (*or* unit) value; *tax*: rateable value; **~zeit** *f* standard time.

ˈ**ein...:** **~heizen** *v/i.* (*h.*) make (*or* light) a fire; heat a stove (*or* room); *fig. j-m*: make it hot for *a p.*, give *a p.* hell; **~hellig** [ˈ-hɛlɪç] *adj.* unanimous; **≗helligkeit** *f* unanimity.

einˈher...: *in compounds* ... along, *e.g.* **~gehen** *v/i.* (*irr.*, *sn*), (**~schreiten** *v/i.*, *irr.*, *sn*, **~stolzieren** *v/i. sn*) walk (stride, strut) along.

ˈ**ein...:** **~holen I.** *v/t.* (*h.*) bring in, collect; go to meet; *mar.* strike (*sail*, *flag*), haul down, lower (*flag*), haul in (*rope*), tow in (*ship*); buy, fetch; overtake, (*a. fig.*) catch up with; *sports*: *a.* pull up to; call for; obtain, procure; ask (*or* apply) for; make *inquiries* (*über acc.* about); take (*orders*); seek *or* take *advice*; make up for (*lost time*); **II.** *v/i.* (*h.*): *gehen* go shopping; **≗horn** *n* unicorn; **≗hufer** [ˈ-huːfər] *zo. m* (-s; -) solid-hoofed animal, soliped; **~hüllen** *v/t.* (*h.*) wrap up (*in acc.* in), envelop in; cover; *tech.* encase, sheathe, coat; *in Dunkel* (*Schweigen*) *gehüllt* wrapped in darkness (silence).

ˈ**einig** *adj.* united; *~ sein mit* (*dat.*) agree with, be at one (*or* in agreement) with; (*sich*) *~ werden* come to terms *or* an agreement (*über acc.* about); *die Fachwelt ist sich einig darüber, daß* there is agreement (*or* consensus) among the experts that, the experts are agreed that; *er ist sich selbst nicht ~, was er tun soll* he can't make up his mind, either; **~e** *indef. pron.* several, some, a few; *Am.* a couple of; *vor ~n Tagen* the other day; (*about*) some; *~ hundert Jahre* some hundred (*or* hundred odd) years; **~es** [ˈaɪnɪgəs] *indef. pron.* something; *ich könnte dir ~ erzählen* I could tell you a thing or two; → *allerhand*; **~emal** *adv.* several times.

ein-igeln [ˈaɪnˀiːgəln]: *mil. sich ~* (*h.*) set up a hedgehog defen|ce, *Am.* -se.

ˈ**einig...:** **~en** [ˈ-gən] *v/t.* (*h.*) unite, unify; conciliate; *sich ~* agree (*über acc.* on), come to an agreement *or* terms (about); settle (*mit* with); *Am. colloq.* get together; **~ermaßen** [ˈ-gərˈmaːsən] *adv.* to some (*or* a certain) extent; somewhat; rather, fairly; **~gehen** *v/i.* (*irr.*, *sn*) agree *or* concur (*mit* with), be in agreement with; **≗keit** *f* (-) unity, union, concord, harmony; unanimity; agreement, consensus; *~ macht stark* union is strength; **≗ung** [ˈ-guŋ] *f* (-; -en) *pol.* unification, union; agreement, settlement, understanding; *e-e ~ erzielen* come to an agreement; **≗ungs-amt** *n* conciliation board; **≗ungs-stelle** *f* settlement board.

ˈ**ein-impf|en** *v/t.* (*h.*) *med.* inoculate (*j-m* into); *fig. j-m et.*: inoculate (*or* indoctrinate) with, implant in; **≗ung** *f* inoculation (*a. fig.*).

ˈ**einjagen** *v/t.* (*h.*): *j-m Furcht ~* scare (*or* frighten, terrify) a p., strike fear into a p.

ˈ**einjährig** *adj.* (one-)year-old; *duration*: of one year, one year's, one-year; annual (*plant*); **≗e(s)** [ˈ-gə(s)] *n* (-[e]n) lower school-leaving certificate.

ˈ**ein...:** **~kalkulieren** *v/t.* (*h.*) take into account, allow for; **~kapseln** *v/t.* (*h.*) *tech.* encase, enclose; *med.* (*a. sich ~*) encyst; *fig. sich ~* retire into one's shell; **~kassieren** *v/t.* (*h.*) cash, collect; **≗kassierung** *f* (-) encashment; collection.

ˈ**Ein|kauf** *m* purchase; bargain; *econ.* purchasing (department); *Einkäufe machen* go shopping, shop; **≗kaufen I.** *v/t.* (*h.*) buy, purchase; shop for; procure; lay in, stock (*supply*); *sich ~* buy o.s. in; **II.** *v/i.* (*h.*) make purchases, shop (*bei* at); **~käufer(in** *f*) *m* purchaser, buyer; shopper; *econ.* buying agent.

ˈ**Einkaufs...:** **~abteilung** *f* purchasing department; **~genossenschaft** *f* co-operative purchasing society; **~leiter** *m* head of purchasing department; **~netz** *n* string bag; **~preis** *m* (*zum* at) cost price, prime (*or* first) cost; **~tasche** *f* shopping bag; **~zentrum** *n* shopping centre (*Am.* center).

Einkehr [ˈaɪnkeːr] *f* (-) (*bei*, *in dat.*) putting up (at an inn); *fig.* contemplation, introspection, self-communion; *~ halten bei sich* hold communion with o.s., take stock of o.s.; **≗en** *v/i. bei j-m*: call on (*or* stay with) a p.; *in e-m Gasthofe*: put up (*or* stop) at an inn; *fig. bei sich ~* commune with o.s., search one's soul.

ˈ**ein...:** **~keilen** *v/t.* (*h.*) wedge in; *fig.* hem in; **~kellern** *v/t.* (*h.*) lay in (the cellar), (store in the) cellar; **~kerben** *v/t.* (*h.*), **≗kerbung** *f* (-; -en) notch, indent; **~kerkern** *v/t.* (*h.*) imprison, incarcerate, cast into prison; **~kesseln** *mil. v/t.* (*h.*) encircle, pocket, trap; **≗kesselung** *f* (-; -en) encirclement; **~kitten** *v/t.* (*h.*) cement in(to *in acc.*), fix with putty; **~klagbar** *jur. adj.* actionable; **~klagen** *v/t.* (*h.*) sue for, file suit for, take legal proceedings for the recovery of *a th.*; **~klammern** *v/t.* (*h.*) *tech.* cramp; *typ.* bracket, put in parentheses (*or* brackets), parenthesize.

ˈ**Einklang** *m mus.* unison; *radio*: syntony; *fig.* unison, accord, harmony; *in ~ bringen* reconcile, square, bring into line (*mit* with); *im ~ stehen mit* be compatible (*or* in keeping) with; correspond to, coincide (*or* tally) with; *nicht im ~ stehen mit* be at variance with.

ˈ**ein...:** **~kleben** *v/t.* (*h.*) paste in; **~kleiden** *v/t.* (*h.*) clothe; *mil.* issue clothing to, fit out; *fig.* clothe, couch (*thoughts*); **~klemmen** *v/t.* (*h.*) pinch; squeeze (in); jam (*or* wedge) in; *tech. a.* screw down, clamp (fast); *fig.* sandwich in; **≗klemmung** *f* (-; -en) jamming; *med.* strangulation; **~klinken** *v/t. and v/i.* (*h.*) latch (*door*); *eingeklingt* on the latch; *tech.* engage, catch, clinch; **~knicken I.** *v/t.* (*h.*) bend in; fold (*paper*); crease (*cloth*); **II.** *v/i.* (*sn*) bend, break; *a. knees*: buckle, give way; **~kochen** *v/t.* (*h.*) *and* (*sn*) *v/i.* boil down, thicken by boiling; (make) preserve; make jam.

ˈ**einkommen** *v/i.* (*irr.*, *sn*) *bei j-m*: make an application, (present a) petition, apply to *a p.* (*um* for); *um s-n Abschied ~* hand in (*or* tender) one's resignation; *gegen et.*: protest (*or* lodge a complaint) against *a th.*; *funds*: come in, be paid in; **≗** *n* (-s) income; *pol.* revenue; *~ aus Arbeit* earned income, earnings *pl.*; *~ aus Kapital* unearned income; *festes ~* fixed income; **≗steuer** *f* income-tax; **≗steuererklärung** *f* income-tax return; **≗stufe** *f* income-class (*Am.* bracket).

ˈ**einköpfen** *v/t. and v/i.* (*h.*) *soccer*: head (the ball) home.

ˈ**Einkreis-empfänger** *m radio*: single-circuit receiver.

ˈ**einkreis|en** *v/t.* (*h.*) *mil.* encircle (*a. pol.*), envelop, outflank, surround; *w.s.*, *a. pol.* isolate; **≗ung** *f* (-; -en) encirclement; **≗ungs-politik** *f* policy of encirclement; **≗ungs-schlacht** *f* battle of encirclement.

einkremen [ˈ-kreːmən] *v/t.* (*h.*) cream, apply cream to.

ˈ**Einkünfte** [ˈ-kynftə] *pl.* proceeds, receipts, takings; profit; income; *pol.* revenue *sg.*; *of judge*, *etc.*: emoluments.

ˈ**einkuppeln** *tech. v/t.* (*h.*) couple, clutch; *mot.* throw into gear, engage (the clutch *v/i.*).

ˈ**einlad|en** *v/t.* (*irr.*, *h.*) load (in); *mar.* ship, embark; *mot.* entruck; *rail.* entrain; *aer.* emplane; *j-n*: invite *or* ask *a p.* (*zu* to); **~end** *adj.* inviting; enticing, tempting; appetizing; **≗ung** *f* invitation; *auf die ~ von* at the invitation of; **≗ungskarte** *f* invitation-card; **≗ungsschreiben** *n* (letter of) invitation.

ˈ**Einlage** *f in letter*: enclosure, accompanying document(s *pl.*); *tailoring*: pad(ding); *in shoe*: **a)** insole, **b)** *med.* arch-support; *in tooth*: temporary filling; *tech.* intermediate layer, ply; *mot.* inside tyre (*Am.* tire) protector; *econ.* investment, share; (savings) deposit; *gambling*: stake; *thea.* extra (number); inserted song; *cul.* garnish (*for soup*), *w.s.* side-dish; entree; **~kapital** *n* capital invested (*or* paid in).

ˈ**einlager|n** *v/t.* (*h.*) *econ.* warehouse, store (up), put into stock; **≗ung** *f* warehousing, storage.

Einlaß [ˈ-las] *m* (-sses; ⸚sse) admission, admittance, entrance (*zu* to); *tech.* inlet, intake; → *Eintritt*; *gewähren*.

ˈ**einlassen** *v/t.* (*irr.*, *h.*) let in, admit, open the door(s *pl.*) to; insert; *tech. ~ in* let (*or* fit, sink) into, imbed in; → *eingelassen*; take in (*dress*); *sich ~* let o.s. in; *fig. sich ~ auf or in* (*acc.*) engage in, enter into (*a. conversation*); venture (*or* embark) on (*enterprise*); fool (*or* meddle) with; agree to, entertain; *jur. sich auf eine Klage ~* defend an action, put in an appearance; *laß dich nicht darauf ein* don't go in on it!, leave it alone!; *ich lasse mich nicht darauf ein* I will not have anything to do with it;

sich ~ *mit* (*dat.*) associate (*or* have dealings) with, *hostilely*: join issue (*or* grapple) with, *amorously*: get involved with, have an affair with.

ˈ**Einlaß...:** ~**karte** *f* admission ticket; ~**öffnung** *tech. f* inlet; ~**rohr** *n* inlet pipe.

ˈ**Einlassung** *jur. f* (-; -*en*) (entering an) appearance; averment, defen|ce (*Am.* -se); ~**s-erklärung** *jur. f* notice of one's intention to defend; ~**sfrist** *jur. f* time for entering an appearance.

ˈ**Einlaßventil** *n* inlet valve.

ˈ**Einlauf** *med. m* enema, clyster; *w.s.* → *Eingang*.

ˈ**einlaufen I.** *v/i.* (*irr.*, *sn*) come in, arrive; *w.s.* → *eingehen*; *in e-n Hafen*: enter, put into *a port*; *fabric*: shrink; *nicht* ~*d* unshrinkable; *das Bad(ewasser)* ~ *lassen* run the bath; **II.** *v/t.* (*irr.*, *h.*): *j-m das Haus* ~ besiege a p.'s house, pester a p.; *mot.* ~ (*lassen*) run in; *sich* ~ *sports* warm up; ˈ**Einlaufen** *n* (-*s*) coming in, arrival; *of cloth*: shrinkage.

ˈ**ein...:** ~**läufig** [ˈ-lɔʏfiç] *adj.* single-barrel (-led); ~**läuten** *v/t.* (*h.*) ring in; ~**leben:** *sich* ~ (*h.*) accustom o.s. (*in acc.* to); settle down (in), acclimatize; *fig.* become familiar(ized) with, enter into the spirit of *a th.*; 2**legearbeit** *f* inlaid work; ~**legen** *v/t.* (*h.*) lay (*or* put) in(to *in acc.*); enclose (in *a letter*); insert (*dance, etc.*); deposit (*money*); insert (*film, paper, etc.*); *cul.* preserve; pickle; salt; pot; couch (*lance*); immerse, soak, steep; *tech.* inlay *with ivory, etc.*; *eingelegte Arbeit* inlaid work, marquetry; *fig.* → *Berufung, Verwahrung, Veto, Wort*; *Ehre* ~ *mit et.* gain hono(u)r *or* credit by; *mit ihm wirst du keine Ehre* ~ he will do you no credit; 2**leger** *m* (-*s*; -) *bank*: depositor; *company*: investor; *typ.* feeder, layer-on; 2**legesohle** *f* slip sole, (cork) sock.

ˈ**einleit|en** *v/t.* (*h.*) start; initiate, introduce; launch, set on foot; *mus.* prelude (*a. fig.*); preface *a book* (*mit* by); open (*talks, etc.*); usher in (*era, etc.*); *jur.* institute (*investigation, proceedings*); *e-n Prozeß* ~ bring an action (*gegen* against); ~**end** *adj.* introductory, opening, preliminary; ~*e Maßnahmen, etc.* preliminaries *pl.*; *adv.* by way of introduction; ~**ung** *f* introduction; preface, preamble (*gen.* to); *mus.* prelude (*a. fig.*); preliminaries *pl.*; starting, opening, *jur.* institution; preamble, caption.

ein...: ~**lenken** *v/i.* (*h.*) turn in(to, *in acc.*); *fig.* give in, come round; change one's note; ~*d adv.* peaceably, reasonably; ~**lernen** *v/t.* (*h.*) → *anlernen*; *sich et.* ~ learn a th. thoroughly (*or* by heart); *j-m et.* ~ teach a p. a th., drum a th. into a. p.; ~**lesen:** *sich* ~ (*irr.*, *h.*) read o.s. into; familiarize o.s. with; read up (*subject*); ~**leuchten** *v/i.* (*h.*) be clear (*or* obvious, evident, plausible) (*j-m* to a p.); *es leuchtet mir nicht ein* I cannot see that, it does not make sense (to me); ~**leuchtend** *adj.* clear, obvious, evident, plausible; ~**liefern** *v/t.* (*h.*) deliver (up); *j-n*: transfer a p. (*in acc.* to); *ins Krankenhaus* ~ take to the hospital, hospitalize; *ins Gefängnis* ~ send (*or* commit to) prison; 2**lieferung** *f* delivery; hospitalization; commitment (to prison, *etc.*); 2**lieferungsschein** *m* receipt of posting; paying-in slip; ~**liegend** *adj.* enclosed; ~**lochen** *v/t.* (*h.*) *golf*: put(t), hole (out); *colloq.* put behind bars, *sl.* put in jug; ~**logieren** *v/t.* (*h.*) → *einmieten*; ~**lösbar** [ˈ-løːsbaːr] *adj.* collectible; due, payable; redeemable; *nicht* ~ irredeemable; convertible; 2**lösbarkeit** *f* (-) redeemableness; convertibility.

ˈ**einlös|en** *v/t.* (*h.*) redeem (*mortgage, securities*); withdraw *bank-note* from circulation; collect; convert; discharge, pay (*bills*); meet, take up (*acceptance, bill of exchange*); hono(u)r, *nicht* ~ dishono(u)r (*cheque, sight draft*); take out of pawn; cash; ransom (*prisoner*); *fig.* redeem, keep (*promise, etc.*); 2**ung** *f* redemption (*a. fig.*); withdrawal; payment; discharge; cashing; 2**ungsfrist** *f* term of redemption; 2**ungs-termin** *m* date of maturity; date of redemption.

ˈ**ein|löten** *tech. v/t.* (*h.*) solder in(to *in acc.*); ~**lullen** *v/t.* (*h.*) lull to sleep; *fig.* lull.

ˈ**einmach|en** *v/t.* (*h.*) preserve; pickle; pot; tin, *Am.* can; → *Eingemachtes*; 2**glas** *n* preserving jar; 2**zucker** *m* preserving sugar.

ˈ**einmal** *adv.* once; (*in future*) one day, some day; for once; ~ *eins ist eins* once one is one; ~ *hell*, ~ *dunkel* now bright, now dark; ~ *weil* first because; *auf* ~ **a**) all at once, all of a sudden, **b**) at the same time; *es war* ~ once (upon a time) there was; *das war* ~ that's a matter of the past, that's all gone; *nicht* ~ not even, not so much as; *noch* ~ once more (*or* again); *noch* ~ *so alt* twice (*or* double) a p.'s age; *haben Sie schon* ~ ...? did you ever ...?; *ich bin* ~ *so* I can't help being as I am; *es ist nun* ~ *so* that's how it is (and nothing can be done about it); *hör* ~! (just) listen!, look here!; *stell dir* ~ *vor* just imagine *or* fancy; ~ *ist keinmal* one and none is all one.

Einmalˈeins *n* (-; -) multiplication table; *großes* (*kleines*) ~ compound (simple) multiplication.

ˈ**einmalig I.** *adj.* solitary; *nach* ~*em Durchlesen* after reading it once; non-recurring (*expenditure, payment*); *fig.* unprecedented, unparalleled, matchless; ~*e Gelegenheit* unique opportunity; **II.** *adv.*: ~ *schön* of singular beauty, simply wonderful.

ˈ**Ein...:** ~**manngesellschaft** *econ. f* one-man company; ~**manntorpedo** *mil. n* one-man torpedo; ~**marsch** *m* march(ing) in, entry; 2**marschieren** *v/i.* (*sn*) march in(to *in acc.*), enter; 2**mauern** *v/t.* (*h.*) wall in, immure; fix in a wall, (*a. fig.*) imbed; 2**meißeln** *v/t.* (*h.*) chisel in(to *in acc.*); 2**mengen** *v/t.* (*h.*) mix in, intermix, add; *fig. sich* ~ (*in acc.*) interfere, intervene, meddle (with), *colloq.* butt in; 2**mieten** *v/t.* (*h.*) (*a. sich*) take lodgings *or* rooms (*bei* with, *j-n* for a p.); pit, stack up (*potatoes, etc.*); silo (*grain*); 2**mischen** *v/t.* (*h.*) → *einmengen*; ~**mischung** *f* interference, meddling; *esp. pol.* intervention; 2**motorig** [ˈ-moˈtoːriç] *adj.* single-engine(d); 2**motten** [ˈ-mɔtən] *v/t.* (*h.*) mothball (*a. ship, etc.*); 2**mummen** [ˈ-mumən] *v/t. and sich* ~ (*h.*) muffle (up); 2**münden** *v/i.* (*sn, h.*): ~ *in* (*acc.*) *river*: discharge (*or* empty, flow) into; *tributary*: join; *street*: join, run into; *anat. veins*: inosculate with; ~**mündung** *f* mouth, estuary (*of river*); *of road*: junction; 2**mütig** [ˈ-myːtiç] *adj.* unanimous, of one mind; *adv. a.* as one man, with one voice, solidly; ~**mütigkeit** *f* (-) unanimity, full accord.

ˈ**einnähen** *v/t.* (*h.*) sew in(to *in acc.*); sew up in.

Einnahme [ˈ-naːmə] *f* (-; -*n*) *mil.* taking, capture; occupation, conquest; *econ.* receipts, takings *pl.*, return; proceeds *pl.*; earnings; income, *pol.* revenue; *parl.* ~*n und Ausgaben pl.* revenues and expenditures; ~**buch** *n* receipt-book; ~**quelle** *f* source of income (*or pol.*: of revenue).

einnebeln [ˈ-neːbəln] *v/t.* (*h.*) (smoke-)screen, smoke; *sich* ~ lay a smoke-screen.

einnehmen *v/t.* (*irr.*, *h.*) *mar.* take in (*or* on board), ship; take; have (*food*), take (*a. drug, etc.*); receive, take, cash, register (*money*); collect (*taxes*); earn, make; *mil.* take (possession of), capture; occupy, conquer (*country*); occupy, fill (*post*); *s-n Platz* ~ take one's seat; *j-s Stelle* ~ take (*or* succeed to) a p.'s place, replace a p.; *fig. e-e Haltung* ~ assume an attitude; *e-e hervorragende Stelle* ~ hold an eminent place, rank high; *zuviel Platz* ~ take *or* occupy too much room; *fig.* captivate, charm; *j-n für sich* ~ win the heart of a p.; *j-n gegen sich* ~ prejudice (*or* bias, set) a p. against one; ~**d** *adj.* engaging, winning, taking.

ˈ**Ein...:** ~**nehmer** *m* receiver, collector; 2**nicken** *v/i.* (*sn*) fall asleep, nod (*or* drop) off; 2**nisten:** *sich* ~ (*h.*) (*in dat.*) build one's nest (*or* nestle) in; *parasites*: nest in; *fig.* settle down (in), make o.s. at home (in).

ˈ**Ein...:** ~**öde** *f* desert, waste, wilderness, solitude; 2**ölen** *v/t.* (*h.*) oil, lubricate; 2**ordnen** *v/t.* (*h.*) arrange (*in acc.*); range in; pigeonhole; file; classify; integrate *or* incorporate (*into a whole*); *sich* ~ adjust o.s.; *pol.* toe the (*or* fall into) line; fit *a th.* in; *mot. sich rechts* ~ move to the right lane of traffic; *sich* ~ get in lane.

ˈ**ein...:** ~**packen I.** *v/t.* (*h.*) pack (up); wrap up; do up (*parcel*); wrap *a p.* (up); **II.** *v/i.* (*h.*) pack up; *colloq. fig. da können wir* ~ we might as well pack up and go home; ~**passen** *tech. v/t.* (*h.*) fit in(to *in acc.*); ~**pauken** *colloq. v/t.* (*h.*) cram, drum in(to *in a p.*); 2**peitscher** *parl. m* (-*s*; -) (party-)whip; ~**pendeln** *fig.*: *sich* ~ (*h.*) even out, level off (*bei* at), come right; **~pfählen** *v/t.* (*h.*) fence (in with pales), pale in, palisade; **≈pfählung** *f* (-; -en) paling, palisade, stockade; **~pferchen** *v/t.* (*h.*) pen in; *fig.* cram, crowd together, coop up; *wie Schafe eingepfercht* packed like sardines; **~pflanzen** *v/t.* (*h.*) plant; *fig.* implant (*j-m* in a p.'s mind); → *einimpfen*; **~pfropfen** *v/t. bot.* engraft; cram in(to *in acc.*); **≈phasen...**, **~phasig** *el. adj.* single-phase, monophase; **~planen** *v/t.* (*h.*) include (in the planning), programme, allow for; **~pökeln** *v/t.* (*h.*) pickle, salt; cure (*meat*); **~polig** *el. adj.* unipolar, single-pole; one-pin (*plug*); **~prägen** *v/t.* (*h.*) impress, imprint; *fig. j-m et.* ~ impress (*or* enjoin, urge) a th. upon a p.; *sich j-m* ~ stamp itself upon a p.'s memory; *words*: sink in; *sich et.* ~ take a (mental) note of; commit to one's memory, memorize; **~prägsam** ['-prɛːkzaːm] *adj.* impressible; easily remembered; impressive; **~pressen** *v/t.* (*h.*) press (*or* squeeze) in(to *in acc.*); **~prob(ier)en** *v/t.* (*h.*) *thea.* rehearse; **~pudern** *v/t.* (*h.*) powder; **~puppen:** *sich* ~ (*h.*) pupate.

'**einquartier|en** *v/t.* (*h.*) quarter, billet (*in e-m Ort, bei j-m*: on *a town, a person*; *in acc.* in *a house*); *sich* ~ take up quarters (in, at; *bei dat.* with); **≈ung** *f* (-; -en) *mil.* quartering, billeting; soldier(s *pl.*) quartered (on *a p.*, in *a house*).

'**ein...:** **~rahmen** *v/t.* (*h.*) frame; **~rammen** *v/t.* (*h.*) ram in(to *in acc.*) *or* down; drive in (*stakes*); **~rasten** *v/i.* (*sn, h.*) engage, click into place; **~räuchern** *v/t.* (*h.*) smoke; fill with smoke.

'**einräum|en** *v/t.* (*h.*) place (*or* put) in *furniture*; put the furniture in *a room*; clear (*or* stow) away; put in order; give up *or* cede (*dat.* to); concede (*right*); *econ.* grant, allow (*credit, etc.*); admit, concede, grant (*dat.* to); **~end** *gr. adj.* concessive; **≈ung** *fig. f* concession; allowance; admission; **≈ungssatz** *gr. m* concessive clause.

'**einrechnen** *v/t.* (*h.*) include, reckon (*or* count) in; allow for, take into account; (*nicht*) *eingerechnet* (not) including.

'**Einrede** *f* objection; remonstrance; contradiction; *jur.* defen|ce, *Am.* -se, demurrer; *prozeßhindernde* ~ demurrer to action.

'**ein...:** **~reden I.** *v/t.* (*h.*): *j-m et.* ~ talk (*or* argue) a p. into a th., make a p. believe a th.; persuade a p. (*daß* that); *sich et.* ~ talk o.s. into a th., take a th. into one's head; *das lasse ich mir nicht* ~ I refuse to believe that; **II.** *v/i.* (*h.*): *auf j-n* ~ talk insistently to (*or* buttonhole) a p.; urge a p.; **~regnen:** *eingeregnet sein* be caught by the rain; *sich* ~ (*h.*) settle in for rain; **~regulieren** *tech. v/t.* (*h.*) adjust, regulate; time; **~reiben** *v/t.* (*irr., h.*) rub in(to *in acc.*); *mit Fett* ~ grease; *sich den Arm* ~ *mit* rub one's arm with; **≈reibung** *f* rubbing in; embrocation; **≈reibungsmittel** *n* ointment; **~reichen** *v/t.* (*h.*) hand in, deliver; file, submit, send in, present (*petition, etc.*); *s-n Abschied*: tender, hand in (*one's resignation*); *e-e Klage*: file, bring (*an action*), prefer (*charges*); *econ. Forderung*: lodge (*a claim*); **≈reichung** *f* (-; -en) handing in; submittal, tender; presentation; filing; **~reihen** *v/t.* (*h.*) range (*in acc.* among), insert (in); class (with), classify (into); *mil., etc.*: enrol, enlist, incorporate, allot; → *eingliedern*; *sich* ~ fall into line; join, become a member; **~reihig** ['-raɪɪç] *adj.* single-breasted (*suit*); *tech.* single-row; **≈reise** *f* entry; **≈reisegenehmigung** *f* entry permit; **~reißen I.** *v/t.* (*irr., h.*) tear, rend; pull (*or* take) down, demolish (*house, etc.*); **II.** *v/i.* (*irr., sn*) tear, be torn; *fig. abuses*: spread, come into use; *immer mehr* ~ get worse and worse; **~reiten I.** *v/i.* (*irr., sn*) come riding in; **II.** *v/t.* (*irr., h.*) break in (*horse*); **~renken** *v/t.* (*h.*) *med.* set; *fig.* set right, *Am.* straighten out; *sich* ~ come right; **~rennen** *v/t.* (*irr., h.*) smash open, crash through, force (*door*); *fig. offene Türen* ~ force an open door; *sich den Kopf* ~ run one's head against the wall; *j-m das Haus* ~ besiege a p.'s house, pester a p.

'**einrich|ten** *v/t.* (*h.*) arrange, organize, regulate; *es* ~, *daß* arrange (*or* see to it) that; *es läßt sich* ~ it can be arranged; *med.* set (*arm, etc.*); fit (*Am.* fix) up, decorate, furnish (*house*); *gut eingerichtet* well furnished (*or* appointed); establish, set up (*business, school*); found; *tech.* install; equip; adjust; set (*machine tool*); *typ. Seiten* ~ lay pages; *mil.* lay (*gun*); set, orient (*map*); *sich* ~ establish o.s.; *auf et.*: prepare for a th.; *nach et.*: accommodate o.s. to a th.; plan (carefully), economize, make both ends meet; *es so* ~, *daß* arrange it that; → *häuslich*; **≈tung** *f* arrangement, organization, set-up; disposition; design; establishment, setting-up; furniture; furnishings, appointments *pl.*, (interior) decoration; *of shop*: fittings *pl.*; *tech.* equipment, facilities *pl.*; installation; setting; adjustment; plant, installation; apparatus, appliance, device, mechanism; (*public*) institution, *w.s.* facility; agency; *med.* setting; **≈tungsgegenstände** ['-geːgənʃtɛndə] *m/pl.* fixtures, fitments, appointments.

'**ein...:** **~rollen** *v/t.* (*h.*) roll up (*or* in); curl; **~rosten** *v/i.* (*sn*) rust (in), (*a. fig.*) get rusty.

'**einrück|en I.** *v/t.* (*h.*) insert, put in(to *in acc.*), publish (*ad*); *tech.* engage, trip; throw into gear, engage (*clutch*); shift (*gears*); *typ.* indent (*line*); **II.** *v/i.* (*sn*) march in(to *in acc.*), enter; *recruit*: report for active duty, join the services; **≈ung** *f* (-; -en) insertion, publication; **≈hebel** *tech. m* engaging lever.

'**einrühren** *v/t.* (*h.*) stir, mix in (*or* with); beat up (*eggs*); *Kalk* ~ temper; *colloq. fig.* → *einbrocken*.

Eins [aɪns] *f* (-; -en) (number) one; *ped.* alpha, grade one; **eins** one thing; → *ein*.

'**ein...:** **~sacken** *v/t.* (*h.*) put (*or* fill) into sacks, sack, bag; *fig.* pocket, bag; **~salben** *v/t.* (*h.*) rub with ointment, anoint, apply a salve to; **~salzen** *v/t.* (*h.*) salt; cure (*meat*); **~sam** *adj.* (*a. person*) lonely, lonesome, solitary; *thing, a. life*: secluded, isolated, retired; forlorn; **≈samkeit** *f* (-) loneliness, lonesomeness; solitude; seclusion, isolation; **~sammeln** *v/t.* (*h.*) gather (in); collect (*money, etc.*); *fig.* win, reap; **~sargen** ['-zargən] *v/t.* (*h.*) (put into a) coffin; *colloq. fig.* abandon (*hope*).

'**Einsatz** *m* inset; *of vessel, etc.*: insert; (*table*) leaf; *on dress*: insertion; shirt-front; *in suitcase*: tray; *metall.* charge; case; (*filter*) element; *gambling*: stake; *cards*: pool; *fig. mus.* striking in, entry; share; use, application, employment; *mil.* action, engagement; mission, commitment; *aer.* ~ *fliegen* fly a sortie *or* mission; *taktischer* ~ tactical employment; war activity; ~ *von Arbeitskräften* assignment (*or* mobilization) of labo(u)r; *im* ~ in action, *tech. a.* in practical service (*or* operation); effort; hard work; risk, venture; *mit vollem* ~ all out; *unter* ~ *des Lebens* at the risk of one's life; **~befehl** *mil. m* combat *or* operation(al) order; **≈bereit** *adj.* ready for action (*tech.* service, operation); *mil. a.* combat-ready; self-sacrificing, devoted; daring, gallant; **~bereitschaft** *f* readiness for action (*or* service), preparedness; fighting (*or* working) morale; **≈fähig** *adj.* usable, workable; available; in good working condition; *mil.* operational; *person*: fit for employment, able-bodied; **~flug** *m* (operational) sortie, mission; **~gruppe** *mil. f* task force; **~härtung** *tech. f* case-hardening; **~rennen** *n* sweepstake; **~stück** *tech. n* insert; → *Einsatz*; **~zug** *m* relief train.

'**ein...:** **~säuern** *v/t.* (*h.*) *chem.* acidify; leaven (*bread*); pickle *meat* (in vinegar); ensilage (*green fodder*); **~saugen** *v/t.* (*h.*) suck in; *fig.* absorb, imbibe; **~säumen** *v/t.* (*h.*) hem (in); **~schalten** *v/t.* (*h.*) insert, put (*or* slip, thrust) in; interpolate (*words*); intercalate (*day*); *el.* connect up (*or* with a circuit), switch on (*light*); turn on (*radio, etc.*); tune in (*station*); throw in (*clutch*); *mot.* put in, start; *j-n*: call a p. in, bring a p. in(to play); *sich* ~ step in, intervene; engage *in conversation*, join in, *a. teleph.* cut in.

'**Ein- u. Ausschalter** *tech. m* on-off switch.

'**Einschalt|hebel** *m* switch lever; **~stellung** *f* on-position; **~strom** *el. m* starting current; **~ung** *f* insertion; interpolation; intercalation; *gr.* parenthesis; *el., tech.* switching (*or* turning) on; *fig.* intervention; participation; engagement.

'**ein...:** **~schärfen** *v/t.* (*h.*): *j-m et.* ~ enjoin (*or* urge, impress) a th. upon a p.; **~scharren** *v/t.* (*h.*) bury; **~schätzen** *v/t.* (*h.*) assess, appraise, estimate (*auf acc.* at); *a. fig.* value, rate; *j-n*: *a.* size a p. up; *hoch* ~ value highly, rate high; *zu hoch* (*niedrig*) ~ overrate (underrate);

⁓schenken *v/t. and v/i.* (*h.*) pour out *or* in(to *in acc.*); *j-m (ein Glas) Wein ⁓* help a p. to (a glass of) wine; *sich ⁓* pour o.s. (*or* help o.s. to) a drink; *fig.* → *Wein*; **⁓schicken** *v/t.* (*h.*) send in; → *einsenden*; **⁓schieben** *v/t.* (*irr., h.*) shove (*or* push, slip) in; insert, interpolate (*words, etc.*); intercalate (*day*); introduce; **2schiebsel** ['aınʃi:psəl] *n* (*-s; -*), **2schiebung** *f* insertion; interpolation.

'**Einschienenbahn** *f* monorail.

'**ein...: ⁓schießen** *v/t.* (*irr., h.*) *mil.* shoot (*or* batter) down; test, try (*gun*); put *or* shove *bread* in(to the oven); *weaving*: shoot; *sports*: score, net; *fig.* contribute, invest (*money*); *mil. sich ⁓ auf* (*acc.*) find the range of, bracket, straddle; **2schießen** *n mil.* adjustment fire; bracketing; **⁓schiffen** *v/t.* (*h.*) embark, ship; *sich ⁓* embark (*nach* for), go on board; **2schiffung** *f* (*-*) embarkation; **⁓schirren** *v/t.* (*h.*) harness; **⁓schlafen** *v/i.* (*irr., sn*) fall asleep, drop off; *limbs*: go to sleep, become numb; *fig.* (*die*) pass away; *correspondence, etc.*: be dropped, flag, fizzle out; *custom*: die out; *⁓ lassen* drop, discontinue; **⁓schläfrig** ['-ʃlɛ:friç] *adj.* single (*bed*); **⁓schläfern** *v/t.* (*h.*) lull to sleep; *med.* narcotize, *colloq.* put to sleep; *fig.* lull into security; **⁓schläfernd** *adj.* lulling, somnolent; *med.* soporific, narcotic; **2schläferung** *f* (*-*) lulling to sleep; *med.* soporification, narcotization.

'**Einschlag** *m* wrapper, cover, envelope; *on dress, etc.*: tuck, fold; *weaving*: weft, woof; *of lightning*: striking; *mil.* impact, strike (*of projectile*); *forestry*: felling; *mot.* turning angle; *vollständiger ⁓* steering lock; *fig.* strain, streak; touch, suggestion (*von* of); **2en I.** *v/t.* (*irr., h.*) drive (*or* knock) *nail* in(to *in acc.*); break, smash; crack (*egg*); bash in (*skull*); envelope, wrap (*or* do) up; fold, tuck in; take (*road*), *fig.* pursue *or* adopt (*a course*); enter upon, choose (career); **II.** *v/i.* (*irr., h.*) strike, hit; *fig.* (*wie e-e Bombe*) *⁓* cause a sensation, fall like a bomb-shell; succeed, be a success (*or* hit); *thea. and econ.* take (well); *in j-s Hand*: shake hands (with a p.); *fig.* agree; *auf j-n ⁓* fall upon a p., shower a p. with blows.

einschlägig ['-ʃlɛ:giç] *adj.* pertinent, relevant, relative (to); respective; *⁓e Literatur* literature on the subject; bibliography; *jur. ⁓er Fall* relevant precedent; *⁓es Geschäft* business dealing in that article.

'**Einschlag...: ⁓papier** *n* wrapping paper; **⁓winkel** *m mot.* turning angle; *mil.* angle of impact.

'**ein...: ⁓schleichen** *v/i.* (*irr., sn*) *and sich ⁓* (*irr., h.*) creep (*or* sneak, steal) in(to *in acc.*); *mistake*: creep (*or* slip) in; *sich in j-s Vertrauen ⁓* worm one's way into a p.'s confidence; **⁓schleifen** *tech. v/t.* (*irr., h.*) grind in (*valves*); rebore (*piston*); **⁓schleppen** *v/t.* (*h.*) drag in; bring in, import (*disease*); **⁓schleusen** *fig. v/t.* (*h.*) channel (*or* let) in; *spies*: infiltrate; **⁓schließen** *v/t.* (*irr., h.*) lock in *or* up; *j-n*: *a.* turn the key on, confine a p.; (*a. in letter*) enclose; *tech.* encase, house; *mil.* surround, encircle; invest (*town*); *fig.* include, comprise, embrace; be inclusive of; *unsere Preise schließen Ihre Provision ein a.* our prices reflect your commission; *j-n ins Gebet ⁓* remember a p. in one's prayer; **⁓schließlich** *adj.* (*gen.*) inclusive of; including, comprising; *econ. ⁓ Verpackung* packing included; **2schließung** *jur. f* (*-*) hono(u)rable corrective detention; **⁓schlummern** *v/i.* (*sn*) fall into a slumber, doze off; *fig.* (*die*) pass (quietly) away; **⁓schlürfen** *v/t.* (*h.*) sip in; *fig.* drink in, *iro.* lap up; **2schluß** *m* inclusion; *mit ⁓ von* → *einschließlich*; **-schmeicheln:** *sich bei j-m ⁓* (*h.*) ingratiate o.s. with a p., curry favo(u)r with (*or* fawn upon) a p.; **⁓schmeichelnd I.** *adj.* ingratiating, fawning; **II.** *adv. a.* cooingly; **2schmeichelung** *f* (*-; -en*) ingratiation, cajolery, honeyed words; **⁓schmelzen** *v/t.* (*irr., h.*) *and v/i.* (*irr., sn*) melt (down); **⁓schmieren** *v/t.* (*h.*) smear; cream; *tech.* grease, lubricate; **-schmuggeln** *v/t.* (*h.*) smuggle in; plant; *sich ⁓* sneak in; **⁓schnappen** *v/i.* (*sn*) catch, click; snap in, engage; *colloq.* take offen|ce, *Am.* -se (*wegen* at), get sore (about); **⁓schneiden I.** *v/t.* (*irr., h.*) cut in(to *in acc.*); notch; indent; carve *name, etc.* (*in acc.* in), engrave; **II.** *v/i.* (*irr., h.*) cut (*a. w.s. collar, etc.*); make an incision (*in acc.* in); **⁓schneidend** *adj. fig.* incisive, trenchant, drastic; **⁓schneien** *v/i.* (*sn*) to be snowed up (*or* in); *eingeschneit a.* snow-bound; **2schnitt** *m* cut, incision; notch; *terrain*: cut, cleft; *rail.* cutting; *fig.* (decisive) turning-point; **⁓schnüren** *v/t.* (*h.*) lace; strangle; tie (*or* cord) up; → *einengen.*

'**einschränk|en** *v/t.* (*h.*) restrict (*a. right*), confine, limit (*auf acc.* to); reduce, retrench, curtail, cut down (*expenditures*); reduce (*production, volume*); qualify (*statement*); *sich ⁓* economize, cut down expenses; **⁓end** *adj.* restrictive; **2ung** *f* (*-; -en*) restriction; reduction, curtailment, cut; qualification; *ohne ⁓* without reservation, unreservedly.

'**einschrauben** *v/t.* (*h.*) screw in(to *in acc.*), screw home *or* in(to position).

'**Einschreibe|brief** *m* registered letter; **⁓gebühr** *f* registration fee.

'**einschreib|en** *v/t.* (*irr., h.*) enter; book; *as member*: enrol(l); *mil.* enlist, enrol(l); *mail* register; *e-n Brief ⁓ lassen* have a letter registered; *2!* Registered; *sich ⁓* enter (*or* inscribe) one's name (*in acc.* in); *univ.* matriculate, *Am.* enroll; **2ung** *f* entering, entry; registration; enrol(l)ment; matriculation.

'**ein...: ⁓schreiten** *v/i.* (*irr., sn*) *fig.* step in, interfere, intervene; *⁓ gegen* (*acc.*) take (drastic) steps against; *jur.* proceed against, prosecute; **2schreiten** *n* (*-s*) interference, intervention; action **⁓schrumpfen** *v/i.* (*sn*) shrink; shrivel (up); **⁓schub** *m* insertion; *el.* plug-in unit; *gr.* epenthesis; **⁓schüchtern** ['-ʃyçtərn] *v/t.* (*h.*) intimidate, cow; bully, browbeat; bluff; **2schüchterung** *f* (*-; -en*) intimidation; **2schüchterungsversuch** *m* attempt at intimidation; **2schulung** *f* enrol(l)ment (in elementary school); **2schuß** *m* hit; entry-hole; *med.* wound of entry; *econ.* capital invested (*or* paid in), injection (of money); margin; *weaving*: woof, weft; **2schußgarn** *n* woof (*or* weft) yarn; **⁓schütten** *v/t.* (*h.*) pour in(to *in acc.*); **⁓schwärzen** *v/t.* (*h.*) blacken; **⁓schwenken I.** *v/i.* (*sn*) *mil.* wheel (inwards); *⁓ in* (*acc.*) turn (*or* swing) into; come round to, fall into line with, conform to; **II.** *v/t.* (*h.*) swing *or* move (*in acc.* into); **⁓segnen** *v/t.* (*h.*) consecrate; confirm (*child*); **2segnung** *f* consecration; confirmation; **⁓sehen** *v/t.* (*irr., h.*) look into *or* over; have a look at; inspect, examine; *mil.* observe; *fig.* see, understand; realize; appreciate; *ich sehe nicht ein, weshalb* I don't see why; **2sehen** *n*: *ein ⁓ haben* have *or* show consideration; be reasonable; *weather*: be favo(u)rable; **⁓seifen** *v/t.* (*h.*) soap; lather (*beard*); *colloq. fig.* dupe, *sl.* take in, bamboozle; **⁓seitig** ['-zaıtiç] *adj.* one-sided (*a. fig.*); *jur., pol., med.* unilateral; partial, bias(s)ed; exclusive; *⁓e Ernährung* unbalanced nutrition; *⁓e Lungenentzündung* single pneumonia; **2seitigkeit** *f* (*-*) one-sidedness; **⁓senden** *v/t.* (*irr., h.*) send in; transmit; submit, file, hand in; *soccer*: net, drive *the ball* home; **2sender(in** *f*) *m* sender, transmitter; *to newspaper*: contributor; **2sendung** *f* sending in, transmittal; contribution; letter; **⁓senken** *v/t.* (*h.*) sink (*or* let) in; **2senkung** *f* depression.

Einser ['aınzər] *m* (*-s; -*) → *Eins.*

'**einsetz|en I.** *v/t.* (*h.*) set (*or* put) in; insert; institute; set up (*committee, etc.*); *mil.* engage, put into action; stake (*money*); install *official*: (*in acc.* in), appoint (to); appoint, constitute (*j-n als* a p. [as] *agent, heir, chairman, etc.*); use, employ, apply, *fig. a.* bring into action (*or* play); assign *labo(u)r* (*zu* to); risk, stake (*one's life*); *sich ⁓ für* (*acc.*) **a**) stand up for, **b**) plead for, advocate, **c**) champion; *sich voll ⁓* do one's utmost, pull one's weight, work hard; *für j-n*: go the limit for a p.; **II.** *v/i.* (*h.*) *mus.* strike (*or* chime) in; *fever, tide, weather, etc.*: set in; *wieder ⁓* recommence, revive; **2ung** *f* (*-; -en*) insertion; institution; appointment; installation; → *Einsatz.*

'**Einsicht** *f* inspection; examination; *fig.* insight; understanding, discernment, judgement; understanding, reasonable view; *⁓ nehmen in* (*acc.*) inspect, examine; *zur ⁓ kommen* listen to reason; **2ig** *adj.* → *einsichtsvoll*; **⁓nahme** ['-na:mə] *f* (*-; -n*): (*zur ⁓* for) inspection; *nach ⁓* on sight; **2slos** ['-lo:s] *adj.* injudicious; unreasonable; **2svoll** *adj.*

judicious, prudent; reasonable, sensible.

'**ein...: ~sickern** ['-zikərn] *v/i.* (*sn*) soak in(to *in acc.*); ooze (*or* trickle, seep) in; (*a. mil., etc.*) infiltrate; **2siede'lei** [-zi:də'laɪ] *f* (-; -*en*) hermitage; **2siedler(in** *f*) *m* hermit; **~siedlerisch** *adj.* solitary; **~silbig** ['-zilbiç] *adj.* monosyllabic; taciturn; curt, short; *~es Wort* monosyllable; **2silbigkeit** *f* (-) *fig.* taciturnity, curtness; **~sinken** *v/i.* (*irr., sn*) sink in(to *in acc.*); *ground, etc.*: subside, cave in; **~sitzen** *jur. v/i.* (*irr., h.*) serve time, be detained; **2sitzer** *m* (-*s*; -) single-seater; **~sitzig** ['-zitsiç] *adj.* single-seated.

'**Einsonderungsdrüse** *anat. f* endocrine gland.

'**ein...: ~spannen** *v/t.* (*h.*) stretch (*in e-n Rahmen*: in a frame); harness, put in (*horse*); *tech.* clamp, chuck; *fig.* harness; make *a p.* work; **2spänner** ['-ʃpɛnər] *m* (-*s*; -) one-horse carriage; *fig.* bachelor; outsider, recluse; **~spännig** *adj.* one-horse; **~sparen** *v/t.* (*h.*) save up, economize; **2sparung** *f* (-; -*en*) saving(s *pl.*); economizing, economies *pl.*; **~speicheln** *v/t.* (*h.*) salivate; **~speisen** *tech. v/t.* (*h.*) feed; **~sperren** *v/t.* (*h.*) lock (*or* shut) in, turn the key on *a p.*; gaol (*esp. Am.* jail), lock up, put behind bars; cage (up); **~spielen** *v/t.* (*h.*) *mus.* practise; *tech.* (*a. sich*) balance out; *film*: realize, net; *sich ~ sports*: warm up; *fig. sich aufeinander ~* become co-ordinated; *sich ~* (*matter*) get into its stride; *sie sind gut aufeinander eingespielt a. fig.* they are a fine team (*or* show excellent teamwork); *es hat sich gut eingespielt* it is functioning well *or* running smoothly.

'**Einspiel-ergebnisse** *n/pl. film*: box-office returns.

'**einspinnen** *v/t.* (*irr., h.*) spin in(to *in acc.*); *zo. sich ~* (form a) cocoon; *fig.* lead a solitary life, keep to o.s.; *eingesponnen in* (*acc.*) absorbed (*or* wrapped up) in; → *einlochen*.

'**Einsprache** *f* → *Einspruch*.

'**ein...: ~sprechen I.** *v/t.* (*irr., h.*): *j-m Mut ~* encourage a p.; *j-m Trost ~* comfort a p.; **II.** *v/i.* (*irr., h.*): *auf j-n ~* talk insistently to (*or* buttonhole) a p.; urge a p.; **~sprengen** *v/t.* (*h.*) burst open; sprinkle (*mit* with *water, etc.*); admix; *geol.* interstratify; intersperse (*a. fig.*); **~springen** *v/i.* (*irr., sn*) jump in(to *in acc.*); *tech.* catch, snap; *cloth*: shrink; bend in; *fig.* help out, step in(to the breach); *für j-n ~* substitute (*Am. a.* pinch-hit) for a p.; relieve a p.; *thea.* understudy for a p.; *~ auf* (*acc.*) fly at, fall upon; *~der Winkel* re-entrant angle.

'**Einspritz|düse** *mot. f Diesel*: injection nozzle; *carburettor*: jet; **2en** *v/t.* (*h.*) inject (*in acc.* into); **~motor** *m* fuel injection engine; **~pumpe** *mot. f* (fuel) injection pump; **~ung** *f* (-; -*en*) injection.

'**Einspruch** *m* objection, protest, veto; *jur.* objection, demurrer, appeal; *patent law*: opposition; *~ erheben* enter a protest (*gegen* against); veto (*a th.*); *jur.* demur (to), file an objection (against); **~srecht** *n* (right of) veto.

einspurig ['aɪnʃpu:riç] *adj.* single-track.

einst [aɪnst] *adv.* once, at one time, erstwhile; in the days of old; (*future*) one (*or* some) day, in days to come.

'**ein...: ~stampfen** *v/t.* (*h.*) stamp *or* ram in(to *in acc.*); *tech. a.* tamp in; pulp (*publications*); **2stand** *m* entrance; *tennis*: deuce; *den ~ geben* pay (for) one's footing; **2standspreis** *m* cost price; **~stäuben** *v/t.* (*h.*) dust, powder; **~stechen** *v/t.* (*irr., h.*) prick, puncture; stick in (*needle*); *tech. machine tool*: cut, recess; make a hole in, pierce; engrave; **~stecken** *v/t.* (*h.*) put (*or* stick) in; pocket; sheathe (*sword*); *fig.* pocket, clean up (*profit*); pocket, swallow, put up with (*rebuke, etc.*); take, get caught by *a blow*; *colloq. er kann viel ~* he can take a lot (of punishment).

'**Einsteck|kamm** *m* dress comb; **~lauf** *mil. m* subcalibre barrel, *Am. a.* liner; **~schloß** *n* mortise-lock.

'**ein...: ~stehen** *v/i.* (*irr., sn*): *~ für* (*acc.*) answer (*or* vouch, be responsible) for; guarantee; **~steigen** *v/i.* (*irr., sn*) get in(to *in acc.*), board (*vehicle*); *rail. alle ~!* take your seats, please!, *Am.* (all) aboard!; climb (*or* slip) in, enter; **2steigdieb** *m* sneak thief, cat-burglar; **2steigloch** *n* manhole.

'**einstell|bar** *adj.* adjustable; **~en** *v/t.* (*h.*) put in; garage (*car*); *mil.* recruit, enlist; engage, employ (*workers, etc.*); adjust *mechanism* (*a. fig., auf acc.* to), set; *radio*: tune in (to), syntonize; *chem.* standardize; *opt., a. fig.* focus (*auf acc.* on); time; put into service (*or* operation); *sports*: *e-n Rekord ~* tie a record; give up, drop, stop, leave off, discontinue, cease; stop, suspend (*payment*); *mil.* suspend (*hostilities*), cease (*fire*); → *Arbeit*; suspend (*work*), stop (*operations*); *den Betrieb ~* shut down; *jur.* stay *or* quash (*proceedings*), dismiss (*a case*); withdraw (*a suit*); *sich ~* appear, turn up; *weather, etc.*: set in; *consequences*: be (*or* make o.s.) felt; *thought, word*: suggest itself; *fig. sich ~ auf* (*acc.*) adjust (*or* adapt) o.s. to; study (*an opponent*); *auf et.*: **a)** prepare for, **b)** set one's mind on a th.; *sozial etc., eingestellt* socially, *etc.*, minded; *eingestellt auf et.* prepared for *a. th.*, to *inf.*; keyed to, geared to; *eingestellt gegen* (*acc.*) opposed to.

'**einstellig** *adj.* of one place *or* figure; *~e Zahl* unit, one-digit number.

'**Einstell|knopf** *m radio*: tuning control (*or* knob); **~marke** *tech. f* reference mark, index; **~scheibe** *f* dial; *phot.* focussing screen.

'**Einstellung** *f mil.* recruiting, enlistment; *of labo(u)r, etc.*: engagement; *tech.* adjustment, setting; *mot. of ignition, valve, a. bomb*: timing; *chem.* standardization; *opt., phot.* focus(sing); *film*: angle; cessation, discontinuance; *of operations*: stoppage, *a. of hostilities, payment*: suspension; strike, *Am. a.* walkout; *jur.* stay (*of proceedings*), nolle prosequi; withdrawal (*of a charge*); (mental *or* personal) attitude (*zu dat.* to[wards]); view (of); approach (to); outlook (on).

'**einstemmen** *v/t.* (*h.*) *tech.* mortise; chisel out (*hole*); *die Arme eingestemmt* arms akimbo.

einstens ['aɪnstəns] *adv.* → *einst*.

'**einsticken** *v/t.* (*h.*) embroider (*in acc.* into *or* on).

einstig ['aɪnstiç] *adj.* future; former, *Am. a.* one-time; (*dead*) late.

'**einstimm|en** *mus. v/i.* (*h.*) chime (*or* join) in; *in ein Lied ~* join in a song; *fig.* agree (*in acc.* to); chime in (with); **~ig** *adj. mus.* of (*or* for) one voice; *fig.* unanimous; **2igkeit** *f* (-) unanimity.

einstmals ['aɪnstma:ls] *adv.* → *einst*.

'**ein...: ~stöckig** *adj.* one-storied; **~stopfen** *v/t.* (*h.*) stuff *or* cram in(to *in ac.c*); **~stöpseln** *v/t.* (*h.*) plug in; **~stoßen** *v/t.* (*irr., h.*) push (*or* thrust) in; smash (in); **~streichen** *v/t.* (*irr., h.*) pocket (*money*); **~streuen** *v/t.* (*h.*) strew in(to *in acc.*); *fig.* intersperse, slip in; **~strömen** *v/i.* (*sn*) stream (*or* flow) in(to *in acc.*); **~studieren** *v/t.* (*h.*) study; *thea.* rehearse, produce (*play*), get up (*part*); *einstudiert werden* be in rehearsal.

'**einstuf|en** *v/t.* (*h.*) classify (*in acc.* into, *als* as), grade, rate; *hoch ~* rate high; **~ig** *tech. adj.* single-stage; **2ung** *f* (-; -*en*) classification, rating.

'**Einsturz** *m* collapse, crash.

einstürzen *v/i.* (*sn*) fall in, break (*or* tumble) down, collapse; cave in; *fig. auf j-n*: overwhelm *a p.*

'**Einsturzgefahr** *f* danger of collapse.

einstweil|en ['aɪnst'vaɪlən] *adv.* meanwhile, in the meantime; for the present, for the time being; **~ig** *adj.* temporary, provisional; interim; *jur. ~e Verfügung* interlocutory decree, injunction.

'**eintägig** *adj.* one day's, one-day; *bot., zo., med.* ephemeral.

'**Eintagsfliege** *f* day-fly, ephemera; *fig.* ephemeral success, flash in the pan.

'**Eintänzer** *m* gigolo; taxi-dancer (*a.* **~in** *f*).

'**ein...: ~tauchen I.** *v/t.* (*h.*) dip in(to *in acc.*), immerse (in); sop, steep in; **II.** *v/i.* (*sn*) dive *or* plunge (*in acc.* into); **~tauschen** *v/t.* (*h.*) exchange, barter (*both*: *gegen* for); trade in *a th.*; **~teilen** *v/t.* (*h.*) (sub)divide (*in acc.* into); arrange (in); distribute, parcel out; graduate; plan, map out; bugdet; time; classify, grade, group; dispose of; *zur Arbeit*: detail, assign (to *work*); **~teilig** *adj.* one-part, one-piece; *~er Badeanzug* one-piece (swimming-suit).

'**Einteilung** *f* division; arrangement; distribution; plan(ning); schedule; budget; classification; grouping; graduation, scale.

eintönig ['-tø:niç] *adj.* monotonous; *fig. a.* drab, humdrum; **2keit** *f* (-) monotony.

'**Eintopfgericht** *n* hot-pot.

'**Ein...: ~tracht** *f* (-) harmony, concord, peace; **2trächtig** ['-trɛçtiç]

I. *adj.* harmonious, peacable; → *einmütig*; II. *adv.*: ~**beisammen** (*sitzend, liegend*) cheek by jowl; ~**trag** [ˈ-traːk] *m* (-[e]s; ⸚e) entry, item; *fig.* prejudice; damage; ~ *tun* (*dat.*) prejudice, injure, affect, detract from; ♀**tragen** *v/t.* (*irr.*, *h.*) enter (*in acc.* into); book, list, record; (*a. sich* ~ *lassen*) register (*bei* with); *as member*: enrol(l) (with); incorporate (*company, society*); insert; *sich* ~ (*person*) enter (*or* inscribe) one's name, register (*bei* with); bring in, yield (*profit*) *rein* ~ net; *fig.* bring *misfortune, etc.* on (*j-m* a p.); *dies trug ihm den Haß s-r Kollegen ein* by this he incurred the hatred of his colleagues; *eingetragenes Warenzeichen* registered trade-mark; ♀**träglich** [ˈ-trɛːkliç] *adj.* profitable, lucrative; remunerative, paying, worthwhile; *agr., mining*: productive; ~**träglichkeit** *f* (-) profitableness, *etc.*; ~**tragung** *f* (-; -*en*) entry; registration (*bei* with); item; insertion; ♀**tränken** *v/t.* (*h.*): *ich werde es ihm* ~ I'll make him pay for it; ♀**träufeln** *v/t.* (*h.*) instil(l) (*in acc.* into), pour in drop by drop (*or* in drops); ♀**treffen** *v/i.* (*irr., sn*) arrive; → *eingehen*; *als erster* (*zweiter*) ~ come in first (second); happen, come about, arrive; come true, be fulfilled; ~**treffen** *n* arrival, appearance; ♀**treiben** *v/t.* (*irr., h.*) drive in *or* home (*cattle, nail*); collect (*debts, taxes*); recover, *jur.* enforce (*payment*); ~**treibung** *f* (-; -*en*) collection, recovery.

ˈ**eintreten I.** *v/i.* (*irr., sn*) enter (*in ein Haus* a house), step (*or* come) in; *fig. in* (*acc.*): enter (*a profession, a. p.'s services*); join (*army, club, business*); *als Teilhaber* ~ enter into partnership (*j-s* with a p.); enter on (*an office*); enter into, open (*negotiations*); open (*proceedings*); enter into (*a p.'s rights or obligations*); happen, occur, take place, come about; *case, necessity, circumstances*: arise; *liability, etc.*: accrue; *darkness, silence*: fall; *weather, etc.*: set in; *death*: occur; *der Tod trat auf der Stelle ein* death was instantaneous; *für j-n*: answer for, stand up (*or* intercede) for a p. *für et.*: advocate a th., → *befürworten*; **II.** *v/t.* (*irr., h.*) stamp in(to the ground); kick open, crash (*door*); *sich et.* ~ run a th. into one's foot; ~**denfalls** [ˈ-dənˈfals] *adv.* in that case, should the case arise.

eintrichtern [ˈ-triçtərn] *v/t.* (*h.*) pour in through a funnel; *fig. j-m et.* ~ drum (*or* hammer) a th. into a p.'s head.

ˈ**Eintritt** *m* entry, entrance; admission, access; beginning; *of weather, etc., a. med., etc.*: setting in, onset; ~ *frei!* free entrance!; ~ *verboten!* no admittance!, keep out!; ~**sgeld** *n* entrance-fee; ~**skarte** *f* (admission) ticket.

ˈ**ein...:** ~**trocknen** *v/i.* (*sn*) dry in *or* up; shrivel up; ~**trüben:** *sich* ~ (*h.*) become cloudy *or* overcast; ♀**trübung** *f* cloudiness, overcast sky; ~**tunken** *v/t.* (*h.*) dip *or* steep in(to *in acc.*); sop; ~**üben** *v/t.* (*h.*): *et.* (*a. sich*) practise *a th.*; *j-n*: train, coach, drill *a p.*

einverleib|en [ˈaɪnfɛrlaɪbən] incorporate (*dat. or in acc.* in, with); embody (in); annex *land* (to); ♀**ung** *f* (-) incorporation, inclusion; annexation.

Einvernahme [ˈ-fɛrnaːmə] *jur. f* (-; -*en*) interrogation, examination (*of witnesses*).

Einvernehmen [ˈ-fɛrneːmən] *n* (-*s*) agreement, (good) understanding, harmony; *in gutem* ~ on friendly terms (*mit* with); *im* ~ *mit* (*dat.*) in agreement with; *sich mit j-m ins* ~ *setzen* come to an understanding with a p.

ˈ**einverstanden** *adj.*: ~ *sein* agree, be agreeable; *mit et.*: agree (*or* consent) to, approve of a th.; ~! agreed!; all right!, that's a bargain!, *sl.* O.K. (*or* okay)!

ˈ**Einverständnis** *n* agreement, understanding; → *Einvernehmen*; assent, consent (*zu* to), approval; *geheimes* ~ secret understanding, *esp. jur.* collusion.

ˈ**ein...:** ~**wachsen I.** *v/i.* (*irr., sn*) grow in(to *in acc.*); *eingewachsener Nagel* ingrown nail; **II.** *v/t.* (*h.*) wax (*floor*); ♀**wand** [ˈ-vant] *m* (-[e]s; ⸚e) objection (*gegen* to), argument (against); *jur.* defen|ce, *Am.* -se; → *Einspruch*; ♀**wanderer** *m* immigrant; ~**wandern** *v/i.* (*sn*) immigrate (*in acc.* into); ♀**wanderung** *f* immigration; ~**wandfrei I.** *adj.* unobjectionable; incontestable, unassailable; completely accurate; blameless, impeccable; sound (*alibi*); ~*e Führung* irreproachable conduct; faultless, flawless, trouble-free, perfect; **II.** *adv.*: ~ *der Beste* absolutely (*or* undeniably) the best; ~**wärts** [ˈ-vɛrst] *adv.* inward(s); ~**weben** *v/t.* (*h.*) weave (*or* work) in(to *in acc.*); *fig.* interweave (*in acc.* in); ~**wechseln** *v/t.* (*h.*) change; exchange (*gegen* for); cash; ~**wekken** *v/t.* (*h.*) → *einmachen*; ♀**wegbahn** *f* monorailway; ~**weichen** *v/t.* (*h.*) soak, steep, macerate.

ˈ**einweih|en** *v/t.* (*h.*) *eccl.* consecrate; inaugurate, *Am.* dedicate (*monument, etc.*), open (formally); ~ *in* (*acc.*) initiate into; *j-n in ein Geheimnis* ~ let a p. into a secret; *eingeweiht sein* be in the secret (*or* know); ♀**ung** *f* (-; -*en*) consecration; ordination; inauguration, (formal) opening, dedication; initiation; ♀**ungsrede** *f* inaugural address.

ˈ**einweis|en** *v/t.* (*irr., h.*) direct, guide; install (*in acc.* in *an office*); assign in(to *in acc.*); *aer.* vector (*a plane*); brief (*personnel*); ♀**er** *m* guide; ♀**ung** *f* guidance; installation; assignment; vectoring; briefing.

ˈ**einwend|en** *v/t.* (*irr., h.*) object (*gegen* to), oppose (*gegen a th.*); ~, *daß* argue that; *es läßt sich nichts dagegen* ~ there is nothing to be said against it; ♀**ung** *f* objection, exception; protest; argument; ~*en erheben gegen* (*acc.*) raise objections to, argue against, oppose.

ˈ**ein...:** ~**werfen** *v/t.* (*irr., h.*) throw in (*a. v/i. soccer*); smash, break (*window*); post, *Am.* mail (*letter*); *fig.* interject, throw in (*remarks*); object; ~**wertig** *chem. adj.* monovalent; ~**wickeln** *v/t.* (*h.*) wrap (up), envelope (*in acc.* in); swaddle, swathe (*child, patient*); *fig.* trick, dupe; butter *a p.* up, *Am. sl.* soft-soap; ♀**wickelpapier** *n* wrapping paper; ~**wiegen** *v/t.* (*h.*) rock *child* to sleep; *fig.* lull.

ˈ**einwillig|en** *v/i.* (*h.*) consent, agree (*in acc.* to), acquiesce (in), approve (of); ♀**ung** *f* (-; -*en*) consent, approval.

ˈ**einwirk|en** *v/i.* (*h.*): ~ *auf* (*acc.*) act (*med. a.* = operate) (up)on, *a. w.s.* have an effect (up)on; affect; influence, work on *a p.*; ~ *lassen chem.* allow to react; ♀**ung** *f* action, operation, effect; influence.

Einwohner [ˈ-voːnər] *m* (-*s*; -), ~**in** *f* (-; -*nen*) inhabitant, resident; ~**meldeamt** *n* registration office; ~**schaft** *f* (-) inhabitants *pl.*, population; ~**zahl** *f* number of inhabitants, (total) population.

ˈ**Einwurf** *m soccer*: throw-in; *for letters, etc.*: opening, slit; *for coins*: slot; *fig.* objection.

ˈ**einwurzeln:** *sich* ~ (*h.*)take root; *fig.* become deeply rooted; → *eingewurzelt*.

ˈ**Einzahl** *gr. f* (-) singular (number).

ˈ**einzahl|en** *v/t.* (*h.*) pay in (*auf acc.* to *an account*); *voll eingezahlt* fully paid-up; ♀**er(in** *f*) *m* depositor; ♀**ung** *f* payment; deposit; instal(l)ment; *econ.* e-e ~ *auf Aktien leisten* pay a call on shares; ♀**ungsschein** *m* pay(ing)-in slip, *Am.* deposit slip.

einzäun|en [ˈ-tsɔʏnən] *v/t.* (*h.*) fence in; ♀**ung** *f* (-; -*en*) enclosure; fence.

ˈ**einzeichn|en** *v/t.* (*h.*) draw (*or* mark) in; enter; plot; insert; *sich* ~ enter one's name, subscribe; ♀**ung** *f* mark, entry; subscription.

Einzel|akkord [ˈaɪntsəl-] *m* individual contract work; ~**aufhängung** *mot. f* independent suspension; ~**aufstellung** *f* detailed enumeration, specification, *Am. a.* itemized schedule; ~**ausgabe** *f* separate edition; ~**beratung** *parl. f*: *in* ~ *eintreten* go into committee; ~**betrag** *m* single amount, item; ~**darstellung** *f* detailed presentation, separate treatment; ~**fall** *m* individual (*or* isolated) case; ~**fertigung** *f* single-part production, single-piece work; ~**feuer** *mil. n* independent fire; *machine-gun*: single(-shot fire); ~**firma** *f* private firm, one-man business; ~**gänger** [ˈ-gɛŋər] *fig. m* (-*s*; -) lone wolf (*or* hand); outsider; ~**haft** *f* solitary confinement; ~**handel** *m* retail trade; ~**handelspreis** *m* retail price; ~**händler** *m* retailer; retail dealer; ~**haus** *n* detached house; ~**heit** *f* (-; -*en*) particular point, detail, item; isolated fact; *bis in alle* ~*en* down to the smallest detail; *mit allen* ~*en* with full particulars *or* details; *sich mit* ~*en befassen* go into detail(s); ~**kampf** *m mil.* single (*or* hand-to-hand) combat; *aer.* dogfight; *sports*: individual competition; ~**kosten** *pl.* itemized costs *pl.*;

~**leben** *n* (-s) individual (*or* solitary) life; ~**leistung** *f* individual performance.

einzellig ['aɪntsɛlɪç] *adj.* unicellular.

'**Einzellohn** *m* individual wage.

einzeln ['aɪntsəln] **I.** *adj.* single, solitary; particular, special; individual; isolated; separate; detached; odd (*shoe, etc.*); *die ~en Teile* the several parts; *jeder ~e* each one; down to the last man, every man-jack; *~es* some (things *or* parts); → *einige*; *im ~en* **a)** in detail, **b)** in particular; *ins ~e gehen* go into detail(s); **II.** *adv.* single; individually; separately; severally; one by one; *~ angeben or aufführen* specify, itemize; *econ. ~ verkaufen* (sell by) retail; 2**e(r)** *m* (-[e]*n*; -[e]*n*): *der ~e* the individual.

'**Einzel...:** ~**persönlichkeit** *f* individual; ~**prokura** *econ. f* power of procuration; ~**richter** *jur. m* judge sitting singly; ~**spiel** *n tennis*: single; 2**stehend** *adj.* isolated; detached (*building*); scattered; ~**teil** *m* component (part); *Lieferant von ~en* parts supplier; ~**unternehmen** *n* → *Einzelfirma*; ~**unternehmer** *m* individual entrepreneur, sole proprietor; ~**unterricht** *m* private lessons *pl.*; ~**verkauf** *m* sale by retail; ~**verpackung** *f* unit packing; ~**wertberichtigung** *econ. f* ad hoc value adjustment; ~**wesen** *n* individual (being); ~**zeichnung** *f* detail drawing; ~**zelle** *f biol.* isolated cell; *in prison*: solitary cell; ~**zimmer** *n* single (room).

einzieh|bar ['aɪntsi:ba:r] *adj. tech.* retractable; recoverable, collectible (*money*); seizable (*goods*); ~**en I.** *v/t.* (*irr., h.*) draw in; *esp. aer., tech.* retract; strike (*flag*); take in, furl (*sail*); insert; *typ.* indent; *mil.* call up, conscript, *Am.* draft, induct; *mil.* withdraw (*sentry*); *jur.* seize, confiscate; collect (*tax, etc.*); cash; withdraw *bank-notes, etc.* (from circulation), call in; *Erkundigungen ~* → *erkundigen*; **II.** *v/i.* (*irr., sn*) come in, enter, march in(to *in acc.*); *lodger*: move in(to *in acc.*); *bei j-m*: take lodgings with a p.; *liquid*: soak in, be absorbed; 2**ung** *f mil.* call-up, *Am.* drafting, induction; *jur.* confiscation, seizure, forfeiture; *econ.* collection; withdrawal (*of coins, etc.*; *mil. of sentries*).

einzig ['aɪntsɪç] **I.** *adj.* only; single; sole; unique, peerless; **II.** *adv.*: *~ und allein* solely, purely and simply; *nicht ein ~es Mal* never once; *mein ~er Gedanke* my one thought; *~ dastehen* be unique, stand alone, be second to none; *der ~e* the only one; *unser 2er* our only son; *kein ~er* not a single person; *das ~e wäre, zu inf.* the only thing would be to *inf.*; ~**artig** ['-ʔa:rtɪç] **I.** *adj.* unique, singular; unparalleled; **II.** *adv.*: *~ schön* of rare (*or* singular) beauty, marvel(l)ous.

'**einzuckern** *v/t.* (*h.*) sugar.

'**Einzug** *m* entry, entrance, march (-ing) *or* procession in(to *in acc.*); moving in(to *in acc.*), occupation (*of a house*); *s-n ~ halten in* (*acc.*) → *einziehen* **II.** *fig. of season, etc.*: coming, advent; → *Einziehung*; *typ.* indentation.

'**einzwängen** *v/t.* (*h.*) squeeze (*or* jam, force) in; *fig.* constrain, strait-jacket.

'**Eipulver** *n* dried egg.

E-is ['e:ʔɪs] *mus. n* (-; -) E sharp.

Eis [aɪs] *n* (-es) ice; ice(-cream); *von ~ eingeschlossen* ice-bound; *auf ~ legen* ice, *a. fig.* put on ice (*or* into cold storage); *fig. das ~ brechen* break the ice; *j-n aufs ~ führen* dupe a p., take a p. in.

'**Eis...:** ~**bahn** *f* skating-rink, (ice-) rink; ~**bär** *m* polar (*or* white) bear; 2**bedeckt** *adj.* ice-covered; ~**bein** *n* pickled knuckle of pork (in jelly); ~**berg** *m* iceberg; ~**beutel** *m* ice-bag; ~**blick** *m*, ~**blink** ['-blɪŋk] *m* (-[e]s; -e) iceblink; ~**block** *m* (-[e]s; ¨e) ice-block; ~**blume** *f* frost-flower (*on window*); ~**bombe** *f* ice-cream bombe; ~**brecher** *m* ice-breaker; *of bridge*: ice-apron; ~**decke** *f* sheet of ice; ~**diele** *f* ice-cream parlo(u)r.

'**eisen** (-s; -) *v/t.* (*h.*) ice.

'**Eisen** *n* (-s; -) iron; *tech.* iron tool; horseshoe; → *Bügel2, Guß2, Roh2, etc.*; *j-n in ~ legen* put a p. in irons; *fig. heißes ~ anfassen* tackle a hot problem, play with dynamite, tread on delicate ground; *altes ~* scrap iron; *zum alten ~ werfen* consign to the scrap-heap, scrap, *fig. j-n*: throw *a p.* on the (economic) scrap-heap; shelve; *zwei ~ im Feuer haben* have two strings to one's bow; (*man muß*) *das ~ schmieden, solange es heiß ist* strike the iron while it is hot, make hay while the sun shines; *ein Mann aus ~* a man of iron; ~**abfälle** [-apfɛlə] *m/pl.* iron scrap; 2**artig** ['-a:rtɪç] *adj.* ferruginous; ~**azetat** *chem. n* ferric acetate.

'**Eisenbahn** *f* railway, *Am.* railroad; train; *mit der ~* by rail, by train; → *Bahn*; *colloq. es ist die höchste ~* it is high time.

'**Eisenbahn...:** → *Bahn...*; ~**abteil** *n* compartment; ~**betriebsmaterial** *n* rolling stock; ~**er** *m* (-s; -) railwayman, *Am.* railroader; ~**knotenpunkt** *m* (railway) junction; ~**netz** *n* railway (*Am.* railroad) network; ~**obligationen** *econ. f/pl.* railway (debenture) stocks, *Am.* railroad bonds *pl.*; ~**schaffner** *m* railway guard; ~**station** *f* railway (*Am.* railroad) station, *Am. a.* depot; ~**tarif** *m* railway tariff; ~**transport** *m* transport(ation *Am.*) by rail; ~**unglück** *n* railway accident, train disaster; ~**wagen** *m* railway carriage *or* coach, *Am.* railroad car; ~**zug** *m* train.

'**Eisen...:** ~**band** *n* (-[e]s; ¨er) iron hoop, steel band; ~**bau** *m* (-[e]s; -ten) iron (*or* steel) structure; ~**bergwerk** *n* iron mine, iron-pit; ~**beschlag** *m* iron mountings *pl.*, hardware; 2**beschlagen** *adj.* iron-bound; ~**beton** *m* reinforced (*or* armo[u]red) concrete; 2**bewehrt** ['-bəve:rt] *adj.* reinforced, armo(u)red; ~**blech** *n* sheet iron; ~**chlorid** *chem. n* ferric chloride; ~**erz** *n* iron-ore; ~**fresser** *fig. m* bully, fire-eater; ~**gieße'rei** *f* iron-foundry; ~**glanz** *m* iron glance, h(a)ematite; ~**guß** *m* iron casting; cast iron; 2**haltig** *adj.* ferruginous; ~**hammer** *m* iron-works *pl.*; ~**handel** *m* iron trade; 2**hart** *adj.* (as) hard as iron; ~**hut** *bot. m* aconite, monk's-hood; ~**hütte** *f* ironworks *pl.*; ~**kohlenstoff** *m* iron carbide; ~**konstruktion** *f* iron construction; steel structure; ~**kraut** *bot. n* (-[e]s) vervain; ~**manganerz** *n* manganiferous iron-ore; ~**mennige** *f* red och|re, *Am.* -er; ~**oxyd** *chem. n* ferric oxide; 2**schaffend** *adj.*: *~e Industrie* iron and steel producing industry; ~**späne** ['ʃpɛ:nə] *m/pl.* iron filings; ~**spat** *min. m* spathic iron, siderite; ~**stange** *f* iron (*or* steel) rod; ~**träger** *m* iron girder; ~**walzwerk** *n* iron rolling mill; ~**waren** *f/pl.* ironware, *esp. Am.* hardware; ~**warenhändler** *m* ironmonger, *Am.* hardware dealer; ~**warenhandlung** *f* ironmonger's (shop), *Am.* hardware store; ~**werk** *n* iron-work; (*plant*) iron-works *pl.*; ~**zeit** *f* (-) Iron Age.

eisern ['aɪzərn] *adj.* iron, of iron; *fig. a.* cast-iron, robust; hard, inflexible, rigid; → *Besen, Lunge, Ration, Faust, etc.*; *~er Bestand* permanent stock; *~er Fleiß* indefatigable industry; *~er Grundsatz* hard and fast principle; *~er Wille* iron will; *mit ~er Stirn* undaunted, *b.s.* with brazen effrontery.

'**Eis...:** ~**fläche** *f* ice surface; sheet of ice; 2**frei** *adj.* free from ice, ice-free; ~**gang** *m* (-[e]s) ice-drift; 2**gekühlt** ['-gəky:lt] *adj.* iced; ~**glas** *n* frosted glass; ~**glätte** *f* icy road conditions; 2**grau** *adj.* hoary; ~**heilige** *pl.* Ice Saints; ~**hockey** *n* ice-hockey; ~**hockeyscheibe** *f* puck; ~**hockeyschläger** *m* ice-hockey stick; ~**hockeyspieler** *m* ice-hockey player.

eisig ['aɪzɪç] *adj.* icy, glacial; *fig. a.* chilly.

'**Eis...:** ~**kaffee** *m* iced coffee; 2**kalt** *adj.* icy-cold; *fig.* icy-nerved; brazen, cool; glacial, icy; ~**kasten** *m* ice-box; ~**keller** *m* ice-cellar; ~**krem** *f* ice-cream; ~**kunstlauf** *m* figure skating; ~**kunstläufer(in** *f*) *m* figure skater; ~**lauf** *m* skating; 2**laufen** *v/i.* (*irr., sn*) skate; ~**läufer(in** *f*) *m* skater; ~**maschine** *f* ice-machine; ~**meer** *n* polar sea; *Nördliches* (*Südliches*) *~* Arctic (Antarctic) Ocean; ~**pickel** *m* ice-ax(e); ~**punkt** *m* freezing point; ~**schicht** *f* coating of ice, ice layer; ~**schießen** *n* curling; ~**schnellauf** *m* speed-skating; ~**schnelläufer** *m* speed-skater; ~**scholle** *f* ice-floe; ~**schrank** *m* refrigerator, *Am. a.* ice-box; ~**segeln** *n* ice-yachting; ~**sport** *m* ice-sport; ~**tanz** *m* ice dance; ~**vogel** *m* kingfisher; ~**waffel** *f* ice-cream bar; ~**wasser** *n* iced water; ~**würfel** *m* ice-cube; ~**zapfen** *m* icicle; ~**zeit** *f* glacial period, ice-age; ~**zone** *f* frigid zone.

eitel ['aɪtəl] *adj.* vain (*auf acc.* of); conceited; vain, empty; mere, sheer, nothing but; vain, futile; *eitles Gerede* idle talk; *eitles Gold* pure gold; *eitle Hoffnung* idle hope; *eitle Versprechungen* empty promises; 2**keit** *f* (-; -en) vanity; vainness, futility.

Eiter ['aɪtər] *m* (-s) matter, pus; **~beule** *f* abscess, boil, *fig.* canker, festering sore; **~bildung** *f* suppuration; **~bläs-chen** *n* pustule; **~erreger** *m* pyogenic organism; **~herd** *m* suppurative focus; **2ig** *adj.* purulent, suppurative; **2n** *v/i.* (*h.*) fester, discharge pus, suppurate; **~pfropf, ~stock** *m* core; **~ung** *f* (-; -*en*) festering, suppuration.

'**Eiweiß** *n* (-es; -e) white of egg, albumen, protein; **2arm** *adj.* poor in albumen; *~e Ernährung* low albumen diet; **2haltig** *adj.* albuminous; **~körper** *m* protein, albuminous body; **~mangel** *m* protein deficiency; **~stoff** *m* albumen.

'**Eizelle** *f* egg-cell, ovum.

Ekel ['e:kəl] **1.** *m* (-s) disgust (*vor dat.* of), loathing (at), aversion (to); nausea; *~ empfinden über* (*acc.*) be nauseated at, shudder *or* sicken at; *~ erregen* nauseate, sicken; → *ekeln*; **2.** *n* (-s; -) *colloq.* nasty (*or* loathsome) person, (perfect) horror, pest; **2erregend** *adj.* nauseating, sickening; **2haft, 2ig** *adj.* nauseous, disgusting, revolting, loathsome; *fig.* nasty, beastly; **2n** *v/refl. and impers.* (*h.*): *es ekelt mich or mich ekelt or ich ekle mich davor* (*dat.*) I loathe it, it disgusts me, it sickens me (*or* makes me sick).

eklatant [ekla'tant] *adj.* striking, brilliant, sensational; blatant, flagrant.

eklig ['e:kliç] *adj.* → *ekelig.*

Eksta|se [ɛk'stɑ:zə] *f* (-; -*n*) ecstasy; *in ~ geraten über* (*acc.*) go into ecstasies over; **2tisch** *adj.* ecstatic (-ally *adv.*).

Ekzem [ɛk'tse:m] *med. n* (-s; -e) eczema.

Elan [e'lɑ̃:] *m* (-s) élan (*Fr.*), spirit, dash; → *Schwung.*

elastisch [e'lastiʃ] *adj.* elastic(ally *adv.*) (*a. fig.*); resilient, springy; (*a. mot. or fig.*) flexible.

Elastizi'tät [elastitsi'tɛ:t] *f* (-) elasticity (*a. fig.*); resilience, springiness; (*a. tech., mot. or fig.*) flexibility.

Elch [ɛlç] *m* (-[e]s; -e) elk; moose.

Elefant [ele'fant] *m* (-en; -en) elephant; *fig. ~ im Porzellanladen* bull in a china shop; *aus e-r Mücke e-n ~en machen* make a mountain out of a molehill; **~enrüssel** *m* elephant's trunk, proboscis; **~enzahn** *m* elephant's tusk.

elegan|t [ele'gant] *adj.* elegant (*a. fig.*), stylish, fashionable, smart; dressy; **2z** [-'gants] *f* (-) elegance; stylishness.

Elegie [ele'gi:] *f* (-; -*n*) elegy; **elegisch** [e'le:giʃ] *adj.* elegiac; *fig. a.* melancholy, sad.

elektrifizier|en [elɛktrifi'tsi:rən] *v/t.* (*h.*) electrify; **2ung** *f* (-) electrification.

Elektriker [e'lɛktrikər] *m* (-s; -) electrician.

e'lektrisch I. *adj.* electric(al); *~er Antrieb* electric drive; *~er Apparat* electrical apparatus; *~e Bahn* electric railway; *~e Beleuchtung* electric lightning; *~e Energie* electrical energy; *~er Schlag* electric shock; *~er Strom* electric current; *~er Stuhl* electric chair; *~e Uhr* electric clock; **II.** *adv.*: *~ betreiben* run by electricity; *~ beheizt* electric (*blanket, radiator, etc.*); *~ betätigt* electrically operated; **2e** *colloq. f* (-n; -n) (electric) tram, *Am.* streetcar.

elektrisier|bar [-'zi:rbɑ:r] *adj.* electrifiable; **~en** *v/t.* (*h.*) electrify (*a. fig.*); **2maschine** *f* electrical (*or* electrostatic) machine; **2ung** *f* (-; -*en*) electrification; electrization.

Elektrizität [-tsi'tɛ:t] *f* (-) electricity; (electric) current; **~sgesellschaft** *f* electricity-supply company; **~smessung** *f* electrometry; **~sversorgung** *f* electric supply; **~swirtschaft** *f* electro-economics *pl.*, (public) electricity supply; **~szähler** *m* electricity meter.

Elektro|analyse [e'lɛktro-] *f* electro-analysis; **~chemie** *f* electro-chemistry; **2chemisch** *adj.* electro-chemical.

Elektrode [elɛk'tro:də] *f* (-; -*n*) electrode; plate, element; *negative ~* cathode; *positive ~* anode; **~nabstand** *m* electrode spacing, *mot.* spark plug air gap; **~nmetall** *n* filler metal.

E'lektro...: **~dynamik** *f* electrodynamics *pl.*; **2dynamisch** *adj.* electrodynamic; **~gerät** *n* electrical appliance; **~geschäft** *n* electrical supply shop; **~herd** *m* electric range; **~ingenieur** *m* electrical engineer; **~kardiogramm** *n* electrocardiogram; **~karren** *m* electric truck.

Elektroly|se [-'ly:zə] *f* (-; -*n*) electrolysis; **~t** *m* (-en; -e) electrolyte; **2tisch** *adj.* electrolytic.

E'lektro...: **~magnet** *m* electromagnet; **~mechanik** *f* electromechanics *pl.*; **~mechaniker** *m* electrician; **2mechanisch** *adj.* electro-mechanic(ally *adv.*); **~meter** *n* electrometer; **~mobil** [-mo'bi:l] *n* (-s; -e) electromobile; **~motor** *m* (electric) motor; **2motorisch** *adj.* electromotive.

Elektron [e'lɛktrɔn] *n* (-s; -'onen) electron.

Elektronen... [-'tro:nən]: **~aussendung, ~emission** *f* emission of electron; **~blitz(gerät** *n*) *m phot.* electronic flash; **~gehirn** *n* electronic brain; **~hülle** *f* electron shell; **~kamera** *f* electron camera; **~mikroskop** *n* electron microscope; **~rechner** *m* computer; **~röhre** *f* electron *or* thermionic valve (*Am.* tube).

Elektro|nik [elɛk'tro:nik] *f* (-) electronics *pl.*; **2nisch** *adj.* electronic (-ally *adv.*).

E'lektro...: **~ofen** *m* electric stove; *metall.* electric furnace; **~physik** *f* electrophysics *pl.*; **2plattieren** *v/t.* (*h.*) electroplate; **~rasierer** *m* (-s; -) electric razor; **~schock** *med. m* electro-shock; **~schweißung** *f* electric welding.

Elektroskop [-'sko:p] *n* (-s; -e) electroscope.

E'lektrostahl *m* electric steel.

Elektro'sta|tik *f* electrostatics *pl.*; **2tisch** *adj.* electrostatic(ally *adv.*).

Elektro'tech|nik *f* (-) electrical engineering; **~niker** *m* electrical engineer, electro-technician; **2nisch** *adj.* electrotechnical; electrical (*industry, part, etc.*).

Elektrothera|'peutik *f* electrotherapeutics *pl.*; **2'peutisch** *adj.* electrotherapeutic(al); **~'pie** *f* electrotherapy.

elektro'thermisch *adj.* electrotherm|al (*or* -ic).

Elektrotypie [-ty'pi:] *f* (-) electrotype.

Element [ele'mɛnt] *n* (-[e]s; -e) (*a. phys., chem., tech.*) element; *el. a.* cell, battery; *fig.* (*nicht*) *in s-m ~ sein* be in (out of) one's element; *~e pl.* elements, rudiments *pl.*; *schlechte ~e* (*persons*) bad elements.

elementar [-'tɑ:r] *adj.* elemental; *fig.* elementary, rudimentary, primary; primitive; *~e Gewalt* elemental force; **2buch** *n* primer; **2gewalt** *f* elemental force; **2schule** *f* elementary (*or* primary, *Am.* grade) school; **2stoff** *m* element(ary matter); **2teilchen** *n* elementary (*or* sub-atomic) particle; **2unterricht** *m* elementary instruction.

Elen ['e:lɛn] *m and n* (-s; -), **~tier** *n* elk.

Elend ['e:lɛnt] *n* (-[e]s) misery, wretchedness; distress, need; poverty, penury; squalor; *ins ~ geraten* fall into misery; *im* (*größten*) *~ leben* live in (utter) misery; → *stürzen*; *das heulende ~* the horrors *pl.*, the blues; *es ist schon ein ~ mit ihm* it's no end of trouble with him.

'**elend I.** *adj.* miserable, wretched; distressed, poverty-stricken; pitiable, pitiful; miserable, base; terrible; **II.** *adv. colloq.* awfully, terribly; *~ aussehen* look very poorly; *sich ~ fühlen* feel miserable (*or* wretched, seedy); **~iglich** ['-dikliç] *adv.* miserably, wretchedly.

'**Elendsviertel** *n* slum(s *pl.*).

Elev|e [e'le:və] *m* (-n; -n), **~in** *f* (-; -*nen*) trainee.

elf [ɛlf] *adj.* eleven; '**Elf**[1] *f* (-; -en) *soccer*: eleven, team.

'**Elf**[2] *m* (-en; -en), **~e** *f* (-; -*n*) elf, fairy, pixie.

'**Elfenbein** *n* (-[e]s) ivory; **2ern** *adj.* (of) ivory; ivorylike; *~er Turm* ivory tower; **2farbig** *adj.* ivory-colo(u)red; **~küste** *geogr. f* (-) Ivory Coast; **~schnitze'rei** *f* ivory carving.

'**Elfen...**: **~königin** *f* elf-queen; **~reich** *n* fairyland.

'**elf...**: **~fach** *adj.* elevenfold; **~mal** *adv.* eleven times; **2meter(ball)** [-'-] *m soccer*: penalty kick; **2metermarke** [-'-] *f* penalty spot.

elfte ['-tə] *adj.* eleventh; **2l** *n* (-s; -) eleventh (part); **~ns** *adv.* in the eleventh place, eleventh.

eliminieren [elimi'ni:rən] *v/t.* (*h.*) eliminate.

Elite [e'li:tə] *f* (-; -*n*): *die ~* the élite (*Fr.*), the pick (*or* cream, flower); **~truppen** *f/pl.* picked (*or* crack) troops; **~vorstellung** *thea. f* star performance.

Elixier [eli'ksi:r] *n* (-s; -e) elixir.

Elle ['ɛlə] *f* (-; -*n*) yard; *anat.* ulna.

'**Ell(en)bogen** *m* (-s; -) elbow; *mit dem ~ stoßen* elbow; *sich mit den ~ den Weg bahnen* elbow one's way (*durch* through); **~freiheit** *f* (-) elbow-room; **~gelenk** *n* elbow-joint.

'**Ellen...:** **Ձlang** *adj.* one yard in length; *fig.* very long; lengthy, endless; **~maß** *n* yardstick; **~waren** *f/pl.* drapery *sg.*, *Am.* dry-goods; **Ձweise** ['-vaɪzə] *adv.* by the yard.

Ellip|se [ɛ'lipsə] *f* (-; -*n*) *math.* ellipse; *gr.* ellipsis; **Ձtisch** *adj.* elliptic(al).

Elmsfeuer ['ɛlms-] *n* St. Elmo's fire, corposant.

Eloxalverfahren [elɔ'ksɑ:l-] *n* anodizing process.

elo'xieren *v/t.* (*h.*) anodize.

Elritze ['ɛlritsə] *ichth. f* (-; -*n*) minnow.

Elsaß ['ɛlzas] *n* (-): *das* ~ Alsace; **~-Lothringen** ['-'lo:triŋən] *n* (-*s*) Alsace-Lorrain.

Elsäss|er ['ɛlzɛsər] *m* (-*s*; -), **~erin** *f* (-; -*nen*), **Ձisch** *adj.* Alsatian.

Elster ['ɛlstər] *f* (-; -*n*) magpie.

elterlich ['ɛltərliç] *adj.* parental; *jur.* ~*e Gewalt* parental authority.

'**Eltern** *pl.* parents; *colloq. nicht von schlechten* ~ not half bad, terrific; **~beirat** *m* Parents' Council; **~haus** *n* house of one's parents, home; **~liebe** *f* (-) parental love; **Ձlos** *adj.* parentless, orphan(ed); **~schaft** *f* (-) parentage; the parents *pl.*; **~teil** *m* parent.

Email [e'mɑ:j] *n* (-*s*; -*s*), **~le** [e'maljə] *f* (-; -*n*) enamel; **~arbeiter** *m* enamel(l)er; **~farbe** *f* enamel paint; **~geschirr** *n* enamel ware; **~lack** *m* enamel varnish.

emaillieren [ema(l)'ji:rən] *v/t.* (*h.*) enamel.

Emanation [emanatsi'o:n] *phys. f* (-; -*en*) emanation.

Emanzipation [emantsipatsi'o:n] *f* (-; -*en*) emancipation; **emanzi'pieren** *v/t.* (*h.*) emancipate.

Embargo [ɛm'bargo] *n* (-*s*; -*s*) embargo; *ein* ~ *legen auf* (*acc.*) lay an embargo on *a th.*, lay *a th.* under an embargo.

Embolie [ɛmbo'li:] *med. f* (-; -*n*) embolism.

Embryo ['ɛmbryo] *m* (-*s*; -*s*) embryo; **Embryologie** [-lo'gi:] *f* (-) embryology; **embryonal** [-'nɑ:l] *adj.* embryonic, embryo.

emeritieren [emeri'ti:rən] *univ. v/t.* (*h.*) retire.

Emigrant [emi'grant] *m* (-*en*; -*en*) emigrant; **emi'grieren** *v/i.* (*sn*) emigrate.

eminen|t [emi'nɛnt] *adj.* eminent, distinguished, outstanding; **Ձz** [-'nɛnts] *eccl. f* (-; -*en*): *Seine* ~ His Eminence.

Emission [emisi'o:n] *f* (-; -*en*) *phys.* emission; *econ.* issue; **~sbank** *f* (-; -*en*) bank of issue, issuing house; **~sgeschäft** *n* issuing transaction; **~skurs** *m* rate of issue.

emittieren [emi'ti:rən] *econ. v/t.* (*h.*) issue.

e-Moll *n* (-) e minor.

emotional [emotsio'nɑ:l], **emotionell** [-'nɛl] *adj.* emotional; **Emotionen** [-tsi'o:nən] *pl.* emotions.

empfahl [ɛm'pfɑ:l] *pret. of empfehlen.*

Empfang [ɛm'pfaŋ] *m* (-[e]*s*; ⸚e) reception (*a. radio*); receipt; *nach* (*or bei*) ~ *von* (*gen.*) on receipt (*or* delivery) of; *j-m e-n guten* (*schlechten*) ~ *bereiten* give a p. a kind (cold) reception *or* welcome; *den* ~ *bestätigen* acknowledge receipt; *in* ~ *nehmen* receive; *auf* ~ *bleiben teleph.*, *radio*: stand by; **Ձen I.** *v/t.* (*irr.*, *h.*) receive; welcome; see (*a p.*); accept; draw (*salary*, *etc.*); **II.** *v/i.* (*irr.*, *h.*) conceive, become pregnant.

Empfänger [ɛm'pfɛŋər] *m* (-*s*; -) receiver (*a. teleph.*, *radio*), recipient; payee; consignee; addressee; acceptor (*of bill of exchange*); transferee; beneficiary (*of credit*).

emp'fänglich *adj.* susceptible (*für* to), receptive (to), responsive (to); *med.* predisposed *or* prone (to); impressionable; **Ձkeit** *f* (-) susceptibility, receptivity; impressionableness; *med.* predisposition, proneness (*für* to).

Emp'fängnis *f* (-; -se) conception; **Ձverhütend** *adj.* contraceptive; ~*des Mittel* contraceptive, prophylactic; **~verhütung** *f* contraception.

Emp'fangs...: **~antenne** *f* receiving aerial (*Am.* antenna); **~bereich** *m radio*: service area, range of reception; **~bescheinigung** *f* receipt; **~bestätigung** *f* advice (*or* acknowledgement) of receipt; **~chef** *m* reception (*Am.* room) clerk; **~dame** *f*, **~herr** *m* receptionist; **~gerät** *n* receiving set; **~schein** *m* receipt; **~stärke** *f* reception intensity; **~station** *f econ.*, *rail.* point of destination; *radio*: receiving station; **~störung** *f radio*: interference, jamming(s *pl.*); statics, atmospherics *pl.*; **~tag** *m* at-home (day); **~zimmer** *n* reception-room, parlo(u)r.

empfehlen [ɛm'pfe:lən] *v/t.* (*irr.*, *h.*) recommend (*als* as, *für* for); commend (*dat.* to); *sich* ~ *thing*: commend itself (*für* for); *sich j-m* ~ present one's respects (*or* compliments) to a p.; ~ *Sie mich* (*dat.*) please remember me to; *sich* ~ *method*, *etc.*: suggest itself; *iro.* take one's leave; → *französisch*; *es empfiehlt sich, zu inf.* it is recommendable (*or* advisable) to *inf.*; **~swert** *adj.* (re)commendable.

Emp'fehlung *f* (-; -*en*) recommendation; *auf* ~ on recommendation; *gute* ~*en haben* be highly recommended, have good references; *meine besten* ~*en an* (*acc.*) my best regards (*or* compliments) to; **~sschreiben** *n* letter of recommendation.

empfinden [ɛm'pfindən] *v/t.* (*irr.*, *h.*) feel (*a. v/i.*); *et. als lästig*, *etc.* ~ feel a th. to be troublesome, *etc.*; perceive, sense; experience.

emp'findlich I. *adj.* sensitive (*a. phot.*, *tech. gegen* to); *med. a.* allergic (to); delicate, tender; vulnerable; squeamish; irritable, testy; touchy; sensible; severe (*cold*); grievous (*affront*); critical (*want*); acute (*pain*); severe, drastic (*pain*); heavy, bad (*loss*); susceptible; *s-e* ~*ste Stelle* his sore spot; **II.** *adv.*: *phot.* ~ *machen* sensitize; ~ *getroffen* severely *or* badly hit; **Ձkeit** *f* (-; -*en*) sensitiveness; allergy; delicacy; irritability; touchiness; severity.

emp'findsam *adj.* sensitive, tender; sentimental; **Ձkeit** *f* (-; -*en*) sensitiveness; sentimentality.

Emp'findung *f* (-; -*en*) sensation; perception; *w.s.* feeling, sense; *ich habe die* ~, *daß* I have a feeling that; **Ձslos** *adj.* insensitive (*für*, *gegen* to); insensible; numb (*limb*); *b.s. fig.* unfeeling, hardhearted; **~slosigkeit** *f* (-) insensitiveness (*für*, *gegen* to), insensibility; apathy; numbness; **~svermögen** *n* (-*s*) sensitive (*or* perceptive) faculty; **~szelle** *f* sensory cell.

empfohlen [ɛm'pfo:lən] *p.p. of empfehlen.*

Empha|se [ɛm'fɑ:zə] *f* (-; -*n*) emphasis; **Ձtisch** [-tiʃ] *adj.* emphatic(ally *adv.*).

Empir|ik [ɛm'pi:rik] *f* (-) empiricism; **~iker** *m* (-*s*; -) empiric; **Ձisch** *adj.* empiric(al).

empor [ɛm'po:r] *adv.* up, upwards; *poet.* aloft, on high; **~arbeiten:** *sich* ~ (*h.*) work one's way up; **~blicken** *v/i.* (*h.*) look up (*zu* to).

Empore [ɛm'po:rə] *arch. f* (-; -*n*) choir loft, gallery.

empören [ɛm'pø'rən] *v/t.* (*h.*) (rouse to) anger, incense; offend, insult; shock, scandalize; *sich* ~ revolt, rebel, rise (in arms); grow furious, flare up, boil with indignation; *empört* furious, fuming; indignant; shocked, scandalized (*über acc.* at); **~d** *adj.* outrageous; shocking, scandalizing.

Em'pörer *m* (-*s*; -), **~in** *f* (-; -*nen*) insurgent, rebel; **Ձisch** *adj.* rebellious, mutinous.

em'por...: **~heben** *v/t.* (*irr.*, *h.*) lift (up), raise; **~kommen** *v/i.* (*irr.*, *sn*) rise, get up; *fig.* rise (in the world); **Ձkömmling** [-kœmliŋ] *m* (-*s*; -*e*) upstart, parvenu (*Fr.*); **~ragen** *v/i.* (*sn*) tower, loom, rise (*über acc.* above); **~schießen** *v/i.* (*irr.*, *sn*) *plants*: shoot (*or* spring) up; *water*: gush up; *fig. überall* ~ mushroom up; rocket up; **~schnellen** *v/i.* (*sn*) *and sich* ~ (*h.*) jerk (*or* bounce, bound) up; *a. prices*: jump (up); **~schrauben:** *sich* ~ (*h.*) spiral up (*a. prices*); **~schwingen:** *sich* ~ (*irr.*, *h.*) soar up, rise (aloft); **~steigen** *v/i.* (*irr.*, *sn*) rise, ascend; soar; **~streben** *v/i.* (*h.*) strive (*or* tend) upwards; *fig.* aspire, aim high; **~treiben** *v/t.* (*irr.*, *h.*) force (*or* drive) up(wards).

Empörung [ɛm'pø:ruŋ] *f* (-; -*en*) revolt, rebellion, insurrection; mutiny; indignation, resentment (*über acc.* at).

emsig ['ɛmziç] *adj.* busy, active, bustling; assiduous, sedulous, hard-working; eager, keen, zealous; indefatigable; **Ձkeit** *f* (-) activity; industry, assiduity; zeal, eagerness.

emul|gieren [emul'gi:rən] *chem. v/i.* (*sn*) *and v/t.* (*h.*) emulsify; **Ձsion** [-zi'o:n] *f* (-; -*en*) emulsion.

End|abnehmer ['ɛnt-] *econ. m* ultimate buyer; **~absicht** *f* end (in view), ultimate object; **~bahnhof** *m* terminus, railhead, *Am.* terminal; **~be-arbeitung** *f* finishing; **~betrag** *m* sum total, grand total, aggregate; **~buchstabe** *m* final letter.

Ende ['ɛndə] *n* (-*es*; -*n*) end; *of time*: close; *film*, *etc.*: ending; termination; result, outcome, upshot; *zo.* antler, point; *äußerstes ~* extreme end, extremity; *~ Januar* late in January; *~ der dreißiger Jahre* in the late thirties; *am ~* **a**) at (*or* in) the end, **b**) after all, **c**) perhaps, maybe, **d**) eventually; in the long run; *bis zum bitteren ~* to the bitter end; *letzten ~s* in the final analysis, strictly speaking, when all is said and done; *e-r Sache ein ~ machen* put an end to a th.; *zu ~ führen* bring to an end, complete; *zu ~ gehen* (come to an) end, draw to a close, → *enden*; *supplies*: run short; *zu ~ sein* be at an end, be over; *~ gut, alles gut* all's well that ends well; *das dicke ~ kommt nach* the disagreeable part is yet to come; *die Arbeit geht ihrem ~ entgegen* the work is nearing completion; → *Weisheit*; *es geht mit ihm zu ~* he is going *or* sinking fast, he is on his last legs; *es ist noch ein gutes ~ bis dahin* it's a long way off yet; *ohne daß ein ~ abzusehen wäre* with no end in sight; *alles muß einmal ein ~ haben* there is an end to everything; *das nimmt kein ~* that goes on and on.

endemisch [ɛnˈdeːmiʃ] *med. adj.* endemic(al).

ˈ**enden I.** *v/t.* (*h.*) → *beend(ig)en*; **II.** *v/i.* (*h.*) (come to an) end, close, terminate; cease, finish, stop; *speaker*: wind up *or* close (*mit den Worten* by saying); die, meet one's death; *nicht ~ wollend* unending, rounds and rounds of (*applause*).

ˈ**End...: ~ergebnis** *n* final result, upshot; **~es-unterzeichnete(r** *m*) *f the* undersigned; **≈gültig** *adj.* final, definitive; definite (*answer*); conclusive (*proof*); *jur. ~es Scheidungsurteil* decree final (*or* absolute).

ˈ**endigen** *v/t. and v/i.* (*h.*) → *enden*; *gr. ~ auf* (*acc.*) terminate in.

Endivie [ɛnˈdiːviə] *bot. f* (-; -*n*) endive.

End... [ˈɛnt-]: **~kampf** *m sports*: final; finish; **~lauf** *m* final (heat *or* run).

ˈ**endlich I.** *adj.* final, ultimate; limited; *phls. and math.* finite; **II.** *adv.* at last, at length, finally; *~ doch* after all; **≈keit** *f* (-) finiteness.

ˈ**endlos** *adj.* endless, interminable; boundless, infinite; *tech.* continuous, endless; **≈papier** *n* continuous paper.

ˈ**End...: ~lösung** *f* final solution; **~montage** *f* final assembly; **~preis** *m* price to ultimate consumer; **~produkt** *n* end (*or* final, finished) product; **~punkt** *m* final (*or* extreme) point; **~reim** *m* end-rhyme; **~resultat** *n* final result, upshot; **~runde** *f sports*: final; *~nteilnehmer* (*-in*) finalist; **~silbe** *f* final syllable; **~spiel** *n sports*: final; **~spurt** *m* final spurt, finish; **~station** *f* terminus, railhead, *Am.* terminal; **~stück** *n* end piece; **~stufe** *el. f* output *or* final stage; **~summe** *f* (sum) total.

Endung [ˈɛnduŋ] *f* (-; -*en*) ending, termination.

End... [ˈɛnt-]: **~urteil** *n* final decision; **~verbraucher** *m* ultimate consumer; **~röhre** *f radio*: output valve; **~wert** *m* final value; **~ziel** *n* final aim (*or* objective), ultimate end; **~zweck** *m* ultimate object, final aim (*or* purpose).

Energetik [enɛrˈgeːtik] *phys. f* (-) energetics *pl.*

Enerˈgie *f* (-; -*n*) energy, power; *fig. a.* vigo(u)r, force, drive; *~ der Lage* potential energy; *mit ~ erfüllen* energize; **~aufspeicherung** *f* accumulation (*or* storage) of energy; **~einheit** *f* unit of energy; **≈geladen** *fig. adj.* dynamic, bursting with energy; **≈los** *adj.* lacking (in) energy, weak, slack; **~losigkeit** *f* (-) lack of energy, weakness; **~quelle** *f* source of energy; *el., etc.* power source; **~umwandlung** *f* transformation of energy; **~wirtschaft** *f* power industry; power economy.

energisch [eˈnɛrgiʃ] *adj.* energetic (-ally *adv.*), vigoro(u)s, dynamic; assertive; sharp, imperative; *~ werden* put one's foot down.

eng [ɛŋ] **I.** *adj.* narrow (*a. fig.*); tight (*shoe, etc.*); clinging; crowded, (closely) packed; close; (*innig*) intimate, close; *~ befreundet sein* be great friends; *~er machen* tighten, take in (*clothes*); *im ~eren Sinne* in a restricted sense, strictly speaking; → *Wahl*; **II.** *adv.*: *~ zusammenlegen* fold compactly.

Engagement [ãgaʒəˈmaː] *n* (-*s*; -*s*) engagement; *econ. and fig.* commitment.

engaˈgieren *v/t.* (*h.*) engage (*sich* o.s.); employ, take in, *Am. a.* hire; *fig. sich ~* commit o.s.; *gegen*: join issue with; *econ.* invest, tie up (*capital*); *engagiert* committed (*writer, etc.*); *sehr engagiert sein* be very busy, have a crowded schedule.

engbrüstig [ˈɛŋbrystiç] *adj.* narrow-chested; → *kurzatmig*.

Enge [ˈɛŋə] *f* (-) narrowness (*a. fig.*); closeness; tightness; narrow passage, (*a. fig.*) bottleneck; (*pl.* -*n*) (*of sea*) strait; *fig.* tight spot; *in die ~ treiben* (drive into a) corner; *in die ~ getrieben* cornered, with one's back to the wall.

Engel [ˈɛŋəl] *m* (-*s*; -) angel; *guter* (*gefallener, rettender*) *~* good (fallen, preserving) angel; *colloq. die ~ im Himmel singen hören* see stars; *du bist ein ~!* you are an angel (*or* a dear)!; **~chen** *n* (-*s*; -) little angel, cherub; **≈haft** *adj.* angelic; **~schar** *f* host of angels; **~sgeduld** *f* patience of Job; **~szunge** *f*: *mit ~n reden* speak with the tongues of angels; **~wurz** [ˈ-vurts] *bot. f* (-; -*en*) angelica.

Engerling [ˈɛŋərliŋ] *m* (-*s*; -*e*) grub (*or* larva) of the cockchafer, white worm.

ˈ**engherzig** *adj.* narrow(-minded), hidebound; **≈keit** *f* (-) narrow(-minded)ness, pettiness.

England [ˈɛŋlant] *n* (-*s*) England; **≈feindlich** *adj.* anti-British; **~freund** *m* Anglophile; **~hasser** *m* Anglophobe.

Engländer [ˈɛŋlɛndər] *m* (-*s*; -) Englishman, *Am. a.* Britisher; *pl. the* English; *tech.* (adjustable) spanner, monkey-wrench; **~in** *f* (-; -*nen*) Englishwoman.

ˈ**englisch**[1] *eccl. adj.*: *≈er Gruß* angelic salutation; Ave Maria.

ˈ**englisch**[2] *adj.* English; *w.s.* British; *~e Kirche* Anglican church; *~e Krankheit* rickets *pl. or sg.*; *~es Pflaster* court-plaster; *cul. ~* (*gebraten*) underdone, *Am.* rare; **≈** *n* (-[*s*]): *das ~(e)* English, the English language; *auf ≈* in English; *aus dem ~en* from (the) English; *ins ~e* into English; **~-deutsch** *adj.* Anglo-German; English-German (*dictionary*); **≈horn** *mus. n* (-[*e*]*s*; ⸗*er*) English horn; **≈leder** *n* moleskin; **~sprechend** *adj.* English-speaking.

engmaschig [ˈɛŋmaʃiç] *adj.* close-meshed; *soccer*: close.

ˈ**Engpaß** *m* (narrow) pass, defile, *Am. a.* notch; *fig.* bottleneck; **~material** *n* critical material.

Engramm [ɛnˈgram] *med. n* (-*s*; -*e*) engram.

engros [ãˈgroː] *adv.* wholesale; **≈handel** (**≈händler, ≈preis**) *m* wholesale business (dealer, price).

engstirnig [ˈɛŋʃtirniç] *adj.* narrow (-minded), insular, hidebound.

Enkel [ˈɛŋkəl] *m* (-*s*; -) (*~kind*) grandchild; (*~sohn*) grandson; *w.s.* descendant; **~in** *f* (-; -*nen*) granddaughter.

Enklave [ɛnˈklaːvə] *f* (-; -*n*) enclave.

enorm [eˈnɔrm] *adj.* enormous, huge; *colloq.* terrific, great.

Enquete [ãˈkɛːt(ə)] (*Fr.*) *f* (-; -*n*) investigation, inquiry.

Ensemble [ãˈsãːbəl] *mus., thea. n* (-*s*; -*s*) ensemble; cast.

entart|en [ɛntˈʔaːrtən] *v/i.* (*sn*) degenerate; deteriorate; **~et** *adj.* degenerate, abnormal; *fig.* decadent, debased; **≈ung** *f* (-; -*en*) degeneration; deterioration; abnormity; *fig.* decadence; corruption, depravation.

entˈäußern *v/t.* (*h.*): *sich ~* (*gen.*) dispose (*or* get rid) of; divest o.s. of, part with, discard; → *veräußern*.

entbehr|en [ɛntˈbeːrən] *v/t.* (*h.*) lack, miss, want; do (*or* go) without, dispense with; *ich kann ihn nicht ~* I can't spare him; *die Beschuldigung entbehrt jeder Grundlage* the charge is entirely unfounded; **~lich** *adj.* dispensable; non-essential; unnecessary, needless; superfluous; **≈lichkeit** *f* (-) superfluity, needlessness; **≈ung** *f* (-; -*en*) privation, want.

entˈbieten *v/t.* (*irr., h.*): *j-m s-n Gruß ~* present (*or* send) one's compliments to a p.; *j-m e-n guten Morgen ~* bid a p. a good morning; *j-n zu sich ~* send for (*or* summon) a p.

entˈbind|en *v/t.* (*irr., h.*) dispense, release, excuse (*von* from); *chem.* disengage, liberate, set free; deliver *woman*; *entbunden werden* (*von*) be delivered (of), give birth (to); **≈ung** *f* dispensation, release, exemption (*von* from); *med.* delivery, accouchement (*Fr.*); **≈ungsanstalt** *f* lying-in (*or* maternity) hospital, *Am.* maternity home.

ent'blättern *v/t.* (*h.*) strip of leaves, defoliate; *sich* ~ shed *its* leaves.

entblöden [ɛnt'blø:dən]: *sich nicht* ~ (*h.*) *zu inf.* not to be ashamed to *inf.*, have the impudence to *inf.*

entblöß|en [-'blø:sən] *v/t.* (*h.*) bare, denude, strip (to the skin); uncover (*one's head*); draw (*sword*); *med.*, *mil.* expose; *sich* ~ strip (*gen.* of); *fig.* divest, strip (*gen.* of); *entblößt* bare, naked, nude; *fig.* destitute, stripped (of); **2ung** *f* (-; -*en*) denudation; *med.*, *mil.* exposure; *fig.* deprivation; destitution.

ent'brennen *v/i.* (*irr.*, *sn*) be inflamed (*in Liebe zu j-m* with love for a p.); *anger*: blaze up; *fight, etc.*: break out; start.

ent'deck|en *v/t.* (*h.*) discover; strike (*oil, etc.*); detect, find out, spot; reveal, expose; disclose; *et. zufällig* ~ stumble (up)on a th.; *sich j-m* ~ confide in a p., unbosom o.s. to a p.; **2er** *m* (-*s*; -), **2erin** *f* (-; -*nen*) discoverer; **2ung** *f* (-; -*en*) discovery; detection; disclosure, exposure; **2ungsreise** *f* voyage of discovery, expedition.

Ente ['ɛntə] *f* (-; -*n*) duck; *junge* ~ duckling; *fig. newspaper*: canard, hoax.

ent'ehr|en *v/t.* (*h.*) dishono(u)r (*a. a woman*), disgrace, degrade; **~end** *adj.* dishono(u)ring, disgraceful; degrading; **2ung** *f* (-; -*en*) dishono(u)ring; disgrace; degradation.

ent'eign|en *v/t.* (*h.*) expropriate, disposses; **2ung** *f* (-; -*en*) expropriation.

ent'eilen *v/i.* (*sn*) hasten away, be gone; escape; *time*: slip away.

ent'eis|en *v/t.* (*h.*) free from ice; *mot., etc.* defrost; *aer.* de-ice; **2ung** *f* defrosting; de-icing, ice eliminating; **2ungs-anlage** *f* defroster; de--icing equipment.

'Enten...: **~braten** *m* roast duck; **~ei** *n* duck's egg; **~jagd** *f* duck--shooting; **~schnabel** *m* duck's bill; *med.* speculum; **~teich** *m* duck--pond.

Enterbeil ['ɛntər-] *mar. n* boarding--ax(e).

ent'erb|en *v/t.* (*h.*) disinherit, cut a p. off with a shilling (*Am.* cent); **2ung** *f* (-; -*en*) disinheriting.

'Enterhaken *mar. m* grapnel.

Enterich ['ɛntəriç] *m* (-*s*; -*e*) drake.

entern ['ɛntərn] *v/t.* (*h.*) board, grapple.

entfachen [ɛnt'faxən] *v/t.* (*h.*) kindle, set ablaze; *fig. a.* arouse, call forth, provoke.

ent'fahren *v/i.* (*irr.*, *sn*): *j-m* ~ escape a p.

ent'fallen *v/i.* (*irr.*, *sn*) fall (*or* slip, drop) (*den Händen* from one's hands); *fig. j-m* ~ escape a p., slip a p.'s memory; be inapplicable; *in formular*: *entfällt* not applicable; *auf j-n* ~ fall to a p.('s share), be allotted to; *auf Einzelhändler* ~ *60%* the share of retailers is 60 per cent.

ent'falt|en *v/t.*, *a. sich* (*h.*) unfold; expand, spread; unroll; unfurl (*flag*); *mil.* (*a. sich*) deploy, spread out; *fig.* (*a. sich*) expand, unfold, develop (*zu* into); display, exhibit; develop (*faculties*); launch into (*activity*); *dabei kann ich mich nicht recht* ~ this cramps my style; **2ung** *f* (-) unfolding; *mil.* deploy; display (*of pomp, etc.*); development; *zur* ~ *kommen* develop, display o.s.

ent'färb|en *v/t.* (*h.*) discolo(u)r; *tech.* decolo(u)r(ize); bleach; *sich* ~ → *verfärben*; **2ung** *f* (-) decolo(u)rization; bleaching; **2ungsmittel** *n* decolo(u)rant; bleaching agent.

ent'fasern *v/t.* (*h.*) divest of fib|res, *Am.* -ers; ravel out (*fabric*); string (*beans*).

entfern|en [-'fɛrnən] *v/t.* (*h.*) *generally*: remove (*von* from); take away, put aside; clear away; take out (*spot*); strike out (*in a list*); *sich* ~ go away, withdraw, retire, absent o.s. (*von* from); deviate, depart (from); **~t I.** *adj.* remote, distant (*a. relative*); far(away); *e-e Meile von X.* ~ a mile off X., within a mile from X.; *fig.* remote, faint (*similarity, etc.*); *weit* ~! far from it!; *weit* ~ *davon, zu inf.* far from *ger.*; **II.** *adv.*: *fig. nicht* ~ not by a long way; *es ist nicht* ~ *so gut* it can't touch it, it can't compare with it; *nicht im* ~*esten* not in the least; **2ung** *f* (-; -*en*) removal; distance, remoteness; *in e-r* ~ *von* at a distance of; *aus der (einiger)* ~ from the (a) distance; *mil. aus kurzer (großer)* ~ at close (long) range; → *unerlaubt*; **2ungsmesser** *m* (-*s*; -) range-finder (*a. phot.*), telemeter; *person*: range--taker; **2ungsskala** *phot. f* focussing scale.

ent'fessel|n *v/t.* (*h.*) unchain; *fig. a.* set loose; unleash (*war, etc.*); **~t** *adj.* raging (*elements*); uncontrol(l)ed (*passions*).

ent'fett|en *v/t.* (*h.*) remove the fat from, degrease, scour; **2ung** *f* (-) removal of fat, scouring; **2ungskur** *f* slimming-cure; **2ungsmittel** *n med.* slimming (*or* anti-fat) drug; *chem.* degreasing agent, detergent.

ent'flamm|bar *adj.* inflammable; **~en I.** *v/t.* (*h.*) set ablaze; *fig.* inflame, kindle; rouse (*a p.'s anger*), incense (*a p.*); **II.** *v/i.* (*sn*) *phys.* flash; *fig.* → *entbrennen*; **~end** *adj.* inflammatory; **2ungspunkt** *m* flash point.

ent'flecht|en *v/t.* (*irr.*, *h.*) disentangle; *econ.* decartelize, **2ung** *f* (-; -*en*) decartelization.

ent'fliegen *v/i.* (*irr.*, *sn*) fly away (*dat.* from).

ent'fliehen *v/i.* (*irr.*, *sn*) flee, escape, run away (*dat.* from); *time*: fly.

ent'fließen *v/i.* (*irr.*, *sn*) flow (*dat.* from); *fig.* spring *or* emanate (from).

entfremd|en [-'frɛmdən] *v/t.* (*h.*) estrange, alienate (*j-m* from a p.); *sich* ~ become estranged, drift apart; **2ung** *f* (-) estrangement, alienation (of affections).

entfritten [-'fritən] *v/t.* *radio*: decohere.

Entfroster [-'frɔstər] *mot. m* (-*s*; -) defroster.

ent'führ|en *v/t.* (*h.*) carry off; elope (*or* run away) with (*girl*); abduct, kidnap; hijack (*a plane*); **2er(in** *f*) *m* abductor, kidnapper; hijacker; **2ung** *f* abduction, kidnapping; elopement; hijacking.

entgas|en [-'gɑ:zən] *v/t.* (*h.*) degas; deaerate; decontaminate; **2ung** *f* (-) degassing.

ent'gegen *adv.*, *prp.* (*dat.*) **a)** in opposition to; contrary to; in the face of; against; ~ *allen Erwartungen* contrary to all expectations; **b)** towards, against; **~arbeiten** *v/i.* (*h.*) work against, counteract, oppose, inhibit (*e-r Sache* a th.; *j-m* a p.); **~bringen** *v/t.* (*irr.*, *h.*): *j-m et.* ~ carry towards a p.; *fig.* meet a p. with, show, offer (*feeling, etc.*); **~eilen** *v/i.* (*sn*) (*dat.*) hasten to meet; rush into (*one's ruin*); **~gehen** *v/i.* (*irr.*, *sn*) (*dat.*) go to meet (*a p.*); *fig.* approach; face, be in for (*danger, future, etc.*); *dem Ende* ~ be drawing to a close; **~gesetzt** *adj.* opposite; *fig. a.* contrary, opposed (*dat.* to); antagonistic (to); antipodal; **~halten** *v/t.* (*irr.*, *h.*) hold out *or* against; *fig.* object (*dat.* to); contrast (*e-r Sache et. anderes* a th. with another); cite *patent* in opposition; **2haltung** *f patent law*: prior art (reference); **~handeln** *v/i.* (*h.*) (*dat.*) act against; **~kommen** *v/i.* (*dat.*) (*irr.*, *sn*): (come to) meet (*a p.*); *fig.* co-operate (*dat.* with); meet, comply with (*wishes*); *j-m auf halbem Wege* ~ meet a p. halfway; **2kommen** *n* obligingness; co-operation; friendly advance; concession(s *pl.*); **~kommend** *adj.* obliging, accommodating, co-operative; oncoming (*traffic, vehicle*); **~laufen** *v/i.* (*dat.*) (*irr.*, *sn*) run to meet, run up to (*a p.*); *fig.* run counter to; **2nahme** [-'ge:gənnɑ:mə] *f* (-; -*n*) acceptance, receipt; **~nehmen** *v/t.* (*irr.*, *h.*) receive, accept, take; **~rücken** *mil. v/i.* (*sn*) advance *or* march (*dat.* against); **~schlagen** *v/i.* (*irr.*, *h.*) (*dat.*) *heart*: go out to; **~sehen** *v/i.* (*irr.*, *h.*) expect, await; *e-r Sache freudig* ~ look forward to a th.; face, brace o.s. for (*danger*); *e-r baldigen Antwort* ~*d* awaiting (*or* in anticipation of) an early reply; **~setzen** *v/t.* (*h.*) oppose (*dat.* to); contrast (with); put up (*resistance*); → *entgegengesetzt*; **~stehen** *v/i.* (*irr.*, *h.*) be opposed (*dat.* to); stand in the way (of); face (*opponent, etc.*); *jur.* controvert, defeat (*a claim*), bar, preclude (*acc.*); ~*d* contradictory, conflicting; **~stellen** *v/t.* (*h.*) set (*or* pit) against; → *entgegensetzen, -halten*; **~stemmen:** *sich* ~ (*dat.*) (*h.*) set o.s. (*or* one's face) against, oppose, resist, battle against; **~strecken** *v/t.* (*h.*) hold (*or* stretch) out (*dat.* to); **~stürzen** *v/i.* (*sn*) (*dat.*) rush towards; **~treten** *v/i.* (*irr.*, *sn*) (*dat.*) meet (*or* step up to) *a p.*; *fig.* confront, face (*a. a danger*); → *entgegenstemmen*; **~wirken** *v/i.* (*h.*) → *entgegenarbeiten*; **~ziehen** *v/i.* (*irr.*, *sn*) advance (*or* march) (*dat.* towards).

entgegn|en [-'ge:gnən] *v/i.* (*h.*) reply, return; retort; **2ung** *f* (-; -*en*) reply; retort, repartee.

ent'gehen *v/i.* (*irr.*, *sn*) escape (*j-m* a p.; *e-r Sache* from a th.); elude; *fig. j-m* ~ escape a p.('s notice); ~ *lassen* let slip, miss; *sich die Gelegenheit* ~ *lassen* miss one's opportunity; *er ließ sich die Gelegenheit nicht* ~ he seized the opportunity; *es kann ihm nicht* ~, *daß* he cannot fail to notice that; *ihm entging wenig* he didn't miss much.

ent'geistert [-'gaɪstərt] *adj.* aghast, thunderstruck, flabbergasted.

Entgelt [ɛnt'gɛlt] *n* (-[e]s) equivalent; (*contractual*) consideration, remuneration, compensation, recompense; reward; *gegen* ~ for reward; *ohne* ~ free (of charge), gratuitously, gratis; **2en** *v/t.* (*irr., h.*) atone (*or* suffer, pay) for; *j-n et.* ~ *lassen* make a p. suffer (*or* pay) for a th.; **2lich** *adj.* against payment.

entgift|en [ɛnt'giftən] *v/t.* (*h.*) *chem.* detoxicate; *of gas, etc.*: decontaminate; *fig.* clear, decontaminate (*the atmosphere*); **2ung** *f* (-) detoxication; decontamination (*a. fig.*); **2ungsmittel** *n* detoxicating agent; decontaminant.

entgleis|en [ɛnt'glaɪzən] *v/i.* (*sn*) run off the rails, be derailed; ~ *lassen* derail, throw off the rails; *fig.* (make a) slip; commit a faux pas; **2ung** *f* (-; -*en*) derailment; *fig.* slip, faux pas (*Fr.*), (social) blunder.

ent'gleiten *v/i.* (*irr., sn*) slip (*dat.* from); slip away.

entgräten [-'grɛːtən] *v/t.* (*h.*) bone.

ent'haar|en *v/t.* (*h.*) unhair; depilate; **2ungsmittel** *n* depilatory.

ent'halten I. *v/t.* (*irr., h.*) contain; hold; *w.s. a.* comprise, embody; *mit* ~ *sein in* (*dat.*) be included in; *4 ist in 12 dreimal* ~ 4 goes into 12 three times; **II.** *sich* ~ (*irr., h., gen.*) abstain *or* refrain from; *parl. sich der Stimme* ~ abstain from voting; *er konnte sich des Lachens nicht* ~ he could not help laughing.

ent'haltsam *adj.* abstinent, abstemious; moderate, *in drinking*: temperate, sober; *sexually*: continent; **2keit** *f* (-) abstinence, abstemiousness; moderation; temperance, sobriety; continence.

Ent'haltung *f* (-) abstention (*a. parl.*); forbearance.

ent'härt|en *v/t.* (*h.*) soften (*water*); **2ungsmittel** *n* water softener.

enthaupt|en [ɛnt'haʊptən] *v/t.* (*h.*) behead, decapitate; **2ung** *f* (-; -*en*) beheading, decapitation; execution.

ent'häuten *v/t.* (*h.*) skin, flay.

ent'heb|en *v/t.* (*irr., h.*) (*gen.*) relieve (of); release (*or* exempt, dispense, excuse) (from *a duty, etc.*); remove (*from office*), oust; suspend (from); **2ung** *f* (-; -*en*) relief; exemption; removal; suspension.

ent'heilig|en *v/t.* (*h.*) profane, desecrate; **2ung** *f* (-; -*en*) profanation, desecration.

ent'hüll|en *v/t.* (*h.*) uncover, bare; unveil (*face, monument*); show; unveil; *fig.* reveal, disclose, divulge; bring to light, expose; unmask; *sich* ~ reveal o.s. (*als* as); **2ung** *f* (-; -*en*) uncovering; unveiling; *fig.* revelation, disclosure; exposure.

enthülsen [ɛnt'hylzən] *v/t.* (*h.*) shell, husk.

Enthusias|mus [ɛntuzi'asmus] *m* (-) enthusiasm; **~t** *m* enthusiast; (*sports, etc.*) fan; **2tisch** *adj.* enthusiastic(ally *adv.*) (*über acc.* about, at).

ent'jungfer|n [-'juŋfərn] *v/t.* (*h.*) deflower; **2ung** *f* (-; -*en*) defloration.

ent'kalken *v/t.* (*h.*) decalcify.

ent'keimen I. *v/i.* (*sn*) germinate, sprout; *fig.* arise *or* spring (*dat.* from); **II.** *v/t.* (*h.*) degerminate; disinfect; sterilize, pasteurize; free *potatoes* from buds.

entkernen [-'kɛrnən] *v/t.* (*h.*) stone; core (*apple*).

ent'kleiden *v/t., a. sich* (*h.*) undress, strip; take *a p.'s* (one's) clothes off; *fig. e-r Sache* ~ divest (*or* strip) of a th.

ent'kohlen *tech. v/t.* (*h.*) decarbonize.

ent'kommen *v/i.* (*irr., sn*) escape (*j-m* a p.; *aus* from), get away (*or* off); → *knapp I.* **Ent'kommen** *n* escape, get-away.

ent'koppeln *v/t.* (*h.*) *el.* uncouple; *radio*: tune out, neutralize.

ent'korken *v/t.* (*h.*) uncork.

ent'körnen *tech. v/t.* (*h.*) shell, gin.

ent'kräft|en [-'krɛftən] *v/t.* (*h.*) weaken, enfeeble, debilitate; enervate; exhaust; *fig. jur.* invalidate, defeat, refute; **2ung** *f* (-) weakening, enfeeblement, debilitation; *fig. jur.* invalidation; refutation.

ent'kuppeln *v/t.* (*h.*) uncouple, disconnect; *mot.* declutch; (*v/i.*) disengage the clutch.

ent'laden *v/t.* (*irr., h.*) unload (*a. rifle, etc.*), unlade, dump (*goods*); (*esp. el., a. sich*) discharge; *sich* ~ *storm, etc.*: burst, break, *rifle, etc.*: go off, *dynamite, etc.*: explode, detonate; *fig.* pour out (*or* give vent to) *one's anger*; *sein Zorn entlud sich über uns* he vented his anger on us, he took it out on us.

Ent'lade...: **~rampe** *f* unloading ramp *or* platform; **~spannung** *el. f* discharge current.

Ent'ladung *f* unloading; discharge; explosion; *fig.* explosion, eruption; *zur* ~ *bringen* explode, detonate.

ent'lang *adv. and prp.* along; *die Straße* ~ along (*or* down) the street; *den ganzen Weg* ~ the whole lenght of the lane; *an e-m Feld* ~ *gehen* (*fahren, reiten*) skirt a field; *hier* ~, *bitte!* this way, please!

entlarv|en [ɛnt'larfən] *v/t.* (*h.*) unmask, expose; **2ung** *f* (-; -*en*) unmasking, exposure.

ent'lassen *v/t.* (*irr., h.*) dismiss; discharge (*soldier, patient, juror, etc.*) (*aus* from); release, set free (*prisoner*); dismiss (*employee*); remove, oust (*official*); pension off, retire; put *officer* on the retired list, put on half-pay, *b.s.* cashier; discharge, demobilize (*soldiers*); disband (*troops*); *mar.* pay off.

Ent'lassung *f* (-; -*en*) dismissal, discharge; release; removal (from office); retirement; cashierment; demobilization; → *Abschied*; **~sgeld** *mil. n* discharging (*Am.* mustering-out) pay; **~sgesuch** *n* resignation; *jur.* petition for release (from custody); **~s-papiere** *n/pl.* discharge papers; **~sschein** *m* certificate of discharge; **~sschreiben** *n* letter of dismissal.

ent'lasten *v/t.* (*h.*) unburden, take the weight off, ease; relieve (*von* of); *jur. von e-r Anklage*: exonerate, clear, release (*from a charge*); *econ.* approve of the actions of, release; discharge (*the Board*); *j-n für e-n Betrag* ~ credit a p. for a sum.

Ent'lastung *f* (-; -*en*) relief; discharge; exoneration; *econ.* credit (to *a p.*'s account); improvement, easing; *jur. zu s-r* ~ *führte er an* in his defen|ce, *Am.* -se *he argued*; *econ. j-m* ~ *erteilen* → *entlasten*; **~s-angriff** *m*, **~s-offensive** *f* diversionary (*or* relief) attack; **~sstraße** *f* by-pass (road); **~sventil** *n* safety (*or* relief) valve; **~szeuge** *m* witness for the defen|ce, *Am.* -se; **~szug** *m* relief train.

entlaubt [-'laʊpt] *adj.* stripped of its leaves, leafless.

ent'laufen *v/i.* (*irr., sn*) run away (*dat.* from).

ent'laus|en *v/t.* (*h.*) delouse; **2ungsanstalt** *f* delousing station.

entledig|en [-'leːdigən] *v/t.* (*h.*) release, exempt (*gen.* from); *sich* ~ (*gen.*) rid o.s. (*or* get rid) of (*a p. or th.*); acquit o.s. of, discharge (*a duty*); take *one's clothes* off, strip; **2ung** *f* (-) release; *fig.* discharge, execution, performance.

ent'leer|en *v/t.* (*h.*) empty, drain, deplete; *phys. and physiol.* evacuate; deflate (*balloon, etc.*); **2ung** *f* emptying, depletion; evacuation.

entlegen [-'leːgən] *adj.* remote, distant, far-away; out-of-the-way (*village*); **2heit** *f* (-) remoteness, distance.

ent'lehnen *v/t.* (*h.*) borrow (*dat.* of; from *a fig.*).

entleiben [-'laɪbən]: *sich* ~ (*h.*) commit suicide, kill o.s.

ent'leihen *v/t.* (*irr., h.*) → *entlehnen*.

ent'lob|en: *sich* ~ (*h.*) break off one's engagement; **2ung** *f* (-; -*en*) disengagement.

ent'locken *v/t.* (*h.*) draw *or* elicit (*dat.* from); *j-m ein Geheimnis* ~ worm a secret out of a p.

ent'lohn|en *v/t.* (*h.*) pay (off); **2ung** *f* (-; -*en*) pay(ing off); → *Entgelt*.

ent'lüft|en *v/t.* (*h.*) evacuate the air from; *chem.* de-aerate; *mot.* bleed (*brake*); air, ventilate; **2er** *mot. m* air exhauster; *of brake*: bleeder; air vent; **2ung** *f* evacuation of air (*gen.* from); deaeration; ventilation; **2ungsanlage** *f* ventilation system; **2ungsrohr** *mot. n* vent pipe.

entmachten [-'maxtən] *v/t.* (*h.*) deprive *a p.* of *his* power.

entmagneti'sieren *v/t.* (*h.*) demagnetize; (*ship*) degauss.

entmann|en [-'manən] *v/t.* (*h.*) castrate; *fig.* unman; **2ung** *f* (-; -*en*) castration, (*a. fig.*) emasculation.

entmateriali'sieren *v/t.* (*h.*) dematerialize.

entmenscht [-'mɛnʃt] *adj.* inhuman, brutish.

entmilitari'sier|en *v/t.* (*h.*) demilitarize; **2ung** *f* demilitarization.

entminen [-'miːnən] *mil. v/t.* (*h.*) clear of mines.

ent'mischen *chem. v/t.* (*h.*) disintegrate, decompose.

entmündig|en [-'myndigən] *v/t.* (*h.*) put under tutelage (*or* restraint), incapacitate; **~t** *adj.* legally incapacitated, under restraint; **2ung** *f* (-; -*en*) legal incapacitation.

entmutig|en [-'muːtigən] *v/t.* (*h.*) discourage, dishearten; *entmutigt a.*

downhearted; **2ung** *f* (-) discouragement; damper.

Ent'nahme [-'nɑːmə] *f* (-; *-n*) taking (out); drawing, withdrawal (*of money*); *econ. bei* ~ *von* by taking *or* ordering; **~kreis** *el. m* load circuit.

entnazifizier|en [-natsifi'tsiːrən] *v/t.* (*h.*) denazify; **2ung** *f* (-; *-en*) denazification.

entnebeln *v/t.* (*h.*) free from mist (*or* fog).

ent'nehmen *v/t.* (*irr., h.*) take, remove (*dat.* from); produce from (*one's pocket*); draw, withdraw (*money*); draw, borrow from (*a book, etc.*), quote from; *fig.* learn (*dat. or aus* from); gather, infer (from); *ich entnehme Ihren Worten, daß Sie* I take it that you; *econ. nicht entnommene Gewinne* undistributed profits.

entnerven [-'nɛrfən] *v/t.* (*h.*) enervate, unnerve.

ent'öl|en *v/t.* (*h.*) free from oil, remove the oil from, drain of oil; **2er** *m* (*-s*; -) oil trap.

entpuppen [-'pupən]: *sich* ~ (*h.*) burst (from) the cocoon; *fig. sich* ~ *als* reveal o.s. as, turn out to be.

ent'rahmen *v/t.* (*h.*) skim; *centrifuge*: separate.

ent'raten *v/i.* (*irr., h.*) (*gen.*) do without, dispense with.

ent'rätseln *v/t.* (*h.*) solve, unravel, puzzle out; decipher.

entrecht|en [-'rɛçtən] *v/t.* (*h.*): *j-n* ~ deprive a p. of his (own) rights; **2ung** *f* (-) deprivation of rights.

Entree [ɑ̃'treː] *n* (*-s*; *-s*) entrance money.

ent'reißen *v/t.* (*irr., h.*) tear *or* snatch (away) (*dat.* from); *a. fig.* wrench (*or* wrest) from; save (*or* rescue) from (*death, etc.*).

ent'richt|en *v/t.* (*h.*) pay (off), discharge; **2ung** *f* payment, discharge.

entrinden [-'rindən] *tech. v/t.* (*h.*) decorticate.

ent'ringen *v/i.* (*irr., h.*): *j-m et.* ~ wrest a th. from a p.; *sich j-s Lippen, etc.* ~ escape (*or* break) from a p.'s lips, *etc.*

ent'rinnen *v/i.* (*irr., sn*) escape, get away (*dat.* from); *e-r Gefahr* ~ escape a danger; **Ent'rinnen** *n* (*-s*) escape.

ent'rollen I. *v/i.* (*sn*) roll (down) (*dat.* from); **II.** *v/t., a. sich* (*h.*) unroll; *flag, sail, etc.*: unfurl; *fig. ein Bild von et.* ~ unfold a picture of a th.

ent'rosten *v/t.* (*h.*) derust.

ent'rück|en *v/t.* (*h.*) remove (*dat.* from), whisk (*or* spirit) off *or* away; *den Blicken entrückt werden* be carried out of sight, vanish; *fig.* enrapture, ecstasize; **~t** *adj.* entranced; lost in thought.

entrümpel|n [ɛnt'rympəln] *v/t.* (*h.*) clear of junk; **2ung** *f* (-) attic clearing.

ent'rüst|en *v/t.* (*h.*) fill with indignation; anger, incense, provoke; shock, scandalize; *sich* ~ become indignant *or* angry (*über acc.* at *a th.*; with *a p.*), flare up; be shocked *or* scandalized (*über acc.* at); **~et** *adj.* indignant, angry; furious, incensed; shocked, scandalized; **2ung** *f* (-; *-en*) indignation; anger; exasperation.

ent'sag|en *v/i.* (*h., dat.*) renounce; waive, resign, abandon (*claim*); *dem Throne* ~ abdicate; relinquish; **2ung** *f* (-) renunciation; resignation; abdication; (self-)abnegation; **~ungsvoll** *adj.* resigned(ly *adv.*); sacrificing.

Ent'satz *mil. m* (*-es*) relief.

ent'schädig|en *v/t.* (*h.*): *für* (*acc.*) indemnify for; make good (*loss, etc.*) to *a p.*; compensate (*or* pay, remunerate) for (*services rendered*); reimburse for, repay *a p.* (*outlays*); *sich* ~ *für* reimburse o.s. for, indemnify o.s. for, (re)cover (*für e-n Verlust* a loss); **2ung** *f* (-; *-en*) indemnification, indemnity; compensation, consideration; reimbursement; *jur.* ~ *verlangen* claim damages; → *Schadenersatz*.

ent'schärfen *v/t.* (*h.*) disarm, unprime, de-cap (*bomb, etc.*); deactivate (*ammunition*).

Entscheid [-'ʃaɪt] *jur. m* (-[e]s; -e) decree, decision; → *Entscheidung*.

ent'scheiden *v/t. and v/i.* (*irr., h.*) decide, determine; *jur.* settle; *a.* decree, rule, adjudge; *sich* ~ *matter*: be decided *or* settled, *person*: decide, vote (*für, gegen, über acc.* for, against, on), make up one's mind; *er entschied sich* (*schließlich*) *für den teueren Wagen* he settled on the more expensive car; *damit war die Sache entschieden* that settled (*or* clinched) it; *du mußt dich* ~ make up your mind; *wir haben uns entschieden, nicht hinzugehen* we have decided against going there; **~d** *adj.* decisive; conclusive; final; crucial; critical (*moment*); ~*e Stimme* casting vote; ~ *sein für* **a)** be decisive for *a p.*, **b)** be decisive of, decide *a th.*

Ent'scheidung *f* (-; *-en*) decision (*gen.* of; *über acc.* on), determination; *jur.* decision, ruling, finding, decree; → *Urteil*; *of jury*: verdict; award; *e-e* ~ *treffen* take (*or* come to) a decision, decide; *die letzte* ~ *haben* have the final say; *zur* ~ *bringen* bring to a head; *zur* ~ *kommen* come to a head; *sports*: *Kampf ohne* ~ no decision contest; **~sbefugnis** *f* competence, jurisdiction; **~sgrund** *m* decisive factor; **~skampf** *m sports*: final; *fig. Am.* showdown; **~sschlacht** *f* decisive battle; **~sspiel** *n sports*: play-off; final; **~sstunde** *f* critical hour; **2svoll** *adj.* decisive; crucial, critical; fateful.

entschieden [-'ʃiːdən] **I.** *adj.* decided; determined, resolute; marked, distinct, definite; emphatic(ally *adv.*); peremptory, authoritative (*tone*); *ein* ~*er Gegner von* (*dat.*) a declared (*or* decided) enemy of; **II.** *adv.* firmly, resolutely; decidedly, definitely, unquestionably; **2heit** *f* (-) determination, resoluteness; peremptoriness; *mit* ~ decidedly, categorically; *mit* ~ *ablehnen* refuse flatly.

ent'schlack|en *v/t.* (*h.*) remove cinders *or* slag from; separate the dross *or* slag from (*the metal*); *med.* purge; **2ung** *med. f* (-) purge, catharsis.

ent'schlafen *v/i.* (*irr., sn*) fall asleep; *fig.* die, pass away; **2e(r** *m*) *f* (*-n, -n*; *-en, -en*) *the* deceased (*or* departed).

entschleiern [-'ʃlaɪərn] *v/t.* (*h.*) unveil; *fig. a.* reveal.

ent'schließ|en: *sich* ~ (*irr., h.*) decide, determine (*für, zu et.* on; *zu tun* to do), resolve (to do); make up one's mind; *sich anders* ~ change one's mind; **2ung** *f* resolution; → *Beschluß*.

entschlossen [-'ʃlɔsən] *adj.* resolute, determined; ~ *sein, zu inf.* be determined to *inf.*; *kurz* ~ without a moment's hesitation; abruptly; **2heit** *f* (-) determination, resoluteness; energy.

ent'schlummern *v/i.* (*sn*) fall into a slumber, doze off; (*die*) pass away.

ent'schlüpfen *v/i.* (*sn*) slip away (*dat.* from); escape (*dat.* from), give *a p.* the slip; *fig. word*: slip out; *dem Gedächtnis* ~ slip from one's memory.

Ent'schluß *m* resolve, resolution; decision; determination; *zu e-m* ~ *kommen* come to a decision, make up one's mind; *zu dem* ~ *kommen zu inf.* make up one's mind to *inf.*; **~kraft** *f* (-) determination, strength of purpose, initiative.

entschlüsseln [-'ʃlysəln] *v/t.* (*h.*) decipher, decode.

entschuldbar [-'ʃult-] *adj.* excusable, pardonable.

entschuldig|en [-'ʃuldigən] *v/t.* (*h.*) excuse, pardon; justify; *sich* ~ excuse o.s., apologize (*bei j-m* to a p.; *für et.* for a th.); *j-n* ~ *bei* (*dat.*) make a p.'s excuses to; *sich* ~ *lassen* beg to be excused; *es läßt sich nicht* ~ it admits (*or* allows) of no excuse; *er entschuldigte sich mit Unwissenheit* he pleaded ignorance; ~ *Sie!* excuse me!, I beg your pardon!; (I am) sorry!; *ich bitte mich zu* ~ I would rather not; **~end** *adj.* apologetic(ally *adv.*); **2ung** *f* (-; *-en*) excuse; apology; excuse, pretext; *als or zur* ~ *für* (*acc.*) in excuse of; *dafür gibt es keine* ~ it is inexcusable, there is no excuse for it; **2ungsgrund** *m* excuse; **2ungsschreiben** *n* letter of excuse, written apology.

Ent'schuldung *f* (-; *-en*) liquidation of a p.'s indebtedness; *of real estate*: disencumberment.

ent'schweben *v/i.* (*sn*) → *entschwinden*.

ent'schwefeln *v/t.* (*h.*) desulphurize.

ent'schwinden *v/i.* (*irr., sn*) disappear, vanish, pass out of sight; *dem Gedächtnis* ~ slip one's memory.

ent'seelt [-'zeːlt] *adj.* dead, lifeless.

ent'senden *v/t.* (*irr., h.*) send off, dispatch; *als Vertreter* ~ delegate, depute.

ent'setzen *v/t.* (*h.*) dismiss, remove, oust (*gen.* from *office*); *mil.* relieve (*fortress*); frighten, horrify, terrify; appal(l), shock; *sich* ~ be terrified (*or* dismayed, appalled) (*über acc.* at), be shocked *or* scandalized (at); shudder (at).

Ent'setzen *n* (*-s*) terror, fright, horror, dismay.

ent'setzlich I. *adj.* dreadful, terrible, horrible, horrid (*all a. colloq.*); shocking, heinous, atrocious; disastrous; **II.** *adv.* dreadfully, *etc.*; ~ *langweilig* awfully boring; ~ *dumm* infernally stupid; **2keit** *f* (-) frightfulness; heinousness; atrocity.

Ent'setz|ung *f* (-; -*en*) dismissal, removal; *mil.* relief.

entseuch|en [-'zɔʏçən] *v/t.* (*h.*) decontaminate; disinfect; **2ung** *f* (-; -*en*) decontamination; disinfection; **2ungsmittel** *n* decontaminant; disinfecting agent.

ent'sichern *mil. v/t.* (*h.*) unlock, release the safety-catch of.

ent'siegeln *v/t.* (*h.*) unseal.

ent'sinken *v/i.* (*irr.*, *sn*) drop (*dat.* from); *fig. der Mut entsank ihm* his courage failed, his heart sank.

ent'sinnen: *sich* ~ (*irr.*, *h.*) (*gen.*) remember, recall, recollect; *wenn ich mich recht entsinne* if my memory serves me right.

entsittlich|en [-'zitliçən] *v/t.* (*h.*) demoralize, deprave, corrupt; **2ung** *f* (-) demoralization.

ent'spann|en *v/t.* (*h.*) *tech.* relieve the tension (*or* stress) on; release (*spring*); expand (*gases, etc.*); slacken (*rope*); unbend (*bow*); relax, let go limp (*muscles*); *fig.* relax, unbend (*nerves, mind*); *sich* ~ *person, face*: relax; *situation*: ease; **2ung** *f tech.* release (from tension); *fig.* relaxation (*a. w.s.*), rest; diversion; *w.s.* easing (*a. econ. am Geldmarkt* of money rates); *pol.* détente (*Fr.*), relaxation of tension; *eine* ~ *der politischen Lage trat ein* the political tension eased up (a little).

ent'spinnen: *sich* ~ (*irr.*, *h.*) arise, develop (*aus* from); ensue.

ent'sprech|en *v/i.* (*irr.*, *h.*) (*dat.*) correspond to *or* with, be in accordance (*or* keeping) with; be equivalent to; coincide (*or* tally) with; suit, match; fulfil; meet, answer, come up to (*requirements*); meet, comply with (*wish*); come (*person a.*: live) up to (*expectations*); comply with, follow (*rules*); answer, serve (*purpose*); *nicht* ~ fall short of; fail to meet (*or* come up to); *er entsprach der Personenbeschreibung* he answered the description; **~end I.** *adj.* corresponding (*dat.* to); adequate (to); equivalent (to); analogous (to); proportionate *or* commensurate (with); suitable (to *or* for); respective; *jur. Paragraph 10 findet ~e Anwendung* Article 10 shall apply analogously (*or* mutatis mutandis); **II.** *adv.* (*dat.*) according to, in accordance (*or* conformity) with; in compliance with, following; *er verhielt sich* ~ he acted accordingly; ~ *den besonderen Umständen* in keeping with the special circumstances; **2ung** *f* (-; -*en*) equivalent counterpart; analogy.

ent'sprießen *v/i.* (*irr.*, *sn*) sprout, spring up (*dat.* from); *fig.* → *entstammen.*

ent'springen *v/i.* (*irr.*, *sn*) escape (*dat., aus* from); *river*: rise (in, at), spring (from); *fig.* spring (*or* arise, come) (from); originate (from *or* in); → *entstammen.*

entstaatlich|en [-'ʃtɑːtliçən] *v/t.* (*h.*) denationalize; **2ung** *f* (-; -*en*) denationalization.

ent'stammen *v/i.* (*sn, dat.*) be descended from; *fig.* come from *or* of, originate from.

ent'stauben *v/t.* (*h.*) (free from) dust.

ent'stehen *v/i.* (*irr.*, *sn*) come into being, spring up; grow (*aus* out of), develop, emerge (from); arise, take its rise (*aus* from), originate (from, in); ~ *durch* (*acc.*) be caused by, be due to, result from; *costs, etc.*: *a.* be incurred by, accrue from; *fire*: break out; *daraus entstand eine Notlage* this gave rise to an emergency; *im* 2 *begriffen* in the making, in process of development; nascent; *a. med.* incipient.

Ent'stehung *f* (-; -*en*) origin, beginning; coming into being, rise, emergence; birth, genesis; formation; **~sgeschichte** *f* genesis; **~slehre** *f* genetics *pl.*

ent'steigen *v/i.* (*irr.*, *sn*) emerge (*dat.* from); alight from (*a car, etc.*); *fig. vapours, etc.*: rise (*or* issue) from.

entsteinen [-'ʃtaɪnən] *v/t.* (*h.*) stone.

ent'stell|en *v/t.* (*h.*) disfigure, deform; deface; mar; *von Wut entstelltes Gesicht* face distorted with rage; *fig.* distort (*facts, etc.*); garble (*report*); pervert (*truth*); **2ung** *f* disfigurement, deformation; distortion, misrepresentation, garbled account; perversion (of truth).

ent'stör|en *v/t.* (*h.*) *teleph.* clear, dejam; *radio*: radio-shield, screen; *entstört* interference-free; **2er** *m* interference suppressor; **2gerät** *n* anti-interference device; **2ung** *f* radio interference suppression, fault-clearing.

ent'strahlen *v/t.* (*h.*) decontaminate (*radioactive area, etc.*).

ent'strömen *v/i.* (*sn*) flow *or* stream (*dat.* from); gush (from); *gas, water, etc.*: escape, issue (from).

entsumpfen [-'zumpfən] *v/t.* (*h.*) drain.

ent'täusch|en *v/t.* (*h.*) disappoint; let *a p.* down; *psych.* frustrate; **~t** *adj.*: ~ *sein über* (*acc.*) *or von* (*dat.*) be disappointed at; *angenehm* ~ agreeably disappointed; **2ung** *f* (-; -*en*) disappointment, let-down; disillusion(ment).

ent'thron|en *v/t.* (*h.*) dethrone; **2ung** *f* (-; -*en*) dethronement.

entvölker|n [-'fœlkərn] *v/t.* (*h.*) depopulate, unpeople; *entvölkert* depopulated, deserted; **2ung** *f* (-) depopulation.

ent'wachsen *v/i.* (*irr.*, *sn*) (*dat.*) outgrow, grow out of.

ent'waffn|en *v/t.* (*h.*) disarm (*a. fig.*); **~end** *fig. adj.* disarming; **2ung** *f* (-) disarming; *of country*: disarmament.

entwalden [-'valdən] *v/t.* (*h.*) clear of forest, deforest.

ent'warn|en *v/i.* (*h.*) *mil.* sound the "all-clear" (signal); **2ung** *f* "all-clear" (signal).

ent'wässer|n *v/t.* (*h.*) drain; **2ung** *f* drainage, draining; **2ungsanlagen** *f/pl.* drainage; **2ungsgraben** *m* drainage ditch.

entweder [ɛnt'veːdər] *cj.*: ~ ... *oder* either ... or.

ent'weichen *v/i.* (*irr.*, *sn*) *person*: escape (*j-m*; *aus* from), run *or* get away, abscond; *gas*: escape; *a. liquid*: leak.

ent'weih|en *v/t.* (*h.*) desecrate, profane; violate; drag in the dust; **2ung** *f* (-; -*en*) desecration, profanation; defilement.

ent'wend|en *v/t.* (*h.*) purloin, misappropriate, steal, pilfer, *sl.* swipe; embezzle; **2ung** *f* purloining, theft, pilfering; embezzlement.

ent'werf|en *v/t.* (*irr.*, *h.*) trace (out), project; sketch, outline (*all a. fig.*); design (*construction, pattern*); lay out, plan (*garden*); draw up, draft (*contract, etc.*); chart (*programme*); make, devise (*plan*); **2er** *tech. m* designer.

ent'wert|en *v/t.* (*h.*) depreciate, devaluate (*currency, etc.*); demonetize, call in, withdraw (*money*), cancel, deface (*stamps*); *fig.* render valueless, devaluate; **2ung** *f* depreciation, devaluation; withdrawal, demonetization; defacement, cancellation.

ent'wick|eln *v/t., a. sich* (*h.*) develop (*a. phot., tech.*), evolve, form, grow; generate, produce (*a. gases*); set forth, unfold, outline; elaborate; display, show, give proof of (*energy, etc.*); develop, achieve (*speed, etc.*); *mil.* (*a. sich*) deploy; *sich aus et. zu et.* ~ develop from a th. into a th.; *der Streitfall entwickelte sich zu e-r ernsten Krise* the dispute assumed the proportions of a serious crisis; *das Unternehmen entwickelt sich gut* the project is shaping well; **2ler** [-'viklər] *m* (-*s*; -) *phot.* developer.

Ent'wicklung *f* (-; -*en*) development; (*a. biol.*) evolution; formation (*a. phys.*), growth; generation; *chem.* extrication; *phot.* developing; *mil.* deployment; display (*of courage, etc.*); trend.

Ent'wicklungs...: **~bad** *phot. n* developing bath; **2fähig** *adj.* capable of development; developable; progressive (*post, etc.*); promising; *biol.* viable; **~gang** *m* course of development, evolution; **~geschichte** *f* history of (the) development; *biol.* biogenetics; **2geschichtlich** *adj.* developmental; biogenetic(ally *adv.*); **~hilfe** *f* economic aid to developing countries; **~ingenieur** *m* development engineer; **~jahre** *n/pl.* formative years (*fig.* period), puberty; **~land** *n* developing country; **~lehre** *f* theory of evolution; **~möglichkeit** *f* (developmental) possibility; **~stadium** *n* nascent stage; **~störung** *f* developmental disturbance, disturbed development; **~stufe** *f* stage of development, phase; **~tendenz** *f* trend; **~zeit** *f* period of development.

ent'winden *v/t.* (*irr.*, *h.*): *j-m et.* ~ wrest a th. from a p.; *sich* ~ extricate o.s. (*aus* from).

entwirren [-'virən] *v/t.* (*h.*) disentangle, unravel, unsnarl (*a. fig.*).

ent'wischen *v/i.* (*sn*) slip away (*dat.* from); escape (*j-m* a p., *aus* from); *j-m* ~ give a p. the slip, elude a p.

entwöhn|en [-'vøːnən] *v/t.* (*h.*) disaccustom (*gen.* to); break *a p.* (of *a habit*); wean *a child, drunkard,* *etc.* (from); 2**ung** *f* (-; -*en*) weaning.

ent'wölken *v/t.* (*h.*) uncloud; *sich* ~ clear, *fig. a.* brighten.

ent'würdig|en *v/t.* (*h.*) degrade, disgrace, abase; ~**end** *adj.* degrading, disgraceful; 2**ung** *f* degradation, debasement, disgrace.

Ent'wurf *m* design; sketch, draft; model; plan, project, outline, sketch, blueprint; rough copy, draft; draft agreement; *im* ~ *sein* be in the planning stage; ~**sstadium** *tech. n* blueprint stage.

ent'wurzel|n *v/t.* (*h.*) uproot, unroot, deracinate; *fig.* uproot; 2**ung** *f* (-) uprooting.

ent'zauber|n *v/t.* (*h.*) disenchant; 2**ung** *f* (-) disenchantment.

ent'zerr|en *v/t.* (*h.*) *phot.* rectify; *teleph.* correct (*a distortion*), equalize; 2**ung** *f phot.* rectification; *teleph.* correction.

ent'zieh|en *v/t.* (*irr.*, *h.*): *j-m et.* ~ withdraw a th. from a p.; deprive (*or* strip, rob) a p. of a th.; take a th. away from a p.; withhold a th. from a p.; forbid (*j-m den Alkohol* a p. to drink); *j-m s-e Befugnisse* ~ divest (*or* strip) a p. of his powers; *j-m das Wort* ~ *parl.* rule a p. out of order; *chem.* abstract, extract; *Kohlensäure* ~ decarbonate; *sich* ~ (*dat.*) avoid, escape; shirk, evade (*duty*); elude (*pursuers*); flee from (*or* evade) *justice*; *es entzieht sich m-r Beurteilung* (*m-r Kenntnis*) it is beyond my judgment (knowledge); *es entzieht sich m-r Zuständigkeit* it exceeds my authority; *es entzieht sich jeder Berechnung* it defies calculation; 2**ung** *f* withdrawal; deprivation; denial; prohibition; *chem.* extraction; *of suffrage*: disfranchisement; *of civil rights*: civic degradation; *jur. zeitweilige* ~ suspension; 2**ungsanstalt** *f* institution for alcoholics or drug addicts; 2**ungskur** *f* withdrawal treatment.

entziffer|bar [-'tsifərba:r] *adj.* decipherable; ~**n** *v/t.* (*h.*) decipher, decode; solve (*or* break) the key of, cryptoanalyze; *fig.* make (*or* puzzle) out; 2**ung** *f* (-; -*en*) deciphering; decoding.

ent'zück|en *v/t.* (*h.*) charm, enchant, captivate, (fill with) delight; enrapture, ravish, thrill; 2**en** *n* (-*s*) →*Entzückung*; ~**end** *adj.* charming, enchanting, delightful, captivating; lovely, sweet; ~**t** *adj.* delighted, enchanted (*über acc.* at, *von* with), charmed (by), thrilled (at); 2**ung** *f* (-; -*en*) delight; rapture, transport; ecstasy; raptures, transports *pl.*; *in* ~ *geraten* (*versetzen*) go (send) into raptures (*über acc.* over).

Entzug [-'tsu:k] *m* (-[e]s) → *Entziehung.*

entzündbar [ɛnt'tsyntba:r] *adj.* inflammable (*a. fig.*); 2**keit** *f* (-) inflammability.

ent'zünd|en *v/t.* (*h.*) kindle, ignite, light, set on fire; *fig.* inflame (*a. med.*), kindle, spark; *sich* ~ catch fire, ignite; blaze up; *med. or fig.* be(come) inflamed; ~**lich** *adj.* inflammatory; 2**ung** *f* kindling; ignition; *med.* inflammation; 2**ungsherd** *med. m* focus of inflammation.

ent'zwei *adj.* in two, asunder, in half; broken, in (*or* to) pieces; (*zerrissen*) torn; ~**brechen** *v/t.* (*irr.*, *h.*) *and v/i.* (*irr.*, *sn*) break in two (*or* asunder); ~**en** *v/t.* (*h.*) disunite, divide, separate, set at variance; *sich* ~ split *or* break *or* fall out (*mit* with); quarrel (with); ~**gehen** *v/i.* (*irr.*, *sn*) go to pieces, break; ~**reißen I.** *v/t.* (*irr.*, *h.*) tear asunder (*or* to pieces, to rags); **II.** *v/i.* (*irr.*, *sn*) tear; ~**schlagen** *v/t.* (*irr.*, *h.*) smash, shatter; ~**schneiden** *v/t.* (*irr.*, *h.*) cut in two (*or* pieces); 2**ung** *f* (-; -*en*) disunion; division, split, rupture; quarrel.

Enzian ['ɛntsia:n] *m bot.* gentian; (*Schnaps*) Enzian.

Enzyklika [ɛn'tsy:klika] *eccl. f* (-; -*ken*) encyclic(al).

Enzyklopädie [ɛntsyklopɛ'di:] *f* (-; -*n*) (en)cyclop(a)edia; **enzyklopädisch** [-'pɛ:diʃ] *adj.* (en)cyclop(a)edic(ally *adv.*); **Enzyklopädist** [-pɛ'dist] *m* (-*en*; -*en*) encyclop(a)edist.

Enzym [ɛn'tsy:m] *biol. n* (-*s*; -*e*) enzyme.

Epaulett [epo'lɛt] *n* (-*s*; ´-*s*), ~**e** [-lɛtə] *f* (-; -*n*) epaulet(te).

ephemer [efe'me:r] *adj.* ephemeral (*a. fig.*).

Epidemie [epide'mi:] *f* (-; -*n*) epidemic (disease); **epidemisch** [-'de:miʃ] *adj.* epidemic(ally *adv.*).

Epigone [epi'go:nə] *m* (-*n*; -*n*) successor; epigon(e), imitator; 2**nhaft** *adj.* epigonous.

Epigramm [epi'gram] *n* (-*s*; -*e*) epigram; **epigrammatisch** [-gra'ma:tiʃ] *adj.* epigrammatic.

Epigraph [epi'gra:f] *n* (-*s*; -*e*) epigraph.

Epik ['e:pik] *f* (-) epic poetry; ~**er** *m* (-*s*; -) epic poet.

Epikure|er [epiku're:ər] *fig. m* (-*s*; -) epicure(an); 2**isch** *adj.* epicurean.

Epilepsie [epilɛp'si:] *f* (-; -*n*) epilepsy.

Epilep|tiker(in *f*) [-'lɛptikər(in)] *m* (-*s*, -; -, -*nen*), 2**tisch** *adj.* epileptic; ~*er Anfall* epileptic fit.

Epilog [-'lo:k] *m* (-*s*; -*e*) epilog(ue).

episch ['e:piʃ] *adj.* epic.

Episod|e [epi'zo:də] *f* (-; -*n*) episode; 2**enhaft,** 2**isch** *adj.* episodic(al).

Epistel [e'pistəl] *f* (-; -*n*) epistle.

Epitaph [epi'ta:f] *n* (-*s*; -*e*) epitaph.

Epithel [epi'te:l] *biol. n* (-*s*; -*e*) epithelium; ~**gewebe** *n* epithelial tissue.

epochal [epɔ'xa:l] *adj.* epochal.

Epoche [e'pɔxə] *f* (-; -*n*) epoch, era, period; ~ *machen* mark an epoch, create a sensation, make a stir; 2**machend** *adj.* epoch-making, epochal.

Epos ['e:pɔs] *n* (-; *Epen*) epic (poem).

Eppich ['ɛpiç] *bot. m* (-[e]s; -e) **1.** celery; **2.** ivy.

Equipage [ek(v)i'pa:ʒə] *f* (-; -*n*) carriage, equipage.

er *pers. pron.* he; ~ *selbst* he himself; *er ist es* it is he, it's him; *of things*: it; *of moon*: she.

er'achten *v/i.* (*h.*) consider, judge, deem, think; *et. für unnötig* ~ consider (*or* deem) a th. unnecessary.

Er'achten *n* (-*s*) opinion, judg(e)ment; *m-s* ~*s* in my opinion, to my mind, as I see it; *nach s-m* ~ *a.* he holds *or* takes the view *that.*

er'arbeiten *v/t.* (*h.*) gain (*or* acquire, achieve) by working; acquire (*knowledge*), make *a th.* one's own; extract, collect, compile.

Erb|adel ['ɛrpˀa:dəl] *m* (-*s*) hereditary nobility; ~**anlage** *f* hereditary disposition (*or* factors *pl.*), gene; ~**anspruch** *jur. m* hereditary title, claim to an inheritance; *bedingter* ~ contingent remainder; ~**anteil** *m* → *Erbteil.*

erbarmen [ɛr'barmən] *v/t. j-n* (*h.*): move *a p.* (to pity); *er erbarmt mich* I pity (*or* feel sorry for) him; *sich j-s* ~ pity (*or* take pity on) a p., show mercy to a p.; *eccl. Herr, erbarme Dich unser* Lord, have mercy upon us.

Er'barmen *n* (-*s*) pity, compassion, commiseration; mercy; *er hatte kein* ~ he was pitiless, he had no pity (*or* mercy); *zum* ~ → 2**swert,** 2**swürdig** *adj.* pitiable, pitiful, wretched.

erbärmlich [ɛr'bɛrmliç] **I.** *adj.* (*a. contp.*) pitiful, pitiable; miserable, wretched; paltry; mean, base; **II.** *adv.* terribly, awfully; 2**keit** *f* (-) pitiableness, misery; *fig.* wretchedness; *b.s.* meanness, baseness.

erbarmungs|los [ɛr'barmuŋslo:s] *adj.* pitiless, merciless; relentless; ~**voll** *adj.* full of pity, compassionate.

er'bau|en *v/t.* (*h.*) build (up), construct, raise, erect; *fig.* edify; *sich* ~ *an* (*dat.*) be edified by, find delight in; *colloq. er ist nicht besonders erbaut davon* he is not exactly enthusiastic about it; 2**er** *m* (-*s*; -) builder, constructor; founder; ~**lich** *adj.* edifying (*a. iro.*), elevating; devotional; 2**ung** *f* (-; -*en*) building, construction, erection; foundation; *fig.* edification, *Am.* uplift; 2**ungsbuch** *n* devotional book; 2**ungsschrift** *f* (religious) tract; 2**ungsstunde** *f* hour of devotion.

Erb... ['ɛrp-]: ~**begräbnis** *n* family vault; 2**berechtigt** *adj.* entitled to inherit; ~**bild** *biol. n* genotype.

Erbe ['ɛrbə] **1.** *m* (-*n*; -*n*) heir, successor (*j-s* of *or* to a p.; *e-s Vermögens* to an estate); beneficiary (under a will); legatee; devisee; *gesetzlicher* ~ heir-at-law; *leiblicher* ~ heir of one's body; *ohne leibliche* ~*n* without issue; *mutmaßlicher* ~ heir presumptive; *j-n zum* ~*n einsetzen* make (*or* appoint, constitute) a p. one's heir; **2.** *n* (-*s*) inheritance, (*a. fig.*) heritage; legacy; *fig. j-s* ~ *antreten* enter into the heritage of a p.

er'beben *v/i.* (*sn*) shake, tremble (*vor Furcht* with fear), quake, quiver.

erb-eigen ['ɛrp-] *adj.* inherited, hereditary; 2**schaft** *f* hereditary quality.

erben ['ɛrbən] *v/t.* (*h.*) inherit (*von* from), be (*or* fall) heir to, succeed to *a p.'s property*, *only v/i.* take (under a will); come into (*a fortune*, *a little money*); *colloq. da ist nichts zu* ~ there's nothing to be got here.

'Erben|gemeinschaft *f* community of heirs, coparcenary; **~haftung** *f* liability of the heir (*to the debts of the deceased*).

er'betteln *v/t., a. sich* (*h.*) get by begging, cadge; wheedle *a th.* (*von j-m* out of a p.).

erbeuten [ɛr'bɔʏtən] *v/t.* (*h.*) capture, take as booty, carry off; *erbeutetes Feindmaterial* captured enemy matériel.

Erb... ['ɛrp-]: **ϩfähig** *adj.* inheritable; (legally) capable of inheriting; **~faktor** *m* gene; **~fall** *m* accrual of an inheritance; **~fehler** *m* hereditary defect; **~feind** *m* traditional enemy; (*devil*) *the* Foe; **~folge** *f* (-) succession; *gesetzliche* ~ intestate succession; ~ *in gerader Linie* lineal descent; **~folgekrieg** *m* war of succession; **ϩgesund** *adj.* of healthy stock; **~gut** *n* (ancestral) manor; (inherited) estate; *fig.* heritage; **~hof** *m* hereditary farm, freehold.

er'bieten: *sich* ~ (*irr., h.*) offer (*or* volunteer) *to do*.

Erbin ['ɛrbin] *f* (-; *-nen*) heiress; → *Erbe 1*.

er'bitten *v/t.* (*irr., h.*) beg *or* ask for, request;

erbitter|n [ɛr'bitərn] *v/t.* (*h.*) embitter, exasperate, incense; **~t** *adj.* embittered, *etc.* (*auf acc.* at, by); resentful (against); fierce; bitter (*enemy, etc.*); et. ~ *begämpfen* fight a th. tooth and nail; **ϩung** *f* (-; *-en*) exasperation, bitterness; embitterment, animosity; vehemence.

erbkrank ['ɛrp-] *adj.* afflicted with a hereditary disease; **ϩheit** *f* hereditary disease.

erblassen [ɛr'blasən] *v/i.* (*sn*) (grow *or* turn) pale, blanch, lose colo(u)r.

Erb... ['ɛrp-]: **~lasser(in** *f*) [-lasər(in)] *m* (*-s*, -; -, *-nen*) testa|tor (-trix *f*), *the* deceased, *Am. a.* decedent; **~lehre** *f* genetics *pl.*

erbleichen *v/i.* (*sn*) → *erblassen*.

erblich ['ɛrpliç] *adj.* hereditary, inheritable; ~*e Belastung* hereditary taint; ~ *belastet* tainted with a hereditary disease; **ϩkeit** *f* (-) heredity, hereditary character.

er'blicken *v/t.* (*h.*) see, perceive; discover, catch sight of, spot; catch a glimpse of; *fig.* et. *in j-m or e-r Sache* ~ see a th. in a p. *or* th., regard *or* look upon a p. *or* th. as; → *Licht*.

erblind|en [ɛr'blindən] *v/i.* (*sn*) grow (*or* go) blind, lose one's light; *glass*: dull, dim; **ϩung** *f* (-; *-en*) loss of (one's) sight; blindness.

er'blühen *v/i.* (*sn*) → *aufblühen*.

Erb... ['ɛrp-]: **~masse** *f jur.* (inherited) estate *or* assets *pl.*; *physiol.* hereditary factors *pl.*; idioplasm; **~onkel** *m* wealthy uncle.

erbosen [ɛr'bo:zən] *v/t.* (*h.*) irritate, infuriate; *sich* ~ grow angry (*über acc.* at), get (*or* be) exasperated (at, by), fume.

erbötig [ɛr'bø:tiç] *adj.*: *zu et.* ~ ready (*or* willing, prepared) to do a th.

Erb... ['ɛrp-]: **~pacht** *f* hereditary tenancy; **~pächter** *m* hereditary tenant; **~prinz** *m* hereditary prince.

er'brechen *v/t.* (*irr., h.*) break open; force (*door*); open (*letter*); *med.* vomit, bring up; *sich* ~ vomit, retch, be sick; **Er'brechen** *n* breaking open, *etc.*; *med.* vomiting.

Erbrecht ['ɛrp-] *n* law of succession (*Am.* descent); right of succesion, hereditary title.

er'bringen *v/t.* (*irr., h.*) produce, furnish, *jur. a.* adduce (*evidence*).

'Erbschaft *f* (-; *-en*) inheritance; estate; legacy; **~s-anspruch** *m* claim (*of rightful heir*) to surrender of the inheritance; **~s-ausschlagung** *f* (-; *-en*) disclaimer of inheritance; **~ssteuer** *f* estate duty, *Am.* succession tax.

'Erb...: **~schein** *m* certificate of heirship; **~schleicher(in** *f*) *m* legacy-hunter; **~schleiche'rei** *f* legacy-hunting.

Erbse ['ɛrpsə] *f* (-; *-n*) pea; **ϩnförmig** [-fœrmiç] *adj.* pea-shaped, pisiform; **~nmehl** *n* peasemeal; **~nschote** *f* pea-pod; **~nsuppe** *f* pea-soup.

'Erb...: **~stück** *n* heirloom; **~sünde** *f* original sin; **~tante** *f* wealthy aunt; **~teil** *n* (distributive) share *or* portion; **~übergang** *m* transfer of title at death; **~vertrag** *m* contract of inheritance; **~verzicht** *m* waiver of succession rights.

Erd|achse ['e:rt-] *f* axis of the earth; **~anschluß** *el. m* earth (connection), *Am.* ground(ing); **~antenne** *f* ground aerial *or* antenna; **~apfel** *m* potato; **~arbeit** *f* earthwork, excavation work; **~arbeiter** *m* digger, excavator, *esp. rail.* navvy, *Am.* laborer; **ϩartig** ['-ɑ:rtiç] *adj.* earthy; **~aufklärung** *mil. f* ground reconnaissance; **~bahn** *f* orbit of the earth; **~ball** *m* (terrestrial) globe **~batterie** *mil. f* ground battery; **~beben** *n* (*-s*) earthquake; **~bebengebiet** *n* seismic area; **~bebenkunde** *f* (-) seismology; **~bebenmesser** *m* (*-s*; -) seismograph; **~beere** *f* strawberry; **~be-obachtung** *mil. f* ground observation; **~bewegung** *tech. f* moving of earth, earthworks *pl.*; **~bewohner** *m* inhabitant of the earth, terrestrial; **~biene** *f* ground-bee; **~boden** *m* ground, soil; (surface of the) earth; *dem* ~ *gleichmachen* level to (*or* with) the ground, raze, flatten; **~bohrer** *m* earth borer (*or* auger); **~damm** *m* embankment, mound; **~draht** *el. m* earth (*Am.* ground) lead.

Erde ['e:rdə] *f* (-) earth; soil, ground; mo(u)ld; *el.* → *Erdung*; *lockere* ~ dirt; *seltene* ~*n pl.* rare *or* noble earths; (*planet*) *the* earth *or* world, *our* planet; *auf* ~*n* on earth, here below; *auf der ganzen* ~ all the world over; *über der* ~ above ground; *unter der* ~ under ground, subterraneous; *zu ebener* ~ on the ground-floor, at street-level; *zur* ~ *gehörig* terrestrial; *j-n unter die* ~ *bringen* be the death of a p.

'erden *el. v/t.* (*h.*) earth, *Am.* ground.

'Erden|bürger *m* earthly being, mortal; **~glück** *n* earthly happiness.

erdenk|en [ɛr-] *v/t.* (*irr., h.*) think out, devise; invent; → *erdichten*; **~lich** *adj.* imaginable, conceivable; possible; *sich alle* ~*e Mühe geben* do one's best (*or* utmost), spare no efforts.

Erdenleben ['e:rdən-] *n* earthly life.

Erd... ['e:rt-]: **ϩfahl, ϩfarben** *adj.* clay-colo(u)red, livid; **~ferne** *ast. f* apogee; **~floh** *m* flea-beetle; **~funkstelle** *f* ground signal station; **~gas** *n* natural gas; **~geist** *m* (*-es*; *-er*) gnome; **~geruch** *m* earthy smell; **~geschoß** *n* ground-floor, *Am.* first floor; **~gürtel** *m* zone; **~hälfte** *f* hemisphere; **ϩhaltig** *adj.* containing earth, earthy; **~harz** *n* asphalt; **~haufen** *m* heap of earth.

er'dicht|en *v/t.* (*h.*) invent, *b.s. a.* fabricate, trump up; **~et** *adj.* invented, imaginary; fictional; fictitious; fabricated, trumped-up; **ϩung** *f* fiction; figment; invention; fabrication.

erdig ['e:rdiç] *adj.* earthy.

Erd... ['e:rt-]: **~innere** *n* interior of the earth; **~kabel** *n* buried (*or* underground) cable; **~kampf** *mil. m* ground fighting; **~karte** *f* map of the world; **~klemme** *el. f* earth (*Am.* ground) terminal; **~klumpen** *m* clod; **~körper** *m* terrestrial body; **~kreis** *m* (*-es*): *der ganze* ~ the whole world; **~krume** *f* surface soil, topsoil; **~krümmung** *f* earth curvature; **~kruste** *f* → *Erdrinde*; **~kugel** *f* (terrestrial) globe; **~kunde** *f* (-) geography; **~leiter** *el. m* earth wire, *Am.* ground wire; **~leitung** *el. f* earth-connexion, *Am.* ground connection; **~loch** *mil. n* foxhole; **~magnetismus** *m* terrestrial magnetism; **~massen** *f/pl.* earth masses; **~maus** *f* field mouse; **~messung** *f* geodesy; **~metall** *n* earth metal; **~mine** *mil. f* land mine; **~moos** *n* club-moss; **ϩnahe** *fig. adj.* close to earth, earthy; **~nähe** *ast. f* perigee; *fig.* earthiness; **~nuß** *f* peanut, groundnut; **~oberfläche** *f* surface of the earth; **~öl** *n* mineral oil, petroleum; *Am. a.* kerosene.

erdolchen [ɛr'dɔlçən] *v/t.* (*h.*) stab (with a dagger).

Erd... ['e:rt]: **~pech** *n* mineral pitch, bitumen; **~pol** *m* pole (of the earth); **~probe** *f* soil (test) sample; **~reich** *n* (-[e]s) earth, ground, soil.

erdreisten [ɛr'draɪstən]: *sich* ~ (*h.*) dare, presume; have the impudence (*or* face, cheek) to *do a th.*

Erdrinde ['e:rt-] *f* (-) earth's crust, lithosphere.

er'dröhnen *v/t.* (*h.*) → *dröhnen*.

er'drossel|n *v/t.* (*h.*) strangle, throttle; **ϩung** *f* strangulation, throttling.

er'drücken *v/t.* (*h.*) squeeze to death, crush; *fig.* crush; smother, choke; ~*des Beweismaterial* damning evidence; ~*de Mehrheit* overwhelming evidence; *von Arbeit fast erdrückt werden* be swamped with work; *von Sorgen erdrückt werden* be oppressed (*or* beset) by worries.

Erd... ['e:rt-]: **~rutsch** *m* landslip, *esp. Am.* landslide (*a. fig.*); **~salz** *n* rocksalt; **~satellit** *m* earth satellite; **~schicht** *f* layer of earth; stratum; subsoil; **~schluß** *el. m* earth (contact); *Am.* ground (leakage); *aus-*

setzender ~ intermittent earth; **~scholle** *f* clod; **~sicht** *aer. f* visibility of the ground; **~spalte** *f* crevice, chasm; **~stecker** *el. m* earthing plug; **~stoß** *m* seismic shock; **~strich** *m* region, zone; **~strom** *m* earth current; **~teil** *m* part of the world; *geogr.* continent; **~truppen** *mil. f/pl.* ground forces.

er'duld|en *v/t.* (*h.*) endure; suffer; → *dulden*; **2ung** *f* endurance (*gen.* of); submission (to), toleration (of).

Erd... ['e:rt-]: **~umdrehung** *f* rotation of the earth; **~umfang** *m* circumference of the earth.

Erdung ['e:rduŋ] *el. f* (-; -en) earth(ing), *Am.* ground(ing); **~sschalter** *m* earthing switch.

Erd... ['e:rt-]: **2verlegt** ['-ferle:kt] *adj.*: *~e Kabel pl.* underground cables; **~verwehung** *f* soil-drift; **~wall** *m* earth wall, embankment, mound.

er'eifer|n: *sich ~* (*h.*) get excited *or* flushed (*über acc.* over); work up a rage, fly into a passion; lash out (at); **2ung** *f* (-) excitement; passion, exasperation, vehemence.

ereignen [ɛr'ʔaɪgnən]: *sich ~* (*h.*) happen, come to pass (*or* about), occur, take place.

Er'eignis [-nis] *n* (-ses; -se) event; occurrence, incident, happening; affair; phenomenon; *freudiges ~* (*birth*) happy event; **2los** *adj.* uneventful; dull, monotonous; **2reich** *adj.* eventful.

er'eilen *v/t.* (*h.*) overtake, *a. fig.* catch up with.

Eremit [ere'mi:t] *m* (-en; -en) hermit.

er'erb|en *v/t.* (*h.*) inherit (*von* from); **~t** *adj.* inherited, *biol. a.* hereditary.

er'fahren I. *v/t.* (*irr., h.*) come to know, learn, hear; be told (*or* informed); experience, go through; suffer; receive, get; *er erfuhr von dem Anschlag* he got wind of the plot; *die Produktion erfuhr e-e Steigerung* the production (was) increased; **II.** *adj.* experienced, expert (*in dat.* in, at); seasoned (*soldier, etc.*); skilled; well versed (in), at home (in); proficient (in); *er ist in diesen Dingen sehr erfahren* he is an old hand at such things; **2heit** *f* (-) experience.

Er'fahrung *f* (-) (*event*) experience; *w.s.* experience, practice; practical knowledge; *technische ~* know-how; *aus ~* from (*or* by) experience; *auf dem Wege praktischer ~* by trial and error; *durch ~ klug werden* learn it the hard way; *in ~ bringen* learn, find out, ascertain; *nach s-r ~* in his experience; *s-e ~en machen* gain experience; *wir haben mit dem Gerät gute ~en gemacht* the device has been quite a success (*or* has proved quite satisfactory); *die ~ hat gezeigt, daß* previous experience has shown that.

Er'fahrungs...: **~austausch** *m* exchange (*or* sharing) of experience; **2gemäß** *adv.* according to (*my, our*) experience; *a.* **2mäßig** *adj.* empiric(ally *adv.*); **~satz** *m* empirical theorem; **~wissenschaft** *f* empirical science; **~zahl** *f* empirical coefficient.

er'fass|en *v/t.* (*h.*) seize, grasp, catch (*all a. fig.* = comprehend); catch (*or* lay) hold of; clutch, (*a. fig.*) grip; realize; *statistically*: register, record, list; *mil.* mobilize, muster; cover, comprise; consider; apply to; *von e-m Verlangen, etc., erfaßt werden* be seized by a desire, *etc.*; **2ung** *f* registration, recording, listing; consideration; **2ungsstelle** *f* registration office; collecting cent|re, *Am.* -er.

er'finden *v/t.* (*irr., h.*) invent, devise; discover, hit upon; invent, make up, *b.s. a.* concoct, cook up.

Er'finder *m* inventor; **~geist** *m* (-es) inventive genius, ingenuity; **~in** *f* inventress; **2isch** *adj.* inventive, ingenuous; imaginative; creative; resourceful; → *Not.*

Er'findung *f* (-; -en) invention; discovery; device; fiction, invention, *b.s. a.* fabrication; **~sgabe** *f* (-) inventive faculty (*or* genius), inventiveness; imagination; **~s-patent** *n* inventor's patent; **2sreich** *adj.* → *erfinderisch.*

er'flehen *v/t.* (*h.*) implore, invoke; obtain by entreaty.

Erfolg [ɛr'fɔlk] *m* (-[e]s; -e) result; outcome, issue; consequence; effect (*a. jur.*); *glücklicher ~* success, hit; achievement; *~ haben* succeed, be (*or* score) a success, be successful; *keinen ~ haben* be unsuccessful, fail; *thea. a.* fall flat, be a flop; *enterprise*: *a.* come to grief, be abortive; *efforts*: *a.* be *or* prove fruitless (*or* unavailing); *von ~ gekrönt* crowned with success; **2en** *v/i.* (*sn*) ensue, follow, result (*aus* from); happen, take place, occur; come, arrive, be forthcoming; *es ist noch keine Antwort erfolgt* no answer has been received as yet; *die Zahlung muß sofort ~* payment must be made (*or* effected) immediately; **2los I.** *adj.* unsuccessful, ineffective, vain, unavailing, fruitless, abortive; **II.** *adv.* unsuccessfully, *etc.*; in vain, without success; **~losigkeit** *f* (-) unsuccessfulness, failure; **2reich** *adj.* successful (*in dat.* in), effective; crowned with success; **~s-anteil** *econ. m* share in results; **~sbuch** *n* best seller; **~sfilm** *m* success film; **~smensch** *m* careerist, hustler, *Am. sl.* go-getter; **~srechnung** *econ. f* profit and loss account; **2versprechend** *adj.* promising.

erforderlich [ɛr'fɔrdərliç] *adj.* necessary, requisite, required (*für* to); *unbedingt ~* indispensable, imperative, essential; *falls ~* if required; *dazu sind erhöhte Zuschüsse ~* this requires (*or* calls for) higher subsidies; **~enfalls** *adv.* if need be, if necessary.

er'forder|n *v/t.* (*h.*) require, demand; exact; call for, necessitate; take up, require; **2nis** *n* (-ses; -se) requirement; *urgent*: exigency, necessity; (pre)requisite (*all für* for).

er'forsch|en *v/t.* (*h.*) explore *land* (*a. fig.*); inquire into, investigate; fathom, sound; *scient.* research, investigate, study; **2er** *m* explorer; investigator; **2ung** *f* exploration; investigation; fathoming.

er'fragen *v/t.* (*h.*) ascertain; *zu ~ bei* (*dat.*) inquire at, apply to.

erfrechen [ɛr'frɛçən]: *sich ~* (*h.*) *zu inf.* have the impudence to *inf.*, dare to *inf.*

er'freuen *v/t.* (*h.*) gladden, please, give pleasure to; delight; gratify; *ich bin darüber erfreut* I am glad of it, I am pleased to hear it; *sich ~ an* (*dat.*) rejoice (*or* delight, take pleasure) in, enjoy *a th.*; *sich e-r Sache ~* enjoy a th.

er'freulich *adj.* delightful, pleasing, agreeable; glad, welcome, fine, pleasant (*news, etc.*); encouraging; gratifying, satisfactory; **~erweise** [-vaɪzə] *adv.* fortunately, happily; (much) to my (our) pleasure *or* relief.

er'frier|en *v/i.* (*irr., sn*) freeze to death, die from cold *or* exposure; *plants*: be killed by frost, be blighted; *sich die Ohren ~* have one's ears frozen; *erfroren* frozen (to death), *plant, etc.*: frost-bitten; **2ung** *f* (-; -en) death from exposure (to cold); *local*: frostbite.

erfrisch|en [ɛr'friʃən] *v/t.* (*h.*) refresh, freshen; cool; give new life to, revive; *~d* refreshing (*a. fig.*), cooling; **2ung** *f* (-; -en) refreshment; **2ungsraum** *m* refreshment-room.

er'füllen *v/t.* (*h.*) fill (*mit* with); *fig. a.* inspire (*or* strike) with (*fear, etc.*); fulfil(l); accomplish (*task*); comply with, meet (*condition, request*); meet, come up to (*expectations*); do, carry out (*duty*); keep, make good (*promise*); perform (*contract*); answer, serve (*purpose*); *sich ~* be fulfilled, materialize, come true; *erfüllt sein von* (*dat.*) be imbued *or* inspired with, be full of.

Er'füllung *f* fulfil(l)ment; accomplishment; performance; compliance (with); realization; *in ~ gehen* → (*sich*) *erfüllen*; **~s-ort** *econ. m* (-[e]s; -e) place of performance; domicile (of the contracting parties for the purposes of a contract); **~s-politik** *f* policy of fulfilment; **~s-tag** *econ. m* settling-day.

Erg [ɛrk] *phys. n* (-s; -) erg(on).

ergänzen [ɛr'gɛntsən] *v/t.* (*h.*) complete, complement; replace; fill up, supply; *econ.* replenish (*stocks*); make up (*sum*); supplement (*mit* by, with); restore; *sich* (*gegenseitig*) *~* complement one another; **~d** *adj.* supplementary, supplemental, complementary (*all acc.* to); integral; additional.

Er'gänzung *f* (-; -en) completion; restoration; supplementation; replenishment; supplement, *gr.* complement; *to a law*: amendment.

Er'gänzungs...: **~band** *m* (-[e]s; ⸚e) supplement(ary volume); **~farbe** *f* complementary colo(u)r; **~mannschaften** *mil. f/pl.* replacements; **~teil** *n* integral (*or* supplementary) part; **~wahl** *f* by-election.

ergattern [ɛr'gatərn] *v/t.* (*h.*) (manage) to get hold of, secure, bag; cadge; hunt up (*news*).

er'gaunern *v/t.* (*h.*) obtain (by sharp practices); swindle (*von j-m*: out of).

er'geben I. *v/t.* (*irr., h.*) **a)** result in; amount to; yield, produce; show, prove, reveal; **b)** *sich* ~ *mil.* surrender (*dat.* to), capitulate, lay down one's arms; *sich e-r Sache* ~ devote o.s. to; take to, become addicted to; *sich* ~ *difficulties, etc.*: arise, emerge, ensue; *sich* ~ *aus* (*dat.*) result (*or* follow) from; be a function of; *sich* ~ *in* (*acc.*) resign o.s. (*or* submit) to, acquiesce in (*fate*); *daraus ergibt sich* hence follows, this goes to prove; **II.** *adj.* devoted (*dat.* to); addicted (to *a vice*); loyal; resigned (to); humble; *~er Diener* obedient servant; **~st** respectfully; *in letters*: Yours faithfully (*Am.* very truly); **2heit** *f* (-) devotion; loyalty; submission; resignation.

Ergebnis [ɛrˈgeːpnis] *n* (-ses; -se) result, outcome; issue, upshot; consequence; effect; *sports, etc.*: score; finding(s *pl.*); → *Ertrag*; **2los** *adj.* resultless, ineffective; fruitless, futile; negative; unsuccessful; without result; ~ *bleiben* give no result; fail, come to nothing.

Erˈgebung *f* (-) *mil.* surrender; *fig.* resignation, submission; *voll* ~ resigned(ly *adv.*).

erˈgehen *v/i.* (*irr., sn*) *law, etc.*: be published *or* issued, come out; *invitation, etc.*: be sent (out); *jur. sentence*: be pronounced, be handed down; ~ *lassen* publish, issue; pass (*a resolution, sentence*); extend (*invitation*); give out, issue (*instructions*); *über sich* ~ *lassen* submit to, endure; *sich* ~ (*im Garten*) stroll about (*in the garden*); *fig. sich* ~ *in* (*dat.*) indulge in; break out in, pour forth (*oaths, etc.*); *sich* ~ expatiate *or* hold forth (*über acc.* on); *es würde ihm schlecht* ~ he would come off badly *or* fare ill; *wie mag es ihm ergangen sein?* I wonder what has become of him; *wie ist es dir ergangen?* how did you fare?; **Erˈgehen** *n* (state of) health; condition.

ergiebig [ɛrˈgiːbiç] *adj.* productive; fertile; rich *or* abounding (*an dat.* in); *business*: profitable, lucrative, paying; *paint, etc.*: yielding; **2keit** *f* (-) productiveness; fertility; richness, abundance; lucrativeness; *tech.* yield value.

erˈgießen *v/t.* (*irr., h.*) pour out, gush forth; *sich* ~ *in acc.* flow into; *river*: *a.* discharge (*or* empty, fall) into; *sich* ~ *über* (*acc.*) pour over.

erˈglänzen *v/i.* (*sn, h.*) shine forth; gleam, sparkle.

erˈglühen *v/i.* (*sn*) glow; *face*: *a.* blush, flush (*vor dat.* with); *fig.* ~ *vor* (*dat.*) be flushed with (*enthusiasm*).

ergötz|en [ɛrˈgœtsən] *v/t.* (*h.*) delight; amuse, entertain; *sich* ~ enjoy o.s.; *sich* ~ *an* (*dat.*) take delight in; be amused by; feast one's eyes on; *b.s.* gloat over; **2en** *n* (-s) delight; amusement; *zu j-s* ~ to a p.'s amusement; **~lich** *adj.* delightful, delectable; amusing, comical.

erˈgrauen *v/i.* (*sn*) (become *or* turn) grey, *Am.* gray.

erˈgreifen *v/t.* (*irr., h.*) seize, grasp, grip; lay hold of; pick up; take up (*pen, weapon*); apprehend, arrest, pick up (*criminal*); *fig.* choose, take up (*profession*); seize, avail o.s. of (*opportunity*); move, touch, affect, stir (*the heart, soul*); take, adopt, apply (*measure*); → *Besitz, Flucht, Partei, etc.*; **~d** *adj.* moving, touching, (soul-) stirring.

ergriffen [ɛrˈgrifən] *adj.* moved, touched, deeply stirred, affected (*von* by); *von Fieber* (*Panik*) ~ struck with (*fever*), seized with (*panic*); **2heit** *f* (-) emotion.

erˈgrimmen *v/i.* (*sn*) become angry *or* furious, flare up, fly into a rage.

erˈgründ|en *v/t.* (*h.*) fathom; *fig. a.* penetrate, get to the bottom of; explore, probe; **2ung** *f* fathoming, penetration.

Erˈguß *m* discharge; *physiol.* effusion; *fig.* effusion, outpour.

erhaben [ɛrˈhɑːbən] *adj.* raised, elevated; *tech. ~e Arbeit* embossed (*or* raised) work, relief; *ganz ~e Arbeit* high-relief, alto-relievo; *halb ~e Arbeit* half-relief, demi-relievo; *fig.* sublime, exalted, lofty; illustrious, eminent; grand, magnificent; ~ *über* (*acc.*) above (*a th. or* doing *a th.*), superior to; → *Tadel*; *das* **2e** *phls. n* (-n) the sublime; **2heit** *f* (-) elevation; *fig.* sublimity; loftiness; grandeur; eminence.

Erˈhalt *m* receipt; → *Empfang*.

erˈhalten I. *v/t.* (*irr., h.*) get, obtain (*a. chem.*); receive (*news, etc.*); be awarded (*or* given) *a prize, thing a.* fetch; preserve, keep (*am Leben* alive); maintain, retain (*custom*); maintain, preserve (*peace*); support (*sich selbst* o.s.), maintain; *sich* ~ *von* (*dat.*) subsist on; *sich gesund* ~ conserve one's health; *econ. e-n besseren Preis* ~ secure (*or* fetch) a higher price; **II.** *p.p. gut* (*schlecht*) ~ in good (bad) condition *or* repair; ~ *bleiben* be preserved, survive; *noch* ~ *sein* remain, be left, survive; *econ. Wert* ~ value received; *zu* ~ → *erhältlich*.

Erˈhalter(in *f*) *m* (-s, -; -, -nen) preserver; supporter, breadwinner.

erhältlich [ɛrˈhɛltliç] *adj.* obtainable, available; *nicht* ~ not obtainable (*or* available), not to be had; *schwer* ~ hard to come by.

Erˈhaltung *f* (-) preservation; maintenance (*a. of peace, machinery*); support (*of a family*); conservation (*of energy, etc.*); upkeep (*of buildings*).

erˈhandeln *v/t.* (*h.*) get by bargaining *or* haggling; buy, purchase.

erˈhängen *v/t.* (*h.*) hang (*sich* o.s.).

erˈhärt|en *v/t.* (*h.*) harden, set; *fig.* confirm, corroborate, substantiate; *eidlich* ~ affirm upon oath, swear to; **2ung** *f fig.* confirmation, corroboration; proof.

erˈhaschen *v/t.* (*h.*) snatch, catch, seize; *e-n flüchtigen Blick von et.* ~ catch a glimpse of a th.

erˈheben *v/t.* (*irr., h.*) raise, lift (up); *fig.* elevate; exalt, extol; ascertain, investiagte; *math.* raise to a higher power; levy, impose, collect (*taxes*); ascertain, record; raise (*objection*); → *Anspruch*; *e-e Forderung* ~ enter (*or* put in) a claim; *e-e Frage* ~ start a question, bring up a point; → *Geschrei, Klage, Protest, Quadrat*; *auf den Thron* (*in den Adelsstand*) ~ raise to the throne (to peerage); *s-e Hand* ~ *gegen* (*acc.*) lift up one's hand against; *s-e Stimme* ~ raise one's voice; *sich* ~ **a)** rise, get up, **b)** *noise, problem, question*: arise; *wind*: spring up; *bird*: soar up; *sich* ~ *gegen* (*acc.*) rise (in arms) against, revolt (*or* rebel) against; *sich* ~ *über* (*dat.*) tower above, *fig.* rise (*or* soar) above, surmount; **~d** *adj. fig.* elevating, edifying; impressive.

erheblich [ɛrˈheːpliç] **I.** *adj.* considerable; serious, grave, heavy (*losses, etc.*); important; *jur.* relevant; **II.** *adv.* considerably; ~ *besser* much better; **2keit** *f* (-) importance; relevance.

Erˈhebung *f* rising ground, elevation; *fig.* elevation, promotion; *of taxes*: imposition; *jur.* filing (*of action*); *math.* involution; investigation, (official) inquiry *or* survey; *~en pl. a.* statistics, data (collected); *~en anstellen über* (*acc.*) investigate (*or* inquire) into; ~ *ins Quadrat* squaring; *seelische* ~ elevation, elation, *Am.* uplift; *pol.* upheaval, uprising, rebellion, revolt.

erˈheischen *v/t.* (*h.*) require, demand, exact; command (*respect*).

erheiter|n [ɛrˈhaɪtərn] *v/t.* (*h.*) cheer (up), exhilarate; amuse; brighten (*face*); *sich* ~ *face*: brighten, light up; **2ung** *f* (-; -en) amusement.

erhell|en [ɛrˈhɛlən] **I.** *v/t.* (*h.*) light up, illuminate; brighten (*colours*); *fig.* clear up, elucidate, shed light (up)on; **II.** *v/i.* (*h.*) become evident; *daraus erhellt* hence it appears; **2ung** *f* (-; -en) illumination.

erhitz|en [ɛrˈhitsən] *v/t.* (*h.*) heat (*auf acc.* to); make hot; pasteurize; *fig.* rouse, inflame (*passions*); fire (*the imagination*); *sich* ~ get (*or* grow) hot; *fig. conversation, mind*: become heated; *feelings*: be roused; *person*: flush (with anger), work up a rage; *die Gemüter erhitzen sich* tempers run high; **2er** *m* (-s; -) heater; **~t** *adj.* heated; hot, *person a.* flushed; *fig.* heated (*debate*); flushed, excited; **2ung** *f* (-; -en) heating.

erˈhoffen *v/t.* (*h.*) hope for, expect.

erhöh|en [ɛrˈhøːən] *v/t.* (*h.*) raise, lift; elevate; *fig.* raise, increase, augment (*auf acc.* to; *um* by); intensify; whet, sharpen (*appetite*); deepen (*impression*); raise (*price*); advance, mark up, *Am.* lift; enhance, heighten, add to, boost (*effect*); *in rank*: exalt; *sich* ~ increase, be increased (*or* raised, enhanced, *etc.*); heighten (*suspense*).

Erˈhöhung *f* (-; -en) raising; elevation; hill(ock); *fig.* increase; enhancement; heightening; *of wages*: rise, *Am.* raise; *of prices*: increase, advance, rise; improvement; **~szeichen** *mus. n* sharp.

erˈhol|en : *sich* ~ (*h.*) recover (*von* from; *a. fig.*), get better *or* well, recuperate; rally (*a. fig.*), come round; (take a) rest; relax; *econ. prices, market*: recover, rally; **~sam** *adj.* restful.

Erˈholung *f* (-; -en) recovery, recuperation, convalescence; rest, recreation, relaxation; *econ.* recovery, rally; rehabilitation; *2bringend* recreative; holiday, *esp. Am.* vacation; *zur ~ in X. weilen* stay for a rest in X.

Er'holungs...: 2bedürftig *adj.* wanting a rest, run down; **~heim** *n* convalescent home; recreation home, rest cent|re, *Am.* -er; **~kur** *f* rest-cure; **~ort** *m* (-[e]*s*; -e) (health *or* holiday) resort; **~pause** *f* (pause for) rest, respite; breather; **~reise** *f* recreation trip, (pleasure-)trip; **~stunde** *f* hour of recreation, leisure hour; **~urlaub** *m* holiday, (recreation) leave, *Am.* vacation; *med.* convalescent (*or* sick-)leave.

er'hör|en *v/t.* (*h.*) hear *or* grant (*request*); yield to, accept (*lover*); **2ung** *f* (-; -*en*) hearing; granting.

Erika ['e:rika] *bot. f* (-; -*ken*) heather.

erinnerlich [ɛr'ˀinərliç] *adj.* present to one's mind, recallable; *soviel mir ~ ist* as far as I can remember (*or* recollect); *es ist mir nicht ~* I do not remember it.

er'innern I. *v/t.* (*h.*): *j-n ~ an* (*acc.*) remind a p. of, call *a th.* (back) to a p.'s mind; draw a p.'s attention to, point *a th.* out to a p.; *j-n daran ~, daß or wie, etc.* remind a p. that *or* how, *etc.*; *das erinnert mich an e-e Geschichte* that reminds me (*or* makes me think) of a story; *sich ~* (*gen. or an acc.*) remember; recall, recollect, call to mind; *wenn ich mich recht erinnere* if I remember rightly; *soviel ich mich ~ kann* as far as I can remember; **II.** *v/i.* (*h.*): *~ an* (*acc.*) be reminiscent (*or* suggestive) of, make *a p.* think of.

Er'innerung *f* (-; -*en*) remembrance, recollection (*an acc.* of); reminder; memory; *~en pl.* reminiscences; memoirs; *j-m et. in ~ bringen* → *erinnern I*; *die ~ wachrufen an* (*acc.*) call *a th.* back to mind, call (*or* conjure) up, be reminiscent of, evoke *a th.*; *zur ~ an* (*acc.*) in memory of; → *Gedächtnis.*

Er'innerungs...: ~medaille *f* commemorative medal; **~tafel** *f* memorial tablet; **~tag** *m* commemoration day; **~vermögen** *n* (-s) power of recollection, memory; **~werbung** *f* follow-up advertising; **~wert** *m* sentimental personal value; *balance-sheet* pro memoria figure; **~zeichen** *n* keepsake, souvenir.

er'jagen *v/t.* (*h.*) hunt down; *fig.* catch, secure, lay hold of.

erkalten [ɛr'kaltən] *v/i.* (*sn*) get cold, cool (down); *fig.* cool (off).

erkält|en [ɛr'kɛltən] *v/t.* (*h.*) chill; *sich ~* catch *or* take (a) cold; *sich den Magen erkältet haben* have a chill on the stomach; *er ist stark erkältet* he has a bad cold; **2ung** *f* (-; -*en*) cold, chill, catarrh; **2ungskrankheit** *f* catarrhal disease.

er'kämpfen *v/t.* (*h.*) gain by force, force; *er mußte sich s-e Stellung hart ~* he had to fight (*or* struggle) hard for his position.

er'kaufen *v/t.* (*h.*) buy, purchase; *fig. et. teuer ~ müssen* (have to) pay dearly for a th.

er'kennbar *adj.* recognizable; perceptible, discernible; distinguishable; identifiable; **2keit** *f* (-) recognizability.

er'kennen I. *v/t.* (*irr.*, *h.*) recognize (*an dat.* by); perceive, discern; detect, spot; *med.* diagnose; know (*an dat.* by); realize, see; → *durchschauen*: *econ. j-n ~ für* (*acc.*) credit a p. with (*a sum*); *jur. für* (*nicht*)*schuldig*: adjudge *or* find *a p.* (not) guilty; return a verdict of (not) guilty; *~ lassen* suggest, show, reveal; *zu ~ geben* signify, indicate, give to understand; *sich zu ~ geben* disclose one's identity, *fig.* declare o.s., come out into the open, show one's real face; **II.** *v/i.* (*irr.*, *h.*): *jur. ~ auf* (*acc.*) pass a sentence of, impose; *das Gericht erkennt daher für Recht* it is therefore ordered, adjudged, and decreed.

er'kenntlich *adj.* perceptible; grateful (*dat.* to); *sich j-m ~ zeigen für* (*acc.*) reciprocate for, return a p.'s *favo(u)r*; **2keit** *f* (-; -*en*) thankfulness, (sign of) gratitude.

Er'kenntnis 1. *f* (-; -se) knowledge; perception; realization; understanding, recognition; *phls.* cognition; *neueste wissenschaftliche ~se pl.* latest scientific findings; *zu e-r ~ gelangen* arrive at a conclusion; *zur ~ kommen* realize one's mistake(s *pl.*), listen to reason; **2.** *jur. n* (-ses; -se) judg(e)ment, sentence, finding; *of jury*: verdict; *~ auf Todesstrafe* imposition of the death penalty; **~theorie** *f* theory of cognition; **~vermögen** *n* perceptive faculty, intellect.

Erkennung [ɛr'kɛnuŋ] *f* (-; -*en*) recognition; identification; detection; **~sdienst** *m* criminal identification department; **~smarke** *mil. f* identity disk, *Am.* identification tag, dog-tag; **~swort** *n* watchword, password; **~szeichen** *n* sign of recognition; distinctive mark, characteristic; *med.* diagnostic symptom; badge; *aer.* aircarft markings *pl.*

Erker ['ɛrkər] *m* (-s; -) alcove, bay; **~fenster** *n* oriel, bay-window; **~zimmer** *n* corner-room.

erkiesen [ɛr'ki:zən] *poet. v/t.* (*irr.*, *h.*) choose, (s)elect.

erklär|bar [ɛr'klɛ:rba:r] *adj.* explainable, explicable; **~en** *v/t.* (*h.*) explain; interpret; define; illustrate, demonstrate; account for; declare, state; depose; profess; *sich ~ durch matter*: explain itself by, be due to; *so erklärt sich* that accounts for (*a th. or ger.*); *sich ~ person*: declare o.s., speak one's mind; *sich ~ für, gegen* (*acc.*) declare (*or* pronounce) for, against; *den Krieg ~* declare war (*dat.* on); *ich kann es mir nicht ~* I don't understand it; *erklärter Gegner, etc.* declared enemy, *etc.*; **~end** *adj.* explanatory, illustrative; **~lich** *adj.* → *erklärbar*; understandable; evident, obvious; *aus ~en Gründen* for obvious reasons; *das ist leicht ~* that can easily be accounted for; **2ung** *f* explanation (*für acc.* of); interpretation; definition; reasons *pl.*; comment; illustration; declaration, statement (*a. pol.*), *jur. a.* deposition, testimony; → *eidesstattlich*; *econ.* declaration, announcement (*of a dividend*); *e-e ~ abgeben* make a declaration *or* statement; *zur ~ dieser Maßnahme* in explanation of this measure; *dies wäre e-e ~ für s-e Handlungsweise* that would explain his way of acting; **2ungs-tag** *m stock exchange*: contango day.

erklecklich [ɛr'klɛkliç] *adj.* considerable, substantial; *e-e ~e Summe* a tidy penny.

er'klettern *v/t.* (*h.*), **er'klimmen** *v/t.* (*irr.*, *h.*) climb (up); ascend, conquer (*mountain*); scale; *fig. a.* rise to.

er'klingen *v/i.* (*irr.*, *sn*) (re)sound, ring (out), be heard; *~ lassen* sound.

erkor [ɛr'ko:r] *pret. of* erkiesen.

erkoren[1] [ɛr'ko:rən] *pp. of* erkiesen.

er'koren[2] *adj.* chosen, (s)elect.

erkrank|en [ɛr'kraŋkən] *v/i.* (*sn*) fall ill *or* sick, be taken ill (*an dat.* with), contract a disease; *organ*: disease, be affected; **2ung** *f* (-; -*en*) falling ill, illness, sickness; disease, affection (*of organ*); *im ~sfalle* in case of illness.

erkühnen [ɛr'ky:nən]: *sich ~* (*h.*) make bold, venture, presume (*zu* to *inf.*).

erkunden [ɛr'kundən] *v/t.* (*h.*) explore, spy out; *mil.* reconnoit|re (*Am.* -er), scout.

erkundig|en [ɛr'kundigən]: *sich ~* (*h.*) inquire (*nach* et. a th., for a th., after a th. *or* p.; *bei j-m* of a p.), make inquiries (*über acc.* about); *sich ~ über a.* gather information on; **2ung** *f* (-; -*en*) inquiry; *~en einziehen* → (*sich*) *erkundigen* (*über*).

Er'kundung *mil. f* (-; -*en*) reconnaissance; → *Aufklärung.*

erkünsteln [ɛr'kynstəln] *v/t.* (*h.*) affect.

erlahmen [ɛr'la:mən] *v/i.* (*sn*) become lame; *fig.* grow weary, tire; *person*: relax, slacken (*a. econ.*); *interest, etc.*: wane, flag.

er'lang|en *v/t.* (*h.*) reach, attain (to), achieve; obtain, get, secure; acquire; gain (*entry, etc.*); *wieder ~* recover, retrieve, get back; **2ung** *f* reaching; attainment, achievement; acquisition.

Erlaß [ɛr'las] *m* (-sses; -sse) dispensation, exemption, release (*gen.* from); remission (*of debt, sin, penalty*); decree, ordinance; enactment, promulgation (*of law*); *econ.* → *Nachlaß.*

er'lassen *v/t.* (*irr.*, *h.*) remit, cancel (*debt*); remit (*punishment, sin*); release, dispense, excuse, let off (*j-m et.* a p. from a th.); issue, publish (*decree, etc.*); enact, promulgate (*law*).

erläßlich [ɛr'lɛsliç] *adj.* remissible; pardonable (*sin*); dispensable.

Er'lassung *f* (-; -*en*) → *Erlaß.*

erlauben [ɛr'laubən] *v/t.* (*h.*) allow, permit; suffer, tolerate; *j-m* **et.** *~* allow *or* permit a p. (to do) a th.; give a p. permission (*or* leave) to do a th.; *sich ~ zu inf.* venture to *inf.*, take the liberty of *ger.*, be so free as to *inf.*; *econ. a.* beg to *inf.*; → *erdreisten*; *sich et. ~* indulge in a th., treat o.s. to a th.; *sich Frechheiten ~* take liberties; *wenn Sie ~* by your permission, if you don't mind; *m-e*

Mittel ~ mir das or (a. w.s.) ich kann mir das ~ I can afford it; *was ~ Sie sich?* how dare you?
Erlaubnis [ɛr'laupnis] *f* (-) permission, leave; licen|ce, *Am.* -se; authority; *j-n um ~ bitten* ask a p.'s permission (*or* a p. for permission) *to do a th.*; beg leave *to inf.*; *j-m ~ erteilen* → *erlauben*; *er erhielt die ~ zur Besichtigung der Fabrik* he was authorized (*or* granted permission) to inspect the works; **~schein** *m* permit, licen|ce, *Am.* -se.
er'laubt *adj.* allowed, permitted; admissible, permissible.
erlaucht [ɛr'lauxt] *adj.* illustrious, noble.
er'lauschen *v/t.* (*h.*) overhear.
er'läuter|n *v/t.* (*h.*) explain, elucidate, expound; comment (up)on; illustrate, exemplify; **~nd** *adj.* explanatory; illustrating; **2ung** *f* explanation, elucidation; illustration; comment(ary); note, annotation.
Erle ['ɛrlə] *bot. f* (-; -*n*) alder.
er'leb|en *v/t.* (*h.*) live to see; experience; pass through, meet with; go through; undergo (*changes*); see, witness, be witness of; have, spend (*nice days, etc.*); *er hat viel erlebt* he has had a great many adventures; *ich habe es oft erlebt* I've often seen it happen; *hat man schon so etwas erlebt! colloq.* can you beat that?; *er will et. ~* he wants to see things; *colloq. na, er soll et. ~* just let him come!; **2ensfallversicherung** *f* pure endowment assurance; **2nis** *n* (-ses; -se) experience; event, occurrence, episode; accident; adventure; *es war ein großes ~* it was a wonderful experience..
erledig|en [ɛr'le:digən] *v/t.* (*h.*) finish, bring to a close; carry (*or* see) through, effect, execute; dispose of; settle, wind up (*transaction*); settle (*dispute*); remove (*doubt*); *j-n ~* dispose of (*or* do for) a p., settle a p.'s hash; finish a p. off; *ich werde die Sache ~* I'll attend to (*or* deal with, handle) this matter; *sich ~* be settled; *damit ~ sich die übrigen Punkte* this disposes (*or* takes care) of the remaining questions; *würden Sie das für mich ~* would you do this for me (*or* take this off my hands); **~t** *adj.* finished, settled; vacant (*office*); *das wäre ~* that's settled then, that was that; *fig.* played out, done (*or* all) in, ready to drop; *er ist ~* he is done for; his goose is cooked; he is down, out and finished; he is at the end of his tether; *du bist für mich ~* I am through with you; **2ung** *f* (-; -*en*) settlement; consideration, treatment, handling; discharge; liquidation; *umgehende ~* immediate attention.
er'legen *v/t.* (*h.*) kill, shoot.
erleichter|n [ɛr'laiçtərn] *v/t.* (*h.*) make *a task* easy, facilitate; lighten (*a burden*); relieve, alleviate (*pain, misery*); ease (*one's conscience*); ease, relieve (*a. p., one's mind*); *sich ~* relieve nature; *sich das Herz ~* disburden one's mind; *er erleichterte mich um m-n Geldbeutel* he eased me of my purse; *erleichtert aufatmen* heave a sigh of relief, breathe freely; **2ung** *f* (-; -*en*) lightening; facilitation; ease (*von* from); relief (*über acc.* at); alleviation; **~en** *pl. esp. econ.* facilities *pl.*; *taxation*: easements *pl.*
er'leiden *v/t.* (*irr., h.*) suffer, endure, bear; sustain, suffer, incur (*defeat, damage, loss*); suffer *death*; undergo (*changes*).
er'lern|bar [ɛr'lɛrnbɑ:r] *adj.* learnable; **~en** *v/t.* (*h.*) learn, acquire, master.
er'lesen I. *v/t.* (*irr., h.*) acquire by reading; select, choose, pick; **II.** *adj.* select; choice, exquisite.
er'leucht|en *v/t.* (*h.*) light (up), illumin(at)e; *fig.* enlighten; **2ung** *f* (-; -*en*) illumination; *fig.* enlightenment; *a. eccl.* illumination; inspiration, bright idea, brain-wave.
er'liegen *v/i.* (*irr., sn*) succumb (*dat.* to *illness, temptation, etc.*); fall victim to; *unter e-r Last ~* sink under a burden; *mining*: *zum 2 kommen* be worked out (*pit*).
erlisten [ɛr'listən] *v/t.* (*h.*) obtain by artifice, manage to get, wangle.
erlogen [ɛr'lo:gən] *adj.* → *erlügen*.
Erlös [ɛr'lø:s] *m* (-es; -e) proceeds *pl.*; net profits(*pl.*).
erlosch [ɛr'lɔʃ] *pret. of* erlöschen.
er'löschen *v/i.* (*irr., sn*) be extinguished, go out; *fig.* become extinct, cease to exist, die out; *eyes*: dim; *life, passion*: be extinguished; *contract, patent*: expire; *claim, etc.*: lapse; *mit ~der Stimme* with a failing voice.
Er'löschen *n* (-s) extinction; expiration, lapse.
erloschen[1] [ɛr'lɔʃən] *p.p. of* erlöschen.
er'loschen[2] *adj.* extinct, extinguished; *~e Rechte* lapsed interests.
er'lös|en *v/t.* (*h.*) *esp. eccl.* redeem, save (*von* from); deliver, release, free (from); realize, net, get; *das erlösende Wort sprechen* break the ice; **2er** *eccl. m* (-s) *the* Redeemer, *the* Saviour; **2ung** *f* (-; -*en*) *eccl.* redemption; *fig.* deliverance, release; relief.
er'lügen *v/t.* (*irr., h.*) invent, fabricate; *erlogen a.* false, untrue, trumped up; *das ist (erstunken und) erlogen* that's a (filthy) lie.
ermächtig|en [ɛr'mɛçtigən] *v/t.* (*h.*) empower, authorize; vest *a p.* with authority *or* powers; *ermächtigt sein zu inf.* be authorized *or* empowered to *inf.*, have authority *or* power to *inf.*; **2ung** *f* (-; -*en*) authorization; authority; power; warrant, licen|ce (*Am.* -se); **2ungsgesetz** *n* Enabling Act.
er'mahn|en *v/t.* (*h.*) admonish (*j-n zum Fleiß, etc.* a p. to be diligent, *etc.*), exhort; expostulate (*acc.* with); urge; caution, warn; **~end** *adj.* hortatory, admonishing; **2ung** *f* admonition, exhortation; *a* word to the wise.
er'mangel|n *v/i.* (*h., gen.*) lack, want; be lacking *or* wanting (in); fail; *es an nichts ~ lassen* spare no trouble *or* pains; *ich werde nicht ~ zu inf.* I shall not fail to *inf.*; *er ermangelte jeglichen Feingefühls* he was innocent of any delicacy; **2ung** *f* (-): *in ~ e-r Sache* in default (*or* in the absence) of a th., failing a th.; *in ~ e-s Besseren* for want of something better.
ermannen [ɛr'manən]: *sich ~* (*h.*) take heart, pluck up courage; pull o.s. together.
er'mäßig|en *v/t.* (*h.*) abate, reduce, lower; mark down, *Am.* cut (down) *prices*; *zu ermäßigten Preisen* at reduced prices; *sich ~* be reduced; **2ung** *f* (-; -*en*) reduction, lowering, *Am.* cut; (tax) relief.
ermatt|en [ɛr'matən] **I.** *v/t.* (*h.*) tire, fatigue, exhaust, wear down; **II.** *v/i.* (*sn*) tire (*vor dat.* with), be exhausted, give out; *mentally*: (grow) weary; slacken; *interest, etc.*: wane, flag; **~et** *adj.* fatigued, exhausted, spent, worn out; weary, jaded; **2ung** *f* (-; -*en*) fatigue, exhaustion; weariness, lassitude.
er'messen *v/t.* (*irr., h.*) estimate; calculate; judge; weigh, consider; conceive, appreciate, realize; infer, conclude (*aus* from).
Er'messen *n* estimate, judg(e)ment; *freies ~* (free) discretion; *nach m-m ~* in my opinion, as I see it; *nach menschlichem ~* in all probability; *ich stelle es in Ihr ~* I leave it to you(r discretion); *nach bestem ~* to the best of one's judg(e)ment; *nach dem ~ des Gerichtes* at the discretion (*or* pleasure) of the court; **2sentscheidung** *jur. f* discretionary decision; **2smißbrauch** *jur. m* abuse of power of discretion.
ermitteln [ɛr'mitəln] *v/t.* (*h.*) determine (*a. chem., etc.*); ascertain, establish; investigate; find out, discover; locate; *j-s Identität ~* identify a p.
Er'mitt(e)lung *f* (-; -*en*) ascertainment; *chem., etc.*: determination; discovery; investigation, inquiry; *~en pl.* findings, facts; information *sg.*; *~en anstellen über (acc.)* make inquiries about, inquire into, investigate; **~s-ausschuß** *m* fact-finding committee; **~sbeamter** *m* investigator; **~sverfahren** *jur. n* judicial inquiry.
ermöglichen [ɛr'mø:kliçən] *v/t.* (*h.*) make (*or* render) possible *or* feasible; enable (et. a th. *or* a th. to be done); *j-m et. ~* make it possible for (*or* enable) a p. to do a th.; allow.
er'mord|en *v/t.* (*h.*) murder; assassinate; **2ung** *f* (-; -*en*) murder; assassination.
ermüden [ɛr'my:dən] *v/t.* (*h.*) *and v/i.* (*sn*) → *ermatten*; **~d** *adj.* fatiguing; tiresome, wearisome.
Er'müdung *f* (-) fatigue (*a. tech.*), tiredness; exhaustion; weariness; **~serscheinung** *f* symptom of fatigue; **~sfestigkeit** *metall. f* fatigue strength; **~sgrenze** *tech. f* endurance limit; **~sstoff** *m* fatigue toxine.
ermunter|n [ɛr'muntərn] *v/t.* (*h.*) awake, rouse; *fig.* rouse, stir up; encourage *or* stimulate (*zu et.* to do a th.); cheer (up); animate, enliven, stimulate; *sich ~* take heart, cheer up; **2ung** *f* (-; -*en*) encouragement; stimulation; fillip; incentive; stimulus.
ermutig|en [ɛr'mu:tigən] *v/t.* encourage (*j-n zu et.* a p. to do a th.); hearten, embolden; **~end** *adj.* en-

couraging, reassuring; **2ung** *f* (-) encouragement.

er'nähr|en *v/t.* (*h.*) nourish, feed; keep, support, maintain; *sich ~ von* (*dat.*) live (*or* subsist, feed) on; *fig.* live (*or* make a living) by; *schlecht ernährt* ill-fed, malnourished; **2er(in** *f*) *m* (*-s, -; -, -nen*) bread-winner.

Er'nährung *f* (-) nourishing, feeding; food, nourishment, *med.* nutrition, alimentation; diet; maintenance, support.

Er'nährungs...: **~amt** *n* Food Office; **~güter** *n/pl.* foods, foodstuffs; **~faktor** *m* nutritive factor; **~krankheit** *f* nutritional disease; **~kunde** *f* (-) dietetics *pl.*; **~spezialist(in** *f*) *m* dietician, nutritionist; **~therapie** *f* trophotherapy; **~weise** *f* nutrition, feeding habit; *verordnete ~* diet, regime; **~wirtschaft** *f* food and fodder production and trade; **~wissenschaft** *f* dietetics *pl.*; **~zustand** *m* nutritional condition.

Ernannte(r *m*) [ɛr'nantə(r)] *f* (*-n, -n; -en, -en*) nominee.

er'nenn|en *v/t.* (*irr., h.*) nominate, appoint, constitute; *er wurde zum Vorsitzenden ernannt* he was appointed chairman; **2ung** *f* appointment, nomination, designation; *s-e ~ zum Konsul* his appointment to be (*or* to the post of) consul; **2ungsurkunde** *f* letter of appointment; commission.

erneuern [ɛr'nɔʏərn] *v/t.* (*h.*) renew, renovate; *tech.* recondition; renew, prolong (*contract, etc.*); refresh (*colours*); restore (*painting*); replace; *mot.* change (*oil*); retread (*tyre*); renew, repeat; (*a. sich*) revive; reinstate (*patent*).

Er'neuerung *f* (*-; -en*) renewal, renovation; reconditioning; restoration; replacement; revival; reinstatement; reiteration; **~sfonds** *econ. m* depreciation reserve; **~srate** *econ. f* renewal rate; **~sschein** *econ. m* talon.

erneut [ɛr'nɔʏt] **I.** *adj.* renewed, repeated, fresh; *jur. ~e Verhandlung* rehearing; **II.** *adv.* anew, again.

erniedrig|en [ɛr'ni:drigən] *v/t.* (*h.*) degrade; humble, humiliate; *mus.* flat; *econ.* reduce, lower (*prices*); *sich ~* degrade (*or* demean) o.s.; humble o.s.; *zu et.:* stoop to doing a th.; **~end** *adj.* abasing, humiliating, degrading; **2ung** (*-; -en*) *f* degradation; abasement; humiliation; *mus.* flattening; *econ.* reduction.

Ernst [ɛrnst] *m* (*-es*) seriousness, earnest; earnestness; seriousness, gravity; severity, sternness; gravity, solemnity; *allen ~es* quite seriously, in all seriousness; *~ machen mit* put *a th.* into practice, go ahead with *a th.*, set about doing *a th.*; et. *im ~ meinen* be in earnest, be serious, mean it; *es ist mein voller ~* I am in good earnest, I am perfectly in earnest; *ist das Ihr ~?* do you really mean it; *wollen Sie im ~ behaupten?* you don't mean to say?

ernst *adj.* serious, earnest; grave, critical; solemn, grave; severe, stern; grave, weighty; gloomy; *ein ~er Rivale* a serious rival; et. *~ meinen* be serious (*or* in earnest) about a th., mean it; et. *~ nehmen* take a th. seriously; *ich nehme die Sache ~* I regard the matter as serious.

'Ernst...: **~fall** *m* emergency; *im ~* in case of emergency; if things come to a head; if need be; *mil.* in case of (actual) war; **2gemeint** ['-gəmaɪnt] *adj.* serious, meant in earnest; **2haft** *adj.* serious, earnest, grave; **2lich** *adj.* (*and adv.*) earnest(ly), serious(ly); *~ besorgt* very anxious, alarmed; *~ krank* seriously ill.

Ernte ['ɛrntə] *f* (*-; -n*) harvest (*a. fig.*); crop, produce; *~ auf dem Halm* standing crop; **~arbeit** *f* harvest work; **~arbeiter(in** *f*) *m* reaper, harvester; **~ausfall** *m* crop failure; **~aussichten** *f/pl.* crop prospect; **~dankfest** *n* harvest-festival, *Am.* Thanksgiving Day; **~ertrag** *m* crop yield, produce; **~jahr** *n* crop year; **~maschine** *f* harvester; **~monat** *m* harvest-month, August.

'ernten *v/t.* (*h.*) *and v/i.* (*h.*) harvest, gather (in), reap; *fig.* reap, earn.

'Ernte...: **~schäden** ['-ʃɛ:dən] *m/pl.* damages to the crop; **~segen** *m* rich harvest; **~wagen** *m* harvest-wag(g)on; **~zeit** *f* harvest(-time).

ernüchter|n [ɛr'nyçtərn] *v/t.* (*h.*) sober; *fig. a.* disillusion, bring *a. p.* down to earth; *sich ~* sober down, *fig. a.* come down to earth; *~d wirken* have a sobering effect; **2ung** *f* (*-; -en*) sobering; disillusionment, disenchantment.

Erober|er [ɛr'ˀo:bərər] *m* (*-s; -*) conqueror; **2n** *v/t.* (*h.*) conquer (*a. fig.*); *mil.* capture, take; → *Sturm*; **~ung** *f* (*-; -en*) conquest, capture (*both a. fig.*); *a. fig. e-e ~ machen* make a conquest; **~ungskrieg** *m* war of conquest; **~ungszug** *m* (warlike) expedition; invasion, inroad.

er'öff|nen *v/t.* (*h.*) open (*a. account, credit, hostilities, operations, session, etc.*); inaugurate; *das Feuer ~* open fire; open, start, set up (*business*); institute (*bankruptcy proceedings*); probate (*a will*); *fig.* start, launch; open (up) *prospects*; *j-m et. ~* disclose (*or* reveal, *formally*: notify) a th. to a p., inform a p. of a th.; *sich ~ opportunity*: offer (*or* present) itself; *sich j-m ~* open o.s. to a p., take a p. into one's confidence; **2nung** *f* opening; inauguration; disclosure, information, notification.

Er'öffnungs...: **~ansprache** *f* opening (*or* inaugural) address; **~beschluß** *m jur.* order to proceed; **~bilanz** *econ. f* opening balance-sheet; **~feier** *f* opening ceremony; **~kurs** *econ. m* opening price; **~sitzung** *f* initial meeting, *parl.* opening session.

erogen [ero'ge:n] *physiol. adj.* erogenous.

erörter|n [ɛr'ˀœrtərn] *v/t.* (*h.*) discuss, debate, argue; discuss in detail, thrash out; **2ung** *f* (*-; -en*) discussion, debate, argument; *zur ~ stehen* be under discussion.

Ero|tik [e'ro:tik] *f* (-) eroticism; **2tisch** *adj.* erotic.

Erpel ['ɛrpəl] *m* (*-s; -*) drake.

erpicht [ɛr'piçt] *adj.:* *~ auf* (*acc.*) intent (*or* bent, keen) on; mad for (*or* after); greedy for; *darauf ~ sein, zu inf.* be intent, *etc.*, on *ger.*; be anxious to *inf.*

er'press|en *v/t.* (*h.*) extort (*von* from); blackmail *a p.*; squeeze *money* (*von j-m* out of); **2er(in** *f*) *m* (*-s, -; -, -nen*) extortioner, blackmailer; **2ung** *f* (*-; -en*) extortion; blackmail; **2ungsversuch** *m* attempted extortion.

er'prob|en *v/t.* (*h.*) try, test, prove; put to the test; **~t** *adj.* tried, tested; approved; experienced; reliable; **2ung** *f* (*- ;-en*) trial, test, try-out; **2ungsflieger** *m* test pilot; **2ungsflug** *aer. m* proving flight.

erquick|en [ɛr'kvikən] *v/t.* (*h.*) refresh; (re)invigorate, brace; *s-e Augen ~ an* (*dat.*) feast one's eyes on; **~end, ~lich** *adj.* refreshing; delightful, agreeable; **2ung** *f* (*-; -en*) refreshment; delight, treat.

er'raten *v/t.* (*irr., h.*) guess; divine; hit upon (*answer*).

erratisch [ɛ'rɑ:tiʃ] *geol. adj.* erratic.

er'rechnen *v/t.* (*h.*) reckon out, calculate, compute.

erreg|bar *adj.* excitable, irritable; nervous, high-strung; **2barkeit** *f* (-) excitability, irritability; **~en** [ɛr'-re:gən] *v/t.* (*h.*): *j-n*: excite, agitate, upset *a p.*; irritate; infuriate, incense, madden; cause, give rise to, call forth; inspire (*fear, etc.*); (a)rouse, stir up (*passion, suspicion*); create (*a sensation, a scandal*); provoke (*anger*); *el.* excite, *Am.* energize; *sich ~* be excited (*etc.*); get all worked up (*über* about); flare up, (fly into a) rage; **~end** *adj.* exciting, thrilling; stirring; *med.* (*a. ~es Mittel*) excitant, stimulant; → *besorgnis~, etc.*; **2er** *m* (*-s; -*) cause; *el.* exciter; *med.* causative organism; virus; germ; **2erenergie** *el. f* field energy; **2erspannung** *el. f* exciting voltage; **2erstrom** *el. m* exciting current; **~t** *adj.* excited; agitated, in a state; heated (*discussion, etc.*); stirring, turbulent (*times*); **2ung** *f* excitement, agitation; emotion; exasperation, rage, fury; *el., a. med. of nerve, a. sexual*: excitation; *freudige ~* thrill (*or* ecstasy) of joy; *jur. ~ öffentlichen Ärgernisses* disorderly conduct.

erreichbar [ɛr'raɪçbɑ:r] *adj.* within reach *or* call, get-at-able; available; *fig.* attainable, achievable; *leicht ~* within easy reach; *zu Fuß (mit dem Auto) leicht ~* within easy walking (driving) distance.

er'reich|en *v/t.* (*h.*) reach; catch, *Am.* make (*a train*); arrive at, get to (*a place*); make (*the shore, etc.*); come up with, draw up to; *j-n telephonisch ~* get a p. on the phone; *von der Bahn leicht zu ~* within easy reach of the station; *fig.* achieve, attain, reach; obtain, secure, get; equal, match; come up to; *ein hohes Alter ~* live to a great age; → *Ziel, Zweck*; *alles, was dabei erreicht wurde, war* the only result of it was; *ich erreichte, daß* I managed to *inf.*, I succeeded in *ger.*; *nichts wurde erreicht* it was all in vain, we didn't get anywhere; **2ung** *f* (-) reaching; attainment, achievement.

erˈrett|en *v/t.* (*h.*) save, rescue (*von, aus* from); deliver (from); **2er** *m*, **2erin** *f* rescuer, savio(u)r (*a. eccl.*); **2ung** *f* rescue, deliverance; *eccl.* salvation, redemption.

erˈricht|en *v/t.* (*h.*) erect, build, raise; → *Lot*; *fig.* found, establish; open, set up (*business*); draw up, make (*last will*); **2ung** *f* erection, building, construction; foundation, establishment.

erˈringen *v/t.* (*irr.*, *h.*) obtain; achieve, gain (*fame, success*); win, carry off (*prize*); → *Sieg*; *er errang den zweiten Platz* he was second, *runner*: he came in (*or* ran) second.

erröten [ɛrˈrøːtən] *v/i.* (*sn*) blush, flush, colo(u)r (*vor dat.* with) (*über acc.* at); **Erˈröten** *n* (-s) blush(ing); *j-n zum ⁓ bringen* put a p. to the blush.

Errungenschaft [ɛrˈruŋənʃaft] *f* (-; -en) acquisition; *fig.* achievement; feat, triumph; **⁓sgemeinschaft** *jur. f* community of after-acquired property.

Ersatz [ɛrˈzats] *m* (-es) compensation; indemnification; damages *pl.*, indemnity; reparation; restitution; alternative; replacement, substitute, ersatz (*für* for); *mil.* replacements, reinforcements *pl.*; recruits *pl.*; → *Ersetzung*, *⁓mann*, *⁓mittel*, *⁓teil*; *als ⁓ für* (*acc.*) as (*or* by way of) compensation for; in exchange (*or* by way of compensation) for; in exchange (*or* return) for; *⁓ leisten für* (*acc.*) compensate (*or* make compensation, amends) for, make restitution of; **⁓anspruch** *m* claim for compensation; **⁓bataillon** *n* depot (*Am.* replacement training) battalion; **⁓batterie** *el. f* refill; **⁓brennstoff** *m* substitute fuel; **⁓dienst** *mil. m* → *Wehrersatzdienst*; **⁓einheit** *mil. f* replacement *or* reserve unit; **⁓erbe** *m* substitute heir; **⁓fahrer** *m* substitute driver; **⁓geld** *n* token money; **⁓handlung** *psych. f* redirection activity; **⁓heer** *n* reserve army; **⁓kaffee** *m* ersatz coffee; **⁓kasse** *f* (private) sickness insurance society; **⁓leder** *n* imitation leather; **⁓leistung** *f* compensation, indemnification, payment of damages; **⁓lieferung** *f* compensation delivery; **⁓mann** *m* substitute, *Am. a.* alternate; *sports*: emergency man, sub(stitute), spare; **⁓mine** *f* refill; **⁓mittel** *n* substitute, surrogate; ersatz; **⁓pflicht** *f* liability (to pay damages); **2pflichtig** *adj.* liable to compensation; **⁓rad** *mot. n* spare wheel; **⁓reifen** *m* spare tyre, *Am.* tire; **⁓reserve** *mil. f* supplementary reserve; **⁓spieler** *m thea.* understudy, *Am. a.* stand-in; *sports*: → *Ersatzmann*; **⁓strafe** *jur. f* alternative punishment; **⁓teil** *tech. m* replacement part; spare (part); *⁓liste* parts list; *⁓lager* spare parts store; **⁓wahl** *f* by-election; **⁓wesen** *mil. n* (-s) recruitment; **2weise** [-vaɪzə] *adv.* by (way of) substitution, *etc.*; alternatively; **⁓zahn** *m* permanent tooth.

erˈsaufen *colloq. v/i.* (*irr.*, *sn*) be drowned; *thing*: be flooded.

ersäufen [ɛrˈzɔʏfən] *v/t.* (*h.*) drown (*a. colloq. fig. s-e Sorgen im Alkohol* one's sorrows in drink).

erˈschaff|en *v/t.* (*irr.*, *h.*) create; produce, make; **2er(in** *f*) *m* (-s, -; -, -nen) creator; *God*: *the* Creator; **2ung** *f* creation.

erˈschallen *v/i.* (*irr.*, *sn*), (*a. ⁓ lassen*) (re)sound, ring; echo.

erˈschauern *v/i.* (*sn*) thrill; tremble, shiver, shudder (*all*: *über acc.* at; *vor dat.* with).

erˈscheinen *v/i.* (*irr.*, *sn*) appear (*a. ghost*: *j-m* to a p.); come (along), turn up; put in a (personal) appearance; *vor Gericht ⁓* appear (*or* attend) in court; *nicht ⁓* fail to appear; *nicht erschienen sein* be absent; emerge (*aus* from); show o.s.; *book*: appear, come out, be published; *soeben erschienen* just published (*or* out); *⁓ lassen* publish, bring out; seem, appear, look; *es erscheint mir merkwürdig* it strikes me as (being) funny; *es erscheint ratsam* it appears advisable.

Erˈscheinen *n* (-s) appearance; apparition (*of ghost*); publication (*of book*); *im ⁓ begriffen* forthcoming (*book*); *beim ⁓* when published.

Erˈscheinung *f* (-; -en) appearance; phenomenon; spectacle; apparition; spectre, phantom; vision; indication, sign; symptom, manifestation; (outward) appearance; *e-e glänzende ⁓ sein* cut a fine figure; *in ⁓ treten* make one's appearance, *fig.* appear, emerge, show, enter the picture, come to the fore; be (*or* make itself) felt.

Erˈscheinungs...: **⁓bild** *biol. n* ph(a)enotype; **⁓fest** *eccl. n* Epiphany; **⁓form** *f* (outward) shape, manifestation, embodiment; *biol.* genotype; **⁓jahr** *n* year of publication; **⁓welt** *f* physical world.

Erˈschienene(r *m*) [ɛrˈʃiːnənə(r)] *f* (-n, -n; -en, -en) *notary's office*: deponent, appearer.

erˈschieß|en *v/t.* (*irr.*, *h.*) shoot (dead); *⁓ lassen* have *a p.* shot; *sich ⁓* shoot o.s.; **2ung** *f* (-; -en) shooting; (military) execution; **2ungskommando** *n* firing squad.

erschlaff|en [ɛrˈʃlafən] **I.** *v/i.* (*sn*) *muscle*: go limp, relax; *person*: tire, be exhausted (*or* weary); *fig.* slacken, languish, flag; **II.** *v/t.* (*h.*) relax; fatigue, exhaust; enervate; **2ung** *f* (-; -en) relaxation; enervation; prostration.

erˈschlagen **I.** *v/t.* (*irr.*, *h.*) slay, kill; *der Blitz hat ihn ⁓* he was killed by lightning; **II.** *colloq. adj.*: *wie ⁓ sein* **a)** be dum(b)founded, **b)** be dead tired, *sl.* be all in.

erˈschleich|en *v/t.* (*irr.*, *h.*) obtain surreptitiously (*or* by fraud, by false pretences); *sich j-s Gunst ⁓* creep into a p.'s favo(u)r; **2ung** *jur. f* (-) obtaining by false pretences.

erˈschließ|en *v/t.* (*irr.*, *h.*) open, make accessible; open up, throw open (*markets*); develop, tap, exploit (*resources*); develop (*building area*); infer (*aus* from); derive *word* (from); disclose, reveal, unfold; *sich ⁓* open (*j-m* to a p.); **2ung** *f* opening (up), development.

erˈschmeicheln *v/t.* (*h.*): *et. von j-m ⁓* coax a th. out of a p.; *sich j-s Gunst ⁓* wheedle o.s. into a p.'s favo(u)r.

erˈschöpf|en *v/t.* (*h.*) exhaust, wear out, take it out of *a p.*; drain, deplete, exhaust (*supplies, etc.*); exhaust (*a subject*), treat exhaustively; *sich ⁓* exhaust o.s., wear o.s. out; *writer*: write o.s. out, run dry; *matter*: be exhausted, peter out; **⁓end** *adj.* exhausting, punishing; exhaustive, full (*treatment, etc.*); **⁓t** *adj.* exhausted (*von* by), spent, done in; run-down (*battery*); **2ung** *f* exhaustion, weariness, prostration; depletion, exhaustion (*of supplies*); *bis zur ⁓* to the point of exhaustion.

erˈschrecken **I.** *v/t.* (*h.*) frighten, scare, terrify, dismay; startle, (give a) shock, alarm; *j-n zu Tode ⁓* frighten a p. out of his (her) wits, give a p. the shock of his (her) life; **II.** *v/i. and sich ⁓* (*irr.*, *h.*) be frightened (*über acc.* at); be startled *or* alarmed (by); *sie erschrak beim kleinsten Geräusch* she started at the slightest noise; **2** *n* shock, fright, alarm; **⁓d** **I.** *adj.* alarming, startling, terrible; **II.** *adv.*: *⁓ wenige, etc.* appallingly (*or* alarmingly) few, *etc.*

erschrocken[1] [ɛrˈʃrɔkən] *p.p. of erschrecken.*

erˈschrocken[2] *adj.* frightened, scared, terrified; startled.

erschütter|n [ɛrˈʃʏtərn] *v/t.* (*h.*) shake, rock, stagger; *fig.* shake (*decision, health, trust, etc.*); shock, upset; move (*a p. or a p.'s* heart), affect *a p.* deeply; *das konnte ihn nicht ⁓* it left him cold; **⁓nd** *adj.* shocking, pitiable, distressing; moving, (heart-)stirring, heart-wrenching; **2ung** *f* (-; -en) concussion, shock, jolt; *tech. a.* vibration; *fig.* shock, jolt; blow; emotion; **⁓ungsfrei** *tech. adj.* free from vibrations, smooth.

erschwer|en [ɛrˈʃveːrən] *v/t.* (*h.*) render (more) difficult, complicate; impede, obstruct; aggravate; **⁓end** *adj.* complicating; *esp. jur.* aggravating; **2ung** *f* (-; -en) impediment (*gen.* to); complication, handicap; aggravation.

erˈschwindeln *v/t.* (*h.*) obtain by trickery (*or* fraud); *von j-m ⁓* swindle (*or* cheat) out of a p.

erˈschwing|en *v/t.* (*irr.*, *h.*) afford; *ich kann es nicht ⁓* I cannot afford it; **⁓lich** *adj.* within a p.'s means (*or* reach); *zu ⁓en Preisen* at reasonable (*or* agreeable) prices.

erˈsehen *v/t.* (*irr.*, *h.*) see (*aus* by, from); note, observe; learn *or* understand (from); gather (from); *daraus ist zu ⁓, daß* hence it appears that, this shows that.

erˈsehnen *v/t.* (*h.*) long (*or* yearn, crave) for, hanker after.

ersetz|bar [ɛrˈzɛtsbaːr] *adj.* replaceable (*a. tech.*); reparable; *loss*: *a.* recoverable, retrievable; **⁓en** *v/t.* (*h.*) *et.*: replace a th., substitute *a th.* for a th.; take the place of, supersede; *j-n*: *a.* replace a p.; fill a p.'s place; repair; indemnify, compensate (for), make good; reimburse, refund (*expenses*); *j-m et. ⁓* indemnify (*or* reimburse) a p.

for a th.; *den Schaden ersetzt bekommen* recover damages; *sie ersetzte ihm die Eltern* she was father and mother to him; *er ersetzte mangelndes Talent durch Fleiß* he compensated (*or* made up for) a lacking talent by his industry; *er kann ihn nicht ~* he can't fill his shoes; **2ung** *f* (-; -*en*) replacement; substitution; supersession; compensation, indemnification.

er'sichtlich *adj.* clear, obvious, evident; *ohne ~en Grund* for no obvious reason; *daraus wird ~* hence it appears, this shows.

er'sinnen *v/t.* (*irr.*, *h.*) devise, contrive, think out (*Am.* up); invent.

er'sitz|en *jur. v/t.* (*irr.*, *h.*) acquire by prescription, usucapt; **2ung** *f* positive prescription; **2ungsfrist** *f* prescriptive period.

er'spähen *v/t.* (*h.*) espy, catch sight of, spot.

er'spar|en *v/t.* (*h.*) save, put by (*money*); *j-m Kosten, Zeit, etc. ~* save a p. money, time, *etc.*; *j-m e-e Demütigung, etc. ~* spare a p. a humiliation, *etc.*; *erspare dir deine Bemerkungen* keep your remarks to yourself; *mir bleibt nichts erspart* I am spared nothing; **2nis** *f* (-; -*se*) saving (*an dat.* in, of).

ersprießlich [ɛr'ʃpriːsliç] *adj.* useful; profitable, worthwhile; fruitful; beneficial, advantageous (*für* to); **2keit** *f* (-; -*en*) usefulness; profitableness; beneficialness; positive results *pl.*

erst [eːrst] **I.** *adv.* first; at first, at the outset, originally; first, before, previously; only, just, but; only, not before, not till *or* until; as late as; (*eben*) *~* just; *~ als* only when; *~ dann* only (*or* not till) then; *~ gestern* only (*or* but) yesterday; *~ jetzt* only (*or* not until) now; *~ nach der Vorstellung* not until after the performance; *~ sagtest du, du würdest es tun* first you said you would (do so); *~ recht* more than ever, all the more (so); *jetzt ~ recht!* now with a vengeance!; *jetzt ~ recht nicht* now less than ever; *das macht es ~ recht schlimm* that makes it even (*or* all the) worse; *wäre er ~ hier!* if only he were here!; **II.** *adj.* → erste.

erstark|en [ɛr'ʃtarkən] *v/i.* (*sn*) grow strong(er), gather (*or* gain) strength, strengthen; **2ung** *f* (-) strengthening.

er'starr|en *v/i.* (*sn*) grow stiff, stiffen; *limbs*: become numb (*or* torpid); *with cold*: be chilled; *chem.*, *etc.*: solidify; *fat*: congeal; *cement*: set; *blood*: coagulate; freeze; *fig. vor Schreck ~* be paralysed with fear, freeze with horror; *j-s Blut ~ lassen* make a p.'s blood curdle; *sein Gesicht erstarrte* his face froze; **~t** *adj.* stiff; numb, torpid; *fig.* paralysed; **2ung** *f* (-; -*en*) stiffness; numbness, torpor, torpidity (*all a. fig.*); *chem.* solidification; *blood*: coagulation; *fat*: congelation; *cement*: setting; **2ungs-punkt** *phys. m* solidification point; *of blood*: coagulation point.

erstatt|en [ɛr'ʃtatən] *v/t.* (*h.*) restore, return; repay, refund; *Anzeige ~* **a)** give notification (*über acc.* of), report, **b)** *jur.* inform (*gegen* against *a p.*), report *a p.* (to the police); → *Bericht*; *ersetzen*; **2ung** *f* (-; -*en*) restitution, return; compensation; reimbursement, refund; sending in (*or* delivery) *of a report*; **~ungspflichtig** *adj.* liable to make restitution; reimbursable (*cost*).

Erstaufführung ['eːrst-] *f thea.* first (*or* opening) night, première; *film*: *a.* first run.

er'staunen I. *v/i.* (*sn*) be astonished *or* amazed (*über acc.* at); be surprised (at); **II.** *v/t.* (*h.*) → *in 2 setzen*; **Er'staunen** *n* astonishment, amazement, surprise; stupefaction; *in ~ geraten* → *erstaunen I.*; *in ~ setzen* astonish, surprise (*durch* by), astound, amaze, fill with amazement; (*sehr*) *zu m-m ~* to my (great) astonishment, (much) to my surprise.

er'staun|lich *adj.* astonishing, amazing, surprising; remarkable; stupendous; **2es** amazing thing(s); **~t** *adj.* astonished, amazed, surprised (*über acc.* at).

Erst... ['eːrst-]: **~ausfertigung** *f* original (copy); **~ausführung** *tech. f* prototype; **~ausgabe** *f*, **~druck** *m* (-[e]s, -e) first edition; **~ausstattung** *f* initial issue; **2beste** *adj.* → *erste beste*; **~besteigung** *f* first ascent.

erste ['eːrstə] *adj.* first; *Karl der 2* (*Karl I.*) Charles the First (Charles I); *der 2 des Monats* the first day of the month; *fig.* first, foremost, prime, leading; *~ Güte* prime quality; → *Hand, Hilfe*; *der* (*die*) *~ beste* the first comer; *das ~ beste* anything, the first *or* next (thing); *er war der ~, der* he was the first to *inf.*; *ped. der* (*die*) *2* the top boy (girl); *in ~r Linie, an ~r Stelle* in the first place, first of all, primarily; *fürs ~* for the present (*or* moment), for the time being; → *Mal*; *zum ~n, zweiten, zum dritten!* going, going, gone!; *der ~re, der letztere* the former, the latter.

er'stechen *v/t. irr.*, *h.*) stab.

er'steh|en I. *v/t.* (*irr.*, *h.*) buy, purchase, get; **II.** *v/i.* (*irr.*, *sn*) arise, rise, come into being; **2er(in** *f*) *m* (-*s*, -; -, -*nen*) successful purchaser (*or* bidder); **2ung** *f* (-; -*en*) purchase.

ersteig|bar [ɛr'ʃtaɪkbaːr] *adj.* climbable; **~en** [-gən] *v/t.* (*irr.*, *h.*) ascend, mount; climb, scale; *fig. den Gipfel des Ruhms, etc. ~* rise to the zenith of fame, *etc.*; **2ung** *f* ascent, climbing.

Ersteinlage ['eːrst-] *econ. f* original investment.

er'stellen *v/t.* (*h.*) provide, make available, supply; erect, construct, build.

erstenmal ['eːrstən-] *adv.*: *zum ~* for the first time.

erstens ['eːsrtəns] *adv.* first(ly), in the first place; to begin with, for one thing.

'erster → erste.

er'sterben *v/i.* (*irr.*, *sn*) die (away), expire; *fig. sound, etc.*: die, fade (away).

erst... ['eːrst-]: **~geboren** *adj.* first-born, eldest; **2geburt** *f* first-born child; → **2geburtsrecht** *n* birthright, (right of) primogeniture; **~genannt** *adj.* first-named, aforesaid; former.

er'stick|en I. *v/t.* (*h.*) suffocate, choke (*a. fig.*); stifle, smother (*a. fig.*); *med.*, *mil.* asphyxiate; → *Keim*; **II.** *v/i.* (*sn*) suffocate, choke (*a. fig. vor dat.* with), be choked; *fig. in Arbeit ~* be snowed under with work; *mit erstickter Stimme* in a choked voice; *zum 2* (*heiß*) suffocating, stifling(ly hot); **~end** *adj.* suffocating, stifling (*a. fig.*); asphyxiating; **2ung** *f* (-; -*en*) suffocation; asphyxiation; **2ungs-anfall** *m* fit of choking; **2ungstod** *m* death from suffocation; asphyxia.

erst... ['eːrst-]: **~instanzlich** *jur. adj.* of the trial court, (*a. adv.*) at first instance; *~e Gerichtsbarkeit* original jurisdiction; **~klassig** *adj.* first-class, first-rate, *pred.* of the first order; *econ. a.* prime, top-quality, high-grade; gilt-edged (*securities*); *colloq.* A-l, *esp. Am.* dandy, great.

erstlich *adv.* → *erstens*.

Erstling ['eːrstliŋ] *m* (-*s*; -*e*) first-born (child); *zo.* firstling; *fig.* first production, first fruits *pl.*; **~s-arbeit** *f* first work; **~s-ausstattung** *f* layette; **~sfrüchte** ['-fryçtə] *f/pl.* first fruit (of the season); **~sgefieder** *n* nestling plumage; **~sversuch** *m* first attempt; → *Jungfern...*

'erst...: **~malig** ['-maːliç] **I.** *adj.* first; **II.** *adv. a.* **~mals** for the first time.

'Erst...: **~meldung** *f* exclusive news (*or* story), scoop; **~montage** *f* green assembly; **2rangig** ['-raŋiç] *adj.* of the first order; → *erstklassig*.

er'streben *v/t.* (*h.*) strive after (*or* for), aspire to; desire, covet; **~swert** *adj.* desirable, worth the effort.

er'strecken: *sich ~* (*h.*) extend, stretch, reach, range (*bis zu* to; *über acc.* over); *fig. a. sich ~ auf* (*acc.*) refer to, concern, be concerned with; *sich ~ über* (*acc.*) cover.

er'stürm|en *v/t.* (*h.*) take by storm *or* assault, storm; **2ung** *f* (-; -*en*) taking (by assault), storming.

er'suchen I. *v/t.* (*h.*): *j-n um et. ~* request (*or* call upon) a p. to do a th.; entreat, beseech, request urgently; **II.** *v/i.* (*h.*): *um et. ~* request a th.; petition for a th.

Er'suchen *n* (-*s*) request; petition; *auf sein ~ hin* at his request; *auf sein dringendes ~* at his insistence.

er'tappen *v/t.* (*h.*) catch, surprise (*bei et.* at); *beim Stehlen ~* catch stealing; → *Tat*; *fig. sich bei et. ~* catch o.s. doing a th.

er'teil|en *v/t.* (*h.*) give (*a. advice, information, lessons*); confer *or* bestow (*dat.* on); place *orders* (*dat.* with), give; grant (*patent*); administer (*punishment, etc.*) (*dat.* to); → *Vollmacht, Wort, etc.*; **2ung** *f* giving, grant(ing), conferring; placing.

er'tönen *v/i.* (*sn*) (re)sound, ring (out); *~ lassen* sound; raise (*one's*

voice); ~ *von* (*dat.*) resound with, echo with.
er'töten *v/t.* (*h.*) deaden, stifle.
Ertrag [ɛr'trɑ:k] *m* (-[e]s; ⸚e) yield, produce; *mining*: output; proceeds, returns, profits *pl.*; **2en** [-gən] *v/t.* (*irr.*, *h.*) bear, endure; suffer, support, stand; tolerate, suffer, put up with; **2fähig** *adj.* productive, yielding a return; **~fähigkeit** *f* (-) productiveness.
erträglich [ɛr'trɛ:kliç] *adj.* bearable, endurable; passable, tolerable (*adv.* tolerably well); **2keit** *f* (-) bearableness.
ertraglos *adj.* unproductive, unprofitable.
Er'trägnis *n* (-ses; -se) → *Ertrag.*
Er'trag...: **2reich** *adj.* productive, rich (in yield); profitable, paying (*transaction, etc.*); **~sfähigkeit** *f* (-) productive capacity, earning power; **~srechnung** *f* profit and loss account, income account; **~ssteuer** *f* profits tax.
er'tränken *v/t.* (*h.*) drown.
er'träum|en *v/t.* (*h.*) dream of, imagine, vision; **~t** *adj.* imaginary, visionary.
er'trinken *v/i.* (*irr.*, *sn*) be drowned, drown; *ertrunken* drowned; *ein Ertrinkender* a drowning man.
Er'trinken *n* drowning.
er'trotzen *v/t.* (*h.*) extort *or* wring (*et. von j-m* a th. from a p.), force a th. (out of a p.).
ertüchtig|en [ɛr'tyçtigən] *v/t.* (*h.*) make fit, train; strengthen, harden, steel; **2ung** *f* (-) training, strengthening, hardening; *körperliche* ~ physical training.
erübrigen [ɛr'ʔy:brigən] *v/t.* (*h.*) save (*money*); spare (*time*); *sich* ~ be unnecessary (*or* useless); be superfluous; *es dürfte sich* ~ it will hardly be necessary; *es erübrigt sich jedes Wort* there is nothing more to be said.
eruieren [eru'i:rən] *v/t.* (*h.*) find out, elicit.
Eruption [eruptsi'o:n] *f* (-; -*en*) eruption.
Eruptivgestein [erup'ti:f-] *n* volcanic rock.
er'wachen *v/i.* (*sn*) awake(n), wake (up); start up; ~ *an* (*dat.*) be roused by; *fig. feelings*: wake, be roused; *day*: dawn; *zu neuem Leben* ~ awaken to new life.
Er'wachen *n* (-*s*) (a)wakening.
er'wachsen I. *v/i.* (*irr.*, *sn*) arise, develop, spring (*aus* from); (*dis-*) *advantage, expense, etc.*: accrue (*dat.* to, *aus* from); *daraus können uns große Schwierigkeiten* ~ this may cause us great difficulties; **II.** *adj.* grown-up, adult (*both a.* **2e[r** *m*] *f*, -*n*, -*n*; -*en*, -*en*); full-grown; of age; **2enbildung** *f* (-) adult education; **2heit** *f* (-) maturity; adulthood.
er'wäg|en *v/t.* (*irr.*, *h.*) weigh; consider, deliberate; examine; take into account; ~ *et. zu tun* consider (*or* contemplate) doing a th.; **2ung** *f* (-; -*en*) consideration; reflection; deliberation; *in* ~ *ziehen* take into consideration; *in der* ~, *daß* considering that.
er'wählen *v/t.* (*h.*) choose, select, pick; elect, vote for.
er'wähn|en *v/t.* (*h.*) mention, refer to, make mention of (*or* reference to); **~enswert** *adj.* worth mentioning, worthy of note; **2ung** *f* (-; -*en*) mention (*gen.* of), reference (to).
er'wärm|en *v/t.* (*h.*) warm, heat; *sich* ~ (grow) warm; *fig. sich* ~ warm up; *für*: warm (up) to, take a lively interest in (*a p. or th.*); **2ung** *f* (-; -*en*) warming.
er'warten *v/t.* (*h.*) expect (*von* of, from); look forward to; wait for, await; anticipate; *et. kaum* ~ *können* be eagerly looking forward to a th.; → *Kind*; *es ist zu* ~ it is expected; *wie zu* ~ as was to be expected; *wenn er wüßte, was ihn erwartet* if he knew what is in store for him; *das war mehr, als er erwartet hatte* that was more than he had bargained for; *von ihm kann man noch allerhand* ~ he is a man to watch; *über* (*wider*) 2 beyond (contrary to) expectation.
Er'wartung *f* expectation; hope, anticipation; expectancy; *in* ~ (*gen.*) in anticipation of, looking forward to, awaiting (*your reply*); *den* ~*en entsprechen* come up to *a p.'s* expectations; **2svoll** *adj. and adv.* full of expectation, expectant(ly).
er'weck|en *v/t.* (*h.*) wake, rouse (*a p.*); resuscitate, recall to life, raise (from the dead); *fig.* awaken; rouse, stir up (*feelings*); raise (*hope, memory*); arouse, excite (*interest*); inspire (*fear*); *bei j-m den Glauben* ~, *daß* make a p. believe that; → *Anschein, Eindruck, etc.*; **2ung** *f* (-; -*en*) resuscitation, revival; *fig.* awakening, arousing, raising.
er'wehren: *sich* ~ (*h.*, *gen.*) keep (*or* ward, fend) off; resist; *sich der Tränen* ~ restrain (*or* keep back) one's tears; *ich konnte mich des Lachens nicht* ~ I could not help laughing; *man konnte sich des Eindrucks nicht* ~ you could not help feeling.
er'weich|en *v/t.* (*h.*) soften; *fig. j-n*: *a.* mollify; move, touch; *sich* ~ *lassen* relent, yield, give in; **~end** *adj.* softening; *med.* (*a.* ~*es Mittel*) emollient; **2ung** *f* (-; -*en*) softening; *fig. a.* mollification.
er'weis|en *v/t.* (*irr.*, *h.*) prove, show; render (*dat.* to *a p.*); → *Achtung, Dienst, Ehre, Gefallen*[1], *Gunst*; *sich* ~ show o.s.; become apparent (*or* clear); *sich* ~ *als* prove (o.s. to be), turn out to be; *dieses Mittel hat sich als unwirksam erwiesen a.* this drug has been found to be ineffective; **~lich I.** *adj.* provable, demonstrable; **II.** *adv.* provably, as can be proved.
erweiter|n [ɛr'vaɪtərn] *v/t. and sich* ~ (*h.*) widen, enlarge, expand, extend (*all a. fig.*); *med.* dilate; *gr. erweiterter Satz* compound sentence; *erweiterter Sinn* extended sense; *erweiterte Vollmachten* extended powers; **2ung** *f* (-; -*en*) widening, expansion, enlargement, *a gr., a. of factory*: extension; *med.* dila(ta)tion; **2ungsbau** *m* (-[e]s; -*ten*) annex(e), extension, addition.
Erwerb [ɛr'vɛrp] *m* (-[e]s; -*e*) acquisition; purchase; earnings *pl.*; living; **2en** [-bən] *v/t.* (*irr.*, *h.*) acquire; purchase; earn; (*sich*) ~ gain (*riches*); make (*a fortune*); *econ.* secure (*interests*); *sich sein Brot* ~ earn one's living; *fig.* acquire (*knowledge, rights, etc.*); earn, gain, win (*a p.'s respect, etc.*); → *Verdienst* 2; **~er(in** *f*) *m* (-*s*, -; -, -*nen*) acquirer, purchaser; transferee, assign.
erwerbs... [ɛr'vɛrps-]: **~behindert** *adj.* disabled (for work); **2betrieb** *m* business undertaking; **~fähig** *adj.* capable of gainful employment; **2gesellschaft** *f* trading company, *Am.* corporation; **2leben** *n* (-*s*) gainful activity; labo(u)r market; **~los** *adj. etc.* → *arbeitslos etc.*; **2minderung** *f* reduction in earning capacity; **2mittel** *n* means of living; **2quelle** *f* source of income; **2sinn** *m* (-[e]s) business sense; acquisitiveness; **2steuer** *f* profit and income tax; **~tätig** *adj.* working (for a living), gainfully employed; **2tätige(r** *m*) *f* (-*n*, -*n*; -*en*, -*en*) gainfully employed person; **2tätigkeit** *f* gainful employment; occupational activities *pl.*; **2trieb** *m* (-[e]s) → *Erwerbssinn*; **~unfähig** *adj.* incapable of earning one's living, disabled; **2unfähigkeit** *f* (-) incapacity of earning one's living, disability; **2urkunde** *jur. f* title-deed; **2zweig** *m* branch of industry (*or* trade); line (of business), trade.
Er'werbung *f* acquisition.
erwider|n [ɛr'vi:dərn] *v/t.* (*h.*) return, reciprocate; requite, retort; (*a. v/i.* [*h.*]) reply, answer (*auf acc.* to), *jur.* rejoin; retort; *auf m-e Frage erwiderte er* in reply to my question he said; **2ung** *f* (-; -*en*) return, reciprocation; retaliation; reply, (*a. jur.*) answer; retort, repartee.
erwiesen [ɛr'vi:zən] → *erweisen*; **~ermaßen** [-'mɑ:sən] *adv.* provedly, as has been proved (*or* shown).
er'wirken *v/t.* (*h.*) obtain, procure, effect, bring about.
er'wischen *v/t.* (*h.*) catch; get (hold of); → *ertappen*; *sich* ~ *lassen* get caught; *colloq. ihn hat's erwischt* he has got it.
erwünscht [ɛr'vynʃt] *adj.* desired, wished-for; desirable; *das ist mir sehr* ~ that suits me well.
er'würgen *v/t.* (*h.*) strangle, throttle; choke (the life out of).
Er'würgen *n* (-*s*) strangling, strangulation.
Erz [e:rts] *n* (-*es*; -*e*) ore; metal; brass; bronze; '**~ader** *f* mineral (*or* ore) vein, lode.
erzähl|en [ɛr'tsɛ:lən] *v/t.* (*h.*) tell; relate, report, give an account of; narrate; *man hat mir erzählt* I have been told; *man erzählt sich* people (*or* they) say; *man erzählte von ihr* it was told of her (that), she was said (to be *or* to have); *wem* ~ *Sie das!* you are telling me!; **~end** *adj.* narrative; epic; **2er(in** *f*) *m* (-*s*, -; -, -*nen*) narrator, relator; story-teller; writer (of tales), author (of fiction); **2ung** *f* narration; report, account; tale, story, narrative; **2ungskunst** *f* narrative power, story-telling genius.
Erz... ['e:rts-]: **~aufbereitung** *f* ore dressing; **~bergwerk** *n* ore mine.

ˈ**Erz|bischof** *m* archbishop; 2**bischöflich** *adj.* archiepiscopal; ~**bistum** *n* archbishopric.
ˈ**Erz...**: ~**bösewicht,** ~**bube** *m* arrant rogue; 2**dumm** *adj.* infernally stupid; ~**engel** *m* archangel.
er'zeug|en *v/t.* (*h.*) beget (*children*); produce; *agr. a.*: grow; manufacture, make; *chem., phys.* generate; form; breed (*fever*); *fig.* cause, give rise to, bring about; engender, produce (*feeling, state*); 2**er** *m* (-s; -) begetter, progenitor, father; producer, manufacturer, maker; *el.* generator; 2**erin** *f* (-; -nen) mother; *econ.* (*firm*) manufacturers, makers *pl.*; 2**erland** *n* country of origin; 2**erpreis** *m* producer's price; 2**nis** *n* (-ses; -se) product; *agr. usu.* ~se *pl.* produce; *chem., econ.* product; *econ. a.* make, article; *eigenes* ~ my, *etc.*, own make; *Deutsches* ~ Made in Germany; production (*of intellect, of art*), *iro.* brain-child; product (*of imagination*).
Er'zeugung *f* begetting, procreation; *chem., phys.* generation; *w.s.* production; manufacture, making; formation; *fig.* creation, generation, production; ~**skosten** *pl.* prime cost, cost of production; ~**skraft** *f* generative force.
Erz... [ˈeːrts-]: ~**feind** *m eccl.* arch-fiend; *a. w.s.* arch-enemy; ~**gang** *m* → *Erzader*; ~**gauner** *m* arrant swindler, rascal; ~**gießer** *m* brass-founder; ~**gieße'rei** *f* brass-foundry; ~**grube** *f* (ore) mine, pit; 2**haltig** *adj.* ore-bearing, metalliferous; ~**herzog(in** *f*) *m* archduke (*f* archduchess); 2**herzoglich** *adj.* archducal; ~**herzogtum** *n* archduchy; ~**hütte** *f* smelting works *pl.*
er'zieh|en *v/t.* (*irr., h.*) bring up, raise, rear; educate; ~ *zu et.* bring up to, train to; *wohlerzogen* well-bred, well-educated; *schlecht erzogen* ill-bred; 2**er** *m* educator, educationalist; teacher; (private) tutor; 2**erin** *f* (-; -nen) lady teacher; governess; ~**erisch** *adj.* educational, pedagogic(al).
Er'ziehung *f* bringing up, rearing; *a. w.s.* up-bringing; education, cultivation (of the mind); training; breeding; manners *pl.*; *von guter* ~ well-bred; *er hat e-e gute* ~ *genossen* he has had a good education; ~**s-anstalt** *f* educational establishment; → *Besserungsanstalt*; ~**sbeihilfe** *f* education allowance; ~**sfach** *n*, ~**skunde** *f* (-) pedagogics *pl.*, pedagogy; ~**smethode** *f* educational method; ~**swesen** *n* (-s) education(al system *or* matters *pl.*).
er'zielen *v/t.* (*h.*) obtain, attain, get; achieve, score (*success*); realize, make, secure (*profit*); fetch (*prize*); score (*hit*); reach, come to, arrive at (*an understanding*); produce (*an effect*).
er'zittern *v/i.* (*sn*) tremble, shake, shiver (*vor dat.* with).
Erz... [ˈeːrts-]: ~**ketzer** *m* arch-heretic; ~**lager** *n* ore deposit; ~**lügner** *m* arch-liar; ~**metalle** *n/pl.* heavy metals; ~**narr** *m* arrant fool; ~**priester** *m* archpriest; ~**probe** *f* ore assay; ~**scheider** [-ʃaɪdər] *m* (-s; -) ore separator; ~**schelm** *m* arrant knave; ~**stahl** *m* ore (*or* mine) steel; ~**stift** *eccl. n* archbishopric.
er'zürnen *v/t.* (*h.*) anger, make angry, irritate, incense, enrage; *sich* ~ *über* (*acc.*) grow angry at, lose one's temper over; *sich* ~ *mit* (*dat.*) quarrel (*or* fall out) with.
Erz... [ˈeːrts-]: ~**vater** *m* patriarch; ~**verhüttung** *f* ore smelting.
er'zwingen *v/t.* (*irr., h.*) force; *esp. legally*: enforce; compel (*obedience*); et. *von j-m* ~ force (*or* extort, wring) a th. from a p.; *e-e Entscheidung* ~ force an issue; *Liebe läßt sich nicht* ~ love cannot be commanded; *erzwungen* forced (*smile, etc.*).
es[1] [ɛs] *pers. pron.* **1.** *as subject*: it; ~ *ist auf dem Tisch* it (*the knife, etc.*) is on the table; *impers.* ~ *schneit* it is snowing; ~ *ist kalt* it is cold; ~ *friert mich* I am cold; ~ *tut mir leid* I am sorry; *who is the boy?* ~ *ist mein Bruder* he is my brother; *who are these girls?* ~ *sind m-e Schwestern* they are my sisters; *who has called?* ~ *war mein Freund* it was my friend; ~ *war einmal ein König* once (upon a time) there was a king; ~ *gibt zu viele Menschen* there are too many people; ~ *wird erzählt* they say, it is said; ~ *heißt in der Bibel* it says in the Bible; ~ *lebe der König!* long live the king!; **2.** *as object*: it; *ich nahm* ~ I took it; *ich halte* ~ *für unnütz* I think it useless; *da hast du* ~ there you are; *ich weiß* ~ I know; **3.** *to replace or supplement the predicate*: so; *er ist reich, ich bin* ~ *auch he is rich,* so am I; *ich hoffe* ~ I hope so; *er hat* ~ *mir gesagt* he told me so; *er sagte, ich sollte gehen, und ich tat* ~ *he told me to go,* and I did so; *ich bin's* it is I *or* me; *sie sind* ~ it is they; *are you ready?* — *ja, ich bin* ~ yes, I am; *are you ill?* — *nein, ich bin* ~ *nicht* no, I am not; *ich kann* (*darf, will*) ~ I can (may, will); *ich will* ~ *versuchen* I will try; *ich ziehe* ~ *vor zu gehen* I prefer to go; **4.** *as gen.*: *ich habe* ~ *satt* (*bin* ~ *müde*) I am tired of it.
es[2], **Es** *mus. n* (-; -) e, E flat.
Esche [ˈɛʃə] *f* (-; -n) ash-tree; 2**n** *adj.* ash(en); ~**n-ahorn** *m* box elder; ~**nholz** *n* ash (wood).
ˈ**Es-Dur** *n* (-) E-flat major.
Esel [ˈeːzəl] *m* (-s; -) ass, donkey; *männlicher* ~ he-ass, jackass; *colloq.* silly ass, jackass, fool; *alter* ~ old fool, silly ass; *wenn dem* ~ *zu wohl wird, geht er aufs Eis* pride will have a fall.
Eselei [eːzəˈlaɪ] *f* (-; -en) stupidity, stupid thing, folly.
ˈ**eselhaft** *adj.* asinine, stupid.
ˈ**Eselin** *f* (-; -nen) she-ass, jenny-(-ass).
ˈ**Esels|brücke** *f ped.* crib, *Am.* pony; ~**ohr** *n in book*: dog's ear; *ein Buch mit* ~*en* a dog-eared book.
Eskadron [ɛskaˈdroːn] *mil. f* (-; -en) squadron.
Eskalation [ɛskalatsiˈoːn] *mil. f* (-) escalation.
Eskapade [ɛskaˈpɑːdə] *f* (-; -n) escapade.
Eskimo [ˈɛskimo] *m* (-[s]; -[s]) Eskimo.
Eskorte [ɛsˈkɔrtə] *f* (-; -n) *mil.* escort; *mar.* convoy.
eskor'tieren *v/t.* (*h.*) escort; convoy.
es-Moll *mus. n* (-) e-flat minor.
esoterisch [ezoˈteːriʃ] *adj.* esoteric (-ally *adv.*).
Espe [ˈɛspə] *f* (-; -n) asp(en); ~**nlaub** *n* aspen leaves *pl.*; *wie* ~ *zittern* tremble like an aspen-leaf.
Eß|apfel [ˈɛs-] *m* eating-apple, dessert apple; 2**bar** *adj.* eatable, edible; ~*er Pilz* (edible) mushroom; ~*e Sachen* eatables; ~**besteck** *n* → *Besteck*.
Esse [ˈɛsə] *f* (-; -n) chimney, flue, funnel; forge.
essen [ˈɛsən] *v/t. and v/i.* (*irr., h.*) eat; *mil.* mess; *zu Mittag* ~ lunch, dine (early), have dinner; → *Abend*; *auswärts* ~ eat (*or* dine) out; *gern* ~ like, be fond of; *leer* ~ empty, clean (*one's plate*); *sich satt* ~ eat one's fill; *tüchtig* ~ eat heartily; *zuviel* ~ overeat (F stuff) o.s.; *wann* (*wo*) ~ *Sie?* when (where) do you take (*or* have) your meals?; *haben Sie schon gegessen?* have you had your lunch, *etc.*, yet?; *man ißt dort ganz gut* the food isn't bad there.
ˈ**Essen** *n* (-s) eating; food; meal, repast; lunch, dinner; supper; *mar., mil.* mess, *Am.* chow; dinner, banquet; ~ *und Trinken* food and drink.
ˈ**Essenszeit** *f* mealtime; lunch-hour; dinner-time.
Essenz [ɛˈsɛnts] *f* (-; -en) essence; *fig. a.* gist, pith.
ˈ**Esser(in** *f*) *m* (-s, -; -, -nen): *starker* (*schwacher*) ~ great (poor) eater; *er ist ein guter* ~ he plays a good knife and fork.
ˈ**Eß...**: ~**gefäß** *n Am.* dinner-pail; ~**geschirr** *n* dinner-service; *mil.* mess-tin, *Am.* mess kit; ~**gewohnheiten** *f/pl.* eating habits; ~**gier** *f* gluttony; 2**gierig** *adj.* greedy.
Essig [ˈɛsiç] *m* (-s; -e) vinegar; *fig. damit ist es* ~ it's no go, it's out; ~**äther** *m* acetic ether, ethyl acetate; ~**bildung** *f* (-) acetification; ~**ester** *m* acetic ester; ~**gurke** *f* pickled cucumber, gherkin; 2**sauer** *chem. adj.* acetic; ~*es Ammonium* ammonium acetate; ~*e Tonerde* acetate of alumina; ~**säure** *f* acetic acid; ~**- und Ölständer** *m* cruet.
Eß... [ˈɛs-]: ~**kastanie** *f* edible chestnut; ~**korb** *m* hamper; ~**löffel** *m* tablespoon; *zwei* ~ two tablespoonfuls; ~**lust** *f* (-) appetite; ~**marke** *f* mealticket; ~**nische** *f* dining alcove, *Am.* dinette; ~**saal** *m* dining-hall; ~**tisch** *m* dining-table; ~**waren** *f/pl.* eatables, victuals, provisions; foodstuff; ~**zimmer** *n* dining-room.
Est|e [ˈeːstə] *m* (-n; -n), ~**in** *f* (-; -nen), 2**nisch** *adj.* Est(h)onian.
Ester [ˈɛstər] *chem.* (-s; -) ester.
Estland [ˈeːst-] *n* (-s) Est(h)onia.
Estrade [ɛsˈtrɑːdə] *f* (-; -n) estrade, dais, platform.
Estrich [ˈɛstriç] *m* (-s; -e) stone floor; cement (*or* plaster *or* asphalt) floor(ing).
etablieren [etaˈbliːrən] *v/t. and sich* ~ (*h.*) establish (o.s.), settle down (*als* as); *sich* (*geschäftlich*) ~ set up in (*or* start a) business.
Etablissement [-blisəˈmɑ̃ː] *n* (-s; -s) establishment.

Etage [e'tɑ:ʒə] *f* (-; -*n*) floor, stor(e)y; *tech.* deck, tier; → ⁓*n-wohnung*; **⁓nbett** *n* bunk bed; **⁓n-chef** *econ. m* floor manager; **2n-förmig** [-fœrmiç] *adj.* storeyed, in tiers; **⁓nheizung** *f* floor heating; **⁓nkessel** *tech. m* multiple stage boiler; **⁓n-ofen** *m* shelved kiln; **⁓nventil** *n* step valve; **⁓nwohnung** *f* flat, *Am.* apartment.

Etagere [eta'ʒɛ:rə] *f* (-; -*n*) bracket, shelf, whatnot.

Etappe [e'tapə] *f* (-; -*n*) *mil.* communications zone; base; *fig.* stage, leg; day's march; stop; **⁓nschwein** *n mil. colloq.* base wallah; **2nweise** [-vaɪzə] *adv.* by stages.

Etat [e'tɑ:] *m* (-*s*; -*s*) balance-sheet; budget, *parl. a. the* Estimates *pl.*; supplies *pl.*; *den* ⁓ *aufstellen* make up the budget, draw up the estimates; *nicht im* ⁓ *vorgesehen* not budgeted for; **⁓ausgleich** *m* budget balance; **2mäßig** *adj.* budgetary; *adm.* permanent (*post, etc.*); **⁓mittel** *n/pl.* voted funds; **⁓sjahr** *n* fiscal (*or* financial) year; **⁓stärke** *mil. f* authorized strength.

etepetete [e:təpe'te:tə] *colloq. adj.* finicky, over-fastidious; over-nice.

Eth|ik ['e:tik] *f* (-; [-*en*]) ethics *pl.*; **2isch** *adj.* ethical.

Ethno|graph [ɛtno'grɑ:f] *m* (-*en*; -*en*) ethnographer; **⁓graphie** [-gra-'fi:] *f* (-; -*n*) ethnography; **2'graphisch** *adj.* ethnographic(ally *adv.*); **⁓loge** [-'lo:gə] *m* (-*n*; -*n*) ethnologist; **⁓logie** [-lo'gi:] *f* (-; -*n*) ethnology.

Etikett [eti'kɛt] *n* (-[*e*]*s*; -*e*) label, ticket; tag; *Am. a.* sticker.

Etikette [-'kɛtə] *f* (-; -*n*) etiquette, ceremonial.

etiket'tier|en *v/t.* (*h.*) label; **2maschine** *f* label(l)ing machine.

etliche ['ɛtliçə] *indef. pron. pl.* some, several; a few, sundry; ⁓*s sg.* various things *pl.*, a thing or two.

Etüde [e'ty:də] *mus. f* (-; -*n*) étude (*Fr.*), study.

Etui [e'tvi:] *n* (-*s*; -*s*) case.

etwa ['ɛtva] *adv.* about, approximately, in the neigbo(u)rhood of; *Am. a.* around; or so, or thereabouts; perhaps, by (any) chance, possibly; for instance, for example; (let us) say; *nicht* ⁓, *daß* not as if, not that (*it mattered*); *ist das* ⁓ *besser?* is that any better?; *denken Sie* ⁓ *nicht, daß!* don't think for a moment that!; **⁓ig** ['-va'iç] *adj.* possible, contingent; ⁓*e Unkosten* any expenses (that may be incurred).

etwas ['ɛtvas] **I.** *indef. pron.* something; anything; *da liegt* ⁓ there is something; ⁓ *Merkwürdiges* a strange thing; ⁓ *anderes* something (*or* anything) else; ⁓, *was* something that; *ohne* ⁓ *zu sagen* without saying anything; *ich habe nie so* ⁓ *gehört* I have never heard anything like it; *aus ihm wird* ⁓ he is getting on, he will go a long way; **II.** *adj.* some; any; *hast du* ⁓ *Geld?* have you some (*or* any) money?; *ich möchte* ⁓ *Milch* I want some milk; **III.** *adv.* somewhat; rather; a little, a bit; **IV.** 2 *n* (-; -): *ein gewisses* ⁓ a certain something; *so ein kleines* ⁓ such a little thing.

Etymo|loge [etymo'lo:gə] *m* (-*n*; -*n*) etymologist; **⁓logie** [-lo'gi:] *f* (-; -*n*) etymology; **2'logisch** *adj.* etymological.

euch [ɔʏç] *pers. pron.* (*acc. and dat. of du*) you, to you; *refl.*: yourselves, *after prep.*: you; *setzt* ⁓! sit down!; *hinter* ⁓ behind you.

euer ['ɔʏər] **1.** *pers. pron.* of you; *ich gedenke* ⁓ I am thinking of you; **2.** *poss. pron.* your; *der* (*die, das*) *eu*(*e*)*re* yours; *dieses Buch ist das* ⁓*e* this book is yours.

Eugen|ik [ɔʏ'ge:nik] *f* (-) eugenics *sg.*; **2isch** *adj.* eugenic(ally *adv.*).

Eule ['ɔʏlə] *f* (-; -*n*) owl; *fig.* ⁓*n nach Athen tragen* carry coals to Newcastle; **⁓nspiegel** *m* Owlglass; **⁓nspiege'lei** *f* roguish trick.

Eunuch [ɔʏ'nu:x] *m* (-*en*; -*en*) eunuch.

Euphemis|mus [ɔʏfe'mismus] *m* (-; -*men*) euphemism; **2tisch** *adj.* euphemistic(ally *adv.*).

Euphorie [ɔʏfo'ri:] *f* (-) euphory.

euphorisch [ɔʏ'fo:riʃ] *adj.* euphoric.

Eurasien [ɔʏ'rɑ:ziən] *n* (-*s*) Eurasia.

Eu'rasier *m* (-*s*; -), **⁓in** *f* (-; -*nen*), **eu'rasisch** *adj.* Eurasian.

eure ['ɔʏrə] → *euer.*

eurerseits ['ɔʏrər'zaɪts] *adv.* on your part.

euresgleichen ['-'glaɪçən] *pron.* the likes of you.

euret|halben ['-rət'halbən], **⁓wegen**, *um* **⁓willen** *adv.* for your sake, on your account (*or* behalf).

'eurig *poss. pron.*: *der* (*die, das*) ⁓*e* yours; → *euer.*

Europa [ɔʏ'ro:pa] *n* (-*s*) Europe.

Europä|er [ɔʏro'pɛ:ər] *m* (-*s*; -), **⁓erin** *f* (-; -*nen*), **2isch** *adj.* European.

europäi'sieren [-pɛi'zi:rən] *v/t.* (*h.*) Europeanize.

Eurythmie [ɔʏryt'mi:] *f* (-) eurythmy.

Euter ['ɔʏtər] *n* (-*s*; -) udder.

Euthanasie [ɔʏtana'zi:] *f* (-) euthanasia, mercy killing.

evakuier|en [evaku'ʔi:rən] *v/t.* (*h.*) evacuate (*a. med., phys.*); **2te(r** *m*) *f* (-*n*, -*n*; -*en*, -*en*) evacuee; **2ung** *f* (-; -*en*) evacuation.

evangelisch [evaŋ'ge:liʃ] *adj.* evangelic(al); Protestant; **Evange'list** [-ge'list] *m* (-*en*; -*en*) evangelist; (*preacher*) *a.* revivalist; **Evangelium** [-'ge:lium] *n* (-*s*; -*ien*) gospel; *Matthäus*2 *the* Gospel according to St. Matthew.

Evastochter ['e:fɑ:s-] *f* daughter of Eve.

Eventualität [evɛntuali'tɛ:t] *f* (-; -*en*) eventuality, contingency.

eventuell [-'ɛl] **I.** *adj.* possible; contingent; **II.** *adv.* possibly, perhaps; if necessary.

Evolution [evolutsi'o:n] *f* (-; -*en*) evolution; **⁓s-theorie** *f* Theory of Evolution.

Ewer ['e:vər] *mar. m* (-*s*; -) lighter; **⁓führer** *m* lighterman.

ewig ['e:viç] **I.** *adj.* eternal; everlasting, perpetual (*happiness, peace, etc.*); endless, unending; eternal, incessant; *der* ⁓*e Jude* the Wandering Jew; *der* 2*e* (*God*) the Eternal; *das* 2*e* the eternal; *seit* ⁓*en Zeiten* from times immemorial, *colloq.* for ages; *colloq. du mit deinem* ⁓*en Jammern* you and your (eternal) lamentations; **II.** *adv.* eternally; constantly; *auf* ⁓ for ever; ⁓ *lange* an eternity, for ages; *es ist* ⁓ *schade* it's just too bad; **2keit** *f* (-; -*en*) eternity; everlastingness, perpetuity; *bis in alle* ⁓ to all eternity, to the end of time; *es ist e-e* ⁓, *seit* it's ages since; *ich wartete e-e* ⁓ I waited for ages; **⁓lich** ['e:vikliç] *adv.* eternally; for ever.

ex [ɛks]: ⁓ (*trinken*)! bottoms up!

Ex... [ɛks-] *in compounds* ex-..., former..., late..., one-time...

exakt [ɛ'ksakt] *adj.* exact, accurate; *die* ⁓*en Wissenschaften* the exact sciences; **2heit** *f* (-; -*en*) exactitude; accuracy.

exaltiert [ɛksəl'ti:rt] *adj.* over-excited, highly strung; exaggerated.

Examen [ɛ'ksɑ:mən] *n* (-*s*; -) examination; *ins* ⁓ *gehen* go in (*or* sit) for one's examination; → *Prüfung*; **⁓s-arbeit** *f* examination-paper; thesis.

Examin|and [ɛksami'nant] *m* (-*en*; -*en*) examinee, candidate; **⁓ator** [-'nɑ:tɔr] *m* (-*s*; -*t'oren*) examiner; **2'ieren** *v/t.* (*h.*) examine; test; *fig.* question, catechize, quiz.

Exegese [ɛkse'ge:zə] *f* (-; -*n*) exegesis.

exekut|ieren [-ku'ti:rən] *v/t.* (*h.*) execute; **2ion** [-tsi'o:n] *f* (-; -*en*) execution; **⁓iv** [-'ti:f] *adj.*, **2ive** [-'ti:və] *f* (-) executive; **2ivgewalt** *f* executive power; **2ivorgan** *n* law-enforcement agency.

Exempel [ɛ'ksɛmpəl] *n* (-*s*; -) example, instance; *math.* sum, problem; *ein* ⁓ *an j-m statuieren* make an example of a p.

Exemplar [ɛksɛm'plɑ:r] *n* (-*s*; -*e*) specimen; copy (*of book*); number, issue; sample, pattern; *colloq. er ist ein prächtiges* ⁓ he is a fine specimen; **2isch I.** *adj.* exemplary; **II.** *adv.*: *j-n* ⁓ *bestrafen* punish a p. severely, make an example of a p.

exerzier|en [ɛksɛr'tsi:rən] *v/t. and v/i.* (*h.*) drill (*a. fig.*); **2en** *n* (-*s*) drill; **2munition** *f* dummy (*or* drill) ammunition; **2patrone** *f* blank (*or* dummy) cartridge; **2platz** *m* drill-ground.

Exhibitionismus [ɛkshibitsio'nismus] *m* (-) exhibitionism.

exhumieren [ɛkshu'mi:rən] *v/t.* (*h.*) exhume.

Exil [ɛ'ksi:l] *n* (-*s*; -*e*) exile, banishment; *im* ⁓ in exile; *im* ⁓ *lebende Person* exile; *ins* ⁓ *gehen* go into exile; *ins* ⁓ *schicken* (send into) exile; **⁓regierung** *f* government-in-exile.

Existentialist [ɛksistɛntsia'list] *m* (-*en*; -*en*) existentialist.

Existentialphilosophie [-tsi'ɑ:l-] *f* existential philosophy, existentialism.

Existenz [ɛksis'tɛnts] *f* (-; -*en*) existence; living, (means of) livelihood; *sichere* ⁓ established position; *verkrachte* ⁓ (*person*) failure; *dunkle* ⁓ shady character; **⁓berechtigung** *f* right to exist; raison d'être (*Fr.*); **2fähig** *adj.* capable of existence; viable, *econ. a.* paying; **⁓grundlage** *f* basis of subsistence;

~kampf *m* struggle for existence *or* life; **~minimum** *n* subsistence minimum, living wage; **~mittel** *n* means of existence.
exi'stieren *v/i.* (*h.*) exist, be in existence; live, subsist (*von* on); *noch ~* be extant, survive.
Exklave [ɛks'klɑːvə] *f* (-; *-n*) exclave.
exklusiv [ɛksklu'ziːf] *adj.* exclusive; **~e** [-'ziːvə] *adv.*: *~ Mahlzeiten, etc.* exclusive of, excluding; **Exklusivität** [-zivi'tɛːt] *f* (-) exclusiveness.
Exkommunikation [ɛkskɔmunikatsi'oːn] *f* (-; *-en*) excommunication; **exkommunizieren** [-ni'tsiːrən] *v/t.* (*h.*) excommunicate.
Exkremente [ɛkskre'mɛntə] *n/pl.* excrements.
Exkret [ɛks'kreːt] *physiol. n* (-[e]s; -e) excretum (*pl.* excreta); **Exkretion** [ɛkskretsi'oːn] *f* (-; *-en*) excretion.
Exkurs [ɛks'kurs] *m* (-es; -e) digression, excursion (*in acc.* into); appendix.
Exkursion [-kurzi'oːn] *f* (-; *-en*) study trip, excursion.
Exlibris [-'liːbriːs] *n* (-; -) ex-libris, book-plate.
exmatrikulieren [ɛksmatriku'liːrən] *v/t.* (*h.*) *univ.* strike off the register.
'Exmeister *m* ex-champion.
exmittieren [-mi'tiːrən] *v/t.* (*h.*) evict, eject.
exogen [ɛksɔ'geːn] *adj.* exogenous.
ex'otisch *adj.* exotic.
Ex'pander [ɛks'pandər] *m* (-s; -) *gym.* (chest-)expander.
Expansion [ɛkspanzi'oːn] *f* (-; *-en*) expansion.
Expansi'ons...: **~hub** *mot. m* expansion stroke; **~kraft** *phys. f* expansive force; **~politik** *f* expansionism; **~politiker** *m* expansionist; **~ventil** *n* expansion valve.
Expedient [ɛkspedi'ɛnt] *econ. m* (-en; -en) forwarding agent (*or* clerk); **expe'dieren** *v/t.* (*h.*) dispatch, forward; **Expediti'on** [-ditsi'oːn] *f* (-; *-en*) dispatch, forwarding; forwarding department; (newspaper-)office; *mil. scient., etc.* expedition; **~skorps** *n* expeditionary force.
Experiment [ɛksperi'mɛnt] *n* (-[e]s; -e) experiment; **experimental** [-'tɑːl] *adj.* experimental; **experimentell** [-'tɛl] *adj.* experimental; **experimen'tieren** *v/i.* (*h.*) experiment, make experiments (*an dat.* on; *mit* with).
Experte [ɛks'pɛrtə] *m* (*-n*; *-n*) expert.
explodieren [ɛksplo'diːrən] *v/i.* (*sn*) explode, burst.
Explosion [ɛksplozi'oːn] *f* (-; *-en*) explosion; *zur ~ bringen* detonate.
Explosi'ons...: **~druck** *m* explosion pressure, blast; **2fähig** *adj.* explosive; **2geschützt** *adj.* → *explosionssicher*; **~gefahr** *f* danger of explosion; **~motor** *m* internal combustion engine; **2sicher** *adj.* explosion-proof; **~takt** *mot. m* work (*or* explosion) stroke; **~welle** *f* wave of explosion.
explosiv [-plo'ziːf] *adj.* explosive; **2geschoß** *n* explosive missile; **2stoff** *m* explosive (substance); *fig.* dynamite.
Expon|ent [ɛkspo'nɛnt] *m* (*-en*; *-en*) *math.* (*a. fig.*) exponent; **2ieren** *v/t.* (*h.*) explain, expound; (*a. phot.*) expose (*dat.* to); *sich ~* expose o.s. (*dat.* to).
Export [ɛks'pɔrt] *m* (-[e]s; -e) export(ation); exports *pl.*; → *Ausfuhr*; **~abteilung** *f* export department; **~artikel** *m* export article *or* item, *pl. a.* exports; **~ausführung** *f* export version.
Exporteur [-'tøːr] *m* (-s; -e) exporter.
Ex'port...: **~geschäft** *n* export transaction; export trade; *a.* **~haus** *n* export house (*or* firm).
expor'tieren *v/t.* (*h.*) export (*nach* to).
Ex'port...: **~land** *n* exporting country; country of destination; **~kaufmann** *m* export merchant, exporter; **~leiter** *m* export manager; **~quote** *f* export ratio; **~verpakkung** *f* export packing; **~vergütung** *f* bounty; → *Ausfuhr*.
Exposé [ɛkspo'zeː] *n* (-s; -s) exposé (*Fr.*).
expreß [ɛks'prɛs] *adv.* expressly; *~ schicken* send express; **2gut** *n* express goods *pl.*, *Am.* fast freight.
Expressionis|mus [-prɛsio'nismus] *m* (-; [*-men*]) expressionism; **~t(in** *f*) *m* (*-en*, *-en*; -, *-nen*), **2tisch** *adj.* expressionist.
ex tempore [-'tɛmpore] *adv.* extempore, offhand; **extemporieren** [-'riːrən] *v/t. and v/i.* (*h.*) extemporize, improvise, *Am. a.* adlib.
extensiv [ɛkstɛn'ziːf] *adj.* extensive.
extern [ɛks'tɛrn] *adj.* external; **2e(r** *m*) *f* (*-n*, *-n*; *-en*, *-en*) day-pupil (*or* scholar).
exterritori'al *adj.* extraterritorial.
extra ['ɛkstra] **I.** *adj.* extra; **II.** *adv.* extra, specially; (*obendrein*) in addition, into the bargain; *~ angefertigt* made-to-order; **2...** extra..., special..., additional...; **2blatt** *n* extra (editions); **2dividende** *econ. f* superdividend, bonus; **~fein** *adj.* extra-fine, superfine.
extrahieren [ɛkstra'hiːrən] *v/t.* (*h.*), **Extrakt** [ɛks'trakt] *m* (-es; -e) extract.
Extra-ordi'narius *univ. m* reader; *Am.* associate professor.
extravagant [-va'gant] *adj.* extravagant.
extravertiert [-vɛr'tiːrt] *adj.* extrovert.
Extrawurst *colloq. f* something special.
extrem [ɛks'treːm] *adj.* extreme; **Ex'trem** *n* (-s; -e) extreme; *von e-m ~ ins andere fallen* go from one extreme to the other.
Extremitäten [ɛkstremi'tɛːtən] *f/pl.* extremities.
Exzellenz [ɛkstsɛ'lɛnts] *f* (-; *-en*) (*Ew. ~* Your) Excellency.
Exzenter|presse [ɛks'tsɛntə-] *tech. f* eccentric press; **~scheibe** *f* eccentric disk.
exzentrisch [-'tsɛntriʃ] *adj.* eccentric; **Exzentrizität** [-tsɛntritsi'tɛːt] *tech. f* (-; *-en*) eccentricity, out-of-balance.
Exzerpt [ɛks'tsɛrpt] *n* (-[e]s; -e) excerpt, extract.
Exzeß [ɛks'tsɛs] *m* (*-sses*; *-sse*) excess; violence, outrage, riot.

F

F, f [ɛf] *n* F, f; **F, f** *mus. n* F, *a.* fa.
Fabel ['fɑːbəl] *f* (-; *-n*) fable; *of drama, etc.*: *a.* plot, story; *fig.* cock-and-bull story, tall tale, fable; **~dichter** *m* fabulist.
Fabe'lei *f* (-; *-en*) fantastic story, yarn; imagination gone wild.
'fabel...: **~haft I.** *adj.* fabulous, amazing; capital, excellent; marvellous, phenomenal, stunning; *ein ~er Kerl* an excellent fellow, *Am. colloq.* a great guy; **II.** *adv.* fabulously, *etc.*; **~n** *v/i.* (*h.*) tell tales *or* stories (*von* about), spin a yarn; → *faseln*; **2tier** *n* fabulous (*or* legendary, mythical) animal *or* beast; **2welt** *f* fabulous (*or* mythical) world; domain of legend; **2wesen** *n* fabulous creature.
Fabrik [fa'brik] *f* (-; *-en*) (manu-) factory, mill; works (*pl.*, *often sg.*); **~anlage** *f* (manufacturing) plant, works *pl.*
Fabrikant [-bri'kant] *m* (*-en*; *-en*) factory (*or* mill-)owner; manufacturer, maker.
Fa'brik...: **~arbeit** *f* (-) work in a factory, factory work; → *Fabrikware*; **~arbeiter** *m* factory (*or* industrial) worker, mill-hand; workman, operative; **~arbeiterin** *f* factory girl, female operative.
Fabri'kat [-'kɑːt] *n* (-[e]s; -e) manufacture(d article), product, make, brand; fabric(s *pl.*); *eigenes ~* my, *etc.*, own make.
Fabrikation [-katsi'oːn] *f* (-; *-en*) manufacture, production, making, fabrication; output; *in* (*die*) *~ geben* put into production.
Fabrikati'ons...: **~fehler** *m* flaw; **~gang** *m* course of manufacture; operation; **~geheimnis** *n* manufacturing secret; **~nummer** *f* serial number; **~programm** *n* manufacturing schedule; *w.s.* range of manufacture; **~stätte** *f* production plant; **~teil** *n* production part; **~zweig** *m* manufacturing branch.
Fa'brik...: **~besitzer(in** *f*) *m* factory owner, mill-owner; **~betrieb** *m* factory management; working (*or*

operating) of a factory; → *Fabrik*; **~direktor** *m* managing director, superintendent; **2fertig** *adj.* factory-built, prefabricated; **2frisch** *adj.* brand-new; **~gebäude** *n* factory building, premises *pl.* (of a factory); **~mädchen** *n* factory girl; **~marke** *f* trade mark, brand; **2mäßig** *adj.* industrial; ~ *hergestellt* factory-made, manufactured; **2neu** *adj.* brand-new; **~nummer** *f* serial number; **~preis** *m* factory price, prime-cost; **~stadt** *f* manufacturing town; **~ware** *f* manufactured goods *pl. or* article; **~zeichen** *n* trade mark, brand.

fabrizieren [fabri'tsi:rən] *v/t.* (*h.*) manufacture, make, produce; *fig.* fabricate.

fabulieren [fabu'li:rən] *v/i.* (*h.*) → *fabeln.*

Facette [fa'sɛtə] *f* (-; -*n*) facet; **~nauge** *n* compound eye.

Fach [fax] *n* (-[e]s; ⸗er) compartment, partition, division; partition (*of cupboard, suitcase, etc.*); *in desk*: pigeonhole; drawer; *bookcase, etc.*: shelf; *door, wall*: panel; *typ.* box; *anat., bot.* cell; *arch.* **a**) bay, **b**) *in ceiling*: coffer; *fig.* department, province, branch, field (*of* activity); business, trade, line; specialty; *ped.* subject; *thea.* rôle, part; *Mann vom* ~ expert, specialist; *sein* ~ *verstehen* know one's business; *das schlägt nicht in mein* ~ that's not in my line.

...fach [-fax] *in compounds* ... times, ...fold, *e.g. zehn*~ ten times, tenfold.

¹**Fach...:** **~arbeit** *f* expert (*or* skilled) work; **~arbeiter(in** *f*) *m* skilled (*or* trained, expert) worker, specialist; *pl.* skilled labo(u)r; **~arzt** *m* (medical) specialist (*für* in); **~ausbildung** *f* special(ized) training; professional training; **~ausdruck** *m* technical term; **~ausschuß** *m* technical *or* professional committee; **~berater** *m* technical adviser, consultant; **~bildung** *f* → *Fachausbildung.*

fächeln ['fɛçəln] **I.** *v/t.* (*h.*) (*sich*) fan (o.s.); **II.** *v/i.* (*h.*) *wind*: waft; *in the wind*: flutter gently.

¹**Fächer** *m* (-s; -) fan; **~antenne** *f* fan(-shaped) aerial, *Am.* antenna; **~fenster** *n* fanlight; **2förmig** [-fœrmiç] *adj.* fan-shaped; *sich* ~ *ausbreiten, verteilen, etc.* fan out; **~motor** *m* fan-type (*or* double V) engine; **~palme** *f* fan-palm; **~schuß** *m torpedo*: spread salvo.

¹**Fach...:** **~gebiet** *n* (special) field *or* subject, specialty; **~gelehrte(r** *m*) *f* specialist, expert; **2gemäß, 2gerecht** *adj.* workmanlike, competent, skil(l)ful; **~geschäft** *n* special(-line) shop; *a.* specialized dealer, stockist; **~größe** *f* authority; **~gruppe** *f* trade association; vocational group; **~ingenieur** *m* specialist engineer, engineering specialist; **~kenntnis(se)** *f* (*pl.*) technical (*or* specialized, expert) knowledge; **~kräfte** *f/pl.* trained workers, specialists; technical personnel; **~kreis** *m*: *in* ~*en* among experts; **2kundig** *adj.* expert, competent; **~lehrer** *ped. m* subject (*or* specialist) teacher; **2lich** *adj.* professional, special, technical; **~literatur** *f* technical (*or* trade) literature; **~mann** *m* expert, specialist (*in dat.* in, at; *für* on); authority (on); **2männisch** ['-mɛnɪʃ] *adj.* expert(ly *adv.*), specialist; workmanlike, competent (*work*); ~*es Auge* expert's eye; ~*es Urteil* expert opinion; **~normen-ausschuß** *m* engineering standards committee; **~personal** *n* → *Fachkräfte*; **~presse** *f* technical press; **~redakteur** *m* special editor; **~schaft** *f* (-; -*en*) all the students of a university department; → *Fachgruppe*; **~schule** *f* technical (*or* vocational) school; **~simpelei** [-zimpə'laɪ] *f* (-; -*en*) shop-talk; **2simpeln** *v/i.* (*h.*) talk shop; **~sprache** *f* technical language *or* terminology; **~studium** *n* specialized studies *pl. or* training; **~verband** *m* professional (*or* trade, industrial) association; **~welt** *f* profession, trade, experts *pl.*; **~werk** *n* framework, half-timbering; **~werkhaus** *n* timber-framed house; **~wissen** *n* → *Fachkenntnis*; **~wissenschaft** *f* special branch of science; speciality; **~wort** *n* (-[e]s; ⸗er) technical term; **~wörterbuch** *n* technical dictionary; **~zeitschrift** *f* trade journal, special periodical.

Fackel ['fakəl] *f* (-; -*n*) torch (*a. fig.*), flare; **2n** *v/i.* (*h.*) *fig.* waver, shilly-shally; *er fackelte nicht lange* he lost no time, he made short work of it (*or* them); **~schein** *m* (-[e]s) torchlight; **~träger** *m* torch-bearer; **~zug** *m* torchlight procession.

Fädchen ['fɛ:tçən] *n* (-s; -) small thread, filament.

fade ['fa:də] *adj.* tasteless, insipid; stale; *fig.* insipid; dull, boring, jejune, flat; ~*r Kerl* bore, wet blanket.

Faden ['fa:dən] *m* (-s; ⸗) thread; twine; fib|re, *Am.* -er; *el., tech.* filament; *opt.* hairline; *mar.* fathom; *mit Fäden durchziehen* thread; *Fäden ziehen* rope; *fig. den* ~ *verlieren* lose the thread; *den* ~ *wiederaufnehmen* pick up the thread; *keinen trockenen* ~ *am Leibe haben* not to have a dry stitch on one; *alle Fäden in der Hand halten* hold all the strings in one's hand; *sie ließ keinen guten* ~ *an ihm* she had not a good word to say for him; *es hing an e-m* ~ it hung by a thread, it was touch and go; **2förmig** [-fœrmiç] *adj.* thread-shaped, filiform; **~kreuz** *n opt.* reticule, cross-hairs *pl.*, spider lines *pl.*; *weaving*: lease; **~nudeln** *f/pl.* vermicelli *pl.*; **~rolle** *f* reel of thread; **2scheinig** ['-ʃaɪnɪç] *adj.* threadbare (*a. fig.*), sleazy, shabby; *fig.* thin, poor (*excuse*); **~stärke** *f* count of yarn; **~wurm** *m* nematode; **2ziehend** *adj.* stringy, ropy.

Fadheit ['fa:thaɪt] *f* (-) tastelessness, insipidity, flatness; staleness; *fig.* dullness, flatness, insipidity.

Fading ['fe:diŋ] *n* (-s) *radio*: fading; **~regelung** *f* automatic gain control.

Fagott [fa'gɔt] *mus. n* (-[e]s; -e) bassoon; **~bläser, Fagot'tist** *m* (-en; -en) bassoonist.

fähig ['fɛ:iç] *adj.* capable (*zu et.* of a th.; *zu inf.* of *ger.*), able (to *inf.*) qualified, fit; liable *or* apt (to *inf.*); competent, efficient; clever, ingenious; ~ *machen* (*zu*) enable (to); *usu. b.s. zu allem* ~ capable of anything; **2keit** *f* (-; -*en*) (cap)ability; qualification (*zum Richteramt* to hold judicial office), competence, efficiency; capacity; talent, (*a. physiol.*) faculty.

fahl [fa:l] *adj.* fallow, dun; pale, livid (*a. sky*); sallow (*face*); lurid; faded; **~gelb** *adj.* fallow; **~grau** *adj.* grayish, livid; **~rot** *adj.* fawn.

Fähnchen ['fɛ:nçən] *n* (-s; -) small flag; pennant (*a. mus.*), streamer; *sports*: (course) marker; *fig.* cheap (*or* flimsy) summer-dress.

fahnd|en ['fa:ndən] *v/i.* (*h.*): *nach j-m* ~ search for; **2ung** *f* (-; -*en*) search; **2ungsstelle** *f* criminal investigation service.

Fahne ['fa:nə] *f* (-; -*n*) flag; standard; banner; *mar., mil., fig.* colo(u)rs *pl.*; *fig.* banner; trail (of smoke); *on files*: tab; *typ.* (galley) proof; *bei der* ~ *dienen* serve with the colo(u)rs; *die* ~ *hochhalten* keep the flag flying; *mit fliegenden* ~*n* with flying colo(u)rs; *mit fliegenden* ~*n untergehen* go down with one's colo(u)rs flying.

¹**Fahnen...:** **~eid** *m* oath of allegiance; **~flucht** *f* (-) desertion; **2flüchtig** *adj.* deserting; **~flüchtige(r)** *m* deserter; **~junker** *m* cadet officer; **~stange** *f*, **~stock** *m* flag-staff, *Am. a.* flagpole; **~träger** *m* standard-bearer (*a. fig.*); **~tuch** *n* bunting; **~weihe** *mil. f* consecration of the colo(u)rs.

Fähnlein ['fɛ:nlaɪn] *n* (-s; -) → *Fähnchen*; *fig.* squad, troop.

Fähnrich ['-riç] *m* (-[e]s; -e) *mil.* ~ *zur See* midshipman; *hist.* ensign.

Fahr|ausweis ['fa:r-] *m* → *Fahrkarte*; **~bahn** *f* roadway, *Am.* driveway; lane; *Straße mit 2* ~*en* two-lane road; **2bar** *adj.* passable, practicable; *mar.* navigable; *tech.* mobile, travel(l)ing, portable; **~barkeit** *f* (-) practicability; navigableness; mobility; **~bereich** *mar. m* radius of action, cruising radius; **2bereit** *adj.* ready to start; in running order; **~bereitschaft** *f* motor pool; **~damm** *m* roadway, *Am.* pavement; **~dienstleiter** *m* traffic superintendent.

Fähre ['fɛ:rə] *f* (-; -*n*) ferry(-boat); *fliegende* ~ flying bridge; *in e-r* ~ *übersetzen* (*v/t. and v/i.*) ferry across *or* over.

¹**Fahr-eigenschaften** *mot. f/pl.* driving properties, road performance *sg.*

¹**fahren I.** *v/i.* (*irr., sn*) go, travel (*mit* by); drive; ride (*on bicycle, train, etc.*); *mot.* drive, motor; *mar.* sail, cruise; *zwischen zwei Häfen etc.* ~ ply between; *car, ship*: go, run; be moving; *in et.* ~ *bullet, knife, etc.*: go into; *mit der Bahn* ~ go by train *or* rail; *erster Klasse* ~ go first (class); *mit dem Omnibus* ~ go (*or* travel, ride) by bus; *über e-n Fluß* (*Platz*) ~ cross a river (square); *aus dem Hafen* ~ clear the port; *auf den Grund* ~ run aground; *gen Himmel* ~ ascend to heaven; *zur Hölle* ~ descend (*or* go) to hell; *aus dem Bette* ~ start up from one's bed; *in*

die Kleider ~ slip on (*or* into) one's clothes; *mit der Hand* ~ *über* (*acc.*) pass one's hand over; *aus der Hand* ~ slip from (*or* jump out of) one's hand; → *Haut*; ~ *lassen* **a)** run (*boat, train, etc.*), **b)** let go (*or* slip), **c)** *fig.* abandon, renounce, give up; *gut (schlecht)* ~ *bei* fare well (ill) at *or* with; *er ist sehr gut (schlecht) dabei ge*~ he did very well (badly) out of it; *was ist in ihn ge*~? what has come over him?; *es fuhr mir durch den Sinn* it flashed across my mind; *er kann* ~ he can (*or* knows how to) drive, he is a good driver; *rechts* ~! keep to the right!; **II.** *v/t.* (*irr.*, *h.*) drive, steer; *mar.* navigate, sail; row; convey, carry, *Am. a.* ship; cart; *ein Schiff auf den Grund (in e-e Bucht)* ~ run a ship aground (into a bay); *e-e Strecke* ~ cover (*or* traverse, run through) a distance; *j-n an e-n Ort* ~ drive a p. to *a place*; *es fährt sich gut hier* it is good driving here, the going is good here; *er fuhr die beste Zeit* he clocked (*or* made) the best time; ♀ *n* (*-s*) travel(l)ing, going, riding; driving; motoring; navigating, sailing, steering; ~**d** *adj.* travel(l)ing, roaming, vagrant, itinerant; ~*er Ritter* knight errant; ~*es Volk* vagrants *pl.*, wayfaring people.

'**Fahrer** *m* (*-s*; *-*), ~**in** *f* (*-*; *-nen*) driver; *mot. a.* chauffeur; (*motorcycle, etc.*) rider; motorist; *rücksichtsloser* ~ road-hog, speed-demon; ~**flucht** *f* (*-*) driving away from an accident; hit-and-run offen|ce, *Am.* -se.

'**Fahr...:** ~**erlaubnis** *f* → *Führerschein*; ~**gast** *m* passenger; ~**gastschiff** *n* liner, passenger-boat; ~**geld** *n* fare.

'**Fährgeld** *n* ferriage, fare.

'**Fahr...:** ~**gelegenheit** *f* conveyance; ~**geschwindigkeit** *f* (driving) speed; ~**gestell** *n mot.* chassis; *aer.* undercarriage, landing gear; *humor.* (*legs*) pins, shafts *pl.*

'**fahrig** *adj.* erratic, fickle, flighty; fidgety, nervous; inattentive.

'**Fahrkarte** *f* ticket (*a. fig.*); *einfache* ~ single (*Am.* one-way) ticket; *durchgehende* ~ through-ticket; ~ *hin u. zurück* return-ticket; *e-e* ~ *lösen nach* book (*or* take a ticket) for.

'**Fahrkarten...:** ~**ausgabe** *f* booking- *or* ticket-office (window); ~**kontrolleur** *m* ticket-inspector; ~**schalter** *m* → *Fahrkartenausgabe*; ~**verkäufer** *m* booking-clerk.

'**Fahrkilometer** *m/pl.* mileage *sg.*

'**fahrlässig** *adj.* careless, reckless, (*a. jur.*) negligent; ~*e Tötung* manslaughter (in the second degree *Am.*); ♀**keit** *f* (*-*) carelessness, recklessness, negligence; *grobe* ~ gross negligence.

'**Fahr...:** ~**lehrer** *mot. m* driving instructor; ~**leistung** *mot. f* road performance.

'**Fährmann** *m* ferryman.

'**Fahrnis** *jur. f* (*-*; *-se*) chattels *pl.* personal, movables *pl.*; ~**gemeinschaft** *f* community of movables.

'**Fahr...:** ~**plan** *m* time-table, *Am.* schedule; ♀**planmäßig I.** *adj.* regular, *Am.* scheduled; **II.** *adv.* to time, *esp. Am.* (according) to schedule; *der Zug fährt (kommt)* ~ *ab (an) um 12 Uhr* the train is scheduled to leave (is due) at 12 o'clock; ~**praxis** *f* driving experience; ~**preis** *m* fare; ~**preisanzeiger** *m* taximeter; ~**preis-ermäßigung** *f* reduction of fare; ~**prüfung** *mot. f* driving-test; ~**rad** *n* bicycle, cycle, bike, *Am. a.* wheel; ~**rinne** *f mar.* fairway, shipping channel *or* lane; (*inland*) water--way; *on road*: wheel track, rut; ~**schein** *m* ticket; ~**scheinheft** *n* book of tickets, coupons *pl.*; ~**schule** *mot. f* driving school; ~**schüler(in** *f*) *m* learner (*abbr.* L); ~**sicherheit** *f* safe driving; road safety; ~**straße** *f* highway; → *Fahrdamm*; ~**strecke** *f* tour, itinerary; distance; → *zurücklegen*; ~**stuhl** *m* lift, *Am.* elevator; wheel (*or* Bath)-chair; ~**stuhlführer** *m* lift-boy (*or* -man); *Am.* elevator operator; ~**stuhlschacht** *m* well, *Am.* elevator shaft; ~**stunde** *mot. f* driving lesson.

Fahrt [faːrt] *f* (*-*; *-en*) drive, ride; journey, tour, trip; *mar.* voyage, passage, cruise; outing, excursion, hike; ~ *ins Blaue* mystery trip; *mar.* course; speed; *in voller* ~ (at) full speed; *freie* ~! clear road!, open drive!; *rail. freie* ~ *geben* clear the line; *freie* ~ *haben* have a free course, have the green light (*a. fig.*); *gute* ~! bon voyage (*Fr.*)!; *mar. große (halbe, kleine, volle)* ~ three quarter (half, deadslow, full) speed; ~ *aufnehmen* gather speed; ~ *verlieren* lose headway; *in* ~ *kommen* get under way, get up speed, *fig.* get into one's stride, swing into action; *in (voller)* ~ *sein* be in (full) swing; '~**ausweis** *m* ticket.

Fährte ['fɛːrtə] *f* (*-*; *-n*) track, trace, trail, *a. fig.* scent; *auf der falschen* ~ *sein* be on the wrong track, be barking up the wrong tree.

'**Fahrten|buch** *mot. n* (driver's) logbook; ~**schreiber** *mot. m* tachograph.

Fahrt...: ~**messer** *aer. m* (*-s*; *-*) airspeed indicator; ~**richtung** *f* direction (of motion *or* traffic); ~**richtungsanzeiger** *mot. m* direction indicator; ~**unterbrechung** *f* break of a journey, *Am.* stopover; ~**wind** *m* air stream.

'**Fahr...:** ~**vorschrift** *f* rule(s *pl.*) of the road, driving regulations *pl.*; ~**wasser** *mar. n* (*-s*) navigable water; → *Fahrrinne*; *fig.* track; tendency; *im richtigen* ~ *sein* be in one's element; *in ein politisches* ~ *geraten* take a political turn; ~**weg** *m* → *Fahrbahn*; wag(g)on road; drive, *Am.* driveway; ~**weise** *mot. f* driving (habit *or* style); ~**werk** *n tech.* travel(l)ing gear; *aer.* → *Fahrgestell*; *of tank*: suspensions and tracks *pl.*; ~**zeit** *f* running time; duration (of a trip, *etc.*); hours *pl.* of operation; engine mileage; ~**zeug** *n* vehicle; *mar.* vessel, craft; ~**zeughalter** *m* car-owner; ~**zeugkolonne** *f* column of vehicles; ~**zeugmotor** *m* automotive engine; ~**zeugpapiere** *n/pl.* registration papers; ~**zeugpark** *m mot.* fleet; *rail.* rolling stock; ~**zeugverkehr** *m* vehicular (*or* wheeled) traffic.

Faible ['fɛːbəl] (*Fr.*) *n* (*-[s]*; *-s*) soft spot (*für* for).

fäkal [fɛ'kaːl] *adj.* f(a)ecal.

Fä'kalien [-iən] *pl.* f(a)eces *pl.*, f(a)ecal matter, sewage.

Fakir ['faːkiːr] *m* (*-s*; *-e*) fakir.

Faksimile [fak'ziːmilə] *n* (*-s*; *-s*) facsimile; ~**telegraphie** *f* facsimile telegraphy.

Faktion [faktsi'oːn] *pol. f* (*-*; *-en*) faction.

'**faktisch I.** *adj.* factual, real, actual; **II.** *adv.* actually, in fact, de facto.

faktitiv [-ti'tiːf] *gr. adj.* factitive.

Faktor ['faktɔr] *m* (*-s*; *-'toren*) *math.* factor; *econ.* **a)** manager, **b)** (*agent*) factor; steward; foreman (*a. typ.*); *fig.* factor (*a. biol.*); *bestimmender* ~ determinant; *tech. veränderliche* ~*en* variables.

Fakto'rei *econ. f* (*-*; *-en*) factory; (foreign) trading post.

Faktotum [-'toːtum] *n* (*-s*; *-s*) factotum.

Fak|tum ['faktum] *n* (*-s*; *-ten*) fact; ~**ten** *pl.* facts; data.

Faktur(a) [fak'tuːr(a)] *econ. f* (*-*; *-en*), **fakturieren** [-tu'riːrən] *v/t.* (*h.*) invoice; **Faktu'rist** *m* (*-en*; *-en*) invoice clerk.

Fakultät [fakul'tɛːt] *univ. f* (*-*; *-en*) faculty, *Am.* department.

fakultativ [-ta'tiːf] *adj.* optional.

falb [falp] *adj.* fallow, dun; ♀**e(r)** ['-bə(r)] *m* (*-[e]n*; *-[e]n*) dun horse.

Falbel ['falbəl] *f* (*-*; *-n*) flounce, furbelow.

Falke ['falkə] *m* (*-n*; *-n*) falcon, hawk (*a. pol.*); ~**n-auge** *n fig.* hawk's eye; ~**nbeize**, ~**njagd** *f* falconry, hawking; **Falkenier** [-'niːr] *m* (*-s*; *-e*), '**Falkner** *m* (*-s*; *-*) falconer, hawker.

Fall[1] [fal] *m* (*-[e]s*; ⸚*e*) fall; drop, tumble; *of parachutist*: descent; *of barometer*: fall, drop; → *Gefälle*; *fig.* downfall, overthrow, ruin; decay; *mil.* fall, surrender (*of fortress, etc.*); *econ.* fall, drop, slump (*of prices*); case, matter, affair; instance; *gr., jur., med.* case; *im* ~*e Müller u. Genossen* in the case (*or* matter) of Müller et al.; *auf alle Fälle* at all events, in any case, at any rate; by all means; to be on the safe side; *auf keinen* ~ on no account, in no case, by no means; *gesetzt den* ~ suppose, supposing; *im* ~*e, daß* in case (*he came*), in the event of (*his coming*); *im* ~*e des Versagens* in case of failure; *im besten* ~*e* at best; *im schlimmsten* ~*e* if the worst comes to the worst, in the last resort; *in den meisten Fällen* in most instances; *in diesem* ~*e* in that case; *von* ~ *zu* ~ from time to time, according to circumstances; *zu* ~ *bringen* give a fall, trip up, bring down; *fig.* trip up, cause the downfall of, ruin; *parl.* defeat (*a motion*); *zu* ~ *kommen* have a (*bad*) fall; *fig.* come to grief, collapse; *das ist ganz mein* ~ that's just my cup of tea; *das ist auch bei ihm der* ~ this is the case with (*or* true for) him, too.

Fall[2] *mar. n* (*-[e]s*; *-en*) halyard.

fällbar ['fɛlbaːr] *chem. adj.* precipitable.

'**Fall...:** **~behälter** *m* gravity tank; **~beil** *n* guillotine; **~beschleunigung** *f* gravitational acceleration; **~bö** *aer. f* air pocket, down gust; **~brücke** *f* drawbridge.

Falle ['falə] *f* (-; -*n*) trap; snare; pitfall (*all a. fig.*); *tech.* latch; *colloq.* bed, bunk; *j-m* e-e ~ *stellen* set a trap for; *in die* ~ *gehen* **a)** walk into the trap, **b)** *colloq.* turn in, hit the hay; *in die* ~ *locken* lure into the trap.

'**fallen** *v/i.* (*irr.*, *sn*) fall, drop; tumble (down); (have a) fall; *mil. fortress, etc.*: fall, be taken; *soldier*: fall, be killed in action; *barometer*: (be) fall(ing); *water*: subside; *mus.* descend; *fig.* abate, decline, subside; *prices, etc.*: fall, drop, go down, slump; *~de Tendenz* bearish (*or* downward) trend; be heard, become audible; *Schüsse fielen* shots were fired; *remark*: fall (*über j-n* about a p.); *holiday, etc.*: fall (*auf* on); ~ *in* (*e-e Kategorie*) *or unter* (*ein Gesetz, etc.*) come under (*a category, law, etc.*), fall within (the scope of), be covered by; *an j-n* ~ *inheritance*: fall to, devolve on, come (*or* go) to a p.; ~ *lassen* drop, let fall (*a. fig. a person, a remark*); release (*bomb*); dismiss, drop (*idea*); abandon, drop, give up (*plan*); drop, waive (*claim*); → *Arm, Rede*; *j-m in die Hände* ~ fall into a p.'s hands; *j-m zu Füßen* ~ throw o.s. at a p.'s feet; *das Kleid fällt hübsch* the dress drapes beautifully; *mein Auge fiel auf sie* my eye fell (*or* lighted) upon her; *das Los fiel auf mich* the lot fell upon me; *es fällt mir schwer* it is difficult for me, it goes hard with me, *spiritually*: it is hard on me; → *Auge, Extrem, Nerven, Opfer, Ungnade etc.*

'**Fallen** *n* (-s) fall(ing); *of terrain*: slope, descent, dip; *fig.* decline; *of prices*: fall, drop, slump; decline, downward movement.

fällen ['fɛlən] *v/t.* (*h.*) fell, cut down (*tree*); fell (*animal, opponent*); *mil.* lower (*the bayonet*); *chem.* precipitate; → *Lot*; drop, draw; *jur. Urteil* ~ pronounce (*or* pass) sentence (*über acc.* on); *a. fig.* pass judg(e)ment (on).

Fallensteller ['-ʃtɛlər] *m* (-s; -) trapper.

'**Fall...:** **~gatter** *n* portcullis; **~geschwindigkeit** *phys. f* velocity (*or* rate) of fall; **~gesetz** *n* law of falling bodies; **~grube** *f* (*a. fig.*) pitfall, *Am.* deadfall; **~hammer** *m* drop hammer; pile driver; **~höhe** *f* height of fall; **~holz** *n* fallen wood.

fal'lieren *econ. v/i.* (*h.*) fail, become insolvent, go bankrupt.

fällig ['fɛliç] *adj.* due; payable; *taxes*: *a.* collectible; *bill of exchange*: *a.* mature; *längst* ~ overdue; *wenn* ~ at maturity, when due; ~ *werden* become due *or* payable, mature; expire; **2keit** *f* (-) maturity; expiration; *bei* ~ at maturity, when due; **2keits-tag**, **2keitstermin** *m* due date, maturity (date).

Falliment [fali'mɛnt] *n* (-s; -e) failure, bankruptcy.

'**Fall...:** **~kippe** *f gym.* drop upstart; **~klinke** *f* (falling) latch; **~kurve** *f* flight path, trajectory; **~obst** *n* windfall; **~recht** *jur. n* case law; **~reep** *mar. n* gangway; **~rinne** *f* chute; **~rohr** *tech. n* down-pipe.

falls [fals] *cj.* in case; if; in the event of (*ger.*); suppose, supposing; provided (that).

'**Fallschirm** *m* parachute; *mit* ~ *abspringen, absetzen* parachute; paradrop; *in emergency*: bail *or* bale out; **~absprung** *m* parachute jump (*or* descent); **~jäger** *m* paratrooper; **~jägerdivision** *f* paratroop division; **~kombination** *f* parasuit; **~leuchtbombe** *f* parachute flare; **~springen** *n* parachute jumping; **~springer(in** *f*) *m* parachutist; **~truppen** *f/pl.* paratroops.

'**Fall...:** **~strick** *m* snare; *fig. a.* trap, pitfall; **~stromvergaser** *mot. m* down-draught (*Am.* -draft) carburet(t)or; **~sucht** *med. f* (-) falling sickness, epilepsy; **2süchtig** *adj.*, **~süchtige(r** *m*) *f* epileptic; **~tank** *mot. m* gravity tank; **~treppe** *f* trap stairs, fold-away stairs *pl.*; **~tür** *f* trap-door.

'**Fällung** *chem. f* (-; -*en*) precipitation; **~smittel** *n* precipitant.

'**Fall...:** **~wind** *m* katabatik wind; **~winkel** *m* angle of inclination; *arch., mil.* dip, incline; *of missile*: angle of descent *or* impact.

falsch [falʃ] **I.** *adj.* false; wrong, incorrect; erroneous; *~e Anwendung* misapplication; *~e Bezeichnung* misnomer; *~e Darstellung* misrepresentation; *mus. ~er Ton* false note; spurious, imitated, bogus, *Am.* fake, phon(e)y; false (*hair*); false, artificial (*teeth*); forged; counterfeit, bad (*money*); adulterated; *~e Angabe* false statement; *~er Eid* false oath; *~er Name* false (*or* fictitious) name; deceitful, fraudulent; false, insincere, treacherous (*friend*); *~er Prophet* false prophet; *~e Rippe* floating rib; *~e Schlange* snake in the grass; *~es Spiel* foul play, double-dealing, *Am.* double-cross; *~er Würfel* loaded dice; *unter ~er Flagge* under false colo(u)rs; angry, venomous, *Am.* mad; vicious (*horse*); *~e Scham* false shame; *~er Stolz* false pride; **II.** *adv.*: ~ *antworten* answer wrong; ~ *auffassen* misconceive, misunderstand, get wrong; ~ *aussprechen* pronounce incorrectly *or* wrongly, mispronounce; *watch*: ~ *gehen* go wrong; ~ *schreiben* write incorrectly, misspell; ~ *singen* sing out of tune (*or* off-key); ~ *geraten!* wrong!; ~ *verbunden teleph.* sorry, wrong number; ~ *schwören* perjure (*or* forswear) o.s.; ~ *spielen* cheat (at cards).

Falsch *m* (-s) falseness; *ohne* ~ without guile, guileless, harmless.

'**Falsch...:** **~aussage** *jur. f* false testimony; **~be-urkundung** *jur. f* making false entry; **~buchung** *f* fraudulent entry; **~eid** *m* false oath.

fälsch|en ['fɛlʃən] *v/t.* (*h.*) falsify; forge, fake (*document, signature*); counterfeit, forge; *jur. a.* make falsely, alter fraudulently; *econ.* tamper with, doctor (*books, etc.*); adulterate (*food*); fake (up) (*painting*); **2er(in** *f*) *m* (-s, -; -, -*nen*) falsifier; forger, counterfeiter; faker; adulterator.

'**Falschgeld** *n* counterfeit (*or* false, bogus) money, *Am. a.* queer.

'**Falschheit** *f* (-) falseness, falsity; *of person*: *a.* insincerity, duplicity, insidiousness; *of action*: *a.* treachery, double-dealing.

'**fälschlich** *adj.* (*and adv.*, *a.* **~erweise** [-ər'vaɪzə]) false(ly); fraudulent(ly); incorrect(ly), wrong(ly); erroneous(ly), by mistake.

'**Falsch...:** **~luft** *tech. f* infiltrated air, air leak; **~meldung** *f* false report; canard, hoax; **~münzer(in** *f*) *m* (-s, -; -, -*nen*) counterfeiter; **~münze'rei** *f* (-; -*en*) counterfeiting; **~spieler(in** *f*) *m* card-sharper, cheat.

'**Fälschung** *f* (-; -*en*) falsification; faking; forging, forgery; counterfeiting; adulteration; *thing*: forgery; counterfeit; fake.

Falsett [fal'zɛt] *n* (-[e]s; -e) falsetto (voice).

falt|bar ['faltbɑːr] *adj.* foldable; **2blatt** *n* folder; **2boot** *n* collapsible boat, folding canoe; **2dach** *mot. n* folding roof, collapsible top.

'**Falte** *f* (-; -*n*) fold; wrinkle; *on forehead*: *a.* furrow; *in cloth*: **a)** wrinkle, crinkle, crease, **b)** pleat, plait; crease; *of terrain*: fold; *~n werfen* pucker; *schöne ~n werfen* drape beautifully; *die Stirn in ~n ziehen* knit one's brow, frown; *in ~n legen* → *falten*.

fältel|n ['fɛltəln] *v/t.*, *a. sich* (*h.*) gather, pleat, plait; frill; **2ung** *f* (-; -*en*) pleat(ing).

'**falten** *v/t.* (*h.*) fold; pleat, plait; crease; shir(r); *sich* ~ wrinkle, crinkle, crease; *es läßt sich mühelos* ~ it folds easily; *die Hände* ~ join (*or* fold, clasp) one's hands.

'**Falten|gebirge** *n* folded mountains *pl.*; **2los** *adj.* without folds (*or* pleats); unwrinkled, smooth; **~rock** *m* pleated skirt; **~wurf** *m* drapery.

'**Falter** *m* (-s; -) butterfly, moth.

'**faltig** *adj.* folded; plaited, pleated; wrinkled, puckered.

'**Falt...:** **~prospekt** *m* folder; **~schachtel** *f* folding box; **~stuhl** *m* folding chair; **~ung** *f* (-; -*en*) folding; plaiting; wrinkling; doubling; *bot.* vernation (*of leaves*).

Falz [falts] *m* (-es; -e) fold; *tech.* welt, (turned-over) edge; *bookbinding*: guard, fold; *woodworking*: rabbet; groove, notch; '**~bein** *n* paper-knife, folder; '**~blech** *n* metal-sheet with good bend properties; '**2en** *v/t.* (*h.*) fold; rabbet; groove; welt, bead; '**~fräser** *m* rabbeting (*or* notching) cutter; '**~hobel** *m* rabbet plane; '**~maschine** *f bookbinding*: folding-machine; *tech.* seaming machine; '**~ziegel** *m* grooved tile.

Fama ['fɑːma] *f* (-) rumo(u)r; fame.

familiär [famili'ɛːr] *adj.* familiar; intimate; *~er Ausdruck* colloquialism.

Familie [fa'miːliə] *f* (-; -*n*) family (*a. bot., zo.*); *von guter* ~ of a good family; e-e ~ *gründen* (marry and) settle down; ~ *haben* have children; *er hat* ~ he is a family man; *es liegt in der* ~ it runs in the family; *das kommt in den besten* ~*n vor* accidents will happen in the best regulated families.

Fa'milien...: **~ähnlichkeit** *f* family likeness; **~album** *n* family album; **~angelegenheit** *f* family affair; **~anschluß** *m*: *mit* ~ as one of the family; **~bad** *n* mixed bathing; **~bande** *n/pl.* family ties; **~beihilfe** *f* family allowance, *Am.* dependents benefits *pl.*; **~forschung** *f* genealogical research; **~glück** *n* domestic happiness; **~gruft** *f* family vault; **~haupt** *n* → ~*vater*; **~kreis** *m* family circle; **~leben** *n* (-s) family life; **~mitglied** *n* member of the family; **~nachrichten** *f/pl. newspaper*: births, marriages, and deaths; **~name** *m* family name, surname, *Am. a.* last name; **~packung** *econ. f* family size package; **~planung** *f* family planning; **~rat** *m* family council; **~roman** *m* saga novel; **~stammbuch** *n* family register; **~stand** *m* family status; marital status; **~stiftung** *f* private trust; **~stück** *n* heirloom; **~unterstützung** *f* family allowance; **~vater** *m* paterfamilias, head of the family; **~zulage** *f* → ~*beihilfe*; **~zuwachs** *m* addition to the family; ~ *haben* have a little newcomer.

famos [fa'mo:s] *adj.* excellent, capital, great.

Fanal [fa'nɑ:l] *n* (-s; -e) (light-) signal; *fig.* beacon, torch.

Fana|tiker(in *f*) [fa'nɑ:tikər-] *m* (-s, -; -, -nen) fanatic; **2tisch** *adj.* fanatic(al); **fanati'sieren** *v/t.* (h.) fanaticize; **Fanatismus** [fana'tismus] *m* (-) fanaticism.

fand [fant] *pret. of finden.*

Fanfare [fan'fɑ:rə] *f* (-; -n) fanfare, flourish of trumpets.

Fang [faŋ] *m* (-[e]s; ⸚e) capture, catch(ing); *hunt.* bag; *fishing*: catch, haul (*both a. fig.*); *hunt.* coup de grâce (*Fr.*) (*a. fig.*); *zo.* fang; *of boar*: tusk; *Fänge pl. orn.* claws, talons *pl.*; *e-n guten* ~ *tun* make a good catch; *in s-n Fängen halten* hold *a th. or p.* in one's clutches; '**~arm** *zo. m* tentacle; '**~ball** *m* catch-ball; '**~eisen** *n* (steel) trap.

'**fangen** *v/t.* (*irr.*, *h.*) catch; capture, seize, *mil. a.* take prisoner; (en-) trap; net; *Feuer* ~ catch fire (*a. fig.*); *sich* ~ be caught, catch; *sich wieder* ~ regain one's composure, rally (*a. sports*), *aer.* flatten (*or* straighten) out; *sich* ~ *lassen* walk into the trap, get caught. [→ *Fangzahn.*]

Fänger ['fɛŋər] *m* (-s; -) catcher;

'**Fang...:** **~leine** *f mar.* painter; *aer.* grappling rope; parachute cord; *hunt. of dog*: leash; **~messer** *n* hunting-knife; **~zahn** *zo. m* fang; *of boar*: tusk.

Fant [fant] *m* (-[e]s; -e) fop, dandy; coxcomb.

Fantasie [fanta'zi:] *mus. f* (-; -n) fantasia; **2ren** *v/i.* (h.) improvise.

Farb|anstrich ['farp-] *m* coat of paint, painted surface; **~band** *n* (-[e]s; ⸚er) typewriter (*or* ink) ribbon; **~diapositiv** *n* colo(u)red slide.

Farbe ['farbə] *f* (-; -n) colo(u)r; hue; tint; shade; pigment; *tech.* colo(u)r, paint; dye; *typ.* (printer's) ink; stain; *facial*: complexion, colo(u)r, hue; *cards*: suit; ~ *bekennen* follow suit, *fig.* lay one's cards on the table, declare o.s.; *die* ~ *wechseln* change colo(u)r, *fig.* change sides; *e-r Sache* ~ *verleihen* lend colo(u)r to *a th.*; *s-n* ~*n treu bleiben* stick to one's colo(u)rs.

'**farb-echt** *adj.* fast, fadeless; *film*: orthochromatic.

Färbe|faß ['fɛrbə-] *n* dye-vat; **~flüssigkeit** *f* dyeing liquid; staining liquid; **~kraft** *f* tinting strength; **~mittel** *n* dye, colo(u)ring agent.

'**färben** *v/t.* (h.) colo(u)r, tinge (*both a. fig.*); (*cloth, hair*) dye; stain (*glass, paper*); *mit Blut gefärbt* blood-stained; tint; *sich* ~ colo(u)r; *sich rot* ~ turn red, redden; *sich* ~ *lassen* dye; *gefärbter Bericht* colo(u)red report.

'**Farben|abstufung** *f* colo(u)r gradation; **~band** *n* (-[e]s; ⸚er), **~bild** *phys. n* spectrum; **~beständigkeit** *f* colo(u)r stability; **2blind** *adj.* colo(u)r-blind; **~druck** *typ. m* (-[e]s; -e) colo(u)r printing, chromotypy; (*picture*) colo(u)r-print, chromotype; **2empfindlich** *adj.* colo(u)r--sensitive; *phot.* orthochromatic; **2freudig**, **2froh** *adj.* colo(u)rful, gay(ly colo[u]red); **~händler** *m* dealer in dyes and paints; **~kasten** *m* colo(u)r (*or* paint) box; **~kleckser** *m* dauber; **~kreis** *m* colo(u)r disk; **~lehre** *phys. f* theory of colo(u)rs, chromatics *pl.*; **~messer** *m* (-s; -) colorimeter; **2prächtig** *adj.* colo(u)rful, gorgeous; **2reich** *adj.* richly colo(u)red; **~reinheit** *f* chromatic purity; **~skala** *f* colo(u)r chart; **~spiel** *n* play of colo(u)rs; irridescence; opalescence; **~zerstreuung** *f* colo(u)r dispersion; **~zusammenstellung** *f* colo(u)r scheme.

'**Färber(in** *f*) *m* (-s, -; -, -nen) dyer; stainer.

Färbe'rei *f* (-; -en) dye-house; dye--works *pl.*; dyer's trade.

'**Farb...:** **~fernsehen** *n* colo(u)r television; **~film** *m* colo(u)r film; **~filter** *phot. m* colo(u)r filter; **~gebung** ['-ge:buŋ] *f* (-) colo(u)ring, colo(u)ration; **~holz** *n* dyewood.

farbig ['farbiç] *adj.* colo(u)red; chromatic; stained (*glass, leather, paper*); ~*es Herrenhemd* fancy-shirt; *fig.* colo(u)rful; → *bunt*; **2e(r** *m*) ['-gə(r)] *f* (-n, -n; -en, -en) colo(u)red (gentle)man (*f* woman); *pl.* colo(u)red people.

'**Farb...:** **~kissen** *n* ink(ing)-pad; **~körper** *m* colo(u)ring matter, pigment (*a. biol.*); **~lack** *m* lake, lacquer; **2los** *adj.* colo(u)rless (*a. fig.*); *opt.* achromatic; pale, pallid; **~losigkeit** *f* (-) colo(u)rlessness (*a. fig.*); *opt.* achromatism; pallor; **~mine** *f* colo(u)red lead; **~muster** *n* colo(u)r pattern; **~photographie** *f* colo(u)r photography, chromophotography; (*picture*) chromophotograph; **~stift** *m* colo(u)red pencil (*or* crayon); **~stoff** *m* → *Farbkörper*; *tech.* dye(-stuff); *in food*: colo(u)ring matter; **~stufe** *f* colo(u)r gradation; shade; **~ton** *m* (-[e]s; ⸚e) tone; hue; tint; shade; **2tonrichtig** *phot. adj.* orthochromatic; **~topf** *m* paint-pot.

'**Färbung** *f* (-; -en) colo(u)ring, colo(u)ration; pigmentation (*of skin, etc.*); hue, tinge (*both a. fig.*).

'**Farb...:** **~walze** *f* ink(ing)-roller; **~waren** *f/pl.* colo(u)rs, paints, dyes; **~werk** *typ. n* inking apparatus; **~wert** *m* chromaticity value; **~wiedergabe** *f*: *treue* ~ colo(u)r fidelity; **~zelle** *f* pigment cell.

Farce ['farsə] *f* (-; -n) *cul.* stuffing, forcemeat; *thea.* burlesque, farce (*a. fig.*); **far'cieren** *v/t.* (*h.*) stuff.

Farinzucker [fa'ri:n-] *m* (-s) powder(ed) sugar.

Farm [farm] *f* (-; -en) farm; ranch; '**~er** *m* (-s; -) farmer; rancher.

Farn [farn] *bot. m* (-[e]s; -e), '**~kraut** *n* fern.

Farre ['farə] *m* (-n; -n) young bull, steer.

Färse ['fɛrzə] *f* (-; -n) young cow, heifer.

Fasan [fa'zɑ:n] *m* (-[e]s; -e[n]) pheasant.

Fa'sanen...: **~braten** *m* roast pheasant; **~garten** *m* pheasantry; **~hahn** *m* cock-pheasant; **~henne** *f* hen--pheasant; **~jagd** *f* pheasant shooting; **~zucht** *f* pheasant-breeding.

Fasane'rie *f* (-; -n) pheasantry.

Faschine [fa'ʃi:nə] *f* (-; -n) fascine.

Fasching ['faʃiŋ] *m* (-s; -e) carnival, Shrovetide; → *Fastnacht.*

Faschis|mus [fa'ʃismus] *m* (-) Fascism; **~t(in** *f*) *m* (-en, -en; -, -nen), **2tisch** *adj.* Fascist.

Fase ['fɑ:zə] *tech. f* (-; -n) chamfer; *spiral drill*: land.

Faselei [fɑ:zə'laɪ] *f* (-; -en) silly talk, twaddle, gibberish.

'**Fasel|hans** *m* (-[es]; -e) drivel(l)er; scatter-brain; **2ig** *adj.* silly, scatter--brained; **2n** *v/i.* (h.) drivel, babble, talk at random.

Faser ['fɑ:zər] *f* (-; -n) *anat.*, *bot.* fib|re, *Am.* -er; thread; *dünne* ~ filament; *of beans*: string; *of wood*: grain; *fig. mit jeder* ~ *s-s Herzens* with every fibre of his heart; **2artig** ['-ɑ:rtiç] *adj.* fibroid, fibrous.

Fäserchen ['fɛ:zərçən] *n* (-s; -) fibril, filament; *loose*: fluff, *Am.* lint.

'**Faser...:** **~gewebe** *n* fibrous tissue; **~holzplatte** *f* fibreboard, *Am.* fiberboard; **2ig** *adj.* fibrous, filamentous, stringy; fuzzy; **2n I.** *v/t.* (h.) unravel, unweave; mottle (*paper*); **II.** *v/i.*, *a. sich* (h.) ravel (out), fray, fuzz; **2nackt** *adj.* stark naked; **~stoff** *m* fibrous material, fibrin; **~strang** *m* cord of fib|res, *Am.* -ers; **~ung** *f* (-; -en) fibrillation; *in wood*: grain; *in paper*: mottling; fraying, fuzzing.

Faß [fas] *n* (-sses; ⸚sser) cask, barrel; keg; vat, tub; *Bier vom* ~ beer on draught; *Wein vom* ~ wine from the wood; *in Fässer füllen* barrel, cask; *das schlägt dem* ~ *den Boden aus!* that's the limit (*or* last straw)!

Fassade [fa'sɑ:də] *f* (-; -n) façade, front (*a. fig.*); **~nkletterer** *m* cat burglar.

faßbar [ˈfasbɑːr] *adj.* tangible; comprehensible; *schwer* ~ elusive.
ˈ**Faß...:** ~**bier** *n* draught beer; ~**binder** *m* cooper.
Fäßchen [ˈfɛsçən] *n* (-s; -) small barrel (*or* cask), keg.
fassen [ˈfasən] **I.** *v/t.* (*h.*) seize, grasp, take (*or* lay) hold of; catch, apprehend, seize; ~ *bei* (*dat.*) seize (*or* take, tackle) by; *am Kragen* ~ (seize by the) collar; *an or bei der Hand* ~ take by the hand; *fig.* seize (mentally), grasp; conceive, understand; *mil.* draw, fetch (*food, etc.*); *tech.* mount; set, enchase (*jewel, etc.*); put in(to *in acc.*), *in Säcke*: sack; *room, etc.*: hold, have a capacity of; accommodate, seat; contain; *fig. in sich* ~ include, comprise, embrace; *e-n Gedanken* ~ form *or* conceive an idea; → *Beschluß, Fuß, Neigung, Vorsatz, Wurzel, etc.*; *j-n bei der Ehre* ~ appeal to a p.'s hono(u)r; *in Worte* ~ put into (*or* express, clothe, couch in) words, formulate; *sich* ~ *an die Stirn, etc.*: touch, feel, put one's hand to *one's forehead, etc.*; *fig. sich* ~ compose (*or* collect) o.s., master one's feelings; *sich schnell wieder* ~ rally quickly; → *Geduld*; *sich kurz* ~ (~ *Sie sich kurz!*) be brief (!), make it short (!); **II.** *v/i.* (*h.*) *tool, etc.*: bite; ~ *nach* (*dat.*) grasp (*or* clutch) at; *es ist nicht zu* ~! it's incredible!, it baffles me!; *to dog*: *faß!* sick him! → *gefaßt*.
ˈ**faßlich** *adj.* comprehensible, conceivable; 2**keit** *f* (-) comprehensibility, conceivability.
Fasson [faˈsõ] *f* (-; -s) form, shape, design, style; *tech. a.* cut, section; *fig.* fashion, manner, way; *nach* ~ *gearbeitet* fully fashioned; ~**arbeit** *tech. f* shaping, profiling; ~**draht** *m* section wire.
fassonieren [fasoˈniːrən] *v/t.* (*h.*) form, shape, profile.
Fasˈsonstahl *m* shaping tool.
faßreif *adj.* vatted.
ˈ**Faßreif(en)** *m* hoop.
ˈ**Fassung** *f* (-; -en) *tech.* mounting, frame, support; frame (*of spectacles*); lamp holder, socket; setting (*of jewel*); *fig.* draft(ing); wording, version, formulation; style, diction; *jur. in der jeweils geltenden* ~ as (hereafter) amended; composure, poise, self-command; *aus der* ~ *bringen* disconcert, upset, put out, *sl.* rattle; *die* ~ *bewahren* keep one's head; *die* ~ *verlieren* lose one's self-control (*or* head, poise), lose one's temper; *die* ~ *wiedergewinnen* recover one's self-possession, rally; *er war ganz außer* ~ he was completely beside himself; ~**skraft** *f* (power of) comprehension, mental capacity, grasp; 2**slos** *adj.* disconcerted, perplexed; aghast, speechless; *ich war völlig* ~ you could have knocked me down with a feather; ~**slosigkeit** *f* (-) bewilderment, perplexity; shock, dismay; ~**sraum** *m*, ~**svermögen** *n* (-s) (carrying *or* seating *or* volumetric) capacity; *fig.* → *Fassungskraft*.
ˈ**Faß...:** ~**wein** *m* wine in (*or* from) the wood; 2**weise** [ˈ-vaɪzə] *adv.* by the barrel.
fast [fast] *adv.* almost; nearly; → *beinahe*; ~ *nichts* next to nothing; ~ *nie* hardly ever.
fasten [ˈfastən] *v/i.* (*h.*) fast, abstain from food.
ˈ**Fasten** *n* (-s) fast(ing), abstinence; ~**predigt** *f* Lent sermon; ~**speise** *f* Lenten fare; ~**zeit** *f* Lent.
ˈ**Fastnacht** *f* (-) Shrove Tuesday, Mardi gras; Shrovetide, carnival; ~**skostüm** *n* carnival dress; ~**sscherz** carnival joke.
ˈ**Fasttag** *m* day of fasting.
Faszikel [fasˈtsiːkəl] *m* (-s; -) fascicle; file.
faszinieren [fastsiˈniːrən] *v/t.* (*h.*) fascinate.
fatal [faˈtɑːl] *adj.* unfortunate; fatal (*mistake, etc.*); awkward, embarrassing.
Fatalis|mus [fataˈlismus] *m* (-) fatalism; ~**t(in** *f*) *m* (-en, -en; -, -nen) fatalist; 2**tisch** *adj.* fatalist(ic).
Fataliˈtät *f* (-; -en) misfortune, adversity.
Fatum [ˈfɑːtum] *n* (-s; -ta) fate, destiny, lot.
Fatzke [ˈfatskə] *colloq. m* (-n; -n) fop, dandy; fool, goof.
fauchen [ˈfaʊxən] *v/i.* (*h.*) *cat, etc.*: spit; snarl; *engine*: whiz(z), hiss, puff; *person*: snarl, hiss, spit.
faul [faʊl] *adj.* rotten; foul, putrid; rotten, bad (*egg*); brittle (*metal, stones*); rotten, decayed, carious (*teeth*); *fig. econ.* worthless (*a. bill of exchange, etc.*), inferior; unsound (*business firm*); shady, *sl.* fishy; *sports*: foul, unfair; lazy, indolent, idle, slothful; ~*e Ausrede* lame (*or* poor, thin) excuse; ~*er Kunde* bad (*or* shady) customer; ~*e Redensarten* empty words, idle talk; ~*e Sache* queer (*or* fishy) business; ~*er Witz* poor (*or* stale) joke; ~*e Witze machen* talk rot; → *Zauber*; *sich auf die* ~*e Haut legen* → *faulenzen*; *an der Sache ist etwas* ~ I smell a rat.
ˈ**Faul...:** ~**baum** *m* black alder; ~**bett** *n*: *sich aufs* ~ *legen* → *faulenzen*; ~**brand** *agr. m* (-[e]s) smut; ~**bruch** *metall. m* shortness; brittleness; 2**brüchig** *adj.* short, brittle.
Fäule [ˈfɔʏlə] *agr. f* rot; → *Fäulnis*.
ˈ**faulen** *v/i.* (*h.*) rot, decay, putrefy.
ˈ**Faulen** *n* (-s) decay(ing), rotting, putrefaction; *tech. of paper*: fermenting.
faulen|zen [ˈfaulɛntsən] *v/i.* (*h.*) lead an idle life, idle; be lazy, laze; take it easy, loaf; 2**zer(in** *f*) *m* (-s, -; -, -nen) sluggard, dawdler, lazybones *sg.*; idler, loafer; (*only m*) easy-chair; 2**zeˈrei** *f* (-; -en) lazy (*or* idle) life, laziness; lounging.
ˈ**Faul...:** ~**fieber** *n* putrid fever, *fig.* fit of laziness; ~**heit** *f* (-) laziness, idleness, sluggishness; 2**ig** *adj.* rotten; putrid; mo(u)ldy; rotting, putrescent.
ˈ**Fäulnis** *f* (-) rottenness; putrefaction; decay, decomposition; putrescence; *med.* **a**) sepsis, **b**) caries; *in* ~ *übergehen* rot, putrefy; 2**beständig** *adj.* decay-resistant; 2**erregend** *adj.* putrefactive; septic; ~**erreger** *m* putrefactive agent (*or* bacterium).
ˈ**Faul...:** ~**pelz** *m* → *Faulenzer*; ~**tier** *zo. n* sloth (*a. fig.*).
Faun [faʊn] *m* (-[e]s; -e) faun.
Fauna [ˈfaʊna] *f* (-; -nen) fauna.
Faust [faʊst] *f* (-; ⸚e) fist; *e-e* ~ *machen* make a fist; *die* ~ *ballen* clench one's fist; *j-m e-e* ~ *machen* shake a fist at a p.; *fig. auf eigene* ~ on one's own (account), off one's own bat; *mit eiserner* ~ with an iron hand; *mit der* ~ *auf den Tisch schlagen* plant one's fist on the table, *fig.* put one's foot down; → *Auge*.
Fäustchen [ˈfɔʏstçən] *n* (-s; -) small fist; *fig. sich ins* ~ *lachen* laugh up one's sleeve; gloat (*über acc.* over).
ˈ**faustdick** *adj.* as big as a fist; *fig. e-e* ~*e Lüge sl.* a whopping lie; *er hat es* ~ *hinter den Ohren* he is a sly dog, he is a deep one; *es kommt immer gleich* ~ it never rains but it pours.
ˈ**fausten** *v/t. and v/i.* (*h.*) *sports*: punch *or* fist (the ball).
ˈ**Faust...:** 2**groß** *adj.* (as) big as (*or* the size of) a fist; ~**handschuh** *m* mitt(en); ~**kampf** *m* fist fight; boxing-match; pugilism, boxing; ~**kämpfer** *m* pugilist; boxer; ~**keil** *m* hand-axe; ~**pfand** *n* dead pledge; ~**recht** *n* (-[e]s) club-law, law of the jungle; ~**regel** *f* rule of thumb; ~**schlag** *m* blow with the fist, punch; ~**skizze** *f* rough sketch.
Favorit(in *f*) [favoˈriːt] *m* (-en, -en; -, -nen) favo(u)rite.
Faxe [ˈfaksə] *f* (-; -n) foolery, antic, (silly) prank; ~*n machen* clown, (play the) fool; ~*n schneiden* grimace, make faces; ~**nmacher** *m* clown, buffoon.
Fazit [ˈfɑːtsit] *n* (-s; -e) result, upshot; sum total; *das* ~ *ziehen* sum (it) up.
F-Dur [ˈɛf-] *n* (-) F major.
Februar [ˈfeːbruɑːr] *m* (-[e]s; -e) February.
Fecht|bahn [ˈfɛçt-] *f* fencing strip; ~**boden** *m* fencing-room; ~**degen** *m* épée (*Fr.*), rapier.
ˈ**fechten** *v/i.* (*irr., h.*) fence; fight (*a. v/t.*); gesticulate; *colloq.* beg one's way, cadge; *mil.* ~*de Truppe* combat forces *pl.*
ˈ**Fechten** *n* (-s) fencing; fighting.
ˈ**Fechter(in** *f*) *m* (-s, -; -, -nen) fighter; fencer, swordsman; *colloq.* beggar, cadger, *Am.* bum.
ˈ**Fecht...:** ~**kunst** *f* (art of) fencing; ~**meister** *m* fencing-master; ~**schule** *f* fencing-school; ~**turnier** *n* fencing tournament.
Feder [ˈfeːdər] *f* (-; -n) feather; down; plume; pen, nib; quill; *fenc.* foible; *tech.* spring; tongue; ~ *und Nut* **a**) *wood*: tongue and groove, **b**) *metal*: slot and key; *sich mit fremden* ~*n schmücken* adorn o.s. with borrowed plumes; *die* ~ *ergreifen* take up pen, set pen to paper; *e-e scharfe* ~ *führen* wield a formidable pen; *in die* ~ *diktieren* dictate; *colloq. noch in den* ~*n liegen* be still in bed; 2**artig** [ˈ-ɑːrtiç] *adj.* featherlike, plumaceous; springlike; ~**ball** *m* shuttlecock; (*game*) badminton; ~**bein** *mot. n* telescopic fork; shock-absorbing strut; 2**be-**

lastet *adj.* spring-loaded; **~bett** *n* feather-bed; **~blatt** *tech. n* spring leaf; **~bolzen** *m* spring bolt; **~brett** *n gym.* springboard; **~busch** *m* tuft of feathers, plume; *zo.* crest; **~decke** *f* eiderdown, featherquilt, *Am.* comforter; **~druck** *tech. m* spring load; **~fuchser** ['-fuksər] *m* (-s; -) quill-driver, scribbler; **2führend** *adj.* managing, authorized, in charge; **~führung** *f* centralized administration; leadership; *unter der ~ (gen.)* under the control of; **~gabel** *mot. f* spring-fork; **~gehäuse** *n watch*: springbox; **~gewicht(ler** *m*, -s; -) *n sports*: featherweight; **~halter** *m* penholder; **2ig** *adj.* feathery; **~kasten** *m* pencil box; **~kiel** *m* quill; **~kissen** *n* feather-pillow; **~kraft** *f* springiness, resilience, elasticity; **~krieg** *m* literary feud; **2leicht** *adj.* (as) light as a feather, *Am.* featherweight; **~lesen** *n* (-s): *fig. nicht viel ~s machen mit* make short work of; **~messer** *n* penknife.

'**federn I.** *v/i., a. sich (h.) bird*: mo(u)lt, shed one's feathers; be elastic (*or* resilient), be cushioned; *mot., etc. gut gefedert* well-sprung; *sports*: bend up and down, spring; jerk, bounce; **II.** *v/t. (h.)* pluck, feather; *tech.* fit with springs, spring; *woodworking*: tongue; **~d** *adj.* springy, elastic, resilient, flexible, anti-vibration; *~ angebracht* spring-mounted.

'**Feder...: ~ring** *tech. m* spring washer; **~schloß** *n* spring-lock; **~spannung** *tech. f* spring tension; *unter ~* spring-loaded; **~spitze** *f* nib, *Am.* (pen-)point; **~stahl** *m* spring steel; **~strich** *m* stroke of the pen (*a. fig.*); **~ung** *f (-; -en) tech.* springing, springs *pl.*; cushioning; *mot. a.* spring suspension; → *Federkraft*; **~vieh** *n* poultry; **~waage** *f* spring--balance; **~werk** *n* spring mechanism; **~wild** *n* winged game; **~wisch** *m* feather-duster; **~wolke** *f* cirrus (cloud); **~zeichnung** *f* pen--and-ink drawing; **~zirkel** *m* spring-callipers *pl.*; **~zug** *m* → *Federstrich*; *tech.* spring pull.

Fee [feː] *f (-; -n)* fairy: *böse ~* wicked fairy; *gute ~* good fairy, Lady Bountiful.

Feen... [feːən-]: **2haft** *adj.* fairylike; *fig.* magic(al), romantic; marvel(l)ous; **~könig(in** *f*) *m* fairy-king (-queen); **~kreis** *m* fairy-ring; **~land** *n* fairyland.

Fegefeuer ['feːgə-] *n* (-s) purgatory.

'**fege|n I.** *v/t. (h.)* furbish, rub; clean, wipe; scour; sweep; *agr.* winnow; *stag*: *das Geweih ~* fray its head; sweep *or* tear off; **II.** *v/i. (sn)* sweep, rush, race, flit; **2sand** *m* scouring sand.

Feh [feː] *n* (-[e]s; -e) grey (Siberian) squirrel.

Fehde ['feːdə] *f (-; -n)* feud; *in ~ liegen mit* be at feud (*or* war) with; *j-m ~ ansagen* throw down the gauntlet to a p.; **~brief** *m* challenge; **~handschuh** *m* gauntlet; *den ~ aufnehmen* take up the gauntlet.

fehl [feːl] *adj.* false, wrong; *~ am Platze* out of place, inappropriate.

'**Fehl** *m* (-) blemish, flaw, fault; **~anzeige** *f* negative report, *a. mil.* nil return; **~ball** *m tennis*: fault; **2bar** *adj.* fallible; **~barkeit** *f* (-) fallibility; **~besetzung** *thea. f* miscasting; *w.s. the* wrong man; **~bestand** *m* deficiency, shortage; **~betrag** *m* deficit, deficiency; **~bezeichnung** *f* misnomer; **~bitte** *f*: *e-e ~ tun* meet with a refusal, be turned down; **~blatt** *n cards*: inferior (*or* bad) card; **~bogen** *typ. m* imperfect sheet; **~diagnose** *f* false diagnosis; **~disposition** *f* misguided action; **~druck** *typ. m* (-[e]s; -e) misprint, foul impression.

'**fehlen** *v/i. (h.)* be absent (*in dat., bei* from); have failed to come (*or* appear, attend); be missing; fail, lack, be wanting (*or* lacking); *j-m et.*: be in need of, be short of; *es ~ lassen an (dat.)* fail in, be wanting in; *es an nichts ~ lassen* spare no pains (*or* expense), leave nothing undone; err, sin, do wrong; *~ gegen (acc.)* offend against, violate; miss (*a. v/t.*); *weit gefehlt!* far off the mark! you are quite wrong!; *fehlt Ihnen etwas?* is anything the matter (*or* wrong) with you? what ails you?; *es fehlte nicht viel und* it was touch and go that, a little more and; *das fehlte gerade noch!* what next!, it only wanted that!, that's the last straw!; *es fehlte an jeder Zusammenarbeit* there was no co-operation whatsoever; *es fehlte ihm nie an e-r Ausrede* he was never at a loss for an excuse; *an mir soll es nicht ~* it shall not be my fault; *du hast uns sehr gefehlt* we have missed you badly; *er fehlte an allen Ecken und Enden* his absence was painfully felt everywhere; *wo fehlt's denn?* what's wrong (*or* the trouble)?; 2 *n* (-s) want, absence; nonattendance; absenteeism; **~d** *adj.* lacking, missing; **2es** what is missing *or* lacking; *econ.* deficit, deficiency, shortage; *der (die) 2e* the absentee.

'**Fehl-entscheidung** *f a. sports*: incorrect (*or* wrong) decision.

'**Fehler** *m* (-s; -) defect; drawback, *Am. a.* shortcoming; *of character, etc.*: *a.* failing, fault, imperfection; weakness; blemish; *körperlicher ~* bodily defect, infirmity; *tech.* defect (*an, in dat.* in), fault, flaw; *shooting*: miss; *sports*: fault; mistake; error; blunder; *e-n ~ machen* make a mistake, commit an error, blunder; *w.s.* make a faux pas, put one's foot in it; *das war allein sein ~* that was entirely his fault; *jeder hat s-e ~* we all have our little failings; *das war gerade der ~ an der Sache* that was just the trouble (with it); **2frei** *adj.* faultless, perfect; *tech.* flawless (*a. fig.*), trouble-free; **~grenze** *f* margin of error, tolerance; **2haft** *adj.* faulty; defective, deficient; incorrect; *jur.* wrongful (*possession, etc.*); *~e Stelle* flaw, blemish (*in fabric, etc.*); **2los** *adj.* → *fehlerfrei*; **~losigkeit** *f* (-) faultlessness, flawlessness; **~quelle** *f* source of error (*or tech.* trouble); **~verzeichnis** *n* (list of) errata *pl.*

'**Fehl...: ~farbe** *f cards*: non-trump card; *econ.* off shade; **~fracht** *f* dead freight; **~geburt** *f* miscarriage, abortion; **2gehen** *v/i. (irr., sn)* miss one's way, (*a. fig.*) go wrong; *shot*: miss (its mark); *fig.* fail, go amiss (*or* wrong); **~gewicht** *n econ.* short weight; **2greifen** *v/i. (irr., h.)* miss one's hold; *fig.* make a mistake; **~griff** *m fig.* mistake, blunder; **~investition** *f* misinvestment, misconceived capital project; **~jahr** *agr. n* bad year, off year; **~kalkulation** *f* miscalculation; **~kauf** *m* bad bargain; **~konstruktion** *f* faulty design (*or* construction); **~landung** *aer. f* balked landing; **~leistung** *f* slip, blunder; **2leiten** *v/t. (h.)* misdirect, mislead; miscarry, *Am.* misthrow (*letters*); **~prognose** *f* false prognosis; **~punkt** *m sports* bad point (*or* mark), penalty; **2schießen** *v/i. (irr., h.)* miss one's aim (*or* the mark); **~schlag** *m* miss; *fig.* failure; disappointment; setback; **2schlagen** *v/i. (irr., sn)* miss (one's blow); *fig.* fail, miscarry, come to nothing, *Am. sl.* backfire; **~schluß** *m* false inference, wrong conclusion, fallacy, paralogism; **~schuß** *m* miss; **~spekulation** *f* bad speculation; **~spruch** *jur. m* miscarriage of justice; judicial error; false verdict; **~start** *m* false start; **~stoß** *m* miss; **2treten** *v/i. (irr., sn)* make a false step, miss one's footing, stumble; **~tritt** *m* false step, slip; *fig.* blunder, faux pas (*Fr.*); *moral*: slip, lapse; **~urteil** *n* misjudg(e)ment; → *Fehlspruch*; **2zünden** *v/i. (h.)* **~zündung** *mot. f* misfire, backfire.

feien ['faɪən] *poet. v/t. (h.)* charm (*gegen* against), make proof (against); → *gefeit*.

Feier ['faɪər] *f (-; -n)* rest; holiday; celebration; ceremony; festival, fête; party; *zur ~ des Tages* in hono(u)r of the day, to mark *or* celebrate the occasion; **~abend** *m econ.* closing-time; leisure-time, spare time (*or* hours), *in compounds a.* after-work; *~ machen* leave (*or* knock) off work; (*machen wir*) *~!* let's call it a day!

'**feierlich** *adj.* solemn; festive; ceremonious; *~ begehen* celebrate; **2keit** *f* (-) solemnity; ceremoniousness; ceremony; *~en pl.* ceremonies, *Am. a.* exercises *pl.*; pomp.

'**feier|n I.** *v/t. (h.)* celebrate (*feast, victory, etc.*); keep, observe (*holiday*); commemorate; celebrate, hono(u)r, extol, praise; *j-n*: *a.* fête *a p.*; **II.** *v/i. (h.)* rest (from work), make holiday; *~ müssen* be out of work, be idled, be laid off; *fig.* take it easy; **2schicht** *f* idle shift; *~en einlegen* drop shifts; **2stunde** *f* hour of rest (*or* recreation), leisure hour; festive hour; ceremony; solemnity, hour of meditation; **2tag** *m* holiday, red-letter day; *gesetzlicher ~* public (*Am.* legal) holiday; *eccl.* feast(-day); festive day.

feig(e) [faɪk, '-gə] *adj.* cowardly, white-livered, yellow; fainthearted, timid; dastardly, mean; *sich ~ zeigen* quail, show the white feather, funk, have cold feet.

Feige ['faɪgə] *f (-; -n)* fig; **~nbaum** *m* fig-tree; **~nblatt** *n* fig-leaf.

'**Feig...: ~heit** *f* (-) cowardice, cowardliness, funk; **2herzig** *adj.* faint-hearted, pusillanimous; **~ling** ['-liŋ] *m* (-s; -e) coward.

feil [faıl] *adj.* on (*or* for) sale, to be sold; *fig.* mercenary, venal; **'~bieten** *v/t.* (*irr.*, *h.*) offer (*or* put up) for sale; *contp.* prostitute.

Feile ['faılə] *f* (-; -*n*) file; rasp; *fig.* file, finish; *die letzte ~ legen an* (*acc.*) give the finishing touches to; **2n** *v/t.* (*h.*) file; *fig.* (*a.* ~ *an dat.*) file, polish, finish (off).

'feilhalten *v/t.* (*irr.*, *h.*) have on sale.

'Feilheit *f* (-) venality; corruptibility.

feilschen ['faılʃən] *v/i.* (*h.*) bargain (*um* for), haggle (about); **2** *n* (-s) bargaining, haggling.

'Feilscher *m* (-s; -) bargainer, haggler.

Feim(en) ['faım(ən)] *agr. m* (-[e]s, -e; -s, -) stack, rick.

fein [faın] *adj.* fine; delicate, dainty; minute; graceful; distinguished, *iro.* genteel; refined; elegant, smart; choice, exquisite; *colloq.* excellent, splendid; great; accurate, precise, fine (*tuning*); fancy (*pastries*); delicate, subtle (*feeling*); fine(ly chiselled) (*face*); *~es Gold* fine gold; sensitive, sharp (*ear, etc.*); drizzling (*rain*); *~er Ton* good form; *~er Unterschied* nice (*or* subtle, fine) distinction; *sich ~ machen* smarten (*or* spruce) o.s. up; *er ist ~ heraus* he is well out of it, *w.s.* he is a lucky fellow.

'Fein...: **~abstimmung** *f radio*: fine tuning; **~arbeit** *f* delicate (*or* precision) work; **~bäcke'rei** *f* fancy-bakery, confectionery; **~blech** *n* thin sheet (*or* plate).

Feind [faınt] *m* (-[e]s; -e), **~in** ['-din] *f* (-; -*nen*) enemy (*a. mil.*); *rhet.* foe; adversary, opponent, antagonist; rival; *eccl. der böse ~* the Fiend, the Evil One; *Freund und ~* friend and foe; *sich ~e machen* make enemies; *ein ~ e-r Sache sein* → **feind** *pred. adj.*: (*dat.*) *~ sein* be an enemy of *or* to; be hostile (*or* opposed) to; hate, loathe.

'Feind...: **~berührung** *mil. f* contact with the enemy; **~einwirkung** *f* enemy action; **~eshand** ['-dəshant] *f* (-): *in ~ fallen* fall into the enemy's hands; **~esland** ['-dəslant] *n* (-[e]s) enemy country *or* territory; **~fahrt** *mar. f* operational cruise; **~flug** *aer. m* (combat) mission, sortie; **2frei** *adj.* clear of the enemy; **2lich I.** *adj. mil.* hostile, enemy('s *fire, lines, etc.*); *~e Truppen* enemy forces; *~er Ausländer* enemy alien; *person*: hostile, adverse, inimical, antagonistic, opposed, unfriendly (*gegen* to); **II.** *adv.*: *~ gesinnt* hostile (*dat.* to), ill-disposed (towards); **~lichkeit**, **~schaft** *f* (-; -*en*) enmity, animosity, hostility; antagonism; ranco(u)r; hatred; illwill; feud, quarrel, strife; discord; *in Feindschaft leben mit* (*dat.*) be at enmity (*or* variance, daggers drawn) with; **2selig** *adj.* hostile (*gegen* to); → *böswillig*; **~seligkeit** *f* (-; -*en*) hostility; malevolence; → *Feindlichkeit*; *mil. die ~en eröffnen* (*einstellen*) commence (suspend) hostilities.

'Fein...: **~einsteller** *tech. m* (-s; -) vernier; **~einstellung** *f* fine adjustment; **2fühlend**, **2fühlig** ['-fy:-liç] *adj.* sensitive; delicate; tactful; **~gefühl** *n* (-[e]s) sensitiveness; delicacy; tact; **~gehalt** *m* standard (*of coin*); **~gehaltsstempel** *m* hall-mark; **2gesponnen** *adj.* fine(ly)-spun (*a. fig.*); **~gold** *n* fine (*or* refined) gold; **~heit** *f* (-; -*en*) fineness; delicacy, daintiness; grace (-fulness); elegance; refinement, elegance, polish (*of manners, style*); delicacy, tact; subtlety, finesse; exquisiteness, superior quality; purity; size, grist (*of yarn*); *~en pl.* niceties, delicacies, finer points *pl.* *die letzten ~en* the last touches; **2hörig** *adj.* quick of hearing, having a quick (*or* sensitive) ear; **~keramik** *f* fine ceramics *pl.*; **2körnig** *adj.* fine grained; **~korn** *n* (-[e]s) *shooting*: fine sight; *phot.* fine grain; **~kost** *f* → *Delikatessen*; **2maschig** *adj.* fine-meshed; **~mechanik** *f* precision engineering; **~mechaniker** *m* precision-instrument maker; precision mechanic; **2mechanisch** *adj.* fine mechanical, precision; **~messer** *m* (-s; -) micrometer; **2porig** ['-po:riç] *adj.* finely porous; **~schliff** *tech. m* finishing, final rub; **~schmecker(in** *f*) *m* (-s, -; -, -*nen*) gourmet, epicure; *für die ~* for the fastidious palates; **~schnitt** *m* (-[e]s) *tobacco*: fine cut; **~seife** *f* toilet soap; **~silber** *n* fine (*or* refined) silver; **~sinn** *m* (-[e]s) subtle sense, delicacy; **2sinnig** *adj.* subtle, delicate; sensitive; **~stbearbeitung** *tech. f* superfinish; microfinish; **~stellschraube** *f* micrometer screw; **~struktur** *phys. f* microstructure; **~waage** *f* precision balance; **~wäsche** *f* (dainty) lingerie; fine laundering; **~zucker** *m* refined sugar.

feist [faıst] *adj. hunt.* in grease, fat; *person*: fat, stout; plump, chubby (*cheeks, etc.*); *mit ~em Lachen* with a fat laugh.

feixen ['faıksən] *colloq. v/i.* (*h.*) grin; sneer.

Feld [fɛlt] *n* (-[e]s; -er) field (*a. agr. heraldry, mil., mining, sports, TV*); ground, soil, land; *arch.* panel, compartment; *of ceiling*: coffer; *chess*: square; *phys. elektrisches* (*magnetisches, etc.*) ~ electric (magnetic, *etc.*) field; *~ der Ehre* field of honour; *fig.* field, domain, department; scope; *aus dem ~e schlagen* drive from the field, *fig.* defeat, outstrip, rout, eliminate (*a competitor*); *das ~ behaupten* hold the field, stand one's ground; *das ~ räumen* retreat, fall back, *fig.* make off, clear out; quit; *das ~ bestellen* till the ground; *ins ~ führen fig.* advance (*arguments*); *mil. ins ~ rücken, ziehen* take the field, go to the front; *auf freiem ~e* in the open (field); (*noch*) *weit im ~e* a long way off; *er hat freies ~* he has full (free) scope *or* a clear field.

'Feld...: **~arbeit** *f* field-work; **~artillerie** *f* field artillery; **~ausrüstung** *mil. f* field-equipment; **~bahn** *f* field-railway; **~bau** *m* (-[e]s) agriculture, tillage; **~becher** *m* canteen cup; **~befestigung** *mil. f* field-fortification, fieldwork; **~bett** *n* camp-bed; **~bischof** *mil. m* chief of chaplains; **~blume** *f* wild flower; **~bluse** *mil. f* service blouse; **~bohne** *f* horse bean; **~dienst** *mil. m* field duty; **2dienstfähig** *adj.* fit for active duty; **~dienstübung** *f* field exercise; **2einwärts** *adv.* across the fields; **~elektron** *n* field electron; **~erbse** *f* field pea; **~flasche** *mil. f* waterbottle, canteen; **~flugplatz** *mil. m* advanced air-field; **~früchte** ['-fryçtə] *f/pl.* fruit *sg.* of the earth, field-produce; **~geistliche(r)** *m* army chaplain; **~gendarm** *m* military policeman; **~gendarmerie** *f* military police (*abbr.* M.P.); **~gericht** *n* field court martial; **~geschrei** *n* war-cry; password; **~geschütz** *n* field gun; **2grau** *mil. adj.* field-grey; *die 2en pl.* the German soldiers; **~haubitze** *f* field-howitzer; **~heer** *n* Army field forces *pl.*; **~herr** *m* general; commander-in-chief; strategist; **~herrnkunst** *f* (-) strategy, generalship; **~herrnstab** *m* baton; **~hockey** *n* field hockey; **~huhn** *n* common partridge; **~hüter** *m* field-guard; **~küche** *f* field-kitchen; **~lager** *n* bivouac, (military) camp; **~lazarett** *n* casualty clearing station, *Am.* evacuation hospital; **~lerche** *f* skylark; **~marschall** *m* field-marshal; **2marschmäßig** *adj.* in heavy marching order; **~maus** *f* field mouse; **~messer** *m* (-s; -) surveyor; **~mütze** *f* field-cap, forage-cap; **~post** *f* armypost, army postal service; **~post-amt** *n* army post office (*abbr.* APO); **~postbrief** *m* field-post letter; **~regler** *el. m* field rheostat; **~rübe** *f* rape; **~salat** *m* lamb's lettuce; **~schaden** *m* damage to crops; **~scher** ['-ʃər] *hist. m* (-s; -e) army-surgeon; **~schlacht** *f* battle; **~schlange** *hist. f* culverin; **~schmiede** *f* portable forge; **~schütz** *m* field-guard; **~spannung** *el. f* field voltage; **~spat** *min. m* feldspar; **~spiel(er** *m*) *n* outfield play(er); **~stärke** *phys. f* field-strength; **~stecher** *m* field-glass; **~stein** *m* field-stone; erratic block; landmark; **~stuhl** *m* camp-stool, folding chair; **~telephon** *n* field-telephone; **~theorie** *phys. f* field theory; **~truppen** *f/pl.* field-troops *pl.*; **~verbandsplatz** *m* field dressing station; **~wache** *f* outpost, picket; **~webel** ['-ve:bəl] *m* (-s; -) sergeant; **~weg** *m* field-path, country-lane; **~wicklung** *el. f* field coil; **~zeichen** *n* ensign, standard; **~zeugdepot** *n* ordnance depot; **~zeugmeister** *m* master of the ordnance; **~zug** *m mil.* campaign, expedition; *fig.* campaign, *Am. a.* drive; **~zugsplan** *m* plan of operations.

Felge ['fɛlgə] *f* (-; -*n*) *tech.* felloe, felly; *spec. mot.* rim; *agr.* (ploughing of) fallow land; *gym.* circle; **~nabziehhebel** *mot. m* rim tool; **~nbremse** *f* rim (*bicycle*: calliper) brake; **~nrand** *m* rim edge.

Fell [fɛl] *n* (-[e]s; -e) coat; hide; skin; pelt; fur; *of men*: skin, hide; *das ~ abziehen* (*dat.*) skin; *fig. ein dickes ~ haben* be thick-skinned, have a thick hide; → *gerben, jukken*; *j-m das ~ über die Ohren ziehen* fleece (*or* flay) a p.; *fig. s-e ~e davonschwimmen sehen* see all one's plans (*or* hopes) wrecked; '**~händler** *m* dealer in hides, furrier; '**~zeichnung** *f* coat pattern; '**~zurichter** *m* hide-dresser.

Fels [fɛls] *m* (-*en*; -*en*) → *Felsen*; '**~block** *m* (-[e]s; ¨e) (piece of) rock, block, boulder; '**~boden** *m* rock soil.

Felsen ['fɛlzən] *m* (-*s*; -) rock; crag; cliff, crag; **~abhang** *m* rocky declivity, precipice; **~bewohner(in** *f*) *m* crags (wo)man; **≈fest** *adj.* as firm as a rock, rocklike; unshakeable, unwavering; *ich bin ~ davon überzeugt* I am absolutely convinced of it; **~gebirge** *n* Rocky Mountains *pl.*; **~grund** *m* rock-bed; **~huhn** *n* stone grouse; **~klippe** *f* cliff; **~küste** *f* rocky coast; **~masse** *f* mass of rocks; **~riff** *n* reef; **~wand** *f* wall (*or* face) of rock.

'**Fels...:** **~geröll** *n* rock debris; **~glimmer** *m* mica; **~grat** *m* rocky ridge; **≈ig** *adj.* rocky, cragged, craggy; rock-like; **~spalte** *f* crevice; **~spitze** *f* crag, peak; **~sturz** *m* rock-slip; **~vorsprung** *m* ledge.

Fem|e ['fe:mə] *f* (-; -*n*) vehme; **~gericht** *n* vehmic court.

Femininum [femi'ni:num] *gr. n* (-*s*; -*na*) feminine noun.

Fenchel ['fɛnçəl] *m* (-*s*) fennel; **~holz** *n* sassafras (wood).

Fenn [fɛn] *n* (-[e]s; -e) fen, bog.

Fenster ['fɛnstər] *n* (-*s*; -) window; *fig. pol.* gate; *mit ~n versehen* window (*adj.* -ed); *Geld zum ~ hinauswerfen* throw money down the drain.

'**Fenster...:** **~bogen** *m* bow of a window; **~brett** *n* window-sill; **~briefumschlag** *m* window envelope; **~brüstung** *f* breast-wall; **~chen** ['-çən] *n* (-*s*; -) small window; **~flügel** *m* casement (*or* wing) of a window; **~gitter** *n* window-grate, lattice; **~glas** *n* window (*or* broad) glass; **~griff** *m* window knob; **~jalousie** *f* Venetian blind; **~kitt** *m* putty; **~kreuz** *n* cross-bar(s *pl.*); **~krone** *f on tooth*: window crown; **~kurbel** *mot. f* window crank; **~laden** *m* shutter; **~leder** *n* chamois (leather); **≈los** *adj.* windowless; **~nische** *f* embrasure; **~pfeiler** *m* pier; **~pfosten** *m* mullion; **~platz** *m* seat by the window; **~putzer** *m* window cleaner; **~rahmen** *m* window-frame; sash; **~rose** *arch. f* rose window; **~scheibe** *f* (window-) pane; **~sims** *m* window-sill; **~spiegel** *m* window-mirror; **~sturz** *m* lintel.

Ferien ['fe:riən] *pl.* holidays; *esp. jur., univ. or Am.* vacation; *parl.* recess; *die großen ~* the long vacation; *~ machen* take (*or* go for) one's holidays, *Am.* take a vacation, go (*or* be) vacationing; → *Urlaub*; **~heim** *n* holiday home; **~kolonie** *f*, **~lager** *n* holiday camp; **~kurs(us)** *m* vacation course; **~reise** *f* holiday-trip *or* -tour; **~reisende(r** *m*)*f* holiday-maker, *Am.* vacationist; **~zeit** *f* holiday time.

Ferkel ['fɛrkəl] *n* (-*s*; -) young pig, piglet; sucking pig, sucker; *fig.* pig; **Ferke'lei** *f* (-; -*en*) dirtiness; filthy (*or* dirty) joke, obscenity, smut; '**ferkeln** *v/i.* (*h.*) farrow, pig; *fig.* talk smut.

Fermate [fɛr'mɑ:tə] *mus. f* (-; -*n*) pause, hold.

Ferment [fɛr'mɛnt] *n* (-*s*; -*e*) ferment, enzyme; **Fermentation** [-tatsi'o:n] *f* (-; -*en*) fermentation; **fermen'tieren** *v/t.* (*h.*) *and v/i.* (*sn*) ferment.

fern [fɛrn] *adj.* far (*a. adv.*); far off, distant, remote (*a. as to time*); *der ≈e Osten* the Far East; *~e Ähnlichkeit* remote (*or* distant) resemblance; *von ~* from afar, from (*or* at) a distance; *in nicht* (*allzu*) *~er Zukunft* in a not too distant future, before long; *das sei ~ von mir!* far be it from me!, by no means!

'**Fern...:** **~amt** *teleph. n* trunk (*Am.* long-distance *or* toll) exchange; **~anruf** *m* trunk (*Am.* long-distance *or* toll) call; **~antrieb** *m* remote drive (*or* control); **~anzeigegerät** *n* remote indicating instrument; **~aufklärung** *mil. f* long-range (*or* strategical) reconnaissance; **~aufklärungsflugzeug** *n* long-range reconnaissance plane; **~aufnahme** *f* long-shot, telephoto(graph); **~auslöser** *phot. m* distance release; **~beben** *n* (-*s*) distant earthquake; **~bedienung** *tech. f* remote control; **≈betätigt** *adj.* → *ferngesteuert*; **~bild** *n* telephoto; **≈bleiben** *v/i.* (*irr., sn*) keep away (*dat.* from), absent o.s., not to come (*or* appear, attend); **~bleiben** *n* nonappearance, absence; *econ.* absenteeism; **~blick** *m* distant view, vista; **~bomber** *m* long-range bomber; **~drucker** *tel. m* teleprinter.

Ferne ['fɛrnə] *f* (-; -*n*) distance, remoteness; *aus der ~* from a distance, from afar; *in der ~* in the (*or* at a) distance; *fig.* (*noch*) *in weiter ~* (still) a long way *or* a far cry off; *das liegt noch in weiter ~ a.* there is a long way to go yet; *in der ~ verschwinden* pass out of sight, fade into the distance.

'**Fern-empfang** *m* (-[e]s) *radio*: long-distance reception.

'**ferner I.** *adj.* further; farther; **II.** *adv.* further(more); moreover, besides, in addition; and then; *~ liefen sports*: also ran (*a. fig.*); **~hin** *adv.* for the (*or* in) future, henceforth; *auch ~ tun* continue to do, keep doing.

'**Fern...:** **~fahrer** *mot. m* long-distance lorry (*Am.* truck) driver; **~fahrt** *f* long-distance trip (*or* run, *mar.* cruise); long haul; **~flug** *m* long-distance flight; **~funk** *m* long-distance broadcast; **~gang** *mot. m* overdrive; **~gasversorgung** *f* grid gas supply; **≈gelenkt** *adj.* → *ferngesteuert*; **~geschütz** *n* long-range gun; **~gespräch** *teleph. n* trunk (*Am.* long-distance) call; **≈gesteuert** *adj.* remote-control(l)ed; radio-control(l)ed; pilotless; *~es Geschoß* guided missile; **~glas** *n* binocular(s *pl.*); → *Fernrohr*; **≈halten** *v/t.* (*irr., h.*) keep away, hold off; *j-n von sich ~* keep a p. at a distance, fend a p. off; et. *von j-m ~* keep a th. from a p., protect (*or* shield) a p. from a th.; *sich ~* keep away (*von* from); keep aloof (from); steer clear (of); **~heizung** *f* district heating; **≈her** *adv.* from afar; **~kabel** *n* long-distance cable; **~kamera** *f* telecamera; **~kampfartillerie** *f* long-range artillery; **~kurs(us)** *m* correspondence course; **~laster** *m* long-distance lorry (*Am.* truck); **~lastverkehr** *m* long-distance road haulage; **~lastzug** *m* long-distance road train; **~leitung** *f teleph.* trunk-line, *Am.* long-distance line; *el.* transmission line; pipeline; **~lenkpult** *n* control desk; **~lenkung** *f* remote (*or* distant) control; wireless (*Am.* radio) control; **~licht** *mot. n* (-[e]s) full headlight beam, high beam (position); **≈liegen** *v/i.* (*irr., h.*): *es liegt mir fern, zu inf.* I am far from *ger.*, far be it from me to *inf.*; *der Gedanke liegt mir fern* that's far from my thoughts; **~d** → *fern*.

Fernmelde|bataillon ['fɛrnmɛldə-] *n* signal battalion; **~dienst** *m* telecommunication service; **~netz** *n* telecommunication system; **~technik** *f* telecommunications *pl.* (engineering); **~wesen** *n* (-*s*) telecommunication(s *pl.*).

'**Fern...:** **≈mündlich** *adj.* telephonic, by telephone; **~ost...**, **≈östlich** *adj.* Far-Eastern; **~photographie** *f* telephoto(graphy); **~rohr** *n* telescope; **~ruf** *m* telephone call; → *Fernanruf*; *on letters, etc.*: Telephone (*abbr.* Tel.); **~schalter** *m* remote control switch; **~schnellzug** *m* long-distance express train; **≈schreiben** *v/i.* (*irr., h.*) teleprint, *Am.* teletype (a message); **~schreiben** *n* teleprint (*Am.* teletype[d]) message; **~schreiber** *m* teletype(writer); teleprinter (*a. person*), telex; **~schuß** *m* long(-range) shot.

Fernseh|antenne ['fɛrnze:-] *f* television aerial (*Am.* antenna); **~apparat** *m* → *Fernsehempfänger*; **~auge** *n* television eye; **~band** *n* television band; **~bild** *n* television (*abbr.* TV) image (*or* picture); **~bildschirm** *m* telescreen, (viewing) screen; **~empfang** *m* (-[e]s) television reception; **~empfänger** *m* television (*abbr.* TV) receiver (*or* set, viewer), telly; (*person*) televiewer, *pl.* television audience; **~en** *n* (-*s*) television (*abbr.* TV), *Am. a.* video; *farbiges ~* colo(u)r television; *im ~* on television; *im ~ übertragen* televise, telecast; *durch ~ miterleben* watch on television, (*a.* **≈en** *v/i., irr., h.*) teleview; **~film** *m* telefilm; **~er** *m* televisor, televiewer; *a.* **~gerät** *n* → *Fernsehempfänger*; **~kamera** *f* television camera; **~kanal** *m* television channel; **~kassette** *f* video cassette; **~kofferempfänger** *m* portable television receiver; **~publikum** *n* television audience; **~röhre** *f* television tube; *of camera*: iconoscope, pickup tube; **~sehschirm** *m* → *Fernsehbildschirm*; **~sender** *m* television broadcast station; *durch ~ übertragen* telecast, televise; **~sendung** *f* television (*abbr.* TV) broadcast, telecast; **~studio** *n* telestudio; **~technik** *f* television engineering; **~techniker** *m* television engineer; **~teilnehmer(in** *f*) *m* televiewer, *pl.* television audience; **~telephon** *n* television telephone; **~turm** *m* television tower; **~übertragung** *f* television transmission, telecast.

ˈ**Fern...:** **~sicht** *f* (distant) view, visual range; perspective (view); **2sichtig** *adj.* long-sighted.

Fernsprech|amt [ˈfɛrnʃprɛç-] *n* telephone exchange; **~anschluß** *m* telephone connection, subscriber's line; **~apparat** *m* telephone set, (tele)phone; **~auftragsdienst** *m* automatic telephone answering service; **~automat** *m* coin-box telephone, *Am.* pay station; **~buch** *n* telephone directory; **2en** *v/i.* (*irr.*, *h.*) telephone, phone; **~er** *m* telephone, phone; *öffentlicher ~* public telephone (station), *Am.* pay station; *am ~* at *or* on the (telephone; *durch den ~* on (*or* over) the telephone, by telephone; **~gebühren** *f/pl.* telephone-fees; **~leitung** *f* telephone line; **~netz** *f* telephone network; **~nummer** *f* telephone number; **~stelle** *f* (*öffentliche ~* public) call-office, → *Fernsprechzelle*; **~teilnehmer(in** *f*) *m* telephone subscriber; **~teilnehmerverzeichnis** *n* telephone directory; **~wesen** *n* (-s) telephony; **~zelle** *f* telephone box, call-box, *Am.* (telephone-booth; **~zentrale** *f* (telephone)exchange.

ˈ**Fern...:** **~spruch** *m* telephone message; **2stehen** *v/i.* (*irr.*, *h.*) (*dat.*) be a stranger to, have no contacts with; **~stehende(r** *m*) [ˈ-də(r)] *f* -n, -n; -en, -en) outsider, onlooker; **~steuerung** *f* remote (*or* distant) control; **~studium** *n* (study by) correspondence course; **~thermometer** *n* telethermometer; **~transport** *m* long-distance (*or* long-haul) transport; **~trauung** *f* marriage by proxy; **~unterricht** *m* correspondence course (*or* tuition), postal course; **~verkehr** *m* long-distance traffic; *tel.* long-distance communication; **~verkehrs-omnibus** *m* long-distance (*or* cross-country) bus; **~verkehrsstraße** *f* trunk-road, highway; **~waffe** *f* long-range weapon; **~wahl** *teleph. f* trunk (*Am.* direct distance) dial(l)ing; **~weh** *n* (-[e]s) wanderlust; **~wirkung** *f* distant effect; radiation effect; telepathy; **~ziel** *n* long-range objective; **~zug** *m* long-distance train; **~zündung** *f* distant ignition.

Ferri|ammonsulfat [ˈfɛriˀamon-] *n* ammonium ferric sulphate; **~azetat** *n* ferric acetate; **~chlorwasserstoff** *m* ferrichloric acid.

Ferro|azetat [ˈfɛro-] *n* ferrous acetate; **~chlorid** *n* ferrous chloride; **~legierung** *f* ferroalloy; **~zyanid** [ˈ-tsyaˈniːt] *n* (-s) ferrocyanide.

Ferse [ˈfɛrzə] *f* (-; -*n*) heel; (*dat.*) (*dicht*) *auf den ~n folgen* follow (hot) on the heels of; *j-m auf den ~n sein* be at (*or* on) a p.'s heels, follow a p. closely, run a p. close; *sich an j-s ~n heften* dog a p.'s footsteps, *sports*: tuck (*or* drop) in behind a p.; **~nbein** *n* heel-bone; **~ngeld** *n*: *~ geben* take to one's heels, show a clean pair of heels, turn tail; **~nsehne** *f* tendon of Achilles.

fertig [ˈfɛrtiç] *adj.* ready; finished, done; complete; ready, skilled, dexterous; accomplished, perfect; fluent (*talker*); mature; ready-made, reach-me-down (*clothes*); ready-to-eat, instant (*food*); *tech.* prefabricated, ready-built; *fix und ~* **a)** quite ready, **b)** tired to death, played out, ready to drop, all in, **c)** ruined, lost, broken, at the end of one's tether, done for; → *fertigmachen*; *~ werden* get ready, *mit et. or j-m*: manage, handle, deal (*or* cope) with *a p. or th.*, get over (*one's grief, etc.*); *~ sein* **a)** be ready, **b)** *mit et. or j-m*: have finished *or* done (doing *a th. or* with *a th.*, with *a p.*), be through with; *ohne j-n or et. ~ werden* get along (*or* manage, do) without *a p. or th.*; *das Essen ist ~* dinner is ready; *sports*: *~!* ready!, get set!; *laß ihn sehen, wie er damit ~ wird* let him look out for himself, that's his outlook (*or Am.* funeral); *colloq. nun bin ich aber ~!* you don't say!, that's the limit!; **2bauweise** *tech. f* prefab(ricated) construction; **2bearbeitung** *f* finishing, finish machining; **~bringen** *v/t.* (*irr.*, *h.*) finish, complete; bring about, accomplish, achieve; *es ~ zu inf.* manage (*or* contrive) to *inf.*, succeed in *ger.*; *ich brachte es nicht fertig* I couldn't do it, I failed, I didn't make it; *er bringt es nicht fertig, ihr die Wahrheit zu sagen* he has not the heart to tell her the truth; *er bringt es (glatt) fertig* he is capable of it, I shouldn't put it past him; **~en** *v/t.* (*h.*) manufacture, make, fabricate, produce; **2erzeugnis** *n*, **2fabrikat** *n* finished product; **2haus** *n* prefabricated house, prefab; **2keit** *f* (-; -*en*) dexterity; skill, art, facility; proficiency (*in dat.* in); fluency; practice; *~en pl.* accomplishments; *e-e große ~ haben in* (*dat.*) be highly proficient in, be very good at; **2kleidung** *f* ready-to-wear (*or* ready-made) clothing; **~kriegen** *v/t.* (*h.*) → *fertigbringen*; **~machen** *v/t.* (*h.*) finish, complete, get ready; *typ.* adjust; *fig.* finish; fix, do for; shatter; *colloq. den habe ich fertiggemacht* I settled his hash; *sich ~* get ready, prepare (*zu* for); **2montage** *f* final assembly; **2produkt** *n* finished product; **~stellen** *v/t.* (*h.*) finish, complete; **2stellung** completion; **2stellungs-termin** *m* completion date; **2ung** *f* (-; -*en*) manufacture, production, making, fabrication; output; → *Herstellungs...*; **2ungs-auftrag** *m* production order; **2ungsbetrieb** *m* factory, finishing plant; **2ungsfehler** *m* manufacturing defect; **2ungs-ingenieur** *m* production engineer; **2ungsjahr** *n* year of manufacture; **2ungsstraße** *f* production line; **2ungs-teil** *m* prefabricated part; **2ungszeit** *f* production time; **2waren** *f/pl.* finished goods (*or* products), ready-made articles.

fes [fɛs], **Fes** *mus. n* (-; -) f, F flat.

fesch [fɛʃ] *colloq. adj.* smart, natty, chic (*Fr.*), stylish; dashing.

Fessel [ˈfɛsəl] *f* (-; -*n*) fetter, shackle, chain; *fig. a.* trammels *pl.*; *pl.* handcuffs, manacles; *wrestling*: lock, tie-up; *anat.* ankle, *vet.* fetlock, pastern; *j-m ~n anlegen* **a)** → *fesseln*, **b)** *fig.* lay fetters on, fetter, trammel; *die ~n abschütteln* shake off one's chains; *j-m die ~n abnehmen* unfetter (*or* unshackle, release) a p.; **~ballon** *m* captive balloon; **~gelenk** *vet. n* pastern-joint.

ˈ**fessel|n** *v/t.* (*h.*) fetter, shackle, chain, put in irons; tie, bind, pin; *fig. mil.* contain (*enemy forces*); captivate, fascinate, enthrall; catch, arrest, rivet (*attention, eye, etc.*); *j-n an sich ~* attract a p., attach (*or* draw) a p. to one; confine (*an acc.* to *bed, one's room, etc.*); *ans Bett gefesselt* confined to one's bed, bed-ridden, laid-up; **~nd** *adj.* captivating, fascinating, spell-binding; gripping, thrilling; absorbing; **2ung** *f* (-; -*en*) shackling, chaining up; *wrestling*: lock, tie-up; *mil.* containing.

fest [fɛst] *adj.* firm; *a. phys.* solid; *~er Körper phys.* solid; *~ werden* solidify, harden; compact, hard; strong, sturdy; fixed, rigid, *tech. a.* stationary, positive (*stop*); solid (*coupling*); surfaced (*road*); fast; *~ anbringen* fasten (*or* attach, secure) (*an dat.* to); tight; *~er machen, ziehen* tighten; close (*fabric*); permanent (*domicile, position, structure*); sound (*sleep*); *~ schlafen* be fast asleep; *mil.* fortified, strong (*place*); *~er Platz* fortress, stronghold; constant; firm, steady, inflexible, unshakable; stable, durable, lasting (*peace, friendship, etc.*); steady, firm (*look*); robust (*health*); heavy, sound (*blow, etc.*); *econ.* steady, firm (*market, price, etc.*); fixed (*costs, income, price, salary*); regular (*customer*); *~es Angebot* firm (*or* binding) offer; *~es Geld* time-money, fixed deposits *pl.*; *~ angelegtes Geld* tied-up funds; *~ bleiben prices*: keep firm; *~ werden* harden, stiffen; *~er Gewahrsam* safe custody; *~en Fuß fassen* gain a (firm) footing; *~ beharren auf* (*dat.*) insist on, make a point of; → *steif II.*; *ich bin ~ davon überzeugt, daß* I am perfectly convinced that, I am positive that; *~ abgemacht* definitely agreed; *~ entschlossen* firmly resolved; *~ sein in* (*dat.*) be well grounded (*or* versed) in (*a subject*); *~ sein gegen* (*acc.*) be proof against; *colloq.* (*immer*) *~e!* go it!

Fest [fɛst] *n* (-es; -e) festival, celebration; holiday, *eccl.* feast; festivities *pl.*; party; feast, banquet; fête; *ein ~ begehen* keep (*or* have) a festival, celebrate; *ein frohes ~!* a pleasant holiday!; *colloq. es war mir ein ~!* it was a real pleasure (*or* a picnic)!; *man muß die ~e feiern, wie sie fallen* Christmas comes but once a year.

ˈ**Fest...:** **~abend** *m* (festive) night; **~akt** *m* ceremony; **~antenne** *f* fixed aerial (*or* antenna); **~aufführung** *f* festival production; **~aus-**

schuß *m* organizing (*or* festival) committee; **2backen** *tech. v/i.* (*sn*) cake (together); **2bannen** *v/t.* (*h.*) fix (*or* rivet) to the spot; **~beleuchtung** *f* festive illumination; **2besoldet** *adj.* salaried; **2binden** *v/t.* (*irr., h.*) fasten (*an dat.* to), tie up, bind fast; **2bleiben** *v/i.* (*irr., sn*) remain firm; **2drehen** *v/t.* (*h.*) turn fast (*or* tight), tighten; **~e** *f* (-; -*n*) *mil.* → *Festung*; firmament; **~essen** *n* feast, banquet, public (*or* gala) dinner; **2fahren** *v/i.* (*irr., sn*) *and sich* ~ (*h.*) *mar.* run aground; *sich* ~ stick fast, get stuck (*in dat.* in); *festgefahren sein* be stalled, *fig.* be at a deadlock; **2fressen** *tech.*: *sich* ~ (*irr., h.*) seize, freeze; **~gedicht** *n* festive poem; **~gelage** *n* feast, banquet; **~geläute** *n* festive peal (of bells); **~gelder** ['-gɛldər] *n/pl.* deposits at fixed date; **~gesang** *m* festive song; **~halle** *f* → *Festsaal*; **2halten I.** *v/t.* (*irr., h.*) hold fast (*or* tight); *jur.* arrest, seize; detain, keep in custody; *j-n* ~ (*conversationally*) buttonhole a p.; hold, withhold, retain; *fig.* record; capture; *sich* ~ hold fast *or* on (*an dat.* to), cling (to); **II.** *v/i.* (*irr., h.*): ~ *an* (*dat.*) adhere (*or* cling, keep) to; **~halten** *n* adherence (*an dat.* to); **2igen** ['-igən] *v/t.* (*h.*) *fig.* secure; strengthen, steel, fortify; establish (firmly), consolidate (*power, etc.*); stabilize (*currency*); *sich* ~ strengthen, grow stronger, consolidate; **~igung** *f* (-) strengthening; establishment; consolidation; stabilization.

Festigkeit ['-içkaɪt] *f* (-) → *fest*; firmness, solidity, compactness; *phys., tech.* strength, resistance; ruggedness, stability; *econ.* firmness, steadiness; stability (*of currency*); *of person*: firmness, determination; steadfastness.

'**Festigkeits...**: **~eigenschaften** *f/pl.* mechanical (*or* stress) properties; **~grad** *m* degree of firmness; **~grenze** *f* breaking strength (*or* point); **~lehre** *f* (-) (science of) strength of materials; **~prüfung** *f* strength test.

'**fest...**: **~keilen** *v/t.* (*h.*) fasten by wedges, *tech.* key; **~klammern** *v/t.* (*h.*) fasten with clamps *or* pegs; clamp fast; clinch; *sich* ~ *an* (*dat.*) cling (*or* hold on) to, clutch; **~kleben I.** *v/i.* (*sn*) adhere, stick (*an dat.* to); **II.** *v/t.* (*h.*) fasten (*or* stick) with glue *or* gum, glue (to); **2kleid** *n* festive robe, holiday-dress; **~klemmen** *v/t.* (*h.*) *tech.* clamp; *b.s.* (*a. sich*) jam; **~knüpfen** *v/t.* (*h.*) tie fast; **2konto** *n* (deposit) account at fixed date; blocked account; **2land** *n* mainland, continent; **~ländisch** ['-lɛndiʃ] *adj.*, **2lands...** continental; **~legen** *v/t.* (*h.*) fix, determine, establish, mark out; set *a date, Am.* schedule (*auf* on); stipulate; lay down (*principle, rule, etc.*); *mar.* plot (*course*); *econ.* tie (*or* lock) up, sink, freeze; *fig. sich auf et.* ~ commit (*or* bind, pledge) o.s. to a th.; *j-n auf et.* ~ pin a p. down to a th.; **2legung** ['-le:guŋ] *f* (-; -*en*) → *Festsetzung*.

'**festlich** *adj.* festive; solemn; splendid; ~ *begehen* celebrate, solemnize; ~ *bewirten* fête, entertain liberally; **2keit** *f* (-; -*en*) festivity; solemnity; splendo(u)r; → *Fest*.

'**fest...**: **~liegen** *v/i.* (*irr., h.*) be stuck; *patient*: be laid up; **~d** fixed; **~des** *Kapital* tied-up (*or* frozen) capital; **~machen I.** *v/t.* (*h.*) fix, attach, fasten (*an dat.* to); *mar.* moor; *fig.* fix, settle; close, clinch (*bargain*); **II.** *v/i.* (*h.*) *mar.* moor; **2mahl** *n* feast, banquet; **2meter** *n* cubic meter (*of timber*); **~nageln** *v/t.* (*h.*) nail fast (*or* down); *fig. j-n auf et.* ~ nail (*or* pin) a p. down to a th.; **2nahme** ['-nɑ:mə] *f* (-; -*n*) apprehension, capture; detention, arrest; **~nehmen** *v/t.* (*irr., h.*) apprehend, (put under) arrest, take into custody; **2ordner** *m* steward; **2ordnung** *f*, **2programm** *n* festival program(me), table of events; **2platz** *m* festival ground; **2preis** *m* fixed price; **2punkt** *m* fixed point, base; **2rede** *f* speech of the day; **2redner** *m* official speaker; **2saal** *m* (festival) hall; banqueting-hall; **~schnallen** *v/t.* (*h.*) buckle fast, strap (*an acc.* to); **~schnüren** *v/t.* (*h.*) tie fast; **~schrauben** *v/t.* (*h.*) bolt, fasten with screws, screw on (*or* down); **2schrift** *f* commemorative publication; **~setzen** *v/t.* (*h.*) establish, settle, arrange; regulate; appoint, prescribe; lay down, stipulate (*condition*); fix, appoint (*place, time*); set *a date* (*auf acc.* for), *Am.* schedule (on); fix *a price* (at); assess (*damage, tax*); agree upon; take into custody, imprison; *sich* ~ establish o.s., settle (*a. med.*), gain a footing (*in dat.* in); **2setzung** ['-zɛtsuŋ] *f* (-; -*en*) appointment, fixing; establishment, arrangement, regulation; laying down, stipulation, provision; assessment; agreement; imprisonment; **~sitzen** *v/i.* (*irr., h.*) sit fast; *clothes, tech.*: fit tightly; be stuck *or* stalled; *ship*: be stranded *or* aground; be ice-(snow-)bound; **2spiel** *n* festival (performance); *pl.* **~e** (*a.* **2spielwoche** *f*) Festivals; **~stampfen** *v/t.* (*h.*) stamp (*or* ram; *tech. a.* tamp) down; **~stehen** *v/i.* (*irr., h.*) stand firm (*or* fast), be steady; *fig.* be certain (*or* positive), be a fact; **~stehend** *adj. tech.* stationary; fixed, dead (*axle*); established, settled (*custom, etc.*); established, positive (*fact*).

'**feststell|bar** *adj.* ascertainable, detectable; noticeable; identifiable; determinable; *tech.* lockable, securable; **2bremse** *mot. f* parking brake; **~en** *v/t.* (*h.*) establish; state; declare; ascertain, detect, find out; *a. chem.* determine; assess (*damage*); locate (*fault, place*); notice, observe; *tech.* lock, secure (in position), set; **2er** *m* (-*s*; -) *of typewriter*: shift lock; **2schraube** *tech. f* setscrew; **2ung** *f* → *feststellen*; establishment; ascertainment; location; *jur, etc.* finding(s *pl.*); identification; statement, comment; observation; determination; assessment; *tech.* locking, securing; detent, stop, locking device; **2ungsklage** *jur. f* action for declaratory judgment; **2ungs-urteil** *n* declaratory judgment.

'**Fest...**: **~stoffrakete** *f* solid fuel rocket; **~tag** *m* festive (*or* high) day; festival, holiday; *eccl.* feast; red-letter day; **2täglich** *adj.* festive; **2treten** *v/t.* (*irr., h.*) tread (*or* stamp, trample) down.

'**Festung** *f* (-; -*en*) fortress; fort; citadel.

'**Festungs...**: **~bau** *m* (-[e]s; -*ten*) fortification; (building of) fortifications *pl.*; **~graben** *m* moat; **~gürtel** *m* ring of forts; **~haft** *f* confinement in a fortress; **~krieg** *m* siege warfare; **~werk** *n* fortification.

'**fest...**: **~verzinslich** *econ. adj.* fixed interest bearing; **2vorstellung** *f* festive performance; **2wagen** *m* pageant car, *Am.* (street-parade) float; **2wert** *m* standard value; *phys., math.* constant; co-efficient; **2wiese** *f* fairground; **2woche** *f*: *Berliner* ~ Berlin Festival; **~wurzeln** *v/i.* (*sn*) become deeply rooted; *festgewurzelt dastehen* be firmly rooted to the spot; **2zug** *m* procession, pageant, parade.

Fetisch ['fe:tiʃ] *m* (-*es*; -*e*) fetish, idol; **~anbeter(in** *f*) ['-anbe:tər-] *m* (-*s*, -; -, -*nen*) fetishist; **Fetischismus** [feti'ʃismus] *m* (-) fetishism.

fett [fɛt] *adj.* fat; corpulent, obese; greasy; grimy; oily; rich (*food, mixture*); fertile, rich, fat (*soil*); bituminous, fat (*coal*); *typ.*: fat, extra bold; *fig.* fat, rich, lucrative; ~ *machen* fatten; ~ *werden* grow (*or* run to) fat; *fig. davon kann man nicht* ~ *werden* that doesn't pay.

Fett *n* (-[e]s; -e) fat; grease (*a. tech.*); dripping(s *pl.*); shortening; ~ *ansetzen* put on flesh (*or* weight); *fig. j-m sein* ~ *geben* let a p. have it, settle a p.'s hash; *der hat sein* ~ that will teach him.

'**Fett...**: **~ansatz** *m* (incipient) corpulence; **2arm** *adj.* poor in fats; **~auge** *n* speck of fat; **~bauch** *m* → *Fettwanst*; **~bestandteil** *m* fatty constituent; **~druck** *typ. m* (-[e]s; -e) extra bold print, heavy-faced type; **2en** *v/t.* (*h.*) grease, lubricate; compound (*oil*); **~fleck** *m* spot of grease; **~gas** *n* oil gas; **2gedruckt** *adj.* boldface, heavily printed; **~gehalt** *m* fat content; **~gewebe** *n* fatty tissue; **2glänzend** *adj.* greasy, shiny; **2haltig** *adj.* containing fat, fatty; **~heit** *f* (-) fatness; **2ig** *adj.* fat(ty); greasy; **~igkeit** *f* (-) fatness; greasiness; **~kohle** *f* fat coal; **2leibig** ['-laɪbiç] *adj.* corpulent, obese; **~leibigkeit** *f* (-) corpulence, obesity; **2löslich** *adj.* fat-soluble; **~magen** *zo. m* fourth stomach (of ruminants); **~näpfchen** *n*: *fig. ins* ~ *treten* put one's foot in it, drop a brick; **~papier** *n* grease-proof paper; **~polster** *n* cushion of fat, subcutaneous fatty layer; **~presse** *mot. f* grease gun; **~salbe** *f* greasy ointment; **~säure** *chem. f* fatty acid; **~schicht** *f* layer of fat; **2spaltend** *chem. adj.* fat-splitting, lipolytic; **~spritze** *f* grease gun; **~sucht** *f* (-) obesity, fatty degeneration; **~wolle** *f* yolk (*or* grease) wool; **~wanst** *m* fat belly, paunch; **~wulst** *f* (-; ⸚e) roll of fat.

Fetzen ['fɛtsən] *m* (-s; -) shred; rag, *Am. a.* frazzle; *ein ~ Papier* a scrap of paper; scrap, wisp (*of smoke, cloud*); *contp.* (*dress*) rag; *in ~* in rags; in shreds (and tatters); *in ~ reißen* tear to shreds; *in ~ gehen* go to pieces; *colloq. daß die ~ fliegen* with a vengeance, like blazes.

feucht [fɔʏçt] *adj.* moist (*von* with), damp, *esp. phys.* humid (*air*); wet (*paint*); clammy (*hands*); dank (*cellar*); *~e Augen* moist eyes; '**$\mathfrak{L}$e** *f* (-) → *Feuchtigkeit*; '**~en** *v/t.* (h.) moisten, damp; **~fröhlich** *adj.* hilarious; alcoholic, boozy.

'**Feuchtigkeit** *f* (-) moisture, dampness; humidity; clamminess; dankness; *physiol.* humo(u)r (*of the eye, etc.*); *vor ~ schützen!* keep dry!; **~sgehalt** *m* moisture content; **~sgrad** *m* degree of moisture (*of air*: humidity); **~smesser** *m* (-s; -) hygrometer.

'**feucht|kalt** *adj.* clammy, dank; **~warm** *adj.* moist and warm.

feudal [fɔʏ'dɑːl] *adj.* feudal; *fig.* aristocratic, exclusive; grand, magnificent, sumptuous, tip-top, *Am. a.* swank(y); **Feudalismus** [fɔʏda'lismus] *m* (-) → *Feudalsystem.*

Feu'dal...: **~recht** *n* feudal law; **~system** *n* feudal system, feudalism.

Feuer ['fɔʏər] *n* (-s; -) fire; → *anstecken, anmachen, auslöschen, etc.*; *tech. of furnace*: heat; *j-m ~ geben* give a p. a light; *mar.* light; beacon; *mil.* fire, firing; *gezieltes* (*massiertes*) *~* aimed (massed) fire; *~ bekommen* be fired at; *das ~ eröffnen* open fire; *im ~ stehen* be under fire; *unter ~ nehmen* fire at; *~!* fire!; *am ~ kochen* cook over a fire; *auf langsamem or schwachem ~* on a slow fire; *fig.* fire, sparkle, brilliance; fire, ardo(u)r, fervo(u)r; fire, spirit, mettle (*a. of horses*); *of wine*: body, vigo(u)r; *~ und Flamme sein für* (*acc.*) be enthusiastic about, be heart and soul for; *in ~ geraten* catch (*or* take) fire (*über acc.* at), kindle (at), get excited (about); *mit dem ~ spielen* play with (the) fire; *durchs ~ gehen für* (*acc.*) go through fire and water for; *~ machen hinter* (*acc.*) put pressure (*or* steam) behind; *mit ~ und Schwert* with fire and sword; *zwischen zwei ~n* between two fires, between the devil and the deep (blue) sea; → *Kastanie, Öl, etc.*

'**Feuer...**: **~alarm** *m* fire-alarm; **~anbeter(in** *f*) ['-anbeːtər-] *m* (-s, -; -, *-nen*) fire-worshipper; **~ball** *m* fire ball; **~befehl** *mil. m* fire order *or* command; **~bekämpfung** *f* fire-fighting; **$\mathfrak{L}$bereit** *mil. adj.* ready (for action); **$\mathfrak{L}$beständig** *adj.* fire-proof (*or* resistant); refractory; **~beständigkeit** *f* fire-proof quality; **$\mathfrak{L}$bestatten** *v/t.* (h.) cremate; **~bestattung** *f* cremation; **~bohne** *bot. f* scarlet runner; **~brand** *m* firebrand (*a. fig.*); **~eifer** *m* (ardent) zeal, ardo(u)r; **~einstellung** *f mil.* cessation of fire; cease fire; **~eröffnung** *mil. f* opening of fire; **~esse** *f* chimney; forge; **$\mathfrak{L}$farben, $\mathfrak{L}$farbig** *adj.* flame-colo(u)red; **$\mathfrak{L}$fest** *adj.* fire-proof, incombustible; refractory; *~er Ton* fire(-)clay; *~er Ziegel* fire(-)brick; **~festigkeit** *f* (-) fire-proof quality, heat resistance, refractoriness; **$\mathfrak{L}$flüssig** *adj.* liquid at high temperature, molten; **~fresser** *m* fire-eater; **~garbe** *mil. f* sheaf *or* cone of fire; **~gefahr** *f* → *Feuersgefahr*; **$\mathfrak{L}$gefährlich** *adj.* inflammable, hazardous; **~gefecht** *mil. n* gun-battle (*or* -fight); **~geist** *m* fiery spirit; **~geschwindigkeit** *f* rate of fire; **~glocke** *f* alarm-bell, tocsin; *mil.* box-barrage; **~hahn** *m* fire-plug, hydrant; **$\mathfrak{L}$hemmend** *adj.* fire-retarding; **~herd** *m* fireplace, hearth; **~kraft** *mil. f* fire-power; **$\mathfrak{L}$lackiert** *adj.* black enamel(l)ed; **~leiter** *f* fire-ladder; fire-escape; **~lilie** *f* tiger-lily; **~löschboot** *n* fire-tug; **~löscher** *m* fire-extinguisher; **~löschgerät** *n* fire-fighting equipment; **~löschmittel** *n* fire-extinguishing substance; **~löschteich** *m* static water tank; **~mal** *n* n(a)evus flammens; **~material** *n* fuel; **~meer** *n* sea of flames, sheet of fire; **~melder** ['-mɛldər] *m* (-s; -) fire-alarm; **$\mathfrak{L}$n I.** *v/i.* (h.) make (*or* light) a fire; *mit Holz* (*Kohlen*) *~* burn wood (coal); *mil.* fire (*auf acc.* at, upon); *el.* flash, spark; **II.** *v/t.* (h.) fire (*stove, mil. salute, etc.*); *fig.* fling, hurl; **~n** *n* (-s) firing; **~nelke** *bot. f* scarlet lychnis; **~pause** *mil. f* pause *or* break in firing; **~probe** *f hist.* ordeal by fire; *fig.* crucial (*or* acid) test; *die ~ bestehen* stand the test; **~rad** *n* Catherine-wheel; **~raum** *tech. m* fire-box, combustion chamber, furnace; **~regen** *m* rain of fire (*mil.* of steel); **~risiko** *n* fire hazard (*or* risk); **$\mathfrak{L}$rot** *adj.* fiery, blazing-red; *~werden* turn crimson (*in the face*); **~salamander** *m* fire-salamander; **~säule** *f* column of fire; **~sbrunst** *f* (great) fire, conflagration; **~schaden** *m* damage caused by fire; *gegen ~ versichert* insured against fire; **~schein** *m* glare (*or* reflection) of fire; **~schiff** *mar. n* lightship; **~schirm** *m* fire-screen; fire-guard; **~schlag** *mil. m* → *Feuerüberfall*; **~schlund** *poet. m* fire-spitting mouth; **~schutz** *m* fire protection (*or* prevention); *mil.* protective fire, fire support; **~schutzmittel** *n* fire-proofing agent; **~sgefahr** *f* danger (*or* risk) of fire, fire hazard; **~sglut** *f* burning heat; **$\mathfrak{L}$sicher** *adj.* fire-proof; **~snot** *f* danger from fire; **$\mathfrak{L}$speiend** *adj.* fire-spitting; volcanic; *~er Berg* volcano; **~spritze** *f* fire-engine; **~stätte, ~stelle** *f* fireplace, hearth; scene of a fire; **~stein** *m* flint; **~stellung** *mil.* firing position, gun emplacement; *in ~ bringen* emplace; **~stoß** *mil. m* burst of fire; **~strahl** *m* flash of fire, *mil. a.* gun flash; back-blast; **~taufe** *mil. f*: *die ~ erhalten* receive the baptism of fire; **~tod** *m* death by fire; **~ton** *m* (-[e]s) fire(-)clay; **~treppe** *f* fire-escape; **~überfall** *mil. m* surprise fire, sudden concentration.

'**Feu(e)rung** *f* (-; *-en*) firing, heating; furnace; fuel; **~sbedarf** *m* fuel requirement; **~smaterial** *n* fuel; **~sraum** *m* fire-box, furnace; *mar.* stoke-hole.

'**Feuer...**: **~unterstützung** *mil. f* fire support; **~vereinigung** *mil. f* concentration of fire; **~vergoldung** *f* hot gilding; **~verhütung** *f* fire prevention; **~versicherung(sgesellschaft)** *f* fire insurance (company); **~versicherungspolice** *f* fire-policy; **$\mathfrak{L}$verzinken** *v/t.* (h.) hot-galvanize; **$\mathfrak{L}$verzinnt** *adj.* fire-tinned, tin-coated; **~verzinnung** *f* (-) hot plate tinning, tin-coating; **~vogel** *m* copper (butterfly); *myth.* phoenix; **~vorhang** *m thea.* fire-curtain; *mil.* fire-screen, curtain of fire; **~wache** *f* fire-station; fire-watch; **~waffe** *f* fire-arm, gun; **~walze** *mil. f* creeping barrage; **~wasser** *n* (-s) fire-water; **~wehr** *f* fire-brigade, *Am. a.* fire department; **~wehrmann** *m* fireman, *Am. a.* firefighter; **~wehrschlauch** *m* fire-hose; **~wehrwagen** *m* fire-engine, *Am.* fire-truck, hook-and-ladder (truck); **~werk** *n* fireworks *pl.* (*a. fig.*); **~werker** ['-vɛrkər] *m* (-s; -) pyrotechnician; *mil.* ordnance technician, artificer; **~werke'rei** *f* (-; *-en*) pyrotechnics *pl.*; **~werkskörper** *m* firework; **~werkskunst** *f* pyrotechnics *pl.*; **~zange** *f* fire-tongs *pl.*; **~zeichen** *n* fire-signal; *mar.* beacon(-fire), signal-light; **~zeug** *n* (cigarette-, *or* cigar-, pocket-)lighter; **~zeugbenzin** *n* lighter fluid; **~zug** *m* flue.

Feuilleton ['fœjə'tõː] *n* (-s; -s) feuilleton (*Fr.*); features section; **Feuilleto'nist(in** *f*) *m* (-en, -en; -, *-nen*) feuilleton writer; **feuilleto'nistisch** *adj.* feuilletonistic.

feurig ['fɔʏriç] *adj.* fiery, burning; sparkling, flashing, burning (*eyes*); *fig.* fiery, ardent, impetuous; fiery, mettlesome (*horse*); heady, strong (*wine*); flaming, glowing, impassioned (*speech*).

Fex [fɛks] *m* (-es; -e) faddist; *in compounds* ... fan, enthusiastic ...

Fez [feːts] *m* (-es; -e) fez; *colloq.* (-es) lark; *sich e-n ~ machen* have a lark.

ff. *abbr.* et sequ.; *econ.* first-rate, superior; → *Effeff.*

Fiaker [fi'akər] *m* (-s; -) cab; cabman.

Fiasko [fi'asko] *n* (-s; -s) (complete) failure, fiasco, flop; *~ machen* prove a (complete) failure, break down, flop.

Fibel ['fiːbəl] *f* (-; *-n*) **1.** primer, spelling-book; **2.** fibula, brooch.

Fiber ['fiːbər] *f* (-; *-n*) fib|re, *Am.* -er, filament; → *Faser.*

Fibrille [fi'brilə] *f* (-; *-n*) fibril.

Fibrin [fi'briːn] *n* (-s) fibrin; **$\mathfrak{L}$haltig** *adj.* containing fibrin, fibrinous.

fibrös [fi'brøːs] *adj.* fibrous.

Fichte ['fiçtə] *f* (-; *-n*) spruce.

'**Fichten...**: **~harz** *n* spruce resin; **~holz** *n* spruce(-wood); **~nadelbad** *n* pine-needle bath; **~nadelextrakt** *m* pine-neddle extract; **~zapfen** *m* spruce-cone.

Fideikom'miß [fiːdei-] *jur. n* (-sses; -sse) entail(ed estate).

fidel [fi'deːl] *adj.* cheerful, merry, jolly.

Fidibus ['fiːdibus] *m* (-ses; -se) spill.

Fieber ['fiːbər] *n* (-s) fever (*a. fig.*); *gelbes ~* yellow fever; *hitziges ~* inflammatory fever; *hohes ~* high temperature; *kaltes ~* ague; *schlei-*

chendes ~ slow fever; *vom* ~ *befallen* fever-stricken; ~ *haben* be feverish, have (*or* run) a temperature; **~anfall** *m* attack of fever; **2artig** ['-ɑːrtiç] *adj.* feverish, febrile; **2erregend** *adj.* producing fever, febrifacient; **~flecken** *m/pl.* fever-spots; **2frei** *adj.* free from fever, afebrile; **~frost** *m* chill; ~ *haben* be shivering with fever; **2gerötet** *adj.* flushed with fever; **2haft, 2ig** *adj.* feverish (*a. fig.*), febrile; *fig.* ~*e Spannung, etc.* fever; **~haftigkeit** ['-haftiçkaɪt] *f* (-) feverishness; *fig. a.* feverish activity; **~hitze** *f* feverish heat, fever-heat; **2krank** *adj.* feverish, febrile, down with fever; **~kranke(r** *m*) *f* fever-patient; **~kur** *f* fever treatment; **~kurve** *f* temperature curve; → *Fiebertabelle*; **~mittel** *n* febrifuge, antipyretic; **2n** *v/i.* (*h.*) be in fever (*a. fig.*), have (*or* run) a temperature; be delirious, rave (*a. fig.*); ~ *nach* (*dat.*) yearn for; *er fieberte dem Tag entgegen* he awaited the day in a fever of anticipation; **~phantasie** *f* delirium; **~rinde** *f* Peruvian bark; **~schauer** *m* shivering fit, shivers *pl.*; **~tabelle** *f* temperature chart; **~thermometer** *n* clinical thermometer; **~traum** *m* feverish dream; **2vertreibend** *adj.* febrifuge; **~wahn** *m* delirium; *im* ~ delirious; **~zustand** *m* febrile state.

Fied|el ['fiːdəl] *f* (-; -*n*) fiddle; **~elbogen** *m* fiddle-stick; **2eln** *v/i. and v/t.* (*h.*) fiddle; **~ler** *m* (-*s*; -) fiddler.

fiel [fiːl] *pret. von fallen.*

fies [fiːs] *adj. colloq.* nasty.

Figur [fi'guːr] *f* (-; -*en*) figure (*a. dancing, skating*); shape, appearance; waist-line; *cards*: court-card; *chess*: chessman, piece; *arts*: figure, statue; figurine, statuette; *math., tech.* figure, diagram, graph(ical representation); figure of speech, metaphor; *von guter* ~ well-proportioned, well made, shapely; *e-e gute (schlechte)* ~ *machen* cut a fine (poor) figure; *komische* ~ figure of fun.

figural [figu'rɑːl] *mus. adj.* florid, figural.

Figurant(in *f*) [-'rant-] *m* (-*en*, -*en*; -, -*nen*) *thea.* super, walker-on.

Fi'guren|laufen *n* figure skating; **~tanzen** *n* figure dancing.

figu'rieren *v/i.* (*h.*) figure (*als* as).

Figurine [-'riːnə] *f* (-; -*n*) figurine.

figürlich [fi'gyːrliç] *adj.* figurative.

Fiktion [fiktsi'oːn] *f* (-; -*en*) fiction.

fiktiv [fik'tiːf] *adj.* fictitious.

Filet [fi'leː] *n* (-*s*; -*s*) netting; *cul.* fillet (*of beef, fish*), sirloin (*of beef*), *Am.* tenderloin; **~arbeit** *f* netting, network; **~braten** *m* roast fillet.

Filial|bank [fili'ɑːl-] *f* (-; -*en*) branch bank; **~e** *f* (-; -*n*) branch (office *or* establishment), subsidiary; **~geschäft** *n* → *Filiale*; multiple shop, chain store; **~leiter** *m* branch manager.

Filigran(arbeit *f*) [fili'grɑːn-] *n* -*s*; -*e*) filigree.

Film [film] *m* (-[*e*]*s*; -*e*) film, thin coat(ing); *phot.* (roll of) film; *e-n* ~ *einlegen* load a camera; (cinematographic) film, (moving) picture, *Am. a.* motion picture, movie; feature film; *the* films *pl.*, *the* pictures, *the* movies *pl.*; *the* screen; *beim* (*or im*) ~ on the films *pl.* (*or* screen); *e-n* ~ *drehen* shoot a film; *über et.*: film (*or* screen, picturize) a th.; *e-n* ~ *herstellen* produce a film; *e-n* ~ *vorführen* show a film; *zum* ~ *gehen* become a screen-actor (*f* -actress).

'Film...: **~atelier** *n* film studio; **~aufnahme** *f* shooting (of a film); (*of scene*) shot, take; **~autor** *m* film author, *Am.* screen writer; **~band** *n* (-[*e*]*s*; ⸗*er*) film strip; **2bar** *adj.* filmable; **~bauten** *pl.* sets; **~bearbeitung** *f* film (*Am.* screen) adaptation; **~bericht** *m* film report; **~besucher** *m* cinema-goer, *Am.* movie goer; **~diva** *f* film star; **2en I.** *v/t.* (*h.*) film, shoot, reel; → *verfilmen*; **II.** *v/i.* (*h.*) be filming, take shootings; be on location; **~enthusiast, ~freund** *m* film fan, *Am.* movie fan; **~festspiele** *n/pl.* film festivals; **~gelände** *n* studio (*or* filming) lot; **~gesellschaft** *f* film (*Am.* motion-picture) company; **~größe** *f* film star; **~held** *m* film (*Am.* movie) hero; **~hersteller** *m* film producer; **~herstellung** *f* film production; **~industrie** *f* film industry, *the* films (*or* pictures, *Am.* movies) *pl.*; **2isch** *adj.* filmic; **~kamera** *f* film camera, cine-camera, *Am.* motion-picture (*or* movie) camera; **~kassette** *phot. f* film pack; **~komiker(in** *f*) *m* screen comedian (*f* comedienne); **~kopie** *f* print, copy; **~kunst** *f* (-) cinematics *pl.*, filmic art; **~leinwand** *f* screen; **~magazin** *n* film magazine; **~manuskript** *n* film script; **~pack** *m* film pack; **~preis** *m* film award (*or* prize); **~prüfer** *m* film censor; **~prüfstelle** *f* film censorship office; **~regisseur** *m* film director; **~reklame** *f* screen advertising *or* publicity; **~reportage** *f* screen record; **~schauspieler(in** *f*) *m* film *or* screen actor (*f* actress); **~spule** *f* film spool; reel of film; **~star** *m* (-*s*; -*s*) film star, *Am. a.* movie star; **~sternchen** *n* starlet; **~streifen** *m* film strip; reel; **~studio** *n* film studio; **~theater** *n* cinema, *Am.* motion picture theater; **~transport** *m* film transport (*or* feed); **~verleih, ~vertrieb** *m* film distribution; film distributors *pl.*; **~vorführer** *m* projectionist; **~vorführgerät** *n* film projector; **~vorführung, ~vorstellung** *f* cinema show, *Am.* movie (*or* picture) show; **~vorschau** *f* (film) trailer; **~welt** *f* (-) film world, filmland, screendom, *Am. a.* movieland; **~werbung** *f* → *Filmreklame*; **~zähler** *m* footage counter.

Filter ['filtər] *m and tech. n* (-*s*; -) filter, strainer; *el. a.* sifter; *phot.* yellow screen; **~anlage** *f* filtration plant; **~einsatz** *m*, **~element** *n* filter element; **~gaze** *f* filter gauze; **~gerät** *n* filter; **~kaffee** *m* drip coffee; **~kanne** *f* percolator; **~kohle** *f* filter charcoal; **~mundstück** *n* filter-tip; **2n** *v/t.* (*h.*) filter; strain, percolate; **~n** *n* (-*s*) filtering, filtration, percolation; **~papier** *n* filter paper; **~rückstand** *m* (filter) sludge; **~zigarette** *f* filter-tip(ped cigarette).

Filtrat [fil'trɑːt] *n* (-[*e*]*s*; -*e*) filtrate.

Filtrier|apparat [fil'triːr-] *m* filtering apparatus, filter, percolator; **2bar** *adj.* filterable; **2en** → *filtern*; **~trichter** *m* filtering-funnel; **~tuch** *n* (-[*e*]*s*; ⸗*er*) filtering cloth; **~ung** *f* (-) filtering, filtration; percolation.

Filz [filts] *m* (-*es*; -*e*) felt; *typ.* blanket; *bot.* tomentum; *colloq.* felt-hat; skinflint; rebuke; **'~dichtung** *tech. f* felt packing; **'2en I.** *v/t.* (*h.*) felt; *sl.* search, *Am. sl.* frisk; **II.** *v/i.* (*h.*) be stingy; → *verfilzen*; **'~hut** *m* felt-hat; **'2ig** *adj.* felt-like; of felt, felt; felted; matted (*hair*); *bot.* tomentous, downy; *colloq.* stingy; **'~laus** *f* crab louse; **'~pantoffel** *m* felt slipper; **'~schreiber** *m* felt-tip(ped) pencil; **'~sohle** *f* felt-sole; **'~stiefel** *m/pl.* felt boots; **'~stift** *m* → ~*schreiber*.

Fimmel ['fiməl] *m* (-*s*) fimble hemp; *tech.* miner's wedge; *colloq.* craze; *e-n* ~ *haben* have a bee in one's bonnet; *er hat den Fußball2* he is a football fan, he is wild (*or* crazy) about football.

Finale [fi'nɑːlə] *n* (-*s*; -) *mus.* finale; *sports*: final (heat, round), finals *pl.*

Finanz|abteilung [fi'nants-] *f* finance section (*or* department), treasury; **~amt** *n* (inland) revenue office; **~anpassung** *f*, **~ausgleich** *m* financial adjustment; **~ausschuß** *m* finance committee, *parl.* Committee of Ways and Means; **~beamte(r)** *m* fiscal officer, revenue-officer; **~bedarf** *m* financial requirements *pl.*; **~bericht** *m* fiscal report; **~blatt** *n* financial newspaper; **~en** *pl.* finances; **~gebarung** *f* fiscal policy, (conduct of public) finances; **~geschäft** *n* financing; investment banking; ~*e pl.* financial affairs.

finanziell [-tsi'ɛl] *adj.* financial; pecuniary (*circumstances, difficulties*); *in* ~*er Hinsicht* financially.

finan'zier|en *v/t.* (*h.*) finance; subsidize; float (*loans, etc.*); sponsor (*radio programme, etc.*); **2ung** *f* (-; -*en*) financing; **2ungsgesellschaft** *f* finance company; loan society.

Fi'nanz...: **~jahr** *n* fiscal year; **~kammer** *f* revenue board; **~kontrolle** *f* financial control; **~lage** *f* (-) financial state (*or* condition, standing); pecuniary circumstances *pl.*; **~mann** *m* (-[*e*]*s*; -*leute*) financier; **~minister** *m* Minister of Finance; *Brit.* Chancellor (of the Exchequer), *Am.* Secretary of the Treasury; **~ministerium** *n* Ministry of Finance; *Brit.* (Board of) Exchequer; *Am.* Treasury Department; **~periode** *f* budgetary (*or* fiscal) period; **~politik** *f* financial (*or* fiscal) policy; **2schwach** *adj.* financially weak; **2technisch** *adj.* financial, fiscal; **~verwaltung** *f* administration of the finances; Board of Inland Revenue; **~wechsel** *m* finance bill, bank-bill; accommodation bill; **~welt** *f* (-) financial world, the financiers; **~wesen** *n* (-*s*) (public) finance, finances *pl.*; financial concerns *pl.*; **~wirtschaft** *f* (-) financial management; **~wissenschaft** *f* public finance; **~zölle** [-tsœlə] *m/pl.* revenue-raising duties.

Findel|haus ['findəl-] *n* foundling hospital; **~kind** *n* foundling.

finden ['findən] *v/t.* (*irr.*, *h.*) find; meet with; discover, chance upon, come across; find, think, consider; *sich* ~ **a)** *thing*: be found, **b)** *person*: find o.s.; *sports team, etc.*: get into one's stride, rally; *sich* ~ *in* (*acc.*) accommodate o.s. to; resign (*or* reconcile) o.s. to, put up with; → *Anerkennung, Beifall, Gefallen, Gnade, etc.*; et. *gut* (*schlecht*) ~ find a th. good (bad); *s-n Tod* ~ meet one's death; *Trost* ~ *in* (*acc.*) find comfort in; *wir fanden ihn bei der Arbeit* we found him at work; *er fand sich umzingelt* he found himself surrounded; *ich habe noch keine Zeit dazu gefunden* I haven't yet found time to do it; *wir fanden in ihm e-n Freund* we found a friend in him; *ich finde keine Worte* I am at a loss for words; ~ *Sie nicht?* don't you think so?; *ich kann das nicht* ~ I am afraid I can't agree with you; *ich finde es schön* I find it beautiful; *wie* ~ *Sie das Buch?* how do you like (*or* what do you think of) the book?; *ich finde, daß es unangebracht wäre* I think it would be inappropriate; *es wird sich* ~ we shall see, (you) wait and see; *es fanden sich nur wenige Freiwillige* there were but few volunteers.

'**Finder** *m* (-s; -), **~in** *f* (-; -nen) finder; **~lohn** *m* finder's reward.

'**findig** *adj.* resourceful, ingenious, clever; **2keit** *f* (-) resourcefulness, ingenuity, cleverness.

Findling ['fintliŋ] *m* (-s; -e) foundling; *geol.* (**~sblock** *m*, -[e]s; ⸚e) erratic block, boulder.

Finesse [fi'nɛsə] *f* (-; -n) finesse; **~n** *pl.* wiles, tricks, ruses.

fing [fiŋ] *pret. of fangen.*

Finger ['fiŋər] *m* (-s; -) finger; *an den* ~*n abzählen* count on one's fingers; *fig. j-m auf die* ~ *klopfen* rap a p.'s knuckles; → *saugen*; *j-m* (*scharf*) *auf die* ~ *sehen* keep a strict eye on a p.; *j-m durch die* ~ *sehen* close one's eyes to (*or* wink at) a p.'s faults; *j-n um den kleinen* ~ *wickeln* twist a p. round one's little finger; *mit dem* ~ *auf j-n weisen* point at a p.; *sich die* ~ *verbrennen* (*a. fig.*) burn one's fingers; *sich in den* ~ *schneiden* cut one's finger, *fig.* be greatly mistaken; *er rührte keinen* ~ he lifted no finger; *er hat überall s-e* ~ *im Spiel* he has a finger in every pie; *laß die* ~ *davon* keep your hands off, (*a. fig.*) leave it alone; *das kannst du dir an den* ~*n abzählen* that's obvious enough (*or* as clear as daylight); → *lecken*[2]; **~abdruck** *m* finger-print; *e-n* ~ (*von j-m*) *nehmen* take (a p.'s) finger-print(s), finger-print (a p.); **2breit, 2dick** *adj.* (as) thick as a finger, a finger's breadth; **~druck** *m* (-[e]s; ⸚e) pressure of the finger; **2fertig** *adj.* dext(e)rous, deft, nimble-fingered; **~fertigkeit** *f* dexterity, manual skill, nimble fingers *pl.*; **2förmig** ['-fœrmiç] *adj.* finger-shaped; **~glied** *n* finger-joint; **~hut** *m* thimble; *bot.* foxglove, digitalis; *ein* ~*voll* a thimbleful; **~ling** ['-liŋ] *m* (-s; -e) finger-stall; **2n** *v/t.* (*h.*) finger; *colloq.* manage, wangle; **~nagel** *m* finger-nail; **~ring** *m* finger-ring; **~satz** *mus. m* fingering; **~schale** *f* finger bowl; **~spitze** *f* finger-tip; **~spitzengefühl** *n* (-[e]s) *fig.* sure instinct, subtle intuition, flair, smooth touch; **~sprache** *f* finger-language, dactylology; **~zeig** ['-tsaɪk] *m* (-[e]s; -e) cue; hint, tip, pointer.

fingier|en [fiŋ'gi:rən] *v/t.* (*h.*) feign, sham, simulate; **~t** *adj.* fictitious, imaginary.

Fink [fiŋk] *m* (-en; -en) finch.

Finne[1] ['finə] *f* (-; -n) *ichth.* fin; *med.* pimple, pustule, blotch; *vet.* (pig's) measles; bladder worm; *tech.* pane, peen (*of hammer*).

Finn|e[2] ['finə] *m* (-n; -n), **~in** *f* (-; -nen) Finn.

'**finnig** *adj.* pimpled; *vet.* measly.

'**finnisch** *adj.* Finnish; ~*er Meerbusen* Gulf of Finland.

'**Finnwal** *m* fin-back, finner.

finster ['finstər] *adj.* dark, obscure; gloomy, dim, murky; *fig.* gloomy, dark; ominous; stern; grim; sinister; *colloq.* awful; *das* ~*e Mittelalter* the Dark Ages *pl.*; ~*e Gedanken* dark thoughts; ~*er Blick* scowl; *j-n* ~ *ansehen* scowl at a p.; *es wird* ~ it is getting dark; *es sieht* ~ *aus* things look bad (*or* black, hopeless); **2e(s)** *n* (-[e]n) darkness, gloom; *im Finstern tappen* (*a. fig.*: *im finstern*) grope in the dark; **2ling** ['-liŋ] *m* (-s; -e) obscurant; **2nis** *f* (-; -se) darkness, obscurity, gloom, *fig. a.* blackness; *ast.* eclipse.

Finte ['fintə] *f* (-; -n) feint; *fig. a.* stratagem, ruse, trick; **fin'tieren** *v/i.* (*h.*) feint.

Firlefanz ['firləfants] *m* (-es; -e) frippery; gew-gaws *pl.*; nonsense, (tom)foolery; ~ *treiben* play the fool.

firm [firm] *adj.* → *beschlagen* (*fig.*).

Firma ['firma] *f* (-; -men) firm, (commercial) house, enterprise, business, company; firm(-name), style; *die* ~ *W.* the firm of W.; *unter der* ~ *W.* under the firm (*or* style) of W.; *in letters*: (*An*) ~ *Langenscheidt* Messrs. Langenscheidt.

Firmament [firma'mɛnt] *n* (-[e]s; -e) firmament, sky.

firme(l)n ['firmə(l)n] *eccl. v/t.* (*h.*) confirm.

Firmen... ['firmən-]: **~ansehen** *n*: ~ *und Kredit* goodwill; **~bezeichnung** *f* → *Firmenname*; **~inhaber** *m* owner of a firm; principal; **~name** *m* firm(-name), style; **~register** *n* register of companies; **~schild** *n* sign(-board), facia; *on machine*: name-plate; **~stempel** *m* firm's stamp, company stamp; **~vertreter** *m* manufacturer's agent; **~verzeichnis** *n* trade-directory; **~wert** *m* goodwill; intangible assets *pl.*; **~zeichen** *n* (maker's) emblem.

fir'mieren *v/i. and v/t.* (*h.*) have (*or* use) the firm-name of; sign (for).

Firm|ling ['-liŋ] *m* (-s; -e) confirmand; **~ung** *f* (-; -en) confirmation.

Firn [firn] *m* (-[e]s; -e) firn (snow), névé; '**~ewein** *m* last year's (*or* well-seasoned) wine.

Firnis ['firnis] *m* (-ses; -se) linseed oil; varnish; *fetter* ~ oil varnish; *fig.* varnish, veneer; **~papier** *n* varnished paper; **2sen** *v/t.* (*h.*) varnish.

'**Firnschnee** *m* → *Firn.*

First [first] *m* (-es; -e) ridge (*of roof, mountain*); peak, top; *mining*: back, roof; top; '**~ziegel** *m* ridge-tile.

fis, Fis [fis] *mus. n* (-; -) f, F sharp.

Fisch [fiʃ] *m* (-es; -e) fish; ~*e pl. ast.* Fishes, Pisces; *colloq. kleine* ~*e Am.* small potatoes; *faule* ~*e* lame excuses; *gesund wie ein Fisch im Wasser* sound as a bell; *stumm wie ein* ~ (as) mute as a maggot; *das ist weder Fisch noch Fleisch* that's neither fish nor fowl.

'**Fisch...**: **~adler** *m* osprey, *Am.* fish-hawk; **2ähnlich** *adj.* fishlike, fishy; **~behälter** *m* fish-tank, reservoir; **~bein** *n* (-[e]s) whalebone; **~blase** *f* fishbladder; **~blut** *n* fish-blood; ~ *haben* be fishblooded; **~bratküche** *f* fried-fish shop; **~brut** *f* fry; **~dampfer** *m* steam-trawler.

'**fischen** *v/t. and v/i.* (*h.*) fish; angle; ~ *nach* (*dat.*) fish for (*a. fig.*); → *trüb*(e).

'**Fischen** *n* (-s) fishing; angling.

'**Fischer** (-s; -) fisherman; **~boot** *n* fishing-boat; **~dorf** *n* fishing-village; **~flotte** *f* fishing fleet.

Fische'rei *f* (-; -en) fishing; fishery.

'**Fisch...**: **2essend** *adj.* piscivorous; **~fang** *m* fishing; **~filet** *n* fillet of fish; **~flosse** *f* fin; **~gabel** *f* fish-fork; **~gerät** *n* fishing-tackle; **~gericht** *n* fish dish *or* course; **~geruch,** (**~geschmack**) *m* fishy smell (taste); **~gräte** *f* fish-bone; **~grätenmuster** *n* herring-bone (pattern); **~gründe** ['-gryndə] *m/pl.* fishing grounds; **~händler** *m* fish-merchant; fish-monger, *Am.* fish-dealer; **~händlerin** *f* fishwife; **~handlung** *f* fish-shop; **~haut** *f* fish-skin; **2ig** *adj.* fishy; **~kelle** *f* fish slice; **~köder** *m* bait; **~konserve(n** *pl.*) *f* tinned (*Am.* canned) fish; pickled fish; **~kunde** *f* (-) ichthyology; **~kutter** *m* fishing-smack; **~laich** *m* spawn; **~leim** *m* fish-glue; **~mehl** *n* fish-meal; **~milch** *f* milt, soft roe; **~netz** *n* fishing net; drag (*or* sweep) net; (casting-)net; **~otter** *zo. f* otter; **~platz** *m* fishing-ground; **2reich** *adj.* abounding in fish, fishy; **~reiher** *m* (common) heron; **~reuse** *f* fish pot; **~rogen** *m* roe; **~schuppe** *f* fish-scale; **~stäbchen** *cul. n* fish finger; **~teich** *m* fish-pond; **~tran** *m* train-oil; **~treppe** *f* fish way; **~vergiftung** *f* fish-poisoning; **~weib** *n* fishwife; **~zucht** *f* pisciculture, fish-hatching; **~zuchtanstalt** *f* fish-hatchery, nursery pond; **~züchter** *m* fish-farmer, pisciculturist; **~zug** *m* catch, haul, draught (of fish); shoal (of fish).

'**Fis-Dur** *n* F sharp major.

fiskalisch [fis'ka:liʃ] *adj.* fiscal.

Fiskus ['fiskus] *m* (-) Exchequer, *Am.* Treasury; Government.
fis-Moll *n* f sharp minor.
Fissur [fi'su:r] *med. f* (-; -en) fissure, cleft.
Fistel ['fistəl] *med. f* (-; -n) fistula; **2artig** ['-ɑ:rtiç], **fistulös** [fistu-'lø:s] *adj.* fistulous; **~stimme** *f* falsetto.
Fittich ['fitiç] *m* (-[e]s; -e) wing, pinion; *j-n unter s-e ~e nehmen* take a p. under one's wings.
fix [fiks] **I.** *adj.* fixed (*costs, prices, salary*); *chem. ~es Salz* fixed salt; *~e Idee* fixed idea; *fig.* quick, deft, sharp, clever; *ein ~er Junge* a smart fellow; *mach ~!* make it snappy!; **II.** *adv.*: *~ hatte er den Reifen gewechselt* in a jiffy the tyre was changed; → *fertig*.
Fixativ [fiksa'ti:f] *n* (-s; -e) fixative.
'**fix|en** *econ. v/i.* (*h.*) (sell) bear, operate (*or* speculate) for a fall, *Am. a.* sell short; **2er** *m* (-s; -) bear; **2geschäft** *n* time-bargain; **2kauf** *m* time purchase.
Fixier|bad [fi'ksi:r-] *phot. n* fixing bath, fixer; **2en** *v/t.* (*h.*) (*a. phot.*) fix; → *festlegen*; *j-n ~* stare at a p.; **~mittel** *n* fixative; **~natron** *n* sodium hyposulphite, hypo; **~salz** *n* fixing salt; **~schraube** *f* setscrew; **~ung** *f* (-; -en) fixation.
'**Fixstern** *m* fixed star.
Fixum ['fiksum] *n* (-s; -xa) fixed sum; fixed salary.
Fjord [fjɔrt] *m* (-[e]s; -e) fiord, fjord.
flach [flax] **I.** *adj.* flat; plain, level, even; *math.* plane; shallow (*a. fig.* = superficial), shoal; low; *mar.* flat-bottomed (*boat*); *phot., etc.*: soft, with contrast; flat (*hue*); *~e Böschung* gentle slope; *~e Hand* flat of the hand, palm; *~er Motor* flat-type engine; *mil. mit der ~en Klinge* with the flat of one's sabre; *~ machen* flatten; *~ werden* flatten out, level off; **II.** *adv.*: *opt. ~ auftreffend* incident at small angle.
'**Flach...:** **~bahn** *f tech.* square guide way; *mil.* flat trajectory; **~bahngeschütz** *mil. n* flat trajectory gun; **~bettfelge** *mot. f* flat-base rim; **~boot** *n* flat-bottomed boat; **~dach** *n* flat roof; **~draht** *m* flat wire; **~druck** *typ. m* (-[e]s; -e) flat-bed printing.
Fläche ['flɛçə] *f* (-; -n) surface, *math. a.* plane; face (*of crystal*); facet (*of jewel*); expanse; sheet (*of water, etc.*); area, space; *tech. bearbeitete ~* machined surface.
'**Flacheisen** *tech. n* flat iron (*or* bar).
'**Flächen...:** **~abwurf** *mil. m* pattern bombing; **~antenne** *f* flat-top (*or* sheet) antenna *or* aerial; **~ausdehnung** *f* square dimension; **~bedarf** *tech. m* floor space required; **~belastung** *aer. f* wing load; **~blitz** *m* sheet lightning; **~brand** *m* area conflagration; **~druck** *m* (-[e]s; ⸚e) pressure per unit area, surface pressure; **~einheit** *f* unit of area; **~inhalt** *m* area, superficies, surface (area); acreage; **~maß** *n* square *or* surface measure(ment); **~messer** *m* (-s; -) planimeter; **~messung** *f* planimetry; **~raum** *m* → *Flächeninhalt*; **~winkel** *m* plane angle; **~ziel** *mil. n* area target.

'**flach...:** **~fallen** *colloq. v/i.* (*irr., sn*) be off (*or* out); **~gedrückt** *adj.* flat(tened down); **2gewinde** *tech. n* flat thread; *of screw*: square thread; **2hang** *m* gentle slope; **2heit** *f* (-) flatness; *fig.* shallowness, insipidity; triviality; platitude; **2kolben** *tech. m* flat(-top) piston; **~köpfig** ['-kœpfiç] *adj.* (*a. tech.*) flatheaded; **2kopfschraube** *f* countersunk screw; **2küste** *f* low-lying coast; **2land** *n* plain (*or* flat, level) country, plain; **2meißel** *tech. m* flat chisel; **2paß** *m soccer*: low pass; **2relief** *n* bas-relief; **2rennen** *n* flat race.
Flachs [flaks] *m* (-es) flax; *~ brechen* break flax; '**~bau** *m* (-[e]s) cultivation of flax.
'**Flachschuß** *m sports*: low ball.
flachsen *colloq. v/i.* (*h.*) be kidding.
'**Flachs...:** **2farben** *adj.* flaxen; **~feld** *n* flax-field; **2haarig** *adj.* flaxen-haired; **~hechel** *f* flax-comb; **~kopf** *m* flaxen-haired person; **~spinne'rei** *f* flax-mill.
'**Flach...:** **~spule** *f* flat coil; **~zange** *f* flat-nose(d) pliers *pl.*; **~ziegel** *m* flat (*or* plain) tile.
flackern ['flakərn] *v/i.* (*h.*) flare; flicker (*a. light, eyes*); flutter; *voice*: shake, quaver.
'**Flackern** *n* (-s) flaring; flickering.
Fladdermine ['fladər-] *mil. f* contact *or* land mine.
Fladen ['flɑ:dən] *m* (-s; -) flat cake.
Flagge ['flagə] *f* (-; -n) flag, colo(u)rs *pl.*; → *Fahne*; *die ~ hissen (streichen)* hoist (strike) the flag; *e-e ~ führen* fly a flag; *unter falscher ~* under false colo(u)rs; **2n I.** *v/i.* (*h.*) hoist (*or* show, fly) one's flag; **II.** *v/t.* (*h.*) dress; signal (with flags).
'**Flaggen...:** **~gruß** *m* colo(u)r-salute; **~parade** *f* flag parade; **~signal** *n* flag signal; **~tuch** *n* (-[e]s) bunting.
Flagg... ['flak-]: **~leine** *f* flag-line; **~offizier** *m* flag officer; **~schiff** *n* flag-ship.
Flak [flak] *mil. f* (-; -s) (*abbr. of Fliegerabwehrkanone*) anti-aircraft gun (*abbr.* A.A. gun); *w.s.* → *Flugabwehr*; **~artillerie** *f* anti-aircraft artillery (*abbr.* AAA.); **~feuer** *n* anti-aircraft fire; **~granate** *f* anti-aircraft shell; **~gürtel** *m* cordon of anti-aircraft fire; **~rakete** *f* → *Fla-Rakete*; **~sperre** *f* anti-aircraft barrage.
Flakon [fla'kɔ̃:] *n* (-s; -s) small bottle, phial.
Flam|e ['flɑ:mə] *m* (-n; -n) Fleming; **~in** *f* (-; -nen) Flemish woman.
Flamingo [fla'miŋgo] *m* (-s; -s) flamingo.
flämisch ['flɛ:miʃ] *adj.* Flemish.
Flämmchen ['flɛmçən] *n* (-s; -) little flame.
Flamme ['flamə] *f* (-; -n) flame (*a. colloq. loved person*); blaze; *in ~n* in flames, ablaze; *in ~n aufgehen* go up in flames; *in ~n ausbrechen* burst into flames; *fig. die ~n der Leidenschaft* the flames of passion.
'**flammen I.** *v/i.* (*h.*) flame, blaze, flare; *fig.* flash, shine, sparkle; *face*: flame up; *person*: flame (*vor dat.* with); **II.** *v/t.* (*h.*) *tech.* sear, singe; water (*cloth*); *~d* flaming (*a. fig.*), *etc.*; *fig. a.* glowing (*speech*), stirring (*appeal*).
'**Flammen...:** **2beständig** *adj.* flame-proof; **~meer** *n* sea of flames; **~muster** *n* wavy pattern; **~schrift** *f fig. the* hand on the wall; **~schwert** *n* flaming sword; **~tod** *m* death in the flames; **~werfer** *mil. m* flame-thrower (*or* -projector); **~zeichen** *n* signal fire; *fig.* oriflamme.
Flammeri ['flaməri] *m* (-[s]; -s) blancmange.
'**flammig** *adj.* flame-like; *tech.* watered (*cloth*); waved (*design*).
'**Flamm...:** **~ofen** *m* reverbatory furnace; **~punkt** *m* flash point; **~rohr** *n* flame tube, flue; **~rohrkessel** *m* flue boiler.
Fland|ern ['flandərn] *n* (-s) Flanders; **2risch** *adj.* Flemish.
Flanell [fla'nɛl] *m* (-s; -e) flannel; **2en** *adj.* (made of) flannel; **~hemd** *n* flannel shirt; **~hose** *f* flannel trousers, flannels *pl.*
flanieren [fla'ni:rən] *v/i.* (*sn*) saunter, stroll about.
Flanke ['flaŋkə] *f* (-; -n) flank (*a. arch., mil., mount., tech.*); *tennis*: side; *gym.* side-vault; *soccer*: **a)** wing, **b)** centre (pass); *in die ~ fallen* attack in flank; **2n** *v/i.* (*h.*) *soccer*: centre; **~n-angriff** *mil. m* flank attack; **~nball** *m* centre (pass); **~nbewegung** *f* flanking movement; **~ndeckung** *f* flank protection; **~nfeuer** *n* flanking fire; **~nmarsch** *m* flanking march; **~nsicherung** *f* flank protection; **~nstellung** *f* flanking position.
flan'kieren *v/t.* (*h.*) flank; *mil.* **a)** (out)flank, **b)** *by fire*: flank, enfilade, **c)** (*protect*) flank.
Flansch [flanʃ] *tech. m* (-es; -e) flange; '**~dichtung** *f* gasket; '**2en** *v/t.* (*h.*) flange; '**~motor** *m* flange(-mounted) motor; '**~rohr** *n* flange(d) pipe; '**~verbindung** *f* flanged joint (*or* coupling); '**~welle** *f* flanged shaft.
Flaps [flaps] *colloq. m* (-es; -e) boor, lout.
Fla-Rakete ['flɑ:-] *f* anti-aircraft rocket, ground-to-air missile.
Fläschchen ['flɛʃçən] *n* (-s; -) small bottle, flask; *pharm.* phial; *for babies*: feeding-bottle.
Flasche ['flaʃə] *f* (-; -n) bottle; flask; *el. Leidener ~* electric (*or* Leyden) jar; *tech. Preßluft~* compressed-air bottle; casting-box; pulley case; *colloq. sports, etc.*: dud, wash-out; *e-e ~ Wein* a bottle of wine; *in ~n füllen, auf ~n ziehen* bottle; *e-r ~ den Hals brechen* crack a bottle; *mit der ~ aufziehen* bring up on the bottle.
'**Flaschen...:** **~batterie** *el. f* battery of bottle cells; **~bier** *n* bottled beer; **~bürste** *f* bottle brush; **~füllmaschine** *f* bottling-machine; **~gas** *n* liquid gas; **2grün** *adj.* bottle-green; **~hals** *m* neck of a bottle; **~kind** *n* bottle-fed baby; **~kürbis** *bot. m* bottle-gourd; **~milch** *f* bottled milk; **~öffner** *m* bottle-opener; **~post** *f* bottle post, message-in-bottle; **2reif** *adj.* fit for bottling; **~spüler** ['ʃpy:lər] *m* (-s; -), **~spül-**

maschine *f* bottle washer; **~wein** *m* bottled wine; **≈weise** ['-vaɪzə] *adv.* by the bottle, in bottles; **~zug** *tech. m* pulley block, block (and tackle); electric chain hoist; trolley block.

Flaschner ['flaʃnər] *tech. m* (-s; -) plumber, fitter.

Flatter|geist ['flatər-] *m* **1.** fickle person, flibbertygibbet, gad-about; **2.** *a.* **~sinn** *m* (-[e]s) fickleness, flightiness.

'flatterhaft *adj.* fickle, flighty, inconstant; skittish; **≈igkeit** *f* (-) fickleness, flightiness, inconstancy.

'flattern *v/i.* (*h.*, *sn*) flutter, flit; beat *or* flap the wings; *fig. flag, etc.*: flutter, float, wave, fly; *hair*: stream; *im Winde ~* flutter before the wind; *zu Boden ~* flutter (*or* float) to the floor; *tech.* flutter; *mot. wheels*: shimmy, wobble.

flau [flaʊ] *adj.* weak, feeble, faint; lax, listless; stale, flat (*drink*); dull, flat (*colour*); lukewarm (*feeling*); *econ.* dull, lifeless, slack; *~e Zeit* slack season; *phot.* weak, fuzzy; *~ werden* **a)** *wind*: lull, calm down, **b)** *stock exchange*: turn dull; *mir ist ganz ~* I have butterflies in my stomach, I feel queasy; **'≈heit** *f* (-) feebleness, faintness; staleness; flatness; *econ.* dul(l)ness, stagnation, depression.

Flaum [flaʊm] *m* (-[e]s) down, fluff; fuzz.

'Flau·macher *m* pessimist, alarmist, *pol. a.* defeatist; killjoy, wet blanket.

Flau·mache'rei *f* (-) defeatism.

'Flaum...: **~bart** *m* fluff; **~feder** *f* down; **≈ig** *adj.* downy, fluffy.

Flaus [flaʊs] *m* (-es; -e), **Flausch** [flaʊʃ] *m* (-es; -e) fleece, tuft; pilot-cloth; pilot coat; duffle-coat.

Flause ['flaʊzə] *f* (-; *-n*) fib, shift, taradiddle; nonsense, humbug, funny idea; *~n machen* tell fibs, prevaricate; **~nmacher(in** *f*) *m* shuffler, quibbler, humbug.

Flaute ['flaʊtə] *f* (-; *-n*) dead calm, lull; *econ.* slackness, stagnation, recession.

Flechs|e ['flɛksə] *f* (-; *-n*) sinew, tendon; **≈ig** *adj.* sinewy.

Flechte ['flɛçtə] *f* (-; *-n*) braid, plait, *of hair*: *a.* tress; *bot.* lichen; *med.* herpes, tetter; ring-worm; **≈n** *v/t.* (*irr.*, *h.*) twist, strand (*rope*); wreathe, bind (*wreath*); weave, plait (*basket*); cane (*chair*); plait, braid (*hair*); *sich ~* twine, wind (*um* round).

'Flechtwerk *n* plaiting; wickerwork; wattle.

Fleck [flɛk] *m* (-[e]s; -e) spot, place; patch (*of leather, land, etc.*); blot, spot, smudge, stain; heel(-piece); *med., zo.* spot, speck, patch, dot, blue mark; flaw; *fig.* blemish, blot, blur; *am falschen ~* in the wrong place; *auf dem ~, vom ~ weg* on the spot; *schöner ~ Erde* beauty spot; *nicht vom ~ kommen* not to get on, make no headway; *sich nicht vom ~ rühren* not to stir (*or* budge); *er hat das Herz auf dem rechten ~* his heart is in the right place; **'~chen** *n* (-s; -) fleck, speck; place, spot.

'flecken I. *v/t.* (*h.*) spot (*a. artillery*); patch (*shoe*); **II.** *v/i.* (*h.*) make stains, stain, blot; spot easily; *fig. colloq. das fleckt!* good work!; *es will nicht ~* the work is not getting on.

'Flecken *m* (-s; -) → *Fleck*; market-town, borough; **≈los** *adj.* spotless; *fig. a* stainless; **~reiniger** *m* (-s; -) → *Fleckenwasser*; **~reinigung** *f* spot (*or* stain) removal; dry-cleaning; **~wasser** *n* stain (*or* spot) remover.

'Fleck|fieber *med. n* spotted fever; **≈ig** *adj.* spotted, speckled; stained, smudgy; *face*: freckled; *~ machen* spot, stain, soil; *~ werden* spot, stain; *fruit*: show spots; **~mittel** *n* stain-remover; **~schuß** *m* point-blank shot; **~typhus** *m* (spotted) typhus; **~wasser** *n* spot remover.

fleddern ['flɛdərn] *v/t.* (*h.*) plunder, rob.

Fleder|maus ['fle:dər-] *f* bat; **~wisch** *m* (feather-)duster, whisk.

Flegel ['fle:gəl] *m* (-s; -) *agr.* flail; *fig.* boor, lout, hooligan; **~alter** *n* (-s) awkward age.

Flege'lei *f* (-; *-en*) rudeness, churlishness.

'Flegel...: **≈haft** *adj.* boorish, ill-behaved, rude; impudent, saucy; **~jahre** *n/pl.* awkward age *sg.*; **≈n:** *sich ~* (*h.*) sprawl, loll.

flehen ['fle:ən] *v/i.* (*h.*): *zu j-m ~* implore (*or* beseech, entreat) a p. (*um et.* for a th.); *zu j-m um Hilfe ~* implore a p.'s aid; *zu Gott ~* pray to God; **≈** *n* (-s) supplication, entreaty, prayer(s *pl.*); **~tlich I.** *adj.* suppliant, imploring(ly *adv.*), beseeching(ly *adv.*); urgent (*request*); fervent (*prayer*); **II.** *adv.*: *j-n ~ bitten* → *flehen.*

Fleisch [flaɪʃ] *n* (-es) flesh; meat; *of fruit*: pulp, flesh; → *wild*; *fig. the* flesh; *~ ansetzen* put on flesh; *das eigene ~ und Blut* one's own flesh and blood; *in ~ u. Blut* in the flesh; *j-m in ~ und Blut übergehen* become second nature with a p.; *den Weg alles ~es gehen* go the way of all flesh; *sich ins eigene ~ schneiden* do o.s. an ill favo(u)r, turn the tables on o.s.

'Fleisch...: **~bank** *f* (-; ⸗e) butcher's stall, shambles *pl.*; *Am.* meat-counter; **~beschau** *f* meat inspection; **~beschauer** *m* meat inspector; **~brühe** *f* (meat-)broth; beef tea.

'Fleischer *m* (-s; -) butcher; **~geselle** *m* butcher's man; **~hund** *m* mastiff; **~laden** *m*, **Fleische'rei** *f* (-; *-en*) butcher's (*Am.* butcher) shop.

'Fleischeslust *f* carnal desire, lust.

'Fleisch...: **~extrakt** *m* meat extract, bovril; **~farbe** *f* flesh-colo(u)r; **≈farbig** *adj.* flesh-colo(u)red; **~faser** *f* muscle fib|re, *Am.* -er; **~fliege** *f* meat-fly, blow-fly; **≈fressend** *adj.* carnivorous; **~fresser** *m* carnivore; **~gericht** *n* dish of meat; *on menu*: *~e pl.* meats; **≈geworden** *adj.* incarnate; **~gift** *n* meat toxin, ptomaine; **~hackmaschine** *f* mincing-machine, mincer, *Am.* meat grinder; **~hauer** *m* butcher; **≈ig** *adj.* fleshy; meaty; *bot.* pulpous, pulpy; **~kloß** *m* meat-ball; **~konserven** *f/pl.* preserved (*or* potted, tinned, *Am.* canned) meat; **~kost** *f* meat diet; **≈lich** *adj.* carnal, sensual; **≈los** *adj.* fleshless; *diet*: meatless; **~made** *f* maggot; **~mehl** *n* meat-meal; **~messer** *n* carving knife; **~pastete** *f* meat-pie; **~saft** *m* gravy; **~schnitte** *f* slice of meat; steak; **~speise** *f* (course *or* dish of) meat; **~ton** *m* flesh-tint; **~topf** *m* fleshpot; *fig. die Fleischtöpfe Ägyptens* the fleshpots of Egypt; **~vergiftung** *f* ptomaine poisoning; **~waage** *f* meatscales *pl.*; **~ware** *f* meat (product); *~n pl.* meats; **~werdung** ['-ve:rduŋ] *f* (-) incarnation; **~wolf** *m* → *Fleischhackmaschine*; **~wunde** *f* flesh-wound; **~wurst** *f* sausage.

Fleiß [flaɪs] *m* (-es) diligence, industry; application, assiduity; pains *pl.*, hard work; *viel ~ verwenden auf* (*acc.*) take great pains with; *ohne ~ kein Preis* no pains, no gains; *mit ~* intentionally, on purpose, deliberately; **'≈ig I.** *adj.* diligent, industrious, hard-working; assiduous, sedulous, active, busy; painstaking; frequent, regular (*visitor, churchgoer, etc.*); **II.** *adv.*: *~ studieren* study hard; *~ besuchen* frequent.

flektieren [flɛk'ti:rən] *gr. v/t.* (*h.*) inflect.

flennen ['flɛnən] *v/i.* (*h.*) cry, blubber.

fletschen ['flɛtʃən] *v/t.* (*h.*): *die Zähne ~* show one's teeth, snarl; *animal*: *a.* bare one's fangs.

Flexion [flɛksi'o:n] *gr. f* (-; *-en*) inflection; **~s...** *in compounds*: inflexional ...

Flexor ['flɛksɔr] *anat. m* (-s; *-'oren*) flexor.

Flick|arbeit ['flik-] *f* patchwork; **≈en** *v/t.* (*h.*) mend, patch (up), repair; *contp.* botch; → *Zeug*; **~en** *m* (-s; -) patch; **~endecke** *f* crazy quilt.

'Flicker(in *f*) *m* (-s, -; -, *-nen*) patcher, mender.

Flicke'rei *f* (-; *-en*) patching, patchwork.

'Flick...: **~korb** *m* work-basket; **~schuster** *m* cobbler; **~werk** *n* (-[e]s) patchwork; **~wort** *n* (-[e]s; ⸗er) expletive; **~zeug** *n* sewing kit; *mot., etc.* repair outfit (*or* kit).

Flieder ['fli:dər] *bot. m* (-s; -) elder; lilac; **~beere** *f* elderberry; **~tee** *m* elder-tea.

Fliege ['fli:gə] *f* (-; *-n*) fly; imperial (beard); bow-tie; *tech. spinning*: traveller, runner; *von ~n beschmutzt* fly-blown; *zwei ~n mit e-r Klappe schlagen* kill two birds with one stone; *er tut keiner ~ was zuleide* he wouldn't hurt a fly; *wie die ~n sterben* die like flies.

'fliegen I. *v/i.* (*irr.*, *sn*) fly; *flags, etc.*: *a.* stream; flutter; *~ nach* fly to, go by air to; *in die Höhe ~* soar up; *in die Luft ~* blow up, be blown up, explode; *fig.* fly, rush; *colloq.* get the sack, *Am.* get fired; *student*: flunk (the exam); **II.** *v/t.* (*irr.*, *h.*) fly (*an airplane*), pilot; fly, cover (*a distance, route*); → *Einsatz*; *~ lassen* fly (*a kite*); **≈** *n* (-s) flying; aviation; *~ im Verband* formation flying; **~d** *adj.* flying (*bomb, fish, hospital, etc.*); → *Holländer*; *aer.*

~es *Personal* flight echelon, flying personnel; ~er *Händler* kerbstone trader; pedlar; ~er *Buchhändler* itinerant bookseller; *sports*: ~er *Start* flying (*or* running) start; ~er *Salto* flying somersault; → *Fahne*; *tech.* ~e *Achse* floating axle; ~e *Anlage* temporary plant; ~ *angeordnet* in overhung position, overhung.

'**Fliegen...: ~dreck** *m* flyblow; **~fänger** *m* fly-paper; **~fenster** *n* fly-screen; **~gewicht(ler** *m*, *-s*; *-*) *n* (-[e]s) *boxing*: fly-weight; **~klappe, ~klatsche** *f* fly-flap, *Am.* fly-swatter; **~kopf** *typ. m* turned letter; **~netz** *n* fly-net; **~pilz** *m* toadstool, fly agaric; **~schrank** *m* meat-safe; **~schwamm** *m* → *Fliegenpilz*.

'**Flieger** *m* (-*s*; -) flyer; *aer. a.* airman, aviator, pilot; *mil. Brit.* aircraftman 2nd class, *Am.* Airman Basic; *cycling, horse racing*: sprinter; → *Flugzeug*; **~abwehr** *f* anti-aircraft (*or* air) defen|ce, *Am.* -se; *in compounds*: anti-aircraft ... (*abbr.* A.A.); **~abwehrgeschütz** *n* anti-aircraft gun; **~abzeichen** *n* flying badge, wings *pl.*; **~alarm** *m* air-raid warning, air alert; **~angriff** *m* air raid, aerial (*or* air) attack; blitz; **~aufnahme** *f* aerial photo(-graph); **~bombe** *f* aircraft bomb; **~dreß** ['-drɛs] *m* (-*sses*; -*sse*) flying suit, overalls *pl.*

Fliege'rei *f* (-) flying, aviation.

'**Flieger...: ~geschädigte(r** *m*) *f* sufferer from air raids; **~hauptmann** *m Brit.* flight-lieutenant, *Am.* -captain; **~held** *m* ace; **~horst** *m* air station, *Brit.* R.A.F.-station, *Am.* air base; **~in** *f* (-; -*nen*) air woman, aviatrix, woman pilot; **≈isch** *adj.* flying, piloting, aeronautic(al); **~karte** *f* aeronautical (*or* flying) map; **~korps** *n* air corps, air force; **~krankheit** *f* aviator's disease, air-sickness; **~leutnant** *m Brit.* pilot officer, *Am.* second lieutenant; **~offizier** *m* air force officer; **~schaden** *m* air-raid damage; **~schule** *f* flying school; **~schütze** *m* air gunner; **~sprache** *f* aviator slang; **~staffel** *f* flying squadron; **~-Such-aktion** *f* aerial search; **~tätigkeit** *f* air activity; **~tauglichkeit** *f* fitness for flying; **~truppe** *f* → *Fliegerkorps*; **~tuch** *n* ground panel.

fliehen ['fli:ən] **I.** *v/i.* (*irr.*, *sn*) flee, run away, turn tail, take to one's heels; escape; *zu j-m* ~ take (*or* seek) refuge with a p.; *time*: fly; **II.** *v/t.* (*irr.*, *h.*) avoid, shun, flee (from); **~d** *adj.* fleeing, fugitive; receding (*chin, etc.*).

'**Fliehkraft** *phys. f* centrifugal force; **~beschleunigung** *f* centrifugal acceleration; **~regler** *m* centrifugal governor.

Flies|boden ['fli:s-] *m* flagged floor, flagging; **~e** ['fli:zə] *f* (-; -*n*) flag(-stone), tile; *mit* ~*n belegen* flag, tile; **~enleger** ['-zənle:gər] *m* (-*s*; -) floor-tiler.

Fließ|arbeit ['fli:s-] *f* assembly-line work, flow production; **~band** *n* (-[e]s; -er) assembly line, production line; conveyor belt; **~bandfertigung** *f* → *Fließarbeit*; **~bandmontage** *f Am.* progressive assembly.

'**fließen** *v/i.* (*irr.*, *sn*) flow, run; pour, gush, stream; *river*: ~ *in* flow (*or* run, fall) into; *nose*: run; *paper*: blot; *tech. material*: flow, pass; *fig. conversation, etc.*: flow (smoothly *or* easily); *es wird Blut* ~ blood will flow, there will be blood-shed; ≈ *n* (-*s*) flow, flowing; **~d I.** *adj.* flowing; ~*es Wasser* running water; *fig.* fluid; fluent, easy, smooth (*style*); *in* ~*em Englisch* in fluent English; **II.** *adv.*: ~ *schreiben* (*sprechen*) write (speak) fluently.

'**Fließ...: ~fähigkeit** *f* (-) filterability, cold-flowing properties *pl.*; **~fett** *n* semi-fluid grease; **~heck** *mot. n* fast-back; **~papier** *n* blotting-paper; **~produktion** *f* flow production.

Flimmer ['flimər] *m* (-*s*; -) glitter, glimmer; **≈n** *v/i.* (*h.*) glitter, glimmer, scintillate; *film*: flicker; *stars*: twinkle; *es flimmert mir vor den Augen* my head swims.

flink [fliŋk] *adj.* quick, nimble, light-footed, brisk; bright, alert; ~ *wie ein Wiesel* quick as a flash, swift(ly *adv.*); '**≈heit** *f* (-) quickness, nimbleness, agility.

Flinte ['flintə] *f* (-; -*n*) gun, rifle, *hist.* musket; shot-gun; *fig. die* ~ *ins Korn werfen* throw up the sponge; lose courage, resign; **~nkugel** *f* bullet; **~nlauf** *m* gun-barrel; **~nschuß** *m* gunshot; **~nweib** *colloq. n* gun-woman, woman soldier.

flirren ['flirən] *v/i.* (*sn*) flicker, whirr, vibrate.

Flirt [flirt] *m* (-[e]s; -*s*) flirtation; flirt; '**≈en** *v/i.* (*h.*) flirt.

Flitter ['flitər] *m* (-*s*; -) spangle, tinsel; *fig.* frippery, tinsel; **~glanz** *m* false splendo(u)r *or* lust|re, *Am.* -er; **~gold** *n* tinsel, leaf-brass; **~kram** *m* frippery, tawdry finery, gew-gaws *pl.*, tinsel; **≈n** *v/i.* (*h.*) glitter, glisten; **~staat** *m* (-[e]s) tawdry finery; **~wochen** *f/pl.* honeymoon; *in den* ~ *befindlich* honeymooning.

Flitzbogen ['flits-] *m* boy's bow.

'**flitzen** *v/i.* (*sn*) flit, whisk, nip.

flocht [flɔxt] *pret. of flechten.*

Flock|e ['flɔkə] *f* (-; -*n*) flake (*of snow*); flock (*of wool*); *cul. pl. corn* flakes *pl.*; **≈en** *v/i.* (*h.*) form flakes *or* flocks, flake; fuzz; **~enbildung** *f* flocculation; **~enblume** *f* centaury; **~enerz** *n* mimetite; **≈ig** *adj.* flaky, flocky, fluffy; flocculent; **~wolle** *f* flock wool.

flog [flo:k] *pret. of fliegen.*

floh [flo:] *pret. of fliehen.*

Floh [flo:] *m* (-[e]s; ⸗e) flea; *j-m e-n* ~ *ins Ohr setzen* put ideas into a p.'s head; **~biß, ~stich** *m* flea-bite; **~zirkus** *m* flea-circus.

Flor[1] [flo:r] *m* (-*s*; -*e*) bloom, blossom(ing); *fig.* bloom, prime; display (*or* abundance) of flowers; *fig.* bevy (*of ladies*).

Flor[2] *tech. m* (-*s*; -*e*) *on velvet, etc.*: nap, pile; gauze; → *Florband*.

Flora ['flo:ra] *f* (-; -*ren*) flora.

'**Flor|band** (-[e]s; ⸗er) *n*, **~binde** *f* crape-band.

Florett [flo'rɛt] *n* (-[e]s; -e) foil, fleuret; **~fechten** *n* foil fencing; **~seide** *f* floss-silk.

florieren [flo'ri:rən] *v/i.* (*h.*) flourish, prosper, thrive.

'**Flor...: ~schleier** *m* gauze veil; **~strumpf** *m* lisle stocking.

Floskel ['flɔskəl] *f* (-; -*n*) flower of speech, flourish; *contp.* ~*n pl.* empty phrases.

floß [flɔs] *pret. of fließen.*

Floß [flo:s] *n* (-es; ⸗e) raft, float; '**~brücke** *f* floating bridge.

Flosse ['flɔsə] *f* (-; -*n*) *ichth.* fin; flipper *of wale, etc.*; *aer.* stabilizer fin; *metall.* pig iron; *colloq.* (*hand*) fin, flapper; (*foot*) trotter.

flößen ['flø:sən] *v/t.* (*h.*) float, raft.

Flossen|füßer ['-fy:sər] *zo. m* (-*s*; -) fin-footed animal; **~kiel** *mar. m* fin keel.

'**Flößer** *m* (-*s*; -) raftsman, rafter; '**Flößholz** *n* float(ed) timber.

Flöte ['flø:tə] *f* (-; -*n*) flute; whistle; *cards*: flush; **≈n** *v/t. and v/i.* (*h.*) play (on) the flute; *fig.* flute; **~nbläser(in** *f*) *m* flute-player, flutist; **≈ngehen** *colloq. v/i.* (*irr.*, *sn*) get lost, go to the dogs *or* to pot; **~nstimme** *f* flutepart; **~nton** (-[e]s; ⸗e) *m* note (*or* tone) of a flute; sweet (*or* silvery) note; *colloq. fig. j-m die Flötentöne beibringen* teach a p. what's what; **~nzug** *m organ*: flute-stop.

Flö'tist(in *f*) *m* (-en, -en; -, -*nen*) → *Flötenbläser(in)*.

flott [flɔt] *adj. mar.* floating, afloat; ~ *sein* be afloat; *fig.* gay; quick, snappy; smart, chic, stylish (*dress, etc.*); lively (*dance*); good, brisk, lively (*business*); ~*er Bursche* dashing fellow; ~*er Tänzer* good dancer; *adv.* ~ *leben* lead a gay and easy life, go the pace; *es ging* ~ *vonstatten* it went off smoothly, there was no hitch to it; *den Hut* ~ *auf dem Kopfe* the hat at a jaunty angle.

Flotte ['flɔtə] *f* (-; -*n*) *mar.* fleet; navy; *tech.* dye liquor, liquor-bath.

'**Flotten...: ~abkommen** *n* naval agreement; **~bauprogramm** *n* naval program(me); **~chef** *m* fleet commander; **~manöver** *n/pl.* naval manoeuvres, *Am.* maneuvers; **~parade, ~schau** *f* naval review; **~station** *f* naval station; **~stützpunkt** *m* naval base; **~verband** *m* naval formation.

'**flottgehend** *adj.* brisk, lively, flourishing (*business*).

Flottille [flɔ'tilə] *mar. f* (-; -*n*) flotilla; **~n-admiral** *m Brit.* Commodore, *Am.* Rear Admiral.

'**flott...: ~machen** *v/t.* (*h.*) float, set afloat; **~weg** *adv.* promptly, briskly, smoothly, without a hitch.

Flöz [flø:ts] *n* (-es; -e) *geol., mining*: layer, stratum; seam; coal seam.

Fluch [flu:x] *m* (-[e]s; ⸗e) curse, malediction; imprecation; *eccl.* anathema; blasphemy; (profane) oath, profanity, curse, swear-word, *Am.* cuss word; *fig.* curse, bane, plague; *e-n* ~ *legen auf* (*acc.*) lay a curse upon; *unter e-m* ~*e stehen* be under a curse; ~ *dem Verräter!* curse(d be) the traitor!; *e-n* ~ *ausstoßen* → *fluchen*; '**≈beladen** *adj.* under a curse, accursed; '**≈en** *v/i.*

(*h.*) curse and swear, swear; utter imprecations *or* oaths; *j-m ~* curse a p.; *auf j-n ~* swear at a p.; '**~er** *m* (-s; -) curser, swearer.

Flucht [fluxt] *f* (-; -en) flight (*vor dat.* from); escape; *wilde ~* rout, stampede; range, row, series; suite *of rooms*; flight *of stairs*; *arch.* alignment, straight line; play; *auf der ~* fleeing, flying, on the run; *die ~ ergreifen* → *flüchten*; *in die ~ schlagen* put to flight, rout, drive away; **≈artig** ['-ɑːrtiç] **I.** *adj.* hasty, hurried, headlong; **II.** *adv.* precipitately, head over heels, helter-skelter.

'**fluchten** *arch. v/t.* (*h.*) align.

flüchten ['flyçtən] *v/i.* (*sn*) flee (*a. sich*; *nach, zu* to); run away; take to flight, turn tail; escape; *sich ~* take (*or* seek) refuge *or* shelter (*zu j-m* with a p.); → *Öffentlichkeit*.

'**Flucht..:** **~gelder** ['-gɛldər] *n/pl.* fugitive funds, flight money; **≈gerecht** *arch. adj.* truly aligned, flush (*dat.* with).

'**flüchtig I.** *adj.* fugitive (*a. fig.*), absconding, runaway; *chem.* volatile; fleeting, passing, transitory, short-lived; transient (*effect*); hasty; careless (*person, work*), cursory (*inspection, perusal*); flighty, fickle; *~e Bekanntschaft* passing (*or* nodding) acquaintance; *~e Bemerkung* passing remark; *~er Besuch* flying visit; *e-n ~en Besuch machen* drop in (*bei j-m* to see a p.); *~er Blick* glance; *~es Lächeln* fleeting smile; **II.** *adv.* fleetingly, *etc.*; *~ bemerken* mention in passing; *~ werden jur.* abscond; *~ durchlesen* skim (through); *~ niederschreiben* jot down; *~ zu Gesicht bekommen* catch a glimpse of; **≈e(r** *m*) ['-gə(r)] *f* (-n, -n; -en, -en) fugitive, runaway; **≈keit** *f* (-; -en) fleetingness, transitoriness; hastiness; carelessness; cursoriness; *chem.* volatility; **≈keitsfehler** *m* slip (of the pen, *etc.*), oversight.

Flüchtling ['-liŋ] *m* (-s; -e) fugitive, runaway; *pol.* refugee; expellee; **~slager** *n* refugee camp.

'**Flucht...:** **~linie** *f arch.* alignment, face line; *opt.* vanishing line; **~punkt** *m* vanishing point; **~verdacht** *m*: *es besteht ~* the prisoner is likely to attempt an escape; **≈verdächtig** *adj.* suspected of planning an escape; **~versuch** *m* attempt to escape.

'**fluchwürdig** *adj.* damnable, accursed, execrable.

Flug [fluːk] *m* (-[e]s; ⸗e) flight; *birds*: *a.* swarm, flock; *aer.* flight, air travel; *im ~e* flying, in flight, on the wing; *fig.* quickly, rapidly; *tennis, soccer*: *den Ball im ~e schlagen* volley.

'**Flug...:** **~abkommen** *n* air agreement; **~abwehr** *f* air defen|ce, *Am.* -se; *in compounds*: anti-aircraft; **~apparat** *m* flying machine; **~asche** *tech. f* fly (*or* flue) ash; **~bahn** *f* trajectory, flight (path); *aer.* flight path; **~ball** *m sports*: volley; **≈begeistert** *adj.* air-minded; **~bereich** *m* flying range, radius of action; **≈bereit** *adj.* ready to take off, in flying order; **~betrieb** *m* → *Flugverkehr*; **~blatt** *n* leaflet (*a. mil.*), pamphlet; handbill; **~boot** *n* flying boat; **~deck** *n* flight deck; **~dienst** *m* air-service; **~eigenschaften** *aer. f/pl.* flying characteristics.

Flügel ['flyːgəl] *m* (-s; -) wing; *aer. a.* aerofoil, *Am.* airfoil; *of propeller, fan, etc.*: blade, vane; *of bomb*: fin; *of windmill*: sail; *bot.* side-petal; *anat. of lung*: lobe; *of window*: casement; *of door*: leaf; *of building*: wing, aisle; *of altar*: side-piece; *mus.* grand-piano; *mil., sports*: wing, flank; *die ~ hängen lassen* droop one's wings, *fig.* droop, lose heart, be downcast; *j-m die ~ beschneiden* clip a p.'s wings; *j-m ~ verleihen* lend wings to a p.

'**Flügel...:** **~abstand** *aer. m* wing gap; **~adjutant** *mil. m* aide-de-camp; **~angriff** *m* wing attack; **~an-ordnung** *aer. f* wing setting; **~decke** *zo. f* wing-case; **~fenster** *n* casement-window; **≈förmig** ['-fœrmiç] *adj.* wing-shaped; **≈lahm** *adj.* broken-winged; *fig.* lame; dejected; **≈lastig** *aer. adj.* wing-heavy; **≈los** *adj.* wingless; **~mann** *m* marker; flank man; *rechter ~* right hand man; *sports*: wing-forward, winger; **~mine** *mil. f* vaned bomb; **~mutter** *tech. f* (-; -n) wing nut; **≈n** *v/i. and v/t.* (*h.*) wing; **~pumpe** *f* oscillating pump; **~rad** *n* screw wheel, propeller; **~rad-antrieb** *m* impeller drive; **~radpumpe** *f* vane-type pump; **~schlag** *m* wing-stroke, flapping (*or* beat) of wings; **~schraube** *f* wing bolt, butterfly (*or* thumb) screw; **~schraubenmutter** *f* butterfly nut; **~spannweite** *aer. f* wing spread, *Am.* wing span; **~stürmer** *m sports*: → *Flügelmann*; **~tür** *f* folding-door; **~ventil** *n* butterfly valve; **~verstrebung** *f* wing bracing; **~wechsel** *m soccer*: wing-change.

'**Flug...:** **~erfahrung** *f* flying experience; **≈fähig** *adj.* airworthy; **~feld** *n* → *Flugplatz*; **~gast** *m* air-passenger.

flügge ['flygə] *adj.* fledged; *noch nicht ~* unfledged (*both a. fig.*); *~ werden* fledge (*a. fig.*).

'**Flug...:** **~gelände** *n* flying terrain; **~gepäck** *n* (air) baggage; **~geschwindigkeit** *f* flying speed, air speed; *phys.* travelling velocity; **~gesellschaft** *f* airline (company); **~gewicht** *n* loaded weight; **~hafen** *m* airport; **~halle** *f* hangar; **~haut** *zo. f* flying membrane, patagium; **~höhe** *aer. f* altitude, flying height; *höchste ~* absolute ceiling; *ballistics*: ordinate *of a trajectory*; **~hörnchen** *zo. n* flying squirrel; **~kapitän** *m* (aircraft) captain; **~karte** *f* **a)** air-travel ticket, **b)** aviation chart; **≈klar** *adj.* ready to take off; **~körper** *m* missile; **~lehrer** *m* flying instructor; **~leistung** *f* flight performance; **~leitung** *f* air-traffic control; **~linie** *f* → *Flugbahn*; *aer.* air-route; airline; **~loch** *n of bees*: entrance to the hive; pigeon-hole; **~maschine** *f* flying-machine; → *Flugzeug*; **~meldedienst** *m* aircraft reporting service; **~motor** *m* aircraft engine; **~objekt** *n*: *unbekanntes ~* unidentified flying object; **~ortung** *f* aerial position finding; **~plan** *m* time-table, (flying) schedule; **~platz** *m* aerodrome, airfield, *Am. a.* airdrome; **~platzbefeuerung** *f* airfield lighting; **~post** *f* air-mail; **~richtung** *f* direction of flight; **~route** *f* flight (*or* air-)route.

flugs [fluːks] *adv.* quickly, swiftly, in a jiffy; at once, instantly.

'**Flug...:** **~sand** *m* quicksand; **~schein** *m* air-travel ticket; **~schlag** *m sports*: volley; **~schlepp** ['-ʃlɛp] *m* (-s) airplane towing; **~schneise** *f* air lane; **~schrift** *f* pamphlet; **~schüler** *m* pilot pupil, trainee pilot; **~sicherheit** *f* (-) flying safety; **~sicherung** *f* air-traffic control; **~sicht** *f* flight visibility; **~sport** *m* aviation, sport flying; **~staub** *m* airborne dust; **~steig** *m* gate; **~strecke** *f* flight route; distance flown *or* covered; **~stützpunkt** *m* air base; **~technik** *f* aeronautics *pl.*; aircraft engineering; *of pilot*: flying technique, airmanship; **~techniker** *m* aeronautical engineer; **≈technisch** *adj.* aeronautical; **≈tüchtig** *adj.* airworthy; **~verbot** *n* grounding; **~verkehr** *m* air traffic; air service; **~versuch** *m* flight test (*or* experiment); **~weg** *m* flight path; **~weite** *f* → *Flugbereich*; **~wetter** *n* flyable weather; **~wetterdienst** *m* aviation weather service; **~wissenschaft** *f* aeronautics *pl.*; **~zeit** *f* flying time, time of flight.

'**Flugzeug** *n* aeroplane, plane, *Am.* airplane, plane; aircraft (*a. ~e pl.*); *im ~ ankommen* arrive by air; *im ~ reisen* go *or* travel by aeroplane (*or* air), fly, take a plane (*nach* for); **~abwehr** *f* anti-aircraft defen|ce, *Am.* -se; **~bau** *m* (-[e]s) aircraft construction; **~bauingenieur** *m* aircraft engineer; **~besatzung** *f* air crew; **~entführung** *f* hijacking (*of plane*); **~erkennungsdienst** *m* aircraft recognition service; **~fabrik** *f* aircraft factory; **~führer** *m* pilot; *zweiter ~* co-pilot; **~führerschein** *m* pilot's licen|ce, *Am.* -se; **~halle** *f* hangar; **~industrie** *f* aircraft industry; **~kanone** *f* (aircraft) cannon; **~kommandant** *m* aircraft commander, captain; **~konstrukteur** *m* aircraft designer; **~modell** *n* model aeroplane (*Am.* airplane); **~motor** *m* aircraft (*or* aero)engine; **~mutterschiff** *n* aircraft tender; **~rumpf** *m* fuselage, body; **~schlepp** ['-ʃlɛp] *m* (-s) aircraft towing; **~schleuder** *f* aircraft catapult; **~schuppen** *m* aircraft shed; **~stewardeß** *f* air hostess; **~träger** *m* aircraft carrier; **~treibstoff** *m* aviation fuel; **~trümmer** *pl.* aircraft wreckage *sg.*; **~unfall** *m* flying accident, air disaster *or* crash; **~verband** *m* aircraft formation; **~wart** *m* aircraft mechanic; **~werk** *n* aircraft factor.

Fluidum ['fluːidum] *n* (-s; -*da*) fluid; *fig.* atmosphere, aura, air.

fluktuieren [fluktu'iːrən] *v/i.* (*h.*) fluctuate.

Flunder ['flundər] *f* (-; -n) flounder.

Flunkerei [fluŋkə'raɪ] *f* (-; -en) fib, (cock-and-bull) story; fibbing,

story-telling; bragging; 'flunkern v/i. (h.) fib, tell fibs (or stories), spin a yarn; brag.
Fluor ['flu:o:r] n (-s) fluorine; **~-ammonium** n ammonium fluoride.
Fluoresz|enz [fluorɛs'tsɛnts] f (-) fluorescence; **2ieren** v/i. (h.) fluoresce; **2ierend** adj. fluorescent.
Fluoroskop [fluoro'sko:p] med. n (-[e]s; -e) fluoroscope.
'**Fluor...**: **~säure** f fluoric acid; **2wasserstoffsauer** adj. fluoride of ...; **~wasserstoffsäure** f hydrofluoric acid.
Flur[1] [flu:r] f (-; -en) field, plain; pasture, meadow.
Flur[2] m (-[e]s; -e) (entrance-)hall; passage, corridor; of staircase: landing.
'**Flur...**: **~bereinigung** agr. f consolidation (of farmland); **~garderobe** f hall-stand; **~namen** m/pl. names of parcels (of land); **~register** n agricultural land register; **~schaden** m damage to crops; **~schütz** m field guard.
Fluß [flus] m (-sses; ⸗sse) river, stream; rivulet, Am. creek; flow (-ing); fig. fluency (of speech); flow (a. of traffic, etc.); metall. melting, fusion; tech. flux; med. flux(ion), catarrh; weißer ~ med. leucorrhoea; geol. fluor spar; im ~ fig. in a state of flux; in ~ bringen tech. fuse, flux, fig. set going or in motion; in ~ kommen begin to melt, fig. get under way, get going or into full swing; **2'abwärts** adj. down the river, downstream; **2'aufwärts** adv. upstream; '**~bad** n river-bath; '**~bett** n river-bed, channel.
Flüßchen ['flysçən] n (-s; -) rivulet, streamlet, Am. creek.
'**Fluß...**: **~eisen** n ingot steel; **~gebiet** n river basin.
flüssig ['flysiç] adj. fluid, liquid; molten, melted; econ. available, ready (money); ~es Kapital liquid assets; flowing (style); → fließend; ~ machen liquefy, melt (a. ~ werden); econ. realize (values); disengage, convert into cash.
'**Flüssigkeit** f (-; -en) liquid, fluid; liquor; liquidity, fluidity (a. fig.).
'**Flüssigkeits...**: **~aufnahme** physiol. f fluid intake; **~bremse** mot. f hydraulic brake; **~druck** m hydrostatic pressure; **~getriebe** mot. n fluid transmission; **~grad** m viscosity; **~kompaß** m floating compass; **~kühler** mot. m liquid radiator; **~maß** n liquid measure; **~messer** m (-s; -) liquid meter, flowmeter; **~säule** f column of liquid; **~spiegel** m surface of a liquid; physiol. fluid-balance.
'**Flüssig|machen** n (-s) liquefaction; econ. realization; **~werden** n fusion, fusing; **2d** liquescent.
'**Fluß...**: **~kies** m river gravel; **~krebs** m (river) crayfish; **~lauf** m course of a river; **~mittel** tech. n flux; **~mündung** f mouth (of a river), estuary; **~netz** n network of rivers or watercourses; **~pferd** n hippopotamus, river-horse; **~säure** chem. f hydrofluoric acid; **~schiff** n river-boat; **~schiffahrt** f river-navigation; **~spat** min. m fluor-spar, fluorite; **~stahl** m ingot steel; **~übergang** m river-crossing, ford; **~ufer** n river-bank, riverside.
Flüster|bariton ['flystər-], **~tenor** m whispering baritone (tenor); **~galerie** f whispering gallery.
'**flüstern** v/i. and v/t. (h.) (speak in a) whisper, speak under one's breath; colloq. dem werde ich was ~ I'll tell him a thing or two; **2** n (-s) whisper(ing).
'**Flüster...**: **~parolen** f/pl. whisperings, Am. grapevine; **~propaganda** f whispering campaign; **~ton** m (-[e]s; ⸗e) whisper, undertone.
Flut [flu:t] f (-; -en) flood; high tide, flood-tide; waves pl., billows pl.; inundation, flood; fig. flood, spate, deluge; ~ von Tränen flood of tears; ~ von Worten torrent of words; die ~ kommt (geht) the tide is coming in (going out); es ist ~ the tide is up; fig. mit e-r ~ von Zuschriften überschüttet werden be flooded (or deluged) with letters; '**2en I.** v/i. (h.) flow, flood; swell, surge; **II.** v/t. (h.) mar. flood (the tanks); '**~grenze** f high-water mark; '**~hafen** m tidal harbo(u)r; '**~licht** n (-[e]s) floodlight; '**~lichtspiel** n sports: floodlit match; '**~wechsel** m turn of the tide; '**~welle** f tidal wave; '**~zeit** f flood-tide.
flutschen ['flutʃən] v/i. (h.) slip; fig. work: go swimmingly.
'**f-Moll** n f minor.
Fobklausel ['fɔb-] econ. f F.O.B. clause.
focht [fɔxt] pret. of fechten.
Fock [fɔk] f (-; -en), '**~mast** m foremast; '**~segel** n foresail.
Föderal|ismus [fø:dəra'lismus] m (-) federalism; **~ist** m (-en; -en) federalist; **2istisch** adj. federalist; federal.
Födera|tion [-tsi'o:n] f (-; -en) (con)federation, confederacy; **2tiv** [-'ti:f] adj. federative; **~'tivstaat** m federal state, confederation.
fohlen ['fo:lən] v/i. (h.) foal.
'**Fohlen** n (-s; -) foal, colt; filly.
Föhn [fø:n] m (-[e]s; -e) föhn, foehn.
Föhre ['fø:rə] f (-; -n) pine(-tree), Scotch fir.
Fokus ['fo:kus] phys. m (-; -se) focus.
Folge ['fɔlgə] f (-; -n) sequence, succession; continuation, sequel (a. of novel, etc.); number, edition; series; set, suit; (time) sequel, future; consequence, result, upshot; aftermath; consequence; → Folgerung; in der ~ in the sequel, subsequently; in bunter ~ in colo(u)rful succession; die ~n tragen take the consequences; zur ~ haben result in, entail, bring in its wake, lead to; die ~ war, daß the result was, as a result; ~ leisten (dat.) obey; comply with (request, rule); grant (petition); accept (invitation); take, follow (advice); **~brief** econ. m follow-up letter; **~erscheinung** f sequel, after-effect (both a. med.); result.
'**folgen** v/i. (sn, dat.) follow; succeed (a p., auf acc. to); follow, ensue (aus from); obey; → befolgen; j-m auf Schritt u. Tritt ~ dog a p.'s footsteps, shadow (Am. a. tail) a p.; j-s Beispiel ~ follow a p.'s example, follow suit; j-s Rat ~ follow (or take, act upon) a p.'s advice; daraus folgt, daß hence (or from this) follows that; wie folgt as follows; Fortsetzung folgt to be continued; können Sie ~? can you follow?; er folgte der Unterhaltung nicht he did not follow the conversation; **~d** adj. following; ensuing; subsequent; next; am ~en Tage next day, the following day, the day after; ~en Inhalts a letter running as follows, saying; aus ~em from what follows; im ~en in the following; es handelt sich um ~es the matter is this; **~dermaßen** ['-dər'ma:sən], **~derweise** ['-dər'vaɪzə] adv. as follows, in the following manner, like this; **~schwer** adj. of grave consequence, grave, momentous.
'**folgerichtig** adj. logical, consistent; **2keit** f logic(al consistency).
'**folger|n** v/t. (h.) infer, deduce, conclude, gather (aus from); **2ung** f (-; -en) inference, deduction, conclusion; e-e ~ ziehen draw a conclusion, etc.
'**Folge...**: **~satz** gr. m consecutive clause; math. corollary; **~schäden** ['-ʃɛ:dən] jur. m/pl. consequential damages; **2widrig** adj. illogical; inconsistent, inconsequential; **~widrigkeit** f inconsistency; **~wirkung** f consequent effect; **~zeit** f following period, sequel; future.
folglich ['fɔlkliç] adv. and cj. consequently; therefore, hence; thus, so.
folgsam ['fɔlkza:m] adj. obedient; docile, submissive, unresisting; **2keit** f (-) obedience; docility.
Foliant [foli'ant] m (-en; -en) folio (-volume), tome.
Folie ['fo:liə] f (-; -n) foil, film; background; fig. als ~ dienen serve as a foil (dat. to); **foliieren** [foli'i:rən] v/t. (h.) foliate; silver (mirror); page (book).
Folio ['fo:lio] n (-s; -lien), **~blatt** n folio; **~format** n folio (size), foolscap.
Folklore [fɔl'klo:r(ə)] f (-) folklore.
Folter ['fɔltər] f (-; -n) rack; torture; auf die ~ spannen put to the rack; fig. a. tantalize, keep in suspense (or on tenter-hooks); **~bank** f (-; ⸗e) rack; **~instrument** n instrument of torture; **~kammer** f torture-chamber; **~knecht** m torturer; **2n** v/t. (h.) (put to or on the) rack, torture, torment; **~qual** f torture, fig. a. torment; **~werkzeug** n instrument of torture.
Fön [fø:n] m (-[e]s; -e) hair-dryer.
Fond [fɔ̃:] m (-s; -s) foundation; background; mot. back (of the car), back seat.
Fondant [fɔ̃'dɑ̃:] m (-s; -s) fondant.
Fonds [fɔ̃:] econ. m (-; -) fund; pool; funds pl., capital; government funds (or stocks, securities), Am. government bonds pl.; fig. fund; '**~börse** f stock exchange; '**~makler** m stock (Am. bond) broker.
Fontäne [fɔn'tɛ:nə] f (-; -n) fountain; jet of water.
Fontanelle [fɔnta'nɛlə] anat. f (-; -n) fontanel(le).

foppen ['fɔpən] *v/t.* (*h.*) tease, chaff, pull *a p.'s* leg, kid; hoax, fool; **Foppe'rei** *f* (-; -*en*) teasing, chaff, leg-pull(ing), kidding.

forcieren [fɔr'si:rən] *v/t.* (*h.*) force; *forciert* forced.

Förder|anlage ['fœrdər-] *f* conveying plant (*or* equipment), conveyor system; **~band** *n* (-[e]s; ⸗er) conveyor belt; **~er** *m* (-*s*; -), **~in** *f* (-; -*nen*) furtherer, patron (*f* -ess), *Am.* sponsor, promoter; **~gerät** *n* conveyor; **~gerüst** *mining*: *n* (pit-) head frame; **~gut** *n* material (delivered *or* to be transported); *mining*: output; **~hund** *m* → *Förderwagen*; **~kohle** *f* pit-coal; **~korb** *m* cage; **~leistung** *f* conveying capacity; *mining*: output, production; *of pump*: delivery; **~leitung** *f* feed pipe.

'**förderlich** *adj.* conducive (*dat.* to), promotive (of); useful, profitable; effective; beneficial.

'**Förder...:** **~maschine** *f mining*: winding engine; **~menge** *f* quantity delivered, delivery, output; → *Förderleistung*.

fordern ['fɔrdərn] *v/t.* (*h.*) *a. fig.* demand, require (*von j-m* of a p.); call (ask) for, exact; *jur.* claim; ask (for), charge (*price*); *zuviel ~* overcharge; *vor Gericht ~* summon before a court; *zum Duell*: challenge (*auf Pistolen* to a duel with pistols).

'**fördern** *v/t.* (*h.*) further, advance, promote; encourage; stimulate; aid, assist; → *förderlich* (*sein*); patronize, support, *Am. a.* sponsor; **~des** *Mitglied* supporting (*or* subscribing) member; *mining*: haul, raise; *pump*: deliver; convey, transport; *tech.* feed; speed up, expedite; → *zutage*.

'**Förder...:** **~schacht** *m mining*: winding shaft; **~schnecke** *f* worm conveyor; **~-Soll** *n* planned output; **~turm** *m* winding tower.

'**Forderung** *f* (-; -*en*) demand (*nach* for, *an acc.* on); call (for); claim (for); (title to a) debt, debt claim; *adm.* requisition; challenge (*to a duel*); *of price*: charge; → *ausstehen*; *gerichtlich anerkannte ~* judg(e)ment debt; **~en** *pl.*: *buchmäßige ~en* accounts receivable; *bevorrechtigte ~en* secured claims.

'**Förderung** *f* (-; -*en*) furtherance, promotion, advancement; encouragement; assistance, support; dispatch; *mining*: **a**) drawing, extraction, hauling, **b**) output, production; *tech.* conveyance, transport, delivery.

'**Förder...:** **~wagen** *m* (mine) tub *or* car; **~winde** *f* drawing winch.

Forelle [fo'rɛlə] *f* (-; -*n*) trout; **~nbach** *m* trout-brook; **~nfang** *m* trout-fishing.

forensisch [fo'rɛnziʃ] *adj.* forensic.

Forke ['fɔrkə] *agr. f* (-; -*n*) (pitch-) fork.

Form [fɔrm] *f* (-; -*en*) form; shape, appearance, figure; style, cut (*of dress*); *esp. tech.* design; *of ship*: lines *pl.*; type, model; profile, section; *for hats*: block; *tech.* mo(u)ld; die; *for cakes*: tin, mo(u)ld; *typ.* form(e), chase; *for shoes*: block, last; *gr.* form, voice; mode, manner; *sports*: form, condition, shape; form, ceremony, usage; *gute ~* good form; formality; *~ annehmen* take shape; *merkwürdige ~en annehmen* assume strange aspects; *die ~ wahren* keep up appearances; *in aller ~* in due form; *in höflicher ~* in polite terms; *der ~ halber* for form's sake, pro forma, to keep up appearances; *sports*: *in ~ sein* be fit (*or* in form, in good condition *or* shape); *fig. a.* be at one's best; *nicht in ~ sein* be off form, be in bad shape (*or* not up to the mark); *in ~ kommen* (*bleiben*) get into (keep in) form.

formal [fɔr'ma:l] *adj.* formal, technical; *~e Ausbildung* formal training, *mil.* drill, *Brit.* physical training; *aus ~en Gründen* on technical grounds.

'**Form·aldehyd** *chem. n* formaldehyde.

Formalien [-'ma:liən] *pl.* formalities.

Formalin [fɔrma'li:n] *chem. n* (-*s*) formalin.

Formalist [fɔrma'list] *m* (-*en*; -*en*) formalist.

Formali'tät *f* (-; -*en*) formality.

Format [fɔr'ma:t] *n* (-[e]s; -e) size, form(at); *von mittlerem ~* medium-sized; *fig.* importance, stature, weight, calib|re *or* -er.

Formation [fɔrmatsi'o:n] *geol., mil. f* (-; -*en*) formation; unit.

'**formbar** *adj.* plastic, mo(u)ldable, workable; *metall.* malleable; **≈keit** *f* (-) plasticity, workability; *metall.* ductility, malleability.

Formblatt *n* (blank) form, blank.

Formel ['fɔrməl] *f* (-; -*n*) form, formula; **~buch** *n* formulary; **~wagen** *mot. m* formula car.

formell [fɔr'mɛl] *adj.* formal; → *Recht*.

'**formen** *v/t.* (*h.*) form, model, fashion, (*a. tech.*) mo(u)ld, shape.

'**Formen|lehre** *gr. f* accidence; **~mensch** *m* formalist.

'**Former** *m* (-*s*; -) former, mo(u)lder.

'**Form...:** **~fehler** *m* informality; irregularity; *jur.* formal defect; breach of etiquette, social blunder, faux pas (*Fr.*); **~gebung** ['-ge:buŋ] *tech. f* (-; -*en*) shaping, styling, design(ing); **≈gerecht** *adj. tech.* accurate to size; *jur.* in due form, duly; **~gestalter** *m* (industrial) designer.

for'mieren *v/t.* (*h.*) form; array, *a.* line up; *sich ~* fall into line; form up.

förmlich ['fœrmliç] **I.** *adj.* formal; ceremonious; punctilious; literal, veritable, regular; **II.** *adv.* literally, practically, almost; **≈keit** *f* (-; -*en*) formality; ceremoniousness; ceremony.

'**Form...:** **≈los** *adj.* formless, shapeless, amorphous; informal (*a. jur.*); unceremonious, unconventional; unpolished, rude; **~losigkeit** *f* (-) formlessness, shapelessness; informality; crudeness, rudeness; **~mangel** *jur. m* formal defect; **~maschine** *f* mo(u)lding machine; **~sache** *f* matter of form, formality; **~sand** *m* mo(u)lding sand; **≈schön** *adj.* of graceful design, elegant; streamlined; **~stahl** *m* structural steel; steel section; **~stück** *n* shape(d part).

Formular [fɔrmu'la:r] *n* (-*s*; -*e*) (printed) form, blank, schedule; → *Fragebogen*.

formu'lier|en *v/t.* (*h.*) formulate, word, define; **≈ung** *f* (-; -*en*) formulation; wording; definition.

'**Formung** *f* (-) formation; forming, shaping, mo(u)lding; *spanabhebende ~* metal cutting; *spanlose ~* non-cutting shaping.

'**Form...:** **~veränderung** *f* change of form; modification; deformation; **≈vollendet** *adj.* perfect (in form), finished; **~vorschriften** *f/pl.* formal requirements; **≈widrig** *adj.* irregular; *fig.* offensive, informal; **~zahl** *f* form factor.

forsch [fɔrʃ] *adj.* vigorous, energetic, enterprising; smart, dashing; breezy, brisk.

forschen ['fɔrʃən] **I.** *v/i.* (*h.*): *~ nach* (*dat.*) inquire after, search for, seek, investigate for; *~ in* (*dat.*) investigate, explore, search, examine; *scient.* do research work; **II.** **≈** *n* (-*s*) search, investigation, inquiry; **~d** *adj.* inquiring, speculative, searching (*glance*).

'**Forscher** *m* (-*s*; -), **~in** *f* (-; -*nen*) inquirer, seeker, investigator; researcher, research worker, scientist; explorer; **~blick** *m* (-[e]s) searching glance; **~drang** *m* (-[e]s) zeal for research, scientific curiosity, inquiring mind; **~geist** *m* (-es) spirit of research, scholarliness.

'**Forschung** *f* (-; -*en*) investigation, research, research work.

'**Forschungs...:** **~abteilung** *f* research department; **~anstalt** *f* research institute; **~arbeit** *f* research work; **~gebiet** *n* field of research; **~ingenieur** *m* research engineer; **~reise** *f* exploring expedition; **~reisende(r)** *m* explorer.

Forst [fɔrst] *m* (-es; -e[n]) forest; '**~akademie** *f* school of forestry; '**~amt** *n* forest superintendent's office; '**~beamter** *m* forest-officer.

Förster ['fœrstər] *m* (-*s*; -) forester, forest ranger.

Förste'rei *f* (-; -*en*) forester's house.

'**Forst...:** **~fach** *n* forestry; **~frevel** *m* infringement of forest-laws; **~gesetz** *n* forest-law; **~haus** *n* → *Försterei*; **~mann** *m* forester; **~meister** *m* forest superintendent; **~revier** *n* forest district; **~verwaltung** *f* forest administration; **~wesen** *n* (-*s*), **~wirtschaft** *f* forestry; **≈wirtschaftlich** *adj.* forest (*property, etc.*); **~wissenschaft** *f* (-) (science of) forestry.

Fort [fo:r] *mil. n* (-*s*; -*s*) fort.

fort [fɔrt] *adv.* away, gone; on; gone, lost; *in einem ~* uninterruptedly, ceaselessly, on and on; *und so ~* and so forth *or* on; *~ mit dir!* be gone (*or* off)!, clear out!, *sl.* go to blazes!; *sie sind schon ~* they have already left; *ich muß ~* I must be off.

'**fort...:** (→ *compounds with weg...*) **~an** *adv.* henceforth, from now on; **≈bestand** *m* continuance; survival; **~bestehen** *v/i.* (*irr., h.*) continue, persist, survive; **~bewegen** *v/t.* (*h.*) move on (*or* away); propel, drive; *sich* ~ move, move along *or* away; *sich nicht* ~ not to move (*or* budge, stir); **2bewegung** *f* locomotion, progression; **~bilden:** *sich* ~ (*h.*) continue one's studies, perfect *or* improve o.s.; **2bildung** *f* further training (*or* education); improvement; *ärztliche* ~ graduate medical education; **2bildungs|anstalt** (*or* **-schule**) *f* continuation school *or* classes *pl.*; **~bleiben** *v/i.* (*irr.*, *sn*) keep (*or* stay) away; fail to return; **~bringen** *v/t.* (*irr.*, *h.*) carry (*or* take) away, remove; see *a p.* off (*or* to the station, *etc.*); *sich* ~ keep the pot boiling; **2dauer** *f* continuance; **~dauern** *v/i.* (*h.*) continue, last, persist; **~dauernd** *adj.* lasting, permanent; constant, continuous, incessant; recurrent (*payments, etc.*); **~denken** → *wegdenken*; **~eilen** *v/i.* (*sn*) hasten (*or* hurry) away, dash off; **2entwick(e)lung** *f* continued growth, further development; **~erben:** *sich* ~ (*h.*) be hereditary; be passed on by hereditance; *fig.* go down to posterity; *sich* ~ *von ... auf* (*acc.*) descend from ... to; **~fahren** *v/i.* (*irr.*, *sn*) drive away, depart, leave, start; continue (et. *zu tun* to do a th. *or* doing a th.), go on *or* keep (doing a th.); **2fall** *m* (-[e]s) → *Wegfall*; **~fallen** → *aus-, wegfallen*; **~fliegen** *v/i.* (*irr.*, *sn*) fly away, *aer.* take off; **~führen** *v/t.* (*h.*) lead away, walk (*or* march) *a p.* off; remove; go on with, continue, keep on; carry on (*business, war*); **2führung** *f* continuation; carrying on; resumption; **2gang** *m* (-[e]s) departure, leaving; → *Fortdauer, Fortschritt*; *den* ~ *der Sache abwarten* see how matters develop; **~gehen** *v/i.* (*irr.*, *sn*) go (away), leave; go on; proceed; continue; **~geschritten** *adj.* advanced, progressed; *Kurs für* 2*e* advanced course; **~gesetzt** *adj.* continual, constant, incessant; **~helfen** *v/i.* (*irr.*, *h.*): *j-m* ~ help a p. to get away; *fig.* help a p. on; **~hin** *adv.* → *fortan*; **~jagen** *v/t.* (*h.*) turn (*or* drive) away; turn *a p.* out (on his ear), kick *a p.* out; expel (*aus dat.* from); **~kommen** *v/i.* (*irr.*, *sn*) get away (*or* off); *mach, daß du fortkommst!* be off!, *sl.* beat it!; *fig.* get on (*or* ahead), prosper; **2kommen** *n* getting on, progress; living, livelihood; **~lassen** *v/t.* (*irr.*, *h.*) let *a p.* go, allow *a p.* to go; leave *a th.* out, omit, drop; **~laufen** *v/i.* (*irr.*, *sn*) run away ([*vor*] *j-m* from a p.); run on, be continued; **~laufend** *adj.* continuous, running; consecutive (*number, numbering*); serial (*number*); *econ.* ~*e Notierung* consecutive quotation; ~*er Bericht* serial report, sequel; **~leben** *v/i.* (*h.*) live on; survive (*in dat.* in *one's work*); **2leben** *n* (-s) survival; life after death, after-life; **~machen** *v/i.* (*h.*) go on, carry on; *colloq.* make off; **~pflanzen** *v/t. and sich* ~ (*h.*) propagate; *phys. a.* transmit, communicate; *disease*: *a.* spread; *zo. a.* reproduce, multiply.

ˈ**Fortpflanzung** *f* (-) propagation; *phys. a.* transmission, communication; *zo. a.* reproduction; *of disease*: *a.* spread; **~s-apparat** *m* reproductive organs; **2sfähig** *adj.* reproductive; *phys.* transmissible; **~sfähigkeit** *f* (-) reproductiveness; *phys.* transmissibility; **~sgeschwindigkeit** *f* velocity of propagation *or* transmission; **~s-trieb** *m* reproductive instinct; **~svermögen** *n* (-s) reproductive power; **~szelle** *f* propagative cell, spore.

ˈ**fort...:** **~reisen** *v/i.* (*sn*) depart, leave, go away; **~reißen** *v/t.* (*irr.*, *h.*) → *wegreißen*; *fig. j-n mit sich* ~ carry a p. away with one; *sich von* (*or durch*) *et.* ~ *lassen* allow o.s. to be carried away by; **2satz** *m* projection; *anat., med.* process; **~schaffen** *v/t.* (*h.*) carry away, transport off; rush *or* whisk off *or* away; remove, get rid off; **~schätzen** *econ. v/t.* (*h.*) estimate ahead; **~schicken** *v/t.* (*h.*) send off; **~schleichen** *v/i.* (*irr.*, *sn*), *a. sich* (*irr.*, *h.*) steal away, sneak off; **~schleppen** *v/t.* (*h.*) drag away; *sich* ~ drag (o.s.) along; **~schreiben** *v/t.* (*irr.*, *h.*) *statistics*: project to subsequent dates, extrapolate; **~schreiten** *v/i.* (*irr.*, *sn*) proceed, advance, progress; **~schreitend** *adj.* progressive; *mit* ~*er Zeit* with the passage of time; **2schritt** *m* progress (*in dat.* in), headway; advance(ment); improvement; *technische* ~*e* engineering progress; ~*e machen* make progress *or* headway; *große* ~*e machen* make great strides, forge ahead; **2schrittler(in** *f*) [ˈ-ʃritlər-] *m* (-s, -; -, -*nen*) progressionist; **~schrittlich** *adj.* progressive, advanced; modern, up-to-date; *person*: progressive, progress-minded; **~schwemmen** *v/t.* (*h.*) wash away; **~sehnen:** *sich* ~ (*h.*) wish o.s. away; **~setzen** *v/t.* (*h.*) continue (*a. sich*), pursue; *wieder* ~ resume; **2setzung** [ˈ-zɛtsuŋ] *f* (-; -*en*) continuation, sequel; pursuit, carrying on; resumption; *in* ~*en abdrucken* serialize (*novel*); ~ *folgt* to be continued; ~ *von Seite* 2 continued from page two; **~stehlen:** *sich* ~ (*irr.*, *h.*) steal (*or* sneak) away *or* off; **~stoßen** *v/t.* (*irr.*, *h.*) push away; **~tragen** *v/t.* (*irr.*, *h.*) carry away *or* off; **~treiben** **I.** *v/t.* (*irr.*, *h.*) drive away; *fig.* carry on, go on with; **II.** *v/i.* (*irr.*, *sn*) drift away *or* off.

Fortuna [fɔrˈtuːna] *f* (-) Fortune.

ˈ**fort...:** **~wagen:** *sich* ~ (*h.*) venture away (*von* from); **~währen** *v/i.* (*h.*) last, continue, persist; **~während** **I.** *adj.* continual, continuous, constant, perpetual, incessant; **II.** *adv.* constantly, incessantly, *etc.*; all the time; *sie lächelte* ~ she kept smiling; **~werfen** *v/t.* (*irr.*, *h.*) throw away; **~ziehen** **I.** *v/t.* (*irr.*, *h.*) draw (*or* drag, pull) away; **II.** *v/i.* (*irr.*, *sn*) *tenant, etc.*: move on, remove; *mil.* march off; *birds*: migrate.

Forum [ˈfoːrum] *n* (-s; -*ren*) forum, tribunal; (public) forum, public discussion.

fossil [fɔˈsiːl] *geol. adj.* fossil.

Fosˈsil *geol. n* (-s; -*ien*) fossil, petrifaction.

fötal [fœˈtaːl] *anat. adj.* f(o)etal.

Foto... [ˈfoːto-]: → *Photo...*

Fötus [ˈfœːtus] *m* (-ses; -se) f(o)etus.

Foxterrier [ˈfɔksteriər] *m* (-s; -) fox terrier.

ˈ**Foxtrott** *m* foxtrot.

Foyer [foaˈjeː] *n* (-s; -s) *thea.* foyer; *Am. and parl.* lobby; *of hotel*: foyer, lounge.

Fracht [fraxt] *f* (-; -*en*) load, freight, goods *pl.*; *mar.* cargo, shipload; air freight; (*transport, rate*) carriage, *Am.* freight(age); *mar.* freightage; *durchgehende* ~ through-rate; cartage; *in* ~ *geben* (*nehmen*) freight (charter).

ˈ**Fracht|aufschlag** *m* extra carriage, *mar. and Am.* extra freight; **~aufseher** *m* supercargo; **~brief** *m* way-bill; consignment-note; *mar. and Am.* bill of lading; **~dampfer** *m* cargo-steamer, freighter; **~empfänger** *m* consignee; **2en** *v/t.* (*h.*) consign, ship; load, freight; **~er** *m* (-s; -) freighter; **~flugzeug** *n* (air) freighter, cargo airplane; **2frei** *adj.* carriage paid, *Am.* freight paid, prepaid; *mar.* freight-free; **~führer, ~fuhrmann** *m* carrier, *Am. a.* teamster; **~gebühr** *f*, **~geld** *n* carriage, *Am.* freight(age); cartage; *mar.* freightage; **~geschäft** *n* carrying trade; **~gut** *n* freight, goods *pl.*, *Am.* ordinary freight; *mar.* cargo, shipload; *als* ~ by goods (*Am.* freight) train; **~gutsendung** *f* consignment; **2intensiv** *adj.*: ~*e Massengüter* bulkgoods on which the freight is heavy; **~kahn** *m* barge, freight boat; **~kosten** *pl.* freight charges, freightage, carriage; **~liste** *f* freight list; **~raum** *m* cargo compartment, hold; freight capacity; **~rechnung** *f* freight account (*or* bill); **~satz** *m* rate of freight, freightage; **~schiff** *n* cargo-ship, freighter; **~spediteur** *m* freight forwarder; **~stück** *n* package, parcel; bale; **~tarif** *m* freight tariff; **~verkehr** *m* goods (*Am.* freight) traffic; **~versicherung** *f* freight insurance; **~vertrag** *m* freight contract; *mar.* charter-party; **~vorschuß** *m* advance freight; **~wagen** *m* goods wag(g)on; **~zuschlag** *m* → *Frachtaufschlag*.

Frack [frak] *m* (-[e]s; ⸗e) dress- (*or* tail-)coat; *im* ~ in full evening dress, in tails; ˈ**~anzug** *m* dress-suit; ˈ**~hemd** *n* dress-shirt.

Frage [ˈfraːgə] *f* (-; -*n*) question (*über acc.* about); *gr., rhet.* interrogation; query; inquiry; *fig.* problem, question, point (in question); *e-e* ~ *tun or stellen* ask (*or* put) a question; *außer* ~ *stehen* be beyond question; *in* ~ *kommen* come into question, be in consideration, be suitable; *in* ~ *kommende Personen* eligible persons; *in* ~ *stellen* make dubious *or* uncertain, jeopardize; *in* ~ *ziehen* (call in) question, query, challenge; *das ist e-e* ~ *der Zeit* that's a matter (*or* question) of time; *das ist e-e andere* ~ that's another question (*or* matter); *das ist eben die* ~ that's just the point; *das ist gar keine* ~ there is no doubt about that; *das kommt* (*gar*) *nicht in* ~ that's out of the question; *der* *in ~ stehende Punkt* the point in question; *die ~ ist, ob* the point is whether; *es erhebt sich die ~* the question arises; *ohne ~* beyond question, undoubtedly, doubtless; **~bogen** *m* questionnaire; **~form** *gr. f* interrogative form; **~fürwort** *gr. n* interrogative (pronoun).

'**fragen** *v/t. and v/i.* (*h.*) ask; question, query, interrogate; inquire (*nach* after); (*j-n*) et. ~ ask (a p.) a question; (*j-n*) ~ *nach* (*dat.*) ask (a p.) for; *j-n nach s-m Namen, dem Wege, etc.*, ~ ask a p. his name, the way, *etc.*; *nach j-s Befinden ~* inquire after a p.'s health; *j-n um Rat ~* ask a p. for advice, consult a p.; *es fragt sich, ob* it is doubtful (*or* a question) whether; *ich frage mich, warum* I wonder why; *er fragt nicht danach* he doesn't care; *≈ kostet nichts* there is no harm in asking; *wenn ich ~ darf* if I may ask; *econ.* (*stark*) *gefragt* in (great) demand; **~d** *adj.* interrogative; inquiring (*look*); *j-n ~ ansehen* look at a p. inquiringly.

'**Fragenkomplex** *m* complex of questions.

'**Frager(in** *f*) *m* (-s, -; -, -*nen*) questioner, interrogator.

'**Frage...:** **~satz** *gr. m* interrogative sentence; **~steller** ['-ʃtɛlər] *m* (-s; -) questioner; **~stellung** *f* (formulation of the) question; *fig.* statement of a problem; **~stunde** *parl. f* question-time; **~-und-Antwortspiel** *n radio*: quiz; **~wort** *n* (-[e]s; ⸚er) interrogative; **~zeichen** *n* question-mark, interrogation mark; (*a. fig.*) query.

fraglich ['frɑːkliç] *adj.* questionable, doubtful, problematic(al), uncertain; in question, under consideration (*or* discussion); *die ~e Klausel* the clause in question; *es ist ~, ob* it is open to question (*or* it is questionable) whether.

fraglos ['frɑːkloːs] **I.** *adj.* unquestionable, indisputable; **II.** *adv.* beyond (all) question, beyond dispute, unquestionably; decidedly.

Fragment [frag'mɛnt] *n* (-[e]s; -e) fragment; **fragmentarisch** [-'tɑːriʃ] *adj.* fragmentary.

fragwürdig ['frɑːk-] *adj.* questionable, dubious, *b.s. a.* shady.

Fraktion [fraktsi'oːn] *parl. f* (-; -*en*) (parliamentary) group; **~sbeschluß** *m* fractional motion; **~sführer** *m* parliamentary leader of a party, *Brit.* whip, *Am.* floor leader; **≈slos** *adj.* nonpartisan, independent; **~svorsitzende(r)** *m* → **~sführer**; **~szwang** *m*: *bei der Abstimmung gab es keinen ~* voting was on non-party lines.

fraktio'nier|en *chem. v/t.* (*h.*) fractionate; **≈kolonne** *f* fractionating column; **≈ung** *f* (-) fractionating.

Fraktur [frak'tuːr] *f* (-; -*en*) *typ.* Gothic *or* German type; *med.* fracture; *mit j-m ~ reden* talk in plain English to a p., *Am.* talk turkey with a p.

frank [fraŋk] *adv.*: *~ und frei* quite frankly, openly, without restraint.

Franke ['fraŋkə] *m* (-*n*; -*n*) Franconian; *hist.* Frank; **~n**[1] *n* (-s) Franconia.

'**Franken**[2] *m* (-s; -) (*coin*) franc.

fran'kier|en *v/t.* (*h.*) prepay, stamp; **≈maschine** *f* franking machine; **~t** *adj.* prepaid, post-paid, stamped, post-free; *nicht genügend ~* underpaid; **≈ung** *f* (-; -*en*) prepayment.

Fränk|in ['frɛŋkin] *f* (-; -*nen*), **≈isch** *adj.* Franconian.

franko ['fraŋko] *adv.* post-paid, prepaid; *parcel*: carriage paid.

'**Frankreich** *n* (-s) France.

Franse ['franzə] *f* (-; -*n*) fringe; **≈n** *v/i.* (*h.*) fray, frazzle.

Franz [frants] *aer. sl. m* (-es; -e) observer.

'**Franz|band** *m* (-[e]s; ⸚e) calf-binding; **~branntwein** *m* surgical spirit.

Franziskaner [frantsis'kɑːnər] *m* (-s; -), **~in** *f* (-; -*nen*) Franciscan friar (*f* nun); **~orden** *m* (-s) Order of St. Francis.

'**Franzmann** *m* Frenchman, *sl.* frog.

Franzose [fran'tsoːzə] *m* (-*n*; -*n*) Frenchman; *die ~n pl.* the French; *tech.* monkey-wrench; **~nfeind(in** *f*) *m* Francophobe; **≈nfeindlich** *adj.* anti-French; **~nfreund(in** *f*) *m*, **≈nfreundlich** *adj.* Francophil(e).

Französin [fran'tsøːzin] *f* (-; -*nen*) Frenchwoman.

fran'zösisch *adj.* French; *~e Spracheigenheit* Gallicism; *die ~e Sprache, das ≈(e)* the French language, French; *er spricht gut ≈* he speaks good French; *auf ~, ins ≈e* in, into French; *sich ~ empfehlen* take French leave; **~-deutsch** *adj.* Franco-German (*relations, etc.*); French-German (*dictionary*).

frap|pant [fra'pant], **~pierend** [-'piːrənt] *adj.* striking.

Fräs|arbeit ['frɛːs-] *f* milling work; **~art** *f* milling method; **~e** *f* (-; -*n*) milling cutter (*or* tool); *agr.* rotary hoe; **≈en** *v/t. and v/i.* (*h.*) mill; **~er** *m* (-s; -) milling cutter (*or* tool); metal-cutting-machine operator; **~maschine** *f* milling machine; **~messer** *n* cutter blade; **~vorrichtung** *f* milling fixture (*or* jig).

fraß [frɑːs] *pret. of fressen.*

Fraß *m* (-es) *sl.* grub; *for animals*: feed; *med.* caries; *chem.* corrosion.

Fratz [frats] *m* (-es; -e[n]): *kleiner ~* little rascal, brat; *niedlicher ~* poppet, darling.

'**Fratze** *f* (-; -*n*) grimace, distorted face; (*face*) *sl.* mug; caricature; *e-e ~ schneiden* make a grimace; *~n schneiden* make grimaces *or* faces; **≈nhaft** *adj.* distorted, grotesque.

Frau [frau] *f* (-; -*en*) woman; female; mistress; lady; wife; *before name*: Mrs.; *gnädige ~!* madam!; *wie geht es Ihrer ~?* how is Mrs. X.?; *Ihre ~ Mutter* your mother; *eccl. Unsere Liebe ~* Our (blessed) Lady; *zur ~ geben* give in marriage; *zur ~ nehmen* marry, take in marriage; '**~chen** *n* (-s; -) little woman; wifey, old girl.

'**Frauen...:** (→ *compounds with Damen...*) **~arbeit** *f* women's work; **~arzt** *m* gyn(a)ecologist; **~bewegung** *f* (-) feminist movement; **~feind** *m* woman-hater, misogynist; **≈haft** *adj.* womanly; **~heilkunde** *f* gyn(a)ecology; **~herrschaft** *f* matriarchy; *contp.* petticoat government; **~klinik** *f* hospital for women; **kloster** *n* nunnery; **~krankheit** *f* women's disease; **~leiden** *n* women's complaint; **~rechte** *n/pl.* women's rights; **~rechtlerin** ['-rɛçtlərin] *f* (-; -*nen*) suffragette; **~rolle** *thea. f* female part; **~schuh** *bot. m* (-[e]s) lady's slipper; **~spiegel** *bot. m* Venus's looking-glass; **~sport** *m* (-[e]s) women's sports *pl.*; **~stimmrecht** *n* women's suffrage; **~tum** *n* (-s) womanhood; **~welt** *f* (-) womankind, women *pl.*; **~zeitschrift** *f* women's magazine; **~zimmer** *n* *usu. contp.* female, woman; petticoat, *sl.* skirt, *Am. a. sl.* broad.

Fräulein ['frɔylain] *n* (-s; -) young lady; unmarried (*or* single) woman *or* lady; *title*: Miss; *Ihr ~ Tochter* your daughter; governess; shop-girl, sales-girl, *when addressed*: Miss; *teleph. ~ vom Amt* operator.

'**fraulich** *adj.* womanly, womanlike; **≈keit** *f* (-) womanhood, womanliness.

frech [frɛç] *adj.* impudent, insolent, saucy, cheeky, *Am. sl.* fresh; forward, pert; daring, bold, audacious; *e-e ~e Lüge* a brazen lie; *mit ~er Stirn* brazen-facedly; *colloq. ~ wie Oskar* bold as brass, cool as a cucumber; '**≈dachs** *colloq. m* cheeky fellow; *kleiner ~* whipper-snapper; '**≈heit** *f* (-; -*en*) impudence, insolence, sauciness, cheek, *sl.* nerve; boldness; *~en pl.* impudent remarks; *sich ~en erlauben* take liberties (*mit j-m* with a p.); *er hatte die ~, zu inf.* he had the impudence (*or* cheek) to *inf.*; *so e-e ~!* confound (*or* damn) your impudence (*or* cheek)!, the insolence of it!; *sl.* what a nerve!

Fregatte [fre'gatə] *f* (-; -*n*) frigate; **~nkapitän** *m* commander.

frei [frai] *adj.* free (*von* from, of); independent; exempt (*von* from *taxes, etc.*); frank, open, candid; at liberty, *criminal, etc.*: at large; blank; unrestrained, unhampered; *road, etc.*: clear; free and easy; free, licentious; gratuitous, gratis, free (of charge); (pre)paid, postfree, *parcel*: carriage-paid; *chem.* uncombined; open (*field, sky*); free-lance (*artist, etc.*); *teleph.* disengaged, vacant, *Am.* not busy; vacant, open (*post*); loose, free (*translation*); *~e Ansichten* liberal views; *~er Beruf* liberal (*or* independent) profession; *~er Eintritt* free admission; → *Fahrt*; *~e Künste* liberal arts; *~e Liebe* free love; *~e Stadt* free city; *~e Stelle* vacancy, opening; *~er Nachmittag* half-holiday, afternoon off; *~er Tag* off day, day off, holiday; *~e Zeit* → *Freizeit*; *econ. ~ von Kosten* free of expense, all charges paid; *~ von Schulden* clear of debt; *~ Haus* free domicile; *~ an Bord* free on board (*abbr.* f.o.b.); *im ~en Handel* in the shops; *~er Markt* free market, *stock exchange*: unofficial (*or* open) market; *~e Wirtschaft* free economy; *~ von Bewirtschaftung* non-rationed; *~ heraus* **a**) frankly, plainly, **b**) bluntly, point-blank; → *Fuß, Stück, Wille(n)*; *im ≈en, unter ~em Himmel* in the open (air); *~ sprechen* speak openly, *speaker*: speak offhand (*or* extempore, without notes); *sich* ~ *bewegen* move freely; ~*e Hand haben, etc.* → *Hand*; *den Dingen* ~*en Lauf lassen* let things take their course; *ich bin so* ~ I take the liberty (*zu inf.*, of *ger.*), I venture (to *inf.*), I don't mind if I do; *ich bin so* ~, *Sie zu erinnern* permit me to remind you; *Straße* ~! road clear!; *aer.*, *rail. 20 Pfund Gepäck* ~ *haben* be allowed 20 pounds of luggage; *tech.* ~ *aufliegend* freely supported; ~ *schwingen* swing clear; ~ *finanziert* privately financed.

ˈ**Frei...:** ~**antenne** *f* free (*or* outdoor) aerial *or* antenna; ~**antwort** *f* prepaid reply; ~**bad** *n* open-air bath, *Am.* outdoor swimming pool; ~**ballon** *m* free balloon; ~**bank** *f* (-; ¨e) cheap-meat department; ♀**beruflich** *adj.* professional; free-lance (*artist, journalist, etc.*); ~**betrag** *m* allowance, tax-exempt amount; ~**beuter** *m* (-s; -) freebooter, filibuster, buccaneer; ~**beuteˈrei** *f* (-) freebooting, filibustering, piracy; ♀**beweglich** *tech. adj.* freely moving, mobile; ~**billett** *n* → *Freikarte*; ♀**bleibend** *econ. adj. and adv.* subject to being sold (*or* to alteration without notice), without engagement; ~**bord** *mar. m* freeboard; ~**börse** *f* → *Freiverkehrsbörse*; ~**brief** *m* charter; privilege; (letters *pl.*) patent; *fig.* passport (*für* to), warrant (for); ~**denker(in** *f*) *m* freethinker; ♀**denkerisch** *adj.*, ~**denkertum** *n* (-s) freethinking.

ˈ**Freie 1.** ~**(r** *m*) *f* (-n, -n; -en, -en) freeman, freewoman, free-born citizen; **2.** ~ *n* (-n) the open country (*or* field); *im* ~*n* in the open (air), out of doors, outdoors; *Spiele im* ~*n* outdoor games; *im* ~*n lagern* (*übernachten*) camp out.

ˈ**freien I.** *v/i.* (*h.*): ~ *um* (*acc.*) court, make love to, *rhet.* woo; **II.** *v/t.* (*h.*) → *heiraten.*

ˈ**Freien** *n* (-s) courting, courtship, wooing.

ˈ**Freier** *m* (-s; -) suitor; wooer; ~**sfüße** [ˈ-sfyːsə] *pl.*: *auf* ~*n gehen* go courting, be looking for a wife.

ˈ**Frei...:** ~**exemplar** *n* free (*or* presentation) copy, specimen (copy); author's copy; ~**fahrschein** *rail. m* free (travel) ticket; ~**fläche** *f* open space; ♀**fliegend** *tech. adj.* cantilever, overhang; ~**flughafen** *m* customs-free airport; ~**frau** *f* baroness; ~**gabe** *f* release; decontrol; *aer.* clearance; ♀**geben** *v/t.* (*irr.*, *h.*) release; *prisoner*: set free; *für den Verkehr* ~ open to the traffic; *aer.*, *rail.* clear; decontrol; deblock (*account*); *j-m* ~ (*v/i.*) give time off; *e-e Woche* ~ give a week's holiday; ♀**gebig** [ˈ-geːbiç] *adj.* liberal (*mit* of); generous, open-handed; ~ *sein* have an open hand; ~**gebigkeit** *f* (-) liberality, generosity, open-handedness; ♀**geboren** *adj.* free-born; ~**geist** *m* freethinker; ♀**geistig** *adj.* freethinking; ~**gepäck** *n* free (*or* allowed) luggage; ~**grenze** *f* limit of tax-free income, free quota; ~**gut** *n econ.* duty-free goods *pl.*; *hist.* freehold (property); ♀**haben** *v/i.* (*h.*) have a holiday; have a day off; *heute habe ich frei* this is my day off; ~**hafen** *m* free port; ♀**halten** *v/t.* (*irr.*, *h.*) treat *a p.* (*mit* to), pay for *a p.*; keep *a seat* free, *the road* clear; keep open (*an offer*); ~**handel** *m* free trade; ~**handelszone** *f* free trade area; ♀**händig** *adj. and adv.* offhand, without support; *jur.* by private contract, privately; direct (*sale, ordering*); ~*er Verkauf* sale *of securities* in the open market, *Am.* over the counter trade; ~**handzeichnen** *n*, ~**handzeichnung** *f* freehand drawing; ♀**hängend** *tech. adj.* freely suspended.

ˈ**Freiheit** *f* (-; -en) liberty, freedom (*von* from); exemption (from); *bürgerliche* ~ civil liberty, franchise; licen|ce, *Am.* -se; *dichterische* ~ poetic licen|ce, *Am.* -se; scope, latitude; *volle* ~ *haben* have full scope; ~ *der Meere* freedom of the seas; → *Rede*♀, *Presse*♀, *etc.*; *in* ~ *sein* be free (*or* at liberty), *criminal*: be at large; *in* ~ *setzen* set free (*or* at liberty), release, liberate; *sich die* ~ *nehmen, zu inf.* take the liberty of *ger.*, venture to *inf.*; *sich* ~*en erlauben or herausnehmen* take liberties (*gegen* with), make free (with); ♀**lich** *adj.* liberal, free.

ˈ**Freiheits...:** ~**beraubung** *jur. f* deprivation of liberty, *im Amt*: false imprisonment; ~**drang** *m* desire for liberty (*or* independence); ~**entzug** *jur. m* detention; ~**grad** *tech. m* degree of freedom; ~**kampf** *m* struggle for freedom (*or* political independence); revolt; ~**krieg** *m* war of independence; ~**liebe** *f* love of liberty; ♀**liebend** *adj.* freedom-loving; ~**strafe** *jur. f* prison sentence; imprisonment.

ˈ**Frei...:** ♀**heraus** *adj.* frankly; ~**herr** *m* baron; ~**herrin** *f* baroness; ♀**herrlich** *adj.* baronial; ♀**herzig** *adj.* open-hearted, frank; ~**in** *f* (-; -nen) → *Freiherrin*; ~**karte** *f* free pass (*or* ticket), *thea. a.* complimentary ticket; ~**kirche** *f* free church; ♀**kommen** *v/i.* (*irr.*, *sn*) get free; *jur. a.* be released *or* acquitted; ~**körperkultur** *f* (-) nudism; ~**korps** *mil. n* volunteer corps; ~**kuvert** *n* stamped envelope; ~**lager** *n* bivouac; *econ.* dump; ♀**lassen** *v/t.* (*irr.*, *h.*) release, liberate, set free (*or* at liberty); emancipate (*slaves*); → *Kaution*; *in formulars*: leave blank; ~**lassung** *f* (-; -en) release, liberation; ~**lauf** *m* free-wheeling, *Am.* coasting; *im* ~ *fahren* freewheel, coast; (*device*) → ~**laufnabe** *f* freewheel hub, *Am.* coaster-hub; ♀**legen** *v/t.* (*h.*) lay open (*or* bare), expose; uncover; ~**leitung** *el. f* overhead line.

ˈ**freilich** *adv.* certainly, to be sure, quite so; *ja* ~! yes, indeed (*or* of course)!, by all means!; *concessively*: it is true, of course, though; *dies ist* ~ *nicht ganz richtig* this is not quite correct, though.

ˈ**Frei...:** ~**lichtaufnahme** *phot. f* outdoor (*or* exterior) shot; ~**lichtbühne** *f*, ~**lichttheater** *n* open-air stage, open-air theat|re, *Am.* -er; ~**lichtmaleˈrei** *f* plein-air painting; ♀**liegen** *v/i.* (*irr.*, *h.*) be open *or* bare, be exposed; ~**liste** *econ. f* free list (*for duty-free goods*); ~**los** *n* free (*or* gratuitous) lottery-ticket; *sports*: bye; ~**luft...** open-air..., outdoor...; ♀**machen** *v/t.* (*h.*) get free, disengage, extricate (*von* from); clear (*road, etc.*); *fig. die Bahn* ~ *für* (*acc.*) clear (*or* pave) the way for; prepay, stamp (*letters*); *sich* ~ (*employee*) take time off; *sich e-n Tag* ~ take a day off; ~**machung** *f* (-; -en) freeing, disengagement, extrication, release; clearing; evacuation; *mail.* prepayment, stamping; ~**marke** *f* (postage-)stamp.

ˈ**Freimaure|r** *m* freemason; ~ˈ**rei** *f* (-) freemasonry; ♀**risch** *adj.* masonic; ~**rloge** *f* freemasons' (*or* masonic) lodge.

ˈ**Frei...:** ~**mut** *m*, ~**mütigkeit** [ˈ-myːtiçkaɪt] *f* (-) frankness, cando(u)r, openness; ♀**mütig** *adj.* frank, candid, open; ♀**nehmen** *v/t.* (*irr.*, *h.*): (*sich*) *e-n Tag* ~ take a day off; ~**plastik** *f* free-standing sculpture; ~**platz** *m* → *Freistelle*; ♀**religiös** *adj.* secular, non-dogmatic; ~**sasse** *m* freeholder, yeoman; ♀**schaffend** *adj.*: ~*er Künstler* free-lance artist; ~**schar** *mil. f* volunteers corps, irregulars *pl.*; ~**schärler** [ˈ-ʃɛːrlər] *m* (-s; -) volunteer; irregular, gue(r)rilla; ~**schein** *m* licen|ce, *Am.* -se; ~**schule** *f* free school; ~**schüler(in** *f*) *m* free scholar; ♀**schwebend** *tech. adj.* → *freitragend*; ♀**schwimmen:** *sich* ~ (*irr.*, *h.*) pass one's 15 minute swimming test; ~**sinn** *m* (-[e]s) liberalism; ♀**sinnig** *adj.* liberal; ♀**spielen** *soccer*: *sich* ~ (*h.*) dribble o.s. free; ♀**sprechen** *v/t.* (*irr.*, *h.*) *esp. eccl.* absolve (*von* from); *jur.* acquit (of), discharge (on); exonerate (from *guilt*); clear (*of suspicion*); release *apprentice* from his articles; ~**sprechung** [ˈ-ʃprɛçuŋ] *f* (-; -en) absolution; exoneration; release *of an apprentice*; *jur.* → ~**spruch** *m* acquittal; verdict of not guilty; ~**staat** *m* free state; republic; ~**statt,** ~**stätte** *f* asylum, sanctuary, refuge; ♀**stehen** *v/i.* (*irr.*, *h.*): *es steht Ihnen frei, zu inf.* you are free (*or* at liberty), it is free for (*or* to) you to *inf.*; ♀**stehend** *adj.* isolated; detached (*house, etc.*); *sports*: ~*er Spieler* unmarked player; ~**stelle** *f ped.* free place, scholarship; ♀**stellen** *v/t.* (*h.*) exempt (*von* from; *a. mil.*); *j-m et.* ~ leave a th. to a p.('s discretion); *freigestellt* optional; ~**stellung** *mil. f*: ~ *im öffentlichen Interesse* exemption (from military service).

ˈ**Freistil** *m* (-[e]s) *sports*: free style; ~**ringen** *n* free-style wrestling; catch-as-catch-can; ~**ringer** *m* free-style (*or* catch-as-catch-can) wrestler; ~**schwimmen** *n* free-style swimming.

ˈ**Frei...:** ~**stoß** *m soccer*: free kick; ~**stunde** *f* leisure hour; *ped.* free period; ~**tag** *m* Friday; *Stiller* ~, *Kar*♀ Good Friday; ~**tod** *m* voluntary death, suicide; ♀**tragend** *tech. adj.* cantilever, self-supporting; floating (*axle*); *el.* ~*er Mast* pylon;

~treppe *f* outside staircase, perron, *Am.* stoop; **~übungen** *f/pl.* free standing exercises, light (*Am.* free) gymnastics; callisthenics; **~umschlag** *m* stamped envelope; **~verkehr** *econ. m* unofficial (*Am.* curb) trading; *im ~* in the open market, *Am.* over the counter; **~verkehrsbörse** *econ. f* kerb (*or* inofficial) market, *Am.* curb market; **Ϩwerden** *v/i.* (*irr., sn*) become free; *mil. troops, chem.* become disengaged; **~wild** *n* fair game (*a. fig.*); **Ϩwillig** *adj.* voluntary, spontaneous; *adv. a.* of one's own free will; *sich ~ erbieten or melden* volunteer, *mil. a.* enlist, enroll; *jur. ~e Gerichtsbarkeit* non-contentious litigation; **~willige(r** *m*) ['-viligə(r)] *f* (*-n, -n; -en, -en*) volunteer; **~willigkeit** *f* voluntariness, spontaneity; **~zeichen** *teleph. n* dial(l)ing tone; **~zeichnung** *econ. f* exoneration (*of liability*); public subscription (*to shares*); **~zeichnungsklausel** *f* exoneration clause; **~zeit** *f* free (*or* spare, leisure, off) time; **~zeitgestaltung** *f* recreational (*or* spare time) activities *pl.*, planned recreation; **~zeitlager** *n* holiday camp; **~zone** *f* free zone; **Ϩzügig** *adj.* free to move; *fig.* unhampered; permissive; **~zügigkeit** *f* freedom of movement; permissiveness.

fremd [frɛmt] *adj.* strange; foreign; alien; exotic; extraneous; → *~artig*; unknown, unfamiliar; *econ. ~e Gelder banking*: deposits by customers; *~e Mittel* outside funds; *~es Gut* other people's property; *~e Hilfe* outside help; *in ~en Händen* in other (*or* strange) hands; *unter e-m ~en Namen* under an assumed name, incognito; *ich bin hier (selbst) ~* I am a stranger here (myself); *er ist mir nicht ~* he is no stranger to me; *diese Gedankengänge sind ihm ~* such thoughts are alien to him; *sie tat so ~* she acted very cool (*or* distant); **'Ϩarbeit** *f* outside labo(u)r; **'Ϩarbeiter** *m* outside worker; *pl.* foreign labo(u)r; **~artig** ['-ɑːrtiç] *adj.* strange, heterogeneous; odd, strange, outlandish, exotic; **'Ϩartigkeit** *f* (*-; -en*) heterogeneity; strangeness, oddness; **'Ϩbefruchtung** *bot. f* cross-fertilization; **'Ϩbestäubung** *f* cross-pollination.

Fremd|e ['frɛmdə] **1.** *f* (*-*) foreign country *or* parts *pl.*; *in die (der) ~* abroad; **2. ~e(r** *m*) *f* (*-n, -n; -en, -en*) stranger; foreigner; alien; tourist; guest, visitor; **Ϩeln** [-əln] *v/i.* (*h.*) act strange, be reserved (*or* shy).

Fremden... ['frɛmdən-]: **~buch** *n* visitors' book; **Ϩfeindlich** (**Ϩfreundlich**) *adj.* hostile (friendly) to foreigners; **~führer** *m* guide; **~haß** *m* xenophobia; **~heim** *n* boarding-house, private hotel; **~industrie** *f* tourist trade (*or* industry); **~legion** *mil. f* Foreign Legion; **~verkehr** *m* tourist traffic, tourism; *den ~ heben* attract tourists; **~verkehrs-ort** *m* (*-[e]s; -e*) tourist cent|re, *Am.* -er; **~zimmer** *n* spare (bed-)room, guest-room.

'Fremd...: ~erträge ['-ɛrtrɛːgə] *m/pl.* extraneous income *sg.*; **~finanzierung** *f* outside financing; **~herrschaft** *f* alien rule; **~kapital** *n* outside (*or* borrowed) capital; **~körper** *m* foreign body (*or* substance, matter); *fig.* alien element; **Ϩländisch** ['-lɛndiʃ] *adj.* foreign, *bot.* exotic; **~ling** ['-liŋ] *m* (*-s; -e*) stranger; **Ϩrassig** *adj.* alien (to the race); **~sprache** *f* foreign language; **~sprachenkorrespondent(in** *f*) *m* foreign correspondence clerk; **~sprachensekretärin** *f* linguist-secretary; **Ϩsprachig** *adj.* speaking a foreign language, foreign-language; **Ϩsprachlich** *adj.* foreign-language; **Ϩstämmig** *adj.* alien (to the race), (of a) foreign (race); **~stoff** *m* → *Fremdkörper*; impurity; **~strom** *el. m* extraneous current; **~wort** *n* (*-[e]s; ⸚er*) foreign word; **~zündung** *mot. f* spark ignition; *b.s.* uncontrol(l)ed ignition.

frenetisch [fre'neːtiʃ] *adj.* frenzied, frantic.

frequentieren [frekvɛn'tiːrən] *v/t.* (*h.*) frequent; patronize (*shop, etc.*).

Frequenz [fre'kvɛnts] *f* (*-; -en*) *phys.* frequency; (*visitors*) attendance; traffic; **~abstand** *m radio*: frequency, separation; **~band** *n* (*-[e]s; ⸚er*) frequency band; service band; **~bereich** *m* range of frequencies; **~messer** *m* (*-s; -*) frequency meter; **~modulation** *f radio*: frequency modulation (*abbr.* F.M.); **Ϩmoduliert** *adj.* frequency-modulated; **~schreiber** *m* frequency recorder; **~wandler** *m* frequency converter.

Fresk|e ['frɛskə] *f* (*-; -n*), **~o** *n* (*-s; -ken*) fresco; **~engemälde** *n* fresco-painting; **~enmale'rei** *f* painting in fresco.

Freßbeutel ['frɛs-] *m* nose-bag.

Fresse ['frɛsə] *vulg. f* (*-; -n*) (*mouth*) jaws *pl.*, potato-trap; (*face*) *sl.* mug, map; *meine ~!* God's teeth! → *Maul.*

'fressen *v/t. and v/i.* (*irr., h.*) eat, feed; devour; *colloq. person*: gorge (*a. v/i.*), guzzle; *chem.* corrode; *tech.* pit; *piston*: freeze; *bearing*: stick; *fig.* swallow, consume; *e-m Tier (Gras, etc.) zu ~ geben always*: feed an animal (on grass, *etc.*), *once*: feed (grass, *etc.*) to an animal; *fig. an j-m ~* prey on a p.'s mind; *der Neid frißt ihn* he is eaten (up) with envy; *er fraß sie mit s-n Augen* he devoured her with his eyes; **'Fressen** *n* (*-s*) feed(ing), food; *das ist ihm ein gefundenes ~* that was just what he wanted.

'Fresser(in *f*) *m* (*-s, -; -, -nen*) glutton, gormandizer, guzzler.

Fresse'rei *f* (*-; -en*) gluttony, gormandizing, guzzling.

'Freß...: ~gier *f* greediness, gluttony, voracity; **Ϩgierig** *adj.* greedy, gluttonous, voracious; **~napf** *m* feeding dish; **~trog** *m* trough, manger; **~werkzeuge** *n/pl.* masticating apparatus *sg.*

Frettchen ['frɛtçən] *n* (*-s; -*) ferret.

Freude ['frɔʏdə] *f* (*-; -n*) joy (*an dat.* in, *über acc.* at), gladness; pleasure; delight, glee; *~ haben (or finden) an (dat.)* take pleasure (*or* delight) in; *j-m ~ bereiten* give pleasure (*or* joy) to a p., please a p.; *j-m die ~ verderben* spoil a p.'s joy; *vor ~ weinen* weep for (*or* with) joy; *außer sich vor ~* beside o.s. with joy, overjoyed; *mit ~n* gladly, with pleasure; *es war e-e ~, sie tanzen zu sehen* it was a pleasure (*or* treat) to see her dance; *zu m-r großen ~* to my great (*or* much to my) pleasure.

'Freuden...: *in compounds usu.* ... of joy; **~botschaft** *f* glad tidings *pl.*; **~fest** *n* rejoicing, festival, feast; **~feuer** *n* bonfire; **~geschrei** *n* shouts *pl.* of joy, cheers *pl.*; **~haus** *n* disorderly house, brothel; **~mädchen** *n* prostitute; **~rausch** *m* transports *pl.* (*or* ecstasy) of joy, raptures *pl.*; **~schrei** *m* cry of joy; **~tag** *m* day of rejoicing, red-letter day; **~tanz** *m*: *e-n ~ aufführen* dance with joy; **~taumel** *m* → *Freudenrausch*; **~tränen** *f/pl.* tears of joy.

freude|strahlend *adj.* radiant, beaming with joy; **~trunken** *adj.* rapturous, exulting.

'freudig *adj.* joyful, joyous; glad; enthusiastic(ally *adv.*), keen, ... -conscious, ... -minded; *~es Ereignis* happy event; *~ stimmen* gladden, cheer, elate; *et. ~ erwarten* look forward to a th.; **Ϩkeit** *f* (*-*) joyousness; enthusiasm, keenness, willingness.

freudlos ['frɔʏtloːs] *adj.* joyless, cheerless.

freuen ['frɔʏən] *v/t.* (*h.*) → *erfreuen*; *es freut mich, zu inf.* I am glad (*or* pleased, happy) to; *es freut mich, daß du gekommen bist* I am glad you have come; *deine Antwort freut mich* I am pleased with (*or* glad of, happy about) your answer; *sich ~ (über acc.; zu inf.)* be glad (of, at; to *inf.*), be pleased (with; to *inf.*), be happy (about; to *inf.*), rejoice (at; to *inf.*; *daß* that); *sich ~ an (dat.)* delight in, enjoy, take (*or* find) pleasure in; *sich ~ auf (acc.)* look forward to (*a th. or doing a th.*).

Freund [frɔʏnt] *m* (*-[e]s; -e*), **~in** ['-din] *f* (*-; -nen*) (gentleman, lady, *or* boy, girl) friend; chum, *sl.* pal, *Am. sl.* buddy; *alter ~* old friend, crony, *when addressing*: old man (*or* chap); *vertrauter ~* intimate (*or* bosom-)friend, other self; admirer, beau; → *dick, eng*; *~ der Musik, etc.* lover of music, *etc.*; *~ sein von* be fond of, be partial to, like *a th.*; *sich j-n zum ~e gewinnen* make friends with a p.; *~ und Feind* friend and foe; **~chen** *iro. n* (*-s; -*) old man, old chap, laddie, *Am. sl.* buddy; **~eskreis** ['-dəs-] *m* (circle of) friends *pl.*; **Ϩlich** *adj.* friendly, kind (*gegen* to); amiable, pleasant, genial; obliging; affable; gracious; fair, bright (*weather*); mild, genial (*climate*); cheerful (*room*; *a. stock exchange*); *das macht das Zimmer ~er* that brightens the room; *~ empfangen* give *a p.* a friendly welcome, receive kindly; *in ~en Farben malen* paint a happy picture of; *phot. bitte recht ~!* smile, please!; *~e Grüße* kind regards (*an acc.* to); *mit ~er Genehmigung* by courtesy of; **~lichkeit** *f* (-; *-en*) friendliness, kindness; amiability; affability; pleasantness; brightness; *j-m e-e ~ erweisen* do a p. a favo(u)r (*or* a good turn); *haben Sie die ~, zu inf.* have the kindness to, be kind enough to *inf.*

'**freundlos** *adj.* friendless.

'**Freundschaft** *f* (-; *-en*) friendship; *~ schließen mit* make friends with; *aus ~* out of friendship; **2lich I.** *adj.* friendly, amicable; *~e Beziehungen* friendly relations; **II.** *adv.*: *~ gesinnt gegen* (*acc.*) friendly to, well-disposed to; pro-(*German*, *etc.*); *auf ~em Fuße stehen mit j-m* be on friendly terms with a p.

'**Freundschafts...**: **~bande** ['-bandə] *n/pl.* ties of friendship; **~besuch** *pol. m* goodwill visit; **~bezeigung** *f* mark of friendship; **~dienst** *m* good offices *pl.*, good turn; *j-m e-n ~ erweisen* do a p. a good turn; **~pakt** *m* treaty of friendship; **~spiel** *n sports*: friendly game; **~wechsel** *econ. m* accommodation-bill.

Frevel ['fre:fəl] *m* (-s; -) *eccl.* sacrilege (*a. fig.* = solecism; social crime); blasphemy; misdeed, crime, outrage (*an dat.*, *gegen* on); wantonness; wickedness; vandalism; **2haft** *adj.* sacrilegious; criminal, outrageous; wanton; wicked, impious; **~mut** *m* wantonness, wickedness; **2n** *v/i.* (*h.*) commit an outrage; trespass; *~ an* (*dat.*), *~ gegen* (*acc.*) outrage; blaspheme; **~tat** *f* outrage, crime.

freventlich ['-fəntliç] *adj.* → *frevelhaft.*

'**Frevler** *m* (-s; -), **~in** *f* (-; *-nen*) evil-doer, transgressor, offender; blasphemer; **2isch** *adj.* → *frevelhaft.*

Friede(n) ['fri:də(n)] *m* (-[n]s; -[n]) peace; harmony; tranquillity, peace (*of mind*); *fauler ~* hollow truce; *im ~n* at peace (*mit* with); in peace-times; *~n haben vor* (*dat.*) be safe from; *~n schließen* make peace; *den ~n bewahren* keep the peace; *mit aller Welt in ~n leben* be at peace with everybody; *laß mich in ~n!* leave me alone!; *dem ~n traue ich nicht* there is something in the wind, I smell a rat.

'**Friedens...**: *in compounds* ... of (the) peace, peace-..., peacetime ...; pre(-)war ...; **~angebot** *n* peace-offer; overtures *pl.* of peace; **~bedingungen** *f/pl.* conditions of peace, peace-terms; **~brecher(in** *f*) *m* (-s, -; -, *-nen*) peace-breaker; **~bruch** *m* breach of (the) peace; **~forschung** *f* peace (*or* conflict) research; **~fürst** *eccl. m* Prince of Peace; **~gericht** *n* → *Friedensrichter*; **~konferenz** *f* peace conference; **2mäßig** *adj.* peacetime (*production*, *etc.*), as (it was) in peace-times; *~e Qualität* pre(-)war quality; **~pfeife** *f* pipe of peace; **~politik** *f* pacific (*or* peace) policy; **~preis** *m* pre(-)war price; **~produktion** *f* peacetime production; **~richter** *m* arbitrator; **~schluß** *m* conclusion of peace; **~stärke** *mil. f* peacetime strength, *Brit.* peace establishment; **~stifter(in** *f*) *m* peacemaker; **~störer(in** *f*) *m* disturber of the peace, peace-breaker; **~taube** *f* dove of peace; **~verhandlungen** *f/pl.* peace-negotiations; **~vertrag** *m* peace-treaty; **~ware** *f* pre(-)war goods *pl.*; **~wille** *m* (*-ns*) will to peace; **~zeit** *f* time(s *pl.*) of peace; *in ~en a.* in peacetime.

fried|fertig ['fri:t-] *adj.* peaceable, pacific; **2fertigkeit** *f* (-) peaceableness; **2hof** *m* churchyard, cemetery, *Am. a.* graveyard; **~lich** *adj.* peaceable; peaceful, untroubled, tranquil; *~ stimmen* pacify, mollify; **2lichkeit** *f* (-) peaceableness; peacefulness; **~liebend** *adj.* peace-loving; **~los** *adj.* peaceless, without peace; **~sam** *adj.* → *friedlich.*

frieren ['fri:rən] *v/i. and impers.* (*irr.*, *h.*) freeze; *mich friert or es friert mich* I am (*or* feel) cold, I am freezing; *mich friert an den Füßen* my feet are cold; *es friert* it is freezing; *der Fluß ist gefroren* the river is frozen over.

'**Frieren** *n* (-s) freezing, congelation; chill, shivering.

Fries [fri:s] *m* (-es; -e) *arch.* (*a. cloth*) frieze.

Fries|e ['fri:zə] *m* (-n; -n), **~in** *f* (-; *-nen*), **2isch** *adj.*; **~länder** ['fri:slɛndər] *m* (-s; -), **~länderin** *f* (-; *-nen*) Frisian, Friesian.

Friesel(n *pl.*) ['fri:zəl(n)] *m* (-s; *-n*) miliary vesicles.

frigide [fri'gi:də] *adj.* frigid; **Frigidi'tät** *f* (-) frigidity.

Frikadelle [frika'dɛlə] *f* (-; *-n*) rissole, meat ball.

Frikass|ee [frika'se:] *n* (-s; -s), **2ieren** *v/t.* (*h.*) fricassee.

Friktionsgetriebe [friktsi'o:ns-] *n* friction gear(ing).

frisch [friʃ] **I.** *adj.* fresh; new (*bread*); new-laid, fresh (*egg*); clean (*laundry*); fresh, new; recent; vigorous; bright (*colour*); cool, chilly; brisk, lively; alert; *~ und munter* fresh as a daisy, alive and kicking, wide awake; *mit ~er Kraft* with renewed strength, refreshed; *von ~em* afresh; *noch in ~er Erinnerung* fresh in (my) memory; *~er werden wind*: freshen, stiffen; *~en Mut fassen* take fresh courage; → *Tat*; **II.** *adv.*: *~ gestrichen!* wet (*Am.* fresh) paint!; *~ zu!* on!, go it!, at it!, look lively!; *~ gewagt ist halb gewonnen* a good start is half the battle; '**2arbeit** *f metall.* fining (process); puddling process; '**2blei** *n* refined lead; '**2dampf** *m* live steam; '**2e** *f* (-) freshness; coolness, chill(iness); briskness, liveliness; ruddiness; vigo(u)r; *in alter ~* as fresh as ever; '**2ei** *n* new-laid (*or* fresh) egg; shell egg; '**2eisen** *metall. n* (re)fined iron; '**~en** *v/t.* (*h.*) *metall.* (re)fine, puddle; reduce (*lead*); revive (*copper*); reclaim (*oil*).

Frische'rei *tech. f* (-; *-en*) (re-)finery.

'**Frisch...**: **~esse** *f* refining furnace, refinery; **~fleisch** *n* fresh meat; **~gewicht** *n* fresh weight; **~haltepackung** *f* vacuum package; *in ~* vacuum-packed; **~haltung** *f* preservation; refrigeration, cold storage; **~ling** ['-liŋ] *m* (-s; -e) young wild boar; **~luftheizung** *mot. f* fresh-air heating system; **~stahl** *m* natural (*or* furnace-)steel; **~wasser** *n* (*-s*) fresh water.

Friseur [fri'zø:r] *m* (-s; -e) hairdresser; barber; **~laden** *m* hairdresser's shop, *Am. a.* barbershop.

Friseuse [-'zø:zə] *f* (-; *-n*) ladies' hairdresser, coiffeuse (*Fr.*).

fri'sieren *v/t.* (*h.*): *j-n ~* dress (*or* do) a p.'s hair; *fig.* cook, doctor; *mot. Am. sl.* soup up, hot up; *frisierter Motor a.* hot-rod engine.

Fri'sieren *n* (-s) hairdressing; *fig.* cooking; window-dressing.

Fri'sier|mantel *m* dressing-gown, peignoir (*Fr.*); **~salon** *m* hairdressing saloon, *Am. a.* barbershop; **~tisch** *m* dressing- (*or* toilet-)table, *Am.* dresser.

Frist [frist] *f* (-; *-en*) appointed time, (prescribed) period, (set) term; time-limit, date (of completion, *etc.*), *äußerste ~* final date, *Am.* deadline; interval; time allowed, extension, prolongation; respite; reprieve; *econ.*, *jur. drei Tage ~* three day's grace; *in Jahres2* in a year's time, within a year; *in kürzester ~* at a very short notice, without delay; *innerhalb e-r ~ von 10 Tagen* within a ten-day period; *e-e ~ innehalten* observe a term, meet a time-limit (*or* deadline); *e-e ~ gewähren* grant a respite (*or three day's* grace); *die ~ ist abgelaufen* the period has expired (*or* lapsed); *deine ~ ist abgelaufen* your time is up; '**~ablauf** *m* lapse of time; expiry; maturity; '**2en** *v/t.* (*h.*) delay, put off; → *befristen*; *sein Leben ~* just manage to live, make a bare living, vegetate; '**2gerecht** *adj.* in time, timely, within the period prescribed; '**~gesuch** *n* petition for respite; '**2los** *adj. and adv.* without notice; *~e Entlassung* summary dismissal; **~setzung** ['-zɛtsuŋ] *f* (-; *-en*) appointment (*or* fixing) of a term; → *Frist*; '**~verlängerung** *f* extension (of time), prolongation of a term; extension of term of payment; '**~versäumnis** *f* default.

Frisur [fri'zu:r] *f* (-; *-en*) hairdressing; hair-style, coiffure (*Fr.*), hair-do; hair cut.

Fritter ['fritər] *m* (-s; -) *radio*: coherer.

frivol [fri'vo:l] *adj.* frivolous, flippant.

Frivoli'tät *f* (-; *-en*) frivolity, flippancy.

froh [fro:] *adj.* joyful, glad; cheerful, blithe, in good spirits; merry; gay (*a. colour*); relieved; *~e Botschaft* glad tidings, good news *pl.*; *~es Ereignis* happy event; *über et. ~ sein* be glad of (*or* about) a th., be happy about a th.; *er wird s-s Lebens nicht mehr ~* he has no end of trouble; **~gemut** ['-gəmu:t] *adj.* cheerful, happy.

fröhlich ['frø:liç] *adj.* merry, gay, cheerful, chipper; *~ machen* cheer, gladden, elate; **2keit** *f* (-) joyfulness; mirth, gaiety, cheerfulness.

froh'locken *v/i.* (*h.*) shout for joy, be jubilant; exult (*über acc.* at); triumph (over); *b.s.* gloat (over); **2** *n* (*-s*) jubilation, exultation;

triumph; gloating; ~**d** *adj.* jubilant, exultant.

'**Frohsinn** *m* (-[e]s) cheerfulness, gaiety.

fromm [frɔm] *adj.* pious, religious, devout, godly; gentle, meek (as a lamb); quiet, steady (*horse*); ~*e Lüge* pious (*or* white) lie; ~*er Betrug* pious fraud; ~*er Wunsch* idle wish, wishful thinking.

Frömmelei [frømə'laɪ] *f* (-; -*en*) affected piety, bigotry; '**frömmeln** *v/i.* (*h.*) affect piety, be bigoted; ~*de Sprache* cant.

'**frommen** *v/i.* (*h.*): *j-m* ~ profit a p., be of use to a p.; → *nutzen.*

'**Frommen** *n*: *zu Nutz und* ~ (*gen.*) *or von* (*dat.*) for the good (*or* benefit) of.

'**Frömmigkeit** *f* (-) piety, devoutness, godliness.

'**Frömmler(in** *f*) *m* (-s, -; -, -*nen*) bigot(ed person), devotee; hypocrite.

Fron [fro:n] *f* (-; -*en*), '~**arbeit** *f*, '~**dienst** *m* compulsory labo(u)r *or* service; *hist.* soc(c)age; *fig.* drudgery; '**2en** *v/i.* (*h.*) do compulsory labo(u)r, *hist.* do soc(c)age-service; *fig.* slave.

Fronde ['frɔ̃:də] *f* (-; -*n*) fronde, rebels *pl.*

frönen ['frø:nən] *v/i.* (*h.*, *dat.*) indulge in; be a slave to, be addicted to.

Fron'leichnamsfest *n* Corpus Christi (Day).

Front [frɔnt] *f* (-; -*en*) *arch.* front, face; *mil.* front, front-line; *meteor.* front; *an der* ~ at the front; *hinter der* ~ behind the line; *die* ~ *der Arbeiterschaft* the labour front; *an die* ~ *gehen* go to the front; *fig.* ~ *machen gegen* (*acc.*) turn against; *sports*: *in* ~ *gehen* take the lead, set ahead; '~**abschnitt** *m* front sector.

frontal [frɔn'tɑ:l] *adj.* frontal (*attack, etc.*); *mot., etc.* ~*er Zusammenstoß* head-on collision.

'**Front...**: ~**angriff** *m* frontal attack; ~**antrieb** *mot. m* front-wheel drive; ~**arterie** *anat. f* frontal artery; ~**bericht** *m* front-line report; ~**berichtigung** *f* correction of the front; ~**dienst,** ~**einsatz** *m* front-line service, combat duty; ~**flug** *aer. m* combat sortie, mission.

Frontispiz [frɔnti'spi:ts] *arch.*, *typ. n* (-es; -e) frontispiece.

'**Front...**: ~**kämpfer** *m* front-line fighter, combatant; ex-serviceman, *Am.* (combat) veteran; ~**linie** *f* front-line; ~**seite** *arch. f* frontispiece; ~**soldat** *m* → *Frontkämpfer*; ~**truppen** *f/pl.* combat troops; ~**urlaub** *m* leave (*or* furlough) from the front; ~**wechsel** *m* change of front, *fig.* about-face.

'**Fronvogt** *hist. m* task-master.

fror [fro:r] *pret. of frieren.*

Frosch [frɔʃ] *m* (-es; ¨e) frog; *tech.* cam, bracket; detonating *or* frog rammer; pile-driver; *typ.* adjustable slide; *mus. on violin*: nut; *firework*: cracker, squib; *med.* ~ *im Hals* frog-in-the-throat; *fig. sei kein* ~! come on now!, be a sport!; '~**hüpfen** *n* (-s) leap-frog; '~**laich** *m* frog-spawn; '~**perspektive** *f* worm's-eye view; '~**schenkel** *m* frog's (hind-)leg; '~**teich** *m* frog-pond.

Frost [frɔst] *m* (-es; ¨e) frost; chill, coldness; *med.* cold, shivers *pl.*; '**2beständig** *adj.* frost-resistant; '~**beule** *f* chilblain.

frösteln ['frøstəln] *v/i.* (*h.*) feel chilly, shiver (with cold).

'**Frösteln** *n* (-s) (cold) shiver.

'**frostig** *adj.* frosty, chilly (*a. fig.*).

'**Frost...**: ~**salbe** *f* chilblain ointment; ~**schaden** *m* frost damage; *med.* frostbite; ~**schutzmittel** *mot. n* antifreezing solution; ~**schutzscheibe** *mot. f* antifrost screen; **2sicher** *adj.* frost-resistant; ~**wetter** *n* frosty weather.

Frottee [frɔ'te:] *n* (-[s]; -s) terry cloth.

frot'tier|en *v/t.* (*h.*) rub; **2(hand)-tuch** *n* Turkish towel.

Frucht [fruxt] *f* (-; ¨e) fruit; corn; *physiol.* f(o)etus; *fig.* fruit, product, result; *jur.* revenue; *Früchte tragen* bear fruit; '**2bar** *adj.* fruitful (*esp. a. fig.*); (*a. biol.*) fecund, fertile, prolific (*all a. fig.*; *an dat.* in); ~ *machen* fertilize; '~**barkeit** *f* (-) fruitfulness; fertility, fecundity; productivity; '~**baum** *m* fruit-tree; '~**boden** *bot. m* receptacle; '~**bonbon** *m* fruit-lozenge (*or* -drop).

Früchtchen ['fryçtçən] *n* (-s; -) small fruit; *fig. colloq. sauberes* ~ young scamp, scapegrace, (young) rascal.

'**Frucht...**: ~**eis** *n* ice-cream, sundae; **2en** *v/i.* (*h.*) *fig.* bear fruit; be of use, have effect; *nicht*(*s*) ~ be of no avail *or* use, be in vain; ~**fleisch** *n* fruit pulp; ~**folge** *agr. f* crop rotation; ~**hülle** *anat. f* f(o)etal membrane; ~**knoten** *bot. m* seed vessel; **2los** *adj.* fruitless; *fig. a.* unavailing, ineffective; ~**losigkeit** *f* (-) fruitlessness; ~**presse** *f* fruit-press, juicer; ~**saft** *m* fruit-juice; ~**säure** *f* fruit acid; **2tragend** *adj.* fruit-bearing, fructiferous; ~**wasser** *anat. n* (-s) amniotic fluid; ~**wechsel** *m* → *Fruchtfolge*; ~**zucker** *m* fruit-sugar, d-fructose.

frugal [fru'gɑ:l] *adj.* frugal.

früh [fry:] *adj.* early; (*adv.*) *a.* in good time; early on; premature, untimely; in the morning; *heute* ~ (early) this morning; *von* ~ *bis spät* from morning till night; ~*er* earlier; former, previous, *adv.* earlier, sooner; formerly, in former times; ~ *als a.* prior to; ~*er oder später* sooner or later; ~*est* earliest, soonest; *in* ~*esten Zeiten* in most distant (*or* remote) ages, at the dawn of history; ~*estens* at the earliest; ~*e Morgenstunden* the small hours; *zu* ~ *kommen* be early; '**2apfel** *m* summer apple; '**2aufsteher(in** *f*) *m* (-s, -; -, -*nen*) early riser, early bird; '**2beet** *n* hotbed.

'**Frühe** *f* (-) early hour *or* morning; daybreak, dawn; *in aller* ~ quite early, early in the morning, at daybreak.

'**früher, frühest** ['-əst] → *früh.*

'**Früh...**: ~**geburt** *f* premature birth; ~**gemüse** *n* early vegetables *pl.*; ~**geschichte** *f* (-) early history; ~**gottesdienst** *m* morning service; ~**jahr** *n* spring; ~**jahrsmüdigkeit** *f* spring lassitude; ~**jahrsputz** *m* spring cleaning; ~**kartoffeln** *f/pl.* early potatoes; ~**konzert** *n* morning concert.

Frühling ['-liŋ] *m* (-s; -e) spring, springtime; ~**s-anfang** *m* commencement of spring; **2shaft** *adj.* spring-like; ~**sluft** *f* vernal air; ~**s-wetter** *n* spring-weather; ~**szeit** *f* springtime.

'**Früh...**: ~**messe** *f* morning prayer, matins *pl.*; **2morgens** *adv.* early in the morning; ~**obst** *n* early fruit; **2reif** *adj.* early(-ripe), forward; *fig.* precocious; ~**reife** *f* earliness; precocity; ~**saat** *f* first sowing; ~**schoppen** *m* morning pint; ~**sport** *m* early morning exercises *pl.*; ~**start** *m sports*: false start; ~**stück** *n* breakfast; *zweites* ~ mid-morning snack; **2stücken** *v/i.* (*h.*) (have) breakfast; ~**zeit** *f* (-) early epoch, dawn (of history); **2zeitig** *adj.* early, in good time; untimely, premature; ~**zeitigkeit** *f* (-) earliness; untimeliness; ~**zug** *m* early train; ~**zündung** *mot. f* pre-ignition, advanced ignition.

Frustration [frustratsi'o:n] *psych. f* (-; -*en*) frustration; **fru'striert** *adj.* frustrated.

Fuchs [fuks] *m* (-es; ¨e) fox (*a. fig.*); *männlicher* ~ he-fox, *weiblicher* ~ (**Füchsin** ['fyksin] *f*, -; -*nen*) she-fox, vixen; *fig. schlauer* ~ sly fox (*or* dog); sorrel (horse); *univ.* freshman; *tech.* main flue; *wo sich* ~ *und Hase gute Nacht sagen* in the backwoods; '~**bau** *m* (-[e]s; -*ten*) fox-earth; '~**eisen** *n* fox-trap; '**2en** *colloq. v/t.* (*h.*) madden; *sich* ~ fret (and fume), be mad (*über acc.* at); '~**falle** *f* → *Fuchseisen.*

Fuchsie ['fuksiə] *bot. f* (-; -*n*) fuchsia.

'**Fuchs...**: **2ig** *adj.* foxy; *colloq.* furious, mad; ~**jagd** *f* fox-hunt(ing); ~**pelz** *m* (fur of a) fox; **2rot** *adj.* foxy red, sorrel; ~**schwanz** *m* fox-tail (*a. bot.*), brush; *tech.* pad-saw; **2teufelswild** *colloq. adj.* mad with rage, foaming.

Fuchtel ['fuxtəl] *f* (-; -*n*) rod; *fig. j-n unter der* ~ *halten* keep a p. under one's thumb; *unter j-s* ~ under a p.'s thumb; **2n** *v/i.* (*h.*): ~ *mit* (*dat.*) wave *a th.* about, fidget with; brandish; *mit den Händen* ~ gesticulate, saw the air.

fuchtig *adj.* furious.

Fuder ['fu:dər] *n* (-s; -) cart-load; tun (*of wine*).

Fug [fu:k] *m*: *mit* ~ *und Recht* with full right; by rights, justly; *mit* ~ *und Recht kann er behaupten* he is fully justified in saying.

Fuge ['fu:gə] *f* (-; -*n*) **1.** *tech.* joint; seam; slit; rabbet, groove; mortise; *aus den* ~*n bringen* disjoint, put out of joint; *aus den* ~*n gehen* go out of joint, come apart, *fig.* come off the hinges; **2.** *mus.* fugue; **2n** *v/t.* (*h.*) joint; groove; point up; ~**nkelle** *f* pointing trowel; **2nlos** *adj.* jointless; seamless.

füg|en ['fy:gən] *v/t.* (*h.*) → *an-, hinzu-, zusammenfügen*; *fig.* decree, ordain, dispose; *sich* ~ (*dat.*) *or in* (*acc.*) yield to, submit to, comply with; resign o.s. to, put up with;

accommodate o.s. to, reconcile o.s. to; es *fügt sich* it (so) happens; **~lich** ['fy:kliç] *adv.* conveniently, rightly, justly, (very) well; **~sam** ['fy:kza:m] *adj.* pliant, supple; tractable, manageable, docile; obedient; **2samkeit** *f* (-) pliancy; docility; obedience; **2ung** ['-guŋ] *f* (-; -en) dispensation (of Providence), providence, decree; coincidence; fate; *~ in* (*acc.*) resignation to, submission to.

fühlbar ['fy:lba:r] *adj.* sensible; tangible, palpable; perceptible, noticeable; distinct, marked; considerable, appreciable; *~er Mangel* felt want; *~er Verlust* serious loss; *sich ~ machen* make itself felt; be (much) in evidence; **2keit** *f* (-) sensibility; tangibleness; perceptibility; seriousness.

'**fühlen I.** *v/t.* (*h.*) feel; have a sense of, sense; perceive; be aware of; *j-m den Puls ~* feel a p.'s pulse (*a. fig.*); *j-n et. ~ lassen* make a p. feel a th.; *sich glücklich, etc., ~* feel happy, *etc.*; *er fühlte sich mehr u. mehr bedroht* he had a growing sense of being in danger; **II.** *v/i.* (*h.*) feel; *mit j-m ~* feel for (*or* sympathize with) a p.; → *Zahn.*

'**Fühlen** *n* (-s) feeling; → *Gefühl.*

'**Fühl|er** *m* (-s; -) feeler, antenna; tentacle; *fig. s-e ~ ausstrecken* put out a feeler; **~horn** *n* (-[e]s; "er) feeler, horn; **2los** *fig. adj.* unfeeling; **~ung** *f* (-) touch, contact (*a. mil.*); *~ haben* (*verlieren*) *mit* (*dat.*) be in (lose) touch with; *~ nehmen mit* get into touch with, establish contacts with, contact *a p.*; **~ungnahme** ['-na:mə] *f* (-; -en) (entering into) contact; approach; first (*or* preliminary) step *or* talks *pl.*

fuhr [fu:r] *pret. of fahren.*

Fuhre ['fu:rə] *f* (-; -n) conveyance, carriage, carting; (cart-)load.

führen ['fy:rən] **I.** *v/t.* lead (*nach, zu* to); direct; take (to); conduct, guide, escort; usher (*a p. to his seat*); march (*a p. to the door, the troops uphill, etc.*); *mil.* command; captain (*aircraft, enterprise, team*); carry (*a. mar.*); *bei sich ~* carry *or* have with (*money*: about) one; drive; steer, pilot; manage, control, superintend; hold (*office*); keep (*books*); *in den Büchern ~* carry on the books; carry on, manage, run (*business*); hold (*a conversation*); carry on (*law-suit*), try (*a case*), conduct (*a case*); bear, go by *or* under (*a name*); hold, bear (*title*); bear, have (*coat-of-arms*); wield (*weapon, pen*); *econ.* **a)** carry (in stock), keep, **b)** deal in, sell, have for sale, keep, *Am. a.* carry; strike (*a blow*); use (*bad language*); *el.* carry, conduct (*current*); *sich gut ~* conduct o.s. *or* behave well; *hinein~* show (*or* usher) in (*visitor*); *durch das Haus ~* show over the house; *zum Munde ~* raise to one's lips; *die Aufsicht ~ über* (*acc.*) superintend; (*j-m*) *den Haushalt* (*or die Wirtschaft*) *~* keep house (for a p.); *Krieg ~ mit* (*dat.*) wage war with, make war upon, be at war with; *ein Leben ~* lead (*or* live) a life; *j-s Sache ~* plead a p.'s cause; → *Beweis, Klage, Krieg, Licht, Protokoll, Schild, Vorsitz, Wort, etc.*; *tech.* → *einführen*; *über et. ~* pass *a tool, etc.* over; **II.** *v/i.* (*h.*) lead (*nach, zu* to); *fig. ~ zu* (*dat.*) lead to, result (*or* end) in, entail; *sports*: (hold the) lead; be ahead (*e.g. 6:2*); *wer führt?* who is ahead?; *die Straße führt nach X.* this road leads to X.; *wohin soll das* (*bloß*) *~?* where is that going to lead us?, what (earthly) good can come of it?; *das führt zu nichts* that leads us nowhere; **~d** *adj.* leading, prominent, (top-)ranking; *~e Stellung* position of authority; *~ sein* (hold the) lead, rank in first place, be at the top.

'**Führer** *m* (-s; -), **~in** *f* (-; -nen) leader; chief, head; conductor; director; guide (*a. book*); manager (-ess *f*); *mil.* commander; leader; *sports*: captain; driver (*of vehicle*); *aer.* pilot; *b.s.* ring-leader; *tech.* guide; **~eigenschaften** *f/pl.* qualities of leadership; **~flugzeug** *n* flight leader; **~haus** *mot., rail. n* driver's cab; **2los** *adj.* without a leader, guideless; driverless, abandoned (*car*); *~es Flugzeug* pilotless aircraft; **~prinzip** *n* authoritarian principle; principle of (totalitarian) leadership; **~schaft** *f* (-) leadership; *the* leaders *pl.*; **~raum** *aer. m* cockpit; **~schein** *m mot.* driving licence, *Am.* driver's license *or* permit; *aer.* pilot's certificate; **~sitz** *m mot.* driver's seat; *aer.* pilot's seat, cockpit; **~stand** *m of crane*: driver's stand (*or* cabin); *aer., mar.* control cabin; *rail.* cab; **~stellung** *f* leadership, conductorship; **~tum** *n* (-s) leadership.

'**Fuhr...**: **~geld** *n*, **~lohn** *m* cartage, carriage; **~herr** *m* jobmaster; **~mann** *m* (-[e]s; *-leute*) carter, carrier; driver; **~park** *m* (transport) park, *Am. a.* vehicle pool; fleet.

'**Führung** *f* (-) leadership; conduct, direction, management; *mil.* command; control; *mil. innere ~* moral leadership; guidance; *in museum, etc.* (*pl.* -en): tour of inspection, showing round; use (*of a title*); *mot.* driving, steering; *aer.* piloting, pilotage; house-keeping; conduct, demeano(u)r; *schlechte ~* misconduct; *tech.* guide, slide; → *Bogenführung*; *unter der ~ von* (*dat.*) under the direction (*or* guidance, *mil.* command of), headed by; *die ~ übernehmen* take charge (*or* the initiative); take the lead (*a. sports*); *in ~ sein* be in the lead, be leading.

'**Führungs...**: **~bahn** *tech. f* (guide-) way, guide(-track); **~bolzen** *tech. m* guide pin; **~kraft** *f* executive; manager; leader; **~leiste** *f* cam groove; **~lineal** *n* guide rule; *of milling machine*: gib; **~rolle** *tech. f* guide roller; **~schiene** *f* guide rail; **~stab** *mil. m* operations staff; **~zeugnis** *n* certificate of (good) conduct; police clearance; *for domestics*: character, reference.

'**Fuhr...**: **~unternehmen** *n* haulage contracting firm, *Am.* trucking company; **~unternehmer** *m* carrier, haulage contractor, hauler, *Am. a.* trucker, teamster; **~werk** *n* vehicle, conveyance; cart, wag(g)on; *for passengers*: carriage; **~wesen** *n* (-s) conveyance; carrying (*Am.* trucking) trade, hauling business.

Füll|bleistift ['fyl-] *m* mechanical (*or* propelling) pencil; **~e** *f* (-) fullness (*a. fig.*); plenty, wealth, abundance, profusion, overflow; stoutness, corpulence, plumpness; *of voice*: richness; *e-e ~ von Einfällen* (*Eindrücken, etc.*) a wealth of ideas (impressions, *etc.*); → *Hülle.*

'**füllen** *v/t.* (*h.*) (*a. sich ~*) fill; inflate; stuff, cram; load, charge; replenish; stop, fill (*tooth*); stuff (*meat, etc.*); *auf Flaschen ~* bottle; *in Fässer ~* barrel; *in Säcke ~* sack, put into bags; *persons*: fill, crowd, throng (*a room, etc.*); *die Kirche füllte sich* the church filled.

Füllen ['fylən] *n* (-s; -) foal; colt; filly.

'**Füll...**: **~er** *m* (-s; -), **~feder(halter** *m*) *f* fountain-pen; **~horn** *n* (-[e]s; "er) horn of plenty, cornucopia; **2ig** *adj.* full; well rounded, plump; **~masse** *f* filling compound (*or* paste), filler; **~material, ~mittel** *n* filling material, filler; **~order** *econ. f* stopgap order; **~rumpf** *m* storage bin *or* hopper; **~schraube** *mot. f* filler cap; **~sel** ['-səl] *n* (-s; -) *cul.* stuffing; *fig.* stopgap; *in writings, etc.*: padding; **~steine** *arch. m/pl.* rubble, filling-in stone *sg.*; **~stift** *m* → *Füllbleistift*; **~stoff** *m* → *Füllmaterial*; **~stutzen** *m* filler neck; **~trichter** *m* (filling) funnel; (feeding) hopper; **~ung** *f* (-; -en) filling; *cul.* stuffing; *tech.* padding, stuffing; *of door*: panel; *for processing*: charge, batch; *of tooth*: filling, stopping; **~vorrichtung** *f* filling device; **~wort** *n* (-[e]s; "er) expletive.

fulminant [fulmi'nant] *adj.* phantastic, terrific.

fummeln ['fuməln] *colloq. v/i.* (*h.*) fumble (*an dat.* with), fiddle (with, at); pet.

Fund [funt] *m* (-[e]s; -e) finding, discovery; find; *jur.* object found; *e-n ~ tun* make a find *or* discovery.

Fundament [funda'mɛnt] *n* (-[e]s; -e) *arch.* foundation(s *pl.*), base (*a. of mountain*), ground work; *tech.* foundation- (*or* bed-)plate; *fig.* foundation, basis, ground work; *das ~ legen zu* (*dat.*) → *fundamentieren*; **fundamental** [-'ta:l] *adj.* fundamental, basic; **fundamen'tieren** *v/t.* (*h.*) lay the foundation of.

'**Fund...**: **~büro** *n* lost property office, *Am.* lost package bureau; **~gegenstand** *m* object found; **~grube** *fig. f* rich source, mine, bonanza, storehouse.

fundieren [fun'di:rən] *v/t.* (*h.*) found, establish; *econ.* fund (*loan*); *fundierte Schuld* funded (*or* consolidated) debt; consols *pl.*; *gut fundiert* **a)** well-established, sound (*business*), **b)** well-grounded (*knowledge*).

'**Fund...**: **~ort** *m* (-[e]s; -e) place of discovery; *bot., etc.*: *a.* habitat, locality; **~unterschlagung** *jur. f* larceny by finder.

fünf [fynf] *adj.* five; *fig.* ~ *gerade sein lassen* stretch a point; *fig.* ~ *Minuten vor zwölf* at the eleventh hour; *es ist* ~ *Minuten vor zwölf* it is high time; *nimm deine* ~ *Sinne zusammen* pay attention!, look alive!; *tennis*: ~ (*für*) *beide* games-all, five all.

Fünf *f* (-; -*en*) (number) five; *on dice*: cinque.

ˈ**fünf...**: ~**aktig** *adj.* in five acts, five-act (play); ~**atomig** *adj.* pentatomic; ~**blätt(e)rig** *bot. adj.* five-leaved; ⁀**eck** [ˈ-ɛk] *n* (-[e]s; -e) pentagon; ~**eckig** *adj.* pentagonal; ⁀**er** *m* five; ~**erlei** [ˈ-ərlaɪ] *adj.* of five (different) kinds; ~ *Typen* five different types; ~**fach,** ~**fältig** [ˈ-fɛltiç] *adj.*, ⁀**fache(s)** *n* (-*n*) five-fold, quintuple; ~**hundert** *adj.* five hundred; ⁀ˈ**jahresplan** *m* five-year plan; ~**jährig** *adj.* five-year-old; of (*or* lasting) five years, five-year; ~**jährlich** *adj.* every five years, quinquennial; ⁀**kampf** *m sports*: (*moderner*) ~ (modern) pentathlon; ⁀**linge** [ˈ-liŋə] *m/pl.* quintuplets; ~**mal** *adv.* five times; ~**malig** *adj.* done (*or* occurring) five times; *nach* ~*em Versuch* after five attempts; ⁀**polröhre** *f radio*: pentode; ~**prozentig** *adj.* of (*or* at *or* bearing) five per cent; *econ.* ~*e Papiere* five per cents; ~**seitig** *adj.* pentahedral; ~**stellig** *adj. number*: of five digits; ~**stöckig** *adj.* five-storied; ⁀**tagewoche** *f* five-day week; ~**tägig** *adj.* of five days, five-day; ~**tausend** *adj.* five thousand; ~**te** [ˈ-tə] *adj.* (the) fifth; → *achte*; *fig. das* ~ *Rad am Wagen sein* be quite superfluous, be the fifth wheel on the coach; ~**teilig** *adj.* having five parts, five-piece (set); ⁀**tel** [ˈ-təl] *n* (-*s*; -) fifth (part); ~**tens** [ˈ-təns] *adv.* fifthly, in the fifth place; ⁀**uhrtee** *m* five-o'clock tea; ~**wertig** *adj.* pentavalent.

ˈ**fünfzehn** *adj.* fifteen; *tennis*: ~ *zu* ~ fifteen all; ~**jährig** *adj.* fifteen-year-old; ~**te** *adj.* fifteenth; ⁀**tel** *n* fifteenth (part).

fünfzig [ˈ-tsiç] *adj.* fifty; ⁀ *f* (-; -*en*) (number) fifty; ⁀**er(in** *f*) [ˈ-gər] *m* (-*s*, -; -, -*nen*) man (woman) in his (her) fifties, quinquagenarian; ~**jährig** *adj.* fifty-year-old, *man* of fifty; fiftieth *anniversary*; ~**ste** [ˈ-stə] *adj.* fiftieth.

fungieren [fuŋˈgiːrən] *v/i.* (*h.*): ~ *als* act (*or* officiate) as, function as.

Funk [fuŋk] *m* (-*s*) wireless, radio; → *Rundfunk, Radio*; ˈ~**anlage** *f* → *Funkeinrichtung*; ˈ~**apparat** *m* wireless (*or* radio) set; ˈ~**ausstellung** *f* radio show; ˈ~**bake** *f* radio beacon; ˈ~**bastler** *m* radio amateur (*or* fan); ˈ~**bearbeitung** *f* radio adaptation (*of play, etc.*); ˈ~**bericht** *m* broadcast; ˈ~**bild** *n* photoradiogram, facsimile (broadcast); ˈ~**brief** *m* radiogram.

Fünkchen [ˈfyŋkçən] *n* (-*s*; -) small spark; *fig.* → *Funke*.

ˈ**Funkdienst** *m* wireless (*or* radio) service.

ˈ**Funke** *m* (-*ns*; -*n*), ~**n** *m* (-*s*; -) spark; flash; *elektrischer* ~ electric spark; *fig.* spark; grain, atom, particle (*of truth, etc.*); ray, gleam, flicker (*of hope*); grain, vestige (*of reason, etc.*); ~*n sprühen* spark, emit sparks, scintillate.

ˈ**Funk-einrichtung** *f* wireless (*or* radio) installation *or* equipment; *mit* ~ *versehen* radio-equipped.

funkeln [ˈfuŋkəln] *v/i.* (*h.*) sparkle (*a. fig. wit*); flash; scintillate; glint, glisten, glitter, *stars*: *a.* twinkle; *eyes*: flash.

ˈ**Funkeln** *n* (-*s*) sparkling, sparkle; scintillation; glitter; twinkling.

ˈ**funkelnagelneu** *adj.* brand-new.

ˈ**funken** *v/i. and v/t.* (*h.*) radio, broadcast.

ˈ**Funken**[1] *n* (-*s*) wireless (*or* radio) transmission.

ˈ**Funken**[2] *m* (-*s*; -) → *Funke*; ~**bildung** *f* sparking; ~**entladung** *f* spark discharge; ~**fänger** *m* spark catcher; ~**induktor** *m* induction coil; ⁀**sprühend** *adj.* giving off (*or* emitting) sparks; ~**strecke** *f* spark gap; ~**telegraphie** *f* wireless telegraphy.

ˈ**Funk...**: ⁀**entstört** *adj.* radio-screened; ~**entstörung** *f* interference suppression; (*device*) static screen; ~**er** *m* (-*s*; -) wireless (*or* radio) operator; ⁀**ferngesteuert** *adj.* wireless- (*or* radio-)controlled; ~**fernschreiber** *m* radio teleprinter (*or* teletype); ~**fernsprecher** *m* radiotelephone; ~**feuer** *n* radio beacon; ~**gerät** *n* → *Funkapparat*; ~**haus** *n* broadcasting cent|re, *Am.* -er (*or* studio); ~**meldung,** ~**nachricht** *f* → *Funkspruch*; ~**navigation** *f* radio navigation; ~**offizier** *m* wireless officer (*abbr.* W.O.), radio officer; ~**ortung** *f* radio location; ~**peilgerät** *n* radio direction finder (*abbr.* RDF); ~**peilstelle** *f* D/F (= direction finder) station; ~**peilung** *f* radio bearing; ~**senden** *n* (-*s*), ~**sendung** *f* wireless (*or* radio) transmission; ~**signal** *n* radio signal; ~**sprechgerät** *n* radiophone; walkie-talkie; ~**sprechverkehr** *m* radiotelephony; ~**spruch** *m* wireless (*or* radio) message, radiogram, signal; ~**station,** ~**stelle** *f* radio (*or* wireless) station; broadcasting station; ~**steuerung** *f* radio remote control; ~**stille** *f* radio (*or* wireless) silence; ~**störung** *f* radio jamming; ~**streife** *f*, ~**streifenwagen** *m* radio patrol (car), squad car; ~**technik** *f* wireless (*or* radio) engineering; ~**techniker** *m* radio engineer *or* technician; ~**telegramm** *n* → *Funkspruch*; ~**telephonie** *f* radiotelephony.

Funktion [fuŋktsiˈoːn] *f* (-; -*en*) function; *in* ~ *treten* act, take charge (*or* over *or* action); **Funktionär** [-tsioˈnɛːr] *m* (-*s*; -*e*) functionary, official; **funktionell** [-ˈnɛl] *physiol. adj.* functional; **funktioˈnieren** *v/i.* (*h.*) function, operate, work (*a. fig.*).

Funktiˈons|probe *el. f* function test; ~**störung** *med. f* functional disturbance.

ˈ**Funk...**: ~**trupp** *m* radio squad; ~**turm** *m* radio tower; ~**verbindung** *f* wireless (*or* radio) connection *or* contact; ~**verkehr** *m* wireless (*or* radio) communication *or* traffic; ~**wagen** *m* radio car *or* truck; → *Funkstreifenwagen*; ~**weg** *m*: *auf dem* ~ by wireless (*or* radio); ~**wesen** *n* (-*s*) broadcasting; radiotelegraphy; ~**zeitung** *f* radio magazine.

Funzel [ˈfuntsəl] *colloq. f* (-; -*n*) dim (*or* miserable) lamp.

für [fyːr] *prp.* (*acc.*) for; in exchange (*or* return) for; in favo(u)r of; instead of, in lieu of; in *a p.'s* place, on behalf of *a p.*; *Jahr* ~ *Jahr* year by year; *Schritt* ~ *Schritt* step by step; *Stück* ~ *Stück* piece by piece; *Tag* ~ *Tag* day by (*or* after) day; day in, day out; ~ *immer* (*a.* ~ *und* ~ *adv.*) for ever, for good; ~ *dich* for you, for your sake; *ich,* ~ *m-e Person* I for one, as for me; ~*s erste* first, for a start, for the present; ~ *eigene Rechnung* on one's own account; ~ *sich* in an undertone, *thea.* aside; ~ *sich leben* live by o.s.; *sich* ~ *sich halten* stand (*or* keep) aloof; *an und* ~ *sich* **a**) in (*or* of) itself; **b**) properly speaking; *e-e Sache* ~ *sich* quite another matter, a separate question; *das hat viel* ~ *sich* there is something in that, much can be said for it; *sie sind ein Völkchen* ~ *sich* they are a race to themselves (*or* apart); *ich halte es* ~ *unklug* I think it unwise; *ich habe* (*esse*) *es* ~ *mein Leben gern* I like it above all things; *was* ~ (*ein*)? what (kind of)?

Für *n*: *das* ~ *und Wider* the pros and cons *pl.*

Furage [fuˈrɑːʒə] *mil. f* (-) forage, fodder; **furaˈgieren** *v/i.* (*h.*) forage.

fürbaß [ˈ-bas] *adv.* on, further, forward.

ˈ**Fürbitte** *f* intercession; ~ *einlegen* intercede, plead (*für* for; *bei* with).

Furche [ˈfurçə] *f* (-; -*n*) furrow; *tech.* groove; rut; ⁀**n** *v/t.* (*h.*) furrow (*a. face, forehead*); ridge; rut.

Furcht [furçt] *f* (-) fear (*vor dat.* of); apprehension (of), anxiety; dread (of), fright; terror; awe; *aus* ~ *vor* for (*or* from) fear of; ~ *einflößen* frighten, terrify; → *einjagen*; ~ *haben vor* be afraid of, stand in fear of; → *fürchten*; *in* ~ *geraten* take fright *or* alarm; *keine* ~! no (*or* never) fear!; ˈ⁀**bar** *adj.* fearful; dreadful, frightful, formidable, horrible, terrible (*all a. colloq. enormous*); *colloq.* awful, tremendous.

fürchten [ˈfyrçtən] *v/t. and v/i.* (*h.*) (*a. sich* ~ *vor dat.*) fear; be afraid (*or* apprehensive) of; dread, be in dread of; be terrified by; *für j-n* ~ fear for (*or* be anxious about) a p.; *Gott* ~ fear God; *sich* ~ *zu inf.* fear *ger.*, be afraid of *ger.*, dread to *inf.*; *ich fürchte, du hast nicht recht* I am afraid you are not right.

ˈ**fürchterlich** *adj.* horrible, terrible; appalling; → *furchtbar*.

ˈ**furcht|erregend** *adj.* awful, formidable; alarming; → *furchtbar*; ~**los** *adj.* fearless, intrepid; undaunted, unflinching; ⁀**losigkeit** *f* (-) fearlessness, intrepidity; ~**sam** *adj.* timid, timorous, fearful, faint-hearted; ⁀**samkeit** *f* (-) timidity, faint-heartedness.

fürder(hin) [ˈfyrdər-] *adv.* → *ferner(hin)*.

Furie [ˈfuːriə] *f* (-; -*n*) Fury; *fig.* fury, termagant, hell-cat.

Furier [fu'ri:r] *mil. m* (-s; -e) quartermaster sergeant (*abbr.* QM), *Am.* ration N.C.O. (= noncommissioned officer).

furios [furi'o:s] *adj.* furious, vehement.

Furnier [fur'ni:r] *tech. n* (-s; -e) veneer; **≈en** *v/t.* (*h.*) veneer, inlay; **~holz** *n* plywood, veneers *pl.*; **~säge** *f* veneer saw; **~ung** *f* (-; -en) veneering; inlaid work, inlaying.

fürliebnehmen [fy:r'li:p-] *v/i.* (*irr.*, *h.*): ~ *mit* (*dat.*) be content with, put up with.

Furore [fu'ro:rə] *f* (-) *or n* furore; sensation; ~ *machen* cause (*or* create) a sensation, make a splash.

'**Fürsorge** *f* (-) care (*für* for); solicitude; *ärztliche* ~ medical care *or* attention; *öffentliche* ~ public assistance, public relief, welfare service (*or* work); *soziale* ~ social welfare (work); *Kinder*≈ child welfare; ~ *für Strafentlassene* after-care (for discharged prisoners); **~amt** *n* welfare cent|re, *Am.* -er, public relief office; **~anstalt** *f* reformatory; **~arbeit** *f* social work; **~arzt** *m* welfare service doctor; **≈berechtigt** *adj.* eligible for public relief; **~empfänger(in** *f*) *m* recipient of public relief, public charge; **~r(in** *f*) *m* (-s, -; -, -nen) welfare officer, social worker; **~erziehung** *f* trustee (*or* correctional) education; **~wesen** *n* (-s) welfare work.

'**fürsorglich** *adj.* careful, thoughtful, solicitous.

'**Fürsprache** *f* intercession (*für* for, *bei dat.* with); advocacy, plea; recommendation; mediation; ~ *einlegen* intercede *or* plead (*für j-n* for a p., *bei j-m* with a p.).

'**Fürsprecher** *m* intercessor; advocate.

Fürst [fyrst] *m* (-en; -en) prince; sovereign; '**~bischof** *m* prince-bishop; '**~engeschlecht**, '**~enhaus** *n* dynasty (of princes); '**~enstand** *m*, '**~enwürde** *f* princely rank, princedom; '**~entum** *n* principality; '**~in** *f* (-; -nen) princess; '**≈lich I.** *adj.* princely (*a. fig. income*); *fig.* noble, magnificent, grand; *~es Trinkgeld* generous tip; *~es Mahl* sumptuous dinner; **II.** *adv.*: ~ *leben* live in grand style; '**~lichkeit** *f* (-; -en) princeliness; *~en pl.* princely personages, royalties.

Furt [furt] *f* (-; -en) ford.

Furunkel [fu'ruŋkəl] *med. m* (-s; -) boil, furuncle; **furunkulös** [-ku'lø:s] *adj.* furuncular; **Furunkulose** [-'lo:zə] *f* (-; -n) furunculosis.

für'wahr *adv.* indeed, truly.

'**Für|witz** *m* (-es) → *Vorwitz*; **~wort** *gr. n* (-[e]s; ¨er) pronoun.

Furz [furts] *vulg. m* (-es; ¨e), '**furzen** *v/i.* (*h.*) fart.

Fusel ['fu:zəl] *m* (-s; -) bad liquor (*or* brandy), *sl.* rotgut; **~öl** *n* fusel oil.

füsilieren [fyzi'li:rən] *mil. v/t.* (*h.*) execute (by firing squad), shoot.

Fusion [fuzi'o:n] *f* (-; -en) *chem.* fusion; *fig. econ. a.* amalgamation, merger, *Am. a.* consolidation; **fusio'nieren** *v/t., a. sich* (*h.*) amalgamate, merge, *Am. a.* consolidate (*mit dat.* with).

Fuß [fu:s] *m* (-es; ¨e) foot; *Füße pl.* feet; *cul.* (*pig's, etc.*) trotters *pl.*; (*measure*) foot (= 30,48 cm); *zehn ~ lang* ten feet long; *fig.* foot, bottom (*of list, page, mountain*); base, pedestal (*of column*); foot, stem (*of wine-glass*); leg (*of chair, table*); (*festen*) ~ *fassen* (*a. fig.*) get a firm footing, gain a foothold; *auf dem ~e folgen* (*dat.*) follow on the heels of (*or* in the wake of); *auf die Füße fallen fig.* fall on one's feet; *auf freien ~ setzen* set at liberty, release; *auf eigenen Füßen stehen* be independent, be on one's own; *auf schwachen Füßen stehen* rest on a weak foundation, be built on sand; *auf großem ~e leben* live in grand style; *auf gutem* (*schlechtem*) *~e stehen mit* (*dat.*) be on good (bad) terms with; *mit beiden Füßen auf der Erde stehen* keep both feet on the ground; *mit Füßen treten* tread under foot, trample upon; *ungeduldig von e-m ~ auf den anderen treten* kick one's heels; *zu ~* on foot; *zu ~ gehen* walk; *zu ~ erreichbar* within walking distance; *gut zu ~ sein* be a good walker.

'**Fuß...:** **~abstreifer** *m* (-s; -) door-scraper *or* -mat; **~abdruck** *m* footprint; **~angel** *f* mantrap; *hist. mil.* caltrop; **~antrieb** *m* treadle (*or* pedal) drive; **~bad** *n* foot-bath; **~ball** *m* football, soccer ball; (*game*) (association) football, soccer; *amerikanischer* (*australischer, irischer*) ~ American (Australian, Gaelic) football; **~ballanhänger** *m* football (*or* soccer) devotee *or* fan; **~ballen** *m* ball of the foot; **~ballklub** *m* football club; **~ballmannschaft** *f* football team; **~ballplatz** *m* football field (*or* stadium); **~ballspiel** *n* → *Fußball*; soccer game (*or* match); **~ballspieler** *m* football (*or* soccer) player; **~balltoto** *n* football pool(s *pl.*); **~ballverband** *m* football association; **~ballverein** *m* → *Fußballklub*; **~bank** *f* (-; ¨e) footstool; **~bekleidung** *f* footwear; **~betrieb** *tech. m* (-[e]s) treadle drive (*or* operation); **~boden** *m* floor(ing), ground; **~bodenbelag** *m* floor covering, flooring; **~bodenfläche** *f* flooring, floorage; **~bodenwachs** *n* floor polish; **~breit** *m*: *keinen ~ weichen* not to budge an inch; **~breite** *f* foot-breadth; **~bremse** *mot. f* footbrake, pedal brake; **~eisen** *n* → *Fußangel*.

Fussel ['fusəl] *colloq. f* (-; -n) fluff, fuzz, *Am. a.* lint; **≈n** *v/i.* (*h.*) fuzz.

füßeln ['fy:səln] *colloq. v/i.* (*h.*) make small steps, toddle; play footsie (*under the table*).

'**fußen** *v/i.* (*h.*): ~ *auf* (*dat.*) rest (*or* rely) upon, be based upon; *~d auf* basing upon.

'**Fuß...:** **~ende** *n* foot(-end); **~fall** *m* prostration; *e-n ~ tun vor j-m* prostrate o.s. before a p., hurl o.s. at a p.'s feet; **≈fällig I.** *adj.* prostrate; **II.** *adv.* on one's knees; → *kniefällig*; **≈frei** *adj.*: *~er Rock* ankle-length skirt; **~gänger(in** *f*) ['-gɛŋər-] *m* (-s, -; -, -nen) pedestrian, walker; *für ~!* cross here!; **~gängerbrücke** *f* foot-bridge; **~gängerfurt** *f* pedestrian crossing; **~gängerunterführung** *f* pedestrian subway, *Am.* underpass; **~gängerverkehr** *m* pedestrian traffic; **~gashebel** *mot. m* accelerator (pedal), *Am.* gas pedal; **~gelenk** *n* ankle joint; **~gestell** *tech. n* pedestal, base; trestle; **~gicht** *med. f* podagra; **~hebel** *m* pedal; **≈hoch** *adj.* one foot high; *der Schnee liegt ~* the snow is a foot deep; **~knöchel** *m* ankle(-bone); **≈krank** *adj.* footsore; **~kupplung** *mot. f* foot-operated clutch; **~leiden** *med. n* foot complaint; **~leiste** *f* skirting (board).

Füßling ['fy:sliŋ] *m* (-s; -e) foot (*of stocking, etc.*).

'**Fuß...:** **~note** *f* footnote; **~pfad** *m* footpath; **~pflege** *f* pedicure, chiropody; **~pfleger(in** *f*) *m* chiropodist; **~pilz** *m* dermatophyte; athlete's foot; **~puder** *m* foot-powder; **~punkt** *m ast.* nadir; *math.* foot; **~raste** *f* foot rest; **~reise** *f* journey on foot, tramp; **~sack** *m* foot-muff; **~schalter** *m* foot-operated switch; **~schaltung** *mot. f* pedal gear-change; **~schemel** *m* footstool; **~schweiß** *m* sweating of the feet; sweaty feet; **~sohle** *f* sole of the foot; **~soldat** *m* foot-soldier, infantryman; **~spezialist** *med. m* podiatrist; **~spitze** *f* point of the foot; *auf den ~n gehen* (*stehen*) walk (stand) (on) tiptoe; **~spur** *f* footprint; *Reihe von ~en* track; **~stapfe** *f* footstep; *in j-s ~ treten* follow a p.'s footsteps; **~steig** *m* footpath, pavement, *Am.* sidewalk; **~steuerung** *f* foot (*or* pedal) control; **~stütze** *f* foot rest; *med.* instep-raiser, arch-support; **~tritt** *m* footstep; footboard; *tech.* treadle; footstool; kick; *j-m e-n ~ versetzen* give a p. a kick, kick a p., *fig. e-n ~ bekommen* be kicked out, get the boot; → *Fußspur*; **~volk** *n* foot, infantry; *fig. the* rank and file; **~wanderung** *f* walking-tour, hike; **~wärmer** ['-vɛrmər] *m* (-s; -) foot-warmer; **~weg** *m* footpath, footway; **~wurzel** *anat. f* tarsus; **~wurzelgelenk** *n* tarsal joint.

futsch [futʃ] *colloq. adj. pred.* lost, gone; broken, *Am. sl.* busted; *person*: done for; ~ *gehen* go to pot, go phut *or* west.

Futter[1] ['futər] *n* (-s) food, *sl.* grub, *Am.* chow; *agr.* feed, fodder.

'**Futter**[2] *n* (-s; -) lining; *arch.* casing; *tech.* lining, casing; *of machine tool*: chuck.

Futteral [-'ra:l] *n* (-s; -e) case; box; sheath.

'**Futter...:** **~blech** *tech. n* lining plate; **~beutel** *m* nose-bag; **~boden** *m* hay-loft; **~bohne** *f* fodder bean; **~erbse** *f* fodder pea; **~gabe** *f* feeding dose; **~gerste** *f* barley for cattle; **~getreide** *n* feed grain; **~kasten** *m* feed-box; **~klee** *m* red clover; **~knecht** *m* ostler; **~krippe** *f* crib, manger; *fig. an der ~ sitzen* feed at the public trough; **~krippenjäger** *pol. m* placeman, *Am.* spoilsman; **~krippensystem** *pol. n Am.* spoils system; **~leinen** *n* linen for lining; **~mittel** *n* feed(ing)-

-stuff; 2**n** *colloq. v/t.* (*h.*) eat heartily, feed, *sl.* tuck in.
füttern [ˈfytərn] *v/t.* (*h.*) feed; *tech.* line (*a. coat, etc.*); *arch.* case; fur; pad, stuff; lead; sheathe.
ˈ**Futter...**: **~napf** *m* feeding dish; **~neid** *m* envy, (professional) jealousy; **~pflanzen** *f/pl.* forage crops, fodder plants; **~rübe** *f* turnip; **~schneidemaschine** *f* fodder chopping machine; **~seide** *f* silk for lining; **~stoff** *m* lining (material); **~trog** *m* feeding trough, manger.
ˈ**Fütterung** *f* (-; -*en*) **1.** feeding, foddering, forage; **2.** *tech.* lining; *arch.* casing; padding.
ˈ**Futter...**: **~zeug** *n* lining (material); **~zustand** *m*: *in gutem* ~ well-meated.
Futur|ismus [futuˈrismus] *m* (-) futurism; **~ist(in** *f*) *m* (-*en*, -*en*; -, -*nen*), 2**istisch** *adj.* futurist.
Futurologie [-oloˈgiː] *f* (-) futurology.
Futur(um) [fuˈtuːr(um)] *gr. n* (-*s*, -*e*; -*s*, -*ra*) future (tense).

G

G, g [geː], *n* G, g; **G, g** *mus. n* G.
gab [gɑːp] *pret. of geben.*
Gabardine [ˈgabardin] *m* (-*s*) *or* (-) gaberdine.
Gabe [ˈgɑːbə] *f* (-; -*n*) gift, present; donation, gratuity; *milde* ~ alms; *um e-e milde* ~ *bitten* ask for charity; offering; *med.* dose; *fig.* gift, talent, endowment; skill, knack.
Gabel [ˈgɑːbəl] *f* (-; -*n*) fork (*a. on bicycle*); *agr.* (pitch)fork, prong; *teleph.* cradle; *of waggon*: shafts *pl.*; *of road, etc.*: fork; *bot.* **a**) tendril, **b**) crotch (*of branches*); *artillery*: bracket; **~bildung** *f* forking, bifurcation; *artillery*: bracketing; **~bissen** *m* cocktail snack; **~deichsel** *f* shafts, thills *pl.*; 2**förmig** [ˈ-fœrmiç] *adj.* forked, bifurcated; **~frühstück** *n* early lunch; **~hirsch** *m* brocket; 2**ig** *adj.* → *gabelförmig*; 2**n** *v/t.* (*h.*) fork; *sich* ~ fork (off *or* out), bifurcate, divide; **~stapler** [ˈ-ʃtɑːplər] *m* (-*s*; -) fork-lift truck; **~stütze** *f* forked support; *mil.* thill prop; bipod; **~ung** *f* (-; -*en*) forking, bifurcation; *of tree* crotch; **~weihe** *orn. f* kite; **~zinke** *f* prong (of a fork).
ˈ**Gabentisch** *m* table of presents.
gackern [ˈgakərn] *v/i.* (*h.*), 2 *n* (-*s*) cackle (*a. fig.*).
gacksen [ˈgaksən] *v/t.* (*h.*) *and v/i.* stutter; hem and haw.
Gaffel [ˈgafəl] *mar. f* (-; -*n*) gaff; **~schoner** *m* fore-and-aft(er) (schooner); **~segel** *n* gaff-sail.
gaffen [ˈgafən] *v/i.* (*h.*) gape; stare.
ˈ**Gaffer(in** *f*) *m* (-*s*, -; -, -*nen*) gaper.
Gagat [gaˈgɑːt] *min. m* (-[*e*]*s*; -*e*), **~kohle** *f* jet.
Gage [ˈgɑːʒə] *f* (-; -*n*) *esp. thea.* salary.
gähnen [ˈgɛːnən] *v/i.* (*h.*) yawn.
ˈ**Gähnen** *n* (-*s*) yawn(ing); 2**d** *adj.* yawning (*a. fig.*).
Gala [ˈgala] *f* (-) gala; pomp, state; *in* (*großer*) ~ in full dress; **~anzug** *m* dress- (*od.* gala) suit; **~kleid** *n* gala-dress.
Galalith [galaˈliːt] *n* (-*s*) galalith.
Galan [gaˈlɑːn] *m* (-*s*; -*e*) gallant, lover, squire, beau, *iro.* swain.
galant [gaˈlant] *adj.* gallant, amatory; courteous; *~es Abenteuer* love affair *or* adventure.
Galanteˈrie *f* (-; -*n*) gallantry; courtesy; **~arbeit** *tech. f*, **~waren** *f/pl.* fancy goods, *Am.* notions *pl.*
ˈ**Gala...**: **~uniform** *f* full dress (uniform); **~vorstellung** *thea. f* gala performance.
Galeere [gaˈleːrə] *f* (-; -*n*) galley; **~nsklave**, **~nsträfling** *m* galley-slave.
Galerie [galəˈriː] *f* (-; -*n*) gallery (*a. tech.*); picture-gallery; *für die* ~ *spielen* play to the gallery, *Am.* play to the grandstand.
Galgen [ˈgalgən] *m* (-*s*; -) gallows *sg.* (*a. film*), gibbet; *tech.* cross-beam; horse; *of well*: post, tree; *am* ~ on the gallows; *an den* ~ *kommen* come to the gallows, be hanged; *dafür soll er an den* ~ he shall swing for it; **~frist** *f* last respite, short grace; *ich gebe dir bis morgen* ~ I give you till tomorrow; **~gesicht** *n* gallows-bird face; **~humor** *m* grim humo(u)r; **~strick**, **~vogel** *m* gallows-bird; scalawag, good-for-nothing.
Galilä|a [galiˈlɛːa] Galilee; **~er(in** *f*) *m* (-*s*, -; -, -*nen*), 2**isch** *adj.* Galilean.
Galionsfigur [galiˈoːns-] *f* figure-head.
gälisch [ˈgɛːliʃ] *adj.*, 2**e** *n* (-*n*)} [Gaelic.
Galiz|ien [gaˈliːtsiən] *n* (-*s*) Galicia; **~ier(in** *f*) *m* (-*s*, -; -, -*nen*), 2**isch** *adj.* Galician.
Gall-apfel [ˈgal-] *m* gall-nut, oak-apple; **~beize** *f tech.* gall steep.
Galle [ˈgalə] *f* (-; -*n*) *anat.* (*a.* **~nsaft** *m*) bile; *zo., a. bot. and vet.*: gall; *tech.* flaw, blister; *fig.* bile, gall, venom, bitterness; *s-e* ~ *ausschütten* vent one's spite (*über acc.* upon); *ihm lief die* ~ *über* his blood boiled, he saw red.
ˈ**Gall-eiche** *f* gall oak.
ˈ**gallen** *v/t.* (*h.*) gall out (*fish*); *tech.* treat with gall-nut, gall; **~bitter** *adj.* (as) bitter as gall, acrid (*a. fig.*); 2**blase** *f* gall-bladder; *med. Entfernung der* ~ cholecystectomy; *Entzündung der* ~ cholecystitis; 2**fieber** *n* bilious fever; 2**gang** *anat. m* bile-duct; **~grün** *adj.* biliverdin; 2**kolik** *f* biliary colic; 2**leiden** *n* bilious complaint; 2**stein** *m* gall-stone, biliary calculus; 2**steinoperation** *f* cholecystotomy; 2**weg** *m* bile-duct.
Gallert [ˈgalərt] *n* (-[*e*]*s*; -*e*), **Gallerte** [gaˈlɛrtə] *f* (-; -*n*) gelatine; *cul. usu.* jelly; 2**artig** *adj.* gelatinous, jelly-like, colloid(al).
Gall|ien [ˈgaliən] *n* (-*s*), **~ier(in** *f*) *m* (-*s*, -; -, -*nen*) Gaul.
ˈ**gallig** *adj.* gall-like, biliary; *fig.* bilious, acrid, bitter.
ˈ**gallisch** *adj.* Gallic, Gaulish.
Gallizismus [galiˈtsismus] *m* (-; -*men*) Gallicism.
Gallone [gaˈloːnə] *f* (-; -*n*) (*Brit.* Imperial) gallon (= 4,54 l), (*Am.* U.S.) gallon (= 3,78 l).
ˈ**Gallwespe** *f* gall-fly.
Galopp [gaˈlɔp] *m* (-*s*; -*s*) gallop; (*dance*) galop; *kurzer or leichter* ~ canter; *gestreckter* (*starker*, *versammelter*) ~ full (extended, collected) gallop; *im* ~ at a gallop, *fig.* at a lope; *w.s.* in (hot) haste, hurry-skurry; *im* ~ *reiten* gallop; *in* ~ *verfallen* break into a gallop; **galopˈpieren** *v/i.* (*h.*, *sn*) gallop; (ride at a) canter; *med. ~de Schwindsucht* galloping consumption.
Galoschen [gaˈlɔʃən] *f/pl.* galoshes, *Am.* rubbers.
galt [galt] *pret. of gelten.*
galvanisch [galˈvɑːniʃ] *adj.* galvanic(ally *adv.*); ~ *gefällt* electrodeposited, electrolytic; *~es Element* galvanic cell; *~e Kette* voltaic cell (*or* couple); *~e Metallisierung* galvanic metallization; *~e Plattierung* electroplating; *~e Säule* pile; *~e Vergoldung* electro-gilding.
Galvaniseur [galvaniˈzøːr] *m* (-*s*; -*e*) galvanizer.
Galvanisier|anstalt [-ˈziːr-] *f* galvanizing (*or* electroplating) plant; 2**en** *v/t.* (*h.*) galvanize, electroplate.
Galvanismus [-ˈnismus] *m* (-) galvanism.
Galvano [-ˈvɑːno] *typ. n* (-*s*; -*s*) electrotype.
Galvano|ˈmeter *n* galvanometer; **~ˈplastik** *f* galvanoplasty, electrotyping; **~ˈtechnik** *f* electroplating.
Gamasche [gaˈmaʃə] *f* (-; -*n*) gaiter; spat; legging; puttee; *colloq. ~n haben vor* (*dat.*) be scared of.
Gambit [gamˈbit] *n* (-*s*; -*s*) *chess*: gambit.
Gamet [gaˈmeːt] *biol. m* (-*en*; -*en*) gamete.
ˈ**Gammastrahlen** [ˈgama-] *phys. m/pl.* gamma rays.
gammeln [ˈgaməln] *colloq. v/i.* (*h.*) loaf; behave like a beatnick.
Gamsbart [ˈgams-] *m* chamois tufts *or* brush.
Gammler *colloq. m* (-*s*; -) beatnick, layabout.
Gang [gaŋ] *m* (-[*e*]*s*; ⸚*e*) going, walk(ing); gait, walk; *of horse*: pace; *fig.* motion; *of machine*: *a.* movement, running, operation, action; walk, stroll; errand, commission; way; arcade; colonnade; passage; corridor, gallery, hall; gangway, *Am.* aisle; *rail.* corridor, *Am.* aisle; *anat.* duct, canal; *tech.*

duct (*of pipe*); worm, thread; → *tot*; *mot.* speed; *erster* ~ first *or* bottom (*Am.* low) gear, first speed; *zweiter* ~ second gear; *im dritten* ~ in third; *ruhiger* ~ smooth running; *mining*: tunnel, gallery; lode, vein; *fig.* course; course of business; routine; process of manufacture, operation; *cul.* course; *Essen mit zwei Gängen* two-course dinner; *sports*: heat, run; *fenc.* bout; *der* ~ *der Ereignisse* the course (*or* march) of events; *das ist der* ~ *der Welt* that's the way of life; *e-n* ~ *tun* go on an errand; *Gänge besorgen* run errands; *vergeblicher* ~ fool's errand; *mot. den* ~ *wechseln* change (*Am.* shift) gear; *den dritten* ~ *einschalten* shift into third; *in* ~ *bringen or setzen* start, set going *or* in motion, *fig. a.* launch, set on foot; *tech. a.* throw into gear, put into operation; *in* ~ *halten* keep going; *in* ~ *kommen* get going (*or* under way), get into one's stride; *in* ~ *sein* be in motion, *machine, etc.*: *a.* be on *or* in gear, be working *or* running; *fig.* be going on, be in progress (*or* afoot, under way); *s-n* ~ *gehen* take its course; *es ist et. im* ~*e* something is up (*or* going on, in the wind); *in vollem* ~*e* in full swing.

gang: ~ *und gäbe* customary, usual, the usual thing; *durchaus* ~ *und gäbe* nothing unusual.

ˈ**Gang...:** ~**an·ordnung** *mot. f* gear-change diagram, arrangement of gears; ~**art** *f* gait, walk; *of horse*: pace; *tech.* working pace; ≗**bar** *adj.* practicable, passable (*road*); current (*coin*); sal(e)able, marketable, popular (*goods*); ~*ste Nummern* best selling numbers; *fig.* practicable, workable; ~**barkeit** *f* (-) practicability (*a. fig.*); *of coin*: currency; *econ.* sal(e)ability, marketableness.

Gängel|band [ˈgɛŋəlbant] *n* (-[e]s) leading-strings *pl.*; *am* ~ *führen* keep in leading-strings; *sich am* ~ *führen lassen* be in leading-strings; ≗**n** *v/t.* (*h.*) *fig.* lead by the nose.

ˈ**Gang...:** ~**hebel** *m* → *Gangschalter*; ~**höhe** *tech. f of screw*: pitch; *of multiple thread*: lead.

gängig [ˈgɛŋiç] *adj. horse*: swift; ~*er Ausdruck* current term; *econ.* → *gangbar.*

Ganglien [ˈgaŋgliən] *anat. n/pl.* ganglia; ≗**förmig** [ˈ-fœrmiç] *adj.* gangliform; ~**system** *n* ganglious system.

Gangrän [gaŋˈgrɛːn] *med. n* (-[e]s; -e) gangrene; **gangränös** [-ˈnøs] *adj.* gangrenous.

ˈ**Gang...:** ~**schalter,** ~**schalthebel** *mot. m* gear(-change) lever, *Am.* gear-shift lever; ~**schaltung** *mot. f* gear-change, *Am.* gear shift.

Gangster [ˈgɛŋstər] *m* (-*s*; -) gangster; ~**bande** *f* gang (of criminals); ~**tum** *n* (-*s*) gangsterism.

ˈ**Gang...:** ~**werk** *n of watch*: movement; ~**wähler** *mot. m* gear selector; ~**zahl** *f mot.* number of gears; *thread*: number of threads.

Ganove [gaˈnoːvə] *colloq. m* (-*n*; -*n*) crook.

Gans [gans] *f* (-; ⸚e) goose, *pl.* geese; *junge* ~ gosling; *fig. dumme* ~ (silly) goose.

Gänschen [ˈgɛnsçən] *n* (-*s*; -) gosling; *fig. dummes* ~ goosey, ninny.

Gänse... [ˈgɛnzə-]: ~**blümchen** *n* daisy; ~**braten** *m* roast goose; ~**feder** *f* (goose-)quill; ~**fett** *n* goose-fat (*or* dripping); ~**füßchen** [ˈ-fyːsçən] *n/pl.* quotation-marks, inverted commas; ~**haut** *f* goose-skin; *fig.* goose-flesh, goose-pimples *pl.*; *ich bekam e-e* ~ my flesh began to creep, it gave me the creeps; ~**kiel** *m* quill; ~**klein** *n* (-*s*) (goose-)giblets *pl.*; ~**leberpastete** *f* (goose-)liver pie, pâté de foie gras (*Fr.*); ~**marsch** *m* (-es): *im* ~ in single (*or* Indian) file; ~**rich** [ˈ-riç] *m* (-[e]*s*; -e) gander; ~**schmalz** *n* → *Gänsefett*; ~**wein** *m humor.* Adam's ale.

Gant [gant] *f* (-; -*en*) → *Auktion, Konkurs.*

ganz [gants] **I.** *adj.* all; whole, entire, undivided; complete, total, full; intact; ~ *Deutschland* all (*or* the whole of) Germany; *die* ~*e Stadt* **a)** the whole town, **b)** all the town; *über* ~ *Amerika* all over America; *in der* ~*en Welt* all the world over; *die* ~*e Welt betreffend* world-wide; *den* ~*en Staat betreffend* state-wide; *tech.* ~*e Länge* total (*or* overall) length; ~*e Note mus.* semibreve, whole note; ~*e Zahl* whole number; ~*e zwei Stunden* for fully two hours; ~*e drei Pfund* just (*or* merely) three pounds; *ein* ~*er Mann* a true (*or* real) man; *von* ~*em Herzen* with all my heart; *meine* ~*en Schuhe* all my shoes; *den* ~*en Morgen* (*Tag*) all the morning (day), *Am.* all morning (day); *die* ~*e Nacht* (*hindurch*) all through the night, all night long; *das* ~*e Jahr* throughout the year; *die* ~*e Zeit* all the time; *der* ~*e Betrag* the full amount; **II.** *adv.* quite; all; entirely, wholly; completely; fully; all, very; ~ *Auge* (*Ohr*) all eyes (ears); ~ *und gar nicht* not at all, not in the least, by no means; *et.* ~ *anderes* quite another thing; *nicht* ~ *dasselbe* not quite the same thing; ~ *durch* throughout; ~ *gewiß* most certainly *or* assuredly, absolutely; ~ *gut* (*or* nett) not bad; ~ *naß* wet all over; ~ *oder teilweise* in whole or in part; ~ *meine Meinung* I quite agree (with you); ~ *bezahlen* pay in full; ~ *der Vater* the (very) image of his (her) father; *nicht* ~ *zehn* just under ten; *er war* ~ *Freude* he was overjoyed; *das ist mir* ~ *gleich* that's all the same to me, I don't care; ~ *gleich, was du denken magst* no matter what you may think; ~ *wie du willst* just as you like; ~ *besonders, weil* especially since, all the more so as; *im* ~*en* on the whole, taken all together, *econ.* in the lump, wholesale; *er gewann im* ~*en 70 Preise* he fetched a total of 70 prizes; *im großen und* ~*en* on the whole, generally speaking, by and large; **Ganze**(s) *n* (-*n*) whole; total (amount), sum total; totality, entirety; *aufs* ~ *gehen* go all out, go all lengths, *Am.* go the whole hog; *jetzt geht's ums* ~ it's do or die (*or* all or nothing) now.

Gänze [ˈgɛntsə] *f* (-): *zur* ~ entirely, in its entirety.

ˈ**Ganz...:** ~**aufnahme** *f*, ~**bild** *n* full-length (portrait); ~**automat** *tech. m* fully automatic machine; ~**fabrikat** *n* finished product; ~**heit** *f* (-) entirety, entireness; totality; ~**heitsmethode** *ped. f* "look and say" method; ~**holz** *n* round timber, logwood; ~**holzbauweise** *f* all-wood construction; ≗**jährig** *adj.* all-year; *mot.* all-season (*oil*); ~**leder** *n*: *in* ~ *gebunden* in whole-leather binding; ~**lederband** *m* whole-leather binding; ~**leinenband** *m* full cloth binding.

gänzlich [ˈgɛntsliç] **I.** *adj.* complete, total, entire, utter; **II.** *adv.* wholly, completely, entirely; totally, absolutely, utterly; in every respect.

ˈ**Ganz...:** ~**metallkonstruktion** *f* all-metall construction; ~**seide** *f* pure silk; ~**seitig** *adj.* full-page; ≗**tägig** *adj.* all-day; full-time; ~**tagsbeschäftigung** *f* full-time job; ≗**wollen** *adj.* all-wool; ~**zeug** *tech. n paper*: stuff.

gar [gaːr] **I.** *adj. food*: (well) done; dressed (*leather*); refined (*steel*); carbonized (*coke*); *nicht* (*ganz*) ~ *meat*: underdone; **II.** *adv.* quite, entirely, very; even; ~ *keiner* not a single one, none whatever; ~ *niemand* not a soul; ~ *mancher* many a man; ~ *nicht* not at all; ~ *nichts* not a thing, nothing at all; ~ *zu sehr* overmuch, → *allzu*(...); ~ *kein Zweifel* not the least doubt; *das fällt mir* ~ *nicht ein* I wouldn't dream of doing that; *oder* ~ to say nothing of, let alone; *warum nicht* ~! and why not, indeed!

Garage [gaˈraːʒə] *f* (-; -*n*) garage; *in e-e* ~ *einstellen* garage.

Garant [gaˈrant] *m* (-*en*; -*en*) guarantor; → *Bürge.*

Garantie [-ˈtiː] *f* (-; -*n*) guaran|tee (*a. fig.*), -ty; *of seller*: warranty; surety; *ein volles Jahr* ~ guaranteed one full year; *ohne* ~ without obligation; ≗**ren** *v/t.* (*h.*) guarantee, warrant; *econ.* underwrite (*issue of securities*); ~**lohn** *m* guaranteed wage(s *pl.*); ~**schein** *m* certificate of guarantee, *Am.* surety bond; *of seller*: certificate of warranty; ~**syndikat** *n* underwriters *pl.*; ~**verpflichtung** *f* warranty of quality; ~**versprechen** *n*, ~**vertrag** *m* guarantee contract; ~**wechsel** *m* security bill.

Garaus [ˈgaːrˀaus] *m*: *j-m den* ~ *machen* finish (dispatch, do for) a p.; *fig. e-r Sache den* ~ *machen* put an end (*or* give the deathblow) to a th.

Garbe [ˈgarbə] *f* (-; -*n*) *agr.* sheaf; *bot.* milfril, yarrow; *mil.* sheaf, cone of fire; *in* ~*n binden* sheave, bundle.

Gärbottich [gɛːr-] *m* fermenting-vat.

Garde [ˈgardə] *mil. f* (-; -*n*) *the* Guard(s *pl.*); ~ *zu Fuß the* Foot-Guards *pl.*; *fig. die alte* ~ the old guard; ~**regiment** *n* regiment of the Guards; ~**reiteˈrei** *f* Horse-Guards *pl.*

Garderobe [gardəˈroːbə] *f* (-; -*n*)

wardrobe; cloak-room, *Am.* check-room; *thea.* dressing-room.
Garde'roben...: **~frau** *f* cloak-room attendant, *Am.* hat-check girl; **~haken** *m* wardrobe hook; **~marke** *f* cloak-room ticket, *Am.* check; **~schrank** *m* wardrobe; **~ständer** *m* hat (*or* hall) stand.
Garderobiere [-robi'ɛ:rə] *f* (-; -n) → *Garderobenfrau*; *thea.* wardrobe mistress.
Gardine [gar'di:nə] *f* (-; -n) curtain; → *schwedisch.*
Gar'dinen...: **~predigt** *f* curtain lecture; **~stange** *f* curtain rod.
Gardist [gar'dist] *m* (-en; -en) guardsman.
Gare ['gɑ:rə] *f* (-) *agr.* mellowness, friable condition of soil; *metall.* finished state.
gären ['gɛ:rən] *v/i.* (*irr.*, *h.*) ferment; effervesce; *fig. es gärt im Volke* there is unrest among the people; '**Gären** *n* (-s) fermentation; *fig.* agitation, unrest.
'**Gärfutter** *agr. n* silage.
'**Garküche** *f* cook-shop, (cheap) eating-house.
'**Gärmittel** *n* ferment.
Garn [garn] *n* (-[e]s; -e) yarn; thread; cotton; net; twine; worsted; *fig. ins ~ gehen* fall into the snare; *ins ~ locken* ensnare, decoy, trap; *ein ~ spinnen* spin a yarn.
Garnele [gar'ne:lə] *ichth. f* (-; -n) shrimp.
garnier|en [gar'ni:rən] *v/t.* (*h.*) trim; *cul.* garnish; **2ung** *f* (-; -en) trimming; *cul.* trimmings *pl.*, garnish, garniture.
Garnison [garni'zo:n] *mil. f* (-; -en) garrison; **2dienstfähig** *adj.* fit for garrison duty *or* limited service; **~lazarett** *n* military hospital; **~stadt** *f* garrison-town.
Garnitur [garni'tu:r] *f* (-; -en) trimming; *tech.* fittings *pl.*; mountings *pl.*; set; *mil.* complete uniform; *erste ~* No. 1 dress; → *Ausrüstung*; *fig. die erste ~* the (very) best, the élite (*of writers, clubteam, etc.*).
'**Garn...:** **~knäuel** *m or n* ball of yarn; **~rolle** *f* reel; **~spinnerei** *f* yarn spinning mill; **~spule** *f* bobbin, spool; **~strähne** *f* hank (*or* skein) of yarn; **~winde** *f* → *Garnrolle.*
garstig ['garstiç] *adj.* nasty, loathsome, foul, vile; filthy, foul; ugly *er war sehr ~ zu mir* he was very nasty to me.
'**Gärstoff** *m* ferment.
Gärtchen ['gɛrtçən] *n* (-s; -) little garden.
Garten ['gartən] *m* (-s; ¨) garden; *botanischer (zoologischer) ~* botanical (zoological) gardens *pl.*; **~anlage** *f* garden-plot; public garden, (pleasure-)grounds *pl.*; **~arbeit** *f* gardening; **~architekt** *m* landscape gardener, *Am.* landscape architect; **~bau** *m* (-[e]s) horticulture; **~bau-ausstellung** *f* horticultural show; **~erde** *f* garden-mo(u)ld; **~fest** *n* garden (*Am. a.* lawn) party; **~geräte** *n/pl.* gardening tools; **~gestaltung** *f* horticulture; landscaping; **~gewächse** *n/pl.* garden produce; **~haus** *n* summer-house; **~land** *n* garden-plot; **~laube** *f* arbo(u)r, bower; *fig.* sentimental trash; **~lokal** *n* beer- (*or* tea-) garden; **~messer** *n* pruning knife; **~schau** *f* horticultural show; **~schere** *f* pruning shears *pl.*; **~schirm** *m* sunshade, beach umbrella; **~stadt** *f* garden city; **~stuhl** *m* lawn chair; **~wirtschaft** *f* → *Gartenlokal*; **~zaun** *m* garden fence.
Gärtner ['gɛrtnər] *m* (-s; -), **~in** *f* (-; -nen) gardener.
Gärtne'rei *f* (-; -en) gardening, horticulture; nursery(-garden); market-garden, *Am.* truck garden (*or* farm); '**gärtnerisch** *adj.* horticultural; *~ gestalten* landscape; '**gärtnern** *v/i.* (*h.*) do gardening.
Gärung ['gɛ:ruŋ] *f* (-; -en) fermentation; *med.* zymosis; *fig.* fermen-t(ation); unrest, agitation, tumult; *zur ~ bringen* ferment; *sich in ~ befinden* (*a. fig.*) be in a state of ferment.
'**Gärungs...:** **~lehre** *f* zymology; **~mittel** *n* ferment; **~pilz** *m* yeast-plant; **~prozeß** *m* process of fermentation; **~stoff** *m* ferment.
Gas [gɑ:s] *n* (-es; -e) gas; *mot. ~ geben* step on the accelerator, *Am. a. fig.* step on the gas; *~ wegnehmen* throttle down, cut off the gas; *in ~ verwandeln* gasify; *mit ~ vergiften* gas.
'**Gas...:** **~angriff** *mil. m* gas-attack; **~anstalt** *f* gas-works *pl.*; **~anzünder** *m* gas lighter; **~arbeiter** *m* gas-fitter; **2artig** ['-ɑ:rtiç] *adj.* gaseous; **~austritt** *m* gas leakage; gas outlet; **~automat** *m* coin-operated gas-meter; **~backofen** *m* gas oven; **~behälter** *m* gas-holder *or* -container, gasometer; **2beheizt** *adj.* gas-fired; **~beleuchtung** *f* gas-light(ing); **~bereitschaft** *mil. f* gas alert; **~bombe** *f* gas bomb; **~brenner** *m* gas-burner; **2dicht** *adj.* gas-tight; **~druck** *m* gas pressure; **2en** *v/i.* (*h.*) (develop) gas; **~entwickler** *m* gas generator; **~entwicklung, ~erzeugung** *f* gas production; **~fabrik** *f* → *Gasanstalt*; **~feuerung** *f* gas firing; **~flamme** *f* gas-jet; **~flasche** *f* gas cylinder; **2förmig** ['-fœrmiç] *adj.* gaseous; **~förmigkeit** *f* (-) gaseity; **~fußhebel** *mot. m* → *Gaspedal*; **~gebläse** *n* gas blower; **~gemisch** *n* gas(eous) mixture; **~geruch** *m* odo(u)r of gas; **~gewinnung** *f* gas production; **~glühlicht** *n* incandescent (gas-)light; **~granate** *f* gas-shell; **~hahn** *m* gas tap; **~hebel** *mot. m* throttle hand lever; → *Gaspedal*; **~heiz-ofen** *m* gas-stove; **~heizung** *f* gas heating; **~herd** *m* gas-range (*or* -stove); **~kammer** *f* gas chamber; **~kampfstoff** *m* poison gas; **~kessel** *m* → *Gasbehälter*; **~kocher** *m* gas cooker, gas range; **~koks** *m* gas coke; **2krank** *adj.* gassed; **~krieg** *m* chemical warfare; **~lampe, ~laterne** *f* gaslamp; **~leitung** *f* gas main (*or* conduit); **~licht** *n* gas-light; **~lichtpapier** *phot. n* gas-light paper; **~-Luftgemisch** *n* gas-air mixture; **~mann** *m* gas-man; **~maske** *f* gas mask; **~messer** *m* (-s; -) gas-meter; **~motor** *m* gas-engine; **~ofen** *m* gas-stove.
Gasolin [gazo'li:n] *chem. n* (-[e]s) gasolene, gasoline.
Gaso'meter *m* gas-holder, gasometer.
'**Gas...:** **~pedal** *mot. n* accelerator (pedal), *Am.* gas pedal; **~rohr** *n* gas-pipe; **~schweißbrenner** *m* autogenous welding torch.
Gäßchen ['gɛsçən] *n* (-s; -) narrow alley *or* lane.
Gasse ['gasə] *f* (-; -n) (narrow) street *od.* passage; (*a. fig.*) lane; *schmale ~* narrow lane, alley; *e-e ~ bilden* form a lane; **~nbube, ~njunge** *m* street arab, urchin, guttersnipe; **~nhauer** *m* street-ballad, popular song.
Gast [gast] *m* (-es; ¨e) guest; visitor, caller; customer, frequenter, → *Stammgast*; boarder; stranger; tourist; *thea.* guest (artist); *ungebetener ~* intruder; *ein seltener ~* quite a stranger; *Gäste haben* have company; *j-n bei sich zu ~ haben* entertain a p.; *j-n zu ~e bitten* invite a p.; *bei j-m zu ~ sein* be a p.'s guest, be staying with a p.; '**~arbeiter** *m* foreign worker; '**~bett** *n* spare (bed); '**~dirigent** *mus. m* guest conductor.
Gäste|buch ['gɛstə-] *n* visitors' book; guest book; **~heim** *n* guest-house, boarding-house.
'**Gast...:** **2frei** *adj.* hospitable; **~freiheit** *f* hospitality; **~freund** *m* guest; → *Gastgeber*; **2freundlich** *adj.* hospitable; **~freundschaft** *f* hospitality; **~geber** *m* host; **~geberin** *f* hostess; **~geberstaat** *m* host nation; **~haus** *n*, **~hof** *m* restaurant; inn, hotel; **~hörer(in** *f*) *univ. m* guest (*or* extramural) student, *Am. a.* auditor.
ga'stieren *thea. v/i.* (*h.*) be a guest star, give a guest performance.
'**Gast...:** **~land** *n* host country; **2lich** *adj.* hospitable; *~ aufnehmen* receive as a guest; **~lichkeit** *f* (-) hospitality; **~mahl** *n* feast, banquet; **~professor** *m* visiting professor; **~recht** *n* (-[e]s) right to hospitality.
gastrisch ['gastriʃ] *med. adj.* gastric; **Gastritis** [gas'tri:tis] *f* (-) gastritis.
Gastrologie [gastrolo'gi:] *med. f* (-) gastrology.
'**Gastrolle** *thea. f* guest part; *fig. e-e kurze ~ geben* pay a flying visit; → *gastieren.*
Gastronom [gastro'no:m] *m* (-en; -en) gastronom|er, -ist; **2isch** *adj.* gastronomic(al).
'**Gast...:** **~spiel** *thea. n* guest performance; **~spielreise** *f* tour; **~spieltruppe** *f* road company; **~stätte** *f* restaurant; **~stättengewerbe** *n* catering trade; **~stättenwesen** *n* (-s) hotels and restaurants *pl.*; **~stube** *f* (bar) parlo(u)r; **~vorlesung** *f* guest lecture; **~vorstellung** *thea. f* guest performance; **~wirt** *m* landlord, host, innkeeper, *Am.* saloon keeper; **~wirtin** *f* landlady, hostess; **~wirtschaft** *f* → *Gasthaus*; **~zimmer** *n* lounge; *w.s.* spare (bed)room.
'**Gas...:** **~uhr** *f* gas-meter; **2vergiftet** *adj.* gassed, gas-poisoned; **~vergiftung** *f* gas-poisoning; **~ver-**

sorgung *f* gas supply; **~werk** *n* gasworks *pl.*; **~wolke** *f* gas cloud (*or* wave); **~zähler** *m* gas-meter; **~zufuhr** *f* gas supply.
Gatt [gat] *mar. n* (-[e]s; -en) hole.
Gatte ['gatə] *m* (-n; -n) husband, *poet.* mate, spouse (*a. jur.*); **~n** *pl.* married couple, husband and wife; **~nliebe** *f* conjugal love; **~nwahl** *biol. f* assortative mating.
Gatter ['gatər] *n* (-s; -) railing fence; grating; lattice, trellis; **~säge** *f* frame saw; **~tor** *n*, **~tür** *f* lattice gate, barrier; **~werk** *n* lattice-work.
'**Gattin** *f* (-; -nen) wife, *poet.* spouse, mate; *Ihre* ~ your wife, *formally*: Mrs. X.
Gattung ['gatuŋ] *f* (-; -en) *bot.*, *zo.* genus, race, family, species; *fig.* kind, sort, type, class; *arts*: *a.* genre (*Fr.*); *von jeder* ~ of every (kind and) description; **~sbegriff** *m* generic term; **~sname** *m* generic name; *gr.* appellative, common noun.
Gau [gaʊ] *m* (-[e]s; -e) district, region, province.
Gaudi ['gaʊdi] *f* (-) → *Gaudium*;
Gaudium ['-um] *n* (-s) (bit of) fun; *zum allgemeinen* ~ to the general amusement.
Gaukelbild ['gaʊkəl-] *n* illusion, phantasm, mirage.
Gaukelei [-'laɪ] *f* (-; -en) → *Gaukelspiel*.
'**gaukel|haft** *adj.* juggling, *fig.* delusive; **2spiel, 2werk** *n* jugglery, sleight-of-hand, legerdemain; trickery, hocus-pocus, deception.
'**gaukeln** *v/i.* (*h.*) juggle, do tricks; flutter about; sway (to and fro), rock; → *vorgaukeln*.
Gaukler(in *f*) ['gaʊklər(in)] *m* (-s, -; -, -nen) juggler, conjurer, illusionist; buffoon, clown; charlatan.
Gaul [gaʊl] *m* (-[e]s; ⸚e) (farm-) horse, nag; *contp. alter* ~ (old) jade; *fig. e-m geschenkten* ~ *sieht man nicht ins Maul* never look a gift horse in the mouth.
Gaumen ['gaʊmən] *m* (-s; -) palate, roof of the mouth; *harter* (*weicher*) ~ hard (soft) palate; *feiner* (*verwöhnter*) ~ delicate (fastidious) palate; *j-s* ~ *kitzeln* tickle a p.'s palate; *den* ~ *betreffend* palatal; **~laut** *m* palatal (sound); **~platte** *f dentistry*: (dental) plate; **~segel** *n* soft palate, velum; *~laut* velar; **~zäpfchen** *n* uvula.
Gauner ['gaʊnər] *m* (-s; -), **~in** *f* (-; -nen) swindler, sharper, trick(st)er, crook; scoundrel, *humor.* scamp, scalawag; **~bande** *f* gang of swindlers.
Gaune'rei [-'raɪ] *f* (-; -en) swindling, sharp practice, trickery, *Am. a.* skulduggery.
'**gauner|haft** *adj.* knavish, crooked, dishonest; **~n** *v/i.* (*h.*) cheat, swindle; **2sprache** *f* thieves' cant; **2streich** *m*, **2stück** *n* swindle, imposture; → *Gaunerei*.
Gaze ['gɑ:zə] *f* (-; -n) gauze; cheese-cloth; *tech.* wire gauze (*or* mesh); **2artig** ['-ɑ:rtiç] *adj.* gauzy; **~bausch** *m* gauze pad; **~binde** *f* gauze bandage; **~fenster** *n* gauze-screened window, screen; **~sieb** *n* gauze sieve.
Gazelle [ga'tsɛlə] *f* (-; -n) gazelle.
'**G-Dur** *n* G-major.

Geächtete(r *m*) [gə'ˀɛ:çtətə(r)] *f* (-n, -n; -en, -en) outlaw.
Geächze [gə'ˀɛçtsə] *n* (-s) groaning, groans *pl.*
Geäder [gə'ˀɛ:dər] *n* (-s) veins *pl.*, veined structure; blood vessels; *in wood*: graining; **2t** *adj.* veined, veiny; *wood, etc.*: grained, marbled.
geartet [gə'ˀɑ:rtət] *adj.* natured, disposed, conditioned; *anders* ~ *sein* be of a different nature.
Geäst [gə'ˀɛst] *n* (-es) branches *pl.*, branch work.
Gebäck [gə'bɛk] *n* (-[e]s; -e) baker's ware; pastry, fancy cakes, cookies *pl.*
Gebälk [gə'bɛlk] *n* (-[e]s) frame-work, timber-work, framing; beams *pl.*; *of columns*: entablature.
geballt [gə'balt] *adj.* balled, clenched (*fist*); *fig.* concentrated; *mil.* *~es Feuer* concentric fire; *~e Ladung* concentrated charge.
gebannt [gə'bant] *adj. and adv.* fascinated(ly), spellbound.
gebar [gə'bɑ:r] *pret. of gebären.*
Gebärde [gə'bɛ:rdə] *f* (-; -n) gesture; *heftige* ~ gesticulation; **2n:** *sich* ~ (*h.*) behave, act (*wie* like); **~nspiel** *n* gesticulation, gestures *pl.*; *thea.* pose; pantomime, dumb show (*a. fig.*); **~nsprache** *f* language of gestures, sign-language.
gebaren: *sich* ~ (*h.*) behave, act, deport o.s.
Gebaren [gə'bɑ:rən] *n* (-s) deportment, demeano(u)r, behavio(u)r, conduct.
gebären [gə'bɛ:rən] *v/t.* (*irr.*, *h.*) bear, bring forth (*a. fig.*), give birth to, be delivered of (*a child*); *fig.* produce, beget, breed; *geboren werden* be born; *ich wurde geboren am* I was born on; → *geboren*; **2** *n* (-s) child-bearing, parturiation; **~d** *adj.* being in labo(u)r, parturient.
Ge'bärmutter *f anat.* womb, uterus; *die* ~ *betreffend* uterine; **~hals** *m* cervix uteri; **~senkung** *f* uterine descent.
Ge'barung *econ. f* (-; -en) management; policy.
Gebäude [gə'bɔʏdə] *n* (-s; -) building, structure; edifice; *fig.* structure, framework; edifice (*of ideas*); **~entschuldungssteuer** *f* rental tax; **~komplex** *m* complex of buildings.
gebefreudig ['ge:bə-] *adj.* open-handed.
Gebein [gə'baɪn] *n* (-[e]s; -e) bones *pl.*; skeleton; *~e pl.* (mortal) remains.
Gebelfer [gə'bɛlfər] *n* (-s) yelping, yapping.
Gebell [gə'bɛl] *n* (-[e]s) barking.
geben ['ge:bən] *v/t.* (*irr.*, *h.*): *j-m et.* ~ give a p. a th., give a th. to a p.; hand a p. a th., hand a th. over to a p.; present a p. with a th.; bestow (*or* confer) a th. on a p.; *e-r Sache et.* ~ impart a th. to a th.; grant, allow (*esp. a. econ.*); allot, apportion; add; give (*a party, etc.*), hold, stage; *tel.* transmit, send; *tennis*: serve (*v/i.*); *thea.* perform, show; play, do (*a part*); *gegeben werden* be on; yield (*income, etc.*); *cards*: deal (*a. v/i.*); et. (*nichts*) ~ *auf* (*acc.*) set (no) store by; → *Anlaß*, *Beispiel*, *Druck*, *Verwahrung*, *Zeugnis*, *verstehen*, *etc.*; *sich* ~ yield, stretch; settle (down), abate, *passion*, *zeal*: *a.* cool; *person*: behave, act; *sich* ~ *als* pretend to be, try to pass off for, give o.s. the air of; *sich gefangen* ~ surrender, give o.s. up; → *Mühe*; *sich verloren* ~ give o.s. up for lost; *sich zu erkennen* ~ make o.s. known, reveal one's identity; *von sich* ~ give out, emit; utter (*sound*); *chem.* give off, evolve; bring up, vomit (*food*); pour forth (*oaths*); deliver (*speech*); *sich* ~ *in* resign o.s. to; *viel auf sich* ~ be particular about one's person; *es gibt* there is, there are; *was gibt es?* what is the matter?, what is it?; *colloq. was es nicht alles gibt!* it takes all kinds; *so etwas gibt es nicht* there is no such thing; *das gibt es nicht!* that's out!, nothing doing!; *das gibt keinen Sinn* it makes no sense; *ein Wort gab das andere* one word led to the other; *es gibt viel zu tun* there is a lot to do; *wir* ~ *Ihnen zu bedenken, daß* we would have you consider that; *das gibt mir zu denken* that gives me a new thought; *es wird sich schon* ~ it will pass, it will be all right; *das Stück wurde 7 Wochen lang gegeben* the play had a run of 7 weeks; *ich gäbe was drum, zu erfahren* I would give my eye-teeth to know; *es wird heute noch etwas* ~ there will be (*or* we are in for) a storm (row, *etc.*); *cards*: *wer gibt?* whose deal is it?; *ich habe es ihm tüchtig gegeben* I gave him a piece of my mind, I gave it him hot; → *gegeben*; *gib's ihm!* let him have it!; *gebe Gott!* God grant!
'**Geben** *n* (-s) giving; *cards*: *am* ~ *sein* (have the) deal; *es ist alles ein* ~ *und Nehmen* it's all a matter of give and take; ~ *ist seliger denn Nehmen* it is more blessed to give than to receive.
'**Geber** *m* (-s; -), **~in** *f* (-; -nen) giver, donor (*a. jur.*); *econ.* ~ *und Nehmer* sellers and buyers; *cards*: dealer; *tel.* transmitter; dispenser; **~laune** *f* (-) generous mood, burst of generosity.
Gebet [gə'be:t] *n* (-[e]s; -e) prayer; *sein* ~ *verrichten* say one's prayers; *fig. j-n ins* ~ *nehmen* question a p. closely, catechize a p., take a p. to task, call *or* have a p. on the carpet, give a p. a (good) talking-to; **~buch** *n* prayer-book.
ge'beten *p.p. of bitten.*
Ge'bet...: **~mühle** *f* prayer-wheel; **~s-teppich** *m* prayer-rug.
Gebiet [gə'bi:t] *n* ([e]s; -e) territory; soil, ground; district, region; zone; area; terrain; tract; *econ.* (contractual) territory *or* district; *fig. jur.* jurisdiction; field, domain; province, department; subject; sphere, scope, range; *Fachmann auf dem* ~ *der Kernspaltung* authority on (*or* in the field of) nuclear fission; **2en I.** *v/t.* (*irr.*, *h.*) *j-m et.* ~ order (*or* command, tell, bid) a p. *to do* a th.; enjoin; direct, instruct; require, call for, command (*respect*, *etc.*); impose (*silence*); **II.** *v/i.* (*irr.*, *h.*) rule (*über acc.* over), govern; (*dat.*) check, control (*one's passions*,

etc.); have at one's disposal, command; → *geboten*; **~er** *m* (-s; -) master, lord, governor, ruler, commander; **~erin** *f* (-; -nen) mistress; **≈erisch** *adj.* commanding; imperious, authoritative, dictatorial; categoric, peremptory (*tone*).

Ge'biets...: ~abtretung *f* cession of territory; **~anspruch** *m* territorial claim; **~hoheit** *f* territorial sovereignty; **~körperschaft** *f* area authority; **≈weise** *adj.* local(ly *adv.*).

Gebilde [gə'bildə] *n* (-s; -) thing; creation; product; form, shape; structure; *econ., jur.* entity, instrumentality; *a. geol.* formation; *weaving*: pattern, figure.

ge'bildet *adj.* educated, well-bred, cultivated, cultured, refined; accomplished; well-informed; well-read; *die Gebildeten pl. the* educated classes, *the* intelligentsia.

Gebimmel [gə'biməl] *n* (-s) (continual) ringing *or* tinkling.

Gebinde [gə'bində] *n* (-s; -) bundle; *agr.* sheaf; skein (*of yarn, etc.*); *arch.* truss; container; barrel, cask.

Gebirg|e [gə'birgə] *n* (-s; -) mountain-range (*or* -chain); mountains *pl.*; *mining*: ground, rock; *festes* (*schwimmendes*) ~ solid (shifting) rock; **≈ig** *adj.* mountainous.

Gebirgs... [gə'birks-]: **~artillerie** *f* mountain artillery; **~ausläufer** *m* spur (of a mountain-range); **~bahn** *f* mountain railway; **~bewohner(in** *f*) *m* mountain-dweller, highlander; **~gegend** *f* mountainous region; **~geschütz** *mil. n* mountain gun; **~grat** *m* mountain-ridge; **~jäger** *mil. m* mountain infantryman; *pl.* mountain troops; **~kamm** *m* → *Gebirgsgrat*; **~kette** *f* chain of mountains; **~kunde** *f* (-) orology; **~land** *n* mountainous country; **~paß** *m* mountain-pass; **~rücken** *m* → *Gebirgsgrat*; **~truppen** *f/pl.* mountain troops; **~volk** *n* mountain-tribe; highlanders *pl.*; **~wand** *f* wall of a mountain; **~zug** *m* mountain-range; → *Berg...*

Gebiß [gə'bis] *n* (-sses; -sse) (set of) teeth; denture, set of artificial (*or* false) teeth; *for horse*: bit.

gebissen [gə'bisən] *p.p. of beißen.*

Gebläse [gə'blɛ:zə] *tech. n* (-s; -) blast (engine), blower; *mot.* supercharger; *of furnace*: air-pipe; bellows *pl.*; wind projector, ventilator; **~brenner** *tech. m* blow pipe; **~luft** *f* (-) blast air; **~motor** *m* forced induction engine; **~ofen** *m* blast furnace; **~rad** *n* blower (*Am.* fan) wheel.

geblieben [gə'bli:bən] *p.p. of bleiben.*

Geblök [gə'blø:k] *n* (-[e]s) bleating (*of sheep*); lowing (*of cattle*).

geblümt [gə'bly:mt] *adj.* flowered, flowery; *econ. a.* sprigged, with floral design.

Geblüt [gə'bly:t] *n* (-[e]s) blood; lineage, race; *von edlem* ~ of noble birth (*or* descent); *Prinz von* ~ prince of the blood.

gebogen[1] [gə'bo:gən] *p.p. of biegen.*

ge'bogen[2] *adj.* bent, curved; convex.

geboren [gə'bo:rən] *adj.* (*p.p. of gebären*) born; *~er Deutscher* German by birth; *in Deutschland* ~ German-born; *~e Schmidt* née Schmidt; *sie ist eine ~e Schmidt* her maiden name was Schmidt; *zu et.* ~ *sein* be born to a th. (*or* to be a th., to do a th.), be cut out for (*a profession, etc.*); *ein ~er Geschäftsmann* a born businessman.

geborgen[1] [gə'bɔrgən] *p.p. of bergen.*

ge'borgen[2] *adj.* safe, sheltered (*vor dat.* from).

Ge'borgenheit *f* (-) safety, security.

geborsten [gə'bɔrstən] *p.p. of bersten.*

Gebot [gə'bo:t] *n* (-[e]s; -e) order, command; rule; *econ.* bid; *die Zehn ~e pl.* the Ten Commandments; *das ~ der Vernunft* the dictates *pl.* of reason; *j-m zu ~e stehen* be at a p.'s disposal (*or* command); *ihm stehen reiche Hilfsquellen zu ~e* he has (*or* commands, can rely on) rich resources; *Not kennt kein ~* necessity knows no law; *dem ~ der Stunde gehorchen* fit in with the needs of the moment; **≈en** *adj.* requisite, necessary; *pred.* required; *dringend ~* imperative; indicated; due; *jur.* mandatory; **~s-schild** *n* mandatory sign.

gebracht [gə'braxt] *p.p. of bringen.*

gebrannt [gə'brant] *p.p. of brennen.*

Gebräu [gə'brɔʏ] *n* (-[e]s; -e) brewage, brew; *fig.* (*usu. contp.*) mixture, concoction.

Gebrauch [gə'braux] *m* (-[e]s) use; employment, *esp. med., pharm.* application; (-[e]s; ¨e) custom; usage, practice; *heilige Gebräuche pl.* sacred rites; *von et. ~ machen* make use (*or* avail o.s.) of a th.; *in ~ kommen* come into use; *im ~ sein* be in use; *außer ~ kommen* go out of use, fall into disuse; *außer ~ setzen* supersede, discard, invalidate; *allgemein in ~* in common use; *der ~ seines linken Arms* the use of his left arm; *zum äußeren (inneren) ~* for external (internal) application; *vor ~ schütteln* to be shaken before taken; **≈en** *v/t.* (*h.*) use, make use of, avail o.s. of; employ (*für* for), apply (to); handle; take (*medicine*); *Gewalt ~* employ force, have recourse to violence; *sich ~ lassen zu* lend o.s. to; *ich kann es gut ~* I have a good use for it, it's just what I needed; *ich kann es nicht ~* it is of no use (*or* useless) to me; *ich könnte e-n Schirm ~* I could do with an umbrella; *er ist zu allem zu ~* he can turn his hand to anything; *er ist zu nichts zu ~* he's good for nothing; *äußerlich zu ~!* for outward application!; *gebrauchte Kleider, etc.* second-hand clothes, *etc.*; *gebrauchte Wagen a.* used cars; → *brauchen.*

gebräuchlich [gə'brɔʏçliç] *adj.* in use; current, commonly used (*words, etc.*); ordinary, common; customary, usual (*bei* with); *nicht mehr ~* no longer used; out-dated, obsolete; *~ werden* come into use (*or* fashion, vogue).

Ge'brauchs...: ~anmaßung *jur. f* unauthorized use of pledged articles; **~anweisung** *f* directions *pl.* for use, instructions *pl.* (for use); **~artikel** *m* commodity, necessary, personal article; **~diebstahl** *m of car*: stealing a ride; **≈fähig** *adj.* usable, serviceable; **~fahrzeug** *n* utility vehicle; **≈fertig** *adj.* ready for (*or* to) use; instant (*coffee, soup, etc.*); **~gegenstand** *m* commodity, utility article; **~graphik** *f* commercial art; **~graphiker** *m* commercial (*or* industrial) artist; **~güter** *n/pl.* commodities, necessaries; **~hund** *m* all-round dog; **~möbel** *n/pl.* utility furniture; **~muster** *n* registered design (*or* pattern); **~musterschutz** *m* legal protection for registered designs; **~spannung** *el. f* service voltage; **~vorschrift** *f* → *Gebrauchsanweisung*; **~wert** *m* utility value.

ge'braucht *adj.* second-hand, used; worn, old (*clothes*); **≈wagen** *m* used car, second-hand car; **≈waren** *f/pl.* second-hand articles.

gebräunt [gə'brɔʏnt] *adj.* tanned; *tief ~* bronzed; *tech.* burnished.

Gebraus [gə'braus] *n* (-es) → *Brausen.*

ge'brechen *v/i.* (*irr., h.*) → *fehlen, (er)mangeln.*

Ge'brechen *n* (-s; -) (physical *or* bodily) defect *or* handicap; infirmity; affliction, ailment; *fig.* shortcoming, handicap.

ge'brechlich *adj.* fragile, brittle; rickety; *person*: feeble, frail; decrepit, infirm, shaky; **≈keit** *f* (-) fragility; frailty; infirmity, decrepitude.

gebrochen[1] [gə'brɔxən] *p.p. of brechen.*

ge'brochen[2] *adj.* broken (*a. fig.*); *mit ~er Stimme* in a broken voice; *mit ~em Herzen* broken-hearted; *~es Englisch* broken English.

Gebrodel [gə'bro:dəl] *n* (-s) boiling, bubbling.

Gebrüder [gə'bry:dər] *pl.* brothers; *econ. ~* (*Gebr.*) *Wolfram* Wolfram Brothers (*abbr.* Bros.).

Gebrüll [gə'bryl] *n* (-[e]s) roaring; *of cattle*: lowing.

gebückt [gə'bykt] *adj.* bent, stooped; *~e Haltung* stoop.

Gebühr [gə'by:r] *f* (-; -en) due; (*usu. ~en pl.*) duty, tax(es *pl.*), toll; fee(s *pl.*), charge(s *pl.*) dues *pl.*; rate, scale; royalty; *econ.* commission; *prozentuale ~* percentage; → *Anwalts≈, Aufnahme≈, Lizenz≈, etc.*; *for motorway*: toll; *mail. ermäßigte ~* reduced rate; *nach ~* duly, properly, deservedly; *über ~* unduly, immoderately, excessively.

ge'bühren *v/i.* (*h.*) (*dat.*) be due to, belong to; *sich ~* be becoming *or* fitting *or* proper; *gib ihm, was ihm gebührt* give him his due; → *Ehre*; *dies gebührt sich nicht für einen Ausländer* it ill becomes a foreigner; **~d I.** *adj.* due (*dat.* to); becoming, seemly; proper (*answer, etc.*); **II.** *adv.* (*a.* **~dermaßen** [-ma:sən], **~derweise** [-vaɪzə]) duly, properly.

Ge'bühren...: ~einheit *f* tariff unit; **~erlaß** *m* remission of fees; **~ermäßigung** *f* reduction of fees (*or* rates, charges); **≈frei** *adj.* free of charges, no-charge; duty-free; **~freiheit** *f* exemption from payment of charges; **~marke** *f* revenue stamp, fee-stamp; **~ordnung** *f* schedule (*or* scale) of fees, tariff; ♀**pflichtig** *adj.* chargeable, liable to a fee, dutiable; subject to postage; ~*e Autostraße* turnpike road, *Am.* toll road; ~**satz** *m* rate (of fees); ~**stempel** *m* fee stamp.

ge'bührlich *adj.* → *gebührend.*

gebunden[1] [gə'bundən] *p.p. of binden.*

ge'bunden[2] *adj.* bound; → *Ganzleder*; *chem.* combined (*an acc.* with); *phys.* latent (*heat*); *fig.* controlled (*a. currency, price*); directed, subject to supervision; tied (*capital*), earmarked; blocked; *vertraglich* ~ bound by contract; ~*er Zahlungsverkehr* payment through clearing channels; metrical (*speech*); → *binden*; ♀**heit** *f* (-) constraint, restraint; subordination; dependence.

Geburt [gə'bu:rt] *f* (-; -en) birth; delivery, confinement; parturition; *w.s.* birth, extraction, descent; *fig.* birth, creation, rise; *leichte* ~ easy confinement; *Deutscher von* ~ → *gebürtig*; *von vornehmer* ~ of (noble) birth; *colloq.* e-e *schwere* ~ a tough job.

Ge'burten...: ~**beihilfe** *f* maternity benefits *pl.*; ~**beschränkung,** ~**kontrolle** *f* birth-control; ~**regelung** *f* birth-control; planned parenthood; ~**rückgang** *m* declining birth-rate; ♀**schwach,** (♀**stark**) *adj.* having a low (high) birth-rate; ~**überschuß** *m* excess of births; ~**ziffer** *f* birth-rate.

gebürtig [gə'byrtiç] *adj.*: ~ *aus Deutschland, ein* ~*er Deutscher* born in Germany, a native of Germany, German-born.

Ge'burts...: ~**anzeige** *f* announcement of birth; ~**fehler** *m* congenital defect; ~**haus** *n* house where a p. was born, birthplace; ~**helfer** *m* obstetritian; ~**helferin** *f* midwife; ~**hilfe** *f* midwifery, obstetrics *pl.*; ~**jahr** *n* year of birth; ~**jahrgang** *m* age class; ~**land** *n* native country; ~**ort** *m* birthplace, native place; ~ *und Geburtstag* place and date of birth; ~**schein** *m* birth certificate; ~**stadt** *f* native town; ~**stunde** *f* hour of birth; ~**tag** *m* birthday; date of birth; (*ich*) *gratuliere zum* ~ (I wish you) many happy returns of the day; ~**tagsfeier** *f* birthday party; ~**tagsgeschenk** *n* birthday present; ~**tagskind** *n* person celebrating his (her) birthday; ~**urkunde** *f* → *Geburtsschein*; ~**vorgang** *med. m* parturition; ~**wege** *med. m/pl.* genital tract *sg.*; ~**wehen** *pl.* labo(u)r-pains, throes, labo(u)r *sg.*; *in* ~ *liegen* be in labo(u)r; ~**zange** *f* forceps.

Gebüsch [gə'byʃ] *n* (-es; -e) bushes *pl.*, shrubbery; thicket; underbrush, underwood, copse.

Geck [gɛk] *m* (-en; -en) fop, dandy, *Am. a.* dude; conceited ass.

'geckenhaft *adj.* dandyish, foppish.

gedacht[1] [gə'daxt] *p.p. of denken.*

ge'dacht[2] *adj.* imaginary, assumed.

Gedächtnis [gə'dɛçtnis] *n* (-ses; -se) **a**) (faculty of) memory; **b**) remembrance, recollection, memory; *gutes* ~ good (*or* retentive) memory; *schlechtes* (*kurzes*) ~ bad (short) memory; *aus dem* ~ by heart, from memory; *aus dem* ~ *streichen* dismiss the memory of; *zum* ~ in remembrance, in memory (*gen. or an acc.* of); to *a p.'s* memory; *im* ~ *behalten* keep (*or* bear) in mind, remember; *j-m et. ins* ~ *zurückrufen* call a th. back to a p.'s memory, remind a p. of a th.; *sich et. ins* ~ *zurückrufen* call a th. (back) to mind, recall a th.; *wenn mich mein* ~ *nicht trügt* if my memory serves me right, if I remember rightly; ~**fehler** *m* slip of the memory; ~**feier** *f* commemoration; ~**gottesdienst** *m* memorial service; ~**hilfe** *f* memory-aid; memo; ~**kirche** *f* memorial church; ~**kunst** *f* mnemonics *pl.*; ~**rede** *f* commemorative address; ~**rennen** *n sports*: memorial (stakes *pl.*); ~**schwäche** *f* weakness of memory; ~**schwund** *m* loss of memory; ~**störung** *f* disturbed memory, temporary amnesia; ~**stütze** *f* mnemonic aid; ~**übung** *f* memory-training; ~**verlust** *m* amnesia, loss of memory; → *Gedenk...*

gedämpft [gə'dɛmpft] *adj.* deadened, muffled (*sound*); hushed (*steps, voice*); subdued (*colour, light*); *phys.* attenuated (*sound*); damped (*oscillation, wave*); *mit* ~*er Stimme a.* in an undertone, under one's breath; *cul.* stewed; *fig.* subdued (*mood*).

Gedanke [gə'daŋkə] *m* (-n; -n) thought (*an acc.* of); idea; notion; (~*ngang*) reflection; speculation; conjecture; *guter* ~ good (*or* bright) idea, inspiration, brain-wave; *in* ~*n* **a**) in the spirit, **b**) in fancy, **c**) absent-mindedly; *in* ~*n versunken sein* be absorbed (*or* wrapped, lost) in thought, be in a brown study; *s-e* ~*n beisammen haben* (*halten*) have (keep) one's wits about one; *j-n auf andere* ~*n bringen* divert a p.'s thought, make a p. think of other things; *j-n auf den* ~*n bringen, daß* make a p. think that, give a p. the idea that; *j-s* ~*n lesen* read a p.'s mind; *sich mit dem* ~*n tragen, zu tun* consider (*or* think of) doing, have in mind to do; *sich* ~*n machen über* (*acc.*) **a**) wonder about, **b**) worry about; *wie kommst du auf den* ~*n?* what gives you this idea?; what makes you think that?; *ich kam auf den* ~*n* it (*or* the thought) occurred to me, it came to my mind; *kein* ~! no idea!, certainly not!, nothing of the kind!; *es ist kein* ~ *daran, daß* it is out of the question that; *mache dir keine* ~*n* don't let it worry you; *ich möchte nicht den* ~*n erwecken, daß* I don't wish to create (*or* give) the impression that.

Ge'danken...: ♀**arm** *adj.* lacking in ideas; ~**armut** *f* lack of ideas; ~**austausch** *m* exchange of ideas; ~**blitz** *m* sudden inspiration, brainwave; ~**freiheit** *f* (-) freedom of thought; ~**fülle** *f* wealth of ideas; ~**gang** *m* train of thought, (chain of) reasoning; ~**leser**(**in** *f*) *m* thought-reader; ♀**los** *adj.* thoughtless, inconsiderate; mechanical; ~**losigkeit** *f* (-) thoughtlessness; ~**lyrik** *f* contemplative lyrics *pl.*; ♀**reich** *adj.* rich in ideas; ~**reichtum** *m* (-s) wealth of ideas; fertility of the mind; ~**splitter** *m/pl.* aphorisms; ~**strich** *m* dash; ~**übertragung** *f* thought transference; telepathy; ~**verbindung** *f* association of ideas; ♀**verloren** *adj.* lost (*or* wrapped) in thought; ♀**voll** *adj.* thoughtful, pensive; deep in thought; ~**vorbehalt** *m* mental reservation; ~**welt** *f* (world of) ideas, thought; intellectual world.

ge'danklich *adj.* intellectual, mental; imaginary.

Gedärm [gə'dɛrm] *n* (-[e]s; -e), *usu.* ~**e** *pl.* entrails, bowels, guts, intestines.

Gedeck [gə'dɛk] *n* (-[e]s; -e) cover; menu; *ein* ~ *auflegen* lay a place.

Gedeih [gə'daı] *m*: *auf* ~ *und Verderb* for better or for worse.

ge'deihen *v/i.* (*irr., sn*) *all a. fig.* prosper, thrive, grow; flourish, blossom; succeed, get on (well); develop; progress (well), get on (well); → *Gut*; *die Sache ist nun so weit gediehen, daß* the matter has now reached a stage where; *die Verhandlungen sind schon weit gediehen* the negotiations are in good progress (*or* well under way).

Ge'deihen *n* (-s) growth, thriving, prosperity, success.

ge'deihlich *adj.* thriving, prosperous, successful; beneficial, salutary; profitable.

ge'denken *v/i.* (*irr., h., gen.*) think of; remember, recollect; bear in mind; mention; hono(u)r; *e-r Sache nicht* ~ pass a th. over in silence; commemorate; ~ *zu tun* think of (*or* consider) doing, intend (*or* propose, have in mind) to do.

Ge'denken *n* (-s) memory; → *Andenken, Gedächtnis.*

Ge'denk...: ~**feier** *f* commemoration; ~**gottesdienst** *m* memorial service; ~**rede** *f* commemorative address; ~**spruch** *m* motto; ~**stätte** *f* memorial place; ~**stein** *m* memorial (stone); tombstone; ~**stunde** *f* memorial hour; ~**tafel** *f* memorial tablet; ~**tag** *m* commemoration (day); anniversary.

Gedicht [gə'diçt] *n* (-[e]s; -e) poem, piece of poetry; *pl. a.* poetry; *colloq. der Hut ist ein* ~ the hat is a (perfect) dream; ~**sammlung** *f* collection of poems; anthology.

gediegen [gə'di:gən] *adj.* solid; pure, unmixed, native; sterling (*gold, etc.*; *a. fig. character, person*); *fig.* genuine, true; upright, high-principled; ~*e Arbeit* good craftsmanship; ~*e Kenntnisse* sound (*or* thorough) knowledge; capital (*joke*); *colloq. das ist* ~ that's very funny; ♀**heit** *f* (-) solidity, purity; sterling quality; genuineness; soundness, thoroughness.

gedieh [gə'di:] *pret. of gedeihen.*

ge'diehen *p.p. of gedeihen.*

Ge'dinge *n* (-s; -) bargain; agreement; piecework; contract (*or* job) work; payment by the job, piece wage(s *pl.*); *im* ~ *arbeiten* work by contract *or* by the job.

Gedränge [gə'drɛŋə] *n* (-s) crowding, press, buffeting, squash; rush; *sports*: bunching; *rugby*: scrummage; crowd, throng, crush; *fig.* trouble, embarrassment, fix, dilemma; *ins ~ kommen* get into a tight corner.

ge'drängt I. *adj.* crowded, packed; crammed; *fig.* concise, compact, terse (*style, etc.*); *~e Übersicht* condensed review, synopsis; **II.** *adv.*: *~ voll* packed (to capacity), *Am. a.* jammed; **2heit** *fig. f* (-) compactness; conciseness, terseness.

ge'drechselt *adj. fig.* stilted.

gedroschen [gə'drɔʃən] *p.p. of dreschen.*

ge'drückt *adj.* depressed (*a. econ. prices*); *tech.* shallow formed; *~er Stimmung sein* be depressed (*or* dejected, down-hearted, in low spirits); **2heit** *f* (-) depression; gloominess, low spirits *pl.*

gedrungen[1] [gə'druŋən] *p.p. of dringen.*

ge'drungen[2] *adj.* compact; squat, stocky, thickset, stumpy (*figure*); concise, terse (*speech*); **2heit** *f* (-) compactness; squatness, square build.

Gedudel [gə'du:dəl] *n* (-s) tooting.

Geduld [gə'dult] *f* (-) patience; indulgence, forbearance; perseverance; *~ haben mit (dat.)* have patience with; *die ~ verlieren* lose patience; *sich in ~ fassen* have patience, possess one's soul in patience; *j-s ~ auf die Probe stellen* try *or* task a p.'s patience; *in, mit ~* → *geduldig*; **2en** [-'duldən]: *sich ~ (h.)* have patience; wait (patiently); **2ig** [-'duldiç] **I.** *adj.* patient; indulgent, forbearing; → *Papier*; **II.** *adv.* patiently, in *or* with patience; **~sfaden** *m*: *mir riß der ~* I lost (all) patience; **~spiel** [-'dult-] *n* (jigsaw) puzzle; **~s-probe** *f* trial of patience, ordeal; *es war eine ~* it was nerve-racking.

gedungen [gə'duŋən] *p.p. of dingen.*

gedunsen [gə'dunzən] *adj.* puffed up, bloated.

gedurft [gə'durft] *p.p. of dürfen.*

ge'ehrt *adj.* hono(u)red; *in letters*: *Sehr ~er Herr N.!* Dear Sir, *intimately*: Dear Mr. N., *adm.* Sir.

ge'eicht *adj. tech.* calibrated; *fig. darauf ist er ~* he is an expert on that, *Am. sl.* that's just his meat.

ge'eignet *adj. person*: fit (*für, zu* for *a th.*, to be); qualified (for); *a. thing*: suited, suitable (to, for); proper, appropriate (to); *er ist nicht dafür ~* he does not qualify (for the job), he is not the right man (for it); *im ~en Augenblick* at the right moment.

Geest [ge:st] *f* (-; -en) sandy heath-land (of North German coastal region).

Gefahr [gə'fa:r] *f* (-; -en) danger (*für* to), peril; risk, hazard, jeopardy; threat, menace; → *gelb*; *auf eigene ~* at one's own risk; *econ.* → *Rechnung*; *insurance*: *gegen alle ~en* against all risk; *außer ~* out of danger (*or* harm's way), out of the woods; *auf die ~ hin, zu verlieren* at the risk of *losing*; *~ laufen zu inf.* run the risk of *ger.*, be liable (*or* likely) to *inf.*; *der ~ aussetzen* expose to danger; *in ~ bringen* → *gefährden*; *in ~, getötet zu werden* in danger of being killed; *sich in ~ begeben* incur danger, expose o.s. to danger; *~ wittern* see rocks ahead; *es hat keine ~* there is no danger; *~ im Verzuge!* danger ahead!; **2bringend** *adj.* dangerous.

gefährd|en [gə'fɛ:rdən] *v/t.* (*h.*) endanger, imperil; expose to danger; risk, hazard; jeopardize; threaten (*the peace, etc.*); compromise (*position, reputation*); *gefährdete Jugend* endangered youth; **2ung** *f* (-) endangering, *etc.*; threat, menace (*gen.* to).

Ge'fahren...: **~herd** *m*, **~quelle** *f* source of danger, hazard; **~punkt** *m* danger point (*or* spot), *fig. a.* critical point; **~zone** *f* danger area; *aus der ~* out of harm's way; **~zulage** *f* danger money, *Am.* hazard bonus.

gefährlich [gə'fɛ:rliç] *adj.* dangerous (*für* to), perilous; risky, hazardous, precarious, ticklish; critical, grave, serious; *ein ~es Spiel treiben* skate on thin ice, ride for a fall; *colloq. das ist nicht so ~!* that's nothing much; **2keit** *f* (-) danger (-ousness), riskiness; gravity, critical nature.

ge'fahrlos *adj.* without danger *or* risk, riskless; safe; harmless; **2igkeit** *f* (-) safety, security.

Gefährt [gə'fɛ:rt] *n* (-[e]s; -e) vehicle; → *Fuhrwerk.*

Ge'fährte *m* (-n; -n), **Ge'fährtin** *f* (-; -nen) companion; associate; fellow, mate.

ge'fahrvoll *adj.* full of danger, dangerous, risky, venturesome.

Gefälle [gə'fɛlə] *n* (-s; -) fall, slope, incline, descent, gradient, *Am.* grade; fall (*of water*); *~ der Wärme* heat drop; *elektrisches ~* fall of potential; *fig.* downward trend, fall; wage differential; price gap; variation in the level of economic activity; margin (between interest rates); *mot. starkes ~!* steep grade!

Ge'fallen[1] [gə'falən] *m* (-s; -) favo(u)r, kindness; *mir zu ~* to please (*or* oblige) me, for my sake; *j-m e-n ~ tun or erweisen* do a p. a favo(u)r *or* good turn; *j-m et. zu ~ tun* do a th. to please (*or* oblige) a p.; *j-n um e-n ~ bitten* ask a favo(u)r of a p.; *tu mir den ~, zu inf.* do me the favo(u)r of *ger.*

Ge'fallen[2] *n* (-s) pleasure; *~ finden an (dat.)* like, be pleased (*or* delighted) with, enjoy, take (a) pleasure in, take a fancy to *or* for, take to (*a. p. or th. or doing a th.*); *~ haben an* have a liking for; *Ihnen zu ~* to please (*or* oblige) you; *j-m zu ~ sein* be at a p.'s beck and call; *j-m zu ~ reden* cajole a p., fawn on a p.; *nach ~* at one's pleasure, at one's (own) discretion, as one likes.

ge'fallen I. *v/i.* (*irr., h.*) please (*j-m* a p.); *es gefällt mir* I like it, it is to my liking (*or* taste), I am pleased with it; *er gefiel mir auf den ersten Blick* I liked (*or* took to) him at once; *solche Filme ~ der Masse* such films will appeal to the masses; *colloq. er gefällt mir nicht* he doesn't look too well, I am worried about him; *hat dir das Konzert ~?* did you enjoy the concert?; *wie gefällt es Ihnen in B.?* how do you like B.?; *er tut, was ihm gefällt* he does as he pleases; *ob es dir gefällt oder nicht* like it or lump it; *sich et. ~ lassen* **a**) agree with (*or* approve of) a th., consent to a th. (being done), **b**) put up with (*or* submit to, suffer) a th.; *das laß ich mir ~!* that's what I like!; *das lasse ich mir nicht ~* I won't stand (*Am.* for) it; *sich ~ in (dat.)* take pleasure in, indulge (o.s.) in, affect; *sich in e-r Rolle, etc. ~* fancy o.s. in *a rôle, etc.*; *er gefiel sich in dem Gedanken, daß* he gloried in the thought that, he flattered himself in the belief that; **II.** *adj.* fallen (*angel, girl, etc.*); *mil.* killed in action, fallen; **2e(r** *m*) *f* (-n, -n; -en, -en) fallen person; *mil.* killed (*or* dead) soldier; *die Gefallenen pl.* the fallen *or* dead; **2enfriedhof** *m* war cemetery.

gefällig [gə'fɛliç] *adj.* pleasing, agreeable; engaging, taking; obliging, complaisant; kind, accommodating; *j-m ~ sein* please (*or* oblige, accommodate) a p.; *econ. was ist Ihnen ~?* what can I do for you?; *Zigaretten ~?* cigarettes, please?; *um ~e Antwort wird gebeten* the favo(u)r of an answer is requested; → *gefälligst*; **2keit** *f* (-; -en) kindness, complaisance, obligingness; favo(u)r; → *Gefallen*[1]; **2keits-akzept** *n*, **2keitswechsel** *m* accommodation bill; **~st** *adv.* kindly, (if you) please; *sei ~ still!* be quiet, will you!

Ge'fall|sucht *f* (-) desire to please, craving for admiration; coquetry; **2süchtig** *adj.* coquettish.

Gefältel [gə'fɛltəl] *n* (-s) folds, pleats; **2t** *adj.* folded, pleated.

ge'fangen *adj.* caught; *mil.* captive, captured; imprisoned, in prison; *fig.* captivated, enthralled; *sich ~ geben* give o.s. up (as a prisoner), surrender; **2e(r** *m*) *f* (-n, -n; -en, -en) prisoner, captive; → *Sträfling*; **2en-arbeit** *f* convict labo(u)r; **2enfürsorge** *f* prison welfare-work; **2enlager** *n* prison(ers') camp; **2enwagen** *m* prison van, *Am.* patrol wagon; **~halten** *v/t.* (*irr., h.*) keep *a p.* (a) prisoner; detain (in prison); *fig.* hold *a p.* under one's spell; **2nahme** [-na:mə] *f* (-) capture (*a. mil.*); seizure; arrest, apprehension; **~nehmen** *v/t.* (*irr., h.*) *mil.* take *a p.* prisoner; capture, seize; arrest, apprehend; *fig.* captivate; enthrall; grip, absorb; **2schaft** *f* (-) *mil.* captivity; imprisonment, confinement; custody; *in ~ geraten* be captured, be taken prisoner; **~setzen** *v/t.* (*h.*) imprison, put (*or* cast) in prison, jail; arrest, take into custody.

Gefängnis [gə'fɛŋnis] *n* (-ses; -se) prison, jail, *Brit. a.* gaol; dungeon; (term of) imprisonment; *j-n zu 5 Jahren ~ verurteilen* sentence a p. to 5 years' imprisonment; *ins ~ schicken* send to prison, jail; **~direktor** *m* governor, *Am.* warden; **~haft** *f* detention, imprisonment; **~strafe** *f* (sentence *or* term of) imprisonment; *zu e-r ~ verurteilen* sentence to a term of imprison-

ment; ~wärter *m* gaoler, *esp. Am.* jailer; turnkey; (prison) guard; ~zelle *f* prison cell.
Gefasel [gə'fɑ:zəl] *n* (-s) twaddle, drivel.
Gefäß [gə'fɛ:s] *n* (-es; -e) vessel (*a. anat., bot.*); receptacle, container; pot, jar; bowl, basin; *bot. a.* canal, tube; *fig.* receptacle, vehicle; **~klappe** *anat. f* vascular valve; **~krampf** *med. m* vasospasm, arteriospasm; **~lehre** *f* angiology; **~vereng(er)ung** *f* vaso-constriction; **~wand** *f* vascular wall.
gefaßt [gə'fast] *adj.* calm, composed; resigned; ~ *sein auf* (*acc.*) be prepared for; → *schlimm*; *sich ~ machen auf* (*acc.*) prepare (o.s.) for; *colloq. er kann sich auf et. ~ machen* he is in for it now.
Gefecht [gə'fɛçt] *mil. n* (-[e]s; -e) fight, combat, encounter; engagement; action; skirmish; *außer ~ setzen* put out of action, silence (*guns*), knock out (*tank*); *ins ~ kommen* come into action, engage in battle; *in ein ~ verwickeln* engage; *ins ~ führen* advance (*arguments*).
Ge'fechts...: ~ausbildung *mil. f* combat training; **~bereich** *m* zone of action; **2bereit** *adj.* ready for action, combat-ready; **~einheit** *f* combat unit; **2klar** *mar. adj.* clear for action; *ein Schiff ~ machen* clear a ship for action; **~kopf** *mil. m* warhead; **~lage** *f* tactical situation; **~lärm** *m* noise of battle; **2mäßig** *adj.* combat (*firing practice, etc.*); **~schießen** *n* field firing; **~stand** *m* (advanced) command post; *aer.* **a**) operations room, **b**) *in plane*: turret; **~stärke** *f* fighting strength; **~tätigkeit** *f* combat activity; **~übung** *f* combat practice, field exercise; **~ziel** *n* objective.
gefeit [gə'faɪt] *adj.* invulnerable (*gegen* to), immune (from, against), proof (against).
Gefieder [gə'fi:dər] *n* (-s; -) plumage, feathers *pl.*; **2t** *adj.* feathered; *bot.* pinnate.
Gefilde [gə'fildə] *poet. n* (-s; -) fields *pl.*, regions *pl.*; *~ der Seligen* Elysian Fields *pl.*
ge'flammt *adj.* watered; waved.
Geflatter [gə'flatər] *n* (-s) fluttering.
Geflecht [gə'flɛçt] *n* (-[e]s; -e) plait; plaited work; wickerwork; *tech.* netting, mesh; texture; *anat.* plexus.
gefleckt [gə'flɛkt] *adj.* spotted, speckled; freckled; → *fleckig*.
geflissentlich [gə'flisəntliç] **I.** *adj.* wilful, intentional, deliberate; **II.** *adv. a.* studiously, designedly, on purpose.
geflochten [gə'flɔxtən] *p.p. of flechten.*
geflogen [gə'flo:gən] *p.p. of fliegen.*
geflohen [gə'flo:ən] *p.p. of fliehen.*
geflossen [gə'flɔsən] *p.p. of fließen.*
Ge'flügel *n* (-s) poultry, fowl(s *pl.*); **~farm** *f* poultry farm; **~händler** *m* poulterer; **~handlung** *f* poultry-shop; **~schere** *f* poultry dissectors *pl.*
ge'flügelt *adj.* winged; *~e Worte* winged words, household words, familiar quotations.
Ge'flügel|zucht *f* poultry-farming; **~züchter** *m* poultry-farmer.
Geflunker [gə'fluŋkər] *n* (-s) fibbing, humbug; fibs, lies *pl.*; bragging.
Geflüster [gə'flystər] *n* (-s) whispering, whispers *pl.*
gefochten [gə'fɔxtən] *p.p. of fechten.*
Gefolge [gə'fɔlgə] *n* (-s; -) suite, retinue; train, entourage, followers *pl.*; attendance, attendants *pl.*; escort; *im ~ von fig.* in the train (*or* wake) of; *im ~ haben* lead to.
Gefolgschaft [gə'fɔlk-] *f* (-; -en) followers *pl.*, following, adherents *pl.*; *econ.* staff, personnel, employees.
Ge'folgsmann *m* → *Lehnsmann*; follower, *pol. a.* supporter, henchman.
gefräßig [gə'frɛ:siç] *adj.* greedy, voracious, gluttonous; **2keit** *f* (-) voracity, gluttony, greediness.
Gefreite(r) [gə'fraɪtə(r)] *mil. m* (-n; -n) lance-corporal, *Am.* private first class; *aer. Brit.* aircraftman 1st class, *Am.* airman 3rd class.
Gefrier|anlage [gə'fri:r-] *f* freezing plant; **~apparat** *m*, **~maschine** *f* freezing apparatus, freezer; **2en** *v/i.* (*irr., sn*) freeze, congeal; **2fest** *adj.* cold-resistant, non-freezable; **~fleisch** *n* frozen meat; **~punkt** *m* freezing-point; *auf dem ~ stehen* be at zero; **~raum** *m* freezing room, freezer; **~salz** *n* freezing-salt; **~schrank** *m* freezer (cabinet), refrigerator; **~schutzmittel** *n* anti-freezing solution, antifreeze.
gefroren [gə'fro:rən] *p.p. of frieren.*
Ge'frorene(s) *n* (-n) ice(-cream).
Gefüge [gə'fy:gə] *n* (-s; -) joints *pl.*; *tech.* articulation; structure; structure, texture (*a. metall., anat.*); *mining*: layer, stratum, bed; *fig.* structure, make-up, fabric; *sittliches ~* moral order; *Staats2* political system.
ge'fügig *adj.* pliable, supple, flexible; *person*: pliant, tractable, docile, submissive; *j-n ~ machen* bring a p. to heel; **2keit** *f* (-) pliancy, flexibility; docility, submissiveness.
Gefühl [gə'fy:l] *n* (-s; -e) feeling, sentiment; emotion; sense (*für* of); sensation; touch, *a. w.s.* feel (*e.g. ~ für richtiges Kuppeln mot.* clutch feel); instinct, intuitive understanding; flair; *~ der Sicherheit* feeling (*or* sense) of safety; *~ des Unvermögens* sense of frustration; *~ der Kälte* sensation of cold; *~ für Anstand* sense of propriety; *mit gemischten ~en* with mixed feelings; *s-e ~e zur Schau tragen* wear one's heart on one's sleeve; *s-n ~en freien Lauf lassen* vent one's feelings, not to mince words; *j-s ~e verletzen* hurt a p.'s feelings; *ich habe das ~, daß* I have a feeling that; *von s-n ~en überwältigt* overpowered by his emotion; *er sang mit ~* he sang with feeling; *das muß man mit ~ machen* that takes a certain touch; **2los** *adj.* numb; *person*: insensible, impassible (*gegen* to); unfeeling, callous, heartless; **~losigkeit** *f* (-) unfeelingness, callousness; cruel *or* brutal act.
Ge'fühls...: ~ausbruch *m* outburst (of emotion); **2betont** *adj.* emotional; **~duselei** [-du:zəlaɪ] *f* (-) sentimentalism; **2duselig** *adj.* sentimental, romantic, *sl.* mushy, soppy; **~leben** *n* (-s) emotional life, emotions *pl.*; **2mäßig I.** *adj.* emotional; **II.** *adv. a.* by intuition; **~mensch** *m* emotional character, emotionalist; **~nerv** *m* sensory nerve; **~sache** *f* matter of feeling; **~wärme** *f* warmth of emotion, glow; **~wert** *m* emotional value.
ge'fühlvoll *adj.* (full of) feeling; sensitive; tender; sentimental, melodramatic.
gefunden [gə'fundən] *p.p. of finden.*
gefurcht [gə'furçt] *adj.* furrowed.
gegangen [gə'gaŋən] *p.p. of gehen.*
ge'geben *adj.*: *math. ~e Größe* given quantity; *tech. ~e Temperatur* stated temperature; *innerhalb e-r ~en Frist* within a given (*or* specified) period; *als ~ voraussetzen* assume as a fact; *wenn wir es als ~ voraussetzen, daß* taking (it) for granted that; *unter den ~en Umständen* under the prevailing conditions, things being as they are; *zu ~er Zeit* at the proper time; *die ~e Methode* the best (*or* obvious) approach; **2e** *n* (-n): *das ~ sein* be the best thing (*or* policy), suggest itself; *das ist das ~!* that's the thing!; **~enfalls** *adv.* in that case; if need be; if necessary; if the occasion arises; **2heit** *f* (-; -en) reality, (given) fact, fact existing, factor.
gegen ['ge:gən] *prp.* (*acc.*) towards; against; opposed to; in the face of; about, nearly, in the neighbo(u)rhood of, *Am.* around; by (*a time*); for (*a disease*); compared with, as against; opposite to; in exchange (*or* return) for; *jur.* versus (*abbr.* vs. *or* v.); *freundlich, grausam, etc. ~* kind, cruel, *etc.*, to; *~ die Vernunft* contrary to reason; *econ. ~ Bezahlung (Dokumente)* against payment (documents); *~ bar* for cash; *~ Quittung* on (*or* against a) receipt; *~ die Wand lehnen (stoßen)* lean (knock) against the wall; *ich wette 10 ~ eins* I lay ten to one.
'Gegen...: ~aktion *f* → *Gegenmaßnahme*; **~angebot** *n* counter-offer; **~angriff** *m* counterattack (*a. v/t. e-n ~ führen gegen*); **~anklage** *f* countercharge; **~anspruch** *m* counterclaim; **~antrag** *m* counter-motion; **~antwort** *f* reply, rejoinder; *jur.* counterplea; **~auftrag** *m* counterorder; **~aussage** *f* counterevidence; **~bedingung** *f* counterstipulation; **~befehl** *m* counterorder; **~beschuldigung** *f* → *Gegenanklage*; **~besuch** *m* return visit; *j-m e-n ~ machen* return a p.'s visit; **~bewegung** *f* countermovement; *fig.* reaction(ary movement); **~beweis** *m* proof to the contrary; *jur.* counterevidence; *den ~ antreten* introduce rebutting evidence; **~bild** *n* counterpart, antitype; opposite; **~blockade** *f* counterblocade; **~buchung** *econ. f* cross-entry; **~bürgschaft** *f* countersecurity.
Gegend ['ge:gənt] *f* (-; -en) region (*a. anat.*), (tract of) country; district, area; locality; quarter, part, climate;

umliegende ~ surroundings *pl.*, environs *pl.*, vicinity; *in der* ~ *von* near, close to, in the neighbo(u)rhood of; *in unserer* ~ in our parts.

'**Gegen...:** ~**dienst** *m* return (*or* reciprocal) service; *j-m e-n* ~ *leisten* return a p.'s favo(u)r, reciprocate (a p.'s service); *als* ~ in return; *zu* ~*en gern bereit* (always) glad to reciprocate; ~**drehmoment** *n* anti-torque moment; ~**druck** *m* (-[e]s; ¨e) counterpressure, backpressure; *fig.* reaction, resistance; 2**einander** *adv.* against (*or* towards) one another *or* each other; reciprocally, mutually; *tech.* ~ *versetzt* staggered; 2**einanderdrehen** *tech.*: *sich* ~ (*h.*) counterrotate; 2**einanderhalten** *v/t.* (*irr.*, *h.*) put side by side, compare; 2**einanderprallen** *v/i.* (*sn*) collide, crash together; run *or* bump into each other; ~**elektrode** *f* counterelectrode; ~**erklärung** *f* counterstatement; ~**faktor** *m* opposing factor; ~**farbe** *f* complementary colo(u)r; ~**forderung** *f* counterclaim; *econ.* offset, *Am.* set-off; ~**frage** *f* counter-question; ~**füßler** ['-fy:slər] *m/pl.* antipodes; ~**gabe** *f* return gift; ~**gerade** *f sports*: back straight (*Am.* stretch); ~**geschäft** *n* contra transaction; ~**geschenk** *n* → *Gegengabe*; ~**getriebe** *n* differential (gear); ~**gewicht** *n* counterweight, counterpoise; *fig.* compensating factor; *das* ~ *halten* (*dat.*) counterbalance; *als* ~ *zu* et. to balance (*or* set off) a th.; ~**gift** *n* antidote; ~**griff** *m wrestling*: counter-hold; ~**grund** *m* counterargument, argument against *a th.*; 2**halten** *tech. v/i.* (*irr.*, *h.*) *riveting*: hold up; ~**halter** *tech. m riveting*: dolly; *machine tool*: back stop; ~**kandidat** *m* rival candidate; *ohne* ~ unopposed; ~**klage** *jur. f* countercharge, cross action; ~**kläger(in** *f*) *m* defendant counterclaiming; ~**kopp(e)lung** *f radio*: negative feedback; ~**kraft** *f* counteracting (*or* opposing) force, reaction; ~**lauffräsen** *tech. n* (-s) conventional (*or* cut-up) milling; 2**läufig** *tech. adj.* counter-rotating, opposite; ~**läufigkeit** *econ. f* (-) contrary course; ~**leistung** *f* return (service), equivalent; *econ.*, *jur.* consideration; → *Entschädigung*; *als* ~ by way of return, in return; ~**licht** *n* opposite light; ~**lichtaufnahme** *phot. f* photograph taken against the light; ~**lichtblende** *f phot.* lense hood; ~**liebe** *f*: *er fand keine* ~ his love was not returned; *fig. sein Vorschlag fand keine* ~ his proposal found no takers; ~**maßnahme**, ~**maßregel** *f* countermeasure; preventive measure; reprisal; ~*n ergreifen* counteract, counter; ~**mittel** *n* remedy (*gegen* for), antidote (against); ~**mutter** *tech. f* (-; -*n*) check (*or* lock) nut; ~**offensive** *f* counter-offensive; ~**papst** *m* antipope; ~**partei** *f jur.* party in opposition, opposite party; *sports*: opponents *pl.*; opposition; ~**pol** *m* opposite pole; *math.* antipole; ~**posten** *econ. m* contra-item; ~**probe** *f* check-test; ~**propaganda** *f* counter-propaganda; ~**quittung** *f* counter-receipt; ~**rechnung** *econ. f* check account, *Am.* control(ling) account; counterclaim; set-off, *Am.* offset; *in* ~ *bringen* set off, *Am.* offset (*mit* against); ~**rede** *f* reply; contradiction, objection; ~**reformation** *f* counter-reformation; ~**revolution** *f* counter-revolution; ~**ruder** *aer. n/pl.* opposite controls; ~**saldo** *m* counterbalance; ~**satz** *m* contrast (*zu dat.* to); (the) opposite, (the) contrary (*von dat.* of); opposition, antagonism (*zwischen dat.* between); antithesis; *im* ~ *zu* in contrast to *or* with, in opposition to, unlike (*a th.*); *im* ~ *dazu* by way of contrast; → *Widerspruch*; 2**sätzlich** ['ge:gənzɛtsliç] *adj.* contrary, opposite; opposing, antagonistic; ~*e Vorschriften* conflicting regulations; ~**schlag** *m* counterblow, *fig. a.* retaliation; *e-n* ~ *tun* counter, *fig. a.* retaliate; ~**schrift** *f* rejoinder; ~**seite** *f* opposite side; → *Gegenpartei*; 2**seitig** ['-zaɪtiç] *adj.* mutual, reciprocal; bilateral; *sich* ~ *loben* praise each other *or* one another; ~*e Abhängigkeit* interdependence; ~*e Beziehung* interrelation, correlation; ~**seitigkeit** *f* (-) reciprocity, mutuality; *Abkommen (Versicherung) auf* ~ mutual agreement (insurance); *auf* ~ *gegründet* founded on mutual interest, on a basis of reciprocity; *colloq. das beruht ganz auf* ~ same here, it's mutual; ~**seitigkeits-abkommen** *econ. n* reciprocal trade agreement; ~**seitigkeitsgeschäft** *n* barter transaction; ~**seitigkeitsklausel** *f* reciprocity clause; ~**seitigkeitsprinzip** *n* co-operative principle; ~**signal** *n* reply (signal); ~**spieler** *m sports*: opposite number; *fig.* opponent, antagonist; ~**spionage** *f* counterespionage, counterintelligence; ~**sprech-anlage** *tel. f* duplex (*or* two-way) system; ~**sprechverkehr** *m* duplex traffic (*or* operation); ~**stand** *m* object, thing (*a. fig.*); item; subject, theme, topic; *art*: motif; subject-matter; matter, affair; issue; ~ *des Mitleids, etc.* object of pity, *etc.*; ~ *des Spottes* object *or* butt of ridicule, laughing-stock; *zum* ~ *haben have* for subject, deal (*or* be concerned) with; 2**ständlich** ['-ʃtɛntliç] *adj.* objective; concrete; graphic(ally *adv.*); 2**standslos** *adj.* without object, abstract; *art*: non-representational; to no purpose; meaningless; unnecessary, superfluous; irrelevant, immaterial; invalid; *damit ist Ihre Frage* ~ *geworden* this settles (*or* disposes of, takes care of) your question; ~**standswort** *gr. n* (-[e]s; ¨er) concrete noun; ~**stimme** *f mus.* counterpart; *pol.* adverse vote; ~**stoß** *mil. m* counterthrust (*a. v/i.* = *e-n* ~ *führen*); ~**strom** *el. m* reverse current; ~**strömung** *f* countercurrent, *fig.* → *Gegenbewegung*; ~**stück** *n* counterpart, antitype; equivalent; matching (*or* companion-)piece, fellow; ~**taktgleichrichter** *el. m* push-pull rectifier; ~**teil** *n* contrary (*von* to), reverse (of), opposite (of), antithesis; (*ganz*) *im* ~ (quite) on the contrary; *gerade das* ~ just the opposite (*or* reverse); *ich behaupte das* ~ I maintain the contrary; 2**teilig** *adj.* contrary, opposite; ~*e Auskunft* information to the contrary; *soweit nachfolgend nichts* 2*es bestimmt ist* unless otherwise provided hereinafter.

gegen'über *adv.*, *prp.* (*dat. or von*) opposite ([to] *a th.*), over the way, facing, in front of, vis-a-vis; *persons*: *a.* face to face (with); compared with *or* to, as against; contrary to; in view of, in the face of, considering; *freundlich, etc. j-m* ~ kind, *etc.*, to; *sich e-r Aufgabe, etc.,* ~*sehen* be up against, be faced (*or* confronted) with a task, *etc.*

Gegen'über *n* (-*s*; -) vis-a-vis; *fig. a.* opposite number.

gegen'über...: ~**liegen** *v/i.* (*irr.*, *h.*; *dat.*) be (*or* lie) opposite, face; ~*d* opposite, facing; *math.* alternate (*angle*); ~**stehen** *v/i.* (*irr.*, *h.*; *dat.*) stand opposite (*a th.*), face; *persons*: ~ be face to face with; be opposed to; ~**stellen** *v/t.* (*h.*; *dat.*) oppose to; set (*or* pit) against; confront (with); *fig.* contrast (with); 2**stellung** *f* opposition; confrontation; *fig.* comparison, constrasting; ~**treten** *v/t.* (*irr.*, *sn*; *dat.*) step in front of; *fig.* face.

'**Gegen...:** ~**unterschrift** *f* countersignature; ~**verkehr** *m* oncoming traffic; two-way traffic; *tel.* duplex operation; ~**verschreibung** *f* counterbond, collateral security; ~**versicherung** *f* reciprocal (*or* re-)insurance; ~**versuch** *m* control experiment; ~**vorschlag** *m* counterproposal; ~**waffe** *f* anti-weapon; ~**wart** ['-vart] *f* (-) presence; *the* present time, present; *gr.* present (tense); *in m-r* ~ in my presence; 2**wärtig** ['-vɛrtiç] **I.** *adj.* present; ~ *sein bei* (*dat.*) be present at, attend; *fig.* present, actual, current; prevailing; present-day (*problems, etc.*), of our time, today's; *econ.* current, ruling (*price*); *fig. j-m* ~ *sein* be present to a p.'s mind; *es ist mir jetzt nicht* ~ I can't think of it now, I forget; **II.** *adv.* at present; at the time being, at the moment; nowadays, in our time, (in) these days; ~**wartskunde** *ped. f* (-) (study of) current affairs *pl.*, *Am.* social studies *pl.*; 2**wartsnah(e)** *adj.* topical, up-to-date; ~**wartsprobleme** *n/pl.* present-day problems; ~**wechsel** *econ. m* counter-bill; ~**wehr** *f* defen|ce, *Am.* -se; resistance; ~**wert** *m* equivalent; proceeds *pl.*; *der* ~ *in Reis* the rice equivalent; *den* ~ *leisten für* give value for; *der* ~ *des Betrages* the equivalent of the funds; ~**wertfonds** *m* counterpart fund; ~**wind** *m* head wind; ~**winkel** *m* corresponding angle; ~**wirkung** *f* countereffect, reaction (*auf acc.* to); ~**zeichen** *n* countersign, check; 2**zeichnen** *v/i. and v/t.* (*h.*) countersign; endorse; ~**zeichnung** *f* countersignature; ~**zeuge** *m* counterwitness; ~**zug** *m* countermove (*a. fig.*); *rail.* opposite train.

geglichen [gə'gliçən] *p.p. of gleichen.*

gegliedert [gə'gli:dərt] *adj.* articulate, jointed; *w.s.* organized.
geglitten [gə'glitən] *p.p.* of *gleiten.*
geglommen [gə'glɔmən] *p.p.* of *glimmen.*
Gegner ['ge:gnər] *m* (-*s*; -), **~in** *f* -; -*nen*) opponent (*a. sports*), adversary, antagonist; enemy, foe; assailant; rival, competitor; *ein ~ sein von* be an enemy of, be opposed to, hate; *sich j-n zum ~ machen* incur the enmity of a p., antagonize a p.; **2isch** *adj. mil.* (of the) enemy, hostile, → *feindlich*; antagonistic, opposed, adverse; **~schaft** *f* (-) opponents *pl.*, opposition; antagonism, opposition, hostility; rivalry.
gegolten [gə'gɔltən] *p.p.* of *gelten.*
gegoren [gə'go:rən] *p.p.* of *gären.*
gegossen [gə'gɔsən] *p.p.* of *gießen.*
gegriffen [gə'grifən] *p.p.* of *greifen.*
Gehabe [gə'ha:bə] *n* (-*s*) (affected) behavio(u)r, affectation, mannerism; **2n**: *sich ~* behave; *gehab dich wohl* farewell; *colloq.* (*ge*)*hab dich nicht so* don't make a fuss.
Gehackte(**s**) [gə'haktə(s)] *n* (-*n*) *cul.* mincemeat, mince, *Am.* ground meat.
Gehalt [gə'halt] **1.** *m* (-[*e*]*s*; -*e*) contents *pl.*; *chem.* concentration; *~ an* content of, proportion (*or* percentage) of; capacity, cubic content, volume; *of coin*: standard; *fig.* content, substance; merit; *~ an Öl* oil content; *geistiger ~* intellectual content; **2.** *n* (-[*e*]*s*; ⸗*er*) salary, pay, *Am. a.* compensation; *of clergyman, magistrate, etc.*: stipend; *ein festes ~ beziehen* draw a fixed salary; *~ weiterbeziehen* be kept on the payroll; *mit vollem ~* on full pay; **2en** *adj. speech, writing*: worded, formulated; self-controlled, sober, steady; *~ sein zu tun* be bound (*or* obliged) to do; **2los** *adj.* unnourishing (*food*); *fig.* empty, hollow, trivial, lacking substance; **~losigkeit** *f* (-) emptiness, hollowness, triviality, lack of substance; **2reich**, **2voll** *adj.* rich; *food*: *a.* substantial, nutritious; full-bodied, racy (*wine*); rich in content, profound, containing a wealth of information (*book*).
Ge'halts...: **~abzug** *m* deduction from pay; **~anspruch** *m* salary expected, salary claim; **~aufbesserung** *f* increase in salary, rise (in salary), *Am.* (pay) raise; **~auszahlungen** *f/pl.* payroll disbursements; **~bestimmung** *f* determination of content, analysis; *mining*: assay; **~einstufung** *f* salary classification; **~empfänger**(**in** *f*) *m* salaried employee (*or* worker); **~erhöhung** *f* → *Gehaltsaufbesserung*; **~forderung** *f* → *Gehaltsanspruch*; **~gruppe** *f* salary group; **~kürzung** *f* reduction in salary, salary cut; **~liste** *f* payroll; **~sätze** [-zɛtsə] *m/pl.* scale of salaries, pay scale; **~stufe** *f* salary level; **~vorschuß** *m* advance (on salary); **~zahlung** *f* payment of salary; **~zulage** *f* additional pay, increment of pay; bonus.
Gehänge [gə'hɛŋə] *n* (-*s*; -) slope, declivity; festoon(s *pl.*); pendants, *Ohr2 a.* ear-drops; *mil. hist.* belt; *tech.* suspension gear; *mot.* shackle.
gehangen [gə'haŋən] *p.p.* of *hängen.*
geharnischt [gə'harniʃt] *adj.* (clad) in amo(u)r, steel-clad; *fig.* sharp, withering, stinging (*answer, etc.*).
gehässig [gə'hɛsiç] *adj.* hateful, spiteful, venomous, malignant; odious, hateful; **2keit** *f* (-; -*en*) hatred, spite(fulness), venom; vindictive *or* spiteful act (*or* words, *etc.*).
Gehäuse [gə'hɔʏzə] *n* (-*s*; -) case, box; *tech.* casing, case, housing, cabinet; *of compasses*: binnacle; *phot.* body; *of fruit*: core; *of snail, a. of headlights*: shell; **~bau** *m* (-[*e*]*s*; -*ten*) case building.
Gehege [gə'he:gə] *n* (-*s*; -) enclosure, fence, hedge; pen; paddock, *Am.* corral; *hunt. and fig.* preserve; *fig. j-m ins ~ kommen* encroach a p.'s preserve, get in a p.'s way; *komm mir ja nicht ins ~* (you) keep out of my way.
geheim [gə'haɪm] *adj.* secret; confidential, private; concealed, hidden; clandestine, surreptitious; mysterious; hush-hush; occult; **2er** *Rat* **a**) Privy Council, **b**) *person*: privy councillor; *im ~en* secretly, in secret, privately; → *heimlich*; *~e Dienstsache* classified matter; *on documents*: *~!* Restricted!; *streng ~* most secret, *Am.* top secret; *~e Tür* secret door; *in ~em Einvernehmen mit* (*dat.*) in collusion with; **2abkommen** *n* secret agreement; **2agent** *m* secret (*or* confidential) agent; **2befehl** *m* secret order; **2bericht** *m* secret (*or* confidential) report; **2bund** *m* (-[*e*]*s*; ⸗*e*) secret society; **2dienst** *m* secret service; **2diplomatie** *f* secret diplomacy; **2fach** *n* secret drawer; **~halten** *v/t.* (*irr.*, *h.*) keep secret (*vor dat.* from), conceal (from); hush *a th.* up; **2haltung** *f* (observance of) secrecy; concealment; **2haltungs-pflicht** *f* (imposed) secrecy; **~haltungsstufe** *f* security grade, classification; **2mittel** *n* secret remedy, nostrum, arcanum.
Ge'heimnis *n* (-*ses*; -*se*) secret (*vor dat.* from); mystery; *das ~ des Erfolgs, Glücks, etc.* the secret of success, happiness, *etc.*; *ein ~ aus et. machen* make a secret of a th., be secretive about a th.; *ein ~ bewahren* keep (*or* guard) a secret; *es ist ein öffentliches ~* it is an open (*or* nobody's) secret; *das ist das ganze ~* that's the whole story; → *einweihen*; **~krämer** *m* secret-monger; **~kräme'rei** *f* (-; -*en*) secret-mongering, secretiveness; **~träger** *m mil. pol.* bearer of secrets; **~verrat** *m* betrayal of a (state) secret; **2voll** *adj.* mysterious, mystical; hidden, dark, obscure; *~ tun* be secretive (*mit et.* about).
Ge'heim...: **~polizei** *f* secret police; **~polizist** *m* detective, plain-clothes man; **~rat** *m* (-[*e*]*s*; ⸗*e*) Privy Councillor; **~sache** *f* secret (*or* security) matter; **~schreiber** *m* private secretary; **~schrift** *f* cipher, code; secret writing; **~sitzung** *f* secret session, closed meeting; **~tinte** *f* sympathetic (*or* invisible) ink; **~sender** *m* clandestine radio transmitter; **~sprache** *f* secret language; **~tue'rei** [-tu:ərai] *f* (-) secretiveness, mysteriousness; **2tuerisch** *adj.* secretive, mysterious; **~tür** *f* secret door; **~vertrag** *m* secret treaty; **~waffe** *f* secret weapon; **~wissenschaft** *f* occult science; **~zeichen** *n* secret sign; code number.
Geheiß [gə'haɪs] *n* (-*es*) order, command, bidding; *auf sein ~* by his order, at his behest.
gehen ['ge:ən] *v/i.* (*irr.*, *sn*) go; *zu Fuß ~* walk, go on foot, march; go away, leave, depart (*nach* for); *servant, official, etc.*: leave, quit; resign; *er ist gegangen* he is gone, he has left; *colloq. er ist gegangen worden* he has been dismissed *or* sacked, *Am.* fired; *~ wir!* let's go!; *er ist von uns gegangen* (*dead*) he has departed this life (*or* passed away); *der Zug, etc. geht um 6 Uhr* (*ab*) the train, *etc.*, leaves (*or* starts) at six o'clock; *das Schiff geht nach China* the ship is bound for China; *tanzen, schwimmen, etc., ~* go dancing, swimming, *etc.*; *schlafen ~* go to bed, turn in; *machine, etc.*: work, run, operate, function; *watch*: go, run; *die Uhr geht gut* the watch keeps good time; *der Apparat geht nicht* the apparatus does not work, is out of order; *dough*: rise; *wind*: blow; *wares*: sell; *der Artikel geht glänzend* the article sells well *or* like hot cakes; *es geht sich schlecht hier* it's bad walking here; *wie geht es Ihnen?* **a**) how are you getting on?, **b**) how are you?, **c**) how do you feel?; *es geht mir gut* (*schlecht*) I am well (not well), *in business, etc.*: I am doing well (badly); → *Geschäft*; *mir ist es genau so gegangen* the same thing has happened to me; *es geht mir gerade so* it's just so with me, I feel the same way, same here; *es geht* **a**) it can be done, **b**) it works; *danke, es geht* **a**) *thanks*, fairly well, it could be worse, **b**) I can manage (alone); *es wird schon ~* you will manage, it will be all right; *wird es* (*so*) *~?* will that do?; *das geht nicht* **a**) it can't be done, it is impossible, that's out, it's no go, **b**) that will not (*or* won't) do, **c**) it doesn't work (*a. fig.*); *es geht eben nicht anders* it can't be helped, there is no other way; *es geht um ... our happiness, etc.* is at stake; → *Leben*; *um was geht es hier?* what is the issue (*or* point)?, what is it all about?; *so geht es* (*immer*), *wenn* that's what will happen if; *wenn es darum geht, zu inf.* when it comes to *inf.*; *wenn es nach mir ginge* if I had my way; *es geht nichts über* there is nothing like, you can't beat; *~ lassen* let go, *wrongdoer a.* let off; leave *a p.* alone; *sich ~ lassen* take it easy, be unrestrained, let o.s. go, take leave of one's manners; *er läßt sich niemals ~* he never slips (*or* loses control of himself); *es sich gut ~ lassen* take good care of o.s., look well after o.s., have a good time; *geh, tu mir den Gefallen* come, do me the favo(u)r; *colloq. ach, geh* (*doch*)! go on!; *with prp.*: *~ bis an* (*acc.*) go as far as, reach, extend to; *er ging mir bis an die*

Schultern he came up to my shoulders; *das Erbteil ging an ihn* the inheritance fell (*or* went) to him; → *Arbeit*; *an e-e Aufgabe*, *etc.*, ~ set about a task, *etc.*; *geh mir ja nicht an meine Sachen!* don't you touch my things!; *auf die andere Seite* ~ pass over to the other side; *das Fenster geht auf die Straße (hinaus)* the window opens (*or* gives, looks) into the street; *auf Reisen* ~ go travelling, go on a journey; *die Uhr (or es) geht auf zehn* it is going on for ten; *das geht auf dich* that is meant for you; ~ *aus* (*dat.*) leave, quit; → *Fuge*; *s-e Ausführungen*, *etc.*, ~ *dahin, daß* his arguments, *etc.*, aim at *ger.*, are to the effect that; ~ *durch* (*acc.*) pass through; *der Gedanke ging mir durch den Kopf* the idea crossed my mind; *ich muß es mir durch den Kopf* ~ *lassen* I must think it over; *das geht gegen mein Gewissen* my conscience rebels against it; ~ *in* (*acc.*) go in(to), enter; *der Schaden geht in die Millionen* the damage runs into millions; *es* ~ *200 Personen in den Saal* the hall holds (*or* accommodates, seats) 200 persons; *er geht ins 20. Jahr* he is entering upon his twentieth year; *in die Industrie* ~ go into industry; *in Seide*, *etc.*, ~ wear, be dressed in silk, *etc.*; *in sich* ~ **a**) commune with o.s., take stock of o.s., **b**) repent, feel remorse; *ins Wasser* ~ throw o.s. into the water; *wie oft geht fünf in zehn?* how many times does five go into ten?; *mit j-m* ~ accompany a p., keep a p. company, *zum Bahnhof*, *etc.*: see a p. to the station, *etc.*; *mit e-m Mädchen* ~ go (*or* walk out with) a girl; *nach e-r Regel* ~ follow a rule; *das Fenster geht nach Norden* the window faces (*or* looks) north; ~ *über* (*acc.*) go (*or* walk) over, cross; *die Straße geht über e-e Brücke* the road crosses a bridge; *die Brücke geht über e-n Fluß* the bridge crosses a river; *der Brief geht über Berlin* the letter goes via Berlin; *das geht ihm über alles* he prizes it above everything; *nichts geht über* there is nothing like; *von Hand zu Hand* ~ pass from hand to hand; *j-m nicht von der Seite* ~ not to budge from a p.'s side; *vor sich* ~ happen, take place; *wie geht das vor sich?* how does it work?; *was geht hier vor?* what's up?, what's going on here?; *zu j-m* ~ go *or* step up to p., join a p.; (go to) see a p., call on a p.

ˈ**Gehen** *n* (-*s*) going, walking; → *Abschied*, *Gang*; *sports*: walking.

Gehenk [gəˈhɛŋk] *n* (-[e]s; -e) (sword-)belt.

Geˈhenkte(r) *m* (-*n*; -*n*) hanged man.

ˈ**Geher** *m* (-*s*; -) *sports*: walker.

geheuer [gəˈhɔʏər] *adj.*: *nicht* ~ **a**) risky, ticklish, **b**) uncanny, eerie; *hier ist es nicht* ~ this place is haunted; *die Sache ist nicht ganz* ~ *sl.* it looks a bit fishy (to me); *ihm war nicht recht* ~ *zumute* he did not feel quite at his ease.

Geheul [gəˈhɔʏl] *n* (-[e]s) howling, howls *pl.*

ˈ**gehfähig** *med. adj.* ambulant (*case*), walking (*wounded mil.*).

Gehilf|e [gəˈhilfə] *m* (-*n*; -*n*), **~in** *f* (-; -*nen*) assistant; *econ.* shop assistant; clerk; journey man; *jur.* accessory before the fact; *fig.* helpmate.

Gehirn [gəˈhirn] *anat. n* (-[e]s; -e) brain; *das* ~ *betreffend* cerebral; *fig.* sense; brains *pl.*, brain-power; **~blutung** *med. f* cerebral h(a)emorrhage; **~entzündung** *f* encephalitis, brain-fever; **~erschütterung** *f* concussion (of the brain); **~erweichung** *f* cerebral softening; **~haut** *f* cerebral membrane, meninx; **~hautentzündung** *f* meningitis; **~kasten** *colloq. m* skull; **~krankheit** *f* brain disorder, cerebral disease; **~nerv** *m* cranial nerve; **~rinde** *f* cerebral cortex; **~schale** *f* brain-pan, cranium; **~schlag** *m* cerebral apoplexy; **~schwund** *m* encephalatrophy; **~substanz** *f* brainmatter; *graue* ~ grey matter; **~tätigkeit** *f* cerebration; **~tumor** *m* cerebral tumo(u)r; **~wäsche** *pol. f* brainwashing.

gehoben[1] [gəˈhoːbən] *p.p. of heben.*

geˈhoben[2] *adj.* elevated (*language*, *etc.*); high, senior, executive (*position*); ~*e Stimmung* elation, high spirits *pl.*; *in* ~*er Stimmung* elated, in high spirits; *econ. Güter des* ~*en Bedarfs* luxuries and semi-luxuries.

Gehöft [gəˈhøːft] *n* (-[e]s; -e) farm(stead).

geholfen [gəˈhɔlfən] *p.p of helfen.*

Gehölz [gəˈhœlts] *n* (-es; -e) wood, copse; thicket.

Gehör [gəˈhøːr] *n* (-[e]s) (sense of) hearing; audience; hearing (*a. jur.*); *jur. ordentliches, rechtliches* ~ due process of law; *feines (scharfes)* ~ delicate (quick) ear; *musikalisches* ~ musical ear; *nach dem* ~ by (the) ear; ~ *haben für* (*acc.*) have an ear for; *j-m* ~ *schenken* listen (*or* lend an ear) to a p., give a p. a hearing (*or* audience); *e-r Sache kein* ~ *schenken* turn a deaf ear to a th.; ~ *finden* get a hearing; *sich* ~ *verschaffen* make o.s. heard, *jur.*, *etc.* obtain a hearing; *mus. zu* ~ *bringen* perform, present, play; sing.

geˈhorchen *v/i.* (*h.*): *j-m (nicht)* ~ (dis)obey a p.; *tech.* respond.

geˈhören *v/i.* (*h.*) (*dat. or zu*) belong to (*a. fig.*); → *angehören*; be owned by; form part of, appertain to; rank (*or* be) among, be classed with; ~ *unter* (*acc.*) come *or* fall under, be subject to; *wem gehört das Haus?* who is the owner of the house?; *gehört der Handschuh dir?* is this glove yours?; *ihm gehört (eigentlich) der volle Anteil* he is entitled to a full share; *er gehört zu den besten Pianisten* he is one of (*or* ranks among) the best piano-players; *die Sachen* ~ *in den Schrank* these things go into the cupboard; *es gehört zu s-r Arbeit* it is part of his job; *und alles, was dazu gehört* and all that goes with it; *das gehört nicht hierher* **a**) *object*: that doesn't belong here, **b**) *remark*, *etc.*: that's beside (*or* not to) the point, it's irrelevant; *dazu gehört Geld, Zeit, Mut, etc.* that requires (*or* takes) money, time, courage, *etc.*; *es gehört nicht viel dazu* it doesn't take much (to do it); *die Sache gehört vor das Gericht* the matter should be brought before a court; *er gehört tüchtig verprügelt* what he wants is a sound beating; *er gehört an den Galgen* he ought to be hanged; *es gehört sich* it is proper *or* right *or* fit; *das gehört sich nicht* it's not done, it's not good form; *wie es sich* ~ properly, duly, as it should be.

Gehör... [gəˈhøːr-]: **~fehler** *m* auditionary defect, defective hearing; **~gang** *m* auditory canal.

geˈhörig I. *adj.* (*dat. or. zu*) belonging to, owned by; forming part of, appertaining to; proper, fit, right, due, just; (*nicht*) *zur Sache* ~ having (no) reference to the subject, (ir)relevant; *mit* ~*em Respekt* with due respect; *e-e* ~*e Tracht Prügel* a sound thrashing; *ein* ~*er Schluck* a good (*or* powerful, mighty) gulp; *e-e* ~*e Wegstrecke* quite a distance; *in* ~*er Weise* in due form, duly; **II.** *adv.*: *ich habe es ihm* ~ *gegeben* I gave him what for, I settled his hash (properly); *es ist* ~ *kalt* it's awfully cold.

Geˈhör...: **~leidende(r** *m*) *f* (-*n*, -*n*; -*en*, -*en*) person with impaired hearing; **2los** *adj.* deaf.

Gehörn [gəˈhœrn] *n* (-[e]s; -e) horns *pl.*; *hunt.* antlers *pl.*

Geˈhörnerv *m* auditory nerve.

geˈhörnt *adj.* horned, antlered; *fig.* ~*er Ehemann* cuckold.

gehorsam [gəˈhoːrzaːm] *adj.* obedient (*gegen* to); law-abiding (*citizen*); docile, submissive, dutiful.

Geˈhorsam *m* (-*s*) obedience; *aus* ~ *gegen* in obedience to; *j-m* ~ *leisten* obey a p.; *j-m den* ~ *verweigern* refuse to obey a p.; *sich* ~ *verschaffen* enforce (*or* exact) obedience; **~sverweigerung** *f* disobedience, *esp. mil.* insubordination.

Geˈhör...: **~sinn** *m* (-[e]s) sense of hearing; **~verlust** *m* loss of hearing.

Geh|rock [ˈgeː-] *m* frock coat, *Am.* Prince Albert.

Gehrung [ˈgeːruŋ] *tech. f* (-; -*en*) mitring, *Am.* mitering.

ˈ**Geh...**: **~steig** *m* pavement, *Am.* sidewalk; **~störung** *f* locomotor disturbance; **~versuch** *m* attempt at walking; **~werk** *n* clockwork, movement, works *pl.*; **~werkzeuge** *n/pl. colloq.* locomotor apparatus *sg.*

Geier [ˈgaɪər] *zo. m* (-*s*; -) vulture (*a. fig.*); *colloq. hol's der* ~*!* confound it!, to hell with it!; **~falke** *m* gerfalcon.

Geifer [ˈgaɪfər] *m* (-*s*) slaver, drivel; *med.*, *zo.* foam, froth; *fig.* venom, spite, spleen; **~er** *m* (-*s*; -) vilifier, vituperator; **2n** *v/i.* (*h.*) drivel, slaver; *vor Wut* ~ foam with rage; *fig.* ~ *gegen* (*acc.*) rail at, vituperate.

Geige [ˈgaɪgə] *f* (-; -*en*) violin, fiddle; (*auf der*) ~ *spielen* play (on) the violin; (*die*) *erste* ~ *spielen* play the first violin *or fig.* first fiddle; *fig. die zweite* ~ *spielen* play second fiddle; *fig. der Himmel hängt ihm voll*(*er*) ~*n* he sees everything from the rosy side.

ˈ**Geigen...**: **~bauer** *m* (-*s*; -) violin-

-maker; **~bogen** *m* (violin-)bow; **~harz** *n* colophony, rosin; **~kasten** *m* violin-case; **~macher** *m* → *Geigenbauer*; **~saite** *f* violin-string; **~spiel** *n* violin music; **~steg** *m* violin bridge; **~stimme** *f* violin-part; **~strich** *m* stroke (of the violin-bow).

'**Geiger** *m* (-s; -), **~in** *f* (-; -nen) violinist.

'**Geigerzähler** *m* Geiger counter.

geil [gaɪl] *adj.* lascivious, lecherous, lewd, wanton; randy, in heat; luxuriant, rank; '**Ձheit** *f* (-) lasciviousness, lechery, lewdness, wantonness, lust; luxuriance.

Geisel ['gaɪzəl] *f* (-; -n) hostage; *~n stellen* give hostages; *als ~ behalten* hold as hostage.

Geiß [gaɪs] *f* (-; -en) (she *or* nanny-) goat; doe; '**~bart** *bot. m* (-[e]s) meadowsweet, goatsbeard; '**~blatt** *bot. n* (-[e]s) honeysuckle, woodbine; '**~bock** *m* he-goat, billy-goat.

Geißel ['gaɪsəl] *f* (-; -n) whip, lash; *fig.* scourge; *biol.* flagellum; **Ձn** *v/t.* (h.) whip, lash; *eccl.* flagellate, (*sich*) scourge (o.s.); *fig.* castigate, scourge, *eccl.* chastise; *with words*: lash, castigate, stigmatize; **~tierchen** *biol. n* (-s; -) flagellate; **~ung** *f* (-; -en) lashing, scourging, flagellation; *fig.* castigation; severe criticism, lashing, condemnation.

Geißler ['gaɪslər] *eccl. m* (-s; -) flagellant.

Geist [gaɪst] *m* (-es) spirit; mind; intellect, brains *pl.*; wit; genius; morale; (*pl.* -er) ghost, spectre; apparition; phantom; sprite; *böser ~* evil spirit, demon; *der Böse ~* the Evil One; *der Heilige ~* the Holy Ghost; *der ~ des Christentums, etc.* the spirit of Christianity, *etc.*; *der ~ der französischen Sprache* the genius of the French language; *~ und Körper* mind and body; *Sieg des ~es über die Materie* triumph of mind over matter; *ein großer ~* a great mind, a master-mind, a mental giant; *ein kleiner (enger) ~* a small (narrow) mind; *Mann von ~* witty (*or* brilliant) man, wit; *den ~ aufgeben* give up the ghost; *im ~e bei j-m sein* be with a p. in (the) spirit; *ich sah es im ~e vor mir* I saw it before my mind's eye; *wes ~es Kind ist er?* what kind of man is he?; *hier geht ein ~ um* the place is haunted (*or* ghost-ridden); *bist du denn von allen guten ~ern verlassen?* are you out of your mind?

'**Geister...**: **~banner, ~beschwörer** *m* (-s; -) necromancer; exorcist; **~beschwörung** *f* necromancy, evocation; exorcism; **~erscheinung** *f* apparition, vision, phantom; **~geschichte** *f* ghost-story; **~glaube** *m* belief in ghosts; superstition; spiritism; **Ձhaft** *adj.* ghostly, ghostlike, spectral; *fig.* ghastly; **~klopfen** *n* spirit-rapping; **Ձn** *v/i.* (h.) wander *or* roam (like a ghost); **~seher(in** *f*) m ghost-seer; **~stunde** *f* witching hour; **~welt** *f* spirit-world.

'**Geistes...**: **Ձabwesend** *adj.* absent-minded; **~abwesenheit** *f* absent-mindedness; **~anlagen** *f/pl.* mental faculties, abilities, talents; **~arbeit** *f* brain-work; **~arbeiter** *m* brain-worker; **~armut** *f* poverty of mind, intellectual thinness; **~art** *f* cast of mind, mentality, psychology; **~blitz** *m* brain-wave, flash of genius; spark of wit, sally; aphorism; **~flug** *m* flight of the imagination; **~freiheit** *f* (-) intellectual liberty, freedom of the mind; **~frische** *f* mental vigo(u)r; **~gabe** *f* (intellectual) gift, talent; **~gegenwart** *f* presence of mind; **Ձgegenwärtig** *adj.* (on the) alert; quick-witted; *adv.*: *~ sprang er zur Seite* he had the presence of mind to jump aside; **~geschichte** *f*: *die ~ des deutschen Volkes* the history of the German mind; **Ձgeschichtlich** *adj.* intellectual-history; **Ձgestört** [-gə'ʃtøːrt] *adj.* mentally disturbed (*or* deranged); insane; **~größe** *f* greatness of mind; magnanimity; → *Geistesriese*; **~haltung** *f* mental attitude, mentality; **~kraft** *f* power of mind; mental vigo(u)r; **Ձkrank** *adj.* mentally diseased *or* deranged; insane; **~kranke(r)** *m*) *f* (-n, -n; -en, -en) lunatic; mental patient (*or* case), *colloq.* mental; **~krankheit** *f* mental disorder; insanity; **~leben** *n* (-s) intellectual (*or* spiritual) life; **~produkt** *n* intellectual product; brain-child; **~richtung** *f* (mental) tendency, philosophy (of life); school of thought; → *Geisteshaltung*; **~riese** *m* mental giant, master-mind, genius; **~schärfe** *f* acuteness, keen intellect, perspicacity; **Ձschwach** *adj.* feeble-minded; imbecile; **~schwäche** *f* feeble-mindedness; imbecility; **~stärke** *f* → *Geisteskraft*; **~störung** *f* mental derangement *or* disorder, psychopathy; **~trägheit** *f* mental indolence; **~verfassung** *f* state (*or* frame) of mind; *w.s.* mentality; **Ձverwandt** *adj.* congenial (*mit* to); **~verwandtschaft** *f* congeniality, affinity; **~verwirrung** *f* mental derangement; **~wissenschaften** *f/pl.* *the* Arts, *the* humanities; **~zerrüttung** *f* insanity; **~zustand** *m* state of mind, mental condition.

'**geistig I.** *adj.* spiritual, immaterial; intellectual, mental; spirituous, alcoholic; *~es Auge* mind's (*or* mental) eye; *~es Eigentum* intellectual property; *Diebstahl ~en Eigentums (begehen)* plagiarism (plagiarize); *~er Führer* spiritual leader, brains *pl.*; *~er Gehalt* intellectual content (*or* substance); *~e Getränke pl.* spirits, alcoholic beverages; *~e Veranlagung, Einstellung* mentality, psychology; *~er Vorbehalt* mental reservation; **II.** *adv.*: *~ belastet* mentally afflicted; *~ anspruchsvoll, hochstehend* high-brow; *sich ~ mit j-m messen* match wits with a p.; **Ձkeit** *f* (-) spirituality; intellectuality.

'**geistlich** *adj.* spiritual, religious; sacred (*music etc.*); clerical; ecclesiastical; *~es Amt* ministry; *~er Orden* religious order; **Ձe(r)** *m* (-n; -n) clergyman, cleric; minister; priest; *mar., mil., etc.* chaplain; *die ~en pl.* → **Ձkeit** *f* (-) clergy.

'**Geist...**: **Ձlos** *adj.* mindless; dull; insipid, trivial, platitudinous; stupid; **~losigkeit** *f* (-) spiritlessness; dul(l)ness; insipidity; platitude; **Ձreich, Ձvoll** *adj.* witty, brilliant, ingenious, clever; **Ձtötend** *adj.* stupefying, dull, tedious, soul-destroying.

Geiz [gaɪts] *m* (-es) avarice, greediness; stinginess; *bot.* (-es; -e) shoot, sucker; '**Ձen** *v/i.* (h.) be avaricious (*or* stingy, niggardly); *~ mit* (*dat.*) be sparing with, stint *a th.*; *nicht ~ mit* lavish *a th.*; *nach et. ~* be covetous of, covet; '**~hals** *m* miser, niggard, skinflint; '**Ձig** *adj.* avaricious, covetous; stingy, niggardly, close(-fisted); mean, shabby, miserly; parsimonious; '**~kragen** *m* → *Geizhals*.

Gejammer [gə'jamər] *n* (-s) (endless) lamentation, wailing; complaining, complaints *pl.*, *Am. a.* belly-aching.

Gejauchze [gə'jauxtsə] *n* (-s) jubilation(s *pl.*), exultation, loud cheers.

Ge'johle *n* (-s) hooting, howling.

Ge'jubel *n* (-s) → *Gejauchze*.

gekachelt [gə'kaxəlt] *adj.* tiled.

gekannt [gə'kant] *p.p. of kennen.*

Gekeife [gə'kaɪfə] *n* (-s) nagging, scolding.

Ge'kicher *n* (-s) tittering, giggling; snicker(ing), sniggers *pl.*

Gekläff [gə'klɛf] *n* (-[e]s) yelping.

Ge'klapper *n* (-s) rattling, clatter.

Ge'klatsche *n* (-s) clapping (of hands); *fig.* gossip(ing), prattle.

Ge'klimper *n* (-s) strumming.

Ge'klingel *n* (-s) tinkling, jingling.

Ge'klirr(e) *n* (-[e]s) clashing, clanking; clatter; clink.

geklommen [gə'klɔmən] *p.p. of* [*klimmen.*]

geklungen [gə'kluŋən] *p.p. of klingen.*

Ge'knatter *n* (-s) rattling, crackling.

geknickt [gə'knikt] *fig. adj.* broken (down), crestfallen, crushed.

gekniffen [gə'knifən] *p.p. of kneifen.*

Ge'knister *n* (-s) crackling; *of dress*: rustling.

gekonnt[1] [gə'kɔnt] *p.p. of können.*

ge'konnt[2] *colloq. adj.* perfect(ed), clever, competent, slick.

geköpert *adj.* twilled.

ge'körnt *adj.* granulated.

Ge'kreisch *n* (-es) screaming, shrieking; screams, shrieks *pl.*

Ge'kritzel *n* (-s) scrawl(ing), scribbling, scribble.

gekrochen [gə'krɔxən] *p.p. of kriechen.*

ge'kröpft *adj. tech.* cranked, elbowed; *~e Achse* dropped axle; *dreimal ~e Kurbelwelle* three-throw crankshaft; *arch.* angulate.

Gekröse [gə'krøːzə] *n* (-s; -) *anat.* mesentery; *cul.* tripe; *of goose*: giblets *pl.*

gekünstelt [gə'kynstəlt] *adj.* artificial, false (*laughter*); affected.

Gel [geːl] *phys. n* (-s; -e) gel.

Gelächter [gə'lɛçtər] *n* (-s; -) laughing, laughter; (*person*) laughing-stock; *lautes (brüllendes) ~* guffaw, horse-laugh; *unterdrücktes ~* chuckle, snigger; *in schallendes ~ ausbrechen* burst out laughing, roar with laughter, guffaw; *sich dem ~ aussetzen* expose o.s. to ridicule.

ge'laden *adj.* loaded; *mil. a.* armed, charged; *el.* charged; live (*wire*); invited (*guest*); *fig.* ~ *mit* laden (*or* brimming, pregnant) with; → *laden*; *colloq.* furious.
Gelage [gə'la:gə] *n* (-*s*; -) feast, banquet; drinking-bout, carouse.
ge'lagert *adj. tech.* running in bearings; *fig.* circumstanced; *in besonders* ~*en Fällen* in cases of a special nature.
Gelände [gə'lɛndə] *n* (-*s*; -) tract of land, area; country; ground; terrain; lot, plot; site; *durchschnittenes* ~ intersected country; *schwieriges* ~ difficult terrain; ~ *erschließen* develop (*or* open up) ground; ~**abschnitt** *m* sector, area; ~**antrieb** *mot. m* all-wheel drive; ~**aufnahme** *f* ground survey; *aer.* terrain photograph; ~**ausbildung** *mil. f* field training; ~**erkundung** *mil. f* terrain reconnaissance; ~**fahrt** *f* cross-country drive; ~**gang** *mot. m* auxiliary (*Am.* booster) gear; ≈**gängig** [-gɛŋiç] *mot. adj.* cross-country (*car*); ~**gängigkeit** *f* (-) cross-country mobility; ~**gestaltung** *f* terrain features *pl.*; ~**hindernis** *n* natural obstacle; ~**karte** *f* ground map; ~**kunde** *f* (-) topography; ~**lauf** *m* cross-country race; ~**läufer** *m* cross-country runner; ~**prüfung** *f riding*: endurance test; ~**punkt** *m* landmark.
Geländer [gə'lɛndər] *n* (-*s*; -) railing, rails *pl.*; balustrade; banisters *pl.*; hand-rail.
Ge'lände...: ~**reifen** *mot. m* cross-country tyre, *Am.* off-the-road tire; ~**ritt** *m* cross-country ride; ~**ski** *m* cross-country (*or* long distance) ski; ~**spiel** *n* scouting game; ~**sprung** *m* obstacle jump, gelaendesprung; ~**übung** *f* field exercise; ~**verhältnisse** *n/pl.* terrain conditions; ~**wagen** *mot. m* cross-country car.
gelang [gə'laŋ] *pret. of gelingen.*
gelangen [gə'laŋən] *v/i.* (*sn*): ~ *an* (*acc.*), *nach, zu* arrive at, get (*or* come) to; reach, gain; *et. an j-n* ~ *lassen* address (*or* forward) a th. to a p.; *fig.* attain (to), gain; acquire; *in j-s Hände* ~ get into a p.'s hands; *in andere Hände* ~ pass into other (*or* change) hands; *zu e-r Ansicht* (*Folgerung*) ~ form an opinion, arrive at *or* reach a conclusion; *zur Aufführung* ~ be put on (the stage), be presented; *zur Macht* ~ come into power; *zu Reichtum* ~ make a fortune, gain wealth, attain to prosperity; → *Ziel.*
Gelaß [gə'las] *n* (-*sses*; -*sse*) room, space.
ge'lassen *adj.* calm, cool, composed; tranquil; imperturbable; ~ *bleiben* keep one's temper, keep cool; ≈**heit** *f* (-) calm(ness), composure; tranquillity; imperturbability.
Gelatine [ʒela'ti:nə] *f* (-) gelatin(e); **gelati'nieren** [-ti'ni:rən] *v/t.* (*h.*) gelatinize; → *Gallert.*
Gelaufe [gə'laufə] *n* (-*s*) running (to and fro).
geläufig [gə'lɔʏfiç] *adj.* fluent, easy, smooth; familiar; current, common; ~*e Zunge* voluble tongue; *er spricht ein* ~*es Englisch* he speaks English fluently; *das ist ihm* ~ he is familiar with it; ≈**keit** *f* (-) fluency, ease, facility; volubility, glibness (*of tongue*).
gelaunt [gə'launt] *adj.* disposed; *gut* ~ good-humo(u)red, in good humo(u)r, chipper; *schlecht* ~ ill-humo(u)red, out of (*or* in bad) humo(u)r, bad-tempered, cross.
Geläut(**e**) [gə'lɔʏt(ə)] *n* (-[*e*]*s*; -*e*) ringing *or* peal (of bells); (*bells*) chime.
ge'läutert *adj.* purified (*a. fig.*).
gelb [gɛlp] *adj.* yellow; *traffic light*: amber; sallow (*complexion*); *die* ~*e Gefahr* the Yellow Peril; *das* ≈*e Meer* the Yellow Sea; ~ *werden* (get *or* turn) yellow; ~ *vor Neid* green with envy; ≈**e**(**s**) ['gɛlbə(s)] *n* (-*n*) yolk (*of egg*); ≈**blei-erz** *min. n* wulfenite; ~**braun** *adj.* yellowish-brown; ~**brennen** *tech. v/t.* (*irr., h.*) dip, pickle; ≈**buch** *pol. n* yellow book; ≈**fieber** *n* yellow fever; ≈**filter** *phot. n* yellow (light-)filter; ≈**gießer** *m* brass-founder; ≈**glut** *f* yellow heat; ~**grün** *adj.* yellowish-green; ≈**holz** *n* yellow-wood; ≈**kali** *n* potassium ferrocyanide; ≈**kreuz** (-**gas**) *mil. n* mustard gas; ≈**kupfer** *n* brass, yellow copper; ~**lich** *adj.* yellowish; ≈**scheibe** *f* → *Gelbfilter*; ≈**schnabel** *m* twite; *fig.* greenhorn, whipper-snapper; ≈**sucht** *f* (-) jaundice; ~**süchtig** *adj.* jaundiced; ≈**wurz** ['-vurts] *bot. f* (-; -*en*) turmeric.
Geld [gɛlt] *n* (-[*e*]*s*; -*er*) money; coin; capital; currency; *bares* ~ cash, ready money; *kleines* ~ change; *falsches* ~ base (*or* counterfeit) coin; *econ.* ~*er pl.* funds; money *sg.*; deposits; *ausstehende* ~*er* outstanding debts; *öffentliche* ~*er* public funds; *festes* ~ time-money; *tägliches* ~, ~ *auf tägliche Kündigung* day-to-day money, call money; *kurzfristiges* ~ short term loan; *billiges* ~ easy money; *teures* ~ dear (*or* close) money; *totes* ~ barren money; ~ *und* ~*eswert* money and valuables; ~ *zurück!* money refunded!; → *abheben, aufnehmen, vorstrecken, etc.*; *bei* ~*e sein* be in cash, have plenty of money, be flush, *sl.* be in the chips; *ohne* ~ penniless, impecunious, *sl.* broke; *knapp bei* ~*e sein* be short of money, be hard up (*or* in low water); *im* ~*e schwimmen* be rolling in money (*or* one's riches); *ins* ~ *laufen* run into money; ~ *machen* (*verlieren*) make (lose) money; *zu* ~ *machen* turn into cash, realize; *von s-m* ~*e leben* live on one's money (*or* capital); ~ *regiert die Welt* money rules the world; *nicht für* ~ *und gute Worte* neither for love nor money.
'Geld...: ~**abfindung** *f* monetary compensation, cash settlement; ~**abfluß** *m* drain (*or* efflux) of money; ~**abwertung** *f* devaluation, devalorization; ~**angelegenheit** *f* money (*or* financial) matter; ~**anlage** *f* investment; ~**anleihe** *f* loan; ~**anweisung** *f* remittance; money order; ~**aristokratie** *f* plutocracy; ~**aufnahme** *f* raising of money, borrowing; ~**aufwand** *m* expenditure(s *pl.*); ~**aufwertung** *f* revaluation of money; ~**ausgabe** *f* expenditure, expense, disbursement; ~**ausleiher** *m* (-*s*; -) money-lender; ~**ausweitung** *f* monetary expansion; ~**auszahler** *m* (-*s*; -) cashier; *bank*: (paying) teller; ~**bedarf** *m* sum required; money requirements; *money market*: currency demands *pl.*; ~**belohnung** *f* pecuniary reward, remuneration; ~**betrag** *m* amount *or* sum (of money); ~**beutel** *m* purse; ~**bewilligung** *f* (money) grant; ~**brief** *m* money-letter; ~**briefträger** *m* postman authorized to make cash payments; ~**buße** *f* fine; ~**einheit** *f* monetary unit; ~**einlage** *f* deposit; ~**einnahme** *f* receipts *pl.*; ~**einnehmer** *m* collector; *bank*: receiving teller; ~**einwurf** *m* coin slot; ~**empfänger** *m* remittee; ~**entschädigung** *f* monetary compensation, indemnity; ~**entwertung** *f* depreciation of currency; inflation; ~**eswert** *m* money's worth; *Geld und* ~ money and valuables; ~**flüssigkeit** *f* liquidity; *money market*: turnover of money; ~**forderung** *f* money due *or* owing (to); outstanding debt; monetary claim; ~**geber(in** *f*) *m* money lender, financial backer, financier; investor; mortgagee; ~**geschäft** *n* money transaction; financial operation; banking (business); ~**geschenk** *n* gratuity; donation; tip; ~**gier** *f* greed (for money), avarice; ≈**gierig** *adj.* greedy for money, avaricious; ~**heirat** *f* money-match, marriage of convenience; ~**herrschaft** *f* capitalism, plutocracy; ~**hilfe** *f* financial aid; ~**hortung** *f* (-; -*en*) currency hoarding; ~**institut** *n* financial institution; ~**kasse** *f* strong box; till, cash register; ~**klemme** *f* pecuniary difficulty; ~**knappheit** *f* shortness (*or* tightness) of money; ~**krise** *f* monetary crisis; ~**kurs** *m* rate of exchange; *stock exchange*: **a)** bid price, **b)** buying rate; ~**kurswert** *m* (international) monetary standard; ~**leihsatz** *m* lending (*or* bank) rate; ~**leistung** *f* payment; ≈**lich** *adj.* pecuniary, financial, monetary; ~**macht** *f* financial power; ~**makler** *m* money-broker; ~**mangel** *m* lack of money; *econ.* money scarcity (*or Am.* stringency); → *Geldknappheit*; ~**mann** *m* (-[*e*]*s*; -*leute*) financier; ~**markt** *m* money market; *Anspannung des* ~*s* monetary strain; *Druck auf den* ~ *verursachen* place pressure on the market; ≈**markt-empfindlich** *adj.* sensitive to money market influences; ~**mittel** *pl.* means, funds, resources; ~**münze** *f* coin; ~**nehmer(in** *f*) *m* borrower; mortgagor; ~**neuordnung** *f* monetary reform; ~**not** *f* pecuniary embarrassment, financial straits; *econ.* → *Geldknappheit*; ~**politik** *f* monetary policy; ~**preis** *m sports*: prize money; *econ.* price in cash; ~**protz** *m* purse-proud person; ~**quelle** *f* source of capital, pecuniary resource; ~**reform** *f* monetary reform; ~**reserve** *f* money reserve; ~**sache** *f* money matter; ~**sack** *m* money-bag; bag of money; ~**sammlung** *f* collection; fund-raising drive; ~**sätze** ['-zɛtsə]

m/pl. money rates; *Abschwächung (Erholung) der* ~ ease in (relaxation of) money rates; ~ *herauf- (herab-) setzen* mark up (down) money rates; **~schein** *m* bank-note, *Am.* bill; payment certificate; **~scheintasche** *f* note case, pocketbook, *Am. a.* billfold; **~schneider** *m* usurer; sharper, shark; **~schöpfung** *f* creation of currency; **~schrank** *m* safe, strong box; **~schrankknakker** *m* (safe-)cracksman, safe-cracker; **~schuld** *f* (pecuniary *or* money) debt; **~schwemme** *f* glut of money; **~sendung** *f* cash remittance; **~sorgen** *f/pl.* pecuniary difficulties (*or* embarrassment); **~sorte** *f* (monetary) denomination; **~spende** *f* contribution, donation, subscription; money gift; **~strafe** *f* fine; *mit e-r* ~ *belegen* fine, mulct; **~stück** *n* coin; **~summe** *f* sum (of money); **~surrogat** *n* substitute for money; **~system** *n* monetary system; **~tasche** *f* money-bag; *in man's suit*: change pocket; → *Geldscheintasche*; **~theorie** *f* monetary theory; **~überfluß** *m* glut (*or* excess) of money; **~überhang** *m* surplus money; **~überweisung** *f* remittance, (money) transfer; **~umlauf** *m* money circulation; **~umsatz** *m* turnover (of money); **~umstellung** *f*, **~umtausch** *m* currency conversion; **~unterstützung** *f* pecuniary aid; **~verdiener** *m* money-maker; **~verfassung** *f* monetary structure; **~verkehr** *m* monetary intercourse; **~verknappung** *f* → *Geldknappheit*; **~verlegenheit** *f* pecuniary embarrassment; *in* ~ *sein* be pressed for money, be hard up; **~verleiher** *m* money-lender; **~verlust** *m* pecuniary loss; **~vermögenswert** *m* monetary asset; **~verschwendung** *f* waste of money; **~volumen** *n* money supply; **~vorrat** *m* funds; cash reserve; cash in hand; supply of money; **~vorschuß** *m* cash advance; **~währung** *f* currency; **~wechsler** *m* money changer; **~wert** *m* (-[e]s) monetary value, value in currency; **~wertschuld** *f* claim payable in original value; **~wesen** *n* (-s) monetary system, finance; **~wirtschaft** *f* money economy, trade on a monetary basis; **~wucher** *m* usury; **~zeichen** *n* money token.

Gelee [ʒeˈleː] *m or n* (-s; -s) jelly.

gelegen¹ [gəˈleːgən] *p.p. of liegen.*

geˈlegen² *adj.* lying, situated, *Am. a.* located; *fig.* convenient, suitable, apt, fit; opportune; *es kommt mir gerade* ~ it just suits me, it comes in handy; *du kommst mir gerade* ~ you are just the man I wanted to see; *mir ist daran* ~, *daß* I am anxious to *inf.*, what I want is to *inf.*; *es ist mir sehr daran* ~ I set great store by it, it matters a lot to me; *mir ist nichts daran* ~ I am not keen on it, it makes no difference to me, I don't care for it; *was ist daran* ~? what of it?, what difference does it make?

Geˈlegenheit *f* (-; -en) occasion; opportunity, chance; *~en pl. a.* facilities; *bei* ~ on occasion, when there is a chance; at one's leisure; some time; *bei erster* ~ at the first opportunity; *bei dieser* ~ **a)** on that occasion, **b)** in this connection; ~ *haben zu inf.* have (an) opportunity to *inf.*; *e-e* ~ *ergreifen or wahrnehmen* seize (*or* take, avail o.s. of, profit by) an opportunity; → *Schopf*; *die* ~ *verpassen* miss (*or* lose) an opportunity; *j-m* ~ *geben zu inf.* give a p. the opportunity of *ger.*; → *Anlaß*; *es bot sich e-e* ~ an opportunity presented itself, there was an opening; ~ *macht Diebe* opportunity makes the thief.

Geˈlegenheits...: **~arbeit** *f* casual (*or* odd) job; **~arbeiter** *m* casual labo(u)rer, odd-job worker; **~auftrag** *m* jobbing order; **~gedicht** *n* occasional poem; **~geschäft** *n* occasional (*or* chance) profit; **~kauf** *m* chance purchase; bargain; **~käufer** *m* chance (*or* outside) buyer.

gelegentlich [gəˈleːgəntliç] **I.** *adj.* occasional; casual, incidental, accidental, chance; temporary; odd (*job*); **II.** *adv.* occasionally, now and then, at times; on occasion, when there is a chance, at your leisure; ~ *e-e Tasse Kaffee trinken* have an occasional cup of coffee; *gib mir das Buch* ~ *zurück* return the book to me some time; **III.** *prp.* (*gen.*) on the occasion of; ~ *m-s Aufenthaltes in London a.* when I was in London, during my stay in London.

gelehrig [gəˈleːriç] *adj.* docile, teachable; clever, intelligent, quick in the uptake; **2keit** *f* (-) docility, teachability.

Geˈlehrsamkeit *f* (-) erudition, learning.

geˈlehrt *adj.* learned, erudite; scholarly; *~e Bücher* learned books; *~e Gesellschaft* learned (*or* literary) society; *colloq. ~es Haus* pundit; **2er** *m* (-en; -en) learned man, scholar, savant (*Fr.*).

Geleier [gəˈlaɪər] *n* (-s) monotonous music *or* speech, singsong.

Geleise [gəˈlaɪzə] *n* (-s; -) rut, track; *rail.* rails *pl.*, line, *Am.* track; *einfaches (doppeltes)* ~ single (double) line *or* track; *aus dem* ~ *springen* get off a line, be derailed, *Am.* jump the track; *fig. im alten* ~ in the (same) old rut (*or* groove), following the beaten track; *aus dem* ~ off the rails; *aus dem* ~ *kommen colloq.* be put out; *wieder ins* ~ *bringen* put right again; *die Verhandlungen sind auf ein totes* ~ *geraten* the negotiations have reached a deadlock; → *Gleis...*

Geleit [gəˈlaɪt] *n* (-[e]s; -e) conduct; *a. mil.* escort; *mar.* convoy; attendance; *j-m das* ~ *geben* accompany (*or* escort) a p.; see a p. off (*or zu dat.* to); *j-m freies (or sicheres)* ~ *geben* give a p. safe-conduct; *j-m das letzte* ~ *geben* pay a p. the last hono(u)rs; **~brief** *m* (letter of) safe-conduct; *econ.* letter of consignment; customs certificate; **2en** *v/t.* (*h.*) accompany, conduct, escort; *an die Tür, etc.,* ~ see to the door, *etc.*; *an den Bahnhof, etc.,* ~ see off (*or* to the station, *etc.*); *mil.* escort, *mar. usu.* convoy; **~flugzeug** *n* escort plane (*or* fighter); **~schein** *econ. m* navicert; **~schiff** *n* convoy *or* escort (vessel); **~schutz** *m* convoy (escort); ~ *geben* escort, convoy; **~wort** *n* (-[e]s; -e) prefatory word; preface, foreword; **~zug** *mar. m* convoy; *im* ~ *fahren* sail in convoy.

Gelenk [gəˈlɛŋk] *n* (-[e]s; -e) *anat.* joint; articulation; *Hand2* wrist; *Fuß2* ankle; *falsches* ~ false joint; *bot., tech.* articulation, joint; link; hinge; *um ein* ~ *drehbar* hinged; **~band** *n anat.* ligament; **~entzündung** *f* arthritis; **~fahrzeug** *n* articulated vehicle; **2ig** *adj.* flexible, pliable; agile; lissom(e), supple; *tech.* flexible, articulated; ~ *angebracht* hinged; **~igkeit** *f* (-) flexibility, pliancy; agility; suppleness; **~kopf** *mot. m* cardan joint; **~kupplung** *tech. f* joint coupling; **~pfanne** *anat. f* socket of a joint; **~rheumatismus** *m* articular rheumatism; **~schmiere** *f* joint-oil, synovia; **~stange** *tech. f* toggle link; **~welle** *tech. f* cardan shaft.

gelernt [gəˈlɛrnt] *adj.* skilled (*worker*).

Gelichter [gəˈliçtər] *n* (-s) lot, rabble, riffraff.

Geliebte(r *m*) [gəˈliːptə(r)] *f* (-n, -n; -en, -en) *m* lover; love, sweetheart, darling; mistress, (kept) woman.

geliehen [gəˈliːən] *p.p. of leihen.*

gelieren [ʒeˈliːrən] *v/i.* (*sn*) gelatinize.

geˈlind(e) *adj.* soft, mild, gentle (*all a. fig.*); mild, lenient, slight (*punishment*); slight (*pain*); slow (*fire*); moderate; → *aufziehen*; *~e gesagt* to put it mildly, to say the least.

gelingen [gəˈliŋən] *v/i.* (*irr., sn*) succeed, be successful; *es gelang ihm (es zu tun)* he succeeded (in doing it), he managed (to do it); he was successful, he put it across; *es gelang ihm nicht* he failed; *die Arbeit gelang gut* the work turned out well; → *gelungen.*

Geˈlingen *n* (-s) success, successful outcome.

Gelispel [gəˈlispəl] *n* (-s) lisping; whispering.

gelitten [gəˈlitən] *pret. of leiden.*

gell [gɛl] *adj.* shrill, piercing.

gellen [ˈgɛlən] *v/i. and v/t.* (*h.*) shrill; *a.* yell, scream; **2d** *adj.* shrill, piercing; *~es Geschrei* yelling, screams *pl.*

geˈloben *v/t.* (*h.*) promise solemnly; vow, pledge; *sich* ~ vow to o.s., make a solemn resolve; → *Land.*

Gelöbnis [gəˈløːpnis] *n* (-ses; -se) (solemn) promise; pledge; vow.

gelogen [gəˈloːgən] *pret. of lügen.*

Gelöstheit [gəˈløːsthaɪt] *f* (-) relaxed mood.

gelt [gɛlt] **I.** *adj.* giving no milk, dry; (*sterile*) barren; **II.** *int. colloq.* isn't it?, eh?

gelten [ˈgɛltən] **I.** *v/t.* (*irr., h.*) be worth; **II.** *v/i.* (*irr., h.*) be of value; be valid; count; *reason*: *a.* hold (good *or* true); *law, etc.*: *a.* be effective (*or* in force, in operation); *coin*: be current; *fig.* matter; *et.* ~ *a.* carry weight, have credit *or* influence, count for much; *wenig* ~ rate low; *j-m* ~ be meant (*or* intended) for a p.; ~ *für*: **a)** (*or als*) pass for, be reputed (*or* thought, supposed) to be, be considered as, be looked upon as, rank *or* rate as; **b**) apply to, *jur.* be applicable to; be true *or* right for; ~ *lassen* let pass (*or* stand), allow, admit of; ~ *lassen als* pass off as; *das will ich ~ lassen!* granted!, I don't dispute that; *das gilt auch für dich!* that applies to (*or* goes for) you, too!; *jur. dasselbe gilt für* the same rule shall apply to; *als Sonderfall gilt* shall be deemed an exceptional case; *in Zweifelsfällen gilt die englische Fassung* in case of doubt the English version shall prevail (*or* be the official text); *er gilt dort viel* his word carries weight there, he is higly respected (*or* much made of) there; *was er sagt, gilt* what he says goes, his word is the law; *was gilt die Wette?* what do you bet?; *es gilt!* done!, agreed!, I am on!; *das gilt nicht* that is not allowed (*or* not fair); that does not count; *jetzt gilt's!* now's the time!; *es gilt, zu inf.* the (point in) question is to *inf.*, it is necessary (*or* imperative) to *inf. or* that; *es gilt e-n Versuch* an attempt must be made; *es galt unser Leben* our life was at stake; *er war stets zur Hand, wenn es galt* he was always there in an emergency; **~d** *adj.* valid, *law, etc.*: *a.* effective, in force *or* operation; applicable; *econ.* ruling, current (*prices*); accepted, acknowledged; prevailing; ~ *machen, daß* advance (*or* maintain, put forward, urge) that; *s-n Einfluß ~ machen* bring one's influence to bear; *als Entschuldigung, etc., ~ machen* plead; *jur. Verjährung ~ machen* plead prescription; *sich ~ machen* assert o.s., claim recognition, *fig.* be (*or* make itself) felt; **2dmachung** *f* (-) assertion (*of claims, etc.*); exercise (*of influence*).

'**Geltung** *f* (-; -en) worth, value; validity; *of coin*: currency (*a. fig. of idea, expression*); importance, consequence, weight, *of person*: *a.* authority, credit; respect, recognition; prestige; ~ *haben* be valid, → *gelten*; *zur ~ bringen* bring to bear; accentuate; *zur ~ kommen* (begin to) tell, be (*or* make itself) felt, take effect, come into play; be conspicuous, stand out; *die Farbe kommt gut zur ~* the colo(u)r shows well; *er kam in der Masse nicht zur ~* he was hardly noticed in the crowd; *sich ~ verschaffen* make o.s. respected, bring one's influence to bear; **~sbedürfnis** *n* (-ses) craving for admiration, desire to show off, egotism; **~sbereich** *m* scope, authority, jurisdiction; *of law*: purview; **~sdauer** *f* (period of) validity, valid period; life (*of patent, etc.*); term (*of contract*).

Gelübde [gə'lypdə] *n* (-s; -) vow; *ein ~ ablegen* take (*or* make) a vow.

gelungen[1] [gə'luŋən] *p.p. of gelingen.*

ge'lungen[2] *adj.* successful, *pred.* a success; *das Bild ist gut ~* the picture turned out well; amusing, funny, capital; *ein ~er Kerl* quite a character.

Gelüst [gə'lyst] *n* (-es; -e) craving, appetite, desire, lust (*all*: *nach* for); **2en** *v/i.* (*impers., h.*): *es gelüstet mich* (*or mich gelüstet*) *nach* I crave (*or* long) for; *es gelüstet mich sehr, zu inf.* I feel strongly tempted to *inf.*; *eccl. sich ~ lassen nach* covet *a. th.*

gemach! [gə'ma:x] *int.* gently!, easy!

Ge'mach *n* (-[e]s; ⸚er) room, apartment, chamber; cabinet, closet; boudoir (*Fr.*).

gemächlich [gə'mɛ:çliç] *adj.* easy, comfortable; leisurely (*a. adv.*); *~en Schrittes* (*or Tempos*) at a leisurely pace, leisurely; ~ *gehen* stroll, amble; ~ *leben* live at ease (*or* comfortably); **2keit** *f* (-) ease, comfort; leisureliness.

Gemahl [gə'ma:l] *m* (-[e]s; -e) consort; husband; *Prinz2* prince consort; **~in** *f* wife; spouse, consort; *Ihr Herr Gemahl, Ihre Frau Gemahlin* Mr. N., Mrs. N., *intimately*: your husband, your wife.

ge'mahnen *v/t.* (*h.*): *j-n ~ an* (*acc.*) remind a p. of, put a p. in mind of; *fig. ~ an* (*acc.*) suggest, be suggestive of.

Gemälde [gə'mɛ:ldə] *n* (-s; -) painting, picture; portrait; **~ausstellung** *f* exhibition of paintings *or* pictures; **~galerie** *f* picture-gallery, *Am. a.* museum; **~sammlung** *f* collection of paintings *or* pictures.

Gemarkung [gə'markuŋ] *f* (-; -en) boundary; landmark.

gemäß [gə'mɛ:s] **I.** *adj.* appropriate, conformable (*dat.* to); **II.** *prp.* (*dat.*) according to, in accordance (*or* conformity, agreement) with, in compliance with; in consequence of, as a result of; *jur.* pursuant to, in pursuance of; *~ den bestehenden Bestimmungen* under the existing regulations; *~ Ihren Anweisungen* as prescribed, following your instructions; *~ den nachfolgenden Vorschriften* as hereinafter provided; **2heit** *f* (-) conformity.

ge'mäßigt *adj.* moderate; *geogr.* temperate.

Gemäuer [gə'mɔyər] *n* (-s; -): *altes ~* (old) ruins *pl.*, decayed walls *pl.*

gemein [gə'maɪn] **I.** *adj.* common; general, common; public; *b.s.* low, base, caddish; mean; vulgar; coarse; dirty; vile, awful, beastly; *math. ~er Bruch* vulgar fraction; *~es Feldhuhn* common partridge; *das ~e Wohl* → *Gemeinwohl*; *~er Soldat* → *Gemeine(r)*; *der ~e Mann* the man in the street; *~e Ausdrücke* filthy (*or* vile, abusive) words; *~er Kerl* cad, dirty dog, *Am. a.* heel; et. *~ haben mit* (*dat.*) have a th. in common with; *sie haben nichts miteinander ~* they have nothing in common; *sich ~ machen* make o.s. cheap; *sich ~ machen mit* (*dat.*) make common cause with, chum up with; *j-m e-n ~en Streich spielen* play a p. a dirty trick; *sei nicht ~!* don't be a cad!; **II.** *adv. colloq.*: *~ kalt* awfully (*or* beastly) cold.

Ge'mein...: **~betrieb** *m* public utilities *pl.*; *agr.* communal farming; **~besitz** *m* common (*or* public, collective) property.

Gemeinde [gə'maɪndə] *f* (-; -n) *pol.* community (*a. fig.*); local authority; municipality; *eccl.* **a**) parish, **b**) congregation; audience; **~abgaben** *f/pl.* local rates, *Am.* local taxes; **~amt** *n* local board; **~anger** *m* common; **~beamte(r)** *m* communal officer; **~behörde** *f* local authority; **~betrieb** *m* communal undertaking; **~diener** *m* beadle; **2eigen** *adj.* communal(-owned), municipal; **~haus** *n* municipal hall; *eccl.* parish home; **~haushalt** *m* communal (*or* municipal) budget; **~mitglied** *n* member of a community, *n.s.* parishioner; **~ordnung** *f* local (*or* municipal) code; **~pfleger** *m* parish (*or* town) treasurer; **~rat** *m* (-[e]s; ⸚e) municipal council (*or person*: councillor); **~schreiber** *m* parish (*or* town) clerk; **~schule** *f* council (*or* parish) school; **~schwester** *f* district (*eccl.* parish) nurse; **~steuer** *f* (local) rate, *Am.* local tax; **~unterstützung** *f* parish relief; **~verband** *m* communal association; **~verwaltung** *f* local administration (board), local government; municipality; **~vorstand** *m* local board; → *Gemeinderat*; **~vorsteher** *m* chairman of a parish council; mayor; **~wahl** *f* communal election.

Ge'meine(r) *m* (-n; -n) *mil.* private (soldier), *Am.* (basic) private; *die ~n pl.* the ranks, the rank and file.

ge'mein...: **~faßlich** → *gemeinverständlich*; **~gefährlich** *adj.* dangerous to the public; *~er Mensch* public danger (*Am.* enemy); **2gefahr** *f* public danger; **2geist** *m* (-es) public spirit, civic sense; **2gläubiger** *m* bankrupt's creditor; **~gültig** *adj.* generally accepted, current; **2gut** *n* (-es) common property; *zum ~ machen* make *a th.* common property, popularize; **2heit** *f* (-; -en) meanness, lowness; baseness; vulgarity; coarseness; mean (*or* low) act, dirty trick; **~hin** *adv.* commonly, generally (speaking); **2kosten** *pl.* overhead (costs); **2nutz** *m* (-es) common *od.* public interest (*or* good), public weal; *~ geht vor Eigennutz* public need before private greed; **~nützig** [-nytsiç] *adj.* of general (*or* public) utility; charitable, welfare; co-operative; *person*: public-spirited; *~e Organisation* non-profit (making) organization; *~e öffentliche Betriebe* public utilities; *~e Belange* community interest; *in ~er Weise* on a non-profit basis; **2nützigkeit** *f* (-) general usefulness, public utility; **2platz** *m* commonplace (expression), truism, platitude, bromide; **~sam I.** *adj.* joint, common (*dat.* to); combined; collective; mutual; *allen ~* common to all; *~er Freund* common (*a.* mutual) friend; → *Nenner*; *~e Aktion* joint (*or* concerted) action; *~es Eigentum* joint *or* common property; *~e Eigentümer* joint owners; *~er Markt* (European) Common Market (*abbr.* E.C.M.); *~e Sache machen* make common cause (*mit* with); **II.** *adv.* jointly, together; in a body; *~ handeln mit* (*dat.*) act in concurrence (*or* conjointly, in concert) with; **≗samkeit** *f* (-) commonness; community; common interest; mutuality.

Ge'meinschaft *f* (-; -en) community (*of goods, etc.*); *econ.* partnership; community, union, association; team; *eccl.* communion; intercourse, association (*mit* with); *jur. eheliche* ~ conjugal community; *häusliche* ~ common household; *in* ~ *mit* jointly (*or* together, in co-operation) with; **≗lich** *adj.* → *gemeinsam*; *econ.* ~*es Konto*, ~*e Rechnung* joint account; ~ *haften* be jointly and severally liable.

Ge'meinschafts...: **~anschluß** *teleph. m* party line; **~antenne** *f* party aerial (*or* antenna); **~arbeit** *f* team-work; **~betrieb** *m* joint enterprise; **~empfang** *m* (-[e]s) *radio*: community listening; **~erziehung** *f* co-education; **~finanzierung** *f* group financing; **~gefühl** *n* (-[e]s) fellow feeling, community of feelings; **~geist** *m* (-es) team-spirit, esprit de corps (*Fr.*), solidarity; **~konto** *n* joint account; **~küche** *f* canteen; **~kunde** *f* (-) social studies *pl.*; **~produktion** *f* co-production; **~raum** *m* recreation (*or* common) room; **~schule** *f* co-educational school; **~sendung** *f* hook-up, link-up; **~speisung, ~verpflegung** *f* communal feeding; **~werbung** *f* co-operative advertising.

Ge'mein...: **~schuldner** *m* bankrupt; **~sinn** *m* (-[e]s) public spirit, civic sense; **≗verständlich** *adj.* intelligible to all, popular; **~wesen** *n* (-s) community; polity, commonwealth; **~wirtschaft** *f* social economy; *agr.* collective farming; **≗wirtschaftlich** *adj.* public; ~*er Nutzungsbetrieb* public utilities *pl.*; **~wohl** *n* common (*or* public) weal.

Gemenge [gə'mɛŋə] *n* (-s; -) mixture; scuffle, brawl, mêlée (*Fr.*).

Gemengsel [gə'mɛŋzəl] *n* (-s; -) medley, hotchpotch.

ge'messen *adj.* measured (*a. steps, words*); formal; strict; grave, solemn; *tech.* rated (*performance*); **≗heit** *f* (-) measuredness; formality; gravity.

Gemetzel [gə'mɛtsəl] *n* (-s; -) carnage, slaughter, butchery, massacre.

gemieden [gə'mi:dən] *p.p. of meiden.*

Gemisch [gə'miʃ] *n* (-es; -e) mixture (*a. chem., mot.*); *fig.* medley, mixture; **~regelung** *mot. f* mixture control.

ge'mischt *adj.* mixed (*a. tennis*), diffused; mixed-type (*mortgage bank, etc.*); ~*e Gefühle* mixed (*or* mingled) feelings; ~*e Gesellschaft* mixed company; *colloq. es ging recht* ~ *zu* there were all sorts of goings-on; **≗bauweise** *f* composite construction; **≗warenhandlung** *f* grocery; *Am.* general merchandise store; **~wirtschaftlich** *econ. adj.* public-private.

Gemme ['gɛmə] *f* (-; -n) gem.

gemocht [gə'mɔxt] *p.p. of mögen.*

gemolken [gə'mɔlkən] *p.p. of melken.*

Gems|bock ['gɛms-] *m* chamois-buck; **~e** ['gɛmzə] *f* (-; -n) chamois; **~jäger** *m* chamois-hunter; **~leder** *n* chamois leather, shammy.

Gemunkel [gə'muŋkəl] *n* (-s) rumours *pl.*, gossip, talk; whispering, whispers *pl.*

Gemurmel [gə'murməl] *n* (-s) murmur(ing), mutter(ing).

Gemüse [gə'my:zə] *n* (-s; -) vegetable; *collect.* vegetables, greens *pl.*; *colloq. fig. junges* ~ small fry; **~bau** *m* (-[e]s) cultivation of vegetables; vegetable gardening, *Am.* truck farming; **~beet** *n* vegetable bed; **~garten** *m* kitchen-garden; **~gärtner** *m* market-gardener, *Am.* truck farmer, trucker; **~händler(in** *f*) *m* greengrocer; **~handlung** *f* greengrocer's shop; **~konserven** *f/pl.* preserved (*or* tinned, *Am.* canned) vegetables; **~suppe** *f* vegetable soup.

gemüßigt [gə'my:siçt] *adj.*: *sich* ~ *sehen, zu inf.* feel (*or* find o.s.) obliged *or* compelled to *inf.*

gemußt [gə'must] *p.p. of müssen.*

gemustert [gə'mustərt] *adj.* figured, patterned.

Gemüt [gə'my:t] *n* (-[e]s; -er) mind; feeling; soul; heart; nature, disposition, temper(ament), cast of mind; ~*er pl.* (*persons*) minds, people; *die* ~*er erhitzten sich* feeling ran high; *sonniges* ~ sunny nature; *sich et. zu* ~*e führen* take a th. to heart; *colloq. sich zu* ~*e führen* discuss, wrap o.s. around *a bottle of wine, etc.*; **≗lich** *adj. person*: **a)** sociable, genial, jovial, jolly, good-natured, **b)** placid, cool, **c)** easy-going, leisurely; *place*: comfortable, cosy, snug; restful (*atmosphere, journey, etc.*): ~*es Beisammensein* social gathering; *person*: ~ *werden* unbend; *es sich* ~ *machen* make o.s. at home, relax; take it easy; *immer* ~! take it easy!, keep your shirt on!; **~lichkeit** *f* (-) sociability, geniality, joviality, good nature; comfort(ableness), cosiness, snugness; cosy atmoshpere; relaxed mood; *in aller* ~ leisurely; with time to spare; *da hört doch die* ~ *auf!* that's the limit!; **≗los** *adj.* unfeeling, heartless.

Ge'müts...: **~art, ~beschaffenheit** *f* (mental) disposition, nature, temper, character, cast of mind; **~bewegung** *f* emotion; **≗krank** *adj.* mentally diseased, emotionally disturbed; insane; melancholic; **~krankheit** *f* mental disorder; melancholia; **~leben** *n* (-s) inner life; **~mensch** *m* emotional person, sentimentalist; *iro.* hard-boiled person; **~ruhe** *f* peace of mind, tranquil(l)ity; calmness, composure, placidity; *in aller* ~ cool as a cucumber, as calm and complacent as you please; **~verfassung** *f*, **~zustand** *m* state (*or* frame) of mind; humo(u)r.

ge'mütvoll *adj.* warm(-hearted), emotional; full of feeling (*or* sentiment).

gen [gɛn] *prp.* (*acc.*) *poet.* → *gegen*; ~ *Osten* towards the east, eastward; ~ *Himmel* heavenward.

Gen [ge:n] *biol. n* (-s; -e) gene, factor.

genannt[1] [gə'nant] *p.p. of nennen.*

ge'nannt[2] *adj.* said, aforesaid, above-mentioned, foregoing; *econ.* ~*er Kurs* nominal price.

genas [gə'na:s] *pret. of genesen.*

genau [gə'nau] **I.** *adj.* exact, accurate (*in dat.* in); *tech. a.* true; definite, precise; right; strict; careful, scrupulous, meticulous; minute, detailed, in detail; particular, punctilious; sparing, parsimonious; *die* ~*e Zeit* the exact *or* right time; ~*er Bericht* detailed account, full report; ~*es Befolgen der Anweisungen* strict adherence to instructions; *econ.* ~*ester Preis* lowest price; ~*eres* full particulars, further details; **II.** *adv.* exactly, *etc.*; ~ *dasselbe* just the same thing; ~ *so gut* just as good (*or w.s.* well); ~ *so gern* just as soon; ~ *überlegt* carefully considered; ~ *um 4 Uhr* at 4 o'clock precisely; ~ *eine Meile* exactly one mile; ~ *in der Mitte* right in the middle; ~*genommen* strictly speaking; *es* ~ *nehmen* (*mit dat.*) be particular (about), be strict (about); ~ *befolgen* follow *rules* closely; ~ *berechnen* make a close calculation; ~ *gehen watch*: keep good time; ~ *kennen* know thoroughly (*or* intimately, inside out); *ich weiß es* ~ I am sure of it; *ich weiß* ~, *daß* I am positive that, I know for certain that; *ich denke darüber* ~ *so* I feel (just) the same way about it; *aufs* ~*este* minutely, to a nicety, to a T.; **≗igkeit** *f* (-) exactness, accuracy; precision; strictness; carefulness; punctiliousness; particularity; sparingness, parsimony; fidelity; *mit* ~ accurately; *mit einiger* ~ with some approach to accuracy; **≗igkeitsgrad** *m* degree of accuracy.

Gendarm [ʒɑ̃'darm] *m* (-en; -en) country policeman, gendarme; **Gendarmerie** [-mə'ri:] *f* (-; -n) rural constabulary.

Gene·alog [genea'lo:k] *m* (-en; -en) genealogist; **Gene·alogie** [-lo'gi:] *f* (-; -n) genealogy; **gene·alogisch** [-'lo:giʃ] *adj.* genealogical.

genehm [gə'ne:m] *adj.* acceptable, convenient, agreeable (*dat.* to); *wann es ihm* ~ *ist* when it will suit him.

genehmig|en [gə'ne:migən] *v/t.* (*h.*) grant; agree (*or* assent, consent) to; approve (of), authorize, *Am. colloq.* okay; license; accept (*proposal, etc.*); ratify (*treaty*); → *erlauben*; *amtlich genehmigte Ausrüstung* (officially) approved equipment; *colloq. sich einen* ~ have a drink, hoist one; **≗ung** *f* (-; -en) grant; approval (*gen.* of), assent (to); acceptance (of); ratification; permission; authorization; *adm.* licen|ce, *Am.* -se; permit; *j-m* ~ *erteilen, zu inf.* give a p. permission (*or* leave) to *inf.*, authorize (*or* license) a p. to *inf.*; *jur. mit* ~ *des Gerichtes* by leave of court; *mit freundlicher* ~ *von* by favour of, *Am.* by courtesy of; **≗ungsbehörde** *f* approving authority; **≗ungsbescheid** *m* notice of approval; **~ungspflichtig** *adj.* subject to authorization.

geneigt [gəˈnaɪkt] *adj.* sloping, inclined; *fig. j-m*: well-disposed (towards *a p.*), gracious; *zu et.* ~ *sein* be inclined to; → *neigen*; *ein* ~*es Ohr* a willing ear, a favourable hearing; *der* ~*e Leser* the gentle reader; *er war nicht* ~, *ihn zu empfangen* he did not deign (*or* choose) to receive him; 2**heit** *f* (-) inclination; kind disposition, benevolence, favo(u)r, goodwill; → *Neigung*.

General [genəˈrɑːl] *mil. m* (-s; ⁼e) general; ~**abrechnung** *econ. f* general account; ~**agent** *m* general agent; ~**anwalt** *m* advocate-general; ~**anzeiger** *m* (-s; -) General Gazette; ~**arzt** *m* Brigadier, *Am.* Brigadier General (Medical Corps); ~**baß** *mus. m* thorough-bass; ~**bevollmächtigte(r** *m*) *f* chief representative, delegate general, *pol.* plenipotentiary; *of private person*: lawful agent and attorney (with full power to *inf.*); ~**bilanz** *econ. f* annual balance; ~**direktion** *f* management, executive board; ~**direktor** *m* general manager, managing director; ~ˈ**feldmarschall** *m* field-marshal; ~**gouverneur** *m* governor-general; ~**intendant** *m thea.* director; *mil.* Commissary-general.

generalisieren [-raliˈziːrən] *v/t. and v/i.* (*h.*) generalize.

Generalissimus [-raˈlisimus] *m* (-; *-mi*) generalissimo.

Generalität [-raliˈtɛːt] *f* (-; *-en*) *the* generals *pl.*

Geneˈral...: ~**kommando** *n* chief command; command headquarters *pl.*; ~**konsul** *m* consul-general; ~**konsulat** *n* consulate-general; ~ˈ**leutnant** *m* lieutenant-general; *aer. Brit.* air marshal; ~**major** *m* major-general; *aer. Brit.* air vice marshal; ~**marsch** *m* general(e); ~**nenner** *math. m* common denominator; ~ˈ**oberst** *m* colonel-general; ~**pardon** *m* general pardon; ~**police** *f insurance*: general policy; ~ˈ**postmeister** *m* postmaster-general; ~**probe** *thea. f* dress rehearsal; ~**quarˈtiermeister** *m* quartermaster-general; ~**quittung** *f* receipt in full; ~**sekretär** *m* secretary-general; ~**srang** *m* rank of a general, generalship; ~ˈ**staatsanwalt** *m* Chief State Counsel; ~**stab** *mil. m* general staff; ~**stabs-chef** *m* chief of general staff; ~**stabskarte** *f* ordnance map 1 : 100 000; *Am.* strategic map; ~**stabs-offizier** *m* general-staff officer; ~**streik** *m* general strike; ~**swürde** *f* → *Generalsrang*; ~**überholung** *f* major overhaul; ~**unkosten** *pl.* overhead expenses, total overhead *sg.*; ~**versammlung** *econ. f* general meeting (of shareholders, *Am.* of stockholders); *außerordentliche* ~ extraordinary general meeting, *Am.* special meeting of stockholders; *pol.* General Assembly (of the United Nations); ~**vertreter** *m* general agent; ~**vollmacht** *jur. f* general (*or* full) power of attorney.

Generation [genəratsiˈoːn] *f* (-; *-en*) generation; *die heranwachsende* ~ the oncoming generation.

Generator [-ˈrɑːtɔr] *tech. m* (-s; -ˈ*toren*) *of current*: generator; dynamo; gas producer; ~**gas** *n* producer gas.

generell [-ˈrɛl] *adj.* general, universal, *Am. a.* blanket.

generisch [gəˈneːriʃ] *adj.* generic(ally *adv.*).

generös [genəˈrøːs] *adj.* generous.

genesen [gəˈneːzən] *v/i.* (*irr.*, *sn*) recover, convalesce (*von* from); be restored (to health), recuperate; *e-s Kindes* ~ give birth to (*or* be delivered of) a child; 2**de(r** *m*) *f* (*-n*, *-n*; *-en*, *-en*) convalescent.

Geˈnesung *f* (-) recovery, convalescence (*both*: *von* from).

Geˈnesungs...: ~**heim** *n* convalescent home; ~**kompanie** *mil. f* convalescent company; ~**urlaub** *m* convalescent (*or* sick) leave.

Genetik [gəˈneːtik] *biol. f* (-) genetics *pl.*

Genf [gɛnf] *n* (-s) Geneva; ~**er(in** *f*) *m* (-s, -; -, *-nen*) Genevan, Genevese; ~**er** *adj.* Genevan, (of) Geneva; ~ *Konvention* Geneva Convention; ~ *Rotes Kreuz* Geneva Red Cross; ~ *See* Lake Geneva, Lake Leman.

genial [gəniˈɑːl] *adj. person*: ingenious, inspired, brilliant; *er ist* ~ he is a (man of) genius; *matter*: ingenious, brilliant, inspired; **Genialiˈtät** [-aliˈtɛːt] *f* (-) genius; ingenuity, brilliancy.

Genick [gəˈnik] *n* (-[e]s; -e) (back of the) neck, nape (of the neck); (*sich*) *das* ~ *brechen* break one's neck; *fig. das brach ihm das* ~ that broke his neck, that did it for him; *j-n beim* ~ *nehmen* take a p. by the scruff of the neck; ~**schlag** *m boxen*: blow behind the neck, rabbit-punch; ~**schuß** *m* shot through the base of the skull; ~**starre** *med. f* (-; *-n*) cerebrospinal meningitis.

Genie [ʒeˈniː] *n* (-s; -s) genius; *person*: *a.* man of genius.

genieren [ʒeˈniːrən] *v/t.* (*h.*) trouble, bother, incommode; *sich* ~ feel embarrassed *or* awkward, be self-conscious (*or* timid, shy); *sich* ~ *et. zu tun* be too timid to do a th., be shy of doing a th.; *geniert es Sie, wenn ich rauche* (do you) mind my smoking (*or* if I smoke); ~ *Sie sich nicht* don't be shy, make yourself at home; *er genierte sich nicht, zu inf.* he had the audacity (*or* nerve) to *inf.*; *das geniert ihn nicht* he doesn't mind, that doesn't bother him.

genieß|bar [gəˈniːsbɑːr] *adj.* eatable, fit to eat; edible; drinkable; *fig.* enjoyable, agreeable; *nicht* ~ → *ungenießbar*; 2**barkeit** *f* (-) eatableness, edibility, drinkability; ~**en** *v/t.* enjoy (*a. advantage, credit, reputation, etc.*); *food*: take, eat, drink; *recht* ~ relish, savo(u)r (*both a. fig.*); revel in; *nicht zu* ~ not eatable, unpalatable, *fig.* intolerable; *person*: unbearable; *et.* ~ take some food *or* refreshments; *j-s Vertrauen* ~ be in a p.'s confidence; *e-e gute Erziehung* ~ receive a good education; 2**er(in** *f*) *m* (-s, -; -, *-nen*) epicure, sensualist, bon viveur (*Fr.*); gourmet.

Geˈniestreich *m* stroke of genius, ingenious trick; *iro.* foolish trick, bright idea.

Genitalien [geniˈtɑːliən] *pl.* genitals.

Genitiv [ˈgeːnitiːf] *gr. m* (-s; -e) genitive, possessive case.

Genius [ˈgeːnius] *m* (-; *-ien*) genius; *guter* ~ guardian angel.

genommen [gəˈnɔmən] *p.p. of nehmen.*

genormt [gəˈnɔrmt] *adj.* standardized.

genoß [gəˈnɔs] *pret. of genießen.*

Genosse [gəˈnɔsə] *m* (*-n*; *-n*) companion, partner; comrade (*a. communist*); fellow, chum, pal; *jur.* accomplice; *Braun u.* ~*n* Braun and others.

genossen [gəˈnɔsən] *p.p. of genießen.*

Geˈnossenschaft *f* (-; *-en*) company, association; *n.s.* co-operative (society), *Am. a.* mutual benefit association; *landwirtschaftliche* ~ farmers' co-operative; ~**er** *m* (-s; -) member of a co-operative society; associate; 2**lich** *adj.* co-operative; ~**sbank** *f* (-; *-en*) co-operative bank(ing association); ~**sgesetz** *n* (co-operative) association law; ~**sregister** *n* register of (co-operative) associations; ~**sverband** *m* co-operative union.

Geˈnossin *f* (-; *-nen*) (female) companion; → *Genosse*.

Genotyp [genoˈtyːp] *biol. m* (-s; *-en*) genotype.

Genre [ˈʒɑ̃ːr(ə)] *n* (-s; -s) genre (*Fr.*); ~**bild** *n* genre picture; ~**maler(in** *f*)·*m* genre painter.

Genua [ˈgeːnua] *n* (-s) Genoa; **Genueser(in** *f*) [genuˈeːzər(in)] *m* (-s, -; -, *-nen*), **genuˈesisch** *adj.* Genoese.

genug [gəˈnuːk] **I.** *adv. and adj.* enough, sufficient(ly); ~ *Geld* enough money *or* money enough; *wir haben* ~ *zu leben* we have enough to live on; ~ *der Tränen!* no more tears!; ~ *davon!* enough (of that)!, no more of this!, that will do!; *ich habe* ~ *davon* I have enough (*or* am tired) of it, I am fed up with it, I am sick of it; *er hat* ~ **a)** he is making enough money, **b)** he has had his share, **c)** he has had his fill, **d)** that will do for him; *mehr als* ~ enough and to spare; *nicht* ~, *daß er sie lobte, sondern* not only did he praise her, but; *to guest*: *sag, wenn es* ~ *ist!* say when!; **II.** *int.* ~! enough!, stop!, that will do!; in short, in a word.

Genüge [gəˈnyːgə] *f*: *zur* ~ enough, sufficiently, fully; *ich kenne ihn zur* ~ I know him well enough; *j-m* ~ *tun or leisten* satisfy a p., give a p. satisfaction; ~ *tun or leisten* (*dat.*) come up to (*expectations*), comply with, meet, fulfil (*conditions, etc.*).

geˈnügen *v/i.* (*h.*) suffice, be sufficient *or* enough; *das genügt* (*mir*) that's enough, that will do (for me); *j-m* ~ satisfy a p.; (*nicht*) ~ (not) to give satisfaction; meet (*demand, requirements*); → *Genüge tun*; *sich* ~ *lassen* be satisfied with; ~**d** *adj.* sufficient, enough; satisfactory; *ped.* fair.

genügsam [gəˈnyːkzɑːm] *adj.* easily

satisfied, contented; moderate; frugal; modest; **&keit** *f* (-) contentedness; moderation; frugality; modesty.

ge'nug ...: ~tun *v/i.* (*irr., h.*): *j-m ~* satisfy a p., give a p. satisfaction; *sich nicht ~ können in* (*dat.*) *or mit* et., *zu inf.* spend o.s. in a th., in *ger.*; **&tu-ung** *f* (-) **1.** satisfaction (*für acc.* for); reparation, redress; *~ geben* give satisfaction (*dat.* to *insulted person*); *~ leisten für* (*acc.*) make reparation (*or* amends) for; *~ verlangen* demand satisfaction; **2.** satisfaction, gratification (*über acc.* at); *zu unserer ~ haben wir gehört, daß* we are gratified to hear that.

Genus ['genus] *n* (-; *-nera*) *biol.* genus, *pl.* genera; *gr.* gender.

Genuß [gə'nus] *m* (-sses; ⸚sse) consumption, taking (*of food*), eating, drinking; *of possession, rights*: enjoyment, *a.* benefit, *jur. a.* use, usufruct (*gen.* of); *fig.* enjoyment (*an dat.* in; *für acc.* to); pleasure, delight, treat; *mit ~* with relish; *mit ~ essen, trinken, sehen, zuhören* enjoy; *die Genüsse des Lebens* the pleasures (*or* sweets) of life; *j-n in den ~ e-r Sache setzen* give a p. the benefit of a th.; **~mensch** *m* pleasure-lover, epicure, sensualist; **~mittel** *n* semi-luxury; stimulant; **&reich** *adj.* enjoyable, pleasurable, delightful; **~schein** *econ. m* enjoyment right certificate; **~sucht** *f* (-) thirst for pleasure; pleasure-seeking, dissipation; **&süchtig** *adj.* pleasure-seeking; sensual.

Geo|che'mie [geo-] *f* geochemistry; **~däsie** [-dɛ'zi:] *f* (-) geodesy; **~graph** [-'gra:f] *m* (-en; -en) geographer; **~graphie** [-gra'fi:] *f* (-) geography; **&graphisch** [-'gra:fiʃ] *adj.* geographic(al); **~loge** [-'lo:gə] *m* (-en; -en) geologist; **~logie** [-lo'gi:] *f* (-) geology; **&logisch** [-'lo:giʃ] *adj.* geologic(al).

Geo|meter [-'me:tər] surveyor; **~metrie** [-me'tri:] *f* (-; -n) geometry; **&metrisch** [-'me:triʃ] *adj.* geometric(al); *~e Reihe* geometrical progression; *~es Zeichnen* lineal drawing; **~phy'sik** *f* geophysics *pl.*; **~'physiker** *m* geophysicist; **~poli'tik** *f* geopolitics *pl.*

ge'ordnet *adj. a. fig.* orderly (*a. mil. retreat*); systematic; *~es Denken* disciplined thinking; *in ~en Verhältnissen leben* live in easy circumstances, be financially sound; → *ordnen.*

Ge-orgine [geɔr'gi:nə] *bot. f* (-; -n) dahlia.

Gepäck [gə'pɛk] *n* (-[e]s) luggage; *mil. or esp. Am.* baggage, pack; *das ~ aufgeben* book (*or* register) one's luggage, *Am.* check one's baggage; **~abfertigung** *f* dispatch of luggage, *Am.* baggage dispatch; **~annahme(stelle)** *f* luggage (registration) office, *Am.* baggage checking counter; **~aufbewahrung(sstelle)** *f* (left-)luggage office, *Am.* check room; **~ausgabe(stelle)** *f* luggage delivery office, *Am.* baggage room; **~halter** *m on bicycle*: carrier; **~marsch** *m* march with full equipment; **~netz** *n* luggage-rack; **~raum** *mot. m* → *Kofferraum*; **~revision** *f* examination of luggage; **~schalter** *m* → *Gepäckannahme*; **~schein** *m* luggage ticket, *Am.* baggage check; **~stück** *n* piece of luggage, parcel, item; **~träger** *m* (railway) porter; *on bicycle*: carrier; **~versicherung** *f* luggage insurance; **~wagen** *m* luggage van, *Am.* baggage car.

ge'panzert *adj.* armo(u)red, iron-clad.

Gepard ['ge:part] *zo. m* (-s; -e) hunting-leopard.

ge'pfeffert *adj. fig.* peppered, steep (*bill*); spicy, fruity (*joke*).

Gepfeife [gə'pfaɪfə] *n* (-s) whistling.

gepfiffen [gə'pfifən] *p.p. of pfeifen.*

gepflegt [gə'pfle:kt] *adj.* well-groomed (*person, etc.*); soigné (*Fr.*) (*appearance, clothes*); well cared-for (*hands, garden, etc.*); cultivated, polished, refined (*speech, style*); *~es Heim* refined home; *~er Wein* seasoned wine; *~er Schriftsteller* cultured writer.

gepflogen [gə'pflo:gən] *p.p. of pflegen.*

Ge'pflogenheit *f* (-; -en) habit, custom; practice, usage.

geplagt [gə'pla:kt] *adj.* tormented; harassed; *von Befürchtungen ~* ridden by fears.

Geplänkel [gə'plɛŋkəl] *n* (-s; -) skirmish (*a. fig.*).

Geplapper [gə'plapər] *n* (-s) babbling, babble, chatter(ing), prattle, chit-chat.

Geplärr [gə'plɛr] *n* (-[e]s) bawling.

Geplätscher [gə'plɛtʃər] *n* (-s) splashing, purling.

Geplauder [gə'plaudər] *n* (-s) chat, small talk; chatting, prattle.

ge'polstert *adj.* upholstered; padded.

Gepolter [gə'pɔltər] *n* (-s) rumbling (noise), rumble, din.

Gepräge [gə'prɛ:gə] *n* (-s; -) impression; coinage; *fig.* stamp, imprint, character(istics *pl.*); *e-r Sache das ~ geben* set the character of a th.; *das ~ aufweisen* (*gen.*) bear the imprint (*or* stamp) of (*a p. or th.*).

Gepränge [gə'prɛŋə] *n* (-s) pomp, splendo(u)r, pageantry.

Geprassel [gə'prasəl] *n* (-s) crackling, rattling, clatter.

gepriesen [gə'pri:zən] *p.p. of preisen.*

Gequassel [gə'kvasəl], **Gequatsche** [gə'kvatʃə] *colloq. n* (-s) silly talk, twaddle, balderdash.

gequollen [gə'kvɔlən] *p.p. of quellen.*

gerade [gə'ra:də] **I.** *adj.* straight; upright, erect; direct; even (*number*); *fig.* straightforward, sincere, plain, upright; **II.** *adv.* just, exactly, precisely; *~ ein Jahr* a year to a day; *~ entgegengesetzt* diametrically opposite *or* opposed; *~ das Gegenteil* just the contrary, the very opposite; *~ in dem Augenblick* (at) the very moment; *ich bin ~ gekommen* I have just come; *er schrieb ~* he was just writing; *sie wollte ~ gehen* she was just about (*or* going) to leave; *ich war ~ dort* I happened to be there; *daß ich ~ dich treffen würde* that I should meet you of all people; *das hat mir ~ noch gefehlt* that's all I needed; *sie ist nicht ~ eine Schönheit* she is not exactly a beauty; *das ist ~ das Richtige* that's just the thing (we need); *geschieht dir ~ recht* serves you right; *da wir ~ von Kindern sprechen* speaking of children; *~ zur rechten Zeit* just in time (*um zu inf.* to *inf.*), in the (very) nick of time; *nun ~!* now more than ever!, now with a vengeance!; *nun ~ nicht!* now less than ever!; *~ als wenn or ob* just as if *or* though; *~ darum, weil* for the very reason that, just because.

Ge'rade *f* (-n; -n) *math.* straight line; *sports*: **a)** straight(-away), **b)** home straight (*or* stretch); *boxing*: *linke* (*rechte*) *~* straight left (right).

gerade'aus *adv.* straight on *or* ahead; **&empfänger** *m radio*: straight-circuit receiver; **&fahrt** *f skiing*: straight run; **&flug** *m* horizontal flight.

ge'rade...: ~biegen *v/t.* (*irr., h.*) straighten; *fig. colloq.* put right (again), straighten out, *Am. a.* fix; **~halten:** *sich ~* (*irr., h.*) hold o.s. upright *or* erect.

geradeher'aus *adv.* freely, frankly, outright; bluntly, point-blank.

ge'rade...: ~legen, ~machen, *etc. v/t.* (*h.*) put straight, straighten.

Ge'rader *m* (-n; -en) *boxing*: → *Gerade.*

ge'rade...: ~so *adv.* just the same, exactly the same thing; *~ wie* just like; *~ viel* just as much; *es sieht ~ aus, als ob* it seems to me just as if; **~stehen** *v/i.* (*irr., h.*) stand straight *or* erect; *fig. für et. ~* answer for a th.; **~(s)wegs** *adv.* directly, straight (on); *~ auf et. losgehen* make a beeline for; straight away, on the spot, immediately; **~'zu** *adv.* straight(way), directly; → *geradeheraus*; almost, next to; sheer, plain, downright; nothing short of; *das ist ~ Wahnsinn* that's sheer (*or* downright) madness.

Gerad|führung [gə'ra:t-] *tech. f* guide; **~heit** *f* (-) straightness; *fig.* straightforwardness, uprightness, honesty; **&linig** [-li:niç] *adj.* rectilinear, straight-lined; lineal (*descent*); **~linigkeit** *f* (-) (recti-)linearity; **&sinnig** [-ziniç] *adj.* straightforward; **&zahlig** [-tsa:liç] *adj.* even-numbered.

gerammelt [gə'ramǝlt] *colloq. adv.*: *~ voll* chockful, crammed, packed to capacity.

Geran|ie [ge'ra:niə] *f* (-; -n), **~ium** [-nium] *bot. n* (-s; -ien) geranium.

gerannt [gə'rant] *p.p. of rennen.*

Gerassel [gə'rasəl] *n* (-s) rattling, rattle; clatter.

Gerät [gə'rɛ:t] *n* (-[e]s; -e) tool, utensil, implement; gear; apparatus; instrument; *teleph., radio, TV* set; device, gadget; unit; equipment; *elektrisches ~* electrical appliance; *Küchen&* kitchen utensil(s *pl.*); household effects *pl.*; *Angel&* fishing-tackle; *Sport&* athletic implement(s *pl.*); *Turn&* apparatus; **~ekasten** *m* tool box.

geraten [gə'ra:tən] **I.** *v/i.* (*irr., sn*)

come *or* fall, get in(to *in acc., auf acc.* [up]on), happen upon; *über et. ~* come across; turn out *well, etc.*, prove *or* be *a success, etc.*. prosper, thrive; *nach j-m ~* take after a p.; *~ an (a. c.)* come by *a. p. or th.*; *aneinander ~* come to high words (*or* blows), *mil.* come to close quarters; *außer sich ~* be beside o.s. (*vor dat.* with), go off one's head, be overjoyed, fly into a rage, see red; *~ in (acc.)* get (*or* run) into (*danger, debt*); get caught in (*a storm, etc.*); *in Entzücken ~* go into raptures; *in Besorgnis ~* grow alarmed; *unter j-s Einfluß ~* come under a p.'s influence; *ihm gerät alles* everything succeeds with him; *die Ernte ist gut (schlecht) ~* there has been a good (bad) crop; → *Abwege, Brand, Konkurs, etc.*; **II.** *adj.* successful; advisable, commendable, good policy; advantageous, profitable; *was du für ~ hältst* whatever you think fit; *das ~ste wäre, zu inf.* the best thing (*or* policy) would be to *inf.*

Geˈräte...: **~schalter** *m* plug switch; **~schnur** *f* flexible cord; **~steckdose** *f* coupler socket; **~stecker** *m* connector plug; **~turnen** *n* apparatus gymnastics *pl.*; **~übung** *f* apparatus exercise; **~wagen** *m* equipment wag(g)on *or* truck.

Geˈratewohl *n*: *aufs ~* at random, on the off-chance; *aufs ~ e-e Auswahl treffen* make a random selection; *er versuchte es aufs ~* he took a chance.

Geˈrätschaften *f/pl.* tools, utensils, implements; equipment *sg.*

geraum [gəˈraum] *adj.*: *~e Zeit* long time; *seit ~er Zeit* for a long time; *es wird noch e-e ~e Zeit dauern, bis* it will be (*or* take) long before.

geräumig [gəˈrɔʏmiç] *adj.* spacious, roomy; **2keit** *f* (-) spaciousness, roominess.

Geräusch [gəˈrɔʏʃ] *n* (-es; -e) noise, sound; *med. a.* murmur; → *Lärm, Knistern, Schwirren, etc.*; **2arm** *adj.* noiseless, silent; **2dämpfend** *adj.* silencing, anti-noise; → *schalldämpfend*; **~kulisse** *f* background; **2los** *adj.* noiseless, silent, quiet (*all a. tech.*); **~losigkeit** *f* (-) noiselessness, silence, quietness; **~pegel, ~spiegel** *m* noise level; **2voll** *adj.* noisy, loud; clamorous, uproarious.

gerben [ˈgɛrbən] *v/t.* (*h.*) dress, curry (*hides*); *rot ~* tan; *weiß ~* taw; *sämisch ~* chamois; refine (*metal*); *fig. j-m tüchtig das Fell ~* give a p. a good hiding.

ˈGerber *m* (-s; -) leather-dresser, currier; tanner; tawer; **Gerbeˈrei** *f* (-; -en) tanning, tanner's trade; tannery.

ˈGerber...: **~lohe** *f* tan-bark; **~wolle** *f* skin wool.

Gerb|leim [ˈgɛrp-] *m* tannic acid glue; **~säure** *f* tannic acid; **~stahl** *m* polishing steel, burnisher; **~stoff** *m* tannin.

gerecht [gəˈrɛçt] *adj.* just; righteous; fair, equitable; impartial; justified, legitimate; just, well-deserved (*punishment*); *~ werden (dat.)* do justice to *a p. or th.* (*a. fig.*); meet (*conditions, demand, requirements, wish*); meet, come up to (*expectations*); live up to (*one's name, reputation*); → *entsprechen*; *e-r Aufgabe ~ werden* master (*or* cope with) a task; *allen Seiten ~ werden* deal with all aspects; → *Sattel*; *~er Himmel!* good heavens!; **2e(r)** *m* (-; -n) *eccl.* righteous man; *der Schlaf des ~n* the sleep of the just; **~fertigt** *adj.* justified, justifiable.

Geˈrechtigkeit *f* (-) justice; righteousness; fairness, equitableness; legitimacy, justification; → *Gerechtsame*; *~ widerfahren lassen (dat.)* do justice to; *~ walten lassen* dispense justice, *fig.* be just (*or* fair); **~sliebe** *f* love of justice; **2sliebend** *adj.* fair(-minded), equitable; **~ssinn** *m* (-[e]s) sense of justice.

Gerechtsame [gəˈrɛçtza:mə] *f* (-n; -n) right; franchise, privilege, prerogative.

Gerede [gəˈre:də] *n* (-s) (idle) talk; gossip, tittle-tattle; rumo(u)r; *sich (j-n) ins ~ bringen* make o.s. (a p.) the talk of the town; *ins ~ kommen* get talked about; *das ist nur leeres ~* that's mere eyewash.

geregelt [gəˈre:gəlt] *adj.* regular; orderly, well-conducted; → *regeln*.

geˈreichen *v/i.* (*h.*): *zu et. ~* contribute (*or* redound) to a th.; *es gereicht mir zur Freude* it gives (*or* affords) me much pleasure; *es gereicht ihm zum Vorteil* it is (*or* will prove) to his advantage; → *Ehre*.

gereizt [gəˈraɪtst] *adj.* irritated (*a. med.*), nettled, piqued; irritable, testy, edgy; **2heit** *f* (-) irritation.

geˈreuen *v/t.* (*impers., h.*): *es gereut mich* I repent (of) it, I am sorry for it; *sich die Zeit nicht ~ lassen* not to grudge the time; *sich keine Mühe ~ lassen* spare no trouble.

Gericht[1] [gəˈriçt] *n* (-[e]s; -e) dish; course.

Gericht[2] [gəˈriçt] *jur. n* (-[e]s; -e) court (of justice), law-court, *usu. rhet. and fig.* tribunal, forum; the judges *pl.*, the Bench; hearing, trial; session, term; judg(e)ment; *eccl. jüngstes ~* Last Judg(e)ment, Doomsday; *~ erster Instanz* court of first instance, trial court; *~ zweiter Instanz* court of appeal(s), appellate court; *ordentliches ~* (regular) court of law; *von ~s wegen* by order (*or* decree, warrant) of the court; *~ halten (or zu ~ sitzen) über (acc.)* sit in judg(e)ment upon (*a. fig.*), try (*a p. or case*); *das ~ anrufen* apply to a court, appeal to a (higher) court; *vor ~ bringen* bring *a th.* into court, go to law about *a th.*, bring an action against *a p.*; *vor ~ erscheinen* appear in court; *vor ~ kommen* **a)** *matter*: come before the court(s), **b)** *person*: go on trial; *vor ~ stellen* bring to trial, put on trial, arraign; *sich vor ~ verantworten* stand trial; *e-e Sache vor ~ vertreten* plead a cause, defend a case; *fig. mit j-m scharf ins ~ gehen* take a p. severely to task; *Hohes ~!* Your Lordship (*Am.* Honor), Members of the Jury!; **2lich** *adj.* judicial, legal; *adv. a.* by order of the court; *~ vereidigt* sworn (*interpreter, etc.*); *~e Beglaubigung* legalization; *~e Medizin* forensic medicine; *~es Verfahren* legal proceedings *pl.*; *~e Verfügung* order (of a court); *~e Verfolgung* prosecution; *~e Zustellungen* legal process *sg.*; *~ anerkannte Schuld* judg(e)ment debt; *j-n ~ belangen, gegen j-n ~ vorgehen, ~e Schritte ergreifen gegen j-n* sue a p., institute (legal) proceedings against a p., take legal steps against a p.

Geˈrichts...: **~akten** *f/pl.* court records; **2anhängig** *adj.* pending; **~arzt** *m* medical examiner; **~assessor** *m* fully qualified candidate for judicial appointment; junior barrister; **~barkeit** *f* (-) jurisdiction; *erstinstanzliche ~* original jurisdiction; *freiwillige ~* voluntary jurisdiction, non-contentious litigation; **~beamter** *m* law-court official; **~befehl** *m* legal warrant, writ, court order; **~beschluß** *m* court order; **~bezirk** *m* circuit; judicial district; **~diener** *m* usher, bailiff, *Am.* marshal; **~entscheid(ung** *f*) *m* (court) decision, ruling; **~ferien** *pl.* vacation *sg.*, *Am.* recess *sg.*; **~gebäude** *n* law-court, courthouse; **~herr** *m* supreme judicial authority; **~hof** *m* court of justice, law-court; *usu. rhet. or fig.* tribunal; *Oberster ~ Brit.* Supreme Court of Judicature, *Am.* Supreme Court; **~kasse** *f* court cashier; **~kosten** *pl.* (law-)costs; **~medizin** *f* forensic medicine; **~ordnung** *f* rules *pl.* of (the) court; **~person** *f* court officer, member of the court; **~referendar** *m* law-student who has passed his first State Examination; **~saal** *m* court room; **~schreiber** *m* clerk (of the court); **~sitzung** *f* hearing, (court) session; **~stand** *m* venue, jurisdiction; *econ.* (legal) domicile; **~verfahren** *n* **a)** court procedure, **b)** legal proceedings *pl.*, lawsuit; *ein ~ einleiten gegen (acc.)* institute legal proceedings against; **~verfassung** *f* constitution of law-courts; (structure of the) judiciary; *~sgesetz* Judicature Act; **~verhandlung** *f* (judicial) hearing; trial; **~vollzieher** *m* (court-)bailiff, *Am.* marshal; **~wesen** *n* (-s) judicial system, judiciary.

gerieben[1] [gəˈri:bən] *p.p. of reiben.*

geˈrieben[2] *adj.* → *reiben*; *fig.* cunning, crafty, shrewd, wily; *~er Geschäftsmann* smart businessman.

Geriesel [gəˈri:zəl] *n* (-s) purling; *of rain*: drizzling.

gering [gəˈriŋ] *adj.* little, small; → *~er, ~st*; trifling; slight, negligible, unimportant; modest; limited; low, mean; poor; inferior, of inferior quality; low (*pressure, price, temperature*); *~e Aussicht* poor (*or* slender, slim) chance; *~er Betrag* petty amount; *~es Einkommen* modest income; *~e Entfernung* short distance; *~es Interesse* little interest; *~e Kenntnisse* scanty (*or* poor, meag|re, *Am.* -er) knowledge; *mit ~en Ausnahmen* with (but) few exceptions; *mein ~es Verdienst* my humble merit; *Vornehm und 2* high and low, rich and poor; *~denken von (dat.)* → **~achten** *v/t.* (*h.*) have a low opinion of, think little of; look down (up)on, despise; disregard, ignore; **~er** *adj.* inferior, less, minor; *ein ~er Betrag* a smaller sum; *in ~em Maße* in a less degree; *das ~e von zwei Übeln* the lesser of two evils; *kein* **2***er als* no less a p. than; **~fügig** [-fy:giç] *adj.* little, slight, negligible, insignificant, unimportant, trifling, petty; **2fügigkeit** *f* (-) littleness, insignificance; trifle; *jur. Verfahren wegen ~ einstellen* dismiss a case; **~haltig** [-haltiç] *adj.* base, low-grade, of low standard; **~schätzen** *v/t.* (*h.*) → *geringachten*; **~schätzig** [-ʃɛtsiç] *adj.* deprecatory, disparaging, slighting; disdainful, contemptuous; *adv.*: *j-n ~ behandeln* treat a p. with contempt *or* disdain, slight a p.; et. *~ abtun* pooh-pooh a th.; **2schätzung** *f* (-) disregard; disdain, contempt, disrespect, disparagement; **~st** *adj.* least; slightest; minimum; smallest; *nicht im ~en* not in the least, in no way, by no means, not at all; *nicht das* **2***e* nothing what(so)ever, not a thing; *die ~e Kleinigkeit* the merest trifle; *bei der ~en Kleinigkeit* at the least word, at the drop of a hat; *nicht die ~e Aussicht* not the slightest chance; *nicht die ~e Ahnung* not the faintest (*or* foggiest) idea; *nicht den ~en Zweifel* not the slightest doubt; *das macht nicht das ~e aus* it doesn't make any difference; **~wertig** [-ve:rtiç] *adj.* of small value; inferior; of inferior quality.

Gerinne [gə'rinə] *n* (-s; -) running (water); drain, channel; *tech. casting*: chute, gutter; *of sluice*: clough arch.

ge'rinnen *v/i.* (*irr.*, *sn*) *chem.* coagulate, clot, set; congeal; *milk*: curdle; *metall.* concrete; *~ machen or lassen* coagulate; congeal; curdle (*a. fig.*: *a p.'s blood*).

Gerinnsel [gə'rinzəl] *n* (-s; -) coagulated mass, clot; *med. a.* coagulum; → *Rinnsal.*

Gerippe [gə'ripə] *n* (-s; -) skeleton; (*person*) *a.* scrag, bag of bones; *arch.* framework, shell; *mar.* carcass; *aer.* frame; *fig.* skeleton, frame; (general) outline, sketch (*of a story, etc.*).

ge'rippt *adj.* ribbed (*a. tech.* = finned); *bot., zo.* costate(d); *leaf*: *a.* nervate; *fabric*: corded; *column*: fluted.

gerissen [gə'risən] *p.p. of reißen*; *adj. colloq. fig.* → *gerieben.*

geritten [gə'ritən] *p.p. of reiten.*

German|e [gɛr'ma:nə] *m* (-n; -n), **~in** *f* (-; -nen) Teuton; **2isch** *adj.* Germanic, Teutonic; **germanisieren** [gɛrmani'zi:rən] *v/t.* (*h.*) Germanize.

Germanis|mus [-ma'nismus] *m* (-; -men) Germanism; **~t** *m* (-en; -en) Germanscholar, Germanist; **~tik** *f* (-) (study) of German language and literature, Germanistics *pl.*, *Am.* Germanics *pl.*; **2tisch** *adj.* German.

Germanium [-'ma:nium] *n* (-s) *chem.* germanium.

gern(e) ['gɛrn(ə)] *adv.* (*comp. lieber*; *sup. am liebsten*); gladly, with pleasure; willingly, readily; *as answer*: I should be delighted, I should love to; *ganz ~* I don't mind (if I do; doing a th.); *herzlich ~* with great pleasure, by all means; *~ haben, mögen, tun* be fond of, like; care for, be keen on; *ich reise ~* I like to travel, I like (*or* am fond of) travelling; *nach dem Essen ging er ~ spazieren* after dinner he used to (*or* would) take a walk; *Erlen wachsen ~ am Bach* alders are often found (*or* tend to grow) along brooks; *er kommt ~ um diese Zeit* he often (*or* usually) comes at this hour; *das glaube ich ~* I quite believe it; *das kannst du ~ haben* you are welcome to it; *ich möchte ~ wissen* I should like to know, I wonder; *wir sind ~ bereit, zu inf.* we are quite prepared (*or* should be glad *or* happy) to *inf.*; *~ gesehen sein* be welcome; *~ geschehen!* don't mention it!, (you are) welcome!; *colloq. du kannst mich ~ haben!* go to blazes (*or* hell)!; **~gesehen** *adj.* welcome; **2groß** *m* (-; -e) show-off.

gerochen [gə'rɔxən] *p.p. of riechen.*

Geröll [gə'rœl] *n* (-[e]s; -e) pebbles *pl.*; rubble, *geol.* débris, scree; boulders *pl.*; **~halde** *geol. f* débris (*or* scree) slope.

geronnen [gə'rɔnən] *p.p. of* (*ge-*) *rinnen.*

Gerontologie [gərɔntolo'gi:] *f* (-) gerontology.

Gerste ['gɛrstə] *f* (-) barley.

'Gersten...: **~graupen** *f/pl.* pearl barley *sg.*; **~hartbrand** *m* covered smut of barley; **~korn** *n* (-[e]s; ⸚er) barley-corn; *med.* sty; **~saft** *m* (-[e]s) beer; **~schleim** *m* barley-water; **~zucker** *m* barley-sugar.

Gerte ['gɛrtə] *f* (-; -n) switch, rod, twig; **2nschlank** *adj.* slim and willowy.

Geruch [gə'rux] *m* (-[e]s; ⸚e) smell, odo(u)r; *angenehmer ~* pleasant smell, scent, perfume, fragrance; *übler ~* bad (*or* offensive, unpleasant) smell *or* odo(u)r, stench; *~ beseitigen an or in et.* deodorize a th.; *e-n feinen ~(ssinn) haben* have a fine sense of smell, have a good nose; *fig.* reputation, odo(u)r; *im ~ der Heiligkeit* in the odo(u)r of sanctity; *in schlechtem ~ stehen* be in bad odo(u)r (*bei* with), be ill reputed (*or* famed); **2beseitigend** *adj.* → *geruchtilgend*; **2los** *adj.* scentless, odo(u)rless; inodorous (*gas, etc.*); *~ machen* deodorize; **~losigkeit** *f* (-) scentlessness, inodorousness; absence of smell; **~snerv** *m* olfactory nerve; **~ssinn** *m* (-[e]s) (sense of) smell; **~stoff** *m* odorous substance, aromatic essence.

Gerücht [gə'ryçt] *n* (-[e]s; -e) rumo(ur)r, report; *es geht das ~, daß* it is rumo(u)red, the rumo(u)r (*or* story) goes; *das ~ läuft um, er sei entkommen* as rumo(u)r has it he has escaped, he is rumo(u)red to have escaped; *ein ~ verbreiten* spread a rumo(u)r (abroad); **~emacher** *m* rumo(u)r-monger.

geruchtilgend [-tilgənd] *adj.* deodorant.

ge'rüchtweise [-vaɪzə] *adv.* as a rumo(u)r; *~ verlautet* it is rumo(u)red, the story goes.

ge'rufen *adj.*: *das kommt wie ~* that comes in handy.

ge'ruh|en *v/i.* (*h.*): *~ zu inf.* be pleased to *inf.*; *esp. iro.* condescend (*or* deign) to *inf.*; **~sam** *adj.* quiet, peaceful, tranquil; leisurely, comfortable, relaxed.

Gerumpel [gə'rumpəl] *n* (-s) rumbling, rumbles *pl.*; bumps, jolts *pl.*

Gerümpel [gə'rympəl] *n* (-s) lumber, junk.

Gerundium [ge'rundium] *gr. n* (-s; -ien) gerund.

gerungen [gə'ruŋən] *p.p. of ringen.*

Gerüst [gə'ryst] *n* (-[e]s; -e) scaffold(ing); trestle; truss (*on roof, bridge*); *a. tech.* stage, platform; *biol.* stroma, reticulum; *eisernes ~ arch.* steel frame *or* structure; *fliegendes ~* flying scaffold *or* stage; → *Skelett*; *fig.* frame, framework; *ein ~ aufschlagen* put up a scaffold; **~brücke** *f* trestle bridge; **~stange** *f* scaffolding-pole.

Gerüttel [gə'rytəl] *n* (-s) shaking; jolting, jolts *pl.*

Ges [gɛs] *mus. n* (-; -) G-flat.

gesamt [gə'zamt] *adj.* whole, entire, all, complete; total, aggregate, collective, overall; general; joint; united; → *ganz*; *jur. zur ~en Hand* collective, joint (*ownership, property, etc.*), joint and several (*liability*); **2e(s)** *n* (-n) *the* whole, *the* total; **2ansicht** *f* general view; **2aufkommen** *n* total yield; **2auflage** *f* total circulation (*of newspaper, etc.*); **2aufstellung** *f* collective statement; **2ausfuhr** *f* total exports *pl.*; **2ausgabe** *f of book*: complete edition; **2ausgaben** *econ. f/pl.* total expenses; **2bedarf** *m* total requirement; **2begriff** *m* collective (idea), comprehensive (*or* generic) term; **2betrag** *m* total (amount); **2bild** *n* general (*or* overall) view *or* picture; **~deutsch** *adj.* all-German; *Minister für ~e Fragen* Minister for All-German Affairs; **2eigentum** *n* (-[e]s) aggregate property; joint property; **2eindruck** *m* general impression; **2einfuhr** *f* total imports *pl.*; **2einnahme** *f*, **2erlös** *m* total receipts *pl.*; **2ergebnis** *n* total result; **2ertrag** *m* total proceeds *or* returns *pl.*; **2fläche** *f* total area; **2gewicht** *n* (-[e]s) total weight; **2gläubiger** *m* general creditor; **2haftung** *f* joint liability; **2handgemeinschaft** *f* joint owners *pl.*; **2heit** *f* (-) total(ity); *the* whole; *the* entirety; *in s-r ~* in its entirety; **2hypothek** *f* blanketed mortgage; **2kapital** *n* joint capital; aggregate amount of principal; **2kohlenstoff** *chem. m* total carbon; **2kosten** *pl.* total expenses; **2lage** *f* (-) general (*or* overall) situation; **2länge** *f* (-) overall length; **2maße** *tech. n/pl.* overall dimensions; **2note** *ped. f* aggregate mark; **2planung** *f* overall planning; **2preis** *m* lump-sum price; **2probe** *thea. f* full rehearsal; **2produkt** *n* gross (national) product; **2produktion** *f* total output; **2prokura** *f* joint power of attorney; **2quittung** *f* receipt in full; **2regelung** *f* overall settlement; **2schaden** *m* total damage (*or* loss); **2schau** *f* (-) total view, synopsis;

²**schuld** *f* joint and several liability; ²**schuldner** *m* joint debtor; ~**schuldnerisch** *adj.*: ~*e Bürgschaft* joint and several guarantee; ²**sieger** *m* final winner; ~**strafe** *jur. f* global term; ~**streitkräfte** *mil. f/pl.* joint forces; ²**summe** *f* → *Gesamtbetrag*; ²**überblick** *m*, ²**übersicht** *f* general survey; overall view; ²**umsatz** *m* total turnover; ²**verband** *m* general association; ²**verbindlichkeit** *f* joint liability; ²**vermögen** *n* aggregate property; ²**versicherung** *f* all-in insurance; ²**wert** *m* total (*or* aggregate) value; ²**wirkung** *f* general (*or* cumulative) effect; ²**wirtschaft** *f* whole national economy; ²**wohl** *n* common weal; ²**zahl** *f* total number; (sum) total; aggregate figure.

gesandt [gəˈzant] *p.p. of senden.*

Geˈsandt|e(r) *m* (-*n*; -*n*) envoy; ambassador; *päpstlicher* ~ nuncio; ~**in** *f* (-; -*nen*) ambassadress; ~**schaft** *f* (-; -*en*) legation; embassy; ²**schaftlich** *adj.* ambassadorial; diplomatic; ~**schaftsattaché** *m* attaché (*Fr.*); ~**schaftspersonal** *n* (staff of a) legation.

Gesang [gəˈzaŋ] *m* (-[e]s; ⁼e) singing, *mus.* vocal music; song; air, tune, melody; *eccl.* hymn, chant; *part of poem*: canto; ~**buch** *n* book of songs, *eccl.* hymn-book; ~**lehrer(in** *f*) *m* singing teacher; ²**lich** *adj.* vocal; melodious, flowing; ~**seinlage** *thea. f* inserted song; vocal number; ~**skunst** *f* art of singing, vocal art; ~**stunde** *f* singing lesson; ~**unterricht** *m* singing lessons *pl.*; ~**verein** *m* choral society, glee club.

Gesäß [gəˈzɛːs] *n* (-es; -e) buttocks *pl.*, seat, posterior, bottom; ~**gegend** *f* gluteal region; ~**muskeln** *m/pl.* gluteal muscles.

geˈsättigt *adj.* satiated; *chem.* saturated (*solution*).

Geˈschädigte(r *m*) *f* (-*n*, -*n*; -*en*, -*en*) injured person, sufferer.

Geschäft [gəˈʃɛft] *n* (-[e]s; -e) business; transaction, operation, deal, *Am. colloq.* proposition; affair; *usu.* ~*e pl.* duties, functions; work; occupation, trade, line, job, *Am. sl.* racket; business, firm, commercial house, enterprise, concern; commerce, trade; shop, store; *gut gehendes* ~ going concern; *glänzendes* ~ **a**) gold-mine, **b**) roaring trade; *vorteilhaftes* ~ bargain, (good) deal; *dunkles* ~ shady deal, *Am. sl.* racket; *die* ~*e des Gerichts* the business of the court; *laufende* ~*e* current business; ~ *in Wolle* dealings *pl. or* trading (*or* transaction) in wool; ~(e) *mit dem Auslande* (*Inlande*) foreign (home) trade; ~*e halber*, *in* ~*en* on business; ~*e machen mit j-m*: do business (*or* deal) with *a p.*, *et.*: do business (*or* deal) in *a th.*; *ins* ~ *kommen mit j-m* secure business from, do business with *a p.*; *s-n* ~*en nachgehen* go about one's business; *colloq. ein* ~ *verrichten* relieve nature, *colloq.* wash one's hands; *wie gehen die* ~*e?* how is business?; *die* ~*e gehen gut* (*schlecht*) business is good (slack); ~ *ist* ~ a bargain is a bargain, business is business; ~**emacher** *m* profiteer; ²**ig** *adj.* active, busy; bustling; industrious; pushing, energetic; eager; *contp.* officious; ~**igkeit** *f* (-) activity, bustle; industry; officiousness; ²**lich I.** *adj.* relating to business, commercial; ~*es Unternehmen* **a**) business, **b**) transaction; ~*e Beziehungen* business connections; ~*e Angelegenheit* business matter; *in e-r* ~*en Angelegenheit* on business; ~*e Verhandlungen* business negotiations; **II.** *adv.* on business; ~ *verreist* away on business; ~ *verhindert* prevented by business; ~ *zu tun haben mit* have dealings with, do business with *a p.*; *sich* ~ *betätigen* be in business; ~ *geht es ihm gut* (in business) he is doing well.

Geˈschäfts...: ~**abschluß** *m* (business) transaction *or* deal; *pl. a.* orders (*or* contracts) secured; annual report; ~**anteil** *m* share in a business, business interest; *maßgeblicher* ~ control(l)ing interest; ~**anzeige** *f* business advertisement; ~**aufgabe** *f* closing of business; retirement from business; ~**aufsicht** *f* legal control; judicial supervision; *unter* ~ *gestellt werden* be put into (temporary) receivership; ~**aussichten** *f/pl.* business prospects; ~**bereich** *m* sphere of action, scope; jurisdiction; *Minister ohne* ~ minister without portfolio; ~**bericht** *m* business report; *jährlicher* ~ annual report; ~**betrieb** *m* business operations *pl.*; commercial (*or* business) enterprise; ~**beziehungen** *f/pl.* business relations; ~**brief** *m* commercial (*or* business) letter; ~**bücher** *n/pl.* account (*or* commercial) books; ~**erfahrung** *f* business experience; ~**eröffnung** *f* opening of a business; ²**fähig** *adj.* having legal (*or* disposing) capacity; ~**fähigkeit** *f* legal (*or* disposing) capacity; *mangelnde* ~ incompetency; ~**flaute** *f* slackness of business, slump; ~**frau** *f* business woman; ~**freund** *m* business friend; ²**führend** *adj.* managing, executive; acting; in charge of affairs; ~*er Ausschuß* managing (*or* executive) committee; ~*e Regierung* caretaker government; ~**führer** *m* manager, managing clerk (*or* director, partner); (general) secretary (*of club*); ~**führung** *f* management (*or* conduct) of business; ~**gang** *m* errand; course of business; *täglicher* ~ daily (*or* office) routine; trend of affairs; ~**gebaren** *n* business policy (*or* methods *or* practices *pl.*); ~**gegend** *f* → *Geschäftsviertel*; ~**geheimnis** *n* business secret; ~**geist** *m* (-es) business acumen; ²**gewandt** *adj.* smart, efficient, versatile; ~**haus** *n* commercial firm; office building, business premises *pl.*; ~**inhaber(in** *f*) *m* owner (of a business), principal; general partner; ~**interesse** *n* business interest; ~**jahr** *n* business year; financial (*Am.* fiscal) year; ~**kapital** *n* capital; ~**karte** *f* business-card; ~**kosten** *pl.* costs (of management); *auf* ~ on expense account; ~**kreis** *m* sphere of activity; *of bank*: business; *in* ~*en* in commercial circles; ²**kundig** *adj.* experienced in business; ~**lage** *f* business status; store location; ~**leben** *n* (-*s*) business life; *ins* ~ *eintreten* go into business; ~**leiter** *m* manager; ~**leitung** *f* management; ~**leute** *pl.* businessmen; ~**lokal** *n* business premises *pl.*; shop, store; office; ²**los** *adj. stock exchange*: dull, lifeless, slack; ~**mann** *m* businessman; ²**mäßig** *adj.* businesslike; ~**ordnung** *f parl.* standing orders *pl.*; *zur* ~ *sprechen* rise to order; rules *pl.* (of procedure); agenda; ~**papiere** *n/pl.* commercial papers; ~**personal** *n* staff, employees *pl.*; ~**räume** *m/pl.* business premises; ~**reise** *f* business tour (*or* trip); ~**reisende(r)** *m* commercial traveller, *Am.* traveling salesman; ~**risiko** *n* business risk; ~**rückgang** *m* business recession; ~**schluß** *m* closing-time; *nach* ~ *a.* after business hours; ~**sitz** *m* (registered *or* official) seat of a firm, place of business; ~**sprache** *f* commercial language, business style; ~**stelle** *f* office, secretariat; ~**stille**, ~**stockung** *f* stagnation of business, dul(l)ness of trade; ~**straße** *f* business street; ~**stunden** *f/pl.* business (*or* office) hours; ~**tätigkeit** *f* business activity; ~**teilhaber(in** *f*) *m* partner; ~**träger** *m pol.* chargé d'affaires (*Fr.*); ²**tüchtig** *adj.* smart, good *businessman*; ~**tüchtigkeit** *f* business acumen, smartness; ²**unfähig** *adj.* legally incapacitated, under legal incapacity; ~**unkosten** *pl.* business expenses; overhead expenses; ~**unterlagen** *f/pl.* business data *pl.*; ~**unternehmen** *n* commercial enterprise, business; ~**verbindung** *f* business connection; *in* ~ *treten* open up business relations, enter into business connections; *in* ~ *stehen* do (*or* transact) business (*mit* with); ~**verkehr** *m* business dealings (*or* transactions) *pl.*; ~**verlauf** *m* course of business; ~**verlust** *m* trade loss; ~**viertel** *n* business (*or* shopping) centre, *Am.* downtown; ~**vorfall** *m* transaction; ~**wagen** *m* commercial vehicle; delivery van; ~**welt** *f* (-) business (world); → *Geschäftsleute*; ~**wert** *m* goodwill (of a business); *jur.* → *Streitwert*; ~**zeichen** *n* file number; *in letters*: reference mark (*abbr.* Ref.); ~**zeit** *f* office (*or* business-) hours *pl.*; ~**zentrum** *n* → *Geschäftsviertel*; ~**zimmer** *n* office; ~**zweig** *m* branch (of business), line (of business).

geschah [gəˈʃaː] *pret. of geschehen.*

geschehen [gəˈʃeːən] **I.** *v/i.* (*irr.*, *sn*) happen, occur, come to pass; chance; take place; be done; ~ *lassen* allow, suffer, tolerate, shut one's eyes to; *es geschehe* so be it; *es geschieht ihm recht* it serves him right; *es geschieht ihm ein Unrecht* he is wronged; *was soll damit* ~? what is to be done with it?; *es muß et.* ~ something must be done (about it); *es wird dir nichts* ~ no harm will come to you, it is perfectly safe; *er wußte nicht, wie ihm geschah* he was puzzled (*or* dumbfounded); *es ist um mich* ~ I am done for; *Bible*: *Dein Wille ge-*

schehe Thy will be done; ~ *ist* ~ what's done is done, it's no use crying over spilt milk; **II.** 2 *n* (-*s*) happenings *pl.*, events *pl.*; 2**e**(**s**) *n* (-*n*) what is done, accomplished facts *pl.*; bygones *pl.*

Ge'schehnis *n* (-*ses*; -*se*) event, occurrence, incident, happening.

gescheit [gə'ʃaɪt] *adj.* clever, intelligent, brainy; bright; wise, prudent; sensible; *sei doch* ~! don't be a fool!, (do) be sensible!, be your age!; *nicht recht* ~ a bit cracked *or* touched, *sl.* not all there; *du bist wohl nicht recht* ~ you can't be in your right senses, you must be out of your mind; *ich werde nicht daraus* ~ I can't make head or tail of it, it makes no sense to me; *ich war so* ~ *wie zuvor* I was none the wiser (for it); 2**heit** *f* (-) cleverness, intelligence, brains *pl.*; brightness.

Geschenk [gə'ʃɛŋk] *n* (-[*e*]*s*; -*e*) present, gift; donation; gratuity; *fig.* ~ *des Himmels* godsend, windfall; *j-m et. zum* ~ *machen* make a p. a present of a th.; ~**artikel** *m/pl.* gifts, fancy goods, souvenirs; ~**artikelladen** *m* gift shop; ~**packung** *f* giftbox, gift wrapping.

Geschichtchen [gə'ʃiçtçən] *n* (-*s*; -) little story; anecdote.

Ge'schicht|e *f* (-; -*n*) story, narrative, tale; history; affair, business; → *biblisch*; ~*en erzählen* tell stories; *in die* ~ *eingehen* become (*German*, *etc.*) history, go down in history (*als* as); *e-e alte* ~ an old story; *e-e dumme* ~ a stupid business, a nuisance; *e-e schöne* ~! a nice affair!, a pretty mess!; *die ganze* ~ the whole concern (*or* business, show), *Am. a.* the whole caboodle; *da haben wir die* ~! there you are!; *mach keine* ~*n*! don't make a fuss!, don't be a fool!; *er macht keine große* ~ *daraus* he does not make a big issue of it; *damit ist eine* ~ *verknüpft* thereby hangs a tale; ~**enbuch** *n* story-book; ~**enerzähler**(**in** *f*) *m* story-teller; 2**lich** *adj.* historical; historic; *adv.* historically, in the light of history.

Ge'schichts...: ~**bild** *n* conception of history; ~**buch** *n* history-book; ~**fälschung** *f* falsification of history; ~**forscher** *m* historian; ~**forschung** *f* historical research; ~**kenntnis** *f* knowledge of history; ~**klitterung** [-klitəruŋ] *f* (-; -*en*) biased historical account; perversion of history; ~**maler** *m* history-painter; ~**philosophie** *f* philosophy of history; ~**schreiber** *m* historian; ~**studium** *n* study of history; ~**stunde** *f*, ~**unterricht** *m* history lesson(s *pl.*); ~**werk** *n* historical work; ~**wissenschaft** *f* (science of) history.

Geschick [gə'ʃik] *n* **1.** (-[*e*]*s*; -*e*) destiny, fate, lot; *schlimmes* ~ bad (*or* ill, adverse) fortune *or* luck; blow, visitation, affliction; **2.** (-[*e*]*s*) → ~**lichkeit** *f* (-) skill, facility, cleverness, address; dexterity, adroitness, deftness; aptitude, ability; → *geschickt*; ~**lichkeitsprüfung** *f* test of skill.

ge'schickt I. *adj.* skil(l)ful (*zu* at, *in dat.* in); clever (at); dexterous, deft, adroit, handy, slick; *er ist besonders* ~ *im* he has a knack for; **II.** *adv.*: ~ *ausgedacht* cleverly (*or* ingeniously) contrived; ~ *handeln* play one's cards well.

Geschiebe [gə'ʃi:bə] *n* (-*s*) shoving, pushing; *geol.* detritus, bed load, boulder.

geschieden[1] [gə'ʃi:dən] *p.p. of scheiden.*

ge'schieden[2] *adj.* separated; *spouses*: divorced; *marriage*: dissolved; ~*er Mann*, (~*e Frau*) divorcé(e); *wir sind* ~*e Leute* we have finished (*Am.* are through) with each other.

geschienen [gə'ʃi:nən] *p.p. of scheinen.*

Geschirr [gə'ʃir] *n* (-[*e*]*s*; -*e*) vessel; table-ware; dishes *pl.*; plate; china; tea service (*or* things); *irdenes* ~ earthenware, crockery, pottery; kitchen utensils (*or* things), pots and pans; *for horses*: harness; (horse and) carriage; *tech. weaving*: tackle; → *Gerät*; ~ *spülen* wash (*or* do) the dishes; *das* ~ *anlegen* (*dat.*) harness (*a horse*); *sich ins* ~ *legen* pull hard, *fig.* set one's shoulder to the wheel, put one's back into it; ~**leder** *n* harness leather; ~**schrank** *m* cupboard; ~**spülmaschine** *f* dish washer; ~**trockner** *m* dish dryer; ~**tuch** *n* dish-cloth.

geschissen [gə'ʃisən] *p.p. of scheißen.*

Geschlecht [gə'ʃlɛçt] *n* (-[*e*]*s*; -*er*) sex; kind, genus, species; descent, birth, lineage, race, stock, extraction; family; generation; *gr.* gender; *das menschliche* ~ the human race, mankind; *das männliche* (*weibliche*) ~ the male (female) sex; *das andere* ~ the opposite sex; *das starke* ~ the strong sex; *das schwache* (*schöne*) ~ the weak (fair, gentle) sex; *beiderlei* ~*s* of both sexes; *künftige* ~*er* future generations.

Ge'schlechter...: ~**folge** *f* generations *pl.*; ~**kunde** *f* (-) genealogy.

ge'schlechtlich *adj.* sexual; *biol.* generic; ~*e Aufklärung* sex education; ~*e Anziehungskraft* sex appeal; ~*er Verkehr* sexual intercourse.

Ge'schlechts...: ~**akt** *m* sexual act, coition; ~**bestimmung** *f* sex determination; 2**betont** *adj.* sex-conscious, sexy; ~**beziehungen** *f/pl.* sexual relations; ~**chromosom** *n* sex chromosome; ~**drüse** *f* genital gland, gonad; ~**gang** *m* genital passage; ~**hormon** *n* sex hormone; 2**krank** *adj.* suffering from a venereal disease; ~**krankheit** *f* venereal disease (*abbr.* V.D.); ~**leben** *n* (-*s*) sex life; 2**los** *adj.* sexless; *biol.* asexual, *bot.* agamic; *gr.* neuter; ~**merkmal** *n* sex characteristic; ~**name** *m* family name, surname, *Am.* last name; *biol.* genus (name); ~**organ** *n* sexual organ; ~**reife** *f* sexual maturity; ~**teile** *m/pl.* genitals; private parts; ~**trieb** *m* sexual instinct (*or* urge, drive); ~**umwandlung** *f* sex reversal; ~**verkehr** *m* sexual intercourse; ~**wort** *gr. n* (-[*e*]*s*; ⸚*er*) article.

geschlichen [gə'ʃliçən] *p.p. of schleichen.*

geschliffen[1] [gə'ʃlifən] *p.p. of schleifen.*

ge'schliffen[2] *adj.* → *schleifen*; *glass*: cut; *fig.* polished.

Geschlinge [gə'ʃliŋə] *n* (-*s*) *cul.* pluck.

geschlissen [gə'ʃlisən] *p.p. of schleißen.*

geschlossen[1] [gə'ʃlɔsən] *p.p.. of schließen.*

ge'schlossen[2] **I.** *adj.* closed; *tech.* compact; (fully-)enclosed (*motor*); self-contained (*unit*); *fig.* compact (*a. style*); round, consistent (*work, performance*); united; uniform; serried (*front, ranks*); close (*season, vowel*); ~*es Ganzes* compact whole; ~*e Gesellschaft* private party; ~*e Veranstaltung* private meeting *or* performance; *jur. in* ~*er Sitzung* in closed court, in camera; **II.** *adv.* compactly, *etc.*; *econ.* en bloc (*Fr.*); in a body, to a man; unanimously; ~ *für et. sein or stimmen* go (*or* be) solid for; ~ *hinter j-m stehen* be solidly behind a p.

Geschluchze [gə'ʃluxtsə] *n* (-*s*) sobbing.

geschlungen [gə'ʃluŋən] *p.p. of schlingen.*

Geschmack [gə'ʃmak] *m* (-[*e*]*s*) taste; flavo(u)r; relish; smack; *fig.* (-[*e*]*s*; ⸚*e*) taste; fancy, liking (*all*: *an dat.* for); *feiner* ~ refined taste; ~ *finden an* (*dat.*) acquire a taste for, take (a) fancy to, relish; *keinen* ~ *finden an* have no taste for; *auf den* ~ *kommen fig.* taste blood; *er hat* ~ he is a man of taste, he has good taste; *es ist nicht nach m-m* ~ it is not to my taste; *nach m-m* ~ *a man* after my heart; *Geschmäcker sind verschieden, über den* ~ *läßt sich nicht streiten* tastes differ, there is no accounting for tastes; *ohne, mit* ~ → 2*los*, 2*voll*; → *abgewinnen*; 2**lich** *adj. and adv.* as regards taste; 2**los** *adj.* tasteless, having no taste, flat, insipid; flavo(u)rless; *fig.* tasteless, *pred.* in bad taste; inelegant; tactless; ~**losigkeit** *f* (-) tastelessness; *fig.* (-; -*en*) bad taste; *das war e-e* ~ that (remark) was in bad taste; ~**smuster** *n* (ornamental) design; ~**snerv** *m* gustatory nerve; ~**s-organ** *n* organ of taste; ~**srichtung** *f* (trend in) taste; ~**ssache** *f* matter of taste; ~**ssinn** *m* (-[*e*]*s*) (sense of) taste; ~**sverirrung** *f* lapse of taste; crime against good taste, outrage; 2**swidrig** *adj.* contrary to good taste, in bad taste; ~**swidrigkeit** *f* bad taste; ~**szusatz** *m* flavo(u)r; *mit* ~ flavo(u)red; 2**voll I.** *adj. fig.* tasteful, *pred.* in good taste; elegant, stylish; *äußerst* ~ in excellent (*or* admirable, the best) taste; **II.** *adv.*: ~ *gekleidet* dressed in good taste; *das war nicht sehr* ~ *von ihm* that was not very tactful of him.

Geschmeide [gə'ʃmaɪdə] *n* (-*s*) trinkets *pl.*, jewels *pl.*; jewel(le)ry.

ge'schmeidig *adj.* supple, lithe, lissom(e) (*body*); flexible, elastic, pliant; smooth; *metal*: **a**) malleable, **b**) ductile; *fig.* adaptable, supple, elastic (*mind*); versatile; smooth, elusive, slick; *er hat e-e* ~*e Zunge* he has a glib tongue; 2**keit** *f* (-)

suppleness; flexibility, pliancy; versability; smoothness; malleability, ductility; glibness; 2**keitsübungen** *f/pl. sports*: limbering-up exercises.

Geschmeiß [gə'ʃmaɪs] *n* (-es) vermin; *fig. a.* rabble, scum, riffraff.

Geschmetter [gə'ʃmɛtər] *n* (-s) flourish, blare *of trumpets*.

Geschmier(e) [gə'ʃmi:r(ə)] *n* (-[e]s) smearing; scrawl, scribble; *paint*: daub.

geschmissen [gə'ʃmisən] *p.p. of schmeißen.*

geschmolzen [gə'ʃmɔltsən] *p.p. of schmelzen.*

Geschmorte(s) [gə'ʃmo:rtə(s)] *n* (-*n*) stew(ed meat).

Ge'schnatter *n* (-s) cackling; *fig. a.* chatter(ing).

geschniegelt [gə'ʃni:gəlt] *adj.* smart, spruce, dapper; ~ *und gebügelt* spick-and-span.

geschnitten [gə'ʃnitən] *p.p. of schneiden.*

geschnoben [gə'ʃno:bən] *p.p. of schnauben.*

geschoben [gə'ʃo:bən] *p.p. of schieben.*

gescholten [gə'ʃɔltən] *p.p. of schelten.*

Geschöpf [gə'ʃœpf] *n* (-[e]s; -e) creature; *colloq. süßes (armes)* ~ lovely (poor) creature *or* thing.

geschoren [gə'ʃo:rən] *p.p. of scheren.*

Geschoß [gə'ʃɔs] *n* (-sses; -sse) projectile; missile; bullet; shell; *ferngesteuertes* ~ guided missile; *arch.* stor(e)y, floor; **~aufschlag** *m* impact; **~bahn** *f* trajectory; **~garbe** *f* cone of fire; **~höhe** *arch. f* height between floors; **~kern** *m* core (of projectile); **~mantel** *m* jacket (of bullet); (shell) case.

ge'schossen *p.p. of schießen.*

geschränkt [gə'ʃrɛŋkt] *tech. adj.* crossed, angle-axis.

geschraubt [gə'ʃraupt] *adj. tech.* screwed, bolted; *fig.* stilted, affected (*style*).

Ge'schrei *n* (-[e]s) shouting, yelling; shouts, cries, screams *pl.*; clamo(u)r; hullabaloo; acclamations *pl.*, cheers *pl.*; *sports*: *anfeuerndes* ~ cheering, *Am.* yell(ing), rooting; *of donkey*: bray(ing); *fig.* clamo(u)r, outcry, hue and cry (*all*: *gegen* against); (great) noise, fuss; *viel* ~ *und wenig Wolle* much ado about nothing; *ein großes* ~ *erheben* set up a great shout (*or* loud cry), vociferate, raise a hue and cry, cry blue murder.

Geschreibsel [gə'ʃraɪpsəl] *n* (-s) scrawl, scribble; *fig.* scribble, wish-wash, *sl.* bilge.

geschrieben [gə'ʃri:bən] *p.p. of schreiben.*

geschrie(e)n [gə'ʃri:(ə)n] *p.p. of schreien.*

geschritten [gə'ʃritən] *p.p. of schreiten.*

geschunden [gə'ʃundən] *p.p. of schinden.*

Geschütz [gə'ʃyts] *n* (-es; -e) gun, cannon; piece (of ordnance); *schweres* ~ heavy artillery (*or* guns), ordnance; *ein* ~ *auffahren* bring a gun into action; *ein* ~ *in Stellung bringen* emplace a gun; *fig. er fuhr schweres* ~ *gegen sie auf* he turned his heavy guns on them; **~bedienung** *f* serving of a gun; gun crew, gunners *pl.*; **~bettung** *f* gun base; **~bronze** *f* gun-metal; **~donner** *m* roar (*or* booming, rumbling) of guns; **~exerzieren** *n* gun drill; **~feuer** *n* gun-fire, shelling; **~führer** *m* (No. 1) gunner; **~lafette** *f* gun-mount(ing); **~park** *m* ordnance park; **~rohr** *n* gun-barrel; **~stand** *m*, **~stellung** *f* gun position, (gun) emplacement; **~turm** *m* turret.

Geschwader [gə'ʃva:dər] *n* (-s; -) *mil.* squadron; *aer.* group, *Am.* wing, *mar.* squadron; **~flug** *m* formation flying; **~kommodore** *aer. m Brit.* Air Officer Commanding (*abbr.* A.O.C.), *Am.* wing commander.

Geschwätz [gə'ʃvɛts] *n* (-es) (idle) talk, twaddle, babble, prattle, gabble; gossip, tittle-tattle; 2**ig** *adj.* talkative, loquacious, garrulous, voluble, gabby; gossipy; verbose; **~igkeit** *f* (-) talkativeness, loquacity, volubleness, verbosity.

geschweift [gə'ʃvaɪft] *tech. adj.* curved.

geschweige [gə'ʃvaɪgə] *adv. and cj.*: ~ *denn* to say nothing of, not to mention, let alone, much less.

geschwiegen [gə'ʃvi:gən] *p.p. of schweigen.*

geschwind [gə'ʃvint] **I.** *adj.* quick, fast, swift; rapid, speedy, hasty; prompt; **II.** *adv. a.* in an instant (*or* twinkling), in a jiffy; ~! quick!

Ge'schwindigkeit [-diç-] *f* (-; -*en*) quickness, swiftness, speed, rapidity; promptness, expedition; speed, pace, *esp. phys.* velocity; rate; momentum; *mit e-r* ~ *von* at a rate (*or* speed) of; *mit größter* ~ at full (*or* top) speed, *mot. a.* at full throttle; *an* ~ *zunehmen* gather (*or* pick up) speed, gather momentum; *die* ~ *herabsetzen* slow down, decelerate, throttle down; *e-e* ~ *erreichen von* attain a speed of.

Ge'schwindigkeits...: **~abfall** *m* loss of speed; **~anzeiger** *m* → *Geschwindigkeitsmesser*; **~begrenzung** *f* speed restriction (*or* limit); **~bereich** *m* speed range; **~gleichung** *f* velocity equation; **~grenze** *f* speed limit; **~messer** *m* (-s; -) speed ga(u)ge *or* indicator; speedometer, *mot. a.* tachometer; **~regler** *m* speed governor; **~rekord** *m* speed record; **~zunahme** *f* increase in speed.

Geschwirr [gə'ʃvir] *n* (-[e]s) whirring, buz(zing).

Geschwister [gə'ʃvistər] *pl.* brother(s) and sister(s); **~kind** *n* (first) cousin; 2**lich** *adj.* brotherly, sisterly; **~liebe** *f* brotherly *or* sisterly love; **~paar** *n* brother and sister.

geschwollen[1] [gə'ʃvɔlən] *p.p. of schwellen.*

ge'schwollen[2] *adj.* swollen, thick; *med.* tumid; *fig.* bombastic, pompous.

geschwommen [gə'ʃvɔmən] *p.p. of schwimmen.*

geschworen[1] [gə'ʃvo:rən] *p.p. of schwören.*

ge'schworen[2] *adj.*: **~er** *Gegner von* (*dat.*) sworn enemy of; 2**e(r** *m*) *f* (-*n*, -*n*; -*en*, -*en*) *jur.* juror; *die Geschworenen pl. the* jury; 2**enbank** *f* (-; ⸚e) jury box; 2**engericht** *n* jury; 2**enliste** *f* jury-list, panel.

Geschwulst [gə'ʃvulst] *med. f* (-; ⸚e) swelling, inflation; growth, tumo(u)r; boil.

geschwunden [gə'ʃvundən] *p.p. of schwinden.*

geschwungen [gə'ʃvuŋən] *p.p. of schwingen.*

Geschwür [gə'ʃvy:r] *med. n* (-[e]s; -e) ulcer, abscess; boil; cancerous ulcer; running sore; gathering; *fig.* sore; **~bildung** *f* ulceration; 2**ig** *adj.* ulcerous.

Ges-Dur ['gɛsdu:r] *n* (-) G flat minor.

Geselle [gə'zɛlə] *m* (-*n*; -*n*) companion, mate, fellow; journeyman, *e.g. Schneider*2 journeyman tailor.

ge'sellen *v/t. and sich* ~ (*zu dat.*; *h.*) associate with, join (with, to); *zu uns gesellte sich e-e Dame* we were joined by a lady; *zu diesem Punkt gesellt sich noch ein zweiter* this point brings up (*or* leads to) still another; → *gleich*; 2**prüfung** *f* journeymen's examination; 2**stück** *n* journeyman-work; 2**zeit** *f* journeyman's years *pl.* of service.

ge'sellig *adj. zo.* gregarious (*a. fig.*); *person*: social; sociable, companionable, convivial; **~es** *Leben* social life; *der Mensch ist ein* **~es** *Tier* man is a gregarious animal; 2**keit** *f* (-) sociability, conviviability, companionableness; sociality, company, social life.

Ge'sellschaft *f* (-; -*en*) society; *bürgerliche* ~ civil community; *menschliche* ~ human society; *vornehme* ~ fashionable (*or* high) society, high life; (*guests*) company; party, social gathering; *fig. contp.* lot, set, *sl.* bunch, crowd; society, association, union; *rechtsfähige* ~ legal corporation, incorporated society; *eingetragene* ~ registered (*Am.* incorporated) society; *gelehrte, wissenschaftliche* ~ learned society, scientific association; *eccl.* ~ *Jesu* Society of Jesus; *econ.* company, *Am. a.* corporation; partnership; ~ *mit beschränkter Haftung* (*GmbH*) private limited liability company; → *Aktien*2, *Handels*2, *etc.*; *gute* (*schlechte*) ~ good (bad) company; *in j-s* ~ in company with a p.; *e-e* ~ *geben* give (*Am. sl.* throw) a party, entertain; *in* ~ *gehen* go into (*or* mix in) society; *in die* ~ *eingliedern* socialize; *j-m* ~ *leisten* keep a p. company, join a p. (*bei* in); *sich in guter* ~ *bewegen* move in good society *or* circles; *ich lernte sie auf einer* ~ *kennen* I met her socially (*or* at a party); **~er(in** *f*) *m* (lady) companion; *er ist ein guter* ~ he is good company; *econ.* partner, associate; *stiller* ~ sleeping (*Am.* silent) partner; *tätiger* ~ active partner; 2**lich** *adj.* social; **~e** *Manieren pl.* company manners; ~ *unmöglich werden* be socially disgraced.

Ge'sellschafts...: **~anteil** *econ. m* share, interest; **~anzug** *m* evening (*or* formal) dress, dress-suit; *mil.*

dress uniform; ~**dame** *f* lady companion; 2**fähig** *adj.* presentable; gentlemanlike; ladylike; ~**fahrt** *f* conducted tour; 2**feindlich** *adj.* antisocial; ~**inseln** *f/pl.* Society Islands; ~**kapital** *n* company's capital; joint stock, share capital, *Am.* capital stock; ~**klasse** *f* social class; ~**klatsch** *m* society gossip; ~**kleid** *n* (evening) gown, party dress; ~**kreis** *m* circle (of acquaintances *or* friends), set; ~**kritik** *f* social criticism; ~**lehre** *f* sociology; ~**ordnung** *f* social order; ~**raum** *m* reception room, drawing-room, lounge; ~**recht** *n* company law; ~**register** *n* commercial register; ~**reise** *f* conducted *or* party tour; ~**roman** *m* social novel; ~**satzungen, ~statuten** *econ. f/pl.* articles of association, by-laws; articles (*or* deed, contract) of partnership; ~**spiel** *n* parlo(u)r game; ~**steuer** *f* corporation tax; ~**stück** *thea. n* social drama; ~**tanz** *m* ballroom dance; ~**vermögen** *n* joint capital, company assets *pl.*; ~**vertrag** *m* → *Gesellschaftssatzungen*; *phls.* social contract; ~**wissenschaft** *f* social science; sociology; ~**zimmer** *n* reception room, drawing-room.

Gesenk [gə'zɛŋk] *tech. n* (-[e]s; -e) die; forging die; swage; *im ~ schmieden* drop-forge; ~**arbeit** *f* die work; ~**hammer** *m* top swage; drop hammer; ~**presse** *f* die press; ~**schmiede** *f* drop forge; ~**schmieden** *n* drop forging; swaging; ~**stahl** *m* die steel.

gesessen [gə'zɛsən] *p.p. of sitzen.*

Gesetz [gə'zɛts] *n* (-es; -e) *generally*: law; *jur.* law; *parl.* act; statute; rule; law of nature; *~ der Schwerkraft* law of gravity; *~ über or betreffend* law relating to; *~ über Testamentsvollstreckung* Administration of Estates Act; *~ über Verjährungsvorschriften* Statute of Limitations; *~ in der Fassung von* law (*or* act) as amended on; *aufgrund* (*or kraft*) *e-s ~es* under a law, by (*or* in) virtue of a law; *im Namen des ~es* in the name of the law; *ein ~ erlassen* enact a law; *zum ~ werden* become law, pass into law; → *aufheben, fallen, übertreten, etc.*; *fig. das oberste ~ der Werbung ist* the supreme law (*or* first rule) of advertising is; *er bestimmte das ~ des Handelns* he had the initiative; ~**blatt** *n* law gazette; ~**buch** *n* code; statute-book; ~**entwurf** *m* (draft of a) bill.

Ge'setzes...: ~**kraft** *f* (-) legal force; *~ erlangen* pass into law; *~ verleihen* enact; ~**lücke** *f* loophole in a law; ~**text** *m* legal text; 2**treu** *adj.* law-abiding; ~**übertreter(in** *f*) *m* offender, law-breaker; ~**übertretung** *f* offen|ce, *Am.* -se; violation (*or* infraction, transgression) of the law; ~**vorlage** *f* (draft of a) bill; ~**vorschrift** *f* legal provision.

Ge'setz...: 2**gebend** *adj.* legislative, law-making; *~e Gewalt* legislative authority, legislature; ~**geber** *m* legislator, law-maker; ~**gebung** *f* (-; -en) legislation; 2**lich I.** *adj.* legal, statutory; lawful; legitimate (*claim*); constitutional (*right*); *~es Alter* legal age; *~er Erbe* statutory heir; *~e Erbfolge* intestate succession; *~es Erbteil* statutory portion; *~er Feiertag* legal holiday; *~es Hindernis* statutory bar; *econ. ~e Reserven* statutory reserves; *~er Vertreter* legal representative; *~es Zahlungsmittel* legal tender; **II.** *adv.* legally, *etc.*; *~ bestimmt* determined by law; *~ geschützt* patented, registered; proprietory; *~ zulässig* legal, lawful, warrantable by law; ~**lichkeit** *f* (-) lawfulness; legality; legitimacy; (system of) laws *pl.*; 2**los** *adj.* lawless; ~**losigkeit** *f* (-) lawlessness; anarchy; 2**mäßig** *adj.* legal (*power*); lawful; legitimate (*claim*); statutory; *fig.* regular, following a principle *or* pattern; ~**mäßigkeit** *f* legality; lawfulness; legitimacy; *phys.* conformity with a natural law; *fig.* (inherent) law(s *pl.*), regularity; ~**sammlung** *f* digest; statute-book.

ge'setzt *adj.* **1.** sedate, staid; steady; composed, calm; sober; grave; *sports*: seeded (*player*); *~es Alter* mature age, years of discretion; *~es Wesen* staid (*or* dignified) demeano(u)r; **2.** *cj. ~ (den Fall), es sei wahr* suppose (*or* supposing) it were (*or* it to be) true; granting this to be so; provided such was the case; 2**heit** *f* (-) sedateness, staidness; steadiness; gravity.

Ge'setz...: ~**vorlage** *f* bill; 2**widrig** *adj.* unlawful, illegal; ~**widrigkeit** *f* unlawfulness; illegality; unlawful *or* illegal act.

gesichert [gə'ziçərt] *adj.* safe, secured (*a. econ.*); warranted; assured (*position*); protected (*a. tech.*); → *sichern.*

Gesicht [gə'ziçt] *n* (-[e]s; -er) (eye-) sight; face; countenance, mien; look; *fig.* physiognomy, aspect, character; (*pl.* -e) apparition, vision; *zweites ~* second sight; *~er machen or schneiden* make (*or* pull) faces, grimace; *ein böses ~ machen* scowl; *ein saures ~ machen* look surly, make a (sour) face; *ein langes ~ machen* pull a long face; *er machte ein langes ~* his face fell; *j-m ins ~ fahren* fly in a p.'s face; *j-m gut zu ~ stehen* suit (*or* be becoming to) a p.; *fig. es steht e-m Staatsmann schlecht zu ~e* it ill becomes a statesman; *j-m ins ~ schlagen* slap a p.'s face; *fig. e-r Sache ins ~ schlagen* flatly contradict, be at variance with, conflict (*or* clash) with a th., belie (*a fact*); *j-m et. ins ~ sagen* say a th. to a p.'s face; *fig. j-m et. ins ~ schleudern* fling a th. into a p.'s teeth; *sein ~ wahren* save one's face; *zu ~ bekommen* catch sight of, set eyes (up)on; *aus dem ~ verlieren* lose sight of; *sein wahres ~ zeigen* show one's true face, drop the mask; *e-r Sache ein neues ~ geben* put a different complexion on a th., throw a different light on a th.; *er ist s-m Vater wie aus dem ~ geschnitten* he is the spit and image of his father.

Ge'sichts...: ~**ausdruck** *m* (facial) expression; ~**bildung** *f* features *pl.*, physiognomy; ~**farbe** *f* complexion; ~**feld** *opt. n* visual field, field (*or* range) of vision; ~**knochen** *m/pl.* facial bones; ~**kreis** *m* horizon (*a. fig.*); *s-n ~ erweitern* widen one's (mental) horizon, broaden one's mind; *er verschwand aus m-m ~* I lost sight of him; ~**krem** *m* face-cream; ~**lähmung** *f* facial paralysis; ~**linie** *f* facial line; *opt.* line of vision; ~**maske** *f* mask; *med.* (surgical) face-mask; *tech.* face shield; *fenc.* fencing mask; *cosmetics*: face-pack; ~**massage** *f* facial massage, *Am. colloq.* facial; ~**muskel** *m* facial muscle; ~**nerv** *m* facial nerve; ~**neuralgie** *f* facial neuralgia; ~**operation** *f* operation on the face; face-lift(ing); ~**packung** *f cosmetics*: face pack; ~**pflege** *f* face treatment; ~**plastik** *f* plastic surgery; ~**puder** *m* face powder; ~**punkt** *m* point of view, viewpoint, aspect, angle; motive; factor; criterion; ~**rose** *med. f* facial erysipelas; ~**schmerz** *med. m* facial neuralgia; ~**schnitt** *m* cast of features; ~**seife** *f* facial (*or* face-)soap; ~**spannung** *f* face-lifting; ~**tuch** *n* face-cloth; ~**verletzung** *f* facial injury; ~**wasser** *n* face-lotion; ~**winkel** *m anat.* facial angle; *opt.* visual angle; *fig.* → *Gesichtspunkt*; ~**zug** *m* (*usu. pl.*) feature(s), lineament(s).

Gesims [gə'zims] *n* (-es; -e) ledge, shelf (*both a. geol.*); mo(u)lding; cornice; mantelpiece.

Gesinde [gə'zində] *n* (-s; -) servants *pl.*, domestics *pl.*; ~**stube** *f* servants' hall.

Ge'sindel *n* (-s) rabble, mob, riffraff; scoundrels *pl.*

gesinnt [gə'zint] *adj.* well, *etc.*, disposed; *in compounds*: ...-minded; *feindlich ~* ill-disposed, hostile; *anders ~ sein* have different views (*als* from, than); *sozialistisch ~ sein* be a socialist; *wie ist er ~?* what are his views?

Gesinnung [gə'zinuŋ] *f* (-; -en) mind, sentiment(s *pl.*); way of thinking; opinions *pl.*, views *pl.*; attitude; conviction, persuasion; character; *aufrichtige ~* fair-mindedness; *edle ~* noble-mindedness; *niedere ~* base mind, meanness; *treue ~* loyalty; *vaterländische ~* patriotism.

Ge'sinnungs...: ~**genosse** *m*, ~**genossin** *f* mind-mate; *pol.* political friend; partisan, adherent, supporter; 2**los** *adj.* unprincipled, characterless; disloyal; ~**losigkeit** *f* (-) lack of principle (*or* character); ~**lump** *m* time-server, *sl.* rat; 2**treu** *adj.* loyal; 2**tüchtig** *adj.* sta(u)nch; *iro.* time-serving; ~**wechsel** *m* change of opinion *or* front, *esp. pol.* volteface, *Am.* about-face.

gesitt|et [gə'zitət] *adj.* civilized; moral; well-bred, well-mannered; polite, courteous; 2**ung** *f* (-) civilization.

Gesöff [gə'zœf] *colloq. n* (-[e]s; -e) (vile) brew, poison.

gesoffen [gə'zɔfən] *p.p. of saufen.*

gesogen [gə'zo:gən] *p.p. of saugen.*

gesondert [gə'zɔndərt] *adj.* separate.

gesonnen¹ [gə'zɔnən] *p.p. of sinnen.*

ge'sonnen² *adj.* minded, disposed; *~ sein zu inf.* have in mind to *inf.*; be disposed (*or* inclined, willing) to *inf.*, intend (*or* propose) to *inf.*

gesotten [gə'zɔtən] *p.p. of sieden.*
Gespann [gə'ʃpan] *n* (-[e]s; -e) team; horse(s) and carriage, turn-out; *fig.* couple, pair; *die beiden bilden ein ausgezeichnetes* ~ the two are a perfect team; *ungleiches* ~ bad match, incongruous pair; **~führer** *m* teamster.
ge'spannt *adj.* stretched, tight, tense; taut (*muscle, rope*); close (*attention*); strained (*relations*); tense (*nerves, situation*); eager, anxious; (*sehr*) ~ *sein* be in suspense (*or* on tenterhooks), be in a flutter of expectation, be all agog; ~ *sein auf* (*acc.*) be anxious (*or* on edge) for, await eagerly *or* anxiously; ~ *sein, ob* be anxious to know (*or* wonder) if; *auf ihn bin ich ja* ~ **a)** I wonder what he is like, **b)** I am anxious (*or* dying) to see him; *auf* ~*em Fuße mit* on bad terms with; *er hörte* ~ *zu* he listened intently; **2heit** *f* (-) tenseness, tension; intensity, intentness; strained relations *pl.*
Gespenst [gə'ʃpɛnst] *n* (-es; -er) ghost, spect|re, *Am.* -er; apparition, phantom; *fig.* spectre, nightmare.
Ge'spenster...: **~geschichte** *f* ghost-story; **2haft** *adj.* ghostly, spectral, phantomlike; *fig.* ghastly, lurid; **~schiff** *n* phantom ship; **~stunde** *f* witching hour.
ge'spenstisch *adj.* → *gespensterhaft.*
Gesperre [gə'ʃpɛrə] *tech. n* (-[e]s; -e) safety catch, ratchet, stop.
ge'sperrt *adj.* → *sperren.*
gespie(e)n [gə'ʃpi:(ə)n] *p.p. of speien.*
Gespiel|e [gə'ʃpi:lə] *m* (-n; -n), **~in** *f* (-; -nen) playmate.
Gespinst [gə'ʃpinst] *n* (-es; -e) web, tissue (*both a. fig.*), textile, fabric; wire netting; spun yarn; *zo.* cocoon; **~faser** *f* textile fib|re, *Am.* -er.
gesponnen [gə'ʃpɔnən] *p.p. of spinnen.*
Gespons [gə'ʃpɔns] *m and n* (-es; -e) spouse.
Gespött [gə'ʃpœt] *n* (-[e]s) mockery, derision, raillery, scoffing, jeers *pl.*; *sein* ~ *treiben mit* (*dat.*) ridicule, deride, mock (*or* scoff) at; *sich zum* ~ *machen* make a fool of o.s.; *zum* ~ *der Leute werden* become the laughingstock of everybody.
Gespräch [gə'ʃprɛ:ç] *n* (-[e]s; -e) talk, conversation, colloquy, discourse; discussion; dialog(ue); exchange of ideas; telephone conversation, call; *pol.* ~*e auf höchster Ebene* summit talks; *mit j-m ein* ~ *anknüpfen* (*führen*) enter into (carry on) a conversation with a p.; *fig. mit j-m ins* ~ *kommen* establish contacts with a p.; *das* ~ *bringen auf* (*acc.*) lead the conversation round to, introduce (*or* broach) the subject of; *es (er) ist das* ~ *der Stadt* it (he) is the talk of the town; **2ig** *adj.* talkative; communicative, chatty; *j-n* ~*(er) machen* loosen a p.'s tongue; **~igkeit** *f* (-) talkativeness; talking mood.
Ge'sprächs...: **~anmeldung** *teleph. f* booking (*Am.* placing) of a call; **~form** *f*: *in* ~ (written) in dialog(ue); **~gegenstand, ~stoff** *m* topic(s *pl.*) or subject(s *pl.*) of conversation; something to talk about; **~partner** (**-in** *f*) *m* interlocutor; *gewandter* ~ good conversationalist; **2weise** [-vaɪzə] *adv.* conversationally; in the course of conversation.
gespreizt [gə'ʃpraɪtst] *adj.* spread out, wide apart; *die Beine* ~ legs astraddle; *fig.* pompous, affected; stilted (*style*); **2heit** *f* (-) pomposity, affectation; stiltedness.
gesprenkelt [gə'ʃprɛŋkəlt] *adj.* spotted, speckled, mottled.
gesprochen [gə'ʃprɔxən] *p.p. of sprechen.*
gesprossen [gə'ʃprɔsən] *p.p. of sprießen.*
gesprungen [gə'ʃpruŋən] *p.p. of springen.*
Gestade [gə'ʃtɑ:də] *n* (-s; -) bank, waterside; (sea) shore, coast, beach.
Gestalt [gə'ʃtalt] *f* (-; -en) shape, form, appearance; *tech.* design; contour; figure, build, frame, stature; (*vague*) shape, *esp. person*: figure; *fig.* kind; manner, fashion, way; (*historic, literary*) figure, character; *in* ~ *von* in the shape (*or* form) of, *w.s.* in the guise of; *rund von* ~ spherical in shape; *e-r Sache* ~ *geben* materialize (*or* frame, create) a th.; (*feste*) ~ *annehmen* take shape, assume a definite form, materialize; *sich in s-r wahren* ~ *zeigen* show one's true colo(u)rs *or* character; *er ist e-e dunkle* ~ he is an obscure character *or* a shady customer; **2en** *v/t.* (*h.*) form, shape, fashion; model, mo(u)ld; *tech.* design; arrange, organize; *schöpferisch* ~ create, produce; *dramatisch* ~ dramatize; *e-e Sache zu et.* ~ make a th. out of a th., turn a th. into a th.; *sich* ~ assume (*or* take) a form *or* shape; form, shape; develop; *sich* (*gut, etc.*) ~ go (well, *etc.*), work (*or* turn) out; *sich* ~ *zu* (*e-m Erfolg etc.*) develop into, prove (to be *a success, etc.*), be(come); **~er(in** *f*) *m* (-s, -; -, -nen) shaper, fashioner; organizer; creator; *tech.* designer; **2erisch** *adj.* designing; artistic; creative; **2et** *adj.* shaped, fashioned, modelled; *wohl*~ well-shaped, well-made; **~lehre** *f* morphology; **2los** *adj.* shapeless, amorphous; **~psychologie** *f* gestalt psychology.
Ge'staltung *f* (-; -en) formation; arrangement, organization; *art*: creation, production; shaping, *tech.* designing; shape, configuration; features *pl.*; style, fashion; development; situation, position; state, condition(s *pl.*); **2sfähig** *adj.* shapable, plastic; **~skraft** *f* creative power (*or* genius); **~s-trieb** *m* creative impulse.
Gestammel [gə'ʃtaməl] *n* (-s) stammering.
gestanden [gə'ʃtandən] *p.p. of* (*ge*)*stehen.*
geständig [gə'ʃtɛndiç] *adj.* confessing (*or* admitting) one's guilt, pleading guilty; *er ist* ~ he has confessed.
Geständnis [gə'ʃtɛntnis] *n* (-ses; -se) confession; admission; avowal; *ein* ~ *ablegen* make a confession (*über acc.* of), confess (*a th.*); make a clean breast (of *a th.*).
Gestänge [gə'ʃtɛŋə] *n* (-s; -) *tech.* rod(s *pl.*), bar(s *pl.*), pole(s *pl.*); linkage, gear; *mining*: boring tools *pl.*; *hunt.* antlers *pl.*
Gestank [gə'ʃtaŋk] *m* (-[e]s) stench, bad (*or* offensive) smell, stink.
gestatten [gə'ʃtatən] *v/t.* (*h.*) allow, permit; consent to, approve (of); grant; suffer, tolerate; authorize; *j-m et.* ~ allow *or* permit a p. (to do) a th.; give a p. permission (*or* leave) to do a th.; *sich* ~ *zu inf.* venture to *inf.*; take the liberty of *ger.*, *econ. a.* beg (leave) to *inf.*; *b.s.* presume, → *erdreisten*; *wenn Sie* ~ by your permission, if you don't mind; *m-e Mittel* ~ *mir das* I can afford it; ~ *Sie mir, zu inf.* permit me to *inf.*
Geste ['gɛstə] *f* (-; -n) gesture (*a.* [*fig.*]).
gestehen [gə'ʃte:ən] **I.** *v/t.* (*irr., h.*) confess, admit, avow; *ich muß* ~, *daß* I must admit that; *offen gestanden* to tell the truth, frankly; **II.** *v/i.* (*irr., h.*) confess, make a confession, plead guilty, own up, *Am. sl.* come clean.
Ge'stehungs|kosten *pl.*, **~preis** *m* prime (*or* first) cost(s), production cost(s), cost-price *sg.*
Gestein [gə'ʃtaɪn] *n* (-[e]s; -e) rock, stone(s *pl.*), mineral; rock stratum; *loses* ~ loose rock; *taubes* ~ dead rock.
Ge'steins...: **~art** *f* (kind of) rock *or* mineral; **~bohrer** *m* rock drill; **~gang** *m* streak, lode; **~kunde** *f* (-) petrology, mineralogy; **~pflanze** *f* rock plant; **~probe** *f* rock sample.
Gestell [gə'ʃtɛl] *n* (-[e]s; -e) stand, rack, shelf; trestle, horse; support; frame (*a. of bicycle, spectacles*); holder, mount(ing); pedestal; *metall.* hearth; *of plough*: stool; → *Fahr2*, *Regal, etc.*; **~macher** *m* wheelwright; **~pflug** *m* wheel plough, *Am.* wheeled plow; **~säge** *f* frame-saw.
Ge'stellung *f* (-; -en) making available, furnishing; *mil.* reporting for service; **~sbefehl** *m* call(ing)-up order, *Am.* induction order; **2spflichtig** *adj.* bound to appear at a muster.
gestern ['gɛstərn] *adv.* yesterday; ~ *früh*, ~ *morgen* yesterday morning; ~ *abend* last night; ~ *vor 14 Tagen* yesterday fortnight; *von* ~ of yesterday, yesterday's; *fig. er ist nicht von* ~ he wasn't born yesterday.
'Gestern *n* (-) yesterday, *the* past.
gestiefelt [gə'ʃti:fəlt] *adj.* booted, in boots; ~ *und gespornt* booted and spurred; **2er** *Kater* Puss in Boots.
gestielt [gə'ʃti:lt] *adj.* helved; *zo.* stalked, *bot. a.* petiolate.
gestiegen [gə'ʃti:gən] *p.p. of steigen.*
gestikulieren [gɛstiku'li:rən] *v/i.* (*h.*) gesticulate; **2** *n* (-s) gesticulation.
Gestirn [gə'ʃtirn] *n* (-[e]s; -e) star(s *pl.*); constellation; **2t** *adj.* starry.
gestoben [gə'ʃto:bən] *p.p. of stieben.*
Gestöber [gə'ʃtø:bər] *n* (-s; -) drift, flurry (of snow); storm.
gestochen [gə'ʃtɔxən] *p.p. of stechen.*
gestohlen [gə'ʃto:lən] *p.p. of stehlen.*
Gestöhn(e) [gə'ʃtø:n(ə)] *n* (-[e]s) groaning, groans *pl.*, moaning.
gestorben [gə'ʃtɔrbən] *p.p. of sterben.*

Gestotter [gəˈʃtɔtər] n (-s) stuttering, stammering.
Gestrampel [gəˈʃtrampəl] n (-s) kicking, fidgeting, wriggling.
Gesträuch [gəˈʃtrɔʏç] n (-[e]s; -e) shrubs, bushes pl., shrubbery.
gestreift [gəˈʃtraɪft] adj. striped, streaky; bot. striate(d).
gestreng [gəˈʃtrɛŋ] adj. severe; → streng.
gestrichen[1] [gəˈʃtriçən] p.p. of streichen.
geˈstrichen[2] adj. painted; → frisch; ~es Papier glazed paper; ~es Maß strike measure; shooting: ~es Korn medium; ~ voll filled to the brim, brimful; drei ~e Eßlöffel three level tablespoons; mus. ledger-line (note); typ. deleted; im Protokoll ~ stricken from the records.
gestrig [ˈgɛstriç] adj. yesterday's, of yesterday; am ~en Tage yesterday; am ~en Abend last night; unser ~es Schreiben our letter of yesterday.
gestritten [gəˈʃtritən] p.p. of streiten.
Gestrüpp [gəˈʃtryp] n (-[e]s; -e) scrub, brush wood; underwood; thicket, tangled growth; fig. jungle, maze.
Gestühl [gəˈʃtyːl] n (-[e]s; -e) chairs, seats pl.; eccl. pews pl.; (chair-) -stalls pl.
Gestümper [gəˈʃtympər] n (-s) bungling, botching.
gestunken [gəˈʃtuŋkən] p.p. of stinken.
Gestüt [gəˈʃtyːt] n (-[e]s; -e) stud (-farm); **~hengst** m stud-horse, stallion; **~stute** f stud-mare.
Gesuch [gəˈzuːx] n (-[e]s; -e) (formal) request; petition, suit; application; → Antrag; **~steller(in** f**)** m (-s, -; -, -nen) petitioner; applicant.
geˈsucht adj. (much) sought after; econ. (sehr) ~ sein be in (great or brisk) demand or request; (greatly) courted; wanted (a. by police); fig. studied; affected, artificial; far-fetched; **2heit** f (-) affectation.
Gesudel [gəˈzuːdəl] n (-s) scribble, scrawl.
Gesumme [gəˈzumə] n (-s) hum (-ming), buzz(ing).
gesund [gəˈzunt] adj. healthy (a. fig. e.g. opposition); in good health; well; sound (in body and mind); fig. sound (views, economy, etc.); able-bodied, fit; healthful, wholesome, salubrious, beneficial; salutary; sound (sleep); geistig ~ sane, of sound mind; ~es Herz sound heart; ~e Nahrung wholesome food; ~ und munter fit as a fiddle, alive and kicking; → Fisch; safe and sound; frisch und ~ hale and hearty; → Menschenverstand; wieder ~ machen restore to health, cure; wieder ~ werden → gesunden; j-n ~ schreiben certify a p. as recovered; fig. sich ~ machen feather one's nest; durch diese Spekulation konnte er sich wieder ~ machen this speculation put him on his feet again; die Lektion ist ihm ganz ~ does him a world of good or serves him right; **2beten** n, **2beterei** [-beːtəˈraɪ] f (-) faith-healing; **2beter(in** f**)** m (-s, -; -, -nen) faith-healer; **2brunnen** m mineral spring or waters pl.; **~en** [gəˈzundən] v/i. (sn) recover (one's health), be restored to health, get well again, recuperate; convalesce; fig. recover.
Gesundheit [-ˈzunt-] f (-) health; soundness (a. econ.); soundness of mind, sanity; fitness; wholesomeness, salubrity; healthiness (of climate, etc.); geschädigte (zerrüttete) ~ impaired (shattered) health; öffentliche ~ public health; bei bester ~ in the best (or pink) of health; von zarter ~ in delicate health; vor ~ strotzen be the picture of health; auf j-s ~ trinken drink a p.'s health; auf Ihre ~! your health!; ~! at a sneeze: God bless you!; **2lich** adj. sanitary, hygienic; ~er Zustand state of health, physical condition; aus ~en Gründen for reasons of health.
Geˈsundheits...: **~amt** n public health office; **~apostel** m sanitarian, health fanatic; **~appell** mil. m physical inspection; **~beamte(r)** m public health officer; **~behörde** f public health authority; **~dienst** m public health service; **2förderlich** adj. conducive to health, healthy, wholesome, salubrious; **~fürsorge** f public health welfare; **2halber** adv. for health reasons; **~lehre** f hygiene, hygienics pl.; **~paß** m → Gesundheitszeugnis; **~pflege** f (personal) hygiene; preventive medicine; öffentliche ~ public health service; **~polizei** f sanitary police; **~rücksichten** f/pl.: aus ~ for reasons of health; **~schäden** [-ʃɛːdən] m/pl. injuries to health; **2schädlich** [-ʃɛːt-] adj. injurious to health, unwholesome, noxious; **~vorschriften** f/pl. sanitary regulations; **~wesen** n (-s) (öffentliches ~) Public Health; **2widrig** adj. unwholesome; **~zeugnis** n certificate (or bill) of health; **~zustand** m state of health, physical condition; schlechter ~ poor health, ill-health.
Gesundung [gəˈzunduŋ] f (-) recovery; fig. (economic) recovery, rehabilitation.
gesungen [gəˈzuŋən] p.p. of singen.
gesunken [gəˈzuŋkən] p.p. of sinken.
Getäfel [gəˈtɛːfəl] n (-s) wainscot, panelling.
getan [gəˈtɑːn] p.p. of tun.
Getändel [gəˈtɛndəl] n (-s) dallying, flirting.
Getier [gəˈtiːr] n (-s) animals pl.
getigert [gəˈtiːgərt] adj. striped, streaked.
Getöse [gəˈtøːzə] n (-s) (deafening) noise, din, crash, turmoil, racket; fracas; pandemonium; roar(ing) (of guns, waves, etc.).
getragen [gəˈtrɑːgən] adj. fig. solemn, measured, slow.
Getrampel [gəˈtrampəl] n (-s) trampling, stamping.
Getränk [gəˈtrɛŋk] n (-[e]s; -e) drink, beverage; potion; → geistig; liquors, spirits; **~e-steuer** f beverage tax.
Getrappel [gəˈtrapəl] n (-s) pattering; clatter (of hooves).
getrauen [gəˈtrauən]: sich ~ (h.) dare, venture; risk; → trauen.
Getreide [gəˈtraɪdə] n (-s) corn, grain; cereals pl.; **~art** f cereal; **~bau** m (-[e]s) grain-growing; **~bestand** m grain crop; **~börse** econ. f grain exchange; **~brand** m (-[e]s) smut; **~feld** n grainfield; **~handel** m grain trade; **~händler** m grain merchant; **~heber** m grain elevator; **~land** n grain-growing country; **~markt** m grain market; **~nager** m cadelle; **~pflanze** f cereal plant; **~rost** m black rust; **~schrot** m or n whole meal; **~sortiermaschine** f grain sorter, wheat grader; **~speicher** m granary.
getreu [gəˈtrɔʏ], **~lich** adj. faithful, true, loyal, trusty, sta(u)nch; ~e Abschrift true copy; ~e Übersetzung faithful translation; ~ s-m Eid, etc. true to his oath, etc.; **2e(r** m**)** f (-n, -n; -en, -en): s-e ~n his (faithful) followers.
Getriebe [gəˈtriːbə] n (-s; -) tech. gearing, gear unit; gears pl.; (power or gear) transmission; pinion; wheelwork, of watch: a. springs pl., going parts pl.; fig. machinery, wheels pl.; commotion, (hustle and) bustle, whirl, rush, fuss; **~bremse** f gear (or transmission) brake; **~gehäuse** mot. n gear-box; **~motor** m geared motor.
getrieben [gəˈtriːbən] p.p. of treiben.
Getriebe...: **~rad** n gear wheel; **~welle** f gear shaft.
getroffen [gəˈtrɔfən] p.p. of treffen.
getrogen [gəˈtroːgən] p.p. of trügen.
getrost [gəˈtroːst] **I.** adj. confident, hopeful; seid ~! be of good cheer!; **II.** adv. without hesitation, safely, always; das kannst du ~ tun you are perfectly safe in doing that, you can easily do so.
getrunken [gəˈtruŋkən] p.p. of trinken.
Getto [ˈgɛto] n (-s; -s) ghetto.
Getue [gəˈtuːə] n (-s) fuss; silly behavio(u)r, affectation.
Getümmel [gəˈtyməl] n (-s; -) turmoil, tumult, bustle, hurly-burly.
getüpfelt [gəˈtypfəlt] adj. spotted, dotted.
geübt [gəˈyːpt] adj. practised; skilled, versed, experienced; trained (a. eye); **2heit** f (-) skill, practice, experience.
Gevatter [gəˈfatər] m (-s; -n) godfather, sponsor; ~ Tod Goodman Death; fig. friend, neighbo(u)r; **~in** f (-; -nen) godmother; **~schaft** f (-; -en) godfathership, godmothership, sponsorship.
geviert [gəˈfiːrt] adj. **I.** squared; **II.** n (-[e]s; -e) square; typ. quadrat.
Gewächs [gəˈvɛks] n (-es; -e) plant, vegetable; herb; produce, growth; (wine) vintage; med. growth; bösartiges ~ malignant growth.
gewachsen [gəˈvaksən] adj. natural, undisturbed (soil); fig. j-m ~ sein be a p.'s equal, be a match for a p.; e-r Sache ~ sein be equal to a th., measure up to a th.; sich der Lage ~ zeigen rise to the occasion, cope with (or handle) the situation.
Gewächshaus [gəˈvɛks-] n greenhouse.
gewagt [gəˈvɑːkt] adj. daring (a. fig.); risky, precarious; risqué (Fr.), Am. off-color, blue (joke).

gewählt [gəˈvɛːlt] *adj.* choice; selected, refined (*style, etc.*).

gewahr [gəˈvaːr] *adj.*: ~ *werden* (*gen.*) → **~en** *v/t.* (*h.*) become aware of; perceive, observe, notice; discover, discern; catch sight of, sight, see.

Gewähr [gəˈvɛːr] *f* (-) guarantee, guaranty, warrant, security, surety (*all: für* for); *ohne* ~ without guarantee, *econ. a.* without engagement, without one's prejudice, subject to change; ~ *bieten or leisten für* (*acc.*) guarantee, warrant, ensure; → *Bürgschaft*; **2en** *v/t.* (*h.*) grant, allow, accord; allow, concede; give, yield, furnish, offer, afford; *j-n* ~ *lassen* let a p. have his way (*or* head); give a p. full play (*or* scope); let (*or* leave) a p. alone; *j-m Einlaß* ~ allow a p. to enter, admit a p.; *e-n Vorteil* ~ offer an advantage; → *Einblick*; **2leisten** *v/t.* (*h.*) guarantee, warrant, vouch for; ensure; **~leistung** *f* guaranty, warranty.

Geˈwahrsam *m and n* (-s; -e) custody, care; safe keeping; control; custody, detention; et. *in* ~ *haben* have the care (*or* control) of a th., have a th. in safe keeping; *j-n in* ~ *halten* hold a p. in custody *or* under detention; *in* ~ *nehmen* **a**) take charge of (*a thing*), **b**) take (*a p.*) into custody, place under detention; *in sicherem* ~ in safe keeping (*or* custody).

Geˈwährs...: **~mann** *m* **a**) informant; **b**) *a.* **~träger** *m* guarantor; **c**) predecessor in title; **~pflicht** *f* warranty; *e-e* ~ *übernehmen* give a warranty; *Verletzung der* ~ breach of warranty.

Geˈwährung *f* (-; -en) granting, allowing.

Gewalt [gəˈvalt] *f* (-; -en) power (*über acc.* over, of); authority; sway (over), dominion (over), control (of); force, might, power; restraint; violence, force; vehemence, impact; → *elterlich*; → *gesetzgebend*; *höhere* ~ force majeure (*Fr.*), Act of God, influence beyond one's control; *nackte* ~ brute (*or* sheer) force; *richterliche* ~ judicial power; *jur. tatsächliche* ~ actual control (*über acc.* of *a th.*); *vollziehende* ~ executive; *mit* ~ by force, forcibly; *mit aller* ~ with might and main, by hook or crook, at all costs; ~ *antun* **a**) do violence to, **b**) violate, ravish, rape (*a woman*); *sich* ~ *antun* lay hands on o.s., *fig.* restrain (*or* check) o.s.; *sich in der* ~ *haben* have o.s. under control; *die* ~ *verlieren über* (*acc.*) lose control over, lose one's hold (*or* grip) on; *in s-e* ~ *bringen* bring under one's sway, achieve control of, obtain a hold on; *in s-r* ~ *haben* have under one's sway (*or* power, thumb), have in one's hand *or* grip; *er verlor die* ~ *über s-n Wagen* he lost control over his car *or* his car got out of hand; → *anwenden*; **~akt** *m* act of violence; **~androhung** *f* threat of violence; **~anwendung** *f* use of force; *ohne* ~ without resort to force; **~entrennung** *f* separation of powers; **~friede** *m* dictated peace; **~herrschaft** *f* despotism, tyranny, terrorism; **~herrscher** *m* despot; **2ig I.** *adj.* powerful, mighty; vehement, violent; enormous, immense, stupendous, phenomenal; gigantic, colossal, huge, vast, *colloq.* tremendous, terrific; ~*er Unterschied* vast difference; ~*er Schlag* powerful stroke (*or* punch), stunning *or* staggering blow; **II.** *adv.* enormously, *etc.*; *da irren Sie sich* ~ you are very much mistaken there; **~kur** *f* drastic measures *pl.*; **2los** *adj. pol.* nonviolent; **~marsch** *m* forced march; **~maßnahme** *f* violent (*fig.* drastic) measure; **~mensch** *m* brute, terrorist; **2sam** *adj.* violent, forcible, by force; ~*er Tod* violent death; **~samkeit** *f* (-; -en) violence, force; **~streich** *m* arbitrary act, bold stroke; coup de main (*Fr.*); **~tat** *f* act of violence; outrage, atrocity; **2tätig** *adj.* violent; brutal, brutish, outrageous; **~tätigkeit** *f* brutality; violence, outrage; **~verbrechen** *n* crime of violence; **~verbrecher** *m* violent criminal.

Gewand [gəˈvant] *n* (-[e]s; ⸚er) garment, raiment; robe, gown; *esp. eccl.* vestment; **~meister** *thea. m* wardrobe master.

gewandt[1] [gəˈvant] *p.p. of wenden*.

geˈwandt[2] *adj.* agile, nimble, quick; dexterous, deft, skil(l)ful, adroit, clever (*all a. fig.*); versatile; efficient; ingenious; smart; elegant, easy, *a. b.s.* smooth (*manners, style, etc.*); fluent (*speaker*); ~ *sein in et.* be good (*or* quick) at; **2heit** *f* (-) agility; dexterity, skill, cleverness, adroitness; efficiency, versatility; ingenuity, smartness; elegance (*of style, manners, etc.*); smoothness; fluency.

gewann [gəˈvan] *pret. of gewinnen*.

gewärtig [gəˈvɛrtiç] *adj.* (*gen.*) expecting, expectant of; ~ *sein* (*gen.*) → **~en** *v/t.* expect, await; reckon with; be in for; *zu* ~ *haben* be liable to, face (*punishment, etc.*).

Gewäsch [gəˈvɛʃ] *n* (-es) twaddle; balderdash, nonsense, *sl.* bilge.

Gewässer [gəˈvɛsər] *n* (-s; -) waters *pl.*

Gewebe [gəˈveːbə] *n* (-s; -) (woven) fabric, textile, web (*a. fig.*); tissue (*a. anat. and fig.*); texture; netting; **~atmung** *physiol. f* tissue respiration; **~lehre** *f* (-) histology; **~schicht** *f* layer of tissue; **2schonend** *adj.* gentle (to textiles); **~verletzung** *f* lesion; **~zerfall** *m* death of tissue.

geweckt [gəˈvɛkt] *adj. fig.* alert, wide-awake, lively; bright.

Gewehr [[gəˈveːr] *n* (-[e]s; -e) gun; rifle; carbine; *pl. a.* (fire-)arms; *mil. an die* ~*e!* to arms!; ~ *ab!* order arms!; *das* ~ *über!* slope arms!, *Am.* right shoulder arms!; *präsentiert das* ~*!* present arms!; (*mit*) ~ *bei Fuß stehen* be at the order; *hunt.* tusk (*of boar*); **~appell** *m* rifle inspection; **~auflage** *f* support, parapet; **~feuer** *n* rifle fire; **~futteral** *hunt. n* gun-case; **~granate** *f* rifle-grenade; **~kolben** *m* (rifle-)butt; **~kugel** *f* bullet; **~lauf** *m* barrel; **~munition** *f* rifle (*or* small-arms) ammunition; **~patrone** *f* cartridge; **~pyramide** *f* pile of arms; **~riemen** *m* rifle-sling; **~schaft** *m* stock; **~schloß** *n* gun lock; **~schuß** *m* rifle-shot; **~ständer** *m* rifle-rack; **~stock** *m* cleaning rod.

Geweih [gəˈvaɪ] *n* (-[e]s; -e) horns, antlers *pl.*; **~sprosse** *f* antler, branch.

Gewerbe [gəˈvɛrbə] *n* (-s; -) trade, business; trade, vocation, profession; → *Beruf*; craft; industry; *ehrliches* ~ honest trade; *dunkles* ~ shady business; *er ist s-s* ~*es ein Bäcker* he is a baker by trade; *sich ein* ~ *aus et. machen* make a business of a th.; *ein* ~ *treiben* follow (*or* pursue, carry on) a trade; **~aufsicht** *f* trade (*or* industrial) inspection; **~aufsichts-amt** *n* industrial inspection board; **~ausstellung** *f* industrial exhibition; **~bank** *f* (-; -en) trade bank; **~betrieb** *m* industrial establishment; factory; commercial enterprise; **~erlaubnis** *f* trade licen|ce, *Am.* -se; **~ertragssteuer** *f* tax on trade returns; **~freiheit** *f* (-) freedom of trade; **~gesetz** *n* trade law; **~lehrer** *m* vocational (school) teacher; **~museum** *n* industrial museum; **~ordnung** *f* industrial code, trade regulations *pl.*; **~schein** *m* trade licen|ce, *Am.* -se; **~schule** *f* trade school, vocational school; **~steuer** *f* trade tax; **2tätig** *adj.* industrial; **~tätigkeit** *f* industrial activity; **2treibend** *adj.* engaged in trade, trading; industrial, manufacturing; **~treibender** *m* (-en; -en) person carrying on a trade or business; **~zählung** *f* census of industry; **~zweig** *m* (branch of) industry, industrial (*or* trade) group; line (of business).

gewerblich [gəˈvɛrp-] *adj.* industrial, commercial, trade-...; ~*er Betrieb* business enterprise, industrial establishment; ~*e Einfuhr* industrial imports; ~*es Fahrzeug* commercial vehicle; ~*er Güterverkehr* road haulage; ~*e Wirtschaft* trade and industry.

geˈwerbsmäßig [-mɛːsiç] **I.** *adj.* professional; (carried on) for gain (*both a. jur.*); ~*er Künstler* professional; ~*e Unzucht* prostitution; **II.** *adv.* professionally, on a commercial basis, for gain.

Gewerkschaft [gəˈvɛrkʃaft] *f* (-; -en) trade union, *Am.* labo(u)r-union; mining company; *in e-e* ~ *zusammenfassen* unionize; *der* ~ *angeschlossener Betrieb* closed shop; *der* ~ *nicht angeschlossener Betrieb* open (*or* non-union) shop; **~ler** *m* (-s; -) trade-unionist, organized workman; **2lich** *adj.* (trade-) unionist; *adv.*: ~ *organisieren* unionize.

Geˈwerkschafts...: **~bewegung** *f* trade-unionism; **~bund** *m* (-[e]s; ⸚e) Federation of Trade Unions; *Brit.* Trade Union Congress (*abbr.* T.U.C.), *Am.* American Federation of Labor & Congress of Industrial Organizations (*abbr.* AFL-CIO); **2feindlich** *adj.* anti-union; **~führer** *m* trade-union leader; **~funktionär** *m* trade-union official; **~mitglied** *n* → *Gewerk-*

schaftler; **~sekretär** *m* trade-union organizer; **~unterstützung** *f* (trade-)union benefits *pl.*; **~verband** *m* federation of trade unions; **~wesen** *n* (-s) (trade-)unionism.
gewesen [gəˈveːzən] *p.p. of sein*; former, one-time, erstwhile.
gewichen [gəˈviçən] *p.p. of weichen.*
Gewicht [gəˈviçt] *n* (-[e]s; -e) weight; load; *of scale*: weight; *of pendulum*: bob; *fehlendes ~* short weight; *geeichtes ~* standard weight; → *spezifisch*; *tech. totes ~* dead weight (*or* load); *nach ~* by weight; *sports*: *~ abtrainieren* reduce the weight, get the weight down; *skiing*: *das ~ verlagern auf* (*acc.*) weight; *fig.* weight, consequence, moment; *e-r Sache ~ beimessen* attach importance to *a th.*; *~ haben* carry (*or* have) weight (*bei dat.* with); *~ legen auf et.* lay stress upon, set (great) store by, make it a point to (*or* that); *ins ~ fallen* be of great weight, weigh heavily, count, matter; *nicht ins ~ fallen* be of no consequence (*or* weight), make no difference; **~heben** *n sports*: weightlifting; **~heber** *m* weight lifter; **2ig** *adj.* weighty, heavy, ponderous; *fig.* weighty, important, momentous; influential.
Geˈwichts...: **~abgang** *m*, **~abnahme** *f* loss (*or* decrease) in weight; *econ.* shortage; **~analyse** *f* gravimetric analysis; **~angabe** *f* declaration (*of scale*: indication) of weight; **~einheit** *f* unit of weight; **~klasse** *f sports*: weight (class); **~mangel** *m*, **~manko** *n* deficiency in weight, short weight, underweight; **~verhältnis** *n* ratio of weight; **~verlagerung** *f* shifting of weight; *fig.* change of emphasis, shift; **~verlust** *m* loss in weight; **~zunahme** *f* increase in weight, weight gain.
gewiegt [gəˈviːkt] *adj.* experienced, seasoned; smart, shrewd, clever, astute.
Gewieher [gəˈviːər] *n* (-s) neighing; *fig.* horse-laugh, guffaws *pl.*
gewiesen [gəˈviːzən] *p.p. of weisen.*
gewillt [gəˈvilt] *adj.* willing, prepared, ready, inclined (*zu inf.* to *inf.*); determined (to *inf.*); *er ist nicht ~, zu inf.* he is not willing (*or* he refuses) to *inf.*
Gewimmel [gəˈviməl] *n* (-s) swarming; swarm, (milling) crowd, throng.
Gewimmer [gəˈvimər] *n* (-s) whimpering, whining; wailing, wails *pl.*
Gewinde [gəˈvində] *n* (-s; -) winding; garland, festoon; wreath; skein (*of yarn*); coil; *anat.* labyrinth (*of ear*); *tech.* thread; *rechts-(links-)gängiges ~* right- (left-) -hand(ed) thread; **~bohrer** *tech. m* screw tap; **~bolzen** *m* threaded bolt; **~drehbank** *f* threading lathe; **~gang** *m* thread; **~lehre** *f* thread pitch ga(u)ge; **~schneiden** *n* (-s) thread cutting; thread hobbing; **~schneidkopf** *m* [-ʃnait-] screwing chuck; **~schneidmaschine** *f* threading machine; **~steigung** *tech. f* a) lead, b) pitch; **~strähler** [-ʃtrɛːlər] *m* (-s; -) chasing tool.
Gewinn [gəˈvin] *n* (-[e]s; -e) winning; gain, profit; *at game*: winnings *pl.*; *lottery*: prize; (*lot*) winner; earnings *pl.*; yield, returns *pl.*; proceeds *pl.*; advantage, benefit; (profit) margin; surplus; *fig.* gain, advantage, profit; *~- und Verlustkonto or -rechnung* profit-and-loss account (*Am.* statement); *entgangener ~* profit lost; *erzielter ~* realized profit; *reiner ~* net profit; *unerwarteter ~* unexpected profit, windfall; *verteilbarer ~* profit available for distribution; *~ abwerfen, bringen* leave (*or* yield) a profit, leave a margin; *am ~ beteiligt sein* share in profits; *~ erzielen* realize a profit, net (a sum); *mit ~ verkaufen* sell at a profit *or* to advantage; **~abführung** *f* surrender of profits; **~abführungssteuer** *f* excess of profits tax; **~abschöpfung** [-apʃœpfuŋ] *f* (-) *taxation*: skimming of excess profits; **~anteil** *m* share of (the) profits; dividend; **~anteilschein** *m* dividend warrant; **~aufstellung** *f* earnings statement; **~aufstockung** *f* (-) increase of capital resources out of profits; **~beteiligung** *f* participation in profits; profit-sharing; **~beteiligungsplan** *m* profit-sharing scheme; **2bringend** *adj.* profitable, lucrative, paying.
geˈwinnen I. *v/t.* (*irr.*, *h.*) win, gain; gain, get (*advantage, lead*); secure (*a th. or p.*); acquire, obtain; earn, make, net, bag; carry off, fetch (*prize*); *den Kampf ~* win the battle; *e-n Prozeß ~* win a law-suit; *Zeit ~* gain time; *Zeit zu ~ suchen* temporize; → *Oberhand*; gain, reach, *Am.* make (*the shore, etc.*); *j-n für sich ~* win *or* gain a p.('s support), win a p. over; *j-n für et. ~ a.* interest a p. in a th.; convert a p. to a th.; *j-s Hilfe ~* enlist a p.'s help; *j-n zum Freunde ~* gain the friendship of a p.; *j-s Herz (Hand) ~* win a p.'s heart (hand); *mining, etc.*: win, produce, obtain, extract; *from scrap*: recover, salvage, reclaim; *chem.* extract, derive; *ich konnte es nicht über mich ~* I could not bring myself to do it; *es gewinnt den Anschein, als ob* it appears as though; *wie gewonnen, so zerronnen* easy come, easy go; **II.** *v/i.* (*irr.*, *h.*) win, be winner (*or* victorious); win the battle, gain the victory; *spielend ~* win hands down; *an Bedeutung, etc., ~* gain in importance, *etc.*; *an Boden ~* gain ground; *~ von or durch et.* profit by a th., benefit from a th.; *by comparison, contrast, etc.*: gain, improve; *er hat sehr gewonnen* he has greatly improved; *sie gewinnt bei näherer Bekanntschaft* she improves on acquaintance; *an Kraft or Wucht ~* gather force.
Geˈwinn...: **2end** *fig. adj.* winning, engaging, taking; **~entnahme** *f* withdrawal of profits; **~er(in** *f*) *m* (-s, -; -, -nen) winner; **~lage** *f* profit-and-loss position; **~ler(in** *f*) [-lər(in)] *m* (-s, -; -, -nen) profiteer; **~los** *n*, **~nummer** *f* winning number, winner; **~rechnung** *f* profit account; **2reich** *adj.* profitable, lucrative; **~schrumpfung** *f* profit shrinkage; **~spanne** *f* profit margin; **~steuer** *f* profit tax; **~streben** *n* pursuit of profit; **~sucht** *f* (-) greed, avarice, lucre; **2süchtig** *adj.* greedy, profit-seeking, covetous; *jur. in ~er Absicht* with mercenary intent; **~überschuß** *m* surplus (profits *pl.*); **~ung** *f* (-; -en) winning; gaining; acquirement; production, extraction, winning; output; reclamation (*of land*); *chem.* preparation, derivation; **~verteilung** *f* distribution of profits; **~vortrag** *m* surplus brought forward.
Gewinsel [gəˈvinzəl] *n* (-s) whining, whine, whimpering.
Gewinst [gəˈvinst] *m* (-es; -e) winnings *pl.*, takings *pl.*; profit.
Gewirr [gəˈvir] *n* (-[e]s; -e) confusion, tangle, snarl, entanglement; maze.
gewiß [gəˈvis] **I.** *adj.* certain, sure, positive; *ein gewisser Preis* a fixed price; *in gewissen Fällen* in certain (*or* some) cases; *ein gewisser Herr N.* a certain (*or* one) Mr. N.; → *Etwas*; *in gewissem Sinne* in a sense; *~!* certainly!, to be sure!, *Am.* sure!; *aber ~!* by all means!, why, yes (of course)!; *es ist ganz ~, daß* **a**) it is quite certain that, there can be no doubt that, **b**) I am quite sure (*or* certain, positive) that; *ich bin dessen ~* I am sure of it; *s-e Stimme ist mir ~* I am sure of his vote; *sich s-r Sache ~ sein* be sure of one's ground *or* facts; **II.** *adv.* certainly, surely; indeed; no doubt, doubtless; decidedly, assuredly; *~ nicht* certainly not, by no means; *er kommt ~* he is sure to come; *davon hast du ~ noch nicht gehört* I am sure (*or* I dare say) you have not heard of this before; *du wolltest mir ~ e-e Freude machen* you wished to do me a favo(u)r, didn't you?
Geˈwissen *n* (-s; -) conscience; *reines ~* clear conscience; *gutes (ruhiges) ~* good (safe, peaceful) conscience; *schlechtes ~* bad (*or* guilty) conscience; *ein schlechtes ~ haben a.* be conscience-stricken; *sein ~ beruhigen (erleichtern)* soothe (ease) one's conscience; → *weit* I.; *j-m ins ~ reden* appeal to a p.'s conscience; *das hast du auf dem ~* that is your fault (*or* doing); *das kannst du mit gutem ~ behaupten* you can say that with a safe conscience (*or* with safety); *er machte sich kein ~ daraus, zu inf.* he thought nothing of *ger.*, he had no scruples about *ger.*; *das ~ schlug ihm* his conscience smote him, he was stung with remorse; → *Wissen*; **2haft** *adj.* conscientious, scrupulous (*in dat.* about); **~haftigkeit** *f* (-) conscientiousness; scrupulousness; **2los** *adj.* unscrupulous; irresponsible; reckless; **~losigkeit** *f* (-) unscrupulousness.
Geˈwissens...: **~angst** *f* qualms *pl.* of conscience, anguish; **~bisse** [-bisə] *m/pl.* pricks (*or* twinges) of conscience; remorse, compunction *sg.*; *~ haben a.* be conscience-stricken; *mach dir keine ~ deswegen* don't lose any sleep over it,

don't let it worry you; **~frage** *f* matter of conscience, moral issue; **~freiheit** *f* (-) freedom of conscience; **~konflikt** *m* inner conflict; **~not** *f* pressure of conscience, moral dilemma; **~prüfung** *f* self-examination; **~ruhe** *f* peace of conscience; **~sache** *f* matter of conscience; **~zwang** *m* moral constraint; *eccl.* religious intolerance; **~zweifel** *m* scruple, conscientious doubt.

gewissermaßen [-ˈmɑːsən] *adv.* so to speak, in a manner of speaking; as it were; to some extent, in a way.

Geˈwißheit *f* (-) certainty, surety; assurance; *innere ~* certitude, conviction; *mit ~* with certainty; *mit voller ~* most assuredly *or* positively; *zur ~ werden* become certain *or* a certainty; *sich ~ verschaffen über* (*acc.*) make certain on, make sure of *a th.*

geˈwißlich *adv.* → *gewiß* II.

Gewitter [gəˈvitər] *n* (-s; -) (thunder)storm; *es ist ein ~ im Anzuge* there is storm brewing *or* gathering, we'll have a thunderstorm; *fig.* storm, tempest; **~bildung** *f* formation of a thunderstorm; **2haft, 2ig** *adj.* stormy, thundery; **2n** *v/i.* (*impers.*, *h.*): es *gewittert* there is a thunderstorm; **~neigung** *f* (-) tendency to thunderstorms; **~regen, ~schauer** *m* thunder-shower; **2schwül** *adj.* thundery, oppressive, sultry; **~schwüle** *f* sultriness, thundery air; **~störungen** *f/pl. radio*: atmospherics, static *sg.*; *meteor.* thundery showers; **~sturm** *m* thunderstorm; **~wolke** *f* thunder-cloud.

gewitz(ig)t [gəˈvits(iç)t] *adj.* made wise by experience; sharp, shrewd, smart; *ich bin jetzt ~* I've had my lesson.

gewoben [gəˈvoːbən] *p.p. of weben.*

Gewoge [gəˈvoːgə] *n* (-s) surging (*a. fig.*); surging (*or* milling) crowd, throng.

geˈwogen¹ *p.p. of wägen and wiegen.*

geˈwogen² *adj.* (*dat.*) well (*or* kindly) disposed *or* favourably inclined (to[wards]); friendly (to), kind (to); *j-m ~ sein a.* show affection for a p., like a p.; *sie ist ihm sehr ~* he is in her good graces; **2heit** *f* (-) friendliness, goodwill, kindness, affection.

gewöhnen [gəˈvøːnən] *v/t.* (*h.*) accustom (*an acc.* to), habituate (to), get used (to); inure (to); familiarize (with); *sich ~ an* (*acc.*) get accustomed (*or* used) to; become familiar with; *sich an ein Klima ~* acclimatize, *Am.* acclimate; *sich daran ~ zu inf.* get used to *ger.*, get into the habit of *ger.*, take to *ger.*; *gewöhnt sein* → *gewohnt.*

Gewohnheit [gəˈvoːnhaɪt] *f* (-; -en) habit; wont; custom; practice, usage; → *Macht*; *aus (alter) ~* from habit; *aus der ~ kommen* get out of practice (*or* the habit); *die ~ haben, zu inf.* be in the habit of *ger.*, be wont to *inf.*; *j-m zur ~ werden* become a habit with a p.; *in die ~ verfallen, zu inf.* get into the habit of *ger.*; *sich et. zur ~ machen* make it a habit (to do a th.); *zur ~ werden* grow into a habit; *wie es s-e ~ war* as was his wont (*or* custom).

Geˈwohnheits...: **~laster** *n* besetting sin; **2mäßig** [-mɛːsiç] **I.** *adj.* habitual (*a. jur.*), customary; normal, usual, routine; **II.** *adv.* habitually, by (*or* from) habit; mechanically; **~mensch** *m* creature of habit; **~recht** *n jur.* common law; *w.s.* established right; **~sünde** *f* habitual sin; **~tier** *n* creature of habit; **~trinker(in** *f*) *m* habitual drunkard, problem-drinker; **~verbrecher** *m* habitual criminal.

gewöhnlich [gəˈvøːnliç] **I.** *adj.* common; general; ordinary, commonplace; usual, customary; habitual; normal, routine; customary, conventional; plain; average; mediocre; common; vulgar, low; **II.** *adv.* commonly, *etc.*; as a rule, generally, normally; under ordinary circumstances; *wie ~* as usual.

gewohnt [gəˈvoːnt] *adj.* habitual, usual, wonted; traditional, customary; *~er Anblick* familiar sight; *zu ~er Stunde* at the usual hour; *pred.*: et. *~ sein* be accustomed (*or* used) to a th.; be in the habit of doing a th.; be inured (*or* seasoned) to (*cold, strain, etc.*); **~ermaßen** [-tərmaːsən] *adv.* as usual.

Geˈwöhnung *f* (-) accustoming, habituation (*an acc.* to); inurement; acclimatization, *Am.* acclimation; *med.* addiction (to); *Pervitin führt zur ~* is a habit-forming drug; training, breaking in, domestication (*of animals*); → *Gewohnheit.*

Gewölbe [gəˈvœlbə] *n* (-s; -) vault; cellar; arch; family-vault; *fig. ~ des Himmels* vault of heaven; **~bogen** *m* arch (of a vault); **~pfeiler** *m* arched buttress.

geˈwölbt *adj.* vaulted, arched; domed; convex; cambered (*road*).

Gewölk [gəˈvœlk] *n* (-[e]s) clouds *pl.*

gewollt [gəˈvɔlt] *adj.* deliberate; studied (*insult, etc.*); *~ malerisch* consciously pictoresque.

gewonnen [gəˈvɔnən] *p.p. of gewinnen.*

geworben [gəˈvɔrbən] *p.p. of werben.*

geworden [gəˈvɔrdən] *p.p. of werden.*

geworfen [gəˈvɔrfən] *p.p. of werfen.*

Gewühl [gəˈvyːl] *n* (-[e]s) bustle, turmoil; throng, milling crowd; *im ~ der Schlacht* in the thick of the battle.

gewunden¹ [gəˈvundən] *p.p. of winden.*

geˈwunden² *adj.* twisted; wound; winding, sinuous, spiral; *esp. fig.* tortuous.

gewürfelt [gəˈvyrfəlt] *adj.* chequered.

Gewürm [gəˈvyrm] *n* (-[e]s; -e) reptiles *pl.*, worms *pl.*; vermin.

Gewürz [gəˈvyrts] *n* (-es; -e) spice; *cul.* seasoning, condiment; aromatics (*pl.*); **~essig** *m* aromatic vinegar; **~handel** *m* spice trade, grocery business; **~händler(in** *f*) *m* spicer, grocer; **~kräuter** *n/pl.* spice plants; **~nelke** *f* clove; **2t** *adj.* spicy, seasoned, flavo(u)red (*all a. fig.*); **~tinktur** *f* aromatic tincture; **~waren** *f/pl.* spices, groceries.

gewußt [gəˈvust] *p.p. of wissen.*

gezackt [gəˈtsakt] *adj.* jagged, ragged; *esp. bot., tech.* serrated; *esp. tech.* indented, scalloped.

gezähnt [gəˈtsɛːnt] *adj.* toothed, *tech. a.* cogged; notched; *anat., bot.* dentate(d); *stamp*: perforated.

Gezänk [gəˈtsɛŋk] *n* (-[e]s) quarrelling, wrangling, squabble; nagging.

Gezappel [gəˈtsapəl] *n* (-s) fidgeting, wriggling, struggling; floundering, squirming bodies; rush, *Am. colloq.* hustle.

gezeichnet [gəˈtsaɪçnət] *adj.* drawn; signed (*document, etc.*); *~ (gez.)* signed (*abbr.* sgd.); *boxer, face, woman, etc.*: marked; *vom Schicksal ~* marked out by fate; *vom Tode ~* with the mark of death; *econ. voll ~* fully subscribed (*loan*).

Gezeiten [gəˈtsaɪtən] *pl.* tide; **~kraftwerk** *n* tidal power station; **~strom** *m* tidal current; **~tafel** *f* tide table.

Gezelt [gəˈtsɛlt] *n* (-[e]s; -e) tent, pavillion.

Gezeter [gəˈtseːtər] *n* (-s) loud scolding, (yelling) clamo(u)r; hue and cry; nagging; → *Geschrei.*

geziehen [gəˈtsiːən] *p.p. of zeihen.*

geˈziemen *v/i and sich ~* be becoming (*or* seemly, fit) (*dat. or für acc.* for), befit *a. p.*; *es geziemt sich nicht* it is not fitting (*or* proper), it is not done (*or* good form); *wie es sich geziemt* as is fitting; **~d** *adj.* becoming, seemly, fit(ting); decent, decorous; due, proper; *mit ~em Respekt* with due respect.

geziert [gəˈtsiːrt] *adj.* affected; foppish; prim; → *gekünstelt*; **2heit** *f* (-) affectation; foppishness; primness; mannerism.

Gezisch [gəˈtsiʃ] *n* (-es) hissing; **~el** *n* (-s) whispering, whispers *pl.*

gezogen [gəˈtsoːgən] *p.p. of ziehen*; *barrel*: rifled.

Gezücht [gəˈtsyçt] *n* (-[e]s; -e) breed, brood, vermin.

Gezweig [gəˈtsvaɪk] *n* (-[e]s) branches, boughs *pl.*

Gezwitscher [gəˈtsvitʃər] *n* (-s) chirping, twitter(ing).

gezwungen¹ [gəˈtsvuŋən] *p.p. of zwingen.*

geˈzwungen² **I.** *adj.* compulsory, forced; unnatural, self-conscious; affected; stiff, formal, constrained; forced, strained (*gaiety, etc.*); **II.** *adv.*: *~ lachen* force a laugh; **~ermaßen** *adv.* under compulsion; willy-nilly; *I am (or find myself)* compelled *to inf.*; **2heit** *f* (-) constraint; affectation; formality, stiffness.

Gicht [giçt] *f* (-) **1.** *med.* gout, goutiness, arthritis; **2.** *metall.* furnace top (*or* mouth); furnace charge; **~anfall** *m* attack of (the) gout; **2artig** *adj.* gouty, arthritic; **2brüchig** *adj.* gouty; *bibl.* paralytic, palsied; **~gas** *metall. n* blast furnace gas; **2isch** *adj.* gouty, afflicted with gout; **~knoten** *m* gouty node, tophus; **2krank** *adj.* suffering from the gout, gouty, arthritic; **~kranke(r** *m*) *f* (-n, -n; -en, -en) gouty patient, arthritic; **~mittel** *n* remedy for gout, antarthritic agent;

~schmerzen *m/pl.* gouty (*or* arthritic) pains.

Giebel ['gi:bəl] *m* (-s; -) gable(-end); gablet; fronton, pediment; **~dach** *n* gable roof; **~feld** *n* tympan; **~fenster** *n* gable-window; **~seite** *f* frontispiece; **~stube** *f* garret, attic; **~wand** *f* gable wall.

Gier [gi:r] *f* (-) greed(iness), avidity; eagerness; ~ *nach* thirst (*or* craving, lust) for; '**2en** *v/i.* (*h.*) lust (*nach dat.* after *or* for), thirst (for), crave; *aer.*, *mar.* yaw; '**2ig I.** *adj.* (*nach, auf acc.*) greedy (after, for, of), avid (for, of), covetous (of); grasping; gluttonous; **II.** *adv.*: ~ *essen* eat greedily; ~ *verschlingen* gulp down, bolt; ~ *lesen* read avidly.

Gießbach ['gi:s-] *m* torrent.

gießen ['gi:sən] *v/t. and v/i.* (*irr., h.*) pour; *tech.* cast (*zu Barren* into bars); found (*bell, statue*), (cast in a) mo(u)ld; *glass*: mo(u)ld; *fallend* ~ pour from the top; *in Sand* ~ sand-cast; water (*garden, plants*); spill, shed; *fig.* shed forth *light, etc.* (*über acc.* over), pour (*in acc.* into); → *Öl*; *es gießt* it is pouring; it is raining cats and dogs.

'**Gießer** *tech. m* (-s; -) caster; founder, mo(u)lder; *glassworks*: ladler, shearer; **Gieße'rei** *f* (-; -en) foundry; casting, mo(u)lding.

Gieß...: **~fähigkeit** *tech. f* (-) pourability; castability; **~form** *f* mo(u)ld; *for injection*: die; **~grube** *f* casting-pit; **~kanne** *f* watering-can; **~kelle** *f*, **~löffel** *m* (hand *or* casting) ladle; **~maschine** *typ. f* casting-machine; **~pfanne** *f* (foundry) ladle; **~rinne** *f* spout; **~technik** *f* casting practice; casting process.

Gift [gift] *n* (-[e]s; -e) poison; *esp. of snakes*: venom; toxin(e); virus; *fig.* poison; virus; venom, malice, spite; *das ist das reinste ~ für ihn* that's sheer poison to him; *darauf kannst du ~ nehmen* you can bet your life on it; *er spie ~ u. Galle* he fumed and foamed; '**2abtreibend** *adj.* antitoxic, antidotal; '**~becher** *m* poison(ed) cup; '**~beibringung** *jur. f* poisoning; '**~blase** *zo. f* venom-sac; '**~drüse** *f* venom-gland; '**2fest** *adj.* immune to poison; '**2frei** *adj.* free from poison, non-poisonous; '**~gas** *n* poison gas; '**~hauch** *m* poisonous breath, blight.

'**giftig I.** *adj.* poisonous, venomous; *chem.* toxic(al); *med.* virulent, contagious; poisoned; *fig.* poisonous, baneful; malicious, spiteful, venomous, virulent; furious, rabid; waspish; **II.** *adv.*: *j-n ~ ansehen* look daggers at, look at venomously; **2igkeit** *f* (-) poisonousness, virulence; *chem.* toxicity; *fig.* banefulness, virulence; malice, spitefulness, viciousness; (cold) fury.

'**Gift...**: **~kunde** *f* (-) toxicology; **~mischer(in** *f*) *m* (-s, -; -, -nen) poisoner; **~mittel** *n* antidote; **~mord** *m* (murder by) poisoning; **~mörder(in** *f*) *m* poisoner; **~pfeil** *m* poisoned arrow (*or* dart); **~pflanze** *f* poisonous plant; **~pille** *f* poisoned pill; **~pilz** *m* poisonous mushroom, toadstool; **~schlange** *f* poisonous (*or* venomous) snake *or* serpent; **~schrank** *m* poison cupboard (*or* cabinet); **~schwamm** *m* → *Giftpilz*; **~spinne** *f* poisonous spider; **~stachel** *m* poisonous sting; **~stoff** *m* poison(ous matter); *chem.* toxin(e), toxic agent; **~trank** *m* poisoned draught; **~wirkung** *f* poisonous action *or* effect; **~zahn** *m* poison-fang; **~zwerg** *m contp.* venomous toad.

Gigant [gi'gant] *m* (-en; -en) giant; **~in** *f* (-; -nen) giantess; **2isch** *adj.* gigantic, colossal.

Gigerl ['gi:gərl] *m* (-s; -) fop, dandy; *Am. a.* dude.

Gilde ['gildə] *f* (-; -n) guild, corporation; **~meister** *m* master of a guild.

Gimpel ['gimpəl] *m* (-s; -) bullfinch; *fig.* simpleton, gawk, booby, *Am.* sucker.

ging [giŋ] *pret. of gehen.*

Ginster ['ginstər] *bot. m* (-s; -) broom.

Gipfel ['gipfəl] *m* (-s; -) summit, top, peak; pinnacle; (tree-)top; *fig.* climax, culmination; peak, apex, apogee; acme, peak (*of perfection*); zenith, summit (*of fame, power*); *auf dem ~ des Glücks* on the crest of the wave; *der ~ der Frechheit* the height of impudence; *das ist der ~* that's the limit; *der ~ m-r Träume* the summit of my ambition; **~gespräche** *pol. n/pl.* summit talks; **~höhe** *aer. f* ceiling; *ballistics*: maximum ordinate; **~konferenz** *pol. f* summit meeting *or* conference; **~leistung** *f* peak (performance *or* capacity); record; **2n** *v/i.* (*h.*) culminate (*in dat.* in), *fig. a.* climax (in); **~punkt** *m* highest (*fig. a.* culmination) point; → *Gipfel*; **2ständig** *bot. adj.* terminal, apical; **~trieb** *bot. m* leader shoot; **~ung** *f* (-) culmination.

Gips [gips] *m* (-es; -e) *min.* gypsum, calcium sulphate; plaster (of Paris).

'**Gips|abdruck, ~abguß** *m* plaster cast; **~arbeit** *f* plastering; **~bewurf** *m* plastering; coat of plaster; **2en** *v/t.* (*h.*) plaster; *agr.* fertilize (with gypsum); **~er** *m* (-s; -) plasterer; **~erde** *f* gypseous soil; **~figur** *f* plaster figure; **2haltig** *adj.* calcareous, containing gypsum; **~kelle** *f* plastering trowel; **~kopf** *m* plaster head; *humor.* blockhead; **~marmor** *m* stucco; **~mehl** *n* powdered plaster; **~mörtel** *m* gypsum mortar; **~ofen** *m* plaster kiln; **~verband** *med. m* plaster (of Paris) dressing *or* cast; *e-m Glied e-n ~ anlegen* dress (*or* put) a limb in plaster; *er trug den Arm in ~* his arm was in a cast.

Giraffe [gi'rafə] *f* (-; -n) giraffe.

Gir|ant [ʒi'rant] *econ. m* (-en; -en) endorser; **~at** [-ɑ:t] *m* (-en; -en) endorsee; **2ierbar** *adj.* endorsable; **2ieren** *v/t.* (*h.*) put in circulation; endorse, indorse *bill of exchange* (*auf, an acc.* upon); *blanko giriert* endorsed in blank.

Girlande [gir'landə] *f* (-; -n) garland, festoon.

Giro ['ʒi:ro] *n* (-s; -s) endorsement, indorsement; giro transfer; *ausgefülltes* (*beschränktes*) ~ special (restrictive) endorsement; *mit ~ versehen* endorse; **~bank** *f* (-; -en) clearing-bank, transfer bank; **~einlagen** *f/pl.* deposits on a giro transfer account; **~konto** *n* giro (transfer) account; cheque (*Am.* check) account; **~kunde** *m* giro account holder; **~überweisung** *f* giro transfer; **~verband** *m* clearing bank association; **~verbindlichkeiten** *f/pl.* contingent liability on account of endorsements on bills discounted; **~verkehr** *m* clearing (*or* giro transfer) business; clearing system; **~zentrale** *f* clearing house; central bank (of a clearing-bank association).

girren ['girən] *v/i.* (*h.*) coo.

Gis [gis] *mus. n* (-; -) G sharp.

gischen ['giʃən] *v/i.* (*h.*) foam, froth; effervesce, fizz; spray.

Gischt [giʃt] *m* (-es; -e) foam, spray; froth.

Gis-Dur ['-du:r] *n* (-) G sharp major.

Gitarre [gi'tarə] *f* (-; -n) guitar; **~spieler(in** *f*) *m* guitar-player, guitarist.

Gitter ['gitər] *n* (-s; -) grating, lattice; trellis; iron bars *pl.*; grille; fender, guard; grate; wire-lattice (*or* -screen); *radio, etc., a. on maps*: grid; fence; railing; *fig. hinter ~n* behind bars; **~batterie** *f* grid (*or* C) battery; **~bett** *n* (latticed) cot, crib; **~brücke** *f* latticed bridge; **~draht** *m* wire-netting; *el.* filament grid; **~elektrode** *f* grid electrode; **~fenster** *n* lattice-window; barred window; **2förmig** ['-fœrmiç] *adj.* latticed, grated, trellised; **~gleichrichter** *m* grid leak detector; **~kapazität** *f* input capacity; **~kondensator** *m* grid capacitor; **~kreis** *m* grid (*or* input) circuit; **~mast** *m* lattice mast, pylon; **~modulation** *f radio*: grid (circuit) modulation; **~netz** *n map*: grid; **~netzkarte** *f* gridded (*or* coordinate) map; **~röhre** *f* grid valve; **~spannung** *f* grid voltage; **~spule** *f* grid coil; **~stab** *m* grate bar; *radio*: grid bar; **~steuerung** *f* grid control; **~tor** *n* trellised gate; **~träger** *arch. m* lattice truss; **~werk** *n* trellis- (*or* lattice-)work; **~widerstand** *m radio*: grid leak (resistance); **~zaun** *m* trellis-work (*or* iron) fence.

Glacé|handschuhe [gla'se:hant-ʃu:ə] *m/pl.* kid gloves; *fig. mit ~n anfassen* treat gently *or* gingerly (*Am.* with kid gloves); **~leder** *n* kid leather.

Gladiator [gladi'ɑ:tɔr] *m* (-s; -'toren) gladiator.

Glanz [glants] *m* (-es). brightness; lust|re, *Am.* -er, brilliance; sparkle, resplendence; radiance, luminosity, glow; glitter; glare; *tech.* polish, lust|re, *Am.* -er, gloss, gleam; *on cloth*: sheen; *fig.* splendo(u)r; glamo(u)r; bloom; glory; pomp; *äußerer ~* gloss; glitter, tinsel; *e-e Prüfung mit ~ bestehen* pass an examination with distinction; *colloq. e-n ~ im Gesicht haben* have a glow on; *s-s ~es beraubt* shorn of all glamo(u)r; '**~bürste** *f* polishing brush.

glänzen ['glɛntsən] **I.** *v/i.* (*h.*) glance, gleam, shine; be lustrous *or* glossy; glitter, glisten, glint, flash, sparkle, scintillate; *stars*: *a.* twinkle; *person*: **a**) radiate, beam, shine (*vor dat.* with), **b**) be brilliant, excel, shine (*durch acc.* in); → *Abwesenheit, Gold*; **II.** *v/t.* (*h.*) *tech.* gloss, lust|re, *Am.* -er, polish; burnish (*metal*); lacquer (*leather*); polish, *Am.* shine (*shoes*); 2 *n* (-*s*) brightness, brilliance, radiance; → *Glanz*; *tech.* polishing; glazing, burnishing; **~d** *adj.* bright, lustrous, brilliant, gleaming, glittering, flashing, sparkling; radiant, luminous; glossy, shiny; *fig.* splendid, magnificent, gorgeous, brilliant; ~*er Redner* brilliant (*or* magnificent) orator; ~*e Idee* splendid (*or* excellent, *esp. iro.* bright) idea; ~*e Geschichte* capital story; ~*e Zukunft, etc.* bright future, *etc.*; *du siehst* ~ *aus* you look exceedingly well (*or* the picture of health); → *ausgezeichnet, hervorragend, Geschäft.*

'**Glanz...**: **~farbe** *typ. f* gloss ink; **~firnis** *m* glazing varnish; **~garn** *n* glazed yarn; **~gold** *n* gold-foil; **~kattun** *m* glazed calico; **~kobalt** *n* glance cobalt; **~kohle** *f* glance coal; **~lack** *m* brilliant varnish; **~leder** *n* patent leather; **~leinen** *n* glazed linen; **~leistung** *f* masterly achievement, brilliant feat (*or* performance); **~lichter** *paint. n/pl.* highlights; **2los** *adj.* lustreless, dull, mat, dim; **~nummer** *f* chief attraction, highlight, *Am. a.* hit; **~papier** *n* glazed paper; **~pappe** *f* glazed board; **~periode** *f* → *Glanzzeit*; **~punkt** *m* highlight; acme, climax; **~silber** *n* argentite; **~stelle** *f in book*: purple patch; **~stoff** *m* glazed fabric; artificial silk; **~stück** *n* show piece, gem; brilliant feat, pièce de resistance (*Fr.*); **~taf(fe)t** *m* glaced taffeta; **2voll** *adj.* splendid, brilliant, resplendent, magnificent, glorious; → *glänzend*; **~weiß** *n* brilliant white; **~wichse** *f* polishing paste; **~zeit** *f* golden age, glorious (*or* palmy) days, big time, heyday.

Glas [glɑːs] *n* (-*es*; ⸚*er*) glass (*a. vessel*); tumbler; (eye)glasses *pl.*; *Gläser pl. for spectacles*: glasses, *for protective masks*: eyepieces; *mit dicken Gläsern* thick-lensed; *mar.* (*half hour, pl. Glasen*) bell; *zwei* ~ *Wein* two glasses of wine; *colloq. gern ins* ~ *gucken* be fond of one's glass (*or* a drop); *zu tief ins* ~ *gukken* take a drop too much; **2artig** ['-ɑːrtiç] *adj.* vitreous, glasslike; '**~auge** *n* glass-eye; *vet.* walleye; '**~ballon** *m* demijohn, carboy; '**~birne** *f* (glass-)bulb; '**~bläser** *m* glass-blower.

Gläschen ['glɛːsçən] *n* (-*s*; -) little (*or* small) glass; *ein* ~ *zuviel* a drop too much.

'**Glas...**: **~dach** *n* glass-roof; skylight; **~deckel** *m* glasscover (*or* -top).

Glaser [glɑːzər] *m* (-*s*; -) glazier; **~arbeit** *f* glazier's work.

Glase'rei *f* (-; -*en*) glazier's workshop.

'**Glaserkitt** *m* glazier's putty.

Gläserklang ['glɛːzər-] *m* clinking of glasses.

'**gläsern** *adj.* (of) glass, glassy, vitreous; glassy (*eye*).

'**Glas...**: **~fabrik** *f* glassworks *pl.*; **~faden** *m* glass thread; **~faser** *f* glass fib|re, *Am.* -er; **~fenster** *n* glass window; **~flasche** *f* glass bottle; decanter; **~flügler** ['-flyːglər] *zo. m* (-*s*; -) clearwings; **~fluß** *m* glass flux; **~gefäß** *n* glass vessel *or* jar; **~geschirr** *n* glassware; **~gespinst** *n* spun glass; **~glocke** *f* glass shade *or* cover, *for lamps*: globe, *for plants*: glass bell; **2hart** *adj.* (as) hard as glass, brittle; **~haus** *n* glass house; *wer im* ~ *sitzt, soll nicht mit Steinen werfen* those who live in glass houses should not throw stones; *er sitzt selbst im* ~ the pot is calling the kettle black; **~haut** *f* vitreous layer; cellophane; **~hütte** *f* glassworks *pl.*

glasieren [gla'ziːrən] *v/t.* (*h.*) glaze, gloss; varnish, enamel; *cul.* frost, ice.

glasig [glɑːziç] *adj.* glassy, vitreous; glazed, glassy (*eye*).

Glas... ['glɑːs-]: **~kasten** *m* glass case; **~kinn** *n boxing*: glass jaw; **2klar** *adj.* crystal-clear (*a. fig.*); clear (*air, plastic, etc.*); **~kolben** *m* demijohn; *chem.* flask, balloon; *el.* bulb; **~körper** *med. m* vitreous body, vitreous humo(u)r; **~kugel** *f* glass bulb (*or* sphere, globe); **~maler(in** *f*) *m* glass-painter; **~male'rei** *f* glass-painting; **~masse** *f* glass metal, frit; **~ofen** *m* glass-furnace; **~papier** *n* glass (*or* sand) paper; **~perle** *f* glass bead; **~platte** *f* glass-plate; **~rohr** *n* glass tube; **~röhrchen** *pharm. n* vial; **~sand** *m* vitreous sand; **~scheibe** *f* pane (of glass); glass plate; **~scherbe** *f* broken glass, glass splinter; **~schleifer** *m* glass grinder *or* cutter; **~schneider** *m* glass-cutter (*a. tool*); **~schrank** *m* glass-cupboard (*or* cabinet); **~splitter** *m* glass splinter, shiver of glass; **~stopfen, ~stöpsel** *m* glass stopper; **~tafel** *f* glass plate, sheet glass; **~träne** *f*, **~tropfen** *m* glass tear; **~tür** *f* glass door; hall-door.

Glasur [gla'zuːr] *f* (-; -*en*) glazing, glaze, gloss; *for cloth*: glaze, varnish, enamel; *for pastries*: icing, frosting; **2blau** *adj.* zaffre; **~brand** *m* glaze baking; **~ofen** *m* glaze kiln.

Glas... ['glɑːs-]: **~veranda** *f* glass veranda(h), *Am.* sun parlor; **~versicherung** *f* plate-glass insurance; **~wand** *f* glass partition; **~waren** *f/pl.* glassware *sg.*; **~watte** *f* glass wool; **2weise** [-vaɪzə] *adv.* in glasses, by glassfuls; **~wolle** *f* glass wool; **~ziegel** *m* glass tile.

glatt [glat] **I.** *adj.* smooth; *hair*: *a.* sleek, lank; smooth, sleek, soft (*skin*); level; smooth, unruffled (*sea*); polished, glossy; slippery, treacherous (*road*); plain (*cloth*); *fig.* smooth; *b.s.* slippery; clear, plain, obvious; absolute, downright, outright; ~*e Absage* flat refusal; ~*e Lüge* outright lie; ~*er Sieg* straight win; *es kostete mich* ~*e 1000 Dollar* it cost me a cool thousand (dollars); **II.** *adv.* smoothly; thoroughly, entirely, clean; ~ *rasiert* clean-shaven; ~ *anliegen* fit closely *or* tightly, *tech.* be flush (*with the wall, etc.*); ~ *ablehnen* (*ableugnen*) refuse (deny) flatly; ~ *durchschneiden* cut clean through; ~ *heraussagen* tell frankly (*or* bluntly, straight to a p.'s face); ~ *gewinnen* win hands down; *mit* ~ *10 Sekunden* (*Vorsprung*) by clear 10 seconds; ~ *geschlagen werden* be roundly defeated; ~ *vergessen haben* have completely (*or* clean) forgotten; *es ging* ~ it went smoothly (*or* without a hitch); *es geht nicht immer alles* ~ it isn't all smooth sailing; '**~bürsten** *v/t.* (*h.*) brush up.

Glätte ['glɛtə] *f* (-) smoothness; gloss; *fig. person*: smoothness, sleekness, slipperiness; polish, fluency (*of style*).

'**Glatt-eis** *n* glazed frost, slippery ice; *j-n aufs* ~ *führen* trick (*or* trap) a p., lead a p. up the garden-path.

Glätteisen ['glɛtˀ-] *tech. n* polishing iron, sleeker.

'**glätten** *v/t.* (*h.*) smooth (*a. el.*), *esp. hair*: sleek; *Falten* ~ take out creases; *tech.* polish, *metal a.* burnish; plane (*wood*); glaze, gloss (*paper*); calender (*cloth*); *sich* ~ (become) smooth; → *Woge.*

'**Glättfeile** *tech. f* smooth file.

'**glatt...**: **~haarig** *adj.* smooth-haired; **2hobel** *m* smoothing plane; **~machen** *v/t.* (*h.*) → *glätten*; *colloq. econ.* settle, pay off.

'**Glättmaschine** *f* planing machine; *for paper*: glazing machine; *for wool*: sleeking machine.

glattrasiert ['glatraziːrt] *adj.* clean-shaven.

'**glatt...**: **~stellen** *econ. v/t.* (*h.*) settle; *stock exchange*: realize, *Am.* even up; **2stellung** *f* realization, *Am.* evening-up; **~streichen** *v/t.* (*irr., h.*) smooth down; *tech.* flatten, planish, flush; *arch.* point flat (*joints*); job (*paper*); **~weg** ['-vɛk] *adv.* plainly, bluntly, point-blank; flatly; ~ *ablehnen* refuse flatly; ~ *erzählen* tell *a th.* straight out; **~züngig** ['-tsyŋiç] *adj.* smooth-tongued, glib.

Glatz|e ['glatsə] *f* (-; -*n*) baldness; bald spot; bald head *or* pate; **~kopf** *m* bald-head(ed person), baldpate; **2köpfig** ['-kœpfiç] *adj.* bald(-headed).

Glaube(n) ['glaʊbə(n)] *m* (-*ns*) faith, belief (*an acc.* in); creed; religious belief, religion; persuasion; *blinder* ~ implicit faith; *fester* ~ firm belief; → *Treu*; *in gutem* ~*n* in good faith, bona fide; ~*n finden* be believed, find credit; ~*n schenken* (*dat.*) give credence (*or* credit) to, believe; *des* ~*ns sein, daß* believe that (*or a th.* to be), be of the opinion that; *sich zu e-m* ~*n bekennen* profess a faith; *vom* ~*n abfallen* renounce (*or* abjure) one's faith, apostatize; ~ *macht selig* faith is bliss.

'**glauben I.** *v/t.* (*h.*) believe; give credence (*or* credit) to; believe, think, suppose, *Am. a.* guess; expect; *nicht* ~ disbelieve; *ich glaubte dich in London* I thought you were in London; *das glaube ich gern* I can easily believe that; *es ist nicht zu* ~ it is incredible (*or* fantastic); *er glaubt alles* he swallows anything; *ob du es glaubst oder nicht* believe it or not; *das glaubst du ja selbst nicht!* tell that to the horse-marines!, my eye!; **II.** *v/i.* (*h.*) believe (*j-m* a p.; *an acc.* in); give credence (*or* credit) to; have faith in, trust; *colloq. dran ~ müssen* have to die (*or thing*: go), → *draufgehen*; *ich glaube schon* I suppose so; *ich glaube wohl* I dare say (*he will come*); *ich glaubte, er sei Künstler* I thought he was (*or* him to be) an artist; *sie ~ fest daran* they swear to it; *du kannst mir ~* you can take it from me; *er machte uns ~, daß* he made (*or* had) us believe that.

'**Glaubens...:** **~abfall** *m* apostasy; **~änderung** *f* change of faith (*or* religion); **~artikel** *m* article of faith; **~bekenntnis** *n* creed, confession (of faith); **~bewegung** *f* religious movement; **~eifer** *m* religious zeal; **~freiheit** *f* (-) religious liberty; **~genosse** *m*, **~genossin** *f* fellow-believer, co-religionist; **~lehre** *f* religious doctrine, dogma; religious doctrines *pl.*, dogmatics *pl.*; **~sache** *f* matter of faith; **~satz** *m* dogma; **~spaltung** *f* schism; **2stark** *adj.* deeply religious; **~streit** *m* religious controversy (*or* strife); **2wert** *adj.* worthy of belief (*or* credit), credible; **~wut** *f* fanaticism, zealotism; **~zeuge** *m* martyr; **~zwang** *m* religious coercion, intolerance; **~zwist** *m* → *Glaubensstreit.*

Glaubersalz ['glaubər-] *n* (-es) Glauber's salt.

glaubhaft ['glauphaft] *adj.* credible; authentic; *jur. ~ machen* substantiate; *dem Gericht ~ machen* satisfy the court; *~ nachweisen* satisfactorily show; → *glaubwürdig*; **2machung** ['-maxuŋ] *jur. f* (-) satisfactory proof; substantiation; *nach erfolgter ~* upon proper showing.

gläubig ['glɔʏbiç] *adj.* believing, faithful; pious, devout; *streng~* orthodox; trustful; credulous, unsuspecting; **2e(r**[1] *m)* ['-bigə(r)] *f* (*-n, -n; -en, -en*) (true) believer *or* follower; *die Gläubigen pl.* the faithful.

'**Gläubiger**[2] *econ. m* (-s; -), **~in** *f* (-; *-nen*) creditor; guarantor; mortgagee; *bevorrechtigter ~* preferential (*Am.* preferred) creditor; *gerichtlich anerkannter ~* judgment creditor; *sichergestellter ~* secured creditor; *Vergleich mit ~n* composition with creditors; **~ausschuß** *m* committee of inspection, *Am.* creditor's committee; **~forderungen** *f/pl.* creditor's claims; **~staat** *m* creditor country; **~versammlung** *f* meeting of creditors.

'**Gläubigkeit** *f* (-) full belief *or* confidence; *eccl.* faith, devoutness.

glaublich ['glaupliç] *adj.* credible, believable; likely; *kaum ~* hard to believe.

'**glaubwürdig** *adj.* credible; authentic, reliable; trustworthy (*person*); *~er Zeuge* credible witness; *aus ~er Quelle* on good authority, from a reliable source; **2keit** *f* (-) credibility; authenticity; reliability; trustworthiness.

gleich [glaiç] **I.** *adj.* like, same; identical; equal (*an dat.* in); coincident; even, level; (very) similar, of striking resemblance; (*~bleibend*) constant; (*einheitlich*) uniform; *math. ~e Winkel* equal angles; *in ~em Abstand von ea.* equidistant from each other; *x ist ~ y* x equals y; *7—2 ist ~ 5* 7—2 is (equal to) (*or* leaves) 5; *in ~er Weise* likewise, in like manner, in the same way; → *Teil*; *zu ~er Zeit* at the same time (*or* moment), simultaneously; *er ist ihm ~* he is his equal, he is on a par with him; *es ist (mir) ~* it is all the same (to me), it makes no difference (to me); *es geht uns diesmal allen ~* we are in the same boat this time; *das sieht ihm ~* that's just like him; *ins ~e bringen* make even, settle; *~ und ~ gesellt sich gern* birds of a feather flock together; *~es gilt für staatenlose Personen* the same (rule) applies to stateless persons; *er ist nicht (mehr) der ~e* he is not the same man; *es kommt aufs ~e hinaus* it comes (*or* amounts) to the same thing; *2es mit 2em vergelten* give tit for tat (*or* measure for measure); *ein 2es tun* do the same thing, follow suit; *es kann uns ein 2es begegnen* the same thing may happen to us; **II.** *adv.* alike, equally; immediately, presently, directly, at once; *~ alt (groß, etc.)* of the same age (size, *etc.*); *~ zu Beginn* at the very beginning; *~ daneben* just beside it, next-doors; *~ gegenüber* just (*or* directly) opposite; *~ als* as soon as, the moment (*he had entered*); *~ nach(dem)* immediately (*or* right) after; *~ als ob* just as if; *j-n ~ behandeln wie (acc.)* treat a p. the same way as, put a p. on a footing with; *das dachte ich mir doch ~* I thought as much; *habe ich es nicht ~ gesagt!* didn't I tell you (before)!; *das ist ~ geschehen* that's easily done, it won't take a minute; *das ist ~ ganz anders* that makes all the difference; *wie lautete doch ~ die Adresse?* I say, what was the address?; *es ist ~ zehn (Uhr)* it is nearly (*or* close on, on the stroke of) ten (o'clock); *~!* (I'm) coming *or* on my way!, just a minute, please!; *was wollte ich doch ~ sagen?* what was I just going to say?; **III.** *prp.* (*dat.*): *~ einem König* like a king.

'**gleich...:** **~altrig** ['-ʔaltriç] *adj.* (of) the same age; **~artig** *adj.* of the same kind, homogeneous; similar, analogous; uniform; **2artigkeit** *f* (-) homogeneousness, homogeneity; similarity; uniformity; **~bedeutend** *adj.* synonymous (*mit* with); equivalent (to); tantamount (to); *~e Wörter* synonyms; **~berechtigt** *adj.* having equal rights, being equally entitled; **2berechtigung** *f* equality (of rights *or* status); *~ der Frau* equal rights for women; **~bleiben** *v/i. and sich ~* (*irr.*, *sn*) remain the same *or* unchanged; *das bleibt sich gleich* that comes to the same thing, it makes no difference; **~bleibend** *adj.* always the same; constant, unchangeable, invariable, even; steady (*a. econ. and barometer*); *Motor mit ~er Geschwindigkeit* constant-speed motor; **~denkend, ~empfindend** *adj.* congenial, like-minded; sympathetic, sympathizing.

'**gleichen** *v/i.* (*irr.*, *h.*; *dat.*) equal, be equal to; be similar to, resemble; be like, be comparable to; *er gleicht s-r Mutter* he looks like (*or* takes after) his mother; → *Ei*; correspond to, be analogous (*or* a parallel) to.

'**gleicher|gestalt, ~maßen, ~weise** *adv.* in like manner, likewise.

'**gleich...:** **~falls** *adv.* also, likewise, as well, too, in the same way; *danke, ~!* thanks, the same to you!; **~farbig** *adj.* of the same colo(u)r, isochromatic; **~förmig** ['-fœrmiç] *adj.* uniform, equal; steady, invariable; monotonous; **2förmigkeit** *f* (-) uniformity; conformity; monotony; **~gerichtet** [-'gəriçtət] *adj.* parallel, similarly directed; *tech.* acting in the same direction; synchronous; *el.* rectified, redressed; **~geschlechtlich** *adj.* homosexual; **~gesinnt** *adj.* like-minded, sympathetic, congenial; **~gestellt** *adj.* co-ordinate; (*socially*) on the same level, equal (in rank), on a par (*dat.* with); assimilated in status (to *German citizens*); **~gestimmt** ['-gəʃtimt] *adj. mus.* tuned to the same pitch; *fig.* congenial, like-minded; in accord; **2gewicht** *n* (*a. fig.*) balance, equilibrium, equipoise; *politisches ~* balance of power; *seelisches ~* mental equilibrium, psychic balance, poise of mind; *im ~* in (a state of) equilibrium, balanced; *aus dem ~ bringen* unbalance, put (*or* throw) off one's balance; *fig. a.* upset, disconcert; *das ~ behalten* keep (*or* preserve) one's balance; *das ~ halten (dat.)* counterpoise, counterbalance *a p.'s* influence, *etc.*, *zwischen (dat.)*: hold the balance between; *das ~ verlieren* lose one's balance; *das ~ wiederherstellen* redress the balance; *im ~ halten* balance, equipoise; *ins ~ bringen* balance, equilibrate; **2gewichtslage** *f* position of equilibrium; **2gewichtslehre** *f* statics *pl.*; **2gewichtsorgan** *n* vestibular apparatus of the ear; **2gewichtssinn** *m* (-[e]s) sense of balance; **2gewichtsstörung** *f* disturbance of equilibrium; *physiol. hormonale ~* hormonal imbalance; **2gewichtsübung** *f* balance exercise; **~gültig** *adj.* indifferent (*gegen or dat.* to); incurious, unconcerned (*about*); careless; casual, nonchalant; listless, apathetic (*towards*); unfeeling, callous; *~er Arbeiter* negligent worker; *es ist mir ~* it is all the same to me, I don't care; *Sport ist mir ~* I am not interested in sports; *s-e Gedanken sind mir ~* his thoughts are indifferent to me; *es ist völlig ~* it is of no consequence whatever, it doesn't matter at all; *~, was du tust* whatever *or* no matter what you do; **2gültigkeit** *f* indifference (*gegen* to), unconcern; nonchalance; apathy; **2heit** *f* (-) equality; sameness, identity; *in rank*: parity; likeness, similarity; uniformity; monotony; conformity; homogeneousness; equivalence;

evenness, symmetry; ∼ *vor dem Gesetz* equality before the law; 2**heitszeichen** *math. n* sign of equality; 2**klang** *m* accord, unison (*a. fig.*); consonance, harmony; ∼**kommen** *v/i.* (*irr.*, *sn*) (*dat.*) equal, come up to, match; *nicht* ∼ be no match for, fall short of; *das kommt e-m Mord gleich* that amounts to (*or* is nothing short of) murder; 2**lauf** *tech. m* (-[e]s) synchronism; *zum* ∼ *bringen* synchronize; ∼**laufend** *adj.* parallel (*mit dat.* to, with); *tech.* synchronous, synchronized; 2**lauffräsen** *n* (-s) climb milling; 2**laut** *m* consonance; ∼**lautend I.** *adj.* consonant; *contents*: of the same tenor, to the same effect; identical; *gr.* homonymous; ∼*es Wort* homonym; ∼ *sein* tally, correspond; ∼*e Abschrift* duplicate, true copy; **II.** *adv.*: *econ.* ∼ *buchen* book in conformity; ∼**machen** *v/t.* (*h.*) make equal (*dat.* to), equalize (to *or* with); (make) level (with *or* to); standardize; → *Erdboden*; *es allen* ∼ treat all alike; 2**macher** *pol. m* level(l)er, egalitarian; 2**mache'rei** *f* (-; -*en*) level(l)ing (mania), egalitarianism; ∼**macherisch** *adj.* egalitarian; 2**maß** *n* symmetry, proportion; ∼**mäßig** *adj.* proportionate, symmetric(al); even, equable; uniform, regular, rhythmic(al), constant; steady; 2**mäßigkeit** *f* evenness, equableness; uniformity, regularity, continuity; 2**mut** *m*, 2**mütigkeit** ['-my:tiçkaɪt] *f* (-) equanimity; calmness, coolness, serenity; imperturbability, stoicism; indifference; ∼**mütig** *adj.* even-tempered; calm, stolid, cool; imperturbable; indifferent; ∼**namig** ['-nɑ:miç] *adj.* of (*or* having) the same name, homonymous; *math.* correspondent; 2**nis** *n* (-*ses*; -*se*) image; *rhet.* simile; metaphor, figure of speech; allegory; *bibl.* parable; ∼**nishaft** *adj.* allegoric(al), parabolic(al); symbolic(al); ∼**rangig** *adj.* equivalent (*mit* to); equal (to), on a par (with); of equal priority; ∼**richten** *el. v/t.* (*h.*) rectify; 2**richter** *el. m* rectifier; 2**richterröhre** *el. f* rectifying valve, *Am.* tube; 2**richtung** *f* rectification; ∼**sam** *adv.* as it were, so to speak, almost; ∼ *als wollte er sagen* (just) as if (*or* though) he wanted to say; ∼**schalten** *v/t.* (*h.*) *tech.* synchronize; *pol.* coordinate, unify, *b.s.* bring into line, *Am. a.* streamline; 2**schaltung** *f* synchronization; *pol.* coordination, unification, *b.s.* bringing into line, *Am.* streamlining; ∼**schenk(e)lig** ['-ʃɛŋk(ə)liç] *math. adj.* isosceles; 2**schlag** *m swimming*: double-arm stroke; *with legs*: dolphin kick; 2**schritt** *m* (-[e]s) uniform step, *Am.* cadence; *Im* ∼*!* quick time, march!; *Im* ∼ *marsch!* forward, march!; ∼**sehen** *v/i.* (*irr.*, *h.*) (*dat.*) resemble, look like; *das sieht ihm gleich* that's just like him; ∼**seitig** *adj.* equilateral; ∼**setzen** *v/t.* (*h.*) (*dat. or mit*) equate with; *fig.* identify (*or* compare) with, put on a level with; 2**setzung** *f* (-; -*en*) identification (*mit* with); ∼**silbig** *adj.* parisyllabic; ∼**sinnig** *adj.* in the same direction, in the same sense of rotation; 2**stand** *m* (-[e]s) *tennis*: deuce; → *Einstand*; ∼**stehen** *v/i.* (*irr.*, *h.*) be equal (*dat.* to); equal (*a p.*); be on a par (*or* on a level) with; be on the same footing (with); *sports*: *sie stehen gleich* the scores are level, it is a tie *or* draw; ∼**stellen** *v/t.* (*h.*) equalize, equate (*dat.* with); put *a p.* on a par (with), place on the same footing (with); assimilate *alien, etc.*, in status (to); 2**stellung** *f* equalization; comparison; 2**strom** *el. m* direct (*or* continuous) current (*abbr.* D.C., d.c., d-c); *in* ∼ *umwandeln* rectify (*alternating current*); 2**strombetrieb** *m* direct current operation; 2**strommotor** *m* direct current motor; 2**stromnetz** *n* direct current system; 2**takt** *m* synchronous rhythm; *im* ∼ *mit* keeping time with, parallel with; ∼**tun** *v/t.* (*irr.*, *h.*): *es j-m* ∼ equal (*or* match) a p., come up to a p.; *es j-m* ∼ *wollen* try to do the same (*or* as much) as a p.; vie with a p.; 2**ung** *f* (-; -*en*) equation; ∼ *ersten Grades* equation of the first degree, linear equation; *e-e* ∼ *lösen* solve an equation; ∼**viel** *adv.* just as much; ∼, *ob, etc.*, no matter if, *etc.*; ∼, *wo es sich befindet* wherever situated; → *gleichwohl*; ∼**wertig** *adj.* equivalent (*mit dat.* to), of the same value; *fig.* equal (to), on a par with; 2**wertigkeit** *f* equivalence; ∼**wie** *adv.* just as, as, like; ∼**wink(e)lig** *adj.* equiangular; ∼**wohl** *adv.* nevertheless, for all that, all the same; yet, however; ∼**zeitig I.** *adj.* simultaneous, contemporaneous, synchronous; coincident; contemporary (*mit* with); **II.** *adv. a.* at the same time; together; at one blow, in one operation; 2**zeitigkeit** *f* (-) simultaneousness, synchronism, contemporaneousness; coincidence; contemporaneity; coexistence; ∼**ziehen** *v/i.* (*irr.*, *h.*) *sports*: ∼ *mit* **a**) overtake, pull up to, draw level with, **b**) equalize.

Gleis [glaɪz] *n* (-*es*; -*e*) → *Geleise*.

'**Gleis|abschnitt** *m* track section; ∼**anlage** *f* track system; ∼**anschluß** *m* own siding, works siding; ∼**bettung** *f* bedding; ∼**kette** *mot. f* track type chain; ∼**ketten-antrieb** *m* crawler drive; ∼**kettenschlepper** *m* crawler tractor; ∼**kreuzung** *f* crossing of lines; level-crossing.

'**Gleisner** *m* (-*s*; -), ∼**in** *f* (-; -*nen*) hypocrite; 2**isch** *adj.* hypocritical.

gleißen ['glaɪsən] → *glänzen*.

Gleit|bahn ['glaɪt-] *f* slide, shoot, chute; *mar.* slipway; *aer.* gliding path; *tech.* guide(way); ∼**bombe** *mil. f* glider bomb; ∼**boot** *n* gliding boat, glider; 2**en** *v/i.* (*irr.*, *sn*) glide, slide, slip; *mot.* skid; *boat*: skim (*über acc.* over); *glance*: go, travel (over); *hands*: glide, pass, run (over); *smile*: pass (over *a p.'s face*); *et.* ∼ *lassen* slide, slip a th. (*in acc.* into); *das Auge* ∼ *lassen über* run one's eye over, (pass a) glance over; *die Hand* ∼ *lassen über* pass one's hand over; ∼*de Preise* sliding (scale of) prices; ∼**fläche** *f* slide face, gliding plane; *of ski*: running surface; ∼**flieger** *m* glider; ∼**flug** *m* glide, gliding flight, volplane; *e-n* ∼ *machen, im* ∼ *niedergehen* glide down, volplane; ∼**flugweite** *f* gliding range; ∼**flugzeug** *n* glider; ∼**klausel** *econ. f* escalator clause; ∼**kufe** *aer. f* landing (*or* snow) skid (*Am.* ski); ∼**lager** *tech. n* slide bearing; ∼**landung** *aer. f* glide landing; ∼**laut** *gr. m* glide; ∼**rolle** *tech. f* trolley; ∼**schiene** *f* slide bar, guide; *typewriter*: carriage rail; ∼**schritt** *m dancing*: glissade; ∼**schutzreifen** *mot. m* non-skid tyre (*Am.* tire); ∼**schutzvorrichtung** *f* anti-skid device; ∼**sitz** *tech. m* slide fit; ∼**stein** *m*, ∼**stück** *tech. n* sliding-block; ∼**verdeck** *mot. n* sliding roof; ∼**wachs** *n skiing*: gliding (*or* downhill) wax.

Gletscher ['glɛtʃər] *m* (-*s*; -) glacier; 2**artig** *adj.* glacial; ∼**bildung** *f* glacial formation; ∼**boden** *m* glacial soil; ∼**brand** *m* (-[e]s) glacial sunburn; ∼**eis** *n* glacial ice; ∼**kunde** *f* (-) glaciology; ∼**mühle** *f* pot-hole; ∼**periode** *f* glacial period; ∼**spalte** *f* crevasse.

glich [gliç] *pret. of gleichen.*

Glied [gli:t] *n* (-[e]s; -*er*) limb, member (*a. fig.*); joint (*a. anat.*, *bot.*); *künstliches* ∼ artificial limb; *männliches* ∼ penis, male member; link (*a. fig.*); *bibl.* generation; *mil.* rank, file; *erstes* (*letztes*) ∼ front (rear) rank; *math.*, *logics*: term; *an allen* ∼*ern zittern* tremble all over; *s-e* ∼*er strecken* stretch o.s. (*or* one's limbs); *mil. ins* ∼ *treten* fall in; *der Schreck fuhr ihm in alle* ∼*er* he had a bad shock.

Glieder... ['gli:dər-]: ∼**bau** *m* (-[e]s) structure (of limbs); articulation; frame, build; ∼**fahrzeug** *n* articulated vehicle; ∼**frucht** *bot. f* loment; ∼**füßler** [-fy:slər] *zo. m* (-*s*; -) arthropod; ∼**kette** *f* link chain; 2**lahm** *adj.* lame in the limbs; paralytic; ∼**lähmung** *med. f* paralysis.

'**gliedern** *v/t.* (*h.*) articulate, joint; arrange, dispose; organize; *esp. mil.* form; divide (*in acc.* into), subdivide, break down (into); group, classify; distribute (*a. mil.*, *tactically*); *sich* ∼ *in* (*acc.*) be divided into, be composed of.

'**Glieder...**: ∼**puppe** *f* jointed doll; (*Marionette*) puppet; *for painters*: lay figure; *for clothing*: mannequin; ∼**reißen** *n*, ∼**schmerz** *m* pains *pl.* in the limbs, rheumatism; ∼**schwund** *med. m* atrophy of limbs; ∼**tier** *n* articulate(d animal); ∼**ung** *f* (-; -*en*) *anat.*, *bot.*, *zo.* articulation; segmentation; arrangement, disposition; pattern; structure, organization, system; grouping, classification; division; distribution; *gr.* construction; *mil.* formation; *pol. a.* organization(s *pl.*); ∼**zelle** *biol. f* articulate cell; ∼**zucken** *n* (-*s*) convulsions *pl.*

'**Glied...**: ∼**maßen** ['-mɑ:sən] *pl.* limbs, extremities; ∼**staat** *m* member (*or* constituent, federal) state.

glimmen ['glimən] *v/i.* (*irr.*, *h.*) *fire*:

smo(u)lder (*a.* *fig.*); glimmer, gleam; glow; ~*de Asche* embers *pl.*
ˈ**Glimmen** *n* (-*s*) smo(u)ldering (*a.* *fig.*); faint glow, gleam, glimmer.
ˈ**Glimm-entladung** *f* glow discharge.
ˈ**Glimmer** *m* (-*s*; -) faint glow, glimmer; *min.* mica; **2artig**, **2haltig** *adj.* micaceous; **~plättchen** [ˈ-plɛtçən] *n* (-*s*; -) mica plate, sheet mica; **~schiefer** *m* mica schist.
ˈ**Glimm|lampe** *f* glim (*or* glow) lamp; **~leuchtröhre** *f* fluorescent lamp, cathode-ray tube; **~stengel** *colloq.* *m* (*cigar*) weed, (*cigarette*) *sl.* fag.
glimpflich [ˈglimpfliç] **I.** *adj.* mild, gentle; lenient; **II.** *adv.*: ~ *abgehen* go off fairly well; ~ *davonkommen* get off lightly; *j-n* ~ *behandeln* deal gently with a p.
glitsch|en [ˈglitʃən] *colloq.* *v/i.* (*h.*, *sn*) glide, slide; slip, slither, skid; **~ig** *adj.* slippery, slithery.
glitt [glit] *pret.* *of gleiten.*
glitzern [ˈglitsərn] *v/i.* (*h.*) glitter, glisten, glint; *stars*: *a.* twinkle.
global [gloˈbɑːl] *adj.* global; **2berechnung** *econ.* *f* aggregate calculation; **2betrag** *econ.* *m* global (*or* overall) amount; **2sicherheit** *econ.* *f* global security.
Globulin [gloːbuˈliːn] *n* (-*s*; -*e*) globulin.
Globus [ˈgloːbus] *m* (-; -*ben*) globe.
Glöckchen [ˈglœkçən] *n* (-*s*; -) small bell.
Glocke [ˈglɔkə] *f* (-; -*n*) bell; (*glass*) shade; *of lamp*: globe; (*cheese, etc.*) cover; *chem.* bell(jar), receiver; clock; *bot.* bell-shaped calyx, cup; *die* ~*n läuten* ring the bells; *fig.* et. *an die große* ~ *hängen* make a song (*or* fuss) about a th., broadcast a th.; blazon a th. abroad, noise a th. up (*or* abroad); *er weiß, was die* ~ *geschlagen hat* he knows the time of the day (*or* what he is in for); *ich werde ihm sagen, was die* ~ *geschlagen hat* I'll tell him what the score is (*or* where he gets off).
ˈ**Glocken...:** **~blume** *f* bell-flower; **~bronze** *f*, **~erz** *n* bell metal; **2förmig** [ˈ-fœrmiç] *adj.* bell-shaped; **~geläut** *n* bell-ringing, peal of bells; chime; **~gießer** *m* bell founder; **~gießeˈrei** *f* bell foundry; **~guß** *m* bell casting; **~gut** *n* (-[*e*]*s*) bell metal; **2hell**, **2rein** *adj.* (as) clear as a bell, bell-like; **~hut** *m* cloche; **~isolator** *m* bell-shaped insulator; **~klang** *m* sound (*or* ring, peal) of bells; **~rock** *m* wide-flared skirt; **~schale** *f* gong; **~schlag** *m* stroke of the clock; *mit dem* ~ on the dot, punctually; **~seil** *n* bell-rope; **~speise** *f* bell metal; **~spiel** *n* chime(s *pl.*); **~stuhl**, **~turm** *m* bell-tower, belfry; **~zug** *m* bell-pull.
Glöckner [ˈglœknər] *m* (-*s*; -) bell-ringer, sexton.
glomm [glɔm] *p.p.* *of glimmen.*
Glorie [ˈgloːriə] *f* (-; -*n*) glory; **~nschein** *fig.* *m* halo, aureola.
glorifizieren [glorifiˈtsiːrən] *v/t.* (*h.*) glorify.
glorios [gloriˈoːs] *adj.* glorious.
glorreich [ˈgloːrraiç] *adj.* glorious, illustrous, triumphant.
Glossar [glɔˈsɑːr] *n* (-*s*; -*e*) glossary.
Glosse [ˈglɔsə] *f* (-; -*n*) gloss, comment (*über acc.* on), marginal note; *b.s.* ~*n pl.* sneering remarks, jeers, scoffs; *fig.* *s-e* ~*n machen über* (*acc.*) comment (up)on, *b.s.* pass sneering remarks (up)on, sneer (*or* jeer, scoff) at.
glossieren [glɔˈsiːrən] *v/t.* (*h.*) gloss *or* comment (up)on; *fig.* censure, criticize.
Glotz|auge [ˈglɔts-] *n* goggle-eye, *Am.* *a.* pop-eye; **2äugig** [ˈ-ɔʏgiç] *adj.* goggle-eyed, *Am.* *a.* pop-eyed; **2en** *v/i.* (*h.*) stare, goggle; gape.
Glück [glyk] *n* (-[*e*]*s*) fortune; (good) luck, good fortune, (lucky) chance, stroke of luck; happiness, bliss, felicity; prosperity; success; *junges* ~ young bliss; *eheliches* (*häusliches*) ~ domestic felicity; ~ *im Unglück* a blessing in disguise; *zum* ~ fortunately, luckily, as good luck would have it; *zu m-m* (*d-m*, *etc.*) ~ luckily for me (you, *etc.*); ~ *haben* be lucky, succeed (*mit dat.* in); *kein* ~ *haben* be out of luck, *w.s.* draw a blank; *das* ~ *haben zu inf.* have the good luck (*or* fortune, chance) to *inf.*; *da hast du* ~ *gehabt* you were lucky; *da kannst du von* ~ *sagen* you may consider yourself lucky, you may thank your lucky star; *j-m* ~ *wünschen* congratulate (*or* felicitate) a p. (*zu* on); *viel* ~! good luck (to you)!; *viel* ~ *zum Geburtstag!* (I wish you) many happy returns of the day!; *viel* ~ *zum neuen Jahr!* (I wish you) a very happy (and prosperous) New Year!; *sein* ~ *machen* make one's fortune; *sein* ~ *versuchen* try one's luck; *auf gut* ~ at haphazard, at a venture; *er ging auf gut* ~ *hin* he went there on the off chance *of meeting her*, *etc.*; *es ist ein* (*sein*) ~, *daß* it is fortunate (for him) that; *es ist ein wahres* ~, *daß* it is quite a mercy that; *man kann niemanden zu s-m* ~*e zwingen* you can lead a horse to the water, but you cannot make it drink; *jeder ist s-s* ~*es Schmied* everyone is the architect of his own future; ~ *und Glas, wie leicht bricht das* glass and luck, brittle muck; *mancher hat mehr* ~ *als Verstand* Fortune favo(u)rs fools.
ˈ**glückbringend** *adj.* bringing (good) luck, lucky.
Glucke [ˈglukə] *f* (-; -*n*) sitting hen.
ˈ**glücken** *v/i.* (*sn*) succeed, be successful, come off well; *nicht* ~ fail, miscarry; *der Plan glückte* the plan succeeded (*or* worked out); *es glückte ihm, zu inf.* he succeeded in *ger.*; *ihm glückt alles* everything succeeds with him, he can turn his hand to anything; *das wird ihm nicht* ~ he won't get away with it; *nichts wollte* ~ everything went wrong.
ˈ**gluck|en** *v/i.* (*h.*) cluck; **~ern** *v/i.* (*h.*) gurgle (*water, etc.*).
ˈ**Gluckhenne** *f* sitting hen.
ˈ**glücklich I.** *adj.* fortunate; happy, blissful; lucky; prosperous, successful; favo(u)rable, auspicious, propitious; happy, felicitous (*idea, phrase, etc.*); ~ *sein* be (*or* feel) happy; ~ *machen* make happy; **II.** *adv.* fortunately, *etc.*; ~ *ankommen* arrive safely (*or* safe and sound); ~ *vonstatten gehen* go (*or* come) off well; *es* ~ *treffen* hit it lucky; *sich* ~ *schätzen* count o.s. happy; *du kannst dich* ~ *schätzen* you may consider yourself lucky; *nun hat er* ~ *auch noch seinen Posten verloren* on top of all that he lost his job; ~*e Reise!* bon voyage (*Fr.*)! **2e(r *m*)** *f* (-*n*, -*n*; -*en*, -*en*) lucky (*or* fortunate) one; *du* ~*er!* you lucky dog!; **~erweise** [-vaizə] *adv.* luckily, fortunately, happily, mercifully, by a lucky chance, as (good) luck would have it.
ˈ**Glück...:** **~sache** *f* matter of chance (*or* luck); **~sbeutel** *m* lucky bag (*or* dip); **~sbringer(in *f*)** *m* (-*s*, -; -, -*nen*) mascot; et. *als* ~ *tragen* keep a th. for luck.
ˈ**glückselig** *adj.* blissful, overjoyed, radiant, in raptures (*or* ecstasies); **2keit** *f* bliss(fulness), (supreme) happiness, felicity, ecstasy.
glucksen [ˈgluksən] *v/i.* (*h.*) *hen*: cluck; *water, etc.*: gurgle; chuckle; hiccup.
ˈ**Glücks...:** **~fall** *m* lucky chance (*or* break); stroke of luck, luck; windfall; **~gefühl** *n* (sense of) happiness; **~göttin** *f* Fortune; **~güter** *n/pl.* riches, earthly possessions; good things of this world; **~kind** *n* → *Glückspilz*; **~klee** *m* four-leafed clover; **~pfennig** *m* lucky penny; **~pille** *f* tranquillizer; **~pilz** *m* lucky fellow (*or* dog); *er ist ein rechter* ~ he always falls on his feet; **~rad** *n* wheel of fortune; **~ritter** *m* adventurer; fortune-hunter; **~spiel** *n* game of chance (*or* hazard); *fig.* gamble; **~stern** *m* lucky star; **~tag** *m* happy (*or* lucky) day, red-letter day.
ˈ**Glück...:** **2strahlend** *adj.* radiant(ly happy); **~s-strähne** *f* streak of luck; **~s-treffer** *m* lucky strike, stroke of luck; **~s-umstände** [ˈ-umʃtɛndə] *m/pl.* fortunate circumstances; **2verheißend** *adj.* auspicious; **~wunsch** *m* congratulation, felicitation (*both*: *zu dat.* on); good wishes *pl.*; compliments *pl.* (of the season); *on birthday, New Year*: → *Glück*; *j-m s-n* ~ *aussprechen zu* (*dat.*) offer a p. one's congratulations on, congratulate a p. on; *m-n* ~ *zu deiner Beförderung!* congratulations on your promotion!; *in compounds*: congratulatory; **~wunschkarte** *f* congratulatory card; greeting card.
Glüh|birne [ˈglyː-] *f* (electric *or* incandescent) bulb; **~draht** *el.* *m* filament; **2en I.** *v/i.* (*h.*) glow, be red-hot; be white-hot *or* incandescent; *fig.* *face, hands, etc.*: burn; ~ *vor* (*dat.*) burn (*or* glow, be aglow) with; *vor Zorn* ~ burn (*or* boil) with anger; **II.** *v/t.* (*h.*) make red-hot; anneal (*metal*); *chem.* roast, calcine; **2end I.** *adj.* glowing, incandescent; red-hot; live (*coals*); *fig.* glowing, burning; ardent, passionate, fervid, fiery; → *Kohle*; *in* ~*en Farben schildern* describe in glowing colo(u)rs; ~*e Hitze* scorching heat; **II.** *adv.* glowingly, *etc.*; ~ *heiß* glowing, burning hot; **~faden** *el.* *m*

(incandescent) filament; **⁓frischen** *metall.* *n* (-s) malleableizing; **⁓hitze** *f* red-heat; *w.s.* intense heat; **⁓kathode** *f* hot-cathode; **⁓kathodenröhre** *f* thermionic valve; **⁓kerze** *mot.* *f* heater (*or* glow) plug; **⁓kopf** *mot.* *m* hot bulb; **⁓lampe** *f*, **⁓licht** *n* (-[e]s) incandescent lamp; **⁓ofen** *m* annealing furnace; *ceramics*: hardening-on kiln; **⁓stahl** *m* malleable cast iron; **⁓strumpf** *m* incandescent mantle; **⁓ung** *metall.* *f* (-) annealing; process annealing; → *Glühfrischen*; **⁓wein** *m* mulled claret; **⁓wurm** *m*, **⁓würmchen** *n* glow-worm.

Glukose [glu'ko:zə] *chem.* *f* (-) glucose.

Glut [glu:t] *f* (-; -*en*) heat, glow; glowing fire, embers *pl.*; *fig.* glow; ardo(u)r, fervo(u)r, fire, flames *pl.*; *of colours*: glow, blaze; '**⁓asche** *f* embers *pl.*; '**2flüssig** *tech.* *adj.* molten, fused; '**⁓hauch** *m* scorching breath; '**2rot** *adj.* glowing red, of a fiery red.

Glutaminsäure [gluta'mi:n-] *f* glutamic acid.

Glykogen [glyko'ge:n] *biol.* *n* (-s) glycogen.

Glyzerin [glytsə'ri:n] *n* (-s) glycerin(e); **⁓leim** *m* glycerin(e) jelly; **⁓säure** *f* glyceric acid; **⁓seife** *f* glycerin(e) soap.

GmbH [ge:'ɛmbe:'ha:] *econ.* = **Gesellschaft mit beschränkter Haftung** (private) limited liability company.

g-Moll ['ge:'mɔl] *mus.* *n* (-) g minor.

Gnade ['gna:də] *f* (-; -*n*) grace; clemency; mercy; *mil.* *keine ⁓ finden (geben)* find (give) no quarter; favo(u)r; blessing; *ohne ⁓* without mercy, mercilessly; *e-e ⁓ ausbitten (gewähren)* ask for (grant) a favo(u)r; *⁓ für Recht ergehen lassen* show mercy, relent, temper justice with mercy; *j-n in ⁓n entlassen* dismiss a p. graciously; *um ⁓ bitten* ask for mercy; *fig.* *⁓ finden vor (dat.)* please, find the approval of; *mil.* *sich auf ⁓ oder Ungnade ergeben* surrender unconditionally; *j-m auf ⁓ oder Ungnade ausgeliefert sein* be at a p.'s mercy; *iro.* *von eigenen ⁓n* self-styled; *von Gottes ⁓n* by the grace of God; *Euer ⁓n* Your Grace.

'**Gnaden...**: **⁓akt** *m* act of grace; **⁓behörde** *f* clemency board; **⁓beweis** *m*, **⁓bezeigung** *f* favo(u)r, grace; **⁓bild** *eccl.* *n* miraculous image; **⁓brot** *n*: (*bei j-m*) *das ⁓ essen* live on (a p.'s) charity; **⁓frist** *f* reprieve, respite; (days of) grace; **⁓gehalt** *n* allowance; **⁓gesuch** *n* petition of grace (*or* mercy), petition for pardon (*or* clemency); **2los** *adj.* merciless; relentless; **⁓mittel** *eccl.* *n/pl.* means of grace; **⁓ort** *eccl.* *m* place of pilgrimage; **2reich** *adj.* gracious; merciful; charitable; **⁓sache** *f* matter of grace, clemency case; **⁓schuß** *m*, **⁓stoß** *m* coup de grâce (*Fr.*); **⁓tod** *m* mercy killing, euthanasia; **⁓wahl** *eccl.* *f* predestination; **⁓weg** *m*: *auf dem ⁓e* by way of grace.

gnädig ['gnɛ:diç] **I.** *adj.* gracious (*gegen acc.* to); favo(u)rable (to); kind, benevolent (to); merciful (to); condescending; lenient, mild (*judgement*); *title*: gracious (*king*); **II.** *adv.* graciously, *etc.*; *noch ⁓ davonkommen* get off lightly; *machen Sie es ⁓!* don't be too hard (on me)!, draw it mild!; *Gott sei ihm ⁓!* God have mercy upon him!; *⁓e Frau*, *⁓es Fräulein* Madam.

Gneis [gnaɪs] *min.* *m* (-*es*; -*e*) gneiss.

Gnom [gno:m] *m* (-*en*; -*en*) gnome; '**2enhaft** *adj.* gnomish.

Gnu [gnu:] *zo.* *n* (-*s*; -*s*) gnu.

Gobelin [gobə'lɛ̃:] *m* (-*s*; -*s*) Gobelin tapestry.

Gockel ['gɔkəl] *m* (-*s*; -), **⁓hahn** *m* cock, rooster.

Gold [gɔlt] *n* (-[e]s) gold; *gediegenes ⁓* sterling gold; *fig.* *nicht mit ⁓ zu bezahlen* priceless, invaluable; *er hat ein Herz (or ist treu) wie ⁓* he has a heart of gold, he is as good as gold; *es ist nicht alles ⁓, was glänzt* all is not gold that glitters.

'**Gold|abfluß** *econ.* *m* efflux (*or* drain) of gold; **⁓abzüge** ['-aptsy:gə] *econ.* *m/pl.* withdrawals of gold; **⁓ader** *f* vein (*or* streak) of gold; **⁓agio** *n* premium on gold; **⁓ammer** *orn.* *f* yellow-hammer; **⁓amsel** *orn.* *f* golden oriole; **⁓arbeit** *f* goldsmith's work; **⁓barren** *m* gold ingot, bullion; **⁓barsch** *ichth.* *m* ruff; **⁓basis** *f* gold basis; **⁓bergwerk** *n* gold-mine; **⁓bestand** *m* gold stock (*or* reserve); **⁓blatt**, **⁓blättchen**, **⁓blech** *n* gold foil; **⁓block(länder** *n/pl.*) *m* gold block (countries); **2braun** *adj.* auburn; **⁓brokat** *m* gold brocade; **⁓buchstabe** *m* gilt letter; **⁓deckung** *econ.* *f* gold cover; **⁓devisen** *econ.* *pl.* gold exchanges; **⁓devisenwährung** *f* gold exchange standard; **2durchwirkt** *adj.* gold-brocaded; **2en** *adj.* (of) gold, golden; gilt, gilded; *⁓e Brille* gold-rimmed spectacles *pl.*; *⁓e Uhr* gold watch; *fig.* golden; *⁓es Haar* golden hair; *⁓es Herz* → *Gold*; *⁓e Hochzeit* golden wedding; *⁓er Mittelweg* golden mean; *math.* *2er Schnitt* golden section; *⁓e Tage (Zeit)* golden days, happy time; *2es Zeitalter* Golden Age; → *Berg, Brücke*; **⁓erde** *f* auriferious earth; **⁓erz** *n* gold ore; **⁓faden** *m* spun gold; **⁓farbe** *f* gold colo(u)r; **2farben**, **2farbig** *adj.* gold-colo(u)red, golden; **⁓fasan** *orn.* *m* golden pheasant; **⁓feder** *f* gold nib; **⁓fink** *m* goldfinch; **⁓fisch** *m* goldfish; **⁓flitter** *m* gold spangle; **⁓fuchs** *m* bay(horse); → *Goldstück*; **2führend** *adj.* gold-bearing, auriferous; **⁓füllung** *f* gold stopping *or* filling; **⁓gehalt** *m* percentage of gold, (standard) gold content; **2gelb** *adj.* golden-yellow, golden; **⁓gewicht** *n* troy (weight); **⁓gewinnung** *f* production of gold; **⁓gier** *f* greed after gold; **⁓glanz** *m* golden lust|re, *Am.* -er; **⁓gräber** *m* gold-digger; **⁓grube** *f* gold-mine (*a. fig.*), gold-diggings, *Am. a.* bonanza (*a. fig.*); **⁓grund** *m art*: gold size; **⁓haar** *n* golden hair; **2haltig** *adj.* auriferous, gold-bearing; **⁓hamster** *zo.* *m* golden hamster; **2ig** *adj.* golden; *fig.* lovely, sweet, darling, *Am. a.* cute; **⁓käfer** *m* rose-chafer, *Am.* gold-beetle; **⁓kernwährung** *econ.* *f* gold bullion standard; **⁓kind** *n* darling; **⁓klumpen** *m* lump of gold, nugget; **⁓könig** *min.* *m* regulus of gold; **⁓kurs** *m* gold rate; **⁓küste** *geogr.* *f* (-) Gold Coast; **⁓lack** *m* gold varnish; *bot.* wallflower; **⁓legierung** *f* gold alloy; **⁓leim** *m* gold size; **⁓macher** *m* alchemist; **⁓mache'rei** *f* (-; -*en*) alchemy; **⁓medaille** *f* gold medal; **⁓medaillenträger** *m* gold medallist; **⁓mine** *f* gold-mine; **⁓münze** *f* gold coin *or* medal; **⁓parität** *f* gold parity; **2plattiert** *adj.* gold-plated; **⁓plombe** *f* gold filling; **⁓prägung** *f* (-; -*en*) gold stamping; **⁓probe** *f* gold assay; **⁓punkt** *econ.* *m* specie- *or* gold-point; **⁓regen** *bot.* *m* laburnum; **2reich** *adj.* rich in gold; **⁓reserve** *f* gold reserve; **2richtig** *adj.* all right; thoroughly sound; **⁓sand** *m* auriferous (*or* gold) sand; **⁓schaum** *m* Dutch foil, tinsel; **⁓scheider** *m* gold-refiner; **⁓schläger(haut** *f*) *m* gold-beater('s skin); **⁓schmied(e-arbeit** *f*) *m* goldsmith('s work); **⁓schnitt** *m of book*: gild edge; *mit ⁓* gild-edged; **⁓standard** *m* gold standard; **⁓staub** *m* gold dust; **⁓sticke'rei** *f* embroidery in gold; **⁓stück** *n* gold coin *or* piece; **⁓sucher** *m* prospector, gold-digger; **⁓tresse** *f* gold lace; **⁓vorrat** *m* stock of gold; gold holdings *pl.*; **⁓waage** *f* gold balance *or* scales *pl.*; *fig.* *jedes Wort auf die ⁓ legen* weigh every word; *du mußt nicht jedes s-r Worte auf die ⁓ legen* take him with a grain of salt; **⁓währung** *f* gold standard; **⁓waren** *f/pl.* jewel(le)ry; **⁓wäscher** *m* gold-washer; **⁓wert** *m* (-[e]s) value (*or* equivalent) in gold; value of gold; **⁓zahn** *m* gold(-overcrowned) tooth; **⁓zufluß** *econ.* *m* influx of gold.

Golf[1] [gɔlf] *geogr.* *m* (-[e]s; -e) gulf.

'**Golf**[2] (-s), **⁓spiel** *n* golf; **⁓ball** *m* golfball, *sl.* gutty; **⁓hose** *f* plus-fours *pl.*; **⁓junge** *m* caddie; **⁓platz** *m* golf-links *pl.* *or* -course, green; **⁓schläger** *m* golf-club; **⁓spieler(in** *f*) *m* golfer.

'**Golfstrom** *m* (-[e]s) Gulf Stream.

Gondel ['gɔndəl] *f* (-; -*n*) gondola; *aer.* *usu.* car, nacelle; **⁓führer** *m* gondolier; **2n** *v/i.* (*sn*) go in (*or* row) a gondola *or* boat; *colloq.* *fig.* bowl (*or* tool) along.

Gong [gɔŋ] *m* (-*s*; -*s*) gong; *sports a.* bell; '**2en** *v/i.* (*h.*) sound (*or* strike) the gong; '**⁓schlag** *m* sound (*or* stroke) of the gong.

gönnen ['gœnən] *v/t.* (*h.*): *j-m et. ⁓* allow (*or* grant *or* not to grudge) a p. a th.; *j-m et. nicht ⁓* grudge (*or* envy) a p. a th.; *sich et. ⁓* allow (*or* give, permit) o.s. a th.; *wir ⁓ es ihm von Herzen* we are so glad for him, *iro.* (that) serves him right; *ich gönne ihm das Vergnügen* I do not grudge him the pleasure.

'**Gönner** *m* (-*s*; -) patron, protector, well-wisher; **⁓in** *f* (-; -*nen*) patroness, protectress; **2haft** *adj.* patronizing; **⁓miene** *f* patronizing air; **⁓schaft** *f* (-) patronage, protection.

Gonokokkus [gono'kɔkus] *med.* *m* (-; -*kken*) gonococc|us (*pl.* -i).

Gonorrhoe [gono'røː] *med. f* (-; -n) gonorrh(o)ea.
Göpel ['gøːpəl] *tech. m* (-s; -) horse capstan, whim gin; *mining*: winch, whim, capstan.
gor [goːr] *pret. of gären.*
Gör [gøːr] *colloq. n* (-[e]s; -en) kid; *contp.* brat, urchin.
gordisch ['gɔrdiʃ] *adj.* Gordian; *den* Ƨ*en Knoten zerhauen* cut the Gordian knot.
Gorilla [go'rila] *m* (-s; -s) gorilla.
Gösch [gœʃ] *mar. f* (-; -en) **a)** jack, **b)** canton.
goß [gɔs] *pret. of gießen.*
Gosse ['gɔsə] *f* (-; -n) gutter (*a. fig.*).
Got|e ['goːtə] *m* (-n; -n), **~in** *f* (-; -nen) Goth; **~ik** *f* (-) Gothic (style); **Ƨisch** *adj.* Gothic; *typ.* *~e Schrift* (*a.* **~isch** *n*, -[s]) Gothic type, black-letter (type).
Gott [gɔt] *m* (-[e]s; ⸚er) **1.** God; *~ der Herr* our Lord God; *~ der Allmächtige* God (*or* The) Almighty; *der liebe ~* the good God; *Wort ~es* word of God, The Word; *ach ~!*, *großer ~!* good God (*or* Lord, Heavens)!; *~ bewahre!* God (*or* Heaven) forbid!; *~ sei Dank!* thank God!, *adv.* fortunately, mercifully; *bei ~!* by God (*or* by golly)!; *leider ~es* unfortunately, alas; *in ~es Namen!* for Heaven's sake!; *so ~ will!* please God!; *so wahr mir ~ helfe!* so help me God!; *seit ~ weiß wann* since God knows when; *von ~es Gnaden* by the grace of God; *den lieben ~ e-n guten Mann sein lassen* let things slide (*or* take care of themselves); *den lieben ~ spielen* play providence (*bei* in *a. th.*); *wie ~ in Frankreich leben* live like a king (*or* in clover); *bist du denn ganz von ~ verlassen?* you must be out of your mind!; *er kennt ~ und die Welt* he seems to know everybody; **2.** god, deity; *fig. ein Anblick für (die) Götter* a sight for the gods; **Ƨähnlich** *adj.* godlike; **Ƨbegnadet** *adj.* god-gifted; (heaven-)inspired.
Götter ['gœtər] *m/pl.* → *Gott* 2.; **~bild** *n* image of a god, idol; **~bote** *m* messenger of the gods; Mercury; **~dämmerung** *f* twilight of the gods.
'**gott-ergeben** *adj.* resigned (to the will of God); pious, devout.
'**Götter...:** **~glaube** *m* belief in (*or* worship of) gods; **Ƨgleich** *adj.* god-like; **~lehre** *f* (-) mythology; **~mahl** *n* feast for the gods; **~sage** *f* myth; **~speise** *f* food of the gods, ambrosia; **~trank** *m* drink of the gods; nectar; **~verehrung** *f* worship of gods; **~welt** *f* (-) *the* gods *pl.*; Olympus.
Gottes... ['gɔtəs-]: **~acker** *m* churchyard; **~anbeterin** *zo. f* praying mantis; **~dienst** *m* divine service; **Ƨdienstlich** *adj.* religious, ritual; **~friede** *m* truce of God; **~furcht** *f* fear of God; piety; **Ƨfürchtig** ['-fyrçtiç] *adj.* God-fearing; pious; **~gabe** *f* gift of God; godsend; **~geißel** *f* scourge of God; **~gelehrte(r)** *m* divine, theologian; **~gericht** *n* ordeal; **~glaube** *m* belief in God; theism; **~gnadentum** *n* (-s) divine right; **~haus** *n* house of God; church, chapel; **~käfer** *m* ladybird; **~lästerer** *m* blasphemer; **Ƨlästerlich** *adj.* blasphemous; *colloq.* unholy, awful; **~lästerung** *f* blasphemy; **~leugner** *m* atheist; **~lohn** *m* (-[e]s) God's reward; **~staat** *m* theocracy; **~urteil** *n* ordeal.
'**gott...:** **~gefällig** *adj.* pleasing to God; pious; **~gewollt** *adj.* God-given; **~gläubig** *adj.* unaffiliated; **~gleich** *adj.* godlike; **Ƨheit** *f* (-; -en) deity, divinity; god, goddess; godhead.
Göttin ['gœtin] *f* (-; -nen) goddess.
'**göttlich** *adj.* divine, godlike; heavenly; *colloq. fig.* divine, heavenly, lovely; (most) capital (*joke*); *das* Ƨ*e* the divine essence (*or* spark *in man*); **Ƨkeit** *f* (-) divinity; godliness.
'**Gott...:** **Ƨ'lob!** *int.* thank God (*or* goodness)! **Ƨlos** *adj.* godless, ungodly; irreligious; impious, sinful, wicked; *colloq.* unholy, ungodly, awful (*matter*); **~losigkeit** *f* (-) ungodliness, irreligion; impiety, wickedness; **~mensch** *m* (-en) God incarnate, *the* Incarnation; **~seibeiuns** [-zaɪ'baɪˀuns] *m* (-) *the* devil, Old Nick; **Ƨselig** *adj.* godly, pious; **~seligkeit** *f* godliness, piety; **Ƨvergessen** *adj.* → *gottlos*; **Ƨverlassen** *adj.* god-forsaken; **~vertrauen** *n* faith (*or* trust) in God, faith; **Ƨvoll** *colloq. adj.* heavenly; splendid, priceless; capital, most funny, too good to be true; *~er Anblick* a sight for the gods; *sie war einfach ~!* she was a perfect scream.
Götze ['gœtsə] *m* (-n; -n) idol (*a. fig.*), false god; heathen(ish) god *or* deity; **~nbild** *n* idol; **~ndiener(in** *f*) *m* idolater (*f* idolatress); **~ndienst** *m* idolatry; *~ treiben mit* (*dat.*) idolize; **~ntempel** *m* temple of an idol, heathen temple.
goutieren [gu'tiːrən] *v/t.* (*h.*) taste; *fig.* appreciate, relish.
Gouvernante [guvɛr'nantə] *f* (-; -n) governess.
Gouverneur [-'nøːr] *m* (-s; -e) governor.
Grab [graːp] *n* (-[e]s; ⸚er) grave (*a. fig.*), tomb; sepulchre, *Am.* -er; *das Heilige ~* the Holy Sepulchre; *am ~e* at the graveside; *ins ~ sinken* sink into the grave; *j-n zu ~e geleiten* attend a p.'s funeral; *zu ~e tragen* bury (*a. fig.*); *mit e-m Bein im ~e stehen* have one foot in the grave; *sein eigenes ~ schaufeln* be digging one's own grave; *sein Geheimnis mit ins ~ nehmen* carry one's secret into one's grave; *sich im ~e umdrehen* turn (*or* writhe) in one's grave; *verschwiegen wie das ~* (as) secret as the grave; *er wird sie noch ins ~ bringen* he will be the death of her yet; *bis ins ~* unto (*or* till) death; *über das ~ hinaus* beyond the grave.
graben ['graːbən] **I.** *v/i.* (*irr.*, *h.*) dig (*nach* for); spade; cut ditches, dig trenches, trench; *tech.* engrave, dig; **II.** *v/t.* (*irr.*, *h.*) dig (*grave, hole*); sink (*shaft, well*); *arch.* dig out, excavate; *tech.* engrave, cut; *agr.* dig (over), spade; *Kartoffeln ~* dig potatoes; → *eingraben.*
'**Graben** *m* (-s; ⸚) ditch, *esp. mil.* trench; (open) drain, culvert; moat (*of castle*); *geol.* rift valley, graben; *mil. vorderster ~* front-line trench; *e-n ~ ziehen* dig *or* run a ditch; *mot. e-n Wagen in den ~ fahren* ditch a car; **~bagger** *m* ditcher, trench excavator; **~kampf** *m* trench fighting; **~krieg** *m* trench war(fare); **~pflug** *m* trench plough (*Am.* plow); **~sohle** *f* bed (*or* floor) of ditch; trench-bottom.
Gräber[1] ['grɛːbər] *m* (-s; -) digger; ditcher.
'**Gräber**[2] *pl. of Grab*; **~dienst** *mil. m* Graves Commission; **~fund** *m* sepulchral find.
Grabes... ['graːbəs]: **~dunkel** *n* darkness (*or* gloom) of the grave, sepulchral darkness; **~ruhe, ~stille** *f* peace of the grave, deathlike silence; **~stimme** *f* sepulchral voice.
'**Grab...:** **~geläut(e)** *n* (death-)knell, toll (*both a. fig.*); **~gesang** *m* funeral song, dirge; **~gewölbe** *n* (sepulchral) vault, tomb; **~hügel** *m* (grave-)mound, tumulus; **~inschrift** *f* epitaph; **~legung** *f* (-; -en) interment, burial; **~lied** *n* → *Grabgesang*; **~mal** *n* (-[e]s; ⸚er) tomb, sepulchre; monument; **~rede** *f* funeral sermon; funeral oration; **~schändung** *f* desecration of graves; **~scheit** *n* spade; **~schrift** *f* epitaph; **~stätte, ~stelle** *f* burial-place; grave, tomb; **~stein** *m* gravestone; tombstone; **~stichel** *tech. m* graving-tool, graver, chisel; **~urne** *f* funeral urn.
grad[1] [graːt] *colloq.* → *gerade.*
'**Grad**[2] *m* (-[e]s; -e) degree; *univ.* (academical) degree; *mil., etc.* grade, rank; *fig.* degree, extent; stage; *10 ~ Wärme (Kälte)* 10 degrees above (below) zero; *10 ~ Fahrenheit* 10 degrees Fahrenheit (10⁰ F); *10 ~ Celsius* ten degrees Centigrade (10⁰ C); *bei Null ~* at zero; → *Gleichung*; *Verbrennung zweiten ~es* second-degree burn; *Vetter (Base) ersten ~es* first cousin; *in ~e einteilen* graduate; *e-n akademischen ~ erlangen* take a degree; *fig. in (or bis zu) einem gewissen ~e* to a certain degree *or* extent, up to a point; *in hohem ~e* to a high degree, greatly, highly, largely; *der höchste ~ der Dummheit* the height of folly; *in dem ~e, daß* to such a degree that; **~abzeichen** *mil. n* badge of rank; **~bogen** *m ballistics*: graduated arc; *math.* protractor; **~einteilung** *f* graduation, scale.
Gradient [gradi'ˀɛnt] *phys. m* (-en; -en) gradient.
gradier|en [-'diːrən] *tech. v/t.* (*h.*) graduate; **Ƨung** *f* (-; -en) graduation; **Ƨwaage** *f* areometer; **Ƨwerk** *n* graduation house; cooling tower.
'**Grad...:** **~leiter** *f* (graduated) scale; **Ƨlinig** ['liːniç] *adj.* → *geradlinig*; **~messer** *m* (-s; -) graduator; *fig.* indicator, barometer; **~netz** *n on map*: grid; **~verwandtschaft** *f* graduated affinity; **Ƨweise** ['-vaɪzə] *adv.* gradually, by degrees.
graduell [gradu'ɛl] *adj.* gradual.
graduieren [gradu'iːrən] *v/i.* (*h.*) → *promovieren.*
Graf [graːf] *m* (-en; -en) count; *in Britain*: earl; '**~enkrone** *f* earl's (*or*

count's) coronet; '~**enstand** *m* dignity of a count; *in Britain*: earldom.
Gräf|in ['grɛ:fin] *f* (-; -*nen*) countess; **2lich** *adj.* of an earl *or* a count(ess).
'**Grafschaft** *f* (-; -*en*) county, shire.
Gral [grɑ:l] *m* (-*s*): *der Heilige* ~ the Holy Grail.
Gram [grɑ:m] *m* (-[*e*]*s*) grief, sorrow, affliction, sadness, melancholy; *vor* ~ *vergehen* pine away.
gram *adj. pred.*: *j-m* ~ *sein* bear a p. ill-will *or* a grudge, have a grievance against a p.; *man kann ihm nicht* ~ *sein* how can anyone be angry at him?
grämen ['grɛ:mən] *v/t.* (*h.*) grieve, afflict, worry; *sich* ~ (*über acc.*) feel grieved (at, about), grieve (at, for, over); take *a th.* to heart; *sich zu Tode* ~ die with grief *or* of a broken heart.
'**gram...:** ~**erfüllt** *adj.* sorrowful, grieved; ~**gebeugt** ['-gəbɔʏkt] *adj.* bowed down with grief, grieve-stricken, brokenhearted; ~**gefurcht** *adj.* careworn.
'**grämlich** *adj.* morose, sullen.
Gramm [gram] *n* (-*s*; -*e*) gramme, *Am.* gram.
Grammatik [gra'matik] *f* (-; -*en*) grammar; **grammatikalisch** [-'kɑ:liʃ], **gram'matisch** *adj.* grammatical; **Gram'matiker** *m* (-*s*; -) grammarian.
Grammophon [gramo'fo:n] *n* (-*s*; -*e*) gramophone, *Am.* phonograph; record player; ~**anschluß** *m radio*: gramophone pick-up; ~**nadel** *f* gramophone needle; ~**platte** *f* (gramophone) disk *or* record.
gram...: ~**versunken** *adj.* sunk in grief, woebegone; ~**voll** *adj.* sorrowful, griefstricken.
Gran [grɑ:n] *n* (-[*e*]*s*; -*e*) grain.
Granat [gra'nɑ:t] *min. m* (-[*e*]*s*; -*e*) garnet; ~**apfel** *m* pomegranate.
Granat|e [gra'nɑ:tə] *mil. f* (-; -*n*) shell; grenade; ~**feuer** *mil. n* shell-fire, shelling; ~**hülse** *mil. f* shell case; ~**loch** *n* shell-crater; ~**splitter** *m* shell-splinter; ~**trichter** *m* shell-crater; ~**werfer** *m* mortar.
Grande ['grandə] *m* (-*n*; -*n*) grandee.
Grandezza [gran'detsa] *fig. f* (-) grandeur.
grandios [grandi'o:s] *adj.* grand (-iose), overwhelming.
Granit [gra'ni:t] *min. m* (-*s*; -*e*) granite; *fig. auf* ~ *beißen* bite on granite; **2artig, 2en** *adj.* granitic; ~**felsen** *m* granite (*or* granitic) rock.
Granne [gra'nə] *bot. f* (-; -*n*) awn, beard, arista.
granulieren [granu'li:rən] *v/t. and v/i.* (*h.*) granulate.
Graphik ['grɑ:fik] *f* (-; -*en*) graphic arts *pl.*; (*representation*) → *graphisch I*; ~**er** *m* (-*s*; -) graphic (*or* commercial) artist.
'**graphisch I.** *adj.* graphic(ally *adv.*); ~*e Darstellung* graph(ic representation), diagram, chart; ~*e Kunstanstalt* art printers *pl.*; **II.** *adv.*: ~ *darstellen* chart.
Graphit [gra'fi:t] *min. m* (-*s*; -*e*) graphite, plumbago; black-lead; *mit* ~ *überziehen* → **graphi'tieren** [grafi'ti:rən] *v/t.* (*h.*) graphitize, coat with graphite; ~**schmiere** *f* graphite lubricant; ~**stift** *m* (black-)lead pencil.
Graphologe [grafo'lo:gə] *m* (-*n*; -*n*) graphologist; **Graphologie** [-lo-'gi:] *f* (-) graphology.
graps(ch)en ['grapsən ('-pʃən)] *colloq. v/t. and v/i.* (*h.*) grab, snatch (*nach* at).
Gras [grɑ:s] *n* (-*es*; ¨*er*) grass; *fig. das* ~ *wachsen hören* hear the grass grow, see through a millstone; *ins* ~ *beißen* bite the dust, go west; *es ist* (*viel*) ~ *darüber gewachsen* it is a thing of the past, that's dead and buried; '**2artig** *adj.* gramin(a-c)eous; '**2bewachsen** *adj.* grass-grown; '~**boden** *m* lawn, turf; '~**büschel** *n* grass-tuft; '~**butter** *f* grass-butter; **2en** ['grɑ:zən] *v/i.* (*h.*) graze; cut (*or* mow) grass; '~**fleck** *m* grass-plot; *on clothes*: grass-stain; '**2fressend** *zo. adj.* grass-eating, graminivorous; '~**fresser** *m* graminivore; '~**frucht** *f* caryopsis; '~**futter** *n* grass-fodder, green food; '**2grün** *adj.* grass-green; '~**halm** *m* blade of grass; '~**hüpfer** *m* (-*s*; -) grasshopper; **2ig** ['-ziç] *adj.* grassy, grass-grown; '~**land** *n* grassland; '~**lilie** *f* lily spiderwort; '~**mäher** *m*, '~**mähmaschine** *f* (grass-)mower, grass-cutter; '~**mücke** *orn. f* warbler; '~**narbe** *f* sward, sod, turf; '~**nelke** *f* armeria; '~**platz** *m* grass-plot, lawn, green; '**2reich** *adj.* grassy; '~**samen** *m* grass-seed.
grassieren [gra'si:rən] *v/i.* (*h.*) *disease, etc.*: rage, spread, be rampant; ~*de Krankheit* epidemic disease.
gräßlich [grɛsliç] *adj.* terrible, horrible, frightful, dreadful, awful; (*all a. colloq. fig.*); hideous; monstrous, atrocious, heinous (*crime*); ghastly; **2keit** *f* (-; -*en*) horribleness, frightfulness; hideousness, ghastliness; atrocity, monstrous crime.
'**Gras...:** ~**steppe** *f* prairie, savanna (land); ~**weide** *f* pasture(-land).
Grat [grɑ:t] *m* (-[*e*]*s*; -*e*) (sharp) edge; (mountain) ridge, crest; *tech.* wire-edge; burr, flash; fin; *arch.* arris, groin; '~**balken** *m* arris beam, hip rafter; '~**bogen** *m* groin(ed arch).
Gräte ['grɛ:tə] *f* (-; -*n*) fish-bone; ~**nmuster** *econ. n* herringbone pattern; ~**nschritt** *m skiing*: herringbone (step).
Gratifikation [gratifikatsi'o:n] *f* (-; -*en*) gratuity, bonus.
'**grätig** *adj.* bony; *colloq. fig.* querulous, testy, peevish.
gratis ['grɑ:tis] *adv.* gratis, free (of charge), gratuitous(ly); into the bargain; ~ *und franko* gratis and post-free; **2aktie** *f* bonus share; **2beilage** *f* (free) supplement; **2exemplar** *n* presentation copy; **2probe** *econ. f* free sample.
'**Grätsch|e** ['grɛ:tʃə] *f* (-; -*n*) → *Grätschsprung, Grätschstellung*; **2en** *v/t. and v/i.* (*h.*) *gym.* straddle; ~**schlag** *m swimming*: frog kick; ~**sprung** *m* straddle vault; straddle dismount; ~ *rückwärts* back straddle (vault); ~**stellung** *f* straddle.
Gratulant(in *f*) [gratu'lant(in)] *m* (-*en*, -*en*; -, -*nen*) congratulator.
Gratulation [-lati'o:n] *f* (-; -*en*) congratulation (*zu* on); → *Glückwunsch.*
gratu'lieren *v/i.* (*h.*) congratulate *or* felicitate (*j-m zu* et. a p. on a th.); *sich* ~ *zu* congratulate o.s. on, hug o.s. on *or* for; *j-m zum Geburtstag* ~ wish a p. many happy returns of the day; (*ich*) *gratuliere!* (my) congratulations!
grau [graʊ] *adj.* grey, *esp. Am.* gray (*a. econ. market, rate*); livid (*complexion, sky*): *etwas* ~ greyish; ~ *werden* (grow *or* turn) grey; ~*er Bär* grizzly bear; *med.* → *Star 3*; ~*e Salbe* grey ointment; *anat.* ~*e Gehirnsubstanz* grey matter; *fig.* grey, remote, ancient (*times*); ~*er Alltag* *the* drab monotony of everyday life, workaday life; ~*es Altertum* hoary antiquity; *seit* ~*er Vorzeit* from times immemorial; grey, bleak gloomy, dismal; *humor.* ~*es Elend* *the* horrors *pl.*; → *Haar*; et. ~ *in* ~ *malen* paint a th. in the darkest colo(u)rs; '**2**(**e**) *n* (-*s*; -) grey (colour), *Am.* gray (color); *in* ~ in grey; ~**äugig** ['-ɔʏgiç] *adj.* grey-eyed; '**2bart** *m* greybeard; '~**blau** *adj.* greyish blue; '**2brot** *n* grey-bread.
'**grauen**[1] *v/i.* (*h.*) *day*: dawn, be dawning; '**Grauen** *n* (-*s*): *beim* ~ *des Tages* at the dawn of day, at day-break.
'**grauen**[2] *v/i.* (*impers., h.*): *es graut mir* (*or mir graut*) *vor* (*dat.*) I shudder at, I have a horror of, I dread; **2** *n* (-*s*) horror, dread (*vor dat.* of); *j-m* ~ *einflößen* strike *or* fill a p. with horror, make a p. shudder, give a p. the creeps; *von* ~ *gepackt* seized by horror, horror-stricken; ~**erregend,** ~**haft,** ~**voll** *adj.* horrible, horrid, dreadful, ghastly, gruesome.
'**grau...:** ~**gelb** *adj.* greyish yellow; **2guß** *tech. m* grey cast-iron; ~**haarig** *adj.* grey-haired, grizzled.
graulen ['graʊlən]: *sich* ~ (*h.*) be afraid of (ghosts), *colloq.* have the creeps; → *grauen 2.*
gräulich ['grɔʏliç] *adj.* greyish, *esp. Am.* grayish; *hair*: *a.* grizzly.
graume'liert *adj.* tinged with grey (*Am.* gray), grey-flecked.
Graup|e ['graʊpə] *f* (-; -*n*) pot-barley; *mining*: grain; **2elig** *adj.* sleety; ~**eln** *f/pl.* sleet *sg.*; **2eln** *v/i.* (*h.*) sleet; *es graupelt* sleet is falling; ~**ensuppe** *f* barley broth; **2ig** *adj.* granular.
Graus [graʊs] *m* (-*es*) **1.** horror, dread; **2.** *tech.* rubble, gravel.
'**grausam** *adj.* cruel (*gegen* to); (*hart*) hard (on); inhuman, brutish; ferocious, fierce; *colloq.* awful; **2keit** *f* (-; -*en*) cruelty; ferocity; atrocity.
'**Grauschimmel** *m* grey horse.
grausen ['graʊzən], ~**erregend,** *etc.* → *grauen*[2], *grauenerregend.*
'**grausig** *adj.* → *grauenerregend, gräßlich.*
'**Grau...:** ~**specht** *m* grey woodpecker; ~**tier** *n* ass, donkey; ~**wacke** ['-vakə] *geol. f* (-; -*n*) greywacke; ~**werk** *n* (-[*e*]*s*) miniver.

Graveur [gra'vø:r] *m* (-*s*; -*e*) engraver.
Gravier-anstalt [gra'vi:r-] *f* engraver's establishment.
gra'vier|en *v/t.* (*h.*) engrave; **~end** *jur. adj.* aggravating; **2nadel** *f* (en)graving needle; **2ung** *f* (-; -*en*) engraving.
gravimetrisch [gravi'me:triʃ] *adj.* gravimetric.
Gravis ['gra:vis] *gr. m* (-; -) grave accent.
Gravitation [gravitatsi'o:n] *phys. f* (-) gravitation; **~sgesetz** *n* law of gravitation; **~s-theorie** *f* gravitational theory.
gravitätisch [gravi'tɛ:tiʃ] *adj.* grave, solemn; stately (*walk*).
gravi'tieren *v/i.* (*h.*) gravitate (*zu, nach* to[wards]).
Gravüre [gra'vy:rə] *f* (-; -*n*) engraving.
Grazie ['gra:tsiə] *f* (-; -*n*) grace (-fulness); charm; elegance; *mit* ~ → *graziös* II.; *die drei* ~*n* the three Graces.
graziös [gratsi'ø:s] **I.** *adj.* graceful; charming, elegant; **II.** *adv.* with grace, gracefully; elegantly (*a. fig.*).
Greif [graɪf] *m* (-[*e*]*s*; -*e*[*n*]) griffin.
'**Greif...:** **~backe** *tech. f* clamping jaw; **~bagger** *m* grab dredger; **2bar** *adj.* seizable, tactile; *econ.* available, ready, on hand; *fig.* tangible, palpable; obvious; *nicht* ~ impalpable; ~*e Gestalt annehmen* assume a definite form, materialize; *in* ~*e Nähe gerückt* near at hand (*a. fig.*).
'**greifen I.** *v/t.* (*irr., h.*) seize, grasp, catch hold of; *mus.* stop (*string*), strike (*note*); *man kann es mit den Händen* ~ it is quite evident, it meets the eye; *die Zahl ist zu hoch gegriffen* the figure is put too high; → *Luft*; **II.** *v/i.* (*irr., h.*) ~ *an* (*acc.*) touch (*one's hat, etc.*); *fig. j-m ans Herz* ~ touch *a p.* deeply; ~ *in* (*acc.*) put one's hand in(to), dip into; *tech. ineinander*~ engage, interlock, mesh, gear into each other; *arch.* catch in; *hinter sich* ~ reach behind one; ~ *nach* (*dat.*) reach for, catch (*or* grasp) at, snatch at, clutch at, grip; *mit beiden Händen nach et.* ~ jump at *a chance, offer, etc.*; *um sich* ~ spread, gain ground; *zu et.* ~ reach for, get hold of, select, *w.s.* resort to, have recourse to; *zum Äußersten* ~ go to extremes; → *Arm*; *zu den Waffen* ~ take up arms, *people*: *a.* rise in arms.
'**Greifer** *m* (-*s*; -) *tech.* claw; *of crane*: grab; *of dredger*: grab, excavator; *typ.* gripper; *for tractor wheels*: lug; (*person*) *contp.* bloodhound; **~kran** *m* grab crane; **~schaufel** *f* spade lug.
'**Greif...:** **~klaue, ~kralle** *f* claw, talon; **~werkzeug** *n* gripping device; **~zange** *f* prehensile pincers *pl.*; **~zirkel** *m* external cal(l)ipers *pl.*
greinen ['graɪnən] *v/i.* (*h.*) whine, whimper, blubber, cry.
Greis [graɪs] *m* (-*es*; -*e*) old man; **2** *adj.* hoary, grey, *esp. Am.* gray; old, aged, senile; **~en-alter** ['graɪzən-] *n* old age; '**2enhaft** *adj.* senile; '**~enhaftigkeit** *f* (-) senility; **~in** *f* old *or* aged woman (*or* lady).
grell [grɛl] **I.** *adj.* shrill, strident, piercing (*sound*); dazzling, glaring (*light, etc.*); glaring (*colour*; *a. fig.*); loud, garish, flashy, staring; *fig.* harsh, violent (*contrast, etc.*); **II.** *adv.*: ~ *gegen et. abstechen* form a sharp contrast to; '**2heit** *f* (-) shrillness; *of light*: glare, dazzling brightness; *of colo(u)rs*: glare, garishness.
Gremium ['gre:mium] *n* (-*s*; -*ien*) (authoritative) body, group.
Grenadier [grena'di:r] *mil. m* (-*s*; -*e*) rifleman, infantryman; grenadier; **~bataillon** *n* rifle *or* infantry battalion.
Grenz|aufseher ['grɛnts-] *m* custom-house officer; **~bahnhof** *m* frontier-station; **~befestigungen** *f/pl.* frontier fortifications; **~belastung** *tech. f* critical load; **~berichtigung** *f* frontier adjustment; rectification of boundary; **~bestimmung** *f* boundary settlement; **~bewohner** *m* borderer; **~bezirk** *m* frontier district.
'**Grenze** *f* (-; -*n*) boundary; frontier, border(s *pl.*); confines *pl.*; extremity; edge, verge; *fig.* limit, *econ. a.* margin; ~*n pl.* bounds (*of modesty, possibility, etc.*); *keine* ~*n kennen* know no bounds; *e-e* ~ *ziehen* draw a line; *alles hat s-e* ~*n* there is a limit to everything, we must draw the line somewhere; *in* ~*n* within (certain) limits; *ohne* ~*n* → *grenzenlos*.
'**grenzen** *v/i.* (*h.*): ~ *an* (*acc.*) border on (*a. fig.* = verge on, be next door to, come near being ...), touch; be adjacent (*or* contiguous) to; be bounded by; *s-e Felder* ~ *an die meinen* his fields adjoin (*or* are next) to mine.
'**grenzen|los I.** *adj.* boundless, unlimited; infinite; immense (*all a. fig.*); ~*e Freude* unbounded joy; ~*e Frechheit the* height of impudence; ~*e Trauer* infinite sadness; ~*er Zorn* towering rage; **II.** *adv.* boundlessly, *etc.*; ~ *dumm* infernally stupid; **2losigkeit** *f* (-) boundlessness, immensity; *fig. a.* excessiveness.
'**Grenz...:** **~ertrag** *econ. m* marginal earnings *pl.*; **~fall** *m* borderline case, critical (*or* extreme) case; **~festung** *mil. f* frontier fortress; **~fläche** *f* marginal surface, interface; **~frequenz** *f* limiting frequency; **~gänger** ['-gɛŋər] *m* (-*s*; -) (illegal) border crosser; frontier worker; **~gebiet** *n* border-district (*or* area); **~jäger** *m* border patrolman; **~kämpfe** ['-kɛmpfə] *m/pl.* border fighting, border war(fare); **~kohlenwasserstoff** *m* saturated hydrocarbon; **~kontrolle** *f* customs inspection; **~krieg** *m* → *Grenzkämpfe*; **~land** *n*, **~mark** *f* borderland, frontier-country; **~lehre** *tech. f* limit-ga(u)ge; **~linie** *f* boundary(-line); *a. fig.* borderline; *sports*: line; *außerhalb der* ~*n* out of bounds; **~maß** *tech. n* limiting size; **~mauer** *f* boundary-wall; → *Brandmauer*; **~nachbar** *m* neighbo(u)r; **~nutzen** *m* utilization threshold; **~pfahl** *m* boundary-post; **~polizei** *f*, **~schutz** *m* frontier police; frontier defen|ce, *Am.* -se; **~spannung** *tech. f* limiting stress; **~sperre** *f* embargo on border-traffic, closed frontier; **~stadt** *f* frontier town; **~station** *rail. f* frontier-station; **~stein** *m* boundary-stone, landmark; **~streitigkeit** *f* dispute over boundaries; *pol.* frontier-dispute; **~übergang** *m* frontier crossing(-point); **~überschreitung** *f*, **~übertritt** *m* frontier-crossing; **~verbindung** *chem. f* terminal (compound) member, saturated compound; **~verkehr** *m* border traffic; **~verletzung** *f* violation of frontier; **~wache, ~wacht** *f*, **~wächter** *m* frontier guard; **~wert** *m* limiting (*or* threshold) value; **~winkel** *m* critical angle; **~zoll** *m* duty, customs; **~zollamt** *n* (frontier) custom-house; **~zwischenfall** *m* frontier incident, border trouble.
Greuel ['grɔʏəl] *m* (-*s*; -) horror (*vor dat.* of); abomination; atrocity, outrage; (*person*) horror; *er* (*es*) *ist mir ein* ~ I detest (*or* abhor, loathe) him (it); **~hetze** *f*, **~märchen** *n*, **~propaganda** *f* atrocity propaganda (*or* story *or* tales *pl.*); **~tat** *f* atrocity, deed of horror.
'**greulich** *adj.* horrible, dreadful; → *gräßlich*.
Grieben ['gri:bən] *f/pl.* greaves.
Griech|e ['gri:çə] *m* (-*n*; -*n*), **~in** *f* (-; -*nen*) Greek; **~enland** *n* (-*s*) Greece.
griechisch *adj.* Greek; *arch. paint.* Grecian; *die* ~*e Sprache, das* **2**(*e*) the Greek language, Greek; **~-orthodox** *adj.* Greek orthodox; **~-römischer Ringkampf** *m* Greco-Roman wrestling (*or* style).
Gries|gram ['gri:sgra:m] *m* (-[*e*]*s*; -*e*) grumbler, crab, *Am.* grouch, *sl.* sourpuss; **2grämig** ['-grɛ:miç] *adj.* grumpy, sullen, morose, glum, *Am.* grouchy.
Grieß [gri:s] *m* (-*es*; -*e*) grit, coarse sand, gravel; *mining*: dusty coal; *med.* gravel; *of flour*: (fine) groats *pl.*, *Am.* farina; semolina; ground rice; *TV* sand; '**~brei** *m* semolina pudding; '**~kloß** *m* semolina dumpling; '**2krank** *med. adj.* affected with gravel; '**~mehl** *n* semolina; '**~stein** *med. m* gravel, urinary calculus; '**~suppe** *f* semolina soup.
griff [grif] *pret. of greifen.*
'**Griff** *m* (-[*e*]*s*; -*e*) grip, grasp, hold; snatch (*nach* at), clutch (at); *wrestling*: hold; *mount.* handhold; *mus.* stop; *of cloth, etc.*: feel; *fig. kühner* ~ bold stroke; *sicherer* ~ sure touch; *würgender* ~ stranglehold; (*thing*) grip, handle, knob; pull; lever; *on violins, etc.*: stop; *of sword*: hilt; *mil.* manual drill (*or* exercise); ~*e üben or colloq. kloppen* do rifle drill; *wrestling*: *e-n* ~ *ansetzen* secure a hold; *e-n* ~ *nach et. tun* snatch (*or* clutch) at a th., reach for a th.; *fig. e-n guten* ~ *tun* make a good choice, make a hit; *e-n falschen* ~ *tun mus.* strike a false note, *fig.* make a mistake, pick the wrong *man, etc.*; et. *im* ~ *haben* have the feel (*fig.* knack) of a th.; *mit einem* ~ with one grasp, *tech.* in one motion, *colloq.* in a jiffy; **2bereit** *adj.* ready to hand, handy; **~brett** *mus. n of violin, etc.*: finger-board; *piano*: key-board; *organ*: manual.

Griffel ['grifəl] *m* (-s; -) *antique*: style; *now*: slate pencil; *bot.* pistil.

'**griff|ig** *adj.* granular (*flour*); bulking well (*cloth*); handy, wieldy, lying good in hand (*tool*); affording a firm hold, gripping well, non-skid; **2igkeit** *mot. f* (-) grip, traction; **2loch** *mus. n* keyhole; **2stück** *n* grip, handle; *of pistol*: stock.

Grille ['grilə] *f* (-; -n) cricket; *fig.* whim, crotchet, fancy, fad; *er fängt ~n* he is in the dumps; *sie hat seltsame ~n im Kopf* she has maggots in her head; **~nfänger(in** *f*) *m* crank; **2nhaft** *adj.* capricious, whimsical, crotchety, cranky; morose, grumpy.

Grimasse [gri'masə] *f* (-; -n) grimace, wry face; *~n schneiden* grimace, pull faces.

Grimm [grim] *m* (-[e]s) fury, rage, wrath, ire; '**~darm** *anat. m* colon; '**~en** *med. n* (-s) gripes *pl.*, colic; '**2ig** **I.** *adj.* grim; furious, wrathful, enraged; ferocious, fierce; *fig.* grim, fierce, terrible; severe (*winter, etc.*); **II.** *adv.* grimly, *etc.*; *~ kalt* fiercely cold.

Grind [grint] *med. m* (-[e]s; -e) *on wounds*: crust, scab; dandruff; scurf; eschar, scab; *of children*: impetigo; *vet.* scab, mange; **2ig** ['-diç] *adj.* scurfy, scabby; *vet.* mangy.

Grinsen ['grinzən] *n* (-s) grin; smirk; (*derisive*) sneer; **2** *v/i.* (*h.*) grin (*über acc.* at); smirk; sneer.

Grippe ['gripə] *f* (-; -n) influenza, flu, grippe.

Grips [grips] *colloq. m* (-es; -e) brains *pl.*

grob [grɔp] *adj.* coarse; coarse-grained; rough; raw, crude; gross, *face*: *a.* hard-featured; *fig.* rough (*voice, work*); rude; rough, brutal; unpolished, uncouth, churlish; raw, crude; bluff, blunt; *jur.* gross; *~e Fahrlässigkeit* gross negligence; *~er Unfug* nuisance, disorderly conduct; *~e Entfernung* approximate distance; *~e Skizze (Umrisse)* rough sketch (outlines); *in ~en Zügen* in rough outlines, roughly; *~er Fehler* gross (*or* bad) mistake; *~es Geschütz* heavy guns; *~e Lüge* flagrant lie; *~er Spaß* coarse joke; *~es Vergehen* grievous offen|ce, *Am.* -se; *~ werden gegen j-n* be rude to (*or* rough with) a p., be abusive (*or* uncivil) to a p.; *aus dem Gröbsten heraus sein* have broken the back of it; '**2abstimmung** *f radio*: coarse tuning; '**~be-arbeiten** *v/t.* (*h.*) *tech.* rough-machine; rough-hew (*stones, etc.*); '**2blech** *n* (thick) plate; '**2draht** *m* coarse wire; '**2einstellung** *tech. f* coarse adjustment; **~'fahrlässig** *jur. adj.* grossly negligent; '**~faserig** *adj.* coarse-fib|red, *Am.* -ered; coarse-grain(ed) (*wood*); '**2feile** *f* rasp, rough file; **~gerechnet** ['-gərɛçnət] *adv.* roughly; '**2heit** *f* (-; -en) coarseness; roughness; crudeness; *fig.* rudeness, roughness; coarseness, grossness; rudeness, incivility; *j-m ~en sagen* be rude to a p., insult a p.; **2ian** ['gro:biɑ:n] *m* (-[e]s; -e) rude (*or* coarse) fellow, boor, ruffian; '**~jährig** *adj.* broad-ringed (*wood*); '**~körnig** *adj.* coarse-grained.

gröblich (-) *adj.* gross; *~ beleidigen* insult grossly.

'**Grob...**: **~mahlung** *f* (-) crushing; **2maschig** *adj.* coarse- (*or* wide-) meshed; **~passung** *tech. f* loose (*of thread*: coarse) fit; **~sand** *m* coarse sand; **2schlächtig** ['-ʃlɛçtiç] *adj.* boorish, uncouth; **~schleifen** *n* (-s), **~schliff** *tech. m* rough grinding; **~schmied** *m* blacksmith; **~schnitt** *m tobacco*: coarse cut.

grölen ['grø:lən] *v/i. and v/t.* (*h.*) bawl, shout.

Groll [grɔl] *m* (-[e]s) grudge, ill-will, resentment, ranco(u)r; inveterate hatred, animosity; *e-n ~ hegen gegen* (*acc.*), *auf j-n e-n ~ haben* → '**2en** *v/i.* (*h.*) sulk, be resentful (*or* angry); *j-m ~* bear a p. ill-will (*or* a grudge), have a grievance (*or* spite) against a p.; *thunder*: roll, rumble; '**2end** *adj.* resentful, sulky, cross.

Grön|land ['grø:nlant] *n* (-s) Greenland; **~länder(in** *f*) ['-lɛndər(in)] *m* (-s, -; -, -nen) Greenlander; **~landfahrer** *m* Greenlandman.

Gros[1] [grɔs] *econ. n* (-ses; -se) gross, twelve dozen.

Gros[2] [gro:] *mil. n* (-; -) main body, bulk; main forces *pl.* (*a. mar.*).

Groschen ['grɔʃən] *m* (-s; -) penny; *m-e paar ~* the few pence I have, my little all; *colloq. der ~ ist gefallen!* the penny has dropped!; **~automat** *m* (penny-in-the-)slot machine; **~roman** *m* penny dreadful, *Am.* dime novel; **~schreiber** *m* penny-a-liner.

groß [gro:s] **I.** *adj.* great; large, big; bulky, voluminous; tall; spacious; vast, extensive; huge, enormous, immense; grown-up (*person*); *fig.* great; eminent; grand; major, important; large-scale; gross, bad (*mistake*); intense, scorching (*heat*); severe (*cold*); heavy (*loss*); *~er Buchstabe* capital letter; *~es Einkommen* large income; *~e Ferien* long vacations; *parl. ~e Mehrheit* vast majority; *das ~e Publikum* the general public; *der 2e Ozean* the Pacific (Ocean); *im ~en Stil* on a large scale; *Operationen im ~en Stil* large-scale operations; *der größere Teil* the larger (*or* better) half; *zum ~en Teil* largely; *mus. ~e Terz* major third; *~e Toilette* full dress; *~er Unterschied* vast difference; *e-e ~e Zahl von* a large number of, a great many; *~e Zehe* big toe; *gleich ~* of the same size; *so ~ wie ein Haus* as big as (*or* the size of) a house; *wie ~ ist er?* what is his height?; *er ist 6 Fuß ~* he is (*or* stands) 6 feet high, he measures 6 feet, he is a six-footer; *colloq. ganz ~* → *prima*; *colloq. er war ganz ~* he was great (*or* at his best); *ich bin kein ~er Tänzer* I am not much of a dancer; *unser Umsatz war dreimal so ~ wie der der Konkurrenz* our turnover was three times that of the competition; → *Augen, Fuß, Stück, Wert, etc.*; **II.** *adv.*: *~ auftreten* lord it, assume airs; *~ denken* think nobly, *von*: think highly of, have a high opinion of; *~ werden* (*child*) grow big; *zu ~ werden für et.* outgrow a th.; *~ schreiben* capitalize; *j-n ~ anblicken* stare at a p., look at a p. wide-eyed; *et. ~ herausbringen* feature (*or* highlight, splash) a th.; *bei ihnen geht es ~ her* they live in high style; *colloq. er kümmert sich nicht ~ darum* he doesn't bother much about it; *was gibt es da noch ~ zu fragen?* isn't that answer enough?; (*der, die, das*) '**2e**: *die ~n* **a**) the grownups, the adults, **b**) the great; *ein ~r* a great man; *Friedrich der ~* Frederick the Great; *Karl der ~* Charlemagne; *et. ~s* something great *or* big, a great thing, feat, great exploit (*or* achievement); *im 2n econ.* wholesale; on a large scale; *Versuch im ~n* large-scale trial; *im 2n und ganzen* on the whole, generally (speaking), by and large; *im ~en wie im Kleinen* in great as in little things.

'**Groß|abnehmer** *econ. m* bulk purchaser; **~admiral** *m* Admiral of the Fleet; **~aktionär** *m* principal shareholder (*Am.* stockholder); **2angelegt** ['-angəle:kt] *adj.* large-scale; **~angriff** *m* major offensive, all-out attack, *Am. a.* drive, *aer.* air blitz; **2artig** **I.** *adj.* great, grand(iose); lofty, sublime; excellent, first-rate; wonderful, splendid, marvellous; enormous, phenomenal; *~e Idee* splendid (*a. iro.* bright) idea; *~e Geschichte* capital story; *sie war ~ Am. sl.* she was a wow; **II.** *adv.*: *~ tun* put on airs; **~artigkeit** *f* grandeur; loftiness; magnificence, splendo(u)r; **~aufnahme** *f film*: close-up; **~auftrag** *econ. m* large order; **~bank** *f* (-; -en) large bank(ing concern); **~bauer** *m* (large) farmer; **~behälter** *m* container; **~-Berlin** Greater Berlin; **~betrieb** *m* large-scale enterprise, wholesale plant; wholesale trade; **~britannien** *n* Great Britain; **~brand** *m* → *Großfeuer*; **2britannisch** *adj.* of Great Britain, British; **~buchstabe** *m* capital (letter); **~bürgertum** *n* upper middle-class.

Größe ['grø:sə] *f* (-; -n) size, largeness; height; tallness; stature; dimension(s *pl.*); *econ.* size; width, spaciousness, vastness; *esp. math.* quantity; *(un)bekannte ~* (un-)known quantity; volume, bulk; cubic contents *pl.*; *fig. ast.* magnitude; *Stern erster ~* star of the first magnitude; order; greatness; enormity (*of crime*); (*person*) celebrity, notability, great man, *thea., sports*: star; *e-e ~ auf dem Gebiet der Atomforschung* an authority on atomics; *in voller ~* full-size; *von mittlerer ~* medium-sized, *person*: of medium height.

'**Groß...**: **~einkauf** *econ.* bulk purchase; **~einsatz** *m* large-scale operation; **~eltern** *pl.* grandparents; **~enkel** *m* great-grandson; **~enkelin** *f* great-granddaughter.

'**Größen...**: **~klasse** *f* size (group); **~ordnung** *f* order (of magnitude), dimension, volume.

'**großenteils** *adv.* to a large extent, in a large measure, largely.

'**Größen...**: **~verhältnis** *n* ratio of

size, proportion; ~se *pl.* proportions, dimensions; **~wahn** *m* megalomania; delusions *pl.* of grandeur; **2wahnsinnig** *adj.* megalomaniac.

'Groß...: ~erzeuger *m* wholesale (*or* mass) producer; **~fabrikation, ~fertigung** *f* mass (*or* quantity) production, large-scale manufacture; **~feuer** *n* conflagration, four-alarm fire; **~film** *m* superproduction; **~finanz** ['-finants] *f* (-) high finance; **~flughafen** *m* air terminal; **~flugzeug** *n* giant aeroplane (*Am.* airplane); airliner; clipper; **~folio** *n* large foolscap; **~format** *n* large size; **~frachtflugzeug** *n* super-cargo (aero)plane; **~fürst** *m* Grand Duke; **~fürstentum** *n* Grand Principality; **~fürstin** *f* Grand Duchess; **~garage** *f* large (-scale) garage; **~grundbesitz** *m* large landed property; **~grundbesitzer(in** *f*) *m* great landowner, landed proprietor; **~handel** *m* wholesale trade; *im* ~ (by) wholesale; **~handelsgeschäft** *n* wholesale business; **~handelsindex** *m* index number of wholesale price, *Am.* level of commodity prices at wholesale; **~handelspreis** *m* wholesale price; **~handelsrabatt** *m* wholesale discount; **~händler** *m* wholesale dealer, wholesaler, distributor; **~handlung** *f* wholesale firm; **2herzig** *adj.* magnanimous, high-minded, generous; **~herzigkeit** *f* (-) magnanimity, generosity; **~herzog(in** *f*) *m* grand duke (*f* duchess); **2herzoglich** *adj.* grand-ducal; **~herzogtum** *n* grand duchy; **~hirn** *anat. n* cerebrum; **~hirnrinde** *f* cerebral cortex; **~industrie** *f* big industry; **~industrielle(r)** *m* big industrialist, industrial magnate, captain of industry; **~inquisitor** *m* (-*s*; -*en*) grand inquisitor.

Grossist [grɔ'sist] *econ. m* (-*en*; -*en*) → *Großhändler*.

'Groß...: 2jährig *adj.* of age; ~ *werden* come of age; ~*e Person* major; **~jährigkeit** *f* (-) majority, full (*Am.* legal) age; **~kampfflugzeug** *n* superfortress; **~kampfschiff** *n* capital ship; **~kampftag** *m* great battle (day); **~kapital** *n* high finance, big business; **~kapitalismus** *m* big capitalism; plutocracy; **~kapitalist** *m* big capitalist, business magnate; **~kaufmann** *m* (wholesale) merchant; **~knecht** *m* foreman, head man; **~konzern** *m* big concern; **~kraftwerk** *n* super-power station; **~kreuz** *n* Grand Cross; **~küche** *f* large (hotel- *etc.*) kitchen; **~lautsprecher** *m* high-power loudspeaker; public address system (*abbr.* P.A.S.); **~macht** *f* great power; **2mächtig I.** *adj.* high and mighty; **II.** *adv.* enormously, **~machtstellung** *f* position as (*or* of) a great power; **~mama** *colloq. f* grandma, granny; **~mannssucht** *f* (-) megalomania; **~mars** *mar. m* main-top; **2maschig** *adj.* wide-meshed; **~mast** *mar. m* mainmast; **~maul** *colloq. m* braggart; → *Großsprecher*; **2mäulig** ['-mɔʏliç] *colloq. adj.* large-mouthed; *fig.* boastful, bragging, loud-mouthed; **~meister** *m* Grand Master; **~mut** *f* (-) generosity, magnanimity; **2mütig** ['-my:tiç] *adj.* magnanimous, large-minded, generous; **~mutter** *f* grandmother; **2mütterlich** *adj.* grandmotherly; **~neffe** *m* grand-nephew; **~nichte** *f* grand-niece; **~oktav** *n* large octavo; **~onkel** *m* great-uncle, grand-uncle; **~papa** *colloq. m* grandpa; **~photo(graphie** *f*) *n* photomural; **~raum** *m* large (*or* extended) area; **~raumbüro** *n* open-plan office; **~reihenfertigung** *f* quantity (*or* duplicate) production; **~reinemachen** *n* wholesale house-cleaning; **~schieber** *m* bigtime operator; **~schiffahrt** *f* large-scale shipping; **~schiffahrtskanalweg** *m* grand canal, ship canal; **~schlächte'rei** *f* wholesale butchery; **~schreibung** *f* capitalization; **~sender** *m* long-distance transmitter; high-power broadcasting station; **~sprecher (-in** *f*) *m* boaster, braggart; **~spreche'rei** *f* (-) big talk, grandiloquence, bluster; **2sprecherisch** *adj.* boastful, swaggering, grandiloquent; **2spurig** *adj.* arrogant, haughty, overbearing; **~stadt** *f* large (*or* big) town *or* city; metropolis; **~städter(in** *f*) *m* inhabitant of a large town, city-dweller; **2städtisch** *adj.* of a large town *or* city, urban, city...; metropolitan; fashionable; **~stadtluft** *f* (-) city air; **~stadtverkehr** *m* big-city traffic; **~tante** *f* grand-aunt; **~tat** *f* great deed *or* exploit, feat.

'größt *sup. of groß*; **~enteils** *adv.* for the most part, mostly, chiefly; **2maß** *n* maximum (measure *or* size); *tech.* maximum limit; **~möglich** *adj.* greatest possible; best, utmost (*efforts, etc.*); **2wert** *m* maximal value.

'Groß...: ~tuer(in *f*) ['-tu:ər(in)] *m* (-*s*, -; -, -*nen*) boaster, braggart, show-off; **~tue'rei** *f* (-) swagger (-ing), boasting; **2tun** ['-tu:n] *v/i.* (*irr., h.*) give o.s. airs, talk big, swagger; (*sich*) *mit et.* ~ vaunt a th., boast (*or* brag) of *or* about a th.; **~unternehmen** *n* large-scale (*or* big) enterprise; **~unternehmer** *m* big industrialist (*or* manufacturer); **~vater** *m* grandfather; **2väterlich** *adj.* grandfatherly; **~vaterstuhl** *m* easy (*or* arm-)chair; **~veranstaltung** *f* big event; **~verbraucher** *m* bulk consumer; **~verdiener** *m* big earner; **~versandgeschäft** *n* mail-order house; **~verteiler** *econ. m* wholesaler, distributor; **~vertrieb** *econ. m* distribution in bulk; **~vieh** *n* (large *or* horned) cattle; **~wesir** ['-ve'zi:r] *m* (-*s*; -e) Grand Vizier; **~wildjagd** *f* big-game hunt(ing); **~würdenträger(in** *f*) *m* high dignitary; **2ziehen** *v/t.* (*irr., h.*) rear, bring up, raise; **2zügig** ['-tsy:giç] *adj.* on a large (*or* grand) scale, large-scale; bold (*plan, etc.*); liberal, broad-minded; liberal, generous, handsome, open-handed; **~zügigkeit** *f* (-) bold conception; broad-mindedness, liberality; generosity.

grotesk [gro'tɛsk] *adj.*, **2e** *f* (-; -*n*) grotesque (*a. typ.*).

Grotte ['grɔtə] *f* (-; -*n*) grotto.

grub [gru:p] *pret. of graben.*

Grübchen ['gry:pçən] *n* (-*s*; -) dimple; *bot.* lacuna.

Grube ['gru:bə] *f* (-; -*n*) pit; mine, pit, colliery; hollow, hole, cavity, cave; *fig. in die* ~ *fahren* go down to the grave; *wer andern eine* ~ *gräbt, fällt selbst hinein* the biter will be bitten.

Grübelei [gry:bə'laɪ] *f* (-; -*en*) brooding, pondering; (deep) meditation, rumination; musing, poring; reverie.

'grübeln *v/i.* (*h.*) (*über acc.*) brood *or* ponder *or* meditate (on *or* over); pore (over); ruminate, rack one's brains (about).

'Gruben...: ~anteil *m* mining share; **~arbeiter** *m* miner; collier; **~bahn** *f* mine railway (*Am.* railroad), hauling track; **~brand** *m* pit fire; **~einbruch** *m* cave-in; **~explosion** *f* colliery explosion; **~gas** *n* mine gas, firedamp; **~halde** *f* mine dump, tip; **~holz** *n* mine-timber, pit-props *pl.*; **~lampe** *f* miner's (*or* pit) lamp; **~schacht** *m* mine (*or* pit) shaft; **~steiger** *m* overseer of a mine; **~stempel** *m* pit-prop; **~unglück** *n* pit disaster; **~wasser** *n* pit water; **~wetter** *n* → *Grubengas*.

Grübler ['gry:blər] *m* (-*s*; -), **~in** *f* (-; -*nen*) ponderer, brooding (*or* meditative, introspective) person; dreamer; **2isch** *adj.* pondering, pensive, meditative.

Gruft [gruft] *f* (-; ⸚e) tomb, vault.

Grum(me)t ['grum(ə)t] *agr. n* (-[e]s) aftermath, *Am.* rowen.

grün [gry:n] *adj.* green; *nature*: *a.* verdant, *trees*: *a.* in leaf; fresh; green, unripe; *fig. person*: green, raw; green, inexperienced; ~*e Bohnen* French beans, *Am.* string beans; ~*er Hering* fresh herring; ~*es Holz* fresh (*or* unseasoned) wood; 2*e Insel* (*Irland*) Emerald Isle; ~*er Junge* greenhorn, whipper-snapper; ~*es Licht traffic*: green light; *fig. j-m* ~*es Licht geben* give a p. the green light; *colloq.* ~*e Minna* Black Maria; ~*er Salat* lettuce; ~*er Tisch* green-baize (*or* board *or* official) table, *fig. vom* ~*en Tisch aus* arm-chair (*strategy, etc.*), bureaucratic *or* red-tape (*decision, etc.*); ~ *vor Neid* green with envy; ~ *u. blau schlagen* beat black and blue; *j-m nicht* ~ *sein* have it in for a p.; *j-n über den* ~*en Klee loben* praise a p. to the skies; *sich* ~ *und gelb ärgern* be exasperated, fret and fume; *er wird nie auf e-n* ~*en Zweig kommen* he will never get somewhere, *Am.* he will never make the grade.

'Grün *n* (-*s*; -) green (colo[u]r); (*foliage, etc.*) greenery; *of nature*: verdure; *im* ~*en*, *colloq. bei Mutter* ~ in the open (air); *dasselbe in* ~ practically the same thing; **~e(s)** *n* (-*n*) vegetables *pl.*, greens *pl.*; **~e(r)** *m* (-*n*; -*n*) *colloq.* bobby, *sl.* (*a. Am.*) cop(per); **~anlage** *f* green (plot), lawn; **2blau** *adj.* greenish-blue.

Grund [grunt] *m* (-[e]s; ⸚e) ground; soil; ~ *und Boden* land, (real) estate; bottom (*of sea, vessel, etc.*); valley; *arch.* **a**) foundation, **b**) (building-)

plot; *paint.* **a**) ground, **b**) priming (coat); *coffee*: ground; dregs *pl.*; *fig.* reason; cause, occasion; motive; argument; excuse; *Gründe für und wider* arguments for and against, (*the*) pros and cons (of a matter); *auf ~ von* (*dat.*) on grounds of, on the strength (*or* basis) of, in virtue of, *jur. a.* under, pursuant to (*a law*); *aus gesundheitlichen Gründen* for reasons of health; *aus diesem ~e* for this reason, that's why; *aus welchem ~e?* for what reason?, why?; *aus dem einfachen ~e, daß* for the simple reason that; *aus demselben ~e* **a**) for the same reason, **b**) by the same token; *im ~e* at (the) bottom, fundamentally; *im ~e genommen* actually, in reality, strictly speaking, when all is said and done; *mit* (*gutem*) *~* justly, with reason, reasonably; *nicht* (*ganz*) *ohne ~* not unreasonably; *von ~ aus* thoroughly, completely, radically, fundamentally; *mar. auf ~ geraten* run aground; → *bohren*; *den ~ unter den Füßen verlieren* get out of one's depth; *e-r Sache auf den ~ gehen* get to the bottom (*or* root) of a th.; *den ~ legen zu* (*dat.*) lay the foundation of; *Gründe anführen* advance arguments, state one's case (*für* for); *triftige Gründe ins Feld führen können* have compelling arguments, have a strong case (*für* for); *jeden* (*keinen*) *~ haben zu et.* have every (no) reason to *inf.*; *sich von ~ auf bessern* turn over a new leaf; *es besteht ~ zu der Annahme, daß* there is (good) reason to suppose that; → *zugrunde.*

ˈ**Grund|abgabe** *f* land tax; **~akkord** *mus. m* fundamental chord; **~anschauung** *f* fundamental idea, basic conception; **2anständig** *adj.* upright, high-principled; **~anstrich** *m* priming (coat), first coat; **~ausbildung** *mil. f* basic training; **~bau** *m* (-[e]s; -ten) foundation; **~bedeutung** *f* original meaning; **~bedingung** *f* basic (*or* fundamental) condition; **~begriff** *m* fundamental (*or* basic) idea; *~e pl.* fundamentals, principles; rudiments; **~besitz** *m* landed property, real estate, immovables *pl.*; *freier ~* freehold (property); **~besitzer** *m* landed proprietor, landowner, estate owner; **~bestandteil** *m* element, basic component, primary constituent; **~buch** *n* land (title and charges) register; **~buchamt** *n* land registry (office), *Am.* real estate recording office; **~dienstbarkeit** *f* (real) servitude; easement; **~ebene** *tech. f* datum level; **2ehrlich** *adj.* thoroughly honest; **~eigentum** *n*, **~eigentümer** *m* → *Grundbesitz(er)*; **~einheit** *f* fundamental unit; **~einkommen** *n* basic income; **~einstellung** *f* fundamental attitude; **~eis** *n* ground-ice.

gründen [ˈgryndən] *v/t.* (*h.*) found, establish; institute, set up, organize; create; *econ.* form, promote, float, organize (*company*); start, open, set up (*business*); set on foot, launch; ground *or* base *argumentation* (*auf acc.* on); *sich ~ auf* (*acc.*) rest (*or* be founded, be based, be grounded) on.

ˈ**Gründer** *m* (-*s*; -), **~in** *f* (-; -*nen*) founder (*f* foundress); creator, originator; *econ.* founder, promoter, incorporator; **~aktien** *f/pl.*, **~anteile** *m/pl.* promoter's shares (*Am.* stock); **~bank** *f* (-; -*en*) parent bank; **~gesellschaft** *f* parent company; **~jahre** *n/pl.*, **~zeit** *hist. f* period of promoterism.

ˈ**Grund...**: **~erfordernis** *n* basic requirement; **~erwerb** *m* purchase of land; **~erwerbssteuer** *f* purchase tax on real estate; **~erzeugnis** *n* primary product; **2falsch** *adj.* fundamentally wrong; **~farbe** *f* ground-colo(u)r; *phys.* primary colo(u)r; → *Grundanstrich*; **~fehler** *m* basic fault, fundamental mistake; **~feste** [ˈ-fɛstə] *f* (-; -*n*) foundation; *in den ~n erschüttern* shake to its very foundation; **~feuchtigkeit** *f* soil moisture; **~firnis** *m* priming varnish; **~fläche** *f* basal surface, base, basis; *tech.* floor space; **~form** *f* primary form; **~gebühr** *f* basic rate *or* fee, flat-rate; **~gedanke** *m* fundamental (*or* root) idea; leading idea; **~gehalt** *n* (-[e]s; ⸗er) basic salary; **2gelehrt** *adj.* exceedingly learned, erudite; **~gesetz** *n* basic (constitutional) law; **~gestein** *n* underlying rock; **~gleichung** *math. f* basic equation; **~herr** *m* landlord, lord of the manor.

Grundier|bad [grunˈdiːr-] *n dyeing*: bottoming bath; **2en** *v/t.* (*h.*) *paint.* ground, *tech. usu.* prime; *dyeing*: bottom; stain (*paper, wood*); *gilding*: size; **~farbe** *f* priming colo(u)r; **~lack** *m* filler; **~ung** *f* (-; -*en*) priming (coat), first (*or* base) coat.

ˈ**Grund...**: **~industrie** *f* basic industry; **~irrtum** *m* fundamental error; **~kapital** *econ. n* (original *or* capital) stock, original capital; **~kredit** *m* real estate loan; **~kreditanstalt** *f* mortgage bank; **~kreis** *math. m* circumference of the base; **~lage** *f* base; *esp. fig.* foundation, basis, groundwork; *biol.* matrix; data *pl.*; *of science, etc.*: elements, rudiments, fundamentals *pl.*; *auf der ~ von* (*dat.*) on the basis of; *auf gesetzlicher ~* on legal authority; *die ~ bilden von et.* underlie a th.; *jeder ~ entbehren* be without any foundation; *auf e-e neue ~ stellen* put on a new basis; **~lagenforschung** *f* basic research; **2legend** *adj.* fundamental, basic(ally *adv.*); **~legung** [ˈ-leːguŋ] *f* (-) laying the foundation.

gründlich [ˈgryntliç] **I.** *adj.* thorough; careful, painstaking; solid; exhaustive; complete; thorough-going, radical; profound, solid (*knowledge*); *~e Kenntnisse haben in* (*dat.*) be well-grounded (*or* thoroughly versed) in, have a th. at one's finger-ends; **II.** *adv.* thoroughly, *etc.*; *j-m ~ die Meinung sagen* give a p. a piece of one's mind; **2keit** *f* (-) thoroughness; carefulness, diligence; solidity; exhaustiveness.

Gründling [ˈgryntliŋ] *ichth. m* (-s; -e) groundling; gudgeon.

ˈ**Grund...**: **~linie** *f* base-line (*a. sports*), base; **~lohn** *m* basic wage(s *pl.*); **2los I.** *adj.* bottomless, unfathomable; *fig.* groundless, unfounded, without foundation; **II.** *adv.* for no reason (at all); unreasonably; **~losigkeit** *f* (-) groundlessness; **~maß** *n* (basic) standard; **~masse** *biol. f* groundmass, stroma; **~mauer** *f* foundation(-wall); **~metall** *n* base (*or* parent) metal; **~nahrungsmittel** *n/pl.* basic food (-stuffs); **~norm** *f* fundamental standard.

Grünˈdonnerstag *m* Maundy Thursday.

ˈ**Grund...**: **~peilung** *mar. f* sounding; **~pfeiler** *m* bottom (*or* foundation) pillar; *fig.* mainstay, keystone; **~platte** *tech. f* base plate; **~preis** *m* basic price; **~prinzip** *n* basic (*or* fundamental) principle; **~problem** *n* fundamental problem; **~rechnungs-arten** *f/pl.* fundamental rules of arithmetic; **~rechte** *n/pl.* basic (*or* constitutional) rights; **~regel** *f* fundamental rule, basic principle; **~rente** *f* ground-rent; **~richtung** *mil. f* zero line; **~richtungs-punkt** *mil. m* zero point; **~riß** *arch. m* ground-plan, plan (view); layout; sketch, outline; *fig.* compendium; outline(s *pl.*), summary; **~rißplan** *m* layout plan; **~satz** *m* principle; axiom; maxim; *Mann von hohen Grundsätzen* man of high principles; *gesunder ~* sound principle; *nach neuen* (*denselben*) *Grundsätzen* on new (the same) lines; *es sich zum ~ machen* make it a rule; **~satz-entscheidung** *jur. f* ruling; **2sätzlich** [ˈ-zɛtsliç] **I.** *adj.* fundamental; *~e Angelegenheit* matter in principle; *~e Einstellung* attitude in principle; *~e Entscheidung* decision on principle; **II.** *adv.* fundamentally, basically; on principle, as a general principle; **~schicht** *f* primary layer; **~schuld** *f* real estate liability, encumbrance; land charge; **~schule** *f* elementary (*or* primary) school; **~stein** *m* foundation-stone; *a. fig.* corner-stone; *den ~ legen zu* (*dat.*) lay the foundation-stone of, *fig.* lay the foundations of; **~steinlegung** [ˈ-leːguŋ] *f* (-; -*en*) laying (of) the foundation-stone; corner-stone ceremony; **~stellung** *f gym., mil.* position of attention, normal position; *fenc., etc.*: initial position; *boxing*: on-guard position; **~steuer** *f* land (*or* real estate) tax; **~stock** *m* foundation, basis, stock; main body; basic supply; **~stoff** *m phys.* element, radical; raw material, base; *fig.* basic material; **~stoffindustrie** *f* basic industry; **~stoffwechsel** *physiol. m* basal metabolism; **~strich** *m* down-stroke; → *Grundanstrich*; **~stück** *n* (landed *or* real) estate, lot; plot (of land); premises *pl.*; (building) site, *Am. a.* location; **~stückmakler** *m* real estate agent, *Am.* realtor; **~stück-übertragung** *f* conveyance of (landed) property; **~stufe** *f* initial (*or* standard) grade; *ped.* lowest *or* elementary classes *pl.*; *gr.* positive degree; **2stürzend** *adj.* revolutionary, radical; **~substanz** *f* element, radical; *biol.* matrix; **~teilchen** *n* fundamental particle, atom; **~text** *m* original text; **~ton** *m paint.* ground shade; *mus.* keynote; *fig. esp. stock exchange*: prevailing tone (*or* mood); undertone; **~tugend** *f* cardinal virtue; **~übel** *n* basic evil; **~umsatz** *m econ.* basic turnover; *physiol.* basal metabolic rate (*abbr.* B.M.R.).

Gründung ['gryndʊŋ] *f* (-; -en) foundation, creation; *econ. a.* formation (*of company*), *by financing*: promotion, flo(a)tation, *by registration*: incorporation; establishment, institution, setting-up, organizing.

'**Gründungs...**: **~jahr** *n* year of foundation (*or* establishment); **~kapital** *n* original (*or* capital) stock; **~mitglied** *n* charter member; **~stadium** *n* development stage (*of company*); **~urkunde** *f*, **~vertrag** *m* memorandum (*or* articles *pl.*) of association, *Am.* incorporation.

'**Grund...**: **~ursache** *f* primary cause; **2verkehrt** *adj.* fundamentally (*or* totally) wrong; *es wäre ~, anzunehmen, daß* it would be a fundamental mistake to believe that; **~vermögen** *n* capital, principal; → *Grundbesitz*; **2verschieden** *adj.* entirely different; **~wahrheit** *f* fundamental truth; **~wasser** *n* (under)ground water; **~wasserspiegel** *m* ground water-level, water table; **~wort** *gr. n* (-[e]s; ⸗er) root(-form) (of word); **~zahl** *f* cardinal number; unit; **~zins** *m* ground rent; **~zug** *m* characteristic (feature), main feature, distinctive mark; **~züge** ['-tsy:gə] *m/pl.* fundamentals, basic concepts; et. *in s-n ~n schildern* outline (the essential aspects of) a th.

'**grünen** *v/i.* (*h.*) be green *or* verdant; (grow *or* become, turn) green; *fig.* flourish, thrive, prosper.

'**Grün...**: **~fäule** *f* green rot; **~fink** *m* greenfinch; **~fläche** *f* green (plot), lawn; **~futter** *n* green food *or* fodder; **2gelb** *adj.* greenish-yellow; **~gürtel** *m* green belt; **~kern** *m* green rye; **~kohl** *m* (-[e]s) green kale; **~kram** *m* greens *pl.*; **~kreuzkampfstoff** *mil. m* choking gas, Green Cross; **~land** *n* pasture-land, meadows *pl.*; **2lich** *adj.* greenish; **~schnabel** *fig. m* greenhorn; young shaver, whipper-snapper; **~span** *m* verdigris; **~specht** *m* green woodpecker; **~stein** *m* greenstone, diabase; **~streifen** *m of road*: cent|re (*Am.* -er) strip.

grunzen ['grʊntsən] *v/i. and v/t.* (*h.*) grunt.

'**Grunzen** *n* (-s) grunt(ing).

'**Grünzeug** *n* greens *pl.*, *contp.* greenstuff.

Gruppe ['grʊpə] *f* (-; -n) group, cluster; *of trees*: *a.* clump; *of workmen, etc.*: team, crew, gang; troop, covey; group, category; *mil.* section, *Am.* squad; *aer. Brit.* wing, *Am.* group; *econ.* group, syndicate; *tech.* assembly; *~n bilden* form groups; *in ~n einteilen* group.

'**Gruppen...**: **~aufnahme** *f*, **~bild** *n phot.* group picture; **~bohrmaschine** *f* gang drill(ing machine); **~feuer** *mil. n* volley fire; **~schaltung** *tech. f* series connection; **~sex** *m* group sex; **~therapie** *f* group therapy; **~unterricht** *m* group instruction; **2weise** ['-vaɪzə] *adv.* in groups; *mil.* by *or* in sections, *Am.* squads; **~wirtschaft** *f* group system.

gruppier|en *v/t.* (*h.*) group, arrange in groups, range; *sports*: *a.* marshal; *sich ~* form groups, group o.s. *or* cluster (*um acc.* round); *sports*: line up; **2ung** *f* (-; -en) grouping, arrangement (in groups), *Am.* layout; *sports*: line-up, disposition.

Grus [gru:s] *m* (-es; -) (coal-)slack, breeze.

gruselig ['gru:zəlɪç] *adj.* creepy; eerie, weird; *story*: *a.* hair-raising, blood-curdling.

'**gruseln** *v/i.* (*h.*) *and sich ~*: *mir* (*or mich*) *gruselt* my flesh creeps (*bei dem Gedanken* at the thought), it gives me the creeps; *j-n ~ machen* make a p.'s flesh creep, give a p. the creeps.

'**Gruseln** *n* (-s) *the* creeps *pl.*

Gruß [gru:s] *m* (es; ⸗e) salutation, greeting; bow; *esp. mar. mil.* salute; *Grüße pl.* compliments, regards, respects, greetings, *intimate*: love (*an acc.* to); (*bestelle ihm*) *e-n schönen ~ von mir!* give him my kind(est) regards (*formal*: my best respects, *intimate*: my love), remember me to him!; *in letters*: (*viele*) *herzliche Grüße* (many) kind regards; *mit bestem ~* Sincerely yours, *formal*: Yours faithfully (*esp. Am.* truly).

grüßen ['gry:sən] *v/t.* (*h.*) greet, *solemnly*, *a. fenc., mar., mil.* salute; bow to; nod to; hail; *~ Sie ihn von mir!* → *Gruß*; *er läßt Sie freundlichst ~* he sends you his best respects *or* compliments.

Grützbeutel ['gryts-] *med. m* wen.

'**Grütze** *f* (-; -n) groats, grits *pl.*; (oatmeal-)porridge; *colloq.* brains *pl.*, gumption; **~schleim** *m* gruel.

guck|en ['gʊkən] *v/i.* (*h.*) peep, peek, peer; stare, gaze; look (*erstaunt* surprised); *laß mich mal ~!* let me have a peep!; *nicht ~!* don't peep!; **2fenster** *n* peep-hole, judas; **2kasten** *m* peep-show, diorama; **2loch** *n* peep-hole, spy-hole.

Guerilla|kämpfer [ge'rɪlja-] *m* guer(r)illa; **~krieg** *m* guer(r)illa war(fare).

Guillotine [gɪljo'ti:nə] *f* (-; -n), **guilloti'nieren** [-ti'ni:rən] *v/t.* (*h.*) guillotine.

Gulasch ['gu:laʃ] *n* (-[e]s; -e) goulash; **~kanone** *colloq. mil. f* field-kitchen; **~suppe** *f* goulash soup.

Gulden ['gʊldən] *m* (-s; -) *hist.* florin; *Dutch*: florin, gulden (*abbr.* Fl., G.).

gültig ['gʏltɪç] *adj.* valid (*a. fig.*); effective, in force; legal, lawful, admissible; binding; *coin*: current, good; *ticket*: available (*drei Tage* for three days); *~ vom or ab* effective as from; *~ sein* → *gelten*; (*für*) *~ erklären*, *~ machen* validate, render valid; legalize; **2keit** *f* (-) validity; legal force; *of money*: currency; legality; **2keitsdauer** *f* (period of) validity; *of contract*: *usu.* term; *of patent, etc.*: life; *of ticket*: availability; **2keits-erklärung** *f* validation, legalization.

Gummi ['gʊmi] *n or m* (-s; -[s]) gum; (India) rubber; *Radier2* india-rubber, eraser; *colloq.* condom; *mit ~ durchwirken* elasticize; **~abfederung** *f* rubber shock absorber; **~absatz** *m* rubber heel; **~arabikum** [ʔa'ra:bikʊm] *n* (-s) gum arabic; **2artig** *adj.* gumlike, elastic; **~artikel** *m* rubber article; **~ball** *m* rubber ball; *tech.* rubber (suction) bulb; **~band** *n* (-[e]s; ⸗er) elastic (band); rubber band; **~baum** *m* gum-tree; (India) rubber tree; **~bereifung** *f* rubber tyres, *Am.* tires *pl.*; **~blase** *f* rubber bladder; **~bonbon** *m or n* gum-drop; **~boot** *n* rubber dinghy, inflatable boat; **~dichtung** *tech. f* rubber packing; **~druck** *typ. m* (-[e]s; -e) offset (printing); **~elastikum** [ʔe'lastikʊm] *n* (-s) (India) rubber, elastic gum.

gum'mier|en *v/t.* (*h.*) gum; *tech.* rubberize, rubber-coat; **2ung** *f* (-; -en) gumming; rubber-coat(-ing).

'**Gummi...**: **~faden** *m* rubber thread; **~floß** *n* rubber raft; **2gelagert** ['-gəla:gərt] *tech. adj.* rubber-cushioned; **~gewebe** *n* elastic mesh, rubber sheeting; **~gutt** ['-gʊt] *n* (-[e]s) gamboge; **~handschuh** *m* rubber glove; **~harz** *n* gum resin; **~haut** *f* rubber skin (*of canoe, etc.*); **~isolierung** *f* rubber insulation; **~kabel** *n* rubber-insulated cable; **~knüppel** *m* (rubber) truncheon, *Am.* (policeman's) club, riot-stick, billy; **~lack** *m* gum lac; **~linse** *f film, TV*: zoom lens; **~lösung** *tech. f* rubber solution; **~mantel** *m* mackintosh, rubber coat; **~matte** *f* rubber mat; **~reifen** *m* (rubber) tyre, *Am.* tire; **~ring** *m* rubber band; **~sauger** *m tech.* rubber suction cup; *for baby*: rubber teat; **~schlauch** *m* rubber hose; *bicycle, etc.*: rubber (*or* inner) tube; **~schnur** *f* elastic (cord); **~schuhe** *m/pl.* galoshes, rubber shoes, *Am.* rubbers; **~schwamm** *m* rubber sponge; **~sohle** *f* rubber sole; **~stempel** *m* rubber stamp; **~stiefel** *m* rubber boot; **~stopfen, ~stöpsel** *m* rubber stopper; **~strumpf** *m* elastic stocking; **~tier** *n* rubber animal; **~überschuhe** *m/pl.* → *Gummischuhe*; **~überzug** *m* rubber coating; **~unterlage** *f* rubber sheet (*or* square); **~walze** *f* rubber roller; **~waren** *f/pl.* rubber goods; **~zelle** *f* padded room; **~zucker** *m* arabinose; **~zug** *m* elastic.

Gunst [gʊnst] *f* (-) favo(u)r; goodwill; kindness; partiality, patronage; favo(u)rableness (*of the weather, etc.*); *j-m e-e ~ erweisen* grant a p. a favo(u)r, bestow a favo(u)r on a p.; *in j-s ~ stehen* be in a p.'s favo(u)r (*or* good graces); *in j-s besonderer ~ stehen* be high in a p.'s favo(u)r; *sich in j-s ~ setzen* gain a p.'s favo(u)r, ingratiate o.s. with a p.; *sich um j-s ~ bewerben* court a p.'s favo(u)r; *um j-s ~ buhlen* curry favo(u)r with a p.;

zu m-n ~en (*a. econ.*) to my favo(u)r (*or* credit); *Saldo zu Ihren ~en* balance in your credit; → *zugunsten*; '**~bezeigung** *f* favo(u)r, kindness.

günstig ['gynstiç] **I.** *adj.* favo(u)rable (*für* to); auspicious; opportune, propitious; encouraging, reassuring; promising; suitable; advantageous, profitable, beneficial; satisfactory, agreeable; *~e Gelegenheit* opportunity; *~ sein für* (*acc.*) be favo(u)rable to, favo(u)r, make for; *bei ~em Wetter* weather permitting; *im ~sten Falle* at best; *econ. zu ~en Bedingungen* on easy terms; *der Wind ist ~* the wind sits fair; *das Glück war uns ~* luck was on our side; *er hätte keinen ~eren Zeitpunkt wählen können* he couldn't have chosen a better (*or* more propitious) moment; **II.** *adv.* favo(u)rably; *~ gesinnt* well-disposed, benevolent (*dat.* to); *~ abschneiden* show up to advantage (*bei* in); *sich ~ stellen zu et.* take a positive view of a th., favo(u)r a th.

Günstling ['gynstliŋ] *m* (*-s*; *-e*) favo(u)rite; *contp.* minion; **~swirtschaft** *f* favo(u)ritism.

Gurgel ['gurgəl] *f* (*-*; *-n*) throat; *anat.* jugulum; gullet; *j-n bei der ~ packen* take a p. by the throat; *j-m die ~ zudrücken* choke (*or* strangle) a p.

'**gurgeln** *v/i. and v/t.* (*h.*) gargle; *voice, water*: gurgle.

'**Gurgeln** *n* (*-s*) gargling; gurgle.

Gurke ['gurkə] *f* (*-*; *-n*) cucumber; gherkin; *saure* (*eingelegte*) *~n* pickled (preserved) cucumbers.

'**Gurken...**: **~hobel** *m* cucumber slicer; **~kraut** *n* (*-[e]s*) borage; **~salat** *m* cucumber salad; **~zeit** *f*: *saure ~* silly season.

gurren ['gurən] *v/i.* (*h.*) coo.

Gurt [gurt] *m* (*-[e]*; *-e*) belt, girdle; *arch., a. of saddle*: girth; strap; webbing; waistband; sash; *mil.* cartridge belt; '**~band** *tech. n* (*-[e]s*; *⸗er*) webbing, webs *pl.*; '**~bogen** *arch. m* transverse arch.

Gürtel ['gyrtəl] *m* (*-s*; *-*) belt, girdle (*both a. fig.*); *fig. geogr.* zone; *mil.* ring (*or* belt) of fortifications; cordon; *den ~ enger schnallen* tighten one's belt; **~rose** *med. f* shingles *pl.*; **~schnalle** *f* buckle (*or* clasp) of a belt; **~tier** *zo. n* armadillo.

gurten ['gurtən] *v/i.* (*h.*) *mil.* fill (*or* charge) the belt; *arch.* string.

gürten ['gyrtən] *v/t.* (*h.*) gird; *sich ~* put on one's belt, (*a. fig.*) gird o.s.

'**Gurt...**: **~förderer** ['-fœrdərər] *tech. m* (*-s*; *-*) belt conveyor; **~gewölbe** *n* cellular (*or* ribbed) vault; **~sims** *m or n* plinth; **~zuführung** *mil. f* belt feed (*of machine-gun*).

Guß [gus] *m* (*-sses*; *⸗sse*) *tech.* founding, casting (process); cast iron (*or* metal); castings *pl.*; *schmiedbarer ~* malleable iron; *typ.* fount, *Am.* font; jet, gush, dash (of water); downpour, (rain-)shower; *cul.* icing; *mit Zucker≈* iced; *aus e-m ~ fig.* of a piece.

'**Guß|asphalt** *m* poured asphalt; **~beton** *m* cast concrete; **~block** *m* ingot; **~bruch** *m* cast iron scrap; **~eisen** *n* cast iron; **≈eisern** *adj.* cast-iron; **~fehler** *m* casting flaw; **~form** *f* (casting) mo(u)ld; **~kasten** *m* mo(u)lding box; **~naht** *f* casting burr, seam; **~stahl** *m* cast steel; **~stein** *m* sink; **~stück** *n* casting; **~waren** *f/pl.* castings *pl.*

gut [gu:t] **I.** *adj. generally*: good; good-natured, kind(-hearted); capable, efficient; favo(u)rable; fine, splendid; useful, serviceable; conducive (*für* to), beneficial, good (for); advantageous, profitable; adequate; considerable, substantial; sound; right, correct; *econ. ~er Absatz* ready sale; *~er Anzug* Sunday's best; *~es Wetter* fair weather; *~gehendes Geschäft* going concern; *~e Kenntnisse* fair knowledge, good grounding; *~e Nerven* steady nerves; *~e Qualität* good *or* high quality; *~e Stube* drawing room, parlo(u)r; *~e Worte* fair words; *auf ~ deutsch* in plain English; *aus ~er Familie* of a good family; *ganz ~* not bad, well enough; *so ~ wie unmöglich* practically (*or* next to) impossible; *der Prozeß ist so ~ wie gewonnen* the lawsuit is as good as won; *so ~ wie kein* practically no; *zu ~er Letzt* finally; → *zugute*; *e-e ~e Stunde* a good (*or* full) hour; *~ zu Fuß sein* be a good walker; *~er Dinge, ~en Mutes sein* be of good cheer; *ein ~er Rechner sein* be good (*or* quick) at figures; → *Glaube, Glück, Haar, Hoffnung, Kasse*; *~ sein für* (*acc.*) **a**) be good for (*a cold, etc.*), **b**) vouch (*or* answer) for, **c**) *econ. j-m*: be a p. good for (*an amount*); *~ sein gegen j-n or zu j-m* be good (*or* kind) to a p.; *~ sein mit j-m* be on friendly terms with a p.; *j-m ~ sein* love (*or* like) a p., be attached to a p.; *~ werden wound, etc.*: get well, heal, mend, *fig. a.* turn out well, be all right; *es ~ haben* be well off, have a good time of it, be lucky; *für ~ finden* think fit (*or* proper); → *Miene*; *kein besonders ~er Tänzer sein* be not much of a dancer; *sich e-n ~en Tag machen* have a good time of it, take it easy; make a day of it; **II.** *adv.* well; favo(u)rably, *etc.*; *~ (und gern)* at least, slightly over, easily; *~ riechen* smell good, have a pleasant smell; *~ schmecken* taste good, be good to eat; *~ aussehen* look good, *person*: be good-looking, (*healthy*) look well; *~ lernen* learn easily; *sich ~ halten* **a**) keep *or* preserve well, **b**) keep o.s. upright *or* erect, **c**) *fig.* bear up, stand one's ground, show up well; → *zustatten*; *colloq. mach's ~!* **a**) good luck (to you)!, **b**) cheerio!, have a good time!; *~ so!* good!, well done!; *schon ~!* **a**) never mind!, (that's) all right!, **b**) that will do!; *laß es ~ sein!* let it be (*or* pass)!; leave it alone!; *sei so ~* (will you) be so kind as to *inf.*, be good enough to *inf.*; *es ist ganz ~, daß* it is all to the good that; *das tut ihm ~* (*a. iro.*) that's good for him, that does him (a world of) good; *er täte ~ daran, zu gehen* he had better go; *du hast ~ reden* (*lachen*) it's easy for you to talk (laugh); *da können wir ja ebenso ~ wieder gehen* we may just as well leave; *das fängt ja ~ an* that's a nice start, really; *das kann ~ sein* that may well (*or* easily) be; (*der, die, das*) '**≈e** (*-n*): *mein ~r* my good man; *die ~n pl.* the good, the righteous; *das ~* the good (part *or* thing); *~s und Böses* the good and the bad; *et. ~s* something good; *das ~ an der Sache ist* the good thing about it is; *des ~n zuviel tun* overdo it, overshoot the mark; *das ist des ~n zuviel* that's too much of a good thing; *sich zum ~n wenden* change for the better, take a turn, turn out well; *im ~n* in a friendly manner, amicably; *alles ~!* good luck!; *ich wünsche ihm alles ~* I wish him well; *das führt zu nichts ~m* nothing good will come of it.

Gut *n* (*-[e]s*; *⸗er*) good (thing), treasure; property, possession, goods *pl.*; (landed) estate, farm; *tech.* (*in state of production or conveyance*) stock, material; *Güter pl. econ.* goods, products, commodities, merchandise; *rail.* goods, *Am.* freight; (*property*) effects, assets; *jur. eingebrachtes ~* contributed property (*of wife*); (*un*)*bewegliche Güter* (im)movables; *lebenswichtige Güter* essential goods; *das höchste ~* the greatest good; *~ und Blut* life and property; *unrecht ~ gedeihet nicht* ill-gotten wealth never thrives.

'**Gut...**: **~achten** *n* (*-s*; *-*) opinion; *n.s.* expert opinion *or* evidence, expert's report; decision, verdict; award; *ärztliches ~* medical opinion (*or* certificate, *jur.* evidence); *ein ~ abgeben* deliver an opinion; *ein ~ einholen* take an opinion; **~achter** *m* (*-s*; *-*) expert; consultant; arbitrator; valuer, appraiser; **≈achtlich** ['-axtliç] **I.** *adj.* expert, authoritative; advisory; **II.** *adv.* by way of an (expert's) opinion; **≈artig** *adj.* good-natured, harmless; *med.* benign, mild; **~artigkeit** *f* good nature; harmlessness; *med.* benignity, mildness; **≈aussehend** *adj.* good-looking; **≈besetzt** *thea. adj.* well-cast (*part*); well-filled (*house*); **≈bringen** *econ. v/t.* (*irr., h.*) → *gutschreiben*; **~dünken** *n* (*-s*) opinion, judg(e)ment, discretion (*a. jur.*); *nach ~* at pleasure, at (one's own) discretion; *Entscheidung nach ~* discretionary decision; *nach ~ des Gerichtes* at the Court's pleasure (*or* discretion); *nach eigenem ~ handeln* use one's own discretion; *et. dem ~ j-s überlassen* leave a th. to a p.'s discretion.

Güte ['gy:tə] *f* (*-*) goodness (of heart), kind(li)ness; generosity; charitableness; (God's) grace, loving-kindness; (intrinsic) worth; quality, grade, class; excellence, superior quality (*or* properties, virtues); purity; *of sound reproduction*: fidelity; efficiency; *in ~* amicably, in a friendly manner; by fair means; *haben Sie die ~ zu inf.* be so kind as to *inf.*; *e-e ~ ist der anderen wert* one good turn deserves another; *meine ~!* good gracious, good Lord (*or* Heavens)!; *econ.* (*von*) *erster ~* first-class, first-rate, top-quality, *w.s.* of the first water; ~**grad** *m* quality, grade; efficiency; ~**klasse** *f* class, grade; standard of quality; *nach ~n eingeteilt* graded; 2**mäßig** *adj.* in quality.

Güter ['gy:tər] *pl. of* → *Gut*; ~**abfertigung** *f* **a)** dispatch of goods, **b)** (*a.* ~**annahme** *f*) goods office; ~**austausch** *m* exchange of goods; ~**bahnhof** *m* goods station *or* yard, *Am.* freight depot *or* yard; ~**beförderung** *f* forwarding of goods; ~**fernverkehr** *m* long-distance goods traffic; ~**gemeinschaft** *f* community of goods (*in marriage*); ~**kraftverkehr** *m* road haulage; ~**makler** *m* (real) estate (*or* land) agent, *Am.* realtor; ~**markt** *m* commodity market; ~**recht** *n* law of property; *eheliches ~* matrimonial regime; *gesetzliches ~* statutory regime; *immaterielle ~e pl.* choses in action, incorporeal rights (*or* chattels); ~**schuppen**, ~**speicher** *m* goods shed, *Am.* freight depot; warehouse; ~**sendung** *f* consignment (of goods); ~**stand** *jur. m*: *ehelicher ~* matrimonial regime; *getrennter ~* separate (ownership of) estate; ~**tarif** *m* goods tariff; ~**trennung** *f* separation of property; ~**verkehr** *m* goods (*Am.* freight) traffic; ~**verlader** *econ. m* (-s; -) loader of goods; *mar.* shipping-agent, shipper; ~**verteilung** *f* distribution of goods; ~**wagen** *rail. m* goods wag(g)on, *Am.* freight car; *closed*: goods van, *Am.* boxcar; *open*: (goods) truck, *Am.* gondola car; ~**wirtschaft** *f* merchandising; ~**zug** *m* goods train, *Am.* freight train.

'**Güte...**: ~**stelle** *f* voluntary conciliation board; ~**verfahren** *n* conciliatory proceedings *pl.*; ~**zahl** *f* quality co-efficient; ~**zeichen** *n* hallmark, guaranty seal, mark of merit.

'**gut...**: ~**erhalten** *adj.* well-preserved; in good repair (*or* condition); ~**ge-artet** *adj.* → *gutmütig*; ~**gebaut** ['-gəbaut] *adj.* well-made; ~**gelaunt** *adj.* good-humo(u)red, in a good temper, *esp. Am.* chipper; ~**gemeint** ['-gəmaınt] *adj.* well-meant; ~**gesinnt** *adj.* well-disposed (*dat.* to); well-meaning; loyal; decent; 2**gewicht** *econ. n* fair weight, allowance, overweight, tare; ~**gläubig** *adj.* acting (*or* done) in good faith, bona fide; *~er Eigentümer* bona fide owner; → *leichtgläubig*; 2**gläubigkeit** *f* good faith; 2**haben** *n* (-s; -) credit (balance), (bank) balance; account; assets, holdings *pl.*; *„kein ~“* "no funds"; *mein gegenwärtiges ~* the balance standing to my favo(u)r; ~**heißen** *v/t.* (*irr.*, *h.*) approve (of), sanction, *Am. colloq.* okay; ~**herzig** *adj.* kind(-hearted), warm-hearted, good-natured; 2**herzigkeit** *f* (-) kind-heartedness, kindness.

gütig ['gy:tiç] **I.** *adj.* good, kind (*gegen* to); kind-hearted, kindly; benevolent; indulgent; *mit Ihrer ~en Erlaubnis* with your kind permission; *Sie sind sehr ~* you are very kind; **II.** *adv.*: *wollen Sie mir ~st gestatten* (will you) kindly allow me (*a. iro.*).

'**gütlich I.** *adj.* amicable, friendly; *~e Einigung*, *~er Vergleich* amicable settlement; **II.** *adv.*: *sich ~ einigen* settle *or* arrange a th. amicably, come to a friendly agreement; *sich ~ tun an* (*dat.*) do o.s. well on, regale o.s. on, take (*or* eat, drink) one's fill of; *sie taten sich an s-n Zigarren ~* they helped themselves to his cigars.

'**gut...**: ~**machen** *v/t.* (*h.*): (*wieder*) ~ make good, make up for, make amends for, compensate; repair, redress (*mistake, etc.*); ~**mütig** ['-my:tiç] *adj.* good-natured; 2**mütigkeit** *f* (-) good nature; ~**sagen** *v/i.* (*h.*) vouch, answer (*für* for).

'**Gutsbesitzer(in** *f*) *m* landowner, landed proprietor (*f* proprietress), gentleman farmer; owner of an estate.

'**Gut...**: ~**schein** *m* voucher; credit note, coupon; bonus, token; warranty; 2**schreiben** *v/t.* (*irr.*, *h.*) credit (*e-n Posten* an item); *j-m e-n Betrag ~* pass (*or* place) an amount to a p.'s credit *or* to the credit of a p.'s account; *e-n Betrag e-m Konto ~* pass (*or* place) an amount to the credit of an account, credit an account with an amount; ~**schrift** *f* credit(ing), credit item; *zur ~ auf unser Konto* to the credit of our account; ~**schrifts-anzeige** ['-ʃrifts-] *f* credit note; ~**schriftsbeleg** ['-ʃrifts-] *m* credit slip (*Am.* ticket).

Guts...: ~**haus** *n* farm-house; ~**herr(in** *f*) *m* lord (lady) of the manor; → *Gutsbesitzer*; ~**hof** *m* farmyard; *w.s.* estate, farm.

'**gut-situiert** *adj.* well-off, in easy circumstances.

'**Guts-pächter** *m* tenant(-farmer).

'**gut-stehen** *v/i.* (*irr.*, *h.*) answer (*or* be answerable) (*für acc.* for).

'**Gutsverwalt|er** *m* landholder's steward *or* manager, estate-agent; ~**ung** *f* management of an estate.

Guttapercha [gutə'pɛrça] *f* (-) gutta-percha.

'**Gut-tat** *f* good action (*or* deed), benefit, kindness.

'**gut-tun** *v/i.* (*irr.*, *h.*) *medicine*: take effect, operate; be soothing *or* a relief; *child*: behave, be good; *j-m ~* do a p. good; *fig. das tut mir gut* that does me good; *das tut ihm gut!* (*a. iro.*) that does him (a world of) good!; *das tut nicht gut* no good can come of it.

guttural [gutu'ra:l] *adj.* guttural.

'**gut...**: ~**unterrichtet** *adj.* well-informed; ~**willig I.** *adj.* willing, ready; obliging, complaisant; **II.** *adv.* willingly, peacefully; voluntarily; 2**willigkeit** *f* willingness, readiness; obligingness, complaisance.

Gymnasialbildung [gymnazi'a:l-] *f* (-) secondary school (*n.s.* classical) education.

Gymnasiast(in *f*) [-zi'ast(in)] *m* (*-en, -en; -, -nen*) grammar-school boy (girl); secondary school boy (girl).

Gymnasium [gym'na:zium] *n* (*-s; -ien*) **a)** secondary school, **b)** classical secondary school, grammar-school.

Gymnastik [gym'nastik] *f* (-) gymnastics *pl.*, physical exercises *pl.* (*or* drill); cal(l)isthenics *pl.*; ~**er** *m* (-s; -) gymnast; ~**schule** *f* school of gymnastics; **gym'nastisch** *adj.* gymnastic.

Gynäkologe [gynɛ:ko'lo:gə] *m* (*-n; -n*) gyn(a)ecologist; **Gynäkolo'gie** [-lo'gi:] *f* (-) gyn(a)ecology; **gynäko'logisch** [-'lo:giʃ] *adj.* gyn(a)ecological.

Gyro ['gy:ro] *m* (*-s; -s*) gyro; **Gyro'skop** [gyro'sko:p] *n* (*-s; -e*) gyroscope.

H

H, h [ha:] *n* H, h; **H, h** *mus. n* B.

ha! [ha:] *int.* ha!, ah!

Haag [ha:k] *m*: *Den ~* The Hague; *im ~* at The Hague; *~er Abkommen, Landkriegsordnung* Hague Convention (respecting the laws and customs of war on land); *~er Internationaler Schiedsgerichtshof* International Court of Arbitration at The Hague.

Haar [ha:r] *n* (*-[e]s; -e*) hair (*a. bot.*); hair (of the head) *sg.*; *of cloth*: nap, pile; bristle; down, fuzz; *die ~e waschen* shampoo; *j-m die ~e schneiden* give a p. a hair-cut; *sich die ~e schneiden lassen* have one's hair cut, have (*or* get) a hair-cut; *j-n an den ~en ziehen* pull a p.'s hair; *sich das ~ frisieren or richten* dress (*or* do, *Am. a.* fix) one's hair; *fig. aufs ~* to a hair, to a T, exactly, precisely; *um ein ~* within a hair's breadth, very nearly *or* narrowly; *um ein ~ wäre ich überfahren worden* I came within an ace of being run over, I had a narrow escape; *um kein ~ besser* not a bit better; *ein ~ in der Suppe finden* find a fly in the ointment; *j-m kein ~ krümmen* not to touch a hair on a p.'s head; *kein gutes ~ an j-m lassen* tear (*or* pull) a p. to pieces, not to find a good word to say for a p.; *~e auf den Zähnen haben* have a sharp tongue, be aggressive; *sich in den ~en liegen* be at loggerheads; *sich in die ~e geraten* fly at each other, clash, get into each other's hair; *~e lassen müssen* **a)** suffer heavy losses, **b)** be fleeced; *et. bei den ~en herbeiholen* lug in a th., drag a th. in by the head and shoulders; *bei den*

~*en herbeigeholt* far-fetched; *mein Leben hing an e-m* ~ my life hung by a thread; *die* ~*e standen mir zu Berge* my hair stood on end; *da standen einem die* ~*e zu Berge* it was a hair-raising affair; *laß dir deshalb keine grauen* ~*e wachsen* don't let it worry you; → *spalten.*

ˈ**Haar...:** ~**ausfall** *m* fall (*or* loss) of hair, *med.* alopecia; ~**balg** *anat. m* hair follicle; ~**besen** *m* hair broom; ~**bleichen** *n* hairbleaching; ~**boden** *m* hair bed; ~**breit** *n* (-) hair's breadth; *nicht um ein* ~ *weichen* not to budge an inch; → *Haar(esbreite)*; ~**bürste** *f* hair brush; ~**büschel** *n* tuft of hair; ~**draht** *m* finest (gold) wire; ≈**dünn** *adj.* hair-thin, capillary; ≈**en** *v/i.* (*h.*) (*a. sich*) lose (*or* shed) one's hair; ~**entferner** *m* (-s; -), ~**entfernungsmittel** *n* depilatory; ~**ersatz** *m* false hair; transformation; ~**esbreite** *f* (-) hairbreadth; *um* ~ by a hair's breadth, by the fraction of an inch; *nicht um* ~ not an inch; → (*um ein*) *Haar*; ~**farbe** *f* colo(u)r of hair; ~**färbemittel** *n* hair-dye, hair-tint; ~**färben** *n* (-s) hair dying (*or* tinting); ~**faser** *f* capillary filament; ~**feder** *tech. f* hair spring; ≈**fein** *adj.* (as) fine as a hair, capillary; *fig.* very subtle; ~**festiger** *m* (-s; -), ~**fixativ** *n* setting lotion; ~**flechte** *f* braid (of hair), plait; ~**follikel** [ˈ-fɔliːkəl] *n* (-s; -) hair follicle; ≈**förmig** [ˈ-fœrmiç] *adj.* hairshaped, capilliform; ~**fülle** *f* abundant (*or* rich) hair; ~**gefäß** *anat. n* capillary (vessel *or* tube); ≈**genau** *adj.* to a hair (*or* nicety), to a T; exact, precise, meticulous; → *haarklein*; ≈**ig** *adj.* hairy, hirsute; *bot., zo.* pilous, pilose; *colloq.* stiff, tough; fishy; ~**kamm** *m* (hair-) -comb; ~**klammer,** ~**klemme** *f* bobby pin; ≈**klein** *adv.* minutely, in detail, with all the details; ~**künstler**(*in f*) *m* hair-dresser, *humor.* tonsorial artist; ~**locke** *f* lock; curl, ringlet; ≈**los** *adj.* hairless; bald; ~**mittel** *n* hair restorer; ~**nadel** *f* hairpin; ~**nadelkurve** *f* hairpin bend; ~**nest** *n* chignon; ~**netz** *n* hair-net; ~**öl** *n* hair oil; ~**pflege** *f* care of the hair; ~**pflegemittel** *n* hair lotion; ~**pinsel** *m* hair-brush; ~**puder** *m* hair-powder; ~**riß** *tech. m* hair-crack; ≈**rissig** *tech.* crazed; ~**röhrchen** *n* capillary tube; ~**salbe** *f* hair-cream, pomade; ≈**scharf I.** *adj.* very sharp, razor-sharp; *fig.* very precise (*or* exact); → *haargenau*; **II.** *adv. fig.* precisely, with mathematical precision; ~ *beweisen* prove to a nicety; *der Wagen fuhr* ~ *an uns vorbei* the car missed us by an inch; ~**schere** *f* hair scissors *pl.*; ~**schleife** *f* bow *or* ribbon (for the hair); ~**schmuck** *m* hair ornament(s *pl.*); ~**schneidemaschine** *f* hair-clippers *pl.*; ~**schneiden** *n* (-s) hair-cut(ting); ~, *bitte!* hair-cut, please!; ~**schneider** *m* hair-cutter, hair-dresser, *Am.* barber; ~**schneidesalon** *m* hair-dressing saloon, *Am. a.* barber shop; ~**schnitt** *m* hair-cut; ~**schopf** *m* tuft of hair; shock, mop (of hair); ~**schuppen** *f/pl.* dandruff *sg.*; ~**schweif** *ast. m* tail (of a comet), coma; ~**schwund** *m* loss of hair; ~**seil** *n med.* seton; *vet.* rowel; ~**seite** *tech. f* hair (*or* grain) side; ~**sieb** *n* hair-sieve; ~**spalter** *m* hair-splitter; ~**spalterei** [-ʃpaltəˈraɪ] *f* (-; -*en*) hair-splitting; ~ *treiben* split hairs; ~**spange** *f* hair-slide, hair clasp; ~**spitze** *f* tip of a hair; ≈**sträubend** *adj.* shocking, outrageous; scandalous, incredible; ~**strich** *m* hair-stroke; ~**tracht** *f* hair-style; ~**trockner** *m* hair drier; ~**waschen** *n* (-s) shampoo; ~**waschmittel** *n* shampoo, hair-wash; ~**wasser** *n* hair tonic (*or* lotion); ~**wickel** *m* curler, curl-paper; ~**wild** *n* ground game, fur; ~**wuchs** *m* growth of (the) hair; head of hair; ~**wuchsmittel** *n* hair-restorer; ~**wurzel** *f* root of a hair; ~**zange** *f* tweezers *pl.*

Habe [ˈhaːbə] *f* (-) property; (personal) belongings, effects, goods *pl.*, *jur.* personalty; *bewegliche* ~ movables *pl.*, personal estate; *unbewegliche* ~ immovables *pl.*, real estate; *Hab und Gut* goods and chattels; all one's property (*or* belongings).

haben [ˈhaːbən] *v/t.* have; possess, be in possession of, own, hold; *es hat* there is, there are; ~ *zu inf.* have to *inf.*, be obliged (*or* compelled) to *inf.*; ~ *wollen* **a**) wish, desire, want, **b**) ask for, demand, require; *colloq. sich* ~ **a**) put on airs, **b**) (make a) fuss; *etwas* (*nichts*) *auf sich* ~ be of (no) consequence, (not to) matter; *hinter sich* ~ have experienced (*or* undergone), have gone through *a th.*; *vor sich* ~ await, face, be in for; *unter sich* ~ be in charge (*or* control, care) of, command; *es im Halse* ~ suffer from (*or* have) a bad throat; → *gern, recht, unrecht*; *es bequem* ~ have a comfortable (*or* easy) life; *econ. zu* ~ obtainable, to be had, for sale, on the market; *zu* ~ *bei* (*dat.*) sold by; *ich hab's!* I have (got) it!; *da hast du es!* there you are!; *was hast du?* what is the matter with you?; *er hat es ja!* he can afford it; *colloq. hat sich was!* nothing doing!, what next?; *so will sie es* ~ that's the way she wants it; *er hat Geburtstag* it is his birthday; *wir* ~ *April* it is April; *wir* ~ *Winter hier* it's winter (over) here; *den wievielten* ~ *wir heute?* what is the date (today); *welche Farbe* ~ *seine Augen?* what colo(u)r are his eyes?; *es hat viel für sich* there is much to be said for it; *ich habe einen Freund an ihm* I have a friend in him; *er hat etwas Überspanntes an sich* there is something eccentric about him; *die Aufgabe hat es in sich* it's a very difficult problem (*or* a tough job), it's a hard nut to crack; *er hat viel von seinem Vater* he takes after his father, he is like his father in many ways; *woher hast du das?* where did you get it?, how did you come by that?; *was hast du gegen ihn?* what have you (got) against him? *sie hatte es mit ihm* she had an affair with him; *dafür bin ich nicht zu* ~ I would rather not have anything to do with it, count me out; *ich will es nicht* ~ **a**) I don't want it, **b**) I won't have it; *was habe ich davon?* what's in it for me?, what's the good of it?; *du hättest es mir sagen sollen* you ought to have told me; *er hätte es tun können* he could (*or* might) have done it; → *Anschein, Auge, Eile, etc.*

ˈ**Haben** *econ. n* (-s) credit (side); → *Soll.*

ˈ**Habenichts** *m* (-; -e) have-not, beggar; ~*e pl.* have-nots.

ˈ**Haben|saldo** *n* credit balance; ~**seite** *f* credit side.

Haber [ˈhaːbər] *m* (-s) → *Hafer.*

Habgier [ˈhaːp-] *f* greed(iness), covetousness, avarice; ≈**ig** *adj.* greedy, covetous, grasping, avaricious.

ˈ**habhaft** *adj.*: ~ *werden* (*gen.*) get hold of, secure; catch, seize.

Habicht [ˈhaːbiçt] *m* (-e[s]; -e) hawk; ~**skraut** *bot. n* hawkweed; ~**snase** *f* hooked nose.

Habilitation [habilitatsiˈoːn] *univ. f* (-; -*en*) habilitation; **habiliˈtieren:** *sich* ~ (*h.*) habilitate.

Habit [haˈbiːt] *n* (-s; -e) dress, garment, attire.

Habitus [ˈhaːbitus] *m* (-) (physical *or* mental) habits *pl.*; *physiol.* habitus.

Habseligkeiten [ˈhaːp-] *f/pl.* belongings, effects, things; → *Habe.*

Hab|sucht [ˈhaːp-] *f* (-), ≈**süchtig** *adj.* → *Habgier, habgierig.*

Hachse [ˈhaksə] *cul. f* (-; -*n*) knuckles *pl.*

Hack|beil [ˈhak-] *n* chopper, cleaver; ~**block** *m* chopping-block; ~**braten** *m* mince loaf, meat roll; ~**brett** *n* chopping-board; *mus.* dulcimer.

Hacke [ˈhakə] *f* (-; -*n*) *agr.* hoe, mattock; pick(axe).

Hacken [ˈhakən] *m* (-s; -) heel; *die* ~ *zusammenschlagen* click one's heels.

hacken [ˈhakən] *v/t. and v/i.* (*h.*) *agr.* hack, hoe; chop, cut, cleave (*wood*); chop, mince (*meat*); pick, peck, hack.

Hackepeter [ˈhakəpeːtər] *cul. m* (-s) pork mince loaf.

Häckerling [ˈhɛkərliŋ] *m* (-s) → *Häcksel.*

ˈ**Hack...:** ~**fleisch** *n* minced meat, *Am.* ground meat; ~**frucht** *f* hoed crop; ~**klotz** *m* chopping-block; ~**maschine** *f* mincing-machine, mincer, *Am.* food chopper; *tech.* rag-cutter (*for paper*); *agr.* hoeing machine, *Am.* cultivator; chipper; ~**messer** *n* chopping-knife, chopper.

Häcksel [ˈhɛksəl] *agr. m and n* (-s) chaff, chopped straw; ~**bank** *f* (-; ⸚e), ~(**schneide**)**maschine** *f* chaff-cutter.

Hader [ˈhaːdər] *m* **1.** (-s; -*n*) rag; **2.** (-s) dispute, quarrel; feud, strife; discord; ≈**n** *v/i.* (*h.*) quarrel, wrangle (*mit* with); be at strife (*or* feud) with; be angry (*or* wrathful, bitter).

Hafen [ˈhaːfən] *m* (-s; ⸚) **1.** port; harbo(u)r; haven; *econ.* (sea)port; *fig.* haven (of rest), (safe) refuge; *im* ~ *anlegen* harbo(u)r; → *anlaufen,* *einlaufen, etc.*; *fig.* *in den ~ der Ehe einlaufen* be (*or* get) married; **2.** (*South German*) pot; **~amt** *n* port authority; **~anlagen** *f/pl.* docks, port installations (*or* facilities); **~arbeiter** *m* docker, *Am.* longshoreman; **~bau** *m* (-[e]s; -ten) harbo(u)r *or* dock construction; **~becken** *n* (harbo[u]r)basin, (wet) dock; **~behörde** *f* port authority; **~damm** *m* jetty, mole; pier; **~einfahrt** *f* entrance to a port; **~gebühren** *f/pl.*, **~geld** *n* harbo(u)r- (*or* port-)dues *or* charges, anchorage *sg.*; **~meister** *m* harbo(u)r-master; **~platz** *m* → *Hafenstadt*; **~schlepper** *m* harbo(u)r tug; **~schleuse** *f* dock gate; **~sperre** *f* embargo; blockade; **~stadt** *f* seaport (town); **~viertel** *n* water-front, dock area; **~wache** *f* harbo(u)r police; **~zoll** *m* port-dues *pl.*

Hafer ['hɑːfər] *m* (-*s*) oats *pl.*; *fig.* *ihn sticht der ~* he is getting cocky *or* too reckless, he feels his oats; **~brei** *m* (oatmeal-)porridge, *Am.* oatmeal; **~flocken** *f/pl.* rolled (*or* flaked) oats; **~grütze** *f* groats, grits *pl.*

Haferlschuh ['hɑːfərl-] *m* brogue.

'**Hafer...:** **~mehl** *n* oatmeal; **~schlehe** *f* bullace; **~schleim** *m* (water-)gruel; **~schleimsuppe** *f* oatmeal soup.

Haff [haf] *n* (-[e]s; -e) bay.

Hafner ['hɑːfnər] *m* (-*s*; -) **1.** potter; **2.** (*South German*) plumber.

Haft [haft] *f* (-) custody; detention, confinement; arrest; *strenge ~* close confinement; *in ~* under detention (*or* arrest), in custody; *aus der ~ entlassen* release (*gegen Sicherheitsleistung* on bail); *in ~ halten* detain, hold under detention, keep in custody; *in ~ nehmen* place under detention, take into custody.

'**haftbar** *adj.* responsible, liable, answerable (*für* for); → *haften*; *j-n ~ machen für* make *or* hold a p. liable for; **≗keit** *f* (-) responsibility, liability.

'**Haft...:** **~befehl** *m* warrant of arrest; **~dauer** *f* period of detention, term of confinement.

'**haften** *v/i.* (*h.*) cling, adhere, stick (*an dat.* to); *mil.* *toxic agents, etc.*: persist; *fig.* *thoughts, etc.*: be fixed *or* cent|red, *Am.* -ered (on); *im Gedächtnis ~ (-bleiben)* stick (in one's mind), be imprinted *or* engraved (up)on one's mind, *b.s.* haunt one's mind, rankle; *s-e Blicke auf et. ~ lassen* keep looking at a th., have one's eyes fixed on a th.; *jur.* be liable *or* responsible, answer (*für* for); be held responsible; guarantee (*j-m a p.* against); guarantee, warrant (*für et.* a th.); *beschränkt ~* have a limited liability; *unbeschränkt ~* be liable without limitation; *mit s-m ganzen Vermögen ~* be liable to the extent of one's property; *persönlich ~der Gesellschafter* personally liable (*or* full, responsible) partner, general partner.

'**Haft...:** **~fähigkeit**, **~festigkeit** *tech.* *f* adhesion, adhesive strength; **~gläser** *opt.* *n/pl.* contact lenses; **~hohlladung** *mil.* *f* magnetic anti-tank hollow charge.

Häftling ['hɛftliŋ] *m* (-*s*; -e) prisoner.

'**Haftlokal** *n* detention room.

'**Haftpflicht** *f* liability, responsibility; *solidarische ~* joint liability; *mit beschränkter ~* with limited liability; → *GmbH*; **~gesetz** *n* Employer's Liability Act; **≗ig** *adj.* liable, responsible (*für* for); **~versicherung** *f* third party (indemnity) insurance.

'**Haft...:** **~psychose** *f* prison psychosis; **~sitz** *tech.* *m* tight fit; **~spannung** *f* bond stress.

'**Haftung** *f* (-; -*en*) *tech.* adhesion; *chem.* adsorption; *jur.* liability, responsibility, guarantee; *beschränkte (persönliche) ~* limited (personal) liability; *dingliche ~* liability in re; *gesamtschuldnerische ~* joint and several liability; *aus e-r ~ entlassen* discharge from a liability; *e-e ~ übernehmen* undertake liability; **~s-ausschluß** *m* exemption from liability; **~sfonds** *m* guarantee funds *pl.*; **~sverzichtklausel** *f* liability waiver clause.

Hag [hɑːk] *m* (-[e]s; -e) hedge; enclosure; grove; wood.

Hage|buche ['hɑːgə-] *f* hornbeam; **~butte** *f* (rose-)hip; **~dorn** *m* (-[e]s; -e) hawthorn.

Hagel ['hɑːgəl] *m* (-*s*; -) hail; small shot; *fig.* shower; volley, torrent (*of oaths, etc.*); **≗dicht** *adj.* (as) thick as hail; **~korn** *n* hailstone; **≗n** *v/i.* (*h.*) hail (*a. fig.*); *es hagelt* it hails; *fig.* *es hagelte Schläge* blows rained down; *es hagelte Vorwürfe auf ihn* he was showered with reproaches; **~schaden**, **~schlag** *m* damage caused by hail; **~schauer** *m* heavy fall of hail; **~schloßen** *f/pl.* hailstones; **~versicherung** *f* hail(storm) insurance; **~wetter** *n* hailstorm.

hager ['hɑːgər] *adj.* lean, lank(y), spare; scraggy; rawboned; gaunt, haggard; **≗keit** *f* (-) leanness, lank(i)ness; gauntness.

Hagestolz ['hɑːgəʃtɔlts] *m* (-es; -e) (old) bachelor.

haha! ['ha'hɑː] *int.* ha ha!, aha!

Häher ['hɛːər] *m* (-*s*; -) jay.

Hahn [hɑːn] *m* (-[e]s; ¨e) cock; rooster; *junger ~* cockerel; weather-cock; *tech.* (stop)cock, tap, *Am.* faucet; *barrel*: spigot; *gun*: cock, hammer; *den ~ spannen* cock a gun *or* rifle; *den ~ aufdrehen (zudrehen)* turn the tap on (off); *fig.* *~ im Korbe* cock of the walk; *es kräht kein ~ danach* nobody cares two hoots about it; who cares?; *j-m den roten ~ aufs Dach setzen* set fire to a p.'s house.

Hähnchen ['hɛːnçən] *n* (-*s*; -) cockerel.

'**Hahnen...:** **~fuß** *bot.* *m* crowfoot; **~kamm** *m* (*a. bot.*) cockscomb; **~kampf** *m* cock-fight; **~schrei** *m* cock-crow(ing); *mit dem ersten ~* at cock-crow; **~sporn** *m* (*a. bot.*) cockspur; **~tritt** *m* (cock-)tread (*of egg*).

Hahnrei ['hɑːnraɪ] *m* (-[e]s; -e) cuckold; *zum ~ machen* cuckold.

Hai [haɪ] *m* (-[e]s; -e), '**~fisch** *m* shark.

Hain [haɪn] *m* (-[e]s; -e) grove; wood.

Häkchen ['hɛːkçən] *n* (-*s*; -) hooklet, crochet; *on list, etc.*: tick; *gr.* apostrophe; *früh krümmt sich, was ein ~ werden will* as the twig is bent the tree is inclined.

Häkelarbeit ['hɛːkəl-] *f*, **Häkelei** ['hɛːkə'laɪ] *f* (-; -*en*) crochet work.

'**Häkel...:** **~garn** *n* crochet-cotton; **≗n** *v/t.* *and* *v/i.* (*h.*) crochet; **~nadel** *f* crochet-needle.

Haken ['hɑːkən] *m* (-*s*; -) hook; peg; clasp, hasp; *tech.* hook, clutch; clamp; claw; *~ und Öse* hook and eye; catch; picklock; *boxing*: *linker (rechter) ~* left (right) hook; *e-n ~ versetzen* (land a) hook; *hunt. etc.* *(e-n) ~ schlagen* double; *fig.* snag, hitch; *die Sache hat e-n ~* there is a hitch (*or* catch) to it; *es hat den ~, daß* the trouble is that; *da sitzt der ~!* there is the rub (*or* snag)! **≗** *v/t.* *and* *v/i.* (*h.*) hook (*an acc.* on to); *sich ~ an* hook on; catch (*or* be caught) in; **~büchse** *hist.* *f* arquebus; **≗förmig** ['-fœrmiç] *adj.* hooked; **~kreuz** *n* swastika; **~nase** *f* hooked nose; **~schlüssel** *m* hook-spanner; **~ziegel** *m* hook tile.

'**hakig** *adj.* hooked.

Häklerin ['hɛːklərin] *f* (-; -*nen*) crocheter.

Halali [hala'liː] *hunt.* *n* (-*s*; -[*s*]) mort; *~ blasen* sound the mort.

halb [halp] **I.** *adj.* half; *e-e ~e Stunde* half an hour, *Am. a.* a half-hour; *~ drei Uhr* half past two; *es schlägt ~* the half-hour strikes; → *Fahrt*; *auf ~er Höhe* half-way (up); *die ~e Summe* half the sum; *um den ~en Preis* for half the money, (at) half-price; *~e Wahrheit* half-truth; *mit ~em Herzen* half-hearted(ly); *mus.* *~er Ton* semitone, half tone; *j-m auf ~em Wege entgegenkommen* meet a p. halfway; *sich auf ~em Wege einigen* split the difference; *mit ~em Ohr zuhören* listen with one ear only; **II.** *adv.* by halves, half; *~ entschlossen* half decided; *er wünschte ~* he half-wished; *~ soviel* half as much; *~ und ~* by halves, half and half; → *Halbpart*; tolerably (well); nearly; *es ist ~ so schlimm* it's not as bad as all that; *das ist ~ geschenkt* it's practically a gift (at that price); *damit war die Sache ~ gewonnen* that was half the battle; *die Zeit ist ~ um* the time is half over; **≗e(s)** *n* (one-)half; *drei ~e* three halves; *nichts ~es und nichts Ganzes* neither fish, flesh, nor fowl, neither here nor there, a half-measure.

'**Halb...:** **≗amtlich** *adj.* semi-official; **~ärmel** *m* half-sleeve; **~atlas** *m* satinet(te); **~automat** *tech.* *m* semi-automatic machine; **≗automatisch** *adj.* semi-automatic; **~band** *m* (-[e]s; ¨e) half-binding; **~bildung** *f* semi-culture, smattering; **~blut** *n* half-blood; *person, race*: *a.* half-caste; *horse*: half-bred; **~blut...**, **≗blütig** ['-blyːtiç] *adj.* half-blooded, half-bred (*horse*); **~blüter** *m* (-*s*; -) *horse*: half-bred; **~bruder** *m* half-brother; **≗bürtig** ['-byrtiç] *adj.* of the half-blood; **~dunkel** *n* semi-darkness, (dim) twilight; **~edelstein** *m* semi-precious stone.

...halben [-halbən], (...)**halber** [-halbər] *in compounds* **1.** on account of, for reasons of, owing to; **2.** for the sake of; **3.** for, with a view to.

Halb... ['halp-]: **2erhaben** *tech. adj.* demi-relief, mezzo-relievo; **~fabrikat** *tech. n* semi-finished product, intermediate product; **~e** *pl. a.* goods in process, semi-finishes; **2fertig** *adj.* half-done; *tech.* semi-manufactured (*or* -finished); **2fest** *adj.* semi-solid (*fat, etc.*); **2fett** *adj. typ.* semi-bold; semi-bituminous (*coal*); **~finale** *n* semi-final; **~flugball** *m tennis*: half-volley; **~format** *phot. n* half-frame; **~franz** ['-frants] *n* (-): *in* ~ (*gebunden*) half-bound (calf); **~franzband** *m* (-[e]s; ⸚e) half-calf (binding); **2gar** *adj.* underdone, *Am.* rare; **2gebildet** *adj.* half-educated, semi-cultured; **~geschoß** *arch. n* entresol; **~geschwister** *pl.* half-brothers and sisters; **~geviert** *typ. n* en quad; **~gott** *m*, **~göttin** *f* demigod(dess *f*); **~heit** *f* (-; -*en*) incompleteness, imperfection; half-measure; *er liebt keine* ~*en a.* he does not do things by halves.

halbier|en [-'biːrən] *v/t.* (*h.*) halve, cut in half, divide into (equal) halves; *math.* bisect; **2ung** *f* (-; -*en*) halving; *math.* bisection; **2ungsebene**, **2ungsfläche** *math. f* bisecting plane; **2ungslinie** *math. f* bisecting line, bisector.

'**Halb...**: **~insel** *f* peninsula; **~jahr** *n* half-year; six months *pl.*; **~jahr(e)s...** mid-year..., semi-annual..., six-month...; **2jährig** *adj.* **1.** lasting (*or* of) six months, half-year, six-month; **2.** six-month(s)-old (*baby*); **2jährlich** *adj. and adv.* half-yearly, *Am.* semi-annual(ly *adv.*); **~kettenfahrzeug** *mot. n* half-track (vehicle); **~kreis** *m* semicircle; **2kreisförmig** *adj.* semicircular; **~kugel** *f* hemisphere; **2kugelförmig** ['-fœrmiç] *adj.* hemispheric(al); **2lang** *adj.* medium-length; half-length (*sleeve, trousers*); half-long (*vowel*); *colloq. mach's* ~! draw it mild!; **2laut I.** *adj.* low, subdued; **II.** *adv.* in an undertone, under one's breath, sotto voce; **~leder** *n* half-calf; ~ *gebunden* half-bound; **~lederband** *m* half-binding; **2leinen** *adj.* half-linen; **~leinen** *n* half-linen (cloth); *book*: (*in* ~) half-cloth; **~linke(r)** *m* (-*n*; -*n*) *soccer*: inside left; **2mast** *adv.*: *auf* ~ *setzen* (*stehen*) lower to (fly at) half-mast; **~messer** *m* (-s; -) radius; **~metall** *n* semi-metal; **2militärisch** *adj.* paramilitary; **2monatig** ['-moːnatiç] *adj.* lasting (*or* of) half a month, two-week; **2monatlich I.** *adj.* semi-monthly, fortnightly; **II.** *adv.* every fortnight, twice a month; **~monatschrift** *f* semi-monthly; **~mond** *m* half-moon, crescent; **2mondförmig** *adj.* crescent-shaped; **2nackt** *adj.* half-naked, semi-nude; **2offen** *adj.* half-open; *door*: ajar; **2part:** ~ *machen* go halves, go fifty-fifty; **~profil** *n* three-quarter face; **~rechte(r)** *m soccer*: inside right; **2reif** *adj.* half-ripe; **~relief** *n* half relief, mezzo-relievo; **2rund** *adj.* semicircular; **~samt** *m* uncut velvet; **~schatten** *m* half-shade, half-shadow; penumbra; **~schlaf** *m* doze; **~schuh** *m* (low) shoe; **~schwergewicht(ler** *m*, -*s*; -) *n sports* light heavy-weight; **~schwester** *f* half-sister; **~seide** *f* half-silk; **~seitenlähmung** *med. f* hemiplegia; **~sold** *mil. m* half-pay; **~sopran** *m* mezzo-soprano; **~spieler** *m soccer, etc.*: half-back; **2staatlich** *adj.* semi-governmental; **~stahl** *m* semi-steel; **~starke(r)** *colloq. m* (-*n*; -*n*) juvenile street-rowdy, hooligan, *Brit. a.* teddy-boy; **2starr** *aer. adj.* semi-rigid; **~stiefel** *m* half-boot; **~strumpf** *m* knee-sock; **2stündig** ['-ʃtyndiç] *adj.* lasting (*or* of) half an hour, half-hour; **2stündlich** *adj.* half-hourly, (once) every half-hour; **2tägig** *adj.* lasting half a day, half a day's, half-day; **~tags-arbeit** *f* part-time job (*or* employment); **~tagsbeschäftigte(r** *m*) *f* (-*n*; -*n*, -*en*, -*en*) part-time worker, part-timer; **~ton** *m* (-[e]s; ⸚e) *mus.* semitone, *a. phot., typ.* half-tone; **~ton-ätzung** *f* half-tone (*engraving*); **2tot** *adj.* half-dead; *adv. sich* ~ *lachen* split one's sides with laughter; **~trauer** *f* half-mourning; **2verdaut** *adj.* undigested (*a. fig.*); **~vers** *m* hemistich; **~vokal** *m* semivowel; **2voll** *adj.* half-full; **2wach** *adj.* half-awake, dozing; **~waise** *f* fatherless child, motherless child; **2wegs** ['-veːks] *adv.* half-way, midway; tolerably, middling; to a certain extent; **~welt** *f* (-) demi-monde; **~weltdame** *f* demi-mondaine, demi-rep; **~wertzeit** *phys. f* half-life (period); **~wissen** *n* superficial knowledge, smattering; **~wisser** *m* (-s; -) smatterer; **2wöchentlich** *adj.* half-weekly; **~wolle(nstoff** *m*) *f* linsey-woolsey; **2wollen** *adj.* half-woolen; **2wüchsig** ['-vyːksiç] *adj.* adolescent, teenage; **~wüchsige(r** *m*) [-igə(r)] *f* (-*n*, -*n*; -*en*, -*en*) adolescent, juvenile (boy, girl), teenager; **~zeit** *f sports*: half-time (*a.* **~zeitpause** *f*); *phys.* half-life (period); **~zeug** *tech. n paper*: first (*or* half) stuff; → *Halbfabrikat*; **~zug** *mil. m Brit.* half platoon, *Am.* section.

Halde ['haldə] *f* (-; -*n*) slope, declivity, hillside; *mining*: dump, waste-heap, tip; **~nbestände** ['-bəʃtɛndə] *m/pl.* dump stocks; **~n-erz** *n* waste-heap ore; **~nkoks** *m* stock coke.

half [half] *pret. of helfen.*

Hälfte ['hɛlftə] *f* (-; -*n*) half, *esp. jur.* moiety; *die* ~ *der Leute* half the men; *die* ~ *deiner Zeit* half your time; *bis zur* ~ to the middle; half-way up; *um die* ~ *mehr* (*teurer*) half as much (dear) again; *um die* ~ *weniger* less by half, only half; *colloq. m-e bessere* ~ my better half; *zur* ~ *tragen* go halves (*with*), split *the bill.*

Halfter ['halftər] *n* (-s; -) halter; ~ *f* (-; -*n*) *for pistol*: holster; **2n** *v/t.* (*h.*) halter; **~riemen** *m* halter-strap; **~tasche** *f* holster.

Hall [hal] *m* (-[e]s; -e) sound, clang, peal; echo, resonance.

Halle ['halə] *f* (-; -*n*) hall; vestibule, portico, porch; (hotel) lounge; *esp. parl.* lobby; market-hall; *tennis*: covered court; *aer.* hangar, shed.

Halleluja [hale'luːja] *n* (-*s*; -*s*) *and int.* hallelujah.

hallen ['halən] *v/i.* (*h.*) (re)sound, echo.

'**Hallen...**: **~fußball** *m* indoor football; **~meisterschaft** *f* indoor championship; **~rekord** *m* indoor record; **~schwimmbad** *n* indoor swimming-bath, *Am.* indoor swimming pool; **~sport** *m* indoor sports *pl.*

hallo [ha'loː] *int.* hullo, *Am.* hello; ~ *rufen* halloo, hallo(a).

Hal'lo *n* (-*s*; -*s*) *fig.* uproar, hullabaloo.

Halluzination [halutsinatsi'oːn] *f* (-; -*en*) hallucination.

Halm [halm] *m* (-[e]s; -e) blade; *cereals*: stalk, haulm; straw; *die Ernte auf dem* ~ the standing crop.

Haloche'mie [halo-] *f* chemistry of salts.

Halogen [-'geːn] *chem. n* (-*s*; -e) halogen; **Halogenid** [-ge'niːt] *n* (-[e]s; -e) halide; **halogenieren** [-ge'niːrən] *v/t.* (*h.*) halogenate, halinate.

Hals [hals] *m* (-es; ⸚e) neck; throat; *tech.* neck, collar; neck (*of bottle, violin*); *mus.* tail (*of note*); *med. steifer* ~ stiff neck; ~ *über Kopf* **a)** head over heels, **b)** headlong, helter-skelter, precipitately; *bis an den* ~ up to the neck (*or* eyes), over head and ears (*all a. fig.*); *aus vollem* ~*e lachen* roar with laughter; *aus vollem* ~*e schreien* shout at the top of one's voice, scream one's lungs out; *e-n schlimmen* ~ *haben* have a bad (*or* sore) throat; *fig. et. auf dem* ~ *haben* have a th. on one's back, be saddled with a th.; *j-m den* ~ *umdrehen* wring a p.'s neck; *j-m um den* ~ *fallen* fall on a p.'s neck; *sich j-m an den* ~ *werfen* throw o.s. at a p.('s head); *sich den* ~ *verrenken nach et.* crane one's neck for a th.; *sich et. or j-n vom* ~*e schaffen* get rid of a th. or p.; *sich den* ~ *brechen* break one's neck; *e-r Flasche den* ~ *brechen* crack a bottle; *das bricht ihm den* ~ that will be his undoing; *das kann ihm den* ~ *kosten* that may cost him his head; *es hängt* (*or wächst*) *mir zum* ~ *heraus* I am fed up (to the teeth) with it, I am sick (and tired) of it; *bleib mir damit vom* ~*e!* don't pester me with that!; ~- *und Beinbruch!* good luck (to you)!

'**Hals...**: **~abschneider** *m* (-s; -), **2abschneiderisch** *adj.* cutthroat; **~ader** *anat. f* jugular vein; **~arterie** *anat. f* carotid artery; **~ausschnitt** *m* neckline; *tiefer* ~ low neck(line); **~band** *n* (-[e]s; ⸚er) necklace, neck ribbon; *for dogs*: collar; **~binde** *f* (neck)tie; **~bräune** *f* quinsy; **2brecherisch** *adj.* breakneck (*speed, etc.*); risky; **~bund** (-[e]s; -e) *on shirt*: neck-band;

~entzündung *med. f* inflammation of the throat; **~kette** *f* necklace; **~kragen** *m* collar; **~krankheit** *f* throat-disease; **~krause** *f* frill, ruff; **~leiden** *n* → *Halskrankheit*; **~mandel** *anat. f* tonsil; **~muskel** *anat. m* cervical muscle, muscle of the neck; **~-, Nasen- u. Ohrenspezialist** *m* ear, nose, and throat specialist, otolaryngologist; **~priese** *f* neckband; **~schlag-ader** *anat. f* carotid artery; **~schmerzen** *m/pl.*: ~ *haben* have a sore throat; **2starrig** *adj.* obstinate, stubborn; stiff-necked, headstrong; **~starrigkeit** *f* (-) obstinacy, stubbornness, **~tuch** *n* (-[e]s; ⸚er) neckerchief; scarf, muffler; comforter; **~vene** *anat. f* jugular vein; **~weh** *n* sore throat; **~weite** *f* neck size; **~wickel** *med. m* fomentation round the throat; **~wirbel** *anat. m* cervical vertebra; **~zäpfchen** *anat. n* uvula.

Halt [halt] *m* (-[e]s; -e) hold; foothold; handhold; halt, stop; pause; support, mainstay (*both a. fig.*); *moral*: stay; consistency (in character), steadiness, firmness; *Marsch, Flug, etc. ohne* ~ nonstop *march, flight, etc.*; *Mensch ohne* ~ unstable, unsteady, without backbone, weak *person*; ~ *gebieten* call a halt (*dat.* to), stop *a th.*; → *haltmachen.*

halt I. *int.*: ~! stop!, halt (*a. mil.*)!, don't go *or* move!; that will do!; wait a minute!; *mil.* ~, *wer da?* halt, who goes there?; **II.** *adv. colloq.* just; you know; to be sure; *das ist* ~ *so* that's the way it is; *da kann man* ~ *nichts machen* it can't be helped, I'm afraid.

'**haltbar** *adj.* durable, lasting, permanent; stable, strong, solid; imperishable; *tech.* wear-resistant; *mil.* tenable; *fig.* tenable, valid (*argument, etc.*); fast (*colour*); ~ *machen* preserve (*food*), fix (*paint*); ~ *sein cloth*: wear well; **2keit** *f* (-) durability; stability (*a. chem.*); *tech. a.* resistance to wear, service life, rugged design; *of colour*: fastness; *of merchandise*: (lasting) wear, imperishable nature; **2machen** *n* (-s) preservation (*of food*); *chem.* stabilizing.

'**Halte...:** **~feder** *tech. f* retaining spring; **~kabel** *n* anchoring cable; **~leine** *f* handling line; mooring rope.

halten ['haltən] **I.** *v/t.* (*irr., h.*) hold; keep (*in a state*); hold (*meeting, etc.*); celebrate (*mass, marriage*); take, have (*meal*); keep (*car, horse, servants, etc.*); take in, be a subscriber to (*newspaper*); *econ.* keep, (keep in) stock, carry; hold (up); keep, detain; *mil.* hold (*a position, etc.*); hold, support (*a load*); maintain, keep up, peg (*prices*); hold, contain; *sports* save, block (*a shot*); keep (*a promise*); *an der Hand* ~ hold by the hand; *ans Licht* ~ hold to the light; *den Kopf hoch*~ hold up one's head; *frisch (sauber, warm)* ~ keep fresh (clean, warm); *in Ehren* ~ hono(u)r; *Frieden* ~ keep peace; *in Gang* ~ keep going; *e-e Rede* ~ deliver an address, deliver (*or* make) a speech; *e-e Predigt* ~ preach (a sermon); *e-e Vorlesung* ~ give a lecture, *Vorlesungen* ~ lecture; *j-n auf dem laufenden* ~ keep a p. informed; → *Maß, Mund, Narr, Ordnung, Schach, schadlos, Schritt, Stück, etc.*; *gut* ~ treat well; *knapp* ~ keep short; *streng* ~ be strict with; *es mit j-m* ~ hold *or* side with a p.; *viel* ~ *von* (*dat.*) think highly (*or* the world) of, make much of, have a high opinion of; *nicht viel* ~ *von* think little of, attach no value to; ~ *für* (*acc.*) consider, regard as, look upon as, think (*or* believe, suppose) to be; *erroneously*: (mis)take for; *es für angebracht* ~ *zu inf.* think fit (*or* proper) to *inf.*; *es für notwendig* ~ *zu inf.* consider (*or* deem) it necessary to *inf.*; *für wie alt hältst du ihn?* how old do you think he is?; *wofür* ~ *Sie mich (eigentlich)?* what are you taking me for?; *sich* ~ **a)** hold (out), **b)** keep (*left, etc.*; *in a good condition, etc.*); *sich an et. (fest)*~ hold on to, steady o.s. by; *fig. sich* ~ *an* (*acc.*) keep to, stick to; adhere to, observe, follow, abide by, act in conformity with, comply with (*a contract, etc.*); *an j-n* (*for damages*) have recourse to a p., hold a p. liable; *sich aufrecht* ~ hold o.s. upright (*or* straight, erect); *sich bereit* ~ be *or* keep ready; *sich gut* ~ *food*: keep well, *dress*: wear well, *person*: stand one's ground, do well, show up fine; *sie hat sich gut gehalten* (*in looks*) she is well preserved; *sich links (rechts)* ~ keep to the left (right); *das kannst du* ~, *wie du willst* you can please yourself; *er ließ sich nicht* ~ there was no holding him; *was* ~ *Sie von?* **a)** what do you think of?, **b)** how about?; *wie hältst du es damit?* what do you generally do about it?; **II.** *v/i.* (*irr., h.*) hold; stop, halt, *vehicle*: *a.* draw (*or* pull) up; last, be lasting (*or* durable), endure, keep, hold out; *ice*: bear; *links (rechts)* ~ keep to the left (right); *auf et. zu*~ make straight for a th.; *an sich* ~ restrain (*or* check, control) o.s.; ~ *auf* (*acc.*) **a)** pay heed (*or* attention) to, **b)** set store by, attach value to, lay great stress on, **c)** insist on; *auf sich* ~ be particular (about one's appearance); *dafür* ~, *daß* hold that; *wir* ~ *nicht auf Formen* we do not stand upon ceremony; *es wird schwer* ~ it will be difficult (*or* hard, not so easy); **III.** *p.p. gehalten*: ~ *sein, zu inf.* be bound (*or* pledged, obliged) to *inf.*; *ganz in Grün gehalten* all in green.

'**Halten** *n* (-s) holding; keeping (*of horses, servants, etc.*); observance (*of contract, etc.*); keeping, fulfilment (*of promise*); taking-in (*gen.* of), subscription (to) (*newspaper*); *sports*: blocking (*ball*); *boxing*: ~ *und Schlagen* holding and hitting; *da gab es kein* ~ *mehr* there was no holding them, *etc.*, any more.

'**Halte...:** **~platz** *m* stopping-place; parking area; loading place; **~punkt** *m* stopping point, stop; *phys.* critical point; *shooting*: point of aim.

'**Halter** *m* (-s; -) holder; legal owner; user; *tech.* holder; support; clip; clamp; bracket; (*newspaper, towel, etc.*) rack; penholder.

'**Halte...:** **~riemen** *m* (hanger-) strap (*in bus, etc.*); **~ring** *tech. m* guard (*or* fastening) ring.

'**Halterung** *tech. f* (-; -en) mounting support, holding device, fixture.

'**Halte...:** **~schraube** *tech. f* check screw; **~seil** *n* guy(-line), holding-rope; **~signal** *rail. n* block- (*or* stopping-)signal; **~stelle** *f* stopping- (*or* halting-)place; station; *for bus, etc.*: stop(ping-point); **~stift** *tech. m* locking pin; **~verbot** *n* stopping prohibition, no-stopping sign; **~vorrichtung** *tech. f* → *Halterung.*

...haltig [-haltiç] ...-containing.

'**Halt...:** **2los** *adj.* without support; *fig.* **a)** untenable, **b)** unfounded, baseless, **c)** unsteady, unstable, weak (*character, person*); **~losigkeit** *f* (-) instability, unsteadiness, laxity; unfoundedness; untenableness; **2machen** *v/i.* (*h.*) (make *or* call a) halt, stop; pause; *mil.* ~ *lassen* halt; *fig. vor nichts* ~ stick at nothing.

'**Haltung** *f* (-; -en) bearing, carriage; attitude, posture, *sports a.* (body) position; stance, style; pose; *fig.* deportment; demeano(u)r, behavio(u)r; attitude (*gegenüber* towards); poise, composure; self-possession (*or* -control); morale; way of acting, rôle (in a matter); *stock exchange*: tone, tendency; *feste* ~ firmness; *matte* ~ flatness, dul(l)ness; *politische* ~ political standpoint (*or* opinion, views *pl.*, outlook); *e-e* ~ *einnehmen* assume an attitude; ~ *bewahren* give proof of moral strength (*or* backbone), keep a stiff upper lip; keep a straight face; control (*or* check) o.s., preserve one's dignity; **~sfehler** *m* posture fault.

'**Haltzeichen** *n traffic*: stop-signal.

Halunke [ha'luŋkə] *m* (-n; -n) scoundrel, blackguard, *a. humor.* rascal, scamp.

hämisch ['hɛːmiʃ] **I.** *adj.* malicious, spiteful; sneering, sardonic, gloating; *ein* ~*es Gesicht (machen)* sneer; **II.** *adv.*: *sich* ~ *freuen über* (*acc.*) gloat over.

Hammel ['haməl] *m* (-s; -) wether; (*meat*) mutton; **~braten** *m* roast mutton; **~fleisch** *n* mutton; **~keule** *f* leg of mutton; **~kotelett, ~rippchen** *n* mutton chop; **~rücken** *m* saddle of mutton; **~sprung** *parl. m* division.

Hammer ['hamər] *m* (-s; ⸚) hammer (*a. sports*); mallet; forge- (*or* sledge-)hammer; *parl. and auction*: gavel; ~ *und Sichel* (*symbol*) hammer and sickle; *fig. unter den* ~ *bringen* bring under the (auctioneer's) hammer; *unter den* ~ *kommen* come under the hammer, be put up for auction.

hämmerbar ['hɛmərbaːr] *tech. adj.* malleable, ductile; **2keit** *f* (-) malleability.

'**hämmern** *v/t. and v/i.* (*h.*) hammer (*in acc.* into; *a. fig.*); forge; pound, *a. mot.* knock; *gehämmert* hammered (*metal ware*).

'**Hämmern** *n* (-s) hammering;

forging; knocking, pounding, rapping; *of the heart*: throbbing.

ˈ**Hammer...:** **~schlag** *m* hammer-blow; hammer-scales *pl.*; **~schmied** *m* hammersmith; blacksmith; **~schweißung** *f* forge welding; **~werfen** *n* hammer throw(ing); **~werfer** *m* hammer-thrower; **~werk** *n* forge (shop), hammer mill; *in musical instruments, etc.*: striking mechanism; **~wurf** *m* → *Hammerwerfen.*

Hämoglobin [hɛmogloˈbi:n] *n (-s)* h(a)emoglobin.

Hämorrhoiden [-roˈi:dən] *med. f/pl.* h(a)emorrhoids, piles.

Hämostasis [-ˈstɑ:sis] *f* (-) h(a)emostasis.

Hampelmann [ˈhampəl-] *m* jumping-jack; *fig.* puppet; *contp.* booby.

Hamster [ˈhamstər] *zo. m* (-s; -) (common) hamster, marmot; *fig.* → **~er** *m* (-s; -) hoarder; **2n I.** *v/t.* (*h.*) hoard; **II.** *v/i.* (*h.*) hoard; go on a hoarding trip, wangle; **~n** *n* (-s; *a.* **Hamsterei** [-ˈraɪ] *f* [-]) hoarding.

Hand [hant] *f* (-; ⸚e) hand; hand (-writing); *cards*: hand; *flache* ~ palm; *hohle* ~ hollow of the hand; *fig. j-s rechte* ~ a p.'s right hand *or* right-hand man; *öffentliche* ~ public authorities (*or* funds *pl.*), state, government; *im Besitz der öffentlichen* ~ public-owned, under government control; *jur. tote* ~ mortmain; *Politik der freien* ~ policy of the free hand; *Politik der starken* ~ strong-arm (*or* get-tough) policy; *soccer*: ~! hands!; *Hände hoch!* hands up!; *Hände weg!* hands off!; *an* ~ *von* (*dat.*) by (means of), guided by, on the basis of, in the light of; *aus bester* ~ on good authority, from the best source; *aus erster* ~ at first hand, first-hand; *aus zweiter* ~ at second hand, second-hand; used; *Nachrichten aus erster* ~ first-hand (*or* inside) information; *bei der* ~, *zur* ~ at hand, handy, *answer, etc.*: pat; *parl. durch Heben der* ~ by show of hands; *in der* ~ in hand; *in Händen* (*esp. econ.*) on hand; *mit der* ~ *make, etc.*, by hand; *mit der* ~ *gemacht, etc.* hand-made; *mit bewaffneter* ~ by force of arms; *mit starker* ~ with a strong hand; *mit vollen Händen* plentifully, lavishly; open-handedly, liberally; *unter der* ~ in secret, on the quiet, (*sell*) privately, by private contract; *von* ~ *gemalt* hand-painted; *von langer* ~ for a long time past, long beforehand, carefully (*planned*); *von zarter* ~ by dainty hands; *on letters*: *zu Händen* (*gen.*) care of (*abbr.* c/o.), *Am. officially*: Attention; *zu treuen Händen* in trust; *zur rechten* (*linken*) ~ on the right (left) hand *or* side; ~ *anlegen* lend a hand, put one's shoulder to the wheel; ~ *an et. legen* take a th. in hand; ~ *an j-n legen* lay hands on a p.; ~ *an sich legen* lay hands on o.s., commit suicide; ~ *ans Werk legen* go to (*or* buckle down to) work; *letzte* ~ *an et. legen* put the finishing touches to; ~ *in* ~ *gehen* go hand in hand, *fig.* go together; ~ *und Fuß haben* hold water, be (very much) to the point (*or* purpose); *ohne* ~ *und Fuß* without rhyme or reason; *alle Hände voll* (*zu tun*) *haben* have one's hands full, be very busy; *aus der* ~ *geben* part with, relinquish; *aus der* ~ *legen* put away *or* aside; *et. aus der* ~ *lassen* let a th. slip from one's hand, lose one's control of (*or* grip on) a th.; *die* ~ *erheben gegen j-n* lift one's hand against a p.; *die Hände in den Schoß legen* fold one's hand, twiddle one's thumbs; *e-e offene* ~ *haben* be open-handed (*or* generous); *et. in die Hände bekommen* get hold of a th., gain control over a th.; *et. in die* ~ *nehmen* take a th. in hand, take the initiative, take charge (of a th.); *j-m an die* ~ *gehen* aid (*or* assist) a p., lend *or* give a p. a hand; *j-m et. an die* ~ *geben* supply (*or* furnish) a p. with a th.; give a p. the refusal (*or* option) of a th.; *j-m aus der* ~ *fressen* feed out of a p.'s hand; *j-m die* ~ *drücken* squeeze (*or* press) a p.'s hand; *j-m die* ~ *reichen* hold one's hand out to a p.; offer a p. one's hand; accept a p. (as husband); *die* ~ *reichen zu et.* stoop to (do) a th.; *j-m die* ~ *schütteln* shake a p.'s hand, shake hands with a p.; *j-m in die Hände spielen* play into a p.'s hands, *et.*: play a th. into a p.'s hands, help a p. to a th.; *freie* ~ *haben* have carte blanche; *j-m freie* ~ *lassen* give a p. a free hand, allow a p. free play; *j-n auf* (*den*) *Händen tragen* fulfil a p.'s every wish, be wonderful to a p.; *j-n in der* ~ *haben* have a p. in the hollow of one's hand (*or* in one's grip, at one's mercy); *j-n in die* ~ *bekommen* gain complete control over a p., get a p. by the short hair; *j-s Hände binden* tie a p.'s hands (*a. fig.*); *mit beiden Händen zugreifen* grasp a th. with both hands, jump at an opportunity; *mit leeren Händen weggehen* go away empty-handed; *seine* ~ *im Spiele haben* have a hand in it, have a finger in the pie; *s-e* ~ *ins Feuer legen für* (*acc.*) put one's hand into the fire for, vouch for; *sich die Hände reichen* join hands (*fürs Leben* for life), *as a greeting*: shake hands; *sich mit Händen und Füßen gegen et. wehren* fight a th. tooth and nail *or* with might and main; *von* (*or aus*) *der* ~ *in den Mund leben* live from hand to mouth; *von der* ~ *weisen* reject, rule out; *es ist nicht von der* ~ *zu weisen* it cannot be denied; there is no getting away from it; *es liegt in s-r* ~ **a)** it (*or* the decision) lies *or* rests with him, it is for him to decide, **b)** it (*or* the power) is vested in him; *es liegt klar auf der* ~ it is self-evident (*or* quite obvious), it goes without saying; *die Arbeit geht ihm flott von der* ~ he is a quick (*or* efficient) worker; *sie hat immer e-e Antwort bei der* ~ she has always an answer ready, she is never at a loss for a reply; *e-e* ~ *wäscht die andere* one good turn deserves another; *wir haben die Lage fest in der* ~ we have the situation well in hand; → *gesamt, fallen, gelangen.*

ˈ**Hand...:** **~abzug** *typ. m* hand-impression; **~akten** *f/pl.* reference files; **~anlasser** *mot. m* hand- (*or* crank) starter; **~apparat** *teleph. m* handset; **~arbeit** *f* manual labo(u)r *or* work; (*ant. machine work*) handwork; *a. as product*: handiwork; handicraft; needle-work; *feine* ~ fancy-work; *das ist* ~ it is handmade; **~arbeiter(in** *f*) *m* manual labo(u)rer *or* worker; *w.s.* (handi-) craftsman, mechanic; **~arbeitslehrerin** *f* needlework teacher; **~arbeits-unterricht** *m* needlework (classes); **~atlas** *m* hand-atlas; **~aufheben** *n* (-s) *parl., etc.* show of hands; **~auflegung** *eccl. f* imposition of hands; **~ausgabe** *f* concise edition; **~ball**(**spiel** *n*) *m* hand-ball; **~ballen** *anat. m* ball of the thumb, thenar eminence; **~beil** *n* hatchet; **~besen** *m* hand-broom, brush; **~betrieb** *m* (-[e]s) manual operation, hand driving; *mit* ~ manual (*set, etc.*); hand-operated; **~bewegung** *f* wave of the hand, motion, gesture; *durch e-e* ~ *auffordern* motion; **~bibliothek** *f* reference library; **~bohrer** *m* gimlet; **~bohrmaschine** *f* hand-drill(ing machine); **2breit** *adj.* of a hand's breadth; **~breit(e)** *f* (-, -; -, -*n*) hand's breadth; **~bremse** *f* hand-brake; **~bremshebel** *m* hand-brake lever; **~buch** *n* manual, handbook; textbook, guide; **~druck** *tech. m* (-[e]s; -e) hand printing; **~dusche** *f* hand-spray.

Hände [ˈhɛndə] *pl. of Hand*; **~druck** *m* (-[e]s; ⸚e) clasp of the hand, shaking of hands, handshake; **~klatschen** *n* clapping of hands, applause.

Handel [ˈhandəl] *m* (-s) trade, trading (*mit* in); commerce; *w.s.* traffic (*a. b.s.*); market; transaction, business, bargain, deal; *ehrlicher* ~ square deal; *guter* ~ good stroke of business, good bargain (*or* deal); barter; (*Rechts*2) lawsuit, litigation; affair, business; ~ *und Gewerbe* trade and industry; ~ *und Wandel* trade and traffic, business life; *im* ~ on the market; *nicht mehr im* ~ off the market; *e-n* ~ *abschließen* close (*or* conclude, strike) a bargain; *in den* ~ *kommen* be put on the market; be marketed; ~ *treiben* (carry on) trade, *mit et.*: deal (*or* trade) in a th., *mit j-m*: do business with a p.

Händel [ˈhɛndəl] *pl.* quarrel, dispute, argument *sg.*; brawl *sg.*; squabble *sg.*; ~ *haben mit* (*dat.*) be at odds with; squabble with; ~ *suchen* pick (*or* seek) a quarrel.

ˈ**handelbar** *adj. stock exchange*: negotiable.

ˈ**handeln** *v/i.* (*h.*) act; proceed; take action; trade (*mit dat.* with *a p.*; *in goods*), deal (*in goods*); bargain (*um acc.* for), haggle (over); *econ. an der Börse gehandelt werden* be traded (quoted, *Am.* listed) on Stock Exchange; *mit sich* ~ *lassen* be accommodating (*or* open to an offer); *fig.* ~ *von or über* treat of, deal with; *es handelt sich um* it is a question *or* matter of, it refers to, ... is concerned; *es handelt sich darum, ob* the question is if; *worum handelt es sich?* what is the (point in) question?; what is it all about?

ˈ**Handeln** *n* (*-s*) acting, action; way of acting; trading.

ˈ**Handels...**: **~abkommen** *n* trade agreement; **~adreßbuch** *n* commercial directory; **~akademie** *f* commercial academy, *Am.* business school; **~artikel** *m* article, commodity, product; **~attaché** *m* commercial attaché; **~bank** *f* (*-; -en*) commercial bank; **~bericht** *m* trade (*or* market) report, City article; **~beschränkung** *f* restriction on trade; **~besprechungen** *f/pl.* trade talks; **~betrieb** *m* commercial enterprise, business; trading; **~bevollmächtigte(r** *m*) *f* authorized agent, attorney(-in-fact); **~bezeichnung** *f* trade name, brand; **~beziehungen** *f/pl.* trade relations; **~bilanz** *f* balance of trade; *aktive ~* favo(u)rable balance of trade; *passive ~* unfavo(u)rable (*or* adverse) balance of trade; **~blatt** *n* trade journal; **~bücher** *n/pl.* commercial books, account books; **~chemiker** *m* analytical chemist; **~dampfer** *m* → *Handelsschiff*; **~dünger** *m* commercial fertilizer; **~einheit** *f stock exchange*: unit of trade; **2einig, 2eins** *adj.*: *~ werden* come to terms; **~erlaubnis** *f* trading licen|ce, *Am.* -se; **~fach** *n* branch of trade, line of business; **~faktur** *f* commercial invoice; **~firma** *f* commercial firm; **~flotte** *f* merchant (*or* mercantile) fleet; **~freiheit** *f* (-) freedom of trade, *w.s.* free trade; **2gängig** [ˈ-gɛŋiç] *adj.* marketable, commercial; **~gärtner** *m* market-gardener, *Am.* truck farmer; **~gärtneˈrei** *f* market-garden, *Am.* truck farm; **~geist** *m* (-[e]s) commercialism, commercial spirit; **~genossenschaft** *f* co-operative commercial association; **~gericht** *n* commercial court; **2gerichtlich** *adv.*: *~ eintragen* register, *Am.* incorporate; **~gesellschaft** *f* (trading) company, *Am.* (business) corporation; *offene ~* (general) partnership; **~gesetz(buch)** *n* commercial law (code); **~gewicht** *n* commercial weight; **~gewinn** *m* trading profit; **~hafen** *m* commercial (*or* trading) port; **~haus** *n* commercial house *or* firm; **~herr** *m* great merchant; **~hochschule** *f* University of Commerce, commercial academy, *Am.* business school; **~index** *m* business index; **~kammer** *f* Chamber of Commerce, *Am.* Board of Trade; **~kapital** *n* trading capital; **~korrespondenz** *f* commercial correspondence; **~kredit** *m* business loan; **~krieg** *m* economic war(fare); **~krise, ~krisis** *f* commercial crisis; **~mann** *m* (-[e]s; *-leute*) trader, tradesman, merchant; *n.s.* shopkeeper; **~marine** *f* merchant marine; **~marke** *f* trade-mark; brand; **~minister** *m* Minister of Commerce, *Brit.* President of the Board of Trade, *Am.* Secretary of Commerce; **~ministerium** *n* Ministry of Commerce, *Brit.* Board of Trade, *Am.* Department of Commerce; **~nachrichten** *f/pl.* commercial news, City news; **~name** *m* trade name; **~niederlassung** *f* **a**) business establishment, **b**) branch, **c**) (foreign) trading station; **~partner** *m* trade partner; **~platz** *m* commercial (*or* trading) town; emporium, trading cent|re, *Am.* -er; **~politik** *f* (-) commercial (*or* trade) policy; **2politisch** *adj.* relating to trade policy; trade...; **~produkt** *n* commercial product; **~qualität** *f* commercial quality; **~recht** *n* commercial law; **2rechtlich** *adv.* under (*or* according to) commercial law; **~register** *n* commercial register; *in das ~ eintragen* register, *Am.* incorporate; *Urkunde zur Eintragung in das ~* certificate of registration (*Am.* incorporation); **~reisende(r)** *m* commercial traveller, *Am.* traveling salesman; **~richter** *m* commercial judge; **~schiff** *n* merchantman (*pl.* ...men), trading vessel, cargo steamer; **~schiffahrt** *f* merchant shipping; **~schranken** *f/pl.* trade barriers; **~schule** *f* commercial school, *Am.* business school (*or* college); **~sorte** *f* commercial variety (*or* grade); **~spanne** *f* trade margin; **~sperre** *f* embargo; **~stadt** *f* commercial (*or* trading)town; **~stand** *m* trading class; **~straße** *f* trade-route; **~teil** *m* commercial (financial) section (*of newspaper*); **2üblich** *adj.* usual in (the) trade, commercial; *~e Qualität* commercial quality; *~e Bezeichnung* trade-name, brand.

ˈ**Händel...**: **~sucht** *f* (-) quarrelsomeness; **2süchtig** *adj.* quarrelsome.

ˈ**Handels...**: **~ und Zahlungsabkommen** *n* trade and credit agreement; **~unternehmen** *n* commercial enterprise; **~verbot** *n* prohibition of trade; **~verkehr** *m* trading, traffic, commerce; **~vertrag** *m* commercial treaty, trade agreement; **~vertreter** *m* commercial (*or* mercantile) agent; **~ware** *f* article of commerce, commodity; merchandise (*a. pl.*); **~wechsel** *m* trade bill; **~weg** *m* trade-route; **~wert** *m* market value; **~wissenschaft** *f* commercial science; **~zeichen** *n* trade-mark, brand; **~zweig** *m* → *Handelsfach*.

ˈ**handeltreibend** *adj.* trading, commercial; **2e(r)** *m* (-[e]*n*; -[e]*n*) trader, dealer.

hände... [ˈhɛndə-]: **~ringend** *adv.* wringing one's hands; imploringly; despairingly; **2schütteln** *n* shaking of hands, handshake, shake-hands.

ˈ**Hand...**: **~exemplar** *n* copy in regular use; author's copy; **~fertigkeit** *f* manual skill, dexterity; **~fertigkeitsunterricht** *m* manual training; craft classes *pl.*; **~fesseln** *f/pl.* handcuffs; *j-m ~ anlegen* handcuff a p.; **2fest** *adj.* sturdy, hefty, stalwart, robust; *fig.* solid (*arguments, etc.*); *~e Lüge* whopping lie; **~feuerlöscher** *m* (hand) fire extinguisher; **~feuerwaffen** *mil.* *f/pl.* small-arms; **~fläche** *f* flat of the hand, palm; **~galopp** *m* canter; **~garn** *n* hand-spun yarn; **~gashebel** *mot. m* hand throttle lever; **2gearbeitet** *adj.* handmade; hand-tooled; hand-wrought; **~gebrauch** *m* ordinary (*or* daily, every day) use; **2gefertigt** *adj.* → *handgearbeitet*; **~geld** *n* earnest-money; *mil.* bounty; **~gelenk** *n* wrist(-joint); *fig. aus dem ~* offhand, off the cuff; with the greatest ease; **~gelenkschützer** *m sports* wristguard, wristlet; **2gemacht** *adj.* hand-made; **2gemein** *adj.*: *~ werden* come to close quarters (*or* grips, blows); **~gemenge** *n mil.* hand-to-hand fight(ing), mêlée (*Fr.*); brawl, scuffle, scrimmage; **~gepäck** *n* small luggage, *Am.* hand-baggage; *rail.* left luggage office, *Am.* baggage room; **2gerecht** *adj.* handy; **2geschliffen** *adj.* ground by hand; **2geschmiedet** *adj.* hand-forged; **2geschöpft** *adj.* hand-made (*paper*); **2geschrieben** *adj.* written by hand, handwritten; **2gewebt, 2gewirkt** *adj.* hand-woven; **~granate** *f* hand-grenade; **2greiflich I.** *adj.* palpable; obvious, evident, manifest, plain; *~e Lüge* downright lie; *~er Scherz* practical joke; *~ werden* get to grips, *Am.* get tough; **II.** *adv.*: *~ vor Augen führen* illustrate clearly, make *a th.* plain enough (*j-m* to a p.); **~griff** *m* grasp; grip, manipulation, motion; handle, grip; *fig.* knack, manipulation; *mit wenigen ~en* with effortless ease, in no time.

ˈ**Handhab|e** *f* hold, handle, grip; *fig.* handle; occasion; proof, evidence; pretext; *gesetzliche ~* legal grounds *pl.*; *er hat keinerlei ~ gegen mich* he hasn't a leg to stand on, he has nothing on me; **2en** *v/t.* (*h.*) handle, wield (*a. pen*), manage; operate, manipulate (*machine*); apply, use; *jur.* administer (*justice*); *fig.* manage, handle, deal with; **~ung** *f* (*-; -en*) handling, wielding; operation, manipulation; application, use; administration (*of justice*); *fig.* management, handling; application.

...händig [-hɛndiç] ...-handed.

ˈ**Hand...**: **~harmonika** *mus. f* accordion; **~hebel** *m* hand-lever; **~kamera** *f* hand camera; **~karren** *m* handcart; **~kasse** *f* petty cash; **~koffer** *m* suit-case, *esp. Brit.* portmanteau, *esp. Am.* valise; attaché case; **2koloriert** *adj.* hand-colo(u)red; **~korb** *m* hand-basket; **~kurbel** *f* (crank-)handle; *mot.* starting crank; **~kuß** *m*: *j-m e-n ~ geben* kiss a p.'s hand; *colloq. mit ~* gladly, with the greatest pleasure; **~lampe** *f* portable (*or* inspection) lamp; **~langer** *m* (*-s; -*) handyman, odd-jobber; *arch.* hodman; *fig. contp.* underling, henchman, *Am. sl.* stooge; **~langerdienste** *m/pl.*: *j-m ~ leisten* fetch and carry for a p., *contp. a.* do a p.'s dirty work for him.

Händler [ˈhɛndlər] *m* (*-s; -*) trader, dealer; shopkeeper, storekeeper; stock jobber; *Buch2* bookseller; *Fisch2* fishmonger; *Zeitungs2* news-

-vendor; *wenden Sie sich an Ihren ~* ask your dealer; **~in** *f* (-; -nen) tradeswoman; **~preis** *m* trade-price; **~seele** *f* huckster.

ˈ**Hand...: ~lesekunst** *f* (-) palmistry; **~leser(in** *f*) *m* palm reader, chiromancer; **~leuchte** *f* → *Handlampe*; **~leuchter** *m* (portable) candlestick; **2lich** *adj.* handy, wieldy; manageable, easy-to-use; compact.

Handlung [ˈhandluŋ] *f* (-; -en) act(ion), deed; action, story, *of film, novel, etc.*: plot (*a. thea.*); *econ.* business (house), shop, *Am.* store; *jur. strafbare ~* punishable act, (criminal) offen|ce, *Am.* -se; *unerlaubte ~* tort(ious act); *Ort der ~* scene of action.

ˈ**Handlungs...: ~agent** *m* mercantile agent; **~bevollmächtigte(r)** *m* authorized representative *or* agent; **~fähigkeit** *f* (-) disposing capacity, capacity to contract; **~freiheit** *f* (-) freedom of action, full discretion, free play; **~gehilfe** *m* (commercial) clerk; shop-assistant, *Am.* (sales-)clerk; *jur.* servant, employee; **~lehrling** *m* business apprentice; **2reich** *adj.* action-packed (*story, etc.*); **~reisende(r)** *m* → *Handelsreisender*; **~vollmacht** *f* commercial power of attorney; **~weise** *f* manner *or* way of acting (*or* dealing); behavio(u)r, conduct; attitude; procedure; methods, practices *pl.*

ˈ**Hand...: ~mühle** *f* hand-mill; **~näherin** *f* hand seamstress; **~nähmaschine** *f* portable sewing-machine; **~pferd** *n* near-horse; **~pflege** *f* manicure; **~pfleger(in** *f*) *m* manicurist; **~presse** *f* hand-press; **~rad** *n* hand-wheel; **~ramme** *f* paving-ram; **~reichung** *f* (-; -en) help, assistance; **~rücken** *m* back of the hand; **~säge** *f* hand-saw; **~satz** *typ. m* (-es) hand composition; **~schaltung** *mot. f* hand-change, *Am.* manual shifting; **~schelle** *f* handcuff; **~schlag** *m* handshake; *durch ~* by clasp of hands, by solemn hand-clasp; **~schrapper** *tech. m* hand-scraper; **~schreiben** *n* autograph letter; **~schrift** *f* hand-writing; *e-e gute ~* a good hand; signature; manuscript; **~schriftendeutung** *f* graphology; **~schriftenkunde** *f* (-) pal(a)eography; **2schriftlich I.** *adj.* written (by hand), in writing, manuskript; **II.** *adv.* in writing.

ˈ**Handschuh** *m* glove; *hist. mil., sports* gauntlet; boxing-glove; mitten; *langer ~* arm-length glove; *fig. j-m den ~ hinwerfen* throw down the gauntlet to a p.; **~fach** *mot. n* glove compartment; **~leder** *n* glove (*or* kid) leather; **~macher** *m* glover; **~nummer** *f* glove-size.

ˈ**Hand...: ~schutz** *m* hand-guard; **~siegel** *n* private seal, signet; *königliches ~* privy seal; **~spiegel** *m* hand-glass; **~stand** *m gym.* hand-stand; **~standüberschlag** *m* hand-spring (to standing); **~streich** *m* surprise (attack *or* raid), coup de main (*Fr.*), bold stroke; *im ~ nehmen* take by surprise; **~täschchen** [ˈ-tɛʃçən] *n* (-s; -) pochette, *Am.* purse; vanity bag; **~tasche** *f* hand-bag; **~taschenräuber** *m* bag-snatcher; **~teller** *m* → *Handfläche*; **~tuch** *n* (-[e]s; ¨er) towel; *mit dem ~ trocknen* towel; *boxing*: *das ~ werfen* throw in the towel; **~tuchhalter, ~tuchständer** *m* towel-rack; **~umdrehen** *n* (-s): *im ~* in no time, in a jiffy, in the twinkling of an eye; **~voll** *f* (-; -) handful; **~wagen** *m* → *Handkarren*; **2warm** *adj.* luke-warm; **~waschbecken** *n* hand basin; **~wechsel** *m* change of hands.

ˈ**Handwerk** *n* (handi)craft, trade; body (*or* guild) of craftsmen, the craft, the trade; *ein ~ lernen* learn a trade; *sein ~ verstehen* know one's business; *fig. j-m das ~ legen* put an end to a p.'s activities, settle a p.'s business, *Am. a.* fix a p.; *j-m ins ~ pfuschen* trespass on a p.'s preserves, botch at a p.'s trade; **~er** *m* (-s; -) artisan; mechanic; **2lich** *adj.* of handicrafts, craftsman's...

ˈ**Handwerks...: ~bursche** *m* travel(l)ing journeyman; **~kammer** *f* chamber of handicrafts; **2mäßig** [ˈ-mɛːsiç] *adj.* workmanlike; *fig.* mechanical; **~meister** *m* master craftsman *or* mechanic; **~zeug** *n* (set of) tools, implements *pl.*

ˈ**Hand...: ~wörterbuch** *n* concise dictionary; **~wurzel** *f* wrist, carpus; **~wurzelgelenk** *n* wrist-joint; **~zeichen** *n* mark, initials *pl.*, monogram; hand signal; *parl.* show of hands; **~zeichnung** *f* hand drawing; sketch; **~zettel** *m* handbill, leaflet.

hanebüchen [ˈhaːnəbyːçən] *adj.* incredible, scandalous, awful.

Hanf [hanf] *m* (-[e]s) hemp; **~breche** [ˈ-brɛçə] *f* (-; -n) hemp-break; **~darre** *f* hemp-kiln; drying (*or* roasting) of hemp; ˈ**2en** *adj.* hempen; ˈ**~faden** *m* hemp fib|re, *Am.* -er; ˈ**~garn** *n* hemp yarn; ˈ**~leinen** *n* hemp linen.

Hänfling [ˈhɛnfliŋ] *orn. m* (-[e]s; -e) linnet.

ˈ**Hanf...: ~öl** *n* hempseed oil; **~samen** *m* hempseed; **~schwinge** *f* swingler; **~seil** *n* hempen rope.

Hang [haŋ] *m* (-[e]s; ¨e) slope; declivity; incline; *gym.* hang; *fig.* inclination, propensity (*zu* for; to *inf.*); tendency (to); (natural) bent (for), disposition (to); proneness (to); partiality (for).

Hangar [haŋˈgaːr] *aer. m* (-s; -s) hangar, shed.

Hänge|antenne [ˈhɛŋə-] *f* trailing aerial, *Am.* antenna; **~backe** *f* flabby cheek; **~bahn** *f* suspension (*or* overhead) conveyor; **~balken** *arch. m* main beam; *of bridge*: suspension girder; **~bauch** *m* paunch, pot-belly; *med.* pendulous abdomen; **~boden** *m* hanging-loft; **~brücke** *f* suspension-bridge; **~brust** *f* pendulous breasts *pl.*; **~gerüst** *arch. n* hanging stage; **~kommission** *f art*: hanging committee; **~lager** *tech. n* hanger bearing; **~lampe** *f* hanging (*or* suspended) lamp; **~licht** *n* (-[e]s; -er) drop light; **~lippe** *f* hanging lip; **~matte** *f* hammock.

hangeln [ˈhaŋəln] *v/i.* (*h.*) *gym.* climb (*or* travel) hand over hand, overhand o.s. (upwards).

hangen [ˈhaŋən] *v/i.* (*h.*) → *hängen.*

ˈ**Hangen** *n* (-s): *~ u. Bangen* great anxiety.

hängen [ˈhɛŋən] **I.** *v/i.* (*irr., h.*) hang (*an dat.* on; *loose*: by; *von* from), be suspended; adhere, cling, stick (*an dat.* to), *tech.* catch, stick; be caught; → *~bleiben*; *arch.* sag; (be) incline(d), lean (*or* hang) over; *fig. ~ an* (*dat.*) cling to, be attached (*or* devoted) to; → *Faden, Lippe*; *~ über* (*dat.*) *fate, sword, etc.*: hang over; *~lassen* (let) drop, droop; *den Kopf ~lassen* hang one's head, be dejected; *woran hängt's?* where is the hitch?, what's the trouble?; **II.** *v/t.* (*h.*) hang (up), suspend (*an acc.* on, by); attach, fix, fasten (*an acc.* to), hook on (to); hang *criminal* (by the neck); *gehängt werden* be hanged, swing, come to the gallows; *sich ~* hang o.s.; *sports*: *sich an* (*acc.*) *~* drop (*or* tuck) in behind a *runner*; *fig. sein Herz an et. ~* set one's heart on a th.; → *Mantel, Nagel*; **2** *n* (-s) hanging, suspension, attachment; *colloq. mit ~ u. Würgen* barely, (only) with the greatest difficulty; **~bleiben** *v/i.* (*irr., sn*) be caught (*an dat.* by), catch (on, in); get (*or* be) stuck (*in dat.* in); *tech.* jam, stick, lock; seize; *fig. im Gedächtnis*: stick (*in one's memory*); be detained; *schließlich blieb er in e-m Lokal hängen* he wound up in a pub; **~d** *adj.* hanging, suspended, pendent; drooping, sagging; pendulous; *~er Motor* inverted engine; *~e Ventile* overhead valves.

ˈ**Hänge...: ~ohren** *n/pl.* drooping (*or* lop-)ears; **~schloß** *n* padlock; **~seil** *n* suspension rope; **~wand** *arch. f* suspended wall; **~weide** *bot. f* weeping willow; **~werk** *arch. n* truss frame.

ˈ**Hang...: ~(auf)wind** *m* up-current, anabatic current; **~kehre** *f skiing*: *Unterschwung mit ~* swing forward with half turn of the body; **~segeln** *n* ridge soaring; **~waage** *f gym.* lever hang; **~winkel** *m* gradient of a slope.

Hannover [haˈnoːfər] *n* (-s) Hanover; **Hannoveraner** [hanovəˈraːnər] *m* (-s; -), **~in** *f* (-; -nen) Hanoverian.

Hans [hans] *m* Jack, John; *fig. ~ und Grete* Jack and Gill; *~dampf in allen Gassen* Jack-of-all-trades; *~ im Glück* lucky dog; *~ Guckindieluft* Johnnie Head-in-the-air.

Hansa [ˈhanza], ˈ**Hanse** *f* (-) Hansa, Hanseatic League.

Häns-chen [ˈhɛnsçən] *n* (-s; -) Jackie, Johnny; *was ~ nicht lernt, lernt Hans nimmermehr* you can't teach an old dog new tricks.

hanseatisch [hanzeˈʔaːtiʃ] *adj.* Hanseatic.

hänseln [ˈhɛnzəln] *v/t.* (*h.*) tease, chaff, pull *a p.'s* leg, kid.

ˈ**Hansestadt** *f* Hanseatic town.

Hans...: ~ˈnarr *m* tomfool; **~ˈwurst** *m thea.* buffoon, harlequin; clown; merry-andrew, punch; *fig. contp.* clown, buffoon.

Hantel [ˈhantəl] *f* (-; -n) dumb-bell; **~übung** *f* dumb-bell exercise.

hantier|en [han'ti:rən] *v/i.* (*h.*): ~ *mit* (*dat.*) work with, handle, operate, wield; fidget with; ~ *an* (*dat.*) work on, manipulate; bustle (about), busy o.s.; potter about; **2ung** *f* (-; -*en*) operating, handling, manipulation; work; occupation.
hapern ['ha:pərn] *v/i.* (*impers.*, *h.*): *es hapert mit or bei* (*dat.*) there is something wrong with, there is a hitch in; *woran hapert es?* what is wrong (*or* amiss)?; *es hapert uns an Geld* we are short of money; *im Englischen hapert es bei ihm* English is his weak point.
Häppchen ['hɛpçən] *n* (-*s*; -) bit, morsel.
Happen ['hapən] *m* (-*s*; -) morsel, mouthful, bite; *großer* ~ hunk; *fig.* haul, catch.
'**happig** *colloq. adj.* greedy; *fig.* steep (*price*, *etc.*).
Härchen ['hɛ:rçən] *n* (-*s*; -) little (*or* tiny) hair, *biol.* cilium; *pl. a.* fuzz; → *Haar.*
Harem ['ha:rəm] *m* (-*s*; -*s*) harem.
hären ['hɛ:rən] *adj.* hairy, (made) of hair.
Häresie [hɛre'zi:] *f* (-; -*n*) heresy; **Häretiker** *m* [hɛre:tikər] *m* (-*s*; -) heretic; **hä'retisch** *adj.* heretical.
Harfe ['harfə] *f* (-; -*n*) harp; (*die*) ~ *spielen* play (on) the harp, harp.
Harfe'nist(in *f*) *m* (-*en*, -*en*; -, -*nen*) harpist.
'**Harfen...:** ~**antenne** *f* fan aerial, *Am.* antenna; ~**spiel** *n* harping; ~**spieler(in** *f*) *m* harpist, harper.
Harke ['harkə] *f* (-; -*n*) *agr.* rake; *road construction*: rake dozer; *fig. j-m zeigen, was eine* ~ *ist* give a p. a good piece of one's mind, tell a p. what's what; *a.* show a p. (how to do it better); **2n** *v/t. and v/i.* (*h.*) rake.
Harlekin ['harleki:n] *m* (-*s*; -*e*) harlequin; **Harlekinade** [-ki'na:də] *f* (-; -*n*) harlequinade.
Harm [harm] *m* (-[*e*]*s*) grief, sorrow; injury, wrong.
härmen ['hɛrmən]: *sich* ~ (*h.*) grieve (*um* about, over); → *sich grämen.*
'**Harm...:** **2los** *adj.* harmless; innocent; guileless; harmless, innocuous, inoffensive; *w.s.* innocent-seeming (*question*); insignificant, small; ~**losigkeit** *f* (-; -*en*) harmlessness; innocence; innocuousness; insignificance.
Harmonie [harmo'ni:] *f* (-; -*n*) harmony (*a. fig.*), concord; ~**lehre** *mus. f* harmonics *sg.*; **2ren** *v/i.* (*h.*) harmonize (*mit* with); *fig. a.* agree (with).
Harmonika [-'mo:nika] *mus. f* (-; -*s*) concertina; mouth-organ.
Har'moniker *mus. m* (-*s*; -) harmonist.
har'monisch *adj. mus.* harmonic(al) (*a. math.*), harmonious (*a. fig.*); ~*e Schwingungen* harmonics; **2e** *phys. f* (-; -*n*) harmonic.
harmonisieren [harmoni'zi:rən] *v/t. and v/i.* (*h.*) harmonize.
Harmonium [har'mo:nium] *n* (-*s*; -*ien*) harmonium.
Harn [harn] *m* (-[*e*]*s*; -*e*) urine, water; *of horse, etc.*: stale; '~**analyse** *f* → *Harnuntersuchung*; '~**ausscheidung** *f* urinary excretion; '~**blase** *f* (urinary) bladder; '~**blasenentzündung** *med. f* cystitis; '~**drang** *m* micturition; '**2en** *v/i.* (*h.*) urinate, pass urine (*or* water); '~**en** *n* (-*s*) urination; '~**fluß** *m* (-*sses*) urinary flow; *med.* incontinence of urine; '~**gang** *m* ureter; '~**glas** *n* urinal; '~**grieß** *med. m* gravel.
Harnisch ['harniʃ] *m* (-*es*; -*e*) armo(u)r, harness; cuirass, breast-plate; *fig. in* ~ *bringen* enrage, infuriate, exasperate, get *a p.'s* back up; *in* ~ *geraten* fly into a rage, bridle up.
'**Harn...:** ~**lassen** *n* (-*s*) discharge (*or* passing) of urine, urination; ~**leiter** *m* ureter; ~**probe** *f* sample of urine; uric test; ~**röhre** *f* urethra; ~**röhrenausfluß** *med. m* urethral discharge; ~**röhrenentzündung** *f*, ~**röhrenkatarrh** *m* urethritis; ~**röhrensonde** *f* catheder; ~**ruhr** *f* polyuria; ~**säure** *chem. f* uric acid; ~**stein** *med. m* urinary calculus; ~**stoff** *m* urea; **2treibend** *adj.* diuretic; ~*es Mittel* diuretic; ~**untersuchung** *f* analysis of (the) urine, *Am.* urinalysis; ~**zwang** *med. m* strangury.
Harpune [har'pu:nə] *f* (-; -*n*) harpoon; **Harpunier** [harpu'ni:r] *m* (-*s*; -*e*) harpooner; **harpu'nieren** *v/t.* (*h.*) harpoon.
Harpyie [har'py:jə] *f* (-; -*n*) harpy.
harren ['harən] *v/i.* (*h.*) (*gen. or auf acc.*) wait (for), await; hope for; tarry, stay.
'**Harren** *n* (-*s*) waiting; hoping; tarrying; patience, perseverance.
harsch [harʃ] *adj.* harsh, rough (*both a. fig.*); brittle; crusted (*snow*); **2** *m* (-*es*) crust (*on snow*); '**2schnee** *m* crust(ed) snow.
härtbar ['hɛrtba:r] *adj. metall.* hardenable; *plastics*: thermosetting.
hart [hart] **I.** *adj.* hard; firm, solid; stale (*bread*); hard(-boiled) (*egg*); hard, chalky (*water*); ~ *machen* harden, solidify; ~ *werden* harden, grow hard, solidify, indurate (*a. med.*); *fig.* hard; tough; severe, harsh; unfeeling, pitiless; adamant, inflexible; (*difficult*) hard, tough; troublesome, laborious; *aer.*, *mot.* rough (*landing*, *running*, *etc.*); ~*es Geld* hard cash, coin(s *pl.*); ~*e Währung* hard currency; ~*er Kampf* hard (*or* stiff) fight; ~*es Los* hard lot, cruel fate; ~*e Nuß* tough nut to crack; ~*er Schlag* (*Verlust*) heavy blow (loss); ~*e Strafe* severe (*or* harsh) punishment; ~*e Tatsachen* hard facts; ~*er Winter* severe (*or* rigorous) winter; ~*e Worte* hard (*or* harsh) words; ~*e Zeiten* hard times; *e-n* ~*en Kopf haben* be head-strong *or* thick-headed; *e-n* ~*en Leib haben* be constipated; → *Schule, Stand*; ~ *für j-n* (*or mit or zu j-m*) *sein* be hard on a p.; **II.** *adv.* hard; ~ *an* (*dat.*) hard by, close to (*or* by); ~ *bedrängt* hard pressed (*or* beset); ~ *anzufühlen* hard to the touch; ~ *arbeiten* work hard; ~ *an et. vorbeistreifen* graze a th.; ~ *aneinandergeraten* fly at each other, come to high words; ~ *am Wind segeln* sail close to the wind; *es kommt ihn* ~ *an* it is hard on him, he finds it hard; *er blieb* ~ he was adamant; *es ging* ~ *auf* ~ it was either do or die.
'**Hartblei** *n* hard lead.
Härte ['hɛrtə] *f* (-; -*n*) hardness; *of steel*: *a.* temper; *fig.* toughness; harshness, severity, rigo(u)r; hardship; *jur. unbillige* ~ undue hardship; ~*n verursachen* work hardship; ~**bad** *metall. n* tempering bath; ~**fachmann** *tech. m* hardening expert, heat treating engineer; ~**grad** *m* degree of hardness; *of steel*: temper; ~**mittel** *n* hardening agent, hardener; **2n** **I.** *v/t.* (*h.*) harden; *metall.* temper, case-harden (*steel*); **II.** *v/i.* (*h.*, *a. sich*) harden, grow hard; ~**n** *n* (-*s*) hardening; *of steel*: *a.* tempering; heat treatment; ~**ofen** *m* hardening (*or* tempering) furnace *or* stove; ~**prüfung** *f* hardness test; ~'**rei** *f* (-; -*en*) heat-treating department (*or* shop); ~**riß** *m* heat (treatment) crack.
'**Hart...:** ~**faserplatte** *f* fibreboard, *Am.* fiberboard; ~**floß** *metall. n* (-*es*) specular iron, white cast iron; ~**futter** *n* grain-fodder, oats and grain; **2gefroren** *adj.* hard frozen; **2gekocht** ['-gəkɔxt] *adj.* hard-boiled; ~**geld** *n* (-[*e*]*s*) hard cash, coins *pl.*, coined money; **2gelötet** ['-gəlø:tət] *tech. adj.* hard-soldered; **2gesotten** *fig. adj.* hard-boiled; **2gießen** *metall. v/t. and v/i.* (*irr.*, *h.*) case-harden, chill-cast; ~**glas** *n* (-*es*) hard(ened) glass; ~**gummi** *n* hard rubber; *econ.* vulcanite, ebonite; ~**guß** *m* (-*sses*) chilled cast iron; case-hardened casting(s *pl.*); **2herzig** *adj.* hard-hearted, unfeeling; ~ *gegen* (*acc.*) hard to; ~**herzigkeit** *f* (-) hard-heartedness, hardness; ~**holz** *n* hardwood; laminated wood; **2hörig** *adj.* hard of hearing; ~**hörigkeit** *f* (-) defective hearing, partial deafness; ~**käse** *m* hard cheese; **2köpfig** ['-kœpfiç] *adj.* headstrong; ~**laubgehölz** *n* sclerophyllous woodland; **2leibig** ['-laıbiç] *adj.* constipated, costive; ~**leibigkeit** *f* (-) constipation, costiveness; ~**lot** *tech. n* brazing lot; **2löten** *v/t.* (*h.*) braze, hard-solder; **2mäulig** ['-mɔyliç] *adj.* hard-mouthed (*horse*); ~**metall** *n* hard metal; *tech.* cutting metal, carbide; ~**metallwerkzeug** *n* carbide tipped tool; **2näckig** ['-nɛkiç] *adj.* stiff-necked, obstinate, stubborn; persistent, pertinacious, dogged (*person*); obstinate, stubborn (*thing*); refractory, obstinate (*disease*); ~*e Versuche* persistent efforts; ~**näckigkeit** *f* (-) obstinacy, stubborness, persistence, pertinacity, doggedness; refractoriness; ~**papier** *n* kraft paper; ~**pappe** *f* hardboard; ~**plätze** ['-plɛtsə] *m/pl.* *tennis*: hard courts; ~**post** *f* typewriting paper, bank paper; **2schalig** ['-ʃa:liç] *adj.* hard-shelled; ~**spiritus** *m* solid alcohol.
Hartung ['hartuŋ] *m* (-*s*; -*e*) January.
Härtung ['hɛrtuŋ] *f* (-; -*en*) hardening, *of steel*: *a.* tempering; heat-treatment; ~**smittel** *n* hardening

agent; *for paints*: *a.* hardener; **⁓s-verfahren** *n* hardening process.

Hart...: **⁓weizen** *m* durum wheat; **⁓wurst** *f* hard sausage.

Harz [harts] *n* (-es; -e) resin; *mus.* rosin; *mot.* gum; '**⁓baum** *m* pine (pitch) tree; '**2en I.** *v/t.* (*h.*) tap for resin; *mus.* (rub with) rosin; **II.** *v/i.* (*h.*) be resinous; '**⁓firnis**, '**⁓lack** *m* resin varnish; '**2ig** *adj.* resinous; '**⁓teer** *m* resinous tar.

Hasardspiel [ha'zart-] *n* game of chance; *fig.* gamble.

haschen ['haʃən] **I.** *v/t.* (*h.*) snatch, catch, seize; *game*: *sich* ⁓ play tag (*or* at catch); **II.** *v/i.* (*h.*): ⁓ *nach* (*dat.*) snatch (*or* grasp, grab) at; *fig.* aim at, strive (*or* hunt) for; → *Effekt*; *nach Komplimenten* ⁓ fish for compliments

Häschen ['hɛːsçən] *n* (-s; -) young hare, leveret.

Häscher ['hɛʃər] *m* (-s; -) catchpole, myrmidon; *contp.* blood-hound.

Hascherl ['haʃərl] *colloq. n* (-s; -): *armes* ⁓ poor little thing, poor creature.

Haschisch ['haʃiʃ] *n* (-) hashish.

Hase ['hɑːzə] *m* (-n; -n) hare; *junger* ⁓ leveret; *männlicher* ⁓ male hare, buckhare; *cul. falscher* ⁓ roasted forcemeat; *fig. alter* ⁓ old hand (*or* stager), *Am. a.* old-timer; *sehen, wie der* ⁓ *läuft* see which way the cat jumps; *da liegt der* ⁓ *im Pfeffer* there is the rub, that's where the trouble lies; *wie der* ⁓ *im Kohl* in clover.

Hasel|busch ['hɑːzəl-] *m* hazel-bush; **⁓huhn** *n* hazel-hen; **⁓maus** *f* dormouse; **⁓nuß** *f* hazel-nut; **⁓rute** *f* hazel-rod; **⁓strauch** *m* hazel(-tree).

'**Hasen...**: **⁓braten** *m* roast hare; **⁓fell** *n* hare's skin; **⁓fuß** *m* hare's foot; *fig.* (*a.* **⁓herz** *n*) coward, poltroon; **⁓jagd** *f* hare-hunting; **⁓klein** *n* (-s), **⁓pfeffer** *m* jugged hare; **⁓panier** *n*: *das* ⁓ *ergreifen* take to one's heels; **2rein** *adj. hunt. dog*: steady from hare; *colloq. fig. nicht ganz* ⁓ a bit fishy; **⁓scharte** *f* hare-lip.

Häsin ['hɛːzin] *f* (-; -nen) female hare, doe.

Haspe ['haspə] *f* (-; -n) hasp, hinge, clamp.

Haspel ['haspəl] *f* (-; -n) reel; windlass, winch; *mar.* capstan; **2n** *v/t. and v/i.* (*h.*) reel; *fig.* splutter, sputter.

Haß [has] *m* hatred (*gegen* of, against, for), *poet.* hate; *eingefleischter* ⁓ ranco(u)r; *tückischer* ⁓ spite; animosity; loathing; enmity; → *Haßgefühle*; *aus* ⁓ out of hatred (*gegen* of), from spite (against); ⁓ *hegen gegen j-n* → *hassen*.

hassen ['hasən] *v/t.* (*h.*) hate, entertain feelings of hatred for; loathe, detest, abhor; → *Pest*; **⁓swert** *adj.* hateful, odious, abominable.

'**Hasser(in** *f*) *m* (-s, -; -, -nen) hater.

'**Haß...**: **2erfüllt I.** *adj.* seething with hatred, spiteful, venomous; **II.** *adv.*: ⁓ *blicken* look daggers; **⁓gefühle** *n/pl.* feelings of hatred, hatreds, rancour *sg.*; **⁓gesang** *m* hymn of hate.

häßlich ['hɛsliç] *adj.* ugly; hideous; unsightly; ill-looking, *a. person*: plain, *Am. a.* homely; misshapen, monstrous; *fig.* ugly, nasty, mean; unkind; unpleasant, offensive, loathsome; ⁓*er Anblick* eye-sore; **2keit** *f* (-) ugliness; hideousness; unsightliness; nastiness.

Hast [hast] *f* (-) hurry, haste; precipitation; ⁓ *des Lebens*: rush, press; *in der* ⁓ in the rush; *in wilder* ⁓ in hot haste, precipitately, helter-skelter; '**2en** *v/i.* (*h.*) hasten, (be in a) hurry; scurry, race; '**2ig I.** *adj.* hurried, hasty; precipitate; rash; slap-dash; nervous, excited; **II.** *adv.* hurriedly, *etc.*; in haste (*or* a hurry); *nicht so* ⁓! not so fast!, wait a minute!; '**⁓igkeit** *f* (-) hastiness; nervousness; → *Hast*.

hätscheln ['hɛːtʃəln] *v/t.* (*h.*) fondle, pet, cuddle, caress; pamper, coddle.

hatte ['hatə] *pret. of haben*.

Hatz [hats] *hunt. f* (-; -en) chase, hunt (with hounds).

Häubchen ['hɔʏpçən] *n* (-s; -) small cap.

Haube ['haubə] *f* (-; -n) cap; hood; *hist.* coif; *eccl.* (*sister's*) cornet; *orn.* crest, tuff; hood (*of falcon*); *zo.* second stomach (of ruminant); *tech.* cap, cover; *esp. mot.* bonnet, *Am.* hood; *chem.* dome; *aer.* cowling; (*protective*) helmet; *bot.* cupule; *fig. unter die* ⁓ *bringen* find a husband for, marry *a girl* off; *unter die* ⁓ *kommen* get married.

'**Haubenlerche** *f* crested lark.

Haubitze [hau'bitsə] *mil. f* (-; -n) howitzer.

Haublock ['hau-] *m* (-[e]s; ⸚e) chopping-block.

Hauch [haux] *m* (-[e]s; -e) breath; *of air*: breathing, gentle breeze; whiff, waft; *gr.* aspiration; *fig.* bloom, film; *of colour*: tinge; trace, touch, tinge; '**2dünn** *adj.* filmy; paper-thin; flimsy, sheer (*fabric*); egg-shell (*porcelain*); '**2en I.** *v/i.* (*h.*) breathe, respire; **II.** *v/t.* (*h.*) breathe, whisper; *gr.* aspirate; → *aushauchen*; '**⁓laut** *gr. m* aspirate; '**2zart** *adj.* filmy, flimsy; (extremely) delicate.

Haudegen ['hau-] *m* broadsword; *fig.* experienced fighter, swordsman, fire-eater; *alter* ⁓ old blade, veteran.

Haue ['hauə] *f* (-; -n) hoe, mattock; pick(axe); (-) *colloq.* thrashing, whipping, spanking; ⁓ *bekommen* get a thrashing (*or* hiding).

'**hauen I.** *v/t.* (*h.*) hew, chop; cut (*wood*); cut (*hole, path, steps*); cut down, fell (*trees*); *mil.* hew; dress, carve (*stones*); strike, beat, hit; *colloq.* thrash, flog; spank (*children*); punch, sock; whip, lash; *sich* ⁓ (have a) fight; *haut ihn!* let him have it!; **II.** *v/i.* (*h.*): ⁓ *nach* (*dat.*) strike (*or* lash out) at; *um sich* ⁓ lay about one; *fig.* → *Ohr, Schnur*.

'**Hauer** *m* (-s; -) hewer, cutter; *zo.* tusk, fang.

Häuer ['hɔʏər] *mining*: *m* (-s; -) hewer, getter.

Häufchen ['hɔʏfçən] *n* (-s; -) small heap; *persons*: small group; *fig. wie ein* ⁓ *Unglück* the picture of misery, woebegone.

häufeln ['hɔʏfəln] *v/t. and v/i.* (*h.*) heap, pile; earth (up), hill (*potatoes, etc.*).

Haufen ['haufən] *m* (-s; -) heap, pile; accumulation, cluster, mass; stack (*wood, etc.*); *fig.* swarm, crowd; troop, band, gang; great number, mass; *ein* ⁓ (*von*) a lot of; *ein* ⁓ *Geld* heaps (*or* lots, oodles) of money; *e-n* ⁓ (*Geld*) *verdienen* make a pile (of money); *auf e-n* ⁓ all of a heap; in a jumble, pell-mell, higgledy-piggledy; *der große* ⁓ the multitude, the masses *pl.*; *über den* ⁓ *rennen* run (*or* knock) over, bowl over; *über den* ⁓ *schießen* shoot down; *über den* ⁓ *werfen fig.* upset (*plans*); throw *scruples, etc.*, overboard (*or* to the winds), cast aside.

häufen ['hɔʏfən] *v/t.* (*h.*) heap (up), pile up; accumulate; *sich* ⁓ accumulate; multiply, increase; spread; *drei gehäufte Teelöffel* three heaping teaspoonfuls.

'**Haufen...**: **2weise** ['-vaɪzə] *adv.* in heaps; in crowds; *colloq.* lots (*or* heaps, oodles) of; **⁓wolke** *f* cumulus (cloud); *geschichtete* ⁓ stratocumulus.

'**häufig I.** *adj.* frequent; repeated; continual; numerous; copious, abundant; rife; ⁓ *sein* be frequent, abound; ⁓*er werden* increase; **II.** *adv.* frequently, often; *e-n Ort* ⁓ *besuchen* frequent a place; **2keit** *f* (-) frequency; **2keits-tabelle** *f* frequency table.

'**Häuflein** *n* (-s; -) small heap; handful (*or* small body) of men.

'**Häufung** *f* (-; -en) heaping, accumulation; *fig.* accumulation, increase, multiplication; spreading; frequent occurrence.

'**Hauklotz** *m* chopping-block.

Haupt [haupt] *n* (-[e]s; ⸚er) head; *fig.* head, chief, leader; chieftain; *erhobenen* ⁓*es* with head erect; *gesenkten* ⁓*es* with bowed head; *entblößten* ⁓*es* bare-headed; *gekrönte Häupter pl.* crowned heads; *zu Häupten j-s* over a p.'s head, (just) above a p.; on high; *fig. aufs* ⁓ *schlagen* defeat (decisively), vanquish.

'**Haupt...** *in compounds usu.* head..., main..., chief..., primary..., general..., central..., leading...; **⁓abrechnung** *econ. f* final accounts *pl.*; **⁓abschnitt** *m* principal (*or* main) section; **⁓absicht** *f* chief design, main object; ultimate end; **⁓achse** *f* main axis; **⁓aktionär** *econ. m* principal shareholder, *Am.* stockholder; **⁓altar** *m* high altar; **⁓amt** *n* central office; *teleph. a.* main exchange; **2amtlich I.** *adj.*: ⁓*e Beschäftigung* full-time employment; **II.** *adv.*: ⁓ *tätig* employed on a full-time basis; **⁓anschluß** *teleph. m* main station; main line; **⁓apparat** *teleph. m* master telephone; **⁓arbeit** *f* chief (part of the) work; **⁓armee** *f* main army; → *Hauptmacht*; **⁓artikel** *m econ.* principal (*or* leading) article; *of newspaper*: leading article, leader; **⁓attraktion** *f* special feature, highlight; **⁓augenmerk** *n*: *sein* ⁓ *richten auf* (*acc.*) give one's special attention to; **⁓ausschuß** *m* central committee; **⁓bahnhof** *m* main *or* central station, terminus;

~bank *econ. f* (-; -*en*) head-bank; **~belastungszeuge** *jur. m* star prosecution witness; **~beruf** *m*, **~beschäftigung** *f* chief *or* regular occupation; full-time job; **2beruflich** *adj.* as (*or* in) one's chief occupation, full-time, professional; **~bestandteil** *m* chief ingredient (*or* component), main constituent; *den ~ von et. bilden fig.* be part and parcel of a th.; **~betrag** *econ. m* chief amount, sum total; **~beweggrund** *m* leading motive; **~buch** *econ. n* (general) ledger; **~buchhalter** *m* head book-keeper, *Brit.* accountant; **~darsteller(in** *f*) *m* leading actor (*f* actress); → *Hauptrolle*; **~deck** *mar. n* main deck; **~eigenschaft** *f* chief quality (*or* property), leading feature; **~einfahrt** *f*, **~eingang** *m* main entrance; **~erbe** *m* (**~erbin** *f*) chief heir(ess *f*), *jur.* residuary legatee; **~erfordernis** *n* principal requisite, primary requirement; **~erzeugnis** *econ. n* principal product, main produce, staple (product); **~fach** *ped. n* principal subject, *Am.* major; ... *als ~ studieren* take ... as chief subject, *Am.* major in ...; **~fehler** *m* principal (*or* chief, cardinal) fault *or* defect; **~feind** *m* chief enemy; **~feldwebel** *mil. m* sergeant major, *Am.* platoon sergeant; *aer. Am.* master sergeant; **~figur** *f* main (*or* central) figure; *thea., etc.*: leading character, hero(ine *f*); **~film** *m* feature (film); **~fluß** *m* main stream (*or* river); **~frage** *f* chief (*or* cardinal) question, main issue; **~gebäude** *n* main building; **~gedanke** *m* leading idea, keynote; **~gefreiter** *mil. m Brit.* lance corporal, *Am.* private 1st class; *aer. Brit.* senior aircraftman, *Am.* airman 2nd class; **~gericht** *n cul.* principal dish; **~geschäft(s-stelle** *f*) *n* principal place of business, head office; **~geschäftsstunden** *f/pl.* rush hours; **~gesichts-punkt** *m* major consideration; **~gewinn** *m lottery*: first prize; *econ.* main profit; **~gläubiger** *m* principal creditor; **~grund** *m* main reason; **~haar** *n* hair of the head; **~hahn** *m* main tap *or* cock; **~handels-artikel** *m* staple (commodity); **~inhalt** *m* principal contents *pl.*, substance, gist, sum; synopsis; **~interesse** *n* primary interest; **~kabel** *n* mains *pl.*; **~kampf** *m sports*: competition proper, main event; **~kampffeld** *mil. n* main fighting zone; **~kampflinie** *mil. f* main line of resistance (*abbr.* MLR); **~kartei** *f* master file; **~kasse** *f* central pay office; **~kas'sierer** *m* head cashier; **~kerl** *colloq. m* capital fellow, *sl.* crackerjack; **~kontor** *n* general office; **~kräfte** *mil. f/pl.* main force; **~leitung** *f* main(s *pl.*); *teleph.* trunk line.

Häuptling ['hɔʏptliŋ] *m* (-s; -e) chief, leader; chieftain (*of tribe*).

'Haupt...: ~linie *rail. f* main (*or* trunk-)line; **~macht** *f* chief (*or* central) power; *mil.* main (striking) force, bulk of the army, main body; **~mahlzeit** *f* principal meal (of the day); **~mangel** *m* main defect, chief drawback; **~mann** *m* (-[e]s; -*leute*) *mil.* captain; chief, leader; chieftain; **~markt** *econ. m* primary (*or* chief) market; **~masse** *f* bulk, main body; **~mast** *m* mainmast; **~merkmal** *n* distinctive (*or* characteristic) feature, chief characteristic, criterion; **~messe** *eccl. f* great mass; **~mieter** *m* chief tenant; **~moment** *n* main point; **~nährstoff** *m* chief nutritive substance; **~nahrung** *f* staple (*or* chief) food; **~nenner** *math. m* common denominator; **~nervensystem** *anat. n* central nervous system; **~niederlage** *econ. f* main store(house) *or* depot; **~niederlassung** *econ. f* central *or* head office, headquarters *pl.*; **~ort** *m* chief place; **~person** *f* principal person, central figure; **~postamt** *n* general (*Am.* main) post-office; **~posten** *econ. m* principal item; **~probe** *f thea.* dress rehearsal; *mus.* main full rehearsal; **~punkt** *m* main (*or* cardinal) point; **~quartier** *mil. n* headquarters *pl.* (*abbr.* HQ); **~quelle** *f* main source; **~rechnung** *econ. f* general account; **~rechnungs-arten** *f/pl.* principal rules of arithmetic; **~redakteur** *m* chief editor; **~regel** *f* principal rule; **~rohr** *n* main tube; **~rolle** *f* chief part, leading rôle (*or* character), lead; title-rôle; *in der ~ zeigen* star, feature; *die ~ spielen* play the lead, take *or* act the chief part; star; *fig. person*: be the central figure, be the cent|re (*Am.* -er) of attraction, play the first fiddle, *sl.* run the show; *matter*: be all-important; **~rollendarsteller(in** *f*) *m thea.* leading man (*f* lady), lead, *a. film*: star (performer); **~sache** *f* main (*or* essential, most important) thing *or* point, essential; main issue, focal question; *jur. in der ~ entscheiden* give judg(e)ment on the merits; *zur ~ verhandeln* deal with a case upon its merits; *in der ~* in the main, on the whole, chiefly; *der ~ nach* in substance; *das ist die ~* that's all that matters; **2sächlich** ['-zɛçliç] **I.** *adj.* principal, chief, main, essential, most important; **II.** *adv.* chiefly, mainly, especially, essentially, above all; **~saison** *f* peak season; **~satz** *m logics*: main proposition; *gr.* principal clause *or* sentence; **~schalter** *el. m* main (*or* master) switch; **~schiff** *arch. n* nave; **~schlag-ader** *anat. f* aorta; **~schlager** *m film*: theme-song; *econ., etc.* special hit (*or* feature); **~schlüssel** *m* master- (*or* pass-) key; **~schriftleiter** *m* chief editor, editor-in-chief; **~schuld** *f* (-) principal fault; *er trägt die ~ daran* it is mostly his fault (*or* doing); **~schuldige(r** *m*) *f* principal (in the first degree), major offender; **~schuldner** *m* principal debtor; **~schwierigkeit** *f* main difficulty; **~sender** *m radio*: key (*or* net control) station; **~sicherung** *el. f* main fuse; **~signal** *rail. n* home signal; **~sitz** *econ. m* registered office, principal place of business; **~sorge** *f* main concern; **~spaß** *m* capital joke, lark, *sl.* scream; *es machte ihm e-n ~, zu inf.* it amused him immensely to *inf.*; **~stadt** *f* capital (town *or* city); metropolis; **2städtisch** *adj.* metropolitan; **~straße** *f* main street, major road; main (*or* arterial) road, highway; **~strecke** *rail. f* main (*or* trunk-) line; **~strom** *el. m* (-[e]s) main current; **~strommotor** *el. m* series(-wound D.C.) motor; **~stütze** *fig. f* mainstay; **~summe** *f* principal sum, (sum) total; **~täter** (**-in** *f*) *m jur.* principal (offender); **~tätigkeit** *f* main occupation; principal duty *or* function; **~teil** *m* main part; **~ton** *m* (-[e]s; "e) principal accent, main stress; *mus.* keynote; **~träger** *arch. m* main girder; **~treffer** *m lottery*: first prize; *den ~ gewinnen* hit the jackpot; **~treppe** *f* principal staircase; **~tribüne** *f* grandstand; **~triebfeder** *f* mainspring (*a. fig.*); **~tugend** *f* cardinal virtue; **~uhr** *f* master clock (*or* watch); **~unterschied** *m* principal (*or* main) difference; **~ursache** *f* chief cause; **~verbandplatz** *mil. m Brit.* main dressing station, *Am.* clearing station; **~verhandlung** *jur. f* trial; **~verkehr** *m* main (*or* peak) traffic; **~verkehrsstraße** *f* arterial (*or* main, trunk) road, thoroughfare, main highway; **~verkehrsstunden** *f/pl.*, **~verkehrszeit** *f* rush (*or* peak, busy, crowded) hours *pl.*, peak traffic hours *pl.*; **~versammlung** *econ. f* general meeting; **~verteiler** *m* main distributor; **~vertreter** *m* general agent; **~verwaltung** *f* central administration, headquarters *pl.*; **~wache** *mil. f* main guard(-station); **~wachtmeister** *mil. m* sergeant major, *Am.* first sergeant; **~wasserrohr** *n* water mains *pl.*; **~welle** *tech. f* transmission (*or* main) shaft; **~werk** *n* chief (*or* standard) work; **~wort** *gr. n* (-[e]s; "er) noun, substantive; **~zeuge** *m* principal witness; **~ziel** *n* main objective; primary target; **~zollamt** *n* Customs and Excise Office; **~zug** *m* principal trait, main feature, chief characteristic; **~zweck** *m* main object, chief purpose.

Haus [haus] *n* (-es; "er) house (*a. econ.* = firm; *a. thea., ast.*); building; dwelling-house; residence; home, family, household; house, dynasty; *parl.* House; *beschlußfähiges ~* quorum; *das ~ ist nicht beschlußfähig!* no house!; *öffentliches ~* brothel; *~ und Hof* house and home; *humor. altes ~* old man (*or* chap); *fideles ~* jolly (old) fellow, gay bird; *gelehrtes ~* pundit; *aus gutem ~e sein* come of a good house; *außer dem ~* out of doors, outdoors; *econ. frei ~* free domicile; *im ~e* indoor(s), *econ.* on the premises; *im ~e m-r Tante* at my aunt's (house); *im ~e wohnend* resident; *nach ~e* home; *von ~e* from home; *von ~ aus* by nature, originally; by birth; *von ~ zu ~* from house to house, from door to door; *~-zu~-Lieferung* door-to-door delivery; *zu ~e* at home, in; *bei uns zu ~e* at home, in our country, where I come from; *zu ~e sein* be at home (*Am.* home), be in; *nicht zu ~e sein* be out *or* away (from home), be not in; *in e-r Sache zu ~e sein* be at home (*or* well versed *or* well up) in a th.; *~ an ~ wohnen* be nextdoor neighbo(u)rs, *mit j-m*: live next door to a p.; *außer ~e essen* dine out; *das ~ hüten* stay in(doors), keep the house; *ein großes ~ führen* live in great style; *ein offenes ~ haben* keep open house; *j-m das ~ führen* keep house for a p.; *j-m das ~ verbieten* forbid a p. (to enter) the house; *j-n nach ~e bringen* see a p. home; *sein ~ bestellen* set one's house in order; *fig. ins ~ stehen* be forthcoming; *thea. vor leeren Häusern spielen* play to empty houses; *auf ihn kann man Häuser bauen* he is absolutely reliable; *tut, als ob ihr zu ~e wäret* make yourselves at home.

'**Haus...**: **~angestellte** *f* (domestic) servant, house-maid, *Am.* domestic helper, houseworker; *pl.* domestics, servants; **~anschluß** *el. m* mains connection; *teleph.* private connection; **~apotheke** *f* family medicine-chest; **~arbeit** *f* indoor work, housework, domestic duties *pl.*; *ped.* homework; **~arrest** *m*: *unter ~ stellen* place under house arrest; **~arznei** *f* household remedy; **~arzt** *m* family doctor; *at sanatorium, etc.*: resident doctor; **~aufgabe(n** *pl.*) *f* homework; **Ͻbacken** ['-bakən] *adj.* home-made; *fig.* plain, prosy, pedestrian; provincial; **~ball** *m* private ball; **~bar** *f* cocktail cabinet; **~bau** *m* (-[e]s; -ten) building of a house; **~bedarf** *m* domestic requirements, household necessaries *pl.*; *für den ~* for the home; **~besitzer(in** *f*) *m* house-owner; landlord (*f* landlady); **~besuch** *m* home visit (*by doctor, etc.*); **~bewohner** (**-in** *f*) *m* inmate (*or* occupant) of a house; tenant, lodger; **~bibliothek** *f* private library; **~biene** *f* domestic bee; **~boot** house-boat; **~brand** *m* domestic fuel; **~brandkohle** *f* house coal.

Häuschen ['hɔʏsçən] *n* (-s; -) small house; cottage, cabin; lodge; → *Hütte*; *colloq.* privy; *colloq. fig. aus dem ~ geraten* jump out of one's skin; *aus dem ~ sein* be beside o.s. (*vor dat.* with).

'**Haus...**: **~dach** *n* house-top; **~dame** *f* housekeeper, lady's companion; **~diener** *m* man-servant, valet; *at hotel*: boots *sg.*; **~drache** *colloq. m* shrew, scold, termagant; **~eigentümer(in** *f*) *m* → *Hausbesitzer(in)*; **~einrichtung** *f* household furniture, domestic furnishings *pl.*, appointments *pl.*

hausen ['hauzən] *v/i.* (*h.*) dwell, live, reside; *b.s.* ravage (*in dat. a place*); *schlimm* (*or übel*) *~* play havoc (*in dat.* in, *unter dat.* among).

'**Hausen** *ichth. m* (-s; -) (great) sturgeon; **~blase** *f* isinglass.

'**Haus-ente** *f* domestic duck.

Häuser ['hɔʏzər] *pl. of Haus*; **~block** *m* (-[e]s; -s) block (of houses); **~kampf** *mil. m* house-to-house fighting; **~makler** *m* house agent, (real) estate agent, *Am.* realtor; **~viertel** *n* quarter, *Am.* block.

'**Haus...**: **~flur** *m* (entrance-)hall, *Am. a.* hallway; **~frau** *f* housewife, mistress (*or* lady) of the house; landlady; **Ͻfraulich** *adj.* housewifely, home-making; **~freund** *m* friend of the family; *humor.* (married woman's) gallant; **~friede(n)** *m* domestic peace; **~friedensbruch** *jur. m* breach of domestic peace; trespass; **~garten** *m* back garden, *Am.* backyard; **~gebrauch** *m*: *für den ~* for domestic use, for the household; **~gehilfin** *f* → *Hausangestellte*; **~gemeinschaft** *f* house-community, household; **~genosse** *m*, **~genossin** *f* fellow lodger, house-mate; **~gerät** *n* household utensils *pl.*; → *Hausrat*; **~grundstück** *n* house and lot; **~hahn** *m* domestic cock, rooster; **~halt** ['-halt] *m* (-[e]s; -e) household; home; housekeeping; *parl.* budget; *den ~ führen* manage (*or* run) a household; keep house (*für j-n* for a p.); *e-n gemeinschaftlichen ~ führen* keep house together; **Ͻhalten** *v/i.* (*irr., h.*) *für j-n*: keep house, manage (for); *~ mit* husband, economize, be economical with *a th.*; **~hälterin** ['-hɛltərin] *f* (-; -nen) housekeeper; **Ͻhälterisch** *adj.* economical, thrifty; **~haltkunde** *f* (-) domestic science.

'**Haushalts...**: **~artikel** *m* household product (*or* appliance); *pl. a.* household supplies, *Am.* domestics *pl.*; **~ausgaben** *f/pl.* budget expenditure *sg.*; **~ausschuß** *parl. m* budget committee; **~beschränkungen** *f/pl.* budgetary restraints; **~führung** *f* house-keeping; *Person mit doppelter ~* person with two households to keep up; **~gegenstände** ['-ge:gənʃtɛndə] *m/pl.* furnishings, household equipment (*or* appliances, objects); **~geld** *n* housekeeping allowance; **~jahr** *n* fiscal (*or* financial) year; **Ͻmäßig** ['-mɛ:siç] *adj.* budgetary; **~mittel** *n/pl.* budgetary means; appropriations; **~plan** *parl. m* budget; *et. im ~ vorsehen* budget for a th.; **Ͻrechtlich** *adj.* → *haushaltsmäßig*; **~verbraucher** *m* domestic consumer; **~voranschlag** *parl. m the* Estimates *pl.*; **~zuweisung** *parl. f* (budgetary) appropriation.

'**Haushaltung** *f* housekeeping, housewifery; family budget; management; → *Haushalt*; **~sbuch** *n* housekeeping-book; **~skosten** *pl.* household expenses; **~svorstand** *m* head of the household.

'**Haus...**: **~herr** *m* master of the house, householder; host; landlord; **Ͻhoch I.** *adj.* (as) high as a house; huge; *fig.* vast, enormous; **II.** *adv.*: *~ schlagen* trounce; *j-m ~ überlegen sein* be heads and shoulders above a p.; **~hofmeister** *m* steward; **~hund** *m* house-dog.

hau'sier|en [hau'zi:rən] *v/i.* (*h.*) hawk, peddle (*mit et.* a th.); *~ gehen* go peddling, hawk about; *fig.* peddle (*mit* with); *Betteln u. Ͻ verboten!* No begging or peddling; **Ͻer** *m* (-s; -) hawker, pedlar; door-to-door salesman; **Ͻgewerbeschein** *m* pedlar's (*or* hawker's) licen|ce, *Am.* -se.

'**Haus...**: **~industrie** *f* home-industry; **~kapelle** *f* private chapel; *mus.* private band; **~katze** *f* domestic cat; **~kleid** *n* house-dress; **~knecht** *m* boots *sg.*; **~korrektor** *typ. m* indoor reader; **~korrektur** *typ. f* office corrections *pl.*; **~kost** *f* household fare; **~lehrer** *m* private teacher *or* tutor; **~lehrerin** *f* governess; **~leinen** *n*, **~leinwand** *f* homespun linen.

Häusler(in *f*) ['hɔʏslər(in)] *m* (-s, -; -, -nen) cottager.

'**häuslich I.** *adj.* domestic, household; economical, thrifty, sparing; home-keeping (*or* -loving), domesticated; *~e Aufgabe ped.* homework, home lesson; *~er Zwist* domestic difference; **II.** *adv.*: *sich ~ einrichten* set up housekeeping; come to stay (*bei j-m* with); *fig.* make o.s. comfortable; *sich ~ niederlassen* settle down; *fig.* make o.s. at home; **Ͻkeit** *f* (-) family-life; domesticity; home.

'**Hausmacher...** home-made (*sausage, etc.*).

'**Haus...**: **~macht** *f* dynastic power; **~mädchen** *n*, **~magd** *f* house-maid; **~mannskost** *f* plain fare (*or* cooking); **~meister** *m* → *~verwalter*; **~miete** *f* house-rent; **~mittel** *n* household remedy *or* medicine; **~musik** *f* domestic music; **~mutter** *f* mother of the family; *fig.* matron; **Ͻmütterlich** *adj.* motherly; matronly; **~nummer** *f* street number; **~ordnung** *f* rule of the house; **~pflanze** *f* indoor plant; **~pflege** *f med.* home-treatment; (*social*) outdoor relief; **~putz** *m* house cleaning; **~rat** *m* (-[e]s) household effects *pl.*; **~ratte** *f* black rat; **~recht** *n* (-[e]s) domestic authority; **~rock** *m* house-coat (*or* jacket); morning gown; **~sammlung** *f* house-to-house collection; **~schlachtung** *f* home slaughtering; **~schlüssel** *m* street-door (*or* latch)key; **~schuh** *m* slipper; **~schwalbe** *f* house martin; **~schwamm** *m* dry-rot.

Hausse ['ho:s(ə)] *econ. f* (-; -n) rise (of prices), boom, bull movement (*or* market); *Höhepunkt der ~* peak of the boom; *auf ~ spekulieren* operate (*or* buy) for a rise, bull the market; **~bewegung** *f* bull movement, upward tendency.

Haussegen ['hausze:gən] *m* (-s) wall-text; *humor. bei ihnen hängt der ~ schief* they are having a row.

Hausse... ['ho:s(ə)-]: **~kauf** *m* bull purchase; **~markt** *m* boom market; **~spekulant** *m* operator for a rise, bull, *Am.* long; **~spekulation** *f* bull(ish) operation (*or* speculation), operation for a rise; **~stimmung** *f* bullish tendency (*or* tone).

Haussier [hosi'e:] *m* (-s; -s) → *Haussespekulant*.

'**Haus...**: **~stand** *m* (-[e]s) household; *e-n eigenen ~ gründen* set up for o.s., settle down; **~steuer** *f* house-tax; **~suchung** ['-zu:xuŋ] *f* (-; -en) house search, domiciliary visit; **~suchungsbefehl** *m* search-warrant; **~telephon** *n* intercommunication system, intercom; *n.s.* telephone extension; private telephone; **~tier** *n* domestic animal; **~tochter** *f* lady help; **~tor** *n* gate;

~trauung *f* private wedding; **~tür** *f* street- (*or* front) door; **~tyrann** *m* domestic tyrant; *den ~ markieren* pull the heavy husband; **~vater** *m* father of the family, pater familias; family-man; *of hostel, etc.*: warden; **~verwalter** *m* caretaker, *Am. a.* janitor, house superintendent, super; **~verwaltung** *f* property management; **~wart** *m* → *~verwalter*; **~wirt** *m* landlord; householder; **~wirtin** *f* landlady; **~wirtschaft** *f* house-keeping; domestic economy; domestic science; **⁀wirtschaftlich** *adj.* domestic, household...; *~es Seminar* school of domestic science; **~wirtschaftslehre** *f* domestic science; **~zeitung** *f* house organ; **~zelt** *n* wall tent; **~zins** *m* (house-)rent.

Haut [haʊt] *f* (-; ⁼e) skin (*a. aer.*); hide; slough (*of snake*); *anat.* (in-)tegument, cuticle (*a. bot.*); *obere ~* epiderm(is); *dünne ~* membrane (*a. bot.*), pellicle; *of fruit*: peel; *on liquids, etc.*: film; *dicke (empfindliche, gesprungene or rissige) ~* thick (sensitive, chapped) skin; *die ~ betreffend* cutaneous; *durch die ~ wirkend* percutaneous; *unter der ~ (befindlich or angewandt)* subcutaneous; hypodermic; *bis auf die ~ durchnäßt* soaked to the skin; *auf bloßer ~ tragen* wear next to one's skin; *e-m Tier die ~ abziehen* skin an animal; *sich die ~ aufschürfen* graze one's skin, skin (one's knees, *etc.*); *colloq. e-e ehrliche ~* an honest fellow; *mit ~ und Haar* completely, altogether, root and branch; *auf der faulen ~ liegen* take it easy, loaf; *aus der ~ fahren* jump out of one's skin; *es ist um aus der ~ zu fahren* it's enough to drive you mad; *e-e dicke ~ haben* be thick-skinned; *mit heiler ~ davonkommen* come away unscathed (*or* unhurt, safely); *s-e (eigene) ~ retten* save one's bacon; *s-e ~ zu Markte tragen* risk one's hide; *sich s-r ~ wehren* defend o.s. (to the last); *ich möchte nicht in s-r ~ stecken* I wouldn't like to be in his shoes; *er ist nur ~ und Knochen* he is nothing but skin and bones; *es kann eben keiner aus seiner ~* a leopard can't change his spots, we can't help being what we are; *j-m unter die ~ gehen* get under a p.'s skin.

ˈHaut...: ~abschürfung *med. f* excoriation, skin-abrasion; **~arzt** *m* dermatologist; **~atmung** *f* cutaneous respiration; **⁀ätzend** *adj.* vesicant; **~ausschlag** *med. m* cutaneous eruption, rash; eczema; **~bildung** *f* skin (*or* film) formation; **~bräune** *med. f* croup; **~bürste** *f* complexion brush.

Häutchen [ˈhɔʏtçən] *n* (-s; -) thin coat(ing); *on liquids*: film; *anat.*, *bot.* membrane, pellicle, tunicle.

ˈHautdrüse *anat. f* cutaneous gland.

ˈhäuten *v/t.* (*h.*) (strip of the) skin, flay; *sich ~* cast *or* shed one's skin, *snake, etc.*: (cast the) slough; *med.* peel, desquamate.

ˈHaut...: ⁀eng *adj.* skin-tight (*dress*); **~entgiftungsmittel** *n* skin decontaminant; **~entzündung** *f* cutaneous inflammation, dermatitis.

Hautevolee [(h)oːtvoˈleː] (*Fr.*) *f* (-) high society, *the* upper crust.

ˈHaut...: ~farbe *f* complexion; *econ.* flesh-colo(u)r; **⁀farben** *adj.* flesh-colo(u)red; **~farbstoff** *m* pigment; **~fetzen** *med. m/pl.* skin-debris; **~gewebe** *n anat.* dermal tissue; *bot.* periderm; **~gift** *n* blister agent (*or* gas), vesicant agent.

häutig [ˈhɔʏtiç] *adj.* skinny; *anat.*, *bot.* membranous; *dunkel~* dark(-skinned).

ˈHaut...: ~jucken *med. n* itching (of the skin), pruritus; **~krankheit** *f* skin-disease; **~krebs** *m* (-es) cutaneous (*or* skin) cancer; **~krem** *f* skin cream; **~lehre** *f* (-) dermatology; **~nerv** *m* cutaneous nerve; **~ödem** *n* cutaneous (o)edema; **~pflege** *f* care of the skin; cosmetics *pl.*; **~salbe** *f* skin ointment; **~schere** *f* cuticle-scissors *pl.*; **~transplantation, ~übertragung** *med. f* skin-graft(ing).

ˈHäutung *f* (-; -en) skinning; *of snake, etc.*: sloughing; *med.* peeling (of skin), desquamation.

ˈHaut...: ~unreinheit *f* skin blemish; **~vene** *f* cutaneous vein; **~verletzung, ~wunde** *f* skin wound, cutaneous lesion; **~wassersucht** *f* dropsy (in the skin), anasarca.

ˈHauzahn *zo. m* tusk, fang.

Havanna [haˈvana] *f* (-; -s), **~zigarre** *f* Havana (cigar).

Havarie [havaˈriː] *f* (-; -n) average, loss (*or* damage) by sea; *große (besondere, kleine) ~* general (particular, petty) average; *~ andienen* notify average; *~ aufmachen* adjust (*or* settle) the average; **~attest** *n* certificate of average; **~gelder** [-gɛldər] *n/pl.* average charges; **~klausel** *f* average-clause; **~kommissar** *m* average-adjuster, claims agent; **~schein** *m* average bond.

H-Bombe [ˈhaː-] *f* H-bomb (= hydrogen bomb).

H-Dur *mus. n* B major.

he! [heː] *int.* hi!, hey!, I say!, you there!

Hebamme [ˈheːpˀamə] *f* (-; -n) midwife.

Hebe|balken [ˈheːbə-], **~baum** *m* heaver; **~bock** *m* (lifting) jack; **~bühne** *mot. f* car lift; **~eisen** *n* crowbar; **~fahrzeug** *mar. n* salvage vessel; **~kran** *m* hoist(ing) crane.

Hebel [ˈheːbəl] *tech. m* (-s; -) lever (*a. wrestling*); handle; crank; *e-n ~ ansetzen* apply a lever; *mit e-m ~ (hoch)drücken, etc.* lever (up, *etc.*); *fig. alle ~ in Bewegung setzen* move heaven and earth, leave no stone unturned; **~arm** *m* lever arm.

ˈHebeliste *f* register of taxes.

ˈHebel...: ~kraft *f*, **~moment** *n* leverage; **~schalter** *el. m* lever switch; **~stützpunkt** *m* fulcrum; **~waage** *f* beam scale; **~werk** *n* lever gear; **~wirkung** *f* leverage, lever action.

ˈHebemagnet *m* lifting magnet.

ˈheben *v/t.* (*irr.*, *h.*) lift (*a. sports*); raise, elevate (*both a. fig.*); heave; hoist; crane up; jack up (*car*); raise (*treasure, wreck*); *math.* reduce, cancel (*fraction*); → *Angel, Himmel, Sattel, Taufe*; *fig.* improve; *paint.* put into (bold) relief, set off; raise (*spirits*); enhance, add to (*effect, etc.*); accentuate (*colour*); *colloq. e-n ~* raise the elbow, hoist (*or* down) one; *sich ~* rise, raise o.s.; *sich ~ und senken* rise and fall, heave; *sich wieder ~ trade, etc.*: revive; *diese Zahlen ~ sich auf* these figures cancel (out); → *gehoben*.

ˈHeben *n* (-s) lifting, raising; *sports*: *fehlerhaftes ~* faulty lift; *beidarmiges ~* twohands lift.

ˈHeber *m* (-s; -) *phys.* siphon; pipette; syringe; *anat. and tech.* elevator; *tech. esp. in compounds*: ...-lifter, raiser, lever; *mot.* (car) jack; **~pumpe** *f* siphon-pump.

ˈHebe...: ~schiff *n* salvage ship; **~stange** *f* crowbar, handspike; **~stelle** *f* receiver's office; (tax-)collecting office; **~vorrichtung** *f* lifting device (*or* gear, tackle), hoisting apparatus; *on machine tools*: elevating mechanism; hydraulic (hoisting) jack; **~zeug** *n* lifting gear, hoist.

Hebrä|er(in *f*) [heˈbrɛːər(in)] *m* (-s, -; -, -nen) Hebrew; **⁀isch** *adj.* Hebrew; Jewish; *die ~e Sprache, das ⁀(e)* the Hebrew language, Hebrew.

ˈHebung *f* (-; -en) lifting, raising, heaving; *of the ground*: elevation; *fig.* improvement, enhancement, encouragement, promotion; increase; *poet., mus.* stress, arsis; → *Behebung*.

Hechel [ˈhɛçəl] *f* (-; -n) hatchel, hackle, flax-comb; **⁀n** *v/t.* (*h.*) hackle, comb.

Hecht [hɛçt] *m* (-[e]s; -e) pike, jack; *ausgewachsener ~* luce; *fig.* (*wie*) *ein ~ im Karpfenteich* (like) a pike in a fish-pond; *humor.* thick tobacco smoke; **ˈ⁀en** *v/i. swimming*: pike, jack(knife); *soccer*: dive at full-length; *gehechtet* piked; **ˈ⁀grau** *adj.* bluish-grey; **ˈ~rolle** *f gym.* dive and roll; **ˈ~sprung** *m swimming*: pike dive, jackknife, header; *gym.* long fly; *soccer*: *den Ball durch ~ abfangen* make a full-length save.

Heck [hɛk] *n* (-[e]s; -e) *mar.* stern, poop; *mot.* rear; *aer.* tail; fence; trellis-gate; **ˈ~antrieb** *mot. m* rear drive; **ˈ~bauer** *n* breeding-cage.

Hecke[1] [ˈhɛkə] *f* (-; -n) hedge; hedgerow; fence; *mit e-r ~ umgeben* hedge.

ˈHecke[2] *f* (-; -n) **1.** hatching, breeding; **2.** hatch, brood.

ˈhecken *v/t. and v/i.* (*h.*) hatch, *mammals*: breed.

ˈHecken...: ~rose *f* dog-rose; **~schere** *f* hedge-shears *pl.*; **~schütze** *mil. m* sniper; guer(r)illa; **~sprung** *aer. m* hedge-hopping.

ˈHeck...: ~geschütz *n mar.* stern-chaser; *aer.* tail gun; **⁀lastig** *aer. adj.* tailheavy; **~laterne** *f* poop lantern; **~licht** *aer. n* (-[e]s; -er) tail-light; **~motor** *mot. m* rear engine; **~raddampfer** *m* stern wheeler; **~schütze** *aer. m* rear gunner; **~stand** *aer. m* tail turret.

heda! [ˈheːdaː] *int.* hi (there)!, hullo!, hallo!

Hede [ˈheːdə] *f* (-; -n) tow, oakum.

Hederich [ˈheːdəriç] *m* (-s; -e) hedge mustard.

Heer [heːr] *n* (-[e]s; -e) army; *stehendes* ~ standing army, regular army; *fig.* host, multitude; *in das* ~ *eintreten* join (*or* enter, go into) the army, *recruits*: *a.* enlist, join the ranks; ˈ**~bann** *m* levies *pl.*

ˈ**Heeres...:** **~bedarf** *m* army requirements (*or* supplies) *pl.*; **~bericht** *m* army communiqué, (daily) war bulletin; **~bestände** [ˈ-bəʃtɛndə] *m/pl.* military stores; **~dienst** *m* (-es) military service; **~dienstvorschrift** *f* army manual; **~führung** *f* army command (staff); *Oberste* ~ *the* Supreme Command; **~gruppe** *f* Army group; **~leitung** *f* → *Heeresführung*; **~lieferant** *m* army contractor; **~lieferung** *f* army contract; *~en pl.* army supplies; **~luftwaffe** *f* Army Air Forces *pl.*; **~macht** *f* (military) forces *pl.*, army; **~ministerium** *n* *Brit.* War Office, *Am.* Department of the Army; **~personal-amt** *n* army personnel branch; **~standort** *m* army post; **~verwaltung** *f* army administration; **~zeug-amt** *n* army ordnance department; **~zug** *m* expedition.

ˈ**Heer...:** **~fahrt** *f* expedition; **~führer** *m* general, commander-in-chief; **~lager** *n* (army-)camp; **~säule** *f* column of troops; **~schar** *f* host; *eccl. himmlische ~en pl.* heavenly hosts; **~schau** *f* (military) review; **~straße** *f* military road; highway.

Hefe [ˈheːfə] *f* (-) yeast, leaven, barm; dregs (*a. fig.* = scum); lees, grounds *pl.*; *fig. den Kelch bis auf die* ~ *leeren* drink the cup to the dregs (*or* lees); **~gebäck** *n* raised pastry; **~kuchen** *m* raised cake; **~nahrung** *f* yeast food; **~pilz** *m* yeast fungus; **~teig** *m* leaven(ed dough).

ˈ**hefig** *adj.* yeasty, yeastlike.

Heft [hɛft] *n* (-[e]s; -e) **1.** handle, haft; *of sword*: hilt; *bis ans* ~ up to the hilt; *fig. das* ~ *in der Hand haben* hold the power (*or* reins) in one's hands, be master of the situation; hold the whiphand; *j-m das* ~ *entreißen* wrest the power from a p.; **2.** copy-book; *ped.* exercise-book; number, part (*of publication*); copy; (stitched) booklet, pamphlet, brochure; *in ~en erscheinen* appear in numbers (*or* parts); ˈ**~draht** *m* stitching wire.

ˈ**heften** *v/t.* (*h.*) fasten, attach, fix (*an acc.* to); pin; *sewing*: baste, tack; stitch, sew (*book*); *geheftet* in sheets; *sich* ~ *an* (*acc.*) attach (*or* cling) to; *fig. s-e Augen* ~ *auf* (*acc.*) fasten (*or* fix, rivet) one's eyes on; → *Ferse*.

ˈ**Hefter** *m* (-s; -) folder.

ˈ**Heft|faden** *m*, **~garn** *n* stitching- (*or* basting-)thread.

heftig [ˈhɛftiç] *adj.* vehement, violent; impetuous, passionate; fierce; irascible, hot-tempered; furious; intens(iv)e, strong; *chem.* brisk; sharp, severe, keen (*cold, etc.*); heavy (*rain*); acute (*pain*); splitting (*headache*); bad (*cold*); angry, high (*words*); ~ *werden* grow vehement; fly into a passion *or* temper, cut up rough; **2keit** *f* (-) vehemence, violence; fierceness; intensity; severity; impetuosity; hot temper.

ˈ**Heft...:** **~klammer** *f* paper-fastener (*or* -clip); (wire) staple; **~maschine** *f* thread stitching machine, stitcher; stapling machine, stapler; **~nadel** *f* stitching-needle; **~naht** *f* tacking; **~pflaster** *n* adhesive (*or* sticking-)plaster, court-plaster; **~stich** *m* tack; **2weise** [ˈ-vaɪzə] *adv.* in numbers (*or* serial parts); **~zwecke** *f* drawing-pin, *Am.* thumb-tack.

Hegemeister [ˈheːgə-] *m* head gamekeeper.

Hegemonie [hegemoˈniː] *f* (-; -*n*) hegemony, supremacy.

hegen [ˈheːgən] *v/t.* (*h.*) *hunt.* preserve (*game*); nurse, tend (*plants*); protect, guard; ~ (*und pflegen*) foster, tend, bestow care (up)on; cultivate (*arts, relations*); have, cherish, entertain (*feelings, hope*); harbo(u)r, nurse, nourish, bear (*grudge, hatred*); have, entertain (*doubts, suspicion*).

Hehl [heːl] *n* (-*s*): *kein* ~ *machen aus* (*dat.*) make no secret of, make no bones about, not to disguise; *ohne* ~ (quite) openly, without reserve; **2en** *jur. v/i.* (*h.*) receive stolen goods.

ˈ**Hehler(in** *f*) *m* (-s, -; -, -*nen*) *jur.* receiver of stolen goods, *sl.* fence; **Hehlerei** [heːləˈraɪ] *f* (-) receiving (of stolen goods); ˈ**Hehlernest** *n* fence.

hehr [heːr] *adj.* sublime, high, lofty; *person*: noble, exalted, august.

Heide[1] [ˈhaɪdə] *m* (-*n*; -*n*), ˈ**Heidin** *f* (-; -*nen*) heathen, pagan; *bibl. Juden u. Heiden pl.* Jews and Gentiles.

ˈ**Heide**[2] *f* (-; -*n*) heath, heather, moor(s *pl.*); **~korn** *n* (-[e]s) buckwheat; **~kraut** *n* (-[e]s) heather; **~land** *n* (-[e]s) heath(y ground), moor(land); **~lerche** *f* woodlark.

Heidelbeere [ˈhaɪdəl-] *bot. f* bilberry, *Am.* blueberry, huckleberry.

ˈ**Heiden...:** **~angst** *colloq. f*: *e-e* ~ *haben* be in a mortal fright (*or* blue funk); **~geld** *colloq. n* (-[e]s) a lot of money, *an* enormous sum of money; **~lärm** *colloq. m* terrible noise (*or* row, racket), hullabaloo; **2mäßig** *colloq. adj.* tremendous, awful; **~spaß** *colloq. m* capital fun; → *Hauptspaß*; **~tempel** *m* pagan temple; **~tum** *n* (-*s*) heathenism, paganism; heathendom, pagan world.

Heiderös-chen [ˈ-røːsçən] *n* (-*s*; -) briar-rose.

ˈ**Heidin** *f* → Heide[1].

heidnisch [ˈhaɪdniʃ] *adj.* heathen (-ish), pagan; godless, unbelieving; barbarous.

Heidschnucke [ˈhaɪtʃnukə] *zo. f* (-; -*n*) (North German) moorland sheep.

Heiduck [haɪˈduk] *m* (-*en*; -*en*) heyduck.

heikel [ˈhaɪkəl] *adj. person*: fastidious, particular, (over-)nice, finical; exacting; squeamisch; *matter*: delicate, ticklish; critical; *heikle Frage* delicate (*or* thorny) question; *heikler Punkt or Thema* tender (*or* sore, sensitive) point *or* subject.

heil [haɪl] *adj. person*: unhurt, uninjured, unscathed, safe and sound; *thing*: whole, intact; *med.* healed, cured, restored; *wound*: healed (up); **Heil** *n* (-[e]s) welfare, well-being; *eccl.* salvation; *Jahr des ~s* year of grace; *zu j-s ~e* (*gereichen*) (be) for the good (*or* benefit) of a p.; *zu s-m* ~ luckily for him; *sein* ~ *versuchen* try one's luck, have a go at it; *sein* ~ *in der Flucht suchen* seek safety in flight, take to flight; *~!* hail!, hurra(h)!, cheerio!

Heiland [ˈhaɪlant] *eccl. m* (-[e]s; -e) Savio(u)r, Redeemer.

ˈ**Heil...:** **~anstalt** *f* medical establishment, hospital, clinic, sanatorium, *Am.* sanitarium; mental home; **~bad** *n* medicinal baths *pl.*; watering-place, spa; **2bar** *adj.* curable, healable, remediable; **~barkeit** *f* (-) curableness; **~behandlung** *f* curative treatment; *zur* ~ *zugelassen doctor*: licensed to practice; **2bringend** *adj.* salutary, salubrious, beneficial; **~brunnen** *m* mineral spring; **~butt** *m* halibut; **2en I.** *v/i.* (*sn*) *disease*: be cured; *wound*: heal (up), close; **II.** *v/t.* (*h.*) heal, cure *a p.*; *j-n* ~ *von* (*dat.*) cure a p. of (*a. fig.*); heal (*wound*); **~erde** *f* healing earth; **~erfolg** *m* successful treatment; **~faktor** *m* healing factor; **2froh** *adj.* very glad, greatly relieved; **~gehilfe** *m* (trained) male nurse; **~gymnastik** *f* remedial gymnastics *pl.*, physiotherapy; **~gymnastiker(in** *f*) *m* (-s, -; -, -nen) physiotherapist.

heilig [ˈhaɪliç] *adj.* holy; sacred; hallowed; saintly, godly, pious; solemn; sacred, inviolable, sacrosanct; venerable; *before proper names*: Saint (*abbr.* St.); *der ~e Antonius* St. Anthony; *2er Abend* Christmas Eve; *der 2e Geist* (*Stuhl, Vater*) the Holy Ghost (See, Father); → *Land, Schrift*; *~e Bücher* sacred books; *~e Handlung* sacrament, sacred rite; *~e Pflicht* sacred duty; *~er Zorn* righteous anger; *ihm ist nichts* ~ nothing is sacred to him; *schwören bei allem, was* ~ *ist* swear by all that is holy; *es ist mein ~er Ernst* I am in dead earnest, I absolutely mean it.

heiligen [ˈhaɪligən] *v/t.* (*h.*) hallow, sanctify; *R.C.* **a)** canonize, **b)** beatify; hold sacred, keep holy; sanctify; → *Zweck*.

ˈ**Heiligen...:** **~bild** *n* Saint's image; **~schein** *m* halo, aureole, (*a. paint.*) gloriole, glory; *fig. a.* nimbus; *j-n mit e-m* ~ *umgeben* put a halo on a p.

ˈ**Heiliger** *m* (-*en*; -*en*) saint; *fig.* saintly man; *wunderlicher* ~ queer customer.

ˈ**heilig...:** **~halten** *v/t.* (*irr., h.*) hold sacred, keep holy, observe *sabbath* (strictly); **2halten** *n* religious (*or* strict) observance; **2keit** *f* (-) holiness, sanctity, sacredness; *person*: saintliness; *Seine* ~ (*the Pope*) His Holiness; **~sprechen** *v/t.* (*irr., h.*) canonize; **2sprechung** *f* (-; -*en*) canonization; **2tum** *n* (-s; ¨er) sanctuary, (holy) shrine; (sacred) relic; *fig.* something sacred; (*room*) sanctum; *Schändung e-s ~s* sacrilege; 2ung *f* (-; -*en*) hallowing, sanctification (*a. fig.*).

ˈ**Heil...:** **~kraft** *f* healing (*or* curative) power; **2kräftig** *adj.* healing, curative; medicinal; **~kraut** *n* medicinal (*or* officinal) herb; **~kunde** *f* (-) medical science; therapeutics *pl.*; **2kundig** *adj.* skilled in medicine; **~kundige(r** *m*) *f* practician; **~kunst** *f* medical art; **2los** *adj.* unholy (*a. colloq. fig.* = terrible, incredible, hopeless, awful); **~magnetismus** *m* animal magnetism, mesmerism; **~methode** *f* method of treatment, cure; **~mittel** *n* remedy, cure (*gegen* for; *a. fig.*); medicine, medicament, drug; **~mittel·allergie** *f* drug-allergy; **~mittellehre** *f* (-) pharmacology; **~pädagogik** *f* therapeutic pedagogy; **~pflanze** *f* medicinal plant *or* herb; **~pflaster** *n* healing (*or* medicated) plaster; **~praktiker** *m* non-medical practitioner; **~quelle** *f* mineral (*or* medicinal) spring; **~ruf** *m* cheer; **~salbe** *f* healing ointment *or* salve; **2sam** *adj.* wholesome, salutary; salubrious (*climate*); healing, curative; *fig.* beneficial (*für acc.* to), good (for); *iro. das wäre sehr ~ für ihn* that would do him no end of good; **~samkeit** *f* (-) wholesomeness, salutariness; salubrity.

ˈ**Heils·armee** *f* (-) Salvation Army.

ˈ**Heil...:** **~serum** *n* antitoxic serum, antitoxin; **~sgeschichte** *eccl. f* (-) (Story of the) Life and Sufferings of Christ; **~slehre** *eccl. f* (-) doctrine of salvation; **~stätte** *f* sanatorium, cure cent|re, *Am.* -er; **~trank** *m* medicinal draught; **~- u. Pflegeanstalt** *f* institution for mental cases; **~ung** *f* (-; -*en*) cure, healing, successful treatment; **~ungsprozeß** *m* healing process; recovery; **~verfahren** *n* medical treatment; therapy; **~wert** *m* curative (*or* therapeutic) value; **~wirkung** *f* curative effect, healing action.

Heim [haɪm] *n* (-[e]s; -e) home (*a. institution*); (*youth, students'*) hostel; dwelling, residence, house; **2** *adv.* home; homeward; ˈ**~arbeit** *f* homework, outwork; ˈ**~arbeiter(in** *f*) *m* home-worker.

Heimat [ˈhaɪmɑːt] *f* (-) home, native place, *jur.* domicile; native country, homeland; *bot.* habitat; *zweite ~* second home, country of one's adoption; **~anschrift** *f* home address; **2berechtigt** *adj.* eligible for domicile, having right of residence, settled; **~berechtigung** *f* right of residence (*or* citizenship); **~dichter** *m* regional poet *or* writer; **~film** *m* local-colo(u)r film; **~flotte** *f* homefleet; **~front** *f* home front; **~hafen** *m* home port; port of registry; **~krieger** *m* stay-at-home patriot; **~kunde** *f* (-) local history and geography; **~land** *n* homeland, native country, mother-country; **2lich** *adj.* native, home; homelike, like home, homy; vernacular (*speech, etc.*); *~er Boden* native soil; **2los** *adj.* homeless, without a home; outcast; **~ort** *m* (-[e]s; -e) native place; **~recht** *n* **1.** domestic law; (right of) settlement; **~schein** *m* certificate of residence; **~schuß** *mil. m* Blighty (one), cushy one, homer; **~schutz** *m* home defen|ce, *Am.* -se; **~sinn** *zo. m* (-[e]s) homing instinct; **~staat** *m* native country, country of origin; **~stadt** *f* home town, native town; **~vertriebene(r** *m*) *f* expellee.

ˈ**heim...:** **~begeben** (*irr., h.*): *sich ~* go (*or* return) home; **~begleiten** *v/t.* (*h.*) see *a p.* home; **2chen** *zo. n* (-*s*; -) (house) cricket; **~eilen** *v/i.* (-*s*; -) hasten home; **~elig** [ˈ-əliç] *adj.* homy, homelike, snug, cosy, comfy; **~fahren** *v/i.* (*irr., sn*) go (*or* return) home; drive home; **2fahrt** *f* return (home), homeward journey (*or mar.* voyage), return-trip; **2fall** *jur. m* (-[e]s) reversion, escheat; **~fallen** *v/i.* (*irr., sn*) revert (*an acc.* to); **~fällig** *adj.* revertible, reversionary; **2fallsberechtigte(r** *m*) *f* reversioner; **2fallsrecht** *n* (-[e]s) reversionary right, right of escheat; **~finden** (*irr., h.*), *a. sich ~* find one's way home (*or* back); **~fliegen** *aer. v/i.* (*irr., sn*) fly home, home (*a. zo.*); **~führen** *v/t.* (*h.*) lead (*bride*: take) home; repatriate; **2gang** *m* (-[e]s) going home; *fig.* death, decease; **2gegangene(r** *m*) *f* (-*n*, -*n*; -*en*, -*en*) departed, deceased; **~gehen** *v/i.* (*irr., sn*) go (*or* return) home; *fig.* die, depart this life, pass away; **~holen** *v/t.* (*h.*) fetch (*or* take) home; **2industrie** *f* home industry; **~isch I.** *adj.* native, indigenous; national, domestic, home; *~e Gewässer* home waters; vernacular (*language*); → *ein~*; *~ machen* acclimatize, domesticate (*animal*); *~ werden* become acclimatized, *Am.* acclimatize; *~ sein an* (*dat.*) live (*or* be at home) in *or* at, come from (*a place*); *in e-r Wissenschaft*: be at home in *a science*; **II.** *adv.*: *sich ~ fühlen* feel at home; **2kehr** [ˈ-keːr] *f* (-), **2kunft** [ˈ-kunft] *f* (-) return home, home-coming; **~kehren** *v/i.* (*sn*), **~kommen** *v/i.* (*irr., sn*) return home, come back; **2kehrer** *m* (-*s*; -) home-comer; repatriate(d soldier); **2kino** *n* home cinema (*Am.* movie); **2leiterin** *f* matron; **~leuchten** *v/i.* (*h.*): *colloq. j-m ~* tell a p. what's what, tick a p. off, send a p. about his business.

ˈ**heimlich I.** *adj.* secret; hidden, concealed, private; clandestine, surreptitious, stealthy, furtive, underhand, hush-hush; in disguise, undercover; snug, cosy; homy; **II.** *adv.* secretly, *etc.*; by stealth, on the sly (*or* quiet); inwardly; *~ lachen* laugh in one's sleeve; *j-n ~ anblicken* steal a glance at a p.; *sich ~ entfernen* slip (*or* steal) away, take French leave; **2keit** *f* (-; -*en*) secrecy, secretiveness; furtiveness, stealthiness, stealth; closeness, reticence; secret; **2tuer** [ˈ-tuːər] *m* (-*s*; -) mystery-monger; **2tueˈrei** *f* (-; -*en*) mysteriousness; furtive manners *pl.*; **~tun** *v/i.* (*irr., h.*) be secretive (*mit et.* about) make a mystery (of); affect an air of mysteriousness.

ˈ**Heim...:** **~reise** *f* homeward (*or* return) journey *or mar.* voyage; *auf der ~* on the journey home; *auf der ~ befindlich* homeward bound; **2schicken** *v/t.* (*h.*) send home; **~schule** *f* boarding school; **2sehnen:** *sich ~* (*h.*) long for home, be home-sick; **~stätte** *f* home; home-croft, homestead; **~stättengesetz** *n* Homestead Act; **2suchen** *v/t.* (*h.*) visit (*a. bibl.*), afflict, plague; *ghosts*: haunt (*a. fig. the mind*); *vermin, etc.*: infest (*e-n Ort* a place); *enemy*: overrun, ravage; *heimgesucht* haunted (*von* by), infested (with); *von Dürre heimgesucht* drought-stricken; *von Krieg heimgesucht* war-torn; *vom Streik heimgesucht* strike-racked; **~suchung** *f* [ˈ-zuːxuŋ] *f* (-; -*en*) visitation; affliction, trial; infestation; **2treiben** *v/t.* (*irr., h.*) drive home; **~tücke** *f* insidiousness, malice, treachery, foul play; **2tückisch** *adj.* malicious; insidious (*a. fig.*: *disease*), treacherous (*a. fig. road*); perfidious, cowardly, dastardly; **2wärts** [ˈ-vɛrts] *adv.* homeward; *~ ziehen* set out (*or* make for) home; **~weg** *m* way (*or* return) home; *auf dem ~* on my, *etc.*, way home; **~weh** *n* homesickness, nostalgia (*a. fig.*); *~ haben* be homesick; **~wehr** *mil. f* militia, *Brit.* Home Guard; **2zahlen** *v/t.* (*h.*) *fig.* pay back; *j-m et. ~* pay a p. back for a th., get even with a p. for a th.; **2ziehen** *v/i.* (*irr., sn*) go (*or* return, march) home.

Hein [haɪn]: *Freund ~* Goodman Death.

Heinzelmännchen [ˈhaɪntsəl-] *n* brownie; *pl. a.* little people.

Heirat [ˈhaɪrɑːt] *f* (-; -*en*) marriage; wedding; match; *~ aus Liebe* love match; **2en I.** *v/t.* (*h.*) marry; wed, lead to the altar; **II.** *v/i.* (*h.*) marry, get married; *aus Liebe* (*wegen Geld*) *~* marry for love (money).

ˈ**Heirats...:** **~antrag** *m* offer (*or* proposal) of marriage; *e-n ~ machen* (*dat.*) propose to, pop the question to; **~anzeige** *f* announcement of marriage; **~büro** *n* marriage agency; **2fähig** *adj.* marriageable; **~kandidat** *m* suitor, wooer; **2lustig** *adj.* keen to marry; **~markt** *m* marriage market; **~schwindler(in** *f*) *m* marriage impostor; **~urkunde** *f* marriage certificate; **~vermittler(-in** *f*) *m* marriage broker; **~versprechen** *n* promise to marry; *Bruch des ~s* breach of promise (to marry).

heischen [ˈhaɪʃən] *v/t.* (*h.*) ask (for), beg; demand, require.

heiser [ˈhaɪzər] **I.** *adj.* hoarse; husky; raucous; croaking; *~ werden* (*sein*) grow (be) hoarse; **II.** *adv.* hoarsely; *sich ~ schreien* cry o.s. hoarse; **2keit** *f* (-) hoarseness; huskiness; raucousness.

heiß [haɪs] **I.** *adj.* hot; torrid (*zone*); *fig.* hot, burning, fiery, ardent; vehement, violent; fervent, fervid; (*sexually*) hot; *glühend ~* red-hot, scorching; *~es Blut* hot blood (*or* temper); *~er Kampf* hot (*or* fierce) battle; *~er Kopf* burning head; *sl. ~e Musik* (*Ware*) hot music (goods); → *Eisen, Katze, Hölle, etc.*; *~ machen* make hot, heat; *~e Tränen* *weinen* shed scalding tears, weep bitterly; *mir ist* ~ I am hot; **II.** *adv.*: es *ging* ~ *her* it was a stormy affair (*or* a hard struggle); **~blütig** ['-bly:tiç] *adj.* hot-blooded (*a. zo.*); hot-tempered, passionate, fiery; '**2dampf** *m* superheated steam.

'**heißen**[1] ['haɪsən] **I.** *v/t.* (*irr.*, *h.*) call, name; bid, tell, order, direct, command; → *willkommen*; *colloq.* *das heiße ich e-e gute Nachricht!* that's what I call good news!; **II.** *v/i.* (*irr.*, *h.*) be called (*or* named), go by the name of; mean, signify; be tantamount (*or* equivalent) to; *das heißt* that is (to say) (*abbr.* i.e.); *das will* (et)*was* ~ that's something, that is saying a great deal; *das will nicht viel* ~ that doesn't mean much; es *heißt, daß* they (*or* people) say that, it is said *or* reported *or* rumo(u)red that; es *heißt in der Bibel* it says in the Bible; es *soll nicht* ~, *daß* it shall not be said that; *nun heißt es aufgepaßt!* careful now!; *nun heißt es handeln, etc.* the situation now calls for (*or* requires) *action, etc.*, it is now for us *to act, etc.*; *soll das* ~, *daß* does that mean that, do you mean to say that; *was soll das* ~*!* what is the meaning of (all) that, *Am. a.* what's the big idea?; *wie* ~ *Sie?* what is your name?; *wie heißt das?* what is this called?, what is the name of this?; *wie heißt das auf englisch?* what is (*or* do you call) that in English?, what is the English for that?; *wie es bei Shakespeare heißt* as Shakespeare has it.

'**heißen**[2] *mar. v/t.* (*h.*) hoist; *heiß(t) Flagge!* hoist the flag!

'**heiß...**: **~ersehnt** ['-ɛrze:nt] *adj.* ardently desired; **~gekühlt** ['-gə-ky:lt] *tech. adj.* hot-cooled; **~geliebt** ['-gəli:pt] *adj.* dearly beloved, ardently loved; **2hunger** *m* ravenous appetite, *fig.* craving, thirst (*nach* for); **~hungrig** *adj.* ravenous(ly hungry), voracious (*a. fig. reader*); **~laufen** *tech. v/i.* (*irr.*, *sn*) run hot, overheat (o.s.); **2laufen** *n* overheating; **~löten** *tech. v/t.* (*h.*) hot-solder; **2luftbad** *n* hot-air bath; **2luftdusche** *f* hot-air apparatus; electric hair dryer; **2luftkammer** *f* warm-air chamber; **2luftmaschine** *f* caloric *or* hot-air engine; **2luftturbine** *f* hot-air turbine; **2mangel** *f* rotary ironer; **2sporn** *m* hotspur; **2strahltriebwerk** *n* thermal jet engine, thermojet; **2wasserbereiter** *m* (-*s*; -) geyser, *Am.* waterheater.

heiter ['haɪtər] *adj.* serene; clear, bright, fair; cheerful, gay, bright, *esp. Am.* chipper; gay, hilarious; amusing, funny; humorous (*story, etc.*); ~(*er*) *werden* cheer up, *face, situation, weather*: brighten; *iro. das kann ja* ~ *werden!* nice prospects, indeed!; **2keit** *f* (-) serenity; clearness, brightness; cheerfulness, glee; amusement, merriment, mirth; *zur allgemeinen* (*wachsenden*) ~ to the general (growing) amusement *or* merriment; **2keitserfolg** *m*: *damit hatte er e-n* ~ this raised a laugh.

Heiz|anlage ['haɪts-] *f* heating plant; **~apparat** *m* heating apparatus, heater; **2bar** *adj.* heatable, with heating (facilities); *tech.* hot-stage (*intrument*); **~batterie** *el. f* filament battery, A-Battery; **~(bett)decke** *f* electric blanket; **~effekt** *m* heating effect; **2en I.** *v/t.* (*h.*) heat, fire (up); **II.** *v/i.* (*h.*) make (*or* light) a fire; ~ *mit* (*dat.*) heat with, burn, fire; *der Ofen heizt gut* the stove heats well; *das Zimmer heizt sich gut* the room is easily heated, soon gets warm; **~er** *m* (-*s*; -) stoker (*a. rail.*); fireman; **~faden** *el. m* (heated) filament; **~fläche** *f* heating surface; **~gas** *n* fuel gas; **~gerät** *n* → *Heizapparat*; **~kessel** *m* boiler; **~kissen** *n* electric pad; **~körper** *m* radiator, heater; heating element; **~kraft** *f* heating (*or* calorific) power; **~loch** *n* stoke-hole; **~material** *n* fuel; **~ofen** *m* stove; electric fire (*or* radiator); **~öl** *n* fuel oil; **~platte** *f* hot-plate; **~raum** *m* furnace room, boiler-house; *mar.* stokehold; heating chamber; **~rohr** *n*, **~röhre** *f* heater flue, fire tube; hot (*or* heating) tube; **~rohrkessel** *m* fire tube boiler; **~schlange** *f* heating coil; **~sonne** *f* (reflector) bowl-fire; **~spannung** *f* heating voltage; **~strom** *m* filament (*or* heater) current; **~ung** *f* (-; -*en*) heating, firing; (central) heating; radiator; *die* ~ *anstellen* (*abstellen*) turn on (off) the radiators; **~ungs-anlage** *f* heating installation (*or* system); **~ungs-technik** *f* heating engineering; **~wert** *phys. m* heating (*or* calorific) value; **~widerstand** *m* filament resistance.

Hekatombe [heka'tɔmbə] *f* (-; -*n*) hecatomb.

Hektar [hɛk'ta:r] *n* (-*s*; -*e*) (ha) hectare (= 2.471 acres).

hektisch ['hɛktiʃ] *med. adj.* hectic (*a. fig.*).

Hektode [hɛk'to:də] *f* (-; -*n*) pentagrid mixer.

Hektograph [hɛkto'gra:f] *m* (-*en*; -*en*), **hektographieren** [-gra'fi:rən] *v/t.* (*h.*) hectograph.

'**Hektoliter** *n* (hl) hectolitre (= 21.998 gal.).

Held [hɛlt] *m* (-*en*; -*en*) hero (*a. thea., of novel, etc.*); champion; *fig.* ~ *des Tages* lion (of the day); *er ist kein* ~ *im Lernen* he is not much of a student, he is no mental giant.

Helden... ['hɛldən-]: **~dichtung** *f* epic *or* heroic poetry; **~friedhof** *m* military cemetery; **~gedenktag** *m* Memorial Day; **~gedicht** *n* epic (poem); **2haft** *adj.* heroic(ally *adv.*), valiant; **~lied** *n* epic song; **~mut** *m* heroism, valo(u)r; **2mütig** ['-my:tiç] *adj.* → *heldenhaft*; **~rolle** *thea. f* part of a (*or* the) hero; **~sage** *f* heroic legend, epic tale; **~tat** *f* heroic deed, exploit, feat; **~tenor** *mus. m* heroic tenor; **~tod** *m* heroic death; *mil.* death in action; *den* ~ *sterben* die a hero; be killed in action, fall on the field of hono(u)r; **~tum** *n* (-*s*) heroism; **~verehrung** *f* hero-worship.

Held|in ['hɛldin] *f* (-; -*nen*) heroine; **2isch** *adj.* heroic(ally *adv.*).

helfen ['hɛlfən] *v/i.* (*irr.*, *h.*) help; lend *or* give a hand; succo(u)r; promote; back; be of use, avail, profit; serve (*zu inf.* to *inf.*), be instrumental (in *ger.*), go to(wards a th. *or ger.*); ~ *gegen et.* be a good remedy for, be good for *a th.*; *j-m auf die Spur* ~ put a p. on the track; *j-m aus dem* (*in den*) *Mantel* ~ help a p. off (on) with his coat; *j-m aus e-r Verlegenheit* ~ help a p. out of a difficulty; *j-m bei der Arbeit* ~ aid a p. in his work; *sich* ~ find a way (out), manage; *da ist nicht zu* ~ there is no help for it, nothing can be done about it; *das hilft mir wenig* that's not much help, that's cold comfort; *er weiß sich zu* ~ he is full of resource, he is able to take care of himself; *er weiß sich nicht* (*mehr*) *zu* ~ he is at a loss what to do, he is at his wits' end (*or* at the end of his resources); es *hilft* (*zu*) *nichts* it is useless (*or* of no use), it is no good; es *hilft alles nichts, wir müssen gehen* we have no choice but go; like it or not, we must go; *ich kann mir nicht* ~ I cannot help it; *ich kann mir nicht* ~, *ich muß darüber lachen* I can't help laughing about it; *ihm ist nicht* (*mehr*) *zu* ~ he is beyond help *or* past cure; *iro. ihm werde ich schon* ~*!* I'll give him what for!; *das half* that worked (*or* did the trick).

'**Helfer** *m* (-*s*; -), **~in** *f* (-; -*nen*) helper, assistant; ~ *in Steuersachen* tax adviser; **~shelfer** *m* accomplice; → *Handlanger*.

Helgoland ['hɛlgolant] *n* (-*s*) Heligoland, *Am.* Helgoland.

Helio|graph [he:lio'gra:f] *m* (-*en*; -*en*) heliograph; **~graphie** [-gra-'fi:] *f* (-) heliography; **~gra'vüre** *f* heliogravure, photogravure; **~skop** [-'sko:p] *n* (-*s*; -*e*) helioscope; **~thera'pie** *f* heliotherapy; **~trop** [-'tro:p] *n* (-*s*; -*e*) heliotrope; **2'zentrisch** *adj.* heliocentric(ally *adv.*).

Helium ['he:lium] *n* (-*s*) helium.

hell [hɛl] *adj.* clear, sonorous; ringing, blaring (*sound, etc.*); bright, clear, luminous, shining (*light, etc.*); transparent; pale, light (*beer*) light (*colour*); fair (*complexion, hair*); *fig.* bright, clear-headed, intelligent; ~*es Gelächter* hearty (*or* ringing) laugh; ~*er Jubel* ringing cheers, jubilations *pl.*; ~*er Neid* pure envy; ~*er Unsinn* sheer (*or* downright) nonsense; ~*er Wahnsinn* sheer madness; *in* ~*en Flammen stehen* be in a blaze; s-e ~*e Freude haben an* (*dat.*) be (more than) delighted at *or* with, enjoy very much; *in* ~*en Haufen* in (dense) crowds, in swarms; *in* ~*er Verzweiflung* in utter despair; *am* ~(*licht*)*en Tage* in broad daylight; es *wird* ~ it is beginning to dawn; es *ist schon* ~*er Tag* it is quite light; *die* ~*en Tränen standen ihr in den Augen* her eyes were brimming with tears; '**~blau** *adj.* light-blue; '**~blond** *adj.* very fair, ash-blond; **2dunkel** *paint. n* chiaroscuro.

'**Helle** *f* (-) brightness, clearness; luminousness; transparency.

Hellebarde [hɛlə'bardə] *f* (-; -*n*) halberd.

Hellen|e [hɛ'le:nə] *m* (-*n*; -*n*), **~in** *f*

(-; -nen) Hellene, Greek; ♀isch *adj.* Hellenic, Greek.

Heller ['hɛlər] *m* (-s; -) farthing; *auf ~ und Pfennig bezahlen* pay to the last farthing (*Am.* cent), pay scot and lot; *es ist keinen ~ wert* it isn't worth a rap; *er besitzt keinen roten ~* he hasn't a penny to his name.

Helles ['hɛləs] *n* (-en; -en) glass of pale beer.

'helleuchtend *adj.* (*at division: hell-leuchtend*) brilliant, luminous.

'hell...: ~farbig *adj.* light-colo(u)red; fair (*hair*); **~gelb** *adj.* light yellow; **~glänzend** *adj.* of a bright lust|re, *Am.* -er, brilliant; **~grün** *adj.* light green; **~hörig** *adj.* keen of hearing; *arch.* poorly soundproofed; *fig. das machte ihn ~* that aroused his suspicion.

'Helligkeit *f* (-) brightness (*a. TV*); luminousness; brilliancy; *phys.* light intensity; **~sgrad** *m* degree of brightness; **~smesser** *m* (-s; -) luxometer.

Helling ['hɛliŋ] *f* (-; -en) *mar.* slip(way); building slip.

'hellicht *adj.* (*at division: hell-licht*): *am ~en Tage* in broad daylight.

'hell...: ~rot *adj.* bright red; **♀schreiber** *m* Hellprinter; **♀sehen** *n* clairvoyance; **♀seher(in** *f*) *m*, **~seherisch** *adj.* clairvoyant; **~sichtig** ['-ziçtiç] *adj.* clear-sighted; **~wach** *adj.* wide-awake (*a. fig.*).

Helm [hɛlm] *m* (-[e]s; -e) **1.** *mil., etc.* helmet; *arch.* dome, cupola; **2.** *tech.* handle, helve; **3.** *mar.* helm, rudder.

'Helm...: ~busch *m* plume, crest (of a helmet); **~dach** *n* dome-shaped roof, cupola; **~kolben** *chem. m* distilling flask; **~holz** *mar. n* tiller.

Hemd [hɛmt] *n* (-[e]s; -en) shirt; chemise; *ohne ~* shirtless; *fig. j-n bis aufs ~ ausziehen* strip a p. to the shirt, fleece a p.; *das ~ ist mir näher als der Rock* charity begins at home; **'~ärmel** *m* → *Hemdsärmel*; **'~bluse** *f* shirt(-blouse), *Am.* shirt(waist); **'~brust** *f*, **'~einsatz** *m* shirt-front; **~enstoff** ['hɛmdən-] *m* shirting; **'~hose** *f* (*eine ~* a pair of) combinations *pl.*, *for ladies: a.* cami-knickers *pl.*; *Am. a.* union suit; **'~(en)knopf** *m* shirt-button; stud; **'~kragen** *m* shirt-collar; **'~särmel** *m* shirt-sleeve; *in ~n* → **♀s-ärmelig** ['-ɛrməliç] *adj.* in one's shirt-sleeves, shirt-sleeved; *fig. a.* casual.

Hemisphär|e [he:mi'sfɛ:rə] *f* (-; -en) hemisphere; **♀isch** *adj.* hemispheric(al).

hemmen ['hɛmən] *v/t.* (*h.*) check, stop; hamper, handicap; impede, obstruct, hold up; retard, delay; slow up *or* down, brake; clog; drag, skid, scotch (*cart, wheel*); stem *flood* (*a. fig.*); staunch, stop (*blood*); *psych.* inhibit; curb, check, restrain (*passions*); *seelisch gehemmt sein* be inhibited; *in dieser Umgebung fühle ich mich gehemmt* this atmosphere cramps my style; **~d** *adj.* impeding, obstructive; *med.* inhibitory; *adv.*: *dies wurde als sehr ~ empfunden* this was felt as a severe handicap.

'Hemm...: ~feder *tech. f* retaining spring; **~nis** *n* (-ses; -se) check, hindrance; impediment, obstruction, obstacle; handicap; **~rad** *n* escape(ment) wheel (*of watch*); **~schuh** *m* brake, drag, skid; *rail.* scotch block; *fig.* drag (*für* on), → *Hemmnis*; **~stoff** *m* inhibitor; **~ung** *f* (-; -en) stoppage, check, hindrance, restraint; retardation (*of growth*); escapement (*of watch*); *tech.* detent pin, lock-hook; *mil.* jam, stoppage; *psych.* restraint, scruple, inhibition; *jur.* suspension (*der Verjährung* of the statute of limitations); **♀ungslos** *adj.* unrestrained, without restraint, reckless, unscrupulous; **~ungslosigkeit** *f* (-) lack of restraint, recklessness; **~vorrichtung** *f* braking device, stop, catch.

Hengst [hɛŋst] *m* (-es; -e) stallion; jackass; **~füllen** *n* colt.

Henkel ['hɛŋkəl] *m* (-s; -) handle, ear, lug; **~glas** *n* mug; **~korb** *m* basket with a handle; **~krug** *m* jug; **~ohren** *n/pl. colloq.* jughandle ears.

henken ['hɛŋkən] *v/t.* (*h.*) hang (by the neck).

'Henker *m* (-s; -) executioner, hangman; *scher dich* (*schert euch*) *zum ~!* go to blazes (*or* hell)!; *zum ~!* hang it (all)!, the deuce!; *zum ~ mit!* hang!; **~sbeil** *n* executioner's axe; **~sknecht** *m* hangman's assistant; *fig.* tormenter, torturer; **~smahl** (**-zeit** *f*) *n* last meal (before execution); *humor.* farewell dinner.

Henne ['hɛnə] *f* (-; -n) hen; *junge* (*or kleine*) *~* pullet.

Heptan [hɛp'tɑ:n] *n* (-[e]s) heptane.

her [he:r] *adv.* (*ant. hin*) hither, *usu.* here; from; *as to time*: ago; *komm ~!* come here (*or* on)!; *wie lange ist es ~?* how long is it ago *or* how long ago was it?; *es ist nun ein Jahr ~, daß* it is now a year ago since, it is now a year that; *wo ist er ~?* where does he come *or* hail from?; *wo hat er das ~?* where did he get that (from)?; *von weit ~* from afar; *~ damit!* out with it!. give it to me!, hand it over!; *untranslated*: *an* (*or neben*) *et. ~* beside (*or* by the side) of a th.; *hinter* (*dat.*) *~ sein* be after; *hinter j-m ~ gehen* walk behind a p., walk in (*or* dog) a p.'s footsteps; *um mich ~* around me; *von oben ~* from above; *vor j-m ~ gehen* walk in front (*or* ahead) of a p.; *fig. damit ist es nicht weit ~* that's of little value, it's nothing to write home about, it's not so hot; *fig. vom rein Künstlerischen ~* from a purely artistic point of view.

herab [hɛ'rap] *adv.* down, downward; *den Hügel* (*ins Tal*) *~* down the hill, downhill; *die Treppe ~* down the stairs, downstairs; *von oben ~* from above (*or* on high), *fig.* in a superior way, condescendingly; *in compounds usu.* ... down; → *herunter...*; **~blicken** *v/i.* (*h.*) → *herabsehen*; **~drücken** *v/t.* (*h.*) press down, depress; *econ.* beat (*or* force) down (*prices*); **~gehen** *v/i.* (*irr., sn*) walk down (here), descend; **~hängen** *v/i.* (*irr., h.*) hang down; dangle (*von* from); **~kommen** *v/i.* (*irr., sn*) come down, descend; **~lassen** *v/t.* (*irr., h.*) let down, lower; *sich ~ fig.* condescend, deign; *sich zu et. ~* stoop (*or* condescend) to do a th.; **~lassend** *adj.* condescending (*gegen, zu* to); **♀lassung** *f* (-) condescension; *j-n mit ~ behandeln* treat with condescension, patronize, *Am. sl.* high-hat; **~mindern** *v/t.* (*h.*) reduce, diminish, decrease; impair, detract from; **~sehen** *v/i.* (*irr., h.*): *~ auf* (*acc.*) look down at (*or fig. contp.*: upon); **~setzen** *v/t.* (*h.*) put (*or* take) down, lower; *fig. in rank*: degrade, debase; reduce (*a. speed*); lower, *econ. a.* mark down; diminish, decrease; cut (down), curtail, *Am. a.* slash; *fig.* depreciate, disparage, run down *a p.*; *zu herabgesetzten Preisen* at reduced prices; **~setzend** *adj.* degrading; derogatory, disparaging, contemptuous; **♀setzung** *f* (-; -en) lowering, reduction (*a. econ.*); curtailment, cut; *fig.* depreciation, disparagement; slight; **~sinken** *v/i.* (*irr., sn*) sink (down), descend; *fig.* be(come) degraded, sink; *econ.* fall; **~steigen** *v/i.* (*irr., sn*) descend, walk (*or* climb) down; *from horse*: dismount; **~stoßen** *v/i.* (*h.*) *bird, etc.*: swoop down, *aer. a.* nose down; **~stürzen I.** *v/t.* (*h.*) throw (*or* push) down, precipitate; *sich ~* throw (o.s.) down, jump (to one's death); **II.** *v/i.* (*sn*) fall down, be precipitated; rush down; **~würdigen** *v/t.* (*h.*) (*sich ~*) degrade (o.s.), abase (o.s.), demean (o.s.); **♀würdigung** *f* degradation, abasement.

Herald|ik [he'raldik] *f* (-) heraldry; **♀isch** *adj.* heraldic.

heran [hɛ'ran] *adv.* (up) this way, near, to the spot; *~ an* (*acc.*) up (*or* near) to; *nur* (*or immer*) *~!* come on!; *in compounds usu.* ... near; **~arbeiten:** *sich ~* (*h.*) work one's way near, creep up (*an acc.* to); **~bilden** *v/t.* (*h.*) train, educate; **~brechen** *v/i.* (*irr., sn*) approach; *day*: dawn; **~bringen** *v/t.* (*irr., h.*) bring up; carry (*or* transport, move) to the spot; supply; **~drängen:** *sich ~* (*h.*) press forward, jostle (*an acc.* against); **~führen** *v/t.* (*h.*) lead to the spot, bring up; *tech.* advance *tool* (*an* to); *fig. j-n ~ an et.* lead a p. up to a th., initiate a p. into a th.; **~gehen** *v/i.* (*irr., sn*) go (*or* walk) up (*an acc.* to), step up (to), approach; *an e-e Aufgabe*: set about, approach, tackle *a job*; **~kämpfen** *sports*: *sich ~* (*h.*) close in (*an acc.* on), pull up (to); **~kommen** *v/i.* (*irr., sn*) come (*or* draw) near, come on, approach; *~ an j-n* come up to a p., *w.s.* gain (*or* close in) on a p.; overtake a p.; *an et. ~ fig.* get to (*or* at *or* hold of) a th., come by a th.; *fig.* come (*or Am.* measure) up to a th.; *~ an e-e Zahl, Leistung, etc.*: come near to, approach, approximate) to *a figure, performance, etc.*; *et. ~ lassen* await a th. (calmly), wait and see, bide one's time; **~machen:** *sich an et. ~* (*h.*) set to work on, undertake a th.; *sich an j-n ~* approach a p., sidle up to a p., *fig.* approach a p., make up to a p., (start to) work on a p.; **~nahen** *v/i.*

(*sn*) approach, draw near, *as to time*: *a.* be forthcoming; *danger*: be imminent; **~nahen** [-na:ən] *n* (*-s*) approach; **~pirschen:** *sich ~* (*h.*) *an* (*acc.*) stalk creep up to; **~reichen** *v/i.* (*h.*): *~ an* (*acc.*) reach (*or* come) up to, touch, come close to; *fig. a.* equal, touch, fill *a p.*'s shoes; **~reifen** *v/i.* (*sn*) ripen, mature, grow up (*zu* et. to be *or* grow into); **~rücken I.** *v/t.* (*h.*) move (*or* push) near, pull up; **II.** *v/i.* (*sn*) approach, draw near (*a. time*); advance, come on; **~schaffen** *v/t.* (*h.*) bring up, carry (*or* transport, move) to the spot; supply, furnish; **~schleichen:** *sich ~* (*irr.*, *h.*) *an* (*acc.*) sneak (*or* creep) up to; **~treten** *v/i.* (*irr.*, *sn*) approach (*an j-n* a p.; *a. fig. mit* with *a request, etc.*); step up (to); **~wachsen** *v/i.* (*irr.*, *sn*) grow up; *~ zu* (*dat.*) grow into (*or* up to be); *das ~de Geschlecht* the rising (*or* oncoming) generation; **~wagen:** *sich ~* (*h.*) *an* (*acc.*) venture near, dare to approach; *fig. an e-e Aufgabe, etc.*: venture to approach (*or* tackle), try one's hand (*or* luck) on, have a go at *a job*; **~winken** *v/t.* (*h.*) motion (*or* beckon) to approach; **~ziehen I.** *v/t.* (*irr.*, *h.*) draw (*or* pull) near; *fig.* interest *a p.* (*zu* in); *j-n ~* summon (*or* call in) a p., enlist a p. ('s services), call (up)on a p.; *mil., etc.* mobilize, recruit (*zu* for); consult (*doctor, expert*); draw upon, use, apply (*funds*); find, procure; *econ.* attract (*capital, investors*); requisition; cite, quote, refer to, rely on (*a decision, etc.*); draw upon, rely upon (*a source*); rear (up), raise; **II.** *v/i.* (*irr.*, *sn*) approach, draw near, *mil. a.* advance.

herauf [he'rauf] *adv.* up, upwards; up here; *den Berg ~* up the hill, uphill; *den Fluß ~* up the river, upstream; *die Treppe ~* up the stairs, upstairs; (*von*) *unten ~* from below; *~!* come up (here)!; *in compounds usu.* ... up, → *empor* ...; **~arbeiten:** *sich ~* (*h.*) work one's way up; **~bemühen** *v/t.* (*h.*) (*a. sich*) trouble to come up; **~beschwören** *v/t.* (*irr.*, *h.*) conjure up, evoke, call up (*all a. fig.*: *feelings, memories*); *fig.* bring on, give rise to; provoke; precipitate (*crisis*); **~bitten** *v/t.* (*irr.*, *h.*) *j-n*: ask a p. (to come) up; **~bringen** *v/t.* (*irr.*, *h.*) bring up; **~dämmern** *v/i.* (*sn*) dawn; **~dringen** *v/i.* (*irr.*, *sn*) *sounds*: rise from below, float up; **~führen** *v/t.* (*h.*) show (*or* lead) up *or* upstairs; **~kommen** *v/i.* (*irr.*, *sn*) come up; *die Treppe ~* come up the stairs *or* upstairs; *die Straße ~* come up (*or* along) the street; *fig.* get on, rise; *storm*: → *heraufziehen*; **~schalten** *mot. v/i.* (*h.*) shift into higher gear, change up; **~setzen** *v/t.* (*h.*) increase, raise, up; *econ. a.* mark up (*prices*); **~steigen** *v/i.* (*irr.*, *sn*) ascend, mount, come (*or* climb) up; *vapours, etc.*: rise; *storm*: → **~ziehen I.** *v/t.* (*irr.*, *h.*) draw (*or* pull) up; *fig. j-n*: lift *a p.* up (*zu sich* to one's own level); **II.** *v/i.* (*irr.*, *sn*) move (*or* march) up; *storm*: come up, be brewing.

heraus [he'raus] *adv.* out; *~ aus* out of; *zum Fenster ~* out of the window; *nach vorn ~ wohnen* live at the front, in a front room; *von innen ~* from within; *med. von innen ~ heilen* cure internally *or* radically; *aus e-m Gefühl ~* from (*or* out of a sense of *lonesomeness, etc.*); → *fein*; *int.* → *raus*; *~ mit ihm!* out with him!; *~ damit!* out with it!; *~ mit der Sprache!* speak up (*or* out)!, spit it out, *Am. sl.* spill (the beans)!; *da ~!* out there!, this way out!; is that the way out?; *frei* (*or gerade, offen, rund*) *~* **a**) frankly, openly, **b**) plainly, bluntly, point-blank; *jetzt ist es ~!* now the secret is out!, now we know!; *colloq. das ist noch nicht ~* that's not at all certain, it is anybody's guess; → *heraushaben*; *in compounds usu.* ... out; **~arbeiten** *v/t.* (*h.*) work out; *aus Stein, Holz*: carve (*or* chisel, hew) out of *stone, wood*; *fig.* work out, elaborate (*ideas, etc.*); *sich ~* work one's way out, struggle out (*aus* of); extricate o.s. (from); **~beißen** *v/t.* (*irr.*, *h.*) bite out (*aus* of); *fig. j-n ~* get *a p.* out (*aus e-r mißlichen Lage* of a quandary); *sich ~* extricate o.s., fight (*or* work) one's way out (of); **~bekommen** *v/t.* (*irr.*, *h.*) **a**) get out (*aus* of); worm (*or* ferret) *a secret* out, elicit; find out, discover, *sl.* get wise to; puzzle (*or* work) out (*riddle, etc.*); make (*or* find, *Am.* figure) out (*meaning*); **b**) *sein Geld wieder ~* get back (*or* recover) one's money; et. (*Geld*) *~* get some change back; *Sie bekommen zwei Mark heraus* you get ... change; **~bringen** *v/t.* (*irr.*, *h.*) bring out; get out; *fig.* bring out *a product*, come out with, (put on the) market; turn out; *riddle, secret, etc.* → *herausbekommen* a); *a book, etc.* → *herausgeben*; *thea.* (put on the) stage, produce; **~drücken** *v/t.* (*h.*) press (*or* squeeze) out; stick (*or* throw) out (*one's chest*); **~fahren** *v/i.* (*irr.*, *sn*) come (*or* drive *a. v/t.*) out; *fig. words* escape, slip out; *das Wort war ihm herausgefahren* he had blurted out the word; **~finden** *v/t.* (*irr.*, *h.*) discover, find out, trace (out); establish; *sich ~* find one's way out, *fig.* extricate o.s. (*aus* from); **~fliegen** *v/i.* (*irr.*, *sn*) *and v/t.* (*irr.*, *h.*) fly out (*aus* of); **~fließen** *v/i.* (*irr.*, *sn*) flow out (*aus* of), issue from; **~forderer** [-fɔrdərər] *m* (*-s*; *-*) challenger; **~fordern** *v/t.* (*h.*) ask for the return of (*object*), demand the restitution of; *zum Kampfe*: challenge, throw down the gauntlet to (*opponent*); defy, provoke; *das Unglück ~* court disaster, ask for it; *zur Kritik ~* invite criticism; **~fordernd** *adj.* challenging; defiant; provoking, provovatice; arrogant; inviting; come-hither (*look*); **~forderung** *f* challenge; provocation; (open) defiance; *die ~ annehmen* accept the challenge, take up the gauntlet; **~fühlen** *v/t.* (*h.*) feel, sense; **~gabe** *f* (*-*) *jur.* restitution, surrender; delivery; *of books, etc.*: publication, issue; *jur. Klage auf ~* action for restitution (*or* detinue); **~geben** *v/t.* (*irr.*, *h.*) surrender, deliver up, hand over, give up; give back, return, restore; publish (*book, etc.*), edit; give *money* in change; *Geld ~ auf* (*acc.*) give change for; issue (*regulation, etc.*); **~geber(in** *f*) *m* publisher; editor; **~gehen** *v/i.* (*irr.*, *sn*) *nail, etc.*: go out; *stain*: come out; *fig. aus sich ~* liven up, come out of one's shell; **~greifen** *v/t.* (*h.*) pick (*or* single) out; select, choose; cite (*examples*); **~gucken** *v/i.* (*h.*) peep (*or* peek) out; **~haben** *v/t.* (*irr.*, *h.*) have solved *or* discovered (*riddle, etc.*); know (*or* understand) thoroughly; *die Handhabung von et. ~* know how to use (*or* handle) a th., have the knack (*Am.* hang) of a th.; *jetzt habe ich es* (*he*)*raus* now I have got it; **~halten** (*irr.*, *h.*): *sich aus et. ~* keep out of a th.; **~heben** *v/t.* (*irr.*, *h.*) lift (*or* take) out; *fig.* set off, accentuate; make stand out; *sich ~* stand out; **~helfen** *v/i.* (*irr.*, *h.*): *j-m ~* (*aus dat.*) help (*or* get) a p. out (of); **~holen** *v/t.* (*h.*) get (*or* take, draw) out, extricate (*aus* from); *fig.* extract (from), get out (of); get (*or* worm) *secret, etc.*, out (of), elicit; *das Letzte aus sich ~* do one's utmost, make an all-out effort, give all one has; *aus et.*: force to the limit (*a. aus j-m*), work (*or* use, play) *a th.* for all it is worth; **~hören** *v/t.* (*h.*) hear; detect; **~kehren** *v/t.* (*h.*) sweep out; *fig.* assume the air of, like to play; **~klingeln** *v/t.* (*h.*) ring up; **~kommen** *v/i.* (*irr.*, *sn*) come out; appear, emerge; get out; *fig. aus e-r Schwierigkeit*: get out of, extricate o.s. from *a difficulty*; come out, become known, spread (abroad), leak out, *Am. a.* develop; *book*: be published, come out, appear, *in serial parts*: be issued; *mit e-m Gewinn ~* draw a prize; result, come (*bei* of); *es kommt auf eins* (*or dasselbe*) *heraus* it amounts to the same thing, it is all the same; *es kommt nichts dabei heraus* there is nothing (to be) gained by it, it does not pay, it is of no use; *dabei ist nichts Gutes herausgekommen* nothing good has come (out) of it; *man kam aus dem Lachen nicht heraus* there was no end of laughter; **~kriegen** *colloq. v/t.* (*h.*) → *herausbekommen*; **~kristallisieren** *v/t.* (*h.*) crystallize; *sich ~ a.* take shape, materialize; **~lassen** *v/t.* (*irr.*, *h.*) let out; **~laufen** *v/i.* (*irr.*, *sn*) run out, *liquid*: *a.* leak out; *sports* gain (*a victory*), secure (*a place*); **~locken** *v/t.* (*h.*) lure (*or* entice) out; *fig. aus j-m ~* draw (*or* worm) out of a p.; **~lügen:** *sich ~* (*irr.*, *h.*) lie o.s. out (*aus* of); **~machen** *v/t.* (*h.*) take out; remove; *fig. sich ~* come (*or* get) on well; show (good) progress, improve; blossom out; develop; *after illness*: pick up, come round (very nicely); **~nehmbar** [-ne:mba:r] *tech. adj.* removable; **~nehmen** *v/t.* (*irr.*, *h.*) take out (*aus* of), remove (from); pull out, extract (*tooth*); *fig. sich ~* presume, venture, make bold; → *Freiheit*; *er nimmt sich zu viel heraus* he is too forward; **~platzen** *v/i.* (*sn*) burst out (*lachend*: laughing);

mit der Wahrheit, etc., ~ blurt out *the truth, etc.*; **~pressen** *v/t.* (*h.*) press (*or* squeeze) out; **~putzen** *v/t.* (*h.*) (*sich* ~) dress (o.s.) up, spruce (o.s.) up, doll (o.s.) up; **~ragen** *v/i.* (*h.*) jut out, project; *fig.* stand out (*aus* from); **~reden** *v/i.* (*h.*): *frei* ~ speak out (*or* up), speak freely (*or* one's mind); *fig. sich* ~ make excuses; prevaricate, quibble; wriggle out; **~reißen** *v/t.* (*irr., h.*) tear (*or* pull, rip, wrench) out; *fig.* extricate, free (*aus* from), get out (of); shake out (of); *colloq. das hat ihn noch herausgerissen* this saved him (from the worst); **~rücken I.** *v/t.* (*h.*) push (*or* move) out; **II.** *v/i.* (*h.*): *mit et.* ~ come out with a th.; (*a. v/t.*) (*mit*) *Geld* ~ shell (*or* fork) out, *sl.* cough up (money); *mit der Sprache* ~ **a)** speak out (freely), speak up, talk, **b)** come out with the truth, own up; *er wollte nicht mit der Sprache* ~ *a.* he kept beating about the bush (*or* hedging); **~rufen** *v/t.* (*irr., h.*) call out; *mil.* turn out *the guard*; *thea.* call before the curtain; **~rutschen** *v/i.* (*sn*) slip out; *fig. a.* (*j-m*) slip off the tongue; **~sagen** *v/t.* (*h.*) declare (*or* utter) freely, tell frankly; → *heraus*; **~schaffen** *v/t.* (*h.*) take (*or* move, carry) out; **~schälen** *v/t.* (*h.*) *fig.* lay bare, unfold, develop; sift out; *sich* ~ crystallize, become more and more apparent; **~schauen** *v/i.* (*h.*) look (*or* peer) out (*aus* of); *fig.* → *herauskommen*; **~schlagen I.** *v/t.* (*irr., h.*) knock out (*aus* of); *fig. Geld aus et.* ~ profit (*or* make money) by; *s-e Kosten* ~ recover one's expenses; get, obtain, *sl.* wangle (*an advantage*); *möglichst viel* ~ *aus* make the most of; **II.** *v/i.* (*irr., sn*) *flame*: burst through, leap out (of); **~schleichen:** *sich* ~ (*irr., h.*) sneak (*or* steal, slink) out; **~schleudern** *v/t.* (*h.*) throw (*or* fling, catapult) out; **~schlüpfen** *v/i.* (*sn*) slip out; **~schneiden** *v/t.* (*irr., h.*) cut (*or* clip) out; *med.* excise, snip out; **~sehen** *v/i.* (*irr., h.*) look out (*aus* of); **~springen** *v/i.* (*irr., sn*) jump (*or* leap) out; *fig.* → *herauskommen*; **~spritzen** *v/i.* (*sn*) spout out, gush forth; **~stecken** *v/t.* (*h.*) put up (*flag*); → *herausstrecken*; **~stellen** *v/t.* (*h.*) put (*or* place, get) out; *player*: turn (*or* order) out; *fig.* emphasize, set forth, point out (*ideas, etc.*); make public, publicize; *in advertising, press, etc.*: feature (*a. thea.*), bring out, give prominence to, give prominent display, *Am. a.* highlight; *iro.* dramatize, play up; distinguish plainly; set off, throw into (sharp) relief; *sich* ~ turn out, prove (*als* to be); appear, become apparent; be discovered (*or* found out, exposed), come to light; *es stellte sich heraus, daß er* he turned out (*or* proved, was found) to be; **~strecken** *v/t.* (*h.*) put forth (*or* out); *j-m die Zunge* ~ put (*or* stick) one's tongue out at a p.; **~streichen** *v/t.* (*irr., h.*) *fig.* extol, praise (to the skies), eulogize; *esp. econ.* cry up, puff; **~strömen** *v/i.* (*sn*) pour (*or* flow, gush) out; *fig.* pour forth; **~stürzen** *v/i.* (*sn*) fall (*or* tumble) out; rush out; **~suchen** *v/t.* (*h.*) choose, select, pick out; **~treten** *v/i.* (*irr., sn*) step (*or* come) out (*aus* of); emerge (from); *med.* protrude; → *hervortreten*; **~wachsen** *v/i.* (*irr., sn*) *bot.* sprout (*or* shoot, grow) out (*aus* of); *aus den Kleidern*: outgrow (*one's clothes*); → *Hals*; **~wagen:** *sich* ~ (*h.*) venture out; **~wanken** *v/i.* (*sn*) stagger out; **~winden:** *sich* ~ (*irr., h.*) extricate o.s. (*aus* from); wriggle out (of); **~wirtschaften** *v/t.* (*h.*) extract, obtain; **~wollen** *v/i.* (*h.*) want to get out; *fig. nicht mit der Sprache* ~ → *herausrücken*; **~ziehen** *v/t.* (*irr., h.*) draw (*or* pull, take) out, extract (*a. chem., tooth, and fig. contents*); drag out; *mil.* withdraw, disengage, pull out (*troops*); cull *notes* (*aus* from *books, etc.*).

herb [hɛrp] *adj.* harsh; acrid, sharp; acid, sour; tart; dry (*wine*); *fig.* harsh; bitter, caustic (*words, etc.*); unpleasant; austere (*beauty, style*).

Herbarium [hɛrˈbɑːrium] *n* (-s; -ien) herbarium.

Herbe [ˈhɛrbə] *f* (-) → *Herbheit*.

herbei [hɛrˈbaɪ] *adv.* here, hither; ~! come here (*or* on)!; → *heran...*; **~bringen** *v/t.* (*irr., h.*) bring (on *or* along); → *herbeischaffen, beibringen* (*jur.*); **~eilen** *v/i.* (*sn*) approach in haste, rush to the scene, come running; **~führen** *v/t.* (*h.*) lead (*or* bring) up; *fig.* bring about (*or* on), cause, produce; engineer; provide for; lead (*or* give rise) to, entail; force; *esp. med.* induce; *selbst herbeigeführte Abtreibung* self-induced abortion; **~holen** *v/t.* (*h.*) fetch, go for; call in (*doctor*); ~ *lassen* send for; **~kommen** *v/i.* (*irr., sn*) → *herankommen*; **~lassen:** *sich* ~ *zu* (*irr., h.*) condescend (*or* deign) to, agree to; **~laufen** *v/i.* (*irr., sn*) come running (along); **~rufen** *v/t.* (*irr., h.*) call here (*or* for *a p.*), call in (*a. doctor* = send for, summon); **~schaffen** *v/t.* (*h.*) bring (*or* get) here; transport (*or* carry, move) to the spot; supply, procure; produce (*a. evidence, witness*); **~schleppen** *v/t.* (*h.*) drag along (*or* here, in); **~strömen** *v/i.* (*sn*) flock *or* crowd here (*or zu* to), come in crowds; **~stürzen** *v/i.* (*sn*) rush here (*or* to the scene *or* spot); **~winken** *v/t.* (*h.*) motion (*or* beckon) to approach; **~ziehen** *v/t.* (*irr., h.*) draw (*or* pull) near.

her... [ˈheːr-]: **~bekommen** *v/t.* (*irr., h.*) get here, obtain, procure; **~bemühen** *v/t.* (*h.*) *j-n* (*a. sich*): trouble to come (here *or* round); **~be-ordern** *v/t.* (*h.*) summon.

Herberg|e [ˈhɛrbɛrgə] *f* (-; -n) shelter (*a. fig.* = refuge), lodging; inn; (youth) hostel; **~svater** *m* warden.

her... [ˈheːr-]: **~bestellen** *v/t.* (*h.*) ask to come, make an appointment with; bid *a p.* come; send for; summon; **~beten** *v/t.* (*h.*) say off mechanically (*or* monotonously), rattle off.

Herbheit [ˈhɛrphaɪt] *f* (-) acerbity, harshness (*both a. fig.*); sharpness, acidity; dryness (*of wine*); *fig. a.* severity; bitterness; austerity (*of beauty, style*).

ˈher...: ~bitten *v/t.* (*irr., h.*) ask to come, ask round; **~bringen** *v/t.* (*irr., h.*) bring (here *or* along); → *hergebracht*.

Herbst [hɛrpst] *m* (-es; -e) autumn, *Am.* fall; harvest-time; **ˈ~abend** *m* autumn(al) evening; **ˈ~anfang** *m* beginning of autumn (*Am.* fall); **ˈ~blume** *f* autumnal flower; **ˈ2en I.** *v/i.* (*impers., h.*): *es herbstet* autumn is coming; **II.** *v/t.* (*h.*) → *ernten*; **ˈ~färbung** *f* autumnal tints *pl.*; **ˈ~ferien** *pl.* autumn holidays; **ˈ2lich** *adj.* autumnal; **~ling** [ˈ-lɪŋ] *m* (-s; -e) autumn fruit; **ˈ~monat** *m* autumn month; *w.s.* September; **ˈ~rose** *f* hollyhock; **ˈ~tag** *m* autumn(al) day; **ˈ~wetter** *n* autumnal weather; **~zeitlose** [ˈ-tsaɪtloːzə] *bot. f* (-n; -n) meadow-saffron.

Herd [heːrt] *m* (-[e]s; -e) hearth, fireplace; cooking-stove, (kitchen-) range; *metall.* hearth, smelting chamber; *fig.* hearth, home; seat, focus (*a. med.*); cent|re, *Am.* -er; *am häuslichen* ~ by (*or* at) one's fireside; *s-n eigenen* ~ *gründen* set up for o.s., settle down; *eigener* ~ *ist Goldes wert* there is no place like home.

Herde [ˈheːrdə] *f* (-; -n) herd (*contp. a. fig.*); flock; *fig. a.* crowd; mass, multitude; **~ngeist** *m* (-es) herd-mentality; **~ninstinkt** *m* herd instinct; **~nmensch** *m* one of the common herd; **~ntier** *n* gregarious animal; **~ntrieb** *m* herd instinct; **2nweise** *adv.* in herds, *etc.*

ˈHerd...: ~frischen *metall. n* (-s) refining in hearths; refinery process; **~frischstahl** *m* fined steel; **~kohle** *f* domestic coal; **~platte** *f* top of (kitchen-)stove.

herein [hɛˈraɪn] *adv.* in (here), into; *von draußen* ~ from outside; ~! come in!; *hier* ~! this way, please; *in compounds usu.* in(to *in acc.*); **~bekommen** *v/t.* (*irr., h.*) *econ.* get in (*stock*); recover (*debts*); **~bemühen** *v/t.* (*h.*) trouble (*or* ask) to come in; *sich* ~ take the trouble of coming in; **~bitten** *v/t.* (*irr., h.*) invite (*or* ask) to come in; **~brechen** *v/i.* (*irr., sn*) *fig. night*: close in (*über acc.* upon), fall; *storm*: set in, come on; *misfortune*: ~ *über* overtake, befall; **~bringen** *v/t.* (*irr., h.*) bring in, get in; gather in, house (*harvest*); **~dringen** *v/i.* (*irr., sn*) enter forcibly; → *eindringen*; **2fall** *m* → *Reinfall*; **~fallen** *v/i.* (*irr., sn*) fall in; *fig.* (*colloq. reinfallen*) be cheated (*or* swindled, victimized), be sold *or* taken in (*auf acc.* by), *Am.* fall (*auf j-n or et.* for); **~führen** *v/t.* (*h.*) show (*or* usher) in(to *in acc.*); **~gehen** *v/i.* (*irr., sn*) enter, step in; go *or* fit in(to *in acc.*); **~holen** *v/t.* (*h.*) fetch (*person*: *a.* have) in; *econ.* canvass (*orders*); **~kommen** *v/i.* (*irr., sn*) come in(side), come in(to *in acc.*), step *or* walk in(to *in acc.*); *kurz* ~ drop in; *econ.* come in (*or* to hand); **~lassen** *v/t.* (*irr., h.*) let in, admit; **~legen** *v/t.* (*h.*) *fig.* (*colloq. reinlegen*) cheat, swindle, take in, sell,

Am. sl. take for a ride; fool, hoax, dupe; **~lotsen** *v/t.* (*h.*) pilot in(to *in acc.*); **~nehmen** *v/t.* (*irr., h.*) take in; *econ.* accept, book, take in (*orders*), take in stock (*goods*), accept in continuation (*securities*); *zum Diskont ~* accept for discount; *Wechsel zum Inkasso ~* accept bills for collection; **℞nehmer** *m stock exchange*: taker(-in); **~platzen** *v/i.* (*sn*) burst in(to *in acc.*); **~regnen** *v/i.* (*impers., h.*): *es regnet herein* it is raining in(to *in acc.*); **~rufen** *v/t.* (*irr., h.*) call in; **~schneien** *v/i.* (*impers., h.*): *es schneit herein* it is snowing in(to *in acc.*); *colloq. fig.* turn up suddenly (*or* unexpectedly), *sl.* blow in; **~sehen** *v/i.* (*irr., h.*) look in(to *in acc.*); **~strömen** *v/i.* (*sn*) flood in (*a. fig.*); **~stürmen** *v/i.* (*sn*), **~stürzen** *v/i.* (*sn*) rush in(to *in acc.*); **~treten** *v/i.* (*irr., sn*) enter, walk (*or* step, stride) in(to *in acc.*); **~ziehen I.** *v/t.* (*irr., h.*) draw *or* pull in(to *in acc.*); **II.** *v/i.* (*irr., sn*) → *einziehen.*

ˈ**her...: ~fahren I.** *v/t.* (*irr., h.*) bring (*or mot.* drive) here; **II.** *v/i.* (*irr., sn*) come (*or* drive) here; **℞fahrt** *f* journey back, return-journey (*or* trip); **~fallen** *v/i.* (*irr., sn*): *~ über* (*acc.*) pounce (*or* fall, set, come down) upon; attack, assail, assault; → *hermachen*; **~finden:** (*a. sich*) (*irr., h.*) find one's way (here); **℞fracht** *f* home freight; **~führen** *v/t.* (*h.*) bring (*or* conduct) here; *was führt Sie her?* what brings you here?; **℞gang** *m* course of events, proceedings *pl.*; circumstances, details *pl.*; *tell me* what happened *or* the whole story; **~geben** *v/t.* (*irr., h.*) give (away); give up, deliver, surrender, hand over; give back, return; *fig.* yield; *sich (seinen Namen) ~ zu* lend o.s. (one's name) to; **~gebracht** [ˈ-gəbraxt] *adj.* conventional, usual, customary; (*alt~*) handed down to us, traditional, ancient; **~gehen** *v/i.* (*irr., sn*) come (here); *hinter j-m ~* follow a p.'s steps, walk behind a p.; *vor j-m ~* walk ahead of a p.; happen; *hier geht es hoch her* there are grand goings-on here; *es ging heiß her* it was rough (work); *jetzt geht es über ihn her* now they are down upon him; **~gehören** *v/i.* (*h.*) → *hierhergehören*; **~gehörig** *adj.* pertinent; to the purpose (*or* point); **~gelaufen** *adj.*: *contp. ~er Kerl* vagabond, tramp, beggar; **~haben** *v/t.* (*irr., h.*): *wo hast du das her?* where did you get that (from)?, how did you come by it?; **~halten I.** *v/t.* (*irr., h.*) hold forth (*or* out), tender; **II.** *v/i.* (*irr., h.*): *~ (müssen) für* (*acc.*) (have to) suffer *or* pay for; be the butt *or* target of (*jokes, etc.*); **~holen** *v/t.* (*h.*) fetch (*or* get) here; *~ lassen* send for; *fig. weit hergeholt* far-fetched; **~hören** *v/i.* (*h.*) listen, pay attention.

Hering [ˈheːriŋ] *m* (-s; -e) herring; *geräucherter ~* red (*or* smoked) herring, bloater; *gedörrter ~* kipper(ed herring); *gesalzener or saurer ~* pickled herring; *grüner ~* fresh (*or* green) herring; *fig.* (tent) pin *or* peg; *colloq.* (*person*) scrag, starveling; *wie die ~e zusammengedrängt* packed like sardines.

ˈ**Herings...: ~fang** *m* herring-fishery; **~fänger** *m* herring-smack; **~faß** *n* herring-keg; **~fischer** *m* herring-fisher, herringer; **~fischeˈrei** *f* → *Heringsfang*; **~milch** *f* herring-milt; **~rogen** *m* soft-roe (of a herring); **~salat** *m* salad (mixed) with pickled herring; **~schwarm** *m* shoal (*or* school) of herring.

ˈ**her...: ~kommen** *v/i.* (*irr., sn*) come here; come (*or* draw) near, approach; *~ von* come (*or* originate) from; *matter*: *a.* be due to; *word*: be derived from; *komm(t) her!* come here!; *wo kommt er her?* where does he come (*or* hail) from?; **℞kommen** *n* (-s) convention, custom, usage; tradition; → *Herkunft*; **~kömmlich** [ˈ-kœmliç] *adj.* conventional, traditional, customary, usual, orthodox; *~e Konstruktionen (Verfahren, Waffen)* conventional designs (methods, weapons).

Herkulesarbeit [ˈhɛrkulɛs-] *f* Herculean task.

herkulisch [hɛrˈkuːliʃ] *adj.* Herculean.

ˈ**her...: ℞kunft** [-kunft] *f* (-) *of person*: origin, descent, extraction; birth; *of thing*: origin, provenance; *of word*: *a.* derivation; **℞kunftsbezeichnung** *econ. f* mark of origin; **℞kunftsland** *n* country of origin; **~laufen** *v/i.* (*irr., sn*) run here; *hinter j-m ~* run after a p.; → *hergelaufen*; **~leiern** *colloq. v/t.* (*h.*) reel (*or* rattle) off; **~leiten** *v/t.* (*h.*) conduct here; *fig.* derive (*von* from); *by logic*: deduce *or* infer (from); *sich ~ von* (be) derive(d) from; go back to, be traceable to; date from; descend from; **℞leitung** *f* derivation; inference; **~locken** *v/t.* (*h.*) allure, entice (here); **~machen:** *sich ~* (*h.*) *über et.* set about, tackle, attack; *sich über sein Essen ~* fall to, pitch in; *über j-n*: → *herfallen.*

Hermelin [hɛrməˈliːn] **1.** *zo. n* (-s; -e) ermine, *in winter*: stoat; **2.** *m* (-s; -e) (= **~pelz**) ermine(-fur).

hermetisch [hɛrˈmeːtiʃ] *adj.* hermetic(ally *adv.*), air-tight; *~ verschlossen* hermetically sealed.

ˈ**her...: ~müssen** *v/i.* (*irr., h.*) have (*or* be obliged) to come; *das Buch muß her!* we must have that book!

hernach [hɛrˈnaːx] *adv.* after, afterwards, after this (that); hereafter (thereafter), subsequently; later (on).

ˈ**her...: ~nehmen** *v/t.* (*irr., h.*) take (*von* from), get (from); *j-n*: take *a p.* to task, rake *a p.* over the coals; drill, *Am. mil. sl.* give *a p.* chicken; **~ˈnieder** *adv.* down.

Heroen|kult [heˈroːən-] *m* hero-worship; **~tum** *n* heroism; **~zeit** *f* heroic age.

Heroin [heroˈiːn] *n* (-s) heroin.

Heroine [heroˈiːnə] *thea. f* (-; -n) heroine.

heroisch [heˈroːiʃ] *adj.* heroic(ally *adv.*).

Heroismus [heroˈismus] *m* (-) heroism.

Herold [ˈheːrɔlt] *m* (-[e]s; -e) herald; *fig. a.* harbinger; **~stab** *m* herald's staff.

Heros [ˈheːrɔs] *m* (-; -ˈoen) hero.

herplappern [ˈheːr-] *v/t.* (*h.*) reel (*or* rattle) off.

Herr [hɛr] *m* (-[e]n; -en) master, lord; *sl.* boss; ruler, sovereign; (*God, Christ*) *the* Lord; *~!* O Lord!; gentleman; *before proper names*: Mr. (*abbr. of* Mister); *die ~en N. und M.* Messrs. (*abbr. of* Messieurs) N. and M.; (*mein*) *~!* Sir!; *Ihr ~ Vater* your father; → *Gemahl*; *~ Doktor (Professor, General)* doctor (professor, general); *~ Präsident!* Mr. Chairman!; *to the US-President*: Mr. President!; *der ~ Präsident* the Chairman, *etc.*; *meine (Damen und) ~en!* (ladies and) gentlemen!; *in letters*: *sehr geehrter ~ N.!* Dear Sir,; *more intimately*: Dear Mr. N.,; *lavatory*: (*für*) *~en* Gentlemen, Men; *univ. Alter ~* old graduate, *Am.* alumnus, *colloq.* old boy; *colloq. mein Alter ~* (*father*) my governor, my old man; *humor. ~en der Schöpfung* lords of creation; *mein ~ und Gebieter* my lord and master; *in aller ~en Länder* all the world over; *aus aller ~en Länder* from all over of the world; *ein großer Tänzer vor dem ~n* a great dancer; *~ sein über* (*acc.*) be master of; have under (one's) control; *~ der Lage sein* be master of the occasion; *~ im eigenen Haus sein* be master in one's own house; *~ über Leben und Tod sein* have power over life and death; *~ werden* (*gen.*) master, bring (*or* get) under control, subdue, *s-r Gefühle, etc.*: *a.* conquer, overcome, control (*one's feelings, etc.*); *den (großen) ~n spielen* play the (fine) gentleman, lord it, do the swell; *als großer ~ leben* live in grand style; *sein eigener ~ sein* be one's own master, be a man in one's own right, stand on one's own feet, paddle one's own canoe; *keiner kann zwei ~en dienen* no man can serve two masters; *wie der ~, so der Knecht* like master, like man.

ˈ**Herrchen** *n* (-s; -) little (*or* young) gentleman *or* master; dandy, fop.

ˈ**her...: ~rechnen** *v/t.* (*h.*) reckon (*or* cast) up; enumerate, count off; **~reichen** *v/t.* (*h.*) reach, hand, pass (*j-m et.* a p. a th.); **℞reise** *f* journey (here); return-journey (*or mar.* voyage); **~reisen** *v/i.* (*sn*) travel (*or* come) here.

ˈ**Herren...: ~abend** *m* gentlemen's party, stag party; **~anzug** *m* (gentle)man's suit; **~artikel** *econ. m/pl.* gentlemen's outfitting (*or* wear), *Am.* haberdashery *sg.*; **~ausstatter** *econ. m* (-s; -) men's outfitter, haberdasher, *Am.* gents' (*or* men's) clothing store; **~bekanntschaft** *f* gentleman friend; **~bekleidung** *f* men's clothing; **~besuch** *m* male visitor *or* caller; **~doppel(spiel)** *n tennis*: men's doubles *pl.*; **~einzel(spiel)** *n tennis*: men's singles *pl.*; **~essen** *n* sumptuous meal; **~fahrer** *m* gentleman driver, motorist; *sports*: owner-driver; **~fahrrad** *n* man's bicycle; **~friseur** *m* men's hairdresser, *esp. Am.* barber; **~gesellschaft** *f* → *Herrenabend*; **~haus** *n* mansion, manor(-house); *Brit. parl.* House of Lords; **~hemd** *n* (man's) shirt; **~hof** *m* manor(-house); **~konfektion** *f* (gentle)men's ready-to-wear; **~leben** *n* (-s) high life; *ein ~ führen* live like a king (*or* in grand style); **≈los** *adj.* without a master; *thing*: ownerless, unowned; *animal*: stray; *~e Güter n/pl.* unclaimed goods (*or* property *sg.*), derelicts (*a. mar.*); *~es Fahrzeug* driverless vehicle; **~mensch** *m* superior person; member of the master race; **~mode(n** *pl.*) *f* (gentle)men's fashion *pl.*; **~partie** *f* men's outing; → *Herrenabend*; **~reiter** *m sports*: gentleman rider; **~schneider** *m* (gentle)men's tailor; **~schnitt** *m for ladies*: Eton crop, shingled hair; **~sitz** *m* manor (-house); *riding*: *im ~ reiten* ride astride; **~socken** *f/pl.* half hose *sg.*, socks; **~toilette** *f* (gentle)men's lavatory; **~volk** *n* master race; **~zimmer** *n* study; smoking-room; library; den.

ˈ**Herrgott** *m* (-s) *the* Lord (our) God; → *Gott*; **~sfrühe** *f*: *in aller ~* at an unearthly hour, at day-break; **~sschnitzer** *m* carver of crucifixes.

ˈ**her-richten** *v/t.* (*h.*) arrange, fit up, *Am. a.* fix up; prepare, get ready; set in order; tidy (*room*); adapt (*book, etc.*); *sich ~* smarten (*or* spruce) o.s. up.

Herrin [ˈhɛrin] *f* (-; *-nen*) mistress, lady; → *Herrscherin*.

ˈ**herrisch** *adj.* imperious, domineering, masterful; commanding, peremptory (*voice, etc.*); haughty, arrogant, overbearing.

ˈ**herrlich I.** *adj.* grand, magnificent; wonderful, marvellous; excellent, capital, topping; charming, delightful, lovely; splendid, gorgeous, brilliant; glorious; delicious, exquisite; *iro.* (just) fine *or* great *or* *Am.* dandy; **II.** *adv.*: *du siehst ja ~ aus* you are quite a sight; *~ und in Freuden leben* live in peace and plenty; **≈keit** *f* (-) magnificence, grandeur; excellence; splendo(u)r, glory; *die ~ Gottes* the glory (*or* majesty) of God; *die ~ wird nicht lange dauern* it won't last long.

ˈ**Herrschaft** *f* (-) domin(at)ion; rule (*über acc.* of, over); empire; government; reign; power, sway; *a. fig.* control, command, mastery (*über acc.* of); sovereignty; supremacy; (*pl.* *-en*) *of domestics*: master and mistress; Mr. and Mrs. X.; (*area*) dominion, territory; estate, manor; *meine ~en!* ladies and gentlemen!; *hohe ~en* people of high (and highest) rank, illustrious persons; *die ~ der Mode* the sway of fashion; *unter j-s ~ fallen* (*kommen*) fall (come) under a p.'s rule (*or* control, sway); *er verlor die ~ über seinen Wagen* he lost control over his car, his car got out of hand; **≈lich** *adj.* belonging (*or* referring) to a lord *or* master; manorial; territorial (*rights*); high-class, elegant, fashionable.

herrschen [ˈhɛrʃən] *v/i.* (*h.*) rule (*über acc.* over), be in power (of), hold sway (over), control, dominate; govern (*über e-n Staat, etc.* a state, *etc.*), *prince*: reign; *fig.* prevail, predominate, reign (*a. silence*); be in vogue; *disease*: be raging (*or* rife); be, exist; *es herrschte schlechtes Wetter* the weather was bad; *unter der Mannschaft herrscht eine glänzende Stimmung* the team is in the best of spirits; **~d** *adj.* ruling, dominant; prevailing, prevalent, predominant; present; *unter den ~en Verhältnissen* conditions being as they are.

ˈ**Herrscher|(in** *f*) *m* (-s, -; -, *-nen*) ruler; sovereign, monarch; *unumschränkter ~* autocrat; *in compounds* sovereign...; commanding, imperious (*look, tone*); **~familie** *f*, **~geschlecht** *n*, **~haus** *n* (reigning) dynasty; **~gewalt** *f* sovereign power; **~miene** *f* commanding air; **~stab** *m* scept|re, *Am.* -er.

ˈ**Herrschsucht** *f* (-) lust for power, inordinate ambition; *fig.* domineering, bossiness.

ˈ**her...:** **~rücken** *v/t.* (*h.*) *and v/i.* (*sn*) move (*or* draw) near; **~rufen** *v/t.* (*irr., h.*) call here; **~rühren** *v/i.* (*h.*): *~ von* (*dat.*) come (*or* arise, derive, proceed, spring, *Am. a.* stem) from; originate from *or* in; be due (*or* owing) to; **~sagen** *v/t.* (*h.*) recite, spout; say (*lesson, prayer*); **~schaffen** *v/t.* (*h.*) bring (*or* get) here; → *herbeischaffen*; **~schicken** *v/t.* (*h.*) send here; **~schleichen** *v/i.* (*irr., sn*) (*a. sich*) sneak (*or* steal) near *or* here; **~schreiben:** *sich ~ von* (*irr., h.*) date from; **~sehen** *v/i.* (*irr., h.*) look (here *or* this way); **~sein** *v/i.* (*irr., sn*) → *her*; **~senden** *v/t.* (*irr., h.*) send here; **~stammen** *v/i.* (*h.*) descend *or* come (*von dat.* from *a family*); be a native of, come (*or* hail) from, be born in; *er stammt aus Deutschland her a.* he is German-born; *fig.* → *herrühren*; **~stellbar** *adj.* capable of being produced, producible; **~stellen** *v/t.* (*h.*) place (*or* put) here *or* near; manufacture, produce, make, fabricate; turn out; build; process; *chem.* prepare; *künstlich ~* synthesize; *el.* close *or* make (*circuit*); *teleph. e-e Verbindung ~* establish a connection; restore, repair; restore to health, cure; *fig.* create, bring about, produce; establish (*contacts, order, peace*); **~steller(in** *f*) [ˈ-ʃtɛlər(in)] *m* (-s, -; -, *-nen*) manufacturer, maker, producer (*a. film*); originating firm.

ˈ**Herstellung** *f* (-) manufacture, production, making, fabrication; output; restoration, repair; *med.* recovery; *fig.* creation, establishment, bringing about.

ˈ**Herstellungs...:** **~arbeiten** *f/pl.* restorative work *sg.*; **~betrieb** *m* manufacturing enterprise *or* plant; **~fehler** *m* productional defect; **~gang** *m* process (*or* course) of manufacture; **~kosten** *pl.* cost *sg.* of production; prime cost *sg.*; **~land** *n* producer country; **~preis** *m* price of production; cost-price; **~stadium** *n* stage of fabrication; **~verfahren** *n* manufacturing method; (factory *or* manufacturing) process, processing technique.

ˈ**her...:** **~stottern** *v/t.* (*h.*) stammer (*or* stutter) out *or* forth; **~stürzen** *v/i.* (*sn*) rush (*or* dash) here; → *herfallen*; **~tragen** *v/t.* (*irr., h.*) carry here; *vor sich ~* carry before one; **~treiben** *v/t.* (*irr., h.*): *vor sich ~* drive before one, *soccer*: dribble; *colloq. was treibt dich her?* what brings you here?; **~treten** *v/i.* (*irr., sn*) step near (*or* here).

Hertz [hɛrts] *phys. n* (-; *abbr.* Hz) cycles *pl.* per second (*abbr.* c.p.s. *or* cps).

herüber [hɛˈryːbər] *adv.* over (here), across, this side; *~ und hinüber* hither and thither; *in compounds usu.* ... over, ... across; **~bringen** *v/t.* (*irr., h.*) bring over (*or* round; *über acc.* across *a border, river, etc.*); **~geben** *v/t.* (*irr., h.*), **~reichen** *v/t.* (*h.*) hand *or* reach over (here); **~holen** *v/t.* (*h.*) fetch over; → *herbeiholen*; **~kommen** *v/i.* (*irr., sn*) *über* (*acc.*): come across *a road, etc.*; *zu j-m*: come over (*or* round) to a p.

herum [hɛˈrum] *adv.* **1.** *aimlessly*: about, *Am.* around; *~ um* (a)round; *rings~, rund~* round about, all around; (*immer*) *um den Tisch ~* round (and round) the table; *in der ganzen Stadt ~* all over the town; *in der Stadt ~ driving* about (the) town; (*immer*) *um j-n ~ sein* be (always) near *or* about a p.; turning (*or* spinning) round (*its axis*); *hier ~!* this way!; *gleich um die Ecke ~* just round the corner; **2.** *approximately*: about; somewhere near; in the region *or* neighbo(u)rhood of; *um zehn Uhr ~* about ten o'clock; *hier ~* hereabouts, somewhere about here *it must be*; **3.** over, finished; *in compounds usu.* ... round; → *umher* ...; **~albern** *v/i.* (*h.*) fool (*or* clown) about (*Am.* around); **~balgen:** *sich ~* (*h.*) (have a) romp, scuffle; *esp. fig.* wrangle (*mit* with); **~basteln** *v/i.* (*h.*) fumble (*an dat.* with); potter about; **~bekommen** *v/t.* (*irr., h.*) bring (*or* talk) *a p.* round (*zu* to), win over; **~bringen** *v/t.* (*irr., h.*) bring (*or* get) *a th.* round; kill (*time*); *j-n*: → *herumbekommen*; **~bummeln** *v/i.* (*h.*) loiter *or* loaf about; *in der Stadt ~* saunter (*or* knock) about town; **~dirigieren** *colloq. v/t.* (*h.*) order about, *Am. sl.* boss around; **~doktern** [-dɔktərn] *v/i.* (*h.*): *an j-m ~* doctor *or* physic a p.; **~drehen** *v/t.* (*h.*) turn (a)round; **~drücken** *colloq.*: *sich ~* (*h.*) hang about, loiter; *sich um et. ~* dodge, shirk a th.; **~drucksen** *colloq. v/i.* (*h.*) shuffle, hem and haw; **~fahren** *v/i.* (*irr., sn*) drive (*or* motor, ride, cruise, sail) about; *~ um* drive round; *in der Stadt ~* drive about town; *um e-e Ecke ~* (drive) round a corner; *mar. um ein Kap ~* (sail) round *or* double a cape; *person*: whisk (a)round; → *herumfuchteln*; **~fingern** *v/i.* (*h.*) fumble (*an dat.* with), finger (*a th.*); **~fliegen** *v/i.* (*irr., sn*) fly (a)round; fly about; **~fragen** *v/i.* (*h.*) make inquiries, ask round; **~fuchteln** *v/i.* (*h.*) saw the air, gesticulate; *mit et.*: **a**) fidget with, **b**) brandish; **~führen** *v/t.* (*h.*) lead (a)round (*or* about); show *a p.* round; *j-n ~ in* (*dat.*) show a p. over *the house, etc.*;

e-n *Graben, etc.*, ~ *um* run a ditch, *etc.*, round; → *Nase*; **~geben** *v/t.* (*irr.*, *h.*) hand (*or* pass) round, circulate; **~gehen** *v/i.* (*irr.*, *sn*): ~ *um* walk (*or* go) round, round *or* turn *the corner*; ~ *in walk* about; *ditch, etc.*: run round; circulate, be passed on; → *umhergehen*; *fig. im Kopfe* ~ go round and round in one's head, haunt one's mind; **~hacken** *v/i.* (*h.*): *fig. auf j-m* ~ pick on a p.; **~horchen** *v/i.* (*h.*) go about listening, scout about; **~kommandieren** *v/t.* (*h.*) order about (*Am.* around); *Am. sl.* boss around; **~kommen** *v/i.* (*irr.*, *sn*) come round, turn *the corner*; *neighbour*: come round (*or* over); *weit* ~ get about (*Am.* around); see a great deal (of the world), do a lot of travel(l)ing; *rumour*: get about, spread; *fig. um et.* ~ avoid, evade, dodge a th.; *nicht* ~ *um et.* not to be spared a th., not to get away from a fact; **~kriegen** *v/t.* (*h.*) → *herumbekommen*; **~laufen** *v/i.* (*irr.*, *sn*): *um et.* ~ run around a th.; run (*or* rove, ramble, roam) about; run loose; **~liegen** *v/i.* (*irr.*, *h.*): *um et.* ~ lie round a th.; surround a th.; lie (scattered) about; *unordentlich* ~ *auf* (*or in*) litter *the floor or room*; *person*: lie about, sprawl; **~lungern** *v/t.* (*h.*) loaf (*or* loiter, hang) about; **~pfuschen** *v/i.* (*h.*): ~ *an et.* fumble (*or* tamper, monkey) with; **~reden** *v/i.* (*h.*): *um et.* ~ talk (*or* argue) round a th.; beat about the bush, hedge, dodge the issue; **~reichen** *v/t.* (*h.*) hand (*or* pass) round; **~reisen** *v/i.* (*sn*) travel about; **~reiten** *v/t.* (*irr.*, *sn*) ride about (*or um et.* round a th.); *fig. auf et.*: harp on, keep bringing a th. up; *auf j-m*: pick on, pester a p.; **~schicken** *v/t.* (*h.*) send round (*or* about); **~schlagen:** *sich* ~ (*irr.*, *h.*) knock each other about; (have a) fight *or* scuffle (*mit* with); *fig.* grapple *or* struggle *or* deal (with); **~schnüffeln** *v/i.* (*h.*) sniff about; *fig.* snoop around; **~schweifen** *v/i.* (*sn*) wander (*or* rove, roam, ramble) about; **~sitzen** *v/i.* (*irr.*, *h.*) sit round *the table*; sit about; *fig.* twiddle one's thumbs; **~spielen** *v/i.* (*h.*) play about (*mit* with); *fig.* ~ *an* (*dat.*) fumble (*or* fool, monkey) with, finger (*a th.*); **~spionieren** *v/i.* (*h.*) snoop around; **~sprechen** *v/t.* (*irr.*, *h.*) spread; *sich* ~ get about (*Am.* around), leak out, filter through; **~stehen** *v/i.* (*irr.*, *h.*): ~ *um* (*acc.*) stand round, surround; stand about; loiter (*or* hang) about; **~streichen** *v/i.* (*irr.*, *sn*), **~streifen** *v/i.* (*sn*) prowl (*in den Straßen* the streets), roam (rove, ramble) about; **~streiten:** *sich* ~ (*irr.*, *h.*) wrangle (*or* quarrel) persistently; **~tanzen** *v/i.* (*h.*) dance about (*or um* round); → *Nase*; **~tappen** *v/i.* (*sn*, *h.*), **~tasten** *v/i.* (*h.*) grope (*or* feel, fetch) about (*nach* for); **~tollen** *v/i.* (*h.*) romp (*or* frolic, gambol) about; **~tragen** *v/t.* (*irr.*, *h.*) carry round (*or* about); spread about (*news*); **~treiben:** *sich* ~ (*irr.*, *h.*) rove (*or* knock) about, gad about; → *herumlungern*; **2treiber(in** *f*) *m* (-s, -; -, -nen) loafer, tramp; **~wälzen** *v/t.* (*h.*) turn (*or* roll) over; *sich* ~ turn about (*Am.* around); *sleeplessly*: toss and turn; **~wandern** *v/i.* (*sn*) wander about; **~werfen** *v/t.* (*irr.*, *h.*) throw (*or* toss) about; throw (over) (*a lever*); *mar. and sich* ~ slew (round); *in bed*: toss and turn; **~wickeln** *v/t.* (*h.*) wind (*or* wrap, twist) round; **~wirbeln** *v/t.* (*h.*) *and v/i.* (*sn*) spin (*or* whirl) (a)round; pirouette; **~wirtschaften** *colloq. v/i.* (*h.*) potter (*or* rummage) about; **~wühlen** *v/i.* (*h.*) wallow about; *fig.* rummage (*in dat.* in); **~zanken:** *sich* ~ (*h.*) squabble (with one another); **~ziehen I.** *v/t.* (*irr.*, *h.*) draw (*or* pull) (a)round; haul (*or* tug) about; **II.** *v/i.* (*irr.*, *sn*) wander (*or* rove) about; ~ *um et.* march round a th.; **~ziehend** *adj.* nomadic, wandering (*tribe*); itinerant (*dealer*); strolling (*actor*).

herunter [hɛˈruntər] *adv.* → *herab*; *da* ~ down there; *hier* ~ down here; ~ *damit!* down with it!; ~ *mit ihm!* down with him!; *den Hut* ~*!* off with your hat!; ~ *mit dem Mantel!* off with your overcoat!; ~*!* down you go!, get off that chair!, get down that tree!; *in compounds usu.* ... down; → *herab...*, *nieder...*; **~bringen** *v/t.* (*irr.*, *h.*) bring down; *fig. a.* lower, reduce, force down; → *herunterwirtschaften*; **~drücken** *v/t.* (*h.*) press (*or* force) down; depress (*key, lever*); *fig.* force (*or* beat, cut) down (*prices*); **~fallen** *v/i.* (*irr.*, *sn*) fall down; ~ *von* (*dat.*) fall (*or* drop) off; **~gehen** *v/i.* (*irr.*, *sn*) go down; *temperature, etc.*: drop (*bis auf acc.* to); *aer.* descend; *prices*: fall, drop, ease off; **~gießen** *v/t.* (*irr.*, *h.*) pour down; *colloq.* down (*beer, etc.*); **~handeln** *v/t.* (*h.*) beat down (*price*); **~hauen** *v/t.* (*irr.*, *h.*): *j-m eine* ~ fetch (*or* paste) a p. one; slap a p.('s face); *colloq.* knock off (*work*), do in a rush; **~helfen** *v/i.* (*irr.*, *h.*) *j-m* help down *a p.*; **~holen** *v/t.* (*h.*) fetch (*or* get) down; *hunt.* bring down, *aer. a.* (shoot) down; **~klappen** *v/t.* (*h.*) turn *or* fold down; **~kommen** *v/i.* (*irr.*, *sn*) come down (*or* downstairs); *fig.* decay, decline; deteriorate, go to rack and ruin, run to seed; *person*: come down in the world; *morally*: sink (low); *er wird dabei gesundheitlich* ~ this will injure (*or* ruin, tell on) his health; *heruntergekommen p.p. fig. person*: in reduced circumstances, shabby, out-at-elbows, down(-at-heel); demoralized, depraved; run-down, mismanaged (*estate, etc.*); **~lassen** *v/t.* (*irr.*, *h.*) let down, lower; drop; **~leiern** *v/t.* (*h.*) rattle (*or* reel) off; **~machen** *v/t.* (*h.*) lower; turn down (*collar*); *fig.* scold, upbraid, give *a p.* a dressing-down, *Am.* bawl out; run (*Am.* call) down; pull to pieces; **~purzeln** *v/i.* (*sn*) fall (*or* tumble) down; **~putzen** *colloq. v/t.* (*h.*) → *heruntermachen*; **~rasseln** *colloq. v/t.* (*h.*) rattle off (*poem, etc.*); **~reißen** *v/t.* (*irr.*, *h.*) pull down; *fig.* pull to pieces, scarify, *Am. sl.* pan; **~rutschen** *v/i.* (*sn*) slide *or* slip down; → *Buckel*; **~schalten** *mot. v/i.* (*h.*) change down (*auf den ersten Gang* to low gear *or* first); **~schlagen** *v/t.* (*irr.*, *h.*) beat (*or* knock) down; turn down (*collar, etc.*); **~sehen** *v/i.* (*irr.*, *h.*) look down (*auf* at, *fig.* upon); **~sein** *v/i.* (*irr.*, *sn*) be down (*von* from); *fig. physically*: be run down, be low; **~setzen** *v/t.* (*h.*) → *herabsetzen*; **~transformieren** *el. v/t.* (*h.*) step down; **~werfen** *v/t.* (*irr.*, *h.*) throw down; **~wirtschaften** *v/t.* (*h.*) ruin (by mismanagement), mismanage, run down; **~ziehen I.** *v/t.* (*irr.*, *h.*) draw (*or* pull, drag) down; **II.** *v/i.* (*irr.*, *sn*) come (*or* march) down.

hervor [hɛrˈfoːr] *adv.* forth, forward; out; ~ *aus* out of; *hinter* ... ~ from behind; *unter* ... ~ from under; **~blicken** *v/i.* (*h.*): *hinter e-m Baum* ~ look (*or* peep, peer) from behind *a tree*; appear, peep through (*or* out); **~brechen** *v/i.* (*irr.*, *sn*) break (*or* burst) forth *or* out *or* through; *mil.* sally (*or* rush) forth; **~bringen** *v/t.* (*irr.*, *h.*) bring forth, produce; procreate; give birth to, bear; utter (*words*); create; generate; cause, effect, give rise to; **2bringung** *f* (-) bringing forth, production; creation; **~dringen** *v/i.* (*irr.*, *sn*) → *hervorbrechen*; *noises*: proceed *or* come *or* issue (*von* from); **~gehen** *v/i.* (*irr.*, *sn*): ~ *aus* (*dat.*) *person*: come (*or* arise, emerge, spring) from; *als Sieger* ~ come off (*Am.* out) winner (*or* victor[ious]), emerge a winner; *matter*: result (*or* follow) from; *daraus geht hervor, daß* from this (*or* hence) follows that, this shows (*or* proves *or* goes to prove) that; **~heben** *v/t.* (*irr.*, *h.*) *fig.* render prominent, give prominence to, make stand out; *art*: set off, throw into (sharp) relief (*gegen* against); show off, display, accentuate, point out; emphasize, stress, lay stress (up)on; *sich* ~ be(come) conspicuous *or* prominent, stand out (*aus* from); **~holen** *v/t.* (*h.*) fetch forth *or* out, produce, take out; **~kommen** *v/i.* (*irr.*, *sn*) come forth; appear, emerge (*aus* from); *stars*: come out; **~leuchten** *v/i.* (*h.*) shine forth *or* out; *fig.* come forth, manifest o.s.; **~locken** *v/t.* (*h.*) entice forth, lure out; *fig.* → *herauslocken*; fetch (*tears*); **~quellen** *v/i.* (*irr.*, *sn*) well (*or* spring) forth; bulge out; **~ragen** *v/i.* (*h.*) project (*aus* from, *über* over), jut forth *or* out, stand (*or* stick) out; ~ *über* (*acc.*) rise above, overtop; *fig.* be prominent; stand out (*aus* from); excel, distinguish o.s.; **~ragend** *adj.* projecting; prominent, salient; *fig.* prominent, eminent, distinguished; outstanding, excellent, superior, superlative, first-rate, topping; ~*er Spieler* crack player; *er war an dem Erfolg in* ~*em Maße beteiligt* the success was largely due to his efforts; **2ruf** *thea. m* recall, curtain call; **~rufen** *v/t.* (*irr.*, *h.*) call forth (*or* out); *thea.* call (for); *fig.* call forth, evoke; cause, bring about, produce, give rise to; excite (*admiration*); create (*impression*); raise, draw (*a laugh*); **~springen** *v/i.* (*irr.*, *sn*) leap *or* bound (*aus* from); *fig.* → **~stechen** *v/i.* (*irr.*, *h.*) *fig.* stand out (*aus* from); be prominent *or* salient *or* conspicuous; **~stechend** *adj.* salient, prominent; striking, conspicuous; (pre)dominant; **~stehen** *v/i.* (*irr.*, *h.*) project, stand (*or* jut) out; *eyes, etc.*: protrude, bulge; *ears*: stick out; *~de Backenknochen* high cheekbones; **~stürzen** *v/i.* (*sn*) rush forth (*or* forward); burst forth; **~suchen** *v/t.* (*h.*) search (*or* rummage) for *a th.*; pick out (*aus* from); **~treten** *v/i.* (*irr.*, *sn*) step forth *or* forward; *~ aus* (*dat.*) step out (*or* emerge) from; *fig. eyes*: bulge, protrude; stand out (in bold relief), be set off *or* contrasted, *colours*: *a.* come out; come to the fore, be (much) in evidence; *person*: distinguish o.s. (*durch* by), make o.s. a name (*als* as); **~tretend** *adj.* prominent, salient; (pre)dominant; **~tun:** *sich ~* (*irr.*, *h.*) distinguish o.s.; **~wagen:** *sich ~* (*h.*) venture forth; **~zaubern** *v/t.* (*h.*) produce by magic (*or* sleight-of-hand); conjure up; **~ziehen** *v/t.* (*irr.*, *h.*) draw forth, produce; pull out.

her... [ˈheːr-]: **~wagen:** *sich ~* (*h.*) venture to come here *or* near; **~wärts** [ˈ-vɛrts] *adv.* on the way here (*or* back); this way; **2weg** *m* way here (*or* back); *auf dem ~* on the way here (*or* back).

Herz [hɛrts] *n* (-ens; -en) heart (*a. fig.*); mind; soul; courage, spirit, pluck; *cards*: hearts *pl.*; *colloq.* darling, love; *fig.* heart, (*a. tech.*) core; heart, cent|re, *Am.* -er; *goldenes ~* heart of gold; *~ von Stein* heart of stone; *ohne ~* heartless; *aus tiefstem ~en* from the depth (*or* bottom) of one's heart; *ein Mann nach meinem ~en* a man after my heart; *klopfenden ~ens* with a throbbing heart; *leichten ~ens* with a light heart, light-heartedly; *schweren ~ens* with a heavy heart; *mit ~ und Hand* with heart and hand, heart and soul (*für* for); *mit ganzem ~en* with one's whole heart; *von ~en* heartily; *von ~en kommend* deep-felt, hearty, sincere; *von ~en gern* most willingly, with the greatest (of) pleasure; *von ganzem ~en* with all my, *etc.*, heart; *an gebrochenem ~en sterben* die of a broken heart; *auf ~ und Nieren prüfen* put to the acid-test; *die ~en höher schlagen lassen* thrill the hearts; *ein gutes* (*hartes*) *~ haben* be good- (hard-)hearted; *ein Kind unter dem ~en tragen* be with child; et. *auf dem ~en haben* have a th. on one's mind; *j-m* et. *ans ~ legen* urge (*or* enjoin) a th. on a p., recommend a th. warmly to a p.; *j-m das ~ schwer machen* grieve (*or* sadden, worry) a p.; *j-m zu ~en gehen* go to (*or* move, stir) a p.'s heart; *j-n an sein ~ drücken* press (*or* clasp) a p. to one's breast; *j-n in sein ~ schließen* become attached to (*or* grow fond of) a p., (come to) love a p. dearly; *j-s ~ brechen* (*gewinnen, stehlen*) break (win, steal) a p.'s heart; *sein ~ an* et. *hängen* set one's heart on a th.; *sein ~ auf der Zunge tragen* wear one's heart on one's sleeves; *s-m ~en Luft machen* give vent to one's feelings; *sich ein ~ fassen* take heart (*or* courage), pluck up courage; *sich et. zu ~en nehmen, sich et. zu ~en gehen lassen* take a th. to heart; *Hand aufs ~!* cross my heart!, hono(u)r bright!; *komm an mein ~* come to my heart; *ein Stein fiel mir vom ~en* a weight was lifted from my heart, that took a load off my mind; *es liegt mir am ~en* I have it at heart, I am keenly interested in it, I attach great importance to it; *es gab mir einen Stich ins ~* it cut me to the quick; *es ging mir bis ins ~* it thrilled me to the core; *es wurde mir leichter ums ~* I felt easier in my mind; *er hat das ~ auf dem rechten Fleck* his heart is in the right place; *er ist mit ganzem ~en dabei* he is heart and soul for the project, his heart is in his work, he is an enthusiastic member of our party; *es tut dem ~en wohl* it does one good, it warms the cockles of your heart; *haben Sie doch ein ~!* be merciful!, *sl.* have a heart!; *ich kann es nicht übers ~ bringen* I can't find it in my heart, I can't bring myself to do it; *mein ~ blutete* my heart bled (*für ihn* for him; *bei dem Anblick* at the sight); *sein ~ schlug höher* his heart leaped up (*or* missed a beat); *in compounds* ... of the heart; *anat. and med.* cardiac ...

ˈ**Herz-ader** *f* aorta, coronary artery.

herzählen [ˈheːr-] *v/t.* (*h.*) enumerate, count (*Am. a.* call) off.

ˈ**Herz...: 2allerliebst** *adj.* → *allerliebst*; **~allerliebste(r** *m*) *f* (-n, -n; -en, -en) sweetheart; **~anfall** *m* heart-attack; **~-As** *n cards*: ace of hearts; **~asthma** *n* cardiac asthma; **~beklemmung** *f* oppression of the heart; **~beschleunigung** *f* tachycardia; **~beschwerden** *f/pl.* heart-trouble *sg.*; **~beutel** *anat. m* pericardium; **~beutelentzündung** *f* pericarditis; **~blatt** *n bot.* unopened leaf bud; diaphragm, sternum; *anat. äußeres ~* parietal layer of pericardium; *inneres ~* visceral pericardium; *fig. colloq.* (*a.* **~blättchen** *colloq. n*) darling, sweetheart, *Am. a.* honey; **~blut** *fig. n* life-blood; **~bube** *m cards*: knave of hearts; **~chen** *n* (-s; -) darling; **~chirurgie** *f* heart surgery; **~dame** *f cards*: queen of hearts.

herzeigen [ˈheːr-] *v/t.* (*h.*) show, let see.

Herzeleid [ˈhɛrtsə-] *n* deep affliction *or* sorrow, woe; heart-sore, heart-ache(s *pl.*).

ˈ**herzen** *v/t.* (*h.*) press (*or* clasp) to one's heart; embrace, hug; caress, fondle, cuddle.

ˈ**Herzens...: ~angelegenheit** *f* love affair, romance; **~angst** *f* anguish of mind; **~brecher** *m* heart-breaker, lady-killer; **~einfalt** *f* simple-mindedness; **~freude** *f* heart's delight; great joy; **~freund(in** *f*) *m* bosom friend; **2froh** *adj.* overjoyed, very happy; **2gut** *adj.* very kind, (as) good as gold; **~güte** *f* kindness of heart, kind-heartedness; **~lust** *f*: *nach ~* to one's heart's content; **~meinung** *f* sincere opinion, true sentiment; **~wunsch** *m* heart's desire, fondest wish.

ˈ**Herz...: ~entzündung** *f* (pan-)carditis; **2erfrischend, 2erquikkend** *adj.* heart-warming, refreshing; **2ergreifend** *adj.* heart-moving, soul-stirring; **2erschütternd** *adj.* heart-rending, appalling; **2erwärmend** *adj.* heart-warming; **~erweiterung** *f* dilatation of the heart, cardiectasis; **~fehler** *m* cardiac defect, organic disease of the heart; **2förmig** [ˈ-fœrmiç] *adj.* heart-shaped; **~gegend** *anat. f* cardiac region; **~geräusch** *n* cardiac murmur; **~gift** *n* cardiotoxin; **~grube** *anat. f* pit of the stomach, precordium; **2haft I.** *adj.* courageous, plucky; bold; hearty; **II.** *adv.*: *~ lachen* laugh heartily, have a hearty laugh; **~haftigkeit** *f* (-) courage, pluck.

herziehen [ˈheːr-] **I.** *v/t.* (*irr.*, *h.*) draw here (*or* near); **II.** *v/i.* (*irr.*, *sn*) come to live here, move to this place; *fig. ~ über* (*acc.*) run down, pull to pieces.

herzig [ˈhɛrtsiç] *adj.* dear, lovely, charming, sweet, *Am.* cute; *in compounds* ...-hearted.

ˈ**Herz...: ~infarkt** *m* cardiac infarction; **~kammer** *anat. f* ventricle (of the heart); **~kirsche** *bot. f* heart-cherry; bigaroon; **~klappe** *anat. f* cardiac valve; **~klappenfehler** *m* valvular defect of the heart; **~klopfen** *n* beating (*or* throbbing) of the heart; *esp. med.* palpitation (of the heart); *mit ~* with a throbbing heart; **~krampf** *m* cardiospasm; **2krank** *adj.* suffering from the heart, cardiac; *fig.* sick at heart; **~krankheit** *f* heart disease; **~kranzgefäß** *anat. n* coronary (*vessel*); **~lähmung** *med. f* paralysis of the heart; **~leiden** *n* heart-complaint, cardiac disorder *or* condition.

ˈ**herzlich I.** *adj.* cordial, hearty; heart-felt; affectionate, loving; *in letters*: *~e Grüße* kind regards, *intimately*: love (*an* to); *~es Beileid* sincere sympathy; **II.** *adv.* cordially, *etc.*; *~ gern* gladly, with pleasure; *~ schlecht* bad enough, *sl.* rotten; *~ wenig* precious little; **2keit** *f* (-) cordiality; heartiness; sincerity.

ˈ**Herz...: ~liebste(r** *m*) *f* my, *etc.*, own dear love; sweetheart; **~linie** *f* table-line (*in palm*); **2los** *adj.* heartless, unfeeling; **~losigkeit** *f* (-) heartlessness, unfeelingness; heartless act; **~lungenmaschine** *f* heart-lung machine; **~massage** *f* cardiac massage; **~mittel** *n* cardiac stimulant; cordial; **~muskel** *m* cardiac muscle; **~muskel-entzündung** *f* myocarditis; **~neurose** *f* cardiac neurosis.

Herzog [ˈhɛrtsoːk] *m* (-[e]s; ⸗e) duke; **~in** *f* (-; -nen) duchess; **2lich** *adj.* ducal; **~tum** *n* (-[e]s; -tümer) duchy.

ˈ**Herz...: ~schlag** *m* throb(bing) of the heart, heartbeat, palpitation; *med.* apoplexy of the heart, cardiac paralysis; **~schwäche** *f* cardiac insufficiency; **~spender** *m* heart donor; **~spezialist** *m* cardiologist; **~spitze** *f* apex of the heart; **2stärkend** *adj.* cordial, cardiac; **~stärkung** *f* cordial, cardiac tonic; **~stillstand** *m* perisystole; **~stück** *n* cent|re (*Am.* -er) piece; *rail.* crossing frog; *fig.* core; **~tätigkeit** *f* heart-action; **~ton** *m* (-[e]s; ⸚e) cardiac sound.

herzu(...) [hɛr'tsu:] → *heran(...)*, *herbei(...)*.

'**Herz...:** **~verfettung** *f* fatty degeneration of the heart muscle; **~vergrößerung** *f* cardiac hypertrophy; **~verpflanzung** *f* heart transplant(ation); heart; **~vorhof** *m*, **~vorkammer** *f* atrium; **~wand** *f* cardiac wall; **~wassersucht** *f* cardiac dropsy; **~weh** *n* heartache (*a. fig.*), cardialgia; **2zerreißend** *adj.* heart-rending.

Hesse ['hɛsə] *m* (*-n*; *-n*) Hessian.

'**Hessen** *n* (*-s*) Hesse.

'**Hessin** *f* (-; *-nen*), **hessisch** *adj.* Hessian.

Hetäre [he'tɛ:rə] *f* (-; *-n*) hetaeria.

hetero-atomig [hetero'ʔa'to:miç] *adj.* heteroatomic.

heterogen [hetero'ge:n] *adj.* heterogenous; *~e Befruchtung* cross-fertilization; *~e Bestäubung* cross-pollination; *~e Zeugung* → **Heterogenesis** [-'ge:nezis] *f* (-) heterogenesis.

Heterogenität [heterogeni'tɛ:t] *f* (-) heterogeneity.

Hetz|artikel ['hɛts-] *m* inflammatory article; **~blatt** *n* yellow paper, rag.

'**Hetze** *f* (-; *-n*) → *Hetzjagd*; rush; stress, *Am. sl.* rat race; instigation, agitation, baiting; smear campaign; *Juden2* Jew-baiting.

'**hetzen I.** *v/t.* (*h.*) *hunt.* course, bait, chase, hunt; *die Hunde ~ auf (acc.)* set the dogs at, sick the dogs on; *fig.* hurry, rush; hunt, pursue, hound, chase; incite; *Leute aufeinander~* make mischief among people; *zu Tode ~* drive (*or* hound, harass) to death; → *Hund*; *ich lasse mich nicht ~* I won't be rushed; **II.** *v/i.* (*sn*) *hunt. fig.* rush, race, hurry; cause (*or* sow the seeds of) discord, make mischief; *gegen j-n ~* agitate against, bait; slander, smear *a p.*

'**Hetzer(in** *f*) *m* (*-s*, -; -, *-nen*) *fig.* instigator; agitator, fomenter, rabble-rouser; **Hetze'rei** *f* (-) agitation; calumniation, slandering; *colloq.* rush, *Am. sl.* rat race; '**hetzerisch** *adj.* inflammatory, slanderous.

'**Hetz...:** **~feldzug** *m* inflammatory (*or* smear) campaign; atrocity campaign; **~hund** *m* (stag-)hound; **~jagd** *f* coursing, chase; *fig.* rush; **~kampagne** *f* → *Hetzfeldzug*; **~peitsche** *f* hunting-whip; **~presse** *f* yellow press; **~rede** *f* inflammatory speech; **~redner(in** *f*) *m* agitator, fomentor, rabble-rouser; **~schrift** *f* inflammatory writing (*or* pamphlet).

Heu [hɔʏ] *n* (-[e]s) hay; *~ machen* make hay; *fig. Geld wie ~ haben* have heaps (*or* oodles) of money, have money to burn; **~bazillus** *m* hay bacillus; **~boden** *m* hayloft.

Heuchelei [hɔʏçə'laɪ] *f* (-; *-en*) hypocrisy, cant; pharisaism; dissimulation; insincerity, duplicity; falsehood; deceit.

'**heucheln I.** *v/i.* (*h.*) play the hypocrite; simulate, feign, dissemble; **II.** *v/t.* (*h.*) simulate, feign, affect, sham, fake.

'**Heuchler** *m* (*-s*; -), **~in** *f* (-; *-nen*) hypocrite, pharisee; dissembler; **2isch** *adj.* hypocritical; deceitful, insincere; *~es Gerede* double talk; *~es Gesicht* dissembling (*or* pious) face.

heuen ['hɔʏən] *v/i.* (*h.*) make hay.

'**Heuen** *n* (*-s*) haymaking.

heuer ['hɔʏər] *adv.* (in) this year.

'**Heuer**[1] *m* (*-s*; -), **~in** *f* (-; *-nen*) haymaker.

'**Heuer**[2] *mar. f* (-; *-n*), **~lohn** *m* wages *pl.*, pay; **2n** *v/t.* (*h.*) hire; *mar.* **a)** charter (*ship*), **b)** ship, engage (*sailors*).

'**Heuernte** *f* hay-harvest, hay-making (season).

'**Heuervertrag** *m* charter-party.

'**Heu...:** **~fieber** *med. n* hay fever; **~gabel** *f* hay-fork, pitchfork; **~haufen** *m* haycock; → *Heuschober*.

Heul|boje ['hɔʏl-] *mar. f* whistling buoy; **2en** *v/i.* (*h.*) howl; *wind*: *a.* roar, moan; *owl*: hoot; *siren*: hoot, wail; *bomb, etc.*: scream, screech; *person*: cry, blubber; wail, squall, bawl; *er heulte vor Wut* he howled with rage; **~en** *n* (*-s*) howling; hooting; wailing, (*a.* **Heule'rei** *f* [-]) crying, blubbering, bawling; *~ und Zähneklappern* weeping and gnashing of teeth; **~meier** *colloq. m* blubberer; **~suse** *colloq.* ['-zu:zə] *f* (-; *-n*) cry-baby; **~ton** *m* (-[e]s; ⸚e) (high frequency) warble tone, multitone; **~tonfrequenz** *f radio*: wobbling frequency.

'**Heu...:** **~machen** *n* haymaking; **~monat** *m* July; **~pferd** *n* grasshopper; **~rechen** *m* hay-rake.

heurig ['hɔʏriç] *adj.* of this year, this year's (*or* season's), new; **2e(r)** *m* (*-n*; *-n*) wine of this year's vintage, new (*or* young) wine.

'**Heu...:** **~scheune** *f* hay barn; **~schnupfen** *m* hay-fever; **~schober** *m* hayrick, haystack; **~schrecke** ['-ʃrɛkə] *f* (-; *-n*) locust, grasshopper; **~stapler** ['-ʃta:plər] *m* (*-s*; -) haystacker.

heut(e) ['hɔʏt(ə)] *adv.* today, this day; *~ abend* this evening, tonight; *~ früh*, *~ morgen* this morning; *~ nacht* tonight; *~ noch* **a)** this very day, **b)** still today; *~ in acht Tagen* (*or über acht Tage*) today week, this day week; *~ in einem Jahr* (*or über ein Jahr*) a year hence (*or* from today); *~ vor acht Tagen* a week ago (today); *bis ~* till today, up to this day, *Am.* to date; *econ. drei Monate nach ~* three months after date; *von ~ an* from today (onwards), from this day, *adm.* as of today; *von ~ auf morgen fig.* in a rush, precipitately, overnight, all of a sudden; *Ausgabe von ~* today's issue; *Mädchen von ~* girls of today, modern girls; *Amerika von ~* present-day America; → *heutzutage*; **Heute** *n* (-) *the* present, today.

'**heutig** *adj.* today's, this day's, of this day (*econ.* date); present(-day); modern; *der ~e Tag* this day, today; *die ~e Zeitung* today's paper; *bis zum ~en Tage* → *heute*; *mit ~er Post* by today's post *or* mail; *econ. mein 2es* (*better*: *~es Schreiben*) my letter of this day.

'**heutzutage** *adv.* nowadays, (in) these days, today, in our time(s *pl.*).

hexa... ['hɛksa-] hexa... (→ *sechs...*).

Hexaeder [hɛksa'e:dər] *math. m* (*-s*; -) hexahedron; **Hexagon** [-'go:n] *math. m* (*-s*; *-e*) hexagon; **hexagonal** [-go'na:l] *adj.* hexagonal; **Hexameter** [hɛ'ksa:metər] *m* (*-s*; -) hexameter.

Hexe ['hɛksə] *f* (-; *-n*) witch, sorceress; *fig.* old witch, hag; hell-cat, vixen; **2n** *v/i.* (*h.*) practise witchcraft *or* sorcery; *ich kann doch nicht ~* I can't work miracles; *es geht wie gehext* it works like magic.

'**Hexen...:** **~jagd** *fig. f* witch-hunt (-ing); **~kessel** *fig. m* inferno; **~küche** *f* witch's kitchen; **~kunst** *f* → *Hexerei*; **~meister** *m* wizard, sorcerer; **~prozeß** *m* witch trial; **~sabbat** *m* Witches' Sabbath; *fig.* inferno; **~schuß** *med. m* (*-sses*) lumbago; **~verfolgung** *f* witch hunt; **~werk** *n* witchery.

Hexe'rei *f* (-) witchcraft, sorcery, magic; the black art; jugglery; *das ist doch keine ~* that should be easy enough, there is nothing to it.

Hexode [hɛ'kso:də] *f* (-; *-n*) hexode.

hie [hi:] *adv.* → *hier*.

hieb [hi:p] *pret. of hauen*.

Hieb *m* (-[e]s; *-e*) blow, stroke, hit; punch; *whip*: lash, cut; *fenc.* cut; (*wound*) cut, gash, slash; *~e pl.* thrashing, whipping, beating; (*tree-*) felling, cut; *tech. with file*: cut; *fig.* cutting remark; passing shot (*auf acc.* at); *fig. auf den ersten ~* at the first attempt (*or* try); *j-m e-n ~ versetzen* strike a p., deal a p. a blow, (*a. fig.*) lash out at a p.; *~e bekommen* (*a. fig.*) get a thrashing *or* beating; *der ~ saß* that hit went home.

'**Hieb...:** **2- und stichfest** *adj.* invulnerable; *fig.* watertight (*proof, etc.*); **~- und Stoßwaffe** *f* cut-and-thrust weapon; **~waffe** *f* cutting weapon; **~wunde** *f* → *Hieb*.

hielt [hi:lt] *pret. of halten*.

hienieden [hi:'ni:dən] *adv.* here below.

hier [hi:r] *adv.* **1.** here; in this place; *~ (herüben)* on this side; *~ draußen (drinnen)* out (in) here; *~ oben (unten)* up (down) here; *~ entlang* this way; *~ hinein* in here; *~ sein* be here *or* present; *roll-call*: *~!* present!; *Am.* here!, *teleph. ~ (spricht) John B.* John B. *or* John B. speaking *or* calling; *er ist von ~* he is a native of this place; *ich bin auch nicht von ~* I am a stranger here myself; *das Haus ~* this house; *~ und da* **a)** here and there, **b)** now and then, occasionally; **2.** *fig.* here; in this case; this time; at these words; on this occasion.

hieran ['hi:ran] *adv.* at (*or* by, in, on, to) this; *wenn ich ~ denke* thinking of this; *er wird sich ~ erinnern* he will remember this; *~ kann ich* es erkennen by that I can recognize it.

Hierarch [hi:e'rarç] *eccl. m* (-en; -en) hierarch; **Hierar'chie** [-rar-'çi:] *f* (-; -n) hierarchy; **hier'archisch** *adj.* hierarchical.

'hier...: **~auf** *adv.* (up)on this, hereupon; after this (*or* that), now; **~aus** *adv.* from (*or* out of) this; *contract*: *alle ~ entstehenden Verbindlichkeiten* any liabilities arising hereunder; *~ geht hervor, daß* hence (*or* from this) follows that; **~behalten** *v/t.* (*irr.*, *h.*) keep here *or* back; **~bei** *adv.* at (*or* in *or* with) this; on this occasion; in this connection; herewith, enclosed; attached, annexed; **~bleiben** *v/i.* (*irr.*, *sn*) stay here; *hiergeblieben!* (you) stay here!; **~durch** *adv.* through here, this way; *fig.* by this (means), hereby; **~für** *adv.* for this (*or* it); **~gegen** *adv.* against this (*or* it); **~her** *adv.* here, hither; this way, over here; (*komm*) *~!* come here!; *bis ~* up to here, so far; hitherto, (up) to this day, till now, so far; *bis ~ und nicht weiter* this far and no further; **~hergehören** *v/i.* (*h.*) belong here; *fig. dies gehört nicht hierher* this is not to the point, it is not relevant (*or* pertinent); **~herkommen** *v/i.* (*irr.*, *sn*) come here; come this way; **~herum** *adv.* this way round; hereabouts, somewhere about here; **~hin** *adv.* here, this way; **~in** *adv.* in this (*or* it), herein; **~mit** *adv.* with this (*or* it), herewith; with these words, saying this; *~ ist der Fall erledigt* this settles (*or* brings to a close, disposes of) the case; *~ bin ich einverstanden* to this I agree; *~ wird bescheinigt* this is to certify; **~nach** *adv.* after this (*or* it), hereafter; according to this.

Hieroglyphe [hi:ero'gly:fə] *f* (-; -n) hieroglyph.

'hier...: **~orts** *adv.* → *hier*; in this place, here; **⁀sein** *n* being here, presence; **~selbst** *adv.* here, in this place (*or* town); **~über** *adv.* over here; *fig.* about this, on this (subject *or* score); *~ ärgerte ich mich* this made me angry; **~um** *adv.* about this (place); *fig.* about (*or* concerning) this; **~unter** *adv.* under(neath) *or* beneath this (*or* it); among these; *jur.* hereunder; *understand*: by this *or* that; **~von** *adv.* of (*or* from) this, hereof, herefrom; **~zu** *adv.* to this, hereto; in addition to this, moreover; concerning this (matter), on this score; **~zulande** *adv.* in this country, in these parts, (over) here; **~zwischen** *adv.* between these.

hiesig ['hi:ziç] *adj.* of (*or* in) this place *or* town *or* country; local; *m-e ~en Freunde* my friends here.

hieß [hi:s] *pret. of heißen.*

hieven ['hi:fən] *mar. v/t.* (*h.*) heave.

Hifthorn ['hift-] *n* (-[e]s; ⸚er) bugle.

Hilfe ['hilfə] *f* (-; -n) help (*a. person*); aid, assistance; support; succo(u)r; relief; *Erste ~ (leisten)* (render) first aid; (*zu*) *~!* help!, help!; *mit ~ (gen.)* *or von* with the help of *a p.*, with *or* by the aid of *a th.*; *ohne ~* unaided, unassisted, single-handed; *~ suchen* seek help; *et. zu ~ nehmen* make use of, resort to; *j-m ~ leisten* → *helfen*; *j-m zu ~ kommen (eilen)* come (rush) to a p.'s aid *or* assistance; *j-n um ~ bitten, j-n zu ~ rufen, bei j-m ~ suchen* call on (*or* ask) a p. for aid, ask a p.'s help; *um ~ rufen or schreien* call (*or* cry) for help; *iro. du bist mir e-e schöne ~* a fine help you are; **⁀flehend** *adj.* imploring help, suppliant; **~leistung** *f* assistance, aid, help; relief; **~ruf** *m* cry for help; **~stellung** *f gym.* standing-in, guarding; *~ geben* stand in, guard, assist; **⁀suchend** *adj.* seeking (for) help.

'Hilf...: **⁀los** *adj.* helpless; resourceless, shiftless; destitute; **~losigkeit** *f* (-) helplessness; resourcelessness; destitution; **⁀reich** *adj.* helpful; *adv.*: *j-m ~ zur Seite stehen* lend a p. a helping hand, stand by (*or* help, aid) a p.

'Hilfs... *in compounds usu.* auxiliary ..., emergency ..., temporary ...; relief ..., subsidiary ...; assistant ..., junior ...; → *Behelfs..., Not...*; **~aktion** *f* relief action; **~angestellte(r** *m*) *f* temporary employee, emergency man; **~anlage** *f* stand-by plant, emergency set; **~antrieb** *m* auxiliary drive; **~arbeiter(in** *f*) *m* unskilled (*or* auxiliary, temporary) worker, labo(u)rer; *pl.* unskilled labo(u)r; help; **~arzt** *m* assistant physician, *Am. a.* intern; **~ausschuß** *m* relief committee; **⁀bedürftig** *adj.* requiring help; needy, indigent; **~bedürftigkeit** *f* indigence; **⁀bereit** *adj.* ready to help, co-operative; **~bereitschaft** *f* readiness to help, helpfulness; **~dienst** *m* auxiliary service; emergency service; **~fonds** *m* relief fund; **~frequenz** *f radio*: auxiliary *or* back-up frequency; **~geistliche(r)** *m* curate; **~gelder** ['-gɛldər] *n/pl.* subsidies; *~ zahlen an (acc.)* subsidize; **~heer** *n* auxiliary army *or* forces *pl.*; relief force; **~kasse** *f* relief fund; **~kolonne** *f* emergency crew; **~kraft** *f* additional (*or* temporary) worker; help(er), assistant; *fachliche ~* technical help; *mot.* Servo power; **~kreuzer** *mar. m* auxiliary cruiser; **~lehrer(in** *f*) *m* untrained (*or* student *or* supply) teacher; **~maschine** *f* auxiliary (*or* donkey) engine; **~maßnahme** *f* remedial measure; relief action; **~mittel** *n* aid, means; *tech.* auxiliary material; device, aid; *w.s.* remedy, resource; expedient, shift, stopgap; **~motor** *m* auxiliary engine (*el.* motor); *mot.* starting motor; *Fahrrad mit ~* motor-assisted bicycle; **~organisation** *f* relief organization (*or* agency); **~personal** *n* auxiliary personnel; **~polizei** *f* auxiliary police; **~polizist** *m* special constable; **~prediger** *m* curate; **~programm** *n* aid program(me); **~quelle** *f* resource; **~regisseur** *m film*: assistant director; **~schule** *f* school for backward children; **~schwester** *f* nursing assistant; **~stoff** *m* auxiliary material; **~truppen** *mil. f/pl.* auxiliary troops; reinforcements; **~ventilator** *m* stand-by ventilator; **~vorrichtung** *f* auxiliary device; **~werk** *n* relief (work), relief organization; **~wissenschaft** *f* auxiliary science; **~zeitwort** *gr. n* (-[e]s; ⸚er) auxiliary verb; **~ziel** *mil. n* auxiliary target, reference point; **~zug** *m* breakdown van train.

Himalaja [hi'mɑ:laja] *m* (-[s]) the Himalaya(s *pl.*).

Himbeer|e ['him-] *f* raspberry; **~eis** *n* raspberry ice; **~saft** *m* raspberry juice; **~strauch** *m* raspberry bush.

Himmel ['himəl] *m* (-s; -) sky, heavens *pl.*; firmament; *eccl.* heaven; *of bed, etc.*: canopy; skies *pl.*, climate, zone; *am ~* in the sky; *eccl. im ~* in heaven, on high; *unter freiem ~* in the open air; *zwischen ~ und Erde* between heaven and earth; *fig. ~ auf Erden* heaven on earth; *~ und Hölle in Bewegung setzen* move heaven and earth; *aus allen ~n fallen* be cruelly disillusioned, be stunned; (*bis*) *in den ~ heben* praise to the skies; *im siebenten ~ sein* be in the seventh heaven (of delight); *wie vom ~ fallen* drop from the sky, appear from nowhere; *der ~ würde einstürzen, wenn* the sky would fall if; *das schreit zum ~* it's a crying shame, it is scandalous; *kein Meister ist vom ~ gefallen* no man is born a master; *int. du lieber ~!* good Heavens!; *dem ~ sei Dank!* thank Heaven!; *um('s) ~s willen!* goodness gracious!, dear me!; → *Geige*; *stinken*; **⁀an** *adv.* (up) to heaven *or* to the skies, heavenward(s); **⁀angst** *colloq. adv.*: *mir wurde ~* I was scared to death; **~bett** *n* canopy- *or* tester-bed; **⁀blau** *adj. and* **~blau** *n* sky-blue, azure, ultramarine blue; **~fahrt** *eccl. f* Ascension (of Christ); *Mariä ~* Assumption (of the Blessed Virgin Mary); **~fahrtsfest** *n*, **~fahrtstag** *m* Ascension Day; **~fahrtskommando** *colloq. mil. n* suicide patrol; **~fahrtsnase** *colloq. f* tip-tilted nose; **⁀hoch I.** *adj.* skyhigh, soaring; **II.** *adv.*: *fig. ~ jauchzend, zu Tode betrübt* one moment exulting, the next quite cast down; **~reich** *n* (kingdom of) Heaven, paradise; **⁀schreiend** *adj.* outrageous, shameful; *~e Schande* crying shame; utter (*nonsense, etc.*).

'Himmels... *usu.* heavenly ...; celestial ...; **~erscheinung** *f* phenomenon in the skies; celestial apparition; **~gegend** *f* quarter (of the heavens); *die vier ~en* the four cardinal points (of the compass); **~gewölbe** *n* celestial vault, firmament; **~karte** *f* celestial map; **~königin** *f* celestial queen; **~körper** *m* celestial body; **~kugel** *f* celestial globe; **~kunde** *f* (-) astronomy; **~leiter** *f* (-) Jacob's ladder; **~luft** *f* ether; **~ortung** *f* celestial navigation; **~pforte** *f* gate of heaven; **~raum** *m* celestial space; **~reklame** *f* sky-writing; **~richtung** *f* → *Himmelsgegend*; **~schlüssel** *m* key of heaven; *bot.* cowslip; **~schreiber** *aer. m* sky-writer; **~schrift** *aer. f* sky-writing; **~strich** *m* zone, climate, clime, latitude, region; **~**

stürmer *m* (-s; -) Titan; **~wagen** *ast. m* Great Bear, *Am.* Big Dipper; **~zeichen** *n* celestial sign; **~zelt** *n* (-[e]s) firmament.

'**himmel...: ~wärts** ['-vɛrts] *adv.* skyward(s); *fig.* heavenward(s); **~-weit** *fig. adj. and adv.* vast(ly), enormous(ly), immense(ly); *~ voneinander entfernt* miles apart; *~ verschieden sein* differ widely, be diametrically opposed, be as different as day and night; *es ist ein ~er Unterschied zwischen* there is all the difference in the world between.

'**himmlisch** *adj.* celestial, heavenly; divine; heavenly, divine; lovely, sweet; glorious (*weather*); *~er Vater* (Our) Father in Heaven; *~e Geduld the* patience of Job.

hin [hin] *adv.* there, thither; along; towards; *über ... ~* over; *colloq.* gone, broken, in pieces; gone, lost; *~ und her* to and fro, *Am.* back and forth; *~- und herfahren rail.* shuttle, *Am.* commute; *~ und her gehen* walk up and down, *tech. machine parts*: reciprocate; *~ und zurück* there and back (*a. rail*); *Fahrkarte ~ und zurück* return ticket, *Am.* round-trip ticket; *~ und wieder* **a**) now and then, **b**) here and there; *noch weit ~* yet far off; *über die ganze Welt ~* all over the world; *ich muß ~* I must go there; *wo ist er ~?* where did he go?; *er ist ~* **a**) he is done for, *sl.* he is a goner, **b**) he is dead; *sie ist ganz ~* **a**) she is all in, **b**) she is in raptures; *~ ist ~* (what's) gone is gone, lost is lost; *auf et. ~* **a**) as a result of, in consequence of, following, upon, **b**) on the strength of; *auf die Gefahr ~, zu verlieren* at the risk of losing; *auf sein Versprechen ~* relying on his promise; *et. ~ und her überlegen* turn a th. over in one's mind, consider the pros and cons of a th.

hinab [hi'nap] *adv.* down, downward(s); down there; → *hinunter*; **~gehen** *v/i.* (*irr., sn*) go down, descend (*a. aer.*).

hinan [hi'nan] *adv.* up, upward(s); up to; → *hinauf*.

'**hin-arbeiten** *v/i.* (*h.*): *~ auf* (*acc.*) work for (*or* towards), aim at.

hinauf [hi'nauf] *adv.* up, upward(s), up there; *bis ~ zu* up to; *den Berg ~* up the hill, uphill; *den Fluß ~* up the river, upstream; *die Treppe ~* upstairs; *die Straße ~* up the street, *Am.* upstreet; *hier ~* up here, this way; *dort ~* up there; *in compounds usu. ...* up, → *empor...*; **~arbeiten:** *sich ~* (*h.*) toil up, *a. fig.* work one's way up; **~befördern** *v/t.* (*h.*) carry (*or* hoist) up; *in lift, etc.*: *schnell ~* shoot up; **~begeben:** *sich ~* (*irr., h.*) go up(stairs); **~blicken** *v/i.* (*h.*) look up (*zu* at, *fig.* to); **~bringen** *v/t.* (*irr., h.*) bring (*or* carry, take) up; get up; **~fahren** *v/i.* (*irr., sn*) drive (*or* ride, go) up; **~gehen** *v/i.* (*irr., sn*) go (*or* walk) up, ascend, mount; go upstairs; *fig. prices*: rise, climb; **~kommen** *v/i.* (*irr., sn*) come up; get up, make it; **~schnellen** *v/i.* (*sn*) bound up; *fig.* rise abruptly; *prices*: shoot (*or* soar, rocket) up; **~schrauben** *v/t.* (*h.*) *fig.* screw *or* push up (*prices*); step (*or* tune) up, *Am. a.* up (*production, etc.*); **~setzen** *v/t.* (*h.*) *fig.* raise, mark up, *Am. a.* up (*price, rent, etc.*); **~steigen** *v/i.* (*h.*) mount (up), climb up, ascend; **~tragen** *v/t.* (*irr., h.*) carry (*or* take) up; **~transformieren** *el. v/t.* (*irr., sn*) step up; **~treiben** *v/t.* (*irr., h.*) drive (*or* push, force) up (*prices*); **~ziehen** **I.** *v/t.* (*irr., h.*) draw (*or* pull) up; **II.** *v/i.* (*irr., sn*) march (*or* troop, move, go) up.

hinaus [hi'naus] **I.** *adv.* out, out there; outside; *~ aus* (*dat.*) out of; *hier ~* out here, this way; *nach hinten* (*vorn*) *~ live* at the back (front); *über* (*acc.*) *... ~* **a**) beyond, past, **b**) above, exceeding, in excess of; *über das Grab ~* beyond the grave; *auf Jahre ~* for years (to come); *zum Fenster ~* out of the window; *fig. er weiß nicht wo ~* he doesn't know which way to turn (*or* what to do); *darüber ist er ~* he has got over it, he is past that stage now; *wo soll das noch ~?* what will all that lead to?; *worauf will er ~?* what is he driving at?; *über die Fünfzig ~* on the shady side of fifty; **II.** *int. ~!* out!, *Am. sl.* scram!; *~ mit dir!* out with you!, out you go!, get out!; *~ mit ihm!* turn (*or* throw) him out!; *in compounds ...* out; **~begleiten** *v/t.* (*h.*) see out (*or* to the door); **~beugen:** *sich ~* (*h.*) lean out (*zum Fenster* of the window); **~blicken** *v/i.* (*h.*) look (*or* gaze) out; **~bringen** *v/t.* (*irr., h.*) bring *or* take out(side); see *a p.* out; **~ekeln** *colloq. v/t.* (*h.*) winkle (*sl.* freeze) out; **~fahren** *v/i.* (*irr., sn*) *and v/t.* (*irr., h.*) drive (*or* motor, ride) out; *mar.* sail out, put to sea; **~feuern** *colloq. v/t.* (*h.*) → *hinauswerfen*; **~fliegen** *colloq. v/i.* (*irr., sn*) get the sack, be sacked (*Am.* fired); **~führen** *v/t.* (*h.*) lead (*or* take) out; **~gehen** *v/i.* (*irr., sn*) go (*or* walk) out, leave; *das Zimmer geht auf den Park hinaus* the room looks out on (*or* faces, opens on) the park; *~ über* (*acc.*) go (*or* pass) beyond; surpass, exceed; *intent*: *~ auf* (*acc.*) aim at; **~geleiten** *v/t.* (*h.*) see (*or* show, usher) out; **~greifen** *v/i.* (*irr., h.*): *fig. ~ über* (*acc.*) reach beyond; **~jagen** *v/t.* (*h.*) chase (*or* drive) out, expel; **~kommen** *v/i.* (*irr., sn*) come (*or* get) out; *fig.* → *hinauslaufen*; **~komplimentieren** *v/t.* (*h.*) bow out, ease out; **~laufen** *v/i.* (*irr., sn*) run (*or* rush) out; *fig. ~ auf* (*acc.*) come (*or* amount) to; *Am. a.* boil down to; *es läuft auf dasselbe* (*or eins*) *hinaus* it comes (*or* amounts) to the same thing; **~lehnen:** *sich ~* (*h.*) lean out; **~ragen** *v/i.* (*h.*): *~ über* (*acc.*) project beyond; *fig.* tower above, stand out from; **~reichen** *v/i.* (*h.*): *~ über* (*acc.*) reach (*or* stretch, extend) beyond; **~schaffen** *v/t.* (*h.*) take (*or* get) out, remove; **~schauen** *v/i.* (*h.*) look (*or* gaze) out; **~schicken** *v/t.* (*h.*) send out; **~schieben** *v/t.* (*irr., h.*) push (*or* shove) out; *fig.* postpone, defer, put off; delay; protract; **~schießen** *v/i.* (*irr., sn*) *fig.* overshoot (*über das Ziel* the mark); **~schleichen** *v/i.* (*irr., sn*) slink (*or* sneak, steal) out; **~sehen** *v/i.* (*irr., h.*) look (*or* glance) out; **~sein** *v/i.* (*irr., sn*) be out(side), have left; *fig. über et. ~* be past (*or* beyond, above) a th.; → *hinaus*; **~setzen** *v/t.* (*h.*) put (*or* turn, chuck) *a p.* out; **~stellen** *v/t.* (*h.*) put out(side); *sports*: send *a player* off the field; **~stoßen** *v/t.* (*irr., h.*) push (*or* thrust) out; eject (*a. tech.*); **~stürzen** *v/i.* (*sn*) rush (*or* dash, bolt) out; **~treiben** *v/t.* (*irr., h.*) drive out; **~trompeten** *v/t.* (*h.*) clarion; **~wachsen** *v/i.* (*irr., sn*): *~ über* (*acc.*) outgrow; *fig. über j-n*: grow beyond, surpass *a p.*; *über sich selbst ~* surpass o.s., rise above o.s.; **~wagen:** *sich ~* (*h.*) venture out; **~werfen** *v/t.* (*irr., h.*) cast (*or* throw) out (*aus* of); *j-n*: turn (*or* throw, chuck, kick) *a p.* out; expel, eject; (give the) sack, boot out, *Am.* fire; *Geld zum Fenster ~* throw away, squander *money*; **~wollen** *v/i.* (*h.*) wish (*or* want) to get out (*aus* of); *fig. ~ auf* (*acc.*) aim (*or* drive) at; *wo will das hinaus?* what's the meaning of it?; *hoch ~* aim high, be ambitious; *zu hoch ~* aim (*or* aspire) too high; **~ziehen** **I.** *v/t.* (*irr., h.*) draw (*or* drag) out; protract, draw (*or* drag) out; *sich ~* drag along, be protracted; **II.** *v/i.* (*irr., sn*) march out; *aufs Land ~* move out into the country.

'**hin...: ~begeben:** *sich ~* (*irr., h.*) go there; **~bemühen** *v/t.* (*h.*) (*and sich*) trouble to go there; **~bestellen** *v/t.* (*h.*): *~ zu or nach* order (*or* tell, arrange for) *a p.* to go to (*or* appear at); **2blick** *m*: *im ~ auf* (*acc.*) with regard to, in regard to (*or* of), with a view to, in view of; in consideration of, considering; in the light of; **~blicken** *v/i.* (*h.*) look *or* glance (*zu* at, towards); *vor sich ~* gaze before o.s.; **~bringen** *v/t.* (*irr., h.*) bring (*or* take, carry) there (*or zu, nach* to); *j-n*: lead (*or* take, conduct) *a p.* there; accompany *a p.* there; spend, pass *time* (away), idle away, kill (*time*); dissipate (*fortune*); **~brüten** *v/i.* (*h.*): *vor sich ~* be brooding, be lost in thought; **~denken** *v/i.* (*irr., h.*): *wo denkst du hin?* what are you thinking of?

hinderlich ['hindərliç] *adj.* (*dat.*) hindering, impeding; obstructive (to); troublesome, cumbersome; embarrassing; inconvenient (to); *j-m ~ sein* be in a p.'s way.

'**hindern** *v/t.* (*h.*) hinder, hamper, handicap, impede (*bei, in dat.* in); *~ an* (*dat.*) prevent from; interfere with; block, obstruct (*traffic*).

'**Hindernis** *n* (-ses; -se) hindrance; obstacle, barrier (*both a. fig.*); *sports*: hurdle (*a. fig.*), obstacle, jump; impediment, handicap, check, snag; stumbling stone (*or* block); intervening circumstance; encumbrance; difficulty; *jur. gesetzliches ~* legal impediment, statutory bar (*zu* to); *ohne ~se* without a hitch; *auf ~se stoßen* run into obstacles; *j-m ~se in den Weg legen* put (*or* throw) obstacles into a p.'s way; **~bahn** *f* obstacle course; **~lauf** *m*, **~rennen** *n* steeplechase, obstacle race; **~läufer** *m* steeplechaser.

'**Hinderung** *f* (-; -en) hindrance, obstruction; interference; *ohne ~* without let or hindrance.

'**hindeuten** *v/i.* (*h.*): *~ auf* (*acc.*) point to (*or* at); *fig. person*: point to, suggest; hint at, intimate; *matter*: point to, indicate, suggest; be indicative (*or* suggestive) of.

Hindin ['hindin] *f* (-; *-nen*) hind.

'**hindrängen** *v/t.* (*h.*) push *or* press (*zu* to[wards]); *sich ~* crowd (*or* throng) (*zu* to[wards]).

Hindu ['hindu:] *m* (-[s]; -[s]) Hindu, Hindoo; **Hinduismus** [hindu'ismus] *m* (-) Hinduism.

hin'durch *adv.* through; throughout; across; *dort ~* through here (*or* there); *mitten ~* right (*or* straight) through; during, through(out) *a period*; *den ganzen Tag ~* all day (long); *die ganze Nacht ~* all night (long); *das ganze Jahr ~* all the year round, throughout the year; *in compounds* → *durch ...*

'**hin...**: **~dürfen** *v/i.* (*irr.*, *h.*) be allowed to go there; *darf ich hin?* may I go there?; **~eilen** *v/i.* (*sn*) hurry (*or* hasten) there, rush to the spot.

hinein [hi'naın] *adv.* in; *~ in* (*acc.*) into, in(side); *da* (*hier*) *~* in there (here); *bis* (*or mitten*) *~ in* (*acc.*) right into (the middle *or* heart of); *bis in den Mai ~* well (*or* right) into May; *nur ~!* just go in!; *~ mit dir!* in you go!; *in compounds usu. ...* in(to *in acc.*); **~arbeiten** *v/t.* (*h.*) work (*or* fit) in(to *in acc.*); *sich ~ in* (*acc.*) work one's way into; **~bauen** *v/t.* (*h.*) build in(to *in acc.*); **~bringen** *v/t.* (*irr.*, *h.*) take (*or* carry) in(to *in acc.*); **~denken:** *sich ~ in et.* (*h.*) go deeply into, dive into *a subject*; *in j-n*: try to understand, enter *a p.'s* ideas; **~drängen** *v/t.* (*h.*) push (*or* press) in(to *in acc.*); *sich ~* press in(to *in acc.*); shoulder one's way in, *Am. sl.* muscle in; **~fallen** *v/i.* (*irr.*, *sn*) fall (*or* tumble) in(to *in acc.*); **~finden:** *sich ~* (*irr.*, *h.*) *in* (*acc.*) find one's way into; familiarize o.s. with; get used to; **~gehen** *v/i.* (*irr.*, *sn*) go in(to *in acc.*); *in den Kanister gehen ... hinein* the container holds ...; *in den Saal gehen ... hinein* the hall accommodates (*or* seats) ... (*persons*); **~geraten** *v/i.* (*irr.*, *sn*): *in et. ~* get (o.s.) into a th.; **2grätschen** *n* (-s) *soccer*: sliding tackle; **~knien:** *sich ~* (*h.*) *in* (*acc.*) get down to *a th.*; **~lachen** *v/i.* (*h.*): *in sich ~* laugh to o.s.; **~lassen** *v/t.* (*irr.*, *h.*) let in(to *in acc.*); **~leben** *v/i.* (*h.*): *in den Tag ~* lead a happy-go-lucky life, take it easy; **~legen** *v/t.* (*h.*) put in(to *in acc.*, *a. fig.*), put inside; *colloq. fig.* → *hereinlegen*; **~lesen** *v/t.* (*irr.*, *h.*): et. *~ in* (*acc.*) read a th. into; **~mischen:** *sich ~* (*h.*) → *einmischen*; **~ragen** *v/i.* (*h.*): *~ in et.* project into a th.; **~reden** *v/i.* (*h.*): *in et. ~* interfere (*or* meddle) with; → *Blau*; *sich in e-n Zorn ~* talk o.s. into a passion; **~reiten** *v/t.* (*irr.*, *h.*) *colloq. fig.* get *a p.* into a mess; **~stecken** *v/t.* (*h.*) put *or* slip in(to *in acc.*); *fig. Geld ~* put (*or* sink) money into, invest money in; **~stehlen:** *sich ~* (*h.*) steal (*or* sneak) in(to *in acc.*); **~steigern:** *sich ~* (*h.*) key o.s. up, get (all) worked up (*wegen* over); **~tun** *v/t.* (*irr.*, *h.*) put in(to *in acc.*); *e-n Blick ~ in* (*acc.*) glance into; **~wachsen** *v/i.* (*irr.*, *sn*): *in s-e Rolle ~* grow to one's part; **~wagen:** *sich ~* (*h.*) venture in; **~wollen** *v/i.* (*h.*) want to go in; **~ziehen** *v/t.* (*irr.*, *h.*) pull (*or* draw, drag) in(to *in acc.*); *fig. j-n ~ in* (*acc.*) bring (*or* drag) a p. into, implicate (*or* involve) a p. in; **~zwängen** *v/t.* (*h.*) squeeze (*or* force, press) in(to *in acc.*).

'**hin...**: **~fahren I.** *v/t.* (*irr.*, *h.*) drive (*or* carry, take) there (*or nach*, *zu* to); convey (to); **II.** *v/i.* (*irr.*, *sn*) drive *or* go (*nach*, *zu* to); *~ an* (*dat.*) drive (*mar.* sail) along; *~ über* (*acc.*) pass over; *fig. mit der Hand über et. ~* pass (*or* run) one's hand over a th.; pass away; *fahre hin!* farewell!; **2fahrt** *f* journey (*or* trip, *mar.* voyage) out *or* there, way there; *auf der ~* on the way there; (*Fahrkarte für*) *Hin- und Rückfahrt* there and back, return ticket, *Am.* round trip ticket; **~fallen** *v/i.* (*irr.*, *sn*) fall (down), have a fall, drop; **~fällig** *adj.* frail, decrepit; weak, infirm; futile, untenable; null and void; *~ machen* render invalid, invalidate, supersede; *damit wird dieser Punkt ~* this disposes of the matter; **2fälligkeit** *f* frailty, decrepitude; weakness, infirmity; *fig.* futility, weakness; **~finden** *v/i.* (*irr.*, *h.*) (*a. sich*) find one's way there *or* to a place; **2flug** *m* flight there, outgoing flight; **~'fort** *adv.* henceforth, from now on; **2fracht** *econ. f* outward freight; **~führen** *v/t. and v/i.* (*h.*) lead (*or* take) there (*or nach*, *zu* to); *fig. wo soll das ~?* where will this lead to?

hing [hiŋ] *pret. of hängen.*

'**hin...**: **2gabe** *f* (-) devotion (*an acc.* to), devotedness; sacrifice; **2gang** *fig. m* (-[e]s) decease, death; **~geben** *v/t.* (*irr.*, *h.*) give away; give up, relinquish, surrender (*dat.* to); abandon; sacrifice (*für* for); *sein Leben ~* lay down one's life (for); *sich ~* (*dat.*) give o.s. up (*or* devote o.s.) to, apply o.s. to; *woman*: give o.s. to (*a man*); indulge in, abandon o.s. to (*vice, etc.*); *sich Hoffnungen ~* cherish hopes; **~gebend** *adj.* devoted; **2gebung** *f* (-) → *Hingabe*; **~gebungsvoll** *adj.* devoted; **~'gegen** *adv.* however, on the contrary; on the other hand, whereas; **~gehen** *v/i.* (*irr.*, *sn*) go there (*or nach*, *zu* to); *fig. road*: lead there (*or nach*, *zu* to); *time*: pass, elapse; *über et. ~* pass over a th.; *~ lassen* let pass; overlook, close one's eyes to; **~gehören** *v/i.* (*h.*): *wo gehört das hin?* where does that go (*or* belong) to?; **~geraten** *v/i.* (*irr.*, *sn*): *wo ist er ~?* where has he got to?, what has become of him?; **~gerissen** *adj.* enchanted, enraptured, carried away, electrified; **~halten** *v/t.* (*irr.*, *h.*) hold out (*dat.* to), proffer, tender; *fig. j-n*: put off, jolly (*Am. sl.* stall) *a p.* along; keep *a p.* waiting (*or* in the air); *et.*: delay (*a th.*); **~haltend** *adj.* delaying (*a. mil.*); **~hängen** *v/t.* (*h.*) hang up (there); **~hauen** *colloq. v/t.* (*h.*) *fig.* do *a job* (in a slap-dash manner), knock off; *sich ~* hit the ground, turn in; *das haut hin!* that works!, *sl.* that does the trick!, that's the stuff!; **~hören** *v/i.* (*h.*) listen, prick one's ears.

hinken ['hiŋkən] *v/i.* (*h.*, *sn*) (walk with a) limp, go lame; hobble; *fig.* be imperfect (*or* unsatisfactory, clumsy); *verse, line*: halt; *der Vergleich hinkt* that's a lame (*or* poor) comparison; **2** *n* (-s) limp(ing); **~nd** *adj.* limping, lame; *fig.* lame (*proof, verse, etc.*).

'**hin...**: **~knien** *v/i.* (*h.*) kneel down; **~kommen** *v/i.* (*irr.*, *sn*) come (*or* get, arrive) there; *wo ist er (es) nur hingekommen?* where has he (it) got to?, what has become of him (it)?; *fig. wo kommen wir da hin?* what should we come to? **~langen I.** *v/t.* (*h.*) *j-m et. ~* hand a th. over to a p., reach a p. a th.; **II.** *v/i.* (*h.*): *~ nach* reach for; *~* (*bis*) *zu* (*dat.*) reach, extend as far as; **~länglich** *adj.* sufficient; adequate; enough; **~lassen** *v/t.* (*irr.*, *h.*) allow to go (there); **~legen** *v/t.* (*h.*) lay *or* put down; *sich ~* lie down; **~leiten, ~lenken** *v/t.* (*h.*) (*nach*, *zu*) lead (*or* conduct, steer) to; direct (*or* draw, call) *attention* to; **~metzeln, ~morden** *v/t.* (*h.*) massacre, slaughter, butcher; **~nehmen** *v/t.* (*irr.*, *h.*) accept, take; *et. als selbstverständlich ~* take *a th. or it* for granted; put up with, submit to, suffer; **~neigen** *v/t.*, *v/i.*, *and sich* (*h.*) incline *or* lean (*zu* to[wards]); *fig. sich ~* tend *or* gravitate (*zu* towards).

hinnen ['hinən] *adv.*: *von ~* from hence, away; *von ~ gehen* depart this life.

'**hin...**: **~opfern** *v/t.* (*h.*) sacrifice; **~pflanzen** *v/t. and sich* (*h.*) plant *or* place (o.s.) there; **~raffen** *v/t.* (*h.*) *death*: carry (*or* snatch) away; **~reichen I.** *v/t.* (*h.*) reach (*or* stretch, hold) out *one's hand* (*j-m* to a p.); **II.** *v/i.* (*h.*) be sufficient, suffice, do; **~reichend I.** *adj.* sufficient; adequate; ample; **II.** *adv.* sufficiently, *etc.*; *a.* enough; **2reise** *f* journey (*mar.* voyage) there *or* out; *auf der ~* on the way there; **~reisen** *v/i.* (*sn*) travel (*or* go) there; **~reißen** *v/t.* (*irr.*, *h.*) carry (*or* sweep) off; *fig.* enrapture, thrill, ravish, fascinate, *Am. sl.* wow, send; *j-n zu et. ~* move (*or* drive) a p. to a th., make a p. do a th.; *sich ~ lassen von* (*dat.*) allow o.s. to be carried away by; give way (*or* surrender) to; *zu e-r Bemerkung*: be betrayed into *a remark*; *hingerissen sein* be ravished (*von* by), be in raptures (over); **~reißend** *adj.* enchanting, ravishing, thrilling, breath-taking; **~richten** *v/t.* (*h.*) execute, put to death; behead, decapitate; hang (by the neck); *auf dem elektrischen Stuhl*: electrocute; **2richtung** *f* execution; electrocution; **2richtungsbefehl** *m* death-warrant; **~schaffen** *v/t.* (*h.*) move (*or* transport, convey) there (*or nach*, *zu* to); **~scheiden** *v/i.* (*irr.*, *sn*) pass away, depart this life;

⁀scheiden *n* decease, death; **⁓schicken** *v/t.* (*h.*) send there (*or nach, zu* to); **⁓schlachten** *v/t.* (*h.*) → *hinmetzeln*; **⁓schlagen** *v/i.* (*irr., sn*) strike down (*auf acc.* on); fall down heavily (*or* full length); **⁓schleppen** *v/t. and sich* (*h.*) drag (o.s.) along; *fig. negotiations, etc.*: drag on (*or* out); **⁓schmeißen** *colloq. v/t.* (*irr., h.*) chuck (up); **⁓schmieren** *v/t.* (*h.*) daub; scribble, scrawl; **⁓schreiben** *v/t.* (*irr., h.*) write (*or* jot) down; **⁓schwinden** *v/i.* (*irr., sn*) vanish *or* dwindle (away); **⁓sehen** *v/i.* (*irr., h.*) (*nach, zu*) look (*or* glance) to(wards) *or* at; *ohne hinzusehen* without looking; **⁓sein** *v/i.* (*irr., sn*) → *hin*; **⁓setzen** *v/t.* (*h.*) set (*or* put) down; seat (*a p.*); *sich* ⁓ sit down, take a seat; **⁀sicht** *f*: *in anderer* ⁓ in other respects; *in dieser* ⁓ in this regard (*or* respect), on that score; *in gewisser* ⁓ in a way (*or* sense); *in jeder* ⁓ in every respect, throughout, to all intents and purposes; *in politischer* ⁓ politically; *in* ⁓ *auf* (*acc.*) → **⁓sichtlich** *adv.* with regard (*or* reference) to; in respect of, in regard of (*or* to); with a view to; concerning, regarding; relating to; as to; **⁓siechen** *v/i.* (*h.*) waste away; pine away; **⁓sinken** *v/i.* (*irr., sn*) sink down; swoon (*or* faint) away; *tot* ⁓ drop (down) dead; **⁓sprechen** *v/t.* (*irr., h.*): (*nur so*) ⁓ say lightly; *vor sich* ⁓ talk to o.s.; **⁓stellen** *v/t.* (*h.*) place somewhere; put down; *colloq.* raise (*a building*); *sich* ⁓ *vor* (*acc.*) stand (*or* plant o.s.) before; *fig.* et. ⁓ *als* represent (*or* picture, describe) as, make out to be; *sich* ⁓ *als* pose as; **⁓sterben** *v/i.* (*irr., sn*) die away; **⁓streben** *v/i.* (*h.*): ⁓ *nach* (*dat.*) strive for *or* after; *phys.* (*and fig.*) tend *or* gravitate towards; **⁓strecken** *v/t.* (*h.*) stretch *or* hold out *one's hand* (*dat.* to); *j-n*: fell, knock down *a p.*; *sich* ⁓ lie down (full length), stretch o.s. out (*auf* on); **⁓strömen** *v/i.* (*sn*) flock (*or* throng, stream) there; **⁓stürzen** *v/i.* (*sn*) fall, tumble down; ⁓ *nach or zu* (*dat.*) rush to.

hintan|setzen [hint'ˀan-] *v/t.* (*h.*), **⁓stellen** *v/t.* (*h.*) set aside; neglect, slight; disregard, ignore; **⁀setzung** [-zɛtsuŋ] *f* (-), **⁀stellung** *f* slight (-ing), neglect, disregard; *mit* (*or unter*) ⁓ (*gen.*) without regard to, disregarding, regardless of.

hinten ['hintən] *adv.* behind, at the back; in the background; in the rear, rearmost, (quite) at the end; *nach* ⁓ backward(s), to the back (*or* rear), *mar.* aft, astern; *nach* ⁓ *gelegenes Zimmer* back room; *von* ⁓ from behind, from the rear; *von* ⁓ *angreifen* attack from behind (*or* in the rear); *von weit* ⁓ (from) far back; ⁓ *anfügen* add (*or* append, annex); ⁓ *ausschlagen horse*: kick, lash out, *fig.* kick up one's heels; *sich* ⁓ *anstellen* join on to a queue, queue up; ⁓ *und vorn fig.* everywhere; *lieber Karl* ⁓, *lieber Karl vorn* Charlie here, Charlie there, Charlie everywhere; **⁓an** *adv.* behind, in the rear, at the back; **⁓herum** *adv.* from behind (*or* the rear); *fig.* secretly, on the quiet (*sl.* on the q.t.); et. ⁓ *besorgen* wangle a th.; **⁓nach** → *hintenan*; **⁓über** *adv.* backward(s), upside down.

hinter ['hintər] *prp.* behind, (at the) back of; after; ⁓*es Ende* rear end; ⁓ *meinem Rücken* behind my back; ⁓ *mir* (*mich*) behind me; ⁓ *ihm* (*sich*) behind him; ⁓ *dem Hügel hervor* from behind the hill; ⁓ *et. or j-m hersein* be (*or* run) after, pursue *a th. or p.*; ⁓ et. *stecken* be at the bottom of a th.; ⁓ *e-r Sache stehen* back (*or* support) a th.; et. ⁓ *sich bringen* get a th. over, get through with a th.; cover (*a distance*); et. ⁓ *sich haben* be through a th.; *das Schlimmste haben wir* ⁓ *uns* we are out of the woods now, we have broken the back of it; *j-n or et.* ⁓ *sich haben* have *a p. or th.* at one's back, be backed by; *j-n or et.* ⁓ *sich lassen* leave *a p. or th.* behind, *running*: *a.* outdistance; *sich* ⁓ *die Arbeit machen* buckle down to work; *sich* ⁓ *et. machen* get down to a th., tackle a th.

'**Hinter...**: **⁓achs-antrieb** *mot. m* rear-axle drive; **⁓achse** *f* rear axle; **⁓ansicht** *f* back-view; **⁓asien** *n* Farther Asia; **⁓backe** *f* buttock; **⁓bänkler** [-bɛŋklər] *colloq. parl. m* (-s; -) back-bencher; **⁓bein** *n* hind leg; *sich auf die* ⁓*e stellen* stand on one's hindlegs (*a. fig.*); *horse*: *a.* rear up; **⁓bliebene(r** *m*) [-'bli:bənə(r)] *f* (-n, -n; -en, -en) survivor, (surviving) dependent; *the* bereaved; **⁓'bliebenenfürsorge** *f* dependents relief; **⁓'bliebenenversicherung** *f* survivor's insurance; **⁓bohren** *tech. n* back drilling; **⁀'bringen** *v/t.* (*irr., h.*): *j-m* et. ⁓ (secretly) inform a p. of a th.; tell a p. a th. (confidentially); **⁓'bringer(in** *f*) *m* (-s, -; -, -nen) informer, tell-tale; **⁓'bringung** *f* (-; -en) information, communication, denouncing; **⁓deck** *mar. n* quarter-deck, poop; **⁓drehbank** *tech. f* backing-off lathe; **⁀'drein** [-'draɪn] → *hinterher*.

'**hintere** *adj.* rear, back, posterior; (of) behind, in the rear, at the back; *die* ⁓*n Bänke* the back benches; *am* ⁓*n Ende* at the far end; **⁀(r)** *colloq. m* (-[e]n; -[e]n) posterior, backside, behind, bottom, bum.

hinter-ein'ander *adv.* one after the other, one by one; in succession (*or* series), successively; *drei Tage* ⁓ three days running (*or* at a stretch, in a row); *fünfmal* ⁓ five times running; *et.* ⁓ *tun* do in turns, take turns in *ger.*; *dicht* ⁓ close together, on top of each other; ⁓ *gehen* go in single (*Am.* Indian) file; ⁓ *hereinkommen* file in; *tech.* ⁓ *angeordnet* in tandem arrangement; *el.* ⁓ *schalten* connect in series; **⁀schaltung** *el. f* series connection.

'**Hinter...**: **⁓flügel** *arch. m* back wing; **⁓fuß** *m* hind foot; **⁓gabel** *f motorcycle*: back fork; **⁓gebäude** *n* back building (*or* premises *pl.*); **⁓gedanke** *m* (mental) reservation; ulterior motive; arrière pensée (*Fr.*); *ohne* ⁓*n* without reserve, guilelessly; *das war wohl sein* ⁓ that may have been at the back of his mind; **⁀'gehen** *v/t.* (*irr., h.*) deceive, impose (up)on, cheat, dupe, *Am. sl.* doublecross; **⁓'gehung** [-'ge:uŋ] *f* (-; -en) deception; **⁓grund** *m* background (*a. paint and fig.*); rear; *thea.* backscene, backdrops *pl.*; *sich im* ⁓ *halten* keep in the background; *in den* ⁓ *drängen* thrust into the background; *in den* ⁓ *treten* recede into the background, stand back; **⁀gründig** ['-gryndiç] *fig. adj.* enigmatical, cryptic, profound; subtle, sly; **⁓halt** *m* ambush; trap; *aus dem* ⁓ *überfallen* ambush; *im* ⁓ *liegen* lie in ambush; *sich in den* ⁓ *legen* lie down in ambush; *fig.* et. *im* ⁓ *haben* have a th. in reserve (*or* up one's sleeve); *ohne* ⁓ without reserve, unreservedly, candidly; **⁀hältig** ['-hɛltiç] *adj.* perfidious, sneaking, sneaky, underhand; → *hinterlistig*; **⁓hand** *f* hind quarter (*of horse*); *cards*: youngest hand; **⁓hang** *m* reverse (*or* back) slope (*of hill*); **⁓haupt** *n* back of the head, occiput; **⁓haus** *n* back of the house, back house (*or* premises *pl.*); **⁓hauswohnung** *f* rear flat.

hinter'her *adv.* behind, in the rear; after; afterwards, subsequently; when it is (*or* was) too late, with hind-sight; **⁓gehen** *v/i.* (*irr., sn*) walk behind; follow (in the rear); **⁓kommen** *v/i.* (*irr., sn*) follow (behind), bring up the rear; **⁓laufen** *v/i.* (*irr., sn*) run behind; *hinter j-m herlaufen* run after a p.

'**Hinter...**: **⁓hof** *m* backyard; **⁓indien** *n* Farther India, *w.s.* Indo-China; **⁓keule** *f* hind leg; **⁓kopf** *m* → *Hinterhaupt*; **⁓lader** ['-la:dər] *mil. m* (-s; -) breech-loader; **⁓lager** *tech. n* rear bearing; **⁓land** *n* (-[e]s) hinterland, interior of a country; *esp. Am.* back country; **⁀'lassen I.** *v/t.* (*irr., h.*) leave (behind); *testator*: *j-m* et. ⁓ leave (*or* bequeath) a th. to a p.; *Nachricht* ⁓ leave word *or* a message; *er hinterließ kein Testament* he left no will behind (him), *jur.* he died intestate; **II.** *adj.* posthumous (*works*); **⁓'lassenschaft** *f* (-; -en) property (left), estate; **⁀lastig** *adj. aer.* tail-heavy, *mar.* stern-heavy; **⁓lauf** *hunt. m* hind leg; **⁀'legen** *v/t.* (*h.*) deposit, lodge (*bei* with); give in trust; *als Sicherheit* ⁓ deposit (*or* lodge) as security; *hinterlegte Gelder* deposits; **⁓'leger** *m* (-s; -) depositor; **⁓'legung** *f* (-) depositing, deposition; deposit; **⁓legungsgelder** [-'le:guŋsgɛldər] *n/pl.* deposit funds, deposits; **⁓'legungsschein** *m* certificate of deposit; **⁓leib** *zo. m* hind quarters *pl.*; *anat.* abdomen; **⁓list** *f* artifice, stratagem, ruse, trick, dodge; trap, snare; cunning, craftiness; insidiousness, treachery; falseness; **⁀listig** *adj.* artful, cunning, wily; underhand; insidious, perfidious; deceitful; false; **⁓mann** *m mil.* rear-rank man; *mar.* ship next astern; *fig. econ.* subsequent endorser; *pol.* backer; wire-puller; instigator; **⁓mannschaft** *f sports* defen|ce, *Am.* -se; **⁀mauern** *arch. v/t.* (*h.*) back; **⁓n** *m* (-s; -) → *Hintere*; **⁓pförtchen** *n* back-door (*a. fig.*); **⁓pforte** *f* back gate; **⁓pom-**

mern *n* Farther Pomerania; **~rad** *n* back (*or* rear) wheel; **~rad-achse** *f* rear axle; **~radantrieb** *m* rear wheel drive, rear-axle drive; **~rad-bremse** *f* rear wheel brake; **~rad-reifen** *m* back tyre (*Am.* tire); **~radschwinge** *f* rear wheel suspension; **≈rücks** ['-ryks] *adv.* from behind, from the back; *fig.* treacherously; → *heimtückisch*; **~schiff** *mar. n* stern; **~schliff** *tech. m* relief grinding; **≈schlingen** *v/t.* (*irr., h.*) gobble off, bolt; **≈schlucken** *v/t.* (*h.*) swallow, gulp down; **~seite** *f* hind part, back; rear; **~sitz** *m* back seat; **≈st** *adj.* hindmost; last; *das ~e Ende* the tail end; **≈stechen** *tech. v/t.* (*irr., h.*) recess; **~steven** *mar. m* stern-post; **~stück** *n* hind piece; **~teil** *n* hind (*or* back) part; rear; *mar.* stern; backside, posterior, behind, bottom; **~treffen** *n* rear(guard), reserve; *sports*: rear; *im ~ sein* be at a disadvantage; *ins ~ geraten or kommen* get the worst of it, go to the wall, lag behind, take a back seat, *running*: fall (*or* lag) behind, drop back, tail off; **≈'trei-ben** *v/t.* (*irr., h.*) prevent, hinder; frustrate, thwart, obstruct, *pol. a.* torpedo; counteract; **~'treibung** *f* (-) hindrance, prevention; frustration, obstruction; **~treppe** *f* back stairs *pl.*; **~treppenpolitik** *f* backstair(s) politics; **~treppen-roman** *m* shilling shocker, penny dreadful, *Am.* dime novel; **~tupfin-gen** ['-tupfiŋən] *colloq. n* (-s) Podunk; **~tür** *f* back-door; *fig. a.* loop-hole, escape, outlet; *sich ein ~chen offenhalten* keep a backdoor open; **~wäldler** ['-vɛltlər] *m* (-s; -) backwoodsman, *Am. a.* hillbilly, hick; **~wärts** ['-vɛrts] *adv.* backward(s); **≈'ziehen** *jur. v/t.* (*irr., h.*) defraud, evade (*taxes*); **~'ziehung** *f* defraudation (*of the revenues*), (*tax*) evasion; **~zimmer** *n* back-room.

'hin...: **~tragen** *v/t.* (*irr., h.*) carry (*or* take) there *or* to a place; **~träu-men** *v/i.* (*h.*): *vor sich ~* be musing, be lost in reverie, be daydreaming; **~treten** *v/i.* (*irr., sn*): *vor j-n ~* (take one's) stand before a p.; *treten Sie dorthin!* stand over there!; **~tun** *v/t.* (*irr., h.*) place (*or* put) somewhere; *wo soll ich es ~?* where shall I put it?; *colloq. ich weiß nicht, wo ich ihn ~ soll* I can't place him.

hinüber [hi'ny:bər] *adv.* over, over there; to the other side; *quer ~* across; *über ... ~* over, across; *fig. colloq. food*: spoilt; *object*: gone, broken, no longer of use; *er ist ~* he is dead, it's all over with him; **~blicken** *v/i.* (*h.*) look over *or* across (*zu dat.* to); **~bringen** *v/t.* (*irr., h.*) take over *or* across; **~fah-ren I.** *v/t.* (*irr., h.*) *j-n*: drive (*or* run, take) *a p.* over *or* across; *et.*: convey (*or* transport), carry *a th.* over; **II.** *v/i.* (*irr., sn*) pass to the other side, cross; **~gehen** *v/i.* (*irr., sn*) go over, walk across; *~ über* (*acc.*) cross; *fig.* pass away; **~-kommen** *v/i.* (*irr., sn*) get over *or* across; **~lassen** *v/t.* (*irr., h.*) allow to (*or* let) go over; **~reichen I.** *v/t.* (*h.*) pass *or* hand over *or* across; **II.** *v/i.* (*h.*) reach *or* extend across; **~schwimmen** *v/i.* (*irr., sn*) swim across, swim over (*zu* to); **~sprin-gen** *v/i.* (*irr., sn*) jump (*über e-n Zaun* a fence), leap over; **~tragen** *v/t.* (*irr., h.*) carry over *or* across (*zu* to); **~wechseln** *v/i.* (*h.*) shift (*or* switch) over, go over (*zu* to); **~werfen** *v/t.* (*irr., h.*) throw (*or* fling) across; **~ziehen I.** *v/t.* (*irr., h.*) draw (*or* pull, drag) across *or* over; **II.** *v/i.* (*irr., sn*) move (*or* march) across *or* over.

hinunter [hi'nuntər] *adv.* down (there), downward(s); *den Hügel ~* down the hill, downhill; *die Treppe ~* down the stairs, downstairs; *den Fluß ~* down the river, downstream; *die Straße ~* down the street; *~ mit ihm!* down with him!; *da ~, dort ~* down there, down that way; *in compounds usu. ...* down; **~blicken** *v/i.* (*h.*), **~schauen** *v/i.* (*h.*), **~sehen** *v/i.* (*irr., h.*) look (*or* glance) down (*auf acc.* upon); **~fahren** *v/i.* (*irr., sn*) drive (*or* ride, go) down; *schnell ~* rush (*or* race, fly) down; **~fallen** *v/i.* (*irr., sn*) fall (*or* tumble) down; crash down; **~führen I.** *v/t.* (*h.*) lead (*or* take) down; **II.** *v/i.* (*h.*) *path, stairs*: lead (*or* run) down (*nach, zu* to); **~gehen** *v/i.* (*irr., sn*) go (*or* walk) down; **~gießen** *v/t.* (*irr., h.*) pour down; gulp (down) (*drink*); **~helfen** *v/i.* (*irr., h.*) help *a p.* down; **~lassen** *v/t.* (*irr., h.*) let down, lower; **~reichen I.** *v/t.* (*h.*) hand down; **II.** *v/i.* (*h.*): *~ (bis) auf or zu* reach down to; **~schlin-gen** *v/t.* (*irr., h.*), **~schlucken** *v/t.* (*h.*) → *hinterschlingen*; **~spülen** *v/t.* (*h.*) wash down; **~stürzen I.** *v/t.* (*h.*) gulp (down), toss off (*drink*); **II.** *v/i.* (*sn*) fall (*or* tumble, crash) down; **~werfen** *v/t.* (*irr., h.*) throw down; *j-n die Treppe ~* kick a p. downstairs; **~würgen** *v/t.* (*h.*) choke down; **~ziehen I.** *v/t.* (*irr., h.*) pull (*or* drag) down; *sich ~ bis an or zu* reach as far as, extend to; **II.** *v/i.* (*irr., sn*) march (*or* troop) down (*nach, zu* to).

'hinwagen: *sich ~* (*h.*) venture to *or* near a place.

Hinweg ['-ve:k] *m*: *auf dem ~* on the way there *or* out.

hinweg [-'vɛk] *adv.* away, off; *~ (mit euch)!* get away!, be off!, begone!; **~bringen** *v/t.* (*irr., h.*): *j-n über et. ~* help a p. to get over a th.; *dies wird uns über die kritische Zeit ~* this will see us through (*or* tide us over) the critical period; **~führen** *v/t.* (*h.*) lead (*or* march, walk) off; **~gehen** *v/i.* (*irr., sn*) go away; *fig. über et. ~* pass lightly over a th.; laugh (shrug) a th. off; skip a th.; ignore (*or* overlook) a th.; **~helfen** *v/i.* (*irr., h.*): *~ über* (*acc.*) help over; *fig.* → *hinwegbringen*; **~kommen** *v/i* (*irr., sn*): *~ über* get over (*a. fig.*); **~raffen** *v/t.* (*h.*) snatch away; **~sehen** *v/i.* (*irr., h.*): *~ über* (*acc.*) see over, look over; *fig.* overlook, shut one's eyes to; **~sein** *v/i.* (*irr., sn*): *~ über* (*acc.*) be beyond *or* past *or* over; **~setzen**: *sich über* (*acc.*) make light of, brush aside, disregard, dismiss, ignore; override *a rule, an objection, etc.*; *lachend* (*gleichgültig*): laugh (shrug) *a th.* off; **~täuschen** *v/t.* (*h*).: *über die Tatsache or darüber ~* obscure the fact (*that*), *j-n*: blind *a p.* to a fact, delude *a p.* as to.

'hin...: **≈weis** ['-vaɪs] *m* (-es; -e; *auf acc.*) reference (to); hint (at), allusion (to); advice, instruction; pointer; indication (of), index (to); notice; remark, comment; *unter ~ auf* in reference to, referring to; **~weisen I.** *v/t.* (*irr., h.*) *j-n ~ auf* (*acc.*) refer *a p.* to, draw (*or* call) *a p.'s* attention to; **II.** *v/i.* (*irr., h.*): *~ auf* (*acc.*) point at *or* to, indicate; *fig.* point out, indicate; hint at, allude to; refer to; *darauf ~, daß* point out that; stress (emphasize) that; **~weisend** *gr. adj.*: *~es Fürwort* demonstrative pronoun; **≈wei-sung** *f* → *Hinweis*; **≈weiszeichen** *n traffic*: directional sign; **~wenden** *v/t. and sich* (*irr., h.*) turn (*zu* to); **~werfen** *v/t.* (*irr., h.*) throw (*or* fling) down; *fig.* drop *a remark* (casually); dash off *a sketch, etc.*, with a few strokes; jot down, dash off (*a letter, etc.*); (*abandon*) chuck (up); *hingeworfene Bemerkung* casual (*or* stray) remark; **~'wiederum** *adv.* **1.** again, once more; **2.** on the other hand; **3.** in return; **~wirken** *v/i.* (*h.*): *~ auf* (*acc.*) work towards, use one's influence to *inf.*; **~wollen** *v/i.* (*h.*) want to go (there).

Hinz [hints] *m*: *~ und Kunz* Tom, Dick and Harry.

'hin...: **~zählen** *v/t.* (*h.*) count out (*or* down); **~zeigen** *v/i.* (*h.*) → *hinweisen*; **~ziehen I.** *v/t.* (*irr., h.*) draw *or* pull (*zu* to[wards]); *fig.* draw *or* drag out, protract; *sich hingezogen fühlen* feel *or* be attracted (*zu* by), be drawn (to); *sich ~* **a)** extend (*or* stretch, spread) (*bis* to, *entlang* along), **b)** stretch away, **c)** drag on; **II.** *v/i.* (*irr., sn*) go (*or* march) away; *~ nach* march (*or* move) to(wards); move to (*new dwelling*); **~zielen** *v/i.* (*h.*): *~ auf* (*acc.*) aim at, *fig. a.* have in view, be out for; *matter*: tend to, be directed to.

hin'zu *adv.* **1.** to the spot, near; there; **2.** in addition, moreover, besides; **3.** into the bargain; *in compounds* to(wards), near, close (to), up, to the place; in addition, besides; **~bekommen** *v/t.* (*irr., h.*) get (*or* receive) in addition *or* besides; **~denken** *v/t.* (*irr., h.*) add in thought *or* one's mind; guess; **~fügen** *v/t.* (*h.*) add; enclose, attach; append, annex; **≈fügung** *f* addition (*zu* to); **~gesellen:** *sich ~* (*h.*) join; **~kommen** *v/i.* (*irr., sn*) come up (to); come unawares, drop in; *med. complications*: supervene; *es kamen noch zehn Personen hinzu* they were joined by ten more persons; *es kommt noch hinzu, daß* add to this that, what is more; **~kommend** *adj.* additional, further; **~nehmen** *v/t.* (*irr., h.*), **~rechnen** *v/t.* (*h.*) add (*zu* to), include (in *or* among); **~setzen** *v/t.* (*h.*) add (*zu* to); **~treten** *v/i.* (*irr., sn*) → *hinzukommen*; join; be added (*zu* to); **~-wählen** *v/t.* (*h.*) elect in addition, coopt; **~zählen** *v/t.* (*h.*) add (*zu* to),

reckon *or* count (in, with); **~ziehen** *v/t.* (*irr.*, *h.*) call in, consult (*doctor, etc.*); **2ziehung** *f* calling-in, consultation; inclusion.
Hiob ['hi:ɔp] *m* (-*s*) Job.
'**Hiobs...:** **~bote** *m* bearer of bad news; **~botschaft, ~post** *f* bad news; **~geduld** *f* patience of Job.
Hippe ['hipə] *f* (-; -*n*) *agr.* bill(hook), pruningknife; scythe (*a. fig.*: of death); wafer.
Hippodrom [hipo'dro:m] *n* (-*s*; -*e*) hippodrome.
hippokratisch [-'kra:tiʃ] *adj.* Hippocratic.
Hirn [hirn] *n* (-[e]s; -e) brain; *a. fig.* brains *pl.*; *fig.* mind; → *Gehirn*; *in compounds* cerebral ...
'**Hirn|anhang** *m* hypophysis; pituitary gland; **~fläche** *tech. f* cross-cut end; **~gespinst** *n* chimera, phantasm, phantom; fancy, crotchet; wild notion; **~haut** *f* meninx, *usu.* meninges *pl.*; **~haut-entzündung** *f* meningitis; **~holz** *tech. n* cross-cut wood; **2los** *adj.* brainless, chicken-brained; **~rinde** *f* cerebral cortex; **~säge** *tech. f* cross-cut saw; **~schädel** *m*, **~schale** *f* brain-pan, skull, cranium; **~schlag** *m* (fit of) apoplexy; **~stamm** *m* brain stem; **2verbrannt** *adj.* insensate, foolish; crazy, mad, cracked.
Hirsch [hirʃ] *m* (-es; -e) stag, hart, *w.s.* (red) deer; *cul.* venison (...); '**~bock** *m* stag, buck; '**~brunft** *f* rut of stags; '**~dorn** *bot. m* buckthorn; '**~fänger** *m* hunting-knife, bowie knife; '**~geweih** *n* (stag's) antlers *pl.*; '**~horn** *n* (-[e]s) hartshorn; '**~hornsalz** *chem. n* hartshorn salt, carbonate of ammonia; '**~jagd** *f* stag-hunt(ing); '**~käfer** *m* stag-beetle; '**~kalb** *n* fawn, calf of deer; '**~keule** *f* haunch of venison; '**~kuh** *f* hind; '**~leder** *n* buckskin; '**2ledern** *adj.* (of) buckskin; '**~talg** *m* suet of deer; '**~ziemer** *m* saddle of venison.
Hirse ['hirzə] *f* (-) millet; **~brei** *m* millet gruel; **~fieber** *n* miliary fever; **~korn** *n* (-[e]s; ¨er) millet-seed; *med.* milium, stye; **~mehl** *n* millet-flour.
Hirt [hirt] *m* (-*en*; -*en*) herdsman; *a. fig.* shepherd; *eccl. der Gute ~e* the Good Shepherd.
'**Hirten...:** **~amt** *eccl. n* pastorate; **~brief** *eccl. m* pastoral (letter); **~flöte** *f* shepherd's pipe; **~gedicht** *n* pastoral (poem), bucolic poem; **~junge, ~knabe** *m* shepherd boy; **~lied** *n* pastoral song; **2los** *adj.* sheperdless; **~mädchen** *n* (young) shepherdess; **~spiel** *n* pastoral play; **~stab** *m* shepherd's staff; *eccl.* crosier; **~tasche** *f* shepherd's pouch (*or* purse, *a. bot.*); **~volk** *n* pastoral tribe *or* people.
'**Hirtin** *f* shepherdess.
His [his] *mus. n* (-; -) B sharp.
hissen ['hisən] *v/t.* (*h.*) hoist (up), raise.
hist! [hist] *int. to horse*: wo-hi!, left!
Histor|ie [hi'sto:riə] *f* (-; -*n*) (history; **~ienmaler** *m* history painter; **~iker** *m* historian; **2isch I.** *adj.* historical; (*important*) historic; **II.** *adv.* historically; in the light of history.
Hitz|ausschlag ['hits-] *med. m* heat-rash; **~bläs-chen** *n*, **~blatter** *f* (-; -*n*) (heat-)pimple; pustule; → *Hitzpickel*; **~draht** *tech. m* hot (*or* heated) wire.
'**Hitze** *f* (-) heat (*a. tech.*), hot weather; *drückende ~* oppressive (*or* sweltering) heat; *med. fliegende ~* hot-fit; *~ ausstrahlen* radiate heat; *fig.* heat (of passion), passion, ardo(u)r, fervo(u)r; rage, fury; *in ~ geraten* fire (*or* flare) up, fly into a passion, *Am. sl.* get hot under the collar; *in der ~ des Gefechtes* (*der Debatte*) in the heat of the moment (debate); **2beständig** *adj.* heat-resistant (*or* -proof), thermostable; **~beständigkeit** *f* heat resistance; **~einheit** *f* heat unit; **2empfindlich** *adj.* sensitive to heat; **~grad** *m* degree (*or* intensity) of heat; **~(grad)messer** *m* pyrometer; **~härten** *tech. n* thermosetting; **~welle** *f* heat wave, hot spell.
'**hitzig I.** *adj. fig. med.* acute, high (*fever*); *person*: hot-headed, hot-tempered; hasty, rash; hot-blooded, passionate, fiery; violent, vehement; choleric, irascible; heated (*debate*); hot (*fight, etc.*); *~ werden* fire up, fly into a passion, *debate*: grow heated; *nicht so ~!* gentle!, hold your horses!, take it easy!; **II.** *adv.* heatedly, hotly, passionately.
'**Hitz...:** **~kopf** *m* hothead, hotspur; **2köpfig** ['-kœpfiç] *adj.* hot-headed; **~pickel** *m/pl.*, **~pocken** *f/pl.* heat-rash, prickly heat; **~schlag** *m* heat-stroke, heat-prostration.
hm! [hm] *int.* hm!, ahem!
h-Moll ['ha:mɔl] *mus. n* (-) b minor.
hob [ho:p] *pret. of heben.*
Hobel ['ho:bəl] *m* (-*s*; -) *tech.* plane; *bookbinding*: plough knife; *typ.* shootboard; **~bank** *f* (-; ¨e) carpenter's (*or* joiner's) bench; **~eisen** *n* plane-iron; **~maschine** *f* planing machine; **~messer** *n* plane-iron, cutter; **2n** *v/t.* (*h.*) plane; shape; surface; *fig.* polish, refine; **~späne** ['-ʃpɛ:nə] *m/pl.* (wood) shavings, chippings; *of steel*: facings; **~werk** *n* planing mill.
Hoboe [ho'bo:ə] *mus. f* (-; -*n*) hautboy, oboe; **~bläser, Hoboist** [-bo'ist] *m* (-*en*; -*en*) hautboyist, oboist.
hoch [ho:x] **I.** *adj.* high; → *höher, höchst*; tall; elevated; *6 Fuß ~ sein* be 6 feet high *or* in height, *snow*: be 6 feet deep; *fig.* high; noble, lofty, sublime; great, important; *hoher Adel* nobility, *Brit. a.* peerage; *hohes Alter* great (*or* old, advanced) age; *hohe Ehre* great hono(u)r; *hohe Geburt* high birth; *hohe Geldstrafe* heavy fine; *hohes Gericht* **a)** high court, **b)** *address*: Your Lordship (*Am.* Your Honor), Members of the Jury!; *parl. Hohes Haus* the House; *hoher Norden* far North; *hoher Offizier, etc.* high (-ranking) officer, *etc.*; *hohe Politik* high politics; *hoher Preis* high price; *hoher Sinn* lofty mind; *hohe See* the high seas *pl.*, open sea; *hohes Spiel* high playing; *hohe Strafe* severe punishment; *bei hoher Strafe* under a heavy penalty; *colloq. hohes Tier* *sl.* big shot; *mus. hoher Ton* high tone *or* note; → *Ansehen, Bogen, Kante*; *ein hohes Lied singen auf* (*acc.*) sing the praises of; → *Meinung*; *hohe Zinsen tragen* bear large (*or* heavy) interest; *in hoher Blüte stehen* enjoy great prosperity, be flourishing; *in hohem Maße* highly, largely, in a high degree; *in hoher Fahrt* at full speed; **II.** *adv.* highly; *~ emporragend* towering; *drei Mann ~* three men deep, three of them; *math. 4 ~ 5* four to the fifth (power); → *anrechnen*; *~ und heilig geloben* promise solemnly; *~ und heilig schwören* swear by all that is holy; *~ gewinnen* win high (*or* by a wide margin); *~ verlieren* suffer a crushing defeat, get trounced; *~ spielen* play (at) high (stakes); *~ im Preise stehen* stand at a high figure; *~ verehren* hono(u)r *or* esteem highly; *~ zu stehen kommen* cost dear, come expensive; *den Kopf ~ tragen* hold one's head high; *die Nase ~ tragen* stick up one's nose, be stuck-up (*or Am.* high-hat); *zwei Treppen ~ wohnen* live on the second floor; *zu ~ bemessen* calculate at too high a figure; *mus. zu ~ gestimmt* tuned (*or* pitched) too high; *zu ~ einschätzen* overestimate, overrate; *zu ~ singen* sing sharp; *das ist mir zu ~* that's beyond me *or* my reach; *s-e Rede war zu ~ für sie* he was talking over their heads; *die See ging ~* the sea was high; *der Vorhang ist ~* the curtain is up; *es ging ~ her* it was quite an affair (*or* party), things were pretty lively; *wenn es ~ kommt* at the most (*or* highest), at best; *wie ~ möchten Sie gehen?* to what price would you like to go?; *Hände ~!* hands up!; → *Kopf*; *~ lebe die Königin!* long live the Queen!
Hoch *n* cheer, hurrah; toast; *meteor.* high(-pressure area), anticyclone; *ein ~ auf j-n ausbringen* cheer a p.; *ein dreifaches ~ für* three cheers for; *2 und niedrig* high and low.
'**hoch...:** **~achtbar** *adj.* most respectable *or* hono(u)rable; **~achten** *v/t.* (*h.*) esteem highly, respect deeply; **2achtung** *f* (high) esteem, (deep) respect; reverence; admiration; *bei aller ~ vor* (*dat.*) with all respect to; *j-m ~ zollen* pay respect (*or* homage, tribute) to; *in letter*: *mit vorzüglicher ~* Very respectfully yours, *esp. Am.* Yours very truly; **~achtungsvoll I.** *adj.* (most) respectful, deferential; **II.** *adv. a.* with the greatest respect; *in letters*: Yours respectfully, *esp. econ.* Yours faithfully (*or* sincerely), *esp. Am.* Yours truly; **2altar** *m* high altar; **2amt** *eccl. n* high mass; **~angesehen** *adj.* → *hochgeachtet*; **~ansehnlich** *adj.* most hono(u)rable; **2antenne** *f* elevated *or* overhead *or* outdoor aerial (*Am.* antenna); **~aufgeschossen** *adj.* lanky; **2aufnahme** *phot. f* upright picture; **2aufschlag** *m tennis*: overhand service; **2bahn** *f* overhead (*or* high-level) railway, *Am.* elevated railroad (*abbr.* El); **2bau** *m* (-[e]s; -ten) surface (*or* structural) engineering; *el.* overhead-line construc-

tion; *Hoch- und Tiefbau* structural and civil engineering; **2bau-amt** *n* Building Surveyor's Office; **~begabt** *adj.* highly gifted (*or* talented), with high endowment; **2behälter** *m* overhead bin, high-level (*or* gravity) tank; **~beinig** ['-baɪnɪç] *adj.* long-legged; **~bejahrt** *adj.* advanced in years, aged; **~berühmt** *adj.* highly renowned, very famous, celebrated; **~betagt** *adj.* → *hochbejahrt*; **2betrieb** *m* (-[e]s) intense (*or* feverish) activity, rush, bustle; rush hours, peak time; *w.s.* high season; *es herrschte ~* there was a (mad) rush, business was booming; *auf den Werften herrschte ~* the shipyards were humming with activity; **~bezahlt** *adj.* highly paid; **~bringen** *v/t.* (*irr.*, *h.*) lift, get up; *fig.* raise, develop; bring to prosperity; **~brisant** *adj.* high-explosive; **~bunker** *mil.* *m* tower shelter; **2burg** *fig.* *f* stronghold; **2decker** ['-dɛkər] *aer.* *m* (-s; -) high-wing monoplane; **~deutsch** *adj.* High (*w.s.* standard) German; **2druck** *m* (-[e]s) high pressure; *typ.* (-[e]s; -e) relief printing; *fig.* *mit ~* at high (*or* full) pressure, at full blast; **2druck...** *in compounds* high-pressure ...; **2druckgebiet** *n* *meteor.* high (-pressure area), anticyclone; **2ebene** *f* elevated plain, plateau, tableland; **~elegant** *adj.* very elegant, most stylish; **~empfindlich** *phys.* *adj.* highly sensitive; *phot.* high speed (*film, etc.*); **~entwickelt** *adj.* highly developed, greatly refined; subtle; *tech.* highly perfected; **~erfreut** *adj.* highly pleased, overjoyed, delighted (*über acc.* at); **~erhoben** ['-ɛrho:bən] *adj.* raised high; *~en Hauptes* with head held high; **~explosiv** *adj.* high-explosive; **~fahren** *v/i.* (*irr.*, *sn*) start up; flare up; **~fahrend** *adj.* high-handed, haughty, arrogant; **~fein** *adj.* superfine; exquisite; tip-top, A 1, *econ. a.* very choice, first-rate; **2finanz** *f* (-) high finance; **2fläche** *f* → *Hochebene*; **~fliegen** *v/i.* (*irr.*, *sn*) soar (up); *aer. steil ~* zoom; **~fliegend** *fig. adj.* high-flying, soaring, ambitious, lofty, highflown; **2flug** *m aer.* high (altitude) flight; *fig.* *~ der Gedanken* soaring thoughts; **2flut** *f* high tide; *fig.* flood-tide, deluge; **2form** *f*: *in ~* in top form, at one's best; **2format** *n* upright format; **~frequent** ['-frekvɛnt] *el. adj.* high-frequent; supersonic; **2frequenz** *el. f* high frequency (*abbr.* H.F.), radio frequency; *in compounds usu.* high-frequency ...; **2frequenzbereich** *m radio*: treble range (*or* band); **2frequenzhärtung** *tech. f* hardening by high-frequency current; **2frequenzkamera** *phot. f* high-speed camera; **2frequenztechnik** *f* high-frequency engineering; **2frisur** *f* upswept hair-style; **2garage** *f* → *2hausgarage*; **~geachtet** ['-gəaxtət] *adj.* highly esteemed (*or* respected), of high standing; **~gebildet** *adj.* highly educated; **2gebirge** *n* high mountains *pl.*, high mountain region; **2gebirgs...** high mountain ..., Alpine *plant, world, etc.*: **~geboren** *adj.* high-born; *title*: Right Hono(u)rable; **~ge-ehrt** *adj.* highly hono(u)red; **2gefühl** *n* elation, exultation, high glee; **~gehen** *v/i.* (*irr.*, *sn*) *curtain, etc.*: rise; *sea*: run high; *prices*: go up, rise; up; *bomb, bridge, etc.*: blow up; *colloq. person*: explode, lose one's temper, hit the ceiling; **~gehend** *adj.* running high, heavy (*sea*); **~gelegen** *adj.* high-lying, elevated; **~gelehrt** *adj.* very learned, erudite; **~gemut** ['-gəmu:t] *adj.* high-spirited; **2genuß** *m* great delight, real treat; **2gericht** *n* place of execution; **~geschätzt** ['-gəʃɛtst] *adj.* highly appreciated (*or* valued); highly esteemed; **~geschlossen** *adj.* high-necked (*dress*); **2geschwindigkeits...** *tech.* high-speed...; **~gesinnt** *adj.* high-minded; **~gespannt** *adj.* at high tension; *fig.* high-strung; great, high (*expectations*); **~gestellt** ['-gəʃtɛlt] *adj.* high-ranking; **~gestochen** *adj.* jumped-up; sophisticated; **~gewachsen** *adj.* tall, lanky; **~gezüchtet** ['-gətsyçtət] *adj.* thoroughbred (*horse*); *tech.* sophisticated; **2glanz** *m* high polish, bright lust|re, *Am.* -er, high mirror finish; **~glanzpolieren** *v/t.* (*h.*) burnish, mirror-finish; **2glanzpolitur** *f* brilliant polish, high-lust|re (*Am.* -er) polish; **~gradig** ['-gra:dɪç] *adj.* in (*or* to) a high degree (*a. adv.*), high-grade, intense, extreme (*a. med. and fig.*); **2gradigkeit** *f* (-) intensity; **2halte** *f* (-) *gym.* *Arme in ~* arms at vertical; **~halten** *v/t.* (*irr.*, *h.*) hold up; *fig.* esteem (*or* value) highly; cherish (*memory, etc.*); uphold (*faith, etc.*); *econ.* keep up, peg (*prices*); **2haus** *n* (multi-stor[e]y) building, skyscraper, tower block; **2hausgarage** *f* multi-stor(e)y garage; **~heben** *v/t.* (*irr.*, *h.*) lift, raise, heave; hold up (*dress*); *parl.* *durch 2 der Hände* by show of hands; **~herzig** *adj.* high-minded; generous, magnanimous; **2herzigkeit** *f* (-) generosity, magnanimity; **~jagen** *v/t.* (*h.*) rout (out), rouse; race, rev up (*engine*); **~kant(ig)** *adv.* on end *or* edge, edgewise; *~ stellen* set on end, upend; **2kirche** *f* *Brit.* High Church; **~klappbar** *adj.* upward-folding, hinged; **~klappen** *v/t.* (*h.*) turn up; **~klettern** *v/i.* (*sn*): *~ an* (*dat.*) climb up; **~kommen** *v/i.* (*irr.*, *sn*) → *heraufkommen*; get up, get on (*or* struggle to) one's feet; *fig.* get on, make one's way up; **2konjunktur** *econ. f* boom, peak prosperity; **~konzentriert** *chem. adj.* highly concentrated; **2kultur** *f* (very) advanced civilization; **2lage** *f* high altitude; **2land** *n* highland, upland; *schottisches*: *the* Highlands *pl.*; **~leben:** *j-n ~ lassen* give a p. three cheers; toast a p.; *er lebe hoch!* three cheers to ...; **2leistungs...** *tech.* high capacity ..., heavy-duty ..., high-efficiency (*or* -output, -performance) ...; **2leistungs-öl** *n* heavy-duty (*abbr.* H.D.) oil; **2leitung** *el. f* overhead wire.

höchlich ['hø:çlɪç] *adv.* highly, greatly.

'**hoch...:** **2meister** *m* Grand Master; **2mittelalter** *n* *the* High Middle Ages *pl.*; **~modern** *adj.* up-to-date, highly modern, ultra-modern, in the latest style; **2moor** *n* upland moor; **2mut** *m* haughtiness, superciliousness, pride; arrogance; *~ kommt vor dem Fall* pride will have a fall; **~mütig** ['-my:tɪç] *adj.* haughty, supercilious, proud, arrogant; **~näsig** ['-nɛ:zɪç] *adj.* stuck-up, *Am.* high-hat, snooty; *j-n ~ behandeln* turn up one's nose at a p., *Am.* high-hat a p.; **~nehmen** *v/t.* (*irr.*, *h.*) lift (*or* pick) up; *fig.* tease, pull *a p.'s* leg, heckle; fleece, *sl.* soak, *Am. a.* take for a ride; give *a p.* hell; **2ofen** *m* (blast-)furnace; **2parterre** *n* raised ground-floor; **2plateau** *n* high plateau; **~prozentig** *adj.* of a high percentage; high-proof (*spirits*); **~pumpen** *v/t.* (*h.*) pump up; **~qualifiziert** *adj.* highly qualified (*or* trained); **~ragen** *v/i.* (*h.*) tower, soar, loom; **~rappeln:** *sich ~* (*h.*) struggle to one's feet; **2rechnung** *f* projection; projected result; **2reck** *n gym.* high bar; **~reißen** *aer.* *v/t.* (*irr.*, *h.*) zoom, hoick; **2relief** *n* high relief; **~rot** *adj.* bright (*or* deep) red, crimson; **2ruf** *m* cheer; *mit ~en empfangen, etc.* cheer; **2saison** *f* peak (*or* height of the) season; **~schätzen** *v/t.* (*h.*) → *hochachten*; **~schnellen** *v/i.* (*sn*) bound up; *prices*: jump, rocket; **~schrauben** *v/t.* (*h.*) raise; pitch high; *aer. sich ~* spiral up; **2schule** *f* university; academy, college; *technische ~* institute of technology, polytechnic; *pädagogische ~* teacher's training college; **2schüler(in** *f*) *m* university student; collegian; **2schullehrer(in** *f*) *m* university (college) teacher, professor, reader, lecturer; **2schulreife** *f* matriculation standard; **~schwanger** *adj.* well advanced in pregnancy; **2see** *f* (-) high sea(s *pl.*), deep (*or* main) sea; **2seefische'rei** *f* deep-sea fishery; **2seeflotte** *f* high sea fleet; **2seekabel** *n* deep-sea cable; **2seeschlepper** *m* sea-going tug(boat); **~seetüchtig** *adj.* ocean- (*or* sea-) going; **2seil** *n acrobatics*: high wire; **~sinnig** *adj.* high-minded; **2sommer** *m* midsummer; **2spannung** *el. f* high tension (*abbr.* H.T.), high voltage (*abbr.* H.V.); **2spannungsleitung** *el. f* high-tension (*or* power) line; **2spannungsmast** *m* power line support, pylon; **2spannungsnetz** *n* high-tension mains *pl.*; **2sprache** *f*: *die deutsche ~* standard German; **2springer(in** *f*) *m* high-jumper; **2sprung** *m* high jump.

höchst [hø:çst] **I.** *adj.* highest, uppermost, topmost; *fig.* highest, greatest, supreme, extreme, utter; highest ranking; *~es Gut* most precious possession; *~e Instanz* last resort; *~er Punkt fig.* culminating point, height, peak; *~e Vollkommenheit* peak of perfection; → *Ton*²; *es ist ~e Zeit* it is high time; *es ist von ~er Wichtigkeit* it is of the utmost importance; **II.** *adv.* highly, greatly, most, extremely, exceedingly, in the highest degree, →

äußerst; *in compounds* maximum ..., top ..., peak ..., ceiling ...; → *Spitzen* ...

ˈ**hoch...:** **~stämmig** *adj.* tall; standard (*rose tree*); **2stand** *m hunt.* (raised) hide; *fig.* fine condition, prosperity; high level (*of prices*); **2stapelei** [-ʃtɑːpəˈlaɪ] *f* (-; -*en*) (high-class) swindling, imposture, confidence trick (*Am.* game); **2-stapler(in** *f*) *m* (-s, -; -, -*nen*) impostor, swindler, confidence man.

höchst... [ˈhøːçst-]: **2alter** *n* maximum age; **2be-anspruchung** *tech. f* maximum (*or* peak) load *or* stress; **2belastung** *f* maximum (*or* capacity, *el.* peak) load; **2betrag** *m* maximum (amount), limit; **2e** *n*: *das* ~ the highest things *pl.* (*or* aim), the ideal; *auf das* (*or aufs*) 2 in the highest degree, extremely, intensely.

ˈ**hochstehend** *adj.* upright; *typ.* superior; *fig.* distinguished, high-ranking, notable, of high standing; superior, on a high level (*matter*).

ˈ**höchst...:** **~eigenhändig** *adj.* with his (*f* her) own hand; **~ens** [ˈhøçstəns] *adv.* at (the) most, at best; *esp. jur.* not exceeding; **2fall** *m*: *im* ~ → *höchstens*; **2form** *f* (-) *sports*: top form, peak (*or* pink) of condition; **2frequenzwelle** *f* microwave; **2gebot** *n* highest bid; **2geschwindigkeit** *f* maximum (*or* top) speed; *mot. zulässige* ~ speed-limit; *Überschreiten der* ~ speeding; **2-grenze** *f* maximum limit, ceiling; **2leistung** *f sports*: record (performance), best mark (*or* time); *tech.* maximum output (*or* performance), *el.* peak output; *w.s.* supreme achievement, great record; **2lohn** *m* maximum wage(s *pl.*); **2maß** *n* maximum (amount); **~persönlich** *adj.* himself (*f* herself), in person; **2preis** *m* maximum (*or* ceiling) price; **2satz** *m* maximum (level), ceiling; **2spannung** *f el.* extra-high tension (*abbr.* E.H.T.); peak voltage; *tech.* maximum stress; **2stand** *m* peak (level), record level; *Am. a.* all-time high; **2strafe** *f* maximum penalty.

ˈ**hochstrebend** *adj.* soaring; *fig.* aspiring, ambitious; high-flying, lofty.

ˈ**höchst...:** **2wert** *m* maximum value; **2zahl** *f* maximum, peak figure; **~zulässig** *adj.* maximum (permissible).

ˈ**hoch...:** **~tönend** *adj.* high-sounding, grandiloquent, bombastic; **2-tonlautsprecher** *m* treble loud-speaker; **2tour** *f* Alpine tour, high-level climb; *mot., tech. auf* **~en** at high pressure *or* speed, *fig. a.* in full swing; **~tourig** *tech. adj.* high-speed; **2tourist(in** *f*) *m* mountaineer; **~trabend** *fig. adj.* pompous, overbearing; *words*: → *hochtönend*; **~treiben** *econ. v/t.* (*irr., h.*) force up, *Am.* boost (*prices*); **2- und Tiefbau** *m* → *Hochbau*; **2vakuumröhre** *f* high vacuum valve (*or* tube); **~verdient** *adj.* highly deserving, of great merit; **~verehrt** *adj.* → *hochgeehrt*; **2verrat** *m* high treason; **2verräter(in** *f*) *m* person guilty of high treason, traitor; **~-verräterisch** *adj.* treasonable; **~-verzinslich** *adj.* bearing high rates of interest; **2wald** *m* high forest, timber(-forest); **2wasser** *n* (-s; -) *of river*: high water; *of sea*: high tide *or* water; floods *pl.*; **2wasserkatastrophe** *f* flood disaster; **2-wasserschaden** *m* flood damage; **2wasserstand** *m* high-water mark, flood level; **~wertig** [ˈ-veːrtiç] *adj.* high-grade, of high quality; high-class; **~e** *Nahrungsmittel* highly nutritive food; **~wichtig** *adj.* highly important; **2wild** *n* big game; (red) deer; **~willkommen** *adj.* highly welcome; **~winden** *v/t.* (*irr., h.*) *tech.* hoist, jack up; *sich* ~ wind up; **~wirksam** *adj.* highly active (*or* effective); **~wohlgeboren** *adj.*: *Ew.* 2! Your Hono(u)r!, Sir!; **2-würden:** *Ew.* ~! Reverend Sir; *S-e* ~ the Very Reverend (*title and full name*); **2zahl** *math. f* exponent.

Hochzeit [ˈhɔxtsaɪt] *f* (-; -*en*) wedding, nuptials *pl.*; marriage; ~ *halten* celebrate one's wedding; *silberne* (*goldene, diamantene, eiserne*) ~ silver (golden, diamond, iron) wedding; **~er** *m* (-s; -) bridegroom; **~erin** *f* (-; -*nen*) bride; **2lich** *adj.* nuptial, bridal.

ˈ**Hochzeits...:** **~feier(lichkeit)** *f*, **~fest(lichkeit** *f*) *n* wedding celebration, wedding; **~flug** *zo. m* nuptial flight; **~gast** *m* wedding-guest; **~gedicht** *n* nuptial poem; **~geschenk** *n* wedding present; **~-kleid** *n* wedding dress; **~kuchen** *m* wedding-cake; **~mahl** *n* wedding breakfast; **~nacht** *f* wedding night; **~reise** *f* honeymoon (trip); **~reisende** *pl.* honeymooners; **~tag** *m* wedding day; **~zug** *m* bridal procession.

ˈ**hochziehen** *v/t.* (*irr., h.*) pull (*or* draw) up; raise, lift; hoist; *aer.* zoom, hoick.

Hocke [ˈhɔkə] *f* (-; -*n*) *agr.* shock (of corn); *gym.* **a**) squat vault, **b**) squat position; *wrestling*: mat position; *swimming*: tuck (position); *skiing, etc.*: crouch; *in die* ~ *gehen* squat; **2n** *v/i.* (*h.*) squat, crouch; sit; perch; *colloq.* sit long, not to budge (from one's seat); *immer zu Hause* ~ stick at home; ~ *über* (*acc.*) be poring over; *sich* ~ squat (*or* sit) down.

ˈ**Hocker** *m* (-s; -) stool.

Höcker [ˈhœkər] *m* (-s; -) protuberance, hump; bump; *anat.* tuberosity; hump (*a. zo.*: *of the camel*), hunch; **2ig** *adj.* bumpy, rough, ragged; bossed, knobby; humpy; *bot.* tuberculate; tuberous; **~sperre** *mil. f* dragon's teeth.

Hockey [ˈhɔke] *n* (-s) (field) hockey; **~schläger** *m* hockey-stick; **~spieler(in** *f*) *m* hockey-player.

Hocksprung [ˈhɔk-] *m gym.* squat vault.

Hode [ˈhoːdə] *f* (-; -*n*), **~n** *m* (-s; -) *anat.* testicle; **~nbruch** *med. m* scrotal hernia; **~n-entzündung** *med. f* orchitis; **~nsack** *m* scrotum.

Hof [hoːf] *m* (-[e]s; ⸚e) court(yard), yard; backyard; *of barracks*: square; *agr.* farm; hotel, inn; court (*of king, etc.*); *ast., med.* corona, halo; *bei* (*or am*) **~e** at court; ~ *halten* keep (*or* hold) court; *fig. j-m den* ~ *machen* court a p., *contp.* dance attendance (*or* fawn) upon a p.

ˈ**Hof...:** **~arzt** *m* court physician; **~ball** *m* court ball; **~burg** *f* Imperial Palace; **~dame** *f* lady-in-waiting; **~dichter** *m Brit.* Poet Laureate; **2fähig** *adj.* presentable (at court).

Hoffart [ˈhɔfart] *f* (-) haughtiness, pride, arrogance; **hoffärtig** [ˈhɔfɛrtiç] *adj.* vainglorious, haughty, arrogant.

hoffen [ˈhɔfən] *v/t. and v/i.* (*h.*) (*auf acc.*) hope (for); expect, await; trust in, reckon upon, look forward to; be confident that; *verzweifelt* ~ hope against hope; *das Beste* ~ hope for the best; *es ist zu* ~ it is to be hoped; *ich hoffe* (*es*) I hope so; *ich hoffe nicht, ich will es nicht* ~ I hope not; 2 *n* (-s) hoping, hope; **~tlich** *adv.* it is to be hoped; *in answers*: I hope so, let us hope so; ~ *nicht* I hope not; ~ *ist er gesund* I hope he is well.

Hoffnung [ˈhɔfnuŋ] *f* (-; -*en*) hope (*auf acc.* for, of); hopefulness; expectation, anticipation; trust; prospect; *getäuschte* ~ disappointment; **~en** *erwecken* raise hopes (*in dat.* in); *berechtigte* **~en** *haben* have good hopes; *die* ~ *aufgeben* abandon hope; *guter* ~ *sein* be full of hope, *woman*: be expectant, be in the family way; *j-m* **~en** *machen* hold out hopes to a p.; *keine* ~ *mehr haben* be out of hope; *sich* **~en** *machen* be in (*or* entertain) hopes (that), be hopeful (that), hope (that, for); *s-e* **~en** *setzen auf* (*acc.*) pin one's hopes on, bank (up)on; *e-e* ~ *zerstören* dash a hope; *zu* **~en** *berechtigen* bid fair, show good promise; *zu schönen* **~en** *berechtigen* give fair promise (for the future), justify the fondest hopes; *in der* ~ *zu* (*inf.*) hoping to (*inf.*), in the hope of (*ger.*); *er ist unsere einzige* ~ our only hope is in him; *es besteht gewisse* ~, *daß* there is guarded hope that; *es besteht noch* ~ there is hope still; *Kap der Guten* ~ Cape of Good Hope.

ˈ**Hoffnungs...:** **2freudig** *adj.* hopeful; **~lauf** *m sports*: consolation contest; **2los** *adj.* hopeless; desperate; *pred. a.* past (all) hope; **~losigkeit** *f* (-) hopelessness; despair; **~-schimmer** *m* glimmer of hope; **~-strahl** *m* ray of hope; **2voll I.** *adj.* hopeful, full of hope; promising; **II.** *adv. a.* hopes high.

Hof... [ˈhoːf-]: **~gesinde** *n* farm labo(u)rers *or* servants *pl.*; servants *pl.* at court; **2halten** *v/i.* (*irr., h.*) keep (*or* hold) court, reside; **~haltung** *f* princely suite, *Brit.* Royal Household; **~hund** *m* watch-dog.

hofieren [hoˈfiːrən] *v/i.* (*h.*) court, pay one's court (*or* addresses) to; flatter, fawn (up)on.

höfisch [ˈhøːfiʃ] *adj.* courtly; courtier-like.

ˈ**Hof...:** **~kapelle** *f* royal chapel; *mus.* court orchestra; **~kreise** *pl.* court circles; **~leben** *n* (-s) court life; **~leute** *pl.* courtiers.

höflich [ˈhøːfliç] **I.** *adj.* polite, civil, courteous (*gegen* to); gallant; obliging (to); **II.** *adv.* politely, *etc.*; *wir* *bitten Sie* ~, *zu* (*inf.*) we may ask you kindly to (*inf.*); *wir teilen Ihnen* ~(*st*) *mit* we beg to inform you; 2**keit** *f* (-) politeness, civility, courtesy; (*word*) civility, compliment; *aus* ~ out of politeness.

ˈ**Höflichkeits...:** ~**besuch** *m* courtesy call; ~**bezeigung** *f* mark of respect; compliments *pl.*; ~**formel** *f* polite phrase; *in letters*: complimentary close.

ˈ**Hoflieferant** *m* purveyor to the Court, *Brit.* to Her Majesty.

Höfling [ˈhøːfliŋ] *m* (-*s*; -*e*) courtier.

ˈ**Hof...:** ~**mann** *m* (-[*e*]*s*; -*leute*) courtier; ~**marschall** *m* seneschal; ~**meister** *m* Master of the (Royal, *etc.*) Household; 2**meistern** *v/t.* (*h.*) censure; ~**narr** *m* court jester; ~**prediger** *m* court chaplain; ~**rat** *m* (-[*e*]*s*; ⸚*e*) Privy Council(lor); ~**raum** *m* (court-)yard; ~**schranze** *f* courtier; ~**staat** *m* **1.** royal *or* princely household (*or* suite); **2.** court-dress; ~**theater** *n* court *or* royal theatre; ~**tracht** *f* court-dress; ~**trauer** *f* court mourning.

hohe [ˈhoːə] → *hoch.*

Höhe [ˈhøːə] *f* (-; -*n*) height; *aer.*, *ast.*, *geogr.*: altitude; level; extent; importance, magnitude; *phys.* intensity; *mus.* pitch; height, elevation; summit, top; *of sum*: amount; degree (*of punishment*); ~ *der Preise* level (*or* range) of prices; ~ *des Zinsfußes* rate of interest; *in* ~ *von increase* at the rate of; *sum* to the amount (*or* tune) of; *in e-r* ~ *bis zu* ranging up to; *bis zu e-r* ~ *von punishment* to the extent of; *auf gleicher* ~ *mit* (*dat.*) on a level with; *auf der* ~ *von* in the latitude of, *mar.* off; *fig. auf der* ~ *sein* be up to the mark, be equal to the occasion, *der Zeit*: be up to date; *sich nicht auf der* ~ *fühlen* not to feel up to the mark; *auf der* ~ *s-s Ruhmes* on the summit (*or* at the height, peak) of his fame; *aus der* ~ from above (*or* on high); *in der* ~ on high, above; *in die* ~ up, upwards, aloft; *Preise in die* ~ *treiben* run up, *Am.* boost prices, *stock exchange*: bull the market; → *compounds with* hoch... (*hochfahren, hochsteigen, etc.*); *colloq. das ist die* ~! that's the limit!

Hoheit [ˈhoːhaɪt] *f* (-) sublimity; *of person*: **a)** nobleness, loftiness, **b)** grandeur, majesty, **c)** high rank (*or* dignity); *pol.* sovereignty; (*pl.* -*en*) *title*: Highness; *Seine* (*Ihre*) *Königliche* ~ His (Her) Royal Highness.

ˈ**Hoheits...:** ~**abzeichen** *n aer.* nationality mark(ing); *pol.* national emblem; ~**akt** *m* sovereign act; ~**bereich** *m*: *staatlicher* ~ jurisdiction of state; ~**gebiet** *n* sovereign territory; *deutsches* ~ German territory; ~**gewässer** *n/pl.* territorial waters; ~**grenze** *f* (three miles) limit of territorial waters; ~**rechte** *n/pl.* sovereign rights; 2**voll** *adj.* majestic(ally *adv.*), dignified; imperious; ~**zeichen** *n* → ~*abzeichen*.

ˈ**Hohelied** *n*: *das* ~ the Song of Solomon, the Song of Songs.

ˈ**Höhen...:** ~**abstand** *m* vertical interval; ~**angabe** *aer. f* altitude reading; ~**anzug** *aer. m* high-altitude flying suit; ~**atmer** [ˈ-ɑːtmər] *m* (-*s*; -) high-altitude oxygen apparatus; ~**flosse** *aer. f* (horizontal) fin *or* stabilizer; ~**flug** *m aer.* high-altitude flight; *fig. geistiger* ~ soaring thoughts; ~**flugzeug** *n* stratoplane, high-altitude aircraft; ~**kabine** *f* pressurized cabin; ~**karte** *f* contour map; ~**klima** *n* mountain climate; ~**krankheit** *f* altitude sickness; ~**kur-ort** *m* high-altitude health resort; ~**lage** *f* altitude (level); ~**leitwerk** *aer. n* elevator unit; ~**linie** *f map*: contour (line); ~**luft** *f* (-) mountain air; ~**messer** *m* (-*s*; -) *aer.* altimeter; *mil.* height finder; ~**messung** *f* altimetry; height measurement; ~**rekord** *m* altitude record; ~**ruder** *n aer.* elevator; *mar.* hydroplane (*of submarine*); ~**schichtlinie** *f* contour (line); ~**schreiber** *m* altigraph; ~**sonne** *f* Alpine (*or* mountain) sun; *med.* (*künstliche*) ~ sun-lamp, mercury vapour lamp; ~**steuer** *aer. n* elevator (control); ~ *geben* pull out; ~**strahlung** *f* cosmic radiation; ~**unterschied** *m* difference in elevation *or* altitude; ~**verlust** *aer. m* loss of altitude; ~**weltrekord** *m* world altitude record; ~**wind** *m* upper wind; ~**zug** *m* range of hills, mountain-chain.

Hoheˈpriester *m* high priest; 2**lich** *adj.* high-priestly.

ˈ**Höhepunkt** *m* highest point; *ast.*, *fig.* height, culmination, zenith; *fig. a.* climax (*a. physiol.*), acme, peak (*a. chem.*); summit, pinnacle (*of fame, etc.*); heyday (*of life, of epoch*); highlight, climax, high spot (*of feast, etc.*); critical point (*or* stage); *auf dem* ~*e* at its height; *auf dem* ~ *s-r Macht* at the zenith (*or* peak) of his power; *auf den* ~ *bringen* (bring to a) climax; *s-n* ~ *erreichen* (reach one's) climax, culminate (*in dat.* in).

höher [ˈhøːər] **I.** *adj.* higher; superior (*als* to); ~*e Bildung* higher education; ~*er Beruf* (learned) profession; ~*e Berufsstände* professional classes; *colloq.* ~*er Blödsinn* sheer nonsense; ~*es Dienstalter* seniority; ~*e Geometrie* analytical geometry; → *Gewalt*; ~*e Instanz* **a)** *jur.* higher court (*or* instance), **b)** *adm.* higher authority; ~*e Macht* supernatural power; ~*e Mathematik* higher mathematics *pl.*; ~*en Orts* by (higher) authority; ~*e Schule* secondary school; *in* ~*en Regionen schweben* live in the clouds; **II.** *adv.* higher, *fig.* more highly; higher up; *immer* ~ higher and higher; ~ *bewerten* rate higher; ~ *hinauswollen* fly at higher game; 2**e**(**s**) *n* (-[*e*]*n*) higher things *pl.*, *the* Higher Thought; ~**liegend** *adj.* more elevated; 2**versicherung** *f* increased insurance; ~**wertig** [ˈ-veːrtiç] *adj.* of high value, (of) higher quality; *chem.* of higher valency.

hohl [hoːl] *adj.* hollow; hollow, dull (*sound*); *fig.* hollow, empty, shallow; ~*er Kopf* empty head, shallow mind; ~*er Magen* hollow stomach; ~*e See* heavy swell, grown sea; ~ *machen* hollow out; *in der* ~*en Hand* in the hollow of one's hand (*a. fig.*); *mit* ~*er Stimme* in a hollow voice; ~**äugig** [ˈ-ˀɔʏgiç] *adj.* hollow-eyed; ˈ2**blockstein** *m* hollow block; ˈ2**bohrer** *m* hollow auger.

Höhle [ˈhøːlə] *f* (-; -*n*) cave, cavern; hole; grotto; *zo.* den, lair (*both a. fig.*), *of fox, rabbit, etc.*: hole, burrow; hollow; cavity, ventricle (*a. anat.*); *die* ~ *des Löwen* the lion's den.

ˈ**Höhlen...:** ~**bär** *zo. m* cave bear; 2**bewohnend** *adj.* cave-dwelling, spel(a)ean; ~**bewohner**(**in** *f*) *m* cave-dweller, cave-man, troglodyte; ~**forscher** *m* spel(a)eologist; ~**forschung**, ~**kunde** *f* (-) spel(a)eology; ~**maleˈrei** *f* cave-painting; ~**mensch** *m* → *Höhlenbewohner*; ~**wohnung** *f* cave-dwelling.

ˈ**Hohl...:** 2**erhaben** *adj.* concavo-convex; ~**fläche** *f* concavity; ~**fräser** *tech. m* concave cutter; 2**geschliffen** *adj.* hollow-ground, *phys.* concave; ~**gewinde** *tech. n* female thread; ~**glas** *n* concave glass, *collect.* hollow glassware; ~**heit** *f* (-) hollowness; *fig. a.* emptiness, shallowness, vanity; ~**kehle** *tech. f* hollow groove, channel; ~**klinge** *f* hollow blade; ~**kopf** *m* empty-headed fellow, numskull; 2**köpfig** [ˈ-kœpfiç] *adj.* empty-headed; ~**körper** *m* hollow body; ~**kreuz** *med. n* hollow back; ~**kugel** *f* hollow sphere; ~**maß** *n* measure of capacity; dry measure; ~**meißel** *m* gouge; ~**raum** *m* hollow (space), cavity; ~**saum** *m* hem-stitch; ~**schliff** *m* hollow grinding; ~**spiegel** *m* concave mirror.

Höhlung [ˈhøːluŋ] *f* (-; -*en*) excavation; hollow; cavity, *anat. a* chamber; *med.* fistula.

ˈ**Hohl...:** 2**wangig** [ˈ-vaŋiç] *adj.* hollow-cheeked; ~**weg** *m* hollow (way); ravine, gorge; sunken road, narrow pass, *esp. mil.* defile; ~**ziegel** *m* hollow brick; ~**zirkel** *m* spherical compasses *pl.*, inside cal(l)ipers *pl.*

Hohn [hoːn] *m* (-[*e*]*s*) scorn, disdain; mockery, derision, scoff(ing); sneer, jeer, gibe; sarcasm; sneer (on one's face); *ein* ~ *auf* (*acc.*) a mockery of; *zum Spott u.* ~ *werden* become a mockery, be the scorn (*or* laughing-stock) of all; *zum* ~(*e*) (*dat.*) in defiance of, to spite *a p.*, in the face (*or* teeth) of.

höhnen [ˈhøːnən] *v/i.* (*h.*) sneer, jeer, mock, scoff (*über acc.* at).

ˈ**Hohngelächter** *n* scornful (*or* derisive) laughter.

höhnisch [ˈhøːniʃ] *adj.* scornful, disdainful; sarcastic, sneering, mocking, derisive; sardonic, gloating; ~*e Bemerkung*, ~*es Lächeln* sneer.

ˈ**Hohn...:** ~**lächeln** *n* derisive smile, sneer; 2**lächeln** *v/i.* (*h.*) smile derisively, sneer (*über acc.* at); ~**lachen** *n* derisive laughter; 2**lachen** *v/i.* (*h.*) laugh derisively *or* scornfully (*über j-n* at a p.; et. about a th.); 2**sprechen** *v/i.* (*irr.*, *h.*) deride; scorn; sneer, scoff (*dat.* at); defy, challenge; fly in the face of (*reason, etc.*).

Höker [ˈhøːkər] *m* (-*s*; -), ~**in** *f*

(-; -*nen*) hawker, huckster, street pedlar, costermonger; **~handel** *m* hawking; **≈n** *v/i.* (*h.*) huckster, hawk about; **~waren** *f/pl.* hawker's goods.

Hokuspokus [hoːkusˈpoːkus] *m* (-) hocus-pocus (*a. fig.* = mumbo-jumbo); *~! a.* hey presto!

hold [hɔlt] *adj.* **I.** *attr.* lovely, charming, sweet, winsome; **II.** *pred.* kind, well-disposed, favo(u)rably inclined (*dat.* to); *j-m ~ sein a.* love (*or* like, be attached to) a p.; *das Glück war ihm ~* fortune smiled upon him; *das Glück war ihm nicht ~* his luck was against him.

Holder [ˈhɔldər] *bot. m* (-*s*; -) → *Holunder.*

Holdinggesellschaft [ˈhouldiŋ-] *econ. f* holding company.

ˈ**holdselig** *adj.* (most) graceful *or* charming *or* lovely; gracious; **≈keit** *f* gracefulness, loveliness, sweetness; graciousness.

holen [ˈhoːlən] *v/t.* (go and) fetch, get; go for; come (*or* call) for; *~ lassen* send for; *sich ~* catch, contract; *Atem ~* draw breath, (*pause*) take breath; *sich bei j-m Rat ~* consult a p., ask a p.'s advice; *hol's der Teufel!* the devil take it!, hang it!; *bei ihm ist nichts zu ~* there is nothing to be had (*or* got) from him.

holla! [ˈhɔla] *int.* holla!, hallo!, [hollo(a)!]

Holland [ˈhɔlant] *n* (-*s*) Holland, the Netherlands *pl.*

Holländer [ˈhɔlɛndər] *m* (-*s*; -) **1.** Dutchman; *pl. die ~* the Dutch (people); *der Fliegende ~* the Flying Dutchman; **2.** *tech.* pulp engine, *Am.* beater; **3.** push-pull car (*for children*).

Holländeˈrei *f* (-; -*en*) dairy-farm.

ˈ**Holländerin** *f* (-; -*nen*) Dutchwoman.

ˈ**holländern** *v/t.* (*h.*) *tech.* pulp, beat (*rags*).

ˈ**holländisch** *adj.* Dutch; *~e Sprache* → **≈(e)** *n* Dutch (language).

Holle [ˈhɔlə] *f*: *Frau ~ schüttelt ihre Betten aus* Mother Carey is plucking her geese.

Hölle [ˈhœlə] *f* (-) hell; inferno; *in der ~* in hell; → *fahren*; *in die ~ kommen* go (*or* be doomed) to hell; *fig. die ~ auf Erden* hell on earth; *j-m die ~ heiß machen* give a p. hell, make it hot for a p.; *j-m das Leben zur ~ machen* make life a perfect hell to a p.; *die ~ war los* all hell broke loose.

ˈ**Höllen...**: **~angst** *f*: *e-e ~ haben* be in a mortal fright (*or* a blue funk), be scared to death; **~brut** *f* infernal crew; **~feuer** *n* hell-fire; **~fürst** *m* Prince of Darkness; **~hund** *m* hell-hound, Cerberus; **~lärm** *m* infernal noise, hell of a row *or* racket; pandemonium; **~maschine** *f* infernal machine, time bomb; **~pein, ~qual** *f* torment of hell; *fig.* excruciating pain, agony; *e-e ~ ausstehen* suffer hell; **~rachen, ~schlund** *m* jaws *pl.* of hell; **~stein** *chem. m* (-[e]s) (lunar) caustic, nitrate of silver.

Hollerith|maschine [ˈhɔlərit-] *f* Hollerith machine; **~verfahren** *n* Hollerith punched-card system.

höllisch [ˈhœliʃ] **I.** *adj.* hellish, infernal; devilish, fiendish (*all a. colloq. fig.*); *colloq. fig.* dreadful, awful; *ein ~er Spektakel* a hell of a noise; *e-e ~e Arbeit* a hellish (*or* fiendish) job; **II.** *adv. fig.* hellishly, infernally, awfully; *~ schwer* hellish, fiendish.

Holm[1] [hɔlm] *m* (-[e]s; -e) *tech.* (cross-)beam, transom; *aer.* **a**) spar, **b**) longeron; *gym.* bar; helve, handle; oar shaft.

Holm[2] *m* (-[e]s; -e) islet, holm(e).

holp(e)rig [ˈhɔlp(ə)riç] **I.** *adj.* rough, uneven, rugged; *road*: *a.* bumpy, jolting; *fig.* bumpy, stumbling, clumsy; **II.** *adv.*: et. *~ vorlesen or vortragen* stumble through a th.

ˈ**holpern** *v/i.* (*h.*) jolt *or* rumble (along); stumble.

Holschuld [ˈhoːl-] *f* debt to be discharged at the domicile of the debtor.

holterdiepolter [ˈhɔltərdiˈpɔltər] *adv.* helter-skelter.

Holunder [hɔˈlundər] *bot. m* (-*s*; -) elder; *blauer* (*or spanischer*) *~* lilac; **~beere** *f* elderberry; **~strauch** *m* elder bush; **~tee** *m* elder tea; **~wein** *m* elderberry wine.

Holz [hɔlts] *n* (-*es*; ⸚*er*) wood; timber, *Am.* lumber; fire-wood; piece of wood; *grünes* (*dürres, gelagertes*) *~* green (dead, seasoned) wood; *flüssiges ~* plastic wood; *aus ~* (made) of wood, wooden; *~ fällen* fell trees, cut timber; *~ hacken* chop wood; *fig. aus demselben ~ geschnitzt* of the same stamp *or* kidney, *wie der Vater*: a chip of the old block; *aus e-m anderen* (*aus härterem*) *~ geschnitzt* of a different stamp (made of sterner stuff).

ˈ**Holz...**: **~alkohol** *m* wood alcohol; **~apfel** *m* crab-apple; **~arbeiter** *m* wood-worker; **≈arm** *adj.* scantily wooded; **~art** *f* species (*or* kind) of wood; **≈artig** *adj.* woodlike, ligneous; **~asche** *f* wood-ashes *pl.*; **~auktion** *f* public sale of timber; **~axt** *f* (felling-)ax(e); **~bau** *m* (-[e]s; -*ten*) wooden structure, timberwork; **~be-arbeitung** *f* wood-working; **~bearbeitungsmaschine** *f* wood-working machine; **~bestand** *m* stock of wood *or* timber; **~bildhauer** *m* wood-carver; **~bläser** *mus. m/pl.* wood-wind; **~blasinstrument** *mus. n* wood wind instrument; *pl. die ~e in orchestra*: the wood; **~block** *m* (-[e]s; ⸚e) wood-block, log; **~bock** *m* **1.** sawing-jack, saw-horse; **2.** *zo.* tick; **~bohrer** *m* **1.** *tech.* auger; **2.** *zo.* wood-beetle *or* -borer; **~brei** *m* wood pulp; **~bündel** *n* bundle of wood, fag(g)ot; **~druck** *m* (-[e]s; -e) wood-print.

ˈ**holzen I.** *v/i.* (*h.*) cut (*or* fell) wood *or* timber; *colloq. soccer*: play rough; **II.** *v/t.* (*h.*) *colloq.* → *verprügeln.*

Holzeˈrei *colloq. f* (-; -*en*) fight, brawl; *soccer*: rough play.

hölzern [ˈhœltsərn] *adj.* wooden, (of) wood; timber...; *fig.* wooden, clumsy.

ˈ**Holz...**: **~essig** *m* (-*s*) wood-vinegar; **~fällen** *n* (-*s*) wood-cutting; **~fäller** *m* (-*s*; -) wood-cutter, *Am.* lumberjack; **~faser** *f* wood fib|re, *Am.* -er; grain; **~faserplatte** *f* wood fibre board; **~faserstoff** *m* cellulose; **~feuerung** *f* firing (*or* heating) with wood; **~fräser** *tech. m* shaper; **≈frei** *adj.* wood-free (*paper*); **~frevel** *m* → *Waldfrevel*; **~gas** *n* wood-gas; **~hacken** *n* (-*s*) wood-cutting; **~hacker** *m* (-*s*; -) wood-cutter; → *Holzfäller*; **≈haltig** *adj.* ligneous (*paper*); **~hammer** *m* (square) mallet; *fig. ~methode* sledge-hammer tactics; **~handel** *m* timber-trade; **~händler** *m* timber-merchant, *Am.* lumberman; **~hauer** *m* → *Holzhacker*; **~haufen** *m* pile (*or* stack) of wood; **~haus** *n* wooden house; **~hof** *m* wood- (*or* timber-)yard; *Am.* lumberyard; **≈ig** *adj.* woody, ligneous; stringy (*radish*); **~käfer** *m* wood beetle; **~klotz** *m* block of wood (*a. fig.*); **~kohle** *f* charcoal; **~konstruktion** *f* wooden construction; **~kopf** *colloq. m* blockhead; **~lager** *n* → *Holzhof*; **~maleˈrei** *f* painting on wood; **~masse** *tech. f* wood pulp; **~nagel** *m* wooden peg; **~pantoffeln** *m/pl.* wooden slippers, clogs; **~papier** *n* wood(-pulp) paper; **~pflaster** *n* wood-block paving; **~pflock** *m* wooden peg, dowel; **~platz** *m* → *Holzhof*; **≈reich** *adj.* (well-)wooded, woody; **~säure** *f* pyroligneous acid; **~scheit** *n* piece (*or* log) of wood; **~schlag** *m* wood-cutting; *place*: clearing; **~schliff** *m* mechanical wood pulp; **~schneidekunst** *f* (art of) wood engraving; **~schneider** *m* wood-engraver; **~schnitt** *m* wood-engraving, woodcut; **~schnitzer** *m* wood-carver; **~schnitzeˈrei** *f* wood-carving; **~schraube** *f* wood screw; **~schuh** *m* wooden shoe, clog; **~schuhtanz** *m* clog dance; **~-schwamm** *m* dry-rot; **~span** *m* chip (of wood); *pl. a.* (wood-)shavings; **~spiritus** *m* wood spirit, methyl alcohol; **~splitter** *m* splinter (of wood), sliver; **~stahlkarosserie** *mot. f* composite (*or* metal-wood) body; **~stich** *m* wood-engraving; **~stift** *m* (wooden) peg; **~stoff** *m* lignine, cellulose; **~stoß** *m* stack of wood, wood-pile; stake; **~tafel** *f* board; **~täfelung** *f* wainscot(ing); **~taube** *f* wood-pigeon; **~teer** *m* wood-tar; **~trocknung** *f* seasoning of timber; **~verarbeitung** *f* wood processing; woodworking; **~verschlag** *m* crib; crate, crating; **~ware** *f* wooden ware *or* article(s *pl.*); **~watte** *f* wood wool; **~weg** *m* logging-path; *fig. auf dem ~e sein* be on the wrong tack (*or* track), be barking up the wrong tree; **~werk** *n* woodwork; timber-work; wainscot(ing); **~wolle** *f* wood-wool, fine wood-shavings *pl.*, *Am.* excelsior; **~wurm** *m* wood-worm; **~zapfen** *m* wooden pin *or* plug; **~zellstoff** *m* lignocellulose; wood pulp; **~zucker** *m* wood sugar, xylose.

homerisch [hoˈmeːriʃ] *adj.* Homeric; *~es Gelächter* Homeric laughter.

Homo [ˈhoːmo] *colloq. m* (-*s*; -*s*) homo(sexual), queer, gay.

homo... [homo-] homo... (→ *gleich-*

...): **~dyn...** [-ˈdyːn] *el.* homodyne; **~gen** [-ˈgeːn] *adj.* homogeneous; **~genisieren** [-geniˈziːrən] *v/t.* (*h.*) homogenize; **2genität** [-geniˈtɛːt] *f* (-) homogeneousness, homogeneity; **~log** [-ˈloːk] *adj.* homologous; **~nym** [-nyːm] *gr. n* (-s; -e) homonym.

Homöo|path [homœoˈpaːt] *med. m* (-en; -en) hom(o)eopath(ist); **~pathie** [-paˈtiː] *f* (-) hom(o)eopathy; **2pathisch** [-ˈpaːtiʃ] *adj.* hom(o)eopathic(ally *adv.*).

Homosexualiˈtät [homo-] *f* homosexuality; **homosexuˈell** *adj.* homosexual; **Homosexuˈelle(r)** *m* (-[e]n; -[e]n) homosexual.

honen [ˈhoːnən] *tech. v/t.* (*h.*) hone.

Honig [ˈhoːniç] *m* (-s; -e) honey; *fig. j-m ~ um den Mund schmieren* wheedle a p., butter a p. up, *sl.* soft-soap a p.; **~biene** *f* honey-bee; **~brot** *n* honey-cake; **~drüse** *f* nectar gland; **~ertrag** *m* yield of honey; **2farben** *adj.* honey-colo(u)red; **~kuchen** *m* → *Honigbrot*; **~lecken** *colloq. n*: *kein ~* no bed of roses; **~mond** *m* honeymoon; **~säure** *chem. f* oxymel; **~scheibe** *f* honeycomb; **~schleuder** *f* honey extractor; **2süß** *adj.* honey-sweet, honeyed (*a. fig.*); **~wabe** *f* honeycomb; **~zelle** *f* honey(comb) cell.

Honneur [(h)ɔˈnøːr] *n*: *die ~s machen* do the hono(u)rs.

Honorar [honoˈraːr] *n* (-s; -e) honorarium, payment; (*doctor's, etc.*) fee, remuneration; (*author's*) royalties *pl.*; gratuity; **~professor** *m* associate lecturer, professor by title.

Honoratioren [honoratsiˈoːrən] *pl.* notables, notabilities, local dignitaries.

honoˈrier|en *v/t.* (*h.*) fee, pay (a fee to), remunerate (*für* for); *econ.* hono(u)r, meet (*bill of exchange*); *fig.* show o.s. appreciative of; *econ. nicht ~* dishono(u)r; **2ung** *f* (-; -en) remuneration, payment; *econ.* acceptance, payment.

Hopfen [ˈhɔpfən] *m* (-s) *bot.* hop; *tech.* hops *pl.*; *fig. an ihm ist ~ und Malz verloren* he is (a) hopeless (case); **~bau** *m* (-[e]s) hop-growing; **~darre** *f* hop kiln; **~feld** *n* hop-field; **~stange** *f* hop-pole; *fig. colloq.* lamp-post, bean-pole.

hopp! [hɔp] *int.* hup!; hop to it!

hoppla! [ˈhɔpla] *int.* (wh)oops!; *~ machen* get a move on.

hops [hɔps] *colloq.*: *~ gehen* **a)** go to pot, **b)** (*die*) peg out, *sl.* go west; *~ nehmen* nab (*criminal*).

hopsassa! [ˈhɔpsasa] *int.* upsadaisy!

hopsen [ˈhɔpsən] *colloq. v/i.* (*sn*) hop, jump.

Hopser [ˈhɔpsər] *m* (-s; -) hop; hop-waltz.

Hör... [ˈhøːr-] auditory ...; **~apparat** *m tech.* receiver; *med.* hearing aid.

ˈ**hörbar** *adj.* audible; within earshot; *nicht ~* inaudible; *sich ~ machen* make o.s. heard; **2keit** *f* (-) audibility; **2keitsbereich** *m* range of audibility.

ˈ**Hör...:** **~bericht** *m radio*: report, running commentary; **~brille** *f* earglasses *pl.*, hearing spectacles *pl.*

horchen [ˈhɔrçən] *v/i.* (*h.*) listen, hearken (*auf acc.* to); prick up (*or* strain) one's ears; *secretly*: eavesdrop.

ˈ**Horcher(in** *f*) *m* (-s, -; -, -nen) eavesdropper.

ˈ**Horch...:** **~gerät** *n mil.* sound detector (*or* locator); *mar.* hydrophone (gear); intercept receiver; **~posten** *mil. m* listening post.

Horde [ˈhɔrdə] *f* (-; -n) **1.** horde; *contp.* horde, band, gang; **2.** hurdle, shelf; kiln floor; **2nweise** *adv.* in hordes.

hören [ˈhøːrən] *v/t. and v/i.* (*h.*) hear; *radio*: listen (in) (*e-n Sender* to a station); overhear; hear, give ear to, *jur.* give a hearing to; *beide Parteien ~* hear both sides; *~ an* (*acc.*) hear (*or* recognize, tell) by; *~ auf* (*acc.*) listen to, follow the advice of, heed, obey; *auf den Namen ... ~* answer to the name of ...; *von et. nichts ~ wollen* shut one's ears to a th., refuse to listen to a th.; *gut ~* hear well, have a good (*or* quick) ear; *schwer ~* be hard of hearing; *Messe ~* attend (*or* hear) mass; *univ. ein Kolleg ~* attend *or* hear a course of lectures; *ich habe von ihm gehört* I heard from (*or* of) him; *wie ich höre or ich habe gehört, daß* I hear (*or* understand) (that), I have been told (*or* they tell me) that; *ich habe es von Herrn B. gehört* I have it from Mr. B.; *er ließ nichts von sich ~* he sent no word (*or* news), we are without his news; *man hörte nie mehr etwas von ihm* he was never heard of again; *lassen Sie* (*bald*) *von sich ~* I hope to hear from you (soon); *ich lasse von mir ~* I'll let you know; *das läßt sich ~* that sounds well (*or* all right); *das läßt sich schon eher ~* that's more like it, *Am. a.* now you are talking; *er hört sich gerne reden* he likes the sound of his voice; *hört, hört!* hear, hear! *~ Sie mal!* I say!, *Am.* say!; *~ Sie mal* (*zu*)! (just) listen!, look here!; *soviel man hört* from all accounts.

ˈ**Hören** *n* (-s) hearing; *radio*: listening(-in); *es verging ihm ~ und Sehen* he was stunned (*or* stupefied), he saw stars; **~sagen** *n*: *vom ~* by hearsay.

ˈ**Hörer** *m* (-s; -) **1.** hearer; *radio*: listener(-in); *collect. die ~ pl.* the audience *sg.*; *univ.* student; **2.** *teleph.* receiver, earpiece; earphone(s *pl.*), headphone(s *pl.*), headset; **~in** *f* (-; -nen) → *Hörer 1.*; **~schaft** *f* (-) audience.

ˈ**Hör...:** **~fehler** *m* error in hearing; *med.* auditory defect, defective hearing; **~folge** *f* radio series (*or* serial); **~frequenz** *f* audiofrequency; **~funk** *m* sound broadcasting; **~gerät** *med. n* hearing aid.

ˈ**hörig** *adj.*: *j-m ~ sein* be (*or* live) in bondage to a p., be a p.'s slave; **2e(r)** [ˈ-gə(r)] *m* (-[e]n; -[e]n) bondman, serf, vassal; *fig.* slave (*j-s*: of *or* to a p.); **2keit** *f* (-) bondage, serfdom.

Horizont [horiˈtsɔnt] *m* (-[e]s; -e) horizon (*a. geol.*); *am ~* on the horizon; *fig. s-n ~ erweitern* widen one's mental horizon, broaden one's mind; *das geht über m-n ~* that is beyond me.

horizontal [-ˈtaːl] *adj.* horizontal, level; **2bohrmaschine** *tech. f* horizontal boring machine; **2e** *math. f* horizontal (line *or* plane); **2ebene** *f* horizontal plane; **2flug** *m* horizontal flight; **2schnitt** *m* horizontal section; **2verflechtung** *econ. f* horizontal combination.

Hormon [hɔrˈmoːn] *n* (-s; -e) hormone; **~absonderung** *f* hormone secretion; **~behandlung** *f* hormone therapy (*or* treatment); **~drüse** *f* hormonal gland.

ˈ**Hörmuschel** *f teleph.* ear-piece (*of receiver*).

Horn [hɔrn] *n* (-[e]s; ¨er) horn; *hunt., mil., mus.* bugle; French horn; *mot.* (electric) horn, hooter; (mountain) peak; *zo.* horn, feeler; *ins ~ stoßen* blow one's horn; *fig. mit j-m in dasselbe ~ stoßen or blasen* chime in with a p.; *ins eigne ~ stoßen* blow one's own trumpet; *mit den Hörnern aufspießen* gore; *fig. sich die Hörner ablaufen or abstoßen* sow one's wild oats; *j-m Hörner aufsetzen* cuckold a p.; *die Hörner einziehen* draw in one's horns; → *Füllhorn*; *Stier*.

ˈ**Horn...:** **2artig** *adj.* hornlike, horny; corneous; **~berger** [ˈ-bɛrgər] *adj.*: *wie das ~ Schießen ausgehen* come to nothing; **~bläser** *m* → *Hornist*; **~blende** *min. f* hornblende; **~brille** *f* horn(-rimmed) spectacles.

Hörnchen [ˈhœrnçən] *n* (-s; -) small horn; *cul.* crescent.

Hörner [ˈhœrnər] *pl. of Horn*; **~klang** *m* sound of horns *or* bugles; **2n** *adj.* (of) horn; horny; **~sicherung** *el. f* horn-break fuse.

ˈ**Hör-nerv** *m* auditory nerve.

ˈ**Hornhaut** *f* callosity; *anat.* cornea (*of eye*); **~entzündung** *med. f* inflammation of the cornea, keratitis; **~geschwür** *med. n* corneal ulcer; **~trübung** *med. f* corneal opacity.

ˈ**hornig** *adj.* horny.

Hornisse [hɔrˈnisə] *f* (-; -n) hornet; **~nnest** *n* hornets' nest.

Hornist [hɔrˈnist] *m* (-en; -en) horn-player; *mil.* bugler.

ˈ**Horn...:** **~ochse** *colloq. m* blockhead, oaf; **~signal** *n* bugle-call; *mot.* horn signal.

Hornung [ˈhɔrnuŋ] *m* (-s; -e) February.

Hornvieh *n* horned cattle.

ˈ**Hör...:** **~organ** *n* auditory organ; **~probe** *f radio*: audition(ing).

Horoskop [horoˈskoːp] *n* (-s; -e) horoscope; *j-m das ~ stellen* cast a p.'s horoscope *or* nativity.

horrend [hɔˈrɛnt] *adj.* enormous; → *ungeheuer*.

horrido(h) [hɔriˈdoː] *int.*, **2** *n* (-s; -s) halloo(!).

ˈ**Hörrohr** *n* ear-trumpet; *med.* stethoscope.

Horror [ˈhɔrɔr] *m*: *e-n ~ haben vor* (*dat.*) have a horror of, dread, abominate.

ˈ**Hör...:** **~rundfunk** *m* sound broadcasting; **~saal** *m* lecture-hall; **~schwelle** *f* threshold of audibility; **~spiel** *n* radio play.

Horst [hɔrst] *m* (-es; -e) *orn. and*

fig. eyrie; → *Flieger*♀; *bot.* copse; *geol.* horst.
ˈ**horsten** *v/i.* (*h.*) nest.
Hort [hɔrt] *m* (-[e]s; -e) treasure; hoard (*of the Nibelungs*); safe retreat, refuge, shelter; protection; bulwark, stronghold; protector, refuge; day-home (*for children*); ˈ♀**en** *v/t.* (*h.*) hoard (up); stockpile.
Hortensie [hɔrˈtɛnziə] *bot.* (-; -n) hydrangea.
Hörtrichter [ˈhøːr-] *m* ear-trumpet.
ˈ**Hortung** *f* (-) hoarding.
ˈ**Hörweite** *f* hearing distance; *außer* (*in*) ~ out of (within) hearing *or* earshot.
Hose [ˈhoːzə] *f* (-; -n) *usu. pl.* ~*n or ein Paar* ~*n* (a pair of) trousers, *Am. a.* pants; slacks *pl.*; breeches *pl.*; shorts; → *Unter*♀, *etc.*; *colloq. fig. die* ~*n anhaben* wear the breeches (*Am.* pants); *die* ~*n voll haben* be in a blue funk; *j-m die* ~*n straffziehen* give a p. a spanking; *sich auf die* ~*n setzen* buckle down to work, work hard; *das Herz fiel ihm in die* ~*n* his heart was in his boots *or* mouth.
ˈ**Hosen...:** ~**aufschlag** *m* trouser turn-up (*Am.* cuff); ~**band-orden** *m* Order of the Garter; ~**bein** *n* trouser-leg; ~**boden** *m* seat of the trousers; *colloq. sich auf den* ~ *setzen* buckle down to it; ~**boje** *mar. f* breeches buoy; ~**bügel** *m* trouser hanger; ~**bund,** ~**gurt** *m* waist--band; ~**klappe** *f*, ~**latz** *m* flap, fly; ~**knopf** *m* trouser button; ~**naht** *f* trouser seam; *mil. mit den Händen an der* ~ thumbs on one's trouser seams; ~**rock** *m* divided skirt; ~**rolle** *thea. f* breeches part; ~**schlitz** *m* fly; ~**stoff** *m* trousering; ~**strecker** *m* (-s; -) trouser--hanger; ~**tasche** *f* trouser pocket; ~**träger** *m* (pair of) braces *pl.*, *Am.* suspenders *pl.*
hosianna [hoziˈana] *int. and* ♀ *n* (-s; -s) hosanna.
Hospital [hɔspiˈtaːl] *n* (-s; -e, ⸗er) hospital; → *Krankenhaus.*
Hospitant(in *f*) [-ˈtant(in)] *m* (-en, -en; -, -nen) *univ.* guest listener *or* auditor.
hospiˈtieren *v/i.* (*h.*) attend lectures as a guest listener, sit in (*bei* at).
Hospiz [hɔsˈpiːts] *n* (-es; -e) hospice, hostel; Christian family hotel.
Hostie [ˈhɔstiə] *eccl. f* (-; -n) host, consecrated wafer; ~**nteller** *m* paten.
Hotel [hoˈtɛl] *n* (-s; -s) hotel; ~**besitzer(in** *f*) *m*, (**Hotelier** [hotəliˈeː] *m*, -s; -s) hotelier; hotel-keeper (*or* -proprietor); ~**boy** [-bɔʏ] *m* (-s; -s) page, *Am.* bellboy; ~**führer** *m* (*booklet*) hotel guide; ~**gewerbe** *n* hotel industry; ~**halle** *f* (entrance-)hall, lounge, foyer; ~**page** *m* → *Hotelboy*; ~**portier** *m* hall porter; ~**unterkunft** *f* hotel accommodation; ~**zimmer** *n* hotel room.
hott! [hɔt] *int.* (*go!*) gee ho!, ho!; (*turn right!*) gee!
hu! [huː] *int.* whew!, ugh!
hü! [hyː] *int.* → *hott*; (*turn left!*) wo hi!, haw!
Hub [huːp] *m* (-[e]s; ⸗e) heave, lift (-ing); *mot. of piston, tech. machine tool*: stroke, travel; *of valve*: lift; *of eccentric, etc.*: throw; ˈ~**höhe** *f of crane*: lifting (*or* hoisting) height, lift; *mot.* (length of) stroke; ˈ~**kraft**, ˈ~**leistung** *f* lifting capacity; *mot.* output per unit of displacement; ˈ~**raum** *m* piston displacement, cylinder capacity.
hüben [ˈhyːbən] *adv.* on this side.
hübsch [hypʃ] *adj.* pretty, nice, fine; good-looking, handsome; lovely; charming; picturesque; *Wetter*: pleasant, pretty (*weather*); considerable; *e-e* ~*e Summe* a pretty penny, a tidy sum of money; *ein* ~*es Vermögen* a tidy fortune; *e-e* ~*e Geschichte! iro.* a pretty mess (*or* kettle of fish); *es ist noch ein* ~*es Stück Wegs* it's a good distance yet; kind, nice; *das ist nicht* ~ *von dir* it is not nice of you; *das werde ich* ~ *bleibenlassen* catch me doing that; *das wirst du* ~ *sein lassen* you aren't going to do anything of the sort; *sei* ~ *artig!* be a good boy (girl)!
ˈ**Hub...:** ~**schrauber** *m* (-s; -) helicopter; ~**schrauberlandeplatz** *m* heliport; ~**stapler** [ˈ-ʃtaːplər] *m* (-s; -) fork-lift truck; ~**volumen** *tech. n* piston displacement; ~**weg** *mot. m* piston travel; height of valve lift; ~**werk** *n* hoisting gear; ~**zahl** *f* number of strokes.
Hucke [ˈhukə] *f* (-; -n) *agr.* → *Hocke*; *fig.* back; *colloq. j-m die* ~ *vollhauen* give a p. a sound thrashing; ♀**pack** *adv.* pick-a-back; ~**packflugzeug** *n* pick-a-back airplane; ~**packverkehr** *rail. m* road--rail service.
Hudelei [huːdəˈlaɪ] *colloq. f* (-; -en) careless (*or* slipshod) work; scamping.
ˈ**hudeln** *v/i.* (*h.*) scamp one's work, be sloppy.
Hudler(in *f*) [ˈhuːdlər(in)] *m* (-s, -; -, -nen) scamper, botcher.
Huf [huːf] *m* (-[e]s; -e) hoof; ˈ~**beschlag** *m* (horse-)shoeing.
Hufe [ˈhuːfə] *agr. f* (-; -n) hide (of land).
ˈ**Huf...:** ~**eisen** *n* horseshoe; ♀**eisenförmig** [ˈ-fœrmiç] *adj.* horseshoe (-shaped); ~**eisenmagnet** *m* horseshoe magnet; ~**lattich** *bot. m* coltsfoot; ~**nagel** *m* horseshoe nail; ~**schlag** *m* hoof-beat; (horse's) kick; ~**schmied** *m* farrier; ~**schmiede** *f* farriery; ~**tier** *n* hoofed animal.
Hüft... [ˈhyft-] sciatic ...; ~**bein** *anat. n* hip-bone; ~**e** *f* (-; -n) hip; *zo.* haunch; *bis an die* ~ *reichend* waist-high; ~**enbruch** *med. m* fractured hip; ~**entasche** *f* hip--pocket; ~**gelenk** *n* hip-joint; ~**gelenkentzündung** *f* inflammation of the hip-joint, coxitis; ~**gürtel** *m* suspender (*Am.* garter) belt; panty--girdle; ~**halter** *m* roll-on girdle (*or* belt); ♀**lahm** *adj.* hipshot; ~**nerv** *m* sciatic nerve; ~**schmerz** *m*, ~**weh** *med. n* coxalgia; ~**schwung** *m gym.* hip swing; *wrestling*: cross buttock.
Hügel [ˈhyːgəl] *m* (-s; -) hill; hillock; knoll; elevation, height; mound; ~**abhang** *m* hillside, slope.
ˈ**hüg(e)lig** *adj.* hilly.
ˈ**Hügel...:** ~**kette** *f* chain (*or* range of hills); ~**land** *n* hill(y) country *or* tract.
Hugenotte [hugəˈnɔtə] *m* (-n; -n) Huguenot.
Huhn [huːn] *n* (-[e]s; ⸗er) fowl, chicken; hen; *junges* ~ → *Hühnchen*; *Hühner pl.* hens, *collect.* poultry *sg.*; *gebratenes* ~ roast chicken; *Hühner halten* keep fowls; *fig. ein krankes* ~ a lame duck; *verrücktes* ~ madcap, *Am.* screwball.
Hühnchen [ˈhyːnçən] *n* (-s; -) chicken; *Brat*~ roast chicken; *fig. mit j-m ein* ~ *zu rupfen haben* have a bone to pick with a p., have an axe to grind with a p.
Hühner... [ˈhyːnər-]: ~**auge** *med. n* corn; *j-m auf die* ~*n treten* (*a. fig.*) tread on a p.'s corns (*or* toes); ~**augenmittel** *n* corn-cure; ~**augenoperateur** *m* chiropodist, corn--cutter; ~**augenpflaster** *n* corn--plaster; ~**braten** *m* roast chicken; ~**brühe** *f* chicken-broth; ~**brust** *f* breast of chicken; *med.* pigeon--chest; ~**dieb** *m* roost-robber; ~**ei** *n* hen's egg; ~**draht** *m* chicken wire; ~**farm** *f* poultry (*or* chicken-)farm; ~**futter** *n* chicken-feed; ~**habicht** *m* goshawk; ~**hof** *m* poultry-yard, *Am.* chicken-yard; ~**hund** *m* pointer, setter; ~**jagd** *f* partridge shooting; ~**leiter** *f* roost-ladder; *fig.* breakneck stairs *pl.*; ~**pastete** *f* chicken-pie; ~**pest** *f* chicken-pest; ~**ragout** *n* chicken ragout; ~**schrot** *n* partridge shot; ~**stall** *m* hen--house, (chicken-)roost; ~**stange** *f* (hen-)roost; ~**suppe** *f* chicken broth; ~**tuberkulose** *f* tuberculosis of the fowl; ~**vögel** [ˈ-føːgəl] *m/pl.* gallinaceous birds; ~**zucht** *f* poultry (*or* chicken) farming; ~**züchter** *m* chicken farmer.
hui [hui] *int.* whoosh!; wow!; quick!; *im* ♀ in a jiffy.
Huld [hult] *f* (-) graciousness, grace; favo(u)r; clemency; affection; benevolence; *in j-s* ~ *stehen* be in a p.'s favo(u)r (*or* good graces).
huldig|en [ˈhuldigən] *v/i.* (*h.*) (*dat.*) do (*or* pay) homage to; *sich von j-m* ~ *lassen* receive a p.'s homage *or* oath of allegiance; *fig.* pay homage *or* tribute to; give *a p.* an ovation; pay one's addresses (*or* court) to (*a lady*); *e-r Ansicht* ~ profess (*or* embrace, hold) an opinion; indulge in, be addicted to (*a vice, etc.*); ♀**ung** *f* (-; -en) homage; ovation; ♀**ungs-eid** *m* oath of allegiance.
huld|reich, ~**voll** *adj.* gracious.
Hülle [ˈhylə] *f* (-; -n) wrap(per), cover(ing); envelope; jacket (*of book*); case; coat; garment; veil; bandage; *anat.* integument; → *Hülse*; *phys.* shell (*of atom*); *fig.* mask; cloak; *sterbliche* ~ mortal frame, (earthly) remains *pl.*; *mir fiel e-e* ~ *von den Augen* the scales fell from my eyes; *in* ~ *und Fülle* in abundance; plenty (*or* lots, heaps, oodles) of.
ˈ**hüllen** *v/t.* (*h.*) wrap (up), cover, envelope; veil; *fig. in Flammen gehüllt* enveloped in flames; *in Dunkel (Nebel) gehüllt* shrouded in darkness (mist); *in Wolken gehüllt* clouded; *sich in Schweigen* ~ wrap

o.s. in silence, *über et.*: be silent about a th.

Hülse ['hylzə] *f* (-; -*n*) hull, husk; shell; pod; capsule; *tech.* case, bush, sleeve; shell; tube; socket; (slip-on) cap; *a. mil.* case; **~n-auszieher** *mil. m* (-*s*; -) (cartridge case) extractor; **~nfrucht** *f* legume(n); leguminous plant; *Hülsenfrüchte pl.* pulse; **~nschlüssel** *tech. m* box spanner.

'**hülsig** *adj.* husky, podlike; leguminous.

human [hu'mɑːn] *adj.* humane; affable.

Humanis|mus [huma'nismus] *m* (-) humanism; classical education; **~t** (**-in** *f*) *m* (-*en*, -*en*; -, -*nen*) humanist; classical scholar *or* student; **2tisch** *adj.* humanistic(ally *adv.*); *~e Bildung* classical education; → *Gymnasium.*

humanitär [-ni'tɛːr] *adj.* humanitarian.

Humani'tät *f* (-) humaneness; humanity; **~sduselei** [-duːzəlaɪ] *f* (-; -*en*) sentimental humanitarianism.

Humbug ['humbuk] *m* (-*s*) humbug; hoax.

Hummel ['huməl] *f* (-; -*n*) bumble-bee; *fig. wilde ~* tomboy, romp, hoyden.

Hummer ['humər] *m* (-*s*; -) lobster; **~salat** *m* lobster-salad; **~schere** *f* claw of a lobster.

Humor [hu'moːr] *m* (-*s*; [-*e*]) (sense of) humo(u)r; → *Laune*; *er hat keinen ~* he has no sense of humo(u)r, he can't see a joke.

Humoreske [humo'rɛskə] *f* (-; -*n*) humorous sketch; *mus.* humoresque.

hu'morig *adj.* whimsical, humourous.

Humo'rist *m* (-*en*; -*en*) humorist; humorous writer; entertainer; **2isch** *adj.* humorous; comical, droll, funny.

hu'morvoll *adj.* humorous.

humpeln ['humpəln] *v/i.* (*h.*) limp, hobble.

Humpen ['humpən] *m* (-*s*; -) tankard.

Humus|(erde *f*) ['huːmus-] *m* (-) vegetable mo(u)ld, humus; **~bildung** *f* humus formation; **~boden** *m* vegetable soil, top soil; **~decke** *f* mo(u)ld cover; **~säure** *f* humus acid; **~schicht** *f* humus layer; top soil.

Hund [hunt] *m* (-[*e*]*s*; -*e*) dog (*a. mining* = truck); *hunt.* hound; *junger ~* puppy; *ast. Großer* (*Kleiner*) *~* Canis major (minor); *fig.* dog, hound, cur, scoundrel; *gemeiner* (*schlauer*) *~* dirty (sly) dog; *colloq. auf den ~ bringen* ruin; *auf den ~ kommen* come down in the world, be on the rocks; *vor die ~e gehen* go to the dogs; *wie ~ und Katze leben* lead a cat-and-dog life; *da liegt der ~ begraben* that's why; *er ist bekannt wie ein bunter ~* he is known all over the place; *damit kannst du keinen ~ hinterm Ofen hervorlocken* that won't get you anywhere; it's no good; *er ist mit seinen Nerven auf dem ~* he is a nervous wreck; *er ist mit allen ~en gehetzt* he is up to all tricks; *den Letzten beißen die ~e* the devil takes the hindmost; *~e, die viel bellen, beißen nicht* barking dogs seldom bite.

Hunde... ['hundə-]: **~abteil** *rail. n* dog box; **~arbeit** *colloq. f* fiendish job, drudgery; **~ausstellung** *f* dog show; **2elend** *colloq. adj.*: *sich ~ fühlen* feel rotten *or* like nothing on earth; **~futter** *n* dog-food; **~gebell** *n* barking of dogs; **~halsband** *n* dog-collar; **~hütte** *f* (dog-) kennel, *Am.* dog-house; **~kälte** *colloq. f*: *es ist eine ~* it's beastly cold; **~koppel** *hunt. f* brace (*or* leash) of dogs; **~krankheit** *f* canine distemper; **~kuchen** *m* dog biscuit; **~leben** *n* (-*s*): *colloq. ein ~ führen* lead a dog's life; **~leine** *f* (dog-)lead, leash; **~liebhaber** *m* dog-fancier; **~marke** *f* dog tag (*a. Am. mil. sl.* = identity disk); **2müde** *adj.* dog-tired; **~peitsche** *f* dog-whip; **~rennen** *n* dog race (*or* racing).

hundert ['hundərt] *adj.* hundred; *~ Personen* a (*or* one) hundred persons; *~ gegen eins wetten* lay a hundred to one.

'**Hundert** *n* (-*s*; -*e*) hundred; *ein halbes ~* fifty; *fünf vom ~* (*v. H.*) five percent; *~e von Menschen* hundreds of people; *zu ~en* by (*or* in) hundreds.

'**Hunderter** *m* (-*s*; -) (a) hundred; (*figure* 100) hundred; three-figure number; hundred dollar, *etc.*, note; **2lei** ['-tərlaɪ] *adv.* of a hundred (different) kinds, a hundred different *things*; of all possible sorts.

'**hundert...:** **~fach** ['-fax], **~fältig** ['-fɛltiç] *adj.* a hundredfold; **~gradig** ['-grɑːdiç] *phys. adj.* centigrade; **2jahrfeier** *f* hundredth anniversary, centenary, *Am.* centennial; **~jährig** *adj.* a hundred years old, centenary; **2jährige(r** *m*) ['-jɛːrigə(r)] *f* (-*n*, -*n*; -*en*, -*en*) centenarian; **~jährlich** *adj.* centennial; **~mal** *adv.* a hundred times; **2-Meter-Lauf** *m* hundred meters dash; **~prozentig** *adj.* a hundred per cent (*a. adv.*); *fig. a.* unadulterated, out-and-out, thorough; **2satz** *m* percentage.

'**hundertst** *adj.* hundredth; *fig. vom 2en ins Tausendste kommen* ramble from one subject to the other, talk on and on; **2el** *n* hundredth (part); one, *etc.*, per cent.

'**hundert...:** **~tausend** *adj.* a (*or* one) hundred thousand; *2e von Exemplaren* hundreds of thousands of copies; **~weise** ['-vaɪzə] *adv.* by hundreds; by the hundred.

'**Hunde...:** **~schlitten** *m* dog sled; **~schnauze** *f* dog's nose; *colloq. kalt wie e-e ~* (as) cool as a cucumber; **~staupe** *f* (canine) distemper; **~steuer** *f* dog's licen|ce, *Am.* -se; **~wetter** *colloq. n* beastly weather; **~zucht** *f* dog-breeding; (breeding) kennel; **~zwinger** *m* dog-kennel.

Hündin ['hyndin] *f* (-; -*nen*) she-dog, bitch.

'**hündisch** *adj.* doggish, canine; *fig.* cringing, toadying; shameless, dirty, vile; *~e Angst* cringing fear; *~e Ergebenheit* dog-like devotion.

Hunds... ['hunts-]: **~fott** ['-fɔt] *m* (-[*e*]*s*; -*e*) scoundrel, skunk; **2föttisch** ['-fœtiʃ], **2gemein** *adj.* dirty, mean, low-down; **2miserabel** *colloq. adj. sl.* lousy; **2müde** dog-tired; **~stern** *ast. m* dog-star, Sirius; **~tage** *m/pl.* dog-days; **~tagshitze** *f* canicular heat; **~wut** *med. f* hydrophobia, rabies.

Hüne ['hyːnə] *m* (-*n*; -*n*) giant; **~ngestalt** *f* colossal figure, Herculean frame; **~ngrab** *n* dolmen; **2nhaft** *adj.* gigantic, colossal, Herculean.

Hunger ['huŋər] *m* (-*s*) hunger (*fig. nach* after, for); appetite; *fig. a.* craving, thirst (for); famine, starvation; *~ bekommen* get hungry; *~ haben* be hungry; *~ leiden* suffer from hunger, starve; *~s* (*or vor ~*) *sterben* die of hunger *or* starvation, starve (to death); *s-n ~ stillen* appease one's hunger *or* appetite; *ich habe ~ wie ein Wolf* I am hungry as a wolf, I am starving *or* famishing; *~ ist der beste Koch* hunger is the best sauce; **~blockade** *f* hunger blockade.

'**hung(e)rig** *adj.* hungry; ravenous; starving, famished; *sehr ~ sein* be starving (*or* famishing); *fig.* hungry (*nach* for), craving (for).

'**Hunger...:** **~gebiet** *n* hunger-ridden area; **~jahr** *n* year of famine; **~künstler** *m* (professional) starver; **~kur** *med. f* starvation (*or* fasting-) cure; *e-e ~ durchmachen* be put (*or* put o.s.) on a starvation diet; **~leben** *n* (-*s*) (slow) starvation; **~leider** *m* (-*s*; -) starveling, poor beggar; **~lohn** *m* starvation wage(s *pl.*); (a mere) pittance; **2n** *v/i.* (*h.*): *es hungert mich, mich hungert* I am (*or* feel) hungry; (suffer) hunger, starve, go hungry; starve (*or* pinch) o.s.; fast; diet o.s.; *j-n ~ lassen* starve a p.; *fig. ~ nach* (*dat.*) hunger (*or* crave, long) for; **2nd** *adj.* hungry, starving, hunger-stricken; **~ödem** *med. n* nutritional (o)edema; **~ration** *f* starvation ration (*or* diet); **~snot** *f* famine; *von ~ befallen* famine-stricken; **~streik** *m* hunger-strike; *in ~ treten* (go on) hunger-strike; **~tod** *m* (death from) starvation; *den ~ erleiden* die of hunger (*or* starvation), starve to death; **~tuch** *n*: *am ~*(*e*) *nagen* be starving *or* famishing; have nothing to bite; **~typhus** *m* typhus; spotted fever.

Hünin ['hyːnin] *f* (-; -*nen*) giantess; huge woman.

hungrig ['huŋriç] → *hungerig.*

Hunn|e ['hunə] *m* (-*n*; -*n*), **~in** *f* (-; -*nen*) Hun.

Hupe ['huːpə] *mot. f* (-; -*n*) (motor) horn, hooter; klaxon; fanfare; **2n** *v/i.* (*h.*) hoot, honk; sound one's horn *or* hooter; **~n** *n* (-*s*) honking, hooting; **~nknopf** *m* horn button; **~nsignal, ~nzeichen** *n* hooting signal, honk; *ein ~ geben* → *hupen.*

hupfen ['hupfən] *v/i.* (*sn*) → *hüpfen*; *colloq. das ist gehupft wie gesprungen* it comes to the same thing.

hüpfen ['hypfən] *v/i.* (*sn*) hop, skip; leap, jump (*vor Freude* with joy); gambol, frisk (about); bound, bounce; *fig. sein Herz hüpfte ihm im Leibe* his heart leapt for joy.

ˈ**Hüpfspiel** *n* hopscotch.
Hürde [ˈhyrdə] *f* (-; -*n*) hurdle (*a. fig.*); *sports*: *e-e ~ nehmen* take (*or* clear) a hurdle; fold, pen; *for horses*: corral; **~nlauf** *m sports*: hurdle race, hurdles *pl.*; **~nläufer (-in** *f*) *m* hurdler; **~nrennen** *n riding*: hurdle race.
Hure [ˈhuːrə] *f* (-; -*n*) whore, prostitute, strumpet (*a. fig.*), harlot; streetwalker; **≗n** *v/i.* (*h.*) whore, fornicate; **~nhaus** *n* whorehouse, brothel, house of ill fame; **~nkind** *n* bastard (child); **~nviertel** *n* red-light district; **~r** *m* (-*s*; -) whoremonger, lecher; **Hureˈrei** *f* (-) whoring, fornication.
hurra! [huˈrɑː] *int. and* ≗ *n* (-*s*; -*s*) hurra(h)!, hooray!; *~ rufen* (give a) cheer, shout hurrah; *mit ~ begrüßen* receive with (loud) cheers; **≗patriot(in** *f*) *m* flag-waving patriot, patrioteer; **~patriotisch** *adj.* jingo (-istic), chauvinistic; **≗patriotismus** *m* jingoism, chauvinism, *Am.* spread-eagleism; **≗ruf** *m* (shout of) hurra(h), cheer(s *pl.*).
hurtig [ˈhurtiç] *adj.* brisk, swift, quick; alert, lively; nimble, agile; **≗keit** *f* (-) briskness, swiftness, quickness; nimbleness, agility.
Husar [huˈzɑːr] *mil. m* (-*en*; -*en*) hussar; **~enjacke** *f* dolman; **~enstückchen** *n* coup de main (*Fr.*).
husch! [huʃ] *int.* **a)** shoo!; **b)** quick!; **c)** hush!; *und ~ war sie weg* she was gone in a flash; ˈ**~en** *v/i.* (*sn*) scurry, whisk, flit.
hüsteln [ˈhyːstəln] *v/i.* (*h.*) cough slightly, hem.
ˈ**Hüsteln** *n* (-*s*) slight cough.
husten [ˈhuːstən] **I.** *v/i.* (*h.*) (have a) cough, give a cough; *colloq. fig. ~ auf* (*acc.*) not to care a rap for; **II.** *v/t.* (*h.*) (*aus~*) cough (*or* bring) up; *Blut ~* spit blood; *colloq. fig. ich werde dir (et)was ~* I'll see you further first!, you may whistle for it!
ˈ**Husten** *m* (-*s*; [-]) cough; *kurzer, trockener ~* hacking cough; *e-n (schlimmen) ~ haben* have a (bad) cough; **~anfall** *m* fit of coughing, coughing-fit; **~bonbon** *m* cough-drop; **~mittel** *n* cough remedy; **~reflex** *m* cough reflex; **~reiz** *m* coughing irritation; **≗stillend** *adj.* cough-relieving.
Hut¹ [huːt] *m* (-[e]*s*; ⸚*e*) hat; *steifer ~* bowler (hat), *Am.* derby (hat); *of mushroom*: top; *orn.* pileum; *~ ab!* hat(s) off!; *fig. ~ ab vor solchem Manne!* hats off to such a man!; *vor j-m den ~ abnehmen* take off one's hat to a p.; *den ~ aufsetzen* put on one's hat, cover o.s.; *fig. unter einen ~ bringen* reconcile; *den (or mit dem) ~ in der Hand* hat in hand; *colloq. da geht einem der ~ hoch!* **a)** that beats cock-fighting!, **b)** it makes your blood boil!; *ihm ging der ~ hoch* he blew his top (*or* saw red).
Hut² *f* (-) care, charge, keeping; protection; *in (or unter) j-s ~ sein* be in a p.'s keeping *or* custody; *auf s-r (or der) ~ sein* be on one's guard (*vor dat.* against), be careful (*nicht zu inf.* not to *inf.*), look (*Am.* watch) out (*vor dat.* for); *nicht auf der ~ sein* be off one's guard.
ˈ**Hut...:** **~ablage** *f* hat rack; **~band** *n* (-[e]*s*; ⸚*er*) hat-band; **~besatz** *m* hat-trimming; **~bürste** *f* hat-brush.
hüten [ˈhyːtən] *v/t.* (*h.*) guard, keep, take care of, look after; protect (*vor dat.* from); watch (over); tend, herd (*cattle*); tend, look after (*children*); *sich ~ (vor)* → *auf der Hut² sein*; *sich ~ zu inf.* be careful not to *inf.*, take (good) care not to *inf.*; *hüte dich vor ihm!* beware of him!
ˈ**Hüter** *m* (-*s*; -) guardian, keeper; custodian; warden; herdsman.
ˈ**Hut...:** **~fabrik** *f* hat-manufactory; **~feder** *f* plume; **~form** *f* shape of a hat; *tech.* hatter's block; **~futter** *n* hat-lining; **~geschäft** *n*, **~laden** *m* hatter's shop, hat-shop; milliner's shop; **~händler** *m* hatter; **~kopf** *m* (hat-)crown; **~krempe** *f* (hat-) brim; **~macher** *m* hatter; **~macherin** *f* milliner; **~nadel** *f* hat-pin; **~rand** *m* (hat-)brim; **~schachtel** *f* hat-box; **~schnur** *f* hat-string; *colloq. fig. das geht über die ~* that's going too far!, that's past a joke!; **~ständer** *m* hat-stand.
Hütte [ˈhytə] *f* (-; -*n*) hut; cottage, cabin; *contp.* hovel, shanty, *Am. a.* shack; *mount.* refuge; shed; hunting-box; *metall.* steelworks, ironworks *pl.*, metallurgical plant; smelting house, foundry.
ˈ**Hütten...:** **~arbeiter** *m* smelter, foundry worker; **~besitzer** *m* owner of a foundry; **~chemiker** *m* metallurgical chemist; **~glas** *n* pot metal; **~industrie** *f* steel and iron industry; **~ingenieur** *m* metallurgy engineer; **~koks** *m* metallurgical coke; **~kunde** *f* (-) metallurgy; **~meister** *m* overseer of a foundry; **~rauch** *chem. m* flaky arsenic; **~technik** *f* metallurgical engineering; **~werk** *n* → *Hütte*; **~wesen** *n* (-*s*) metallurgical engineering; **~wirt** *mount. m* hut-keeper; **~zinn** *m* grain tin.
hutz(e)lig [ˈhuts(ə)liç] *adj.* shrivelled, withered; *esp. person*: wizened.
ˈ**Hutzucker** *m* loaf sugar.
Hyäne [hyˈɛːnə] *zo. f* (-; -*n*) hyena.
Hyazinth [hyaˈtsint] *min. m* (-[e]*s*; -*e*), **~e** *bot. f* (-; -*n*) hyacinth.
Hybride [hyˈbriːdə] *f* (-; -*n*) hybrid.
Hydra [ˈhyːdra] *f* (-; -*ren*) hydra.
Hydrant [hyˈdrant] *m* (-*en*; -*en*) hydrant, fire-plug.
Hydrat *chem.* [hyˈdrɑːt] *n* (-[e]*s*; -*e*) hydrate.
Hydraul|ik [hyˈdraulik] *phys. f* (-) hydraulics *sg.*; **≗isch** *adj.* hydraulic; *~e Presse* hydraulic press.
hydrier|en *chem. v/t.* (*h.*) hydrogenate; **≗ung** *f* (-) hydrogenation; **≗werk** *n* hydrogenation plant.
Hydro... [hydro-] hydro... (→ *Wasser...*); **~chinon** [-çiˈnoːn] *n* (-[e]*s*) hydroquinone; **~dyˈnamik** *phys. f* hydrodynamics *sg.*; **≗genisieren** [-geniˈziːrən] *v/t.* (*h.*) hydrogenate; **~graphie** [-graˈfiː] *f* (-) hydrography; **~lyse** [-ˈlyːzə] *f* (-; -*n*) hydrolysis; **~ˈmeter** *n* hydrometer; **~pathie** [-paˈtiː] *med. f* (-) hydropathy; **~phon** [-ˈfoːn] *n* (-*s*) hydrophone; **~phonik** [-ˈfoːnik] *f* (-) hydrophonics *sg.*; **~ˈstatik** *f* hydrostatics *sg.*; **≗ˈstatisch** *adj.* hydrostatic(ally *adv.*); **~theraˈpie** *med. f* hydrotherapeutics *sg.*
Hygien|e [hygiˈeːnə] *f* (-) hygienics *sg.*, hygiene; sanitation; **≗isch** *adj.* hygienic(ally *adv.*), sanitary.
Hygro|meter [hygroˈmeːtər] *n* (-*s*; -) hygrometer; **~skop** [-ˈskoːp] *n* (-*s*; -*e*) hygroscope.
Hymen [ˈhyːmɛn] *anat. n* (-*s*; -) hymen.
Hymne [ˈhymnə] *f* (-; -*n*) hymn, anthem.
Hyper|bel [hyˈpɛrbəl] *f* (-; -*n*) *math.* hyperbola; *rhet.* hyperbole; **≗bolisch** [-ˈboːliʃ] *adj.* hyperbolic(al).
ˈ**hypermodern** *adj.* ultramodern.
Hypertonie [-toˈniː] *med. f* (-; -*n*) hypertonia.
hypertrophisch [-ˈtroːfiʃ] *med. adj.* hypertrophic.
Hypno|se [hypˈnoːzə] *f* (-; -*n*) hypnosis; **≗tisch** *adj.* hypnotic(ally *adv.*).
Hypnoti|seur [hypnotiˈzøːr] *m* (-*s*; -*e*) hypnotizer; **≗ˈsieren** *v/t.* (*h.*) hypnotize; **Hypnotismus** [-ˈtismus] *m* (-) hypnotism.
Hypochon|der [hypoˈxɔndər] *m* (-*s*; -) hypochondriac; **≗drisch** *adj.* hypochondriac(al), splenetic.
Hypophyse [-ˈfyːzə] *anat. f* (-; -*n*) hypophysis, pituitary gland.
Hypotenuse [-teˈnuːzə] *math. f* (-; -*n*) hypotenuse.
Hypothe|k [-ˈteːk] *f* (-; -*en*) mortgage; *fig.* burden; *erste (nachstehende) ~* first (junior) mortgage; *~ auf Grundbesitz* mortgage on real estate; *Belastung mit e-r ~* hypothecation; *e-e ~ aufnehmen* raise a mortgage; *mit e-r ~ belasten* encumber with a mortgage, mortgage, hypothecate; *e-e ~ bestellen* create a mortgage; *e-e ~ kündigen* call in (*or* foreclose) a mortgage; *debtor*: give notice of redemption; **≗karisch** [-ˈkɑːriʃ] *adj.* by (*or* on, as) a mortgage, hypothecary; *~er Kredit* credit on mortgage; *~e Sicherheit* hypothecary (*or* mortgage) security; *gegen ~e Sicherheit* (*or adv. ~ gesichert*) on mortgage security; *adv.*: *~ belastet* mortgaged.
Hypoˈtheken...: **~bank** *f* (-; -*en*) mortgage bank; **~brief** *m* mortgage (deed); **~buch** *n* register of mortgages; **~darlehen** *n* mortgage loan; **~eintrag(ung** *f*) *m* registration of mortgage; **~forderung** *f* hypothecary claim; **≗frei** *adj.* unencumbered, unmortgaged; **~geld** *n* mortgage money; **~gläubiger(in** *f*) *m* mortgagee; **~pfandbrief** *m* mortgage bond; **~schuld** *f* debt on mortgage; **~schuldner(in** *f*) *m* mortgager; **~urkunde** *f* mortgage-deed.
Hypothe|se [-ˈteːzə] *f* (-; -*n*) hypothesis, (mere) supposition; **≗tisch** *adj.* hypothetic(al).
Hypotonie [-toˈniː] *med. f* (-; -*n*) hypotonia.
Hysterie [hysteˈriː] *med. f* (-; -*n*) hysterics, hysteria; **hysterisch** [hysˈteːriʃ] *adj.* hysterical; *einen ~en Anfall bekommen* go into hysterics.

I

I, i [iː] *n* I, i; *fig. das Tüpfelchen auf dem i* the dot on the i; *i wo! int.* what next!, nothing of the kind!
iah! [iːɑː] (*donkey's bray*) hee-haw; **~en** *v/i.* (*h.*) hee-haw.
ich [iç] *pers. pron.* I; ~ *selbst* I myself; *hier bin* ~*!* it is I, *colloq.* it's me!; ~ *Narr!* fool that I am!; 2 *n* (-[s]; -[s]) *the* I; (my)self; *phls. the* ego; *mein anderes* (*or* *zweites*) ~ my alter ego; *mein ganzes* ~ my whole being *or* self; *das liebe* ~ one's dear self, "number one"; ˈ**2bewußtsein** *n* consciousness of self; **~bezogen** [ˈ-bətsoːgən] *adj.* egocentric, self-centred; ˈ**2form** *f* (-): *Roman in der* ~ novel in the first person singular; ˈ**2sucht** *f* (-) egotism, selfishness.
Ichthyosaurus [içtyoˈzaʊrus] *m* (-; -*rier*) ichthyosaur.
ideal [ideˈɑːl] *adj.* ideal; 2 *n* (-*s*; -*e*) ideal; *das* ~ *e-s Redners* a model speaker; **~iˈsieren** *v/t.* (*h.*) idealize; **Ideaˈlist**(**in** *f*) *m* (-*en*, -*en*; -, -*nen*) idealist; **Idealismus** [-ˈlismus] *m* (-) idealism.
Ideˈalwert *m* ideal value.
Idee [iˈdeː] *f* (-; -*n*) idea; *a.* notion, *Am. sl.* hunch; conception; trace, vestige; → *Gedanke*; *fixe* ~ fixed idea, obsession; *gute* ~ good idea, brain wave; *colloq.* e-e ~ a little (bit); *keine* ~ *von et. haben* have not the least (*or* faintest) idea of a th.; *keine* ~*!* by no means!; *contp. was für eine* ~*!* the very idea!; *ich kam auf die* ~, *zu inf.* I got the idea (into my head) to *inf.*, it occurred to me to *inf.*; *wie kamst du auf die* ~, *dies zu tun?* what made you do that?
ideell [ideˈɛl] *adj.* ideal.
Ideen... [iˈdeːən-]: **2arm** *adj.* without imagination, lacking in ideas; resourceless; **~folge** *f* order (*or* sequence) of ideas; **~lehre** *f* doctrine of ideas; **~reichtum** *m* wealth of ideas (*or* invention); resourcefulness; **~verbindung** *f* association of ideas.
Iden [ˈiːdən] *pl.* Ides.
identifizier|en [idɛntifiˈtsiːrən] *v/t. and sich* (*h.*) identify (o.s.) (*mit* with); **2ung** *f* (-; -*en*) identification.
iˈdentisch *adj.* identical (*mit* with).
Identiˈtät *f* (-) identity; **~snachweis** *m* proof of identity; *customs*: certificate of origin.
Ideologe [ideoˈloːgə] *m* (-*n*; -*n*) ideologist; **Ideologie** [-loˈgiː] *f* (-; -*n*) ideology; **ideoˈlogisch** *adj.* ideological.
Idiom [idiˈoːm] *n* (-*s*; -*e*) idiom; speech habits *pl.*; dialect, vernacular; language; **idiomatisch** [-oˈmɑːtiʃ] *adj.* idiomatic.
Idiosynkrasie [idiozynkraˈziː] *f* (-; -*n*) idiosyncrasy.
Idiot(**in** *f*) [idiˈoːt-] *m* (-*en*, -*en*; (-, -*nen*) idiot, imbecile; **Idioˈtie** *f* (-, -*n*) idiocy; **idiˈotisch** *adj.* idiotic, imbecile (*both a. contp.*).
Idol [iˈdoːl] *n* (-*s*; -*e*) idol.
Idyll [iˈdyl] *n* (-*s*; -*e*), **~e** *f* (-; -*n*) idyl (*a. paint., etc.*); **2isch** *adj.* idyllic.
Igel [ˈiːgəl] *m* (-*s*; -) *zo.* hedgehog; *mil.* all-round defen|ce, *Am.* -se; **~stellung** *mil. f* hedgehog position.
Ignoran|t [ignoˈrant] *m* (-*en*; -*en*) ignorant person, ignoramus; **~z** *f* (-) ignorance.
ignoˈrieren *v/t.* (*h.*) ignore, take no notice of, disregard; cut *a p.* (dead).
ihm [iːm] (*dat. of* er *and* es) **1.** (to) him; (to) it; *ich habe es* ~ *gegeben* I have given it (to) him; *sag es* ~ *nicht!* do not tell him!; **2.** *after prp.*: him, *e.g. von* ~ of *or* from him; *ich drückte* ~ *die Hand* I pressed his hand.
ihn [iːn] (*acc. of* er) him; it; *wir sahen* ~ *selbst* we saw him himself.
ˈ**ihnen** (*dat. pl. of* er, *sie*, *es*) **1.** (to) them; *ich habe es* ~ *gesagt* I have told them; **2.** *after prp.*: them; *mit or bei* ~ with them, at their house; **3.** 2 (*dat. of Sie*) (to) you.
ihr [iːr] **I.** *pers. pron.* **1.** (*dat. of sie sg.*) (to) her; (to) it; **2.** (*nom. pl. of du*); *in letters*: 2 you; ~ *selbst* yourselves; *after rel. pron.*: ~, *die* ~ *das sagt* you who say that; **II.** *poss. pron.* **a**) *sg.* her; its; *einer* ~*er Brüder* a brother of hers; *mein und* ~ *Bruder* my brother and hers; **b**) *pl.* their; *sie haben* ~ *Haus verkauft* they have sold their house; *einer* ~*er Freunde* a friend of theirs; **c**) *address*: 2 your; **d**) *su. der* (*die*, *das*) ˈ~(**ig**)**e** hers (*pl.* theirs, *address*: 2 yours); *sie und die* ~(*ig*)*en* she (they) and hers (theirs); *Sie und die* 2(*ig*)*en* you and yours; *in letters*: *ganz der* 2(*ig*)*e* yours very truly.
ˈ**ihrer: a**) (*gen. sg. of sie sg.*) of her; **b**) (*gen. pl. of sie pl.*) of them; *es waren* ~ *zehn* there were ten of them; **c**) 2 (*gen. of Sie*) of you; **~seits** [ˈ-zaɪts] *adv.* on her (*pl.* their, 2 your) part; in her (*pl.* their, 2 your) turn.
ihresgleichen [ˈ-əsˈglaɪçən] *pron.* the like(s) of her (them, 2 you); her (their, 2 your) kind *or* equals *pl.*
ihret|halben [ˈiːrət-], **~wegen**, **~willen** *adv.* on her (*pl.* their, 2 your) account; because of her (*pl.* them, 2 you); for her (2 your) sake, *pl.* for their sakes.
ˈ**ihrig** → *ihr II* d.
Ilias [ˈiːlias] *f* (-) Iliad.
illegal [ˈilegɑːl] *adj.* illegal; *pol.* ~ *werden* go underground.
illegitim [ˈilegiˈtiːm] *adj.* illegitimate.
Illumination [iluminatsiˈoːn] *f* (-; -*en*) illumination.
illumiˈnieren *v/t.* (*h.*) illuminate (*a. manuscript*), light up.
Illusion [iluziˈoːn] *f* (-; -*en*) illusion; *sich* (*keine*) ~*en machen* have *or* cherish (no) illusions (*über acc.* about); **illusorisch** [-ˈzoːriʃ] *adj.* illusory, delusive.
Illustration [ilustratsiˈoːn] *f* (-; -*en*) illustration.
illuˈstrier|en *v/t.* (*h.*) illustrate (*a. fig.*); **2te** [-tə] (**Zeitung**) *f* illustrated paper; (illustrated) magazine.
Iltis [ˈiltis] *zo. m* (-*ses*; -*se*) polecat, fitchew.
im [im] = **in dem** → *in.*
imaginär [imagiˈnɛːr] *adj.* imaginary.
Imbiß [ˈimbis] *m* (-*sses*; -*sse*) light meal (*or* repast), snack; **~halle**, **~stube** *f* snack bar.
Imitation [imitatsiˈoːn] *f* (-; -*en*) imitation; copy; counterfeit, fake.
imiˈtieren *v/t.* (*h.*) imitate; → *nachahmen.*
Imker [ˈimkər] *m* (-*s*; -) bee-keeper, apiarist; → *Bienenzucht, etc.*
immanent [imaˈnɛnt] *adj.* immanent, inherent.
Immatrikulation [imatrikulatsiˈoːn] *f* (-; -*en*) matriculation, enrol(l)ment; **immatrikuˈlieren** *v/t.* (*h.*) (*and sich* ~ *lassen*) matriculate, enrol(l) (*an e-r Hochschule* in a university).
Imme [ˈimə] *f* (-; -*n*) bee.
immens [iˈmɛns] *adj.* immense.
immer [ˈimər] *adv.* **1.** always, ever, *Am. a.* at all time; continually, constantly, incessantly, for ever, all the time; all day (long); ~ *und ewig* for ever and ever; *auf or für* ~ for ever, for good, permanently; *noch* ~ still, even now; *noch* ~ *nicht* not yet, not even now; ~ *wenn* whenever, every time; ~ (*und* ~) *wieder* again and again, over and over again, time and again; et. ~ *wieder tun* keep doing a th.; ~ *weiter reden* keep (on) talking, talk on and on; (*nur*) ~ *zu!* go on!, carry on!; **2.** *before comp.*: ~ *besser* better and better; ~ *schlimmer* worse and worse, (*going*) from bad to worse; ~ *größer* bigger and bigger, ever bigger; ~ *größer werdend* ever increasing; **3.** under any circumstances, at all events, in any case; **4.** → *je*[2]: ~ *vier und vier* (always) four at a time; ~ *den dritten Tag* every third day; **5.** *wann auch* ~ whenever; *was auch* ~ what(so)ever; *wer auch* ~ who(so)ever; *wie auch* ~ in whatever manner, however; *wo auch* ~ wherever; **~dar** [ˈ-dɑːr] *adv.* forever (and ever), evermore; **~fort** *adv.* continually, incessantly, all the time; **2grün** *bot. n* (-*s*; -*e*) evergreen, periwinkle; **~grün**(**end**) *adj.* evergreen; **~ˈhin** *adv.* for all that, after all, still; though; at least; **~ˈwährend** *adj.* everlasting, perpetual, eternal; **~ˈzu** *adv.* → *immerfort.*
Immigrant(**in** *f*) [imiˈgrant-] *m* (-*en*, -*en*; -, -*nen*) immigrant.
Immobiliar|kredit [imobiliˈɑːr-] *m* loan(s *pl.*) on real estate; **~vermögen** *n* → *Immobilien.*
Immoˈbilien [-ˈbiːliən] *pl.* immovables, real estate *sg.*; **~gesellschaft** *f* real estate company; **~handel** *m* real estate business.
immobiliˈsieren *v/t.* (*h.*) immobilize.

Immortelle [imɔr'tɛlə] *bot. f* (-; -*n*) everlasting (flower), immortelle.
immun [i'mu:n] *adj.* immune (*gegen* from); ~ *machen* → ~**i'sieren** *v/t.* (*h.*) render immune, immunize; ²**i'tät** *f* (-) *med., parl. and fig.* immunity (*gegen* from); ²**körper** *med. m* antibody.
Impedanz [impe'dants] *el. f* (-; -*en*) impedance; ~**spule** *f* reactance coil.
Imperativ ['imperati:f] *gr. m* (-*s*; -*e*) imperative (mood); **impera'tivisch** *adj.* imperative.
Imperfekt(um) ['impɛrfekt(um)] *gr. n* (-*s*, -*e*; -*s*, -*a*) imperfect (tense), past tense.
Imperialis|mus [imperia'lismus] *m* (-) imperialism; ~**t** *m* (-*en*; -*en*) imperialist; ²**tisch** *adj.* imperialistic.
Imperium [im'pe:rium] *n* (-*s*; -*ien*) empire.
impertinen|t [impɛrti'nɛnt] *adj.* impertinent, insolent; ²**z** *f* (-) impertinence.
Impf|arzt ['impf-] *m* vaccinator, inoculator; ²**en** *v/t.* (*h.*) *med.* inoculate; *against smallpox*: vaccinate; *agr.* inoculate (*a. fig.*); ~**gegner** *m* antivaccinationist; ~**ling** ['-liŋ] *m* (-*s*; -*e*) child (*or* person) liable to vaccination; vaccinated person; ²**pflichtig** *adj.* liable to vaccination; ~**schein** *m* vaccination certificate; ~**schutz** *m* protection by vaccination; ~**stoff** *m* serum; vaccine; ~**ung** *f* (-; -*en*) inoculation (*a. agr.*); *against smallpox*: vaccination; ~**zwang** *m* (-[*e*]*s*) compulsory vaccination.
Imponderabilien [impɔndera'bi:liən] *n/pl.* imponderables.
imponieren [impo'ni:rən] *v/i.* (*h.*) be imposing (*or* impressive), command respect; *j-m*: impress, strike, awe *a p.*; ~**d** *adj.* imposing, impressive, awe-inspiring.
Import [im'pɔrt] *econ. m* (-[*e*]*s*; -*e*) import(ation); (*goods*) (~*en pl.*) imports; → *Einfuhr*; ~**e** [-ə] *f* (-; -*n*) *usu. pl.* imported Havana cigar.
Importeur [impɔr'tø:r] *m* (-*s*; -*e*) importer.
Im'port...: ~**firma** *f* importing firm, importers *pl.*; ~**geschäft** *n* import business.
impor'tieren *v/t.* (*h.*) import.
imposant [impo'zant] *adj.* imposing, impressive; majestic.
impoten|t ['impotɛnt] *adj.* impotent; ²**z** *f* (-) impotence.
imprägnier|en [imprɛ:g'ni:rən] *v/t.* (*h.*) impregnate; proof; ²**mittel** *n* impregnating agent; ²**ung** *f* (-; -*en*) impregnation; proofing.
Impresario [impre'zɑ:rio] *m* (-; -*s*) impresario.
Impressionis|mus [imprɛsio'nismus] *m* (-) impressionism; ~**t** *m* (-*en*; -*en*) impressionist; ²**tisch** *adj.* impressionist(ic).
Impressum [im'prɛsum] *typ. n* (-*s*; -*ssen*) imprint.
Imprimatur [impri'mɑ:tur] *n* (-*s*) imprimature; approval.
Improvisation [improvizatsi'o:n] *f* (-; -*en*) improvisation, extemporization; **improvi'sieren** *v/t. and v/i.* (*h.*) improvise (*a. fig.*), extemporize, *Am. sl.* ad-lib.
Impul|s [im'puls] *m* (-*es*; -*e*) impulse; *el a.* pulse; ~**sgeber** *el. m.* pulse generator; ²**siv** [-'zi:f] *adj.* impulsive; ~ *handeln* act on impulse *or* on the spur of the moment; ~**s-satz** *phys. m* theorem of impulse.
imstande [im'ʃtandə] *pred. adj.*: ~ *sein zu inf.* be able to *inf.*; be capable of *ger.*; be in a position to *inf.*; *nicht* ~ *zu inf.* unable to *inf.*, incapable of *ger.*; *er ist nicht* ~ *aufzustehen* he cannot get up.
in [in] *prp.* **1.** *as to space*: (*with dat.*) in, at; within; (*with acc.*) into, in; *im Hause* in(side) the house, indoors; *im ersten Stock* on the first floor; ~ *der* (*die*) *Kirche* (*Schule*) at (to) church (school); *im* (*ins*) *Theater* at (to) the theatre; ~ *England* in England; *waren Sie schon* ~ *England?* have you ever been to England?; *before names of small towns, etc.*: at, *of important towns*: in (*jur.* at, of); *Herr Professor N.* ~ *Bonn* Professor N. of Bonn; **2.** *as to time*: (*with dat.*) in, at, during; within; *duration*: ~ *drei Tagen* (with)in three days; ~ *diesem* (*im letzten, nächsten*) *Jahre* this (last, next) year; ~ *dieser Stunde* at this hour; → *Kürze*; ~ *acht Tagen* in a week('s time) *or* within a week; *heute* ~ *vierzehn Tagen* today fortnight; *im Jahre 1939* in (the year of) 1939; *im* (*Monat*) *Februar* in (the month of) February; *im Frühling* (*Herbst*) in (the) spring (autumn); ~ *der Nacht* at night; ~ *letzter Zeit* lately, of late, recently; **3.** *mode* (*with dat.*): ~ *großer Eile* in great haste; ~ *Fahrt* under way; *im Frieden leben* at peace; *im Kreise* in a circle; ~ *Reichweite* within reach; **4.** *condition* (*with dat.*): *im Alter von* at the age of; ~ *Behandlung* under treatment; ~ *Vorbereitung* being prepared; ~ *Geschäften* on business; *Kassierer* ~ *e-r Bank* cashier in (*or* at) a bank.
'**in-aktiv** *adj.* inactive (*a. mil.*); *chem.* inert; **In-aktivi'tät** *f* (-) inactivity.
In'angriffnahme [-nɑ:mə] *f* (-) (*gen.*) start (*or* beginning) *made with a th.*; setting about *a th.*; taking in hand, tackling *of a th.*; *w.s.* preliminary operations *pl.*
In'anspruchnahme [-nɑ:mə] *f* (-) laying claim to; *mil.* utilization, requisition; use, utilization, employment; reliance on, resort to; *econ.* ~ *von Kredit* availment of credit; strain (*gen.* on *capital, material, strength, etc.*); drain (on *one's purse, etc.*); demands (*gen.* on); *geistige*: preoccupation, engrossment, absorption; *zeitliche*: encroachment (*or* claim) on one's time; *econ. starke* ~ pressure of business.
'**in-artikuliert** *adj.* inarticulate.
In'augenscheinnahme [-nɑ:mə] *f* (-) inspection.
'**Inbegriff** *m* (-[*e*]*s*) substance, (quint)essence; *the* be-all and end-all; aggregate, totality; embodiment, incarnation; paragon.
'**inbegriffen** *pred. adj. and adv.* included, inclusive(ly), inclusive of.
Inbe'sitznahme *f* occupation, taking possession (*gen.* of).
Inbe'trieb|nahme [-nɑ:mə] *f* (-; -*n*), ~**setzung** [-sɛtsuŋ] *f* (-; -*en*) opening of (*or* putting into) operation *or* service, starting.
'**Inbrunst** *f* (-) ardo(u)r, fervo(u)r.
'**inbrünstig** *adj.* ardent, fervent.
Inbusschraube ['inbus-] *tech. f* Allen(-type) screw.
Indanthren [indan'tre:n] *n* (-*s*; -*e*) indanthrene.
in'dem I. *cj.* **1.** as, while, whilst; ~ *er mich ansah, sagte er* looking at me he said; ~ *er dies sagte, zog er sich zurück* saying so he retired; **2.** by *ger.*; *er gewann,* ~ *er einen kühnen Zug tat* he won by making a bold move; **II.** *adv.* → *indes* I.
Indemnität [indɛmni'tɛ:t] *f* (-) indemnity.
Inder(in *f*) ['indər-] *m* (-*s*, -; -, -*nen*) Indian.
indes [-'dɛs], **in'dessen I.** *adv.* during that time; meanwhile, in the meantime; **II.** *cj.* while; nevertheless, for all that; yet, still, however.
Index ['indɛks] *m* (-[*es*]; -*e*) *math., tech., statistics* (*and register*) index; *eccl. auf den* ~ *setzen* put *books* on the Index; ~**strich** *m* index (line); ~**währung** *econ. f* isometric standard; managed currency; ~**zahl,** ~**ziffer** *f* index (number).
Indianer [indi'ɑ:nər] *m* (-*s*; -), ~**in** *f* (-; -*nen*) (Red) Indian; ~**häuptling** *m* (Red) Indian chief; ~**stamm** *m* (Red) Indian tribe.
indi'anisch *adj.* (Red) Indian.
Indienststellung [in'di:nst-] *mar., mil. f* commissioning; → *Einberufung.*
'**Indier(in** *f*) *m* (-*s*, -; -, -*nen*) → *Inder.*
indifferen|t ['-difərɛnt] *adj.* indifferent (*gegenüber dat.* to); *phys. a.* neutral; inert (*gas*); ²**z** *f* indifference.
indigniert [-di'gni:rt] *adj.* indignant.
Indigo ['indigo] *m* (-*s*; -*s*) indigo; ~**blau** *chem. n* indigo blue; ~**farbstoff** *m* indigotin; ~**rot** *n* indigo red; *chem.* indirubin.
Indikation [indikatsi'o:n] *med. f* (-; -*en*) indication; *jur. ethische* ~ abortion on ethical grounds.
Indika|tiv ['indikati:f] *gr. m* (-*s*; -*e*) indicative (mood); ²**tivisch** [-'ti:viʃ] *adj.* indicative.
Indikatrix [indi'kɑ:triks] *math. f* (-) indicatrix.
'**indirekt** *adj.* indirect.
'**indisch** *adj.* Indian; *der* ²*e Ozean* the Indian Ocean.
'**indiskret** *adj.* indiscreet; **Indiskreti'on** *f* (-; -*en*) indiscretion.
'**indiskutabel** *adj.* out of the question, out of court.
'**indisponiert** *adj.* indisposed.
individualisieren [individuali'zi:rən] *v/t.* (*h.*) individualize.
Individua'list *m* (-*en*; -*en*) individualist; ²**isch** *adj.* individualist(ic).
Individuali'tät *f* (-) individuality.
individuell [-'ɛl] **I.** *adj.* individual; personal; **II.** *adv.*: ~ *gestalten* individualize, personalize; *das Gerät läßt sich* ~ *einstellen* the appliance can be adjusted to your likes.
Individuum [-'vi:duum] *n* (-*s*; -*duen*) individual; person.

Indiz(ienbeweis *m*) [in'di:ts(iən-)] *n* (-es; -ien) circumstantial evidence.
indi'zieren *v/t.* (*h.*) indicate; index.
Indo|'china [indo-] *n* Indo-China; **2chi'nesisch** *adj.* Indo-Chinese; **2ger'manisch** *adj.* Indo-Germanic.
indolent ['indolɛnt] *adj.* indolent, idle.
Indones|ien [-'ne:ziən] *n* (-s) Indonesia; **~ier(in** *f*) *m* (-s, -; -, -nen), **2isch** *adj.* Indonesian.
Indos|sament [indɔsa'mɛnt] *econ. n* (-s; -e) indorsement, endorsement; **~sant** [-'sant] *m* (en; -en) indorser, endorser; **~sat** [-'sa:t] *m* (-en; -en) indorsee, endorsee; **2sierbar** [-'si:r-ba:r] *adj.* indorsable, endorsable; **2'sieren** *v/t.* (*h.*) indorse, endorse.
Induktanz [induk'tants] *el. f* (-) inductance; **~spule** *f* retardation coil.
Induktion [-tsi'o:n] *phls. and el. f* (-; -en) induction; **~s...** inductive; **~s-apparat** *m* induction coil; **~s-elektrizität** *f* inductive electricity; **2sfrei** *adj.* non-inductive; **~shärtung** *f* induction hardening; **~s-motor** *m* induction motor; **~s-spule** *f* induction-coil; **~s-strom** *m* induced current.
induktiv [induk'ti:f] *adj.* inductive; **Induktivität** [-tivi'tɛ:t] *f* (-) inductance.
Induktor [in'dukto:r] *el. m* (-s; -'toren) inductor.
industria|lisieren [industriali'zi:-rən] *v/t.* (*h.*) industrialize; **2li'sierung** *f* (-; -en) industrialization; **2lismus** [-'lismus] *m* (-) industrialism.
Indu'strie *f* (-; -n) industry; *collect. the* industries *pl.*; **~aktien** *econ. f/pl.* industrial shares (*Am.* stocks), industrials; **~anlage** *f* (manufacturing) plant, works *pl.* (*often sg.*); **~arbeiter(in** *f*) *m* industrial worker; **~ausstellung** *f* industrial exhibition; **~bank** *f* (-; -en) industrial bank; **~berater** *m* management consultant; **~betrieb** *m* industrial (*or* manufacturing) plant *or* establishment; **~bezirk** *m* → *Industriegebiet*; **~erzeugnisse** *n/pl.* industrial products; manufactured goods, manufactures; **~firma** *f* industrial firm; **~führer, ~kapitän, ~könig** *m* captain of industry, tycoon; **~gebiet** *n* industrial area; manufacturing district; **~gelände** *n* industrial sites *pl.*; **~gewerkschaft** *f*: ~ *Bergbau* Mining Industry Trade Union; ~ *Metall* Engineering Union.
industriell [-'ɛl] *adj.* industrial; **2e(r)** *m* (-[e]n; -[e]n) industrialist, manufacturer.
Indu'strie...: ~kapitän, ~magnat *m* → *Industrieführer*; **~messe** *f* industrial fair; **~obligationen** *f/pl.* industrial bonds; **~papiere** *n/pl.* industrials; **~potential** *n* industrial potential; **~ritter** *m* high-class swindler; **~staat** *m* (**~stadt** *f*) industrial country (town); **~- und Handelskammer** *f* Chamber of Industry and Commerce; **~verband** *m* federation of industries; **~werk** *n* industrial (*or* manufacturing) plant, engineering works *pl.*; **~werte** *econ. m/pl.* industrials; **~wirtschaft** *f* (-) industrial sector *or* activity; industry; **~zentrum** *n* industrial cent|re, *Am.* -er; **~zweig** *m* (branch of) industry.
induzieren [indu'tsi:rən] *v/t.* (*h.*) induce (*a. phys.*).
in-ein'ander *adv.* into one another, *two*: into each other; *in compounds a.* inter...; **~fassen** *v/i.* (*h.*) → *ineinandergreifen*; **~flechten** *v/t.* (*irr.*, *h.*) interlace, intertwine; **~fließen** *v/i.* (*irr.*, *sn*) flow (*or* merge) into each other; *paints*: run into one another; **~fügen** *v/t.* (*h.*) fit into each other, join; **~greifen** *v/i.* (*irr.*, *h.*) *tech.* gear together (*or* into each other), mesh, interlock; *fig.* work (harmoniously) together, cooperate; **2greifen** *n* (-s) concatenation, chain (*of events*); interplay; **~passen, ~stecken** *v/t.* (*h.*) fit together *or* into each other; **~passend** *adj.* nested (*set of pots, etc.*); **~schieben** *v/t. and sich* (*irr.*, *h.*) telescope; **~schlingen** *v/t.* (*h.*) intertwist; **~weben** *v/t.* (*h.*) interweave.
In-emp'fangnahme [-na:mə] *f* (-) reception.
infam [in'fa:m] *adj.* infamous; disgraceful, shameless, dirty.
Infamie [-fa'mi:] *f* (-; -n) infamy; disgrace.
Infant [in'fant] *m* (-en; -en) infante; **~in** *f* (-; -nen) infanta.
infantil [-'ti:l] *adj.* infantile.
Infantilismus [-ti'lismus] *m* (-) infantilism.
Infanterie ['infantə'ri:] *f* (-; -n) infantry; **~angriff** *m* infantry attack; **~ausbildung** *f* infantry training; **~geschoß** *n* small arms projectile; **~geschütz** *n* infantry (*or* close support) gun; **~spitze** *f* infantry point; **Infante'rist** *m* (-en; -en) infantryman, rifleman.
Infarkt [in'farkt] *med. m* (-[e]s; -e) infarct.
Infektion [infɛktsi'o:n] *med. f* (-; -en) infection; **~sgefahr** *f* danger of infection; **~sherd** *m* focus (of infection); **~skrankheit** *f* infectious disease.
Inferiorität [inferiori'tɛ:t] *f* (-) inferiority; **~skomplex** *psych. m* inferiority complex.
infernalisch [infɛr'na:liʃ] *adj.* infernal.
infil'trieren *v/t. and v/i.* (*h.*) infiltrate.
Infinitesimalrechnung [infinitezi-'ma:l-] *f* infinitesimal calculus.
Infini|tiv ['infiniti:f] *gr. m* (-s; -e) infinitive (mood); **2tivisch** [-'ti:-viʃ] *adj.* infinitive.
infizieren [infi'tsi:rən] *v/t.* (*h.*) infect; *sich* ~ be (*or* get) infected.
in flagranti [fla'granti] *adv.* red-handed, in the act.
Inflation [inflatsi'o:n] *f* (-; -en) inflation; **inflationistisch** [-tsio-'nistiʃ] *adj.* inflationary.
Inflati'ons...: ~erscheinung *f* inflationary symptom; **~gefahr** *f* danger of inflation; **~politik** *f* inflationism; **~zeit** *f* inflation(ary period).
Influenz [influ'ɛnts] *el. f* (-; -en) electrostatic induction, influence.
Influ'enza *med. f* (-) influenza, flu.
infolge [-'fɔlgə] *prp.* (*gen.*) in consequence of, as a result of, owing (*or* due) to; **~'dessen** *adv.* as a result, consequently, accordingly; owing to this *or* which.
Infor|mation [infɔrmatsi'o:n] *f* (-; -en) *a. biol.*, *computer*: information (*über acc.* on, about); e-e ~ a piece of information; **~en** *pl.* information *sg.*; → *Auskunft*; **~mati'onsbüro** *n* information bureau, inquiry office; **2matorisch** [-ma'to:riʃ] *adj.* informatory; **2'mieren** *v/t.* (*h.*) inform (*über acc.* of, on, about), notify, advise (of); acquaint (with); instruct; *esp. mil.* brief; *falsch* ~ misinform; *sich* ~ inform o.s., gather information, make inquiries.
Infragestellung [in'fra:gə-] *f* calling into question, casting doubts upon.
infra|akustisch ['infra-] *adj.* infra-acoustic, sub-audio (*frequency*); **~rot** *phys. adj.* infra-red; **2rotstrahler** *m* infra-red radiant heater; **2schall...** infra-sonic; **2struktur** *mil. f* infrastructure.
Infusion [infuzi'o:n] *f* (-; -en) infusion; **~s-tierchen** *n/pl.*, **Infusorien** [-'zo:riən] *n/pl.* infusoria.
In'gangsetzung [-sɛtsuŋ] *tech. f* (-) setting in action, starting.
Inge'brauchnahme [-na:mə] *f* (-) putting into use (*or* into operation); → *Gebrauch*.
Ingenieur [inʒeni'ø:r] *m* (-s; -e) engineer; *beratender* (*leitender*) ~ consulting (chief) engineer; **~büro** *n* engineering (consultant's) office; **~schule** *f* school of engineering; **~wesen** *n* (-s) engineering.
Ingrediens [in'gre:diɛns] *n* (-; -'enzien), **Ingredienz** [-gredi'ɛnts] *f* (-; -en) ingredient, component.
'Ingrimm *m* rage, (inward) wrath; **2ig** *adj.* wrathful, fierce, furious.
Ingwer ['iŋvər] *bot. m* (-s) ginger; **~bier** *n* ginger-beer.
Inhaber ['inha:bər] *m* (-s; -), **~in** *f* (-; -nen) possessor, (de facto *or* present) holder, occupant (*of house, etc.*); owner, proprietor; holder (*of document, office, title, etc.*); holder (*of patent*), patentee; holder, bearer (*of bill of exchange, bond, etc.*); *econ. auf den* ~ *ausstellen* make out to bearer; *auf den* ~ *lautend* (payable) to bearer; **~aktie** *f* bearer share; **~papier** *n* bearer instrument; **~scheck** *m* cheque (*Am.* check) to bearer; **~schuldverschreibung** *f* bearer bond; **~wechsel** *m* bearer-bill.
inhaf|tieren [inhaf'ti:rən] *v/t.* (*h.*) arrest, take in custody, place under detention; **2'tierung** *f* (-; -en), **In'haftnahme** [-na:mə] *f* (-; -n) arrest, detention, imprisonment.
Inhalation [inhalatsi'o:n] *f* (-; -en) inhalation; **~s-apparat** *m* inhaler; **inha'lieren** *v/t.* (*h.*) inhale.
Inhalt ['inhalt] *m* (-[e]s; -e) contents *pl.*; capacity; volume; tenor, subject-matter (*of speech, writing, etc.*); *wesentlicher* ~ substance, essence, gist; content; *letter, etc.* *des* **~s**, *daß* to the effect that, saying that; *des folgenden* **~s** running as follows, to the following effect;

2lich *adv.* as (*or* with regard) to the contents, in substance (*or* its contents).
'**Inhalts...:** **~angabe** *f* statement of contents; summary, synopsis, epitome (*of work*); → *Inhaltsverzeichnis*; e-e ~ *machen* summarize, epitomize; **~bestimmung** *f* determination of volume, cubature; **2leer, 2los** *adj.* empty, devoid of substance, trivial; **2reich, 2schwer** *adj.* full of meaning (*or* substance), meaty; pregnant; weighty, momentous; **~verzeichnis** *n* list (*of books*: table) of contents; index; synopsis; **2voll** *adj.* → *inhaltsreich*; comprehensive, exhaustive.
Initiale [initsi'ɑ:lə] *typ. f* (-; -*n*) initial (letter).
Initiativ-antrag [initsia'ti:f-] *parl. m* private bill.
Initiative [-'ti:və] *f* (-) initiative; enterprise; *die* ~ *ergreifen* take the initiative (*or* lead); *auf seine* ~ *hin* on his initiative; *aus eigener* ~ of one's own initiative (*or* accord).
Injektion [injɛktsi'o:n] *f* (-; -*en*) injection, *med. a.* shot; **~snadel** *f* hypodermic needle; **~s-spritze** *f* injection syringe.
injizieren [inji'tsi:rən] *v/t.* (*h.*) inject.
Injurie [in'ju:riə] *f* (-; -*n*) insult.
Inkasso [in'kaso] *econ. n* (-*s*; -*s*) collection; *zum* ~ for collection; **~abteilung** *f* collection department; **~auftrag** *m* collection order; **~büro** *n* collection agency; **~geschäft** *n* collection business; **~vollmacht** *f* collecting power; **~wechsel** *m* bill for collection.
In'kaufnahme [-nɑ:mə] *f* (-) acceptance (*gen.* of), putting up (with); *jur.* reckless disregard *of the consequences*.
inklusive [inklu'zi:və] *adv.* (**inkl.**) inclusive(ly), including; *econ.* ~ *Verpackung* packing included.
inkognito [in'kɔgnito] *adv. and* 2 *n* (-*s*; -*s*) incognito.
'**inkongruen|t** *adj.* incongruous; **2z** *f* incongruity.
'**inkonsequen|t** *adj.* inconsequential, inconsistent; **2z** *f* inconsistency.
'**inkorrekt** *adj.* incorrect.
In'krafttreten *n* (-*s*) coming into force, taking effect; *Tag des* ~*s* effective date.
inkriminieren [inkrimi'ni:rən] *v/t.* (*h.*) incriminate.
Inkubationszeit [inkubatsi'o:ns-] *f* incubation period.
In'kurssetzung [-sɛtsuŋ] *f* (-) (putting into) circulation.
'**Inland** *n* (-[e]*s*) home (*or* native) country; interior of the country, inland; *im In- und Auslande* at home and abroad; *im* ~ *hergestellt* home-made; *in compounds usu.* home ...; native ...; inland ...; internal ...; domestic ...; **~absatz** *m* (-*es*) sales *pl.* in the home-market; **~anleihe** *f* internal loan; **~aufträge** [-auftrɛ:gə] *m/pl.* orders from domestic customers; **~bedarf** *m* domestic requirements.
Inländ|er(in *f*) ['inlɛndər-] *m* (-*s*, -; -, -*nen*) inlander; native; **2isch** *adj.* native, home-bred, indigenous; national, domestic; home-made, domestic (*product*); home, inland (*trade*); internal (*traffic*).
'**Inlands...:** **~handel** *m* home trade; **~markt** *m* home (*Am.* domestic) market; **~post** *f* inland (*Am.* domestic) mail; **~wechsel** *econ. m* inland bill.
'**Inlaut** *gr. m* medial (sound).
Inlett ['inlɛt] *n* (-[e]*s*; -*e*) bedtick; **~stoff** *m* ticking.
'**inliegend** *adj.* enclosed, inclosed; *adv. a.* as (an) enclosure.
in'mitten *prp.* (*gen.*) in the midst (*or* cent|re, *Am.* -er) of; amidst, *Am. usu.* amid.
inne ['inə] *adv.* within; **~haben** *v/t.* (*h.*) hold, posses; hold, fill (*office, etc.*); hold (*record, title*); occupy (*town, etc.*); **~halten I.** *v/t.* (*irr., h.*) observe, keep to; **II.** *v/i.* (*irr., h.*) stop, pause; *mit der Arbeit* ~ cease (*or* leave off) work(ing).
innen ['inən] *adv.* within, (on the) inside; within doors, indoors; ~ *und außen* within and without, inside and out(side); *nach* ~ (*zu*) inwards, towards the interior; *von* ~ from within, from the inside.
'**Innen...:** **~abmessungen** *f/pl.* inside dimensions; **~ansicht** *f* interior view; **~antenne** *f* indoor aerial, *Am.* inside antenna; **~architekt** *m* interior decorator; **~architektur** *f* interior decoration; **~aufnahme** *phot. f* indoor set *or* shot, interior; **~ausstattung** *f* interior decoration (*or* equipment); **~bahn** *f sports*: inside lane; **~beleuchtung** *f* interior lighting; **~dienst** *m* internal service; *mil.* barracks duty; **~einrichtung** *f* → *Innenausstattung*; **~fläche** *f* inner (*or* inside) surface; *of hand*: palm; **~gewinde** *tech. n* internal (*or* female) thread; **~leben** *n* (-*s*) inner life; **~minister** *m* Minister of the Interior; *Brit.* Home Secretary; *Am.* Secretary of the Interior; **~ministerium** *n* Ministry of the Interior; *Brit.* Home Office, *Am.* Department of the Interior; **~politik** *f* home politics; domestic policy; **2politisch** *adj.* (concerning) home affairs; domestic, internal; **~raum** *m* interior (space); **~seite** *f* inner side (*or* surface), inside; **~stadt** *f* city (cent|re, *Am.* -er), *Am. a.* downtown; **~steuerung** *mot. f* inside drive; **~tasche** *f* inside pocket; **~welt** *f* world within us, inner life; **~winkel** *math. m* interior angle.
inner ['inər] *adj.* interior (*a. pol.*); inner, central; inward, internal (*a. med.*); from within; ~*e Angelegenheit* internal affair; ~*es Auge* mind's eye; ~*er Durchmesser* inside diameter; ~*er Halt* moral backbone, morale; ~*er Mangel* inherent vice; 2*e Mission* Home Mission; *gr.* ~*es Objekt* cognate object; ~*e Stimme* inner voice; ~*er Wert* intrinsic value; *el.* ~*er Widerstand* dynamic anode resistance; **~betrieblich** *adj.* internal, intramural, *Am.* in-plant; ~*e Kontaktpflege* human relations; **2e(s)** [-ə(s)] *n* (-[e]*n*) interior, inside; mind; heart, soul; midst, cent|re, *Am.* -er, heart; *im* ~*n* within, inside, internal, *fig.* at heart, secretly; *Minister des* ~*n* → *Innenminister*.
Innereien [-'raɪən] *f/pl.* innards, offals.
'**inner...:** **~halb I.** *adv.* within, inside; **II.** *prp.* (*gen.*) within, *Am.* inside of; **~lich I.** *adj.* → *inner*; mental, spiritual; psychical; introspective; contemplative; heartfelt, sincere; profound; **II.** *adv.* inwardly, internally; mentally; secretly; *pharm.* ~ *anzuwenden* for internal use; **2lichkeit** *f* (-) inwardness; contemplative nature; profoundness; warmth; **~parteilich** *adj.* intra-party, internal; **~politisch** *adj.* → *innenpolitisch*.
'**innerst** *adj.* in(ner)most; *die* ~*en Gedanken* the most intimate (*or* secret) thoughts; **2e(s)** [-stə(s)] *n* (-[e]*n*) the innermost (*or* most central) part; cent|re, *Am.* -er, heart, midst; *fig. sein* ~*s* his inmost soul; *bis ins* ~ to the (very) core *or* heart, to the foundations.
'**inne...:** **~werden** *v/i.* (*irr., sn*) (*gen.*) perceive, see; become aware (*or* conscious) of; awake to; learn; **~wohnen** *v/i.* (*h.*) (*dat.*) be inherent in; be proper to, be characteristic of.
innig ['iniç] **I.** *adj.* hearty, heartfelt, warm; tender, affectionate; ardent, fervent; sincere; intimate, close; *chem.* intimate (*mixture*); **II.** *adv.* tenderly, heartily, *etc.*; ~ *lieben* love dearly (*or* devoutly); *chem.* ~ *gemischt* intimately mixed; **2keit** *f* (-) heartiness, warmth; tenderness; fervo(u)r; sincerity; intimacy, closeness; **~lich** ['inikliç] *adv.* → *innig II.*
'**Innung** *f* (-; -*en*) guild, corporation.
'**in-offiziell** *adj.* unofficial, informal; *pred. a.* off the record.
in-oku'lieren *v/t.* (*h.*) inoculate.
'**in-opportun** *adj.* inopportune, untimely, out of place.
Inquisi|tion [inkvizitsi'o:n] *eccl. f* (-; -*en*) inquisition; **2torisch** [-'to:riʃ] *adj.* inquisitorial.
ins [ins] = **in das** into the.
Insass|e ['inzasə] *m* (-*n*; -*n*), **~in** *f* (-; -*nen*) inmate (*a. of institution, prison, etc.*); occupant, dweller; inhabitant; *of vehicle*: occupant, passenger.
insbe'sondere *adv.* in particular, particularly, (e)specially, above all.
'**Inschrift** *f* inscription, legend.
inseitig ['-zaɪtiç] *adj.* internal, inside.
Insekt [in'zɛkt] *n* (-[e]*s*; -*en*) insect.
In'sekten...: **~blütler** [-bly:tlər] *m/pl.* entomophilae; **~fraß** *m* insect ravage; **2fressend** *adj.* insectivorous; **~fresser** *m* insectivore, insect-eater; **~kunde, ~lehre** *f* (-) entomology; **~plage** *f* insect pest; **~pulver, ~vertilgungsmittel** *n* insect-powder; insecticide.
Insel ['inzəl] *f* (-; -*n*) island; isle; *die* ~ *Wight* the Isle of Wight; *die britischen* ~*n* the British isles; *Verkehrs*2 (street-, *Am.* traffic) island; **~bewohner(in** *f*) *m* islander; **~chen** [-çən] *n* (-*s*; -) islet; **~gruppe** *f* group of islands; **2reich** *adj.* studded with islands; **~reich** *n* island kingdom, *a.* →

~staat *m* insular country *or* state; **~volk** *n* island race *or* nation; **~welt** *f* island world.

Inserat [inzəˈrɑːt] *n* (-[e]s; -e) advertisement, ad; notice; **~enbüro** *n* advertising agency.

Inserent [-ˈrɛnt] *m* (-*en*; -*en*) advertiser.

inseˈrieren I. *v/t.* (*h.*) advertise; **II.** *v/i.* (*h.*): ~ *in* advertise (*or* put an ad) in.

Insertionsgebühren [inzɛrtsiˈoːns-] *f/pl.* advertising charges (*or* rates).

ins|geˈheim *adv.* in secret, secretly; **~geˈmein** *adv.* in general, generally; **~geˈsamt** *adv.* altogether, in a body, in all, all told; *er erhielt ~ 500 Briefe* he received the total of 500 letters; *~ betragen or sich belaufen auf* total *a th.*

Insignien [inˈzigniən] *pl.* insignia.

inˈsofern[1] *adv.* so far; as far as that goes, in this respect; *das ist ~ unrichtig, als* this is incorrect in that.

insoˈfern[2] *cj.*: *~ als* (in) so far as, inasmuch as, in that.

ˈinsolven|t *econ. adj.* insolvent; **2z** *f* insolvency; → *Bankrott.*

insonderheit [inˈzɔndərhaɪt] *adv.* → *insbesondere.*

insoˈweit *adv.* → *insofern*[2].

Inspektion [inspɛktsiˈoːn] *f* (-; -*en*) inspection; (*office*) inspectorate; **~sreise** *f* tour of inspection.

Inˈspektor [-toːr] *m* (-*s*; -ˈ*toren*), **Inspekteur** [-ˈtøːr] *m* (-*s*; -*e*) inspector; supervisor, overseer; *mil.* Chief of Staff *of the Army, etc.*

Inspiration [inspiratsiˈoːn] *f* (-; -*en*) inspiration; **inspiˈrieren** *v/t.* (*h.*) inspire.

Inspizient [inspitsiˈɛnt] *m* (-*en*; -*en*) inspector; *thea.* house manager.

inspiˈzieren *v/t.* (*h.*) inspect; examine; superintend.

Installa|teur [instalaˈtøːr] *m* (-*s*; -*e*) plumber; steam fitter; gas-fitter; *el.* installer, electrician; **~tion** [-tsiˈoːn] *f* (-; -*en*) installation; mounting.

instalˈlieren *v/t.* (*h.*) install (*a. fig.*).

instand [inˈʃtant] **halten** *v/t.* (*h.*) keep in good repair *or* order; keep up; *tech.* maintain, service.

Inˈstandhaltung *f* upkeep; maintenance; servicing.

ˈinständig I. *adj.* urgent, instant, earnest; **II.** *adv.*: *j-n ~ bitten* implore, beseech *a p.*

inˈstand setzen *v/t.* (*h.*) *j-n*: enable *a p.*; *et.*: repair, mend, restore, *Am. a.* fix *a th.*; recondition, overhaul.

Inˈstandsetzung [-zɛtsuŋ] *f* (-; -*en*) repair(ing), restoration; reconditioning; **~s-arbeit** *f* repair work, repairs *pl.* (*an dat.* to); **~swerkstatt** *f* repairshop.

Instanz [inˈstants] *f* (-; -*en*) authority; *esp. jur.* instance; *höhere ~en* higher authorities, *jur.* appellate court; *jur. in erster ~* at first instance; *Gericht erster ~* court of first instance, *a.* trial court; *in erster ~ zuständig sein* (*für*) have original jurisdiction (over); *letzte ~* last resort; *in letzter ~ zuständig sein* have final appellate jurisdiction; **~enweg** *m*: *auf dem ~* through official (*or* the prescribed) channels; *jur.* stages of appeal.

Instinkt [inˈstiŋkt] *m* (-[e]s; -e) instinct; *fig. ~ für* instinctive sense of; flair for; *aus ~* by instinct, instinctively; **2artig** [ˈ-ɑːrtiç], **2mäßig, instinktiv** [-ˈtiːf] *adj.* instinctive, by instinct.

Institut [instiˈtuːt] *n* (-[e]s; -e) institution; institute; establishment; boarding-school.

Institution [institutsiˈoːn] *f* (-; -*en*) institution; **institutionell** [-oˈnɛl] *adj.* institutional(ly *adv.*); **institutionaliˈsieren** *v/t.* (*h.*) institutionalize.

instruieren [instruˈiːrən] *v/t.* (*h.*) instruct; *sich ~* (*über acc.*) inform o.s. (about).

Instruktion [-ktsiˈoːn] *f* (-; -*en*) instruction; orders, directions, regulations *pl.*; *mil. a.* brief(ing).

instruktiv [-ˈtiːf] *adj.* instructive.

Instrument [instruˈmɛnt] *n* (-[e]s; -e) instrument (*a. mus.*), tool, implement; → *Gerät, Vorrichtung*; *jur.* legal instrument, deed.

instrumental [-ˈtɑːl] *mus. adj.* instrumental; **2begleitung** *f* instrumental accompaniment; **2musik** *f* instrumental music.

Instruˈmenten|brett *n* instrument panel, dashboard, control panel; **~flug** *aer. m* instrument flying; **~macher** *mus. m* instrument maker.

instrumenˈtier|en *mus. v/t.* (*h.*) instrument, orchestrate; **2ung** *f* (-; -*en*) instrumentation, orchestration.

Insub-ordinatiˈon [inzup-] *f* insubordination.

Insulaner(in *f*) [inzuˈlɑːnər-] *m* (-s, -; -, -*nen*) islander.

Insulin [inzuˈliːn] *med. n* (-*s*) insulin.

Insurgent(in *f*) [inzurˈgɛnt-] *m* (-*en*, -*en*; -, -*nen*) insurgent.

inszenier|en [instseˈniːrən] *v/t.* (*h.*) *thea.* (put on the) stage, produce; *film*: direct; *fig.* stage; **2ung** *f* (-; -*en*) production, staging, mise en scène (*Fr.*).

intakt [inˈtakt] *adj.* intact; unhurt.

Intarsia [inˈtarzia] *f* (-; -*ien*) marquetry (work), inlay.

integral [inteˈgrɑːl] *adj.* integral, whole; **2** *math. n* (-*s*; -*e*) integral (value); **2rechnung** *f* integral calculus.

inteˈgrieren *v/t.* (*h.*) integrate; **~d** integrant; *~er Bestandteil* integral part.

Integriˈtät *f* (-) integrity.

Intellekt [intɛˈlɛkt] *m* (-[e]s) intellect.

intellektuell [-uˈɛl] *adj.* intellectual; **2e(r** *m*) *f* (-*n*, -*n*; -*en*, -*en*) intellectual, highbrow.

intelligent [-liˈgɛnt] *adj.* intelligent.

Intelliˈgenz *f* (-) intelligence, brains *pl.*; *collect. die ~* the intelligentsia (*of country*); **~ler** [-lər] *m* (-*s*; -) *sl.* egghead; **~prüfung** *f* intelligence test.

Intendant [intɛnˈdant] *m* (-*en*; -*en*) superintendent; *thea.* director.

Intendantur [-ˈtuːr] *f* (-; -*en*) board of management; *mil.* commissariat.

Intensität [intɛnziˈtɛːt] *f* (-) intensity, intenseness; **intensiv** [-ˈziːf] *adj.* intensive, intense.

intensivier|en [-ziˈviːrən] *v/t., a. sich* (*h.*) intensify; **2ung** *f* (-; -*en*) intensification.

Intensivum [-ˈziːvum] *gr. n* (-*s*; -*va*) intensive (verb).

Interdikt [intərˈdikt] *n* (-[e]s; -e) *eccl.* interdict.

interessant [intərɛˈsant] *adj.* interesting, of interest (*für* to); attractive.

Interesse [-ˈrɛsə] *n* (-*s*; -*n*) interest (*an dat., für acc.* in); concern; *~ haben an or für → sich interessieren*; *in j-s ~ liegen* be to a p.'s interest; *im öffentlichen ~ liegen* benefit the public interest; *in deinem ~* in your interest, for your sake; *es ist in deinem ~* it is in your interest; *im ~* (*gen.*) in the interest of (*justice, etc.*); *j-s ~n vertreten* (*wahrnehmen*) safeguard (*or* protect) a p.'s interests, act in a p.'s behalf; **2los** *adj.* uninterested, indifferent; **~ngebiet** *n* field of interest; **~ngemeinschaft** *f* community of interests; pooling agreement; combination; combine, pool; **~ngruppe** *parl. f* pressure group; **~nsphäre** *f* sphere of influence.

Interessent(in *f*) [-ˈsɛnt-] *m* (-*en*, -*en*; -, -*nen*) interest(ed party); *econ.* prospective customer *or* buyer; applicant.

Interˈessenvertretung *f* representation of interests.

interesˈsieren *v/t.* (*h.*) interest (*für* in); arouse the interest of; *der Vorschlag interessiert mich nicht* the proposal does not interest me *or* has no interest for me, I don't care for the proposition; *das interessiert mich nicht!* I don't care!; *es interessiert dich* it concerns you; *sich ~ für* interest o.s. (*or* take an interest) in, be in the market for; *interessiert sein an* (*dat.*) be interested in, be concerned in.

Interferenz [intərfeˈrɛnts] *phys. f* (-; -*en*) interference.

interimistisch [interiˈmistiʃ] *adj.* interim; provisional, temporary.

ˈInterims...: temporary ..., interim ..., provisional ...; **~aktie** *f*, **~schein** *econ. m* interim certificate, scrip; **~regierung** *f* provisional government.

Interjektion [intərjɛktsiˈoːn] *gr. f* (-; -*en*) interjection.

ˈinterkonfessionell *adj.* interdenominational.

interkontinenˈtal *adj.* intercontinental; **2geschoß** *n*, **2rakete** *f* intercontinental ballistic missile.

Intermezzo [intərˈmɛtso] *mus., thea. n* (-*s*; -*s*) intermezzo, interlude.

intermittierend [-miˈtiːrənt] *adj.* intermittent.

intern [inˈtɛrn] *adj.* internal; **2e(r** *m*) *f* (-*n*, -*n*; -*en*, -*en*) boarder; **Internat** [intərˈnɑːt] *n* (-[e]s; -e) boarding-school.

internatioˈnal *adj.* international; **2e** *pol. f* (-; -*n*) International (Working Men's Association); (*hymn*) international(e); **2e(r** *m*) *f* (-*n*, -*n*; -*en*, -*en*) *sports* international, star-athlete.

internationaliˈsier|en *v/t.* (*h.*) internationalize; **2ung** *f* internationalization.

Internationa'lismus *m* internationalism.
Internationali'tät *f* (-) internationality.
Inter'natsschüler(in *f*) *m* boarder.
internier|en [intər'ni:rən] *v/t.* (*h.*) intern; **2te(r** *m*) *f* (-*n*, -*n*; -*en*, -*en*) internee; **2ung** *f* (-; -*en*) internment; **2ungslager** *n* internment camp.
Inter'nist *med. m* (-*en*; -*en*) internal specialist, *Am.* internist.
Interpellation [intərpɛlatsi'o:n] *parl. f* (-; -*en*) interpellation; **interpel'lieren** *v/t.* (*h.*) interrogate; interpellate.
interplane'tarisch *adj.* interplanetary.
Interpret [intər'pre:t] *m* (-*en*; -*en*) interpreter; expounder; **Interpretation** [-pretatsi'o:n] *f* (-; -*en*) interpretation; **interpre'tieren** *v/t.* (*h.*) interpret (*a. art*), expound.
Interpunktion [-puŋktsi'o:n] *gr. f* (-; -*en*) punctuation; **~szeichen** *n* punctuation mark.
Intervall [intər'val] *n* (-*s*; -*e*) interval.
intervalutarisch [-valu'tɑ:riʃ] *adj.* as between (*or* among) different currencies; **~er** *Kurs* foreign exchange rate.
intervenieren [intərve'ni:rən] *v/i.* (*h.*) intervene, interfere; **Intervention** [-vɛntsi'o:n] *f* (-; -*en*) intervention.
Interview [intər'vju:] *n* (-*s*; -*s*) interview; **2en** *v/t.* (*h.*) interview.
Interzonen|handel [intər'tso:nən-] *m* interzonal trade; **~paß** *m* (inter-) zonal pass *or* permit; **~verkehr** *m* interzonal traffic.
Inthronisation [intronizatsi'o:n] *f* (-; -*en*) enthronement.
intim [in'ti:m] *adj.* intimate (*mit* with); *room, etc.*: *a.* comfortable, cosy; **~er** *Freund* intimate; **Intimität** *f* (-) intimacy; *b.s.* **~en** *pl.* familiarities; **In'timsphäre** *f* privacy; **Intimus** ['intimus] *m* (-; -*mi*) crony.
'intoleran|t *adj.* intolerant; **2z** *f* intolerance.
intonieren [into'ni:rən] *v/t.* (*h.*) inton(at)e.
'intransitiv *gr. adj.* intransitive; **~es** *Verb(um)* → **2(um)** *n* (-*s*, -*e*; -*s*, -*va*) intransitive verb.
intravenös [intrave'nø:s] *med. adj.* intravenous.
intrigant [intri'gant] *adj.* intriguing; scheming, plotting; **2(in** *f*) *m* (-*en*, -*en*; -, -*nen*) intriguer, schemer, plotter; *thea.* villain.
Intrige [-'tri:gə] *f* (-; -*n*) intrigue, scheme, plot.
intri'gieren *v/i.* (*h.*) intrigue, (plot and) scheme, hatch plots.
introvertiert [introvɛr'ti:rt] *psych. adj.* introverted.
intuitiv [intui'ti:f] *adj.* intuitive.
intus ['intus] *adj.*: et. **~** *haben* have a th. in one's head *or* stomach.
In'umlaufsetzen *econ. n* (-*s*) emission, circulation, issue.
invalid|(e) [inva'li:t; -də] *adj.* invalid, disabled; **2e(r)** [-də(r)] *m* (-[*e*]*n*; -[*e*]*n*) invalid; *n.s.* disabled worker *or* soldier *or* sailor; **2enhaus, 2enheim** *n* home (*or* hospital) for disabled soldiers; **2enrente** *f* disability pension (*Am.* benefit); **~enversicherung** *f* disablement insurance.
Invalidi'tät *f* (-) invalidity; disablement, disability.
Invasion [invazi'o:n] *f* (-; -*en*) invasion.
Inventar [invɛn'tɑ:r] *n* (-*s*; -*e*) inventory; (inventory) stock; (accountable, *Am.* nonexpendable) stores *pl.*; *lebendes (totes)* **~** live (dead) stock; *unbewegliches* **~** installed property; office furniture and equipment; **~** *aufnehmen* → **inventari'sieren I.** *v/i.* (*h.*) make an inventory, *econ. a.* take stock; **II.** *v/t.* (*h.*) inventory, catalogue; **Inven'tarverzeichnis** *n* stock book.
Inventur [invɛn'tu:r] *econ. f* (-; -*en*) inventory; (*die*) **~** *aufnehmen* take an inventory, take stock; **~aufnahme** *f* making (*or* taking) an inventory, stock-taking; **~ausverkauf** *m* stock-taking sale.
Inversi'on *f* inversion.
investier|en [invɛs'ti:rən] *v/t.* (*h.*) invest; **2ung** *f* (-; -*en*) investment.
Investition [-titsi'o:n] *econ. f* (-; -*en*) investment; capital expenditure; **~s-anleihe** *f* investment loan; **~sbank** *f* (-; -*en*) investment bank; **~sgüter** *n/pl.* capital goods; **~s-hilfe** *f* investment assistance; **~s-konjunktur** *f* boom in capital investment; **~skredit** *m* capital development credit.
Investitur [-ti'tu:r] *f* (-; -*en*) investiture.
inwendig ['invɛndiç] *adv.* inward, internal, interior; inside (*a. adv.*).
inwie|'fern, ~'weit *adv.* (in) how far, to what extent; in what way (*or* respect).
In'zahlungnahme [-nɑ:mə] *f* (-; -*en*) trade-in.
'Inzucht *f* (-) inbreeding, endogamy.
in'zwischen *adv.* in the meantime, meanwhile, since.
Ion [i'ʔo:n] *phys. n* (-*s*; -*en*) ion; **~engeschwindigkeit** *f* ionic velocity; **~enreihe** *f* ionic series; **~enwanderung** *f* ionic migration.
ionisch [i'ʔo:niʃ] *adj.* Ionian; **~e** *Säulenordnung* Ionic order.
ionisier|en [iʔoni'zi:rən] *phys. v/t.* (*h.*) ionize; **2ung** *f* (-; -*en*) ionization.
Ionosphäre [iʔono-] *f* (-) ionosphere.
Iota ['jo:ta] *n* (-[*s*]; -*s*) → *Jota.*
irden ['irdən] *adj.* earthen(ware); **2geschirr** *n* earthenware, crockery.
'irdisch *adj.* earthly, terrestrial; temporal; wordly; mortal; **2e(s)** *n* (-[*e*]*n*) earthly (*or* worldly) things *or* concerns *pl.*, temporal affairs.
Ire ['i:rə] *m* (-*n*; -*n*) → *Irländer.*
irgend ['irgənt] *adv.* **1.** *combined with indef. art. and pron. or with adv. usu.* **a)** *affirmative*: some..., **b)** *interrogative, negative, general*: any...; **2.** *following rel. pron. and cj.*: *wann (wo) es* **~** *geht* whenever (wherever) it may be possible; *was man* **~** *tun kann* whatever can be done; *wenn ich* **~** *kann* if I possibly can; *wer nur* **~** *geeignet ist* any qualified person; *so rasch wie* **~** *möglich* as soon as ever possible; **~ein(e), ~eins** some(one); any(one); *irgendein anderer* someone else, anyone else; *besteht irgendeine Hoffnung?* is there any hope at all?; **~einer, ~jemand, ~wer** somebody, someone; anybody, anyone; **~einmal** → *irgendwann*; **~ etwas, ~was** something; anything (at all); **~wann** some time (or other), sometime; **~welcher** somebody; *ohne irgendwelche Kosten* without any expense (whatever); *hat er irgendwelche Absichten?* has he any intentions at all?; **~wie** somehow; in some way (or other); **~wo** somewhere, in some place (or other); anywhere; **~** *anders* somewhere else; **~woher** from some place (or other); from anywhere; **~wohin** to some place (or other); to any place (whatever).
Irin ['i:rin] *f* (-; -*nen*) → *Irländerin.*
Iris ['i:ris] *anat., bot. f* (-; -) iris; **~blende** *f microphone*: iris diaphragm.
'irisch *adj.* Irish; **2er** *Freistaat* Eire, Irish Free State.
irisieren [iri'zi:rən] *v/i.* (*h.*) iridesce; **~d** *adj.* irridescent.
Irländer ['irlɛndər] *m* (-*s*; -) Irishman; *die* **~** *pl.* the Irish; **~in** *f* (-; -*nen*) Irishwoman.
Ironie [iro'ni:] *f* (-) irony; **~** *des Schicksals* irony of fate; **ironisch** [i'ro:niʃ] *adj.* ironic(al); **ironi'sieren** *v/t.* (*h.*) treat with irony, deride.
irr(e) ['ir(ə)] *adj. and adv.* (a)stray, off the right way, on the wrong track (*a. fig.*), lost; *fig.* wavering; confused, perplexed; *med.* insane, mentally deranged, out of one's mind; **~** *sein* **a)** → *(sich) irren*, **b)** be crazy, be delirious; **'Irre** *f* (-) erring (*a. fig.*); *in die* **~** *führen* → *irreführen*; *in die* **~** *gehen* → *irregehen*; **'Irre(r** *m*) *f* (-*n*, -*n*; -*en*, -*en*) insane person, lunatic, madman.
'irreal *adj.* unreal.
'irre...: ~führen *v/t.* (*h.*) mislead, lead astray (*both a. fig.*); misguide, misdirect; *fig. a.* put on the wrong scent; deceive, mystify, hoodwink; *sich* **~** *lassen* be misled *or* taken in; **~führend** *adj.* misleading; **~gehen** *v/i.* (*irr., sn*) go astray, stray; lose (*or* miss) one's way.
'irregulär *adj.* irregular; **~e** *Truppen* irregulars.
'irre...: ~leiten *v/t.* (*h.*) → *irreführen*; **~machen** *v/t.* (*h.*) puzzle, bewilder; confuse, perplex; → *beirren.*
'irren I. *v/i.* (*sn*) err, go astray, lose one's way, wander; *fig.* (*h.*) err, make a mistake, make (*or* commit) an error; be mistaken *or* wrong; (*sin*) stray from the right path, err; **II.** *sich* **~** (*h.*) make a mistake; *in j-m* be mistaken in *a p.*
'Irren *n* (-*s*) → *Irrtum*; **~** *ist menschlich* to err is human.
'Irren...: ~anstalt *f* lunatic asylum, mental home, madhouse; **~arzt** *m* mental specialist, alienist; **~haus** *n* → *Irrenanstalt*; *contp.* madhouse; **~häusler** *m* lunatic, madman.
'irre...: ~reden *v/i.* (*h.*) rave, wander; talk incoherently (*or* wildly); **2sein** *n* insanity; *jugend-*

liches ~ dementia praecox; *zirkuläres* ~ cyclic insanity; ~ **werden** *v/i.* (*irr.*, *sn*): ~ *an* (*dat.*) not to know what to make of; begin to doubt, have one's doubts about, lose faith in.
'**Irr...:** ~**fahrt** *f* wandering, *pl. a.* vagaries *pl.*; ~**gang** *m* **1.** erratic *or* round-about journey; **2.** → ~**garten** *m* labyrinth, maze; ~**glaube** *m* erroneous belief; false doctrine, heterodoxy; heresy; 2**gläubig** *adj.* heterodox; heretical; ~**gläubige**(**r** *m*) *f* heretic.
irrigerweise ['irigər'vaɪzə] *adv.* → *irrtümlicherweise.*
Irrigator [iri'gɑ:tɔr] *med. m* (-s; -'*toren*) irrigator, douche.
irri'tieren *v/t.* (*h.*) irritate; exasperate, annoy; puzzle, intrigue.
'**Irr...:** ~**lehre** *f* false doctrine, heterodoxy; heresy; ~**licht** *n* (-[e]s; -er) will-o'-the-wisp, Jack-o'-lantern; ~**pfad** *m* wrong path; ~**sal** *n* (-[e]s; -e) erring; maze; ~**sinn** *m* (-[e]s) mental derangement, insanity, alienation; madness; 2**sinnig** *adj.* insane; crazy, mad; ~**sinnige**(**r** *m*) ['-zinigə(r)] *f* (-*n*, -*n*; -*en*, -*en*) → *Irre*(*r*).
'**Irrtum** *m* (-s; ⸚er) error, mistake; oversight, slip; misunderstanding; *im* ~ *sein* be mistaken *or* wrong; *in e-m* ~ *befangen sein* be labo(u)ring under a mistake; *Irrtümer vorbehalten* errors excepted.
irrtümlich ['-ty:mliç] *adj.* erroneous; mistaken, false; *adv.* → ~**erweise** ['-ər'vaɪzə] *adv.* by mistake, mistakenly, erroneously.
'**Irrung** *f* (-; -*en*) → *Irrtum*, *Irrsal*; difference, dispute.
'**Irr...:** ~**wahn** *m* delusion; ~**weg** *m* wrong way; *auf* ~*e geraten* lose *or* miss one's way, *a. fig.* go astray; ~**wisch** *m* → *Irrlicht*; *person*: flibbertigibbet.
isabellfarben [iza'bɛlfarbən] *adj.* isabella.
Ischias ['iʃias] *med. f* (-) sciatica; ~**nerv** *m* sciatic nerve.
Islam [is'lɑ:m] *m* (-s) Islam(ism).
Isländ|er(**in** *f*) ['i:slɛndər-] *m* (-s, -; -, -*nen*) Icelander; 2**isch** *adj.* Icelandic.
Isobare [izo'bɑ:rə] *f* (-; -*n*) isobar; ~**n...** isobaric.
isochron [izo'kro:n] *adj.* isochronic, isochronous.
Isolation [izolatsi'o:n] *f* (-; -*en*) isolation; *el.* insulation; **Isolationismus** [-o'nismus] *pol. m* (-) isolationism.
Isolator [-'lɑ:tɔr] *m* (-s; -'*toren*) insulator.
Isolier... [izo'li:r-]: *el. usu.* insulating; ~**band** *n* (-[e]s; ⸚er) insulating tape; 2**bar** *chem. adj.* isolable; ~**baracke** *med. f* isolation ward; 2**en** *v/t.* (*h.*) isolate (*a. chem. and fig.*); *med. a.* quarantine; *el.* insulate, ~**haft** *f* solitary confinement; ~**lack** *m* insulating varnish (*or* lacquer); ~**masse** *f* insulating compound; ~**schicht** *f* insulating layer; ~**schutz** *m* insulation; ~**station** *med. f* isolation ward; ~**ung** *f* (-; -*en*) isolation (*a. med.*); *el.* insulation; ~**zelle** *f* cell for solitary confinement.
isomer [izo'me:r] *adj.* isomeric.
Isotop [-'to:p] *n* (-s; -e) isotope; ~**enindikator** [-ənˀindikɑ:tɔr] *m* (-s; -'*toren*) (isotope) tracer.
isotrop [-'tro:p] *adj.* isotropic.
Israel ['israe:l] *n* (-s) *Staat*: Israel; **Isra'eli** *m* Israeli.
Israelit|(**in** *f*) [-e'li:t-] *m* (-en, -en; -, -*nen*) Israelite, Jew, *a.* Hebrew; 2**isch** *adj.* Israelite, Jewish.
Ist-... ['ist-]: ~**Bestand** *m* actual amount, balance actually on hand; actual inventory *or* stock; ~**Einnahme** *f* net receipts *pl.*; ~**Stärke** *mil. f* effective strength.
Italien [i'tɑ:liən] *n* (-s) Italy; **Italiener**(**in** *f*) [itali'e:nər-] *m* (-s, -; -, -*nen*) Italian; **itali'enisch** *adj.* Italian; *die* ~*e Sprache* (*a.* 2 *n*, -*en*) the Italian language, Italian.
'**I-Tüpfelchen** *fig. n*: *bis aufs* ~ to a T.

J

J, j [jɔt] *n* J, j.
ja [jɑ:] *adv.* **1.** yes, *mar.*, *parl.* aye, *bibl.*, *colloq.*, *Am. parl.*: yea; ~ *doch*, ~ *freilich* yes, indeed; to be sure, by all means; *wenn* ~ if so, in that case; ~ *sagen zu et.* say yes to, (give one's) consent to; *wird er kommen? ich glaube* ~ *will he come?* I think so (*or* he will); *hast du es nicht gehört?* ~, *gewiß! didn't you hear?* of course, I did!; **2.** after all; *er ist* ~ *mein Freund* why, he is my friend; *er ist* ~ *ein alter Mann* he is an old man, after all; *es ist* ~ *nicht so schlimm* it really is not so bad; **3.** *introduction*: ~, *wissen Sie* why (*or* well), you know; **4.** *assertion*: *Sie wissen* ~, *daß* you know very well that; *da bist du* ~! there you are (at last)!; *da haben wir* (*or hast du*) *es* ~! there you are!; *ich sagte es Ihnen* ~! I told you so!, didn't I tell you (so)?; **5.** *admonition*: *schreiben Sie* ~ *recht bald* be sure to write soon, do write soon; *kaufe es* ~ *nicht* do not buy it on any account; **6.** *surprise*: ~, *weißt du denn nicht*, *daß* why, don't you know that; **7.** (~ *sogar*) nay; or, what is more; ~ *sogar noch mehr* and even more than that; *er ist bekannt*, ~ *sogar berühmt he is well known*, in fact (*or* one might even say) a celebrity.
Ja *n* (-*s*) yes; *parl.* aye; *mit* ~ (*be*-) *antworten* answer in the affirmative, say yes (to).
'**Jabruder** *m* yes-man.
Jabo ['jɑ:bo:] *m* (-s; -s) → *Jagdbomber.*
Jacht [jaxt] *f* (-; -*en*) yacht; '~**klub** *m* yachting club.
Jacke ['jakə] *f* (-; -*n*) jacket, (short) coat; cardigan; jersey, guernsey; vest; *fig. das ist* ~ *wie Hose* that's much of a muchness, it's all the same; *colloq. j-m die* ~ *vollhauen* give a p. a sound thrashing; ~**nkleid** *n* lady's suit.
Jacketkrone ['dʒɛkit-] *med. f* jacket crown.
Jackett [ʒa'kɛt] *n* (-s; -e) jacket; ~**anzug** *m* lounge suit.
Jagd [jɑ:kt] *f* (-; -*en*) hunt(ing), shooting; chase, pursuit; *collect. the* field (*or* hunt, hunting-party); *myth. wilde* ~ wild chase; (*area*) preserve, shooting; *fig.* hunt (*nach* for); rush; ~ *nach dem Glück* pursuit of happiness; *auf* (*die*) ~ *gehen* go hunting *or* shooting; *die* ~ *aufnehmen* give chase; ~ *machen auf* hunt for *or* after, chase after.
'**Jagd...:** ~**abwehr** *aer. f* fighter defen|ce, *Am.* -se; ~**anzug** *m* hunting dress; ~**aufseher** *m* gamekeeper; 2**bar** *adj.* that can be hunted; fair (*game*); ~**berechtigung** *f* shooting right(s *pl.*), *n.s.* shooting-licen|ce, *Am.* -se; ~**beute** *f* booty, quarry, bag; ~**bezirk** *m* hunting-ground, shoot, preserve; ~**bomber** *aer. m* fighter-bomber; ~**büchse** *f* sporting rifle; ~**einsitzer** *aer. m* single-seat(ed) fighter; ~**flieger** *aer. m* fighter pilot; ace; ~**flinte** *f* sporting gun; fowling-piece; ~**flugzeug** *aer. n* fighter; ~**frevel** *m* poaching; 2**gerecht** *adj.* huntsmanlike; ~**geschwader** *aer. n* fighter group (*Am.* wing); ~**gesellschaft** *f* hunting (*or* shooting) party; ~**gesetz** *n* game-law; ~**gewehr** *n* sporting gun; ~**gründe** *m/pl.* hunting-grounds; *in die ewigen* ~ *eingehen* go to the happy hunting-grounds; ~**gruppe** *aer. f* fighter group (*Brit.* wing); ~**haus** *n* shooting lodge; ~**horn** *n* hunting-horn, bugle; ~**hund** *m* hound; pointer; ~**hütte** *f* shooting-box; ~**messer** *n* hunting knife; ~**pächter** *m* game-tenant; ~**patrone** *f* shotgun cartridge; ~**recht** *n* shooting right(s *pl.*); ~**rennen** *n* steeplechase; ~**revier** *n* → *Jagdbezirk*; ~**schein** *m* shooting licen|ce, *Am.* -se; ~**schloß** *n* hunting seat; ~**schutz** *aer. m* fighter escort; ~**springen** *n* jumping test; ~**staffel** *aer. f* fighter squadron; ~**tasche** *f* game-bag; ~**zeit** *f* hunting (*or* shooting) season.
jagen ['jɑ:gən] **I.** *v/t.* (*h.*) hunt; drive; chase, give chase to, pursue; hound (*a. fig.*); stalk; shoot; *j-n aus dem Amt* ~ oust a p.; *j-n aus dem Dienste* ~ send a p. away, sack (*Am. a.* fire) a p.; *aus dem Hause* ~ turn out (of doors); *aus dem Lande* ~ drive out of the country; *in die Flucht* ~ put to flight, rout; *colloq. zum Teufel* ~ send to the

devil; *fig. j-m ein Messer in den Leib* ~ run (*or* drive) a knife into a p.; *j-m (sich) e-e Kugel durch den Kopf* ~ blow a p.'s (one's) brains out; *soccer*: *den Ball ins Netz* ~ send (*or* drive) the ball home; *sein Pferd* ~ race one's horse; **II.** *v/i.* (*h.*) go (out) hunting *or* shooting, hunt; race, rush, dash, sweep; *fig.* ~ *nach* (*dat.*) hunt (*or* run) after, pursue; *die Ereignisse* ~ *sich* one event follows hot on the heels of the other, things are happening fast.

ˈ**Jagen** *n* (-*s*) hunt(ing), shooting; chase, pursuit; rush; forest section.

Jäger [ˈjɛːgər] *m* (-*s*; -) hunter, huntsman, sportsman; ranger; gamekeeper; *mil.* rifleman; → *Jagdflieger, Jagdflugzeug*; **~bataillon** *n* rifle battalion.

Jäge|ˈrei *f* (-) hunt(ing), shooting; ˈ**~rin** *f* (-; -*nen*) huntress.

ˈ**Jäger...:** **~latein** *n* sportsman's slang; huntsman's tall stories; **~meister** *m* master of the hunt; **~smann** *m* (-[*e*]*s*; -*leute*) → *Jäger*; **~sprache** *f* hunter's jargon, hunting terms *pl.*

Jaguar [ˈjaːguaːr] *zo. m* (-*s*; -*e*) jaguar.

jäh(**e**) [ˈjɛː(ə)] *adj.* sudden, abrupt; rapid; startling; impetuous; hot-tempered, irascible; abrupt; rash; steep, precipitous; ~*e Flucht* headlong flight; ~*er Tod* sudden death; ~*er Abhang* precipice.

jählings [ˈjɛːliŋs] *adv.* (all) of a sudden; abruptly; precipitously; headlong.

Jahr [jaːr] *n* (-[*e*]*s*; -*e*) year; *ein halbes* ~ half a year, six months; *anderthalb* ~*e* eighteen months, a year and a half; *dreiviertel* ~ nine months; ~ *des Heils* (*des Herrn*) year of grace (*or* our Lord); *im* ~*e 1938* in (the year) 1938; *bis zum 31. Dezember d. J.* (= *dieses Jahres*) until 31st December of this year; *zu Anfang der dreißiger* ~*e* in the early thirties; *alle* ~*e* every year; *bei* ~*en* advanced in years; *bei seinen hohen* ~*en* at his age; *im Lauf der* ~*e* through (*or* over) the years; *in die* ~*e kommen* be getting on in years; *in diesem* (*im nächsten, vorigen*) ~*e* this (next, last) year; *mit den* ~*en* with (the) years; *mit or im Alter von 20* ~*en* at the age of twenty; *nach* ~*en* after (many) years; *nach* ~ *und Tag* a full year later; *seit* ~ *und Tag* for many years; for a long time; (*heute*) *übers* ~ a year hence; *ein* ~ *ums andere* year after year; (*heute*) *vor einem* ~ a year ago today; *von* ~ *zu* ~ from year to year; *in den besten* ~*en sein* be in one's best years (*or* the prime of life); ≈ˈ**aus**, ≈ˈ**ein** year after year, year in and year out; all the year round; ˈ**~buch** *n* year-book, almanac, annual; ˈ≈**elang** *adj.* for years; ~*e Erfahrung* (many) years of experience.

jähren [ˈjɛːrən]: *es jährt sich heute, daß* it is a year today since *or* that.

Jahres... [ˈjaːrəs-]: annual ..., yearly ...; **~abonnement** *n* annual subscription; **~abschluß** *econ. m* annual (*or* yearly) balancing *or* accounting; annual statement of accounts; **~anfang** *m* beginning *or* commencement of the year; **~ausweis** *econ. m* annual return (*Am.* statement); **~bericht** *m* annual report; **~bilanz** *econ. f* annual balance(-sheet); **~einkommen** *n* yearly income; **~ende** *n* end of the year; **~erste(r)** *m the* first of the year; **~feier** *f* anniversary; **~frist** *f*: *binnen* ~ within a year; *nach* ~ after a year's time; **~gehalt** *n* annual salary; **~hälfte** *f* half-year; **~lauf** *m* course of the year; **~rente** *f* annuity; **~ring** *bot. m* annual ring; **~schluß** *m* close of the year; **~schrift** *f* annual; **~tag** *m* anniversary; **~versammlung** *f* annual meeting; **~wechsel** *m*, **~wende** *f* turn of the year; New Year; *mit den besten Wünschen zum* (*zur*) ~ with the compliments of the season; **~zahl** *f* date of the year, year; **~zeit** *f* season, time of the year; ≈**zeitlich** *adj.* seasonal.

Jahrgang *m of wine*: vintage (*a. fig.*); *of newspapers, etc.*: annual set, volume; *of persons*: age-group; *ped. and mar.* class.

Jahrˈhundert *n* century; ≈*ealt* centuries-old; ≈*elang* for centuries; **~feier** *f* centenary, *Am.* centennial; hundredth anniversary; **~wende** *f* turn of the century.

ˈ**jährig** *adj.* **1.** a year old; *drei*~ three-year-old; **2.** lasting a year, of one year, one-year.

ˈ**jährlich I.** *adj.* yearly, annual; **II.** *adv.* every year, *econ.* per annum; yearly, once a year; ~*e Rente* annuity.

Jährling [ˈjɛːrliŋ] *m* (-*s*; -*e*) *zo.* yearling.

ˈ**Jahr...:** **~markt** *m* fair; **~ˈtausend** *n* millenium; **~ˈtausendfeier** *f* millenary; **~zehnt** [-ˈtseːnt] *n* (-[*e*]*s*; -*e*) space of ten years, decade; ≈ˈ**zehntelang I.** *adj.* lasting for decades; ~*e Forschungsarbeit* decades of research-work; **II.** *adv.* for (many) decades.

ˈ**Jähzorn** *m* sudden anger *or* wrath, violent (fit of) passion; hot temper, irascibility; ≈**ig** *adj.* hot-tempered, irascible; furious, fierce.

Jakob [ˈjaːkɔp] *m* (-*s*) *esp. bibl.* Jacob; James; *colloq. der wahre* ~ the real McCoy.

Jakobiner [jakoˈbiːnər] *m* (-*s*; -) Jacobin; *eccl.* → **~mönch** *m* Dominican friar; **~mütze** *f* Phrygian cap.

ˈ**Jakobsleiter** *f* Jacob's ladder.

Jalousie [ʒaluˈziː] *f* (-; -*n*) Venetian blind.

Jamaika [jaˈmaɪka] *n* (-*s*) Jamaica.

Jamb|e [ˈjambə] *f* (-; -*n*) iambus, iambic foot; ≈**isch** *adj.*: ~*er Vers* iambic verse.

Jammer [ˈjamər] *m* (-*s*) (extreme) misery *or* distress, calamity; affliction, woe, sorrow; despair; lamentation, wailing; *es ist ein* ~ it is at pity *or* a crying shame; **~bild** *n*, **~gestalt** *f* picture of misery, piteous sight; **~geschrei** *n* lamentation, wails *pl.*; **~lappen** *contp. m* gutless creature, sissy.

jämmerlich [ˈjɛmərliç] **I.** *adj.* lamentable, deplorable, piteous; (*a. contp.*) pitiable; miserable, wretched; ~ *aussehen* look wretched *or* a picture of misery; **II.** *adv.*: ~ *weinen* cry piteously.

ˈ**jammern I.** *v/i.* (*h.*) lament (*um* for; *über acc.* over), bewail; moan, groan; wail, whine; **II.** *v/t.* (*h.*): *j-n* ~ arouse (*or* move) a p.'s pity; *er jammert mich* I pity (*or* feel sorry for) him.

Jammern *n* (-*s*) lamentation(s *pl.*), wailing; moaning.

ˈ**Jammer...:** ≈**schade:** *es ist* ~ it's a great pity, it's just too bad; **~tal** *n* (-[*e*]*s*) vale of tears; ≈**voll** *adj.* wretched; heart-rending; piteous, woebegone.

Janhagel [janˈhaːgəl] *m* (-*s*) mob, rabble, riff-raff.

Janitscharenmusik [janiˈtʃaːrən-] *f* janissary music.

Jänner [ˈjɛnər] *m* (-[*s*]; -), **Januar** [ˈjanuaːr] *m* (-[*s*]; -*e*) January.

Japan [ˈjaːpan] *n* (-*s*) Japan; **Japaner(in** *f*) [jaˈpaːnər-] *m* (-*s*, -; -, -*nen*) Japanese; **jaˈpanisch** *adj.* of Japan, Japanese; ~*e Sprache, das* ≈(*e*) the Japanese language, Japanese; ˈ**Japanlack** *m* japan; *mit* ~ *überzogen* japanned; ˈ**Japanpapier** *n* Japanese paper.

jappen [ˈjapən], **japsen** [ˈjapsən] *v/i.* (*h.*) gasp, pant (*nach Luft* for air).

Jargon [ʒarˈgɔ̃ː] *m* (-*s*; -*s*) jargon, slang, *contp.* lingo.

Jasager [ˈ-zaːgər] *m* (-*s*; -) yes-man.

Jasmin [jasˈmiːn] *m* (-*s*; -*e*) jasmin(e).

Jaspis [ˈjaspis] *m* (-; -*se*) jasper.

ˈ**Ja-Stimme** *parl. f* aye, *Am.* yea.

jäten [ˈjɛːtən] *v/t.* (*h.*) weed.

Jauche [ˈjauxə] *f* (-; -*n*) *agr.* liquid manure, dung water; *fig.* swill; *med.* sanies, ichor; **~grube** *f* cesspit; liquid manure pit.

jauchzen [ˈjauxtsən] **I.** *v/i.* (*h.*) jubilate, exult, rejoice, cheer, shout with joy; **II.** *v/t.* (*h.*) shout forth; ≈ *n* (-*s*) jubilation, exultation, rejoicing; cheers *pl.*; **~d** *adj.* jubilant, exultant; cheering.

jaulen [ˈjaulən] *v/i.* (*h.*) howl.

Java [ˈjaːva] *n* (-*s*) Java.

Javan|er(in *f*) [jaˈvaːnər-] *m* (-*s*, -; -, -*nen*), ≈**isch** *adj.* Javanese.

jaˈwohl *adv.* yes, indeed; to be sure; quite so, exactly, *Am. a.* that's right; *mil., etc.*: yes, Sir!

ˈ**Jawort** *n* (-[*e*]*s*; -*e*) yes; (word of) consent; *e-m Freier das* ~ *geben* accept a suitor.

Jazz [dʒɛz] *m* (-) jazz; ˈ**~freund** *m* jazz-fan; ˈ**~kapelle** *f* jazzband; ˈ**~sänger** *m* jazz-singer.

je[1] [jeː] *int.*: *ach* ~! good heavens!, dear me!; ~ *nun* well now.

je[2] *adv. and cj.* **1.** *seit* ~ *and von* ~*her* at all times, from time immemorial; ~ *und* ~ on and on, always; **2.** ever; *ohne ihn* ~ *gesehen zu haben* without ever (*or* once) having seen him; *hast du* ~ *so etwas gehört?* did you ever hear (of) such a thing?; **3.** respectively; **4.** *distributive*: ~ *zwei und zwei* two at a time, two by (*or* and) two, by twos; *sie kosten* ~ *einen Dollar* they cost a dollar each; *er gab den drei Knaben* ~ *einen Apfel* he gave each of the three boys an apple; *für ~ zehn Wörter* for every ten words; *in Schachteln mit ~ 10 Stück verpackt* packed in boxes of ten; **5.** *~ nach* according to; *~ nachdem* **a)** as the case may be, **b)** it (all) depends, **c)** *cj.* according as, in proportion as; *~ nach Gutdünken des Vertreters* as the agent may deem fit; **6.** *with comp.*: *~ ...* desto the ... the; *~ mehr man hat, desto mehr man will* the more we have, the more we want; *~ länger, ~ lieber* the longer, the better.

jede [ˈjeːdə], **~r, ~s** *indef. pron.* **1.** *adjectively*: each; every; any; *of two*: either; *mit ~m Tage* every day, from day to day; *ohne ~n Zweifel* without any (*or* the slightest) doubt; (zu) *~r Zeit* (at) any time; *unter ~r Bedingung* on any terms; *zu ~r Stunde* at any (given) hour; *fern ~r Zivilisation* far from any semblance of civilization; **2.** *substantively*: each (*or* every)one; each thing, everything; → *jedermann*; *~r von den beiden* either of them; *all und ~r* each and all, all and sundry; *~r hat seine Fehler* we all have our faults; *~r ist sich selbst der nächste* charity begins at home.

ˈ**jedenfalls** *adv.* in any case, at any rate, at all events; however it is.

ˈ**jeder...**: **~mann** *indef. pron.* everybody, each (*or* every)one; anyone, anybody; **~zeit** *adv.* at any time, always.

ˈ**jedesmal** *adv.* each (*or* every) time; *~ wenn* whenever, as often as; **~ig** *adj.* in (*or* for) each case; respective; → *jeweilig.*

jeˈdoch *adv.* however, still, yet; nevertheless, for all that.

jedwede [ˈjeːtveːdə], **jegliche** [ˈjeːkliçə], **~r, ~s** *indef. pron.* → *jede(r,s).*

jeher [ˈjeːˈheːr] *adv.*: *von ~* at all times, from time immemorial; all along.

Jeˈlängerjeˈlieber *bot. n and m* (-s; -) honeysuckle; lilac; heart's-ease.

jemals [ˈjeːmaːls] *adv.* ever; at any time.

jemand [ˈjeːmant] *indef. pron.* somebody, someone; anybody, anyone; *es kommt ~* there is somebody coming; *ist ~ hier?* is anybody there?; *es ist ~ bei ihm* he has company; *irgend ~* anybody; *~ anders* some (*or* any) other person; *sonst ~?* any one (*or* somebody) else?; ♀ *m*: *ich kenne einen* (*gewissen*) *~, der* I know a (certain) person who, I know somebody who.

jene [ˈjeːnə], **~r, ~s** *dem. pron.* **1.** *adjectively*: that, *pl.* those; (*ant. dieser*) the former; *in ~m Leben* in the life to come (*or* hereafter); *in ~n Tagen* in those days; **2.** *substantively*: that one, *pl.* those ones; *bald dieser, bald ~r* now (this) one, now the other; *von diesem und ~m sprechen* speak of one thing and another *or* of this and that.

jenseitig [ˈjɛnzaɪtiç] *adj.* (situated) on the other side; lying beyond, further; *das ~e Ufer* the opposite bank; *fig.* otherworldly.

jenseits [ˈjeːnzaɪts] **1.** *prp.* (*gen.*) on the other side of, beyond, across; *von ~* from beyond; *~ des Grabes* beyond the grave, hereafter; **2.** *adv.* on the other side, beyond.

ˈ**Jenseits** *n* (-) *the* Beyond *or* hereafter, *the* other world, *the* life to come; *besseres ~* brighter world; *colloq. ins ~ befördern* send to glory *or* to kingdom come.

Jeremiade [jeremiˈɑːdə] *f* (-; -*n*) jeremiad, lamentation.

Jesuit [jezuˈiːt] *m* (-*en*; -*en*) Jesuit; **~en-orden** *m* Society of Jesus, Jesuit Order; **~enschule** *f* Jesuit college; ♀**isch** *adj.* Jesuitic(al).

Jesus [ˈjeːzus] *m* (-) Jesus; *der Herr ~* the (*or* our) Lord Jesus (Christ); **~kind(lein)** [-laɪn] *n* (-[e]s) the Infant Jesus.

jetzig [ˈjɛtsiç] *adj.* of the present time, present-time; present, actual, existing; prevailing; current (*a. econ. prices, etc.*); *in der ~en Zeit* in our days *or* times, nowadays.

jetzt [jɛtst] *adv.* **1.** now, at present, in our days *or* times; actually; *eben ~* just now; *erst ~* only now; *gleich ~* at once, instantly, right away; *noch ~* even now, to this day; **2.** *emphatic*: *~ erhob er sich* then (*or* with that) he rose; **3.** *after prp.*: *bis ~* until now; so far; (*not*) as yet; *für ~* for the present; *von ~ an* from now on, henceforth; ˈ♀**zeit** *f the* present (time); modern times *pl.*

jeweil|ig [ˈjeːvaɪliç] **I.** *adj.* respective; *der ~e Präsident, etc.* the president, *etc.*, of the day; *den ~en Umständen nach* as the circumstances may require; **II.** *adv.* → **~s** *adv.* in each case, respectively; at times; *esp. jur.* from time to time; *die ~ gültigen Bestimmungen* such provisions as may from time to time be established (*or* as now are or hereafter may be in force).

Jiddisch [ˈjidiʃ] *n* (-[s]) Yiddish.

Jiu-Jitsu [ˈdʒiuˈdʒitsu] *n* (-[s]) j(i)u-jitsu; **~griff** *m* j(i)u-jitsu hold.

Joch [jɔx] *n* (-[e]s; -e) **1.** yoke (*a. of magnet*); *ins ~ spannen* (put to the) yoke; *fig. das ~ abschütteln or abwerfen* shake off one's yoke; *unter das ~ bringen* bring under one's yoke *or* sway, subjugate; *sich unter das ~ beugen* submit to the yoke; **2.** *ein ~ Ochsen* a yoke (*or* pair) of oxen; **3.** mountain-ridge, pass; **4.** *arch.* (*a.* ˈ**~balken** *m*) cross-beam, tie-beam, girder; transom; *of bridge*: bay; ˈ**~bein** *anat. n* cheek-bone; ˈ**~brücke** *f* pile-bridge.

Jockei [ˈdʒɔki] *m* (-s; -s) jockey.

Jod [joːt] *chem. n* (-[e]s) iodine; *mit ~ behandeln* → *jodieren*; ˈ**~dampf** *m* iodine vapo(u)r.

jodeln [ˈjoːdəln] *v/i. and v/t.* (*h.*) yodel.

ˈ**jodhaltig** *adj.* iodiferous; **jodieren** [joˈdiːrən] *v/t.* (*h.*) *chem.* iodate, *med. and phot.* iodize.

Jodler[1] [ˈjoːdlər] *m* (-s; -) yodel.

ˈ**Jodler**[2] *m* (-s; -), **~in** *f* (-; -*nen*) yod(el)ler.

ˈ**Jod...**: **~lösung** *f* iodine solution; **~natrium** *n* sodium iodide.

Jodoform [jodoˈfɔrm] *n* (-s) iodoform.

ˈ**Jod...**: **~salbe** *f* iodine ointment; **~silber** *n* silver iodide; **~tinktur** *f* tincture of iodine; **~vergiftung** *f* iodine poisoning.

Joghurt [ˈjoːgurt] *m and n* (-s) yog(ho)urt.

Johanni(s) [joˈhani(s)] *n* (-) Midsummer (Day).

Joˈhannis...: **~beere** *f* (red) currant; **~beersaft** *m* currant juice; **~beerwein** *m* currant wine; **~brot** *bot. n* St. John's bread, carob (-bean); **~fest** *n* → *Johanni(s)*; **~feuer** *n* St. John's fire; **~käfer** *m* glow-worm; **~kraut** *bot. n* (-[e]s) St. John's wort; **~nacht** *f* Midsummer Night; **~tag** *m* → *Johanni(s)*; **~trieb** *m* belated stirrings of love.

johlen [ˈjoːlən] *v/i.* (*h.*) hoot, bawl, yell.

Jolle [ˈjɔlə] *mar. f* (-; -*n*) jolly(-boat), dinghy.

Jon|gleur [ʒɔŋˈgløːr] *m* (-s; -e) juggler; ♀**glieren** *v/t. and v/i.* (*h.*) juggle (with).

Joppe [ˈjɔpə] *f* (-; -*n*) jacket.

Jot [jɔt] *n* (-; -) (*the letter J, j*) jot.

Jota [ˈjoːta] *n* (-[s]; -s) jot; *kein ~* not a jot.

Journal [ʒurˈnaːl] *n* (-s; -e) journal (*econ.* = day-book, diary); *mar.* logbook.

Journalis|mus [-naˈlismus] *m* (-) journalism; **~t(in** *f*) *m* (-en, -en; -, -nen) journalist; reporter; **~tenstil** [-tən-] *m* journalese; **~tik** [-tik] *f* (-) journalism; ♀**tisch** *adj.* journalistic.

jovial [joviˈɑːl] *adj.* jovial; affable.

Jubel [ˈjuːbəl] *m* (-s) jubilation, exultation, shouts *pl.* of joy, merry-making, rejoicing(s *pl.*); **~feier** *f*, **~fest** *n* jubilee; **~geschrei** *n* loud acclamation, exultant shouts *pl.*, vociferous cheers *pl.*; **~greis** *m* → *Jubilar*; *colloq.* gay old spark; **~jahr** *n* jubilee year; *colloq. alle ~e einmal* once in a blue moon.

ˈ**jubeln** *v/i.* (*h.*) jubilate, shout with joy, exult, rejoice (*über acc.* at).

Jubilar(in *f*) [jubiˈlɑːr-] *m* (-s, -e; -, -nen) person celebrating his (her *f*) jubilee.

Jubiläum [-ˈlɛːum] *n* (-s; -äen) (*fiftieth, etc.*) anniversary; *goldenes or 50jähriges ~* (golden) jubilee, *silbernes or 25jähriges ~* silver jubilee; **~s-ausgabe** *f* jubilee edition.

jubiˈlieren *v/i.* (*h.*) → *jubeln.*

juch|he [juxˈheː], **~hei(ssa)** [-ˈhaɪ(sa)] *int.* hurray!

Juchten [ˈjuxtən] *m and n* (-s), **~leder** *n* Russia (leather).

jucken [ˈjukən] **I.** *v/i.* (*h.*) itch; prickle, tickle; *ihm ~ die Finger danach* his fingers itch to take (*or* to do) it; *ihn juckt das Fell* he is itching for a fight; *mich* (*or mir*) *juckt's am ganzen Leibe* I itch all over my body; **II.** *v/t. and sich* (*h.*) scratch (o.s.); ♀ *n* (-s) itch(ing); **~d** *adj.* itching, itchy.

Judas [ˈjuːdas] *m* (-): *~* **Ischariot** [iˈʃɑːriɔt] Judas Iscariot; **~kuß** *m* Judas kiss.

Jude [ˈjuːdə] *m* (-*n*; -*n*) Jew; *der Ewige ~* the Wandering Jew.

ˈ**Juden...**: **~deutsch** *n* Yiddish; **~feind(in** *f*) *m* anti-Semite; ♀**feindlich** *adj.* anti-Semitic; **~frage** *f* Jewish question; **~hetze** *f* Jew-baiting; **~hetzer** *m* Jew-baiter; **~kirsche** *bot. f* winter-cherry, alkekengi; **~schule** *f* Jewish school; synagogue; *colloq. fig. ein Lärm wie in einer ~* a terrific racket; **~tum** *n* (-s) Judaism; *collect.* jewry; **~verfolgung** *f* persecution of Jews; pogrom.

Jüdin ['jy:din] *f* (-; -nen) Jewess.

'**jüdisch** *adj.* Jewish; *colloq. nur keine ~e Hast!* take it easy!

Jugend ['ju:gənt] *f* (-) youth, early years *pl.*; infancy, childhood; adolescence, teens *pl.*; *collect. die ~* the youth, young people *pl.*; the rising generation; *von ~ auf* from one's youth, from a child; *die deutsche ~* German youth, young Germany; *~ hat keine Tugend* you cannot put old heads on young shoulders; boys will be boys; **~alter** *n* youth, young age; **~amt** *n* youth welfare office; **~arrest** *m* juvenile detention; **~bewegung** *f* youth movement; **~blüte** *f* (-) flower (*or* flush) of youth; **~buch** *n* book for the young; **~erinnerung** *f* memory from (one's) youth *or* childhood, *pl. a.* early reminiscences; **~freund(in** *f*) *m*: **a)** friend of the young; **b)** early friend, (old) schoolfellow *or* playmate; **~frische** *f* freshness of youth, bloom; **~fürsorge** *f* youth welfare; **~fürsorger** *m*, **~in** *f* youth welfare officer; **2gefährdend** *adj.* harmful (*publication, etc.*); **~gefährte, ~genosse, ~gespiele** *m* companion of one's youth *or* childhood, (old) playmate; **~gefängnis** *n* juvenile detention home; **~gericht** *n* juvenile court; **~heim** *n* youth cent/re, *Am.* -er; **~herberge** *f* youth hostel; **~jahre** *n/pl.* early years, youthful days; **~kraft** *f* youthful strength *or* vigo(u)r; **~kriminalität** *f* juvenile delinquency; **~lager** *n* youth camp.

'**jugendlich** *adj.* youthful; juvenile; boyish, girlish; *~er Verbrecher* youthful offender, juvenile delinquent; *~es Kleid* youthful dress; → *Irresein*; *~ aussehen* look young; **2e(r** *m*) *f* (-n, -n; -en, -en) juvenile, *jur. a.* young person; youth; adolescent, teen-ager; **2keit** *f* (-) youthfulness.

'**Jugend...:** **~liebe** *f* early *or* first love, calf-love; (*person*) old sweetheart, love of one's youth; **~pflege** *f* youth welfare work; **~pfleger(in** *f*) *m* youth welfare officer; **~psychiatrie** *f* child psychiatry; **~schriften** *f/pl.* (**~schriftsteller** *m* writer of) books for the young; **~schutz** *m* protection of young people; **~stil** *m* (-[e]s) art nouveau (*Fr.*); **~strafe** *jur. f* detention in a remand home (*Am.* reform school); **~streich** *m* youthful (*or* boyish) trick *or* prank; **~sünde** *f* sin (*or* folly) of one's youth; **~torheit** *f* youthful folly *or* escapade; *er hat s-e ~en hinter sich* he has sown his wild oats; **~traum** *m* youthful dream, dream of (one's) youth; **~werk** *n* early work; **~wohlfahrt** *f* youth welfare; **~zeit** *f* (-) (time *or* days *pl.*) of youth; *in m-r ~* in my young days.

Jugo'slaw|e [ju:go-] *m*, **~in** *f* Yugoslav; **~ien** [-iən] *n* (-s) Yugoslavia; **2isch** *adj.* Yugoslav(ic).

Juli ['ju:li] *m* (-[s]; -s) July.

Jumper ['dʒampər] *m* (-s; -) jumper.

jung [juŋ] *adj.* young; youthful; *fig.* new, fresh; green (*peas, goose*); *~e Aktien* new shares (*Am.* stocks); *~es Bier* new beer; *~e Eheleute* young couple *sg.*; *~es Gemüse* **a)** young (*or* fresh) vegetables *pl.*, **b)** *colloq. fig.* young fry; *~er Hund* pup(py); *~es Unternehmen* young company; *~er Wein* new wine; *von ~ auf* from childhood; *~ und alt* young and old; *~ bleiben* stay young; *~ heiraten* marry young; *~ gewohnt, alt getan* once a use, and ever a custom; *er ist ein paar Jahre zu ~* he is a few years under age; *in s-n ~en Jahren* in his early youth *or* days; → *jünger, jüngst.*

'**Jung...:** **~arbeiter** *m* young worker; **~brunnen** *m* fountain of youth.

'**Junge** *m* (-n; -n) boy, youngster; lad, youth, young fellow *or* man; adolescent, teenager; *cards* knave; *alter ~!* old man!; *dummer ~* stupid fellow; *grüner ~* unlicked cub, whipper-snapper; *schwerer ~* professional criminal, thug, tough; **~(s)** *n* (-[e]n; -[e]n) *zo.* young one; (*dog*) pup(py); (*lion, etc.*) cub; (*elephant*) calf, baby elephant; *~ werfen* → **2n** *v/i.* (*h.*) have (*or* bring forth) young (ones); *of dog*: pup, whelp; *of cat*: kitten; *of cow*: calve.

'**jungenhaft** *adj.* boyish.

jünger ['jyŋər] *adj.* younger, junior; *fig.* newer; *~en Datums* of a later date; *der 2e* (*d. J.*) junior (*abbr.* jun.), the younger (one); *econ. ~er Teilhaber* junior partner; *er ist drei Jahre ~ als ich* he is my junior by three years; *sie sieht ~ aus, als sie ist* she does not look her age.

'**Jünger** *m* (-s; -) disciple (*a. bibl.*), follower, adherent; *~ der Wissenschaft* votary (*or* man) of science.

Jungfer ['-fər] *f* (-; -n) virgin, maid; spinster; lady's maid; *alte ~* old maid; *e-e alte ~ bleiben* remain an old maid.

jüngferlich ['jyŋfərliç] *adj.* virginal, maiden(ly); spinster-like; coy, demure, prim.

'**Jungfern...:** **~fahrt** *mar. f* (**~flug** *aer. m*) maiden voyage (flight); **~häutchen** *anat. n* hymen; **~honig** *m* virgin honey; **~kranz** *m* bridal wreath; **~rede** *f* maiden speech; **~reise** *mar. f* maiden trip; **~schaft** *f* (-) virginity, maidenhood; **~stand** *m* (-[e]s) spinsterhood, maidenhood.

'**Jung...:** **~frau** *f* maid(en); virgin (*a. fig.*); *die ~ von Orleans* the Maid of Orleans; *die Heilige ~* the Holy Virgin; *ast.* Virgo; **2fräulich** ['-frɔʏliç] *adj.* maiden(ly); chaste; virginal, immaculate; *fig.* virgin; **~fräulichkeit** *f* (-) virginity, maidenhood; maidenly modesty, demureness; **~gesell(e)** *m* bachelor, single man; *alter ~* (regular) old bachelor; *eingefleischter ~* confirmed bachelor; young journeyman; **~gesellenleben** *n* (-s), **~gesellenstand** *m* (-[e]s) bachelor's life, bachelorhood; **~gesellin** *f* bachelor girl; **~lehrer(in** *f*) *m* assistant (*or* apprentice) teacher.

Jüngling ['jyŋliŋ] *m* (-s; -e) youth, young man, lad; *contp.* stripling; **~s-alter** *n* (-s) youth, early manhood, adolescence, teens *pl.*

jüngst [jyŋst] **I.** *adj.* youngest; last, latest, recent (*time*); *2er Tag, 2es Gericht* Doomsday, Last Judg(e)ment; *die ~en Ereignisse* the latest events; *Vorgänge der ~en Vergangenheit* events of the recent past; *sein ~es Werk* his latest work; *sie ist nicht mehr die 2e* she is no chicken; **II.** *adv.* (quite) recently, lately, of late, the other day; newly.

'**Jung...:** **~steinzeit** *f* Neolithic age; **2verheiratet, 2vermählt** *adj.* newly-wed (*or* married); **~vieh** *n* young cattle.

Juni ['ju:ni] *m* (-[s]; -s) June; **~käfer** *m* June-bug.

junior ['ju:niɔr] *adj.* (*jun.*, *jr.*) junior.

'**Junior** *m* (-s; -'oren) *sports*: junior; **~chef** *m* junior director.

Juniorenklasse [juni'o:rən-] *f* junior class.

Junker ['juŋkər] *m* (-s; -) (young) nobleman, aristocrat; squire; *preußischer ~* Prussian junker; **~herrschaft** *f*, **~tum** *n* (-s) squir(e)archy; *in Prussia*: junkerdom.

Junktim ['juŋktim] *pol. n* (-s; -s) linking, package deal.

Juno ['ju:no] *f* (-) Juno (*a. ast. and fig.*); **junonisch** [ju'no:niʃ] *adj.* junoesque.

Junta ['junta] *pol. f* (-; -ten) junta.

Jupiter ['ju:pitər] *m* (-s) Jupiter (*a. ast.*), Jove; **~lampe** *f film*: Jupiter lamp, klieg light.

Jura[1] ['ju:ra] *n/pl.*: *~ studieren* study (the) law.

'**Jura**[2]: *der ~, das ~gebirge* the Jura Mountains *pl.*; **~bildung, ~formation** *geol. f* Jurassic formation; **~kalk** *m* Jurassic limestone; **~zeit** *f* (-) Jurassic period.

Jurisprudenz [jurispru'dɛnts] *f* (-) jurisprudence.

Ju'rist *m* (-en; -en) lawyer, jurist; law-student; **2isch** *adj.* legal, juridic(al), of (the) law; *~e Fakultät* faculty of law, *Am.* School of Law; *~e Person* legal entity, juristic person, body corporate, corporation; *Verbindlichkeiten ~er Personen* corporate obligations.

Jury [ʒy'ri:] *f* (-; -s) jury.

Jus [ju:s] *n* (-; *Jura*) law; → *Jura*[1].

just [just] *adv.* just, exactly; just (now).

justier|en [jus'ti:rən] *v/t.* (*h.*) *tech.* adjust, set; *typ.* justify; weight (*coins*); **2schraube** *f* adjusting *or* set screw; **2ung** *f* (-) adjusting, setting; justification.

Justiz [ju'sti:ts] *f* (-) (administration of) justice; **~be-amte(r)** *m* judicial officer; **~behörde** *f* judicial authority; **~gebäude** *n* law-courts *pl.*, courthouse; **~gewalt** *f* judiciary (power); **~inspektor** *m* judicial inspector, court officer; **~irrtum** *m*

error of justice; **~minister** *m* minister of justice, *Brit.* Lord Chancellor, *Am.* Attorney General; **~ministerium** *n* Ministry of Justice; *Am.* Department of Justice; **~mord** *m* judicial murder; **~palast** *m* *the* Law Courts *pl.*; **~pflege, ~verwaltung** *f* administration of justice; legal administrative body; **~rat** *m* (-[e]s; ≃e) *Brit.* Queen's Counsel (*abbr.* Q.C.); **~wesen** *n* (-*s*) judicial affairs *pl.*, judicature.
Jute ['ju:tə] *f* (-), **~hanf** *m* jute.
Jütländer(in *f*) ['-lɛndər-] *m* (-*s*, -; -, -*nen*) Jutlander.
Juwel [ju've:l] *n* (*s*; -*en*) jewel, gem (*both a. fig.*); **~en** *pl.* jewel(le)ry; precious stones.
Ju'welen...: ~kästchen *n* jewel-case, casket; **~laden** *m* jeweller's business *or* shop.
Juwelier [juve'li:r] *m* (-*s*; -*e*) jeweller; **~waren** *f*/*pl.* jewel(le)ry *sg.*
Jux [juks] *colloq.* *m* (-*es*; -*e*) (practical) joke, (great) fun, spree, lark; *sich e-n ~ machen* have a lark *or* some (good) fun.

K

K, k [ka:], *n* K, k.
Kabale [ka'ba:lə] *f* (-; -*n*) cabal, intrigue.
Kabarett [kaba'rɛt] *n* (-*s*; -*e*) (satirical) revue.
Kabarettist(in *f*) [-'tist] *m* (-*en*, -*en*; -, -*nen*) cabaret (*or* revue) artiste.
Kabbala ['kabala] *f* (-) cabbala; **kabbalistisch** [-'listiʃ] *adj.* cabbalistic.
kabbeln ['kabəln] *v*/*i.* (*h.*) squabble, quarrel; *mar. die See kabbelt* (*or ist* '**kabbelig** *adj.*) the sea is choppy.
Kabel ['ka:bəl] *n* (-*s*; -) cable; cable(gram); *ein ~ abrollen* pay out a cable; *ein ~ auslegen* lay a cable; *bewehrtes ~* armo(u)red cable; *unterseeisches ~* submarine cable; **~ader** *f* cable core; **~auftrag** *econ.* *m* cable order; **~bericht** *m* cable-report, cable-message; **~dampfer** *m* cable steamer; **~depesche** *f* cable(gram).
Kabeljau ['ka:bəljau] *m* (-*s*; -*e*) cod(fish).
'**Kabel...: ~legung** *f* laying of cable(s *pl.*); **~mantel** *m* cable sheathing; **2n** *v*/*t. and v*/*i.* (*h.*) cable; send a cablegram; **~rohr** *n* cable conduit; **~schacht** *m* manhole; **~schnur** *f* flex; **~trommel** *f* cable-reel; **~überweisung** *f* cable transfer.
Kabine [ka'bi:nə] *f* (-; -*n*) cabin; *at hair-dresser's, etc.*: cubicle; compartment; (lift-)cage; *film*: projecting room; → *Badekabine*; **~nklasse** *f* cabin class; **~nkoffer** *m* cabin trunk; **~npredigt** *colloq. sport* *f* pep talk; **~nroller** *mot. m* cabin-scooter.
Kabinett [kabi'nɛt] *n* (-*s*; -*e*) cabinet, closet; *pol.* cabinet; **~sformat** *phot. n* cabinet size; **~sfrage** *f* vital question; **~skrise** *f* cabinet crisis; **~sliste** *f* list of cabinet members; **~stück(chen)** *n* *fig.* brilliant show, clever move.
Kabriolett [kabrio'lɛt] *n* (-*s*; -*e*) cabriolet, *esp. Am.* convertible.
Kachel ['kaxəl] *f* (-; -*n*) (Dutch *or* glazed) tile; **~ofen** *m* tiled stove.
Kacke ['kakə] *f* (-), '**kacken** *vulg.* *v*/*i.* (*h.*) shit.
Kadaver [ka'da:vər] *m* (-*s*; -) cadaver, corpse; carcass; **~gehorsam** *m* slavish obedience.
Kadenz [ka'dɛnts] *mus. f* (-; -*en*) cadence.
Kader ['ka:dər] *mil., pol. m* (-*s*; -) cadre; **~einheiten** *f*/*pl.* cadre units.
Kadett [ka'dɛt] *m* (-*en*; -*en*) *mil.*, *mar.* cadet; **~en-anstalt** *f* cadets school; **~enkorps** *n* cadet corps; **~enschiff** *n* cadet ship.
Kadi ['kadi] *m* (-*s*; -*s*) cadi; *j-n vor den ~ schleppen* go to law with a p.
Kadmium ['katmium] *chem. n* (-*s*) cadmium; **~gelb** *n* (-*s*) cadmium sulphide.
kaduzier|en [kadu'tsi:rən] *jur. v*/*t.* (*h.*) declare forfeited; **2ung** *f* (-; -*en*) forfeiture (*of shares*).
Käfer ['kɛ:fər] *m* (-*s*; -) beetle, chafer, *Am. a.* bug; *colloq. netter ~* sweet girl; **2artig** *adj.* coleopterous.
Kaff *colloq.* [kaf] *n* (-*s*; -*s*) god-forsaken place, awful hole, *Am. a.* hick-town.
Kaffee ['kafe] *m* (-*s*) coffee; *gemahlener* (*gebrannter*) *~* ground (roasted) coffee; *e-e Tasse ~* a cup of coffee; *~ mit* (*ohne*) *Milch* white (black) coffee; *~ verkehrt* milk with a dash; '**~baum** *m* coffee-tree; '**~bohne** *f* coffee-bean; '**~brenner** *m* coffee-roaster; '**~büchse** *f* (coffee-)caddy; '**~ersatz** *m* coffee substitute; '**~gebäck** *n* (fancy) cakes *pl.* to serve with coffee; '**~geschirr** *n* coffee-service, coffee things *pl.*; '**~haus** *n* café; '**~kanne** *f* coffee-pot; '**~klatsch** *colloq.* *m* (gossip at a) coffee-party; '**~kränzchen** *n* coffee-party (*or* -circle); '**~löffel** *m* *usu.* tea-spoon; '**~maschine** *f* coffee percolator; '**~mühle** *f* coffee- mill *or* -grinder; '**~pflanzung** *f* coffee plantation; '**~röster** *m* coffee-roaster; **~röste'rei** *f* coffee roasters *pl.*; '**~satz** *m* (-*es*) coffee-grounds *pl.*; '**~tasse** *f* coffee-cup; '**~wärmer** *m* (-*s*; -) (coffee-pot) cosy.
Kaffein [kafe'i:n] *chem.* (-*s*) caffeine.
Kaffer ['kafər] *m* (-*n*; -*n*) Kaffir; *colloq.* oaf, duffer.
Käfig ['kɛ:fiç] *m* (-*s*; -*e*) cage (*a. el., tech.*); *fig. im goldenen ~* in a gilded cage; **~antenne** *f* cage aerial (*Am.* antenna); **~motor** *el. m* squirrel-cage motor.
Kaftan ['kaftan] *m* (-*s*; -*e*) caftan.
kahl [ka:l] *adj.* bald; shorn (*head*); *fig.* bare, naked; bare, leafless (*tree*); barren, bleak (*area*); blank (*wall*); plain; poor, paltry; empty.
'**Kahl...: ~fläche** *f* area devoid of vegetation; → *Kahlschlag*; **~fraß** *m* complete defoliation; **2geschoren** *adj.* close-cropped; **~heit** *f* (-) baldness; *fig.* bareness; barrenness; bleakness; **~kopf** *m* bald head; bald(-headed) person; **2köpfig**]'-kœpfiç] *adj.* bald-headed; **~köpfigkeit** *f* (-) bald-headedness, baldness; **~schlag** *m* complete deforestation; clear-cutting; clear-cut area; clearing.
Kahm [ka:m] *m* (-[e]s; -*e*) mo(u)ld; '**2ig** *adj.* mo(u)ldy, musty.
Kahn [ka:n] *m* (-[e]s; ≃e) (small) boat, skiff; barge; *~ fahren* go boating; *colloq. im ~ sitzen* be in (the) clink; '**~fahrt** *f* boat trip; **~fracht** *econ. f* lighterage.
Kai [kaı] *m* (-*s*; -*s*) quay, wharf; '**~anlage** *f* wharfage; '**~arbeiter** *m* docker, longshoreman; '**~gebühren** *f*/*pl.*, '**~geld** *n* wharfage *sg.*
Kaiman ['kaıman] *zo. m* (-*s*; -*e*) cayman.
'**Kai...: ~mauer** *f* quay-wall; **~meister** *m* wharfinger.
Kain [kain] *m* Cain; '**~smal** *n* (-[e]s; -e), '**~szeichen** *n* mark of Cain.
Kairo ['kairo:] *n* Cairo.
Kaiser ['kaizər] *m* (-*s*; -) emperor; *fig. sich um des ~s Bart streiten* quarrel about nothing; split hairs; *bibl. gebt dem ~, was des ~s ist* render unto Caesar the things which are Caesar's; '**~adler** *orn. m* imperial eagle; '**~haus** *n* imperial family; '**~in** *f* (-; -*nen*) empress; '**~krone** *f* imperial crown; '**2lich** *adj.* imperial; *die* '**~lichen** *m*/*pl.* the imperialists; *mil.* the Imperial troops; '**~reich** *n* empire; '**~schnitt** *med. m* Caesarean operation *or* section; '**~tum** *n* (-[e]s) empire; '**~wahl** *f* election of an emperor; '**~würde** *f* imperial dignity.
Kajak ['ka:jak] *mar. m and n* (-*s*; -*s*) kayak; *~-Einer* (*-Zweier, -Vierer*) one- (two-, four-)seater kayak.
Kajüte [ka'jy:tə] *mar.* (-; -*n*) cabin; *erste ~* saloon; *große ~* state-room; **~npassagier** *m* cabin (*or* saloon) passenger; **~ntreppe** *f* companion-way.
Kakadu ['kakadu:] *orn. m* (-*s*; -*s*) cockatoo.
Kakao [ka'ka:o] *m* (-*s*) cocoa; (*seed, tree*) cacao; *colloq. j-n durch den ~ ziehen* **a)** pull a p.'s leg, **b)** run a p. down, roast a p.; **~baum** *m* cocoa-tree, cacao; **~bohne** *f* cocoa-bean; *bot.* cacao-bean; **~butter** *f* cocoa butter; **~pulver** *n* cocoa powder.
Kaktus ['kaktus] *bot. m* (-; -'*teen*) cactus; *pl.* cacti, cactuses.
Kalamität [kalami'tɛ:t] *f* (-; -*en*) calamity.
Kalander [ka'landər] *tech. m* (-*s*; -) calender, glazing rollers *pl.*; **2n** *v*/*t.* (*h.*) calender.

Kalauer ['kɑ:lauər] *m* (-s; -) stale joke, pun.

Kalb [kalp] *n* (-[e]s; ⸗er) calf; *fig.* ninny; *das Goldene* ~ the golden calf; '**≈en** ['-bən] *v/i.* (*h.*) calve.

kälbern ['kɛlbərn] *v/i.* (*h.*) calve; *fig.* frolic, romp.

'**Kalb...:** **~fell** *n* calf(-skin); *mil.* drum; **~fleisch** *n* veal; **~leder** *n* calf(-leather); *in* ~ *gebunden* calf-bound; **≈ledern** *adj.* of calf (leather).

'**Kalbs...:** **~braten** *m* roast veal; **~brust** *f* (*gefüllte* ~) (stuffed) breast of veal; **~frikassee** *n* fricassee of veal; **~fuß** *m* calf's foot; **~hachse, ~haxe, ~keule** *f* leg of veal; **~kopf** *m* calf's head; **~kotelett** *n* veal cutlet; **~leber** *f* calf's liver; **~lende** *f* fillet of veal; **~nierenbraten** *m* loin of veal; **~schlegel** *m* → *Kalbshachse*; **~schnitzel** *n* veal cutlet.

Kaldaunen [kal'daunən] *f/pl. cul.* tripe *sg.*

Kaleidoskop [kalaido'skop] *n* (-s; -e) kaleidoscope.

Kalender [ka'lɛndər] *m* (-s; -) calendar; almanac; *hundertjähriger* ~ perpetual almanac; **~jahr** *n* calendar year; **~uhr** *f* calendar watch.

Kalesche [ka'lɛʃə] *f* (-; -*n*) calash; chaise.

Kalfakt|er [kal'faktər], **~or** *m* (-s; -'*toren*) boilerman; caretaker; *in prison*: trusty.

kalfatern [kal'fɑ:tərn] *mar. v/t.* (*h.*) caulk, calk.

Kali ['kɑ:li] *n* (-s; -s) potash; *ätzendes* ~ caustic potash; *essigsaures* ~ acetate of potash; *kohlensaures* ~ carbonate of potash; *salpetersaures* ~ potassium nitrate.

Kaliber [ka'li:bər] *n* (-s; -) *of gun*: calib|re, *Am.* -er (*a. fig.*); bore; *tech.* gauge; **~maß** *n* calibre-ga(u)ge.

kalibrieren [-li'bri:rən] *tech. v/t.* (*h.*) calibrate, ga(u)ge; standardize.

Kalif [ka'li:f] *m* (-en; -en) caliph; **Kalifat** [-'fɑ:t] *n* (-[e]s; -e) caliphate.

Kaliforn|ien [kali'fɔrniən] *n* California; **~ier(in** *f*) *m* (-s, -; -, -*nen*), **≈isch** *adj.* Californian.

'**Kali...:** **~dünger** *m* fertilizer, potash manure; **≈haltig** *adj.* potassic; **~hydrat** *n* potassium hydrate.

Kaliko ['kaliko] *m* (-s; -s) calico.

'**Kali...:** **~lauge** *f* potash lye; **~salpeter** *m* (common) nitre, nitrate of potash; **~salz** *n* potassium salt.

Kalium ['kɑ:lium] *n* (-s) potassium; **~chlorat** *n* potassium chlorate.

'**Kaliwerk** *n* potash works *pl.*

Kalk [kalk] *m* (-[e]s; -e) lime, chalk; limestone; *gebrannter* ~ quicklime; *gelöschter* ~ slaked lime; *mit* ~ *tünchen* lime-wash; '**≈arm** *adj.* deficient in lime (*or med.* in calcium); '**≈artig** *adj.* limy, calcareous; '**~brenner** *m* limeburner; '**~brenne'rei** *f* lime-kiln; '**~ei** *n* waterglass egg; '**≈en** *v/t.* (*h.*) *agr.* lime; *tech.* whitewash; '**~erde** *f* calcareous earth; '**~gebirge** *n* limestone mountain; '**~grube** *f* lime-pit; '**≈haltig** *adj.* calcareous, calciferous; '**~hütte** *f* → *Kalkbrennerei*; '**≈ig** *adj.* limy, calcareous; '**~mangel** *m* deficiency in lime, *med.* calcium deficiency; '**~mörtel** *m* lime mortar; '**~ofen** *m* lime-kiln; '**~stickstoff** *m* calcium cyanamide.

Kalkül [kal'ky:l] *m* (-s; -e) calculation.

Kalkulation [kalkulatsi'o:n] *f* (-; -*en*) calculation; **~sfehler** *m* miscalculation.

Kalkulator [-'lɑ:tɔr] *m* (-s; -*en*) calculator, cost accountant; **kalkulatorisch** [-'to:riʃ] *adj.* calculable, from the calculation point of view; **kalkulieren** [-'li:rən] *v/t. and v/i.* (*h.*) calculate, compute, reckon.

Kalligraphie [kaligra'fi:] *f* (-) calligraphy.

Kalmengürtel ['kalmən-] *m*, **~zone** *f* calm-belt; *der äquatoriale* ~ the doldrums.

Kalorie [kalo'ri:] *f* (-; -*n*) caloric (*or* thermal) unit, calorie; **~ngehalt** *m* calorie content; **Kalori'meter** *n* (-s; -) calorimeter.

kalt [kalt] *adj.* cold; frigid (*zone, etc.*); chilly (*air, etc.*); *eisig* ~ icy, glacial; *mir ist* ~ I am (*or* feel) cold; *mir wird* ~ I am getting cold; ~ *werden* grow cold, cool down; → *kaltstellen*; ~*e Küche* cold meat (*or* lunch *or* dishes *pl.*); *fig.* cold (*a. colour*), frosty; frigid (*a. sexually*); indifferent; ~*en Blutes* in cold blood, callously; ~ *bleiben* keep cool, keep one's temper; *j-m die* ~*e Schulter zeigen* give a p. the cold shoulder; *das läßt mich* ~ that leaves me cold, I don't care a rap; → *kaltmachen*; *pol.* ~*er Krieg* cold war; '**≈be-arbeiten** *n* (-s) cold working; '**≈biegen** *tech. n* (-s) cold-bending; '**≈blüter** ['-bly:tər] *m/pl.* cold-blooded animals; '**~blütig I.** *adj.* cold-blooded; *fig. a.* cold, cool, cool-headed; **II.** *adv.* in cold blood, callously; cooly; '**≈blütigkeit** *f* (-) cold-bloodedness; *fig. a.* sang-froid (*Fr.*), coolness; '**≈blütler** ['-bly:tlər] *m* (-s; -) cold-blooded animal; '**~brüchig** *metall. adj.* cold-short.

Kälte ['kɛltə] *f* (-) cold; chill; frostiness; frigidity; *fig.* coldness; indifference; *vor* ~ *zittern* shiver with cold; *fünf Grad* ~ five degrees below zero; **~anlage** *f* refrigerating plant; **≈beständig** *adj.* cold-resistant, non-freezable; **~beständigkeit** *f* anti-freezing quality; **~chemie** *f* cryochemistry; **~einbruch** *m* cold snap; **≈empfindlich** *adj.* sensitive to cold; **≈erzeugend** *adj.* refrigerant; **~erzeugungsmaschine** *f* refrigerator, freezer; **~gefühl** *n* sensation of cold; **~grad** *m* degree of cold *or* (*by centigrades*) below zero; **~industrie** *f* refrigeration industry; **~leistung** *f* refrigerating capacity; **~maschine** *f* refrigerating machine; **~mittel** *n* cooling agent, coolant; **≈n** *v/t.* (*h.*) chill, refrigerate; **~regler** *m* cryostat; **~schutzmittel** *n* cold protective; *mot.* antifreeze mixture; **~technik** *f* refrigeration (*engineering*); **~welle** *f* cold wave (*or* spell).

'**kalt...:** **~gezogen** *tech. adj.* cold-drawn; **~hämmerbar** *adj.* malleable; **~hämmern** *v/t.* (*h.*) cold-hammer; **~härten** *v/t.* (*h.*) strain-harden; **~der Lack** cold-setting lacquer; **~herzig** *adj.* cold-hearted, unfeeling; **~lächelnd** *adv.* with a cold smile, without turning a hair; **≈lagerung** *f* cold storage; **≈leim** *m* cold glue; **≈luft** *f* cold air; polar air; **≈luftfront** *f* cold front; **~machen** *colloq. v/t.* (*h.*) *j-n*: kill, make cold meat of *a p.*; bump *a p.* off; **≈reckung** *metall. f* cold straining; **≈schale** *f* cold fruit (*or* beer-, wine-)soup; **~schnäuzig** ['-ʃnɔʏtsiç] *colloq.* **I.** *adj.* cool; **II.** *adv.* coolly, as cool as you please; **≈start** *mot. m* cold start(ing); **~stellen** *v/t.* (*h.*) put in a cool place (*or* into cold storage, on ice), keep cool; *fig.* shelve, leave out in the cold, side-track, isolate; **≈verformung** *f* cold working *or* shaping; **≈wasserheilkunde** *f* cold-water therapy; **≈wasserkur** *f* cold-water cure; **≈welle** *f hairdressing*: cold wave; **~ziehen** *tech. v/t.* (*irr.*, *h.*) cold-draw.

Kalvarienberg [kal'vɑ:riənbɛrk] *m* (-[e]s) (Mount) Calvary.

Kalvinist(in *f*) [kalvi'nist] *m* (-en, -en; -, -en) Calvinist.

kalzinieren [kaltsi'ni:rən] *v/t.* (*h.*) calcine.

Kalzium ['kaltsium] *chem. n* (-s) calcium; **~karbid** *n* calcium carbide.

kam [kɑ:m] *pret. of kommen.*

Kamarilla [kama'rilja] *f* (-; -*llen*) camarilla.

Kamee [ka'me:(ə)] *f* cameo (-; -*n*).

Kamel [ka'me:l] *n* (-[e]s; -e) camel; *colloq. fig.* blockhead, idiot; **~füllen** *n* young camel; **~garn** *n* mohair; **~haar** *n* camel's hair; *in compounds a.* camel hair ...

Kamelie [ka'me:liə] *bot. f* (-; -*n*) camellia.

Ka'melkuh *f* → *Kamelstute.*

Kamelott [kamə'lɔt] *m* (-s; -e) camlet.

Ka'mel...: **~stute** *f* female (*or* she-)camel; **~treiber** *m* camel-driver; **~ziege** *f* Angora goat.

Kamera ['kaməra] *f* (-; -s) camera; **~assistent** *m film*: camera operator.

Kamerad [kamə'rɑ:t] *m* (-*en*; -*en*), **~in** *f* (-; -*nen*) comrade, companion, fellow, mate, pal, chum, *Am. a.* bud(dy); → *Schul*≈, *Spiel*≈; **~schaft** *f* (-; -*en*) comradeship, (good) fellowship; **≈schaftlich** *adj.* like a comrade, companionable, friendly, chummy, matey; **~schaftsabend** *m* social (*or* companionable) evening; **~schafts-ehe** *f* companionate marriage; **~schaftsgeist** *m* (-[e]s) team spirit, matey spirit, camaraderie.

'**Kamera|führung** *f* camera work; **~mann** *m* (head) cameraman.

Kamille [ka'milə] *bot. f* (-; -*n*) camomile; **~ntee** *m* camomile tea.

Kamin [ka'mi:n] *m* (-s; -e) chimney; flue; fireplace, fireside; *mount.* chimney, crevasse; *fig. Plauderei am* ~ fireside chat; *in den* ~ *schreiben* consider (as) lost; *dein Geld kannst du in den* ~ *schreiben* you can whistle for your money; **~feger** *m* (-s; -) chimney-sweep; **~feuer** *n* log-fire; **~sims** *n* mantelpiece; **~teppich** *m* hearth-rug.

Kamm [kam] *m* (-[e]s; ⸗e) comb; *of mountains*: crest, ridge; crest (*of bird, horse, wave, etc.*); *tech.* cog, cam (*of gear*); *weaving*: reed; *cul.* scrag, chuck, neck(-piece); *fig. alle(s) über e-n ~ scheren* treat all alike, tar all with the same brush; *fig. ihm schwoll der ~* **a)** he bristled (*or* saw red), **b)** he was getting cocky.

kämmen ['kɛmən] *v/t. and v/i.* (*h.*) comb; *sich ~* comb one's hair *or* o.s.; *tech.* card (*wool*); *gears*: mate (*mit* with).

Kammer ['kamər] *f* (-; -n) chamber (*a. anat., zo. and tech.*); (small) room, cabinet, closet; cubicle, cubby-hole; compartment; *adm.* board, chamber (*a. parl.*); *jur.* panel; *mil.* unit stores *pl.*; chamber (*of gun*); *anat.* ventricle; **'~diener** *m* valet.

Kämmerei [kɛmə'raɪ] *f* (-; -en) finance department.

'Kämmerer *m* (-s; -) *hist.* chamberlain; treasurer; city accountant.

'Kammer...: **~frau** *f* lady's maid; **~fräulein** *n* lady-in-waiting; **~gericht** *n* Supreme Court; **~herr** *m* gentleman-in-waiting; **~jäger** *m* vermin-killer; **~junker** *m* → **~herr**; **~kätzchen** *colloq. n*, **~mädchen** *n* chambermaid; **~konzert** *n* chamber concert; **~musik** *f* chamber music; **~orchester** *n* chamber orchestra; **~sänger(in** *f*) *m* first-rate concert-singer; **~ton(höhe** *f*) *m* concert pitch; **~tuch** *n* cambric; **~unteroffizier** *m Brit.* NCO storekeeper, *Am.* supply sergeant; **~warze** *f on rifle*: bolt lug; **~zofe** *f* lady's maid.

'Kammgarn *n* worsted (yarn); **~gewebe** *n* worsted (fabric); **~spinne'rei** *f* worsted-spinning mill; **~stoff** *m* worsted.

'Kamm...: **~rad** *tech. n* cog-wheel; **~stück** *n* scrag (end), chuck (*of beef, etc.*); **~wolle** *f* carded wool; worsted.

Kam'pagne *f* campaign.

Kämpe ['kɛmpə] *m* (-n; -n) *hist.* champion, warrior; *alter ~* seasoned soldier, *w.s.* old hand.

Kampf [kampf] *m* (-[e]s; ⸗e) fight, combat; action, engagement; battle; encounter; struggle (*um* for); conflict *of opinion, etc.* (*a. pol.*); strife; feud; *sports, etc.*: contest; match; *boxing*: bout, fight; *~ ums Dasein* struggle for existence *or* life; *~ auf Leben und Tod* life and death struggle; *~ Mann gegen Mann* man-to-man fight; *j-m den ~ ansagen* challenge a p., fling down the gauntlet to a p.; → *antreten*; *mil. den ~ eröffnen* open hostilities; *den ~ einstellen* cease fighting.

'Kampf...: **~abschnitt** *m* combat sector; **~ansage** *f* challenge (*an* to); **~aufstellung** *f* battle-array; **~auftrag** *m* combat mission (*or* task); **~bahn** *f sports* stadium, arena; **~begier(de)** *f* pugnacity, lust for battle; **⁀begierig** *adj.* eager to fight, combative, pugnacious; **⁀bereit** *adj.* ready to fight; combat-ready, *mar.* cleared for action; **~einheit** *mil. f* combat unit; **~einsatz** *m* combat; commitment *of troops.*

kämpfen ['kɛmpfən] *v/i.* (*h.*) fight (*für, um* for), combat; (engage in) battle; struggle, wrestle; *fig. ~ mit a.* contend *or* grapple with; *gut ~* put up a good fight; *~de Truppe* fighting forces; **⁀** *n* (-s) fight(ing), combat, struggle, battle.

Kampfer ['kampfər] *m* (-s) camphor.

Kämpfer ['kɛmpfər] *m* (-s; -) **1.** fighter; battler, campaigner; *mil.* combatant, warrior; *sports* contestant; boxer, fighter; wrestler; **2.** *arch.* impost; abutment; **⁀isch** *adj.* fighting, militant, combative; aggressive.

'Kampf...: **~erfahrung** *f* combat (*sports*: competition) experience; *boxing*: ring routine; **⁀erprobt** *adj.* battle-tried, seasoned; veteran (*troops*); **⁀fähig** *adj.* fit to fight; fit for action; **~flieger** *m* combat pilot; bomber pilot; **~flugzeug** *n* tactical aircraft; **~gas** *mil. n* war (*or* poison) gas; **~gebiet** *n* combat area; **~geist** *m* fighting spirit; *~ zeigen* show fight; **~gericht** *n* jury; **~geschwader** *aer. n* bomber group (*Am.* wing); **~gewühl** *n* turmoil of battle, mêlée (*Fr.*); *im ~* in the thick of the battle; **~gruppe** *mil. f* combat team; *Brit.* brigade group, *Am.* (combat) group; task force; **~hahn** *m* fighting cock (*a. fig.*); **~handlung** *mil. f* engagement, operation; (*a. ~en pl.*) action; **~kraft** *f* fighting strength; **~linie** *mil. f* fighting (*or* firing) line; **⁀los** *adv.* without a fight; **~lust** *f* love of fighting, pugnacity, bellicosity; **⁀lustig** *adj.* belligerent, pugnacious, aggressive; **⁀müde** *adj.* battle-weary; **~platz** *m* scene of action (*sports*: of events), battlefield; → *Kampfbahn*; *fig. den ~ betreten* enter the lists; **~preis** *m* prize; **~richter** *m* judge, umpire, referee; *pl. a. the* jury; **~ruf** *m* battle-cry; **~schwimmer** *m* frogman; **~sport** *m* combative sports; **~stärke** *f* fighting strength; **~stoff** *mil. m* chemical warfare agent; war (*or* poison) gas; **~tätigkeit** *f* combat activity, action; **~truppe** *f* line (*or* combat) troops *pl.*; **⁀unfähig** *adj.* disabled; out of action; *boxing*: unable to continue boxing; *~ machen* disable (*a. sports*), put out of action; **~verband** *mil. m* combat team; task force; *aer.* **a)** fighter formation, **b)** bomber formation; **~wagen** *m* combat vehicle; armo(u)red car; tank; **~ziel** *n* objective; **~zone** *f* combat area.

kampieren [kam'piːrən] *v/i.* camp.

Kanad|ier[1] [ka'nɑːdiər] *m* (-s; -), **~ierin** *f* (-; -nen), **⁀isch** *adj.* Canadian.

Ka'nadier[2] *m* (-s; -) (*boat*) Canadian canoe; *~-Einer* (*-Zweier*) Canadian-single (-double).

Kanake [ka'nɑːkə] *m* (-n; -n) Kanaka.

Kanal [ka'nɑːl] *m* (-s; ⸗e) **1.** channel (*a. tech., TV, and fig.*); canal; ditch, drain, sewer; conduit, duct; gutter; **2.** *geogr.* (*Ärmel⁀*) *the* (British) Channel; **~arbeiter** *m* navvy, excavator; flusher, sewerman; **~bau** *m* (-[e]s; -ten) canal-building, canalization; drainage; **~dampfer** *m* cross-Channel boat; **~inseln** *f/pl.* Channel Islands.

Kanalisation [kanalizati'oːn] *f* (-; -en) canalization; drainage; sewerage; *in house*: drains *pl.*; **~s-anlage** *f* sewage system (*of town*); **~srohr** *n* sewer pipe; drain pipe.

kanalisier|en [-'ziːrən] *v/t.* (*h.*) canalize (*river*); sewer (*town*); **⁀ung** *f* (-; -en) canalization, drainage.

Ka'nal...: **~schwimmer(in** *f*) *m* (-s, -; -, -nen) cross-Channel swimmer; **~strahlen** *phys. m/pl.* canal rays; **~wähler** *TV m* channel selector.

Kanapee ['kanapeː] *n* (-s; -s) sofa, settee.

Kanarienvogel [ka'nɑːriən-] *m* canary (bird).

kanarisch [ka'nɑːriʃ] *adj.* Canarian; *die ⁀en Inseln f/pl.* the Canary Islands, the Canaries.

Kandare [kan'dɑːrə] *f* (-; -n) curb (-bit), (bridle-)bit; *fig. j-n an die ~ nehmen* put the curb on a p., take a p. in hand; **~zügel** *m* curb rein.

Kandelaber [kande'lɑːbər] *m* (-s; -) candelabrum, chandelier.

Kandidat [kandi'dɑːt] *m* (-en; -en), **~in** *f* (-; -nen) candidate, applicant; aspirant; *aufgestellter ~* nominee (*in elections*); **~enliste** *f* list of candidates.

Kandidatur [-da'tuːr] *f* (-; -en) candidature, candidacy (*für* for).

kandidieren [-'diːrən] *v/i.* (*h.*) be (*or* come forward as, put up as) a candidate (*für* for); stand (*Am.* run) (for election); *parl.* contest (a seat).

kandieren [kan'diːrən] *v/t.* (*h.*) candy.

Kandiszucker ['kandis-] *m* (sugar-) candy.

Kaneel [ka'neːl] *m* (-s; -e) cinnamon.

Kanevas ['kanəvas] *m* (-; -) canvas.

Känguruh ['kɛŋguruː] *zo. n* (-s; -s) kangaroo.

Kaninchen [ka'niːnçən] *zo. n* (-s; -) rabbit; **~bau** *m* (-[e]s; -e) burrow; **~fell** *n* rabbit-skin; **~gehege** *n* rabbit warren; **~stall** *m* rabbit-hutch.

Kanister [ka'nistər] *m* (-s; -) canister; (metal) container, can.

Kännchen ['kɛnçən] *n* (-s; -) small can *or* jug *or* pot, *Am.* dipper.

Kanne ['kanə] *f* pot; can; jug; tankard; **~gießer** *colloq. m fig.*: (*politischer*) *~* pothouse politician; **~gieße'rei** *colloq. f* pothouse politics, political twaddle.

kannelieren [kanə'liːrən] *tech. v/t.* (*h.*) channel, flute.

'Kannengießer *m* (-s; -) pewterer.

Kanniba|le [kani'bɑːlə] *m* (-n; -n), **~lin** *f* (-; -nen) cannibal; **⁀lisch** *adj.* (like a) cannibal, cannibalistic; *fig.* cruel, ferocious, savage; *colloq.* beastly, awful, terrific; **~lismus** [-'lismus] *m* (-) cannibalism.

kannte ['kantə] *pret. of kennen.*

'Kannvorschrift *jur. f* discretionary clause, permissive provision.

Kanon ['kɑːnɔn] *mus. eccl., typ. m* (-s; -s) canon.

Kanonade [kano'nɑːdə] *mil. f* (-; -n) cannonade, bombardment.

Kanone [ka'noːnə] *f* (-; -n) **1.** *mil.*

cannon, piece (of ordnance), gun; → *Spatz*; **2.** *colloq. fig.* **a**) master-mind, wizard, **b**) big gun *or* bug, **c**) *esp. sports* crack, ace, star; **3.** *colloq. fig. unter aller* ~ beneath contempt, lousy.

Ka'nonen...: ~boot *n* gunboat; **~donner** *m* roar (*or* boom) of cannon(s); **~feuer** *n* gunfire, cannonade; **~futter** *fig. n* cannon-fodder; **~kugel** *f* cannonball; **~ofen** *m* round iron stove; **~rohr** *n* cannon barrel; **~schlag** *m* thunder-flash; **~schuß(weite** *f*) *m* cannon-shot (range); **~stiefel** *m/pl.* jackboots.

Kanonier [kano'niːr] *mil. m* gunner, *Am.* recruit, cannoneer.

Kanon|ikus [ka'noːnikus] *m* (-; *-ker*) canon; **ˆisch** *adj.* canonical; *~es Recht* canon law; *phys. ~e Feldtheorie* canonical field theory.

kanonisier|en [-'ziːrən] *v/t.* (*h.*) canonize; **ˆung** *f* (-; *-en*) canonization.

Kantate [kan'tɑːtə] *mus. f* (-; *-n*) cantata.

Kant|e ['kantə] *f* (-; *-n*) edge; brim; corner; face (*of wood*); ledge; *of cloth*: list, selvage; lace; *fig. et. auf die hohe ~ legen* put by (for a rainy day); **~el** *m* (-s; -) square section ruler; **~en** *m* (-s; -) crust (*of bread*); **ˆen** *v/t.* (*h.*) cant, set on edge; tilt; border, edge; square (*stone*); *die Schier ~* edge (*or* cant) the ski; *econ. nicht ~!* this side up!; **~haken** *m mar.* cant-hook; *fig. j-n beim ~ fassen* collar a p., take a p. by the scruff of the neck; **~holz** *tech. n* square(d) timber; **ˆig** *adj.* angular, edged; square(d).

Kantine [kan'tiːnə] *f* (-; *-n*) canteen, *mil. a.* mess (hall); **~nwirt** *m* canteen manager.

Kanton [-'toːn] *m* (-s; -e) canton.

kanton|al [-to'nɑːl] *adj.* cantonal; **~ieren** *mil. v/t.* (*h.*) canton; **ˆist** *m* (-en; -en): *colloq. fig. unsicherer ~* unrealiable fellow.

Kantor ['kantɔr] *m* (-s; -'*toren*) precentor; choir-master; parish schoolmaster and organist.

Kanu ['kɑːnu] *n* (-s; -s) canoe; **'~fahren** *n* (-s), **'~sport** *m* canoeing; **'~fahrer, Kanute** [-'nuːtə] *m* (-n; *-n*) canoeist.

Kanüle [-'nyːlə] *med. f* (-; *-n*) tubule, cannula.

Kanzel ['kantsəl] *f* (-; *-n*) pulpit; *aer.* cockpit; (gun-)turret; *auf der ~* in the pulpit; *die ~ besteigen* mount the pulpit; **'~rede** *f* sermon; **'~redner** *m* pulpit-orator.

Kanzlei [kants'laɪ] *f* (-; *-en*) chancellery; office; (government *or* lawyer's) office; **~diener** *m* messenger; usher; **~gericht** *n* (court of) chancery; **~papier** *n* foolscap (paper); **~sprache** *f* (-), **~stil** *m* (-) official *or* legal language (*or* style), officialese.

'Kanzler *m* (-s; -) chancellor; **~amt** *n* chancellorship.

Kaolin [kao'liːn] *n* (-s; -e) kaolin, porcelain clay.

Kap [kap] *n* (-s; -s) cape; headland.

Kapaun [ka'paʊn] *m* (-s; -e) capon.

Kapazität [kapatsi'tɛːt] *f* (-; *-en*) capacity (*a. el.*); *el. of condenser*: capacitance; *fig.* (leading) authority (*auf dem Gebiete der* on, in the field of); *geistige ~* mental capacity; **~s-ausnutzung** *f industry*: (full) utilization of capacity; **ˆsfrei** *el. adj.* non-capacitive.

kapazitiv [-'tiːf] *el. adj.* capacitive.

Kapell|e [ka'pɛlə] *f* (-; *-n*) *eccl.* chapel; *mus.* band, orchestra; **~meister** *m* bandmaster, conductor.

Kaper[1] ['kɑːpər] *bot. f* (-; *-n*) caper.

'Kaper[2] *mar. m* (-s; -) privateer; **~brief** *m* letters *pl.* of marque; **Kaperei** [-'raɪ] *f* (-) privateering.

'kaper|n *mar. v/t.* (*h.*) capture, seize; *gekapertes Schiff* prize; *fig.* seize, collar, bag, commandeer; **ˆschiff** *n* privateer, corsair.

kapieren [ka'piːrən] *colloq. v/t.* (*h.*) grasp, get (it), catch on to; *kapiert?* got it?; *ich kapiere das nicht* I don't get it.

Kapillar|gefäß [kapi'lɑːr-] *anat. n* capillary (vessel); **~kraft** *f* capillary force.

Kapital [kapi'tɑːl] *n* (-s; *-ien*) capital, funds *pl.*; stock; asset; *~ und Zinsen* principal and interest; *arbeitendes (totes) ~* working (dead) capital; *eingezahltes ~* paid-up capital; *flüssiges ~* available funds; *~ aus et. schlagen* profit by a th., *fig. a.* make capital out of a th., turn a th. to account, cash in on a th.; → *aufnehmen, kündigen, etc.*; **ˆ** *adj.* capital, excellent, first-rate; *hunt.* royal (*stag*); capital (*crime*); **~abfindung** *f* monetary compensation; **~abgabe** *f* capital levy; **~abschöpfung** *f* depletion of capital; **~abwanderung** *f* exodus of capital; **~anlage** *f* investment; *lohnende ~* paying investment; *(un)produktive ~* (un)productive investment; **~anlagegesellschaft** *f* investment trust; **~anteil** *m* capital share; **~bedarf** *m* capital requirements *pl.*; **~beschaffung** *f* raising of capital; **~betrag** *m* principal; **~bilanz** *f* balance of capital transactions; net capital movement; **~bildung** *f* formation (*or* accumulation) of capital; **~einkommen** *n* unearned income; **~einlage** *f* invested capital, paid-in share; **~erhöhung** *f* increase of capital; **~ertrag** *m* capital yield; **~ertragssteuer** *f* capital gains tax; **~flucht** *f* (-) flight of capital; **~geber** *m* financer, investor; **~gesellschaft** *f* capital (*or* joint-stock) company; **~güter** *n/pl.* capital goods.

Kapitalien [-'tɑːliən] *pl.* capital *sg.*, funds.

kapi'tal-intensiv *adj.* requiring (*or* employing) a considerable amount of capital.

kapitalisier|en [-tali'ziˈrən] *v/t.* (*h.*) capitalize; finance, fund; realize, convert into capital; **ˆung** *f* (-) capitalization; realization; **ˆungsanleihe** *f* funding loan.

Kapitalismus [-'lismus] *m* capitalism.

Kapitalist [-'list] *m* (-en; *-en*) capitalist; **ˆisch** *adj.* capitalistic(ally *adv.*).

Kapi'tal...: ~knappheit *f* shortage of capital, stringency of money; **~kraft** *f* (-) financial capacity; **ˆkräftig** *adj.* well funded, (financially) powerful; **~mangel** *m* (-s) lack of capital; **~markt** *m* money market; **~steuer** *f* tax on capital; **~verbrechen** *n* capital crime; **~vermögen** *n* capital assets *pl.*; **~wertzuwachs** *m* capital increment value; **~zins** *m* interest on capital; **~zufluß** *m* influx of capital.

Kapitän [kapi'tɛːn] *mar. m* (-s; -e) captain; skipper; *sports* (team) captain, skipper; *mil. ~ zur See* captain (in the navy), *Brit.* captain R.N. (= of the Royal Navy); **~leutnant** *m* (senior) lieutenant.

Kapitel [ka'pitəl] *n* (-s; -) chapter; *fig.* topic; matter; *ein trauriges ~* a sad story; *das ist ein ~ für sich* that is another story.

Kapitell [-'tɛl] *arch. n* (-s; -e) capital.

Kapitulation [-tulatsi'oːn] *mil. f* (-; *-en*) **1.** capitulation, surrender; *bedingungslose ~* unconditional surrender; **2.** re-enlistment; **kapitulieren** *v/i.* **1.** (*h.*) capitulate, surrender; **2.** re-enlist.

'Kap|kolonie *f*, **~land** *n* Cape Colony, *the* Cape.

Kaplan [ka'plɑːn] *m* (-s; *ˈˈe*) chaplain.

Kapo ['kapoː] *colloq. m* (-s; -s) *mil.* sergeant; *w.s.* overseer, gang boss.

Kappe ['kapə] *f* (-; *-n*) cap; hood; *tech.* cap, top, hood; top-piece; toe-cap (*of shoe*); heel-piece (*on stocking*); coping (*of wall*); dome; crown (*of tooth*); *fig. et. auf s-e ~ nehmen* take the responsibility for a th.

'kappen *v/t.* (*h.*) **1.** cut (*rope*); lop, top (*tree*); capon (*cock*); **2.** cap; heel (*stocking*); tip (*shoe*).

'Kapphahn *m* capon.

Käppi ['kɛpi] *n* (-s; -s) kepi, (military) cap.

'Kappnaht *f* lap-seam.

Kapriole [kapri'oːlə] *f* (-; *-n*) *riding*: capriole; *fig. a.* trick, escapade; caper; *~n machen* cut capers, *fig.* play tricks.

kaprizieren [-'tsiːrən]: *sich ~ auf* (*acc.*) set one's heart on, take *a th.* into one's head.

kapriziös [-tsi'øs] *adj.* capricious.

Kapsel ['kapsəl] *f* (-; *-n*) case, box; *anat., bot., pharm.* capsule; *tech. casting*: chill; *ceramics*: sagger; detonator; *on bottle*: cap; (space) capsule; module (*of spaceship*); **'ˆförmig** *adj.* capsular; **'~guß** *m* casting in chills; **'~mikrophon** *n* inset transmitter; **'~mutter** *tech. f* (-; *-n*) capped nut.

Kapstadt ['kapʃtat] *n* Cape Town.

kaputt [ka'put] *adj.* broken, in pieces, smashed; ruined (*a. fig.*); spoiled; *fig.* **a**) dead, gone, *sl.* done for, **b**) fagged out, all in, dead-beat; *~gehen* get broken, go to pieces; spoil; die, go west; *~ machen* ruin, bust *or* smash (up); *das macht einen ~* that takes the life out of a man.

Kapuze [ka'puːtsə] *f* (-; *-n*) hood; cowl.

Kapuziner|(mönch) [-pu'tsiːnər] *m* (-s; -) Capuchin (monk); **~kresse** *bot. f* nasturtium.

Karabiner [kara'biːnər] *m* (-s; -) car(a)bine; **~haken** *tech. m* spring (*or* snap) hook.

Karaffe [ka'rafə] *f* (-; -*n*) carafe; decanter.
Karambol|age [karambo'lɑ:ʒə] *f* (-; -*n*) *billiards*: cannon, *Am.* carom; *fig.* collision, crash; **♀ieren** *v/i.* (*h.*) (make a) cannon; *colloq. fig.* crash (*mit* into), collide (with).
Karamel [kara'mɛl] *m* (-*s*), **~le** *f* (-; -*n*) caramel.
Karat [ka'rɑ:t] *n* (-[*e*]*s*; -) carat.
Karate *n* (-*s*) karate.
...karätig [-'rɛ:tiç] *adj. in compounds*: *achtzehn~es Gold* 18-carat gold.
Karawan|e [kara'vɑ:nə] *f* (-; -*n*) caravan; **~enstraße** *f* caravan route; **~serei** [-vanzə'raɪ] *f* (-; -*en*) caravanserai.
Karbid [kar'bi:t] *n* (-[*e*]*s*; -*e*) carbide; **~lampe** *f* carbide lamp.
Karbol [-'bo:l] *n* (-*s*), **~säure** *f* (-) carbolic acid; **~seife** *f* carbolic soap.
Karbonade [-bo'nɑ:də] *f* (-; -*n*) *cul.* fried (*or* grilled) meat chop.
Karbonat [-'nɑ:t] *chem. n* (-[*e*]*s*; -*e*) carbonate.
karbonisieren [-ni'zi:rən] *v/t.* (*h.*) carbonize.
Karborund [-'runt] *tech. n* (-[*e*]*s*) carborundum.
Karbunkel [kar'buŋkəl] *n* (-*s*; -) carbuncle.
karburieren [-'ri:rən] *v/t.* (*h.*) *metall.* carburize; *chem.* carburet.
Kardan|gelenk [-'dɑ:n-] *tech. n* cardan (*or* universal) joint; **~getriebe** *n* cardan gear; **~welle** *f* cardan (*or* flexible drive) shaft.
Kardätsche [-'dɛ:tʃə] *f* (-; -*n*) **1.** *tech.* card; **2.** curry-comb, horse-brush; **♀n** *v/t.* (*h.*) *tech.* card (*wool*); curry, brush (*horses*).
Karde ['kardə] *bot.*, *tech. f* (-; -*n*) teasel.
Kardinal [kardi'nɑ:l] *m* (-*s*; ⸚*e*) cardinal (*a. orn.* = cardinal-bird); **~fehler** *m* cardinal error; **~punkt** *m* cardinal point; **~skollegium** *n* college of cardinals; **~tugend** *f* cardinal virtue; **~zahl** *f* cardinal number.
Kardiogramm [kardio'gram] *n* (-*s*; -*e*) cardiogram.
Karenzzeit [ka'rɛntstsaɪt] *f* waiting-period; *econ.* **a)** period of non-availability, **b)** period of restriction (*for employee*).
karessieren [karɛ'si:rən] *v/t.* (*h.*) caress, fondle.
Kar'freitag [kɑ:r-] *m* Good Friday.
Karfunkel [kar'fuŋkəl] *med.*, *min. m* (-*s*; -) carbuncle.
karg [kark] *adj.* sparing, parsimonious; mean, niggardly, stingy; scanty, meag|re, *Am.* -er, poor, paltry; poor, sterile (*soil*); **~en** ['-gən] *v/i.* (*h.*): *~ mit* (*dat.*) be sparing of, be stingy with; *nicht ~ mit a.* be lavish with; **'♀heit** *f* (-) parsimony; stinginess; poorness, poverty, scantiness.
kärglich ['kɛ:rkliç] *adj.* sparing(ly meted out); scanty, meag|re, *Am.* -er; poor, paltry; **'♀keit** *f* (-) scantiness.
karibisch [ka'ri:biʃ] *adj.*: *das Karibische Meer* the Caribbean (Sea).
kariert [ka'ri:rt] *adj.* check(ed), chequered, *Am.* checkered.
Karies ['kɑ:riɛs] *med. f* (-) caries.
Karikatur [karika'tu:r] *f* (-; -*en*) caricature, cartoon; **Karikaturist** (**-in** *f*) [-tu'rist] *m* (-*en*, -*en*; -, -*nen*) caricaturist, cartoonist; **karikieren** [-'ki:-] *v/t.* (*h.*) caricature, cartoon.
kariös [kari'ø:s] *med. adj.* carious, decayed.
karitativ [-ta'ti:f] *adj.* charitable.
Karl [karl] *m* Charles; *~ der Dicke* (*Kühne*) Charles the Fat (Bold); *~ der Große* Charlemagne.
karmesin(**rot**) [karme'zi:n] *adj.* crimson.
Karmin [-'mi:n] *n* (-*s*) carmine; **♀blau** *adj.* indigo carmine; **♀rot** *adj.* carmine.
Karneval ['karnəval] *m* (-*s*; -*e*) (Shrovetide) carnival; **~s...** → *Fastnachts...*
Karnickel [kar'nikəl] *colloq. n* (-*s*; -) rabbit, bunny; *fig.* scapegoat.
Kärnt|en ['kɛrntən] *n* Carinthia; **'~ner**(**in** *f*) *m* (-*s*, -; -, -*nen*), **'♀nerisch** *adj.* Carinthian.
Karo ['kɑ:ro] *n* (-*s*; -*s*) square; *in cloth*: check; *cards*: diamonds *pl.*; **~könig** *m* king of diamonds.
Karoling|er ['-liŋər] *m* (-*s*; -), **♀isch** *adj.* Carolingian.
'Karomuster *n* check design, chequer, *Am.* checker.
Karosse [ka'rɔsə] *f* (-; -*n*) state-coach.
Karosserie [-'ri:] *f* (car-)body, coachwork; **~bau** *m* (-[*e*]*s*) body-making; **~bauer** *m* (-*s*; -) body-maker, *Am. a.* stylist; **~blech** *n* body sheet.
Karotin [karo'ti:n] *n* (-*s*) carotene.
Karotte [ka'rɔtə] *f* (-; -*n*) carrot.
Karpfen ['karpfən] *m* (-*s*; -) carp; **'~teich** *m* carp pond; → *Hecht.*
Karre ['karə] *f* (-; -*n*) → *Karren*; *colloq. mot. alte ~* rattle-trap, *Am. a.* jalopy.
Karree [ka're:] *n* (-*s*; -*s*) square.
Karren ['karən] *m* (-*s*; -) wheelbarrow; cart; *ein ~voll* a cartload; *fig. den ~ in den Dreck fahren* make a mess of it, get stuck; *den ~ aus dem Dreck ziehen* clear up the mess; *den ~ einfach laufen lassen* let things slide; **♀** *v/t. and v/i.* (*h.*) cart, wheel; **~gaul** *m* cart-horse.
Karriere [kari'ɛ:rə] *f* (-; -*n*) gallop; *fig.* career; *~ machen* work one's way up, get on (in the world), be quickly promoted; *in voller ~* at full gallop, at a rattling pace.
Kärrner ['kɛrnər] *m* (-*s*; -) carter.
Kar'samstag *m* Holy Saturday.
Karst [karst] **1.** *m* (-*es*; -*e*) *agr.* mattock; prong-hoe; **2.** *m* (-*es*) (*mountain*) bare Alpine tract, karst.
Kartätsche [kar'tɛ:tʃə] *mil. f* (-; -*n*) case- (*or* grape-, canister-)shot; **♀n** *v/t. and v/i.* (*h.*) shoot with case-shot, *etc.*
Kartäuser|(**in** *f*) [-'tɔʏzər] *m* (-*s*, -; -, -*nen*) Carthusian; **~likör** *m* Chartreuse.
Karte ['kartə] *f* (-; -*n*) card; map, *mar.* chart; (bus, theatre, *etc.*) ticket; bill of fare, menu(-card); (wine) list; *nach der ~ speisen* dine à la carte; *mil. nach der ~ marschieren* march by map; → *Spiel*; *~n spielen* play cards; *gute* (*schlechte*) *~n haben* have a good (bad) hand; *~n geben* deal (cards); *~n legen* tell fortunes (from the cards); *fig. alles auf e-e ~ setzen* stake everything on one card, put all one's eggs in one basket; *auf die falsche ~ setzen* bet on the wrong horse; *j-m in die ~n sehen* see through a p.'s game; *mit offenen ~n spielen* put one's cards on the table, *a.* → *s-e ~n aufdecken* show one's hand.
Kartei [kar'taɪ] *f* (-; -*en*) card-index, filing cabinet; *~ führen über* (*acc.*) keep files on; **~karte** *f* filing (*or* record) card; **~reiter** *m* tab; **~schrank** *m* filing cabinet.
Kartell [-'tɛl] *n* (-*s*; -*e*) *challenge*: cartel; *econ.* cartel, ring, combine, *Am.* trust; **~abkommen** *n* cartel agreement; **~entflechtung** *f* decartellization; **~träger** *m* second; **~wesen** *econ. n* cartelism.
'Karten...: **~ausgabe** *f* booking-office, *Am.* ticket-window; **~blatt** *n* (single) card; map sheet; **~brief** *m* letter-card; **~gitter** *n* (map) grid; **~haus** *n mar.* chart-house; *fig.* house of cards; **~kunststück** *n* card-trick; **~leger**(**in** *f*) *m* (-*s*, -; -, -*nen*) fortune-teller; **~lesen** *n* map reading; **~spiel** *n* card-playing, game of cards; pack (*Am. a.* deck) of cards; **~spieler**(**in** *f*) *m* card-player; **~tasche** *f* map-case; **~tisch** *m* card-table; **~verkauf** *m* sale of tickets; ticket-office; **~vorverkauf** *thea. m* advance booking; **~winkelmesser** *m* (map) protractor; **~zeichen** *n* map symbol, conventional sign; **~zeichner** *m* cartographer.
Kartoffel [kar'tɔfəl] *f* (-; -*n*) potato; *~n in der Schale* potatoes in the(ir) skins *or* jackets; *~n schälen* peel potatoes; *colloq.* (*sich*) *die ~n von unten ansehen* be pushing up daisies; **~bau** *m* (-[*e*]*s*) potato growing; **~bauch** *m* pot-belly; **~branntwein** *m* potato spirits *pl.*; **~brei** *m*, **~püree** *n* mashed potatoes *pl.*; **~ernte** *f* potato crop; **~erntemaschine** *f* potato digger; **~käfer** *m* Colorado beetle; **~kloß**, **~knödel** *m* potato-dumpling; **~puffer** *m* potato pancake; **~salat** *m* potato salad; **~schalen** *f/pl.* potato peelings.
Kartograph [karto'grɑ:f] *m* (-*en*; -*en*) cartographer, map-maker; **Kartographie** [-grɑ'fi:] *f* (-) cartography; **karto'graphisch** *adj.* cartographic(al); *~ erfaßt* mapped.
Karton [kar'tɔŋ] *m* (-*s*; -*s*) cardboard; pasteboard; cardboard box, carton; *paint.* cartoon; *bookbinding*: boards *pl.*
Kartonage [-to'nɑ:ʒə] *f* (-; -*n*) pasteboard work; **~nfabrik** *f* cardboard (*or* carton) factory.
kartonieren [-to'ni:rən] *v/t.* (*h*). bind *book* in paper boards.
Kar'tonpapier *n* fine cardboard.
Kartothek [-to'te:k] *f* (-; -*en*) → *Kartei.*
Kartusche [kar'tuʃə] *f* (-; -*n*) cartridge; **~nhülse** *f* cartridge-case.
Karussell [karu'sɛl] *n* (-*s*; -*s*) roundabout, merry-go-round; **~drehbank** *tech. f* vertical turret boring machine.
'Karwoche *f* Passion (*or* Holy) Week.

Karzer ['kartsər] *univ. m* (-*s*; -) detention (room).
karzinogen [kartsino'ge:n] *med. adj.* carcinogenic.
Karzinom [-'no:m] *med. n* (-*s*; -e) carcinoma.
Kaschemme [ka'ʃɛmə] *f* (-; -*n*) low dive.
kaschieren [-'ʃi:rən] *tech. v/t.* (*h.*) line; conceal (*a. fig.*).
Kaschmir ['kaʃmi:r] *n* (-*s*) *geogr.* Kashmir; *econ. m* (-*s*; -e) cashmere.
Käse ['kɛ:zə] *m* (-*s*; -) cheese; *colloq.* rubbish, rot; **~blatt, ~blättchen** *colloq. n* (local) rag; **~glocke** *f* cheese(-plate) cover; **~kuchen** *m* cheese-cake.
Kasematte [kazə'matə] *f* (-; -*n*) casemate.
'**Käsemilbe** *f* cheese-mite.
käsen *v/i.* (*h.*) curd(le).
'**Käsequark** *m* cheese-curds *pl.*
'**Käseplatte** *f* assorted cheeses *pl.*
Käse'rei *f* (-; -*en*) cheese-dairy.
Kaserne [ka'zɛrnə] *mil. f* (-; -*n*) barracks *pl.*; **~narrest** *m* confinement to barracks; **~nhof** *m* barrack-yard *or* -square.
kasernieren [-'ni:rən] *mil. v/t.* (*h.*) quarter in barracks, barrack.
'**Käse...: ~stange** *f* cheese straw; **~stoff** *chem. m* casein.
käsig ['kɛ:ziç] *adj.* cheesy, caseous; *fig.* pale, sallow, pasty (*face*).
Kasino [ka'zi:no] *n* (-*s*; -*s*) club (-house), casino; *mil.* mess, officer's club.
Kaskade [kas'kɑ:də] *f* (-; -*n*) cascade; **~nmotor** *el. m* cascade motor.
Kaskoversicherung ['kasko-] *f mar.* insurance on hull and appurtenances; *mot.* full comprehensive insurance.
Kasperle ['kaspərlə] *n and m* (-*s*; -) Punch; **~theater** *n* Punch and Judy show.
Kassa ['kasa] *econ. f* (-): *per ~* in cash; **~geschäft** *n* cash business *or* sale, spot transaction; **~kurs** *m* spot price; **~lieferung** *f* spot delivery; **~skonto** *n* cash discount.
Kassation [-tsi'o:n] *f* (-; -*en*) *jur.* quashing (*of judgment*); dismissal, discharge, *mil.* cashiering (*of officer*). **~shof** *jur. m* court of cassation; supreme court of appeal.
Kasse ['kasə] *f* (-; -*n*) cash-box, money-chest; till, cash register; pay-office; cash-desk, *of bank*: teller's window; *thea., etc.* ticket-office, booking-office, *a. film*: box-office; relief fund; → *Kranken2*; (*money*) cash; *an der ~ thea., etc.* at the booking- (*or* ticket-, box-) office; *in shops*: at the desk; *in banks*: over the counter; (*gut*) *bei ~ sein* be in funds, be flush *or* in the chips; *nicht bei ~* out of cash, hard up; *gemeinschaftliche ~* common purse, joint account; *gemeinschaftliche ~ machen* pool expenses; *die ~ führen* keep the cash, act as cashier; *econ. ~ machen* make up the (cash-) accounts; *~ bei Lieferung* cash on delivery (*abbr.* C.O.D.); *~ gegen Dokumente* cash against documents; *gegen* (*or per*) *~ verkaufen* sell for cash; *gegen sofortige ~* for prompt (*or* spot) cash; *netto ~* net cash.
'**Kassen...: ~abschluß** *econ. m* closing (*or* balancing) of (cash-) accounts; cash-balance; **~abstimmung** *f* cash reconciliation; **~anweisung** *f* cash-order; treasury bond; **~arzt** *m* panel doctor; *als ~ zugelassen* on the panel; **~ausgänge** *m/pl.* cash disbursements; **~beamte(r)** *m* cashier, *of bank*: teller; **~beleg** *m* pay voucher; **~bericht** *m* cash report; **~bestand** *m* cash in hand, cash balance; **~block** *m* cash pad; **~bote** *m* bank messenger; **~buch** *n* cash-book; **~defizit** *n* cash deficit, *Am.* adverse cash balance; **~diebstahl** *m* embezzlement; **~eingänge** *m/pl.* cash receipts; **~erfolg** *thea. m* box-office success; **~führer(in** *f*) *m* cashier, treasurer; **~patient** *m* panel patient; **~preis** *m* cash-price; **~rabatt** *m* cash-discount; **~raub** *m* pay-roll robbery; **~raum, ~schalter** *m* cash-office, teller's counter; **~rekord** *m film*: box-office record; **~revision** *f* cash audit; **~revisor** *m* cash auditor; **~scheck** *m* bank cheque, *Am.* cashier's check; open (*or* uncrossed) cheque, *Am.* check; **~schein** *m* cash voucher; treasury note; **~schlager** *m* box-office magnet (*or* draw, *Am.* hit); **~schrank** *m* safe; **~stunden** *f/pl.* business (*or* cash-office) hours; **~sturz** *m* cash-audit; *~ machen* audit the accounts; *w.s.* count one's cash; **~verwaltung** *f* financial administration; **~wart** *m* treasurer; **~zettel** *m* sales slip, *Am.* (sales) check.
Kasserolle [kasə'rɔlə] *f* (-; -*n*) stewpan, casserole.
Kassette [ka'sɛtə] *f* (-; -*n*) (cash-) box; case; (jewel) casket; coffer (*a. arch.*); box, slip case (*for books*); *phot., TV* cassette, dark slide.
Kassier [ka'si:r] *m* (-*s*; -e) → **~er**; **2en** *v/t.* (*h.*) cash, collect; annul, cancel; *jur.* quash, set aside (*judgment*); cashier (*officer*); *colloq.* nab, arrest (*a p.*); bag, grab (*a th.*); **~er(in** *f*) *m* (-*s*, -; -, -*nen*) cashier, (*für Auszahlungen* paying, *für Einzahlungen* receiving) teller; *of club*: treasurer; collector; *mar.* purser.
Kastagnette [kastan'jɛtə] *f* (-; -*n*) castanet.
Kastanie [kas'tɑ:niə] *f* (-; -*n*) chestnut; *eßbare ~* edible *or* sweet chestnut; *fig. für j-n die ~n aus dem Feuer holen* be made a cat's-paw of (by a p.), do a p.'s dirty work; **~nbaum** *m* chestnut(-tree); **2nbraun** *adj.* chestnut, maroon; **~nholz** *n* chestnut.
Kästchen ['kɛstçən] *n* (-*s*; -) small box *or* case, casket; *in formulars*: square; *in newspaper*: box.
Kaste ['kastə] *f* (-; -*n*) caste.
kastei|en [kas'taıən] *v/t.* (*h.*) (*and sich*) castigate (o.s.), chastise *or* mortify (the flesh); **2ung** *f* (-; -*en*) (self-)castigation, mortification (of the flesh).
Kastell [kas'tɛl] *n* (-*s*; -e) (small) fort.
Kastellan [-'lɑ:n] *m* (-*s*; -e) castellan; steward.
Kasten ['kastən] *m* (-*s*; ⸚) box; chest; case (*a. mus., typ.*); trunk; cupboard, wardrobe, closet; locker; drawer; bin; *el.* cell; *tech.* flask; *in newspaper, etc.*: box; *colloq.* **a)** jail, jug, **b)** (*person, body*) hulk; *soccer*: goal; (*airplane, car*) bus; *a.* → *Klavier, Schiff*; *alter ~* hovel, barrack; *colloq. er hat was auf dem ~* he's a brainy fellow, he's on the ball; '**~drachen** *m* box-kite; '**2förmig** ['-fœrmiç] *adj.* box-type; '**~geist** *m* (-es) caste-spirit, clannishness; '**~guß** *m* flask casting; '**~kipper,** '**~kippwagen** *m* box tipping car; '**~lautsprecher** *m* cabinet loudspeaker; '**~rahmen** *mot. m* box-type frame; '**~wagen** *m* box cart; *rail.* box car, *Am.* lorry wagon; *mot.* box-type delivery van.
Kastrat [kas'trɑ:t] *m* (-*en*; -*en*) eunuch; **~enstimme** *f* castrato voice.
kastrieren [kas'tri:rən] *v/t.* (*h.*) castrate; geld (*horse, etc.*); neuter (*cat*).
Kasuistik [kazu'istik] *f* (-) casuistry.
Kasus ['kɑ:zus] *m* (-; -) case; **~endung** *f* case ending.
Katafalk [kata'falk] *m* (-*s*; -e) catafalque.
Katakombe [-'kɔmbə] *f* (-; -*n*) [catacomb.]
Katalog [-'lo:k] *m* (-[e]*s*; -e) catalogue, *Am. a.* catalog; list.
katalogisieren [-lo:gi'zi:rən] *v/t.* (*h.*) catalogue.
Kata'logpreis *m* list price.
Katalys|ator [-ly'zɑ:tɔr] *m* (-*s*; -'*toren*) catalyst; **2ieren** *v/t.* (*h.*) catalyse; **katalytisch** [-'ly:tiʃ] *adj.* catalytic(ally *adv.*).
Katapult [-'pult] *m* (-[e]*s*; -e) catapult (*a. aer.*); **~flugzeug** *n* catapult aircraft.
katapul'tieren *v/t.* (*h.*) catapult.
Kata'pultstart *m* catapult take-off.
Katarakt [-'rakt] *m* (-[e]*s*; -e) cataract.
Katarrh [ka'tar] (-*s*; -e) *m* catarrh, cold; **katarrhalisch** [-'rɑ:liʃ] *adj.* catarrhal.
Kataster [ka'tastər] *m and n* (-*s*; -) land-register; **~amt** *n* land registry (office).
katastrophal [katastro'fɑ:l] *adj.* catastrophic(ally *adv.*), disastrous; *colloq. fig.* appalling, awful.
Katastrophe [katas'tro:fə] *f* (-; -*n*) catastrophe, disaster; **~nbekämpfung** *f* disaster control; **~ngebiet** *n* disaster area.
Katechese [kate'çe:zə] *f* (-; -*n*) catechesis; **katechisieren** [-çi'zi:rən] *v/t.* (*h.*) catechize; **Katechismus** [-'çismus] *m* (-; -*men*) catechism.
Kategorie [katego'ri:] *f* (-; -*n*) category.
kategorisch [-'go:riʃ] *adj.* categorical.
Kategorisierung [-gori'zi:ruŋ] *f* (-; -*en*) classification in categories.
Kater ['kɑ:tər] *m* (-*s*; -) male cat, tom-cat; *der Gestiefelte ~* Puss in Boots; *colloq. fig.* hangover.
Katheder [ka'te:dər] *m* (-*s*; -) lecturing-desk; *fig. univ.* chair; **~blüte** *f* howler; **~weisheit** *f* arm-chair philosophy, unpractical views *pl.*
Kathedrale [kate'drɑ:lə] *f* (-; -*n*) cathedral.
Kathete [ka'te:tə] *math. f* (-; -*n*) short side of a rectangular triangle.

Kathode [ka'to:də] *el. f* (-; -*n*) cathode; **~nröhre** *f radio*: thermionic valve; **~nstrahlen** *m/pl.* cathode rays; **~nstrahlenbündel** *n* (cathode) ray bundle; **~nstrahlung** *f* cathode radiation; **~nverstärker** *m* cathode follower.

Katholik [kato'li:k] *m* (-*en*; -*en*), **~in** *f* (-; -*nen*), **katholisch** [-'to:liʃ] *adj.* (Roman) Catholic; **Katholizismus** [katoli'tsismus] *m* (-) Catholicism.

Kattun [ka'tu:n] *m* (-*s*; -*e*) calico, *w.s.* cotton (fabric *or* goods *pl.*); chintz; *bedruckter* ~ print; **~druck(e'rei** *f*) *m* calico-printing (works *pl. or sg.*); **~kleid** *n* print (-dress), *w.s.* cotton dress.

katzbalgen ['katsbalgən]: *sich* ~ scuffle, wrangle; romp; **Katzbalge'rei** *f* (-; -*en*) scuffle, tussle.

katzbuckeln ['-bukəln] *v/i.* (*h.*) crouch, cringe (*vor dat.* to), bow and scrape.

Kätzchen ['kɛtsçən] *n* (-*s*; -) kitten; *bot.* catkin; **~blütler** ['-bly:tlər] *bot. m* (-*s*; -) amentaceous plant.

Katze ['katsə] *f* (-; -*n*) cat, puss(y); *männliche* ~ → *Kater*; *weibliche* ~ she-cat, tibby(-cat); *getigerte* ~ tabby-cat; *fig. falsche* ~ (nasty) cat; *neunschwänzige* ~ cat-o'-nine tails; → *Lauf2*; *Schmeichel2*; *die* ~ *aus dem Sack lassen* let the cat out of the bag; *die* ~ *im Sack kaufen* buy a pig in a poke; *wie die* ~ *um den heißen Brei gehen* beat about the bush, make roundabout remarks; *bei Nacht sind alle* ~*n grau* when the candles are out, all cats are grey; *colloq. das ist für die Katz* that's of no (earthly) use, that's a waste.

'**Katzen...**: **2artig** *adj.* cat-like, feline; **~auge** *n min.* cat's-eye; *on vehicles, etc.*: (rear *or* cat's-eye) reflector; **~buckel** *m* cat's (arched) back; *e-n* ~ *machen* put up (*or* arch) one's back; *fig.* → *katzbuckeln*; **~darm** *m* catgut; **~fell** *n* cat's skin; **2freundlich** *adj.* beguiling, honeyed; **~geschrei** *n* caterwauling; **~gold** *min. n* cat gold, yellow mica; **~jammer** *colloq. m* hangover (*a. fig.*), morning-after feeling; *moralischer* ~ the dumps, the blues; **2jämmerlich** *colloq. adj.* hangoverish, morning-afterish; **~musik** *f* charivari; **~mutter** *f* mother cat; **~pfötchen** *n* cat's paw; *bot.* cat's-foot; **~sprung** *fig. m* a stone's throw; **~tisch** *m* (small) separate table; **~wäsche** *f* cat's lick.

Kau|apparat ['kau-] *anat. m* masticating apparatus; '**2bar** *adj.* masticable; '**~bewegung** *f* masticatory movement.

Kauderwelsch ['kaudərvɛlʃ] *n* (-[*s*]) gibberish, double Dutch; lingo, jargon; **2en** *v/i. and v/t.* (*h.*) gibber, talk double Dutch.

kauen ['kauən] *v/t. and v/i.* (*h.*) chew, masticate, munch; bite; *an den Nägeln* ~ bite one's nails; *fig.* ~ *an* (*dat.*) plod (away) at, pore (*or* rack one's brains) over; *j-m et. zu* ~ *geben* give a p. a hard nut to crack.

'**Kauen** *n* (-*s*) chewing, mastication.

kauern ['kauərn] *v/i.* (*h.*) (*and sich*) cower, squat (down); crouch.

Kauf [kauf] *m* (-[*e*]*s*; ⸚*e*) purchase; *günstiger* ~ bargain, good buy; acquisition; purchasing, buying; *e-n* ~ *abschließen* complete a purchase, close a bargain; *zum* ~*e anbieten* offer for sale; *fig. et. mit in* ~ *nehmen* (have to) put up with; *leichten* ~*es davonkommen* get off cheaply; '**~abschluß** *m* (completion of a) purchase; '**~anlaß** *m* buying motive; '**~auftrag** *m* buying-order; '**~bedingungen** *f/pl.* conditions of purchase; '**~brief** *m* bill of sale.

'**kaufen** *v/t. and v/i.* (*h.*): *et. von* (*or bei*) *j-m* ~ buy (*or* purchase) a th. of *or* from a p.; *viel* ~ make large purchases; → *ab*~, *an*~, *ein*~; *fig.* bribe, buy (*a p.*); *colloq. was ich mir dafür kaufe!* a fat lot it helps!; *colloq. den werde ich mir* ~ I'll let him have it!; *Karten* ~ buy (*or* take in) cards.

Käufer ['kɔʏfər] *m* (-*s*; -), **~in** (-; -*nen*) buyer, purchaser; customer; bidder; *ohne* ~ no buyers, not sal(e)able; **~markt** *m* buyer market; **~streik** *m* buyer's strike.

'**Kauf...**: **~fahrer** *m*, **~fahr'teischiff** *n* merchant vessel, merchantman; **~geld** *n* purchase-money; **~gelegenheit** *f* opportunity (to buy); **~halle** *f* baza(a)r; market-hall; **~haus** *n* commercial house; department store; **~kraft** *f* (-) purchasing power (*of money*); spending power (*of consumers*); **2kräftig** *adj.* able to buy, moneyed, well-funded; **~kraftlenkung** *f* control of purchasing power; **~kraftüberhang** *m* surplus spending power; **~kraftwert** *m* (-[e]s) purchasing value; **~laden** *m* shop, *esp. Am.* store; **~leute** *pl.* merchants; tradesmen; tradespeople.

käuflich ['kɔʏfliç] **I.** *adj.* purchasable; for (*or* on) sale, to be sold; marketable, sal(e)able; *fig. b.s.* venal, corruptible; **II.** *adv.* by purchase; ~ *erwerben* (acquire by) purchase; ~ *überlassen* sell, transfer by sale; **2keit** *f* (-) venality.

'**Kauf...**: **~lust** *f* inclination to buy; *rege* ~ brisk demand; **2lustig** *adj.* inclined (*or* eager) to buy; interested; **~lustige(r** *m*) *f* (-*n*, -*n*; -*n*, -*n*) intending purchaser, willing buyer, interest; **~mann** *m* (-[*e*]*s*; -*leute*) businessman; merchant; trader, tradesman; (retail) dealer, shopkeeper, *Am.* storekeeper; grocer; shop-assistant, salesman; wholesale dealer, merchant; ~ *werden* go into business; **2männisch** ['-mɛniʃ] **I.** *adj.* commercial, mercantile; business-like; business *qualities, etc.*; ~*er Angestellter* (commercial) clerk; ~*er Direktor* business manager; ~*es Personal* office staff; **II.** *adv.* commercially, from the business point of view; ~ *geschult* commercially trained; **~mannsgehilfe** *m* commercial (*or* shop-)assistant; **~mannskreise** *m/pl.* commercial circles (*or* world *sg.*); **~mannslehrling** *m* commercial apprentice; **~motiv** *n* buying motive; **~preis** *m* purchase- (*or* contract-)price; **~straße** *f* shopping street; **~summe** *f* purchase-money; **~unlust** *f* sales resistance; **~vertrag** *m* contract of sale, bill of sale; **~wert** *m* purchasing value; **~wut** *f* buying craze; **~zwang** *m* obligation to buy; *kein* ~ free inspection invited.

'**Kaugummi** *m* (-*s*; -[*s*]) chewing-gum.

Kaukas|ier [kau'ka:ziər] *m* (-*s*; -), **~ierin** *f* (-; -*nen*), **2isch** *adj.* Caucasian.

Kaukasus ['kaukazus] *m*: *der* ~ the Caucasus.

Kaulquappe ['kaulkvapə] *f* (-; -*n*) tadpole.

kaum [kaum] *adv.* scarcely; hardly; barely; with difficulty; ~ *je* hardly ever; ~ *glaublich* hard to believe; ~ *hatte er ..., als* no sooner had he ... than; hardly had he ..., when.

'**Kaumuskel** *anat. m* masseter.

kausal [kau'za:l] *adj.* causal; causative; **2gesetz** *n* law of causation; **2satz** *gr. m* causal clause; **2zusammenhang** *m* causal relationship, *a. jur.* nexus.

kaustisch ['kaustiʃ] *adj.* caustic (*a. fig.*).

'**Kautabak** *m* chewing-tobacco.

Kautel [kau'te:l] *jur. f* (-; -*en*) precaution, safeguard; reservation, saving clause; ~*en einlegen* put in reservation.

Kaution [kautsi'o:n] *jur. f* (-; -*en*) security, surety, bond; bail; ~ *stellen* give (*or* stand) security *or* bail; *gegen* ~ *entlassen* release on bail; *gegen* ~ *freigelassen werden* be granted bail; *durch* ~ *freibekommen* bail out; **2sfähig** (**2spflichtig**) *adj.* able (liable) to give security *or* bail.

Kautschuk ['kautʃuk] *m* (-*s*; -*e*) caoutchouc, unvulcanized (*or* India) rubber; **~waren** *f/pl.* (India) rubber goods.

'**Kauwerkzeuge** *n/pl.* masticators *pl.*

Kauz [kauts] *m* (-*es*; ⸚*e*) screech-owl; *fig.* (*sonderbarer*) ~ queer fellow, crank, odd fish, *Am. a.* screwball.

Kavalier [kava'li:r] *m* (-*s*; -*e*) gentleman; nobleman, cavalier; ladies' man; beau, admirer, squire; **2mäßig** *adj.* like a cavalier *or* gentleman, gallant; **~sdelikt** *n* (mere) peccadillo.

Kavalkade [kaval'ka:də] *f* (-; -*n*) calvalcade.

Kavalle|rie [kavalə'ri:] *mil. f* (-; -*n*) cavalry; **~'riepferd** *n* troop-horse; **~'rist** *m* (-*en*; -*en*) trooper, cavalry-man.

Kaviar ['ka:viar] *m* (-*s*; -*e*) caviar(e); ~ *fürs Volk* caviar(e) to the general.

Kebsweib ['ke:ps-] *n* concubine.

keck [kɛk] *adj.* bold, audacious; plucky; daring; dashing; pert, forward; brazen, saucy; *fig.* ~*es Näschen* (*Hütchen, etc.*) pert little nose (hat, *etc.*); '**2heit** *f* (-; -*en*) boldness, audacity; pluck; daring; pertness; impudence, cheek.

Kegel ['ke:gəl] *m* (-*s*; -) skittle, nine-pin; *esp. math., tech.* cone; taper; inside taper; brake cone; *abgestumpfter* ~ truncated cone; → *Kind*; '**~bahn** *f* skittle-alley; **2för-**

mig ['-fœrmiç], '**2ig** *adj.* conical, coniform; taper(ed); '**~getriebe** *n* bevel gear; '**~kugel** *f* skittle-ball; '**~kupplung** *tech. f* cone friction clutch; '**2n** *v/i. and v/t.* (*h.*) play at skittles *or* ninepins; '**~n** *n* (-*s*) playing skittles; '**~rad** *n* bevel wheel (*or* gear); '**~rad-antrieb** *m* bevel drive; '**~radfräser** *m* bevel gear cutter; '**~rollenlager** *tech. n* tapered roller bearing; '**~scheibe** *tech. f* cone pulley; '**2schieben** *v/i.* (*irr., h.*) → *kegeln*; '**~schnitt** *math. m* conic section; '**~spiel** *n* skittles, ninepins, *Am. a.* tenpins; '**~sport** *m* bowling; '**~stumpf** *m* frustrum of (*or* truncated) cone; '**~ventil** *n* cone valve.

Kegler ['ke:glər] *m* (-*s*; -) skittle-player, *Am.* bowler.

'**Kehl|ader** *anat. f* jugular vein; **~deckel** *m* epiglottis.

Kehle ['ke:lə] *f* (-; -*n*) *anat.* throat; gullet; larynx; *arch.* chamfer; *tech.* flute, channel; neck (*of axe*); *an der ~ packen* seize by the throat; *aus voller ~ lachen* laugh heartily, shout with laughter; *durch die ~ jagen* spend in drink; *in die unrechte ~ kommen* go down the wrong way; *j-m an der ~ sitzen* have a stranglehold on a p.; *j-m das Messer an die ~ setzen* hold a knife to a p.'s throat; *ihm geht's an die ~* he is in for it now.

'**kehlen** *tech. v/t.* (*h.*) channel, flute.

'**Kehlkopf** *anat. m* larynx; **~entzündung** *f* laryngitis; **~krebs** *m* cancer in the throat; **~mikrophon** *n* throat microphone; **~schnitt** *med. m* laryngotomy; **~spiegel** *med. m* laryngoscope; **~verschluß(laut)** *m* glottal stop.

'**Kehl...**: **~laut** *m* guttural (sound); **~leiste** *arch. f* mo(u)lding.

Kehr|aus ['ke:raus] *m* (-) last dance; *fig.* clean-out; **~besen** *m* broom.

'**Kehre** *f* (-; -*n*) sharp turn, (hairpin) bend; *rail.* loop; *gym.* **a)** rear-vault, **b)** back dismount; *skiing*: turn; *aer.* **a)** turn, **b)** wing over.

'**kehren**[1] *v/i. and v/t.* (*h.*) sweep; brush; dust; *kehre vor deiner eigenen Tür!* mind your own business!

'**kehren**[2] *v/t., v/i. and sich ~* (*h.*) turn (over); → *Rücken*; *mil. kehrt!* about, turn (*Am.* face)!; *fig. nach außen ~* show up, expose; → *oberst*; *sich ~ an* (*acc.*) heed, mind; *sich an nichts ~* pay no regard to anything, not to give a damn for anything; *in sich gekehrt sein* be wrapt (*or* lost) in thought *or* meditation; *kehre in dich!* repent!; *alles zum besten ~* turn everything to account *or* advantage.

Kehricht ['ke:riçt] *m and n* (-[e]s) sweepings *pl., w.s.* dust, dirt, rubbish; '**~eimer** *m* refuse-pail, *w.s.* (= '**~kasten** *m*) dust-bin, *Am.* ash-can; '**~haufe(n)** *m* dust-heap, heap of rubbish; '**~schaufel** *f* dust-pan.

'**Kehr...**: **~maschine** *f* sweeping machine, street-sweeper; **~reim** *m* refrain, burden, chorus; **~seite** *f* other (*or* wrong) side, reverse, back; *fig. a.* seamy side (*of life*); *die ~ der Medaille* the reverse of the medal.

'**kehrtmachen** *v/i.* (*h.*) face about (*a. ~ lassen*); wheel round; turn back, turn on one's heels.

'**Kehrtwendung** *f* about turn, *Am.* about-face (*a. fig.*).

'**Kehr...**: **~wert** *m* reciprocal value; **~wisch** *m* whisk, mop.

keif|en ['kaifən] *v/i.* (*h.*) scold, nag; squabble; **2erin** *f* (-; -*nen*) scold, nagging wife.

Keil [kail] *m* (-[e]s; -e) wedge; *tech.* key; cotter (pin); *typ.* quoin; *arch.* keystone; gore, gusset; *mil.* wedge, arrowhead; *ein ~ treibt den andern* one nail drives the other; '**~absatz** *m* wedge heel; '**~e** *colloq. f* (-) a thrashing *or* beating; '**2en** *v/t.* (*h.*) wedge; fasten with wedges; *typ.* quoin; *colloq.* canvass *a p.* (*für* for), rope in; *sich ~* fight, scuffle.

Keiler *zo. m* (-*s*; -) wild boar.

Keile'rei *f* (-; -*en*) row, brawl, fight.

'**Keil...**: **~form** *aer. f* V-formation; **2förmig** ['~fœrmiç] *adj.* wedge-shaped, cuneiform; **~hacke, ~haue** *f* pick(axe); **~kissen** *n* padded wedge; **~nut** *tech. f* key-seat; **~riemen** *tech. m* V-belt; **~riemenscheibe** *f* V-belt pulley; **~schrift** *f* cuneiform characters *pl.*; **~stück** *n* wedge-shaped piece; gore, gusset.

Keim [kaim] *m* (-[e]s; -e) *zo.* germ; *bot.* seed-bud; shoot; sprout; embryo; *of crystal*: nucleus; *fig.* germ, seed; *~e treiben* germinate; *im ~ vorhanden* (in) seminal (state), *fig.* in the bud, in embryo; *im ~ ersticken* nip in the bud; '**~bett** *n* germinating bed; '**~bildung** *f* germ formation; '**~blatt** *bot. n* cotyledon, seed-leaf; '**~boden** *biol. m* substratum; '**~drüse** *anat. f* gonad; '**~drüsenhormon** *n* sex hormone.

'**keimen** *v/i.* (*h., sn*) germinate; shoot (up), spring up, sprout; bud (*a. fig.*); arise, spring up; develop; stir; **~d** *adj.* germinating; nascent; growing, rising (*passion*); budding (*love*).

'**Keim...**: **~faden** *m* germ tube; **2fähig** *adj.* capable of germination; **~fähigkeit** *f* germinative faculty; **2frei** *adj.* sterilized, germ-free, germ-proofed; aseptic, sterile, safe; *~ machen* sterilize; **~ling** *m* (-*s*; -*e*) seedling, germ-bud; embryo; **2tötend** *adj.* germicidal; *~es Mittel* germicide; **~träger** *med. m* (germ) carrier; **~zelle** *f* germ-cell.

kein [kain] *indef. pron.* **1.** *as adj.* ~(e) no, not any; *hast du welche gesehen? — nein, ~e!* did you see any? — no, I did not see any, I saw none; *~ and(e)rer als* none other but; *sie ist ~ Kind mehr* she is no longer a child; **2.** *as su.* '**~er**, '**~e**, '**~(e)s** none, no one, nobody; nothing, not anything; *~er* (*~e, ~s*) *von beiden* neither (of the two), neither the one nor the other; *~er von uns* **a)** neither of us, **b)** none of us.

keinerlei ['~ərlai] *adj.* not of any (*or* of no) sort; *~ Schmerzen* no pains whatever; *auf ~ Weise* in no manner *or* way; *es macht ~ Mühe* it is no trouble at all.

'**keines|falls** *adv.* in no case, on no account, on no conditions; by no means; **~wegs** ['~ve:ks] *adv.* in no way, by no means, not in the least, not at all, nowise; anything but.

'**keinmal** *adv.* not once, never; → *einmal.*

Keks [ke:ks] *m and n* (-*es*; -*e*) biscuit; *Am.* cracker; cookie; *colloq.* (*head*) nut.

Kelch [kɛlç] *m* (-[e]*s*; -e) cup, goblet; *eccl.* chalice, communion-cup; *bot.* calyx; *der (bittere) ~ des Leidens* the (bitter) cup of sorrow; → *Hefe*; '**~blatt** *n* sepal; '**~blüte** *f* calycinal flower; **~blüter** ['~bly:tər] *bot. m/pl.* Calcyciflorae; **2förmig** ['~fœrmiç] *adj.* cup-shaped, calciform; '**~glas** *n* (crystal) goblet.

Kelle ['kɛlə] *f* (-; -*n*) scoop; *for soup, etc., a. tech.*: ladle; (fish) slice; trowel; (*signal*) disk.

Keller ['kɛlər] *m* (-*s*; -) cellar; **~assel** *zo. f* wood-louse, sow-bug.

Kellerei [~'rai] *f* (-; -*en*) cellarage; (wine-)cellars *pl.*; brewery.

'**Keller...**: **~geschoß** *n* basement; **~gewölbe** *n* (underground) vault, cellar; **~meister** *m* (wine-)butler; cellar manager; *in monastery*: cellarer; **~wechsel** *econ. m* accommodation bill, kite; **~wirtschaft** *f* underground bar *or* restaurant; **~wohnung** *f* basement (dwelling).

Kellner ['kɛlnər] *m* (-*s*; -) waiter; '**~in** *f* (-; -*nen*) waitress.

Kelt|e ['kɛltə] *m* (-*n*; -*n*), **~in** *f* (-; -*nen*) Celt.

Kelter ['kɛltər] *f* (-; -*n*) winepress; **Kelterei** [~'rai] *f* (-; -*en*) press-house; '**keltern** *v/t.* (*h.*) press.

'**keltisch** *adj.* Celtic.

Kemenate [keme'nɑ:tə] *f* (-; -*n*) ladies' bower.

kenn|bar ['kɛnbɑ:r] *adj.* recognizable; '**2buchstabe** *m* identification letter; '**2daten** *tech. n/pl.* data.

kennen ['kɛnən] *v/t.* (*irr., h.*) know, be acquainted with; understand; be aware of; *et. gründlich ~* be (fully) conversant with, be (well-) versed in, be at home in; *das ~ wir!* we know (all about) that!; *er kannte sich nicht mehr vor Wut* he was quite beside himself with rage; '**~lernen** *v/t.* (*h.*) become acquainted with, get (*or* come) to know, *j-n*: *a.* make *a p.'s* acquaintance, meet; *als ich ihn kennenlernte* when I first knew (*or* met) him; *du sollst mich ~!* I'll give you what for!

'**Kenner** *m* (-*s*; -), **~in** *f* (-; -*nen*) connoisseur, (good) judge; expert, specialist (*gen.* in); authority (on); **~blick** *m* expert's eye; **2haft** *adj.* knowledgeable, with the air of a connoisseur; **~miene** *f* air of a connoisseur.

'**Kenn...**: **~karte** *f* identity card; **~linie** *tech. f* characteristic (line), curve; **~marke** *f* tag; **~melodie** *f radio*: signature tune; **~nummer** *f* reference number.

'**kenntlich** *adj.* recognizable; distinguishable; conspicuous; marked; *~ machen* mark; label; *sich ~ machen* make o.s. known.

'**Kenntnis** *f* (-; -*se*) knowledge (*gen. or von* of); acquaintance (with); awareness (of); *~ haben von* have knowledge of, be aware of; *et.* **zu** *j-s ~ bringen, j-n von et. in ~*

setzen inform (*or* notify, advise, apprise) a p. of a th., make a th. known to a p., bring a th. to a p.'s notice; *von et. ~ nehmen* take not(ic)e *or* cognizance of a th., note a th.; *es ist uns zur ~ gelangt, daß* it has come to our knowledge (*or* attention) that; *Kenntnisse pl.* knowledge, information *sg.*; attainments, accomplishments, skills; know-how *sg.*; *oberflächliche ~se* smattering *sg.*; *gute ~se haben in* (*dat.*) be well acquainted with, be well up (*or* at home) in; **~nahme** ['~na:mə] *f* (-) notice, cognizance; *zu Ihrer ~* for your information; **&reich** *adj.* well-informed, very learned, experienced.

'**Kenn...:** **~wort** *n* (-[e]s; ¨er) motto; *mil.* password; *econ., etc.* code word; *for ads*: box; **~zahl** *f* → *Kennziffer*; **~zeichen** *n* mark, sign; badge; emblem; earmark, brand; *mot.* **a)** index-mark, **b)** *polizeiliches ~* number plate; *aer.* aircraft marking; *passport*: *besondere ~ pl.* distinguishing marks; *fig.* characteristic, criterion; hallmark, mark of distinction; *med. and fig.* symptom; **&zeichnen** *v/t.* (*h.*) mark, characterize; identify; label; **&zeichnend** *adj.* characteristic(ally *adv.*); **~ziffer** *f* reference number, (code) number, index, *tech. a.* coefficient; *math.* index of a logarithm.

kentern ['kɛntərn] *v/i.* (*sn*) capsize, keel over; *~ lassen* upset, overturn.

Keram|ik [ke'ra:mik] *f* (-) ceramics *sg.*, pottery; (*goods*) pottery, ceramics *pl.*; **&isch** *adj.* ceramic.

Kerbe ['kɛrbə] *f* (-; -*n*) notch, (in)dent, score, mark, nick; *fig. in dieselbe ~ hauen* do the same thing, follow suit.

Kerbel ['kɛrbəl] *bot. m* (-s) chervil.

kerben ['kɛrbən] *tech. v/t.* (*h.*) notch, (in)dent, channel; gnarl, mill.

Kerb...: **~holz** *n* ['kɛrp-] tally, score; *fig. einiges auf dem ~ haben* have a lot to answer for, have quite a (police) record; '**&schlagfest** *tech. adj.* impact-resistant; '**~schlagversuch** *m* notched-bar impact test; '**~schnitzer** *m* chip-carver; '**~tier** *zo. n* insect.

Kerker ['kɛrkər] *m* (-s; -) jail, prison; dungeon; **~haft, ~strafe** *f* (term of) imprisonment; **~meister** *m* jailer, turnkey.

Kerl [kɛrl] *m* (-s; -e) fellow, chap, bloke, *Am.* guy; *ganzer ~* splendid (*or* fine) fellow, brick; *guter (schlechter) ~* a good (bad) sort (*or* egg); *sie ist ein lieber ~* she is a dear; '**~chen** *n* (-s; -) little man *or* fellow, manikin; chappie; *contp.* whippersnapper.

Kern [kɛrn] *m* (-[e]s; -e) kernel; nucleus (*a. of atom*); *of fruit*: pip, stone; kernel; *of cereal, etc.*: grain; *of wood*: pith; *of salad*: heart; *of gun*: bore; *el., tech., a. of bullet, etc.*: core; *fig.* core, pith; pivotal point, main issue; essence; *~ der Sache* heart (*or* core, gist) of the matter; nucleus; *bis zum ~ e-r Sache dringen* get to the core (*or* bottom) of a th.

'**Kern...:** **~abstand** *phys. m* internuclear distance; **~achse** *f* nuclear axis; **~aufbau** *m* nuclear synthesis; **~brennstoff** *m* nuclear fuel; **~chemie** *f* nuclear chemistry; **&deutsch** *adj.* German to the core; **~eisen** *metal. n* core iron; **~elektron** *phys. n* nuclear electron; **~energie** *f* nuclear energy; **~fächer** *n/pl. ped.* basic subjects, *Am.* core curriculum; **&faul** *bot. adj.* rotten at the core; **&fern** *phys. adj.* planetary (*electron*); **&fest** *adj.* very solid; **~forscher** *m* nuclear scientist; **~forschung** *phys. f* nuclear research; **~frage** *f* pivotal question, central issue; **~frucht** *f* malaceous fruit; pome; **~gedanke** *m* central thought; **~gehäuse** *n* (apple) core; **&gesund** *adj.* thoroughly healthy, (as) sound as a bell; **~haus** *bot. n* core; **~holz** *n* heartwood; **&ig** *adj.* full of pips; *fig.* pithy; vigorous; solid, stout, robust, earthy; full (*leather*); **~igkeit** *fig. f* (-) pithiness; vigo(u)r; **~ladung** *f phys.* nuclear charge; *mil.* main charge; **~ladungszahl** *phys. f* atomic number; **~leder** *n* bend leather; **~lehre** *f* nucleonics *sg.*; **&los** *bot. adj.* seedless; **~munition** *mil. f* armo(u)r-piercing ammunition; **~obst** *n* → *Kernfrucht*; **~physik** *f* nuclear physics *sg.*; **~physiker** *m* nuclear physicist; **~punkt** *m* essential (*or* central) point; **~reaktion** *phys. f* nuclear reaction; **~reaktor** *m* (nuclear) reactor; **&rissig** *adj.* shaky (*wood*); **~schatten** *m* deep shadow, umbra; **~schuß** *m* point-blank shot; *soccer*: cannon-ball; **~seife** *f* curd soap; **~spaltung** *phys. f* nuclear fission; **~spruch** *m* pithy saying; **~stück** *n* essential (*or* main) piece; principal item; **~teilchen** *phys. n* nuclear particle; **~truppen** *mil. f/pl.* picked (*or* crack, élite) troops; **~umwandlung** *phys. f* nuclear transformation; **~waffe** *f* nuclear weapon; **~wolle** *econ. f* prime wool; **~zerfall** *phys. m* nuclear disintegration.

Kerze ['kɛrtsə] *f* (-; -*n*) candle; *mot.* sparking-plug, *Am.* spark plug; *gym.* neck balance; *soccer*: skyer.

'**Kerzen...:** **&gerade I.** *adj.* (as) straight as a dart, bolt upright; **II.** *adv.*: *~ auf et. zugehen* make a bee-line for a th.; **~halter, ~leuchter** *m* candle-stick; **~licht** *n* candle-light; **~stärke** *f* candle-power.

keß [kɛs] *colloq. adj.* pert, saucy, jaunty; smart, saucy (*hat, etc.*).

Kessel ['kɛsəl] *m* (-s; -) kettle; ca(u)ldron, tank, vat; boiler; (deep) hollow; basin; basin-shaped valley, gorge; *mil.* pocket; '**~anlage** *f* boiler plant; '**~druck** *m* boiler pressure; '**~flicker** *m* (-s; -) tinker; '**~haken** *m* pot-hook; '**~haus** *n* boiler-house; '**~jagd** *f* → *Kesseltreiben*; '**~pauke** *f* kettle drum; '**~schlacht** *mil. f* battle of encirclement; '**~schmied** *m* brazier; boiler-maker; '**~stein** *m* scale, fur; '**~stein(lösungs)mittel** *n* disincrustant; '**~treiben** *hunt. n* battue-beating *or* -shooting; *fig.* dragnet hunt; *pol.* witch hunt; '**~wagen** *m* *rail.* tank car; *mot.* tank (*or* fuel) truck.

Kette ['kɛtə] *f* (-; -*n*) chain (*a. ornament and chem.*); *of vehicle*: track; *weaving*: warp; *~ und Schuß* warp and woof; mountain chain, range; *mil., police*: cordon, chain of posts; *hunt.* covey (*of birds*); *aer.* flight; *fig.* chain; series, train; chains, fetters *pl.*; bondage; *an die ~ legen* chain up (*dog*); *j-n in ~n legen* put in(to) chains *or* irons; *von der ~ losmachen* unchain; *fig. e-e ~ bilden* (*persons*) form a line.

ketten ['kɛtən] *v/t.* (*h.*) fasten (*or* join, connect) with a chain; *a. fig.* chain (*an acc.* to).

'**Ketten...:** **~antrieb** *tech. m* chain-drive; caterpillar (*or* track) drive; **~brief** *m* chain-letter; **~bruch** *math. m* continued fraction; **~brücke** *f* suspension bridge; **~fahrzeug** *mot. n* track(-laying) *or* crawler-type vehicle; **&förmig** ['~fœrmiç] *chem. adj.* aliphatic; **~gebirge** *n* mountain chain; **~gelenk, ~glied** *n* chain-link; **~geschäft** *n* multiple shop, chain store; **~hund** *m* watch-dog; **~karussell** *n* chairoplane; **~laden** *m* → *Kettengeschäft*; **&los** *adj.* chainless; **~panzer** *m* coat of mail; **~rad** *tech. n* sprocket-wheel; **~raucher** *m* chain-smoker; **~reaktion** *phys.* (*a. fig.*) chain reaction; **~rechnung, ~regel** *math. f* chain rule; **~schluß** *phls. m* chain-syllogism, sorites; **~seide** *econ. f* organzine; **~stich** *m* *sewing*: chain-stitch; **~sträfling** *m* chained convict; *Gruppe von ~en* chain-gang; **~zusammenstoß** *mot. m* pile-up.

Ketzer ['kɛtsər] *m* (-s; -), '**~in** *f* (-; -*nen*) heretic; **Ketzerei** [~'raɪ] *f* (-; -*en*) heresy.

'**Ketzer...:** **~gericht** *n* (court of) inquisition; **&isch** *adj.* heretical; **~verbrennung** *f* burning of heretics, auto-da-fé.

keuchen ['kɔʏçən] *v/i.* (*h.*) pant, gasp.

'**Keuchhusten** *med. m* whooping cough, pertussis.

Keule ['kɔʏlə] *f* (-; -*n*) club; cudgel; *tech.* pestle (*of mortar*); *zo.* hind leg, thigh; (*meat*) leg, joint; drumstick (*of poultry*); *gym.* Indian club; **&nförmig** ['~fœrmiç] *adj.* club-shaped, clubbed; '**~nhieb**, '**~nschlag** *m* blow with a club; *fig.* crushing blow; '**~nschwingen** *n* (-s) (Indian) club swinging.

Keuper ['kɔʏpər] *geol. m* (-s) keuper, red marl.

keusch [kɔʏʃ] *adj.* chaste; virgin(al); pure; innocent; modest; '**&heit** *f* (-) chastity; purity, innocence; modesty; **&heitsgelübde** *n* vow of chastity.

Khaki ['ka:ki] **1.** *n* (-) (*colour*) khaki; **2.** *m* (-) (*cloth*) khaki.

Kicher-erbse ['kiçər-] *f* chick-pea.

kichern ['kiçərn] *v/i.* (*h.*) giggle, titter, snigger, snicker.

'**Kichern** *n* (-s) giggle, tittering; snigger.

kicken ['kikən] *v/t.* (*h.*) kick.

Kicks [kiks] *m* (-es; -e) *billiards*: miss; *e-n ~ machen* → **kicksen** *v/i.* (*h.*) miss (the ball).

ˈ**Kickstarter** *mot. m* kick-starter.
Kiebitz [ˈki:bits] *m* (-es; -e) pe(e)wit, lapwing; *colloq. fig.* kibitzer; **2en** *fig. v/i.* (*h.*) kibitz.
Kiefer[1] [ˈki:fər] *m* (-s; -) *anat.* jaw(-bone), maxilia; *of insects*: mandible.
ˈ**Kiefer**[2] *bot. f* (-; -n) pine; *gemeine* ~ Scotch pine.
ˈ**Kiefer...**: **~bruch** *med. m* fracture of the (lower) jaw; **~höhle** *anat. f* maxillary sinus; **~(n)holz** *n* pine (-wood); **~knochen** *anat. m* jawbone; **~(n)nadel** *f* pine-needle; **~(n)wald** *m* pinewood; **~(n)zapfen** *m* pinecone.
kiek|en [ˈki:kən] *colloq. v/i.* (*h.*) peep, have a look; ˈ**2er** *colloq. m* (-s; -): *j-n auf dem ~ haben* have a down on a p.
Kiel[1] [ki:l] *mar. m* (-[e]s; -e) keel.
Kiel[2] *m* (-[e]s; -e) quill; = ˈ**~feder** *f* quill-pen.
ˈ**Kiel...** *mar.*: **2holen** *v/t.* (*h.*) careen, heave down (*ship*); keelhaul (*sailor*); **~holen** *n* (-s) careening, careenage; keelhauling; **~linie** *f* line ahead, *Am.* column; **2oben** *adv.* bottom up; **~raum** *m* bilge; **~wasser** *n* wake; *im ~ folgen* follow in the wake (*a. fig.*).
Kieme [ˈki:mə] *f* (-; -n): *~n pl.* gills, branchia; ˈ**~n-atmung** *f* gill--breathing.
Kien [ki:n] *m* (-[e]s) resinous (pine-) wood; ˈ**~apfel** *m* pine-cone; ˈ**~holz** *n* → *Kien*; ˈ**2ig** *adj.* resinous; ˈ**~ruß** *m* (pine-)soot; ˈ**~span** *m* burning chip of pinewood; pine-torch.
Kiepe [ˈki:pə] *f* (-; -n) back-basket, dosser.
Kies [ki:s] *m* (-es) **1.** gravel; *mit ~ bestreuen* gravel; **2.** *min.* pyrites; **3.** *sl.* (*money*) dough; ˈ**~boden** *m* gravelly soil.
Kiesel [ˈki:zəl] *m* (-s; -) pebble, flint; *in compounds usu.* pebbly ..., siliceous ...; ˈ**2artig,** ˈ**2ig** *adj.* pebbly, flinty, siliceous; ˈ**~erde** *f* silica; infusorial earth; ˈ**~fluorsäure** *f* (-) silicofluoric acid; ˈ**~gur** *f* infusorial earth; ˈ**~säure** *f* (-) silicic acid; ˈ**~stein** *m* pebble (-stone), flint.
ˈ**Kies...**: **~grube** *f* gravelpit; **2haltig, 2ig** *adj.* gravelly; **~schicht** *f* layer (*or* bed) of gravel; **~weg** *m* gravel walk *or* path.
kikeriki [kikəriˈki:] *int.* cock-a--doodle-doo!
Kilo [ˈki:lo] *n* (-s; -[s]), **~ˈgramm** *n* (kg) kilogram(me); **~ˈgrammkalorie** *f* kilogram(me) calorie; **~ˈhertz** *n* (kHz) kilo-cycle per second; **~ˈmeter** *n and m* (km) kilomet|re, *Am.* -er; **~ˈmeterfresser** *colloq. m* speed merchant, scorcher; **~ˈmetergeld** *n* mileage allowance; **2ˈmeterlang** *adj.* miles long; for miles and miles; **~ˈmeterstand** *m* mileage reading; **~ˈmeterstein** *m* mile-stone; **~ˈmeterzahl** *mot. f* mileage; **~ˈmeterzähler** *m* mileage indicator, (h)odometer; **~ˈvoltampere** *el. n* kilovolt-Ampere; **~ˈwatt** *n* (kW) kilowatt; **~ˈwattstunde** *f* (kWh) kilowatt hour.
Kimm [kim] *mar. f* (-) **1.** visual horizon; **2.** bilge; ˈ**~e** *f* (-; -n) notch; *of gun*: (notch *or* V of the) back-sight, notch; *~ und Korn* notch and bead sights *pl.*; ˈ**~ung** *mar. f* (-; -en) → *Kimm*; mirage.
Kimono [kiˈmo:no] *m* (-s; -s) kimono.
Kind *n* (-[e]s; -er) child; *kleines ~* baby; *jur.* infant; *~er pl.* children; offspring, family, *jur.* issue *sg.*; *~ des Todes* dead man, goner; *ein Berliner ~* a native of Berlin; *mit ~ und Kegel* (with) bag and baggage; *von ~ auf* from a child, from infancy; *das ~ beim rechten Namen nennen* call a spade a spade; *das ~ mit dem Bade ausschütten* throw out the baby with the bath-water; *ein ~ bekommen* have a child; *ein ~ erwarten* be with child, be expecting (*or* in the family way); *kein ~ mehr sein* be no longer a child; *sich lieb ~ machen bei j-m* ingratiate o.s. with a p.; *colloq. wie sag ich's meinem ~e?* how can I best put this?; *~er, ~er!* dear, dear!
ˈ**Kindbett** *n* (-[e]s) childbed; **~fieber** *n* childbed fever, puerperal fever; **~psychose** *f* puerperal psychosis.
ˈ**Kindchen** *n* (-s; -) little child, baby.
ˈ**Kinder...**: **~arbeit** [ˈ~dər-] *f* child labo(u)r; **~arzt** *m*, **~ärztin** *f* p(a)ediatrician; **~beihilfe** *f* children's allowance; **~bekleidung** *f* children's wear; **~bett** *n* cot, crib; **~bewahranstalt** *f* day-nursery; **~brei** *f* spoon-food, pap; **~buch** *n* book for children, children's book; **~dorf** *n* children's village.
Kinderei [~ˈraɪ] *f* (-; -en) childishness, nonsense; child's trick; trivial matter; *~en pl.* nonsense.
ˈ**Kinder...**: **~ermäßigung** *f* reduction for children; **~fest** *n* children's fête (*or* party); **~frau** *f* nurse; **~fräulein** *n* governess, nanny; **~freund(in** *f*) *m* friend of children, child-lover; *ein ~ sein usu.* be fond of children; **~funk** *m* children's program(me); **~fürsorge** *f* child welfare; **~garten** *m* kindergarten; infant-school; nursery-school; **~gärtnerin** *f* kindergarten teacher; **~geld** *n* family allowance; **~geschrei** *n* crying (*or* screaming, squalling) of children; **~glaube** *m* childish (*or* simple) faith; **~gottesdienst** *m* children's service; **~heilkunde** *med. f* p(a)ediatrics *pl.*; **~hort** *m* day-nursery; **~jahre** *n/pl.* (years of) childhood, infancy *sg.*; **~kleidung** *f* children's wear; **~krankheit** *f* disease of children *or* childhood; *~en pl. fig.* growing pains, teething troubles; **~krippe** *f* → *Kinderhort*; **~lähmung** *med. f* infantile paralysis; *spinale ~* polio (-myelitis); **~landverschickung** *f* evacuation of children into the country; **2leicht** *adj.* very (*or* dead) easy; *es ist ~* it's mere child's play; **2lieb** *adj.* fond of children; **~liebe** *f* **1.** filial love; **2.** parental love; **3.** love for children; **~lied** *n* nursery rhyme; **2los** *adj.* childless; *jur.* without issue; **~mädchen** *n* nurse (-maid); **~märchen** *n* fairy-tale; **~mehl** *n* infant cereal; **~mord** *m* child murder; *jur. after birth*: infanticide; *bibl. der bethlehemitische ~* the massacre of the innocents; **~mörder(in** *f*) *m* child-murderer; **~nahrung** *f* infant food; **~narr** *m*, **~närrin** *f*: *er ist ein ~* he dotes on children; **~pech** *n* meconium; **~pflege** *f* child care; **~pistole** *f* toy pistol; **~psychologie** *f* child psychology; **~raub** *m* kidnapping; **~räuber** *m* kidnapper; **2reich** *adj.* blessed with a large offspring; *~e Familien* large families; **~reichtum** *m* (-s) large number of children; **~schreck** *m* (-s) bog(e)yman; bugbear; **~schuhe** *m/pl.* children's shoes; *fig. die ~ ausgetreten haben* be no longer a child; *das Unternehmen steckt noch in den ~n* the company is still in its infancy; **~schule** *f* → *Kindergarten*; **~schwester** *f* children's nurse; **~speck** *m* puppy-fat; **~spiel** *n* children's game; *fig. das ist ein ~ für ihn!* it's mere child's play to him! → *kinderleicht*; **~spielzeug** *n* (children's) toys, playthings *pl.*; **~sprache** *f* child(ren's) language *or* prattle; **~sterblichkeit** *f* infant mortality; **~stube** *f* nursery; *fig.* manners *pl.*, up-bringing; **~wagen** *m* perambulator, pram, *Am.* baby carriage; **~wäsche** *f* baby--linen; **~zeit** *f* (-) childhood; **~zimmer** *n* nursery, play-room; **~zulage** *f* children's allowance.
ˈ**Kindes...**: **~alter** [ˈ~dəs-] *n* infancy, childhood; **~beine** *n/pl.*: *von ~n an* from infancy *or* childhood, from a child; **~entführung** *f* kidnapping, child abduction; **~kind** *n* grandchild; *~er pl.* children's children; **~liebe** *f* filial love; **~mord** *m* → *Kindermord*; **~nöte** [~nø:tə] *f/pl.* labo(u)r; *in ~n sein* be in labo(u)r; **~pflicht** *f* filial duty; **~tötung** *jur. f* infanticide.
Kindheit [ˈkint-] *f* (-) childhood; infancy; *von ~ an* from childhood *or* infancy, from a child.
kindisch [ˈ~diʃ] *adj.* childish, puerile; *sei nicht ~!* don't be silly!, be your age!
kindlich [ˈkint-] **I.** *adj.* childlike, like a child; filial (*love, etc.*); innocent; naive; simple(-minded); **II.** *adv.*: *sich ~ freuen* be as pleased as a child (*or* as punch); ˈ**2keit** *f* (-) childlike nature; innocence, naivety.
ˈ**Kinds...** *in compounds* → *Kind(es)...*; **~kopf** *colloq. m* silly ass; **~mutter** *jur. f* mother (of an illegitimate child); natural mother.
ˈ**Kindtaufe** *f* christening (of a child).
Kinematograph [kinematoˈgra:f] *m* (-en; -en) cinematograph; **Kinematographie** [-graˈfi:] *f* (-) cinematography; **kinematoˈgraphisch** *adj.* cinematographic(ally *adv.*).
Kinet|ik [kiˈne:tik] *phys. f* (-) kinetics *pl.*; **2isch** *adj.* kinetic.
Kinkerlitzchen [ˈkiŋkərlitsçən] *pl.* gewgawks, knicknacks; *fig.* trifles, frills; *mach mir keine ~!* none of your tricks!
Kinn [kin] *n* (-[e]s; -e) chin; *energisches (fliehendes) ~* energetic (receding) chin; ˈ**~backe(n** *m*) *f* jaw(-bone), mandible; ˈ**~bart** *m* chin-beard; ˈ**~haken** *m boxing*: hook to the chin; uppercut; ˈ**~lade** *f* jaw(-bone); ˈ**~riemen** *m* chin--strap.

Kino ['ki:no] *colloq. n* (-s; -s) cinema, *Am.* motion picture theater, *the* pictures, *Am. the* movies *pl.*; *ins ~ gehen* go to the pictures; '**~besucher(in** *f*) *m* cinema- (*or Am.* movie-)goer; '**~kasse** *f* box office; '**~leinwand** *f* screen; '**~reklame** *f* screen advertising; '**~vorstellung** *f* cinema (*Am.* movie) show(ing).
Kintopp ['ki:ntɔp] *colloq. m* (-s; -s) → *Kino.*
Kiosk [ki'ɔsk] *m* (-[e]s; -e) kiosk; bookstall, *Am.* newsstand.
Kipfel ['kipfəl] *n* (-s; -) *cul.* crescent.
Kipp ['kip] *el. m* (-s) sweep; '**~amplitude** *el. f* sweep amplitude; '**~anlage** *f* tipping plant; '**2bar** *adj.* tilting; '**~bewegung** *f* tipping movement; '**~bühne** *f* tipping platform.
Kippe ['kipə] *f* (-; -*n*) seesaw; *gym.* upstart; *colloq.* fag-end, stub, *esp. Am.* butt (*of cigarette*); *auf der ~ stehen* be atilt, *fig.* be on the verge, hang in the balance; es *stand auf der ~* it was touch and go; '**2lig** *adj.* unstable, tottery, wobbly.
'**kippen I.** *v/i.* (*sn*) lose one's balance; tip (*or* topple) over; tilt; **II.** *v/t.* (*h.*) tilt, tip over *or* up; upset; lob, clip.
'**Kipper** *tech. m* (-s; -) tipper, *Am.* dumper; → *Kippwagen.*
'**Kipp...: ~fenster** *n* balance window; **~frequenz** *el. f* sweep frequency; **~hebel** *m* rocking lever; **~karren** *m* tip-cart; **~lager** *tech. n* rocker bearing; **~laufgewehr** *n* break-joint gun; **~lore** *f* tipping wagon; **~schalter** *m* tumbler (*or* toggle) switch; **~schwingung** *el. f* saw-tooth wave; relaxation oscillation; **2sicher** *adj.* stable; **~spannung** *el. f* sweep voltage; **~strom** *el. m* saw-tooth current; **~vorrichtung** *f* tipping device, tipper; **~wagen** *m rail.* tip-car, tipping-wag(g)on; *mot.* tipping lorry, *Am.* dump truck.
Kirche ['kirçə] *f* (-; -*n*) church; (divine) service; *anglikanische ~* Anglican Church, Church of England; *in der ~* at church; *nach der ~* after church; *in die ~ gehen* go to (*or* attend) church; *fig. die ~ im Dorf lassen* draw the line somewhere.
'**Kirchen...: ~älteste(r)** *m* church-warden, elder; **~amt** *n* ecclesiastical office; **~bann** *m* excommunication; *in den ~ tun* excommunicate; **~besuch** *m* attendance at church; **~besucher(in** *f*) *m* church-goer; **~buch** *n* parish register; **~chor** *m* (church) choir; **~diener** *m* sexton, sacristan; **2feindlich** *adj.* anti-clerical; **~fenster** *n* church-window; **~fürst** *m* prince of the church; high dignitary of the church; **~gemeinde** *f* parish; congregation; **~gesang** *m* chant, hymn; congregational singing; **~geschichte** *f* ecclesiastical history; **~gestühl** *n* pews *pl.*; **~glocke** *f* church-bell; **~jahr** *n* ecclesiastical year; **~kalender** *m* ecclesiastical calendar; **~konzert** *n* church concert; **~licht** *n*: *fig. er ist kein ~* he is no shining light, he is not very bright; **~lied** *n* hymn; **~maus** *f*: *fig. so arm wie e-e ~* (as) poor as a church-mouse; **~musik** *f* sacred music; **~politik** *f* ecclesiastical policy; **~rat** *m* (-[e]s; ⸚e) (*person*: member of a) church council; **~raub** *m* church-robbing; **~räuber** *m* church-robber; **~recht** *n* ecclesiastical law; **~schändung** *f* profanation of a church, sacrilege; **~schiff** *n* nave; **~spaltung** *f* schism; **~sprengel** *m* diocese; **~staat** *m* (-[e]s) Pontifical State; **~steuer** *f* church rate; **~streit** *m* ecclesiastical controversy; **~stuhl** *m* pew; **~uhr** *f* church clock; **~vater** *m* Father of the Church; **~väter** *m/pl. the* Early Fathers; **~vorstand** *m* parish council; **~vorsteher** *m* church-warden, elder.
'**Kirch...: ~gang** *m* church-going; **~gänger(in** *f*) ['-gɛŋər] *m* (-s, -; -, -nen) church-goer; **~hof** *m* churchyard, graveyard.
'**kirchlich** *adj.* (of the) church, ecclesiastical; sacred; ritual; spiritual; canonical; clerical; religious, devout; *ohne ~e Bindung* unaffiliated.
'**Kirch...: ~spiel** *n* parish; *zum ~ gehörig* parochial; **~sprengel** *m* diocese; **~turm** *m* steeple, church-tower, spire; **~turmpolitiker** *m* parish-pump politician; **~turmspitze** *f* church-spire; **~weih(e)** *f* consecration of a church; → **~weihfest** *n* parish fair, kermis.
Kirmes ['kirməs] *f* (-; -*sen*) parish fair, kermis.
kirnen ['kirnən] *v/t.* (*h.*) churn.
kirre ['kirə] *adj.* tame(d down); docile; *~ machen* bring *a p.* to heel, make *a p.* eat humble pie; **~n** *v/t.* (*h.*) bait, decoy; tame (down).
Kirsch [kirʃ] *m* (-es; -) (*a.* **~branntwein** *m*) kirsch; '**~baum** *m* cherry-tree; cherry-wood; '**~blüte** *f* cherry-blossom (time).
'**Kirsche** *f* (-; -*n*) cherry; *fig. mit ihm ist nicht gut ~n essen* it's best not to tangle with him.
'**Kirsch...: ~kern** *m* cherry-stone; **~kuchen** *m* cherry cake; **2rot** *adj.* cherry-red; **~saft** *m* cherry juice; **~stein** *m* cherry-stone; **~stiel** *m* cherry stalk; **~wasser** *n* (-s; -) kirsch.
Kissen ['kisən] *n* (-s; -) cushion; pillow; bolster, pad; **~bezug** *m* pillow-case; cushion cover.
Kiste ['kistə] *f* (-; -*n*) box, chest; *econ.* (packing) case; crate; trunk; *colloq. aer., mot.* bus; *alte ~* rattle-trap; *soccer*: goal; *fig. difficult, etc.*, business, job.
Kitsch [kitʃ] *m* (-es) trash, rubbish, junk; *thea., etc.* hokum, slush; sirupy (*or* sugarcoated) stuff; → *Quatsch*; '**2ig** *adj.* shoddy, trashy; tawdry, gaudy; slushy, sloppy; sirupy, mawkish.
Kitt [kit] *m* (-[e]s; -e) *tech.* putty; mastic, cement (*a. fig.*); *esp. chem.* lute.
Kittchen ['kitçən] *colloq. n* (-s; -) jail, sl. clink, jug.
Kittel ['kitəl] *m* (-s; -) smock, (loose) frock; overall; **~kleid** *n* house frock; tunic; **~schürze** *f* apron dress.
kitt|en ['kitən] *v/t.* (*h.*) cement, lute; putty; *w.s.* glue (*or* stick) together; '**2messer** *n* putty knife.
Kitz [kits] *n* (-es; -e), **~e** *f* (-; -*n*) kid; fawn.
Kitzel ['kitsəl] *m* (-s) tickle, tickling; *~ im Hals* throat tickle; itch(ing); *fig.* pleasant sensation, thrill; desire, appetite; '**2ig** ticklish (*a. fig.*).
'**kitzeln** *v/t.* (*h.*) tickle (*a. fig.*); es *kitzelt mich* something tickles me; es *kitzelt mich am Fuß* my foot tickles; *j-s Gaumen ~* tickle a p.'s palate.
'**Kitzler** *anat. m* (-s; -) clitoris.
'**kitzlig** *adj.* → *kitzelig.*
Klabautermann [kla'bautərman] *mar. m* (-[e]s; ⸚er) Davy Jones.
Kladde ['kladə] *f* (-; -*n*) first (*or* rough) draft *or* copy; rough note-book; *econ.* daybook.
kladderadatsch [kladəra'datʃ] *colloq. int.* (slap-)bang!
Kladdera'datsch *m* (-es; -e) crash (*a. fig.* = muddle, mix-up, debâcle); *da haben wir den ~!* what a mess!
klaffen ['klafən] *v/i.* (*h.*) gape, yawn; stand apart; fit loosely; *fig. hier klafft ein Widerspruch* this is highly contradictory.
kläffen ['klɛfən] *v/i.* (*h.*) yap, yelp, bark.
Kläffer (-s; -) *m* yelping dog; *fig.* squabbler.
Klafter ['klaftər] *f* (-; -*n*) fathom (*a. mar. and wood measure*); **~holz** *n* (-es) cord-wood; **2n** *v/t. and v/i.* (*h.*) fathom; cord (*wood*).
Klag|abweisung ['klɑ:k-] *jur. f* dismissal of an action; non-suit; '**~anspruch** *m* claim; '**2bar** *adj.* actionable, suable, enforceable; *~ werden gegen j-n* bring suit (*or* proceed) against a p.
Klage ['klɑ:gə] *f* (-; -*n*) complaint; lament; grievance, (matter of) complaint; charge, accusation; *jur.* suit, action; plaint; *in divorce cases*: petition; *~ wegen Schadenersatz* action for *damages*; *~ aus e-m Vertrag* action under (*or* on the ground of) a contract; *~ führen über* (*acc.*) complain of; *jur. ~ erheben gegen* (*acc.*) bring (*or* enter, institute) an action against, institute proceedings against, bring (*or* file) a suit against, sue (*j-n* a p.; *wegen* for); *mit s-r ~ abgewiesen werden* be non-suited; **~be-antwortung** *f* answer, responsive pleading; **~begehren** *n the* relief sought; **~begründung** *f* statement of claim; **~grund** *m* cause of action; **~laut** *m* plaintive sound; moan, groan, whimper; **~lied** *n* dirge; elegy; *fig. ein ~ anstimmen* raise a lamentation; **~mauer** *f* (-) *the* Wailing Wall.
klagen ['klɑ:gən] **I.** *v/i.* (*h.*) complain (*über acc.* of; *bei* to); utter complaints; lament; wail, moan; *~ über* complain of; *jur.* bring an action (*gegen* against; *auf, wegen* for), go to law (*wegen* about), → *Klage (erheben)*; **II.** *v/t.* (*h.*): *j-m et. ~* complain to a p. of a th.; → *Leid*; **~d** *adj.* plaintive; *jur. der ~e Teil* the plaintiff(s *pl.*).
Kläger ['klɛ:gər] *jur. m* (-s; -), **~in** *f* (-; -*nen*) *in civil cases*: plaintiff; complainant; (*divorce*) petitioner;

in criminal cases: *Öffentlicher* ~ (public) prosecutor; **2isch** *adj.* of the plaintiff, plaintiff's; *~er Anwalt* counsel for the plaintiff; *~e Partei* complaining party, plaintiff(s *pl.*).
'**Klage...**: **~sache** *jur. f* action, lawsuit, civil case; **~schrift** *jur. f* plaint, statement of claim; **~ton** *m* plaintive tone *or* sound; **~weg** *jur. m*: *auf dem* ~ by bringing an action; **~weib** *n* (hired) mourner.
kläglich ['klɛːkliç] *adj.* lamentable, deplorable; distressing, piteous; *a. fig. contp.* miserable, wretched, pitiable, sorry, poor; **2keit** *f* (-) deplorableness; wretchedness.
Klamauk [kla'maʊk] *colloq. m* (-s) hullabaloo, row, racket; ballyhoo; fuss, to-do.
klamm [klam] *adj.* clammy; numb (-ed); short, scarce; *colloq.* ~ *sein* be hard up.
Klamm *f* (-; -en) gorge, glen, canyon.
Klammer ['klamər] *f* (-; -n) *tech.* cramp, clamp, bracket; clasp; *a. med.* clip; (dental) brace; paper clip; staple; (clothes-)peg, *Am.* pin; *arch.* brace; *gr.*, *typ.* parenthesis, bracket (*a. math.*), brace, accolade; *eckige* ~ (square) bracket; ~ *auf (zu)!* open (close) brackets!; *in ~n setzen* put in parentheses *or* brackets, bracket; '**2n I.** *v/t.* (*h.*) *tech.* clamp, cramp, brace; fasten (*an* to); **II.** *v/i.* (*h.*) *boxing*: hold, clinch; *sich ~ an* (*acc.*) cling to (*a. fig.*).
Klamotten [kla'mɔtən] *colloq. f/pl.* stuff, things; rags, duds; **~kiste** *f*: *aus der* ~ out of the rag-bag.
Klampe ['klampə] *f* (-; -n) clamp, hasp, cleat.
Klampfe ['klampfə] *colloq. f* (-; -n) guitar.
klang [klaŋ] *pret. of klingen.*
Klang [klaŋ] *m* (-[e]s; ⸚e) sound, tone; ringing, peal (*of bells*); ring, chink (*of coins*); clink(ing) (*of glasses*); resonance; timbre; (*music*) *usu. Klänge pl.* strains, notes *pl.*; → *Sang*; *fig.* ring; *e-n guten* ~ *haben* be in good repute.
'**Klang...**: **~bild** *n* sound pattern; **~blende** *f* tone control; **~farbe** *f* timbre, tone colo(u)r; **~farbenregelung** *f* tone control; **~fülle** *f* sonority, resonance; **~lehre** *f* (-) acoustics *sg.*; **2lich** *adj.* tonal, tone...; **2los** *adj.* toneles; hollow; mute; unaccented; *fig.* → *Sang*; **~losigkeit** *f* (-) tonelessness; **~regler** *m*, **~regelung** *f radio*: tone control; **2rein** *adj.* pure, fine-tuned; **~treue** *f* fidelity; *von höchster* ~ high-fidelity; **2voll** *adj.* sonorous; **~wirkung** *f* sound effect.
Klapp|bett ['klap-] *n* folding (*or* camp-)bed; '**~boden** *m* hinged bottom; '**~brücke** *f* bascule bridge; '**~deckel** *m* spring cover, snap (lid).
Klappe ['klapə] *f* (-; -n) flap (*a. on envelope, pocket, table,* etc.); *tech.* shutter; (hinged) lid; trap-door; *on truck*: tailboard; damper; leaf (*of table, gun-sights*); *tech.* valve (*a. bot., zo.*); *mus.* key; *film*: clapper-board(s), slate; *colloq.* (*mouth*) (potato-)trap; *halt die ~!* shut up!; *bed*: *in die ~ gehen* turn in, hit the hay.
'**klappen I.** *v/t.* (*h.*): *in die Höhe* ~ tip up; *der Sitz läßt sich nach vorne* ~ the seat folds forward; **II.** *v/i.* (*h.*) clap, flap (*mit et.* a th.); *colloq. fig.* work (well), go smoothly (*or* without a hitch), come off well, click; *das klappt* that works; *bis jetzt klappt alles* all plain sailing so far; *es klappt nicht* it doesn't work, all goes wrong, there is a hitch somewhere.
'**Klappen** *n* (-s) clapping; *fig. zum* ~ *kommen (bringen)* come (bring) to a head.
'**Klappen...**: **2artig, 2förmig** ['-fœrmiç] *adj.* valvular, valviform; **~schrank** *teleph. m* drop-type switchboard; **~text** *m* blurb (*on book jacket*); **~ventil** *tech. n* clack (*or* flap)valve; **~verschluß** *m* hinged cover.
'**Klapper** *f* (-; -n) rattle; clapper; **2dürr** *adj.* (as) lean as a rake, spindly.
'**klapperig** *colloq. adj.* shaky, rickety; spindly.
'**Klapper...**: **~kasten** *colloq. m* (*piano*) tin-kettle; (*vehicle*) rattletrap; **~mühle** *f* (water-, wind)mill.
klappern ['klapərn] *v/i.* (*h.*) rattle, clack; clatter; *mit den Zähnen* ~ chatter (one's teeth); '**Klappern** *n* (-s) rattling (noise) clatter(ing); ~ *gehört zum Handwerk* puff is part of the trade.
'**Klapper...**: **~schlange** *zo. f* rattlesnake, *Am. a.* rattler; **~storch** *m* stork.
'**Klapp...**: **~etui** *n* snap-lid case; **~fenster** *n* top-hung window; **~flügel** *aer. m* folding wing; **~horn** *mus. n* (-[e]s; ⸚er) key-bugle; **~hornvers** *m* limerick; **~hut** *m* opera- (*or* crush-)hat; **~kamera** *f* folding camera; **~messer** *n* clasp- (*or* jack-)knife; **~(p)ult** *m* folding desk; **2rig** *adj.* → *klapperig*; **~sitz** *m thea.* tip-up (*or* flap) seat; *mot.* → *Notsitz*; **~stuhl** *m* folding-chair, camp-stool; **~tisch** *m* folding-table; drop-leaf table; **~tür** *f* spring-action door; **~ventil** *n* flap-valve; **~verdeck** *n* collapsible hood, *Am.* folding top.
Klaps [klaps] *m* (-es; -e) slap, smack; *colloq. e-n* ~ *haben* be cracked (*or* nuts), have a screw loose; **~mühle** *colloq. f* booby hatch, loony bin.
'**klapsen** *v/t.* (*h.*) slap, smack.
klar [klɑːr] **I.** *adj.* clear; bright; transparent, limpid; pure; *fig.* clear, distinct; intelligible; plain; evident, obvious, manifest; *~e Entscheidung* clear-cut decision; *~er Fehler* clear mistake; *mar.* ready; ~ *Schiff!* clear the deck for action!; ~ *achteraus (voraus)* clear astern (ahead); ~ *zum Gefecht* clear for action; *es ist ja* ~, *daß* it stands to reason that; *es ist dir doch* ~, *daß* you realize (*or* are aware) that; → *Kloßbrühe*; *colloq. na,* ~! sure (thing)!, *Am.* you bet!; → *~machen, ~werden, etc.*; **II.** *adv.*: ~ *und deutlich* clearly, distinctly, unmistakably; ~ *zutage treten* be evident (*or* obvious), meet the eye; *er brachte es* ~ *zum Ausdruck, daß* he made it clear (*or* plain) that; '**2e(r)** *m* (-n; -n) schnapps; '**2e(s)** *n* (-n) *the* white of the egg; *fig. ins* 2 *bringen* clear up, settle; *sich im 2n sein über* (*acc.*) be (fully) aware of, be alive to, realize; see one's way about *a th.*; *ins* 2 *kommen* see clearly, become clear (*über acc.* about).
Klär|anlage ['klɛːr-] *f* purification plant; sewage treatment plant; '**~becken** *n* settling-basin, filterbed.
'**klarblickend** *adj.* clear-sighted.
'**Klärbottich** *m* settling vat.
klären ['klɛːrən] *v/t.* (*h.*) clear, clarify; purify; percolate; *fig.* clear up, clarify, settle; *sports*: clear; *sich* ~ become clear, clarify.
'**Klarheit** *f* (-) clearness; brightness; transparency; *fig.* clearness, clarity; distinctness; lucidity; ~ *in eine Sache bringen* clear up (*or* shed light on) a matter.
klarier|en [kla'riːrən] *mar. v/t.* (*h.*) clear (at the custom-house); **2ung** *f* (-) clearance.
Klarinette [klari'nɛtə] *f* (-; -n) clarinet; **~nbläser, Klarinettist** [-'tist] *m* (-en; -en) clarinet-player.
'**klarkommen** *v/i.* (*irr., sn*) get by, manage.
'**Klarlack** *m* clear varnish.
'**klar...**: **~legen** *v/t.* (*h.*) set (*or* make) clear, clear up; point out; **~machen** *v/t.* (*h.*): *j-m et.* ~ make a th. clear (*or* plain) to a p., explain (*or* point a th. out) to a p., bring a th. home to a p.; → *Standpunkt*; *sich et.* ~ realize a th.; *mar., etc.* (*a. v/i.*) make *or* get ready (*zu* for).
'**Klar|scheiben** *f/pl.* anti-dim disks; **~sichtpackung** *f* transparent (*or* see-through) package.
'**klar...**: **~sehen** *v/i.* (*irr., h.*) see one's way clear, see day-light; **~stellen** *v/t.* (*h.*) clear up, get *the facts* clear, settle; **2text** *m* text in clear; *im* ~ in clear (text); **~werden I.** *v/i.* (*irr., sn*) become clear; *es wurde mir klar* I realized, I became aware of, it dawned on me (that *daß*); **II.** *sich* ~ *über* (*acc.*) realize, grasp, understand; make up one's mind about.
Klärung ['klɛːruŋ] *f* (-) clarification, *fig. a.* clearing up, settling, elucidation.
Klasse ['klasə] *f* (-; -n) class (*a. bot., zo.*); division; order; type; *mar.* rating; *mot. racing*: category; class; *ped.* form, *esp. Am.* class, grade; *rail. Abteil (Fahrkarte) erster* ~ first-class compartment (ticket); *social* class; *die arbeitenden (besitzenden) ~n pl.* the working (propertied) classes; *lottery*: class; *fig. erster* ~ of the first order *or* water, first-class; *colloq.* (*ganz*) *große* ~ terrific, marvellous; *er ist e-e* ~ *für sich* he is in a class all by himself; *in ~n einteilen* classify.
'**Klassen...**: **~arbeit** *f* (written) class test; **2bewußt** *adj.* class-conscious; **~bewußtsein** *n* class-consciousness; **~buch** *n* class-register; **~dünkel** *m* class-conceit; **~einteilung** *f* classification; **~feind** *m* enemy of the working class; **~haß** *m* class-hatred; **~justiz** *f* class-justice; **~kamerad(in** *f*) *m* class-mate; **~kampf** *pol. m* class-warfare *or* -struggle; **~leh-**

rer(in *f*) *m* class-teacher, form master, *Am.* home-room teacher; **2los** *adj.* classless; **~lotterie** *f* class lottery; **~schranke** *f* class barrier; **~sprecher(in** *f*) *m* class prefect; **~ziel** *n*: *das ~ (nicht) erreichen* (fail to) go up into a higher class; **~unterschiede** *m/pl.* class distinctions; **~zimmer** *n* classroom, schoolroom.

klassieren [kla'si:rən] *v/t.* (*h.*) size (*coal, ore*).

klassifizier|en [klasifi'tsi:rən] *v/t.* (*h.*) classify; **2ung** *f* (-; -*en*) classification.

...klassig *in compounds* with ... classes; *fig.* ...-class, ...-rate.

Klassik ['klasik] *f* (-) classical period; **~er** *m* (-*s*; -) classic, standard author.

'**klassisch** *adj.* classical, *fig.* classic; traditional, conventional; *~es Beispiel* classic example; *~es Werk* classic; *phys. ~er Radius* classical radius; *fig. das ist ~!* it's terrific!

klatsch [klatʃ] *int.* splash!, smack!, slap!

'**Klatsch** *m* (-*es*; -*e*) clap, smack, slap; *fig.* gossip; scandal; **~base** *f* gossip, chatterbox, *b.s.* scandal-monger.

'**Klatsche** *f* (-; -*n*) fly-swat(ter); *colloq.* gossip; *ped.* crib, pony.

'**klatschen** *v/i. and v/t.* (*h.*) smack, slap; *whip*: crack; *rain, etc.*: splash; *in die Hände ~* clap one's hands; *j-m (Beifall) ~* applaud (*or* clap) a p.; *colloq. fig.* gossip, wag one's tongue (*über acc.* about); talk scandal.

'**Klatschen** *n* (-*s*) smacking, slapping; clapping, applause; gossip, scandal.

'**Klatscher(in** *f*) *m* (-*s*, -; -, -*nen*) **1.** clapper, applauder; **2.** → *Klatschbase*.

Klatsche'rei *f* (-; -*en*) (idle) gossip, gabble, prattle; *b.s.* gossiping, scandal(-mongering), tittle-tattle.

'**Klatsch...:** **~geschichte** *f* gossip; **2haft** *adj.* gossiping, gossipy; **~haftigkeit** *f* (-) gossiping disposition, slanderous tongue; talkativeness; **~maul** *n* → *Klatschbase*; **~mohn** *m*, **~rose** *f* (corn) poppy; **2naß** *adj.* dripping (wet), drenched, soaked (to the skin); **~sucht** *f* (-) → *Klatschhaftigkeit*; **~weib** *n* → *Klatschbase*.

'**klauben** ['klaubən] *v/t. and v/i.* (*h.*) pick, cull; sort; gather; *fig. Worte ~* quibble, split hairs.

Klaue ['klauə] *f* (-; -*n*) claw (*a. tech.* = dog, jaw); *orn., zo. a.* fang, talon; paw (*a. contp. hand*); *of fox, wolf, etc.*: foot; clovenhoof; *mit den ~n packen* claw; *fig. in s-e ~n bekommen* get one's clutches on, *j-n*: get a p. into one's (butcher's) grip *or* clutches; *in den ~n des Todes* in the grip of death; *colloq. e-e böse ~* an ugly fist, an awful scrawl.

'**klauen** *colloq. v/t.* (*h.*) filch, swipe, *Am. a.* snitch; *writer*: crib (*von* from).

'**Klauen...:** **~fett** *n* neatsfoot oil; **~kupplung** *tech. f* dog (*or* clutch) coupling; **~seuche** *f* (-) footrot.

Klause ['klauzə] *f* (-; -*n*) hermitage; cell; *colloq.* den, dig(ging)s *pl.*; (mountain) defile.

Klausel ['-zəl] *jur. f* (-; -*n*) clause; proviso; stipulation.

Klausner ['klausnər] *m* (-*s*; -), **~in** *f* (-; -*nen*) hermit, recluse.

Klausur [klau'zu:r] *f* (-; -*en*) seclusion; *univ.* written examination; *in der ~, unter ~* under supervision; **~arbeit** *f* examination-paper, unseen (translation, *etc.*).

Klaviatur [klavia'tu:r] *f* (-; -*en*) keyboard, keys *pl.*; manual (*of organ*).

Klavier [kla'vi:r] *n* (-*s*; -*e*) piano (-forte), upright piano; *elektrisches ~* player piano; *am (auf dem) ~* at (on) the piano; *~ spielen (können)* play the piano; **~auszug** *m* piano score; **~begleitung** *f* piano accompaniment; **~konzert** *n* piano-(forte) recital; **~lehrer(in** *f*) *m* piano-teacher; **~schule** *f* manual for exercises on the piano; **~sessel** *m* piano stool; **~spiel** *n* piano playing; **~spieler(in** *f*) *m* pianist; **~stimmer** *m* piano-tuner; **~stück** *n* piece of piano-music; **~stuhl** *m* → *Klaviersessel*; **~stunde** *f*, **~unterricht** *m* piano-lesson(s); **~vortrag** *m* piano(forte) recital.

'**Klebe|ecke** ['kle:bə-] *phot. f* corner (mount); **~kraft** *f* (-) adhesive power; **~mittel** *n* adhesive, agglutinant; **2n I.** *v/i.* (*h.*) (*a.* **2nbleiben**) adhere *or* stick *or* cling (*an dat.* to); *fig. an j-m ~* be glued to a p.; *Blut klebt an seinen Händen* his hands are stained with blood; *am Buchstaben ~* stick to the letter; **II.** *v/t.* (*h.*) glue, paste, stick (fast); *colloq. j-m e-e ~* paste a p. one; **2nd** *adj.* adhesive; **~pflaster** *n* adhesive (*or* sticking) plaster.

'**Kleber** *m* (-; -) **1.** *bot.* gluten; **2.** → *Kleb(e)stoff*.

kleb(e)rig ['klep-, '-bə-] *adj.* adhesive, sticky; tacky; glutinous; viscid, ropy; clammy.

'**Kleb(e)...:** **~stoff** *m* adhesive; gum; glue; cement; paste; **~streifen** *m* adhesive tape; Scotch tape.

'**Klebe...:** **~tisch** *m film*: splicing table; **~zettel** *m* gummed (*or* sticky) label, *Am.* sticker.

kleckern ['klɛkərn] *colloq.* **I.** *v/i.* (*h.*) slobber, dribble; **II.** *v/t.* (*h.*) spill, drop.

Klecks [klɛks] *m* (-*es*; -*e*) (ink-)blot; blotch, splotch.

'**klecksen** *v/t. and v/i.* (*h.*) blot (with ink), make (ink-)blots; blotch, smudge; blur; daub; scrawl, scribble.

'**Kleckser(in** *f*) *m* (-*s*, -; -, -*nen*) scrawler, scribbler; (*painter*) dauber.

Kleckserei [-'raɪ] *f* (-; -*en*) (constant) blotting, ink-spilling; scrawl (-ing); daub(ing).

Klee [kle:] *bot. m* (-*s*) clover, trefoil; *über den grünen ~ loben* praise to the skies; '**~blatt** *n* trefoil (*a. arch.*), clover-leaf; *Irish national emblem*: shamrock; *vierblättriges ~* four-leaved clover; *fig.* threesome, trio; *traffic*: cloverleaf crossing; '**2blattförmig** ['-fœrmiç] *adj.* trifoliate.

Kleid [klaɪt] *n* (-[*e*]*s*; -*er*) garment, dress; *~er pl.* clothes, → *Kleidung*; gown; robe; costume; garb, apparel; attire; *poet.* raiment; *fig. festliches ~* festive garb (*of town*); *~er machen Leute* fine feathers make fine birds.

kleiden ['-dən] **I.** *v/t.* (*h.*) *and sich ~* clothe (o.s.), dress; attire (o.s.); *sich gut (schlecht, in Weiß) ~* dress well (badly, in white); → *an~, be~*; *fig. in Worte ~* clothe (*or* couch) in words; *leicht gekleidet* lightly dressed *or* clad; **II.** *v/t. and v/i.* (*h.*): *j-n ~* **a)** clothe (*or* dress) a p., **b)** suit (*or* become) a p., look well on a p.

'**Kleider...:** **~ablage** ['-dər-] *f* cloak-room, *Am.* checkroom; hall-stand; **~bestand** *m* wardrobe; **~bügel** *m* (coat-)hanger; **~bürste** *f* clothes-brush; **~haken** *m* clothes-peg, coat-hook; **~laus** *f* body louse; **~mode** *f* fashion in clothes; **~motte** *f* clothes moth; **~pflegeanstalt** *f* valet service, *Am.* valeteria; clothing and pressing establishment; **~puppe** *f* (clothes) dummy; **~schrank** *m* wardrobe; **~schürze** *f* house frock; **~schwimmen** *n* (-*s*) swimming fully dressed; **~ständer** *m* (hat and) coat stand, hall-stand; **~stoff** *m* dress material.

kleidsam ['klaɪt-] *adj.* becoming.

'**Kleidung** *f* (-) clothes *pl.*, garments, (wearing-)apparel; dress, costume, garb; attire; *poet.* raiment; → *Be2, Kleid*; **~s-stück** *n* article of clothing; garment; *~e pl.* → *Kleidung*.

Klei|e ['klaɪə] *f* (-; -*n*) bran; **~enmehl** *n* pollard; **2ig** *adj.* branny.

klein [klaɪn] **I.** *adj.* little, small; minute, diminutive, tiny, wee; short; dwarfish; trifling, petty, insignificant; small-scale; minor; paltry; *~es Alphabet (~er Buchstabe)* small alphabet (letter); *~er Bruder* younger (*Am. a.* kid) brother; *~e Fahrt mar.* dead slow; *~er Fehler* trifling error; *~er Finger* little finger; *~er Geist* small mind; *~es Geld* small coin, (small) change; *~e Leute* small people; *~er Geschäftsmann* small businessman; *~e Stimme* small voice; *mus. ~e Terz* minor third; *das ~ere Übel* the lesser evil; *~ere Vergehen* minor offences; *ein ~ wenig* (a) very little, a little (*or* wee) bit; *~, aber fein* small but select; *groß und ~* great and small, high and low, young and old; *von ~ auf* from (one's) infancy, from a child, from an early age; *fig. ~ werden* come down, be subdued; *~er werden* grow less, lessen, decrease, shrink; **II.** *adv.*: *~ anfangen* begin in a small way; → *~ beigeben*; *~ denken* have narrow views, *von j-m*: think little of; → *kurz*; '**2e(r)** *m* (-*n*; -*n*), '**2e** *f* (-*n*; -*n*), '**2e(s)** *n* (-*n*; -*n*): *der (die) ~* the little boy (girl), the little man; *contp.* shorty, half-pint; *die ~n pl.* the little ones; *im 2n* on a small scale, in a small way, in miniature; *im 2n verkaufen* (sell by, *Am.* at) retail; *bis ins Kleinste* down to the last (*or* minutest) details; *über ein 2s* in a short time, after a little while; *um ein 2s* very nearly, by a hair's breadth.

'**Klein...:** **~anzeigen** *f/pl.* small (*or* classified) advertisements; **~arbeit** *f* painstaking (detailed) work, spade-work; **~asien** *n* Asia Minor; **~auto** *n* → *Kleinwagen*; **~bahn** *f* narrow-gauge (*or* light) railway, branch-line; **~bauer** *m* small farmer, small-holder; **~betrieb** *m* small enterprise; *landwirtschaftlicher* ~ small-holding; **~bildkamera** *f* miniature camera; **~bürger** *m* petty bourgeois, small man; **2bürgerlich** *adj.* petty-bourgeois; narrow-minded; **~bürgertum** *n* petty bourgeoisie; **~bus** *mot. m* minibus; **~format** *n* smaller version, small size; *colloq. im* ~ small-scale; **~garten** *m* allotment (garden); **~gärtner** *m* allotment gardener; **~geld** *n* (-[e]s) (small) change, small coin; **~gewerbe** *n* small(-scale) trade, small business; **2gläubig** *adj.* of little faith, fainthearted; **~gläubigkeit** *f* weakness of faith; **~handel** *m* retail trade *or* busines; *im* ~ by (*Am.* at) retail; **~handels-preis** *m* retail price; **~händler** *m* retail dealer, retailer; **~heit** *f* (-) littleness, smallness; minuteness; **~hirn** *anat. n* cerebellum; **~holz** *n* matchwood, kindling; *colloq. aer.* ~ *machen* crash; *aus j-m* ~ *machen* make mincemeat of a p.

'**Kleinigkeit** *f* (-; -en) little (*or* small) thing; petty matter, bagatelle, trifle; (*meal*) bite; *für eine* ~ *kaufen* buy for a mere song; *iro. es kostet die* ~ *von zwei Millionen Dollar* it costs the trifling sum of two million Dollars; *das ist eine* ~ *für ihn* that's easy for him, it is nothing at all to him; *das ist keine* ~ that's no small thing; **~skrämer(in** *f*) *m* pedant(ic person), pettifogger, stickler.

'**Klein...:** **~kalibergewehr** *n* sub-calibre (*or* small-bore) rifle; **2kalibrig** ['-kali:briç] *adj.* sub-calibre, small-bore; **2kariert** *adj.* small-checked; *colloq. fig.* small, narrow (-minded); **~kind** *n* infant; **~kinderbewahranstalt** *f* day nursery, crèche (*Fr.*); **2körnig** *adj.* small-grained; **~kraftwagen** *m* → *Kleinwagen*; **~kram** *m* trifles *pl.*; **~krieg** *m* guer[r]illa war(fare); **2kriegen** *v/t.* (*h.*) smash; get through, blue (*money*); *j-n* ~ make a p. sing small (*or* eat humble pie), take the starch out of a p.; **~küche** *f* kitchenette; **~kunstbühne** *f* → *Kabarett*; **~künstler(in** *f*) *m* → *Kabarettist(in)*; **2laut** *adj.* subdued, meek, downcast; ~ *werden* assume a (more) modest tone, sing small; **~lebewesen** *n* microorganism; **2lich** *adj.* petty, paltry; pedantic, punctilious, fussy; ~ *gesinnt* small-minded, narrow(-minded); **~lichkeit** *f* (-; -en) pettiness, paltriness; pedantic nature; **~lieferwagen** *m* pickup (car); **~luftschiff** *n* baby airship, blimp; **2machen** *v/t.* (*h.*) (*and sich*) make (o.s.) small; **~male'rei** *f* miniature painting; **~motor** *m* small-type (*or* fractional) motor; **~mut** *m* (-[e]s) pusillanimity, faint-heartedness; despondency; **2mütig** ['-my:tiç] *adj.* pusillanimous, faint-hearted; despondent; **~od** ['-o:t] *n* (-[e]s; -e) jewel, gem, *fig. a.* treasure; **~oktav** *n* (-s) small octavo; **~omnibus** *m* minibus; **~rentner(in** *f*) *m* small pensioner; **~russe** *m*, **~russin** *f* Little Russian; **~schlepper** *m* tractorette; **2schneiden** *v/t.* (*irr., h.*) chop; **~siedler** *m* small-holder; **~sparer** *m* small depositor; **~staat** *m* small state; **~staate'rei** *f* (-) particularism; **~stadt** *f* small town; **~städter (-in** *f*) *m* provincial, *Am. a.* small-towner; **2städtisch** *adj.* provincial; **~stadtzeitung** *f* small-town newspaper; **~stbetrieb** *m* enterprise of the smallest category; **~stkind** *n* baby; **~stmotor** *el. m* pilot motor; **~stwagen** *m* midget car, minicar; **~verdiener** *m* low-income worker; **~verkauf** *m* retail (trade); **~vieh** *n* small livestock; **~wagen** *m* small car, runabout (car); **~wild** *n* small game; **~wohnung** *f* small flat, flatlet.

Kleister ['klaɪstər] *m* (-s; -) paste; *bookbinding*: size; **2ig** *adj.* pasty, sticky; doughy; **2n** *v/t.* (*h.*) paste, size (with paste); **~pinsel** *m* paste-brush.

Klemme ['klɛmə] *f* (-; -n) holdfast, clamp; *el.* terminal; clip; (screw-) vice, *Am.* vise; tongs, nippers *pl.*; *fig.* tight corner, pinch; shortage; dilemma, quandary, scrape; *in der* ~ *sein a.* be in great straits, be in a fix.

klemmen ['klɛmən] **I.** *v/t.* (*h.*) clamp, squeeze, pinch; *sich (fest)* ~ → **II**; *sich den Finger* ~ jam one's finger; *colloq. sich hinter et.* ~ get down to s.th.; *colloq.* (*steal*) pinch, filch; **II.** *v/i.* jam, get jammed *or* stuck, stick.

'**Klemmen...:** **~brett** *n* terminal board; **~dose** *f*, **~kasten** *el. m* terminal box; **~spannung** *f* terminal voltage.

'**Klemmer** *m* (-s; -) pince-nez (*Fr.*).

'**Klemm...:** **~schraube** *f* clamp(ing) screw; **~zange** *f* clamp (forceps).

Klempner ['klɛmpnər] *m* (-s; -) tinsmith, sheet-metal worker; plumber; **~arbeit** *f* plumbing.

Klempne'rei [-'raɪ] *f* (-; -en) tinsmith's trade; plumbery; tinsmith's (*or* plumber's) workshop.

'**Klempnermeister** *m* master tinsmith (*or* plumber).

Klepper ['klɛpər] *m* (-s; -) nag, hack, jade.

Kleptomane [klɛpto'ma:nə] *m* (-n; -n) kleptomaniac.

Kleptomanie [-ma'ni:] *f* (-) kleptomania.

klerikal [kleri'ka:l] *adj.* clerical; **Kleriker** ['kle:-] *m* (-s; -) clergyman, cleric; **Klerisei** [kleri'zaɪ] *f* (-) clergy; *fig.* clique; **Klerus** ['kle:rus] *m* (-) clergy.

Klette ['klɛtə] *f* (-; -n) bur(r), burdock; *fig. kleben wie e-e* ~ stick like a bur(r) *or* a leech; *sich wie e-e* ~ *an j-n hängen* stick to a p. like a leech; **~ndistel** *f* bur(r) thistle; **~nwurzelöl** *n* burdock-oil.

Kletterei [klɛtə'raɪ] *f* (-; -en) climbing.

'**Kletter|eisen** *n/pl.* climbing-irons, climbers; **~er(in** *f*) *m* (-s, -; -, -nen) climber.

'**klettern** *v/i.* (*sn*) climb (*auf e-n Baum* up a tree); scale (*auf acc. a wall, etc.*); *schnell (hoch)* ~ swarm up; clamber (*or* scramble) up; **2** *n* (-s) climbing; **~d** *adj.* climbing; *esp. bot.* creeping; *orn.* scansorial.

'**Kletter...:** **~pflanze** *f* climber, creeper; **~rose** *f* rambler; **~schuhe** *m/pl.* climbing boots; **~seil** *n* climbing-rope; **~stange** *f* climbing pole; **~vogel** *m* scansorial bird.

Klient [kli'ɛnt] *m* (-en; -en), **~in** *f* (-; -nen) client.

Klima ['kli:ma] *n* (-s; -s) climate; *fig. a.* atmosphere, conditions *pl.*; *in Ländern mit hartem* ~ in vigorous climates; *(sich) an das* ~ *gewöhnen* acclimatize, *Am.* acclimate; **~anlage** *f* air-conditioning plant *or* system; *mit* ~ *ausstatten* air-condition.

klimakter|isch [kli:mak'te:riʃ] *med. adj.* climacteric; **2ium** *n* (-s) menopause, change of life.

klimatisch [-'ma:-] *adj.* climatic; → *Luft...*

Klimbim [klim'bim] *colloq. m* (-s) fuss; to-do, noise; pomp; *der ganze* ~ the whole bag of tricks.

klimmen ['klimən] *v/i.* (*irr., sn*) climb.

'**Klimmzug** *m gym.* pull-up.

klimpern ['klimpərn] *v/i. and v/t.* (*h.*) (*mit*) jingle, tinkle; chink; strum (*on auf dat.*).

'**Klimpern** *n* (-s) jingling; strumming.

Klinge ['kliŋə] *f* (-; -n) blade; sword; *die* ~*n kreuzen mit* cross swords with (*a. fig.*); *e-e gute* ~ *schlagen* be a good swordsman, *fig.* play a good knife and fork; *fig. über die* ~ *springen lassen* put to the sword.

Klingel ['kliŋəl] *f* (-; -n) bell; **~beutel** *m* collection-bag; **~draht** *m* bell-wire; **~knopf** *m* bell-push.

'**klingeln I.** *v/i.* (*h.*) ring (the bell); *j-m* ~ ring for a p.; *bell*: tinkle, jingle; *motor*: pink; *es klingelt* the bell is ringing; **II.** *v/t.* (*h.*): *j-n aus dem Schlaf* ~ ring a p. up.

'**Klingeln** *n* (-s) ring(ing); jingle.

'**Klingel...:** **~schnur** *f* bell-rope; **~zeichen** *n* ring, bell-signal; **~zug** *m* bell-pull.

klingen ['kliŋən] *v/i.* (*irr., h.*) sound; *bell, glass, metal*: (*a.* ~ *lassen*) tinkle, jingle, ring, clink; *schön* ~*de Worte* words of a pleasant sound; *fig. fame, etc.*: resound, spread; ~*de Münze* hard cash; *mit* ~*dem Spiel* (with) drums beating, with fifes and drums; *fig. das klingt gut* (*sonderbar*) that sounds good (strange); *das klingt wahr* it rings true; *mir* ~ *die Ohren* my ears are tingling; *fig. haben dir nicht die Ohren geklungen?* didn't your ears burn?; *es klingt mir noch in den Ohren* it still rings in my ears.

Klingklang ['kliŋklaŋ] *m* (-[e]s) jingling, jangle; ding-dong; '**kling, klang!** *int.* ding-dong!

Klinik ['kli:nik] *f* (-; -en) clinic(al hospital), nursing home; private hospital; '**~er** *m* (-s; -) clinician.

'**klinisch** *adj.* clinical.

Klinke ['kliŋkə] *f* (-; -n) (door-) handle, latch; *tech.* pawl, catch; *el.* jack; **2n** *v/i.* (*h.*) press the latch.

'**Klinker** *m* (-s; -) (Dutch) clinker, hard brick; **~boot** *n* clinker boat.

klipp [klip] *adj. pred. and adv.*: ~ *und klar* clear as daylight, quite obvious; frankly; plainly, point-blank, straight from the shoulder.

Klippe ['klipə] *f* (-; -n) cliff; reef;

crag; rock; *fig.* rock, hurdle, stumbling-block; **~nküste** *f* craggy coast; **2nreich** *adj.* full of cliffs, craggy, rocky.
'**Klippfisch** *m* dry cod, klipfish.
'**klippig** *adj.* craggy, rocky.
klipp, klapp! *int.* click-clack!, flip-flap!
klirren ['klirən] *v/i.* (*h.*) *glass*: clink, jingle; *dishes, etc.*: clatter; *chains*: clank; *arms*: clash; *window*: rattle; (*all a.* ~ *mit*).
'**Klirren** *n* (-s) clinking, jingling; clatter(ing); clanking; clash(ing); rattling.
'**Klirrfaktor** *m* distortion factor.
Klischee [kli'ʃe:] *tech. n* (-s; -s) (printing) block, stereo(type plate), cut, (*a. fig.*) cliché; **~abzug** *m* block pull, *Am.* engraver's proof; **~anstalt** *f* engraving establishment; **~vorstellung** *fig. f* stereotyped idea.
kli'schieren *v/t.* (*h.*) stereotype, dab.
Klistier [klis'ti:r] *med. n* (-s; -e) enema, clyster; **2en** *v/t.* apply (*or* give) an enema to; **~spritze** *f* enema, syringe.
Klitoris ['kli:toris] *anat. f* (-; -) clitoris.
klitsch(e)naß ['klitʃ(ə)-] *adj.* drenched, soaked (to the skin).
'**klitschig** *adj. bread*: slack-baked, doughy; sodden.
Klo [klo:] *colloq. n* (-s; -s) W.C., lavatory, loo, *Am.* john.
Kloake [klo'ɑ:kə] *f* (-; -n) sewer, drain, (*a. fig.*) cesspool, sink; *zo.* cloaca.
Klob|en ['klo:bən] *m* (-s; -) log; *hunt.* trap; *tech.* **a**) pulley, block, **b**) vice, *Am.* vise, **c**) pincers *pl.*; *fig.* boor, lout, clumsy fellow; **~ig** *adj.* bulky, massy; clumsy, plump; *fig.* clumsy; boorish, rude, coarse.
klomm ['klɔm] *pret. of klimmen.*
klopfen ['klɔpfən] **I.** *v/i.* (*h.*) knock (*a. mot.*), rap; tap (*an, auf acc.* at, on); *heart*: beat, throb (*vor dat.* with); → *Busch, Finger*; *j-m auf die Schultern* ~ pat a p.'s shoulders, slap a p.'s back; *es klopft* there is a knock at the door; **II.** *v/t.* (*h.*) beat (*carpet, clothes, meat*); break (*stones*); *einen Nagel in die Wand* ~ knock *or* drive a nail into the wall.
'**Klopfen** *n* (-s) knock(ing); rap; tap(ping); *of heart*: throbbing, palpitation; *of pulse*: pulsation; *mot.* knocking.
'**Klopfer** *m* (-s; -) knocker, rapper; beetle, mallet; *tel.* sounder; *radio*: decoherer; *for meat*: bat.
'**Klopf...**: **2fest** *mot. adj.* knock-proof, anti-knock; **~festigkeit** *f* antiknocking properties *pl.*; **~wert** *m* antiknock value, octane rating.
Klöppel ['klœpəl] *m* (-s; -) beetle, mallet; clapper (*of bell*), *el.* bell-striker; (lace-)bobbin; '**~arbeit** *f* bobbin-work; '**~garn** *n* lace-yarn; '**2n** *v/i.* (*h.*) make (bone-)lace; '**~spitzen** *f/pl.* bone-lace *sg.*
Klops [klɔps] *m* (-es; -e) meat ball.
Klosett [klo'zɛt] *n* (-s; -s) (water-)closet (*abbr.* W.C.); → *Abort*; **~becken** *n* closet-bowl, flush(ing) pan; **~bürste** *f* W.C. brush; **~papier** *n* toilet paper.
Kloß [klo:s] *m* (-es; ⸚e) lump, clump; clod; *cul.* dumpling, meat ball, rissole; *fig. einen* ~ *im Hals haben* have a lump in one's throat; '**~brühe** *f*: *colloq. klar wie* ~ (as) clear as mud, plain as the nose in your face.
Klößchen ['klø:sçən] *n* (-s; -) small dumpling; → *Kloß.*
Kloster ['klo:stər] *n* (-s; ⸚) cloister; monastery; convent, nunnery; *ins* ~ *gehen* enter a monastery *or* convent, turn monk, take the veil; *ins* ~ *stecken* shut up in a monastery *or* convent; '**~bruder** *m* friar, monk; '**~frau** *f* nun; '**~gelübde** *n* monastic vow.
klösterlich ['klø:stərliç] *adj.* conventual; monastic; *fig.* cloistered, secluded.
'**Kloster...**: **~regel** *f* monastic rule; **~schule** *f* monastic (*for nuns*: convent) school; **~zucht** *f* monastic discipline.
Klotz [klɔts] *m* (-es; ⸚e) block, log; stump; *fig.* boor, lout; clumsy fellow, blockhead; *a* ~ *am Bein* handicap (*dat.* to), drag (on); *auf einen groben* ~ *gehört ein grober Keil!* tit for tat!, pay him back in his own coin!; '**2ig I.** *adj.* bulky, massy, heavy, clumsy; *colloq.* mighty, enormous; **II.** *adv.*: *colloq.* ~ *viel* an awful lot (of); *er hat* ~ *viel Geld* he is lousy with money.
Klub [klup] *m* (-s; -s) club; '**~haus**, '**~lokal** *n* clubhouse; '**~hütte** *f* Alpine Club chalet; '**~jacke** *f* blazer; '**~kamerad** *m* fellow club-member; '**~sessel** *m* leather arm-chair, club chair.
Kluft[1] [kluft] *f* (-; ⸚e) gap (*a. fig.*), crevice, fissure, crack; cleft; ravine, gorge; chasm, gulf, abyss (*all a. fig.*); *fig.* rift.
Kluft[2] *colloq. f* (-; -en) dress, outfit, togs *pl.*
klug [klu:k] *adj.* clever, intelligent; wise; sensible, judicious; prudent; clear-sighted; bright, alert; able; gifted, talented; ingenuous; shrewd, sagacious, keen; discerning; smart, clever; cunning, astute; *so* ~ *wie zuvor* none the wiser (for it); ~ *werden* grow wise; *er wird nie* ~ *werden* he will never learn; *ich kann nicht daraus* ~ *werden* I cannot make head or tail of it; *aus ihm werde ich nicht* ~ I cannot make him out; → *Schaden*; *der Klügere gibt nach* the wiser head gives in; *es wäre das klügste, zu inf.* it would be best to *inf.*
Klügelei [kly:gə'laɪ] *f* (-; -en) sophistry.
'**klügeln** *v/i.* (*h.*) subtilize.
Klugheit [klu:khaɪt] *f* (-) cleverness, intelligence, brains *pl.*; good sense, wisdom; prudence; ingenuousness; shrewdness, sagacity; smartness, cunning; astuteness; good policy.
klüglich ['kly:kliç] *adv.* wisely, prudently.
'**klug...**: **~reden**, **~schnacken** *v/i.* (*h.*) be overwise, *Am. sl.* wise-crack; **2scheißer**, **2schnacker**, **2tuer** *m* (-s; -), **2tuerin** *f* (-; -nen) wiseacre, smart aleck, know-all, *Am. a.* wise guy.
Klumpen ['klumpən] *m* (-s; -) lump; ~ *Blut* clot of blood; ~ *Erde* clod of earth; ~ *Gold* nugget (of gold); heap, bulk; cluster; *in* ~ *hauen* smash up.
'**Klump-fuß** *m* clubfoot.
'**klumpig** *adj.* lumpy; cloddy; clotted.
Klüngel ['klyŋəl] *m* (-s; -) clique, coterie.
Klunker ['kluŋkər] *f* (-; -n) *and m* (-s; -) tassel, bob; *w.s.* appendage.
Kluppe ['klupə] *tech. f* (-; -n) *on lathe*: die-stock, *Am.* screwplate; slide cal(l)iper.
Klüse ['kly:zə] *mar. f* (-; -n) hawse.
Klüver ['kly:vər] *mar. m* (-s; -) jib; **~baum** *m* jibboom.
knabbern ['knabərn] *v/i. and v/t.* (*h.*) gnaw, nibble (*an dat.* at).
Knabe ['knɑ:bə] *m* (-n; -n) boy, lad; youngster; *colloq. alter* ~ old chap; '**~nalter** *n* boyhood; *im* ~ when a boy; '**~nbekleidung** *f* boys' (*Am. a.* junior's) wear; '**~nchor** *m* boys' choir; '**2nhaft** *adj.* boyish; '**~nkraut** *bot. n* orchis; '**~nliebe** *f* p(a)ederasty; '**~nschule** *f* boys' school; '**~nstreich** *m* boyish prank.
knack! [knak] *int.* crack!, snap!, click!
Knäckebrot ['knɛkə-] *n* (-[e]s) crispbread.
knacken ['knakən] **I.** *v/i.* (*h.*) crack; *fire*: crackle; *metal*: click; **II.** *v/t.* (*h.*) crack (open) (*nuts, safe, etc.*); *mil.* bust (*tank*); → *Nuß.*
'**Knacken** *n* (-s) crack(ing); crackling; click.
'**Knacker** *m* (-s; -) cracker; *fig. alter* ~ old fogey, doddering old fool.
'**Knack...**: **~laut** *gr. m* glottal stop; **~mandel** *f* crack-almond.
knacks! [knaks] *int.* → *knack!*
Knacks *m* (-es; -e) crack; *colloq. fig.* defect; *e-n* ~ *kriegen* crack up; *er hat e-n* ~ *weg* **a**) his health is shaken, **b**) he's badly hit, his nerves are all shot.
'**Knackwurst** *f* saveloy.
Knagge ['knagə] *f* (-; -n) *tech.* cam; *mot.* tappet.
Knall [knal] *m* (-[e]s; -e) clap; *of whip*: crack; *of gun*: (sharp) report; *of door, etc.*: bang; thud; detonation, explosion; *fig.* ~ *und Fall* (all) of a sudden, on the spot, without warning (*or* notice); *colloq. du hast wohl 'nen* ~ you must be crazy!, are you nuts?; '**~bonbon** *n* cracker; '**~büchse** *f* pop-gun; '**~dämpfer** *m* silencer, muffler; '**~effekt** *fig. m* stage effect, coup de théatre (*Fr.*); sensation; '**2en I.** *v/i.* (*h.*) clap, crack, pop; detonate, explode; bang; *mit dem Gewehr* ~ fire, shoot off one's gun; *mit der Peitsche* ~ crack one's whip; *e-n Pfropfen* ~ *lassen* let off a cork; *es knallte zweimal* there were two loud reports, two shots rang out; **II.** *v/t.* (*h.*) slam, crash; *soccer*: *den Ball ins Tor* ~ crash the ball home; *colloq. j-m e-e* ~ paste a p. one; '**~erbse** *f* (toy-)torpedo; '**~frosch** *m* jumping cracker; '**~gas** *n* oxyhydrogen (gas), detonating gas; '**~gasgebläse** *n* oxyhydrogen blowpipe; '**~gold** *n* fulminating gold; '**2ig** *colloq. adj.* gaudy, glaring, flashy; '**~körper** *m*

detonator; banger; '**~quecksilber** *n* fulminating mercury, mercuric fulminate; '**2rot** *adj.* glaring red; '**~satz** *m* detonating composition; '**~säure** *f* fulminic acid; '**~silber** *n* fulminating silver.

knapp [knap] **I.** *adj.* tight, close-fitting (*clothes*); concise, terse (*style*); brief; scant(y), scarce (*usu. pred.*), tight; spare, meag|re, *Am.* -er, barely sufficient; stringent; limited; ~ (*an Geld, bei Kasse*) short (of money *or* cash), hard up; ~*e fünf Jahre* a scant five years; e-e ~*e Meile* a bare mile; ~*e Mehrheit* bare majority; ~*e Waren* critical items; ~ *sein* be in short supply; ~ *werden* fall into short supply, run short; *sein* ~*es Auskommen haben* make a bare living; *mit* ~*er Not* barely, just; *mit* ~*er Not ent- or davonkommen* have a narrow escape; *colloq. und nicht zu* ~! and how!; **II.** *adv.* barely, just; just under, a little less than; ~ *bemessen* give short measure; ~ *berechnen* cut it fine; ~ *gewinnen* (*verlieren*) win (lose) by a narrow margin; *meine Zeit ist* ~ *bemessen* my time is limited.

Knappe ['knapə] *m* (-; -*n*) *hist.* page; shield-bearer, squire; miner.

'**knapphalten** *v/t.* (*irr., h.*): *j-n* ~ keep a p. short, stint a p.

'**Knappheit** *f* (-) tightness; scantiness; conciseness, terseness; scarcity, deficiency; shortage; stringency.

'**Knappschaft** *f* (-; -*en*) body (*or* society) of miners; **~skasse** *f* miners' provident fund; **~sverband** *m* miners' union.

Knarre ['knarə] *f* (-; -*n*) rattle; *tech.* ratchet; *colloq.* gun.

'**knarren** *v/i.* (*h.*) creak, grate; squeak; groan; ~*de Stimme* grating (*or* rasping) voice.

Knast [knast] *m* **1.** (-[e]s; -e) knot (*in wood*); **2.** (-[e]s) *colloq.* clink, jug; ~ *schieben* do time.

'**Knaster** *m* (-s; -) canaster; (bad *or* ill-smelling) tobacco; **~(bart)** *m* (old) grumbler.

knattern ['knatərn] *v/i.* (*h.*) crackle, rattle.

Knattern *n* (-s) crackling, crackle, rattling; rattle (*of gun-fire*).

Knäuel ['knɔʏəl] *m* (-s; -) *and n* ball, clue; skein, hank; coil; *fig.* tangle, snarl; cluster, throng; *zu e-m* ~ *wickeln* wind into a ball.

Knauf [knauf] *m* (-[e]s; ⸚e) knob, stud; pommel; *arch.* capital.

Knauser ['knauzər] *m* (-s; -), **~in** *f* (-; -*nen*) niggard, miser.

Knauserei [-'raɪ] *f* (-; -*en*) stinginess, meanness.

'**knauser|ig** *adj.* stingy, miserly; **~n** *v/i.* (*h.*) stint, be stingy *or* mean.

knautschen ['knautʃən] *colloq. v/t.* (*h.*) crumple, crease.

Knebel ['kne:bəl] *m* (-s; -) *tech.* crossbar; toggle; gag; '**~bart** *m* (twisted) moustache; '**2n** *v/t.* (*h.*): *j-n* ~ gag a p.; *fig. die Presse* ~ muzzle the press; '**~verband** *m* tourniquet.

Knecht [knɛçt] *m* (-[e]s; -e) farm-labo(u)rer *or* -hand; plough-boy; servant; boots; stableman; slave; serf, bondsman; *tech.* trestle, jack; '**2en** *v/t.* (*h.*) make a slave of, enslave; tyrannize, oppress, trample under foot; subjugate; '**2isch** *adj.* slavish, servile, submissive; '**~schaft** *f* (-) slavery, servitude, bondage; serfdom; '**~ung** *f* (-; -*en*) enslavement; oppression; subjugation.

kneifen ['knaɪfən] **I.** *v/t.* (*irr., h.*) pinch, nip, gripe; **II.** *v/i.* (*irr., h.*) *colloq.* back (*or* wriggle, chicken) out, funk it; ~ *vor* dodge *a th.*

'**Kneifer** *m* (-s; -) pince-nez (*Fr.*).

'**Kneifzange** *f* (e-e ~ a pair of) pincers *or* nippers *or* pliers *pl.*; tweezers *pl.*

Kneipe ['knaɪpə] *f* (-; -*n*) public house, pub, tavern, *Am.* saloon; *univ.* **a**) beer party, **b**) students' club; '**2n** *v/i.* (*h.*) drink (beer), carouse, tipple, booze; gripe; '**~n** *n* (-s), (**Kneipe'rei** *f*) drinking, tippling, boozing; carousal, drinking-bout.

kneipp|en ['knaɪpən] *v/i.* (*h.*) take a Kneipp('s) cure; **2kur** *f* Kneipp('s) cure, hydropathic treatment.

knet|bar ['kne:tbɑ:r] *adj.* kneadable, plastic; '**~en** *v/t.* (*h.*) knead (*dough, etc.*); mo(u)ld (*wax*); *med.* massage, knead; '**2maschine** *f* kneading machine; '**2masse** *f* plasticine.

Knick [knik] *m* (-[e]s; -e) crack; flaw, bruise; *in paper*: fold, bend, dog's-ear; *in wire, etc.*: kink; *in metal*: buckle; angle (*a. arch.*); *road*: sharp bend; quickset hedge; **2beinig** *adj.* knock-kneed; '**2en** **I.** *v/i.* (*sn*) crack; break; burst, split; *knee, metal*: give way; **II.** *v/t.* (*h.*) crack, break; burst, split; snap (off) (*twig*); fold (*paper*); *fig.* → *geknickt.*

'**Knicker** *m* (-s; -) (*etc.*) → *Knauser* (*etc.*).

Knickerbocker ['nikərbɔkər] *pl.* knickerbockers, plus-fours *pl.*

'**Knick...**: **~festigkeit** *tech. f* bending strength, *metal.* buckling strength; **~flügel** *aer. m* gull wing; **~fuß** *med. m* pes valgus.

Knicks [kniks] *m* (-es; -e) curtsy, bob; *eccl.* genuflection; *e-n* ~ *machen* → '**knicksen** *v/i.* (*h.*) drop a curtsy, curtsy (*vor dat.* to).

Knie [kni:] *n* (-s; - ['kni:ə]) knee; bend (*of road, etc.*); *tech.* elbow, knee (*of pipe*); joint; angle; crank; *mil.* salient; *auf den* ~*n bitten* beseech, (*a. iro.*) beg *a p.* on one's bended knees; *auf den* ~*n liegen* be on one's knees; *auf die* ~ *fallen* fall on (*or* drop to) one's knees; *j-n auf die* ~ *zwingen* force a p. to his (*f* her) knees; *übers* ~ *legen* give a (sound) spanking; *fig. et. übers* ~ *brechen* hurry a th. through, rush a th.; *wir dürfen die Sache nicht übers* ~ *brechen* we must not be rash.

'**Knie...**: **~aufschwung** *m gym.* knee mount; **~band** *anat. n* knee-joint ligament; **~beuge** *f* **1.** *gym.* knee-bend; **2.** → *Kniekehle*; **2en** *v/i.* → *knien*; **~fall** *m* genuflection, prostration; **2fällig** *adv.* (up)on one's bended knees; ~ *bitten* supplicate; **2frei** *adj.* above-the-knee; **~gelenk** *anat. n* knee-joint; **~hebel** *tech. m* toggle lever; **2hoch** *adj.* up to the knees, knee-deep; **~holz** *n mar.* knee-timber; *bot.* knee pine; **~hose(n** *pl.*) *f* (e-e ~ a pair of) breeches; knickerbockers, plus-fours; shorts; **~kehle** *anat. f* hollow of the knee.

knien [kni:n] *v/i.* (*h.*) kneel, be on one's knees; kneel down, go (down) on one's knees; *eccl.* genuflect; *mil.* ~*der Anschlag* knealing position.

'**Knie...**: **~rohr** *tech. n* elbow(-pipe); **~scheibe** *anat. f* knee-cap, patella; **~scheibenreflex** *med. m* knee-jerk, patellar reflex; **~schützer** *m* knee pad (*or* guard); **~strumpf** *m* knee-length stocking (*or for men*: sock); **~stück** *tech. n* elbow, knee; *phot., paint.* three-quarter length portrait; **2tief** *adj.* knee-deep; **2weich** *adj.* weak-kneed (*a. fig.*); **~welle** *f gym.* knee circle.

kniff [knif] *pret. of kneifen.*

'**Kniff** *m* (-[e]s; -e) pinch; fold, crease; dent (*in hat*); *fig.* trick, knack, short-cut; trick, dodge, artifice, ruse; *den* ~ *heraushaben* have the knack of it; '**2(e)lig** *adj.* tricky; puzzling, intricate; '**2en** *v/t.* (*h.*) fold (down), crease.

Knigge ['knigə] *m*: *er hat* ~ *nie gelesen* he has never read Emily Post.

knipsen ['knipsən] **I.** *v/i.* (*h.*): *mit den Fingern* ~ snap one's fingers; *with scissors*: snip; **II.** *v/t.* (*h.*) clip, punch (*ticket*); flick, flip (*switch*); *colloq. phot.* snap, take a snapshot of.

'**Knipszange** *f* (ticket-)punch.

Knirps [knirps] *m* (-es; -e) little man *or* fellow; whipper-snapper, hop-o'-my-thumb; pygmy, midget; urchin.

knirschen ['knirʃən] *v/i.* (*h.*) creak, grate; crunch, grind; *mit den Zähnen* ~ gnash (*or* grind) one's teeth.

knistern ['knistərn] *v/i.* (*h.*) crackle; rustle; crepitate.

Knitter ['knitər] *m* (-s; -) crease; **2frei** *adj.* non-creasing, wrinkle-resistant; **2n** *v/i.* (*h.*) crumple, crease.

Knobel|becher ['kno:bəl-] *m* dice-box; *colloq. mil.* ammos *pl.*; **2n** *v/i.* (*h.*) throw dice, toss (*um* for); *fig.* puzzle (*an dat.* over).

Knoblauch ['kno:p-] *m* (-[e]s) garlic; **~zehe** *f* clove of garlic.

Knöchel ['knœçəl] *anat. m* (-s; -) knuckle; ankle; *bis an die* ~ ankle-deep; '**~bandagen** *f/pl.* ankle bands *or* straps; '**~gelenk** *n* ankle joint; '**~zerrung** *med. f* turned ankle.

Knochen ['knɔxən] *m* (-s; -) bone; *naß bis auf die* ~ wet to the skin; *j-m in die* ~ *fahren* shake a p. to the core; *colloq.* (*person*) bloke, *Am.* guy; '**~asche** *f* bone-ash; '**~bau** *m* (-[e]s) bone structure; '**2bildend** *adj.* bone-forming; '**~bruch** *med. m* fracture (of a bone); '**~fett** *n* bone grease; '**~fraß** *med. m* (-es) caries; **~fuge** *f* synarthrosis; '**~gerüst** *n* skeleton; '**~gewebe** *n* bony tissue; '**~haut** *f* periosteum; '**~hautentzündung** *f* periostitis; '**~lehre** *f* osteology; '**~leim** *m* bone glue; '**~mark** *n* marrow; '**~marksentzündung** *f* osteomyelitis; '**~mehl** *n*

bone-dust; '**~naht** *med.* *f* bone suture; '**~öl** *n* bone oil; '**~säge** *med.* *f* bone saw; '**~splitter** *m* bone fragment; '**~tuberkulose** *f* tuberculosis of the bone.
knöchern ['knœçərn] *adj.* (made) of bone, bony, osseus.
knochig ['knɔxiç] *adj.* bony, osseous.
Knockout [nɔk'aut] *m* (-[s]; -s) (K.o.) *and* 2 *adj.* (k.o.) *boxing*: (*technischer* ~ technical) knock-out; *k.o. schlagen* knock out; *stehend k.o.* out on one's feet.
Knödel ['knø:dəl] *m* (-s; -) dumpling.
Knolle ['knɔlə] *bot.* *f* (-; -*n*) tuber, bulb.
'**Knollen** *m* (-s; -) lump, clod, knob; → *Knolle*; **~blätterpilz** *m* amanita; *grüner* ~ death-cup; **~frucht** *f* tuberous root; **~gewächs** *bot.* *n* tuberous (*or* bulbous) plant; **~nase** *f* bulbous nose; **~wurzel** *f* tuberous root; **~zwiebel** *f* corm.
'**knollig** *adj.* lumpy, cloddy, knobby; *bot.* bulbous, tuberous.
Knopf [knɔpf] *m* (-[e]s; ⁼e) button; stud, sleeve-link; pommel; → *Druck*2; *bot.* bud; *colloq. fig.* chap, *Am.* guy; *alter* ~ old fogey; → *Knirps*; *auf den* ~ *drücken* press the button.
Knöpfchen ['knœpfçən] *n* (-s; -) [small button.]
knöpfen ['knœpfən] *v/t.* (*h.*) button.
'**Knopf...**: **~fabrik** *f* button-factory; **~loch** *n* buttonhole; *im Knopfloch* in one's lapel; **~steuerung** *tech.* *f* push-button control.
'**Knöpf|schuhe, ~stiefel** *m/pl.* buttoned boots *or* shoes.
Knorpel ['knɔrpəl] *m* (-s; -) cartilage; gristle; '**2artig**, '**2ig** *adj.* cartilaginous, gristly; '**~haut** *f* perichondrium.
Knorr|en ['knɔrən] *m* (-s; -) knot, knag, gnarl, knob; snag; (knotty) excrescence; protuberance; '**2ig** *adj.* gnarled, knobby, knotty; *fig.* coarse, rough.
Knospe ['knɔspə] *bot.* *f* (-; -*n*) bud; flowerbud; leaf-bud; eye; *fig.* tender shoot; ~*n treiben* → '**2n** *v/i.* (*h.*) bud, *w.s.* sprout, shoot; *fig.* bud, rise; '**~nbildung** *f* gemmation.
Knote(n[1]**)** ['kno:tə(n)] *colloq.* *m* (-[s]; -*n*) boor, lout, *Am.* roughneck.
'**Knoten**[2] *m* (-s; -) knot (*a. in hair*); *mar.* **a)** hitch, **b)** (*speed*) knot; *bot.* joint, *a. phys.*, *ast.* node; *med.* tubercle, node; burl (*in cloth, wool*); knag, *Am. a.* burl (*in wood*); *fig.* rub, hitch, catch; *of drama, etc.*: plot, intrigue; *e-n* ~ *binden* (*lösen*) tie (undo) a knot; *thea. Lösung des* ~*s* unravelling of the plot, denouement (*Fr.*) → *schürzen*; 2 *v/t. and v/i.* knot, tie in knots, make knots (in *a rope, etc.*); '**~punkt** *m math.* point of junction; *phys.* nodal point; *rail.* junction; '**~stock** *m* knotty stick.
Knöterich ['knø:təriç] *bot.* *m* (-[e]s; -e) knotgrass.
knotig ['kno:tiç] *adj.* → *knorrig*; *med.* tubercular; *bot.* nodulated; *fig.* boorish, rude, rough.
Knuff [knuf] *m* (-[e]s; ⁼e), '**2en** *v/t.* (*h.*) cuff, thump; nudge.
Knülch [knylç] *colloq.* *m* (-s; -e) bird, pill, *Am.* guy.
knüllen ['knylən] *v/t.* (*h.*) crumple; crease.
Knüller *colloq.* *m* (-s; -) scoop; hit.
Knüpf-arbeit ['knypf-] *f* knotwork.
knüpfen ['knypfən] *v/t.* (*h.*) tie; knot; braid; weave; attach, fasten (*acc.* to); join, unite, knit (together); *fig. ein Bündnis* (*e-e Freundschaft*) ~ form an alliance (friendship); *die Bande der Freundschaft enger* ~ tighten the bonds of friendship; ~ *an* (*acc.*) connect (*or* tie up) with, make subject to; *Bedingungen* ~ *an* attach conditions to; *sich* ~ *an* be connected (*or* tied up) with.
Knüppel ['knypəl] *m* (-s; -) cudgel, club; *of police*: truncheon, *Am.* club; stick, log; *aer.* control stick; *metall.* billet; *colloq.* French roll; *Politik des großen* ~*s* big stick policy; *j-m e-n* ~ *zwischen die Beine werfen* put a spoke in a p.'s wheels; '**~damm** *m* log bridge, *Am.* corduroy road; '**2dick** *colloq. adv.*: *er hat es* ~ (*satt*) he is sick and tired of it; *es kommt immer gleich* ~ it never rains but it pours; '**~schaltung** *mot.* *f* floorshift.
knurren ['knurən] *v/i. and v/t.* (*h.*) growl, snarl; *fig. a.* grunt; grumble (*all über acc.* at); *stomach*: rumble.
'**Knurren** *n* (-s) growl(ing), snarl (-ing); grumbling; rumbling (noise).
'**knurrig** *adj.* growling, snarling; grumbling.
knuspern ['knuspərn] *v/t.* (*h.*) nibble.
'**knusp(e)rig** *adj.* crisp, crackling, crunchy; *colloq.* appetizing (*girl*).
Knust [knu:st] *m* (-es; -e) → *Ranft.*
Knute ['knu:tə] *f* (-; -*n*) knout; '**2n** *v/t.* (*h.*) (lash with a) knout.
knutschen ['knu:tʃən] *colloq.* *v/t.* (*h.*) hug, cuddle; neck, pet.
Knüttel ['knytəl] *m* (-s; -) cudgel, club, stick; **~reim, ~vers** *m* doggerel.
K.o. [kɑ:'o:], **k.o.** → *Knockout*; ~*-System sports*: knock-out system.
koagulieren [koagu'li:rən] *v/i.* (*h.*) coagulate.
Koalition [koalitsi'o:n] *pol.* *f* (-; -*en*) coalition; **~srecht** *n* freedom of association; **~sregierung** *f* coalition government.
Kobalt ['ko:balt] *n* (-[e]s) cobalt; '**~blau** *n* (-s) cobalt blue, *chem.* smalt; '**~bombe** *mil.* *f* cobalt bomb; '**~glanz** *m* cobaltite.
Koben ['ko:bən] *m* (-s; -) (pig)sty.
Kobold ['ko:bɔlt] *m* (-[e]s; -e) imp, (hob)goblin, sprite; gremlin.
Kobolz [ko'bɔlts] *m*: ~ *schießen* turn a somersault.
Koch [kɔx] *m* (-[e]s; ⁼e) (man) cook; chef; *viele Köche verderben den Brei* too many cooks spoil the broth.
'**Koch...**: **~apfel** *m* cooking apple; **2beständig** *adj.* fast to boiling; **~buch** *n* cookery-book, *Am.* cookbook; **2en I.** *v/i.* (*h.*) *meal*: be cooking, *gently*: simmer, *strongly*: wallop, *liquid*: boil, be boiling; seethe; bubble up; *person*: cook, do the cooking; *sie kocht gut* she is a good cook; *fig. town, etc.* be sweltering; *er kocht vor Wut* he is boiling (*or* seething) with rage; **II.** *v/t.* (*h.*) cook, boil; make (*tea, etc.*); stew (*fruit*); ~*d heiß* boiling (*or* piping) hot, scalding; '**Kochen** *n* (-s) cooking, cookery; boiling; *zum* ~ *bringen* bring to the boil (-ing-point).
'**Kocher** *m* (-s; -) cooker.
Köcher ['kœçər] *m* (-s; -) quiver.
'**Koch...**: **2fertig** *adj.* ready to cook; instant *food*; **2fest** *adj.* fast to boiling; **~fett** *n* shortening; **~gefäß** *n* cooking vessel; **~gelegenheit** *f* cooking convenience; **~gerät, ~geschirr** *n* cooking- (*or* kitchen-) utensils *or* things *pl.*; *mil.* mess-tin (*Am.* kit); **~herd** *m* (kitchen-)range, cooking-stove, *Am.* cookstove; *elektrischer* ~ electric cooker (*Am.* range).
Köchin ['kœçin] *f* (-; -*nen*) (female) cook.
'**Koch...**: **~kessel** *m* kettle; **~kiste** *f* haybox; **~kunst** *f* culinary art; **~löffel** *m* (wooden) spoon; **~nische** *f* kitchenette; **~platte** *f* hot-plate, *Am. a.* cooktop; **~salz** *n* kitchen (*or* common) salt; **~salzlösung** *f* sodium chloride solution; **~schule** *f* cookery school; **~topf** *m* (cooking) pot, *w.s.* saucepan.
Kode ['ko:də] *m* (-s; -s) code.
Köder ['kø:dər] *m* (-s; -), **2n** *v/t.* (*h.*) bait (*a. fig.*).
Kodex ['ko:dɛks] *m* (-es; -e) old manuscript; *jur.* code.
kodifizier|en [kodifi'tsi:rən] *v/t.* (*h.*) codify; **2ung** *f* (-; -*en*) codification.
Kodizill [kodi'tsil] *jur.* *n* (-s; -e) codicil.
Ko-edukation [koedukatsi'o:n] *f* (-) co-education.
Ko-effizient [koɛfitsi'ɛnt] *m* (-en; -en) coefficient.
Ko-exi'stenz *f esp. pol.* coexistence; **ko-exi'stieren** *v/i.* (*h.*) coexist.
Koffein [kɔfe'i:n] *n* (-s) caffeine; **2frei** *adj.* decaffeinated.
Koffer ['kɔfər] *m* (-s; -) case; suitcase; *Brit. a.* portmanteau, *Am. a.* grip; trunk; *colloq. mil.* heavy bomb *or* shell; *seine* ~ *packen* pack (up) one's things; '**~apparat** *m* portable set; '**~fernseher** *m* portable television receiver; '**~gerät** *n* → *Kofferapparat*; '**~grammophon** *n* portable gramophone (*Am.* phonograph); '**~radio** *n* portable radio set; '**~raum** *mot.* *m* (luggage-)boot, trunk compartment, *Am.* baggage compartment (*or* locker); luggage space; '**~schließfach** *n* (automatic) luggage locker, *Am:* self-service baggage locker.
Kognak ['kɔnjak] *m* (-s; -s) (French) brandy, cognac; '**~bohne** *f* brandyball; '**~schwenker** *m* (-s; -) brandy balloon, *Am.* (brandy) snifter.
Kohärenz [kohɛ'rɛnts] *phys.* *f* (-) coherence.
Kohäsion [kohɛzi'o:n] *phys.* *f* (-) cohesion; **~skraft** *f* (-), **~svermögen** *n* (-s) cohesive force, cohesiveness.
Kohl [ko:l] *m* (-[e]s; -e) cabbage; *colloq.* bosh, rubbish, rot, *Am. sl.* hooey; *fig. aufgewärmter* ~ raked-up story; *das macht den* ~ *nicht*

fett that won't help much; '**~blatt** *n* cabbage-leaf; '**~dampf** *colloq. m* (-[e]s) ravenous hunger, missmeal cramps; ~ *schieben* be (*or* go) hungry, be starving.

Kohle ['ko:lə] *f* (-; *-n*) coal; *chem., el.* carbon; *fette (minderwertige)* ~ fat (poor) coal; *ausgeglühte* ~*n* cinders; *glimmende* ~ ember; *glühende* ~ live coal; *fig. glühende* ~*n auf j-s Haupt sammeln* heap coals of fire upon a p.'s head; (*wie*) *auf glühenden* ~*n sitzen* be on pins and needles, be on tenterhooks; *mar., rail.* ~*n einnehmen, mit* ~*n versorgen* coal; '**2artig** *adj.* coaly, carbonaceous; '**~bürste** *el. f* carbon brush; '**~hydrat** *n* carbohydrate; '**~mikrophon** *n* carbon microphone.

'**kohlen** *v/t. and v/i.* (*h.*) char; carbonize; coal.

'**Kohlen...**: **~abbau** *m* coal mining; working of a field *or* mine; **~arbeiter** *m* coal miner, collier; **2artig** *adj.* coaly; carbon-like; **~aufbereitung** *f* coal-dressing; **~becken** *n* coalpan, brazier; *mining*: coal-field; **~behälter** *m* coal-bin; **2beheizt** *adj.* coal-fired; **~bergbau** *m* coal-mining (industry); **~bergwerk** *n* coal-mine, colliery; **~bezirk** *m* coal-district; **~blende** *min. f* anthracite; **~brenner** *m* charcoal burner; **~bunker** *mar. m* (coal-)bunker; **~'dioxyd** *n* carbon dioxide; **~eimer** *m* coal-scuttle; **~fadenlampe** *el. f* carbon filament lamp; **~feuerung** *f tech.* coal-firing; *tech.* combustion of coal; **~filter** *m* charcoal filter; **~flöz** *n* coal seam; **~förderung** *f* output (*or* extraction) of coal; **~gas** *n* coal gas; **~gebiet** *n* coal-field; **~grieß, ~grus** *m* coal slack; **~grube** *f* coal pit; **~halde** *f* coal dump; **~händler** *m* coal merchant; **~handlung** *f* coal-merchant's business; **~hauer** *m* face man; **~kasten** *m* coal-box *or* -scuttle; **~lager** *n econ.* coal-depot *or* -stores *pl.*; *geol.* coal bed *or* seam; **~meiler** *m* charcoal pile; **~oxyd** *n* carbon monoxide; **~revier** *n* coal-district; **2sauer** *adj.* carbonic; ~*es Salz* carbonate; ~*es Kali* potassium carbonate; ~*es Wasser* carbonic water; **~säure** *f* (-) carbonic acid; carbon dioxide; **2säurehaltig** *adj.* carbonated; **~schaufel, ~schippe** *f* coal-shovel; **~schicht** *f* coal-bed; **~schiff** *n* collier, coalbarge; **~staub(feuerung** *f*) *m* coal dust (firing); **~stickstoff** *m* cyanogen; **~stoff** *chem. m* (-[e]s) carbon; **~stoffstahl** *m* carbon steel; **~wagen** *m* coal wag(g)on *or* truck; *rail.* tender; **~wasserstoff(gas** *n*) *m* hydrocarbon; **~werkstoffindustrie** *f* high-grade coal derivations industry; **~zeche** *f* coal-pit, colliery.

'**Kohlepapier** *n* carbon paper.

Köhler ['kø:lər] *m* (-s; -) charcoal-burner.

Köhle'rei *f* (-; *-en*) charcoal works *pl.*

'**Köhlerglaube** *m* simple faith.

'**Kohle...**: **~stift** *m paint.* charcoal pencil; *el.* carbon; **~zeichnung** *f* charcoal drawing.

'**Kohl...**: **~kopf** *m* (head of) cabbage; *colloq.* blockhead, duffer; **~meise** *orn. f* great titmouse; **2(raben)schwarz** *adj.* coal- (*or* jet-)black; **~rabi** [-'rɑ:bi] *bot. m* (-[s]; -[s]) kohlrabi; **~rübe** *f* Swedish turnip, swede, *Am. a.* rutabaga; **~weißling** ['-vaɪslɪŋ] *m* (-s; -e) cabbage butterfly.

Kohorte [ko'hɔrtə] *hist. f* (-; *-n*) cohort.

koitieren [koi'ti:rən] *v/i.* (*h.*) have (sexual) intercourse.

Koitus ['ko:itus] *m* (-; -) coition, coitus.

Koje ['ko:jə] *mar. f* (-; *-n*) bunk, berth.

Kokain [koka'ˀi:n] *n* (-s) cocaine; **~schnupfer** *m* snowbird.

Kokarde [ko'kardə] *f* (-; *-n*) cockade.

Kokerei [ko:kə'raɪ] *tech. f* (-; *-en*) coking plant.

kokett [ko'kɛt] *adj.* coquettish; **2e** *f* (-; *-n*) coquette, flirt.

Koketterie [-tə'ri:] *f* (-; *-n*) coquetry.

kokettieren [-'ti:rən] *v/i.* (*h.*) coquet, flirt (*mit* with; *a. fig.*).

Kokille [ko'kilə] *tech. f* (-; *-n*) die, (ingot) mo(u)ld; **~nguß** *m* gravity die-casting.

Kokken ['kɔkən] *biol. f/pl.* cocci.

Kokon [ko'kɔŋ] *m* (-s; -s) cocoon.

Kokos|baum ['ko:kɔs-] *m* coconut tree, coco (palm); '**~faser** *f* coco fib|re, *Am.* -er, coir; '**~fett** (-[e]s), '**~öl** *n* (-[e]s) coco(a)-nut oil; '**~läufer** *m* (strip of) coconut matting; '**~nuß** *f* coconut; '**~palme** *f* → *Kokosbaum.*

Koks [ko:ks] *m* (-es; -e) coke; *sl.* (*cocaine*) coke, snow; **~ofen** *m* coke-oven.

Kölbchen ['kœlpçən] *n* (-s; -) little flask.

Kolben ['kɔlbən] *m* (-s; -) club, mace; *of rifle*: butt(-end); bulb, demijohn; *chem.* flask, alembic; *bot.* spike, spadix; cob; *tech.* piston; soldering iron; '**~antrieb** *m* piston drive; '**~druck** *m* piston pressure; '**~fressen** *n* seizing of pistons; '**2gesteuert** *adj.* piston-controlled; '**~hals** *m of bottle*: neck; *of rifle*: small of the stock; '**~hub** *m* piston stroke; '**~kopf** *m* piston head; '**~lager** *n* piston bearing; '**~motor** *m* piston engine, reciprocator; *mit* ~ piston-engined; '**~ring** *m* piston ring; '**~schlag,** '**~stoß** *mil. m* butt stroke; '**~stange** *f* piston-rod; '**~verdichter** *m* reciprocating compressor.

Kolchose [kɔl'ço:zə] *f* (-; *-n*) kolkhoze, collective farm.

Kolibri ['ko:libri] *m* (-s; -s) humming-bird.

Kolik ['ko:lik] *med. f* (-; *-en*) colic, gripes *pl.*

Kolk-rabe ['kɔlk-] *m* (common) raven.

Kollaborateur [kɔlabora'tø:r] *pol. m* (-s; -e) collaborator.

Kollaps [kɔ'laps] *m* (-es; -e) (*a. e-n* ~ *erleiden*) collapse.

kollateral [kɔlate'rɑ:l] *adj.* collateral.

kollationieren [kɔlatsio'ni:rən] *v/t.* (*h.*) collate, compare; check (off).

Kolleg [kɔ'le:k] *n* (-s; -s) course of lectures; *ein* ~ *belegen* enter one's name for a course of lectures; *ein* ~ *halten* (give a) lecture (*über acc.* on); **~e** [-le:gə] *m* (-n; *-n*) colleague; fellow teacher; fellow-waiter; *colloq.* chum, pal, mate; opposite number; **~gelder** *n/pl.* lecture-fees; **~heft** *n* (student's) notebook; lecture-notes *pl.*

kollegial [-legi'ɑ:l] *adj.* as (*or* like) a (good) colleague; loyal, helpful; **2gericht** *jur. n* court composed of several judges.

Kollegiali'tät *f* (-) fellowship between (*or* loyalty to one's) colleagues.

Kol'legin [-gin] *f* (-; *-nen*) (lady) colleague; *w.s.* friend, pal.

Kollegium [kɔ'le:gium] *n* (-s; *-ien*) council, board, committee, assembly; *ped.* teaching staff, *Am.* faculty.

Kollekte [kɔ'lɛktə] *f* (-; *-n*) collection; collect.

Kollektion [-tsi'o:n] *econ. f* (-; *-en*) collection, range.

kollektiv [-'ti:f] *adj.* collective (*a.* **2** *n* [-s; -e]); joint; ~*e Sicherheit pol.* collective security; **2begriff** *gr. m* collective.

kollekti|vieren [-ti'vi:rən] *v/t.* (*h.*) collectivize; **2vismus** [-'vismus] *m* (-) collectivism.

Kollek'tiv...: **~prokura** *f* joint power of attorney; **~schuld** *pol. f* collective guilt; **~verhandlungen** *f/pl.* collective bargaining; **~versicherung** *f* blanket insurance; **~vertrag** *m* collective agreement; **~wirtschaft** *f* collective economy.

Kollektor [kɔ'lɛktɔr] *el. m* (-s; -'*toren*) commutator; collector.

Koller¹ ['kɔlər] *n* (-s; -) collar; cape.

'**Koller²** *m* (-s; -) *vet.* staggers *pl., w.s.* vertigo, giddiness; *colloq. fig.* rage, frenzy, tantrum(s *pl.*); *den* ~ *bekommen* fly into a rage.

'**Kollergang** *tech. m* edge mill.

'**kollern** *v/i.* (*sn*) roll; *turkey*: gobble; *pigeon*: coo; *stomach*: rumble; *vet.* have the staggers; *fig.* rave, foam, storm.

kollidieren [kɔli'di:rən] *v/i.* (*sn*) collide (*mit* with); *fig. a.* conflict, clash.

Kollier [kɔli'e:] *n* (-s; -s) necklace.

Kollision [kɔlizi'o:n] *f* (-; *-en*) collision; clash(ing), conflict (of laws *jur.*).

Kollo *econ. n* (-s; -s) parcel, packet; bale of goods.

Kollodium [kɔ'lo:dium] *chem. n* (-s) collodion.

kolloid [-lo'i:t] *adj.* colloid(al).

Kolloquium [kɔ'lo:kvium] *n* (-s; *-ien*) colloquy.

kölnisch ['kœlniʃ] *adj.* (of) Cologne; **2**(es) *Wasser* eau-de-Cologne.

Kolon ['ko:lɔn] *gr. and anat. n* (-s; -s) colon.

Kolonel [-'nɛl] *typ. f* (-) minion.

Kolonial|handel [koloni'ɑ:l-] *m* colonial trade; **~minister** *m* colonial minister, *Brit.* Secretary of State for the Colonies, Colonial Secretary; **~politik** *f* colonial policy; **~waren** *f/pl.* colonial goods *or* produce *sg., n.s.* groceries *pl.*; **~warenhändler** *m* grocer; **~warenhandlung** *f* grocer's (shop), *Am.* grocery.

Kolonie [koloˈniː] *f* (-; -*n*) colony.
Kolonisation [-zatsiˈoːn] *f* (-) colonization.
Kolonisator [-niˈzaːtɔr] *m* (-*s*; -ˈ*toren*) colonizer.
kolonisieren [-ˈziːrən] *v/t.* (*h.*) colonize.
Kolonist [-ˈnist] *m* (-*en*; -*en*) colonist, settler.
Kolonnade [kolɔˈnaːdə] *f* (-; -*n*) colonnade.
Kolonne [koˈlɔnə] *f* (-; -*n*) column; *of workmen*: gang, crew; *pol. Fünfte* ~ Fifth Column; **~nsteller** *m typewriter*: tabulator; **≈nweise** *adv.* in columns.
Kolophonium [koloˈfoːnium] *n* (-*s*) colophony, rosin.
Koloratur [koloraˈtuːr] *mus. f* (-; -*en*) coloratur|a, -e; grace(-note); **~sängerin** *f* coloratura singer; **~sopran** *m* coloratura soprano.
kolorier|en [-ˈriːrən] *v/t.* (*h.*) colo(u)r, illuminate; **≈ung** *f* (-) colo(u)ring.
Kolorit [-ˈrit] *n* (-[*e*]*s*; -*e*) colo(u)r(-ing), hue.
Koloß [koˈlɔs] *m* (-*sses*; -*sse*) colossus; ~ *auf tönernen Füßen* colossus with feet of clay.
kolossal [-ˈsaːl] **I.** *adj.* colossal, gigantic, huge, enormous, whopping, thumping, awful, terrific; **II.** *adv.* extremely, awfully.
Kolpor|tage [kɔlpɔrˈtaːʒə] *f* (-; -*n*) hawking of books; **~ˈtageroman** *m* penny-dreadful, *Am.* dime-novel; **~teur** [-ˈtøːr] *m* (-*s*; -*e*) book-hawker, *Am.* book agent; **≈tieren** [-ˈtiːrən] *v/t.* (*h.*) hawk (about), sell in the streets; *fig.* retail, spread.
Kolumne [koˈlumnə] *typ. f* (-; -*n*) column; page; **~ntitel** *m* running title *or* headline; **~nziffer** *f* folio.
Kolumnist [-ˈnist] *m* (-*en*; -*en*) columnist.
Koma [ˈkoːma] *n* (-*s*; -*s*) *ast., opt., med.* coma.
Kombination [kɔmbinatsiˈoːn] *f* (-; -*en*) combination (*a. phls., chem., soccer, etc.*; *a. underwear*); *aer. a.* flying-suit; overall; *skiing*: *Alpine* (*Nordische*) ~ Alpine (Nordic) combination; **~sgabe** *f* gift of combination; **~sschloß** *n* combination (*or* puzzle) lock; **~sspiel** *n* combined play, teamwork; **~ssprunglauf** *m* jumping event (of Nordic combination); **~szange** *f* combination pliers *pl.*
kombinieren [-ˈniːrən] *v/t. and v/i.* (*h.*) combine; deduce, infer, conclude.
ˈ**Kombiwagen** *mot. m* estate (*or* utility) car, *esp. Am.* station wagon.
Kombüse [kɔmˈbyːzə] *mar. f* (-; -*n*) galley.
Komet [koˈmeːt] *m* (-*en*; -*en*) comet; **≈en-artig** *adj.* comet-like; **~enbahn** *f* orbit (*or* path) of a comet; **~enschweif** *m* tail of a comet.
Komfort [kɔmˈfoːr] *m* (-*s*) comfort, ease, luxury; *mit allem* ~ with all the conveniences; **komfortabel** [-fɔrˈtaːbəl] *adj.* comfortable, luxurious; cosy, snug.
Komik [ˈkoːmik] *f* (-) comedy, comic element, humo(u)r; **~er** *m* (-*s*; -) comic actor, comedian; **~erin** *f* (-; -*nen*) comedienne.
ˈ**komisch** *adj.* comic(al), funny; strange, funny, queer, odd; pathetic; **~e** *Oper* comic opera.
Komitee [komiˈteː] *n* (-*s*; -*s*) committee.
Komma [ˈkɔma] *n* (-*s*; -*s*) comma; *math.* decimal point; *sechs* ~ *vier* six point four; *null* ~ *fünf* point five.
Komman|dant [kɔmanˈdant] *m* (-*en*; -*en*), **~deur** [-ˈdøːr] *m* (-*s*; -*e*) commander, commanding officer (*abbr.* C.O.); **~dantur** [-ˈtuːr] *f* (-; -*en*) commander's office, local headquarters *pl.*; **≈dieren** [-ˈdiːrən] *v/t. and v/i.* (*h.*) command, be in command of; give (the) orders; ~ *zu* (*dat.*) attach (*or* appoint) to; → *ab-, herumkommandieren.*
Kommandit|är [-diˈtɛːr] *m* (-*s*; -*e*), **~ist** [-ˈtist] *econ. m* (-*en*; -*en*) limited partner.
Kommandit|e [-ˈdiːtə] *f* (-; -*n*) partly-owned subsidiary, branch; *a.* → **~gesellschaft** *f* limited partnership; ~ *auf Aktien* company on shares.
Kommando [-ˈmando] *mil. n* (-*s*; -*s*) command, order; command, headquarters; detachment, detail, party; commando, raiding-party; *das* ~ *führen* (be in) command; *das* ~ *übergeben* hand over the command; *das* ~ *übernehmen* assume (*or* take over the) command; ~ *zurück!* as you were!; *wie auf* ~ with one accord, in one voice; **~brücke** *mar. f* (conning-)bridge; **~flagge** *f* command post (*Am.* organization) flag; **~gerät** *aer. n* predictor; *radio*: command set; **~stab** *m* staff of command; **~stand** *m* control station; *of submarine*: tower; **~stelle** *f* command post, headquarters *pl.*; **~trupp** *m* task force, commando; **~truppe** *f* Commandos *pl.*, *Am.* Rangers *pl.*; **~turm** *mar. m* conning (*aer.* control) tower; **~wagen** *m* command car.
kommen [ˈkɔmən] *v/i.* (*irr., sn*) **a**) come; arrive; approach, draw near; come to pass, happen; arise; *wieder* ~ come back, return; *oft wohin* ~ frequent a place; *er wird bald* ~ he will soon be here, he won't be long; *ich komme* (*schon*)! (I'm) coming!; *wer zuerst kommt, mahlt zuerst* first come first served; **b**) *impersonal*: *es* ~ *viele Leute* (*her*) there are many people coming (this way); *es kommt ein Gewitter* there is a storm brewing; *es mag* ~, *was* (*da*) *will* come what may; *woher* (*or wie*) *kommt es, daß?* how is it that?; *wie kommt es, daß die Tür offen ist?* how does the door come to be open?; **c**) *mit p.p.*: (*an*)*geritten* (*gefahren, gelaufen*) ~ come riding (driving, running) along; **d**) *j-n* ~ *lassen* have a p. come, send for (*or* call) a p.; *et.* ~ *lassen* order a th.; *dahin dürfen Sie es nicht* ~ *lassen* you must not let things get (*or* go) so far; *menacingly*: *laß ihn nur* ~! (just) let him come!; *et.* ~ *sehen* foresee a th.; **e**) *so weit* ~, *daß* get so far as to; *es wird noch so weit* ~, *daß er betteln muß* we shall see him begging yet; **f**) *with personal dat.*: *das kommt mir gerade recht* that suits me admirably, that comes in handy; *j-m grob* ~ be rude to a p.; *wenn Sie mir so* ~ if you talk to me like that; **g**) *with adv.*: *es wird noch ganz anders* ~ there is worse to come; *das kommt bloß daher, daß* that is entirely due to; *hierzu kommt noch, daß* add to this that; *spät* ~ be late; *weit* ~ *mit* get far with; *wie weit sind Sie ge~?* how far did you get?; *weiter* ~ advance, get on, (make) progress; *es ist weit ge~* things have come to a fine pass; *wie es gerade kommt* as the case may be; *with prp.*: → (*an den*) *Unrechten*; (*an die*) *Reihe*; (*auf s-e*) *Kosten*; (*auf den*) *Geschmack*; (*außer*) *Atem*; (*in*) *Betracht*; (*zu*) *Ohren*; ~ *an* (*acc.*) come *or* get to, arrive at; *an j-s Stelle* ~ succeed a p., take a p.'s place; ~ *auf* (*acc.*) (come to) think of, hit upon, touch; remember; *auf $ 100* ~ amount (*or* come) to, total $ 100; *auf die Rechnung* ~ go (*or* be put) on; *auf et. zu sprechen* ~ come to speak of a th.; *wie kommst du darauf?* what put the idea into your head?; *darauf wäre ich nie ge~* it would never have occurred to me; *auf jeden Jungen* ~ *zwei Äpfel* there are two apples to one boy, each boy gets two apples; *auf j-n nichts* ~ *lassen* take a p.'s part in everything, defend a p. staunchly; *durch eine Stadt* ~ pass through a town; *hinter et.* ~ find out a th., discover a th.; ~ *in* (*acc.*) come (*or* get, go) into, enter; *in andere Hände* ~ pass into other hands; ~ *mit der Bahn, etc.*: come by; *gut nach Hause* ~ get home safely; *wie komme ich nach?* how can I get to?; ~ *Sie mir nicht mit Ihren Ausreden* none of your excuses; ~ *über* (*acc.*) befall, fall upon; crowd in upon; *über seine Lippen* ~ escape (*or* come from) his lips; *über j-s Schwelle* ~ cross a p.'s threshold; *um et.* ~ lose, be done out of, be deprived of; be disappointed of, be cheated out of; *ums Leben* ~ lose one's life, perish; ~ *von* be due (*or* owing) to, be caused by, come from; *der Wind kommt von Westen* the wind is in the west; *er soll mir nicht wieder vor die Augen* ~ I never want to see him again; *zu et.* ~ come by a th.; *zur Ansicht* ~ decide (*that*), come to the conclusion (*that*); *zur Beratung* ~ come up for discussion; (*wieder*) *zu sich* ~ recover one's senses, come round (*or* to); *ich bin noch nicht zum Essen ge~* I have not found time for (my) dinner yet; *sollte es zum Geschäft* ~ should business result; *wieder zu Kräften* ~ recover one's strength; *zu nichts* ~ come (*or* lead) to nothing; *zur Sache* ~ come *or* go (straight) to the point; *zu Schaden* ~ come to grief, suffer harm; *zum Ziele* ~ attain one's object *or* end; *wie kam er nur dazu?* what made him do that?; *wie* ~ *Sie dazu!* how dare you!
ˈ**Kommen** *n* (-*s*) coming; arrival; advent; *das* ~ *und Gehen* the coming and going.
ˈ**kommend** *adj.* coming; approaching; future; **~es** *Jahr* next year; *in*

(*den*) ~*en Jahren* in (the) years to come; *die* ~*e Generation* the oncoming (*or* rising) generation.

Komment|ar [kɔmɛn'tɑːr] *m* (-*s*; -*e*) commentary, comment; ~ *überflüssig!* no comment!; **~ator** [-'tɑːtɔr] *m* (-*s*; -'*toren*) commentator; **2ieren** *v/t.* (*h.*) comment (up)on; annotate.

Kommers [kɔ'mɛrs] *m* (-*es*; -*e*) students' drinking-bout *or* social gathering; **~buch** *n* students' song-book.

Kommerz [kɔ'mɛrts] *m* (-*es*) commerce.

kommerzialisier|en [-mɛrtsiali'ziːrən] *v/t.* (*h.*) commercialize; convert *debt* into a negotiable loan; **2ung** *f* (-) commercialization.

kommerziell [-mɛrtsi'ɛl] *adj.* commercial.

Kom'merzienrat *m* (-[*e*]*s*; ¨*e*) councillor of commerce.

Kommilitone [kɔmili'toːnə] *m* (-*n*; -*n*) fellow-student.

Kommis [kɔ'miː] *m* (-; -) clerk; salesman, *Am.* salesclerk.

Kommiß [-'mis] *mil. m* (-*sses*) military service, (life in the) army; *sl.* pipeclay, *in compounds* Army ..., *Am.* G.I. ...

Kommissar [kɔmi'sɑːr] *m* (-*s*; -*e*) commissioner; *in Russia*: commissar; (*Polizei*2)(police-)inspector; (detective) superintendent; **Kommissariat** [-ri'ɑːt] *n* (-[*e*]*s*; -*e*) commissionership; *mil.* commissariat; **kommissarisch** *adj.* provisional(ly *adv.*); *jur.* ~ *verhören* examine on commission.

Kom'mißbrot *n* army (*or* ration) bread, *Am.* G.I. bread.

Kommission [kɔmisi'oːn] *f* (-; -*en*) commission (*a. econ. order or percentage*); e-e ~ *berufen* set up a commission; *econ. in* ~ on commission, in consignment.

Kommissionär [-sio'nɛːr] *m* (-*s*; -*e*) commissioner; *econ.* (commission) agent, factor; commissionaire.

Kommissi'ons...: **~basis** *f*: *auf* ~ on commission; **~gebühr** *f* commission, percentage; **~geschäft** *n* commission business; **~lager** *n* consignment stock; **~verkauf** *m* sale on commission; **2weise** *econ. adv.* on commission.

Kommode [kɔ'moːdə] *f* (-; -*n*) (chest of) drawers, *Am.* bureau; **~nschrank** *m* tallboy, *Am.* highboy.

Kommodore [kɔmo'doːrə] *m* (-*s*; -*n*) commodore.

kommunal [kɔmu'nɑːl] *adj.* municipal, communal, local; **2bank** *f* (-; -*en*) municipal bank; **2beamte(r)** *m* municipal officer; **2betrieb** *m* municipalism; municipal works *pl.* (*or sg.*); **~isieren** [-li'ziːrən] *v/t.* (*h.*) communalize; **2steuer** *f* local rate (*Am.* tax); **2verwaltung** *f* municipal administration, *Am.* local government.

Kommune [kɔ'muːnə] *f* (-; -*n*) community, municipality; *pol.* commune; *colloq. the* Reds.

Kommunikant [-muni'kant] *m* (-*en*; -*en*), **~in** *f* (-; -*nen*) communicant.

Kommunikation [-katsi'oːn] *f* (-; -*en*) communication.

Kommunion [-ni'oːn] *eccl. f* (-; -*en*) (Holy) Communion.

Kommuniqué [kɔmyni'keː] *n* (-*s*; -*s*) communiqué.

Kommunis|mus [kɔmu'nismus] *m* (-) communism; **~t(in** *f*) *m* (-*en*, -*en*; -, -*nen*) Communist; **2tisch** *adj.* communist(ic); ~*e Partei* Communist Party; ~ *werden* turn Communist.

kommunizieren [-'tsiːrən] *v/i.* (*h.*) communicate, receive the Holy Communion.

Kommut|ator [kɔmu'tɑːtɔr] *el. m* (-*s*; -'*toren*) commutator; switch; **2ieren** *v/t.* (*h.*) commute.

Komödiant [kɔmødi'ant] *m* (-*en*; -*en*) actor, comedian; *contp.*, *a. fig.* play-actor; hypocrite; **~in** *f* (-; -*nen*) actress, comedienne.

Komödie [kɔ'møːdiə] *f* (-; -*n*) comedy; *fig. a.* farce; ~ *spielen* play-act, sham, (put on an) act; **~nschreiber** *m* comedywriter, comic playwright.

Kompagnon ['kɔmpanjɔŋ] *m* (-*s* -*s*) partner, associate.

kompakt [kɔm'pakt] *adj.* compact; solid; **2heit** *f* (-) compactness.

Kompanie [kɔmpa'niː] *f* (-; -*n*) company; **~chef**, **~führer** *m* company commander; **~feldwebel** *m* first sergeant; **~geschäft** *f* partnership.

Komparativ ['kɔmparatiːf] *gr. m* (-*s*; -*e*) comparative.

Komparse [-'parzə] *m* (-*n*; -*n*) *thea.* supernumerary, super, *film*: extra; **Komparserie** [-'riː] *f* (-; -*n*) supers *pl.*; extras *pl.*

Kompaß ['kɔmpas] *m* (-*sses*; -*sse*) compass; *nach* ~ *march, etc.*, by compass; **~häus-chen** *mar. n* binnacle; **~nadel** *f* compass (*or* magnetic) needle; **~peilung** *f* compass bearing; **~rose** *f* compass card; **~strich** *m* point of the compass.

Kompendium [-'pɛndium] *n* (-*s*; -*dien*) compendium; abstract; manual.

Kompensation *f* (-; -*en*) compensation (*a. psych.*); **~sgeschäft** *n* barter (transaction).

Kompensator [-'zɑːtɔr] *el. m* (-*s*; -'*toren*) compensator, potentiometer.

kompen'sieren *v/t.* (*h.*) compensate (*a. psych.*), offset, counter-balance.

kompetent [-pe'tɛnt] *adj.* competent, authoritative; responsible.

Kompetenz [-'tɛnts] *f* (-; -*en*) competen|ce, -cy, *jur. usu.* jurisdiction; **~streit** *m* conflict of competence *or* jurisdiction.

kompilieren [kɔmpi'liːrən] *v/t.* (*h.*) compile.

Komplement [kɔmple'mɛnt] *n* (-[*e*]*s*; -*e*) complement.

Komplementär [-'tɛːr] *econ. m* (-*s*; -*e*) general partner; **~farbe** *f* complementary colo(u)r.

komplett [kɔm'plɛt] *adj.* complete (*mit* with), entire; **komplet'tieren** *v/t.* (*h.*) (make) complete.

Komplex [-'plɛks] *m* (-*es*; -*e*) whole, aggregate; system; plot of land; *psych.* complex; complex of questions; industrial complex; block of houses; **2** *adj.* complex.

Komplice [-'pliːtsə] *m* (-*n*; -*n*) accomplice.

Kompliment [-pli'mɛnt] *n* (-[*e*]*s*; -*e*) compliment; → *haschen*; ~*e machen* → **komplimen'tieren** *v/t.* (*h.*) compliment (*wegen* on), pay compliments to.

komplizieren [-'tsiːrən] *v/t.* (*h.*) complicate.

kompli'ziert *adj.* complicated, intricate; complex *character*, *problem*; *med.* ~*er Bruch* compound fracture; **2heit** *f* (-) complexity.

Komplott [-'plɔt] *n* (-[*e*]*s*; -*e*) plot, conspiracy; *ein* ~ *schmieden* (lay a) plot, conspire (together).

Komponente [-po'nɛntə] *f* (-; -*n*) component.

kompo'nieren *v/t. and v/t.* (*h.*) compose.

Komponist [-'nist] *m* (-*en*; -*en*) composer.

Komposition [-zitsi'oːn] *f* (-; -*en*) composition (*a. fig.*); (*translation*) version; *typ.* page makeup, *Am.* layout.

Kompositum [kɔm'poːzitum] *gr. n* (-*s*; -*ta*) compound (word).

Kompost [-'pɔst] *m* (-*es*; -*e*) compost, mulch; **~haufen** *m* compost heap.

Kompott [-'pɔt] *n* (-[*e*]*s*; -*e*) stewed fruit, compote, *Am.* sauce; **~schale**, **~schüssel** *f* compote (*or* fruit-) dish.

Kompresse [-'prɛsə] *med. f* (-; -*n*) compress.

Kom'pressor [-ɔr] *m* (-*s*; -'*ssoren*) *tech.* compressor; *mot.* supercharger; **~motor** *m* supercharged engine.

komprimieren [-pri'miːrən] *v/t.* (*h.*) *phys.* compress; condense (*book, etc.*).

Kompromiß [-pro'mis] *m and n* (-*sses*; -*sse*) compromise; *ein*(*en*) ~ *schließen* (make a) compromise; **2los** *adj.* uncompromising; **~lösung** *f* compromise solution.

kompromittieren [-'tiːrən] *v/t.* (*h.*) compromise (*sich* o.s.).

Komtesse [kɔm'tɛsə] *f* (-; -*n*) daughter of a count, countess.

Komtur [kɔm'tuːr] *m* (-*s*; -*e*) Commander of an order.

Kondens|at [kɔndɛn'zɑːt] *n* (-[*e*]*s*; -*e*) condensate; **~ator** [-tɔr] *m el.* (-*s*; -'*toren*) capacitor, (*a. chem.*) condenser; **2ieren** *v/t.* (*h.*) condense; **~ierung** *f* (-) condensation.

Kondens...: **~milch** [-'dɛns-] *f* evaporated milk; **~streifen** *aer. m* condensation (*or* vapo[u]r) trail, contrail; **~wasser** *n* water of condensation.

Kondition [kɔnditsi'oːn] *f* (-; -*en*) condition.

Konditional (-'nɑːl] *gr. m* (-*s*; -*e*) conditional (mood); **~satz** *m* conditional clause.

Konditi'ons...: **~schwäche** *f sports* lack of stamina; **2stark** *adj.* of great stamina; **~training** *n* fitness training, *Am.* conditioning.

Konditor [kɔn'diːtɔr] *m* (-*s*; -'*toren*) confectioner, pastry-cook.

Konditorei [-to'raɪ] *f* (-; -*en*) confectionery, café.

Kon'ditorwaren *f/pl.* confectionery, pastry.

Kondolenz [-do'lɛnts] *f* (-; *-en*) condolence; **~besuch** *m* (**~brief** *m*) visit (letter) of condolence; **kondo'lieren** *v/i.* (*h.*) condole (*j-m* with a p.), express one's sympathy (with).

Kondom [-'do:m] *n* (*-s*; -e) condom, contraceptive sheath.

Kondor ['kɔndɔr] *m* (*-s*; -e) condor.

Kondukteur [-duk'tø:r] *m* (*-s*; -e) → *Schaffner*.

Konfekt [-'fɛkt] *n* (-[e]s; -e) confectionery, sweets *pl.*, chocolates *pl.*, *Am.* soft candy.

Konfektion [-tsi'o:n] *f* (-; *-en*) (manufacture of) ready-made articles of dress.

Konfektionär [-tsio'nɛ:r] *m* (*-s*; -e) outfitter.

Konfekti'ons...: **~abteilung** *f* ready-made (clothes) department; **~anzug** *m* ready-made (suit), reach-me-down; *Am.* ready-to-wear (suit), hand-me-down; **~geschäft** *n* ready-made (clothes) shop; **~waren** *f/pl.* ready-made (*Am.* ready-to-wear) clothes.

Konferenz [-fe'rɛnts] *f* (-; *-en*) conference, meeting; talks *pl.*; **~dolmetscher** *m* conference interpreter; **~gespräch** *teleph. n* conference call; **~schaltung** *el.* conference circuit; **~tisch** *m* conference table.

konfe'rieren *v/i.* (*h.*) confer, deliberate (*über acc.* on); consult together.

Konfession [-fɛsi'o:n] *f* (-; *-en*) confession, (religious) creed; denomination.

konfessionell [-sio'nɛl] *adj.* confessional, denominational.

Konfessi'ons...: **2los** *adj.* undenominational; unaffiliated; **~schule** *f* denominational school.

Konfetti [kɔn'fɛti] *pl.* confetti.

Konfirmand [-fir'mant] *m* (*-en*; *-en*), **~in** [-din] *f* (-; *-nen*) confirmand, confirmee; **~enunterricht** *m* confirmation classes *pl.*

Konfirmation [-matsi'o:n] *eccl. f* (-; *-en*) confirmation.

konfir'mieren *v/t.* (*h.*) confirm.

konfiszier|en [-fis'tsi:rən] *v/t.* (*h.*) confiscate, seize; **2ung** *f* (-; *-en*) confiscation.

Konfitüre [-fi'ty:rə] *f* (-; *-n*) candied fruit; choice-quality jam, preserves *pl.*; *w.s.* → *Konfekt*.

Konflikt [-'flikt] *m* (-[e]s; -e) conflict; *in ~ geraten* enter (*or* come) into conflict (*mit* with).

Konföderation [-føderatsi'o:n] *f* (-; *-en*) confederacy.

kon'form [-'fɔrm] *adj.*: *~ mit or dat.* conformable to, in conformity with; *~ gehen* be in agreement (*mit* with).

konfrontieren [-frɔn'ti:rən] *v/t.* (*h.*) confront *or* face (*mit* with).

konfus [-'fu:s] *adj.* confused, in confusion; puzzle-headed, muddled.

Konfusion [-fuzi'o:n] *f* (-; *-en*) confusion, muddle.

kongenial [-geni'a:l] *adj.* congenial, like-minded, sympathetic(ally *adv.*).

Konglomerat [-glome'ra:t] *n* (-[e]s; -e) conglomerate.

Kongreß [-'grɛs] *m* (*-sses*; *-sse*) congress; *Am.* (party, *etc.*) convention; *der Amerikanische ~* the Congress of the U.S.A.; **~mitglied** *n* member of a congress, *Am. pol.* congress(wo)man.

kongru|ent [-gru'ɛnt] *adj.* congruent, perfectly equal; **2enz** [-'ɛnts] *f* (-) congruity; **~'ieren** *v/i.* (*h.*) coincide, be congruent.

König ['kø:niç] *m* (*-s*; -e) king (*a. in games*); *fig. ~ des Jazz* King of Jazz; *eccl. die Heiligen Drei ~e pl.* the (three) Magi; *zum ~e machen* make (a) king, raise to the throne; **~in** ['-gin] *f* (-; *-nen*) queen (*a. in games and zo.*); **~in'mutter** *f* queen mother; **'~in-suppe** *f* chicken soup; **~in'witwe** *f* queen dowager; **2lich** ['-nikliç] **I.** *adj.* royal; kingly; regal (*insignia, privileges*); *von ~em Blute* of royal blood; **II.** *adv.*: *sich ~ freuen* be as pleased as Punch; *sich ~ amüsieren* enjoy o.s. immensely; *die ~lichen pl.* the Royalists; **'~reich** *n* kingdom, *rhet.* realm.

'Königs...: **~adler** [-niçs] *m* imperial eagle; **2blau** *adj.* royal blue; **2gelb** *adj.* chrome yellow; **~kerze** *bot. f* mullein; **~krone** *f* king's (*or* royal) crown; **~schloß** *n* royal castle; **~tiger** *zo. m* Bengal tiger; **~treue(r** *m*) *f* (*-n*, *-n*; *-n*, *-n*) royalist; **~wasser** *chem. n* aqua regia; **~würde** *f* royal dignity, kingship.

Königtum ['-niçtu:m] *n* (-[e]s; ⸚er) royalty, kingship.

konisch ['ko:niʃ] *adj.* conic(al); *tech. a.* taper(ed); *~e Bohrung* taper bore.

Konju|gation [kɔnjugatsi'o:n] *gr. f* (-; *-en*) conjugation; **2'gieren** *v/t.* (*h.*) conjugate.

Konjunktion [kɔnjuŋktsi'o:n] *f* (-; *-en*) conjunction.

Konjunk|tiv ['-juŋkti:f] *gr. m* (*-s*; -e) subjunctive (mood); **2'tivisch** *adj.* in the (*or* as) subjunctive.

Konjunktur [-'tu:r] *econ. f* (-; *-en*) economic condition *or* trend, business outlook; business cycle; boom, peak prosperity; depression, slump; *sinkende* (*steigende*) *~* business recession (revival); **~abschwächung** *f* economic recession; **~ausgleich** *m* compensation for cyclical fluctuations; **~barometer** *n* business barometer; **~bericht** *m* report on business conditions; **~bewegung** *f* trade cycle; trend; **2dämpfend** *adj.* countercyclical; **~dynamik** *f* forces of economic expansion; **2ell** [-'rɛl] *adj.* cyclical; **~forschung** *f* business cycle research; **~gewinn** *m* boom profits *pl.*; **~phase** *f* business cycle; **2politisch I.** *adj.* economic, cyclical; **II.** *adv.* from the point of view of trade cycle policy *or* the economic trend; **~prognose** *f* buniness forecast(ing); **~ritter** *m* opportunist, profiteer; **~schwankungen** *f/pl.* cyclical fluctuations; **~spritze** *f* shot in the arm; **~überhitzung** *f* overheating of the economic climate; **~verlauf** *m* business cycle; economic trend.

konkav [kɔn'ka:f] *adj.* concave; **~konvex** *adj.* concavo-convex.

Konkordat [kɔnkɔr'da:t] *n* (-[e]s; -e) concordat.

konkret [kɔn'kre:t] *adj.* concrete; tangible, actual, practical; *~e Form annehmen* assume concrete form; *~ gesprochen* in terms of fact.

konkretisieren [-ti'zi:rən] *v/t.* (*h.*) put in concrete form (*or* terms); concretise.

Konkubinat [kɔnkubi'na:t] *n* (-[e]s; -e) concubinage; **Konkubine** [-'bi:nə] *f* (-; *-n*) concubine.

Konkurrent [-ku'rɛnt] *m* (*-en*; *-en*), **~in** *f* (-; *-nen*) (business) rival, competitor; *sports* competitor, contestant.

Konkurrenz [-'rɛnts] *f* (-; *-en*) competition; *sports a.* event, meet, contest; competitors *pl.*, rivals *pl.*; *econ. starke or scharfe ~* keen (*or* stiff) competition; *unlautere* (*mörderische*) *~* unfair (cut-throat) competition; *außer ~* not competing, hors concours (*Fr.*); *j-m ~ machen* enter into competition (*or* compete) with a p.; **2fähig** *adj.* able to compete; marketable (*goods*); competitive (*prices*); **~fähigkeit** *f* (-) competitive position; marketableness; **~geschäft** *n* rival business *or* firm, competition; **~kampf** *m* competition, trade rivalry; *harter* (*mörderischer*) *~* stiff (cut-throat) competition; **~klausel** *f* restraint clause; **2los** *adj.* without competition; matchless, unrivalled, unchallenged; **~neid** *m* professional jealousy; **~preis** *m* competitive price.

konkur'rieren *v/i.* (*h.*) compete (*mit* with; *um* for), rival (*a th., a p.*); *~d* competitive; *jur.* conflicting (*law*); *jur. ~des Verschulden* contributory negligence.

Konkurs [kɔn'kurs] *econ. m* (*-es*; -e) bankruptcy, insolvency, failure; *~ anmelden or erklären* file a petition in bankruptcy, declare o.s. a bankrupt; *in ~ geraten* become insolvent, go bankrupt; → *bank(e)rott*; **~antrag** *m* petition in bankruptcy; **~delikt** *n* bankruptcy offen|ce, *Am.* -se; **~erklärung** *f* declaration of insolvency; **~eröffnung** *f* adjudication in bankruptcy; **~forderung** *f* claim against a bankrupt's estate; **~gläubiger(in** *f*) *m* creditor of a bankrupt's estate; **~masse** *f* bankrupt's estate, assets *pl.* (of a bankrupt); **~verfahren** *n*: *das ~ einleiten* institute bankruptcy proceedings *pl.*; **~verwalter** *m* trustee in bankruptcy.

können ['kœnən] **I.** *v/i.* (*irr.*, *h.*) **a)** be able (to *inf.*), be capable (of *ger. or a th.*); be in a position (to *inf.*); *ich kann* I can; *nicht ~* be unable, be at a loss (to *inf.*); *ich kann nicht* I cannot, I can't; *er hätte es tun ~* he could have done it; *ich weiß, was du kannst* I know what you can do; *ich kann nicht mehr* I can't go on, I am at the end of my tether; *er schrie, was er konnte* he screamed with all his might; *er tut, was er kann* he does his best; *man kann nie wissen* you never can tell, there is no telling; **b)** be allowed *or* permitted (to *inf.*); *er kann gehen* he may (*or* can) go; *du kannst nicht hingehen* you may not (*or* cannot) go there; *Sie ~ es glauben* you may believe me;

c) *possibility, likelihood*: *das kann sein* that may be (so), that's possible; *es kann nicht sein* it is impossible; *ich kann mich auch täuschen* I may be mistaken; *du könntest recht haben* you might be right; **II.** *v/t.* (*irr., h.*) know, understand, be proficient in; *eine Sprache* ~ know (*or* have command of) a language; *er kann schwimmen* he can (*or* knows how to) swim; *er kann das* he knows how to do that; *er kann etwas* he is a capable fellow, he knows the ropes; *er kann nichts* he can do nothing, he doesn't know a thing; *ich kann nichts dafür* it isn't my fault, I can't help it; *er kann nichts dafür, daß er* he can't help *ger.*

'Können *n* (-s) ability, faculty, power; skill, efficiency; knowledge.

'Könner *m* (-s; -) very able man (*or* actor, player, *etc.*); master (hand), expert, proficient; crack, ace.

Konnex [kɔ'nɛks] *m* (-es; -e) connection, relation; nexus.

Konnossement [kɔnɔsə'mɛnt] *econ. n* (-[e]s; -e) bill of lading (*abbr.* B/L).

konnte ['kɔntə] *pret. of können.*

konsequen|t [kɔnze'kvɛnt] *adj.* consistent; persistent; thorough-going; **≈z** [-ts] *f* (-; -en) consistency; consequence; *die ~en tragen* take the consequences; *die ~en ziehen* draw one's conclusions, act accordingly.

Konserva|tismus [kɔnzɛrva'tismus] *m* (-) conservatism; **≈tiv** [-'ti:f] *adj.*, **~'tive(r** *m*) *f* (-n, -n; -n, -n) conservative.

Konservator [-'vɑ:tɔr] *m* (-s; -'*toren*) curator, keeper.

Konservatorium [-va'to:rium] *n* (-s; -*ien*) academy of music, conservatoire, *Am.* conservatory.

Konserve [-'zɛrvə] *f* (-; -n) preserve(d food); *~n pl.* tinned (*Am.* canned) foods *or* goods; *Fleisch≈n* preserved meat; *Gemüse- (Obst)≈n* tinned greens (fruit); **~nbüchse, ~ndose** *f* tin, *Am.* can; **~nfabrik** *f* tinning factory, *esp. Am.* cannery; **~nglas** *n* preserving jar; **~nmusik** *colloq. f* canned music.

konservier|en [-zɛr'vi:rən] *v/t.* (*h.*) conserve; (*a. sich*) preserve, keep; tin, *Am.* can; **≈ung** *f* (-; -en) preservation; **≈ungsmittel** *n* preservative.

Konsi|gnant [-zi'gnant] *econ. m* (-en; -en) consignor; **~gnatär** [-'tɛ:r] *m* (-s; -e) consignee; **~gnation** [-gnatsi'o:n] *f* (-; -en): (*in ~ on*) consignment; **~gnati'onslager** *n* consignment stocks *pl.*; *w.s.* commission agency; **≈'gnieren** *v/t.* (*h.*) consign.

konsisten|t [-zis'tɛnt] *adj.* consistent, solid; **≈z** [-ts] *f* (-) consistency; solidity.

Konsistorium [-'to:rium] *n* (-s; -*ien*) consistory.

Konsole [-'zo:lə] *f* (-; -n) console; bracket; support.

konsolidier|en [-zoli'di:rən] *econ. v/t.* (*h.*) *and sich* ~ consolidate; *konsolidierte Staatspapiere* → *Konsols*; *konsolidierte Schuld* funded debt; **≈ung** *f* (-; -en) consolidation.

Konsols [kɔn'zo:ls] *econ. pl.* consols, *Am.* consolidated government bonds.

Konsonant [kɔnzo'nant] *gr. m* (-en; -en) consonant; **≈isch** *adj.* consonantal.

Konsorten [-'zɔrtən] *m/pl. econ.* members of an underwriting syndicate, *Am.* participants; *jur. Braun u.* ~ Brown and associates, Brown et al.

Konsortialgeschäft [-tsi'ɑ:l-] *econ. n* syndicate transaction.

Konsortium [-'zɔrtsium] *n* (-s; -*ien*) association; *econ.* syndicate, group.

konspirieren [-spi'ri:rən] *v/i.* (*h.*) conspire, plot.

konstant [-'stant] *adj.* constant; steady; ~ *halten* keep constant, maintain; **≈e** *f* (-; -n) constant (value).

konstatieren [-sta'ti:rən] *v/t.* (*h.*) state, establish, find; *med. a.* diagnose.

Konstellation [-stɛlatsi'o:n] *ast. f* (-; -en) constellation (*a. fig.*).

konsterniert [-stɛr'ni:rt] *adj. and adv.* taken aback, dismayed, stupefied.

konstituieren [-stitu'i:rən] *v/t.* (*h.*) (*and sich*) constitute (o.s.), organize (o.s.); *parl. das Haus konstituiert sich* (*als Ausschuß*) the House resolves itself into a committee; *~de Versammlung* constituent assembly.

Konstitution [-tsi'o:n] *pol., med. f* (-; -en) constitution; *med. geschwächte* ~ weakened organism;

konstitutionell [-tsio'nɛl] *adj.* constitutional.

konstruieren [-stru'i:rən] *v/t.* (*h.*) *gr.* construe, parse; *tech.* construct; design; *fig. konstruierter Fall* fictitious (*or* hypothetical) case.

Konstrukteur [-struk'tø:r] *m* (-s; -e) (technical) designer, designing engineer.

Konstruktion [-tsi'o:n] *f* (-; -en) construction; design.

Konstrukti'ons...: **~büro** *n* engineering department, drawing office; **~fehler** *m* constructional flaw *or* defect; faulty design; **~leiter** *m* chief engineer; **~merkmal** *n* constructional feature; **≈technisch** *adj.* constructional; **~teil** *n* machine element; **~zeichner** *m* draughtsman, *Am.* draftsman; designer; **~zeichnung** *f* production drawing.

konstruktiv [-'ti:f] *adj.* constructive.

Konsul ['kɔnzul] *m* (-s; -n) consul.

Konsu|'lar...: *in compounds*, **≈'larisch** [-'lɑ:riʃ] *adj.* consular (...).

Konsulat [-'lɑ:t] *n* (-[e]s; -e) consulate; **~sfaktur, ~srechnung** *f* consular invoice.

Konsulent [-'lɛnt] *m* (-en; -en) legal adviser.

konsultieren [-'ti:rən] *v/t.* (*h.*) consult.

Konsum [kɔn'zu:m] *m* (-s) consumption; *colloq.* (*usu.* '*Konsum*) → *~geschäft, ~verein.*

Konsument [-zu'mɛnt] *m* (-en; -en), **~in** *f* (-; -nen) consumer.

Kon'sum...: **~geschäft** *n* co-operative store, co-op; **~güter** *n/pl.* consumer goods.

konsumieren [-zu'mi:rən] *v/t.* (*h.*) consume.

Kon'sumverein *m* (Consumers') Co-operative Society, co-op.

Kontakt [kɔn'takt] *m* (-[e]s; -e) contact; *el. den ~ herstellen* (*unterbrechen*) make (break) the contact; *fig. mit j-m ~ aufnehmen* contact (*or* get into touch with) a p.; **~abzug** *phot. m* contact print; **≈arm** *adj.*: *er ist ~* he does not make friends easily, he is a bad mixer; **~fläche** *f* surface of contact; **≈freudig** *adj.*: *er ist ~* he is a good mixer; **~pflege** *f* (maintenance of) human relations *pl.*; **~gift** *n* contact poison; **~schalter** *el. m* contact switch; **~schiene** *el. f* contact bar; **~schnur** *el. f* flex; **~stecker** *el. m* contact plug.

Konten ['kɔntən] *pl. of Konto.*

'Konter|admiral *m* ['kɔntər-] Rear Admiral; **'~bande** *f* (-) contraband; **~fei** ['-faɪ] *n* (-s; -s) portrait, image, likeness.

'kontern *v/t. and v/i.* (*h.*) counter.

Kontext ['kɔntɛkst] *m* (-es; -e) context.

Kontinent ['kɔntinɛnt] *m* (-[e]s; -e) continent.

kontinental [-'tɑ:l] *adj.* continental; **≈sperre** *hist. f* (-) Continental System.

Kontingent [-tiŋ'gɛnt] *n* (-[e]s; -e) *esp. mil.* contingent; *econ. a.* quota, share, allotment; delivery percentage, commitments *pl.*

kontingentier|en *v/t.* (*h.*) fix the quota for; make subject to a quota, limit; ration; (*nicht*) *kontingentierte Einfuhren* (non-)quota imports; **≈ung** *f* (-; -en) fixing of quotas, *etc.*, allotment; restriction, limitation.

kontinuierlich [kɔntinu'i:rliç] *adj.* continuous; uninterrupted; steady.

Kontinuität [-i'tɛ:t] *f* (-) continuity.

Konto ['kɔnto] *econ. n* (-s; -ten) account; bank account; *laufendes* (*überzogenes*) ~ current (overdrawn) account; *ein ~ ausgleichen* settle (*or* balance) an account; *ein ~ belasten* charge (*or* debit) an account; *ein ~ eröffnen* open an account (*bei* with; *zugunsten von* in favo[u]r of); *ein ~ führen* keep an account; *fig. das geht auf dein ~* that's your fault (*or* doing); **~auszug** *m* statement of account; **~buch** *n* **1.** account book; **2.** *of depositor*: → **~gegenbuch** *n* pass (*Am.* deposit) book; **~inhaber(in** *f*) *m* account-holder; **~korrent** [-kɔ'rɛnt] *n* (-[e]s; -e) current account, *Am.* account current; **~korrentgeschäft** *n*, **~korrentverkehr** *m* deposit banking; current account business.

Kontor [kɔn'to:r] *n* (-s; -e) office; *fig. Schlag ins ~* unpleasant surprise, blow.

Kontorist [-to'rist] *m* (-en; -en), **~in** *f* (-; -nen) (female *f*) clerk.

kontra ['kɔntra] *prp.* (*acc.*) against; *jur., sports, etc.* versus (vs.); ~ *geben* **a)** *cards*: double, **b)** *colloq. fig.* talk back, tell *a p.* where he gets off; **≈alt** *mus. m* contralto; **≈baß** *mus. m* contrabass, double-bass.

Kontra|hent [-'hɛnt] *m* (-en; -en) contracting party, contractor; *w.s.* opponent; **≈'hieren** *v/t. and v/i.* (*h.*) contract.

Kontrakt [-trakt] *m* (-[e]s; -e) contract, agreement; *einen ~ (ab-) schließen* make (*or* enter into) a contract; **~bruch** *m* breach of contract; **2brüchig** *adj.*: *~ werden* break a contract; **2lich I.** *adj.* contractual, stipulated; **II.** *adv.* by contract; **2widrig** *adj.* contrary to (the) contract.

'Kontrapunkt *mus. m* (-[e]s) counterpoint; **2isch** *adj.* contrapuntal.

konträr [kɔn'trɛ:r] *adj.* contrary, antithetical, opposite; *colloq.* disagreeable.

Kontrast [-'trast] *m* (-es; -e) contrast; *einen ~ bilden zu (dat.)* → **kontra'stieren** *v/i.* (*h.*) contrast (*mit* with).

Kontroll|abschnitt [kɔn'trɔl-] *m*, **~blatt** *n* counterfoil, stub; **~beamte(r)** *m* → *Kontrolleur*; **~e** *f* (-; -*n*) control; supervision; check; *unter ~ haben* control, be in control of, have *the situation* (well) in hand; *unter ~ halten* keep under control; *die ~ verlieren über (acc.)* lose control of; *er verlor die ~ über seinen Wagen (seine Leute) a.* his car (his men) got out of hand; *die Lage ist unter ~* the situation is (safely) in hand.

Kontrolleur [-'lø:r] *m* (-*s*; -*e*) controller; supervisor; auditor; *rail.* inspector; guard; timekeeper.

Kon'troll...: ~gang *m* round, beat; **~gerät** *n* checking device, monitor.

kontrollier|bar [-'li:rbɑ:r] *adj.* controllable; verifiable; **~en** *v/t.* (*h.*) supervise, check, control (*a.* = be in control of); keep track of, *a.* keep tabs on; verify; audit.

Kon'troll...: ~karte *f* time-sheet; **~kasse** *f* cash register; **~(l)ampe** *tech. f* pilot lamp; **~maßnahmen** *f/pl.* controlling measures; **~muster** *n* check sample; **~organ** *n* governing (*or* controlling) body; **~posten** *m* control post, checker; **~punkt** *m* control (*or* check) point; **~schein** *m* counterfoil; receipt; **~stempel** *m* inspection stamp; time-stamp; **~turm** *aer. m* control tower; **~uhr** *f* control (*or* tell-tale) clock; **~vermerk** *m* → *Kontrollstempel*; **~versuch** *m* control (test).

Kontroverse [kɔntro'vɛrzə] *f* (-; -*n*) controversy.

Kontur [kɔn'tu:r] *f* (-; -*en*) contour, outline; skyline; **~karte** *f* contour map.

Konus ['ko:nus] *math.*, *tech. m* (-; -*se*) cone; *in compounds* conical ...

Konvektion [kɔnvɛktsi'o:n] *phys. f* (-; -*en*) convection.

Konvent [kɔn'vɛnt] *m* (-[e]s; -e) convention.

Konvention [-tsi'o:n] *f* (-; -*en*) convention, agreement; *pol. a.* treaty; **~en** *pl.* conventional proprieties *pl.*

Konventionalstrafe [-tsio'nɑ:l-] *econ. f* penalty (for non-performance).

konventionell [-'nɛl] *adj.* conventional.

konvergieren [-vɛr'gi:rən] *v/i.* (*h.*) converge, run to a point; **~d** *adj.* convergent.

Konversation [-vɛrzatsi'o:n] *f* (-; -*en*) conversation, talk; **~slexikon** *n* encyclop(a)edia; **~sstück** *thea. n* comedy of manners.

konvertier|bar [-'ti:rbɑ:r] *econ. adj.* convertible; **~en** *v/t.* (*h.*) **1.** convert; **II.** *v/i. R.C.* be converted, turn *Roman Catholic*; **2ung** *f* conversion.

Konvertit [-'ti:t] *eccl. m* (-*en*; -*en*) convert.

konvex [-'vɛks] *adj.* convex.

Konvikt [-'vikt] *n* (-[e]s; -e) theological seminary.

Konvoi ['-vɔʏ] *m* (-*s*; -*s*) convoy.

konvulsiv [-vul'zi:f] *adj.* convulsive.

konzedieren [kɔntse'di:rən] *v/t.* (*h.*) concede.

Konzentrat [kɔntsen'trɑ:t] *chem. n* (-[e]s; -e) concentrate.

Konzentration [-tratsi'o:n] *f* (-; -*en*) concentration; **~sfähigkeit** *f* power of concentration; **~slager** *n* concentration camp.

konzentrieren [-'tri:rən] *v/t.* (*h.*) *and sich ~* concentrate *or* cent|re, *Am.* -er (*auf acc.* upon); focus (on); mass (*troops*).

kon'zentrisch *adj.* concentric.

Konzept [kɔn'tsɛpt] *n* (-[e]s; -e) (first) draft, rough copy; *fig. aus dem ~ kommen* lose the thread, break down; *j-n aus dem ~ bringen* disconcert a p., put a p. off, rattle a p.; *das paßt ihm nicht ins ~* that does not suit his plans.

Konzeption [-tsi'o:n] *f* (-; -*en*) conception.

Kon'zeptpapier *n* scribbling-paper.

Konzern [-'tsɛrn] *econ. m* (-*s*; -*e*) combine, group; **~entflechtung** *f* de-concentration of combines; **~verflechtung** *f* interlocking combine; business concentration.

Konzert [-'tsɛrt] *n* (-[e]s; -e) concert; recital; concerto; *im ~* at the concert; *ins ~ gehen* go to a concert; **~arie** *f* concert aria; **~besucher(in** *f*) *m* concert-goer; **~flügel** *m* concert grand.

konzer'tieren *v/i.* (*h.*) give a concert.

Kon'zert...: ~meister *m* leader, first violinist; **~saal** *m* concert-hall.

Konzession [kɔntsɛsi'o:n] *f* (-; -*en*) concession; privilege, patent, charter; licence, *Am.* franchise; *j-m keine ~en machen* make no concessions to a p.; **~s-inhaber(in** *f*) *m* concessionaire; licensee, *Am.* franchised dealer.

Konzil [kɔn'tsi:l] *eccl. n* (-*s*; -*e*) council; *Vatikanisches ~* Vatican Council.

konziliant [-tsili'ənt] *adj.* conciliatory.

konzipieren [kɔntsi'pi:rən] *v/t.* (*h.*) conceive; draft, outline; formulate.

Ko-opera|tion [ko:operatsi'o:n] *f* (-; -*en*) co-operation; **2tiv** [-'ti:f] *adj.* co-operative.

ko-optieren [ko:ɔp'ti:rən] *v/t.* (*h.*) co-opt.

Ko-ordinate [ko:ɔrdi'nɑ:tə] *math. f* (-; -*n*) co-ordinate; **~npapier** *n* co-ordinate (*or* graph) paper; **~nsystem** *n* co-ordinate system; **~nzahl** *f* index of co-ordination.

ko-ordinier|en *v/t.* (*h.*) co-ordinate; **2ung** *f* (-) co-ordination.

Kopal [ko'pɑ:l] *m* (-*s*; -*e*) copal; **~firnis, ~lack** *m* copal varnish.

Kopeke [ko'pe:kə] *f* (-; -*n*) copeck.

Kopenhagen [kopən'hɑ:gən] *n* (-*s*) Copenhagen.

Köper ['kø:pər] *tech. m* (-*s*; -), **2n** *v/t.* (*h.*) twill.

Kopf [kɔpf] *m* (-[e]s; ⸚e) **1.** head (*a. of things, a. tech.*); skull; *in documents*: heading; letterhead; *mil.* warhead; *of page, etc.*: top; nose (*of airplane*); crown (*of hat*); face side (*of coin*); bowl (*of pipe*); *~ an ~* crowded together, closely packed, *racing*: neck and neck; *~ hoch!* chin up!, *fig. a.* bear up!, keep smiling!; *~ oder Wappen* head(s) or tail(s); *~ voraus* head first; *auf dem ~ stehend* inverted, upside-down; *fig. hier steht alles auf dem ~* everything is topsy-turvy, the place is at sixes and sevens; *von ~ bis Fuß* from head to foot, from top to toe; *j-m den ~ abschlagen, j-n e-n ~ kürzer machen* behead a p., chop a p.'s head off; *j-m den ~ waschen* wash a p.'s head, *fig.* take a p. to task; *den ~ hängen lassen* hang one's head, *fig. a.* be despondent (*or* down in the mouth); *nur nicht den ~ hängen lassen!* never say die!; *den ~ in den Sand stecken* hide one's head in the sand; *den ~ oben behalten* keep up one's spirits; *er weiß nicht, wo ihm der ~ steht* he doesn't know which way to turn; *es geht um ~ und Kragen* it's either do or die; *j-m den ~ zurechtsetzen* comb a p's hair for him; **2.** sense, understanding, judg(e)ment, brain(s *pl.*); memory; will; **3.** *fig.* (*person*) (good *or* fine) head, (able) thinker; great mind, genius; head, leader; *fähiger (hohler) ~* capable (empty-headed) fellow; *aus dem ~ hersagen* say from memory *or* by heart *or* offhand; *j-m den ~ verdrehen* turn a p.'s head; *s-n ~ durchsetzen* have it one's way, carry one's point; *s-m eigenen ~e folgen* follow one's own bent, suit o.s.; *mir steht nicht der ~ danach* I don't feel like it; *verlieren Sie nicht den ~* keep your head; **4.** (*single person*) head; *pro ~* a head, per capita, each; *es kamen 100 Mark auf den ~* each received (*or* had to pay) 100 marks; *viel(e) Köpfe, viel(e) Sinne* many heads, many minds; **5.** *with prp.*: *er ist nicht auf den ~ gefallen* he is no fool; *j-m et. auf den ~ zusagen* tell a p. a th. to his face; *auf den ~ stellen* turn upside down; *Tatsachen auf den ~ stellen* stand facts on their heads; *die Stadt auf den ~ stellen* paint the town red; *sich et. aus dem ~e schlagen* banish a th. from one's mind; *das will mir nicht aus dem ~e* I cannot get it out of my head *or* mind; *sich et. durch den ~ gehen lassen* think a th. over, turn a th. over in one's mind; *sich et. in den ~ setzen* take a th. into one's head; *in den ~ (or zu ~e) steigen* go to *a p.'s* head; *mit dem ~ gegen die Wand rennen* run one's head against the wall (*a. fig.*); *bis über den ~ in Schulden stecken* be up to one's ears in debt; *j-m über den ~ wachsen* outgrow a p., *fig.* be too much for (*or* get beyond) a p.; *über s-n ~ hinweg promoted* over his head; *j-n vor den ~ stoßen* shock (*or* offend, antagonize) a p.; *wie vor den ~ geschlagen* thunderstruck, speechless.

'Kopf...: ~arbeit *f* mental (*or* brain-)work; **~arbeiter** *m* brain-worker; **~bahnhof** *m* terminus, terminal; railhead; **~balken** *tech. m* head beam; **~ball** *m soccer*: header; **~bedeckung** *f* headgear; **~bogen** *m* letterhead sheet.

Köpfchen ['kœpfçən] *n* (-s; -) small head; *bot.* capitulum; *colloq. fig. er hat ~* he has brains; *~, ~!* clever boy!

'Kopfdüngung *agr. f* top-dressing.

köpfen ['kœpfən] **I.** *v/t.* (*h.*) behead, decapitate; poll, lop (*tree*); *soccer*: head; **II.** *v/i.* (*h.*) *salad, etc.*: put on heart, head up.

'Kopf...: ~ende *n* head; **~geld** *n* head-money; poll-tax; **2gesteuert** *adj.* overhead camshaft (*engine*); **~haar** *n* hair of the head; **2hängerisch** ['-hɛŋəriʃ] *adj.* gloomy, dejected; **~haut** *f* skin of the head; scalp; **~hörer** *tech. m* headset, headphone; **~kissen** *n* pillow; **~kissenbezug** *m* pillow case (*or* slip); **~länge** *f*: *um e-e ~* by a head; **2lastig** ['-lastiç] *adj.* top- (*aer.* nose-)heavy; **~laus** *f* head louse; **~lehne** *f* head-rest; **2los** *adj.* headless, acephalous; *fig.* panic-stricken, panicky; *~e Flucht* headlong flight, stampede; **~losigkeit** *f* (-; -en) *fig.* panic; **~naht** *f* cranial suture; **~nicken** *n* nod; **~nuß** *colloq. f* clout; **~putz** *m* (-es) head-dress; **~rechnen** *n* mental arithmetic; **~salat** *m* cabbage-lettuce; **~scheibe** *mil. f* silhouette target; **2scheu** *adj.* restive, skittish (*horse*); *fig.* timid, apprehensive; *j-n ~ machen* intimidate (*or* alarm) a p.; **~schmerzen** *m/pl.* headache *sg.*; (*heftige*) *~ haben* have a (splitting) headache; **~schuppen** *f/pl.* dandruff *sg.*; **~schuß** *m* shot in the head; **~schütteln** *n* (-s) shaking (*or* shake) of the head; **~schützer** *m* (-s; -) head-protector *or* -guard; *mil.* woollen cap; **~spiel** *n soccer*: heading, header; *tech.* crest clearance; **~sprung** *m* header; *einen ~ machen* take a header, dive; **~stand** *m* headstand; *aer.* nose-over; *e-n ~ machen* → **2stehen** *v/i.* (*irr.*, *h.*) stand on one's head; *colloq. fig.* be staggered (*or* electrified); *ganz Paris stand kopf* all Paris was in a whirl; **~steinpflaster** *n* cobbled pavement; **~steuer** *f* poll tax; **~stimme** *f* head-voice; falsetto; **~stoß** *m billiards*: massé (*Fr.*); *boxing*: butt; *soccer*: header; **~stütze** *f* head-rest; **~tuch** *n* (-[e]s; "er) (head)kerchief, scarf; **2'über** *adv.*: *~* (*, kopfunter*) head first (*or* foremost), head over heels; **~verletzung** *f* head injury; **~wäsche** *f*, **~waschen** *n* (-s) shampoo(ing); **~wassersucht** *med. f* (-) hydrocephalus; **~weh** *n* (-s) headache; **~wunde** *f* wound in the head; **~zahl** *f* number of persons; **~zeile** *f* headline; topline; **~zerbrechen** *n* (-s): *j-m ~ machen* puzzle (*or* nonplus) a p.; *ohne viel ~* without much pondering.

Kopie [ko'pi:] *f* (-; -n) copy; imitation, facsimile; carbon(-copy); duplicate; *phot.*, *film*: print.

Ko'pier...: ~anstalt *f* printing shop; **~apparat** *m* copying apparatus; **~buch** *econ. n* copying-book; **2en** *v/t.* (*h.*) copy (*a. fig.* = imitate); *phot.* print; *tech.* form, profile; **~farbe** *f* → *Kopiertinte*; **~maschine** *f* copying machine; *tech. a.* forming lathe; **~papier** *phot. n* printing paper; **~presse** *f* copying press; **~rahmen** *phot. m* printing frame; **~stift** *m* indelible (pencil); **~tinte** *f* copying ink.

Kopist(in *f*) [ko'pist] *m* (-en, -en; -, -nen) copyist.

Koppel¹ ['kɔpəl] *mil. n* (-s; -) (waist-)belt.

'Koppel² *f* (-; -n) coupling; *hunt.* leash; couple, pack (*of dogs*); string (*of horses*); paddock, pen; enclosure.

'Koppel...: ~geschäft *econ. n* tie-in sale; **2n** *v/t.* (*h.*) leash, couple (*dogs*); string together (*horses*); enclose, fence in; *radio*: couple; *el.* connect; *fig.*: *~ mit* couple with, tie in with; **~schloß** *n* (belt) buckle; **~ung** *f* (-; -en) linkage, coupling.

'Koppler *m* (-s; -) *radio*: coupler.

'Kopplungsspule *f* coupling coil, coupler.

Kopra ['ko:pra] *f* (-) copra.

kopulier|en [kopu'li:rən] *v/t.* (*h.*) unite, pair; marry; *agr.* graft; **2reis** *agr. n* grafting-twig.

Koralle [ko'ralə] *f* (-; -n) coral.

Korallen...: ~bank *f* (-; "e) coral-reef; **~fang** *m*, **~fische'rei** *f* coral fishing; **~fischer** *m* coral-fisher; **~halsband** *n* coral necklace; **~tier** *n* coral animal.

Koran [ko'rɑ:n] *m* (-s; -e) Koran.

Korb [kɔrb] *m* (-[e]s; "e) basket; hamper, luncheon-basket; crate; *mining*: cage; basket-hilt (*of sword*); *sports* basket (*a.* = goal); *fig.* refusal, rebuff; *e-n ~ bekommen* be turned down (flat), get the mitten.

'Korb...: ~arbeit *f* basket-making; wickerwork; **~ball** *m* netball; **~blütler** ['-bly:tlər] *bot. m/pl.* composite flowers; **~flasche** *f* wicker-bottle; demijohn; **~geflecht** *n* wickerwork; **~macher** *m* basket-maker; **~möbel** *n/pl.* wicker furniture; **~sessel**, **~stuhl** *m* wicker chair; **~wagen** *m for babies*: bassinet(te); **~weide** *f* osier.

Kord(samt) ['kɔrt] *m* (-[e]s; -e) corduroy.

Kordel ['kɔrdəl] *f* (-; -n) string, cord, twine; **2n** *tech. v/t.* knurl.

Kordon [kɔr'dõ] *m* (-s; -s) cordon.

Korea [ko're:a] *n* (-s) Corea; **Koreaner(in** *f*) *m* (-s, -; -, -nen), **kore'anisch** *adj.* Corean.

Korinthe [ko'rintə] *f* (-; -n) currant.

Ko'rinth|er *m* (-s; -), **2isch** Corinthian.

Kork [kɔrk] *m* (-[e]s; -e[n]) *bot.* cork; (cork) stopper, cork; **'~eiche** *f* cork-oak; **'2en I.** *v/t.* (*h.*) cork; **II.** *adj.* (of) cork; **'~enzieher** *m* (-s; -) corkscrew; **'~locke** corkscrew (curl), ringlet; **'2ig** *adj.* corky; **'~jacke** *f* → *Korkweste*; **'~mundstück** *n* cork tip; *mit ~* cork-tipped; **'~platte** *f* cork sheet; *flooring*: cork board; **'~stöpsel** *m* cork stopper; **'~weste** *f* cork jacket.

Korn [kɔrn] *n* (-[e]s; "er) *of cereal, sand, stone, etc., a. phot.*: grain; (grain of) seed; corn, cereals *pl.*; wheat; rye; harvest; *of coin*: standard, alloy, (sterling) value; *on rifle*: front sight, bead; rye whisky; *aufs ~ nehmen* (take) aim at, *Am.* draw a bead on, *fig.* mark *or* attack *a p.*; → *Schrot*.

'Korn...: ~ähre *f* ear of corn, spike; **~blume** *f* cornflower; **2blumenblau** *adj.* cornflower blue, cyaneous; **~brand** *m* (-[e]s) smut; **~branntwein** *m* rye whisky.

Körnchen ['kœrnçən] *n* (-s; -) (little) grain, granule; *fig.* atom, trace; *~ Wahrheit* grain of truth.

körnen ['kœrnən] **I.** *v/i.* (*h.*) *cereals*: run to seed, corn; *salt, sugar, etc.*: (*a. sich*): granulate; **II.** *v/t.* (*h.*) *tech.* granulate; grain (*leather, gunpowder*).

'Körner *pl. of Korn*; **~fresser** *m* granivorous bird; **~mikrophon** *n* granular microphone; **~spitze** *tech. f* lathe cent|re, *Am.* -er.

Kornett¹ [kɔr'nɛt] *mil. m* (-[e]s; -e) cornet.

Kor'nett² *mus. n* (-[e]s; -e) cornet.

'Korn...: ~feld *n* grainfield; **~früchte** *f/pl.* cereals, grain *sg.*; **~garbe** *f* sheaf; **~größe** *f* grain size; **~handel** *m* corn-trade.

körnig ['kœrniç] *adj.* granular, grainy; gritty; *in compounds*: *fein~* (*grob~*) fine-(coarse-)grained.

'Korn...: ~käfer *m* grain weevil; **~kammer** *f* granary (*a. fig.*); **~markt** *m* grain-market.

'Körnmaschine *f* granulating machine.

'Korn...: ~rade *bot. f* (-; -n) corn-cockle; **~schwinge** *f* winnowing-sieve; **~speicher** *m* granary.

'Körnung *f* (-; -en) granulation; grain(ing).

Korona [ko'ro:na] *f* (-; -nen) *ast.*, *el.* corona; *colloq. fig.* bunch, crowd; **~entladung** *el. f* corona discharge.

Körper ['kœrpər] *m* (-s; -) body (*a. math.*); *phys.* body, substance; *a. math.* (*fester*) *~* solid; *tech.* element; body (*of colour, wine*); *am ganzen ~ zittern* tremble all over; **'~bau** *m* (-[e]s) structure of the body, anatomy; build, frame, physique; **'~beherrschung** *f* body control; **'2behindert** *adj.* (physically) disabled, handicapped; **'~beschaffenheit** *f* constitution, physique; **'~chen** *n* (-s; -) small body, particle, corpuscle; **'~ertüchtigung** *f* physical training; **'~fett** *n* body-fat; **'~fülle** *f* corpulence; **'~geruch** *m* body odo(u)r; **'~gewicht** *n* weight; **'~haken** *m boxing*: hook to the body; **'~haltung** *f* (body) carriage, bearing; poise, posture; **'~inhalt** *m* volume; **'~kraft** *f* physical strength; **'~lehre** *f* (-) somatology; *math.* solid geometry, stereometry; **'2lich** *adj.* bodily, physical; corporeal, substantial, material; *math.* solid; of the body, corporal; physical; somatic; *~e Betätigung* physical exercise; *~e Züchtigung* corporal punishment; **'2los**

adj. bodiless, incorporeal; '**~maß** *n* cubic measure; *pl.* (body) measurements; '**~messung** *f* (-) stereometry; '**~öffnung** *f* body orifice; '**~pflege** *f* care of the body, (personal) hygiene; '**~pflegemittel** *n* cosmetic; '**~puder** *m* talcum (*Am. a.* body) powder; '**~schaft** *f* (-; -*en*) body (corporate), corporation, corporate entity; ~ *des öffentlichen Rechts* public law corporation, statutory corporation; *gesetzgebende* ~ legislative body; '**~schaftssteuer** *f* corporation profits tax; '**~schulung** *f* physical training *or* culture, body-building exercises *pl.*; '**~schwäche** *f* bodily weakness; '**~schwung** *m sports* body swing; '**~strafe** *f* corporal punishment; '**~teil** *m* part (*or* member) of the body; '**~teilchen** *n* (-*s*; -) particle; '**~temperatur** *f* body temperature; '**~treffer** *m boxing*: body punch; '**~verletzung** *f* bodily injury; *jur. schwere* ~ grievous bodily harm; '**~wärme** *f* body heat; '**~wuchs** *m* build, physique.

Korporal [kɔrpo'rɑ:l] *mil. m* (-*s*; -*e*) corporal; **~schaft** *f* (-; -*en*) squad.

Korporation [kɔrporatsi'o:n] *f* (-; -*en*) corporation; *univ.* student society, *Am.* fraternity.

Korps [ko:r] *n* (-; -) corps; '**~geist** *m* (-*es*) esprit de corps (*Fr.*).

korpulen|t [kɔrpu'lɛnt] *adj.* corpulent, stout, fat; **2z** [-ts] *f* (-) corpulence, stoutness.

Korpus ['kɔrpus] *colloq. m* (-; -*se*) body; **~ delikti** [de'likti] *jur. n* (- -; -*pora* -) (tangible proof for the) evidence; convicting object; **~ juris** ['ju:ris] *n* (- -) law code; **~schrift** *typ. f* long primer.

korrekt [kɔ'rɛkt] *adj.* correct; **2heit** *f* (-) correctness.

Korrektion [-tsi'o:n] *f* (-; -*en*) correction; **~s-spule** *el. f* correcting coil.

Korrektor [-'rɛktɔr] *typ. m* (-*s*; -'*toren*) (proof-)reader.

Korrektur [-'tu:r] *f* (-; -*en*) correction; adjustment; *typ.* **a)** correction, **b)** proof(-sheet); *zweite* ~ revise; *letzte* ~ press proof; ~(*en*) *lesen* read (*or* correct) proofs; **~abzug, ~bogen** *m* proof (sheet); **~fahne** *f* galley proof; **~zeichen** *n* (proof-)reader's correction mark.

Korrelat [kɔre'lɑ:t] *n* (-[*e*]*s*; -*e*) correlate; **Korrelation** [-latsi'o:n] *f* (-; -*en*) correlation.

Korrespond|ent [kɔrɛspɔn'dɛnt] *m* (-*en*; -*en*), **~in** *f* (-; -*nen*) correspondent; **~enz** [-'dɛnts] *f* (-; -*en*) correspondence; *e-e* ~ *unterhalten* carry on a correspondence; **~enzbüro** *n* news-agency; **2ieren** *v/i.* (*h.*) correspond, be in correspondence (*mit* with); exchange letters; *mit et.* ~ correspond to a th.; ~*des Mitglied* corresponding member.

Korridor ['kɔrido:r] *m* (-*s*; -*e*) corridor (*a. geogr., pol.*); *rail. Am. a.* aisle; passage.

korrigieren [kɔri'gi:rən] *v/t.* (*h.*) correct; rectify; alter; adjust.

korrodieren [kɔro'di:rən] *v/t.* (*h.*) corrode.

Korrosion [-zi'o:n] *f* (-; -*en*) corrosion; **2sbeständig** *adj.* corrosion-resistant; **2sfrei** *adj.* non-corroding; **~smittel** *n* corrosive; **2sverhütend** *adj.* anti-corrosive.

korrumpieren [kɔrum'pi:rən] *v/t.* (*h.*) corrupt.

korrupt [-'rupt] *adj.* corrupt; **Korruption** [-tsi'o:n] *f* (-; -*en*) corruption, *Am. pol. a.* graft.

Korsar [kɔr'zɑ:r] *mar. m* (-*en*; -*en*) corsair, privateer (*both a.* = **~enschiff** *n*).

Kors|e ['kɔrzə] *m* (-*n*; -*n*), **2isch** *adj.* Corsican.

Korsett [kɔr'zɛt] *n* (-[*e*]*s*; -*e*) corset, stays *pl.*

Korund [ko'runt] *min., tech. m* (-[*e*]*s*; -*e*) corundum.

Korvette [kɔr'vɛtə] *mar. f* (-; -*n*) corvette; **~nkapitän** *m* lieutenant commander.

Koryphäe [kori'fɛ:ə] *f* (-; -*n*) *fig.* master-mind, (great) authority (*für* on), great brain, big gun.

Kosak [ko'zak] *m* (-*en*; -*en*) Cossack.

koscher ['ko:ʃər] *adj.* kosher, pure; *colloq. fig. da ist et. nicht ganz* ~ *sl.* there is something fishy about it.

Koseform ['ko:zə-] *f* pet-form.

Kosekans ['ko:zəkans] *m* (-; -), **Kose'kante** *f math.* cosecant.

kosen ['ko:zən] *v/i. and v/t.* (*h.*) fondle, caress.

'**Kose...:** **~name**(**n**) *m* pet name; **~wort** *n* (-[*e*]*s*; ⸚*er*) term of endearment.

Kosinus ['ko:zinus] *math. m* (-; -) cosine; **~satz** *m* cosine formula.

Kosmet|ik [kɔs'me:tik] *f* (-) cosmetics *pl.*; **~iker**(**in** *f*) *m* (-*s*, -; -, -*nen*) cosmetician, beautician; **2isch** *adj.* cosmetic; ~*es Mittel* cosmetic, beauty aid.

kosmisch ['kɔsmiʃ] *adj.* cosmic(al).

Kosmonaut [kɔsmo'naut] *m* (-*en*; -*en*) cosmonaut.

Kosmopolit [-po'li:t] *m* (-*en*; -*en*), **2isch** *adj.* cosmopolitan.

Kosmos ['kɔsmɔs] *m* (-) cosmos, universe.

Kost [kɔst] *f* (-) food, fare; board; diet, formula; *deutsche* ~ German cooking; *magere* (*or schmale*) ~ slender fare, meagre diet; *kräftige* ~ rich (*or* substantial) diet; *fig. geistige* ~ spiritual nourishment, (mental) pabulum; *leichte* ~ slight fare; *freie* ~ *u. Wohnung* free board and lodging; *j-m* ~ *u. Logis geben* board and lodge a p.; *in* (*die*) ~ *geben* board out; *in* ~ *nehmen* take as a boarder, board; *in* ~ *sein bei* (*dat.*) board with.

'**kostbar** *adj.* precious, valuable; costly, expensive; splendid, sumptuous, luxurious; *fig.* capital, priceless; **2keit** *f* (-; -*en*) preciousness, valuableness; costliness; precious object, treasure; ~*en pl.* valuables.

'**kosten**[1] *v/t.* (*h.*) taste (of); sip; try, sample; *fig.* taste, try, enjoy, *b.s.* get a taste of.

'**kosten**[2] *v/t.* (*h.*) cost; *fig.* take, require (*time, trouble, etc.*); *was kostet dies?* how much is it?; *es koste, was es wolle!* cost what it may!; *das kostet ihn viel* it costs him a great deal; *es kostete ihn sein Leben* (*den Kopf*) it cost him his life; *er ließ es sich viel* ~ he spend a great deal of money on it; *es kostete uns e-e volle Stunde, zu* (*inf.*) it took us a full hour to (*inf.*); *es kostete mich e-n harten Kampf* it cost me a hard struggle.

'**Kosten** *pl.* cost(s *pl.*); expense(s *pl.*), charges; fees, charges, *jur.* costs; outlay; *econ.* ~, *Fracht und Versicherung* cost, insurance and freight (*abbr.* c.i.f.); *laufende* ~ standing charges; *auf* ~ *von* at the cost (*or* expense) of; *auf* ~ *der Allgemeinheit* at the public expense; *das geht auf* ~ *der Gesundheit* that's bad for your health; *mit geringen* ~ at a slight cost; *ohne* ~ at no cost (*für* to); *die* ~ *tragen* bear the costs; *keine* ~ *scheuen* spare no expense; *auf s-e* ~ *kommen* cover one's expenses, *fig.* get one's money's worth, *w.s.* enjoy o.s. (immensely); *sich in* ~ *stürzen* go to (*or* incur) great expense; *jur. zu den* ~ *verurteilt* condemned in the (*or* to pay all) costs; **~anschlag** *m* estimate, tender; **~aufstellung** *f* statement of cost, cost account; **~aufwand** *m* expenditure; *mit e-m* ~ *von* at a cost of; **~berechnung** *f* calculation of cost, costing; **~ersatz** *m*, **~erstattung** *f* compensation for expenses (*or* outlay) incurred, indemnification; *gegen* ~ for cost; **~ersparnis** *f* saving in cost(s); **~faktor** *m* cost factor; **~folge** *jur. f* order as to costs; **~frage** *f* question of the costs (*or* price); **2frei** *adj.* free of cost, *econ.* clear of (all) charges; **2los** *adj. and adv.* free (of charge), gratuitous(ly); **2pflichtig** *adj.* with costs, liable to pay costs; *jur.* ~ *abweisen* dismiss *an action* with costs; **~preis** *econ. m* cost-price, prime cost; *unter dem* ~ below cost, at a loss (*or* sacrifice); **~-Preis-Schere** *f* cost-and-price scissors *pl.*; **~punkt** *m* matter of expense, expenses *pl.*; **~rechnung** *f* bill of costs; **~voranschlag** *m* estimate; **~vorschuß** *m* advance (on costs).

'**Kost...:** **~gänger** ['-gɛŋər] *m* (-*s*; -), **~in** *f* (-; -*nen*) boarder; **~geld** *n* (payment for) board; board-wages *pl.*; *stock exchange*: continuation-rate, contango; **~geschäft** *econ. n* contango business.

köstlich ['kœstliç] **I.** *adj.* delicious, dainty, savo(u)ry, tasty; exquisite, choice; charming, delightful, wonderful; capital, great; **II.** *adv.*: *sich* ~ *amüsieren* enjoy o.s. immensely, have a wonderful time.

'**Kostprobe** *f* sample, taste.

kostspielig ['-spi:liç] *adj.* expensive, costly; sumptuous; '**2keit** *f* (-) expensiveness, costliness; sumptuousness.

Kostüm [kɔs'ty:m] *n* (-*s*; -*e*) costume, dress; (lady's) suit; fancy-dress; **~ball** *m*, **~fest** *n* fancy-dress ball; **~berater** *m film*: costume adviser; **~film** *m* period picture.

kostü'mieren *v/t.* (*h.*) (*and sich*) dress (o.s.) up.

Ko'stüm...: **~probe** *thea. f* dress rehearsal; **~zeichner**(**in** *f*) *m* dress designer.

'**Kostverächter**(**in** *f*) *m*: *er ist kein* ~ he is not particular *or* fastidious.

Kot [ko:t] *m* (-[e]s) mud, muck, mire; dirt, filth; *physiol.* excrements, f(a)eces *pl.*, stool; *zo.* dung, droppings *pl.*; *fig.* *in den ~ ziehen* drag in the mud.

Kotangens ['ko:taŋgɛns] *m* (-; -), '**Kotangente** *f math.* cotangent.

Kotau [ko'tau] *m* (-s; -s) ko(w)tow.

Kotelett [kɔtə'lɛt] *n* (-[e]s; -s) cutlet; chop; **~en** *pl.* side whiskers, *Am.* sideburns.

Köter ['kø:tər] *contp. m* (-s; -) cur.

'**Kot...:** **~fliege** *f* dung-fly; **~flügel** *mot. m* mudguard, *Am.* fender.

Kothurn [ko'turn] *thea. m* (-s; -e) buskin, cothurnus *fig.* *auf hohem ~* in a tragic (*or* majestic, *iro.* pompous) style.

kotig ['ko:tiç] *adj.* muddy, dirty; bedraggled; f(a)ecal.

kotzen ['kɔtsən] *vulg. v/i.* (*h.*) vomit, retch, puke, spew; *mot.* sp(l)utter; *es ist zum 2* it's enough to make you sick.

Krabbe ['krabə] *zo. f* (-; -n) shrimp; prawn; crab; *colloq. fig.* little pet, brat; **2ln I.** *v/i.* (*sn*) crawl; wriggle; scramble; itch, tickle; **II.** *v/t.* (*h.*) tickle.

krach! [krax] *int.* bang!, whang!, crash!

'**Krach** *m* (-[e]s; -e) crash, crack; (loud) noise, din, row, racket; *econ.* crash, collapse, smash; quarrel, row; *~ machen* make a noise (*or* row, racket); *~ schlagen* raise hell, kick up a row; **2en** *v/i.* crash, crack; *fire*: crackle; burst; detonate; *thunder*: roar, peal; *door*: bang, slam; *econ.* crash, collapse; **~en** *n* (-s) crash(ing), crack(ing); peals *pl.*, roar; **~er** *colloq. m* (-s; -) (*alter*) *~* old dodderer; **~mandel** *bot. f* (soft-)shelled almond.

krächzen [krɛçtsən] *v/i.* (*h.*) caw, croak (*a. fig.*); *~d sagen* rasp; *~de Stimme* rasping voice.

krack|en ['krakən] *tech. v/t.* (*h.*) crack (*oil*); **2verfahren** *n* cracking process.

Krad [kra:t] *mil. n* (-[e]s; ¨er) motor-cycle (*abbr.* M.C.); **~melder** *m* motor-cycle dispatch rider.

Kraft [kraft] *f* (-; ¨e) strength; force; power (*a. el., tech.*); might; efficacy; vigo(u)r; energy (*a. phys.*); worker, hand, *thea.* performer; *Kräfte pl. mil.* forces; *econ.* labo(ur); *of writer, etc.*: force, power, punch; *treibende ~* motive power, prime mover; *rohe ~* brute force; *am Ende meiner ~* at the end of my tether; *bei Kräften* on one's feet; *aus eigener ~ mar.* under one's own steam, *fig. a.* by o.s., on one's own resources; *aus eigener ~ hochzukommen suchen* pull o.s. up by one's bootstraps; *mit aller ~* with all one's might; *mit frischen Kräften* with renewed strength; *nach besten Kräften* to the best of one's ability; *das geht über m-e Kräfte* that is beyond me, that's more than I could handle; *was (nur) in meinen Kräften steht* my utmost; *Kräfte sammeln* gather strength; *wieder zu Kräften kommen* regain one's strength; *jur. bindende (rückwirkende) ~* binding (retrospective) force; *in ~ sein* be in force (*or* operation), be effective; *in ~ setzen* enact, put into force (*or* operation), *wieder*: re-enact, restore, *patent, etc.*: reinstate; *in ~ treten* come into effect (*or* force, operation), become effective; *außer ~ setzen* annul; repeal (*law*); cancel, rescind, invalidate (*contract, etc.*); suspend; *außer ~ treten* cease to be effective, expire, lapse.

kraft *prp.* (*gen.*) by (*or* in) virtue of; on the strength of; *~ des Gesetzes a.* by operation of law.

'**Kraft...:** **~aggregat** *tech. n* power set (*or* unit); **~akt** *m* strong-man act; **~anlage** *el. f* power plant; **~anstrengung** *f* effort; **~antrieb** *m* power drive; *mit ~* power-driven; **~aufwand** *m* expenditure of energy; effort; **~ausdruck** *m* → *Kraftwort*; **~bedarf** *el. m* power requirement; **~brot** *n* fortified bread; **~brühe** *f* beef-tea; **~droschke** *f* taxi-cab; **~einheit** *phys. f* unit of force; **~ersparnis** *f* energy (*or* power) saving.

'**Kräfte...:** **~dreieck** ['krɛftə-] *n* triangle of forces; **~parallelogramm** *n* parallelogram of forces; **~verfall** *m* loss of strength; **~verhältnis** *n* proportion of forces; **~verteilung** *mil. f* distribution of forces; **~zersplitterung** *mil. f* scattering of forces.

'**Kraft...:** **~fahrer(in** *f*) *m* driver, motorist; **~fahrpark** *m* fleet (of motor vehicles); **2fahrtechnisch** *adj.* automotive; **~fahrtruppe** *mil. f* motor transport troops *pl.*; **~fahrwesen** *n* (-s) motoring, automobilism; **~fahrzeug** *n* motor vehicle; **~fahrzeugbau** *m* automotive engineering; **~fahrzeugbrief** *m* motor-vehicle registration card; **~feld** *phys. n* field (of force); **~futter** *n* concentrate(d feed); **2geladen** *adj.* dynamic, powerpacked.

kräftig ['krɛftiç] **I.** *adj.* strong, robust, sturdy (*all a. tech.*); stalwart, brawny, hefty, *Am. a.* husky; strapping; energetic, vigorous; powerful; healthy; nourishing, substantial, rich; deep, bright (*colour*); severe, sharp (*rebuke*); *paint., phot.* high; **II.** *adv.* strongly, *etc.*; lustily, heartily; soundly; **~en** ['-tigən] *v/t.* (*h.*) strengthen, invigorate, harden, steel, fortify; refresh, restore, revive, brace up; *sich ~* gain strength; **~end** ['-gənt] *adj.* invigorative, *med.* tonic; bracing (*air*); refreshing, reviving; **2keit** ['-tiçkait] *f* (-) strength, vigo(u)r, energy; **2ung** ['-tiguŋ] *f* strengthening; invigoration; restoration; **2ungsmittel** *med. n* restorative.

'**Kraft...:** **~lastwagen** *m* (motor) lorry, *Am.* truck; **~lehre** *f* (-) dynamics *sg.*; **~linie** *el. f* line of force; **2los** *adj.* without strength *or* vigo(u)r; powerless, faint; feeble, weak; limp; languid, exhausted; wishy-washy, weak (*style*); *jur.* invalid, (null and) void; **~losigkeit** *f* (-) lack of strength *or* vigo(u)r, feebleness, *med.* debility; weakness (*of style*); **~maschine** *f* power unit, engine, prime mover, *el.* motor; **~mehl** *n* cornflour, *Am.* cornstarch; **~meier** *m* (-s; -) (swaggering) muscle-man; **~mensch** *m* muscle-man, strong man; **~messer** *m* dynamometer; **~nahrungsmittel** *n/pl.* concentrated foods; **~post** *f* postal bus service, *n.s.* motorbus; **~probe** *f* trial of strength; **~protz** *m* → *~meier*; **~quelle** *f* source of power; **~rad** *n* motor-cycle; **~reserve(n** *pl.*) *f* power reserve; *person*: reserve strength, reserve force; **~station** *el. f* power station; **~stoff** *mot. m* (power) fuel; → *Benzin*; *~ auffüllen* refuel; **~stoffanzeiger** *m* fuel ga(u)ge; **~stoffbehälter** *m* fuel tank; **~stoffgemisch** *n* fuel mixture; **~stoff-Luft-Gemisch** *n* fuel-air mixture; **~stoffverbrauch** *m* fuel consumption; **~strom** *el. m* power current; **2strotzend** *adj.* full of (*or* bursting with) strength, (as) strong as an ox; **~stück** *n* stunt; **~übertragung** *f* power transmission; **~verkehr** *m* motor traffic; **~verschwendung** *f* waste of energy; **2voll** *adj.* strong, vigorous, powerful, athletic; energetic; powerful, pithy (*style*); **~wagen** *m* (motor-)car, *Am. a.* automobile; motor vehicle; **~wagenführer** *m* driver; **~wagenkolonne** *f* motor transport column; **~wagenpark** *m* fleet (of motor vehicles); **~werk** *el. n* power station *or* plant; **~wort** *n* (-[e]s; ¨er) pithy expression, swear-word, four-letter word; *~e pl.* strong language; **~zug** *m* power traction.

Kragen ['kra:gən] *m* (-s; -) collar (*a. tech.*); cape; tippet; *fig. j-n beim ~ nehmen* collar a p.; *colloq. da platzte mir der ~* that was the last straw, there I lost my temper; **~abzeichen** *mil. n/pl.* collar insignia; **~knopf** *m* collar-button; **~nummer, ~weite** *f* collar size; *colloq. genau m-e Kragenweite* just my cup of tea; **~spiegel** *mil. m* collar patch.

Kragstein ['kra:k-] *arch. m* console.

Krähe ['krɛ:ə] *f* (-; -n) crow; rook; *e-e ~ hackt der andern nicht die Augen aus* dog won't eat dog; **2n** *v/i.* (*h.*) crow; → *Hahn*; **~nfüße** *m/pl.* scrawl *sg.*; *colloq.* crow's-feet (*round the eyes*); **~nnest** *n* crow's nest (*a. mar.*).

krählen ['krɛ:lən] *tech. v/t.* rabble.

'**Krähwinkel** *n* (-s) Podunk.

Krake ['kra:kə] *zo. m* (-n; -n) octopus.

Krakeel [kra'ke:l] *colloq. m* (-s; -e) quarrel, brawl; row, racket; **2en** *v/i.* (*h.*) brawl; make (*or* kick up) a row; **~er** *m* (-s; -) brawler, rowdy.

Kral [kra:l] *m* (-s; -e) kraal.

Kralle ['kralə] *f* (-; -n) claw (*a. fig.*); *orn. a.* talon, clutch; *fig. die ~n zeigen* show one's teeth; *j-n in den ~n haben* have a p. in one's clutches; **2n** *v/t.* (*h.*) claw, clutch; *sich an et. ~* cling to, clutch.

Kram [kra:m] *m* (-[e]s) *econ.* retail (trade); → *~laden*; retail goods, small wares *pl.*; *contp.* stuff, lumber, odds and ends *pl.*; *elender ~* rubbish, trash; *der ganze ~* the whole stuff, *fig.* the whole bag of tricks (*or Am. sl.* caboodle); *das paßt* *gerade in m-n* ~ that suits me to a T, that comes in handy; *es paßte ihm nicht in s-n* ~ it did not suit his plans; 'Ȣ**en** *v/i.* (*h.*) rummage (*in dat., unter dat.* in; *nach* for); *fig. in s-n Erinnerungen* ~ turn over one's memories.

Krämer ['krɛːmər] *m* (-*s*; -), **~in** *f* (-; -*nen*) (small) shopkeeper, retailer; grocer; '**~geist** *m* (-es) mercenary spirit; mean character; 'Ȣ**haft** *adj.* like a shopkeeper, mean; '**~seele** *f* sordid mind; petty-minded person; '**~volk** *n* nation of shopkeepers.

'**Kramladen** *m* small shop, general store(s *pl.*); grocer's shop.

Krammetsvogel ['kramətsfoːgəl] *m* fieldfare.

Krampe ['krampə] *tech. f* (-; -*n*) cramp, staple.

Krampf [krampf] *m* (-[e]s; ⸚e) *med.* cramp, spasm, convulsion; paroxysm, convulsive fit; *epileptische Krämpfe* epileptic fits; *colloq. contp.* stuff (and nonsense), rubbish, rot; *Krämpfe bekommen* go (off) into convulsions; '**~ader** *med. f* varicose vein; 'Ȣ**artig** *adj.* spasmodic, convulsive, paroxysmal; 'Ȣ**en** *v/t.* (*h.*) *and sich* ~ contract convulsively, clench; 'Ȣ**haft** *adj. med.* spasmodic, convulsive; *fig.* desperate, feverish, frantic; forced (*smile*); '**~husten** *m* convulsive cough; whooping cough; 'Ȣ**stillend** *adj.* antispasmodic, sedative.

'**Kramwaren** *f/pl.* small wares, commodities; groceries.

Kran [krɑːn] *tech. m* (-[e]s; ⸚e) crane; stop cock; *mit dem* ~ *heben* crane up, hoist; '**~arm**, '**~ausleger** *m* jib; '**~brücke** *f* gantry; '**~führer** *m* crane driver (*or* operator).

Kranich ['krɑːniç] *orn. m* (-*s*; -e) crane.

krank [kraŋk] *adj.* ill (*an dat.* with, of), sick; afflicted (with), suffering *or* ailing (from); in bad *or* ill health; diseased (*organ, etc.*); mentally ill; bad, sore (*tooth*); ~ *werden* fall (*or* be taken) ill; *sich* ~ *fühlen* feel ill *or* poorly; *sich* ~ *melden* report sick; *sich* ~ *stellen* sham illness, pretend to be ill, *mil.* malinger; ~ *schreiben* certify as ill; *fig. sich* ~ *lachen* split one's sides with laughter; *das macht mich noch* ~ that's enough to drive one mad; 'Ȣ**e(r** *m*) *f* (-*n*, -*n*; -*n*, -*n*) sick person, invalid, patient; case, subject; *die* ~*n* the ill (*or* sick).

kränkeln ['krɛŋkəln] *v/i.* (*h.*) be sickly (*or* ailing, poorly), be in poor health; '**Kränkeln** *n* (-*s*) sickliness, poor health.

kranken ['kraŋkən] *v/i.* (*h.*) suffer (*an dat.* from).

kränken ['krɛŋkən] *v/t.* (*h.*) aggrieve; offend, injure; wound (*or* hurt) *a p.'s* feelings; mortify; *das kränkt* that hurts; *es kränkt mich, daß* it annoys (*or* mortifies, hurts) me that; *sich* ~ feel hurt (*or* grieved).

'**Kränken** *n* (-*s*) → *Kränkung.*

'**Kranken...:** **~anstalt** *f* hospital, clinic; **~auto** *n* ambulance (car); **~bahre** *f* stretcher, litter; **~bericht** *m* medical report; bulletin; **~besuch** *m* visit to (*or* call on) a patient; **~bett** *n* sick-bed; *am* (*zum*) ~ at (to) the bedside; *ans* ~ *gefesselt* confined to bed, bedridden; **~blatt** *n* clinical record; **~fürsorge** *f* care of the sick; **~geld** *n* sick benefit; **~geschichte** *f* case history; **~gymnastik** *f* remedial exercises *pl.*; physiotherapy; **~haus** *n* hospital; *in e-m* ~ *unterbringen* hospitalize; *im* ~ *liegen* lie in hospital, be hospitalized; *ins* ~ *aufnehmen* admit to a hospital; **~hausbehandlung**, **~hausunterbringung** *f* hospitalization, hospital care; **~kasse** *f* sick-fund, health insurance (body); **~kassenarzt** *m* panel doctor; **~kost** *f* (invalid) diet; **~lager** *n* → *Krankenbett*; **~liste** *mil. f* sick-list; **~pflege** *f* nursing; **~pfleger(in** *f*) *m* → *Krankenwärter(in)*; **~revier** *mil. n* infirmary, dispensary; **~saal** *m* sick-room, ward; **~schein** *m* medical certificate, medical (card); **~schwester** *f* (female) nurse; **~stube** *f* sick-room; **~stuhl** *m* invalid-chair; **~träger** *mil. m* ambulance-man, stretcher-bearer; **~urlaub** *m* sick-leave; **~versicherung** *f* health insurance; **~wagen** *m* ambulance (car); **~wärter(in** *f*) *m* male (female) nurse; **~zimmer** *n* sick-room.

'**krankhaft** *adj.* pathological, morbid, abnormal; diseased; psychopathical; *das ist* ~ *bei ihm* that's a complaint of his; Ȣ**igkeit** *f* (-) morbidity, abnormality; pathological state.

'**Krankheit** *f* (-; -*en*) illness, sickness; disease; complaint, affection, trouble; ailment; *vet.* distemper; *e-e* ~ *feststellen* diagnose *or* state a disease; *sich e-e* ~ *zuziehen* contract (*or* catch) a disease; fall *or* be taken ill.

'**Krankheits...:** **~bericht** *m* medical report, bulletin; **~beschreibung** *f* pathography; **~bild** *n* clinical picture; Ȣ**erregend** *adj.* pathogenic; **~erreger** *m* pathogenic agent; virus; **~erscheinung** *f* symptom; **~fall** *m* case (of illness); Ȣ**halber** *adv.* through (*or* owing to, on account of) illness; **~herd** *m* focus of a disease, nidus; **~keim** *m* germ of a disease; **~lehre** *f* (-) pathology; **~stoff** *m* contagious (*or* morbid) matter; **~träger** *m* carrier; **~übertragung** *f* transmission of disease; infection; contagion; **~urlaub** *m* sick-leave; **~verlauf** *m* course of an illness; **~zeichen** *n* symptom; **~zustand** *m* condition.

kränklich ['krɛŋkliç] *adj.* sickly, ailing, infirm, valetudinarian, poorly; 'Ȣ**keit** *f* (-) sickliness, infirmity.

'**Kränkung** *f* (-; -*en*) insult, offen|ce, *Am.* -se, mortification, wrong; *j-m e-e* ~ *zufügen* → *kränken.*

'**Kranwagen** *mot. m* crane truck; → *Abschleppwagen.*

Kranz [krants] *m* (-es; ⸚e) wreath, garland; *arch.* festoon; cornice; *tech.* rim (*of wheel*); face (*of disk*); *mil.* revolving gun mount; *fig.* circle; '**~arterie** *anat. f* coronary artery.

Kränzchen ['krɛntsçən] *n* (-*s*; -) small wreath *or* garland; *fig.* private party *or* circle, *Am. a.* bee; tea-party, hen party.

kränzen ['krɛntsən] *v/t.* (*h.*) wreathe; crown (with wreaths), adorn (with garlands).

Kranz...: **~gesims** *arch. n* cornice, corona; **~jungfer** *f* bridesmaid; **~niederlegung** *f* (ceremonial) laying of a wreath; **~spende** *f* funeral wreath.

Krapfen ['krapfən] *m* (-*s*; -) doughnut.

Krapp [krap] *tech. m* (-[e]s) (dyer's) madder.

kraß [kras] *adj.* rank, gross; striking, pronounced; drastic; gross, blatant (*lie*); flagrant (*contradiction*); *krasser Außenseiter* rank outsider; ~*er Materialist* crass materialist.

Krater ['krɑːtər] *m* (-*s*; -) crater; **~bildung** *f* crater formation.

'**Kratz|bürste** *f* scrubbing-brush; *colloq. fig.* cross-patch; Ȣ**bürstig** *adj.* cross, gruff, waspish.

Kratze ['kratsə] *tech. f* (-; -*n*) scraper; *metall.* rake, paddle; *for wool*: card.

Krätze ['krɛtsə] *f med.* (-) itch, scabies, scab; *tech.* (-; -*n*) (metal) scrapings *pl.*

kratzen ['kratsən] *v/t. and v/i.* (*h.*) (*sich*) scratch (o.s.); scrape; *metall.* rabble; *sound*: grate, rasp; *sich den Kopf* ~ scratch one's head; *sich hinter dem Ohr* ~ scratch one's ear; *colloq. auf der Geige* ~ scrape on the fiddle; *der Wein kratzt* the wine has a tart (*or* harsh) taste; *es kratzt mir im Halse* I have a tickle in my throat; ~*des Geräusch* scratchy (*or* grating) noise.

'**Kratzer** *m* (-*s*; -) scratcher; scraper; scraping-iron; (*wound*) scratch.

Krätzer ['krɛtsər] *m* (-*s*; -) rough wine.

'**kratzfest** *adj.* mar-resistant.

'**Kratzfuß** *m* scrape, obeisance; *Kratzfüße machen* bow and scrape.

krätzig ['krɛtsiç] *med. adj.* scabious, itchy.

kraue(l)n ['krauə(l)n] *v/t.* (*h.*) scratch gently; tickle; stroke.

Kraul [kraul] *n* (-[s]) *swimming*: crawl(-stroke); Ȣ**en** *v/i.* (*sn*) crawl; **~en, ~schwimmen** *n* (-*s*) crawling; **~schwimmer(in** *f*) *m* crawl swimmer.

kraus [kraus] *adj.* curly, curled, crisp; frizz(l)y; nappy, ruffled (*cloth*); tangled, *fig. a.* intricate; confused (*thoughts*); *die Stirn* ~ *ziehen* pucker (*or* knit) one's brow.

Krause ['-zə] *f* (-; -*n*) ruff(le), frill.

Kräusel|krepp *m* ['krɔyzəl-] **a)** crêpe nylon, **b)** seersucker; '**~lack** *m* crinkle-finish enamel

'**kräuseln** *v/t.* (*h.*) *and sich* ~ curl, frizzle, crimp; crisp; *phot.* frill; goffer; mill (*coin*); *sich* ~ *water*: ripple, ruffle, *smoke*: wreathe, curl up, *cloth*: pucker.

'**Kräuselstoff** *m* ripple-cloth.

krausen ['krauzən] *v/t.* (*h.*) curl, frizzle; knit (*one's brow*); wrinkle (*one's nose*).

'**Kraus...:** **~haar** *n* curly hair; Ȣ**haarig** *adj.* curly-haired; **~kopf** *m* curly head; **~tabak** *m* shag.

Kraut ['kraut] *n* (-[e]s; ⸚er) herb;

plant, vegetable; cabbage; weed; top(s *pl.*) (*of beet, etc.*); (medicinal) herb; *ins ~ schießen* run to leaf, *fig.* run wild; *colloq. fig. das macht das ~ auch nicht fett* that won't help matters any; *wie ~ und Rüben (durcheinander)* higgledy-piggledy, in a jumble; '**~acker** *m* cabbage field; '**2artig** *adj.* herbaceous.

Kräuter ['krɔytər] *pl. of Kraut*; **~bad** *med. n* herb-bath; **~buch** *n* herbal (book); **~essig** *m* herb vinegar; **~käse** *m* green cheese; **~kunde** *f* herbal lore; **~kur** *f* herb-cure; **~saft** *m* herb juice; **~salbe** *f* herbal salve; **~sammler(in** *f*) *m* herbalist; **~sammlung** *f* herbarium; **~suppe** *f* julienne (*Fr.*); **~tee** *m* herb tea.

'**Kraut...: ~garten** *m* kitchen garden; **~hacke** *f* hoe; **~junker** *colloq. m* country-squire; **~kopf** *m* cabbage (head); **~salat** *m* cabbage salad.

Krawall [kra'val] *m* (-s; -e) uproar, riot; row, brawl; *sl.* rumpus, shindy; → *Krach (machen, schlagen)*; **~macher** *m* (-s; -) rioter, rowdy, brawler.

Krawatte [kra'vatə] *f* (-; -n) (neck-) tie; cravat (*a. wrestling*); **~nhalter** *m* (-s; -) tie-clip; **~nnadel** *f* tie pin.

kraxeln ['kraksəln] *colloq. v/i.* (*sn*) climb, scramble.

Kreatur [krea'tu:r] *f* (-; -en) creature; *alle ~* all nature; *fig. contp.* creature, tool, minion.

Krebs [kre:ps] *m* (-es; -e) *zo.* crayfish, *Am.* crawfish; crab; *ast.* Cancer; *med.* cancer; *bot.* canker; *book trade*: *~e pl.* returns.

'**Krebs...: 2artig** *adj.* crablike, crustaceous; *med.* cancerous, cancroid; **~bildung** *med. f* canceration; **~erreger** *med. m* carcinogen; **~forschung** *med. f* cancer research; **~gang** *m* (-[e]s) crab's walk; *fig.* backward movement, retrogradation, decline; *den ~ gehen* go backwards; **~geschwür** *med. n* cancerous ulcer, carcinoma; **2krank** *adj.* cancerous; **~kranke(r** *m*) *f* person suffering from cancer, cancer patient; **2rot** *adj.* (as) red as a lobster; **~schaden** *m* cancerous affection; *fig.* canker; **~schere** *f* claw of a crayfish; **~suppe** *f* crayfish soup; **~tiere** *n/pl.* crustacea.

Kredenz [kre'dɛnts] *f* (-; -en) sideboard; **2en** *v/t.* (*h.*) present, hand, offer.

Kredit[1] ['kre:dit] *econ. n* (-s; -s) *book-keeping*: credit; *im ~ stehen* be on the credit-side.

Kredit[2] [kre'di:t] *econ. m* (-[e]s; -e) credit; loan; *fig.* (moral) credit, standing; *auf ~* on credit; *laufender ~* open credit; (*un*)*widerruflicher ~* (ir)revocable (letter of) credit; *e-n ~ aufnehmen* raise a loan; *e-n ~ einräumen* allow (*or* grant) a credit; *e-n ~ eröffnen* open (*or* lodge) a credit (*bei* with, *zu j-s Gunsten* to a p.'s favo[u]r); *der ~ ist gültig bis* the credit is available up to; **~abteilung** *f* credit department; **~anspannung** *f* credit strain; **~anstalt** *f* loan (*or* credit) bank; **~aufnahme** *f* borrowing; **~bank** *f* (-; -en) → *Kreditanstalt*; **~beanspruchung** *f* borrowings *pl.*; **~brief** *m* letter of credit; → *Akkreditiv*; **~entziehung** *f* withdrawal of credit(s *pl.*); **~eröffnung** *f* opening a credit (*bei* with); **2fähig** *adj.* trustworthy; sound, solvent, safe; *j-n bis zur Höhe von ... für ~ halten* consider a p. trustworthy to the extent of ...; **~fähigkeit** *f* (-) trustworthiness, soundness; borrowing power; credit standing (*Am.* rating); **~geber** *m* (-s; -) credit grantor; **~genossenschaft** *f* mutual loan society, *Am.* co-operative credit association; **~geschäft** *n* credit business *or* operation.

kreditier|en [kredi'ti:rən] *econ.* **I.** *v/i.* (*h.*) give *or* grant credit; **II.** *v/t.* (*h.*): *j-n mit e-m Betrag ~, j-m e-n Betrag ~* pass (*or* place) an amount to the credit of a p.; *ein Konto ~* credit an account; → *gutschreiben*; **2ung** *f* (-; -en) crediting; credit advice; credit note.

Kre'dit...: ~institut *n* credit bank; **~knappheit** *f* credit stringency; **~markt** *m* credit market; **~mittel** *n/pl.* loan funds; **~nehmer** *m* (-s; -) borrower, beneficiary; **~posten** *m* entry (*or* item) on the credit side, credit item; **~schraube** *f* credit squeeze; **~seite** *f* credit side; **~sperre** *f* ban on lending, credit squeeze; **~spritze** *f* credit injection; **~system** *n* credit system; instalment plan; **2würdig** *adj.* → *kreditfähig*.

Kreide ['kraɪdə] *f* (-; -n) chalk; *paint.* crayon; *mit ~ zeichnen* chalk, crayon; *bei j-m in der ~ stehen* owe a p. money, *Am.* be in the red with a p.; *tief in der ~ sitzen* be up to one's ears in debt; '**2bleich** *adj.* → *kreideweiß*; '**~boden** *m* chalky soil; '**~fels(en)** *m* chalk-cliff; '**2haltig** *adj.* chalky, cretaceous; '**~papier** *n* coated (*or* enamel) paper; '**~stift** *m* chalk (pencil), crayon; '**~strich** *m* chalk line; '**2weiß** *adj.* (as) white as a sheet, deathly pale, ashen; '**~zeichnung** *f* chalk (*or* crayon) drawing; '**~zeit** *f* (-) cretaceous period.

'**kreidig** *adj.* chalky, cretaceous.

kreieren [kre'ʔi:rən] *v/t.* (*h.*) create, produce.

Kreis [kraɪs] *m* (-es; -e) circle; ring; *ast.* orbit; *el.* circuit; cycle; *fig.* district, *jur.* circuit; group, range; sphere (*of activity*); range (*of ideas*); circle (*of friends, etc.*); walk of life, social stratum, class; *im ~e (herum)* (moving) in a circle; round about; *in kleinem ~e* in a small circle; *im engsten ~e* with one's intimates; *im ~e s-r Familie* in (the bosom *or* midst of) one's family; *in weiten ~en* widely; *in den besten ~en* in the best society; *parlamentarische, etc., ~e* parliamentary, *etc.*, quarters; *weite ~e der Bevölkerung* wide circles (*or* large groups) of the population; *wohlunterrichtete ~e* informed opinion (*or* quarters); *e-n ~ beschreiben* describe a circle; *e-n ~ bilden persons*: form a circle *or* ring; *e-n ~ schließen um* encircle; → *schließen*; *sich im ~e bewegen or drehen* move in a circle (*a. fig.*), (revolve in a) circle, spin (*or* whirl) round, rotate; *störe m-e ~e nicht!* mind my circles!, don't bother me!

'**Kreis...: ~abschnitt** *math. m* segment; **~antenne** *f* circular aerial, *Am.* antenna; **~arzt** *m* district medical officer; **~ausschnitt** *math. m* sector; **~bahn** *f* circular path, *ast.* orbit; **~behörde** *f* district authority; **~bewegung** *f* circular motion, rotation; **~bogen** *math. m* arc of a circle.

kreischen ['kraɪʃən] *v/i.* (*h.*) scream, shriek, screech; grate (on the ear); *door, etc.*: creak; *~de Stimme* shrill (*or* shrieking) voice.

'**Kreischen** *n* (-s) scream(ing), screams *pl., etc.*

Kreisel ['kraizəl] *m* (-s; -) (whipping) top; *den ~ schlagen* spin the top; *tech.* gyroscope; *gekapselter ~* gyrostat; *aer., mar.* gyro stabilizer; **~bewegung** *f* gyration; **2gesteuert** *adj.* gyro-controlled; **~kompaß** *m* gyro-compass; **2n** *v/i.* (*h.*) spin the top; spin, whirl round; **~pumpe** *f* centrifugal pump; **~rad** *n* turbine, impeller.

kreisen ['kraɪzən] **I.** *v/i.* (*sn*) (move in a) circle, spin round; revolve, rotate, gyrate; *~ um ... herum* circle round; *blood, money, etc.*: circulate; *bird*: circle, hover; *~ lassen* pass round (*bottle, etc.*); **II.** *v/t.* (*h.*) *gym. die Arme ~* swing one's arms round.

'**Kreisen** *n* (-s) circular movement, rotation; revolution; spinning.

'**Kreis...: ~fläche** *f* circular surface, *math.* area of the circle; **2förmig** ['-fœrmiç] *adj.* circular; **~förmigkeit** *f* (-) circular form, circularity; **~frequenz** *f* angular (*Am.* radian) frequency; **~gericht** *jur. n* district court; **~kegel** *math. m* circular cone; **~korn** *n* (front) ring sight; **~lauf** *m* circular course, revolution; *of the blood, liquid, etc.*: circulation; succession (*of the seasons*); (business, *etc.*) cycle; *~kollaps med.* circulatory collapse; **~laufschmierung** *tech. f* circulating lubrication; **~laufstörung** *f* circulatory disturbance; **~linie** *f* circular line, *math.* circumference; **2rund** *adj.* circular; **~säge** *f* circular (*Am. a.* buzz-)saw; *colloq.* (*straw hat*) boater.

kreiß|en ['kraɪsən] *v/i.* (*h.*) be in labo(u)r; '**2saal** *med.* delivery room.

'**Kreis...: ~stadt** *f* district (*Brit.* county) town; **~tag** *m* district assembly; **~umfang** *math. m* circumference of a circle; **~verkehr** *m* roundabout (traffic *or* junction).

Krem [kre:m] *f and colloq. m* (-s; -s) → *Creme*.

Krematorium [krema'to:rium] *n* (-s; -rien) crematorium, *Am.* crematory.

kremieren [kre'mi:rən] *v/t.* (*h.*) [cremate.]

Krempe ['krɛmpə] *f* (-; -n) edge, border; brim (*of hat*); (trouser) turn-ups *pl.*; *tech.* flange; *mit breiter (schmaler) ~* broad- (narrow-)brimmed (*hat*).

Krempel[1] ['krɛmpəl] *tech. f* (-; -n) card.

'**Krempel**[2] *colloq. m* (-s) rubbish, stuff, things *pl.*; *der ganze ~* the whole business *or* lot.

'**Krempelmaschine** *tech. f* carding machine.
Kreol|e [kre'o:lə] *m* (-*n*; -*n*), **~in** *f* (-; -*nen*), **~isch** *adj.* Creole.
Kreosot [kreo'zo:t] *chem. n* (-[e]s) creosote.
krepieren [kre'pi:rən] *v/i.* (*sn*) *animal*: die, perish; *colloq. person*: peg out, kick the bucket, die wretchedly; *bomb, etc.*: burst, explode.
Krepp [krɛp] *m* (-*s*; -*s*) crêpe, crape; '**~flor** *m* crisped crêpe; mourning crape; '**~gummi** *n* crêpe rubber; '**~papier** *n* crêpe paper; '**~seide** *f* crêpe de Chine (*Fr.*); '**~sohle** *f* crêpe sole.
Kresse ['krɛsə] *bot. f* (-; -*n*) cress.
Kret|a ['kre:ta] *n* (-*s*) Crete; **~er(in** *f*) *m* (-*s*, -; -, -*nen*), **~isch** *adj.* Cretan.
Krethi ['kre:ti] **und Plethi** ['ple:ti] *pl.* Dick, Tom and Harry; *contp.* tag, rag and bobtail; riffraff.
Kretin [kre'tɛ̃] *m* (-*s*; -*s*) cretin, half-wit.
Kreuz [krɔʏts] *n* (-*es*; -*e*) cross; crucifix; *anat.* (small of the) back, loins *pl.*; *med.* sacral region; *of horse*: croup(e), crupper; *of cattle*: chine; *cards*: club(s *pl.*); → *Süden*; *mus.* sharp; *durch ein ~ erhöhen* sharp; *typ.* (†) dagger, obelisk; *über ~* crosswise; *fig.* cross, affliction; *ans ~ schlagen* → *kreuzigen*; *das ~ schlagen* make the sign of the cross, cross o.s. (*a. fig.*); *sein ~ auf sich nehmen* take up one's cross; *sein ~ (geduldig) tragen* bear one's cross (patiently); *zu ~e kriechen* submit, knuckle under (*vor dat.* to), truckle (to), eat humble pie (*Am. a.* crow); *es ist ein ~ mit ihm* he is a real problem(-child), one has no end of trouble with him.
kreuz *adv.*: *~ und quer* in all directions, this way and that; criss-cross; *ein Land ~ und quer durchreisen* travel the length and breadth of a country.
'**Kreuz...**: **~abnahme** *f* Descent from the Cross; **~band** *n* (-[e]s; ⸗er) *tech.* cross-bar; *mail.* (postal) wrapper; *unter ~* by book-post; **~bein** *anat. n* sacrum; **~blüt(l)er** ['-bly:-t(l)ər] *bot. m* (-*s*; -) crucifer; **~bogen** *arch. m* groined arch, ogive; **~brav** *adj.* thoroughly honest; as good as gold.
kreuzen ['krɔʏtsən] *v/t.* (*h.*), *v/i.* (*sn*) *and sich ~* cross; fold (*arms, legs*); cross-connect (*lines*); *road, etc.*: cross, traverse, intersect; *two lines*: cut each other, intercross, intersect; *mar.* cruise; tack (*gegen den Wind* against the wind); *zo.* cross, hybridize, *a. sich ~* interbreed; *gekreuzter Scheck* crossed cheque (*Am.* check).
'**Kreuzen** *n* (-*s*) crossing; intersection; *mar.* cruising, cruise; → *Kreuzung*.
'**Kreuzer** *mar. m* (-*s*; -) cruiser.
'**Kreuz...**: **~erhöhung** *eccl. f* (-) Exaltation of the Cross; **~es-tod** *m* death on the cross, crucifixion; **~fahrer** *m* crusader; **~fahrt** *f* cruise; **~feuer** *mil. n* cross-fire; *ins ~ nehmen* take under cross-fire, *fig. a.* fire questions (*or* level criticism) at *a p.* from all sides; **~fi'del** *colloq. adj.* (as) merry as a cricket; **~förmig** ['-fœrmiç] *adj.* cross-shaped, cruciform; **~gang** *m* cloister; **~gegend** *anat. f* sacral region; **~gelenk** *tech. n* universal joint; **~gewölbe** *arch. n* cross-vault(ing); **~hacke** *f* pick-ax(e).
kreuzig|en ['-tsigən] *v/t.* (*h.*) crucify; **~ung** *f* (-; -*en*) crucifixion.
'**Kreuz...**: **~lahm** *adj.* broken-backed; **~otter** *zo. f* common viper *or* adder; **~punkt** *m math.* point of intersection; *rail.* crossing; **~ritter** *m* Knight of the Cross, crusader; knight of the Teutonic Order; **~schiff** *arch. n* transept; **~schmerz** *m* lumbago; **~schnabel** *orn. m* crossbill; **~schnitt** *med. m* crucial incision; **~spinne** *f* cross (*or* garden) spider; **~stich** *m* cross-stitch; **~support** ['-zupɔrt] *tech. m* (-[e]s; -e) cross-slide rest.
'**Kreuzung** *f* (-; -*en*) (*road, etc.*) crossing, intersection; crosswalk; *bot., zo.* **a**) cross-breeding, hybridization, **b**) cross-breed, mongrel, hybrid; **~s-punkt** *m*, **~sstelle** *f rail.* (level-)crossing; junction.
'**Kreuz...**: **~unglücklich** *adj.* very miserable, wretched; **~verhör** *jur. n* cross-examination; *ins ~ nehmen* cross-examine; **~verweis** *m* cross-reference; **~weg** *m fig.* crossroads (*of life, etc.*); *eccl.* way of the Cross; **~weise** *adj.* crosswise, crossways, across; **~worträtsel** *n* crossword puzzle; **~zuchtwolle** *f* crossbred wool; **~zug** *m* crusade (*a. fig.*).
kribb(e)lig ['krib(e)liç] *adj.* nervous, fidgety, jumpy, edgy; on pins and needles; irritable.
'**kribbeln I.** *v/i.* (*h.*) crawl, creep; swarm; **II.** *v/t.* (*h.*) *and v/i.* prickle, tingle, tickle; itch; *mir kribbelt's in den Fingern* I have pins and needles in my fingers, *fig.* I am itching (*zu tun* to do).
Kricket ['krikət] *n* (-*s*), **~spiel** *n* cricket; game of cricket; **~spieler** *m* cricket-player, cricketer; **~tor** *n* wicket.
kriechen ['kri:çən] *v/i.* (*irr., sn*) creep, crawl; drag o.s. along; *aus dem Ei ~* come out (of the egg), be hatched; *el.* leak; *fig. vor j-m ~* cringe (*or* grovel) before a p., crawl on all fours before a p.
'**Kriechen** *n* (-*s*) creeping, crawling; *fig.* → *Kriecherei*.
'**Kriecher** *m* (-*s*; -), **~in** *f* (-; -*nen*) cringer, toady, sycophant.
Kriecherei [-'raɪ] *f* (-; -*en*) cringing, grovelling, toadyism.
'**kriecherisch** *adj.* cringing, grovelling, servile, sneaking.
'**Kriech...**: **~pflanze** *f* creeper; **~spur** *f* slow lane; **~strecke** *f*, **~weg** *m el.* leakage path; **~strom** *el. m* (-[e]s) (surface) leakage; **~tier** *zo. n* reptile.
Krieg [kri:k] *m* (-[e]s; -e) war, armed conflict; warfare; feud; strife, quarrel; hostilities; *kalter ~* cold war; *totaler ~* total warfare; *im ~* at war; *in ~ und Frieden* in peace and war; *vom ~ verwüstet* war-torn; *~ führen gegen* (*acc.*) *or mit* (*dat.*) wage (*or* carry on) war against *or* with, make war upon; be at war with; *den ~ erklären* declare war (*dat.* on); *e-n ~ anfangen* start a war; *in den ~ ziehen* (*gegen*) go to war (against), take the field; go to the front; *in e-n ~ treiben* drift into a war; *im ~ und in der Liebe ist alles erlaubt* all is fair in love and war.
kriegen ['kri:gən] *v/t.* (*h.*) catch, seize, catch hold of; get; catch (*a disease*); *colloq. gleich kriegst du (Schläge)!* you'll get it pretty soon now!; *das werden wir schon ~!* we'll manage that all right!
Krieger ['-gər] *m* (-*s*; -) warrior; fighter, combatant; *humor. alter ~* old campaigner; '**~bund** *m* → *Kriegerverein*; '**~denkmal** *n* war-memorial; '**~isch** *adj.* warlike, bellicose, martial; militant; '**~kaste** *f* warrior-caste; '**~verein** *m* ex-servicemen's association; '**~witwe** *f* war-widow.
Krieg...: **~führend** ['kri:k-] *adj.* belligerent; **~führung** *f* conduct of war; warfare; strategy.
'**Kriegs...**: **~akademie** *f* military academy, staff college; **~anleihe** *f* war loan; war-bond; **~artikel** *m/pl.* articles of war; **~ausbruch** *m* outbreak of war; **~ausrüstung** *f* war equipment, matériel; **~auszeichnung** *f* war decoration; **~bedarf** *m* military stores *pl.*; **~beil** *n*: *das ~ begraben (ausgraben)* (un-)bury the hatchet; **~bemalung** *f* war-paint (*a. fig.*); **~bereit** *adj.* ready for war; **~bereitschaft** *f* readiness of war, state of mobilization; **~bericht** *m* war report *or* communiqué; **~berichter(statter)** *m* war-correspondent; **~beschädigt** *adj.* → *kriegsversehrt, etc.*; **~beute** *f* (war-)booty, spoils *pl.* of war; **~blinde(r)** *m* war-blinded veteran; *die ~n pl.* the war-blind; **~braut** *f* war-bride; **~dienst** *m* war service; **~dienstverweigerer** *m* (-*s*; -) conscientious objector; **~drohung** *f* threat of war; **~einwirkung** *f* enemy action; **~eintritt** *m* entry into the war; **~ende** *n* end of war; **~entschädigung** *f* war-indemnity; reparation(s *pl.*); **~erfahrung** *f* war experience; **~erklärung** *f* declaration of war; **~fackel** *f* torch of war; **~fall** *m* case of war; **~flagge** *mil. f* war-flag, *Brit. mar.* ensign; **~flotte** *f* naval force, fleet; **~flugzeug** *n* war-plane; **~freiwillige(r)** *m* (war-time) volunteer; **~führung** *f* warfare; **~fuß** *m*: *auf ~* on a war-footing, *fig.* at war, at loggerheads (*mit* with); **~gebiet** *n* war-zone; **~gebrauch** *m* custom of war; **~gefahr** *f* danger of war; **~gefangen** *adj.* captive; **~gefangene(r)** *m* prisoner of war (*abbr.* P.O.W.); **~gefangenschaft** *f* (war) captivity; **~gerät** *n* (war) matériel; **~gericht** *n* (general) court martial; *vor ein ~ stellen* court-martial; **~gerichtlich** *adv.* by court martial; **~gerichtsrat** *m* Judge Advocate; **~geschrei** *n* war-cry; **~gesetz** *n* martial law; **~gewinnler** ['-gəvinlər] *m* (-*s*; -) war profiteer; **~glück** *n* fortune of war; military success; *das ~ wendet sich zu j-s Gunsten* the tide of war turns in a p.'s favo(u)r; **~gott** *m* god of war, Mars; **~gräberfür-**

sorge *f* War Graves Commission; **~greuel** *m/pl.* atrocities; **~hafen** *m* naval port; **~handwerk** *n* trade of war; **~heer** *n* army; **~held** *m* war-hero; great warrior; **~herr** *m*: *oberster ~* commander-in-chief, supreme commander; *w.s.* war lord; **~hetze** *f* war-mongering; **~hetzer** *m* war-monger; **~hinterbliebene** *pl.* war widows and orphans; **~industrie** *f* war industry; **~jahr** *n* year of war; **~kamerad** *m* fellow-soldier; wartime comrade; **~kasse** *f* war-chest; **~kunst** *f* art of war (-fare); tactics and strategy; generalship; **~lärm** *m* din of war; **~lasten** *f/pl.* burdens of war; **~lazarett** *n* field *or* base hospital; **~lieferung** *f* military supplies; **~list** *f* stratagem; **≈lustig** *adj.* bellicose; **~macht** *f* military force(s *pl.*); *pol.* belligerent power; **~marine** *f* navy; **~material** *n* war material *or* matériel; **~minister** *m hist.* minister of war; *Brit.* Secretary of State for War, *Am.* Secretary of War; **~ministerium** *n* ministry of war; → *Verteidigungsministerium*; **≈müde** *adj.* war-weary; **~neurose** *med. f* battle fatigue, shell shock; **~opfer** *n* war victim; **~pfad** *m*: *auf ~* on the war-path; **~plan** *m* strategic plan; **~potential** *n* military resources *pl.*; **~rat** *m* (-[e]s) war council; *~ halten* (*a. fig.*) hold a council of war; **~recht** *n* martial law; usage of war; **~rente** *f* war pension; **~risiko(versicherung** *f*) *n* war risk (insurance); **~ruf** *m* war-cry; **~ruhm** *m* military glory; **~rüstung** *f* armament; **~schaden** *m* war-damages *pl.*; **~schadenrente** *f* war damage pension; **~schauplatz** *m* theat|re (*Am.* -er) of war *or* operations; **~schiff** *n* man-of-war, warship; **~schuld** *f* (-) war guilt; **~schulden** *pl.* war-debts; **~schuldlüge** *f* war-guilt lie; **~schuldverschreibung** *f* war bond; **~schule** *f* military academy; **~spiel** *n mil.* map manœuvre, *Am.* maneuver, kriegspiel; war game; **~stand** *m* (-[e]s), **~stärke** *f* (-) war strength, *Brit.* war establishment; **~steuer** *f* war tax; contribution; **~tanz** *m* war dance; **~teilnehmer** *m* combatant; *ehemaliger ~* ex-serviceman, *Am.* (war) veteran; **~trauung** *f* wartime wedding; **~treiber** *m* warmonger; **~verbrechen** *n* war crime; **~verbrecher** *m* war criminal; **~verbrecherprozeß** *m* war crimes trial; **≈versehrt** *adj.* disabled on active duty, (war-)disabled; **~versehrte(r)** *m* war-disabled ex-serviceman, invalid; **≈verwendungsfähig** *adj.* fit for active service; **~vorrat** *m* war reserves *pl.*; **≈wichtig** *adj.* of military importance; strategic, essential; *~e Ziele* military targets; **~wirtschaft** *f* war(time) economy; **~wissenschaft** *f* military science; **~zeit** *f* wartime; *in ~en* in times of war; **~ziel** *n* war objective; **~zug** *m* (military) expedition, campaign; **~zustand** *m* state of war; **~zwecke** *m/pl.*: *für ~* for purposes of war.

Kriek-ente ['kri:k-] *f* teal.

Krimi'nal|beamte(r) [krimi'nɑ:l-] *m* criminal investigator, detective, plainclothes man; **~film** *m* detective (*or* crime) film; thriller.

Kriminalist [-na'list] *m* (-en; -en) detective; criminologist; **~ik** *f* (-) criminology, criminalistics.

Kriminalität [-nali'tɛ:t] *f* (-) criminality, delinquency.

Krimi'nal...: **~kommissar** *m* detective superintendent; **~polizei** *f* detective force, criminal investigation department; **~prozeß** *m* criminal case; **~psychologie** *f* psychology of crime; **~rat** *m* (-[e]s; ¨e) detective superintendent; **~roman** *m* crime (*or* detective, mystery) novel; **~romanschreiber** *m* crime novelist; **~soziologie** *f* sociology of crime; **~stück** *n* (crime) thriller.

kriminell [-'nɛl] *adj.* criminal.

Krimkrieg ['krim-] *m* Crimean war.

Krimskrams ['krimskrams] *m* (-[es]) trash, odds and ends *pl.*, junk.

Kringel ['kriŋəl] *m* (-s; -) ring curl; cracknel.

Krinoline [krino'li:nə] *f* (-; -n) crinoline, hoop skirt.

Krippe ['kripə] *f* (-; -n) crib, manger; (Christmas) crib; crèche; *fig. an der ~ sitzen* be in clover; **~nspiel** *n* Nativity play.

Krise ['kri:zə] *f* (-; -n), **Krisis** ['-zis] *f* (-; *Krisen*) crisis, *econ. a.* depression; **≈ln** *v/impers.* (*h.*): *es kriselt* trouble is brewing; *es kriselt wieder in ...* there is a crisis looming again in ...; **~n-anfälligkeit** *f* proneness to crises; **≈nfest** *adj.* stable; **~nfestigkeit** *f* stability; **~nherd** *m* (political) storm-cent|re, *Am.* -er, trouble spot; **~nzeit** *f* time of crisis.

Kristall [kris'tal] **1.** *m* (-s; -e) crystal; *~e bilden* form crystals, crystallize; **2.** *n* (-s) *econ.* crystal ware (*or* glass); **≈artig** *adj.* crystalline; **~bildung** *f* crystallization; **~detektor** *m radio*: crystal detector; **~eis** *n* crystal ice; **~flasche** *f* (crystal) decanter; **~glas** *n* (-es; ¨er) crystal glass.

kristallinisch [-li:niʃ] *adj.* crystalline.

kristallisier|bar [-'zi:rbɑ:r] *adj.* crystallizable; **~en** *v/i.* (*h.*) *and sich ~* crystallize; **≈ung** *f* (-; -en) crystallization.

Kri'stall...: **~kern** *m* nucleus of crystal; **≈klar** *adj.* crystal-clear; **~mikrophon** *n* crystal microphone; **~waren** *f/pl.* crystal goods; **~zucker** *m* refined sugar in crystals.

Kriterium [kri'te:rium] *n* (-s; -rien) criterion; test.

Kritik [kri'ti:k] *f* (-; -en) criticism (*über acc.*, *an* of), censure; critique, review; *colloq. unter aller ~* beneath contempt; *~ üben* → *kritisieren*; *gute ~en haben* have a good press.

Kritiker ['kri:tikər] *m* (-s; -) critic; reviewer.

kritiklos [kri'ti:k-] *adj.* undiscriminating, uncritical.

kritisch ['kri:tiʃ] *adj.* critical (*gegenüber* of); discriminating, discerning; critical, precarious; *~es Alter* the critical years; *~er Augenblick* critical moment; *~e Geschwindigkeit* critical speed.

kritisieren [kriti'zi:rən] *v/t.* (*h.*) criticize, censure; comment upon; criticize severely, run down; review (*book*).

Krittelei [kritə'laı] *f* (-; -en) fault-finding, cavil(ling).

'**Kritt(e)ler(in** *f*) *m* faultfinder.

'**kritteln** *v/i.* (*h.*): *~ an* (*dat.*) find fault with, cavil at.

Kritzelei [kritsə'laı] *f* (-; -en) scrawl(ing), scribble.

kritzeln *v/i.* (*h.*) scribble, scrawl; scratch.

Kroat|e [kro'ɑ:tə] *m* (-n; -n), **~in** *f* (-; -nen) Croat; **~ien** [-tsiən] *n* (-s) Croatia; **≈isch** *adj.* Croatian.

kroch [krɔx] *pret. of kriechen.*

Krocket ['krɔkət] *n* (-s) croquet.

Krokodil [kroko'di:l] *n* (-s; -e) crocodile; **~leder** *n* (tanned) crocodile (skin); **~s-tränen** *fig. f/pl.* crocodile (*or* false) tears.

Krokus ['kro:kus] *bot. m* (-; -[se]) crocus.

Krone ['kro:nə] *f* (-; -n) crown; (Pope's) tiara; coronet; *fig.* acme, (pink of) perfection; paragon; *anat.*, *arch.*, *bot.* corona; (floral) wreath, garland; *bot.* corolla, umbel; top, crown (*of tree*); (artificial) crown (*of tooth*); *coin*: crown; *fig. die ~ der Schöpfung* the pride of creation; *das setzt allem die ~ auf* that's the last straw; that beats all; *was ist ihm in die ~ gefahren?* what's the matter with him?; *colloq. er hat einen in der ~* he's had a drop too much, he is drunk.

krönen ['krø:nən] *v/t.* (*h.*) (*and sich*) crown (o.s.); *j-n zum Könige ~* crown a p. king; *gekrönter Dichter* poet-laureate; *fig.* crown, finish, cap, top; *von Erfolg gekrönt* crowned with success.

'**Kron...**: **~erbe** *m* (**~erbin** *f*) heir(ess *f*) to the throne; **~juwelen** *n/pl.* crown jewels; **~kolonie** *f* crown colony; **~leuchter** *m* chandelier; **~prinz** *m* crown prince; *Brit.* Prince of Wales; **~prinzessin** *f* crown princess; **~schatz** *m* crown treasure.

'**Krönung** *f* (-; -en) coronation, crowning; *fig.* culmination, climax; highlight.

'**Krönungs...**: **~eid** *m* coronation oath; **~feier(lichkeit)** *f* coronation ceremony; **~tag** *m* Coronation Day.

'**Kronzeuge** *m* chief witness; *Brit.* Queen's evidence, *Am.* State's evidence.

Kropf [krɔpf] *m* (-[e]s; ¨e) *orn.* crop, maw; *med.* wen, goit|re, *Am.* -er; *vet.* glanders *pl.*, swelling; *bot.* excrescence; '**~eisen** *tech. n* sling, devil's claw.

kröpfen ['krœpfən] *v/t.* (*h.*) cram, stuff (*geese*); *tech.* offset, crank; bend at right angles.

'**kropfig**, '**kröpfig** *adj.* goitrous.

'**Kropf...**: **~stein** *arch. m* joggled voussoir; **~taube** *orn. f* pouter (-pigeon).

'**Kröpfung** *f* (-; -en) cramming (*of geese*); *arch.* joggle, return; *tech.* bend, shoulder; throw (*of camshaft*).

Kroppzeug ['krɔptsɔʏk] *colloq. n* (-[e]s) young fry, brats *pl.*

Krösus ['krø:zus] *m* (-; -se) Croesus, *fig. a.* nabob.

Kröte ['krø:tə] *f* (-; -n) toad; *fig. giftige* ~ nasty creature; *colloq.* ~*n pl.* pennies, money.

Krück|e ['krykə] *f* (-; -n) crutch; *fig.* prop; *an* ~*n gehen* go (*or* walk) on crutches (*a. fig.*); *of croupiers, a. tech.*: rake; ~**stock** *m* crutch (-stick).

Krug [kru:k] *m* (-[e]s; ⸗e) jug, pitcher; jar; mug; vase; tankard; *der* ~ *geht so lange zum Brunnen, bis er bricht* the pitcher that goes too often to the well gets broken, you'll do that once too often.

Kruke ['kru:kə] *f* (-; -n) stone jug *or* jar; *fig. colloq. contp.* crank, queer fish.

Krüllschnitt(-Tabak) ['kryl-] *m* shag (cut).

Krümchen ['kry:mçən] *n* (-s; -) small crumb; *fig.* a wee bit.

Krume ['kru:mə] *f* (-; -n) crumb; *agr.* top soil, mo(u)ld.

Krümel ['kry:məl] *m* (-s; -) small crumb; '2**ig** *adj.* crumbly, crummy; in crumbs; '2**n** *v/i.* (*h.*) *and sich* ~ crumble; ~**schaufel** *f* crumb tray.

krumm [krum] *adj. and adv.* crooked (*a. fig.*); *fig.* ~*e Wege* crooked ways; bent; curved; sinuous; hooked; arched; winding, tortuous; twisted, (a)wry, out of shape; ~*e Haltung* stoop; *mit* ~*en Beinen* → ~*beinig*; ~ *biegen* bend, curve, twist; ~ *gehen, sich* ~ *halten* stoop; → ~*nehmen*; ~ *werden* bend, curve, *wood*: warp, *person*: be bowed down (with age); '~**beinig** ['-baınıç] *adj.* bandy- (*or* bow-)legged; knock-kneed; '2**darm** *anat. m* ileum.

krümmen ['krymən] *v/t.* (*h.*) *and sich* ~ crook, bend, curve, twist; *sich* ~ form a bend *or* curve, *river*: wind, meander, *wood*: warp, *worm*: turn; *person*: grow crooked, *fig.* cringe; *sich* ~ *vor Schmerzen*: writhe with *pain, vor Lachen*: be doubled up (*or* convulsed) with *laughter, vor Verlegenheit*: squirm with *embarrassment.*

Krümmer *tech. m* (-s; -) bend, elbow.

'**krumm...**: 2**holz** *n* curved piece of timber; ~**linig** ['-li:nıç] *math. adj.* curvilinear; ~**nasig** ['-nɑ:zıç] *adj.* hook-nosed; ~**nehmen** *v/t.* (*irr.*, *h.*): (*j-m*) et. ~ take a th. amiss, take offen|ce (*Am.* -se) at a th.; 2**säbel** *m* scimitar; 2**stab** *m* crook; *eccl.* crosier.

'**Krümmung** *f* (-; -en) **1.** crooking, bending, *etc.*, → *krümmen*; **2.** curve, crook(edness); bend, curve, curvature, *tech. a. vertical*: camber, *lateral*: sweep; *math.* flexure (*of curve*); turn, winding, twist; *med. krampfhafte* ~ contortion; ~**shalbmesser** *m* radius of curvature.

krumpfen ['krumpfən] *tech. v/i.* (*sn*) preshrink.

Kruppe ['krupə] *f* (-; -n) croup (*of horse*).

Krüppel ['krypəl] *m* (-s; -) cripple; stunted person; deformity; *zum* ~ *machen* cripple, maim; *zum* ~ *werden* be crippled; '2**haft,** '2**ig** *adj.* crippled, deformed.

Kruste ['krustə] *f* (-; -n) crust; *med. a.* scab; (*sich*) *mit e-r* ~ *überziehen* (en)crust; ~**nbildung** *f* incrustation; ~**ntier** *n* crustacean.

'**krustig** *adj.* crusty, crustaceous.

Kruzifix [kru:tsi'fiks] *n* (-es; -e) crucifix.

Krypt|a ['krypta] *f* (-; -ten), '~**e** *f* (-; -n) crypt.

Krypto'game *bot. f* cryptogam.

Kuba ['ku:ba] *n* (-s) Cuba; **Kuban|er** [-'bɑ:nər] *m* (-s; -), ~**in** *f* (-; -nen), 2**isch** *adj.* Cuban.

Kübel ['ky:bəl] *m* (-s; -) tub; vat; pail, bucket; *es gießt wie mit* ~*n* it's raining cats and dogs; ~**wagen** *m rail.* bucket car; *mil.* jeep.

kubier|en [ku'bi:rən] *math. v/t.* (*h.*) cube, raise to the third power; 2**ung** *f* (-; -en) cubation.

Kubik|fuß [ku'bi:k-] *m* (-es) cubic foot; ~**inhalt** *m* cubic (*or* solid) contents *pl.*, cubage; ~**maß** *n* cubic measure; ~**meter** *n and m* cubic met|re, *Am.* -er; ~**wurzel** *f* cube root; ~**zahl** *f* cube number.

kubisch ['ku:biʃ] *adj.* cubic(al).

Kubis|mus [ku'bismus] *m* (-) cubism; ~**t** *m* (-en; -en) cubist; 2**tisch** *adj.* cubistic(ally *adv.*).

Kubus ['ku:bus] *math. m* (-; -) cube.

Küche ['kyçə] *f* (-; -n) kitchen; *mar.* galley; *bürgerliche* ~ plain cooking; *feine* ~ cuisine; *kalte* ~ cold meat *or* dinner *or* lunch(eon); *die* ~ *besorgen* do the cooking; *eine gute* ~ *führen* keep a good table; → *Teufel.*

Kuchen ['ku:xən] *m* (-s; -) cake; pastry; *colloq. iro. ja,* ~*!* nothing doing!, my foot!

'**Küchen|abfälle** *m/pl.* kitchen waste *or* refuse; garbage; ~**artikel** *m/pl.* kitchenware.

'**Kuchenblech** *n* baking-tin, griddle.

'**Küchen...**: ~**benützung** *f*: *mit* ~ with kitchen privileges; ~**bulle** *mil. sl. m* mess sergeant, cook; ~**chef** *m* chef (*Fr.*); ~**dienst** *mil. m* kitchen police (*abbr.* K.P.).

'**Kuchen...**: 2**fertig** *adj.*: ~*es Mehl* self-raising flour; ~**form** *f* cake tin *or* mo(u)ld.

'**Küchen...**: ~**gerät,** ~**geschirr** *n* kitchen utensils *or* things *pl.*; hollow ware; ~**herd** *m* (kitchen-) range; *elektrischer* ~ electric range *or* stove; ~**hilfe** *f* (-; -n) kitchen help; ~**junge** *m* kitchen-boy; ~**kräuter** *n/pl.* pot-herbs; ~**latein** *n* dog-Latin; ~**mädchen** *n*, ~**magd** *f* kitchen-maid; ~**meister** *m* head cook, chef (*Fr.*); → *Schmalhans*; ~**messer** *n* kitchen-knife; ~**personal** *n* kitchen personnel; ~**salz** *n* kitchen (*or* common) salt; ~**schabe** *f* cockroach; ~**schelle** *bot. f* (-; -n) pasque-flower; ~**schrank** *m* cupboard, (kitchen-)sideboard; larder, pantry.

'**Kuchenteig** *m* dough (for cakes).

'**Küchen...**: ~**tisch** *m* kitchen-table; dresser; ~**unteroffizier** *m* cook (*Am.* mess) sergeant; ~**zettel** *m* menu, bill of fare.

Küchlein ['ky:çlain] *n* (-s; -) chick(en).

Kücken ['ky:kən] *n* (-s; -) chick(en); *tech.* plug; ~**hahn** *tech. m* stop cock.

Kuckuck ['kukuk] *m* (-s; -e) cuckoo; *der* ~ *ruft* the cuckoo calls; *colloq.* **zum** ~! hang it!, *Am.* doggone!; *geh zum* ~! go to blazes!; *das weiß der* ~! heaven only knows!; *wie, zum* ~, ...? how in the world ...?; ~**s-ei** *n* cuckoo's egg; ~**s-uhr** *f* cuckoo--clock.

Kuddelmuddel ['kudəlmudəl] *m and n* confusion, hotchpotch, mess.

Kufe ['ku:fə] *f* (-; -n) **1.** tub, vat; **2.** runner (*of sledge*), (*a. aer.*) skid; rocker.

Küfer ['ky:fər] *m* (-s; -) cooper; cellarman.

Küferei [-'raı] *f* (-; -en) coopage; cooper's shop.

Kugel ['ku:gəl] *f* (-; -n) ball, globe; *math.* sphere; ball (*for games*); *election*: ballot; *sports* weight, *Am.* shot; *anat.* head (*of bone*); *mil., etc.* bullet; (cannon-)ball, shot; *sports*: *die* ~ *stoßen* put (*or* toss) the weight (*Am.* shot); *von e-r* ~ *getroffen werden* stop (*or* be hit by) a bullet; *von* ~*n durchlöchert* riddled with bullets; ~**abschnitt** *math. m* spherical segment; ~**antenne** *f* isotropic aerial, *Am.* unipole; ~**bakterien** *f/pl.* spherical bacteria, cocci; ~**baum** *m* round-topped tree; ~**blitz** *m* ball-lightning.

Kügelchen ['ky:gəlçən] *n* (-s; -) small ball, globule; pellet.

'**Kugel...**: ~**durchmesser** *m* diameter of a sphere; ~**fang** *m* butt; 2**fest** *adj.* bullet-proof; ~**fläche** *f* spherical surface; 2**förmig** ['-fœrmıç], 2**ig** *adj.* ball-shaped, spherical, globular; ~**gelenk** *n anat.* socket-joint; *tech.* ball-and-socket (joint); ~**lager** *tech. n* ball bearing.

'**kugeln I.** *v/t.* (*h.*) roll; (*sich*) ~ form into a ball; *sich vor Lachen* ~ double up with laughter; **II.** *v/i.* (*sn*) roll.

'**Kugeln** *n* (-s) rolling; *colloq. es war zum* ~ it was a (perfect) scream.

'**Kugel...**: ~**regen** *m* shower (*or* hail) of bullets; 2**rund** *adj.* (as) round as a ball, globular; ~**schnitt** *math. m* spherical section; ~**schreiber** *m* ball (point) pen; 2**sicher** *adj.* bullet-proof; ~**stoßen** *n* (-s) *sports* putting the weight, shot-put(ting); ~**stoßer(in** *f*) *m* (-s, -; -, -nen) weight (*or* shot) putter; ~**ventil** *tech. n* ball valve; ~**wechsel** *m* exchange of shots, gun battle.

Kuh [ku:] *f* (-; ⸗e) cow (*a. fig. contp.*); *junge* ~ heifer; *dumme* ~ silly goose; *blinde* ~ blindman's-buff.

'**Kuh...**: ~**blume** *f* marsh-marigold; ~**euter** *n* cow's udder; ~**fladen** *m* cow-pat; ~**glocke** *f* cow-bell; ~**handel** *m fig. pol.* horse-trading; ~**haut** *f* cow-hide; *fig. das geht auf keine* ~ that's really staggering; ~**hirt(e)** *m* cowherd, *Am.* cowboy.

kühl [ky:l] *adj.* cool, chilly (*both a. fig.*); fresh; *etwas* ~ coolish; ~ *werden* cool (down); *j-n* ~ *behandeln* give a p. the cold shoulder; *j-n* ~ *empfangen* give a p. a cool reception.

'**Kühl...** *in compounds usu.* cooling, refrigerating; → *Gefrier..., Kälte...*; ~**anlage** *f* cooling system; cold--storage plant; ~**apparat** *m* cooling apparatus, refrigerator; ~**behälter** *m* cooling tank.

'**Kühle** *f* (-) coolness (*a. fig.*).

'Kühleimer *m* cooler; ice-pail.
kühlen ['ky:lən] *v/t.* (*h.*) *and sich* ~ → *abkühlen*; cool; freshen; refresh; chill, refrigerate, hold *food* in cold store; quench (*one's thirst*); *tech.* anneal (*glass*); *fig. s-n Zorn* ~ cool one's anger; → *Mütchen.*
'Kühler *m* (-s; -) cooler; *mot.* radiator; **~figur** *f* radiator mascot; **~haube** *f mot.* bonnet, *Am.* hood; radiator cover; **~mantel** *m* cooler jacket; **~maske, ~verkleidung** *f* radiator shell *or* grille; **~stutzen** *m* radiator filler cap.
'Kühl...: ~fleisch *n* chilled meat; **~flüssigkeit** *f* coolant; **~gut** *n* goods *pl.* to be cooled; **~halle(n** *pl.*) *f* cold-storage warehouse; **~haus** *n* cold-storage house; **~mantel** *m* cooling jacket; **~mittel** *n* coolant, refrigerant (*a. med.*); **~ofen** *m* annealing oven; **~raum** *m* cold-storage chamber; **~rippe** *mot. f* radiator fin, gill; **~rohr** *n*, **~schlange** *f* cooling pipe (coil); **~schiff** *n* refrigerator ship, cooler; **~schrank** *m* refrigerator; **~stoff** *m* coolant; **~truhe** *f* deep freezer (cabinet); **~ung** *f* (-) cooling; refrigeration; coolness; **~wagen** *m mot.* refrigerator truck; *rail.* refrigerator van (*Am.* car); **~wasser** *n* (-s) cooling water; **~wirkung** *f* cooling effect.
'Kuh...: ~magd *f* dairymaid; **~milch** *f* cow's milk; **~mist** *m* cow-dung.
kühn [ky:n] *adj.* bold (*a. fig. design, etc.*); daring, audacious; hardy, courageous; fearless, intrepid; resolute; dashing; risky, hazardous; ~ *machen* embolden; *j-s ~ste Träume übertreffen* go beyond a p.'s fondest dreams; **2heit** *f* (-; -en) boldness; daring, audacity.
'Kuh...: ~pocken *f/pl.* cow-pox; **~pocken-impfung** *f* vaccination; **~stall** *m* cow-shed; **~weide** *f* cattle pasture.
Küken ['ky:kən] *n* (-s; -) → *Kücken.*
kulan|t [ku'lant] *econ. adj.* accommodating, obliging; liberal; fair, easy (*price, terms*); **2z** [-'lants] *f* (-) fair dealing.
Kuli ['ku:li] *m* (-s; -s) coolie; *colloq.* stylo; ball pen.
kulinarisch [kuli'nɑ:riʃ] *adj.* culinary.
Kulisse [ku'lisə] *f* (-; -n) *thea.* wing, side-scene; back-drop; *fig.* background; *contp.* outward show, front; **~n** *pl. a.* scenery; *stock exchange*: unofficial market; *el.* connecting link; *hinter den ~n* (*a. fig.*) behind the scenes, *Am. a.* back-stage; **~nfieber** *n* stage-fright; **~nmaler** *m* scene-painter; **~nschaltung** *mot. f* gatetype gear shifting; **~nschieber** *m* scene-shifter.
Kulleraugen ['kulər-] *colloq. n/pl.* saucer(-eye)s.
'kullern *v/i.* (*sn*) roll.
Kulm [kulm] *m* (-[e]s; -e) mountain-top.
Kulmination [kulminatsi'o:n] *f* (-; -en) culmination; **~spunkt** *ast. m* culmination point, *fig.* acme; **kulmi'nieren** *v/i.* (*h.*) culminate.
Kult [kult] *m* (-[e]s; -e) cult, worship; → *Kultus*; *e-n* ~ *treiben mit* idol(atr)ize, make a cult out of; **'2isch** *adj.* cultic; ritual.
Kultivator [-'vɑ:tɔr] *agr. m* (-s; -'toren) cultivator.
kultivier|en [-'vi:rən] *v/t.* (*h.*) cultivate (*a. fig.*), → *anbauen*; **~t** *adj.* cultured, refined, civilized; **2ung** *f* (-) cultivation.
'Kultstätte *f* place of worship.
Kultur [kul'tu:r] *f* (-; -en) **1.** cultivation; breeding, farming; growing; *concrete*: (*bacterial, etc.*) culture; plantation; **2.** civilization; culture; standards *pl.*; **~abkommen** *n* cultural convention; **~arbeit** *f* cultural work; **~austausch** *m* cultural exchange; **~beilage** *f* arts supplement; **~beutel** *m* toilet bag.
kulturell [-tu'rɛl] *adj.* cultural.
Kul'tur...: ~erbe *n* cultural heritage; **2fähig** *adj. agr.* arable, tillable; *fig.* civilizable; **2feindlich** *adj.* hostile to civilization; **~film** *m* documentary, educational film; **~geschichte** *f* (-) history of civilization; cultural history; **2geschichtlich** *adj.* relating to the history of civilization; cultural-historical; **~gut** *n* cultural asset; **~kampf** *m* struggle between State and Church, kulturkampf; **~land** *n agr.* cultivated (*or* arable) land; → *Kulturvolk*; **~mensch** *m* civilized man; **~pflanzen** *f/pl.* cultivated plants; **2politisch** *adj.* politico-cultural; **~schande** *f* crime against civilization; insult to good taste, outrage; **~sprache** *f* civilized language; **~stätte** *f* → *Kulturzentrum*; **~stufe** *f* stage of civilization; **~träger** *m* upholder of civilization; **~volk** *n* civilized race; **~zentrum** *n* cultural cent|re, *Am.* -er.
Kultus ['kultus] *m* (-; *Kulte*) cult; **~minister** *m* (**~ministerium** *n*) Minister (Ministry) of Education.
Kümmel ['kyməl] *m* (-s; -) caraway (seed); (*liqueur*) kümmel; *echter* ~ *bot.* cumin.
Kummer ['kumər] *m* (-s) grief, sorrow, affliction; trouble; worry; *j-m* ~ *machen* grieve (*or* trouble) a p.; *sich* ~ *machen über* (*acc.*) grieve (*or* worry) about *or* over; *das macht mir wenig* ~ that doesn't trouble me much.
kümmerlich ['kymərliç] **I.** *adj.* miserable, wretched, pitiful; poor, paltry, measly; meag|re, *Am.* -er; stunted; **II.** *adv.*: *sich* ~ *durchschlagen* eke out a scanty living, scrape through.
'Kümmerling [-liŋ] *m* (-s; -e) stunted plant; dying tree; undersized animal; *contp.* miserable creature, shrimp.
'kümmern I. *v/t.* (*h.*) grieve, afflict, trouble, worry; → *bekümmern*; concern, regard; *das kümmert mich nicht* that doesn't trouble me, I don't mind that; *was kümmert ihn das?* what is that to him?; **II.** *v/refl.*: *sich* ~ *um* (*acc.*) attend to, mind, look after, take care of; see to; care (*or* trouble, bother) about; meddle with; *sich nicht* ~ *um* pay no attention to, not to bother about, ignore, disregard; neglect; *kümmere dich um deine eigenen Angelegenheiten* mind your own business.
'Kümmernis *f* (-; -se) → *Kummer.*
'kummervoll *adj.* sorrowful, grievous, woebegone, sad.
Kum(me)t ['kum(ə)t] *n* (-s; -e) (horse-)collar.
Kumpan [kum'pɑ:n] *m* (-s; -e) companion, fellow, mate, pal, buddy.
Kumpel ['kumpəl] *m* (-s; -) collier, pitman; *colloq.* mate, pal, chum, buddy.
kumulativ [kumula'ti:f] *adj.* cumulative; **kumulieren** [-'li:-] *v/t.* (*h.*) accumulate, cumulate (*a. votes*).
Kumulus(wolke *f*) ['ku:mulus] *m* (-; -li) cumulus (cloud).
kund [kunt] *adj.* known; ~ *und zu wissen sei* be it known *that*, know all men by these presents.
kündbar ['kyntbɑ:r] *adj.* terminable; subject to notice; *capital*: at call, subject to call, callable; redeemable (*bond, mortgage, etc.*).
Kunde[1] ['kundə] *f* (-; -n) knowledge, information, intelligence; news, tidings *sg. and pl.*; science; *j-m von et.* ~ *geben* inform a p. of a th., send a p. word of a th.
'Kunde[2] *m* (-n; -n) customer; client; patron; *voraussichtlicher* ~ prospect(ive customer); *contp. schlauer* ~ sly customer; *übler* ~ nasty (*Am.* ugly) customer; ~ *sein bei* (*dat.*) patronize (*a shop*); *~n werben* canvass customers.
künden ['kyndən] *v/t.* (*h.*) announce, make known; tell the story (*von* of); bear witness (to).
'Kunden...: ~beratung *f* advisory service; **~besuche** *m/pl.* calls on customers *or* clients; **~dienst** *m* (-es) (after-sales *or* customers) service; *im* ~ *betreuen* service; **~fang** *m* touting; **~kreis** *m* custom(ers *pl.*), clients *pl.*, clientele; **~wechsel** *m* customer's acceptance, trade-bill; **~werber(in** *f*) *m* canvasser of customers, tout; **~werbung** *f* canvassing of customers.
'kundgeb|en *v/t.* (*irr.*, *h.*) make known, notify, give notice of, publish; proclaim; declare; **2ung** *f* (-; -en) manifestation; declaration; *pol.* demonstration, rally, parade; meeting.
'kundig *adj.* knowing, skil(l)ful; (*gen.*) acquainted *or* familiar with; experienced (*or* skilled, versed) in, expert at *or* in; *des Weges* ~ *sein* know the way; **2e(r** *m*) *f* (-n, -n; -n, -n) experienced *or* initiated person; expert; *die ~n pl.* the initiated, those in the know.
kündigen ['kyndigən] **I.** *v/i.* (*h.*) *j-m*: give *a p.* notice (to quit); **II.** *v/t.* (*h.*) *econ.* recall, call in (*capital*); give notice of withdrawal of (*loan, etc.*); give notice of redemption of, foreclose (*mortgage*); cancel, revoke, terminate (*contract*), give notice of termination of; denounce (*a treaty*).
'Kündigung *f* (-; -en) notice (to quit *or* leave), warning; *by employee*: resignation; *econ.* calling-in (*of capital*); notice of withdrawal (*or* redemption) (*of loan, etc.*); notice of redemption, foreclosure (*of mortgage*); (notice of) termination *or*

cancellation (*of contract*); *mit monatlicher* ~ at (*or* subject to) a month's notice; *mit vierwöchiger* ~ *angestellt* employed on a month(ly) basis; *Geld auf tägliche* ~ call-money, day-to-day money; **~sfrist** *f* period of notice, time for (giving) notice; *mit vierteljährlicher* ~ with quarterly notice; *mit Ablauf der* ~ on the notice expiring; **~srecht** *n* right of (giving) notice, (*for loan, mortgage*) redemption; **~sschutz** *m* protection against unlawful dismissal; **~s-termin** *m* (last) day for giving notice.

kundmach|en ['kunt-] *v/t.* (*h.*) → *kundgeben*; '**2ung** *f* (-; -*en*) publication; notification; proclamation.

'**Kundschaft** *f* **1.** (-) customers, clients *pl.*; custom, clientele; custom, patronage; **2.** (-; -*en*) intelligence; *mil. auf* ~ *gehen* go (out) reconnoitring *or* scouting; **2en** *v/i.* (*h.*) *mil.* reconnoitre, scout; spy out; **~er(in** *f*) *m* (-*s*, -; -, -*nen*) scout, spy; emissary.

'**kund...:** **~tun** *v/t.* (*irr.*, *h.*) → *kundgeben*; **~werden** *v/i.* (*irr.*, *sn*) become (generally) known *or* public, come to light.

künftig ['kynftiç] **I.** *adj.* future; next (*week, year*); *in* ~*en Tagen or Zeiten* in times to come, in the days ahead; prospective, potential; ~*er Konstrukteur* would-be designer, designer-to-be; **II. ~(hin)** *adv.* from now on, henceforth, for the (*or* in) future.

Kunst [kunst] *f* (-; ⸚e) **1.** art; *die schönen* (*or freien*) *Künste pl.* the fine (*or* liberal) arts; → *bildend, schwarz*; *die edle* ~ *der Selbstverteidigung* the noble art of self-defen|ce, *Am.* -se; *die* ~ *zu lesen* (*schreiben*) the art of reading (writing); *das ist e-e brotlose* ~ there is no money in that; it's a thankless task; ~ *geht nach Brot* art follows the public; **2.** skill, cleverness, ingenuity, art; trick; *das ist keine* ~ that's easy (*or* nothing); *mit seiner* ~ *zu Ende sein* be at one's wits' end.

'**Kunst...:** **~akademie** *f* academy of arts; **~anstalt** *f* art printing works *pl.* (*or sg.*); **~ausdruck** *m* technical term; **~ausstellung** *f* art exhibition; **~beflissene(r** *m*) *f* art student; **~beilage** *f* art supplement; **~blatt** *n* art print; art journal; **~butter** *f* artifical butter, (oleo)margarine; **~darm** *m* artificial sausage casing; **~druck** *m* (-[e]s; -e) art print(ing); **~druckpapier** *n* art paper; **~dünger** *m* artificial manure, fertilizer; **~eis** *n* artificial ice.

Künstelei ['kynstə'laɪ] *f* (-; -*en*) artificiality, over-refinement; elaboration; affectation, mannerism.

'**künsteln** *v/i.* (*h.*) feign, affect; → *gekünstelt*.

'**Kunst...:** **~fahrer** *m* trick cyclist; **~faser** *f* artificial (*or* synthetic) fib|re, *Am.* -er; **~fehler** *jur. med. m* malpractice, professional blunder; **2fertig** *adj.* skilled (in an art), skil(l)ful; workmanlike; **~fertigkeit** *f* artistic (*or* technical) skill; craftsmanship; **~flieger** *m* stunt-flyer; **~flug** *m* stunt-flying, aerobatics *pl.*; stunt (flight); **~freund(in** *f*) *m* art lover; **~gärtner(in** *f*) *m* horticulturist; landscape gardener; **~gärtne'rei** *f* horticulture; **~gegenstand** *m* objet d'art (*Fr.*); **2gemäß, 2gerecht I.** *adj.* artistically *or* technically correct; expert, workmanlike; skil(l)ful; **II.** *adv. a.* expertly; **~genuß** *m* artistic treat; **~geschichte** *f* (-) history of art; **2geschichtlich** *adj.* art-historical; **~gewerbe** *n* (-s) arts and crafts *pl.*; applied arts *pl.*; **~gewerbeschule** *f* arts-and-crafts school; **~gewerbler(in** *f*) *m* (-s, -; -, -*nen*) artist craftsman; **~glied** *n* artificial limb; **~griff** *m* artifice, knack, device; trick, dodge; **~halle** *f* art gallery; **~handel** *m* trade in works of art; **~händler** *m* art dealer; **~handlung** *f* art dealer's shop; **~handwerk** *n* → ~*gewerbe*; **~harz** *n* synthetic resin; **~harzpreßstoff** *m* plastic mo(u)lding compound, plastic (material); **~historiker** *m* art historian; **~hochschule** *f* art academy; **~holz** *n* plastic (*or* man-made) wood; **~honig** *m* artificial honey; **~kenner(in** *f*) *m* art connoisseur; **~kritik** *f* art criticism; **~kritiker** *m* art critic; **~lauf** *m* figure skating; **~läufer(in** *f*) *m* figure skater; **~leder** *n* imitation leather.

Künstler ['kynstlər] *m* (-s; -), **~in** *f* (-; -*nen*) artist; *fig.* genius, wizard; **2isch** *adj.* artistic(ally *adv.*); **~leben** *n* artistic (*w.s.* Bohemian) life; **~name** *m* stage-name; pen name; **~pech** *colloq. n* bad luck; **~tum** *n* (-s) artistry, artistic genius; *the* artistic world; **~werkstatt** *f* studio.

'**künstlich I.** *adj.* artificial (*a. eye, flower, gaiety, insemination, light, respiration, teeth, etc.*); imitated; false (*a. hair, teeth*); spurious, faked; paste (*diamond*); ~ (*hergestellt*) synthetic; man-made (*moon, structure, etc.*); ~*es Aroma* imitation flavo(u)r; ~*es Lachen* false (*or* forced) laughter; **II.** *adv.* artificially; ~ *herstellen* synthetize; ~ *gehaltener Preis* pegged price; *colloq. sich* ~ *aufregen* get all excited; **2keit** *f* (-) artificiality.

'**Kunst...:** **~liebhaber(in** *f*) *m* art lover; **2los** *adj.* simple, crude; **~maler(in** *f*) *m* (artist) painter; **~mappe** *f* folder of art reproductions; **~pause** *f* dramatic pause; *iro.* awkward pause; *er machte e-e* ~ he paused for effect; **2reich** *adj.* ingenious; of (consummate) artistic skill; **~reiter(in** *f*) *m* trick rider; circus rider; **~richtung** *f* artistic school (*or* trend); **~sammlung** *f* art collection; **~schätze** *m/pl.* art treasures; **~schreiner** *m* cabinet-maker; **~schule** *f* school of arts; **~seide** *f* (**2seiden** *adj.*) (of) artificial silk, rayon; **~sinn** *m* (-[e]s) artistic sense; **2sinnig** *adj.* art-loving; having artistic taste; **~springen** *n* (-s) *sports*: (fancy) diving; **~springer(in** *f*) *m* (fancy) diver; **~stein** *m* artificial stone; **~sticke'rei** *f* art needlework; **~stoff** *m* synthetic material; plastic (material); ~*e pl.* plastics; *aus* ~ *bestehend* plastic; **2stoffverarbeitend** *adj.* plastics-processing (*industry*); **~stopfen** *n* (-s) invisible mending; **~stück** *n* (clever) feat, trick, stunt; *das ist kein* ~ that's nothing wonderful; **~tischler** *m* cabinet-maker; **~turnen** *n* → *Geräteturnen*; **~verein** *m* art society; **~verlag** *m* art publishers *pl.*; **~verständige(r** *m*) *f* (-*n*, -*n*; -*n*, -*n*) expert; connoisseur; **~verständnis** *n* expert knowledge of art, artistic sense; **2voll** *adj.* (highly) artistic, ingenious, elaborate; skil(l)ful; **~werk** *n* work of art; **~wissenschaft** *f* science of art; **~wolle** *f* artificial wool; **~zweig** *m* branch of art.

kunterbunt ['kuntərbunt] *adj. and adv.* higgledy-piggledy.

Küpe ['ky:pə] *f* (-; -*n*) large tub, vat.

Kupfer ['kupfər] *n* (-s) copper, → ~*geld*; ~*stich*; **~bergwerk** *n* copper-mine; **2blau** *adj.* azurite; **~blech** *n* sheet copper; **~blei** *n* copper-lead alloy; **~draht** *m* copper-wire; **~(tief)druck** *typ. m* (-[e]s; -e) copperplate(-printing), *Am. a.* rotogravure; **~erz** *n* copper-ore; **2farben, 2farbig** *adj.* copper-colo(u)red, cupreous; **~geld** *n* (-[e]s) copper coin(s *pl.*), coppers *pl.*; **~grün** *n* verdigris; **2haltig** *adj.* containing copper, cupriferous; **~legierung** *f* copper alloy; **~münze** *f* copper coin; **2n** *adj.* (of) copper; **~platte** *f* copper plate; *radierte* ~ etched plate; **~rot** *n* red (oxide of) copper; **2rot** *adj.* copper-colo(u)red; **~schmied** *m* coppersmith; **~stecher** *m* (-s; -) copperplate engraver; **~stich** *m* copperplate (etching), (copper) engraving; **~sulphat** *n* **1.** cupric sulphate; **2.** → **~vitriol** *n* blue vitriol; **~ware** *f* copper ware; **~werk** *n* copper-works *pl.*

Kupido [ku'pi:do] *m* (-s) Cupid.

kupieren [ku'pi:rən] *v/t.* (*h.*) dock (*horse, etc.*).

Kupol-ofen [ku'po:l-] *metall. m* cupola (furnace).

Kupon [ku'põ] *m* (-s; -s) → *Coupon*.

Kuppe ['kupə] *f* (-; -*n*) knoll; round(ed) hilltop; summit; (finger-)-tip.

Kuppel ['kupəl] *f* (-; -*n*) cupola, dome; '**2artig**, '**2förmig** ['-fœrmiç] *adj.* dome-shaped.

Kuppelei [-'laɪ] *f* (-; -*en*) match-making; *jur.* procuring.

'**kuppeln I.** *v/t.* (*h.*) → *koppeln*; **II.** *v/i.* (*h.*) *mot.* operate the clutch; match-make, *b.s.* pimp, *jur.* procure.

'**Kupp(e)lung** *tech. f* (-; -*en*) coupling (*a. radio*); *mot.* clutch; *die* ~ *einrücken* let in the clutch; *die* ~ *ausrücken* disengage the clutch; *die* ~ *schleifen lassen* let the clutch slip; **~sbelag** *m* clutch lining; **~sbremse** *f* clutch brake; **~shebel** *m* clutch (control) lever; → **~spedal** *f* clutch-pedal; **~sscheibe** *f* clutch disc; **~s-stecker** *m* adapter (plug); **~swelle** *f* clutch shaft.

'**Kuppler** *m* (-s; -), **~in** *f* (-; -*nen*) matchmaker; *b.s.* pimp, procurer (*f* procuress); **2isch** *adj.* matchmaking; pimping, procuring.

Kur[1] [ku:r] *f* (-; -*en*) cure, (course of) treatment; *e-e* ~ *machen* take a cure, follow a course of treat-

ment, try a cure, take the waters; *fig. j-n in die ~ nehmen* put a p. through his paces.
Kur² *f* (-; -en): *e-r Dame die ~ schneiden* make advances to, court *a lady*.
Kür... [kyːr] *in compounds* free (-style) ..., optional ..., voluntary ...; → *Kürlauf, Kürübung, etc.*
'**Kur|anstalt** *f* sanatorium; **~arzt** *m* doctor at a spa *or* health resort.
Küraß ['kyːras] *m* (-sses; -sse) cuirass.
Kürassier [kyra'siːr] *m* (-s; -e) cuirassier.
Kuratel [kura'tɛl] *f* (-; -en) trusteeship, guardianship; *j-n unter ~ stellen* appoint a trustee (*or* guardian) for a p.
Kurator [-'rɑːtɔr] *m* (-s; -'toren) *jur.* trustee, guardian; *univ., of museum, etc.*: curator.
Kuratorium [-ra'toːrium] *n* (-s; -rien) board of trustees; controlling board.
Kurbad ['kuːr-] *n* watering-place, spa.
Kurbel ['kurbəl] *tech. f* (-; -n) crank; **~anlasser** *mot. m* crank starter; **~antrieb** *m* crank drive; **~arm** *m* crank lever; **~fenster** *n* wind-down window; **~gehäuse** *n* crankcase; **~gelenk** *n* toggle joint; **~gestänge** *n* crank assembly; **~kasten** *m* crankcase; *colloq.* film-camera; **2n** *v/i.* (*h.*) *and v/t.* (*h.*) crank; shoot (*film*); **~stange** *f* connecting rod; **~welle** *f* crankshaft.
Kürbis ['kyrbis] *m* (-ses; -se) pumpkin, gourd, *Am.* squash; **~flasche** *f* gourd; **~kern** *m* pumpkin (*or* gourd) seed.
küren ['kyːrən] *v/t.* (*h.*) choose, elect.
Kurfürst ['kuːr-] *m* elector; **~entum** *n* electorate; **~in** *f* electoress; **2lich** *adj.* electoral.
'**Kur...:** **~gast** *m* visitor; **~haus, ~hotel** *n* spa house, kurhaus.
Kurie ['kuːriə] *f* (-; -n) Curia.
Kurier [ku'riːr] *m* (-s; -e) courier, express (messenger); **~flugzeug** *n* courier airplane.
ku'rieren *v/t.* (*h.*) cure (*a. fig.*).
kurios [kuri'oːs] *adj.* curious, odd, funny.
Kuriosität [-ozi'tɛːt] *f* (-; -en) curiosity, oddness; (*object*) curio(sity); **~enhändler** *m* dealer in curios.
Kuriosum [-'oːzum] *n* (-s; -sa) curious (*or* odd) thing *or* fact, freak; curiosity.
Kürlauf ['kyːr-] *m* free skating.
'**Kur...:** **~ort** *m* health resort, spa; **~park** *m* park of a spa; **~pfalz** *f* (-) *the* Palatinate; **~pfuscher(in** *f*) *m* (-s, -; -, -nen) quack; **~pfusche'rei** *f* quackery.
Kurrentschrift [ku'rɛnt-] *f* running hand.
Kurs [kurs] *m* (-es; -e) **1.** *econ.* price; currency, circulation; quotation; official rate of exchange, exchange; *künstlich gehaltener ~* pegged price; *zum ~e von* at the rate of; *die ~e sind gefallen (gestiegen)* prices have dropped (risen); *hoch im ~ stehen* be at a premium, *fig. a.* rate high; *niedrig im ~ stehen* be at a discount, *fig. a.* rate low; *außer ~* out of circulation; *außer ~ setzen* withdraw from circulation, call in; *in ~ setzen* set in circulation, circulate; **2.** *mar.* course; route; *~ halten* stand on the course; *~ nehmen auf* set course for; head for (*a. fig.*); *e-n falschen (neuen) ~ einschlagen* take the wrong (a new) tack (*a. fig.*); **3.** *pol.* course, drift; **4.** *ped.* → *Kursus.*
Kur-saal ['kuːr-] *m* kursaal, casino.
'**Kurs...:** **~abschlag** *m* drop (*or* fall) in price(s); *stock exchange*: backwardation; **~abschwächung** *f* price weakness, weak market; **~änderung** *f* change of course; **~bericht** *m* market-report; *a.* → **~blatt** *n* list of quotations; **~buch** *n* railway (*Am.* railroad) guide, time-table.
Kürschner ['kyrʃnər] *m* (-s; -) furrier.
Kürschnerei [-'raɪ] *f* (-; -en) furrier's trade *or* (work)shop.
'**Kürschnerware** *f* furs and skins *pl.*
'**Kurs...:** **~einbuße** *f* loss in price; **~entwicklung** *f* trend of prices; **2fähig** *adj.* current, in circulation; **~geld** *n* fees *pl.*; **~gewinn** *m* exchange profit(s *pl.*).
kursieren [kur'ziːrən] *v/i.* (*h.*) *money*: circulate; *rumo(u)rs*: be afloat.
kursiv [kur'ziːf] *adj. and adv.* in italics.
Kursiv|e [-'ziːvə] *f* (-; -n), **~schrift** *typ. f* italics *pl.*; *in ~ setzen* italicize.
'**Kurs...:** **~makler** *m* official (*or* inside) broker; **~niveau** *n* price level; **~notierung** *f* market-quotation.
'**Kurs...:** **~rückgang** *m* decline in prices; **~schwankung** *f* price fluctuation; **~steuerung** *aer. f* directional control; autopilot; **~sturz** *m* sudden decline (*or* fall) in prices, slump; **~teilnehmer(in** *f*) *m* participant in a course; **~treibe'rei** *f* market rigging, *Am.* bull campaign; **~unterschied** *m* difference in prices (*or* rates).
Kursus ['kurzus] *m* (-; Kurse) course (of instruction); class.
'**Kurs...:** **~verlust** *m* loss by exchange; **~wagen** *rail. m* through coach; **~wechsel** *m* change of course; *fig. pol.* turnabout; **~wert** *m* market value; **~zettel** *m* stock exchange list.
Kurtaxe ['kuːr-] *f* visitors' tax.
Kurtisane [kurti'zɑːnə] *f* (-; -n) courtesan.
Kür|turnen ['kyːr-] *n* free exercises *pl.*; **~übung** *f* voluntary exercise.
Kurve ['kurfə] *f* (-; -n) curve; bend, turn; *ballistische ~* (curve of) trajectory; *scharfe ~* sharp turn, hairpin bend; *die ~ (aus)fahren* round the curve; *die ~n schneiden* cut one's curves; *aer. in die ~ gehen* bank; *e-e ~ fliegen* do a banking turn; **2n** *v/i.* (*sn*) swerve; *aer.* turn, jink; **~nbild, ~nblatt** *n*, **~ndarstellung** *f* graph; **~nfestigkeit** *mot. f* lateral sway stability; **~ngetriebe** *n* cam gear; **~nkampf** *aer. m* dogfight; **~nlage** *mot. f* cornering characteristics *pl.*; **~nlineal** *n* curve templet; **~nradius** *m* radius of turn; **2nreich** *adj.* winding, twisting; *humor.* curvaceous (*girl*); **~rolle** *tech. f* (cam) follower; **~nscheibe** *f* cam (disc); **~nvorgabe** *f sports* stagger.
kurz [kurts] *adj. and adv.* **1.** *as to space*: short; *person*: *~ und dick* dumpy, thick-set; *~ und stämmig* stocky, squat, stumpy; *~e Hose* shorts *pl.*; *mar. ~e See* chopping sea; *~ vor London* short of London; *hundert Ellen zu ~* a hundred yards short; *kürzer machen* shorten; *mil. zu ~ schießen* fire (too) short; *~ und klein schlagen* smash to bits; *fig. den kürzeren ziehen* come off second-best, get the worst of it, be worsted; *zu ~ kommen* get the shorter end, come off a loser *or* badly (*bei* in); **2.** *as to time*: short; (*formulation*) short(ly), brief(ly); concise(ly); (*treffend*) laconic(ally), succinct(ly); sharp, abrupt, curt; *~er Besuch* flying visit; *~e Darstellung, Zusammenfassung* summary; *econ. ~er Wechsel* short-dated bill; *fig. ~es Gedächtnis* short memory; in short; *~ und bündig* brief(ly), blunt(ly), pointblank; *refuse* flatly; *~ und gut* in short, in a word; *~ ausgedrückt* to put it briefly, (to put it) in a nutshell; *um es ~ zu sagen* to cut a long story short; *~ darauf* shortly after(wards); *binnen (or in) ~em* before long, shortly, in a short time (*or* near future); *seit ~em* for some little time (now); lately, of late; *vor ~em* a short time ago, recently, the other day; *über ~ oder lang* sooner or later; *~ abweisen* be short with *a p.*; *j-n ~ halten* put a p. on short allowance, keep a p. short (*mit* with); *~ treten* mark time (*a. fig.*); *fasse dich ~* please be brief; → *Prozeß.*
'**kurz...:** **2arbeit** *f* short-time (work); **~arbeiten** *v/i.* (*h.*) work short-time; **2arbeiter** *m* short-time worker; **~ärmelig** *adj.* short-sleeved; **~atmig** ['-ʔɑːtmiç] *adj.* short-winded, asthmatic, *vet.* broken-winded; **2ausgabe** *f* abridged edition; **~beinig** *adj.* short-legged.
Kürze ['kyrtsə] *f* (-) shortness; *of time*: shortness, short duration; brevity; *gr.* short (syllable); *in ~* shortly, in the near future, before long; *in aller ~* briefly, quickly, promptly; *der ~ halber* for short; *sich der ~ befleißigen* express o.s. briefly, be brief; *in der ~ liegt die Würze* brevity is the soul of wit.
Kürzel ['kyrtsəl] *n* (-s; -) grammalogue.
'**kürzen** *v/t.* (*h.*) shorten (*um* by); abridge, condense (*book*); reduce; curtail, cut (down); slash (*expenditure, salary*); *math.* simplify.
kurzerhand ['kurtsər'hant] *adv.* without hesitation, offhand, on the spot; abruptly.
'**kurz...:** **2fassung** *f* abridged version; **2film** *m* short (film); **2form** *f* shortened form; **~fristig I.** *adj.* of short duration, short-term; at short notice, immediate; *econ.* short-term (*credit, etc.*); short-dated (*bill of exchange*); **II.** *adv.* at short notice; *~ lieferbar* available for prompt delivery; **~gefaßt** *adj.* brief(ly worded), concise; 2-

geschichte *f* short story; **~geschoren** *adj.* closely shorn, close-cropped; **~haarig** *adj.* short-haired (*dog, etc.*); **~lebig** *adj.* short-lived (*a. phys. and fig.*); ephemeral; perishable (*consumer goods*).

kürzlich ['kyrtsliç] *adv.* lately, recently, not long ago, the other day; *erst ~* quite recently.

'Kurz...: ~meldung *f* news flash; *~en pl.* → **~nachrichten** *f/pl.* news in brief, summary of the news; **2schließen** *el. v/i.* (*irr., h.*) short-circuit; **~schluß** *el. m* short-circuit; *~ haben* be short-circuited; **~schlußhandlung** *f* panic action; **~schlußkontakt** *el. m* arcing contact; **~schlußläufer** *el. m* short-circuited rotor; **~schlußläufermotor** *el. m* squirrel-cage (induction) motor; **~schrift** *f* shorthand, stenography; **2sichtig** *adj.* short- (*or* near-)sighted, myopic; *fig.* short-sighted; **~sichtigkeit** *f* (-) short-sightedness (*a. fig.*); myopia; **~streckenlauf** *m* sprint, dash; **~streckenläufer(in** *f*) *m* sprinter; **~streckenradar** *n* short-range radar.

kurz'um *adv.* in short, in a word, to cut a long story short.

Kürzung ['kyrtsuŋ] *f* (-; -*en*) shortening; abridg(e)ment, condensation; *thea.* cut, clipping; reduction, curtailment (*gen.* of *salaries, etc.*), cut (in); *starke ~ Am.* slash; *of expenditures*: *a.* retrenchment; *math.* reduction; *typ.* abbreviation.

'Kurz...: ~urlaub *mil. m* short leave, *Am.* pass; **~waren** *f/pl.* haberdashery *sg.*, *Am.* dry goods, notions; **~warenhändler(in** *f*) *m* haberdasher; **~warenhandlung** *f* haberdashery, *Am.* dry-goods store; **2weg** ['-vɛk] *adv.* abruptly, offhand, curtly; simply, for short; **~weil** ['-vaɪl] *f* (-) pastime, amusement, entertainment, fun; **2weilig** *adj.* amusing, diverting, entertaining, funny; **~welle** *f*: *auf ~* in the short-wave meter band; **~wellenbereich** *m* short-wave range; **~wellensender** *m* short-wave transmitter; **~wort** *n* (-[e]s; ⸗er) contraction; acronym; **2zeitig** *adj.* short-time.

kusch! [kuʃ] *int.* (lie) down!, be quiet!

kuscheln ['kuʃəln]: *sich ~ an* (*acc.*) snuggle up to *or* against; *sich aneinander ~* nestle against each other.

kuschen ['kuʃən] *v/i.* (*h.*) *and sich ~ dog*: lie down; *fig.* obey, knuckle under.

Kusine [ku'ziːnə] *f* (-; -*n*) cousin.

Kuß [kus] *m* (-sses; ⸗sse) kiss.

'kußecht *adj.* → *kußfest*.

küssen ['kysən] *v/t.* (*h.*) kiss; *sie küßten sich* they kissed (each other); *j-n zum Abschied ~* kiss a p. good-bye.

'Kuß...: 2fest *adj.* kiss-proof; **~hand** *f*: *j-m e-e ~ zuwerfen* blow a p. a kiss; *fig. mit ~* with the greatest pleasure; *er nahm den Vorschlag mit ~ an* he jumped at the proposal.

Küste ['kystə] *f* (-; -*n*) (sea-) coast; beach; shore; *an der ~ entlangfahren* (sail along the) coast.

'Küsten...: ~artillerie *f* coast artillery; **~batterie** *f* shore battery; **~befestigungen** *f/pl.* coast fortifications; **~bewohner(in** *f*) *m* coast-dweller; *biol. pl.* shore forms; **~dampfer** *m* coasting steamer; **~feuer** *n* coastal light; **~fische'rei** *f* inshore fishing; **~gebiet** *n* coastal area, seaboard; **~geschwader** *n* home squadron; **~geschütz** *n* shore gun; **~gewässer** *n/pl.* coastal waters; **~handel** *m* coasting trade; **~land** *n* maritime country, littoral; **~radar** *n* shore-based radar; **~schiffahrt** *f* coastwise shipping; **~streifen** *m* coastal strip; beach; **~strich** *m* coast-line, → *Küstenland*; **~verkehr** *m* coasting traffic; **~verteidigung** *f* coast defen|ce, *Am.* -se; **~wache** *f* coast-guard (station); **~wachschiff** *n* coastal patrol vessel.

Küster ['kystər] *m* (-s; -) sexton, sacristan, verger; **Küsterei** [-'raɪ] *f* (-; -*en*) sexton's office, sacristy.

Kustos ['kustɔs] *m* (-; -'*toden*) custodian, curator; *typ.* catchword; *mus.* custos.

Kutschbock ['kutʃ-] *m* (coach-)box.

Kutsche ['kutʃə] *f* (-; -*n*) carriage, coach, cab; *in e-r ~ fahren* ride in a coach; **~nschlag** *m* carriage-door.

'Kutscher *m* (-s; -) coachman, driver.

kutschieren *v/t. and v/i.* (*sn*) drive (*or* ride) in a coach; drive (a coach); *colloq.* drive, cruise.

Kutte ['kutə] *f* (-; -*n*) cowl.

Kutteln ['kutəln] *f/pl.* tripe *sg.*

Kutter ['kutər] *mar. m* (-s; -) cutter.

Kuvert [ku'vɛrt] *n* (-[e]s; -e) **1.** envelope, cover, wrapper; **2.** cover (*at table*).

kuvertieren [-'tiːrən] *v/t.* (*h.*) (put in an) envelope.

Kux [kuks] *m* (-es; -e) mining share (of no par value).

Ky... [ky] → *Zy...*

Kybernetik [kybɛr'neːtik] *f* (-) cybernetics *sg.*

L

L, l [ɛl] *n* L, l.

Lab [laːp] *zo. n* (-[e]s; -e) rennet; rennin.

'Labdrüse *anat. f* fundic gland.

labb(e)rig ['lab(ə)riç] *colloq. adj.* sloppy, wishy-washy; *~e Brühe* swill.

Labe ['laːbə] *f* (-) → *Labsal*; **2n** *v/t.* (*h.*) (*and sich ~*) refresh *or* restore (o.s.); revive; *fig. sich ~ an* (*dat.*) **a)** comfort o.s. with, **b)** feast one's eyes on (*a sight*); **2nd** *adj.* refreshing, reviving; **~trunk** *m* refreshing draught *or* cup.

labial [labi'aːl] *adj.* labial; **2laut** *m* labial (sound).

labil [la'biːl] *adj.* unstable (*a. med., tech.*), changeable, unsettled; *chem., phys.* labile.

Labili'tät *f* (-) instability; lability.

labiodental [labiodɛn'taːl] *adj.* labiodental (*sound*).

Labkraut ['laːp-] *bot. n* bedstraw.

Labor [la'boːr] *colloq. n* (-s; -s) lab; **Laborant(in** *f*) [labo'rant-] *m* (-en, -en; -, -nen) assistant chemist, laboratory technician; **Laboratorium** [labora'toːrium] *n* (-s; -'*torien*) laboratory, lab.

labo'rieren *v/i.* (*h.*) *colloq.*: *~ an* (*dat.*) labo(u)r under, suffer from.

'Lab|sal *n* (-[e]s; -e), **~ung** *f* (-; -*en*) refreshment, restorative; *fig.* comfort; treat.

Labyrinth [laby'rint] *n* (-[e]s; -e) labyrinth, maze (*a. fig.*).

'Lachanfall [lax-] *m* fit of laughter.

'Lache[1] *f* (-) laugh(ter); *e-e gellende ~ anschlagen* give a wild laugh.

'Lache[2] *f* (-; -*n*) puddle, pool.

lächeln ['lɛçəln] *v/i.* (*h.*) smile, grin (*über acc.* at); *fig. das Glück lächelt ihm (zu)* fortune smiles upon him.

'Lächeln *n* (-s) smile, grin.

'lachen *v/i.* (*h.*) laugh (*über acc.* at); *fig. fortune, sun, etc.*: smile; *laut ~* laugh out loud, guffaw; *brüllend ~* roar (*or* bellow) with laughter; *häßlich ~* laugh an ugly laugh; *leise vor sich hin ~* chuckle (under one's breath); *sich krank* (*or schief or e-n Ast*) *~* split one's sides with laughter; → *Fäustchen*; *das Herz lacht ihm im Leibe* his heart leaps for joy; *er hat nichts zu ~* his life is no bed of roses; *colloq. du hast gut ~* it's all very well for you to laugh; *daß ich nicht lache!* don't make me laugh!, my eye (*or* foot)!; *lach (du) nur!* laugh away!; *es wäre doch gelacht, wenn* it would be ridiculous if *we couldn't do it*; *wer zuletzt lacht, lacht am besten* he laughs best who laughs last; **2** *n* (-s) laugh(ing), laughter; chuckle, chortle; *j-n zum ~ bringen* make a p. laugh; *ein ~ hervorrufen* raise (*or* draw) a laugh; *in lautes ~ ausbrechen* burst out laughing; *sich vor ~ biegen* double up (*or* howl) with laughing; *das ist (nicht) zum ~* it is ridiculous (no laughing matter *or* no joke); *ich werde dir das ~ abgewöhnen* I'll make you laugh out of the wrong side of your mouth; → *verbeißen*; **~d** *adj.* laughing; bright, smiling (*sky, etc.*); *~e Erben* joyful heirs; *adv.*: *~ über et. hinweggehen* laugh a th. off.

'Lacher *m* (-s; -) laugher; *die ~ auf seiner Seite haben* have the laugh on one's side.

lächerlich ['lɛçərliç] *adj.* laughable, ridiculous; ludicrous, comical; funny; absurd; derisory; *~ machen* **a)** *et.*: (turn to) ridicule, **b)** *j-n*: (hold up to) ridicule, **c)** *sich*: make a fool (*or* an ass) of o.s.; → *zumute*; 2e(s) *n* (*-n*): *das* ~ the ridiculous; *ins* ~ *ziehen* (turn to) ridicule, make fun of; 2**keit** *f* (-; *-en*) ridiculousness; trivial matter, (a mere) farce; *der* ~ *preisgeben* expose to ridicule, make *a p.* the laughing-stock.

'**lächern** *v/t.* (*h.*): *es lächert mich* it makes me laugh, I find it ridiculous.

'**Lach...:** ~**gas** *n* laughing gas; 2**haft** *adj.* laughable, ridiculous; ~**krampf** *m* paroxysm (*or* fit) of laughter; *e-n* ~ *bekommen* be convulsed with laughter; ~**lust** *f* (-) merriness; 2**lustig** *adj.* merry, hilarious; ~**muskel** *anat. m* risible muscle.

Lachs [laks] *m* (-es; -e) salmon.

'**Lach-salve** *f* peal of laughter.

'**Lachs...:** ~**fang** *m* salmon fishing; 2**farben** *adj.* salmon(-pink); ~**forelle** *f* salmon trout; ~**schinken** *m* fillet of smoked ham.

'**Lachtaube** *f* ring-dove.

Lack [lak] *m* (-[e]s; -e) (gum-)lac; varnish (*a. fig.*); *coloured*: lacquer, enamel; lake; enamel varnish; paint; *colloq. fertig ist der* ~! there you are!; '~**anstrich** *m* coat of lacquer, finish; '~**arbeiten** (*pl.*) *f* lacquered work; '~**draht** *m* enamelled wire.

Lackel ['lakəl] *colloq. m* (-s; -) boor, rube, yokel.

'**Lack...:** ~**farbe** *f* varnish (colo[u]r); paint; ~**firnis** *m* lac varnish; ~**harz** *m* gum-lac.

la'ckier|en *v/t.* (*h.*) → *Lack*; lacquer; varnish; enamel; paint; *colloq. fig.* dupe, take in; *der Lackierte sein* be the dupe (*or* sucker); 2**er** *m* (-s; -) varnisher; lacquerer; 2**erei** [-ki:rə'raɪ] *f* (-; *-en*) paint-shop; 2**ung** *f* (-; *-en*) varnish *or* enamel *or* lacquer coat(ing), lacquer finish; paint.

'**Lack...:** ~**lasurfarbe** *f* transparent varnish colo(u)r; ~**leder** *n* patent leather; ~**mus** ['lakmus] *chem. n* (-) litmus; ~**muspapier** *n* litmus paper; ~**schuhe**, (~**stiefel**) *m/pl.* patent leather shoes (boots); ~**waren** *f/pl.* lacquered goods.

Lade ['lɑ:də] *f* (-; *-n*) case, chest, box; drawer; ~**aggregat** *tech. n* charging set; ~**batterie** *el. f* storage battery; ~**baum** *m* derrick; ~**brücke** *f* loading bridge; ~**bühne** *f* loading platform; ~**druck** *mot. m* (-[e]s; ⸚e) boost pressure; ~**fähigkeit** *f* loading capacity; *mar.* tonnage; *el.* storage capacity; ~**fläche** *f* loading area; ~**gebühr** *f*, ~**geld** *n* lading charges *pl.*; ~**gewicht** *n* weight of load; weight loaded; ~**gleis** *n* loading track; ~**hemmung** *mil. f* jam, stoppage; ~**höhe** *f* loading height; ~**kanonier** *mil. m* gun loader; ~**kapazität** *f* → *Ladefähigkeit*; ~**klappe** *mot. f* tail board (*Am.* gate); ~**kran** *m* loading crane; ~**linie** *mar. f* loadline; ~**liste** *f* cargo list; *aer.*, *mar.* manifest; ~**luke** *f* hatch(-way).

'**laden**[1] *v/t.* (*irr.*, *h.*) load, *econ. a.* lade; freight, ship; *el.* charge (*battery*), energize (*wire*); supercharge (*engine*); load, charge (*rifle*, *etc.*); *blind* (*scharf*) ~ load with blank cartridges (with ball *or* shot); *fig.* et. *auf sich* ~ burden (*or* saddle) o.s. with, incur; *colloq. er hat schwer geladen* he is half-seas over, *Am.* he's got a load on; *colloq. geladen sein* be fuming, be hot under the collar, *auf j-n*: have it in for a p.

'**laden**[2] *v/t.* (*irr.*, *h.*) invite, ask (*zu Tische* to dinner); *jur. vor Gericht* ~ cite (*or* summon) before a court, subpoena.

'**Laden** *m* (-s; ⸚) *econ.* shop (*a. fig.*), store; stall; (*window*) shutter; *econ. e-n* ~ *aufmachen* set up shop, hang out one's shingle; *fig. den* ~ *zumachen* shut up shop; *colloq. den* ~ *schmeißen* run the (whole) show; ~**besitzer**(**in** *f*) *m* shopkeeper, *Am.* storekeeper; ~**dieb**(**in** *f*) *m* shop-lifter; ~**diebstahl** *m* shop-lifting; ~**fenster** *n* shop window; ~**front** *f* shop (*or* store) front; ~**geschäft** *n* shop, store; ~**hüter** *m* dead stock, drug in (*Am.* on) the market, *Am. a.* plug, sticker; ~**inhaber**(**in** *f*) *m* shopkeeper, *Am.* storekeeper; ~**kasse** *f* till; ~**mädchen** *n* shop-girl; ~**preis** *m* selling-price, retail price; publishing price; ~**schild** *n* shop sign; ~**schluß** *m* (-sses) closing time; *nach* ~ after hours; ~**schwengel** *contp. m* counter-jumper; ~**straße** *f* shopping street; ~**tisch** *m* counter; ~**verkauf** *m* retail (sale).

'**Lade...:** ~**platz** *m* loading-place; *mar.* wharf; *rail.* goods-platform; ~**rampe** *f* loading platform *or* ramp; ~**raum** *m* loading *or* cargo space; *mar.* **a)** tonnage, **b)** (ship's) hold; *mil.* stowage compartment; ~**schein** *mar. m* bill of lading; ~**schütze** *mil. m* loader; ~**spannung** *el. f* (-) charging voltage; ~**station**, ~**stelle** *f* (battery-)charging station; ~**stock** *m* ramrod; ~**streifen** *mil. m* charger strip; cartridge clip; ~**strom** *el. m* charging current; ~**trommel** *mil. f* cartridge drum; ~**vorrichtung** *f mil.* feeding (*or* loading) device; *el.* charger.

lädieren [lɛ'di:rən] *v/t.* (*h.*) damage, injure.

'**Ladung**[1] *f* (-; *-en*) loading, lading; load, freight, *mar.* cargo, shipment; wagonful, truckload; *mil.* (explosive) charge; shot; *el.*, *phys.* charge; *tech.* (furnace-)charge; ~ *einnehmen* load, take in cargo, ship; *mil. geballte* (*gestreckte*) ~ concentrated (distributed) charge.

'**Ladung**[2] *jur. f* (-; *-en*) summons, citation, subpoena; *durch öffentliche Bekanntmachung*: public citation.

'**Ladungs...:** ~**aufseher** *mar. m* supercargo; ~**dichte** *phys. f* density of charge; ~**empfänger** *m* consignee; ~**verzeichnis** *n* ship's manifest.

Lafette [la'fɛtə] *mil. f* (-; *-n*) (gun-)carriage, mount; ~**nkasten** *m* trail-box; ~**nschwanz** *m* trail; ~**nsporn** *m* trail spade.

Laffe ['lafə] *m* (*-n*; *-n*) fop, dandy.

lag [lɑ:k] *pret. of liegen.*

Lage ['lɑ:gə] *f* (-; *-n*) situation (*a. mil.*), position; *fig. a.* state of affairs, outlook; circumstances *pl.*; *of building*: site, *esp. Am. a.* location; condition, state; attitude, posture; *med.* presentation (*of foetus*); *tech.* set; layer, *geol. a.* bed, stratum, deposit; tier; *of wood*, *etc.*: ply; *paint.* coat; (*paper*) quire; *mus.* position, *die höheren* ~*n pl.* the higher notes; *artillery*: group, tier, volley, *mar. volle* ~ broadside; *mot.* → *Straßen*2; round (*of beer*); *rechtliche* ~ legal status (*or* position); *wirtschaftliche* ~ economic status (*or* position, outlook), *n.s.* pecuniary circumstances; *mißliche or unangenehme* ~ awkward position, predicament, plight; *ungeschützte* ~ exposure; *nach* ~ *der Dinge* as matters stand, under the circumstances; (*nicht*) *in der* ~ *sein zu inf.* be (un)able to *inf.*, (not to) be in a position to *inf.*; *j-n in die* ~ *versetzen zu inf.* enable a p. to *inf.*, make it possible for a p. to *inf.*; *e-e* ~ *Bier spendieren* stand a round of beer; *versetzen Sie sich in meine* ~ put yourself in my place; ~**bericht** *mil. m* situation report; ~**besprechung** *mil. f* briefing; 2**nweise** ['-vaɪzə] *adv.* in layers; ~**plan** *m* site plan; layout plan.

Lager ['lɑ:gər] *n* (-s; -) couch; bed(stead); → *Kranken*2, *Nacht*2; *of beasts*: den, lair; *mil.*, *etc.* camp, encampment; (prisoners') camp, enclosure, stockade; *of arms*, *etc.*: cache (*Fr.*); *fig.* camp, party; *in unserem* ~ on our side; *im feindlichen* ~ in the hostile camp; (*pl.* ⸚) *econ.* warehouse, storehouse; depot; dump; stock(s *pl.*), store, supply; *auf* ~ in stock *or* store, on hand, *fig.* up one's sleeve; *nicht auf* ~ out of stock; *ab* ~ ex warehouse, from stock; *auf* ~ *nehmen* warehouse, store; *ein* ~ *halten von* (*dat.*) keep a stock of; *tech.* bearing; (bedding) support; *geol.* bed, layer, deposit, stratum; ~**auffüllung** *f* (-; *-en*) replenishment of stock; ~**aufnahme** *f* stock-taking, inventory; ~**auftrag** *m* stock order; ~**bestand** *m* stock (on hand), inventory; ~**bier** *n* lager (beer); ~**bock** *tech. m* bearing stand, pedestal; ~**buch** *n* stock-book; ~**buchse** *tech. f* bearing bush(ing); 2**fähig** *adj.* storable; ~**fähigkeit** *f* storing stability; shelf life; ~**feuer** *n* camp-fire; ~**gebühr** *f*, ~**geld** *n* warehouse-charges *pl.*, storage; ~**halter** *m* store-clerk, stocker; distributor; ~**haltung** *f* stock-keeping; ~**haus** *n* warehouse, storehouse; *customs*: bonded warehouse; ~**hof** *m* dock(-warehouse).

Lage'rist *m* (*-en*; *-en*) store-clerk.

'**Lager...:** ~**keller** *m* storage cellar; ~**kosten** *pl.* warehousing (expenses), storage *sg.*; ~**leben** *n* (-s) camp-life; ~**meister** *m* storeman; ~**metall** *n* bearing metal.

'**lagern I.** *v/i.* (*h.*) lie down, rest (*a. sich* ~); *hunt. animal*: couch; *mil.* camp, be encamped; *geol.* be deposited; *econ.* be warehoused *or* stored; *fig. cloud*: hang, brood (*über dat.* over); → *gelagert*; **II.** *v/t.* (*h.*) lay down; (en)camp (*troops*); store, warehouse, dump; season (*cigars*, *wine*, *wood*); *tech.* mount in bearings, pivot; bed, seat, support (*machine*).

'**Lager...:** ~**ort** *m* (-[e]s; -e), ~**platz** *m* resting-place; camp-site; depot; *mil.* dump; ~**raum** *m* store-room, *mar.* stowage(-room); ~**schale** *tech.*

f bearing-box; **~schein** *m* warehouse receipt *or* warrant; **~schuppen** *m* storage shed; **~stätte, ~stelle** *f* resting-place; bed, couch; camp-site; *geol.* deposit; **~ung** *f* (-; -*en*) storage, warehousing; seasoning; *tech.* bearing application; *w.s.* mounting, bedding, seating, support; *geol.* stratification; **~verwalter** *m* warehouseman, storekeeper; **~vorrat** *m* stock, supply; **~zapfen** *tech. m* journal; pivot pin; trunnion; **~zeit** *f* time of storing.

Lagune [la'gu:nə] *f* (-; -*n*) lagoon.

lahm [lɑ:m] *adj.* lame, paralysed; limping; crippled; *fig.* feeble, weak; languid; dull; slow, sluggish; lame (*story, excuse, etc.*); '**2e(r** *m*) *f* (-*n*, -*n*; -*n*, -*n*) lame person, paralytic; cripple; '**~en** *v/i.* (*h.*) be lame, limp.

lähmen ['lɛ:mən] *v/t.* (*h.*) (make) lame; paraly|se, *Am.* -ze; *fig. a.* immobilize, cripple, hamstring; *gelähmt* paralysed (*fig. vor Furcht* with fear); stagnant, lifeless (*business, etc.*); **~d** *adj.* paralysing.

'**lahmlegen** *v/t.* (*h.*) paraly|se, *Am.* -ze, cripple, → *lähmen*; *mil. a.* neutralize.

'**Lähmung** *med. f* (-; -*en*) paralysis, *fig. a.* paralyzation; *einseitige ~* hemiplegia.

Laib [laɪp] *m* (-[e]s; -e) loaf; *zwei ~ Brot* two loaves of bread.

Laich [laɪç] *m* (-[e]s; -e) spawn, *of oysters*: spat; '**2en** *v/i.* (*h.*) spawn; *oysters*: spat; '**~platz** *m* spawning-place; '**~zeit** *f* spawning-time.

Laie ['laɪə] *m* (-*n*; -*n*) layman; **~n** *pl.* laymen, *collect.* laity; *fig.* layman, novice; amateur; *blutiger ~* greenhorn; **~nbruder** *m* lay brother; **2nhaft** *adj.* amateurish, lay...; **~npriester** *m* lay-priest; **~nrichter** *m* lay-judge; **~nschwester** *f* lay-sister; **~nspiel** *n* amateur theatricals *pl.* (*or* play); **~nsprache** *f* layman's language; **~nverstand** *m* understanding of a layman.

Lakai [la'kaɪ] *m* (-*en*; -*en*) lackey, footman; **2enhaft** *contp. adj.* flunkey-like; *adv.* like a flunkey; **~enseele** *contp. f* flunkey.

Lake ['lɑ:kə] *f* (-; -*n*) brine, pickle.

'**Laken** *n* (-s; -) linen; sheet; shroud.

lakonisch [la'ko:nɪʃ] *adj.* laconic(ally *adv.*).

Lakritze [la'krɪtsə] *f* (-; -*n*) liquorice, licorice; **~nsaft** *m* (-[e]s) liquorice extract; **~nstange** *f* liquorice-stick.

Laktoflavin [laktofla'vi:n] *chem. n* [(-s) riboflavin.]

lallen ['lalən] *v/i. and v/t.* (*h.*) stammer, mumble; babble; *drunk person*: speak thickly.

Lama[1] ['lɑ:ma] *zo. n* (-s; -s) llama, *a.* lama; *econ.* llama(-wool).

'**Lama**[2] *eccl. m* (-[s]; -s) lama.

Lamelle [la'mɛlə] *f* (-; -*n*) lamella; *el.* lamina, bar; *bot., a. mot.* gill; *phot.* blade, leaf; *mot.* **~n** *pl.* clutch discs; **2nförmig** [-fœrmɪç] *adj.* lamellar, laminated; **~nkupplung** *mot. f* (multiple-)disc clutch; **lamel'lieren** *tech. v/t.* (*h.*) laminate.

lamentieren [lamɛn'ti:rən] *v/i.* (*h.*) lament (*um* for; *über acc.* over).

Lamento [la'mɛnto] *n* (-s; -s) lamentations *pl.*, hue and cry.

Lametta [la'mɛta] *n* (-s) silver tinsel, angel's hair; *colloq.* (*medals*) fruit salad.

laminieren [lami'ni:rən] *tech. v/t.* (*h.*) laminate.

Lamm [lam] *n* (-[e]s; ¨er) lamb; '**~braten** *m* roast lamb.

Lämmchen ['lɛmçən] *n* (-s; -) little lamb, lambkin.

'**Lämmer** *pl. of Lamm*; **~geier** *m* bearded vulture, lammergeyer; **~wolke** *f* cirrus, cirro-cumulus.

'**Lamm...**: **~(e)sgeduld** *f* Job's patience; **~fell** *n* lambskin; **~fleisch** *n* lamb; **2fromm** *adj.* (as) gentle *or* meek as a lamb, lamblike; **~wolle** *f* lamb's wool.

Lämpchen ['lɛmpçən] *n* (-s; -) [small lamp.]

Lampe ['lampə] *f* (-; -*n*) lamp; light; bulb; *thea.* **~n** *pl.* footlights; *ewige ~* everburning lamp.

'**Lampen...**: **~docht** *m* (lamp-)wick; **~faden** *m* lighting filament; **~fassung** *f* (-; -*en*) lamp socket; **~fieber** *n* (-s) *thea.* stage-fright; **~licht** *n* (-[e]s) lamp light; **~schirm** *m* lamp shade; **~zylinder** *m* (lamp) chimney.

Lampion [lam'pjõ] *m and n* (-s; -s) Chinese lantern.

Lamprete [lam'pre:tə] *ichth. f* (-; -*n*) lamprey.

lancier|en [lɑ̃'si:rən] *v/t.* (*h.*) launch (*a. fig.*); *econ.* float; **2rohr** *n* torpedo-tube.

Land [lant] *n* (-[e]s; ¨er) (*ant. water*) land; soil, ground; arable land; land(ed property), piece of land; (*ant. town*) country; countryside; land, country, territory, region; *pol.* country, state, nation; *in Germany*: Land, Federal State; *fig.* realm, land (*of dreams*); *das Gelobte ~* the Land of Promise; *das Heilige ~* the Holy Land; *aus aller Herren Länder* from all parts of the globe; *an ~ gehen, ans ~ steigen* land, go ashore; disembark; *auf dem ~e* in the country; *aufs ~ gehen* go into the country; *außer ~es gehen* go abroad; *fig. ins ~ gehen time*: pass, elapse; *mar. ~ (in Sicht)!* land ho!; *zu ~e* by land.

'**Land...**: **~adel** *m* (landed) gentry; **~arbeit** *f* agricultural work, farming; **~arbeiter** *m* agricultural labo(u)rer, farm hand; **~arzt** *m* country doctor.

Landauer ['landauər] *m* (-s; -) landau.

'**Land...**: **~aufenthalt** *m* stay in the country; **2aus** *adv.*: *~, landein* far and wide; **~bau** *m* (-[e]s) agriculture, farming; **~besitz** *m* landed property, real estate; **~besitzer** *m* land-owner, landed proprietor; **~bevölkerung** *f* rural population; **~bewohner** *m* countryman, country dweller; **~bezirk** *m* rural district; **~brücke** *geol. f* land-bridge; **~butter** *f* farm butter.

Lande... ['landə-]: **~bahn** *aer. f* (landing) runway, landing strip; **~bahnfeuer** *aer. n* runway lights *pl.*; **~brücke** *f* landing stage, pier, jetty; **~deck** *aer. n* landing (*or* flight) deck.

'**Land...**: **~eigentümer(in** *f*) *m* → *Landbesitzer*; **2einwärts** *adv.* up country, (further) inland.

'**Lande...**: **~klappe** *aer. f* landing flap; **~kopf** *mil. m* beachhead; **~licht** *n* landing light.

'**landen** *v/i.* (*sn*) *and v/t.* (*h.*) land; *mar. a.* dock; disembark, go ashore; *aer.* make a landing; land, alight; touch down; → *wassern*; *fig.* land (*on one's feet, etc.*), alight; strike the ground; land (*a blow*), get home; land, end (*or* wind) up (*in jail, etc.*); *sports auf dem 3. Platz ~* be placed third; *colloq. bei ihm kannst du nicht ~* you won't get anywhere with him; you are no match for him; *damit können Sie bei mir nicht ~* that cuts no ice with me.

'**Landen** *n* (-s) landing; *beim ~* on landing; *aer. Ansetzen zum ~* landing approach.

länden ['lɛndən] *v/t.* (*h.*) bring ashore.

'**Land-enge** *f* neck of land, isthmus.

'**Lande...**: **~piste** *f* → *Landebahn*; **~platz** *m mar.* quay, wharf, pier; *aer.* landing ground *or* field.

'**Länder** *pl. of Land.*

Lände'rei(en *pl.*) [lɛndə'raɪ(ən)] *f* (-; -*en*) landed property, land(s *pl.*), estate(s *pl.*).

'**Länder...**: **~kampf** *m sports* international meeting (*or* competition *or* match); **~kunde** *f* (-) geography; **~mannschaft** *f* national team; **~spiel** *n* international match.

'**Land-erziehungsheim** *n* country boarding-school.

'**Landes...**: **~arbeitsamt** *n* Regional Labo(u)r Office; **~aufnahme** *f* topographical survey; **~beschreibung** *f* topography; **2eigen** *adj.* state-owned; **~erzeugnis** *n* agricultural product; home produce (*a. pl.*); **~farben** *f/pl.* national colo(u)rs; **~flagge** *f* national flag; **~fürst(in** *f*) *m*, **~herr** *m* sovereign; **~gebiet** *n* national territory; **~gesetz** *n* law of the land; **~grenze** *f* frontier, (national) boundary; **~hoheit** *f* (-) sovereignty; **~kind** *n* native (of a country); **~kirche** *f* national (*or* regional) church; **~mutter** *f* (-; ¨) sovereign (lady); **~polizei** *f* state police; **~produkt** *n* → *Landeserzeugnis*; **~regierung** *f* (central) government; *in Germany*: Land government; **~schuld** *f* national debt; **~sitte** *f* national custom; **~sprache** *f* language of a country, native language, vernacular.

'**Lande...**: **~steg** *m* landing ramp; **~stelle** *f* landing point.

'**Landes...**: **~tracht** *f* national costume; **~trauer** *f* public mourning.

'**Landestreifen** *m* landing strip.

'**Landes...**: **2üblich** *adj.* customary, being the practice in a country; **~vater** *m* sovereign; **~vermessung** *f* ordnance survey; **~verrat** *m* treason; **~verräter** *m* traitor to his country; **2verräterisch** *adj.* treasonable; **~verteidigung** *f* national (*or* home) defen|ce, *Am.* -se; **~verweisung** *f* expatriation, exile; *of foreigner*: deportation; **~verweser** *m* governor; **~währung** *f* national (*or* legal) currency.

'**Lande...**: **~trupp** *mil. m* landing party; **~tuch** *aer. n* ground panel; **~verbot** *n* landing prohibition;

~zeichen *n* landing signal; **~zone** *f* landing area; *for paratroops*: dropping zone.

ˈ**Land...:** **~fahrzeug** *n* land vehicle; **~flucht** *f* (-) migration from the country (*to the towns*), rural exodus; **2flüchtig** *adj.* fugitive; **~flugzeug** *n* landplane; **~fracht** *econ. f* carriage, land-freight; **~frau** *f* country-woman; **~friede(nsbruch)** *m* (breach of the) public peace; **~geistliche(r)** *m* country clergyman; **~gemeinde** *f* rural community; **~gericht** *n* Regional Court (Landgericht); **~gerichts·präsident** *m* President of the Regional Court; **~gerichtsrat** *m* (-[e]s; ⁼e) Regional Court judge; **~gewinnung** *f* reclamation of land; **~graf** *m* landgrave; **~gräfin** *f* landgravine; **~gut** *n* country-seat, estate; **~haus** *n* country-house, villa; cottage; **~heer** *mil. n* land-force(s *pl.*), army; **~innere(s)** *n* inland, interior, up-country; **~jäger** *m* country constable; (*kind of*) flat hard sausage; **~junker** *m* (country) squire; **~karte** *f* map; **~kreis** *m* (rural) district; **~krieg** *m* land warfare; **~kriegsordnung** *f*: *Haager* ~ Hague Convention respecting the laws and customs of war on land; **2kundig** *adj.* knowing the country well; **2läufig** *adj.* customary, current, common, generally accepted; **~leben** *n* (-s) country life; **~leute** *pl.* country people, peasantry *sg.*

Ländler [ˈlɛntlər] *mus. m* (-s; -) country waltz.

ˈ**ländlich** *adj.* rural; rustic, country-like; bucolic; countrified; **2keit** *f* (-) rural character; rusticity, rustic simplicity.

ˈ**Land...:** **~luft** *f* (-) country air; **~macht** *f* land power; land-force(s *pl.*); **~mädchen** *n* country girl; **~makler** *m* real estate agent, *Am.* realtor; **~mann** *m* (-[e]s; *-leute*) countryman, farmer; **~marke** *f* landmark; **~maschinen** *f/pl.* agricultural machinery, farming equipment; **~messer** *m* (-s; -) (land)surveyor; **~mine** *mil. f* land mine; **~nahme** [ˈ-na:mə] *f* (-) taking possession of (*or* settling in) a country; land rush; **~partie** *f* outing, picnic; **~peilung** *mar. f* shore bearing; **~pfarre(i)** *f* country parsonage; **~pfarrer** *m* country parson; **~plage** *fig. f* public nuisance (*a. iro.*), public calamity, scourge; **~pomeranze** *humor. f* country-miss, *Am.* jay, hick girl; **~post** *f* rural post; **~rat(s-amt** *n*) *m* (-[e]s; ⁼e) (Office of the) District President; **~ratte** *mar. f* landlubber; **~regen** *m* general (and persistent) rain; **~reise** *f* (overland) journey; **~rücken** *m* ridge of land; **~sasse** [ˈ-zasə] *hist. m* (-n; -n) freeholder.

ˈ**Landschaft** *f* (-; -en) landscape (*a. paint.*), scenery; province, district, region; country(side); *fig.* scene; *in die* ~ *einbetten* landscape (*road, etc.*); **2lich** *adj.* provincial, rural; scenic (*beauty, etc.*); ~*e Beschaffenheit* topography.

ˈ**Landschafts...:** **~bild** *n* landscape (-painting); **~gärtner** *m* landscape gardener (*Am.* architect); **~maler** *m* landscape painter; **~maleˈrei** *f* landscape painting.

ˈ**Land...:** **~schule** *f* country (*or* village)school; **~see** *m* lake; **~ser** *colloq. m* (-s; -) (common) soldier; *Brit.* Tommy (Atkins), *Am.* G.I. (Joe); infantryman, *Am. sl.* doughboy; **~sitz** *m* country seat.

ˈ**Lands...:** **~knecht** *m hist.* lansquenet; mercenary; *fluchen wie ein* ~ swear like a trooper; **~mann** *m* (-[e]s; *-leute*) (fellow-)countryman, compatriot; *was sind Sie für ein* ~? what's your native country?; where do you come from?; **~männin** [ˈ-mɛnin] *f* (-; *-nen*) (fellow-)-countrywoman; **~mannschaft** *f* organization of German expellees.

ˈ**Land...:** **~spitze** *f* cape, promontory, headland; **~stadt** *f* country town; **~stände** [ˈ-ʃtɛndə] *hist. pl.* representative body, provincial diet; **~straße** *f* highway, highroad; **~streicher(in** *f*) *m* (-s, -; -, *-nen*) vagabond, vagrant, tramp, *Am. a.* hobo; **~streicheˈrei** *f* (-; *-en*) vagrancy; **~streitkräfte** *f/pl.* land forces; ground forces; **~strich** *m* tract of land, region, district; **~sturm** *m* (-[e]s) veteran reserve, *Brit.* Territorial Reserve; **~tag** *m* (regional) diet; **~tagsabge·ordnete(r** *m*) *f* member of a regional diet; **~tiere** *n/pl.* terrestrial animals; **~transport** *m* overland transport; **~truppen** *f/pl.* land-forces; ground troops.

Landung [ˈlanduŋ] *aer., mar. f* (-; *-en*) landing; alighting; debarkation; disembarkation; arrival; → *Zwischen2*; *zur* ~ *ansetzen* come in to land; *zur* ~ *zwingen* force down, ground; **~sabteilung** *mil. f* beach party; **~sboot** *n* landing craft (*abbr.* LC), assault craft; **~sbrücke** *f* landing-stage; jetty, pier; **~sgestell** *aer. n* landing gear; **~skorps** *mil. n* landing detachment; **~splatz** *m*, **~sstelle** *f* landing-place; jetty, pier; *aer.* landing ground; **~ssteg** *m* gangway, gang-plank; **~s·truppen** *f/pl.* landing force; beach assault troops; **~s·unternehmung** *mil. f* landing operation; **~sversuch** *m* attempt to land.

ˈ**Land...:** **~urlaub** *mar. m* shore leave; **~vermessung** *f* land surveying; **~vogt** *hist. m* governor, high bailiff; **~volk** *n* (-[e]s) → *Landleute*; **2wärts** [ˈ-vɛrts] *adv.* landward(s), inshore; **~-Wasserflugzeug** *n* amphibious (air)plane; **~weg** *m* (secondary) country-road; *w.s.* overland route; *auf dem* ~*e* by land; **~wehr** *mil. f* militia; *Brit.* Territorial Reserve; **~wein** *m* home-grown wine; **~wind** *m* off-shore wind; **~wirt** *m* farmer, agriculturist; **~wirtschaft** *f* agriculture, farming; farm, country-estate; **2wirtschaftlich** *adj.* agricultural; ~*e Maschinen* agricultural machinery, farm equipment; ~*e Hochschule* agricultural college; **~wirtschafts...** *in compounds*: agricultural; **~wirtschaftslehre, ~wirtschaftswissenschaft** *f* agricultural science; **~wirtschaftsministerium** *n* Ministry of Agriculture; *Brit.* Board (*Am.* Department) of Agriculture; **~zunge** *f* spit (of land).

lang [laŋ] *adj. and adv.* **1.** *as to space*: long; tall; *vier Fuß* ~ four feet long *or* in length; *zehn Fuß* ~ *und vier Fuß breit* ten feet by four; *gleich* ~ equally long, of equal length; *viele Meilen* ~ extending (*or* for) many miles; *e-n* ~*en Hals machen* crane one's neck; *er machte ein* ~*es Gesicht* he pulled a long face, his face fell; *fig.* → *Bank, Hand, Nase, etc.*; *sich des* ~*en und breiten über et. auslassen* enlarge on a th.; *colloq.* along; *die Straße* ~ along (*or* down) the street; **2.** *as to time*: long, (for) a long time; ~*e Jahre* for years; *in nicht zu* ~*er Zeit* in a not too distant future, before long; *seit* ~*em* for a long time past; *vor nicht* ~*er Zeit* not so long ago; *über kurz oder* ~ sooner or later; *ihm wird die Zeit* ~ time hangs heavy on his hands; *econ. Wechsel auf* ~*e Sicht* long (-sighted) bill, *pl. a.* longs; ~ *werden days*: lengthen; → *dauern*; *drei Jahre* ~ for three years; *die ganze Woche* ~ all the week long, all week; ~ *anhaltend* long, continuous; ~ *ersehnt* long-desired, long hoped-for; ~ *entbehrt or vermißt* long missed; *nicht* ~*e darauf* a short time after (-wards); ~*e bevor er kam* long before he arrived; *das ist schon* ~*e her* that was a long time ago; *es ist schon* ~*e her, daß* it has been a long time since *or* that; *ich kenne ihn schon viele Jahre* ~ I have known him for many years; *wie* ~*e lernen Sie schon Englisch?* how long have you been learning English?; *noch* ~*e nicht* not for a long time yet; far from (it); not by a long way; *es ist noch* ~*e nicht fertig* it is not nearly ready; *so* ~*e wie* as long as; *so* ~*e bis* till, until (such time as); *da kannst du* ~*e warten* you can wait till you are black in the face; you may whistle for it; *du brauchst nicht* ~*e zu fragen* you need not (trouble to) ask first; *er ist* ~*e nicht so geschickt* he is not nearly (*or* far from being) as clever; *er macht* ~*e!* he takes his (own) time about it; *das ist* ~*e genug für ihn* that's plenty and enough for him; → *länger, längst.*

ˈ**lang...:** **~atmig** [ˈ-ˀa:tmiç] *adj.* long-winded; **2baum** *m* perch (*of cart*); **~beinig** *adj.* long-legged, leggy; **2drehschlitten** *tech. m* turning carriage.

ˈ**lange** *adv.* → *lang.*

Länge [ˈlɛŋə] *f* (-; *-n*) length; tallness, size; *geogr., ast., math.* longitude; *metrics*: quantity; long (syllable); *tech.* ~ *über alles* overall length; ~ *in Fuß* (*Meilen*) footage (mileage); *fig. thea., etc.* tedious (*or* dragging) passage; *der* ~ *nach* lengthwise; *der* ~ *nach hinfallen* fall (at) full length; *sports*: *mit zwei* ~*n siegen* win by two lengths; *auf die* ~ in the long run; *in die* ~ *ziehen* draw (*or* drag) out, protract; spin out (*story*); *sich in die* ~ *ziehen* drag on (and on), *road*: lengthen out.

ˈ**längelang** *adv.* (at) full length; ~ *hinfallen* fall (at) full length, go sprawling.

'**langen I.** *v/i.* (*h.*) suffice, be sufficient *or* enough (*für* for); *langt das?* will that do?; *damit lange ich e-e Woche* this will last me a week; ~ *nach* reach for; ~ *in* reach in; *in die Tasche* ~ put one's hand in(to) one's pocket; **II.** *v/t.* (*h.*) grasp, seize; *j-m* et. ~ reach (*or* hand) a p. a th.; *colloq. j-m e-e* (*Ohrfeige*) ~ fetch (*or* paste) a p. one.

'**längen** *tech. v/t.* (*h.*) lengthen, extend, elongate.

'**Längen...:** ~**ausdehnung** *f* linear expansion; ~**bruch** *med., tech. m* longitudinal fracture; ~**(durch)schnitt** *m* longitudinal section; ~**einheit** *f* unit of length; ~**grad** *m* degree of longitude; ~**kreis** *m* meridian; ~**maß** *n* long *or* linear measure.

'**lang-entbehrt** *adj.* long missed.

'**länger** *adj. and adv.* (*comp. of lang*) longer; rather long, prolonged; ~*e Zeit* (for) some time, (for) a prolonged period; *ich kann es* ~ *nicht ertragen* I cannot bear it any longer; *je* ~, *je lieber* the longer, the better.

'**lang-ersehnt** *adj.* long wished-for, long-desired.

Langette [laŋ'gɛtə] *tech. f* (-; -*n*), **langet'tieren** *v/t.* (*h.*) scallop.

Lange'weile *f* boredom, tediousness, tedium; *aus* (*or vor*) *Lange(r)weile* from (sheer) boredom, to kill time; ~ *haben* → *sich langweilen*; *sich die* ~ *vertreiben* while away the (*or* kill) time.

'**lang...:** 2**finger** *colloq. m* pickpocket, thief, pilferer; 2**format** *n* oblong size; ~**fristig** *adj.* long-term, long-range; *econ.* ~*e Anleihe* long-term (*or* long-sighted) loan; ~*es Geld* time money, long-term funds; ~*er Wechsel* long(-dated) draft *or* bill; ~**gestreckt** *adj.* long, extended; ~**haarig** *adj.* long-haired; *cotton*: long-staple(d); ~**halsig** *adj.* long-necked; 2**hobel** *tech. m* trying plane; parallel planing machine; 2**holz** *n* long(-cut) timber; 2**holzwagen** *rail. m* timber wagon, *Am.* bogie (*or* lumber) car; ~**hubig** ['-hu:biç] *tech. adj.* long-stroke; ~**jährig** *adj.* of many years' standing *or* duration; ~*e Freundschaft* friendship of long (*or* old) standing; ~*e Erfahrung* (many) years of experience; 2**lauf** *m* (long-)distance run(ning) or race; ~**lebig** ['-le:biç] *adj.* long-lived; *econ.* durable; 2**lebigkeit** *f* (-) longevity.

'**länglich** *adj.* longish; elongated, oblong; ~**rund** *adj.* oval, elliptical.

'**lang...:** 2**loch** *tech. n* oblong hole, slot; 2**lochfräsmaschine** *f* slot milling machine; 2**mut** *f* (-), 2**mütigkeit** ['-my:tiçkaɪt] *f* (-) patience, forbearance; ~ *üben gegen* show indulgence to(wards); ~**mütig I.** *adj.* forbearing, patient, long-suffering; **II.** *adv.* with forbearance, patiently; ~**nasig** *adj.* long-nosed; 2**ohr** *colloq. n* long-ear, jackass; ~**ohrig** *adj.* long-eared; 2**pferd** *n gym.* vaulting- (*or* long) horse; 2**rohrgeschütz** *mil. n* long-barrelled gun.

längs [lɛŋs] *adv. and prp.* (*dat. or gen.*) along, alongside of; → *entlang*; *mar.* ~ *der Küste fahren* (hug the) coast, sail alongshore; '2**achse** *f* longitudinal axis.

'**langsam** *adj.* slow; *tech.* slow speed; leisurely, unhurried; tardy, dawdling; sluggish; heavy, plodding; slow (of comprehension *or* in the uptake); ~*er Kerl* slowpoke; ~*er werden* slow down, slacken; ~, *aber sicher!* slow but sure; *immer* ~! take it easy!, not so fast!; 2**keit** *f* (-) slowness; leisureliness; tardiness; sluggishness; slackness; 2**treten** *n* (-*s*) (*strike*) ca'canny, go-slow strike.

'**lang...:** ~**schädelig** *adj.* long-headed, delichocephalic; 2**schäfter** ['-ʃɛftər] *m/pl.* highboots, Wellingtons; 2**schiff** *arch. n* nave; 2**schläfer(in** *f*) *m* late riser, slugabed; ~**schurig** *adj.* long-staple(d) (*wool*); ~**sichtig** *econ. adj.* long-sighted; 2**spielplatte** *f* long playing record, long-play(er).

'**längs...:** 2**richtung** *f* longitudinal direction *or* sense; 2**schnitt** *m* longitudinal section; *arch.* sectional elevation; ~**seits** ['lɛŋszaɪts] *adv.* alongside.

längst [lɛŋst] *adv.* long ago *or* since; *ich weiß es* ~ I have known it for a long time; ~ *fällig* overdue; *er sollte* ~ *dasein* he should have been here long (*or* hours) ago; ~ *vergangene Tage* times long past (and gone); *fig.* ~ *nicht* not by a long way; *das ist* ~ *nicht so gut* that's not nearly (*or* far from being) as good; ~**ens** ['lɛŋstəns] *adv.* at the longest; at the latest; at the most.

'**langstielig** *adj.* long-handled; *bot.* long-stemmed; *fig.* → *langweilig*.

'**Längs-träger** *m arch.* longitudinal girder; *mot.* frame side member.

'**Langstrecken...** *in compounds*: long-distance, long-range; ~**bomber** *m*, ~**flugzeug** *n* long-range *or* long-distance bomber (airplane); ~**lauf** *m* (long-)distance run *or* race; ~**läufer** *m* (long-)distance runner; ~**radar** *n* long-range radar.

'**längs...:** 2**vorschub** *tech. m* longitudinal feed; 2**zug** *tech. m* longitudinal traverse.

Languste [laŋ'gustə] *zo. f* (-; -*n*) spring- (*or* spiny) lobster.

'**lang...:** 2**weile** *f* → *Langeweile*; ~**weilen** *v/t.* (*h.*) weary, tire, bore (*zu Tode* to death *or* stiff); *sich* ~ feel bored; 2**weiler** *colloq. m* (-*s*; -) slowpoke; ~**weilig** *adj.* boring, tedious, tiresome, wearisome, dull; humdrum (*life*); ~*er Mensch* bore; 2**weiligkeit** *f* (-) tediousness, dullness; 2**welle** *f radio*: long wave; 2**wellenbereich** *m* long-wave band; 2**wellenempfänger** *m* long-wave receiver; ~**wellig** *el. adj.* long-waved; ~**wierig** ['-vi:riç] *adj.* protracted, lengthy, long-drawn-out; unending, wearisome; *med.* lingering, chronic; 2**wierigkeit** *f* (-) long duration, lengthiness; tediousness.

Lanolin [lano'li:n] *n* (-*s*) lanolin.

Lanze ['lantsə] *f* (-; -*n*) spear, *mil.* lance; *fig. für j-n e-e* ~ *brechen* break a lance for, stand up for a p.; ~**nbrechen**, ~**nstechen** *n* (-*s*) tilt (-ing), joust, tournament; 2**nförmig** ['-fœrmiç] *adj.* spear-shaped, lanciform, *bot.* lanceolate; ~**nreiter** *mil. m* lancer.

Lanzette [lan'tsɛtə] *med. f* (-; -*n*) lancet.

lapidar [lapi'dɑ:r] *adj.* lapidary, pithy.

Lapisdruck ['lɑ:pis-] *typ. m* (-[e]s; -e) lapis style.

Lapislazuli [lɑ:pis'lɑ:tsuli] *m* (-) lapis lazuli.

Lappalie [la'pɑ:liə] *f* (-; -*n*) trifle, bagatelle.

Lapp|e ['lapə] *m* (-*n*; -*n*), ~**in** *f* (-; -*nen*) → *Lappländer(in)*.

Lappen ['lapən] *m* (-*s*; -) rag; cloth; duster; patch; *hunt.* toil(s *pl.*); flap-ears; *anat., bot., radio*: lobe, *of fowl*: wattle, gill; *colloq.* bank-note, bill; *fig. j-m durch die* ~ *gehen* give a p. the slip.

läppen ['lɛpən] *tech. v/t.* (*h.*) lap.

läppern ['lɛpərn] *v/t. and v/i.* (*h.*) lap, sip; *colloq. sich* (*zusammen*)~ run up, accumulate.

'**lappig** *adj.* ragged; flabby, flaccid; *anat., bot.* lobed.

'**läppisch** *adj.* silly, foolish.

'**Lapp...:** ~**land** *n* (-*s*) Lapland; ~**länder(in** *f*) ['laplɛndər(in)] *m* (-*s*, -; -, -*nen*) Laplander, Lapp; 2**ländisch** *adj.* Lap(pish).

Lapsus ['lapsus] *m* (-; -) slip.

Lärche ['lɛrçə] *f* (-; -*n*) larch(-tree); *amerikanische* ~ tamerack.

larifari! [lari'fɑ:ri] *int.* stuff and nonsense!

Lari'fari *n* (-*s*; -*s*) nonsense.

Lärm [lɛrm] *m* (-*s*) noise; din; row, racket; clamo(u)r, hubbub, hullaballoo; broil; bustle; uproar, tumult, riot; *blinder* ~ false alarm; ~ *schlagen* raise (*or* sound) the alarm, *fig.* cry blue murder; *blinden* ~ *schlagen* cry wolf; ~ *machen* → *lärmen*; *großen* ~ *um et. machen* make a great noise (*or* fuss) about a th.; *viel* ~ *um nichts* much ado about nothing; '~**bekämpfung** *f* noise abatement (campaign); '2**en** *v/i.* (*h.*) be noisy, make much noise, make a racket, kick up a row; brawl; yell, shout; romp; '2**end** *adj.* noisy; uproarious, tumultuous, riotous; unruly; '~**(mach)er** *m* (-*s*; -) noisy person; brawler, rioter.

Larve ['larfə] *f* (-; -*n*) mask; face; *zo.* larva, grub.

las [lɑ:s] *pret. of lesen*.

lasch [laʃ] *colloq. adj.* lax; limp, flabby; stale, insipid; sloppy.

Lasche ['laʃə] *f* (-; -*n*) *on rails*: fishplate; (*ropes*) lashing; *tech.* strap joint; splice strap; *boiler, steel construction*: butt strap; *mot.* shackle, clip; *joinery*: groove; *arch.* strip; *dressmaking*: gusset; (pocket-)flap; *on laced shoes*: tongue; ~**nnietung** *f* butt-joint (riveting).

Laser ['le:zər] *phys. m* (-*s*; -) laser.

lasier|en [la'zi:rən] *v/t.* (*h.*) glaze; 2**farbe** *f* glazing colo(u)r.

Läsion [lɛzi'o:n] *med. f* (-; -*en*) lesion.

lassen ['lasən] *irr.* **I.** *v/aux.* **a)** (*h.*) let, allow to (*inf.*), permit; not to prevent from (*doing a th.*); suffer (*a th. or a th. to be done*), tolerate; *die Lampe brennen* ~ leave (*or* keep) the lamp burning; et. *sehen* ~ show a th.; et. *fallen* ~ drop a th.; *j-n* gehen ~ let a p. go; *j-n warten* ~ keep a p. waiting; *laß ihn nur kommen!* just let him come!; **b**) make, cause to (*inf.*); (*sich*) *et. machen* ~ get (*or* have) a th. made *or* done; order a th. *to be done*; *a p. to do* a th.; *ich ließ ihn e-e Liste anfertigen* I got (*or* ordered) him to make a list, I had him make a list; *ich ließ den Hund springen* I made the dog jump; *man ließ den Arzt kommen* the doctor was sent for; *ich habe mir sagen* ~ I have been told; *ich lasse (ihn) bitten!* please, show him in!; *sich schicken* ~ have sent; *sich e-n Zahn ziehen* ~ have a tooth drawn; **c**) *v/refl.* (*h.*): *es läßt sich nicht beschreiben* it defies description, it is indescribable; *das läßt sich denken* I can imagine; *das läßt sich (schon) machen* it can be done, it can be arranged; *es läßt sich nicht leugnen, daß* it cannot be denied that; there is no denying the fact that; *das läßt sich hören* that sounds well; *er läßt sich nichts sagen* he won't take advice; *er läßt sich nicht herumkommandieren* he won't be ordered about; *das Material läßt sich vielfach verwenden* the material can be used for various purposes; *das Wort läßt sich nicht übersetzen* the word is untranslatable; *der Wein läßt sich trinken* the wine is drinkable; *von sich hören* ~ send news (*or* word); *sich et. einfallen* ~ **a**) get an idea into one's head, **b**) think a th. up; *laß dir das gesagt sein!* mark my words!; **II.** *v/t.* (*h.*) leave (*undone, off, open, shut, behind*); leave, part with, abandon; put, place, deposit; abstain (*or* refrain, desist) from (*doing a th.*); *laß (das)!* don't!, stop it!, lay off!; *laß den Lärm!* stop that noise!; *laß das Weinen!* stop crying!; *ich kann es nicht* ~ I cannot help (doing) it; *er kann das Witzeln nicht* ~ he will have his little joke; ~ *Sie ihn (zufrieden)!* leave him alone!; *wo hat er nur all sein Geld gelassen?* what has he done with all his money?; *j-m et.* ~ let a p. have a th.; *das muß man ihm* ~ you have to grant (*or* hand) it to him; *das Leben* ~ lose one's life, perish, *für et.*: give *or* sacrifice one's life for a th.; *j-m Zeit* ~ give (*or* allow) a p. (sufficient) time; *laß dir Zeit!* take your time!; **III.** *v/i.* (*h.*): ~ *von et.* renounce (*or* give up) a th., desist from a th.

lässig ['lɛsiç] *adj.* indolent, lazy, idle; sluggish, slack; negligent, remiss; careless; nonchalant; ~*er Arbeiter* slacker; **≈keit** *f* (-) indolence, laziness; sluggishness; negligence; carelessness; nonchalance.

läßlich ['lɛsliç] *eccl. adj.*: ~*e Sünde* venial sin; *w.s.* pardonable.

Lasso ['laso] *m and n* (-s; -s) lasso.

Last [last] *f* (-; -en) load (*a. aer., mar.* = cargo, freight); burden; weight, charge; tonnage; *bewegliche (ruhende)* ~ live (dead) load; *fig.* weight, burden, charge; trouble; nuisance; *econ.* encumbrance; *jur.* ~ *der Beweise* weight of evidence, onus of proof; ~*en pl.* taxes, imposts, social burdens; *öffentliche* ~*en* public charges; *econ. zu j-s* ~*en* to the debit of a p.; *wir buchen es zu Ihren* ~*en* we debit (*or* charge) it to your account; *j-m zur* ~ *fallen* be a burden to (*or* drag on) a p., trouble (*or* bother) a p.; *der Öffentlichkeit zur* ~ *fallen* be(come) a public charge; *j-m et. zur* ~ *legen* charge a p. with a th. (*a. jur.*); blame a th. on a p., lay a th. at a p.'s door; '**~anhänger** *m* trailer; '**~auto** *n* → *Lastkraftwagen*; '**~dampfer** *m* cargo-steamer, freighter.

'**lasten** *v/i.* (*h.*): ~ *auf* (*dat.*) weight *or* press (up)on, *responsibility*: *a.* rest with *a p.* (*or* on *a p.'s* shoulders); *clouds*: brood over.

'**Lasten...:** **~aufzug** *m* goods lift, *Am.* (freight) elevator; **~ausgleich** *m* equalization of burdens; **~fallschirm** *m* cargo parachute; **≈frei** *adj.* unencumbered; **~segler** *m* transport glider; troop-carrying glider.

'**Laster**[1] *m* (-s; -) → *Lastkraftwagen.*

Laster[2] ['lastər] *n* (-s; -) vice; depravity; *e-m* ~ *frönen* indulge in a vice; *colloq. fig.* (*person*) *langes* ~ tall streak.

Lästerer ['lɛstərər] *m* (-s; -) calumniator, slanderer, backbiter; blasphemer.

'**lasterhaft** *adj.* vicious, wicked; depraved, corrupt; **≈igkeit** *f* (-) viciousness, wickedness; depravity.

'**Laster...:** **~höhle** *f* den of vice; **~leben** *n* vicious life.

'**läster|lich** *adj.* slanderous, calumnious, abusive; blasphemous; disgraceful; *colloq.* awful; **≈maul** *colloq. n* scandalmonger, slanderer, backbiter.

'**lästern** *v/t.* (*h.*) slander, calumniate, defame; abuse, revile, run down; (*a. v/i.*) blaspheme.

'**Läster...:** **~schrift** *f* libel(lous pamphlet), lampoon; **~ung** *f* (-; -en) calumny, slander, abuse; blasphemy; **~zunge** *f* slanderous tongue; → *Lästermaul.*

'**Last...:** **~esel** *m* sumpter-mule; *fig.* drudge; **~fahrzeug** *n*, **~fuhre** *f* heavy goods vehicle; **~flugzeug** *n* cargo (air)plane, freight carrier; **~geld** *n* tonnage.

lästig ['lɛstiç] *adj.* burdensome, cumbersome, onerous; troublesome, tiresome; irksome, bothersome, annoying; uncomfortable, inconvenient; ~*er Ausländer* undesirable alien; ~*e Person (Sache)* nuisance, bore; *j-m* ~ *fallen or werden* be(come) a burden (*or* trouble) to a p., bore (*or* bother, molest) a p.; **≈keit** *f* (-) burdensomeness; troublesomeness; irksomeness.

'**Last...:** **~kahn** *m* barge, lighter; **~kraftwagen** *m* (*LKW*) (motor) lorry, *Am.* truck; *mit Anhänger*: tractor-trailer unit; *leichter (schwerer)* ~ light (heavy-duty) lorry *or* truck; **~kraftwagenanhänger** *m* lorry (*Am.* truck) trailer; **~magnet** *m* lifting magnet; **~pferd** *n* pack horse; **~schiff** *mar. n* transport-ship, freighter; **~schrift** *econ. f* debit advice (*or* note); debit item (*or* entry); **~tier** *n* pack animal; **~wagen** *m* wag(g)on, van; *mot.* → *Lastkraftwagen*; **~wagenfahrer** *m* lorry (*Am.* truck) driver; **~wagenladung** *f* truckload; **~zug** *mot. m* road-train of lorries, *Am.* motor freight car train; tractor-trailer unit, *Am. a.* trailer truck, power unit.

Lasur[1] [la'zu:r] *min. m* (-s) azure; → ~*stein.*

La'sur[2] *f* (-; -en) glaze.

La'sur...: **~blau** *n*, **~farbe** *f* colo(u)ring blue; ultramarine; **≈blau, ≈farben** *adj.* azure, (deep) sky-blue; **~fähigkeit** *f* opacity; **~lack** *m* transparent varnish; **~stein** *min. and paint. m* lapis lazuli, azurite.

lasziv [las'tsi:f] *adj.* lascivious.

Latein [la'taın] *n* (-s) Latin; *fig. mit seinem* ~ *am Ende sein* be at one's wits' end; **~amerika** *n* Latin America; **~er** *m* (-s; -) Latinist; **≈isch** *adj.* Latin; *auf* ~ in Latin; ~*e Buchstaben or Schrift* Latin characters, *typ.* Roman (type *or* letters); **~schule** *f* grammar-school.

laten|t [la'tɛnt] *adj.* latent; potential, dormant; *phys.* ~*e Kraft* dynamism, *fig.* latent power, potentiality; ~*e Wärme* latent heat; **≈z** [la'tɛnts] *f* (-) latency; **≈zstadium** *med. n* latency (*or* incubation) period; **≈zzeit** *f* latent period.

Laterna magica [la'tɛrna 'mɑ:gika] *f* (-) magic lantern.

Laterne [la'tɛrnə] *f* (-; -n) lantern; street-lamp; dark lantern; → *Lampion*; **~npfahl** *m* lamp-post; *fig. Wink mit dem* ~ broad hint.

latinisieren [latini'zi:rən] *v/t.* (*h.*) latinize.

Latinum [la'ti:num] *n* (-s): *Großes* ~ Matriculation Latin; *Kleines* ~ Intermediate Latin.

Latrine [la'tri:nə] *mil. f* (-; -n) latrine; **~ngerücht** *n*, **~nparole** *mil. sl. f* latrine rumo(u)r.

Latsche[1] ['lɑ:tʃə] *bot. f* (-; -n) dwarf-pine.

'**Latsche**[2] *f* (-; -n), **~n** *m* (-s; -) (old) slipper.

'**latschen** *colloq. v/i.* (*sn*) shuffle (*or* slouch) along; (*h.*) twaddle, babble; *j-m e-e* ~ paste a p. one.

'**latschig** *adj.* shuffling, slouching; *fig.* slovenly, slipshod; sluggish, slack.

Latte ['latə] *f* (-; -n) lath, batten, strip board; slat; *surv.* stadia rod; *sl. aer.* prop(ellor); *high-jump, soccer*: (cross-)bar; die ~ *reißen* dislodge (*or* knock off) the bar; *die* ~ *überqueren* clear the bar; **~nkiste** *f* crate; **~nrost** *m* lath floor, duck-board; **~nverschlag** *m* latticed partition; **~nwerk** *n* lath-work, lattice; **~nzaun** *m* lath fence, (wooden) paling.

Lattich ['latiç] *bot. m* (-[e]s; -e) lettuce.

Latwerge [lat'vɛrgə] *f* (-; -n) electuary.

Latz [lats] *m* (-es; ¨e) bib; pinafore; (*Hosen*≈) flap.

lau [laʊ] *adj.* lukewarm (*a. fig.*), tepid; mild (*air, weather*); *fig.* half-hearted; indifferent.

Laub [laʊp] *n* (-[e]s) foliage, leafage;

leaves *pl.*; *sich mit ~ bedecken tree*: put on leaves; **~baum** *m* deciduous tree; **~dach** *n* canopy of leaves.

Laube ['laubə] *f* (-; -n) arbo(u)r, bower; summerhouse; *arch.* porch; portico; arcade; *colloq. fertig ist die ~!* there you are!; **~ngang** *m* arbo(u)red walk, pergola; *arch.* arcade, loggia; **~nkolonie** *f* allotment gardens *pl.*

'**Laub...**: **~fall** *m* (-[e]s) fall of the leaf; **~frosch** *m* tree-frog; **~grün** *n* leaf green, pigment; **~holz** *n* foliage trees *pl.*, leaf-wood; **~hüttenfest** *n* Feast of (the) Tabernacles.

laubig ['laubiç] *adj.* leafy, leaved, foliate.

'**Laub...**: **2los** *adj.* leafless; **2reich** *adj.* leafy; **~säge** *f* fretsaw; **~säge-arbeit** *f* fretwork; **~wald** *m* leafy (*or* deciduous) wood; **~werk** *n* foliage (*a. paint., etc.*); *arch. a.* crocket, foil.

Lauch [laux] *bot. m* (-[e]s; -e) leek.

Lauer ['lauər] *f* (-): *auf der ~* (*liegen*) (lie) in wait *or* ambush, (be) on the look-out; *sich auf die ~ legen* lay an ambush; go on a watch; **2n** *v/i.* (*h.*) lurk (*auf acc.* for), (lie in) wait (for), *a. auf e-e Gelegenheit*: be on the look-out for, watch for *a chance*; **2nd** *adj.* lurking (*danger*); wary (*look*).

Lauf [lauf] *m* (-[e]s; ⸚e) run(ning); *sports*: *a.* run, heat; race; movement, motion, travel; current, flow (*of water*); course (*a. ast., mar., of river*), path, track, *ast. a.* orbit; *mus.* run, roulade; *hunt.* foot, leg; (gun-, *etc.*) barrel; *mit zwei Läufen* double-barrelled; *gezogener ~* rifled barrel; *tech.* motion; operation, action; *of piston, etc.*: travel; *ruhiger ~* smooth running (*of engine*); *sports*: *kurzer, schneller ~* sprint, dash; *100-Meter-~* one hundred metres dash; *1500-Meter-~* metric (*or* Olympic) mile race; *in vollem ~e* in full career, at full (*or* top) speed; *im ~e des Monats* in the course of (*the month*), over the period of; *im ~e der Zeit* in course of time; *freien ~ lassen* **a)** *e-r Sache*: let *a th.* take its course, **b)** *den Gefühlen, etc.*: give free vent (*or* full play) to *one's feelings*; *den Dingen ihren ~ lassen* let things slide; *das ist der ~ der Welt* that's the way of the world, such is life; **~achse** *tech. f* running axle; **~bahn** *f sports*: lane; (race-)course; *aer.* runway; *ast.* orbit, course; *fig.* career; e-e *~ einschlagen* enter on a career; **~brett** *n* running-board; **~brücke** *f* foot-bridge; *mar.* gangway; **~buchse** *tech. f* bush(ing), liner; **~bursche** *m* errand- (*or* office-)boy, messenger; **~decke** *mot. f* tyre cover, *Am.* tire casing; **~disziplin** *f sports*: running event.

'**laufen** *v/i. and v/t.* (*irr., sn*) run (*a. rail., mot.*); *schnell ~* run swiftly, rush, dash; *schneller ~ als* outrun, outstrip (in running); *gelaufen kommen* come running (along); go on foot, walk; *tech. machine, etc.*: go, work, function; *piston, etc.*: travel, move, pass; cover, do (*a distance*); *der Weg läuft durch Äcker* the lane runs through fields; run, flow, *tears*: *a.* roll (down); *vessel*: leak, (*a. nose*) run; *candle*: gutter; *blood*: *durch die Adern ~* circulate; *ein Schauer lief mir über den Rücken* a cold shiver ran down my back; run, stretch, extend (*von ... bis* from ... to); *as to time*: pass, go by, elapse; (*be valid*) run; *film*: run, be on; → *Gefahr, Schi, Sturm, etc.*; *mar. auf Grund ~* run aground; *auf e-e Mine ~* hit a mine; *in den Hafen ~* put into port; *in das Verderben ~* rush (*headlong*) into destruction; *j-m in die Arme ~* bump into a p.; *~ um* revolve (*or* move) round; *um die Wette ~* race; *unter dem Namen ... ~* go under the name of ...; *sich müde* (*tot*) *~* tire (kill) o.s. with running; *es läuft sich hier schlecht* it is bad running (*or* walking, skating, skiing) here; *~ lassen* let *a p.* go (*or* off); give up; send away; run (*horse, etc.*); *die Dinge ~ lassen* let matters slide (*or* take care of themselves); *das Schiff* (*Auto*) *läuft 12 Knoten* (*60 Meilen*) *die Stunde* the ship (car) does *or* makes 12 knots (60 miles per hour); *die Sache läuft* the matter is in progress *or* under way, → *klappen*; *das läuft ins Geld* that runs away with a lot of money, it is (very) expensive; → *hinauslaufen*.

'**Laufen** *n* (-s) running; walking.

'**laufend I.** *adj.* running; *fig.* steady; continuous; current (*account, expense, price, production, year, etc.*); regular (*customers, service, etc.*); day-to-day, routine (*work, business*); consecutive, serial (*number*); running (*bill of exchange*), in circulation; *econ. ~en Monats* instant (*abbr.* inst.); *tech.* → *Band*; *stock exchange*: *~e Notierung* consecutive quotation; *~e Rechnung* current account; *~es Meter cloth*: running metre; *~e Wartung* (*Prüfung*) routine maintenance (check); *auf dem ~en sein* be up to date, *n.s.* be conversant with the facts, be fully informed; *j-n* (*sich*) *auf dem ~en halten* keep a p. (o.s.) (currently) informed *or* posted, keep abreast of developments; **II.** *adv.* currently; regularly, *etc.*; increasingly.

Läufer ['lɔyfər] *m* (-s; -) runner (*a.* **~in** *f*); *soccer*: half-back; skater; skier; *zo.* young pig, porker; *bot.* runner, tendril; *mus.* run, glissando; *chess*: bishop; strip of carpet, runner; stair-carpet; *tech.* slider; *of scales*: sliding weight; *el.* armature, (*a. of turbine*) rotor; *arch.* stretcher, binder; *typ.* brayer; *weaving*: whirl.

Lauferei [laufə'raı] *f* (-; -en) running about; *w.s.* trouble, bother.

'**Läufer...**: **~reihe** *f soccer*: centre line; **~stoff** *m* material for stair-carpets, carpeting; **~wicklung** *el. f* rotor winding.

'**Lauf...**: **~feuer** *n* running fire; *fig. sich wie ein ~ verbreiten* spread like wildfire; **~fläche** *f mot.* tread; *tech.* bearing surface, journal; *of ski*: flat, sole; **~gewicht** *n* sliding weight; **~graben** *mil. m* communication (*or* approach) trench.

'**läufig,** '**läufisch** *zo. adj.* in heat, ruttish.

'**Lauf...**: **~junge** *m* → *Laufbursche*; **~katze** *tech. f* travel(l)ing crab, trolley; *~ mit Hebezug* travel(l)ing hoist; **~kette** *f* track; **~kippe** *f gym.* running upstart; **~kran** *tech. m* travel(l)ing crane; **~kunde** *econ. m* chance customer; **~kundschaft** *f* passing trade; **~masche** *f* ladder, *Am. a.* run; **2maschenfrei** *adj. Am.* run-proof; **~nummer** *f* consecutive (*or* serial) number; **~paß** *iro. m*: *j-m den ~ geben* give a p. the sack *or* his walking papers; *sie gab ihm den ~ sl.* she gave him the go-by; **~planke** *f* gangboard; **~rad** *n aer.* landing-wheel; *tech.* impeller; runner (*of turbine*); *a.* → **~rädchen** *n on chairs, etc.*: caster (-wheel); **~riemen** *tech. m* driving-belt; **~ring** *tech. m* (ball) race; **~rolle** *f* trolley; *mil.* bogie wheel (*of tank*); **~schiene** *f* guide rail; **~schritt** *m* run(ning step), jogtrot; *mil.* double(-quick) step; *im ~* running, at the double; *command*: *~!* at the double!, *Am.* double time, march!; **~sitz** *tech. m* clearance fit; **~sohle** *f* outsole; **~ställchen** *n* playpen; **~steg** *m* footbridge; *mar.* gangway; **~stil** *m sports*: running style; **~werk** *n* running gear, mechanism; *of tank*: tracks and suspensions *pl.*; **~zeit** *f zo.* rut(ting season); *econ.* currency (*of bill of exchange*); term (*of contract*); run (*of film*); *mail*: transmission time; *radio*: transit time; *radar*: pulse timing; *tech.* hours of operation; (service-)life; **~zettel** *m* circular (letter); interoffice slip, control tag.

Lauge ['laugə] *f* (-; -n) lye; *tech. usu.* caustic solution, liquor, steep; brine; *chem.* lixivium; lixiviant; electrolyte solution; (*soap*) suds *pl.*; buck.

'**laugen** *v/t.* (*h.*) lye, leach; steep (in lye); *chem.* lixiviate; buck (*laundry*); **~artig** *adj.* alkaline; **2asche** *f* alkaline ashes *pl.*; **2bad** *n* alkaline bath *or* liquor; **~beständig** *adj.* alkaliproof; **2faß** *n* lye-vat, leaching-vat; **2messer** *m* alkalimeter; **2salz** *n* alkaline salt; **2wasser** *n* (-s; -wässer) alkaline (*or* caustic) solution, liquor.

'**Lauheit,** '**Lauigkeit** *f* (-) lukewarmness, tepidity; *fig. a.* half-heartedness.

Laune ['launə] *f* (-; -n) **1.** humo(u)r, temper, mood, frame of mind; (*in*) *guter* (*schlechter*) *~* in a good (bad) humo(u)r *or* temper *or* mood; *bester ~* in the best of humo(u)r, in high spirits, chipper; (*nicht*) *in der ~ sein für et.* (not to) be in the mood *or* humo(u)r for a th.; → *Stimmung*; **2.** fancy, whim, caprice; changeableness, vagaries (*of weather*); *~ des Glücks* (*der Natur*) freak of fortune (nature); *seine ~ haben* be cross, be ill-tempered; *er hat seine ~n* he has his (little) moods.

'**launenhaft** *adj.* capricious, whimsical; erratic, unaccountable; *person*: *a.* fickle, wayward; **2igkeit** *f* (-) capriciousness, whimsicality, fickleness; moodiness.

'**launig** *adj.* humo(u)rous, jocose; whimsical, witty; droll, playful; **2keit** *f* (-) humo(u)rousness, jocoseness.

'**launisch** *adj.* **1.** out of humo(u)r, ill-tempered, peevish, moody; **2.** → *launenhaft.*
Laus [laʊs] *f* (-; ⸚e) louse (*pl.* lice); *fig. j-m eine ~ in den Pelz setzen* give a p. trouble; *was für eine ~ ist dir über die Leber gekrochen?* what's wrong with you?, *Am. a.* what's eating you?; **~bub(e)** *m* young scamp *or* devil; **~buben-streich** *m* boy's trick (*or* prank); *fig.* mischievous act.
lausch|en ['laʊʃən] *v/i.* (*h.*) listen (*dat. or auf* to); strain one's ears; prick one's ears; hang on *a p.'s* words; eavesdrop; **2er(in** *f*) *m* (-s, -; -, -nen) listener, *b.s.* eavesdropper; **~ig** *adj.* snug, cosy; idyllic, tranquil, peaceful; hidden, tucked-away.
Lause... ['laʊzə-]: **~junge, ~kerl** *m* blackguard, lout, rascal; → *Lausbube.*
'**lausen** *v/t.* (*h.*): *j-n* (*sich*) *~* pick a p.'s (one's) lice, louse a p. (o.s.); *colloq. ich denke, mich laust der Affe* I thought I was seeing (*or* hearing) things.
Läusepulver ['lɔʏzə-] *n* insecticide.
lausig ['laʊziç] *colloq. adj.* lousy (*a. fig.* = miserable, awful); filthy.
laut[1] [laʊt] **I.** *adj.* loud; *person: a.* loud-voiced; noisy, boisterous; audible; clear, distinct; sonorous, ringing, booming; *mus.* forte; *~ werden* become audible, make itself (*pl.* themselves) heard, *fig.* leak out, become public, get abroad; *~ werden lassen* betray, let on; **II.** *adv.* loud(ly), aloud; *speak, etc.*, in a loud voice, loud; openly; (*sprechen Sie*) *~er!* speak up!, *Am.* louder!; *er schrie, so ~ er konnte* he yelled at the top of his voice.
laut[2] *prp.* (*usu. gen.*) in accordance (*or* conformity) with; in pursuance of; according to; on the strength (*or* by virtue) of, under; *econ.* as per; *~ Befehl* as ordered, by order; *~ Verfügung* as directed.
'**Laut** *m* (-[e]s; -e) sound (*a. gr.*); *a.* tone; *keinen ~ von sich geben* not to utter a sound; *dog: ~ geben* give tongue; *in compounds gr.* phonetic ...; **~angleichung** *gr. f* assimilation (of sounds).
'**lautbar** *adj.*: *~ werden* become known *or* public, be noised abroad.
'**Laut...: ~bezeichnung** *gr. f* sound notation; **~bildung** *f* articulation.
Laute ['laʊtə] *f* (-; -*n*) lute (*a. fig.*); *die ~ schlagen* play (on) the lute.
'**lauten** *v/i.* (*h.*) sound; *contents, words:* run; read; *die Antwort lautet günstig* the answer is favo(u)rable; *wie lautet der Brief?* what does the letter say?; *wie lautet sein Name?* what is his name?; *~ auf* (*acc.*) *passport, etc.*: be issued to; *econ. auf den Inhaber* (*Namen*) *~* be payable to bearer (order); *jur. das Urteil lautet auf Tod* (*ein Jahr Gefängnis*) the sentence is death (for one year's imprisonment).
läuten ['lɔʏtən] *v/i. and v/t.* (*h.*) ring (*j-m, nach et.* for); *church bells: a.* peal, toll; *small bell:* tinkle, jingle; *es läutet* the bell is ringing; *fig. er hat (et)was ~ hören* he has an inkling of it; *ich habe etwas davon ~ hören* I have heard something to that effect.
'**Läuten** *n* (-s) ringing; → *Geläut*(e).
'**Lautenspieler(in** *f*) *m* lute-player, lutist.
lauter ['laʊtər] *adj.* **1.** pure, unalloyed; clear (*liquid*); transparent; flawless (*gem*); genuine; candid, sincere, singlehearted; honest, disinterested (*intentions*); *das ist die ~e Wahrheit* that is the real *or* plain *or* unvarnished truth; **2.** nothing but, mere, only; *aus ~ Bosheit* from sheer spite; *das sind ~ Lügen* that's nothing but lies; **2keit** *f* (-) pureness, clearness; transparency; *fig.* purity, integrity; cando(u)r, sincerity.
läutern ['lɔʏtərn] *v/t.* (*h.*) purify; *tech. a.* purge, cleanse; clarify (*fluids*), *by distilling*: rectify; refine (*glass, metal, sugar*); clear (*brandy*); *fig.* purify, chasten; ennoble.
'**Läuterung** *f* (-; -en) purification; clarification, rectification; refining; *fig.* chastening, purging; **~smittel** *n* purifying agent; **~svorgang** *m* refining process.
'**Läute...: ~werk** *n* alarum; (electromagnetic) ringing device; **~zeichen** *n* ring, acoustic signal.
'**Laut...: ~gesetz** *n* phonetic law; **2getreu** *adj.* high-fidelity; orthophonic; **~heit** *f* (-) loudness.
lau'tier|en *v/t. and v/i.* (*h.*) spell (and read) phonetically; **2methode** *f* phonetic spelling (and reading).
'**Laut...: ~lehre** *f* (-) phonetics *pl.*; phonology; **2lich** *adj.* phonetic; **2los** *adj.* soundless; noiseless; silent; mute; *~e Stille* hushed (*or* deep, breathless) silence; **~losigkeit** *f* (-) soundlessness; (deep) silence, hush; **2malend, 2nachahmend** *adj.* onomatopoeic, echoic; **~male'rei** *f* onomatopoeia; **~schrift** *f* phonetic transcription; **~sprecher** *m* loudspeaker; megaphone; **~sprecheranlage** *f*: *öffentliche ~* public address system; **~sprecherwagen** *m* loudspeaker van (*Am.* truck), public-address car; **~stärke** *f* sound intensity, loudness; *radio:* (sound-)volume; *mit voller ~* at the top of one's voice; **~stärkemesser** *m* sound level meter; **~stärkeregler** *m radio:* volume control; **~system** *n* phonetic system; **~verschiebung** *f* shifting of consonants; (*Gesetz der*) *~* Grimm's law; **~verstärker** *m* (sound-)amplifier; **~zeichen** *n* phonetic symbol, phonotype.
'**lauwarm** *adj.* → *lau.*
Lava ['lɑːva] *geol. f* (-; -*ven*) lava; **~strom** *m* stream of lava.
Lavendel [la'vɛndəl] *bot. m* (-s; -) lavender; **~öl** *n* (-[e]s) spike-oil.
lavieren [la'viːrən] *mar. v/i.* (*h.*) tack (about); *fig. a.* wangle.
Lawine [la'viːnə] *f* (-; -*n*) avalanche, snow-slip (*Am.* -slide); **2n-artig** *adj. and adv.* like an avalanche; *~ anwachsen* snowball; **2ngefährlich** *adj.* exposed to avalanches.
lax [laks] *adj.* lax, loose; **2heit** *f* (-) laxity; licentiousness.
la'xier|end *adj.* laxative, aperient; **2mittel** *n* laxative.
Layout ['leːˀaʊt] *print. m* (-s; -s) layout; **~er** *m* (-s; -) layout man.
Lazarett [latsa'rɛt] *n* (-[e]s; -e) (military) hospital *or* infirmary; **~fieber** *n* hospital-fever; **~gehilfe** *m* dresser; **~schiff** *n* hospital ship; **~wagen** *m* ambulance; **~zug** *m* hospital train.
Lebe|dame ['leːbə-] *f* society lady; demi-mondaine, demirep; **~'hoch** *n* cheers *pl.*; **~mann** *m* man about town, fast liver, bon-vivant (*Fr.*), playboy.
'**Leben** *n* (-s; -) life, existence; being; living creature *or* being; (way of) living; vitality, vital power, vigo(u)r; liveliness, animation; stir, activity, (hustle and) bustle, to-do; biography, life; *das ~ in Australien* life in Australia; *das einfache ~* the simple life; *das nackte ~* the naked life; *Kampf auf ~ und Tod* mortal combat, life-and-death struggle; *es geht um ~ u. Tod* it is a matter of life and death; *am ~ sein* be alive; *am ~ bleiben* remain alive, survive, escape; *am ~ erhalten* keep alive; *ein ruhiges ~ führen* lead *or* live a quiet life; *ein neues ~ beginnen* turn over a new leaf; *~ in eine Sache bringen* bring life into a th., make things hum; → *Bude*; et. *für sein ~ gern tun* be very (*or* passionately) fond of a th. (*or* doing a th.), be crazy about a th.; *ich würde für mein ~ gern* I would give anything to *inf.*, I would love to *inf.*; *ins ~ rufen* call into being (*or* existence), start, launch; *econ.* float, set on foot; *ins ~ treten* go into the world, start; *j-m das ~ schenken* **a**) spare a p.'s life, *mil.* give quarter to a p., (→ *lassen*), **b**) give birth to *a child*; *mein ganzes ~* (*lang*) all my life; *nach dem ~ zeichnen* draw from (real) life *or* from nature; *nur einmal im ~* only once in a lifetime; *sich das ~ nehmen* take one's (own) life, commit suicide; *ums ~ kommen* lose one's life, perish, be killed; *ums liebe ~ rennen* run for dear life; *nicht ums ~* not for the life of me; *voll(er) ~* lively, all alive, full of go (*or* beans); *~ zeigen* show (signs of) life, become animated.
'**leben I.** *v/i.* (*h.*) live, be alive, exist; live, reside, dwell; stay; live on; live well; lead a gay (*or* fast) life; *die Statue lebt* the statue seems alive (*or* animated *or* to breathe); *~ für et., e-r Sache ~* live for (*or* devote o.s. to) a th.; *~ nach e-m Grundsatz* live by (*or* up to) a principle; *~ von* (*Nahrung*) live *or* feed *or* subsist (up)on (food), (*e-m Einkommen*) live on (an income), (*e-m Beruf*) earn (*or* make) a living by (a profession); *von der Luft ~* live on air; *friedlich ~* lead *or* live a peaceful life, live peacefully; *~ und ~ lassen* live and let live; *er wird nicht mehr lange ~* his days are numbered, his sands are running out; *wie lange ~ Sie schon in England?* how long have you been living in England?; *so wahr ich lebe!* as sure as I live!, upon my life!; *er ist mein Vater wie er leibt und lebt* he is the very image (*or* the spit and image) of my father;

es *lebe ...!* here's to ...!; *es lebe die Königin!* long live the Queen!; *die Damen sollen* ~! three cheers for the ladies!; ~ *Sie wohl* good-bye, fare well; **II.** *v/t.* (h.) *sein Leben noch einmal* ~ live one's life over again; **III.** *v/refl. and impers.* (h.) *hier lebt es sich gut* it is pleasant living here.

'**lebend** *adj.* living (*a. language* = modern); *biol.* live; ~*e Bilder* tableaux vivants (*Fr.*); ~*e Fische* live fish; ~*e Hecke* quickset (hedge); ~*es Inventar* live-stock; *kein* ~*es Wesen* not a living soul; *mil.* ~*e Ziele* live targets; *as pr.p. ein hier* ~*er Freund* a friend living here; ꝰ**e(r** *m)* ['-əndə(r)] *f* (-*n*, -*n*; -*n*, -*n*) living person; *die (noch)* ~*n pl.* the people still alive, the survivors; *die* ~*n und die Toten* the living and the dead; ~**gebärend** *zo. adj.* viviparious; ꝰ**gewicht** *n* live weight.

lebendig [le'bɛndiç] *adj.* living; *pred.* alive; quick; full of life, astir, bustling, *econ.* brisk, animated (*market, etc.*); lively, vivacious; vivid (*account*); active (*mind*); lively (*imagination*); full of vigo(u)r *or* vitality; *der* ~*e Gott* the living God; *bei* ~*em Leibe verbrannt* burnt alive; *mehr tot als* ~ more dead than alive; *wieder* ~ *machen* revive, bring back to life; ~ *werden* come to life; *im Haus wurde es* ~ people began to stir in the house; ~*e Junge gebären* bring forth young alive, be viviparous; ꝰ**keit** *f* (-) → *Lebhaftigkeit.*

'**Lebens...:** ~**abend** *m* evening of life, old age; ~**abriß** *m* biographical notes *pl.*; ~**abschnitt** *m* period of life; ~**ader** *fig. f* life-line; ~**alter** *n* age, period of life; ~**anschauung** *f* way of looking at life, outlook on life; ~**art** *f* manner (*or* way, mode) of living; *feine* ~ excellent manners, good breeding, savoir vivre (*Fr.*); *er hat keine* ~ he has no manners; ~**auffassung** *f* conception (*or* philosophy) of life; ~**aufgabe** *f* life-task; life work; ~**äußerung** *f* manifestation of life; ~**bahn** *f* (course of) life; ~**baum** *m* tree of life; *bot.* arbor vitae; ~**bedingungen** *f/pl.* living conditions; ~**bedürfnisse** *n/pl.* necessaries of life; ~**bejahung** *f* acceptance of life; ~**beschreibung** *f* life, biography; ~**dauer** *f* duration of life, life-span; *lange* ~ longevity; *tech.* (service) life, durability; *auf* ~ → *Lebenszeit*; ~**elixier** *n* elixir of life; ~**ende** *n* (-*s*) end of life; *bis an mein* ~ to the end of my days; ~**erfahrung** *f* experience of life; ~**erwartung** *f* life expectancy; ~**faden** *m* thread of life, life-strings *pl.*; ꝰ**fähig** *adj. a. fig.* viable; ~**fähigkeit** *f* (-) viability, vitality; ~**form** *f* form of life; ~**frage** *f* vital question; ꝰ**fremd** *adj.* → *weltfremd*; ~**freude** *f* joy of living, zest; ~**frist** *f* lease of life; ~**führung** *f* (conduct of) life, style (of living); *gesundheitliche* ~ regimen; ~**funke** *m* vital spark; ~**funktion** *f* vital function; ~**gefahr** *f* (-) danger of life, mortal danger; ~! danger of death!; *unter* ~ at the risk of one's life; ꝰ**gefährlich** *adj.* dangerous (to life), perilous; *jur.* involving danger to life and limb; dangerous, very grave *or* serious (*disease, injury*); ~**gefährte** *m*, ~**gefährtin** *f* life companion, mate; ~**geister** *pl.* animal spirits; *j-s* ~ *wecken* put life into a p.; ~**gemeinschaft** *f* community of life; ~**geschichte** *f* life history, biography; ~**gewohnheit** *f* way (*or* habit) of living; ~**glück** *n* happiness of *one's* life; ꝰ**groß** *adj.* (as) large as life; life-size(d) (*picture*); ~**größe** *f* life-size, real size; *in* ~ at full length, *colloq. fig.* in the flesh; *Bild in* ~ full-length picture; ~**haltung** *f* standard of life; ~**haltungskosten** *pl.* cost *sg.* of living, living expenses; ~**hunger** *m* zest (*or* lust) for life; ~**interessen** *n/pl.* vital interests; ~**jahr** *n* year of *one's* life; *im 50.* ~ at the age of fifty; ~**keim** *m* vital germ; ꝰ**klug** *adj.* worldly-wise; ~**klugheit** *f* worldly wisdom; ~**kraft** *f* vital power, vigo(u)r, vitality; ꝰ**kräftig** *adj.* vigorous, full of vitality; ~**kunde** *f* biology; ~**kunst** *f* (-) art of living; ~**künstler** *m* philosopher; *er ist ein* ~ he always makes the best of things; ~**lage** *f* position (of life); *in jeder* ~ in every emergency; ꝰ**lang,** ꝰ**länglich** *adj.* for life, lifelong; *office*: held during life (*or* good behavio[u]r); ~*e Rente* life annuity; *jur.* ~*e Zuchthausstrafe* penal servitude for life, *Am.* confinement in a penitentiary for life; life sentence; ~**lauf** *m* course of life, career; *in writing*: personal record, curriculum vitae, autobiographical statement; ~**licht** *n* (-[e]s) lamp of life; *j-m das* ~ *ausblasen* kill (*or* do for) a p.; ~**linie** *f* life-line (*of hand*); ~**lust** *f* (-) love of life; high spirits *pl.*, zest; ꝰ**lustig** *adj.* gay, jovial, merry; sensuous; ~**mark** *fig. n* vitals *pl.*; ~**mittel** *pl.* foodstuffs, food *sg.*, provisions, victuals; ~**mittelgeschäft** *n* food shop (*Am.* store); ~**mittelhändler(in** *f)* *m* provision-dealer, grocer; ~**mittelkarte** *f* food ration card; ~**mittelknappheit** *f* food shortage; ~**mittellieferant** *m* caterer; ~**mittelversorgung** *f* food-supply; ꝰ**müde** *adj.* weary (*or* tired) of life; ~**mut** *m* courage to face life, optimism; ꝰ**nah** *adj.*, (~**nähe** *f*) close(ness) to life; ~**nerv** *fig. m* main-spring, vitals *pl.*; ꝰ**notwendig** *adj.* vital, essential; ~*er Bedarf* bare necessaries of life, essentials *pl.*; ~**odem** *m* breath of life; ~**praxis** *f* (-) experience; ~**prozeß** *m* vital function; ~**raum** *m* living space, lebensraum; ~**regel** *f* rule of life, maxim; ~**rente** *f* life annuity; ~**retter** *m* life-saver, rescuer; ~**rettungsgerät** *n* life-saving (*or* survival) equipment; ~**rettungsmedaille** *f* life-saving medal; ꝰ**sprühend** *adj.* exuberant, brimming with life; ~**standard** *m* standard of living, living standard; ~**stellung** *f* position (in life), social status; permanent position, lifetime job; ~**stil** *m* style of life; ꝰ**treu** *adj.* true to life; ~**trieb** *m* vital instinct; ~**überdruß** *m* satiety of life; ꝰ**überdrüssig** *adj.* sick (*or* tired) of life; ~**unterhalt** *m* (means *pl.* of) subsistence, maintenance, livelihood; *sich s-n* ~ *verdienen* earn one's living; ~**versicherung** *f* life-assurance, *esp. Am.* life-insurance; *abgekürzte* ~ endowment insurance; ~**versicherungspolice** *f* life policy; ꝰ**voll** *adj.* full of life; ꝰ**wahr** *adj.* true to life; ~**wandel** *m* life, (moral) conduct; *e-n schlechten* ~ *führen* lead a disorderly life; ~**weg** *m* course of life; ~**weise** *f* mode (*or* way) of life; habits *pl.*; *gesundheitliche* ~ regimen; ~**weisheit** *f* wordly wisdom, practical philosophy; ~**werk** *n* life-work; ꝰ**wert** *adj.* worth living; ꝰ**wichtig** *adj.* essential (to life); vital; ~*e Arbeiter (Ausrüstung)* key workers (equipment); → *Gut*; ~*e Organe* vitals; ~*e Verbindungslinie* life-line; ~**wille** *m* vital energy, will to live; ~**zeichen** *n* sign of life; *kein* ~ *von sich geben* not to stir; not to write; remain silent; ~**zeit** *f* lifetime, term of *a p.'s* life; *auf* ~ for life, *office*: during life (*or* good behavio[u]r); *Mitglied auf* ~ life member; ~**ziel** *n*, ~**zweck** *m* goal in life.

Leber ['le:bər] *anat. f* (-; -*n*) liver; *fig. frei (or frisch) von der* ~ *weg reden* speak one's mind (frankly), speak out bluntly; *in compounds* liver(-)..., hepatic ...; ~**(an)schwellung** *med. f* enlargement of the liver; ~**blümchen** *bot. n* liverwort; ~**entzündung** *med. f* hepatitis; ~**fleck** *m* liver-spot; mole; ~**gegend** *f* hepatic region; ~**haken** *m boxing*: hook to the liver; ~**käs** ['-kɛ:s] *m* (-) *cul.* brawn; ~**kloß,** ~**knödel** *m cul.* faggot; ꝰ**krank,** ꝰ**leidend** *adj.* suffering from a liver disease; ~**krankheit** *f*, ~**leiden** *n* liver disease; ~**krebs** *med. m* (-[e]s) cancer of the liver; ~**tran** *m* cod-liver oil; ~**wurst** *f* liver-sausage, *Am.* liverwurst; ~**zirrhose** *med. f* cirrhosis of the liver.

'**Lebe...:** ~**welt** *f* (-) fast set, gay world; ~**wesen** *n* living (*or* animate) being, creature; *kleinstes* ~ micro-organism; ~**wohl** *n* farewell; *j-m* ~ *sagen* say good-by(e) to a p.

lebhaft ['le:phaft] **I.** *adj.* lively, vivacious; full of life; ardent, fervent; animated, brisk, active (*all a. stock exchange*); sprightly, cheerful, buoyant; bright, gay (*colour*); brisk (*walk*); ruddy (*complexion*); lively, keen (*interest*); vivid (*recollection*); brisk, strong (*demand*); busy, (much) frequented (*street, etc.*); heated (*debate*); **II.** *adv.* animatedly; ~ *bedauern* regret sincerely; ~ *begrüßen* welcome warmly; ~ *empfinden* be alive to; *das kann ich mir* ~ *vorstellen* I can imagine; ꝰ**igkeit** *f* (-) liveliness, vivacity, fire, animation, briskness; sprightliness.

'**Lebkuchen** *m* gingerbread.

'**leb...:** ~**los** *adj.* lifeless, inanimate; dull (*a. econ.* = inactive, flat); ꝰ**losigkeit** *f* (-) lifelessness; *econ.* dullness, stagnation; ꝰ**tag** *m*: *mein* ~ *(nicht)* all (never in) my life, (*never*) in all my born days; ꝰ**zeit** *f*: *bei or zu meinen* ~*en* in my lifetime.

lechzen ['lɛçtsən] *v/i.* (h.) be parched

with thirst, *plants*: languish; ~ *nach Blut* ~ thirst for blood; *danach* ~ *zu tun* ache to do.

leck [lɛk] *adj.* leaking, leaky; ~ *sein* → *lecken*[1]; *esp. mar.* ~ *werden* spring a leak.

Leck *n* (-[e]s; -s) leak(age); *ein* ~ *bekommen (stopfen)* spring (stop) a leak.

Leckage [lɛˈkɑːʒə] *f* (-; -*n*) leakage.

ˈ**lecken**[1] *v/i.* (*h.*) leak, be leaky, run, *esp. mar.* have (sprung) a leak; 2 *n* (-*s*) leakage.

lecken[2] [ˈlɛkən] *v/t. and v/i.* (*h.*) lick; lap up; *fig. sich die Finger nach et.* ~ be greedy for, hanker after; *sie leckt sich alle Finger danach* she would give her eye-teeth for it; *wie geleckt* neatly finished, slick.

ˈ**lecker** *adj.* dainty, delicate; delicious, tasty, savo(u)ry; appetizing; 2**bissen** *m*, *a.* 2**ei** [-ˈraɪ] *f* (-; -*en*) dainty (bit), titbit, (culinary) delicacy, choice morsel; appetizer; ~**haft** *adj.* dainty, lickerish; 2**haftigkeit** *f* (-) daintiness; 2**maul**, 2**mäulchen** *n* sweet-tooth; *ein* ~ *sein* have a sweet tooth.

ˈ**leck...**: ~**sicher** *adj.* self-sealing; 2**strom** *el. m* leakage current; 2**sucher** *m* leak detector.

Leder [ˈleːdər] *n* (-*s*; -) leather (*a. colloq. soccer ball*); *abgenarbtes (gepreßtes, gestrichenes)* ~ smooth (embossed, scraped) leather; *weiches* ~ (soft) skin; *in* ~ *gebunden* calf-bound; *vom* ~ *ziehen* draw one's sword, *fig.* open up, give it straight from the shoulder, not to pull one's punches; *colloq. j-m das* ~ *gerben* tan a p.'s hide; ~**apfel** *m* leather-coat; ~**band** *m* (*book*) calf (*or* leather) binding; 2**braun** *adj.* tawny; ~**dichtung** *tech. f* leather packing, leather washer; ~**farbe** *f* leather-colo(u)r, buff; ~**fett** *n* dubbin; ~**gamaschen** *f/pl.* leather gaiters, leggings; ~**handel** *m* leather trade; ~**händler** *m* leather merchant, dealer in leather; ~**handschuh** *m* leather glove; ~**haut** *anat. f* true skin; *of eye*: sclera; ~**hose** *f* leather breeches *or* shorts *pl.*; ~**kappe** *f* leather helmet (*of cyclist, etc.*); ~**lack** *m* leather varnish.

ˈ**ledern** *adj.* (of) leather; leathern, leathery, tough; *fig.* dull, pedestrian.

ˈ**Leder...**: ~**öl** *n* leather-oil; ~**riemen** *m* leather strap (*or* belt); (razor) strop; ~**rücken** *m* leather back (*of book*); ~**sessel** *m* leather arm-chair; ~**waren** *f/pl.* leather goods; ~**zeug** *mil. n* leathers, straps and belts *pl.*; ~**zurichter** *m* leather-dresser, currier.

ledig [ˈleːdiç] *adj.* single, unmarried; illegitimate (*child*); empty, vacant; *e-r Sache*: free (*or* exempt) from, rid of *a th.*; ~**lich** [ˈleːdikliç] *adv.* solely, merely, exclusively; purely (and simply).

Lee [leː] *mar. f* (-) lee(-side); ~**brassen** *f/pl.* lee-braces.

leer [leːr] *adj.* empty (*a. fig.*); unoccupied, vacant; evacuated; blank, clean (*sheet*); vacant, blank (*look*); void; vain; unfounded; ~*e Batterie* run-down battery; ~*es Gerede* idle talk; ~*e Worte machen* beat the air; ~*e Drohung* (~*es Versprechen*) empty threat (promise); *mit* ~*en Händen* empty-handed; → *ausgehen*.

ˈ**Leere**[1] *n* (-*n*) vacant (*or* blank) space; *ins* ~ *gehen blow*: miss; *ins* ~ *starren* stare into space.

ˈ**Leere**[2] *f* (-) emptiness, void (*a. fig.*); vacancy, vacuity, blankness; vacuum; empty space; *fig.* idleness, hollowness.

ˈ**leeren** *v/t.* (*h.*) (*a. sich*) empty, drain; void; pour out; clear out, evacuate; clear (*bowl, letterbox*).

ˈ**Leer...**: ~**fracht** *f* dead freight; ~**gang** *tech. m* lost motion; neutral (gear); *of screw*: backlash; → *Leerlauf*; ~**gewicht** *econ. n* weight (when) empty, deadweight, tare; ~**gut** *econ. n* (-[e]s) empties *pl.*; ~**hub** *mot. m* idle stroke; ~**lauf** *tech. m* idling, idle motion; *el.* no-load operation; neutral (gear); *im* ~ *fahren* coast; (*a.* ~**laufarbeit** *f*) no-load work; *fig.* **a)** waste of energy, **b)** marking time; 2**laufen** *v/i.* (*irr.*, *sn*) *vessel*: drain dry; *tech.* (run) idle, be idling; *mar.* travel in ballast; ~**laufspannung** *el. f* no-load voltage; ~**laufzeit** *f* lost time; ~**packung** *econ. f* dummy; 2**pumpen** *v/t.* (*h.*) pump dry; 2**stehend** *adj.* empty, vacant, unoccupied (*dwelling, etc.*); ~**takt** *mot. m* idle stroke; ~**taste** *f* space-bar; ~**ung** *f* (-; -*en*) emptying, evacuation; clearing, *a.* collection; ~**verkauf** *econ. m* short sale; ~**zug** *m* empty train.

ˈ**Lee...**: ~**segel** *n* studding-sail; ~**seite** *f* lee(-side); 2**wärts** [ˈ-vɛrts] *adv.* leeward.

Lefzen [ˈlɛftsən] *f/pl.* flews (*of dog, etc.*).

legal [leˈgɑːl] *adj.* legal, lawful; **legalisieren** [legaliˈziːrən] *v/t.* (*h.*) legalize; **Legaliˈtät** *f* (-) legality.

Legat[1] [leˈgɑːt] *m* (-*en*; -*en*) legate.

Leˈgat[2] *jur. n* (-[e]s; -e) legacy.

Legatar [legaˈtɑːr] *jur. m* (-*s*; -e) legatee.

Legation [legatsiˈoːn] *f* (-; -*en*) legation, embassy; ~**srat** *m* legation council(l)or.

Legehenne [ˈleːgə-] *f* layer (hen).

ˈ**legen I.** *v/t.* (*h.*) *and* (*sich* ~) lay (o.s.), put (o.s.), place (o.s.); lay down (flat), *wrestling*: defeat by fall, pin to the floor; lay (*carpet, floor*); lay, run (*line, wire*); *sich (nieder)*~ **a)** lie down, **b)** lie down to sleep, go to bed; *fig. sich* ~ calm, go (*or* settle) down, abate, subside, ebb; slacken down, cease; *Eier* ~ lay eggs; ~ *an* (*acc.*) put to *or* near, join to; → *Hand, Herz, Kette*; *den Kopf* ~ *an* rest one's head against; ~ *auf* (*acc.*) lay *or* put *or* place (up)on; → *Nachdruck, Wert*; *sich* ~ *auf* lie down (up)on; *fig.* apply (*or* devote) o.s. to, go in for, take up; specialize in; have recourse to; *disease*: settle on; *die Sache legte sich ihm aufs Gemüt* it began to prey on his mind; *in den Mund* ~ suggest (to), prompt; *e-e Decke über den Tisch* ~ spread a cloth over the table; *um die Schultern* ~ wrap *or* draw round one's shoulders; → *Asche, Handwerk, Karten, Mittel, Mund, Ohr, etc.*; *von sich* ~ lay aside; → *bereit*~, *beiseite* ~, *bloß*~, *fest*~, *etc.*; **II.** *v/i.* lay (eggs).

legendar [legɛnˈdɑːr], **legendär** [-ˈdɛːr] *adj.* legendary; epic.

Legende [leˈgɛndə] *f* (-; -*n*) legend.

leger [leˈʒɛːr] *adj.* easy, informal.

ˈ**Legezeit** *orn. f* laying-time.

legieren [leˈgiːrən] *tech. v/t.* (*h.*) alloy; *petrol, gasoline*: blend, compound; *cul.* thicken (*mit* with).

Leˈgierung *f* (-; -*en*) alloy(ing); ~ *auf Bleibasis* lead-base alloy; *legierter Stahl* alloy steel; ~**sbestandteil** *m* alloying constituent; ~**szusatz** *m* alloying addition (*or* metal).

Legi|on [legiˈoːn] *f* (-; -*en*) legion; *fig. ihre Zahl war* ~ their number was legion. ~**onär** [legioˈnɛːr] *m* (-*s*; -e) legionary.

Legislatur [leːgislaˈtuːr] *f* (-; -*en*) legislature; legislative body; ~**periode** *f* legislative period, session.

legitim [legiˈtiːm] *adj.* legitimate, lawful.

Legitimation [-timatsiˈoːn] *f* (-; -*en*) legitimation; proof of identity; credentials *pl.*; authority; ~**skarte** *f* identity-card; ~**snachweis** *m* proof of identity; ~**s-papier** *n* paper of identification.

legitimier|en [legitiˈmiːrən] *v/t.* (*h.*) legitimate; authorize; *sich* ~ prove one's identity; 2**ung** *f* (-; -*en*) legitimation.

Legitimiˈtät *f* (-; -*en*) legitimacy.

Leh(e)n [ˈleː(ə)n] *n* (-*s*; -) fief, fee, feudal tenure; *j-m et. zu* ~ *geben* invest a p. with land, enfeoff a p.

ˈ**Leh(e)ns...**: ~**dienst** *m* feudal service; ~**eid** [ˈ-ʔaɪt] *m* oath of fealty (*or* allegiance); ~**gut** *n* estate in fee, copyhold; ~**herr** *m* feudal lord; 2**herrlich** *adj.* seignorial; ~**mann** *m* vassal, liege(-man); ~**pflicht** *f* feudal duty; 2**pflichtig** *adj.* feudatory; ~**recht** *n* feudal law; right of investiture; ~**verhältnis** *n* feudality, vassalage; ~**wesen** *n* feudalism.

Lehm [leːm] *m* (-[e]s; -e) loam; (lean) clay; mud; 2**artig** *adj.* loamy; ~**boden** *m* loamy soil; loam (*or* earthen) floor; ~**(form)guß** *m* loam casting; ~**grube** *f* loam pit; ~**hütte** *f* mud cottage; 2**ig** *adj.* loamy; muddy; ~**kalk** *m* argillaceous limestone; ~**mergel** *m* loamy marl.

Lehne [ˈleːnə] *f* (-; -*n*) support, rest, prop; arm(-rest), back(-rest) (*of chair*); *geogr.* slope; 2**n I.** *v/i. and sich* ~ (*h.*) lean; (*sich*) ~ *an* (*acc.*) lean (*or* recline) against; *sich* ~ *auf* (*acc.*) rest (*or* support) o.s. (up)on; *sich aus dem Fenster* ~ lean out of the window; **II.** *v/t.* (*h.*) lean, prop, rest (*gegen* against).

Lehns...: → *Lehens...*

ˈ**Lehn...**: ~**sessel**, ~**stuhl** *m* easy- *or* arm-chair; ~**wort** *gr. n* borrowed word, loan-word.

Lehr|amt [ˈleːr-] *n* (-[e]s) teachership, mastership, *univ.* professorship; → *Lehrberuf*; ~**anstalt** *f* educational establishment; school, college, academy; ~**auftrag** *m* teaching assignment; lectureship; 2**bar** *adj.* teachable; ~**beruf** *m* teaching profession; ~**betrieb** *tech.*

m instructional shop; **~brief** *m* (apprentice's) indenture; **~buch** *n* textbook; (education) manual; primer; compendium; **~bursche** *n* apprentice.

ˈ**Lehre** *f* (-; -*n*) **1.** rule, precept; hint, lesson, warning; instruction, tuition; *of fable*: moral; *lasse dir dies zur ~ dienen* let this be a lesson *or* warning to you; *e-e ~ ziehen aus* take warning from; **2.** teaching, doctrine; tenets *pl.*; system; science; theory; **3.** apprenticeship; *bei j-m in die ~ geben* apprentice (*or* article) to (*or* with) a p.; *in der ~ sein* serve an apprenticeship; *s-e ~ absolvieren* serve one's articles; **4.** *tech.* ga(u)ge, pattern; calib|re, *Am.* -er; size; (drilling) jig; mo(u)ld; *arch.* centering.

ˈ**lehren** *v/t.* (*h.*) teach, instruct; show; *j-n et. ~* teach a p. a th., instruct a p. in a th., show a p. how to do a th.; *j-n lesen ~* teach a p. to read; *die Zeit wird es ~* time will show.

ˈ**Lehrer** *m* (-*s*; -) teacher; instructor; tutor; (*Grundschul*≈) primary teacher, schoolmaster; *e-r höheren Schule*: secondary teacher, master; *univ.* professor, lecturer; **~beruf** *m* teaching profession; **~bildungsanstalt** *f* teachers' training college; **~in** *f* (-; -*nen*) (lady) teacher; mistress; governess; **~kollegium** *n* staff of teachers, *Am.* faculty; → *Lehrkörper*; **~konferenz** *f* meeting of the teaching staff; **~schaft** *f* (-) body of teachers; **~seminar** *n* → *Lehrerbildungsanstalt*; **~stelle** *f* teaching position; mastership.

ˈ**Lehr...**: **~fach** *n* subject, branch of study; teaching profession; **~film** *m* instructional (*or* educational, school) film; training (*or* demonstration) film; **~freiheit** *f* (-) freedom of instruction; **~gang** *m* course (of instruction); **~gangsleiter** *m* chief instructor; **~gedicht** *n* didactic poem; **~geld** *n* premium; *fig. ~ bezahlen* pay dearly for one's wisdom, learn it the hard way; **≈haft** *adj.* instructive; didactic; **~herr** *m* master, boss; **~jahre** *n/pl.* (years of) apprenticeship; **~junge** *m* apprentice; **~körper** *m* (teaching) staff, (body of) teachers *pl.*; *univ.* professorate, *Am.* faculty; **~kraft** *f* (qualified) teacher; professor; *pl.* → *Lehrkörper*; **~ling** [ˈ-lɪŋ] *m* (-[e]s; -e) apprentice; novice, beginner; **~mädchen** *n* girl apprentice; **~meister** *m* master; **~methode** *f* method of instruction; **~mittel** *n/pl.* educational aids *or* appliances *or* material; **~personal** *n* teaching staff; **~plan** *m* course of instruction, curriculum, syllabus; **~probe** *f* trial lesson; **≈reich** *adj.* instructive, informative; containing a wealth of information; **~saal** *m* lecture-room, class-room; **~satz** *m* proposition, *math.* theorem; *w.s.* doctrine, *eccl.* dogma; **~spruch** *m* sentence, maxim; **~stelle** *f* apprenticeship; **~stoff** *m* subject-matter, subject(s *pl.*); **~stück** *thea. n* didactic play; **~stuhl** *m* (professorial) chair, professorship; **~stunde** *f* lesson, lecture; **~tätigkeit** *f* instruction(al work), teaching; **~vertrag** *m* articles *pl.* of apprenticeship, indenture(s *pl.*); **~weise** *f* method of teaching; **~zeit** *f* (term of) apprenticeship; *s-e ~ durchmachen* serve one's apprenticeship; **~zeugnis** *n* apprentice's certificate.

Leib [laɪp] *m* (-[e]s; -er) body; belly, *anat.* abdomen; bowels *pl.*; trunk; waist; womb; *eccl. ~ des Herrn* Body of Christ, *the* Bread; *~ und Leben* life and limb; *~ und Seele* body and soul; *mit ~ und Seele* (with) heart and soul; *lebendigen ~es* alive; *med. offener ~* regular motions, open bowels; *harten ~ haben* be constipated; *am ganzen ~e zittern* tremble all over; *auf dem bloßen ~e* next to one's skin; *kein Hemd auf dem ~e haben* have not a shirt to one's back; *j-m (hart) auf den ~ rücken* press a p. hard; *thea. die Rolle ist ihm auf den ~ geschrieben* the part is expressly written for him; *sich j-n vom ~e halten* keep a p. at arm's length; *zu ~e gehen* (*dat.*) attack *a p.*; tackle (*or* grapple with) *a th. or p.*; *bleib mir damit vom ~e* don't bother me with that.

ˈ**Leib...**: **~arzt** *m* physician in ordinary; **~binde** *f* waistband; sash; *med.* abdominal bandage, support; **~chen** *n* (-*s*; -) bodice; waist; vest; **~diener** *m* body-servant, valet; **≈eigen** *adj.* in bondage; **~eigene(r)** *m* (-*n*; -*n*) bondman, serf; **~eigenschaft** *f* (-) bondage, serfdom.

leiben [ˈlaɪbən] *v/i.* (*h.*): *wie er leibt und lebt* the very image of him, his very self.

Leibes... [ˈlaɪbəs-]: **~beschaffenheit** *f* constitution; physique; **~erbe** *m* legitimate heir; *ohne ~n sterben* die without issue; **~erziehung** *f* physical training; **~frucht** *f* foetus, fetus; *jur. Tötung der ~* procuring abortion, prolicide; **~höhle** *anat. f* abdominal cavity; **~kraft** *f* bodily (*or* physical) strength; *aus Leibeskräften* with all one's might, *yell* at the top of one's voice; **~strafe** *f* corporal punishment; **~übung(en** *pl.*) *f* bodily exercise(s *pl.*); physical training; gymnastics *pl.*; **~umfang** *m* corpulence; **~visitation** *f* bodily search.

ˈ**Leib...**: **~garde** *f* bodyguard; life-guards *pl.*; **~gardist** *m* life-guardsman; **~gericht** *n* favo(u)rite dish; **~gurt, ~gürtel** *m* (waist-)belt.

ˈ**leibhaft, leib**ˈ**haftig I.** *adj.* corporeal; personified; embodied; living, very (*image*); *der ~e Teufel* the devil incarnate; real, true; **II.** *adv.* bodily, personally; in person, in the flesh.

ˈ**Leibjäger** *m* huntsman in ordinary.

ˈ**leiblich** *adj.* bodily (*a. adv.*), of the body; corporal; *~es Wohl* physical well-being; earthly, worldly; corporeal; somatic; → *leibhaft(ig)*; *~er Bruder* full (*or* own) brother; *~er Vetter* first cousin, cousin german; *ihr ~er Sohn* her own son; *mit seinen ~en Augen* with one's own eyes; → *Erbe*.

ˈ**Leib...**: **~regiment** *n* Sovereign's own regiment; **~rente** *f* life-annuity; **~schmerzen** *m/pl.*, **~schneiden** *n* (-*s*) stomach-ache, gripes, colic; **~speise** *f* favo(u)rite dish; **~wache** *f*, **~wächter** *m* bodyguard; **~wäsche** *f* body-linen, underwear; lingerie; **~weh** *n* → *Leibschmerzen*.

Leichdorn [ˈlaɪç-] *m* corn.

Leiche [ˈlaɪçə] *f* (-; -*n*) (dead) body, corpse; (mortal) remains *pl.*; carcass, cadaver; *typ.* omission, out; *fig. wandelnde ~* walking corpse; *über ~n gehen* stick at nothing; *colloq. nur über meine ~!* over my dead body!

ˈ**Leichen...**: **≈artig** *adj.* cadaverous; **~ausgrabung** *f* exhumation; **~begängnis** *n* burial, funeral; obsequies *pl.*, *Am.* funeral service; **~beschauer** *m* coroner; **~besorger, ~bestatter** *m* undertaker, *Am. a.* mortician, funeral director; **~bittermiene** *f* woebegone (*or* hangdog) look; **≈blaß** *adj.* deadly pale, ashen; **~blässe** *f* deathlike pallor; **~feier** *f* → *Leichenbegängnis*; **~fledderer** *m* body-stripper; **~frau** *f* layer-out; **~geruch** *m* cadaverous smell; **~gift** *n* cadaveric poison, ptomaine; **~halle** *f*, **~haus** *n* mortuary; **~hemd** *n* shroud; **~öffnung** *f* post-mortem (examination), autopsy; **~predigt** (**~rede**) *f* funeral sermon (oration); **~raub** *m* body-snatching; **~räuber** *m* body-snatcher; **~schändung** *f* desecration of dead bodies; **~schau** *jur. f* (coroner's) inquest, post-mortem (examination); **~schauhaus** *n* morgue; **~schmaus** *m* funeral repast; **~starre** *f* rigor mortis; **~stein** *m* tombstone; **~träger** *m* (pall) bearer; **~tuch** *n* shroud (*a. fig.*); pall; **~verbrennung** *f* cremation; **~wagen** *m* hearse; mortuary van; **~zug** *m* funeral procession.

Leichnam [ˈ-naːm] *m* (-[e]s; -e) → *Leiche*.

leicht [laɪçt] **I.** *adj.* light (*a. fig. dress, food, hand, music, wine, etc.*); *tech. a.* light-weight, light-duty; *mil. ~er Panzer (Bomber, etc.)* light tank (bomber, *etc.*); *fig.* easy; light (*task*); effortless; gentle (*breeze, touch, etc.*); slight; trifling, petty, minor; *jur.* summarily punishable (offen|ce, *Am.* -se); *~er Diebstahl* petty larceny; light-minded, easy-going, frivolous; fast (*girl*); mild (*tobacco, etc.*); *~e Erkältung* slight cold; *~en Fußes* light-footed, nimble; *~en Herzens* with a light heart; *~e Kost fig.* slight fare; *~es Spiel, ~er Sieg* walkover; *~en Kaufes davonkommen* get off cheaply; *econ. ~en Absatz finden* meet with a ready sale; *das ist ihm ein ~es* it's mere child's play to him, he takes that in his stride; *das war nicht ~* that was no easy job (*or* no picnic); **II.** *adv.* lightly; easily, without effort; slightly; *~er gesagt als getan* more easily said than done; *~(er) machen* lighten; *fig.* render easy, facilitate; *gewogen und zu ~ befunden* weighed and found wanting; *~ gewinnen* win hands down; *es ~ nehmen, es sich ~ machen* take it easy; *et. auf die ~e Schulter nehmen* make light of a th., pooh-pooh a th.; *es ist ~ möglich* it is well possible, it may well be; easily, soon; *er erkältet sich* ~ he is liable (*or* prone) to colds; *so et. passiert* ~ such things are apt to happen; *das wird nicht so* ~ *wieder passieren* it is not likely to happen again; *sie ist* ~ *gekränkt* she is easily offended; ~ *entzündlich* highly inflammable; ~ *löslich* readily soluble; ~ *verdaulich* easy to digest; ~ *zugänglich* easy of access.

ˈ**leicht...**: 2**athlet**(**in** *f*) *m* athlete; 2**athletik** *f* (track and field) athletics *sg. and pl.*, track and field events *pl.*; ~**athletisch** *adj.* athletic; ~*e Veranstaltung* track meeting, track and field competition; 2**bauweise** *f* lightweight construction; ~**bedeckt** *adj.* lightly covered; ~**beschädigt** *adj.* slightly damaged; ~**beschwingt** *adj.* light-winged; *fig.* jaunty; 2**beton** *m* light concrete; ~**bewaffnet** *adj.* light-armed; ~**beweglich** *adj.* easily movable, very mobile; ~**blütig** [ˈ-bly:tiç] *adj.* sanguine, light-hearted; ~**entzündlich** *adj.* highly inflammable.

ˈ**Leichter** *mar. m* (-s; -) lighter, barge.

ˈ**leicht...**: ~**faßlich** *adj.* easy to understand, plain; popular; ~**fertig I.** *adj.* light(-minded); careless, thoughtless; irresponsible; wanton; frivolous; ~*es Gerede* loose talk, flippant words; loose, giddy; fickle; **II.** *adv.*: *et.* ~ *behandeln* treat a th. lightly, make light of a th.; 2**fertigkeit** *f* levity; carelessness, thoughtlessness; wantonness; frivolity, looseness, flippancy; ~**flüchtig** *adj.* highly volatile; 2**flugzeug** *n* light (air)plane; ~**flüssig** *adj.* easily fusible, mobile, thin; 2**fuß** *m* happy-go-lucky fellow, gay spark; ~**füßig** [ˈ-fy:siç] *adj.* light-footed, nimble; ~**gepanzert** *mil. adj.* lightly armo(u)red; ~**geschürzt** *adj.*: ~*e Muse* lightly draped Muse; 2**gewicht**(**ler** [ˈ-lər] *m* -s; -) *n sports*: light-weight; ~**gläubig** *adj.* credulous, *contp.* gullible; 2**gläubigkeit** *f* credulity; gullibility; ~**herzig** *adj.* light-hearted; ~**hin** *adj.* lightly, casually.

Leichtigkeit [ˈ-içkaɪt] *f* (-) lightness; *fig. a.* easiness, ease, facility; *mit* (*größter*) ~ with (effortless) ease; *mit* ~ *gewinnen* win hands down; ~ *der Wartung* ease of maintenance.

ˈ**leicht...**: 2**kranke**(**r** *m*) *f* ambulatory (*or* mild) case; ~**lebig** [ˈ-le:biç] *adj.* easy-going; ~**löslich** *adj.* easily soluble; 2**matrose** *m* ordinary seaman; 2**metall** *n* light metal; 2**metallbau** *m* (-[e]s; -ten) light-metal (*or* light) construction; 2**motorrad** *n* light motorcycle; 2**öl** *n* light oil; ~**schmelzlich** *adj.* easily fusible; ~**siedend** *adj.* low-boiling; 2**sinn** *m* (-[e]s) levity; carelessness; recklessness, imprudence; → *Leichtfertigkeit*; ~**sinnig** *adj.* light-minded; careless, reckless, irresponsible, devil-may-care; thoughtless; frivolous; ~**sinnigerweise** *adv.* thoughtlessly; ~**verdaulich** *adj.* easy to digest; ~**verderblich**(**e Waren** *f/pl.*) *adj.* perishable(s *pl.*); ~**verständlich** *adj.* easy to understand, easily understood; 2**verwundete**(**r**) *m* minor casualty, ambulant case; *pl.* walking wounded.

leid [laɪt] *adj.*: *es ist* (*or tut*) *mir* ~ **a**) I am sorry (*um* for), **b**) I regret, **c**) I cannot help it; *es wird dir* ~ *tun* you will regret it, you will be sorry for it; *er tut mir* ~ I am sorry (for him); *ich bin es* ~ I am (sick and) tired of it.

Leid *n* (-[e]s; -en) injury, harm; wrong; misfortune; sorrow, grief, pain; *ein* ~(*s*) *antun* **a**) *j-m*: hurt (*or* harm) a p., **b**) *sich*: lay hands upon o.s.; → *zuleide*; *j-m sein* ~ *klagen* pour out one's troubles to a p.; ~ *tragen* mourn, be in mourning (*um* for); *geteiltes* ~ *ist halbes* ~ misery loves company.

Leideform [ˈlaɪdə-] *gr. f* passive (voice).

ˈ**leiden** *v/i. and v/t.* (*irr.*, *h.*) suffer (*an dat. unter dat.* from); be afflicted (with), be subject (to), *med.* complain (of); be in pain; suffer, tolerate, allow, permit; bear, stand, endure; like, care for; → *erleiden*; *er leidet an der Leber* his liver is out of order; *s-e Gesundheit litt* (*stark*) *darunter* it (seriously) affected (*or* told on) his health; *der Motor hat stark gelitten* the engine suffered severely; *ich kann ihn nicht* ~ I don't like him, I can't stand him; *er litt es nicht* he would not have it; *es litt mich nicht länger dort* I could not bear to stay there any longer; *die Sache leidet keinen Aufschub* admits of (*or* brooks) no delay.

ˈ**Leiden** *n* (-s; -) suffering; affliction, tribulation, trouble; complaint (*a. fig. and iro.*), ailment, malady, disease; *das* ~ *Christi* the Passion; „*Werthers* ~" the Sorrows of Werther; 2**d** *adj.* suffering; ailing, sickly, ill; *gr.* passive.

ˈ**Leidenschaft** *f* (-; -en) passion (*für* for), (powerful) emotion; *in* ~ *geraten* fly into a passion; *Angeln ist s-e* ~ fishing is a passion with him, he is a passionate angler; 2**lich** *adj.* passionate; impassioned (*speech*); ardent, burning (*desire*); enthusiastic; glowing, fervent; violent, vehement, hot-tempered; impulsive, hot-headed; ~**lichkeit** *f* (-) passionateness; ardo(u)r; vehemence; impulsiveness; 2**slos** *adj.* dispassionate; impassive, cool, detached, matter-of-fact(ly *adv.*).

ˈ**Leidens...**: ~**gefährte** *m*, ~**gefährtin** *f* fellow-sufferer; ~**geschichte** *f* tale of woe; Christ's Passion; ~**weg** *eccl. m* way of the cross, road to calvary; *fig.* life of suffering, thorny road; ~**zeit** *f* ordeal.

leider [ˈlaɪdər] *adv.* unfortunately; *int.* ~! alas!; ~ *ist er noch krank* I am sorry to say he is still ill; ~ *können wir Ihnen nichts berichten* (much) to our regret we are not in a position to; ~ *muß ich gehen* I am afraid I have to go; ~ *Gottes* most unfortunately, it's too bad *that.*

leiderfüllt [ˈlaɪtˀɛrfylt] *adj.* sorrowful, grief-stricken, woebegone.

leidig [ˈlaɪdiç] *adj.* tiresome, unpleasant, disagreeable; confounded, accursed.

leidlich [ˈlaɪtliç] *adj.* bearable, tolerable; passable, middling (*a. adv.* = fairly well, so-so).

Leid... [ˈlaɪt-]: ~**tragende**(**r** *m*) *f* (-n, -n; -n, -n) mourner; *fig. er ist der* ~ *dabei* he is the one who suffers for it; 2**voll** *adj.* sorrowful, full of grief; ~**wesen** *n* (-s): *zu meinem* (*großen*) ~ to my (great) regret *or* sorrow *or* distress, unfortunately.

Leier [ˈlaɪər] *f* (-; -n) *mus.* lyre; *tech.* crank; (-) *ast.* lyra; *fig. die alte* ~ always the same old story; ~**bohrer** *tech. m* brace drill; ~**kasten** *m* barrel-organ; ~(**kasten**)**mann** *m* organ-grinder; 2**n** *v/i. and v/t.* (*h.*) grind (on) a barrel-organ; crank; *fig.* drawl on; → *herunterleiern.*

Leih|amt [ˈlaɪ-] *n*, ~**anstalt** *f* loan-office; pawnshop; ~**bibliothek**, ~**büche**ˈ**rei** *f* lending (*or* circulating) library, *Am. a.* rental library; 2**en** *v/t.* (*irr.*, *h.*) lend (out, *auf Zinsen* at interest), loan, *esp. Am.* advance (*money*); *et. von j-m* ~ **a**) borrow a th. of a p., **b**) hire a th. from a p.; borrow *books* from *a library*; *j-m sein Ohr* ~ lend a p. one's ear, listen to a p.; *geliehenes Geld* borrowed money; ~**er** *m* (-s; -) **1.** lender; **2.** borrower; ~**gebinde** *econ. n* returnable container; ~**gebühr** *f* lending-fee(s *pl.*), rental fee; ~**geld** *econ. n* loans *pl.*; *long-term*: time money; *short-term*: short (*Am.* demand) loans *pl.*; ~**geschäft** *econ. n* lending (*or* loan) business; ~**haus** *n* pawnshop, *Am. a.* loan-office; *ins* ~ *tragen* pawn, *Am. sl.* hock; ~**schein** *m* pawn-ticket; ~**- und Pachtgesetz** *n* Lend and Lease Act; ~**vertrag** *m* contract of loan for use; 2**weise** *adv.* as (*or* by way of) a loan; on hire; ~ *überlassen* lend.

Leim [laɪm] *m* (-[e]s; -e) glue; size; bird-lime; *aus dem* ~(*e*) *gehen* (*a. fig.*) get out of joint, fall to pieces, come apart; *fig. auf den* ~ *führen* hoodwink, trap; *auf den* ~ *gehen* fall for it (*or* into the trap), take the bait.

ˈ**leimen** *v/t.* (*h.*) glue (together), cement; size (*cloth, paper*); *hunt.* lime; *colloq. fig. geleimt werden* be cheated, be taken in.

ˈ**Leim...**: ~**farbe** *f* glue-water colo(u)r; size colo(u)r; *paint.* distemper; 2**ig** *adj.* gluey, glutinous; ~**kitt** *m* joiner's cement; ~**ring** *agr. m* grease-band; ~**rute** *f* lime-twig; ~**sieder** *m* glue boiler; ~**stoff** *m* gluten; sizing material; ~**topf** *m* glue-pot; ~**ung** *f* (-) glueing; sizing; ~**wasser** *paint. n* (-s) glue-water.

Lein [laɪn] *bot. m* (-[e]s; -e) flax; linseed.

Leine [ˈlaɪnə] *f* (-; -n) line, cord, (thin) rope; clothes-line; (dog-) lead, leash; *an der* ~ *führen* keep on the lead, *fig.* keep *a p.* in leading-strings; *sl.* ~ *ziehen* beat it.

ˈ**leinen** *adj.* (of) linen.

ˈ**Leinen** *n* (-s; -) linen, linen goods *pl.*; *in* ~ *gebunden* cloth-bound (*book*); ~**band 1.** *n* tape; **2.** *m book*:

cloth binding; **~garn** *n* linen yarn *or* thread; **~papier** *n* linen (finish) paper; **~schuh** *m* canvas shoe; **~zeug** *n* linen.

ˈ**Lein...:** **~firnis** *m* linseed varnish; **~kuchen** *m* oilcake; **~öl** *n* (-[e]s) linseed oil; *~farbe* linseed oil paint; **~pfad** *m* tow-path; **~saat** *f*, **~samen** *m* linseed; **~tuch** *n* linen (cloth); (bed) sheet.

ˈ**Leinwand** *f* (-) linen (cloth); *paint.* canvas; *film*: screen; *auf die ~ bringen* produce, picturize (*novel, etc.*); *über die ~ gehen film*: be presented; *book*: *in ~ gebunden* bound in cloth; **~händler** *m* linen draper.

ˈ**Leinweber** *m* linen-weaver.

leise [ˈlaɪzə] **I.** *adj.* low, soft, faint; *person*: low-voiced; *mit ~r Stimme* in a low voice, in an undertone; *fig.* soft, gentle; delicate; slight, light, imperceptible; *~r Schlaf* light (*or* cat's) sleep; *e-n ~n Schlaf haben* be a light sleeper; *ein ~s Gehör haben* have a delicate (*or* quick) ear; *~st* faintest, slightest, least (*idea, suspicion, etc.*); *seien Sie bitte ~!* please keep quiet; **II.** *adv.*: *~ auftreten* tread softly *or* noiselessly; *~ berühren* touch lightly; *~ erwähnen* suggest; *~r sprechen* lower one's voice; **~stellen** *v/t.* (*h.*) tune down (*radio*); **ᒿtreter(in** *f*) *m* (-s, -; -, -nen) sneak, *Am.* pussyfoot(er).

Leiste [ˈlaɪstə] *f* (-; -n) *tech.* ledge, border, strip; slat; *arch.* fillet, reglet; *of machine, etc.*: (guide) rail; *dressmaking*: *~ mit Knöpfen* button tape; *of book*: border, edge; *typ.* head (*or* tail) piece, flourish; *weaving*: selvage, list; *anat.* groin.

ˈ**leisten** *v/t.* (*h.*) do; perform; carry out, execute; fulfil, *jur. a.* perform, *n.s.* pay; achieve, accomplish; supply, provide; take (*an oath*); render (*a service*); make, effect (*payment, etc.*); offer; *Großes ~* achieve great things; → *Folge, Genugtuung 1, Gesellschaft, Gewähr, Hilfe, Vorschüß, Widerstand, etc.*; *Tüchtiges ~* do a splendid job, be very efficient; render good service; *sich et. ~* treat o.s. to a th.; *colloq. sich ~* make (*a mistake, etc.*); *ich kann mir das* (*nicht*) *~* (*a. fig.*) I can(not) afford it; *was hast du dir da wieder geleistet?* what (mischief) have you been up to again?

ˈ**Leisten** *tech. m* (-s; -) last; boot-tree, block; *fig. alles über e-n ~ schlagen* treat all things alike; → *Schuster.*

ˈ**Leisten...:** **~bruch** *med. m* inguinal hernia; **~drüse** *anat. f* inguinal gland; **~gegend** *f* groin, inguinal region; **~werk** *arch. n* mo(u)lding, bordering.

ˈ**Leistung** *f* (-; -en) performance; achievement, feat, stunt; accomplishment, attainment; work (done); *erreichte ~* result(s *pl.* obtained); *tech.* performance, efficiency; power; output, production capacity; *el.* **a**) power, **b**) wattage, **c**) output, **d**) input; *of engine*: **a**) performance, **b**) brake horsepower; serviceableness (*of oil, etc.*); (service) life; *of worker*: **a**) workmanship, **b**) output; *höchste ~* record; peak performance; *nach ~ bezahlen* pay by results; *econ.* contribution; service(s *pl.* rendered); performance (*of contract*); payment; delivery; obligation; *~en pl. of insured*: benefits; *of student*: achievements *pl.*, proficiency *sg.*; *e-e feine ~!* good work!

ˈ**Leistungs...:** **~abgabe** *el. f* power output; **~angaben** *tech. f/pl.* performance data; **~anreiz** *m* incentive; **~aufnahme** *el. f* power input; **~ausgleich** *econ. m* compensation for services; **~berechnung** *f* capacity rating; **~bereich** *tech. m* range of capacity; **~einheit** *phys. f* unit of power; **ᒿfähig** *adj.* productive; *econ.* solvent, solid; efficient, *tech. a.* powerful, *of oil, etc.*: serviceable; **~fähigkeit** *f* (-) efficiency, *tech. a.* productive power, capacity performance, output, serviceableness; **~faktor** *tech. m* power factor; **~grenze** *tech. f* (-) limit of capacity; **~kurve** *f* performance graph; **~lohn** *m* efficiency (*or* incentive) wage(s *pl.*), *progressiver ~* progressive piece wages *pl.*; **~messer** *el. m* wattmeter; **~norm** *tech. f* standard of performance; **~pflicht** *econ. f* obligation of performance; **ᒿpflichtig** *adj.* liable for payment *or* services; **~prämie** *f* merit bonus; **~prinzip** *n* ability principle; **~prüfung** *f* performance (*or* efficiency) test; **~schau** *f* progress show; **~schild** *tech. n* rating plate; **ᒿschwach** *adj.* inefficient; **~soll** *n* target; **~sport** *m* competitive sport(s *pl.*) *or* athletics; **~sportler (-in** *f*) *m* competitive athlete; **~stand** *m* standard of results *or* performance; **ᒿstark** *adj.* efficient; **ᒿsteigernd** *adj.* efficiency increasing; **~steigerung** *f* increase in efficiency; *tech. a.* increased output; **~system** *n* merit rating system; **~turnen** *n* skill gymnastics *pl.*; **~vermögen** *n* → *Leistungsfähigkeit*; **~verzug** *econ. m* delay of obligation; **~wettbewerb** *m* efficiency contest, proficiency drive; **~wille** *m* will to work and to produce; **~zulage** *f* efficiency bonus.

Leit|artikel [ˈlaɪt-] *m* leading article, leader, *Am.* editorial; **~artikelschreiber** *m* leader (*Am.* editorial) writer; **~bild** *n* image; guiding star, model, example, hero; **~bündel** *biol. n* vascular bundle.

ˈ**leiten** *v/t.* (*h.*) lead, guide, (*a. el., mus., phys.*) conduct; steer, pilot, *tech.* convey, pass; route (*über acc.* over); *adm.* channel; *mil. das Feuer ~* control *or* direct the fire; head (*organization, etc.*), govern, rule (*state*); manage, run, be in charge of (*enterprise, etc.*); control; *e-e Versammlung ~* preside over a meeting, be in the chair; *sports*: *das Spiel ~* referee; *fig. sich ~ lassen von* be guided by (*principle, etc.*); **~d** *adj.* leading; *phys.* (*nicht*) *~* (non-)conductive; *econ.* managerial, key (*position*); *~er Angestellter* officer (of a firm), *Am. a.* executive; *~er Ingenieur* chief engineer.

ˈ**Leiter**[1] *m* (-s; -), **~in** *f* (-; -nen) leader, (*a. phys., mus.*) conductor (*f* conductress); *adm., econ.* head, chief, *Am. a.* executive; manager (-ess *f*), *Am. a.* president; director (*f* directrix); (works) manager, *Am.* superintendent; *technischer ~* technical director; *of assembly*: chairman, president; *ped.* headmaster (*f* -mistress), *Am.* principal; *~ sein von* be in charge of; *el.* conductor, *of cable*: core.

ˈ**Leiter**[2] *f* (-; -n) ladder (*a. fig.*); (pair of) steps *pl.*; *gym. schwedische ~* Swedish ladder, rib stalls; *mus.* scale; **ᒿförmig** [ˈ-fœrmiç] *adj.* ladder-shaped; **~sprosse** *f* rung (*or* step) of a ladder; **~wagen** *m* rack-wag(g)on.

ˈ**Leit...:** **~faden** *m* clue; (*book*) manual, textbook, guide; **ᒿfähig** *adj.* conductive; **~fähigkeit** *f* (-) conductance, conductivity; **~feuer** *n mil.* cord fuse; *mar.* leading light; **~fossil** *geol. n* leading fossil; **~gedanke** *m* leading (*or* basic) idea; **~hammel** *m* bell-wether (*a. fig.*); **~hund** *m* leader(-dog); **~karte** *f* guide(-card); **~motiv** *mus. n* leitmotiv; *fig.* key-note; **~satz** *m* guiding principle; **~schiene** *f* guide-rail; *rail.* live rail; **~spindel** *tech. f* leadscrew; **~spindelbank** *f* engine lathe; **~spruch** *m* motto; **~stand** *m* control post; *mil.* fire control centre; **~stange** *tech. f* conducting rod; *of tram*: trolley(-pole); **~stelle** *f* head office; *radio*: net control station; **~stern** *m* lode-star (*a. fig.*), pole-star; **~strahl** *m* (localizer) beam; *math.* radius vector; **~tier** *n* leader.

ˈ**Leitung** *f* (-; -en) lead(ing), conducting, guidance; control, management, direction, administration, *Am. a.* operation; chairmanship, presidency; (*institution*) management, principal office, *of conferences, etc.*: management (*or* steering) committee; *tech.* guiding-bar; transmission; *phys.* conduction; *el.* lead; circuit; *tel.* line, wire, wiring; cable; pipeline, piping, tubing; (*gas, water, electricity*) mains; (water-) tap; conduit, duct; *die ~ haben von* be in control of, head; *unter s-r ~* under his direction (*or* control, auspices); *mus. unter der ~ von X* Mr. X conducting; *teleph. in der ~ bleiben* hold the line; *die ~ ist besetzt* the line is engaged (*Am.* busy); *colloq. fig. e-e lange* (*kurze*) *~ haben* be slow (quick) in the uptake.

ˈ**Leitungs...:** **~bau** *m* (-[e]s) line construction; **~draht** *m* (lead *or* conducting) wire, conductor; **ᒿfähig** *adj.* conductive; **~fähigkeit** *f* (-) conductivity; **~hahn** *m* water-tap, *Am. a.* faucet; **~mast** *m* pole, mast; pylon; **~netz** *n* (supply) network, line-system; circuit; main system; **~plan** *m* wiring diagram; **~rohr** *n*, **~röhre** *f* conduit(-pipe); gas- (water-)pipe, main; **~schnur** *f* cord, flex; **~störung** *f* line fault; **~vermögen** *n* conductivity; **~wasser** *n* (-s; -wässer) company's (*or* tap) water.

ˈ**Leit...:** **~werk** *aer. n* tail unit, control surfaces *pl.*; **~wert** *el. m* conductance; **~zahl** *f* index *or* code number; control word.

Lekti|on [lɛktsiˈoːn] *f* (-; -en) lesson (*a. fig.*); *fig. j-m e-e ~ erteilen* **a**) lecture a p., **b**) teach a p. a lesson.

Lektor ['lɛktɔr] *m* (-s; -'*toren*) lecturer; *of publishers*: reader.

Lek|türe [lɛk'ty:rə] *f* (-) reading; *gute* (*langweilige*) ~ good (dull) reading; (*pl.* -*n*) books *pl.*, reading (matter).

Lende ['lɛndə] *anat. f* (-; -*n*) loin, lumbar region; hip, haunch; thigh.

'**Lenden...**: **~braten** *m* roast loin; sirloin; **~gegend** *f* lumbar region; **2lahm** *adj.* hipshot, *fig.* lame, weak-kneed; **~schnitte** *f* rumpsteak; **~schurz** *m* loin-cloth; **~stück** *n cul.* loin(-steak), undercut, *Am.* tenderloin; sirloin.

Lenk|achse ['lɛŋk-] *f* steering axle; **~ballon** *m* steerable balloon; **2bar** *adj.* guidable, manageable, tractable; docile; *tech.* steerable, controllable, man(o)euvrable; ~(*es Luftschiff*) dirigible; **~barkeit** *f* (-) manageableness, tractability; docility; *tech.* dirigibility, controllability, man(o)euvrability; **2en** *v/t. and v/i.* (*h.*) direct, conduct, guide; turn, bend; drive, *mot. a.* steer; *aer.* steer; pilot (*a. aer.* = control); govern, rule; ~ *auf* (*acc.*) draw (*or* call) *a p.'s attention* to, *auf sich*: attract; *s-n Blick* ~ *auf* turn one's eyes to; *das Gespräch* ~ *auf* steer the conversation (round) to; *s-e Schritte* ~ *nach* turn one's steps to(wards); *gelenkte Wirtschaft* planned economy; **~er(in** *f*) *m* (-s, -; -, -*nen*) driver; pilot; ruler, governor; **~rad** *n* **1.** *mot.* steering wheel; **2.** → **~rolle** *f* caster (wheel); **2sam** *adj.* → *lenkbar*; **~säule** *mot. f* steering column; **~schloß** *mot. n* steering-column lock; **~schnecke** *mot. f* steering worm; **~seil** *n* guide-rope; **~stange** *f* handle bar (*of bicycle*); *tech.* connecting rod, link; **~ung** *f* (-; -*en*) guidance, management, control; planning; *mot.* **a)** steering assembly, **b)** steering, driving; **~ungs-ausschlag** *mot. m* steering lock; **~ungs-ausschuß** *m* steering committee.

Lenz [lɛnts] *m* (-es; -e) spring; *fig.* bloom, prime (of life); *er zählte 20* ~*e* he was twenty (years old).

'**lenz|en** *mar. v/t. and v/i.* **a)** (*h.*) pump (the bilges), **b)** (*sn*) scud; **2pumpe** *f* bilge pump.

Leopard [leo'part] *zo. m* (-en; -en) leopard; **~enweibchen** [leo'pardən-] *n* leopardess.

Lepra ['le:pra] *med. f* (-) leprosy; **~kranke(r** *m*) *f* leper.

leptosom [lɛpto'zo:m] *physiol. adj.* leptosome.

Lerche ['lɛrçə] *f* (-; -*n*) lark; **~nstrich** *m* (-[e]s) flight of larks.

Lern|begier(de) ['lɛrn-] *f* (-) desire of learning, studiousness; **2begierig** *adj.* eager to learn, studious; **~eifer** *m* zest for learning, zeal; **2en** *v/t. and v/i.* (*h.*) learn; study; practise; *vulg.* (*lehren*) teach, learn; pick up; acquire, master; *lesen* ~ learn reading *or* to read; → *auswendig*; serve one's apprenticeship (*bei j-m* with); be apprenticed (to); *j-n schätzen* ~ come to esteem a p.; → *kennen*; *er lernt gut* he is an apt scholar; *man lernt nie aus* we live and learn; *gelernt* (*adj.*) by trade; *gelernter Arbeiter* skilled worker; **~en** *n* (-s) learning, studying; *das* ~ *wird ihm schwer* he is slow in learning; **~maschine** *f* teaching machine; **~mittel** *n/pl.* learning material; **~mittelfreiheit** *f* (-) free means *pl.* of study; **~schwester** *f* student nurse, probationer.

Les|art ['le:s?a:rt] *f* reading, version; *verschiedene* ~ variant; **2bar** *adj.* legible; decipherable; readable, worth reading; **~barkeit** *f* (-) legibility.

Lesbierin ['lɛsbiərin] *f* (-; -*nen*), '**lesbisch** *adj.* Lesbian.

Lese ['le:zə] *f* (-; -*n*) gathering; gleaning; vintage.

'**Lese...**: **~brille** *f* (*e-e* ~ a pair of) reading glasses *pl.*; **~buch** *n* reading book, reader; **~drama** *n* closet drama; **~fibel** *f* first reader, primer; **~früchte** *f/pl.* selections; **~glas** *n* reading-glass; **~halle** *f* public reading-room; **2hungrig** *adj.* being an avid reader; starved for books; **~kränzchen** *n*, **~kreis** *m* reading-circle; **~lampe** *f* reading-lamp; **~lupe** *f* → *Leseglas*.

'**lesen** *v/t. and v/i.* (*irr.*, *h.*) read; decipher; *univ.* give lectures; ~ *über* (*acc.*) lecture on; *Messe* ~ say Mass; *book, etc.*: *sich gut* (*or leicht*) read well, be readable; *sich großartig* ~ make fascinating reading; be legible; *wie* ~ *Sie diesen Satz?* how do you read this sentence?; sort; pick, clean (*peas*); → *Ähre*.

'**Lesen** *n* (-s) reading; lecturing; gathering; **2swert** *adj.* worth reading.

'**Lese...**: **~probe** *f thea.* reading rehearsal; *from book*: specimen; **~pult** *n* reading-desk.

'**Leser(in** *f*) *m* (-s, -; -, -*nen*) reader; *of newspaper*: *a.* subscriber (*gen.* to); *agr.* gatherer, gleaner; vintager.

'**Lese-ratte** *fig. f* bookworm.

'**Leser...**: **~karte** *f* reader's card; **~kreis** *m* (circle of) readers *pl.*; *e-n weiten* ~ *haben* be widely read; **2lich** *adj.* legible, easy to read; **~lichkeit** *f* (-) legibility; **~schaft** *f* (-) readers *pl.*; **~stamm** *m* stock of readers; **~zuschrift** *f* letter to the editor.

'**Lese...**: **~saal** *m* reading-room; **~stoff** *m* reading (matter); **~übung** *f* reading exercise; **~zeichen** *n* book-mark; **~zimmer** *n* reading-room; **~zirkel** *m* reading-circle; book-club.

'**Lesung** *f* (-; -*en*) reading; *parl. in zweiter* ~ on second reading; *zur dritten* ~ *kommen* come up for the third reading.

lethal [le'ta:l] *med. adj.* lethal, fatal; ~*er Ausgang* fatal issue, death.

Lethargie [letar'gi:] *med. f* (-) lethargy (*a. fig.*); **le'thargisch** *adj.* lethargic(al).

Lett|e ['lɛtə] *m* (-*n*; -*n*), **~in** *f* (-; -*nen*) Latvian, Lett.

'**Letten** *m* (-s; -) loam, potter's clay.

Letter ['lɛtər] *f* (-; -*n*) letter, character, *typ.* type; **~nkasten** *m* lower case; **~nmetall** *n* type metal; **~nsetzmaschine** *f* monotype.

'**lettisch** *adj.* Latvian, Lettish.

letzt [lɛtst] **I.** *adj.* last; final, ultimate; extreme; lowest, bottom; ~*er Ausweg* last resort; ~*e Nachrichten* late(st) *or* stop-press news; ~*er Schliff* master touch; **2***e Ölung* extreme unction; ~*es Wort* last word; (*am*) ~*en Sonntag* last Sunday; *im* ~*en Sommer* past summer; *in den* ~*en Jahren* in recent years; *in* ~*er Zeit* of late, lately; *econ.* ~*en Monats* ultimo (*usu. abbr.* ult.); *die* ~*en Stunden* the closing hours (*of conference, year, etc.*); *Umstellungen im* ~*en Augenblick* last-minute (*or* eleventh hour) shift; *bis auf den* ~*en Mann* (down) to the last man, to a man; *bis auf den* ~*en Platz gefüllt* packed to capacity; *bis ins* ~*e prüfen* check to the last detail; *bis zum* ~*en* in the last, to the utmost; ~*en Endes* in the last analysis, ultimately, after all; → *Ehre, Hand, Loch, Schrei*; *comp. der, die, das* ~*ere*, ~*erer* (the) latter; **II.** (*der, die, das*) **2e** (-*n*; -*n*) the last (one); *das* ~ the last thing; *der* ~ (*des Monats*) the last (day of the month); the last extremity; *zu guter Letzt* last but not least; finally, in the end; *sein* ~*s hergeben* do one's utmost, make an all-out effort; **~ens** ['-əns], **~hin** *adv.* latterly, lately, of late; the other day, recently; **~genannt** *adj.* last-named; **~jährig** *adj.* last year's, of last year; **~lich** *adv.* **1.** → *letztens*; **2.** in the last analysis; **~willig I.** *adj.* testamentary; **II.** *adv.* by will.

Leu [lɔʏ] *poet. m* (-en; -en) lion.

Leucht|bake ['lɔʏçt-], **~boje** *mar. f* lightbuoy; **~bombe** *aer. f* flare (bomb); **~draht** *el. m* filament; **~e** *f* (-; -*n*) light, (*a. fig.*) lamp, (*a. fig. esp. person*) luminary; *fig. er ist keine* ~ he is no shining light; *aer.*, *mar.* beacon; *aer.* wing-tip flare; **2en** *v/i.* (*h.*) (give *or* emit) light, shine (forth); gleam, sparkle; ~ *auf* (*acc.*) shine (up)on, illuminate; *j-m* ~ light a p.; *sein Licht* ~ *lassen* let one's light shine (*vor dat.* before); **~en** *n* (-s) shining; *of eyes*: *a.* light, sparkle; *phys.* luminosity; **2end** *adj.* shining, bright; luminous; lustrous, brilliant; shining, brilliant (*example*); *mit* ~*en Augen* with shining eyes; **~er** *m* (-s; -) candlestick; chandelier, lustre; sconce; **~fackel** *f* flare; **~faden** *el. m* filament; **~fallschirm** *aer. m* parachute flare; **~farbe** *f* luminous paint; **~feuer** *n mar.* beacon (light), *aer.* flare; **~gas** *n* illuminating (*or* city) gas, *chem.* carburetted hydrogen; **~geschoß** *mil. n* star shell; **~käfer** *m* glow-worm, fire-fly; **~kompaß** *m* luminous(-dial) compass; **~körper** *m* lamp, light; **~kraft** *f* (-) illuminating (*of colours*: luminous) power; **~kugel** *mil. f* Very light; flare; **~masse** *f* luminescent substance; **~mittel** *n* illuminant; **~patrone** *f* Very light, flare (*or* signal) cartridge; **~petroleum** *n* kerosene; **~pistole** *f* Very pistol, signal pistol; **~quarz** *m* luminous quartz; **~rakete** *f* signal rocket; **~reklame** *f* luminous advertising, neon signs *pl.*; sky signs *pl.*; **~röhre** *f* luminous lamp, neon tube; **~schiff** *mar. n* lightship;

~schirm *m* fluorescent screen (*a. med.*); **~schrift** *f* illuminated letters; **~signal** *n* flare signal; **~skala** *f* luminous dial; **~spur** *mil. f* tracer path; **~spurgeschoß** *mil. n* tracer bullet; **~spurmunition** *mil. f* tracer ammunition; **~stab** *el. m* fluorescent rod; (electric) torch, flash-light; **~stoff** *m* illuminant; **~stofflampe** *f* fluorescent lamp; **~stoffröhre** *f* fluorescent tube; **~turm** *mar. m* lighthouse; **~uhr** *f* luminous clock *or* watch; **~zifferblatt** *n* (**~ziffern** *f/pl.*) luminous dial (figures).

leugnen ['lɔʏgnən] *v/t.* (*h.*) deny; disavow; contest; *nicht zu ~* not to be denied, undeniable.

'Leugnen *n* (-s) denying, denial; disavowal.

Leukämie [lɔʏkɛ'mi:] *med. f* (-; -n) leuk(a)emia.

Leukoplast [lɔʏko'plast] *n* (-[e]s) adhesive tape.

Leukozyten [-'tsy:tən] *pl.* leukocytes.

Leumund ['lɔʏmunt] *m* (-[e]s) reputation, repute, name; **~szeuge** *m* character witness; **~szeugnis** *n* certificate of good character; character reference.

Leute ['lɔʏtə] *pl.* people; persons; folks; *mil., pol.* men; domestics, servants; hands; *nicht genug ~ haben* be short-handed; *collect. die ~* people, the world, the (general) public; *meine ~* (*family*) my people, my folks; *iro. er kennt s-e ~* he knows his customers; *vor allen ~n* publicly, before all the world; *unter die ~ bringen* spread abroad; *unter die ~ gehen* mix with people; **~schinder** *m* slave-driver, martinet.

Leutnant ['lɔʏtnant] *m* (-s; -s) *mil.* second lieutenant; *aer.* pilot officer; *~ zur See Brit.* acting sub-lieutenant, *Am.* ensign.

'leutselig *adj.* affable; condescending; **2keit** *f* (-) affability; condescension.

Levantin|er(in *f*) [levan'ti:nər-] *m* (-s, -; -, -nen), **2isch** *adj.* Levantine.

Levit [le'vi:t] *m* (-en; -en) *pl.*: *j-m die ~ lesen* lecture a p., give a p. a dressing-down.

Levkoje [lɛf'ko:jə] *bot. f* (-; -n) stock, gillyflower.

lexikalisch [lɛksi'ka:liʃ] *adj.* lexical.

Lexikograph [-ko'gra:f] *m* (-en; -en) lexicographer.

Lexikographie [-gra'fi:] *f* (-) lexicography.

lexikographisch [-'gra:fiʃ] *adj.* lexicographic(al).

Lexikon ['lɛksikon] *n* (-s; -ka) dictionary; encyclop(a)edia.

Lezithin [letsi'ti:n] *n* (-s) lecithin.

Liaison [liɛ'zɔ̃:] *f* (-; -s) liaison, love-affair.

Liane [li'a:nə] *f* (-; -n) liana.

Lias ['li:as] *geol. m* (-) lias; **~formation** *f* liassic formation.

Libelle [li'bɛlə] *f* (-; -n) dragon-fly; *tech.* bubble (of spirit level).

liberal [libe'ra:l] *adj.* liberal.

liberalisier|en [-rali'zi:rən] *v/t.* (*h.*) liberalize; **2ung** *f* (-) liberalization.

Liberalismus [-ra'lismus] *m* (-) liberalism.

Liberali'tät *f* (-) liberality.

Librettist [librɛ'tist] *mus. m* (-en; -en) librettist.

Libretto [-'brɛto] *mus. n* (-s; -s) word-book, words *pl.*

Licht [liçt] *n* (-[e]s; -er) light; brightness; illumination, lighting; luminous body; luminary (*a. fig. genius*); lamp; candle; daylight; *paint. ~er und Schatten pl.* lights and shadows; *hunt. ~er pl.* eyes; *~ machen* strike a light, *el.* switch on the light(s *pl.*); *bei ~ arbeiten, etc.* work, *etc.*, by lamp-light; *gegen das ~ halten* hold (up) to the light; *geh mir aus dem ~e!* stand out of my light!; *fig. ~ bringen in* (*acc.*) throw (*or* shed) light upon; *ans ~ bringen* (*kommen*) bring (come) to light; *das ~ der Welt erblicken* see the light, be born; *das ~ scheuen* shun the light; *ein schlechtes ~ werfen auf* (*acc.*) reflect (*or* cast a reflection) on; *ein ungünstiges ~ werfen auf j-n* put a p. in an unfavo(u)rable light; → *schief*; *et. bei ~ besehen* examine a th. closely; *bei ~e besehen* **a**) on closer inspection, **b**) strictly speaking; *im besten ~e zeigen* show up to the best advantage; *ins rechte ~ setzen* put in the right light; *in ein falsches ~ rücken* misrepresent; *j-m ein ~ aufstecken* open a p.'s eyes (*über acc.* to); *j-n hinters ~ führen* deceive (*or* dupe, hoodwink) a p.; → *leuchten*; *sich im wahren ~e zeigen* show one's (true) colo(u)rs; *sich in e-m neuen ~e zeigen* present o.s. in a new aspect; *es ging mir ein ~ auf* it began to dawn on me, I began to see daylight; *jetzt geht mir ein ~ auf!* now I see!; *er ist kein großes ~* he is no shining light; → *grün*.

licht *adj.* light (*a. colour*); bright, luminous; transparent; thin (*a. hair*); open, clear (*woods*); *~ werden* → *lichten*; *~er Augenblick* lucid interval; *bei ~em Tage* in broad daylight; *tech. ~e Breite* (*Höhe*) clear breadth (height); *~er Durchmesser* inside diameter; *~er Raum* space in the clear, clearance; *~e Weite* inside width (*or* diameter), lumen; *~e Zukunft* bright future.

'Licht...: **~aggregat** *el. n* lighting set; **~anlage** *f* lighting system; light(ing) plant; **~anlasser** *mot. m* starter-dynamo; **~antenne** *f* mains aerial; **~bad** *med. n* light bath, insolation; **~behandlung** *med. f* phototherapy; **2beständig** *adj.* fast to light; non-fading (*fabric*); **~bild** *n* photo(graph); slide, transparency; **~bildervortrag** *m* lantern(-slide) lecture; **~bildner** (**-in** *f*) *m* photographer; **2blau** *adj.* light (*or* pale) blue; **~blende** *phot. f* light stop; **~blick** *fig. m* bright spot; ray of hope; **~bogen** *el. m* arc; **~bogenschweißung** *tech. f* arc welding; **2brechend** *opt. adj.* refractive; **~brechung** *f* refraction of light; **~bündel** *n* light beam, pencil of rays; **2dicht** *adj.* light-proof; **~druck** *typ. m* (-[e]s; -e) heliography; phototype; **2durchlässig** *adj.* permeable to light, translucent; **2echt** *adj.* fast (to light) (*colour*); nonfading (*fabric*); **2elektrisch** *adj.* photoelectric(ally *adv.*); **2empfindlich** *adj.* sensitive to light, *phot.* sensitive, sensitized (*paper*); *phys.* light-reactive (*cell*); *~ machen* sensitize; **~empfindlichkeit** *f* sensitivity, *phot.* speed.

'lichten *v/t.* (*h.*) clear (*wood*); (*a. sich ~*) thin (*hair, ranks*); *mar. den Anker ~* weigh anchor; *sich ~* clear up.

'Lichter 1. *pl. of Licht*; **2.** *mar. m* (-s; -) lighter, barge; **2loh** ['-'lo:] *adv.* blazing, in full blaze; *~ brennen* be in a blaze, be all ablaze; **~meer** *n* sea of lights.

'Licht...: **~erscheinung** *f* luminous appearance, optical phenomenon; **~farbendruck** *m* (-[e]s; -e) photomechanical colo(u)r print(ing); **~filter** *m* ray filter; **~geschwindigkeit** *f* (-) speed of light; **2grün** *adj.* chartreuse; **~heilverfahren** *med. n* light treatment, phototherapy; **~hof** *m* glassroofed court; *phot.* halo; **~hofbildung** *phot. f* halation; **2hoffrei** *phot. adj.* anti-halo; **~hupe** *mot. f* headlamp flasher; **~jahr** *n* light year; **~kasten** *med. m* electrothermal bath; **~kegel** *m phys.* cone of rays; searchlight beam; **~kreis** *m* halo; **~lehre** *phys. f* (-) photology; optics *pl.*; **~leitung** *f* lighting circuit (*or* mains); **~maschine** *mot. f* (lighting) dynamo, generator; **~meß** ['-mɛs] *eccl. f* (-) Candlemas; **~meßdienst** *mil. m* flash-ranging service; **~messer** *phys. m* photometer; **~messung** *f phys.* photometry; *mil.* flash-ranging; **~netz** *n* lighting circuit, mains; **~pause** *f* photoprint; **~pausverfahren** ['-paus-] *n* photoprinting; **~quant** *n* light quantum, photon; **~quelle** *f* source of light; **~reklame** *f* luminous advertising; electric signs; sky signs *pl.*; **~rufanlage** *f* light-signal call system; **~schacht** *m* light-well; **~schalter** *m* light switch; **~schein** *m* gleam of light, shine; **2scheu** *adj.* shunning the light (*a. fig.* = shady); *med.* photophobic; **~schirm** *m* (lamp-)shade, screen; **~seite** *fig. f* bright side; **~signal** *n* light signal, *mot.* traffic light; **~spielhaus, ~spieltheater** *n* cinema, *Am.* motion picture theater; → *Kino*; **2stark** *adj.* of high intensity, high-power; *phot.* high-speed; **~stärke** *f* intensity of light; candle-power; *phot.* speed; **~steindruck** *m* (-[e]s; -e) photolithography; **~strahl** *m* ray (*or* beam) of light (*a. fig.*); **~strom** *m* mains current; luminous flux; **~technik** *f* (-) light current engineering; **~tonaufnahme** *f* photographic sound-film recording; **~ton-Verfahren** *n* sound-on-film process; **2undurchlässig** *adj.* opaque.

'Lichtung *f* (-; -en) clearing, opening; glade.

'Licht...: **2voll** *fig. adj.* illuminating; **~welle** *f* light wave; **~zeichen** *n* light-signal; **~zelle** *f* photo(electric) cell.

Lid [li:t] *n* (-[e]s; -er) eyelid.

lidern ['li:dərn] *tech. v/t.* (*h.*) pack (with leather).

Lidschatten ['li:t-] *m* eye shadow.

lieb [li:p] **I.** *adj.* **1.** dear; (dearly) beloved; kind; good (*a. child* = well-behaved); sweet; *pred.* agreeable, pleasant; charming; nice; *der ~e Gott* the good God; *ein ~er Kerl* a good fellow; *ein ~es Ding* a dear *or* darling; *in letters*: *~er Herr N.* my dear Mr. N.; *iro.* *(mein) ~er Freund* my dear fellow; *~er Himmel!* good Heavens!, dear me!; *ums ~e Leben rennen* run for dear life; *um des ~en Friedens willen* for the sake of peace and quiet; *den ~en langen Tag* the livelong day; → *Kind, Not*; *es ist mir ~, daß* I am glad that; *es wäre mir ~, wenn* I should be glad if, I should appreciate it if; *seien Sie so ~ und geben Sie mir das Buch* will you be so kind as to give me the book; **2.** **~er** ['li:bər] *comp.* dearer; more agreeable; *adv.* more willingly; rather, sooner; *~ haben, ~ mögen* like better, prefer; *ich möchte ~ nicht* I had (*or* would) rather not; *ich bleibe ~ zu Hause* I prefer to stay at home; *du solltest ~ fortgehen* you had better leave; **3.** **~st** [li:pst] *sup.* dearest; *meine ~e Beschäftigung* my favo(u)rite occupation; *am ~en* preferably; *das habe ich am ~en* I like that best of all; *am ~en ginge ich heim* I should like best to go home; → *Liebste(r)*; **II.** *(der, die, das)* **⁓e** (-n; -n): *mein ~r!* my dear fellow, old man; *meine ~!* my dear (girl) *or* dear lady; *meine ~n* my dear ones, *as form of address*: (my) dear friends, my dears; *j-m viel ~s erweisen* be very kind to a p.; **~äugeln** ['li:pʔɔʏgəln] *v/i.* (*h.*) ogle (*mit j-m or et.* a p., a th.); *fig.* flirt *or* toy *with an idea*; '**⁓chen** *n* (-s; -) love, sweetheart.

Liebe ['li:bə] *f* (-) love (*zu, für* of, for); affection (for), tender passion; attachment (to); fondness, liking (for); *christliche ~* charity; *abgöttische ~* idolatry; *vernarrte ~* infatuation; (*pl.* -n) love-affair, romance; *fig.* *e-e alte ~* an old sweetheart *or* flame; *aus ~* for love; *aus ~ zu* for the love of; *Heirat aus ~* love-match; *Kind der ~* love-child; *tu mir die ~* do me the favo(u)r; *eine ~ ist der anderen wert* one good turn deserves another; *die ~ geht durch den Magen* the way to a man's heart is through his stomach; **⁓bedürftig** *adj.* starved for love; **~diener** *m* time-server; **~diene'rei** *f* (-; -en) obsequiousness, fawning, toadyism; **⁓dienerisch** *adj.* obsequious, fawning, cringing; **~lei** [-'laɪ] *f* (-; -en) flirtation, amour, dalliance; **⁓ln** ['li:bəln] *v/i.* (*h.*) flirt *or* dally (*mit* with), make love (to), philander.

'**lieben** *v/t. and v/i.* (*h.*) love, be in love (with); show affection for, be attached to, cherish; like, be fond of; idolize, adore; dote on; **~d I.** *adj.* loving, affectionate; *die beiden ⁓en* the two lovers; **II.** *adv.*: *~ gern* with the greatest pleasure, gladly; *ich würde ~ gern* I should love to; **~swert** *adj.* lovable, amiable; charming; **~swürdig** *adj.* **1.** → *liebenswert*; kind, obliging; affable; **~swürdigerweise** *adv.* kindly; **~swürdigkeit** *f* (-) amiability; kindness; kind words, friendly remark; compliment.

'**lieber** *adj.* → *lieb.*

'**Liebes...**: **~abenteuer** *n*, **~affaire** *f* love-adventure, love-affair, romance; **~bedürfnis** *n* desire for love; **~beweis** *m* proof of love; **~brief** *m* love-letter; **~dienst** *m* kind service, (act of) kindness, favo(u)r; *j-m e-n ~ erweisen a.* do a p. a good turn; **~erklärung** *f* declaration of love; *e-e ~ machen* declare one's love; **~erlebnis** *n* romance; sexual experience; **~gabe** *f* gift of love, (charitable) gift; soldiers' comforts; **~gabenpaket** *n* gift parcel; **~gedicht** *n* love-poem; **~genuß** *m* enjoyment of love; sexual enjoyment; **~geschichte** *f* love-story, romance; **~geständnis** *n* confession of love; **~glut** *f* fire of love, ardo(u)r; **~gott** *m* (god of) Love, Cupid, Eros; **~handel** *m* love-affair; **~heirat** *f* love-match; **⁓krank** *adj.* love-sick; **~kummer** *m* lover's grief; **~künste** *f/pl.* artifices of love, (love-making) technique *sg.*; **~leben** *n* (-s) love-life, sex(ual) life; **~lied** *n* love-song; **~mahl** *n* love-feast; brotherly repast; *mil.* regimental dinner; **~mühe** *f*: *verlorene ~* Love's Labo(u)rs lost; *es war verlorene ~* it was useless *or* in vain; **~paar** *n* (courting) couple, loving pair, lovers *pl.*; **~pfand** *n* love-token; *fig.* (*child*) pledge of love; **~qualen** *f/pl.* pangs of love; **~rausch** *m* transport of love; passion; **~roman** *m* love-story, romance; **~schwur** *m* lover's oath; **~szene** *thea. f* love-scene; **⁓toll** *adj.* mad with love; **~trank** *m* love-potion, philt|re, *Am.* -er; **⁓trunken** *adj.* intoxicated with love, rapturous; **~verhältnis** *n* love-affair; **~werben** *n* wooing, courtship; **~werk** *n* work of charity; **~zeichen** *n* love-token.

'**liebevoll** *adj.* loving(ly *adv. a., w.s.*), affectionate, kind(-hearted), tender.

lieb... ['li:p-]: **⁓frauenkirche** *f* St. Mary's (Church); **~gewinnen** *v/t.* (*irr., h.*) get (*or* grow) fond of, come to like, take a fancy to; **~haben** *v/t.* (*irr., h.*) be fond of, like; love.

'**Liebhaber** *m* (-s; -) **1.** lover, sweetheart, admirer, beau; **2.** **~(in** *f*) *m* (-s, -; -, -nen) lover, admirer; amateur; fancier; fan; hobbyist; *thea.* *erster ~* leading gentleman, *thea.* *jugendlicher ~* juvenile lead; *~ finden* find buyers; **~ausgabe** *f* edition de luxe.

Liebhabe'rei *f* (-; -en) fancy, taste, passion (*all für* for); hobby.

'**Liebhaber...**: **~preis** *m* fancy price; **~rolle** *thea. f* lover's part; → *Liebhaber(in)*; **~theater** *n* amateur theat|re, *Am.* -er *or* theatricals *pl.*; **~wert** *m* sentimental value.

'**liebkos|en** *v/t. and v/i.* (*h.*) caress, fondle, cuddle; **⁓ung** *f* (-; -en) caress, fondling.

'**lieblich** *adj.* lovely, charming, sweet; winsome; delightful; smooth (*wine*); **⁓keit** *f* (-) loveliness, sweetness; delightfulness; deliciousness.

Liebling ['-lɪŋ] *m* (-[e]s; -e) darling, pet; favo(u)rite; **~sbeschäftigung** *f* favo(u)rite occupation, hobby; **~sgedanke** *m* pet idea.

'**lieb...**: **~los** *adj.* unloving, unkind, cold; *w.s.* careless; **⁓losigkeit** *f* (-) unkindness, coldness; **~reich** *adj.* loving, affectionate, tender; kind, amiable, benevolent; **⁓reiz** *m* (-es) charm, attractiveness; winsomeness, sweetness, grace; **~reizend** *adj.* charming, graceful, sweet, winsome; **⁓schaft** *f* (-; -en) love-affair, amour, liaison.

'**liebst** *adj.*, **⁓e(r** *m*) *f* (-n, -n; -n, -n) darling, sweetheart; *m a.* lover, *f a.* love.

Lied [li:t] *n* (-[e]s; -er) song; tune, air, melody; lied; *kirchliches ~* hymn; poem, romance; ballad; *fig.* *es ist das alte ~* it's always the same old story; *er weiß ein ~ davon zu singen* he can tell you all about it; *das Ende vom ~* the end of the matter, the upshot; → *hoch.*

Lieder... ['li:dər]: **~abend** *m* lieder recital; **~buch** *n* song-book; **~dichter** *m* song-writer; lyric poet; **~kranz** *m* singing society.

liederlich ['li:dərlɪç] *adj.* careless, negligent; slovenly; dissipated, loose, debauched, dissolute; fast, gay; **⁓keit** *f* (-) carelessness; slovenliness; dissipation, debauchery, dissoluteness.

'**Lieder...**: **~sammlung** *f* collection of songs; **~sänger(in** *f*) *m* lieder singer; **~tafel** *f* choral society; **~zyklus** *m* song-cycle.

lief [li:f] *pret. of laufen.*

Lieferant(in *f*) [li:fə'rant] *m* (-en, -en; -, -nen) supplier, purveyor; contractor; caterer; distributor.

Liefer... ['li:fər-]: **~auto** *n* → *Lieferwagen*; **⁓bar** *adj.* to be delivered, deliverable; available; marketable, sal(e)able; *(un)beschränkt ~* (un-)restricted in supply; *sofort ~e Waren* spot goods; **~barkeit** *f* (-) availability; **~bedingungen** *f/pl.* terms of delivery; **⁓bereit** *adj.* ready for delivery; **~firma** *f* supplier(s *pl.*), contractor(s *pl.*); manufacturers *pl.*; **~frist** *f* time of delivery; **~gebühr** *f* carrying charge; **~gewicht** *n* net weight; **~hafen** *m* delivery port; **~menge** *f* quantity delivered, lot.

'**liefer|n** *v/t. and v/i.* (*h.*) deliver (*et. an j-n, j-m et.* a th. to a p., *nach* to); *a. fig.* supply, furnish (*j-m et.* a p. with a th.); afford; yield; *e-e Schlacht ~* give battle; *er lieferte e-n harten Kampf* he put up a stiff fight; *colloq. fig.* *j-n ~* do for a p.; *colloq.* *ich bin geliefert* I am done for, *sl.* I am sunk; → *Messer*; **⁓ung** *f* (-; -en) delivery, *Am. a.* shipment; supply; consignment; parcel, lot; carload; cargo; *zahlbar bei ~* payable (*or* cash) on delivery; *book trade*: *in ~en erscheinen* appear in numbers *or* (serial) parts; *stock exchange*: *auf ~ (ver-)kaufen* (sell) buy forward.

'**Liefer(ungs)...**: **~angebot** *n* tender; **~auftrag** *m* contract-order; **~bedingungen** *f/pl.* terms of delivery; **~geschäft** *n* *stock exchange*: timebargain, *Am.* futures; option deal, *Am.* trading in puts and calls; **~preis** *m* contracted price; **~schein** *m* delivery-note; **~soll** *n* quota, commitments *pl.*; **~tag** *m* date of delivery; *stock exchange*: settling-day; **~termin** *m* → *Lieferzeit*; **~-umfang** *m* extent (*Am.* scope) of supply; **~- und Leistungsverbindlichkeiten** *f/pl.* trade creditors; **~vertrag** *m* supply (*or* forward) contract; **~wagen** *m* delivery van; pickup (car); station wag(g)on; **2weise** *adv.* in (serial) parts; **~werk** *n* supplying works, suppliers *pl.*; *book trade*: serial (work); **~zeit** *f* time of delivery, delivery-date; **~zustand** *m* condition as received; **~zwang** *m* compulsory delivery.

Liege ['li:gə] *f* (-; -*n*) couch; chaise lounge; **~deck** *mar. n* lounge deck; **~geld** *mar. n* demurrage; **~hafen** *mar. m* base; **~kur** *med. f* rest-cure.

'**Liegen** *n* (-*s*) lying; recumbent position.

'**liegen** *v/i.* (*irr.*, *h.*) lie, be lying; repose, rest; *w.s.* be (placed *or* situated), *Am. a.* be located; *mil.* be stationed; *die Stadt liegt nördlich von Berlin* the town lies *or* is (situated) north of Berlin; *wie die Sache jetzt liegt* as matters stand at present; *Sie sehen jetzt, wie die Dinge* ~ you now see how things are; *das liegt mir nicht* that's not in my line; *nichts liegt mir ferner* nothing is further from my mind; *with prp.*: ~ *an* (*dat.*) lie at *or* near *or* on (*a river*), *closely*: touch, adjoin; *fig.* be due to; *wir wissen, woran es liegt* we know the cause of it; *es liegt daran, daß* the reason is that; *an wem liegt es?* whose fault is it?; *es liegt mir daran zu inf.*, *mir ist daran gelegen zu inf.* I am anxious to, I am concerned to (*or* that); *es liegt mir sehr viel daran* it matters (*or* means) a great deal to me; *es liegt* (*mir*) *nichts daran* it does not matter, it is of no consequence (to me); *soviel an mir liegt* as far as it lies in my power, as far as I am concerned; *es liegt an* (*or bei*) *ihm zu inf.* it is for him to *inf.*, it rests with him to *inf.*; *mot. der Wagen liegt gut auf der Straße* the car sticks to the road, holds *or* hugs the road well; *es liegt auf der Hand* it is obvious *or* plain; *der Gewinn liegt bei 5 Millionen* the profit is of the order of 5 millions; *im* (*or zu*) *Bett* ~ lie *or* be in bed, *patient*: be confined to bed, be bedridden, be laid up (*mit* with); *das liegt im Blut* (*in der Familie*) it runs in the blood (in the family); ~ *nach house*: face *north, etc.*, *room*: *a.* overlook, look out (up)on; *fig. richtig* ~ be on the right lines; **~d** *adj.* lying; situated, placed; recumbent, reclining; prone; prostrate; horizontal; *mil.* ~*er Anschlag* prone position; ~*er Motor* horizontal engine; **~bleiben** *v/i.* (*irr.*, *sn*) keep lying; keep (*or* stay) in bed; *car, etc.*; break down; *boxing*: remain down; *econ. goods*: remain on hand; be discontinued, stand over, *work*: *a.* fall behind; *letter, etc.*: be left unattended to; be neglected; **~lassen** *v/t.* (*irr.*, *h.*) let lie *or* rest; leave behind; let *or* leave alone; abandon, give up; leave off (*work*); *fig.* → *links*; **2-schaften** *f/pl.* immovables, real estate (*or* property).

'**Liege...**: **~platz** *m mar.* berth; **~-stuhl** *m* deck-chair; **~stütz** *m* (-es; -e) *gym.* push-up, *on apparatus*: front leaning (rest); **~wiese** *f* rest-cure lawn; picnic ground; **~zeit** *mar. f* lay-days *pl.*

lieh [li:] *pret. of leihen.*

ließ [li:s] *pret. of lassen.*

Lift [lift] *m* (-[e]s; -e) lift, *Am.* elevator; **~boy** ['-bɔʏ] *m* (-s; -s) lift-boy, *Am.* elevator operator.

Liga ['li:ga] *f* (-; -*gen*) league (*a. sports*).

Ligatur [liga'tu:r] *anat.*, *typ. f* (-; -*en*) ligature.

Lignin [li'gni:n] *n* (-s; -e) lignin.

Liguster [li'gustər] *bot. m* (-s; -) privet.

liieren [li'i:rən] (*h.*): *sich* ~ *mit* ally with; *econ.* become a partner of; *lover*: go with.

Likör [li'kø:r] *m* (-s; -e) liqueur.

Lila ['li:la] *n* (-s; -), **2farben** *adj.* lilac.

Lilie ['li:liə] *f* (-; -*n*) *bot.* lily; *herald.* fleur-de-lis; *tech.* plug; **2nweiß** *adj.* lily-white.

Limit ['limit] *n* (-s; -s), **Limite** [-'mi:tə] *f* (-; -*n*), **limi'tieren** *v/t.* (*h.*) limit.

Liliputbahn ['li:liput-] *f* midget railway.

Liliputaner(in *f*) [lilipu'tɑ:nər(in)] *m* [-s, -; -, -*nen*) Lilliputian, midget.

Limonade [limo'nɑ:də] *f* (-; -*n*) fruit-juice, *w.s.* soft drink; lemonade.

Limone [li'mo:nə] *bot. f* (-; -*n*) lime; *w.s.* citron.

Limousine [limu'zi:nə] *mot. f* (-; -*n*) limousine, saloon car, *Am.* sedan.

lind [lint] *adj.* gentle, soft, mild.

Linde ['lində] *f* (-; -*n*), **~nbaum** *m* lime(-tree), linden(-tree); **~nblütentee** *m* lime-blossom tea.

linder|n ['lindərn] *v/t.* (*h.*) (*and sich*) soften; soothe; moderate; appease; relieve (*poverty*); allay, ease, assuage (*pain*); mitigate (*evil, punishment*); **2ung** *f* (-; -*en*) softening; easing, alleviation; relief; mitigation; ~ *verschaffen* (*dat.*) (bring) relieve, soothe; **2ungsmittel** *n* lenitive, palliative, anodyne.

Lindwurm ['lint-] *m* dragon.

Lineal [line'ɑ:l] *n* (-s; -e) ruler, straight-edge.

linear [-'ɑ:r] *adj.* and **2...** *in compounds* linear.

Linguist [lingu'ist] *m* (-en; -en) linguist; **~ik** *f* (-) linguistics *pl.*; **2isch** *adj.* linguistic.

Linie ['li:niə] *f* (-; -*n*) **1.** (*a. fig.*, *aer.*, *mar.*, *mil.*) line; *geogr. a.* equator; *typ.* (composing) rule; route; trend; *pol.* course; party-line; *newspaper*: editorial policy; ~*n ziehen* draw lines; *auf der ganzen* ~ all along (*or* down) the line; *auf gleicher* ~ *mit* on a level with; *e-e mittlere* ~ *einschlagen* follow a middle course; *in erster* ~ in the first place, first of all, above all, primarily; *in e-e* ~ *bringen mit* align with; **2.** lineage, descent; *in aufsteigender* (*absteigender, gerader*) ~ in the ascending, (descending, direct) line.

'**Linien...**: **~blatt** *n* (sheet with) ink lines *or* guide lines *pl.*; **2förmig** ['-fœrmiç] *adj.* linear; **~führung** *f* lineation, tracing (of lines); *arch.*, *tech.* design, shape, form; *glatte* ~ streamlining; **~papier** *n* ruled paper; **~richter** *m sports*: linesman; **~schiff** *n* ship of the line, liner; *mil.* battleship; **~schreiber** *m* curve tracer; **2treu** *pol. adj.* (following the) party-line; **2er** *Am.* party liner; **~truppen** *mil. f/pl.* (troops of) the line, regulars.

lin(i)ier|en [li'ni:rən, lini'i:rən] *v/t.* (*h.*) rule, line; **2farbe** *f* ruling ink; **2ung** *f* (-) ruling.

link [liŋk] *adj.* left; *herald.* sinister; ~*e Seite* left(-hand) side, left, *of cloth*: under (*or* wrong, reverse) side, *of horse*: near side, *of ship*: port; *mit dem* ~*en Fuß zuerst aufgestanden sein* have got out of bed on the wrong side; *colloq. fig.* double-dealing.

'**Linke** *f* (-*n*; -*n*) *the* left (side *or* hand); *zu s-r* ~*n* on his left (side); *pol. the* Left; *boxing*: = **~(r)** *m* (-*n*; -*n*) *the* left; **2r** *Gerader* straight left, jab.

'**linkisch** *adj.* awkward, clumsy, gauche (*Fr.*); ~*es Wesen* awkwardness.

links *adv.* on the left([-hand] side); to the left; on the wrong (*or* reverse) side, inside out; ~ *von* to the left of; ~ *von ihm* on his left; *on picture*: *von* ~ *nach rechts* from left to right; ~ *oben* (*unten*) top (bottom) left; left-handed; *weder* ~ *noch rechts sehen* look neither left nor right; ~ *fahren* (*gehen*) keep to the left; ~ *liegenlassen* by-pass, *j-n*: ignore, cut, give *a p.* the cold shoulder; *pol.* ~ *stehen* be a leftist; ~ *schwenkt, marsch!* change direction left-turn!, *Am.* column left, march!; ~ *um!* left turn!, *Am.* left, face!; *pol. in compounds* left-wing ..., leftist ...

'**links...**: **2abbiegen** *mot. n* (-s) left turning; **2außen(stürmer)** *m* (-s; -) *sports*: outside left, left-wing(er); **2drall** *m* left-hand twist; **~drehend** *adj.* counterclockwise, *phys.* l(a)evorotatory; **2drehung** *f* anti-clockwise rotation; l(a)evorotation; **2galopp** *m* left gallop; **~gängig** *tech. adj.* left-handed (*screw*), counterclockwise; **~gerichtet** *pol. adj.* leftist; **2gewinde** *tech. n* left-hand thread; **2händer(in *f*)** ['-hɛndər] *m* (-s, -; -, -*nen*) left-hander, *Am. a.* southpaw; **~händig** *adj.* left-handed; **~herum** *adv.* over the left, counterclockwise; (to the) left; **2kurve** *f* left turn (*aer.* bank); **~-läufig** *tech. adj.* counterclockwise; left-hand (*engine*); **2partei** *f* left-wing (party), the Left; **~radikal** *adj.*, **2radikale(r)** *m* leftist, red; **~seitig** *adj.* left-side(d); **2steuerung** *mot. f* left-hand drive; **2-stricken** *n* purl; **2verkehr** *mot. m* left-hand traffic.

Linnen ['linən] *n* (-s; -) linen.

Linol|eum [li'no:leum] *n* (-s) linoleum; **~schnitt** *m* lino-cut.

Linotype ['laınotaıp] *typ. f* (-; -s) linotype.

Linse ['linzə] *f* (-; -*n*) *bot.* lentil;

opt. lens; *anat. in eye*: crystalline lens.

'Linsen...: 2artig, 2förmig ['-fœrmiç] *adj.* lens-shaped, lenticular; **~gericht** *n* dish (*bibl.* pottage) of lentils; **2groß** *adj.* lentil-sized; **~raster** *typ. m* lenticular screen; **~suppe** *f* lentil-soup; **~weite** *f*: *lichte ~* clear aperture of a lens.

Lippe ['lipə] *f* (-; -*n*) lip; *anat.* labium; *bot.* label(lum); *den Finger auf die ~n legen* lay the finger to one's lips; *sich auf die ~n beißen* bite one's lips; → *bringen*; *von den ~n lesen* lip-read; *fig. an j-s ~n hängen* hang upon a p.'s lips; *e-e ~ riskieren* talk out of turn; *das soll nicht über meine ~n kommen* it shall not pass my lips, I won't breathe a word.

'Lippen...: ~bekenntnis *n*, **~dienst** *m* lip-service; **~blütler** ['-blyːtlər] *bot. m* (-*s*; -) labiate (flower); **~laut** *gr. m* labial; **~pomade** *f* lip-salve; **~stift** *m* lip-stick.

liquid [li'kviːt] *econ. adj.* **1.** unsettled, unpaid; **2.** liquid (*funds*); **3.** solvent.

Liquidation [likvidatsi'oːn] *econ. f* (-; -*en*) liquidation; winding-up; *stock exchange*: settlement; charge, fee; *in ~* in liquidation; *in ~ treten* go into liquidation; **~sbeschluß** *jur. m* winding-up order; **~sguthaben** *n* clearing balance; **~skasse** *f* clearing house; **~skurs, ~spreis** *m* liquidating (*Am.* making-up) price; **~sverfahren** *n* winding-up; **~swert** *m* realization value.

Liquidator [-'daːtɔr] *m* (-*s*; -'*toren*) liquidator, receiver.

liquidier|en [-'diːrən] *v/t.* (*h.*) *and v/i.* (*sn*) liquidate (*a. pol.*); settle (*time-bargain*); wind up (*business*); charge (*fee*); **2ung** *f* (-) → *Liquidation*; *pol.* liquidation.

Liquidi'tät *f* (-) liquidity; liquid resources *pl.*; solvency.

lispeln ['lispəln] *v/i. and v/t.* (*h.*) (have a) lisp; whisper.

'Lispeln *n* (-*s*) lisp(ing); whisper(-ing).

List [list] *f* (-; -*en*) cunning, craft(-iness), artfulness; artifice, ruse, (underhand) trick; stratagem; *e-e ~ anwenden* resort to a ruse.

Liste ['listə] *f* (-; -*n*) list; register; (*tax*) roll; catalog(ue); schedule; inventory; specification; (election) ticket; panel (*of jurors, doctors*); *mil.* roll, roster; *e-e ~ aufstellen* (*führen*) draw up (keep) a list; (*sich*) *in e-e ~ eintragen* (en)list, enrol(l *Am.*), register; *auf die schwarze ~ setzen* blacklist; *von der ~ streichen* strike off the list.

'Listen...: 2mäßig *adv.*: *~ erfassen* list; **~preis** *econ. m* list price, catalog(ue) price; **~wahl** *f* election by ticket.

'listig *adj.* cunning, crafty, wily; artful, tricky; sly; **~erweise** *adv.* cunningly.

Litanei [lita'naɪ] *eccl. f* (-; -*en*) litany; *fig.* (long) rigmarole; *die alte ~* the same old story.

Litau|en ['litaʊən] *n* (-*s*) Lithuania; **~er(in** *f*) *m* (-*s*, -; -, -*nen*), **2isch** *adj.* Lithuanian.

Liter ['litər] *n* (*m*) (-*s*; -) lit|re, *Am.* -er; **2weise** *adv.* by the litre.

literarisch [litə'raːriʃ] *adj.* literary (*a. = ~ gebildet*); *~er Diebstahl* plagiarism, (literary) piracy; *~es Eigentum* literary property, copyright.

Literat [-'raːt] *m* (-*en*; -*en*) man of letters, literary man; writer; *pl. a.* literati.

Literatur [-ra'tuːr] *f* (-; -*en*) literature; (*einschlägige*) *~* references, bibliography; → *schön*; **~angaben** *f/pl.* bibliographical data; **~beilage** *f e-r Zeitung*: literary supplement; **~geschichte** *f* history of literature; **~nachweis** *m*, **~verzeichnis** *n* bibliography, references *pl.*; **~wissenschaft** *f* literary criticism.

Litfaßsäule ['litfas-] *f* advertising pillar.

Lithograph [lito'graːf] *m* (-*en*; -*en*) lithographer; **Lithographie** [-gra'fiː] *f* (-; -*n*) lithography, *picture*: lithograph; **lithogra'phieren** *v/t.* lithograph; **lithographisch** [-'graːfiʃ] *adj.* lithographic(ally *adv.*).

litt [lit] *pret. of leiden.*

Liturgie [litur'giː] *eccl. f* (-; -*n*) liturgy; **li'turgisch** *adj.* liturgic(al).

Litze ['litsə] *f* (-; -*n*) lace, cord, braid; braid(ing), galoon; *mit goldenen ~n* goldbraided; *el.* (*a.* **~ndraht** *m*) litz (wire), strand(ed wire).

Livland ['liːflant] *n* (-*s*) Livonia.

Livländ|er(in *f*) ['-lɛndər-] *m* (-*s*, -; -, -*nen*), **2isch** *adj.* Livonian.

Livree [li'vreː] *f* (-; -*n*) livery; **~diener** *m* livery-servant, buttons.

Lizentiat [litsɛntsi'aːt] *m* (-*en*; -*en*) licentiate.

Lizenz [li'tsɛnts] *f* (-; -*en*) licen|ce, *Am.* -se; *in ~* under licence; *e-e ~ erteilen* grant a licence (*für* for); **~bau** *m* (-[*e*]*s*) manufacture under licence, licensed construction; **~geber** *m* licenser; **~gebühr** *f* licence-fee, royalty; **~inhaber(in** *f*) *m*, **~nehmer(in** *f*) *m* (-*s*, -; -, -*nen*) licensee; **~vertrag** *m* licence contract.

Lob [loːp] *n* (-[*e*]*s*) praise; commendation; fame; eulogy, laudation; applause, approval; *ped.* good mark; *des ~es voll* having nothing but praise; complimentary (*über acc.* of); *über alles ~ erhaben* above all praise; *zu seinem ~e* in his praise, to his credit; *es gereicht ihm zum ~e, daß* it does him credit that; *~ gebührt Herrn X für* praise X for; **2en** ['loːbən] *v/t.* (*h.*) praise, commend, speak highly of; laud, eulogize, extol; *gute Ware lobt sich selbst* quality speaks for itself; *colloq. da lobe ich mir ...* commend me to ..., there is nothing like ...; **2enswert** *adj.* praiseworthy, laudable; **~es-erhebung** ['loːbəs-] *f* high praise, eulogy; *sich in ~en ergehen über* (*acc.*) praise to the skies; **~gesang** ['loːp-] *m* hymn, song of praise; **~hude'lei** *f* adulation, base flattery; **2hudeln** *v/t.* (*h.*) give *a p.* fulsome praise, overpraise.

löblich ['løːpliç] *adj.* laudable, commendable; **2keit** *f* (-) laudableness.

Lob... ['loːp-]: **~lied** *n* hymn, song of praise; *ein ~ auf j-n anstimmen* praise a p. (to the skies); **2preisen** *v/t.* (*irr.*, *h.*) extol, glorify, sing the praises of; **~preisung** *f* (-) praise, glorification; **~rede** *f* eulogy; panegyric; **~redner** *m* eulogist, panegyrist; **~spruch** *m* eulogy.

Loch [lɔx] *n* (-[*e*]*s*; ⸚*er*) hole; opening, aperture; gap; breach; cavity (*a. in tooth*); pit; (tyre) puncture; eye (*in cheese, etc.*); *billiards*: pocket; *colloq. fig.* jail, jug, clink; (*dwelling, town*) (miserable) hole; *auf dem letzten ~ pfeifen* be on one's last legs; *ein ~ stopfen* stop a gap; *ein ~ mit einem anderen stopfen* rob Peter to pay Paul; *ein ~ in die Luft schlagen* (make a bad) miss; *ein ~ reißen in* make a hole in (*a. fig.*); *j-m ein ~ in den Bauch reden* buttonhole a p., talk the hindleg off a donkey; *er trinkt wie ein ~* he drinks like a fish; **~blende** *phot. f* diaphragm; **~bohrer** *tech. m* auger; **~eisen** *tech. n* (hollow) punch; **2en** *v/t.* (*h.*) perforate, pierce (holes into), punch; **~er** *m* (-*s*; -) punch; key punch machine.

löch(e)rig ['lœç(ə)riç] *adj.* full of holes (*a. fig. = shaky argument*); perforated; porous; pitted.

'Locherin *f* (-; -*nen*) card-punch girl.

'Loch...: ~fraß *metall. m* pitting; **~karte** *f* punch(ed) card; **~maschine** *f* punching machine; **~säge** *f* keyhole saw; **~streifen** *m* punched tape; **~ung** *f* (-; -*en*) perforation; boring; punching; **~zange** *f* punch pliers *pl.*; *rail., etc.* ticket punch; **~ziegel** *m* air-brick.

Lock-artikel ['lɔk-] *econ. m* loss leader.

Locke ['lɔkə] *f* (-; -*n*) curl, ringlet, lock; **2n**[1] *v/t.* (*h.*) *and sich ~* curl; *gelockt* curly.

'locken[2] *v/t. and v/i.* (*h.*) *hunt.* bait, decoy; whistle to (*dog*); *fig.* attract, allure, entice; beckon; tempt.

'Locken...: ~kopf *m* curly head (*a. person*); **~nadel** *f* curling pin; **~wickel** *m* curl-paper; curler.

locker ['lɔkər] *adj.* loose; limber; *agr.* light (*soil*); slack; not compact (enough); porous; spongy; *~ machen* loosen; *fig.* lax, loose; *ein ~er Zeisig* a loose fish; **2heit** *f* (-) looseness; slackness; sponginess; *fig.* laxity, looseness; **~lassen** *fig. v/t. and v/i.* (*irr.*, *h.*) give in, yield; *nicht ~* not to relent, insist, stick to one's guns; **~machen** *colloq. v/t.* (*h.*) come across with (*money*); **~n** *v/t.* (*h.*) loosen (*fetters, screw, etc.*); slacken (*rope, etc.*); relax (*grip, a. fig. rule, etc.*); break up, hoe (*ground*); *sich ~* loosen, (be)come or work loose; give way; **2ung** *f* (-; -*en*) relaxation, slackening; **2ungslauf** *m sports*: limbering-up run.

'lockig *adj.* curly, curled, *pred.* in curls.

'Lock...: ~mittel *n* bait, lure; **~pfeife** *hunt. f* bird-call; **~ruf** *zo. m* mating call; **~speise** *f* → *Lockmittel*; **~spitzel** *m* agent provocateur (*Fr.*), stool pigeon; **~ung** *f* (-; -*en*) bait(ing); lure, attraction, enticement; temptation; **~vogel** *m* decoy-bird; *fig.* decoy.

Loden ['loːdən] *m* (-*s*; -) (*a.* **~stoff** *m*, **~zeug** *n*) coarse wool(l)en cloth,

shag; **~mantel, ~rock** *m* waterproof wool(l)en coat.
lodern ['lo:dərn] *v/i.* (*h.*) blaze, flare, flame (up), *fig. a.* burn, glow; **~d** *adj.* flaming (*eyes, rage, etc.*); burning, glowing (*enthusiasm*).
Löffel ['lœfəl] *m* (-s; -) spoon; ladle; *tech.* scoop; *of dredger*: bucket; *hunt.* ear; *fig. über den ~ barbieren* cheat, do (in the eye), *Am. sl.* take for a ride; **~bagger** *tech. m* shovel excavator, power-shovel; **~bohrer** *m* shell auger; **~gans** *f* spoon-bill; **~kraut** *bot. n* scurvy-grass; **2n** *v/t.* (*h.*) (eat with a) spoon; ladle out; **~reiher** *m* → *Löffelgans*; **~stiel** *m* spoon-handle; **~voll** *m* (-s) spoonful; **2weise** *adv.* by spoonfuls *or* ladlefuls.
log [lo:k] *pret. of lügen.*
Log [lɔk] *mar. n* (-s; -e) log.
Logarith|mentafel [loga'ritmən-] *math. f* logarithm table; **2misch** *adj.* logarithmic(al); **~mus** ['-mus] *m* (-; -men) logarithm.
'Logbuch *mar. n* log(-book).
Loge ['lo:ʒə] *f* (-; -n) **1.** *thea.* box; **2.** (freemasons') lodge.
'Logen...: **~bruder** *m* brother mason; *w.s.* freemason; **~meister** *m* master of a lodge; **~schließer** *thea. m* box-keeper.
Loggia ['lɔdʒa] *f* (-; -ien) loggia.
Logier|besuch [lo'ʒi:r-] *m* staying guest(s *pl.*); **2en** *v/i.* (*h.*) lodge *or* stay (*bei* with, at), *Am. a.* room; **~zimmer** *n* spare (*or* guest) room.
Logik ['lo:gik] *f* (-) logic; **~er** *m* (-s; -) logician.
Logis [lo'ʒi:] *n* (-) lodging(s *pl.*), apartments *pl.*; → *Kost*; **~herr** *m* lodger, *Am. a.* roomer.
logisch ['lo:giʃ] *adj.* logical; **~erweise** *adv.* logically.
Logistik [lo'gistik] *mil. f* (-) logistics *pl.*
Loh|beize ['lo:-] *f* tanning; **~brühe** *f* ooze; **~e¹** *f* (-; -n) tan(ner's bark).
Lohe² ['lo:ə] *f* (-; -n) blaze, flame.
'lohen¹ *tech. v/t.* (*h.*) tan, steep (in tanliquor).
'lohen² *v/i.* (*h.*) blaze (*a. fig. eyes*), flare up, be in flames.
'Loh...: **2farben** *adj.* tawny; **~gerber** *m* tanner; **~gerbe'rei** *f* tannery; **~grube** *f* tan-pit.
Lohn [lo:n] *m* (-[e]s; ⸚e) wage(s *pl.*); pay(ment); hire; fee; remuneration; compensation, consideration; reward, deserts *pl.*; *zum ~ für* as a reward for, in return for; *iro. er hat s-n ~ empfangen* he has got his due.
'Lohn...: → *Gehalts...*: **~abbau** *m* (-[e]s) wage cut(s *pl.*); **~abkommen** *n* wage agreement; **~abrechnung** *f* earnings statement, pay slip; payroll work; **~abzug** *m* deduction from wages; **~angleichung** *f* (cost-of-living) wage adjustment; **~anteil** *m* wages *pl.*; **~arbeiter(in** *f*) *m* paid workman, *Am.* wage worker; jobber, journeyman; **~auftrag** *m* job order; *Lohnaufträge vergeben* farm out work to subcontractors; **~aufwand** *m* expenditure for wages; **~auszahlung** *f* payment of wages; **~buch** *n* wages-book; **~buchhalter** *m* timekeeper; **~büro** *n* pay-office; **~diener** *m* hired servant; **~empfänger(in** *f*) *m* wage-earner; *Lohn- und Gehaltsempfänger* salaried and wage earning employees.
'lohnen *v/t. and v/i.* (*h.*): *j-m et. ~* reward (*or* compensate, recompense) a p. for a th.; *j-m mit Undank ~* repay a p. with ingratitude; pay (*worker*); (*sich*) *~* be profitable; → *lohnend*; *es lohnt sich* (*zu inf.*) it is worth while (*ger.*), it pays (to *inf.*); *es lohnt sich kaum* there is not much in it, it is no use; **~d** *adj.* paying, profitable, remunerative; advantageous, worthwhile, *pred.* worth while; lucrative, *esp. fig.* rewarding.
löhnen ['lø:nən] *v/t.* (*h.*) pay wages [to, pay.]
'Lohn...: **~erhöhung** *f* wage increase (*or* rise, *Am.* raise); **~forderung** *f* wage claim; **~gefälle** *n* wage-differential; **~herr** *m* employer; **2intensiv** *adj.* involving a high labo(u)r cost; **~kampf** *m* dispute over wages, labo(u)r conflict; **~kellner** *m* day-waiter; **~klasse** *f* wage group; **~kosten** *pl.* labo(u)r cost *sg.*; rate for the job; **~kostenfaktor** *m* wage factor in cost; **~kürzung** *f* cut in wages; **~liste** *f* pay-roll; wage(s)-sheet; **~politik** *f* wage policy; **~-Preis-spirale** *f* wages-prices spiral; **~satz** *m* rate of pay; **~schreiber** *m* literary hack; **~skala** *f* scale of wages; **~steuer** *f* tax on wages (*or* on salary); **~stopp** *m* wage stop (*or* freeze); **~stunde** *f* wage hour; **~summe** *f* wage total; **~tag** *m* pay-day; **~tarif** *m* wage rate; **~tüte** *f* pay-envelope.
Löhnung *f* (-; -en) payment (of wages); *mil.* pay; **~s-tag** *m* pay-day.
'Lohn...: **~veredelung** *tech. f* job processing; **~verhandlungen** *f/pl.* collective bargaining; **~wesen** *n* wage-costing; **~zahlung** *f* payment of wages; **~zettel** *m* wage slip.
lokal [lo'ka:l] *adj.* local; **2e(s)** *n* (-n) *in newspaper*: local news *pl.*
Lo'kal *n* (-[e]s; -e) locality, place; restaurant, public-house, pub, *Am.* saloon; → *Gasthaus*; business-premises *pl.*, office; shop; room; dance-hall; **~anästhesie** *med. f* local an(a)esthesia; **~bahn** *f* local (*or* suburban) railway; **~blatt** *n* local paper.
lokalisier|en [lokali'zi:rən] *v/t.* (*h.*) (*a. sich ~ lassen*) localize; **2ung** *f* (-; -en) localization.
Lokali'tät *f* (-; -en) locality, *Am. a.* neighborhood.
Lokal... [lo'ka:l-]: **~kolorit** *n* local colo(u)r; **~nachrichten** *f/pl.* local news; **~patriotismus** *m* local patriotism, parochialism; **~termin** *jur. m* on-the-spot investigation; **~verhältnisse** *pl.* local conditions; **~verkehr** *m* local traffic; **~zug** *m* local train.
Lok [lɔk] *rail. f* (-; -s) loco, engine.
loko ['lo:ko] *econ. adv.*: *~ Berlin* free Berlin; **2geschäft** *n* spot business; **2preis** *m* spot price; **2waren** *f/pl.* spot goods, spots.
Lokomobile [lokomo'bi:lə] *f* (-; -n) traction-engine, locomobile.
Lokomotiv|e [-'ti:və] *f* (-; -n) (locomotive) engine; **~führer** *m* engine-driver, *Am.* engineer.
Lokus ['lo:kus] *colloq. m* (-; -se) loo, *Am.* john.
Lombard|bank [lɔm'bart-] *f* (-; -en) loan bank; **~darlehen** *n* loan upon collateral security, *Am.* collateral loan; **2fähig** *adj.* acceptable as collateral (security); **~geschäft** *n* collateral loan business.
lombardieren [-bar'di:rən] *v/t.* (*h.*) advance (*or* lend) money on *securities, goods, etc.*; *~ (lassen)* lodge as security, pledge (*Am.* hypothecate) *securities.*
'Lombardsatz *m* bank rate for loans, *Am.* lending rate.
Londoner ['lɔndɔnər] **I.** *su. m* (-s; -), **~in** *f* (-; -nen) Londoner; **II.** *adj.* (of) London.
Lorbeer ['lɔrbe:r] *m* (-s; -en), **~baum** *m* laurel(-tree), bay(-tree); *fig. auf s-n Lorbeeren ausruhen* rest on one's laurels *or* oars; *Lorbeeren ernten* win laurels; **~blatt** *n* bay-leaf; **~kranz** *m* wreath of laurel; **~kraut** *n* spurge-laurel.
Lore ['lo:rə] *f* (-; -n) lorry, truck.
Lorgnette [lɔrn'jɛtə] *f* (-; -n) (*eine ~* a pair of) eye-glasses, lorgnette.
Los [lo:s] *n* (-es; -e) lot; lottery ticket; lot, share, portion; *fig.* fate, destiny, lot; *das ~ werfen (ziehen)* cast (draw) lots; *das Große ~ ziehen* win the first prize, draw the winner, *Am. sl.* hit the jackpot; *durchs ~ entscheiden* decide by lot; → *fallen.*
los *pred. adj.* (→ *lose*) *and adv.* **1.** loose, slack; loose, free; detached, off; **2.** *colloq. fig.*: *et. ~ haben* be good (at a th.), know one's stuff, *Am. sl.* have something on the ball; *was ist ~?* what is the matter?, what is going on?, what's up?; *es ist et. ~* there is something in the wind; *was ist ~ mit ihm?* what's the matter with him?; *dort ist immer was ~* there is always something doing there; *was ist ~ in Berlin?* what's on in Berlin?; *mit ihm ist nicht viel ~* he isn't up to much, *sl.* he is no great shakes; → *Teufel*; *losgehen*; **3.** *~ sein* be rid of; *mein Geld bin ich ~* I have lost (*or* have been done out of) my money; *den sind wir ~!* good riddance!; *ihn wären wir besser ~* he is a good riddance; **4.** *int. ~!* **a)** go on (*or* ahead)!, (*talk!*) *a.* fire away!, *Am. sl.* shoot!, **b)** let's go!, go it!; *also, ~!* well, here goes!; *sports*: (*Achtung, fertig,*) *~!* (on your marks, ready), go!
'losarbeiten I. *v/t.* (*h.*) work off; *sich ~* extricate o.s., get loose; **II.** *v/i.* (*h.*) (*darauf ~*) work away (*auf acc.* at).
lösbar ['lø:s-] *adj.* soluble, *math. a.* (re)solvable.
'los...: **~ballern** *v/i.* (*h.*) blast away; **~binden** *v/t.* (*irr., h.*) untie, unfasten, loosen; **~brechen I.** *v/t.* (*irr., h.*) break off; **II.** *v/i.* (*irr., sn*) *fig.* break (*or* burst) out *or* forth; *in a rage*: explode; **~bröckeln** *v/t.* (*h.*) *and v/i.* (*sn*) crumble off.
Lösch|blatt ['lœʃ-] *n* blotting paper; **~e** *tech. f* (-) (char)coal dust, slack; clinker-quenching trough; **~eimer** *m* fire-bucket.
'löschen *v/t.* (*h.*) put out, extinguish (*fire, light*); quench (*coal, spark,*

thirst); slake (*lime*); efface, blot out (*writing*), erase (*a. tape recording*); delete, strike off, cancel; cancel, liquidate (*claim*); satisfy, *Am.* release (*mortgage*); *mar.* unload, discharge (*ship*), land (*cargo*).

ˈ**Löscher** *m* (-s; -) (fire-)extinguisher; blotter; *mar.* unloader, discharger; docker, stevedore.

ˈ**Lösch...:** **~funke** *m radio*: quenched spark; **~geld** *mar. n* wharfage; **~gerät** *n* fire-fighting equipment; fire-extinguisher; **~hafen** *m* port of discharge; **~kalk** *m* quicklime; **~kopf** *m* erase head (*of tape recorder*); **~mannschaft** *f* fire-brigade; fire-party; **~papier** *n* blotting paper; **~platz** *mar. m* (discharging-) wharf; port of discharge; **~trupp** *mil. m* fire-fighting detail.

ˈ**Löschung** *f* (-; -en) extinction (*of fire*), cancellation, deletion; *econ.* cancellation (*of claim*); discharge, *Am.* release (*of mortgage*); dissolution, extinction (*of business*); *mar.* unloading, discharging (*of ships*), landing (*of cargo*).

ˈ**Lösch...:** **~zeit** *mar. f* running days for discharging; **~zug** *m* fire-brigade.

ˈ**los...:** **~drehen** *v/t.* (*h.*) twist off; **~drücken** *v/i.* (*h.*) pull the trigger.

lose [ˈlo:zə] *adj.* loose, → *los, locker*; movable, shifting; *tech.* unassembled; *econ.* unpackaged; loosely packed; ~ *Waren* bulk goods; ~ *Aufbewahrung* bulk storage; incoherent, loose; *fig.* loose; dissipated, fast; loose, informal; ~*s Maul*, ~ *Zunge* loose tongue; ~*r Vogel* rogue, wag; 2**blattbuch** *n* loose-leaf book.

Löse|geld [ˈlø:zə-] *n* ransom; **~mittel** *n med.* expectorant; *tech.* solvent.

ˈ**los-eisen** *colloq. v/t.* (*h.*) wangle (*von* out of).

losen [ˈlo:zən] *v/i.* (*h.*) draw (*or* cast) lots (*um* for); toss (up) a coin.

ˈ**Losen** *n* (-s) draw, ballot; toss; *beim ~ gewinnen* (*verlieren*) win (lose) the toss.

ˈ**lösen** *v/t.* (*h.*) loosen (*a. med.*); untie, undo; detach, sever; release (*brake, grip*); *med.* loosen (*phlegm*); *sich* ~ loosen, get *or* come loose; come undone, open; *chem.* dissolve; *muscles*: relax; *shot*: ring out; free o.s., disengage o.s. (*a. mil. from the enemy*), *a. sports*: break away; *fig.* absolve (*a p.*); dissolve (*marriage*); break off (*engagement*); sever (*relations*); cancel, set aside (*obligation*); rescind, terminate (*contract*); solve (*problem, riddle, etc.*); answer, guess (*question*); redeem; keep, fulfill (*promise*); take, buy, book (*ticket*); *j-s Zunge* ~ loose(n) a p.'s tongue; *den Knoten* (*im Drama*) ~ unravel the plot; *gelöste Stimmung* relaxed mood; ˈ**Lösen** *n* (-s) → *Lösung*.

ˈ**los...:** **~fahren** *v/i.* (*irr., sn*) depart, drive off; ~ *auf* (*acc.*) *esp. mar.* make (straight) for; *fig. auf j-n*: rush upon, fly at *a p.*; **~gehen** *v/i.* (*irr., sn*) go *or* be off; ~ *auf j-n* **a)** go straight up to, **b)** attack, go for, fly at *a p.*; begin, start; *jetzt geht es los* there it goes, now the fun begins; *gun*: go off, *nicht* ~ miss fire; explode; *fig. nach hinten* ~ backfire; come off *or* undone, get loose; **~gelassen** *adj.*: *wie* ~ like mad; **~gelöst** *adj.* detached, freed; **~gondeln** *colloq. v/i.* (*sn*) push off; **~haken** *v/t.* (*h.*) unhook; **~kaufen** *v/t.* (*h.*) buy (off), redeem; ransom (*prisoner*); *sich* ~ buy o.s. out, purchase one's liberty; **~ketten** *v/t.* (*h.*) unchain; **~knüpfen** *v/t.* (*h.*) untie; **~kommen** *v/i.* (*irr., sn*) get (*or* come) off *or* loose; get free *or* away; *von et.* ~ get rid of; *ich komme nicht davon los* I can't get over it; **~koppeln** *v/t.* (*h.*) unleash, uncouple; **~kriegen** *v/t.* (*h.*) get loose; **~lachen** *v/i.* (*h.*) laugh out; **~lassen** *v/t.* (*irr., h.*) let go *or* loose; release; set (*or* sick) *dog* (*auf acc.* on); *laß mich los!* let me go!; *nicht* ~! hold fast!; *fig.* launch (*gegen* against); deliver, uncork (*blow*); **~legen** *colloq. v/i.* (*h.*) start, set to (work); whip up an enormous speed, *Am. sl.* step on the gas; *fig.* let go *or* fly; go it; open up, give it straight from the shoulder; *leg los!* fire away, *Am. sl.* shoot!; ~ *gegen* → *losziehen*.

löslich [ˈlø:sliç] *chem. adj.* soluble; 2*es* soluble matter; 2**keit** *chem. f* (-) solubility.

ˈ**los...:** **~lösen** *v/t.* (*h.*) loosen, detach; sever; *sich* ~ come off; peel off; *fig.* sever (*or* free) o.s. (*von* from), break away (from); **~löten** *tech. v/t.* (*h.*) unsolder; **~machen** *v/t.* (*h.*) undo, untie, unfasten, *mar. a.* unmoor; *sich* ~ disengage (o.s.) (*von* from), cut loose; free; **~marschieren** *v/i.* (*sn*) march off; ~ *auf* (*acc.*) march straight towards (*or* against); **~platzen** *v/i.* (*sn*): *mit et.* ~ blurt out with a th.; burst out laughing; **~rasen** *v/i.* (*sn*) dart (*or* whizz) off; **~reden** *v/i.* (*h.*) (*darauf* ~) talk at random; **~reißen** *v/t.* (*irr., h.*) tear away; tear (*or* rip) off, pull off; *sich* ~ break loose *or* away, *esp. fig.* tear o.s. away (*von* from); **~sagen** (*h.*): *sich* ~ *von* disassociate o.s. from, secede from, break with; renounce, give up; 2**sagung** *f* (-; -en) renunciation; **~schießen** *v/t. and v/i.* (*irr., h.*) fire (off), discharge; *fig.* (*sn*) *auf j-n* ~ rush at; *colloq. schieß los!* fire away, *Am.* shoot!; **~schlagen** *irr.* **I.** *v/t.* (*h.*) knock off; *econ.* dispose of, sell off (*goods*); *at auction*: knock down; **II.** *v/i.* (*h.*) strike, open the attack; ~ *auf j-n* attack, let fly at; **~schnallen** *v/t.* (*h.*) unbuckle, unstrap; *aer. sich* ~ undo one's belt; **~schrauben** *v/t.* (*h.*) unscrew, screw off; **~sprechen** *v/t.* (*irr., h.*) absolve (*a. eccl.*); ~ *von* acquit of; release (from); (set) free; 2**sprechung** *f* (-; -en) absolution; acquittal, release; **~sprengen** *v/t.* (*h.*) blast off; **~springen** *v/i.* (*irr., sn*) jump off; *thing*: snap *or* burst off; *auf j-n* ~ rush at, pounce upon; **~steuern** *v/i.* (*sn*): ~ *auf* (*acc.*) head *or* make (straight) for; *fig.* be driving at, go right to; **~stürmen** *v/i.* (*sn*) rush forth; ~ *auf* (*acc.*) rush at, pounce upon; **~trennen** *v/t.* (*h.*) sever, separate; unstitch, unsew; 2**trennung** *f* separation.

Losung [ˈlo:zuŋ] *f* (-; -en) **1.** *mil.* watchword, password; battle-cry (*a. fig.* = catchword, slogan); **2.** (-) *hunt.* droppings *pl.*, dung.

ˈ**Lösung** *f* (-; -en) loosening, detachment; severance; *fig.* solution (*a. chem., math.*), answer (*gen.* to); unravelling, dénouement (*Fr.*) (*of drama, etc.*); *s-e ~ finden* be solved; **~sfähigkeit** *chem. f* dissolving capacity; **~smittel** *n* solvent; thinner.

ˈ**los...:** **~werden** *v/i.* (*irr., sn*) get rid of, *econ. a.* dispose of; **~wickeln** *v/t.* (*h.*) unwind, unwrap; *fig. sich* ~ disentangle o.s.; **~winden** *v/t.* (*irr., h.*) unwind, untwist; *fig.* extricate; **~ziehen** *v/i.* (*irr., sn*) set out, take off, march away; *et.* (*h.*): pull (*or* wrench) *a th.* off *or* away; *fig.* ~ *gegen, über* (*acc.*) inveigh against, rail at, lash, run down; ~ *auf* (*acc.*) march towards *or* against.

Lot [lo:t] *n* (-[e]s; -e) small weight; *tech.* plumb(-bob *or* -line), plummet, (*mar.* sounding) lead; solder; *math.* perpendicular (line); *aus dem* ~ out of plumb, *fig.* out of order; *im* ~ perpendicular, *fig.* in good (*or* apple-pie) order; *ins* ~ *bringen* set to rights; *das* ~ *errichten* (*fällen*) raise (drop) a perpendicular (line).

löt|bar [ˈlø:t-] *adj.* solderable; 2**blei** *n* lead solder; 2**brenner** *m* gas blowpipe; 2**eisen** *n* soldering iron.

ˈ**loten** *v/t.* (*h.*) plumb; *mar.* sound.

ˈ**löten** *v/t.* (*h.*) solder; *hart*~ braze.

ˈ**Löt...:** **~kolben** *m* soldering iron; **~lampe** *f* soldering lamp, *Am.* blowtorch.

ˈ**Lotleine** *mar. f* sounding (*or* plumb-)line.

ˈ**Lötnaht** *tech. f* soldered seam.

Lotos [ˈlo:tɔs] *m* (-) → *Lotus*.

ˈ**lotrecht** *adj.* perpendicular, vertical, plumb; 2**e** *f* vertical line, plumb.

ˈ**Lötrohr** *n* blowpipe.

Lotse [ˈlo:tsə] *mar. m* (-n; -n) pilot.

ˈ**lotsen** *mar. v/t.* (*h.*) pilot (*a. fig.*); 2**boot** *n* pilot-boat; 2**dienst** *m* pilotage service; 2**gebühr** *f*, 2**geld** *n* pilot charges *pl.*, pilotage.

ˈ**Lötstelle** *f* soldered joint.

Lotterie [lɔtəˈri:] *f* (-; -n) lottery; **~einnehmer** *m* lottery-collector; **~geschäft** *n*, **~kollekte** *f* lottery office; **~los** *n* lottery-ticket; **~ziehung** *f* lottery drawing.

lotterig [ˈlɔtəriç] *adj.* slovenly, sluttish, sloppy; *fig.* loose, dissolute.

ˈ**Lotter...:** **~leben** *n* dissolute life; **~wirtschaft** *f* (-) slovenliness, mismanagement, hugger-mugger.

Lotto [ˈlɔto] *n* (-s; -s) numbers pool, lotto.

ˈ**Lotung** *f* (-; -en) plumbing, *mar.* sounding.

ˈ**Lötung** *f* (-; -en) soldering.

Lotus [ˈlo:tus] *bot. m* (-), **~blume** lotus.

ˈ**Löt...:** **~wasser** *n* (-s) soldering solution; **~zinn** *n* plumber's solder.

Löwe [ˈlø:və] *m* (-n; -n) *zo.* lion (*a. fig.* = hero); *ast.* Leo, Lion; → *Höhle*.

ˈ**Löwen...:** **~anteil** *m* lion's share; **~bändiger** *m* lion-tamer; **~grube** *f* lion's den; **~haupt** *fig. n* leonine head; **~haut** *f* lion's skin; **~jagd** *f* lion hunting; **~junge**(s) *n* lion's cub; **~maul** *bot. n* (-[e]s) snapdragon; **~mut** *m* lion-hearted courage; **~zahn** *bot. m* (-[e]s) dandelion.

'**Löwin** *zo. f* (-; -nen) lioness.

loyal [loa'jɑːl] *adj.* loyal; **Loyalität** [-jali'tɛːt] *f* (-) loyality.

Luch [luːx] *geogr. f* (-; ⸚e) *or n* (-[e]s; -e) bog.

Luchs [luks] *m* (-es; -e), '**Luchsin** *zo. f* (-; -nen) lynx; *fig.* sly fox; *aufpassen wie ein ~* → *luchsen*; **2äugig** ['-ʔɔʏgiç] *adj.* lynx-eyed; **2en** *v/i.* (h.) watch like a hawk, peer.

Lücke ['lykə] *f* (-; -n) gap, lacuna; breach, opening; blank, void; interval; break; omission; deficiency; *fig. Raketen2* rocket gap; *~ im Gesetz* loophole; *tech. auf ~ stehend* staggered; *e-e ~ füllen* fill *or* stop a gap, *fig. a.* supply a want, *person*: step into the breach; *e-e ~ reißen* make (*or* leave) a gap.

'**Lücken...**: **~büßer** *m* stopgap; **2haft** *adj.* full of gaps, gappy; *fig. a.* incomplete, defective, fragmentary; **~haftigkeit** *f* (-) incompleteness, defectiveness; **2los** *adj.* uninterrupted; complete; *~er Beweis* close argument, airtight case.

lud [luːt] *pret. of laden.*

Luder ['luːdər] *n* (-s; -) carrion; *vulg.* beast; hussy; *armes ~* poor wretch; **~leben** *n* dissolute life.

Lues ['luːɛs] *med. f* (-) lues, syphilis.

Luft [luft] *f* (-; ⸚e) air; atmosphere; breeze; breath; *tech.* slackness, *with fitting parts*: amount of looseness; *falsche ~* air leak; *in freier ~* in the open air; *frische ~ schöpfen* get a breath of fresh air, take the air; *an die ~ gehen* take an airing; *tief ~ holen* draw a deep breath, *fig. surprised*: swallow hard; *keine ~ haben* be out of breath, be winded; *nach ~ schnappen* gasp for breath, pant; *wieder ~ bekommen* (*a. fig.*) breathe again; *wieder ~ schöpfen* recover one's breath; *sports*: *den Ball aus der ~ nehmen* volley; *in der ~* in mid-air; *in die ~ fliegen* be blown up, explode; *in die ~ sprengen* blow up; *j-n an die ~ setzen* turn a p. out, give a p. the air; *j-n wie ~ behandeln* cut a p. dead; *s-m Zorn ~ machen* give vent to one's rage, let off steam; *sich* (*or s-n Gefühlen, s-m Herzen*) *~ machen* give vent to one's feelings, unbosom o.s., *feelings*: find vent; *aus der ~ greifen* pull out of thin air; *aus der ~ gegriffen* (totally) unfounded, fantastic, *pred. a.* pure invention; *in die ~ gehen* explode, blow one's top; *sich ~ schaffen* get breathing space, free o.s.; *das hängt alles (noch) in der ~* that is all in the air; *es liegt et. in der ~* there is something in the wind; *es ist dicke ~* there is trouble brewing; *die ~ ist rein* the coast is clear; *er ist ~ für mich* he just doesn't exist for me, I'm through with him.

'**Luft...**: **~abschirmung** *f* air umbrella; **~abwehr** *f* air defen|ce, *Am.* -se; anti-aircraft; → *Flieger...*; **~abzug** *tech. m* air-exhaust; **~akrobat(in** *f*) *m* circus aerialist; **~akrobatik** *f* air acrobatics *pl.*; **~alarm** *m* air-raid alarm; **~angriff** *m* air-raid, aerial attack; **~ansaughutze** ['-hutsə] *tech. f* (-; -n) air intake; **~ansicht** *f* aerial view; **2artig** *adj.* aeriform, gaseous; **~attaché** *m* air attaché; **~aufklärung** *f* air reconnaissance; **~aufnahme** *f* aerial photo(graph); **~aufsicht** *f* air-traffic control; **~bad** *n* air bath; **~ballon** *m* air-balloon; **~basis** *f* air base; **~be-obachtung** *f* air observation; **~bereifung** *f* pneumatic tyres (*Am.* tires) *pl.*; **~bild** *n* aerial (*or* air) photo(graph), aerial view; *fig.* vision, phantasm; **~bildaufklärung** *f* photographic reconnaissance; **~bildgerät** *n* aerial camera; **~bläs-chen** *anat. n/pl.* pulmonary vesicles; **~blase** *f* (air-) bubble; *ichth.* air-bladder; **~bremse** *tech. f* air brake; **~brücke** *f* air-bridge; air-lift.

Lüftchen ['lyftçən] *n* (-s; -) gentle breeze, breath of air.

'**Luft...**: **2dicht I.** *adj.* airtight, airproof, hermetical; **II.** *adv.*: *~ verschließen* seal hermetically; *~ machen* pressurize; *~ verpackt* vacuum-packed; **~dichte** *phys. f* atmospheric density; **~druck** *m* (-[e]s) *phys.* atmospheric pressure; *of explosion*: blast; *tech.* pneumatic pressure; **~druckbremse** *f* air brake; **~druckmesser** *m* barometer; **~druckprüfer** *m* air-pressure gauge; **~druckregler** *m* air-reducing valve; **2durchlässig** *adj.* permeable to air; porous; **~durchlässigkeit** *f* permeability to air, venting property; **~düse** *f* air nozzle, air jet; **~einlaß** *tech. m* air intake.

'**lüften** *v/t.* (h.) air, ventilate; aerate; *mot.* bleed *battery, brake* (of air); (*a. sich*) lift; raise (*hat*); *fig.* unveil, reveal (*secret*).

'**Lüfter** *m* (-s; -) ventilator, (electric) fan.

'**Luft...**: **~fahrt** *f* (-) aviation, aeronautics *pl.*, air-navigation; **2fahrtbegeistert** *adj.* air-minded; **~fahrtgesellschaft** *f* airways (company); **~fahrtminister** *m* air minister; **~fahrtministerium** *n* Ministry of Civil Aviation, *Am.* Civil Aeronautics Administration; **~fahrzeug** *n* aircraft; **~feuchtigkeit** *f* atmospheric humidity (*or* moisture); **~feuchtigkeitsmesser** *m* hygrometer; **~filter** *m* air filter; **~flotte** *f* air-fleet, air-force; **2förmig** ['-fœrmiç] *adj.* aeriform, gaseous; **~fracht** *f* air freight; **~frachtdienst** *m* air freight service; **~frachter** *m* air-freighter; **2gekühlt** *adj.* air-cooled; **~gewehr** *n* air-gun; **~hafen** *m* airport; **~hauch** *m* breath of air; **~heizung** *f* hot-air heating; **~herrschaft** *f* air supremacy, control of the air; **~hoheit** *f* air sovereignty; **~hülle** *f* (-) atmosphere.

'**luftig** *adj.* airy, aerial; breezy; flimsy; vaporous, hazy; *fig. person*: flighty.

Luftikus ['-ikus] *colloq. m* (-; -se) harum-scarum; windbag.

'**Luft...**: **~inspektion** *f* aerial inspection; **~kammer** *tech. f* air chamber; **~kampf** *m* aerial combat; **~kanal** *m* air duct, vent; **~kissen** *n* air-cushion; **~kissenfahrzeug** *n* hovercraft; **~klappe** *f* air-valve; **~korridor** *m* air corridor; **2krank** *adj.* air-sick; **~krankheit** *f* (-) air-sickness; **~krieg** *m* aerial warfare; **~kühlung** *f* air-cooling; **~kurort** *m* (-[e]s; -e) climatic *or* air resort; **~lande-einheit** *mil. f* air-landed unit; airborne unit; **~landekopf** *mil. m* air-head; **~landetruppen** *f/pl.* airborne troops; **~landeunternehmen** *n* airborne (*Am.* air-landed) operation; **2leer** *adj.* void of air, vacuous; evacuated; *~er Raum* vacuum; **~leiter** *m radio*: aerial (wire), antenna; **~linie** *f* air line, bee-line; *in der ~* as the crow flies; air-line (*or* linear) distance; → *Luftverkehrslinie*; **~loch** *n* air-hole, vent; *aer.* air-pocket; **~macht** *f* air power; **~mangel** *m* (-s) want of air; **~mantel** *m* air jacket; **~matratze** *f* air mattress; **~messer** *m* aerometer; **~mine** *f* aerial mine, *sl.* blockbuster; **~nachrichtentruppe** *f* air-force signal corps; **~not** *f*: *Flugzeug in ~* aircarft in distress; **~offensive** *f* air offensive; **~parade** *f* aerial review, fly-past; **~pistole** *f* air-pistol; **~polster** *n* air-cushion; **~post** *f* air mail; *durch ~* by air mail; *mit ~ senden* airmail; **~postbrief** *m* air-mail letter; **~postleichtbrief** *m* aerogramme; **~pumpe** *f* air pump; tyre (*Am.* tire) pump; **~raum** *m* atmosphere; *aer.* aerial region, air space; **~raumüberwachung** *f* air traffic control; **~reifen** *m* (pneumatic) tyre, *Am.* tire; **~reiniger** *m* air cleaner, air filter; **~reise** *f* air travel, flight; **~reisende(r** *m*) *f* air passenger; **~reklame** *f* sky-line advertising, sky writing; **~rennen** *n* air race; **~rettungsdienst** *m* air rescue service; **~röhre** *f tech.* air-tube; *anat.* windpipe, trachea; **~röhrenkatarrh** *med. m* tracheitis; **~sack** *aer. m* wind sleeve; **~schacht** *m* air-shaft; **~schaukel** *f* swing-boat; **~schicht** *f* air stratum; air layer; **~schiff** *n* airship, dirigible; blimp; **~schiffahrt** *f* aerial (*or* air) navigation; aviation; aeronautics *pl.*; **~schiffhafen** *m* airship port; **~schlacht** *f* air battle; **~schlange** *f* paper streamer; **~schlauch** *m* air-tube; *mot.* inner tube; **~schleuse** *tech. f* air lock; **~schlitz** *tech. m* louver; **~schlösser** ['-ʃlœsər] *n/pl.*: *~ bauen* build castles in the air; **~schraube** *f* airscrew, propeller; **~schutz** *m* air-raid protection (*abbr.* ARP); civil air defen|ce, *Am.* -se; **~schutzbunker** (**-keller**) *m* air-raid shelter; **~schutzmaßnahmen** *f/pl.* air-raid precautions; **~schutzraum** *m* air-raid shelter; **~schutzübung** *f* air-raid drill; **~schutzwart** *m* air-raid warden; **~sieg** *m* victory (in the air); **~sog** *m* air suction, wake; vacuum; **~spediteur** *m* air carrier; **~sperre** *f* air barrage; **~spiegelung** *f* mirage, fata morgana; **~sport** *m* aerial sport; **~sprünge** ['-ʃpryŋə] *m/pl.*: *~ machen* cut capers; gambol, dance; **~störungen** *f/pl.* atmospheric disturbances, atmospherics, statics; **~stoß** *m* gust of air, *esp. after explosion*: blast; **~strahl** *m* (-[e]s) air jet; **~strahltriebwerk** *n* jet-propulsion unit; **~strategie** *f* aerial strategy; **~strecke** *f* air-route; **~streitkräfte** *f/pl.*, **~streitmacht** *f* air-force(s *pl.*); **~strom** *m*, **~strömung** *f* air stream (*or* current, flow); **~stützpunkt** *m* air base; **⁀tanken** *v/t. and v/i.* (h.) refuel during flight; **~taxi** *n* taxiplane, aerocab; **~torpedo** *n* aerial torpedo; **~transport** *m* air transport(ation *Am.*); **⁀trokken** *tech. adj.* air-dried; **⁀trocknen** *v/t.* (h.) season (*wood*); **⁀trocknend** *adj.* air-drying; **⁀tüchtig** *aer. adj.* airworthy; **~tüchtigkeit** *f* airworthiness; **~überfall** *m* air-raid; **~überlegenheit** *f* air superiority.

ˈ**Lüftung** *f* (-; -*en*) airing; ventilation; aeration; *mot.* bleeding of air (*of battery, brake*); **~s-anlage** *f* ventilating system; **~srohr** *n* vent pipe; **~sschacht** *m* air shaft; **~s-ventil** *n* vent valve.

ˈ**Luft...**: **~veränderung** *f* change of air; **~verdichter** *m* (air) compressor; **~verkehr** *m* air traffic; **~verkehrsgesellschaft** *f* air-transport company, airways (company); **~verkehrslinie** *f* airway, air-line, air-route; **~vermessung** *f* aerial survey; **~verseuchung** *f* airborne contamination; **~verteidigung** *f* air defen|ce, *Am.* -se; **~verunreinigung** *f* air pollution; **~waffe** *f* Air Force; **~warndienst** *m* air-warning service; **~warnung** *f* air-raid warning *or* alert; **~wechsel** *m* change of air; **~weg** *m aer.* air-route, air-line; *auf dem ~e* by air; *anat.* respiratory tract; **~widerstand** *m* (-[e]s) air resistance; *aer. a.* drag; *mil.* air opposition; **~wirbel** *m* (air) eddy, vortex; turbulence; **~wurzel** *bot. f* aerial root; **~ziegel** *m* air-dried brick, bar; **~zufuhr** *f* (-) air supply; **~zug** *m* (-[e]s) draught (*Am.* draft), current of air; *tech.* air duct, flue; **~zutritt** *m* air inlet, air supply.

Lug [lu:k] *m* (-[e]s): *~ und Trug* falsehood and deceit.

Lüge [ˈly:gə] *f* (-; -*n*) lie, falsehood, untruth; → *schamlos*; *j-n* (*et.*) *~n strafen* give the lie *to a p. or th.*, *Am.* belie *a p.'s* words; *~n haben kurze Beine* lies have short wings.

lugen [ˈlu:gən] *v/i.* (h.) look out (*nach* for); peep, peer (*aus, von* from).

ˈ**lügen** *irr.* **I.** *v/i.* (h.) lie, tell a lie (*or* lies *pl.*) *or* a falsehood; (tell a) fib; *er lügt wie gedruckt* he lies like a book; *du lügst!* you are a liar!; **II.** *v/t.* (h.) invent, fabricate; ⁀ *n* (-s) lying, telling lies; **⁀detektor** *m* lie detector; **⁀geschichte** *f* yarn, cock-and-bull story; **⁀gewebe** *n* tissue of lies; **~haft** *adj. person*: lying, deceitful, mendacious; *matter*: untrue, invented, fabricated, false; **⁀haftigkeit** *f* (-) deceitfulness, mendacity; falsehood; **⁀maul** *n* impudent liar.

Lügner [ˈly:gnər] *m* (-*s*; -), **~in** *f* (-; -*nen*) liar; **⁀isch** *adj.* lying, deceitful, mendacious.

Luke [ˈlu:kə] *f* (-; -*n*) dormer-window; *aer., mar.* hatch; *of tank*: door.

lukrativ [lukraˈti:f] *adj.* lucrative.

lukullisch [luˈkuliʃ] *adj.* sumptuous.

Lulatsch [ˈlu:latʃ] *colloq. m* (-[e]s; -e): *langer ~* tall streak.

lullen [ˈlulən] *v/t.* (h.): *in* (*den*) *Schlaf ~* lull to sleep.

Lumen [ˈlu:mɛn] *phys. n* (-*s*; -) lumen.

Lümmel [ˈlyməl] *m* (-*s*; -) lout, boor; ruffian, hooligan; saucy fellow.

Lümmeˈlei *f* (-; -*en*) rudeness.

ˈ**lümmel|haft** *adj.* loutish, boorish; saucy; **~n** *v/i.* (h.) *and sich ~* lounge, loll.

Lump [lump] *m* (-*en*; -*en*) ragamuffin, beggar; cad, heel, rat; scoundrel, blackguard.

Lumpen *m* (-*s*; -) rag; *pl.* rags and tatters; *fig.* rubbish, trash; ⁀ *v/refl.*: *sich nicht ~ lassen* come down handsomely; **~geld** *n* paltry sum; *für ein ~* dirt-cheap; **~gesindel** *n* rabble, riff-raff; scoundrels *pl.*; **~händler(in** *f*) *m* dealer in rags; ragman, *Am.* junkman; **~hund**, **~kerl** *m* → *Lump*; **~pack** *n* → *Lumpengesindel*; **~papier** *n* rag paper; **~sammler(in** *f*) *m* rag-picker; **~wolf** *tech. m* rag-tearing machine; **~wolle** *f* shoddy.

Lumperei [-ˈraɪ] *f* (-; -*en*) shabby trick; trifle.

ˈ**lumpig** *adj.* ragged, tattered; *fig.* shabby, paltry; mean; *für ~e fünf Dollar* for a paltry five dollars.

Lunge [ˈluŋə] *anat. f* (-; -*n*) lung; *usu.* lungs *pl.*; *of slaughter cattle*: lights; *med. eiserne ~* iron lungs *pl.*; *e-e starke ~ haben* have good lungs; *aus voller ~ yell* at the top of one's voice.

ˈ**Lungen...**: **~arterie** *f* pulmonary artery; **~bläs-chen** *n/pl.* lung vesicles; **~entzündung** *f* inflammation of the lungs, pneumonia; **flügel** *m* lobe of the lungs; **~heilanstalt** *f* (tuberculosis) sanatorium (*Am.* sanitarium); **⁀krank** *adj.* suffering from the lungs; tuberculous; **~kranke(r** *m*) *f* pulmonic (patient), consumptive, *Am. sl.* lunger; **~krankheit** *f* pulmonary (*or* lung) disease; **~krebs** *m* (-*es*) lung cancer; **⁀leidend** *adj.* suffering from the lungs; **~reizstoff** *mil. m* lung irritant; **⁀schädigend** *adj.* harmful to the lungs; **~schwindsucht** *f* pulmonary tuberculosis, phthisis; **~spitze** *f* apex of the lung; **~tuberkulose** *f* pulmonary tuberculosis.

lungern [ˈluŋərn] *v/i.* (h.) loiter (*or* lounge, loll) about.

Lunker [ˈluŋkər] *metall. m* (-*s*; -) shrinkhole.

Lunte [ˈluntə] *f* (-; -*n*) (slow-) match; *colloq. fig. ~ riechen* smell a rat; get wind of it; *hunt.* brush.

Lupe [ˈlu:pə] *f* (-; -*n*) magnifying-glass, magnifier; pocket-lens; *fig. unter die ~ nehmen* scrutinize (closely), take a good look at.

lupfen [ˈlupfən] *v/t.* (h.) lift.

Lupine [luˈpi:nə] *bot. f* (-; -*n*) lupine.

Lurch [lurç] *zo.*, (-[e]*s*; -*e*) batrachian.

Lust [lust] *f* (-; ⸚*e*) pleasure, delight; enjoyment; mirth, gaiety; joy; lust, sexual pleasure, carnal desire *or* appetite; disposition, inclination; *mit ~ und Liebe* with heart and soul, with a will; (*große*) *~ haben zu inf.* have a (great) mind to *inf.*, feel (very much) like *ger.*, be (rather) in the mood for *ger. or a th.*; *beinahe ~ haben zu inf.* have half a mind to *inf.*; *keine ~ haben zu inf.* not to feel like *ger.*, not to be in the mood for *ger.*, not to care for *a th.*; *alle ~ an et. verlieren* lose all liking for (*or* interest in) a th.; *j-m ~ machen zu et.* give a p. a desire for a th.; *seine ~ an et. haben* take a delight in a th.; *seinen Lüsten frönen* gratify one's passions, indulge in one's vices; *haben Sie ~ auszugehen?* would you like to go out?; *es ist eine ~, ihm zuzusehen* it is a real pleasure to see him work; *er zeigte wenig ~* he showed little liking; → *anwandeln*; **~barkeit** *f* (-; -*en*) diversion, amusement; entertainment; festivity, fête; *~en pl. a.* revels; **~barkeitssteuer** *f* entertainment tax.

lüsten [ˈlystən] *v/i.* (*h.*) → *gelüsten.*

Lüster [ˈlystər] *m* (-*s*; -) **1.** lustre; **2.** lustre, chandelier.

lüstern [ˈlystərn] *adj.* (*nach*) desirous (of), greedy (of, for); lewd, lascivious, lecherous, lustful; **⁀heit** *f* (-) greediness; lasciviousness, lewdness, concupiscence.

ˈ**Lust...**: **~empfindung** *f* pleasant sensation; **⁀erregend** *adj.* appetizing; erogenous; **~fahrt** *f* pleasure-trip, *Am. mot.* joy-ride; **~garten** *m* pleasure garden (*or* -ground); **~gefühl** *n* → *Lustempfindung*; **~haus**, **~häus-chen** *n* summer-house.

ˈ**lustig** *adj.* merry, gay, rollicking; jolly, cheerful; amusing, funny, hilarious; droll, comical; ludicrous; *~ sein* make merry; *sich ~ machen über* (*acc.*) make fun of, poke fun at, *b.s.* scoff at; *nun aber ~!* look sharp!, *sl.* step on it!; *iro. das kann ja ~ werden!* nice prospects!; **⁀keit** *f* (-) gaiety, merriment, mirth; jollity, cheerfulness; fun, hilarity; drollness, comicality.

ˈ**Lustjacht** *f* pleasure yacht.

ˈ**Lustknabe** *m* catamite.

Lüstling [ˈlystliŋ] *m* (-[e]s; -e) voluptuary, debauchee, libertine, lecher, rake.

ˈ**Lust...**: **⁀los** *adj.* listless, spiritless, unenthusiastic(al); *stock exchange*: lifeless, inactive; dull, flat (*tendency*); **~losigkeit** *f* (-) listlessness; *econ.* dullness, slackness; **~molch** *colloq. m* lecher; **~mord** *m* sex murder; **~mörder** *m* rapist-killer; **~prinzip** *psych. n* pleasure principle; **~schloß** *n* pleasure seat; **~seuche** *med. f* venereal disease, syphilis; **~spiel** *n* comedy; **~spieldichter** *m* comedy writer; **⁀wandeln** *v/t.* (*h.*) stroll leisurely along, stroll about, promenade.

Lutheraner [lutəˈrɑ:nər] *m* (-*s*; -), ˈ**lutherisch** *adj.* Lutheran.

lutsch|en [ˈlutʃən] *v/i. and v/t.* (*h.*) suck; **⁀er** *m* (-*s*; -) **1.** lollipop; **2.** comforter, dummy.

Luv [lu:f] *mar. f* (-) luff, weather-

-side; 2**en** *v/i.* (*h.*) luff; **~seite** *f* weather-side.

Lux [luks] *phys. n* (-) lux.

luxuriös [luksuriˈøːs] *adj.* luxurious, *Am. sl.* swank.

Luxus [ˈluksus] *m* (-) luxury (*a. fig.*), sumptuousness, extravagance; *fig. sich den ~ gestatten, zu inf.* permit o.s. the luxury of *ger.*; **~artikel** *m* luxury article; *pl.* luxuries, fancy goods; **~ausführung** *f* de luxe model; **~ausgabe** *f* édition de luxe (*Fr.*); **~dampfer** *m* luxury liner; **~kabine, ~kajüte** *mar. f* state-room; **~restaurant** *n* luxury restaurant; **~steuer** *f* luxury tax; **~wagen** *mot. m* de luxe model; **~ware** *f* luxury articles, fancy goods *pl.*; **~zug** *m* saloon-train.

Luzerne [luˈtsɛrnə] *bot. f* (-; -*n*) lucerne, alfalfa.

Lymph|drüse [ˈlymf-] *f* lymph (-atic) gland; **~e** *f* (-; -*n*) lymph; *med.* vaccine; **~gefäß** *n* lymphatic vessel; **~knoten** *m* lymphatic ganglion.

lynchen [ˈlynçən] *v/t.* (*h.*) lynch; 2**gesetz** *n*, 2**justiz** *f* lynch law, mob law.

Lyra [ˈlyːra] *f* (-; -*ren*) *mus.* lyre; [(-) *ast.* Lyra.]

ˈ**Lyrik** *f* (-) lyric poetry *or* verse; **~er** *m* (-*s*; -) lyric poet.

ˈ**lyrisch** *adj.* lyric(al).

Lysol [lyˈzoːl] *n* (-*s*) lysol.

Lyzeum [lyˈtseːum] *n* (-*s*; -*zeen*) secondary school for girls.

M

M, m [ɛm] *n* M, m.

Maar [maːr] *geol. n* (-[e]s; -e) (volcanic) lake.

Maat [maːt] *mar. m* (-[e]s; -e) (ship's) mate.

Maatjeshering [ˈmatjəs-] *m* → *Matjeshering.*

Mach-art [ˈmax-] *f* make, style, type (of construction); design.

ˈ**Mache** *f* (-) make; *colloq. fig.* make-believe, window-dressing, show, eyewash; et. *in der ~ haben* have a th. in hand; *j-n in die ~ nehmen* belabo(u)r a p., work a p. over.

ˈ**machen I.** *v/t.* (*h.*) make; do; make, produce, manufacture; prepare, make; create; form; erect, construct; effect, produce; cause; *thea.* impersonate, do; deal with, attend to, handle; give (*appetite, pleasure, trouble, etc.*); undergo, go in for, pass (*examination*); → *Anspruch, Ausflug, Besuch, Ende, etc.*; *Geschäfte ~* do business; *j-m (sich) das Haar ~* do a p.'s (one's) hair; *ein Komma ~* put a comma; *gesund ~* restore to health, cure; *es j-m recht ~* please (*or* satisfy) a p.; → *schaffen*; *~ zu et.* change (*or* turn, convert) into *a th.*; render; *j-n glücklich ~* make *or* render a p. happy; *j-n zum General ~* make (*or* appoint) a p. general; *j-n (sich) zum Herrn e-s Landes ~* make a p. (o.s.) (the) master of a country; *4 mal 5 macht 20* four times five is twenty; *was macht die Rechnung?* how much does the bill come to?; *wieviel macht es?* how much is it?; *das macht drei Mark* that amounts (*or* comes) to three marks; *das macht man so* that's how it is done; *so et. macht man nicht!* it isn't done!; *was macht das (aus)?* what does it matter?, so what?; *das macht nichts!* never mind!; *es macht mir nichts (aus)* I don't mind, I don't care; *nichts zu ~!* nothing doing!; *dagegen kann man nichts ~* it cannot be helped, you can't do a thing about it; **II.** *v/refl.* (*h.*): *sich ~* happen, come about; progress, advance; *er macht sich (jetzt)* he is getting on (now); *die Sache macht sich (jetzt)* the business is shaping well, it's all plain sailing (now); *es wird sich schon ~* it will come right; *wie gehts? colloq. es macht sich! how are things?* pretty well!, so-so!; *das macht sich gut* that looks well; *das läßt sich (schon) ~* that can be done, it can be arranged; *ich mache mir nichts daraus* **a)** I don't mind (*or* care about) it, **b)** I am not keen on it; *mach dir nichts draus!* don't take it to heart!, don't lose any sleep over it!; *sich et. ~ lassen* have a th. made, order a th.; → *lassen*; *sich ~ an (acc.)* go (*or* set) about, apply o.s. to, tackle *a th.*; proceed to *inf.*; *sich an j-n ~* approach a p.; *sich auf den Weg ~* set out, depart; **III.** *v/i.* (*h.*) do; *macht, daß ihr bald zurück seid!* see that you are back soon!; *mach, daß du da fortkommst* off with you!, get the hell out here!, beat it!; *mach doch (zu)!* go on!, hurry up!; *mach's gut!* cheerio!, *Am.* take care of yourself!; *econ. ~ in (dat.)* deal in, sell; *colloq. in Politik ~* dabble in (*or* talk) politics; *j-n ~ lassen* let a p. do as he pleases; *laß mich nur ~* leave it to me; **IV.** *p.p. and adj. gemacht* made (*aus* of); artificial, false; *ein gemachter Mann* a made man; *das ist wie gemacht für mich* it fits me like a glove (*or* to a T); *gut gemacht!* well done!, good work!; *gemacht!* agreed!, OK!, okay!

ˈ**Machenschaften** *f/pl.* machinations, man(o)euvres, intrigues, doings.

ˈ**Macher** *m* (-*s*; -), **~in** *f* (-; -*nen*) maker; manager, boss; fixer; **~lohn** *m* cost of making, make-up charge.

Macht [maxt] *f* (-; ⸚e) power (*a. state*); might; authority; control (*über acc.* of), sway (over), grip (on); force, strength, power; military force(s *pl.*); *die ~ der Gewohnheit* the force of habit; *pol. an der ~* in power; *die ~ übernehmen* take over; *an die ~ kommen* come into (*or* rise to) power; *~ geht vor Recht* might before right; *aus eigener ~* by one's own authority, on one's own responsibility; *mit aller ~* with all one's might, with might and main; *er tut alles, was in seiner ~ steht* everything within his power, his utmost; ˈ**~befugnis** *f* authority, power; ˈ**~bereich** *m* orbit (of power), sphere of influence; *in s-n ~ einbeziehen* achieve control of; ˈ**~ergreifung** *f* → *Machtübernahme*; ˈ**~fülle** *f* (ful[l]ness of) power; ˈ**~gier** *f* greed of power; **~haber** [ˈ-haːbər] *m* (-*s*; -) ruler, lord, dictator; ˈ2**haberisch** *adj.* despotic, dictatorial; ˈ2**hungrig** *adj.* power-hungry.

mächtig [ˈmɛçtiç] **I.** *adj.* powerful (*a. fig. argument, blow, body, voice, etc.*); mighty; considerable; immense, huge, enormous; emphatic; *mining*: thick, rich; *die* 2*en pl.* the powerful *or* mighty; *e-r Sache ~ sein* be master of; have authority (*or* sway) over, control *a th.*; have command of (*a language*); *ich war meiner nicht mehr ~* I had lost control over myself; **II.** *colloq. adv.* mighty, awfully; *~ arbeiten* work hard (*or* like a horse).

ˈ**Macht...: ~kampf** *m* struggle for power; 2**los** *adj.* powerless, impotent, helpless; **~losigkeit** *f* (-) impotence, weakness; **~mittel** *n* resource of power; **~politik** *f* power politics; policy of the strong hand; **~probe** *f* trial of strength; **~spruch** *m* authoritative decision; **~stellung** *f* power(ful position), predominance; **~übernahme** *f* seizure (*or* assumption) of power, coming into power; 2**voll** *adj.* powerful (*a. fig.*); **~vollkommenheit** *f* absolute power, authority; *aus eigener ~* on one's own authority; **~wort** *n* (-[e]s; -e) word of command, peremptory order; *ein ~ sprechen* put one's foot down.

ˈ**Machwerk** *n* concoction; *elendes ~* bungling work, miserable botch.

Machzahl [ˈmax-] *tech. f* mach (number).

Mädchen [ˈmɛːtçən] *n* (-*s*; -) girl (*a. w.s.* = sweetheart); maid(en), lass; maid(-servant), servant(-girl); *~ für alles* maid-of-all-work (*a. fig.*); 2**haft** *adj.* girlish; maidenly (*a. fig.*); **~haftigkeit** *f* (-) girlishness; bashfulness; **~handel** *m* white slavery; **~händler** *m* white-slave agent; **~name** *m* girl's name; maiden name; **~pensionat** *n* young ladies' boarding school; **~schule** *f* girls' school.

Made [ˈmaːdə] *f* (-; -*n*) maggot, mite; worm; *fig. wie die ~ im Speck sitzen* be in clover.

Mädel [ˈmɛːdəl] *colloq. n* (-*s*; -) girl(ie), lass(ie).

ˈ**Madenwurm** *m* pin worm.

ˈ**madig** *adj.* maggoty, full of mites; worm-eaten; *colloq. fig. j-n ~ machen* run down a p.

Madonn|a [ma'dɔna] *f* (-; -*nnen*) the Holy Virgin, the Madonna; **~enbild** *n* image of the Virgin Mary, Madonna; **2enhaft** *adj.* Madonna-like.
Magazin [maga'tsi:n] *n* (-s; -e) warehouse, storehouse, depot; *mil.* stores *pl.*, storage depot; *of gun*: magazine; (*journal*) magazine; **~verwalter** *m* warehouse superintendent, storekeeper.
Magd [mɑ:kt] *f* (-; ⸚e) maid (servant); *poet.* maiden; *fig.* handmaid.
Mägdlein ['mɛ:ktlaɪn] *n* (-s; -) (little) maiden *or* girl, lassie.
Magen ['mɑ:gən] *m* (-s; ⸚) stomach, *zo. a.* maw, *orn.* gizzard; *mit leerem (auf den leeren)* ~ on an empty stomach; *e-n guten* ~ *haben* have a good (*or* cast-iron) digestion; *sich den* ~ *verderben* put one's stomach out of order; *fig. im* ~ *haben* be sick and tired of; *schwer im* ~ *liegen* sit heavy on one's stomach, *fig.* prey on one's mind; **~arznei** *f* stomachic; **~ausgang** *anat. m* pylorus; **~beschwerden** *f/pl.* stomach (*or* gastric) trouble; **~bitter** *m* (-s; -) bitter cordial, bitters *pl.*; **~brennen** *n* heart-burn, pyrosis; **~drücken** *n* (-s) pressure on the stomach; **~drüse** *anat. f* gastric gland; **~eingang** *anat. m* cardia; **~erweiterung** *f* stomachic dilatation; **~gegend** *f* epigastric region; **~geschwür** *n* gastric ulcer; **~grube** *f* pit of the stomach; **~knurren** *n* rumbling of the stomach; **~krampf** *m* spasm of the stomach; **2krank** *adj.* dyspeptic; **~krebs** *m* (-es) cancer of the stomach; **~leiden** *n* gastric complaint *or* disease, stomach-complaint; **2leidend** *adj.* → *magenkrank*; **~saft** *m* gastric juice; **~säure** *f* gastric acid; acidity; **~schmerz** *m* pain in the stomach, stomach-ache; **~stärkend**(**es Mittel** *n*) *adj.* stomachic, (digestive) tonic; **~übersäuerung** *f* excess acid in the stomach; **~verstimmung** *f* indigestion; **~wand** *f* stomach wall; **~weh** *n* → *Magenschmerz*.
mager ['mɑ:gər] *adj.* meag|re, *Am.* -er (*a. fig.* = poor); lean (*a. meat, fuel*), thin, skinny, *Am. a.* scrawny; slender, slim; spare, gaunt; *typ.* lean-faced; slender (*fare*); meagre, poor (*soil*); ~(*er*) *werden* grow thin, slim, fall away; *die sieben ~en Jahre* the seven lean years; **2beton** *m* lean concrete; **2e(s)** *n* (-*n*; -*n*) *the* lean (part); **2fleisch** *n* lean; **2käse** *m* lean cheese, wey cheese; **2keit** *f* (-) meagreness, leanness; slenderness; spareness, gauntness; *fig.* poorness; **2kohle** *f* non-coking coal; **2milch** *f* skim milk; **~vieh** *n* store-cattle.
Magie [ma'gi:] *f* (-) magic (art); **Magier** ['mɑ:giər] *m* (-s; -) magician.
magisch ['mɑ:giʃ] *adj.* magic(ally *adv.*); *radio*: *~es Auge* magic eye, visual tuning indicator; *TV*: *~er Rahmen* luminous edge.
Magister [ma'gistər] *m* (-s; -) (school-)master; ~ *der Freien Künste* Master of Arts (*abbr.* M.A.).
Magistrat [-'strɑ:t] *m* (-[e]s; -e) municipal council; **~sbeamter** *m* municipal officer; **~smitglied** *n* town council(l)or.
Magma ['magma] *geol. n* (-s; -*men*) magma.
Magnat [ma'gnɑ:t] *m* (-*en*; -*en*) magnate, *Am. a.* tycoon.
Magnesia [ma'gne:zia] *chem. f* (-) magnesia.
Magnesium [-'gne:zium] *chem. n* (-s) magnesium; **~pulver** *n* (-s) magnesium powder.
Magnet [ma'gne:t] *m* (-*en*; -*e*[*n*]) magnet (*a. fig.*); **~anker** *el. m* (pole) armature; **~eisenstein** *min. m* magnetite; **~feld** *n* magnetic field; **2isch** *adj.* magnetic; *frei von ~en Störungen* antimagnetic.
Magne|tiseur [magneti'zø:r] *m* (-s; -e) magnetizer; mesmerist; **2ti'sierbar** *adj.* magnetizable; **2ti'sieren** *v/t.* (h.) magnetize; mesmerize (*a p.*); **~tismus** [-'tismus] *m* (-) magnetism; mesmerism.
Magnet... [ma'gne:t]: **~kompaß** *m* magnetic compass; **~kupplung** *f* electro-magnetic clutch; **~nadel** *f* magnetic (*or* compass) needle; **~oinduktion** [magneto-] *f* magnetic induction; **~ophon** [-'fo:n] *n* (-s; -e) (magnetic) tape recorder; **~o'phonband** *n* (-[e]s; ⸚er) recording tape; **~regler** *m* field regulator, rheostat; **~schalter** *mot. m* ignition switch; **~spule** *f* → *Magnetwicklung*; **~stahl** *m* magnet steel; **~wicklung** *f* (magnet) coil, field winding; **~zünder** *mot. m* magneto; **~zündung** *f* magneto(-electric) ignition.
Magnolie [ma'gno:liə] *bot. f* (-; -*n*) magnolia.
mäh! [mɛ:] *int. of sheep*: bah!
Mahagoni [maha'go:ni] (*a.* **~holz**) *n* (-s) mahogany (wood).
Maharadscha [maha'rɑ:dʒa] *m* (-s; -s) maharajah.
Mähbinder ['mɛ:-] *agr. m* harvester binder.
Mahd [mɑ:t] *agr. f* (-) mowing; swath; hay-harvest, hay crop.
Mäh(d)er ['mɛ:(d)ər] *m* (-s; -), **~in** *f* (-; -*nen*) mower, haymaker.
'**Mähdrescher** *m* combine harvester, *Am.* (harvester) combine.
mähen ['mɛ:ən] *v/t. and v/i.* (h.) mow, cut, reap; (*v/i.*) *sheep*: bleat.
Mahl [mɑ:l] *n* (-[e]s; ⸚er) meal, repast; feast, banquet.
mahlen ['mɑ:lən] *v/t. and v/i.* (*irr.*, h.) grind, mill; pulverize; crush, bruise; beat (*paper*); *mot. wheels in mud*: spin; *gemahlener Kaffee* ground coffee.
'**Mahl...**: **~gang** *m* set of millstones; **~geld** *n* miller's fee; **~gut** *n* (-[e]s), **~korn** *n* (-[e]s; -e) grist; **~zahn** *m* molar; **~zeit** *f* meal, repast; *colloq. prost ~!* **a**) no idea of it!, you may whistle for it!, **b**) there we are!, good night!
'**Mähmaschine** *f* mowing-machine, reaper; (lawn) mower.
Mahnbrief ['mɑ:n-] *m* request for payment, reminder, dunning letter.
Mähne ['mɛ:nə] *f* (-; -*n*) mane.
'**mahn|en** *v/t. and v/i.* (h.) remind; warn, admonish (*all*: *an acc.* of); urge; *j-n wegen e-r Schuld* ~ press a p. for payment, dun a p.; **~end** *adj.* admonishing, admonitory, warning; **2er**(**in** *f*) *m* (-s, -; -, -*nen*) admonisher, monitor, warning voice; dun(ner); **2mal** *n* memorial; **2ruf** *m* warning cry; **2schreiben** *n* → *Mahnbrief*; **2ung** *f* (-; -*en*) admonition, warning; *econ.* reminder, dunning; **2verfahren** *jur. n* hortatory proceedings; *im Wege des ~s* by judgment-note; **2wort** *n* (-[e]s; -e) word of exhortation, warning; **2zeichen** *n* memento; *the* hand on the wall; **2zettel** *m* reminder, demand-note.
Mähre ['mɛ:rə] *f* (-; -*n*) mare; *contp.* jade, old crock.
Mähren ['mɛ:rən] *n* (-s) Moravia; '**mährisch** *adj.* Moravian.
Mai [maɪ] *m* (-[e]s; -e) (*Monat* ~ month of) May; *der Erste* ~ the first of May, May Day; '**~baum** *m* maypole; '**~blume** *f* lily of the valley.
Maid [maɪt] *f* (-; -*en*) maid(en).
'**Mai...**: **~feier** *f*, **~fest** *n* (celebration of) May Day, May-Day demonstration *or* parade; **~glöckchen** *n* lily of the valley; **~käfer** *m* cockchafer; *humor. grinsen wie ein* ~ grin like a Cheshire cat; **~königin** *f* Queen of May.
Mailänd|er(in *f*) ['-lɛndər-] *m* (-s, -; -, -*nen*) Milanese; **2isch** *adj.* Milanese, (of) Milan.
'**Mailüftchen** *n* vernal breeze.
Mais [maɪs] *m* (-es; -e) maize, Indian corn, *Am.* corn; '**~birne** *f* *boxing*: platform ball, pear-shaped punch(ing) ball.
Maisch|bottich ['maɪʃ-] *m* mash-tub; **~e** *f* (-; -*n*) mash; **2en** *v/t.* (h.) mash.
'**Mais...**: **~flocken** *f/pl. Am.* corn-flakes; **~kolben** *m* (corn-)cob; **~mehl** *n* Indian meal, *Am.* corn meal.
Majestät [majɛ'stɛ:t] *f* (-; -*en*) majesty; **2isch** *adj.* majestic; **~sbeleidigung** *f* lèse-majesté (*Fr.*).
Majolika [ma'jo:lika] *f* (-; -*ken*) majolica.
Major [ma'jo:r] *mil. m* (-s; -e) major; *aer.* squadron leader.
Majoran [majo'rɑ:n] *bot. m* (-s; -e) marjoram.
Majorat [majo'rɑ:t] *n* (-[e]s; -e) (right of) primogeniture; *a.* → **~sgut** *n* entail; **~sherr** *m* owner of an entail (*or* estate).
majorenn [-'rɛn] *adj.* of (full) age.
Majori'tät *f* (-; -*en*) majority; **~sbeschluß** *m* resolution carried by a majority; majority vote.
Majuskel [ma'juskəl] *f* (-; -*n*) capital letter; *typ.* upper case letter.
makaber [ma'kɑ:bər] *adj.* macabre.
makadamisier|en [makadami'zi:rən] *v/t.* (h.) macadamize; **2ung** *f* (-) macadamization.
Makel ['mɑ:kəl] *m* (-s; -) stain, spot, blot, flaw (*all a. fig.*); *fig.* blemish, taint; *ohne* ~ immaculate, unmarred.
Mäkelei [mɛ:kə'laɪ] *f* (-; -*en*) fault-finding, carping (criticism); *w.s.* fastidiousness.
'**mäkelig** *adj.* carping; finicky, fussy; fastidious.
'**makellos** *adj.* stainless, spotless, unblemished (*all a. fig.*, *character*,

etc.); immaculate (*a. beauty*); *fig. a.* impeccable; 2**igkeit** *f* (-) spotlessness, immaculateness.

'**mäkeln** *v/i.* (*h.*): ~ *an* (*dat.*) find fault with, carp (*or* cavil) at, *Am. a.* pick at; 2 *n* (-*s*) → *Mäkelei.*

Makkaroni [maka'ro:ni] *pl.* macaroni.

Makler ['ma:klər] *econ. m* (-*s*; -) broker; *stock exchange*: stock broker, jobber; *amtlich zugelassener* ~ inside broker; (commission-) agent, factor; middleman; ~**firma** *f* brokerage concern; ~**gebühr** *f* broker's commission, brokerage (charges *pl.*); ~**geschäft** *n* broker's business.

Mako ['mako] *econ. m* (-[*s*]; -*s*) *and f* (-; -*s*) maco.

Makrele [ma'kre:lə] *ichth. f* (-; -*n*) mackerel.

Makro'kosmos [makro-] *m* macrocosm.

Makrone [ma'kro:nə] *f* (-; -*n*) macaroon.

Makulatur [makula'tu:r] *f* (-; -*en*) waste-paper; *fig.* worthless book; ~**bogen** *m* waste sheet.

Mal[1] [ma:l] *n* (-[*e*]*s*; -*e*) mark, sign; boundary; monument; *in games*: **a**) start(ing point), home, **b**) goal, base; spot, stain, *fig. a.* stigma; mole, birthmark; *blaues* ~ bruise.

Mal[2] *n* (-[*e*]*s*; -*e*) (*usu.* 2 *and in compounds* ...2, *e.g. alle*2, *dies*2, *drei*2, *etc.*) time; *multiplication*: times, multiplied by; *für dieses* ~ this time, for once; *dieses eine* ~ this once; *ein paar* ~*e* a few times; *das nächste* ~ next time; *beim ersten* ~*e* the first time, at the first go(-off); *mit einem* ~*e* all at once, all of a sudden; *zum ersten* ~*e* for the first time; *zum letzten* ~*e* for the last time; *zu wiederholten* ~*en* repeatedly, time after time, again and again.

mal *colloq. adv.* → *einmal.*

Malai|e [ma'laɪə] *m* (-*n*; -*n*), ~**in** *f* (-; -*nen*), 2**isch** *adj.* Malay(an).

Malaria [ma'la:ria] *med. f* (-) malaria; ~**anfall** *m* attack of malaria.

Malbuch ['ma:l-] *n for children*: colo(u)ring book.

'**malen** *v/t. and v/i.* (*h.*) paint, do; portray; draw; sketch, delineate; represent, depict; *fig.* paint, picture; *in Öl* ~ paint in oils; *sich* ~ *lassen* sit for one's portrait; have one's likeness taken; *fig. auf s-m Gesicht malte sich Erstaunen* he looked dazed, he could not have looked more surprised; *man soll den Teufel nicht an die Wand* ~ talk of the devil and he will appear; *colloq. mal dir was!* you may whistle for it!

'**Maler** *m* (-*s*; -) painter; artist; ~**arbeit** *f* painting (job); ~**atelier** *n* painter's (*or* artist's) studio.

Male'rei *f* (-; -*en*) painting.

'**Maler...**: ~**farbe** *f* painter's colo(u)r; ~**in** *f* (-; -*nen*) lady-painter, paintress; 2**isch** *adj.* pictorial, painting; *fig.* picturesque; *das* 2*e* the picturesque; ~**leinwand** *f* canvas; ~**meister** *m* master (house-) painter; ~**pinsel** *tech. m* painter's (*or* paint-)brush; ~**schule** *f* **1.** school for painters; **2.** (*flemish, etc.*) school of painters; ~**stock** *m* maulstick.

Malheur [ma'lø:r] *n* (-*s*; -*e*) misfortune, mishap.

maliziös [malitsi'ø:s] *adj.* malicious.

'**Malkasten** *m* paint-box.

'**malnehmen** *v/t.* (*irr.*, *h.*) multiply.

Malteserkreuz [mal'te:zər-] *n* Maltese cross.

Maltose [mal'to:zə] *f* (-) maltose, malt sugar.

Malve ['malvə] *bot. f* (-; -*n*) mallow; 2**nfarbig** *adj.* mauve.

Malz [malts] *n* (-*es*) malt; '~**bier** *n* malt-beer; '~**bonbon** *n* cough lozenge; '~**darre** *f* malt-kiln.

'**Malzeichen** *n* multiplication mark.

Mälzer ['mɛltsər] *m* (-*s*; -) maltster; **Mälze'rei** *f* (-; -*en*) **a**) malting; **b**) malting-house.

'**Malz...**: ~**extrakt** *m* extract of malt; ~**kaffee** *m* malt-coffee; ~**schrot** *n* bruised malt; ~**tenne** *f* malt-floor; ~**zucker** *m* malt sugar, maltose.

Mama [ma'ma] *f* (-; -*s*) mamma, ma, mummy.

Mammon ['mamɔn] *m* (-*s*) mammon, pelf; *schnöder* ~ filthy lucre.

Mammut ['mamu:t] *zo. n* (-*s*; -*e*) mammoth; ~**baum** *m* mammoth tree.

Mamsell [mam'zɛl] *f* (-; -*en*) miss, damsel; housekeeper.

man[1] [man] *indef. pron.* (*m dat. and acc.* replaced by einer): **a**) *including oneself*: one, you, we; **b**) *other people*: they, people; **c**) *often rendered by passive*: ~ *hat mir gesagt* I have been told; ~ *muß es tun* it must be done; ~ *holte ihn* (*riet ihm*) he was fetched (advised); ~ *kann nie wissen* you never can tell; *man kann nicht wissen* (*or sagen*), ob there is no knowing (*or* telling) whether; *wenn* ~ *ihn hört, sollte* ~ *glauben* to hear him one would think; *in instructions, e.g.* ~ *nehme* take; ~ *dreht die Schraube nach rechts* turn screw clockwise.

man[2] *colloq.* (*expletive*) = *nur*; ~ *sachte!* take it easy!; *denn* ~ *los!* let's go (then)!, well, here goes!

managen ['mɛnidʒən] *colloq. v/t.* (*h.*) manage, handle, wangle.

'**Managerkrankheit** *f* stress disease.

manch|(er, -e, -es) ['manç-] *adj. and indef. pron.* many a; ~ *eine(r)*, ~ *ein Mensch* many a one (*or* man); *manch liebes* (*or* ~*es liebe*) *Mal* many a time; *in* ~*em hat er recht* in many things he is right; *so or gar* ~*er* (~*es*) a good many people (things); ~**e** *pl.* some, several, many; ~**erlei** ['-ərlaɪ] *adj.* diverse, different, many; all sorts of, of several sorts; *auf* ~ *Art* in various (*or* sundry) ways; *substantively*: many (*or* various) things; ~**mal** *adv.* sometimes, at times.

Manchester(samt) [man'ʃɛstər-] *m* (-*s*) velveteen; corduroy.

Mandant(in *f*) [man'dant-] *m* (-*en*, -*en*; -, -*nen*) *jur.* client.

Mandarin [manda'ri:n] *m* (-*s*; -*e*) mandarin.

Mandarine [-'ri:nə] *f* (-; -*n*) tangerine.

Mandat [man'da:t] *n* (-[*e*]*s*; -*e*) authorization, power; *of lawyer*: brief; decree; *pol.* mandate; *parl. sein* ~ *niederlegen* resign (*or* vacate) one's seat.

Mandatar [-da'ta:r] *m* (-*s*; -*e*) authorized person *or* agent, mandatary; ~**staat** *m* mandatary (state).

Man'dats...: ~**gebiet** *n* mandate(d territory); ~**macht** *f* mandatory power.

Mandel ['mandəl] *f* (-; -*n*) *bot.* almond; *anat.* tonsil; *med. die* ~*n herausnehmen* cut the tonsils; (*measure*) (set of) fifteen; ~**baum** *m* almond(-tree); ~**entfernung** *f* (-) tonsilectomy; ~**entzündung** *f* tonsilitis; 2**förmig** ['-fœrmiç] *adj.* almond-shaped; ~**geschwür** *n* ulcerated sore throat; ~**kern** *m* almond; ~**kleie** *f* almond-powder; ~**seife** *f* almond-soap.

Mandoline [mando'li:nə] *mus. f* (-; -*n*) mandolin.

Mandrill [man'dril] *zo. m* (-*s*; -*e*) mandrill.

Manege [ma'ne:ʒə] *f* (-; -*n*) (circus) ring.

mang [maŋ] *colloq.* → *unter, dazwischen.*

Mangan [maŋ'ga:n] *n* (-*s*) manganese; ~**eisen** *n* ferromanganese; ~**erz** *n* manganese ore; 2**haltig** *adj.* manganiferous; ~**oxyd** *chem. n* manganic oxide; 2**sauer** *chem. adj.* manganic; manganite of ...; ~**säure** *chem. f* manganic acid; ~**stahl** *m* manganese steel.

Mange ['maŋə], '**Mangel**[1] *tech. f* (-; -*n*) mangle, calender.

Mangel[2] ['maŋəl] *m* (-*s*; ¨) defect, fault, imperfection, flaw, shortcoming; (-*s*) lack, want, absence, shortage, scarcity, (*a. med.*) deficiency (*all*: *an dat.* of); penury; privation; drawback; ~ *an Takt* want of tact, tactlessness; *jur.* ~ *im Recht* defect in title; *aus* ~ *an* → *mangels*; ~ *an allem haben* be short (*or* in want) of everything; ~ *leiden* be destitute, live in poverty; suffer privations.

'**Mangel...**: ~**artikel** *m* critical item; ~**beruf** *m* critical occupation; ~**erscheinung** *med. f* deficiency symptom; ~**güter** *n/pl.* critical supplies; 2**haft** *adj.* defective (*a. gr.*), faulty, deficient; imperfect; unsatisfactory, inferior, poor (*a. ped.*); incomplete; inadequate; ~**haftigkeit** *f* (-) defectiveness, faultiness; imperfection; inadequacy; incompleteness; ~**holz** *n* calender-roller; ~**krankheit** *f* deficiency disease; malnutritional disease; avitaminosis.

'**mangeln**[1] *v/t.* (*h.*) mangle (*laundry*); *tech.* calender (*cloth*).

'**mangeln**[2] *v/i.* (*impers.*, *h.*) want, be wanting; lack, be lacking (*an dat.* in); *es mangelt an* there is a lack (*or* shortage) of; *es mangelt mir an et.* I am in need of, I am short of, I want *a th.*; *es mangelt ihm an Mut* what he lacks (*or* wants) is courage; *sich an nichts* ~ *lassen* deny o.s. nothing; *wegen* ~*der Nachfrage* in absence of demand.

'**mangels** *prp.* (*gen.*) for lack (*or* want) of, in the absence of; *esp. jur.* in default of; *econ.* ~ *Zahlung zurück* returned for non-payment.

Mängelrüge ['mɛŋəl-] *econ. f* complaint (about quality), deficiency claim.

'**Mangelware** *f* scarce (basic) commodity, critical item *or* material; ~ *werden* fall in short supply.

Mangold ['maŋgɔlt] *bot. m* (-[e]s; -e) silver (*or* stock) beet; *cul.* chard.

Manie [ma'ni:] *f* (-; -*n*) mania; craze; **manisch** ['mɑ:niʃ] *adj.* manic; ~-*depressiv* manic-depressive.

Manier [ma'ni:r] *f* (-; -*en*) manner, fashion, mode; *esp. art*: style; *in glänzender* ~ in superior style, brilliantly; *mit guter* ~ with a good grace; *er hat keine* ~*en* he has bad (*or* no) manners; ~*en lernen* learn (how) to behave; *das ist keine* ~ that's not the way to do it.

manieriert [-ni'ri:rt] *adj.* affected, mannered; stilted; ♀**heit** *f* (-; -*en*) affectation; mannerism.

ma'nierlich I. *adj.* well-behaved, well-bred; civil, polite, mannerly; **II.** *adv.*: *sich* ~ *betragen* behave o.s.

Manifest [mani'fɛst] *n* (-es; -e) manifesto; **Manifestation** [-fɛsta-tsi'o:n] *f* (-; -*en*) manifestation, demonstration; **manife'stieren** *v/t.* (*h.*) manifest.

Maniküre [mani'ky:rə] *f* (-) **1.** manicure; **2.** (*pl.* -*n*) manicurist; ♀**n** *v/t. and v/i.* (*h.*) manicure.

Manila|hanf [ma'ni:la-] *m* Manila hemp; ~**zigarre** *f* Manila cigar, manila.

Manipulation [manipulatsi'o:n] *f* (-; -*en*) manipulation.

manipu'lieren *v/t.* (*h.*) manipulate.

Manko ['maŋko] *econ. n* (-s; -s) deficiency, shortage; shortweight; deficit; *fig.* drawback, want.

Mann [man] *m* (-[e]s; ⸚er) man (*pl.* men), *mil. a.* soldier, *esp. Am.* enlisted man; husband; *feiner* ~ (perfect) gentleman; *ganzer* ~ quite (*or* every inch) a man, he-man; *der rechte* ~ the right sort (of man); *der* ~ *auf der Straße* the man in the street; *fig. ein* ~ *des Todes* a dead man, *sl.* a goner; ~ *für* ~ man for man; ~ *gegen* ~ hand to hand; *wie ein* ~ as one man, in a body; *drei* ~ *hoch* three men deep; *Manns genug sein für et.* be man enough for it; *an den* ~ *bringen* **a)** dispose (*or* get rid) of, place (*goods*), find a husband for (*daughter*); *seinen* ~ *finden* find (*or* meet) one's match; *seinen* ~ *stehen* stand one's ground, stand the test; *sie stand ihren* ~ she did a man's job; *seinen* ~ *stellen* do one's share, pull one's weight; *mit* ~ *und Maus untergehen* go down with every soul (*or* all hands) on board; *cards*: *den vierten* ~ *machen* take the fourth hand; *mar. alle* ~ *an Deck!* all hands on deck; *da* (*bei mir*) *sind Sie an den rechten* ~ *gekommen* you have come to the right man, I am your man; *er ist nicht der* ~ *dafür* he is not the man to do it; *wenn Not am* ~ *ist* if the worst comes to the worst, in case of need; *ein* ~, *ein Wort* an honest man's word is as good as his bond; hono(u)r bright!; *colloq. mach schnell,* ~*!* hurry up, man!; ~ *Gottes!* man alive!

Manna ['mana] *f* (-) *and n* (-[s]) manna.

'**mannbar** *adj.* marriageable; ♀**keit** *f* (-) (wo)manhood, puberty; marriageable age.

Männchen ['mɛnçən] *n* (-s; -) little man, manikin; *humor.* (*husband* = *colloq.* **Männe** *m*) hubby; *zo.* male, bull; *orn.* cock; ~ *machen* sit up (and beg), stand on its hind-legs.

Mannequin ['manəkɛ̃] *n* (-s; -s) mannequin.

Männer ['mɛnər] *pl. von Mann*; *in compounds* men's ..., → *Herren...*; *lavatory*: (*Für*) ~ (For) Gentlemen; ~**chor** *mus. m* men's choir, *thea.* chorus of men; ~**gesangverein** *m* men's choral society, men's singing club; ~**welt** *f* (-) male sex, men.

'**Mannes|alter** *n* (-s) manhood, virile age; *im besten* ~ in the prime of life; ~**kraft** *f* manly vigo(u)r; virility; ~**stolz** *m* manly pride; ~**wort** *n* (-[e]s; -e) man's word; ~**würde** *f* (-) manly dignity; → *Manns...*

'**mannhaft** *adj.* manly; brave, stout, valiant; resolute; ♀**igkeit** *f* (-) manliness, stoutness, courage.

'**Mannheit** *f* (-) masculinity, manhood; virility.

mannig|fach ['maniçfax], ~**faltig** ['-faltiç] *adj.* manifold, various, varied, diverse; ♀**faltigkeit** *f* (-) manifoldness, variety, diversity.

männlich ['mɛnliç] *adj.* male (*a. bot., zo., tech.*); *gr.* masculine; man's (*courage, etc.*); *fig.* manly, masculine, virile; ♀**keit** *f* (-) manliness, virility.

'**Mannsbild** *colloq. n* man, male.

'**Mannschaft** *f* (-; -*en*) (body of) men, personnel; gang, team (*of workers*); *aer., mar., mil.* crew; team, detail, party; troops *pl.*; *sports*: team, *rowing*: crew; *mil.* ~*en pl.* rank and file, the ranks; *mar.* the lower deck.

'**Mannschafts...:** ~**dienstgrade** *mil. m/pl.* rank and file, ratings; ~**führer** *m sports*: (team) captain; ~**geist** *m* (-es) team-spirit; ~**kampf** *m* team event; ~**lauf** *m* team race; ~**leiter** *m* team manager; ~**meisterschaft** *f* team championship; ~**raum** *mil. m* troop room; ~**rennen** *n* → *Mannschaftslauf*; ~**sport** *m* team sport; ~**wagen** *mil. m* troop carrying vehicle, *Am.* personnel carrier.

'**Manns...:** ♀**hoch** *adj. and adv.* (as) tall as a man; ~**leute** *pl.* men(folk), *the* male sex *sg.*; ~**person** *f* male person, man; ♀**toll** *adj.* man-mad, nymphomaniac; ~**tollheit** *f* nymphomania; ~**volk** *n* (-[e]s) menfolk, men; ~**zucht** *f* discipline.

'**Mannweib** *n* amazon, virago.

Manometer [mano'me:tər] *n* (-s; -) manometer, pressure-gauge.

Manöver [ma'nø:vər] *n* (-s; -) manoeuvre, *Am.* maneuver (*a. fig.* = trick, stratagem); *mil. a.* exercise; *mar. Flotten*♀ naval manoeuvres *pl.*; ~**gelände** *n* manoeuvre area.

manövrier|en [-nø'vri:rən] *v/i. and v/t.* (*h.*) manoeuvre, *Am.* maneuver (*a. mot.*), *mar. a.* practise (tactical evolutions); ~**fähig** *adj.* manoeuvrable; ♀**fähigkeit** *f* (-) manoeuvrability; ~**unfähig** *adj.* disabled, out of control.

Mansarde [man'zardə] *f* (-; -*n*) garret, attic.

Man'sarden...: ~**dach** *n* curb roof; ~**fenster** *n* dormer-window; ~**zimmer** *n* garret-room, attic.

Mansch [manʃ] *colloq. m* (-es) hodge-podge, squash, slush, mess; '♀**en** *v/i. and v/t.* (*h.*) mix, work; splash (about); dabble (*in dat.* in); **Mansche'rei** *f* (-; -*en*) mixing, mess; dabbling.

Manschester [man'ʃɛstər] *m* (-s) → *Manchester.*

Manschette [man'ʃɛtə] *f* (-; -*n*) cuff; *tech.* sleeve, collar; packing ring; *colloq. fig.* ~*n haben vor* (*dat.*) be afraid of; ~*n bekommen* get cold feet; ~**nknopf** *m* stud; sleeve-link, cuff-link.

Mantel ['mantəl] *m* (-s; ⸚) overcoat; coat; cloak; mantle (*a. arch., med., zo.*); → *Bade*♀, *Frisier*♀, *etc.*; *math.* convex surface; *tech.* case (*a. mil.*), casing, jacket; sleeve; *casting*: cope; *mot., bicycle*: (outer) cover, casing; *cable*: sheath(ing); *stock exchange*: scrip (*or* share) without the coupon--sheet; *fig.* ~ *der Liebe* cloak of charity; *den* ~ *nach dem Wind hängen* trim one's sails to the wind.

Mäntelchen ['mɛntəlçən] *n* (-s; -) short cloak, cape; *fig. ein* ~ *umhängen* palliate, gloss over *a th.*

'**Mantel...:** ~**elektrode** *f* covered electrode; ~**geschoß** *mil. n* jacketed bullet; ~**gesetz** *n* skeleton law; ~**kleid** *n* dress with cape; frock coat; ~**tarif** *m* skeleton agreement.

Mantille [man'til(j)ə] *f* (-; -*n*) mantilla.

Manual [manu'ɑ:l] *n* (-s; -e) memorandum-book; *mus.* key-board, manual.

manuell [-'ɛl] *adj.* manual.

Manufaktur [-fak'tu:r] *f* (-; -*en*) manufacture; (manu)factory; ~**waren** *pl.* manufactures, piece goods; *n.s.* textiles, *Am.* dry goods.

Manuskript [-'skript] *n* (-[e]s; -e) manuscript (*abbr.* MS); *film*: scenario, script; *typ.* copy; *als* ~ *gedruckt* privately printed, *thea.* acting rights reserved.

Mappe ['mapə] *f* (-; -*en*) portfolio, briefcase; satchel; file; folder.

Mär(e) ['mɛ:r(ə)] *f* (-; -*en*) tale; tidings *pl.*

Marabu ['mɑ:rabu] *orn. m* (-s; -s) marabou.

Marathon|lauf ['mɑ:ratɔn-] *m* marathon (race); ~**läufer** *m* marathon runner.

Marbel ['marbəl] *f* (-; -*n*) marble.

'**Märchen** *n* (-s; -) fairy-tale; *fig.* (cock-and-bull) story; fib; rumo(u)r; ~**buch** *n* book of fairy--tales; ♀**haft** *adj.* fabulous, legendary; *fig.* fictitious; fabulous, magical; ~**haftigkeit** *f* (-) fabulousness; fictitiousness; ~**welt** *f* (-) world of romance, wonderland.

Marder ['mardər] *zo. m* (-s; -) marten; ~**fell** *n*, ~**pelz** *m* marten-(-skin).

Margarine [marga'ri:nə] *f* (-) margarine.

Marge ['marʒə] *econ. f* (-; -*n*) margin.

Marginalien [margiˈnɑːliən] *f/pl.* marginal notes.

Marien|bild [maˈriːən-] *n* image of the Virgin Mary, Madonna; **~fäden** [ˈ-fɛːdən] *m/pl.* gossamer; **~fest** *n* Lady Day; **~glas** *n* (-es) mica; **~käfer** *m* lady-bird, *Am.* ladybug; **~kult** *m* Mariolatry.

Marine [maˈriːnə] *f* (-; -*n*) *econ.* marine; *mil.* navy, naval forces *pl.*; **~akademie** *f* naval academy; *Brit.* Royal Naval College; **~artillerie** *f* coast(al) artillery; **~attaché** *m* naval attaché; **~blau** *n*, **2blau** *adj.* navy-blue; **~flieger** *m* naval aviator; **~flugzeug** *n* seaplane, naval aircraft; **~infanterie** *f* marines *pl.*; **~ingenieur** *m* naval engineer; **~minister** *m* minister of naval affairs; *Brit.* First Lord of the Admiralty, *Am.* Secretary of the Navy; **~ministerium** *n* ministry of naval affairs; *Brit.* the Admiralty, *Am.* Department of the Navy; **~offizier** *m* naval officer; **~schule** *f* naval college; **~stützpunkt** *m* naval base; **~soldat** *m* marine; **~truppen** *f/pl.* marines; **~werft** *f* naval dockyard.

marinieren [mariˈniːrən] *v/t.* (*h.*) pickle, marinade.

Marionette [marioˈnɛtə] *f* (-; -*n*) marionette, puppet; **~nregierung** *f* puppet government; **~ntheater** *n* puppet-show.

maritim [mariˈtiːm] *adj.* maritime.

Mark[1] [mark] *n* (-[e]s) marrow, medulla; *of wood*: pith, *of fruit*: pulp; *fig.* core; *bis ins ~* to the core; *j-m durch ~ und Bein gehen* set a p.'s teeth on edge; *er hat ~ in den Knochen* he has guts.

Mark[2] *f* (-; -*en*) boundary, border-land; *~en pl.* marches; *die ~ Brandenburg* the March of Brandenburg.

Mark[3] *f* (-) *coin*: mark; *zehn ~* ten marks.

markant [marˈkant] *adj.* marked; striking; characteristic; salient, prominent; strong-featured (*face*); *~e Gesichtszüge* chiselled features; *mil. ~er Geländepunkt* prominent landmark; *~e Persönlichkeit* man of mark, outstanding personality.

Marke [ˈmarkə] *f* (-; -*n*) mark, sign; pass, check; stamp; *for games*: counter, chip; *of police*: badge, shield; (ration) coupon; *auf ~n* couponed, rationed; *ohne ~n* → *2nfrei*; *tech.* index mark; *econ.* **a)** trade-mark, brand, **b)** make, type, brand, **c)** sort, grade, quality; *esp. of wine*: growth, vintage; *colloq. er ist eine ~* he's a character.

ˈ**Marken...:** **~artikel** *m* proprietary (*or* patent, branded) article; **~butter** *f* standard butter; **2frei** **I.** *adj.* non-rationed, coupon-free, off-ration; **II.** *adv.* off the ration; **~name** *m* brand name; **2pflichtig** *adj.* rationed; **~sammler** *m* stamp collector; **~schutz** *m* protection of trade-marks; **~ware** *f* trade-marked product.

ˈ**mark-erschütternd** *adj.* blood-curdling.

Marketender [markəˈtɛndər] *m* (-*s*; -), **~in** *f* (-; -*nen*) canteen-(wo)man; sutler; **Marketendeˈrei** *f* (-; -*en*) canteen; army stores *pl.*; *Brit.* Navy Army Air Force Institute (*abbr.* NAAFI), *Am.* post exchange (*usu.* PX); **Markeˈtenderware** *f Brit.* goods *pl.* bought on NAAFI license, *Am.* sales article. [marketing.]

Marketing [ˈmɑːkitiŋ] *econ. n* (-*s*)

ˈ**Mark...:** **~graf** *m* margrave; **~gräfin** *f* margravine.

marˈkier|en *v/t.* (*h.*) mark; brand (*goods, cattle*); indicate (*a. mil.*); designate, earmark; *sports*: mark (*opponent*); *die Bahn ~* flag the course, mark the track; accentuate; sham, simulate, put on (*all a. v/i.*); **2ung** *f* (-; -*en*) designation, marking(s *pl.*); **2ungsfähnchen** *n sports*: (course) marker.

ˈ**markig** *adj.* marrowy; *fig.* vigorous, pithy (*a. language*).

Markise [marˈkiːzə] *f* (-; -*n*) blind, (window) awning.

ˈ**Markknochen** *m* marrow-bone.

ˈ**Mark...:** **~scheider** [ˈ-ʃaɪdər] *m* (-*s*; -) surveyor of mines; **~stein** *m* boundary-stone; *fig.* landmark, milestone; *ein ~ sein a.* mark an epoch.

Markt [markt] *econ. m* (-[e]s; ‥e) market; fair; mart, emporium, trading-cent|re, *Am.* -er; market-place; trade, business; *freier* (*heimischer, schwarzer*) *~* free (home, black) market; *am ~, auf dem ~* in (*or* on) the market; *auf den ~ bringen* (put on the) market.

ˈ**Markt...:** **~abrede** *f* marketing arrangement; **~analyse** *f* market analysis; **~bericht** *m* market report; **2en** *v/i.* (*h.*) bargain (*um* for), haggle (over); **~entwicklung** *f* trend of the market, market tendency; **2fähig** *adj.* marketable; **~fähigkeit** *f* (-) salability; **~flecken** *m* market-town, borough; **~forscher** *m* market research man; **~forschung** *f* market research; **2gängig** *adj.* customary in the market; marketable, salable; current (*price*); **~gebiet** *n* territorial market; **2gerecht** *adj.* in line with real market conditions, real market...; **~halle** *f* market-hall, covered market; **~korb** *m* market-basket; **~kurs** *m* market quotation; **~lage** *f* (-) market conditions *pl.*; **~netz** *n* string bag; **~ordnung** *f*: *Europäische ~* European Market Organization; **~platz** *m* market-place; **~preis** *m* market price; current *or* ruling price; **~recht** *n* privilege of holding a market; **~schreier** *m* quack; puffer, booster; **~schreierei** [ˈ-ʃraɪəraɪ] *f* (-; -*en*) quackery; puffing, ballyhoo; **2schreierisch** *adj.* quackish, charlatan; puffing; *fig.* ostentatious, loud; **~schwankungen** *f/pl.* fluctuations of the market; **~tag** *m* market-day; **~tasche** *f* marketing bag; **~untersuchung** *f* market investigation; **~verband** *m* marketing association; **~weib** *n* market woman; **~wert** *m* market-value, current value; **~wirtschaft** *f* (-) marketing; (*freie*) *~* market economy, free enterprise; *gebundene ~* controlled economy.

ˈ**Markung** *f* (-; -*en*) → *Mark*[2].

Marmelade [marməˈlɑːdə] *f* (-; -*n*) jam; marmalade.

Marmor [ˈmarmɔr] *m* (-*s*; -*e*) marble; **~bild** *n* marble statue; **~bruch** *m* marble quarry.

marmoˈrieren [-moˈriːrən] *v/t.* (*h.*) marble; grain; *marmoriert book*: marble-edged; *soap*: mottled.

ˈ**marmorn** *adj.* (of) marble (*a. fig.*).

ˈ**Marmor...:** **~platte** *f* marble slab; **~säule** *f* marble column; **~stein** *m* marble-stone; **~tafel** *f* marble slab.

marode [maˈroːdə] *adj.* tired out, dead-beat; ill.

Maro|d|eur [-roˈdøːr] *m* (-*s*; -*e*) marauder; **2ieren** *v/i.* (*h.*) maraud, pillage.

Marokkan|er(in *f*) [marɔˈkɑːnər-] *m* (-*s*, -; -, -*nen*) Moroccan; **2isch** *adj.* (of) Morocco, Moroccan.

Marone [maˈroːnə] *bot. f* (-; -*n*) edible (*or* sweet) chestnut.

Maroquin [marɔˈkɛ̃] *m* (-*s*) morocco.

Marotte [maˈrɔtə] *f* (-; -*n*) caprice, whim, crotchet; hobby, fad.

Marqui|s [marˈkiː] *m* (-) marquis, marquess; **~se** [-ˈkiːzə] *f* (-; -*n*) marchioness.

Mars[1] [mars] *ast., myth. m* (-) Mars.

Mars[2] *mar. m* (-; -*e*) top.

marsch [marʃ] *int.*: *mil. vorwärts, ~!* forward, march!; *~, ~!* double march!, *Am.* on the double; *~! colloq.* hurry up!, let's go!, beat it!; *~ hinaus!* out you go!

Marsch[1] *m* (-*es*; ‥*e*) march (*a. mus.*); *sich in ~ setzen* set out, march off; *colloq. j-m den ~ blasen* give a p. a dressing-down (*or* a piece of one's mind).

Marsch[2] [marʃ] *f* (-; -*en*) marsh(y land), fen.

Marschall [ˈmarʃal] *m* (-*s*; ‥*e*) marshal; **~stab** *m* (marshal's) baton.

ˈ**Marsch...:** **~befehl** *mil.* marching-order(s *pl.*); *for single soldier*: movement order, *Am.* travel orders *pl.*; *~ haben* be under marching-orders; **2bereit, 2fertig** *adj.* ready to move *or* march; **~gepäck** *n* field pack; **~geschwindigkeit** *f* rate of marching; *aer., mar., mot.* cruising-speed; **~gliederung** *f* march formation.

marˈschieren *v/i.* (*sn*) march (*a. ~ lassen*); stride.

ˈ**marschig** *adj.* marshy.

ˈ**Marsch...:** **~kolonne** *f* route column; **~kompanie** *f* trained replacement company; **~kompaß** *m* prismatic compass; **2krank** *adj.* footsore; **~land** *n* marshy land, fenland; **~lied** *n* marching-song; **~ordnung** *f* order of march; **~pause** *f* halt, rest on the march; **~richtung** *f* direction of march, route; **~tempo** *n* rate of marching; *schnelles ~* quick time; *langsames ~* slow time; **~verpflegung** *f* haversack ration, *Am.* travel ration; **~ziel** *n* march objective.

ˈ**Mars...:** *mar.* **~rahe** *f* topsail yard; **~segel** *n* topsail.

Marstall [ˈmarʃtal] *m* (-[e]s; ‥e) (royal) stables *pl.*

Marter [ˈmartər] *f* (-; -*n*) torment, torture, agony; *fig. a.* ordeal; → *Folter*; **~l** [ˈ-tərl] *n* (-*s*; -[*n*]) memorial tablet *or* cross; **2n** *v/t.* (*h.*) torment, torture, (put to the) rack; *fig. sein Gehirn ~* rack one's brains; ~**pfahl** *m* stake; ~**tod** *m* (-[e]s) death by torture, martyr's death; ~**werkzeug** *n* instrument of torture.

martialisch [martsiˈɑːlɪʃ] *adj.* martial, warlike.

Martin-ofen [ˈmartiːn-] *metall. m* open-hearth furnace.

ˈ**Martins|fest** *n*, ~**tag** *m* Martinmas; ~**gans** *f* Martinmas goose.

Märtyrer [ˈmɛrtyrər] *m* (-s; -), ~**in** *f* (-; -nen) martyr; *j-n zum ~ machen* make a martyr of a p.; ~**tod** *m* (-[e]s) martyr's death; ~**tum** *n* (-s) martyrdom.

Marxis|mus [marˈksɪsmus] *m* (-) Marxism; ~**t(in** *f*) *m* (-en, -en; -, -nen), **≗tisch** *adj.* Marxian, Marxist.

März [mɛrts] *m* (-[es]; -e): (*Monat*) ~ (month of) March.

Marzipan [martsiˈpɑːn] *n* (-s; -e) marzipan, marchpane.

Masche [ˈmaʃə] *f* (-; -n) mesh; stitch; bow; *colloq. fig.* trick, line, racket; soft thing; *das ist s-e neueste ~* that's his latest; *das ist nicht die ~* it's no good; ~**ndraht** *m* (-[e]s) wire netting *or* mesh; screen wire; **≗nfest** *adj.* ladder-proof, *Am.* runproof, non-run.

ˈ**maschig** *adj.* meshy, meshed.

Maschine [maˈʃiːnə] *f* (-; -n) machine (*w.s. a.* = airplane, car); engine; appliance; *collect.* ~*n pl.* machinery equipment; *mit der ~ geschriebener Text* typewritten text, typescript.

maschinell [-ʃiˈnɛl] *adj.* mechanical; ~*e Bearbeitung* machining.

Maˈschinen...: ~**anlage** *f* plant, machine unit; ~**antrieb** *m* machine drive; *mit ~* machine-driven; ~**bau** *m* (-[e]s) machine (*or* engine) building; mechanical engineering; ~**bauer** *m* machine-maker; engine builder; mechanical engineer; ~**bauschule** *f* engineering school; ~**diktat** *n* machine dictation; ~**element** *n* machine element; ~**fabrik** *f* machine factory, engine works *pl.* (*usu. sg.*); ~**garn** *n* machine-spun yarn, twist; ~**gewehr** *n* machine-gun; *mit ~ beschießen* machine-gun, *aer.* strafe; ~**gewehrgurt** *m* (machine-gun) belt; ~**gewehrnest** *n* machine-gun nest; ~**gewehrschütze** *m* (machine) gunner; ~**gewehrstand** *m* machine-gun emplacement; *aer.* gunner's station; ~**haus** *n* power house; ~**kunde** *f* (-), ~**lehre** *f* (-) engineering; mechanics; ~**leistung** *f* mechanical power; output, capacity; **≗mäßig** *adj.* mechanical, *w.s.* automatic; ~**meister** *m* machinist; *thea.* stage mechanic(ian); *typ.* pressman; ~**mensch** *m* robot; ~**öl** *n* lubricating oil; ~**park** *m* (-[e]s) mechanical equipment; machinery; ~**pistole** *f* submachine gun, tommy gun; ~**raum** *m*, ~**saal** *m* engine-room (*a. mar.*), *typ.* pressroom; ~**satz** *m* (-es) *tech.* machine unit; *el.* generator set; *typ.* machine composition; ~**schaden** *m* engine trouble *or* failure, breakdown; ~**schlosser** *m* engine *or* machine fitter; **≗schreiben** *v/i.* (*irr.*, *h.*) type(write); ~**schreiben** *n* (-s) typewriting, typing; ~**schreiber(in** *f*) *m* typist; ~**schrift** *f* typescript; *in ~* typewritten; ~**setzer** *m* machine compositor; ~**teil** *m* machine member; ~**wärter** *m* machine attendant; *Am.* (engine) operator; ~**werkstatt** *f* machine shop; ~**wesen** *n* (-s) (mechanical) engineering; ~**zeitalter** *n* Machine Age.

Maschinerie [maʃinəˈriː] *f* (-; -n) machinery.

Maschinist [maʃiˈnɪst] *m* (-en; -en) machinist, engine-man, *Am.* operator; *rail.* engine-driver, *Am.* engineer; *thea.* stage mechanic(ian).

Maser [ˈmɑːzər] *f* (-; -n) spot, speck(le); *in wood*: vein, streak, grain; ~**holz** *n* veined wood; **≗ig** *adj.* veined, speckled, streaked; **≗n** *tech. v/t.* (*h.*) vein, grain; *gemasert* → *maserig*.

ˈ**Masern** *med. pl.* measles.

ˈ**Maserung** *f* (-; -en) *in wood*: veining, graining.

Maske [ˈmaskə] *f* (-; -n) mask (*a. fenc., tech., TV; a. person* = masker); *thea.* make-up; *mil.* camouflage, screen; *fig.* mask, guise; *in der ~ (gen.)* under the guise of; *die ~ fallen lassen* throw off the mask; *j-m die ~ vom Gesicht reißen* unmask a p.

ˈ**Masken...**: ~**ball** *m* fancy-dress ball, masked ball; ~**bildner** *m* *film*: make-up man; ~**kleid**, ~**kostüm** *n* fancy-dress; ~**verleiher(in** *f*) *m* costumier, costume rental shop.

Maskerade [maskəˈrɑːdə] *f* (-; -n) masquerade, mummery.

masˈkier|en *v/t.* (*h.*) mask, disguise; *tech.* conceal; *mil.* camouflage, screen; *sich ~* put on a mask, disguise o.s., dress o.s. up (*als* as); **≗ung** *f* (-; -en) masking, masquerade; *mil.* camouflage.

Maskotte [masˈkɔtə] *f* (-; -n) mascot.

Maskulinum [ˈmaskuliːnum] *gr. n* (-s; -na) masculine (word *or* form).

maß [mɑːs] *pret. of messen.*

Maß[1] [mɑːs] *n* (-es; -e) measure; measurement; proportion, rate; extent, dimension; size; quantity; volume; gauge, standard; dose; degree; ~*e und Gewichte* weights and measures; *fig.* moderation; *zweierlei ~* two standards; *ein hohes ~ von (dat.)* a high measure of; *in großem ~e* on a large scale; *in hohem ~e* in a high degree, highly; *in nicht geringem ~* in no small measure; *in vollem ~e* in full measure, fully; *in dem ~e, daß* to such a degree (*or* so far) as to, so that; *in dem ~e wie* in the same measure (*or* proportion) as, (according) as; *mit ~ und Ziel* in reason; *über alle ~en* exceedingly, enormously, excessively, beyond all measure; *nach ~ machen* make to order; *nach ~ angefertigt* made to measure, bespoke, *Am.* custom-made; *(j-m) ~ nehmen* take (a p.'s) measure (*zu* for), measure (a p.) (for); *das ~ vollmachen* fill the cup to the brim; *das ~ überschreiten* overshoot the mark, go too far; *weder ~ noch Ziel kennen* know no bounds; *das ~ ist voll!* that's the limit (*or* last straw)! *der Mensch ist das Maß aller Dinge* man is the measure of all things; → *≗halten.*

Maß[2] *f* (-; -[e]) quart (*of beer*).

Massage [maˈsɑːʒə] *f* (-; -n) massage.

massa|krieren [masaˈkriːrən] *v/t.* (*h.*) massacre.

ˈ**Maß...**: ~**analyse** *chem. f* volumetric analysis; ~**anzug** *m* tailor-made suit, *Am.* custom(-made) suit; ~**arbeit** *f* a th. made to measure, bespoke work, fine tailoring.

Masse [ˈmasə] *f* (-; -n) mass; bulk; substance; *breiige ~* pulp (*a. Papier≗*); paste; lump; batter; *chem.* compound; *el.* earth, *Am.* ground; *an ~ legen* → *erden*; *tech. processing*: stock; quantity, volume; *jur.* estate, assets *pl.*; multitude; mob, horde; *die breiten ~n* the masses; the rank and file (*of a party, etc.*); *in ~n* → *≗nweise*; *colloq.* e-e ~ a lot (*or colloq.* lots, heaps) of; *in ~n herstellen* mass-produce.

ˈ**Maß-einheit** *f* measuring unit.

Massel-eisen [ˈmasəl-] *n* pig iron.

ˈ**Massen...**: ~**absatz** *econ. m* (-es) wholesale (*or* bulk) selling; ~**abwurf** *aer. m* salvo bombing; ~**andrang** *m* rush, throng(ing crowds); ~**angriff** *m* mass(ed) attack; ~**anziehung** *phys. f* (-) gravitation; ~**arbeitseinstellung** *f* general strike; ~**arbeitslosigkeit** *f* mass unemployment; ~**artikel** *econ. m* bulk (*or* wholesale) article; ~**aufgebot** *n* general levy; ~**auflage** *f* mass circulation; ~**aussperrung** *f* general lock-out; ~**be-einflussung** *f* propaganda; ~**beförderung** *f* (-) transport in bulk; ~**demonstration** *f* mass demonstration; ~**einsatz** *mil. m* commitment of major forces; ~**entlassung** *f* mass dismissals; ~**erhebung** *f* mass rising, levé-en-masse (*Fr.*); ~**erzeugung**, ~**fabrikation** *f* → *Massenproduktion*; ~**flucht** *f* (-) stampede; ~**grab** *n* common grave; ~**güter** *n/pl.* bulk goods *pl.*; **≗haft** *adj.* numerous, an abundance of, large quantities of, in coarse numbers; ~**herstellung** *f* → *Massenproduktion*; ~**kundgebung** *f* mass meeting, mass (*or* monster) demonstration; ~**medium** *n* mass medium; ~**mensch** *m* mass man; ~**mord** *m* mass murder; ~**produktion** *f* (-) mass production, quantity (*or* duplicate) production; ~**psychologie** *f* mass psychology; ~**psychose** *f* mass psychosis; ~**speisung** *f* mass feeding; ~**sterben** *n* (-s) wide-spread dying-off; ~**streik** *m* general strike; ~**suggestion** *f* mass suggestion; ~**trägheit** *phys. f* mass moment of inertia; ~**verhaftungen** *f/pl.* wholesale arrests; ~**vernichtung** *f* mass destruction; ~**versammlung** *f* mass meeting, *Am.* rally; ~**verwalter** *jur. m* official receiver; **≗weise** *adv.* in masses, in large numbers; in shoals; wholesale; ~**zusammenstoß** *m* pile-up.

Masseu|r [maˈsøːr] *m* (-s; -e) masseur; ~**se** [-ˈsøːzə] *f* (-; -n) masseuse.

ˈ**Maß...**: ~**gabe** *f* measure, proportion; *nach ~ (gen.)* according to, *esp. jur.* under (the terms of), as provided in; *mit der ~, daß* provided, however, that; on the understanding that; *mit den folgenden ~n* subject to the following conditions (*or* modifications); **2gebend, 2geblich** ['-ge:pliç] *adj.* standard (*work, etc.*); authoritative, decisive; competent; relevant, governing (*rule*); influential, leading (*circles*); authentic (*text*); applicable (*für* to); substantial; important; *econ. ~e Beteiligung* controlling interest; *der englische Text ist ~* the English text shall prevail; *das ist nicht ~ für uns* that is no criterion for us; **~genauigkeit** *tech. f* dimensional accuracy; **2gerecht** *adj.* true to size; *~es Modell* accurate-scale model; **2halten** *v/i.* (*irr., h.*) keep within bounds, observe moderation, be moderate; **~haltigkeit** *tech. f* (-) dimensional stability.

mas'sieren *v/t.* (*h.*) massage, knead; *mil.* mass (*troops*), (*a. sich ~*) concentrate.

'massig *adj.* massy, bulky, voluminous; solid.

mäßig ['mɛ:siç] *adj.* moderate (*in dat.* in); frugal; temperate, sober; moderate, reasonable (*price*); mediocre; middling, so-so; poor (*health, performance, etc.*); **~en** ['-gən] *v/t.* (*h.*) moderate; soften (down); mitigate, temper; lessen, abate (*a. econ.*); slacken (*speed*); tone down (*language*); *sich ~* moderate (o.s.), restrain (*or* control, check) o.s.; → *gemäßigt*; **2keit** *f* (-) moderation, frugality; temperance, sobriety; *econ.* reasonableness (*im Preis* of price); mitigation; restraint, self-control.

massiv [ma'si:f] *adj.* solid, massive; *fig.* heavy, powerful; *colloq. ~ werden* cut up rough; **2** *geol. n* (-s; -e) massif; **2gold** *n* solid gold.

'Maß...: ~krug *m* beer mug, *Am.* stein; **~liebchen** *bot. n* ox-eye daisy; **2los I.** *adj.* boundless; immoderate (*character*); excessive; extravagant; **II.** *adv.* beyond all bounds; immoderately; exceedingly; terribly, awfully; **~losigkeit** *f* (-; *-en*) boundlessness; immoderateness; excess; extravagance; **~nahme** ['-na:mə] *f* (-; *-n*), **~regel** *f* measure, step, action, arrangement, move; provision; *~n ergreifen or treffen* take measures *or* steps *or* action (*gegen* against); **2regeln** *v/t.* (*h.*) reprimand, take to task; discipline; *sports*: penalize; **~regelung** *f* reprimand; disciplinary punishment; *sports*: penalty; **~schneider** *m* bespoke tailor, *Am.* custom tailor; **~schneide'rei** *f* bespoke tailoring, *Am.* custom by tailor; fine tailoring shop; **~schuhe** *m/pl.* shoes made to measure, *Am.* custom-made shoes; **~stab** *m* measure, rule(r); *fig.* yardstick, standard, gauge; *of maps, etc.*: scale; *fig. in kleinem (großem, großartigem) ~* on a small (large, grand) scale; *verkleinerter ~* reduced scale; *e-n ~ abgeben für (acc.)* set the standard for; *e-n (anderen) ~ anlegen an (acc.)* apply a (different) standard to; **2stabgerecht** *adj.* true to scale; **2voll** *adj.* moderate, temperate; discreet; **~werk** *arch. n* (-[e]s) tracery; **~zeichnung** *f* dimensional drawing.

Mast[1] [mast] *m* (-es; *-en*) *mar.* (*a.* **~baum** *m*) mast; pole; mast, pylon.

Mast[2] [mast] *agr. f* (-; *-en*) fattening; mast, feed.

'Mastdarm *anat. m* rectum.

mästen ['mɛstən] *v/t.* (*h.*) fatten, feed; stuff (*goose*); flush (*sheep*); *sich ~* grow fat, batten (*an dat.* on), overfeed.

'Mast...: ~futter *n* food for fattening, mast; **~hühnchen** *n* fattened chicken.

Mastix ['mastiks] *m* (-[es]) mastic.

'Mastkorb *mar. m* crow's nest.

'Mast...: ~ochse *m* fattened ox; **~schwein** *n* fattened pig.

'Mästung *f* (-; *-en*) fattening.

'Mastvieh *n* fattened cattle.

Masurka [ma'zurka] *f* (-; *-s*) mazurka.

Matador [mata'do:r] *m* (-s; -e) matador.

Matchball ['mɛtʃ-] *m tennis*: match point.

Mater ['ma:tər] *typ. f* (-; *-n*) matrix.

Material [materi'a:l] *n* (-s; *-ien*) material; substance, stuff; stock-in-trade; *mil.* matériel; *tech. processing*: stock; equipment; stock, stores *pl.*; *rollendes ~* rolling-stock; *fig.* material, information, data; evidence; **~ermüdung** *f* material fatigue; **~fehler** *m* defect of material; fault (*or* flaw) in the material; **~ien** *pl.* materials.

materia|li'sieren *v/t.* (*h.*) materialize; **2'lismus** [-ria'lismus] *m* (-) materialism; **2'list** *m* (-en; *-en*) materialist; **~'listisch** *adj.* materialistic(ally *adv.*).

Materi'al...: ~kosten *pl.* cost(s) of material; **~prüfung** *f* testing of materials; **~sammelstelle** *f* salvage dump; **~schaden** *m* damage in material; **~schlacht** *mil. f* battle of material; **~waren** *f/pl.* groceries, *Am.* drugs; **~warenhändler** *m* grocer; dry-salter.

Materie [ma'te:riə] *f* (-; *-n*) matter (*a. med.* = pus; *a. fig.* = subject), stuff.

materiell [-teri'ɛl] **I.** *adj.* material; *phls.* intrinsic; pecuniary, financial; *jur. ~es Recht* substantive law; *~er Mensch* materialist; **II.** *adv.* in fact.

Mathematik [matema'ti:k] *f* (-) mathematics *sg.*, math; *reine (angewandte) ~* pure (applied) mathematics.

Matinee [mati'ne:] *f* (-; *-n*) **1.** peignoir (*Fr.*); **2.** *thea.* matinée.

Matjeshering ['matjəs-] *m* white herring, matie.

Matratze [ma'tratsə] *f* (-; *-n*) mattress; **~nschoner** *m* spring cover.

Mätresse [mɛ'trɛsə] *f* (-; *-n*) mistress, kept woman.

Matrikel [ma'tri:kəl] *f* (-; *-n*) register, roll.

Matrize [ma'tri:tsə] *tech. f* (-; *-n*) matrix, (lower) die; mo(u)ld; stencil; *auf ~ schreiben* stencil.

Matrone [ma'tro:nə] *f* (-; *-n*) matron; **2nhaft** *adj.* matronly.

Matrose [ma'tro:zə] *m* (-n; *-n*) sailor, seaman; *mil.* ordinary rating, *Am.* seaman recruit.

Ma'trosen...: ~anzug *m* sailor suit; **~jacke** *f* pea-jacket; **~kragen** *m* sailor-collar; **~lied** *n* sailor's song.

Matsch[1] [matʃ] *m* (-es) pulp, squash; mud, slush, sludge.

Matsch[2] *m* (-es; -e), **2** *adj. game*: capot; *~ machen* capot, sweep the board.

'matschig *adj.* squashy, pulpy; slushy, muddy.

'Matsch- und 'Schneereifen *mot. m* mud and snow tyre (*Am.* tire).

matt [mat] *adj.* lustreless, (*a. phot.*) mat(t); dull; dim, dull (*eyes*); dim, subdued (*light*); tarnished (*metal*); dead, dull (*gold*); frosted (*silver*); *~ geschliffenes Glas* ground (*or* frosted) glass; *el.* non-glare (*bulb*); faint, feeble, weak; exhausted, jaded; limp, flabby; faint (*voice*); spent (*bullet*); *econ.* dull, lifeless, slack (*market, etc.*); *chess*: mate; *j-n ~ setzen* checkmate a p.; flat, dull; pointless, stale (*joke*); **~blau** *adj.* pale-blue.

Matte ['matə] *f* (-; *-n*) **1.** meadow; pasture; **2.** mat; door-mat; *wrestling*: *zur ~!* on the mat!

'Matt...: ~eisen *n* white pig iron; **~farbe** *f* mat(t) (*or* deadening) colo(u)r; **2geschliffen** *adj.* ground, frosted; **~glanz** *m* dull finish; **~glas** *n* ground (*or* frosted) glass; **~gold** *n* dead gold.

Matthäus [ma'te:us] *m* (*-thäi*) Matthew; *colloq. mit ihm ist's Matthäi am letzten* it's all over with him; **~evangelium** *n* (-s) Gospel according to St. Matthew.

'Mattheit *f* (-) dimness, dul(l)ness; tiredness, lassitude; faintness; *econ.* lifelessness, dul(l)ness.

mat'tieren *tech. v/t.* (*h.*) dull, deaden, give a mat finish to; frost (*glass*); tarnish (*metal*).

'Mattigkeit *f* (-) exhaustion, feebleness, lassitude; faintness.

'Matt...: ~scheibe *phot. f* focus(s)ing screen, ground glass screen; *fig.* haze, fuddle; *colloq.* blackout; **2schleifen** *tech. v/t.* (*irr., h.*) grind, frost; **~setzen** *n* (-s) *chess*: checkmating; **~vergoldung** *f* dead-gilding; *in ~* dead-gilt.

Maturitäts... [maturi'tɛ:ts-]: *in compounds* → *Abiturienten..., Reife...*

Matz [mats] *m* (-es; -e) → *Piepmatz.*

Mätzchen ['mɛtsçən] *colloq. n* (-s; -) tricks, antics, pranks *pl.*; frills, gadgets *pl.*; *~ machen* play tricks, make trouble; *keine ~!* none of your tricks!

Mauer ['mauər] *f* (-; *-n*) wall; **~absatz** *m* (-es; ⸚e) offset; **~anschlag** *m* poster; **~blümchen** *n* wallflower (*a. fig.*); **~brüstung** *f* cornice; **~kalk** *m* mortar; **~kranz** *m*, **~krone** *f* mural crown; **2n I.** *v/i.* (*h.*) make a wall, lay bricks; *sports*: stone-wall; *cards*: risk nothing; **II.** *v/t.* (*h.*) build (in stone *or* brick); **~pfeffer** *m* stone-crop; **~schwalbe** *f* black martin, swift; **~stein** *m* (building) brick; **~werk** *n* masonry, brickwork.

Mauke ['maukə] *f* (-) *vet.* malanders *pl.*, scurf.

Maul [maul] *n* (-[e]s; ⸚er) mouth, → *Mund*; jaws *pl.*; muzzle, snout; *vulg. of persons*: snout, *sl.* potato-

-trap; ~ *und Nase aufsperren* stand gaping, be flabbergasted; *ein böses (or loses)* ~ *haben* have a malicious (*or* loose) tongue; *das* ~ *halten* hold one's tongue; keep mum (*über acc.* about); *halt's* ~! shut up!; *nicht aufs* ~ *gefallen sein* always have a ready answer, have the gift of the gab; *j-m übers* ~ *fahren* cut a p. short; **~affe** *colloq. m* jackanapes *sg.*, booby; *~n feilhalten* stand gaping (about), lounge about; **~beerbaum** *m* mulberry-tree.

Mäulchen ['mɔʏlçən] *n* (-s; -) little mouth; *colloq.* kiss; *ein* ~ *machen* pout; sulk.

'**maulen** *v/i.* (h.) pout (one's lips); be sulky; grumble.

'**Maul...:** **~esel(in** *f*) *m* (*f* she-)mule, hinny; **~eseltreiber** *m* mule-driver, muleteer; **2faul** *adj.* too lazy to talk, taciturn; *~e Person sl.* oyster, *Am.* clam; *er ist wirklich* ~ he hasn't a word to throw at a dog; **~fäule** *vet. f* flaps *pl.*; **~held** *m* braggart; **~korb** *m* muzzle; **~schelle** *f* slap in the face; **~schlüssel** *tech. m* open-ended spanner; **~sperre** *f* lockjaw; **~tier** *n* mule; **~trommel** *f* Jew's harp; **~- und Klauenseuche** *f* foot-and-mouth disease; **~werk** *colloq. n* (-[e]s) (*gutes* ~ gift of the) gab; **~wurf** *m* (-[e]s; ⸚e) mole; **~wurfsgrille** *f* mole cricket; **~wurfshügel** *m* mole-hill.

Maure ['maurə] *m* (-n; -n) Moor.

Maurer ['maurər] *m* (-s; -) bricklayer, mason; **~arbeit** *f* bricklaying; brickwork; **~geselle** *m* journeyman mason; **~handwerk** *n* (-[e]s) masonry, bricklaying; **~kelle** *f* trowel; **~meister** *m* master mason; **~polier** *m* foreman bricklayer.

'**maurisch** *adj.* Moorish.

Maus [maus] *f* (-; ⸚e) mouse; *anat.* thenar.

mauscheln ['mauʃəln] *v/i.* (h.) talk Yiddish; *w.s.* jabber.

Mäus-chen ['mɔʏsçən] *n* (-s; -) little mouse, mousie; *fig.* darling, pet, *Am.* honey; *anat.* funny-bone; **2still** *adj.* (as) quiet as a mouse, stockstill.

Mäuse ['mɔʏzə] *pl. of Maus*: mice; **~bussard** *m* common buzzard; **~falle** *f* mouse-trap; *fig.* death-trap; **~gift** *n* ratsbane; **~loch** *n* mouse-hole.

mausen ['mauzən] **I.** *v/i.* (h.) catch mice; **II.** *v/t.* (h.) filch, swipe.

Mauser ['mauzər] *f* (-) moult(ing); *in der* ~ *sein* be moulting; **2n** *v/i.* (h.) *and sich* ~ moult.

'**mausetot** *adj.* stone-dead, quite dead; (as) dead as mutton.

'**mausgrau** *adj.* mouse-grey.

'**mausig** *adj.*: *sich* ~ *machen* give o.s. airs, be uppish (*or Am.* snooty).

'**Mausloch** *n* mouse-hole.

Maximal... [maksi'ma:l] *in compounds* maximum, maximal, → *höchst...*; **~betrag** *m* maximum (amount), *econ.* limit.

Maxime [-'ksi:mə] *f* (-; -n) maxim.

Maximum ['-ksimum] *n* (-s; *-ma*) maximum; *of curve*: peak; **~thermometer** *n* maximum thermometer.

Mazedon|ien [matse'do:niən] *n* (-s) Macedonia; **~ier(in** *f*) *m* (-s, -; -, -nen), **2isch** *adj.* Macedonian.

Mayonnaise [majɔ'nɛ:zə] *f* (-; -n) mayonnaise.

Mäzen [mɛ'tse:n] *m* (-s; -e) Maecenas; patron.

Mechan|ik [me'ça:nik] *f* (-) *phys.* mechanics *sg.*; *tech.* (*pl.* -en) mechanism; **~iker** *m* (-s; -) mechanic(ian); **2isch** *adj.* mechanical, automatic (*both a. fig.*); *tech.* *~e Bewegung* mechanically operated movement; *~e Presse* power press; *~er Webstuhl* power loom; *~e Werkstatt* engineering workshop.

mechani'sier|en *v/t.* (h.) mechanize; **2ung** *f* (-; -en) mechanization.

Mechanismus [-ça'nismus] *m* (-; -men) mechanism, *esp. of watch*: *a.* works *pl.*

mecha'nistisch *adj.* mechanistic; *~e Weltanschauung* mechanism.

Mecker|er ['mɛkərər] *m* (-s; -) grumbler, grouser, *Am.* griper; **2n** *v/i.* (h.) bleat; *fig.* grumble, carp (*über acc.* at), grouse, *Am.* gripe, crab.

Medaille [me'daljə] *f* (-; -n) medal; → *Kehrseite*; **~nträger(in** *f*) *m* *sports*: medallist, medal-winner.

Medaillon [medal'jõ] *n* (-s; -s) medaillon; locket.

Medikament [medika'mɛnt] *n* (-[e]s; -e) medicament, medicine; drug.

Medikus ['me:dikus] *m* (-; *-dizi*) medical man.

mediterran [meditɛ'ra:n] *adj.* mediterranean.

Medium ['me:dium] *n* (-s; *-ien*) medium.

Medizin [medi'tsi:n] *f* (-) medicine; *Doktor der* ~ doctor of medicine (*abbr.* M.D.).

Medizinal|behörde [meditsi'na:l-] *f* Board of Health; **~rat** *m* (-[e]s; ⸚e) public health officer; **~waren** *f/pl.* (medicinal) drugs.

Medi'zin...: **~ball** *m* medicine ball; **~er** *m* (-s; -) medical student; medical man, physician; **~flasche** *f* medicine-bottle; phial.

mediziniert [-tsi'ni:rt] *pharm. adj.* medicated.

medi'zinisch *adj.* medical; medicinal; medicated (*soap, etc.*).

Medi'zinmann *m* (-[e]s; ⸚er) medicine-man.

Meer [me:r] *n* (-[e]s; -e) sea, ocean; *fig. ein* ~ *von* a sea of; *das offene* ~ the main, the high seas *pl.*; *am* ~(e) on the seashore, at the seaside, maritime; *auf dem* ~(e) at sea, on the high seas; *jenseits des ~es* oversea, transmarine; '**~busen** *m* gulf, bay; '**~enge** *f* strait(s *pl.*), channel.

'**Meeres...:** **~arm** *m* arm (*or* branch, inlet) of the sea; **~boden** *m* sea-bottom; **~brandung** *f* surf, breakers *pl.*; **~grund** *m* sea-bottom; **~höhe** *f* (height above) sea-level; *umgerechnet auf* ~ corrected to sea-level; **~kunde** *f* (-) oceanography; **~küste** *f* sea-coast, shore; **~leuchten** *n* phosphorescence of the sea; **~spiegel** *m* (-s) (*über dem* ~ above) sea-level; **~stille** *f* calm (at sea); **~strand** *m* sea-shore, beach; **~strömung** *f* ocean-current, *mar.* drift; **~ufer** *n* sea-shore, beach.

'**Meer...:** **~gott** *m* sea-god, Neptune; **2grün** *adj.* sea-green; **~jungfer** *f* mermaid; **~katze** *zo. f* long-tailed (*or* green) monkey; **~rettich** *bot. m* horse-radish; **~salz** *n* sea salt; **~schaum** *m* (-[e]s) sea froth; *min.* meerschaum; **~schaumpfeife** *f* meerschaum (pipe); **~schwein** *zo. n* porpoise, sea-hog; **~schweinchen** ['-ʃvaınçən] *zo. n* (-s; -) guinea-pig; **2umschlungen** ['-umʃluŋən] *adj.* sea-girt; **~ungeheuer** *n* sea-monster; **2wärts** ['-vɛrts] *adj.* seawards; **~wasser** *n* (-s) sea-water; **~weib** *n* mermaid.

Megahertz ['mega-] *n* megacycles per second (*abbr.* Mc/s).

Megalozephalie [megalotsefa'li:] *f* (-) megalocephalia.

Megaphon [-'fo:n] *n* (-s; -e) megaphone.

Megäre [me'gɛ:rə] *f* (-; -n) *myth.* Megaera, Fury; *fig.* fury, vixen, termagant.

'**Megatonne** *f* megaton.

'**Megavolt** *el. n* megavolt.

Mehl [me:l] *n* (-[e]s; -e) flour; meal; dust, powder; '**~brei** *m* (meal-)pap; '**2ig** *adj.* floury, mealy, farinaceous; '**~käfer** *m* meal-beetle; '**~kleister** *tech. m* paste; '**~kloß** *m* (plain) dumpling; '**~sack** *m* flour-bag; '**~sieb** *n* bolter; '**~speise** *f* farinaceous food; *süße* ~ sweet dish, pudding; '**~suppe** *f* gruel; '**~wurm** *m* mildew, blight; '**~zucker** *m* ground sugar.

mehr [me:r] *adv.* more (*als* than), *with figures a.* over, upwards of, → *über*; ~ *als* **a**) in excess of, exceeding, **b**) rather than; ~ *als genug* more than enough, enough and to spare; *Jugendliche im Alter von 14 Jahren und* ~ adolescents of the age of 14 plus; *nicht* ~ no more, *as to time usu.* no (*or* not any) longer; *nicht* ~ *lange* not much longer; *und dergleichen* ~ and the like; *und andere* ~ and some others; ~ *und* ~ more and more, increasingly; *immer noch* ~ still more and more; ~ *oder weniger* more or less; *nicht* ~, *nicht minder* neither more nor less; *um so* ~ so much the more; *um so* ~ *als* all the more than; ~ *denn je* more than ever; *ich habe niemand (nichts)* ~ I have no one (nothing) left; *du bist kein Kind* ~ you are no longer a child; *er ist* ~ *ein Techniker* he is more of an engineer; *ich kann nicht* ~ I am all in, *w.s.* I am at the end of my tether; *kein Wort* ~ (*davon*) I won't hear another word about it; *was will er* ~? what more does he want?, what else did he expect?; **Mehr** *n* (-[s]) majority; increase; surplus, excess.

'**Mehr...:** **~achsantrieb** *m* multiple-axle drive; **~arbeit** *f* added (*or* extra) work; *in plant*: surplus work, overtime; **~aufwand** *m*, **~ausgaben** *f/pl.* additional expenditure; **2bändig** ['-bɛndiç] *adj.* in several volumes; **2basisch** *chem. adj.* polybasic; **~bedarf** *m* excess demand, additional requirements *pl.*; **~belastung** *f* increased (*or* extra) load; overload; **~bestand** *m* surplus stock; **~betrag** *m* surplus; extra charge; **2deutig** ['-dɔʏtiç] *adj.* ambiguous; **~deutigkeit** *f* (-; *-en*) ambiguity; **~einkommen** *n* excess of income; **~einnahme(n** *pl.*) *f* additional receipts *pl.*

'mehren *v/t.* (*h.*) *and sich* ~ increase, multiply, augment; *sich* ~ *a.* propagate, grow.

'mehrere *adj. and indef. pron.* several, some, a few; divers, sundry; *~s n* various things *or* matters, sundries *pl.*

mehrerlei ['-ərlaɪ] *adj.* various kinds of, various, divers, sundry.

'Mehr...: **~erlös** *m* over-proceeds *pl.*; **~ertrag** *m* increment, surplus; **~ertragssteuer** *f* increased profits tax; **♀fach** ['-fax] **I.** *adj.* manifold, repeated; (*a. tech.*) multiple, *el.* multiplex; **II.** *adv.* repeatedly, several times; **~fache**(s) *n* (*-n*) multiple; **~fachkabel** *n* multi-conductor cable; **~fachkondensator** *el. m* multiple unit capacitor; **~fachschalter** *el. m* gang(ed) switch; **~fachschaltung** *el. f* multiple connection; **~fachstecker** *m* multiple plug; **~farbendruck** *m* (-[e]s; -e) multicolo(u)r print(ing); **♀farbig** *adj.* polychromatic; **~ganggetriebe** *mot. n* multiple-speed gear; **♀gängig** *tech. adj.*: *~es Gewinde* multiple thread; *~e Schraube* multiple thread screw; *el. ~e Wellenwicklung* multiplex winding; **~gebot** *n* higher bid; **~gepäck** *n* excess luggage; **~gewicht** *n* overweight; **~gitterröhre** *el. f* multigrid valve; **♀gleisig** *adj.* multiple-tracked; **~heit** *f* (-; *-en*) plurality, majority; *parl. mit einfacher* (*knapper, großer*) ~ by a simple (bare, vast) majority; *mit zehn Stimmen* ~ by a majority of ten; **~heitsbeschluß** *m*, **~heitsentscheidung** *f* majority vote; *durch* ~ by a majority of votes, *Am.* by a plurality; **~heitswahlrecht** *n* majority voting; **♀jährig** *adj.* several years old; of several years, *esp. bot.* perennial; **~kampf** *m sports*: all-round competition; **~kosten** *pl.* additional expense *sg.*, added costs; extra charges; **~kreisempfänger** *m radio*: multi-circuit receiver; **~ladegewehr** *n*, **~lader** ['-la:dər] *m* (*-s*; -) repeater gun, magazine rifle; **~leistung** *f* increased performance, *tech. a.* increased efficiency *or* output; *insurance*: extended benefits *pl.*; **~leiterkabel** *el. n* multiple-core cable; **~lieferung** *econ. f* delivery of a higher quantity; **♀malig** ['-ma:liç] *adj.* repeated; **♀mals** ['-ma:ls] *adv.* several times, repeatedly; **♀motorig** *adj.* multi-engined; **~parteiensystem** *n* multi-party system; **~phasenstrom** *m* polyphase current; **♀polig** *el. adj.* multipolar; **~porto** *n* additional postage; **~preis** *m* surplus price; extra charge; **♀seitig** *adj.* polygonal; *pol.* multilateral, multipartite (*treaty*); **♀silbig** *adj.* polysyllabic; **~sitzer** *aer. m* (*-s*; -) multiseater; **♀sprachig** *adj.* polyglot; in two or more languages; **♀stellig** *adj. number*: with more than one digit; **♀stimmig** *adj.* (arranged) for several voices, concerted; *~er Gesang* part-song; **♀stöckig** *adj.* multi-story; **♀stufig** *adj.* multi-stage; **♀stündig** ['-ʃtyndiç], (**♀tägig**) *adj.* of several hours' (days') duration; **♀teilig** *adj.* consisting of several parts, *tech. a.* multisectional; **~ung** *f* (-; *-en*) increase, multiplication; propagation; **~verbrauch** *m* excess consumption; **~wert** *m* (-[e]s) surplus value; increment value; **~wertsteuer** *f* added value tax; **♀wertig** *chem. adj.* polyvalent; **~zahl** *f gr.* plural (number); greater part, majority; *die überwiegende* ~ *von* the great majority of; the bulk of, most of; **~zweck...** *in compounds* general-purpose ..., multipurpose ..., general-utility ...

meiden ['maɪdən] *v/t.* (*irr., h.*) avoid, shun, keep clear of.

Meierei [maɪə'raɪ] *f* (-; *-en*) (dairy-) farm.

Meile ['maɪlə] *f* (-; *-n*) mile; *englische* ~ British (*or* statute) mile; → *See♀*; (*zurückgelegte*) *~n* mileage; **~nstein** *m* milestone; **♀nweit** *adj. and adv.* (extending) for miles, miles and miles of, very far (away); ~ *auseinander* miles apart; *fig. j-m* ~ *überlegen* heads and shoulders above *a p.*; **~nzahl** *f* mileage.

Meiler ['maɪlər] *m* (*-s*; -) charcoal-kiln *or* -pile; → *Atom♀*; **~kohle** *f* charcoal.

mein [maɪn] **I.** *poet.* = *~er* (*gen. of ich*): *gedenke* ~ remember me; **II.** *adj. and pron. poss.* my; *~e Damen und Herren!* Ladies and Gentlemen!; *es ist* ~ it is mine (*or* belongs to me); *~er m, ~e f, ~es n with art. der* (*die, das*) *~(ig)e* mine; *die ♀(ig)en pl.* my family, my people; *seine Arbeit und* (*die*) *~e* his works and mine; *ich habe das ~e getan* I have done all I can (*or* my bit, my best); *♀ n* (*-en*; *-en*): *das* ~ *und Dein* mine and thine.

Meineid ['maɪnˀaɪt] *m* (-[e]s; -e) perjury; **♀ig** ['-ˀaɪdiç] *adj.* perjured; ~ *werden* perjure (*or* forswear) o.s., *jur.* commit perjury; **~ige(r** *m*) ['-ˀaɪdigə(r)] *f* (*-n, -n*; *-n, -n*) perjurer.

meinen ['maɪnən] *v/t. and v/i.* (*h.*) think, believe, be of (the) opinion, *Am. a.* reckon, guess; suppose; say; assert; suggest; mean (to say); mean, intend, have in view; ~ *Sie?* do you think so?; *wie* ~ *Sie das?* what do you mean by that?; *das will ich* ~! I should think so!; *wie* ~ *Sie?* I beg your pardon?; *was* ~ *Sie dazu?* what do you say to (*or* think of) that?; ~ *Sie das ernst?* do you (really) mean it?; *wie du meinst!* if you say so!, as you like!; *damit sind wir gemeint* that's meant for us; *er meinte ihn* he was speaking of him; *man sollte* ~ one would think; *er meint es gut* he means well; *er hat's nicht böse gemeint* he meant no harm; *so war es nicht gemeint* I didn't mean it that way.

'meiner → *mein*; **~seits** ['-zaɪts] *adv.* for (*or* on) my part, as far as I am concerned; *ich* ~ I for one.

meines|gleichen ['-əs'glaɪçən] *pron.* people like me, the like(s) of me, my equals, such as I; **~teils** *adv.* on my part.

meinet|halben ['-ət'halbən], **~'wegen,** (**um**) **~'willen** *adv.* for my sake; on my behalf; because of me, on my account; for all I care; I don't mind (*or* care)!, as you like!

meinige ['-igə] → *mein.*

'Meinung *f* (-; *-en*) opinion (*über acc., von* about, of), view, idea (of); judg(e)ment; belief; meaning; *die öffentliche* ~ (the) public opinion, *Brit. a.* Mrs. Grundy; *vorgefaßte* ~ prejudice, preconceived idea; *meiner* ~ *nach* in my opinion, to my mind, as I see it; *der* ~ *sein, daß* be of opinion that, hold that; *anderer* ~ *sein als j-d* disagree with a p. (*über acc.* about); *ich bin leider anderer* ~! I beg to differ!; *derselben* ~ *sein wie j-d* agree (*or* see eye to eye) with a p., share a p.'s opinion; *geteilter* ~ *sein* be in two minds (*über acc.* as to, on); *eine gute* (*or hohe*) ~ *haben von* (*dat.*) have a high opinion of, think highly of; *seine* ~ *ändern* revise one's opinion (*über acc.* of), change one's mind (about); *j-m* (*gehörig*) *die* ~ *sagen* give a p. a piece of one's mind, tell a p. a thing or two.

'Meinungs...: **~äußerung** *f* expression of (one's) opinion, statement; **~austausch** *m* exchange of views (*über acc.* on); **~befragung, ~forschung** *f* opinion-poll(ing), opinion research (poll), demoscopy; **~forscher** *m* interrogator, *Am.* pollster; **~forschungsinstitut** *n* polling institute; **~umfrage** *f* opinion research poll; **~verschiedenheit** *f* difference (of opinion), disparity of views; disagreement, argument (*über acc.* about).

Meise ['maɪzə] *orn. f* (-; *-n*) titmouse (*pl.* titmice).

Meißel ['maɪsəl] *m* (*-s*; -) chisel; **♀n** *v/t. and v/i.* (*h.*) chisel; carve.

meist [maɪst] **I.** *adj.* most (of); greatest; *die ~en Leute* most (*or* the majority of) people; *s-e ~e Zeit* most of his time; *die ~en pl.* most people, the greater number, the (great) majority; *die ~en von uns* most of us; *das ~e* the greater (*or* best) part, most (*or* the bulk) of it; **II.** *adv.*: *am ~en* most (of all); *am ~en bekannt* best known; *~(ens), ~enteils* mostly, in most cases, for the most part, usually, generally, as a rule.

'Meist...: **♀begünstigt** *adj.* most-favo(u)red; **~begünstigung** *f customs*: preference; most-favo(u)red nation treatment; **~begünstigungs...** preferential; most-favo(u)red nation *clause, etc.*; **♀bietend I.** *adj.* bidding highest, offering most; **II.** *adv.*: ~ (*or an den ♀en*) *verkaufen* sell to the highest bidder; sell by auction.

meisten|s, ~teils *adv.* → *meist* II.

Meister ['maɪstər] *m* (*-s*; -) master; (*craftsman*) registered master (*usu. in compounds, e.g. Bäcker♀* master baker), boss; *in plant*: foreman; *sports*: champion; *ein wahrer* ~ *a* past-master (*in dat.* in); *ein* ~ *im Schachspiel* a first-class chess-player; *freemasonry*: ~ *vom Stuhl* Master of the Lodge; *fig.* ~ *werden* (*gen.*) master *a th.*; *s-n* ~ *finden* meet one's match; *Übung macht* den ~ practice makes perfect; → *Himmel*; **~fahrer** *mot. m* crack driver; **♀haft I.** *adj.* masterly, accomplished; **II.** *adv.* in a masterly manner, in perfect style, brilliantly; **~hand** *f* master-hand; **~in** *f* (-; -nen) mistress, master's wife; *sports*: woman champion, championess; **♀lich** *adj.* → *meisterhaft*; **♀n** *v/t.* (*h.*) master (*a. fig. language, rage, etc.*); *j-n a.* get the better of *a p.*; surpass, outdo; control, meet (*difficult situation*); **~prüfung** *f* examination for the title of master; **~schaft** *f* (-; -en) mastery, mastership; masterly skill; *sports*: championship, title, crown; *~en pl.* championships, championship competition; e-e ~ *erringen* win a championship, gain a title, become a champion; **~schafts-anwärter** *m* aspirant to the title; **~schaftsspiel** *n* championship match; **~schuß** *m* best (*or* excellent) shot; **~schütze** *m* crack shot; champion shot; **~schwimmer** *m* top-flight swimmer; **~singer** *m* (-s; -) mastersinger; **~stück, ~werk** *n* master-piece; **~titel** *m*, **~würde** *f* mastership; *sports*: → *Meisterschaft*.

'**Meist...:** **~gebot** *n* highest bid, best offer; **♀gekauft, ♀verkauft** *econ. adj.* best-selling; **♀gelesen** *adj.* most read; most widely circulated.

Melancholie [melaŋko'li:] *f* (-; -*n*) melancholy; **Melancholiker(in** *f*) [-'ko:likər-] *m* (-s, -; -, -*nen*) hypochondriac, melancholy person; **melan'cholisch** *adj.* melancholy, gloomy.

Melange [me'lɑ̃:ʒə] *f* (-; -*n*) mixture, blend.

Melasse [me'lasə] *f* (-; -*n*) molasses *pl.*, treacle.

Melde|amt ['mɛldə-], **~büro** *n* registration office; *teleph.* record section; **~dienst** *aer. m* warning service; **~fahrer** *mil. m* dispatch rider; **~gänger** ['-gɛŋər] *mil. m* (-s; -) (dispatch) runner, messenger; **~hund** *mil. m* messenger dog; **~kopf** *mil. m* (advance) message cent|re, *Am.* -er; **~liste** *f* *sports*: list of entries.

'**melden** *v/t. and v/i.* (*h.*): *j-m et.* ~ inform (*or* advise) a p. of a th.; *adm.* notify (*or* report) a th. to a p.; announce (*dat.* to); report (to *the police, etc.*); tell, state; *newspaper*: report; *cards*: call; *sports*: (*v/i. and sich* ~) enter (*zu* for); *tech.* signal; *er ließ ihm* ~, *daß* he sent him word that; *sich* ~ announce o.s. (*bei* to), present o.s. (at), *adm.* report (to; *zur Arbeit*: for work); register (*bei* with *the police, etc.*); *am Telephon*: answer *the telephone*; *econ. creditor*: come forward; *fig.* make itself felt; *age*: be telling (*bei j-m* on); *winter, etc.*: set in; *stomach*: demand food, be rattling; *sich auf ein Inserat* ~ answer an ad(vertisement); *mil. sich krank* ~ report sick, go on sick-call; *sich zu or für et.* ~ apply for, volunteer for, *mil.* enlist with; *zum Examen*: enter (one's name) for *an examination*; *sich zum Wort* ~ ask leave to speak, *ped., etc.*: put one's hand up; *sich* ~ *lassen* send in one's name; *er wird sich schon* ~ he will make himself heard.

'**Melde...:** **~pflicht** *f* (-) duty of reporting (o.s.); duty of registration; **♀pflichtig** *adj.* notifiable, subject to registration; **~quadrat** *n* *map*: reference square; **~r** *mil. m* (-s; -) → *Meldefahrer, -gänger, -reiter*; **~reiter** *mil. m* mounted messenger; **~schluß** *m* (-sses) *sports*: closing date for entries; **~stelle** *f* registration office, control office; *mil.* local reporting office; **~tasche** *f* dispatch case; **~zettel** *m* registration-form.

'**Meldung** *f* (-; -*en*) information, advice; announcement, notification, notice; (*telegraphic, etc.*) message; report; return; (*newspaper, etc.*) report, news *sg.*; *adm.* registration; application; *sports*: entry; ~ *machen* (*von*) → *melden*.

melier|en [me'li:rən] *v/t.* (*h.*) mix, mottle, blend; **♀papier** *n* mottled paper.

Melioration [melioratsi'o:n] *f* (-; -*en*) (a)melioration; (*agr.* soil) improvement.

Melisse [me'lisə] *bot. f* (-; -*n*) balm (-mint); **~ngeist** *m* (-es) balm spirit, carmelite water.

Meliszucker ['me:lis-] *m* (coarse) loaf-sugar.

melk [mɛlk] *adj.* giving milk, milch; '**♀eimer** *m* milking-pail; '**~en** *v/t. and v/i.* (*irr., h.*) milk; *~de Kuh* → *Milchkuh*; *colloq. fig.* fleece, bleed; **♀en** *n* (-s) milking; **♀er(in** *f*) *m* (-s, -; -, -*nen*) milker; **♀faß** *n*, **♀kübel** *m* → *Melkeimer*; **♀schemel** *m* milking-stool.

Melodie [melo'di:] *f* (-; -*n*) melody; tune, air; **melodiös** [-di'ø:s], **melodisch** [-'lo:diʃ] *adj.* melodious, tuneful.

Melo'drama *n* melodrama; **melodra'matisch** *adj.* melodramatic.

Melone [me'lo:nə] *f* (-; -*n*) *bot.* melon; *colloq.* bowler(-hat), *Am.* derby.

Meltau ['me:ltaʊ] *agr. m* (-s) mildew, blight; *von* ~ *befallen* mildewy, blighted.

Membran|(e) [mɛm'brɑ:n(ə)] *f* (-; -*n*) *anat.* membrane; *tech.* diaphragm; **~schwingung** *f* diaphragm oscillation.

Memme ['mɛmə] *f* (-; -*n*) coward, poltroon.

Memoiren [memo'ɑ:rən] *n/pl.* memoirs.

Memorandum [-'randum] *n* (-s; -*den*) memorandum (*as note a. abbr.* memo).

memo'rieren *v/t.* (*h.*) commit to memory, memorize; learn by heart.

Menagerie [menaʒə'ri:] *f* (-; -*n*) menagerie.

Menge ['mɛŋə] *f* (-; -*n*) quantity; amount; volume; *math.* aggregate, set; multitude; host, sea; heap, pile; *tech.* batch; swarm, *of people*: *a.* crowd, throng; mob, horde; → *Masse*; *große* ~ great *or* large quantity (*or* number); *in großer* ~ **a)** in abundance, **b)** in crowds; → *rauh*; *eine ganze* ~ quite a lot; e-e ~ *Geld* plenty (*or* lots, heaps) of money; e-e ~ *Bücher* a great many (*or* a lot of) books; e-e ~ *Schwierigkeiten* a great deal of trouble; e-e ~ *Lügen* a pack of lies.

'**mengen** *v/t.* (*h.*) mix, blend; *sich* ~ mix, mingle (*unter acc.* with); *fig. sich* ~ *in* (*acc.*) meddle (*or* interfere) with, poke one's nose in, butt in.

'**Mengen...:** → *Massen...*; **~anteil** *m* constituent amount; **~bestimmung** *f* quantitive determination; **~einheit** *f* unit of quantity; **~leistung** *tech. f* productive capacity, output; **♀mäßig** *adj.* quantitative; *~er Umsatz* quantity turnover; **~nachlaß, ~rabatt** *m* quantity rebate; **~verhältnis** *n* relative proportions *pl.*

'**Meng...:** **~futter** *agr. n* mixed feed; **~gestein** *geol. n* conglomerate; **~sel** ['-zəl] *n* (-s; -) medley, hodge-podge, mess.

Meniskus [me'niskus] *m* (-; -*ken*) meniscus.

Mennig ['mɛniç] *m* (-[e]s), **~e** ['-igə] *f* (-) minium, red lead.

Mensch [mɛnʃ] **1.** *m* (-*en*; -*en*) human being; (*collect.* der ~) man; person, individual, *colloq.* fellow, *Am.* guy; mortal; *die ~en pl.* people, the world, → *~heit*; *jeder* ~ everybody, all the world; *kein* ~ nobody, not a (living) soul; *unter die ~en kommen* mix with people, go into society; *ich bin auch nur ein* ~ I am only human; *colloq.* ~! man alive!, *Am.* brother!, oh boy!; → *denken*; **2.** *vulg. n* (-es; -er) hussy, slut, baggage; **♀ ärgere dich nicht** *n* (-) (*game*) ludo.

'**Menschen...:** **~affe** *m* anthropoid ape; **♀ähnlich** *adj.* manlike, anthropoid; **~alter** *n* age; generation; lifetime; **~art** *f* race (of men); **~blut** *n* human blood; **~feind(in** *f*) *m* misanthropist; **♀feindlich** *adj.* misanthropic(ally *adv.*); **~fleisch** *n* human flesh; **~fresser(in** *f*) *m* man-eater, cannibal; **~fresse'rei** *f* (-) cannibalism; **~freund(in** *f*) *m* philanthropist, humanitarian; **♀freundlich** *adj.* philanthropic(ally *adv.*), humanitarian; **~freundlichkeit** *f* (-) philanthropy; benevolence, kindness; **~führung** *f* (-) guidance of men; personnel management; **~gedenken** *n*: *seit* ~ within the memory of man, in living memory; from time immemorial; **~geschlecht** *n* (-[e]s) human race, mankind; **~gestalt** *f*: *in* ~ in human shape; incarnate; **~gewühl** *n* throng, milling crowd; **~hand** *f* hand of man; **~handel** *m* slave-trade; **~haß** *m* misanthropy; **~hasser(in** *f*) *m* misanthrope; **~herz** *n* human heart; **~jagd** *f* manhunt; **~kenner** (**-in** *f*) *m* judge of men (*or* human nature); **~kenntnis** *f* (-) knowledge of human nature; **~kind** *n* human being; *armes* ~ poor creature (*or* dear); **~kunde** *f* (-) anthropology; **~leben** *n* human life, life of man; lifetime; *verlorene* ~ *pl.* casualties, fatalities; *Verlust an* ~ *vermeiden* prevent loss of life; **♀leer** *adj.* deserted; **~liebe** *f* (-) human kindness, philanthropy; **~masse, ~menge** *f* crowd (of people), throng; mob; **~material** *n* (-s) human stock; (*verfügbares*) ~ manpower; **♀möglich** *adj.* within human power, humanly possible; *das* ~*e* all that is humanly possible, every mortal thing; **~opfer** *n* human sacrifice; **~potential** *n* human resources *pl.*, manpower (reserves *pl.*); **~raub** *m* kidnapping, *jur.* abduction; **~räuber** *m* kidnapper; **~rechte** *n/pl.* human rights; **~reservoir** *n* → *~potential*; **~scheu** *f* shyness, unsociableness; **♀scheu** *adj.* shy, unsociable; **~schinder** *m* oppressor, slave-driver; **~schinde'rei** *f* (-) slave-driving; **~schlag** *m* (-[e]s) race (of men); **~seele** *f* human soul; *keine* ~ not a living soul; **~s-kind** *colloq. n*: ~*!* man alive!, oh boy!; **~sohn** *eccl. m* (-[e]s) Son of Man; **~stimme** *f* human voice; **♀unwürdig** *adj.* degrading; **~verächter** *m* despiser of mankind, cynic; **~verstand** *m* human understanding; *gesunder* ~ common sense; **~werk** *n* work of man; **~würde** *f* (-) dignity of man; **♀würdig** *adj.* worthy of human being.

'Menschheit *f* (-) mankind, humanity, human race.

'menschlich *adj.* human; *fig. a.* humane; tolerable; *nach* ~*er Voraussicht* as far as we can foresee, by all known odds; *sollte mir et.* ♀*es zustoßen* if anything should happen to me; *das ist alles* ~ it's all human nature; **♀keit** *f* (-) human nature; humaneness, humanity; *Verbrechen gegen die* ~ crime against humanity.

Menschwerdung ['-ve:rduŋ] *f* (-) anthropogenesis; *eccl.* incarnation.

Menstru|ation [mɛnstruatsi'o:n] *f* (-; -*en*) menstruation, menses; period; **~ations...** *in compounds* menstrual; **♀'ieren** *v/i.* (*h.*) menstruate.

Mensur [mɛn'zu:r] *f* (-; -*en*) measure, diapason; *chem.* measuring glass; *fenc.* distance; student's duel; duelling-ground; *auf die* ~ *gehen* fight a (students') duel.

Mentalität [mɛntali'tɛ:t] *f* (-; -*en*) mentality.

Menthol [mɛn'to:l] *n* (-*s*) menthol.

Menü [me'ny:] *n* (-*s*; -*s*) menu.

Menuett [menu'ɛt] *n* (-[e]*s*; -*e*) minuet.

Me'nükarte *f* menu(-card).

mephistophelisch [mefisto'fe:liʃ] *adj.* Mephistophelian, diabolical.

Mergel ['mɛrgəl] *geol. m* (-*s*; -) marl; **~boden** *m* marly soil; **~grube** *f* marl-pit; **♀n** *agr. v/t.* (*h.*) (manure with) marl.

Meridian [meridi'ɑ:n] *ast. m* (-*s*; -*e*) meridian; *durch den* ~ *gehen* culminate; **~bogen** *m* arc of the meridian.

meridional [-dio'nɑ:l] *adj.* meridional.

Merino [me'ri:no] *m* (-*s*; -*s*) **1.** *zo.* **~(schaf** *n*) merino(-sheep); **2.** **~(wolle** *f*) merino(-wool).

merk|bar ['mɛrk-] *adj.* perceptible, noticeable; retainable; → *merklich*; **♀blatt** *n* leaflet, memorandum, instructional pamphlet; supplement; **♀buch** *n* note-book, memo(randum) book.

'merken I. *v/i.* (*h.*): ~ *auf* (*acc.*) pay attention to, listen to; **II.** *v/t.* (*h.*) mark; note down; notice, perceive; feel, sense; suspect; realize; be aware of, know; find out, discover; *sich et.* ~ remember (*or* retain) a th.; make a mental note of a th.; ~ *Sie sich das!* remember (*or* mind) that!; *das werde ich mir* ~ **a)** I will bear that in mind, **b)** that shall be a lesson to me; *merke wohl!*, *wohl zu* ~*!* mark my words!, mind you!; *es war zu* ~, *daß* it was noticeable (*or* plain) that; *er hat et. gemerkt* he smelled a rat; ~ *lassen* show, betray, let on; *sich nichts* ~ *lassen* not to show (*or* betray) one's feelings, *etc.*, look unconcerned, act as if nothing had happened.

'merklich I. *adj.* perceptible, noticeable; considerable, appreciable; distinct, evident, visible; marked; *keine* ~*e Besserung* no appreciable improvement; **II.** *adv.*: ~ *schwanken* vary markedly; *die Produktion* ~ *herabsetzen* cut production measurably.

Merkmal ['-mɑ:l] *n* (-[e]*s*; -*e*) mark, sign; characteristic, *a. patent law*: feature; distinctive mark, *biol.* character; symptom; attribute, property; criterion; sign, badge; **~träger** *biol. m* gene.

Merkur [mɛr'ku:r] *m* (-*s*) Mercury.

'Merk...: ~wort *n* (-[e]*s*; ⸚*er*) catch-word; *thea.* cue; **♀würdig** *adj.* noteworthy, remarkable; strange, odd, curious, funny; **♀würdigerweise** ['-vyrdigər'vaɪzə] *adv.* strange to say, strangely (*or* oddly) enough; **~würdigkeit** ['-vyrdiç-kaɪt] *f* (-; -*en*) remarkableness; remarkable thing, curiosity; sight; peculiarity; strangeness, oddness; **~zeichen** *n* mark; → *Merkmal*.

merzerisieren [mɛrtseri'zi:rən] *tech. v/i.* (*h.*) mercerize.

meschugge [me'ʃugə] *colloq. adj.* crazy, nuts.

Mesner ['mɛsnər] *eccl. m* (-*s*; -) sexton; *R.C.* sacrist(an).

Mesotron ['me:zotrɔn] *phys. n* (-*s*; -'*tronen*) mesotron.

Meß|amt ['mɛs-] *n eccl.* (service of the) mass; **~analyse** *chem. f* volumetric analysis; **~apparat** *m* measuring instrument; **~band** *n* (-[e]*s*; ⸚*er*) (measuring) tape, tape-measure; **♀bar** *adj.* measurable; **~becher** *m* beaker; **~bereich** *m* measuring range; **~bild** *n* photogram; **~bildverfahren** *n* photogrammetry; **~blatt** *tech. n* measuring-value sheet; **~brücke** *el. f* measuring bridge; **~buch** *eccl. n* missal; **~diener** *eccl. m* acolyte.

Messe ['mɛsə] *f* (-; -*n*) *eccl.* mass; fair; *Frankfurter* ~ Frankfurt Fair; *mil.* mess(-room); ~ *lesen* say mass; **~amt** *econ. n* office of the fair; **~besucher(in** *f*) *m* visitor at a fair, fairgoer; **~gelände** *n* fair ground.

messen ['mɛsən] **I.** *v/t.* (*irr.*, *h.*) measure, take the measurement of; *tech.* measure; meter; ga(u)ge, caliper; *mar.* sound; time, *sports*: *a.* clock; *fig.* measure, eye, size *a p.* up; *sich mit j-m* ~ compete (*or* cope, grapple) with a p.; match wits with a p.; race a p.; *sich nicht* ~ *können mit j-m*: be no match for *a p.*, *e-r Sache*: not to stand comparison with *a th.*; *gemessen an* measured against, compared with, considering; **II.** *v/i.* (*irr.*, *h.*) measure, be ... long *or* high, stand (*six feet*); contain.

Messer ['mɛsər] *n* (-*s*; -) knife; razor; dagger; blade; *med.* scalpel; *of machine tool*: cutter; *fig. Krieg bis aufs* ~ war to the knife; *auf des* ~*s Schneide* on the razor's edge; → *Kehle*; *mit dem* ~ *stechen* (stab with a) knife; *j-n ans* ~ *liefern* give a p. up (to); **~bänkchen** ['-bɛŋkçən] *n* (-*s*; -) knife-rest; **~flug** *aer. m* vertical side-slip; **~griff** *m*, **~heft** *n* knife-handle; **~held** *m* cutthroat; **~klinge** *f* knife-blade; **~kontakt** *el. m* blade contact; **~kopf** *tech. m* cutter head, *Am.* milling cutter; **~rücken** *m* back of a knife; **~schalter** *el. m* knife-switch; **♀scharf** *adj.* razor-edged; *fig.* razor-sharp, keen-edged; **~scheibe** *tech. f* cutter (*or* knife) disk; **~schmied** *m* cutler; **~schmiedewaren** *f/pl.* cutlery; **~schneide** *f* knife-edge; **~spitze** *f* point of a knife; **~stecher** *m* cutthroat; **~stecherei** [-ʃtɛçə'raɪ] *f* (-; -*en*) knife-battle, knifing; **~stich** *m* thrust (*or* stab) with a knife.

'Messestand *m* booth *or* stall (at a fair).

'Meß...: ~fahne *f* surveyor's flag; **~fehler** *m* error in measurement; **~funkenstrecke** *el. f* comparison spark gap; **~gefäß** *n* graduated measuring vessel; **~gerät** *n* measuring instrument; ga(u)ge; meter; **~gewand** *eccl. n* chasuble; **~glas** *n* graduate(d measuring glass), burette; **~hemd** *n* alb.

Messing ['mɛsiŋ] *n* (-*s*) brass; **~blech** *n* sheet-brass, brass plate; **~draht** *m* brass wire; **♀en** *adj.* (of) brass, brazen; **~gießer** *m* brass founder; **~gieße'rei** *f* brass-foundry; **~guß(stück** *n*) *m* brass casting; **~ware** *f* brass ware.

'Meß...: ~instrument *n* measuring instrument; **~kelch** *eccl. m* chalice; **~kette** *f* surveyor's chain; **~kolben** *m* measuring flask; **~kunde** *f* (-) surveying; **~latte** *f* surveyor's (*or* stadia) rod; **~leine** *f* measuring line; **~opfer** *eccl. n* (sacrifice of the) mass; **~schnur** *f* (-; ⸚*e*) measuring cord; **~stab** *mot. m* dipstick; **~technik** *f* science *or* technique of measurement; **~tisch** *m* surveyor's (*or* plane) table; **~tischblatt** *n* ordnance (survey) map, plane table map; **~trupp** *m* survey section; *mil.* spotting team; **~tuch** *eccl. n* Communion-cloth; **~uhr** *f* meter.

'Messung *f* (-; -*en*) measurement; ga(u)ging; surveying; mensuration; test(ing); reading; *mar.* sounding.

Meß...: ~wert *m* measured value, test result, datum (*usu. pl.* data); reading; **~ziffer** *f* index number; **~zirkel** *m* bow spacer.

Mestiz|e [me'sti:tsə] *m* (-*n*; -*n*), **~in** *f* (-; -*nen*) mestizo.

Met [me:t] *m* (-[e]*s*) mead.

Metall [me'tal] *n* (-*s*; -*e*) metal; (*un*)*edles* ~ precious (base) metal; *of voice*: timbre; **~arbeiter** *m* metal worker; **~baukasten** *m* metal architectural box, *Am.* erector set; **~be-arbeitung** *f* metal working; **~beschläge** ['-bəʃlɛ:gə] *m/pl.* metal fittings; **~bestand** *m* bullion (*or* specie) in hand; **~blech** *n* sheet-metal, metal plate; **2en** *adj.* (of) metal, metallic; **~folie** *f* metal foil; *mil. anti-radar*: chaff; **~geld** *n* (-[e]s) specie, coins *pl.*; **~gewebe** *n* wire cloth (*or* gauze); **~gieße'rei** *f* metal foundry; **2haltig** *adj.* metalliferous; **~hütte** *f* nonferrous smelter; **~industrie** *f* metal industry; **2isch** *adj.* metallic; **2isieren** *v/t.* (*h.*) metallize; **~karbid** *n* metal (*or* cemented) carbide; **~keramik** *f* powder metallurgy; **~kunde** *f* (-) metallography; **~oxyd** *n* metallic oxide; **~platte** *f* metal plate *or* sheet; **~putzmittel** *n* metal-buffing compound; **~säge** *f* hacksaw; **~schlauch** *m* flexible metal tube; **~spritzen** *n* (-s), **~spritzverfahren** *n* metal spraying; **~überzug** *m* metal coat; metal plate.

Metallurgie [-ur'gi:] *f* (-) metallurgy; **metal'lurgisch** *adj.* metallurgic(al).

Me'tall...: **2verarbeitend** *adj.*, **~verarbeitung** *f* metal working; **~verbindung** *f* metallic compound; **~vergiftung** *f* metallic poisoning; **~vorrat** *m* bullion reserve; **~währung** *f* metallic standard; **~waren** *f/pl.* metal wares, hardware *sg.*

Metamorphose [metamɔr'fo:zə] *f* (-; -*n*) metamorphosis, transformation.

Metapher [me'tafər] *f* (-; -*n*) metaphor.

Metaphy'sik [meta-] *f* metaphysics *pl.*, *usu. sg.*; **meta'physisch** *adj.* metaphysical.

'Meta...: **~säure** *f* meta acid; **~stase** [-'stɑ:zə] *f* (-; -*n*) metastasis; **~verbindung** *f* meta compound.

Meteor [mete'ʔo:r] *n and m* (-*s*; -*e*) meteor; **~eisen** *n* meteoric iron.

Meteorit [-ʔo'ri:t] *m* (-*s*; -*e*) meteorite.

Meteorologe [-ʔoro'lo:gə] *m* (-*n*; -*n*) meteorologist; **Meteorologie** [-lo'gi:] *f* (-) meteorology; **meteorologisch** [-'lo:giʃ] *adj.* meteorological; **~e** *Station* weather-bureau.

Mete'or...: **~schwarm** *m* meteoric shower; **~stein** *m* meteorite.

Meter ['me:tər] *n and m* (-*s*; -) met|re, *Am.* -er (*abbr.* m = 39.37 inches); **~maß** *n* metric measure (-ment); pocket rule, tape-measure; **~sekunde** *f* metre per second; **~ware** *f* goods *pl.* sold by the metre; yard(ed) goods *pl.*; **2weise** *adv.* by the metre; **~welle** *f* very high frequency wave.

Methan [me'tɑ:n] *n* (-*s*) methane.

Method|e [me'to:də] *f* (-; -*n*) method; system, policy; way (of doing things); *tech.* method, process, technique; **~ik** *f* (-; -*en*) methodics; **2isch** *adj.* methodical.

Methodist(in *f*) [-to'dist-] *m* (-*en*, -*en*; -, -*nen*) Methodist.

Methodologie [-todolo'gi:] *f* (-; -*n*) methodology.

Methylalkohol [me'ty:l-] *m* methyl alcohol.

Methylen [mety'le:n] *n* (-*s*) methylene.

Metr|ik ['me:trik] *f* (-) metrics *pl.*, prosody; **2isch** *adj.* metric(al).

Metronom [metro'no:m] *mus. n* (-*s*; -*e*) metronome.

Metropole [-'po:lə] *f* (-; -*n*) metropolis.

Metrum ['me:trum] *n* (-*s*; -*tren*) metre.

Mette ['mɛtə] *eccl. f* (-; -*n*) matins *pl.*

Metteur [me'tø:r] *typ. m* (-*s*; -*e*) maker-up, clicker.

Mettwurst ['mɛt-] *f* Bologna sausage.

Metze ['mɛtsə] *f* (-; -*n*) harlot, strumpet, bitch.

Metzelei [mɛtsə'laɪ] *f* (-; -*en*) slaughter, massacre; **'metzeln** *v/t.* (*h.*) butcher, slaughter.

'Metzelsuppe *f* pudding broth.

Metzger ['-gər] *m* (-*s*; -) butcher; **Metzge'rei** *f* (-; -*en*) butcher's shop; **'Metzgergang** *m* useless errand.

Meuchel|mord ['mɔʏçəl-] *m* (foul) assassination; **~mörder(in** *f*) *m* assassin; **2n** *v/t. and v/i.* (*h.*) assassinate.

meuch|lerisch ['-ləriʃ] *adj.* murderous; treacherous; **~lings** ['-liŋs] *adv.* treacherously, foully.

Meute ['mɔʏtə] *f* (-; -*n*) pack (of hounds); *fig.* gang.

Meuterei [mɔʏtə'raɪ] *f* (-; -*en*) mutiny, *w.s.* sedition.

'Meuter|er *m* (-*s*; -) mutineer; **2n** *v/i.* (*h.*) mutiny, mutineer; **2nd** *adj.* mutinous.

Mexikan|er(in *f*) [mɛksi'kɑ:nər-] *m* (-*s*, -; -, -*nen*), **2isch** *adj.* Mexican.

Mezzosopran ['mɛtso-] *m* mezzo-soprano.

miauen [mi'aʊən] *v/i.* (*h.*) mew, caterwaul.

mich [miç] (*acc. of ich*) me; **~** (*selbst*) myself; *ich blickte hinter* **~** I looked behind me.

Michaeli(s) [miça'ʔe:li(s)] *n* (-) Michaelmas.

Michel ['miçəl] *m* (-*s*; -): *der deutsche* **~** Fritz.

mick(e)rig ['mik(ə)riç] *colloq. adj.* puny, scrawny; feeble; paltry.

mied [mi:t] *pret. of meiden.*

Mieder ['mi:dər] *n* (-*s*; -) bodice; corset; **~waren** *f/pl.* foundation garments, corsetry *sg.*

Mief [mi:f] *colloq. m* (-[e]s) fug.

Miene ['mi:nə] *f* (-; -*n*) air, countenance, mien; feature; look; *überlegene* (*unschuldsvolle*) **~** air of superiority (innocence); *eine ernste* **~** *aufsetzen* look stern; *eine finstere* **~** *machen* look black, frown, scowl; *gute* **~** *zum bösen Spiel machen* put a good face upon it; **~** *machen et. zu tun* offer (*or* threaten) to do a th.; be about to do a th.; *ohne die* **~** *zu verziehen* without flinching, without turning a hair; **~nspiel** *n* (-[e]s), **~nsprache** *f* (-) play of the features; mimicry, pantomime.

mies [mi:s] *colloq. adj.* seedy, out of sorts; miserable, poor; awkward, bad, awful; **2epeter** ['mi:zəpe:tər] *colloq. m* (-*s*; -) cross-patch, sour-puss; **2macher** *m* alarmist, croaker, *Am.* calamity howler; **2muschel** *zo. f* (eatable) mussel.

Miet|ausfall ['mi:t-] *m* loss of rent; **~auto** *n* hired car; **~besitz** *m* tenancy; **~dauer** *f* period of lease; tenancy.

'Miete[1] *f* (-; -*n*) lease; hire; (house-) rent; tenancy; *in* **~** *geben* give on lease; *in* **~** *wohnen* live in lodgings, be a tenant.

Miete[2] ['mi:tə] *f* (-; -*n*) *agr.* stack, rick, shock; clamp; pit; *zo.* mite.

'mietefrei *adj.* rent-free.

'Miet-einnahme *f* rent.

'mieten *v/t.* (*h.*) (take on) lease, rent; hire; charter.

'Miet-entschädigung *f* house rent allowance.

'Mieter(in *f*) *m* (-*s*, -; -, -*nen*) tenant; lodger, *Am.* roomer; *jur.* lessee; hirer; charterer.

Miet-erhöhung *f* increase in rent.

'Mieter...: **~schaft** *f* (-) tenantry; **~schutz** *m* tenants' protection.

'Miet-ertrag *m* rental.

'Mietervereinigung *f* tenants' association.

'Miet...: **~flugzeug** *n* charter-plane; **2frei** *adj.* rent-free; **~haus** *n* house to let, tenement house, block of flats, *Am.* apartment house; **~kaserne** *f* tenement house, rookery; **~kontrakt** *m* → *Mietvertrag*; **~kutsche** *f* hackney-coach; **~ling** ['-liŋ] *m* (-[e]s; -*e*) *contp.* hireling, mercenary; **~preis** *m* rent; **~recht** *n* tenant-right; **~truppen** *f/pl.* mercenary troops; **~verhältnis** *n* tenancy; **~verlust** *m* loss of rent; **~vertrag** *m* tenancy agreement; lease; *mar.* charter party; **~wagen** *mot. m* hired car; **~wagenverleih** car-hire service; **2weise** *adv.* on lease; on hire; **~wert** *m* rental value; **~wohnung** *f* lodgings *pl.*, *a.* flat, *Am.* apartment; **~zins** *m* (house-) rent; **~zinssteuer** *f* rent tax.

Miez(e) ['mi:ts(ə)] *f* (-; -[e]*n*) puss, pussy(-cat).

Migräne [mi'grɛ:nə] *f* (-; -*n*) migraine, sick headache.

Mikroanalyse ['mikro-] *chem. f* microanalysis.

Mikrob|e [mi'kro:bə] *f* (-; -*n*) microbe; **~entätigkeit** *f* (-) bacterial activity.

'Mikrobiologie *f* microbiology.

mi'krobisch *adj.* microbial.

'Mikro...: **~chemie** *f* microchemistry; **~film** *m* microfilm; **~kokkus** ['-kɔkus] *m* (-; -'*kokken*) micrococcus; **~'kosmos** *m* microcosm; **~'meter** *m* (-*s*; -) micrometer; **~'meterschraube** *tech. f* micrometric screw, fine adjustment; **~n** *n* (-*s*; -) micron; **~organismus** *m* micro-organism; **~phon** [-'fo:n] *n* (-*s*; -*e*) microphone; **~photographie** *f* microphotography; **~sekunde** *f* micro-second; **~skop** [-'sko:p] *n* (-*s*; -*e*) microscope; **2sko'pieren** *v/t.* (*h.*) (examine by the) microscope; **2'skopisch** *adj.* microscopic(al); **~waage** *f* microbalance; **~wellen** *f/pl.* microwaves.

Milb|e ['milbə] *f* (-; -*n*) mite; **2ig** *adj.* mity.

Milch [milç] *f* (-) milk; *dicke* (*or saure*) **~** curdled (*or* sour) milk; *geronnene* **~** curds *pl.*; *of fish*: milt, soft roe; *chem.* emulsion; *fig. wie* **~** *und Blut* like lilies and roses; **'~bar** *f* milk bar; **'~bart** *m fig.* milksop; **'~brei** *m* milk-pap; **'~brot, '~brötchen** *n* (French) roll; **'~bruder** *m* foster-brother; **'~drüse** *f* mammary gland; **'2en** *v/i.* (*h.*)

give milk; '~er *ichth. m* (-s; -) milter; '~erzeugnisse *n/pl.* dairy products; '~fieber *vet. n* milk fever; '~flasche *f* milk bottle; '~gebiß *n* milk dentition; '~gefäße *anat. n/pl.* lacteal vessels; '~geschäft *n* dairy, creamery; '~glas *n* milk-glass; opal(escent) *or* frosted glass; '~halle *f* milk bar; '2haltig *adj.* lactiferous; '~händler *m* dairy man, milkman; '~händlerin *f* milk-woman; '~handlung *f* dairy, creamery; '2ig *adj.* of milk, milky; lacteal; '~kaffee *m* (-s) coffee with milk, white coffee; '~kanne *f* milk-can; '~kuh *f* milk cow; '~kur *f* milk-cure; '~laden *m* dairy, creamery; '~mädchen *n* milkmaid; '~mädchenrechnung *colloq. fig. f* naive assessment; '~mann *m* (-[e]s; ⁿer) milkman, dairyman; '~messer *m* (-s; -) milk-gauge, lactometer; '~pan(t)scher *m* adulterator of milk; '~pulver *n* powdered (*or* evaporated) milk; '~reis *m* rice-pudding; '~saft *m bot.* milky juice; *physiol.* chyle; '~säure *f* lactic acid; '~schleuder(maschine) *f* (cream) separator; '~schorf *med. m* milk crust; '~speise *f* milk-food; '~straße *ast. f* Milky Way, Galaxy; '~suppe *f* milk-soup; *colloq.* (*fog*) pea-soup; '~vieh *n* dairy cattle; '~wagen *m* milk-float; '~wirtschaft *f* (-) dairy; dairy-farm(ing); '~zahn *m* milk-tooth; '~zucker *chem. m* milk-sugar, lactose.

mild [milt], ~e ['mildə] **I.** *adj.* mild; soft; mellow, smooth (*wine*); gentle; indulgent; lenient; charitable; → *Gabe*; mild, lenient (*punishment*); **II.** *adv.*: ~ *gesagt* to put it mildly; et. ~ *beurteilen* take a lenient view of a th.

'**Milde** *f* (-) → *mild*; mildness; softness; smoothness; gentleness; indulgence, leniency; charitableness, kindness; ~ *walten lassen* be lenient *or* merciful.

'**milder|n** *v/t.* (*h.*) soften, mitigate; soothe, alleviate (*pain*); temper, qualify; relieve, relax; moderate; mitigate, commute (*penalty*); *chem.* correct; *sich* ~ grow mild(er), soften; *jur.* ~*de Umstände* extenuating *or* mitigating circumstances; *w.s.* ~*de Umstände zubilligen* make allowances (*wegen* for); 2ung (-) *f* mitigation; softening; alleviation; qualification; relaxation; *chem.* correction; *jur. für* ~ *der Strafe plädieren* plead in mitigation; 2ungsgrund *m* extenuating cause.

'**mild...**: ~herzig *adj.* charitable; 2herzigkeit *f* (-) charitableness; ~tätig *adj.* charitable; ~*e Zwecke* charities; 2tätigkeit *f* (-) charity.

Milieu [mil'jø:] *n* (-s; -s) environment (*a. chem.*), (social) surroundings *pl.*, (atmo)sphere; class, circles *pl.*; company; local colo(u)r; 2bedingt *adj.* environmental; ~schilderung *f* background description; ~theorie *f* environmental theory.

Militär [mili'tɛ:r] **1.** *n* (-s) military, armed forces *pl.*; army; military personnel, (*a. contp.*) soldiery; (military) service; *zum* ~ *gehen* enter the service, join the army (*or* up); **2.** *m* (-s; -s) military man, soldier; 2ähnlich *adj.* paramilitary; ~anwärter *m* soldier entitled to civil employment; ~arzt *m* medical officer; army surgeon; ~attaché *m* military attaché; ~behörden *f/pl.* military authorities; ~bündnis *n* military alliance; ~diktatur *f* military dictatorship; ~dienst *m* (military) service; → *Wehr...*; ~gefängnis *n* military prison; ~geistliche(r) *m* (army) chaplain; ~gericht *n* military court; *Internationales* ~ International Military Tribunal; ~gerichtsbarkeit *f* military jurisdiction; ~gesetzbuch *n* code of military law; ~gouverneur *m* military governor; ~hilfe *f* military assistance; ~intendantur *f* commissariat; 2isch *adj.* military; soldierly, martial.

militarisier|en [militari'zi:rən] *v/t.* (*h.*) militarize; 2ung *f* (-) militarization.

Militaris|mus [-'rismus] *m* (-) militarism; ~t *m* (-en; -en) militarist; 2tisch *adj.* militaristic.

Mili'tär...: ~kapelle *f* military band; ~macht *f* military power; ~marsch *mus. m* military march; ~mission *f* military mission; ~musik *f* military music; military band; ~person *f* military person, member of the armed forces; ~personal *n* military personnel; ~pflicht *f* (-) → *Wehrpflicht*; ~polizei *f* military police (*abbr.* M.P.); ~putsch *m* military coup; ~regierung *f* military government; ~seelsorge *f* (military) religious welfare; ~strafanstalt *f* detention (*Am.* disciplinary) barracks; ~strafgesetzbuch *n* military penal code; ~zeit *f* (-) time of (military) service.

Miliz [mi'li:ts] *f* (-; -en) militia; ~soldat *m* militia man.

Millennium [mi'lɛnium] *n* (-s; -ien) millenary.

Milliampere ['mili-] *el. n* milliampere.

Milliardär(in *f*) [miliar'dɛ:r-] *m* (-s, -e; -, -nen) multi-millionaire; **Milli'arde** *f* (-; -n) a thousand millions, milliard, *Am.* billion.

Milli'meter *n and m* (mm) millimet|re, *Am.* -er; ~papier *n* graph paper; ~welle *f* millimetric wave; extremely high frequency (*abbr.* EHF).

Million [mili'o:n] *f* (-; -en) million; 5 ~*en Dollar* five million dollars; *zwei* ~*en Besucher* two million(s of) visitors; *in die* ~*en gehen* run into millions; **Millionär(in** *f*) [-o'nɛ:r-] *m* (-s, -e; -, -nen) millionaire(ss *f*); **milli'onste** *adj.*, 2l ['-stəl] *n* (-s; -) millionth.

Milz [milts] *anat. f* (-; -en) spleen, milt; *in compounds usu.* splen(et)ic; ~brand *vet. m* (-[e]s) anthrax; 2krank *adj.* splenetic; ~krankheit *f*, ~sucht *f* (-) splenopathy; 2süchtig *adj.*, ~süchtige(r *m*) *f* splenetic, hypochondriac.

Mim|e ['mi:mə] *thea. m* (-n; -n) actor, tragedian; 2en *v/t.* (*h.*) *thea.* act, personate; mimic; pose as, assume the air of; ~ik *f* (-) mimic art, mimicry; ~iker *m* (-s; -) mimic; 2isch *adj.* mimic.

Mimose [mi'mo:zə] *bot. f* (-; -n) mimosa; 2nhaft *adj. fig.* (over-) sensitive, delicate.

Minarett [mina'rɛt] *n* (-s; -e) minaret.

minder ['mindər] **I.** *adv.* less; *nicht* ~ no less, likewise; → *mehr*; **II.** *adj.* less(er); smaller; minor; inferior; 2ausgabe *f* reduced expenditure; *econ.* reduced issue; 2bedarf *m* reduced demand; ~begabt *adj.* less gifted, subnormal; ~bemittelt *adj.* of moderate means; 2betrag *m* deficit, short(age); 2bewertung *f* depreciation, undervaluation; 2einnahme *f* shortfall in receipts; 2ertrag *m* decrease of yield, falling-off in output; 2gebot *n* lower bid; 2gewicht *n* underweight, short weight; 2heit *f* (-; -en) minority; 2heitenfrage *f* minorities question; 2heitenkabinett *n* minority party cabinet; ~jährig *adj.* under age, minor; 2jährige(r *m*) ['-jɛ:rigə-] *f* (-n, -n; -n, -n) minor, infant; 2jährigkeit ['-jɛ:riçkaɪt] *f* (-) minority; 2lieferung *f* short delivery; ~n *v/t.* (*h.*) *and sich* ~ diminish, lessen, decrease; reduce, lower, abate; slacken (*speed*); impair (*rights*); depreciate (*value*); 2umsatz *m* decrease in turnover, falling-off in sales; 2ung *f* (-; -en) decrease, diminution; reduction, abatement; depreciation (*of value*); *jur.* voidance; impairment (*of rights*); 2wert *m* undervalue; inferiority; ~wertig *adj.* inferior, of inferior value (*or* quality); low-grade, substandard; cheap; *chem.* of lower valence; 2wertigkeit *f* inferior value, inferiority; inferior quality; *chem.* lower valence; 2wertigkeitsgefühl *n* inferiority feeling; 2wertigkeitskomplex *m* inferiority complex; 2zahl *f* (-) minority; *in der* ~ *sein* be in the minority.

mindest ['mindəst] **I.** *adv.* least, smallest, lowest; **II.** *adj. and su.* (the) least; slightest; minimum; → *gering*; *nicht die* ~*e Aussicht* not the slightest chance; *nicht im* ~*en* not in the least, not at all, by no means; *zum* ~*en* at least, at the (very) least; 2alter *n* (-s) minimum age; 2anforderungen *f/pl.* minimum requirements; 2arbeitszeit *f* minimum working hours *pl.*; 2auflage *f* minimum circulation; 2einkommen *n* minimum income; ~ens ['-əns] *adv.* at least, at the (very) least; no less than, not under; 2gebot *n* lowest bid; 2gehalt *n* minimum salary; 2lohn *m* minimum wage; 2maß *n* minimum; *auf ein* ~ *herabsetzen* minimize; 2preis *m* minimum price, floor (price); 2tarif *m* minimum scale; 2wert *m* minimum value; 2zahl *f* minimum; *parl., etc.* quorum.

Mine ['mi:nə] *f* (-; -n) *mining, a. mil.*: mine; *of pencil*: lead; *of ball pen*: cartridge; refill; *mil. scharfe* ~ armed mine; *auf eine* ~ *laufen* hit a mine; ~*n legen* lay mines, mine; ~*n suchen* locate (*mar.* sweep for) mines.

'**Minen...**: ~bombe *f* high explosive bomb, blockbuster; ~falle *f* booby-trap; ~feld *n* mine field; ~flug-

zeug *n* mine-laying aircraft; **~gasse** *f* minefield lane; **~leger** ['-le:gər] *mar. m* (-s; -) minelayer; **~räumboot** *n* motor minesweeper; **~räumen** *n* minesweeping; **~sperre** *f* mine barrier; mine road block; **~suchboot** *n* mine-sweeper; **~suchgerät** *n* mine detector; **~suchstab** *m* mine probing rod; **2verseucht** *adj.* mine-infested; **~werfer** *m* (trench-)mortar, mine-thrower.

Mineral [minə'rɑ:l] *n* (-s; -ien) mineral; **~bad** *n* mineral bath; **~bestandteil** *m* mineral constituent; **~brunnen** *m* mineral (*or* thermal) spring; **~ien** *pl.* minerals; **~ienkunde** *f* (-) mineralogy; **2isch** *adj.* mineral.

Minera|log(e) [-ra'lo:k, -gə] *m* (-[e]n; -[e]n) mineralogist; **~logie** [-lo'gi:] *f* (-) mineralogy; **2logisch** [-lo:giʃ] *adj.* mineralogical.

Mine'ral...: **~öl** *n* mineral oil; **~quelle** *f* → *Mineralbrunnen*; **~reich** *n* (-[e]s) mineral kingdom; **~wasser** *n* (-s; ⸚) mineral water, minerals.

Miniatur [minia'tu:r] *f* (-; -en) miniature; **~ausgabe** *f* miniature edition; **~elektronik** *f* miniature electronics; **~gemälde** *n* → *Miniatur*; **~male'rei** *f* miniature painting.

Minier|arbeit [mi'ni:r-] *f* sapping; *fig.* intriguing; **2en** *v/t.* (*h.*) sap, (under)mine.

minimal [mini'mɑ:l] *adj.* minimal, minimum; *fig.* insignificant, trifling; **2betrag** *m* lowest amount, minimum; **2gehalt** *m* minimum content; **2strom** *el. m* minimum current.

Minimum ['mi:nimum] *n* (-s; -ma) minimum.

'Mini|rock *m* mini-skirt; **~spion** *m* bug.

Minister [mi'nistər] *m* (-s; -) minister, *Brit.* Secretary of State; *Am.* Secretary.

Ministerial|ausschuß [ministeri'ɑ:l-] *m* ministerial committee; **~be-amte(r)** *m* official of a ministerial department; **~direktor** *m* ministerial director; **~dirigent** *m* assistant director in a ministry; **~erlaß** *m* ministerial order; **~rat** *m* (-[e]s; ⸚e) superior counsellor in a ministerial department.

ministeriell [-i'ɛl] *adj.* ministerial.

Ministerium [-'te:rium] *n* (-s; -ien) ministry, *Brit.* Office, *Am.* Department.

Mi'nister...: **~präsident** *m* Prime Minister, Premier; **~rat** *m* (-[e]s; ⸚e) Cabinet Council.

Ministrant [mini'strant] *eccl. m* (-en; -en) ministrant.

Minne ['minə] *poet. f* (-) love; **~sang** *m* (-[e]s) minnesong; **~sänger** *m* minnesinger.

Minorität [minori'tɛ:t] *f* (-; -en) minority.

minus ['mi:nus] *adj.* minus, less, deducting; 6 ~ 4 (6 - 4) six minus four; **2** *n* (-), **2betrag** *m* deficiency; *econ.* deficit, short(age); **2bürste** *el. f* negative brush; **2gläser** *opt. n/pl.* concave lenses.

Minuskel [mi'nuskəl] *f* (-; -n) minuscule, small letter.

'Minus...: **~pol** *el. m* negative element, minus plate; **~zeichen** *n* minus sign.

Minute [mi'nu:tə] *f* (-; -n) minute; moment; *auf die* ~ to the (very) minute; *es klappte auf die* ~ it was perfectly timed; **2nlang I.** *adj.* lasting a minute *or* (for) several minutes; minutes of ...; **II.** *adv.* for (several) minutes; **2nweise** *adv.* by the minute, from minute to minute; **~nzeiger** *m* minute-hand.

minuziös [minutsi'ø:s] *adj.* minute, *w.s.* detailed.

Minze ['mintsə] *bot. f* (-; -n) mint.

mir [mi:r] (*dat. of ich*) me, to me; *refl.* (to) myself; *er gab es* ~ he gave it (to) me; ~ *ist kalt* I feel cold; *ich wusch* ~ *die Hände* I washed my hands; *ein Freund von* ~ a friend of mine; *du bist* ~ *ein schöner Freund* a fine friend you are; *von* ~ *aus* → *meinetwegen*; ~ *nichts, dir nichts* without ado *or* ceremony, as cool as you please; *wie du* ~, *so ich dir* tit for tat.

Mirabelle [mira'bɛlə] *f* (-; -n) yellow plum.

Mirakel [mi'rɑ:kəl] *n* (-s; -) miracle.

mirakulös [miraku'lø:s] *adj.* miraculous.

Misanthrop [mizan'tro:p] *m* (-en; -en) misanthropist.

'Misch|apparat ['miʃ-] *m* mixer; **~art** *f* cross-breed; **2bar** *adj.* miscible, mixable; **~barkeit** *f* (-) miscibility; **~becher** *m* shaker; **~behälter** *m* mixing tank; **~ehe** *f* mixed marriage.

'mischen *v/t.* (*h.*) *and sich* ~ mix, mingle; blend; *metall.* alloy; *chem.* combine; compound; cross (*races*); adulterate; shuffle (*cards*); *film, radio, TV*: mix; *sich* ~ *unter* (*acc.*) mix (*or* mingle) with *the crowd*; *sich* ~ *in* (*acc.*) interfere in, meddle with, *ins Gespräch*: join in, butt in, cut in; → *gemischt*.

'Misch...: **~er** *m* (-s; -) mixer (*a. TV*); **~farbe** *f* mixed colo(u)r; **~futter** *n* mixed provender; **~gefäß** *n* mixing vessel; shaker; **~getränk** *n* shake; **~ling** ['-liŋ] *m* (-[e]s; -e) hybrid (*a. bot.*), mongrel, cross-breed; (*person*) half-caste, half-breed; **~masch** ['-maʃ] *m* (-es; -e) hodgepodge, medley; jumble; **~maschine** *f* mixing machine, mixer; **~pult** *n radio, TV*: mixer unit; **~rasse** *f* cross-breed, mongrel race; **~röhre** *el. f* mixer valve (*Am.* tube); **~sprache** *f* mixed (*or* hybrid) language.

'Mischung *f* (-; -en) mixture; blend; *chem.* combination, composition; alloy; adulteration; *fig. mit einer* ~ *aus Liebe und Furcht* with mingled love and fear; **~sverhältnis** *n* mixing ratio.

'Misch...: **~volk** *n* mixed race; **~wald** *m* mixed forest; **~wolle** *f* mixed wool; **~wort** *n* (-[e]s; ⸚er) blend-word.

miserabel [mize'rɑ:bəl] *adj.* miserable, lousy.

Misere [mi'ze:rə] *f* (-; -n) misery, miseries *pl.*; calamity.

Mispel ['mispəl] *bot. f* (-; -n) medlar(-tree).

miß|'achten [mis-] *v/t.* (*h.*) disregard, ignore, neglect; slight, despise; **'2achtung** *f* disregard, neglect; disdain; *jur.* ~ *des Gerichts* contempt of court; **'~behagen** *v/i.* (*h.*): *j-m* ~ displease a p.; **'2behagen** *n* uncomfortable feeling, uneasiness; dislike; displeasure; **'~bilden** *v/t.* (*h.*) misshape; **'2bildung** *f* (-; -en) malformation, deformity, disfigurement; **~'billigen** *v/t.* (*h.*) disapprove (of), frown (at, upon); **~'billigend** *adj.* (*adv.*) disapproving(ly); **'2billigung** *f* disapproval, disapprobation; rejection; **'2brauch** *m* abuse; misuse, improper use; **~'brauchen** *v/t.* (*h.*) abuse (*a.* = *violate, rape*), take (unfair) advantage of; misuse, misapply; **~bräuchlich** ['-brɔyçliç] *adj.* improper; **~'deuten** *v/t.* (*h.*) misinterpret, misconstrue; → *mißverstehen*; **'2deutung** *f* misinterpretation, false construction.

missen ['misən] *v/t.* (*h.*) miss; do without, dispense with, spare.

'Miß...: **~erfolg** *m* failure, fiasco, flop; **~ernte** *f* bad harvest, crop failure.

Misse|tat ['misə-] *f* misdeed; crime; **~täter(in** *f*) *m* malefactor, evildoer; offender, delinquent.

'Miß...: **2'fallen** *v/i.* (*irr., h.*): *j-m* ~ displease a p., disgust a p.; **~fallen** *n* (-s) displeasure, dislike, disgust; ~ *erregen* displease *a p.*, meet with *a p.'s* disapproval; **2fällig I.** *adj.* displeasing, disagreeable; shocking; disparaging, deprecatory; **II.** *adv.*: *sich* ~ *äußern über* (*acc.*) speak ill of, disparage; **2farbig** *adj.* discolo(u)red; **~geburt** *f* monster, deformity, freak; *fig.* monstrosity; **2gelaunt** *adj.* ill-humo(u)red, cross; **~geschick** *n* bad luck, misfortune; misadventure, mishap; **~gestalt** *f* deformity; monster, freak; **2gestalt(et)** *adj.* misshapen, deformed; **2gestimmt** *adj.* ill-humo(u)red, in a bad humo(u)r; **2'glücken** *v/i.* (*sn*) fail, not to succeed, miscarry; **2'glückt** *adj.* unsuccessful, abortive; **2'gönnen** *v/t.* (*h.*): *j-m et.* ~ envy (*or* grudge) a p. a th.; **~griff** *m* mistake, blunder; **~gunst** *f* ill-will; envy, jealousy; **2günstig** *adj.* envious, jealous (*auf acc.* of); unfriendly, spiteful; **2'handeln** *v/i.* (*h.*) ill-treat, maltreat, abuse, brutalize; maul, manhandle, rough up; **~'handlung** *f* ill-treatment, maltreatment, cruelty; *jur.* assault and battery; **~heirat** *f* ill-assorted match, misalliance; **2hellig** ['-hɛliç] *adj.* dissonant, dissentient; **~helligkeit** *f* (-; -en) discord, dissension, unpleasantness.

Mission [misi'o:n] *f* (-; -en) mission (*a. pol. and fig.*); *Innere* (*Äußere*) ~ home (foreign) mission; **Missionar** [-o'nɑ:r] *m* (-s; -e) missionary.

Missi'ons...: **~gesellschaft** *f* missionary society; **~prediger** *m* evangelist; **~wesen** *n* (-s) missionary work.

'Miß...: **~jahr** *n* bad year, bad harvest; **~klang** *m* (*a. fig.*) dissonance, discord(ant note); **~kredit** *m* (-[e]s) discredit; *in* ~ *bringen* discredit, bring discredit upon; **2lang** [-'laŋ] *pret. of mißlingen*; **2lich** *adj.* awkward, inconvenient; unpleasant; dangerous; critical, precarious; delicate, ticklish; difficult, tough;

~*e Lage* critical position, predicament, fix; **~lichkeit** *f* (-) awkwardness, inconvenience; precariousness; difficulty; **2liebig** ['-li:biç] *adj.* unpopular, not in favo(u)r, odious; *sich ~ machen bei* (*dat.*) fall out of favo(u)r with, become unpopular with (*or* among); **2lingen** [-'liŋən] *v/i.* (*irr.*, *sn*) fail, miscarry, not to succeed, be unsuccessful (*or* abortive); **~'lingen** *n* (-*s*) failure; **2lungen** [-'luŋən] *p.p. of mißlingen*; **~mut** *m* ill-humo(u)r; discontent; **2mutig** *adj.* ill-humo(u)red; cross, waspish; discontented; morose, sullen; **2'raten I.** *v/i.* (*irr.*, *sn*) fail; turn out badly; **II.** *adj.* wayward, ill-bred (*child*); ~*er Mensch* misfit; **~stand** *m* grievance, nuisance; abuse; defect; deplorable state of affairs; *Mißstände abschaffen* remedy abuses *or* grievances; **2stimmen** *v/t.* (*h.*) put out (of humo[u]r), irritate; **~stimmung** *f* discord(ance), dissonance; → *Mißmut*; **~ton** *m* (-[e]s; ¨e) discordant (*or* jarring) note, dissonance; **2tönend, 2tönig** ['-tø:niç] *adj.* discordant, dissonant, jarring; **2'trauen** *v/i.* (*h.*): *j-m, e-r Sache*: distrust, mistrust, doubt; have no confidence in *a p. or th.*; **~trauen** *n* (-*s*) distrust (*gegen* of), mistrust, suspicion (of); doubt (in); **~trauensantrag** *parl. m* motion of censure; **~trauensvotum** *n* vote of no confidence *or* of censure; **2trauisch** ['-trauiʃ] *adj.* distrustful; suspicious, wary; doubtful, diffident; **~vergnügen** *n* (-*s*) displeasure; dissatisfaction, discontent; **2vergnügt** *adj.* displeased, discontented (*mit, über acc.* with); *pol.* malcontent; **~verhältnis** *n* disproportion, incongruity; *in e-m ~ stehen* be out of proportion; **2verständlich** *adj.* misleading; erroneous; **~verständnis** *n* misunderstanding; dissension, difference, tiff; **2verstehen** *v/t.* (*irr.*, *h.*) misunderstand, misapprehend; *du hast mich mißverstanden Am.* you have got me (all) wrong; *j-s Absichten*: mistake, misconstrue (*a p.'s intentions*); **~weisung** *f* magnetic declination (*of compass*); *radar*: indication error; **~wirtschaft** *f* maladministration, mismanagement.

Mist [mist] *m* (-*es*; -*e*) dung, manure; droppings *pl.*; dirt, muck; *colloq.* rubbish, rot.

'Mistbeet *n* hotbed; **~kasten** *m* forcing frame.

Mistel ['mistəl] *bot. f* (-; -*n*) mistletoe; **~zweig** *m* mistletoe (bough).

'misten I. *v/i.* (*h.*) *animal*: dung; **II.** *v/t.* (*h.*) dung, manure (*field*); clean (*stable*).

'Mist...: ~fink *colloq. m* pig, mudlark, *w.s.* filthy fellow; **~gabel** *f* dung-fork, pitch-fork; **~grube** *f* dung-pit; **~haufen** *m* dung-hill, manure heap; **~käfer** *zo. m* dung-beetle; **~wagen** *m* dung-cart.

mit [mit] **I.** *prp.* (*dat.*) with; in the company of; (full) of; with, by means of; by (*mail, train, etc.*); ~ *Bleistift write* in pencil; ~ *dem Hut* (*Schwert*) *in der Hand* hat (sword) in hand; ~ *Gewalt* by force; ~ *Gold pay* in gold; ~ *Lebensgefahr* at the risk of one's life; ~ *Muße* at leisure; *j-n ~ Namen nennen* call a p. by (his) name; ~ *lauter Stimme* in a loud voice; ~ *Verlust* at a loss; *mit e-m Schlage* at a blow; ~ *einem Wort* in a word; ~ *8 zu 11 Stimmen* by 8 votes to 11; ~ *einer Mehrheit von* by a majority of; *was ist ~ ihm?* what is the matter with him?; *as to time*: *usu.* at; ~ *20 Jahren* at (the age of) twenty; ~ *dem 3. September* by (*or* as of) September 3rd; ~ *dem Glockenschlage* on the stroke; → *Zeit*; **II.** *adv.* also, too; ~ *dabeisein* be there too *or* as well, be (one) of the party, participate; *das gehört ~ dazu* that belongs to it too; *er war ~ der beste* he was one of the best; → ~*gehen*, ~*kommen*, *etc.*

'mit...: 2angeklagte(r *m*) *f* co-defendant; **~'ansehen** *v/t.* (*irr.*, *h.*) witness, watch; *fig.* tolerate, suffer, stand; **2arbeit** *f* co-operation, collaboration, assistance (*bei* in); **~arbeiten** *v/i.* (*h.*) collaborate, cooperate; ~ *an* (*dat.*) assist (*or* aid) in; take part in; contribute to (*newspaper, etc.*); **2arbeiter(in** *f*) *m* co-worker; colleague; work-fellow; staff member; contributor (*an dat.* to *a newspaper*); *pl.* staff (of); employees; ~ *sein bei* be on the staff of; **2arbeiterstab** *m* staff; **2beklagte(r** *m*) *f* co-defendant; **~bekommen** *v/t.* (*irr.*, *h.*) get *or* receive when leaving; *bride*: get as dowry; *colloq.* catch, get; **~benutzen** *v/t.* (*h.*) use *a th.* jointly with others; **2benutzer** *m* joint user; **2benutzungsrecht** *n* right of joint use; **2besitz** *m* joint possession (*or* property); **2besitzer(in** *f*) *m* joint owner; **~bestimmen** *v/i.* (*h.*) be a contributory determinant; *person*: share in a decision, have a say (*or* voice) in a matter; *worker*: participate in the management; **2bestimmungsrecht** *n* (right of) co-determination, co-rule; **~beteiligt** *adj.* (*an dat.*) participating *or* interested (in); **2beteiligte(r** *m*) *f jur.* party interested *or* concerned; *econ.* partner, associate; **~bewerben** *v/refl.* (*irr.*, *h.*): *sich um et.* ~ compete for a th.; **2bewerber(in** *f*) *m* competitor; **2bewohner(in** *f*) *m* co-inhabitant; fellow-lodger; **~bringen** *v/t.* (*irr.*, *h.*) bring along (with *me, etc.*); *bride*: bring as dowry; produce (*documents, witnesses*); *fig.* have, be endowed with (*talents*); **2bringsel** ['-briŋzəl] *n* (-*s*; -) little present; **2bruder** *m* brother (*pl.* brethren), fellow, comrade; **2bürge** *m* joint security, *Am.* co-surety; **2bürger(in** *f*) *m* fellow-citizen; **2eigentümer(in** *f*) *m* joint owner, co-owner; **~einander** *adv.* with each other; together, jointly; at the same time, simultaneously; *alle ~* one and all; **~einbegriffen** [-'aınbəgrifən] *adj.* included, inclusive; **~empfinden** *v/t.* (*irr.*, *h.*) feel *or* sympathize (*j-s Schmerz, etc.* with a p. in his sorrow, *etc.*); **2empfinden** *n* (-*s*) sympathy; **2erbe** *m*, **2erbin** *f* coheir(ess *f*), joint heir(ess *f*); **~erleben** *v/t.* (*h.*) → *erleben*; **~essen** *v/i.* (*irr.*, *h.*) eat (*or* dine) with a p.; partake of a p.'s meal; **2esser** *med. m* blackhead, comedo; **~fahren** *v/i.* (*irr.*, *sn*): *mit* ride (*or* drive) with *a p.*; *j-n ~ lassen* give a p. a lift; ~ *dürfen* get a lift; **2fahrer(in** *f*) *m* (fellow-)passenger; *mot.* → *Beifahrer*; **~freuen** *v/refl.* (*h.*): *sich ~ mit* share (in) the joy of, rejoice with; **~fühlen** *v/i.* (*h.*) → *mitempfinden*; **~fühlend** *adj.* sympathetic(ally *adv.*), feeling (*heart*); **~führen** *v/t.* (*h.*) carry along (with *me, etc.*); **~geben** *v/t.* (*irr.*, *h.*) give along (*dat.* with); give as a dowry; send *an escort, etc.*, along with; *fig.* impart *knowledge, etc.*, to, bestow upon; **~gefangen** *adj.*: ~, *mitgehangen* caught together, hanged together; **2gefangene(r)** *m* fellow-prisoner; **2gefühl** *n* sympathy; *ohne ~* unsympathetic; *j-m sein ~ ausdrücken* condole with a p.; **~gehen** *v/i.* (*irr.*, *sn*) go *or* come along (*mit j-m* with a p.), accompany (a p.); *fig. audience*: respond (to), be carried away (by); *colloq.* et. ~ *heißen* pocket a th., help o.s. to a th.; **~genießen** *v/t.* (*irr.*, *h.*) enjoy with others; **~genommen** *adj.* → *mitnehmen*; **2gift** *f* (-; -*en*) marriage portion, dowry; **2giftjäger** *m* fortune-hunter.

'Mitglied *n* member; ~ *auf Lebenszeit* life member; *ordentliches* (*zahlendes, förderndes*) ~ full (subscribing, supporting) member; ~ *sein von* be a member of, belong to; sit on *a committee*; **~erversammlung** *f* general meeting; **~erzahl** *f* membership; **~sbeitrag** *m* (membership) subscription, *Am.* dues *pl.*; **~schaft** *f* (-) membership; **~skarte** *f* membership card, (member's) ticket; **~snummer** *f* membership serial; **~staat** *m* (-[e]s; -*en*) member state (*or* nation).

'mit...: 2haftung *f* joint liability; **~halten** *v/i.* (*irr.*, *h.*) be one of the party; *ich halte mit* I'll join you, I am on; *wacker ~* hold one's own; → *mitlesen*; **~helfen** *v/i.* (*irr.*, *h.*) → *helfen*; **2helfer(in** *f*) *m* helper, assistant, aid; **2herausgeber** *m* co-editor; **2hilfe** *f* (-) aid, assistance, co-operation; **~'hin** *adv.* consequently, therefore; (*also*) thus, so, then; **2hördienst** *mil. m* monitoring service; interception service; **~hören** *v/t.* (*h.*) listen in to *or* on; overhear; *teleph.* monitor, tap the wire; *mil.* intercept (*radio message*); **2inhaber(in** *f*) *m* co-owner; **~kämpfen** *v/i.* (*h.*) take part (*or* join) in the combat *or* struggle; **2kämpfer** *m* (fellow-)combatant, comrade-in-arms; **2kläger(in** *f*) *m* co-plaintiff; **~klingen** *v/i.* (*irr.*, *h.*) resonate; **~kommen** *v/i.* (*irr.*, *sn*) come along (*mit j-m* with a p.); *fig.* be able to follow; keep up (*or* pace) with; ~ *mit dem Zug, etc.* catch *a train, etc.*; **~können** *v/i.* (*irr.*, *h.*) be able to come along *or* go (*mit j-m* with a p.); *fig. da kann ich nicht mit!* that's beyond me!, that beats me!; **~kriegen** *colloq. v/t.* (*h.*) → *mitbekommen*; **~lachen** *v/i.* (*h.*) join in the laugh; **~laufen** *v/i.* (*irr.*, *sn*) run (*mit* with); participate *in a race*; *colloq.* ~ *lassen* pocket, lift; 2**läufer** *pol. m* nominal member, follower; *contp.* hanger-on, trimmer, fellow-travel(l)er; 2**laut** *m* consonant.

ˈ**Mitleid** *n* (-[e]s) compassion, pity; sympathy; *aus ~ für* out of pity for; *mit j-m ~ haben* have (*or* take) compassion *or* pity on a p., pity a p., be sorry for a p.; ~**enschaft** *f* (-): *in ~ ziehen* affect; implicate, involve; damage, impair; 2**erregend** *adj.* piteous, deplorable; 2**ig** *adj.* compassionate (*zu* to), pitiful; sympathetic; ~**sbezeichnung** *f* condolence, expression of one's sympathy; ~**(s)los** *adj.* pitiless, merciless; ~**(s)voll** *adj.* full of pity, compassionate.

ˈ**mit...:** ~**lesen** *v/t.* (*irr.*, *h.*) read (*mit* with); be a joint subscriber to, take *a newspaper* in with others; *tech.* control; ~**machen I.** *v/i.* (*h.*) make one of the party, go along (*bei* with), *a.* chip in; *audience*: join in the spirit, respond; follow suit; keep pace (with); *ich mache mit!* I am on!, count me in!; **II.** *v/t.* (*h.*) take part in, participate in, join in, be a party to *a th.*; go to (*a meeting, etc.*); follow, go with (*the fashion*); go through (*an experience*); 2**mensch** *m* fellow-man *or* -being *or* -creature; neighbo(u)r; ~**müssen** *v/i.* (*irr.*, *h.*) have (*or* be obliged) to go along (*mit* with); ~**nehmen** *v/t.* (*irr.*, *h.*) take along (with one); pick up (*passengers, etc.*); *j-n* (*im Fahrzeug*) ~ give a p. a lift; *mitgenommen werden* get a lift; *e-n Ort* ~ call at a place; take in (*a town, sights, etc.*) (*tourist*); *fig.* et. ~ avail o.s. of a th.; partake of *a lesson, etc.*; affect, impair, be rough on; exhaust, wear (out), punish; *j-n arg ~* treat harshly, let *a p.* have it; *mitgenommen sein* be worn(-out), be (*or* look) the worse for wear, *person a.*: be exhausted *or* ravaged (*von* by); *das hat ihn sehr mitgenommen* that has hit him hard, it has taken its toll of him; 2**nehmer** *tech. m* driver, dog, cam; 2**nehmerbolzen** *tech. m* driving pin, carrier bolt; 2**nehmerscheibe** *tech. f* driver disc; ~ˈ**nichten** [-ˈniçtən] *adv.* by no means, not at all, in no way.

Mitra [ˈmiːtra] *eccl. f* (-; -tren) mitre.

ˈ**mit...:** ~**rechnen I.** *v/t.* (*h.*) include (in the account); *nicht ~* leave out of account; *nicht mitgerechnet* not counting; **II.** *v/i.* (*h.*) count; ~**reden I.** *v/i.* (*h.*) join in the conversation *or* discussion; put in a word or two; **II.** *v/t.* (*h.*): *et.* (*or ein Wort, Wörtchen*) *mitzureden haben* have a say (*bei* in); *da hast du nichts mitzureden* you have no say in this matter, this is no concern of yours; 2**regent(in** *f*) *m* co-regent; ~**reisen** *v/i.* (*sn*) travel along (*mit* with); 2**reisende(r** *m*) *f* fellow-travel(l)er *or* passenger; ~**reißen** *v/t.* (*irr.*, *h.*) drag *or* carry *or* sweep along; *fig. a.* carry along *or* away, sweep along with one, electrify; ~**reißend** *adj.* thrilling, spirit-stirring, breath-taking; ~ˈ**samt** *prp.* (*dat.*) together with; ~**schicken** *v/t.* (*h.*) send (along) (*mit* with); enclose (*in letter*); ~**schleppen** *v/t.* (*h.*) drag along (with one); ~**schreiben** *v/t. and v/i.* (*irr.*, *h.*) write (*or* take, note) down, take notes; 2**schuld** *f* (-) complicity (*an dat.* in); *a. divorce*: joint guilt; ~**schuldig** *adj.* accessory (to the crime), implicated (*an dat.* in); 2**schuldige(r** *m*) *f* accessory (*an dat.* to), accomplice; 2**schuldner(in** *f*) *m* joint debtor; 2**schüler(in** *f*) *m* schoolfellow, class-mate; ~**schwingen** *v/i.* (*irr.*, *h.*) resonate (*a. fig.*), co-vibrate; 2**schwingen** *n* (-*s*) resonance; co-vibration; ~**singen** *v/i.* (*irr.*, *h.*) join in the song; ~**spielen** *v/i. and v/t.* (*h.*) join (*or* take a hand) in a game; play (*mit* with); *sports*: play (*or* participate) in a game, be on the team; *thea.* appear, take a part (*in dat.* in *a play*); *fig. matter*: be involved, play a part; *nicht mehr ~* give up (playing), *fig.* withdraw, resign; *j-m arg* (*or übel*) ~ play a p. a nasty trick, use a p. ill, do a p. the dirty; 2**spieler(in** *f*) *m* partner; *thea.* supporting player; ~**spracherecht** *n* (right of) co-determination; *a* say (*in a matter*); ~**sprechen** *v/i.* (*irr.*, *h.*) → *mitreden.*

Mittag [ˈmitaːk] *m* (-[e]s; -e) midday, noon; south; *des ~s*, 2*s* at noon; *heute 2* at noon today; *es ist ~* it is twelve o'clock; *zu ~ essen* (have) lunch, dine; ~**essen** *n* lunch, midday meal.

ˈ**mittäglich** *adj.* midday, noonday; *geogr.* meridian, southern.

ˈ**mittags** *adv.* at noon; at lunch (-time).

ˈ**Mittag(s)...:** ~**ausgabe** *f* midday edition; ~**blatt** *n* noon paper; ~**glut**, ~**hitze** *f* midday heat; ~**kreis** *m*, ~**linie** *f* meridian; ~**mahl(zeit** *f*) *n* midday meal; ~**pause** *f* lunch hour; *a.* → ~**ruhe** *f* midday rest; ~**schlaf** *m*, ~**schläfchen** *n* after-dinner nap, siesta; ~**sonne** *f* (-) midday-sun; ~**stunde** *f* noon; lunch hour; ~**tisch** *m* dinner (-table); ~**zeit** *f* noon(tide); lunch-hour, (early) dinner-time; *um die ~* about noon.

ˈ**mit...:** ~**tanzen** *v/i.* (*h.*) join in the dance; 2**tänzer(in** *f*) *m* partner; 2**täter** *jur. m* accomplice, accessory (to the crime), co-principal; 2**täterschaft** *f* complicity.

Mitte [ˈmitə] *f* (-) middle; cent|re, *Am.* -er; midst; *fig. die goldene ~* the golden (*or* happy) mean; *pol. die ~* the cent|re, *Am.* -er; *aus unserer ~* from among us, from our midst; *in unserer ~* among us, in our midst; *in der ~ zwischen* half-way between; *~ Juli* in the middle of July, in mid-July; *in der ~ des Jahres* in midyear; *in der ~ des 18. Jahrhunderts* in the mid 18th century; *~ Dreißig* (*or der Dreißiger*) in one's middle thirties; *in die ~ nehmen* take between (us, them), *soccer*: sandwich in; *in der ~ durchhauen* cut across.

ˈ**mitteil|bar** *adj.* communicable; ~**en** *v/t.* (*h.*) communicate (*j-m* to a p.); intimate (to a p.); impart *knowledge* (to a p.); *j-m et. ~* inform a p. of a th.; make a th. known to a p., tell a p. about a th.; *schonend*: break a th. (gently) to a p.; *adm.* notify a p. of a th.; *econ.* advise a p. of a th.; *j-m seine Ansicht ~* give a p. one's opinion; *sich ~ excitement, heat, etc.*: communicate (*dat.* to), spread (to); *die Bewegung teilt sich den Rädern mit* the motion is imparted to the wheels; *person*: *sich j-m ~* open one's heart to a p.; ~**sam** *adj.* communicative; 2**samkeit** *f* (-) communicativeness; 2**ung** *f* (-; -*en*) communication, information; *econ.* advice; *adm.* notification, notice; *to the public*: communiqué, (official) bulletin; message; report; *vertrauliche ~* confidential communication; *jur.* ~*en pl.* service *sg.* (of legal process); *~ machen* → *mitteilen.*

mittel [ˈmitəl] *adj.* middle, central; intermediate; average, medium; *math., phys., tech.* mean; middling; *mittlerer Beamter* subordinate officer; *Mittlerer Osten* Middle East; *mittlere Qualität* medium quality; *mittlere Entfernung* medium range, midrange; *von mittlerem Alter* middle-aged; *von mittlerer Größe* medium-sized.

Mittel [ˈmitəl] *n* (-*s*; -) means *sg. and pl.*; medium (*pl.* media), agent, instrument(ality), tool; device; method; expedient; measure; average; *im ~* on an average; *math.* mean; *phys.* medium; *typ.* English; *med.* remedy (*gegen* for), medicine, drug; *pl.* resources; supply *sg.*; (*money*) means, funds; capital *sg.*; *künstlerische ~* artistic means; *aus öffentlichen ~n* from the public purse; *mit öffentlichen ~n unterstützen or finanzieren* subsidize; *meine ~ erlauben es* (*mir*) *nicht* I cannot afford it; *~ und Wege finden* (*zu*) find ways and means (to *do a th.*), manage (*or* contrive) *a th.*; *die ~ besitzen, um et. auszuführen* be in a position to carry out a th.; *als ~ zum Zweck verwenden* use as a means to an end (*or* as a stepping-stone); *sich ins ~ legen or schlagen* interpose, intervene, interfere, mediate, step in; *als letztes ~* as a last resort; *ihm ist jedes ~ recht* he sticks at nothing.

ˈ**Mittel...:** ~**alter** *n* (-*s*) Middle Ages *pl.*; 2**alterlich** *adj.* medi(a)eval; ~**amerika** *n* Central America; ~**asien** *n* Central Asia; 2**bar** *adj.* mediate, indirect; ~*er Schaden* consequential damage; ~**betrieb** *m* medium-size enterprise; ~**decker** *aer. m* (-*s*; -) mid-wing monoplane; ~**deutschland** *n* Central Germany; ~**ding** *n* (something) intermediate, something between; cross (*zwischen* between); ~**europa** *n* Central Europe; 2**europäisch** *adj.*: ~*e Zeit* (MEZ) Central European time; 2**fein** *econ. adj.* middling (fine), good medium; ~**feld** *n* centre-field; *soccer*: midfield; ~**finger** *m* middle finger; ~**frequenz** *f* mean frequency; 2**fristig** *adj.* medium-term (*credit*); ~**fuß** *anat. m* metatarsus; ~**fußknochen** *anat. m* metatarsal bone; ~**gang** *m* central walk; *rail.* corridor, gangway (*a. aer.*), *Am.* aisle; ~**gebirge** *n* secondary chain of mountains; highlands *pl.*; **~gewicht(ler** *m*) *n* (-[e]s; -s, -) *boxing*: middle-weight; **~glied** *n* middle joint; intermediate member; *anat.* middle phalanx; **2groß** *adj.* medium-sized; **~größe** *f* medium size; **~hand** *anat. f* (-) metacarpus; **2hochdeutsch** *adj.*, **~hochdeutsch (-e)** *n* (-[s]; -*n*) Middle High German; **~kurs** *econ. m* middle price, average rate; **~lage** *f* central position, mid-position; *mus.* middle voice; **2ländisch** ['-lɛndiʃ] *adj.*: *das 2e Meer* the Mediterranean (Sea); **~läufer** *m sports*: cent|re (*Am.* -er) half; **~linie** *f* median line, axis; *math.* bisector; *soccer*: centre line; *tennis*: centre service line; **2los** *adj.* without means, impecunious, destitute; **~losigkeit** *f* (-) lack of means, destitution; **~mächte** *pl.* Central Powers; **~maß** *n* medium size; average; **2mäßig** *adj.* middling, indifferent; *b.s.* mediocre; moderate (*talent*); average; *econ.* medium, middling; **~mäßigkeit** *f* mediocrity; **~meer** *n* (-[e]s) Mediterranean (Sea); **~ohr** *n* (-[e]s) middle ear, tympanum; **~ohr-eiterung** *med. f* suppurative otitis; **~ohr-entzündung** *med. f* inflammation of the middle ear, otitis media; **~partei** *pol. f* central party; **~parteiler** ['-partaɪlər] *m* (-*s*; -) centrist; **~preis** *m* average price; **~punkt** *m* cent|re, *Am.* -er, central point; *fig.* centre (of attraction); focus; heart (*of town*); hub (*of the world*); **2s** *prep.* (*gen.*) by (means of), through, with (the help of); **~schiff** *arch. n* middle aisle; **~schlag** *m*, **~sorte** *f* middling sort, *econ.* middlings *pl.*; **~schule** *f* intermediate school, *Am.* high school; **~smann** *m* (-[e]s; -*leute*), **~s-person** *f* mediator, go-between, *a. econ.* middleman; **~stadt** *f* middle-sized town, *Am.* middletown; **~stand** *m* middle classes *pl.*; **~stands...** middle-class ...; **~stellung** *f* mid-position; **~stimmen** *mus. f/pl.* middle parts; **~straße** *f* middle road; → *Mittelweg*; **~strecke** *f sports*: medium distance; **~streckenlauf** *m* medium-distance race; **~streckenrakete** *mil. f* medium-range missile; **~streifen** *m* cent|re (*Am.* -er) strip (*of motorway*); **~stück** *n* central portion, mid-portion; *cul.* middle cut; **~stufe** *f* intermediate stage; *esp. ped.* intermediate grade(s *pl.*); **~stürmer** *m sports*: cent|re (*Am.* -er) forward; **~teil** *m* mid-portion; central part; **~ton** *m* (-[e]s; ⸚e) *mus.* mediant; *paint.* medium tone, half-tint; **~wand** *f* partition wall; **~weg** *m fig.* middle course; *der goldene ~* the golden (*or* happy) mean; *e-n ~ einschlagen* steer a middle course, walk down the middle of the road; **~welle** *f radio*: medium wave; **~wellenbereich** *m* medium wave band; **~wert** *m* mean (value), average (value); **~wort** *n* (-[e]s; ⸚er) participle.

mitten ['mitən] *adv.*: *~ in* (*an*, *auf*, *unter*) in the midst (*or* middle, cent|re, *Am.* -er) of; in the thick of; *~ unter uns* in our midst; *~ am Tage* (*auf der Straße*) in broad daylight (the open street); *~ aus* from the midst of, from amidst, from among; *~ entzwei* right in two, clean through; *~ hinein* into the midst of it, right into it; *~ im Atlantik* in mid-Atlantic; *~ im Winter* in the depth of winter; *~ in der Luft* in mid-air; *~ in der Nacht* in the middle (*or* dead) of night; *~ ins Herz* right into the heart; **~dar'in**, **~dar'unter** *adv.* right in the midst *or* cent|re (*Am.* -er); **~(hin)'durch** *adv.* through the midst; right through *or* across; *~ schneiden* cut clean through.

'Mitter|nacht *f* midnight; North; **2nächtig** ['-nɛçtiç], **2nächtlich** *adj.* midnight; *w.s.* nocturnal; **~nachts...** midnight ...; **~nachtssonne** *f* (-) midnight sun.

'mittig *tech. adj.* concentric.

mittler ['mitlər] *adj.* → *mittel*.

'Mittler *m* (-*s*; -), **~in** *f* (-; -*nen*) mediator (*f* -tress), intercessor, peacemaker; **~amt** *n* mediatorship; **2weile** *adv.* meanwhile, (in the) meantime.

'mit...: ~tragen *v/t.* (*irr.*, *h.*) carry (with others); share (*losses*); **~trinken** *v/t. and v/i.* (*irr.*, *h.*) drink (with others).

'mittschiffs *mar. adv.* (a)midships.

'Mittsommer *m* midsummer.

'mittun *v/i.* (*irr.*, *h.*) → *mitmachen*.

Mittwoch ['-vɔx] *m* (-[e]s; -e) Wednesday; **2s** *adv.* on Wednesday(s *pl.*).

'mit...: ~'unter *adv.* now and then, sometimes, occasionally; **~unterschreiben** *v/t. and v/i.* (*irr.*, *h.*), **~unterzeichnen** *v/t. and v/i.* (*h.*) add one's signature (to); countersign; **2unterschrift** *f* joint signature; **2unterzeichner(in** *f*) *m* co-signatory; **2ursache** *f* concurring (*or* secondary) cause; **~verantwortlich** *adj.* jointly responsible; **2verantwortung** *f* joint responsibility; **2verfasser(in** *f*) *m* co-author; **2verschulden** *jur. n*: *fahrlässiges ~* contributory negligence; **2verschworene(r)** ['-fɛrʃvo:rənə(r)] *m* (-*n*; -*n*) fellow-conspirator; **2welt** *f* (-): *die ~* the present generation; our, *etc.*, contemporaries.

'mitwirk|en *v/i.* (*h.*) co-operate (*bei* in), contribute (to), assist (in), be instrumental (in), *matter*: *a.* concur (with); take part (in); *thea.* take (a) part (in), (co-)star (in); **~end** *adj.* co-operating, co-operative, concurrent; contributory; **2ende(r** *m*) ['-virkəndə(r)] *f* (-*n*, -*n*; -*n*, -*n*) *thea.* performer, actor, player (*a. mus.*); *pl.* cast; *~ sind* the cast includes; → *Mitarbeiter*; **2ung** *f* (-) co-operation, participation, assistance; concurrence; *unter ~ von* assisted by.

'Mitwiss|en *n* joint knowledge, *b.s.* privity, connivance; *ohne mein ~* without my knowledge, unknown to me; **~er(in** *f*) *m* (-*s*, -; -, -*nen*) person who is in the secret, confidant; *jur.* accessory.

'mit...: ~zählen *v/t. and v/i.* (*h.*) → *mitrechnen*; **~ziehen I.** *v/t.* (*irr.*, *h.*) drag *or* pull along (with one); **II.** *v/i.* (*irr.*, *sn*) go *or* march along (with others).

Mix|becher ['miks-] *m* (cocktail-)shaker; *kitchen machine*: liquidizer goblet; **2en** *v/t.* (*h.*) mix; **~er** *m* (-*s*; -) bartender, mixer; *kitchen machine*: liquidizer.

Mixtur [-'tu:r] *f* (-; -*en*) mixture.

Möbel ['mø:bəl] *n* (-*s*; -) piece of furniture; *pl.* furniture; *humor. altes ~* fixture; **~geschäft** *n* furnishing house, furniture-shop; **~händler(in** *f*) *m* furniture-dealer; **~lack** *m* furniture varnish; **~laden** *m* → *~geschäft*; **~politur** *f* furniture polish; **~spediteur** *m* furniture remover; **~speicher** *m* furniture repository, *Am.* storage warehouse; **~stoff** *m* furniture fabric; **~stück** *n* → *Möbel*; **~tischler** *m* cabinet-maker; **~transportgeschäft** *n* (firm of) furniture removers, removal contractors; **~wagen** *m* furniture(-removal) van, *Am.* furniture truck.

mobil [mo'bi:l] *adj. a. mil.* mobile; movable; active, quick; *~ machen* mobilize, *fig. a.* rouse.

Mobiliar [mobili'ɑ:r] *n* (-*s*; -e) furniture; **~vermögen** *n* personal property, personalty.

Mobilien [-'bi:liən] *pl.* movables, effects, goods and chattels *pl.*

mobili'sier|en *v/t. and v/i.* (*h.*) mobilize; *econ.* realize (*real estate*); **2ung** *f* (-; -*en*) mobilization; *econ.* realization.

Mo'bilmachung [-maxuŋ] *mil. f* (-) mobilization; **~sbefehl** *m* mobilization order; **~s-tag** *m* mobilization day (*abbr.* M-day).

mobmäßig ['mɔp-] *mil. adj.* according to war establishment.

möblieren [mø'bli:rən] *v/t.* (*h.*) furnish; *neu ~* refurnish; *möblierter Herr* lodger, *Am.* roomer; *möbliertes Zimmer* furnished room, bed-sitter; *möbliert wohnen* live in lodgings.

mochte ['mɔxtə] *pret. of mögen.*

Möchte-gern... ['mœçtə-] *in compounds* would-be (*writer, etc.*).

modal [mo'dɑ:l] *adj.* modal; **Modali'tät** *f* (-; -*en*) modality; proviso; arrangement.

Mode ['mo:də] *f* (-; -*n*) fashion; vogue; style; mode; *Königin ~* Dame Fashion; *die neueste ~* the latest fashion (*or iro.* craze); the new look; *contp. neue ~n* new-fangled ideas; *in ~* in fashion, in vogue, fashionable; *die große ~ sein* be (all) the rage, be the (latest) craze *or* fad; *aus der ~ kommen* go out (of fashion), grow out of fashion; *in ~ bringen* (*kommen*) bring (come) into fashion *or* vogue; *in ~ bleiben* continue in fashion; *mit der ~ gehen* go with (*or* follow) the fashion; **~artikel** *m* fashionable (*or* fancy-)article; *pl. a.* novelties; **~bade-ort** *m* (-[e]s; -e) fashionable spa, Lido; **~dame** *f* lady of fashion; **~dichter** *m* poet of the day; **~farbe** *f* fashionable colo(u)r; **~geschäft**, **~haus** *n* fashion house; **~krankheit** *f* fashionable complaint; **~künstler (-in** *f*) *m* couturier (*f* couturière) (*Fr.*).

Modell [mo'dɛl] *n* (-*s*; -e) model (*a.*

paint., person); fashion model, *person*: *a.* mannequin; *tech.* model, type; design; prototype (*a. fig.*); mo(u)ld; pattern; mock-up; *j-m* ~ *stehen* pose *for*, *a. fig.* (serve as a) model *for a p.*; **~bau** *m* (-[e]s) pattern making; **~baukasten** *m* model construction kit; **~druckmaschine** *typ. f* block-printing machine; **~eisenbahn** *f* model railway; **~flugzeug** *n* model airplane.

Modellier|bogen [modɛ'liːr-] *m* modelling cardboard; **2en** *v/t.* (*h.*) model, mo(u)ld, shape, fashion; **~en** *n* (-s) model(l)ing; mo(u)lding; **~ton** *m* (-s) model(l)ing clay.

Mo'dell...: **~kleid** *n* model (dress); **~macher** *tech. m* pattern-maker; **~schuh** *m* special-design shoe; **~tischler** *m* pattern-maker; **~tischle'rei** *f* (wood) pattern-shop.

modeln ['moːdəln] *v/t.* (*h.*) mo(u)ld; → *modellieren.*

'Moden...: **~bild, ~blatt** *n* fashion-plate; **~schau** *f* fashion (*or* dress-) show; mannequin parade; **~zeichner(in** *f*) *m* fashion designer; **~zeitung** *f* fashion magazine.

Moder ['moːdər] *m* (-s) mo(u)ld; putrefaction, decay; mud; **~erde** *agr. f* mo(u)ld; **~geruch** *m* (-[e]s) musty smell; **2fleckig** *adj.* foxed (*paper*); **2ig** *adj.* mo(u)ldy, musty; decaying, putrid; **2n¹** *v/i.* (*h.*) mo(u)lder, rot, putrefy, decay.

modern² [mo'dɛrn] *adj.* modern; progressive; *contp.* new-fangled; up-to-date, *pred.* up to date; fashionable; *a. w.s.* stylish, elegant (*dress design*), *Am. a.* streamlined; *~er Geschmack*, *~e Zeitrichtung* modernism; *~er Roman* current novel; *das ist ~* that's quite the go; **2e** *f* (-) modernity; *the* modern trend.

moderni'sier|en *v/t.* (*h.*) modernize, bring up to date, *Am. a.* streamline; **2ung** *f* (-; -en) modernization, *Am.* streamlining.

'Mode...: **~salon** *m* fashion house; **~schmuck** *m* style jewelry; **~schöpfer** *m* couturier, stylist, dress designer; **~schöpfung** *f* latest creation; **~schriftsteller(in** *f*) *m* fashionable writer; **~stil** *m* fashion style, (new) look; **~torheit** *f* fashionable craze; **~waren** *f/pl.* fancy goods; millinery *sg.*; **~warengeschäft** *n* fancy-goods shop; millinery; ladies' outfitting (shop); **~welt** *f* (-) fashionable world; **~wort** *n* (-[e]s; ⸚er) vogue word; **~zeichner(in** *f*) *m* dress designer; **~zeitschrift** *f* fashion magazine.

modifizier|en [modifi'tsiːrən] *v/t.* (*h.*) modify; qualify; **2ung** *f* (-; -en) modification; qualification.

'modisch *adj.* fashionable, stylish; fashion ...; *~e Neuheiten* novelties.

Modistin [mo'distin] *f* (-; -nen) milliner.

Modul ['moːdul] *m* (-s; -n) *tech.* module; *math.* modulus.

Modulation [modulatsi'oːn] *f* (-; -en) modulation, control; inflection (*of voice*); **~sfrequenz** *f* modulating frequency.

Modulator [modu'lɑːtɔr] *m* (-s; -'toren) modulator.

modu'lieren *v/t.* (*h.*) modulate.

Modus ['moːdus] *m* (-; -di) mode; method, manner; *gr.* mood.

Mogelei [moːgə'laɪ] *colloq. f* (-; -en) cheating, trickery; **'mogeln** *v/i.* (*h.*) cheat.

mögen ['møːgən] **I.** *v/i.* (*irr.*, *h.*) be willing; *ich mag nicht* I won't, I don't like to; **II.** *v/t.* (*irr.*, *h.*) want, desire, wish; *was möchten Sie?* what do you want?, what can I do for you?; like, be fond of, be partial to; *nicht ~* dislike; not be keen on, not to care for; *lieber ~* like better, prefer; *er mag mich nicht* he doesn't like me; **III.** *v/aux.* (*irr.*, *h.*) may, might; *er mag gehen* let him go; *er möchte sofort kommen!* ask (*or* tell) him to come at once!; *ich möchte wissen* I should like to know, I wonder; *möge es ihm gelingen* may he succeed, let us hope that he will succeed; *ich möchte lieber gehen* I had (*or* would) rather go; *das möchte ich doch einmal sehen!* well, I should like to see that!; *er mag nicht nach Hause gehen* he doesn't care to go home; *mag er sagen, was er will* let him say what he wants; *das mag (wohl) sein* that's (well) possible, that may be (true *or* so); *was ich auch tun mag* whatever I may do, no matter what I do; *wo er auch sein mag* wherever he may be; *wo mag sie das gehört haben?* where can (*or* may) she have heard that?; *was mag er dazu sagen?* I wonder what he will say to that; *sie mochte 30 Jahre alt sein* she would be (*or* looked) thirty years old; *man möchte verrückt werden!* it's enough to drive you mad!

'Mogler *colloq. m* (-s; -) cheat.

möglich ['møːkliç] **I.** *adj.* possible (*für j-n* for a p.); practicable, feasible; likely; eventual; potential (*market, criminal, etc.*); *alle ~en* all sorts of; *alles ~e* all sorts of things; *alles ~e tun* try everything, use all possible means; *sein ~stes tun* do one's best *or* utmost, do everything in one's power; *es möglich machen, zu inf.* make it possible to *inf.*, manage to *inf.*; → *ermöglichen*; *nicht ~!* you don't say (so)!, impossible!; *das ist (wohl) ~* that may (well) be, that's (quite) possible; *das ist eher ~* that's more likely; *es ist ~, daß er kommt* he may (possibly) come; *es war mir nicht ~* I was unable *to do it*, I could not (see my way *to*) *do it*; **II.** *adv.*: *so bald, etc., wie ~*, *~st bald, etc.* as soon, *etc.*, as (ever) possible; *econ.* at your earliest convenience *or* opportunity; *~st klein* as small as possible, *attr.* the smallest possible, a minimum of (*losses, etc.*); *~st wenig* the least possible, as little as can be; *mit ~st geringer Verzögerung* with the least possible (*or* a minimum of) delay; **~enfalls, ~erweise** *adv.* if possible, possibly; perhaps; it is possible that; **2keit** *f* (-; -en) possibility; eventuality; practicability, feasibility; chance, *gute ~* opportunity; *andere (zweite) ~* alternative; potentiality; *~en pl.* facilities; *nach ~* as far as possible; *ich sehe keine ~, zu inf.* I cannot see any chance of *ger.*; *es besteht die ~, daß* it is possible that, there is a chance of; **~st** → *möglich* **I** *and* **II.**

Mohammedan|er(in *f*) [mohame'dɑːnər-] *m* (-s, -; -, -nen), **2isch** *adj.* Mohammedan, Moslem.

Mohär [mo'hɛːr] *m* (-s; -e) mohair.

Mohn [moːn] *m* (-[e]s; -e) poppy; **'~kapsel** *f* poppy-head; **'~öl** *n* (-[e]s) poppy-seed oil.

Mohr [moːr] *m* (-en; -en) Moor, blackamoor, negro; **'~enwäsche** *fig. f* (-) whitewashing; **'~in** *f* (-; -nen) negress.

Möhre ['møːrə] *f* (-; -n), **'Mohrrübe** *f* carrot.

Moiré [moa'reː] *m and n* (-s; -s) moiré, watered silk.

moi'rieren *v/t.* (*h.*) water, cloud.

mokant [mo'kant] *adj.* sarcastic, sardonic.

Mokassin ['mokasiːn] *m* (-s; -s) moccassin.

mo'kieren (*h.*): *sich ~ über* (*acc.*) sneer (*or* laugh) at.

Mokka ['mɔka] *m* (-s; -s) Mocha coffee, mocha.

Molch [mɔlç] *zo. m* (-[e]s; -e) salamander; newt.

Mole ['moːlə] *f* (-; -n) mole, jetty, pier; harbo(u)r dam; **~nkopf** *m* pierhead.

Molekül [mole'kyːl] *n* (-s; -e) molecule; **molekular** [-ku'lɑːr] *adj. and* **2...** (*in compounds*) molecular (*weight, etc.*).

molk [mɔlk] *pret. of melken.*

Molke ['mɔlkə] *f* (-; -n) whey.

Molke'rei *f* (-; -en) dairy; **~butter** *f* dairy-butter.

'molkig *adj.* wheyish.

Moll [mɔl] *mus. n* (-) minor (key); **~akkord** *m* minor chord.

'mollig *colloq. adj.* comfortable, snug, cosy; nice and warm; soft; *person*: (well-)rounded, buxom, roly-poly.

'Mollton(art *f*, **-stufe** *f*) *mus. m* (-[e]s; ⸚e) minor key.

Molluske [mɔ'luskə] *zo. f* (-; -n) mollusc.

Molybdän [molyp'dɛːn] *chem. n* (-s) molybdenum; **~säure** *chem. f* molybdic acid.

Moment [mo'mɛnt] **1.** *m* (-[e]s; -e) moment, instant; → *Augenblick*; **2.** *n* (-[e]s; -e) motive; factor; fact, element; *phys.* momentum; impulse, impetus (*a. fig.*); main point *or* factor.

momentan [-'tɑːn] **I.** *adj.* momentary; instantaneous; present, actual; **II.** *adv.* at the moment, for the present, for the time being; **2wert** *tech. m* instantaneous value.

Mo'ment...: **~aufnahme** *f*, **~bild** *phot. n* snapshot, instantaneous photograph; action shot; *e-e ~ machen* take a snapshot (*von* of); **~schalter** *el. m* quick-action switch; **~um** [-um] *phys. n* (-s) momentum; **~verschluß** *phot. m* instantaneous shutter.

Monade [mo'nɑːdə] *f* (-; -n) monad.

Monarch [mo'narç] *m* (-en; -en), **~in** *f* (-; -nen) monarch, sovereign; **Monar'chie** *f* (-; -n) monarchy; **mon'archisch** *adj.* monarchic(al); **Monar'chist(in** *f*) *m* (-en, -en; -, -nen) monarchist.

Monat [ˈmoːnat] *m* (-[e]s; -e) month; ~ *Januar* month of January; *im* ~ *earn, etc.*, a (*or* per) month, monthly; **2elang I.** *adj.* lasting for months; months of; **II.** *adv.* for months; **2lich I.** *adj.* monthly; *employment, etc.*, on a month-by-month basis; **II.** *adv.* monthly, a month; *300 Dollar* ~ a (*or* per) month.

ˈ**Monats...:** **~abschluß** *econ. m* monthly balance; **~ausweis** *m* monthly return; **~bericht** *m* monthly report; **~binde** *f* sanitary towel, *Am.* napkin; **~fluß** *physiol. m* (-sses) menstruation, (monthly) period, menses *pl.*; **~frist** *f* term of a month, one month's time; *binnen* ~ within a month; **~gehalt** *n* monthly salary *or* pay; **~geld** *n* loans *pl.* for one month; **~heft** *n* monthly number; → *Monatsschrift*; **~karte** *f* monthly season-ticket, *Am.* commutation(-ticket); **~lohn** *m* monthly wage(s *pl.*) *or* pay; **~name** *m* name of month; **~rate** *f* monthly instal(l)ment; **~schrift** *f* monthly (magazine); **~tampon** *m* sanitary tampon.

ˈ**monatweise** *adv. and adj.* by the month, monthly; month by month.

Mönch [mønç] *m* (-[e]s; -e) monk, friar; ˈ**2isch** *adj.* monkish, monastic.

ˈ**Mönchs...:** **~kloster** *n* monastery; **~kutte** *f* monk's frock; **~leben** *n* (-s) monastic life; **~orden** *m* monastic (*or* religious) order; **~schrift** *typ. f* black letter; **~tum** *m* (-s) monachism; **~wesen** *n* (-s) monasticism; **~zelle** *f* monk's cell.

Mond [moːnt] *m* (-[e]s; -e) moon (*poet. a. month*); *ast. a.* satellite; *künstlicher* ~ man-made (*or* baby) moon; *skating*: spread-eagle; *der* ~ *scheint* the moon is shining, it is moonlight; *vom* ~ *beschienen* moonlit; *fig. hinter dem* ~ *leben* be behind the times; *du lebst wohl hinter dem* ~? where do you live?; *colloq. da kann er in den* ~ *gucken* he can whistle for it; **~aufgang** *m* moonrise; **~bahn** *f* moon's (*or* lunar) orbit; **2beglänzt** *adj.* moonlit; **~fähre** *f* lunar module; **~finsternis** *f* lunar eclipse; **2förmig** [ˈ-fœrmiç] *adj.* moonshaped, lunate; **~gebirge** *n/pl.* lunar mountains; **2hell** *adj.* moonlit; **~jahr** *n* lunar year; **~kalb** *n* moon-calf, mole; **~licht** *n* (-[e]s) moonlight; **~nacht** *f* moonlit night; **~phase** *f* lunar phase; **~scheibe** *f* disk of the moon; **~schein** *m* (-[e]s) moonlight; **~sichel** *f* crescent; **~stein** *m* moonstone; **~sucht** *f* (-) moon-madness, somnambulism; **2süchtig** *adj.* moonstruck, somnambulous; **~süchtige(r** *m*) *f* sleepwalker, somnambulist; **~wechsel** *m* change of the moon.

Moneten [moˈneːtən] *colloq. pl.* brass, tin, *Am.* dough *sg.*

Mongo|le [mɔŋˈgoːlə] *m* (-n; -n), **~lin** *f* (-; -nen) Mongol(ian); **~ˈlei** *f* (-) Mongolia; **2lisch** *adj.* Mongol(ic); **mongoloid** [-goloˈiːt] *adj.* Mongoloid.

monieren [moˈniːrən] *v/t. and v/i.* (*h.*) censure, criticize; *econ.* send a reminder, dun.

Monitor [ˈmoːnitɔr] *phys., TV m* (-s; -ˈtoren) monitor.

mono|gam [monoˈgaːm] *adj.* monogamous; **2gaˈmie** *f* (-) monogamy; **2gramm** [-ˈgram] *n* (-s; -e) monogram; **2graphie** [-graˈfiː] *f* (-; -n) monograph.

Monokel [moˈnɔkəl] *n* (-s; -) monocle.

ˈ**Monokultur** *agr. f* single-crop farming.

Monolith [-ˈliːt] *m* (-s; -e[n]) monolith.

Monolog [-ˈloːk] *m* (-[e]s; -e) (*innerer* ~ interior) monologue.

Monomanie [-maˈniː] *f* (-; -n) monomania.

Monopol [-ˈpoːl] *n* (-s; -e), **~stellung** *f* monopoly (*auf* of, *Am.* on), exclusive control (of); **~erzeugnis** *n* proprietory article; **monopoliˈsieren** *v/i.* (*h.*) monopolize.

Monotheis|mus [-teˈismus] *m* (-) monotheism; **~t(in** *f*) *m* (-en, -en; -, -nen) monotheist; **2tisch** *adj.* monotheistic.

monoton [-ˈtoːn] *adj.* monotonous; → *eintönig*; **Monotoˈnie** *f* (-; -n) monotony.

Monstranz [mɔnˈstrants] *f* (-; -en) monstrance.

monströs [mɔnˈstrøːs] *adj.* monstrous.

Monstrum [ˈmɔnstrum] *n* (-s; -ren) monster.

Monsun [mɔnˈzuːn] *m* (-s; -e) monsoon.

Montag [ˈmoːntaːk] *m* (-[e]s; -e) Monday; **2s** *adv.* on Monday(s *pl.*), every Monday.

Montage [mɔnˈtaːʒə] *tech. f* (-; -n) mounting, fitting; installation; setting up, *Am.* setup; assembling, assembly; *phot.* montage; *TV*: mounting, *Am.* montage; **~bahn** *f*, **~band** *n* assembly line; **~bock** *m*, **~gestell** *n* assembly stand, jig; dolly; **~gruppe** *f* assembly; **~halle** *f* assembly-room *or* -shop; **~hebel** *mot. m* tyre (*Am.* tire) lever; **~werk** *n* assembly plant.

Montan|industrie [mɔnˈtaːn-] *f* coal, iron, and steel industries *pl.*; **~union** *f* (-) (European) Coal and Steel Community.

Monteur [mɔnˈtøːr] *m* (-s; -e) *tech.* fitter, assembly man, assembler; *esp. aer., mot.* mechanic; *el.* electrician; **~anzug** *m* overall.

monˈtier|en *tech. v/t.* (*h.*) mount, fit; set up; assemble; instal(l); adjust; **2ung** *f* (-; -en) mounting, fitting; setting up; assembling; adjusting; *mil. a.* **Montur** [-ˈtuːr] *f* (-; -en) equipment, regimentals *pl.*; uniform.

monumental [monumɛnˈtaːl] *adj.* monumental; **2film** *m* super-film.

Moor [moːr] *n* (-[e]s; -e) fen, bog, swamp; moor(-land); **~bad** *n* mud-bath; **~boden** *m* (-s) marshy soil; **~huhn** *n* moor-hen; **2ig** *adj.* boggy, marshy; **~land** *n* (-[e]s) moorland; marshy district; **~packung** *f* mud pack.

Moos [moːs] *n* (-es; -e) moss; *sl.* (*money*) → *Moneten*; **2bewachsen** *adj.* moss-grown; **2grün** *adj.* mossy green; **2ig** *adj.* mossy; **~rose** *f* moss rose.

Mop [mɔp] *m* (-s; -s) mop.

Moped [ˈmoːpɛt] *n* (-s; -s) moped, autobike.

Mops [mɔps] *m* (-es; ⸚e) pug.

mopsen [ˈmɔpsən] *colloq. v/t.* (*h.*) steal, pinch, swipe; madden, get *a p.'s* goat; *sich* ~ be bored (stiff).

Moral [moˈraːl] *f* (-) morality; morals *pl.*; (*lesson*) moral; *mil., etc.* morale; ~ *predigen* moralize, sermonize; **2isch** *adj.* moral; *mil.* **~e** *Wirkung* moral effect.

moralisieren [moraliˈziːrən] *v/i.* (*h.*) moralize.

Mora|ˈlist(in *f*) *m* (-en, -en; -, -nen) moralist; **~liˈtät** *f* (-) morality.

Moˈral...: **~philosophie** *f* moral philosophy; **~prediger(in** *f*) *m* moralizer; **~predigt** *f* (moral) lecture.

Moräne [moˈrɛːnə] *f* (-; -n) moraine.

Morast [moˈrast] *m* (-es; -e) slough, morass; → *Moor*; mire, mud; *fig. im* ~ *waten* wallow in the mire; **2ig** *adj.* marshy; muddy, miry; **~loch** *n* slough.

Moratorium [moraˈtoːrium] *n* (-s; -ien) *econ.* (letter of) respite; *pol.* moratorium.

morbid [mɔrˈbiːt] *adj.* morbid.

Morchel [ˈmɔrçəl] *bot. f* (-; -n) morel.

Mord [mɔrt] *m* (-[e]s; -e) murder (*an dat.* of); *jur.* first-degree murder; → *Tötung, Totschlag*; ~ *und Totschlag* bloodshed; *e-n* ~ *begehen* commit murder; *colloq. fig. es war der reinste* ~! it was murder!; ˈ**~anklage** *f*: *unter* ~ *stehen* be under a murder charge; ˈ**~anschlag** *m* murderous assault, attempt at murder; ˈ**~brenner** *m* incendiary; ˈ**~brenneˈrei** *f* incendiarism; ˈ**~bube** *m* assassin, cut-throat; **2en** [ˈmɔrdən] **I.** *v/i.* (*h.*) commit murder(s) *or* a murder, kill; **II.** *v/t.* (*h.*) murder; kill, slay; **~en** *n* (-s) murder, killing; massacre, slaughter.

Mörder [ˈmœrdər] *m* (-s; -), **~in** *f* (-; -nen) murderer (*f* murderess); slayer, killer; assassin; **~grube** *f* (-): *er machte aus seinem Herzen keine* ~ he was very outspoken, he made no bones about it; **2isch** *adj.* murderous, homicidal; *fig.* deadly (*climate, etc.*); grilling, cruel (*heat*); breakneck (*speed*); **~e** *Steigung* killing grade; cut-throat (*competition, prices*); **2lich** *adj.* terrible, awful, cruel; *fig. a.* enormous, fearful, terrific.

ˈ**Mord...:** **~gier, ~lust** *f* (-) lust of murder, bloodthirstiness; **~io** [ˈmɔrdioː]: (*Zeter und*) ~ *schreien* cry (blue) murder; **~kommission** *f* murder (*Am.* homicide) squad; **2lustig** *adj.* bloodthirsty, murderous; **~sache** *f* murder case.

ˈ**Mords...:** **~angst** *f*: *e-e* ~ *haben* be in mortal fear (*or* in a blue funk), be scared stiff; **~ding** *n* humdinger; **~glück** *n* stupendous luck; **~kerl** *m* devil of a fellow, crackajack; **~lärm** *m* fearful din, terrific noise, awful racket, hullaballoo; **2mäßig** *adj.* terrible, enormous, awful, terrific; **~spaß** *m* great fun; → *Hauptspaß*; **~spektakel** *m* → *Mordslärm*.

ˈ**Mord...:** ~**tat** *f* murder(ous deed), slaying; ~**verdacht** *m* suspicion of murder; ~**versuch** *m* attempt at murder; ~**waffe** *f*, ~**werkzeug** *n* murderous weapon.
Mores [ˈmo:re:s] *pl.*: *j-n ~ lehren* teach a p. manners, tell a p. what's what.
morganatisch [mɔrgaˈnɑ:tiʃ] *adj.* morganatic.
Morgen [ˈmɔrgən] **1.** *m* (-s; -) morning; forenoon; *fig.* dawn; East; *surv.* acre; *heute* ♀ this morning; *guten ~!* good morning!; *j-m einen guten ~ wünschen* wish (*or* bid) a p. good morning; *es wird ~* it's getting light, the day is breaking; **2.** *n* (-) *the* morrow, *the* future.
ˈ**morgen** *adv.* tomorrow; *~ früh (abend)* tomorrow morning (evening *or* night); *~ über acht (vierzehn) Tage* tomorrow week (fortnight).
ˈ**Morgen...:** ~**andacht** *f* morning-prayers *pl.*; ~**ausgabe** *f* morning edition; ~**blatt** *n* morning paper; ~**dämmerung** *f* dawn, daybreak; ♀**dlich** *adj.* matitudinal, morning ...; ~**frost** *m* early frost; ~**gebet** *n* morning-prayer(s *pl.*); ~**grauen** *n* (-s): *beim ~* at dawn, at daybreak; ~**gymnastik** *f* morning exercises, daily dozen; ~**kleid** *n* morning gown; ~**land** *n* (-[e]s) Orient, East, Levante; ~**länder(in** *f*) *m* (-s, -; -, -nen) Oriental; ♀**ländisch** [ˈ-lɛndiʃ] *adj.* Oriental, Eastern; ~**luft** *f* morning air; *fig. ~ wittern* become hopeful, raise one's head; ~**post** *f* first mail; ~**rock** *m* peignoir (*Fr.*), dressing-gown, wrapper; ~**rot** *n*, ~**röte** *f* (rosy) dawn, *poet.* aurora; *fig.* dawn.
ˈ**morgens** *adv.* in the morning; every morning; *um ein Uhr ~* at one o'clock in the morning.
ˈ**Morgen...:** ~**seite** *f* (-) eastern side; ~**sonne** *f* (-) morning sun; ~**stern** *m* morning star, Venus; ~**stunde** *f* morning hour; → *früh*; *~ hat Gold im Munde* the early bird catches the worm; ~**wind** *m* morning breeze; ~**zeitung** *f* morning paper.
ˈ**morgig** *adj.* of tomorrow, tomorrow's; *der ~e Tag* tomorrow.
Mormon|e [mɔrˈmo:nə] *m* (-n; -n), ~**in** *f* (-; -nen) Mormon.
Morphem [mɔrˈfe:m] *gr. n* (-s; -e) morpheme.
Morphi|nismus [mɔrfiˈnismus] *m* (-) morphiomania; ~ˈ**nist(in** *f*) *m* (-en, -en; -, -nen) morphia-addict, morphinist.
Morphium [ˈmɔrfium] *n* (-s) morphia, morphine; ~**einspritzung** *f* morphia injection; ~**sucht** *f* (-) morphia habit, morphiomania.
Morpho|loge [mɔrfoˈlo:gə] *m* (-n; -n) morphologist; ~**loˈgie** *f* (-) morphology; ♀ˈ**logisch** *adj.* morphological.
morsch [mɔrʃ] *adj.* rotten, decayed; frail, fragile; brittle; *~ werden* decay, rot.
Morse|alphabet [ˈmɔrzə-] *n* (-[e]s), ~**schrift** *f* (-) Morse alphabet *or* code; ♀**n** *v/i. and v/t.* (*h.*) morse, signal by Morse code; ~**kegel** *tech. m* Morse taper.
Mörser [ˈmœrzər] *m* (-s; -) mortar, *mil. a.* heavy howitzer; ~**batterie** *f* mortar battery; ~**keule** *f* pestle.
ˈ**Morse...:** ~**schreiber** *m* morse printer, inker; ~**zeichen** *n* Morse signal.
Mortaliˈtät *f* mortality, death-rate.
Mörtel [ˈmœrtəl] *m* (-s; -) mortar; (*stucco*) plaster; *mit ~ bewerfen* plaster, rough-cast; ~**kelle** *f* trowel; ~**maschine** *f* mixer, pugging-mill; ~**trog** *m* hod.
Mosaik [mozaˈi:k] *n* (-s; -en), ~**arbeit** *f* mosaic; tesselated (*or* inlaid) work; ~**fußboden** *m* tesselated pavement; ~**schirm** *m TV*: mosaic (of iconoscope); ~**spiel** *n* jig-saw puzzle.
mosaisch [moˈzɑ:iʃ] *adj.* Mosaic.
Moschee [mɔˈʃe:] *f* (-; -n) mosque.
Moschus [ˈmɔʃus] *m* (-) musk; ~**ochse** *m* musk-ox; ~**tier** *n* musk--deer.
Mosel(wein) [ˈmo:zəl-] *m* (-s) Moselle.
Moskito [mɔsˈki:to] *m* (-s; -s) (tropical) mosquito; ~**netz** *n* mosquito net.
Moslem [ˈmɔslɛm] *m* (-s; -s) Moslem, Muslim.
Most [mɔst] *m* (-es; -e) must, grape--juice, new wine; (*Apfel*♀) cider, (*Birnen*♀) perry.
Mostrich [ˈmɔstriç] *m* (-[e]s) mustard; → *Senf*.
Motel [moˈtɛl] *n* (-s; -s) motel.
Motette [moˈtɛtə] *f* (-; -n) motet.
Motion [motsiˈo:n] *f* (-; -en) motion.
Motiv [moˈti:f] *n* (-s; -e) motive; reason; → *Antrieb*; *mus., paint.* motif, *film, etc., a. mus.* theme; ~**forschung** *f* motivation research.
motivier|en [motiˈvi:rən] *v/t.* (*h.*) motive, motivate; → *begründen, rechtfertigen*; ♀**ung** *f* (-; -en) motivation; plea.
Motor [ˈmo:tɔr] *m* (-s; -ˈtoren) engine, *esp. el.* motor (*a. fig.*); *mit abgestelltem (arbeitendem) ~* power off (on); ~**anlaßschalter** *m* motor--starting switch; ~**anlasser** *m* starter; ~**aufhängung** *f* engine suspension; ~**ausfall** *m* engine failure, breakdown; ~**barkasse** *f* motor launch; ~**block** *m* engine block; ~**boot** *n* motor-boat; ~**bremse** *f* engine brake; ~**defekt** *m* engine (*el.* motor) failure *or* defect; ~**drehzahl** *f* engine (*el.* motor) speed; ~**enlärm** *m* noise (*or* roar) of engines; ~**enschlosser** *m* mechanic; ~**fahrzeug** *n* motor vehicle; ~**gehäuse** *n* crankshaft housing; *el.* motor casing; ~**geräusch** *n* engine noise; ~**haube** *f* bonnet, *Am.* hood; *aer.* (engine) cowl.
moˈtorisch *adj.* motor-operated; *anat. ~er Nerv* motor (nerve).
motorisier|en [motoriˈzi:rən] *v/t.* (*h.*) motorize, *mil.* mechanize; ~**t** *adj.* motorized, mobile; ♀**ung** *f* (-) motorization; mechanization.
ˈ**Motor...:** ~**leistung** *f* engine (*or* motor) output (*or* performance, power); ♀**los** *adj.* motorless; ~**öl** *n* motor oil; ~**pflug** *m* motor plough, *Am.* plow; ~**pumpe** *f* power pump; ~**rad** *n* motor-cycle, motor-bike; *~ mit Beiwagen* motor-cycle with sidecar; ~**radfahrer** *m* motorcyclist; ~**raum** *m* engine compartment; ~**roller** *m* motor scooter; ~**säge** *f* power saw; ~**schaden** *m* engine trouble *or* failure; breakdown; ~**schiff** *n* motor ship; ~**sport** *m* motoring; ~**spritze** *f* motor fire engine; ~**störung** *f* engine trouble; ~**triebwagen** *m* rail motor car; ~**wagen** *m* motor car; ~**wechsel** *m* engine replacement; ~**welle** *f* motor (*or* main) shaft.
Motte [ˈmɔtə] *f* (-; -n) moth; *colloq. fig.* funny bird, character.
ˈ**Motten...:** ~**fraß** *m* damage done by moths; ~**kiste** *f*: *e-e alte Geschichte aus der ~ holen* dust off an old legend; ~**schaden** *m* → *Mottenfraß*; ♀**sicher** *adj.* mothproof; ~**pulver** *n* insect-powder, insecticide; ♀**zerfressen** *adj.* moth-eaten.
Motto [ˈmɔto] *n* (-s; -s) motto.
moussieren [muˈsi:rən] *v/i.* (*h.*) effervesce, sparkle, fizz.
Möwe [ˈmø:və] *f* (-; -n) (sea-)gull.
Mucke [ˈmukə] *f* (-; -n) whim, caprice; *fig. die Sache hat ihre ~n* there is a hitch to it, the matter has its snags; *er hat so s-e ~n* he has his little moods; *der Motor hat ~n Am. sl.* the engine's got the bugs.
Mücke [ˈmykə] *f* (-; -n) gnat, midge, mosquito; *aus e-r ~ einen Elefanten machen* make a mountain out of a molehill.
ˈ**mucken** *v/i.* (*h.*) *fig.* grumble, rebel; *nicht gemuckt!* not another word!; *ohne zu ~* without a murmur.
ˈ**Mücken...:** ~**netz** *n*, ~**schleier** *m* mosquito net; ~**schwarm** *m* swarm of gnats; ~**stich** *m* gnat-bite.
ˈ**Mucker** *m* (-s; -), ~**in** *f* (-; -nen) bigot, hypocrite; sneak; ♀**haft** *adj.* sanctimonious, canting; ~**tum** *n* (-s) cant, hypocrisy, bigotry.
Mucks [muks] *m* (-es; -e): *keinen ~ tun* not to budge (*or* move), be as silent as a mouse.
ˈ**mucksen** *v/i.* (*h.*) *and sich ~* stir, move, budge; → *Mucks*.
müde [ˈmy:də] *adj.* weary, tired, fatigued, exhausted; weak and weary; *zum Umfallen ~* fit to drop, deadbeat; *~ machen* tire out, fatigue, weary; *(bei) e-r Sache ~ werden* grow weary (*or* get tired) of a th.; *ich bin es jetzt ~* I have had enough of it.
ˈ**Müdigkeit** *f* (-) weariness, fatigue, exhaustion; lassitude.
Muff [muf] *m* (-[e]s) muff; ˈ~**e** *tech. f* (-; -n) sleeve, socket; coupling--box; *el.* sealing-box.
Muffel [ˈmufəl] **1.** *chem., tech. f* (-; -n) muffle; **2.** *colloq. m* (-s; -) sourpuss.
ˈ**muffeln** *v/t. and v/i.* (*h.*) munch; mumble; be cross, sulk; smell (bad).
ˈ**Muffen...:** ~**kupplung** *tech. f* socket joint; ~**rohr** *n* socket pipe; ~**ventil** *n* sleeve-and-socket valve.
ˈ**muffig** *adj.* musty, fusty; *fig.* sulky, sullen, huffy.
muh! [mu:] *of cow*: moo!; ˈ~**en** *v/i.* (*h.*) low.
Mühe [ˈmy:ə] *f* (-; -n) trouble, pains *pl.*; labo(u)r, toil; exertion, effort; difficulty; *verlorene ~* waste of time (*or* energy); *mit ~ und Not* barely, with (great) difficulty;

(*nicht*) *der* ~ *wert* (not) worth while, (not) worth the trouble; *j-m* ~ *machen* give (*or* cause) a p. trouble; *sich mit et.* ~ *geben* take pains over *or* with a th.; *sich große* ~ *machen zu inf.* go to much trouble to *inf.*; *sich die* ~ *machen zu inf.* bother to *inf.*, take it upon o.s. to *inf.*; *keine* ~ *scheuen* spare no effort *or* pains; *geben Sie sich keine* ~! don't bother!; *iro.* you are wasting your time!; **2los I.** *adj.* effortless, easy, without trouble; **II.** *adv.* easily, with (effortless) ease; **~losigkeit** *f* (-) ease, easiness, facility; **2n** (-): *sich* ~ take pains; work hard, toil (and moil), exert o.s.; **2voll** *adj.* troublesome, hard; laborious; **~waltung** ['-valtuŋ] *f* (-; -*en*) trouble, efforts *pl.*; care; *besten Dank für Ihre* ~ thanks for all the trouble you have taken *or* for your friendly co-operation.

Mühl|bach ['my:l-] *m* mill-brook; **~e** *f* (-; -*n*) mill; *w.s. a.* crusher, grinder; → *Wasser*; **~enfabrikat** *n* milling product; **~gang** *m* run of (mill-)stones; **~graben** *m* mill race; **~rad** *n* mill-wheel; **~stein** *m* millstone; **~teich** *m* mill-pond.

Muhme ['mu:mə] *f* (-; -*n*) **1.** aunt; **2.** (female) cousin.

Mühsal ['my:za:l] *f* (-; -*e*) toil, trouble; drudgery; hardship; strain.

'**müh|sam, ~selig I.** *adj.* toilsome, troublesome; laborious; tiresome, irksome; difficult, hard, tough; **II.** *adv.* laboriously; with difficulty; *sich* ~ *erheben* struggle to one's feet; **2seligkeit** *f* troublesomeness, (great) difficulty; toil; hardship.

Mulatt|e [mu'latə] *m* (-*n*; -*n*), **~in** *f* (-; -*nen*) mulatto.

Mulde ['muldə] *f* (-; -*n*) trough, tray; depression, hollow; (*valley*) trough, basin; **~nblei** *n* pig lead; **2nförmig** ['-nfœrmiç] *adj.* trough-shaped; **~nkipper** *mot. m* trough-tipping car, *Am.* dump-truck.

Mull [mul] *m and n* (-[e]s; -e) mull.

Müll [myl] *m* (-[e]s) dust, rubbish, refuse, *Am.* garbage; **~abfuhr** *f* refuse (*Am.* garbage) disposal; **~abfuhrwagen** *m* dust-cart, refuse waggon, *Am.* garbage (disposal) truck.

'**Mullbinde** *f* mull (*or* gauze) bandage.

'**Müll-eimer** *m* dustbin, *Am.* garbage pail.

Müller ['mylər] *m* (-s; -) miller.

'**Müll...: ~fahrer** *m* dustman, *Am.* garbageman; **~grube** *f* dust-hole, ash-pit; **~haufen** *m* rubbish heap; **~kasten** *m* dustbin, *Am.* garbage can; **~kutscher** *m* → *Müllfahrer*; **~platz** *m* refuse pit, *Am.* (garbage) dump; **~schaufel** *f* dustpan, *Am.* garbage pan; **~schlucker** *m* waste-disposer; **~verbrennungsofen** *m* incinerator; **~wagen** *m* → *Müllabfuhrwagen*.

mulmig ['mulmiç] *adj.* dusty, mo(u)ldy, rotten; *fig.* precarious, ticklish; uneasy.

Multiplikation [multiplikatsi'o:n] *f* (-; -*en*) multiplication; **Multiplikator** [-'ka:tər] *m* (-s; -'*toren*) multiplier; **multipli'zieren** *v/t.* (*h.*) multipliy (*mit* by).

Multimillionär(in *f*) *m* multi-millionaire.

Mumie ['mu:miə] *f* (-; -*n*) mummy; **2nhaft** *adj.* mummified.

mumifizieren [mumifi'tsi:rən] *v/t.* (*h.*) mummify.

Mumm [mum] *colloq. m* (-s): ~ (*in den Knochen*) spunk, *sl.* guts.

Mummelgreis ['muməl-] *colloq. m* old fogey.

Mummenschanz ['mumənʃants] *m* (-es), **Mumme'rei** *f* (-; -*en*) mummery, masquerade.

Mumpitz ['mumpits] *colloq. m* (-es) (stuff and) nonsense, rubbish, bosh, balderdash.

Mumps [mumps] *med. m* (-) mumps.

Mund [munt] *m* (-[e]s; ¨er) mouth; *tech. a.* muzzle; opening, orifice; *anat.* stoma; *offenen* ~*es* open-mouthed, agape; *wie aus e-m* ~*e* as one man, in a body; ~ *und Nase aufsperren* stand gaping, be dumbfounded *or* flabbergasted; *aus dem* ~*e riechen* have a bad breath; *den* ~ *halten* hold one's tongue; shut up; *reinen* ~ *halten über et.* keep a th. a secret (*or* under one's hat), keep mum (*or* one's peace) about a th.; *den* ~ *vollnehmen* talk big; *et. ständig im* ~*e führen* talk constantly about a th.; *j-m et. in den* ~ *legen* suggest a th. to a p., give a p. the cue; *j-m nach dem* ~*e reden* chime in with a p., *w.s.* fawn upon (*or* butter up) a p.; *j-m über den* ~ *fahren* cut a p. short; *in aller* ~*e sein* be on all tongues; *nicht auf den* ~ *gefallen sein* have a ready (*or* glib) tongue, → *schlagfertig*; *fig. sich den* ~ *verbrennen* put one's foot in it; *Sie nehmen mir das Wort aus dem* ~*e!* that's just what I was going to say!, → *Blatt, Maul, wässerig, etc.*; **~art** *f* dialect; **2artlich** *adj.* dialectical; ~*er Ausdruck* dialectism; **~atmung** *f* mouth-breathing.

Mündel ['myndəl] *m, n* (-s, -), *f* (-; -*n*) ward; **~gelder** ['-gɛldər] *n/pl.* trust money *sg.*; **2sicher** *adj.* absolutely safe; ~*e Anlage* trustee (*Am.* eligible) investment; ~*e Papiere* gilt-edged securities, *Am.* trust (fund) investments.

munden ['mundən] *v/i.* (*h.*) taste good, be delicious, tickle the palate; *es mundet mir* I like it.

münden ['myndən] *v/i.* (*h.*): *in* (*acc.*) lead to, end in; *river*: fall (*or* flow, empty) into; *road*: run into.

'**Mund...: 2faul** *adj.* too lazy to speak, taciturn; **~fäule** *med. f* ulcerative stomatitis; **2gerecht** *adj.* palatable; *fig. j-m et.* ~ *machen* make a th. patalable for a p.; **~geruch** *m* (-[e]s) breath-odo(u)r; *übler* ~ bad breath, halitosis; **~harmonika** *f* mouth-organ; **~höhle** *f* oral cavity.

mündig ['myndiç] *jur. adj.*: ~ *sein* be of age (*or* a major); ~ *werden* become of age, attain majority; **2keit** *f* (-) full age, majority; **~sprechen** *v/t.* (*irr., h.*) declare *a p.* of age.

mündlich ['myntliç] **I.** *adj.* oral, verbal; personal; *jur.* ~*e Verhandlung* oral hearing; ~*e Vernehmung* parol evidence; ~*er Vertrag* verbal (*or* viva voce) agreement; **II.** *adv.* orally, *etc.*; by word of mouth.

'**Mund...: ~pflege** *f* dental care, oral hygiene; **~raub** *m* theft of food (for immediate consumption); **~schenk** *m* cupbearer; **~sperre** *med. f* lockjaw; **~stück** *n* mouthpiece; nozzle; (cigarette) tip; *mit Gold*2 gold-tipped; **2tot** *adj.*: *j-n* ~ *machen* (reduce to) silence; *pol.* gag, muzzle; **~tuch** *n* (table) napkin.

Mündung ['myndʊŋ] *f* (-; -*en*) mouth (*a.* = opening); estuary; *anat., tech.* orifice; muzzle (*of gun*).

'**Mündungs...: ~bremse** *mil. f* muzzle brake; **~feuer** *n* muzzle flash; **~geschwindigkeit** *f* muzzle velocity.

'**Mund...: ~voll** *m* (-) mouthful; **~vorrat** *m* provisions, victuals *pl.*; **~wasser** *n* (-s; ¨) mouth-wash, gargle; **~werbung** *f* word-of-mouth advertising; **~werk** *n* (-[e]s) mouth; *ein gutes* ~ *haben* have the gift of the gab; **~winkel** *m* corner of the mouth; **~-zu-Mund-Wiederbelebung** *f* mouth-to-mouth resuscitation.

Munition [munitsi'o:n] *f* (-; -*en*) ammunition (*a. fig.*).

Muniti'ons...: ~aufzug *m* ammunition hoist; **~bestand** *m* ammunition on hand; **~bunker** *m* ammunition bunker; **~fabrik** *f* ammunition factory; **~kasten** *m* ammunition box; **~kolonne** *f* ammunition column; **~lager** *n* (-s; -) ammunition depot (*or* dump); **~träger** *m* ammunition bearer; **~wagen** *m* ammunition car *or* wag(g)on.

munkeln ['muŋkəln] *v/i. and v/t.* whisper, rumo(u)r; *man munkelt* it is rumo(u)red, there are whispers.

Münster ['mynstər] *n and m* (-s; -) cathedral.

munter ['muntər] *adj.* awake; up (and doing), astir; *fig.* lively, sprightly, brisk, frisky; merry, gay, jolly, chipper; vigorous; *gesund und* ~ hale and hearty, (as) fit as a fiddle; ~! look alive!; **2keit** *f* (-) liveliness, sprightliness, briskness; gaiety, (high) spirits; vigo(u)r.

Münz|e ['myntsə] *f* (-; -*n*) coin; change; medal; mint; *gangbare* ~ current coin; *klingende* ~ hard cash; *fig. et. für bare* ~ *nehmen* take a th. at its face-value (*or* for gospel truth); *j-m mit gleicher* ~ *heimzahlen* pay a p. back in his own coin; **~einheit** *f* unit, standard of currency; **~einwurf** *m* coin slot.

'**münz|en** *v/i.* (*h.*) coin, mint; *fig. das ist auf ihn gemünzt* that is meant for him; **2en** *n* (-s) coinage, mintage; **2er** *m* (-s; -) coiner; **2fernsprecher** *m* coin(-box) telephone, pay phone; **2fuß** *m* standard (of coinage); **2gehalt** *m* standard of alloy; **2gesetz** *n* Coinage Act; **2kunde** *f* (-) numismatics *pl.*; **2kundige(r** *m*) *f* numismatist; **2meister** *m* mint-master; **2recht** *n* right of coinage; **2sammlung** *f* numismatic collection; **2sorte(n** *pl.*) *f* species of money; **2stempel** *m* die, minting stamp; **2system, 2wesen** *n* (-s) monetary system; **2verbrechen** *n* counterfeiting; **2zeichen** *n* coiner's mark; **2zusatz** *m* alloy.

mürb [myrp], **~e** ['myrbə] *adj.* tender; mellow; well-cooked; crisp, short, friable; brittle; *fig.* worn-out, weary, *mil.* softened-up, demoralized; ~ *machen* curb, wear down, break *a p.'s* resistance, *mil.* soften up; ~ *werden* give in; **2gebäck** *n* short pastry; **2kuchen** *m* shortcake; '**2heit** *f* (-) mellowness, *etc.*, → *mürb.*

Murks [murks] *colloq. m* (-es), '**2en** *v/i.* (*h.*) bungle, botch.

Murmel ['murməl] *f* (-; -*n*) marble; **~laut** *m* neutral vowel; **2n** *v/i. and v/t.* (*h.*) murmur, mutter; **~n** *n* (-*s*) murmur; **~tier** *n* marmot, *Am.* wood chuck; *fig. schlafen wie ein* ~ sleep like a top.

murren ['murən] *v/i.* (*h.*) grumble (*über acc.* at), *Am. a.* grouch; **2** *n* (-*s*) grumbling.

mürrisch ['myriʃ] *adj.* sullen, surly, morose; grumpy, *Am. a.* grouchy.

Mus [mu:s] *n* (-es; -e) pap; stewed fruit, fruit sauce; jam; marmalade; *colloq. fig. zu ~ schlagen* beat to a pulp.

Muschel ['muʃəl] *f* (-; -*n*) *zo.* **a)** mussel, **b)** shell-fish, **c)** shell, conch; → *Ohrmuschel*; *teleph.* earpiece; **~bank** *f* shell-bank; **~bein** *anat. n* (-[e]s) turbinate bone; **2förmig** ['-fœrmiç] *adj.* mussel-shaped; **~kalk** *m* shell-lime (stone); **~schale** *f* shell, conch; **~tier** *n* shell-fish, mollusc.

Muse ['mu:zə] *f* (-; -*n*) Muse; *fig. leichte* ~ light entertainment, lightly draped Muse.

Muselmann ['mu:zəl-] *m* (-[e]s; ⁼er) Mussulman.

'**Musensohn** *m* son of the Muses; poet; student.

Museum [mu'ze:um] *n* (-*s*; -een) museum.

Musik [mu'zi:k] *f* (-) music; band (of musicians); ~ *machen* make music, play; *in ~ setzen* set to music; *die ~ schreiben zu* (*dat.*) compose the music to.

Musikalien [muzi'kɑ:liən] *pl.* (pieces of) music; **~handlung** *f* music-shop.

musi'kalisch *adj.* musical; **~er** *Hintergrund* incidental music.

Musikant [muzi'kant] *m* (-*en*; -*en*) musician; **~enknochen** *colloq. m* funny bone.

Mu'sik...: **~automat** *m* record-machine, music (*or* juke-)box; **~begleitung** *f* (musical) accompaniment; **~direktor** *m* chief conductor; **~drama** *n* music drama.

Musiker ['mu:zikər] *m* (-*s*; -) musician.

Mu'sik...: **~freund(in** *f*) *m* music lover; **~(hoch)schule** *f* conservatoire, *Am.* conservatory; **~instrument** *n* musical instrument; **~kapelle** *f*, **~korps** *n* band; **~lehrer(in** *f*) *m* music-teacher; **~pavillon** *m* bandstand; **~schrank** *m* music cabinet, *Am.* radio-phonograph (cabinet); **~stück** *n* piece of music; **~stunde** *f* music-lesson; **~truhe** *f* → *Musikschrank*; **~unterricht** *m* instruction in music; **~veranstaltung** *f* musical performance; **~verleger** *m* music-publisher; **~werk** *n* (musical) composition; **~wissenschaft** *f* (-) musicology; **~zug** *m* band.

Musikus ['mu:zikus] *m* (-; -*sizi*) musician.

musisch ['mu:ziʃ] *adj. person*: fond of the fine arts; *matter*: concerned with the fine arts.

musizieren [muzi'tsi:rən] *v/i.* (*h.*) make music, play (the piano, *etc.*).

Muskat [mus'kɑ:t] *m* (-[e]s; -e) nutmeg; **~blüte** *f* mace.

Muskateller [muska'tɛlər] *m* (-*s*; -) muscatel (wine); **~birne** *f* musk-pear; **~traube** *f* muscatel grape.

Mus'katnuß *f* nutmeg.

Muskel ['muskəl] *m* (-*s*; -*n*) muscle; **~anstrengung** *f* muscular exertion; **~faser** *f* muscular fib|re, *Am.* -er; **~kater** *m* (-*s*) sore muscles *pl.*, myalgia; **~kraft** *f* muscular strength; **~mensch** *m*, **~protz** *m* muscle man, muscles; **~riß** *m* ruptured muscle; **~schwund** *m* muscular atrophy; **~zerrung** *f* pulled muscle; *sich e-e ~ zuziehen* pull a muscle.

Muskete [mus'ke:tə] *mil. f* (-; -*n*) musket; **Musketier** [-ke'ti:r] *m* (-*s*; -e) musketeer.

Musku|latur [muskula'tu:r] *f* (-; -*en*) muscular system, muscles *pl.*; **2lös** [-'lø:s] *adj.* muscular.

Muß [mus] *n* (-): *es ist ein* ~ it is a must; '**~bestimmung** *jur. f* mandatory clause.

Muße ['mu:sə] *f* (-) leisure; spare time; *mit* ~ at (one's) leisure; *in compounds* ~... spare *hours, etc.*

Musselin [musə'li:n] *m* (-*s*; -e) muslin.

müssen ['mysən] *v/i. and v/aux.* (*irr.*, *h.*) have to; be obliged (*or* compelled, forced) to; be bound to; *ich muß* I must; *ich mußte* I had to; *ich werde* ~ I shall have to; *ich müßte* (*eigentlich*) I ought to; *ich muß nicht hingehen* I need not (*or* I don't have to) go; *ich muß Sie bitten* I must ask you; *er muß verrückt sein* he must be mad; *er muß es gewesen sein* it must have been he *or* him; *warum mußten Sie das sagen?* what made you say that?; *das müßte sogleich geschehen* that ought to be done at once; *sie ~ bald kommen* they are bound to come soon; *der Zug müßte längst hier sein* the train is overdue; *ich mußte* (*einfach*) *lachen* I could not help laughing; *er hätte hier sein* ~ he ought to have been here; *da muß ich ausgerechnet ein Bein brechen* what must I do but break a leg?; *da muß er mich mit seinen Sorgen belästigen* he must come worrying; *muß das* (*wirklich*) *sein?* is that really necessary?; *wenn es* (*unbedingt*) *sein muß* if it can't be helped; *eine Frau, wie sie sein muß* **a)** a pattern of a woman, **b)** a model wife.

'**Mußestunde** *f* leisure-hour, spare hour.

müßig ['my:siç] *adj.* idle; superfluous; useless, futile, vain; **~e** *Gedanken* idle thoughts; **~es** *Gerede* idle (*or* useless) talk; *er war nicht* ~ he let no grass grow under his feet; **2gang** *m* (-[e]s) idleness, laziness; ~ *ist aller Laster Anfang* idleness is the parent of vice; **~gänger(in** *f*) ['-gɛŋər-] *m* (-*s*, -; -, -*nen*) idler, loafer; lazybones.

mußte ['mustə] *pret. of müssen.*

Muster ['mustər] *n* (-*s*; -) model; *tech. a.* type; pattern (*a. psych.*); *of wallpaper, etc.*: pattern, design; specimen, pattern, sample; standard; example, model, paragon; ~ *ohne Wert* sample of no value; *fig. ein ~ von* a model (*or* pattern) of (*a housewife, etc.*); *nach dem ~ von* after the pattern of, on the line(s) of, patterned after; *nach e-m ~ arbeiten* work from a pattern; **~beispiel** *n* (typical) example (*für* of); **~betrieb** *m* model plant; **~bild** *n* paragon, ideal; **~buch** *econ. n* book of patterns; **~exemplar** *n* sample (*or* specimen) copy; **~gatte** *m* model husband; **2gültig**, **2haft I.** *adj.* exemplary, model, standard; a model (*or* pattern) of; ideal, perfect, excellent; **II.** *adv.*: *sich ~ benehmen* behave perfectly, be on one's best behavio(u)r; **~haftigkeit** *f* (-) exemplariness, exemplary *or* model behavio(u)r, *etc.*; **~karte** *econ. f* show-card; **~klammer** *f* paper-fastener; **~knabe** *m* model boy, paragon, *contp.* prig; **~koffer** *m* sample-bag; **~kollektion** *econ. f* range of samples; → *~sammlung*; **~lager** *n econ.* stock of samples; showroom; *mil., etc.* model camp; **2n** *v/t.* (*h.*) examine (critically); inspect, (pass in) review; *j-n ~* eye a p., size a p. up; *mil.* **a)** muster (*recruits*), **b)** inspect, review (*troops*); *tech.* figure, pattern (*cloth, etc.*); → *gemustert*; **~prozeß** *jur. m* test case; **~sammlung** *f* collection of samples; specimen collection; **~schüler(in** *f*) *m* model pupil, *contp.* swot; **~schutz** *m* trade-mark protection; registration of designs; **~schutzrecht** *n* copyright in (a) design; **~stück** *n* model, pattern, specimen.

'**Musterung** *f* (-; -*en*) examination, inspection; scrutiny; *mil.* muster(ing) (*of recruits*), review (*of troops*); **~sbescheid** *m* order to report at recruiting station; **~skommission** *f* examination (*Am.* draft-)board.

'**Muster...:** **~wirtschaft** *f* model farm; **~zeichner(in** *f*) *m* pattern-drawer, designer; **~zeichnung** *f* pattern, design.

Mut [mu:t] *m* (-[e]s) courage; spirit, heart; pluck; daring; gallantry, prowess, valo(u)r; resoluteness; fortitude; *angetrunkener* ~ Dutch courage; ~ *fassen* summon (*or* pluck) up courage, take heart, nerve o.s.; *j-m ~ machen* fill (*or* inspire) a p. with courage, encourage a p.; *j-m neuen ~ einflößen* reassure a p., lift up a p.'s head; *j-m den ~ nehmen* discourage (*or* dishearten) a p.; *den ~ sinken lassen* lose courage *or* heart, be discouraged, despair; *den ~ nicht verlieren* bear up, keep up one's courage; *ihn verließ der ~* his heart failed him; *guten ~es sein* be of good cheer; *nur ~!* cheer up!, pluck up!, never say die!; → *zumute.*

Mutation [mutatsi'o:n] *biol. f* (-; -*en*) mutation; **mu'tieren** *v/i.* (*h.*) mutate; *voice*: break.

Mütchen ['my:tçən] *n* (-*s*): *sein* ~

kühlen an (dat.) vent one's anger (*or* spite) on.

ˈ**mutig** *adj.* courageous, plucky, game; daring; gallant.

ˈ**Mut...: ≈los** *adj.* discouraged, disheartened; despondent; **~losigkeit** *f* (-) discouragement; despondency, dejection; despair; **≈maßen** [ˈ-maːsən] *v/t.* (*h.*) guess, suppose, presume, surmise, speculate, conjecture; **≈maßlich** [ˈ-maːsliç] *adj.* probable, presumable; supposed, *esp. jur.* putative; apparent; → *Erbe*; **~maßung** [ˈ-maːsuŋ] *f* (-; -*en*) conjecture (*über acc.* about), supposition, surmise, speculation; suspicion; *bloße ~en* mere speculation, mere guesswork *sg.*

Mutter [ˈmutər] *f* (-; ⸗) mother; progenitress; *zo.* dam; *tech.* nut; *eccl. die ~ Gottes* the Holy Virgin, the Madonna; *fig. ~ Erde* mother earth; *bei ~ Grün schlafen* sleep in the open (air); *wie eine ~* motherly; *sich ~ fühlen* feel o.s. with child; *werdende ~* expectant mother.

Mütterberatungsstelle [ˈmytər-] *f* child welfare centre, *Am.* maternity center.

ˈ**Mutter...: ~boden** *m* native soil; *physiol.* parent tissue, matrix; **~brust** *f* mother's breast.

ˈ**Mütterchen** *n* (-*s*; -) little mother, mummy; *w.s.* good old woman.

ˈ**Mutter...: ~erde** *f* (-) garden mo(u)ld; *fig.* native soil; **~freuden** *f/pl.* maternal joy *sg.*; **~fürsorge** *f* maternity welfare; **~gesellschaft** *econ. f* parent company; **~gestein** *n* parent rock, matrix; **~gewinde** *tech. n* female thread; **~ˈgottesbild** *n* image of the Holy Virgin, Madonna.

ˈ**Mütterheim** *n* maternity home.

ˈ**Mutter...: ~herz** *n* mother's heart; **~instinkt** *m* maternal instinct; **~kalb** *n* heifer calf; **~kind** *n* spoilt child; *contp.* sissy, softy; **~kirche** *f* (-) mother-church; **~korn** *bot. n* (-[e]s; -e) ergot; **~kraut** *bot. n* feverfew; **~kuchen** *anat. m* placenta; **~lamm** *n* ewe-lamb; **~land** *n* mother-country; **~lauge** *f* mother-liquor; **~leib** *m* womb; *vom ~e an* from one's birth.

mütterlich [ˈmytərliç] *adj.* motherly; maternal; **~erseits** [ˈ-ərzaɪts] *adv.* on (*or* from) the mother's side; maternal (*uncle*); **≈keit** *f* (-) motherliness.

ˈ**Mutter...: ~liebe** *f* motherly love; **≈los** *adj.* motherless; **~mal** *n* birth-mark, mole; **~milch** *f* mother's milk; *mit ~ genährt* breast-fed; *fig. mit der ~ einsaugen* imbibe from one's (earliest) infancy; **~mord, ~mörder(in** *f*) *m* matricide; **~mund** *anat. m* (-[e]s) orifice of uterus, os uteri; **~pferd** *n* mare; **~pflicht** *f* maternal (*or* mother's) duty; **~schaf** *n* ewe; **~schaft** *f* (-) maternity, motherhood; **~schiff** *n* mother ship; tender; **~schlüssel** *tech. m* (nut) spanner, *Am.* nut wrench; **~schmerz** *med. m* hysteralgia; **~schoß** *m* (-*es*) mother's lap; **~schraube** *f* female screw, nut; **~schutz** *m* protection of motherhood; **~schwein** *n* sow; **≈seelenallein** *adj.* all (*or* utterly) alone; **~söhnchen** *n* mother's darling, molly(-coddle), *Am. a.* mama boy; **~spiegel** *med. m* uterine speculum; **~sprache** *f* mother tongue, native language; **~stelle** *f* (-): *~ vertreten bei j-m* be like a (*or* a second) mother to a p.; **~tag** *m* Mother's Day; **~tier** *n zo.* dam; *biol.* → *Mutterzelle*; **~trompete** *anat. f* Fallopian tube; **~uhr** *f* master clock; **~witz** *m* (-*es*) mother-wit, gumption; **~zelle** *f* mother (*or* parent) cell.

Mutti [ˈmuti] *colloq.* mummy.

Mutung [ˈmuːtuŋ] *f* (-; -*en*) *mining*: claim.

ˈ**Mut...: ~wille** *m* (-*ns*) frolicsomeness, playfulness; devilry; waggishness; mischievousness; *b.s.* wantonness; malice; **≈willig I.** *adj.* frolicsome, rollicking, playful, kittenish; mischievous; waggish, roguish; *b.s.* wanton; malicious; wilful; **II.** *adv.* playfully, *etc.*; *~ ins Verderben rennen* rush blindly (*or* headlong) into destruction.

Mütze [ˈmytsə] *f* (-; -*n*) cap; **~nschirm** *m* peak.

Myriade [myriˈaːdə] *f* (-; -*n*) myriad.

Myrrhe [ˈmyrə] *f* (-; -*n*) myrrh.

Myrte [ˈmyrtə] *f* (-; -*n*) myrtle.

mysteriös [mysteriˈøːs] *adj.* mysterious.

Mysterium [myˈsteːrium] *n* (-*s*; -*ien*) mystery.

Mystifi|kation [mystifikatsiˈoːn] *f* (-; -*en*) mystification; **≈ˈzieren** *v/t.* (*h.*) mystify, hoax.

ˈ**Mystik** *f* (-) mysticism; **~er(in** *f*) *m* (-*s*, -; -, -*nen*) mystic; ˈ**mystisch** *adj.* mystical; *person*: mystic; **Mystizismus** [-ˈtsismus] *m* (-) mysticism.

Myth|e [ˈmyːtə] *f* (-; -*n*) myth, fable; **≈isch** *adj.* mythical; *~e Gestalt* myth.

Mytho|log [mytoˈloːk] *m* (-*en*; -*en*) mythologist; **~logie** [-loˈgiː] *f* (-; -*n*) mythology; **~logisch** [-ˈloːgiʃ] *adj.* *adj.* mythological.

Mythus [ˈmyːtus] *m* (-; -*then*) myth.

N

N, n [ɛn] *n* N, n.

na! [na] *int.* now!, then!, well!, *Am. a.* hey!; *~, ~!* come, come!; gently!, (take it) easy!; *~ also!* there you are!; *~ nu!* well, I never!, I say!, what the hell?; *~, so (et)was!* think of that!, dear, dear! *Am. a.* what do you know!; *~ und?* what of it?, so what?; *~ warte!* you just wait!

Nabe [ˈnaːbə] *f* (-; -*n*) hub; *of air- or ship-screw*: boss.

Nabel (-*s*; -) *m* [ˈnaːbəl] *anat.* navel, umbilicus; *bot.* hilum; **~binde** *f* umbilical bandage; **~bruch** *med. m* umbilical hernia; **~orange** *f* navel-orange; **~schnur** *f*, **~strang** *m* umbilical cord.

ˈ**Naben...: ~bremse** *f* hub brake; **~haube, ~kappe** *f mot.* hub cap; *aer.* dome; **~sitz** *m* wheel fit.

Nabob [ˈnaːbɔp] *m* (-*s*; -*s*) nabob (*a. fig.*).

nach [naːx] **I.** *prp.* (*dat.*) **1.** *direction, trend*: after; (*a. ~ ... hin or zu*) to (-wards); (*bestimmt ~*) for, bound for; *~ rechts* to the right; *~ unten* downwards (*or* downstairs); *~ oben* upwards (*or* upstairs); *~ England reisen* go to England; *~ England abreisen* leave for England; *der Zug ~ London* the train for London; *das Schiff fährt ~ Australien* the ship is bound for Australia; *~ Hause* home; *~ jeder Richtung* in every direction; *room*: *~ hinten (vorn) hinaus* back (front), *~ der Straße hin* facing the street; *~ Süden (Westen)* to the South (West), southward (westward); *~ dem Arzte schicken* send for the doctor; **2.** *sequence, time*: after, subsequent to, following; next to; past; at the end of; *fünf Minuten ~ eins* five minutes past one; *genau ~ 10 Minuten* exactly ten minutes later; *~ Ankunft (Erhalt)* on arrival (receipt); *econ. ~ Sicht* at sight; *from now on*: *~ 20 Minuten* in twenty minutes; *~ 20 Jahren* twenty years from now; *~ e-m halben Jahr* within six months; *einer ~ dem anderen* one by one; *du kamst ~ mir* you were behind me; *der erste Mann ~ dem Präsidenten* the first man next to the President; **3.** *mode, measure, model*: according to, in accordance (*or* conformity) with; → *gemäß*; *~ s-m Aussehen* to judge from his looks; *~ Bedarf* as required; *~ dem Englischen* from the English; *~ deutschem Geld* in German money; *~ m-m Geschmack* (to) my taste; *~ den bestehenden Gesetzen* under existing laws; *~ dem Gewichte* by the weight; *meiner Meinung ~* in my opinion; *~ Musik dance* to music; *dem Namen ~* by name; *~ der Natur* from nature; *~ Noten* from music; *der Reihe ~* in turn, by turns; *riechen (schmecken) ~* smell (taste) of; *~ seiner Weise* in his usual way; *~ bestem Wissen* to the best of one's knowledge; **II.** *adv.* after, behind; *mir ~!* after me!; *~ und ~* gradually, by degrees, little by little; *~ wie vor* now as before *or* ever, as usual, still.

ˈ**Nach-achtung** *f*: *zu Ihrer ~* for your guidance.

ˈ**nach-äffen** *v/t. and v/i.* (*h.*) ape, mimic; → *nachahmen*; **Nach-äffeˈrei** *f* (-; -*en*) aping, mimicry.

ˈ**nach-ahm|en** [ˈ-aːmən] *v/t. and v/i.* (*h.*) imitate, copy; simulate; → *nachäffen*, → *nacheifern*; counterfeit; **∼enswert** *adj.* worthy of imitation, exemplary; **2er(in** *f*) *m* (-s, -; -, -*nen*) imitator, copyist, *contp.* aper; copy-cat; **2ung** *f* (-; -*en*) imitation, copy(ing); → *Nachbildung*; counterfeit, fake; emulation; **2ungs·trieb** *m* imitative instinct.

ˈ**Nach·arbeit** *f* afterwork; *tech.* retouching, refinishing, subsequent machinery; repair, maintenance; **2en** *v/t.* (*h.*) copy; work from a pattern; touch up, refinish, recondition; make up for (*lost time*).

ˈ**nach·arten** *v/i.* (*sn*): *j-m* ∼ take after a p.

Nachbar [ˈnaxbaːr] *m* (-*n*; -*n*), **∼in** *f* (-; -*nen*) neighbo(u)r (*a. fig.*); next-door neighbo(u)r; **∼dorf** *n* neighbo(u)ring village; **∼einheit** *mil. f* adjacent unit; **∼haus** *n* neighbo(u)ring (*or* adjoining) house; *im* ∼ next door; **∼kanal** *m TV* adjacent channel; **∼land** *n* neighbo(u)ring country; **2lich I.** *adj.* neighbo(u)rly (*spirit, etc.*); neighbo(u)ring (*garden, etc.*); **II.** *adv.*: ∼ *verkehren mit* (*dat.*) be *or* live on neighbo(u)rly terms with; **∼schaft** *f* (-; -*en*) neighbo(u)rhood (*a. fig. and collect.* = neighbo(u)rs *pl.*); vicinity, proximity; *gute* ∼ *halten* be on friendly terms with one's neighbo(u)rs; **∼zimmer** *n* adjoining room.

ˈ**Nachbau** *tech. m* (-[e]s; -*ten*) copying, reproduction, duplication; construction under licen|se, *Am.* -ce.

ˈ**Nach·be·arbeitung** *f* dressing.

ˈ**Nachbehandlung** *f med.* after-treatment; *tech.* subsequent treatment.

ˈ**nachbessern** *v/t.* (*h.*) improve (upon), mend; touch up.

ˈ**nachbestell|en** *v/t.* (*h.*) repeat one's order (*et.* for a th.); order some more of (*or* a fresh supply of) *a th.*; **2ung** *f* repeat(-order), second order (*gen.* for a th.).

ˈ**nachbet|en** *v/i. and v/t.* (*h.*) *fig.* repeat mechanically, echo, parrot; **2er(in** *f*) *m* (-s, -; -, -*nen*) thoughtless repeater, parrot.

ˈ**nachbewilligen** *v/t.* (*h.*) grant (*or* vote) subsequently *or* additionally.

ˈ**nachbezahl|en** *v/t. and v/i.* (*h.*) pay afterwards; pay the rest (of); **2ung** *f* subsequent payment.

ˈ**Nachbild** *n* copy; after-image; **2en** *v/t.* (*h.*) copy, imitate, duplicate, reproduce; counterfeit; **∼ung** *f* copy, imitation, reproduction; *genaue* ∼ facsimile, replica; *tech.* mock-up; dummy *tank, etc.*

ˈ**nachbleiben** *v/i.* (*irr.*, *sn*) remain (*or* lag) behind; *ped.* be kept in.

ˈ**nachblicken** *v/i.* (*h.*) (*dat.*) look after, follow with one's eyes.

ˈ**Nachblutung** *med. f* secondary h(a)emorrhage, after-bleeding.

ˈ**nachbrennen** *v/i.* (*irr.*, *h.*) smolder, burn again; **2** *n* (-s) *rocketry*: afterburning; *of ammunition*: hang-fire.

ˈ**nachbringen** *v/t.* (*irr.*, *h.*) supply (subsequently), supplement.

ˈ**Nachbürge** *m* collateral surety.

ˈ**nachdatieren** *v/t.* (*h.*) postdate.

nachˈdem I. *adv.* afterwards, after that, subsequently; **II.** *cj.* **1.** after, when; ∼ *sie das gesagt hatte, ging sie* after she had (*or* having) said that, she left; **2.** (*je*) ∼ according as, depending on, that depends on how *he will act*; *je* ∼ (*es sich trifft*) as the case may be, according to (the) circumstances; as it turns out, it (all) depends.

ˈ**nachdenk|en** *v/i.* (*irr.*, *h.*) think (*über acc.* over, about); reflect, muse, meditate (on); ponder, *Am.* mull (over); *scharf* ∼ do some hard thinking; *denk mal nach!* think it over!, try and think back!; **2en** *n* (-s) reflection, meditation; (deep) thought; musing, contemplation; ponderation; **∼lich** *adj.* meditative, reflective, contemplative (*a. book, etc.* = thought-provoking); pensive, thoughtful; lost in thought; *j-n* ∼ *machen or stimmen* set a p. thinking, bemuse a p.

ˈ**Nachdichtung** *f* adaptation, free version *or* rendering.

ˈ**nachdrängen** *v/i.* (*h.*) (*dat.*) press (*or* crowd, push) after; pursue closely, *mil.* follow up.

ˈ**Nachdruck** *m* **1.** (-[e]s) stress, emphasis; energy, vigo(u)r, force; *mit* ∼ emphatically; energetically; ∼ *legen auf* (*acc.*) lay stress on, stress, emphasize; **2.** (-[e]s; -e) *typ.* reprint, reproduction; *b.s.* piracy; pirated edition; ∼ *verboten* all rights reserved; **2en** *v/t.* (*h.*) reprint; *b.s.* pirate.

nachdrücklich [ˈ-dryklıç] **I.** *adj.* emphatic(ally *adv.*), energetic(ally *adv.*); forcible; positive, affirmative; **II.** *adv.*: *et.* ∼ *empfehlen* urge a th.; *et.* ∼ *verlangen* insist on a th., make a point of a th.; *er riet* ∼ *davon ab* he strongly advised against it.

ˈ**Nachdrucksrecht** *n* copyright.

ˈ**nachdrucksvoll** *adj. and adv.* → *nachdrücklich.*

ˈ**nachdunkeln** *v/i.* (*sn*) *colours*: darken, deepen.

ˈ**Nach·eifer|er** *m* emulator; **2n** *v/i.* (*h.*) (*dat.*) emulate; vie (*or* compete) with; **∼ung** *f* (-) emulation.

ˈ**nach·eilen** *v/i.* (*sn*) (*dat.*) hasten (*or* run) after; *el.* lag.

ˈ**nach·einander** *adv.* one after another, successively; by (*or* in) turns; *drei Tage* ∼ for three days running.

ˈ**nach·empfinden** *v/t.* (*h.*) have (a) feeling for; interpret with a sensitive artistic understanding.

Nachen [ˈnaxən] *m* (-s; -) boat, skiff; barge.

ˈ**Nach·erbe** *m* reversionary heir; *j-m als* ∼*n zufallen* revert to a p.; **∼nrecht** *n* (right of) reversion.

ˈ**Nach·ernte** *f* aftercrop; aftermath.

ˈ**nach·erzähl|en** *v/t.* (*h.*) repeat; retell; *dem Englischen nacherzählt* adapted from the English; **2ung** *f* repetition; adaptation; reproduction.

ˈ**nach·exerzieren** *v/i.* (*h.*) do extra drill (*or fig.* work).

Nachfahr [ˈ-faːr] *m* (-s; -*en*) descendant.

ˈ**nachfahren** *v/i.* (*irr.*, *sn*) (*dat.*) drive after; go after, follow (in a car, by train, *etc.*).

ˈ**nachfärben** *v/t.* (*h.*) re-dye, colo(u)r again, redip.

ˈ**nachfassen I.** *v/t.* (*h.*) *mil.* get a second helping of; **II.** *v/i. econ.* follow up.

Nachfaßschreiben [ˈ-fas-] *econ. n* follow-up letter.

ˈ**Nachfeier** *f* after-celebration.

ˈ**nachfeilen** *v/t.* (*h.*) *tech.* file over; *fig.* retouch, polish.

ˈ**Nachfolge** *f* succession; *fig.* emulation; ∼ *Christi* Imitation of Christ; **2n** *v/i.* (*sn*) (*dat.*) follow; succeed (*j-m im Amt* a p. in his office); *fig.* emulate, follow the example (*or* in the steps) of; **2nd** *adj.* following; named below; *im* ∼*en* in the following, *jur. a.* hereinafter; **∼organisation** *f* successor organization; **∼r(in** *f*) *m* (-s, -; -, -*nen*) follower; successor (in office); → *Rechts*2.

ˈ**nachforder|n** *v/t.* (*h.*) demand (*or* charge) extra; claim subsequently, enter a subsequent claim on; **2ung** *f* extra charge; afterclaim.

ˈ**nachforsch|en** *v/i.* (*h.*) investigate, inquire (*dat.* into); make inquiries, conduct an investigation; **2ung** *f* investigation, inquiry, search; ∼*en anstellen* → *nachforschen.*

ˈ**Nachfrage** *f* inquiry; *econ.* demand, call, market (*nach* for); *starke* ∼ *a.* rush (for); *die* ∼ *nach* ... *ist gering* ... is little in demand; **2n** *v/i.* (*h.*) (*nach*) inquire *or* ask (after).

Nachfrist *f* extension (of time), respite.

ˈ**nachfühlen** *v/t.* (*h.*): *j-m et.* ∼ feel (*or* sympathize) with a p.; understand (*or* enter into) a p.'s feelings.

ˈ**nachfüllen** *v/t.* (*h.*) fill up, refill, replenish.

ˈ**Nachgang** *econ. m*: *im* ∼ *zu unserem Schreiben vom* referring to our letter of.

ˈ**nach...:** **∼geben** *v/i.* (*irr.*, *h.*) (*dat.*) give way (to), *thing*: give; relax, slacken; *fig.* give in, yield (to), comply (with), come round, cave in; indulge *or* humo(u)r *a p.*; *j-m nichts* ∼ → *nachstehen*; *econ. prices*: give way, decline, slacken; **∼geboren** *adj.* posthumous; **2gebühr** *f* surcharge, excess postage; **2geburt** *med. f* afterbirth, placenta; **∼gehen** *v/i.* (*irr.*, *sn*): *j-m* ∼ follow (*or* go after) a p.; *e-m Beruf*: pursue (*a trade*); attend to (*business*); indulge in (*one's hobbies, etc.*); seek, pursue (*pleasure*); investigate, look into, trace, check, follow *a matter* up; *watch*: be slow, lose; *die Sache geht ihm nach* he can't get over it, it preys on his mind; **∼gelassen** *adj.* posthumous (*works*); **∼gemacht** *adj.* counterfeit; false, fake, bogus, *Am. sl.* phon(e)y; artificial, *before su.*: imitation; **∼genannt** *adj.* undermentioned; **∼ge·ordnet** *adj.* subordinate(d); **∼gerade** *adv.* by this time, by now; gradually; really; **∼geschaltet** [ˈ-gəʃaltət] *tech. adj.*: ∼*es Steuergerät* rear-position control valve; **2geschmack** *m* (-[e]s) after-taste; **∼gewiesenermaßen** *adv.* as has been proved *or* shown.

nachgiebig [ˈ-giːbıç] *adj.* elastic, flexible, pliable (*all a. fig.*); yielding, compliant, complaisant; forbearing, indulgent (*gegen* to [-wards]); *econ. prices, etc.*: soft, declining; **2keit** *f* (-) flexibility;

yieldingness, complaisance; indulgence.

ˈ**nach...:** **~gießen I.** *v/t.* (*irr.*, *h.*) fill up, refill; add; **II.** *v/i.* add more; **~glühen I.** *v/i.* (*sn*) smolder, glow again; **II.** *v/t.* (*h.*) *tech.* temper, reanneal; **~graben** *v/i.* (*irr.*, *h.*) dig up; **~grübeln** *v/i.* (*h.*) (*dat.*, *über acc.*) ponder *or* brood (over), muse (on); **2hall** *m* echo; resonance, reverberation; **~hallen** *v/i.* (*h.*) echo, resound, *a. tech.* reverberate; **~haltig** *adj.* lasting, enduring; effective, vigorous, strong; persistent, sustained (*efforts*); **~hängen** *v/i.* (*irr.*, *h.*) (*dat.*) give o.s. up to *a th.*, indulge in; *s-n Gedanken* ~ give free play to one's thoughts, muse, be lost in thought; (*be slow*) hang back, lag behind; **2hausegehen** [-ˈhaʊzə-] *n* (-*s*): *beim* ~ on the way home; **~helfen** *v/i.* (*irr.*, *h.*) (*dat.*) help (on), assist, give *a p.* a lift *or* leg up; push *a matter* on.

nachˈher *adv.* after that, afterwards; then, subsequently; later (on); *bis* ~! so long!, see you later!; **~ig** *adj.* subsequent; following, ensuing; posterior.

ˈ**Nachhilfe** *f* help, assistance, aid; **~lehrer** *m* coach, private tutor; **~unterricht** *m* (-[e]s) repetitional *or* private lesson(s *pl.*), coaching.

ˈ**nachhinken** *v/i.* (*sn*) (*dat.*) limp (*or* hobble) after; *fig.* lag behind.

ˈ**Nachhol|bedarf** [ˈ-hoːl-] *m* (-[e]s) backlog (*Am.* pent-up) demand; **2en** *v/t.* (*h.*) fetch afterwards, bring up; make good, make up for.

ˈ**Nachhut** *f* (-; -*en*) rear-guard; *die* ~ *bilden* bring up the rear (*a. fig.*); **~gefecht** *n* rear-guard action.

ˈ**nach-impf|en** *med. v/t.* (*h.*) reinoculate; revaccinate; **2ung** *f* reinoculation; revaccination.

ˈ**nachjagen I.** *v/i.* (*sn*) (*dat.*) chase, pursue; **II.** *v/t.* (*h.*) *j-m e-e Kugel, ein Telegramm, etc.*: send *a bullet, wire, etc.*, after.

ˈ**Nachklang** *m* resonance; *fig.* reminiscence; after-effect.

ˈ**nachklingen** *v/i.* (*irr.*, *h.*) (re-) echo, resound, linger in the ear.

Nachkomme [ˈ-kɔmə] *m* (-*n*; -*n*) descendant; **~n** *pl. a.* offspring, *esp. jur.* issue; *ohne* ~*n* without issue; **2n** *v/i.* (*irr.*, *sn*) (*dat.*) follow; come up with, overtake; come (*or* join *a p.*) later; keep up (*or* pace) with; comply with, follow, obey (*a demand*); grant, comply with, accede to (*a wish*); meet (*obligations*); keep (*promise*); observe, adhere to (*rules*); **~nschaft** *f* descendants *pl.*, *esp. jur.* issue; posterity.

Nachkömmling [ˈ-kœmliŋ] *m* (-*s*; -*e*) descendant; *w.s.* later child, Benjamin.

ˈ**Nachkriegs...** postwar...; **~zeit** *f* postwar period.

ˈ**Nachkur** *med. f* after-treatment.

ˈ**nachladen** *v/i.* (*irr.*, *h.*) recharge.

Nachlaß [ˈ-las] *m* (-*sses*; -*lasse*) remission (*of claim, penalty*); estate (of a deceased), assets *pl.*, inheritance; literary bequest, posthumous works *pl.*; *econ.* reduction, abatement, allowance; rebate, discount; *unter* ~ *von* allowing, deducting.

ˈ**nachlassen I.** *v/t.* (*irr.*, *h.*) leave behind; devise, bequeath; loosen; relax, slacken; let go; et. *im* (*or vom*) *Preise* ~ make a reduction in the price; *10 Dollar* ~ allow (a discount of) $ 10; **II.** *v/i.* (*h.*) diminish, decrease; soften, relent; weaken; deteriorate; cease; *activity, tension*: slacken, relax; *speed*: slacken, slow down; *fever, pain, rain, etc.*: abate, subside, *storm, wind a.* calm (*or* settle) down; *health*: fail, give way; *strength*: wane, ebb, fail; *interest*: wane, flag; *prices*: give way, drop; *sales, attendance*: fall off; *distress*: ease off; *er hat sehr nachgelassen* he has gone off considerably; *nicht* ~! don't give up!, keep it up!; **2** *n* (-*s*) relaxation; reduction; diminution, decrease; abatement, subsidence; cessation; let-up.

ˈ**Nachlaßgericht** *n* probate court.

ˈ**nachlässig** *adj.* negligent, neglectful (*in dat.* of); careless, slack, lax; slovenly, sloppy, slipshod; **2keit** *f* negligence, neglect; carelessness, laxity, indolence; slovenliness; irregularity.

ˈ**Nachlaß...:** **~pfleger, ~verwalter** *m* administrator (of an estate); **~steuer** *f* death duty, *Am.* inheritance tax.

ˈ**nach...:** **2lauf** *mot. m* castor (*Am.* caster) action; **~laufen** *v/i.* (*irr.*, *sn*) (*dat.*) run after (*a. a girl*), follow; **~leben** *v/i.* (*h.*) (*dat.*) live up to, observe, conform to; **~legen** *v/t.* (*h.*) put on more *coal, etc.*

ˈ**Nachlese** *f agr.* gleaning; gleanings *pl.*; *fig.* second selection; **2n** *v/t. and v/i.* (*irr.*, *h.*) *agr.* glean; read, look up (in *a book*).

ˈ**nachliefer|n** *econ. v/t.* (*h.*) deliver (*or* supply) subsequently *or* in addition; **2ung** *f* subsequent delivery; repeat delivery.

ˈ**nachlösen** *v/i.* (*and v/t.* [*h.*]: *eine Fahrkarte* ~) take a supplementary ticket; buy a ticket en route.

ˈ**nachmachen** *v/t.* (*h.*) imitate (*j-m et.* a p. in a th.), copy; mimic; counterfeit, forge; *das mach (mir) einer mal nach!* I'd like to see anyone do better.

ˈ**nachmalen** *v/t.* (*h.*) copy.

nach|malig [ˈ-maːliç] *adj.* subsequent; **~mals** [ˈ-maːls] *adv.* afterwards; later on.

ˈ**nachmessen** *v/t.* (*irr.*, *h.*) measure again, remeasure, check.

ˈ**Nachmittag** *m* afternoon; *später* ~ late afternoon, evening; *heute* **2** this afternoon; **2s** *adv.* in the afternoon, p.m.; **~skleid** *n* afternoon dress, tea-gown, casual; **~svorstellung** *thea. f* matinée.

Nachnahme [ˈ-naːmə] *f* (-; -*n*) cash (*Am.* collect) on delivery (*abbr.* C.O.D.); reimbursement; *gegen* (*per*) ~ C.O.D.; to be paid for on delivery; *per* ~ *schicken* send C.O.D.; *unter* ~ *Ihrer Spesen* carrying your charges forward; **~gebühr** *f* collection-fee, C.O.D. fees *pl.*; **~sendung** *f* C.O.D. parcel.

ˈ**Nachname** *m* surname, last name.

ˈ**nachnehmen** *econ. v/t.* (*irr.*, *h.*) reimburse o.s. for; charge forward, collect on delivery.

ˈ**nachplappern** *v/t. and v/i.* (*h.*) repeat mechanically, parrot.

ˈ**Nachporto** *n* surcharge, additional charge.

ˈ**nachprüf|bar** *adj.* verifiable; **~en** *v/t.* (*h.*) verify, make sure; check; investigate; inspect; *jur.* review (*sentence*); **2ung** *f* verification; check (*gen.* on); inspection; *jur.* review(al); *ped.* re-examination.

ˈ**nachrechnen** *v/t.* (*h.*) examine, check; reckon over again.

ˈ**Nachrede** *f* epilog(ue); *üble* ~ vile gossip, *jur.* defamation (of character), slander, libel; **2n** *v/t. and v/i.* (*h.*) repeat; *j-m Übles* ~ calumniate (*or* slander) a p.

ˈ**nach...:** **~reichen** *v/t.* (*h.*) serve second helpings of (*food*); file (*or* supply) *documents* subsequently; **~reifen** *v/i.* (*sn*) *fruit*: ripen in storage; **~reisen** *v/i.* (*sn*) (*dat.*) travel after, follow; **~rennen** *v/i.* (*irr.*, *sn*) (*dat.*) run after.

Nachricht [ˈ-riçt] *f* (-; -*en*) (*e-e* ~ a piece of) news *sg.*; tidings *sg.*; message; information, communication, notice; *mil.* intelligence; report, account; **~en** *pl. radio*: newscast; *letzte* ~*en* stop-press; *vermischte* ~*en* miscellanies; ~ *bekommen von* (*dat.*) receive word *or* news from, hear from; ~ *bringen* bring word *or* news (*von* from); *j-m* ~ *geben* send a p. word, let a p. know, inform (*or* advise) a p. (*von über acc.* of).

ˈ**nachrichten** *tech. v/t.* (*h.*) readjust, reset.

ˈ**Nachrichten...:** **~abteilung** *mil. f* signal battalion (*or* section); **~agentur** *f* news agency; **~blatt** *n* news magazine; information gazette, bulletin; **~büro** *n* → *Nachrichtenagentur*; **~dienst** *m* (-*es*) **1.** news service; **2.** *mil.* intelligence service; **~kommentator** *m* news analyst; **~material** *n* (-*s*) information; *mil.* intelligence; **~mittel** *n* means of communication; **~netz** *n* communications network; **~offizier** *m* **1.** communications officer; **2.** intelligence officer; **~satellit** *m* communications satellite; **~sendung** *f* newscast; **~sperre** *f* news black-out; **~sprecher** *m* newscaster; **~stelle** *f* information (*or* message) cent|re, *Am.* -er; **~technik** *f* telecommunication engineering; **~truppe** *f* (Corps of) Signals, *Am.* Signal Corps; **~übermittlung** *f* transmission of news; **~übersicht** *f* summary of the news; **~verbreitung** *f* diffusion of news; **~wesen** *n* (-*s*) communications *pl.*; **~zeitschrift** *f* news magazine; **~zentrale** *f* communications cent|re, *Am.* -er.

ˈ**nachrücken** *v/i.* (*sn*) (*dat.*) move after, follow; *mil.* march after, follow up; *in rank*: move up.

ˈ**Nachruf** *m* obituary (notice); **2en** *v/i.* (*irr.*, *h.*) (*dat.*) call (*or* shout) after.

ˈ**Nach|ruhm** *m* posthumous fame; **2rühmen** *v/t.* (*h.*): *j-m et.*: say in praise of a p., say *a th.* to a p.'s credit.

ˈ**nachsagen** *v/t.* (*h.*) repeat (mechanically); *j-m et.* **a)** → *nachreden*, **b)** credit a p. with; *man sagt ihm nach, daß* he is said to *inf.*, he has a reputation for (*a th. or ger.*); *das darfst du dir nicht ~ lassen* don't let that be said about you.

ˈ**Nachsaison** *f* after-season.

ˈ**Nachsatz** *m gr.* concluding sentence, final clause; *logics*: minor proposition; → *Nachschrift.*

ˈ**nachschauen** *v/i.* (*h.*) (go and) see, have a look; *j-m*: look after, follow *a p.* with one's eyes.

ˈ**nachschicken** (*h.*) → *nachsenden.*

ˈ**nachschießen I.** *v/i.* (*irr., h.*) shoot after; **II.** *v/t.* (*irr., h.*): *Gelder ~* pay an additional sum, add.

ˈ**Nachschlag** *m boxing*: counter (-blow); *mus.* grace-note; *mil.* second helping; **~ebibliothek** *f* reference library; **~ebuch, ~ewerk** *n* reference-book, work of reference; **2en** *v/t. and v/i.* (*irr., h.*) *ein Buch, in e-m Buch*: consult, refer to *a book*; *e-e Stelle, ein Wort*: look up *a passage, word* (in a book); *boxing*: (*v/i.*) counter; *j-m ~* (*sn*) take after a p.

ˈ**nachschleichen** *v/i.* (*irr., sn*) (*dat.*) sneak (*or* steal) after; shadow, *Am. a.* tail.

ˈ**nachschleifen** *tech. v/t.* (*irr., h.*) reface, regrind, reseat.

ˈ**nachschleppen** *v/t.* (*h.*) drag (*or* trail) after; (take in) tow.

ˈ**Nachschlüssel** *m* master-key; skeleton-key, picklock; false key.

ˈ**nachschmieren** *v/t.* (*h.*) relubricate.

ˈ**Nachschmerzen** *med. m/pl.* after--pains.

ˈ**nachschreiben** *v/t. and v/i.* (*irr., h.*) take down, write from dictation; copy.

ˈ**Nachschrift** *f* postcript (*abbr.* P.S.).

ˈ**Nachschub** *mil. m* supply; reinforcements *pl.*; *~ auf dem Luftweg* airborne supply, *Am.* air landed resupply; **~basis** *f* supply base; **~kolonne** *f* supply column *or* train; **~lager** *n* supply depot; **~linie** *f*, **~weg** *m* line of communication, line of supply.

ˈ**Nachschuß** *m* **1.** *soccer*: return; **2.** *a.* → **~zahlung** *f* fresh (*or* additional) payment; *for loans, securities*: additional margin *or* cover; **2pflichtig** *adj.* contributory.

ˈ**nachsehen** *v/i. and v/t.* (*irr., h.*) look (*or* gaze) after; *fig.* look after; examine, inspect, look over; check; correct (*exercise books*); *econ.* revise, audit (*books*); overhaul (*machine*); *words, etc.*: → *nachschlagen*; *j-m et. ~* indulge a p. in a th.; overlook (*or* excuse, close one's eyes to) a p.'s mistakes; *~ ob* (go and) see whether, make sure if; **2** *n*: *das ~ haben* have one's trouble for nothing, be the loser, be left out in the cold; *j-m das ~ geben* give a p. the slip; *sports*: *dem Gegner das ~ geben* dismiss one's opponent.

ˈ**Nachsende|anschrift** *f* forwarding address; **2n** *v/t.* (*h.*) send after; send on to, forward (*letter, etc.*), redirect; *bitte ~!* please forward.

ˈ**nachsetzen I.** *v/t.* (*h.*) put (*or* place) behind; *games*: increase one's stake; *fig.* think less of, consider inferior; **II.** *v/i.* (*h.*) (*dat.*) run (*or* make) after, give chase (to), pursue.

ˈ**Nachsicht** *f* (-) indulgence, forbearance; patience; leniency; *~ üben* bear and forbear, stretch a point; *mit j-m*: be indulgent towards a p., have patience (*or* be lenient) with a p.; → *Vorsicht*; **2ig, 2svoll** *adj.* indulgent, forbearing; lenient; patient; **~wechsel** *econ. m* after sight bill.

ˈ**nach...: 2silbe** *gr. f* suffix; **~sinnen** *v/i.* (*irr., h.*) muse, meditate, reflect (*dat. or über acc.* [up]on); *in 2 versunken sein* be in a brown study, be lost in thought; **~sitzen** *v/i.* (*irr., h.*) *ped.* be kept in; *~ lassen* keep in, detain; **2sommer** *m* late (*or* St. Martin's) summer, *esp. Am.* Indian summer; **~spähen** *v/i.* (*h.*) (*dat.*) spy after; *fig.* → *nachspüren*; **2speise** *f* → *Nachtisch*; **2spiel** *n thea.* after-piece; *mus.* postlude; *fig.* sequel; *das geht nicht ohne ~ ab* we haven't heard the last of it; **~spionieren** *v/i.* (*h.*) (*dat.*) spy on; **~sprechen** *v/i. and v/t.* repeat (*j-m* a p.'s words); **~spülen** *v/t.* (*h.*) rinse, flush again; *tech.* reflush; **~spüren** *v/i.* (*h.*) (*dat.*) trace, track; *fig. j-m ~* spy on a p.; *e-r Sache ~* investigate, spy (*or* inquire) into a th.

nächst [nɛ:çst] **I.** *adj.* next, following; nearest, shortest; *~en Sonntag* Sunday next; *~en Monat(s)* (of) next month; *am ~en Tage* the next *or* following day; *aus ~er Entfernung* at close range; *bei ~er Gelegenheit* at the first opportunity; *im ~en Augenblick* the next moment; *im ~en Haus* next door; *in den ~en Tagen* in the next few days, one of these days; *in unserem ~en Schreiben or Heft* in our next; *in ~er Zeit* in the near future; *das ~e Mal* (the) next time; *das ~e Mal (als ich ihn wiedersah) when I* next *saw him*; *die ~en Verwandten* the nearest relatives, *jur.* the next of kin; *er setzte sich auf den ~en Stuhl (neben ihr)* he sat down on the chair next (*to hers*); **II. 2e(r)** *m* (*-n, -n*) the next; fellow--man *or* -creature, neighbo(u)r; *jeder ist sich selbst der ~* charity begins at home; *das ~e* the next (*or* first) thing; **III.** *adv. am ~en* nearest, next (*dat.* to); *fürs ~e* for the present, for the time being; (*dat.*) *am ~en kommen* come nearest (*or* closest) (to); *j-m am ~en stehen* be nearest to a p.(s' heart); **IV.** *prp.* (*dat.*) next to, close to; next after; **~beste** *adj.* second-best; next in quality; **~dem** *adv.* next to (*or* after) that; thereupon.

ˈ**nachstehen** *v/i.* (*irr., h.*) (*dat.*) stand after, follow; come after; *fig. j-m*: be second to, be inferior to *a p.*; *j-m in nichts ~* be in no way inferior to a p., be a p.'s equal; *keinem ~* be second to none; **~d I.** *adj.* following, *~ (verzeichnet) a.* mentioned (*or* specified, listed) below; undermentioned; as hereinafter set forth; *im ~en* → **II.** *adv.* in the following, in what follows, hereinafter.

ˈ**nachsteigen** *colloq. v/i.* (*irr., sn*) (*dat.*) go after, be after (*a girl*).

ˈ**nachstell|bar** *tech. adj.* adjustable; **~en I.** *v/t.* (*h.*) place behind *or* after; put back (*watch*); *tech.* adjust; **II.** *v/t.* (*h.*): *j-m ~* be after a p.; waylay a p.; lay snares (*or* set traps) for a p.; persecute (*or* hound) a p.; **2schraube** *tech. f* adjusting screw; **2ung** *f tech.* adjustment; *fig.* snare, trap; persecution.

ˈ**Nächstenliebe** *f* (-) charity.

nächstens [ˈnɛ:çstəns] *adv.* shortly, (very) soon, before long, in a (very) near future; one of these days.

nächste(r) → *nächst* II.

ˈ**Nachsteuer** *f* additional tax.

ˈ**nächst...: ~folgend** *adj.* next (in order), (next) following; **~liegend** *adj.* nearest (at hand).

ˈ**nach...: 2stoß** *fenc. m* riposte, return; **~stoßen** *v/i.* (*irr., h., sn*) thrust (*or* kick) again; *fenc.* riposte, return; *mil.* follow up, pursue; **~streben** *v/i.* (*h.*) (*dat.*) strive after, aspire to; *j-m*: emulate *a p.*; **~strömen** *v/i.* (*sn*) (*dat.*) *fig.* crowd after, follow in masses; **~stürmen, ~stürzen** *v/i.* (*sn*) (*dat.*) rush after; **~suchen** *v/t. and v/i.* (*h.*) search (*or* look) for; *um et. ~* apply (*or* petition) for, seek; **2suchung** *f* (*-; -en*) search; inquiry; application, petition; request; **~synchronisieren** *v/t.* (*h.*) *film*: post-synchronize; **~tanken** *v/i. and v/t.* (*h.*) refuel.

Nacht [naxt] *f* (*-; ¨e*) (*a. fig.*); *bei ~, des ~s* at night; *bei ~ und Nebel, im Schutze der ~* under cover of the night, *w.s.* → *heimlich*; *bis in die sinkende ~* to the last of daylight, till nightfall; *bis in die ~ arbeiten* work till late in the night, burn the midnight oil; *die ganze ~ (hindurch)* all night (long); *heute 2* tonight; *vergangene ~* last night; *in e-r dunklen ~* on a dark night; *in tief(st)er ~* at dead of night; *mit einbrechender ~* at nightfall; *über ~* overnight; → *übernachten*; *die ~ zum Tage machen* turn night into day; *häßlich wie die ~* ugly as sin; *schwarz wie die ~* black as coal; *e-e gute (schlechte) ~ haben* have a good (bad) night; *gute ~! (a. iro.)* good night!; *j-m gute ~ wünschen* wish *or* bid a p. good night; *sich die ~ um die Ohren schlagen* make a night of it; *zu ~ essen* have supper, sup; *es wird ~* it is growing (*or* getting) dark, night is coming on; *bei ~ sind alle Katzen grau* when candles are out, all cats are grey.

ˈ**Nacht...: ~angriff** *mil. m* night attack; **~arbeit** *f* night-work; **~asyl** *n* night-shelter; **~ausgabe** *f* extra special; **~bekleidung** *f* night wear; **2blind** *adj.* night-blind; **~bomber** *m* night bomber; **~dienst** *m* night--duty; night service.

Nachteil [ˈnɑ:xtaɪl] *m* disadvantage; drawback, shortcoming; *sports (a. fig.)*: handicap; detriment, prejudice; loss; *im ~ sein* be at a disadvantage, be handicapped; *ohne ~ für* without prejudice to; *zum ~ von* to *a p.'s* disadvantage, to the prejudice of; *zum ~ gereichen (dat.)* be detrimental to, prove a disadvantage *or* handicap to; *econ. mit ~ verkaufen* sell at a disadvantage; **2ig I.** *adj.* disadvantageous, detrimental, prejudicial (*für* to); adverse, unfavo(u)rable; derogatory; *über ihn ist nichts* 2*es bekannt* nothing is known to his detriment; **II.** *adv.*: ~ *behandeln* → *benachteiligen*; ~ *beeinflussen* affect adversely, prejudice.

ˈNacht-einsatz *aer. m* night mission *or* operation.

nächtelang [ˈnɛçtəlaŋ] *adv.* for nights (together), night after night.

ˈNacht...: **~essen** *n* supper; **~eule** *f* night-owl; **~falter** *m* moth; **~flugausbildung** *aer. f* night flight training; **~frost** *m* night-frost; **~gebet** *n* evening-prayer; **~gebühr** *f* night rate; **~gefecht** *n* night combat; **~geschirr** *n* chamber-pot; **~gewand** *n* night-dress; **~hemd** *n* night-shirt; *of children, women*: night-dress, night-gown.

Nachtigall [ˈnaxtigal] *f* (-; -en) nightingale.

nächtigen [ˈnɛçtigən] *v/i.* (*h.*) pass (*or* spend) the night; → *übernachten.*

Nachtisch *m* (-es) sweet, *Am.* [dessert.]

ˈNacht...: **~jagd** *aer. f* night fighting (*or* interception); **~jäger** *m* night fighter (*or* interceptor); **~klub** *m* night club; **~lager** *n* night's lodging; bed; **~leben** *n* (-s) night life.

nächtlich [ˈnɛçtliç] *adj.* nightly, nocturnal; **~erweile** *adv.* at night-time.

ˈNacht...: **~lokal** *n* night club, night-spot; **~luft** *f* (-) night-air; **~mahl** *n* supper; **~marsch** *m* night march; **~mette** *eccl. f* nocturn; **~musik** *f* serenade; **~portier** *m* night-porter; **~quartier** *n* night-quarters *pl.*, overnight accommodation; **~ruf** *teleph. m* night call.

ˈnachtönen *v/i.* (*h.*) resound, echo, linger (in the ear).

Nach...: **~trag** [ˈ-tra:k] *m* supplement, addendum; appendix; *of last will*: codicil; *Nachträge pl. in book*: addenda; **2tragen** *v/t.* (*irr.*, *h.*) carry after; *in writing*: add, append; post up (*books*); book (*omitted items*); *fig. j-m et.* ~ bear a p. a grudge; resent a th.; *nicht* ~ bear no ranco(u)r; *ich will es dir nicht* ~! no hard feelings!, I won't hold it against you!; **2tragend, 2trägerisch** [ˈ-trɛ:gəriʃ] *adj.* unforgiving, rancorous, resentful; **2träglich** [ˈ-trɛ:kliç] **I.** *adj.* additional, supplementary; subsequent; belated; **II.** *adv.* subsequently, later; by way of addition, further; with hindsight; **~trags...** additional ..., supplementary ..., subsequent ...

ˈNacht...: **~ruhe** *f* night's rest; **2s** *adv.* at (*or* by, during the) night; **~schatten** *bot. m* night-shade; **~schattengewächse** *n/pl.* Solanaceae; **~schicht** *f* night-shift; **2schlafend** *adj.*: *zu* ~*er Zeit* in the middle of the night; **~schwärmer** (**-in** *f*) *m fig.* night-reveller, fly-by-night; **~schweiß** *m* night-sweat; **~schwester** *f* night-nurse; **~sicht** *f* vision by night; **~sitzung** *f* all-night sitting; **~strom** *el. m* (-[e]s) night current; **~stuhl** *m* night stool; **~tisch(chen** *n*) *m* bedside table; **~topf** *m* chamber-pot.

ˈnachtun *v/t.* (*irr.*, *h.*): *es j-m* ~ imitate a p.; → *nachmachen.*

ˈNacht...: **~vorstellung** *f* night performance, midnight matinée; **~wache** *f* night-watch; ~ *halten bei* keep vigil over; **~wächter** *m* (night-)watchman; *contp.* slowpoke; **2wandeln** *v/i.* (*sn*) walk in one's sleep; **~wandeln** *n* sleep-walking, somnambulism; **~wandler(in** *f*) *m* (-s, -; -, -nen) sleep-walker, somnambulist; **2wandlerisch** *adj.* somnambulistic; *mit* ~*er Sicherheit* with uncanny sureness, unerring (-ly); **~zeug** *n* night-things *pl.*; **~zug** *m* night-train.

nach...: **2untersuchung** *f* check-up, follow-up examination; **2urlaub** *m* additional (*or* extended) leave; **2verbrennung** *tech. f* after-burning; **~verlangen** *v/t.* (*h.*) demand subsequently *or* in addition; **~versichern** *v/t.* (*h.*) effect an additional insurance; increase the sum insured; **2versicherung** *f* additional insurance; **~wachsen** *v/i.* (*irr.*, *sn*) grow again; grow up; **2wahl** *f parl.* by-election, *Am.* special election; **2wehen** *f/pl.* afterpains; *fig.* painful consequences, aftermath; **~weinen** *v/i. and v/t.* (*h.*): *j-m (Tränen)* ~ mourn over the loss of, bewail the death of; *ich werde ihm keine Träne* ~ I shan't be sorry to see him go.

Nachweis [ˈ-vaɪs] *m* (-es; -e) proof, evidence; voucher; record; certificate; list, inventory; → *Arbeits*2; ~ *der Echtheit* proof of authenticity; *den* ~ *führen or erbringen* (*gen. or daß*) prove, show, furnish proof (of *or* that); **2bar** **I.** *adj.* provable, demonstrable, ascertainable; traceable, *chem.* detectable; evident; **II.** *adv.* as can be shown *or* proved; **2en** *v/t.* (*irr.*, *h.*) point out, show; prove; refer to; establish, *chem.* detect; *j-m et.* ~ prove a th. against a p., sheet a th. home to a p.; *j-m Irrtümer* ~ demonstrate (*or* show) a p.'s mistakes; *j-m et.* ~ inform a p. about a th. (*desired*); **2lich** *adj.* → *nachweisbar*; **~pflicht** *f* accountability; **~ung** *f* (-; -en) proof, demonstration; information.

ˈnach...: **2welt** *f* (-) posterity; future generations *pl.*; **~wiegen** *v/t.* (*irr.*, *h.*) weigh (over) again, check; **2winter** *m* late winter; second winter; **~wirken** *v/i.* (*h.*) act (*or* operate) afterwards; produce an after-effect; be felt afterwards; **2wirkung** *f* after-effect; consequences *pl.*, hangover; ~*en pl. des Krieges* aftermath of war; **2wuchs** *m* (-es) after-growth; *fig. the* rising generation; young talent, new blood, recruits *pl.*; *econ.* junior staff, trainees; *in compounds usu.* junior ...; **~zahlen** *v/t. and v/i.* (*h.*) pay in addition (*or* extra *or* later); *econ. auf Aktien* ~ pay a further call on shares; **~zählen** *v/t.* (*h.*) count over (again), check; **2zahlung** *f* additional (*or* extra) payment; *econ.* fresh call; **~zeichnen** *v/t.* (*h.*) draw from a model, (*a. v/i.*) copy; trace; **~ziehen** **I.** *v/t.* (*irr.*, *h.*) draw *or* pull after, pull along; drag (*one's leg*); trace (*line*); tighten (up) (*screw*); pencil (*eyebrow*); *fig. nach sich ziehen* entail, involve, bring in its wake; **II.** *v/i.* (*irr.*, *sn*) (*dat.*) follow (after), march after; *chess*: (*h.*) move next; **~zotteln** *colloq. v/i.* (*sn*) lag behind; (*dat.*) trot after; **2zügler(in** *f*) [ˈ-tsy:klər] *m* (-s, -; -, -nen) straggler; late comer; *humor.* (*child*) Benjamin; **2zugsaktie** *econ. f* deferred share; **2zündung** *mot. f* retarded ignition.

Nackedei [ˈnakədaɪ] *m* (-[e]s; -s) naked child (*or* girl).

Nacken [ˈnakən] *m* (-s; -) nape (of the neck), neck; cervix; *zum* ~ *gehörig* cervical; *den Kopf in den* ~ *werfen* throw back one's head; *fig. j-m den* ~ *steifen* stiffen a p.'s back; *j-n im* ~ *haben* have a p. hard on one's heels, *w.s.* be beset (*or* plagued) by a p.

nackend [ˈnakənt] *adj.* → *nackt.*

ˈNacken...: **~haar** *n* back-hair; **~hebel** *m wrestling*: Nelson; **~muskel** *m* splenius; **~schlag** *m* blow behind the neck, rabbit-punch; *fig.* blow, adversity, setback; **~wirbel** *anat. m* cervical vertebra.

ˈnackt [nakt] **I.** *adj.* naked, (*a. paint.*) nude; bare (*a. fig. and tech.*); *orn.* unfledged; *fig.* naked, plain (*truth*); ~*e Tatsachen* hard (*or* blunt) facts; *das* ~*e Leben* bare life; **II.** *adv.* naked, bare, (in the) nude, *Am. a.* in the raw; *sich* ~ *ausziehen* strip (to one's skin); ~ *baden* (*malen*) swim (paint) in the nude; **2heit** *f* (-) nakedness, bareness, nudity; **2kultur** *f* nudism; *Anhänger der* ~ nudist.

Nadel [ˈna:dəl] *f* (-; -n) needle (*a. tech.* = pointer); pin; brooch; button; (*engraver's, etc.*) style; *bot.* needle leaf; *mit* ~*n befestigen* pin (fast); *fig. wie auf* ~*n sitzen* be on pins and needles, be on tenterhooks; **~abweichung** *f* magnetic declination; **~arbeit** *f* needlework; **~baum** *m* conifer(ous tree); **2förmig** [ˈ-fœrmiç] *adj.* needle-shaped; **~geld** *n* pin-money; **~hölzer** *n/pl.* conifers; **~kissen** *n* pin-cushion; **~kopf** *m* pin-head; **~lager** *mot. n* needle bearings *pl.*; **~öhr** *n* eye of a needle; **~stich** *m* prick of a pin; *sewing*: stitch; *fig.* pinprick; **~wald** *m* fir-pine wood, coniferous forest.

Nagel [ˈna:gəl] *m* (-s; ¨) *anat. and tech.* nail; peg; spike; tack; stud; *an den Nägeln kauen* bite one's (finger-)nails; *sich die Nägel schneiden (reinigen)* cut (clean) one's nails; *fig. et. an den* ~ *hängen* give (*or* chuck) a th. up; *den* ~ *auf den Kopf treffen* hit the nail on the head; *die Arbeit brennt mir auf den Nägeln* the work is very pressing; it's a rush job; **~bohrer** *m* gimlet; **~bürste** *f* nail-brush; **~feile** *f* nail-file; **2fest** *adj.* nailed; immovable; **~geschwür** *n* whitlow; **~haut** *f* cuticle; **~lack** *m* nail enamel; **2n** *v/t. and v/i.* (*h.*) nail (*an, auf acc.* to); spike; tack; *mot.* (*v/i.*) knock; **2neu** *adj.* brand-new; **~pflege** *f* care of the nails, manicure; **~probe** *f*: *die* ~ *machen* thumb one's glass; **~schere** *f* (*e-e* ~ a pair of) nail-scissors *pl.*; **~schuhe** *m/pl.* (*a. sports*) spiked shoes; **~wurzel** *anat. f* root of a nail; **~zieher** *tech. m* nail puller.

nagen [ˈnɑːgən] *v/t. and v/i.* (*h.*) gnaw; *~ an* (*dat.*) nibble at, *w.s.* eat into, corrode; *an e-m Knochen ~* pick a bone; *fig. j-m am Herzen ~* prey upon (*or* rankle in) a p.'s mind; *~***d** [ˈ-gənt] *adj.* gnawing (*a. fig.*).

ˈ**Nager** *m* (-s; -), ˈ**Nagetier** *zo. n* rodent, gnawer.

nah(e) [ˈnɑː(ə)] *adj.* near, close (*bei* to); nearby; impending, forthcoming; imminent (*danger*); → *näher, nächst*; near (*relative*); *~ verwandt* closely related; *~ an* (*acc. or dat.*) close (up)on; *~ daran sein, et. zu tun* be near doing a th., be on the point of doing a th.; *es war ~ daran, daß* it was touch and go that; *j-m zu nahe treten* offend a p., hurt a p.'s feelings; *von nah und fern* from far and near; → *~kommen, ~liegen, etc.*

ˈ**Nah-angriff** *mil. m* close-range attack.

ˈ**Näh-arbeit** *f* needle work, sewing.

ˈ**Nah...:** *~***aufklärung** *mil. f* close reconnaissance; *~***aufnahme** *f film*: close-up.

nahe [ˈnɑːə] *adj.* → *nah.*

Nähe [ˈnɛːə] *f* (-) nearness, proximity; vicinity, surroundings *pl.*; neighbo(u)rhood (*a. fig.*); *aus der ~* from close up, at close range; (*ganz*) *in der ~* near at hand, close by; *aus der ~ betrachten* examine *a th.* closely; *in seiner ~* near him; *in der ~ der Stadt* near the town.

ˈ**nahebei** *adv.* nearby, close by.

ˈ**nahegehen** *v/i.* (*irr., sn*) (*dat.*) affect, grieve.

ˈ**nahegelegen** *adj.* nearby, neighbo(u)ring.

ˈ**Nah-einstellung** *phot. f* short-range focus; *film*: close-up.

ˈ**nahekommen** *v/i.* (*irr., sn*) (*dat.*) come near, approach (to); get at (*the truth*).

ˈ**nahelegen** *v/t.* (*h.*): *j-m et. ~* suggest a th. to a p., urge a th. (up)on a p.; give a p. to understand that.

ˈ**naheliegen** *v/i.* (*irr., h.*) *fig.* suggest itself, be obvious; *~***d** *adj.* near at hand, nearby; *fig.* obvious; *eine ~e Annahme* a reasonable assumption.

ˈ**Nah-empfang** *m radio*: short-distance reception.

nahen [ˈnɑːən] *v/i.* (*sn*) *and sich ~* (*dat.*) approach; *time, event*: draw near.

nähen [ˈnɛːən] *v/t. and v/i.* (*h.*) sew, stitch; *med. a.* suture up; *v/i.* do sewing *or* needlework.

näher [ˈnɛːər] *adj.* nearer, closer; shorter (*way*); (more) specific, more detailed *or* precise, further; *~e Angabe* → *Ⱶe(s)*; *j-n ~ kennen* know a p. fairly well, be closely acquainted with a p.; *fig. j-m ~ kommen* get closer with a p.; *e-r Sache ~ kommen* come to the point, get to the bottom of a th.; *et. ~ ausführen* go into detail, elaborate upon *or* amplify a th.; *j-m et. ~ bringen* interpret a th. to a p., give a p. an understanding of a th.; *bei ~er Betrachtung* on further consideration; *bitte, treten Sie ~!* this way, please!, please, come in!; *Ⱶ***e(s)** *n* (further) particulars, details, *the* circumstances *pl.*

Näherei [nɛːəˈraɪ] *f* (-; -en) sewing; needlework.

ˈ**Näherin** *f* seamstress.

näher|n [ˈnɛːərn] *v/t.* (*h.*) (*dat.*) near, approach to; *sich ~* approach (*j-m* a p.), near; come nearer, draw nearer; close in; *~***treten** *v/i.* (*irr., sn*) (*dat.*) *fig.* approach *a p., a th.*

ˈ**Näherung** *f* (-; -en) approach; *math., etc.*, approximation; *~***sformel** *f* approximation formula; *~***swert** *m* approximate value.

ˈ**nahestehend** *adj.* closely connected (*dat.* with); associated with.

ˈ**nahezu** *adv.* nearly, almost, next to *impossible, etc.*

ˈ**Nähgarn** *n* sewing-cotton.

ˈ**Nahgespräch** *teleph. n* toll call.

ˈ**Nahkampf** *m mil.* close combat, hand-to-hand fight(ing); *aer.* dog-fight(ing); *boxing, fenc.*: infight (-ing); *~***artillerie** *f* close-support artillery; *~***geschütz** *n*, (*~***waffe** *f*) close-range gun (weapon).

ˈ**Näh...:** *~***kästchen** *n* (lady's) work-box; *~***kissen** *n* sewing-cushion; *~***korb** *m* work-basket.

nahm [nɑːm] *pret. of nehmen.*

ˈ**Näh...:** *~***maschine** *f* sewing-machine; *~***nadel** *f* (sewing-)needle.

Nähr|boden [ˈnɛːr-] *m* fertile soil, (nutrient) substratum; *for bacteria*: culture medium; *fig.* favo(u)rable soil (*für* for), hotbed (*of crime, etc.*); *~***brühe** *f* nutrient broth.

nähren [ˈnɛːrən] **I.** *v/t.* (*h.*) nourish, feed; nurse, (breast-)feed (*baby*); *fig.* nourish, foster, harbo(u)r, entertain (*suspicion, etc.*); nurture (*thoughts*); *sich ~ von* live (*or* feed) on; *w.s.* earn one's (*or* make a) living by; **II.** *v/i.* (*h.*) be nourishing.

ˈ**Nährflüssigkeit** *f* nutrient fluid.

nahrhaft [ˈnɑːrhaft] *adj.* nutritious, nourishing, nutritive; substantial; productive (*soil*); *fig.* lucrative; *Ⱶ***igkeit** [ˈ-içkaɪt] *f* (-) nutritiousness.

ˈ**Nähr...:** *~***hefe** *f* nutrient yeast; *~***krem** *f* skin-feeding cream; *~***kraft** *f* nutritive power; *~***mittel** *n/pl.* processed foodstuff; *w.s. pl.* wheat-base food, cereals *pl.*; *~***mittelchemie** *f* food chemistry; *~***mittelfabrik** *f* food-processing plant; *~***präparat** *n* food preparation, patent food; *~***salze** *n/pl.* nutrient salt; *~***sorgen** *f/pl.* difficulty in making both ends meet; *~ haben a.* struggle for a living; *~***stoff** *m* nutritive substance.

Nahrung [ˈnɑːruŋ] *f* (-) food, nourishment, nutriment; diet; feed; livelihood, subsistence; *fig. geistige ~* mental food ; *~ geben* (*dat.*) nurture.

ˈ**Nahrungs...:** *~***aufnahme** *f* (-) food intake; *~***mangel** *m* want of nourishment; food shortage; *~***mittel** *n* food (product), foodstuff; *pl. a.* victuals, provision, eatables; *~***mittelchemiker** *m* food chemist; *~***mittelfälschung** *f* adulteration of food; *~***mittelvergiftung** *f* food poisoning; *~***sorgen** *f/pl.* cares of subsistence.

ˈ**Nährwert** *m* nutritive value.

ˈ**Nähseide** *f* sewing silk.

Nahselektion [ˈnɑːzelɛktsioːn] *f TV* adjacent channel selectivity.

ˈ**Nahsender** *m* short-distance transmitter.

Naht [nɑːt] *f* (-; ⸗e) seam (*a. tech.* = joint, weld); *anat., bot., med.* suture.

Näh...: *~***täschchen** [ˈnɛːtɛʃçən] *n* (-s; -) needle-case; *~***tisch(chen** *n*) *m* sewing-table.

ˈ**Naht...:** *Ⱶ***los** *adj.* seamless; *~***schweißung** *tech. f* seam welding; *~***stelle** *mil. f* boundary position.

ˈ**Nahverkehr** *m rail.* local (*or* suburban) traffic; *mot.* short-haul traffic; *teleph.* toll service.

ˈ**Nähzeug** *n* sewing-kit.

ˈ**Nahziel** *n* immediate objective.

naiv [naˈʔiːf] *adj.* naive, ingenuous, simple; *Ⱶ***e** [-ˈʔiːvə] *thea. f* ingénue (*Fr.*).

Naivität [-ʔiviˈtɛːt] *f* (-) naivety, naïveté (*Fr.*), ingenuousness, simplicity.

Name [nɑːmə] *m* (-ns; -n), *~***n** *m* (-s; -) name; *econ.* title (*of firm, security*); designation; name, reputation; *voller ~* full name; *des ~ns, mit ~n, im ~n* (*gen.*) → *namens*; (*nur*) *dem ~n nach* nominal(ly *adv.* = in name only); *dem ~n nach kennen* know by name; *das Kind beim rechten ~ nennen* call a spade a spade; *sich einen ~n machen* gain a name for o.s.; *darf ich um Ihren ~n bitten?* may I ask your name?; *den ~n ... tragen* be known as, go by the name of; *s-n ~ hergeben für* lend one's name to (*a th.*).

ˈ**Namen...:** *~***(s)aktie** *f* registered share; *~***gebung** *f* (-; -en) christening, naming; nomenclature; *~***gedächtnis** *n* memory for names; *~***liste** *f* list of names, roll; *pol.* poll, *Am.* slate; panel (*of doctors, jurors, etc.*); *Ⱶ***los I.** *adj.* nameless, anonymous; *fig.* unspeakable, unutterable; *~e Furcht* nameless fear; **II.** *adv. fig.* utterly, terribly; *~***(s)papier** *n* registered stock.

ˈ**namens I.** *adv.* named, by the name of, called; **II.** *prp.* (*gen.*) in the name of, on behalf of; *jur. ~ und auftrags* (*gen.*) in the name and on behalf of.

ˈ**Namens...:** *~***aufruf** *m* roll-call; *~***tag** *m* fête-day, name-day; *~***unterschrift** *f* signature; *~***vetter** *m* namesake; *~***zug** *m* signature; monogram; flourish.

namentlich [ˈnɑːməntliç] *adj. and adv.* nominal(ly), by (his, her) name, individually; especially, particularly, in particular; *parl. ~e Abstimmung* roll-call vote.

ˈ**Namenverzeichnis** *n* register of names, name index.

namhaft [ˈnɑːmhaft] *adj.* notable, noted, renowned; considerable, substantial; *~ machen* (mention by) name; *w.s.* identify.

nämlich [ˈnɛːmliç] **I.** *adj.*: *der* (*die*) *~e* the same person; *das ~e* the same thing; **II.** *adv.* namely, that is (to say) (*abbr.* i.e. *or* viz.); *esp. jur. and iro.* to wit; *er war ~ krank* he was ill, you (must) know.

nannte [ˈnantə] *pret. of nennen.*

nanu [naˈnuː] *colloq. int.* → *na.*

Napf [napf] *m* (-[e]s; ⸗e) bowl, *a.* basin, cup; *~***kuchen** *m* tube cake.

Naphtha [ˈnafta] *min. n* (-s)

naphtha; **Naphthalin** [-'li:n] *n* (-*s*) naphtalene.

Narbe ['narbə] *f* (-; -*n*) scar, cicatrice; pockmark, pit; *bot.* stigma; *agr.* top-soil; *of leather*: grain; **2n** *v/t.* (*h.*) grain (*leather*); *sich* ~ (form a) scar; **2nlos** *adj.* unscarred; **~nseite** *f* grain side (*of leather*).

Narkose [nar'ko:zə] *med. f* (-; -*n*) narcosis; **~facharzt** *m* an(a)esthesist; **Narkotikum** [-'ko:tikum] *n* (-*s*; -*ka*) narcotic, drug; **narkotisch** [-'ko:tiʃ] *adj.* narcotic; **narkotisieren** [-koti'zi:rən] *v/t.* (*h.*) narcotize.

Narr [nar] *m* (-*en*; -*en*) fool; jester, buffoon; *e-n* ~*en gefressen haben an* (*dat.*) have taken a great fancy to, be infatuated with, dote (up)on; *j-n zum* ~*en haben or halten* → **2en** *v/t.* (*h.*) make a fool of, dupe, fool; mystify, hoax.

'**Narren...:** **~freiheit** *f* carnival licence (*Am.* -se); **~haus** *n* madhouse; **~kappe** *f* fool's cap; **~(s)-possen** *f/pl.* (tom)foolery, buffoonery *sg.*, clowning; **~seil** *n* (-[e]*s*): *j-n am* ~ *führen* make a fool of a p., lead a p. by the nose; **2sicher** *tech. adj.* foolproof; **~streich** *m* foolish trick; stupid thing (to do).

Narretei [-rə'taɪ] *f* (-; -*en*) folly, tomfoolery.

'**Narrheit** *f* (-; -*en*) folly.

Närrin ['nɛrin] *f* (-; -*nen*) fool, foolish woman.

'**närrisch** *adj.* foolish, silly; mad, crazy.

Narzisse [nar'tsisə] *bot. f* (-; -*n*) narcissus; *gelbe* ~ daffodil.

Narzißmus [nar'tsismus] *m* (-) narcism.

nasal [na'za:l] *adj.* nasal; ~*er Ton*, ~*e Sprechweise* twang; **2(laut)** *m* nasal (sound).

naschen ['naʃən] *v/i. and v/t.* (*h.*) nibble (*an dat.* at); eat *sweets* on the sly; *gern* ~ have a sweet tooth.

Näscher(in *f*) ['nɛʃər(in)] *m* (-*s*, -; -, -*nen*) lover of dainties, sweet tooth.

Näscherei [-'raɪ] *f* (-; -*en*) eating (dainties) on the sly; → *Naschwerk*.

'**naschhaft** *adj.* fond of dainties, sweet-toothed; **2igkeit** *f* fondness for dainties.

'**Nasch...:** **~katze** *f*, **~maul** *n* → *Näscher*; **~werk** *n* (-[e]*s*) dainties, sweets, delicacies *pl.*

Nase ['na:zə] *f* (-; -*n*) nose; snout; *of pipe, jug*: spout; *tech.* lug, nose; (*sense*) nose, *esp. of dog*: scent; *fig.* rebuke; *durch die* ~ *sprechen* → *näseln*; *die* ~ *hochtragen* carry one's nose in the air, be stuck-up; *j-m e-e lange* ~ *machen* thumb one's nose at a p.; *j-m die Tür vor der* ~ *zuwerfen* slam a door in a p.'s face; *j-n an der* ~ *herumführen* have a p. on, fool a p. *e-e feine* ~ *haben* have a sharp nose (*or* a keen sense of smell), *fig. für et.*: have a flair for *a th.*; → *bohren*; → *hoch*; *fig. auf der* ~ *liegen* be ill; *j-m e-e* ~ *drehen* dupe a p.; → *rümpfen*; *s-e* ~ *in alles stecken* poke one's nose into everything; *j-m auf der* ~ *herumtanzen* play old Harry (*or* fast and loose) with a p.; *j-m et. auf die* ~ *binden* tell (*or* reveal) a th. to a p.; *j-n mit der* ~ *auf et. stoßen* shove a th. under a p.'s nose; *j-m et. unter die* ~ *reiben* bring a th. home to a p., rub it in; *die* ~ *voll haben* be fed up (to the teeth) (*von* with); *immer der* ~ *nach!* just follow your nose!; *es liegt vor deiner* ~ it lies under your nose; *der Zug fuhr uns vor der* ~ *weg* we missed the train by an inch; *man kann es ihm an der* ~ *ansehen* it's written all over his face.

näseln ['nɛ:zəln] *v/i.* (*h.*) speak through the nose, nasalize; snuffle; **2** *n* (-*s*) nasal twang; **~d** *adj.* nasal.

'**Nasen...:** **~bein** *n* nasal bone; **~bluten** *n* (-*s*) nose-bleeding; **~flügel** *m* side (*or* wing) of the nose; **~höhle** *f* nasal cavity; **~länge** *f*: *um e-e* ~ *gewinnen* win by a whisker; *j-n um* **e-e** ~ *schlagen* nose a p. out; **~laut** *m* nasal (sound); **~loch** *n* nostril; **~rachengang** *m* nasopharyngeal canal; **~rücken** *m* bridge of the nose; **~scheidewand** *f* nasal septum; **~schleim** *m* nasal mucus; **~schleimhaut** *f* mucous membrane of the nose; **~spezialist** *m* rhinologist; **~spitze** *f* tip of the nose; **~stüber** ['-ʃty:bər] *m* (-*s*; -) fillip; **~wurzel** *f* root of the nose.

naseweis ['-vaɪs] *adj.* pert, saucy; inquisitive, nosy; **2heit** *f* (-) sauciness, pertness.

nasführen ['na:sfy:rən] *v/t.* (*h.*) lead on, fool, dupe.

Nashorn ['na:shɔrn] *zo. n* (-[e]*s*; ⸚er) rhinoceros.

naß [nas] *adj.* wet; damp, moist; humid; dripping (wet), soaked, drenched; (*sich*) ~ *machen* wet (o.s.); ~ *werden* become (*or* get) wet; **2** *n* (-*sses*) liquid.

Nassauer ['nasaʊər] *colloq. m* (-*s*; -) sponger, scrounger; **2n** *v/i.* (*h.*) sponge (*bei j-m* on), scrounge.

'**Naßbatterie** *el. f* wet storage battery.

Nässe ['nɛsə] *f* (-) wet(ness); damp(ness), moisture; humidity; *vor* ~ *schützen!* keep dry!; **2n I.** *v/t.* (*h.*) wet; moisten; **II.** *v/i. wound*: discharge, ooze.

'**naß...:** **2fäule** *agr. f* wet rot; **~forsch** *colloq.* brash, snotty; **~kalt** *adj.* raw, damp and cold; clammy; **2schnee** *m* damp (*or* cloggy) snow; **2wäsche** *f* wet (*or* rough-dry) wash.

Nation [natsi'o:n] *f* (-; -*en*) nation.

national [-tsio'na:l] *adj.* national; **2bewußtsein** *n* national consciousness; **2charakter** *m* national character; **~chinesisch** *adj.* Chinese-Nationalist; **2farben** *f/pl.* national colours; **2flagge** *f* national flag; **2held** *m* national hero; **2hymne** *f* national anthem.

nationalisier|en [-nali'si:rən] *v/t.* (*h.*) nationalize; **2ung** *f* (-; -*en*) nationalization.

Nationa|lismus [-'lismus] *m* (-; -*men*) nationalism; **~list** [-'list] *m* (-*en*; -*en*) nationalist; **2listisch** [-'listiʃ] *adj.* nationalistic; **~lität** [-li'tɛ:t] *f* (-; -*en*) nationality.

Natio'nal...: **~mannschaft** *f sports*: national team; **~öko'nom** *m* (political) economist; **~ökonomie** *f* political economy; **~sozia'lismus** *m* National Socialism; **~sozia'list** *m* National Socialist, *contp.* Nazi; **2sozialistisch** *adj.* National Socialist(ic); **~staat** *m* nation state; **~stolz** *m* national pride.

Nativität [nativi'tɛ:t] *f* (-; -*en*) nativity.

Natrium ['na:trium] *n* (-*s*) sodium; **~superoxyd** *n* sodium peroxide.

Natron ['na:trɔn] *n* (-*s*) sodium hydroxide, soda, natron; (*doppelt*) *kohlensaures* ~ sodium (bi)carbonate; **2haltig** ['-haltiç] *adj.* containing soda; **~hydrat** *n* sodium hydroxide; **~lauge** *f* soda lye; **~seife** *f* soda soap.

Natter ['natər] *zo. f* (-; -*n*) adder, viper; *fig.* serpent.

Natur [na'tu:r] *f* (-; -*en*) nature; *physiol.* constitution; *psych.* temper(ament), disposition, nature; character; *freie* ~ open country; *e-e starke* ~ *haben* have a strong constitution; *die Sache ist ernster* ~ the matter is of a grave nature; *es liegt in der* ~ *der Sache* it is in the nature of things, it is quite natural; *nach der* ~ *zeichnen* draw from nature *or* life; *von* ~ (*aus*) constitutionally; by nature, congenitally; *j-m zur zweiten* ~ *werden* become second nature with a p.; *es geht mir wider die* ~ it goes against the grain; *in* ~ → **2a**: *in* ~ in kind.

Naturalbezüge [natu'ra:l-] *pl.* remuneration in kind.

Naturalien [natu'ra:liən] *pl.* natural produce *sg.*; value in kind; *biol.* natural history specimens; **~kabinett** *n*, **~sammlung** *f* natural-history collection.

naturalisier|en [naturali'si:rən] *v/t.* (*h.*) naturalize; *sich* ~ *lassen* become naturalized; **2ung** *f* (-; -*en*) naturalization.

Naturalis|mus [-'lismus] *m* (-) naturalism; **~t** [-ra'list] *m* (-*en*; -*en*) naturalist; **2tisch** [-'listiʃ] *adj.* naturalistic.

Natural... [natu'ra:l-]: **~leistung** *f* payment in kind; **~lohn** *m* wage(s *pl.*) in kind; **~wert** *m* value in kind.

Natur... [na'tu:r-]: **~anlage** *f* (natural) disposition; nature; **~beschreibung** *f* description of nature; **~bursche** *m* child of nature, nature-boy; **~butter** *f* genuine butter; **~ei** *n* shell egg.

Naturell [natu'rɛl] *n* (-*s*; -*e*) natural disposition, nature, temper(ament).

Na'tur...: **~ereignis** *n*, **~erscheinung** *f* (natural) phenomenon; **2farben** *adj.* natural-colo(u)red; ~ *lackiert* naturally varnished; **~film** *m* nature film, scenic; **~forscher** *m* naturalist, scientist; physicist; **~forschung** *f* scientific research, science; **~freund** *m* nature-lover; **~gas** *n* natural gas; **2gemäß** *adj. and adv.* natural(ly), according to nature; **~geschichte** *f* natural history; **2geschichtlich** *adj.* of (*or* relating to) natural history; **~gesetz** *n* law of nature, natural law; **2getreu** *adj.* true to nature; life-like; full-scale; **~gummi** *m* natural rubber; **~heilkunde** *f* treatment by natural remedies; **~heilkundige(r)** *m* nature-cure practitioner; **2heil-**

kundlich *adj.* naturopathic; **~kind** *n* child of nature; **~katastrophe** *f* natural disaster; **~kraft** *f* natural power *or* force; brute force; **~kunde, ~lehre** *f* (-) natural philosophy, (natural) science; **~landschaft** *f* virgin country.

natürlich [na'ty:rliç] **I.** *adj.* natural; normal; genuine; native, innate; unaffected, artless; unsophisticated *~er Maßstab* plain scale; simple; *~e Größe* real (*or* actual, full) size; *~es Hindernis* natural (*or* topographical) obstacle; *jur. ~e Person* natural person; *~es Kind* natural (*or* illegitimate) child; *e-s ~en Todes sterben* die a natural death; *es ist ganz ~, daß* it is quite natural that, it stands to reason that; *das geht nicht mit ~en Dingen zu* there is something fishy about it; **II.** *adv.* naturally, of course, to be sure; **2keit** *f* (-; -*en*) naturalness; unaffectedness, artlessness; simplicity.

Na'tur...: ~mensch *m* man of nature; nature-boy; primitive man; **~notwendigkeit** *f* physical necessity; **~produkte** *n/pl.* natural products *or* produce *sg.*; **~recht** *n* natural right; **~reich** *n* kingdom of nature; **2rein** *adj.*: *~er Wein* vintage wine; **~schätze** [-ʃɛtsə] *m/pl.* natural resources; **~schutz** *m* preservation of natural beauty; *Am.* nature (*or* wild-life) conservation; **~schutzgebiet** *n* national park, nature (*or* wild-life) (p)reserve; **~stein** *m* stone; **~stoff** *m* natural substance; **~theater** *n* open-air theat|re, *Am.* -er; **~treue** *f* truth to nature, fidelity; **~trieb** *m* instinct; **~volk** *n* primitive race; **2widrig** *adj.* contrary to nature, unnatural; abnormal; **~wissenschaft** *f* natural science; **~wissenschaftler** *m* (natural) scientist; **2wissenschaftlich** *adj.* scientific; **2wüchsig** [-vy:ksiç] *adj.* natural, original; **~wunder** *n* prodigy; **~zustand** *m* natural state.

Nautik ['nautik] *f* (-) nautical science, nautics, navigation; **'nautisch** *adj.* nautical.

Navigations|anlage [navigatsi'o:ns-] *f* navigation system; **~karte** *f* navigation chart; **~radar** *n* navigational radar; **~raum** *m* chartroom; **~schule** *f* school of navigation, naval school.

Nazi [na:tsi] *contp. m* Nazi; **Nazismus** [na'tsismus] *m* (-) Nazism, Nazidom; **nazistisch** [-'tsistiʃ] *adj.* Nazi.

Neapel [ne'a:pəl] *n* Naples; **Neapolitan|er(in** *f*) [neapoli'ta:nər] *m* (-s, -; -, -*nen*), **2isch** *adj.* Neapolitan.

Nebel ['ne:bəl] *m* (-*s*; -) mist, fog; haze, *ast.* nebula; *mil.* smoke; *fig.* mist, veil, cloud; *in dichten ~ gehüllt, vom ~ behindert* fog-bound; *humor. es fällt aus wegen ~* it's off; **~bank** *f* fog bank; **~bombe** *f* smoke bomb; **~fleck** *ast. m* nebula; **~granate** *f* smoke shell; **2haft** *adj.* foggy, *fig. a.* nebulous, hazy, dim; **~horn** *n* fog horn; **2ig** *adj.* misty, foggy, hazy; **~kammer** *phys. f* cloud chamber; **~kerze** *f* smoke candle; **~krähe** *f* hooded crow; **~lampe, ~leuchte** *mot. f* fog lamp; **2n** *v/i.* (*h.*) be foggy; *mil.* lay down smoke; **~regen** *m* drizzle; **~schleier** *m* misty veil; **~signal** *n* fog-signal; **~topf** *mil. m* smoke generator; **~vorhang** *mil. m*, **~wand** *f* smoke-screen; **~werfer** *m* **a**) smoke-shell mortar, **b**) (multiple) rocket launcher; **~wetter** *n* foggy weather.

neben ['ne:bən] *prp.* (*where? dat., where to? acc.*) by, by the side of, beside; alongside of, side by side with; next to; close by, near to; → *gleichzeitig*; against, compared with; apart (*Am. a.* aside) from, besides; in addition to; *~ anderen Dingen* amongst other things.

'Neben...: ~abrede *f* collateral agreement; **~abschnitt** *mil. m* adjacent sector; **~absicht** *f* secondary object; **~amt** *n* subsidiary office; *teleph.* branch exchange; **2amtlich** *adj.* part-time; **2'an** *adv.* next door, in the next room; close by; **~anschluß** *teleph. m* extension (line *or* telephone); **~arbeit** *f* extra work; → *Nebenberuf*; **~ausgaben** *f/pl.* incidental expenses, extras; **~ausgang** *m* side-exit *or* -door; **~bahn** *rail. f* branch (*or* local) line; **~bedeutung** *f* secondary meaning, connotation; **~begriff** *m* accessory notion; **2'bei** *adv.* → *nebenan*; by the way, incidentally; besides, moreover; **~beruf** *m*, **~beschäftigung** *f* additional occupation, avocation, side-line; part-time job; *im ~* → **2beruflich I.** *adj.* avocational; *attr.* spare-time, side-line; **II.** *adv.* as an extra occupation, as a side-line; in one's spare-time; **~bestandteil** *m* secondary ingredient; **~buhler(in** *f*) *m* rival; **~buhlerschaft** *f* rivalry; **~bürge** *m* co-surety; **~bürgschaft** *f* collateral surety; **~ding** *n* secondary matter.

nebenein'ander *adv.* side by side, abreast; neck and neck; simultaneously, concurrently; *~ bestehen* co-exist; **2** *n* (-*s*) co-existence; **~schalten** *el. v/t.* (*h.*) connect in parallel; **2schaltung** *el. f* parallel connection; **~stellen** *v/t.* (*h.*) put (*or* place) side by side; arrange parallel (to each other); compare; **2stellung** *f fig.* comparison, juxtaposition.

'Neben...: ~eingang *m* side-entrance; **~einkünfte** *pl.*, **~einnahmen** *f/pl.* casual emoluments, perquisites, extra income; **~erzeugnis** *n* by-product; **~fach** *n* subsidiary subject; *Am.* minor; *als ~ studieren* take as a subsidiary subject, *Am.* minor in; **~fluß** *m* tributary (river), affluent; **~frage** *f* side-issue; **~frau** *f* concubine; **~gasse** *f* by-lane; **~gebäude** *n* adjoining building; outbuilding, annex(e); **~gebühren** *f/pl.* incidental charges; **~gedanke** *m* simultaneous thought; **~geräusche** *n/pl. radio*: ambient noise *sg.*; atmospherics, strays; *teleph.* crackling; **~gericht** *n* side-dish, entremets (*Fr.*); **~geschmack** *m* aftertaste, smack; **~gewinn** *m* incidental profit; **~gleis** *n* siding; *Am.* sidetrack (*a. v/t., fig. auf ein ~ schieben*); **~handlung** *thea. f* underplot, episode; **~haus** *n* adjoining (*or* next-door) house; → *Nebengebäude*; **2'her, 2'hin** *adv.* by his (her) side; → *nebenbei*; **2'hergehend** *adj.* accessory, secondary, additional, extra, minor; **~interesse** *n* private interest; **~klage** *jur. f* incidental action; **~kläger(in** *f*) *m* accessory prosecutor; **~kosten** *pl.* extra (*or* petty) costs *or* expenses; extras, incidentals; **~kriegsschauplatz** *m* secondary theat|re (*Am.* -er) of war; **~leistung** *econ. f* supplement(ary payment *or* delivery); **~linie** *f* parallel line; *descent*: collateral line; *rail.* branch line; **~mann** *m* (-[e]*s*; ⸚er) next man (*a. mil.*); **~mensch** *m* fellow-creature; **~niere** *f* suprarenal gland; **~post-amt** *n* branch post-office; **~produkt** *n* by-product; **~programm** *n film*: supporting program(me); **~punkt** *m* accessory point; **~raum** *m* offices, service-rooms; **~rolle** *f* subordinate (*or* minor) part (*a. thea.*); **~sache** *f* minor (*or* accessory) matter; secondary consideration; *das ist ~!* that's a minor detail!, that's quite unimportant here!; **2sächlich** *adj.* subordinate, incidental; unimportant; *pred.* not essential; of no consequence; irrelevant, immaterial; *e-e ~e Rolle spielen* be of secondary importance; **~sächlichkeit** *f* (-; -*en*) triviality; **~satz** *gr. m* subordinate clause; **~schluß** *el. m* shunt; **~schlußmotor** *m* shunt (-wound) motor; **~sender** *m radio*: relay station; regional station; **~sicherheit** *f* collateral security; **~sonne** *ast. f* parhelion; **~sprechen** *teleph. n* (-*s*) crosstalk; **2stehend** *adj.* standing by; *fig.* marginal, in the margin; *~ (abgebildet)* opposite; **~stehende(r)** *m* by-stander; **~stelle** *f* branch-office, sub-office, agency; *teleph.* extension; **~strafe** *f* secondary punishment; **~straße** by-street, side-street; by-road; **~strecke** *rail. f* branch line; **~tisch** *m* next table; **~ton** *m* neighbo(u)ring tone; *gr.* secondary accent; **~tür** *f* side-door; **~umstand** *m* accessory circumstance; **~ursache** *f* secondary cause; **~verbraucher** *m* secondary consumer; **~verdienst** *m* incidental (*or* extra) earnings *pl.*; **~vertrag** *m* collateral agreement; **~weg** *m* by-road; **~winkel** *math. m* adjacent angle; **~wirkung** *f* secondary effect (*chem.* action), side-effect; **~zimmer** *n* adjoining room; **~zweck** *m* secondary object, subordinate purpose.

neblig ['ne:bliç] *adj.* → *nebelig.*

nebst [ne:pst] *prp.* (*dat.*) together (*or* along) with, besides; including; in addition to.

necken ['nɛkən] *v/t.* (*h.*) tease, banter, chaff; quiz, kid.

Neckerei [-kə'raı] *f* (-; -*en*) teasing, chaff, banter; quiz(zing).

neckisch *adj.* (fond of) teasing, quizzical; playful; roguish, arch; droll, funny.

ne(e) [ne:] *colloq. adv.* no, *Am. sl.* nope.

Neffe ['nɛfə] *m* (-*n*; -*n*) nephew.

Negation [negatsi'o:n] *f* (-; -*en*) negation.

negativ ['ne:gati:f, -'ti:f] *adj.*, ♀ *n* (-*s*; -*e*) negative.

Negatron [nega'tro:n] *phys. n* (-*s*; -*en*) negat(r)on.

Neger ['ne:gər] *m* (-*s*; -) negro; **~in** *f* (-; -*nen*) negress.

negieren [ne'gi:rən] *v/t.* (*h.*) deny, answer in the negative; negate.

Negligé [negli'ʒe:] *n* (-*s*; -*s*) négligé, dishabille; morning-gown.

nehmen ['ne:mən] *v/t.* (*irr.*, *h.*) take (*j-m et.* from a p.); take, seize, grasp; accept; receive; *mil.* take (*im Sturm* by storm), capture; take, clear (*obstacle*); take, negotiate (*curve*); *at table*: help o.s. to, (*nochmals* ~) take a second helping of; *zu sich* ~ take, partake of (*food*), have (*a cup of tea, some pudding*); use; take (*train, etc.*); *cul. man nehme* take; buy; charge (*für* for); take, engage, hire (*employees*); retain (*lawyer*); take away, remove, free *a p.* from (*pains, inhibitions*); deprive of (*hope, beauty, rights, etc.*) → *Angriff, Anspruch, Augenschein, Beispiel, Ende, ernst, Herz, Mund, Partei, Wort, etc.*; et. *an sich* ~ take a th., *unlawfully*: *a.* misappropriate (*or* purloin) a th.; et. *auf sich* ~ undertake a th., take it upon o.s. to *inf.*, assume (*burden, task*), accept, shoulder (*responsibility*); *die Folgen auf sich* ~ bear the consequences, face the music; ~ *wir den Fall* let us assume *or* suppose, suppose; *ich lasse es mir nicht* ~ I insist (upon it), I won't be talked out of it; *er läßt es sich nicht* ~ *zu*, *inf.* he insists (up)on *ger.*; *sich nichts von s-n Rechten* ~ *lassen* suffer no encroachments on one's rights; *er versteht es, die Kunden richtig zu* ~ he has a way with the customers, he knows how to take (*or* handle) them; *wie man's nimmt* that depends; *strenggenommen* strictly speaking.

'**Nehmen** *n* (-*s*) *boxing*: *er ist gut im* ~ he can take a lot (of punishment); → *Geben*.

Nehmer(in *f*) ['-mər] *m* (-*s*, -; -, -*nen*) taker; buyer, purchaser.

Nehrung ['ne:ruŋ] *f* (-; -*en*) spit (of land).

Neid [naɪt] *m* (-[*e*]*s*;) envy; jealousy; *blasser* (*or gelber*) ~ (mere) jaundice; *humor. der* ~ *der Besitzlosen* the envy of the have-nots; *aus* (*purem*) ~ out of (sheer) envy; *aus* ~ *gegen* from envy of; *bei j-m* ~ *erregen* excite a p.'s envy; *grün vor* ~ green with envy; *vor* ~ *vergehen* be eaten up with envy; *das muß ihm der* ~ *lassen* you have to hand it to him; ♀**en** *v/t.*: *j-m et.* ~ envy (*or* grudge) a p. a th.; **~er(in** *f*) ['naɪdər] *m* (-*s*, -; -, -*nen*) envier, grudger, envious person; **~hammel** *colloq. m* dog in the manger; ♀**isch** *adj.* envious, jealous (*auf acc.* of); jaundiced (*eyes*); ♀**los** *adj.* free from envy, ungrudging.

Neige ['naɪgə] *f* (-; -*en*) slope; decline; *in barrel*: dregs *pl.*; *in glass*: heel-tap; *auf der* ~ on the slope, aslant; atilt; *bis zur* ~ *leeren* drain to the dregs; *zur* ~ *gehen* (be on the) decline, wane, *supplies*: run low, *a. econ.* run short; *time*: draw to an end; ♀**n I.** *v/t.* (*h.*) bend, incline; bow (down); tilt; *sich* ~ bend, incline, *terrain*: slope, slant; dip (*a. compass needle*); bow; *day, etc.*: draw to a close; **II.** *v/i.* (*h.*) *fig.*: ~ *zu* lean to, incline to, tend to; have a propensity for; be prone (*or* liable, subject) to (*diseases, accidents, etc.*); *er neigt zu Übertreibungen* he is given to exaggeration; → *geneigt*.

'**Neigung** *f* (-; -*en*) inclination; slope, incline; *rail., road*: gradient; *math.* dip (*a. of compass needle, road, ship*); tilt(ing); *fig.* inclination, propensity (*zu* to, for); bent, preference, liking (for); leaning (towards); taste (for); *a. econ., pol.* tendency, trend (towards); disposition (to); *b.s.* proclivity (to), *a. med.* liability, proneness (to); affection (*für* for); ~ *fassen für j-n* take (a fancy) to a p., set one's affections on a p.; *s-n* ~*en nachgeben* follow (*or* indulge in) one's inclinations.

'**Neigungs...**: **~ebene** *f* incline(d plane), slope; **~ehe** *f* love-match; **~linie** *f* gradient; **~messer** *m* clinometer; **~verhältnis** *n* gradient; **~winkel** *m* angle of inclination.

nein [naɪn] *adv.* no; ~, *so was!* well, I never!, I say!, what a thing to do (*or* say)!; ~ *und abermals* ~! no! a thousand times no!; *aber* ~! but no!, I should say not!; *geht er?* — ~! *is he going?* — no, he is not!; *haben Sie gerufen?* — ~! *did you call?* — no, I did not!

'**Nein** *n* (-*s*) no; denial; refusal; *mit e-m* ~ *antworten* answer in the negative, say no; refuse; **~stimme** *parl. f* no (*pl.* noes), *Am.* nay.

Nekrolog [nekro'lo:k] *m* (-[*e*]*s*; -*e*) obituary notice, necrology.

Nektar ['nɛktar] *m* (-*s*) nectar.

Nelke ['nɛlkə] *f* (-; -*n*) pink, carnation; clove; **~n-öl** *n* clove oil; **~n-wurz** ['-vurts] *f* (-) avens, pink-root.

Nenn... [nɛn] *in compounds* nominal ..., *tech. usu.* rated ...

'**nennbar** *adj.* mentionable.

'**Nenn...**: **~belastung** *tech. f* nominal load; **~betrag** *m* nominal amount; **~drehzahl** *f* rated speed.

nennen ['nɛnən] *v/t.* (*irr.*, *h.*) name; call, dub; term, designate; mention; quote; style; nickname, dub; nominate (*candidate*); *sich* ~ be named *or* called, go by the name of; *sports*: enter (*für* for); *er nennt sich Doktor* he calls (*or* styles) himself a doctor; *das nenne ich Erfolg* that's what I call success; → *genannt*; **~swert** *adj.* worth mentioning, considerable; *nicht* ~ negligible; *keine* ~*en Fortschritte* no appreciable progress.

'**Nenner** *math. m* (-*s*; -) denominator; *auf e-n gemeinsamen* ~ *bringen* reduce to a common denominator (*a. fig.*).

'**Nenn...**: **~fall** *gr. m* nominative; **~form** *gr. f* infinitive; **~frequenz** *f* rated frequency; **~geld** *n sports*: entry-fee; **~kurs** *econ. m* par value; **~leistung** *tech. f* rated power *or* output; **~spannung** *el. f* rated voltage.

Nennung ['nɛnuŋ] *f* (-; -*en*) naming; mention(ing); designation; *sports*: entry; *pol.* nomination; **~sliste** *f sports*: (list of) entries.

'**Nenn...**: **~wert** *m* nominal (*or* face) value; *econ. zum* (*über, unter*) ~ at (above, below) par; ♀**wertlos** *econ. adj.*: ~*e Aktien* no-par shares (*Am.* stock *sg.*); **~wort** *gr. n* noun.

Neologismus [neolo'gismus] *m* (-; -*men*) neologism.

Neon ['ne:ɔn] *chem. n* (-*s*) neon; **~röhre** *f* neon tube; → *Leuchtröhre*.

Neoplasma [neo'plasma] *n* (-*s*; -*men*) neoplasm.

nepp|en ['nɛpən] *v/t.* (*h.*) diddle, fleece, gyp; ♀**lokal** *n* gyp-joint.

Nerv [nɛrf] *m* (-*s*; -*en*) *anat.* nerve; *bot. a.* vein, rib; *j-m den* ~ *rauben or nehmen* bluff a p.; *j-m auf die* ~*en fallen or gehen* get on a p.'s nerves; *er geht einem auf die* ~*en a.* he is a pain in the neck (*or* a nuisance); *die* ~*en verlieren* **a)** lose one's nerves *or* head, **b)** lose one's temper; *er ist mit den* ~*en herunter* his nerves are all shot; *er hat eiserne* ~*en* he has iron nerves; *colloq. der hat vielleicht* ~*en* he's got a nerve.

'**Nerven...**: **~anfall** *m* nervous fit; **~arzt** *m* neurologist; ♀**aufreibend** *adj.* nerve-racking, trying; **~belastung** *f* nervous strain; **~bündel** *n* nerve-fascicle; *fig.* bundle of nerves; **~entzündung** *f* neuritis; **~faser** *f* nerve fib|re, *Am.* -er; **~fieber** *n* nervous fever; **~heilanstalt** *f* mental hospital; **~kitzel** *m* thrill, sensation; ♀**krank** *adj.* neurotic; **~kranke(r** *m*) *f* mental patient, neurotic; **~krankheit** *f* nervous disease; **~krieg** *m* war of nerves; **~leiden** *n* nervous disease; ♀**leidend** *adj.* neuropathic; **~mittel** *n* **a)** sedative, **b)** (nerve) tonic; **~probe** *f* nerve trial, trying affair, ordeal; **~reiz** *m* nervous irritation; **~säge** *colloq. f* nuisance; *er* (*es*) *ist e-e* ~ he (it) puts you on edge; **~schmerz** *m* neuralgia; **~schock** *m* nervous shock; ♀**schwach** *adj.* nervous, neurasthenic; **~schwäche** *f* nervous debility, neurasthenia; **~stamm** *anat. m* nerve trunk; ♀**stärkend** *adj.*: ~(*es Mittel*) tonic; **~störung** *f* nervous disturbance; **~strang** *m* nerve cord; **~system** *n* nervous system; **~zentrum** *n* nerve centre, *Am.* -er; ♀**zerrüttend** *adj.* nerve-racking; **~zerrüttung** *f* shattered nerves; **~zusammenbruch** *m* nervous breakdown.

nervig ['nɛrfiç] *adj.* sinewy; strong; pithy, vigorous; *bot.* veined, ribbed.

nervös [nɛr'vø:s] *adj.* nervous (*a. fig.*); nervy, jittery, jumpy; *pred.* keyed-up, on edge; fidgety; ~ *machen* make nervous *or* irritable, enervate, get on *a. p.'s* nerves; ~ *werden* become (*or* get) nervous.

Nervosität [nɛrvozi'tɛ:t] *f* (-) nervousness.

Nerz [nɛrts] *zo. m* (-*es*; -*e*) mink; *a.* → **~mantel** *m* mink-coat.

Nessel ['nɛsəl] (-; -*n*) nettle; *fig. sich in die* ~*n setzen* get o.s. into trouble (*or* hot water); **~ausschlag** *m*, **~fieber** *n*, **~sucht** *f* nettle-rash; **~tuch** *n* nettle-cloth, muslin, *Am.* cheese-cloth.

Nest [nɛst] *n* (-*es*; -*er*) nest; eyrie, aerie; chignon; *colloq. fig.* hole-

-and-corner town, awful hole; bed; *ins ~ gehen* turn in, hit the hay; *das ~ leer finden* find the bird flown; *sein eigenes ~ beschmutzen* foul one's own nest; **~ei** *n* nest egg.

Nestel ['nɛstəl] *f* (-; -*n*) lace; **ℒn I.** *v/t.* (*h.*) lace; **II.** *v/i.* (*h.*) *~ an* (*dat.*) fiddle with.

'**Nest...**: **~häkchen** *n* nestling; *fig.* pet, youngest child; **~hocker** *m* insessorial bird; **~ling** ['nɛstlɪŋ] *m* (-*s*; -e) nestling; **~vogel** *m* autophagous bird; **~wärme** *fig. f* love and security.

nett [nɛt] *adj.* nice; neat, *Am. a.* cute; pleasant; pretty; kind; *das war nicht ~ von dir* that was not nice of you; *iro. das kann ja ~ werden!* that's going to be just nice!

netto [nɛto] *econ. adv.* net, clear; *rein ~* pure net; *~ Kasse* net cash; **ℒeinnahmen** *f/pl.*, **ℒertrag** *m* net receipts, net proceeds, flat yield; **ℒgewicht** *n* net weight; **ℒgewinn** *m* clear profit; **ℒinhalt** *m* net contents *pl.*; **ℒlohn** *m* take-home pay; **ℒpreis** *m* net price.

Netz [nɛts] *n* (-es; -e) net; netting, mesh; gauze; *tech.* retic(u)le; rack; *rail., etc.*: network, system; *el.* mains; *radio*: grid; network; *anat.* plexus, *intestines*: omentum; *of map*: grid; *soccer, tennis*: *ins ~ schlagen* (send *the ball* into the) net; *tennis*: *am ~ spielen* play at the net; *ins ~ gehen* go into the net, *fig.* walk into the trap.

'**Netz...**: **~anode** *f radio*: grid terminal; **~anschluß** *el. m* mains connection, power-supply line; **~anschlußgerät** *n* all-mains set; **~antenne** *f* mains aerial, *Am.* lightline antenna; **ℒartig** *adj.* netlike, reticular; **~ätzung** *f* autotypy; **~aufschlag** *m* → *Netzball*; **~augen** *n/pl.* compound eyes; **~ball** *m tennis*: net ball; **~empfänger** *m radio*: all-mains receiver.

netzen ['nɛtsən] *v/t.* (*h.*) wet, moisten; sprinkle.

'**Netz...**: **ℒgespeist** ['-gəʃpaɪst] *adj.* mains-fed; **~haut** *anat. f* retina; **~haut-entzündung** *f* retinitis; **~hemd** *n* cellular shirt; **~karte** *rail. f* area season ticket; **~spannung** *el. f* line voltage; **~spiel** *n tennis*: net-play; **~stoff** *m* cellular cloth; netting; **~strom** *el. m* (-[e]s) line current; **~werk** *n* network, netting.

neu [nɔʏ] **I.** *adj.* new; fresh; novel; original; recent; modern; rising; renewed; *ganz ~* brand-new; *~er Anfang* fresh start; *~e Beweise* fresh evidence; *~e Schwierigkeiten* more difficulties; *thea. ~es Stück* fresh play; *~eren Datums* of recent date; *~ere Sprachen* modern languages; *in ~erer Zeit* of late years; *~este Nachrichten* latest news; *~este Mode* latest fashion; *~e Kräfte gewinnen* recover one's strength; *ein ~es Leben beginnen* turn over a new leaf; *mir ist die Sache ~* I am new (*or* unused) to it; *das ist mir ~!* I've never heard of such a thing!, that's a new one to me; **II.** *adv.* newly; afresh, anew; *~ beleben* bring to life again, revive, revitalize; *~ erbauen* rebuild, reconstruct; *thea. ~ besetzen* re-cast; *~ füllen* refill; *~ ordnen* reorganize; *~ verteilen* redistribute; **ℒe(s)** *n* (-*n*): *das ~este* the latest; the last word (*in fashion, etc.*); *das ~ an der Maschine* the novel feature in the machine; et. *ganz ~es* the latest novelty; *das ist (mir) nichts ~es* that is nothing new to me; *was gibt es ~es?* what is the news?, *Am.* what's new?; *adv. aufs ℒe, von ℒem* afresh, anew; *von ℒem anfangen* start afresh (*or* from scratch); **ℒe(r)** *m* (-*n*; -*n*) new man; new-comer, new arrival; novice.

'**Neu...**: **~ankömmling** *m* newcomer, new arrival; **~anlage** *f* new installation; *econ.* reinvestment; **~anschaffung** *f* new purchase *or* acquisition; **ℒartig** *adj.* novel, a novel type of; modern; **ℒaufgelegt** *adj.* republished, reprinted (*book*); **~auflage, ~ausgabe** *f* new edition, republication; reprint; **~bau** *m* (-[e]s; -ten) reconstruction, rebuilding; new building; **~bauwohnung** *f* new flat; **ℒbe-arbeiten** *v/t.* (*h.*) revise; **~be-arbeitung** *f* revised edition, revision; **~bekehrte(r** *m*) *f* neophyte, (new) convert; **~belebung** *f* revival; **~besetzung** *f* filling (*of post*); *thea.* recast; **~bildung** *f* new formation; *anat.* **a)** regeneration, **b)** neoplasm; *gr.* neologism; **~druck** *m* (-[e]s; -e) reprint; **~einstellung** *f* replacement; **~einstudierung** *thea. f* restudy; **~england** *n* (-*s*) New England; **ℒentdeckt** *adj.* recently discovered; **ℒerbaut** *adj.* newly built.

neuerdings ['nɔʏərdiŋs] *adv.* of late, lately, recently.

'**Neu(e)rer** *m* innovator.

'**neuerlich I.** *adv.* lately, recently, of late; **II.** *adj.* renewed, fresh.

'**Neuerung** *f* (-; -*en*) innovation; change; reform; **~ssucht** *f* mania for innovation, modernism; **ℒssüchtig** *adj.* bent on innovations.

'**Neu...**: **~erscheinung** *f* new book (*or* publication), *pl. a.* latest arrivals; **ℒerschienen** *adj.* recent(ly published); **~erwerbung** *f* new acquisition; *library*: *~en pl.* recent accessions.

neuestens ['nɔʏəstəns] *adv.* quite recently, lately, of late.

'**Neu...**: **~fassung** *f* revised form *or* text, revision; *jur., pol.* amendment; **~fundland** [-'funtlant] *n* (-[e]s) Newfoundland; **~fundländer** [-'funtlɛndər] *m* (-*s*; -) Newfoundlander; *zo.* Newfoundland dog; **ℒgebacken** *adj.* new(ly baked), fresh; *fig.* newly-fledged; brand-new; **ℒgeboren** *adj.* new-born; *sich wie ~ fühlen* feel like a new man; **ℒgestalten** *v/t.* (*h.*) reorganize, *Am. a.* revamp; modify; *tech.* redesign, redevelop; **~gestaltung** *f* reorganization; modification; *film*: remake; **~gier(de)** ['-gi:r(də)] *f* (-) curiosity, inquisitiveness; **ℒgierig** *adj.* curious (*auf acc.* about, of) inquisitive, prying, nos(e)y; expectant; *j-n ~ machen* arouse a p.'s curiosity; *~ sein auf* be curious (*or* eager) to know; *ich bin ~, ob* I wonder whether *or* if; **~gierige(r** *m*) ['-gi:rigə(r)] *f* curious person; **~gotik** *f* Gothic revival; **~griechisch** *n*, **ℒgriechisch** *adj.* modern Greek; **~gruppierung** *f* regrouping, *Am. a.* reshuffling; **~gründung** *f* reestablishment; **~guinea** [-gi'ne:a] *n* (-*s*) New Guinea; **~heide** *m* neo-pagan.

'**Neuheit** *f* (-; -*en*) newness, freshness; novelty; originality; *die ~ verliert rasch an Reiz* the novelty will soon wear off.

'**neuhochdeutsch** *adj.*, **ℒ(e)** *n* Modern High German.

Neuigkeit ['nɔʏiçkaɪt] *f* (-; -*en*) (*e-e ~* a piece of) news; novelty; **~skrämer(in** *f*) *m* newsmonger.

neuinsze'nier|en *v/t.* (*h.*) re-enact, revive; **ℒung** *f* new staging, new mise en scène (*Fr.*).

'**Neujahr** *n* New Year('s Day); *j-m ein gutes ~ wünschen* wish a p. a happy New Year; **~s-abend** *m* New Year's Eve; **~swunsch** *m* New Year's congratulation, good wishes *pl.* for the New Year.

'**Neu...**: **~konstruktion** *f* novel design; reconstruction; **~land** *n* virgin soil, fresh country; *fig.* new territory; *~ erschließen* break new ground (*a. fig.*), reclaim soil; *fig. das ist ~ für mich* that's new ground for me; **~landgewinnung** *f* reclamation (of land).

'**neulich** *adv.* the other day, recently, lately; *~ abends* the other evening.

Neuling ['nɔʏliŋ] *m* (-*s*; -e) novice, beginner, new hand, tiro; *contp.* greenhorn.

'**neumodisch** *adj.* fashionable; *contp.* new-fangled.

'**Neumond** *m* new moon.

neun [nɔʏn] *adj.* nine; *skittles*: *alle ~(e) werfen* throw all the ninepins; → *acht*; **ℒ** *f* (-; -*en*) (number) nine; '**ℒauge** *ichth. n* (river) lamprey; '**ℒeck** *n* (-*s*; -e) nonagon.

neunerlei ['-ərlaɪ] *adj.* of nine (different) sorts, nine (different) kinds of.

'**neun...**: **~fach, ~fältig** ['-fɛltiç] *adj.* ninefold; **~hundert** *adj.* nine hundred; **~jährig** *adj.* nine years old; *attr.* nine-year-old; **~mal** *adv.* nine times; **~malklug** *iro. adj.* oversmart; **ℒmalkluge(r)** *m* know-all, wiseacre, smart aleck, *Am. sl.* wisenheimer; **~schwänzig** ['-ʃvɛntsiç] *adj.*: *~e Katze* cat-o'-nine-tails; **~tägig** *adj.* nine days old; of nine days, nine-day; **~tausend** *adj.* nine thousand; **~te** *adj.* ninth (9th); → *achte*; **ℒtel** *n* (-*s*; -), **~tel** *adj.* ninth (part); **~tens** *adv.* ninth(ly), in the ninth place.

'**neunwertig** *adj.* nonavalent.

'**neunzehn** *adj.* nineteen; **ℒ** *f* (-; -*en*) (number) nineteen; **~te** *adj.* nineteenth; **ℒtel** *n* (*s*; -), **~tel** *adj.* nineteenth (part).

'**neunzig** ['-tsiç] *adj.* ninety; *in den ~er Jahren* in the nineties; **ℒ** *f* (-; -*en*) (number) ninety; **ℒer(in** *f*) ['-tsigər(in)] *m* (-*s*, -; -, -*nen*) nonagenarian; **~jährig** *adj.* ninety years old; of ninety years; **~ste** *adj.* ninetieth.

'**Neu...**: **~ordnung** *f* reorganization, readjustment; new arrangement; reform; **~orientierung** *f* reorientation, new course; *econ.* readjustment; **~philolog(in** *f*) *m* student (*or* teacher) of modern languages.

Neuralgie [nɔyral'gi:] *med. f* (-; *-n*) neuralgia; **neuralgisch** [-'ralgiʃ] *adj.* neuralgic; *fig.* ~*er Punkt* danger point, seat of trouble.

Neurasthenie [-raste'ni:] *med. f* (-; *-n*) neurasthenia.

Neurasthen|iker(in *f*) [-ras'te:nikər(in)] *m* (-s, -; -, *-nen*), **2isch** *adj.* neurasthenic.

ˡ**Neu...: ~regelung** *f* reorganization, rearrangement, readjustment; **~reiche(r** *m*) *f* parvenu, (wealthy) upstart; *die* ~*n pl.* the new rich, the nouveaux riches (*Fr.*).

Neuro|se [nɔy'ro:zə] *f* (-; *-n*) neurosis; **~tiker** [-'ro:tikər] *m* (*-s*; -), **2tisch** *adj.* neurotic.

ˡ**Neu...: ~schätzung** *f* revaluation; **~schöpfung** *f* new creation; **~schottland** [-'ʃɔt-] *n* Nova Scotia; **~schnee** *m* new(-fallen) snow; **~seeland** [-'ze:lant] *n* (-s) New Zealand; **~silber** *n* German silver, argentan; **~sprachler** ['-ʃprɑ:xlər] *m* (*-s*; -) → *Neuphilolog*; **2sprachlich** *adj.* relating to modern languages; modern language *grammar school, etc.*; **2steinzeitlich** *adj.* neolithic; **~südwales** *n* (-) New South Wales; **2testamentlich** *adj.* of the New Testament.

neutral [nɔy'trɑ:l] *adj.* neutral; ~ *bleiben* remain neutral; **2e(r** *m*) *pol. f* neutral.

neutralisieren [-trali'si:rən] *v/t.* [(*h.*) neutralize.]

Neutralität [-trali'tɛ:t] *f* (-) neutrality; **~s-erklärung** *f* declaration of neutrality; **~sverletzung** *f* violation of neutrality.

Neutrum ['nɔytrum] *gr. n* (*-s*; *-tra*) [neuter.]

ˡ**neu...: 2veranlagung** *f* reassessment; **~vermählt** *adj.* newly married; *die 2en pl.* the newly-weds; **2wahl** *f* new election; re-election; **2wert** *m* value (when *or* as) new; **~wertig** *adj.* as good as (*or* practically) new; **2zeit** *f* (-) modern times *pl.*; **~zeitlich** *adj.* of (*or* in) modern times; modern(-style), up-to-date.

nicht [niçt] *adv.* not; *with v/aux.*: *er darf nicht* he may not; *with* do: *er geht* ~ he does not (*or* doesn't) go; *gingst du* ~? did you not (*or* didn't you) go?, *nein, ich ging* ~ no, I did not (*or* didn't); *er kam* ~ *a.* he failed to appear; *ich verstehe* ~, *warum* I fail to see why; *der Apparat wollte* ~ *funktionieren* the apparatus refused to work; *with comp.*: no, *e.g.*, ~ *besser* no better; ~ *mehr*, ~ *länger* no more, no longer; *often a.* in..., *e.g.*, ~ *einlösbar* inconvertible; non..., *e.g.*, ~ *abtrennbar* non-detachable; un..., *e.g.*, ~ *anziehend* unattractive; *a. miß..., e.g.*, ~ *glücken* = *mißglücken* fail, be unsuccessful; *gar* ~ not at all; *ganz und gar* ~, *durchaus* ~ not in the least, by no means; ~ *doch!* **a**) don't, **b**) don't say that!; ~ *wenige* not a few; ~ *einmal* not even, not so much as; *nur das* ~! anything but that; ~ *daß ich wüßte* not that I know of; ~ *daß es mich überrascht hätte* not that it surprised me; *ich kenne ihn auch* ~ I do not know him either; *sie sah es* ~, *und ich auch* ~ she did not see it, nor (*or* neither *or* no more) did I; *du kennst ihn* ~? *Ich auch* ~! *you don't know him?* Nor do I!; ~ *wahr?* isn't that so?; *er ist krank,* ~ *wahr?* he is ill, isn't he?; *Sie tun es,* ~ *wahr?* you will do it, won't you?; *du kennst ihn* ~, ~ *wahr?* you don't know him, do you.

ˡ**Nicht...: 2absorbierend** *adj.* non-absorbing; **~achtung** *f* disregard, disrespect, slight; *des Gerichts*: contempt (of court); **2amtlich** *adj.* unofficial; **~anerkennung** *f* non-acknowledgement; *of a debt*: repudiation; **2angreifend** *chem. adj.* non-corroding; **~angriffs-pakt** *m* non-aggression pact; **~annahme** *f* non-acceptance; **~arier(in** *f*) *m*, **2arisch** *adj.* non-Aryan; **~ausführung** *f* non-performance; **~be-achtung** *f*, **~befolgung** *f* non-observance (*gen.* of), failure to comply (with); **~berechtigte(r** *m*) *f* unauthorized person, person having no title; **~bezahlung** *f* non-payment; **2deutsch** *adj.* non-German; *in e-r* ~*en Währung* in a currency other than German.

Nichte ['niçtə] *f* (-; *-n*) niece.

ˡ**Nicht...: ~einhaltung** *f* non-compliance (*gen. or von* with), failure to comply (with); **~einlösung** *f* dishono(u)ring (*of bill of exchange*); **~einmischung** *f* non-intervention; **~-Eisenmetalle** *n/pl.* non-ferrous metals; **~erfüllung** *f* non-performance, default; **~erscheinen** *n* non-appearance, absence, failure to attend; *jur. a.*: default; **~fachmann** *m* (-[e]s; *-leute*) non-professional, layman, amateur; **~gebrauch** *tech. m*: bei ~ when not in use.

nichtig ['niçtiç] *adj.* vain, idle, empty; futile; transitory; flimsy (*pretext*); invalid; *null und* ~ null and void; *für* ~ *erklären* declare null and void, annul, invalidate; **2keit** *f* (-; *-en*) vanity, futility; nothingness; *jur.* nullity, voidness; **2keitsbeschwerde** *f* plea of nullity; **2keits-erklärung** *f* annulment, nullification; **2keitsklage** *f* nullity action; **2keitsklausel** *f* cancelling clause.

ˡ**Nicht...: ~kämpfer** *m* non-combatant, protected person; **~kaufmann** *m* (-[e]s; *-leute*) non-merchant; **~kombatant** ['-kɔmbatant] *m* → *Nichtkämpfer*; **~-Konvertierbarkeit** ['-kɔnvɛr'ti:rbɑ:rkaɪt] *f* (-) inconvertibility; **2leitend** *el. adj.* non-conducting, insulating; **~leiter** *el. m* non-conductor; **2leuchtend** *adj.* non-luminous; **~lieferung** *f* non-delivery; **2metallisch** *adj.* non-metallic; **~mitglied** *n* non-member; **2öffentlich** closed, private; *jur. in* ~*er Sitzung* in closed session; **2oxydierend** *adj.* non-oxidizing; **~raucher** *m* non-smoker; **~raucherabteil** *n* compartment for non-smokers; **2rostend** *adj.* rust-proof, non-corroding; stainless (*steel*).

nichts [niçts] *indef. pron.* nothing, naught, not ... anything; ~ *Neues* nothing new; ~ *als* nothing but; ~ *anderes* nothing else (*als* but); ~ *dergleichen* no such thing, nothing of the kind; ~ *mehr* no(thing) more, not any more; *fast gar* ~ hardly anything; *für* ~ *und wieder* ~ for no reason at all; *gar* ~ nothing at all, nothing whatever; *mir* ~, *dir* ~ without much ado, quite coolly, as cool as you please; *soviel wie* ~ next to nothing; *um* ~ for nothing; *um* ~ *spielen* play for love; *weiter* ~? is that all?; *colloq. wie* ~ like nobody's business; ~ *da!* nothing of the kind; ~ *davon!* don't talk about it!; *das ist* ~ *für mich* that's of no use to me, that's not in my line; not for me!; *es ist* ~ *damit!* it's no go!; *es macht* ~! it does not matter!, never mind!; ~ *zu machen!* there is nothing to be done about it!, nothing doing!; *zu* ~ *werden* come to nothing *or* naught, fail; 2 *n* (-) nothing(ness), *phls.* non-entity (*a. fig. person*); void; trifle, (a mere) nothing; *aus dem* ~ from nowhere; *vor dem* ~ *stehen* be face to face with ruin; ˡ**~ahnend** *adj.* unsuspecting.

ˡ**Nichtschwimmer(in** *f*) *m* non-[swimmer.]

nichtsdestoweniger [-dɛsto've:nigər] *adv.* nevertheless, none the less, just the same.

ˡ**Nichtsein** *n* non-existence; → *Sein.*

ˡ**Nichts...: ~könner** *m* incapable *or* incompetent person, ignoramus, wash-out; **~nutz** ['-nuts] *m* (*-es*; *-e*) good-for-nothing (person), ne'er-do-well, rotter; **2nutzig** *adj.* good-for-nothing, worthless, naughty; **~nutzigkeit** *f* (-) wickedness, naughtiness, worthlessness; **2sagend** *adj.* insignificant, meaningless; empty (*a. face*); non-committal, vague (*answer*); trite, trivial (*saying*); vain (*pleasures*); colo(u)rless, flat; insipid; **~tuer(in** *f*) ['-tu:ər] *m* (-s, -; -, *-nen*) do-nothing, idler, loafer; lazybones; **~tun** *n* (-s) idleness, inaction; *zum* ~ *verurteilt sein* be idled; *mit* ~ *verbringen* idle away; **~wisser** ['-visər] *m* (*-s*; -) ignoramus; **2würdig** *adj.* infamous, base; contemptible; **~würdigkeit** *f* worthlessness, infamy, villainy.

ˡ**Nicht...: 2tropfend** *tech. adj.* anti-drip (*nozzle*); **2versichert** *adj.* uninsured; **~vorbestrafte(r** *m*) *f* first offender; **~vorhandensein** *n* absence, (utter) lack; *phls.* non-existence; **~wissen** *n* ignorance; **~wollen** *n* unwillingness; **~zahlung** *f* non-payment; *bei* ~ in default of payment; **~zulassung** *f* non-admission; **~zutreffende(s)** *n*: ~*s streichen!* delete which is inapplicable.

Nickel ['nikəl] **1.** *n* (-) nickel; **2.** *m* (*-s*; -) small coin, copper, *Am.* dime; **~chromstahl** *m* chrome-nickel steel; **~überzug** *m* nickel-plating.

nicken ['nikən] *v/i.* (*h.*) nod (one's head); *zustimmend* ~ nod one's agreement; *as a greeting*: bow; beckon; nap; 2 *n* nod(ding), *etc.*

Nickerchen ['nikərçən] *colloq. n* (*-s*; -): *ein* ~ *machen* take a nap, have one's forty winks.

nie [ni:] *adv.* never, at no time; *fast* ~ hardly ever; ~ *und nimmer* never (in my life); ~ *wieder* never again, no more; *jetzt oder* ~ now or never.

nieder ['ni:dər] **I.** *adj.* low; inferior

(*rank, value*); lower (*agency, official, etc.*); common, vulgar; low, base, mean; *der ~e Adel* the gentry; *von ~er Geburt* of low birth, of humble origin, lowborn; **II.** *adv.* low; down; *auf und ~* up and down; *~ mit den Verrätern!* down with the traitors!; **~beugen** *v/t.* (*h.*) (*a. sich*) bend down, bow; *fig.* depress, weigh down; **~brechen** *v/t.* (*irr., h.*) *and v/i.* (*irr., sn*) break down; **~brennen** *v/t.* (*irr., h.*) *and v/i.* (*irr., sn*) burn down (*or* to the ground); **~brüllen** *v/t.* (*h.*) shout down; boo; **~deutsch** *adj.*, **≈deutsche(r** *m*) *f* Low German; **≈deutschland** *n* Lower Germany; **~donnern** *v/i.* (*sn*) come down with a crash; **≈druck** *tech. m* (-[e]s; ≈e) low pressure; **~drücken** *v/t.* (*h.*) press *or* weigh down (*a. fig.*); depress (*lever*); *fig.* depress, prey on *a p.'s* mind; oppress; **~fahren** *v/i.* (*irr., sn*) descend; **~fallen** *v/i.* (*irr., sn*) fall (*or* drop) down; *vor j-m ~* throw o.s. at a p.'s feet; **≈frequenz** *el. f* low frequency, *radio a.*: audio frequency; *in compounds*: low-frequency ...; **≈gang** *m* going down, descent; *tech.* down-stroke; setting (*of stars*); *fig.* decline, decay; (down)fall; **~gedrückt** *adj.* depressed, dejected, downcast; **~gehen** *v/i.* (*irr., sn*) go down, drop; *aer.* descend, alight, touch down; *storm*: burst, break; **~geschlagen** [ˈ-gəʃlaːgən] *adj.* downcast (*eyes*); *fig.* downhearted, crestfallen; → *niedergedrückt*; **≈geschlagenheit** *f* (-) dejection; despondency, low spirits *pl.*; **~gestreckt** [ˈ-gəʃtrɛkt] *adj.* prostrate; **~halten** *v/t.* (*irr., h.*) hold (*or* keep) down; *fig.* suppress; *mil.* pin down (*the enemy*); **~hauen** *v/t.* (*h.*) cut down, fell (*a. mil.*); **~holen** *v/t.* (*h.*) haul down, lower (*flag*); **≈holz** *n* (-es) underwood; **~kämpfen** *v/t.* (*h.*) subdue, overcome (*a. fig.*); *mil.* overpower, put out of action, silence; **~knallen** *v/t.* (*h.*) shoot (down), bump off; **~knien** *v/i.* (*sn*) kneel down; **~knüppeln** *v/t.* (*h.*) bludgeon; **~kommen** *v/i.* (*irr., sn*) be confined; be delivered (*mit* of); **≈kunft** [ˈ-kunft] *f* (-; ≈e) confinement, delivery, childbirth; **≈lage** *f* **1.** defeat; rout; beating, licking; *e-e ~ beibringen* (*dat.*) inflict a defeat (up)on, defeat; *e-e ~ erleiden* suffer a defeat, take a beating; **2.** *econ.* warehouse, depot; branch office, supply depot; branch; *die* **≈lande** [ˈ-landə] *pl.* the Netherlands, the Low Countries; **~ländisch** [ˈ-lɛndiʃ] *adj.* Dutch; **~lassen** *v/t.* (*irr., h.*) let down, lower, drop; *sich ~* settle (down) (*a. fig.*), *bird*: perch, alight; sit down, take a seat; establish o.s. (*als* as), set up in business; take up one's domicile, settle (*in dat.* at); **≈lassung** [ˈ-lasuŋ] *f* (-; -*en*) establishment; settlement, colony; branch, agency (*of bank, etc.*); **≈lassungsfreiheit** *f* freedom of movement; **≈lassungsrecht** *n* right of domicile; **~legen** *v/t.* (*h.*) lay (*or* put) down; deposit (*a. w.s. documents, etc.*); resign (*office*); retire from, give up (*business*); abdicate (*crown*); lay down (*weapons, a. rules*); *die Arbeit ~* (go on) strike, down tools, *Am. a.* walk out; *et. schriftlich ~* put down in (*or* reduce to) writing; *in e-m Bericht niedergelegt sein* be embodied in, be set forth in a report; *sich ~* lie down, go to bed; **≈legung** [ˈ-leːguŋ] *f* (-; -*en*) laying down, depositing; resignation; abdication; **~machen, ~metzeln** *v/t.* (*h.*) cut down, kill; massacre, butcher; **~mähen** *mil. v/t.* (*h.*) mow down; **~reißen** *v/t.* (*irr., h.*) tear down; pull down, demolish (*buildings, etc.*); **~rheinisch** *adj.* of the Lower Rhine; **~ringen** *v/t.* (*irr., h.*) overpower, get down; wear down; **~schießen I.** *v/t.* (*irr., h.*) shoot down; **II.** *v/i.* (*irr., sn*) shoot (*or* swoop) down (*from the sky*); **≈schlag** *m chem.* precipitate; deposit, sediment; *atmosphärischer*: precipitation, rain(fall); *radioaktiver*: fall-out; *boxing*: knock-down, knock-out; *fig. s-n ~ finden in* (*dat.*) find expression in, be embodied (*or* reflected) in; **~schlagen** *v/t.* (*irr., h.*) fell, knock down *a p.*, *boxing a.*: floor, knock out, drop for the count; *die Augen*: cast down *one's eyes*; *sich ~ chem.* precipitate, deposit, *fig.* be reflected (*in dat.* in); suppress; put down (*a revolt*); *jur.* quash (*proceedings*); waive (*claim*); cast down, depress (*a p.*); **~schlagsreich** *adj.* of heavy precipitation, wet, rainy; **≈schlagung** [ˈ-ʃlaːguŋ] *f* (-; -*en*) suppression; squashing; **~schmettern** *v/t.* (*h.*) dash to the ground, floor; *fig.* crush; **~schmetternd** *adj.* dismal, appalling, crushing; **~schreiben** *v/t.* (*irr., h.*) write down, record; **~schreien** *v/t.* (*irr., h.*) shout down; **≈schrift** *f* writing down; writing, notes *pl.*, record; minutes *pl.*; *jur. mündlich zur ~* orally ad protocollum; **~setzen** *v/t.* (*h.*) put (*or* set) down; *sich ~* (*h.*) sit down, *bird*: perch, alight; **~sinken** *v/i.* (*irr., sn*) sink (down), go down; drop down, collapse; **≈spannung** *el. f* low tension *or* voltage; **≈spannungs...** *in compounds* low-voltage ...; **~stechen** *v/t.* (*irr., h.*) stab (down); **~steigen** *v/i.* (*irr., sn*) step down; descend; **~stimmen** *v/t.* (*h.*) vote down, outvote; **~stoßen I.** *v/t.* (*irr., h.*) knock (*or* push) down; **II.** *v/i.* (*irr., sn*): *~ auf* (*acc.*) pounce down upon; **~strecken** *v/t.* (*h.*) stretch (*or* strike) on the ground, fell, floor; **~stürzen** *v/i.* (*sn*) tumble down; **≈tracht** [ˈ-traxt] *f* (-) → *Niederträchtigkeit*; **~trächtig** *adj.* base, mean, low, vile; insidious; **≈trächtigkeit** *f* baseness, meanness, vileness; base act, dirty trick; **~treten** *v/t.* (*irr., h.*) trample down.

ˈ**Niederung** *f* (-; -*en*) lowland; depression, low ground, valley.

ˈ**nieder...**: **~wärts** [ˈ-vɛrts] *adv.* downward(s), down; **~werfen** *v/t.* (*irr., h.*) throw (*or* fling, cast) down; *fig.* overwhelm; put down, crush (*rebellion*); *von e-r Krankheit niedergeworfen werden* be prostrated by an illness, be laid by the heels; *sich vor j-m ~* throw (*or* hurl) o.s. at a p.'s feet; **≈werfung** [ˈ-vɛrfuŋ] *f* (-; -*en*) overthrow; suppression (*of rebellion*); **≈wild** *hunt. n* small *or* ground game.

niedlich [ˈniːtliç] *adj.* neat, nice; dainty; droll; pretty, sweet, *Am. a.* cute; **≈keit** *f* (-) neatness, daintiness; prettiness.

Niednagel [ˈniːt-] *m* agnail, hangnail.

niedrig [ˈniːdriç] *adj.* low (*a. adv.*); lowly, humble; *b.s.* low, mean, base; inferior, low (*quality*); low, keen (*price*); moderate; *~ halten* keep down; *mot. ~es Fahrgestell* low-built chassis; *~er Gang* low gear; *~er* [ˈniːdrigər] *comp.* lower; inferior; *~er machen* lower; *zu ~erem Preise* at a lower (*or* reduced) price; *~er hängen fig.* remove from its pedestal, debunk; *zu ~ angeben* understate; *~st* [ˈniːdrigst] lowest, bottom, minimum; **≈keit** *f* (-; -*en*) lowness; humbleness; baseness; low level (*of prices*); **~stehend** *adj.* low-standing, low-class; **≈wasser** *n* (-*s*; -) low water.

niemals [ˈniːmaːls] *adv.* never, at no time, → *nie*.

niemand [ˈniːmant] *indef. pron.*, ≈ *m* (-[e]s) nobody, no one, none, no man, not ... anybody, not a soul; *~ als* none (*or* no one) but; *~ anders* nobody (*or* no one) else; *~ anders als* none other but; **≈sland** *n* (-[e]s) no man's land.

Niere [ˈniːrə] *f* (-; -*n*) kidney; *min.* nodule; *die ~n betreffend* renal; *colloq. fig. das geht ihm an die ~n* that cuts him to the quick *or* hits him hard; → *Herz*.

ˈ**Nieren...**: **~becken** *n* renal pelvis; **~beckenentzündung** *f* pyelitis; **~braten** *m* roast loin; **~entzündung** *f* nephritis; **≈förmig** [ˈ-fœrmiç] *adj.* kidney-shaped; reniform; **~gegend** *f* renal region; **~krankheit** *f*, **~leiden** *n* disease of the kidneys, renal disorder; **~schlag** *m* kidney-punch; **~schwund** *m* renal atrophy; **~stein** *m* renal calculus; **~stück** *n* → *Nierenbraten*.

niesel|n [ˈniːzəln] *v/i.* (*impers., h.*), **≈regen** *m* drizzle.

niesen [ˈniːzən] *v/i.* (*h.*) sneeze.

Nies-pulver [ˈniːs-] *n* sneezing-powder.

Nieß|brauch [niːs-] *m* (-[e]s) usufruct; *lebenslänglicher ~* life-interest; **~nutzer(in** *f*) [ˈ-nutsər] *m* (-*s*, -; -, -*nen*) usufructuary, beneficial owner; **~nutzung** *f* → *Nießbrauch*.

ˈ**Nieswurz** [ˈ-vurts] *bot. f* (-; -*en*) hellebore.

Niet [niːt] *tech. m* (-[e]s; -e) rivet; ˈ**~bolzen** *m* rivet punch.

ˈ**Niete** [ˈniːtə] *f* (-; -*n*) *lottery*: blank; *fig. person or thing*: failure, flop, wash-out; *e-e ~ ziehen* draw a blank (*a. fig.*).

ˈ**Niet...**: **~eisen** *n* rivet steel; **≈en** *v/t.* (*h.*) rivet; **~er** *m* (-*s*; -) riveter; **~maschine** *f* riveter; **~verbindung** *f* rivet joint; **≈- und nagelfest** *adj.* clinched and riveted, nailed down.

Nihilis|mus [nihiˈlismus] *m* (-) nihilism; **~t(in** *f*) *m* (-*en*, -*en*; -, -*nen*) nihilist; **≈tisch** *adj.* nihilist(ic).

Nikotin [niko'ti:n] *n* (-s) nicotine; *e-m Tabak das ~ entziehen* denicotinize a tobacco; **2frei** *adj.* nicotine-free, non-nicotine; **~gehalt** *m* nicotine content; **2haltig** *adj.* containing nicotine; **~säure** *f* nicotinic acid; **~vergiftung** *f* nicotine poisoning.

Nil [ni:l]: *der ~* the Nile; **~delta** *n* delta of the Nile; **~pferd** *n* hippopotamus.

Nimbus ['nimbus] *m* (-; -se) nimbus, halo, aureole; *fig.* halo; aura; *s-n ~ einbüßen* lose one's halo; *s-s ~ entkleiden* debunk *a p. or th.*; *~ der Unbesiegbarkeit* aura of invincibility.

nimmer ['nimər] *adv.* never, → *nie*; **2leins-tag** ['-laıns-] *colloq.* *m* doomsday; **~mehr** *adv.* nevermore, never (again); by no means, on no account, never; **~müde** *adj.* untiring, indefatigable; **~satt** *adj.* insatiable; **2satt** *m* (-[e]s; -e) glutton; *w.s. Am.* grab-all; **2wiedersehen** *n*: *auf ~* never to meet again; *er verschwand auf ~* he left for good.

Nippel ['nipəl] *tech. m* (-s; -) nipple.

nippen ['nipən] *v/i. and v/t.* (*h.*) (take a) sip; sip (*an dat.* at).

'**Nipp-sachen** *f/pl.* (k)nick-(k)nacks.

nirgend(s) ['nirgənt(s)], '**nirgendwo**('**hin**) *adv.* nowhere, not ... anywhere.

Nische ['ni:ʃə] *f* (-; -*n*) niche, recess.

nisten ['nistən] *v/i.* (*h.*) (build a) nest; *fig.* nestle.

'**Nist...**: **~kasten** *m* nest-box; **~platz** *m* breeding-place.

Nitrat [ni'trɑ:t] *chem. n* (-[e]s; -e) nitrate.

Nitrier|anlage [ni'tri:r-] *f* nitrating equipment; **2en** *v/t.* (*h.*) nitrate, nitrify; **~ung** *f* (-) nitration; *metall.* nitridation.

Nitro|ben'zol ['ni:tro-] *n* nitrobenzene; **~glyze'rin** *n* nitroglycerine; **~lack** *m* nitro-enamel; **~lampe** *f* nitrogen-filled lamp; **~sprengstoff** *m* nitro-explosive; **~toluol** ['-tolu'o:l] *n* (-s) nitrotoluene; **~zellu'lose** *f* nitrocellulose.

Niveau [ni'vo:] *n* (-s; -s) level; *fig. a.* standard; *unter dem ~* not up to standard; *~ haben* have class, be of a high order; **~linie** *f* potential (*or* grade) line; **~übergang** *rail. m* level (*Am.* grade) crossing.

nivellier|en [nivɛ'li:rən] *v/t.* (*h.*) level, grade; **2latte** *f* stadia rod; **2ung** *f* (-; -*en*) level(l)ing; **2waage** *f* spirit-level.

Nix [niks] *m* (-es; -e), '**~e** *f* (-; -*n*) water-sprite; *m a.* nix, merman; *f a.* water-nymph, mermaid.

Nizza ['nitsa] *n* (-s) Nice.

nobel ['no:bəl] *adj.* noble; elegant, stylish; generous, free-handed; *sich ~ zeigen* come down handsomely.

Nobelpreis [no'bɛl-] *m* Nobel Prize; **~träger** *m* Nobel Prize winner.

noch [nɔx] **I.** *adv.* **1.** still, yet; *~ immer* still; *~ nicht* not yet; *~ nie* never (before); *~ besser (mehr)* even (*or* still) better (more); *noch an demselben Tage* on the very same day; *~ gestern* only yesterday; *~ heute* this very day; *heute ~ (immer)* even today; *~ jetzt* even now; *~ im 11. Jahrhundert* as late as the 11th century; *er kommt ~* he will come yet (*or* later); *~ nicht zehn* less than ten; *er hat nur ~ 10 Dollar* he has only 10 dollars left; *~ lange nicht* not by a long way; *das ist ~ zu regeln (abzuwarten)* it remains to be settled (seen); *wir haben ~ keine Nachricht erhalten* we have not received word as yet; *colloq. er hat ~ und ~ Geld* he has got money to burn; → *fehlen, gerade*; **2.** besides, in addition (to that), further; *~ dazu* over and above that, (and) what is more; *~ einer* one more, (still) another; *~ einmal* once more *or* again; *~ einmal so alt wie er* double his age; *~ einmal so viel* as much again, twice as much; *~ eins, etwas* one more thing; *~ etwas?* anything else; *was wollen Sie ~?* what more do you want; *wer kommt ~?* who else is coming?; *nur ~ verdächtiger* even (*or* all the) more suspicious; (*nur*) *~ fünf Minuten* (only) five minutes more (*or* to go); **3.** *~ so* ever so; *sei es ~ so klein* be it ever so small, no matter how small it is; **II.** *cj.* → *weder*.

'**noch...**: **2geschäft** *n stock exchange*: put (*or* call) of more; **~mal** *adv.* → *noch (einmal)*; **~malig** ['-mɑ:liç] *adj.* repeated, reiterated, renewed; *~e Durchsicht* revision; *~e Prüfung* re-examination; *~e Verhandlung* re-hearing, new trial; *bei ~er Überlegung* on second thought; **~mals** ['-mɑ:ls] *adv.* once more (*or* again), again, a second time; (*wieder ...*) re(-)..., *e.g.*, *~ anfangen* recommence.

Nock [nɔk] *mar. n* (-[e]s; -e) yard-arm.

Nöck [nœk] *m* (-en; -en) → *Nix*.

Nocke(**rl** *n*) ['nɔkə(rl)] *f* (-, -*n*; -s, -[*n*]) dumpling.

Nocken ['nɔkən] *tech. m* (-s; -) cam, lifter; **~antrieb** *m* cam drive; **~scheibe** *f* cam plate *or* disc; **~steuerung** *f* cam control; **~welle** *f* camshaft.

nolens-volens ['no:lɛns 'vo:lɛns] *adv.* like it or not, willy-nilly; having no alternative but to *inf.*

Nomad|e [no'mɑ:də] *m* (-*n*; -*n*) nomad; **~enleben** *n* (-s) nomadic life; **~entum** *n* (-s) nomadism; **2isch** *adj.* nomadic.

Nomenklatur [nomɛnkla'tu:r] *f* (-; -*en*) nomenclature.

nominal [nomi'nɑ:l] *adj.* nominal; **2wert** *m* nominal (*or* face) value.

Nominativ ['no:minati:f] *gr. m* (-s; -e) nominative (case).

nominell [nomi'nɛl] *adj.* nominal.

nomi'nieren *v/t.* (*h.*) nominate.

Nonius ['no:nius] *m* (-; -*ien*) vernier; **~teilung** *f* vernier scale.

Nonne ['nɔnə] *f* (-; -*n*) nun; *zo.* night-moth; *~ werden* take the veil; **~nkloster** *n* nunnery, convent.

Noppe ['nɔpə] *f* (-; -*n*) nap, burl; **2n** *v/t.* (*h.*) nap; **~nmuster** *n* nap pattern.

Nord [nɔrt] *m* (-[e]s; -e) north; north wind; '**~amerika** *n* North America; **~at'lantikpakt** *pol. m* (-[e]s) North Atlantic Treaty; '**2deutsch** *adj.* North German.

norden ['nɔrdən] *v/t.* (*h.*) orient (*map*).

'**Norden** *m* (-s) north; *gegen or nach ~* to(wards) the north, in a northerly direction; *im ~ von or gen.* (in *or* to the)north of.

nordisch ['nɔrdiʃ] *adj.* northern; Nordic (*race*); (*Scandinavian*) Norse; Teutonic (*language*); *sports*: *~e Kombination* Nordic combination.

'**Nord...**: **~kap** *n* (-s) North Cape; **~länder(in** *f*) ['-lɛndər] *m* (-s, -; -, -*nen*) northerner.

nördlich ['nœrtliç] **I.** *adj.* northern, northerly; arctic; **2es** *Eismeer* Arctic Ocean; **II.** *adv.*: *~ liegen von* lie (to the) north of.

'**Nord...**: **~licht** *n* (-[e]s; -er) northern lights *pl.*, aurora borealis; **~'ost(en)** *m* (NO) north-east (*abbr.* N.E.); **2östlich** *adj.* north-east (-ern); **~pol** *m* (-s) North Pole; **~polarkreis** *m* Arctic Circle; **~polfahrt** *f* arctic expedition; **~see** *f* (-) North Sea; **~seite** *f* north side; **~staaten** *m/pl.* Northern States; **~stern** *m* pole-star; **2wärts** ['-vɛrts] *adv.* northward(s), north; **~'west(en)** *m* (NW) north-west (*abbr.* N.W.); **2'westlich** *adj.* northwest(erly); **~wind** *m* north wind.

Nörgelei [nœrgə'laı] *f* (-; -*en*), '**nörgelig** *adj.* nagging, grumbling, faultfinding, carping.

'**nörg|eln** *v/i.* (*h.*) grumble, nag, carp (*an dat.* at), find fault (with); grouse, *Am.* gripe *or* crab (about); **2ler(in** *f*) ['-glər] *m* (-s, -; -, -*nen*) faultfinder, grumbler, malcontent.

Norm [nɔrm] *f* (-; -*en*) standard; rule; measure, yard-stick; norm, rate, quota; *typ.* signature; *als ~ gelten* serve as a standard.

normal [nɔr'mɑ:l] *adj.* normal; standard (*measurements, etc.*); regular; *unter ~en Verhältnissen* normally; **2arbeits-tag** *m* ordinary working day; **2ausrüstung** *f* standard equipment; **2belastung** *f* normal *or* standard load; **2e** *f* (-; -*n*) perpendicular, normal; **2fall** *m* normal case; *im ~* normally; **2film** *m* standard film; **2geschwindigkeit** *f* normal (*or* proper) speed; **2gewicht** *n* standard weight; **2größe** *f* normal *or* standard size; **~isieren** [nɔrmali'zi:rən] *v/t.* (*h.*) normalize; *sich ~* (*h.*) return to normal(cy); **2lehre** *f* standard ga(u)ge; **2maß** *n* standard (measure); **2null** *f* sea-level; **~sichtig** ['-ziçtiç] *adj.* normal sighted; **2spur...**, **~spurig** *adj.* standard-gauge; **2uhr** *f* standard clock; **2verbraucher** *m* average consumer; *colloq.* (*geistiger*) *~* middlebrow; **2wert** *m* standard value; **2zeit** *f* mean time, standard time; **2zustand** *m* normal condition, normality, normalcy.

'**Norm...**: **~blatt** *n* standard sheet (*or* specifications *pl.*); **2en** *v/t.* (*h.*) standardize; **~en-ausschuß** *m* standards committee; **2entsprechend** *adj.* standard; **~envorschrift** *f* standard specifications *pl.*; **2gerecht** *adj.* complying with standards.

nor'mieren *v/t.* (*h.*) → *normen*; lay down, establish (*rule*); **Nor'mierung** *f*, '**Normung** *f* (-; -*en*) standardization.

'**Norm...**: **~teil** *n* standard part;

~verbrauch *mot. m* level road fuel consumption.

Norweg|en [ˈnɔrveːgən] *n* (-s) Norway; **~er(in** *f*) *m* (-s, -; -, -*nen*), **2isch** *adj.* Norwegian.

Not [noːt] *f* (-; ⸚e) *usu.* need; want; emergency; predicament, plight; indigence, destitution, extremity; misery; distress, trouble; afflication, distress; anguish, agony; necessity; urgency, exigency; sorrow, care; danger, emergency, (*n.s. mar.*) distress; *im Falle der ~* in case of need *or* of an emergency; *wenn ~ am Mann ist* if need be, if the worst comes to the worst, in the last resort; *zur ~* if need be, at a pinch; *für Zeiten der ~* for a rainy day; *mit ~* barely, with difficulty, → *knapp*; *~ leiden* suffer want *or* (great) privation; *in ~ bringen* reduce to want; *in ~* (*or Nöten*) *sein* be in trouble; *in ~ geraten* become destitute, get into trouble; *die ~ fernhalten* keep the wolf from the door; *s-e liebe ~ haben mit* (*dat.*) have a hard time with, have no end of trouble with; *mir ist or tut ~* I want; *es tut ~, daß* it is necessary (*or* imperative) that; *aus der ~ eine Tugend machen* make a virtue of necessity; *~ macht erfinderisch* necessity is the mother of invention; *~ kennt kein Gebot* necessity knows no law; *ein Freund in der ~* a friend in need; *in der ~ frißt der Teufel Fliegen* beggars can't be choosers.

Nota [ˈnoːta] *econ. f* (-; -s) memorandum; note (of charges); invoice, bill.

ˈ**Not...:** **~abwurf** *aer. m* → *Notwurf*; **~adresse** *f* address in case of need, emergency address; **~anker** *m* sheet-anchor; **~antenne** *f* emergency aerial (*Am.* antenna).

Notar [noˈtaːr] *m* (-s; -e) notary; conveyancer; *öffentlicher ~* notary public.

Notariat [notariˈaːt] *n* (-[e]s; -e) notary's office; **~sgebühren** *f/pl.* notarial fees.

notariell [-iˈɛl] *adj.* (*a. adv. ~ beglaubigt*) notarial, certified (*or* attested) by a notary, *Am. a.* notarized; *~e Urkunde or Verhandlung* notarial act.

ˈ**Not...:** **~ausgang** *m* emergency exit; **~ausstieg** *m* escape hatch; **~behelf** *m* makeshift, stopgap; expedient; **~beleuchtung** *f* emergency lighting; **~bremse** *f* emergency brake; **~brücke** *f* temporary bridge; **~durft** [ˈ-durft] *f* (-) necessity, pressing need; *seine ~ verrichten* ease o.s., relieve nature; **2dürftig** *adj.* scanty; needy, poor; makeshift, temporary; rough-and--ready (*repair*); *~ herstellen* (*aus*) improvise (from); **~dürftigkeit** *f* scantiness; need(iness), indigence.

Note [ˈnoːtə] *f* (-; -*n*) note; annotation; banknote, *Am. a.* bill; *econ.* → *Nota*; *pol.* (diplomatic) note, memorandum; *ped.* mark (*a. sports*), report; *mus.* note; *ganze ~* semibreve, *halbe ~* minim; *in ~n setzen* set to music; *nach ~n singen* sing at sight (*or* from music); *colloq. fig. nach ~n* properly, thoroughly, awfully; *fig.* tone; character, stamp, feature; *die persönliche ~* the personal touch, the distinctive style; *dies verlieh dem Fest eine besondere ~* this lent to the celebration its special flavo(u)r.

ˈ**Noten...:** **~ausgabe** *f* issue of (bank-)notes; **~austausch** *pol. m* exchange of notes; **~bank** *f* (-; -*en*) bank of issue, issuing bank; **~blatt** *n* (sheet of) music; **~buch, ~heft** *n* music-book; **~linie** *mus. f* line of the staff; **~mappe** *f* music-carrier; **~papier** *n* (-s) music paper; **~pult** *n* music-stand, music desk; **~-~schlüssel** *mus. m* clef; **~schrank** *m* music cabinet; **~ständer** *m* → *Notenpult*; **~system** *mus. n* staff; **~umlauf** *m* circulation of (bank-) notes; **~wechsel** *pol. m* exchange of notes.

ˈ**Not...:** **~fall** *m* case of need *or* necessity, emergency; *im ~* → **2falls** *adv.* → *nötigenfalls*; **~flagge** *mar. f* flag of distress; **2gedrungen I.** *adj.* compulsory, forced; driven by necessity; **II.** *adv.* of neccessity, needs; *~ mußte er* he had no choice but, he found himself compelled to; **~geld** *n* emergency money, token money; **~gemeinschaft** *f* co-operative aid council; emergency association; **~gesetz** *n* emergency law; **~groschen** *m* → *Notpfennig*; **~hafen** *mar. m* harbo(u)r of refuge; **~helfer(in** *f*) *m* helper in need; **~-hilfe** *f* (-) help in need; *Technische ~* Organization for the Maintenance of Supplies (*abbr.* O.M.S.), Emergency Men.

notier|en [noˈtiːrən] **I.** *v/t.* (*h.*) note (down), make a note of, put (*or* take) down, jot down; *econ.* make a memorandum of; book (*order*); quote *prices* (*zu* at); *notierte Aktien* shares quoted on stock exchange, *Am.* listed stocks; *mit etwa $4^1/_2$% notiert* ruling about $4^1/_2$ percent; **II.** *v/i.* (*h.*) *econ.* be quoted (at); **2ung** *f* (-; -*en*) noting; *econ.* booking, entry; *stock exchange*: quotation.

nötig [ˈnøːtiç] *adj.* necessary, needed, required, requisite; indicated; *~ haben* want, need, stand in need of, require; *es ist nicht ~, daß du kommst* there is no need for you to come; *fig. das habe ich nicht ~!* I don't have to stand for that!; *das hast du ~ gehabt!* why did you have to do that?; (*das*) **2e** what (*or* all that) is required; the wherewithal; **~en** [ˈnøːtigən] *v/t.* (*h.*): *j-n zu et. ~* oblige (*or* compel, force) a p. to do a th.; urge, press; invite, ask (*herein* in); *sich ~ lassen* stand upon ceremony; *lassen Sie sich nicht ~!* don't wait to be asked!, help yourself!; *er läßt sich nicht lange ~* he needs no pressing (*or* little coaxing); *sich genötigt sehen zu inf.* feel (*or* find o.s.) compelled to *inf.*; **~enfalls** *adv.* in case of need, in an emergency; if necessary, if need be; in the last resort; **2ung** *f* (-; -*en*) compulsion, constraint; pressing, urgent request; *jur.* intimidation; **2ungs-notstand** *jur. m* necessity arising from intimidation.

Notiz [noˈtiːts] *f* (-; -*en*) note, memo; *stock exchange*: quotation; (news) item, notice; *sich ~en machen* take (*or* jot down) notes; *~ nehmen von* note, take notice of; pay attention to; *keine ~ nehmen von* ignore; **~block** *m* (-[e]s; -s) (note-) pad, *Am.* scratchpad; **~buch** *n* notebook, memo-book.

ˈ**Not...:** **~klausel** *f* escape clause; **~lage** *f* distress, calamity; emergency, predicament, plight; *geldliche ~* embarassment; **~lager** *n* makeshift bed, shakedown; **2landen** *v/i.* (*sn*) make a forced landing, *a. ~ müssen* be forced down; **~landung** *f* forced (*or* emergency) landing; **2leidend** *adj.* needy, indigent, destitute; distressed; *econ.* dishono(u)red (*bill of exchange*); *~e Obligationen* overdue stock, *Am.* defaulted bonds; *~e Gesellschaften* companies in default; **~leidende(r** *m*) [ˈ-laɪdəndə(r)] *f* (-*n*, -*n*; -*en*, -*en*) needy person, sufferer; *die ~n* the needy, the distressed; **~leine** *f* communication cord; **~lösung** *f* expedient; **~lüge** *f* white lie; **~maßnahme** *f* emergency measure, last resort; **~opfer** *n* relief tax.

notorisch [noˈtoːriʃ] *adj.* notorious.

ˈ**Not...:** **~pfennig** *m* savings *pl.*, nest-egg; *einen ~ aufsparen* put money by for a rainy day; **~ruf** *m* distress call; *teleph.* emergency call; **~schlachtung** *f* forced slaughter; **~schrei** *m* cry of distress; **~-signal** *n* distress signal; *mar.* **a**) distress gun, **b**) S.O.S.; **~sitz** *m* emergency seat, *mot. a.* dickey (-seat), *Am.* rumble seat; **~stand** *m* state of distress, emergency; indigence; *jur.* (privilege of) necessity; *nationaler ~* (state of) national emergency; **~stands-arbeiten** *f/pl.* (unemployment) relief works; **~-standsgebiet** *n* distressed (*or* black) area; **~standsgesetze** *n/pl.* emergency laws; **~standsmaß-nahme** *f* emergency measure; **~taufe** *f* private baptism; **~treppe** *f* fire escape; **~unterkunft** *f* shelter billets *pl.*; **~verband** *m* emergency (*or* first-aid) dressing; **~verord-nung** *f* emergency decree; **~wehr** *f* (-): (*aus*) *~* (in) self-defen|ce, *Am.* -se; **2wendig** *adj.* necessary, requisite; needful; urgent; essential; indispensable; *unbedingt ~* imperative; *~ machen* necessitate, call for; *es ist ~, daß er* it is necessary for him to *inf.*; **2wendigerweise** [ˈ-vɛndigərvaɪzə] *adv.* necessarily, of necessity; **~wendigkeit** *f* necessity; must; urgency; requirement; **~wurf** *aer. m* emergency (salvo) release; *im ~ abwerfen* jettison (*bombs*); **~zeichen** *n* distress signal; **~zucht** *f* rape; *~ begehen an* (*dat.*) commit rape upon; **2züchtigen** *v/t.* (*h.*) rape, violate, assault.

Novelle [noˈvɛlə] *f* (-; -*n*) short story, short novel, novella; *parl.* supplementary (*or* amending) law; **Novelˈlist** (**in** *f*) *m* (-*en*, -*en*; -, -*nen*) novelist, short-story writer.

November [noˈvɛmbər] *m* (-[s]) November.

Novität [noviˈtɛːt] *f* (-; -*en*) novelty; *thea.* new play; (*book*) new publication.

Novum [ˈnoːvum] *n* (-s; -*va*) novelty,

something quite new, unheard-of fact.

nu [nu:] *int.* well!, now!, *Am. a.* hey!; **Nu** *m* (-): *im* ~ in no time, in the twinkling of an eye, in a trice (*or* flash), in a jiffy.

Nuance [ny'ãsə] *f* (-; -*n*), **nuan'cieren** *v/t.* (*h.*) shade.

nüchtern ['nyçtərn] *adj.* empty, fasting; ~, *auf* ~*en Magen* on an empty stomach; sober; temperate; *fig.* sober (*discussion, mind, fact, etc.*); matter-of-fact(ly *adv.*); level-headed, sensible; dispassionate, calm, cool, unemotional; hard-headed; prosaic, pedestrian; plain; jejune, dull, dry (-as-dust); *völlig* ~ cold-sober; ~ *machen, werden* sober (down); ~ *betrachtet* in sober fact; 2**heit** *f* (-) emptiness; sobriety, temperance; *fig.* soberness (of mind); common sense; jejuneness, dryness; prosiness; plainness.

Nudel ['nu:dəl] *f* (-; -*n*) noodle; ~**brett** *n* pastry-board; ~**holz** *n* rolling pin; 2**n** *v/t.* (*h.*) stuff, fatten; *fig.* cram with food; ~**suppe** *f* vermicelli soup.

Nugat ['nu:gat] *m* (-*s*; -*s*) nougat.

Nukleon ['nu:kleɔn] *phys. n* (-*s*; -'*onen*) nucleon.

Nukleus ['nu:kleus] *m* (-; -*ei*) [nucleus.]

null [nul] *adj.* null; zero; nil; *tennis*: love; ~ *und nichtig* null and void; *für* ~ *und nichtig erklären* declare null and void, annul; 2 *f* (-; -*en*) nought, cipher, zero; *auf* (*über, unter*) ~ *stehen* stand at (above, below) zero; *fig.* (a mere) cipher, nonentity, → *Niete*; *gleich* ~ next to nothing, nil; *colloq. in* ~ *Komma nix* → *im Nu*; '2**achse** *f* neutral axis; '2**(l)eiter** *el. m* neutral conductor; '2**punkt** *m* zero, freezing-point; *el.* neutral point; *auf dem* ~ (*a. fig.*) at zero; '2**spannung** *f* zero potential; '2**stellung** *f* zero (*or* neutral) position; '2**strich** *m* zero mark; '2**stunde,** '2**zeit** *aer. f* zero-hour.

numerier|en [numə'ri:rən] *v/t.* (*h.*) number; *econ.* ticket; *thea. numerierter Platz* reserved seat; 2**ung** *f* (-; -*en*) numbering.

numerisch [nu'me:riʃ] *adj.* numerical.

Numismatik [numis'ma:tik] *f* (-) [numismatics *pl.*]

Nummer ['numər] *f* (-; -*n*) number (*abbr.* No., *pl.* Nos.); *of journal, etc.*: number, copy, issue; *econ.* size; *sports*: event; *circus*: number; *colloq. fig. er ist eine* ~ he is a card *or* quite a character; *bei j-m e-e gute* ~ *haben* be in a p.'s good books; ~**nfolge** *f* numerical order; ~**nscheibe** *teleph. f* dial; ~**nschild** *mot. n* number plate.

nun [nu:n] **I.** *adv.* now, at present; *von* ~ *an* **a**) from now on, henceforth, **b**) from that time (onwards); then, as things now stand; well, well yes (*or* now), why; ~ *ja* (*doch*)! yes, indeed; ~ *gut!* all right!; ~ *erst erkannte er sie* it was only then that he recognized her; *er mag* ~ *kommen oder nicht* whether he comes or not; *wenn er* ~ *käme?* what if he came?; ~? well?, well, how is it?; well, how are things?; *was* ~? what next?; *int.* ~! now then!; ~ *los!* now, go it!; ~, ~! gently!, come, come!; **II.** *cj.*: ~ (*da*) now that, since; '~**mehr** *adv. and cj.* now, by this time; at this stage; '~**mehrig** *adj.* present.

Nuntius ['nuntsius] *m* (-; -*ien*) [nuncio.]

nur [nu:r] *adv.* only; alone, exclusively; solely; nothing but; merely, just; except, but; simply; ~ *ich* I alone, no one but me; *alle,* ~ *nicht er* all except him; ~ *einmal* just once, (never) but once; *fast* ~ (*noch*) hardly anything but; *nicht* ~, *sondern auch* not only, but also; *wenn* ~ if only, provided (that); ~ *daß* except (that); *er ist* ~ *klein* he is but small; *sie hat* ~ *eine Tochter* she has but one daughter; *in* ~ *zwei Jahren* in as little as two years; *mit* ~ *zwei Stunden Schlaf* with a bare two hours' sleep; ~ *aus Anhänglichkeit* (*Bosheit, etc.*) out of sheer loyalty (spite, *etc.*); *ohne auch* ~ *zu lächeln* without so much as a smile; ~ *zu!* go on!, go ahead!, at it!; *geh* (*du*) ~! go, by all means!; *na, warte* ~! you just wait; *verkaufe es* ~ *ja nicht* don't sell it on any account; *wie kam er* ~ *hierher?* how on earth did he get here? *was er* ~ *damit sagen will?* I wonder what he is driving at; *das weißt du* ~ *zu gut* you know that well enough; *warum* ~ why ... ever; *was* ~ what ... ever; *wer* ~ who ... ever; *wie* ~ how ... ever; *soviel ich* ~ *kann* as much as I ever (*or* possibly) can; *so schwierig es* ~ *sein konnte* as difficult as could (possibly) be.

'**Nurflügelflugzeug** *n* tailless (*or* all-wing) airplane; flying wing.

Nürnberg ['nyrnbɛrk] *n* (-*s*) Nuremberg; ~*er Trichter* royal road to learning.

nuscheln ['nuʃəln] *v/i.* (*h.*) slur, [mumble.]

Nuß [nus] *f* (-; ᵘsse) nut, walnut; *fig. harte* ~ hard nut (to crack), tough job; *j-m e-e* (*harte*) ~ *zu knacken geben* give a hard nut to crack; '~**baum** *m* (wal)nut-tree; '~**baumholz** *n* walnut; '2**braun** *adj.* nutbrown, hazel; '~**kern** *m* kernel (of a nut); '~**knacker** *m* nutcracker; *fig. alter* ~ old fogey; '~**kohle** *f* nut coal, nuts *pl.*; '~**schale** *f* nutshell (*a. fig.* = small boat).

Nüster ['ny:stər] *f* (-; -*n*) *usu.* ~**n** *pl.* nostril(s).

Nut [nu:t] *f* (-; -*en*), '~**e** *tech. f* (-; -*n*) groove; notch; slot; flute; T-slot; keyway; ~ *und Feder* **a**) *in wood*: tongue and groove, **b**) *in metal*: slot and key; '2**en** *v/t.* (*h.*) groove; slot; flute; keyway; '~**enfräser** *m* slot cutter.

Nutsche ['nutʃə] *tech. f* (-; -*n*) [suction filter.]

Nutte ['nutə] *colloq. f* (-; -*n*) tart.

nutz [nuts] *adj.* (*pred.*) useful, profitable; *zu nichts* ~ *sein* be of no use, (*a. person*) be good for nothing, be useless (*or* worthless); → *zunutze*; 2 *m* (-*en*; -*en*) utility; *zu j-s* ~ *und Frommen* for the good of a p., for a p.'s benefit; '2**anwendung** *f* practical application; utilization; *aus et. e-e* ~ *ziehen* draw a moral from a th.

'**nutzbar** *adj.* useful; utilizable, *esp. tech.* effective; profitable, productive; available; *sich et.* ~ *machen* utilize, turn to account; take advantage of; harness (*natural forces, etc.*); 2**keit** *f* (-) usefulness; profitableness; 2**machung** ['-maxuŋ] *f* (-) utilization; harnessing.

'**nutzbringend** *adj.* profitable; ~ *anwenden* turn to good account.

'**nutze, nütze** ['nytsə] *adj.* → *nutz*.

'**Nutz-effekt** *m* net efficiency, effective power.

'**Nutzen** *m* (-*s*; -) use, utility; profit, gain; advantage, *a. jur.* benefit; yield, returns *pl.*; *zum* ~ *von* for the benefit of; ~ *bringen* yield (*or* show) a profit, bring grist to the mill; *von* ~ *sein* be of advantage (*or* benefit) (*für* to); be of service; ~ *ziehen aus* derive profit (*or* benefit) from, *fig. a.* make capital out of, cash in on.

'**nutzen,** '**nützen I.** *v/i.* (*h.*) be of use *or* useful (*zu* for; *j-m* to a p.); serve (*j-m* a p.); be of advantage (*or* benefit) (*j-m* to a p.); benefit (a p.); *nichts* ~ be of no avail, be useless (*or* wasted); *wenig* ~ avail little, help not much, do little good; *was nützt es, daß?* what is the use (*or* good) of it; *es nützt nichts!* it's no use; **II.** *v/t.* (*h.*) use, make use of, utilize; put to account; exploit; avail o.s. of, seize (*opportunity*).

'**Nutz...**: ~**fahrzeug** *n* utility (*or* commercial) vehicle; ~**faktor** *m* utilization factor; ~**fläche** *f* useful (*or* effective) area; agricultural acreage; ~**garten** *m* kitchen-garden; ~**holz** *n* (commercial) timber; ~**inhalt** *m* working contents, useful capacity; ~**last** *f* payload, service load; ~**leistung** *f* effective capacity (*or* power), (useful) output; *mot.* brake horsepower (*abbr.* BHP).

nützlich ['nytsliç] *adj.* useful, of use; serviceable, helpful; advantageous, of advantage, profitable; beneficial; conducive (*dat.* to); *sich* ~ *machen* make o.s. useful; 2**keit** *f* (-) use(fulness); utility; serviceableness; advantage; profitableness; 2**keits...** *in compounds* utilitarian...

'**Nutz...**: 2**los** *adj.* useless, (of) no use; unavailing, unprofitable; needless; wasted (*bei* on); ~**losigkeit** *f* (-) uselessness; futility; ~**nießer(in** *f*) ['-ni:sər] *m* (-*s*, -; -, -*nen*) usufructuary; *b.s.* profiteer; *lebenslänglicher* ~ life beneficiary; ~**nießung** *f* (-) usufruct; ~**pflanze** *f* useful plant; ~**strom** *el. m* useful current.

'**Nutzung** *f* using; utilization; → *Nutzbarmachung, Nutznießung*; yield, produce; revenue; ~**sdauer** *tech. f* service life; ~**s-entgelt** *n* compensation for use, rental; ~**sertrag** *m* revenue; ~**sgüter** *econ. n/pl.* durable consumer goods; ~**srecht** *n* right of usufruct (*or* explication), beneficial interest.

'**Nutz...**: ~**vieh** *n* domestic cattle; ~**wert** *m* economic value.

Nylon|strümpfe ['nailɔn-] *m/pl.* nylon stockings, nylons; '2**verstärkt** *adj.* nylon fortified.

Nymphe ['nymfə] *f* (-; -*n*) nymph.

Nympho|ma'nie *f* nymphomania; ~'**manin** *f* (-; -*nen*, 2'**manisch** *adj.* nymphomaniac.

O

O, o[1] [oː] *n* O, o; → *A*.
o[2] [oː] *int.* oh!, ah!; ~ *ja!* oh yes!, yes, indeed!; ~ *nein!* oh no!, not at all!, far from it!; ~ *weh!* alas!, oh dear (me); ~ *daß er doch käme* (how) I wish that he came.
Oase [oˈɑːzə] *f* (-; -*n*) oasis.
ob[1] [ɔp] *cj.* whether, if; *als* ~ as if, as though; *nicht als* ~ not that; ~ ... *oder nicht* whether ... or not; ~ *auch* although; (*na*) *und* ~! of course!, certainly!; rather!, and how!, *Am. a.* you bet!; ~ *er wohl kommt?* I wonder if he will come?; ~ *ich krank war?* you mean whether I was ill?; *er tat, als* ~ *er mich nicht sähe* he pretended not to see me.
ob[2] [ɔp] *prp.* **1.** *gen.* on account of; about; **2.** *dat.* above.
Obacht [ˈoːbaxt] *f* (-) attention; ~ *geben auf* (*acc.*) pay attention to, take care of, heed, watch; ~! look (*Am.* watch) out!, careful!
Obdach [ˈɔp-] *n* (-[e]s) shelter; lodging; **⁲los** *adj.* unsheltered, homeless; **~lose(r** *m*) *f* casual (pauper), homeless person; *Asyl für* ~ casual ward; **~losigkeit** *f* (-) homelessness.
Obduktion [ɔpdukˈtsioːn] *med., jur.* (-; -*en*) post-mortem examination, autopsy; **obduzieren** [ɔpduˈtsiː-rən] *v/t.* (*h.*) perform an autopsy on.
ˈ**O-Beine** *pl.* bandy legs, bow-legs; ˈ**O-beinig** *adj.* bow-legged.
Obelisk [obeˈlisk] *m* (-*en*; -*en*) obelisk.
oben [ˈoːbən] *adv.* above, overhead; at the top; up; aloft, on high; upstairs; on the surface; *instruction*: ~! this side up!; *on photo*: ~: above:, top:; ~ *links* at upper left; *Paragraph 24* ~ Section 24 above; ~ *auf* on (the) top of (*the mountain, etc.*), at the top of (*the list, etc.*); ~ *am Tisch* at the top of the table; *da* ~ up there; *nach* ~ **a**) up(wards), **b**) upstairs; *econ. Tendenz nach* ~ upward tendency; *von* ~ from above; *fig. von* ~ *herab* haughtily, condescendingly; *von* ~ *bis unten* from top to bottom, *person*: from top to toe, from head to foot; *wie* ~ (*angegeben*) same as above; *colloq. fig. mir steht es bis hier* ~ I am sick and tired of it; **~an** [ˈoːbənˈan] *adv.* at the top *or* head; in the first place; **~anstehen** *v/i.* (*h.*) top the list; *fig.* hold the first place; **~auf** [ˈoːbənˈaʊf] *adv.* on the top, atop, uppermost; on the surface; *fig.* ~ *sein* be going strong; be in high spirits *or* in good form; **~drein** [ˈoːbənˈdraɪn] *adv.* over and above, besides; into the bargain, at that; **~erwähnt, ~genannt** *adj.* above-mentioned, aforesaid; **~gesteuert** *adj.*: ~*er Motor* valve-in-head engine; ~*e Ventile* overhead valves; **~hin** [ˈoːbənˈhin] *adv.* superficially, perfunctorily; ~ *bemerken* say casually (*or* lightly); **~hinaus** *adv.* out above; *fig.* ~ *wollen* have high notions; **~stehend** *adj.* → *obenerwähnt*.
ober [ˈoːbər] *adj.* upper; higher; *fig. a.* superior, senior, chief; → *oberst*.
ˈ**Ober** *m* (-*s*; -) (head) waiter; **~arm** *m* upper arm; **~arzt** *m* assistant medical director; **~aufseher** *m* superintendent; **~aufsicht** *f* (-) superintendence; **~bau** *m* (-[e]s; -*ten*) building above ground; superstructure (*a. of bridge*); *rail.* permanent way; (road) surface; *el.* overhead structure; **~bauch** *anat. m* epigastrium; **~befehl** *m* supreme command; high command; **~befehlshaber** *m* supreme commander, commander-in-chief; **~begriff** *m* generic term; *als* ~ generically; *patent specification*: preamble; **~bekleidung** *f* outer garments *pl.*, outer wear; **~bett** *n* coverlet; **~bewußtsein** *n* conscious self; **~buchhalter** *m* head bookkeeper, accountant; **~bürgermeister** *m* chief burgomaster; *Brit.* Lord Mayor; **~deck** *mar. n* upper deck; **⁲e** *adj.* → *ober*; **~e(r)** *m* superior; *eccl.* (Father) Superior; **~e(s)** *n* (-*n*) top; **⁲faul** *colloq. adj.* very queer, fishy; **~feldwebel** *mil. m* staff sergeant; *aer.* flight (*Am.* technical) sergeant.
ˈ**Oberfläche** *f* surface, *tech. a.* face; area, *math. a.* superficies; *tech. glatte* ~*n pl.* smooth finishes; *an* (*unter*) *der* ~ on (below) the surface (*a. fig.*); *an die* ~ *kommen* rise to the surface, *submarine*: *a.* surface.
ˈ**Oberflächen...:** **⁲aktiv** *adj.* surface-active; **~be-arbeitung** *f* finish; **~behandlung** *f* surface treatment; **~beschaffenheit** *f* surface conditions *pl.*; **~härtung** *f* (surface hardening; **~spannung** *f* surface tension; **~veredelung** *f* surface refinement.
oberflächlich [ˈoːbərflɛçliç] *adj.* superficial; shallow; perfunctory, cursory; rough (*estimate*); ~*e Bekanntschaft* casual *or* nodding acquaintance; ~*e Kenntnisse haben von* have a smattering of; *j-n* ~ *kennen* be on speaking terms with; **⁲keit** *f* superficiality; shallowness.
ˈ**Ober...:** **~förster** *m* head forester; **⁲gärig** [ˈoːbərgeːriç] *adj.* top(-fermenting); **~gefreite(r)** *mil. m Brit.* lance corporal, *Am.* private 1st cl. (= class); *aer. Brit.* leading aircraftman, *Am.* airman 2nd cl. (= class); *mar.* able rating, *Am.* seaman; **~geschoß** *n* upper stor(e)y; **~gesenk** *tech. n* upper die; **~gewalt** *f* supremacy, supreme authority; **⁲halb** *prp.* (*gen.*) above; **~hand** *f* (-) back of the hand; *fig. die* ~ *gewinnen* get the upper hand, carry the day, *über j-n*: get the better (*Am.* best) of a p.; *die* ~ *haben* predominate, have the whip-hand, be top dog; **~haupt** *n* chief, head; (party) leader; **~haus** *parl. n Brit.* Upper House, the House of Lords; **~haut** *f* epidermis; **~häutchen** *n* cuticle; **~hemd** *n* (day-) shirt; **~herrschaft** *f* supremacy; **~hoheit** *f* sovereignty; → *Obergewalt*; **~in** [ˈoːbərin] *f* (-; -*nen*) *eccl.* Mother Superior; *at hospital*: matron; **~ingenieur** *m* chief engineer; **⁲irdisch** *adj.* overground, above ground; surface; *el.* ~*e Leitung* overhead line; **~italien** *n* North Italy; **~kante** *f* upper edge; **~kellner** *m* head waiter; **~kiefer** *m* upper jaw; **~kirchenrat** *m* (*person*: member of the) High Consistory; **~klasse** *f* upper class(es *pl.*); *ped.* senior class; **~kleid** *n* upper garment; **~kleidung** *f* → *Oberbekleidung*; **~kommandierende(r)** *m* commander-in-chief; **~kommando** *n* supreme (*or* high) command; **~körper** *m* upper part of the body; **~land** *n* upland; **~landesgericht** *n* Higher Regional Court; **⁲lastig** [-lastiç] *adj.* top-heavy; **~lauf** *m* upper course (*of river*); **~leder** *n* uppers *pl.*; **~leitung** *f* supervision; *el.* overhead lead; **~leitungsbus** *m* trolley bus; **~leutnant** *m mil.* (*Am.* first) lieutenant; *mar.* sublieutenant, *Am.* lieutenant (junior grade); *aer.* flying officer, *Am.* first lieutenant; **~licht** *n* (-*s*) skylight; *above door*: fanlight; *film*: head light; **~lippe** *f* upper lip; **~postamt** *n* General Post Office; **~postdirektion** *f* Post Office Divisional Administration; **~priester** *m* high-priest; **~prima** *f* (-; -*men*) top form; **~rechnungskammer** *f* audit-office; **~regierungsrat** *m* senior government councillor; **~rhein** *m* Upper Rhine; **~schenkel** *m* (upper) thigh; **~schicht** *f* top layer; upper class(es *pl.*); **⁲schlächtig** [ˈ-ʃlɛçtiç] *adj.* overshot; **~schlesien** *n* Upper Silesia; **~schule** *f* secondary school; **~schwester** *f* head nurse; **~schwingung** *phys. f* harmonic (vibration); **~seite** *f* top (*or* upper) side.
oberst [ˈoːbərst] *adj.* uppermost, topmost, top; highest (*a. fig.*); *fig.* chief, principal, first; supreme; *mil.* ⁲*e Heeresleitung* General Headquarters; ~*er Grundsatz* leading principle; *das* ⁲*e zuunterst kehren* turn everything upside down.
ˈ**Oberst** *mil. m* (-*en*; -*en*) colonel.
ˈ**Ober...:** **~staatsanwalt** *m* senior public prosecutor; **~stabsarzt** *m* major (medical); **~stabsfeldwebel** *mil. m Brit.* warrant officer class I, *Am.* sergeant major, *aer.* warrant officer, *Am.* chief master sergeant; **~steiger** *m* foreman of a mine; **~steuermann** *m* first mate; **~stimme** *f* treble, soprano.
Oberstˈleutnant *mil. m* lieutenant colonel; *aer. Brit.* Wing Commander.
ˈ**Ober...:** **~stübchen** *n* garret, attic, toproom; *colloq. fig. er ist nicht ganz richtig im* ~ he is not quite right in the upper stor(e)y; **~studiendirektor** *m* headmaster, *Am.* principal; **~studienrat** *m* senior

assistant master; **~stufe** *f* higher grade, senior class(es *pl.*); **~tasse** *f* cup; **~teil** *n* upper part, top (*a. garment*); **~töne** *mus. m/pl.* overtones; **~wasser** *n* upper water (*of sluice*); overshot water (*of mill*); *fig.* ~ *haben* have the upper hand, be top dog; **~welle** *phys. f* harmonic vibration; **~welt** *f* (-) upper world; **~zahn** *m* upper tooth; **~zollamt** *n* general custom house.

obgleich [ɔp'glaıç] *cj.* (al)though.

Obhut ['ɔphu:t] *f* (-) care, guard; protection; keeping, custody; *in (seine)* ~ *nehmen* take care (*or* charge) of, *j-n*: *a.* take *a p.* under one's wings.

Objekt [ɔp'jɛkt] *n* (-[e]s; -e) object (*a. gr.*); project; *econ. a.* transaction; property.

objektiv [-'ti:f] *adj.* objective; impartial; unbiassed; actual, practical; → *Tatbestand.*

Objek'tiv *n* (-s; -e) *opt.* object glass (*or* lens), objective; *phot.* lens.

objekti'vieren *v/t.* (*h.*) objectify; substantiate; *phls.* objectivise.

Objektivi'tät *f* (-) objectivity, objectiveness; impartiality.

Objek'tiv...: **~linse** *f* objective lens; **~verschluß** *phot. m* instantaneous shutter.

Ob'jekt...: **~sucher** *m* object finder; **~träger** *m* (object) slide (*of microscope*).

Oblate [o'blɑ:tə] *f* (-; -n) (*eccl.* consecrated) wafer.

obliegen ['ɔpli:gən] *v/i.* (*irr., h.*) (*dat.*) apply o.s. to, attend to (*a task, etc.*); *j-m* ~ be incumbent on a p., devolve on a p., be a p.'s duty; **⁀heit** *f* obligation, duty, incumbency.

obligat [obli'gɑ:t] *adj.* obligatory; indispensable; inevitable; *mus.* obligato.

Obligation [obliga'tsio:n] *econ. f* bond, debenture (bond); **~sgläubiger** *m* bond creditor; **~sschuld** *f* bond(ed) debt.

obligatorisch [-'to:riʃ] *adj.* obligatory (*für* on), compulsory, mandatory.

Obligo ['o:bligo, 'ɔbligo] *econ. n* (-s; -s) obligation to pay, liability; commitment; *ohne* ~ without guaranty (*or* engagement), *bill of exchange*: without recourse.

Obmann ['ɔpman] *m* (-[e]s; *-männer or -leute*) chairman; steward, shop steward, spokesman; → *Schiedsgericht.*

Oboe [o'bo:ə] *mus. f* (-; -n) hautboy, oboe.

Obrigkeit ['o:briçkaıt] *f* (-; -en) *the* authorities *pl.*, government, magistracy; **⁀lich I.** *adj.* magisterial, official; **II.** *adv.* by authority; **~sstaat** *m* authoritarian state.

Obolus ['o:bolus] *m* (-; - *or* -se) obol; mite.

obschon [ɔp'ʃo:n] *cj.* (al)though.

Observatorium [ɔpzɛrva'to:rium] *ast. n* (-; -ien) observatory.

obsiegen ['ɔpzi:gən] *v/i.* (*h.*) be victorious, carry the day; *j-m*: triumph over *a p.*; *jur.* ~*de Partei* successful party.

obskur [ɔp'sku:r] *adj.* obscure (*a. fig.*).

Obst [o:pst] *n* (-es) fruit; *colloq. fig. ich danke für* ~ I am not taking any.

'Obst...: **~bau** *m* fruit-culture, fruit-growing; **~baum** *m* fruit-tree; **~branntwein** *m* fruit brandy; **~darre** *f* fruit-kiln; **~ernte** *f* fruit-gathering; fruit crop; **~garten** *m* orchard; **~handel** *m* fruit trade; **~händler(in** *f*) *m* fruiterer, *Am.* fruitseller; **~handlung** *f* fruiterer's (shop), *Am.* fruit store.

obstinat [ɔpsti'nɑ:t] *adj.* obstinate.

'Obst...: **~kelter** *f* fruit-press; **~kern** *m* kernel, stone, pip; **~konserven** *f/pl.* tinned (*Am.* canned) fruit; **~markt** *m* fruit market; **~messer** *n* fruit-knife; **~pflücker** *m* fruit picker; **⁀reich** *adj.* abounding in fruit.

Obstruktion [ɔpstruk'tsio:n] *parl. f* (-; -en) (**~s-taktik** *f*) obstruction (-ism), *Am. a.* filibuster.

'Obst...: **~torte** *f* (fruit) tart, *Am.* fruit pie; **~verwertungsbetrieb** *m* fruit-processing plant; **~wein** *m* fruit-wine; cider; **~züchter** *m* fruit-farmer, fruit-grower.

obszön [ɔps'tsø:n] *adj.* obscene.

Obus ['o:bus] *m* (-ses; -se) trolley bus.

obwalten ['ɔpvaltən] *v/i.* (*h.*) exist; prevail; *unter den* ~*den Umständen* under the (prevailing) circumstances, things being as they are.

obwohl [ɔp'vo:l] *cj.* (al)though.

Ochs [ɔks], **Ochse** ['ɔksə] *m* (-n; -n) ox (*pl.* oxen); bullock; *junger* ~ steer; *colloq. fig.* oaf, duffer, lummox; *er stand da wie der* ~ *vorm Berg* he stood there like a bull at the gate.

ochsen ['ɔksən] *colloq. v/i. and v/t.* (*h.*) cram, swot, *Am.* bone (up on).

'Ochsen...: **~auge** *n cul.* fried egg; **~fleisch** *n* beef; **~frosch** *m* bullfrog; **~gespann** *n* team of oxen; **~haut** *f* ox-hide; **~maulsalat** *m* ox-muzzle salad; **~schwanzsuppe** *f* (-; -n) oxtail soup; **~ziemer** *m* cowhide, horsewhip; **~zunge** *f* neat's tongue; → *Rinder...*

Ocker ['ɔkər] *m* (-s; -) och|re, *Am.* -er; **⁀gelb** *adj.* ochre (yellow).

Ode ['o:də] *f* (-; -n) ode.

öde ['ø:də] *adj.* (*pred. a.* **öd**) deserted, desolate, dreary; waste; dull, tedious, pedestrian; bleak, dreary.

'Öde *f* (-; -n) wasteland, solitude; *fig.* dreariness, bleakness; tedium.

Odem ['o:dəm] *poet. m* (-s) breath.

Ödem [ø'de:m] *med. n* (-s; -e) (o)edema; **⁀atös** [-'tø:s] *adj.* (o)edematous.

oder ['o:dər] *cj.* or; → *entweder*; ~ (*aber*) otherwise, (or) else, *menacingly*: or else!; ~ *auch* or rather.

Ödland ['ø:tlant] *n* (-[e]s; *-ländereien*) barren (*or* waste) land; fallow land.

Odyssee [ody'se:] *f* (-; -n) Odyssey.

Oedipuskomplex ['ø:dipuskɔmplɛks] *m* Oedipus complex.

Ofen ['o:fən] *m* (-s; ⸚) stove; oven; kiln; furnace; heater; cooking stove, cooker; **~bank** *f* (-; ⸚e) bench by the stove; **~einsatz** *tech. m* charge; **~gang** *tech. m* heat; **~heizung** *f* heating by stove; **~hocker** *fig. m* stay-at-home; **~kachel** *f* Dutch tile; **~lack** *m* stove enamel; **~rohr** *n* stove pipe; *sl. mil.* bazooka; **~röhre** *f* heating-oven; **~ruß** *m* furnace soot; **~sau** *tech. f* (-) furnace sow; **~schirm** *m* fire-screen; **~schwärze** *f* black-lead, stove-polish; **~setzer** *m* stove-fitter; **⁀trocken** *tech. adj.* kiln-dried; **~vorsetzer** *m* (-s; -) (stove-)fender; **~zug** *m* draught, *Am.* draft; flue.

offen ['ɔfən] **I.** *adj.* open (*a. letter, Tbc; a. gr.*); public; vacant (*position*); frank, candid, sincere, outspoken; exposed; overt (*hostility*); clear (*head*); *econ.* unlimited; *mil.* ~*e Flanke* exposed flank; ~*er Funkspruch* message in clear; ~*es Geheimnis* public (*or* everybody's) secret; ~*er Leib* open bowels *pl.*; *mil.* ~*es Nachrichtenmaterial* unclassified information; ~*e See* high sea; *auf* ~*er See* on the open sea; ~*e Stadt* open (*or* unfortified) town; *econ.* ~*es Giro* blank indorsement; ~*e Handelsgesellschaft* general partnership; ~*er Kredit* blank credit; ~*e Police* floating policy; ~*e Rechnung* **a**) outstanding (*or* unsettled) account, **b**) current account; ~*es Zahlungsziel* open terms; *auf* ~*er Straße* in the open street, in public; *auf* ~*er Strecke* on the open road, *rail.* between stations; *bei* ~*em Fenster* with the window open; *zu j-m* ~ *sein* be open with a p.; ~ *sein für et.* be open to (*proposals, etc.*);. **II.** *adv.*: ~ *gestanden* frankly speaking; → *offenlassen, offenlegen.*

'offenbar *adj.* manifest, obvious, evident; clear; apparent(ly *adv.* = it seems that); public; ~ *werden* become known (*or* public).

offen'bar|en *v/t.* (*h.*) manifest; reveal (*secret, etc., a. eccl.*), disclose, unveil; show; *sich j-m* ~ open one's heart to a p.; **⁀ung** *f* (-; -en) manifestation, revelation; *eccl.* ~ *Johannis* Revelation of St. John; **⁀ungseid** *jur. m* oath of manifestation, affidavit of means.

'offenhalten *fig. v/t.* (*irr., h.*) leave open, reserve.

'Offenheit *f* (-; -en) openness, frankness, cando(u)r.

'offen...: **~herzig** *adj.* open-hearted, frank, outspoken; candid, sincere; *zu* ~ *sein* wear one's heart upon one's sleeve; **⁀herzigkeit** *f* (-) open-heartedness, frankness; cando(u)r; **~kundig** *adj.* well-known, manifest, public; *b.s.* overt (*act, hostility, etc.*); patent, blatant, flagrant (*error, lie, etc.*), notorious (*swindler, mismanagement, etc.*); **⁀kundigkeit** *f* (-) overtness, notoriety, publicity; **~lassen** *v/t.* (*irr., h.*) leave open, *fig. a.* leave undecided (*or* in abeyance); *die Möglichkeit* ~ not to discount the possibility (*gen.* of); **~legen** *v/t.* (*irr., h.*) *fig.* disclose, expose; **⁀marktpolitik** *econ. f* open market policy; **~sichtlich** ['ɔfən'ziçtliç] *adj.* manifest, evident, obvious.

offensiv [ɔfən'zi:f] *adj.* offensive; **⁀e** [-'zi:və] *f* (-; -n) offensive; *die* ~ *ergreifen* take the offensive.

'offenstehen *v/i.* (*irr., h.*) stand open; *fig. j-m*: be open to *a p.*; *es steht ihm offen, zu inf.* he is free (*or* at liberty) to *inf.*; **~d** *adj.* open (*a. fig.*); *econ.* open, unsettled, outstanding (*accounts*).

'öffentlich I. *adj.* public; *~e Bekanntmachung* public announcement; *~e Betriebe pl.* public utilities; *~er Dienst* civil *or* public service; → *Hand, Ordnung*; *~es Haus* brothel; *~es Recht* public law; *~e Schule* state school; *in ~er Sitzung* in open court; *auf ~er Straße* in the open street; **II.** *adv.* publicly, in public; *~ bekanntmachen* make public, publicize; *~ beglaubigt* certified by public notarial act; *~ gefördert* supported by the public authorities; **2keit** *f* (-) publicity; *the* general public; public opinion; *Groll der ~* public resentment; *im Lichte der ~* in the public eye, in the limelight; *in aller ~* in public; *an die ~ treten* appear before the public, make a public appearance; appear publicly; *sich in die ~ flüchten* resort to publicity, rush into print; *vor die ~ bringen* bring before the public, publicize, give *a th.* public utterance; *jur. die ~ ausschließen* exclude the public; → *Ausschluß*; **~-rechtlich** *adj.* under public law; *~e Körperschaft* public company, *Am.* corporation.

offerieren [ɔfə'ri:rən] *v/t.* (*h.*) offer; tender. [tender, bid.]

Offerte [ɔ'fɛrtə] *f* (-; -*n*) offer;

Offizialverteidiger [ɔfi'tsiɑ:l-] *jur. m* assigned counsel.

offiziell [ɔfi'tsjɛl] *adj.* official(ly *adv.*).

Offizier [ɔfi'tsi:r] *m* (-s; -e) (commissioned) officer; *erster ~ mar.* **a**) second-in-command, **b**) *merchant marine*: first mate *or* officer; *aktiver ~* regular officer; *hoher ~* high-ranking officer; *zum ~ ernannt werden* be commissioned, receive one's commission; **~anwärter** *m* officer candidate (*or* cadet); **~sausbildung** *f* officers' training; **~sbursche** *m* orderly, batman; **~schule** *f* officer candidate school (*abbr.* OCS); **~skasino** *n* officers' mess; **~skorps** *n* body of officers, the officers (of the Army, *etc.*); **~slaufbahn** *f* officers' career; **~smesse** *f* officers' mess; **~snachwuchs** *m* potential officers *pl.*; **~spatent** *n* commission; **~srang** *m* rank of officer.

Offizin [ɔfi'tsi:n] *f* (-; -*en*) laboratory; chemist's shop; printing-office.

offizinell [-'nɛl] *pharm. adj.* officinal.

offiziös [-'tsiø:s] *adj.* semi-official.

öffnen ['œfnən] *v/t.* (*h.*) (*a. sich*) open; uncork; unlock; dissect, autopsy (*body*); **'Öffnen** *n* (-s) opening, *etc.*

'Öffner *m* (-s; -) opener.

'Öffnung *f* (-; -*en*) opening, aperture; hole; gap; slot; mouth, *a. anat.* orifice; inlet; outlet; passage; vent; **~szeiten** *f/pl.* business hours.

Offsetdruck ['ɔfsɛtdruk] *m* (-[e]s; -e) offset (printing).

oft [ɔft] *adv.* often, frequently, many times; repeatedly, time and again; *ziemlich ~* more often than not, not infrequently.

öfter ['œftər] *adv.* more frequently, oftener; *je ~ ich ihn sehe, desto mehr* the more I see of him, the more; *~s, des ~en* → *oft.*

oftmal|ig ['-mɑ:liç] *adj.* frequent, repeated, reiterated; **~s** ['-mɑ:ls] *adv.* → *oft.*

oh! [o:] *int.* oh!, o!; → o².

Oheim, Ohm¹ ['o:(haɪ)m] *m* (-s; -e) uncle.

Ohm² [o:m] *el. n* (-[s]; -) ohm; **ohmsch** *adj.* ohmic, resistive.

ohne ['o:nə] **I.** *prp.* (*acc.*) without, minus; not counting, excluding; devoid of, innocent of, lacking; *~ Frage* doubtless; *~ mein Wissen* without my knowledge, unknown to me; *~ mich!* count me out!, not me!; *mil. ~ Tritt, marsch!* route step, march!; *~ weiteres* **a**) without further ado, at once, **b**) easily, readily, (*say*) off hand *or* off the cuff; *was hätte ich ~ ihn nur getan?* what should I have done but for him?; *~ seine Verletzung hätte er gewonnen* had it not been for his injury he would have won; *colloq. das ist nicht ~* that's not half bad, there is a great deal to be said for it; (*gar*) *nicht ~, dieser Redner!* some speaker, isn't he!; **II.** *cj. ~ daß, ~ zu inf.* without *ger.*, but that, unless; *~ ein Wort zu sagen* without saying a word; *~ auch nur zu lächeln* without so much as a smile; **~dem** [-'de:m], **~dies** [-'di:s], **~hin** [-'hin] *adv.* anyhow, anyway; besides; **~gleichen** [-'glaɪçən] *adj.* unequal(l)ed, matchless, peerless; **2haltfahrt** *f* non-stop trip.

Ohnmacht ['o:nmaxt] *f* (-; -*en*) powerlessness; impotence, weakness; *med.* **a**) unconsciousness, faint, swoon, **b**) syncope; *in ~ fallen* → *ohnmächtig werden*; **~s-anfall** *m* fainting fit, swoon.

ohnmächtig ['o:nmɛçtiç] *adj.* powerless, helpless (*gegen* against); *med.* unconscious, faint(ing), *pred.* in a swoon; *~ werden* faint, (fall into a) swoon, pass out, black out.

Ohr [o:r] *n* (-[e]s; -*en*) ear (*a. fig.* = *Gehör* hearing); *äußeres ~* external ear, auricle; *inneres ~* internal ear; *ein ~ haben für* have an ear for; *ein williges ~ finden* find a willing ear; → *leihen*; *j-m in den ~en liegen* pester a p., keep dinning *a th.* into a p.'s ears; *j-n hinter die ~en hauen* box a p.'s ear; *fig. j-n übers ~ hauen* cheat a p., do a p. (in the eye); *die ~en hängenlassen* be downcast, look crestfallen; *die ~en spitzen* (*a. fig.*) prick one's ears; *ganz ~ sein* be all ears; *sich aufs ~ legen* have a nap; *sich hinter dem ~ kratzen* scratch one's ear; *colloq. sich et. hinter die ~en schreiben* make a special note of a th., take a th. to heart; *schreib dir das hinter die ~en!* put that in your pipe and smoke it!; *tauben ~en predigen* preach to deaf ears; *bis über die ~en* up to the ears (*in debt, in love*), up to the eyes; *von einem ~ zum andern* from ear to ear; *mir klingen die ~en* my ears are tingling; *colloq. halte die ~en steif!* keep a stiff upper lip!; *er hat es dick hinter den ~en* he is a deep one; → *trocken*; *es ist mir zu ~en gekommen* it has come to my ears (*or* attention); *vor unseren ~en* in our hearing *or* presence; *zum einen ~ hinein, zum andern hinaus* in at one ear, out at the other.

Öhr [ø:r] *n* (-[e]s; -e) eye; eyelet.

Ohren... ['o:rən]: **~arzt** *m* ear-specialist; **~beichte** *f* auricular confession; **2betäubend** *adj.* deafening; **~entzündung** *med. f* inflammation of the ear, otitis; **~klappe** *f* ear-flap; **~klingen** *n* (-s) ringing in the ears, tinnitus; **~krankheit** *f*, **~leiden** *n* ear complaint; **~reißen** *n* ear-ache; **~sausen** *n* buzzing in the ear(s); **~schmalz** *n* ear-wax, cerumen; **~schmaus** *m* treat for the ears, musical treat; **~schmerzen** (*pl.*) *m* ear-ache, otalgia; **~schützer** *m* ear-flap, ear-muff; **~sessel** *m* wing chair; **~spezialist** *m* ear-specialist; **~spiegel** *med. m* otoscope; **~spritze** *med. f* ear-syringe; **2zerreißend** *adj.* ear-splitting; **~zeuge** *m* ear-witness.

'Ohr...: **~feige** *f* (-; -*n*) slap in the face (*a. fig.*), box on the ear; **2feigen** *v/t.* (*h.*): *j-n ~* box a p.'s ears, slap a p.'s face; *ich hätte mich ~ können* I felt like kicking myself; **2förmig** *adj.* ear-shaped, auriform; **~gehänge** *n* ear-drops, pendants *pl.*; **~kanal** *m* auditory canal; **~läppchen** ['-lɛpçən] *n* (-s; -) ear-lobe; **~loch** *n* ear-hole; **~löffel** *m* ear-pick(er); **~muschel** *anat. f* external ear, auricle; **~ring** *m* ear-ring; **~speicheldrüse** *anat. f* parotid gland; **~trompete** *anat. f* Eustachian tube; **~wurm** *m* earwig.

Okkultis|mus [ɔkul'tismus] *m* (-) occultism; **~t(in** *f*) *m* (-en, -en; -, -nen) occultist.

Ökologie [økolo'gi:] *biol. f* (-) ecology, bionomics.

Ökonom [øko'no:m] *m* (-en; -en) economist; farmer, agriculturist.

Ökono'mie *f* economy; agriculture; **ökonomisch** [-'no:miʃ] *adj.* economical.

Oktaeder [ɔkta'e:dər] *math. n* (-s; -) octahedron.

Oktant [ɔk'tant] *m* (-en; -en) octant.

Oktanzahl [ɔk'tɑ:n-] *mot. f* octane number (*or* rating), (anti)knock value.

Oktav [ɔk'tɑ:f] *n* (-s; -e), **~format** *typ. n* octavo; **~band** *m* (-[e]s; ⸚e) octavo (volume); **~e** [-və] *mus. f* (-; -*n*) octave.

Oktober [ɔk'to:bər] *m* (-[s]; -) October.

Okular [oku'lɑ:r] *n* (-s; -e), **~glas** *opt. n* eye-piece, ocular.

okulier|en [-'li:rən] *agr. v/t.* (*h.*) inoculate, graft; **2messer** *n* grafting-knife; **2ung** *f* (-; -*en*) inoculation.

Ökumen|e [øku'me:nə] *eccl. f* (-) (o)ecumenicity; **2isch** *adj.* (o)ecumenical.

Okzident ['ɔktsidɛnt] *m* (-s) occident.

Öl [ø:l] *n* (-[e]s; -e) oil; *tierisches ~* animal oil; (*nicht*)*trocknende ~e* (non)drying oils; *auf ~ stoßen* strike oil; *in ~ malen* paint in oils; *fig. ~ ins Feuer gießen* pour oil in the flames, add fuel to the fire; ~ *auf die Wogen gießen* pour oil on the (troubled) waters.

'**Öl...:** ~**abdichtung** *f* oil seal; ~**ablaß** *m* oil drain; ~**abscheider** *m* oil separator; ~**bad** *n* oil bath; ~**baum** *m* olive-tree; ~**behälter** *m* oil container (*or* reservoir), *mot.* oil tank.

'**Öldruck** *m* (-[e]s; -e) oleograph, chromo(lithograph); (-[e]s) (*process*) → *Ölfarbendruck*; *tech.* oil pressure; ~**anzeiger** *m* oil-pressure gauge; ~**bremse** *f* hydraulic brake; ~**leitung** *f* oil pressure lead; ~**pumpe** *f* pressure-feed.

Oleander [ole'andər] *bot. m* (-s; -) oleander.

Olein [ole'i:n] *chem. n* (-s; -e) olein; ~**säure** *f* oleic acid.

ölen ['ø:lən] *v/t.* (*h.*) oil, *tech. a.* lubricate; anoint (with oil); *fig. wie geölt* smooth(ly), without a hitch; → *Blitz.*

Öler ['ø:lər] *tech. m* (-s; -) oiler, oil-can, lubricator.

'**Öl...:** ~**farbe** *f* oil-colo(u)r, paint; *mit* ~*n malen* paint in oils; ~**farbendruck** *m* (-[e]s) oleography, chromolithography; (*picture*) → *Öldruck*; ~**feld** *n* oil field; ~**feuerung** *f* oil-burning; ~**fläschchen** *n* oil-cruet; ~**fund** *m* oil-find; ~**gas** *n* oil gas; ~**gemälde** *n* oil-painting; ~**gewinnung** *f* oil production; ~**götze** *colloq. m*: *wie ein* ~ like a stuffed dummy; ≈**haltig** *adj.* containing oil; oleiferous; ~**handel** *m* oil trade; ~**heizung** *f* oil heating.

ölig ['ø:liç] *adj.* oily, oleaginous; *fig.* oily, unctuous.

Oligarchie [oligar'çi:] *f* (-; -*n*) oligarchy.

Olive [o'li:və] *f* (-; -*n*) olive; ~**nbaum** *m* olive-tree; ~**nbraun** *n* (-*s*), ~**nfarbe** *f* (-) olive-colo(u)r; ≈**nfarbig**, ≈**ngrün** *adj.* olive(-green), olive-drab; ~**n-öl** *n* olive-oil.

'**Öl...:** ~**kanister** *m*, ~**kännchen** *n*, ~**kanne** *f* oil-can, oiler; ~**kuchen** *m* oil-cake; ~**lack** *m* oil varnish; ~**lampe** *f* oil-lamp; ~**leder** *n tech.* chamois; ~**leitung** *f* oil-feed, oil-lead; pipeline; ~**male'rei** *f* oil painting; ~**papier** *n* oil paper; ~**presse** *f* oil-press; ~**quelle** *f* oil-spring, *Am.* gusher; *drilled*: oil-well; ~**raffine'rie** *f* oil refinery; ~**sardinen** *f/pl.* sardines in oil; ~**schalter** *el. m* oil-switch; ~**schiefer** *geol. m* oil shale; ~**schläger** *tech. m* oil-presser; ~**schmierung** *f* oil lubrication; ~**sieb** *n* oil strainer; ~**stand** *mot. m* (-[e]s) oil level; ~**stand-anzeiger** *m* oil ga(u)ge; ~**stoßdämpfer** *m* oil shock absorber; ~**tankschiff** *n* oil tanker; ~**tuch** *n* (-[e]s; -e) oilcloth.

'**Ölung** *f* (-; -*en*) oiling, *tech. a.* lubrication; anointment; *eccl. Letzte* ~ extreme unction.

'**Öl...:** ~**verbrauch** *m* oil consumption; ~**vorkommen** *n* oil pool; *w.s.* oil resources *pl.*; ~**wanne** *mot. f* (oil) sump; ~**wechsel** *mot. m* oil changing.

Olymp [o'lymp] *m* (-*s*) Olympus; *thea. the* Gods *pl.*, *Am.* nigger heaven; **Olympiade** [-pi'ɑ:də] *f* (-; -*n*) Olympiad; *sports*: Olympic Games *pl.*; **o'lympisch** *adj.* Olympian; *sports*: Olympic; ~*es Dorf* Olympic village; ~*er Dreikampf* Olympic total.

'**Öl...:** ~**zeug** *n* oilcloth; ~**zuführung** *f* oil feed; ~**zweig** *m* olive-branch.

Oma ['o:ma] *colloq. f* (-; -*s*) grandma, granny.

Omelett [ɔm(ə)'lɛt] *n* (-[e]*s*; -e), ~**e** *f* (-; -*n*) omelet.

Omen ['o:mən] *n* (-*s*; -) omen, foreboding.

ominös [omi'nø:s] *adj.* ominous.

Omnibus ['ɔmnibus] *m* (-*ses*; -*se*) (omni)bus, motor coach; *mit dem* ~ *fahren* go by (*or* take a) bus; ~**fahrer** *m* bus driver; ~**haltestelle** *f* bus stop; ~**linie** *f* bus line; ~**schaffner** *m* bus conductor.

Onanie [ona'ni:] *f* (-) masturbation; ≈**ren** *v/i.* (*h.*) masturbate.

ondu'lieren [ɔndu-] *v/t.* (*h.*) wave, marcel.

Onkel ['ɔŋkəl] *m* (-*s*; -) uncle; ≈**haft** *adj.* avuncular.

Opa ['o:pa] *colloq. m* (-*s*; -*s*) grandpa.

opak [o'pɑ:k] *adj.* opaque.

Opal [o'pɑ:l] *m* (-*s*; -*e*) opal; **opali'sieren** [opali-] *v/i.* (*h.*) opalesce; ~**d** opalescent.

Oper ['o:pər] *f* (-; -*n*) opera; opera-house.

Opera|teur [opera'tø:r] *m* (-*s*; -*e*) operator; *med.* operating surgeon.

Operation [-'tsio:n] *f* (-; -*en*) operation (*a. mil.*); *econ.* transaction; *med. nach der* ~ post-operative; *sich e-r* ~ *unterziehen* undergo an operation.

Operati'ons...: ~**basis** *mil. f* base of operations; ≈**fähig** *med. adj.*: (*nicht*) ~ (in)operable; ~**gebiet** *mil. n* theat|re (*Am.* -er) of operations; ~**maske** *f* operating mask; ~**narbe** *f* post-operative scar; ~**plan** *m* plan of operations; ~**radius** *mil. m* operating radius, range; ~**saal** *med. m* operating theat|re, *Am.* -er; ~**schwester** *f* theat|re (*Am.* -er) nurse; ~**stuhl** *m* operating chair; ~**tisch** *m* operating table; ~**ziel** *mil. n* (tactical) objective.

operativ [-'ti:f] *adj.* operative, surgical; *mil.* operational, *a.* strategic.

Operette [opə'rɛtə] *f* (-; -*n*) comic opera; musical comedy; ≈**n...** *in compounds* comic opera (*singer, get-up, etc.*).

operieren [-'ri:rən] *v/i. and v/t.* (*h.*) operate (*med. j-n* on a p.), *med.* perform an operation (on a person); *sich* ~ *lassen* undergo (*or* submit to) an operation; *fig. vorsichtig* ~ proceed carefully.

'**Opern...:** ~**dichter** *m* libretto writer; ~**glas** *n*, ~**gucker** *m* (-*s*; -) (opera-)glass; ≈**haft** *adj.* opera-like, operatic; ~**haus** *n* opera-house; ~**musik** *f* operatic music; ~**sänger(in** *f*) *m* opera-singer, operatic singer; ~**text** *m* libretto, book (of an opera).

Opfer ['ɔpfər] *n* (-*s*; -) sacrifice; offering; victim (*a. fig.*); *ein* ~ *bringen* make a sacrifice; *zum* ~ *fallen* (*dat.*) fall a victim to; be victimized by; ~**altar** *m* sacrificial altar; ≈**bereit** *adj.* → *opferwillig*; ~**büchse** *f* offering box; ~**flamme** *f* sacrificial flame; ≈**freudig** *adj.* → *opferwillig*; ~**gabe** *f* offering; ~**geld** *n* money-offering; ~**kasten** *m* poor-box; ~**lamm** *n* sacrificial lamb; *eccl.* the Lamb; *fig.* innocent victim; ~**messer** *n* sacrificial knife; ~**mut** *m* spirit of sacrifice.

'**opfern** *v/t. and v/i.* (*h.*) sacrifice; immolate (*animals*); *sich für et.* ~ sacrifice o.s. for a th.; *sein Leben* ~ *für* give one's life for, *for one's country*: make the supreme sacrifice.

'**Opfer...:** ~**priester** *m* sacrificer; ~**schale** *f* offering-cup; ~**stätte** *f* place of sacrifice; ~**tag** *m* flag-day; ~**tier** *n* victim; ~**tod** *m* (-[e]s) sacrifice of one's life, supreme sacrifice.

'**Opferung** *f* (-; -*en*) sacrificing, sacrifice; immolation.

'**opferwillig** *adj.* willing to make sacrifices, self-sacrificing, devoted; ≈**keit** *f* (-) spirit of sacrifice, self-sacrificing devotion.

Ophthalmie [ɔftal'mi:] *med. f* (-; -*n*) ophthalmia.

Opium ['o:pium] *n* (-*s*) opium; ~ *fürs Volk* opiate for the people; ≈**haltig** [-haltiç] *adj.* containing opium, opiated; ~**handel** *m* opium-trade; ~**höhle** *f* opium-den.

Opponent [ɔpo'nɛnt] *m* (-*en*; -*en*) opponent.

oppo'nieren *v/i.* (*h.*): (~ *gegen*) offer opposition (to), resist (*a p., a th.*).

opportun [ɔpɔr'tu:n] *adj.* opportune.

Opportunis|mus [-tu'nis-] *m* (-) opportunism; ~**t** *m* (-*en*; -*en*) opportunist, time-server.

Opposition [ɔpozi'tsio:n] *f* (-; -*en*) opposition; *in* ~ *stehen* (*treten*) be in (go into) opposition; ~**sführer** *m* opposition leader; ~**s-partei** *f* opposition (party).

optieren [ɔp'ti:rən] *v/i.* (*h.*) opt (*für* for).

Optik ['ɔptik] *f* (-; -*en*) optics; optical (*phot.* lens) system; *fig.* aspect; ~**er** *m* (-*s*; -) optician.

optimal [-'mɑ:l] *adj.* optimal, optimum.

Optimis|mus [-'mis-] *m* (-) optimism; ~**t(in** *f*) *m* (-*en*, -*en*; -, -*nen*) optimist; ≈**tisch** *adj.* optimistic(ally *adv.*).

Optimum ['ɔptimum] *n* (-*s*; -*ima*) optimum, best.

Option [ɔp'tsio:n] *f* (-; -*en*) option; ~**sberechtigte(r** *m*) *f* owner of an option; ~**sklausel** *f* optional clause; ~**srecht** *n* right of option.

optisch ['ɔptiʃ] *adj.* optic(al); ~*es Signalmittel* visual means of communication; ~*e Täuschung* optical illusion.

opulent [opu'lɛnt] *adj.* opulent, wealthy; sumptuous.

Opus ['o:pus] *n* (-; *Opera*) work, production; *mus.* ~ *12* opus 12 (*abbr.* op. 12).

Orakel [o'rɑ:kəl] *n* (-*s*; -), ~**spruch** *m* oracle; ≈**haft** *adj.* oracular; ≈**n** *v/i. and v/t.* (*h.*) speak (*or* say) oracularly, oracle.

Orange [o'raŋʒə] *f* (-; -*n*) orange; ≈(**farben**) *adj.* orange(-colo[u]red).

Orangeade [-'ʒɑ:də] *f* (-; -*n*) orangeade.

O'rangen...: ~**baum** *m* orange-tree;

~**schale** *f* orange-peel; ~**schaleneffekt** *tech. m* orange-peel effect.
Orangerie [oraŋʒəˈriː] *f* (-; -*n*) orangery.
Orang-Utan [ˈoːraŋˈuːtan] *m* (-*s*; -*s*) orang-outan(g).
oratorisch [oraˈtoː-] *adj.* oratorical.
Oraˈtorium *mus. n* (-*s*; -*rien*) oratorio.
Orchester [ɔrˈkɛstər] *n* (-*s*; -) orchestra; band; ~**begleitung** *f* orchestral accompaniment, orchestration; ~**pauke** *f* timpani; ~**sessel** *thea. m* stall, *Am.* orchestra (seat).
orchestrieren [-ˈstriːrən] *mus. v/t.* (*h.*) orchestrate, score.
Orchidee [ɔrçiˈdeːə] *f* (-; -*n*) orchid.
Orden [ˈɔrdən] *m* (-*s*; -) *eccl., etc.*: order; order, decoration, medal.
ˈ**Ordens...:** ~**band** *n* (-[e]*s*; ⸗*er*) ribbon (of an order); ~**bruder** *m* member of an order, *eccl. a.* friar; ~**burg** *f* castle of an order; ~**geistliche(r)** *m* regular; ~**geistlichkeit** *f* regular clergy; ~**gelübde** *n* monastic vow *or* profession; 𝔖**geschmückt** *adj.* bemedalled; ~**kleid** *n* monastic garb; ~**ritter** *m* chevalier; ~**schleife** *f* → *Ordensband*; ~**schmuck** *m* decorations, medals *pl.*; ~**schnalle,** ~**spange** *f* bar, clasp; ~**schwester** *eccl. f* sister, nun; ~**verleihung** *f* conferring (of) an order; ~**zeichen** *n* badge (of an order).
ordentlich [ˈɔrdəntliç] **I.** *adj.* tidy, neat, *thing*: *pred. a.* in good order, well kept; orderly; proper; regular; respectable, steady, of orderly habits; decent (*a. w.s. meal, job, etc.*); good, sound; real; → *Gericht*; ~*er Professor* professor in ordinary; e-e ~*e Tracht Prügel* a sound thrashing; *in* ~*em Zustand* in fair repair, in good order and condition; e-e ~*e Leistung* a fine (*or* pretty decent) job; **II.** *adv.* properly; in good order; in an orderly manner; duly; soundly; really; fairly, downright, awfully; *colloq. ich hab's ihm* ~ *gegeben!* I really let him have it!; 𝔖**keit** *f* (-) orderliness; good (*or* proper) order; respectability, steadiness.
Order [ˈɔrdər] *f* (-; -*n*) order; *econ. für mich an die* ~ *von* pay to the order of; *an X. oder (dessen)* ~ to X or order (*or* his assigns); *an eigene* ~ to my own order; *an* ~ *lauten* be made out to order; *an* ~ *stellen* issue to order; ~**papiere** *n/pl.* order instruments; ~**scheck** *m* order cheque (*Am.* check); ~**schuldverschreibung** *f* registered bond.
ordinär [ɔrdiˈnɛːr] *adj.* ordinary, common, *b.s. a.* vulgar, low.
Ordinariat [-naˈriaːt] *univ. n* (-[e]*s*; -e) (full) professorship.
Ordinarius [-ˈnaːrius] *univ. m* (-; -*rien*) professor in ordinary, *Am.* full professor; → *Klassenlehrer*.
Ordinate [-ˈnaːtə] *math. f* (-; -*n*) ordinate.
Ordination [-naˈtsioːn] *f* (-; -*en*) *eccl.* ordination; *med.* prescription; ~**sstunde** *med. f* consultation hour; ~**szimmer** *n* doctor's surgery.
ordi|nieren [-ˈniːrən] *eccl. v/t.* (*h.*) ordain; *sich* ~ *lassen* take holy orders; *ordiniert* in (holy) orders.
ordnen [ˈɔrdnən] *v/t.* (*h.*) put (*or* set) in order, put straight; tidy, straighten up; regulate, arrange, *Am. a* .fix (up); organize; settle (*a. econ. obligations*); disentangle; sort; file (*letters, etc.*); *mil.* marshal (*troops*); *alphabetisch* ~ arrange alphabetically *or* in alphabetical order; *sachlich (zeitlich)* ~ arrange as to material (date); *systematisch* ~ systematize; *nach Klassen* ~ class(ify); → *geordnet*.
Ordner(in *f*) [ˈɔrdnər(in)] *m* (-*s*, -; -, -*nen*) organizer, supervisor, regulator; *at meetings, etc.*: steward; *ped.* monitor; file(r); letter file, sorter.
ˈ**Ordnung** *f* (-; -*en*) putting in order; order (*a. math.*); arrangement; classification; system, regime; pattern, *Am. a.* set-up; rules, regulations *pl.*; order, succession; class, rank; *göttliche* ~ divine order; *öffentliche* ~ public order, *w.s.* public policy; *mil. geöffnete (geschlossene)* ~ extended (close) order; *Straße erster* ~ primary road; *aus der* ~ *bringen* derange, disturb, upset; *aus der* ~ *kommen* get out of order, be upset; *in* ~ *bringen* **a)** put in order, put *or* set right, → *ordnen*, **b)** repair, *Am. a.* fix up, *w.s. a.* straighten out (*matters*), square *or* patch (*things*) up; *in* ~ *halten* keep in order; *in* ~ *sein* be in order, be all right; *colloq. er ist in* ~ he is all right (*or* a decent sort, a good egg); (*das ist*) *in* ~! (that's) all right! (*or* O.K.)!; *in bester* ~ in apple-pie order; *nicht in* ~ *sein* be out of order, *w.s.* be wrong *or* amiss, *person* (*in health*): be out of sorts, be not up to the mark; *parl. zur* ~ *rufen* call to order.
ˈ**Ordnungs...:** 𝔖**gemäß I.** *adj.* → *ordnungsmäßig*; **II.** *adv.* duly; 𝔖**halber** *adv.* for the sake of order, *econ. a.* for your information; ~**liebe** *f* (-) love of order, orderliness, tidiness; 𝔖**liebend** *adj.* orderly, tidy; 𝔖**mäßig I.** *adj.* orderly, regular, *pred.* in due order; lawful; **II.** *adv.* duly; ~**polizei** *f* security police, constabulary; ~**ruf** *parl. m* call to order; ~**sinn** *m* (-[e]*s*) sense of order, orderliness; ~**strafe** *f* disciplinary penalty; fine; 𝔖**widrig** *adj.* contrary to order, irregular; illegal; ~**zahl** *f* ordinal number; atomic number.
Ordonnanz [ɔrdɔˈnants] *f* (-; -*en*) order, ordinance; *mil.* orderly; ~**offiˈzier** *m* orderly officer.
Organ [ɔrˈgaːn] *n* (-*s*; -e) organ (*w.s. a. voice, journal, body corporate*); agency, authority; *ausführendes* ~ executive body; *tech.* agent, element; *fig. sie hat kein* ~ *für Musik* she has no ear for music.
Organisation [ɔrganizaˈtsioːn] *f* (-; -*en*) organization; ~**sfehler** *m* faulty organization; ~**stalent** *n* organizing ability.
Organisator [-ˈzaːtor] *m* (-*s*; -ˈ*toren*) organizer; **organisatorisch** [-zaˈtoːriʃ] *adj.* organizational, organizing.
organisch [ɔrˈgaː-] **I.** *adj.* organic(ally *adv.*); structural (*tissue*); ~*e Chemie* organic chemistry; **II.** *adv.*: ~ *gewachsen* naturally developed.
organiˈsieren [ɔrgani-] *v/t.* (*h.*) organize, set on foot, arrange; *sich gewerkschaftlich* ~ unionize; *mil. sl.* commandeer, scrounge; (*nicht*) *organisiert*(*er Arbeiter*) (non)unionist; *organisierte Arbeiterschaft* organized labo(u)r.
Organismus [-ˈnis-] *m* (-; -*men*) organism, system.
Orgas|mus [ɔrˈgas-] *physiol. m* (-; -*men*) orgasm, climax; 𝔖**tisch** *adj.* orgastic.
Orgel [ˈɔrgəl] *mus. f* (-; -*n*) organ; ~**bauer** *m* (-*s*; -) organ-builder; ~**chor** *m* organ-loft; ~**konzert** *n* organ recital; 𝔖**n** *v/i.* (*h.*) play (on) the organ; turn *or* grind a barrel-organ; *w.s.* roar, roll; ~**pfeife** *f* organ-pipe; ~**spieler(in** *f*) *m* (-*s*, -; -, -*nen*) organ-player, organist; ~**stimme** *f* organ-stop, register.
Orgie [ˈɔrgiə] *f* (-; -*n*) orgy; ~*n feiern* indulge in orgies, carouse.
Oriental|e [oriɛnˈtaːlə] *m* (-*n*, -*n*), ~**in** *f* (-; -*nen*) Oriental; 𝔖**isch** *adj.* Oriental, Eastern.
Orientalist [orientaˈlist] *m* (-*en*; -*en*) orientalist.
ˈ**Orientexpreß** *rail. m* oriental express.
orienˈtieren *v/t.* (*h.*) orient(ate), locate; *fig.* inform, instruct, *esp. mil.* brief; guide (*nach* along); *sich* ~ (*a. fig.*) orient o.s., take one's bearings (*über acc.* about), find one's bearings (*über acc.* about), find one's way; inform o.s. (of); make inquiries (about); gather information (about); be guided (*nach* by); *sich nicht mehr* ~ *können* have lost one's bearings, be all at sea; *gut orientiert sein über* (*acc.*) be well informed about, be familiar with.
Orienˈtierung *f* (-) orientation; information, instruction; *sports*: orienteering; *zu Ihrer* ~ for your guidance; *die* ~ *verlieren* lose one's bearings; ~**slauf** *m* orienteering competition; ~**slinie** *f* orienting line; datum line; ~**s-punkt** *m* landmark; reference point; ~**ssinn** *m* sense of direction; *orn., etc.* homing instinct.
Original [origiˈnaːl] *n* (-*s*; -e) original (*a. person*); autograph; ~**ausgabe** *f* first edition; ~**fassung** *f* original version; 𝔖**getreu** *adj.* in accordance with the original.
Originaliˈtät *f* (-) originality.
Origiˈnal...: ~**kopie** *f film*: master copy; ~**packung** *f* original packing; *in* ~ factory-packed; ~**sendung** *f radio, TV*: live program(me); ~**treue** *f*: *größte* ~ high fidelty (*abbr.* hi-fi); ~**zeugnis** *n* original testimonial.
originell [origiˈnɛl] *adj.* original; funny, amusing; ingenious (*design*).
Orkan [ɔrˈkaːn] *m* (-[e]*s*; -e) hurricane; typhoon; 𝔖**artig** *adj.* violent; thunderous, frenzied (*applause*).
Ornament [ɔrnaˈmɛnt] *n* (-[e]*s*; -e) ornament; ~**ik** *f* (-) ornamentation; decorating art.
Ornat [ɔrˈnaːt] *m* (-[e]*s*; -e) robes,

vestments *pl.*; *colloq. in vollem ~* in full array.

Ornitholog|(e) [ɔrnito'lo:k, -'lo:gə] *m* (-*n*; -*n*) ornithologist; **2isch** [-'lo:-] *adj.* ornithological.

Ort [ɔrt] *m* (-[e]s; -e) place; site; spot, point; locality; place, village, town; *math.* (¨er) locus; *mining*: head of a gate, termination; *vor ~* at the face; *~ der Handlung* scene (of action); *~ und Stelle* position; *an ~ und Stelle* on the spot; in situ; *an ~ und Stelle bringen* put into position; put *a th.* where *it* belongs; *an ~ und Stelle gelangen* reach one's destination; *Untersuchung an ~ und Stelle* on-the--spot investigation; *~ und Zeit* place and time; *am ~ wohnend* resident; *fig. am ~ sein* be appropriate *or* fitting; *an allen ~en* everywhere; *höheren ~(e)s* at high quarters, at higher level; *von ~ zu ~* from place to place; → *Platz*.

Örtchen ['œrtçən] *colloq. n* (-*s*; -) loo, *Am.* john.

orten ['ɔrtən] **I.** *v/i.* (*h.*) orient o.s., take one's bearings, *aer.* navigate; **II.** *v/t.* (*h.*) locate; radiolocate.

'**Orter** *m* (-*s*; -) *aer.* navigator, radiolocator; *radar*: observer.

orthochromatisch [ɔrtokro'ma:-] *adj.* orthochromatic.

orthodox [ɔrto'dɔks] *adj.* orthodox.

Orthodoxie [-dɔ'ksi:] *f* (-) orthodoxy.

Orthographie [-gra'fi:] *f* (-; -*n*) orthography, correct spelling.

orthographisch [-'gra:-] **I.** *adj.* orthographic(al); **II.** *adv.*: *~ richtig schreiben* spell correctly.

Orthopäde [ɔrto'pɛ:də] *m* (-*n*; -*n*) orthop(a)edist; **Orthopädie** [-pɛ-'di:] *f* orthop(a)edy; **ortho'pädisch** *adj.* orthop(a)edic.

örtlich ['œrtliç] *adj.* local, *med. a.* topical; endemic (*disease, plant*); → *Betäubung, Zuständigkeit*; **2keit** *f* (-; -*en*) locality, place; locale.

'**Orts...:** **~amt** *teleph. n* local exchange; **~angabe** *f* statement of place; *on letter*: address; map reference; **2ansässig** *adj.* resident, local; **~ansässige**(*r m*) *f*, **~bewohner**(*in f*) *m* resident; **~behörde** *f* local authorities *pl.*; **~beschaffenheit** *f* nature of a place; **~beschreibung** *f* topography; **~besichtigung** *f* local inspection; **~bestimmung** *f* localization; orientation, position finding; **2beweglich** *adj.* mobile, portable; **~bezirk** *m* local area.

'**Ortschaft** *f* place, locality; village.

Ortscheit ['ɔrtʃaɪt] *tech. n* swingle--tree.

'**Orts...:** **~empfang** *m* local (*or* short-distance) reception; **~fernsprechnetz** *n* local exchange network; **2fest** *adj.* stationary, fixed; permanent; static; **2fremd** *adj.* non-resident; *~ sein* be a stranger (to a locality); **~gebrauch** *m* local custom; **2gebunden** *adj.* stationary, permanent; resources-bound (*industry*); **~gefecht** *mil. n* combat in towns; **~gespräch** *teleph. n* local call; **~gruppe** *f* local branch; lodge (*of trade-union*); local chapter (*of club*); **~kenntnis** *f* local knowledge, knowledge of a place; *~se haben* know a place; **~kommandant** *m* local commander; town major; **~kommandantur** *f* local headquarters *pl.*, army post; **~krankenkasse** *f* local sick-fund; **2kundig** *adj.* familiar with the locality; **~name** *m* place-name; **~netz** *teleph. n* local exchange network; **~polizei** *f* local police; **~sender** *m radio*: local transmitter; **~sinn** *m* sense (*or* bump) of a locality; **~statut** *n* by(e)-law, *Am.* city ordinance; **~teilnehmer** *teleph. m* local subscriber; **2üblich** *adj.* customary in a place; **~unterkunft** *mil. f* billets *pl.*, cantonment; **~veränderung** *f* change of place (*or* scenery); **~verkehr** *m* local traffic *or* (*teleph.*) calls *pl.*; **~vorsteher** *m* chief magistrate of a place; **~zeit** *f* local time; **~zustellung** *f* local delivery.

'**Ortung** *f* (-) orientation, location, position finding; *aer.* navigation, radiolocation; **~sgerät** *n* localizer, position finder; **~s-punkt** *m* reference point.'

Öse ['ø:zə] *f* (-; -*n*) eye, loop, ring, lug; eyelet; *Haken und ~* hook and eye.

Oskar ['ɔskar] *m*: *colloq. frech wie ~* (as) bold as brass, (as) cool as a cucumber.

osmanisch [ɔs'ma:-] *adj.* Turkish, Ottoman.

Osmose [ɔs'mo:zə] *f* (-) osmosis.

Ost [ɔst] *m* east wind.

'**Ost...:** **~afrika** *n* East Africa; **~asien** *n* Eastern Asia; **~block** *m* Eastern Bloc.

Osten ['ɔstən] *m* (-*s*) east; *geogr.* East (*a. pol.*), Orient; *der Nahe* (*Mittlere, Ferne*) *~* the Near (Middle, Far) East; *der ~ e-r Stadt* the East End (*Am.* Side) of a town.

ostentativ [ɔstenta'ti:f] *adj.* ostentatious, explicit.

Oster|**ei** ['o:stərˀaɪ] *n* Easter egg; **~fest** *n* Easter; **~glocke** *f* easter lily; **~hase** *m* Easter bunny; **~lamm** *n* paschal lamb.

österlich ['øs:tərliç] *adj.* (of) Easter, paschal.

'**Ostermonat** *m* Easter-month, April.

Oster'montag *m* Easter Monday.

Ostern ['o:stərn] *n* (-) Easter.

Österreich ['ø:stərraɪç] *n* (-*s*) Austria; **~er**(*in f*) *m* (-*s*, -; -, -*nen*), **2isch** *adj.* Austrian.

Oster...: **~woche** *f* Easter Week; **~zeit** *f* Eastertide.

'**Ost...:** **~europa** *n* Eastern Europe; **~feldzug** *m* eastern campaign; **~flüchtling** *m* eastern refugee; **~front** *mil. f* eastern front; **~gote** *m* Ostrogoth; **~indien** *n* the East Indies *pl.*, India; **2indisch** *adj.* East Indian.

östlich ['œstliç] *adj.* eastern, easterly; oriental; *~ von* (to the) east of.

'**Ost...:** **~mark** *f* **1.** (-) Austria; **2.** (*currency*) Eastern German mark; **~preußen** *n* East Prussia; **2römisch** *adj.*: *2es Reich* Byzantine Empire; **~see** *f* (-) *the* Baltic (Sea); **~vertriebene**(*r m*) *f* eastern expellee; **~währung** *f* Soviet-zone currency; **2wärts** ['-vɛrts] *adv.* eastward; **~wind** *m* east wind; **~zone** *f* Eastern Zone.

Oszillation [ɔstsila'tsio:n] *f* (-; -*en*) oscillation; **Oszillator** [-'la:to:r] *m* (-*s*; -'*toren*) oscillator; **oszillieren** [-'li:-] *v/i.* (*h.*) oscillate; **Oszillograph** [ɔstsilo'gra:f] *m* (-*en*; -*en*) oscillograph.

Otter ['ɔtər] **1.** *f* (-; -*n*) adder; **2.** *m* (-*s*; -), *a. f* otter; **~ngezücht** *n* generation of vipers.

Ottomane [ɔto'ma:nə] *f* (-; -*n*) ottoman.

Ottomotor ['ɔto-] *m* spark-ignition engine; Otto-cycle engine.

Ouvertüre [uvɛr'ty:rə] *f* (-; -*n*) overture (*a. fig.*).

oval [o'va:l] *adj.* oval.

Ovarium [o'va:rium] *anat. n* (-*s*; -*ien*) ovary.

Ovation [ova'tsio:n] *f* (-; -*en*) ovation; *j-m e-e ~ bereiten* give a p. an ovation (*or Am.* the big hand), cheer a p.

Ovulationshemmer [ovula'tsio:nshɛmər] *med. m* (-*s*; -) ovulation inhibitor.

Oxalsäure [ɔk'sa:l-] *f* (-) oxalic acid.

Oxhoft ['ɔkshɔft] *n* (-[e]s; -e) hogshead.

Oxyd [ɔ'ksy:t] *n* oxide.

Oxydation [-da'tsio:n] *f* (-) oxidation; **2sfest** *adj.* non-oxidizing; **2shemmend** *adj.*: *~es Mittel* anti--oxidant.

oxydier|**bar** [-'di:r-] *adj.* oxidizable; **~en** *v/t.* (*h.*) *and v/i.* (*sn*) oxidize; **2mittel** *n* oxidant; **2ung** *f* oxidization.

Oxy'gengas *n* (-*es*) oxygen gas.

Ozean ['o:tsea:n] *m* (-*s*; -e) ocean; *der Atlantische ~* the Atlantic; *der Große* (*or Stille*) *~* the Pacific; **~dampfer** *m* ocean-going (*or* trans-atlantic) steamer, (ocean) liner; **~flug** *m* transatlantic flight; **2isch** [otse'a:-] *adj.* oceanic; *~es Klima* marine climate; **~ogra'phie** *f* oceanography; **~riese** *m* huge ocean liner.

Ozon [o'tso:n] *n* (-*s*) ozone; **2erzeugend** *adj.* ozoniferous; **2haltig** *adj.* ozonic, ozoniferous; **2reich** *adj.* rich in ozone.

P

P, p [pe:] *n* P, p.

Paar [pa:r] *n* (-[e]s; -e) pair; couple; *iro.* twosome; brace (*of partridges, pistols, etc.*); *ein ~ bilden mit* (*dat.*) pair off with; *ein ~ werden* become man and wife, make a couple; *zu ~en treiben* rout, put to flight.

paar *adj.* **1.** *ein ~* a few, some, a couple of; *ein ~ hundert* some hundred; *ein ~ Zeilen schreiben* drop a line; *auf ein ~ Tage* for a day or two; *vor ein ~ Tagen* the other day; **2.** even; *~ oder un~* odd or even.

'**paaren** *v/t.* (*h.*) pair (*sports: a.* match), couple, *esp. orn.* mate; *sich ~* pair, form a couple; mate, copulate, *a. chem., math.* conjugate; *fig.* join, unite, marry (*mit* with).

'**paarig** *adj.* in pairs, paired.

'**Paar...:** **~laufen** *n* pair-skating; **~läufer(in** *f*) *m* pair-skater; **⁀mal** *adv.*: *ein ~* several (*or* a few) times.

'**Paarung** *f* (-; -en) pairing (*a. TV*), *sports: a.* matching; coupling; mating, copulation; *fig.* union; **~strieb** *m* (-[e]s) mating urge; **~szeit** *f* mating season.

'**paarweise** *adv.* in pairs *or* couples, by twos; *~ ordnen* pair (off); *~ weggehen* pair off.

'**Paarzeher** ['-tse:ər] *zo. m* (-s; -) artiodactyl.

Pacht [paxt] *f* lease; tenure (of land), tenancy; rent; *in ~ geben (nehmen)* let out (take) on lease; *in ~ haben* hold under a lease; '**~bedingungen** *f/pl.* leasehold conditions; '**~besitz** *m* leasehold (property); '**~brief** *m* lease; '**~dauer** *f* term of lease; tenancy; '**⁀en** *v/t.* (*h.*) (take on) lease; farm, rent; *fig.* monopolize; *er tut, als hätte er die Weisheit gepachtet* he pretends to be the only big mind in the world.

Pächter ['pɛçtər] *m* (-s; -) lessee, leaseholder; *agr.* tenant, farmer.

'**Pacht...:** **~ertrag** *m* rental; **⁀frei** *adj.* rent-free; **~geld** *n* (farm-) rent; **~grundstück** *n* leasehold property; holding (of land); **~schein** *m* lease; **~- und Leihgesetz** *n* Lend-Lease Act; **~ung** *f* (-; -en) taking on lease; farming; leasehold, tenement; **~verhältnis** *n* tenancy; **~vertrag** *m* (contract of) lease; **⁀weise** *adv.* on lease; **~wert** *m* rental value; **~zeit** *f* term of lease; **~zins** *m* rent.

Pack [pak] **1.** *m and n* (-[e]s; -e) pack; package, parcel; bundle; bale; → *Sack*; **2.** *n* (-[e]s) *contp.* rabble, pack.

Päckchen ['pɛkçən] *n* (-s; -) small parcel, *Am.* package; *~ Zigaretten* packet of cigarettes; *fig.* burden, worries *pl.*

'**Pack-eis** *n* pack-ice.

Packen ['pakən] *m* (-s; -) large packet *or* parcel *or* bundle; pile; bale.

'**packen I.** *v/t.* (*h.*) pack (up), do up (in parcels), wrap up, *Am.* package; pile up; stow away; seize (roughly), lay hold of, grip, grasp, clutch; collar; *fig.* grip, thrill, hold (spellbound); *colloq. sich ~* decamp, hook it; *pack dich!* out you go!, clear out!, beat it!, scram!; *es hat ihn tüchtig gepackt* he caught it badly; **II.** *v/i.* (*h.*) pack up; **~d** *fig. adj.* breath-taking, thrilling, gripping; → *rührend.*

'**Packer** *m* (-s; -), **~in** *f* (-; -nen) packer; removalman; *mar.* stevedore.

Packe'rei *f* (-; -en) packing-room.

'**Packerlohn** *m* packer's wages *pl.*

Pack...: **~esel** *m* sumpter-mule; *fig.* drudge, fag; **~film** *m* pack film; **~hof** *m* packing yard; **~lage** *f* sub-base (*of road*); **~leinen** *n* packing-cloth; **~leinwand** *f* pack-cloth, sacking; **~liste** *f* packing list; **~maschine** *f* packing machine; **~material** *n* packing (materials *pl.*), wrappage; **~nadel** *f* packing-needle; **~papier** *n* packing (*or* wrapping) paper; brown paper, kraft; **~pferd** *n* pack-horse; **~presse** *f* bundle press; **~raum** *m* packing room; *mar.* stowage(-room); **~sattel** *m* pack-sattle; **~schnur** *f* cord, twine; **~tier** *n* pack-animal.

'**Packung** *f* (-; -en) packing, stowage; pack(age), packet; *~ Zigaretten* packet of cigarettes; *tech.* packing, gasket; stone pitching; *med.* (hot, *etc.*) pack, fomentation; *colloq. fig. e-e ~ bekommen* take an awful beating.

'**Pack...:** **~wagen** *m* luggage-van, *Am.* baggage-car; **~zettel** *m* packing label, docket.

Pädagog|e [pɛda'go:ge] *m* (-en; -en), **~in** *f* (-; -nen) education(al)-ist, *esp. contp.* pedagogue; **~ik** [-'go:gik] *f* pedagogics *sg.*; **⁀isch** *adj.* pedagogic(al), educational; *~e Hochschule* teachers' college.

Paddel ['padəl] *n* (-s; -) paddle; **~boot** *n* paddling boat, canoe; **~bootfahrer(in** *f*) *m* canoeist; **⁀n** *v/i.* (*h., sn*) paddle, canoe.

paff! [paf] *int.* bang!, pop!; → *baff*; **~en** *v/i. and v/t.* (*h.*) puff away (*die Pfeife, etc.* at one's pipe, *etc.*).

Page ['pa:ʒə] *m* (-n; -n) page; buttons, *Am.* bellboy; **~nfrisur** *f*, **~nkopf** *m* page-boy coiffure, bobbed hair.

paginieren [pagi'ni:-] *v/t.* (*h.*) page, paginate.

Pagode [pa'go:də] *f* (-; -n) pagode.

pah! [pa:] *int.* pooh!, pah!, pshaw!

Pair [pɛ:r] *m* (-s; -s) peer; **~sschub** *m* batch of peers; **~swürde** *f* peerage.

Pak [pak] *f* (-; -[s]) (= *Panzerabwehrkanone*) anti-tank gun, *Am.* tank destroyer.

Paket [pa'ke:t] *n* (-[e]s; -e) parcel; package; packet; *~ Nadeln* paper of needles; *econ. ~ Wertpapiere* block (of securities); **~adresse** *f* parcel's direction; **~annahme** *f* parcels receiving office; **~ausgabe** *f* parcel delivery; **~beförderung** *f* parcel conveyance; **~boot** *n* mail-boat; **~karte** *f* parcel form; **~post** *f* parcel-post.

Pakistan ['pa:kista:n] *n* (-s) Pakistan.

Pakt [pakt] *m* (-[e]s; -e) pact; agreement; *e-n ~ schließen* → **paktieren** [-'ti:-] *v/t. and v/i.* (*h.*) make an agreement *or* a deal (*mit* with), come to terms (with).

paläolithisch [palɛo'li:tiʃ] *adj.* pal(a)eolithic.

Palä-ontologie [-ɔntolo'gi:] *f* (-) pal(a)eontology.

Palais [pa'lɛ:] *n* (-[-'lɛ:s]; -[-'lɛ:s]),

Palast [-'last] *m* (-es; ⸚e) palace; **⁀artig** *adj.* palatial; **Pa'lastrevolution** *f fig.* palace revolution.

Palaver [pa'la:vər] *n* (-s; -), **⁀n** *v/i.* (*h.*) palaver.

Paletot ['paləto] *m* (-s; -s [-tos]) overcoat, greatcoat.

Palette [pa'lɛtə] *f* (-; -n) palette.

Palisade [pali'za:də] *f* (-; -n) palisade, stockade; **~nzaun** *m* stockade.

Palisander [pali'zandər] *m* (-s; -), **~holz** *n* rosewood.

Pallasch ['palaʃ] *mil. m* (-es; -e) broadsword.

Palliativ [palia'ti:f] *n* (-s; -e) palliative.

'**Palmbaum** *m* palm-tree.

Palm|e ['palmə] *f* (-; -n) palm; *fig. die ~ des Sieges erringen* carry off the palm; *colloq. j-n auf die ~ bringen* make a p. see red; **~fett** *n* palm butter; **~öl** *n* palm oil; **~'sonntag** *m* Palm Sunday; **~wedel** *m* palm branch.

Pampelmuse [pampəl'mu:zə] *f* (-; -n) grapefruit.

Pamphlet [pam'fle:t] *n* (-[e]s; -e) pamphlet; lampoon; **~schreiber, Pamphletist** [-fle'tist] *m* (-en; -en) pamphleteer; lampoonist.

pampig ['pampiç] *colloq. adj.*: *~ werden* get fresh.

pan... [pan-] *in compounds* pan...; *e.g.*, Pan-American, panchromatic.

Panama ['panama] *n* (-s) Panama; **~hut** *m* Panama (hat); **~kanal** *m* Panama Canal.

panaschieren [pana'ʃi:rən] **I.** *v/t.* (*h.*) variegate, mottle; **II.** *v/i.* (*h.*) *election*: split the ticket; **⁀** *n* (-s) preferential (*Am.* split) voting.

Pandekten [pan'dɛktən] *pl.* pandects.

Paneel [pa'ne:l] *n* (-s; -e) panel(l)ing, wainscot(ing).

Panier [pa'ni:r] *n* (-s; -e) banner, standard.

pa'nieren *v/t.* (*h.*) *cul.* coat with egg and breadcrumb, (bread-) crumb.

Panik ['pa:nik] *f* (-) panic, scare; stampede; *in ~ versetzen* stampede, strike with terror; *von ~ ergriffen werden* (be seized with a) panic; **~mache** *colloq. f* panicmongering.

'**panisch** *adj.* panic, panicky; *~er Schrecken* panic (fear); *von ~em Schrecken erfaßt* panic-stricken.

Panne ['panə] *f* (-; -n) breakdown, *mot. a.* engine trouble (*or* failure); puncture, blowout, flat tyre (*Am.* tire); *fig.* mishap; slip-up, blunder.

Panoptikum [pa'nɔptikum] *n* (-*s*; -*ken*) waxworks *pl.*
Panorama [pano'rɑ:ma] *n* (-*s*; -*men*) panorama; **~bild** *n* panoramic picture *or* view; **~empfänger** *m* panoramic receiver; **~weg** *m* scenic road.
panschen ['panʃən] *v/i. and v/t.* (*h.*) → *pantschen.*
Pansen ['panzən] *zo. m* (-*s*; -) rumen; *fig.* paunch.
Panslawismus [-sla'vizmus] *m* (-) Pan-Slavism.
Panthe|'ismus [pante-] *m* (-) pantheism; **~'ist(in** *f*) *m* (-*en*, -*en*; -, -*nen*) pantheist; **2'istisch** *adj.* pantheistic.
Panther ['pantər] *zo. m* (-*s*; -) panther.
Pantine [pan'ti:nə] *f* (-; -*n*) patten, clog.
Pantoffel [-'tɔfəl] *m* (-*s*; -*n*) slipper; *fig. unter dem ~ stehen* be henpecked; **~held** *m* henpecked husband; **~tierchen** *biol. n* (-*s*; -) slipper animalcule.
Pantomim|e [panto'mi:mə] *f* (-; -*n*) pantomime, dumb show; **2isch I.** *adj.* pantomimic; **II.** *adv.*: ~ *darstellen* act in dumb show.
pantschen ['pantʃən] **I.** *v/i.* (*h.*) splash, puddle, mess about; **II.** *v/t.* (*h.*) adulterate, water (*wine*).
'**Pantscher** *m* (-*s*; -) adulterator.
Panzer ['pantsər] *m* (-*s*; -) armo(u)r, coat of mail; cuirass; *mar.* armo(u)r-plating; *mil.* tank; *zo.* shell, shield; **~abwehr** *f* antitank defen|ce, *Am.* -se; **~abwehrkanone** *f* antitank gun, *Am.* tank destroyer; **~besatzung** *f* tank crew; **2brechend** *adj.* armo(u)r-piercing, tank-busting; **~brigade** *f* armo(u)red brigade; **~büchse** *f* antitank rifle, bazooka; → *Panzerfaust*; **~deckungsloch** *n* slit hole; **~division** *f* armo(u)red division; **~fahrzeug** *n* armo(u)red vehicle; **~falle** *f* tank trap; **~faust** *f* antitank grenade launcher; **~flotte** *mar. f* fleet of ironclads; **~führer** *m* tank commander; **~gefecht** *n* tank battle; **~geschoß** *n* armo(u)r-piercing projectile; **~gewölbe** *n* strong-room; **~glas** *n* bullet-proof glass; **~graben** *m* antitank ditch; **~granate** *f* armo(u)r-piercing shell; **~grenadier** *m* armo(u)red infantry rifleman; **~handschuh** *m* gauntlet; **~hemd** *n* coat of mail; **~hindernis** *n* antitank obstacle; **~jäger** *m* antitank gunner; *pl.* tank destroyer troops; **~kabel** *el. n* armo(u)red cable; **~kampfwagen** *m* tank, armo(u)red fighting vehicle; **~knacker** *m* tank buster; **~korps** *n* armo(u)red corps; **~kreuzer** *mar. m* armo(u)red cruiser; **~kuppel** *f* armo(u)red cupola; **~mine** *f* antitank-mine; **~munition** *f* armo(u)r-piercing ammunition.
'**panzern** *v/t.* (*h.*) arm with (a coat of) mail, *sich* ~ put on mail; *fig.* arm o.s.; *mar.*, *mil.* armo(u)r, plate; *gepanzert* mail-clad, *mil.* armo(u)red; *mit gepanzerter Faust* with the mailed fist.
'**Panzer...:** **~platte** *f* armo(u)r plate; **~regiment** *n* armo(u)red regiment; **~schiff** *n* armo(u)r-plated vessel, ironclad; **~schlacht** *f* tank battle; **~schrank** *m* safe; **~schütze** *m* tank gunner; **~spähwagen** *m* armo(u)red scout car; **~sperre** *f* antitank obstacle; **~spitze** *f* armo(u)red spearhead; **~truppen** *f/pl.* armo(u)red troops, tank corps; **~turm** *m* armo(u)red turret; tank turret.
'**Panzerung** *f* (-; -*en*) (coat of) mail; *mar.*, *mil.* armo(u)r(-plating); armo(u)red protection.
'**Panzer...:** **~waffe** *f* tank force(s *pl.*), armo(u)r; **~wagen** *m* armo(u)red car, tank; **~weste** *f* bullet-proof jacket; **~zug** *rail. m* armo(u)red train.
Papa [pa'pɑ:, 'papa] *m* (-*s*; -*s*) papa, pa, dad(dy), *Am. a.* pop.
Papagei [papa'gaɪ] *m* (-[*e*]*s*; -*e*[*n*]) parrot; **2enhaft** *adj.* parrot-like; **~enkrankheit** *f* (-) psittacosis.
Papier [pa'pi:r] *n* (-*s*; -*e*) paper; stationery; ~*e pl.* papers, documents, instruments *pl.*; *econ.* papers, securities, stocks; identity papers; ~ *mit Wasserzeichen* filigreed paper; *geschöpftes* ~ handmade paper; *glattes* ~ glazed paper; *holzfreies* ~ wood-free paper; *holzhaltiges* ~ wood-containing paper; *liniiertes* ~ ruled paper; *maschinenglattes* ~ mill-finished paper; *satiniertes* ~ glazed paper; *zu* ~ *bringen* commit to paper, write down; ~ *ist geduldig* paper does not blush; *nur auf dem* ~ *stehen* exist on paper only; *nur auf dem* ~ *stehend* nominal; **~abfälle** *m/pl.* waste-paper; **~bahn** *f* paper web; **~band** *n* (-*es*; ⸚*er*) paper-tape; **~beutel** *m* paper-bag; **~bindfaden** *m* paper-string; **~blatt** *n*, **~bogen** *m* sheet of paper; **~blume** *f* artificial (paper) flower; **~brei** *m* (-[*e*]*s*) paper-pulp; **2en** *adj.* (of) paper; *fig.* dull; ~*er Stil* prosy (*or* bookish) style; **~fabrik** *f* papermill; **~fetzen** *m* scrap of paper; **~filter** *m* paper-filter; **~format** *n* paper size; **~geld** *n* (-[*e*]*s*) paper-money; bank-notes, *Am.* bills *pl.*; **~geldtasche** *f* note-book, billfold, pocketbook; **~händler** *m* stationer; **~handlung** *f* stationer's shop, *Am.* stationery (store); **~holz** *n* paper-pulp; **~klammer** *f* paper clip; **~korb** *m* waste-paper basket, *Am.* waste-basket; **~krieg** *m* (-[*e*]*s*) red tape, paper warefare; **~maché** [papje:ma'ʃe:] *n* (-*s*; -*s*) papiermâché; **~manschette** *f* paper-frill; **~masse** *f* paper pulp; **~mühle** *f* pulp mill; paper mill; **~rolle** *f* paper reel; **~schere** *f* paper-shears *pl.*; **~schlange** *f* paper streamer; **~schnitzel** *m/pl.* paper shavings; **~serviette** *f* paper napkin; **~streifen** *m* paper strip; **~taschentuch** *n* tissue handkerchief; **~tüte** *f* paper-bag; **~währung** *f* (-) paper currency; **~waren** *f/pl.* stationery *sg.*; **~wisch** *m* scrap of paper.
Papist [pa'pist] *m* (-*en*; -*en*), **~in** *f* (-; -*nen*) papist; **2isch** *adj.* papistic(al), popish.
Papp [pap] *m* (-[*e*]*s*; -*e*) pap; paste; → *Pappe*; **~arbeit** *f* pasteboard work; **~band** *m* (-[*e*]*s*; ⸚*e*) pasteboard binding, (book in) boards *pl.*; **~deckel** *m* pasteboard.
Pappe ['papə] (-; -*n*) pap; pasteboard, cardboard; *colloq. fig. das ist nicht von* ~! that's not to be sneezed at!
'**Papp-einband** *m* (-[*e*]*s*; ⸚*e*) pasteboard cover; *Buch im* ~ paperback (book).
Pappel ['papəl] *f* (-; -*n*) poplar (-tree); **~allee** *f* avenue of poplars; **~weide** *f* black poplar.
päppeln ['pɛpəln] *v/t.* (*h.*) feed (with pap); *fig.* coddle, pamper.
pappen ['papən] **I.** *v/t.* (*h.*) paste; **II.** *v/i.* (*h.*) stick, clog.
'**Pappenfabrik** *f* board mill.
'**Pappenheimer** *colloq. m/pl.*: *ich kenne meine* ~ I know my men.
'**Pappenstiel** *colloq. m* (-[*e*]*s*) trifle; *für* (*or um*) *einen* ~ for a mere song, dirt-cheap.
papperlapapp! [papərla'pap] *int.* nonsense! fiddlesticks!, bosh!
'**pappig** *adj.* pasty, sticky.
'**Papp...:** **~kamerad** *mil. m* silhouette target; **~karton** *m*, **~schachtel** *f* cardboard box, carton; **~schnee** *m* sticky snow; **~teller** *m* paper-plate; **~waren** *f/pl.* pasteboard wares.
Paprika ['paprika] *n* (-*s*; -*s*) paprika, red pepper; **~schoten** *f/pl.* peppers.
Papst [pɑ:pst] *m* (-*es*; ⸚*e*) pope; **~krone** *f* tiara.
päpstlich ['pɛ:pstliç] *adj.* papal, pontifical, *contp.* popish; **2***er Stuhl* Holy See; ~*es Amt* papacy, pontificate; ~*er als der Papst sein* be more royal than the king.
'**Papst...:** **~tum** *n* (-*s*) papacy, pontificate, *contp.* popery; **~würde** *f* papal dignity, pontificate.
Papyrus [pa'py:rus] *m* (-; -*ri*), **~rolle** *f* papyrus.
Parabel [pa'rɑ:bəl] *f* (-; -*n*) parable, simile; *math.* parabola; **~kurve** *f* parabolic curve.
parabolisch [-ra'bo:-] *adj.* parabolic(ally *adv.*), figurative; ~*er Spiegel* parabolic reflector.
Parade [pa'rɑ:də] *f* (-; -*n*) *mil.* review; *aer.* fly-past, *mot.* drive-past; *fig.* parade, display; *fenc.* parry; *riding*: pull-up; *soccer*: full-length save; *die* ~ *abnehmen* hold a review, take the salute (at a drive-past, *etc.*); *fig. j-m in die* ~ *fahren* upset a p.'s plans, *at debate*: counter a p.; **~anzug** *m* dress uniform; **~bett** *n* bed of state; **~flug** *m* fly-past; **~marsch** *m* march in review.
Paradentose [paradɛn'to:zə] *f* (-; -*n*) paradentosis.
Pa'rade...: **~pferd** *fig. n* show-horse; **~platz** *m* parade ground; **~schritt** *m* drill-step, slow pace, goose-step; **~stückchen** *fig. n* show-piece; **~uniform** *f* → *Paradeanzug.*
paradieren [-'di:-] *v/i.* (*h.*) parade; ~ *mit a.* make a parade of, show off.
Paradies [para'di:s] *n* (-*es*; -*e*) paradise; *das Verlorene* ~ Paradise Lost; **~apfel** *m* tomato; **2isch** [-'di:ziʃ] *adj.* paradisiac(al); *fig.* heavenly, delightful; **~vogel** *m* bird of paradise.
Paradigma [-'digma] *gr. n* (-*s*; -*men*) paradigm.
paradox [para'dɔks] *adj.* paradoxical; **~erweise** *adj.* paradoxically.

Paradoxon [-ˈrɑːdɔksɔn] *n* (-s; -xa) paradox.
Paraffin [paraˈfiːn] *n* paraffin; *mit ~ behandeln* → **paraffinieren** [-fiˈniː-] *v/t.* (*h.*) (coat with) paraffin.
Paragraph [-ˈgrɑːf] *m* (-en; -en) section, article; paragraph; **~enreiter** *m* pedant, stickler, pettifogger; **~zeichen** *n* section mark.
paral|lel [paraˈleːl] **I.** *adj.* parallel (*mit* to, with); **II.** *adv.*: *~ laufen zu* run parallel with; *el. ~ geschaltet* connected in parallel; **≈ˈlele** *f* (-; -n) parallel (line); *fig.* parallel; *e-e ~ ziehen* establish a parallel (*mit* with); **≈ˈlelfall** *m* parallel case; **≈ˈlelismus** [-leˈlis-] *m* (-; -men) parallelism; **≈ˈlelkreis** *ast. m* parallel; **≈lelogramm** [-leloˈgram] *n* (-s; -e) parallelogram; **≈ˈlelschaltung** *el. f* parallel connection; **≈ˈlelstraße** *f* parallel street; **≈ˈlelwährung** *f* dual currency.
Paraly|se [paraˈlyːzə] *f* (-; -n) (general) paralysis; **≈sieren** [-lyˈziː-] *v/t.* (*h.*) paralyse; **≈tisch** [-ˈlyː-] *adj.* paralytic, paralysed.
Paraˈmeter *math. m* (-s; -) parameter.
Parano|iker [paraˈnɔi-] *m* (-s; -), **≈isch** *adj.* paranoid.
Paranuß [ˈpɑːranus] *f* Brazil-nut.
paraphieren [paraˈfiː-] *v/t.* (*h.*) sign provisionally, sign (with a flourish).
Paraˈphrase *f*, **paraphraˈsieren** *v/t.* (*h.*) paraphrase.
ˈParapsychologie *f* parapsychology.
Parasit [paraˈziːt] *m* (-en; -en) parasite; **≈isch** *adj.* parasitic(al).
parat [paˈrɑːt] *adj.* ready, prepared; *er hatte die Antwort ~* he had his answer pat; *Kenntnisse (stets) ~ haben* have information at one's finger-ends.
Paratyphus [ˈpɑːra-] *m* paratyphoid (fever).
Pärchen [ˈpɛrçən] *n* (-s; -) (loving *or* courting) couple, twosome.
Pardon [parˈdɔŋ, -dɔ̃] *m* (-s; -) pardon; *mil. keinen ~ geben* give no quarter.
Parenthese [parɛnˈteːzə] *f* parenthesis; *in ~* by way of parenthesis.
Parforce|jagd [parˈfɔrs-] *f* hunting (on horseback), coursing; **~ritt** *m* forced ride.
Parfüm [parˈfyːm] *n* (-s; -e) perfume, scent.
Parfümeˈrie [-fymə-] *f* (-; -n) perfumes, scents *pl.*; scent-shop, perfumery.
Parˈfüm...: **~fläschchen** *n* (small) scent-bottle; **~handlung** *f* scent-shop, perfumery.
parfümieren [-fyˈmiː-] *v/t.* (*h.*) perfume, scent.
Parˈfümzerstäuber *m* perfume-spray, *Am.* atomizer.
pari [ˈpɑːri] *econ. adv.* and **≈** *n* par (value); *auf* (*or al*) *~* at par; *über ~* above par, at a premium; *unter ~* below par, at a discount.
Paria [ˈpɑːria] *m* (-s; -s) pariah.
parieren [paˈriːrən] **I.** *v/t.* and *v/i.* (*h.*) *fenc.* parry (*a. fig.*), ward off; pull up, rein in (*horse*); **II.** *v/i.* (*h.*) obey, knuckle under, toe the mark.
ˈParikurs *econ. m* par(ity).
Pariser [paˈriːzər] **I.** *m* (-s; -), **~in** *f* (-; -nen) Parisian; **II.** *adj.* Parisian, (of) Paris; *~ Mode* Paris(ian) fashions *pl.*; *typ. ~ Schrift* ruby, *Am.* agate.
Parität [pariˈtɛːt] *f* (-; -en) parity, equality; **≈isch** *adj.* on a par; proportional, pro rata; with religious equality.
Pariwert [ˈpɑːri-] *econ. m* par value.
Park [park] *m* (-s; -s) park; *mil.* (base) depot; → *Maschinen≈, Wagen≈*; **ˈ~anlage** *f* park, pleasure-grounds *pl.*; **ˈ~bremse** *f* parking brake; **ˈ≈en** *v/t.* and *v/i.* (*h.*) park; *≈ verboten!* no parking!
Parkerisierung [parkəriˈziː-] *tech. f* (-) parkerizing.
Parkett [parˈkɛt] *n* (-[e]s; -e) parquet, inlaid floor; *thea.* stalls *pl.*, *Am.* parquet; *mit ~ auslegen* → **parketˈtieren** *v/t.* (*h.*) parquet.
ˈPark...: **~gebühren** *f/pl.* parking rates; **~licht** *mot. n* (-[e]s; -er) parking light; **~platz** *m* parking place, car park, *Am.* parking lot; **~uhr** *f* parking meter; **~wache** *f* park guard.
Parlament [parlaˈmɛnt] *n* (-s; -e) parliament.
Parlamenˈtär *m* (-s; -e) bearer of the flag of truce, parlementaire (*Fr.*).
Parlamentar|ier(in *f*) [-ˈtɑːriər (-in)] *m* (-s, -; -, -nen) parliamentarian; **≈isch** *adj.* parliamentary.
Parlamentarismus [-taˈriːs-] *m* (-) parliamentary system.
parlamentieren [-ˈtiː-] *mil. v/i.* (*h.*) parley.
Parlaˈments...: **~akte** *f* act of parliament; **~beschluß** *m* vote of parliament; **~dauer** *f* session; **~ferien** *pl.* recess; *in die ~ gehen* rise for the recess; **~gebäude** *n* parliament (building); **~gesetz** *n* → *Parlamentsakte*; **~mitglied** *n* member of parliament (*abbr.* M.P.), *Am.* Congressman; **~rede** *f* speech in parliament; **~sitzung** *f* sitting of parliament; **~verhandlung** *f* proceedings *pl.* of parliament, parliamentary debate.
parlieren [parˈliːrən] *v/i.* and *v/t.* (*h.*) parley.
Parmesankäse [parmeˈzɑːn-] *m* Parmesan cheese.
Parodie [paroˈdiː] *f* (-; -n) parody (*auf acc.* on); **≈ren** *v/t.* (*h.*) parody, burlesque.
paroˈdistisch *adj.* burlesque.
Parole [paˈroːlə] *f* (-; -n) *mil.* watchword, password; challenge; *fig.* catchword, slogan; **~buch** *n* order-book.
Paroli [paˈroːli] *fig. n*: *j-m ~ bieten* defy (*or* stick up to) a p.
Part [part] *m* (-s; -e) part, share.
Partei [-ˈtaɪ] *f* (-; -en) party (*a. pol.*); faction; *jur.* party, side; *sports*: side; tenant(s *pl.*); *gegnerische ~* opponent(s *pl.*), *sports*: *a.* opposite side; *~ aus einem Vertrag* party to a contract; *vertragschließende ~en* contracting parties; *jur. Antrag einer ~* ex parte application; *j-s ~ ergreifen, ~ nehmen für j-n* take a p.'s part, side with a p.; *gegen j-n ~ ergreifen* take sides against a p.; *es mit keiner ~ halten* remain neutral, sit on the fence; *~ sein* be an interested party, be biassed.
Parˈtei...: **~abzeichen** *n* party badge; **~apparat** *m* party machine; **~bonze** *m* party boss; **~buch** *n* membership book; **~disziplin** *f* party discipline; *sich der ~ beugen* follow the party-line, toe the mark; **~führer** *m* party leader; **~gänger (-in** *f*) *m* (-s, -; -, -nen) partisan; **~geist** *m* (-es) factionalism; **~genosse** *m* party member; **≈isch** *adj.* partial (*für* to); biassed, prejudiced (*gegen* against); one-sided, unfair; **~leitung** *f* party headquarters *pl.*; party-leaders *pl.*; **~lichkeit** *f* (-) partiality, bias; **≈los** *adj.* impartial, neutral; *pol.* independent, non-party; **~lose(r** *m*) *f* non-party member; **~losigkeit** *f* (-) neutrality; independence; **~mitglied** *n* party-member; **~nahme** *f* partisanship (*für* for), support (of), siding (with); **~organ** *n* party organ; **~organisation** *f* party organization *or* machine; **~politik** *f* (-) party politics *pl.*; **≈politisch** *adj.* party-political; **~programm** *n* (party) platform; **~sucht** *f* → *Parteigeist*; **~tag** *m* party rally, party congress *or* convention; **~versammlung** *f* party meeting; **~vorbringen** *jur. n* (-s) pleadings *pl.*; **~vorstand** *m* executive committee; **~wesen** *n* party system; *contp.* → **~wirtschaft** *f* cliquishness, partisanry; **~zugehörigkeit** *f* party affiliation(s *pl.*).
Parterre [parˈtɛr] *n* (-s; -s) ground floor, *Am.* first floor; *thea.* pit, *Am.* orchestra (circle); flower-bed; *~ wohnen* live on the ground floor (*Am.* first floor); **~wohnung** *f* ground floor flat.
Partialschaden [parˈtsiɑːl-] *m* partial loss, particular average.
Partie [parˈtiː] *f* (-; -n) party, company; outing, excursion; game (*Schach, etc.* of chess, *etc.*), *sports*: match, *tennis*: set, *thea.* part, rôle; *anat.* region; passage (*in book, etc.*); *econ.* parcel, lot; batch; *in ~n von* in lots of; (*marriage*) match; *eine gute ~* a fine matrimonial catch; *er machte e-e gute ~ a.* he married a fortune; *mit von der ~ sein* make one of the party, be in on it; *ich bin mit von der ~!* count me in!, I am on!
partiell [parˈtsjɛl] **I.** *adj.* partial; **II.** *adv.* part(ial)ly, not entirely.
partienweise [-ˈtiːən-] *econ. adv.* in lots *or* parcels.
Parˈtieware(n *pl.*) *f* off-standard goods, job-goods *pl.*
Partikel [-ˈtiːkəl] *gr. f* (-; -n) particle; **~chen** *n* (-s; -) small particle, atom.
Partikularismus [-tikulaˈriːs-] *m* (-) particularism, separatism.
Partikulaˈrist *m* (-en; -en), **≈isch** *adj.* particularist, separatist.
Partisan [partiˈzɑːn] *m* (-en; -en) partisan, guerilla; **~enkrieg** *m* partisan warfare.
partitiv [ˈpartitiːf] *gr. adj.* partitive.
Partitur [-ˈtuːr] *mus. f* (-; -en) score.

Partizip [-ˈtsiːp] *gr. n* (-s; -ien) participle.

Partizipatiˈonsgeschäft *econ. n* business on joint account.

Partner [ˈpartnər] *m* (-s; -), **~in** *f* (-; -nen) partner; *als ~ mit j-m spielen* be partnered with; **~schaft** *f* (-; -en) partnership.

Parvenü [parvəˈnyː] *m* (-s; -s) upstart, parvenu.

Parze [partsə] *f* (-; -n) Fatal Sister; *die ~n pl.* the Fates.

Parzelle [parˈtsɛlə] *f* (-; -n) plot, allotment, *esp. Am.* lot.

parzellieren [-ˈliː-] *v/t.* (*h.*) divide into lots, parcel out.

Pasch [paʃ] *m* (-es; -e) doublets *pl.*

Pascha [ˈpaʃa] *m* (-s; -s) pasha.

pasch|en [ˈpaʃən] *v/t. and v/i.* (*h.*) smuggle; **2er** *m* smuggler.

Paspel [ˈpaspəl] *f* (-; -n) piping, edging, braid; **paspelieren** [-ˈliː-] *v/t.* (*h.*) pipe, braid.

Paß [pas] *m* (*Passes*; *Pässe*) passage; pass, defile; *riding*: amble; passport, papers *pl.*; *e-n ~ ausstellen* make out a passport; *2 adv.*: *zu ~ kommen* come in handy, *j-m*: serve a p.'s turn, suit a p.'s book.

passabel [paˈsaːbəl] *adj.* passable, tolerable; fair(ly *adv.*).

Passage [-ˈsaːʒə] *f* passage (*a. fig. in book*); *mus.* run.

Passagier [pasaˈʒiːr] *m* (-s; -e) passenger; fare; *blinder ~* dead-head, *mar.* stowaway; **~dampfer** *m* passenger-steamer, liner; **~flugzeug** *n* passenger plane, air liner; **~gut** *n* luggage, *Am.* baggage; **~liste** *f* list of passengers.

Passah [ˈpasa] *n* (-s), *usu.* **~fest** *n* passover.

ˈPaß-amt *n* passport office.

Passant(in *f*) [paˈsant(in)] *m* (-en, -en; -, -nen) passer-by, *pl.* passers--by.

Passat [paˈsaːt] *m* (-[e]s; -e), **~wind** *m* trade-wind; **~strömung** *f* equatorial current.

ˈPaßbild *n* passport photo(graph).

passen [ˈpasən] **I.** *v/i.* (*h.*) fit (*j-m* a p.; *auf acc.*, *für*, *zu et.* a th.), *w.s. a.* fit in; become (*j-m* a p.); suit (*j-m* a p.), be suitable *or* convenient; tally, harmonize, agree (together), *zu e-m Kleid, etc.* go with, match (*a dress, etc.*); *cards, sports*: pass; *ich passe!* **a)** *cards*: no bid!, **b)** *fig.* not for me!; *~ auf* (*acc.*) watch (*or* wait) for; *das Kleid paßt nicht* the dress is a bad fit; *das paßt mir großartig* that suits me to a T; *er paßt nicht für diese Arbeit* he is not suited (*or* cut out *or* the man) for this job; *sie ~ zueinander* they are well matched; *wenn es dir nicht paßt* if you don't like it; *nur wenn es ihnen (in den Kram) paßte* only when they felt like it; *das würde dir so ~!* what next?, my eye!; **II.** *sich ~* be fit *or* proper *or* seemly; *es paßt sich nicht* it is not done, it is not good form; it is out of place; *es paßt sich nicht für einen Staatsmann* it ill becomes (*or* befits) a statesman; **~d** *adj.* fit, suitable, suited; convenient (*für* to, for); *gut ~* well-fitting, form-fitting, becoming (*dress*); *dazu ~ gloves, etc.*, to match; apt, timely (*remark*); right, fitting (*word*); seasonable, opportune (*time*); corresponding; becoming, seemly; *für ~ halten* think fit *or* proper.

Passepartout [paspar'tuː] *m* (-s; -s) masterkey; free admission ticket; mount (*for pictures*).

ˈPaß...: **~form** *f* fit; **~gang** *m riding*: amble; **~gänger** *m* (-s; -) ambler.

passierbar [paˈsiːrbɑːr] *adj.* passable, practicable.

pasˈsieren *v/t.* (*h.*) pass (over, through), go through; clear; *cul.* pass, strain; *v/i.* (*sn*) *fig.* happen, occur, take place, come to pass; *ist es dir schon passiert, daß?* has it ever happened to you that?, did you ever happen to *inf.*?; *colloq. jetzt ist es passiert!* the fat is in the fire!

Pasˈsierschein *m* pass, permit.

Passion [paˈsioːn] *f* (-; -en) passion, *fig. a.* craze; hobby; (-) *eccl.* Passion (of Christ).

passioniert [-sioˈniːrt] *adj.* impassioned, passionate, ardent, enthusiastic; *~er Radiobastler, etc.* radio, *etc.*, -fan.

Passiˈons...: **~spiel** *n* Passion play; **~woche** *f* Passion Week.

passiv [ˈpasiːf] *adj.* passive; *econ.* on the liabilities side; → *Bestechung*; *~e Bilanz* debit balance; *~er Widerstand* passive resistance; *~es Wahlrecht* eligibility; *~er Wortschatz* recognition vocabulary; **ˈPassiv** *gr. n* (-s; -e), **Passivum** [-ˈsiːvum] *n* (-s; -va) passive (voice).

Pasˈsiv|a, ~en *econ. pl.* liabilities; **~handel** *m* passive trade.

passi|vieren [-siˈviː-] *econ. v/t.* (*h.*) enter on the liability side; *sich ~ balance of trade*: become adverse; **2viˈtät** [-sivi-] *f* (-) passivity, inaction.

Pasˈsiv...: **~posten** *econ. m* debit item; **~saldo** *m* debit balance; **~seite** *f* liability side.

ˈPaß...: **~kontrolle** *f* passport inspection; **~sitz** *tech. m* snug fit; **~stelle** *f* passport office; **~stück, ~teil** *tech. n* fitting (part); adapter.

ˈPassung *tech. f* (-; -en) fit.

Passus [ˈpasus] *m* (-; -) passage.

ˈPaßzwang *m* obligation to carry passports.

Paste [ˈpastə] *f* (-; -n) paste.

Pastell [paˈstɛl] *n* (-[e]s; -e) *colo(u)r, painting, picture*: pastel; crayon; **~maler(in** *f*) *m* pastel(l)ist.

Pastete [paˈsteːtə] *f* (-; -n) pie; **~nkruste** *f* pie-crust.

pasteurisier|en [pastøriˈziːr-] *v/t.* (*h.*) pasteurize; **2apparat** *m* pasteurizer.

Pastille [paˈstilə] *f* (-; -n) lozenge, pastil(l)e.

Pastor [ˈpastɔr] *m* (-s; -ˈtoren) vicar; minister.

Pastorale [pastoˈrɑːlə] *f* (-; -n) *eccl.* pastoral (letter); *mus.* pastorale.

Pate [ˈpɑːtə] *m* (-n; -n) **1.** sponsor (= *m* godfather, *f* godmother); *~ stehen* stand godfather (*f* godmother) (*bei* to), *a. fig.*; stand sponsor (to); **2.** godchild; **~ngeschenk** *n* christening present; **~nkind** *n* godchild; **~nstelle** *f* sponsorship; *~ vertreten bei* → *Pate stehen.*

Patent [paˈtɛnt] *n* (-[e]s; -e) *econ., jur.* patent (*auf* for); *mil.* (officer's) commission; *ein ~ anmelden* apply for a patent; *~ angemeldet* Patent pending, Patent Applied For; *ein ~ erteilen* grant (*or* issue) a patent (*dat.* to); *ein ~ verwerten* exploit a patent; *2 colloq. adj.* clever, ingenious; *~er Kerl* fine (*or* splendid) fellow; **~amt** *n* Patent Office; **~anmelder** *m* (-s; -) applicant of a patent; **~anmeldung** *f* (patent) application; **~anspruch** *m* (patent) claim; **~anwalt** *m* patent attorney; **~beschreibung** *f* patent specification; **~einspruch** *m* opposition; **~erteilung** *f* issue of letters patent; **2fähig** *adj.* patentable; **~geber** *m* patentor; **~gebühr** *f* (patent-)fee; **~gegenstand** *m* object of a patent; **~gesetz** *n* Patent Act.

paten|tierbar [-ˈtiːr-] *adj.* patentable; **~tieren** *v/t.* (*h.*) (protect by) patent; (*sich*) *et. ~ lassen* take out a patent for a th.; *patentiert* patented.

Paˈtent...: **~inhaber(in** *f*) *m* patent-holder, patentee; **~lösung** *f* pat solution; **~recht** *n* patent law; patent right(s *pl.*); **2rechtlich** *adv.*: *~ geschützt* patented, protected (by patent); **~schrift** *f* patent specification; **~schutz** *m* protection by patent; **~streit** *m* patent litigation; **~urkunde** *f* letters patent; **~verletzung** *f* patent infringement; **~verschluß** *m* patent stopper.

Pater [ˈpɑːtər] *eccl. m* (-s; *Patres* [-treːs]) father.

Paternoster [patərˈnɔstər] *n* (-s; -) paternoster, the Lord's Prayer; rosary, beads *pl.*; **~aufzug** *m* paternoster lift; **~werk** *n* chain-pump.

pathetisch [paˈteːtiʃ] *adj.* pathetic (-ally *adv.*).

Patho|log [patoˈloːk] *m* (-en; -en), **~loge** [-ˈloːgə] *m* (-n; -n) pathologist; **~loˈgie** [-lo-] *f* pathology; **2ˈlogisch** *adj.* pathological.

Pathos [ˈpɑːtɔs] *n* (-) pathos.

Patience [paˈsjɑ̃s] *f* (-; -n) *cards*: patience, solitaire.

Patient [patsiˈɛnt] *m* (-en; -en), **~in** *f* (-; -nen) patient; *ambulanter ~* out-patient; *stationärer ~* in-patient.

Patin [ˈpɑːtin] *f* (-; -nen) → *Pate.*

Patina [ˈpɑːtina] *f* (-) patina, verd--antique; **patinieren** [patiˈniː-] *v/t.* (*h.*) patinate.

Patriarch [patriˈarç] *m* (-en; -en) patriarch; **patriarchalisch** [-ˈçɑː-liʃ] *adj.* patriarchal.

Patrimonium [patriˈmoːnium] *n* (-s; -ien) patrimony.

Patriot [-ˈoːt] *m* (-en; -en), **~in** *f* (-; -nen) patriot; **2isch** *adj.* patriotic(ally *adv.*).

Patriotismus [-oˈtismus] *m* (-) patriotism.

Patrize [paˈtriːtsə] *tech. f* (-; -n) counter-die, punch.

Patriz|ier [-ˈtriːtsiər] *m* (-s; -), **~ierin** *f* (-; -nen) patrician; **2isch** *adj.* patrician.

Patron [paˈtroːn] *m* (-s; -), **~in** *f* (-; -nen) patron(ess *f*), protector (*f* protectress); *colloq.* fellow, bloke, *Am.* customer.

Patronat [-troˈnɑːt] *n* (-[e]s; -e) patronage.

Patrone [paˈtroːnə] *f* (-; -*n*) *tech.* model, pattern; stencil; mandrel; *mil.* cartridge, *Am. a.* shell; **~nauswerfer** *m* ejector; **~ngürtel** *m* cartridge belt; **~nhülse** *f* cartridge case; **~ntasche** *f* ammunition pocket, pouch; **~nzuführung** *f* catridge feed.

Patrouille [paˈtruljə] *f* (-; -*n*) patrol; **~nboot** *n* patrol-boat; **patrouillieren** [-ˈljiːrən] *v/i.* (*h.*) patrol.

patsch! [patʃ] *int.* slap!, smack!

ˈ**Patsche** *colloq. f* (-; -*n*) paw; puddle, pool, slush; *fig. in der ~ sitzen* be in a scrape *or* jam; *in die ~ geraten* get into a scrape, get into hot water; *j-m aus der ~ helfen* get a p. out of a scrape; *j-n in der ~ lassen* leave a p. in the lurch; **2n** *v/i. and v/t.* (*h.*, *sn*) splash; smack, slap.

ˈ**Patsch...:** **~hand** *f*, **~händchen** *n* (little) paw; **2naß** *adj.* soaked to the skin, dripping (wet), drenched.

Patschuli [ˈpatʃuli] *n* (-*s*; -*s*) patchouli.

Patt [pat] *n* (-*s*; -*s*), **2** *adj. chess*: stalemate; **2** *setzen* stalemate.

patzen [ˈpatsən] *colloq. v/i.* (*h.*) *thea. sl.* fluff; *w.s.* bungle, botch; muff (it).

patzig [ˈpatsiç] *colloq. adj.* rude, snappish; insolent, snotty.

Pauke [ˈpaukə] *f* (-; -*n*) *mus.* **a**) bass drum, **b**) kettle-drum, timpani; *anat.* tympanium; *mit ~n und Trompeten* with drums beating and trumpets sounding, *colloq. fig.* utterly, awfully; *colloq.* (*tüchtig*) *auf die ~ hauen* paint the town red, make whoopee.

pauken [ˈpaukən] *v/i. and v/t.* (*h.*) *mus.* beat the (kettle-)drums; *~ auf* thump (*the piano*); *univ.* (*sich*) *mit j-m ~* (fight a) duel with a p.; *ped.* cram, swot, *Am.* bone (up on *a th.*); **2schlag** *m* beat of the (kettle-)drum; *fig. mit e-m ~* with a bang; **2schläger** *m* (kettle-)drummer.

Pauker [ˈpaukər] *m* (-*s*; -) *mus.* (kettle-)drummer; *sl. ped.* (*teacher*) crammer.

Paukeˈrei *f* (-) *univ.* duel(ling); *w.s.* row, brawl; *ped.* cramming.

Paus|backen [ˈpaus-] *f/pl.* chubby cheeks; **~backengesicht** *n* chubby-face; **2backig**, **2bäckig** [-bakiç, -bɛkiç] *adj.* chubby(-faced).

pauschal [pauʃɑːl] **I.** *adj.* lump-sum, global, overall; **II.** *adv.* globally; *hotel, etc.*: all (cost) included, all-in(clusive); *fig.* in the lump; **2e** *f* (-; -*n*) lump sum, global amount; *hotel, etc.*: all-inclusive price, *Am.* American plan; **2gebühr** *f* flat rate; **2kauf** *m* purchase in bulk; **2police** *f* open (*Am.* unvalued) policy; **2reise** *f* tour all (*or* terms) included, package-deal tour; **2satz** *m* → *Pauschalgebühr*; **2steuer** *f* comprehensive tax; **2summe** *f* lump sum, flat sum; **2versicherung** *f* blanket insurance; **2zahlung** *f* composition payment.

Pausch... → *Pauschal...*

Pause [ˈpauzə] *f* (-; -*n*) pause, stop, interval; *ped.* break, *Am.* recess; *thea.* interval, *Am.* intermission; *mus.* rest; lull; *tech.* tracing, traced design, blueprint; *e-e ~ einlegen or machen* (make a) pause; **2n** *v/t.* (*h.*) trace; **2nlos I.** *adj.* uninterrupted, incessant, ceaseless, non-stop; unrelenting; **II.** *adv.* incessantly, *etc.*; **~nzeichen** *n radio*: station (identification) signal.

pausieren [-ˈziː-] *v/i.* (*h.*) (make a) pause, (take a) rest.

ˈ**Paus-papier** *n* tracing-paper.

Pavian [ˈpɑːviɑːn] *m* (-*s*; -*e*) baboon.

Pavillon [ˈpaviljɔŋ, -ˈljɔ̃] *m* (-*s*; -*s*) pavilion.

pazifisch [paˈtsiːfiʃ] *adj.*: *der* **2e** *Ozean* the Pacific.

Pazifismus [-tsiˈfis-] *m* (-) pacifism.

Paziˈfist *m* (-*en*; -*en*), **~in** *f* (-; -*nen*) pacifist; **2isch** *adj.* pacifistic(ally *adv.*).

Pech [pɛç] *n* (-*s*; -*e*) pitch; *colloq. fig.* (-*s*) bad luck, ill-luck, *Am. a.* tough break, hard luck (*or* lines); mishap; *~ haben* have no luck, be down on one's luck, strike a bad patch; *fig. wie ~ und Schwefel zusammenhalten* stick together, be inseparable; ˈ**~blende** *min. f* pitchblende; ˈ**~draht** *m* pitch-thread; ˈ**~fackel** *f* torch; ˈ**~faden** *m* pitched thread; ˈ**~harz** *m* pitch resin; **2ig** *adj.* pitchy; ˈ**~kiefer** *f* pitch pine; ˈ**~kohle** *f* bituminous coal; ˈ**2schwarz** *adj.* (as) black as pitch, jet-black; pitch-dark (*night*); ˈ**~strähne** *f* run of bad luck, *Am. a.* streak of hard luck; ˈ**~vogel** *m fig.* unlucky fellow.

Pedal [peˈdɑːl] *n* (-*s*; -*e*) pedal; *in die ~e treten* work the pedals, pedal away; *colloq.* *~e pl.* (*feet*) trotters.

Pedant [peˈdant] *m* (-*en*; -*en*), **~in** *f* (-; -*nen*) pedant, stickler; **~erie** [-təˈriː] *f* (-; -*n*) pedantry; **2isch** [-ˈdan-] *adj.* pedantic(ally *adv.*).

Pedell [peˈdɛl] *m* (-*s*; -*e*) beadle, *univ.* proctor's man; *ped.* janitor.

Pediküre [pediˈkyːrə] *f* (-; -*n*) pedicure.

Pegel [ˈpeːgəl] *m* (-*s*; -) water-ga(u)ge; *tech.* level; **~stand** *m* water level.

Peil|anlage [ˈpaɪl-] *f* direction finder installation, *mar.* sounding device; **~antenne** *f* direction finder (*abbr.* D.F.) aerial, *Am.* antenna; **~empfänger** *m* D.F. receiver; **2en** *mar. v/t.* (*h.*) sound, ga(u)ge; take the bearings of (*land*); **~funkgerät** *n* wireless (*Am.* radio) direction finder; **~kompaß** *m* radio compass; **~lot** *n* plummet, sounding-lead; **~station** *f* direction finding station; **~tisch** *m* plotting board; **~ung** *f* (-; -*en*) *mar.* sounding; *of land*: (taking the) bearings *pl.*; bearings, *aer.*, *radio*: direction finding, radio bearing.

Pein [paɪn] *f* (-) pain; torment, torture, agony, anguish; suffering(s *pl.*); ˈ**2igen** *v/t.* (*h.*) torment, torture, rack, *fig. a.* harass, tantalize, pester; ˈ**~iger**(**in** *f*) *m* (-*s*, -; -, -*nen*) tormentor; ˈ**~igung** *f* (-; -*en*) torment, torture.

peinlich [ˈpaɪnliç] **I.** *adj.* painful (*dat.* for), embarrassing, awkward, distressing; particular, scrupulous, meticulous, painstaking; *jur.* capital, penal; **II.** *adv.*: *~ sauber* scrupulously clean; *j-n ~ berühren* distress a p.; *~ berührt a.* pained; **2keit** *f* (-; -*en*) painfulness, awkwardness; scrupulousness.

Peitsche [ˈpaɪtʃə] *f* (-; -*n*) whip, lash; **2n** *v/t. and v/i.* (*h.*) whip, lash, scourge; apply the whip (to); *parl.* → *durchpeitschen*; **~n-antenne** *f* whip aerial *or* antenna; **~nhieb** *m* cut (*or* lash) with a whip; **~nknall** *m* crack of a whip; **~nschnur** *f* thong, lash; **~nstiel** *m* whip-stick.

Pekinese [pekiˈneːzə] *m* (-*n*; -*n*) (*dog*) pekin(g)ese.

pekuniär [pekuˈniɛːr] *adj.* pecuniary.

Pelerine [peləˈriːnə] *f* (-; -*n*) pelerine; tippet, cape.

Pelikan [ˈpeːlikɑːn] *m* (-*s*; -*e*) pelican.

Pellagra [ˈpɛlagra] *med. n* (-*s*) pellagra.

Pelle [ˈpɛlə] *f*, **2n** *v/t.* (*h.*) peel, skin; → *Ei.*

ˈ**Pellkartoffeln** *f/pl.* potatoes in their jackets *or* skins.

Pelz [pɛlts] *m* (-*es*; -*e*) fur; *w.s.* skin, hide; *mit ~ besetzen* (*füttern*) trim (line) with fur; *colloq. j-m auf den ~ rücken* press a p. hard; ˈ**~besatz** *m* fur trimming; ˈ**2besetzt** *adj.* trimmed with fur, furred; ˈ**~futter** *n* fur lining; ˈ**2gefüttert** *adj.* fur-lined; ˈ**~geschäft** *n* fur shop; ˈ**~handel** *m* fur trade; ˈ**~händler** *m* furrier; ˈ**~handschuh** *m* furred glove; ˈ**2ig** *adj.* furry; *med.* furred (*tongue*); numb (*legs, etc.*); stringy (*radish*); ˈ**~jacke** *f* fur jacket; ˈ**~jäger** *m* trapper; ˈ**~kragen** *m* fur collar; *for ladies*: fur tippet *or* cape; ˈ**~mantel** *m* fur coat; ˈ**~mütze** *f* fur cap; ˈ**~stiefel** *m* fur-lined boot; ˈ**~tiere** *n/pl.* fur-bearing animals, furs; ˈ**~tierjäger** *m* trapper; ˈ**~tierzucht** *f* fur farming; ˈ**~verbrämung** *f* → *Pelzbesatz*; ˈ**~ware** *f*, ˈ**~werk** *n* (-[e]s) furriery, furs *pl.*

Pendel [ˈpɛndəl] *n* (-*s*; -) pendulum; **~achse** *f* swinging half-axle; **~kugellager** *n* self-aligning ball bearing; **2n** *v/i.* (*h.*, *sn*) oscillate, swing; *with body*: sway, *boxing*: (bob and) weave; *rail.* shuttle, *Am.* commute; **~säge** *f* pendulum saw; **~schlag** *m*, **~schwingung** *f* swing of the pendulum; *phys.* oscillation; **~staffel** *f sports*: shuttle relay; **~tür** *f* swinging door; **~uhr** *f* pendulum clock; **~verkehr** *m* shuttle service; **~zug** *rail. m* shuttle (*Am.* commuter) train.

Pendler [ˈpɛndlər] *rail. m* (-*s*; -) season-ticket holder, *esp. Am.* commuter.

penetrant [peneˈtrant] *adj.* penetrating.

penibel [peˈniːbəl] *adj.* particular, fussy, difficult, pernickety.

Penis [ˈpeːnis] *anat. m* (-; -*se*) penis.

Penizillin [penitsiˈliːn] *n* (-*s*; -*e*) penicillin.

Pennal [pɛˈnɑːl] *n* (-*s*; -*e*) school; **Pennäler** [-ˈnɛːlər] *m* (-*s*; -) (grammar-)schoolboy.

Pennbruder ['pɛn-] *colloq.* *m* tramp, *Am.* hobo, bum.
Penne ['pɛnə] *colloq.* *f* (-; -*n*) doss-house, *Am.* flophouse; *ped.* school; **2n** *colloq.* *v/i.* (*h.*) snooze, sleep.
Pension [paŋ'zio:n, pã'sio:n] *f* (-; -*en*) (old-age) pension; *mil.* retired pay; board; boarding-house, private hotel; boarding-school; *mit ~ verabschiedet* pensioned off; *in ~ gehen* retire; *in ~ sein* be retired, live in retirement.
Pension|är(in *f*) [-o'nɛ:r(in)] *m* (-*s*, -*e*; -, -*nen*) pensionary; boarder; **~at** [-o'nɑ:t] *n* (-[*e*]*s*; -*e*) boarding-school; **2ieren** [-o'ni:-] *v/t.* (*h.*) pension (off), superannuate; *mil.* put on the retired list *or* on half-pay; *sich ~ lassen* retire; **2iert** *adj.* retired, in retirement; **~ierung** *f* (-; -*en*) pensioning off; retirement.
Pensi'ons...: **~alter** *n* retiring age; **2berechtigt** *adj.* pensionable; **~berechtigung** *f* right to a pension; **~fonds** *m* pension fund; **~gast** *m* boarder; **~kasse** *f* → *Pensionsfonds*; **~preis** *m* board; **2reif** *adj.* due for retirement.
Pensum ['pɛnzum] *n* (-*s*; -*sen*) task, lesson; → *Lehrplan*; *w.s. großes ~* a great deal of work.
Penta'gramm [pɛnta-] *n* (-*s*; -*e*) pentacle.
Pentode [-'to:də] *el.* *f* (-; -*n*) pentode.
Pepsin [pɛp'si:n] *n* (-*s*; -*e*) pepsin.
per [pɛr] *prp.* per, by; *~ Adresse* care of (*abbr.* c/o); *~ Bahn* by train, by rail; *~ Kasse* for cash; *~ pedes* on foot; *~ Saldo* by balance.
perennierend [perɛ'ni:rənt] *bot.* *adj.* perennial.
perfekt [pɛr'fɛkt] *adj.* perfect, accomplished; *contract, etc.*: settled, concluded; *e-e Sache ~ machen* clinch a deal; **Perfekt** ['pɛr-] *n* (-[*e*]*s*; -*e*), **Per'fektum** *gr.* *n* (-*s*; -*ta*) perfect (tense).
perfid [pɛr'fi:t] *adj.* perfidious; **Perfidie** [-fi'di:] *f* (-; -*n*) perfidy.
perforier|en [-fo'ri:r-] *v/t.* (*h.*) perforate; **2maschine** *f* perforating machine; **2ung** *f* (-; -*en*) perforation.
Pergament [pɛrga'mɛnt] *n* (-[*e*]*s*; -*e*) parchment (*a.* *~urkunde*); **~band** *m* (-*es*; ⁼*e*) parchment (*or* vellum) binding *or* volume; **2en** *adj.* (of) parchment; parchment-like.
pergamen'tieren *v/t.* (*h.*) parchmentize.
Perga'ment...: **~papier** *n* parchment paper, thick vellum; grease-proof paper; **~rolle** *f* scroll of parchment.
Pergamin [-'mi:n] *n* (-*s*) pergamyn, imitation parchment.
Period|e [pe'rio:də] *f* (-; -*n*) period; cycle; *math.*, *mus.* repetend; *meteor.* spell; *el.* (complete) cycle; *~n pl. je Sekunde* cycles per second (*abbr.* cps), *usu.* cycles; *physiol.* period, menses *pl.*; **~enumformer** *el.* *m* frequency changer; **~enzahl** *el.* *f* frequency, number of cycles; **2isch** *adj.* periodic(al); *math.* *~er Dezimalbruch* recurring decimal; *~ erscheinende Zeitschrift* periodical; *phys.* *~es System der Elemente* periodic table.
Periodizität [perioditsi'tɛ:t] *f* (-) periodicity.
peripher [-'fe:r] *adj.* peripheral; *mil.* *~e Verteidigung* perimeter defen|ce, *Am.* -se.
Peripherie [-fe'ri:] *f* (-; -*n*) circumference, periphery; outskirts *pl.* (*of town*).
peri'pherisch *adj.* peripheric(al).
Periskop [peri'sko:p] *n* (-*s*; -*e*) periscope.
Perkussion [pɛrku'sio:n] *f* (-) percussion; **~szylinder** *m* percussion fuse.
perkutan [-'tɑ:n] *adj.* percutaneous.
Perl-asche [pɛrl-] *f* (-) pearl-ash.
'**Perle** *f* (-; -*n*) pearl; bead; *fig.* gem, jewel; *~n vor die Säue werfen* cast (one's) pearls before swine.
'**perlen** *v/i.* (*h.*) *drink*: rise in pearls, sparkle, effervesce; *sweat*: bead (*j-m von der Stirne* a p.'s forehead); glisten; *tones*: pearl; *laughter*: ripple.
'**Perlen...:** **~fischer** *m* (**~fische'rei** *f*) pearl fisher(y); **~kette, ~schnur** *f* string of pearls *or* beads; pearl necklace; **~sticke'rei** *f* embroidery in pearls, beading.
'**Perl...:** **2grau** *adj.* pearl-grey; **~graupen** *f/pl.* pearl-barley; **~huhn** *n* guinea-fowl *or* -hen; **~korn** *n* *rifle*: bead sight; **~muschel** *f* pearl-oyster; **~mutt** *n* (-*s*), **~mutter** *f* (-) mother-of-pearl, nacre; **~mutterglanz** *m* nacreous lustre, *Am.* -er; **~schrift** *typ.* *f* pearl; **~zwiebel** *f* pearl-onion.
permanen|t [pɛrma'nɛnt] *adj.* permanent; **2z** *f* (-) permanence.
Permanganatlösung [pɛrmaŋga-'nɑ:t-] *chem.* *f* permanganate solution.
perniziös [pɛrni'tsiø:s] *med.* *adj.* pernicious.
peroral [pɛrˀo'rɑ:l] *med.* *adv.* per os, perorally.
Perpendikel [pɛrpɛn'di:kəl] *m and n* (-*s*; -) pendulum; *math.* perpendicular.
perplex [pɛr'plɛks] *adj.* perplexed, bewildered, dum(b)founded.
Persenning [pɛr'zɛniŋ] *mar.* *f* (-; -*e*[*n*]) tarpauling.
Perser(in *f*) ['pɛrzər(in)] *m* (-*s*, -; -, -*nen*) Persian.
'**Perserteppich** *m* Persian carpet.
Persianer [-'ziɑ:nər] *econ.* *m* Persian lamb(skin).
Persiflage [pɛrsi'flɑ:ʒə] *f* (-; -*n*) persiflage.
persiflieren [-'fli:-] *v/t.* (*h.*) satirize, burlesque.
'**persisch** *adj.* Persian; (of) Iran.
Person [pɛr'zo:n] *f* (-; -*en*) person; individual; *w.s.* personage; *thea.* character, part, rôle; *~en pl. der Handlung* dramatis personae; *jur.* *dritte ~* third party; → *juristisch*; *alle(s) in einer ~* all rolled in one; *die eigene ~* one's self; *10 Mark pro ~* a head; *ich für meine ~* I for one (*or* my part), as for me; *in* (*eigener*) *~* in person, personally, himself, herself; *jur.* *von ~ bekannt* of known identity.
Personal [-zo'nɑ:l] *n* (-*s*) personnel, staff, employees *pl.*; attendants, servants *pl.*; *aer.* *fliegendes ~* flying personnel, air crews *pl.*; *ständiges ~* permanent staff; *mit ~ versehen* staff; *unser ~ reicht nicht aus* we are understaffed *or* short-handed; **~abbau** *m* reduction of staff; **~abteilung** *f* staff department, *Am.* personnel division; **~akte** *f* personnel file; **~amt** *n* personnel office; *Brit.* Records Office, *Am.* Personnel Division; **~angaben** *f/pl.* personal data; **~aufwendungen** *f/pl.* salaries and wages; **~ausweis** *m* identity card; **~bestand** *m* (number of) personnel; **~büro** *n* personnel office; **~chef** *m* personnel manager; **~gesellschaft** *f* company with unlimited liability, personal partnership; **~ien** [-'nɑ:liən] *pl.* particulars, personal data; *j-s ~ aufnehmen* obtain the particulars *of a p.*; **~kredit** *m* personal credit; **~pronomen** *gr.* *n* personal pronoun; **~union** *f* personal union; **~wechsel** *m* (-*s*) personal changes *pl.*, relief (*of a p.*).
Per'sonen...: **~aufzug** *m* (passenger) lift, *Am.* elevator; **~beförderung** *f* conveyance of passengers, passenger service; **~beschreibung** *f* physical description; **~dampfer** *m* passenger-boat; **~kraftwagen** *m* passenger car, motorcar, *Am.* *a.* automobile; **~kreis** *m* circle; *adm.* category of persons; **~kult** *m* personality cult; **~schaden** *m* personal injury; **~stand** *m* (-*es*) (personal) status; **~standsregister** *n* register of births, deaths and marriages; **~vereinigung** *f* association; **~verkehr** *m* passenger traffic; **~verzeichnis** *n* list of persons; *thea.* dramatis personae; **~wagen** *m* *rail.* passenger carriage, coach; *mot.* → *Personenkraftwagen*; **~zug** *rail.* *m* **a**) passenger-train, **b**) omnibus (*Am.* accomodation *or* way) train.
Personifi|kation [pɛrzonifika-'tsio:n] *f* (-) personification; embodiment; **2zieren** [-fi'tsi:-] *v/t.* (*h.*) personify, impersonate, embody.
persönlich [-'zø:nliç] **I.** *adj.* personal; private (*opinion, etc.*; *a. on letters*); *~e Auslagen* out-of-pocket expenses; *~e Beleidigung* personal abuse; → *Habe*; *~ werden* make personal remarks, take to personalities; **II.** *adv.* personally, in person; himself (*or* herself); *~ haften* be personally liable; et. *~ nehmen* take a th. personally; **2keit** *f* (-; -*en*) personality; personage; **2keitsrecht** *n* *jur.* right of privacy; **2keitsspaltung** *f* dual (*or* split) personality.
Perspektiv [pɛrspɛk'ti:f] *opt.* *n* (-*s*; -*e*) telescope, field-glass; **~e** [-və] *f* (-; -*n*) perspective, *fig.* *a.* prospect, view; **2isch** *adj.* perspective; *fig.* prospective.
Peru [pe'ru:, -ru] *n* (-*s*) Peru; **Peru'an|er(in** *f*) *m* (-*s*, -; -, -*nen*), **2isch** *adj.* Peruvian.
Perücke [pɛ'rykə] *f* (-; -*n*) wig; toupee.
'**Perurinde** *f* Peruvian bark, cinchona.
pervers [pɛr'vɛrs] *adj.* perverse; *~er Mensch* pervert; **Perversität** [-zi'tɛ:t] *f* (-; -*en*) perverseness, perversity.
Pessar [pɛ'sɑ:r] *med.* *n* (-*s*; -*e*) pessary.

Pessimismus [pɛsiˈmis-] *m* (-) pessimism.
Pessiˈmist *m* (-en; -en), **~in** *f* (-; -nen) pessimist; **2isch** *adj.* pessimistic(ally *adv.*).
Pest [pɛst] *f* (-) plague, pestilence; epidemic; *fig.* pest, nuisance; *ich hasse es wie die ~* I hate it like poison; *er haßt ihn wie die ~* *Am. a.* he hates his guts; **ˈ2artig** *adj.* pestilential; **ˈ~beule** *f med.* plague-boil, bubo; *fig.* → **ˈ~flecken** *m* plague-spot; **ˈ~geruch** *m* pestilential smell; **ˈ~hauch** *m* miasma; **~ilenz** [-ˈlɛnts] *f* (-; -en) pestilence; **ˈ2krank** *adj.* plague-infected; **ˈ~luft** *f* pestilential (*or* foul) air.
Petent [peˈtɛnt] *m* (-en; -en) petitioner.
Petersilie [petərˈziːljə] *f* (-; -n) parsley.
ˈPeterskirche *f* St. Peter's (Church).
Petit [pəˈtiː] *typ. f* (-) brevier.
Petition [petiˈtsioːn] *f* (-; -en) petition.
Petitiˈonsweg *m*: *auf dem ~e* by way of petition.
Petroleum [peˈtroːleum] *n* (-s) petroleum, crude (*or* rock) oil, *Am. a.* (mineral) oil; paraffin, *esp. Am.* kerosene; **~gesellschaft** *f* petroleum (*Am.* oil) company; **2haltig** *adj.* containing petroleum; **~kocher** *m* petroleum stove; **~lampe** *f* oil lamp, *Am.* kerosene lamp; **~ofen** *m* oil burner; **~quelle** *f* oil-well.
Petschaft [ˈpɛtʃaft] *n* (-s; -e) seal, signet.
Petunie [peˈtuːniə] *bot. f* (-; -n) petunia.
Petz [pɛts] *m* (-es; -e): *Meister ~* (Master) Bruin; **ˈ~e** *f* (-; -n) bitch; she-bear; → *Petzer(in)*.
ˈpetzen *colloq. v/t. and v/i.* (*h.*) tell tales (et. of a th.); *gegen j-n*: peach on, *ped.* sneak against.
ˈPetzer(in *f*) *m* (-s, -; -, -nen) telltale, sneak.
Pfad [pfaːt] *m* path, track.
ˈPfadfinder *m* (-s; -) boy scout; *aer.* pathfinder; *fig.* pioneer; **~bewegung** *f* (-) Boy Scout Movement; **~in** *f* (-; -nen) girl guide, *Am.* girl scout.
ˈpfadlos *adj.* pathless.
Pfaffe [ˈpfafə] *contp. m* (-n; -n) cleric, priest, parson; **~nstück** *n cul.* parson's (*or* Pope's) nose; **~ntum** *n* (-s) priesthood, clericalism; *collect.* parsons, priests *pl.*
pfäffisch [ˈpfɛfiʃ] *adj.* priest-like, clerical.
Pfahl [pfaːl] *m* (-[e]s; ¨e) stake, pale, pile; post; prop; pole; *surv.* picket; *hist.* pillory; *fig. ~ im Fleisch* thorn in one's flesh; *in meinen vier Pfählen* within my four walls; **ˈ~bau** *m* (-[e]s; -ten) pile-work; *hist.* ~ten *pl.* lake-dwellings; **ˈ~bauer** *m* (-s; -) lake-dweller; **ˈ~brücke** *f* pile bridge.
pfählen [ˈpfɛːlən] *v/t.* (*h.*) enclose with a paling; prop; *hist. jur.* impale.
ˈPfahl...: **~ramme** *f* pile driver; **~rost** *m* (-es; -e) pile grating; **~werk** *n* paling, pile-work; *mil.* palisade; **~wurzel** *f* tap-root; **~zaun** *m* paling, stockade.
Pfalz [pfalts] *f* (-): *die ~* the Palatinate; **ˈ~graf** *m* Count Palatine.
pfälzisch [ˈpfɛltsiʃ] *adj.* of the Palatinate, Palatine.
Pfand [pfant] *n* (-[e]s; ¨er) pledge, gage; *econ.* deposit, security; mortgage; *games*: forfeit; *als ~ für* in pledge of; *als ~ halten* hold in pledge; *als* (*or in*) *~ nehmen* accept as pledge, take as security; take in pawn; *ein ~ einlösen* redeem a pledge, take a th. out of pledge; *zum ~e setzen* (put in) pawn; mortgage; pledge (*one's honour*), stake (*one's life*).
pfändbar [ˈpfɛntbar] *adj. jur.* seizable, attachable, distrainable.
ˈPfandbrief *econ. m* mortgage-deed; *stock exchange*: mortgage debenture (*Am.* bond); **~bank** *f* (-; -en) mortgage bank.
pfänden [ˈpfɛndən] *v/t.* (*h.*) seize (as a pledge *or* security); *jur.* distrain upon (*a p. or th.*); attach (*claim*); impound (*cattle*).
ˈPfänderspiel *n* (game of) forfeits.
ˈPfand...: **~geber(in** *f*) *m* → *Pfandschuldner*; **~(leih)haus** *n* pawnshop, *Am.* loan office; **~leiher** *m* pawnbroker; **~nehmer(in** *f*) *m* pledgee; mortgagee; **~recht** *n* (-[e]s) law of distraint and mortgage; *subjective*: lien, *contractual*: pledge; **~schein** *m* pawn-ticket; *econ.* certificate of pledge; **~schuld** *f* mortgage debt; **~schuldner(in** *f*) *m* pledger; mortgager.
ˈPfändung *f* (-; -en) seizure; distraint, attachment; garnishment; **~sbefehl** *jur. m* warrant of distress; **~sbeschluß** *m* order of attachment; **~sverfahren** *n* attachment proceedings.
Pfanne [ˈpfanə] *f* (-; -n) pan; *tech.* ladle; *anat.* socket; *e-e ~voll* a panful; *fig. et. auf der ~ haben* have a th. on (the) fire; **~nknorpel** *anat. m* acetabular cartilage; **~nstiel** *m* pan-handle.
ˈPfannkuchen *m* pancake; *Berliner ~* doughnut.
Pfarr|amt [ˈpfarˀamt] *n* **a)** incumbency, **b)** rectory, **c)** pastorate; **~bezirk** *m* parish.
ˈPfarre, Pfarrei [-ˈraɪ] *f* (-; -n) → *Pfarramt, Pfarrbezirk, Pfarrgemeinde, Pfarrhaus, Pfarrstelle.*
ˈPfarrer *m* (-s; -) parson; rector, vicar; minister.
ˈPfarr...: **~gemeinde** *f* parish; **~haus** *n* parsonage; rectory, vicarage; **~kind** *n* parishioner; **~kirche** *f* parish church; **~sprengel** *m* parish; **~stelle** *f* benefice, (church) living.
Pfau [pfaʊ] *m* (-[e]s; -en) peacock.
ˈPfauen...: **~auge** *n* peacock-butterfly; **~feder** *f* peacock's feather; **~henne** *f* peahen.
Pfeffer [ˈpfɛfər] *m* (-s; -) pepper; *spanischer ~* cayenne(-pepper); *fig. ~ und Salz* (*pattern*) pepper and salt; *colloq. das ist starker ~* that's a bit too thick; *dorthin gehen, wo der ~ wächst* go to Jericho; → *Hase*; **~büchse** *f* pepper-box; **~gurke** *f* gherkin; **2ig** *adj.* peppery; **~korn** *n* peppercorn; **~kraut** *n* savory; **~kuchen** *m* gingerbread; **~minze** *f* peppermint; **~minzplätzchen** *n* peppermint (drop); **2n** *v/t.* (*h.*) pepper, season; *colloq. fig.* chuck, fling; *~ auf* (*acc.*) pepper (*or* pelt) at; *gepfeffert fig.* sharp; exorbitant, steep (*price, etc.*); spicy (*joke, etc.*); **~nuß** *f* ginger(bread)-nut; **~strauch** *m* pepper-shrub.
Pfeife [ˈpfaɪfə] *f* (-; -n) whistle; pipe; *mil.* fife; *mus.* (organ-)pipe; *hunt.* bird-call; (tobacco) pipe; *fig.* → *tanzen.*
ˈpfeifen I. *v/i.* (*h.*) whistle (*dat.* to, for), blow a whistle; *bullet, wind*: whistle, whiz; *thea.* hiss; *radio*: howl; *fig. ~ auf* (*acc.*) not to care a rap for; **II.** *v/t.* (*h.*) whistle (*a tune*); *fig. ich pfeife ihm was* he may whistle for it; → *Loch.*
ˈPfeifen...: **~deckel** *m* pipe-lid; *colloq. fig. ja ~!* nothing doing!; **~halter** *m* pipe rack; **~kopf** *m* pipe-bowl; **~reiniger** *m* pipe cleaner; **~rohr** *n*, **~stiel** *m* pipe-stem; **~spitze** *f* mouthpiece of a pipe; **~stopfer** *m* (-s; -) pipe-stopper; **~ton** *m* (-[e]s; ¨e) pipe-clay.
ˈPfeifer *m* (-s; -) whistler; fife-player, piper.
ˈPfeif|kessel *m* whistling kettle; **~konzert** *n* cat-calls *pl.*; **~patrone** *mil. f* whistling cartridge; **~signal** *n* whistle signal.
Pfeil [pfaɪl] *m* (-[e]s; -e) arrow (*a. sign*), bolt; dart; *arch.* camber (*of an arch*); → *Pfeilhöhe.*
ˈPfeiler *m* (-s; -) pillar (*a. fig.*); column; pier (*of bridge*); post; prop; standard (*of machine*); **~bogen** *m* pier-arch.
ˈPfeil...: **~flügel** *aer. m* swept(-back) wing; **~form** *f mil.* arrow (*or* wedge) formation; *aer.* sweep (-back); **2förmig** *adj.* arrow-shaped; **2gerade I.** *adj.* (as) straight as an arrow; **II.** *adv.*: *er kam ~ auf uns zu* he made a beeline for us; **~gift** *n* arrow poison, curare; **~höhe** *f arch.* height of crown, rise; *tech.* ratio of deflection to width between supports; sag; **~motor** *m* V-type engine; **2schnell** *adj.* (as) swift as an arrow; **~schuß** *m* arrow-shot; **~schütze** *m* archer; **~spitze** *f* arrow-head; **~wurfspiel** *n* (game of) darts; **~wurz(el)** *f* arrow-root; **~zeichnung** *tech. f* functional diagram.
Pfennig [ˈpfɛniç] *m* (-[e]s; -e) *fig.* penny, farthing, *Am.* cent; *er hat keinen ~* he hasn't a penny to his name; **~fuchser(in** *f*) *m* (-s, -; -, -nen) pinch-penny.
Pferch [pfɛrç] *m* (-[e]s; -e) fold, pen; **ˈ2en** *v/t.* (*h.*) pen, fold; *fig.* cram.
Pferd [pfɛrt] *n* (-[e]s; -e) horse; *chess*: knight; *gym.* vaulting-horse; *ein ~ besteigen* mount a horse, climb into saddle; *vom ~e steigen* dismount; *zu ~e* **a)** on horseback, **b)** mounted (*troops, etc.*); *fig. aufs falsche ~ setzen* back the wrong horse; *das ~ beim Schwanz aufzäumen* put the cart before the horse; *sich aufs hohe ~ setzen* ride the high horse; *er arbeitet wie ein ~* he works like a nigger; *keine zehn ~e bringen mich dahin* wild horses won't drag me there; *mit ihr kann man ~e stehlen* she is a good sport; → *Gaul, Roß.*
ˈPferde... [-də-]: **~bahn** *f* horse-tram; **2bespannt** *adj.* horse-

-drawn; **~bremse** *f* horse-fly; **~decke** *f* horse blanket; **~dieb** *m* horse-thief; **~fleisch** *n* horse-flesh, horse-meat; **~fliege** *f* → *Pferdebremse*; **~fuhrwerk** *n* horse-drawn vehicle; **~fuß** *m* club-foot; *fig.* cloven hoof; **~futter** *n* fodder, provender; **~geschirr** *n* harness; **~haar** *n* horse hair; **~handel** *m* trade in horses, horse-dealing; **~händler** *m* horse dealer (*Am.* trader); **~huf** *m* horse's hoof; **~knecht** *m* groom; ostler; **~koppel** *f* paddock, *Am. a.* corral; **~kraft** *f* → *Pferdestärke*; **~länge** *f sports*: *um zwei ~en* by two lengths; **~liebhaber** *m* horse-fancier; **~markt** *m* horse fair; **~mist** *m* horse-dung; **~natur** *f*: *er hat e-e ~* he is as strong as a horse; **~rennbahn** *f* race-course, *Am.* race track; **~rennen** *n* horse race; **~schwanz** *m* horse's tail; *of girl*: pony tail; **~schwemme** *f* horse-pond; **~stall** *m* stable; **~stärke** *tech. f* (PS) horse power (*abbr.* h.p. *or* H.P.); **~verstand** *fig. m* horse sense; **~wagen** *m* horse carriage; **~wechsel** *m* change of horses, relay; **~zucht** *f* horse breeding; **~züchter** *m* breeder of horses.

pfiff [pfif] *pret. of pfeifen.*

Pfiff *m* whistle; *thea.* catcall; *fig.* trick; ginger; *e-r Sache den richtigen ~ geben* ginger (*or* jazz) up a th., give it the right twist.

Pfifferling ['pfifərliŋ] *m* (-[e]s; -e) *bot.* chanterelle; *fig.* trifle, straw; *keinen ~ wert* not worth a rush.

'**pfiffig** *adj.* cunning, sly; knowing (*look, smile*); **2keit** *f* (-) cunning, artfulness, craftiness.

'**Pfiffikus** *colloq. m* (-[ses]; -[se]) sly dog, artful dodger.

Pfingst|en ['pfiŋst-] *n* (-), **~fest** *n* Whitsun(tide); **~'montag** *m* Whit-Monday; **~ochse** *colloq. m*: *geputzt wie ein ~* dressed up to the nines; **~rose** *bot. f* peony; **~'sonntag** *m* Whitsunday; **~woche** *f* Whit-week; **~zeit** *f* Whitsuntide.

Pfirsich ['pfirziç] *m* (-[e]s; -e) peach; **~baum** *m* peach(-tree); **~blüte** *f* peach-blossom; **~kern** *m* peach-stone.

Pflanze ['pflantsə] *f* (-; -*n*) plant; **2n** *v/t.* (*h.*) plant (*a. fig.*), set; pot; → *an-, ein-, aufpflanzen.*

'**Pflanzen...:** **~anatomie** *f* phytotomy; **~beschreibung** *f* phytography; **~butter** *f* vegetable butter; **~chemie** *f* phytochemistry; **~eiweiß** *n* (-es) vegetable albumin; **~faser** *f* vegetable fib|re, *Am.* -er; **~fett** *n* vegetable fat (*or cul.*: shortening); **2fressend** *adj.* herbivorous; **~fresser** *m* herbivore; **~kenner(in** *f*) *m* botanist; **~kost** *f* vegetable diet; **~krankheit** *f* plant disease; **~kunde, ~lehre** *f* (-) botany; **~leben** *n* (-s) plant life; **~öl** *n* vegetable oil; **~reich** *n* ([e]s) → *Pflanzenwelt*; **~saft** *m* sap; juice of plants; **~sammlung** *f* herbarium; **~schleim** *m* mucilage; **~schutz** *m* plant protection; **~schutzdienst** *m* phytopathological service; **~schutzmittel** *n* plant-protective agent; **~tier** *n* zoophyte; **~welt** *f* (-) flora, vegetable kingdom; **~zucht** *f* plant breeding.

'**Pflanzer(in** *f*) *m* (-s, -; -, -*nen*) planter; settler, colonist.

'**Pflanzkartoffel** *f* seed potato.

'**pflanzlich** *adj.* vegetable.

Pflänzling ['pflɛntsliŋ] *m* (-[e]s; -e) seedling.

'**Pflanz...:** **~schule** *f* nursery; *fig.* → **~stätte** *f fig.* nursery, seminary, *esp. b.s.* hotbed.

'**Pflanzung** *f* (-; -*en*) plantation; settlement, colony.

Pflaster ['pflastər] *n* (-s; -) *med.* plaster; *fig.* salve, sop; *englisches ~* court-plaster; adhesive (plaster); (road) pavement; *med. ein ~ auflegen* apply a plaster, *fig.* salve; *fig. ein teures ~* an expensive place (to live in); **~arbeit** *f* paving; **~bohrer** *m* road drill; **~er** *m* (-s; -) paviour, *esp. Am.* paver; **2n** *v/t.* (*h.*) *med.* plaster (up); patch (*shoe, etc.*); pave (*road*); **~stein** *m* paving-stone; cobble; **~straße** *f* paved street; **~treter** *colloq. m* (-s; -) loafer, idler.

Pflaume ['pflaumə] *f* (-; -*n*) plum; prune.

'**Pflaumen...:** **~baum** *m* plum-tree; **~kern** *m* plum-stone; **~kuchen** *m* plum-tart; **~mus** *n* plum-jam; **~schlehe** *f* bullace; **2weich** *adj.* (as) soft as a plum; *fig.* weak-kneed.

Pflege ['pfle:gə] *f* (-; -*n*) care; grooming; nursing; (child-)care, rearing; cultivation (*of garden, arts, relations*); *tech.* maintenance; *~ und Wartung* preventive maintenance; *in ~* at nurse; *Kind in ~ geben* put a child out to nurse (*or* to board); *in ~ nehmen* take charge of; *gute ~ angedeihen lassen* take good care of, look well after; **2bedürftig** *adj.* needing care; **~befohlene(r** *m*) *f* charge, ward; **~dienst** *mot. m* service; **~eltern** *pl.* foster-parents; **~heim** *n* charity; nursing home; **~kind** *n* foster-child, nurs(e)ling; **~mittel** *n* dressing, polish; **~mutter** *f* foster-mother.

'**pflegen I.** *v/t.* (*h.*) attend to; nurse; tend; cultivate (*garden, arts, friendship, etc.*); groom; conserve, preserve; *e-r Sache*: apply o.s. to, carry on, keep up (*a th.*); → *Rat, Umgang*; *der Ruhe ~* take one's ease, rest; *sich ~* **a)** take care of o.s., **b)** take it easy, pamper o.s.; → *gepflegt*; **II.** *v/i.* (*h.*): *zu tun ~* be accustomed (*or* used, wont) to, be in the habit of (*ger.*); *sie pflegte zu sagen* she used to say, she would say; *so pflegt es zu gehen* that's the way it goes; *das pflegt so zu sein* that it usually the case; *solche Streiche ~ schlecht auszugehen* such tricks will turn out badly.

'**Pfleger** *m* (-s; -), **~in** *f* (-; -*nen*) fosterer; *med.* (*m* male) nurse; guardian, curator; curator, trustee; conservator; *fig.* promoter.

'**Pflege...:** **~schwester** *med. f* attending nurse; **~sohn** *m* foster-son; **~tochter** *f* foster-daughter; **~vater** *m* foster-father.

pfleglich ['pfle:kliç] **I.** *adj.* careful; **II.** *adv.*: *~ behandeln* take good care of, be easy on; conserve, husband, nurse.

'**Pflegling** [-kliŋ] *m* (-[e]s; -e) foster child; charge, ward.

'**Pflegschaft** *f* (-; -*en*) guardianship; curatorship; trust(eeship).

Pflicht [pfliçt] *f* (-; -*en*) duty (*gegen* to); obligation, liability; responsibility; office; *verdammte ~ und Schuldigkeit* bounden duty; *sports*: compulsory exercise; → *Pflichtspiel, etc.*; *s-e ~ tun* fulfil(l) one's duty, do one's bit; *j-m et. zur ~ machen* urge a th. on a p., make a p. responsible for (doing) a th.; *sich et. zur ~ machen* make it one's duty to *inf.*

'**Pflicht...:** **~aktie** *f* qualifying share; **~beitrag** *m* quota; **2bewußt** *adj.* conscious of one's duty, responsible; **~bewußtsein** *n* sense of duty; **~eifer** *m* zeal; **2eifrig** *adj.* zealous (in one's duty); **~enkreis** *m* duties, responsibilities *pl.*; **~erfüllung** *f* performance of one's duty; **~exemplar** *n* deposit copy; **~fach** *n* compulsory subject; **~figur** *f skating*: compulsory (*or* school) figure; **~gefühl** *n* (-s) sense of duty; **2gemäß I.** *adj.* in conformity with one's duty, due, incumbent; dutiful; **II.** *adv.* duly, dutifully, as in duty bound; **2getreu** *adj.* dutiful, conscientious, loyal, faithful; **2ig** → *pflichtschuldig*; **~lektüre** *f* required reading, set books *pl.*; **2schuldig I.** *adj.* in duty bound; obligatory, liable; **II.** *adv.* duty; **~spiel** *n soccer*: league match; **~teil** *jur. m or n* legal (*or* compulsory) portion; **2treu** *adj.* dutiful, faithful; **~treue** *f* dutifulness, loyalty, devotion; **~turnen** *n* set work; **~übung** *f sports*: set exercise; **2vergessen** *adj.* undutiful; disloyal; **~vergessenheit** *f* dereliction (of duty); **~verletzung** *f* violation of (one's duty); **~versäumnis** *f* (-) neglect of duty, shortcoming; **~versicherung** *f* compulsory insurance; **~verteidiger** *jur. m* assigned counsel, ex-officio defence counsel; **2widrig** *adj.* contrary to (one's) duty, undutiful, disloyal.

Pflock [pflɔk] *m* (-[e]s; ⸚e) peg, plug; pin.

pflöcken ['pflœkən] *v/t.* (*h.*) peg, plug; picket.

pflog [pflo:k] *pret. of pflegen.*

pflück|en ['pflyk-] *v/t.* (*h.*) pick, gather; **2maschine** *f* picker; **2salat** *m* leaf lettuce.

Pflug ['pflu:k] *m* (-[e]s; ⸚e) plough, *Am.* plow; *unter den ~ nehmen* put to the plough, bring into cultivation; **~balken** *m* plough-beam; **~eisen** *n* co(u)lter.

pflügbar ['pfly:k-] *adj.* arable.

'**pflügen** *v/t. and v/i.* (*h.*) plough, *Am.* plow.

'**Pflüger** *m* (-s; -) ploughman.

'**Pflug...:** **~messer** *n* co(u)lter; **~schar** *f* plough-share; **~stellung** *f skiing*: double stem position; **~sterz** *f* plough-handle, stilt.

Pfort·ader ['pfɔrt-] *anat. f* portal vein.

Pförtchen ['pfœrt-] *n* (-s; -) small door *or* gate.

'**Pforte** *f* (-; -*n*) gate, door; *mar.* port.

'**Pförtner** *m* (-s; -) gate-keeper; porter, door-keeper, *Am.* doorman;

janitor; *anat.* pylorus; **~haus** *n*, **~wohnung** *f* keeper's lodge; **~in** *f* (-; -*nen*) portress, porter's wife; janitress.
Pfosten ['pfɔstən] *m* (-*s*; -) post, upright; (door, *etc.*) jamb; *tech.* standard; stake; *soccer*: (goal) post.
Pfote ['pfo:tə] *f* (-; -*n*) paw (*a. humor.* = hand); *colloq. fig.* fist, scrawl.
Pfriem [pfri:m] *tech. m* (-[e]s; -e) awl; punch; *typ.* bodkin.
Pfropf [pfrɔpf] *m* (-[e]s; -e), **~en** *m* (-s; -) stopper; cork; plug; wad; *pharm.* tampon, plug; *med.* **a**) embolus, plug, **b**) thrombus, **c**) core (*of boil*), **d**) plug (*of ear-wax*).
'**pfropfen** *v/t.* (*h.*) stopper, cock; cram (*in acc.* into), stuff (full of); *gepfropft voll* crammed (full); *agr.* graft.
'**Pfropfenzieher** *m* corkscrew.
'**Pfropf...:** **~messer** *n* grafting knife; **~reis** *n* graft, scion.
Pfründe ['pfryndə] *eccl. f* (-; -*n*) prebend; benefice, living; *fig.* sinecure.
Pfuhl [pfu:l] *m* (-[e]s; -e) pool, puddle; *fig.* sink, slough.
Pfühl [pfy:l] *m or n* (-[e]s; -e) pillow; cushion; couch.
pfui! ['pfui] *int.* fie!, phew!, (for) shame!; boo!; ~ *über ihn!* fie upon him!; **2ruf** *m* cry of shame; boo.
Pfund [pfunt] *n* (-[e]s; -e) **1.** pound (*abbr.* lb., *pl.* lbs.); 4 ~ *Butter* four pounds of butter; **2.** ~ (*Sterling*) pound (sterling) (*abbr.* £); *Zahlung erfolgt in* ~ payment is in sterling; *fig. mit s-m ~e wuchern* use one's talent, make the most of one's opportunities.
'**pfundig** [-diç] *colloq. adj.* great, ripping, *Am.* swell, solid.
'**Pfund...:** **~kurs** *m* sterling exchange; **~leder** *n* sole-leather; **~skerl** *colloq. m* topper, brick, *Am.* great guy; **~ssache** *colloq. f* great thing, knockout.
Pfuscharbeit ['pfuʃ-] *f* → *Pfuscherei.*
'**pfuschen** *v/i. and v/t.* (*h.*) bungle, botch, scamp; → *Handwerk.*
'**Pfuscher(in** *f*) *m* (-s, -; -, -*nen*) bungler, botcher; quack.
Pfusche'rei *f* (-; -*n*) bungling, botching; bad job, scamped work.
Pfütze ['pfytsə] *f* (-; -*n*) puddle, pool.
Phalanx ['fɑ:laŋks] *f* (-; -'*langen*) phalanx, (*a. fig.*) array.
phallisch ['faliʃ] *adj.* phallic.
Phänomen [fɛno'me:n] *n* (-s; -e) phenomenon; **phänomenal** [-me-'nɑ:l] *adj.* phenomenal.
'**Phänotyp** *biol. m* phenotype.
Phantasie [fanta'zi:] *f* (-; -*n*) imagination, fancy; inventiveness, invention; (fantastic) vision, fantasy; day-dream; *mus.* fantasia, reverie; *s-e ~ hat ihm e-n Streich gespielt* his imagination has got the better of him (*or* run wild); **~bild, ~gebilde** *n* vision; **2los** *adj.* unimaginative; dull; pedestrian; **~losigkeit** *f* (-) lack of imagination, dullness; **~preis** *m* fancy price; **2reich** *adj.* imaginative; **2ren** *v/i. and v/t.* (*h.*) dream, indulge in fancies *or* day-dreams; ramble, rave (*von* about); *med.* be delirious *or* raving; *er phantasiert a.* his mind is wandering; *mus.* improvise; **2voll** *adj.* imaginative.
Phantast(in *f*) [-'tast(in)] *m* (-*en*, -*en*; -, -*nen*) visionary, dreamer.
Phantaste'rei *f* (-; -*en*) fantasy, fantastic ideas *pl.*, imagination run wild.
phan'tastisch *adj.* fantastic (*a. fig.* = incredible), visionary, fanciful; wild (*ideas*); great, first-rate, terrific.
Phantom [fan'to:m] *n* (-s; -e) phantom; *fenc.* dummy; *med.* manikin, anatomical model.
Pharisä|er [fari'zɛ:ər] *m* (-s; -) Pharisee; **2isch** *adj.* pharisaic(al), self-righteous.
Pharma|kologe [farmako'lo:gə] *m* (-*n*; -*n*) pharmacologist; **~kolo'gie** *f* pharmacology; **~zeut** [-'tsɔʏt] *m* (-*en*; -*en*) pharmacist; pharmaceutical chemist, *Am.* druggist; **~'zeutik** *f* (-) pharmaceutics *pl.*; **2'zeutisch** *adj.* pharmaceutical; **~'zie** *f* (-) pharmacy.
Phase ['fɑ:zə] *f* (-; -*n*) phase (*a. el.*), stage.
'**Phasen...:** **~anzeiger** *m* phase indicator; **~diagramm** *n* phase pattern; **2frei** *adj.*: *~er Widerstand* nonreactive resistor; **2gleich** *adj.* in phase; **~messer** *m* phase meter; **~schieber** *m* phase converter; **~spannung** *f* phase voltage; **~umkehr** *f* phase reversal; **~verschiebung** *f* phase displacement; **~verzögerung** *f* phase lagging; **~zahl** *f* number of phases.
Phenol [fe'no:l] *chem. n* (-s) phenol; **~kunststoff** *m* phenolic.
Phenyl [-'ny:l] *chem. n* (-s) phenyl.
Philanthrop [filan'tro:p] *m* (-*en*; -*en*), **~in** *f* (-; -*nen*) philanthropist; **2isch** *adj.* philanthropic(ally *adv.*).
Philatel|ie [filate'li:] *f* (-) philately; **~ist** *m* (-*en*; -*en*) philatelist.
philharmonisch [filhar'mo:niʃ] *adj.* philharmonic.
Philister [fi'listər] *m* (-s; -) Philistine, *fig. a.* sobersides, square; **2haft** *adj.* philistine, narrow-minded.
Philo|log [filo'lo:k] *m* (-*en*; -*en*), **~loge** [-'lo:gə] *m* (-*n*; -*n*), **~'login** *f* (-; -*nen*) philologist; **~lo'gie** *f* (-; -*n*) philology; **2'logisch** *adj.* philological.
Philo|soph [-'zo:f] *m* (-*en*; -*en*), **~'sophin** *f* (-; -*nen*) philosopher; **~sophie** [-zo'fi:] *f* (-; -*n*) philosophy; **2so'phieren** *v/i.* (*h.*) philosophize (*über acc.* on); **2'sophisch** *adj.* philosophical.
Phiole [fi'o:lə] *f* (-; -*n*) phial, vial.
Phlegma ['flegma] *n* (-s) phlegm; **Phlegmatiker(in** *f*) [-'mɑ:-] *m* (-s, -; -, -*nen*) phlegmatic person; **phleg'matisch** *adj.* phlegmatic.
Phobie [fo'bi:] *f* (-; -*n*) phobia.
Phonet|ik [fo'ne:tik] *f* (-) phonetics *pl.* (*usu. sg.*); **~iker(in** *f*) *m* (-s, -; -, -*nen*) phonetician; **2isch I.** *adj.* phonetic; *~e Schrift* phonetic transcription; **II.** *adv.* phonetically; ~ *darstellen* phoneticize, *Am. a.* transcribe.
Phönix ['fø:niks] *m* (-[e]s; -e) ph(o)enix.
Phöniz|ier(in *f*) [fø'ni:tsiər(in)] *m* (-s, -; -, -*nen*), **2isch** *adj.* Phoenician.
Phono|'graph [fono-] *m* (-*en*; -*en*) phonograph; '**~super** *m* radiogram.
Phosgen [fɔs'gən] *chem. n* (-s) phosgene.
Phosphat [-'fɑ:t] *chem. n* (-[e]s; -e) phosphate; **2isch** *adj.* phosphatic.
Phosphor ['fɔsfɔr] *chem. m* (-s) phosphorus; **~(brand)bombe** *f* phosphorous (incendiary) bomb; **~eisen** *n* ferrophosphorus.
Phosphores|zenz [-rɛs'tsɛnts] *f* (-) phosphorescence; **~zieren** [-'tsi:-] *v/i.* (*h.*) phosphoresce; **~d** phosphorescent.
'**Phosphor...:** **~geschoß** *mil. n* phosphorous bullet *or* shell; **2haltig** *adj.* phosphorated; **2ig** *adj.* phosphorous; **2isch** *adj.* phosphoric; **~metall** *n* phosphide; **2sauer** *adj.* phosphate of; **~säure** *f* (-) phosphoric acid.
Photo ['fo:to] *n* (-s; -s) photo; **~album** *n* photo-album; **~apparat** *m* camera; **~chemie** *f* photochemistry; **2elektrisch** *adj.* photo-electric; **2gen** [foto'ge:n] *adj. biol.* photogenic (*a. phot.*); **~gramme'trie** *f* (-) photogrammetry; **~graph(in** *f*) [-'grɑ:f(in)] *m* (-*en*, -*en*; -, -*nen*) photographer.
Photographie [-gra'fi:] *f* (-; -*n*) (*picture*) photograph, photo, picture; (-) (*art*) photography; **2ren** *v/t. and v/i.* (*h.*) photograph; take a picture of; *sich ~ lassen* have one's photo(graph) taken; *er läßt sich gut ~* he photographs well.
photo'graphisch *adj.* photographic; *~e Kartenaufnahme* photographic mapping.
Photo...: **~gra'vüre** *typ. f* photo-engraving; **~ko'pie** *f* photostat(ic copy); **~ko'pierapparat** *m* photostat(ic machine); **2ko'pieren** *v/t.* photostat; **~'meter** *phys. n* photometer; **~me'trie** *f* (-) photometry; **~mon'tage** *f* photo montage.
Photon [fo'to:n] *phys. n* (-s; -*en*) photon.
'**Photozelle** *f* photocell.
Phrase ['frɑ:zə] *f* phrase; cliché, *Am. a.* bromide; *esp. pol.* catch-phrase; *leere ~n* empty words, claptrap; *~n dreschen* indulge in windy rhetoric; **~ndrescher, ~nmacher** *m* phrasemonger; gas-bag; **2nhaft** *adj.* empty, windy; bombastic, rhetorical.
Phraseologie [-zeolo'gi:] *f* (-; -*n*) phraseology.
phra'sieren *mus. v/t.* (*h.*) phrase.
phrenetisch [fre'ne:-] → *frenetisch.*
Phreno|log(e) [-no'lo:k, -'lo:gə] *m* (-[e]*n*; -[e]*n*) phrenologist; **~logie** [-lo'gi:] *f* (-) phrenology; **2'logisch** *adj.* phrenologic(al).
pH-Wert [pe:'hɑ:-] *phys. m* pH value.
Physik [fy'zi:k] *f* (-) physics *sg.*
physikalisch [-'kɑ:-] *adj.* physical; *~-chemisch* physico-chemical.
Physiker(in *f*) ['fy:zi-] *m* (-s, -; -, -*nen*) physicist.
'**Physikum** *med. n* (-s) preliminary medical examination.
Phy'sikunterricht *m* instruction in physics; physics lesson.

'**Physikus** *m* (-; *-se*) district medical officer.
Physiognomie [fyziogno'mi:] *f* (-; *-n*) physiognomy.
Physio|loge [-'lo:gə] *m* (*-n*; *-n*) physiologist; **~logie** [-lo'gi:] *f* (-) physiology; **2'logisch** *adj.* physiologic(al).
'**physisch** *adj.* physical.
Pianino [pia'ni:no] *n* (*-s*; *-s*) upright piano.
Pia'nist(in *f*) *m* (*-en*, *-en*; -, *-nen*) pianist.
Piano('forte) [pi'a:no] *n* (*-s*; *-s*) piano(-forte).
picheln ['piçəln] *colloq.* *v/i.* (*h.*) tipple, booze.
pichen ['piçən] *v/t.* (*h.*) pitch; wax (*shoes*).
Picke ['pikə] *f* (-; *-n*) pick(axe).
Pickel ['pikəl] *m* (*-s*; -) *med.* pimple; *tech.* pick(axe); ice-pick; **~haube** *f* spiked helmet; **~hering** *m* bloater, pickled herring.
pick(e)lig ['pik(ə)liç] *adj.* pimpled, pimply.
picken ['pikən] *v/t.* (*h.*) pick, peck.
Picknick ['piknik] *n* picnic.
pieken ['pi:kən] *v/t.* and *v/i.* (*h.*) prick; sting.
piepe ['pi:pə] *colloq.* *adj.*: *das ist mir ~* I don't care a damn.
piep(s)en ['pi:p(s)ən] *v/i.* (*h.*) cheep, chirp, pipe; *radio*: bleep; *mice*: squeak; *colloq. fig. bei dir piept's wohl?* are you dotty (*or* nuts)?; *es (er) war zum Piepen* it (he) was a (perfect) scream.
'**Piepmatz** [-mats] *m* (*-es*; *-e*) dick(e)y-bird.
Pier [pi:r] *mar.* *m* (*-s*; *-e*) pier.
piesacken ['pi:zakən] *colloq.* *v/t.* (*h.*) torment, harass, badger, plague.
Pietät [pie'tɛ:t] *f* (-) reverence; deference; piety; filial love; **2los** *adj.* irreverent; **~losigkeit** *f* irreverence; outrage; **2voll** *adj.* reverent.
Pietismus [-'tis-] *m* (-) pietism.
Pie'tist *m* (*-en*; *-en*), **~in** *f* (-; *-nen*) pietist, *b.s.* bigot; **2isch** *adj.* pietistical; *b.s.* bigoted.
piezo-elektrisch [pi'e:tso-] *adj.* piezoelectric(al).
Pigment [pig'mɛnt] *n* (*-[e]s*; *-e*) pigment; **~bildung** *f* pigment formation, chromogenesis; **~farbe** *f* pigment colo(u)r.
pigmentieren [-'ti:-] *v/t.* (*h.*) pigment; *sich ~* become pigmented.
Pig'mentpapier *n* pigment paper.
Pik [pik] **1.** *m* (*-s*; *-e*) (mountain) peak; *fig.* grudge, ranco(u)r; *e-n ~ auf j-n haben* have it in for a p.; **2.** *n* (*-s*; *-s*) *cards*: spade(s *pl.*).
pikant [pi'kant] *adj.* piquant, spicy, *fig. a.* suggestive, risqué (*joke, etc.*); *cul. a.* highly seasoned, pungent; *das 2e n* (the) piquancy.
Pikante'rie *f* (-; *-n*) piquant (*or* spicy) story, risqué remark.
'**Pik...:** **~as** *n* (**~dame** *f*) ace (queen) of spades.
Pike ['pikə] *f* (-; *-n*) pike; *fig. von der ~ auf dienen* rise from the ranks.
Pikee [pi'ke:] *m* (*-s*; *-s*) piqué.
pikfein *colloq.* *adj.* smart, tiptop, posh, slap-up, *Am.* snazzy.
pikier|en [-'ki:-] *v/t.* (*h.*) pique, nettle; **~t** *adj.* piqued (*über acc.* about).
Pikkolo ['pikolo] *m* (*-s*; *-s*) boy waiter; *mus.* piccolo.
Pikrinsäure [pi'kri:n-] *chem.* *f* (-) picric acid.
Pilatus [pi'la:tus] *m* (-): *Pontius ~* Pontius Pilate; *fig.* → *Pontius*.
Pilger ['pilgər] *m* (*-s*; -), **~in** *f* (-; *-nen*) pilgrim; **2n** *v/i.* (*sn*) go on (*or* make) a pilgrimage; *w.s.* wander, flock, troop; **~fahrt**, **~schaft** *f* (-; *-en*) pilgrimage; **~stab** *m* pilgrim's staff.
Pille ['pilə] *f* pill; *fig. e-e bittere ~* a bitter pill (to swallow); *verzukkerte ~* sugar-coated pill (*a. fig.*); **~ndreher** *humor.* *m* pill-driver; **~nschachtel** *f* pill-box.
Pilot [pi'lo:t] *m* (*-en*; *-en*), **~in** *f* (-; *-nen*) pilot.
Pilz [pilts] *m* (*-es*; *-e*) fungus; mushroom; toadstool; *fig. wie ~e aus der Erde schießen* mushroom (up); '**2förmig** *adj.* fungiform; '**~gattung** *f* fungus family; '**2ig** *adj.* fungous, mushroom-like; '**~isolator** *el.* *m* mushroom insulator; '**~krankheit** *f* mycosis; '**~kunde** *f* mycology; '**2tötend** *adj.* fungicidal; '**~vergiftung** *f* mushroom poisoning.
pimpelig ['pimpəliç] *colloq.* *adj.* sickly; sissy, effeminate.
Pinakothek [pinako'te:k] *f* (-; *-en*) picture-gallery.
Pinasse [pi'nasə] *mar.* *f* (-; *-n*) pinnace.
pingelig ['piŋəliç] *colloq.* *adj.* finicky, over-pedantic.
Pingpong ['piŋpɔŋ] *n* (*-s*; *-s*) ping-pong.
Pinguin ['piŋgui:n] *m* (*-s*; *-e*) penguin.
Pinie ['pi:niə] *f* (-; *-n*) stone-pine.
Pinke ['piŋkə] *colloq.* *f* (-) cash, dough.
'**Pinkel** *m* (*-s*; -): *feiner ~* swell.
'**pinkeln** *colloq.* *v/i.* (*h.*) pee, piss.
Pinne ['pinə] *f* (-; *-n*) peg; tack; tenon, pivot; centre-pin (*of compass*); tiller (*for oars*).
Pinscher ['pinʃər] *m* (*-s*; -) terrier.
Pinsel ['pinzəl] *m* (*-s*; -) (paint-) brush; *feiner ~* pencil; *fig.* fathead.
Pinse'lei *f* (-; *-n*) doub(ing).
'**Pinsel...:** **~führung** *f* touch, brushwork; **2n** *v/i.* (*h.*) handle the brush; *v/t.* and *v/i.* (*h.*) paint; daub; **~stiel** *m* brush-handle; **~strich** *m* stroke of the brush; brush-mark.
Pinzette [pin'tsɛtə] *f* (-; *-n*) (*e-e ~* a pair of) tweezers; *med.* forceps.
Pionier [pio'ni:r] *m* (*-s*; *-e*) pioneer, *Am. a.* trail-blazer; *mil.* engineer (soldier); sapper; **~arbeit** *f* spade-work, pioneer work; **~bataillon** *mil.* *n* engineer battalion; *leichtes ~* field engineer battalion; *schweres ~* engineer construction battalion; **~depot** *n* engineer depot; **~korps** *n* Corps of Engineers; **~truppe** *f* engineers *pl.*
Pips [pips] *m* (*-es*) pip.
Pipette [pi'pɛtə] *f* (-; *-n*), **pipettieren** [-'ti:-] *v/t.* (*h.*) pipette.
Pirat [pi'ra:t] *m* (*-en*; *-en*) pirate; **Piraterie** [-ratə'ri:] *f* (-; *-n*) piracy.
Pirol [pi'ro:l] *orn.* *m* (*-s*; *-e*) oriole.
Pirouette [piru'ɛtə] *f* (-; *-n*) pirouette.
Pirsch [pirʃ] *hunt.* *f* (-) still-hunting, deer-stalking; *auf die ~ gehen* → '**2en** *v/i.* (*h.*) go deer-stalking, hunt, stalk (the deer); **~jagd** *f* → *Pirsch*; **~jäger** *m* still-hunter, deer-stalker.
Pisang ['pi:zaŋ] *bot.* *m* (*-s*; *-e*) plaintain.
Pisse ['pisə] *vulg.* *f* (-; *-n*) piss; **2n** *v/i.* (*h.*) piss.
Pissoir [pi'soa:r] *n* (*-s*; *-e*) lavatory, urinal.
Pistazie [pi'sta:tsiə] *bot.* *f* (-; *-n*) pistachio(-nut).
Piste ['pistə] *f* (-; *-n*) beaten track; *sports*: course; *aer.* runway.
Pistole [pi'sto:lə] *f* (-; *-n*) pistol, *Am. a.* gun; *mit vorgehaltener ~* at pistol-point; *fig. j-m die ~ auf die Brust setzen* hold a pistol to a p.'s head; *wie aus der ~ geschossen* like a shot.
Pi'stolen...: **~duell** *n* duel (fought) with pistols; **~griff** *m* pistol-grip; **~schuß**, **~schütze** *m* pistol-shot; **~tasche** *f* holster.
pittoresk [pito'rɛsk] *adj.* picturesque.
Pivotlager [pi'vo:la:gər] *tech.* *n* pivot bearing.
placier|en [pla'tsi:-] *v/t.* (*h.*) place; *econ. e-e Emission ~* place an issue; negotiate (*bill of exchange*); realize (*security*); *sports*: *den Ball ~* place the ball; *sich ~* be placed (second, *etc.*); **~t** *adj.* well-placed (*shot*).
placken ['plakən]: *sich ~* (*h.*) drudge, slave.
Placke'rei *f* (-; *-n*) harassing; drudgery, grind.
plädieren [plɛ'di:rən] *v/i.* (*h.*) plead (*für* for).
Plädoyer [plɛdoa'je:] *n* (*-s*; *-s*) pleading.
Plage ['pla:gə] *f* (-; *-n*) trouble, vexation, bother, nuisance; torment; *usu. bibl.* plague; *jeder Tag hat s-e ~* sufficient for the day is the evil thereof; **~geist** *m* tormentor, gadfly, bore.
'**plagen** *v/t.* (*h.*) torment, vex, bother, harass, plague; pester; worry, haunt, prey on *a p.'s* mind; *sich ~* toil, drudge, slave; take trouble *or* pains (*mit* about); *ihn plagt der Teufel* the devil rides him; *von der Gicht geplagt* troubled (*or* afflicted) with.
Plagiat [pla'gia:t] *n* (*-[e]s*; *-e*) plagiarism; *ein ~ begehen* plagiarize; **~or** *m* (*-s*; *-'toren*) plagiarist.
Plaid [ple:t] *m* and *n* (*-s*; *-s*) plaid; travelling-rug.
Plakat [pla'ka:t] *n* (*-[e]s*; *-e*) poster, placard, bill; **~ankleber** *m* (*-s*; -) bill-sticker; **~anschlag** *m* (*-s*; *"e*) (displayed) poster; **~farbe** *f* poster colo(u)r.
plakatieren [-ka'ti:-] **I.** *v/t.* (*h.*) placard(ize); **II.** *v/i.* (*h.*) stick bills.
Pla'kat...: **~maler** *m* poster artist; **~male'rei** *f* poster-painting; **~säule** *f* advertisement pillar, *Am.* advertising pillar; pillar post; **~schild** *econ.* *n* show-card; **~träger** *m* sandwich-man; **~werbung** *f* poster publicity; **~zeichner** *m* → *Plakatmaler*.
Plakette [pla'kɛtə] *f* (-; *-n*) plaquette, tablet; plaque, badge; medal.

Plan [plɑːn] *m* (-[e]s; ⸚e) **1.** plan; design, intention; project, scheme; *b.s.* plot, scheme; *concrete*: plan; map; diagram; blueprint; draft; chart; layout; schedule; *Pläne schmieden* make (*or* hatch) plans, scheme; **2.** plain, level ground; arena; battlefield; *fig. auf den ~ rufen* call up; *auf den ~ treten* enter the lists, *w.s.* make an appearance.

plan *adj.* plane, level, horizontal.

ˈ**Plan...**: **~drehbank** *f* facing lathe; **ˌ2drehen** *tech. v/t.* (*h.*) face (down).

Plane [ˈplɑːnə] *f* (-; -*n*) awning, tilt, canvas hood; tarpaulin.

ˈ**Pläne|macher, ~schmied** *m* schemer, projector.

ˈ**planen** *v/t. and v/i.* (*h.*) plan; project, *tech. a.* blueprint; map out; schedule, time; phase; *b.s.* plot, scheme; propose; envisage.

ˈ**Planer** *m* (-*s*; -) planner; designer.

Planet [plaˈneːt] *m* (-*en*; -*en*) planet.

plane|tarisch [-neˈtɑː-] *adj.* planetary; **2ˈtarium** *n* (-*s*; -*ien*) planetarium.

Plaˈneten...: **~bahn** *f* orbit of a planet; **~getriebe** *tech. n* planetary gear(ing).

ˈ**Plan...**: **~film** *phot. m* sheet film; **~fräsen** *tech. n* face milling; **~fräsmaschine** *f* horizontal milling machine.

planier|en [-aˈniːr-] *v/t.* (*h.*) level, plane; grade; *metall.* planish; *bookbinding*: size; **2maschine** *f*, **2raupe** *f* grader; bulldozer; angledozer.

Planimetrie [-nimeˈtriː] *f* (-) plane geometry, planimetry; **planimetrisch** [-ˈmeː-] *adj.* planimetric(al).

Planke [ˈplaŋkə] *f* (-; -*n*) plank, (thick)board.

Plänkeˈlei [plɛŋkə-] *mil. f* (-; -*n*) skirmishing; **plänkeln** *v/i.* (*h.*) skirmish (*a. fig.*); ˈ**Plänkler** *m* (-*s*; -) skirmisher.

Plankton [ˈplaŋktɔn] *n* (-*s*) plankton.

ˈ**Plan...**: **2los I.** *adj.* planless, aimless, haphazard; unsystematic; **II.** *adv.* without a fixed plan; at random; **~losigkeit** *f* (-) aimlessness, desultoriness; **2mäßig I.** *adj.* systematic, (well) planned; scheduled (*train, etc.*); methodical; regular (*post*); **II.** *adv.* according to plan *or* schedule; as planned; **~mäßigkeit** *f* (-) method(icalness); systematical arrangement; **~pause** *f* traced map; blueprint; **~quadrat** *n* grid square.

Plansch|becken [ˈplanʃ-] *n* paddle-pond; **2en** *v/i. and v/t.* (*h.*) splash, paddle.

ˈ**Plan...**: **~scheibe** *tech. f* faceplate; **~schießen** *mil. n* map firing; **~schleifen** *tech. n* face grinding; **~schlitten** *tech. m* facing slide; **~soll** *n* target, quota; **~spiegel** *m* plane mirror; **~spiel** *mil. n* map manoeuvre (*Am.* maneuver); **~stärke** *mil. f* authorized strength; **~stelle** *f* place authorized in the budget; *freie ~* vacancy.

Plantage [planˈtɑːʒə] *f* (-; -*n*) plantation.

ˈ**Plan...**: **~ung** *f* (-; -*en*) planning, plan; *tech. a.* blueprint(ing); layout; *zeitliche*: timing, phasing, scheduling; budget(ing); *in der ~ sein* be in the planning (*or* blueprint) stage; **~ungs-amt** *n* planning board; **~ungsforschung** *f* operations research; **~ungs-ingenieur** *m* production planning engineer; **2voll** *adj.* methodical, systematic(ally *adv.*); **~vorschub** *tech. m* transverse feed; **~wagen** *m* covered (*or* tilt) wag(g)on; **~wirtschaft** *f* (-) planned economy; **~zeichnen** *n* plotting; **~ziel** *n* target, planned output; *das ~ nicht erreichen* remain below plan.

Plapperei [plapəˈraɪ] *f* (-; -*en*) chatter(ing), babble, prattle.

ˈ**Plapper|maul** *n* chatterbox; **2n** *v/i. and v/t.* (*h.*) chatter, babble, prattle.

plärren [ˈplɛrən] *colloq. v/i. and v/t.* (*h.*) blubber, snivel, cry; bawl; *radio, etc.*: blare.

Plasma [ˈplasma] *n* (-*s*; -*men*) plasm; *nuclear physics*: plasma.

Plastik [ˈplastik] *f* (-; -*en*) plastic art; sculpture; *med., tech.* plastic; *fig.* graphic power, plasticity (*of style, etc.*).

Plastilin [-tiˈliːn] *n* (-*s*) plasticine.

ˈ**plastisch** *adj.* plastic; three-dimensional; *fig.* graphic, full of plasticity; *~e Chirurgie* plastic surgery.

Platane [plaˈtɑːnə] *f* (-; -*n*) plane (-tree).

Plateau [plaˈtoː] *n* (-*s*; -*s*) plateau, table-land.

Platin [ˈplɑːtiːn] *n* (-*s*) platinum; **~blech** *n* platinum sheet; **~blonde** *f* platinum blonde; **~cyanür** *chem. n* (-*s*; -) platinocyanide; **~draht** *m* platinum wire; **~e** *f* (-; -*n*) plate, mill bar; **2haltig** *adj.* platiniferous.

platinieren [-tiˈniː-] *v/t.* (*h.*) platinize.

platonisch [plaˈtoːniʃ] *adj.* Platonic(ally *adv.*).

platsch! [platʃ] *int.* dash!, splash!; **2en** *v/i.* (*sn*) splash.

plätschern [ˈplɛtʃərn] *v/i.* (*h.*) *water*: ripple, murmur, babble; *im Wasser ~* paddle (*or* splash about) in the water; *colloq. fig.* trifle.

platt [plat] *adj.* flat; level, even; flattened (out); low; *~ auf der Erde* flat on the ground; *~ drücken* flatten; *fig.* trivial, commonplace, trite; flat, insipid, stale; *colloq. ~ (vor Staunen)* dum(b)founded, taken aback, flabbergasted; *ich war einfach ~* you could have knocked me down with a feather; *language*: (*a.* 2 *n*) → ~*deutsch*.

Plätt... [ˈplɛt-]: **~anstalt** *f* → *Plätterei*; **~brett** *n* ironing-board; **~chen** *n* (-*s*; -) small plate; *a. anat.* lamina; *bot.* lamella.

ˈ**plattdeutsch** *adj. and* **2(e)** *n* (-[e]*n*) Low German.

ˈ**plattdrücken** *v/t.* flatten.

Platte [ˈplatə] *f* (-; -*n*) plate; dish; tray, salver; platter; *kalte ~* cold meats *pl.*; *tech.* panel; plate (*a. phot., typ.*); sheet; lamina; (stone) slab, flag; tile; (table) top, leaf; plaque; (rock) ledge, slab; plateau, tableland; (gramophone) disk, record; *colloq. fig.* line; *die pathetische ~ auflegen* pull the pathetic stop; patch; bare spot; bald head *or* pate, bald patch; dental plate; *colloq. die ~ putzen* beat it, scram.

ˈ**Plätt-eisen** *n* flat-iron.

plätten [ˈplɛtən] *v/t.* (*h.*) flatten; iron (*laundry*); flag (*floor*); *tech., metall.* laminate, plate.

ˈ**Platten...**: **~abzug** *typ. m* stereotyped proof; **~druck** *typ. m* stereotype (printing); **~kassette** *phot. f* plate holder; **~kondensator** *m* plate condenser; **~leger** *m* floor tiler, paver; **~spieler** *m* record-player; *radio*: turntable, pickup; *Radio mit eingebautem ~* radiogram, *Am.* radiophonograph; **~wechsler, ~wender** *m* (-*s*; -) automatic record changer.

ˈ**platterdings** *adv.* absolutely, utterly; downright.

Plätterei [-təˈraɪ] *f* (-; -*en*) ironing (*or* pressing) shop.

ˈ**Plätterin** *f* (-; -*nen*) ironer.

ˈ**Platt...**: **~form** *f* platform; **~formwagen** *m* platform car, *Am.* flatcar; **~fuß** *m* flat-foot; *colloq. mot.* flat; **~fußeinlage** *f* arch-support, instep-raiser; **2füßig** *adj.* flat-footed.

Plattheit [ˈplathaɪt] *f* (-; -*en*) flatness; *fig.* staleness, insipidity; triviality, commonplace, banality, *Am. a.* bromide.

plattieren [-ˈtiː-] *tech. v/t.* (*h.*) plate.

ˈ**Platt...**: **~nase** *f* flat nose; **2nasig** *adj.* flat-nosed; **~stickeˈrei** *f* flat (*or* plain) embroidery.

ˈ**Plättwäsche** *f* linen to be ironed.

Platz [plats] *m* (-es; ⸚e) place; spot, *Am. a.* point; room, space; locality; site; seat; position; *öffentlicher ~* public place, square, circus; *mil.* training area, ground; (sports) field, pitch; (tennis) court; *mil. fester ~* fortress, stronghold; *~ behalten* keep one's place, stay seated; *~ machen* (*dat.*) make way *or* room (for); *~ nehmen* take (*Am.* have) a seat, sit down; *fig. am ~e sein* be in place *or* order; *nicht am ~e sein* be out of place, be uncalled for; *s-n ~ behaupten* hold one's own, stand one's ground; *~ greifen* gain ground, spread, take place, arise; *mil. auf dem ~e bleiben* be killed; *~ da!* make way!, move on!; *to dog*: *~!* down!; *ist hier noch ~?* is there any room (*or* a seat free) here?; *es ist kein ~ mehr* there is no room left; *bis auf den letzten ~ gefüllt* packed to capacity; *sports*: *auf eigenem (gegnerischem) ~* at home (out-of-town); *den dritten ~ belegen* be placed third, come in third; *auf die Plätze!* get to your marks!; *econ. auf ausländischen Plätzen* on places abroad; *am dortigen (hiesigen) ~* in your (this) town; **~angst** *f* agoraphobia; ˈ**~anweiser(in** *f*) *m* (-*s*, -; -, -*nen*) usher(ette); ˈ**~bedarf** *m econ.* local requirements *pl.*; *tech.* floor space required.

Plätzchen [ˈplɛtsçən] **1.** snug (little) place; spot; patch *of shade*; **2.** pastil, lozenge; biscuit, *Am.* cookie, cracker.

platzen [ˈplatsən] *v/i.* (*sn*) burst, *bomb, etc.*: *a.* explode; crack, split, *med.* rupture; *tyre*: blow out; *fig. ins Zimmer ~* burst into the room; *vor Ungeduld, Neugier, etc., ~* burst with impatience, curiosity, *etc.*; *project*: come to nothing, collapse, *a. theory*: explode; *colloq. meeting*: be dissolved; *fig.* ~ *lassen, zum* ≈ *bringen* explode; *zum* ≈ *voll* chockful, bursting; *econ. der Wechsel ist geplatzt* the bill was dishonoured, *Am. a.* bounced; *ihm ist e-e Ader geplatzt* he burst a blood vessel; *uns ist ein Reifen geplatzt* we had a puncture *or* blowout; → *Kragen.*

'**Platz...:** ~**feuer** *aer. n* airfield light; ~**flug** *aer. m* local flight; ~**geschäft** *econ. n* local business; ~**händler** *m* local dealer; ~**herren** *m/pl. sports*: home team; ~**karte** *rail. f* ticket for a reserved seat; ~**kommandant** *mil. m* commandant; ~**major** *m* town major; ~**mangel** *m (-s)* lack of space *or* room; ~**meister** *m sports*: groundsman; ~**patrone** *f* blank cartridge; *mit* ~*n schießen* fire blank; ≈**raubend** *adj.* taking up too much room, bulky; ~**regen** *m* cloudburst, downpour; ~**reisende(r)** *econ. m* town-traveller; ~**runde** *aer. f* aerodrome traffic circuit; e-e ~ *fliegen* fly a circle over the aerodrome; ~**vertreter** *econ. m* local agent; ~**wart** *m sports*: groundsman; ~**wechsel** *m* **1.** change of place (*sports*: ends); **2.** *econ.* local (*or* town) bill; ~**ziffer** *f sports*: place number.

Plauderei [plaudə'raı] *f (-; -en)* chat; *radio*: talk; small talk; tittle-tattle.

'**Plauder|er** *m (-s; -)*, ~**in** *f (-; -nen)* conversationalist, talker, prattler.

'**plauderhaft** *adj.* talkative, chatty.

'**plaudern** *v/i. (h.)* (have a) chat, (*mit* with), talk (to); chatter, prattle, gossip; *fig. aus der Schule* ~ tell tales (out of school), blab.

'**Plauder...:** ~**stündchen** *n* cozy chat; ~**tasche** *colloq. f* chatterbox; ~**ton** *m (-[e]s)* conversational tone.

plausibel [plau'zi:bəl] *adj.* plausible; ~ *machen* make plausible.

Plazenta [pla'tsɛnta] *anat., bot. f (-; -s)* placenta.

plazieren [pla'tsi:rən] *v/t. (h.)* → *placieren.*

Plebej|er(in *f)* [ple'be:jər(in)] *m (-s, -; -, -nen)* plebeian; *fig.* bounder, cad; ≈**isch** *adj.* plebeian, vulgar.

Plebiszit [plebis'tsi:t] *n (-[e]s; -e)* plebiscite.

Plebs [plɛps] *f (-)* rabble, mob, populace.

Pleite ['plaıtə] *colloq. f (-; -n) econ.* bankruptcy, smash; *fig.* failure, flop, washout; ~ *machen* go bankrupt, go broke *or* smash, *Am. sl.* go bust; ≈ *adj.* (dead) broke, *Am. a.* bust; ~**geier** *m the* wolves *pl.*

plemplem [plɛm'plɛm] *colloq. adj.* gaga, nuts.

Plenarsitzung [ple'nɑ:r-] *f* plenary meeting.

Plenum ['ple:num] *n (-s; Plena) parl.* plenum.

Pleonas|mus [pleo'nasmus] *m (-; -men)* pleonasm; ≈**tisch** *adj.* pleonastic(ally *adv.*).

Pleuelstange ['plɔʏəl-] *tech. f* connecting rod.

Pleuritis [plɔʏ'ri:tis] *med. f (-)* pleurisy.

Plinse ['plinzə] *f (-; -n)* pancake.

Plissee [pli'se:] *n (-s; -s)* pleating; ~**rock** *m* pleated skirt.

plissieren [-'si:-] *v/t. (h.)* pleat, kilt.

Plombe ['plɔmbə] *f (-; -n)* seal, lead, lead seal; *mot.* governor seal; *med.* stopping, filling, plug.

plombieren [-'bi:-] *v/t. (h.)* seal, lead; *med.* stop, fill, plug (*a tooth*).

Plötze ['plœtsə] *ichth. f (-; -n)* roach.

plötzlich ['plœtsliç] **I.** *adj.* sudden; abrupt, sharp; unexpected; **II.** *adv.* suddenly, *etc.*; all of a sudden; *colloq. aber etwas* ~! make it snappy!; ≈**keit** *f (-)* suddenness.

Pluderhosen ['plu:dər-] *f/pl.* wide breeches; plus fours.

Plumeau [ply'mo:] *n (-s; -s)* eiderdown (quilt), *Am.* comforter.

plump [plump] *adj.* plump, podgy; clumsy, awkward, heavy; coarse, crude; tactless, blunt; gross (*flattery, lie*); ponderous (*style*); ~-*vertraulich* chummy; ≈**heit** *f (-; -en)* clumsiness, *etc.*

Plumps [plumps] *m (-es; -e)*, ≈ *int.* plump, plop, thud; ≈**en** *v/i. (h., sn)* plump, plop, flop.

Plunder ['plundər] *m (-s)* lumber, stuff, *Am.* junk; rags *pl.*; trash, rubbish; *colloq. der ganze* ~ the whole lot (*or* bag of tricks).

Plünderer ['plyndər-] *m (-s; -)* plunderer, pillager.

'**plünder|n** *v/t. and v/i. (h.)* plunder; pillage, sack, loot; rob, strip (*person*); *w.s.* strip, despoil (*tree*); rifle; ≈**ung** *f (-; -en)* plundering, pillage, sacking, looting.

Plural ['plu:rɑ:l] *m (-s; -e)*, **Pluralis** [plu'rɑ:lis] *gr. m (-; -le)* plural (number); **plu'ralisch** *adj.* plural; **plura'listisch** *adj.* pluralistic.

Plus [plus] *n (-; -)* plus mark; surplus; increase; *fig.* plus, asset; **plus** *adv.* plus.

Plüsch [ply:ʃ] *m (-es; -e)* plush; ≈**artig** *adj.* plush-like, plushy.

'**Plus...:** ~**leitung** *el. f* plus wire; ~**pol** *el. m* positive pole; positive element; ~**punkt** *m* credit point; *fig.* plus; ~**quamperfekt(um)** [-kvampɛrfɛkt(um)] *gr. n* pluperfect (tense), past perfect; ~**zeichen** *n* plus mark *or* sign.

Plutokratie [plutokra'ti:] *f (-; -n)* plutocracy.

Plutonium [-'to:nium] *phys. n (-s)* plutonium.

Pneumat|ik [pnɔʏ'mɑ:tik] **1.** *phys. f (-)* pneumatics; **2.** *m (-s; -s)* pneumatic tyre (*Am.* tire); ≈**isch** *adj.* pneumatic(ally *adv.*).

Pöbel ['pø:bəl] *m (-s)* mob, rabble; ≈**haft** *adj.* vulgar, low, plebeian; ~**haufe** *m* mob; ~**herrschaft** *f* mob rule.

pochen ['pɔxən] *v/t. and v/i. (h.)* knock, rap, tap; *heart*: beat, throb; *tech.* pound, batter; *mining*: stamp; *fig.* ~ *auf (acc.)* boast of, presume (up)on; insist (up)on; *auf sein gutes Recht* ~ stand on one's rights; '**Pochen** *n (-s)* knocking, knocks *pl.*; rapping, *etc.*

'**Poch...:** ~**erz** *n* ore (as mined); ~**gestein** *n* stamp rock; ~**hammer** *m* ore-hammer; ~**mühle** *f* stamp mill; ~**spiel** *n cards*: poker; ~**stempel** *m* stamp die; ~**werk** *n* → *Pochmühle.*

Pocke ['pɔkə] *med. f (-; -n)* pock (-mark); ~*n pl.* smallpox; ~**n-erreger** *m*, ~**ngift** *n* smallpox virus; ~**n-impfung** *f* vaccination; ~**nnarbe** *f* pockmark; ≈**nnarbig,** '**pockig** *adj.* pockmarked, pitted (with smallpox).

Podagra ['po:dagra] *med. n (-s)* podagra, gout.

Podest [po'dɛst] *m and n (-es; -e)* pedestal (*a. fig.*); *of stairs*: landing; *fig. von s-m* ~ *stoßen* debunk; → **Podium** ['po:dium] *n (-s; -ien)* podium, platform, stage; ~*gespräch* panel discussion.

Poesie [poe'zi:] *f (-; -n)* poetry; ≈**los** *fig. adj.* prosaic, prosy, pedestrian.

Poet [po'e:t] *m (-en; -en)* poet; ~**ik** *f (-; -en)* poetics *pl.*; ~**in** *f (-; -nen)* poetess; ≈**isch** *adj.* poetic(al).

Pogrom [po'gro:m] *m (-s; -e)* pogrom.

Pointe ['poẽtə] *f (-; -n)* point; punch line; ≈**los** *adj.* blind; **pointiert** [-'ti:-] *adj.* pointed, captious.

Pokal [po'kɑ:l] *m (-s; -e)* goblet; *sports*: cup; ~**endspiel** *n* Cup Final; ~**spiel** *n* cup tie.

Pökel ['pø:kəl] *m (-s; -)* pickle, brine; ~**faß** *n* pickling tub; ~**fleisch** *n* salt (*or* cured) meat; ~**hering** *m* pickled (*or* red) herring; ≈**n** *v/t. (h.)* pickle, salt, cure.

pokulieren [poku'li:rən] *v/i. (h.)* drink, carouse, booze.

Pol [po:l] *m (-s; -e)* pole, *el. a.* terminal; *el. positiver (negativer)* ~ positive (negative) pole *or* element, anode (cathode); *fig. der ruhende* ~ the one constant factor.

polar [po'lɑ:r-] *adj.* polar (*a. el.*); *in* ~*em Gegensatz zu* in direct opposition to; ≈**eis** *n* polar ice; ≈**expedition** *f* polar expedition; ≈**forscher** *m* polar explorer; ≈**front** *f meteor.* polar front; ≈**fuchs** *m* arctic fox; ≈**hund** *m* Eskimo dog, husky.

Polarisation [-lariza'tsio:n] *f (-)* polarization.

polarisieren [-ri'zi:-] *v/t. (h.)* polarize.

Polari'tät *f (-)* polarity.

Po'lar...: ~**kreis** *m* polar (arctic *or* antarctic) circle; ~**licht** → *Nordlicht*; ~**stern** *m (-[e]s)* pole-star; ~**zone** *f* frigid zone.

Pole ['po:lə] *m (-en; -en)* Pole.

Polemik [po'le:mik] *f (-; -en)* polemics *pl.*; polemic, controversy; ~**er** *m (-s; -)* polemic(ist), controversialist; **po'lemisch** *adj.* polemic(al); **polemisieren** [-mi'zi:-] *v/i. (h.)* polemize (*gegen* against).

'**polen** [po:lən] *el. v/t. (h.)* polarize.

Police [po'li:sə] *f (-; -n)* (insurance) policy; *offene* ~ open (*Am.* unvalued) policy; *e-e* ~ *ausstellen (nehmen)* issue (take out) a policy.

Polier [po'li:r] *tech. m (-s; -e)* foreman; ≈**en** *v/t. (h.)* polish, burnish; planish (*sheet-iron*); furbish; buff; ~**er(in** *f) m (-s, -; -, -nen)* polisher, burnisher; ~**leder** *n* chamois leather; ~**mittel** *n* polishing material *or* paste, abrasive; ~**rot** *n* rouge; ~**scheibe** *f* polishing wheel.

Poliklinik ['po:li-] *f* policlinic, outpatients' department.

Polin ['po:lin] *f (-; -nen)* Pole.

Politbüro [po'li:t-] *n* politburo.

Politik [poli'ti:k] *f* (-; -en) policy; politics *pl.*; ~ *der starken Hand* get-tough policy; *sich der ~ widmen* go into politics; *über ~ sprechen* talk politics; → *machen III.*
Politiker(in *f*) [-'li:ti-] *m* (-s, -; -, -nen) politician; statesman, policy-maker.
Po'litikum *n* (-s; -ka) political issue.
po'litisch *adj.* political; *fig.* politic.
politisieren [-ti'zi:-] **I.** *v/i.* (*h.*) talk politics; **II.** *v/t.* (*h.*) politicize, make politically conscious.
Politologe [-to'lo:gə] *m* (-n; -n) political analyst (*or* scientist).
Politur [poli'tu:r] *f* (-; -en) polish, lust|re, *Am.* -er, finish; varnish; *fig.* polish, refinement; *contp.* veneer.
Polizei [poli'tsaɪ] *f* (-; -en) police; **~aufgebot** *n* posse (of constables); **~aufsicht** *f* (*unter* under) police supervision, (under) surveillance; **~be-amte(r)** *m* police officer; → *Polizist*; **~behörde** *f* police (authorities *pl.*); **~dienst** *m* police service; **~gefängnis, ~gewahrsam** *n* police jail, lock-up; **~gericht** *n* police court; **~gewalt** *f* power of police; **~hund** *m* police-dog; **~knüppel** *m* truncheon, *Am.* club; **~kommissar** *m* (police) inspector; **2lich** *adj.* (of *or* by the) police; *~e Anmeldung (Abmeldung)* report of (change of) address to the police; *unter ~er Aufsicht* under police supervision, under surveillance; **~macht** *f* police force; **~posten** *m* police picket; **~präsident** *m* Chief Constable, *Am.* Chief of the Police, Police Chief; **~präsidium** *n* police headquarters *pl.*; **~revier** *n* police station; precinct; **~richter** *m* police magistrate; **~schutz** *m*: *unter ~* under police guard; **~spion, ~spitzel** *m* police spy, stool pigeon; **~staat** *m* police state; **~streife** *f* police patrol; police squad; police patrolman; (police) raid; **~streifenwagen** *m* → *Streifenwagen*; **~stunde** *f* closing-hour; curfew; **~truppe** *f* military police force; **~wache** *f* → *Polizeirevier*; **2widrig** *adj.* contrary to police regulations; *adv. humor. fig.* infernally *stupid*.
Polizist [-'tsist] *m* (-en; -en) policeman, constable; detective; **~in** *f* (-; -nen) policewoman.
Polka ['pɔlka] *f* (-; -s) polka.
'**Polklemme** *el. f* (pole) terminal.
Pollen ['pɔlən] *bot. m* (-s; -) pollen; **~schlauch** *m* pollen tube.
polnisch ['pɔlniʃ] *adj.* Polish; *fig. ~e Wirtschaft* topsy-turvydom, awful mess.
Polo ['po:lɔ] *n* (-s; -s) polo; **~feld** *n* polo ground; **~hemd** *n* polo shirt, *Am.* T-shirt; **~spiel** *n* → *Polo.*
'**Polschuh** *el. m* pole shoe.
Polster ['pɔlstər] *n* (-s; -) cushion; bolster; stuffed seat; *tech.* pad (-ding), bolster; stuffing; padding; **~er** *m* (-s; -) upholsterer; **~möbel** *n/pl.* upholstery; **2n** *v/t.* (*h.*) upholster, stuff; pad, wad; *gepolstert a.* cushioned; **~sessel, ~stuhl** *m* cushioned seat; easy chair; **~tür** *f* padded door; **~ung** *f* (-; -en) stuffing, padding; upholstery.

Polter|abend ['pɔltər-] *m* eve-of--the-wedding party; **~er** *m* (-s; -) noisy fellow; blusterer; **~geist** *m* poltergeist, (hob)goblin.
'**poltern** *v/i.* (*h.*) make a racket; rumble, lumber, rattle; bluster, bark.
'**Polwechsler** *el. m* pole changer.
Poly|äthy'len [poly-] *n* polyethylene; **~eder** [-'e:dər] *n* (-s; -) polyhedron; **~'ester** *chem. m* polyester; **~gamie** [-ga'mi:] *f* (-) polygamy; **2'gamisch** *adj.* polygamous; **~gon** [-'go:n] *math. n* (-s; -e) polygon; **2mer** [-'me:r] *adj.* polymeric; **~merisation** [-merizatsi'o:n] *f* (-) polymerization; **2meri'sieren** *v/t.* polymerize; **~nesien** [-'ne:ziən] *n* (-s) Polynesia.
Polyp [po'ly:p] *m* (-en; -en) *zo.* polyp; *med.* polypus; adenoids *pl.*; *colloq. fig.* cop, bull.
Poly'technikum *n* polytechnic (school).
Pomad|e [po'ma:də] *f* (-; -n) pomade; **2ig** *fig. adj.* phlegmatic, slow, lazy.
Pomeranze [pomə'rantsə] *f* (-; -n) bitter orange.
Pommes frites [pɔm'frit] (*Fr.*) *pl.* chips, *Am.* French fried potatoes.
Pomp [pɔmp] *m* (-[e]s) pomp, splendo(u)r.
'**pomphaft** *adj.* pompous, spectacular, showy.
pompös [pɔm'pø:s] *adj.* pompous, splendid, gorgeous.
Pontifikat [pɔntifi'ka:t] *n* (-[e]s; -e) pontificate.
Pontius ['pɔntsius] *m* (-): *colloq. von ~ zu Pilatus geschickt werden* be driven from pillar to post, get the grand runaround.
Ponton [pɔn'tɔŋ, pɔ̃'tɔ̃] *m* (-s; -s) pontoon; **~brücke** *f* pontoon bridge; **~wagen** *m* pontoon carrier.
Pony ['pɔni] *n* (-s; -s) pony; **~frisur** *f* fringe, bang.
Popanz ['po:pants] *m* (-es; -e) bugbear, bog(e)y.
Popelin [popə'li:n] *m* (-s; -e) popelin, *Am.* broadcloth.
Popo [po'po:] *colloq. m* (-s; -s) bottom, bum, *Am. a.* fanny.
populär [popu'lɛ:r] *adj.* popular; *~ machen* make popular; popularize, spread; *~wissenschaftlich* popularized, popular-science (*journal, etc.*).
popularisieren [-lari'zi:rən] *v/t.* (*h.*) popularize.
Popularität [-lari'tɛ:t] *f* (-) popularity.
Pore ['po:rə] *f* (-; -n) pore.
pornographisch [porno'gra:fiʃ] *adj.* pornographic.
porös [po'rø:s] *adj.* porous; permeable.
Porosität [porozi'tɛ:t] *f* (-) porosity.
Porphyr ['pɔrfyr] *m* (-s; -e) porphyry; **~gestein** *n* porphyritic rock.
Porree ['pɔre] *bot. m* (-s; -s) leek.
Portal [pɔr'ta:l] *n* (-s; -e) portal, front gate; **~kran** *tech. m* portal crane.
Porte|feuille [port(ə)'føj] *n* (-s; -s) portfolio (*a. parl.*); **~monnaie** [pɔrtmɔ'nɛ:, -'ne:] *n* (-s; -s) purse; note-case, *Am.* billfold, pocketbook; **~pee** [pɔrte'pe:] *mil. n* (-s; -s) sword-knot.

Portier [pɔr'tje:] *m* (-s; -s) porter, doorkeeper, *Am.* doorman; janitor.
Portiere [pɔr'tie:rə] *f* (-; -n) (door-)curtain, portière.
Portion [pɔrtsi'o:n] *f* (-; -en) portion, share, allowance; *cul.* **a**) dish, **b**) helping, serving, plate; pot (*of tea, etc.*); *zwei ~en Kaffee* coffee for two; *mil.* ration; *fig. contp. halbe ~* shrimp, punk, half pint; *eine gehörige ~ Frechheit* a good dose of impudence.
Porto ['pɔrto] *n* (-s; -s) postage, *for parcels*: carriage; **~auslagen** *f/pl.* postal expenses; **2frei** *adj.* post--free; prepaid, *esp. Am.* postpaid, *on parcels*: carriage paid; **~gebühr** *f* postage; postal rate; **~kasse** *f* petty cash; **2pflichtig** *adj.* subject to postage; **~satz** *m* rate of postage; **~zuschlag** *m* surcharge.
Portrait [pɔr'trɛ:] *n* (-s; -s) portrait, likeness; **portraitieren** [-trɛ'ti:-] *v/t.* (*h.*) portray.
Por'trait...: **~maler** *m* portrait--painter, portraitist; **~photogra'phie** *f* portraiture.
Portugies|e [pɔrtu'gi:zə] *m* (-n; -n), **~in** *f* (-; -nen), **2isch** *adj.* Portuguese.
'**Portwein** *m* port.
Porzellan [pɔrtsə'la:n] *n* (-s; -e) porcelain, china; *w.s.* earthenware, common china; *fig. unnötig ~ zerschlagen* do a lot of unnecessary damage; **2artig** *adj.* vitreous; **~emaille** *f* porcelain enamel; **~erde** *f* china clay, kaolin; **~geschirr** *n* china-ware, crockery; **~kiste** *f* → *Vorsicht*; **~laden** *m* china-shop; *fig. wie der Elefant im ~* like a bull in a china-shop; **~male'rei** *f* china--painting; **~masse** *f* porcelain body; **~service** *n* set of china; **~teller** *m* china plate; **~ware** *f* china-ware.
Posamenten [poza'mɛntən] *n/pl.*, **Posamentierware** [-'ti:r-] *f* (-; -n) lace-work, trimmings; haberdashery *sg.*, *Am.* notions *pl.*; **Posamen'tier** *m* (-s; -e) lacemaker; haberdasher.
Posaune [po'zaunə] *f* (-; -n) trombone; *fig.* trumpet; *die ~ des jüngsten Gerichts* the trump of doom; **2n I.** *v/i.* (*h.*) play (on) the trombone; **II.** *v/t.* (*h.*) *fig.* trumpet (forth), → *ausposaunen*; **~nbläser** *m* trombone-player.
Pose[1] ['po:zə] *f* (-; -n) quill.
'**Pose**[2] *f* (-; -n) pose, attitude, act.
posieren [po'zi:rən] *v/i.* (*h.*) pose (*als* as), set up (as); strike an attitude, attitudinize; put on airs.
Position [pozitsi'o:n] *f* (-; -en) position (*a. aer.*); social standing; *mar.* station; *econ.* item; *time-bargain*: position; *~ beziehen* take one's stand; **~s-anzeiger** *m* position indicator; **~slampe** *mot. f* side lamp; **~slichter** *n/pl. aer.* recognition (*mar.* navigation) lights; **~smeldung** *f* position message.
positiv ['po:ziti:f, pozi'ti:f] *adj.* positive (*a. el., phot.*); affirmative; *~e Einstellung* good will; *~es Recht* statute law; *~es Wissen* solid knowledge; *phys. ~ (geladen)* positive(ly charged); **2 1.** *gr. m* (-s; -e) positive (degree); **2.** *phot. n* (-s; -e)

positive (picture); **~elektrisch** *adj.* positively electric(al).
Positron ['po:zitrɔn, pozi'tro:n] *phys. n* (-*s*; -'*onen*) positron.
Positur [pozi'tu:r] *f* (-; -*en*) posture; *sich in ~ setzen* strike an attitude, attitudinize; *fenc.* take one's guard; *boxing*: square up.
Posse ['pɔsə] *f* (-; -*n*) buffoonery, tomfoolery, drollery; fun, antic, lark; *thea.* farce, burlesque; *~n reißen* cut capers, clown about.
Possen ['pɔsən] *m* (-*s*; -) trick, prank; practical joke; *j-m e-n ~ spielen* play a p. a trick; *j-m et. zum ~ tun* do a th. to spite a p.; **2haft** *adj.* farcical, clownish, comical; **~macher, ~reißer** *m* buffoon, clown; **~reiße'rei** *f* (-; -*en*) buffoonery; antics *pl.*; **~spiel** *thea. n* farce, burlesque.
possessiv ['pɔsə'si:f] *gr. adj.* possessive; **2** *n* (-*s*; -*e*), **2um** *n* (-*s*; -*va*) possessive adjective *or* pronoun.
possierlich [pɔ'si:rliç] *adj.* droll, funny.
Post [pɔst] *f* (-; -*en*) post, *Am.* mail; mail, letters *pl.*; postal service, *Am. a. the* mails *pl.*; post-office; news *sg.*; *mit der ersten ~* by the first delivery; *mit gewöhnlicher ~* by surface mail; *mit gleicher ~* under separate cover; *mit umgehender ~* by return (of post), *Am.* by return mail; *zur* (*or auf die*) *~ geben, mit der ~ schicken* post, *Am.* mail.
'**Post...: ~abfertigung** *f* mail dispatch; **~ablage** *f* letter-rack; **~abonnement** *n* postal subscription.
postalisch [pɔs'tɑ:liʃ] *adj.* postal.
Postament [pɔsta'mɛnt] *n* (-[*e*]*s*; -*e*) pedestal, base.
'**Post...: ~amt** *n* post office; **~annahmestempel** *m* date stamp; **~anschrift** *f* mailing address; **~antwortschein** *m* reply coupon; **~anweisung** *f* postal order; **~auftrag** *m* postal collection order; **~auto** *n* post van, *Am.* mail car; post-office (*Am.* mail) bus; **~beamte(r)** *m* post-office clerk; **~bezirk** *m* postal district; **~bezug** *m* postal subscription; *econ.* mail ordering; **~bote** *m* postman, *Am.* mailman; **~buch** *n* postal guide; **~dampfer** *m* mail-boat; **~dienst** *m* postal service; **~direktion** *f* general post-office; **~direktor** *m* postmaster; **~einlieferungsschein** *m* post-office receipt.
Posten ['pɔstən] *m* (-*s*; -) post, place, station; post, situation, job; *colloq. schlauer ~* soft job; *mil.* sentry, sentinel; outpost; *strike*: picket; *econ.* **a**) lot, parcel, batch, **b**) amount, sum, **c**) item, **d**) entry; *mil. ~ stehen* stand sentry, be on guard; *auf ~ ziehen* go on (*or* mount) guard; *fig. verlorener ~* forlorn hope; *auf verlorenem ~ kämpfen* fight a losing battle, fight for a lost cause; *auf dem ~ sein* be on the alert *or* on one's toes, *physically*: be in good form, feel well; *nicht recht auf dem ~ sein* be not quite up to the mark; **~dienst** *m*, **~stehen** *n* (-*s*) sentry duty; **~jäger** *m* office-hunter, place-hunter; **~kette, ~linie** *f* line of sentries; cordon; **2weise** *adv.* in parcels *or* lots; by items; *~ aufführen* itemize.
'**Post...: ~fach** *n* post-office box (*abbr.* P.O.B.); **~fachnummer** *f* box-number; **2frei** *adj.* prepaid; **~gebühr** *f* postage; *~en pl.* postal rates *or* charges; **~geheimnis** *n* (-*es*) secrecy of the mails; **~halter** *m* postmaster; **~horn** *n* post-horn.
posthum [pɔst'(h)um] *adj.* → *postum.*
postieren [pɔs'ti:rən] *v/t.* (*h.*) (*and sich*) station (o.s.), place (o.s.); *sich ~ a.* (take one's) stand.
Postillion ['pɔstiljo:n] *m* (-*s*; -*e*) postilion.
'**Post...: ~karte** *f* postcard, *Am. a.* postal card; picture postcard; reply postcard; **~kraftwagen** *m* → *Postauto*; **~kutsche** *f* stage-coach, mail-coach; **2lagernd** *ad* . to be called for, poste restante (*Fr.*), *Am.* (in care of) general delivery; **~laufkredit** *m* mail credit; **~leitzahl** *f* postal zone number; *Am.* zip code; **~minister** *m* Postmaster General; **~nachnahme** *f*: *gegen ~* cash (*Am.* collection) on delivery (*abbr.* C.O.D.).
postnumerando [-nume'rando] *adv.*: *~ bezahlen* pay on receipt; settle at the end of month.
'**Post...: ~paket** *n* postal parcel; **~reisescheck** *m* postal traveller's cheque (*Am.* check); **~sache** *f* postal matter, mail; **~sack** *m* mail (-bag); **~schalter** *m* post-office window; **~scheck** *m* postal cheque (*Am.* check); **~scheckamt** *m* postal cheque (*Am.* check) office; **~scheckkonto** *n* postal cheque (*Am.* check) account; **~schiff** *n* mail-boat; **~schließfach** *n* post-office box (*abbr.* P.O.B.); **~sekretär** *m* post-office clerk; **~sparbuch** *n* post-office savings book; **~sparguthaben** *n* postal savings *pl.*; **~sparkasse** *f* postal savings bank; **~station** *f* post-station; **~stempel** *m* dated postmark, *Am.* mail stamp; *Datum des ~s* date as per postmark; **~tarif** *m* postal rates *pl.*
Postul|at [pɔstu'lɑ:t] *phls. n* (-[*e*]*s*; -*e*), **2ieren** [-'li:-] *v/t.* (*h.*) postulate.
postum [pɔ'stum] *adj.* posthumous.
'**Post...: ~verkehr** *m* postal service; **~versandhaus** *econ. n* mail-order house; **~verwaltung** *f* postal administration; **~wagen** *m rail.* mail-van, *Am.* postal car; **2wendend** *adv.* by return (of post), *Am.* by return mail; **~wertzeichen** *n* (postage) stamp; **~wurfsendung** *f* direct mail(ing as printed matter and mixed consignment); mail circular; **~zahlschein** *m* postal order; **~zug** *m* mail-train.
potent [po'tɛnt] *adj.* potent.
Potentat [potɛn'tɑ:t] *m* (-*en*; -*en*) potentate.
Potential [-'tsiɑ:l] *n* (-*s*; -*e*) potential; **~abfall** *el. m* potential drop; **~differenz** *f* potential equation.
potentiell [-'tsiɛl] *adj.* potential.
Potenz [po'tɛnts] *f* (-) (*n.s.* sexual) potency; *math.* (-; -*en*) power; *zweite ~* square; *dritte ~* cube; *vierte ~* fourth power.
potenzieren [-'tsi:rən] *v/t.* (*h.*) raise to a higher power; *fig.* magnify.
Potpourri ['pɔtpuri] *mus. n* (-*s*; -*s*) potpourri, (musical) selection, medley.
Pott|asche ['pɔt-] *f* (-) potash; **~fisch, ~wal** *m* sperm-whale.
poussieren [pu'si:rən] *v/i.* (*h.*) flirt, spoon (*mit* with); *colloq. fig.* (*v/t.*, *h.*) butter up, soft-soap.
Präambel [prɛ'ambəl] *f* (-; -*n*) preamble.
Pracht [praxt] *f* (-; -*en*) splendo(u)r, magnificence; luxury; pomp, state; display, rich array; glitter; *~ entfalten* display splendo(u)r; *fig. colloq. es war e-e wahre ~* it was just great; '**~aufwand** *m* gorgeous display, sumptuousness; '**~ausgabe** *f* édition de luxe (*Fr.*); '**~bau** *m* (-[*e*]*s*; -*ten*) magnificent (*or* palatial) building; '**~exemplar** *n* splendid specimen (*a. person*).
prächtig ['prɛçtiç] *adj.* splendid, magnificent; gorgeous, sumptuous; pompous; grand, great, dazzling; charming, fine; glorious (*weather*).
'**Pracht...: ~kerl** *m* splendid fellow, brick, topper, trump, *Am. a.* great guy; **~liebe** *f* (-) love of splendo(u)r; **2liebend** *adj.* fond of show, ostentatious; **~mädel** *n* splendid girl; **~straße** *f* boulevard; **~stück** *n* fine specimen, beauty; **2voll** *adj.* → *prächtig*; **~zimmer** *n* state-room.
Prädikat [prɛdi'kɑ:t] *n* (-[*e*]*s*; -*e*) *gr.* predicate; title; attribute; *ped.* mark; **~snomen** [-no:mən] *gr. n* (-*s*; -*mina*) complement.
prädispo'nieren *v/t.* (*h.*) predispose (*für* to).
Präge|anstalt ['prɛ:gə-] *f* mint; **~druck** *typ. m* (-[*e*]*s*; -*e*) relief print(ing); **~form** *f* matrix; **2n** *v/t.* (*h.*) stamp (*a. fig.* = form); coin (*a. word*); emboss; *fig. in das Gedächtnis*: impress *or* engrave on *one's memory*; **~ort** *m* place of coinage; **~stanze** *tech. f* (stamping) die; **~stempel** *m* stamping *or* embossing *or* coining die; *adm.* raised seal; **~stock** *m* coining stamp.
pragmatisch [prag'mɑ:tiʃ] *adj.* pragmatic(al).
prägnant [prɛg'nant] *adj.* pithy, terse, to the point; exact, precise.
Prägung ['prɛ:guŋ] *f* (-; -*en*) stamping, coinage (*a. of word*); *fig.* stamp, character.
prähistorisch ['prɛ-] *adj.* prehistoric.
prahlen ['prɑ:lən] *v/i.* (*h.*) boast, brag (*mit* of); talk big, bluster; swagger; show off.
'**Prahler** *m* (-*s*; -), **~in** *f* (-; -*nen*) blusterer, boaster, braggart, swaggerer; **Prahle'rei** *f* (-; -*en*) boasting, bragging, swaggering; boast, brag; '**prahlerisch** *adj.* boastful, boasting, bragging; ostentatious, showy.
'**Prahl...: ~hans** *m* (-*es*; ⸚*e*) braggart, show-off; **~sucht** *f* (-) boastfulness.
Prahm [prɑ:m] *mar. m* (-[*e*]*s*; -*e*) barge.
Präjudiz [prɛju'di:ts] *jur. n* (-*es*; -*e*) precedent; **~recht** *n* case law.
Praktik ['praktik] *f* (-; -*en*) practice; *b.s. ~en pl.* (sharp) practices, tricks, dodges.

Praktikant(in *f*) [-'ant(in)] *m* (-*en*, -*en*; -, -*nen*) probationer, pupil; trainee, student, assistant.

'**Praktiker** *m* (-*s*; -) practical man, expert.

'**Praktikum** *n* (-*s*; -*ka*) practical course, laboratory sessions *pl.*

'**Praktikus** *m* (-; -*se*): *alter* ~ old stager *or* hand *or* campaigner.

'**praktisch I.** *adj.* practical; practical-minded; practised; clever, handy; useful, serviceable; handy, easy-to-use (*tool*); virtual; ~*er Arzt* general practitioner; ~*e Ausbildung* practical training, *Am.* on-the-job training; ~*es Beispiel* working example; ~*er Sinn* practical-mindedness; *tech.* ~*e Gebrauchseigenschaften* behavio(u)r under practical service conditions; ~*er Unterricht* applicatory system, object lessons *pl.*; ~*er Versuch tech.* field test; **II.** *adv.* practically, virtually, to all practical purposes; as good as; ~ *durchführbar* practicable.

praktizieren [prakti'tsi:rən] *v/i.* (*h.*) practise (*als Arzt*: medicine, *als Rechtsanwalt*: at the bar).

Prälat [prɛ'lɑ:t] *eccl. m* (-*en*; -*en*) prelate.

Präliminarien [-limi'nɑ:riən] *pl.* preliminaries.

Praline [pra'li:nə] *f* (-; -*n*), **Praliné** ['praline] *n* (-*s*; -*s*) chocolate-cream; *Pralinen pl.* chocolates.

prall [pral] *adj.* tight; taut (*rope*); well-rounded, bursting; chubby (*cheeks*); plump (*pillow*); blazing (*sun*); **2** *m* (-[e]*s*; -*e*) shock, impact; bounce; rebound; '~**en** *v/i.* (*sn*) bounce *or* bound (*auf acc.* against); *sun*: beat down (*auf acc.* on); '**2heit** *f* (-) tightness; roundness; plumpness.

Präludium [prɛ'lu:dium] *n* (-*s*; -*ien*) prelude.

Prämie ['prɛ:miə] *f* (-; -*n*) award; *ped.* prize; reward; *econ.* **a**) premium, **b**) bonus, **c**) *stock exchange*: option money; bonus, **d**) (*export, etc.*) bounty; ~**n-erklärung** *econ. f* declaration of option money; ~**n-geschäfte** *n/pl.* optional bargains; ~**nsatz** *m* (rate of) premium; ~**n-schein** *m* premium bond; ~**n-system** *n* bonus system, incentive pay system.

prämiieren [prɛ'mi:rən] *v/t.* (*h.*) award a prize to; place a premium on.

Prämisse [-'misə] *f* (-; -*n*) premise.

prangen ['praŋən] *v/i.* (*h.*) *thing*: make a show; glitter, shine, be resplendent; *person*: look fine; shine forth.

'**Pranger** *m* (-*s*; -) pillory; *an den* ~ *stellen* (put in the) pillory, *fig. a.* expose (publicly).

Pranke ['praŋkə] *f* (-; -*n*) claw, clutch, paw.

pränumerando [prɛnume'rando] *adv.* in advance.

Präparat [prɛpa'rɑ:t] *n* (-[e]*s*; -*e*) preparation, compound; *anat.* specimen; *microscope*: slide preparation.

präparieren [-'ri:rən] *v/t.* (*h.*) (*and sich*) prepare (*auf acc.* for); dissect; *phot. präpariertes Papier* sensitized paper.

Präposition [prɛpozitsi'o:n] *gr. f* (-; -*en*) preposition; **präpositional** [-tsio'nɑ:l] *adj.* prepositional.

Prärie [prɛ'ri:] *f* (-; -*n*) prairie.

Präsens ['prɛ:zəns] *gr. n* (-; -*sentia* [-'zɛntsia]) present (tense).

Präsent [prɛ'zɛnt] *n* (-*s*; -*e*) present.

präsentier|en [-'ti:rən] *v/t.* (*h.*) present; *mil. Präsentiert das Gewehr!* present arms!; **2teller** *m* tray, salver; *fig. wie auf dem* ~ in full view.

Präsenz [prɛ'zɛnts] *f* (-) presence; ~**liste** *f* list of persons present; ~**stärke** *mil. f* effectives *pl.*

Präservativ [-zɛrva'ti:f] *n* (-*s*; -*e*), ~**mittel** *n* preservative.

Präsident [-zi'dɛnt] *m* (-*en*; -*en*) president; chairman; *parl.* Speaker; ~**enstuhl** *m* presidential chair; *den* ~ *besteigen* take the chair; ~**enwahl** *f* presidential election; ~**schaft** *f* (-) presidency; ~**schaftskandidat** *m* presidential candidate.

präsidieren [-zi'di:-] *v/i.* (*h.*) preside (*über acc.* over); be in the chair.

Präsidium [prɛ'zi:dium] *n* (-*s*; -*ien*) presidency, chair(-manship); → *Polizeipräsidium, etc.*; *das* ~ *übernehmen* take the chair.

prasseln ['prasəln] *v/i.* (*h.*) *fire*: crackle; *rain*: patter; *hail*: rattle; *missiles*: hail, rain; ~*der Beifall* thunderous applause.

prassen ['prasən] *v/i.* (*h.*) feast, carouse, splurge; *w.s.* live in luxury *or* debauchery.

'**Prasser(in** *f*) *m* (-*s*, -; -, -*nen*) reveller, spendthrift; glutton.

Prasserei [-sə'raɪ] *f* (-) gluttony, debauchery, luxury; feasting, revelry.

Prätendent(in *f*) [prɛten'dɛnt(in)] *m* (-*en*, -*en*; -, -*nen*) claimant (*auf acc.* to); pretender (to *crown*).

Präteritum [prɛ'te:ritum] *gr. n* (-*s*; -*ta*) preterite, past tense.

Pratze ['pratsə] *f* (-; -*n*) paw.

Präventiv|behandlung [prɛven'ti:f-] *med. f* prophylactic treatment; ~**krieg** *m* preventive war; ~**maßnahme** *f*, ~**mittel** *n* preventive measure.

Praxis ['praksis] *f* (-) practice; exercise; experience; usage; (-; -*xen*) *of doctor*: practice, patients *pl.*, *of lawyer*: clients *pl.*; consultation room, office; *in der* ~ in practice; *tech.* in action, in practical operation; *in der* ~ *bestehen können* stand the test; *in die* ~ *umsetzen* put into practice.

Präzedenzfall [prɛtse'dɛnts-] *m* precedent; leading case; *e-n* ~ *schaffen* set a precedent.

präzis [prɛ'tsis] *adj.* precise, exact; **präzisieren** [-tsi'zi:-] *v/t.* (*h.*) define, specify.

Präzision [-tsi'zio:n] *f* (-) precision, accuracy; ~**s-arbeit** *f* precision work; ~**sschießen** *mil. n* precision fire; ~**swaage** *f* precision balance.

predig|en ['pre:digən] *v/i. and v/t.* (*h.*) preach; *fig.* sermonize, rant; **2er(in** *f*) *m* (-*s*, -; -, -*nen*) preacher; **2t** *f* (-; -*en*) sermon (*a. colloq. fig.*); *e-e* ~ *halten* preach (a sermon); *fig. j-m e-e* ~ *halten* give a p. a lecture.

Preis [praɪs] *m* (-*es*; -*e*) price; cost; fare; rate; fee, charge; prize; award, trophy; reward; praise, glory; *econ. abgemachter* (*angebotener, gegenwärtiger*) ~ agreed (offered, ruling) price; *äußerster* ~ lowest possible (*or* keenest) price; *sports*: ~ *der Nationen* jumping test, Prix des Nations (*Fr.*); *mot. großer* ~ Grand Prix (*Fr.*); *um jeden* ~ at any price *or* cost; *um keinen* ~ not at any price, not for all in the world; *zum* ~*e von* at the price of, priced at, selling for; *im* ~*e steigen* (*fallen*) rise (fall) in price, go up (drop); *den* ~ *davontragen* carry off (*or* take) the prize; *film, book, etc.*: *e-n* ~ *erzielen* fetch a prize.

'**Preis...**: ~**abbau** *m* (-[e]*s*) reduction of prices, cutback; ~**amt** *n* price control board; ~**änderung** *f* change in price(s *pl.*); ~*en vorbehalten* subject to change; ~**angabe** *f* quotation (of prices); *ohne* ~ not priced *or* marked; ~**anstieg** *m* rise in prices; ~**aufgabe** *f* (subject set for a) competition; prize-question; ~**aufschlag** *m* rise in prices, price mark-up; extra charge; ~**auftrieb** *m* upward trend of prices; ~**ausschreiben** *n* (-*s*; -) (prize-)competition; ~**auszeichnung** *f* shop mark; **2bestimmend** *adj.* price-determining; ~**bewegung** *f* movement of prices; ~**bildung** *f* price fixing; ~**bindung** *f* price protection, administered prices *pl.*; ~ *der zweiten Hand* resale price maintenance; ~**boxer** *m* prize-fighter; ~**druck** *m* downward pressure of prices; ~**drücker** *m* price-cutter; ~**drücke'rei** *f* price-cutting; ~**einbruch** *m* → *Preissturz*.

Preiselbeere ['praɪzəlbe:rə] *bot. f* red whortleberry, cranberry.

preisen ['praɪzən] *v/t.* (*irr., h.*) praise; glorify, extol; laud, eulogize; *j-n* (*sich*) *glücklich* ~ call a p. (o.s.) happy.

'**Preis...**: ~**entwicklung** *f* trend of prices; ~**erhöhung** *f* → *Preisaufschlag*; ~**ermäßigung** *f* price cut, abatement; discount; ~**festsetzung** *f* price fixing, pricing; ~**frage** *f* → *Preisaufgabe*; *fig. Am.* 64-dollar question; ~**gabe** *f* (-), ~**gebung** *f* (-) abandonment; surrender; revelation, give-away (*of secret*); **2geben** *v/t.* (*irr., h.*) abandon, give up; surrender, relinquish; sacrifice; reveal, give away (*secret*); (*sich*) *dem Gelächter, etc.* ~ expose (o.s.) to *laughter*; *preisgegeben* (*dat.*) at the mercy of; a prey of; exposed to; ~**gefüge** *n* price structure; **2gekrönt** *adj.* prize-winning, prize (*novel, etc.*); ~**gericht** *n* jury; ~**gestaltung** *f* pricing policy; price structure; ~**gleitklausel** *f* sliding-price (*Am.* escalator) clause; ~**grenze** *f* price limit; *obere* ~ *a.* ceiling; *untere* ~ minimum (price); **2günstig** *adj.* → *preiswert*; ~**herabsetzung** *f* price reduction, (price) cut; ~**höhe** *f* level of prices; ~**index** *m* (price) index number; ~**klemme** *f* squeeze in prices; ~**lage** *f* (-) price range *or* level; *in jeder* ~ at all prices; *in mittlerer* ~ medium-priced; ~**liste** *f* price-list; ~**nachlaß** *m* reduction in price, abatement; discount; ~**niveau** *n* price level; ~**notierung** *f* quotation; **~politik** *f* price policy; **~rätsel** *n* competition puzzle; **~richter** *m* judge; **~rückgang** *m* fall (*or* decline) in prices, drop; **~schere** *f* price scissors *pl.*; **~schießen** *n* rifle competition; **~schild** *n* price tag; **~schleude'rei** *f* undercutting (of prices), price slashing; **~schraube** *f* price spiral; **~schwankungen** *f/pl.* fluctuations in prices; **~senkung** *f* → *Preisherabsetzung*; **~skala** *f*: *gleitende ~* sliding scale; **~spanne** *f* price margin, spread; **~stand** *m* (-[e]s) level (*or* range) of prices; **~steigerung** *f* rise (*or* advance) in prices; **~stellung** *f* quotation; **~stopp** *m* price stop, price freeze; *e-n ~ durchführen* freeze prices; **~sturz** *m* sudden fall of prices, slump, *Am. a.* break; **~stützung** *f* price supports *pl.*; **~träger(in** *f*) *m* prize-winner; **~treibe'rei** *f* forcing up the prices (*or* market), bulling; **~überhöhung** *f* excessive prices *pl.*; **~überwachung** *f* price control; **~unterbietung** *f* underselling; dumping; **~unterschied** *m* difference in price; **~veränderung** *f* change in price; **~verband** *m* price combine; **~verteilung** *f* distribution of prizes; **~verzeichnis** *n* price-list; **2wert, 2würdig** *adj.* worth the money; *~ sein* be good value; low-priced; *~es Angebot* bargain; **~würdigkeit** *f* (-) good value; moderate price, cheapness; **~zettel** *m* ticketing label; **~zuschlag** *m* additional charge.

prekär [pre'kɛːr] *adj.* precarious.

Prellbock ['prɛl-] *rail. m* buffer-stop; *fig.* buffer.

prellen ['prɛlən] *v/t.* (*h.*) make rebound; toss (in a blanket); *med.* contuse, bruise (*sich das Knie, etc.* one's knee, *etc.*); *fig.* cheat, swindle; *j-n um et. ~* swindle (*or* trick) a p. out of a th.

'Prell...: **~platte** *f* baffle-plate; **~schuß** *m* ricochet; **~stein** *m* kerbstone, *Am.* curbstone; **~ung** *med. f* (-; *-en*) contusion, bruise.

Premiere [prəmi'ɛːrə] *f* first night, première; **~nbesucher(in** *f*) *m* first-nighter; **~nkino** *n* first-run cinema.

Premierminister [prəmi'eːminɪstər] *m* prime minister, premier.

Presse ['prɛsə] *f* (-; *-n*) *tech.*, *typ.* press; *fig. the* Press, journalism; *ped.* cramming-class(es *pl.*); (orange, *etc.*) squeezer, juicer; lust|re, *Am.* -er, gloss; *Vertreter der ~* reporter, pressman; *eben aus der ~* fresh from the press; *unter der ~* in the press, printing; *in die ~ gehen* go to press; *fig. eine gute ~ haben* have a good press; **~agentur** *f* press agency; **~amt** *n* public relations office; **~bericht** *m* press report; **~chef** *m* press chief; **~dienst** *m* news service; **~feldzug** *m* press campaign; **~freiheit** *f* (-) freedom of the press; **~gesetz** *n* press law; **~konferenz** *f* press conference; **~meldung** *f* news item.

'pressen *v/t.* (*h.*) press, squeeze; compress; force; strain; *tech.* extrude; block (*hat*); emboss (*leather*); *heiß ~* hot-press (*cloth*); *fig.* urge, press; oppress; (im)press, shanghai (*soldiers, etc.*); *gepreßt voll* crammed (full), jammed; *gepreßtes Lachen* forced laugh; *mit gepreßter Stimme* in a choked voice.

'Presse...: **~photograph** *m* press photographer; **~stelle** *f* public relations office; **~stimmen** *f/pl.* commentaries of the press; **~tribüne** *f* press gallery; **~vergehen** *n* offen|ce (*Am.* -se) against the press laws; **~verlautbarung** *f* press release; **~vertreter** *m* reporter, pressman; public relations officer.

Preß... ['prɛs-]: **~form** *tech. f* matrix; **~futter** *agr. n* compressed forage; **~gas** *n* pressure gas; **~glas** *n* mo(u)lded glass; **~guß(teil** *n*) *m* press-casting; **~holz** *n* compregnated (*or* laminar) wood.

pressieren [prɛ'siːrən] *v/i.* (*h.*) be urgent; *es pressiert mir* (*ihm, etc.*) I am (he is, *etc.*) in a hurry; → *eilen*; *es pressiert nicht* there is no hurry.

Pression [-si'oːn] *pol. f* (-; *-en*) pressure, coercive measure.

'Preß...: **~kohle** *f* briquette, compressed (*or* patent) fuel; **~ling** [-lɪŋ] *m* (-*s*; -e) pressed piece, mo(u)lding; **~luft** *f* (-) compressed air; **2luftbetätigt** *adj.* air-operated; **~luftbohrer** *m* pneumatic (*or* air) drill; **~luftflasche** *f* compressed air cylinder; **~lufthammer** *m* pneumatic hammer; **~luftstampfer** *m* compressed-air rammer; **~masse** *f* mo(u)lding compound; → *Preßstoff*; **~ölschmierung** *f* forced-feed lubrication; **~stange** *f* extruded bar; **~stoff** *m* plastic material, plastic mo(u)lding compound; **~stroh** *n* baled straw; **~teil** *n* mo(u)lded part.

'Pressung *f* (-; *-en*) pressing, pressure, squeeze, compression.

'Preß...: **~verfahren** *n* mo(u)lding (technique); **~walze** *f* press roll.

Prestige [prɛ'stiːʒ(ə)] *n* (-*s*) prestige; *~ verlieren a.* lose face; **~denken** *n* status thinking; **~frage** *f* matter of prestige.

Preuß|e ['prɔʏsə] *m* (-*n*; -*n*), **~in** *f* (-, *-nen*), **2isch** *adj.* Prussian.

prickeln ['prɪkəln] *v/i. and v/t.* (*h.*) prick(le), tickle (the palate); itch; *limbs*: tingle; **2** *n* prickling; tingling sensation, pins and needles; hot taste; pungency; **~d** *adj.* prickly; pungent, sharp; *fig.* thrilling; → *pikant*.

Priem [priːm] *m* (-[e]s; -e) quid (of tobacco), plug; **'2en** *v/i.* (*h.*) chew tobacco.

pries [priːs] *pret. of preisen.*

Priese ['priːzə] *f* (-; *-n*) neckband (*of shirt*).

Priester ['priːstər] *m* (-*s*; -) priest; **~amt** *n* priestly office, priesthood; **~herrschaft** *f* (-) hierarchy; **~in** *f* (-; *-nen*) priestess; **2lich** *adj.* priestly, sacerdotal, *w.s.* clerical; **~rock** *m* cassock; **~schaft** *f* (-) priests *pl.*, clergy; **~tum** *n* (-*s*) priesthood; **~weihe** *f* ordination (of a priest); *die ~ empfangen* take orders.

prima ['priːma] *adj.* first rate, A 1, *econ. a.* prime; *colloq.* swell, topping, *Am. a.* solid; → *Pfunds...*; **2** *f* top form, highest class; **2balle'rina** *f* ballerina; **2'donna** *f* prima-donna.

Primaner(in *f*) [pri'maːnər] *m* (-*s*, -; -, *-nen*) top-form boy (girl).

primär [pri'mɛːr] *adj.* primary; *geol.* protogenic; **2herd** *med. m* primary focus; **2spannung** *el. f* primary voltage; **2strom** *el. m* primary current.

Primas ['priːmas] *m* (-; -se) primate.

Primat [pri'maːt] *m and n* (-[e]s; -e) primacy.

Pri'maten *biol. m/pl.* primates.

prima vista ['priːma 'vista] *adv.* at sight.

'Primawechsel *econ. m* first of exchange, prime bill.

Primel ['priːməl] *f* primrose.

primitiv [primi'tiːf] *adj.* primitive, *fig. a.* crude; **Primitivität** [-tivi'tɛːt] *f* (-) primitivity; crudity; **Primi'tivling** *colloq. m* primitive fellow, lowbrow.

Primus ['priːmus] *m* (-; *-mi*) head boy, top boy, top of the class.

'Primzahl *f* prime number.

Prinz [prɪnts] *m* (-*en*; *-en*) prince; **Prin'zessin** [-'tsɛsɪn] *f* (-; *-nen*) princess; **'Prinzgemahl** *m* prince consort.

Prinzip [prɪn'tsiːp] *n* (-*s*; *-pien*) principle; *aus ~* on principle; *im ~* in principle, basically; *im ~ einig sein* agree in principle; → *Grundsatz*.

Prinzipal [-tsi'paːl] *m* (-*s*; -e) principal, chief, *jur.* master; employer, boss.

prinzipiell [-tsi'pjɛl] *adj. and adv.* on principle; → *grundsätzlich*.

Prin'zipien...: **~frage** *f* question of principle; **~reiter** *m* stickler (for principles), dogmatist; **~streit** *m* dispute about principles.

prinzlich ['prɪntslɪç] *adj.* princely.

Prior ['priːoːr] *eccl. m* (-*s*; -'*oren*) prior; **Pri'orin** *f* (-; *-nen*) prioress.

Priorität [priori'tɛːt] *f* (-; *-en*) priority (*a. patent*); precedence; **~s-aktien** *f* preference (*Am.* preferred) share; **~s-anleihe** *f* mortgage-loan; **~s-anspruch** *m* priority claim; **~s-gläubiger(in** *f*) *m* privileged creditor.

Prise ['priːzə] *f* (-; *-n*) **1.** *mar.* prize; **2.** *e-e ~ Salz* (*Tabak*) a pinch of salt (snuff); **~ngelder** *mar. n/pl.* prize money *sg.*; **~ngericht** *n* prize court; **~nkommando** *n* prize crew; **~nrecht** *n* prizage.

Prisma ['prɪzma] *n* (-*s*; *-men*) prism; **prismatisch** [-'maː-] *adj.* prismatic(ally *adv.*).

'Prismen *tech. n/pl.*, **~führungen** *f/pl.* V-ways.

'Prismenglas *opt. n* prism glass.

Pritsche ['prɪtʃə] *f* (-; *-n*) slapstick (*of harlequin*); bat; plank-bed; **~n** *v/t.* (*h.*) beat, bat, lash; **~nwagen** *m* platform truck.

privat [pri'vaːt] *adj.* private; confidential; personal; *~es Leben, ~e Sphäre* privacy; *econ. ~e Einfuhr* imports on private account; **2adresse** *f* home address; **2angelegenheit** *f* private affair; **2arzt** *m* physician in private practice; **2bank** *f* (-; *-en*) private (*or* commercial) bank; **2besitz** *m*, **2eigentum**

n private (*or* personal) property; *in* ~ privately owned; 2**dozent** *m* (unsalaried) university lecturer, *Am.* instructor; 2**einkommen** *n* personal income; 2**fahrer** *m racing*: private entrant; 2**gebrauch** *m* (-[e]s) private use; ~**gelehrte(r)** *m* independent scholar; 2**gespräch** *n* private conversation, *teleph.* private call.

Privatier [priva'tie:] *m* (-*s*; -*s*) private gentleman.

pri'vatim *adv.* privately, confidentially.

Pri'vat...: ~**initiative** *f* private venture; ~**interesse** *n* private interest; ~*n verfolgen pol. esp. Am.* have an ax(e) to grind; 2**isieren** [-ti'zi:-] **I.** *v/i.* (*h.*) live on one's means; **II.** *v/t.* (*h.*) put into private ownership; ~**klage** *jur. f* private complaint; ~**kläger(in** *f*) *m* complainant; ~**klinik** *f* private clinic, nursing home; ~**korrespondenz** *f* personal correspondence; ~**leben** *n* private life; ~**lehrer(in** *f*) *m* private tutor; ~**mann** *m* private gentleman; ~**patient** *med. m* paying patient; ~**person** *f* private person; ~**recht** *n* private law; 2**rechtlich** *adj.* under private law, private-law; ~**sache** *f* private matter; ~**schule** *f* private school; ~**sekretär** *m* private secretary; ~**stunde** *f* private lesson; ~**unternehmen** *n* private enterprise; ~**unterricht** *m* (-[e]s) private tuition (*or* lessons *pl.*); ~**versicherer** *m* private underwriter; ~**weg** *m* private road; ~**wirtschaft** *f* (-) private industry, free economy; ~**wohnung** *f* private residence.

Privileg [privi'le:k] *n* (-[e]s; -*gien* [-giən]) privilege; licence.

privilegier|en [-'gi:rən] *v/t.* (*h.*) privilege; ~**t** *adj.* privileged; chartered (*bank*).

pro [pro:] *prp.* (*acc.*) per; ~ *Jahr* pro annum; ~ *Kopf* per head; *Einkommen* ~ *Kopf* per capita income; ~ *Stück* a piece; *5 Personen* ~ *Quadratmeile* 5 persons to the square mile; **Pro** *n* (-): ~ *und Kontra* pro and con.

probat [pro'ba:t] *adj.* proved, tried, tested.

Probe ['pro:bə] *f* (-; -*n*) experiment; trial, test, tryout; *metall.* assay; sample, pattern; specimen; *a. math.* proof; probation; check; *thea.* rehearsal (*a. w.s.* = practice); audition; *iro.* taste; trade-mark; *auf* ~ on probation, on trial, *consignment*: on approval; *Beamter auf* ~ probationary officer; *auf die* ~ *stellen* (put to the) test; *auf e-e harte* ~ *stellen* put to a severe test, tax, try (*nerves, patience, etc.*); *die* ~ *bestehen* stand (*or* pass) the test; *die* ~ *aufs Exempel machen* put the matter to the acid-test; ~*n von Mut ablegen* give proof of one's courage; ~*n (ab)halten* have a rehearsal, rehearse; *tech.* ~*n nehmen* take samples; ~**abdruck**, ~**abzug** *m typ.* proof; *phot.* test print; ~**alarm** *m* practice alarm; ~**aufnahme** *f film*: screen test; *von j-m* ~*n machen* screen-test a p.; ~**auftrag** *m*, ~**bestellung** *f* trial order; ~**bild** *n phot.* proof; *TV*: test chart, *Am.* resolution pattern; ~**bogen** *typ. m* proof-sheet; ~**entnahme** *tech. f* sampling; ~**exemplar** *n* specimen copy, sample (copy); ~**fahrt** *f* trial trip; *mot.* trial run, road test; ~**fall** *m* test case; ~**flug** *m* test flight; ~**jahr** *n* year of probation; ~**lauf** *m* test run (*a. mot.*); ~**muster** *tech. n* experimental model; 2**n** *v/t.* (*h.*) → *probieren*; *thea.* (*a. w.s.*) rehearse; ~**nahme** *f* sampling; ~**nummer** *f* specimen number; ~**schuß** *m* trial shot; sighting shot; ~**seite** *typ. f* specimen page; ~**sendung** *f* sample sent on approval, *Am.* trial shipment; ~**stück** *n* specimen, sample, pattern; *tech.* (test) specimen; 2**weise** *adv.* by way of trial, *person a.* on probation; on approval; ~**zeit** *f* time of probation, qualifying period, trial (*Am. a.* tryout) period; *nach einer* ~ *von 3 Monaten* at the end of a three months' probation.

probieren [pro'bi:rən] *v/t.* (*h.*) try (*a. es* ~ *mit*); (put to the) test; taste (*food*); sample (*wine, etc.*); *metall.* assay; *probier's noch mal* try again; → *anprobieren*; **Pro'bieren** *n* (-*s*) trying; trial and error method; ~ *geht über Studieren* the proof of the pudding is in the eating.

Pro'bier...: ~**glas** *chem. n* test-tube; ~**nadel** *f* touch-needle; ~**stein** *m* touchstone; ~**waage** *f* assay-balance.

Problem [pro'ble:m] *n* (-*s*; -*e*) problem.

Problema|tik [-ble'mɑ:-] *f* (-) problematic nature, dubiousness; (set of) problems *pl.*; 2**tisch** *adj.* problematic(al).

Pro'blemstück *thea. n* thesis-play.

Produkt [pro'dukt] *n* (-[e]s; -*e*) product (*a. math.*); *agr.* produce; result, outcome; ~**enbörse** *f* produce exchange; ~**enhandel** (~**enhändler**) *m* trade (dealer) in agricultural produce; ~**enmarkt** *m* produce market.

Produktion [-ti'o:n] *f* (-; -*en*) production; output; yield.

Produkti'ons...: → *Herstellungs...*; ~**anlage** *f* production facilities, plants *pl.*; ~**anstieg** *m* increase in production; ~**assistent** *m film*: assistant executive producer; ~**ausfall** *m* loss of production; ~**beschränkung** *f* output restriction; ~**betrieb** *m* producing firm; ~**gang** *m* course of manufacture; ~**güter** *n/pl.* producer goods; ~**kosten** *pl.* cost(s) of production; ~**kraft** *f* productive power; ~**leistung** *f* output capacity; ~**leiter** *m* production manager; *film*: executive producer; ~**leitung** *f* plant management; *film*: production; 2**mäßig** *adj.* (in terms of) production; ~**menge** *f* output; ~**mittel** *n/pl.* means of production, production equipment; ~**rückgang** *m* falling off in production, production drop; ~**stand** *m* (-es) level of production; ~**stätte** *f* (manufacturing) plant; ~**umfang** *m* (-[e]s) volume of production; ~**wirtschaft** *f* (-) producing industries *pl.*; ~**ziffer** *f* production rate (*or* figure).

produktiv [-'ti:f] *adj.* productive.

Produktivität [-tivi'tɛ:t] *f* (-) productivity.

Produzent [-'tsɛnt] *m* (-*en*; -*en*) producer (*a. film*), manufacturer, maker; *agr.* grower.

produzieren [-'tsi:rən] *v/t.* (*h.*) produce; *agr.* grow; yield; *Beweismaterial* ~ furnish evidence; *sich* ~ show o.s., perform, *contp.* show off, make an exhibition of o.s.

profan [pro'fɑ:n] *adj.* profane.

profanier|en [-fa'ni:-] *v/t.* (*h.*) profane; 2**ung** *f* (-) profanation.

Profession [profɛ'sio:n] *f* (-; -*en*) trade, vocation; profession.

professionell [-sio'nɛl] *adj.* professional, by trade.

Professor [pro'fɛso:r] *m* (-*s*; -'*oren*) professor.

profes'sorenhaft *adj.* professorial.

Professur [-'su:r] *f* (-; -*en*) professorship; chair.

Profi ['pro:fi] *m* (-*s*; -*s*) *sports*: pro.

Profil [pro'fi:l] *n* (-*s*; -*e*) profile (*a. tech.* = section); *aer.* wing section; *mot.* (tyre) tread; *im* ~ in profile; ~**draht** *m* profiled wire; ~**eisen** *n* structural iron; *pl.* sections; ~**form** *f* form of profile, section; ~**fräser** *m* profile cutter.

profilier|en [-fi'li:-] *v/t. and v/i.* (*h.*) (draw in) profile; *tech.* shape; *w.s.* streamline; *fig.* present in clear outline; ~**t** *adj.* profiled; non-skid; *fig.* clearly defined; salient; prominent (*person*); 2**ung** *f* (-; -*en*) profiling; *aer.* fairing; *mot.* tread.

Pro'fil...: ~**stahl** *m* section(al) steel; ~**träger** *m* H-beam.

Pro|fit [pro'fi:t] *m* (-[e]s; -*e*) profit; → *Gewinn*; 2**fitabel** [-fi'tɑ:-] *adj.* profitable, lucrative; 2'**fitgierig**, 2'**fitlich** *adj.* profit-seeking, predatory; 2**fitieren** [-fi'ti:-] *v/i.* (*h.*) profit (*von* by), capitalize (on); *er kann dabei nur* ~ he only stands to gain; ~'**fitjäger**, ~'**fitmacher** *m* profiteer; ~'**fitmache'rei** *f* (-) profiteering.

pro forma [pro: 'fɔrmɑ:] *adv.* pro forma, as a matter of form; ~ *mittrinken* have a token drink of wine.

Pro'forma|rechnung *econ. f* pro-forma invoice; ~**wechsel** *m* accommodation bill.

Prognose [pro'gno:zə] *f* (-; -*n*) forecast, *esp. med.* prognosis.

Programm [-'gram] *n* (-*s*; -*e*) program(me), *thea. a.* playbill; *pol.* (political) programme, *Am.* platform; schedule; *ped.* prospectus; *racing, etc.*: card; *als* ~ *vorsehen* program(me); *im* ~ *ankündigen* bill.

programmier|en [-'mi:-] *v/t.* (*h.*) program(me) (*a. tech.*); 2**er** *tech. m* (-*s*; -) programmer.

Pro'gramm...: 2**gemäß** *adv.* according to plan (*or* schedule); without a hitch; ~**gestaltung** *f* (-) programming; ~**gesteuert** *tech. adj.*: ~*er Rechner* program(me)-controlled (*or* digital) computer; ~**musik** *f* (-) program(me) music; ~**punkt** *m* item; ~**vorschau** *f film*: trailor(s *pl.*); ~**wähler** *m* program(me) selector; ~**wechsel** *m* change of program(me).

progressiv [progrɛ'si:f] *adj.* progressive.

Prohibition [-hibitsi'o:n] *n* prohibition.
prohibitiv [-bi'ti:f] *adj.* prohibitive; **℘system** *n* prohibitionism; **℘zoll** *m* prohibitory duty.
Projekt [pro'jɛkt] *n* (-[e]s; -e), **projektieren** [-'ti:-] *v/t.* (*h.*) project.
Projektil [-'ti:l] *n* (-s; -e) projectile.
Projektion [-tsi'o:n] *f* (-; -en) projection; projected image; **~s-apparat** *m* projector; **~sbild** *n* projected image; lantern slide; **~sfläche** *f* screen; **~slampe** *f* projection (filament) lamp; **~sraum** *m* visual aids room; **~sröhre** *TV f* projection tube; **~sschirm** *m* screen.
projizieren [-ji'tsi:rən] *v/t.* (*h.*) project.
Proklamation [proklamatsi'o:n] *f* (-; -en) proclamation; **proklamieren** [-'mi:rən] *v/t.* (*h.*) proclaim.
Prokrustesbett [pro'krustɛs-] *n* Procrustean bed.
Prokura [pro'ku:ra] *econ. f* (-; -ren) procuration, proxy; *per ~* by procuration; *~ erteilen* give procuration.
Prokurist [-ku'rist] *m* (-en; -en) managing (*or* confidential, signing) clerk; officer authorized to sign on behalf of the firm; secretary.
Prolet [-'le:t] *contp. m* (-en; -en) cad; **Proletariat** [-leta'rĭa:t] *n* (-[e]s; -e) proletariat; *geistiges ~* white-collar proletariat.
Proletar|ier(in *f*) [-'ta:rĭər] *m* (-s, -; -, -nen), **℘isch** *adj.* proletarian; **~iertum** *n* (-s) proletarianism; **℘isieren** [-tari'zi:-] *v/t.* (*h.*) proletarianize.
Prolog [pro'lo:k] *m* (-[e]s; -e) prologue; *den ~ sprechen* prologize.
Prolongation *econ.* [proloŋgatsi'o:n] *f* (-) renewal, extension (*of credit, etc.*); *stock exchange*: carry(ing)-over; *film*: hold-over; **~sgebühr** *f* continuation-rate, contango; **~sgeschäft** *n* carrying-over (business), contango business.
prolongieren [-'gi:rən] *v/t.* (*h.*) renew, extend, prolong; *stock exchange*: carry over; *film*: hold over.
Promenade [-mə'na:də] *f* (-; -n) **a**) promenade, *Am.* avenue, **b**) promenade, walk, stroll; **~ndeck** *mar. n* promenade deck; **~nkonzert** *n* promenade concert; **~nmischung** *colloq. f* mongrel.
promenieren [-'ni:rən] *v/i.* (*sn*) promenade, (take a) walk, stroll about.
Promesse [-'mɛsə] *f* (-; -n) promissory note.
Promille [-'milə] *n* (-[s]; -) pars pro mille; concentration of blood alcohol.
prominent [-mi'nɛnt] *adj.* prominent; **℘e(r** *m*) *f* prominent person, leading figure, notable, celebrity; socialite; **Promi'nenz** *f* (-) prominence; notables, civic heads *pl.*; high society.
Promotion [promotsi'o:n] *univ. f* (-; -en) graduation; degree day, *Am.* graduation exercises *pl.*, commencement (day).
promovieren [-'vi:rən] **I.** *v/t.* (*h.*) confer a (doctor's) degree (up)on; **II.** *v/i.* (*h.*) graduate (*an dat.* at, *Am.* from), take one's (doctor's) degree.
prompt [prɔmpt] *adj.* prompt, quick, ready; **℘heit** *f* (-) promptness, promptitude.
Pronomen [-'no:mən] *gr. n* (-s; -) pronoun; **pronomi'nal** *adj.* pronominal.
Propaganda [propa'ganda] *f* (-) propaganda; publicity, advertising; *~ machen für* (*acc.*) make propaganda for, propagate; **~feldzug** *m* propaganda campaign; **~ministerium** *n* ministry of information; **~rummel** *m* propaganda binge, ballyhoo.
Propagandist [-'dist] *m* (-en; -en) propagandist.
propagieren [-'gi:rən] *v/t.* (*h.*) propagate, propagandize, spread.
Propan [pro'pa:n] *chem. n* (-s) propane.
Propeller [pro'pɛlər] *m* (-s; -) airscrew, *esp. Am.* propeller; **~blatt** *n*, **~flügel** *m* airscrew (*or* propeller) blade; **~nabe** *f* airscrew boss; **~schub** *m* propeller thrust; **~turbine** *f*, **~turbinenwerk** *n* propeller turbine, turbo-prop; **~wind** *m* (-[e]s) slipstream.
proper ['prɔpər] *adj.* neat, clean.
Prophet [pro'fe:t] *m* (-en; -en) prophet; **℘isch** *adj.* prophetic(ally *adv.*).
prophezei|en [-fe'tsaɪən] *v/t.* (*h.*) prophesy; *w.s.* predict, foretell; **℘ung** *f* (-; -en) prophecy; prediction.
prophylaktisch [profy'laktiʃ] *adj.* prophylactic, preventive.
Proportion [propɔrtsi'o:n] *f* (-; -en) proportion; **proportional** [-tsio'na:l] *adj.* proportional; *umgekehrt ~* inversely proportional (*zu* to); **proportioniert** [-'ni:rt] *adj.* proportionate; *wohl ~* well proportioned; **Proporti'onsrechnung** *math. f* (rule of) proportion.
Propst [pro:pst] *eccl. m* (-es; ⸚e) provost.
'**Prorektor** *univ. m* vice-chancellor.
Prosa ['pro:za] *f* (-) prose; **~dichtung** *f* (-) fiction.
Prosaiker [pro'za:ikər] *m* (-s; -), **Prosaist** [-za'i:st] *m* (-en; -en) prose-writer; **pro'saisch** *adj.* prosaic, prosy.
Proselyt [proze'ly:t] *m* (-en; -en) proselyte.
prosit! ['pro:zit] *int.* your health!, cheers!, *Am. a.* mud in your eye!; *~ Neujahr!* a happy New Year (to you); *iro. ja ~ (Mahlzeit)!* what next!, my eye!
Prospekt [pro'spɛkt] *m* (-[e]s; -e) prospect; prospectus; brochure, leaflet, *esp. Am.* folder, pamphlet; **~material** *n* advertising literature.
prost [pro:st] → *prosit.*
prostituier|en [prostitu'i:rən] *v/t.* (*h.*) (*sich*) prostitute (o.s.); **℘te** *f* (-n; -n) prostitute.
Prostitution [-tutsi'o:n] *f* prostitution.
Proszenium [pro'stse:nium] *thea. n* (-s; -ien) proscenium; **~sloge** *f* stage-box.
Protegé [prote'ʒe:] *m* (-s; -s) protégé(e *f*).
protegieren [-te'ʒi:-] *v/t.* (*h.*) patronize, take *a p.* under one's wings.
Protein [proteˀ'i:n] *chem. n* (-s; -e) protein.
Protektion [-tektsi'o:n] *f* (-; -en) protection, patronage; **~swirtschaft** *f* (-) protectionism.
Protektor [-'tɛktor] *m* (-s; -'toren) protector; → *Gönner*; **Protekto'rat** *n* (-[e]s; -e) protectorate, protected territory; patronage; *unter dem ~ von* (*dat.*) under the auspices of.
Protest [-'tɛst] *m* (-es; -e) protest; *econ. ~ mangels Annahme* protest for non-acceptance; *unter ~* under protest; *~ gegen et. einlegen or erheben* (enter a) protest against a th., → *protestieren*; *Wechsel zu ~ gehen lassen* have *a bill* protested; **~anzeige** *econ. f* notice of dishono(u)r.
Protestant [-'tant] *m* (-en; -en), **~in** *eccl. f* (-; -nen), **℘isch** *adj.* Protestant; **Protestantismus** [-'tismus] *m* (-) Protestantism.
protestieren [-'ti:rən] **I.** *v/i.* (*h.*): *gegen et. ~* protest (*Brit.* against), object to; **II.** *v/t.* (*h.*) *econ.* protest (*a bill of exchange*).
Pro'test...: **~sturm** *m* storm of protest, outcry; **~urkunde** *econ. f* protest certificate; **~versammlung** *f* indignation meeting.
Prothese [pro'te:zə] *f* (-; -n) artificial limb, prosthesis; denture.
Protokoll [proto'kɔl] *n* (-s; -e) record (*a. jur.*), proceedings *pl.*, transcript; minutes *pl.*; *diplomacy*: protocol; *das ~ aufnehmen* draw up the minutes; *das ~ führen* keep the minutes; *jur. zu ~ geben* depose, place on record, state in evidence; *zu ~ nehmen* take down, record; **protokollarisch** [-'la:riʃ] **I.** *adj.* recorded, entered in the minutes; **II.** *adv.* by the minutes.
Proto'koll...: **~aufnahme** *f* recording, drafting of the minutes; **~buch** *econ. n* minute-book; **~chef** *m* chef de protocol (*Fr.*); **~führer** *m* secretary; *jur.* clerk of the court.
protokol'lieren *v/t. and v/i.* (*h.*) (enter in the) record, enter in (*or* keep) the minutes (of); take down (on record).
Proton ['pro:tɔn] *phys. n* (-s; -'tonen) proton.
Proto'plasma [proto-] *n* (-s) protoplasm.
Prototyp ['pro:to-] *m* (-[e]s; -e) prototype.
Protozoen [proto'tso:ən] *biol. n/pl.* protozoa.
Protuberanz [protube'rants] *f* (-; -en) protuberance.
Protz [prɔts] *m* (-en *or* -es; -e[n]) ostentatious fellow, swell, snob, *Am.* high-stepper.
'**Protze** *mil. f* (-; -n) limber.
'**protzen** *v/i.* (*h.*) (*mit dat.*) show off (with), make a show (of), flaunt (*a th.*), parade (*a th.*); → *prahlen*; **~haft** *adj.* purse-proud; → *protzig*; **℘tum** *n* (-s) snobbism, snobbishness.
'**protzig** *adj.* ostentatious, showy, shoddy; *Am.* swank; *person*: purse-proud; snobbish, stuck-up.
Provenienz [proveni'ɛnts] *f* (-; -en) origin, provenance.
Proviant [provi'ant] *m* (-s) provisions, victuals, *mil.* rations, supplies *pl.*; *mit ~ versehen* provision, victual; **~amt** *mil. n* ration (*or* supply) depot; **~kolonne** *f* supply column;

~lager *n* supply depot; **~zug** *m* supply train.
Provinz [pro'vints] *f* (-; -*en*) province; *the* country.
Pro'vinz...: **~ausgabe** *f* regional edition; **~bank** *f* (-; -*en*) provincial bank; **~blatt** *n* provincial paper.
provinzial [-tsi'ɑ:l], **provinziell** [-tsi'ɛl] *adj.* provincial.
Provinzialismus [-tsia'lismus] *m* (-; -*men*) provincialism.
Pro'vinzler(in *f*) *m* (-*s*, -; -, -*nen*) provincial.
Provision [-vizi'o:n] *econ. f* (-; -*en*) commission; brokerage; *mit e-r ~ von 20%* on a 20 per cent commission; **2sfrei** *adj.* free of commission; **2s-pflichtig** *adj.* subject to a commission; **~sreisende(r** *m*) *f* travel(l)er on commission; **~ssatz** *m* rate of commission; **2sweise** *adv.* on a commission.
Provisor [-'vi:zɔr] *m* (-*s*; -'*soren*) chemist's assistant.
provisor|isch [-vi'zo:riʃ] *adj.* provisional, temporary; make-shift; *~e Regierung* caretaker government; **2ium** *n* (-*s*; -*ien*) provisional (*or* temporary) arrangement; make-shift.
Provo|kation [provokatsi'o:n] *f* (-; -*en*) provocation; **2zieren** [-'tsi:rən] *v/t.* (*h.*) provoke; *~d* provocative.
Prozedur [protse'du:r] *f* (-; -*en*) procedure, *jur.* proceedings *pl.*; *umständliche ~* ritual.
Prozent [-'tsɛnt] *n* (-[*e*]*s*; -*e*) (%) per cent; *~e pl.* percentage *sg.*; *zu 5 ~* at five per cent; *zu hohen ~en* at a high rate of interest; **...2ig** ... per cent; **~rechnung** *f* interest account; **~satz** *m* percentage, *w.s. a.* part, proportion; rate of interest.
prozentual [-tsɛntu'ɑ:l] *adj.* per cent, percental; proportional; *~er Anteil* percentage.
Prozeß [pro'tsɛs] *m* (-*sses*; -*sse*) process; *jur.* action, lawsuit, litigation; trial; (legal) proceedings *pl.*; *e-n ~ gewinnen* (*verlieren*) win (lose) a judgement (*or* one's case); *gegen j-n e-n ~ anstrengen* institute legal proceedings against a p., bring an action against a p., sue a p.; *in e-n ~ mit j-m verwickelt sein* be involved in a lawsuit with a p.; *j-m den ~ machen* try a p., put a p. on trial; *fig. kurzen ~ machen* (*mit dat.*) make short work of it (of *a th.*); **~akten** *f/pl.* minutes *or* record (of a case), files; brief; **~bevollmächtigte(r)** *m* (*klägerischer ~*) agent *or* attorney (for the plaintiff); **2fähig** *adj.* actionable; **~führer** *m* litigant, plaintiff's counsel; **~führung** *f* conduct of a case; **~gegenstand** *m* matter in dispute; **~gegner(in** *f*) *m* opposing party; **2hindernd** *adj.*: *~e Einrede* plea in bar of trial.
prozessieren [-tsɛ'si:rən] *v/i.* (*h.*) carry on a lawsuit (*mit* with), go to law (with), litigate.
Prozession [protse'sio:n] *f* (-; -*en*) procession.
Pro'zeß...: **~kosten** *pl.* (law) costs, legal charges; **~ordnung** *f* rules *pl.* of the court, legal procedure; **~partei** *f* party to the action; **~recht** *n* (-[*e*]*s*) adjective law; **~vollmacht** *f* power of attorney.
prüde ['pry:də] *adj.* prudish; **Prüderie** [prydə'ri:] *f* (-) prudishness, prudery.
Prüf|attest ['pry:f-] *tech. n* test certificate; **~befund** *m* test result.
'**prüfen** *v/t.* (*h.*) examine, test; examine, scrutinize; scan, inspect (*a. tech.*); investigate, look into, analyse; assay (*ore*); taste (*wine*); check, *tech. a.* control; *econ.* audit; *jur.* review (*decision*); *tech.* overhaul; screen (*a p.*); *auf Richtigkeit ~* verify; prove (*last will*); try, (put to the) test; consider, study, weigh; afflict, try; *sich ~* examine o.s., search one's heart; *der Antrag wird geprüft* the application is under consideration; *geprüfter Lehrer* certificated teacher; *schwer geprüfter Vater* sorely afflicted father; **~d** *adj.* searching, speculative (*glance*).
'**Prüfer(in** *f*) *m* (-*s*, -; -, -*nen*) examiner (*a. patent*); tester, checker; *tech.* inspector; *metall.* assayer; *econ.* auditor; *of tea, etc.*: taster.
'**Prüf...:** **~feld** *el. n* testing room, test bay; **~gerät** *n* testing apparatus *or* equipment; **~ingenieur** *m* testing engineer; **~lampe** *f* test lamp; **~lehre** *f* master ga(u)ge; **~ling** *m* (-*s*; -*e*) examinee; *tech.* (test) specimen; **~stand** *tech. m* test stand *or* bench; **~standversuch** *mot. m* bench test, *Am.* block test; **~stein** *m* touchstone; **~strom** *el. m* test current; **~stück** *tech. n* (test) specimen.
'**Prüfung** *f* (-; -*en*) (*mündliche* oral, *schriftliche* written) examination, exam; test (*a. tech.*); scrutiny; examination; investigation; analysis; consideration, studies *pl.*; verification, check(ing), *Am. a.* checkup, *tech. a.* control; inspection; service test; *econ.* audit; *jur.* review; trial, test; visitation, affliction, ordeal; *sports*: event; *e-e ~ machen* go in for an examination.
'**Prüfungs...:** **~anstalt** *f* testing laboratory; **~arbeit, ~aufgabe** *f* examination paper; **~ausschuß** *m*, board of examiners; review board; **~bericht** *m* test report; *econ.* auditing report; **~ergebnis** *n* examination results *pl.*; **~kandidat** *m* examinee; **~kommission** *f* → *Prüfungsausschuß*; **~ordnung** *f* regulations *pl.* for the conduct of an examination; **~zeugnis** *n* certificate, diploma.
'**Prüf...:** **~verfahren** *tech. n* testing method; **~zeichen** *n* test mark.
Prügel ['pry:gəl] *m* (-*s*; -) stick, cudgel; *fig. pl.* (*a. Tracht ~*) (awful) beating *or* hiding, (sound) thrashing; *j-m e-e Tracht ~ verabreichen a.* beat the daylights out of a p.
Prügelei [-'laɪ] *f* (-; -*en*) fight, brawl, scrap.
'**Prügelknabe** *m* whipping-boy; scapegoat.
'**prügeln** *v/t.* (*h.*) cudgel, flog; beat (up), thrash, give a thrashing; *sich ~* (have a) fight.
'**Prügelstrafe** *f* corporal punishment, flogging.
Prünelle [pry'nɛlə] *f* (-; -*n*) prune.
Prunk [pruŋk] *m* (-[*e*]*s*) splendo(u)r, magnificence; luxury; pomp, gorgeous display, show; '**2en** *v/i.* (*h.*) be resplendent; *~ mit* (*dat.*) make a show of, parade, flaunt, show off; boast of; *~d* → *prunkhaft*; '**~gemach** *n* state room; '**2haft** *adj.* ostentatious, showy; '**2los** *adj.* unostentatious, unadorned, plain; '**~stück** *n* show-piece; '**~sucht** *f* (-) love of splendo(u)r, ostentatiousness, pomposity; '**2süchtig** *adj.* ostentatious, pompous; '**2voll** *adj.* splendid, gorgeous.
prusten ['pru:stən] *v/i.* (*h.*) snort; burst out (*vor Lachen* laughing).
Psalm [psalm] *m* (-*s*; -*en*) psalm.
Psalmist [-'mist] *m* (-*en*; -*en*) psalmist.
'**Psalter** *m* psalter.
Pseudo... ['psɔʏdo-] pseudo...
Pseudonym [-'ny:m] *n* (-*s*; -*e*) pseudonym, assummed name; *of writer*: pen name, nom de plume (*Fr.*); **pseudo'nym** *adj.* pseudonymous.
PS-Leistung [pe:'ˀɛs-] *f* horsepower output.
pst! [pst] *int.* hush!, stop!; pst!
Psyche ['psy:çə] *f* (-; -*n*) psyche, soul.
psychedelisch [psyçə'de:liʃ] *adj.* psychedelic.
Psychiater [psyçi'ɑ:tər] *m* (-*s*; -) psychiatrist, alienist; **Psychiatrie** [-a'tri:] *f* (-) psychiatry; *as subject*: psychiatrics *pl.*
'**psychisch** *adj.* psychic(al).
Psychoanaly|se [psyçoˀana'ly:zə] *f* (-) psychoanalysis; **~tiker** *m* psychoanalyst; **2tisch** *adj.* psychoanalytic(ally *adv.*).
Psycho|log [-'lo:k] *m* (-*en*; -*en*), **~loge** [-'lo:gə] *m* (-*n*; -*n*), **~'login** *f* (-; -*nen*) psychologist; **~logie** [-lo'gi:] *f* (-) psychology; **2'logisch** *adj.* psychological.
Psychopath [psyço'pɑ:t] *m* (-*en*; -*en*) psychopath; **2isch** *adj.* psychopathic.
Psychose [-'ço:zə] *f* (-*n*; -*n*) psychosis; *w.s. a.* panic.
psychosomatisch [-zo'mɑ:tiʃ] *adj.* psychosomatic.
Psychothera'pie *f* (-) (*science*) psychotherapy; (*method*) psychotherapeutics.
psychotisch [-'ço:-] *adj.* psychotic.
Pubertät [pubɛr'tɛ:t] *f* (-) puberty.
publik [pu'bli:k] *adj.* public; *~ machen* make public, publicize.
Publikation [publikatsi'o:n] *f* (-; -*en*) publication.
Publikum ['pu:blikum] *n* (-*s*) *the* public; audience; spectators *pl.*, crowd; readers *pl.*; *univ.* open lecture; **2swirksam** *adj.* → *zugkräftig*.
publizieren [publi'tsi:rən] *v/t.* (*h.*) publish.
Publizist [-'tsist] *m* (-*en*; -*en*) publicist, journalist; **~ik** *f* (-) journalism; **2isch** *adj.* journalistic(ally *adv.*).
Puddel|eisen ['pudəl-] *n* puddling iron; **2n** *v/t.* puddle; **~ofen** *m* puddling furnace; **~roh-eisen** *n* forge pig; **~stahl** *m* → *Puddeleisen*.
Pudding ['pudiŋ] *m* (-*s*; -*e*) pudding.

Pudel [ˈpuːdəl] *m* (-s; -) poodle; *fig.* blunder; *des* ~*s Kern* the gist of the matter, *b.s.* the rub; *wie ein begossener* ~ *dastehen* stand aghast, look crestfallen; **2nackt** *adj.* mother-naked; **2naß** *adj.* dripping wet, drenched; **2wohl** *adj.*: *sich* ~ *fühlen* feel great, *Am.* feel like a million dollars.

Puder [ˈpuːdər] *m* (-s; -) (toilet) powder; **~dose** *f* powder-box; vanity-case, flapjack, *Am.* compact; **2n** *v/t.* (*h.*) (*sich*) ~ powder (o.s. *or* one's face); **~quaste** *f* powder-puff; **~zucker** *m* icing (*Am.* confectioner's) sugar.

puff! [puf] *int.* puff!, bang!

Puff *m* (-s; ⸚e) cuff, thump; poke, dig (in the ribs); nudge; bang, pop, report; (*wad*) puff; (-s; -s) backgammon; *colloq.* brothel, whorehouse; *er kann e-n* ~ *vertragen* he can take a lot, he is thick-skinned; ˈ**~ärmel** *m* puffed sleeve; ˈ**2en** **I.** *v/t.* (*h.*) cuff, thump, jostle; pummel; poke in the ribs, nudge; **II.** *v/i.* (*h.*) *train*: puff, chug; pop, bang away.

Puffer [ˈpufər] *m* (-s; -) *rail.* buffer, *Am. a.* bumper; *on door, etc.*: bumper, cushion; *cul.* potato-cake; **~lösung** *chem. f* buffer solution; **~staat** *m* buffer state; **~ung** *f* (-) cushioning; *chem.* buffering; **~wirkung** *chem. f* (-) buffer action.

ˈ**Puffmais** *m* popcorn.

ˈ**Puffspiel** *n* backgammon.

Pulk [pulk] *aer. m* (-[e]s; -s) formation, group.

Pulle [ˈpulə] *colloq. f* (-; -n) bottle.

ˈ**pullen** *v/i.* (*h.*) pull, row.

Pullover [puˈloːvər] *m* (-s; -) pull-over, sweater.

Pulmonal... [pulmoˈnaːl] pulmonary...

Puls [puls] *anat. m* (-es; -e) pulse; *j-m den* ~ *fühlen* feel a p.'s pulse (*a. fig.*); ˈ**~ader** *f* artery.

pulsen, pulsieren [ˈpulzən, -ˈziːrən] *v/i.* (*h.*) pulsate, throb; *fig. a.* pulse, be vibrant (*von* with).

ˈ**Puls...**: **~schlag** *m* pulsation, pulse beat; **~wärmer** *m* (-s; -) wristlet; **~zahl** *f* pulse rate.

Pult [pult] *n* (-[e]s; -e) desk (*a. tech.*).

Pulver [ˈpulfər] *n* (-s; -) powder; gunpowder; *colloq. fig.* cash, dough; *in* ~ *verwandeln* pulverize; *fig. er ist keinen Schuß* ~ *wert* he is not worth powder and shot; *das ist keinen Schuß* ~ *wert* it isn't worth a rap, it's no good; *er hat das* ~ *nicht erfunden* he is no great light, he will not set the Thames on fire; *sein* ~ *verschossen haben* have shot one's bolt; **2artig, 2förmig** *adj.* powdery, pulverous; **~dampf** *m* powder-smoke; **~fabrik** *f* powder-mill; **~faß** *n* powder-keg; *fig.* volcano; (*wie*) *auf e-m* ~ *sitzen* sit on the top of a volcano.

pulverisier|bar [pulvəriˈziːr-] *adj.* pulverizable; **~en** *v/t.* (*h.*) (reduce to) powder, pulverize.

ˈ**Pulver...**: **~ladung** *f* powder charge; **~magazin** *n* powder magazine; **~schnee** *n* powdery snow.

pummelig [ˈpuməliç] *colloq. adj.* plump, roly-poly, chubby.

Pump [pump] *colloq. m* (-[e]s; -e) credit, tick; *auf* ~ *kaufen* buy on tick.

Pumpe [ˈpumpə] *f* (-; -n) pump; **2n** *v/t. and v/i.* (*h.*) pump; *colloq.* lend, *esp. Am.* loan, give on tick; *sich et. von j-m* ~ borrow a th. from a p., touch a p. for *a sum*; **~nhub** *m* pump lift; **~nkolben** *m* pump piston; **~nschwengel** *m* pump-handle.

Pumpernickel [ˈpumpərnikəl] *m* (-s; -) Westphalian ryebread, pumpernickel.

ˈ**Pump...**: **~hose(n** *pl.*) *f* pantaloons; knickerbockers, plus fours *pl.*; **~station** *f* water-station; **~werk** *n* pumping plant.

Punkt [puŋkt] *m* (-[e]s; -e) point (*a. fig.*); dot; *typ., gr.* full stop, *Am.* period; spot, place, *Am. a.* point; *agenda, etc.*: item; subject, topic, point; *rationing*: coupon, point; *on indictment*: count, charge; *contract*: article, clause; *TV*: spot; *sports, etc.*: point, mark; *boxing*: (*chin*) button; *fig. dunkler* ~ **a**) shady point, **b**) skeleton in the cupboard, blot on the family scutcheon; *höchster* ~ highest pitch, climax; *springender* ~ the point; *strittiger* ~ (point at) issue; → *tot*; *wunder* ~ sore spot; ~ *für* ~ point by point, in detail; ~ *zehn Uhr* on the stroke of ten; (*bis*) *auf den* ~ exactly, to a T; *bis zu e-m gewissen* ~ up to a point; *in vielen* ~*en* on many points, in many respects; *sports*: *nach* ~*en siegen* win on points, win a decision; *nach* ~*en verlieren* lose by points, be outpointed; *nach* ~*en führen* lead by points; ~*e sammeln* pile up points, score; *colloq. nun mach aber e-n* ~*!* now, that will do!; ˈ**~feuer** *mil. n* converging fire; precision fire; single rounds *pl.* (*of machine gun*); ˈ**2förmig** *adj.* punctate, punctiform; ˈ**~gleichheit** *f sports*: tie (on points), draw.

punktier|en [puŋkˈtiːrən] *v/t.* (*h.*) dot, *a.* point; *gr.* punctuate; *paint.* stipple; *med.* puncture, *abdomen*: tap; *punktierte Linie* dotted line; **2nadel** *med. f* puncture needle; **2ung** *f* (-; -en) dotting, *etc.*; *gr.* punctuation.

pünktlich [ˈpyŋktliç] *adj.* punctual, prompt, sharp; accurate, exact, precise, conscientious; ~ (*da*) *sein* be on time; **2keit** *f* (-) punctuality; diligence, conscientiousness; precision.

ˈ**Punkt...**: **~linie** *f* dotted line; **~muster** *n* polka dot; **~niederlage** *f* defeat on points; **~richter** *m sports*: judge; **2schweißen** *tech. v/t.* (*h.*) spot-weld; **~sieg** *m* winning on points, (points) decision; **~sieger** *m* winner on points; **~streik** *m* strike at selected sites; **~system** *n* point system.

ˈ**Punktum** *n* (-s) full stop, *Am.* period; *fig. und damit* ~*!* and that's that!

Punktur [puŋkˈtuːr] *med. f* (-; -en) puncture.

ˈ**Punkt...**: **~wertung** *f* classification by points; **~zahl** *f sports*: score; **~ziel** *mil. n* (pin-)point target.

Punsch [punʃ] *m* (-es; -e) punch; **~bowle** *f* bowl of punch, negus; punch-bowl; **~löffel** *m* punch-ladle.

Punze [ˈpuntsə] *tech. f* (-; -n), **2n** *v/t.* (*h.*) punch.

pupen [ˈpuːpən] *colloq. v/i.* (*h.*) fart.

Pupille [puˈpilə] *f* (-; -n) pupil; **~n-abstand** *m* distance between the pupils; **~n-erweiterung**, (**~n-verengung**) *f* dilatation (contraction) of the pupil.

Püppchen [ˈpypçən] *n* (-s; -) little doll; (*girl*) doll; popsy(-wopsy), pet.

Puppe [ˈpupə] *f* (-; -n) doll (*a. colloq. fig.* = girl); puppet, marionette; dummy; *zo.* pupa, chrysalis; cocoon; **~ngesicht** *n* doll's face; **~nhaus** *n*, **~nstube** *f* doll's house; **~nspiel, ~ntheater** *n* puppet-show; **~nwagen** *m* doll's pram, *Am.* doll buggy.

pur [puːr] *adj.* pure; sheer; ~*er Unsinn* pure nonsense; *aus* ~*er Neugierde* from sheer curiosity; *s-n Whisky* ~ *trinken* drink one's whisk(e)y neat (*Am.* straight).

Püree [pyˈreː] *n* (-s; -s) purée (*Fr.*), mash; cream potatoes.

purgier|en [purˈgiːr-] *med. v/t. and v/i.* (*h.*) purge; **2mittel** *n* purgative; → *Abführ...*

Puritan|er(in *f*) [puriˈtaːnər(in)] *m* (-s, -; -, -nen) Puritan; **2isch** *adj.* Puritan; *contp.* puritanical.

Puritanismus [-taˈniːsmus] *m* (-) Puritanism.

Purpur [ˈpurpur] *m* (-s) **1.** purple; **2.** (*a.* **~gewand** *n*) purple (gown *or* robe); **~mantel** *m* purple cloak; **2n, 2rot** *adj.* purple; crimson; scarlet.

Purzel|baum [ˈpurtsəl-] *m* roll; (*e-n* ~ *schlagen* turn a) somersault, flip-flap; **2n** *v/i.* (*sn*) tumble; ~ *über* (*acc.*) trip over.

pusselig [ˈpusəliç] *colloq. adj.* finicky, fussy.

Puste [ˈpuːstə] *colloq. f* (-) breath; *ihm ging die* ~ *aus* he got out of breath.

Pustel [ˈpustəl] *med. f* (-; -n) pustule; pimple.

pust|en [ˈpuːstən] *colloq. v/i.* (*h.*) puff, pant; blow; **2erohr** *n* blowpipe, pea-shooter.

Pute [ˈpuːtə] *f* (-; -n) turkey-hen; *fig. dumme* ~ silly goose.

ˈ**Puter** *m* (-s; -), ˈ**Puthahn** *m* turkey(-cock); **~braten** *m* roast turkey; **2rot** *adj.* (as) red as a lobster, scarlet.

Putsch [putʃ] *m* (-es; -e) putsch, insurrection, coup de main (*Fr.*); ˈ**2en** *v/i.* (*h.*) (raise a) revolt; → *aufputschen.*

Putˈ**schist** *m* (-en; -en) insurgent.

Putz [puts] *m* (-es; -e) dressing, toilet; millinery, articles of dress, apparel; finery, elegant attire; ornaments *pl.*; trimming; *arch.* rough-casting, plaster(ing); *el. unter* ~ (*verlegt*) concealed; ˈ**~artikel** *m/pl.* millinery *sg.*

ˈ**putzen** *v/t.* (*h.*) clean, cleanse; scour, scrub; polish, furbish up; wipe; adorn, decorate; attire; lop, prune (*tree*); pick (*vegetables*); snuff (*candle*); trim (*lamp*); groom, curry (*horse*); polish, *Am.* shine (*shoes*); *sich* ~ smarten (*or* dress) o.s. up; *sich die Nase* ~ blow (*or* wipe) one's nose; *sich die Zähne* ~ brush one's teeth.

'**Putzer**(**in** *f*) *m* (-*s*, -; -, -*nen*) cleaner; *mil.* batman.

'**Putz...**: ~**frau** *f* charwoman, cleaner; 2**ig** *colloq. adj.* droll, funny; ~**lappen** *m* cleaning rag; ~**leder** *n* chamois (leather); ~**macherin** *f* milliner; ~**mittel** *n* cleanser, detergent; polish(ing material); abrasive; ~**sucht** *f* (-) love of finery, dressiness; 2**süchtig** *adj.* fond of finery, dressy; house-proud; ~**teufel** *colloq. m* house-proud woman; ~**tuch** *n* polishing cloth; ~**waren** *f/pl.* millinery, articles of dress; ~**wolle** *f* cotton waste; ~**zeug** *n* (-[e]s) cleaning utensils *pl.*

Pygmäe [pyg'mɛ:ə] *m* (-*n*; -*n*) pygmy; 2**nhaft** *adj.* pygmean.

Pyjama [py'jɑ:ma, pi'dʒɑ:ma] *m* (-*s*; -*s*) (*ein* ~ a suit of) pyjamas, *Am.* pajamas.

Pyramide [pyra'mi:də] *f* (-; -*n*) pyramid (*a. math.*); stack (*of rifles*); *Gewehre in* ~*n setzen* pile arms; 2**nförmig** *adj.* pyramidal.

Pyrenä|en [pyrə'nɛ:ən] *pl.*: *die* ~ the Pyrenees; 2**isch** *adj.* Pyrenean; 2*e Halbinsel* Iberian Peninsula.

Pyrotechnik [pyro'tɛçnik] *f* (-) pyrotechnics *pl.*; ~**er** *m* pyrotechnist; **pyro'technisch** *adj.* pyrotechnic(al); ~*e Waren* fireworks *pl.*

Pyrrhussieg ['pyrus-] *m* Pyrrhic victory.

pythagoreisch [pytago're:iʃ] *adj.* Pythagorean; ~*er Lehrsatz* Pythagorean proposition.

Q

Q, q [ku:] *n* Q, q.

Q-Antenne *f* Q aerial, stub-matched aerial *or* antenna.

quabb(e)lig ['kvabəliç] *adj.* flabby, wobbling.

'**quabbeln** *v/i.* (*h.*) wobble, quiver; shake; be flabby.

Quackelei [kvakə'laɪ] *colloq. f* (-; -*en*) blabbing.

Quack|salber ['kvakzalbər] *m* (-*s*; -) quack (doctor); ~**salbe'rei** *f* (-) quackery; ~**salbermittel** *n* quack medicine; 2**salbern** *v/i.* (*h.*) quack, doctor.

Quader ['kvɑ:dər] *m* (-*s*; -), ~**stein** *m* square stone, freestone, ashlar.

Quadrant [kva'drant] *m* (-*en*; -*en*) quadrant; clinometer.

Quadrat [kva'drɑ:t] *n* (-[*e*]*s*; -*e*) square; *mus.* natural; *typ.* (-[*e*]*s*; -*e*[*n*]) quad(rat); *2 Fuß im* ~ 2 feet square; *ins* ~ *erheben* square; ~**fuß** *m* (-*es*) square foot; 2**isch** *adj.* square; quadratic; ~**meile** *f* square mile; ~**meter** *m* square met|re, *Am.* -er; ~**netz** *n* square grid.

Quadratur [kvadra'tu:r] *f* (-; -*en*) quadrature, squaring (*des Kreises* the circle).

Qua'drat...: ~**wurzel** *f* square root; ~**zahl** *f* square number; ~**zentimeter** *m* square centimet|re, *Am.* -er.

qua'drieren *math. v/t.* (*h.*) square.

Quadrille [ka'driljə] *mus. f* (-; -*n*) quadrille.

quak! [kvɑ:k] *int.* croak!; '~**en** *v/i.* (*h.*) *frog*: croak; *duck*: quack.

quäken ['kvɛ:kən] *v/i. and v/t.* (*h.*) squeak.

'**Quäker**(**in** *f*) *m* (-*s*, -; -, -*nen*) Quaker(ess *f*); ~**bund** *m* Society of Friends; Quakers *pl.*; ~**tum** *n* (-*s*) Quakerism.

Qual [kvɑ:l] *f* (-; -*en*) (excruciating) pain; torment, torture; agony; anguish, agony, mental suffering, martyrdom; ordeal; tribulation, worry; cross; drudgery.

quälen ['kvɛ:lən] *v/t.* (*h.*) torment (*a. fig.*); torture, rack; agonize; *mentally*: harrow, distress, agonize; haunt, prey on the mind; afflict; *fig.* harass, tantalize; pester, plague; tease; *sich mit e-r Arbeit* ~ drudge, struggle, sweat and strain; *sich umsonst* ~ labo(u)r in vain; *gequält fig.* tormented; forced, wry (*smile*); ~**d** *adj.* excruciating, racking (*pain*); *fig.* tormenting, harrowing, agonizing.

'**Quäler**(**in** *f*) *m* (-*s*, -; -, -*nen*) tormentor (*f* tormentress); → *Quälgeist*.

Quäle'rei *f* (-; -*en*) torment(ing), torture; *fig.* vexation, worrying; pestering, molestation; teasing; drudgery.

'**Quälgeist** *m* (-*es*; -*er*) tormentor, pest, gadfly; bore.

Qualifikation [kvalifikatsi'o:n] *f* (-; -*en*) qualification; capacity. fitness, eligibility; ~ *zum Richteramt* qualification to hold judicial office; ~**sfreilos** *n sports*: bye; ~**skampf** *m sports*: qualifying contest, tie.

qualifizieren [kvalifi'tsi:rən] *v/t.* (*h.*) (*a. sich*) qualify (*zu* for); describe (*als* as); *qualifiziert* qualified, eligible; (highly-)trained (*worker*).

Qualität *f* (-; -*en*) quality; grade; sort, type; kind; *erster* ~ of prime quality, first-rate, high-grade; *mittlere* ~*en* medium grades; *schlechte* ~ poor quality (*or* workmanship).

qualitativ [kvalita'ti:f] **I.** *adj.* qualitative; **II.** *adv.* in quality.

Quali'täts...: ~**arbeit** *f* work of high quality, superior workmanship; ~**erzeugnis** *n* high-quality product; ~**fehler** *m* defect of quality, flaw; ~**muster** *n* representative sample; ~**stahl** *m* high-grade steel; ~**ware** *f* article of quality, high-quality product(s *pl.*); good value.

Qualle ['kvalə] *f* (-; -*n*) jelly-fish.

Qualm [kvalm] *m* (-[*e*]*s*) (dense) smoke; fumes *pl.*; smother, smog; '2**en** *v/i. and v/t.* (*h.*) smoke, emit vapo(u)r *or* fumes; puff (away, at one's pipe, *etc.*); '~**er** *colloq. m* (-*s*; -) inveterate smoker; '2**ig** *adj.* smoky.

'**qualvoll** *adj.* very painful; excruciating, racking (*pain*); agonizing, harrowing.

quanteln ['kvantəln] *phys. v/t.* (*h.*) quantize.

Quanten ['kvantən] *phys. n/pl.* quanta; ~**mechanik** *f* quantum mechanics *pl.*; ~**theorie** *f* (-) quantum theory; ~**zahl** *f* quantum number.

Quantität *f* (-; -*en*) quantity, amount.

quantitativ [kvantita'ti:f] **I.** *adj.* quantitative; **II.** *adv.* as to (*or* in) quantity.

Quanti'tätsbestimmung *f* quantitative determination.

Quantum ['kvantum] *n* (-*s*; -*ten*) quantum (*a. phys.*); quantity, amount; share, portion.

Quappe ['kvapə] *f* (-; -*n*) eel-pout; tadpole.

Quarantäne [karan'tɛ:nə] *f* (-; -*n*) quarantine; *in* ~ *legen* (put in) quarantine; ~**flagge** *f* yellow flag; ~**station** *f* quarantine ward.

Quark [kvark] *m* (-*s*) curd(s *pl.*); *colloq. fig.* → *Quatsch*; ~**käse** *m* cottage cheese.

Quart [kvart] **1.** *n* (-*s*; -*e*) quart; (*book*) (-*s*) quarto (volume); **2.** *f* (-; -*en*) *fenc.* quart, carte; *mus.* fourth.

Quarta ['kvarta] *ped. f* (-; -*ten*) third form.

Quartal [kvar'tɑ:l] *n* (-*s*; -*e*) quarter (of a year); *ped.* term; *for payments*: quarter-day; ~**s...** quarterly; ~**sdividende** *f* quarterly divided; ~**s-säufer** *m* periodic alcoholic; ~(**s**)**tag** *m* quarter-day; 2(**s**)**weise** *adv.* quarterly; ~**zahlung** *f* quarterly payment; quarterly disbursement (*of dividends, interest*).

Quartaner(**in** *f*) [kvar'tɑ:nər] *m* (-*s*, -; -, -*nen*) third-form boy (girl).

Quartär [kvar'tɛ:r] *geol. n* (-*s*) Quaternary (Period).

'**Quart...**: ~**band** *m* quarto volume; ~**blatt** *n* quarter of a sheet.

Quarte ['kvartə] *f* (-; -*n*) *fenc.* quart, carte; *mus.* fourth.

Quartett [kvar'tɛt] *n* (-[*e*]*s*; -*e*) *mus.* quartet(te); *cards*: four; *fig.* foursome.

'**Quartformat** *typ. n* quarto.

Quartier [kvar'ti:r] *n* (-*s*; -*e*) quarter, district (*of town*); accommodation, quarters *pl.*; *mil.* quarters, billets *pl.*; *mar.* watch; ~ *beziehen* take up quarters; ~ *machen* prepare quarters; *in* ~ *legen bei* billet (up-) on; *in* ~ *liegen bei* be quartered *or* billeted (up)on *or* with; ~**amt** *n* billeting office; ~**arrest** *m* confinement to quarters; ~**macher** *m* billeting officer; ~**meister** *m* quartermaster (*abbr.* QM); ~**schein**, ~**zettel** *m* billeting slip.

Quarz [kvɑ:rts] *m* (-*es*; -*e*) quartz;

radio: crystal; ℒ**gesteuert** [ˈ-gə-ʃtɔʏərt] *adj.* crystal-control(l)ed; ˈ**~glas** *n* (-es; ⸚er) quartz glass; ˈℒ**ig** *adj.* quartzy; ˈ**~lampe** *med. f* quartz lamp; ˈ**~rohr** *n* quartz tube.

quasi [ˈkvɑːzi] *adv.* as it were, quasi.

quasseln [ˈkvasəln] *colloq. v/i.* (*h.*) → *quatschen*.

Quast [kvast] *m* (-es; -e), ˈ**~e** *f* (-; -*n*) tuft, knot; tassel; *paint.* brush; (powder) puff.

Quatsch [kvatʃ] *colloq. m* (-*es*) nonsense, balderdash, gibberish; bosh, rot, tripe, bilge, *Am. a.* baloney *int.* ~! rubbish!, rot!, *Am.* nuts!; ~ *reden* → ˈℒ**en** *v/i.* (*h.*) twaddle (*a. v/t.*), blether, talk rot; (have a) chat; *shoes, water*: squelch, slosh; ˈ**~kopf** *m* twaddler, blatherskite.

Quecke [ˈkvɛkə] *bot. f* (-; -*n*) couch-grass.

Quecksilber [ˈkvɛkzilbər] *n* mercury, quicksilver; *fig. person*: live-wire, *contp.* flibbertygibbet; *wie* ~ → *quecksilberig*; **~barometer** *n* mercury barometer; **~dampf** *m* mercury vapo(u)r; **~gleichrichter** *m* mercury converter; ℒ**haltig** *adj.* mercurial; ℒ**ig** *fig. adj.* mercurial, restless, fidgety, flibbertygibbety; **~jodid** [ˈ-jodiːt] *n* (-[e]s; -e) mercuric iodide; ℒ**n** *adj.* mercurial; **~salbe** *f* mercurial ointment; **~säule** *f* mercury column; **~vergiftung** *f* mercurial poisoning.

ˈ**quecksilbrig** *adj.* → *quecksilberig*.

Quell [kvɛl] *poet. m* (-[e]s; -e), ˈ**~e** *f* (-; -*n*) spring; source (*a. of light, etc.*); well (*a. of oil*); fountain (-head); *fig.* fount, source, origin; *literary*: authority; informant; ~ *des Lebens, etc.* fountain of life, *etc.*; *aus guter* (*sicherer*) ~ on good authority, from a reliable source; *fig. an der* ~ *sitzen* be on the inside; ˈ**~bach** *m* river source; ˈ**~bottich** *m* steeping vat.

ˈ**quellen I.** *v/i.* (*irr., sn*) gush (forth), well; *river*: arise, spring; flow; swell; *eyes*: bulge (*aus den Höhlen* from their sockets); *fig.* arise, originate, emanate (*aus dat.* from); **II.** *v/t.* (*irr., sn*) (cause to) swell; soak; steep (*barley, etc.*).

ˈ**Quellen...**: **~angaben** *f/pl.* (list of) references *pl.*; acknowledgements, publications consulted; **~forschung** *f* original research; ℒ**mäßig** [ˈ-mɛːsiç] *adj.* according to the (best) sources *or* authorities, *w.s.* authentic; **~material** *n* source material; **~nachweis** *m* → *Quellenangaben*; **~studium** *n* original research.

ˈ**Quell...**: **~fähigkeit** *f* water absorption capacity; **~fluß** *m* source; **~gebiet** *n of river*: headwaters *pl.*; **~salz** *n* spring salt; **~ung** *f* (-) swelling; soaking; **~wasser** *n* (-s; -) spring water; **~widerstand** *el. m* source impedance. [wild thyme.]

Quendel [ˈkvɛndəl] *bot. m* (-s; -)

Quengelei [kvɛŋəˈlaɪ] *colloq. f* (-; -*en*) grumbling, whining, grousing; fault-finding, carping, nagging.

ˈ**quengeln** *colloq. v/i.* (*h.*) grumble, whine; grouse, *Am.* crab; nag; *er quengelte so lange, bis ich nachgab* he pestered me until I finally gave in.

ˈ**Quengler**(**in** *f*) *m* (-*s*, -; -, -*nen*) grumbler; nagger.

Quentchen [ˈkvɛntçən] *n* (-s; -) dram; *fig.* grain.

quer [kveːr] **I.** *adj.* cross, transverse; diagonal; lateral; horizontal; slanting, oblique; **II.** *adv.* crossways, crosswise, athwart; diagonally; ~ *über* (*acc.*) across; ~ *über die Straße gehen* go across the street, cross the street; ~ *übereinander legen* put crossways, cross; → *kreuz*; ~ *zu* at right angles to; *fig.* perversely; ~ *gehen* go wrong.

ˈ**Quer...**: **~achse** *f* lateral axis; **~arm** *tech. m* crossarm; **~balken** *m* crossbeam; *of door*: transom; *her.* bar; **~bewegung** *f* transverse motion; ℒˈ**durch** *adv.* right across.

ˈ**Quere** *f* (-) transverse (*or* cross) direction; breadth; *in die* ~, *der* ~ *nach* crossways, across; *j-m in die* ~ *kommen* cross a p.'s path; *fig.* cross *or* thwart a p.'s plans, get in a p.'s way, queer a p.'s pitch; *es ist ihm et. in die* ~ *gekommen* something has gone wrong with him.

ˈ**queren** *mount. v/t. and v/i.* (*h.*) traverse.

ˈ**Quer...**: **~faser** *f* transverse fib|re, *Am.* -er; ℒ**feldein** [ˈ-fɛltˈʔaɪn] *adv.* across country; **~feldˈeinlauf** *m* cross-country run; **~flöte** *mus. f* German flute; **~format** *typ. n* oblong format; **~frage** *f* cross-question; **~gang** *m* cross-way; *mil., mining, mount.* traverse; **~gasse** *f* cross lane; **~gefälle** *n* crossfall (*of road*); ℒ**gestreift** *adj.* cross-striped; **~kopf** *m* wrong-headed fellow, crank; ℒ**köpfig** [ˈ-kœpfiç] *adj.* wrong-headed, pig-headed, cranky; **~lage** *f med.* transverse presentation; *aer.* bank; **~lager** *tech. n* radial bearing; **~latte** *f soccer*: cross-bar; ℒ**laufend** *adj.* transversal; **~leiste** *f* cross-piece; **~linie** *f* cross (*or* diagonal) line; **~paß** *m soccer*: square pass; **~pfeife** *f* fife; **~profil** *tech. n* cross-section; **~reihe** *f* cross-row; **~richtung** *f* cross direction; **~ruder** *aer. n* aileron; **~sattel** *m* side-saddle; **~schaltung** *el. f* cross connection; **~schiff** *arch. n* transept; **~schläger** *mil. m* ricochet; **~schnitt** *m* cross-section (*a. fig.*), cross-cut (*durch* through); sectional view; sectional area; **~schnittansicht** *tech. f* sectional view; **~schnittslähmung** *med. f* transverse lesion of the cord with paraplegia; **~schnittzeichnung** *f* sectional drawing; **~steuerung** *aer. f* lateral controls *pl.*; **~straße** *f* cross-road; *zweite* ~ *rechts* second turning to the right; *zwei* ~*n von hier* (*entfernt*) two blocks from here; **~streifen** *m* cross stripe; **~strich** *m* cross-line, bar; dash; *fig.* e-n ~ *durch* et. *machen* thwart a th.; **~summe** *f* total of the digit of a number; **~support** *tech. m* cross slide rest; **~träger** *arch. m* transverse (girder); **~treiber**(**in** *f*) *m* intriguer; obstructionist; **~treibeˈrei** *f* intriguing; obstruction(ism); ℒˈ**über** *adv.* right across; diagonally.

Querul|ant(**in** *f*) [kveruˈlant] *m* (-*en*, -*en*; -, -*nen*) querulous person; grumbler, *Am. a.* grouch; ℒ**ieren** *v/i.* (*h.*) be querulous, grumble, *Am. a.* gripe.

ˈ**Quer...**: **~verbindung** *f* cross connection; *mil.* lateral communication; **~verbindungsstraße** *f* belt road; **~versteifung** *tech. f* (-; -*en*) transverse bracing; crossbar; **~verstrebung** *f* cross bracing; **~verweis** *m* cross reference; **~wand** *f* transverse wall; **~weg** *m* cross-road.

Quetsche [ˈkvɛtʃə] *f* (-; -*n*) presser; *mining*: crusher; *bot.* wild plum, → *Zwetschge*; *colloq.* small shop.

ˈ**quetschen** *v/t.* (*h.*) squeeze; pinch; crush, mash, squash; *med.* bruise (*a. fruit*), contuse; *sich* ~ get a bruise; *sich den Finger* ~ jam one's finger.

ˈ**Quetsch...**: **~falte** *f* knife pleat; **~kartoffel** *f/pl.* mashed potatoes; **~kommode** *colloq. f* accordion, squeeze-box; **~kondensator** *el. m* compression capacitor; **~laut** *gr. m* affricate; **~ung** *f* (-; -*en*), **~wunde** *med. f* bruise, contusion.

quick [kvik] *adj.* lively, brisk, alert; ˈℒ**born** *m* fountain of youth; ˈ**~en** *tech. v/t.* (*h.*) amalgamate; ˈ**~lebendig** *adj.* vivacious, spirited; sparkling; ˈℒ**sand** *m* quicksand.

quieken [ˈkviːkən] *v/i.* (*h.*) squeak.

quietsch|en [ˈkviːtʃən] *v/i.* (*h.*) squeak, squeal; *brakes*: screech; *sie quietschte vor Vergnügen* she squealed with delight; **~vergnügt** *adj. and adv.* cheerful(ly); as pleased as Punch.

Quint [kvint] *f* (-; -*en*), ˈ**~e** *f* (-; -*n*) *mus.* fifth; *fenc.* quinte.

Quintaner(**in** *f*) [kvinˈtɑːnər] *m* (-*s*, -; -, -*nen*) second-form boy (girl).

ˈ**Quint-essenz** *f* quintessence, pith, gist. [quintet(te).]

Quintett [kvinˈtɛt] *n* (-[e]s; -e)

Quirl [kvirl] *m* (-[e]s; -e) twirling-stick; *cul.* whisk, beater; *bot.* whorl, verticil; ˈℒ**en** *v/t.* (*h.*) twirl (round); whisk (*eggs*).

quitt [kvit] *pred. adj.*: ~ *sein mit j-m* be quits (*or* even) with *a p.*; *et.*: be rid of; *jetzt sind wir* ~ that leaves us even.

Quitte [ˈkvitə] *bot. f* (-; -*n*) quince; ˈ**~nbaum** *m* quince-tree; ˈℒ**ngelb** *adj.* (as) yellow as a quince.

quitˈtieren *v/t.* (*h.*) receipt, give a receipt for, discharge; *doppelt für einfach* ~ receipt in duplicate; *quittierte Rechnung* receipted bill; quit, abandon; sign away (*property*); *den Dienst* ~ leave service, retire; *fig.* repay (*insult, etc.*), take (*mit e-m Lächeln* with a smile), meet.

ˈ**Quittung** *f* (-; -*en*) receipt, acquittance, discharge; voucher; *fig.* answer, revenge; *e-e* ~ *ausstellen* give a receipt; *gegen* ~ against receipt; **~sbuch** *n* receipt-book; **~sformular** *n* receipt form; **~smarke** *f*, **~sstempel** *m* receipt stamp.

quoll [kvɔl] *pret. of quellen.*

Quote [ˈkvoːtə] *f* (-; -*n*) quota; share, (pro)portion; ratio; rate; *in bankruptcy, football pools, etc.*: dividend; **~naktie** *f* no-par share.

Quotient [kvoˈtsjɛnt] *math. m* (-*en*; -*en*) quotient.

quoˈtieren *econ. v/t.* (*h.*) quote.

R

R, r [ɛr] *n* R, r.
Rabatt [ra'bat] *econ. m* (-[e]s; -e) (trade-)discount (*auf acc.* on), abatement, rebate, allowance; *10 % ~ bei Barzahlung geben* allow a 10 per cent discount for cash; *mit 4 % ~* at a reduction of 4 per cent.
Rabatte [ra'batə] *agr. f* (-; -n) border, bed.
rabat'tieren *v/t.* (*h.*) discount, abate, deduct.
Ra'battmarke *econ. f* discount ticket.
Rabatz [ra'bats] *colloq.* row, racket; *~ machen* raise hell, kick up a row.
Rabauke [ra'baukə] *colloq. m* (-n; -n) tough, *Am. a.* bruiser.
Rabbi ['rabi] *m* (-[s]; -'inen), **Rabbiner** [ra'bi:nər] *m* (-s; -) rabbi; **rab'binisch** *adj.* rabbinical.
Rabe ['rɑ:bə] *m* (-n; -n) raven; *fig. weißer ~* white crow, rare bird; *stehlen wie ein ~* steal like a magpie; **~n-aas** *n fig.* rascal, beast; **~n-eltern** *pl.* unnatural parents; **2n-schwarz** *adj.* raven, jet-black, pitch-dark.
rabiat [rabi'ɑ:t] *adj.* rabid, raving, furious; *~er Bursche* desperate fellow, dangerous customer.
Rabulist [rabu'list] *m* (-en; -en) pettifogger.
Rache ['raxə] *f* (-) revenge; vengeance; retaliation; *des Schicksals*: nemesis; *Tag der ~* day of reckoning; *~ brüten* brood vengeance; *~ nehmen or (aus)üben* take revenge (*an dat.* [up]on), take (*or* visit) vengeance ([up]on), have one's revenge; *~ schnauben, nach ~ dürsten* breathe revenge; **~akt** *m* act of revenge; **~durst** *m* → *Rachgier*; **~engel** *m* avenging angel; **~göttin** *f* Fury.
Rachen ['raxən] *m* (-s; -) *anat.* throat, pharynx; cavity of the mouth; *zo.* mouth, jaws *pl.*; *fig.* (yawning) abyss; *~ der Hölle (des Todes)* jaws of hell (death); *j-m et. in den ~ werfen* cast a th. into the hungry maw of; *j-m den ~ stopfen* stop a p.'s mouth.
rächen ['rɛçən] *v/t.* (*h.*) avenge, revenge (*j-n* a p.); take revenge for *a th.*; *sich* (*wegen et.*) *an j-m ~* take vengeance (*or* revenge o.s., be revenged) on a p. (for a th.), get quits with a p., get one's own back, *Am. a.* get back at a p.; *es rächte sich an ihm* he suffered for it, he had to pay (the penalty) for it; *es wird sich bitter ~, daß* we, *etc.*, shall pay dearly for *ger.*
'Rachen...: **~abstrich** *med. m* throat swab; **~blütler** ['-bly:tlər] *bot. m* (-s; -) labiate; **~bräune** *med. f* quinsy; **~höhle** *f* pharynx; **~katarrh** *med. m* cold in the throat, pharyngitis; **~pinsel** *med. m* throat brush; **~reizstoff** *mil. m* throat irritant.
'Rächer(in *f*) *m* (-s, -; -, -nen) avenger.
'racheschnaubend *adj. and adv.* breathing revenge.
Rach... ['rax-]: **~gier, ~sucht** *f* thirst for revenge, revengefulness, vindictiveness; **2gierig, 2süchtig** *adj.* revengeful, vindictive.
Rachit|is [ra'xi:tis] *med. f* (-) rickets *pl.*, rachitis; **2isch** *adj.* rickety, rachitic.
Racker ['rakər] *m* (-s; -) (little) rascal, young scamp; (*girl*) brat, minx.
Rad [rɑ:t] *n* (-[e]s; ⸗er) wheel (*a. fig.*); gear; trundle; impeller; bicycle, bike; (*ein*) *~ schlagen* **a)** *peacock*: spread the tail, **b)** *gym.* turn cartwheels (*Am.* handsprings); *fig. das fünfte ~ am Wagen sein* be quite superfluous; *unter die Räder kommen* go to the dogs; **'~abstand** *mot. m* wheel base; **'~achse** *f* axle-tree; **'~antrieb** *m* wheel drive.
Radar [ra'dɑ:r] *n* (-s) radar (*abbr.* = radio detection and ranging); → *Radargerät*; *mit ~ ausgerüstet* radar-equipped; **~anlage** *f* radar unit; **~flugzeugwarnnetz** *n* radar aircraft warning network; **~gerät** *n* radar set (*or* equipment); **2gesteuert** ['-gəʃtɔyərt] *adj.* radar-guided; **~höhenmesser** *m* height finding radar; *aer.* radar altimeter; **~küstenstation** *f* shore-based radar station; **~navigationsgerät** *n* plan position indicator (*abbr.* P.P.I.); **~schirm** *m* radar screen; **2sicher** *adj.* radarproof; **~station** *f* radar station; **~steuerung** *f* radar control; **~störgerät** *n* radar jamming equipment; **~suchgerät** *n* search radar; **~visier** *n* radar (gun)sight; **~warnnetz** *n* radar warning network; **~zeichnung** *f* radar plotting.
Radau [ra'dau] *colloq. m* (-s) row, racket; *~ machen* kick up a row; **~bruder, ~macher** *m* rowdy; **~komödie** *thea. f* slapstick comedy; **~presse** *f* (-) gutter press.
'Rad...: **~aufhängung** *f* wheel suspension; **~ball** *n* (-[e]s), **~ballspiel** *n* cycle-ball; **~bremse** *f* wheel brake.
Rädchen ['rɛ:tçən] *n* (-s; -) small wheel; castor, *Am.* caster; *on spurs*: rowel; *dress-making*: dot-wheel; *fig.* cog.
'Raddampfer *m* paddle-steamer, *Am.* side-wheeler.
Rade ['rɑ:də] *bot. f* (-; -n) (corn-) cockle.
radebrechen ['rɑ:də-] *v/t.* (*h.*): *e-e Sprache ~* speak a language badly; *englisch ~* speak broken English, fumble around in English.
radeln ['rɑ:dəln] *v/i.* (*sn*) cycle, pedal, bike.
Rädelsführer ['rɛ:dəls-] *m* ring-leader.
Räder... ['rɛ:dər-]: **~fahrzeug** *n* wheeled vehicle; **~getriebe** *n* gearing; **~kasten** *m* gear-box; *machine-tool*: apron; **~kettenfahrzeug** *n* half-track vehicle.
rädern ['rɛ:dərn] *v/t.* (*h.*) break on the wheel; *fig. wie gerädert sein* be quite done up.
'Räder...: **~untersetzung** *f* gear reduction; **~vorgelege** *n* back gears *pl.*; **~werk** *n* wheelwork; gearing; clockwork.
'radfahr|en *v/i.* cycle, ride a bicycle, pedal, bike; **2er(in** *f*) *m* cyclist, bicycle rider, *Am.* cycler; *fig. contp.* toady; **2weg** *m* cycle path.
'Rad...: **~felge** *f* wheel rim; **~flansch** *m* wheel flange; **2förmig** ['-fœrmiç] *adj.* wheel-shaped; radial; **~gabel** *f* wheel fork; **~gestell** *n* wheelframe; *rail.* bogie, *Am.* truck.
radial [radi'ɑ:l] *adj.* radial; **2bohrmaschine** *f* radial drill(ing machine); **2fräser** *m* radial-milling cutter; **2spannung** *el. f* radial potential.
radier|en [ra'di:rən] *v/t.* (*h.*) rub out, erase; *art.*: etch; **2er** *m* (-s; -) etcher; *a.* = **2gummi** *m* (india-) rubber, eraser; **2kunst** *f* (art of) etching; **2messer** *n* eraser, pen-knife; **2nadel** *f* etching-needle.
Ra'dierung *f* (-; -en) erasure; *art*: etching.
Radies-chen [ra'di:sçən] (red) radish; *mil. sl. sich die ~ von unten ansehen* be pushing up daisies.
radikal [radi'kɑ:l] *adj.*, **2e(r** *m*) (-n, -n; -en, -en) radical, *pol. a.* extremist.
radikalisieren [radikali'zi:rən] *v/t.* (*h.*) promote radicalism in.
Radikalismus [-'lismus] *m* (-; -men) radicalism.
Radio ['rɑ:dio] *n* (-s; -s) radio, *Br. a.* wireless; broadcasting; *~ Moskau* the Moscow Radio; *~ hören* listen to the radio, listen in (on a broadcast); *im ~* on the radio, on the air; *im ~ sprechen* speak over the radio, go on the air; → *Rundfunk(...)*; **2ak'tiv** *phys. adj.* radioactive; *~er Niederschlag* fall-out; *~e Strahlung* radioactive radiation; *~e Verseuchung* radioactive contamination; *~e Zerfallsreihe* radioactive series; *~ machen* (radio)activate; **~aktivi'tät** *f* radioactivity; **~apparat** *m* radio (set), wireless set; **~bastler** *m* radio amateur (*or* fan); **2biologisch** *adj.* radiobiological; **2chemisch** *adj.* radiochemical; **~durchsage** *f* spot announcement; **~empfänger** *m* radio receiver; **~frequenz** *f* radio-frequency; **~geschäft** *n* radio shop; **~gramm** ['-gram] *n* (-s; -e) radiogram; **~grammophon** *n* radiogram, *Am.* radio phonograph (combination); **~händler** *m* radio dealer; **~kanal** *m* radio channel; **~kompaß** *aer. m*: *automatischer ~* automatic direction finder; **~loge** [-'lo:gə] *m* (-n; -n) radiologist; **~logie** [-lo'gi:] *f* (-) radiology; **2logisch** [-'lo:giʃ] *adj.* radiological; **~mechaniker** *m* radio mechanic; **~peilgerät** *n* radio-direction finder; **~peilung** *f* radio-bearing, beam approach; **~reklame** *f* radio advertising; **~röhre** *f* radio valve (*Am.* tube); **~sender** *m* radio transmitter; broad-

casting station; **~sendung** *f* radio transmission; broadcast; **~skop** [-'sko:p] *n* (-s; -e) radioscope; **~sonde** *f* radiosonde, radiometeorograph; **~station** *f* radio-transmitting station, broadcasting station; **~technik** *f* radio engineering; **~techniker** *m* radio engineer *or* technician; radioman; **~telegramm** *n* radiogram; **~telegraphie** *f* wireless telegraphy, radiotelegraphy; **~telephon** *n* radio telephone; **~telepho'nie** *f* radio(tele)phony; **~truhe** *f* radio console; **~übertragung** *f* → *Radiosendung*; **~welle** *f* radio wave; **~zeitung** *f* radio journal.

Radium ['ra:dium] *n* (-s) radium; **~behälter** *m* radiode; **~behandlung** *f*, **~heilverfahren** *n* radium-therapy; **~strahlen** *m/pl.* radium rays *pl.*, radium radiation *sg.*

Radius ['ra:dius] *m* (-; -ien) radius.

'**Rad...:** **~kappe** *f* hub cap; **~kasten** *m* wheel case; *mar.* paddle-box; **~körper** *m* wheel body; **~kranz** *m* rim.

Radler(in *f*) ['ra:dlər] *m* (-s, -; -, -nen) → *Radfahrer*.

'**Rad...:** **~mutter** *f* (-; -n) wheel nut; **~nabe** *f* hub, (wheel) nave; **~reifen** *m* tyre, *esp. Am.* tire; **~rennbahn** *f* cycling track; **~rennen** *n* cycle race; **~schalter** *m* rotary switch; **~schaufel** *f* paddle-board; **2schlagen** *v/i.* (*irr.*, *h.*) → *Rad*; **~schuh** *m* brake; skid; **~speiche** *f* spoke; **~sport** *m* (-[e]s) cycling; **~spur** *f* rut, *mot.* wheel track; **~stand** *mot. m* wheel base; **~sturz** *mot.* camber; **~welle** *f* wheel shaft; **~zahn** *m* cog.

raffen ['rafən] *v/t.* (*h.*) snatch (*or* pick) up; gather up (*skirt*); *sewing*: take up, let in.

'**Raffgier** *f* greed, rapacity; **2ig** *adj.* greedy, grasping, rapacious.

Raffinade [rafi'na:də] *f* (-; -n), **~zucker** *m* refined sugar.

Raffinerie [-nə'ri:] *tech. f* (-; -n) refinery.

Raffinesse [rafi'nɛsə] *f* (-; -n) cleverness; subtlety, finesse; sophistication; exquisiteness; exquisite taste *or* style, *etc.*

raffi'nieren *v/t.* (*h.*) refine.

raffi'niert *adj.* refined; *fig.* clever, ingenious; (*schlau*) subtle, artful; sophisticated, subtle; exquisite; **2heit** *f* (-) → *Raffinesse*.

ragen ['ra:gən] *v/i.* (*h.*) tower, loom; project.

Ragout [ra'gu:] *n* (-s; -s) stew, hash, ragout, hotchpotch (*a. fig.*).

Rahe ['ra:ə] *f* (-; -n) yard; *große ~* mainyard.

Rahm [ra:m] *m* (-s) cream; *den ~ abschöpfen* (*a. fig.*) skim the cream; **~bonbon** *m* toffee, *Am.* toffy; **~butter** *f* creamery butter.

Rahmen ['ra:mən] *m* (-s; -) frame (*a. tech.*, *mot.*); *of shoes*: welt; edge, border; *fig.* frame, background, setting; *of novel*: setting; framework, structure; limit; scope (*of a law, etc.*); *in engem ~* within a close compass; *im ~ von* (*or gen.*) within the scope (*or* framework) of, within the limits of, under (*a contract*); for the purposes of; *im ~ des Festes* in the course of the festival; *im ~ der Ausstellung finden ... statt* the exhibition will include ...; *im ~ des üblichen Geschäftsverkehrs* in the ordinary course of business; *in bescheidenem ~* on a modest scale; *aus dem ~ fallen* be out of place; *den ~ e-r Sache sprengen* be beyond the scope of a th.; **2** *v/t.* (*h.*) skim (*milk*); frame, mount (*picture*); **~abkommen** *n* skeleton agreement; **~antenne** *f* frame aerial (*Am.* antenna); loop (aerial), *Am.* loop antenna; **~empfänger** *m radio*: loop receiver; **~erzählung** *f* stories *pl.* within a story, 'link and frame' story; **~gesetz** *n* skeleton law; **~kampf** *m sports*: additional number, *boxing*: supporting bout; **2los** *mot. adj.* chassis-less (*construction*); **~personal** *mil. n* cadre personnel; **~sticke'rei** *f* frame-embroidery; **~sucher** *phot. m* frame finder; **~vertrag** *m* skeleton agreement.

'**rahmig** *adj.* creamy.

'**Rahmkäse** *m* cream-cheese.

Rahsegel ['ra:-] *mar. n* square-sail.

Rain [raɪn] *m* (-[e]s; -e) ridge; balk; limit, border.

Rakel ['ra:kəl] *typ. f* (-; -n) doctor.

räkeln ['rɛ:kəln] *v/refl.* (*h.*) → *rekeln*.

Rakete [ra'ke:tə] *f* (-; -n) rocket; *~ für Erdzielbeschuß* air-to-ground rocket; *~ für Luftkampf* air-to-air rocket; *e-e ~ abfeuern or starten* launch a rocket; *zweistufige ~* two-stage rocket; *mit ~n beschießen* rocket.

Ra'keten...: **~abschußbasis** *f* rocket launching site; **~abschußvorrichtung** *f* rocket launcher; rocket launching platform; **~abwehrrakete** *f* anti-missile missile; **~antrieb** *m* rocket propulsion; *mit ~* rocket-propelled (*or* -powered); **~bombe** *f* rocket bomb, guided missile; **~flugzeug** *n* rocket(-propelled) plane; **~forschung** *f* (-) rocket research, rocketry; **~geschoß** *n* rocket projectile (*abbr.* R.P.); **~kopf** *m* rocket head; **~ladung** *f* rocket charge; **~satz** *m* rocket composition; **~start** *aer. m* rocket-assisted take-off; **~triebwerk** *n* rocket power plant, rocket jet; **~werfer** *m* rocket launcher; → *Panzerbüchse*; **~wagen** *m* rocket car; **~wesen** *n* (-s) rocketry.

Rakett [ra'kɛt] *n* (-[e]s; -e) racket; battledore.

Ramm|bär ['ram-], **~block** *m* rammer, ram(-block); **2dösig** ['-dø:ziç] *colloq. adj.* woozy; **~e** *tech. f* (-; -n) ram(mer); pile-driver; **2eln** ['raməln] *v/i.* (*h.*) buck, rut; *a.* → **2en** *v/t.* (*h.*) ram; *tech.* ram, drive in; tamp (*concrete*); beat down (*ground*); **~ler** ['ramlər] *m* (-s; -) buck; male hare *or* rabbit.

Rampe ['rampə] *f* (-; -n) ramp, ascent; *mil.* slope; *rail.* **a)** platform, **b)** loading ramp; *thea.* apron, *a.* → **~nlicht** *n* (-[e]s) footlights *pl.*; *fig. der Öffentlichkeit*: limelight.

ramponiert [rampo'ni:rt] **I.** *adj.* damaged, battered; marred, spoilt; crumpled; *humor. person*: slightly damaged in transit; **II.** *adv.*: *~ aussehen* (*a. humor. person*) be (*or* look) the worse for wear.

Ramsch [ramʃ] *m* (-[e]s) junk, trash; *econ.* job goods *pl.*; *im ~ kaufen* buy in the bulk *or* lump; '**~händler(in** *f*) *m* junk-dealer; '**~laden** *m* junk-shop; '**~verkauf** *m* jumble-sale; '**~ware** *f* job goods *pl.*, cheap stuff.

ran! [ran] *colloq. int.* go it!; let him have it!; let's go!; *in compounds* → *heran...*; → *rangehen*.

Rand [rant] *m* (-[e]s; ¨er) edge, brink; rim (*of plate, spectacles, etc.*); brim (*of hat*); margin; lip (*of wound*); border; periphery, fringe; *mil.* perimeter; *Ränder pl.* (*under the eyes*): (*dark*) rings, circles; *am ~e der Stadt* on the outskirts of a town; *voll bis zum ~* full to the brim, brimfull; *fig. am ~e des Verderbens* (*der Verzweiflung, etc.*) on the verge *or* brink of ruin (despair, *etc.*); *am ~ bemerken* remark in passing; *am ~e bemerkt* by the way; *das versteht sich am ~e* that goes without saying, that is understood; *außer ~ und Band* out of all bounds, completely out of hand; *außer ~ und Band geraten* be beside o.s. (*vor Freude* with joy), go wild (*über acc.* over); *er kommt nicht damit zu ~e* he can't manage (*or* make a go of) it.

randalieren [randa'li:rən] *v/i.* (*h.*) riot, kick up a row.

'**Rand...:** **~auslösung** *f* marginal release (*of typewriter*); **~bemerkung** *f* marginal note *or* data *pl.*; *fig.* gloss, comment; **~bevölkerung** *f* fringe population; **~einsteller** *m* (-s; -) margin stop.

rändeln ['rɛndəln] *v/t.* (*h.*) rim, border; *tech.* knurl; mill (*coins*).

'**Rändelrad** *tech. n* knurl.

rändern ['rɛndərn] *v/t.* (*h.*) → *rändeln*.

'**Rand...:** **~gebiet** *n* borderland (*of state*); outskirts *pl.* (*of town*); **2genäht** ['-gənɛ:t] *adj.* welted (*shoe*); **~glosse** *f* marginal gloss *or* note; *fig. ~n machen* comment (up-)on; **2los** *adj.* rimless (*spectacles*); **~meer** *n* marginal sea; **~problem** *n* side-issue; **~schärfe** *phot. f* marginal sharpness; **~siedlung** *f* housing estate on the outskirts of a town, garden-city, *Am.* suburban settlement; **~staat** *m* border state; **~stein** *m* kerbstone, *Am.* curbstone; **~steller** ['-ʃtɛlər] *m* (-s; -) margin stop; **~stellung** *mil. f* perimeter position; **~verzierung** *f* marginal adornment.

Ranft [ranft] *m* (-[e]s; ¨e) crust (of bread).

rang [raŋ] *pret. of ringen.*

Rang [raŋ] *m* (-[e]s; ¨e) rank, order; *mil.* rank, *Am. a.* grade, rating (*a. mar.*); status; position, station, dignity; quality, rate, class; *football pools*: dividend; *thea.* tier; *erster ~* dress-circle, *Am.* first balcony; *zweiter ~* upper circle, *Am.* second balcony; *sports*: *die Ränge pl.* the terraces; *fig. ersten ~es* of the first order, (*a. econ.*) first-class, first-rate; *j-m den ~ ablaufen* get the start (*or* better) of a p., steal a march on a p.; *j-m or e-r Sache den ~ streitig machen* compete with *a. p.*

or th.; *j-m unmittelbar im ~ folgen* rank next to a p.; **'~abzeichen** *n* badge of rank; *pl.* insignia of rank; **'~älteste(r)** *m* senior officer.
Range ['raŋə] *f* (-; -*n*) young scamp; urchin; (*girl*) tomboy, romp.
'rangehen *colloq. v/i.* go it.
'Rangfolge *f* order, sequence.
Rangier|bahnhof [raŋ'ʒi:r-] *rail. m* shunting yard, *Am.* switching yard; **2en I.** *v/t.* (*h.*) arrange, classify; *rail.* shunt, *Am.* switch; *mot. etc.* man(o)euvre; **II.** *v/i.* (*h.*) rank (*vor dat.* before); *~ mit (dat.)* rank *or* be classed with; **~er** *rail. m* (-*s*; -) shunter, *Am.* switchman; **~gleis** *n* siding, *Am.* switching track; **~maschine** *f* shunting-engine, shunter, *Am.* switcher (engine).
'Rang...: ~liste *f sports, etc.*: ranking list; *mil.* Army (*or* Navy, *or* Air Force) List; **~ordnung** *f* order of precedence; **~stufe** *f* order, degree, grade, rank.
rank [raŋk] *adj.* slim, slender.
Ranke ['raŋkə] *bot. f* (-; -*n*) tendril; (*plant*) runner, climber; shoot.
Ränke ['rɛŋkə] *m/pl.* intrigues, machinations; tricks; *~ schmieden* intrigue, plot and scheme; hatch (sinister) plots.
'ranken *v/i.* (*sn*) *and v/refl.* (*h.*) creep, climb, run; **2gewächs** *n* runner, climber, creeper; **2werk** *arch. n* scroll, (interlaced) ornament.
'Ränke...: ~schmied *m* intriguer, schemer, plotter; **~spiel** *n* intrigue(s *pl.*); **2süchtig, 2voll** *adj.* scheming, intriguing, designing.
'rankig *adj.* creeping; with tendrils.
rann [ran] *pret. of rinnen.*
'rannte ['rantə] *pret. of rennen.*
Ranunkel [ra'nuŋkəl] *bot. f* (-; -*n*) ranunculus.
Ränzel ['rɛntsəl] *n* (-*s*; -), **Ranzen** ['rantsən] *m* (-*s*; -) knapsack; *ped.* satchel; *colloq.* → *Wanst*; *sein Ränzel schnüren* pack up (*or* one's things), go off.
Ranzidität [rantsidi'tɛ:t] *f* (-) rancidity.
ranzig ['rantsiç] *adj.* rancid, rank.
rapid(e) [ra'pi:t, -də] *adj.* rapid.
Rapier [ra'pi:r] *n* (-*s*; -*e*) rapier, foil.
Rappe ['rapə] *m* (-*n*; -*n*) black horse; *fig. auf Schusters ~n reiten* go on Shanks's mare, foot it.
Rappel ['rapəl] *colloq. m* (-*s*; -) (fit of) madness; *den ~ haben* be off one's head (*or* nut); *seinen ~ haben* be in one's tantrums; **~kopf** *m* madcap; **2köpfisch** ['-kœpfiʃ] *adj.* hotheaded; crazy, crackbrained.
'rappeln *v/i.* (*h.*) rattle; *colloq. fig. bei ihm rappelt's* he's off his onion, he is nuts.
Rapport [ra'pɔrt] *mil. m* (-[e]*s*; -*e*) (formal) report.
Raps [raps] *m* (-*es*), **~saat** *f* rape (-seed); **~öl** *n* (-[e]*s*) rape-oil.
Rapunzel [ra'puntsəl] *bot. f* (-; -*n*) lamb's lettuce.
rar [rɑ:r] *adj.* rare, scarce; rare; *sich ~ machen* make o.s. scarce.
Rarität [rari'tɛ:t] *f* (-; -*en*) rarity, rare bird; curiosity, curio; **~enhändler** *m* dealer in curios; **~enkabinett** *n* cabinet of curiosities, rare-show.
rasan|t [ra'zant] **I.** *adj. ballistics*: flat, rasant; *~e Waffe* flat trajectory weapon; *fig.* fast, rapid; **II.** *adv.* on a flat trajectory; **2z** *f* (-) flatness (of trajectory).
rasch [raʃ] *adj.* quick, swift, brisk; speedy; prompt; rash; hasty; ready (*sale*); *~ machen* be quick (*mit* et. about a th.); *int. ~!* hurry up!
rascheln ['raʃəln] *v/i.* (*h.*) rustle.
'Raschheit *f* (-) quickness, swiftness; speed, promptness; haste.
rasen ['rɑ:zən] *v/i.* (*h.*) rage, storm, foam (with rage); *madman*: rave, be frantic; *fig.* (*sn*) race (madly), speed, tear, dash; *vor Begeisterung ~* roar with enthusiasm, be frantic (*wegen* over); **~d** *adj.* raving, frantic; *~e Wut* towering rage; scorching, tearing, breakneck (*speed*); ravenous (*hunger*); agonizing (*pain*); splitting (*headache*); *j-n ~ machen* drive a p. mad *or* to frenzy; *~ werden* **a**) go mad, **b**) see red.
Rasen ['rɑ:zən] *m* (-*s*; -) grass; turf, sod; lawn, grass-plot; *fig. unter dem (grünen) ~* under the sod; **~bank** *f* (-; ⸚*e*) turf-seat; **~hockey** *n* field hockey; **~mähmaschine** *f* lawn-mower; **~platz** *m* lawn, grass-plot; **~spiele** *n/pl.* field games; **~sport** *m* field games and athletics; **~sprenger** *m* lawn-sprinkler; **~stecher** *m* turf-cutter; **~stück** *n* sod, turf; **~walze** *f* lawn-roller.
Rase'rei *f* (-) towering rage, fury; frenzy, madness; *mot.* scorching, reckless driving; *in ~ geraten* **a**) fly into a rage, see red, **b**) be frantic; *zur ~ bringen* drive *a p.* mad.
Rasier|apparat [ra'zi:r-] *m* safety-razor; *elektrischer ~* electric (*or* dry)shaver; **2en** *v/t.* (*h.*) shave, *Am. a.* barb; *sich ~ lassen* get shaved, get a shave; **~klinge** *f* razor-blade; **~krem** *f* shaving-cream; **~messer** *n* (straight) razor; **~pinsel** *m* shaving brush; **~seife** *f* shaving soap; **~wasser** *n* (-*s*; -) after-shave lotion; **~zeug** *n* shaving things *pl.*
Räson [rɛ'zɔŋ] *f* (-) reason; → *Einsicht, Vernunft*; **räsonieren** [rɛzo'ni:rən] *v/i.* (*h.*) reason, argue; quarrel, argue, wrangle (*über acc.* about).
Raspel ['raspəl] *f* (-; -*n*) rasp; grater; **2n** *v/t.* (*h.*) rasp; grate; → *Süßholz.*
Rasse ['rasə] *f* (-; -*n*) race; breed, stock; blood; **~bewußtsein** *n* racialism, racism; **2echt** *adj.* true-bred; **~hund** *m* pedigree dog.
Rassel ['rasəl] *f* (-; -*n*) rattle; **~geräusche** *med. n/pl.* rattling sounds; **2n** *v/i.* (*h.*) rattle; *colloq. ped.* (*sn*) be ploughed, flunk; *~ lassen* plough, flunk.
'Rassen...: ~forschung *f* racial research; **~frage** *f* race question; **~haß** *m* race hatred; **~hygiene** *f* eugenics *pl.*; **2hygienisch** *adj.* eugenic(ally *adv.*); **~kampf** *m* racial conflict; **~kreuzung** *f* cross-breeding; **~merkmal** *n* characteristic of the race; **~mischung** *f* racial mixture, miscegenation; **~schande** *f* racial disgrace; **~schranke** *f Am.* color bar; **~stolz** *m* racialism, racism; **~trennung** *f* racial segregation; **~theorie** *f* racial theory, racialism.
'Rasse...: ~pferd *n* thoroughbred (horse); **2rein** *adj.* thoroughbred, pure-bred; **~vieh** *n* pedigree cattle.
'rassig *adj.* thoroughbred; *fig.* racy; streamlined, thoroughbred (*car, etc.*).
'rassisch *adj.* racial.
Rast [rast] *f* (-; -*en*) rest, repose; recreation, relaxation; break, pause; *a. mil.* halt; *tech.* stop, notch, groove; *furnace*: boshes *pl.*; *~ machen* take a rest, *mil.* make a halt; halting-place (*a. mil.*), station, stage; *ohne ~ und Ruh* restlessly, never at rest; **'~e** *tech. f* (-; -*n*) stop, detention point; foot rest; **'2en** *v/i.* (*h.*) (*a. sich*) (take) rest, repose; *mil.* (make a) halt; *tennis*: be a bye.
Raster ['rastər] *m* (-*s*; -) *phot., typ.* screen; *TV* (*a.* **~bild** *n*) frame, raster; **~druck** *typ. m* (-[e]*s*; -*e*) autotypy; **2n** *v/t.* (*h.*) *phot.* print by screen-process; *TV* scan; **~schirm** *TV m* mosaic screen; **~ung** *TV f* (-) scanning, definition.
'Rast...: ~haus *n* road house; **2los** *adj.* restless; indefatigable; fidgety; **~losigkeit** *f* (-) restlessness; indefatigable industry (*or* work); fidgetiness; **~ort** *m* (-[e]*s*; -*e*) halting-place (*a. mil.*), station, stage; **~platz** *m* resting place; **~stätte** *f* road house; **~tag** *m* day of rest.
Rasur [ra'zu:r] *f* (-; -*en*) shave.
Rat [rɑ:t] *m* (-[e]*s*) advice, counsel; suggestion; recommendation; consultation, deliberation; means, way (out), expedient; *schlechter ~* bad (piece of) advice; (-[e]*s*; ⸚*e*) council, board; council(l)or, alderman; → *Berater*; *~ halten or pflegen* take counsel, deliberate, go into a huddle (*mit* with); *~ schaffen* find ways and means; *~ wissen* know what to do; *keinen ~ mehr wissen* be at a loss (what to do), be at one's wits' end; *j-m e-n ~ erteilen* give a p. a piece of advice; *j-s ~ befolgen* take a p.'s advice; *mit sich zu ~e gehen* think things over, debate with o. s., *Am. sl.* go into a huddle with o. s.; *zu ~e halten* economize; *zu ~e ziehen* consult (*doctor, lawyer, etc.*), call in; *j-n um ~ fragen* ask a p.'s advice, consult a p.; *mit ~ und Tat* by word and deed; *da ist guter ~ teuer* what are we to do now?
Rate ['rɑ:tə] *f* (-; -*n*) instal(l)ment (*a. econ.*); ratio, proportion; rate (*of growth, etc.*); *~ auf Aktien* call on shares; *in ~n* by instal(l)ments.
'raten *v/i. and v/t.* (*irr., h.*) give advice; advise, counsel (*j-m zu et.* a p. to do a th.); guess, divine; *sich ~ lassen* take advice, listen to reason; *man hat ihm geraten, zu inf.* he was advised to *inf.*; *wozu ~ Sie mir?* what do you advise me to do?; *colloq. ~ Sie mal!* have a guess!; *hör auf, das rate ich dir!* stop it, if you know what's good for you!; *das ist alles nur geraten* it's all guesswork.
'Raten...: ~kauf *m* hire-purchase; **2weise** *adj.* by instalments; **~zahlung** *f* payment by instalments;

auf ~ on the hire-purchase (*Am.* installment) plan.

Räteregierung [ˈrɛːtə-] *pol. f* Soviet government.

ˈ**Ratespiel** *n* guessing game.

ˈ**Rat...:** ~**geber**(**in** *f*) *m* adviser; ~**haus** *n* town hall.

Ratifi|kation [ratifikatsiˈoːn] *f* (-; -*en*), ~**zierung** [-ˈtsiːruŋ] *f* (-; -*en*) ratification; 2ˈ**zieren** *v/t.* (*h.*) ratify.

Ration [ratsiˈoːn] *f* (-; -*en*) ration; portion, allowance, share; *mil. eiserne* ~ emergency (*or* iron) ration.

rational [ratsioˈnaːl] *adj.* rational.

rationalisier|en [-naliˈziːrən] *v/t. and v/i.* (*h.*) rationalize; 2**ung** *f* (-) rationalization; 2**ungsfachmann** *m* efficiency expert, methods study man.

Rationalis|mus [-ˈlismus] *m* (-) rationalism; ~**t** *m* (-*en*; -*en*) rationalist.

rationell [-ˈnɛl] *adj.* rational, reasonable; efficient; thrifty, economical.

ratioˈnier|en *v/t.* (*h.*) ration; allot; 2**ung** [-ˈniːruŋ] *f* (-; -*en*) rationing; 2**ungssystem** *n* ration (*or* distribution) system; points scheme.

rätlich [ˈrɛːtliç] *adj.* advisable; expedient; → *ratsam*.

ˈ**Rat...:** 2**los** *adj.* helpless, perplexed, *pred.* at a loss; ~**losigkeit** *f* (-) helplessness, perplexity.

ˈ**ratsam** *adj.* advisable; wise, prudent, *pred.* good policy; commendable; expedient; indicated; *für* ~ *halten* think advisable (*or* fit); 2**keit** *f* (-) advisability.

ˈ**Rat...:** ~**schlag** *m* (-[e]s; ⸚e) (piece of) advice, counsel; 2**schlagen** *v/i.* (*h.*) deliberate, take counsel; ~**schluß** *m* resolution, decision; decree; *Gottes* ~ decree of God.

ˈ**Ratsdiener** *m* beadle.

Rätsel [ˈrɛːtsəl] *n* (-s; -) riddle, puzzle; enigma, mystery; problem; conundrum; *er ist ein* ~ he is an enigma; *er ist mir ein* ~ he puzzles me, I can't make him out; *es ist mir ein* ~ it puzzles (*or* beats) me; *in* ~*n sprechen* speak in riddles; ~**aufgabe** *f* problem, *Am.* quiz; 2**haft** *adj.* puzzling; enigmatic(al), mysterious; cryptic; *es ist mir völlig* ~, *weshalb* it is a complete mystery to me why; ~**raten** *n* (-s) solving riddles; *fig.* guesswork; (wild) speculation.

ˈ**Rats...:** ~**herr** *m* (town-)council(l)or, alderman, senator; ~**keller** *m* townhall-cellar restaurant, *Am.* rathskeller; ~**schreiber** *m* town-clerk; ~**sitzung** *f* council meeting; ~**versammlung** *f* council, assembly; → *Ratssitzung*.

Ratte [ˈratə] *f* (-; -*n*) rat; *fig. wie e-e* ~ *schlafen* sleep like a top; ~**nfalle** *f* rat-trap; ~**nfänger** *m* rat catcher; (*dog*) ratter, *der* ~ *von Hameln* the Pied Piper of Hamelin; ~**ngift** *n* rat-poison; ~**nkönig** *m* pack-rat; *fig.* tangle; ~**nschwanz** *m* rat's tail; *fig.* pigtail; rattailed file; *ein ganzer* ~ *von* a whole string of, no end of.

rattern [ˈratərn] *v/i.* (*sn*) rattle, clatter; *engine*: (*h.*) roar.

ratzekahl [ˈratsə-] *colloq. adv.*: ~ *aufessen* eat up completely, polish off.

Raub [raʊp] *m* (-[e]s) robbery, robbing; pillaging; kidnap(ping), abduction; piracy; booty, loot, spoils *pl.*; *zo. and fig.* prey; *auf* ~ *ausgehen* go on the prowl; *ein* ~ *der Flammen werden* be destroyed by fire; ˈ~**bau** *m* (-[e]s) wasteful (*or* ruinous) exploitation; *agr.* robber-farming; robbing a mine; destructive lumbering; ~ *treiben* cause havoc by ruthless exploitation; *agr.* exhaust the land; rob a mine; *mit s-r Gesundheit* ~ *treiben* undermine one's health, burn the candle at both ends.

rauben [ˈraʊbən] **I.** *v/i.* (*h.*) rob, commit robberies; go pillaging, plunder; **II.** *v/t.* (*h.*) rob, take by force, carry off; steal; kidnap; (*a. fig.*) *j-m et.* ~ rob (*or* deprive) a p. of a th.

Räuber [ˈrɔʏbər] *m* (-s; -) robber, *Am. a.* holdup man; highwayman, brigand, *Am. a.* hijacker; *geistigen Eigentums*: pirate; ~ *und Gendarm spielen* play cop-and-robber; ~**bande** *f* gang of robbers *or* brigands, *Am.* holdup gang.

Räubeˈrei *f* (-; -*en*) robbery; pillage.

ˈ**Räuber...:** ~**geschichte** *f* tale of robbers; *colloq. fig.* cock-and-bull story; penny dreadful; ~**hauptmann** *m* captain of brigands, robber-chief; ~**höhle** *f* den of robbers; 2**isch** *adj.* rapacious, predatory; → *Diebstahl*.

ˈ**Raub...:** ~**fisch** *m* predatory fish; ~**gier** *f* rapacity; 2**gierig** *adj.* rapacious; ~**krieg** *m* predatory war; ~**mord** *m* murder and robbery, robbery slaying, *Am. a.* holdup murder; ~**mörder** *m* murderer and robber; ~**ritter** *m* robber-knight; ~**schiff** *n* pirate (-ship), corsair; ~**staat** *m* piratical state; ~**tier** *n* beast of prey; ~**überfall** *m* robbery, *Am.* holdup; armed attack; ~**vogel** *m* bird of prey; ~**zeug** *hunt.* (*Brit.*) *n* vermin; ~**zug** *m* raid.

Rauch [raʊx] *m* (-[e]s) smoke; steam, vapo(u)r; fume; soot; → *Qualm*; *in* ~ *aufgehen* go up in smoke, *fig.* end in smoke; ˈ~**abzugskanal** *m* flue; ˈ~**bekämpfung** *f* smog abatement; ˈ~**bombe** *f* smoke-bomb; ˈ2**dicht** *adj.* smoke-proof.

ˈ**rauchen** *v/i. and v/t.* (*h.*) smoke; fume; *person*: (have a) smoke; smoke (a cigarette, *etc.*); *colloq. fig. wir arbeiteten, daß es nur so rauchte* we worked with a vengeance *or Am.* to beat the band; *mir rauchte der Kopf* my head nearly split; ˈ**Rauchen** *n* (-s) smoking; ~ *verboten!* No smoking!

ˈ**Rauch...:** 2**entwickelnd** *adj.* smoke-generating; ~**entwicklung** *f* (-) formation of smoke.

ˈ**Raucher** *m* (-s; -) smoker; *rail.* smoking compartment, smoker.

Räucher... [ˈrɔʏçər-]: ~**aal** *m* smoked eel; ~**essenz** *f* aromatic essence; ~**hering** *m* red (*or* smoked) herring, kipper; ~**kammer** *f* smoking-chamber, *Am.* smoke-house; ~**kerze** *f* fumigating candle; ~**mittel** *n* fumigant; 2**n I.** *v/t.* (*h.*) smoke (*meat*); cure (*fish*); fumigate; perfume; *tech.* fume (*oak*); *geräucherter Hering* → *Räucherhering*; **II.** *v/i.* (*h.*) burn incense (*a. fig.*); ~**n** *n* (-s), ~**ung** *f* (-) smoking; fumigation; ~**pulver** *n* fumigating powder.

ˈ**Raucher**(**wagen**) *m* smoking-carriage, *Am.* smoking-car, smoker.

ˈ**Räucher|waren** *f/pl.* smoked meat *or* fish *sg.*; ~**werk** *n* perfumes, scents *pl.*, perfumery.

ˈ**Rauch...:** ~**fahne** *f* trail of smoke; ~**fang** *m* chimney(-hood), flue; ~**faß** *n* censer; ~**fleisch** *n* smoked meat; 2**frei** *adj.* smokeless; ~**gas** *n* fumes *pl.*, flue gas; 2**geschwärzt** [ˈ-gəʃvɛrtst] *adj.* smoke-stained; ~**glas** *n* smoked glass; ~**helm** *m* smoke-helmet; 2**ig** *adj.* smoky; 2**los** *adj.* smokeless; ~**meldepatrone** *mil. f* smoke-cartridge message container; ~**opfer** *n* incense offering; ~**pilz** *m* cloud mushroom; ~**plage** *f* smoke nuisance; ~**säule** *f* column of smoke; ~**schrift** *f* sky-writing; 2**schwach** *adj.* smokeless (*powder*); ~**spurgeschoß** *n* smoke tracer; ~**ständer** *m* smoking-stand; ~**tabak** *m* tobacco; ~**tisch** *m* smoking-table; ~**verbot** *n* (-[e]s) ban on smoking; ~**vergiftung** *f* smoke inhalation; ~**verzehrer** *m* (-s; -) smoke-consumer; ~**vorhang** *mil. m* (-[e]s) smoke screen; ~**waren** *f/pl.* **1.** tobacco products; **2.** *a.* ~**werk** *n* (-[e]s) furs *pl.*, peltry; ~**wolke** *f* cloud of smoke; ~**zeichen** *n* smoke signal; ~**zimmer** *n* smoking-room.

Räud|e [ˈrɔʏdə] *f* (-; -*n*) mange, scab (*of dogs*); rubbers (*of sheep*); 2**ig** *adj.* mangy, scabby; *fig.* ~*es Schaf* black sheep.

rauf [raʊf] *colloq. adv.* → *herauf*(...).

Raufbold [ˈraʊfbɔlt] *m* (-[e]s; -e) brawler, rowdy, ruffian, bully, *Am. a.* tough.

Raufe [ˈraʊfə] *f* (-; -*n*) rack.

ˈ**raufen I.** *v/t.* (*h.*) pluck, pull; *sich die Haare* ~ tear one's hair; **II.** *v/i.* (*h.*) (*and sich*) *mit j-m* ~ fight *or* scuffle with a p.; (have a) romp; *sich um et.* ~ fight *or* scramble for a th.

Raufeˈrei *f* (-; -*en*) fight, brawl, scuffle, *Am. a.* free-for-all.

ˈ**Rauf...:** ~**handel** *m* (*jur.* participation in a) brawl; ~**lust** *f* (-) pugnacity, rowdiness; 2**lustig** *adj.* pugnacious, spoiling for a fight.

rauh [raʊ] *adj.* rough; rugged; inclement, raw (*weather*); biting, bitter; severe (*winter*); sore, hoarse (*throat*); *fig.* harsh; coarse, rude; ~*e Behandlung* rough handling, harsh treatment; ~*es Leben* rough (*or* rugged) life; ~*e Tatsachen* hard facts; ~*er Ton* rough tone; ~*e Wirklichkeit* harsh reality; *in* ~*en Mengen* in coarse numbers, in enormous quantities, galore; ˈ~**bein** *n fig.* rough diamond, hedgehog, *Am. a.* roughneck; ˈ2**beinig** [ˈ-baɪniç] *adj.* rough, gruff.

Rauheit [ˈraʊhaɪt] *f* (-; -*en*) → *rauh*; roughness; ruggedness; in-

clemency; severity; soreness; harshness; coarseness; rudeness.
ˈ**rauh...:** ~**en** [ˈraʊən] *v/t.* (*h.*) roughen; tease, nap (*cloth*); 2**futter** *n* roughage, coarse fodder; 2**gewicht** *n* full weight; ~**haarig** *adj.* roughhaired, shaggy; wire-haired (*dog*); 2**reif** *m* hoar-frost, rime.
Raum [raʊm] *m* (-[e]s; ⸚e) room; space (*a. astr.*); → *Platz*; volume, capacity; expanse; area, district, zone; width; locality, premises; room; hall; chamber; compartment; accommodation; *tech.* play, clearance; *fig.* (-[e]s) scope, opportunity; scene; ~ *und Zeit* space and time; ~ *bieten* (*dat. or für*) admit, accommodate, hold; ~ *geben or gewähren* (*dat.*) **a)** give way to (*an idea*), **b)** indulge in (*hope*), **c)** grant (*a request*); ˈ~**akustik** *f* acoustic properties *pl.* (of a room); ˈ~**analyse** *f* volumetric analysis; ˈ~**an-ordnung** *f* layout of rooms, floor plan; ˈ~**bedarf** *m* space requirement; ˈ~**begriff** *m* conception of space; ˈ~**bild** *n* space diagram; *opt.* stereoscopic picture; ˈ~**dichte** *f* volumetric density; ˈ~**einheit** *f*, ˈ~**element** *n* spatial unit.
Räumboot [ˈrɔʏm-] *n* mine sweeper.
ˈ**räumen** *v/t.* (*h.*) remove, clear away; dredge; clean (up); vacate, clear (*dwelling, etc.*); *mil.* evacuate; leave, give up; sweep (*von of mines*); *econ.* clear (off), sell off (*stocks*); *tech.* broach; *fig. das Feld* ~ quit the field; *j-n aus dem Wege* ~ dispose of *or* remove a p.; ˈ**Räumen** *n* (-s) → *Räumung*; *tech.* broaching.
ˈ**Raum...:** ~**ersparnis** *f* saving in space; *der* ~ *wegen* in order to save space; ~**flug** *m* space-flight; ~**forschung** *f* (aero)space research; ~**gehalt** *m* volumetric content; ~**geometrie** *f* solid geometry; ~**gestalter** *m* interior decorator; ~**gestaltung** *f* interior decoration; ~**gewicht** *n* volumetric weight; ~**inhalt** *m* volume, capacity, cubic content; ~**kapsel** *f* (space) capsule; ~**kunst** *f* (-) → *Raumgestaltung*; ~**ladegitter** *n* space-charge grid; ~**lehre** *f* (-) geometry.
ˈ**räumlich** *adj.* (of) space, relating to space; three-dimensional; (*ant. zeitlich*) spatial; *opt.* stereoscopic; *chem.* volumetric; 2**keit** *f* (-; -*en*) spatiality; locality, room; ~*en pl. a.* premises, accommodation *sg.*
ˈ**Raum...:** 2**los** *adj.* spaceless; ~**mangel** *m* lack of room *or* space; restricted space; ~**maß** *n* measure of capacity, dimensions *pl.*; stacked measure; ~**messung** *f* stereometry; ~**meter** *m* cubic met|re, *Am.* -er.
ˈ**Räum...:** ~**otter** *mar. f* paravane; ~**pflug** *m* bulldozer.
ˈ**Raum...:** ~**pflegerin** *f* cleaner; ~**schiff** *n* space-ship; ~**schiffahrt** *f* astronautics *sg.*; space-travel; ~**sonde** *f* space probe; ~**teil** *m* part by volume; ~**temperatur** *f* room (*or* ambient) temperature; ~**tonne** *f* freight ton; ~**ton** *m radio*: dimensional sound; ~**tonwirkung** *f* stereophonic effect.
ˈ**Räumtrupp** *m* demolition party.
ˈ**Räumung** *f* (-) clearing, removal, *esp. econ.* clearance; vacating, quitting (*of dwelling*), eviction; *mil.* evacuation.
ˈ**Räumungs...:** ~**ausverkauf** *econ. m* clearance-sale; ~**befehl** *jur. m* eviction notice; ~**gebiet** *mil. n* evacuated territory, territory to be evacuated; ~**klage** *f* action of ejectment.
ˈ**Raum...:** ~**verhältnis** *n* proportion by volume; ~**verteilung** *f* disposition of space; layout (of rooms); *typ.* spacing; ~**welle** *f radio*: space wave.
raunen [ˈraʊnən] *v/i. and v/t.* (*h.*) whisper, murmur; *fig. man raunt, daß* rumo(u)r has it that.
raunzen [ˈraʊntsən] *colloq. v/i. and v/t.* (*h.*) grumble.
Raupe [ˈraʊpə] *f* (-; -*n*) caterpillar; *tech.* crawler; → *Planierraupe*; *fig.* ~*n im Kopf haben* have maggots in one's head.
ˈ**Raupen...:** ~**antrieb** *mot. m* track-laying drive; ~**bahn** *f* crawler track; ~**fahrzeug** *n* track(-laying) vehicle; ~**fraß** *m* damage done by caterpillars; ~**kette** *f* crawler track; ~**schlepper** *m* crawler tractor.
raus [raʊs] *colloq.* → *heraus*(...); *int.* ~! get out!, beat it!, scram!
Rausch [raʊʃ] *m* (-es; ⸚e) intoxication, drunkenness; *sich e-n* ~ *antrinken* go and get drunk; *e-n* ~ *haben* be drunk; *s-n* ~ *ausschlafen* sleep it off; *im* ~e in one's cups; *fig.* transport, ecstasy, intoxication; inebriation.
ˈ**rauschen** *v/i.* (*h.*) *water, wind*: rush; *surf, storm*: roar; *leaves, radio, silk*: rustle; *applause*: ring, thunder; *fig.* (*sn*) sweep, sail; 2 *n* (-s) rush(-ing); roar; rustle; *radio, etc.*: noise; *microphone*: hissing; ~**d** *adj.* rustling, *etc.*; thundering, ringing (*applause*); gay, gorgeous; swelling (*music*).
ˈ**Rauschfaktor** *m radio*: noise ratio.
ˈ**Rauschgift** *n* narcotic (drug), dope; *mit* ~ *betäuben* drug, dope; ~**handel** *m* drug trafficking; ~**händler**, ~**schmuggler** *m* dope pedlar (*or* smuggler, trafficker); ~**sucht** *f* (-) drug addiction; 2**süchtig** *adj.* drug-addicted; ~**süchtige(r** *m*) *f* drug-addict.
ˈ**Rauschgold** *n* tinsel.
ˈ**rausschmeiß|en** *colloq. v/t.* (*irr., h.*) kick *a p.* out, *Am. a.* give a p. the bounce *or* bum's rush; fire *a p.*; 2**er** *colloq. m* (-s; -) chucker-out, *Am.* bouncer; last dance.
räuspern [ˈrɔʏspərn] *v/i. and sich* ~ (*h.*) clear one's throat, harumph.
Raute [ˈraʊtə] *f* (-; -*n*) *bot.* rue; *math.* rhomb(us); *her.* lozenge; ~**n-antenne** *f* rhombic aerial *or* antenna; ~**nfläche** *f* facet; 2**nförmig** [ˈ-fœrmiç] *adj.* rhombic; lozenge-shaped.
Razzia [ˈratsia] *f* (-; -*ien*) (police) raid; *e-e* ~ *machen* (*auf acc.*) make a raid (on), raid.
Reagenz [reˀaˈgɛnts] *chem. n* (-es; -*ien*) reagent; ~**glas** *n* (-es; ⸚er) test tube; ~**kelch** *m* test glass; ~**lösung** *f* test solution; ~**papier** *n* (-[e]s) test paper.
reagibel [reˀaˈgiːbəl] *adj.* sensitive.
reagieren [reˀaˈgiːrən] *v/i.* (*h.*) (*auf acc.*) react (on); *fig.* (*and tech.*) *a.* respond (to).
Reaktanz [reˀakˈtants] *el. f* (-; -*en*) reactance.
Reaktion [reˀaktsiˈoːn] *f* (-; -*en*) reaction (*a. pol.*); *fig. a.* response (*auf acc.* to).
reaktionär [reˀaktsioˈnɛːr] *adj.* reactionary; **Reaktioˈnär(in** *f*) *m* (-s, -e; -, -*nen*) reactionary, reactionist.
Reaktiˈons...: ~**fähigkeit** *f* (-) reaction ability, responsiveness; *chem.* reactivity; ~**geschwindigkeit** *f* reaction velocity; ~**kette** *f* series of reactions; ~**mittel** *n* reagent; 2**schnell** *adj.* quick as a lightning, fast; ~**verlauf** *m* course of a reaction; ~**wärme** *f* heat of reaction; ~**zeit** *f* reaction time.
reaktivieren [reˀaktiˈviːrən] *v/t.* (*h.*) reactivate (*a. mil.*).
Reaktor [reˈˀaktɔr] *m* (-s; -ˈ*toren*) (nuclear) reactor.
real [reˈˀɑːl] *adj.* real, actual; concrete; substantial, material, corporeal; ~*e Vermögensgüter* tangible assets; 2**gymnasium** *n* secondary school with scientific bias; 2**ien** [ˈ-liən] *pl.* real facts, realities; exact sciences.
realisier|bar [reˀaliˈziːrbɑːr] *adj.* realizable; *sofort* (*nicht*) ~*e Aktiven* liquid (frozen) assets; ~**en** *v/t.* (*h.*) realize; convert into money; dispose of (*securities*); 2**ung** *f* (-) realisation.
Realis|mus [reˀaˈlismus] *m* (-) realism; ~**t(in** *f*) *m* (-en, -en; -, -*nen*) realist; 2**tisch** *adj.* realistic(ally *adv.*); *et.* ~ *gestalten* lend realism to a th.
Realiˈtät *f* (-; -*en*) reality.
Real... [reˈˀɑːl-]: ~**konkurrenz** *jur. f* cumulation; *in* ~ cumulative; ~**kredit** *m* credit on real estate; ~**last** *f* recurrent charge on landed property; ~**lexikon** *n* encyclop(a)edia; ~**lohn** *m* real (*or* commodity) wages *pl.*; ~**politik** *f* realist politics, real-politik; ~**schule** *f* non-classical secondary school; ~**wert** *m* real value; ~**wörterbuch** *n* → *Reallexikon*.
Rebe [ˈreːbə] *f* (-; -*n*) vine; tendril, shoot.
Rebell(in *f*) [reˈbɛl] *m* (-en, -en; -, -*nen*) rebel; **rebelˈlieren** *v/i.* (*h.*) rebel, revolt, rise; mutiny; **Rebellion** [rebɛliˈoːn] *f* (-; -*en*) rebellion; → *Aufstand*; **reˈbellisch** *adj.* rebellious.
ˈ**Reben...:** ~**blatt** *n* vine-leaf; ~**blut** *n*, ~**saft** *m* (-[e]s) grape-juice, wine; ~**geländer** *n* vine-trellis.
Reb... [ˈrɛp-]: ~**huhn** *n* partridge; ~**land** *n* land planted with vines; ~**laus** *f* vine-louse, phylloxera; ~**stock** *m* vine.
Rebus [ˈreːbus] *m* (-; -*se*) rebus.
Rechen [ˈrɛçən] *m* (-s; -), ˈ**rechen** *v/t.* (*h.*) rake.
Rechen... [ˈrɛçən-]: ~**aufgabe** *f*, ~**exempel** *n* (arithmetical) problem, sum; ~**buch** *n* arithmetic-book; ~**fehler** *m* arithmetical error, miscalculation, mistake; ~-

~kunst *f* arithmetic; **~künstler(in** *f*) *m* arithmetician; **~lehrer(in** *f*) *m* arithmetic teacher; **~maschine** *f* calculating machine, calculator; computer; **~pfennig** *m* counter.

ˈ**Rechenschaft** *f* (-) account; ~ *ablegen* give *or* render (an) account (*über acc.* of), account (*or* answer) (for); *j-m* ~ *schuldig sein* be accountable to; *zur* ~ *ziehen* call to account (*wegen* for); **~sbericht** *m* statement (of accounts); report (of activities); *econ.* report; **&s-pflichtig** *adj.* liable to account, accountable.

ˈ**Rechen...:** **~schieber** *m* slide rule, slipstick; **~stunde** *f* arithmetic lesson; **~tabelle** *f* ready reckoner; **~tafel** *f* slate; **~zentrum** *n* computing cent|re, *Am.* -er.

Recherchen [reˈʃɛrʃən] *f/pl.* investigation *sg.*, inquiries.

rechnen [ˈrɛçnən] *v/t. and v/i.* (*h.*) reckon (*im Kopf* mentally); calculate, work out; *falsch* ~ miscalculate; reckon (*or* sum) up; estimate, value; charge; *zuviel* ~ overcharge; (*v/i.*) do sums *or* figure-work, count; ~ *auf* (*acc.*) reckon (*or* count, depend, rely) on, expect to *inf.*, trust to *inf.*; ~ *mit* reckon with; *mit et.* (*Unangenehmem*) ~ *müssen* face a th., be in for (*unpleasantness*); *wir müssen damit* ~, *daß* it may be (*or* happen) that; ~ *unter* (*acc.*) *or zu* (*dat.*) reckon (*or* rank, class) with; *v/i.*: ~ *zu* rank with *or* among(st); *alles in allem gerechnet* taking all in all, on the whole; *hoch gerechnet* at the most; *er kann gut* ~ he is good at figures; *w.s. er kann nicht* ~ he doesn't know how to economize.

ˈ**Rechnen** *n* (-s) reckoning, *etc.*; calculation, figure-work; arithmetic.

ˈ**Rechner(in** *f*) *m* (-s, -; -, -nen) calculator, computer (*a. apparatus*); arithmetician; *econ.* accountant; *kühler* ~ cool reckoner, calculating mind; *er ist ein guter* ~ he is quick at figures; **&isch** *adj. and adv.* mathematical(ly), arithmetical(ly), by way of calculation.

ˈ**Rechnung** *f* (-; -en) calculation, sum, reckoning; account, bill; invoice; *at restaurant*: bill, *Am.* check; score; *auf* ~ on account; *auf Ihre* ~ *und Gefahr* for your account and risk; *für gemeinschaftliche* ~ for (*or* on) joint account; *laufende* ~ current account; *laut* ~ as per invoice; *e-e* ~ *ausgleichen* balance *or* settle an account; ~ *führen* keep accounts; *auf* ~ *kaufen* buy on credit; ~ *legen* render (an) account (*über acc.* of); *e-r Sache* ~ *tragen* make allowance for a th., take a th. into account; accommodate o.s. to *circumstances*; *auf s-e* ~ *kommen* find one's account (*bei* in); *econ. in* ~ *bringen* place to account; *j-m in* ~ *stellen* pass (*or* place) to a p.'s account; *fig. in* ~ *ziehen* take into account, consider; *fig. die* ~ *ging nicht auf* it did not work out; *es geht auf m-e* ~ it is my treat, *Am. a.* this is on me.

Rechnungs... [ˈrɛçnuŋs-]: **~abgrenzung** *f* demarcation of separate accounts; *a.* → **~abgrenzungs-posten** *m* deferred item; **~ablegung** *f* rendering of accounts; **~abschluß** *m* closing of accounts; → *Jahresabschluß*; **~art** *f* method of calculation; *die vier* ~*en* the four rules; **~ausschuß** *m* board of audit; **~auszug** *m* statement of account; abstract of account; **~beleg** *m* voucher; **~betrag** *m* amount of invoice; **~buch** *n* account-book; **~führer** *m* accountant, book-keeper; *mil.* pay sergeant; **~führung** *f* accountancy, *Am. usu.* accounting; **~hof** *m* audit office; **~jahr** *n* financial (*or* fiscal) year; **~kammer** *f* accounting office; **~legung** [ˈ-le:guŋ] *f* (-; -en) rendering of the account; **~prüfer, ~revisor** *m* auditor; **~prüfung** *f* audit; *bei der* ~ when examining the accounts; **~stelle** → *Rechnungskammer*; **~wesen** *n* (-s) accounting, accountancy.

recht [rɛçt] **I.** *adj.* (*ant. left*) right; *fig.* (*according to rule, desire*) right; right, correct; just; due; lawful, legitimate; proper, fitting; (*wirklich*) true, real; thorough, sound; ~*e Hand* right hand (*a. fig.* = right-hand man); *der* ~*e Mann* the right man, *am* ~*en Ort* in the right place; ~*er Narr* regular fool; ~*er Winkel* right angle; *zur* ~*en Zeit* in due time, at the right moment, in the nick of time; *das ist* ~ that is right *or* good; *so ist's* ~ all right, okay, that's the stuff; *mir ist's* ~ I don't mind, that's all right with me, (it) suits me; *mir ist alles* ~ I am pleased with everything; I don't care; *es geht nicht mit* ~*en Dingen zu* there is something queer (*or* fishy) about it; *ihm ist jedes Mittel* ~ he sticks at nothing; *das ist nur* ~ *und billig* it is only fair; *was dem einen* ~ *ist, ist dem andern billig* what is sauce for the goose is sauce for the gander; → *Recht, Rechte*; **II.** *adv.* right(ly), well; very; rather; really, quite, downright; correctly, the right way; properly, thoroughly, soundly; ~ *haben* be right; ~ *behalten* be right in the end; *j-m* ~ *geben* agree with a p.; *die Resultate gaben mir* ~ I was borne out by the results; ~ *daran tun, zu inf.* do right to *inf.*; ~ *gern* gladly, with pleasure; ~ *gut* quite good *or* well; not (at all) bad; *ganz* ~! quite (so)!, exactly!, right you are!; *schon* ~! never mind!; *erst* ~ all the more (so); *jetzt erst* ~ now more than ever, now with a vengeance; ~ *schade* a great pity; *es geschieht ihr* ~ it serves her right; *das kommt mir gerade* ~ that comes in handy; *ich weiß nicht* ~ I wonder, I am not so sure; *ich kann es ihr nicht* ~ *machen* I can't do anything right for her; *man kann es nicht allen* ~ *machen* you cannot please everybody; *wenn ich es* ~ *bedenke* now that I think of it; *wenn ich Sie* ~ *verstehe* if I understand you rightly; → *gescheit*.

Recht [rɛçt] *n* (-[e]s; -e) right; privilege; title (*auf acc.* to), claim (on), interest (in); power, authority; law; justice; due process of law; *formelles* ~ adjective law; *materielles* ~ substantive law; → *bürgerlich, öffentlich*; *angestammtes* ~ birthright; *unabdingbares* ~ vested interest; *Doktor der* ~*e* Doctor of Laws (*abbr.* LL.D. = *doctor legum*); ~*e und Pflichten aus e-m Vertrag* rights and obligations arising under a contract; *alle* ~*e vorbehalten* all rights reserved; *nach geltendem* ~ under law in force; *mit* ~ justly, with good reasons; *von* ~*s wegen* by rights, *jur.* by operation of law, de jure; ~ *sprechen* administer (*or* dispense) justice; *das* ~ *haben, zu inf.* have the right (*or* be entitled) to *inf.*, *agent*: have power to *inf.*; *die* ~*e studieren* study law; *ein* ~ *ausüben* exercise a power; *für* ~ *befinden* find, hold; *das Gericht erkennt für* ~ the Court orders, adjudges, decrees and determines; *im* ~ *sein, das* ~ *auf seiner Seite haben* be within one's rights, have justice on one's side; *sich selbst* ~ *verschaffen* take the law into one's own hands; *zu* ~ *bestehen* be valid *or* justified; (*wieder*) *zu seinem* ~*e kommen* come into one's own (again).

Rechte [ˈrɛçtə] **1.** *f* (-n; -n) right hand, *boxing*: right; *pol.* the Right; *zur* ~*n* on the right hand; **2. ~(r** *m*) *f* (-n, -n; -en, -en) right person, right *or* very (wo)man; *an den* ~*n kommen* meet one's match; *iro. du bist mir der* ~! a fine fellow you are!; **3. ~(s)** *n* (-n; -n) *das* ~ the right thing; *contp. das ist was* ~*s*! it's nothing to be proud of!, it's not so wonderful!; *er dünkt sich was* ~*s* (*zu sein*) he thinks he is somebody; *nach dem* ~*n sehen* look after things.

Rechteck [ˈrɛçtˀɛk] *n* (-[e]s; -e) rectangle; **&ig** *adj.* rectangular.

ˈ**rechten** *v/i.* (*h.*) dispute, argue; **~s** *adv.* lawfully, legally, by law.

ˈ**Rechter** *m* (-en; -en) *boxing* right; & *Hand* on the right (hand).

ˈ**recht...:** **~fertigen** *v/t.* justify, warrant; defend, vindicate; *sich* ~ clear o.s., exculpate o.s.; give an account of o.s.; *zu* ~ justifiable, warrantable; **&fertigung** *f* justification; vindication, defen|ce, *Am.* -se; exoneration; *zu meiner* ~ in my defence, in justice to myself; **&fertigungsgrund** *m* excuse; *jur.* (legal) justification, defen|ce, *Am.* -se; **~gläubig** *adj.* orthodox; **&gläubigkeit** *f* orthodoxy; **&haber(in** *f*) [ˈ-ha:bər] *m* (-s, -; -, -nen) disputatious person, dogmatist, know-all; **&habeˈrei** *f* (-) dogmatism; **~haberisch** *adj.* dogmatic(ally *adv.*), disputatious, know-all; pigheaded.

ˈ**rechtlich I.** *adj.* legal, lawful, legitimate; juridical; valid; ~*es Gehör* due process of law; honest, righteous; *im* ~*en Sinne* in the legal sense; **II.** *adv.* legally, *etc.*; ~ (*un*)*erheblich* (ir)relevant to the issue; ~ *verpflichtet* bound by law; **&keit** *f* (-) legality, lawfulness; validity; honesty, probity.

ˈ**recht...:** **~linig** [ˈ-li:niç] *adj.* rectilinear; **~los** *adj.* without rights; outlawed; unlawful, illegal; **&losigkeit** *f* (-) (total) absence of rights; outlawry; unlawfulness, illegality; **~mäßig** *adj.* lawful, legal; rightful (*claim, heir, owner*), legitimate; fair (and just); *für ~ erklären* legitimate; **≈mäßigkeit** *f* (-) lawfulness, legality, legitimacy; validity.

rechts [rɛçts] *adv.* on the right (hand); to the right; *~ von ihm* on his right; *erste Querstraße ~* first turning to the right; → *~um*; *sich ~ halten* keep to the right; *pol. ~ stehen* be a conservative *or* rightist.

ˈ**Rechts...:** **~abteilung** *f* legal branch; **~anspruch** *m* (*auf acc.*) legal claim (on *or* to), title (to); **~anwalt** *m* lawyer, solicitor; *Brit. a.* barrister-at-law, *Am.* attorney-at-law; *~ für den Kläger* (*Beklagten*) counsel for the plaintiff (defendant); **~anwaltschaft** *f* bar; *in die ~ aufnehmen* call to the bar; **~anwaltskammer** *f* Bar Association; **~auffassung** *f* legal conception; **~ausdruck** *m* legal term; **~ausführungen** *f/pl.* legal arguments, pleadings; **~außen(stürmer)** *m* (-; -) *soccer*: outside right; **~befugnis** *f* competence; **~begehren** *n* (-s) relief sought; statement of claim, petition; **~behelf** *m* (legal) remedy; **~beistand** *m* legal adviser; counsel; (next) friend; assistant ad litem; **~belehrung** *jur. f* legal information *or* instruction; directions *pl.* (*to jury*); **~berater** *m* legal adviser; **~beratungsstelle** *f* legal advisory board; legal aid office; **~beugung** *f* perversion of justice; **~bruch** *m* breach of law, infringement.

rechtschaffen [ˈrɛçtʃafən] **I.** *adj.* honest, righteous, upright; **II.** *adv.* righteously, *etc.*; thoroughly, downright, awfully, mighty; *~ leben* live straight; **≈heit** *f* (-) honesty, probity, uprightness.

ˈ**Rechtschreibung** *f* orthography, spelling.

ˈ**Rechts...:** **~drall** *m* right-hand twist; **~drehung** *f* clockwise rotation; **~einwand** *m* objection, demurrer.

ˈ**Rechts...:** **≈fähig** *adj.* having legal capacity; *~er Verein* incorporated society; **~fähigkeit** *f* (-) legal capacity; **~fall** *m* (law) case, cause; *analoger ~* case in precedent; **~folge** *f* legal effect; operation (*of a law, contract*); **~form** *f* legal form; **~frage** *f* question of law; *streitige ~* issue of law; **~gang** *m* course of law, legal procedure; *tech.* right-handed action (*of screw*); **≈gängig** *tech. adj.* right-handed; **~gefühl** *n* (-s) sense of justice; **~gelehrsamkeit** *f* jurisprudence; **~gelehrte(r)** *m* jurist, lawyer; **~geschäft** *n* legal transaction *or* act; **~gewinde** *tech. n* right-hand thread; **~grund** *m* legal argument; title; **~grundlage** *f* legal basis; **~grundsatz** *m* maxim of law; **≈gültig I.** *adj.* good (*or* valid) in law, entitled to full faith and credit; → *rechtskräftig*; **II.** *adv.*: *~ ausfertigen* execute (*a deed*); *~ machen* validate; **~gültigkeit** *f* (-) legality, validity; **~gut** *jur. n* protected interest; **~gutachten** *n* (legal) opinion, counsel's opinion; **~handel** *m* lawsuit, action, litigation; **~händer** [ˈ-hɛndər] *m* (-s; -) right-hander; **≈hängig** [ˈ-hɛŋiç] *adj.* pending, sub judice; **~hängigkeit** *f* (-) litispendence; **~hilfe** *f* legal assistance; legal aid; relief; **~irrtum** *m* mistake in law; **~kraft** *f* (-) legal force, validity; *~ erlangen* become effective *or* final, enter into effect; *~ haben für* (*acc.*) be conclusive for; **≈kräftig** *adj.* legal(ly binding), valid; final (*judgment*); *~es Scheidungsurteil* decree final; **~kurve** *f* right-hand bend; **~lage** *f* legal position *or* status; **~mangel** *m* defect of title; **~mittel** *n* legal remedy, relief; (right of) appeal; *~ einlegen* lodge an appeal; **~mittelbelehrung** *f* instructions *pl.* on (*defendant's*) right of appeal; **~nachfolger(in** *f*) *m* successor in interest, assign; **~parteiler** [ˈ-partaılər] *pol. m* (-s; -) rightist; **~person, ~persönlichkeit** *f* legal personality (*or* entity), body corporate; **~pflege** *f* administration of justice, judicature; **~pfleger** *m* registrar, judicial administrator.

ˈ**Rechtsprechung** [ˈ-ʃprɛçuŋ] *f* (-; -en) jurisdiction, administration of justice.

ˈ**Rechts...:** **≈radikal** *pol. adj.*, **~radikale(r)** *m* rightist; **~schutz** *m* legal protection; **~seitig** [ˈ-zaıtiç] *adj.* right-sided; **~sprache** *f* (-) legal terminology; **~spruch** *m* legal decision; *in civilcases*: judg(e)ment, *in criminal cases*: sentence; *of jury*: verdict; **~staat** *m* (-[e]s; -en) constitutional state; **≈staatlich** *adj.* constitutional; **~staatlichkeit** *f* (-) rule of law; **~stellung** *f* legal status; **~steuerung** *mot. f* right-hand drive; **~streit** *m* lawsuit, action, litigation; **~titel** *m* legal title; **~träger** *m* legal entity; **≈um!** *mil. int.* right face!, *on march*: by the right flank, march!; **≈unfähig** *adj.* legally disabled; **~unfähigkeit** *f* (-) legal disability; **≈ungültig** *adj.* illegal, invalid; **≈unwirksam** *adj.* ineffective, without legal force; **~unwirksamkeit** *f* ineffectiveness; **≈verbindlich** *adj.* binding (*für* [up]on); **~verdreher** [ˈ-fɛrdreːər] *m* (-s; -) pettifogging lawyer; **~verfahren** *n* legal procedure; (legal) action *or* proceedings *pl.*; **~verfassung** *f* judicial system, judiciary; **~verhältnis** *n* legal relationship; *~se pl.* legal position *sg.*; **~verkehr** *mot. m* right-hand traffic; **~verletzung** *f* injury of rights, infringement; **~vertreter** *m* **a)** → *Rechtsbeistand*; **b)** (authorized) agent, attorney-in-fact; **~weg** *m* course of law; *den ~ beschreiten* take legal action, go to law; *s-n Anspruch auf dem ordentlichen ~e verfolgen* prosecute one's claim before the ordinary civil courts; *unter Ausschluß des ~es* eliminating legal proceedings; **≈widrig** *adj.* illegal, unlawful, illicit; **~widrigkeit** *f* illegality; **≈wirksam** *adj.* → *rechtskräftig*; **~wissenschaft** *f* jurisprudence; **~wohltat** *f* benefit of the law.

ˈ**recht...:** **~wink(e)lig** *adj.* right-angled, rectangular; **~zeitig I.** *adj.* timely, well-timed, seasonable, opportune; **II.** *adv.* in time, punctually; in the nick of time; **≈zeitigkeit** [ˈ-tsaıtiçkaıt] *f* (-) opportuneness; punctuality.

Reck [rɛk] *gym. n* (-[e]s; -e) horizontal bar.

Recke [ˈrɛkə] *m* (-n; -n) hero, warrior.

ˈ**recken** *v/t.* (*h.*) stretch, draw out, extend; rack; *sich ~* (*h.*) stretch o.s.; *den Hals nach et. ~* crane one's neck to see a th.

ˈ**reckenhaft** *adj.* valiant; powerful, doughty (*figure*).

Redakteur [redakˈtøːr] *m* (-s; -e), **~in** *f* (-; -nen) editor, *f* editress; sub-editor; *~ des lokalen Teils e-r Zeitung* local (news) editor, *Am.* city editor; *~ des Handelsblatts e-r Zeitung* city (*Am.* financial) editor; *TV* producer.

Redaktion [redaktsiˈoːn] *f* (-; -en) editorship; editing, wording, drafting; editorial staff, editors *pl.*; editor's office; **redaktionell** [-tsioˈnɛl] *adj.* editorial; *~ bearbeiten* edit.

Redaktiˈons...: **~leitung** *f* editorial management; **~mitglied** *n* staff member, sub-editor; **~schluß** *m* (-es) copy dead-line; *nach ~ eingegangen* stop-press (*news*).

Rede [ˈreːdə] *f* (-; -n) speech; address; oration; language; *gr. direkte ~* direct speech; utterance; talk, conversation, discourse; *e-e ~ halten* make a speech, deliver an address; *große ~n halten* talk big; *in ~ stehen* be under discussion; *die in ~ stehende Person* the person in question; *~* (*und Antwort*) *stehen* give an account (*über acc.* for), (have to) answer (for); *j-m in die ~ fallen* interrupt a p., cut a p. short; *zur ~ stellen* call to account (*wegen* for), take to task; *der langen ~ kurzer Sinn* the long and the short of it; *davon kann keine ~ sein* that's out of the question; *davon ist nicht die ~* that is not the point; *es geht die ~, daß* it is rumo(u)red that; they say that; *es ist nicht der ~ wert* **a)** it is not worth speaking of, **b)** never mind(!), that's all right(!); *die ~ kam auf* (*acc.*) the conversation turned upon; *wenn die ~ darauf kommen sollte* if the subject should be mentioned; *nach seinen ~n* according to what he says; *colloq.* (*aber*) *keine ~!* by no means!, nothing of the kind!; *wovon ist die ~?* what are you (*or* are they) talking a'out?; → *bringen*; **~figur** *f* figure of speech; **~fluß** *m* (-es) flow of speech, volubility; **~freiheit** *f* (-) liberty of speech; **~gabe** *f* (-) gift of speech (*or* of the gab), eloquence; **≈gewandt** *adj.* eloquent, fluent, glib; **~kunst** *f* (-) rhetoric.

ˈ**reden** *v/i. and v/t.* (*h.*) speak (*mit* to); talk (to), converse *or* chat (with); discourse (*über acc.* [up]on); discuss; → *Gewissen*; *mit sich ~ lassen* be open to reason; *sie läßt nicht mit sich ~* she won't listen to reason; *über Politik ~* talk politics; *du hast gut ~* it is easy for you to talk; *viel von sich ~ machen* cause a stir, give rise to much comment; *darüber läßt sich ~* that sounds reasonable, that could be done; *ich habe mit dir zu ~* I have something to say to you; → *Wort*; 2 *n* (-s) speaking, *etc.*; *~ ist Silber, Schweigen ist Gold* speech is silver, silence is golden; **~d** *adj.* speaking; expressive; *~e Beweise* speaking proofs; **2s-art** *f* phrase, expression; idiom; compliment; *allgemeine ~* common saying; *bloße ~en* empty phrases, mere words; *sprichwörtliche ~* saying, proverb; *feste ~* stock phrase; → *stehend*.

Rede'rei *f* (-; -en) (idle) talk, prattle; → *Gerede*.

'Rede...: ~schwall, ~strom *m* (-[e]s) flood of words, verbosity; **~schwulst** *m* bombast; **~teil** *gr. m* part of speech; **~weise** *f* manner of speech, mode of expression; language; **~wendung** *f* figure of speech, expression; phrase; idiom.

redigieren [redi'gi:rən] *v/t.* (*h.*) edit; revise.

rediskontier|en [rediskɔn'ti:rən] *econ. v/t. and v/i.* (*h.*) rediscount; **~fähig** *adj.* eligible for rediscount.

redlich ['re:tliç] **I.** *adj.* upright, honest, square; sincere, candid; **II.** *adv.*: *sich ~ bemühen* take great pains, give one's best; **2keit** *f* (-) uprightness; honesty, probity, integrity; sincerity.

Redner ['re:dnər] *m* (-s; -), **~in** *f* (-; -nen) speaker; orator; preacher; *pol.* platform speaker; *faszinierender ~ Am.* spell-binder; **~bühne** *f* platform, speaker's stand, rostrum; *die ~ besteigen* take the floor; **~gabe** *f* (-) oratorical gift; → *Redegabe*; **2isch** *adj.* oratorical, rhetorical; **~liste** *f*: *auf der ~ stehen* be inscribed as speaker(s); **~pult** *n* speaker's desk.

Redoute [re'du:tə] *f* (-; -n) **1.** *mil.* redoubt; **2.** fancy-dress ball.

redselig ['re:tze:liç] *adj.* talkative, garrulous, loquacious, chatty; **2keit** *f* (-) talkativeness, loquacity, volubility.

Reduktion [reduktsi'o:n] *f* (-; -en) reduction; **~sgetriebe** *n* reduction gear; **~skraft** *chem. f* reducing power; **~smittel** *chem. n* reducing agent.

reduzier|bar [redu'tsi:rba:r] *adj.* reducible; **~en** *v/t.* (*h.*) reduce (*auf acc.* to), diminish; lower; cut (*personnel*); *sich ~* be reduced, decrease; **2ung** *f* (-; -en) reduction.

Reede ['re:də] *mar. f* (-; -n) roadstead, roads *pl.*; **~r** (-s; -) shipowner.

Reede'rei *f* (-; -en) shipping firm *or* company; fitting-out; *a.* → **~betrieb** *m* shipping trade.

reell [re'ʔɛl] **I.** *adj.* respectable, reliable, honest; *company*: solid, sound; solid (*profit*); fair (*price, service*); good (*merchandise*); real (*offer*); *colloq. das ist doch et. 2es* that's the genuine article; **II.** *adv.*: *~ bedient werden* get good value for one's money.

Reep [re:p] *mar. n* (-[e]s; -e) rope.

REFA-Mann ['re:fa-] *m* time-and--methods study man.

Refektorium [refɛk'to:rium] *n* (-s; -ien) refectory.

Referat [refe'ra:t] *n* (-[e]s; -e) report; lecture; review; (departmental) section; *univ., etc.*: *ein ~ halten* read a paper.

Referendar [referen'da:r] *m* (-s; -e) *jur.* junior barrister, law-clerk; *ped.* junior teacher; **~examen** *n* first State Examination.

Referent [refe'rɛnt] *m* (-en; -en) reporter, speaker; *parl., etc.*: referee; expert, consultant, official adviser; departmental chief; reviewer.

Referenz [refe'rɛnts] *f* (-; -en) reference; information.

refe'rieren *v/i.* (*h.*) report (*über acc.* on); (give a) lecture (on); *esp. univ.* read a paper (on).

Reff [rɛf] *mar. n* (-[e]s; -e), **'2en** *v/t.* (*h.*) reef.

refinanzieren [refinan'tsi:rən] *econ. v/t.* (*h.*) refinance; *w.s.* obtain (*or* provide) finance to cover *financing*; rediscount.

Reflektant(in *f*) [reflɛk'tant] *m* (-en, -en; -, -nen) intending purchaser, willing (*or* prospective) buyer.

reflek'tieren I. *v/t.* (*h.*) *phys.* reflect; **II.** *v/i.* (*h.*) reflect (*über acc.* [up]on); *econ. ~ auf* (*acc.*) think of buying, be interested in, have one's eye on.

Reflektor [re'flɛktɔr] *tech. m* (-s; -'toren) reflector.

Reflex [re'flɛks] *m* (-es; -e) *phys.* reflection; *fig.* result; *physiol.* reflex; **~bewegung** *f* reflex action.

Reflexion [reflɛksi'o:n] *f* (-; -en) reflex; reflection; *radar*: reradiation, echo; **~swinkel** *m* angle of reflection.

reflexiv [reflɛ'ksi:f] *adj.* reflexive.

Refle'xiv|pronomen, ~um ['-um] *n* (-s; -va) reflexive pronoun.

Re'flexkamera *phot. f* reflex camera.

Reform [re'fɔrm] *f* (-; -en) reform.

Reformation [refɔrmatsi'o:n] *f* (-) reformation.

Reformator [-'ma:tɔr] *m* (-s; -'toren) reformer; **reformatorisch** [-ma'to:riʃ] *adj.* reformatory.

Re'form...: ~bestrebungen *f/pl.* reformatory efforts; **~haus** *n* health food shop.

refor'mier|en *v/t.* reform; **2te(r** *m*) *f* (-n; -n) member of the Reformed Church, Calvinist.

Refrain [rə'frɛ̃:] *m* (-s; -s) refrain, burden; *den ~ mitsingen* join in the chorus.

Refraktor [re'fraktɔr] *ast. m* (-s; -'toren) refractor, refracting telescope.

Regal [re'ga:l] *n* (-s; -e) shelf, stack; shelf, shelves *pl.*; *typ.* (case-)stand.

Regatta [re'gata] *f* (-; -tten) regatta, boat-race.

rege ['re:gə] *adj.* brisk, lively, animated; busy, bustling, active; industrious; active; alert, astir; nimble; active (*mind*); lively (*imagination*); *~ machen* stir up, rouse; *~ werden* be stirred up, make itself felt, *doubts*: arise.

Regel ['re:gəl] *f* (-; -n) rule; standard; *biol.* period, menstruation, menses *pl.*; *praktische ~* rule of thumb; *allen ~n widersprechend* unorthodox; *in der ~* as a rule, ordinarily; *nach allen ~n der Kunst besiegen* defeat on every point *or* in superior style; **~anlasser** *el. m* rheostat starter; **~ausführung** *tech. f* standard design; **2bar** *adj.* controllable, adjustable; *el.* adjustable, variable (*speed*); **~belastung** *f* normal load; **~detri** [-de'tri:] *math. f* (-) rule of three; **~fall** *m* normal case; **~getriebe** *tech. n*: (*stufenloses ~* infinitely) variable speed transmission; **~gerät** *tech. n* controller; **2los** *adj.* irregular; disorderly; *~e Flucht* rout; **~losigkeit** ['-lo:ziçkaɪt] *f* (-) irregularity; disorderliness; **2mäßig I.** *adj.* regular (*a. features*); normal; periodical; regulated, orderly; *~es Muster* geometrical pattern; **II.** *adv.* regularly; always, every time; **~mäßigkeit** *f* regularity; **2n** *v/t.* (*h.*) regulate, adjust, *tech. a.* control, govern; arrange, settle, direct; put in order; *law*: provide; *sich ~ nach* (*dat.*) be regulated (*or* governed) by; *das wird sich schon ~* it will come right; **2recht** *adj.* regular, correct, proper; nothing short of, downright; **~schalter** *el. m* regulating switch; **~spannung** *el. f* avc (= automatic volume control) voltage; **~ung** *f* (-) regulation, adjustment; *tech. a.* control; arrangement, settlement; provision; (*of contract, law*); ruling; **~ungstechnik** *f* control engineering; **~ventil** *n* control valve; **~vorrichtung** *f* governing (*or* adjusting, control) device; **2widrig** *adj.* irregular, abnormal; *sports*: foul; **~widrigkeit** *f* irregularity, *sports*: foul; abnormality.

regen ['re:gən] *v/t.* (*h.*) stir, move; *sich ~ a.* bestir o.s., be active *or* alive; *fig.* make itself felt, arise, *feeling*: *a.* spring up, be roused; → *rühren*.

Regen ['re:gən] *m* (-s) rain; *feiner ~* drizzle; *starker ~* heavy rain, downpour; *fig.* rain, hail; *auf ~ folgt Sonnenschein* every cloud has a silver lining; *vom ~ in die Traufe kommen* fall out of the frying-pan into the fire; **2arm** *adj.* rainless, dry; **~bogen** *m* rainbow; **~bogenfarben** *f/pl.* colo(u)rs of the rainbow; **2bogenfarbig** *adj.* rainbow--colo(u)red, iridescent; **~bogenhaut** *anat. f* iris; **~dach** *n* penthouse; **2dicht** *adj.* rain-proof, waterproof.

regenerier|en [regenə'ri:rən] *v/t.* (*h.*) regenerate, *tech. a.* reclaim; **2ung** *f* (-) regeneration.

'Regen...: ~fall *m* rainfall, precipitations, rains *pl.*; **~guß** *m* heavy shower, downpour; **~haut** *f* plastic coat cover, oilskin coat, pocket mac; **~jahr** *n* rainy year; **~kleidung** *f* rainwear; **2los** *adj.* rainless; **~mantel** *m* waterproof, mackintosh, trenchcoat, *Am.* raincoat; **~menge** *f* rainfall; **~messer** *m* rain-ga(u)ge, pluviometer; **~periode** *f* rainy spell; **~pfeifer** *orn. m* golden plover; **2reich** *adj.* rainy, wet; **~schauer** *m* shower (of rain); **~schirm** *m* umbrella; *colloq. gespannt wie ein ~* all agog; **~schirmständer** *m* umbrella-stand; **~sturm** *m* rainstorm.

Regent(**in** *f*) [re'gɛnt] *m* (-en, -en; -, -nen) sovereign, ruler; regent.

'**Regen...**: **~tag** *m* rainy day; **~tropfen** *m* raindrop.

Re'gentschaft *f* (-; -en) regency.

'**Regen...**: **~versicherung** *f* rain insurance; **~wasser** *n* (-s) rainwater; **~wetter** *n* (-s) rainy weather; **~wolke** *f* rain-cloud; **~wurm** *m* earthworm, *Am. a.* angleworm; **~zeit** *f* rainy *or* wet season, *the* rains *pl.*

Regie [re'ʒi:] *f* (-) management, administration; state monopoly; *thea.* stage-direction; *film*: direction; *~ führen* (*bei*) direct; *unter der ~ von* directed by; *TV* master control; **~assistent** *m film*: assistant director; **~fehler** *m* mistake in the arrangements, bad management; **~kosten** *econ. pl.* overhead (expenses); **~pult** *n TV* control desk.

regieren [re'gi:rən] **I.** *v/t.* (*h.*) govern (*a. gr.*); reign (*or* rule) over; direct, conduct, control; manage (*horse*); **II.** *v/i.* (*h.*) reign, rule; govern, be at the helm; *schlecht ~* misgovern; *fig.* prevail, reign.

Re'gierung *f* (-; -en) government; administration; reign; *unter der ~ von* in the reign of, under; *an der ~* in power, at the helm; *e-e ~ bilden* form a government; *zur ~ gelangen* come into power, *monarch*: come to the throne.

Re'gierungs...: **~anleihe** *f* government loan; **~antritt** *m* accession (to the throne); **~be-amte(r)** *m* government official, Civil Servant; **~bezirk** *m* administrative district; **~blatt** *n* government paper, official gazette; **≈feindlich** *adj.* oppositional; **~form** *f* form of government, regime; **≈freundlich** *adj.* governmental; **~gebäude** *n* government offices *pl.*; **~gewalt** *f* governmental power; **~kreise** *m/pl.* governmental circles *pl.*; **~partei** *f* party in power, *the* ins *pl.*; **~präsident** *m* district president; **~rat** *m* (-[e]s; ⸗e) government councillor; **~sitz** *m* seat of government; **~stelle** *f* government agency; **~umbildung** *f* cabinet reshuffle; **~vorlage** *f* government bill; **~wechsel** *m* change of government; **~zeit** *f* reign.

Regime [re'ʒi:m] *n* (-[s]; -) regime; political system.

Regiment [regi'mɛnt] *n* (-[e]s; -e) government, rule; *fig.* reign; *mil.* (-[e]s; -er) regiment, brigade; *das ~ haben or führen* rule, command, *wife*: wear the breeches (*Am.* pants).

Regi'ments...: **~abschnitt** *m* regimental sector; **~arzt** *m* regimental medical officer; **~kapelle** *f* regimental band; **~kommandeur** *m* regimental commander; **~stab** *m* regimental headquarters *pl.*; **~unkosten** *pl.*: *colloq. auf ~* at other people's expense.

Region [regi'o:n] *f* (-; -en) region; *fig. in höheren ~en schweben* live in the clouds.

regional [regio'nɑ:l] *adj.* regional.

Regisseur [reʒi'sø:r] *m* (-s; -e) *thea.* stage-manager *or* -director; *radio, TV*: producer; *film*: director.

Register [re'gistər] *n* (-s; -) record, register; list; catalog(ue); *in books*: index, table of contents; *mus.* register, (organ-)stop; *ein ~ ziehen* pull a stop; *fig. alle ~ ziehen* pull all the stops, go it strong; **~tonne** *mar. f* register ton.

Registrator [regis'trɑ:tɔr] *m* (-s; -'toren) registrar, recorder.

Registratur [registra'tu:r] *f* (-; -en) registrar's office, registry; record-office; records and files *pl.*

Registrier|apparat [regis'tri:r-] *m* recording instrument; **~ballon** *m* sounding balloon; **≈en** *v/t. and v/i.* (*h.*) register (*a. fig.*); record (*a. instrument*); enter; index; **~kasse** *f* cash-register; **~kurve** *f* recording curve; **~papier** *n* recording chart; **~trommel** *f* recording drum; **~ung** *f* (-; -en) registration; entry; recording, (instrument) reading(s *pl.*).

Reglement [reglə'mɑ̃:] *n* (-s; -s) regulations *pl.*

reglementier|en [reglemɛn'ti:rən] *v/t.* (*h.*) regiment; **≈ung** *f* (-; -en) regimentation.

Regler ['re:glər] *m* (-s; -) *tech.* governor, regulator; *el.* control(l)er, rheostat; speed regulator; field regulator, rheostat; tone control; centrifugal governor; voltage regulator.

reglos ['re:klo:s] *adj.* motionless.

Reglung ['re:gluŋ] *f* (-; -en) → *Regelung.*

regnen ['re:gnən] *v/i.* (*impers.*, *h.*) rain; *es regnet stark* it is pouring (with rain); *fig.* (*v/t.*) rain.

'**regnerisch** *adj.* rainy.

Regreß [re'grɛs] *jur. m* (-gresses; -gresse) recourse, (legal) remedy; recovery (of damages); *gegen j-n ~ nehmen* have recourse to a p.; *für mich ohne ~* without recourse to me; **~nehmer**(**in** *f*) *m* recoverer, person seeking redress; **≈pflichtig** *adj.* liable to recourse; *j-n ~ machen* have recourse to a p.; **~recht** *n* right of recourse.

regsam ['re:kzɑ:m] *adj.* active (*a. mind*), live, quick; **≈keit** *f* (-) activity, alertness.

regulär [regu'lɛ:r] *adj.* regular.

Regulator [regu'lɑ:tɔr] *m* (-s; -'toren) regulator; → *Regler.*

regulier|bar [regu'li:rbɑ:r] *adj.* controllable, adjustable; **~en** *v/t.* (*h.*) regulate; adjust, set; control, govern; *econ.* settle (*claims, etc.*); **≈schraube** *tech. f* adjusting screw; **≈ung** *f* (-; -en) regulation, adjustment; *econ.* settlement; **≈ventil** *n* regulating valve; flood control; **≈widerstand** *el. m* regulating resistance.

Regung ['re:guŋ] *f* (-; -en) movement, motion, stirring; emotion; feeling; impulse; agitation; **≈slos** *adj.* motionless, still.

Reh [re:] *n* (-[e]s; -e) deer, roe; roebuck; doe; fawn.

rehabilitier|en [rehabili'ti:rən] *v/t.* (*h.*) rehabilitate; discharge (*bankrupt*); **≈ung** *f* (-; -en) rehabilitation; discharge.

'**Reh...**: **~bock** *m* roebuck; **~braten** *m* roast venison; **≈braun, ≈farben** *adj.* fawn-colo(u)red; **~geiß** *f* doe; **~kalb, ~kitz** *n* roe-calf, fawn; **~keule** *f* leg of venison; **~lendenbraten** *m* loin of venison; **~posten** *m* buckshot; **~rücken, ~ziemer** *m cul.* saddle of venison.

Reib|ahle ['raɪp-] *f* reamer, broach; **~e** ['raɪbə] *f* (-; -n), **~eisen** ['raɪp-] *n* rasp, grater; *fig. wie ein ~ voice* like a woodrasp; **≈echt** *adj.* fast to rubbing; **~elaut** ['raɪbə-] *gr. m* fricative; **~emühle** *f* grinding mill; **≈en** *v/t. and v/i.* (*irr.*, *h.*) rub, give a rub; massage; wipe; grate; grind (*colours*); *zu Pulver ~* pulverize; *sich wund ~* chafe (*or* gall) o.s.; *fig. sich an j-m ~* quarrel with (*or* provoke) a p.; *sich vergnügt die Hände ~* rub one's hands in glee; *j-m et. unter die Nase ~* bring a th. home to a p., rub it in; → *gerieben*; **~e'rei** *fig. f* (-; -en) (constant) friction, tiff, squabbling; **~festigkeit** ['raɪp-] *f* chafing resistance; **~fläche** *f* rubbing surface; **~löten** *tech. n* tinning.

Reibung ['raɪbuŋ] *f* (-; -en) rubbing, friction; *fig.* friction, clash, tiff.

'**Reibungs...**: **~elektrizität** *f* frictional electricity; **~fläche** *f* friction surface; *fig.* → *Reibungspunkt*; **~ko-effizient** *m* frictional index; **~kupplung** *f* friction clutch; **≈los I.** *adj.* frictionless; *fig.* smooth; **II.** *adv. fig.* smoothly, without a hitch; **~punkt** *fig. m* point of friction; **~wärme** *f* frictional heat.

Reibzünder ['raɪp-] *m* friction fuse.

reich [raɪç] **I.** *adj.* rich (*a. colour, harvest, resources, etc.*); wealthy, opulent, moneyed, well-to-do; sumptuous (*meal*); ample, copious, abundant; *~ an* (*dat.*) rich (*or* abounding) in; *~e Auswahl* wide selection; *~es Gemisch mot.* rich mixture; *in ~em Maße* amply, copiously; *~ an interessanten Einzelheiten* containing a wealth of information; *um e-e Erfahrung ~er* having learned something new; **II.** *adv.* richly; amply, copiously; *~ beschenkt* loaded with gifts.

Reich [raɪç] *n* (-[e]s; -e) empire; realm (*a. fig.*); *a. bot., zo.* kingdom; *das Deutsche ~* the (German) Reich; *das Dritte ~* the Third Reich; *das ~ Gottes* the Kingdom of Heaven; *das ~ der Musik* the realm of music.

'**reich...**: **~bebildert** *adj.* richly illustrated; **~begütert** *adj.* propertied, (very) wealthy, affluent.

'**Reiche**(**r**) *m* (-[e]n; -[e]n) rich man; *die ~n pl.* the rich.

reichen ['raɪçən] **I.** *v/i.* (*h.*): *~ bis* **a)** reach, extend to, **b)** go *or* come up to, **c)** go down to, **d)** touch; *fig.* → *heranreichen, herankommen*; suffice, do, last (out), hold out; *das reicht!* that will do!, that's enough of that!; *jetzt reicht's mir aber!* that's the last straw!; *soweit das Auge reicht* as far as the eye can reach, within sight; **II.** *v/t.* (*h.*): *j-m et. ~* hand *or* pass a th. to a p.;

offer, present; give *one's hand*, hold out (*dat.* to); serve (*meal*); *fig.* → *Wasser*.

'reich...: **~haltig** *adj.* rich; copious, abundant, plentiful; *book*: full of matter, containing a wealth of information; **2haltigkeit** ['-haltiç-kaıt] *f* (-) richness; abundance, copiousness; (great) variety; **~illustriert** *adj.* richly illustrated; **~lich I.** *adj.* ample, copious, plentiful; plenty of (*time, etc.*); substantial, square (*meal*); *in consumption*: liberal; *pred.* enough and to spare; **II.** *adv.* amply, *etc.*; rather, fairly, awfully, plenty; ~ *die Hälfte davon* a good half of it; ~ *versehen sein mit* be amply supplied with, have plenty of, *Am. a.* be long on.

Reichs... ['raıçs-]: **~adel** *m* nobility of the Empire; **~adler** *m* imperial eagle; **~angehörige(r** *m*) *f*: *Deutsche(r)* ~ German national; **~angehörigkeit** *f* (-) German nationality; **~apfel** *m* (-s) mound, orb; **~kanzlei** *f* (**~kanzler** *m*) Chancellery (Chancellor) of the Reich; **~klein-odien** ['-klaın?o:diən] *n/pl.* Imperial crown-jewels; **~mark** *f* reichsmark; **~präsident** *m* President of the Reich; **~stadt** *f* free town, imperial city; **~tag** *m* Reichstag, *hist.* Imperial Diet; **2unmittelbar** *adj.* subject to the Emperor alone, immediate; **~verfassung** *f* constitution of the Reich.

'Reichtum (-s; ⸗er) riches *pl.*; wealth (*a. fig.*), opulence, affluence; fortune; abundance (*an dat.* of); (great) variety.

'Reichweite *f* reach; *mil., etc.*: range; radius (of action); *mittlere* ~ medium range; *in* ~ within reach, near at hand; *außer* ~ out of reach (*mil.* range); *an* ~ *übertreffen* outrange.

reif [raıf] *adj.* ripe (*a. fig. age, experience, beauty, judgement, plan, etc.*); mature (*a. fig.*); mellow; fully developed; ~ *werden* → *reifen*; ~ *sein für* be ripe (*or* fit) for; *die Zeit ist* ~ the time is ripe; *die* ~*eren Jahre* the years of discretion; *Mann von* ~*eren Jahren* middle-aged man.

Reif[1] [raıf] *m* (-[e]s) → *Reifen*.

Reif[2] [raıf] *m* (-[e]s) white (*or* hoar-) frost, rime.

'Reife *f* (-) ripeness, maturity; *zur* ~ *bringen (kommen)* ripen, mature; **~grad** *m* degree of ripeness (*or* maturity); **~merkmal** *n* indicator of ripeness.

'reifen I. *v/i.* (*sn*) **1.** ripen, mature, grow ripe; *abscess*: come to a head; *boy*: reach manhood; *in ihm reifte der Plan, zu inf.* the plan matured within him to *inf.*; **2.** *to Reif*[2]: *es reift* there is a white (*or* hoar-)frost; **II.** *v/t.* (*h.*) ripen, mature, bring to maturity (*a. fig.*); ~ *lassen* mature (*a. plan, etc.*).

'Reifen *m* (-s; -) ring; hoop; tyre, *esp. Am.* tire; circlet; *mot.* ~ *wechseln* change tyres; **~decke** *f* (tyre) cover *or* casing; **~defekt** *m* tyre trouble, puncture, blowout, flat (tyre); *e-n* ~ *haben* have a puncture, *etc.*; **~druck** *m* (-[e]s) tyre pressure; **~druckmesser** *mot. m* tyre ga(u)ge; **~heber** *mot. m* tyre lever; **~mantel** *m* → *Reifendecke*; **~profil** *n* tread; **~schaden** *m* → *Reifendefekt*; **~spiel** *n* trundling a hoop; **~wechsel** *m* change of a (flat) tyre; **~wulst** *mot. m* bead (of a tyre).

'Reife...: **~prüfung** *f* matriculation (examination); **~zeugnis** *n* (school) leaving certificate, *Brit.* "A" level G.E.C. (= General Certificate of Education).

'reiflich I. *adj.* mature, careful; *nach* ~*er Überlegung* upon mature reflection, after careful consideration; **II.** *adv.*: *das würde ich mir* ~ *überlegen* I'd give that careful consideration.

'Reifrock *m* crinoline.

'Reifung *f* (-) curing (*of cheese*).

Reigen ['raıgən] *m* (-s; -) round dance; *den* ~ *eröffnen* open the ball, lead off (*both a. fig.*); **~schwimmen** *n* water ballet.

Reihe ['raıə] *f* (-; -n) row; file; rank; line; row (*of seats*), tier; series; succession; set; train; range (*of hills*); suite (*of rooms*); queue, *Am.* line (*of people*); *math.* progression; → *bunt*; *e-e* ~ *von Häusern* a row of houses; *e-e* ~ *von Tagen* a round of days; *colloq. e-e ganze* ~ (*von*) a great number of, a long line of; *der* ~ *nach* in (*or* by) turns, alternately; one after the other; *außer der* ~ out of (one's) turn; *aus den* ~*en* (*gen.*) from among (*the delegates, etc.*); *in Reih und Glied* in rank and file; *in der vordersten* ~ in the first row, in the forefront; *fig. aus der* ~ *tanzen* have it one's own way; *an die* ~ *kommen* have one's turn; *warten, bis man an die* ~ *kommt* wait one's turn; *wer ist an der* ~? whose turn is it?; *in die* ~ *bringen* put (*or* set) right; *el. in* ~ *schalten* connect in series.

'reihen *v/t.* (*h.*) put in a row *or* line, range, *tech.* arrange in series; *auf e-e Schnur* ~ string (*pearls*); stitch, baste; *sich* ~ (*h.*) form a row; rank, file; *eins reiht sich ans andere* one thing follows the other.

'Reihen...: **~(ab)wurf** *aer. m* stick (*or* salvo) bombing; **~an-ordnung** *tech. f* tandem arrangement; **~arbeit** *tech. f* repetition work; **~bau** (**-weise** *f*) *m* ribbon-building; **~bild** *n* serial photographs *pl.*; **~fertigung, ~herstellung** *f* series production; **~folge** *f* succession, sequence; *alphabetische* (*zeitliche*) ~ alphabetical (chronological) order; *der* ~ *nach* in succession; **~häuser** *n/pl.* terrace houses; **~häuserbau** *m* (-[e]s) ribbon building; **~schalter** *el. m* series parallel switch; **~schaltung** *el. f* series connection; **~schlußmotor** *el. m* series-wound motor; **~untersuchung** *med. f* mass examination, screening program(me); **2weise** *adv.* in rows; in series.

Reiher ['raıər] *orn. m* (-s; -) heron; **~feder** *f* heron's feather; **~horst** *m* heronry.

Reim [raım] *m* (-[e]s; -e) rhyme; ~*e schmieden* rhyme, write poetry; *ich kann keinen* ~ *darauf finden* it doesn't make sense (to me); **'2en** *v/t., v/i. and sich* ~ (*h.*) rhyme (*auf acc.* to, with); *fig. sich* ~ (*auf*) agree *or* tally (with); *wie reimt sich das?* how would you reconcile that?; **'~er(in** *f*) *m* (-s, -; -, -nen), **'~schmied** *m* rhymester, poetaster; **'2los** *adj.* blank, rhymeless; **'~wörterbuch** *n* dictionary of rhymes.

rein[1] [raın] **I.** *adj.* pure (*a. chem., silk, tone, wine, and fig.*); neat, tidy; clear (*a. conscience*); pure, absolute (*alcohol*); *metall.* unalloyed; undiluted; unadulterated (*a. fig.*); net, clear (*profit*); clear (*complexion*); ~*e Wahrheit* plain *or* unvarnished truth, *jur.* the truth, the whole truth, and nothing but the truth; pure, mere (*formality*), sheer (*nonsense, etc.*); *aus* ~*em Mitleid* out of sheer pity; ~*es Deutsch* pure (*or* correct) German; ~*e Freude* unadulterated pleasure; *der* ~*e Hohn* pure mockery; ~*e Lüge* downright lie; ~*e Mathematik* pure mathematics; *der* ~*ste Zauberer* a regular magician; ~*er Zufall* sheer luck; *fig.* → *Luft, Tisch, Wasser, Wein*; **II.** *adv.* purely; quite, downright; ~ *gar nichts* nothing at all, a mere nothing; ~ *unmöglich* utterly (quite) impossible; *et.* ~ *abschlagen* refuse flatly; *colloq. er war* ~ *weg* he was flabbergasted; ~ *pflanzlich* all vegetable; **III.** *substantively*: *ins* ~*e bringen* clear up, settle; *mit j-m ins* ~*e kommen* come to terms with a p.; *mit sich ins* ~*e kommen* (*über acc.*) made up one's mind (about); *ins* ~*e schreiben* make a fair copy of.

rein[2] [raın) *colloq.* → *herein*(...).

'Reindruck *m* (-[e]s; -e) fair proof.

Reineclaude [rɛnə'klo:də] *bot. f* (-; -n) greengage.

'Rein...: **~ertrag** *m* net proceeds *pl.*, net yield, net (*or* clear) profit; **~fall** *colloq. m* let-down, frost, sell, flop, washout; **~gewicht** *n* net weight; **~gewinn** *m* net (*or* clear) profit.

'Reinemachen *n* (-s) → *Reinmachen*.

'Reinheit *f* (-) → *rein*; purity, pureness; cleanness, cleanliness; clearness; neatness, tidiness; innocence; *radio*: fidelity; **~sgrad** *m* degree of fineness *or* purity.

reinig|en ['raınigən] *v/t.* (*h.*) clean, cleanse; *chemisch* ~ dry-clean; tidy up; wash; rinse; disinfect; *chem.* purify; rectify (*alcohol*); clarify (*liquid*); purify (*air, blood; a. fig.*); purge (*bowels, fig. party, soul*); scrub, scour (*a. wool*); *metall.* refine; **~end** *adj.* cleansing, detergent; *med.* abluent; purging; **2ung** *f* (-; -en) clean(s)ing, *etc.* → *reinigen*; purification, purge; *chemische* ~ dry cleaning; *metall.* refining; *chem.* rectification; *physiol. monatliche* ~ menses *pl.*; ~ *und Färberei* cleaners and dyers *pl.*; *in der* ~ *clothes*: at the cleaners.

'Reinigungs...: **~anstalt** *f* (dry) cleaners *pl.*; **~benzin** *n* dry-cleaning spirit; **~krem** *f* cleansing cream; **~lappen** *m* cleaning rag; **~mittel** *n* detergent, *Am. a.* cleansing agent; stain remover; *med.* purg(ativ)e, aperient.

ˈ**Reinkultur** *f* pure culture; *fig. Kitsch in* ~ unadulterated trash.

ˈ**reinlegen** *colloq. v/t.* (*h.*) → *hereinlegen.*

ˈ**reinlich** *adj.* clean; cleanly; neat, tidy; 2**keit** *f* (-) cleanliness; neatness, tidiness.

ˈ**Rein...:** ~**machefrau** *f* charwoman, cleaning woman; ~**machen** *n* (-*s*) (house-)cleaning; scouring; 2**rassig** *adj.* pure-blood, pedigree(d), *esp. Am.* pure-bred; thoroughbred (*horse*); ~**schrift** *f* fair copy; 2**seiden** *adj.* all-silk; 2**waschen** *fig. v/t.* (*irr., h.*) whitewash, clear; 2**weg** [ˈ-vɛk] *adv.* absolutely, altogether; flatly; 2**wollen** *adj.* pure wool.

Reis[1] [raɪs] *m* (-*es*) rice.

Reis[2] [raɪs] *n* (-*es*; -*er*) twig, sprig; bough; scion.

ˈ**Reis...:** ~**auflauf** *m* rice pudding; ~**brei** *m* rice-milk; ~**bündel** *n* fag(g)ot.

Reise [ˈraɪzə] *f* (-; -*n*) journey; *aer., mar.* voyage; travel; tour (*in* of); trip; expedition; passage; *glückliche* ~! a pleasant journey!, bon voyage!; *e-e* ~ *machen* go on a journey, take a trip; *auf* ~*n sein* be travel(l)ing; *fig. auf die* ~ *schicken* start; *auf der* ~ on one's journey (*nach* to); *wohin geht die* ~? where are you going (*or* bound for, off to)?

ˈ**Reise...:** ~**andenken** *n* souvenir; ~**apotheke** *f* tourist's (*or* portable) medicine-case; ~(**auto**)**bus** *m* tourist (motor) coach; ~**bedarf** *m* travel(l)ing necessaries *pl.*; ~**begleiter(in** *f*) *m* travel-companion; ~**bekanntschaft** *f* travel(l)ing acquaintance; ~**beschreibung** *f* book of travels; travelogue; ~**büro** *n* tourist office, travel agency, *Am.* tourist bureau; ~**decke** *f* travel(l)ing-rug; ~**eindrücke** [ˈ-aɪndrykə] *m/pl.*, ~**erinnerungen** *f/pl.* travel(l)ing impressions *or* reminiscences; 2**fertig** *adj.* ready to start; ~**fieber** *n* travel fever; ~**flug** *aer. m* cruise; ~**führer** *m* guide; (travel[l]er's) guide-book; ~**gefährte** *m*, ~**gefährtin** *f* fellow-travel(l)er, travel-companion; fellow-passenger; ~**genehmigung** *f* travel permit; ~**gepäck** *n* luggage, *Am.* baggage; ~**geschwindigkeit** *f* cruising speed; ~**gesellschaft** *f* tourist party; ~**handbuch** *n* guide-book; ~**koffer** *m* trunk, *smaller*: → *Handkoffer*; ~**korb** *m* trunk-hamper; ~**kosten** *pl.* travel(l)ing expenses; ~**kostenvergütung** *f* travel allowances *pl.*; ~**leiter** *m* courier; 2**lustig** *adj.* fond of travel(l)ing; ~**lustige(r** *m*) *f* (-*n*, -*n*; -*en*, -*en*) would-be travel(l)er.

ˈ**reisen** *v/i.* (*sn*) travel, (make a) journey; be (*or* go) touring; ~ *nach* go to, make a journey (*or* voyage) to; be bound for; ~ *über* go by (way of) *or* via; start, depart, leave (*nach* for); *ins Ausland* ~ go abroad; *geschäftlich* ~ travel on business; *econ.* ~ *in* (*dat.*) travel in; *colloq. fig. auf et.* ~ trade (*or* coast) on; 2 *n* (-*s*) travel(l)ing; ~**d** *adj.* travel(l)ing; itinerant (*dealer, etc.*); 2**de(r)** (-[*e*]*n*; -[*e*]*n*) travel(l)er, *mar.* voyager; tourist; passenger; → *Handelsreisende(r).*

ˈ**Reise...:** ~**necessaire** [ˈ-nesɛˈsɛːr] *n* (-*s*; -*s*) dressingcase; ~**paß** *m* passport; ~**prospekt** *m* (travel) folder; ~**route** *f* route, itinerary; ~**scheck** *m* traveller's cheque, *Am.* traveler's check; ~**schreibmaschine** *f* portable typewriter; ~**spesen** *pl.* travel(l)ing expenses; ~**tasche** *f* travelling bag, *Am.* grip(sack); ~**unterbrechung** *f* break of journey; ~**verkehr** *m* travel; tourist traffic, tourism; ~**wecker** *m* travel alarm; ~**zeit** *f* tourist season; ~**ziel** *n* destination.

Reisig [ˈraɪzɪç] *n* (-*s*) brushwood; ~**besen** *m* birch-broom; ~**bündel** *n* fag(g)ot.

Reisige(r) [ˈraɪzɪgə(r)] *m* (-[*e*]*n*; -[*e*]*n*) horseman, horse-soldier; knight on horseback.

ˈ**Reis·puder** *m* rice powder.

Reiß|aus [ˈraɪsˈʔaʊs] *m* (-): ~ *nehmen* take to one's heels, bolt; ~**blei** *n* blacklead; ~**brett** *n* drawing-board.

ˈ**reißen I.** *v/t.* (*irr., h.*) tear, *med.* rupture; tug; pull, jerk, *Am. a.* yank; snatch (*a. weight-lifting*); tear off, drag (along), *flood, etc.*: sweep off; *an sich* ~ seize (upon), lay hold of, clasp; seize, usurp (*power*); *econ.* monopolize (*a. fig. the conversation*); ~ *aus* (*dat.*) tear out of (*a mood, etc.*), bring out of *one's thoughts* with a shock; *die Führung an sich* ~ take the lead; *entzwei*~ tear (*or* rend) in two, rip up; *zu Boden* ~ pull down, floor; *sports*: *die Latte* ~ knock down the cross-bar; → *Strang, Witz, Zote*; *sich* ~ scratch o.s. (*an dat.* with); *sich* ~ *um* (*acc.*) scramble for; *colloq. ich reiße mich nicht darum* I am not so keen on it; **II.** *v/i.* (*irr., sn*) break, snap; burst, *med.* rupture; split, crack; *cloth*: tear, get torn; ~ *an* (*dat.*) tear (*or* tug) at; *ins Geld* ~ run into money; *die Geduld riß mir* I lost (all) patience; *es reißt mich in allen Gliedern* I have racking pains in all limbs; → *gerissen*; 2 *n* (-*s*) bursting, rending; *med.* racking pains, rheumatic pains *pl.*; *sports beidarmiges* ~ two-hands snatch; ~**d** *adj.* rapid (*a. progress, sale*); impetuous; torrential (*river*); acute, racking (*pain*); rapacious (*animal*); → *Absatz.*

ˈ**Reißer** *m* (-*s*; -) draw, box-office success; thriller; 2**isch** *adj.* loud, sensationalistic.

ˈ**Reiß...:** ~**feder** *f* drawing-pen; ~**festigkeit** *tech. f* tensile strength; ~**kohle** *f* charcoal crayon; ~**leine** *aer. f* rip-cord; ~**nagel** *m* drawing-pin, *Am.* thumbtack; ~**schiene** *f* T-square; ~**verschluß** *m* zip-fastener, zipper; *mit* ~ *versehen* zippered; *den* ~ (*gen.*) *öffnen* (*schließen*) zip (*a th.*) open (up *or* closed); ~**zahn** *zo. m* fang, canine tooth; ~**zeug** *n* drafting set; ~**zirkel** *m* drawing-compass(es *pl.*); ~**zwecke** *f* → *Reißnagel.*

Reit|anzug [ˈraɪt-] riding-habit; ~**bahn** *f* riding-school, manège (*Fr.*); 2**en I.** *v/i.* (*irr., sn*) ride, go on horseback; *gut* (*schlecht*) ~ be a good (bad) rider; *im Schritt* ~ pace, amble; *im Trott* ~ trot; *spazieren*~ go for (*or* take) a ride; *geritten kommen* come (along) on horseback; **II.** *v/t.* (*irr., h.*) mount, ride (*horse*); *j-n über den Haufen* ~ ride a p. down; *econ. Wechsel* ~ fly a kite; ~**en** *n* (-*s*) riding, equitation; 2**end** *adj.* on horseback; mounted (*police, etc.*); ~*e Artillerie* horse artillery; ~**er** *m* rider, horseman; *mil., police*: trooper; *card index*: tab; ~**eˈrei** *mil. f* (-) cavalry, horse(men), mounted troops *pl.*; ~**erin** *f* (-; -*nen*) horsewoman; ~**erregiment** *n* cavalry regiment; ~**ersmann** *m* (-[*e*]*s*; ⸚*er*) horseman; ~**erspiele** *f* mounted games *pl.*; ~**erstandbild** *n* equestrian statue; ~**gerte** *f* riding-whip; ~**hose** *f* (riding-)breeches *pl.*; ~**kleid** *n* riding-habit; ~**knecht** *m* groom; ~**kunst** *f* horsemanship; ~**peitsche** *f* horse-whip; ~**pferd** *n* saddle-horse; ~**schule** *f* riding-school; ~**sport** *m* (-[*e*]*s*) equestrian sport, riding; ~**stall** *m* riding-stable; ~**stiefel** *m* riding-boot; ~**stock** *tech. m* tailstock; ~**turnier** *n* riding competition; ~**unterricht** *m* instruction in riding; riding lesson; ~**verein** *m* riding club; ~**wechsel** *econ. m* accommodation-bill, kite; ~**weg** *m* bridle-path; ~**zeug** *n* riding equipment, riding-things *pl.*

Reiz [raɪts] *m* (-*es*; -*e*) charm; attraction, fascination, appeal; lure; temptation; tickle, thrill; irritation; stimulation; impulse (*a. phys.*); incentive; grace; *weibliche* ~*e pl.* female charms; ~ *der Neuheit* charm of novelty; *den* ~ *verlieren* pall (*für j-n* on); *colloq. das hat wenig* ~ it's not worth while; ˈ2**bar** *adj.* irritable, excitable; irascible; sensitive, touchy; short-tempered; nervous, testy; *med.* inflammable; ˈ~**barkeit** *f* (-) irritability; irascibility; sensitiveness, touchiness; ˈ2**en** *v/t. and v/i.* (*h.*) irritate (*med.*); excite; provoke; nettle, needle; stimulate, rouse; whet (*the appetite*); tickle (*the palate*); entice, (al)lure; tempt; charm; attract, fascinate; *cards*: bid; *die Aufgabe reizte ihn* the task was a challenge to him, he was itching to do the job; *es reizt mich, ihn kennenzulernen* I am eager to meet him; → *gereizt*; ˈ2**end** *adj.* charming, enchanting, delightful; fetching, lovely; sweet, *Am. a.* cute; *med.* irritating; *iro.* (*das*) *ist ja* ~! isn't it just dandy?; ˈ~**gas** *n* irritant gas; ˈ~**husten** *m* dry cough; ˈ~**kampfstoff** *m* irritant agent; ˈ~**klima** *med. n* irritating *or* stimulating climate; ˈ~**körper** *m* stimulator; ˈ2**los** *adj.* unattractive; insipid; not worth (one's) while; ˈ~**mittel** *n* stimulus, incentive; *med.* stimulant; ˈ~**schwelle** *f* stimulus threshold; ˈ~**stoff** *m* adjuvant, stimulating substance; irritant; ˈ~**überflutung** *f* constant exposure to stimuli; ˈ~**ung** *f* (-; -*en*) irritation; provocation; stimulation; incitement; enticement; ˈ2**voll** *adj.* charming, attractive; fascinating; graceful; seductive; tempting; ˈ~**wäsche** *f* flimsies *pl.*; frillies *pl.*

rekapitulieren [rekapituˈliːrən] *v/t.* (*h.*) recapitulate.

rekeln [ˈreːkəln] *v/t., usu. sich* (*a. s-e Glieder*) ~ (*h.*) stretch one's limbs; loll about, lounge, sprawl.
Reklamation [reklamatsiˈoːn] *f* (-; -*en*) reclamation, claim; complaint; protest, objection.
Reklame [reˈklaːmə] *f* (-; -*n*) advertising; advertisement, ad; propaganda; publicity; (sales) promotion; *contp.* puff, ballyhoo; ~ *machen* advertise (*für a th.*, for *a p.*, *a firm*), boom, boost; *das ist keine gute* ~ *für ihn* that's bad publicity for him; → *Werbe...*; **~artikel** *m* advertising article; **~bild** *n* advertising picture; **~büro** *n* advertising agency; **~chef** *m* advertising manager; **~fachmann** *m* advertising man, publicity expert; **~feldzug** *m* advertising campaign *or* drive; **~film** *m* advertising film; **~fläche** *f* advertising space; boarding(s *pl.*), *Am.* billboard; **~mittel** *n* advertising medium; **~rummel** *m* ballyhoo; **~schild** *n* advertising board *or* sign, signboard; show card; **~sendung** *f radio, TV*: commercial; **~stück** *n* showpiece; **~tafel** *f* signboard, *Am. a.* billboard; **~trick** *m* advertising stunt; **~zeichner(in** *f*) *m* advertising designer; **~zettel** *m* handbill, throwaway.
reklamier|en [reklaˈmiːrən] **I.** *v/t.* (*h.*) (re)claim; **II.** *v/i.* (*h.*) complain (*wegen* about); protest (*gegen* against), object (to); **ﾠ2te(r)** *mil. m* (-[e]*n*; -[e]*n*) indispensable person.
rekognoszier|en [rekɔgnosˈtsiːrən] *v/t.* (*h.*) reconnoitre; **2ung** *f* (-; -*en*) reconnoitring, reconnaissance.
rekonstruieren [rekɔnstruˈiːrən] *v/t.* (*h.*) reconstruct; *jur. a.* re-enact (*a crime*).
Rekonstruktion [-struktsiˈoːn] *f* (-; -*en*) reconstruction; *jur. a.* re-enactment (*of a crime*).
Rekonvaleszen|t(in *f*) [rekɔnvalɛsˈtsɛnt] *m* (-*en*, -*en*; -, -*nen*) convalescent; **~z** *f* (-) convalescence.
Rekord [reˈkɔrt] *m* (-[e]s; -e) record; *w.s. Am. a.* all-time high; *e-n* ~ *aufstellen* establish (*or* set up) a record; *e-n* ~ *brechen* break (*or* beat, smash) a record; *e-n* ~ *einstellen* equal *or* tie a record; *e-n* ~ *halten* hold a record; *e-n* ~ *verbessern* improve (*or* better) a record; *auf* ~ *laufen* attack a record; **~besuch** *m* record attendance; **~brecher** *m* record breaker *or* smasher; **~ernte** *f* bumper crop; **~halter** *m*, **~inhaber(in** *f*) *m* record holder; **~lauf** *m* record run; **~ler(in** *f*) *m* (-*s*,-; -, -*nen*) record holder; **~versuch** *m* attempt on a record; **~zeit** *f* record time.
Rekrut [reˈkruːt] *mil. m* (-*en*; -*en*) recruit; **~en-ausbildung** *f* initial (*Am.* basic) training.
rekrutier|en [rekruˈtiːrən] *v/t.* (*h.*) recruit; *fig. sich* ~ *von* be recruited from; **2ung** *f* (-; -*en*) recruitment; **2ungsstelle** *f* recruiting centre, *Am.* draft board.
Rekta|indossament [ˈrɛktaˀindɔsamɛnt] *econ. n* (-*s*; -e) restrictive en- *or* indorsement; **~klausel** *f* restrictive clause.
Rektalnarkose [rɛkˈtaːl-] *f* rectal narcosis.
ˈ**Rekta...: ~papiere** *econ. n/pl.* not negotiable instruments; registered securities; **~wechsel** *m* not negotiable bill of exchange.
Rektifikations|apparat [rɛktifikatsiˈoːns-] *chem. m* rectifier; **~kolonne** *f* rectifying column.
rektifiˈzieren *v/t.* (*h.*) rectify.
Rektion [rɛktsiˈoːn] *gr. f* (-; -*en*) regimen, government.
Rektor [ˈrɛktɔr] *m* (-*s*; -ˈ*toren*) headmaster, *Am.* principal; *univ.* rector, vice-chancellor, *Am.* president; **Rektorat** [rɛktoˈraːt] *n* (-[e]s; -e) headmastership; *univ.* rectorship; office of headmaster, *etc.*
Rekurs [reˈkurs] *m* (-es; -e) appeal; → *Berufung, Regreß.*
Relais [rəˈlɛː] *el. n* (-; -) relay; **~sender** *m* relay transmitter; repeater station; **~steuerung** *f* relay control; **~wähler** *m* relay selector.
relativ [relaˈtiːf] *adj.* relative; *adv. a.* comparatively.
Relaˈtiv *n* (-s; -e), **~pronomen, ~um** *gr. n* (-*s*; -*tiva*) relative pronoun.
Relativis|mus [relatiˈvismus] *phls. m* (-) relativism; **2tisch** *adj.* relativistic (*a. phys.*).
Relativiˈtät *f* (-; -*en*) relativity; **~s-theorie** *phys. f* (-) theory of relativity.
Relaˈtivsatz *gr. m* relative clause.
Relegation [relegatsiˈoːn] *f* (-; -*en*) expulsion *from a school*; *univ. temporary*: rustication.
releˈgieren *v/t.* (*h.*) expel, send down *from a school*; *univ. temporarily*: rusticate.
Relief [reliˈɛf] *n* (-s; -s) relief; **~druck** *typ. m* (-[e]s; -e) (printing in) relievo; **~karte** *f* relief map; **~schrift** *f* embossed writing.
Religion [religiˈoːn] *f* (-; -*en*) religion; confession, creed; faith.
Religiˈons...: ~eifer *m* religious zeal; **~freiheit** *f* (-) religious liberty; **~gemeinschaft** *f* religious community; **~geschichte** *f* (-) history of religion; **~gesellschaft** *f* religious society; **~lehre** *f* (-) religious instruction; *eccl.* doctrine; **2los** *adj.* irreligious; **~losigkeit** *f* (-) irreligion; **~streit** *m* religious controversy; **~stunde** *f* scripture (lesson); **~wissenschaft** *f* (-) divinity, theology.
religiös [religiˈøːs] *adj.* religious; pious, devout; ~*er Eiferer* fanatic; ~*er Wahnsinn* religious mania.
Religiosität [religioziˈtɛːt] *f* (-) religiousness; piety.
Reling [ˈreːliŋ] *mar. f* (-; -s) rail.
Reliquie [reˈliːkviə] *f* (-; -*n*) relic; **~nschrein** *m* reliquary.
Remanenz [remaˈnɛnts] *metall., el. f* (-) remanence; **~spannung** *el. f* residual voltage.
Rembours [rɑ̃ˈbuːr] *econ. m* (-; -) remittance; acceptance credit.
remilitarisier|en [remilitariˈziːrən] *v/t.* (*h.*) remilitarize, rearm; **2ung** *f* (-) remilitarization.
Reminiszenz [reminisˈtsɛnts] *f* (-; -*en*) reminiscence.
Remis [rəˈmiː] *n* (-; -) *chess*: drawn game, *a.* draw.
Remise [reˈmiːzə] *f* (-; -*n*) coach-house.
Remittenden [remiˈtɛndən] *pl.* return-books, returns.
Remittent [remiˈtɛnt] *econ. m* (-*en*; -*en*) payee.
remitˈtieren *econ. v/t.* (*h.*) return, send back (*goods*); remit (*money*).
Remonte [reˈmɔntə] *mil. f* (-; -*n*) remount.
Remontoir-uhr [remɔ̃ˈtoaːr-] *f* keyless watch.
Remouladensoße [remuˈlaːdən-] *f* remoulade sauce, salad cream.
rempeln [ˈrɛmpəln] *v/t.* (*h.*) jostle, bump (into), barge into.
Ren [reːn] *zo. n* (-s; -e) reindeer.
Renaissance [rənɛˈsɑ̃ːs] *f* (-; -*n*) renaissance, revival; *hist.* Renaissance.
renal [reˈnaːl] *anat. adj.* renal.
Rendement [rɑ̃dəˈmɑ̃ː] *econ. n* (-s; -s) yield.
Rendezvous [rɑ̃deˈvuː] *n* (-; -) rendezvous (*a. aer., mil., mar.*), tryst, date; appointment; *ein* ~ *verabreden* (*mit*) arrange a rendezvous (with), make an appointment *or* date (with), date *a girl*; *ein* ~ *haben mit* (*dat.*) have an appointment (*or* date) with.
Rendite [rɛnˈdiːtə] *econ. f* (-; -*n*) yield.
Renegat(in *f*) [reneˈgaːt] *m* (-*en*, -*en*; -; -*nen*) renegade.
Renette [reˈnɛtə] *bot. f* (-; -*n*) rennet.
reniten|t [reniˈtɛnt] *adj.* refractory; **2z** *f* (-) refractoriness.
Renkontre [rɑ̃ˈkɔ̃tr] *n* (-s; -s) encounter.
Renn|arbeit [ˈrɛn-] *metall. f* direct-process (*of iron extraction*); **~bahn** *f* race-course, *Am.* race track; turf; *mot.* speedway; (cinder-)track; **~boot** *n* racing-boat, racer, speed-boat; **~einer** *m* single, skiff.
ˈ**rennen I.** *v/i.* (*irr., sn*) run; (make a) race; race, dash, rush, tear; ~ *gegen* (*acc.*) dash against, bump against (*or* into *a p.*); crash into, collide with; *in e-n Schlag* ~ run into a blow; *mit dem Kopf gegen die Wand* ~ run one's head against the wall; *in sein Verderben* ~ rush headlong into destruction; **II.** *v/t.* (*irr., h.*): *zu Boden* ~ run down, overturn; *sich außer Atem* ~ run o.s. out of breath; *j-m s-n Degen durch den Leib* ~ run one's sword through a p.'s body; *metall.* extract, smelt (*iron*).
ˈ**Rennen** *n* (-s; -) run(ning); race; heat; *totes* ~ dead heat; ~ *laufen*, ~ *fahren* race; *aus dem* ~ *fallen* be out of the running; *das* ~ *machen* win the race, come in first, *fig.* make the running; *das* ~ *aufgeben* give up the race (*a. fig.*).
ˈ**Renn...: ~fahrer** *m mot.* racing driver, racer; racing cyclist; ski racer; **~flugzeug** *n* racing plane; **~formel** *f* racing formula; **~jacht** *f* racing yacht; **~mannschaft** *f* race-crew; **~maschine** *f* racing machine, racer; **~pferd** *n* race-horse, racer; **~platz** *m* race-course, *the* turf; **~platzbesucher** *m* race-goer; **~rad** *n* racer; **~saison** *f* racing season; **~schi** *m* race ski;

~**schuhe** *m/pl.* spiked shoes; ~**sport** *m* (-[e]s) racing; *the* turf; ~**stahl** *metall. m* direct-process steel; ~**stall** *m* stable (for race-horses); *mot.* équipe (*Fr.*); ~**strecke** *f* course, *Am.* race-track, speedway; distance (to be run); ~**tier** *n* → *Ren*; ~**wagen** *m* racing-car, racer.

Renomm|ee [renɔ'meː] *n* (-*s*; -*s*) reputation; fame, renown; *er hat ein gutes* ~ he has a good name; 2**ieren** *v/i.* (*h.*) brag, boast (*mit* of), show off (with); 2**iert** *adj.* famous, noted (*wegen* for); ~**ist(in** *f*) *m* (-*en*, -*en*; -, -*nen*) boaster, braggart, show-off.

renovier|en [reno'viːrən] *v/t.* (*h.*) renovate, repair, do up; redecorate; 2**ung** *f* (-; -*en*) renovation; redecoration.

rentabel [rɛn'tɑːbəl] *adj.* profitable, paying, productive, remunerative, lucrative; ~ *machen* make *a th.* pay.

Rentabilität [rɛntabili'tɛːt] *f* (-) profitability, productiveness; ~**s-grenze** *f* break-even point; ~**s-rechnung** *f* calculation of profit.

Rent-amt ['rɛnt-] *n* revenue-office.

Rente ['rɛntə] *f* (-; -*n*) income, revenue; (old-age *or* retirement) pension; social insurance pension; annuity; *lebenslängliche* ~ life annuity; war pension; rent; interest; ~*n pl.* government stocks (*Am.* bonds).

'**Renten...:** ~**anleihe** *f* perpetual government loan; perpetual bonds *pl.*; ~**bank** *f* (-; -*en*) annuity bank; ~**brief** *m* annuity bond; ~**empfänger(in** *f*) *m* → *Rentner*; ~**markt** *m* (-[e]s) bond market; ~**papiere** *n/pl.* fixed interest bearing bonds; ~**versicherung** *f* annuity insurance, pension insurance fund; ~**versicherungsanstalt** *f* annuity (insurance) office; ~**zahlung** *f* social security payment.

Rentier [rɛn'tjeː] *m* (-*s*; -*s*) man of private means.

rentieren [rɛn'tiːrən]: *sich* ~ (*h.*) pay (its way), be profitable, yield a profit; *das rentiert sich nicht* it doesn't pay, it isn't worth while.

Rentner(in *f*) ['rɛntnər] *m* (-*s*, -; -, -*nen*) pensioner, recipient of a pension; annuitant; person of private means.

re-organisier|en [reˀɔrgani'ziːrən] *v/t.* (*h.*) reorganize; 2**ung** *f* (-) reorganization.

Reparation [reparatsi'oːn] *f* (-; -*en*) reparation; ~*en leisten* make reparations; ~**sforderung** *f* reparation claim; ~**szahlung** *f* reparation payment.

Reparatur [repara'tuːr] *f* (-; -*en*) repair(s *pl.*); overhaul, recondition(ing); *in* ~ under repair; *in* ~ *geben* have *a th.* repaired; 2**bedürftig** *adj.* in need of repair, out of repair; defective; 2**fähig** *adj.* repairable; ~**kasten** *m* repair kit, tool box; ~**kosten** *pl.* (cost of) repairs; ~**werkstatt** *f* repair-shop, *mot. a.* service station.

repa'rieren *v/t.* (*h.*) repair, mend, *Am. a.* fix.

repatriier|en [repatriˀiːrən] *v/t.* (*h.*) repatriate; 2**te(r** *m*) *f* (-*n*, -*n*; -*en*, -*en*) repatriate; 2**ung** *f* (-; -*en*) repatriation.

Repertoire [repɛrto'ɑːr] *thea. n* (-*s*; -*s*) repertoire, repertoty; ~**stück** *n* stock play; ~**theater** *n* repertory theat|re, *Am.* -er.

repetier|en [repe'tiːrən] *v/t.* (*h.*) repeat; 2**gewehr** *n* magazine rifle, repeater; 2**uhr** *f* repeater.

Repetitor [repe'tiːtoːr] *univ. m* (-*s*; -'*toren*) coach.

Replik [re'pliːk] *jur. f* (-; -*en*) reply.

Report [re'pɔrt] *econ. m* (-[e]s; -e) contango, continuation(-business).

Reportage [repɔr'tɑːʒə] *f* (-; -*n*) reporting, (running) commentary, *Am. a.* coverage; on-the-spot account; eye-witness account; → *Berichterstattung*.

Re'porter(in *f*) *m* (-*s*, -; -, -*nen*) reporter.

Repräsentant [reprɛzɛn'tant] *m* (-*en*; -*en*) *m*, ~**in** *f* (-; -*nen*) representative; exponent; ~**enhaus** *Am. parl. n* House of Representatives.

Repräsentation [-tatsi'oːn] *f* (-; -*en*) representation; 2**sfähig** *adj.* (re)presentable; ~**sfigur** *f* figure-head; ~**skosten** *pl.* cost *sg.* of representation.

repräsentativ [-ta'tiːf] *adj.* representative (*für* of); imposing, stately; *zu* ~*en Zwecken* for purposes of display.

repräsen'tieren **I.** *v/t.* (*h.*) represent; **II.** *v/i.* (*h.*) represent; cut a fine figure, make a show.

Repressalie [reprɛ'sɑːliə] *f* (-; -*n*) reprisal; retaliation; ~*n ergreifen gegen* (*acc.*) make reprisals on, retaliate on.

Reprise [re'priːzə] *f* (-; -*n*) *mus.* repeat; *thea.* repeat performance; *film:* re-issue.

Reproduktion [reproduktsi'oːn] *f* (-; -*en*) reproduction; ~**skamera** *phot. f* process (work) camera, copying camera.

reproduzier|bar [-'tsiːrbɑːr] *adj.* reproducible; ~**en** *v/t.* (*h.*) reproduce.

Reptil [rɛp'tiːl] *zo. n* (-*s*; -*ien*) reptile.

Republik [repu'bliːk] *f* (-; -*en*) republic.

Republikan|er(in *f*) [republi'kɑːnər] *m* (-*s*, -; -, -*nen*), 2**isch** *adj.* republican.

Repulsionsmotor [repulzi'oːns-] *el. m* repulsion motor.

Requiem ['reːkviɛm] *n* (-*s*; -*s*) requiem.

requirieren [rekvi'riːrən] *mil. v/t.* (*h.*) requisition, seize, commandeer.

Requisit [rekvi'ziːt] *n* (-[e]s; -*en*) requisite; *thea.* ~*en pl.* properties, props.

Requisition [rekvizitsi'oːn] *mil. f* (-; -*en*) requisition.

resch [rɛʃ] *adj.* crisp.

Reseda [re'zeːda] *bot. f* (-; -*s*) mignonette.

Reservat [rezɛr'vɑːt] *n* (-[e]s; -e) reservation; *a.* → ~**srecht** *n* prerogative.

Reserve [re'zɛrvə] *f* (-; -*n*) reserve, *mil.* reserves *pl.*; reserve capacity; *econ. stille* ~*n pl.* hidden reserves; *auf die* ~*n zurückgreifen* fall back on one's reserves; *fig. et. in* ~ *haben* have a th. in reserve (*or* up one's sleeve); ~**anlage** *tech. f* stand-by plant; ~**batterie** *el. f* spare battery; ~**fonds** *econ. m* reserve-fund; ~**kapital** *n* revenue (*or* guaranteed) fund; ~**offizier** *mil. m* reserve officer; ~ *sein a.* hold a commission as a *lieutenant, etc.*; ~**offiziers-anwärter** *m* reserve officer applicant; ~**rad** *n* spare wheel; ~**tank** *m* reserve tank; ~**teile** *n/pl.* spare parts, spares; ~**truppen** *f/pl.* reserves; replacements.

reser'vier|en *v/t.* (*h.*) reserve; book (in advance); secure; → *vorbehalten*; ~**t** *adj.* reserved; *fig.* reserved, exclusive, aloof; 2**ung** *f* (-; -*en*) reservation.

Reser'vist *mil. m* (-*en*; -*en*) reservist.

Reservoir [rezɛrvo'ɑːr] *n* (-*s*; -e) reservoir, tank; *fig.* resources *pl.*

Residenz [rezi'dɛnts] *f* (-; -*en*) residence; *a.* → ~**stadt** *f* capital, seat of a court.

resi'dieren *v/i.* (*h.*) reside.

Residuum [re'ziːduum] *chem. n* (-*s*; -*duen*) residue.

Resignation [rezignatsi'oːn] *f* (-; -*en*) resignation.

resi'gnieren *v/i.* (*h.*) resign.

resolut [rezo'luːt] *adj.* resolute, determined.

Resolution [rezolutsi'oːn] *f* (-; -*en*) resolution; → *Beschluß*.

Resonanz [rezo'nants] *f* (-; -*en*) resonance, echo (*both a. fig.*); ~**boden** *m* sounding-board; ~**feld** *n* resonant field; ~**frequenz** *f* resonance frequency.

resorbieren [rezɔr'biːrən] *v/t.* (*h.*) reabsorb, resorb.

Resorption [rezɔrptsi'oːn] *f* (-; -*en*) reabsorption.

Respekt [re'spɛkt] *m* (-[e]s) respect, awe; regard; ~ *haben vor* (*dat.*) have respect for, stand in awe of; *j-m* ~ *einflößen* (inspire with) awe; *sich* ~ *verschaffen* make o.s. respected; *mit* ~ *zu sagen* if I may say so; with all due respect.

respektabel [-'tɑːbəl] *adj.* respectable; *colloq.* big.

respek'tieren *v/t.* (*h.*) respect (*a p., the law, etc.*); have respect for (*a p.*).

Re'spekt...: 2**los** *adj.* irreverent, without respect; ~**losigkeit** *f* (-; -*en*) irreverence; ~**s-person** *f* person held in (*or* commanding) respect; *w.s.* notability; ~**tage** *econ. m/pl.* days of grace; 2**voll** *adj.* respectful; 2**widrig** *adj.* disrespectful.

Ressentiment [rɛsɑ̃ːti'mɑ̃ː] *n* (-*s*; -*s*) resentment.

Ressort [rɛ'soːr] *n* (-*s*; -*s*) department; purview; responsibility; *das fällt nicht in mein* ~ that is not in my province; 2**mäßig** *adj.* departmental.

Rest [rɛst] *m* (-es; -e) rest, remainder; *chem., jur.* residue; balance; *esp. econ.* (*usu. pl.* ~*er*) remnants; dregs *pl.*; vestige; *sterbliche* ~*e pl.* (mortal) remains; leftover (*from meal*); surplus, balance; *fig. das gab ihm den* ~ that finished him (off), that did it for him.

Restant [rɛs'tant] *m* (-*en*; -*en*)

1. defaulter; **2.** *usu. pl.* **~en** *bookkeeping*: suspense items; bonds drawn (for redemption) but not yet presented.
ˈ**Restauflage** *f* remainder.
Restaurant [rɛstoˈraŋ] *n* (-s; -s) restaurant; → *Gasthaus*.
Restaurateur [rɛstoraˈtøːr] *m* (-s; -e) restaurant-keeper.
Restauration 1. [rɛstoratsiˈoːn] *f* (-; -en) restaurant, refreshment-room; **2.** [rɛstauratsiˈoːn] *f* (-; -en) restoration.
restaurieren [rɛstauˈriːrən] *v/t.* (*h.*) restore; *sich ~* take some refreshment.
ˈ**Rest...:** **~bestand, ~betrag** *m* remainder, balance; **~er** *m/pl.* odds and ends; *econ.* remnants (*of cloth*); **~forderung** *f* residual claim.
restituieren [rɛstituˈiːrən] *v/t.* (*h.*) restore.
Restitution [-tsiˈoːn] *f* (-; -en) restitution; **~sklage** *f* action for restitution.
ˈ**Rest...:** **~kaufgeld** *n* balance of purchase-price; **~lager** *n* stock of remnants; **2lich** *adj.* remaining, left over, *a. chem.* residual; *der ~e Betrag* the balance; *jur.* *~er Nachlaß* residue; **2los I.** *adj.* complete, total, radical; **II.** *adv.* completely, *etc.*; entirely, thoroughly, altogether; *~ glücklich* perfectly happy; *colloq.* *~ erledigt* all in; **~summe** *f* balance, remainder; **~zahlung** *f* payment of balance; final payment.
Resultat [rezulˈtaːt] *n* (-[e]s; -e) result, outcome; effect; *sports*: score; **2los** *adj.* without result, fruitless.
resulˈtieren *v/i.* (*h.*) result (*aus* from); **~d** *adj.* resulting, resultant.
Resümee [rezyˈmeː] *n* (-s; -s) summary, resumé; **resüˈmieren** *v/t. and v/i.* (*h.*) sum up; recapitulate.
retardieren [retarˈdiːrən] *v/t.* (*h.*) retard, check.
Retentionsrecht [retɛntsiˈoːns-] *jur. n* right of retention, lien.
retirieren [retiˈriːrən] *v/i. and sich ~* (*h.*) (make a) retreat, retire.
Retorte [reˈtɔrtə] *f* (-; -n) retort.
Retourkutsche [reˈtuːr-] *fig. f* (cheap) return in kind.
rett|en [ˈrɛtən] *v/t.* (*h.*) save, rescue (*aus, vor dat.* from); rescue, deliver, (set) free; recover, retrieve, *mar.* salvage; *s-e Ehre ~* vindicate one's hono(u)r; *j-m das Leben ~* save a p.'s life; *sich ~* save o.s.; escape; *sich vor Arbeit nicht mehr ~ können* be swamped with work; *rette sich, wer kann!* every man for himself!; → *Engel*; **2er(in f)** *m* (-s, -; -, -nen) rescuer, deliverer; *eccl.* Savio(u)r.
Rettich [ˈrɛtiç] *m* (-s; -e) radish.
ˈ**Rettung** *f* (-; -en) rescue; deliverance; escape; *mar.* salvage; recovery (*of goods, etc.*); *eccl.* salvation; help, succo(u)r; *das war seine ~* that saved him; *er ist meine einzige ~* he is my only resource; *es gab keine ~ für ihn* he was lost (*or* past help).
ˈ**Rettungs...:** **~anker** *m* sheet-anchor (*a. fig.*); **~arbeiten** *f/pl.* rescue operation(s *pl.*); **~boje** *f* life-buoy; **~boot** *n* life-boat; **~dienst** *m* life-saving service; **~floß** *n* life-raft; **~gerät(e** *pl.*) *n* life-saving equipment; **~gürtel** *m* life-belt; **~leine** *f* life-line; **2los** *adj.* (*and adv.*: *~ verloren*) irrecoverable, irretrievably lost, past help (*or* hope), beyond recovery; **~mannschaft** *f* rescue party; **~medaille** *f* life-saving medal; **~ring** *m* life-belt, life-preserver; **~schiff** *n* rescue ship; **~schwimmen** *n* life-saving swimming; **~station** *f* life-saving station; **~trupp** *m* rescue party; **~versuch** *m* attempted rescue; **~werk** *n* rescue work.
retuschieren [retuˈʃiːrən] *v/t.* (*h.*) retouch, touch up.
Reue [ˈrɔʏə] *f* (-) repentance (*über acc.* of), remorse (at); compunction; contrition; regret (at); penitence; *jur. tätige ~* voluntarily averting the effect of one's own wrongful act; **~gefühl** *n* remorse; **2los** *adj.* impenitent, remorseless; **2n** *v/t.* (*impers.*, *h.*): *es reut mich* I am sorry about it, I regret it; → *bereuen*; **2voll** *adj.* → *reuig*.
ˈ**Reu...:** **~geld** *n* forfeit, smart-money; *stock exchange*: option-money; **2ig, 2mütig** [ˈ-myːtiç] *adj.* repentant, penitent; remorseful, contrite.
Reuse [ˈrɔʏzə] *f* (-; -n) weir-basket, eel-buck; **~nantenne** *f radio*: prism aerial.
Revanche [reˈvaŋʃə] *f* (-; -n) revenge; **~kampf** *m*, **~spiel** *n* return-match.
revanˈchieren: *sich ~* (*h.*) take (*or* have) one's revenge (*an dat.* [up]on); get one's own back; *für e-n Dienst, etc.*: return a service, *etc.*; reciprocate.
Reverenz [reveˈrɛnts] *f* (-; -en) reverence; obeisance.
Revers [reˈvɛrs] *m* (-es; -) reverse (*of coin*); lapel, revers (*Fr.*); (*pl.* -e) declaration; *econ.* (reciprocal) bond; *insurance*: counterindemnity.
revidieren [reviˈdiːrən] *v/t.* (*h.*) revise; (re-)examine, check; *econ.* audit; review; *fig. s-e Meinung ~* revise one's opinion *or* form a fresh view (*über acc.* of).
Revier [reˈviːr] *n* (-s; -e) district, quarter; (police) precinct, beat; round (*of postman*); → *Jagd2*; *mil.* dispensary, → *Revierstube*; **~dienst** *mil. m* light duty; **~förster** *m* quarter-ranger; **~stube** *f* sick-room.
Revision [reviˈzjoːn] *f* (-; -en) revision (*a. typ.*); *econ.* audit; *jur.* **a)** appeal (on a question of law), **b)** rehearing, **c)** writ of error; *~ einlegen* lodge an appeal on a question of law; **~sbeklagte(r** *m*) *f* respondent; **~sbogen** *typ. m* revise.
Revisor [reˈviːzɔr] *m* (-s; -ˈsoren) reviser; *econ.* auditor, (chartered) accountant, *Am.* (certified) public accountant.
Revolte [reˈvɔltə] *f* (-; -n) revolt; **revolˈtieren** *v/i.* (*h.*) revolt, rise (in revolt).
Revolution [revolutsiˈoːn] *f* (-; -en) revolution; **revolutionär** [-tsioˈnɛːr] *adj.*, **2(in f)** *m* (-s, -e; -, -nen) revolutionary; **revolutioˈnieren** *v/t.* (*h.*) revolutionize; **~d** revolutionary.
Revoluzzer [revoˈlutsər] *contp. m* (-s; -) revolutionary.
Revolver [reˈvɔlvər] *m* (-s; -) revolver, gun; **~blatt** *n* rag, scandal-sheet; **~drehbank** *tech. f* turret (*or* capstan) lathe; **~held** *m* (trigger-happy) gunman; **~kopf(schlitten)** *tech. m* turret slide.
revozieren [revoˈtsiːrən] *v/t.* (*h.*) recall, revoke; retract (one's words *v/i.*).
Revue [rəˈvyː] *f* (-; -n) review; *thea.* revue, musical show; *~ passieren lassen* pass in review; **~film** *m* revue (*or* musical) film.
Rezen|sent [retsɛnˈzɛnt] *m* (-en; -en) reviewer, critic; **2ˈsieren** *v/t.* (*h.*) review; **~sion** [-ˈzjoːn] *f* (-; -en) review; **~siˈonsexemplar** *n* reviewer's copy.
Rezept [reˈtsɛpt] *n* (-[e]s; -e) *med.* prescription; *cul.* recipe (*a. fig.*); formula; **rezepˈtieren** *v/t. and v/i.* (*h.*) prescribe.
reziprok [retsiˈproːk] *adj.* reciprocal; **2wert** *m* reciprocal value.
Rezitativ [retsitaˈtiːf] *mus. n* (-s; -e) recitative.
reziˈtieren *v/t.* (*h.*) recite.
R-Gespräch [ˈɛr-] *teleph. n* collect-call.
Rhabarber [raˈbarbər] *m* (-s) rhubarb.
Rhapsodie [rapsoˈdiː] *f* (-; -n) rhapsody.
Rhein [raɪn] *m* (-[e]s) Rhine; ˈ**~franken** *n* Rhenish Franconia; ˈ**2fränkisch** *adj.* Rheno-Franconian; ˈ**2isch, 2ländisch** [ˈ-lɛndiʃ] *adj.* Rhenish, of the Rhineland; **~länder** [ˈ-lɛndər] *m* (-s; -) Rhinelander; ˈ**~pfalz** *f the* Palatinate; ˈ**~wein** *m* Rhine wine, hock.
Rheostat [reoˈstaːt] *el. n* (-[e]s; -e) rheostat.
Rhetorik [reˈtoːrik] *f* (-) rhetoric; **~er** *m* (-s; -) rhetorician; **rheˈtorisch** *adj.* rhetorical.
Rheuma [ˈrɔʏma] *n* (-s) → *Rheumatismus*; **Rheuˈmatiker(in f)** *m* (-s, -; -, -nen) rheumatic (person); **rheuˈmatisch** *adj.* rheumatic(ally *adv.*); **Rheumaˈtismus** *m* (-; -men) rheumatism.
Rhinozeros [riˈnoːtsərɔs] *zo. n* (-; -se) rhinoceros.
rhombisch [ˈrɔmbiʃ] *adj.* rhombic.
Rhomboid [rɔmboˈiːt] *math. n* (-[e]s; -e) rhomboid.
Rhombus [ˈrɔmbus] *m* (-; -ben) rhomb(us).
Rhönrad [ˈrøːn-] *gym. n* gyro-wheel, medicine wheel.
rhythmisch [ˈrytmiʃ] *adj.* rhythmic(al); *~e Übungen* rhythmics.
ˈ**Rhythmus** *m* (-; -men) rhythm; *fig. a.* cycle.
Richt|antenne [ˈriçt-] *f* directional aerial (*Am.* antenna); **~aufsatz** *mil. m* gun-sight; **~bake** *f* radio direction beacon; **~beil** *n* executioner's axe; **~blei** *n* plummet, plumb-line; **~block** *m* (-[e]s; ⸚e) executioner's block.
ˈ**richten** *v/t.* (*h.*) set right, arrange, adjust, *Am. a.* fix; make (*bed*); put in order, tidy (*room*); trim (*sails*); set (*watch*); prepare; repair, *Am. a.* fix; align; dress (*a. mil.*); straighten (*a. metall.*); direct (*gegen* at), turn

(on); *jur. and fig.* judge (*a. v/i.* = sit in judgment), pass *or* pronounce sentence on, sentence *or* try *a p.*; (*a. fig.*) condemn; execute; → *zugrunde richten*; ~ *auf* (*acc.*) level (*or* point, aim) *gun, telescope* at, train *cannon* on; fix *one's eyes* on; direct *one's attention, efforts* to, concentrate (*or* focus) on; ~ *an* (*acc.*) address (*sich* o.s.) to; put *a question* to; *in die Höhe* ~ raise, lift up; *sich* ~ *nach* (*dat.*) **a)** conform to, act according to *or* in harmony with, **b)** depend on, be conditional on, **c)** be determined by, be governed by *a law, etc.*, **d)** take one's bearings from, *gr.* agree with; ~ *gegen* (*acc.*) level *charges, criticism* at; *die Ansprache richtete sich gegen* the speech was level(l)ed at; *ich richte mich nach Ihnen* I leave it to you; anything you say; *das war an dich gerichtet* that was meant for you; *mil. Richt euch!* right dress!, *Am.* dress right, dress!

ˈ**Richter** *m* (-s; -), **~in** *f* (-; -nen) judge (*über acc.* of); *hoher* ~ *a.* justice; magistrate; *Herr* ~! Your Lordship!, *Am.* Your Honor!; *zum* ~ *ernannt werden* be called to the Bench; *vor den* ~ *bringen* bring to justice; **~amt** *n* judgeship; judicial office; → *Befähigung*; **~kollegium** *n* body of judges, *the* Bench; **≈lich** *adj.* judicial; judiciary; ~*e Entscheidung* judicial decision (*or* finding, ruling); ~*e Gewalt ausüben* exercise judicial powers; **~spruch** *m in civil cases*: judg(e)ment, (judicial) decision; *in criminal cases*: sentence; **~stand** *m* (-[e]s) judicature, *the* judges *pl.*, *the* Bench, *esp. Am.* judiciary; **~stuhl** *m* (-[e]s) judge's seat, tribunal.

ˈ**Richt...:** **~fernrohr** *n* telescopic sight; tracking telescope; **~fest** *n* treat given to builders (*after setting up the roof of a house*); **~funk** *m* radio relay (system); **~funkbake** *f* directional radio beacon.

ˈ**richtig I.** *adj.* right, correct; accurate, exact; due, proper; suitable; adequate, appropriate; just, fair; ~*e Abschrift* true copy; ~*e Adresse* (*Zeit*) proper address (time); ~*e Entfernung* just distance; genuine, real; faithful (*reproduction*); true; ~*er Engländer* true-born Englishman; ~*er Londoner* regular cockney; ~*er Verbrecher* nothing short of a (*or* an out-and-out) criminal; ~*er Kerl* regular fellow; *colloq. mit der Sache ist et. nicht* ~ there is something queer (*or* fishy) about it; *colloq. er ist nicht ganz* ~ (*im Kopfe*) he isn't quite right in his head; *int.* ~! right (you are)!, quite (so)!, exactly!; *und* ~, *da kam er auch schon herein!* and sure enough, he came right in!; → *recht*; **II.** *adv.* right(ly), *etc.*; the right way; duly, properly; thoroughly, soundly; ~ *verlegen* all embarrassed; ~ *gehen watch*: go right, keep good time; ~ *rechnen* calculate correctly; *für* ~ *halten* think (*or* see) fit; ~*er gesagt* rather; **III.** *substantivally*: *er ist der* ~*e* he is the right man; *colloq. du bist mir der* ~*e!* a nice fellow you are!; *das* ~*e treffen* hit upon the right thing; *das ist das* ~*e!* that's the real thing, that's the stuff (*or* the real McCoy)!; *das ist nicht ganz das* ~*e* that's not quite the ticket; *das ist das* ~*e für dich* this is your mark; **≈befund** *m* verification; *econ. nach* ~ if found correct; **~gehend** *adj. watch*: keeping good time; *colloq. fig.* regular, real, *Am. a.* honest-to-goodness; **≈keit** *f* (-) rightness, correctness; exactness, accuracy; justness, fairness; soundness; *die* ~ *e-r Sache nachweisen* verify a th.; *damit hat es s-e* ~ it is quite true, that's a fact; **~stellen** *v/t.* (*h.*) put (*or* set) right; rectify; correct; **≈stellung** *f* rectification.

ˈ**Richt...:** **~kanonier** *mil. m* gun pointer, (gun) layer, (gun) trainer; **~kreis** *mil. m* aiming circle; **~linien** *f/pl.* guiding rules *or* principles, (general) directions, instructions; **~maß** *n* standard, ga(u)ge; **~platz** *m* place of execution; **~preis** *m* standard (*or* guiding) price; **~satz** *m* guiding (*or* standard) rate; **~scheit** *tech. n* level, rule(r), straight-edge; **~schnur** *f* (-; -en) plumb-line; *fig.* rule (of conduct), guiding principle; *zur* ~ *nehmen* be guided by, follow; **~schütze** *mil. m* (first) gunner; **~schwert** *n* executioner's sword; **~sendung** *f radio*: directional transmission; **~statt, ~stätte** *f* place of execution; **~strahlantenne** *f*, **~strahler** *m* beam aerial, directional aerial (*Am.* antenna); beam transmitter.

ˈ**Richtung** *f* (-; -en) direction; way, route; *mar.* bearing, tack, *fig.* course, line, drift; trend, tendency; orientation, (*political, extreme, etc.*) views *pl.*; policy; *neue(re)* ~ new school, modern method *or* lines *pl.* (of thought); *mil.* alignment, dressing; *in* ~ *auf* in the direction of; *in dieser* ~ this way, (*a. fig.*) in this direction; *in gerader* ~ in a straight line, straight on (*or* ahead); *nach allen* ~*en* in all directions; *in derselben* ~ *weitergehen* pursue the same course.

ˈ**Richtungs...:** **~änderung** *f* change in direction; **~anzeige** *f* (-) indication of direction; **~anzeiger** *mot. m* direction-indicator, trafficator; **~empfang** *m* (-[e]s) *radio*: directional reception; **~körper** *physiol. m* polar globule; **~pfeil** *m* directional marker, arrow; **~sucher** *m radio*: direction-finder.

ˈ**richtungsweisend** *adj.* directive, leading; guiding; showing the way.

ˈ**Richt...:** **~waage** *tech. f* level; **~wert** *m* approximate (*or* standard) value; **~zahl** *f* coefficient.

Ricke [ˈrikə] *hunt. f* (-; -n) doe.

rieb [ri:p] *pret. of reiben.*

riechen [ˈri:çən] **I.** *v/i.* (*irr., h.*) smell (*nach* of [*a. fig.*]; *an dat.* at); *gut* ~ smell good, have a pleasant smell; *übel* ~ (have an unpleasant) smell; *zu* ~ *beginnen food*: get high; **II.** *v/t.* (*irr., h.*) smell; sniff; scent; *fig.* → *Braten, Lunte*; *colloq. ich kann ihn nicht* ~ I can't stand him; *colloq. das konnte ich doch nicht* ~! how was I to know?; **~d** *adj.* smelling, odorous, redolent; → *duftend.*

ˈ**Riecher** *colloq. m* (-s; -) nose; *e-n guten* ~ *haben für* have a good nose for.

ˈ**Riech...:** **~fläschchen** *n* smelling-bottle; **~kissen** *n* scent-bag; **~nerv** *anat. m* olfactory nerve; **~salz** *n* smelling-salts *pl.*; **~werkzeug** *anat. n* olfactory organ; nose.

Ried [ri:t] *n* (-[e]s; -e) reed; marsh(land).

rief [ri:f] *pret. of rufen.*

Riege [ˈri:gə] *gym. f* (-; -n) section, squad.

Riegel [ˈri:gəl] *m* (-s; -) bar, bolt; key-bolt; (cross-)bar; *arch.* tie-beam; bar, cake (*of soap*); (*chocolate*) bar, *Am.* strip; (*clothes*) rack; *tailoring*: false belt, latch; *den* ~ *vorschieben* shoot the bolt; *fig. e-r Sache e-n* ~ *vorschieben* put a stop to a th.; → *Schloß*; **≈n** *v/t.* (*h.*) bar, bolt; **~stellung** *mil. f* switch line, blocking position.

Riemen [ˈri:mən] *m* (-s; -) strap; belt; (*rifle*) sling; *Schuh≈* lace; (*razor*) strop; oar; *fig. den* ~ *enger schnallen* tighten one's belt; **~antrieb** *tech. m* belt-drive; **~scheibe** *f* (belt) pulley; sheave; **~zeug** *n* leather straps *pl.*; harness(ing).

Ries [ri:s] *n* (-es; -e) ~ *Papier* ream of paper.

Riese [ˈri:zə] **1.** *m* (-n; -n) giant; ogre; *w.s.* colossus, monster; **2.** *f* (-; -n) (timber-)slide.

Riesel|feld [ˈri:zəl-] *agr. n* irrigated field; **~gut** *n* sewage-farm; **≈n** *v/i.* (*h.*) ripple, purl; trickle, *sweat, tears*: *a.* run, roll; *rain*: drizzle.

ˈ**Riesen...** *in compounds* gigantic ..., giant ..., mammoth ..., colossal ..., monstrous ..., oversize ...; **~arbeit** *f* gigantic (*or* Herculean) task; **~erfolg** *m* enormous success, *thea.* smash (hit); **~fehler** *m* colossal mistake; **~flugzeug** *n* giant plane; **≈groß, ≈haft** *adj.* → *riesig*; **~haftigkeit** *f* (-) gigantic size *or* proportions *pl.*; **~konzern** *m* mammoth concern; **~kraft** *f* gigantic (*or* Herculean) strength; **~rad** *n* Ferris wheel; **~schlange** *f* boa constrictor; python; **~schritt** *m* giant stride; *mit* ~*en* at a tremendous pace; **~slalom** *m* grand slalom; **~stärke** *f* (-) → *Riesenkraft*; **~wuchs** *med. m* (-es) gigantism.

ˈ**riesig** *adj.* gigantic(ally *adv.*), colossal, enormous, huge; *colloq.* (*usu. adv.*) *fig.* immense(ly), *colloq.* awful(ly), tremendous(ly); *das amüsierte ihn* ~ he was hugely amused.

ˈ**Riesin** *f* (-; -nen) giantess.

Riester [ˈri:stər] *tech. m* (-s; -) patch.

riet [ri:t] *pret. of raten.*

Riff [rif] *n* (-[e]s; -e) reef; sandbank.

rigolen [riˈgo:lən] *agr. v/t.* (*h.*) trench(-plough).

rigoros [rigoˈro:s] *adj.* rigorous, strict, rigid, drastic (*measures*); **≈um** *univ. n* (-s; -sa) viva voce (examination).

Rille [ˈrilə] *f* (-; -n) groove; *tech. a.* flute, chamfer; *agr.* (small) furrow; drill; **≈n** *v/t.* (*h.*) *tech.* groove, flute; *agr.* drill; **~npflug** *agr. m* drill plough (*Am.* plow).

Rimessa [riˈmɛsa] *fenc. f* (-; -en) remise.

Rimesse [riˈmɛsə] *econ. f* (-; -n) remittance; drawn bill of exchange.

Rind [rint] *n* (-[e]s; -er) neat; ox, bullock; cow; ~er *pl.* (horned) cattle, bovine race; (*ten, etc.*) head of cattle.
Rinde [ˈrində] *f* (-; -n) *bot.* bark; (bread) crust; rind (*of cheese, fruit*); *anat.* cortex.
Rinder... [ˈrindər-]: **~braten** *m* roast beef; **~brust** *f* (-) *cul.* brisket of beef; **~herde** *f* herd of cattle; **~hirt** *m* cowherd, *Am.* cowboy; **~pest, ~seuche** *f* cattle-plague; **~tuberkulose** *f* bovine tuberculosis; **~zucht** *f* cattle breeding; **~zunge** *f* neat's tongue.
ˈ**Rind...**: **~fleisch** *n* beef; **~fleischbrühe** *f* beef-tea; **~skeule** *f* round of beef; **~(s)leder** *n* neat's leather, cow-hide; **2(s)ledern** *adj.* cow-hide; **~s-talg** *m* beef tallow; **~vieh** *n* (horned) cattle, neat; *colloq. fig.* blockhead, idiot, oaf.
Ring [riŋ] *m* (-[e]s; -e) ring (*a. chem., gym., boxing*); circle; (dark) ring(s *pl.*) *round the eyes*; *ast.* halo, *of Saturn*: ring; *orn.* ruff; *arch.* collar; hoop, loop; *tech.* washer; link; ferrule; arena; *fig.* circle, *b.s.* clique; *econ.* ring, pool, trust, *Am.* combine; *zu e-m ~ vereinigen* pool; *boxing*: *~ frei!* clear the ring!; ˈ**~bahn** *f* circular railway; ˈ**~buch** *n* ring binder.
Ringel [ˈriŋəl] *m* (-s; -), **~chen** *n* (-s; -) ringlet (*a.* = curl), circlet; **~blume** *f* marigold; **~haar** *n* curled hair; **~locke** *f* ringlet, (corkscrew) curl; **2n I.** *v/t.* (*h.*) ring; curl; **II.** *v/i. and sich ~* (*h.*) curl, coil; *sich ~* **a**) wind, meander, **b**) wriggle; **~natter** *f* ring-snake, *Br.* grass-snake; **~reihen** [ˈ-raiən] *m* (-s; -), **~tanz** *m* round dance; **~taube** *f* ring-dove.
ringen [ˈriŋən] **I.** *v/t.* (*irr., h.*) twist; wring (*laundry*); *die Hände ~* wring one's hands; **II.** *v/i.* (*irr., h.*) wrestle (*mit* with); *fig. a.* struggle, grapple (with); *~ um* (*acc.*) strive (after, for), struggle *or* fight (for); *mit sich ~* wrestle with o.s. (*or* with one's decision); *mit e-m Problem* (*e-r Versuchung*) *~* wrestle with a problem (temptation); *mit dem Tode ~* be in the throes of death; *nach Atem ~* gasp for breath, be panting.
ˈ**Ringen** *n* (-s; -) wrestling(-match); *fig.* (hard) struggle, wrestle.
ˈ**Ringer** *m* (-s; -) wrestler.
ˈ**Ring...**: **~erfahrung** *f boxing*: ring routine; **~feder** *f* annular spring; **~finger** *m* ring-finger; **2förmig** [ˈ-fœrmiç] *adj.* annular, ring-shaped; **~kampf** *m* wrestling (-match); **~kämpfer** *m* wrestler; **~mauer** *f* circular wall, town-wall; **~richter** *m boxing*: referee.
rings [riŋs] *adv.* around.
ˈ**Ring...**: **~scheibe** *f* rifle (ring) target; **~sendung** *f radio*: hook-up.
ˈ**rings...**: **~(her)um, ~umher** *adv.* round about, all (a)round; everywhere, on all sides.
ˈ**Ring...**: **~straße** *f* circular road; **~tausch** *m* ring barter; **~tennis** *n* deck-tennis; **~wall** *m* rampart.
Rinne [ˈrinə] *f* (-; -n) groove, channel; *arch.* flute (*of column*); gutter, eaves *pl.*; gully, sewer; conduit, duct; chute; canal; furrow; *anat.*, *bot.* groove, vallecula; **2n** *v/i.* (*irr., sn*) run, flow; drip, trickle; leak; gush.
ˈ**Rinnsal** *n* (-[e]s; -e) watercourse, channel; streamlet, rill, *Am.* run.
ˈ**Rinnstein** *m* gutter; (kitchen) sink.
Ripp [rip] *colloq. n* (-[e]s; -e): *altes ~* old hag, hellcat.
Rippchen [ˈripçən] *n* (-s; -) cutlet.
ˈ**Rippe** *f* (-; -n) rib; *wahre* (*falsche*) *~* true (false *or* floating) rib; *bot.* rib, nerve; *arch.* groin; (*chocolate*) bar, *Am.* strip; *of mountain*: buttress; *aer. of wing*: rib; *mot., etc.* fin; *mar. ~n pl.* frame-work; **2n** *v/t.* (*h.*) rib; *arch.* groin; → *gerippt.*
ˈ**Rippen...**: **~bogen** *m* costal arch; **~bruch** *m* fracture of a rib; **~fell** *n* pleura; **~fellentzündung** *med. f* pleurisy; **~fellgegend** *f* pleural region; **~kühler** *m* gilled radiator; **~stoß** *m* dig in the ribs, nudge; *j-m e-n ~ versetzen* dig a p. in the ribs, nudge a p.; **~stück** *n cul.* piece of the ribs; **~zwischenraum** *m* intercostal space.
ˈ**Rippespeer** *m* (-[e]s) *cul.* sparerib.
Rips [rips] *econ. m* (-es; -e) (*cloth*) rep.
Risiko [ˈri:ziko] *n* (-s; -ken) risk; *auf eigenes ~* at one's own risk; *ein ~ eingehen* take *or* run a risk; *econ. das ~ übernehmen* undertake the risk; **~verteilung** *f* distribution of risk.
riskant [risˈkant] *adj.* risky, precarious.
risˈkieren *v/t.* (*h.*) risk.
Rispe [ˈrispə] *bot. f* (-; -n) panicle.
riß [ris] *pret. of reißen.*
Riß *m* (-sses; -sse) rent, tear; crevice, fissure; cleft, chink; crack; scratch; laceration; gap; *Risse pl. in der Haut*: chaps; draft, drawing, plan, design; *fig.* rift, rupture; split, schism; *colloq. das gab ihm e-n ~* it shocked (*or* jarred) him.
Rissebildung [ˈrisə-] *tech. f*: (*netzartige*) *~* (alligator) cracking.
ˈ**rissig** *adj.* full of rents, *etc.*; cracked, fissured; chappy (*skin, soil*); *~ werden* tear; crack, get brittle, *skin*: chap.
ˈ**Rißwunde** *med. f* laceration.
Rist [rist] *m* (-es; -e) instep; back of the hand; wrist.
ristornieren [ristɔrˈni:rən] *econ. v/t.* (*h.*) reverse *a contra entry*; cancel *an insurance* and return the premium.
ritt [rit] *pret. of reiten.*
Ritt *m* (-[e]s; -e) ride; *e-n ~ machen* take (*or* go for) a ride.
ˈ**Ritter** *m* (-s; -) knight; cavalier; champion; *fahrender ~* knight-errant; *j-n zum ~ schlagen* knight a p.; *cul. arme ~ pl.* fritters; **~burg** *f* knight's castle; **~gut** *n* manor; **~gutsbesitzer** *m* owner of a manorial estate, lord of the manor; **~kreuz** *mil. n* Knight's Cross; **~kreuzträger** *mil. m* knight of the Iron Cross; **2lich** *adj.* knightly; *fig.* chivalrous, gentlemanly, gallant; **~lichkeit** *f* (-) chivalry, gallantry; **~orden** *m* order of knighthood; **~roman** *m* romance of chivalry; **~schaft** *f* (-) *the* knights *pl.*; knighthood; **~schlag** *m* (-[e]s) knighting, dubbing; *den ~ empfangen* be knighted; **~sporn** *bot. m* larkspur; **~stand** *m* (-[e]s) knighthood; *collect. the* knights *pl.*; **~tum** *n* (-s) knighthood, chivalry; **~zeit** *f* (-) age of chivalry.
rittlings [ˈritliŋs] *adv.* astride (*auf dat.* of), astraddle.
ˈ**Rittmeister** *mil. m* (cavalry) captain.
Ritual [rituˈɑ:l] *n* (-s; -e), **rituell** [-ˈɛl] *adj.* ritual.
Ritus [ˈri:tus] *m* (-; -ten) rite.
Ritz [rits] *m* (-es; -e) scratch (*a. tech.*); crack; fissure, crevice; chink, rift; ˈ**~el** *tech. n* (-s; -) pinion; ˈ**2en** *v/t.* (*h.*) scratch; graze; cut (*a. glass*); carve, etch; ˈ**2ig** *tech. adj.* crannied, flawed.
Rival|e [riˈvɑ:lə] *m* (-n; -n), **~in** *f* (-; -nen) rival; **rivalisieren** [rivaliˈzi:rən] *v/i.* (*h.*) rival (*mit j-m* a p.); compete, vie (with); **Rivaliˈtät** *f* (-; -en) rivalry.
Rizinus-öl [ˈri:tsinusˀø:l] *n* (-[e]s) castor oil.
Robbe [ˈrɔbə] *zo. f* (-; -n) seal; **2n** *mil. v/i.* (*sn*) crawl, creep; **~nfang** *m* sealing.
Robe [ˈro:bə] *f* (-; -n) gown, robe.
Robinsonade [robinzoˈnɑ:də] *f* (-; -n) *soccer*: full-length save.
Roboter [ˈro:bɔtər] *m* (-s; -) robot.
robust [roˈbust] *adj.* robust, sturdy, rugged; **2heit** *f* (-) robustness; ruggedness.
roch [rɔx] *pret. of riechen.*
röcheln [ˈrœçəln] **I.** *v/i.* (*h.*) rattle (in one's throat); **II.** *v/t.* (*h.*) gasp (out).
ˈ**Röcheln** *n* (-s) rattling, rattle; *Todes2* death-rattle.
Rochen [ˈrɔxən] *zo. m* (-s; -) ray.
roˈchieren [rɔˈʃi:rən] *v/i. and v/t.* (*h.*) castle.
Rock [rɔk] *m* (-[e]s; ⸗e) coat, jacket; robe, gown; skirt; dressing-gown; *children*: *kleiner ~* → **Röckchen** [ˈrœkçən] *n* (-s; -) frock; kilt.
ˈ**Rock...**: **~aufschlag** *m* lapel; **~falte** *f* pleat, fold; **~schoß** *m* coat-tail; **~stoff** *m* coating; **~zipfel** *m* lappet; *fig.* apron-strings.
Rocken [ˈrɔkən] *m* (-s; -) distaff.
Rodehacke [ˈro:də-] *agr. f* mattock.
Rodel [ˈro:dəl] *m* (-s; -) toboggan; luge; **~bahn** *f* toboggan-run; **2n** *v/i.* (*sn*) toboggan, *Am. a.* coast; **~n** *n* (-s) tobogganing, *Am. a.* coasting; **~schlitten** *m* → *Rodel.*
Rode|land *n* (-[e]s) clearing; virgin soil; **~maschine** *f* stump grubber; **2n** *v/t. and v/i.* (*h.*) clear; root out, stub; **~pflug** *m* breaker plough (*Am.* plow).
ˈ**Rodung** *f* (-; -en) cleared woodland; clearing.
Rogen [ˈro:gən] *m* (-s; -) (hard) roe, spawn.
ˈ**Rog(e)ner** *m* (-s; -) spawner.
Roggen [ˈrɔgən] *m* (-s) rye; **~brot** *n* rye-bread; **~mehl** *n* rye flour.
roh [ro:] *adj.* raw, in native state; *book*: in sheets; rough (*diamond, draft*); undressed (*fur*); raw (*hide*); native (*lime*); unwrought (*copper*); unbleached (*linen*); unbroken (*horse*); unhewn (*stone*); *fig.* crude, raw; *person*: rough, uncultured; coarse, uncouth, rude; cruel; brutal; barbarous; *~er Kerl* brute;

mit ⁓er Gewalt with brute force; *j-n wie ein ⁓es Ei behandeln* treat a p. with kid-gloves; *econ.* gross; **2bau** *arch. m* (-[e]s; -ten) carcass, outside finish; *fig. im ⁓* in the rough; **2baumwolle** *f* raw cotton; **2bilanz** *econ. f* trial balance; **2block** *metall. m* ingot; **2einnahme** *econ. f* gross receipts *pl.*; **2eisen** *n* pig-iron.

Roheit ['ro:haɪt] *f* (-) raw (*or* crude) state, rawness, crudeness; *fig.* roughness, rudeness; brutality; brutal act, brutality.

'**Roh...:** **⁓ertrag** *m* gross yield, gross proceeds *pl.*; **⁓erz** *n* raw ore; **⁓erzeugnis** *n* raw product; **⁓faser** *f* crude fib|re, *Am.* -er; **⁓film** *m* raw (*or* blank) film; **⁓formel** *f* empirical formula; **⁓gewicht** *n* gross weight; **⁓gewinn** *m* gross profit; **2gezimmert** ['-gə'tsimərt] *adj.* roughly hewn (*table*); **⁓gummi** *m* crude rubber; **⁓guß** *m* pig-iron casting; **⁓haut** *f* rawhide; **⁓kost** *f* uncooked (vegetarian) food; **⁓köstler** ['-kœstlər] *m* (-s; -) vegetarian, fruitarian; **⁓kostplatte** *f* vegetarian salad; **⁓leder** *n* untanned leather, rawhide; **⁓ling** ['liŋ] *m* (-s; -e) brutal fellow, brute, ruffian; *metall.* slug; *casting*: blank; **⁓material** *n* raw material; **⁓metall** *n* crude metal; **⁓öl** *n* crude oil; **⁓ölmotor** *m* crude oil engine; **⁓produkte** *n/pl.* raw products.

Rohr [ro:r] *n* (-[e]s; -e) *bot.* reed; cane; bamboo; *tech.* tube, pipe; *collect.* tubing, piping; flue; duct, canal; *mil.* (gun-)barrel, (torpedo) tube; *gezogenes* (*glattes*) *⁓* rifled (smooth) bore (of barrel); *fig. schwankendes ⁓* trembling reed; '**⁓abzweigstück** *n* pipe branch; '**⁓anschluß** *m* pipe-connection, pipe joint; '**⁓bogen** *m* tube turn, ell; '**⁓bruch** *m* pipe-burst; '**⁓brunnen** artesian well.

Röhrchen ['rø:rçən] *n* (-s; -) small tube, tubule; capillary tube; *chem.* test tube.

'**Rohr...:** **⁓dach** *n* reed-thatch; **⁓dommel** ['-dɔməl] *orn. f* (-; -*n*) bittern.

Röhre *f* (-; -*n*) tube; pipe; duct, conduit; spout; (*gas, water, etc.*) mains; shaft; tunnel; *anat.* duct, pipe; *chem.* test tube; *radio*: valve, *esp. Am.* tube; *Braunsche ⁓* cathode ray tube; *Leucht2* vacuum tube lamp, neon tube; *kitchen*: oven.

röhren ['rø:rən] *v/i.* (*h.*) *stag*: bell.

'**Röhren...:** **⁓detektor** *m radio*: thermionic valve detector; **⁓elektrode** *f* electrode of an electron tube; **⁓empfänger** *m* valve (*Am.* tube) receiver; **⁓fassung** *f* valve (*Am.* tube) socket; **2förmig** ['-fœrmiç] *adj.* tubular; **⁓gleichrichter** *m* valve rectifier, *Am.* vacuum tube rectifier; **⁓knochen** *m* hollow (*or* tubular) bone; **⁓lampe** *f* tubular lamp, tube lamp; **⁓leitung** *f* → *Rohrleitung*; **⁓pilz** *bot. m* boletus; **⁓rauschen** *n radio*: valve (*Am.* tube) noise; **⁓sender** *m* (thermionic) valve transmitter; **⁓sockel** *m* valve (*Am.* tube) base; **⁓verstärker** *m* valve (*Am.* vacuum tube) amplifier; **⁓walzwerk** *n* tube rolling mill.

'**Rohr...:** **⁓flöte** *f* reed-pipe; **2förmig** ['-fœrmiç] *adj.* tubular; **⁓formstück** *n* pipe fitting.

Röhricht ['rø:riçt] *n* (-[e]s; -e) reed-bank, reeds *pl.*

'**Rohr...:** **⁓krepierer** ['-kre'pi:rər] *mil. m* (-s; -) barrel burst; **⁓krümmer** *m* pipe bend, elbow; **⁓leger** ['-le:gər] *m* (-s; -) pipe fitter, plumber; **⁓leitung** *f* tubing, piping, conduit; pipe-line; mains; **⁓mantel** *mil. m* jacket; **⁓mast** *m* tubular mast; **⁓muffe** *f* pipe bell; **⁓netz** *n* piping; (*gas, water, etc.*) mains *pl.*; **⁓post** *f* pneumatic post; **⁓postkarte** *f* pneumatic-tube (*or* tubular) postcard; **⁓rücklaufbremse** *f* recoil brake; **⁓schelle** *f* pipe clamp; **⁓schilf** *n* reed; **⁓schlange** *f* coil, spiral tube; **⁓schlosser** *m* pipe fitter; **⁓spatz, ⁓sperling** *m* reed-bunting; *fig. schimpfen wie ein Rohrspatz* scold like a fishwife; **⁓stiefel** *m* high-boot, Wellington; **⁓stock** *m* cane, bamboo (stick); **⁓stuhl** *m* cane(-bottomed) chair; **⁓verbindungsstück** *n* pipe-connection, pipe joint; **⁓walzwerk** *n* tube rolling mill; **⁓zange** *f* pipe-wrench; **⁓zucker** *m* cane-sugar.

'**Roh...:** **⁓seide** *f* raw silk; **⁓stahl** *m* crude steel; **⁓stoff** *m* raw material; **⁓stoffmangel** *m* raw material shortage; **⁓zucker** *m* raw (*or* unrefined) sugar.

Rokoko ['rɔkoko] *n* (-s), **2** *adj.* rococo.

Rolladen (*divided*: *Roll-laden*) ['rɔlla:dən] *m* (-s; ⁼) roll shutter.

Roll|bahn ['rɔl-] *f aer.* taxiway, taxi strip; runway; landing-track; *mil.* track; **⁓bahre** *f* wheeled stretcher; **⁓bandmaß** *n* flexible steel rule; **⁓dach** *mot. n* folding roof (*or* top).

'**Rolle** *f* (-; -*n*) roll (*a. of money, paper*; *a. aer., gym.*); *tech.* roller, cylinder; coil; reel, spool; *⁓ Garn* reel of cotton, *Am.* spool of thread; *⁓ Stoff* bolt of cloth; *for furniture*: castor, caster; pulley; calender; mangle; register, list, roll; *thea.* rôle, part; *führende ⁓* (*a. actor*) lead; *die ⁓n besetzen* cast the parts (*mit* with); *e-e ⁓ spielen* play a part, impersonate, *fig.* play a part *or* rôle (*bei, in dat.* in), figure (in), be a factor (in), be instrumental (in), be of importance (in); *person a.*: *e-e große* (*jämmerliche*) *⁓ spielen* cut a great (poor) figure, *matter*: *e-e große ⁓ spielen* figure large; *er spielt e-e große ⁓ in der Firma* he is one of the top men of that firm; *das spielt keine ⁓* that doesn't matter, it makes no difference; *es hat auch e-e ⁓ gespielt, daß* another reason was that; *Geld spielt keine ⁓* money is no object; *er fiel aus der ⁓* he misbehaved (*or* showed his real face *or* dropped a brick).

'**rollen I.** *v/i.* (*h.*) roll; *thunder*: *a.* roar, rumble; *aer.* taxi; *sea*: roll; *ship*: *a.* lurch; **II.** *v/t.* (*h.*) roll; wheel; calender (*cloth*); *die Augen ⁓* roll one's eyes; *das R ⁓* roll one's r; *sich ⁓* roll, *paper, etc.*: roll up, curl; *mil. ⁓der Angriff* relay attack, attack in waves; *in ⁓dem Einsatz* in waves; *rail. ⁓des Material* rolling stock; **2** *n* rolling; heavy swell (*of sea*); roll, lurch (*of ship*); *fig. et. ins ⁓ bringen* start a th., get a th. under way; *die Sache ins ⁓ bringen* set the ball rolling; *ins ⁓ kommen* get under way; **2besetzung** *thea. f* casting of the parts; *the* cast; **2fach** *thea. n* kind of character; **⁓förmig** ['fœrmiç] *adj.* cylindrical; **⁓gelagert** *tech. adj.* mounted on roller bearings; **2lager** *tech. n* roller bearing; **2papier** *n* (-s) continuous paper; **⁓sicher** *thea. adj.* word-perfect; **2verteilung** *f* → *Rollenbesetzung*; **2zug** *tech. m* block and tackle.

'**Roller** *m* (-s; -) scooter; *mot.* (motor-)scooter; *orn.* roller; *soccer*: daisy cutter; *high jump*: barrel roll; *tech.* calenderer.

'**Roll...:** **⁓feld** *n* → *Rollbahn*; **⁓film** *m* roll film; **⁓fuhrmann** *m* carter, carrier, *Am.* teamster; **⁓fuhrunternehmen** *n* carrier's business, carters *pl.*; **⁓geld** *n* cartage, carriage; **⁓gut** *n* carted goods *pl.*; **⁓handtuch** *n* roller-towel; **⁓holz** *n* rolling-pin; **⁓jalousie** *f* roller blind; **⁓kommando** *n* raiding squad; **⁓kragen** *m* turtle-neck collar; **⁓(l)aden** *m* → *Rolladen*; **⁓mops** *m* rollmops, collared herring; **⁓schinken** *m* rolled ham; **⁓schrank** *m* roll-fronted cabinet; **⁓schuh** *m* roller-skate; *⁓ laufen* roller-skate; **⁓schuhbahn** *f* roller-skating rink; **⁓schuhläufer(in** *f*) *m* roller-skater; **⁓sitz** *m in boat*: sliding seat; **⁓splitt** *m* loose chippings *pl.*; **⁓straße** *aer. f* taxiway; **⁓stuhl** *m* wheel chair, Bath chair; **⁓treppe** *f* moving staircase, escalator; **⁓verschluß** *m* roll shutter; *Schreibtisch mit ⁓* roll-top desk; **⁓wagen** *m* truck, lorry; trolley.

Roman [ro'ma:n] *m* (-s; -e) novel, (work of) fiction; *on knights, a. fig.*: romance.

Romanen [ro'ma:nən] *pl.*: *die ⁓* the Romance nations, the Neo-Latin peoples.

ro'manhaft *adj.* romantic(ally *adv.*), fictitious.

Ro'manheld *m* hero of a novel.

ro'manisch *adj.* Romanic, Romance, neo-Latin; *arch.* Romanesque.

Romanist [roma'nist] *m* (-en; -en) Romance scholar *or* student.

Ro'man...: **⁓literatur** *f* fiction; **⁓schreiber(in** *f*) *m*, **⁓schriftsteller(in** *f*) *m* novel-writer, novelist.

Romantik [ro'mantik] *f* (-) romantic poetry *or* style; romantic period; romanticism; *fig.* romance; **⁓er(in** *f*) *m* (-s, -; -, -nen) romanticist, *hist. art*: Romanticist.

ro'mantisch *adj.* romantic(ally *adv.*).

Romanze [ro'mantsə] *f* (-; -*n*) [romance (*a. fig.*).]

Römer ['rø:mər] *m* (-s; -) **1.** (**⁓in** *f* [-; -*nen*]) Roman; **2.** rummer.

'**römisch** *adj.* Roman, of Rome; *⁓e Ziffer* Roman numeral; **⁓-ka'tholisch** *adj.* Roman Catholic.

Rommé [rɔ'me:] *n* (-s; -s) *cards*: rummy.

Ronde [ˈrɔndə] *f* (-; -*n*) round; *tech.* circular shape.
röntgen [ˈrœntgən] *v/t.* (*h.*) treat with X-rays, X-ray; (take an) X--ray (of), radio(-graph); ꝰ *n* (-*s*) roentgen; ꝰ**apparat** *m* X-ray apparatus; ꝰ**assistent(in** *f*) *m* X-ray assistant; ꝰ**aufnahme** *f* X-ray photograph, radiograph; ꝰ**behandlung** *f*, ꝰ**bestrahlung** *f* X-ray--treatment, radiotherapy; ꝰ**bild** *n* → *Röntgenaufnahme*; ꝰ**diagnose** *f* radiodiagnosis; ꝰ**durchleuchtung** *f* radioscopy, X-ray examination; ꝰ**film** *m* radiographic film; ꝰ**ologe** [rœntgənoˈloːgə] *m* (-*n*; -*n*) radiologist; ꝰ**ologie** [-loˈgiː] *f* (-) radiology; **~oˈlogisch** *adj.* radiological; ꝰ**photograˈphie** *f* radio photography, radiography; ꝰ**strahlen** *m/pl.* X-rays; *mit ~ durchleuchten, behandeln* X-ray; ꝰ**therapie** *f* → *Röntgenbehandlung*; ꝰ**untersuchung** *f* X-ray examination, X-ray test.
rören [ˈrøːrən] *v/i.* (*h.*) → *röhren.*
Rosa [ˈroːza] *n* (-*s*; -) pink; ꝰ**farben** *adj.* pink; (*a. fig.*) rose-colo[u]r(ed); roseate; *fig. die Welt durch e-e ~e Brille sehen* see things through rose--colo(u)red spectacles.
rösch [rœʃ] *adj.* brittle, coarse; crisp.
Rose [ˈroːzə] *f* (-; -*n*) rose; *wilde ~* briar, dog rose; *arch.* rose(-window); *med.* erysipelas; *compass* card *or* rose; *fig.* (*beauty*) *die ~ von* ... the rose of; *er ist auch nicht auf ~n gebettet* his life is no bed of roses either.
ˈ**Rosen...:** **~beet** *n* bed of roses; **~busch** *m* rose-bush; **~duft** *m* fragrance of roses; **~essig** *m* rose--vinegar; ꝰ**farben,** ꝰ**farbig** *adj.* rose-colo(u)red, rosy; **~garten** *m* rosary; **~hecke** *f* rose-hedge; **~holz** *n* rosewood; **~kohl** *m* (-[e]*s*) Brussels sprouts *pl.*; **~kranz** *m* garland (*or* wreath) of roses; *eccl.* rosary; *den ~ beten* tell one's beads; **~monat** *m* month of roses, June; **~montag** *m* monday before Lent; **~öl** *n* attar of roses; ꝰ**rot** *adj.* (as) red as a rose, rose-colo(u)red, rosy; **~stock** *m* rose-tree; **~strauß** *m* bunch of roses; **~wasser** *n* (-*s*) rose-water; **~zucht** *f* growing of roses; **~züchter** *m* rose-grower.
Rosette [roˈzɛtə] *f* (-; -*n*) rosette (*a. arch.*); *a.* rose-window.
ˈ**rosig** *adj.* rosy, roseate, rose--colo(u)red; *fig. ~e Aussichten* rosy prospects; *in ~er Laune* in a happy mood; *alles in ~em Lichte sehen* see things through rose-colo(u)red spectacles.
Rosine [roˈziːnə] *f* (-; -*n*) raisin; plum; sultana, currant; *fig. große ~n im Kopf haben* have big (*or* high--flown) ideas.
Röslein [ˈrøːslaɪn] *n* (-*s*; -) little rose.
Rosmarin [rɔsmaˈriːn] *bot. m* (-*s*) rosemary.
Roß [rɔs] *n* (-*sses*; -*sse*) horse, *rhet.* steed; *hoch zu ~* mounted on horseback; *fig. sich aufs hohe ~ setzen* mount the high horse; ˈ**~arzt** *m* veterinary surgeon, horse-doctor.
ˈ**Rossebändiger** *m* horse-tamer.
Rösselsprung [ˈrœsəl-] *m chess:* knight's move; (*puzzle*) problem on the knight's moves.
ˈ**Roß...:** **~haar** *n* horsehair; **~haarmatratze** *f* hair-mattress; **~händler** *m* horse-dealer; **~kastanie** *f* horse-chestnut; **~kur** *f* drastic treatment; **~schweif** *m* horse's tail.
Rost [rɔst] *m* (-*es*) rust (*a. fig.*); *bot.* rust, smut, mildew; *arch.* (*pl.* -*e*) grating; grate; *cul.* grid(iron), grill, roaster; *auf dem ~ braten* grill, roast; *~ ansetzen* (put on) rust, get rusty (*a. fig.*); *von ~ zerfressen* rust-eaten; ˈꝰ**beständig** *adj.* rust--proof, rustless, non-corroding; ˈ**~bildung** *f* rust formation; ˈ**~braten** *m* roast joint; ˈꝰ**braun** *adj.* rusty brown.
Röstbrot [ˈrøːst-] *n* toast.
ˈ**Röste** *tech. f* (-; -*n*) steeping, retting; rettery.
ˈ**Rosteinsatz** *m* grate inset.
ˈ**rosten** *v/i.* (*sn*) rust, get rusty, *chem.* oxidize; *nicht ~d* → *rostfrei*; ˈ**Rosten** *n* (-*s*) rusting.
ˈ**rösten** *v/t.* (*h.*) roast, grill (*meat*); roast, burn (*coffee*); toast (*bread*); fry (*potatoes*); *metall.* roast; torrefy (*a. pharm.*); steep, ret (*flax*).
ˈ**Röster** *m* (-*s*; -) roaster; toaster.
ˈ**Rost...:** ꝰ**farben** *adj.* rust-colo(u)red; **~fleck** *m* rust-stain; *in laundry*: iron-mo(u)ld; ꝰ**fleckig** *adj.* rust-stained; *laundry*: iron--mo(u)ldy; **~fraß** *m* rust attack, corrosion; ꝰ**frei** *adj.* rustless, rustproof; stainless (*steel*); ꝰ**ig** *adj.* rusty (*a. fig.*), corroded.
ˈ**Röst...:** **~kartoffeln** *f/pl.* fried potatoes; **~ofen** *metall. m* roasting furnace; **~pfanne** *f* frying-pan.
ˈ**Rostschutz** *m* anti-rust; **~farbe** *f* rustproof coating, anti-corrosive paint; **~mittel** *n* rust preventive *or* inhibitor.
ˈ**rostsicher** *adj.* rustproof, rust-resistant.
rot [roːt] *adj.* red (*a. pol.*); ruddy (*complexion*); blowzy; coppery; purple, crimson, scarlet; ꝰ*e Armee the* Red Army; ꝰ*es Kreuz the* Red Cross; *~e Haare* (*or ~es Haar*) *haben* be red-haired; *~ vor Zorn* red with anger; *~ werden* turn red, redden, flush, blush; *fig. sich et. ~ anstreichen* make a special note of a th.; *e-n Tag ~ im Kalender anstreichen* mark a day in red on the calendar; *~ sehen* see red; → *Tuch*; *sich wie ein ~er Faden durch et. ziehen* run like **a** red thread through a th.; ꝰ *n* (-*s*; -) red (colo[u]r); rouge; *traffic light*: red, magenta; *~ auflegen* rouge; *cards*: red suit.
Rotarier [roˈtɑːriər] *m* (-*s*; -) Rotarian.
Rotation [rotatsiˈoːn] *f* (-; -*en*) rotation, revolution; **~sachse** *f* axis of rotation; **~sdruck** *m* (-[e]*s*; -*e*) rotary press printing; **~smaschine** *typ. f* rotary printing press.
ˈ**rot...:** ꝰ**auge** *ichth. n* roach; **~bäckig** [ˈ-bɛkiç] *adj.* red-cheeked, rosy-cheeked, ruddy; ꝰ**bart** *m* red beard; *Kaiser ~* Barbarossa; **~blond** *adj.* auburn, sandy; **~braun** *adj.* reddish brown; sorrel, bay (*horse*); **~brüchig** *metall. adj.* red-short; ꝰ**buche** *f* copper-beech; ꝰ**china** *pol. n* Red China; ꝰ**dorn** *bot. m* (-[e]*s*; -*e*) pink hawthorn; ꝰ**e(r)** *pol. m* (-[e]*n*; -[e]*n*) Red.
Röte [ˈrøːtə] *f* (-) redness, red (colo[u]r); blush; *die ~ stieg ihr ins Gesicht* she colo(u)red up.
Rote-ˈKreuz... Red Cross...
Rötel [ˈrøːtəl] *m* (-*s*; -) red chalk, ruddle; **~n** *med. pl.* German measles, rubella.
ˈ**röten** *v/t.* (*h.*) redden; paint (*or* dye) in red, colo(u)r red; *sich ~* (*h.*) turn red, redden.
ˈ**rot...:** ꝰ**fäule** *f* red rot; ꝰ**fink** *m* bullfinch; ꝰ**fuchs** *m* bay (*or* sorrel) horse, chestnut; **~gelb** *adj.* reddish yellow, orange(-colo[u]red); **~gerändert** [ˈ-gərɛndərt] *adj.* red--rimmed; ꝰ**gerber** *m* tanner; **~glühend** *adj.* red-hot; ꝰ**glut** *f* (-) red heat; ꝰ**guß** *metall. m* red brass; **~haarig** *adj.* red-haired, sandy; ꝰ**haut** *f* redskin; ꝰ**hirsch** *m* red deer, stag.
rotieren [roˈtiːrən] *v/i.* (*h.*) rotate, revolve; **~d** *adj.* rota(to)ry, revolving.
ˈ**rot...:** ꝰ**käppchen** [ˈ-kɛpçən] *n* (-*s*; -) (Little) Red Riding Hood; ꝰ**kehlchen** [ˈ-keːlçən] *n* (-*s*; -) robin(-redbreast); ꝰ**kohl** *m* (-[e]*s*) red cabbage; ꝰˈ**kreuz...** Red Cross-...; ꝰ**lauf** *m* (-[e]*s*) *med.* erysipelas; *vet.* red murrain.
ˈ**rötlich** *adj.* reddish; ruddy (*face*); *colloq. pol.* pink.
rotnasig [ˈ-nɑːziç] *adj.* red-nosed.
Rotor [ˈroːtoːr] *m* (-*s*; -ˈ*toren*) rotor; **~flugzeug** *n* rotor plane; **~schiff** *n* rotor ship.
ˈ**rot...:** ꝰ**schimmel** *m* roan; ꝰ**schwänzchen** [ˈ-ʃvɛntsçən] *orn. n* (-*s*; -) redstart; ꝰ**stift** *m* red crayon; ꝰ**tanne** *f* red fir, spruce.
Rotte [ˈrɔtə] *f* (-; -*n*) troop, band; gang (*of workmen*); *b.s.* gang, horde, lot; mob; *eccl. die ~ Korah* the company of Korah; *mil.* **a)** file, **b)** squad; *aer.* two-ship formation; *hunt.* pack.
ˈ**rotten:** *sich ~* (*h.*) band together, flock together, gang (up); ꝰ**feuer** *n* volley; ꝰ**führer** *m* corporal; *of labo(u)rers*: foreman; **~weise** *adv.* in gangs; *mil.* in files.
Rotunde [roˈtundə] *f* (-; -*n*) rotunda.
ˈ**Rötung** *f* (-; -*en*) reddening.
ˈ**rot...:** **~wangig** *adj.* → *rotbäckig*; ꝰ**wein** *m* red wine, claret; ꝰ**welsch** *n* (-[*es*]) thieves' cant; ꝰ**wild** *n* red deer.
Rotz [rɔts] *m* (-*es*; -*e*) mucous discharge, snot; *vet.* (*a.* ˈ**~krankheit**) glanders; *colloq. ~ und Wasser heulen* weep barrels; ˈꝰ**ig** *vulg. adj.* snot-nosed; snotty; *vet.* glandered; ˈ**~nase** *vulg. f* snot-nose; ˈꝰ**näsig** [ˈ-nɛːziç] *vulg. adj.* snotty.
Roulade [ruˈlɑːdə] *f* (-; -*n*) *cul., mus.* roulade.
Rouleau [ruˈloː] *n* (-*s*; -*s*) roller--blind, *Am.* shade.
Roulett(e *f*) [ruˈlɛt(ə)] *n* (-[e]*s*, -*e*; -, -*n*) roulette.
Route [ˈruːtə] *f* (-; -*n*) route.
Routine [ruˈtiːnə] *f* (-) routine, practice; ꝰ**mäßig** *adj.*: *~e Überprüfung* routine check.
routiniert [rutiˈniːrt] *adj.* ex-

perienced, clever, sure-footed, *pred. a.* well up; *er ist ein ~er Boxer, etc.* he is an old hand at *boxing, etc.*

Rowdy ['raʊdi] *m* (-s; -s) rowdy, hooligan.

Rübe ['ry:bə] *f* (-; -n) rape; turnip, white beet; *rote ~* red beet, beet (-root); *gelbe ~* carrot; *colloq. fig.* (*head*) pate.

Rubel ['ru:bəl] *m* (-s; -) rouble.

'**Rüben...: ~acker** *m* turnip field; **~heber** *m* root digger; **~kraut** *n* (-[e]s) turnip-tops *pl.*; **~zucker** *m* beetsugar.

rüber ['ry:bər] *colloq.* → *herüber(...).*

Rubin [ru'bi:n] *m* (-s; -e) ruby; **2rot** *adj.* ruby.

'**Rüb·öl** *n* rape-oil.

Rubrik [ru'bri:k] *f* (-; -en) rubric; heading; column; class, category; **rubrizieren** [rubri'tsi:rən] *v/t.* (h.) rubricate.

'**Rübsaat** *f*, **~samen** *m* rape-seed.

ruch|bar ['ru:xbɑ:r] *adj.* notorious; *~ werden* become known, get about *or* abroad; **~los** *adj.* wicked, foul, infamous, profligate; **2losigkeit** *f* (-) wickedness, infamy, profligacy.

Ruck [ruk] *m* (-[e]s; -e) jerk, *Am. a.* yank; shock; jolt (*both a fig.*); *auf e-n ~* at one go; *fig. sich e-n ~ geben* pull o.s. together; '**2artig I.** *adj.* jerky; abrupt; **II.** *adv.* of a sudden, abruptly.

Rück|ansicht ['ryk-] *f* back (*or* rear) view; **~anspruch** *m* counter-claim; **~antwort, ~äußerung** *f* reply; *Postkarte mit ~* reply postcard; *Telegramm mit bezahlter ~* reply-paid telegram(me); **~berufung** *f* recall; **2bezüglich** *gr. adj.* reflexive; **~bildung** *f* involution, retrogressive metamorphosis, degeneration; *gr.* back-formation; **2blenden** *v/t. and v/i.* (h.) cut back; **~blendung** *f film*: flash-back; **~blick** *m* retrospect(ive view), glance backward (*auf acc.* at); reminiscences *pl.*; survey; *e-n ~ werfen auf* (*acc.*) cast a retrospective glance at, pass *a th.* in review; **~blickspiegel** *m* rear-view mirror; **~buchung** *f* reverse transfer of accounts; **~bürge** *m* counter-security; **2datieren** *v/t.* (h.) antedate.

'**rücken I.** *v/t.* (h.) move (*a. tech.*); shift; push (away); *her(an)~* bring nearer, draw *or* pull towards one; **II.** *v/i.* (sn) move; move over; *an or mit et. ~* (re)move a th.; *mil.* move, march; *näher~* draw near, approach (*a. time*); *an j-s Stelle ~* take a p.'s place; *höher ~* rise (in rank); *mil. ins Feld ~* take the field; *nicht von der Stelle ~* not to budge (an inch); *j-m zu Leibe ~* press a p. hard, get at a p.

'**Rücken** *m* (-s; -) back (*a. of book, hand, knife, etc.*); *anat.* dorsum; *cul.* chine, *of mutton*: saddle; (*mountain*) ridge; bridge (*of nose*); *mil.* rear; *~ gegen ~* back to back; *den ~ beugen* bow (down), stoop, *fig.* cringe; *den ~ kehren* (*dat.*) turn one's back on; *auf den ~ fallen* fall on one's back, *fig.* be taken aback *or* dumfounded; *j-m in den ~ fallen* attack a p. from (*or* in) the rear, *fig.* stab a p. in the back; *fig. sich den ~ freihalten* secure one's (line of) retreat, play it safe; *hinter j-s ~* behind a p.'s back; *er hat e-n breiten ~* he can stand a lot, he can take it; *es lief ihr kalt über den ~* a shiver ran down her spine; **~deckung** *f* (-) *mil.* rear cover; *fig.* backing, support; **~feuer** *mil. n* enemy fire from the rear; **~flosse** *f* dorsal fin; **~flug** *aer. m* inverted flight; **2frei** *adj.* with low neckline in back; sunback *dress*; **~kraul** *n* back crawl; **~lage** *f* supine position; **~lehne** *f* back (-rest); *Sitz mit verstellbarer ~* lean-back seat; **~mark** *anat. n* spinal cord; **~marksnerv** *m* spinal nerve; **~marksschwindsucht** *med. f* (-) tabes (dorsalis); **~marksverletzung** *med. f* spinal cord injury; **~muskel** *m* muscle of the back, dorsal muscle; **~schmerzen** *m/pl.* back-ache; **~schwimmen** *n* backstroke (swimming); **~stoß** *m* blow from behind; **~stück** *n* chine; *of mutton*: saddle; **~wende** *f swimming*: backstroke turn; **~wind** *m* tail wind; **~wirbel** *anat. m* dorsal vertebra.

'**Rück...: ~erinnerung** *f* reminiscence; **~erstattung** *f* restitution; refund (*of money*); reimbursement (*of expenses*); **~fahrkarte** *f*, **~fahrschein** *m* return-ticket, *Am.* round-trip ticket; **~fahrt** *f* return journey *or* trip; *auf der ~* on the way back; **~fall** *m jur.* **a)** reversion (*of property*), **b)** *of criminal*: recidivism, (*a. med. and fig.*) relapse; *Diebstahl im zweiten ~* third conviction for larceny; **2fällig** *adj. jur.* revertible; *criminal*: recidivous; *patient*: relapsing; *~ werden* (have a) relapse; **~fällige(r** *m*) *f* (-n, -n; -en, -en) backslider, *jur.* recidivist, second and subsequent offender; **~fenster** *mot. n* rear window; **~flug** *m* return flight; **~fluß** *m* (-sses) backward flow, *Am.* backflow; reflux (*a. econ.*); **~forderung** *f* counter-demand; reclamation; **~fracht** *f* return (*or* inward) freight; **~frage** *f* further inquiry, check-back; *bei j-m ~ halten* → **2fragen** *v/i.* (h.) *bei j-m*: inquire of a p., check with a p.; **~führung** *f* repatriation; **~gabe** *f* return, restitution, restoration; *sports*: pass back; **~gang** *m* return; retrogression (*a. fig.*); *econ.* recession, downward movement, decline; falling-off, decrease (*of production*); **2gängig** *adj.* retrograde, retrogressive; *econ.* downward; declining; *~ machen* undo; cancel (*order, etc.*); annul, rescind (*contract*); break off; **2gebildet** *adj.* degenerate; **~gewinnung** *f* recovery; **~gliederung** *f* re-incorporation; **~grat** ['-grɑ:t] *anat. n* (-[e]s; -e) spine, vertebral column, (*a. fig.*) backbone; **2gratlos** *adj.* spineless; **~grat(ver)krümmung** *f* curvature (*med.* deformity) of the spine; **~griff** *m* recourse (*gegen* against), *~ auf* (*acc.*) resort to; **~griffs·anspruch** *m* claim for indemnification; **~griffsrecht** *n* right of recourse; **~halt** *m mil.* reserve (-force); *fig.* backing, support, stay; *an j-m e-n ~ haben* be backed (up) by a p.; *ohne ~* → **2haltlos** *adj. and adv.* without reserve *or* restraint; frank(ly), plain(ly), point-blank; **~hand(schlag** *m*) *f* (-) *tennis*: backhand (stroke); **~kampf** *m sports*: return match; **~kauf** *m* repurchase; redemption; **2käuflich** *econ. adj.* redeemable; **~kaufsrecht** *n* right of repurchase (*or of securities*: redemption); **~kaufswert** *m* repurchase (*or of securities*: redemption, *of policy*: surrender) value; **~kehr** ['-ke:r] *f* (-) return (*a. fig.*; *zu* to), *fig.* come-back; *bei meiner ~* on my return, on returning home; **2koppeln** *v/t.* (h.) *radio*: couple (*or* feed) back; **~kopp(e)lung** *f radio*: feedback; **~kunft** ['-kunft] *f* (-) → *Rückkehr*; **~ladung** *f* return cargo; **~lage** *f* reserve(s *pl.*), reserve-fund; *gesetzliche ~* legal reserve; savings *pl.*; **~lauf** *m tech.* return stroke *or* motion; reverse action; *mil.* recoil; *TV* retrace, *Am.* kickback; **2läufig** *fig. adj.* retrograde; *econ. ~e Tendenz* downward movement; **~leiter** *el. m* return wire; **~leitung** *f el.* return(-line); *water*: return piping; **~licht** *n* (-[e]s; -er) rear light, tail lamp, rear reflector; **~lieferung** *f* redelivery; **2lings** ['-liŋs] *adv.* backwards; from behind; **~marsch** *m* march back (*or* home); retreat; **~nahme** ['-nɑ:mə] *f* (-) taking back; *jur.* withdrawal; **~porto** *n* return-postage; **~prall** ['-pral] *m* (-[e]s) rebound, recoil; **~prämie** *econ. f* put, seller's option; **~reise** *f* return (journey), journey back *or* home; **~ruf** *teleph. m* recall.

Rucksack ['rukzak] *m* (loose) knapsack, rucksack.

'**Rück...: ~schau** *f* → *Rückblick*; **~schlag** *m* back-stroke, rebound; *of gun*: recoil, kick; *mot.* back-kick; *el.* back-fire; *fig.* reverse, setback, reaction; *biol.* atavism; **~schlagventil** *tech. n* check valve; **~schluß** *m* conclusion, inference; *Rückschlüsse ziehen von* draw conclusions from, infer from, gather from; **~schreiben** *n* reply (letter), answer; **~schritt** *m* step back; *fig.* re(tro)gression, setback; *pol.* reaction; **2schrittlich** *adj.* reactionary; **~seite** *f* back, reverse, *of coin*: *a.* tail; *siehe ~!* please turn over! (*abbr.* p.t.o.), see over-leaf!; **2senden** *v/t.* (*irr.*, h.) send back, return; **~sendung** *f* redelivery, return; **~sicht** *f* (-; -en) regard, consideration; respect; *aus* (*or mit*) *~ auf* (*acc.*) **a)** out of regard for, **b)** with regard to, in consideration of, considering; with an eye to; *ohne ~ auf* irrespective *or* regardless of, notwithstanding; *~ nehmen auf* **a)** have regard for, show consideration for, consider the feelings of *a p.*, **b)** make allowance for, allow for; *keine ~ nehmen auf* pay no heed to, be regardless of; *darauf kann ich keine ~ nehmen* I can give no consideration to that; **~sichtnahme** ['-ziçtnɑ:mə] *f* (-) considerateness (*auf acc.* for), consideration (for); *~ im Verkehr* road courtesy; **2sichtslos I.** *adj.* inconsiderate (*gegen* of), without consideration (for), regardless (of), thoughtless; reckless;

unfeeling, callous; ruthless; grim; high-handed; *~es Fahren mot.* reckless driving; **II.** *adv.*: *~ einschreiten a.* resort to drastic measures; **~sichtslosigkeit** *f* (-; -en) lack of consideration, inconsiderateness, thoughtlessness; recklessness; ruthlessness; **2sichtsvoll** *adj.* regardful (*gegen* of, for); considerate, thoughtful; kind; gentle; *~es Verhalten* thoughtfulness; **~sitz** *m* back-seat; *mot.* **a)** reserve seat, **b)** pillion; **~spiegel** *mot. m* rear-view mirror; **~spiel** *n sports*: return-match; **~sprache** *f* (-) consultation; *nach ~ mit* on consultation with; *mit j-m ~ nehmen* confer (*or* consult) with a p. (*wegen, über acc.* about), talk *a th.* over with a p.; **~stand** *m* remainder; *chem.* residue, sediment; *econ.* arrears *pl.*; *Rückstände pl.* outstanding debts; backlog (*of work, etc.*); *im ~ sein mit* be behind with, be in arrears with; *sports*: *mit e-m Tor im ~ sein* be down one goal; **2ständig** *adj. mit Zahlung*: in arrears *or* behind with (*payment*); outstanding, (over)due (*money*); *~e Miete* arrears *pl.* of rent; *chem.* residual; *fig.* old-fashioned, antiquated, behind the time, backward; backward, underdeveloped (*country*); **~ständigkeit** *f* (-) backwardness; **2stellen** *v/t.* (*h.*) reset; **~steuerung** *el. f* revertive control; **~stoß** *m* repulsion; recoil (*of gun*); kick; **~stoßantrieb** *m* jet propulsion, reaction drive; **~stoßdämpfer** *mil. m* muzzle brake; **~strahler** *m* rear reflector; cat's eye; **~strahlung** *f* reflection; **~strom** *el. m* reverse current; **~taste** *f of typewriter*: back-spacer; **~tritt** *m* resignation, retirement (*from office*); withdrawal, rescission (*of contract*); *jur. ~ vom Versuch* desisting from the attempt; *s-n ~ erklären* tender one's resignation; **~trittbremse** *f* back pedal brake, *Am.* coaster brake; **~trittsgesuch** *n* resignation; **~trittsrecht** *n* right of cancel(l)ation; **~übersetzung** *f* retranslation; **2vergüten** *v/t.* (*h.*) refund, reimburse, repay; **~vergütung** *f* refund, reimbursement, repayment; **2versichern** *v/t.* (*h.*) reinsure; **~versicherung** *f* reinsurance; **~wand** *f* back (*or* rear) wall; **~wanderer** *m* returning emigrant; **2wärtig** ['-vɛrtiç] *adj.* rear(ward), at the back; *mil.* behind the lines; *~es Gebiet* rear (*or* service) area; *~e Verbindungen* lines of communications; **2wärts** ['-vɛrts] *adv.* back, backward(s); *mot. ~ fahren* back (up), reverse; *~ aus der Garage fahren* back (the car) out of the garage; **~wärtsbewegung** *f* backward (*or* retrograde) movement; **~wärtsgang** *mot. m* reverse (gear); **2wärtsgehen** *v/i.* (*irr., sn*) *fig.* fall off, go down, deteriorate; **~wechsel** *econ. m* redraft, re-exchange; **~weg** *m* way back *or* home, return (route); *den ~ antreten* set out for (*or* return) home.

'ruckweise *adv.* by jerks; by fits and starts.

'Rück...: **2wirkend** *adj.* reacting; retroacting (*law, etc.*); having retroactive effect; *mit ~er Kraft* retroactively; **~wirkung** *f* re(tro)action; retrospectiveness (*of law*); repercussion; **2zahlbar** *adj.* repayable; redeemable (*loan*); **~zahlung** *f* repayment; redemption (*of loan, securities*); amortization; **~zieher** ['-tsi:ər] *m* (-s; -) *anat.* retractor muscle; *soccer*: overhead kick; *fig.* backdown; *e-n ~ machen* draw in one's horns, climb down; **~zoll** *m* drawback; **~zollgüter** *n/pl.* debenture goods; **~zug** *m* retreat, withdrawal; *rail.* return-train; (*eilig*) *den ~ antreten* beat a (hasty) retreat; *zum ~ blasen* sound the retreat; **~zugsgefecht** *mil. n* running fight; **~zugslinie** *mil. f* line of retreat.

Rüde ['ry:də] *m* (-n; -n) large hound; male dog *or* fox *or* wolf.

rüde ['ry:də] *adj.* rude, coarse, brutal.

Rudel ['ru:dəl] *n* (-s; -) troop, bunch, swarm; herd (*of stags*); pack (*of wolves, submarines*).

Ruder ['ru:dər] *n* (-s; -) oar; rudder, helm; *aer.* rudder, control surface; *fig. pol. am ~ sein* be at the helm; *ans ~ kommen* get at the head of affairs, come into power; **~bank** *f* (-; ⸚e) rower's seat; thwart; **~blatt** *n* oar blade; **~boot** *n* rowing-boat, sculler; dinghy; **~er** *m* (-s; -) rower, oarsman; **~fahrt** *f* row; **~flosse** *f* fin for steering; **~gänger** ['-gɛŋər] *m* (-s; -) helmsman; **~klub** *m* rowing-club; **2n** *v/t.* (*h.*) *and v/i.* (*sn*) row; (*only v/i.*) go for a row; **~n** *n* (-s) rowing; **~pinne** *f* tiller; **~regatta** *f* boat race, regatta; **~schlag** *m* stroke of the oar; **~sport** *m* (-[e]s) rowing; **~stange** *f* oar.

rudimentär [rudimɛn'tɛ:r] *adj.* rudimentary; **2organ** *biol. n* vestigial organ.

'Rud(r)erin *f* (-; -nen) rower, oarswoman.

Ruf [ru:f] *m* (-[e]s; -e) call (*a. orn., teleph., fig.*); cry, shout; summons, call; reputation, repute, name; *econ.* standing, credit; fame, renown; *dem ~e nach* by repute; *von ~* of high repute (*or* standing), noted (*artist, etc.*); *von schlechtem ~e* of ill repute; *e-n ~ nach ... erhalten* receive a call to, be offered an appointment at; *im ~ (gen.) stehen* be reputed to be ..., enjoy the reputation of ..., have a reputation for being ...; *in gutem ~ stehen* be in high repute, have a good name; *sich e-n ~ erwerben* acquire fame, make o.s. a name.

'rufen I. *v/i.* (*irr., h.*) call; cry (out), shout; *um Hilfe ~* cry (*or* call) for help; *~ lassen* send for; **II.** *v/t.* (*irr., h.*) call *a p.* (*a. thea.*); call to, hail; *ins Gedächtnis ~* call to mind; *ins Leben ~* call into being; call (in), summon (*doctor*); *es kommt wie gerufen* it comes in the nick of time; *das kommt mir wie gerufen* that comes in handy.

'Rufen *n* (-s) shouting, call(ing), shouts *pl.*

Rüffel ['ryfəl] *colloq. m* (-s; -) reprimand, dressing-down; **2n** *v/t.* (*h.*) reprimand, upbraid, blow up.

'Ruf...: **~mord** *m* character assassination; **~name** *m* name by which (*a p.* is) called, Christian name; **~nummer** *teleph. f* call-number; **~weite** *f* (-): *in ~* within call *or* earshot; **~zeichen** *n* call-sign(al).

Rüge ['ry:gə] *f* (-; -n) reproof; reproach, blame; admonition, *sports*: caution; censure; **2n** *v/t.* (*h.*) reprimand, reprove, blame (*wegen* for); find fault with; censure, denounce, *Am. a.* rap.

Ruhe ['ru:ə] *f* (-) rest, repose; sleep; recreation; quiet, silence, stillness; peace, tranquillity; peace of mind, tranquil mind; calm, lull; calm, composure, imperturbability, coolness; patience; leisureliness; *~ vor dem Sturm* lull before the storm; *ewige ~* eternal rest; *in aller ~* very calmly, quietly; *überlege es dir in aller ~* take your time about it; *~ haben vor (dat.)* be unmolested by, be no longer bothered by; *j-m keine ~ gönnen* give a p. no rest, keep a p. on the go; *j-n zur letzten ~ betten* lay a p. to rest; *sich zur ~ begeben* retire to rest, go to bed; *sich zur ~ setzen* retire (from business); *zur ~ bringen* calm, still, silence, hush; → *pflegen*; *~!* silence!, be quiet!, order!; *er war die ~ selbst* he was calm as could be, he was as cool as a cucumber; *laß mich in ~!* let (*or* leave) me alone!; *laß mich damit in ~!* don't bother me with that!; *es ließ ihm keine ~* it haunted him, it was preying on his mind; *colloq. immer mit der ~!* take it easy!, easy does it!, keep your shirt on!; **2bedürftig** *adj.* in need of rest; **~bett** *n* couch, lounge; **~energie** *phys. f* rest energy; **~gehalt** *n* (retiring-)pension, retirement pay; **~gehaltsempfänger(in** *f*) *m* pensioner; **~kissen** *n* pillow; **~lage** *f* → *Ruhestellung*; **2los** *adj.* restless; fidgety; disquieted; **~losigkeit** *f* (-) restlessness.

'ruhen *v/i.* (*h.*) rest, repose; *fig.* sleep, be dormant; (rest) idle; be at a standstill, have ceased; *jur.* be suspended *or* in abeyance; *~ auf (dat.)* rest on, be supported by, *fig.* rest on (*a. glance*), be based *or* founded on; *~ lassen* leave unfinished, drop, suspend; *hier ruht* here lies; *er ruhe in Frieden* may he rest in peace; (*ich*) *wünsche wohl zu ~* I wish you a good night('s rest); *laß das Vergangene ~!* let by-gones be by-gones!; *er ruhte nicht, bis* he could not rest till; *tech. ~de Reibung* static friction; *~der Anker el.* stationary armature.

'Ruhen *n* (-s) rest(ing), repose; recreation; *jur.* suspension of proceedings, abeyance.

'Ruhe...: **~pause** *f* pause, breather; *sports*: time out; lull; **~platz** *m* resting-place; **~posten** *m* sinecure; **~punkt** *m* resting-point, *esp. mus.* pause; *tech.* cent|re (*Am.* -er) of gravity, fulcrum; **~sessel** *m* lounge-chair; **~stand** *m* (-[e]s) state of repose; retirement; *im ~ (i.R.)* retired; *in den ~ treten* retire; *in den ~ versetzen* superannuate, pension off, retire; **~stätte** *f* place of rest, resting-place; retreat; *fig. letzte ~* last resting-place; **~stellung** *f* normal position, *tech. a.* inoperative (*or* idle, neutral) position; *mil.* at ease position; *in die ~ zurückkehren* return to normal; **~stifter(in *f*)** *m* peace-maker, *Am.* trouble-shooter; **~störer(in *f*)** *m* disturber of the peace, peacebreaker, rioter; **~störung** *f* breach of the peace, disorderly conduct; disturbance; **~strombetrieb** *el. m* closed circuit working; **~tag** *m* day of rest, off day; **2voll** *adj.* peaceful, quiet; **~zeit** *f* time of rest, off days; off season; **~zustand** *m* (-[e]s) state of rest, dormancy.

ruhig ['ru:iç] **I.** *adj.* at rest; quiet (*a. colour, econ. market*); still; silent; calm, smooth (*sea*); *tech. ~er Gang* smooth running; calm, even-tempered; peaceful, tranquil; nerveless, imperturbable; steady (*nerves*); unruffled; cool(-headed), composed, placid; reassured; serene; leisurely (*a. adv.*); *colloq. ~e Sache* soft job; *~ werden* calm down; *seien Sie deshalb ~!* don't let it worry you!; *~!* quiet!, silence!, hush!; **II.** *adv.* quietly, *etc.*; *~ bleiben* keep one's temper; *~ schlafen* sleep soundly; *sich ~ verhalten* keep quiet, hold one's peace; *~ verlaufen* be uneventful; easily; *man kann ~ behaupten, daß* it is safe to say that; *du kannst ~ dableiben* it's all right for you to stay; *das können Sie ~ tun!* you are perfectly free to do that!, go right ahead!; *du könntest dir ~ mal die Haare schneiden lassen* you could do worse than get a haircut.

Ruhm [ru:m] *m* (-[e]s) glory; fame, *rhet.* renown; praise; → *bedecken*; '**2bedeckt** *adj.* covered with glory; '**~begier(de)** *f* thirst of glory, love of fame.

rühmen ['ry:mən] *v/t.* (*h.*) praise, laud, commend; extol, glorify, sing the praises of; *sich ~ (gen.)* boast of, pride o.s. on; *sich e-r Sache ~ können* boast a th., have a th. to one's credit; *~d erwähnen* make hono(u)rable mention of; *ohne mich zu ~* without boasting; **2** *n* (-s) praise(s *pl.*); *viel ~s machen von* sing the praises of; *er macht nicht viel ~s davon* he doesn't make much fuss about it; **~swert** *adj.* praiseworthy, laudable.

Ruhmes... ['ru:məs-]: **~blatt** *n* page of glory; *es ist kein ~ für ihn* it does not do him credit; **~halle** *f* pantheon, *Am.* hall of fame.

'**rühmlich** *adj.* glorious, hono(u)rable; laudable, creditable.

'**Ruhm...**: **2los** *adj.* inglorious; obscure; **~losigkeit** *f* (-) ingloriousness; **2redig** ['-re:diç] *adj.* vainglorious, boastful; **2reich** *adj.* glorious; **~sucht** *f* (-) thirst for glory.

Ruhr [ru:r] *med. f* (-) dysentery.

Rühr|apparat ['ry:r-] *m* stirring apparatus, agitator; **~ei** ['ry:rˀaɪ] *n* scrambled eggs *pl.*

'**rühren I.** *v/i.* (*h.*) stir, move; *~ an (acc.)* touch; *fig. ~ von* originate from, be due to; **II.** *v/t.* (*a. sich*) (*h.*) stir, move; *cul., etc.*: stir; beat (*eggs*); *sich ~ fig.* be active, hustle, bustle, be up and doing; *sich nicht (vom Flecke) ~* not to budge (an inch); *fig.* make no move, sit tight; fail to write, *etc.*; → *Finger, Trommel*; *fig.* touch; move (*zu Tränen* to tears), affect; *das rührte ihn wenig* it left him cold; *der Schlag hat ihn gerührt* he has had a(n apoplectic) stroke; *vom Schlag gerührt* struck with apoplexy; → *Donner*; *fig. nicht daran ~!* let sleeping dogs lie!; *mil. Rührt euch!* (*Brit.* stand) at ease!; **2** *n* (-s): *ein menschliches ~* **a)** a touch of human sympathy, **b)** *colloq.* a physical urge; **~d** *adj.* touching, moving; pathetic; heartstirring.

'**rührig** *adj.* active, busy; brisk, energetic, bustling, alert; enterprising, go-ahead; nimble; **2keit** *f* (-) activity; enterprise; alertness; nimbleness.

'**Ruhrkranke(r** *m*) *f* dysenteric patient.

'**Rühr...**: **~löffel** *m* (pot-)ladle; **2selig** *adj.* sentimental, lachrymose; *~e Geschichte, ~es Lied* tearjerker, sob-stuff; **~stück** *thea. n* melodrama, tearjerker; **~ung** *f* (-) emotion; *vor ~ nicht sprechen können* be choked with emotion.

Ruin [ru'ˀi:n] *m* (-s) ruin; decay; (down)fall; *das ist noch sein ~* that will be his undoing yet; **~e** *f* (-; -n) ruin(s *pl.*); *fig.* (*person*) wreck; **2enhaft** *adj.* in ruins, decayed.

ruinier|en [rui'ni:rən] *v/t.* (*and sich*) (*h.*) ruin (o.s.); destroy, wreck; spoil (*clothes*); **~t** *adj.* lost, broken, smashed up.

Rülps [rylps] *colloq. m* (-es; -e), '**2en** *v/i.* (*h.*) belch.

rum [rum] *colloq.* → *herum(...)*.

Rum [rum] *m* (-s; -s) rum.

Rumän|e [ru'mɛ:nə] *m* (-n; -n), **~in** *f* (-; -nen), **2isch** *adj.* Ro(u)manian.

Rummel ['ruməl] *m* (-s) hurly-burly, racket, row; (hustle and) bustle; revel; ballyhoo; stir, to-do; *der ganze ~* the whole bag of tricks, the whole business; *econ. im ~* in the lump; *colloq. den (ganzen) ~ kennen* know what's what, know the ropes; **~platz** *m* amusement park.

rumoren [ru'mo:rən] *v/i.* (*h.*) make a noise, kick up a row; *fig.* rumble; *es rumorte im Volke* there was a growing unrest among the people.

Rumpel|kammer ['rumpəl-] *f* lumber-room; **~kasten** *fig. m* rattletrap; **2n** *v/i.* (*h.*) rumble.

Rumpf [rumpf] *m* (-[e]s; ⸚e) trunk, body; torso; *of slaughter cattle*: carcass; *mar.* hull; *aer.* fuselage, body.

rümpfen ['rympfən] *v/t.* (*h.*): *die Nase ~ (über acc.)* turn up one's nose (at), sniff (at).

rund [runt] **I.** *adj.* round (*a. fig.* figure, sum); circular; spherical; cylindrical; rotund(ate) (*a. arch.*); plump, podgy; plain, flat (*refusal, etc.*); *Besprechungen am ~en Tisch* round table conference; **II.** *adv.*: *~ machen* round (off); *~ um die Welt* round the world; about ..., ... or so; in round figures; *refuse* flatly; *say* plainly (and bluntly); → *rundheraus*; '**2antenne** *f* omnidirectional aerial (*Am.* antenna); **~bäckig** ['-bɛkiç] *adj.* chubby (-cheeked); '**2bau** *m* (-[e]s; -ten) circular building, rotunda; '**2bleche** *tech. n/pl.* circles; '**2blick** *m* panorama, view all (a)round; '**2blickfernrohr** *n* panoramic telescope; '**2bogen** *arch. m* round (*or* Norman) arch; '**2brenner** *m* round (*or* ring) burner.

Runde ['rundə] *f* (-; -n) round; circle; round, patrol; *policeman's* beat; party, company; *sports*: lap; *boxing*: round; *in der (or die) ~* (a)round; *die ~ machen* do the (*or* go one's) round, *cup, etc.*: be passed round, circle, *news, etc.* go the round; *colloq.* e-e *~ spendieren or ausgeben* stand a round of drinks; *boxing*: *über die ~n kommen* remain on one's feet, go the distance (*a. fig.*).

'**Rund·eisen** *tech. n* round iron, rod.

'**runden** *v/t.* (*h.*) round; *fig.* round off; *sich ~* (*h.*) grow round; *fig. das Bild rundet sich* the picture is beginning to take shape.

'**Rund...**: **~erlaß** *m* circular (notice); **2erneuern** *mot. v/t.* (*h.*) retread (*tyres*); **~fahrt** *f* drive round *a town, etc.*: → *Rundreise*; **~fahrtwagen** *m* sight-seeing car; **~flug** *m* round flight; **~frage** *f* inquiry (by circular), poll.

'**Rundfunk** *m* (-[e]s) broadcast(ing), wireless, *esp. Am.* radio; broadcasting system, radio network; *im or durch ~* over the wireless, *esp. Am.* on the radio, on *or* over the air; *im ~ auftreten, sprechen* speak over the radio, *Am. a.* be *or* go on the air; *durch ~ übertragen* broadcast; → *Funk..., Radio...*; **~ansager** *m* (radio) announcer; **~ansprache** *f* radio address; **~empfänger** *m* radio (*Br. a.* wireless) receiver; **~entstörungsdienst** *m* interference suppression service; **~gebühr** *f* radio receiver fee; **~gerät** *n* radio (set), *Br. a.* wireless (set); **~gesellschaft** *f* broadcasting company; **~hörer** *m* (radio) listener, *pl. a.* (radio) audience; **~netz** *n* radio network; **~programm** *n* radio program(me); **~sender** *m* broadcast transmitter; radio station; **~sendung** *f* radio transmission, broadcasting; broadcast, radio presentation; program(me); **~sprecher** *m* broadcaster, (radio) announcer; **~station** *f* broadcasting (*or* radio) station; **~technik** *f* (-) radio engineering; **~teilnehmer** *m* (radio) listener, subscriber; **~übertragung** *f* → *Rundfunksendung*; **~welle** *f* broadcast wave; **~werbung** *f* radio advertising.

'**Rund...**: **~gang** *m allg.* tour, *esp. mil.* round; circuit; **~gesang** *m* glee, roundelay; catch; **~heit** *f* (-) roundness; **2heraus** *adv.* in plain terms, plainly (and bluntly), flatly, point-blank; **2herum** *adv.* round about, all (a)round, round and round; **~holz** *n* round timber; **~kopfschraube** *tech. f* round-head(ed) screw; **~lauf** *m gym.* giant-stride; *tech.* concentric running; **2lich** *adj.* round(ish); rotund;

plump, podgy; roly-poly; **~reise** *f* circular tour, *Am.* round trip; **~reisebillet** *n*, **~reisekarte** *f* circular (tour) ticket, *Am.* round-trip ticket; **2schädelig** *adj.* round-headed; **~schau** *f* panorama; review; **~schleifen** *tech. n* (-*s*) cylindrical (*or* plain) grinding; **~schreiben** *n* circular letter; *durch ~ benachrichtigen or mitteilen* circularize; **~schrift** *f* roundhand; **~stab** *tech. m* rod, post; **~stahl** *tech. m* round iron; **~strahlantenne** *f* omnidirectional aerial, *Am.* nondirective antenna; **~strecke** *f* circuit; **~strickmaschine** *f* circular knit frame; **~tanz** *m* round dance; **2'um** *adv.* round about, all (a)round; on all sides; **~ung** *f* (-; -*en*) roundness; swelling; curve (*a. humor. of women*); **~verkehr** *m* roundabout traffic; **2weg** ['-vɛk] *adv.* plainly, flatly, pointblank; **~wirkstuhl** *m* circular spring needle machine; **~zange** *f* (*e-e ~* a pair of) round-nosed pliers *pl.*

Rune ['ru:nə] *f* (-; -*n*) rune, runic letter; **~nschrift** *f* runic characters *or* writing, runes *pl.*; **~nstab** *m* runic wand; **~nstein** *m* rune-stone.

Runge ['ruŋə] *f* (-; -*n*) stake, stanchion; **~nwagen** *rail. m* plattform car, *Am.* flat-car.

Runkel ['ruŋkəl] *f* (-; -*n*), **~rübe** *f* beet(root).

runter ['runtər] *colloq.* → *herunter*(...).

Runzel ['runtsəl] *f* (-; -*n*) wrinkle; pucker; *~n bekommen* wrinkle, get wrinkles.

'runz(e)lig *adj.* wrinkled, puckered; shrivelled (up).

'runzeln *v/t.* (*and sich*) (*h.*) wrinkle, form wrinkles, crease; shrivel; *die Stirne ~* knit one's brows, frown.

Rüpel ['ry:pəl] *m* (-*s*; -) boor, lout; **2haft** *adj.* coarse, loutish, boorish, rude.

rupfen ['rupfən] *v/t.* (*h.*) pull up *or* out, pick; pluck (*chicken, etc.*); *fig. j-n ~* fleece a p.; → *Hühnchen.*

Rupie ['ru:piə] *f* (-; -*n*) rupee.

ruppig ['rupiç] *adj.* unkempt, ragged; shabby; gruff, rough, rude.

Rüsche ['ry:ʃə] *f* (-; -*n*) ruche, frill, ruffle.

Ruß [ru:s] *m* (-*es*) soot; *tech.* lampblack; *bot.* smut.

Russe ['rusə] *m* (-*n*; -*n*) Russian.

Rüssel ['rysəl] *m* (-*s*; -) (elephant's) trunk, proboscis; *of swine*: snout; *of insect*: sucking tube, proboscis; **~käfer** *m* weevil; **~tier** *n* proboscidian.

'rußen I. *v/i.* (*h.*) *lamp*: smoke; **II.** *v/t.* (*h.*) soot, blacken.

'Ruß...: ~fleck *m* smut; **~flocke** *f* soot flake; **2ig** *adj.* sooty; *bot.* smutty.

'Russin *f* (-; -*nen*) Russian.

'russisch *adj.* Russian, of Russia; *auf or in ~* in Russian; **~-deutsch** *adj.* Russo-German.

rüsten ['rystən] **I.** *v/t.* (*h.*) prepare (*auf acc., zu* for); → *ausrüsten*; **II.** *v/i.* (*a. sich*) (*h.*) prepare, get ready (*zu* for); *mil.* arm, prepare for war; mobilize; *arch.* raise a scaffolding; *gerüstet fig.* armed, prepared, ready.

'Rüsten *n* (-*s*) → *Rüstung.*

Rüster ['ry:stər] *bot. f* (-; -*n*) elm.

'Rüstgewicht *aer. n* structural weight.

'rüstig *adj.* vigorous, robust, strong; well-preserved, hale (and hearty); active; alert, spry; *er ist* (*für sein Alter*) *noch ~* he bears his years well; brisk, nimble; **2keit** *f* (-) vigo(u)r; activity; unimpaired strength.

'Rüst...: ~material *arch. n* scaffolding; **~stange** *f* scaffolding-pole.

'Rüstung *f* (-; -*en*) preparations *pl.*; *mil.* arming, armament; mobilization; *tech.* utensils, implements *pl.*; → *Ausrüstung*; *hist.* armo(u)r; *arch.* scaffold(ing).

'Rüstungs...: ~auftrag *m* defence contract; **~beschränkung** *f* armament restriction; **~betrieb** *m* armament (*or* war) plant; **~fabrik** *f* armaments factory; **~industrie** *f* armaments (*or* war) industry; **~hausse** *f* armaments boom; **~material** *n* war material; **~produktion** *f* defence (*or* war) production; **~werk** *n* → *Rüstungsbetrieb*; **~wettlauf** *m* armament race; **~zentrum** *n* war production cent|re, *Am.* -er.

'Rüstzeug *n* (-[*e*]*s*) armo(u)r; (set of) tools, implements *pl.*; *fig.* (*geistiges* mental) equipment.

Rute ['ru:tə] *f* (-; -*n*) rod; switch; *anat.* penis; *hunt.* tail, *esp. of fox*: brush; *ancient measure*: perch, pole; *j-m die ~ geben* whip (*or* switch) a p.; **~nbündel** *n* bundle of rods, fag(g)ot; *pl. hist.* fasces *pl.* (*of lictors*); **~ngänger** ['-ngɛŋər] *m* (-*s*; -) dowser, (water-)diviner.

Rutsch [rutʃ] *m* (-*es*; -*e*) slide, glide; landslip, *Am.* landslide; *colloq.* short trip; **'~bahn** *f* slide, shoot, chute; *amusement park*: chute, *Am.* chute-the-chutes; **'~e** *tech. f* (-; -*n*) chute, shoot; **'2en** *v/i.* (*sn*) slide, glide; *a. mot. clutch*: slip; *vehicle*: skid; *aer.* sideslip; *soil*: roll down, crumble; *colloq. fig.* make headway; **'~partie** *f* (downhill) slide; trip, jaunt; **'2sicher** *adj.* nonskid.

rütteln ['rytəln] *v/t. and v/i.* (*h.*) shake, jog; *car*: jolt; *tech.* vibrate; *an der Tür ~* rattle at the door; *aus dem Schlafe ~* shake *a p.* up; *fig. ~ an* assail, shake, undermine; *ein gerüttelt(es) Maß* a full (*or* good) measure; *daran ist nicht zu ~* that's a fact.

'Rüttler *tech. m* (-*s*; -) vibrator.

S

S [ɛs], **s** *n* S, s.

Saal [za:l] *m* (-[*e*]*s*; *Säle*) hall; assembly-room.

Saat *agr.* [za:t] *f* sowing; seed (*a. fig.*); standing (*or* growing) crops *pl.*; *in ~ schießen* run to seed; **'~beet** *n* seedbed; **'~beizmittel** *n* seed disinfectant; **'~bestellung** *f* sowing; **'~feld** *n* cornfield; **'~fläche** *f* seeded land; **'~getreide** *n* cereal seed; **'~gut** *n* (-[*e*]*s*) seeds *pl.*; seed(lings *pl.*); **'~kartoffel** *f* seed-potato; **'~korn** *n* seed(-corn); **'~krähe** *f* rook; **'~krankheit** *f* seed-borne disease; **'~schulpflanze** *f* nursery-grown plant; **'~zeit** *f* sowing-time.

Sabbat ['zabat] *m* (-*s*; -*e*) Sabbath; **'~jahr** *n* Sabbatical year; **~schänder(in** *f*) *m* Sabbath-breaker; **~schändung** *f* Sabbath-breaking.

sabbern ['zabərn] *v/i.* (*h.*) dribble, slaver, *Am.* drool; twaddle.

Säbel ['zɛ:bəl] *m* (-*s*; -) sab|re, *Am.* -er, sword; *fig. pol. mit dem ~ rasseln* rattle the sabre; **~beine** *n/pl.* bandy-legs, bow-legs; **2beinig** *adj.* bandy-legged, bow-legged; **~fechten** *n* sabre fencing; **~hieb** *m* sabre-cut, sword-cut; **2n** *v/t.* (*h.*) (cut with a) sabre; *fig.* cut, hack; **~rasseln** *n* sabre-rattling; **~raßler** ['-raslər] *m* (-*s*; -) sabre-rattler; **~scheide** *f* scabbard, sheath.

Sabo|tage [zabo'tɑ:ʒə] *f* (-; -*n*) sabotage (*a. v/i. ~ treiben*); **~'tageabwehr** *f* counter-sabotage; **~teur** [-'tø:r] *m* (-*s*; -*e*) saboteur; **2'tieren** *v/t.* (*h.*) sabotage, *fig. a.* torpedo.

Sacharin [zaxa'ri:n] *n* (-*s*) saccharin(e).

Sach|anlagevermögen ['zax-] *econ. n* tangible fixed assets *pl.*; **~bearbeiter** *m* referee, official in charge; case worker; **~beschädigung** *f* damage to property; wilful destruction; **~bezüge** *m/pl.* receipts in kind; **~darstellung** *jur. f* statement of facts, stated case; **2dienlich** *adj.* relevant, appropriate, pertinent; useful, helpful.

Sache ['zaxə] *f* (-; -*n*) thing, object; affair, matter, business, concern; circumstance; fact; point; issue; case; *jur.* case, (*a. w.s.*) cause; event; *beschlossene ~* foregone conclusion; *e-e ~ für sich* a matter apart; *e-e große ~* a big affair; *jur. in ~n A. gegen B.* in the matter of (*or* in re) A. versus B.; *parl. zur ~!* question!, to the subject!; (*nicht*) *zur ~* (*gehörig*) (ir)relevant, *pred. a.* to (off) the point; *bei der ~ bleiben* stick to the point; *bei der ~ sein* be attentive (*or* intent), *w.s.* be heart and soul in a th., be on the job; *für e-e gute ~ kämpfen* fight for a good cause; *gemeinsame ~ machen mit* make common cause with; *s-e ~ gut* (*schlecht*) *machen* acquit o.s. well (ill), do one's job well (badly); *s-r ~ sicher sein* be sure of one's ground; *s-e* ~ *vorbringen* state one's case; *jur. sich zur* ~ *äußern* refer to the merits of (the case); *zur* ~ *kommen* come to the point, get down to business; *das ist nicht jedermanns* ~ that's not in everybody's line; *das tut nichts zur* ~ that makes no difference; *colloq. das ist* ~! that's a hot stuff!; *es ist s-e* ~ it is his business (*zu* to *inf.*), it is his look-out; *das ist nicht deine* ~ that's no business of yours; *es ist* ~ *des Gerichts, zu entscheiden, ob* it is for the court to decide whether; *er war nicht bei der* ~ he was absent-minded *or* inattentive, his mind was not on his work; *so steht die* ~ that's how matters stand; *colloq. mach keine* ~*n!* you don't say so! → *Mätzchen*; *mot. mit 100* ~*n* with 60 miles per hour; ~*n pl.* **a)** things, effects, belongings, chattels, **b)** luggage, *Am.* baggage, **c)** clothes, things, **d)** furniture *sg.*

'Sach...: **~einlage** *econ. f* contribution in kind; **~enrecht** *jur. n* (-[e]s) law of things; **~entscheidung** *jur. f* decision on the merits; **~gebiet** *n* subject, field; **2gemäß** *adj.* pertinent, appropriate; proper(ly *adv.*); **~katalog** *m* subject catalog(ue); **~kenner** *m*, **~kundige(r** *m*) ['-kundigə(r)] *f* expert; connoisseur; **~kenntnis, ~kunde** *f* (-) expert (*or* special) knowledge, experience; **2kundig** *adj.* (*and adv.*) expert(ly), competent(ly); experienced, versed (in a th.); skilled; **~lage** *f* state of affairs *or* things, position, facts *pl.*; *bei dieser* ~ under these circumstances, as matters stand; **~leistung** *f* performance (*or* payment) in kind.

'sachlich I. *adj.* real; relevant, pertinent, material; *pred.* to the point; matter-of-fact, businesslike, realistic; essential; factual, technical; unbiassed, impartial; detached (*view*); objective; *tech.* functional (*design*); *arch.* practical (*style*); *aus* ~*en Gründen* for technical reasons; on material grounds; → *Zuständigkeit*; **II.** *adv.* to the point; matter-of-factly, *etc.*; ~ *einwandfrei or richtig* factually correct, correct in essentials.

sächlich ['zɛçliç] *gr. adj.* neuter.

'Sachlichkeit *f* (-) reality; relevance; matter-of-factness, realism; impartiality; objectivity; functionalism; *arch. die Neue* ~ the new practicality.

'Sach...: **~register** *n* (subject) index; **~schaden** *m* damage to property, material damage.

Sachse ['zaksə] *m* (-*n*; -*n*) Saxon.

Sächs|in *f* ['zɛksin], **2isch** *adj.* Saxon.

Sachspende ['zaxʃpɛndə] *f* gift in kind.

'sacht, ~e ['zaxt(ə)] *adv.* softly, gently; gingerly, cautiously; gradually; slowly; ~*e!* gently!, easy does it!; *immer* ~*e!* come, come!, take it easy!, draw it mild!

Sach...: **~verhalt** ['-fɛrhalt] *m* (-[e]s; -e) facts *pl.* (of the case); circumstances *pl.*; *den* ~ *darlegen* state the facts; **'~vermögen** *n* material assets *pl.*, tangible property; **'2verständig** *adj.* (*and adv.*) expert(ly), competent(ly); **'~verständige(r)** *m* expert, specialist, authority (*in dat.*, *für* on); *jur.* expert witness; **'~verständigengutachten** *n* expert opinion; **'~walter** ['-valtər] *m* (-s; -) legal adviser; solicitor, counsel; administrator; trustee; agent, attorney; **'~wert** *m* real value; ~*e pl.* material assets *pl.*; **'~wörterbuch** *n* encyclop(a)edia.

Sack [zak] *m* (-[e]s; ⸚e) sack; bag; purse; (*anat.*, *zo. a.* ink) sac; *fig.* → *Katze*; *mit* ~ *und Pack* with bag and baggage; *in* ~ *und Asche gehen* repent in sackcloth and ashes; *j-n in den* ~ *stecken* outwit (*or* get the better of) a p., be heads and shoulders above a p.

Säckel ['zɛkəl] *m* (-s; -) purse, money-bag.

sacken ['zakən] **I.** *v/t.* (*h.*) put into sacks, sack; **II.** *v/i.* (*sn*) (*a. sich* ~) sink, give way, sag; *sich* ~ *clothes, etc.*: bag.

'Sack...: **2förmig** ['-fœrmiç] *adj.* baggy; **~garn** *n* sack-thread; **~gasse** *f* blind alley, cul-de-sac (*Fr.*), *Am. a.* dead end (road); *fig.* deadlock, impasse; *in e-e* ~ *gelangen* reach a deadlock; **2grob** *adj.* very rude; **~hüpfen** *n* (-s) sack-race; **~leinen** *n*, **~leinwand** *f* sacking, sack-cloth, burlap; **~pfeife** *f* bagpipe; **~tuch** *n* (-[e]s; ⸚er) sacking; pocket-handkerchief; **~voll** *m* (-s) sackful; *fig.* bagful; **~zwirn** *m* sack-twine.

Sadis|mus [za'dismus] *m* (-) sadism; **~t** *m* (-*en*; -*en*), **~tin** *f* (-; -*nen*) sadist; **2tisch** *adj.* sadistic.

säen ['zɛ:ən] *v/t. and v/i.* (*h.*) sow; *fig. dünn gesät* sparse, scarce.

'Säen *n* (-s) sowing, seeding (the land).

Safe [ze:f] *m* (-s; -s) safe(-deposit box); strongroom.

Saffian ['zafian] *m* (-s) morocco (leather); **~einband** *m* morocco-binding.

Safran ['zafrɑ:n] *m* (-s; -e) saffron; **2gelb** *adj.* saffron (yellow).

Saft [zaft] *m* (-es; ⸚e) *of trees, etc.*: sap; *of fruit, meat*: juice; gravy; *physiol.* gastric juice; *Säfte pl. des Körpers* humo(u)rs of the body; *fig. ohne* ~ *und Kraft* pithless, wishy-washy; **'~grün** *n* sap-green; **'2ig** *adj.* sappy, juicy, succulent; lush; *fig.* sappy; juicy, spicy (*joke*); ~*e Niederlage* crushing defeat; ~*e Ohrfeige* resounding slap; **'2los** *adj.* sapless; juiceless; *fig.* pithless, wishy-washy.

Sage ['zɑ:gə] *f* (-; -*n*) legend, myth, fable; tradition; *fig. die* ~ *geht* the story goes.

Säge ['zɛ:gə] *f* (-; -*n*) saw; **2artig** *adj.* sawlike, serrate(d); **~blatt** *n* saw-blade; **~bock** *m* saw-horse, *Am. a.* sawbuck; **~fisch** *m* sawfish; **2förmig** ['-fœrmiç] *adj.* → *sägeartig*; **~mehl** *n* sawdust; **~mühle** *f* sawmill.

sagen ['zɑ:gən] *v/t. and v/i.* (*h.*) say; *j-m et.* ~ tell a p. a th.; → *Dank, Meinung, etc.*; *j-m et.* ~ *lassen* send a p. word; *sich* ~, *daß* tell o.s. that; *et.* (*nichts*) *zu* ~ *haben bei* have a (have no) say in; *du hast mir nichts zu* ~ I won't be ordered about by you; ~ *Sie ihm, er soll kommen* tell him to come; *er sagt nur so* he doesn't mean it; *was willst du damit* ~? what do you mean by that?; *sagt dir das etwas?* does that mean anything to you?; *wie sagt man ... auf englisch?* what is the English for ...?; *das hat nichts zu* ~ it doesn't matter, it makes no difference, never mind; *das will* (*nicht*) ~ that is (not) to say; *das will viel* ~ that is saying a lot; *das sagt man nicht* that's not the proper thing to say; *das kann man wohl* ~ you may well say so, *Am.* you can say that again; *ich habe mir* ~ *lassen* I have been told that; *er läßt sich nichts* ~ he won't listen to reason; *laß dir das gesagt sein* let it be a warning to you, put that in your pipe and smoke it; *laß dir von mir* ~ take it from me; *man sagt, er sei tot* they say he is dead, he is said to be dead; *was Sie nicht* ~! you don't say!; *wenn ich so* ~ *darf* if I may say so; *ich muß schon* ~ I daresay; *wem* ~ *Sie das?* you are telling me!; *es ist nicht zu* ~ it is incredible, it is fantastic; *wie man so sagt* as the saying (*or* phrase) goes; ~ *wir zehn Stück* (let's) say ten pieces; *sage und schreibe* no less than, as much as, to the tune of; *sage und schreibe e-e Stunde lang* for a solid hour; *es ist nicht gesagt, daß* that does not (necessarily) mean that; *unter uns gesagt* between you and me (and the bedpost); *wie gesagt* as I said; *gesagt, getan* no sooner said than done.

sägen ['zɛ:gən] *v/t. and v/i.* (*h.*) saw.

'Sagen...: **2haft** *adj.* legendary, mythical, fabulous; *colloq. fig.* incredible; (*adv.*) ~ (*schön*) marvellous; **~kreis** *m* legendary cycle; **~schatz** *m* legends *pl.*, folklore; **2umwoben** *adj.* legendary, epic, storied.

Säger ['zɛ:gər] *m* (-s; -) sawyer.

'Säge...: **~späne** *pl.* sawdust *sg.*; **~werk** *n* sawmill; **~zahn** *m* sawtooth; **~zahnstrom** *el. m* (-[e]s) sawtooth current.

Sago ['zɑ:go] *m* (-s) sago.

sah [zɑ:] *pret. of sehen.*

Sahne ['zɑ:nə] *f* (-) cream; **~bonbon** *m, n* (cream) toffee, *Am.* taffy; **~butter** *f* creamery butter; **~eis** *n* icecream; **~käse** *m* cream cheese.

'sahnig *adj.* creamy.

Saison [zɛ'zɔŋ] *f* (-; -s) season; *stille* ~ dead season, off-season; **~arbeit(er** *m*) *f* seasonal work(er); **~ausverkauf** *m* end-of-season sale; **2bedingt, 2mäßig** *adj.* seasonal; **~schwankungen** *f/pl.* seasonal fluctuations.

Saite ['zaɪtə] *f* (-; -*n*) string, chord (*a. fig.*); *mit* ~*n beziehen* string; *fig.* → *aufziehen*; **~n-instrument** *n* stringed (*or* string-)instrument; **~nspiel** *n* string-music; lyre.

Sakko ['zako] *m* (-s; -s) lounge jacket, sack coat; **~anzug** *m* lounge suit, *Am.* business suit.

sa'kral [za'krɑ:l] *adj.* sacral.

Sa'kralgegend *anat. f* sacral region.

Sakrament [zakra'mɛnt] *n* (-[e]s; -e) sacrament; → *Abendmahl.*
Sakri|stan [zakris'tɑ:n] *m* (-s; -e) sexton, sacristan; **~stei** [-kris'taɪ] *f* (-; -en) vestry.
säkular [zɛ:ku'lɑ:r] *adj.* secular; **≗feier** *f* centenary (celebration).
säkularisieren [-lari'zi:rən] *v/t.* (*h.*) secularize.
Salamander [zala'mandər] *m* (-s; -) salamander.
Salami [za'lɑ:mi] *f* (-; -) salami; **~taktik** *fig. f* salami (*or* piecemeal) tactics *pl.*
Salat [za'lɑt] *m* (-[e]s; -e) salad; lettuce; *colloq. fig. da haben wir den ~!* there we are!; **~besteck** *n* salad-servers *pl.*; **~kopf** *m* head of lettuce; **~öl** *n* salad-oil; **~schüssel** *f* salad-bowl.
salbadern [zal'bɑ:dərn] *v/i.* (*h.*) twaddle, prate.
Salband ['zɑ:lbant] *arch. n* (-[e]s; ⸚er) list, selvedge, selvage; *geol.* wall (of a lode).
Salbe ['zalbə] *f* (-; -n) ointment, *usu. fig. or in compounds* salve; liniment; pomade.
Salbei [zal'baɪ] *m* (-s) *and f* (-) sage.
salben ['zalbən] *v/t.* (*h.*) rub with ointment, apply salve to, grease; *j-n zum Könige ~* anoint a p. king.
Salb-öl ['zalpˀø:l] *eccl. n* consecrated oil.
'**Salbung** *f* (-; -en) anointing, (*a. fig.*) unction; **≗svoll** *adj.* unctuous.
saldier|en [zal'di:rən] *econ. v/t.* (*h.*) balance, settle; clear; *~ mit* set off *a. th.* against; **≗ung** *f* (-; -en) balancing, settlement; clearance.
Saldo ['zaldo] *econ. m* (-s; -den) balance; *den ~ ziehen* strike the balance; *e-n ~ ausweisen* show a balance; **~vortrag** *m* balance carried forward; **~wechsel** *m* draft for the balance.
Saline [za'li:nə] *f* (-; -n) salt-pit, salt-works *pl.*
Salizyl [zali'tsy:l] *chem. n* (-s; -e) salicyl; **~säure** *f* (-) salicylic acid.
Salm [zalm] *m* (-[e]s; -e) *ichth.* salmon; *fig. langer ~* long rigmarole (*or* yarn).
Salmiak [zalmi'ak] *m* (-s) sal ammoniac, ammonium chloride; **~geist** *m* (-es) liquid ammonia.
Salomo(n) ['zɑ:lomo, -mɔn] *m* (-s) Solomon; *Hohe Lied ~nis* Song of Solomon; **salo'monisch** *adj.* Solomonic.
Salon [za'lɔŋ] *m* (-s; -s) drawing-room, *Am.* parlor; *mar., a. of hairdressers*: saloon; *~ für Schönheitspflege* beauty-parlo(u)r; **~bolschewist** *m* drawing-room Bolshevist, *Am.* parlor Red, pink; **≗fähig** *adj.* presentable, fit for good society; *nicht ~* blue, *Am.* off-color (*joke, etc.*); **~held, ~löwe** *m* lady's man, *Am.* lounge-lizard; **~wagen** *m* saloon-carriage *or* -car; *Am.* Pullman (*or* parlor) car.
salopp [za'lɔp] *adj.* careless, slovenly, sloppy; *w.s.* nonchalant, casual.
Salpeter [zal'pe:tər] *chem. m* (-s) saltpetre, nitre, *Am.* saltpeter, niter; **≗artig** *adj.* nitrous; **~bildung** *f* nitrification; **~erde** *f* nitrous earth; **~grube** *f* saltpetre mine; **≗haltig** *adj.* nitrous, nitric; **≗ig** (*usu.* **salpetrig**) *adj.* nitrous; **≗sauer** *adj.* nitric, nitrate of; **~säure** *f* (-) nitric acid.
Salto ['zalto] *m* (-s; -s) somersault, airspring, salto; *~ mortale* breakneck leap.
Salut [za'lu:t] *m* (-[e]s; -e) salute; *~ schießen* fire salutes.
salutieren [zalu'ti:rən] *v/t. and v/i.* (*h.*) salute.
Salve ['zalvə] *f* (-; -n) volley; round (*a. fig. of applause*), *a. mar.* salvo; *mar.* broadside; *in honour of s.o.*: salute; *e-e ~ abgeben* fire a volley, *etc.*; **~nfeuer** *n* volley fire, *mar.* salvo fire.
Salweide ['zɑ:l-] *bot. f* (great) sallow.
Salz [zalts] *n* (-es; -e) salt; *in ~ legen* salt away (*or* down); *fig.* salt, seasoning; *das ~ der Erde* the salt of the earth; '**≗artig** *adj.* saline; '**~bad** *n* salt bath; '**~bergwerk** *n* salt mine; '**~brühe** *f* brine, pickle; '**≗en** *v/t.* (*h.*) salt, season *or* pickle (with salt); *gesalzen* salt, pickled; *fig.* season, spice; *gesalzen* piquant, spicy; exorbitant, steep (*prices*); '**~faß,** '**~fäßchen** *n* salt-cellar; '**~fleisch** *n* salt meat; '**~gehalt** *m* (-[e]s) proportion of salt; '**~geschmack** *m* (-[e]s) salty taste; '**~grube** *f* salt-pit *or* -mine; '**~gurke** *f* pickled gherkin (*or* cucumber); '**≗haltig** *adj.* saline, saliferous; '**~hering** *m* salt(ed) *or* pickled herring; '**≗ig** *adj.* salty, briny; brackish; → *salzhaltig*; '**~igkeit** *f* (-) saltness, salty taste; '**~korn** *n* grain of salt; '**~lake,** '**~lauge** *f* brine, pickle; '**≗los** *adj.* salt-free (*diet*); '**~napf** *m* salt-cellar; '**~säule** *f bibl.* pillar of salt; '**~säure** *chem. f* (-) hydrochloric (*or* muriatic) acid; '**~see** *m* salt-lake; '**~sieder** *m* salt-maker; '**~siede'rei** *f* salt-works *pl.*; '**~sole** *f* brine; '**~steuer** *f* salt-tax; '**~streuer** *m* salt shaker; '**~wasser** *n* (-s; ⸚) salt-water, brine; '**~werk** *n* salt-works *pl.*, saltern.
Sämann ['zɛ:-] *m* (-[e]s; ⸚er) sower.
Samariter [zama'ri:tər] *m* (-s; -) (*barmherziger* good) Samaritan.
'**Sämaschine** *f* sowing-machine, seeder, corn-drill.
Same(n) ['zɑ:mə(n)] *m* (-ns; -n) seed; *zo.* sperm; *of man*: semen; *fig.* seed, germ, source; seed, offspring.
'**Samen...:** **~behälter** *m* seed-vessel, pericarp; **~bildung** *f* seed formation; *physiol.* spermatogenesis; **~drüse** *anat. f* testicle, testis; **~erguß** *m* seminal discharge *or* emission; **~faden** *m* spermatozoon; **~flüssigkeit** *f* seminal fluid; **~gang** *m* spermatic duct; **~gehäuse** *n bot.* pericarp; → *Samenbehälter*; **~händler** *m* seedsman; **~handlung** *f* seed-shop; **~kapsel** *bot. f* (seminal) capsule; **~korn** *n* grain of seed; **~leiter** *m* → *Samengang*; **~pflanze** *f* seedling; **~strang** *anat. m* spermatic cord; **~staub** *bot. m* pollen; **~tierchen** *n* spermatozoon; **≗tragend** *adj.* seed-bearing; **~zelle** *f* sperm cell.
Sämereien [zɛ:mə'raɪən] *f/pl.* seeds.
sämig ['zɛmiç] *adj.* thick, viscid, creamy.
sämisch ['-iʃ] *adj.* chamois-dressed; **≗gerber** *m* chamois-dresser; **≗leder** *n* chamois *or* shammy(-leather).
Sammel|aktion ['zaməl-] *f* fund-raising drive; salvage campaign; '**~album** *n* file, scrapbook; '**~anschluß** *teleph. m* collective numbers *pl.*; '**~band** *m* omnibus volume; '**~becken** *n* reservoir, (collecting *or* storage) tank; *geogr.* catchment basin; '**~behälter** *m,* '**~büchse** *f* collecting-box; '**~bezeichnung** *f* collective name; '**~depot** *econ. n* collective deposit (of securities); '**~elektrode** *el. f* collector; '**~fahrschein** *rail. m* group ticket; '**~gebiet** *n* catchment area; '**~gespräch** *teleph. n* conference call; '**~girokonto** *n* collective security deposit account; '**~güter** *econ. n/pl.* miscellaneous goods, mixed consignment(s *pl.*); '**~konto** *n* general account; '**~ladung** *f* collective consignment, joint-cargo system; '**~lager** *n* collecting point; assembly camp; '**~leitung** *f* distributing main; '**~linse** *opt. f* collecting (*or* convex) lens; '**~liste** *f* collecting list; '**~mappe** *f* file; loose-leaf booklet, folder.
'**sammeln I.** *v/t.* (*h.*) gather; pick (*flowers*), glean (*corn ears*); collect (*stamps, money, etc.*; *a. tech.*); heap (*or* pile, treasure) up, accumulate, amass; hoard up; harvest; concentrate (*a. mil.* = mass); *opt.* focus; compile; canvass (*orders, votes*); assemble, rally; *sich ~* gather, collect, accumulate; assemble, meet, rally, flock together; *fig.* collect one's thoughts, concentrate; compose o.s., recover o.s.; **II.** *v/i.* (*h.*) collect money (*für* for), raise a subscription (for), send round the hat (for); *mil. ~!* assemble!
'**Sammel...:** **~name** *m* collective name; **~nummer** *teleph. f* collective number; **~paß** *m* collective passport; **~platz, ~punkt** *m* meeting-place, place of assembly; *mar., mil.* rendezvous; collecting point, depot, dump; **~posten** *econ. m* aggregate item; **~rohr** *tech. n* header; **~schiene** *el. f* collecting bar, bus bar; **~sendung** *econ. f* collective consignment; **~stelle** *f* collecting point, (central) depot; **~surium** [-'zu:rium] *n* (-s; -rien) omnium-gatherum; medley, jumble; **~tag** *m* flag day; **~teller** *m* collection plate; **~transport** *m* collective transport; **~werk** *n* compilation; **~wort** *gr. n* (-[e]s; ⸚er) collective noun; **~wut** *f* collector's mania.
Sammet ['zamət] *m* (-[e]s; -e) → *Samt.*
Sammler ['zamlər] *m* (-s; -), **~in** *f* (-; -nen) collector; gatherer; *tech.* (*pipe*) header; *el.* accumulator, storage battery; → '**~batterie,** '**~ladeeinrichtung** *el. f* battery charger equipment; '**~stück** *n* collector's item; '**~zelle** *el. f* storage-cell.
'**Sammlung** *f* (-; -en) gathering, collecting, *etc.*; *~ zu wohltätigen Zwecken* collection for charity; (*things*) collection; compilation; selection; anthology; digest; *fig.*

collectedness, composure; concentration.
Sams·tag ['zamsˀtɑ:k] *m* (-[e]s; -e) Saturday; des ~s, ♀s on Saturdays.
samt [zamt] **I.** *adv.*: ~ *und sonders* each and all, all of them (*or* you), the whole lot; **II.** *prp.* (*dat.*) together with, along with, including.
'**Samt** *m* (-[e]s; -e) velvet; *baumwollener* ~ velveteen; *in* ~ *und Seide* in silk(s) and satin(s); ♀**artig** *adj.* velvety; ~**band** *n* (-[e]s; ⸚er) velvet ribbon; ♀**en** *adj.* velvety; ~**handschuh** *m* velvet-glove; *fig. j-n mit ~en anfassen* handle a p. with kid-gloves; ~**kleid** *n* velvet dress.
sämtlich ['zɛmtliç] **I.** *adj.* all (together); complete; whole; entire; *~e Werke* the complete works; **II.** *adv.* all (together *or* of them), in a body, to a man.
'**Samt...:** ~**pfötchen** ['-pfø:tçən] *fig. n* velvet paw; ~ *machen* draw in the claws; ♀**schwarz** *adj.* ivory-black; ~**stoffe** *m/pl.* pile fabric, velvet; ♀**weich** *adj.* (soft as) velvet, velvety.
Samum ['zamum] *m* (-s; -s) simoom.
Sanatorium [zana'to:rium] *n* (-s; *-torien*) sanatorium, *Am.* sanitarium.
Sand [zant] *m* (-[e]s; -e) sand; grit; *a. med.* gravel; *mit ~ bestreuen* (strew with) sand; *mar. auf ~ laufen* strike the sands; *fig. auf ~ bauen* build on sand; *j-m ~ in die Augen streuen* throw dust in a p.'s eyes, hoodwink a p.; *im ~e verlaufen* come to nothing, peter (*or* fizzle) out; *zahllos wie ~ am Meer* numberless as the sand(s).
Sandale [zan'dɑ:lə] *f* (-; -*n*) sandal.
'**Sand...:** ~**bahn** *f racing*: dirt-track; ~**bank** *f* (-; ⸚e) sand-bank, sands *pl.*; ~**blatt** *n* (lower) shrub-leaf (*of cigar*); ~**boden** *m* sandy soil; ~**büchse** *f*, ~**faß** *n* sand-box; ~**dorn** *m* (-[e]s) sea buckthorn.
Sandelholz ['zandəlhɔlts] *n* (-es) sandalwood.
'**Sand...:** ♀**farben** *adj.* sand-colo(u)red, sandy; ~**fliege** *f* sand-fly; ~**floh** *m* sand-flea; ~**form** *f* sand-mo(u)ld; ~**gras** *n* sand grass; ~**grieß** *m* coarse sand, grit; ~**grube** *f* sand pit; ~**guß** *tech. m* sandcasting process; ~**haufen** *m* heap of sand; ~**hose** *f* sand spout; ~**huhn** *n* sand-grouse; ♀**ig** *adj.* full of sand, sandy, gritty; ~**kasten** *m* sand box; *mil.* sand table; ~**kastenspiel** *mil. n* sand table exercise; ~**korn** *n* grain of sand; ~**mann** *fig. m* (-[e]s) sandman; ~**meer** *n* sea of sand; ~**papier** *n* sandpaper; ~**sack** *m* sandbag; *boxing*: body bag, punch-sack; ~**stein** *m* sandstone, free-stone, *Am. arch.* brownstone; ~**strahlgebläse** *tech. n* sandblast unit; ~**sturm** *m* sandstorm, duststorm.
sandte ['zantə] *pret. of senden.*
'**Sand...:** ~**torte** *f* Madeira cake; ~**uhr** *f* sand-glass, hour-glass; ~**wüste** *f* sandy desert, sands *pl.*
sanforisieren [zanfori'si:rən] *v/t.* (*h.*) sanforize.
sanft [zanft] *adj.* soft; gentle; mild, gentle; meek, good-natured; calm, placid; lovely; sweet (*character*); smooth (*death, slope*); gentle (*pressure*); *~er Zwang* nonviolent coercion; *mit ~er Stimme* softly, gently; *ruhe* ~ rest in peace.
Sänfte ['zɛnftə] *f* sedan(-chair), litter; ~**nträger** *m* sedan-bearer.
'**Sanft...:** ~**heit** *f* (-) softness; gentleness; mildness; sweetness; smoothness; ~**mut** *f* (-) gentleness, sweetness, sweet temper; meekness; ♀**mütig** ['-my:tiç] *adj.* gentle, mild, sweet; meek.
sang [zaŋ] *pret. of singen.*
Sang *m* (-[e]s; ⸚e) singing, chant, song; *mit ~ und Klang* with singing and bands playing; *sang- und klanglos* unhonoured (*or* unheralded) and unsung, unceremoniously.
Sänger ['zɛŋər] *m* (-s; -), ~**in** *f* (-; -*nen*) singer, vocalist; *orn.* songster, warbler; *fig.* bard, poet; ~**bund** *m* choral society; ~**fest** *n* choral (*or* singing) festival.
Sanguin|iker [zaŋgu'inikər] *m* (-s; -) sanguine person; ♀**isch** *adj.* sanguine.
sanier|en [za'ni:rən] *v/t.* (*h.*) cure; give prophylactic treatment; sanitate, clear (*slums, etc.*); *econ.* reorganize, reconstruct; stabilize; readjust; ♀**ung** *f* (-; -*en*) sanitation; *econ.* reorganization, reconstruction; stabilization; readjustment; ♀**ungsmaßnahmen** *f/pl.* reconstruction measures; ♀**ungsmittel** *med. n* prophylactic; ♀**ungsviertel** *n* improvement area.
sanitär [zani'tɛ:r] *adj.* sanitary; hygienic; *~e Anlagen* sanitation, plumbing.
Sanitäter [zani'tɛ:tər] *m* (-s; -) ambulance man, first-aider, *mil. a.* hospital orderly, stretcher-bearer.
Sani'täts|artikel *m/pl.*, ~**bedarf** *m* medical supplies *pl.*; ~**behörde** *f* Board of Health; ~**dienst** *m* medical service; ~**flugzeug** *n* air ambulance; ~**hund** *m* ambulance dog; ~**kasten** *m* medicine chest; first-aid kit; ~**kolonne** *f* ambulance column; ~**korps** *n* → *Sanitätstruppe*; ~**offizier** *m* medical officer; ~**rat** *m* senior public health officer; ~**tasche** *f* surgical bag, *Am.* pouch kit; ~**truppe** *f* Army Medical Corps; ~**wache** *f* ambulance station, first-aid post; ~**wagen** *m* ambulance (car); ~**wesen** *n* sanitary (*or* hygienic) matters; medical service; ~**zug** *m* hospital train.
sank [zaŋk] *pret. of sinken.*
Sankt [zaŋkt] (*St.*) Saint (*abbr.* St.), *e.g.* ~ *Bernhard* St. Bernhard.
Sanktion [zaŋktsi'o:n] *f* (-; -*en*) sanction (*a. pol.*).
sanktionieren [zaŋktsio'ni:rən] *v/t.* (*h.*) sanction.
sann [zan] *pret. of sinnen.*
Sanskrit ['zanskrit] *n* Sanskrit.
Saphir ['zɑ:fi:r] *m* (-s; -e) sapphire.
Sappe ['zapə] *mil. f* (-; -*n*) sap.
sapperlot! [zapər'lo:t], **sapperment!** [-'mɛnt] *colloq. int.* the deuce!, the dickens!, *Am.* doggone!, gee whiz!
Sarazene [zara'tse:nə] *m* (-*n*; -*n*) Saracen.
Sardelle [zar'dɛlə] *f* (-; -*n*) anchovy; ~**npaste** *f* anchovy paste.
Sardine [zar'di:nə] *f* (-; -*n*) sardine.
Sardinien [zar'di:niən] *n* (-s) Sardinia.
sardonisch [zar'do:niʃ] *adj.* sardonic(ally *adv.*).
Sarg [zark] *m* (-[e]s; ⸚e) coffin, *Am. a.* casket; '~**deckel** *m* coffin-lid; '~**tuch** *n* pall.
Sarkas|mus [zar'kasmus] *m* (-; -*men*) sarcasm; ♀**tisch** *adj.* sarcastic(ally *adv.*).
Sarkophag [zarko'fɑ:k] *m* (-s; -e) sarcophagus.
saß [zɑ:s] *pret. of sitzen.*
Satan ['zɑ:tan] *m* (-s; -e) Satan, the Fiend *or* Foe; *fig.* devil; hellcat.
satanisch [za'tɑ:niʃ] *adj.* satanic, diabolic(al).
'**Satansbraten** *m* limb (of Satan).
Satellit [zatɛ'li:t] *ast. and pol. m* (-*en*; -*en*) satellite; ~**enstaat** *m* satellite state.
Satin [za'tɛŋ] *m* (-s; -s) satin; sateen.
satinieren [zati'ni:rən] *tech. v/t.* (*h.*) satin, glaze (*fabric*); glaze, calender (*paper*).
Sa'tinpapier *n* glazed paper.
Sati|re [za'ti:rə] *f* (-; -*n*) satire; ~**riker(in** *f*) [-rikər] *m* (-s, -; -, -*nen*) satirist; ♀**risch** *adj.* satiric(al).
Satisfaktion [zatisfaktsi'o:n] *f* (-; -*en*) satisfaction; → *Genugtuung*; ♀**sfähig** *adj.* qualified to give satisfaction.
satt [zat] *adj.* satisfied (*a. fig.*); satiate(d), full; *chem.* saturated; deep, rich (*colour*); *j-n ~ machen* give a p. enough to eat *or* as much as he can eat; *sich ~ essen* eat one's fill; *ich bin ~* I have had enough; *fig.* et. ~ *bekommen* grow (*or* get) tired *or* sick of a th., get fed up with a th.; et. ~ *haben* be (sick and) tired of a th., be fed up with a th.; *er konnte sich nicht ~ daran sehen* he could not take his eyes off it; '♀**dampf** *tech. m* saturated steam.
Sattel ['zatəl] *m* (-s; ⸚) saddle (*a. geol.*); bridge (*of nose*); *arch., tech.* cross-beam; *typ.* gallows *pl.*; *mus.* nut (*of a violin*); *dressmaking*: yoke; *j-n aus dem ~ heben* unhorse (*a. fig.* = unseat, oust) a p.; *fest im ~ sitzen* have a firm seat, *fig.* be firmly established, have the situation well in hand; *er ist in allen Sätteln gerecht* he can turn his hand to anything, he is an all-round man; ~**baum** *m* saddle-tree; ~**dach** *n* saddle-roof; ~**decke** *f* saddle-cloth; ♀**fest** *adj.* firm in the saddle, saddle-fast; ~ *sein a.* sit one's horse well, have a good seat, *fig. in et.*: be quite firm *or* well up in, have *a th.* at one's fingertips; ~**gurt** *m* (saddle-)girth; ~**kissen** *n* saddle-pad, pillion; ~**knopf** *m* pommel; ♀**n** *v/t.* (*h.*) saddle; *fig. sich ~ für* get ready for; ~**nase** *f* saddle nose; ~**pferd** *n* saddle-horse, nearsider; ~**platz** *m* paddock; ~**schlepper** *mot. m* articulated lorry, tractor trailer, *Am.* truck-tractor, semi-trailer (unit); ~**schlepperanhänger** *m* semi-trailer; ~**tasche** *f* saddle-bag; ~**zeug** *n* saddle and harness, saddlery.
'**Sattheit** *f* (-) satiety, fullness; richness, intensity (*of colours*).
sättig|en ['zɛtigən] *v/t. and v/i.* (*h.*) satisfy, satiate, sate; *food*: be

substantial; *chem. phys.* saturate; *j-n (sich)* ~ appease a p.'s (one's) hunger; **~end** *adj.* satisfying, nourishing; **≈ung** *f* (-; -en) satiation, appeasing *a p.'s* hunger; *chem., a. fig.* saturation; **≈ungspunkt** *chem. m* saturation-point (*a. econ.*).

Sattler ['zatlər] *m* (-s; -) saddler; harness-maker; upholsterer; **Sattle'rei** *f* (-; -en) saddlery.

'**Sattler...:** **~meister** *m* master harnessmaker; **~waren** *f/pl.* saddlery *sg.*

'**sattsam** *adv.* sufficiently, enough.

saturieren [zatu'ri:rən] *v/t.* (*h.*) saturate.

Saturn [za'turn] *ast. m* (-s) Saturn.

Satyr ['zɑ:tyr] *m* (-s; -n) satyr.

Satz [zats] *m* (-es; ⸗e) *a gr.* sentence, phrase; *gr. a.* period; *math., logics*: proposition, theorem, thesis; tenet; maxim; principle; *tech.* batch; set (*of stamps, documents, tools, etc.*); nest (*of pots, etc.*); assortment, lot (*of goods*); *tennis*: set; *hunt.* nest (*of rabbits*); fry (*of fish*); *typ.* **a**) setting, **b**) composition, copy; *mus.* **a**) composition, **b**) movement; *of liquid*: sediment, dregs *pl.*, (*coffee*) grounds; rate (*of fees, etc.*); stake; leap, bound, jump; *e-n ~ machen* (take a) leap, bound, jump; **~'aussage** *gr. f* predicate; '**~ball** *m tennis*: set point; '**~bau** *gr. m* (-[e]s) construction, formation of sentences; '**~fehler** *typ. m* misprint; '**~gefüge** *gr. n* complex sentence, period; **~'gegenstand** *gr. m* subject; '**~kosten** *typ. pl.* cost of composition; '**~lehre** *gr. f* syntax; '**~spiegel** *typ. m* type-area; '**~teil** *gr. m* part of a sentence.

'**Satzung** *f* (-; -en) statute, by-law; standing rule; *~en of club, etc.*: articles of association, statutes and articles, *of corporations*: by-laws; *stock exchange*: rules.

'**Satzungs...:** **~änderung** *f* alteration of the statutes, *etc.*; **≈mäßig** *adj.* statutory, (*a. adv.*) in accordance with the statutes; **≈widrig** *adj.* unconstitutional, ultra vires.

'**Satz...:** **≈weise** *adv. gr.* sentence by sentence; by leaps (and bounds); **~zeichen** *gr. n* punctuation-mark.

Sau [zaʊ] *f* (-; ⸗e) sow (*a. metall.*); *hunt.* wild sow; *fig. contp.* swine, (dirty) pig; slut; blot (*of ink*); *colloq. unter aller ~* lousy; *sl. mil. zur ~ machen* blast, squash, smash (to bits), *j-n*: let a p. have it, give a p. the works; '**~arbeit** *colloq. f* hellish (*or* tough) job.

sauber ['zaʊbər] *adj.* clean(ly); neat (*a. fig.*); clean(-minded); tidy; pretty; *iro. a.* fine, nice, dandy; *atom bomb*: clean; *colloq.* slick; *sports*: *~er Schlag* clean hit; **≈keit** *f* (-) clean(li)ness, tidiness; neatness; *fig.* pureness; integrity.

säuberlich ['zɔʏbərliç] *adj.* → *sauber*; *fig.* proper, decent; careful.

'**saubermachen** *v/t. and v/i.* (*h.*) clean up, tidy.

'**säuber|n** *v/t.* (*h.*) clean, cleanse; tidy, clean up (*room*); clear (*von* of); *mil.* mop up; *fig. a. pol.* purge; **≈ung** *f* (-; -en) clean(s)ing; clearing; *pol.* purge; **≈ungsaktion** *f* purge; *mil.* mopping-up operation.

'**Saubohne** *f* broad (*or* horse-)bean.

Sauce ['zo:sə] *f* (-; -n) → *Soße*.

Sauciere [zosi'ɛ:rə] *f* (-; -n) sauce-boat.

'**saudumm** *colloq. adj.* awfully stupid.

sauer ['zaʊər] **I.** *adj.* sour, acid (*a. chem.*); tart, acrid; acidulous; *saure Gurke* pickled cucumber; *fig.* troublesome, harassing; hard, painful, tough, hellish (*job*); sour, morose, cross; *~ werden* turn sour *or* acid, *milk*: turn (sour), curdle; *fig. ein saures Gesicht machen* put on a sour face, look cross, *zu et.*: pull a long face over *a th.*; *in den sauren Apfel beißen* swallow the bitter pill; *sich et. ~ werden lassen* take great pains about a th.; *~ machen* (make) sour, *chem.* acidify; turn *milk* sour; *fig. j-m das Leben ~ machen* make life miserable for a p.; **II.** *adv.*: *~ reagieren auf* et. take a th. in bad part, react sharply to a th.; *es kam ihn ~ an* he found it trying, *w.s.* it went hard with him (*or* against his grain); *das wird ihm noch ~ aufstoßen* he will pay for this yet.

'**Sauer...:** **~ampfer** *bot. m* sorrel; **~braten** *m* stewed pickled beef; *Am.* sauerbraten; **~brunnen** *m* acidulous mineral water.

Saue'rei *colloq. f* (-; -en) → *Schweinerei*.

'**Sauer...:** **~futter** *agr. n* ensilage; **~kirsche** *f* morello cherry; **~klee** *m* wood-sorrel; **~kohl** *m* (-[e]s), **~kraut** *n* (-[e]s) pickled cabbage, sauerkraut.

säuer|lich ['zɔʏərliç] *adj.* sourish; *chem.* acidulous, sub-acid; *fig.* wintry, sour (*smile*); **≈ling** ['-liŋ] *m* (-s; -e) acidulous spring water; sour wine.

'**Sauermilch** *f* curdled milk.

'**säuern** *v/t.* (*h.*) (make) sour, *chem.* acidify, acidulate; oxidize; leaven (*bread, dough*).

'**Sauerstoff** *chem. m* (-[e]s) oxygen; *mit ~ verbinden* oxygenize; oxidize; **~apparat** *m* oxygen apparatus; **≈arm** *adj.* poor in oxygen; **~aufnahme** *f* oxygen absorption; **~behälter** *m* oxygen container (*or* tank); **~flasche** *f* oxygen bottle; **~gas** *n* oxygen gas; **~gerät** *n* oxygen apparatus; **≈haltig** *adj.* oxygenated; **~mangel** *m* (-s) oxygen deficiency, *med. a.* anox(a)emia; **~maske** *f* oxygen mask; **~träger** *phys. m* oxygen carrier; **~verbindung** *f* oxide; **~zelt** *med. n* oxygen tent.

'**sauer...:** **~süß** *adj.* sour-sweet; **≈teig** *m* leaven; **≈topf** *colloq. m* grumpy fellow, *Am.* sourpuss; **~töpfisch** ['-tœpfiʃ] *adj.* surly, peevish, morose.

'**Säuerung** *f* (-; -en) leavening (*of bread, dough*); *chem.* acidification, acidulation; **~sgrad** *m* degree of acidity.

'**Sauerwasser** *n* (-s; ⸗) acidulous (mineral) water, chalybeate spring.

Sauf|bruder ['zaʊf-] *m* boon-companion, crony; → *Säufer*; **≈en** *v/t. and v/i.* (*irr., h.*) *animal*: drink; *vulg. person*: booze, guzzle, tipple, drink, be a drunkard; *~ wie ein Loch* drink like a fish; *dem Pferd zu ~ geben* water the horse.

Säufer(in *f*) ['zɔʏfər] *m* (-s, -; -, -nen) drunkard, alcoholic; dipsomaniac, boozer.

Saufe'rei *vulg. f* (-; -en) boozing; → *Saufgelage*.

'**Säufer...:** **~leber** *med. f* hobnail liver; **~nase** *f* copper-nose; **~wahnsinn** *m* delirium tremens; *the* horrors.

'**Saufgelage** *n* drinking-bout, carousal, booze, binge, soak.

Säug-amme ['zɔʏk-] *f* wet-nurse.

Saug|apparat ['zaʊk-] *m* suction apparatus; **~bagger** *m* suction dredge; **≈en** ['zaʊgən] *v/t. and v/i.* (*h.*) suck (*an dat. a th.*); suck up, absorb; *in sich ~* suck in, imbibe; *mit dem Staubsauger ~* vacuum; *mit der Pipette ~* syphon; *fig. sich et. aus den Fingern ~* make up a th., invent a th.; **~en** *n* (-s) sucking, *usu. tech.* suction; absorption.

säugen ['zɔʏgən] *v/t.* (*h.*) suckle, nurse, give the breast (to), breastfeed.

'**Säugen** *n* (-s) suckling, nursing.

'**Sauger** *m* (-s; -) sucker; *for babies*: (dummy) teat; *tech.* suction apparatus *or* cup.

'**Säuge...:** **~tier** *n* mammal; **~zeit** *f* lactation-period.

'**Saug...:** **≈fähig** *adj.* absorbent; **~fähigkeit** *f* (-) absorptive capacity; **~flasche** *f* feeding-bottle; **~heber** *m* syphon; **~hub** *mot. m* suction (*or* intake) stroke; **~leistung** *f* suction (capacity); **~leitung** *f* suction pipe; *mot.* intake duct.

Säugling ['zɔʏkliŋ] *m* (-s; -e) baby, infant.

'**Säuglings...:** **~ausstattung** *f* layette; **~fürsorge** *f* infant welfare; **~heim** *n* baby nursery, crèche; **~pflege** *f* baby care; **~schwester** *f* baby nurse; **~sterblichkeit** *f* infantile mortality.

'**Saug...:** **~luft** *f* (-) vacuum, indraft; *aer.* inflow; **~massel** ['-masəl] *metall. f* (-; -n) (feeder) head; **~napf** *zo. m* suctorial disk; **~näpfchen** ['-nɛpfçən] *n* (-s; -) suction cup; **~papier** *n*, **~post** *f* absorbent paper; **~pumpe** *f* suction pump; **~rohr** *n* vacuum pipe, suction pipe; syphon; **~rüssel** *m of insect*: proboscis; **~ventil** *n* suction valve; **~wirkung** *f* suction (effect).

'**Sau|hatz** *hunt. f* boar-hunt; **~hirt** *f* swine-herd.

sau-igeln ['zaʊʔi:gəln] *colloq. v/i.* (*h.*) talk smut.

säuisch ['zɔʏiʃ] *adj.* swinish, filthy.

'**Saukerl** *vulg. m* swine, skunk.

Säule ['zɔʏlə] *f* (-; -n) column (*a. fig. of mercury, smoke, etc.*; *a. mil.*); pillar, support (*both a. fig.*); post; *el.* pile; *Atom≈* atomic pile; *galvanische ~* voltaic pile.

'**Säulen...:** **≈artig** ['-ɑ:rtiç], **≈förmig** ['-fœrmiç] *adj.* columnar; **~bohrmaschine** *tech. f* column-type drilling machine, upright drill; **~fuß** *m* column base, pedestal; **~gang** *m* colonnade, arcade; **~halle** *f* pillared hall; portico; **~heilige(r)** *m* stylite; **~knauf**, **~k(n)opf** *m* capital; **~ordnung** *f* order (of columns); **~platte** *f* plinth, abacus; **~reihe** *f* row of columns; peristyle; **~schaft** *m* shaft (of a column); **~ständer** *tech. m* upright, post.

Saum [zaʊm] *m* (-[e]s; ⸚e) hem; seam; *weaving*: selvage; border, edge, margin; outskirts *pl.*, fringe (*of town*).

'sau·mäßig *colloq. adj.* beastly, filthy; awful, *Am.* lousy.

säumen¹ ['zɔʏmən] *v/t.* (*h.*) hem; edge, border, skirt; fringe; *die Straßen ~* line (*or* skirt) the streets.

'säumen² *v/i.* (*h.*) tarry, linger; hesitate; dawdle, dally.

'Säumen *n* (-s) tarrying; delay; hesitation; dawdling.

'Saum·esel *m* sumpter mule.

'säumig *adj.* → *saumselig*; belated (*guests, etc.*); slow, dilatory (*payer*); *pred.* behind-handed.

'Säumnis *f* (-; -se) dilatoriness; delay; default.

'Saum...: ~pfad *m* mule-track, *Am. a.* mountain-trail; **~pferd** *n* pack-horse; **~sattel** *m* pack-saddle.

'saumselig *adj.* tardy, slow, sluggish; dawdling; dilatory; negligent; slack, lazy; **²keit** *f* tardiness; dilatoriness; negligence; slackness.

'Saum...: ~stich *m* hemming stitch; **~tier** *n* sumpter mule (*or* horse).

Sauna ['zaʊna] *f* (-; -s) sauna.

Säure ['zɔʏrə] *f* (-; -n) sourness; *a. med.* acidity; *chem.* acid; *fig.* sourness, acrimony; **~bad** *n* acid bath; **~ballon** *m* carboy; **~batterie** *f* lead-acid battery; **²beständig** *adj.* acid-proof, acid-resistant; **²bildend** *adj.* acidific; **~bildung** *f* acidification; **²empfindlich** *adj.* sensitive to acids; **²fest** *adj.* → *säurebeständig*; **²frei** *adj.* non-acid.

Saure'gurkenzeit *f* silly season.

'Säure...: ²haltig *adj.* acidiferous; **²löslich** *adj.* acid-soluble; **~messer** *m* (-s; -) acidimeter; **~rest** *m* acid radical.

Saures ['zaurəs] *n* (-en): *colloq. gib ihm ~!* let him have it!

'Säure...: ~schutzfett *n* acid-proof grease; **²widrig** *adj.* ant(i-)acid.

Saurier ['zauriər] *m* (-s; -) saurian.

Saus [zaʊs] *m* (-es): *in ~ und Braus leben* live on the fat of the land, revel and riot.

säuseln ['zɔʏzəln] **I.** *v/i.* (*h.*) *leaves, wind*: rustle, whisper, lisp; **II.** *v/t.* (*h.*) *person*: say airily, purr; **²** *n* (-s) whispering; gentle waft.

sausen ['zauzən] *v/i.* (*sn*) *water, etc.*: rush; *wind*: whistle, sough; *bullet, etc.*: whiz, whistle, buzz; (*move fast*) rush, whiz, flit, dash; **²** *n* (-s) rush(ing); sough(ing); buzz(ing); singing (in the ears).

'Sau...: ~stall *m* pigsty; *fig. a. colloq.* awful mess; **~wetter** *colloq. n* filthy weather; **~wirtschaft** *colloq. f* complete chaos, topsy-turvydom, awful mess; **²wohl** *adj.*: *colloq. mir ist ~* I am in the pink, *Am.* I feel like a million dollars.

Savanne [za'vanə] *f* (-; -n) savanna(h).

Saxophon [zakso'fo:n] *mus. n* (-s; -e) saxophone.

Schabe ['ʃa:bə] *f* (-; -n) **1.** cockroach; moth; **2.** → *Schabeisen.*

Schabeisen ['ʃa:p-] *n* scraper, shaving-tool.

'Schabemesser *n* scraping-knife.

'schaben *v/t.* (*h.*) scrape; grate, rasp; scratch; abrade, rub; shave (*furs*).

'Schaber *m* (-s; -) scraper.

Schabernack ['ʃa:bərnak] *m* (-[e]s; -e) practical joke, hoax, trick; prank(s *pl.*), lark(s *pl.*); *j-m e-n ~ spielen* play a prank (*or* practical joke) on a p., play a p. a (nasty) trick.

schäbig ['ʃɛ:biç] *adj.* shabby, threadbare, seedy; *fig.* shabby, mean; **²keit** *f* (-) shabbiness, *fig. a.* meanness.

Schablone [ʃa'blo:nə] *f* (-; -n) model, pattern; stencil; *for drilling*: jig; *for casting, cutting*: template; *fig.* routine; cliché; *nach der ~* by the routine, according to pattern.

Scha'blonen...: ~denken *fig. n* stereotype thinking; **~drehbank** *tech. f* copying-lathe; **²haft, ²mäßig** *adj.* according to pattern, stereotyped; mechanical; routine; **~zeichnung** *f* stencil drawing.

schablo'nieren *v/t.* (*h.*) stencil.

'Schabmesser *n* → *Schabemesser.*

Schabrake [ʃa'brakə] *f* (-; -n) caparison, saddle-cloth.

Schabsel ['ʃa:psəl] *n* (-s; -) scrapings, shavings *pl.*

Schach [ʃax] *n* (-s; -s) chess; *~!* check!; *~ und matt!* checkmate!; *~ bieten* (give) check (to the king), *fig. j-m*: defy (*or* make head against) a p.; *in* (*or im*) *~ halten* hold in check (*a. fig.*), *with pistol, etc.*: *a.* cover; *~ spielen* play (at) chess; **'~aufgabe** *f* chess problem; **'~brett** *n* chessboard; **²brettartig** ['-brɛtˀa:rtiç] *adj.* checkered, tesselated; *tech.* staggered; *~e Anordnung* chessboard layout.

Schacher ['ʃaxər] *m* (-s), **Schache'rei** *f* (-) low trade, haggling, huckstering; *esp. pol.* jobbery; → *Kuhhandel.*

Schächer ['ʃɛçər] *m* (-s; -) *bibl.* thief; murderer, bloodhound; *fig. armer ~* poor wretch.

'Schacherer *m* (-s; -) haggler.

'schachern *v/i.* (*h.*) haggle, barter (*um* about, over), dicker; *esp. pol.* job.

'Schach...: ~feld *n* square; **~figur** *f* chessman, piece; *fig.* pawn; **²'matt** *adj.* (check)mate; *fig.* tired out, dead-beat; *~ setzen* checkmate; **~meisterschaft** *f* chess-championship; **~partie** *f*, **~spiel** *n* game of chess; chessboard and men; **~spieler** *m* chess-player.

Schacht [ʃaxt] *m* (-[e]s; ⸚e) shaft, *mining*: *a.* pit; *arch.* well; manhole; gorge, ravine; hollow; depression, dip; **'~arbeiter** *m* pitman; **'~einfahrt** *f* pit-mouth.

Schachtel ['ʃaxtəl] *f* (-; -n) box, case; *colloq. fig. alte ~* old frump; **~halm** *bot. m* horse-tail; **~satz** *gr. m* involved period.

schächten ['ʃɛçtən] *v/t.* (*h.*) slaughter *cattle* according to Jewish rites.

'Schacht...: ~förderung *f* (-) *mining*: shaft hauling; **~ofen** *m* cupola (furnace); **~stoß** *m* face of a shaft; **~turm** *m* shaft derrick.

'Schach...: ~turnier *n* chess tournament; **~zug** *m* move (at chess); *geschickter ~* clever move (*a. fig.*).

schade ['ʃa:də] *pred. adj.*: (*es ist sehr*) *~* it is a (great) pity (*daß* that), (it's) too bad *he couldn't come*; *wie ~* what a pity, how unfortunate (*that*); *es ist ewig ~, daß* it is a thousand pities that; *es ist ~ um ihn* it is a great pity for him; *dafür ist es* (*er*) *zu ~* it (he) is too good for that; *um das* (*den*) *ist's nicht ~* it (he) isn't much of a loss.

'Schade *m* (-ns; ⸚n) → *Schaden.*

Schädel ['ʃɛ:dəl] *m* (-s; -) skull, cranium; *j-m den ~ einschlagen* bash a p.'s skull in; **~basis(bruch** *m*) *f* (fracture of the) base of the skull; **~bohrer** *m* trepan; **~bruch** *m* fracture of the skull; *e-n ~ erleiden* suffer a fractured skull; **~dach** *n*, **~decke** *f* skullcap; **~haut** *f* pericranium; **~knochen** *m* cranial bone; **~lehre** *f* craniology; phrenology; **~messung** *f* craniometry; **~naht** *f* cranial suture.

'schaden *v/i.* (*h.*) damage, injure, harm, hurt (*j-m* a p.); be injurious (to a p.); prejudice (a p.), be prejudicial *or* detrimental (to a p.); *das schadet nichts* it does not matter, never mind; there is no harm in doing that; *was schadet es?* what does it matter?; *was schadet es* (*schon*), *wenn* what if; *e-e Aussprache kann nicht ~* a discussion might not be amiss; *iro. das schadet ihm nichts* that serves him right, that's good for him.

'Schaden *m* (-s; ⸚) damage (*an dat.* to); injury, harm; infirmity; defect (*a. tech.*); ravages *pl.*, havoc; detriment, prejudice (*für* to); loss; wrong; harm, mischief; *~ erleiden or nehmen, zu ~ kommen* suffer *or* sustain injury, come to harm, be damaged *or* injured; *~ zufügen* (*dat.*) do *a p.* harm *or* injury, cause damage to, inflict losses on; *mit ~ verkaufen* sell at a loss; *zu meinem ~* to my damage *or* cost; *es soll dein ~ nicht sein* you won't regret it; *durch ~ wird man klug* once bitten twice shy; *wer den ~ hat, braucht für den Spott nicht zu sorgen* the laugh is always on the losers.

'Schadenersatz *m* indemnification, indemnity, compensation; damages *pl.*; *~ verlangen* claim damages; *~ leisten* pay damages, make amends (*für* for); *auf ~ (ver)klagen* sue for damages; **~anspruch** *m*, **~forderung** *f* claim for damages; **~klage** *f* action for damages; **²pflichtig** *adj.* liable for damages.

'Schaden...: ~feststellung *f* damage assessment; **~freude** *f* malicious joy *or* glee, gloating; *voller ~* gloatingly; *voll ~ betrachten, etc.* gloat over; **²froh** *adj.* malicious, gloating(ly *adv.*); **~rechnung** *f* statement of damages; **~regler** *m* (claim-)adjuster; **~regulierung** *f* adjustment of damages; **~sfall** *m* case of loss; **~versicherung** *f* indemnity insurance.

schadhaft ['ʃa:thaft] *adj.* damaged; defective, faulty; dilapidated (*building*), out of repair; leaking (*pipes*);

decayed, carious (*teeth*); ²**igkeit** *f* (-) damaged state, defectiveness.
schädig|en [ˈʃɛːdigən] *v/t.* (*h.*) damage, impair, affect; wrong, harm; hurt, injure; prejudice; ²**ung** *f* (-; -*en*) damage (*gen.* to), impairment (of), injury; prejudice, detriment (to).
schädlich [ˈʃɛːtliç] *adj.* harmful, injurious; noxious, unwholesome; poisonous; pernicious; detrimental, prejudicial; bad; *das ist mir nicht* ~ that does me no harm; ²**keit** *f* (-) harmfulness, injuriousness; noxiousness, unwholesomeness; perniciousness.
Schädling [ˈʃɛːtliŋ] *m* (-*s*; -*e*) noxious person, parasite; *zo.* pest, parasite; *agr. a.* vermin; *bot.* destructive weed; ~**sbekämpfung** *f* pest control; ~**sbekämpfungsmittel** *n* pesticide, insecticide.
schadlos [ˈʃaːtloːs] *adj.* indemnified; *j-n* ~ *halten* indemnify a p. (*für* for), *jur. a.* hold a p. harmless; *sich* ~ *halten* recoup (*or* indemnify) o.s. (for), recover one's loss; ²**haltung** *f* (-) indemnification, compensation, recoupment.
Schaf [ʃaːf] *n* (-[*e*]*s*; -*e*) sheep (*a. pl.*); ewe; *fig.* simpleton, ninny; *fig. schwarzes* ~ black sheep; ˈ~**bock** *m* ram; wether.
Schäfchen [ˈʃɛːfçən] *n* (-*s*; -) little sheep, lamb(kin); *pl.* fleecy clouds, mackerel sky, cirro-cumulus clouds; *fig. sein* ~ *scheren, sein* ~ *ins trockene bringen* feather one's nest.
ˈ**Schäfer** *m* (-*s*; -) shepherd.
Schäfeˈrei *f* (-; -*en*) sheep-farm.
ˈ**Schäfer...:** ~**gedicht** *n* pastoral, idyl(l), eclogue; ~**hund** *m* shepherd('s) dog, sheep dog; *deutscher* ~ Alsatian; *schottischer* ~ collie; ~**in** *f* (-; -*nen*) shepherdess; ~**spiel** *n* pastoral play; ~**stündchen** [ˈ-ʃtyntçən] *n* (-*s*; -) hour of love.
ˈ**Schaf·fell** *n* sheepskin; fleece.
schaffen [ˈʃafən] *v/t. and v/i.* (*irr., h.*) create, produce; call into being, organize; set up; (*h.*) do, work; procure, provide, find, get; *Linderung* ~ bring relief, soothe; *Ordnung* ~ establish order; *Rat* ~ find a way out, know what to do; *Vergnügen* ~ afford pleasure; convey, carry, move, put; take, bring; *auf die Seite* ~ **a)** put aside, hide, **b)** embezzle; *aus dem Wege* ~ (*a. fig.*: *j-n*) get out of the way, remove; manage; reach, make (it); succeed; *colloq.* es ~ succeed, get there, make it; *er schaffte e-e Meile in Rekordzeit* he did a mile in record time; *das hätten wir geschafft* well, that's that!, we did it!; *er hat es geschafft* (*im Leben*) he has arrived; *viel* ~ get a great deal done; *nichts zu* ~ *haben mit* have nothing to do with; *ich habe nichts damit zu* ~ *a.* that's no business of mine, I wash my hands of it; *j-m* (*viel*) *zu* ~ *machen* give *or* cause (a great deal of) trouble; *sich unbefugt zu* ~ *machen an* (*dat.*) tamper with; *sich eifrig zu* ~ *machen mit* et. busy o.s. *or* be busy with a th.; *er ist für den Posten wie geschaffen* he is the very man (*or* he is cut out) for the post; ² *n* (-*s*) creation, production; activity, work(ing); ~**d** *adj.* creative; productive; working; ²**sdrang** *m* (-[*e*]*s*) creative urge; ²**skraft** *f* creative power.
ˈ**Schaf·fleisch** *n* mutton.
Schaffner [ˈʃafnər] *m* (-*s*; -) steward, manager; *rail., etc.*: guard, conductor; ~**in** *f* (-; -*nen*) stewardess, housekeeper; conductress.
ˈ**Schaffung** *f* (-) creation; production; provision; organization, establishment, setting-up (*of a commission, etc.*).
ˈ**Schaf...:** ~**garbe** *bot. f* yarrow; ~**herde** *f* flock of sheep; ~**hirt** *m* shepherd; ~**hürde** *f* sheepfold, pen; ~**leder** *n* sheepskin; ²**ledern** *adj.* (of) sheepskin.
Schäflein [ˈʃɛːflaɪn] *n* (-*s*; -) → *Schäfchen.*
ˈ**Schafmilch** *f* ewe's milk.
Schafott [ʃaˈfɔt] *n* (-[*e*]*s*; -*e*) scaffold.
ˈ**Schaf...:** ~**pelz** *m* sheepskin fur *or* coat, fleece; *fig. Wolf im* ~ wolf in sheep's clothing; ~**pocken** *f/pl.* sheep-pox *sg.*; ~**schere** *f* (e-e ~ a pair of) sheep-shears *pl.*; ~**schur** *f* sheep-shearing; ~**seuche** *vet. f* sheep-rot; ~**skopf** *colloq. fig. m* blockhead, numskull, duffer; ~**stall** *m* (sheep-)fold.
Schaft [ʃaft] *m* (-[*e*]*s*; ⸚*e*) shaft (*of lance, column, etc.*); (*flag*) stick; stock (*of rifle*); shank (*of anchor, key, tool*); leg (*of boot*); stalk, peduncle (*of flower*); stem (*of feather*); handle (*of axe, etc.*).
schäften [ˈʃɛftən] *v/t.* (*h.*) provide with a handle; stock, mount (*rifle*); leg (*boot*); splice.
ˈ**Schaf·trift** *f* → *Schafweide.*
ˈ**Schaftstiefel** *m* top-boot, high-boot; *pl. a.* wellingtons.
ˈ**Schaf...:** ~**weide** *f* sheep-run, sheep-walk; ~**wolle** *f* sheep's wool; ~**zucht** *f* sheep-breeding *or* -farming; ~**züchter** *m* sheep-breeder *or* -farmer, wool grower.
Schah [ʃaː] *m* (-*s*; -*s*) shah.
Schakal [ʃaˈkaːl] *m* (-*s*; -*e*) jackal.
Schäker [ˈʃɛːkər] *m* (-*s*; -), ~**in** *f* (-; -*nen*) joker; rogue, wag; flirt.
Schäkeˈrei *f* (-; -*en*) joking, badinage; flirtation, dalliance.
ˈ**schäkern** *v/i.* (*h.*) joke, make fun; dally; flirt, philander.
schal [ʃaːl] *adj.* insipid; stale; *fig. a.* flat.
Schal [ʃaːl] *m* (-*s*; -*e*) scarf; comforter, muffler; shawl.
ˈ**Schalbrett** *n* slab.
Schale [ˈʃaːlə] *f* (-; -*n*) **1.** shell (*of eggs, nuts, etc.*); peel, skin; husk, hull; pod; paring, peeling; bark, rind; *zo.* shell, crust, carapace; *fig.* shell; outside, covering; surface; *of knife*: scale, plate; *aer.* shell, stressed skin; *colloq. sich in* ~ *werfen* spruce o.s. up; **2.** bowl; basin, vessel; (*fruit, etc.*) dish; tray, pan; cup, saucer; *of weigher*: scale, pan; *tech. of bearing*: bush(ing); *fig. die* ~ *des Zorns ausgießen* pour out the vials of wrath; → *Kaltschale.*
schälen [ˈʃɛːlən] *v/t.* (*h.*) remove the shell (*or* skin) from; shell, husk; peel, pare; bark; *sich* ~ (*h.*) cast one's shell (*or* skin), *tree*: shed the bark, exfoliate, *skin, lacquer, etc.*: peel (*or* scale, come) off; *sich aus den Kleidern, etc.*, ~ slip out of, strip.
ˈ**Schalen...:** ~**bau**(*weise f*) *m* (-[*e*]*s*) monocoque (*or* shell) construction; ~**bretter** *n/pl.* form boards; ~**eisen** *metall. n* sow-iron; ~**guß** *tech. m* chill casting; ~**gußform** *f* chill.
ˈ**Schalheit** *fig. f* (-) staleness, flatness; shallowness, insipidity, vapidity.
ˈ**Schälhengst** *m* stallion.
ˈ**Schalholz** *n* pit timber.
Schalk [ʃalk] *m* (-[*e*]*s*; -*e*) (little) rogue, scamp, rascal; wag; *fig. er hat den* ~ *im Nacken* he is a sly-boots; ˈ²**haft** *adj.* roguish, arch; waggish; ˈ~**haftigkeit**, ˈ~**heit** *f* (-) roguishness, archness; waggishness; ˈ~**s-narr** *m* buffoon.
Schall [ʃal] *m* (-[*e*]*s*; -*e*) sound; ring, peal; resonance; noise; echo, reverberation; *fig.* ~ *und Rauch* sound and fury; *schneller als* ~ supersonic; ~ *dämpfen* silence, muffle; ˈ~**boden** *m* sound(ing)-board; ˈ~**brechung** *f* refraction of sound; ˈ~**brett** *n* baffle; ˈ²**dämpfend** *adj.* sound-absorbing, sound deadening; ˈ~**dämpfer** *m* sound absorber; *mot. etc.*, silencer, *Am.* muffler; *teleph.* deadener; ˈ~**dämpfung** *f* sound (proofing) insulation; sound absorption (*or* attenuation); *mot.* silencing, *Am.* muffling; *mit* ~ soundproofed; ˈ~**deckel** *m* sounding top (*or* board); ˈ²**dicht** *adj.* soundproof; ~ *machen* soundproof; ˈ~**dichte** *f* sound (energy) density; ˈ~**dose** *f* pickup.
ˈ**schallen** *v/i.* (*h.*) sound; resound; ring, peal, boom; ~**d** *adj.* resounding, resonant; ~*es Gelächter* peal of laughter, guffaw; ~*er Beifall* ringing applause; *mit* ~*er Stimme* on the top of one's voice.
ˈ**Schall...:** ~**fortpflanzung** *f* propagation of sound; ~**geschwindigkeit** *f* speed of sound, sonic velocity; ~**gewölbe** *n* acoustic vault; ~**grenze** *f* → *Schallmauer*; ~**ingenieur** *m* sound engineer, acoustician; ~(**l**)**ehre** *f* (-) acoustics *pl.*; ~(**l**)**eiter** *m* sound conductor; ~(**l**)**och** *n* sound hole; ~**mauer** *f* sound barrier; ~**messen** *n* (-*s*) sound ranging; ~**messer** *m* (-*s*; -) sonometer; ~**meßgerät** *n* sound locator; ~**meßortung** *f* sound-ranging location; ~**meßtrupp** *mil. m* sound-ranging party.
ˈ**Schallplatte** *f* (gramophone, *Am.* phonograph) record, disk, disc.
ˈ**Schallplatten...:** ~**aufnahme** *f* disk recording, transcription; ~**musik** *f* recorded (*contp.* canned) music; ~**sendung** *f* broadcast of records, *Am.* transcription; ~**verstärker** *m* pickup amplifier.
ˈ**Schall...:** ~**quelle** *f* sound source; ~**raum** *m* sound box *or* chamber; ²**schluckend** *adj.* sound-absorbing; ~**stärke** *f* sound intensity; ~**stärkenmesser** *m* (-*s*; -) phonometer; ~**technik** *f* (-) acoustics *pl.*; ~**trichter** *m* sound projector; bell-mouth; *of loudspeaker*: horn, trumpet; ~**wand** *f* acoustic baffle; ~**welle** *f* sound wave; ~**zeichen** *n* sound signal.
ˈ**Schälmaschine** *f* decorticator.

Schalmei [ʃalˈmaɪ] *mus. f* (-; -*en*) shawm; **~wecker** *m* gong bell.
Schalotte [ʃaˈlɔtə] *bot. f* (-; -*n*) shallot.
schalt [ʃalt] *pret. of schelten.*
Schalt|ader [ˈʃalt-] *el. f* jumper wire; **~anlage** *f* switchgear (installation); **~bild** *n el.* wiring (*or* circuit) diagram; *mot.* gear-changing diagram; **~brett** *n el.* switchboard, (electrical) control panel; *aer., mot.* instrument panel, dashboard; **~dose** *f* switch box.
ˈ**schalten I.** *v/i.* (*h.*) direct, rule; *~ und walten* **a)** manage, command, **b)** potter about; *j-n ~ und walten lassen* let a p. do as (s)he likes, give a person plenty of rope; *~ mit* (*dat.*) deal with; *el.* switch; *mot.* change (*or* shift) gears; *in den ersten Gang ~* shift *or* change into bottom gear; *hart ~* clash gears; *colloq. fig.* do some quick thinking; **II.** *v/t.* (*h.*) *tech.* actuate; operate; control; *mot.* change, shift; start; throw in, engage (*clutch*); insert (*valve*); index (*turret slide*); feed (*support*); *el.* **a)** switch, **b)** wire, **c)** connect; → *ausschalten, einschalten.*
ˈ**Schalter** *m* (-*s*; -) sliding window *or* shutter; *rail, etc.*: booking (*or* ticket) office; *bank, post office*: counter, window, desk; *tech., mot.* control(l)er; *el.* **a)** switch, **b)** circuit-breaker, cut-out; *mehrstufiger ~* multiple-point switch; *selbsttätiger ~* snap switch; **~beamte(r)** *m* counter-clerk; *rail., etc.*: booking-clerk; **~dienst** *m* (-*es*) counter service; **~stellung** *f* switch position; **~stunden** *f/pl.* counter hours.
ˈ**Schalt...: ~getriebe** *n* control gear; *mot.* change-speed gear; **~hebel** *m mot.* gear-shift lever; *tech.* control lever; *el.* switch (*or* contact) lever.
Schaltier [ˈʃa:l-] *zo. n* crustacean.
ˈ**Schalt...: ~jahr** *n* leap-year; **~kasten** *m* switchbox; **~klinke** *f* pawl; **~knopf** *m* control button; **~kulisse** *f* gear-shifting gate; **~kupplung** *f* clutch coupling; **2los** *adj.* gearless; *~es Getriebe* no-shift drive; **~nocke** *f* trip cam; **~plan** *el. m* wiring diagram; **~pult** *n* control desk; **~rad** *n* indexing gear; **~raum** *m* switch room; **~schema** *n* → *Schaltplan*; **~schrank** *el. m* switch cabinet; **~stellung** *f* switch (*or* indexing) position; **~tafel** *f* → *Schaltbrett*; **~tag** *m* intercalary day.
ˈ**Schaltung** *f* (-; -*en*) *tech.* control; *mot.* gear-change, gearshift, shifting; *el.* **a)** circuit (arrangement), **b)** connection(s *pl.*), **c)** wiring, **d)** switching.
ˈ**Schalt...: ~ventil** *n* pilot valve; **~werk** *n* control mechanism; *mot.* gear mechanism; *el.* switch gear.
ˈ**Schalung** *arch. f* (-; -*en*) (*verlorene ~* lost) form.
Schaluppe [ʃaˈlupə] *f* (-; -*n*) sloop, jolly-boat.
Scham [ʃa:m] *f* (-) shame; bashfulness, modesty; *anat.* privy (*or* private) parts, genitals *pl.*; *weibliche ~* pudenda *pl.*; *bibl.* nakedness; *vor ~ erröten* (*vergehen*) blush for (die with) shame; ˈ**~bein** *anat. n* pubic bone; ˈ**~berg** *m* mons pubis; ˈ**~bogen** *m* pubic arch.
schämen [ˈʃɛ:mən]: *sich ~* (*h.*) be *or* feel ashamed (*gen., wegen, über acc.* of [o.s.]); *du solltest dich ~!* you ought to be ashamed of yourself; *ich würde mich zu Tode ~* I should die for shame; *schäme dich! schämt euch!* for shame!, shame on you!
ˈ**Scham...: ~gefühl** *n* (-[e]s) sense of shame; modesty; **~haare** *n/pl.* pubic hair *sg.*; **2haft** *adj.* bashful, modest; shamefaced, blushing; coy, prim; prudish; chaste; **~haftigkeit** *f* (-) bashfulness, modesty; coyness; chasteness; **~lippe** *anat. f* labium (*pl.* labia) of the vulva; **2los** *adj.* shameless; impudent; *fig. ~e Lüge* shameless (*or* barefaced) lie; **~losigkeit** *f* (-; -*en*) shamelessness; impudence.
Schamotte [ʃaˈmɔtə] *f* (-) fire-clay; **~stein** *m* fire-brick.
Schampun [ʃamˈpu:n] *n* (-*s*), **schampuˈnieren** *v/t.* (*h.*) shampoo.
Schampus [ˈʃampus] *colloq. m* (-) fizz, *Am.* gigglewater.
ˈ**Scham...: 2rot** *adj.* red with shame, blushing; *~ machen* put to the blush; *~ werden* blush (with shame), colo(u)r up; **~röte** *f* blush; **~teile** *m/pl.* genitals, private parts.
schand|bar [ˈʃantba:r] *adj.* → *schändlich*; **2bube** *m* scoundrel, villain.
Schande [ˈʃandə] *f* (-) shame; dishono(u)r, disgrace, discredit; ignominy, infamy; → *bedecken*; *j-m ~ machen* bring discredit (*or* shame) upon a p., be a disgrace to a p.; *es ist e-e ~, daß* it is a shame *or* disgrace that; *zu m-r ~ muß ich gestehen* I am ashamed to admit; *~ über dich!* shame on you!; *zu ~n* → *zuschanden.*
schänden [ˈʃɛndən] *v/t.* (*h.*) dishono(u)r, disgrace; soil, sully; desecrate, profane; rape, violate, ravish, abuse (*a woman*); disfigure.
ˈ**Schänder** *m* (-*s*; -) desecrater, profaner; violator, ravisher.
ˈ**Schand...: ~fleck** *m* blemish, stain, blot; disgrace; eyesore; **~geld** *n* scandalous price; *für ein ~* for a mere song.
schändlich [ˈʃɛntliç] **I.** *adj.* shameful, infamous, disgraceful; ignominious; foul, vile, base, abominable (*crime, etc.*); scandalous (*lie, etc.*); **II.** *colloq. adv.* extremely, infernally, awfully; **2keit** *f* (-; -*en*) shamefulnes, disgrace(fulness); infamy, baseness.
ˈ**Schand...: ~mal** *n* stigma, brand (of infamy); **~maul** *n* scandalous tongue; (*person*) slanderer, backbiter, scandalmonger; **~pfahl** *m* pillory; **~preis** *m* scandalous price; **~tat** *f* infamous act(ion), foul deed; *colloq. er ist zu jeder ~ bereit* he is ready for anything, he is a good sport.
ˈ**Schändung** *f* (-; -*en*) → *schänden*; profanation, desecration; rape, violation; disfigurement.
Schank [ʃaŋk] *m* (-[e]s; ⸚e) retail trade of alcoholic liquors; *a.* → ˈ**~gerechtigkeit** *f* licence (*Am.* -se) for selling beer, *etc.*
Schanker [ˈʃankər] *med. m* (-*s*; -) chancre.
ˈ**Schank...: ~gesetz** *n* licensing act; **~mädchen** *n* barmaid; **~stätte** *f* licensed premises *pl.*; **~tisch** *m* bar; **~wirt** *m* licensed victualler; publican, *Am.* saloonkeeper; **~wirtschaft** *f* public house, pub, *Am.* saloon; **~zimmer** *n* tap-room.
Schanz|arbeiten [ˈʃants-] *f/pl.*, **~bau** *mil. m* (-[e]s; -*ten*) construction of field-works, entrenchments; **~arbeiter** *m* sapper, pioneer; **~e** *f* (-; -*n*) *mil.* entrenchment, field-work; *mar.* quarter-deck; ski-jumping hill; *fig. in die ~ schlagen* risk, hazard; **2en** *v/t. and v/i.* (*h.*) throw up entrenchments, entrench, dig (at a trench); *colloq. fig.* work hard, drudge; **~enrekord** *m* (jumping-)hill record; **~entisch** *m* ski-jumping platform; **~pfahl** *m* palisade; **~werk** *n* entrenchment; **~zeug** *n* (-[e]s) entrenching tools *pl.* *or* equipment.
Schar [ʃa:r] *f* (-; -*en*) **1.** troop, band; group, bunch, party, *a. b.s.* gang; posse, *b.s.* horde; crowd; flock (*of geese*); flight (*of birds*); covey (*of partridges*); bevy (*of larks, roes, ladies*); **2.** *agr.* ploughshare, *Am.* plowshare.
Scharade [ʃaˈra:də] *f* (-; -*n*) charade.
Scharbock [ˈʃa:rbɔk] *med. m* (-[e]s) scurvy.
ˈ**scharen** *v/t. and sich ~* (*h.*) assemble, collect; flock together; *um sich ~* rally; *sich ~ um* (*acc.*) rally (a)round; **~weise** *adv.* in troops, in crowds.
scharf [ʃarf] **I.** *adj.* sharp (*a. fig.*); sharp-edged, cutting, keen; pointed, acute; sharp, peaked (*curve*); *fig.* sharp, harsh; sharp, acrid, pungent (*smell, taste*); peppered, hot; caustic, corrosive, mordant; biting, caustic (*remark, etc.*); trenchant, slashing (*criticism*); piercing, shrill (*sound*); *mit ~er Stimme* sharply, in strident tones; *~e Zunge* sharp tongue; abrupt, sharp; exact, precise; *opt., phot.* well-focus(s)ed; sharply defined (*outlines*); salient (*feature*); pronounced; *colloq.* hot (*girl, etc.*), juicy (*joke*); *~er Gegensatz* sharp contrast; *~er Gegner* declared enemy; severe, rigorous, strict, drastic; rigid, iron (*discipline*); *~e Zucht halten* rule with an iron hand; *~er Beobachter* keen observer; *~er Blick* keen eye; *~es Gehör* acute hearing, sharp *or* quick ear; *~es Tempo* hard (*or* sharp) pace; *~er Verstand* sharp intelligence, keen (*or* penetrating) mind; *~er Wind* sharp (*or* biting, cutting) wind; *~e Konkurrenz* stiff competition; *~e Züge* sharp(-cut) features; *mil.* live (*ammunition*), armed (*mine, etc.*); *colloq. ~ sein auf* be very keen on; **II.** *adv.* sharply, *etc.*; *fig. ~ aufpassen* give close attention, prick one's ears; watch out, be on the alert; *~ ansehen* look sharply *or* keenly at; *~ reiten* ride hard; *~ schießen* shoot with ball (*or* live ammunition); *~ im Auge behalten* keep a close watch on; *j-n ~ anfassen* be sharp (*or* strict) with a p.; *~ ins Zeug gehen* not to pull one's punches, go it strong; *j-m ~ zu*

Leibe gehen press a p. hard, corner a p.; *sich ~ wenden gegen* attack vigorously, take strong issue with; → *scharfmachen*; **2abstimmung** *f* (-) *radio*: sharp tuning; *selbsttätige*: automatic tuning control; **2blick** *m* (-[e]s) penetrating glance, quick eye; *fig.* penetration, perspicacity; **~blickend** → *scharfsichtig*.
Schärfe ['ʃɛrfə] *f* (-; -*n*) sharpness; *fig.* keenness, acuteness; pungency; severity, rigo(u)r, harshness; exactness; *opt.* sharp definition; abruptness; *of microscope*: resolving power; edge; acrimony; stringency; *~ verleihen* put an edge to; *e-r Rede, etc., die ~ nehmen* take the edge off *a speech, etc.*
'**scharf...:** **~eckig** *adj.* sharp-cornered; **2einstellung** *f* focus(s)ing; focus control.
'**schärfen** *v/t.* (*h.*) sharpen, put an edge to (*a. fig.*); whet; grind; point, cut (*pencil*); arm (*mine, etc.*); *fig.* aggravate, intensify, heighten; sharpen (*ear, eye, mind*); strengthen (*memory*).
'**scharf...:** **~gängig** *tech. adj.* V--threaded (*screw*), angular (*thread*); **~kantig** *adj.* sharp-edged, edgy; *phot., etc.* sharply defined; **~machen** *v/t.* (*h.*) arm (*mine, bomb, etc.*); activate (*fuse*); *fig.* instigate; *~ gegen* (*acc.*) set *a p.* against; **2macher** *pol. m* firebrand, agitator; **2mache'rei** *f* (-) agitation; **2richter** *m* executioner, hangman; **2schießen** *mil. n* live shooting; **2schütze** *m* marksman, crack shot, sharpshooter; *mil.* sniper; **2sicht** *f* quickness (*or* keenness) of sight; *fig.* perspicacity, penetration; **~sichtig** ['-ziçtiç] *adj.* sharp-sighted, quick-sighted; *fig.* perspicaceous, penetrating, clear--sighted; **2sinn** *m* (-[e]s) sagacity, acumen, penetration, penetrating mind; discernment; **~sinnig** *adj.* sharp-witted, penetrating, shrewd; sagacious, discerning; subtle; **2sinnigkeit** *f* (-) → *Scharfsinn*; **~umrissen** ['-um'risən] *adj.* clear--cut; **~winkelig** *adj.* acute-angled.
Scharlach ['ʃarlax] *m* (-s; -e) (*a.* **~farbe** *f*) scarlet; *med.* (*a.* **~fieber** *n*) scarlet fever; **2rot** *adj.* scarlet (-red).
Scharlatan ['ʃarlatan] *m* (-s; -e) charlatan; quack (doctor), mountebank; **~e'rie** *f* (-; -*n*) charlatinism, quackery.
Scharm [ʃarm] *m* (-s) → *Charme.*
Scharmützel [ʃar'mytsəl] *n* (-s; -), **2n** *v/i.* (*h.*) skirmish.
Scharnier [ʃar'ni:r] *n* (-s; -e) hinge, joint; *mit ~(en) versehen* hinged; **~deckel** *m* hinged lid; **~stift** *m* hinge-bolt.
Schärpe ['ʃɛrpə] *f* (-; -*n*) scarf, sash; sling.
Scharpie [ʃar'pi:] *f* (-) lint.
Scharre ['ʃarə] *tech. f* (-; -*n*) scraper.
'**scharren** *v/t. and v/i.* (*h.*) scrape (*mit den Füßen* one's feet); scratch (*a. chicken*); *horse*: paw.
Scharte ['ʃartə] *f* (-; -*n*) notch, nick, dent; crack, fissure; gap; *mil.* loophole, embrasure, *of tank*: port; *e-e ~ auswetzen* wipe out a disgrace; repair a fault.
Scharteke [ʃar'te:kə] *f* (-; -*n*) old volume, trashy book; trash, junk; *colloq.* (*woman*) old frump.
'**schartig** *adj.* jagged, dented.
scharwenzeln [ʃar'vɛntsəln] *v/i.* (*sn*) bow and scrape; *um j-n*: fawn (*or* dance attendance) (up)on a p.
Schatten ['ʃatən] *m* (-s; -) shadow (*a. TV, med.; fig. companion, ghost*); shade (*a. paint.*); *Licht und ~* light and shade; *der ~ des Todes* the shadow of death; *e-n ~ werfen* cast a shadow (*auf acc.* upon; *a. fig.*); *kommende Ereignisse werfen ihre ~ voraus* coming events cast their shadows before; *in den ~ stellen* put in the shade, *fig. a.* throw in the shade, eclipse, exceed (*expectations*); *j-m wie ein ~ folgen* follow a p. like a shadow; *er ist nur noch ein ~ (seiner selbst)* he is but a shadow (of his former self); **~bild** *n* silhouette; *fig.* phantom; **~boxen** *n* shadow-boxing; **~dasein** *n* shadowy existence; *ein ~ führen* live in the shadow; **2haft** *adj.* shadowy, shadow-like; ghostly; **~könig** *m* mock king; **2los** *adj.* shadowless, shadeless; **2reich** *adj.* shady, umbrageous; **~reich** *n* realm of shades, Hades; **~riß** *m* silhouette; **~seite** *f* shady side; *fig. a.* dark (*or* seamy) side; drawback; **2spendend** *adj.* throwing a shade; shady; **~spiel** *n* shadow-play, Chinese shades *pl.*; *fig.* phantasmagoria.
schat'tier|en *v/t.* (*h.*) shade (off), tint; hatch; **2ung** *f* (-; -*en*) shading; shade, tint, hue; *fig. aller ~en* of all shades.
'**schattig** *adj.* shady, shadowy; shaded.
Schatulle [ʃa'tulə] *f* (-; -*n*) casket; cash box; *of prince*: privy purse.
Schatz [ʃats] *m* (-es; ⸚e) treasure; *fig. a.* rich store, wealth (*an dat.* of); find; rich source, bonanza; *colloq.* sweetheart, love, *my* treasure, darling, *Am. a.* honey; '**~amt** *n Brit.* Exchequer, *Am.* Treasury (Department); '**~anweisung** *f* Treasury bond, *Am.* Treasury certificate.
schätzbar ['ʃɛtsba:r] *adj.* estimable; **2keit** *f* (-) estimableness, valuability.
'**schätzen** *v/t.* (*h.*) estimate; value (*auf acc.* at), compute (at); *for taxation*: assess; appraise, assess (*damage*); value, price, rate (at); forecast; appreciate; esteem, think highly of; treasure, set great store by *a th.*; *zu hoch ~* overestimate, overrate; → *unterschätzen*; *sich ... ~* consider o.s. ...; *sich glücklich ~, zu inf.* be happy (*or* delighted) to *inf.*; *ich schätze, es wird nicht lange dauern* I reckon *it won't last long*; *er schätzt das gar nicht* he doesn't like that at all; **~swert** *adj.* estimable, valuable.
'**Schätzer** *m* (-s; -) (expert) valuer; *insurance*: appraiser.
'**Schatz...:** **~gräber** *m* treasure--seeker; **~kammer** *f* treasure--vault; → *Schatzamt*; **~kanzler** *m* Treasurer; *Brit.* Chancellor of the Exchequer; **~kästlein** ['-kɛstlaın] *fig. n* (-s; -) treasury, collection of gems; **~meister** *m* treasurer (*of club, etc.*); **~schein** *m* Treasury bill.
'**Schatzung** *f* (-; -*en*) taxation.
'**Schätzung** *f* (-; -*en*) estimate, valuation; computation; rating; *for taxation*: assessment, *Am.* assessed valuation; *insurance*: appraisal; appreciation, estimation; esteem, high opinion.
'**Schätzungs...:** **~fehler** *m* error in estimating; **2weise** *adv.* approximately, roughly; *er hat ~ 200 Abnehmer* he is estimated to have 200 customers; *~ 7 Millionen Amerikaner* an estimated seven million Americans; **~wert** *m* estimated (*taxation*: assessed, *insurance*: appraised) value.
'**Schatzwechsel** *m* → *Schatzschein.*
Schau [ʃau] *f* (-; -*en*) view; inspection; show, exhibition; spectacle, show; *mil.* review; vision; *nur zur ~* only for show; *zur ~ stehen* be on display; *zur ~ stellen* (put on) display, exhibit; *zur ~ tragen* display, parade, sport, flaunt; wear (*look, smile*), *w.s.* assume (*an air*); *colloq. e-e ~ abziehen* make a show (of o.s.); '**~bild** *tech. n* chart, graph; diagram; curve; '**~bude** *f* show--booth; '**~bühne** *f* stage.
Schauder ['ʃaudər] *m* (-s; -) shudder(ing), shiver, tremor; *fig.* horror, terror; **2erregend**, **2haft** *adj.* horrible, dreadful, *fig. a.* awful; atrocious, heinous; **2n** *v/i.* shudder, shiver (*vor dat.* at); *es schaudert mich, mir (or mich) schaudert* I shudder, my flesh creeps; *es macht mich ~* it makes me shudder, it gives me the creeps; *mich schaudert bei dem Gedanken* I shudder at the thought.
'**schauen I.** *v/t.* (*h.*) see, perceive; view, behold; **II.** *v/i.* (*h.*) look; *~ auf* (*acc.*) look (*or* gaze) at, *fig.* look upon, take as a model; *colloq. schau, daß du fertig wirst* see to it that, take care that *you get it finished*; *schau, schau!* well, well!, what do you know!
'**Schauer 1.** *m* (-s; -) shower (*of hail, rain, gifts, etc.*); shudder(ing), shiver; attack, fit, paroxysm; thrill; **2.** *m or n* (-s; -) shed, shelter; **2lich** *adj.* horrible, ghastly, gruesome, hair-raising; **~mann** *mar. m* (-[e]s; -*leute*) stevedore, docker, *Am.* longshoreman; **2n** *v/i.* (*h.*) → *schaudern*; *hageln*; **~roman** *m* penny-dreadful, shocker.
Schaufel ['ʃaufəl] *f* (-; -*n*) shovel; scoop; paddle; palm (*of anchor, antlers*); *tech.* blade, bucket (*of turbine*); *zwei ~n Kohlen* two shovelfuls of coal; **~bagger** *m* shovel dredger, *Am.* dredging shovel; **~geweih** *hunt. n* palmed antlers *pl.*; **~hirsch** *m* stag with palmed antlers; **2n** *v/t. and v/i.* (*h.*) shovel; dig; **~rad** *n* paddle-wheel; *of turbine*: bladed wheel; **~zahn** *m* (broad) incisor.
'**Schaufenster** *n* shop-window, *Am.* show window, store window; *~ ansehen (gehen)* go window-shopping; **~auslage** *f* window display; **~dekorateur** *m* window-dresser; **~dekoration**, **~gestaltung** *f* window--dressing; **~einbruch** *m* smash--and-grab raid; **~reklame** *f* window-display advertising.

Schaufler *hunt. m* (-s; -) buck with palmed antlers.

ˈ**Schau...: ~fliegen** *n* (-s), **~flug** *aer. m* stunt flying, air display; **~gerüst** *n* stage, plateform, stand; **~glas** *tech. n* sight glass; **~haus** *n* mortuary, morgue (*Fr.*); **~kampf** *m boxing*: exhibition (bout); **~kasten** *m* show-case.

Schaukel [ˈʃaukəl] *f* (-; -*n*) swing; → **~brett** *n* seesaw; **2n I.** *v/i.* (*and sich*) (*h.*) swing; rock; seesaw; wobble; sway; **II.** *v/t.* (*h.*) swing; rock; *colloq. fig.* swing, wangle *a th.*; **~pferd** *n* rocking-horse; **~politik** *f* seesaw policy; **~reck** *n gym.* trapeze; **~ringe** *m/pl. gym.* flying rings; **~stuhl** *m* rocking-chair, rocker.

ˈ**Schau...: ~loch** *n* peephole; *tech.* inspection hole; **~lust** *f* (-) curiosity; **2lustig** *adj.* curious; **~lustige(r** *m*) *f* (-*n*, -*n*; -*en*, -*en*) onlooker, curious bystander; sightseer.

Schaum [ʃaum] *m* (-[e]s; ⸚e) foam; spray; *on beer, etc.*: froth, head; bubbles *pl.*; lather; scum; *fig.* bubble; *zu ~ schlagen* whip, beat up (*egg*); *fig. zu ~ werden* vanish, come to nothing, fizzle out; *ihm stand der ~ vor dem Munde* he foamed at the mouth; ˈ**~bad** *n* bubble bath; ˈ**2bedeckt** *adj.* covered with foam, foamy; ˈ**~blase** *f* bubble (*a. fig.*).

schäumen [ˈʃɔymən] *v/i.* (*h.*) foam, froth; *beverage*: fizz, effervesce; *beer*: foam; *wine*: sparkle; *soap suds*: lather; *fig. vor Wut ~* foam, boil (with rage); **~d** *adj.* foaming, frothy; effervescent (*drink*); sparkling (*wine*).

ˈ**Schaum...: ~feuerlöscher** *m* foam extinguisher; **~gebäck** *n* meringue(s *pl.*); **~gold** *n* Dutch gold; tinsel; **~gummi** *m* foam rubber; **2ig** *adj.* foaming, frothy; **~kelle** *f*, **~löffel** *m* skimming-ladle; **2los** *adj.* foamless; *beer*: flat; **~schläger** *m* whisk, egg-beater; *fig.* gas-bag; bluff, humbug; **~schlägeˈrei** *fig. f* empty talk, humbug; **2schlägerisch** *adj.* frothy.

ˈ**Schau·münze** *f* medal.

ˈ**Schaumwein** *m* sparkling wine.

ˈ**Schau...: ~packung** *f* dummy; **~platz** *m* scene (of action), theat|re, *Am.* -er (of war, *etc.*); **~prozeß** *jur. m* show trial.

schaurig [ˈʃauriç] *adj.* horrible, horrid; weird, hair-raising.

ˈ**Schauspiel** *n* spectacle, sight; *thea.* (stage-)play; drama; *fig. es war ein trauriges ~* it was a sorry sight; **~dichter(in** *f*) *m* playwright, dramatist; **~dichtung** *f* drama(tic poetry); **~er** *m* actor, player; comedian; tragedian; *pl. the* cast; *fig. contp.* play-actor; **~eˈrei** *fig. f* play-acting, affectation; **~erin** *f* actress; comedienne; tragedienne; **2erisch** *adj.* theatrical, histrionic; acting (*talent, etc.*); **2ern** *v/i. and v/t.* (*h.*) *fig.* play-act, sham, feign, put it on; **~haus** *n* playhouse; theat|re, *Am.* -er; **~kunst** *f* (-) dramatic art, *the* drama.

ˈ**Schau...: ~steller** [-ˈʃtɛlər] *m* (-s; -) exhibitor; showman; **~stellung** *f* exhibition, show; **~stück** *n* show-piece, exhibit; specimen; *thea.* lavish stage spectacle; **~tafel** *f* → *Schaubild*; **~turnen** *n* gymnastic display.

Schawatte [ʃaˈvatə] *tech. f* (-; -*n*) anvil block; bedplate.

Scheck [ʃɛk] *econ. m* (-s; -s) cheque, *Am.* check (*über acc.* for); *e-n ~ ausstellen* draw a cheque; ˈ**~abrechnung** *f* clearing of cheques; ˈ**~buch** *n* cheque- (*Am.* check-) book.

Schecke [ˈʃɛkə] *f* (-; -*n*) piebald (*or* dappled) horse.

ˈ**Scheck...: ~fähigkeit** *f* (-) capacity to draw (*or* to be the drawee of) cheques; **~fälscher** *m* cheque (*Am.* check) forger; **~fälschung** *f* forgery of cheque; forged cheque; **~formular** *n* cheque form, *Am.* blank check; **~heft** *n* → *Scheckbuch*.

ˈ**scheckig** *adj.* spotted, speckled; *esp. horse*: piebald, dappled.

ˈ**Scheck...: ~inhaber(in** *f*) *m* bearer (of a cheque); **~konto** *n* cheque (*or* drawing) account, *Am.* checking account; **~verkehr** *m* cheque (*Am.* check) transactions *pl.*

scheel [ʃeːl] **I.** *adj.* (*a.* ˈ**~äugig**) cross-eyed; *fig.* (*a.* ˈ**~süchtig**) jealous, envious; **II.** *adv.*: *j-n ~ ansehen* look askance at.

Scheffel [ˈʃɛfəl] *m* (-s; -) bushel; *fig. sein Licht unter den ~ stellen* hide one's light under a bushel; **2n I.** *v/t.* (*h.*): *Geld ~* rake in (*or* amass) money; **II.** *v/i.* (*h.*) yield abundantly; **2weise** *adv.* by the bushel; in large quantities.

Scheibe [ˈʃaibə] *f* (-; -*n*) disk (*a. anat.*), *esp. tech.* disc; slice (*of bread, etc.*); cake (*of wax*); honeycomb; (*window*) pane; *shooting*: target; *hockey*: puck; *teleph., etc.*: dial; *tech.* disk, disc, plate; lamella; (*grinding, potter's*) wheel; gasket, washer; circular shape; pulley; sheave; *colloq. fig. da* (*bei ihm*) *kannst du dir noch eine ~ abschneiden* you can learn a lot from him, you can take a leaf out of his book; *ja, ~!* my foot!

ˈ**Scheiben...: ~antenne** *f* disc aerial (*Am.* antenna); **~bremse** *f* disc brake; **~dichtung** *f* sheet gasket; **~egge** *agr. f* disc harrow; **2förmig** [-ˈfœrmiç] *adj.* disk-shaped; **~gardinen** *f/pl.* casement curtains; **~glas** *n* plate-glass; **~honig** *m* honey in the comb; **~kupplung** *f* disc clutch; **~pflug** *m* disc plough (*Am.* plow); **~pistole** *f* target pistol; **~rad** *mot. n* disc wheel; **~schießen** *n* target practice; **~stand** *m* butts *pl.*; shooting-range; **2weise** *adv.* in slices; **~wischer** *m mot.* wind-screen wiper, *Am.* (*and aer.*) windshield wiper.

Scheich [ʃaiç] *m* (-s; -e) sheik(h).

Scheide [ˈʃaidə] *f* (-; -*n*) line of separation, borderline, parting; sheath (*a. bot.*); scabbard; *anat.* vagina; *aus der ~ ziehen* unsheathe *or* draw (*one's sword*); **~anstalt** *tech. f* refinery; **~bad** *chem. n* separating bath; **~brief** *m* farewell letter; **~erz** *metall. n* picked ore; **~flüssigkeit** *f* separating liquid; **~gold** *n* parting gold; **~kunst** *f* (-) analytical chemistry; **~linie** *f* separating line; **~mauer** *f* partition(-wall); **~mittel** *chem. n* parting agent; **~münze** *f* small coin.

ˈ**scheiden I.** *v/i.* (*irr., sn*) *and sich* (*irr., h.*) separate; depart, leave; part, take leave of one another; *aus dem Dienst ~* retire from service, resign; *aus dem Leben ~* depart this life; *aus e-r Firma ~* leave a firm; *fig. hier ~ sich die Wege* here the roads part; **II.** *v/t.* (*irr., h.*) separate, part (*both a. tech.*); sever; divide; analyse, refine; decompose; pick (*ore*); clarify (*sugar*); *jur.* divorce (*spouses*), dissolve (*marriage*); *sich ~ lassen* seek a divorce; divorce one's wife *or* husband; *geschieden werden* obtain a divorce; → *geschieden*; **2** *n* (-s) parting (*a. tech.*); *vor s-m ~* previous to his departure; **~d** *adj.* parting, farewell; closing (*year*); **2spekulum** [ˈ-ʃpekulum] *n* (-s; -*la*), **2spiegel** *med. m* vaginal speculum.

ˈ**Scheide...: ~wand** *f* partition (-wall); *anat., bot.* septum; *fig.* barrier; **~wasser** *chem. n* (-s; ⸚) aqua fortis, nitric acid; **~weg** *m* forked way, crossroad; *fig.* dilemma; *am ~e* at the crossroads.

ˈ**Scheidung** *f* (-; -*en*) separation, parting; *chem.* analysis; *metall.* refining; picking (*of ore*); *jur.* **a)** divorce (*von* from), **b)** dissolution *of a marriage*; *auf ~ klagen* sue for divorce; *die ~ einreichen* file a petition for divorce.

ˈ**Scheidungs...: ~begehren** *n* (-s) petition for divorce; **~grund** *m* ground for a divorce; **~klage** *f* divorce suit; *die ~ einreichen* file a petition for divorce; **~prozeß** *m* divorce suit; **~urteil** *n* judicial decree of divorce.

Schein [ʃain] *m* (-[e]s) **1.** shine; light; gleam; → *Glanz*; flash; blaze; **2.** (*pl.* -e) certificate; form; paper; bill; (bank-)note, *Am. a.* bill; receipt; slip; **3.** *fig.* appearance, semblance; → *Anschein*; air, look; outside, (mere) show; sham, make-believe, blind; *unter dem ~e* (*gen.*) under the cloak (*or* disguise) of; *zum ~e* pro forma; *den ~ wahren* keep up appearances, save one's face; *nach dem ~ urteilen* judge by appearance(s); *dem ~ nach zu urteilen* on the face of it; *sich den ~ geben, als ob* feign (*or* pretend, make) as if; *der ~ spricht gegen ihn* appearances are against him; *der ~ trügt* appearances are deceptive.

ˈ**Schein...** *in compounds usu.* apparent ...; mock ...; sham ...; dummy ...; fictitious ...; pseudo ...; *Am. sl.* phon(e)y ...; **~angriff** *m* feint attack, feint; **~anlage** *mil. f* dummy installation, decoy; **~argument** *n* specious argument; **2bar I.** *adj.* seeming, apparent; false, fictitious; **II.** *adv.* seemingly, *etc.*; on the face of it, on its face; **~bild** *n* delusion, illusion; phantom; **~blüte** *econ. f* specious prosperity, sham boom; **~ehe** *f* fictitious marriage.

ˈ**scheinen** *v/i.* (*h.*) shine, give light; shine, gleam; *der Mond scheint* the moon is shining; *fig.* seem, appear, look; *es scheint mir* it seems (*or* appears) to me; *sie ~ reich zu sein* they seem to be rich; *wie es scheint* as it seems.

ˈ**Schein...: ~flugplatz** *mil. m* dummy airfield; **~friede** *m* hollow peace; **~gefecht** *n* sham fight; **~geschäft** *n* fictitious transaction; **~gewinn** *m* apparent book profit; **~grund** *m* apparent reason; pretext; **≈heilig** *adj.* sanctimonious, canting; hypocritical; false (*smile, etc.*); **~heilige(r** *m*) *f* hypocrite, saint; **~heiligkeit** *f* sanctimoniousness; hypocrisy; falseness; **~kauf** *m* sham purchase; **~könig** *m* mock king; **~stellung** *mil. f* dummy position; **~strom** *el. m* apparent current; **~tod** *med. m* suspended animation, apparent death; **≈tot** *adj.* in a state of suspended animation, seemingly dead, (lying) in a trance; **~vertrag** *m* fictitious (*or* sham) contract.

ˈ**Scheinwerfer** *m* reflector, projector; searchlight; floodlight; *mot.* headlight, headlamp; *thea.* (*a.* **~licht** *n*) spotlight; *film*: reflector, *Am.* klieg light; **~kegel** *m* searchlight beam, flare; **~lampe** *f* projector lamp.

ˈ**Scheinwiderstand** *el. m* impedance.

Scheiße [ˈʃaɪsə] *f* (-), **≈n** *vulg. v/i.* (*irr., h.*) shit.

ˈ**Scheißkerl** *m* cad, skunk, bastard, *Am.* heel, louse.

Scheit [ʃaɪt] *n* (-[e]s; -e): *~ Holz* log, (split) billet; piece of wood.

Scheitel [ˈʃaɪtəl] *m* (-s; -) crown (*or* top) of the head; parting (*of hair*); → *scheiteln*; summit, peak, apex; *esp. math.* vertex; *vom ~ bis zur Sohle* from top to toe, every inch *a gentleman*; **~bein** *anat. n* parietal bone; **~faktor** *tech. m* amplitude (*or* crest) factor; **~kreis** *m* vertical circle; **≈n** *v/t.* (*h.*): *das Haar ~* part the hair, make a parting; **~naht** *anat. f* parietal suture; **~punkt** *m math.* vertex; *ast.* zenith; *ballistics*: (*a. fig.*): summit (of trajectory), apex; **~spannung** *el. f* peak voltage; **~wert** *m* peak (value); **~winkel** *math. m* (vertical) opposite angle.

ˈ**Scheiterhaufen** *m* funeral pile, pyre; *execution*: (*auf dem ~* at the) stake.

scheitern [ˈʃaɪtərn] *v/i.* (*sn*) *mar.* run aground, be wrecked, founder, be lost; *fig.* fail, miscarry; be frustrated (*an dat.* by); *negotiations*: *a.* break down; *daran ist er gescheitert* that was his undoing.

ˈ**Scheitern** *n* (-s) shipwreck; foundering; *fig.* failure, miscarriage; *zum ~ bringen a. fig.* wreck, *fig. a.* frustrate; *zum ~ verurteilt* doomed to failure.

Schellack [ˈʃɛlak] *m* (-[e]s; -e) shellac.

Schelle [ˈʃɛlə] *f* (-; -n) little bell; handbell; manacle, handcuff; *tech.* clamp, clip; *colloq.* slap (in the face); *~n pl. cards*: diamonds.

ˈ**schellen** *v/i.* (*h.*) ring (the bell).

ˈ**Schellen...: ~baum** *mil. m* crescent; **~bube** *m cards*: knave of diamonds; **~geläut(e)** *n* jingle of bells; bells *pl.*, *of horse*: bell-harness; sleigh-bells *pl.*; **~kappe** *f* (fool's) cap with bells; **~könig** *m cards*: king of diamonds; *fig. über den ~ loben* praise to the skies.

Schellfisch [ˈʃɛl-] *m* haddock.

Schelm [ʃɛlm] *m* (-[e]s; -e) rogue, knave; rogue, wag; *armer ~* poor wretch; ˈ**~engesicht** *n* roguish face; ˈ**~enroman** *m* picaresque novel; ˈ**~enstreich** *m*, ˈ**~enstück** *n*, ˈ**~e**ˈ**rei** *f* (-; -en) roguish trick; knavery, villainy; ˈ**≈isch** *adj.* roguish, arch, waggish; impish.

Schelt|e [ˈʃɛltə] *f* (-; -n) scolding; *~ bekommen* get a scolding, be scolded; **≈en** *v/t.* (*irr., h.*) scold, chide (*wegen* for); upbraid, blow up; *j-n e-n Dummkopf ~* call a p. a blockhead; **~wort** *n* abusive word, invective.

Schema [ˈʃeːma] *n* (-s; -s) scheme, schedule, *tech. a.* diagram; pattern, model; pattern, arrangement, system; *nach ~ colloq.* according to rule; by rote; without discrimination; **schematisch** [ʃeˈmaːtiʃ] *adj.* schematic(ally *adv.*), systematic, *tech.* diagrammatic; *~e Darstellung* schematic representation; skeleton diagram; diagrammatic plan; **schematisieren** [ʃematiˈziːrən] *v/t.* (*h.*) schematize, standardize; **Schematismus** [ʃemaˈtismus] *m* (-; -men) schematism.

Schemel [ˈʃeːməl] *m* (-s; -) (foot-) stool.

Schemen [ˈʃeːmən] *m* (-s; -) phantom, shadow; **≈haft** *adj.* unreal, shadowy; ghostly.

Schenk [ʃɛŋk] *m* (-en; -en) cup-bearer; publican, inn-keeper; *in compounds* → *Schank...*

ˈ**Schenke** *f* (-; -n) public house, pub; ale-house; inn, tavern; road-house.

Schenkel [ˈʃɛŋkəl] *m* (-s; -) thigh, femur; shank; leg (*a. of pipe, triangle, etc.*); foot (*of compasses*); *math.* side (*of angle*); **~bruch** *med. m* fracture of the thigh(-bone), fractured thigh; femoral hernia; **~druck** *m* (-[e]s) *riding*: pressure of the leg; **~hals** *anat. m* neck of the femur; **~hilfe** *f riding*: leg aid; **~knochen** *anat. m* thigh-bone; **~rohr** *tech. n* elbow pipe, V tube.

ˈ**schenken** *v/t.* (*h.*) give; grant; endow (*j-m et.* a p. with); *j-m et. ~* give a p. a th., present a p. with a th., make a p. a present of a th.; *fig.* remit (*penalty, debt*); excuse from (*task*); *fig. sich et. ~* omit, drop, cut; *das kannst du dir ~* you can skip that; *es ist (fast) geschenkt* it is given away, *colloq.* it's dirt cheap; *ich möchte es nicht (einmal) geschenkt haben* I would not have it as a gift; *j-m die Freiheit ~* set a p. at liberty; *j-m sein Herz ~* give one's heart to a p.; → *Aufmerksamkeit, Glauben, Leben, Vertrauen, etc.*

ˈ**Schenker(in** *f*) *m* (-s, -; -, -nen) giver, donor.

ˈ**Schenkung** *f* (-; -en) gift, donation; **~sbrief** *m*, **~s-urkunde** *f* deed of gift; **≈sweise** *adv.* by way of donation; as a gift.

scheppern [ˈʃɛpərn] *colloq. v/i.* (*h.*) rattle, clatter.

Scherbe [ˈʃɛrbə] *f* (-; -n) fragment; potsherd; flowerpot; monocle; *~n pl.* broken pieces *or* bits (of china *or* glass); débris; *in ~n gehen* go to pieces.

ˈ**Scher-beanspruchung** *tech. f* shear(ing) stress.

ˈ**Scherbengericht** *n* (-[e]s) ostracism.

Schere [ˈʃeːrə] *f* (-; -n) (*eine* a pair of) scissors *pl.*; shears *pl.*; wire-cutters; plate-shears; *zo.* claw; *wrestling, a. econ. fig.* scissors *pl.*; *gym.* back straddle (hands on neck).

ˈ**scheren** *v/t.* (*irr., h.*) shear (*a. sheep*), clip; shave, trim (*beard*); cut (*hair*); clip, prune (*hedge*); *tech.* warp (*ropes, threads*); cut (*velvet*); *fig.* vex, plague; *sich (weg)~* (*h.*) clear off, beat it; *colloq. er soll sich zum Teufel ~* he can go to hell; *sich um et. ~* trouble about a th.; *das schert mich nicht* I don't care; *was sch(i)ert mich das?* what's that to me?, so what?; → *Kamm*; **≈bewegung** *f econ.* scissor-movement; **≈fernrohr** *mil. n* scissor telescope, periscope; **≈gitter** *n* folding steel trellis; **≈schlag** *m soccer*: scissors kick; **≈schleifer** *m* knife-grinder; **≈schnitt** *m* silhouette; **≈zange** *f* wire cutter, cutter forceps.

Schererei [ʃeːrəˈraɪ] *f* (-; -en) trouble; *j-m viel ~en machen* give a p. no end of trouble.

ˈ**Scherfestigkeit** *tech. f* shearing strength.

Scherflein [ˈʃɛrflaɪn] *n* (-s; -) mite; *sein ~ beisteuern* give one's mite, do one's bit.

Scherge [ˈʃɛrgə] *m* (-n; -n) beadle, catchpole; hangman('s assistant); *w.s.* myrmidon, bloodhound.

ˈ**Scher...: ~maschine** *f* shearing machine; **~messer** *n* shearing-knife; razor; **~versuch** *tech. m* shear(ing) test.

scherwenzeln [ʃɛrˈvɛntsəln] *colloq. v/i.* (*sn*) → *scharwenzeln*.

ˈ**Scherwolle** *f* shearings *pl.*

Scherz [ʃɛrts] *m* (-es; -e) joke, jest; pleasantry, banter; sport, fun, lark; badinage; witticism, *Am. a.* wise-crack; *~ beiseite* joking apart; *im ~, zum ~* in jest, in (*or* for) fun; *(s-n) ~ treiben mit (dat.)* make fun of, make merry with; *er versteht keinen ~* he doesn't see a joke; ˈ**~artikel** *m* novelty, trick; ˈ**≈en** *v/i.* (*h.*) jest, joke (*über acc.* at), make fun (of), make merry (with); sport, crack jokes, quip; *mit j-m ~* have fun with *a p.*; banter with; *Sie ~!* you are only joking!, you don't mean it!; *mit ihm ist nicht zu ~* he is not to be trifled with; ˈ**~frage** *f* jocular question, quiz; ˈ**~gedicht** *n* comic poem; ˈ**≈haft** *adj.* joking, facetious, playful; comical, funny, droll; humorous, jocular; waggish; pleasant; ˈ**~haftigkeit** *f* (-) facetiousness, jocularity, waggishness; ˈ**~name** *m* nickname; ˈ**≈weise** *adj.* in jest, in (*or* for) fun, jestingly; ˈ**~wort** *n* (-[e]s; -e) jesting (*or* facetious) word, witticism.

scheu [ʃɔʏ] *adj.* shy; bashful; timid, nervous; unsociable; reserved; *horse*: skittish; *~ machen* startle, frighten; *~ werden game*: take fright, *horse*: shy (*durch* at).

Scheu *f* (-) shyness; timidity, nervousness; reserve; aversion (*vor dat.* to); awe (*vor dat.* of); *ohne jede* ~ without the least fear; *e-e heilige* ~ *haben vor* have a wholesome dread of, stand in awe of *a p.*

Scheuche [ˈʃɔʏçə] *f* (-; -n) scarecrow (*a. fig.*); **2n** *v/t.* (*h.*) scare, frighten (away); chase away, shoo away.

scheuen [ˈʃɔʏən] **I.** *v/i.* (*h.*) shy (*vor dat.* at), take fright (at), balk (at); *sich* ~ be shy (*vor dat.* of, with), *zu inf.*: be afraid (*or* reluctant) to *inf.*, be shy of *ger.*, shrink from *ger.*; *sich nicht* ~ *zu inf.* be not afraid to *inf.*, *b.s.* dare (to) *inf.*, have the nerve to *inf.*; **II.** *v/t.* (*h.*) shun, avoid, fight shy of; dread, be afraid of, fear; *keine Kosten* (*Mühe*) ~ spare no expense (pains).

Scheuer [ˈʃɔʏər] *f* (-; -n) → *Scheune.*

Scheuer... [ˈʃɔʏər-]: **~bürste** *f* scrubbing brush; **~festigkeit** *tech. f* abrasion resistance; **~frau** *f* charwoman, *Am.* scrubwoman; **~lappen** *m* → *Scheuertuch*; **~leiste** *arch. f* skirting(-board); **~mittel** *n* scouring agent; **2n** *v/t. and v/i.* (*h.*) scour, scrub; (*sich*) ~ chafe, rub; **~pulver** *n* scouring powder; **~tuch** *n* (-[e]s; ¨er) scouring cloth, floor-cloth; dish-cloth.

ˈ**Scheu...**: **~klappe** *f*, **~leder** *n* blinker, *Am.* blinder (*a. fig.*).

Scheune [ˈʃɔynə] *f* (-; -n) barn, shed; granary.

ˈ**Scheunen...**: **~drescher** *fig. m*: *essen wie ein* ~ eat like a wolf; **~tor** *n* barn-door (*a. fig.*); **~viertel** *n* slums *pl.*

Scheusal [ˈʃɔʏzaːl] *n* (-[e]s; -e) monster; (*person*) beast, holy terror, pest; fright.

scheußlich [ˈʃɔʏsliç] **I.** *adj.* dreadful, horrid, horrible, frightful; vile; hideous; revolting, loathsome; heinous, foul, atrocious (*crime*); *colloq.* abominable, awful, beastly (*weather, etc.*); **II.** *adv.*: awfully, frightfully (*cold, etc.*); **2keit** *f* (-; -en) dreadfulness, hideousness; abomination, horror; atrocity, heinous deed.

Schi [ʃiː] *m* (-s; -er) ski; → *Ski*(...).

Schicht [ʃiçt] *f* (-; -en) layer, bed (*a. mining*); *geol.*, *min.* stratum (*pl.* strata); coat(ing); film; pile, stack (*of wood*); *arch.* course (*of stones*); tier; *tech.* batch, *furnace*: charge; sediment; *phot.* emulsion; *fig.* class, layer, *pl. a.* social strata; shift, spell (*of work*), (*workers*) shift, gang; break, rest; *breite* ~*en der Bevölkerung* wide sections of the population; *aus allen* ~*en* from all walks of life; ~ *machen* knock off (work); *in* ~*en arbeiten* work in shifts; ˈ**~arbeit** *f* shift(-work); ˈ**~arbeiter** *m* shift-worker, day-worker; ˈ**2en** **I.** *v/t.* (*h.*) arrange (*or* put) in layers, pile up; stack; *mar.* stow; *metall.* charge (*the furnace*); *geol.* stratify; classify; **II.** *colloq. v/i.* (*h.*) work in shifts, be on shifts; ˈ**~gestein** *n* stratified rock; ˈ**~glas** *n* laminated glass; ˈ**~holz** *n* stacked wood; laminated wood, ply-wood; ˈ**2ig** *adj.* lamellar; (*drei*~ three-)ply (*wood*); ˈ**~leistung** *f* output per shift; ˈ**~linie** *f map*: contour line; ˈ**~meister** *m* overseer; ˈ**~seite** *phot. f* emulsion side; ˈ**~stoff** *m* laminated synthetic plastic; ˈ**~ung** *f* (-; -en) (arrangement in) layers *pl.*; *geol.* (*a. fig.*) stratification; classification; *soziale* ~ social strata *pl.*; ˈ**~wechsel** *m* change of shift; ˈ**2weise** *adv.* in layers, *etc.*; *at work*: in shifts; ˈ**~wolke** *f* stratus.

Schick [ʃik] *m* (-[e]s) chic, elegance, style.

schick *adj.* chic, stylish, smart, posh.

schicken [ˈʃikən] *v/t.* (*h.*) send (*nach, zu* to); dispatch, forward; communicate, transmit; remit (*money*); *nach j-m* ~ send for a p.; → *April*; *sich* ~ (*h.*) **a)** happen, come to pass, chance, **b)** be fitting *or* proper; *sich* ~ *für j-n* be becoming in, befit, behove (*Am.* behoove) *a p.*; *sich in et.* ~ put up with, resign o.s. to, reconcile o.s. to *a th.*; *sich in die Zeit* ~ go with the times; *das schickt sich nicht* that's not the proper thing to do, it isn't done (*or* good form); *es schickte sich, daß* luck would have it that.

ˈ**schicklich** *adj.* becoming, proper, seemly; decent; suitable, convenient; **2keit** *f* (-) propriety, decorum; decency; **2keitsgefühl** *n* (-[e]s) sense of propriety, tact.

Schicksal [ˈʃikzaːl] *n* (-[e]s; -e) fate, destiny; lot, fortune; *j-n s-m* ~ *überlassen* leave a p. to his fate; *das* ~ *herausfordern* tempt providence, court disaster; *das gleiche* ~ *erfahren* fare alike; *sein* ~ *ist besiegelt* his fate is sealed; *es war sein* ~ *zu inf.* he was fated to *inf.*; *das ist eben* ~*!* that's Fate!; → *Geschick*; **2haft** *adj.* fateful.

ˈ**Schicksals...**: **~frage** *f* vital (*or* fateful) question; **~fügung** *f* divine ordinance; **~gefährte** *m*, **~genosse** *m* companion in misfortune, fellow-sufferer; **~gemeinschaft** *f* community of fate; **~glaube** *m* fatalism; **~göttinnen** *f/pl.* Fatal Sisters, *the* Fates; **~linie** *f palmistry*: line of fate; **~prüfung** *f* (sore) trial, ordeal, visitation; **~schlag** *m* heavy blow, reverse, buffet of fate; **~tag** *m* fateful day; **2verbunden** *adj.* united by a common fate; **~weg** *m* march of destiny.

ˈ**Schickung** *f* (-; -en) Providence; (divine) dispensation, divine decree; affliction.

Schiebe|blende [ˈʃiːbə-] *phot. f* sliding diaphragm; **~bühne** *rail. f* travel(l)ing platform, traverser; **~dach** *mot. n* sliding roof; **~fenster** *n* sash-window.

ˈ**schieben** *v/t. and v/i.* (*irr.*, *h.*) push, shove; move; *aer.*, *etc.*: thrust; slide, slip; wheel; et. *in den Mund* (*in die Tasche*) ~ slip (*or* put) a th. into one's mouth (pocket); *sich ineinander* ~ (*lassen*) telescope; *colloq. fig.* shift, manipulate; profiteer; ~ *mit* carry on an illicit trade with, sell on the black market; smuggle; → *Bank 1, Kegel, Schuld*; *alle neune* ~ throw all nine.

ˈ**Schieber** *m* (-s; -) *tech.* pusher, slide; slide valve (*of steam engine*); (slide) damper (*of stove*); bolt, bar; *fig.* **wangler, profiteer,** *Am. a.* grafter, 5-percenter, racketeer; blackmarketeer; **~geschäft** *n* profiteering (job), *Am.* graft, racket; ~*e machen* profiteer, *Am.* graft.

ˈ**Schiebe-ring** *m* sliding ring.

ˈ**Schieber...**: **~tum** *n* (-s) profiteering, *Am.* graft; **~ventil** *n* slide-valve, gate valve.

ˈ**Schiebe...**: **~schalter** *m* slide switch; **~sitz** *m* sliding seat; **~tür** *f* sliding door.

Schieb|karren [ˈʃiːp-] *m* wheelbarrow, *Am. usu.* pushcart; **~lehre** *tech. f* caliper square.

Schiebung [ˈʃiːbuŋ] *fig. f* (-; -en) sharp practice, swindle, wangling; underhand dealings *pl.*, *a. sports*: put-up job; rigged game; profiteering (job), *Am.* graft, racket, deal.

schied [ʃiːt] *pret. of scheiden.*

Schieds|gericht [ˈʃiːts-] *n* court of arbitration, arbitration committee; *sports, etc.*: jury, *the* judges *pl.*; *Obmann e-s* ~*es* umpire; *e-e Sache dem* ~ *unterbreiten* refer a matter to arbitration; *sich e-m* ~ *unterwerfen* submit to arbitration; **~gerichtsbarkeit** *f* arbitral jurisdiction; **~gerichtshof** *m*: *Ständiger Internationaler* ~ Permanent Court of International Justice; **~gerichtsklausel** *f* arbitration clause; **~parteien** *f/pl.* parties to arbitration; **~richter** *m* arbitrator; *sports, etc.*: judge, *pl. a.* jury; *tennis*: umpire; *boxing, soccer*: referee; **~richterball** *m* throwdown; **2richterlich** **I.** *adj.* arbitral; arbitrator's; of the umpire, *etc.*; **II.** *adv.* by arbitration; **2richtern** *v/i.* arbitrate; *sports*: umpire, referee; **~spruch** *m* (arbitral) award, arbitration; *e-n* ~ *fällen* make an award; *sich e-m* ~ *unterwerfen* submit to an award; **~verfahren** *n* arbitration; **~vertrag** *m* reference to arbitration; *international law*: treaty of submission to arbitration; *e-n* ~ *schließen* agree to submit to arbitration.

schief [ʃiːf] **I.** *adj.* oblique (*a. math.*), slanting; sloping, inclined; lop-sided, cock-eyed; crooked; wry (*mouth, face*); *fig.* false, wrong, erroneous; bad; distorted, *sl.* (all) cock-eyed; warped (*judgement*); ~*es Bild* false picture; ~*e Ebene math.* inclined plane, gradient; *fig. auf die* ~*e Ebene geraten* go off the straight and narrow path, start on the downward path; *fig.* ~*e Lage* false (*or* awkward) position; *j-n in ein* ~*es Licht setzen* place a p. in a bad light; **II.** *adv.* obliquely; aslant; awry; *j-n* ~ *ansehen* look askance at; *den Hut* ~ *aufsetzen* tilt, cock, wear *one's hat* at an angle; *colloq.* ~ *gewickelt* very much mistaken, on the wrong track; → *schiefgehen.*

ˈ**Schiefe** *f* (-) obliqueness, obliquity, slant; slope, incline(d plane); crookedness, wryness; *fig.* falseness, perversity.

Schiefer [ˈʃiːfər] *m* (-s; -) slate; *geol.* schist; splinter; **2blau** *adj.* slate-blue; **~boden** *m* slaty soil; **~bruch** *m* slate-quarry; **~dach** *n* slate(d) roof; **~decker** [ˈdɛkər] *m* (-s; -) slater; **2farben, 2farbig, 2grau**

adj. slate-colo(u)red, slate-grey; **≈haltig** *adj.* containing slate, schistous; **≈ig** *adj.* slaty; **≈n** *v/i.* (*h.*) scale off, exfoliate; **~öl** *n* schist oil; **~platte** *f* slab (*or* leaf) of slate; **~stein** *m* slate-stone, lithographic stone; **~tafel** *f* slate; **~ung** *f* (-) scaling off, exfoliation.

'**schief...:** **~gehen** *v/i.* (*irr.*, *sn*) go wrong (*or* awry), miscarry, turn out badly; *humor. es wird schon ~!* cheer up, there's worse to come!; **≈heit** *f* (-) → *Schiefe*; **~liegen** *v/i.* (*irr.*, *h.*) be on the wrong side; **~liegend** *adj.* inclined, aslant; **~mäulig** ['-mɔʏliç] *adj.* wry-mouthed; **~treten** *v/t.* (*irr.*, *h.*) tread down *shoes* at the heels; **~wink(e)lig** *adj.* oblique(-angled), tilted.

Schiel·auge ['ʃi:l-] *n* squint-eye.

'**schielen** *v/i.* (*h.*) squint (*auf e-m Auge* in one eye), be cross-eyed; *fig.* ~ *auf, nach* squint at, *b.s.* leer at; steal a (sidelong) glance at; *fig.* have an eye to, ogle with; **≈** *n* (-s) squint(ing), cast in the eye, *med.* strabismus; **~d** *adj.* squinting, cross-eyed.

schien [ʃi:n] *pret. of scheinen.*

Schienbein ['ʃi:n-] *n* shin(-bone), tibia; **~schützer** ['-ʃytsər] *m* (-s; -) *sports*: shin-guard.

'**Schiene** *f* (-; -n) iron hoop *or* band (*on wheel*); *med.* splint; *tech.* bar, guide rail; *esp. rail.* rail, *pl. a. the* metals; track; bus bar; slat; *aus den ~n springen* run off (*Am.* jump) the rails, be derailed.

'**schienen** *v/t.* (*h.*) *med.* splint, put in(to) splints; *tech.* shoe, tire (*wheel*); *metall.* draw out and flatten (*steel*).

'**Schienen...:** **~bahn** *f* track; → *Eisenbahn*; **~bus** *m* rail bus, rail diesel car; **~eisen** *n* iron in bars; **~fahrzeug** *n* rail(ed) vehicle; *pl.* (*collect.*) rolling stock; **≈gleich** *rail. adj.*: *~er Übergang* level (*Am.* grade) crossing; **~gleis** *n* track; **~netz** *n* railway (*Am.* railroad) system; **~räumer** ['rɔʏmər] *m* (-s; -) *rail.* obstruction-guard, *Am.* cowcatcher; **~strang** *m* track, railway-line; **~verkehr** *m* rail traffic; **~walzwerk** *n* rail rolling mill.

schier[1] [ʃi:r] *adv.* nearly, almost.

schier[2] *adj.* sheer, pure.

Schierling ['ʃi:rliŋ] *bot. m* (-s; -e) hemlock; **~sbecher** *m* cup of poison.

Schieß|ausbildung ['ʃi:s-] *mil. f* rifle training; gunnery drill; **~auszeichnung** *f* shooting badge; **~bahn** *f* rifle-range; firing lane; **~baumwolle** *f* gun-cotton; **~becher** *mil. m* (rifle) grenade launcher; **~befehl** *m* firing order; **~bude** *f* shooting gallery; **~budenfigur** *humor. f* clown, comedian.

'**schießen I.** *v/t.* (*irr.*, *h.*) shoot; → *scharf* II.; *mining*: blast; *tot ~* shoot dead, kill (with a shot), bump off; *sich mit j-m ~* fight a pistol duel with; *Brot in den Ofen ~* shove a batch of bread into the oven; *sports*: *ein Tor ~* score (a goal); *fig.* → *Bock*; *~ lassen* let fly *or* go; → *Zügel*; **II.** *v/i.* (*irr.*, *h.*) shoot (*a. pain*), discharge a gun, *etc.*; open fire; *auf j-n ~* **shoot (*or* fire) at, take a shot** at; *fig.* shoot, dart, dash, rush; *water, blood*: gush; *plant*: spring up, sprout; *gut ~* be a good shot; *weit ~* carry far; → *Same, Kraut, Pilz; in die Höhe ~* shoot up; *das Blut schoß ihr ins Gesicht* blood rushed to her face; *der Gedanke schoß mir durch den Kopf* the thought (*or* it) flashed through my mind; *colloq. ~ Sie los!* fire away!, *Am.* shoot!

'**Schießen** *n* (-s) shooting, firing; shots *pl.*, gun-fire; shooting match; *mil. gefechtsmäßiges ~* combat practice firing; *~ nach der Karte* map firing; *~ nach Radar* radar fire; *colloq. es (er etc.) ist zum ~* it (he, *etc.*) is a (perfect) scream.

Schieße'rei *f* (-; -en) gunfight; *contp.* (incessant) shooting.

'**Schieß...:** **~ergebnis** *n* result (*or* effect) of firing; **~fertigkeit** *f* marksmanship; **~gewehr** *n* gun, fire-arm; **~hund** *m* pointer; *fig. aufpassen wie ein ~* watch like a lynx; **~krieg** *m* shooting war; **~kunst** *f* marksmanship; **~lehre** *f* ballistics *pl.*; **~platz** *mil. m* shooting ground(s *pl.*), (rifle-)range; **~prügel** *colloq. m* gun; **~pulver** *n* gunpowder; **~scharte** *f* loophole, embrasure; port (*of tank*); **~scheibe** *f* target; **~sport** *m* shooting; **~stand** *m* shooting-stand; → *Schießbahn*; **~technik** *f* firing technique; **~übung** *f* shooting (*or* target) practice; **~vorschrift** *f* shooting regulations *pl.*

Schiff [ʃif] *n* (-[e]s; -e) ship, vessel; boat, (*a. pl. and collect.*) craft; steamship, steamer; *arch.* nave (*of church*); *weaving*: shuttle; *typ.* galley; *mar. auf dem ~* on board (of the) ship; *das ~ verlassen* abandon ship; *zu ~ gehen* go on board, embark.

'**Schiffahrt** *f* (*divided*: *Schiff-fahrt*) navigation; shipping; **~sagent** *m* shipping agent; **~s-aktien** *f/pl.* shipping shares (*Am.* stocks); **~sgesellschaft** *f* shipping company; **~skanal** *m* ship-canal; **~skunde** *f* (-) navigation, nautics *pl.*; **~slinie** *f* steamship line; **~straße** *f* navigable waterway, sea-route; **~sweg** *m* shipping route *or* lane; **≈treibend** *adj.* seafaring.

'**schiffbar** *adj.* navigable; *~ machen* canalize; **≈keit** *f* (-) navigability; **≈machung** *f* (-) canalization.

'**Schiff...:** **~bau** *m* (-[e]s; *-ten*) ship-building; **~bauer** *m* (-s; -) shipbuilder; naval architect (*or* engineer) **~bauprogramm** *n* shipbuilding program(me); **~bruch** *m* shipwreck (*a. fig.*); *~ erleiden* be shipwrecked; *fig.* founder, be wrecked, fail; **≈brüchig** *adj.* shipwrecked, *person*: *a.* castaway; **~brüchige(r** *m*) ['-bryçigə(r)] *f* (-n, -n; -en, -en) shipwrecked person, castaway; **~brücke** *f* pontoon-bridge; → *Schiffsbrücke*.

'**Schiffchen** *n* (-s; -) small ship *or* boat; *bot.* carina; *anat.* scapha; *tech.* shuttle; *typ.* galley; *mil.* forage cap.

'**schiffen I.** *v/i.* (*sn*) navigate, sail; *vulg.* (*h.*) piss, take a leak; **II.** *v/t.* (*h.*) (convey by) ship.

'**Schiffer** *m* (-s; -) mariner, sailor; navigator; *merchant marine*: skipper, master; boatman; **~klavier** *n* accordeon; **~patent** *n* master's certificate; mate's certificate; **~sprache** *f* nautical language.

'**Schiffs...:** **~anlegeplatz** *m* landing place; **~arrest** *m* embargo, seizure of a ship; **~artillerie** *f* naval artillery; **~arzt** *m* ship's doctor *or* surgeon; **~bau** *m* (-[e]s; *-ten*) → *Schiffbau*; **~bedarf** *m* ship's stores; **~befrachter** *m* freighter, shipper; **~befrachtung** *f* ship's freight; **~besatzung** *f* (ship's) crew; **~boden** *m* ship's bottom *or* hold; **~brücke** *f* bridge; **~eigentümer**, **~eigner** *m* shipowner; **~fracht** *f* ship's freight; **~frachtbrief** *m* bill of lading; **~geschütz** *n* ship's gun, *pl. a.* armament *sg.*; **~haken** *m* grappling-iron; **~hebewerk** *n* (ship-)canal lift; **~hinterteil** *n* stern, poop; **~journal** *n* log-book; **~junge** *m* cabin-boy; **~kapitän** *m* (sea-)captain; **~karte** *f* (steamer-) ticket; **~klasse** *f* (ship's) rating; **~koch** *m* ship's cook; **~kompaß** *m* ship's compass; **~körper** *m* hull; **~kran** *m* ship's crane; **~kreisel** *m* (gyro-)stabilizer; **~küche** *f* caboose, galley; **~ladung** *f* shipload; cargo, freight; **~lazarett** *n* sick-bay; **~leim** *m* marine glue; **~liegeplatz** *m* loading berth; **~makler** *m* ship-broker; **~mannschaft** *f* (ship's) crew; **~maschine** *f*, **~motor** *m* marine engine; **~papiere** *n/pl.* ship's papers; **~raum** *m* hold; shipping space; tonnage; **~reeder** *m* shipowner; **~route** *f* sea route, sea lane; **~rumpf** *m* hull; **~schaukel** *f* swing-boat; **~schnabel** *m* prow; **~schraube** *f* propeller, screw; **~spediteur** *m* shipping agent; **~tagebuch** *n* log-book; **~taufe** *f* christening of a ship; **~teer** *m* pitch and tar; **~treppe** *f* ship's ladder; **~verband** *m* formation (of ships); **~verkehr** *m* shipping traffic; **~vermieter** *m* charterer; **~vorderteil** *n* prow; forecastle; **~wache** *f* (ship's) watch; **~werft** *f* shipbuilding yard, shipyard; *mil.* dock-yard, *Am.* navy yard; **~zimmermann** *m* ship's carpenter; **~zwieback** *m* ship-biscuit.

'**Schigelände** *n* skiing ground.

Schikane [ʃi'kɑ:nə] *f* (-; -n) chicane(ry); nasty trick; *pl. a.* unfair treatment, persecution, bullying; *colloq. fig. mit allen ~n* with all the trimmings; **schikanieren** [ʃika-'ni:rən] *v/t.* (*h.*) chicane; persecute, ride, torment; **schikanös** [-'nø:s] *adj.* vexatious, spiteful.

'**Schilaufen** *n* skiing; **~läufer(in** *f*) *m* skier.

Schild [ʃilt] **1.** *m* (-[e]s; -e) *mil.* shield (*a. tech.*, *bot.*); *her.* (e)scutcheon, coat-of-arms; *zo.* carapace; *fig. et. im ~e führen* be up to a th., have something up one's sleeve; *j-n auf den ~ erheben* raise a p. on the shield; **2.** *n* (-[e]s; -er) signboard, facia; name-plate; badge; sign-post; label; peak, shade (*of cap*); '**~bürger** *m* duffer, *n.s.* Gothamite; '**~bürgerstreich** *m* silly action, foolishness, imbecility;

ˈ**~drüse** *anat. f* thyroid gland; ˈ**~drüsenüberfunktion** *med. f* (hyper)thyroidism; **~erblau** [ˈʃil-dər-] *n* pencil blue; **~erhaus** *mil. n* sentry-box; **~ermaler** *m* sign--painter.

schilder|n [ˈʃildərn] *v/t.* (*h.*) describe; delineate (*character*); depict, portray; outline, sketch; recite, give an account of; **2ung** *f* (-; -*en*) description, delineation; sketch, picture, portrayal; recital (*of facts*), account.

ˈ**Schild...:** **2förmig** [ˈ-fœrmiç] *adj.* shield-shaped; *bot.* scutiform; *zo.* clypteate; **~knappe** *m* shield--bearer, squire; **~kröte** *f* tortoise; turtle; **~krötensuppe** *f* (real) turtle soup; **~laus** *f* shield-louse; **~patt** [ˈ-pat] *n* (-[e]s) tortoise-shell; **~pattknopf** *m* shell-button; **~wache** *f* **1.** sentinel, sentry; **2.** → **~wacht** *f* sentry-go; ~ *stehen* stand sentry.

Schilf [ʃilf] *bot. n* (-[e]s; -e) reed, rush; ˈ**~gras** *n* sedge; ˈ**2ig** *adj.* reedy, sedgy; ˈ**~matte** *f* rush-mat; ˈ**~rohr** *n* reed.

schillern [ˈʃilərn] *v/i.* (*h.*) play in colo(u)rs, opalesce; iridesce; *fig.* scintillate; **2** *n* (-s) play of colo(u)rs, iridescence, opalescence; iridescent lust|re, *Am.* -er; **~d** *adj.* iridescent, opalescent; *of fabric*: shot; *in tausend Farben* ~ playing in a thousand colo(u)rs; *fig.* dazzling (but dubious) (*person*).

ˈ**Schilift** *m* ski-lift.

Schilling [ˈʃiliŋ] *m* (-s; -e) shilling.

Schimär|e [ʃiˈmɛːrə] *f* (-; -*n*) chimera; **2isch** *adj.* chimerical.

Schimmel [ˈʃiməl] *m* (-s) **1.** (*pl.* -) white horse; **2.** *bot.* mo(u)ld, mildew, mustiness; **2ig** *adj.* mo(u)ldy, musty, mildewy; **2n** *v/i.* (*h.*) mo(u)ld, go (*or* get) mo(u)ldy *or* musty; **~pilz** *m* mo(u)ld (fungus); mildew.

Schimmer [ˈʃimər] *m* (-s) glimmer, gleam, glitter; glint; *fig. ein* ~ *Hoffnung* gleam (*or* flicker) of hope; *keinen* ~ → *Ahnung*; **2n** *v/i.* (*h.*) gleam, glimmer, glisten, shine; glint.

Schimpanse [ʃimˈpanzə] *m* (-*n*; -*n*) chimpanzee.

Schimpf [ʃimpf] *m* (-[e]s) insult, affront, outrage; disgrace; *j-m e-n* ~ *antun* insult a p.; *mit* ~ *und Schande* ignominiously; ˈ**2en I.** *v/i.* (*h.*) scold; grumble; *über, auf* (*acc.*): rail *or* swear at; **II.** *v/t.* (*h.*) scold; abuse, revile, call *a p.* names; *er schimpfte ihn e-n Lügner* he called him a liar; ˈ**~en** *n* (-s), *a.* **~eˈrei** *f* (-; -*en*) reviling, name--calling; scolding; grumbling; ˈ**2lich** *adj.* insulting, abusive; disgraceful (*für* to), dishono(u)rable; ignominious, outrageous; ˈ**~name** *m* abusive name; nickname; ˈ**~wort** *n* abusive word, invective; swear--word, *Am. a.* cuss-word.

Schind|aas [ˈʃintˀɑːs] *n* carrion; **~anger** *m* knacker's yard.

Schindel [ˈʃindəl] *f* (-; -*n*) shingle; **~dach** *n* shingle roof.

schinden [ˈʃindən] *v/t.* (*irr., h.*) flay, skin; *fig.* oppress, grind; ill--treat; sweat (*labourer*); *sich* ~ (*und plagen*) drudge, slave, sweat and strain; *colloq.* et. (*heraus*)~ wangle a th; → *Eindruck, Zeit.*

ˈ**Schinder** (-*s*; -) knacker; *fig.* oppressor, grinder; sweater, slave--driver; → *Schleifer*; **Schindeˈrei** *f* (-; -*en*) oppression; sweating; drudgery, grind, hell of a job; ˈ**Schinderkarren** *m* knacker's cart.

ˈ**Schind...:** **~luder** *fig. n*: ~ *treiben mit* play old Harry with, play fast and loose with; **~mähre** *f* jade.

Schinken [ˈʃiŋkən] *m* (-*s*; -) ham; *humor.* **a**) (*painting*) outsized daub, **b**) old *or* fat book, **c**) fat leg, **d**) fat buttocks *pl.*; ~ *mit Ei* ham and eggs; **~brötchen** *n* ham-roll; **~klopfen** *colloq. n* hot cockles; **~wurst** *f* ham--sausage.

Schinne [ˈʃinə] *f* (-; -*n*) scurf, dandruff.

Schippe [ˈʃipə] *f* (-; -*n*) shovel; spade; *cards*: spades *pl.*; **2n** *v/t.* (*h.*) shovel; *colloq. fig.* rib, razz.

ˈ**Schipper** *m* (-*s*; -) shovel(l)er; digger.

Schirm [ʃirm] *m* (-[e]*s*; -e) umbrella; parasol, sunshade; (lamp) shade; (cap) peak, visor; screen (*a. film, TV, etc.*); *tech.* (*protective*) shield, screen; *fig.* (-[e]s) protection, shelter, shield; ˈ**~antenne** *f* umbrella aerial (*Am.* antenna); ˈ**~bild** *n* image on screen; *med.* photofluorogram; ˈ**~dach** *n* pent-house, (open) shed; ˈ**2en** *v/t.* (*h.*) (*a. fig.*) shield, guard, protect (*vor dat.* from, against); shade; **2förmig** [ˈ-fœrmiç] *adj.* umbrella--shaped; ˈ**~futteral** *n* umbrella--case; ˈ**~gitter** *n radio*: screen--grid; ˈ**~gitterspannung** *f* screen--grid voltage; ˈ**~herr(in** *f*) *m* protector, *f* protectress, patron(ess); ˈ**~herrschaft** *f* protectorate, patronage; *unter der* ~ *von* under the auspices of; ˈ**~macher** *m* umbrella--maker; ˈ**~mütze** *f* peaked cap; ˈ**~ständer** *m* umbrella-stand; ˈ**~wand** *f* screen(ing wall).

Schirokko [ʃiˈrɔko] *m* (-*s*; -*s*) sirocco.

schirr|en [ˈʃirən] *v/t.* (*h.*) → *ab-, anschirren*; **2meister** *m* head ostler, foreman; *mil.* motor transport (*abbr.* M. T.) sergeant, *Am.* motor sergeant.

Schisma [ˈʃisma] *n* (-*s*; -*men*) schism.

Schisma|tiker [ʃisˈmɑːtikər] *m* (-*s*; -) schismatic; **2tisch** *adj.* schismatic(al).

ˈ**Schispringen** *n* ski-jumping.

schiß [ʃis] *pret. of scheißen.*

Schiß [ʃis] *vulg. m* (-sses) shit(ting); *fig.* (blue) funk; ~ *haben* be in a blue funk (*vor dat.* of), be scared stiff; ~ *bekommen* get cold feet.

schizophren [ʃitsoˈfreːn] *adj.* schizophrenic; **Schizophreˈnie** *f* (-; -*n*) schizophrenia.

schlabber|n [ˈʃlabərn] *v/i. and v/t.* (*h.*) slobber; lap (up); jabber, babble; *tech.* overflow; **2rohr** *n* overflow pipe.

Schlacht [ʃlaxt] *f* (-; -*en*) battle (*bei* of, *at sea*: off); → *Gefecht*; *e-e* ~ *liefern or schlagen* fight a battle, give battle (*dat.* to); (*a. fig.*) *die* ~ *gewinnen* carry the day; *in die* ~ *ziehen* go into action; *es kam zur* ~ a battle was fought; ˈ**~bank** *f* (-; ⸚e) shambles *pl., usu. sg.*; *fig. zur* ~ *führen* lead like lambs to the slaughter; ˈ**~beil** *n* butcher's axe; *hist.* pole-axe.

ˈ**schlachten** *v/t. and v/i.* (*h.*) kill, slaughter; *fig.* butcher, massacre, slaughter; **2** *n* killing, slaughtering; *fig.* massacre, slaughter; **2bummler** *m* camp-follower; *sports*: fan; **2glück** *n* fortune of war; **2lenker** *m* God of Hosts; *mil.* strategist, general; **2maler** *m* battle-painter.

Schlächter [ˈʃlɛçtər] *m* (-*s*; -) butcher (*a. fig.*); **Schlächteˈrei** *f* (-; -*en*) butcher's shop (*or* trade); *fig.* butchery, slaughter, massacre.

ˈ**Schlacht...:** **~feld** *n* battle-field; *fig. der Platz glich e-m* ~ the place was a shambles; **~fest** *n* killing--day; **~fleisch** *n* butcher's meat; **~flieger** *m*, **~flugzeug** *n* battle--plane, fighter-bomber; **~flotte** *f* battle-fleet; **~geschrei** *n* battle cry; **~geschwader** *mar. n* battle squadron; **~getümmel, ~gewühl** *n* mêlée (*Fr.*); *mitten im* ~ in the thick of the fight; **~gewicht** *n* dead weight; **~haus** *n*, **~hof** *m* slaughter-house, abattoir, *Am. a.* (meat-)packing plant; **~kreuzer** *m* battle-cruiser; **~linie** *f* line of battle; **~messer** *n* butcher's knife; **~opfer** *n* victim; **~ordnung** *f* order of battle, battle-array; *in* ~ *aufstellen* draw up in battle-array, array for battle; **~plan** *m* plan of action (*a. fig.*), campaign plan; **2reif** *adj.* ready for killing, in (prime of) grease; **~reihe** *f* line of battle; **~roß** *n* war-horse, charger; **~ruf** *m* war-cry, battle cry; *a. humor.* war--whoop; **~schiff** *n* battleship; **~ung** *f* (-; -*en*) kill(ing); **~vieh** *n* slaughter cattle, killers *pl.*; *w.s.* meat animals *pl.*, fat stock.

Schlacke [ˈʃlakə] *f* (-; -*n*) *metall.* dross (*a. fig.*), slag, clinker, scoria; cinders *pl.*; *med.* **a**) waste matter, **b**) *for diet*: bulkage.

ˈ**schlacken** *v/i.* (*h.*) (form) slag, be drossy, give off scoria; **~artig** [ˈ-ɑːrtiç] *adj.* slaggy, drossy; **2bahn** *f sports*: cinder track; **2bildung** *f* slag formation, scorification; **2eisen** *n* cinder iron; **~frei** *adj.* slagless, drossless; **2stein, 2ziegel** *m* slag brick; **2wolle** *f* mineral wool.

ˈ**schlackig** *adj.* drossy, slaggy; *weather*: slushy.

ˈ**Schlackwurst** *f kind of* German sausage.

Schlaf [ʃlɑːf] *m* (-[e]s) sleep (*a. fig.*); *fester* ~ sound (*or* heavy) sleep; ~ *vor Mitternacht* beauty sleep; *der* ~ *des Gerechten* the sleep of the just; *e-n leichten* (*festen*) ~ *haben* be a light (sound) sleeper; *in tiefem* ~*e liegen* be fast asleep; *in* ~ *sinken* fall asleep, drop off; *in* ~ *versetzen* put to sleep; *in* ~ *singen* (*wiegen*) lull (rock) to sleep; *im* ~*e* in one's sleep, while asleep; *fig. et. im* ~*e tun können* be able to do a th. blindfold *or* on one's head; *vom* ~*e übermannt* overcome by sleep; *den Seinen gibt's der Herr im* ~ fortune favo(u)rs fools; ˈ**~abteil** *n* sleeping-compartment, *Am.* sleeper section; ˈ**2ähnlich** *adj.* sleep-like;

'~**anzug** *m* sleeping-suit, pyjamas, *Am.* pajamas *pl.*; '~**couch** *f* bed--couch, daybed.

Schläfchen ['ʃlɛ:fçən] *n* (-s; -) doze, nap, snooze; catnap; *ein ~ machen* (take a) nap, have forty winks, snooze, *Am. a.* have some shut-eye.

'**Schlafdecke** *f* blanket.

Schläfe ['ʃlɛ:fə] *f* (-; -n) temple.

'**schlafen** *v/i.* (*irr.*, *h.*) sleep; slumber, doze; *fig.* sleep; *matter, a. talent*: lie dormant; *iro.* be napping *or* careless; *fest ~* be fast asleep, sleep like a top *or* log; *gut (schlecht) ~* sleep well (badly); be a sound (poor) sleeper; *länger ~* sleep late; *zu lange ~* oversleep; *~ gehen* go to bed, retire to rest, turn in; *fig.* *e-e Sache ~ lassen* let a matter rest; *~ Sie wohl!* good night!, sleep well!; *~ Sie darüber!* sleep on it!; *das ließ ihn nicht ~* it gave him no rest, it was preying on his mind; ~**d** *adj.* sleeping, *pred.* asleep; *fig.* dormant.

'**Schläfen...** *in compounds* temporal...

'**Schlafen|gehen** *n*: *vor dem ~* before going to bed; ~**szeit** *f* bedtime; *es ist ~* it is time to go to bed.

'**Schläfer(in** *f*) *m* (-s, -; -, -nen) sleeper.

'**schläfern** *v/i.* (*impers.*, *h.*) *es schläfert mich* I am (*or* feel) sleepy *or* drowsy.

'**schlaferzeugend** *adj.* inducing sleep, soporific.

schlaff [ʃlaf] *adj.* slack, loose; flabby, flaccid (*skin, flesh, etc.*); limp; *fig.* lax, loose (*morals, etc.*); limp, flabby (*a. style*); slack (*a. stock exchange*); sluggish; *~ machen or werden* slacken, relax; '2**heit** *f* (-) slackness; flabbiness; limpness; *fig. a.* laxity.

'**Schlaf...:** ~**gänger** ['-gɛŋər] *m* (-s; -), ~**gast** *m* night-lodger; overnight guest; ~**gefährte**, ~**genosse** *m* bed--fellow; ~**geld** *n* lodging-money; ~**gelegenheit** *f* sleeping accommodation; *room, etc.*: *~ bieten (dat.)* accommodate *or* sleep *three persons*; ~**gemach** *n* bedroom.

Schlafittchen [ʃla'fitçən] *colloq.* *n* (-s): *j-n beim ~ nehmen* (seize *a p.* by the) collar; *fig.* take *a p.* to task.

'**Schlaf...:** ~**kabine** *f* sleeping cabin; ~**kamerad** *m* → *Schlafgefährte*; ~**kammer** *f* bedroom; ~**koje** *f* (sleeping) berth (*a. aer., rail.*); *for sailors*: bunk; ~**krankheit** *f* (-) sleeping-sickness; ~**lied** *n* lullaby; 2**los** *adj.* sleepless; ~**losigkeit** *f* (-) sleeplessness, insomnia; ~**mittel** *n* soporific, sleeping pill (*or* tablet); ~**mütze** *f* night--cap; *fig.* slowcoach, sleepyhead; 2**mützig** ['-mytsiç] *adj.* sleepy, sleepyheaded; slow, dull; ~**pille** *f* sleeping pill.

schläfrig ['ʃlɛ:friç] *adj.* sleepy, drowsy; *fig.* → *schlafmützig*; indolent; somnolent; 2**keit** *f* (-) sleepiness, drowsiness; *fig.* dullness, indolence.

'**Schlaf...:** ~**rock** *m* dressing-gown, morning-gown, robe; → *Apfel*; ~**saal** *m* dormitory; ~**sack** *m* sleeping bag; ~**sofa** *n* sofa-bed; ~**stätte**, ~**stelle** *f* sleeping-place; (over--night) accommodation; night's lodging; *mar.* berth; ~**störung** *f* troubled sleep, somnipathy; ~**stube** *f* → *Schlafzimmer*; ~**sucht** *f* (-) somnolence, *med. a.* lethargy; 2**süchtig** *adj.* drowsy, somnolent; ~**tablette** *f* sleeping tablet (*or* pill); ~**trunk** *m* sleeping-draught; *colloq.* night-cap; 2**trunken** *adj.* (very) drowsy, drugged with sleep; ~**wagen** *rail.* *m* sleeping-car(riage), *Am.* sleeper; 2**wandeln**, *etc.* → *nachtwandeln*; ~**zimmer** *n* bedroom, *Am. a.* sleeping-room.

Schlag [ʃla:k] *m* (-[e]s; ¨e) blow (*a. fig.*), knock; stroke (*a. tech.*; *a. of oar*); impact (*a. phys.*); hit; slap; blow, punch, sock, cuff, jab; cut, lash (*of whip*); whack; kick; bang; smack; thump, thud; crash; *fürchterlicher ~ boxing*: punishing blow, lethal punch, *fig.* crushing blow; *verbotener ~* foul (blow); → *hart*; *elektrischer ~* electric shock; *soccer*: kick, shot; *tennis*: shot, stroke; *med.* stroke, apoplexy; → *rühren*; (*drum, heart, pulse*) beat; clap (*of thunder*); oscillation, swing (*of pendulum*); *tech.* out of round, *of record, etc.*: wobble; carriage-door; *of bird*: warbling, carol(l)ing, song; (*pigeon*) cote; *of wood*: cut; *mar.* coil, turn (*of rope*); *mil.* (*food*) helping; *fig.* race, kind, type, *esp. zo.* breed, stock; *Leute seines ~es* men of his stamp; *vom gleichen ~e* of the same stamp, *contp.* birds of a feather; *vom alten ~e* of the old school; *~ ins Gesicht* slap in the face (*a. fig.*); → *Kontor*; *~ ins Wasser* flop; *~ auf ~* blow upon blow, in rapid succession; *auf e-n* (*or mit e-m*) *~* **a)** at one blow (*or* go), **b)** → *schlagartig*; *mit e-m ~* with a crash *or* bang; *~ sechs Uhr* on the stroke of six, at six o'clock sharp; *e-n ~ anbringen* get in (*or* home) a blow; *e-n ~ erhalten* receive a blow (*or el.* shock); *j-m e-n ~ versetzen* deal a p. a blow, land (a blow) on a p.; *Schläge bekommen* get a beating (*a. fig.*); *boxing*: *er hat keinen ~* he has no punch; '~**abtausch** *m* → ~*wechsel*; '~**ader** *anat.* *f* artery; '~**anfall** *m* stroke (of apoplexy), apoplectic fit; *e-n ~ bekommen* have a stroke; 2**artig** ['-a:rtiç] **I.** *adj.* sudden, abrupt, prompt; *~er Angriff* surprise attack; **II.** *adv.* all of a sudden, abruptly, from one day (*or* minute) to the other, like a blow, with a bang; '~**austausch** *m* → ~*wechsel*; '~**ball(spiel** *n*) *m* rounders *sg.*; '~**baum** *m* turnpike, toll-bar; '~**biegefestigkeit** *tech.* *f* impact bending strength; '~**bolzen** *m* *of rifle*: firing-pin, striker; *of mine*: firing bolt; '~**bolzenfeder** *f* striker spring; '~**bohrer** *m* percussion drill.

schlagen ['ʃla:gən] **I.** *v/t.* (*irr.*, *h.*) strike, beat, hit; punch, sock, knock, slog, *Am.* slug; pommel; slap; smack; kick; spank; whip, lash; cane; whack, thwack; tap, pat; *~ auf (acc.)* **a)** hit on, **b)** *econ.* charge (*or* clap) on *the price, etc.*; *zu Boden ~* knock down, floor; *die Augen zu Boden ~* cast down one's eyes; *fig.* beat, defeat, lick; beat, excel; *sports*: *überlegen ~* whip, trounce; punish; *God*: smite; → *Alarm, Blindheit, Brücke, Kreuz, etc.*; whip, whisk, beat *the whites of egg*; coin (*money*); fell, cut (*wood*); fight (*battle*); play on (*the lute, etc.*); touch, strike (*strings*); *~ in* drive *a nail* into; *in Papier ~* wrap up in paper; *durch ein Sieb ~* pass through a sieve; *den Kopf ~ an* knock one's head against; *e-n Schal um die Schultern ~* throw a shawl about one's shoulders; *sich ~* **a)** beat o.s., **b)** (have a) fight, come to blows, **c)** fight a duel, **d)** fence; *sich gut ~* stand one's ground, hold one's own, be game; *sich geschlagen geben* admit one's defeat, give up, throw in the sponge, *j-m*: bow to a p.; *sich an die Brust ~* beat one's breast; *sich an die Stirn ~* smite (*or* clutch) one's brow; *sich et. aus dem Kopfe ~* put a th. out of one's mind; *sich ~ zu (dat.)* take sides with, side with, join, go over to *a party, etc.*; *die Erkältung schlug sich auf den Magen* the cold settled on the stomach; *ein geschlagener Mann* a broken man; *e-e geschlagene Stunde* a full (*or* solid) hour; *zwei geschlagene Stunden (lang)* for two mortal hours; *fig.* *ich war völlig geschlagen* **a)** I was all in, **b)** you could have knocked me down with a feather, **c)** I was down in the mouth; **II.** *v/i.* (*irr.*, *sn*) strike, beat; thump, thud; crash; (*irr.*, *h.*) *heart, pulse*: beat, throb; *clock*: strike; *horse*: kick, lash out; *bird*: warble, sing, trill, carol; *tech.* wobble; → *Art, Gewissen, Stündlein*; *~ an (acc.) or gegen* strike against, *rain*: beat (*or* patter) against, *waves*: beat (*or* dash) against; *der Blitz schlägt in e-n Baum* the lightning strikes a tree; *mit den Flügeln ~* flap one's wings; *nach j-m ~* strike (*or* swing) at a p.; *fig.* take after *the mother*; *j-m auf die Finger ~* rap a p.'s knuckles; *um sich ~* lay about one; 2 *n* (-s) beating, *etc.*; construction (*of bridge*); beat(ing), pulsation (*of pulse, etc.*), *of heart a.* palpitation; ~**d** *adj.* *fig.* striking; impressive; convincing; conclusive (*evidence*), devastating (*proof*); cogent, irrefutable (*grounds*); *~e Antwort* effective retort, repartee, *Am. a.* squelch(er); *~er Beweis* clinching proof; *univ.* *~e Verbindung* duelling club; *mining*: *~e Wetter* firedamp.

'**Schlager** *m* (-s; -) *mus.* hit *or* pop song, hit(-tune); *thea.* draw, smash hit, box-office success; drawcard, *Am.* (sales) hit; best-seller; *fig.* hit, hot stuff.

Schläger ['ʃlɛ:gər] *m* (-s; -) brawler, rowdy, *Am.* tough, bruiser; *boxing*: puncher, *Am.* slugger; batsman; (*horse*) kicker; (*bird*) warbler; (*device*) beater; *cul.* whisk, (egg-)beater; *sports*: bat; (tennis, *etc.*) racket; battledore; (golf) club; (hockey) stick; *fenc.* rapier, sword.

Schläge'rei *f* (-; -en) fight(ing), scuffle, brawl, free fight, *Am.* free--for-all.

ˈ**Schlager...:** ⁓**komponist** *m* song writer; ⁓**melodie** *f* hit-tune, song-hit, hit *or* pop song; ⁓**musik** *f* pop music; ⁓**parade** *f* hit parade; ⁓**preis** *m* record (*or* rock-bottom) price; ⁓**sänger(in** *f*) *m* pop singer.

ˈ**Schlag...:** ⁀**fertig** *fig. adj.* ready-witted, quick at repartee, *Am. a.* quick on the trigger; ⁓*e Antwort* repartee, *Am. a.* snappy come-back; ⁓**fertigkeit** *f* (-) readiness for battle, preparedness; *fig.* ready wit, quickness of repartee; quick repartee(s); ⁓**festigkeit** *tech. f* impact strength; ⁓**flügler** [ˈ-fly:glər] *aer. m* (-s; -) ornithopter; ⁓**fluß** *med. m* apoplexy; ⁓**härte** *f tech.* impact hardness; *boxing*: punch; ⁓**holz** *n* wood for felling, regular fellings *pl.*; *sports*: bat; ⁓**instrument** *mus. n* percussion instrument; ⁓**kraft** *f tech.* impact *or* striking force; *boxing and fig.*: punch, drive; *mil.* combat effectiveness, fighting power; ⁀**kräftig** *adj.* striking, efficient, powerful; conclusive (*evidence*); ⁓**licht** *n* (-[e]s; -er) *paint.* strong light; *fig. a.* glaring light, glare; ⁓**loch** *n* road hole, pot-hole; ⁓**lot** *tech. n* hard solder; ⁓**mann** *m* (-[e]s; ⸚er) batsman; *rowing*: stroke; ⁓**matrize** *f* stamping die; ⁓**mühle** *f* crushing mill; ⁓**nietmaschine** *f* percussion riveting machine; ⁓**rahm** *m* whipped cream; ⁓**ring** *m* brass knuckles *pl.*, knuckleduster; *mus.* plectrum; ⁓**sahne** *f* whipped cream; ⁓**schatten** *m* cast shadow; ⁓**schraube** *f* drive screw; ⁓**seite** *f mar. f* list; ⁓ *haben* list, *colloq. fig.* be half-seas over; ⁓ *bekommen* heel over; ⁓**serie** *f boxing*: series of blows; ⁓**sieb** *tech. n* vibrating screen; ⁀**stark** *adj. boxing*: hard-punching; ⁓**uhr** *f* striking clock; ⁓**wechsel** *m boxing*: exchange of blows; ⁓**welle** *mar. f* breaker; ⁓**werk** *n tech.* breaking machine; ram; *of clock*: striking mechanism; ⁓**wetter** *mining*: *n* firedamp; ⁀**wettergeschützt** *adj.* flameproof; ⁓**wort** *n* (-[e]s; ⸚er) slogan, catch-phrase; *w.s.* catchword; *pl. contp. a.* claptrap; ⁓**wortkatalog** *m* subject catalog(ue); ⁓**zeile** *f* (banner) headline; ⁓**zeug** *mus. n* percussion instruments, drums *pl.*; ⁓**zeuger** [ˈ-tsɔʏgər] *mus. m* (-s; -) drummer; ⁓**zünder** *m* percussion fuse.

Schlaks [ʃla:ks] *colloq. m* (-es; -e) gangling fellow; ˈ⁀**ig** *adj.* gangling, lanky.

Schlamassel [ʃlaˈmasəl] *colloq. m* (-s; -) mess.

Schlamm [ʃlam] *m* (-[e]s; -e) mud, mire; slime, sludge, ooze; silt; *ceramics*: slip; sediment; *mot.* sludge; *fig.* mire; ⁀**artig** [ˈ-a:rtiç] *adj.* muddy, slimy; ˈ⁓**bad** *n* mud-bath; ˈ⁓**boden** *m* muddy soil.

schlämmen [ˈʃlɛmən] *v/t.* (*h.*) dredge (*harbour, lake*); clear (of mud); buddle (*ore*); wash (*chalk, ore*); *chem.* elutriate.

ˈ**schlammig** *adj.* muddy, miry; slimy, oozy; slushy.

ˈ**Schlämm...:** ⁓**kohle** *f* washed coal; ⁓**kreide** *f* whit(en)ing.

ˈ**Schlammloch** *n* mud-hole; ⁓**packung** *med. f* mud pack.

Schlampe [ˈʃlampə] *f* (-; -*n*) slut, slattern; ⁀**n** *v/i.* do a sloppy job.

ˈ**Schlamper** *m* (-s; -) sloven; slouch; *colloq. fig.* lout, oaf, heel.

Schlampeˈrei *f* (-; -*en*) sluttishness, slovenliness; slackness, sloppiness; mess, muddle; sloppy job.

ˈ**schlampig** *adj.* slovenly; slipshod, sloppy (*job*); untidy, unkempt; slaternly, frowzy (*woman*).

schlang [ʃlaŋ] *pret. of schlingen.*

Schlange [ˈʃlaŋə] *f* (-; -*n*) snake, *rhet.* serpent; *ast.* Serpent; *tech.* coil; *fig.* viper, snake in the grass; *fig.* queue, *Am.* line; ⁓ *stehen* stand in queue (*nach* for), queue up, *Am.* stand in line, line up (for).

schlängeln [ˈʃlɛŋəln]: *sich* ⁓ (*h.*) twist, wind; worm o.s. (*durch eine Menge, etc.* through a crowd, *etc.*); wriggle; *path, river*: meander, wind; → *durchschlängeln*; *fig.* sneak; worm one's way (*in acc.* into), wriggle (*aus* out of); ⁓**d** *adj.* winding, serpentine, sinuous.

ˈ**Schlangen...:** ⁀**ähnlich,** ⁀**artig** [ˈ-a:rtiç] *adj.* snake-like, snaky, serpentine; ⁓**beschwörer(in** *f*) [ˈ-bəʃvø:rər] *m* (-s, -; -, -*nen*) snake-charmer; ⁓**biß** *m* snake-bite; ⁓**bohrer** *tech. m* auger bit; ⁓**brut** *f fig.* generation of vipers; ⁓**gift** *n* snake-poison; ⁓**haut** *f* snake skin; ⁓**kühler** *tech. m* spiral condenser; ⁓**leder** *n* snake leather; ⁓**lederschuh** *m* reptile shoe; ⁓**linie** *f* serpentine (*or* sinuous) line, *typ.* waved rule; ⁓**mensch** *m* contortionist; ⁓**rohr** *n*, ⁓**röhre** *f* spiral pipe *or* tube, coil, worm; ⁓**stab** *m* caduceus; ⁓**weg** *m* winding path (*or* road).

schlank [ʃlaŋk] *adj.* slender, slim, svelte, *von* ⁓*er Figur* slender-waisted; *die moderne* ⁓*e Linie* the waist-line; ⁓ *wie e-e Tanne* slim as a young sapling; ⁓ *machen* slim, slenderize, *dress*: make *a. p.* look slim; ⁓ *werden* slim; *fig. in* ⁓*em Trabe* at a fast trot; ˈ⁀**heit** *f* (-) slenderness, slimness, slender figure; ˈ⁀**heitskur** *f* slimming cure; ˈ⁓**machend** *adj.* slimming; ˈ⁓**weg** *adv.* → *rundweg.*

schlapp [ʃlap] *adj.* → *schlaff*; *fig.* weak-kneed, soft; *colloq.* ⁓ *machen* break down, wilt.

ˈ**Schlappe** *f* (-; -*n*) blow, set-back, reverse; defeat, beating; loss.

ˈ**Schlappen** *colloq. m* (-s; -) slipper.

ˈ**schlappen** *v/t. and v/i.* (*h.*) flap; → *schlürfen, schlurfen.*

ˈ**schlappern** *v/t. and v/i.* (*h.*) lap (up), sip (noisily); babble, jabber.

ˈ**Schlapp...:** ⁓**hut** *m* slouch-hat; ⁓**macher** *colloq. m* slacker, sissy, *Am. a.* softy, quitter; ⁓**ohr** *n* flap-ear; ⁓*en pl.* lob ears; ⁓**schuh** *m* (old) slipper; ⁓**schwanz** *colloq. m* → *Schlappmacher.*

Schlaraffen|land [ʃlaˈrafən-] *n* (-[e]s) (Land of) Cockaigne, fool's paradise; land of milk and honey; ⁓**leben** *n* (-s) life of idleness and luxury.

schlau [ʃlaʊ] *adj.* sly, cunning, smart; wily, foxy; crafty, clever, artful; slick; *colloq.* ⁓*er Posten* soft job; *ich werde nicht* ⁓ *daraus* I can't make head or tail of it; *er wird nie* ⁓ he will never learn; *contp. ein ganz* ⁀*er* → ⁀**berger** [ˈ-bɛrgər] *colloq. m* (-s; -) sly-boots *sg.*, smart aleck, *Am. a.* smartie.

Schlauch [ʃlaʊx] *m* (-[e]s; ⸚e) tube, pipe; flexible pipe; hose; (wine, oil) skin, (leather) bag; *of tyre*: inner tube; *fig.* guzzler; *colloq.* strain, rack, fag, tough job; *sl. ped.* crib, *Am.* pony; ˈ⁓**anschluß** *m* hose coupling; ˈ⁓**boot** *n* air (*aer.* life) raft; rubber dinghy; *Am.* pneumatic boat; ˈ⁀**en** *v/t. and v/i.* (*h.*) hose, fill by means of a hose; *colloq. fig.* fag, tell on *a p.*, be a strain (on); *mentally*: go hard with *a p.*; *mil.* give *a p.* hell (*Am.* chicken); ⁀**förmig** [ˈ-fœrmiç] *adj.* hose-shaped; ˈ⁓**leitung** *f* hose line; ˈ⁀**los** *mot. adj.* tubeless; ˈ⁓**trommel** *f* hose reel; ˈ⁓**ventil** *mot. n* tyre valve; ˈ⁓**verbindung** *f* hose coupling, union joint.

Schläue [ˈʃlɔʏə] *f* (-) → *Schlauheit.*

ˈ**schlauerweise** *adv.* cunningly; prudently, wisely; *iro.* ingeniously.

Schlaufe [ˈʃlaʊfə] *f* (-; -*n*) loop, runner, noose.

ˈ**Schlau...:** ⁓**heit** *f* (-) slyness, cunning; craftiness, artfulness; cleverness, smartness; ⁓**kopf,** ⁓**meier** *colloq. m* → *Schlauberger.*

schlecht [ʃlɛçt] **I.** *adj.* bad (*comp.* ⁓*er* worse, *sup.* ⁓*est* worst); wicked; evil; base, vile, low; poor; wretched; bad (*eyes*); poor, ill (*health*); bad, foul (*air*); bad, poor (*excuse*); *econ.* poor, inferior (*quality, goods*); spoiled; base, bad (*money*); ⁓*er Absatz* poor sale; ⁓*e Papiere* dubious (*or* worthless) stocks; ⁓*e Schuld* bad debt; ⁓*er Tag* off day; ⁓*e Aussichten* poor prospects; ⁓*e Behandlung* ill-treatment; ⁓*e Führung* misconduct; ⁓*e Laune* ill humo(u)r, bad temper *or* mood; ⁓*er Ruf* bad reputation, ill fame; ⁓*e Regierung* misgovernment; ⁓*e Verwaltung* mismanagement; ⁓*e Zeiten* hard times; ⁓ *sein in et.* be poor at a th.; ⁓ *werden* go bad; ⁓*er werden* get worse, worsen, deteriorate; ⁓ *daran sein* be badly off; *j-m e-n* ⁓*en Dienst erweisen* do an ill turn to a p.; *im* ⁓*en Sinne* in a bad sense; *mir ist* ⁓ I am sick; *es kann e-m* ⁓ *dabei werden* it's sickening; *nicht* ⁓ not (at all) bad; **II.** *adv.* bad(ly), ill; ⁓ *und recht* after a fashion, somehow; ⁓ *aussehen* **a**) look bad, **b**) look ill; ⁓ *beraten sein* be ill-advised; ⁓ *machen* do (*or* make) badly, bungle, → *schlechtmachen*; ⁓ *verwalten* mismanage; ⁓ *zu sprechen sein auf j-n* have it in for a p.; *immer* ⁓*er* from bad to worse; *es geht ihm* ⁓, *es steht* ⁓ *um ihn* he is badly off, he is in a bad way; *es geht ihr heute* ⁓ she is bad today; *es bekam ihm* ⁓ it did him no good (*a. fig.*); *das soll ihm* ⁓ *bekommen!* he'll pay for this!; *er kann es sich* ⁓ *leisten, zu inf.* he can ill afford to *inf.*; *es steht e-m Beamten* ⁓ *an, zu inf.* it ill becomes a civil servant to *inf.*; *er staunte nicht* ⁓ he was greatly (*or* not half) surprised; ˈ⁀**e(s)** *n* (-[e]*n*) bad thing(s *pl.*), something bad; evil (things); *das* ⁓ *daran* the bad side of it; '~erdings ['-ər'diŋs] *adv.* absolutely, positively, downright, by all means; '2er-stellung *f* discrimination; '~gelaunt *adj.* ill-humo(u)red, in a bad temper *or* mood, cross; '2heit *f* (-; -*en*) badness, poorness, inferior quality, worthlessness; *fig.* badness, wickedness; '~hin *adv.* plainly, simply, downright; pure and simple; in general; '2igkeit *f* (-; -*en*) badness; wickedness; depravity; baseness; base act, mean trick; '~machen *v/t.* (*h.*) run down; backbite, malign; '~sitzend *adj.* badly fitting (*suit, etc.*); '~weg *adv.* → *schlechthin*; '2-wetterflugbetrieb *m* (-[e]s) all-weather operation; '2wetterfront *f* bad weather front; '2wetter-periode *f* spell of bad weather.

schlecken ['ʃlɛkən], *etc.* → *lecken*².

Schlegel ['ʃle:gəl] *m* (-*s*; -) drumstick; *tech.* beater; mallet, wooden hammer, beetle; *mining*: (cat's-head) sledge; *cul.* leg; 2n *v/i.* (*h.*) wield *the mallet, etc.*; kick (*with legs*).

Schlehdorn ['ʃle:dɔrn] *bot. m* (-[e]s; -e) sloe(-tree), blackthorn.

Schlehe ['ʃle:ə] *bot. f* (-; -*n*) sloe, wild plum.

Schlei [ʃlaɪ] *ichth. m* (-[e]s; -e) tench.

schleichen ['ʃlaɪçən] *v/i.* (*irr., sn*) creep, crawl; slink, sneak; *im Dunkeln* ~ prowl in the dark; *sich in das Haus* ~ sneak (*or* steal, slip) into the house; *sich davon*~ steal away *or* off; ~d *adj.* creeping, sneaking; furtive; slow, lingering (*fever, poison*); lingering, insidious, chronic (*disease*).

'**Schleicher(in** *f*) *m* (-*s*, -; -, -*nen*) creeper; prowler; *fig.* sneak, intriguer; pussyfoot(er).

Schleiche'rei *f* (-) sneaking, intrigues *pl.*

'**Schleich...:** ~handel *m* illicit (*or* clandestine) trade; smuggling; black market; ~händler *m* smuggler, contrabandist; black-marketeer; ~weg *m* hidden (*or* secret) path; *fig.* secret way (*or* means), dodge; *auf* ~*en* surreptitiously.

'**Schleie** *ichth. f* (-; -*n*) tench.

Schleier ['ʃlaɪər] *m* (-*s*; -) veil; haze, mist; film; *phot.* fog; *mil.* screen; *eccl. den* ~ *nehmen* take the veil; *fig.* ~ *der Vergessenheit* veil of oblivion; *unter dem* ~ *der Nächstenliebe* under the veil of charity; *e-n* ~ *über et. ziehen* draw a veil over a th.; ~eule *f* barn-owl; ~flor *m* crape; 2haft *adj.* hazy; mysterious; incomprehensible; *das ist mir einfach* ~ that's a (complete) mystery to me, that beats me; ~tanz *m* veil-dance; ~tuch *n weaving*: lawn; *econ.* veiling, voile (*Fr.*).

Schleif|arbeit ['ʃlaɪf-] *f* grinding operation; ~automat *m* automatic grinder; ~bahn *f* slide; ~bank *f* (-; ¨e) grinding-lathe; ~druck *tech. m* (-[e]s) feeding pressure.

'**Schleife** *f* (-; -*n*) loop (*a. el.*); slip-knot; noose; bow; kink; *on wreath*: streamer; *of road*: loop, horse-shoe bend; *aer.* loop(ing); sledge; slide.

'**schleifen**¹ *v/t.* (*irr., h.*) grind, sharpen; whet; *tech.* grind, abrade; smooth, polish (*a. fig.*); rub (down), sand (*varnish, wood*); cut (*gem, glass*); set (*razor*); *sl. mil.* drill hard, give *a p.* hell (*Am.* chicken); *geschliffen* polished (*manners, speech*).

'**schleifen**² *v/t. and v/i.* (*h.*) drag (along); trail; draggle; slide, skid; demolish, *mil.* raze, dismantle; *gr., mus.* slur; *el.* loop; *mot. die Kupplung* ~ *lassen* let the clutch slip.

'**Schleifen...:** ~fahrt *f* looping the loop; ~flug *aer. m* loop, U turn; 2förmig ['-fœrmiç] *adj.* loop-shaped; ~kurve *f* loop (curve), horse-shoe-bend; ~schaltung *el. f* loop connection; ~wicklung *el. f* lap winding.

'**Schleifer** *m* (-*s*; -) *tech.* grinder, polisher; *of gems*: cutter; *sl. mil.* martinet; *tech.* slip ring; *mus.* slurred note.

Schleife'rei *f* (-; -*en*) grindery; pulp manufacture.

'**Schleif...:** ~güte *tech. f* abrasive temper; ~knoten *m* slip-knot, *mar.* running knot; ~kontakt *el. m* sliding contact; ~lack *m* polishing varnish, body varnish; ~lackausführung *f* egg-shell finish; ~maschine *f* grinding-machine, grinder; ~mittel *n* abrasive; ~papier *n* abrasive(-coated) paper, sand (*or* emery) paper; ~paste *f* rubbing paste; ~pulver *n* grinding (*or* polishing) powder; ~rad *n* grinding (*or* polishing) wheel; ~ring *el. m* slip ring; ~ringläufermotor *el. m* slip-ring (induction) motor; ~sand *m* cutting sand; ~scheibe *f* abrasive wheel, polishing disk; ~schritt *m dancing*: sliding step; ~stein *m* whetstone, hone; grindstone, grinder; ~stoff *m* paper pulp; ~ung *f* (-; -*en*) demolition; *mil.* dismantling, razing; ~werkzeug *n* grinding tool; ~wirkung *f* grinding action *or* power.

Schleim [ʃlaɪm] *m* (-[e]s; -e) slime; *physiol., med.* mucus, phlegm; *bot.* mucilage; *cul.* gruel; '2absondernd *adj.* mucigenous; '~absonderung *f* mucous secretion; '~auswurf *med. m* expectoration; '~beutel *anat. m* bursa; '~beutelentzündung *med. f* bursitis; '2bildend *adj.* slime-forming, muciparous; '~drüse *anat. f* mucous gland; '2en I. *v/i.* (*h.*) form a mucilage, grow slimy; *med.* cause phlegm; II. *v/t.* (*h.*) clean (*fish*); scum (*sugar*); ~fieber *med. n* mucous fever; ~fluß *med. m* blennorrh(o)ea; ~gewebe *n* mucous tissue; ~haut *anat. f* mucous membrane; 2ig *adj.* slimy (*a. fig.*), mucous; viscous; 2lösend *adj.* expectorant; ~suppe *f* (thick) gruel; ~tiere *zo. n/pl.* molluscs, mollusca.

Schleiße ['ʃlaɪsə] *f* (-; -*n*) splint(er).

'**schleißen I.** *v/t.* (*irr., h.*) slit, split; wear out; *feathers*: strip; **II.** *v/i.* (*irr., sn*) *and sich* (*irr., h.*) wear (o.s.) out.

Schlemmboden ['ʃlɛm-] *geol. m* diluvial soil.

schlemmen ['ʃlɛmən] *v/i.* (*h.*) revel; feast, gormandize, gorge; carouse, guzzle; live high.

'**Schlemmer** *m* (-*s*; -), ~in *f* (-; -*nen*) reveller, high liver; gourmet; gormandizer, glutton; **Schlemme'rei** *f* (-; -*en*) revelry, free living; gormandizing, gluttony; carousal.

schlendern ['ʃlɛndərn] *v/i.* (*h.*) stroll (about), saunter, amble; lounge (about).

Schlendrian ['ʃlɛndria:n] *m* (-[e]s) routine, jog-trot, beaten track, old humdrum way; dawdling, muddling on; *s-n* ~ *gehen* jog along in the same old way.

schlenkern ['ʃlɛŋkərn] *v/t.* (*h.*) dangle, shamble; swing (*a. v/i.*: *mit den Armen, etc.* one's arms, *etc.*); fling, jerk (off).

schlenzen ['ʃlɛntsən] *v/t.* (*h.*) *sports*: scoop.

Schlepp|antenne ['ʃlɛp-] *f* trailing aerial, *Am.* drag antenna; ~dampfer *m* (steam-)tug, tugboat.

'**Schleppe** *f* (-; -*n*) train (*of dress*); trail; *tech.* stove truck.

'**schleppen** *v/t. and v/i.* (*h.*) drag, lug, haul; trail; draggle; carry, *Am. a.* tote; *aer., mar., mot.* tow, haul, *mar.* tug (*barge*), drag (*anchor*); *econ.* tout; *sich* ~ drag o.s. along; trudge, plod along; *sich mit et.* ~ be burdened with, struggle with; ~d *adj.* dragging, sluggish; slow (*a. econ.*); drawling (*speech*); shuffling (*gait*); heavy (*style*); wearisome, tedious; 2kleid *n* dress with train; 2träger(in *f*) *m* train-bearer.

'**Schlepper** *m* (-*s*; -) *mot.* tractor; *mar.* tug(boat); lighter; (*person*) *mining*: hauler; *econ.* tout; ~pflug *m* tractor plough (*Am.* plow).

'**Schlepp...:** ~flug *aer. m* glider towing; ~flugzeug *n* towing airplane, tow plane, glider tug; ~kahn *m* towed boat, (canal) barge, lighter; ~leine *f* drag line; ~lift *m* ski tow; ~lohn *m* towage; ~netz *m* drag-net, trawl(-net); ~netzfischer(boot *n*) *m* dragger, trawler; ~säbel *mil. m* cavalry sab|re, *Am.* -er; ~scheibe *aer. f* towed target; ~schiff *n* tug (-boat); ~schiffahrt *f* tug-service, towing; ~seil *n* tow-rope, towing cable; ~tau *n* → *Schleppseil*; *ins* ~ *nehmen* take in tow (*a. fig.*); *sich ins* ~ *nehmen lassen* be taken in tow (*a. fig.*); ~wagen *m* tow car, truck; ~ziel *aer. n* towed target; ~zug *m mar.* train of barges; *mot.* tractor-trailer train, truck train; *aer.* air train.

Schles|ien ['ʃle:ziən] *n* (-*s*) Silesia; ~ier(in *f*) ['-ziər] *m* (-*s*, -; -, -*nen*), 2isch *adj.* Silesian.

Schleuder ['ʃlɔʏdər] *f* (-; -*n*) sling, (*a. aer.*) catapult; *Am.* slingshot; *tech.* → *Schleudermaschine*; ~artikel *m* catchpenny article; ~ausfuhr *f* dumping; ~ball *m* sling ball.

'**Schleud(e)rer** *m* (-*s*; -) slinger; *econ.* undercutter, underseller.

'**Schleuder...:** ~flug *aer. m* catapult flight; ~flugzeug *n* catapult airplane; ~guß *tech. m* centrifugal casting; ~honig *m* strained (*or* extracted) honey; ~kraft *f* centrifugal force; ~maschine *f* centrifugal machine, centrifuge; hydro-extractor; (cream) separator.

'**schleudern I.** *v/t.* (*h.*) fling, hurl, throw; sling; *aer.* catapult; *tech.* centrifuge; strain, extract (*honey*); spin-dry (*laundry*); cure (*sugar*);

II. *v/i.* (*h.*) swing; *mot.* skid, side-slip.

ˈ**Schleuder...:** **⁓preis** *m* ruinous price, underprice, give-away price; *zu ⁓en verkaufen* sell dirt-cheap *or* at a sacrifice; **⁓pumpe** *f* centrifugal pump; **⁓sitz** *aer. m* ejector seat; **⁓spur** *mot. f* skid marks *pl.*; **⁓start** *aer. m* catapult take-off; **⁓verkauf** *econ. m* underselling; *abroad*: dumping; **⁓waffe** *f* missile; **⁓ware** *econ. f* catchpenny article(s *pl.*).

schleunig [ˈʃlɔʏniç] **I.** *adj.* prompt, speedy, quick; **II.** *adv.* in all haste; posthaste, precipitately, helter-skelter; immediately, forthwith, right away; *⁓st, aufs ⁓ste* with the utmost speed *or* dispatch *or* expedition.

Schleuse [ˈʃlɔʏzə] *f* (-; -*n*) sluice (*a. fig.*); lock; floodgate; drain, sewer; **2n** *v/t.* (*h.*) lock; *fig.* channel; **⁓ngeld** *n* lock-dues *pl.*; **⁓nkammer** *f* lock chamber; **⁓nmeister** *m* lock-keeper; **⁓ntor** *n* floodgate; **⁓ntreppe** *f* flight of locks; **⁓nwerke** *n/pl.* sluice-works *pl.*, lockage *sg.*

schlich [ʃliç] *pret. of schleichen.*

Schlich [ʃliç] *m* (-[e]s; -e) secret way; *alle ⁓e* all the ins and outs; *fig.* trick, dodge, ruse; *j-m auf die ⁓e kommen* find a p. out; *ich kenne deine ⁓e* I am up to your tricks.

schlicht [ʃliçt] *adj.* plain, simple, homely; modest, unpretentious; straightforward; unceremonious (*farewell*); smooth, sleek; frugal (*meal*); *die ⁓e Wahrheit* the plain truth.

ˈ**Schlichte** *f* (-; -*n*) *weaving*: size, dressing; *casting*: facing.

ˈ**schlichten** *v/t.* (*h.*) arrange, adjust, put straight *or* right; *fig.* settle, adjust, arrange (*dispute*); settle by arbitration; *tech.* level, plane; smooth, sleek, finish; *metall.* blackwash; dress (*cloth, leather*).

ˈ**Schlichter(in** *f*) *fig. m* (-s, -; -, -*nen*) peacemaker, mediator, *Am. a.* troubleshooter; arbitrator.

ˈ**Schlicht...:** **⁓feile** *f* smooth-cut file; **⁓hammer** *m* square flatter.

ˈ**Schlichtheit** *f* (-) plainness, simplicity; modesty, unpretentiousness.

ˈ**Schlicht...:** **⁓hobel** *m* smoothing plane; **⁓leim** *m* sizing; **⁓maschine** *f* finishing machine; **⁓messer** *n* plane knife.

ˈ**Schlichtung** *f* (-; -*en*) settlement; mediation; arbitration; **⁓s-ausschuß** *m* arbitration committee; **⁓sversuch** *m* mediation attempt.

ˈ**Schlichtwalze** *f* finishing roll.

Schlick [ʃlik] *m* (-[e]s; -e) mud, slime.

schlief [ʃli:f] *pret. of schlafen.*

schließbar [ˈʃli:s-] *adj.* lockable.

ˈ**Schließe** *f* (-; -*n*) fastening; catch, latch; clasp.

ˈ**schließen I.** *v/t.* (*irr., h.*) shut, close; lock; bolt; shut (*or* close) down (*enterprise*); *den Laden ⁓* shut up shop; *mil. die Reihen ⁓* close (*or* serry) the ranks; close (*account, brackets*); *fig.* form (*alliance, circle*); contract (*friendship, marriage*); make, conclude (*peace*); strike (*a bargain*), make (*a deal*), conclude; *el.* close (*circuit*); reach, come to (*settlement*); conclude, enter into (*contract*); end, finish, terminate; close, closure (*debate*); conclude (*letter, speech*); close (*a case; the court*); break up (*meeting*); *an die Brust ⁓* press to one's heart; *in die Arme ⁓* embrace; *in sein Herz ⁓* take a great liking (*or* fancy) to; *in sich ⁓* comprise, include, imply; *⁓ mit* wind up (*a speech*) with *the words*, conclude by *saying*; *sich ⁓* (*irr., h.*) shut, close, *wound*: close, heal up; *sich ⁓ um hand, circle, etc.*: close upon; *fig. der Kreis schließt sich* it comes full circle; *daran schloß er die Bemerkung, daß* to this he added the remark that; *daran schloß sich ein Dokumentarfilm* this was followed by a documentary; → *geschlossen*[2]; **II.** *v/i.* (*irr., h.*) shut, close; *der Schlüssel schließt nicht* the key does not fit (the lock); *school*: break up; *speaker, writer*: close (*mit* → I.); *stock exchange*: *⁓ mit* close at; *aus et. ⁓ auf* (*acc.*) infer (*or* conclude, deduct, gather) from a th.; *von sich auf andere ⁓* judge others by o.s.; *auf et. ⁓ lassen* suggest (*or* point to) a th.

ˈ**Schließer** *m* (-s; -) doorkeeper; jailer, turnkey; latch.

ˈ**Schließ...:** **⁓fach** *n* post-office box (*abbr.* P.O.Box); *bank*: safe deposit box; → *Kofferschließfach*; **⁓feder** *mil. f* breech-closing spring; **⁓korb** *m* hamper.

ˈ**schließlich I.** *adj.* final, last, eventual, ultimate; conclusive; **II.** *adv.* finally, eventually, ultimately; in the end; at last; after all; in the long run; *⁓ und endlich* after all, when all is said and done.

ˈ**Schließmuskel** *anat. m* sphincter, constrictor; *legs*: adductor.

ˈ**Schließung** *f* (-) closing, shutting; *fig.* → *Schluß*; closure, shut-down (*of works, etc.*); closing-time; *parl.* closure (*of debate; a. el. of contact*), *Am.* cloture; *el.* closing (*of circuit*); breaking-up (*of meeting*).

schliff [ʃlif] *pret. of schleifen*[1].

Schliff [ʃlif] *m* (-[e]s; -e) *tech.* grinding, sharpening; ground surface (*or* section); cut (*of gem, glass, etc.*); polish, smoothness, smooth surface; wood pulp; *fig.* (-[e]s) polish; *der letzte ⁓* the master touch; *e-r Sache den letzten ⁓ geben* put the finishing touch(es) to a th.; *sl. mil.* hard drill, *Am.* chicken.

schlimm [ʃlim] *adj. and adv.* bad; *pred.* ill; → *schlecht*; evil; wicked; naughty; nasty; sore; serious, grave; unpleasant; bad, severe (*cold, etc.*); ugly, nasty (*wound*); *e-e ⁓e Sache* (*or Geschichte*) a bad job; *⁓e Zeit* hard times; *⁓ daran sein* be badly off, be in a bad way; *ein ⁓es Ende nehmen* come to a bad end; *das ist ⁓* that's bad; *es sieht ⁓ aus* it looks bad; *das ist nicht so ⁓!* that doesn't matter!, never mind!; *das war ⁓ für ihn* it was hard on him; *⁓er* worse; *⁓er machen, werden* → *verschlimmern*; → *hinter*; *es wird immer ⁓er* things are going from bad to worse; *um so ⁓er* all the worse; *es hätte ihm noch ⁓er ergehen können* he might have fared worse; *am ⁓sten* the worst, worst of all; *auf das 2ste gefaßt sein* be prepared for the worst; *im ⁓sten Falle* → ˈ**⁓stenfalls** *adv.* at the worst, if the worst comes to the worst.

Schlinge [ˈʃliŋə] *f* (-; -*n*) sling (*a. med.*), loop; noose, slip-knot; coil (*of rope, wire*); *hunt.* snare; *fig.* snare, trap; *⁓n legen* set snares; *den Arm in der ⁓ tragen* wear one's arm in a sling; *fig. den Kopf in die ⁓ stecken* run one's head into the noose; *sich aus der ⁓ ziehen* get out of a scrape, wriggle out of it; *j-m in die ⁓ gehen* walk into a p.'s trap.

Schlingel [ˈʃliŋəl] *m* (-s; -) rascal; imp, brat.

schlingen[1] [ˈʃliŋən] *v/t.* (*irr., h.*) sling, wind, twist; plait; tie; *die Arme ⁓ um* (*acc.*) fling one's arms round; *sich um et. ⁓* wind (*or* twine, coil) round, *bot. a.* creep (*or* climb) round.

ˈ**schlingen**[2] *v/i.* (*irr., h.*) swallow greedily, gulp; gobble, bolt one's food; → *hinunter-, verschlingen.*

ˈ**Schlingerbewegung** *f* rolling (motion).

schlinger|n [ˈʃliŋərn] *v/t.* (*h.*) roll, lurch; **2tank** *m* stabilizing tank; **2wand** *f* baffle (plate).

ˈ**Schling|gewächs** *n*, **⁓pflanze** *bot. f* climbing (*or* twining) plant, creeper, *esp. Am.* climber.

Schlips [ʃlips] *m* (-es; -e) (neck-)tie; *colloq. fig. j-m auf den ⁓ treten* tread on a p.'s toes; *sich auf den ⁓ getreten fühlen* feel insulted, be huffed.

schliß [ʃlis] *pret. of schleißen.*

Schlitten [ˈʃlitən] *m* (-s; -) sledge, *Am.* sled; sleigh; toboggan; *tech.* sliding carriage, saddle; cradle (*a. mar.*); *typewriter*: carriage; *saw*: chariot; *⁓ fahren* sledge, sleigh, *Am.* sled, → *rodeln*; *fig. mit j-m ⁓ fahren* ride roughshod over a p., mop the floor with a p., *Am.* take a p. for a ride; *unter den ⁓ kommen* go to the bad; **⁓bahn** *f* sledge-run; **⁓fahrt** *f* sledge-drive, sleigh-ride, sledging; **⁓kufe** *f* runner, *aer.* skid; **⁓partie** *f* sleighing-party.

schlittern [ˈʃlitərn] *v/i.* (*sn*) slide (*fig. in acc.* into); skid; *fig. in e-n Krieg ⁓* stumble into a war.

ˈ**Schlittschuh** *m* (ice-)skate; *⁓ laufen* skate; **⁓bahn** *f* ice-rink; **⁓laufen** *n* skating; **⁓läufer(in** *f*) *m* skater; **⁓segeln** *n* skate-sailing.

Schlitz [ʃlits] *m* (-es; -e) slit; slash; rift, cleft; crack, fissure; aperture; slot; *tech.* slotted hole; *mot.* port, louver; ˈ**⁓auge** *n* slit eye; ˈ**2äugig** *adj.* slit-eyed; ˈ**⁓blende** *phot. f* slit diaphragm; ˈ**2en** *v/t. and v/i.* (*h.*) slit, slash; *tech.* slot; → *aufschlitzen*; ˈ**⁓flügel** *aer. m* slotted wing; ˈ**⁓fräser** *tech. m* slotting cutter; ˈ**⁓messer** *n* slitting knife; ˈ**⁓verschluß** *phot. m* focal-plane shutter.

schlohweiß [ˈʃlo:ˈvaɪs] *adj.* snow-white.

schloß [ʃlɔs] *pret. of schließen.*

ˈ**Schloß** *n* (-sses; ⸗sser) lock (*a. of rifle*); clasp; snap; (belt) buckle; castle, palace; manor-house, château (*Fr.*); *ins ⁓ fallen* slam shut; *fig. hinter ⁓ und Riegel* behind bars; *Schlösser im Mond* castles in the air (*or* in Spain); *er hat ein ~ vor dem Mund* his lips are sealed; **~aufseher** *m* castellan.

Schlößchen ['ʃlœsçən] *n* (-s; -) small castle; château (*Fr.*); *small arms*: bolt sleeve, cocking piece.

Schloße ['ʃlo:sə] *f* (-; -n) sleet, hailstone; **2n** *v/i.* (*h.*) hail, sleet.

Schlosser ['ʃlɔsər] *m* (-s; -) locksmith; motor (*Am.* car-)mechanic; mechanic, fitter; **Schlosse'rei** *f* (-; -en) locksmith's (work-)shop; *a.* '**Schlosserhandwerk** *n* locksmith's, *etc.*, trade.

'**Schlosser...:** **~meister** *m* master locksmith; **2n** *v/i.* (*h.*) tinker, work (*an dat.* at); **~werkstatt** *f* → *Schlosserei.*

'**Schloß...:** **~garten** *m* palace garden; **~halter** *m rifle*: bolt support; **~herr** *m* (**~herrin** *f*) lord (lady) of the castle; **~hof** *m* castle-yard; **~hund** *m fig.*: *heulen wie ein ~* wail and blubber; **~kapelle** *f* chapel in a castle; **~platz** *m* castle (*or* palace) yard; **~turm** *m* castle tower; **~vogt** *m* castellan; **~wache** *f* palace guard.

Schlot [ʃlo:t] *m* (-[e]s; -e) chimney; flue; *mar.*, *rail.* funnel, smoke-stack; *fig.* lout, bounder; *colloq. rauchen wie ein ~* smoke like a chimney; '**~baron** *m* business baron, magnate, *Am.* tycoon; **~feger** ['-fe:gər] *m* (-s; -) chimney-sweep.

schlott(e)rig ['ʃlɔt(ə)riç] *adj.* shaky, wobbling; tottery (*step*); doddering; flabby; loose; dangling; slovenly, sloppy.

'**schlottern** *v/i.* (*h.*) hang loose(ly), flap, dangle; wobble, totter; shake, tremble; shiver (*vor dat.* with *cold*); *vor Angst ~* tremble with fear, shake in every limb; *mit ~den Knien* with shaking knees, fearfully.

Schlucht [ʃluxt] *f* (-; -en) glen, mountain-cleft, gorge, gully, *Am.* canyon; ravine, *Am. a.* gulch; chasm, abyss.

schluchzen *v/i. and v/t.* (*h.*) sob, blubber; **2** *n* (-s) sobbing, sobs *pl.*

Schluck [ʃluk] *m* (-[e]s; -e) draught, gulp, swallow; mouthful, sip; swig; *kleiner ~* → *Schlückchen*; **~auf** ['-ʔauf] *m* (-s) hiccup(s *pl.*); '**~beschwerden** *f/pl.* difficulty in swallowing, dysphagia.

Schlückchen ['ʃlykçən] *n* (-s; -) sip, drop (of).

'**schlucken** *v/t. and v/i.* (*h.*) swallow; gulp (down), bolt; *fig.* swallow, absorb; swallow, pocket (*reprimand, etc.*).

'**Schlucken** *m* (-s) hiccup(s *pl.*); *den ~ haben* (have a) hiccup.

'**Schlucker** *m* (-s; -): *armer ~* poor wretch *or* fellow; starveling.

'**Schluckimpfung** *med. f* oral vaccine (*or* vaccination).

schlud|ern ['ʃlu:dərn] *v/i.* (*h.*) scamp; **~(e)rig** *adj.* sloppy, botched.

schlug [ʃlu:k] *pret. of schlagen.*

Schlummer ['ʃlumər] *m* (-s) slumber; → *Schläfchen*; **~lied** *n* lullaby; **2n** *v/i.* (*h.*) slumber, doze, snooze, (take a) nap; *fig.* lie dormant; **2nd** *adj. fig.* dormant, latent; **~e** *Kräfte a.* potentialities; **~rolle** *f* round pillow, sofa-roll.

Schlump|e ['ʃlumpə] *colloq. f* (-; -n) slut, slattern; **2en** *v/i.* (*h.*) hang loosely, flap, dangle; work slovenly, bungle; **2ig** *adj.* slovenly, sluttish.

Schlund [ʃlunt] *m* (-[e]s; ⸗e) *anat.* throat, gorge, gullet, pharynx; esophagus; *fig.* mouth (*of a cannon, etc.*), jaws *pl.* (*of hell*); chasm, gulf; '**~höhle** *anat. f* pharyngeal cavity; '**~röhre** *anat. f* esophagus.

Schlupf [ʃlupf] *m* (-[e]s; ⸗e) *tech.* backlash; *el.*, *mar.* slip; cover, shelter.

schlüpfen ['ʃlypfən] *v/i.* (*sn*) slip; slide, glide; *~ in* (*acc.*) slip into *one's coat etc.*, slip on *a garment*; slip into *the room, etc.*

'**Schlüpfer** *m* (-s; -) raglan (coat); (*ein ~* a pair of) *for ladies*: knickers *pl.*, *Am.* panties, step-ins, briefs *pl.*

'**schlüpf(e)rig** *adj.* slippery (*a. fig.*); *fig.* risqué (*joke, etc.*); blue, *Am.* off-color; **2keit** *f* (-) slipperiness, *fig.* looseness, obscenity.

'**Schlupf...:** **~jacke** *f* sweater; **~loch** *n* loop-hole; hiding-place, hideout; **~motor** *el. m* cumulative compound motor; **~wespe** *f* ichneumon (fly); **~winkel** *m* hiding-place, haunt; secret nook, recess.

schlürfen ['ʃlyrfən] *v/t.* (*h.*) *and v/i.* (*sn*) drink (*or* eat) noisily, sip; lap; → **schlurfen** ['ʃlurfən] *v/i.* (*sn*) shuffle, drag one's feet.

Schluß [ʃlus] *m* (-sses; ⸗sse) close, end; conclusion; *stock exchange*: unit of trade, *Am.* board lot; *dressmaking*: closing; (snug) fit; *el.* short circuit; result, upshot, issue; conclusion, inference, deduction; *logics*: syllogism; *parl.* closing, *upon motion*: closure, *Am.* cloture (*of debate*); *~ folgt* to be concluded; *~!* finished!, done!, that's all!; *parl.* time!; *~ damit!* stop it!, that will do!; *colloq. ~ machen* **a)** knock off, call it a day, **b)** put an end to o.s.; *~ machen mit* put an end to *a th.*, finish (*or* have done) with *a p.*; *den ~ (der Marschkolonne, etc.) bilden* bring up the rear; *e-n ~ ziehen* draw a conclusion, conclude; *zu dem ~ kommen or gelangen, daß* decide that, arrive at the conclusion that; *zum ~* in conclusion, in the end, finally; → *Ende*; '**~akkord** *m* final chord; '**~akt** *m thea.* last act; *of event*: closing ceremony; '**~ansprache** *f* closing address; '**~antrag** *parl. m* motion for closure; '**~bemerkung** *f* final observation; '**~bestimmung** *f* concluding clause; '**~bilanz** *f* annual balance (-sheet); '**~effekt** *m* upshot.

Schlüssel ['ʃlysəl] *m* (-s; -) key (*zu* of; *fig.* to); *falscher ~* skeleton-key, picklock; *mus.* clef; cipher, code; ratio formula; *tech.* spanner, wrench; **~bart** *m* key bit; **~bein** *anat. n* collar-bone, clavicle; **~blume** *f* cowslip; primrose; **~bund** *m, n* (-[e]s; -e) bunch of keys; **2fertig** *adj. new-built house*: ready for (immediate) occupancy; **~gerät** *n* crypto-equipment; **~gewalt** *f* power of the keys; **~industrie** *f* key industry; **~kind** *n* door-key child; **~loch** *n* keyhole; **~maschine** *f* code converter, cipher machine; **~ring** *m* key-ring; **~roman** *m* roman à clef (*Fr.*); **~stellung** *f* key position (*a. mil.*); **~tasche** *f* key-case; **~text** *m* cryptotext, code text; **~wort** *n* (-[e]s; ⸗er) code word; **~zahl** *f* index(-number); code figure.

'**Schluß...:** **~ergebnis** *n* final result (*or* outcome), upshot; **~feier** *ped. f* speechday, *Am.* commencement; **~folge(rung)** *f* (line of) reasoning, argument(ation); conclusion, inference; **~formel** *f* close; *in letters*: complimentary close.

schlüssig ['ʃlysiç] *adj.* resolved, determined; logical; *~er Beweis* conclusive evidence; *sich ~ werden* make up one's mind (*über acc.* about).

'**Schluß...:** **~kurs** *m stock exchange*: closing price; **~läufer(in** *f*) *m*, **~mann** *m relay race*: anchor; *als ~ laufen* run the last leg; **~licht** *n* (-[e]s; -er) tail-light, tail lamp; *fig. sports*: tailender; *colloq. das ~ bilden* bring up the rear; **~note** *econ. f* contract-note; **~notierung** *f stock exchange*: closing quotation; **~pfiff** *m sports*: final whistle; **~prüfung** *f* final examination; **~punkt** *m* last point (*or* item); *gr.* full stop, *Am.* period; **~rechnung** *f econ.* final account; *math.* rule-of-three; **~rede** *f* closing speech; epilogue; **~reim** *m* end-rhyme; **~runde** *f* final; *boxing*: final round; **~rundenteilnehmer(in** *f*) *m* finalist; **~satz** *m* concluding (*or* closing) sentence; *phls.* consequent; *mus.* finale; *tennis*: final set; **~schein** *econ. m* contract-note; **~sitzung** *f* final meeting, last sitting; **~stand** *m* (-[e]s) *sports*: final score; **~stein** *arch. m* keystone (*a. fig.*); **~strich** *m* final stroke; *fig. e-n ~ ziehen* draw the line, put an end to it; **~szene** *thea. f* drop-scene; **~verkauf** *m* seasonal sale; **~wort** *n* (-[e]s; -e) last word; summary; → *Schlußrede*; **~zeichen** *n* final signal; *gr.* full stop; *mus.* double bar; *teleph.* clear signal.

Schmach [ʃma:x] *f* (-) disgrace, shame; blemish; insult, affront, outrage; humiliation.

schmachten ['ʃmaxtən] *v/i.* (*h.*) languish (*vor dat.* with); *vor Durst ~* be parched with thirst; *im Kerker ~* be languishing in the dungeon; languish (*or* pine, yearn) (*nach* for); *~ lassen* tantalize; **~d** *adj.* languishing (*a. look*).

'**Schmachtfetzen** *colloq. m* sentimental song, *Am.* tear-jerker.

schmächtig ['ʃmɛçtiç] *adj.* slim, slender, slight; thin, weedy; *ein ~er Junge* (*~es Mädchen*) a slip of a boy (girl).

'**Schmacht...:** **~locke** *f* lovelock; **~riemen** *colloq. m*: *den ~ anziehen* tighten one's belt.

'**schmachvoll** *adj.* disgraceful, ignominious, shameful.

schmackhaft ['ʃmakhaft] *adj.* savo(u)ry, palatable, tasty; appetizing; *~ machen* flavo(u)r; *fig. j-m et. ~ machen* make a th. palatable to a p.; **2igkeit** *f* (-) savo(u)riness, fine taste, delicious flavo(u)r.

Schmähbrief [ˈʃmɛ:-] *m* insulting letter.

ˈ**schmäh|en** *v/t. and v/i.* (*h.*) abuse, revile; decry, disparage, run down; defame, calumniate; blaspheme; **~end** *adj.* abusive, vituperative; disparaging; defamatory; **~lich I.** *adj.* → *schmachvoll*; **II.** *adv. fig.* outrageously, awfully; **2rede** *f* abuse, invective, diatribe; **2schrift** *f* libel(lous pamphlet), lampoon; **~süchtig** *adj.* abusive, foul-mouthed, calumnious; slanderous; **2ung** *f* (-; *-en*) abuse, invective, vituperation; blasphemy; calumny; **2wort** *n* (-[e]s; -e) invective, abusive word.

schmal [ʃmɑ:l] *adj.* narrow; thin, slender, slim; thin, sharp, fine (*face*); *fig.* small, scant(y), meag|re (*Am.* -er); poor; *~e Kost* slender fare; *j-n auf ~e Kost setzen* put a p. on short commons; *schmaler* (*or schmäler*) *werden* narrow; ˈ**~brüstig** *adj.* narrow-chested.

schmälen [ˈʃmɛ:lən] *v/t. and v/i.* (*h.*) scold, chide; declaim against; nag; *hunt. roe*: bleat.

ˈ**schmäler|n** *v/t.* (*h.*) narrow; curtail; impair, detract from; belittle; **2ung** *f* (-; *-en*) curtailment; impairment; detraction.

ˈ**Schmal...**: **~film** *phot. m* narrow-ga(u)ge film, substandard cine-film; **~filmkamera** *f* cine-camera; **~hans** *m*: *bei uns ist ~ Küchenmeister* we are on short commons; **2lippig** [ˈ-lipiç] *adj.* thin-lipped; **~seite** *f* narrow side; **~spur** *f* (-) narrow ga(u)ge; **~spurbahn** *f* narrow-ga(u)ge railway; **2spurig** [ˈ-ʃpu:riç] *adj.* narrow-ga(u)ge(d); *skiing*: narrow-track; **~tier** *zo. n* one (*or* two)-year-old hind; **~vieh** *n* small cattle; **2wangig** *adj.* hollow-cheeked.

Schmalz [ʃmalts] *n* (-es; -e) grease, fat; lard; dripping; *colloq. fig.* sentimental (*or* sloppy) stuff, hokum; unction; ˈ**~birne** *f* butter-pear; ˈ**2en, schmälzen** [ˈʃmɛltsən] *v/t.* (*h.*) butter, lard, put dripping into (*or* over); cook with fat; ˈ**2ig** *adj.* greasy, lardy; *colloq. fig.* sentimental, maudlin, sloppy; unctuous.

schmarotzen [ʃmaˈrɔtsən] *v/i.* (*h.*) sponge (*bei* on); sponge on others.

Schmaˈrotzer *m* (-s; -) *bot., zo.* parasite, *person*: *a.* sponger; **2haft, 2isch** *adj.* parasitic(al), sponging; **~pflanze** *f* parasitic plant; **~tier** *n* animal parasite; **~tum** *n* (-s) parasitism.

Schmarre [ˈʃmarə] *f* (-; *-n*) slash, gash, cut; scar; **~n** *m* (-s; -) scrambled pancake; *colloq. fig.* trash, hokum.

Schmatz [ʃmats] *colloq. m* (-es; -e) smack, hearty kiss; ˈ**2en** *v/i.* (*h.*) smack (*mit den Lippen* one's lips); eat noisily; *colloq.* kiss heartily (*or* noisily).

schmauchen [ˈʃmaʊxən] *v/t. and v/i.* (*h.*) smoke (leisurely); puff away (*e-e Pfeife, etc.* at a pipe, *etc.*).

Schmaus [ʃmaʊs] *m* (-es; ⸚e) feast, banquet; sumptuous meal; *fig.* treat; **2en** [ˈʃmaʊzən] *v/i.* (*h.*) feast (*von* upon), banquet; eat heartily.

schmecken [ˈʃmɛkən] **I.** *v/t.* (*h.*) taste, sample; **II.** *v/i.* (*h.*): *~ nach* (*dat.*) taste of, smack of, savo(u)r of (*all a. fig.*); *bitter ~* taste bitter, have a bitter taste; *gut ~* taste good; *sich et. ~ lassen, es sich ~ lassen* eat with a good appetite, (eat with) relish, enjoy *one's meal*; *schmeckt es (dir)?* do you like it?; *es schmeckt nach nichts* it has no taste; *humor. es schmeckt nach mehr* it tastes like more; *es schmeckt ihm nicht*(s) he has no appetite, he does not like his food.

ˈ**Schmecker** *m* (-s; -) taster.

Schmeichelei [ʃmaɪçəˈlaɪ] *f* (-; *-en*) flattery, (flattering) compliment; *contp.* adulation, fawning, wheedling, soft soap; coaxing, cajoling.

ˈ**schmeichel|haft** *adj.* flattering; complimentary; adulatory; **2kätzchen** *n*, **2katze** *f* coaxer, cajoler; **~n** *v/i.* (*h.*): *j-m ~* (*mit*) flatter a p. (with); compliment a p. (upon); coax *or* cajole a p.; *contp.* adulate (*or* fawn upon) a p.; play up to a p.; caress; *sich geschmeichelt fühlen* feel flattered (*durch* by); *ich schmeichle mir, zu inf.* I flatter myself to *inf.*, I trust to *inf.*; *das Bild ist sehr geschmeichelt* the picture is very flattering; **2rede** *f* flattering speech, soft soap; **2wort** *n* (-[e]s; -e) flattering *or* honeyed word.

ˈ**Schmeichler** *m* (-s; -), **~in** *f* (-; *-nen*) flatterer; *contp.* adulator, toady, sycophant; **2isch** *adj.* flattering; fawning, wheedling, adulatory; coaxing, cajoling.

schmeißen [ˈʃmaɪsən] *v/t.* (*irr., h.*) throw, fling, hurl, dash, chuck; slam, bang; *mit dem Gelde um sich ~* squander (*or* lavish) one's money; *colloq.* e-e *Runde ~* stand a round of drinks; *den Laden ~* run the show; *die Sache ~* put it across, pull it off, *Am.* swing it.

ˈ**Schmeißfliege** *f* blowfly, bluebottle, meatfly.

Schmelz [ʃmɛlts] *m* (-es; -e) enamel (*a. of tooth*); glaze; *fig.* bloom, flush, glow (*of youth*); *mus.* (melting) sweetness, *of voice*: *a.* mellowness; ˈ**~arbeit** *tech. f* enamel(l)ing; *metall.* smelting(-process); ˈ**2bar** *adj.* fusible, meltable; ˈ**~barkeit** *f* (-) fusibility; ˈ**~draht** *m* fuse wire.

ˈ**Schmelze** *f* (-; *-n*) melting (*of snow*); *tech.* smelting, fusion; charge; → *Schmelzhütte*.

ˈ**schmelzen I.** *v/i.* (*irr., sn*) melt; dissolve; liquefy; *fig.* melt, soften; melt away, dwindle; **II.** *v/t.* (*irr., h.*) melt; smelt, fuse (*metal*); liquefy; **~d** *adj.* melting; *fig.* languishing; soul-stirring; melodious, sweet; (*a. iro.*) dulcet.

ˈ**Schmelzer** *m* (-s; -) (s)melter, founder; **Schmelzeˈrei** *f* (-; *-en*) → *Schmelzhütte*.

ˈ**Schmelz...**: **~farbe** *f* enamel colo(u)r; **2flüssig** *adj.* molten; **~hütte** *f* (s)melting-works *pl.*, smeltery; foundry; **~käse** *m* soft cheese; **~koks** *m* foundry coke; **~mittel** *n* flux; **~ofen** *m* (s)melting furnace; **~punkt** *m* (s)melting *or* fusing point; **~schweißung** *f* fusion welding; **~sicherung** *el. f* (safety) fuse, fusible cut-out; **~stahl** *m* German steel; **~temperatur** *f* melting temperature; **~tiegel** *m* melting-pot, melting crucible; **~wasser** *n* (-s; -) melted snow and ice; **~werk** *n* → *Schmelzhütte*.

Schmer [ʃme:r] *m* (-s) fat, grease; suet; ˈ**~bauch** *m* paunch, pot-belly.

Schmerle [ˈʃmɛrlə] *ichth. f* (-; *-n*) loach.

Schmerz [ʃmɛrts] *m* (-es; -en) (physical) pain, ache; gripe(s *pl.*); shooting pain, twinge; *a. pl. ~en* agony, anguish; (mental) suffering, pain; grief, sorrow; woe; agony, anguish; pangs *pl.* of love; (*beträchtliche*) *~en haben* be in (considerable) pain; (*j-m*) *~ verursachen* cause *or* give pain (to a p.); *von ~en gepeinigt* racked with pain; *fig. mit ~en* anxiously, impatiently; *iro. haben Sie sonst noch ~en?* anything else?; ˈ**~ausstrahlung** *f* radiation of pain; ˈ**2betäubend** *adj.* pain-deadening, analgesic; ˈ**2empfindlich** *adj.* sensitive to pain.

ˈ**schmerzen** *v/i. and v/t.* (*h.*) pain, hurt, smart; ache; grieve, afflict; *das schmerzt* that hurts (*a. fig.*); *mir ~ alle Glieder* all my limbs ache; **~d** *adj.* aching, smarting, sore.

ˈ**Schmerzens...**: **~geld** *n* compensation for personal suffering; **~kind** *n* child of sorrow; **~lager** *n* bed of suffering; **~schrei** *m* cry (*or* wail) of pain.

ˈ**Schmerz...**: **2erfüllt** *adj.* grieved, deeply afflicted; **2erregend** *adj.* causing pain; **2frei** *adj.* free from pain; painless; **2haft** *adj.* painful; → *schmerzend*; *fig.* grievous, distressing, agonizing; *~e Stelle* sore place, sensitive (*or* tender) spot; **~haftigkeit** *f* (-) painfulness, *fig. a.* grievousness; **2lich I.** *adj.* aching, smarting; painful, grievous; sad (*smile*); **II.** *adv.* sadly, badly; **2lindernd** *adj.* soothing, lenitive, (*a. ~es Mittel*) anodyne, analgesic; **~linderung** *f* relief (from pain), alleviation; **2los** *adj.* painless; **~losigkeit** *f* (-) painlessness; **2stillend** *adj.* pain-deadening, analgesic; *~es Mittel* anodyne, pain-killer; **2verzerrt** *adj.* distorted by pain, tormented (*face*); **2voll** *adj.* painful; grievous, *rhet.* dolorous.

Schmetterball [ˈʃmɛtər-] *m tennis*: smash.

Schmetterling [ˈʃmɛtərliŋ] *m* (-s; -e) butterfly; **~sblütler** [ˈ-bly:tlər] *bot. m* (-s; -) papilionaceous plant; **~sstil** *m* (-[e]s) *swimming*: butterfly style.

ˈ**schmettern I.** *v/t.* (*h.*) dash (*zu Boden* to the ground; *in Stücke* to pieces); smash, slam; *colloq. fig.* sing lustily, let go with (*a song*); e-n *~* (*drink*) raise the elbow, hoist one; **II.** *v/i.* (*h.*) crash; resound; *voice*: ring (out); *lark*: warble; *trumpet*: blare (out).

ˈ**Schmetterschlag** *m tennis*: smash.

Schmied [ʃmi:t] *m* (-[e]s; -e) smith; blacksmith; *fig.* author, founder; → *Glück*; ˈ**2bar** *tech. adj.* malleable, forgeable; ˈ**~barkeit** *f* (-) malleability, forgeability.

Schmiede [ˈʃmi:də] *f* (-; *-n*) smithy, forge; (black)smith's shop; *fig. vor* *die rechte ~ kommen* get hold of the right person; **~arbeit** *f* forging (operation), metal work; **~eisen** *n* wrought (*or* malleable) iron, forging steel; **2eisern** *adj.* wrought-iron; **~esse** *f* forge; **~gesenk** *n* forging die, swage; **~hammer** *m* forge (*or* sledge) hammer; **~kohle** *f* forge coal; **~meister** *m* master (black)smith.

schmieden *v/t.* (*h.*) forge; *in Ketten ~* put *prisoner* in chains; *fig.* → *Eisen*; frame, *contp.* concoct; make, devise, *b.s.* hatch (*plans*); → *Ränke*.

'Schmiede...: **~presse** *f* forging press; **~stahl** *m* forged steel; **~stück** *n* forging; **~technik** *f* forging practice; **~ware** *f* hardware (*a. pl.*); **~werkstatt** *f* → *Schmiede*.

schmiegen ['ʃmi:gən] *v/t.* (*h.*) *tech.* bevel; *sich ~* (*h.*) bend, yield; *sich ~ an* (*acc.*) press o.s. close to, *tenderly*: nestle to, snuggle up to; *sich ~ in* (*acc.*) cuddle in (*a p.'s arms*), *a. thing*: nestle in, *tech.* fit snugly in(to).

schmiegsam ['ʃmi:kza:m] *adj.* pliant, flexible; supple, lithe; *fig.* supple; **2keit** *f* (-) pliancy, flexibility; (*a. fig.*) suppleness.

Schmier|anlage ['ʃmi:r-] *tech. f* lubricating system; **~behälter** *m*, **~büchse** *f* grease-box; oil-cup; oil-can; **~buch** *n* waste-book.

'Schmiere *f* (-; -*n*) smear; grease, lubricant; ointment, salve; ooze; squish; *thea.* troop of strolling players, *esp. Am.* barnstormers *pl.*, *contp.* penny gaff; *colloq.* (-) *~ stehen* keep cave.

'schmieren (*h.*) *v/t.* smear; *tech.* grease, oil, lubricate; spread (*butter, etc.*); (*a. v/i.*) scribble, scrawl; daub; *colloq. fig. j-n ~* grease a p.'s palm; *colloq. j-m e-e ~* paste a p. one; *sich die Kehle ~* wet one's whistle; *wie geschmiert* smoothly, without a hitch, like clock-work.

'Schmierenschauspieler(in *f*) *m* strolling player, *esp. Am.* barnstormer; *contp.* ham.

'Schmierer(in *f*) (-s, -; -, -*nen*) *tech.* greaser; *contp.* scribbler, scrawler; dauber.

Schmiere'rei *f* (-; -*en*) smearing; scrawl; daub.

'Schmieresteher *m* look-out man.

'Schmier...: **~fähigkeit** *f* (-) lubricity; **~fett** *n* (lubricating) grease; **~fink** *m* scrawler; daub(st)er; dirty fellow, pig; **~geld(er** *pl.*) *n* palm-oil, bribe-money; *Am. pol.* slush fund.

'schmierig *adj.* greasy; oily; sticky, grimy; smudgy, dirty, messy; *fig.* sordid, mean; filthy, smutty; smarmy.

'Schmier...: **~kanne** *f* oil can, oiler; **~käse** *m* soft (*or* spread) cheese; **~loch** *n* oil hole (*or* run); **~masse** *f* lubricating paste; **~maxe** ['-maksə] *m* (-*n*; -*n*) *sl. aer.* grease monkey; **~mittel** *n* lubricant; **~nippel** *m* grease nipple; **~öl** *n* lubricating oil; **~pistole, ~presse** *f* grease gun; **~plan** *m* lubrication chart; **~pumpe** *f* grease gun; **~salbe** *f* liniment, salve; **~seife** *f* soft soap; **~stelle** *tech. f* lubrication point; **~stoff** *m tech.* lubricant; *pharm.* liniment; **~stoffbehälter** *m* grease sump, oil tank; **~ung** *f* (-; -*en*) lubrication, oiling; **~vorrichtung** *f* lubricator.

Schminke ['ʃmiŋkə] *f* (-; -*n*) (grease-)paint; rouge, *white*: ceruse; *w.s.* (*a. thea.*) make-up.

'schminken *v/t.* (*and sich*) (*h.*) paint (one's face), make up; rouge (o.s.); put on lipstick; *fig.* colo(u)r *a report*.

'Schmink...: **~mittel** *n* → *Schminke*; *w.s.* cosmetic; **~pflästerchen** ['-pflɛstərçən] *n* (-s; -) (beauty-) patch; **~stift** *m* paint-stick; lipstick; **~tisch** *m* make-up table; **~topf** *m* rouge-pot.

Schmirgel ['ʃmirgəl] *m* (-s; -) emery; **~apparat** *m* sander; **~leinwand** *f* emery cloth; **2n** *v/t.* (*h.*) rub (*or* grind, polish) with emery; sand; **~papier** *n* emery paper; **~paste** *f* emery paste; **~scheibe** *f* emery wheel; **~tuch** *n* emery cloth.

schmiß [ʃmis] *pret. of schmeißen*.

Schmiß [ʃmis] *m* (-*sses*; -*sse*) gash, cut; (duelling) scar; *colloq. fig.* verve, go, ginger, pep, zip; **'schmissig** *adj.* dashing, racy, full of go, peppy.

Schmöker ['ʃmø:kər] *m* (-s; -) old book (*or* volume); trashy novel, yellowback; **2n** *v/i.* (*h.*) browse, be absorbed in a book.

schmoll|en ['ʃmɔlən] *v/i.* (*h.*) pout (one's lips); sulk (*mit* with), be sulky; **2winkel** *m* sulking-corner.

schmolz [ʃmɔlts] *pret. of schmelzen*.

Schmor|braten ['ʃmo:r-] *m* braised beef; **2en** *v/i.* (*h.*) stew; braise; char; *fig.* roast, swelter; frizzle (*in hell*); **~pfanne** *f* stew-pan; **~stellen** *el. f/pl.* spots of arcing; **~topf** *m* stew-pot.

Schmu [ʃmu:] *colloq. m* (-s) unfair gain; swindle, cheat; *~ machen* cheat.

schmuck [ʃmuk] *adj.* neat, trim, *person*: *a.* spruce, smart, natty; pretty; spick and span.

'Schmuck *m* (-[e]s; -e) ornament; decoration, adornment; trimmings, trappings *pl.*; finery, adornment, get-up; jewel(le)ry, jewels *pl.*; *unechter ~* imitation jewel(le)ry, trinkets *pl.*; *fig.* flowers *pl.* (*of speech, etc.*); **~arbeit** *f* jewel(le)ry.

schmücken ['ʃmykən] *v/t.* (*h.*) adorn, decorate; ornament, trick (*or* deck) out; embellish; *sich ~* (*kleiden*) smarten (*or* spruce) o.s. up, dress up.

'Schmuck...: **~feder** *f* plume; **~händler(in** *f*) *m* jewel(l)er; **~kästchen** *n* jewel-case, casket; *fig.* gem, jewel of a house; **2los** *adj.* unadorned, plain; austere; **~losigkeit** *f* (-) plainness; austerity; **~nadel** *f* breast-pin; **~sachen** *f/pl.* jewel(le)ry, jewels *pl.*; trinkets *pl.*; **~stein** *m* gem; **~steinindustrie** *f* lapidary trade; **~stück** *n* ornament, *n.s.* piece of jewel(le)ry; *fig.* gem; **~ware(n** *pl.*) *f* jewel(le)ry.

schmuddelig ['ʃmudəliç] *adj.* dingy, grimy, smudgy.

Schmuggel ['ʃmugəl] *m* (-s), **Schmugge'lei** *f* (-; -*en*) smuggling; *~ treiben* → **2n** *v/t. and v/i.* (*h.*) smuggle; **~ware** *f* smuggled goods, contraband.

Schmuggler ['ʃmuglər] *m* (-s; -), **~in** *f* (-; -*nen*) smuggler; **~bande** *f* gang (*or* ring) of smugglers; **~schiff** *n* smuggling-boat, smuggler.

schmunzeln ['ʃmuntsəln] *v/i.* (*h.*) smile contentedly *or* amusedly; smirk, grin.

'Schmunzeln *n* (-s) (broad) smile, grin.

Schmus [ʃmu:s] *colloq. m* (-es) soft soap; **2en** ['-zən] *colloq. v/i.* (*h.*) prattle, babble; fawn (*mit* upon), soft-soap, butter (up); spoon, pet, neck; **'~er** *colloq. m* (-s; -) babbler; wheedler, toady; flirt, masher.

Schmutz [ʃmuts] *m* (-es) dirt, filth (*a. fig.*); *esp. fig.* smut; mud, muck; *fig. in den ~ ziehen* drag through the mud; *j-n mit ~ bewerfen* sling mud at a p.; **'~blech** *n* mudguard; **'~bogen** *typ. m* set-off sheet; **'~bürste** *f* scrubbing brush; **'2en** *v/i.* (*h.*) soil, give off dirt; soil easily, get dirty; **~e'rei** *fig. f* (-; -*en*) filth, smut; **'~farbe** *f* drab colo(u)r; **'~fink** *m* dirty fellow, pig, mudlark; **'~fleck** *m* smudge, stain, blotch; *fig.* blemish.

'schmutzig *adj.* dirty; filthy; muddy; soiled; grimy; slushy (*weather*); *fig.* dirty, filthy, smutty; dirty, sordid, low; mean, stingy; shabby; *~e Bombe* radiological (*or* dirty) bomb; **2keit** *f* (-; -*en*) dirtiness, *etc.*

'Schmutz...: **~kittel** *m* overall; **~konkurrenz** *econ. f* unfair competition, underselling; **~literatur** *f* pornography, smut; **~presse** *f* (-) gutter press; **~titel** *typ. m* bastard title; **~- und Schundgesetz** *n* Harmful Publications Act; **~zulage** *f* extra payment for dirty work.

Schnabel ['ʃna:bəl] *m* (-s; ⁻) *orn.* bill, beak; *colloq. fig.* mouth, potato-trap; *tech.* snout, nozzle; spout (*of pot, etc.*); *mar.* prow; *colloq. halt den ~!* hold your tongue!, shut up!; *sie spricht, wie ihr der ~ gewachsen ist* she doesn't mince her words, she calls a spade a spade; **2förmig** ['-fœrmiç] *adj.* beak-shaped, beaked.

schnäbeln ['ʃnɛ:bəln] *v/i.* (*h.*) bill; *fig.* bill and coo.

'Schnabel...: **~schuh** *m* pointed shoe; **~tasse** *f* feeding cup; **~tier** *zo. n* duckbill, platypus; **~zange** *f* (*eine ~* a pair of) jaw pliers *pl.*

schnacken ['ʃnakən] *v/i. and v/t.* (*h.*) (have a) chat; prattle, babble.

Schnake ['ʃna:kə] *f* (-; -*n*) cranefly, mosquito.

Schnalle ['ʃnalə] *f* (-; -*n*) buckle, clasp; latch; **2n** *v/t.* (*h.*) buckle; strap; *enger ~* tighten, shorten; *weiter ~* lengthen; **~ndorn** *m* tongue (of a buckle); **~nschuh** *m* buckled shoe.

schnalzen ['ʃnaltsən] *v/i.* (*h.*): *mit den Fingern ~* snap one's fingers; *mit der Zunge ~* click one's tongue; *mit der Peitsche ~* crack one's whip.

'Schnalzlaut *m phonetics*: click.

schnapp! [ʃnap] *int.* snap!

'schnappen I. *v/t.* (*h.*) catch, grab; **II.** *v/i.* (*h.*) snap; *lock*: catch; engage, click; *in die Höhe ~* **tip up**;

nach et. ~ snap (*or* snatch) at, *dog*: snap at; *nach Luft* ~ gasp for breath, pant.

Schnäpper ['ʃnɛpər] *m* (-*s*; -) *tech.* catch, snap; (door) latch; *med.* blood lancet.

'**Schnapp...:** ~**feder** *f* catch-spring; ~**messer** *n* clasp-knife; jack-knife; ~**ring** *tech. m* snap ring; ~**sack** *m* knapsack; ~**schalter** *m* quick-action switch; ~**schloß** *n* spring-lock; *on necklace, etc.*: spring-catch; ~**schuß** *phot. m* snapshot, snap; *e-n* ~ *machen* take a snapshot, snap(-shoot).

Schnaps [ʃnaps] *m* (-*es*; ⁼*e*) strong (*Am.* hard) liquor; booze; brandy, spirits *pl.*, schnap(p)s; dram; '~**brenner(ei** *f*) *m* distiller(y); '~**bruder** *m* tippler; '2**eln** *v/i.* (*h.*) tipple; '~**flasche** *f* bottle of brandy, *etc.*; '~**glas** *n* (-*es*; ⁼*er*) gin-glas; '~**idee** *colloq. f* crazy idea; '~**laden** *m* gin-shop; '~**nase** *f* copper-nose.

schnarchen ['ʃnarçən] *v/i.* (*h.*) snore.

'**Schnarchen** *n* (-*s*) snoring, snore(s *pl.*).

'**Schnarcher(in** *f*) (-*s*, -; -, -*nen*) snorer.

Schnarr|e ['ʃnarə] *f* (-; -*n*) rattle; *orn.* missel thrush; 2**en** *v/i.* (*h.*) rattle; jar; (speak with a) twang; (*v/t.*) *das ‚r'* ~ roll (*or* burr) the r; ~**wecker** *m* buzzer (alarm); ~**werk** *n organ*: reed-stops *pl.*

Schnattergans ['ʃnatər-] *colloq. f* chatterbox.

'**schnattern** *v/i.* (*h.*) cackle, *a. fig.* chatter; *fig.* gabble; *vor Kälte* ~ chatter with cold; 2 *n* (-*s*) cackle, cackling; chatter(ing).

schnauben ['ʃnaubən] *v/i.* (*irr.*, *h.*) *and v/t.* (*h.*) snort; pant, puff (and blow); *sich die Nase* ~ blow one's nose; *vor Wut* ~ foam with rage; → *Rache*.

schnauf|en ['ʃnaufən] *v/i.* (*h.*) breathe hard, wheeze; pant, blow; 2**er** *colloq. m* (-*s*; -) breath; *ihm ist der* ~ *ausgegangen* he has lost his wind.

Schnauzbart ['ʃnauts-] *m* walrus moustache.

'**Schnauze** *f* (-; -*n*) snout; *of dog*: muzzle, nose; *tech.* nozzle; spout, snout; *colloq.* mouth, potato-trap; *die* ~ *voll haben von* be fed up with; *halt die* ~*!* shut up!; *frei nach* ~ off the cuff; 2**n** *colloq. v/i.* (*h.*) snap, bark.

'**Schnauzer** *m* (-*s*; -) (*dog*) schnauzer.

Schnecke ['ʃnɛkəl] *f* (-; -*n*) snail; slug; *eßbare* ~ edible snail; *anat.* cochlea; (*hairdo*) ~*n pl.* earphones *pl.*; *mus.* scroll (*of violin*); *arch.* volute, helix, scroll (*of column*); *tech.* worm; screw conveyer; *watch*: fusee; spiral.

'**Schnecken...:** ~**antrieb** *m* worm drive; ~**bohrer** *m* (screw) auger; ~**feder** *f* coiled spring; ~**förderer** *m* screw conveyer; 2**förmig** ['-fœrmiç] *adj.* helical, spiral, winding; ~**gang** *m* (-[*e*]*s*) winding alley, spiral walk; *tech.* auger; *fig.* (*im* ~ at a) snail's pace; ~**getriebe** *n* worm-gear (*or* drive); ~**gewinde** *n* worm thread, helix; ~**haus** *n* snail-shell; ~**linie** *f* spiral, helix; ~**post** *f*: *mit der* ~ at a snail's pace; ~**rad** *n* worm gear (*or* wheel); ~**tempo** *n*: *im* ~ at a snail's pace, at a crawl; ~**zahnrad** *n* cutting worm gear.

Schnee [ʃne:] *m* (-*s*) snow; *im* ~ *begraben* snowed up; *vom* ~ *eingeschlossen* (*or lahmgelegt*) snow-bound; *cul.* whipped whites *pl.* of eggs, froth; *sl.* (*cocaine*) snow; '~**ball** *m* snowball (*a. bot.* = guelder-rose); '2**ballen:** *sich* ~ (*h.*) snowball (one another); '~**ballschlacht** *f* snowball fight; '~**ballsystem** *n* snowball system; '2**bedeckt** *adj.* snow-covered; snow-capped (*peak*); '~**besen** *m cul.* whisk, egg-beater; '2**blind** *adj.* snow-blind; '~**brille** *f* (*eine* ~ a pair of) snow-goggles *pl.*; '~**decke** *f* snow cover, blanket of snow; '~**fall** *m* snow-fall; '~**feld** *n* snow-field; '~**flocke** *f* snow flake; '~**gestöber** *n* snow storm, snow flurry; '~**glöckchen** *bot. n* snow-drop; '~**grenze** *f* snow-line; '~**hemd** *n* parka; '~**höhe** *f* depth of snow; '~**huhn** *n* white grouse; '~**hütte** *f* igloo; '2**ig** *adj.* snowy; → *schneebedeckt*; '~**kette** *f* snow chain, non-skid chain; '~**könig** *fig. m*: *sich freuen wie ein* ~ be as pleased as Punch; '~**kuppe** *f* snowy peak; '~**lawine** *f* avalanche; '~**luft** *f* (-) snowy air; '~**mann** *m* snow man; '~**matsch** *m* slush; '~**pflug** *m* snow-plough, *Am.* snowplow; '~**regen** *m* sleety rain; '~**region** *f* snow region; '~**schaufel** *f* snow-shovel; '~**schläger** *m* → *Schneebesen*; '~**schleuder** *f* rotary snow-plough (*Am.* snowplow); '~**schmelze** *f* melting of snow, snow-break; '~**schuh** *m* snow-shoe; → *Ski*(...); '~**schuhlauf** *m* skiing; '~**sturm** *m* snow-storm, blizzard; '~**treiben** *n* → *Schneegestöber*; '~**verhältnisse** *pl.* snow conditions; '~**verwehung** *f* snow-drift; '~**wächte** *f* snow-cornice; '~**wasser** *n* snow-water; '~**wehe** *f* → *Schneeverwehung*; 2'**weiß** *adj.* snow-white, (as) white as snow; '~**wetter** *n* snowy weather; ~**wittchen** [-'vitçən] *n* (-*s*) Snow-white; '~**wolke** *f* snow-cloud.

Schneid [ʃnait] *m* (-[*e*]*s*) dash, go; pluck, guts *pl.*; *j-m den* ~ *abkaufen* cow; bluff.

'**Schneidbrenner** *tech. m* cutting torch, blowpipe.

Schneide ['ʃnaidə] *f* (-; -*n*) edge; *tech.* cutting edge, cutter; cutting blade; (drill) bit; *fig. auf des Messers* ~ *stehen* be on the razor's edge, be touch and go; ~**bank** *f* (-; ⁼*e*) chopping bench; ~**brett** *n* carving board; ~**maschine** *f* cutting machine, cutter; ~**mühle** *f* sawmill.

'**schneiden** *v/t. and v/i.* (*irr.*, *h.*) cut; *in Stücke* ~ cut up; chop; *cul.* carve; mince; shred; snip; pare, clip (*fingernails*); → *Gesicht*, *Grimasse*, *Haar*; *tennis*: (under-)cut (*the ball*); cut (*a corner*); adulterate (*wine*); mow, cut; cleave, split; ~ *in* (*acc.*) carve (*or* engrave) in (*wood, stone, etc.*); *fig. j-n* cut a p. (*völlig dead*); *sich* ~ *lines*: intersect, cut each other; *fig. da schneidet er sich aber* (*gewaltig*) he is jolly much mistaken there, *Am.* that's where he makes his big mistake; *das schnitt ihm ins Herz* it cut him to the quick; → *Fleisch*; ~**d** *adj.* cutting, sharp; cutting, slashing, sarcastic, biting (*remark*); biting; sharp, strident (*voice*).

'**Schneider** *m* (-*s*; -) tailor; ladies' tailor, dressmaker; *vom* ~ *gefertigt* tailor-made; *tech.* cutter (*a. person*); *zo.* daddy-longlegs; *frieren wie ein* ~ shiver with cold; *colloq. wir sind aus dem* ~ we are out of the wood.

Schneide'rei *f* (-; -*en*) tailoring, tailor's business; dressmaking.

'**Schneider...:** ~**geselle** *m* journeyman tailor; ~**handwerk** *n* (-[*e*]*s*) tailor's trade, tailoring; ~**in** *f* (-; -*nen*) ladies' tailor, dressmaker; ~**kleid** *n* tailor-made dress; ~**kostüm** *n* tailor-made (suit); ~**meister** *m* master tailor; 2**n I.** *v/i.* (*h.*) tailor (*für j-n* a p.); do tailoring *or* dressmaking; **II.** *v/t.* (*h.*) tailor (*a. fig.*); ~**puppe** *f* dress form, dummy; ~**sitz** *m* (-*es*) tailor's seat; ~**werkstatt** *f* tailor's (*Am.* tailor) shop.

'**Schneide...:** ~**stahl** *m*, ~**werkzeug** *n* cutting tool; ~**zahn** *m* incisor.

'**schneidig** *fig. adj.* plucky, spirited; dashing, keen, alert; resolute, energetic; snappy; smart, dashing, sharplooking; terse; 2**keit** *f* (-) → *Schneid*; smartness, dash; terseness.

schneien ['ʃnaiən] *v/i.* (*impers.*, *h.*) snow; *es schneit* it snows, it is snowing; *fig.* (*sn*) *ins Haus* ~ drop in unexpectedly, blow in.

Schneise ['ʃnaizə] *f* (-; -*n*) (forest-) aisle, vista; fire-break; *aer.* flying lane.

schnell [ʃnɛl] **I.** *adj.* quick; fast; rapid; swift; fleet; speedy, expeditious; prompt (*action, reply, etc.*); brisk (*sale*); sudden, abrupt; hasty; ~*e Auffassung* quick apprehension; ~*e Bedienung* quick (*or* prompt) service; ~*e Fortschritte* rapid progress; ~*e Rennbahn* fast course; ~*e Truppe* mobile troops *pl.*; ~*er Wagen* fast car; ~*er als der Schall* faster than sound; *in* ~*er Folge* in rapid succession; (*mach*) ~*!* (be) quick!, hurry up!; *nicht so* ~*!* gently!, easy!, *Am.* hold your horses!; **II.** *adv.* quickly; fast; rapidly; speedily, *etc.*; *mus.* presto; ~ *fahren* drive fast; ~ *denken* do some quick thinking; ~ *gehen* go fast, walk at a brisk pace; ~ *handeln* act promptly *or* without delay; *das ist* ~ *gegangen!* that was quick!; ~ *leben* live fast; ~*er ging es nicht* I (we) could not do it any faster; *so* ~ *wie möglich* (*schnellstens*) as quickly as possible, → *bald*; *er mußte* ~ *noch et. erledigen* he had to attend to some small matter first.

'**Schnell...:** ~**amt** *teleph. n* toll exchange, *Am.* multi-office exchange; ~**bahn** *f* high-speed railway; ~**betrieb** *m* speed service; ~**bleiche** *f* chemical bleaching; *fig.* crash course; ~**boot** *n* speedboat; *mil.* high-speed launch, motor torpedo boat; ~**dampfer** *m* fast steamer; ~**dienst** *m* → *Schnellbetrieb*; ~-

drehstahl *tech. m* high-speed (tool) steel.
'**schnellen I.** *v/t.* (*h.*) jerk, toss, let fly; flick; **II.** *v/i.* (*h.*) jerk, spring; bound (up), bounce; snap; → *hochschnellen.*
Schnellfeuer *mil. n* rapid (*or* quick) fire; **~geschütz** *n* automatic gun; **~pistole** *f* rapid-fire pistol; **~waffe** *f* automatic weapon.
'**Schnell...:** **~flugzeug** *n* high-speed aircraft; **2flüssig** *adj.* easily fusible; **2füßig** ['-fy:siç] *adj.* swift(-footed); **~gang** *m mot.* superhigh gear, overdrive; *tech.* rapid power traverse; **~gaststätte** *f* quick service (*or* help yourself) restaurant, *Am. a.* cafeteria; **~gericht** *jur. n* summary court; **~hefter** *m* letter (*or* document) file, ring binder, folder.
'**Schnelligkeit** *f* (-) quickness; fastness; swiftness, rapidity; promptness, dispatch; suddenness; speed, rate, pace; velocity; → *Geschwindigkeit*; **~srekord** *m* speed record.
'**Schnell...:** **~imbiß** *m* snack; **~imbißstube** *f* snack bar; **~kampfflugzeug** *n* pursuit plane; **~kocher** *m* pressure-cooker; **~kraft** *f* (-) springiness, resilience; take-off power; **~(l)auf** *m* run, (foot-)race; speed skating; *im ~* at full speed; **2(l)aufend** *tech. adj.* high-speed; **~(l)äufer(in** *f*) *m* runner, sprinter; speed skater; **2(l)ebig** ['-le:biç] *adj.* giddy-paced (*time*); **~photographie** *f* instantaneous photography; snapshot; **~presse** *typ. f* high-speed printing machine, cylinder machine; **~reinigung** *f* express dry-cleaning; **~richter** *jur. m* magistrate; **~schrift** *f* shorthand, stenography; **~schritt** *mil. m* (-[e]s) quick march; **~segler** *mar. m* fast sailer, clipper; **~stahl** *m* high-speed (tool) steel; **2steigend** *adj.* runaway (*cost*); **~straße** *f* → *~verkehrsstraße*; **~telegraphie** *f* high-speed telegraphy; **~triebwagen** *m* high--speed (railway) car *or* coach; **2trocknend** *adj.* quick-drying; **~verband** *med. m* first-aid bandage; **~verfahren** *n jur.* summary procedure (*or* proceedings *pl.*); *tech.* rapid method, short cut; **~verkehr** *m* express traffic; *teleph.* no-delay service; **~verkehrsflugzeug** *n* express air liner; **~verkehrsstraße** *f* express roadway (*or* street), *Am.* speedway; **~waage** *f* steelyard; high-speed weigher; **~zug** *rail. m* fast train, express (train); **2züngig** ['-tsyŋiç] *adj.* glib, voluble.
Schnepfe ['ʃnɛpfə] *f* (-; -*n*) *orn.* snipe, woodcock; *colloq. fig.* tart, hussy.
Schneppe ['ʃnɛpə] *f* (-; -*n*) spout, snout; peak; **~r** *m* (-*s*; -) snap.
schneuzen ['ʃnɔʏtsən]: *sich ~* (*h.*) blow one's nose.
Schnickschnack ['ʃnikʃnak] *m* (-[e]s) chit-chat, tittle-tattle.
schniegeln ['ʃni:gəln] *v/t. and sich* (*h.*) dress *or* smarten *or* spruce (o.s.) up; *geschniegelt und gebügelt* all dressed up, spick and span.
Schnipfel ['ʃnipfəl], *etc.* → *Schnipsel.*
Schnippchen ['ʃnipçən] *n* (-*s*; -): *j-m ein ~ schlagen* outwit, outfox, overreach, fool *a p.*
Schnippel ['ʃnipəl], *etc.* → *Schnipsel.*
'**schnippisch** *adj.* pert, flippant, snappish.
Schnipsel ['ʃnipsəl] *m, n* (-*s*; -) bit, chip, shred; scrap; **2n** *v/t. and v/i.* (*h.*) snip.
'**schnipsen** *v/i.* (*h.*) snip; *mit den Fingern ~* snap one's fingers; flick.
schnitt [ʃnit] *pret. of schneiden.*
'**Schnitt** *m* (-[e]s; -e) cutting; *film*: cutting and editing; *agr.* reaping, crop; cut; notch; slice; (*wound*) cut, slash, gash; *med.* operation, incision; cut, make, style, fashion (*of dress*); (dress) pattern; *typ.* cut; *book*: edge; small beer; *math.* (inter)section; cut, longitudinal section, profile; cross-section; average; *im ~* on an average; section(al view), sectional drawing; *math., paint. goldener ~* golden section; *mikroskopischer ~* microscopic section; *tech.* blanking tool; cut; *colloq.* profit; *s-n ~ machen* get one's cut, make a packet (*or* one's pile); **~ansicht** *tech. f* sectional view; **~blumen** *f/pl.* cut flowers; **~bohnen** *f/pl.* sliced French beans; **~breite** *tech. f* cutting width; *of saw*: (width of) kerf.
'**Schnitte** *f* (-; -*n*) cut, slice; chop; rasher; *belegte ~* sandwich.
'**Schnitter(in** *f*) *m* (-*s*, -; -, -*nen*) reaper, harvester, mower.
'**Schnitt...:** **~fläche** *f* surface of cut; section(al plane); **2haltig** *tech. adj.* true to dimensions; **~holz** *n* sawed timber; **2ig** *adj.* racy, stylish, of elegant design, streamlined; **~kante** *f* cutting edge; **~kurve** *math. f* intersecting curve; **~lauch** *bot. m* chive; **~linie** *f math.* intersecting line, *on circle*: secant; *of tool*: line of cut; **~messer** *n* drawknife; *med.* scalpel; **~modell** *tech. n* cut-away model; **~muster** *n* (dress *or* paper) pattern; **~musterbogen** *m* paper--pattern chart; **~punkt** *m* (point of) intersection; *of angle*: vertex; **~waren** *f/pl.* drapery, mercery *sg.*, *Am.* dry goods; sawed timber; **~warengeschäft** *n* mercer's (shop), *Am.* dry goods store; **~warenhändler** *m* draper, mercer; **~winkel** *m math.* angle of intersection; *tech.* cutting angle; **~wunde** *f* cut, gash; **~zeichnung** *tech. f* sectional drawing.
Schnitz [ʃnits[*m* (-es; -e) cut, slice; snip; '**~arbeit** *f* (wood-)carving; '**~bank** *f* (-; ⸚e) carver's bench; chopping-bench.
Schnitzel ['ʃnitsəl] *n* (-*s*; -) chip, slice; *pl. tech.* parings, shavings; scrap (of paper), clippings *pl.*; *cul.* (*Wiener ~* breaded) veal cutlet, *Am. a.* (Wiener) schnitzel; **~jagd** *f* paper-chase; **~maschine** *f* shredding machine, shredder; **2n** *v/t. and v/i.* (*h.*) chip, shred (*a. cul.*); whittle.
'**schnitzen** *v/t. and v/i.* (*h.*) carve, cut (in wood); whittle; → *Holz.*
'**Schnitzer** *m* (-*s*; -) cutter, (wood-) carver; *colloq. fig.* blunder, slip; *grober ~* howler, *Am.* boner;
Schnitze'rei *f* (-; -*en*) (wood-) carving, carved work.
'**Schnitz...:** **~kunst** *f* (art of) carving, sculpture; **~messer** *n* carving knife; **~werk** *n* → *Schnitzerei.*
schnob [ʃno:p] *pret. of schnauben.*
schnodd(e)rig ['ʃnɔd(ə)riç] *adj.* pert, saucy; snotty; insolent; flippant; **2keit** *f* (-) pertness, cheek; insolence; flippancy.
schnöde ['ʃnø:də] **I.** *adj.* contemptuous, disdainful; inconsiderate; disgraceful, shameless; base, vile; shabby; *~r Gewinn* vile profit; *~r Mammon, ~s Geld* filthy lucre; *~r Undank* black ingratitude; **II.** *adv.*: *j-n ~ behandeln* use a p. badly, snub a p.
Schnorchel ['ʃnɔrçəl] *mar. m* (-*s*; -) snort, *esp. Am.* s(ch)norkel; **~unterseeboot** *n* snorkel(-equipped) submarine.
Schnörkel ['ʃnœrkəl] *m* (-*s*; -) *arch.* scroll, spiral ornament; *writing, a. fig.*: flourish; squiggle; *fig.* frills *pl.*; **2haft, 2ig** *adj.* flourishy, full of flourishes; **2n I.** *v/i.* (*h.*) make flourishes; **II.** *v/t.* (*h.*) *arch.* adorn with scrolls.
schnorr|en ['ʃnɔrən] *colloq. v/i. and v/t.* (*h.*) cadge, sponge, *Am. a.* bum; **2er** *m* (-*s*; -) cadger, sponger.
Schnösel ['ʃnø:zəl] *colloq. m* (-*s*; -) snot-nose.
schnuckelig ['ʃnukəliç] *collog. adj.* cuddly.
schnüffeln ['ʃnyfəln] *v/i.* (*h.*) sniff (*an dat.* at), snuffle, nose; *fig.* snoop around.
'**Schnüffler(in** *f*) *m* (-*s*, -; -, -*nen*) snuffler; *fig.* spy, *Am.* snoop(er); sleuth.
schnullen ['ʃnulən] *v/i.* (*h.*) suck [(*an dat.* at).]
'**Schnuller** *m* (-*s*; -) comforter, dummy, *Am.* pacifier.
Schnulze ['ʃnultsə] *colloq. f* (-; -*n*) sentimental song, *Am.* tear-jerker.
Schnupfen[1] ['ʃnupfən] *m* (-*s*; -) cold (in the head), catarrh, *Am. a. the* sniffles; *den ~ haben* have a cold; *den ~ bekommen, colloq. sich e-n ~ holen* catch (a) cold.
'**Schnupfen**[2] *n* (-*s*) taking snuff.
'**schnupfen I.** *v/i.* (*h.*) take snuff; **II.** *v/t.* (*h.*) snuff.
'**Schnupfer(in** *f*) *m* (-*s*, -; -, -*nen*) snuff-taker.
'**Schnupf...:** **~tabak** *m* snuff; **~tabak(s)dose** *f* snuff-box; **~tuch** *n* (-[e]s; ⸚er) (pocket-)handkerchief, hanky.
Schnuppe ['ʃnupə] *f* (-; -*n*) *candle*: snuff; *ast.* shooting (*or* falling) star.
'**schnuppe:** *das ist mir ~* I don't care (a damn).
schnuppern ['ʃnupərn] *v/i.* (*h.*) → *schnüffeln.*
Schnur [ʃnu:r] *f* (-; ⸚e) cord; string, twine; line; lace; tape; braid, piping; *el.* (flexible) cord, flex; *nach der ~* by the line; *fig. über die ~ hauen* overshoot the mark, kick over the traces.
Schnürband ['ʃny:r-] *n* lace.
'**Schnurbesatz** *m* braid(ing), piping.
'**Schnür...:** **~boden** *m mar.* loft; *thea.* gridiron; **~brust** *f* → *Schnürleib*; **~chen** *n* (-*s*; -) little string; *fig. et. wie am ~ können* have a th. at one's finger-ends; *es geht wie am ~* it goes like clock-work, there is no hitch to it.

'**schnüren** *v/t.* (*h.*) lace; (tie with) cord, tie up, strap; *sich* ~ (*h.*) wear stays; *fig. sein Bündel* ~ pack one's things, pack up.

'**schnurgerade** *adj. and adv.* dead-straight; in a straight line, as the crow flies.

'**Schnür...:** ~**leib(chen** *n*) *m* (*ein* ~ a pair of) stays *pl.*, corset; ~**loch** *n* eyelet; ~**nadel** *f* bodkin.

Schnurr|bart ['ʃnur-] *m* moustache; ≗**bärtig** *adj.* moustached.

Schnurre ['ʃnurə] *f* (-; -*n*) rattle; *fig.* funny tale, droll story; joke; farce.

'**schnurren** *v/i.* (*h.*) buzz, hum; *wheels*: whir(r); *cat, engine, voice*: purr.

'**Schnurren** *n* (-*s*) buzz(ing), hum (-ming); purr(ing).

Schnurrhaare *n/pl.* whiskers.

Schnürriemen ['ʃny:r-] *m* → *Schnürsenkel*; strap.

'**schnurrig** *adj.* droll, funny; queer, odd.

'**Schnurschalter** *el. m* pendant switch.

'**Schnür...:** ~**schuh** *m* lace(d) shoe; ~**senkel** *m* shoe-lace, *esp. Am. a.* shoestring; ~**stiefel** *m* lace(d) boot.

'**schnurstracks** *adv.* direct, straight; on the spot, immediately, straight (*esp. Am.* right) away; ~ *zugehen auf* make a beeline for; ~ *zuwider* diametrically opposed.

schnurz [ʃnurts] → *schnuppe*.

Schnute ['ʃnu:tə] *f* (-; -*n*) mouth; moue (*Fr.*); e-e ~ *ziehen* pout.

schob [ʃo:p] *pret. of schieben*.

Schober ['ʃo:bər] *m* (-*s*; -) stack, rick; shed; barn; → *Heuschober*.

Schock[1] [ʃɔk] *n* (-[e]*s*; -*e*) threescore.

'**Schock**[2] *m* (-[e]*s*; -*s*) *med. and fig.* shock; shell-shock.

'**Schock...:** ~**behandlung,** ~**therapie** *f* (electro-)shock treatment (*or* therapy); ~**truppen** *mil. f/pl.* shock troops; ≗**weise** *adv.* by threescores (*or* sixties); ~**welle** *mil. f* shock wave.

scho'ckieren *v/t.* (*h.*) shock, scandalize.

schofel ['ʃo:fəl] *colloq. adj.* shabby, mean; paltry.

Schöffe ['ʃœfə] *jur. m* (-*n*; -*n*) lay assessor; ~**ngericht** *n* court of lay assessors.

Schokolade [ʃoko'la:də] *f* (-; -*n*) chocolate.

schoko'laden *adj.* (of) chocolate; ≗**automat** *m* chocolate slot machine; ≗**fabrik** *f* chocolate-works *sg.*; ~**farben** *adj.* chocolate (brown); ≗**pulver** *n* chocolate-powder; ≗**riegel** *m* chocolate bar; ≗**tafel** *f* chocolate bar; *in process of manufacture*: cake (*or* slab) of chocolate.

Scholar [ʃo'la:r] *m* (-*en*; -*en*) scholar, student.

Scholast|ik [ʃo'lastik] *phls. f* (-) scholasticism; ~**iker** *m* (-*s*; -), ≗**isch** *adj.* scholastic.

scholl [ʃɔl] *pret. of schallen*.

Scholle[1] ['ʃɔlə] *f* (-; -*n*) clod, lump; sod; lump of ice, floe; *fig.* soil; *an der* ~ *hängen* cling to one's native soil.

'**Scholle**[2] *ichth. f* (-; -*n*) plaice (*a. pl.*).

'**Schollenbrecher** *m* clod crusher.

schon [ʃo:n] *adv.* **1.** already; before; by this time, so far; *in questions*: yet, ever; even; ~ *damals* (*jetzt*) even then (now); ~ *früher* before (this); ~ *ganz* quite; ~ *immer* always, all along; ~ *längst* all along, long (ago); ~ *oft* often (enough); ~ *wieder* again; ~ *von Anfang an* from the very beginning; es *ist* ~ *12 Uhr* it is already twelve; es *ist* ~ *zu spät* it is already too late; *ich habe* ~ e-*n* I have one already; ~ *zweimal* already twice; ~ *zehnmal* as often as ten times; ~ *am nächsten Tage* the very next day; ~ *um 4 Uhr* as early as 4 o'clock; ~ *im 11. Jahrhundert* as early (*or* as far back) as the 11th century; ~ *seit 5 Jahren* as long as five years, these five years; *wie lange sind Sie* ~ *hier?* how long have you been here; *hast du* ~ (*einmal*)? have you ever?; *ich habe ihn* ~ (*einmal*) *gesehen* I have seen him before; *sind Sie* ~ (*einmal*) *in England gewesen?* have you ever been to England?; *hast du* ~ *mit ihm gesprochen?* have you talked to him yet?; *hast du das Buch* ~ *ausgelesen?* have you finished the book yet?; *ist er* ~ *da?* has he come yet?; *was, (du bist)* ~ *zurück?* what, back already?; *da sind wir (ja)* ~! here we are!; *was gibt es denn* ~ *wieder!* what is it now!; *er wollte* ~ *gehen* he was about (*or* all ready) to go; **2.** no doubt, surely, sure enough, I dare say; *er wird* ~ *kommen* he is sure to come; don't you worry, he will come; *ich werde ihn* ~ *bezahlen* I'll pay him, sure enough (*Am. a.* sure thing); *er wird es* ~ *machen* he'll do it all right, leave it to him; *es wird* ~ *gehen* it will be all right, I, *etc.*, shall manage (somehow); *das ist* ~ *möglich* that's quite possible; *wir können* ~ *hier bleiben* we don't mind staying here; *das ist* ~ *eine große Frechheit!* some cheek!; *es ist* ~ *so* that's how it is (and there is nothing you can do about it); ~ *gut!* that's all right!, never mind!, that will do!; **3.** *concessive*: *ich gebe* ~ *zu, daß* I cannot but admit that; *sie müßte sich* ~ *etwas mehr anstrengen* of course, she would have to work harder; *das ist* ~ *wahr, aber* that's true enough (*or* all very well) but; *das kennen wir* ~! that's an old story!; *ich verstehe* ~! it's all right, I see!; **4.** *restrictive*: ~ *der Name (Anblick)* the bare name (sight); ~ *der Gedanke* the very idea, the mere thought; ~ *der Höflichkeit wegen* out of mere courtesy; ~ *deswegen* for that reason alone, if only for that reason; ~ *wegen* if only because of; ~ *weil* if only because; *wenn* ~ although; *na, wenn* ~! what of it! so what!; *wenn* ~, *denn* ~! **a)** I, *etc.*, may as well be hanged for a sheep as for a lamb, **b)** while we are at it, we might as well do it properly.

schön [ʃø:n] **I.** *adj.* beautiful; fair; pretty, nice; handsome, good-looking; lovely; splendid; good, fine; excellent; exquisite, choice; pleasant; noble; handsome, generous; ~**e Gelegenheit** splendid opportunity; *das* ~*e Geschlecht* the fair sex; *die* ~*en Künste* the polite arts; ~*e Literatur* polite literature, belles-letters *pl.*; ~*er Tod* easy death; ~*es Wetter* fine (*or* fair) weather; ~*e Worte* fair words; *in* ~*ster Ordnung* in apple-pie order; e-*s* ~*en Morgens* one fine morning; e-*s* ~*en Tages* **a)** one day, **b)** one of these days; ~*en Dank!* many thanks!; *das ist* ~ *von ihm* that's (very) kind *or* nice of him; *das ist nicht* ~ *von dir* that's not nice of you; *das ist alles recht* ~, *aber* that's all very fine (*or* very well), but; *es war sehr* ~ we had a good time, it was very nice (*at the party*); *iro.* e-*e* ~*e Bescherung* a nice mess, a fine business; *das sind mir* ~*e Sachen* pretty doings, indeed; *du bist mir ein* ~*er Freund* a fine friend you are; *das wäre ja noch* ~*er* that would be the limit!, certainly not!; *colloq.* ~! all right!, okay!; **II.** *adv.* beautifully, *etc.*; *aufs* ~*ste* most beautifully; → *schönmachen, schöntun*; ~ *schreiben* write a nice hand; *iro. er ließ es* ~ *bleiben* he did nothing of the kind; *das werde ich* ~ *bleibenlassen* catch me doing that; *bleibe du* ~ *sitzen* don't you budge from your seat; *du hast mich* ~ *erschreckt* you gave me quite a start; *er hat sich* ~ *gewundert* he had the surprise of his life; *sei* ~ *brav!* be a good boy (*or* girl)!; '≗e(s) *n* (-[e]*n*): *das* ~*e* the beautiful; *Sie werden et.* ~*s von mir denken!* you will have a nice opinion of me!; *da hast du (et)was* ~*s angerichtet!* a nice mess that!; *das Schönste dabei war* the beauty of it was; '≗e *f* (-*n*; -*n*) beautiful woman, beauty, belle (*Fr.*).

Schonbezug ['ʃo:n-] *m* seat cover; cover(ing).

'**Schöndruck** *typ. m* (-[e]*s*; -*e*) primer.

'**schonen** *v/t.* (*h.*) spare (*j-n a p.*; *j-s Leben* a p.'s life); take care of; preserve; save (*eyes*); save, husband (*strength, supply*); treat *a p.* with indulgence; *j-s Gefühle* ~ spare a p.'s feelings; respect (*property, rights, etc.*); *sich* ~ (*h.*) **a)** take care of o.s., look after o.s. (*or* one's health), **b)** take a rest, take it easy, **c)** spare energy, save one's strength; *sich nicht* ~ exert o.s., burn the candle at both ends; *econ., tech. die Maschine, etc., schont die Finger* the machine is kind to fingers, *schont die Möbel, etc.*, is easy on the furniture; → *schonend*.

'**schönen** *tech. v/t.* (*h.*) brighten, gloss; fine (*wine, etc.*); colo(u)r.

'**schonend I.** *adj.* careful, gentle; considerate; indulgent; **II.** *adv.*: *j-m et.* ~ *beibringen* break a th. gently to a p.; ~ *umgehen mit* **a)** go easy on, **b)** use sparingly.

'**Schoner**[1] *m* (-*s*; -) protector; antimacassar; covering; → *Ärmel-, Wandschoner*.

Schoner[2] ['ʃo:nər] *mar. m* (-*s*; -) schooner.

'**schönfärb|en** *fig. v/t.* (*h.*) gloss over; ≗**er** *fig. m* optimist; ≗**e'rei** *fig. f* optimism; palliation.

'**Schongang** *mot. m* overdrive.

'**schön...:** ~**gebaut** ['-gəbaut] *adj.*

well-made; ≗geist *m* (-es; -er) (a)esthete; ≗geiste'rei *f* (-; -en) (a)estheticism; ~geistig *adj.* (a)esthetic(al), literary; belletristic.
'**Schönheit** *f* (-; -en) beauty; *fig. a.* fineness; nobleness; beautiful woman, beauty, belle (*Fr.*); ~en *pl. der Natur*: beauty-spots, beauties *of nature*.
'**Schönheits...**: ~**fehler** *m* corporal defect, disfigurement; *of thing*: flaw, (minor) blemish (*a. fig.*); eyesore; ~**ideal** *n* reigning beauty, beau ideal (*Fr.*); ~**königin** *f* beauty queen; Miss *America, etc.*; ~**konkurrenz** *f* beauty contest; ~**mittel** *n* cosmetic; ~**operation** *f* cosmetic plastic surgery (*or* operation); ~**pflästerchen** ['-pflɛstərçən] *n* (-s; -) beauty-spot, patch; ~**pflege** *f* beauty culture; ~**pflegerin** *f* beautician; ~**salon** *m* beauty parlo(u)r; ~**sinn** *m* (-[e]s) sense of beauty, taste; ~**wasser** *n* beauty lotion.
'**Schon|klima** *n* relaxing climate; ~**kost** *med. f* mild diet.
'**schön...**: ~**machen I.** *v/i.* (*h.*) *dog*: sit up, beg; **II.** *sich* ~ (*h.*) smarten o.s. up, get (o.s.) up; ≗**redner(in** *f*) *m* rhetorician, *contp.* speechifier; flatterer; ~**rednerisch** *adj.* rhetorical; ≗**schreibekunst**, ≗**schrift** *f* (-) calligraphy; ≗**schreiber(in** *f*) *m* calligraphist; ≗**tuer(in** *f*) ['-tu:ər] *m* (-s, -; -, -nen) flatterer; flirt; ≗**tue'rei** *f* (-; -en) coquetting, flirtation; flattery, cajolery; ~**tun** *v/i.* (*irr., h.*) coax, cajole (*j-m* a p.); *j-m* ~ play up to a p.; flirt with a p.
'**Schonung** *f* (-) mercy; indulgence, forbearance; careful treatment, good care; protection, preservation; (*pl.* -en) tree-nursery; preserve; *sich* ~ *auferlegen* take a rest, relax, take it easy; *zur* ~ *des Fußbodenbelages* (in order) to preserve the floor-covering; ≗**sbedürftig** *adj.* convalescent; in want of rest; ≗**slos** *adj.* unsparing (*gegen* to, of), merciless, pitiless, relentless, *w.s. a.* brutal, blunt.
'**Schönungsmittel** *tech. n* gloss; *for drinks*: fining agent.
'**schonungsvoll** *adj.* → *schonend*.
'**Schonzeit** *f* close(d *Am.*) season.
Schopf [ʃɔpf] *m* (-[e]s; ⸚e) crown, top (of the head); tuft, bob; shock, mop (of hair); *orn.* tuft, crest; *fig. die Gelegenheit beim* ~*e nehmen* take occasion by the forelock, jump at the chance.
Schöpf|becherwerk ['ʃœpf-] *n* bucket elevator; ~**brunnen** *m* draw-well; ~**bütte** *f paper manufacture*: pulp vat; ~**eimer** *m* pail, (well-)bucket.
'**schöpfen** *v/t. and v/i.* (*h.*) scoop, ladle; draw (*aus* from *a well*); bail; *Atem* ~ draw (*or* take breath); *tief Atem* ~ take a deep breath; *wieder Atem* ~ recover one's breath; *fig.* derive, obtain (*experience, etc.*); *neue Hoffnung* ~ gather fresh hope; *Mut* ~ take courage; → *Luft, Verdacht*.
'**Schöpfer** *m* (-s; -) creator, maker, originator, author, framer; (*God*) *the* Creator, *the* (*your, etc.*) Maker; *tech.* → *Schöpfgefäß*; ~**geist** *m* (-es) creative genius; ~**hand** *f* hand of the creator, creative touch; ~**in** *f* (-; -nen) creatress; authoress; ≗**isch** *adj.* creative; productive; original; *e-e* ~*e Pause einlegen* pause for inspiration; ~**kraft** *f* creative power, genius.
'**Schöpf...**: ~**gefäß** *n*, ~**kelle** *f* scoop, dipper; ladle; bucket; ~**löffel** *m* ladle; ~**papier** *n* hand-made paper; ~**rad** *n* bucket-wheel.
'**Schöpfung** *f* (-; -en) *bibl.* creation; *the* universe, creation; creation, production, work; brain-child; *iro. die Herren der* ~ the lords of creation; ~**sgeschichte** *f* history of creation; Genesis; ~**s-tag** *m* day of creation.
'**Schöpfwerk** *n* bucket elevator.
Schoppen ['ʃɔpən] *m* (-s; -) half a pint.
Schöps [ʃœps] *m* (-es; -e) wether; (*meat*) mutton.
schor [ʃo:r] *pret. of scheren*.
Schorf [ʃɔrf] *med. m* (-[e]s; -e) scurf; scab, crust; '≗**ig** *adj.* scurfy; scabby.
Schornstein ['ʃɔrn-] *m* chimney; *mar., rail.* funnel, *mar. a.* smoke-stack; flue; *fig.* → *Kamin*; ~**aufsatz** *m*, ~**kappe** *f* chimney-pot; ~**feger** *m* chimney-sweep; ~**rohr** *n* chimney flue; ~**zug** *m* draught, *Am.* draft.
schoß [ʃɔs] *pret. of schießen*.
Schoß[1] *bot. m* (-sses; -sse) shoot, spring, sprout.
Schoß[2] [ʃo:s] *m* (-es; ⸚e) lap; womb; (coat)tail, flap, skirt; *auf j-s* ~ *sitzen* sit on a p.'s lap; *fig.* (-es) *die Hände in den* ~ *legen* rest on one's oars, twiddle one's thumbs; (*sicher wie*) *in Abrahams* ~ *sein* be in the bosom of Abraham, be perfectly safe; *im* ~*e der Erde* in the bowels of the earth; *im* ~*e der Familie* in the bosom (*or* midst) of the family; *im* ~*e des Glücks* in Fortune's lap; *im* ~*e der Kirche* within the pale of the church; *im* ~*e der Zukunft* in the womb of time; *das liegt noch im* ~ *der Zukunft* only time will tell; *es ist ihm in den* ~ *gefallen* it fell right into his lap; ~**hund** *m* lap-dog, pet; ~**kind** *n* pet, darling.
Schößling ['ʃœsliŋ] *bot. m* (-s; -e) (off)shoot, sprout, scion; ~*e aussenden* flush.
Schote[1] *bot.* cod, pod, husk, shell; *cul.* ~*n pl.* green peas.
'**Schote**[2] *mar. f* (-; -n) sheet.
'**Schoten...**: ≗**förmig** ['-fœrmiç] *adj.* pod-shaped; ~**gewächs** *n* leguminous plant; ~**pfeffer** *m* red pepper, capsicum.
Schott [ʃɔt] *mar. n* (-[e]s; -e), '~**e**[1] *f* (-; -n) bulkhead; ~*en dicht!* close the bulkheads!
Schotte[2] ['ʃɔtə] *m* (-n; -n) Scot, Scotsman, Scotchman; *die* ~*n pl.* the Scotch, *esp. hist.* the Scots.
Schotter ['ʃɔtər] *tech. m* (-s; -) broken stone, gravel; (road-)metal, macadam; *rail.* ballast; rubble; ~**bank** *f* (-; ⸚e) gravel bank; ~**decke** *f* road-metal surface; ≗**n** *v/t.* (*h.*) gravel; metal, macadamize; *rail.* ballast; ~**straße** *f* metal(l)ed *or* macadam(ized) road.
'**Schott|in** *f* (-; -nen) Scotchwoman; ≗**isch** *adj.* Scotch, Scottish; *die* ~*e Sprache, das* ≗*e* (-n) the Scottish language, Scotch.
schraffier|en [ʃra'fi:rən] *v/t.* (*h.*) (*kreuzweise* cross-)hatch; ≗**ung** *f* (-; -en) hatching; *on maps*: hachure.
schräg [ʃrɛ:k] *adj.* oblique, slanting; sloping, inclined; diagonal; transversal; *tech.* bevel, chamfered; ~ *gegenüber* diagonally across (*von* from), nearly opposite (*a th.*); *sl.* ~*e Musik* hot music; '≗**ansicht** *f* oblique view; ≗**e** ['ʃrɛ:gə] *f* (-; -n) obliquity, slant; slope, incline; *tech.* bevel; ~**en** ['-gən] *tech. v/t.* (*h.*) bevel; '≗**fläche** *f* slope, incline; '≗**heit** *f* (-) → *Schräge*; '≗**kante** *tech. f* chamfer; '≗**lage** *f* sloping position; *aer.* bank(ing); *med.* oblique presentation (*of foetus*); '~**laufend** *adj.* oblique; diagonal; '≗**paß** *m soccer*: cross-field pass; '≗**schrift** *f* sloping hand(writing); *typ.* italics *pl.*; '≗**schuß** *m soccer*: cross shot; '~**stellen** *v/t.* (*h.*) incline, tilt; '≗**strich** *m* diagonal stroke; ~'**über** *adv.* (diagonally) across.
schrak [ʃra:k] *pret. of schrecken*.
Schramme ['ʃramə] *f* (-; -n) scratch; abrasion; scar.
Schrammelmusik ['ʃraməl-] *f* popular music of violins, guitars, and concertina.
'**schramm|en** *v/t.* (*h.*) *and v/i.* (*sn*) scratch; graze, skin, abrade; scar, mar; ≗**ig** *adj.* full of scratches, scarred; marred.
Schrank [ʃraŋk] *m* (-[e]s; ⸚e) cupboard, *esp. Am.* closet; book-case; wardrobe; locker; (linen-)press; cabinet; safe.
Schranke ['ʃraŋkə] *f* (-; -n) barrier; (railway-)gate; turnpike, toll-gate; rail(ing), grating; *jur.* bar; *fig.* (*social, trade, etc.*) barrier; bounds, limits *pl.*; *hist.* ~*n pl.* lists *pl.*; *fig. in die* ~*n treten* enter the lists; *in die* ~*n fordern* challenge, throw down the gauntlet to; ~*n setzen* (*dat.*) set bounds to, put a check on; (*sich*) *in* ~*n halten* keep within bounds, restrain (o.s.); *j-n in s-e* ~*n weisen* put a p. in his place.
schränken ['ʃrɛŋkən] *v/t.* (*h.*) put crosswise; cross (*a. legs*); fold (*arms*); *tech.* set (*saw*); → *geschränkt*.
'**Schranken...**: ≗**los** *adj.* boundless, unlimited; *b.s.* unbounded, unbridled; licentious; ~**losigkeit** *f* (-; -en) boundlessness; *fig. a.* licentiousness; ~**wärter** *rail. m* gate-man.
'**Schrank...**: ~**fach** *n* compartment, partition; *bank*: safe deposit box; pigeon-hole; ≗**fertig** *adj.* ready for the drawer, fluffy-dry; ~**koffer** *m* wardrobe-trunk.
Schranze ['ʃrantsə] *f* (-n; -n) toady, sycophant; → *Hofschranze*.
Schrapnell [ʃrap'nɛl] *mil. n* (-s; -e) shrapnel; ~**kugel** *f* shrapnel ball.
Schrapper ['ʃrapər] *tech. m* (-s; -) scraper.
Schraubdeckel ['ʃraup-] *m* screw cap.
Schraube ['ʃraubə] *f* (-; -n) screw; bolt; ~ *und Mutter* bolt and nut; wood screw; *mar.* screw (propeller); *aer.* air-screw, *Am.* propeller; *colloq. fig. alte* ~ old frump; *sports*: twist;

twist (*or* spiral) dive; *tech. eingängige* ~ single-thread screw; *eingelassene* ~ countersunk screw; ~ *ohne Ende* endless screw, *fig.* vicious circle; e-e ~ *anziehen* tighten a screw; *fig. die* ~ *anziehen* put on the screw; *colloq. fig. bei ihm ist e-e* ~ *los* he has a screw loose.

'**schrauben** *v/t. and v/i.* (*h.*) screw; *fester* (*loser*) ~ tighten (loosen) the screw(s) of; twist, wind, spiral; *in die Höhe* ~ turn up, *fig.* raise, push up; force (*or* send) up *prices*; *fig. niedriger* ~ lower, scale down; → *geschraubt*.

'**Schrauben...**: **~antenne** *f* helical aerial, *Am.* corkscrew antenna; **~bakterie** *f* spirillum; **~bohrer** *m* twist drill, auger; **~bolzen** *m* (screw) bolt; **~dampfer** *m* screw steamer; **~drehbank** *f* screw-cutting lathe; **~eisen** *n* screw steel, *Am.* bolt stock; **~förderer** *m* screw conveyer; **2förmig** ['-fœrmiç] *adj.* screw-shaped, spiral, helical; **~gang** *m* screw thread; **~getriebe** *n* worm gear; **~gewinde** *n* screw thread, worm; **~kopf** *m* screwhead, bolthead; **~lehre** *f* micrometer; **~material** *n* → *Schraubeneisen*; **~mutter** *f* (-; -*n*) (bolt) nut, female screw; **~schlüssel** *m* wrench, spanner; adjustable spanner; monkey-wrench; **~schneidemaschine** *f* screw-cutting machine, bolt cutter; **~spindel** *f* male screw, spindle; **~verbindung** *f* screw joint; **~welle** *f* propeller-shaft; **~winde** *f* jack-screw (winds); **~windung** *f* turn of a screw; spiral turn; **~zieher** *m* screwdriver.

'**Schraub...**: **~lehre** *f* micrometer; **~stock** *m* vice, *Am.* vise; *w.s. am* ~ at the workman's bench; *fig. wie ein* ~ like a vice; **~verschluß** *m* screw cap.

Schrebergarten ['ʃre:bər-] *m* allotment (garden).

Schreck [ʃrɛk] *m* (-[e]s; -e) fright, shock, terror; alarm; panic; consternation; dismay; fear; horror; *die ~en pl.* the horrors (*of war, etc.*); *von* ~ *ergriffen* terrified, terror-stricken; *~en verbreiten über* bring terror to, terrorize; *in ~en (ver)setzen* frighten, alarm, scare, terrify, dismay; *mit dem ~en davonkommen* get off with the fright; *colloq. ach, du* ~! good heavens!; '**~bild** *n* fright, bugbear; bog(e)y (man).

'**schrecken** *v/t.* (*h.*) frighten, scare, terrify; dismay; alarm, startle; deter; *tech.* chill.

'**Schrecken** *m* (-*s*; -) → *Schreck*.

'**Schreckens...**: **2bleich** *adj.* pale with fear; **~botschaft** *f* alarming (*or* terrible) news, scare news *pl.*; **~herrschaft** *f* reign of terror; **~kammer** *f* Chamber of Horrors; **~nachricht** *f* → *Schreckensbotschaft*; **~nacht** *f* night of horrors, dreadful night; **~schrei** *m* cry of dismay, shriek of terror; **~tat** *f* atrocious deed.

'**Schreck...**: **2erregend** *adj.* horrible, formidable; → *schrecklich*; alarming, dire (*news, etc.*); **~gespenst** *fig. n* terrible vision, bugbear, bugaboo, nightmare; bog(e)y (man); **2haft** *adj.* easily frightened, fearful, timid, nervous.

'**schrecklich I.** *adj.* terrible, frightful, fearful, dreadful (*all a. colloq. fig.*); horrible, horrid, awful; ghastly, atrocious; dire, grim; disastrous; **II.** *adv. colloq. fig.* terribly *etc.*, awfully; **2keit** *f* (-; -*en*) terribleness, frightfulness, *etc.*; horror, atrocity.

'**Schreck...**: **~mittel** *n* scarecrow; **~nis** *n* (-*ses*; -*se*) horror; **~pistole** *f* booby pistol; **~schuß** *m* shot fired in the air; *fig.* false alarm; **~sekunde** *mot. f* reaction time; panic-breaking distance.

Schrei [ʃraɪ] *m* (-[e]s; -e) cry; shout; yell; wail; scream, shriek; roar; *fig.* ~ *der Entrüstung* outcry; *der letzte* ~ the latest rage, the dernier cri (*Fr.*).

Schreib... ['ʃraɪp-]: **~arbeit** *f* clerical (*or* desk) work, paperwork; **~art** *f* manner of writing, style; spelling; **~bedarf** *m* writing materials *pl.*, stationery; **~block** *m* (-[e]s; -s) writing-pad; **~(e)buch** *n* writing-book, copy-book.

schreiben ['ʃraɪbən] *v/t. and v/i.* (*irr.*, *h.*) write (*über acc.* on; *für* for *a paper*); *tech. instrument*: record; *j-m* ~ write (to) a p.; *j-m et.* ~ inform a p. of a th., write to a p. about a th.; → *Zeile*; *sich* (*or einander*) ~ correspond, be in correspondence; *noch einmal* ~ rewrite; *gut* ~ **a)** write a good hand, **b)** be a good writer; (*Bücher*) ~ be a writer; write out (*bill*); (*richtig*) ~ spell (correctly); *falsch* ~ misspell; *an et.* ~ be writing a th., be working on a th.; *ins reine* ~ make a fair copy of, write out fair; *mit Bleistift* ~ write in pencil; *mit der Maschine* ~ type; *man schreibt uns aus N.* we hear from N.; *wie unser Gewährsmann, die Zeitung, etc., schreibt* according to *our informant, the newspaper, etc.*; *er kann nicht richtig* ~ he is bad speller; *wie schreibt er sich?* how does he spell his name?; *damals schrieb man das Jahr 1840* it was in (the year of) 1840; *die Feder schreibt gut* the pen writes well (*or* is good); ~ *Sie!* take the dictation!; → *Ohr*; 2 *n* (-*s*) writing; letter, note; *Ihr* ~ *vom* your letter of, Your Ref. (= reference).

'**Schreiber** *m* (-*s*; -), **~in** *f* (-; -*nen*) writer; clerk; secretary; copyist; *der* ~ (*author* = *ich*) the writer, *of newspaper*: this correspondent; *der* ~ *dieses Briefes* the undersigned; *tech. only m*: recorder; **Schreibe'rei** *f* (-; -*en*) (endless) writing; paperwork; scribbling.

'**Schreiber...**: **~ling** ['-liŋ] *m* (-*s*; -*e*), **~seele** *f* scribe, quill-driver, pen-pusher; **~stelle** *f* clerk's post.

'**Schreib...**: **2faul** *adj.* lazy about writing; being a bad correspondent; **~feder** *f* pen; quill; **~fehler** *m* mistake in writing *or* spelling, slip of the pen; clerical mistake; **~fertigkeit** *f* (-) penmanship; **~gebühr** *f* copying fee; **~gerät** *n* writing utensil; *tech.* recording instrument, recorder; **~heft** *n* copy-book, exercise-book; **~hilfe** *f* secretarial help; **~kraft** *f* clerk; **~kräfte** *f/pl.* clerical staff (*or* force); **~krampf** *m* writer's cramp; **~kunst** *f* (-) art of writing; **~mappe** *f* writing-case, blotting-case; portfolio; **~maschine** *f* type-writer; (*mit der*) ~ *schreiben* type; *mit der* ~ *geschrieben* in typescript, (*attr.*) typewritten, typed; **~maschinenpapier** *n* typewriting paper; **~maschinenschreiber(in** *f*) *m* typist; **~maschinenschrift** *f* typescript; **~material(ien** *pl.*) *n* writing materials, stationery; **~papier** *n* writing paper; **~pult** *n* (writing-)desk; **~schrift** *f* handwriting; *typ.* script; **2selig** *adj.* fond of writing; **~stift** *m* stylus, style; pencil; **~stube** *f* office; *mil.* orderly-room; **~tafel** *f* (writing-)tablet; slate; **~tinte** *f* writing ink; **~tisch** *m* writing-table, desk; **~tischlampe** *f* desk lamp; **~tischsessel** *m* desk arm-chair; **~trommel** *tech. f* recording drum; **~ung** *f* (-; -*en*) spelling; *falsche* ~ misspelling; **2unkundig** *adj.* ignorant of writing; **~unterlage** *f* blotting pad; **~vorlage** *f* copy; **~waren** *f/pl.* writing materials, stationery *sg.*; **~warenhändler(in** *f*) *m* stationer; **~warenhandlung** *f* stationer's shop; **~weise** *f* → *Schreibart*; **~zeug** *n* (-[e]*s*) inkstand; writing case; **~zimmer** *n* writing room.

'**schreien** *v/i. and v/t.* (*irr.*, *h.*) cry (out), shout (*vor Schmerz* with pain); yell; scream, shriek, screech; squeal; wail; roar (*vor Lachen* with laughter), bawl, vociferate; *only v/i. child*: squall; *owl*: hoot, screech; *cock*: crow; *donkey*: bray; *stag*: bell; ~ *nach* (*dat.*) cry for, *crowd, the people*: clamo(u)r for; *j-m in die Ohren* ~ din into a p.'s ears; → *Hilfe, Himmel*; 2 *n* crying, cries *pl., etc.*; *colloq. es* (*er*) *ist zum* ~! it (he) is a scream!; **~d** *adj.* crying, *etc.*; clamorous; *fig.* shrill; glaring, gaudy, loud (*colours*); crying (*shame*); *~es Unrecht* flagrant injustice; *~er Gegensatz* glaring contradiction.

'**Schreier(in** *f*) *m* (-*s*, -; -, -*nen*), *colloq.* '**Schreihals** *m* bawler; brawler; *kleiner* ~ cry-baby, squaller.

Schrein [ʃraɪn] *m* (-[e]s; -e) chest; shrine; coffin, casket; → *Schrank*.

'**Schreiner** *m* (-*s*; -) joiner; cabinet-maker; **Schreine'rei** *f* (-; -*en*) joiner's workshop; → '**Schreinerhandwerk** *n* joinery; '**Schreinergeselle** *m* journeyman joiner; **~meister** *m* master joiner; **2n I.** *v/i.* (*h.*) work as a joiner; **II.** *v/t.* (*h.*) make.

schreiten ['ʃraɪtən] *v/i.* (*irr.*, *sn*) step, stride (*über acc.* across); stalk, strut; *im Zimmer auf und ab* ~ pace the room *or* floor; *fig. zu et.* ~ proceed to (do) a th.; *zur Abstimmung* ~ (come to the) vote, *parl.* divide; *zum Äußersten* ~ take extreme measures; *zu Werke* ~ set to work.

schrie [ʃri:] *pret. of schreien.*

schrieb [ʃri:p] *pret. of schreiben.*

Schrift [ʃrift] *f* (-; -*en*) writing; handwriting, hand; script; character, letter; *typ.* type, fount; face; document; paper; publication; → *Broschüre*; work; petition; text, legend (*a. of coin*); *die Heilige* ~ the Holy Scriptures, the Gospel; *in lateinischer* ~ in Roman character(s); *sämtliche ~en Kants* the complete edition *sg.* of Kant('s works); '**~art** *f* type, fount; '**~auslegung** *eccl. f* interpretation of the Scriptures, exegesis; '**~bild** *n* face; '**≈deutsch** *adj.* literary German; '**~führer(in** *f*) *m* secretary; '**~gelehrte(r)** *m bibl.* scribe; '**~gießer** *tech. m* type-founder; '**~gieße'rei** *f* type-foundry; '**~guß** *m* type-casting; '**~leiter(in** *f*) *m* editor (*f* editress); '**~leitung** *f* editorship; editorial staff; newspaper-office, editorial department; '**≈lich I.** *adj.* written, in writing; by letter; *~e Prüfung* written examination; *~e Prüfungsarbeit* examination paper, script; **II.** *adv.* in writing; in black and white; *~ niederlegen* reduce to writing, (put *a. th.* on) record; *jetzt haben wir es ~* now we have it in black and white; '**~metall** *n* type metal; '**~probe** *f* specimen of handwriting; *typ.* specimen of type; '**~rolle** *f* scroll; '**~sachverständige(r)** *m* handwriting expert; '**~satz** *m typ.* composition; *jur.* memorandum, letter, (written) statement; '**~setzer** *typ. m* type-setter, compositor; '**~sprache** *f* literary (*or* written) language; **~steller** ['-ʃtɛlər] *m* (-s; -) author, writer; **~stelle'rei** *f* (-) writing, literary career; authorship; '**~stellerin** *f* (-; -nen) author(ess), writer; '**≈stellerisch I.** *adj.* literary; **II.** *adv.* as an author; '**≈stellern** *v/i.* (*h.*) write, do literary work; '**~stellername** *m* pen-name, nom de plume (*Fr.*); '**~stück** *n* writing, paper, document, deed; '**~tum** *n* (-s) literature; '**~verkehr** *m* (-s) correspondence; *pol.* exchange of notes; '**~wart** *m* secretary; '**~wechsel** *m* exchange of letters, correspondence; '**~zeichen** *n* character, letter; '**~zug** *m* character; flourish.

schrill [ʃril] *adj.* piercing, shrill; '**~en** *v/i.* (*h.*) shrill, sound shrilly.

Schrippe ['ʃripə] *colloq. f* (-; -n) (French) roll.

schritt [ʃrit] *pret. of schreiten.*

'**Schritt** *m* (-[e]s; -e) step, (*a. measure*: 5 ~) pace; stride; footstep, footfall; *riding*: walk; *trousers*: crotch; *fig.* step (*a.* = measure); *diplomatischer ~* démarche (*Fr.*); *~ für ~* step by step (*a. fig.*); *auf ~ und Tritt* at every step, constantly, at every turn, everywhere, → *folgen*; *~ halten mit* (*dat.*) keep pace (*or* up) with, *fig. a.* keep abreast of; *~ wechseln* change step; *aus dem ~ kommen* get out of step; *mot.* (*im*) *~ fahren(!)* drive at a walking speed(!); *im ~ reiten* go at a walk, walk the horse; *mit schnellen ~en* at a brisk pace, with vigorous strides; *fig. mit großen ~en* with long strides; *s-e ~e wenden nach or zu* turn one's steps towards; *fig. ein großer* (*erster*) *~* a long (first) step (*zu* towards); *~e tun or unternehmen* take steps; *den ersten ~ tun* take the initiative; *den entscheidenden ~ tun* take the (final) plunge; *drei ~ vom Leibe!* keep your distance!, don't come near me!; *es sind nur ein paar ~e* it is but a step (*to my house*); **~macher** *m* pace-maker, pacer; *fig. ~ sein* blaze a trail (*für* for); **~macherdienste** *m/pl.* pace-setting; **~schaltwähler** *m* step-by-step selector; **~wechsel** *m* change of step; **≈weise I.** *adj. fig.* gradual, progressive, step-by-step; **II.** *adv.* step by step, by steps, (*fig. a.*) progressively; **~weite** *f* (length of) stride; **~zähler** *m* pedometer.

schroff [ʃrɔf] *adj.* rugged, jagged (*mountain*); steep, precipitous; *fig.* rough, gruff, harsh; abrupt, curt, brusque; flat (*refusal*); abrupt; *~er Widerspruch* glaring contradiction; '**≈heit** *f* (-; -en) ruggedness; steepness, precipitousness; *fig.* roughness, *etc.*

schröpf|en ['ʃrœpfən] *v/t.* (*h.*) *med.* cup, bleed, scarify; *fig.* fleece, milk *a p.*; **≈kopf** *med. m* cup(ping glass).

Schrot [ʃro:t] *m* (-[e]s; -e) bruised grain, grist; *hunt.* small shot; buckshot; *tech.* log (*or* block) of wood; due weight (*of coin*); *fig. von altem ~ und Korn* of the old stamp, of the good old type; '**~brot** *n* whole-meal bread; '**≈en** *v/t.* (*h.*) rough-grind, crush (*corn*), bruise (*a. malt*); roll (along) (*loads*), shoot, lower (*barrels*); *mar.* parbuckle; '**~effekt** *m TV* shot effect; '**~flinte** *f* shotgun; '**~korn** *n* (grain of) shot; '**~leiter** *f* dray ladder; '**~mehl** *n* coarse meal, groats *pl.*; '**~meißel** *m* scrap chisel; '**~mühle** *f* bruising mill; '**~säge** *f* crosscut saw.

Schrott [ʃrɔt] *m* (-[e]s) scrap (iron), scrap material; '**~entfall** *m* manufacturing loss, scrap; '**~händler** *m* scrap dealer; '**~platz** *m* junkyard; '**~wert** *m* scrap value.

schrubb|en ['ʃrubən] *v/t.* (*h.*) scrub, scour; swab (*ship*); **≈er** *m* (-s; -) scrubbing brush, scrubber; *mar.* swab.

Schrull|e ['ʃrulə] *f* (-; -n) whim, crotchet, fad, spleen; old crone; *~n haben a.* have a kink; **≈enhaft, ≈ig** *adj.* whimsical, crotchety, cranky.

schrump(e)lig ['ʃrump(ə)liç] *adj.* crumpled, creased; wrinkled; shrivelled.

schrumpf|en ['ʃrumpfən] *v/i.* (*sn*) shrink; contract; shrivel; **≈niere** *med. f* cirrhosis of the kidney; **≈sitz** *tech. m* shrink fit; **≈ung** *f* (-; -en) shrinking; (*a. med., tech.*) shrinkage; contraction; *med.* atrophy; *biol.* involution.

Schrund [ʃrunt] *m* (-[e]s; ⸗e), **~e** ['ʃrundə] *f* (-; -n) crack, crevice; *med. ~n pl.* chaps; **≈ig** ['-diç] *adj.* cracked; chapped.

schruppen ['ʃrupən] *tech. v/t.* (*h.*) rough.

Schub [ʃu:p] *m* (-[e]s; ⸗e) push, shove; *phys., tech.* thrust; shear(ing force); batch (*of bread, etc.*; *fig. of letters, people, etc.*); *jur.* compulsory conveyance (of tramps, *etc.*); *skittles*: throw; '**~düse** *f* thrust nozzle; '**~fach** *n* drawer; '**~fenster** *n* sash window; '**~festigkeit** *f* shearing strength; '**~karre(n** *m*) *f* wheelbarrow, *Am. usu.* push cart; '**~kasten** *m*, '**~lade** *f* drawer; '**~kraft** *f* thrust; shear(ing force); '**~lehre** *f* slide ga(u)ge; '**~leistung** *f* thrust (performance); *aer.* thrust (horse)power; '**~riegel** *m* sliding bolt; **~s** [ʃups] *m* (-es; -e), '**~ser** *colloq. m* (-s; -), '**≈sen** *v/t.* (*h.*) push, shove; → *Rippenstoß*; '**~stange** *f* push rod; '**≈weise** *adv.* in batches; by degrees.

schüchtern ['ʃyçtərn] *adj.* shy; bashful, blushing; timid; diffident; *~er Versuch* feeble attempt; **≈heit** *f* (-) shyness; bashfulness; timidity.

schuf [ʃu:f] *pret. of schaffen.*

Schuft [ʃuft] *m* (-[e]s; -e) scoundrel, rascal, blackguard, low dog, bastard.

'**schuften** *v/i.* (*h.*) drudge, slave, plod, work like a nigger.

Schufte'rei *f* (-) drudgery, slavery, grind; → *Schuftigkeit.*

'**schuftig** *adj.* rascally, mean, low, treacherous; **≈keit** *f* (-) knavery, lowness, meanness, treachery.

Schuh [ʃu:] *m* (-[e]s; -e) shoe; *fig. j-m et. in die ~e schieben* put the blame for a th. on a p., lay a th. at a p.'s door; *ich möchte nicht in seinen ~en stecken* I should not like to be in his shoes; *wo drückt (dich) der ~?* what's the trouble?, where does the shoe pinch?; '**~absatz** *m* heel; '**~anzieher** *m* shoehorn; '**~band** *n* (-[e]s; ⸗er) shoe-lace, *Am. a.* shoestring; '**~bürste** *f* shoe brush; '**~fabrik** *f* shoe factory; '**~größe** *f* size; '**~krem** *f* shoe-cream, shoe-polish, *Am. a.* shoeshine; '**~laden** *m* shoe shop, boot shop (*Am.* store); '**~leder** *n* shoe-leather; '**~löffel** *m* shoehorn; '**~macher** *m* shoemaker, bootmaker; '**~machermeister** *m* master shoemaker; '**~nagel** *m* hobnail; **~plattler** ['-platlər] *m* (-s; -) *Bavarian folk dance*; '**~putzer** *m* shoeblack, *Am.* shoeshine boy; *fig. wie e-n ~ behandeln* treat like dirt; '**~putzmittel** *n* → *Schuhkrem*; '**~riemen** *m* → *Schuhband*; *fig. er ist nicht wert, ihr die ~ zu lösen* he is not fit to wipe her shoes; '**~schnalle** *f* shoe-buckle; '**~schrank** *m* shoe cabinet; '**~sohle** *f* sole (of a shoe); '**~spanner** *m* shoe-tree; '**~waren** *f/pl.*, '**~werk** *n* (-[e]s) footwear, footgear; boots and shoes; '**~weiter** *m* (-s; -) shoe stretcher, block; '**~wichse** *f* → *Schuhkrem*; '**~zeug** *n* → *Schuhwaren.*

Schukostecker ['ʃu:ko-] *el. m* earthing-contact plug.

Schul|amt ['ʃu:l-] *n* teacher's post; school board; Board of Education; **~anstalt** *f* educational establishment; **~arbeit, ~aufgabe** *f* schoolwork, home-work; lesson, task; → *Klassenarbeit*; **~arrest** *m* detention (at school); **~arzt** *m* school medical officer; **~ausflug** *m* school outing; **~ausgabe** *f* school edition; **~bank** *f* (-; ⸗e) form, school-bench; *die ~ drücken* go to school; **~behörde** *f* educational authority; **~beispiel** *n* test-case, typical example; **~besuch** *m* attendance at school; **~bildung** *f* (-) education; *höhere ~* secondary education; **~buch** *n* school-book, class-book; textbook, manual.

Schuld [ʃult] *f* (-) guilt; fault; wrong; sin; cause; *jur.* guilt; *civil* *case*: *usu.* fault, responsibility; (*pl.* *~en*) debt; liability; obligation; *~en pl.* debts, indebtedness; *~en haben*, *in ~en stecken* be in debt, *Am. a.* be in the red; *~en machen* contract (*or* incur) debts, run into debt, run up bills; *in ~en geraten* run into debt; *in j-s ~ sein* be indebted (*or* under an obligation) to a p.; *jur.* *2 haben* be guilty, be responsible; *an et. 2 sein* be responsible for a th., be to blame for a th.; *er hat 2 daran* (, *daß*) it is his fault (that); *wer ist 2 daran?* whose fault is it?; *die schlechten Zeiten sind 2* the bad times are to blame for it; *ihn trifft kaum ~, wenn* small blame to him if; *ohne meine ~* through no fault of mine; *die ~ auf sich nehmen* take the blame; *e-e ~ auf sich laden* make o.s. guilty (of a wrong); *j-m or e-r Sache die ~ geben* blame a p. *or* a th.; *j-m die ~ an et. zuschieben*, *die ~ auf j-n schieben* lay *or* put the blame for a th. on a p.; → *beimessen*; '**~anerkenntnis** *f* recognizance; → *Schuldschein*; '**~bekenntnis** *n* admission of one's guilt; '**2beladen** *adj.* laden with guilt (*or* crime); '**~beweis** *m* proof of guilt; '**2bewußt** *adj.* conscious of one's guilt; *Miene, etc.*: guilty; '**~bewußtsein** *n* consciousness of guilt; guilty conscience; '**~brief** *m* → *Schuldschein*; '**~buch** *n* account book, ledger; *fig.* old scores *pl.*; '**~buchforderung** *econ. f* book-entry securities.

schulden ['ʃuldən] *v/t.* (*h.*): *j-m et. ~* owe a p. a th., (*a. fig. respect, an explanation, etc.*), *usu. fig.* (*a. j-m Dank ~ für et.*) be indebted to a p. for a th.

'**Schulden...**: **2frei** *adj.* free from debt; unencumbered; **2halber** *adv.* owing to debts; **~last** *f* burden of debt, liabilities *pl.*; encumbrance; **~macher(in** *f*) *m* contractor of debts; **~masse** *econ. f* (aggregate) liabilities *pl.*; **~tilgung** *f* liquidation of debts; **~tilgungsfonds** *m* sinking fund.

'**Schuld...**: **~erlaß** *m* remission of debt; **~forderung** *f* (active) debt, claim; **~frage** *f* question of guilt; **~gefängnis** *n* debtor's prison; **~gefühl(e** *pl.*) *n* guilt feelings, guilty conscience; **~haft** *f* imprisonment for debt; **2haft** *adj.* culpable.

schuldig ['ʃuldiç] *adj.* guilty (*e-r Sache* of a th.), culpable; responsible; owing, due (*money*); *fig.* due (*respect, etc.*); *j-m et. ~ sein* owe a p. a th. *or* a sum, *fig.* be indebted to a p. for a th.; *j-m Achtung ~ sein* owe a p. respect; *j-m e-e Erklärung ~ sein* owe a p. an explanation; *das bist du ihm ~* you owe it to him; *das ist man ihm ~* that is due to him; *das bist du dir ~* you owe that to yourself; *jur. für ~ befinden* find (*or* rule) guilty, convict (*e-s Verbrechens* of a crime; *e-r Anklage* on a charge); *j-n ~ sprechen* pronounce a p. guilty, *in civil cases*: *a.* pronounce judgment against a p.; *sich ~ bekennen* plead guilty; *der ~e Teil* the guilty party; *~ geschieden* divorced as the guilty party; *fig. j-m die Antwort ~ bleiben* make no reply; *j-m die Antwort nicht ~ bleiben* reply smartly, hit back; *sie blieb ihm nichts ~* she gave him tit for tat; *was bin ich (Ihnen) ~?* how much do I owe you?; **2e(r** *m*) ['ʃuldigə(r)] *f* (-*n*, -*n*; -*en*, -*en*) guilty person *or* party; culprit; **2er** *m* (-*s*; -): *wie wir vergeben unseren ~n* as we forgive them that trespass against us; **2keit** *f* (-) duty, obligation; → *Pflicht*; **2sprechung** ['-ʃpreçuŋ] *f* (-; -*en*) conviction, condemnation; verdict of guilty.

'**Schuldirektor(in** *f*) *m* headmaster (*f* headmistress); *Am.* principal.

'**Schuld...**: **~klage** *f* action for debt; **2los** *adj.* guiltless, innocent; (*a. adv.*) without guilt; **~losigkeit** *f* (-) innocence, guiltlessness.

Schuldner ['ʃuldnər] *m* (-*s*; -), **~in** *f* (-; -*nen*) debtor; **~land** *pol. n* debtor country.

'**Schuld...**: **~posten** *econ. m* debt-item; **~recht** (-[e]*s*) *jur. n* law of obligations; **~schein** *m* promissory note, IOU (= I owe you); bond; mortgage bond, *Brit.* debenture stock; **~spruch** *jur. m* verdict of guilty; **~titel** *m* instrument of indebtedness; **~übernahme** *f* assumption of debt; **~verhältnis** *n* obligation; **~verschreibung** *f* → *Schuldschein*.

Schule ['ʃuːlə] *f* (-; -*n*) school (*a. w.s. of painters, etc.*); school (-house); *höhere ~* secondary (*Am. a.* high) school; lessons *pl.*; *riding*: *Hohe ~* manege, haute école (*Fr.*); *Hohe ~ reiten* put a horse through its paces; *auf* (*or in*) *der ~* at school; *e-e ~ besuchen* go to (*or* attend) a school; *in die* (*or zur*) *~ gehen* go to school; → *schwänzen*; *fig. e-e gute ~ für Lebensart, etc.* a good school of manners, *etc.*; *ein Kavalier der alten ~* a gentleman of the old school; → *plaudern*; *durch e-e harte ~ gehen* pass through a severe school (*or* test), learn it the hard way; *~ machen* find adherents, be imitated, set a precedent; *heute ist keine ~* there will be no school to-day.

'**schulen** *v/t.* (*h.*) train (*a. eye, memory*); school, discipline; teach, instruct; *pol.* indoctrinate; train, break in (*horse*); *sich ~* (*h.*) undergo (a course of) training; *geschulte Stimme* well-trained voice.

'**Schul...**: **2entlassen** *adj.* discharged from school; **~entlassungsfeier** *f* speechday, *Am.* commencement; **~entlassungszeugnis** *n* leaving certificate; **2entwachsen** *adj.* too old for school.

Schüler ['ʃyːlər] *m* (-*s*; -), **~in** *f* (-; -*nen*) schoolboy (*f* schoolgirl), pupil; student; disciple (*a. phls., etc.*); *fig.* novice, tyro; **~ausschuß** *m* student council; **~austausch** *m* exchange of pupils; **2haft** *adj.* schoolboy-like, boyish; *fig.* unripe, green; **~schaft** *f* (-) *the* pupils *pl.*, *Am.* student body; **~zeitung** *f* school magazine.

'**Schul...**: **~erziehung** *f* school education; **~fach** *n* subject; **~fall** *m* test-case; **~feier** *f* school festival; **~ferien** *pl.* holidays, vacation(s *pl.*); **~fernsehen** *n* school television; **~film** *m* educational film; **~flugzeug** *n* training airplane, trainer; **2frei** *adj.*: *~ haben* have a holiday; *~er Nachmittag* half-holiday; **~freund(in** *f*) *m* school-fellow, school-mate; **~fuchs** *m* pedant; **~funk** *m* schools' broadcasts *pl.*; **~gebäude** *n* school(house), school building; **~gefechtsschießen** *mil. n* transition firing, *Am.* known-distance firing; **~gelände** *n* school-grounds *pl.*, *Am.* campus; **~geld** *n* school-fee(s *pl.*), tuition, schooling; **~gelehrsamkeit** *f* book learning; **2gerecht** *adj.* according to rule, in due style; methodical; **~haus** *n* school(-house), school-premises *pl.*; **~heft** *n* exercise-book; **~hof** *m* school yard; **~inspektor** *m* school inspector; **2isch** *adj.* scholastic, school...; **~jahr** *n* scholastic year; *~e pl.* school-days; **~jugend** *f* school-children; **~junge** *m* schoolboy; **~kamerad** *m* → *Schulfreund*; **~kenntnisse** *pl.* school knowledge *sg.*; **~kind** *n* school-age child; **~klasse** *f* form, *Am.* class, grade; **~lehrer** *m* schoolmaster, teacher; **~lehrerin** *f* schoolmistress, (lady) teacher; **~mädchen** *n* schoolgirl; **~mann** *m* education(al)ist; **~mappe** *f* school-bag, satchel; **2mäßig** *adj.* orthodox; **~meister** *contp. m* schoolmaster, pedagogue; **2meisterlich** *adj.* like a schoolmaster, pedantic; **2meistern** *v/i. and v/t.* (*h.*) teach; *only v/t.* (*fig.*) censure; **~ordnung** *f* school regulations *pl.*; **~pferd** *n* trained horse; **~pflicht** *f* (-) compulsory education *or* school attendance; **2pflichtig** *adj.* of school age, school-age; **~ranzen** *m* satchel; **~rat** *m* (-[e]*s*; ⸚e) supervisor, *Am.* school superintendent; **~reiten** *n* schooling; **~reiter(in** *f*) *m* manege rider; **~schießen** *mil. n* classification firing, *Am.* target *or* practice fire; *artillery*: service practice; **~schiff** *n* school-ship; **~schluß** *m* break-up; **~schwänzer** ['-ʃvɛntsər] *m* (-*s*; -) truant; **~sparkasse** *f* school savings bank; **~speisung** *f* school relief meal, school lunch; **~stube** *f* school-room, class room; **~stunde** *f* school-hour, lesson, period; **~tafel** *f* blackboard; **~tag** *m* school-day; **~tasche** *f* school-bag, satchel.

Schulter ['ʃultər] *f* (-; -*n*) shoulder; *~ an ~* shoulder to shoulder (*a. fig.*), *racing*: neck and neck; *breite ~n haben* be broad-shouldered; *fig. j-n über die ~ ansehen* look down one's nose at a p.; → *kalt, leicht, klopfen, Wasser*; **~blatt** *n* shoulder-blade; **~breite** *f* width of shoulders; **2frei** *adj.* off-the-shoulder, strapless (*dress*); **~gegend** *anat. f* scapular region; **~gelenk** *n* shoulder joint; **~gurt** *m* shoulder strap; **~klappe** *mil. f* shoulder strap; **~muskel** *m* humeral muscle; **2n** *v/t.* (*h.*) shoulder; **~riemen** *m* shoulder strap; **~sieg** *m wrestling*: win by fall; **~stand** *m gym.* shoulder balance; **~stück** *mil. n on uniform*: shoulder strap; *on machine-gun*: shoulder piece; **~wehr** *mil. f* traverse.

Schultheiß [ˈʃulthaɪs] *m* (-*en*; -*en*) (village) mayor.

ˈ**Schulung** *f* (-; -*en*) training, schooling, instruction; practice; education; *pol.* indoctrination; **~skurs(us)** *m* training course, refresher course; **~slager** *n* training camp.

ˈ**Schul...:** **~unterricht** *m* school (-ing), school instruction, lessons *pl.*; **~versäumnis** *f* absence from school, non-attendance; **~verwaltung** *f* school administration; **~vorstand** *m* school committee; *a.* → **~vorsteher(in** *f*) *m* headmaster, (*f* headmistress), *Am.* principal; **~wanderung** *f* school excursion; **~weg** *m* way to school; **~weisheit** *f* book learning; **~wesen** *n* (-*s*) education(al system); **~wörterbuch** *n* school (*or* collegiate) dictionary; **~zeit** *f* school-time; (old) school-days *pl.*; **~zeugnis** *n* school-report, school record; **~zimmer** *n* → *Schulstube*; **~zucht** *f* (-) school discipline; **~zwang** *m* (-[*e*]*s*) compulsory education.

schummeln [ˈʃuməln] *colloq. v/i.* (*h.*) cheat.

Schummer [ˈʃumər] *m* (-*s*) dusk, twilight; **≗ig** *adj.* dusky, dim; **≗n I.** *v/i.* (*h.*) grow dusky *or* dim; **II.** *v/t.* (*h.*) hatch (*map*).

schund [ʃunt] *pret. of schinden.*

Schund [ʃunt] *m* (-[*e*]*s*) trash, rubbish (*both a. fig.*); ˈ**~blatt** *n* rag; ˈ**~literatur** *f* trashy literature; ˈ**~roman** *m* penny dreadful, shilling shocker, *Am.* dime novel; **~- und Schmutzgesetz** *n* → *Schmutz...*; ˈ**~waren** *f/pl.* shoddy goods.

schunkeln [ˈʃuŋkəln] *v/i.* (*h.*) see-saw, sway; *to music*: rock (arms linked).

Schupo [ˈʃuːpo] **1.** *f* (-) → *Schutzpolizei*; **2.** *m* (-*s*; -*s*) police officer, constable, *Brit. a.* Bobby, *esp. Am.* cop.

Schuppe [ˈʃupə] *f* (-; -*n*) scale (*of skin*); squama (*of bone*); *a. pl.* dandruff *sg.*; *fig. es fiel mir wie* **~***n von den Augen* the scales fell from my eyes.

Schuppen [ˈʃupən] *m* (-*s*; -) shed, *Am. a.* shack; barn; *rail.* engine-house; *mot.* garage; *aer.* hangar.

ˈ**schuppen** *v/t.* (*h.*) (un)scale; rub, scratch; *sich* **~** (*h.*) scale off.

ˈ**Schuppen...:** **~eidechse** *f* scaly lizard; **~fisch** *m* scaly fish; **~flechte** *med. f* psoriasis; **≗förmig** [ˈ-fœrmiç] *adj.* scaly; **~panzer** *m* coat of mail; **~tier** *n* scaly animal.

ˈ**schuppig** *adj.* scaly, squamous; flaky.

Schur [ʃuːr] *f* (-; -*en*) shearing; clipping; fleece; **~aufkommen** *n* clip (of wool).

Schür-eisen [ˈʃyːr-] *n* poker.

ˈ**schüren** *v/t.* (*h.*) stir, poke, rake; add fuel to (*a. fig.*); *fig.* stir up, fan, foment.

schürfen [ˈʃyrfən] **I.** *v/i.* (*h.*) prospect (*nach* for), explore, search, dig (*all nach* for); *fig. tief* **~** (*in dat. et.*) go to the bottom (of a th.); *tiefer* **~** dig below the surface; **II.** *v/t.* (*h.*) scratch, skin, graze.

ˈ**Schürfer** *m* (-*s*; -) prospector.

ˈ**Schürfgrube** *f* test-pit.

ˈ**Schürfstelle** *f* prospect.

ˈ**Schürfung** *f* (-; -*en*) prospecting, exploration, digging; *med.* (*a.* ˈ**Schürfwunde** *f*) abrasion.

ˈ**Schürhaken** *m* poker; (furnace-) rake.

schurigeln [ˈʃuːriːgəln] *colloq. v/t.* (*h.*) torment, harass, bully, plague.

Schurk|e [ˈʃurkə] *m* (-*n*; -*n*) rascal, scoundrel, villain, knave, blackguard; **~enstreich** *m*, **~eˈrei** *f* (-; -*en*) rascality, knavery, villainous (*or* low) trick; **≗isch** *adj.* rascally, knavish, villainous.

ˈ**Schürloch** *n* stoke-hole.

Schurz [ʃurts] *m* (-*es*; -*e*) apron.

Schürze [ˈʃyrtsə] *f* (-; -*n*) apron; pinafore; *hinter jeder* **~** *her sein* run after every skirt.

ˈ**schürzen** *v/t.* (*h.*) tie up; tuck (*or* pin) up (*skirt*); tie (*knot*); *fig. der Knoten schürzt sich* the plot thickens; *den Knoten* **~** entangle the plot; *die Lippen* **~** purse one's lips; *sich* **~** tuck up one's dress; **≗band** *n* (-[*e*]*s*; ⸚*er*) apron-string; **≗jäger** *m* ladies' man, masher, *Am. a.* (girl-) chaser, wolf; **≗kleid** *n* overall, tunic.

ˈ**Schurzfell** *n* leather apron.

Schuß [ʃus] *m* (-*sses*; ⸚*sse*) shot; (*ammunition*: *5* **~**) round; report; (*mining*: blasting) charge; → *Schußwunde*; → *Blau*; batch (*of bread*); *weaving*: weft, woof; rapid movement, rush, dash; *skiing*: schuss; shooting; *bot.* shoot; *ein* **~** *Wein, etc.*, (*a. fig.*) a dash of *wine, etc.*; *e-n* **~** *abgeben* fire (a shot), *soccer*: deliver a shot; *fig. in* **~** *bringen* **a)** get into working order, *Am. a.* fix, **b)** get *a th.* going; *in* **~** *kommen* get under way, get into one's stride; **gut in** **~** **sein** be in good order, be running smoothly; *vor den* **~** *kommen* come within shot; *zum* **~** *kommen* get a shooting chance; *weit vom* **~** well out of harm's way; → *Pulver*; ˈ**~bahn** *f* line of fire; trajectory; ˈ**~bereich** *m* (effective) range; zone of fire; *im* **~** within range; ˈ**≗bereit** *adj.* ready to fire; ˈ**~bruch** *m* gunshot fracture.

Schussel [ˈʃusəl] *colloq. m* (-*s*; -) clumsy person.

Schüssel [ˈʃysəl] *f* (-; -*n*) bowl, basin; dish; (earthenware) pan; tureen; sauce-boat; **~brett** *n* plate-drainer; **~gestell** *n* dresser; plate-rack; **~wärmer** [ˈ-vɛrmər] *m* (-*s*; -) plate-heater.

ˈ**Schuß...:** **~entfernung** *f* (firing) range; **~faden** *m weaving*: weft, woof; **~fahrt** *f skiing*: schuss; *in* **~** *fahren* shoot; **~feld** *n* field of fire; (*im* within) range; **≗fertig** *adj.* ready to fire (*or* for action); cocked; **≗fest** *adj.* shot-proof, bullet-proof; shell-proof; **~folge** *f* rate of fire; **~garbe** *f* sheaf (*or* cone) of fire; **≗gerecht** *adj. hunt.* within shot; *mil. horse*: steady under fire; **~kanal** *mil. m* track of bullet; **~leistung** *f* firing efficiency; **~linie** *f* line of fire; **~loch** *n* bullet hole; **~richtung** *f* (firing) direction; **~schweißung** *tech. f* shot welding; **≗sicher** *adj.* → *schußfest*; **~tafel** *f* firing table; **~waffe** *f* fire-arm; *pl. a.* small arms; **~weite** *f* (effective) range; *außer* (*in*) **~** out of (within) range *or* shot; **~werte** *m/pl.* firing data; **~wunde** *f* gunshot wound, bullet wound; **~zahl** *f* number of rounds.

Schuster [ˈʃuːstər] *m* (-*s*; -) shoemaker; cobbler; → *Rappen*; **~**, *bleib bei deinen Leisten!* cobbler, stick to your last!; **~ahle** *f* awl; **~draht** *m* twine; **≗n I.** *v/i.* (*h.*) make shoes, cobble; **II.** *v/t.* (*h.*) *fig.* botch; **~pech** *n* cobbler's wax.

Schute [ˈʃuːtə] *mar. f* (-; -*n*) barge, lighter.

Schutt [ʃut] *m* (-[*e*]*s*) rubbish, refuse, trash; rubble, debris, ruins *pl.*; *in* **~** *und Asche legen* lay in ruins, raze (to the ground); ˈ**~abladeplatz** *m* refuse dump; ˈ**~ablagerung** *geol. f* detritus.

Schütt|beton [ˈʃyt-] *m* poured concrete; **~boden** *agr. m* corn-loft, granary; **~damm** *m* earth bank.

Schüttel|frost [ˈʃytəl-] *m* (-*es*) shivering (*or* cold) fit, *the* shivers *pl.*, chill; **~lähmung** *f* shaking palsy, Parkinson's disease.

ˈ**schütteln** *v/t.* (*h.*) shake; *tech. a.* agitate, vibrate; *car*: jolt; *den Kopf* **~** shake one's head; *j-m die Hand* **~** shake a p.'s hand, shake hands with a p.; → *Ärmel*; *es schüttelte ihn vor Ekel* he shuddered with *disgust*, *vor Lachen*: he shook with *laugther*.

ˈ**Schüttel...:** **~reim** *m* spoonerism; **~rinne** *tech. f* shaking trough; **~rost** *m* (-*es*; -*e*) rocker-grating; **~sieb** *n* vibrating screen.

ˈ**schütten** *v/t. and v/i.* (*h.*) pour (*a. tech.*); shoot (*wheat, etc.*); spill (*auf acc.* on), empty; *auf e-n Haufen* **~** heap up; *es schüttet* it is pouring (with rain).

schütter [ˈʃytər] *adj.* thin, sparse (*hair*).

schüttern [ˈʃytərn] **I.** *v/i.* (*impers., h.*) shake, quake, tremble; **II.** *v/t.* (*h.*) shake.

ˈ**Schüttgut** *n* bulk goods *pl.*

ˈ**Schutt...:** **~halde** *f* dump; *geol., mount.* scree (slope), talus; **~haufen** *m* dust-heap, dump; rubble heap; *fig. in e-n* **~** *verwandeln* turn into a heap of rubble, raze (to the ground), lay in ruins.

ˈ**Schüttwurf** *aer. m* salvo bombing.

Schutz [ʃuts] *m* (-*es*) protection, defen|ce, *Am.* -se (*gegen, vor dat.* against, from); safeguard, escort; shelter, refuge; care; custody; screen, shield; cover; insulation; safeguard; *rechtlicher* **~** legal protection; **~** *suchen* seek *or* take shelter (*vor dat.* from), take refuge (*bei* with); *in* **~** *nehmen* take under one's protection *or* wings, defend, come to *a p.'s* defence, second, back *a p.* up; *im* **~***e der Nacht* under cover of night; → *begeben.*

Schütz [ʃyts] *m* (-*en*; -*en*) (*tech. n,* -*es*; -*e*) → *Schütze* 1., (2.).

ˈ**Schutz...:** **~anstrich** *m tech.* protective coat(ing); *mil.* camouflage paint(ing), *mar.* dazzle-paint; **~anzug** *m* protective clothes *pl.*, overall; **~ärmel** *m* sleeve-protector; **≗bedürftig** *adj.* needing protection; in distress; **~befohlene(r** *m*) [ˈ-bəfoːlənə(r)] *f* (-*n*, -*n*; -*en*, -*en*) charge, protégé(e *f*); ward; **~behauptung** *jur. f* evasion; **~belag** *m* protective covering; **~blattern** *pl.* cowpox; **~blech** *n* guard (plate); *mot.* mudguard, *Am.* fender; **~brief** *m* safe-conduct; **~brille** *f* (safety) goggles *pl.*; **~bund** *m*, **~bündnis** *n* defensive alliance; **~dach** *n* protective roof, shelter; penthouse; **~decke** *f* cover(ing).

'**Schütze 1.** *m* (*-n*; *-n*) shot, marksman; huntsman; *mil.* rifleman, private; gunner; *sports*: shooter; *ast.* Sagittarius, *the* Archer; **2.** *f* (-; *-n*) sluice gate; *weaving*: shuttle; *el.* contactor.

'**schützen** *v/t.* (*h.*) protect, guard; defend (*gegen* against, *vor dat.* from); secure, guard (against); keep (from); shelter (from *weather*), *garments*: protect (from *rain, etc.*); cover, *w.s.* shield; screen, shield; escort; preserve; watch over; *econ.* hono(u)r, protect (*draft*); *sich ~* (*h.*) protect o.s.; guard (*gegen* against); *rechtlich ~* protect (legally); *patentrechtlich ~* patent; *urheberrechtlich ~* copyright; *vor Nässe ~!* keep dry!; *Gott schütze dich!* God keep you!

'**Schützen...:** **~abzeichen** *n* marksmanship badge; **~bataillon** *n* rifle battalion.

'**schützend** *adj.* protective(ly *adv.*).

'**Schützen...:** **~fest** *n* riflemen's meeting, *a. fig.* shooting-match; **~feuer** *mil. n* rifle fire; independent fire.

'**Schutz-engel** *m* guardian angel.

'**Schützen...:** **~gilde** *f* rifle club; **~graben** *mil. m* trench; **~grabenkrieg** *m* trench warfare; **~gruppe** *f* rifle section, *Am.* rifle squad; **~hilfe** *fig. f* (-): *j-m ~ leisten* back a p. up, *Am. a.* run interference for a p.; **~kette** *f* riflemen extended, skirmish line; **~könig** *m* champion shot; **~linie** *mil. f* **a)** firing line, **b)** → *Schützenkette*; **~loch** *n* rifle-pit, foxhole; **~mine** *f* (anti-)personnel mine; **~nest** *n* nest of riflemen; **~panzerwagen** *m* armo(u)red personnel carrier; **~reihe** *f* file of riflemen; **~schleier** *m* infantry screen; **~stand** *m* firing position; *aer.* turret; **~steuerung** *el. f* contactor control(l)er; **~zug** *mil. m* rifle platoon.

'**Schutz...:** **~erdung** *el. f* protector ground; **2fähig** *adj. book*: capable of being copyrighted; **~farbe** *f* protective paint; *mil.* → *Schutzanstrich*; **~färbung** *zo. f* protective coloration; **~gebiet** *n* protectorate; → *Naturschutzgebiet*; **~geist** *m* (*-es*; *-er*) (tutelary) genius; **~geländer** *n* guard rail(ing); **~geleit** *n* safe-conduct, (*a. aer.*) escort; *mar.* convoy; **~gitter** *n* (barrier-)guard; *radio*: screen grid; *mot.* radiator grille; **~gott** *m* (**~göttin** *f*) tutelary god(dess *f*); **~gürtel** *m* safety belt; *mil.* defen|ce (*Am.* -se) belt; **~hafen** *m* harbo(u)r of refuge; **~haft** *f* protective (*or* preventive) custody *or* arrest; **~haube** *tech. f* cover, hood; **~heilige(r** *m*) *f* patron saint; **~helm** *m* protective helmet; **~herr(in** *f*) *m* patron(ess *f*), protector (*f* protectress); **~herrschaft** *f* protectorate; **~hülle** *f* protective covering; sheath; dust cover (*or* jacket) (*of book*); **~hütte** *f* (shelter) hut, refuge; **~impfung** *f* protective inoculation, immunization; vaccination; **~insel** *f traffic*: island, refuge; **~kappe** *f* protecting cap, cover; **~leiste** *f* guard strip.

Schützling ['ʃytsliŋ] *m* (*-s*; *-e*) protégé(e *f*), charge.

'**Schutz...:** **2los** *adj.* unprotected, defenceless; **~macht** *pol. f* protecting power; **~mann** *m* policeman, constable, officer; *Brit. a.* Bobby, *esp. Am.* cop; **~marke** *f* (*eingetragene* registered) trade-mark, brand; *mit ~ versehene Waren* branded goods; **~maske** *f* (protective) mask; **~maßnahme** *f* protective (*or* safety) measure; precaution; **~mauer** *f* protecting (*or* screen) wall; *mil.* rampart, bulwark (*a. fig.*); **~mittel** *n* preservative (*gegen* against, from), preventive (of); prophylactic; **~patron(in** *f*) *m* patron saint; **~pocken** *med. f/pl.* cowpox; **~pockenimpfung** *f* vaccination; **~polizei** *f* (municipal) police, constabulary; **~polizist** *m* → *Schutzmann*; **~raum** *m* (air-raid) shelter; **~rechte** *pl.* patent rights; trade-mark rights; **~salbe** *f* protective ointment; **~scheibe** *mot. f* windscreen, *Am.* windshield; **~schicht** *f* protective layer, safety coating; **~schild** *m* (*mil.* = gun-) shield; **~schirm** *m* (protective) screen; **~sicherung** *el. f* protected fuse; **~staat** *m* protectorate; **~stoff** *med. m* **a)** antibody, **b)** immunising substance; **~truppe** *f* colonial force; **~überzug** *m* protective cover(ing); protective coating; **~umschlag** *m* dust cover, (dust) jacket, wrapper; **~-und-Trutzbündnis** *n* defensive and offensive alliance; **~verband** *m*, **~vereinigung** *f* protective association; **~vorrichtung** *f* safety device, guard; **~wache** *f* (safe-) guard, escort; **~waffen** *f/pl.* defensive arms; **~wand** *f* (protective) screen; **~wehr** *f* defen|ce, *Am.* -se; dike; *mil.* rampart, bulwark (*a. fig.*); **~zoll** *m* protective duty; **~zöllner**, **~zollpolitiker** *m*, **2zöllnerisch** *adj.* protectionist; **~zollsystem** *n* protective system, protectionism.

schwabbel|ig ['ʃvabəliç] *adj.* wobbly, flabby; **~n** *v/i. and v/t.* (*h.*) wobble; *water, etc.*: swash, slop, spill; *colloq.* twaddle, babble; *tech.* buff; **2scheibe** *tech. f* buff(ing wheel).

Schwabe[1] ['ʃvaːbə] *zo. f* (-; *-n*) cockroach.

Schwabe[2] ['ʃvaːbə] *m* (*-n*; *-n*) Swabian; **~nstreich** *m* tomfoolery.

Schwäb|in ['ʃvɛːbin] *f* (-; *-nen*), **2isch** *adj.* Swabian.

schwach [ʃvax] *adj.* weak (*a. argument, character, eyes, nerves, stomach, team, voice, etc.*; *a. econ. market*; *chem. solution*; *beverage*; *gr. verb*); feeble; frail; delicate; thin, light, flimsy; gentle; limp, flabby; faint; powerless, impotent; moderate; poor; meag|re, *Am.* -er; remote (*resemblance*); poor (*attendance, performance*); sparse (*population*); dim (*recollection*); faint (*hope*); faint, feeble (*smile*); *tech.* low-powered (*engine*); low (*battery, pulse*); faint, dim (*light, sound*); *~es Geschlecht* the weaker (*or* soft) sex; *~e Seite* → *Schwäche*: *e-e ~e Stunde* a scant hour, *fig.* a moment of weakness; *~er Versuch* feeble attempt; *~e Vorstellung* faint idea; *mit ~er Stimme* faintly, feebly; *econ. ~ liegen* rule low; *sich ~ zeigen* betray weakness, yield; *schwächer werden* grow weak, lose in strength (*or* intensity), fall off, lessen, *patient*: sink, *eyes*: fail, *light, sound*: fade; → *abflauen, nachlassen*; *mir wird ~* I am feeling faint; *colloq. das macht mich noch ~!* that's enough to drive you mad!

Schwäche ['ʃvɛçə] *f* (-; *-n*) weakness (*a. fig.*); feebleness; frailty; faintness; infirmity, *med.* debility; powerlessness, (*a. med.*) impotence; weak point *or* side, *of character*: *a.* weakness, foible, failing; shortcoming; *menschliche ~ a.* frailty of human nature; *e-e ~ haben für* (*acc.*) have a weakness (*or* soft spot) for; **~anfall** *m* attack of fatigue, faintness; **~gefühl** *n* (*-[e]s*) sinking feeling, faintness.

'**schwächen** *v/t.* (*h.*) weaken (*a. fig.*); enfeeble, debilitate; qualify (*expression*); lessen, diminish; tone down (*colours*); undermine, sap (*health*).

'**Schwächezustand** *m* feeble condition, debility, asthenia.

'**Schwachheit** *f* (-; *-en*) weakness; *fig. a.* frailty; *colloq. fig. bilde dir nur keine ~en ein!* don't fool yourself!

'**schwach...:** **~herzig** *adj.* faint-hearted; **2kopf** *m* imbecile, idiot, sap(head); **~köpfig** ['-kœpfiç] *adj.* weakheaded, brainless.

'**schwächlich** *adj.* weakly; delicate, frail; sickly, infirm; *fig.* weak-kneed; **2keit** *f* (-) weakly condition; delicacy, frailty; sickliness, infirmity.

'**Schwächling** ['-liŋ] *m* (*-s*; *-e*) weakling, softy.

'**schwach...:** **~sichtig** ['-ziçtiç] *adj.* weak- (*or* dim-)sighted; **2sichtigkeit** *f* (-) weak-sightedness; **2sinn** *m* (*-[e]s*) feeble-mindedness; **~sinnig** *adj.* feeble-minded, halfwitted; **2sinnige(r** *m*) ['-ziniɡə(r)] *f* (*-n*, *-n*; *-en*, *-en*) feeble-minded person, half-wit, moron; **2strom** *el. m* (*-[e]s*) weak (*or* low-voltage) current; **2stromkabel** *n* cable for communication circuits; **2stromtechnik** *f* (-) light current (*Am.* signal) engineering.

'**Schwächung** *f* (-; *-en*) weakening; → *Abschwächung*.

Schwaden ['ʃvaːdən] *m* (*-s*; -) *agr.* swath; vapo(u)r; gas cloud; *mining*: fire-damp.

Schwadron [ʃva'droːn] *f* (-; *-en*) squadron.

Schwadron|eur [ʃvadro'nøːr] *m* (*-s*; *-e*) swaggerer, blusterer, gas-bag; **2ieren** *v/i.* (*h.*) swagger, brag, gas.

schwafeln ['ʃvaːfəln] *colloq. v/i. and v/t.* (*h.*) twaddle, babble, drivel.

Schwager ['ʃvaːɡər] *m* (*-s*; ¨) brother-in-law.

Schwäger|in ['ʃvɛːɡərin] *f* (-; *-nen*)

sister-in-law; **~schaft** *f* (-) affinity by marriage; (*persons*) relations by marriage, in-laws *pl.*

Schwalbe [ˈʃvalbə] *f* (-; -*n*) swallow; *fig.* *e-e ~ macht noch keinen Sommer* one swallow does not make a summer; **~nnest** *n* swallow's nest; *mus.* (bandman's) epaulette; **~nschwanz** *m* swallow-tail (*a. colloq. dress-coat*); *tech.* dovetail; **2nschwanzförmig** [ˈ-nʃvantsfœrmiç] *adj.* dovetailed.

Schwall [ʃval] *m* (-[e]s; -e) swell, surge, flood; *fig.* throng; deluge (*of questions*); flood (*or* torrent) of words; ˈ**~blech** *n* baffle; ˈ**~wasserschutz** *tech. m* hose-proof enclosure.

schwamm [ʃvam] *pret. of schwimmen.*

ˈ**Schwamm** *m* (-[e]s; ¨e) sponge; *bot.* fungus (*a. med.*); German tinder; dry rot; *mit e-m ~ abwaschen* sponge; *fig.* *~ d(a)rüber!* let bygones be bygones!, (let's) forget it!; **~fischeˈrei** *f* sponge-fishery; **~gummi** *m* sponge rubber, foamed latex; **2ig** *adj.* spongy (*a. fig.*), fungous; porous; bloated; **~igkeit** *f* (-) sponginess.

Schwan [ʃvaːn] *m* (-[e]s; ¨e) swan.

schwand [ʃvant] *pret. of schwinden.*

ˈ**schwanen** *v/i.* (*h.*): *es schwant mir* I have a presentiment *or* feeling (*daß* that); *ihm schwante nichts Gutes* he had dark forebodings *or* misgivings.

ˈ**Schwanen...:** **~gesang** *m* swan song (*a. fig.*); **~hals** *m* swan-neck; *tech. a.* goose-neck; **~teich** *m* swannery.

schwang [ʃvaŋ] *pret. of schwingen.*

Schwang *m*: *im ~(e) sein* be customary (*or* a tradition), be in vogue, be the fashion; *in ~ kommen* become the fashion.

schwanger [ˈʃvaŋər] *adj.* pregnant, with child; expectant; *fig.* *~ gehen mit* labo(u)r with, be full of (*plan, etc.*); **2e** *f* (-*n*; -*n*) pregnant woman, expectant mother; **2enfürsorge** *f* maternity care.

schwängern [ˈʃvɛŋərn] *v/t.* (*h.*) get with child, *a. fig.* impregnate; *chem.* saturate.

ˈ**Schwangerschaft** *f* pregnancy.

ˈ**Schwangerschafts...:** **~narbe** *f* stria; **~psychose** *f* gestational psychosis; **~unterbrechung** *f* interruption of pregnancy, induced abortion; **2verhütend** *adj.* contraceptive.

ˈ**Schwängerung** *f* (-; -*en*) getting with child, *a. fig.* impregnation; conception; *chem.* saturation.

schwank [ʃvaŋk] *adj.* pliable, flexible; thin, slender; shaky, unsteady; faltering; loose (*rope*); → *Rohr.*

Schwank *m* (-[e]s; ¨e) merry tale, droll story; prank; *thea.* farce, burlesque.

ˈ**schwanken** *v/i.* (*h.*) wave (*or* swing) to and fro, rock; sway; stagger, totter; reel; shake, rock; wobble; oscillate, *usu. fig.* vacillate; *fig.* falter, waver; shilly-shally, *Am.* back and fill; vary, alternate; *econ. prices*: fluctuate, vary; *der Käufer schwankte zwischen* the buyer wavered between *a saloon car and a convertible*; *die Temperatur schwankte zwischen 20 und 40 Grad* the temperature varied (*or* ranged) from 20 to 40 degrees; **2** *n* (-*s*) waving, rocking; staggering, *etc.*; oscillation; *fig.* vacillation, wavering, shilly-shally; variation; *econ.* fluctuation; **~d** *adj.* waving; staggering, *etc.*; *fig.* vacillating, wavering, faltering, undecided; unsteady, unsettled, unstable; fickle, unreliable; precarious (*health*).

ˈ**Schwankung** *f* (-; -*en*) → *Schwanken*; deviation; nutation (*of earth axis*); *seelische ~en* ups and downs; **~sbereich** *m* range.

Schwanz [ʃvants] *m* (-es; ¨e) *zo.* tail (*a. aer., ast.*); *hunt.* brush (*of fox*); *mil.* trail (*of gun-carriage*); (*persons*) train; flourish; *vulg.* prick, penis; *fig.* *den ~ zwischen die Beine nehmen* slink away, make tracks; *colloq.* *den ~ einziehen* quail, show the white feather; *colloq.* *j-n auf den ~ treten* tread on a p.'s toes; *sl. univ.* *e-n ~ machen* fail in one subject; *colloq.* *kein ~* nobody, not a living soul.

schwänzeln [ˈʃvɛntsəln] *v/i.* (*h.*) wag one's tail; *person*: wriggle (in walking); *fig.* *um j-n ~* (*sn*) fawn upon, dance attendance upon, wheedle.

schwänzen [ˈʃvɛntsən] *v/t. and v/i.* (*h.*): (*die Schule*) *~* play truant (*Am. a.* hooky); miss, shirk (*lesson*); cut (*lecture*); *geschwänzt* tailed, caudate.

ˈ**Schwanz...:** **~ende** *n* tip of the tail; *fig.* (*a. aer.*) tail end; **~feder** *f* tail-feather; **~fläche** *aer. f* tail surface; **~flosse** *f* tail fin; **2lastig** *aer. adj.* tail-heavy; **~rad** *aer. n* tail wheel; **~riemen** *m* crupper; **~säge** *f* whip-saw; **~sporn** *m aer.* tail-skid; *mil.* trail spade; **~steuer** *aer. n* tail rudder; **~stück** *n* tail piece (*a. of fish*); rump (*of ox*); **~wirbel** *m* caudal vertebra.

schwapp [ʃvap] *int.* slap!, smack!; ˈ**~(e)lig** *adj.* wobbly; flabby; ˈ**~eln** *v/i.* (*h.*) wobble; *a.* → ˈ**~en** *v/i.* (*sn*) *liquid*: swash, splash; slop, spill; flop, snap.

Schwäre [ˈʃvɛːrə] *med. f* (-; -*n*) abscess, boil, ulcer; festering wound; **2n** *v/i.* (*h.*) fester, suppurate, ulcerate; *fig.* fester, rankle.

Schwarm [ʃvarm] *m* (-[e]s; ¨e) **1.** swarm (*of bees, etc.*); flight (*of birds*); covey (*of partridges*); shoal, school (*of fish*); flock, herd; pack; *persons*: throng, crowd, troop, bunch; bevy (*of girls*); *aer.* flight; *Schwärme von* swarms of (*stars, people, children, etc.*); **2.** *colloq.* ideal, fancy, craze; (*person*) idol, hero; flame; *sie ist sein ~* he adores (*or* worships) her, he is gone on her; → *schwärmen.*

schwärmen [ˈʃvɛrmən] *v/i.* (*sn*) *bees, etc.*: swarm; *people*: *a.* rove, wander, stray; *mil.* skirmish, (*a. ~ lassen*) extend; *es schwärmte von Menschen auf der Straße* the street was swarming (*or* thronged) with people; (*h.*) revel (and riot); be enthusiastic, enthuse (*für, von* about), rave, gush (about); dream (of); *für et. ~ a.* be wild (*or* crazy) about; *für j-n ~* adore (*or* worship) a. p., be smitten with (*or* gone on) a p., be crazy about a p., have a crush on a p.; *für die Bühne ~* be stage-struck.

ˈ**Schwärmen** *n* (-*s*) swarming; *mil.* skirmishing; revelry; enthusiasm; daydreaming.

ˈ**Schwärmer** *m* (-*s*; -) **1.** (**~in** *f*, -; -*nen*) revel(l)er; enthusiast; *esp. eccl.* fanatic; visionary, (day)dreamer; gusher; **2.** *zo.* hawkmoth; **3.** (fire-)cracker, squib.

Schwärmeˈrei *f* (-; -*en*) revel(l)ing, revelry; enthusiasm (*für* for); idolization, worship; ecstasy; gush(ing); daydream(ing); *esp. eccl.* fanaticism, zeal.

ˈ**schwärmerisch** *adj.* enthusiastic (-ally *adv.*); gushing, raving; adoring; entranced, enraptured; fanciful, eccentric; *eccl.* fanatic(al).

ˈ**Schwärmzeit** *f* swarming-time.

Schwart|e [ˈʃvartə] *f* (-; -*n*) rind, (*a. zo.*) skin; rind of bacon; crackling; *tech.* slab, plank; (*book*) *alte ~* old volume; *fig.* *daß die ~ knackt* like blazes; **~enmagen** *m* collared pork; **2ig** *adj.* thick-skinned.

schwarz [ʃvarts] *adj.* black (*a. fig.*); blackened; sooty, smutty; inky; swarthy; deeply tanned; *fig.* dark, gloomy; dismal; illicit, surreptitious; *~es Brot* brown bread; *2es Brett* notice-board, *Am.* bulletin board; *2er Erdteil* Black Continent; *~e Gedanken* dark thoughts; *~er Humor* sick humo(u)r, Black Comedy; *~er Kaffee* (*Tee*) black coffee (tea); *2e Kunst* **a)** (art of) printing, **b)** Black Art; *~e Liste* black list; *j-n auf die ~e Liste setzen* black-list; *~er Mann* bog(e)y; *~er Markt* black market; *2es Meer* Black Sea; *~e Seele* black soul; *med.* *~er Star* amaurosis; *~er Tag* black day; *2er Tod* Black Death; *~e Ware* smuggled goods; *~e Wäsche* dirty linen (*a. fig.*); *~ machen* blacken; *et. ~ ausmalen fig.* paint a gloomy picture of a th.; *sich ~ ärgern* fret and fume; *sich ~ kleiden* dress in (*or* wear) black; *~ auf weiß* in black and white, in cold print; *mir wurde ~ vor den Augen* everything went black, I blacked out; *da kann er warten, bis er ~ wird* he can wait till he is blue in the face.

Schwarz *n* (-[es]) black; *in ~ gekleidet* (dressed) in black, in mourning; *ins ~e treffen* (hit the) bull's-eye (*a. fig.*).

ˈ**Schwarz...:** **~amsel** *f* blackbird; **~arbeit** *f* illicit work; **2äugig** *adj.* black- (*or* dark-)eyed; **~beere** *f* elderberry; **~beize** *tech. f* black liquor; **~birke** *f* river birch; **2blau** *adj.* bluish black, very dark blue; **~blech** *n* black sheet-iron, black plate; **~blei** *n* blacklead; **2braun** *adj.* brownish black, very dark brown; swarthy, tawny; **~brenner** *m* illicit distiller; **~brot** *n* brown bread; (black) rye-bread; **~dorn** *m* (-[e]s; -e) blackthorn; **~drossel** *f* blackbird; **~druck** *typ. m* (-[e]s; -e) black print(ing).

Schwärze [ˈʃvɛrtsə] *f* (-; -*n*) blackness (*a. fig.*); swarthiness; *tech.* black(en)ing; *casting*: black wash; *typ.* printer's ink; (-) darkness.

ˈ**Schwarze(r** *m*) *f* (-*n*, -*n*; -*en*, -*en*)

black, negro (*f* negress); *colloq.* parson.

ˈ**schwärzen** *v/t. and v/i.* (h.) (make) black, *a. fig.* blacken; *typ.* ink; *casting*: blackwash; *econ.* smuggle (in).

ˈ**schwarz...**: **~fahren** *v/i.* (sn) (take a) joy-ride; **⁀fahrer** *m mot.* joy-rider; fare dodger; **⁀fahrt** *f* joy-ride; **⁀fäule** *f* black rot; **⁀fichte** *f* black spruce; **~gelb** *adj.* blackish yellow; **~gestreift** *adj.* with black stripes; **~grau** *adj.* greyish black, dark grey; **⁀guß** *tech. m* all-black malleable cast iron; **~haarig** *adj.* black-haired; **⁀handel** *m* black-market(eering), illicit trade; *im ~* on the black market; *~ treiben* (be a) black market operator; **⁀hörer(in** *f*) *m* radio (*or* wireless) pirate; **⁀kittel** *hunt. m* wild boar; **⁀kunst** *f* (-) black art, necromancy; **⁀künstler** *m* necromancer, magician.

ˈ**schwärzlich** *adj.* blackish, darkish; swarthy (*skin*).

ˈ**Schwarz...**: **~markt** *m* black market; **~markthändler** *m* black marketeer; **~meise** *f* black tit-mouse; **~pulver** *n* black (*or* gun-) powder; **~rock** *m* parson; **⁀rot** *adj.* reddish black; **⁀rotgold** *adj.* black, red, and gold; **⁀schlachten** *v/t. and v/i.* (h.) kill (*or* slaughter) illicitly; **~schlachtung** *f* illicit butchering; **⁀sehen** *v/i.* (h.) be pessimistic, take a dim view of things, always see the dark side of things; *ich sehe schwarz (für dich)* things look black (for you); **~seher(in** *f*) *m* pessimist, alarmist; **~sender** *m radio*: pirate transmitter; secret radio station; **~specht** *m* black woodpecker; **~wald** *m* (-[e]s) Black Forest; **~wasserfieber** *n* blackwater fever; **⁀weiß** *adj.* black and white; **~weißfilm** *m* black-and-white film; **~weißzeichnung** *f* black-and-white drawing; **~wild** *n* wild boars *pl.*; **~wurz(el)** *f* comfrey.

Schwatz [ʃvats] *m* (-es; -e) chat; ˈ**~base** *colloq. f* chatterbox; gossip; ˈ**⁀en, schwätzen** [ˈʃvɛtsən] *v/i. and v/t.* (h.) talk, chat, *Am. a.* chin; chatter, tattle; twaddle, blather; prattle; blab.

ˈ**Schwätzer(in** *f*) *m* (-*s*, -; -, -*nen*) chatterbox, prattler, babbler; gossip; blatherskite; ranter, gas-bag.

Schwätzeˈrei *f* (-; -*en*) babbling, prattle, gabble; gossip, tittle-tattle, wagging of tongues.

ˈ**schwatzhaft** *adj.* talkative, garrulous, chatty.

ˈ**Schwatzmaul** *colloq. n* → *Schwatzbase.*

Schwebe [ˈʃveːbə] *f* (-): *in der ~ sein* be in suspense, be undecided *or* unsettled, tremble in the balance; *jur.* be pending; be in abeyance; *in der ~ lassen* leave *a th.* unsettled; **~bahn** *f* suspension railway; → *Drahtseilbahn*; **~balken, ~baum** *gym. m* balance beam; **~flug** *aer. m helicopter*: hovering (flight); *glider*: soaring (flight); **~hang** *m gym.* half lever hang; **~kippe** *f gym.* long upstart.

ˈ**schweben** *v/i.* (h.) be suspended (*or* poised), hang *in the air*; float (*a. in liquid*); hover; *hoch ~* soar; *fig.* (sn) glide, swim (*ins Zimmer* into the room); (h.) be undecided, → *Schwebe*; *der Mond schwebt am Himmel* the moon swims in the sky; *fig. j-m vor Augen ~* be before a p.'s eye (*or* mind); → *vorschweben*; *in Gefahr ~* be in danger; *in Ungewißheit ~* be (kept) in suspense; *zwischen Furcht und Hoffnung (Leben und Tod) ~* hover between fear and hope (life and death); *fig. über den Wolken ~* live in the clouds; *es schwebt mir auf der Zunge* it is on the tip of my tongue; **~d** *adj.* suspended (*a. chem. in liquid*), in suspension; floating; hovering; *esp. jur.* pending; *Schritt*: floating, swinging (*steps*); *phonetics*: *~e Betonung* level stress; *~e Schuld* floating debt.

ˈ**Schwebe...**: **~reck** *gym. n* trapeze; **~teilchen** *n* suspended particle.

Schwebfliege [ˈʃveːp-] *f* hovering fly.

ˈ**Schwebung** *f* (-; -*en*) vibration; *radio*: beat, surge; **~s-empfang** *m* (-[e]s) beat reception.

Schwed|e [ˈʃveːdə] *m* (-*n*; -*n*), **~in** *f* (-; -*nen*) Swede; *humor. alter Schwede!* old man!; **⁀isch** *adj.* Swedish (*a. ~e Sprache*); of Sweden; *humor. hinter ~en Gardinen* behind (prison) bars.

Schwefel [ˈʃveːfəl] *m* (-*s*) sulphur, *Am. a.* sulfur; brimstone; **⁀artig** [ˈ-ɑːrtiç] *adj.* sulphur(e)ous; **~äther** *m* sulphuric ether; **~bad** *n chem.* sulphurated bath; *med.* sulphur bath; **~bande** *colloq. f* gang, bad lot; **~blumen** *f/pl.*, **~blüte** *f* (-) flowers *pl.* of sulphur; **~dampf** *m* sulphur vapo(u)r; **~eisen** *n* ferrous sulphide; **~erz** *m* sulphur ore.

ˈ**schwef(e)lig** *adj.* sulphurated, of sulphur; sulphur(e)ous (*acid*); **~sauer** *adj.* sulphite of.

ˈ**Schwefel...**: **⁀haltig** *adj.* sulphur(e)ous; **~hölzchen** [ˈ-hœltsçən] *n* (-*s*; -) (lucifer) match; **~kies** *m* pyrites *pl.*; **~kohlenstoff** *m* carbon disulphide; **⁀n** *v/t.* (h.) *chem.* sulphurate; *tech.* sulphurize; vulcanize; sulphur, fumigate; **~quelle** *f* sulphur spring; **⁀sauer** *adj.* sulphuric, sulphate of; *~er Ammoniak* ammonium sulphate; **~säure** *f* (-) sulphuric acid; **~verbindung** *f* sulphur compound; **~wasserstoff** *m* hydrogen sulphide; **~weiß** *n* (-[es]) zincolith; **~zinn** *n* tin sulphide.

Schweif [ʃvaɪf] *m* (-[e]s; -e) tail (*a. ast.*); *fig.* train; ˈ**⁀en I.** *v/i.* (sn) ramble, stray, stroll; roam, rove; *fig. den Blick ~ lassen* let the eye wander; *sein Blick schweifte durchs Zimmer* his eye ranged the room; *seine Gedanken schweiften in die Vergangenheit* his thoughts ranged the past; **II.** *v/t.* (h.) *tech.* curve; scallop; rinse; ˈ**~haar** *n* tail hair(s *pl.*); ˈ**~säge** *f* fretsaw; ˈ**~stern** *m* comet; ˈ**~ung** *f* (-; -*en*) curve, bend(ing), sweep(ing); ˈ**⁀wedeln** *v/i.* (h.) → *schwänzeln.*

Schweige|geld [ˈʃvaɪgə-] *n* hush-money; **~kegel** *m radio, radar*: cone of silence; **~marsch** *m* silent protest march.

ˈ**schweigen** *v/i.* (*irr.*, *h.*) be silent (*a. fig. über* on); keep silence *or* mum; say nothing, hold one's tongue *or* peace; *noise, etc.*: cease; *zu et. ~* make (*or* offer) no comment on a th., pass a th. over (in silence); *ganz zu ~ von* to say nothing of, let alone; *~ Sie!* be quiet!, silence!; **⁀** *n* (-*s*) silence; *~ bewahren (auferlegen)* keep (impose) silence; *~ gebieten* command silence; → *hüllen*; *zum ~ bringen* reduce to silence, (*a. mil.*) silence; hush (*children*); *~ ist Gold* silence is golden; **~d** *adj.* silent; *adv.*: *~ zuhören* listen in silence; *sich ~ verhalten* keep silent, hold one's peace; *er ging ~ darüber hinweg* he passed it over in silence.

ˈ**Schweigepflicht** *f* (pledge of) secrecy; professional discretion.

Schweiger *m* (-*s*; -) taciturn person, man of few words.

schweigsam [ˈʃvaɪkzɑːm] *adj.* silent, quiet; taciturn; discreet, close (-mouthed); **⁀keit** *f* (-)taciturnity; discretion.

Schwein [ʃvaɪn] *n* (-[e]s; -e) pig, *esp. Am.* hog, *pl. usu.* swine (*all a. contp. fig.*); sow; *hunt.* wild boar; *cul.* pork; *colloq.* (-[e]s) good luck, stroke of luck, fluke; *~ haben* be lucky (*or* in luck), be a lucky dog; *colloq. kein ~* nobody.

ˈ**Schweine...**: **~braten** *m* roast pork; **~fett** *n* lard, pork dripping; **~fleisch** *n* pork; **~fraß** *m*, **~futter** *n* food for pigs (*a. fig.*); **~hirt** *m* swineherd; **~hund** *colloq. m* swine, dirty dog, skunk, *Am. sl.* louse; *innerer ~* **a)** one's baser instincts, **b)** cowardice; **~pest** *f* swine-fever; **~pökelfleisch** *n* salt pork; **~ˈrei** *f* (-; -*en*) piggishness, piggery; (awful) mess; dirt(iness); dirty trick; smut(ty joke); crying shame; **~rotlauf** *vet. m* (-[e]s) swine erysipelas; **~schlächter** *m* pork-butcher; **~schmalz** *n* lard; **~stall** *m* pigsty (*a. fig.*), pigpen, *Am.* hogpen; **~zucht** *f* pig-breeding, *Am.* hog-raising; **~züchter** *m* pig-breeder, *Am.* hog-raiser.

Schwein|igel [ˈʃvaɪnˀiːgəl] *colloq. m* dirty pig, filthy fellow; obscene talker; **~igeˈlei** *f* (-; -*en*) smutty joke, obscenity; **⁀igeln** *v/i.* (h.) talk smut.

ˈ**schweinisch** *adj.* swinish, piggish; smutty.

ˈ**Schweins...**: **~blase** *f* pig's bladder; **~füße** *m/pl.* (pig's) trotters; **~galopp** *m*: *im ~* at a lope, post-haste; **~keule** *f* leg of pork; **~kopf** *m* hog's head; **~kotelett** *n* pork chop; **~leder** *n* pigskin; **⁀ledern** *adj.* (of) pigskin; **~rippchen** *n* (salt) pork chop.

Schweiß [ʃvaɪs] *m* (-es; -e) sweat, perspiration; *on windows, etc.*: moisture, steam; exudation; *in wool*: yolk, suint; *im ~ wool*: in the greasy state; *hunt.* blood; *in ~ geraten* break into perspiration, sweat; *das hat viel ~ gekostet* that was hard work; *im ~e deines Angesichts* in the sweat of your (*bibl.* thy) brow; ˈ**~apparat** *tech. m* welding apparatus (*or* unit); ˈ**~ausbruch** *m* profuse perspiration, sweats *pl.*; ˈ**~band** *n in hat*: sweatband; ˈ**⁀bar**

tech. adj. weldable; '**2bedeckt** adj. covered with sweat; → schweißgebadet; '**~blatt** n in dress: dress-shield; '**~bogen** tech. m welding arc; '**~brenner** m welding torch, blowpipe; '**~drüse** f perspiratory gland; '**2echt** adj. fast to perspiration; '**~eisen** n wrought iron; '**~elektrode** f welding electrode.

'**schweißen I.** v/t. (h.) tech. weld (together); elektrisch ~ electroweld; stumpf ~ butt-weld; **II.** v/i. (h.) hunt. bleed; metall. (begin to) weld; vessel: leak.

'**Schweißer** m (-s; -) welder; **Schweiße'rei** f (-) welding shop.

'**Schweiß...: ~fuchs** m sorrel horse; **~füße** ['-fy:sə] m/pl. sweaty feet; **2gebadet** adj. bathed in perspiration, dripping with sweat; **~geruch** m (-[e]s) smell of perspiration, body odo(u)r; **~hund** m bloodhound; **2ig** adj. sweaty, wet (or damp) with perspiration; hunt. bloody; **~leder** n in hat: interior leather band; **~mittel** n med. sudorific; tech. welding flux; **~naht** f weld(ed joint), (welding) seam; **~perle** f bead of perspiration; **~stahl** m weld(ed) steel; wrought iron; **~stelle** tech. f weld(ed joint), point of weld; **~technik** f welding practice; **2treibend** med. adj. sudorific; **2triefend** adj. → schweißgebadet; **~tropfen** m drop of sweat, bead of perspiration; **~ung** f (-; -en) welding; weld; **~wolle** f unscoured wool.

'**Schweizer**[1] m (-s; -) Swiss; die ~ pl. the Swiss; agr. dairyman.

'**Schweizer**[2] adj. Swiss; **~deutsch** adj. Swiss German.

Schweize'rei f (-; -en) dairy.

'**Schweizer...: ~haus** n Swiss cottage, chalet; **~in** f (-; -nen) Swiss (woman or girl); **2isch** adj. Swiss, of Switzerland; ~ **Käse** m Swiss cheese.

Schwel|anlage ['ʃwe:l-] tech. f (low-temperature) carbonizing plant; **2en I.** v/i. (h.) smoulder (a. fig.); **II.** v/t. (h.) burn slowly or by a slow fire; carbonize lignite at low temperature; distil(l) (tar).

schwelg|en ['ʃvɛlgən] v/i. (h.) lead a luxurious life, live on the fat of the land; revel, feast, carouse; fig. ~ in (dat.) revel in, luxuriate in, wallow in; **2er(in** f) m (-s, -; -, -nen) revel(l)er; epicure; glutton; **2e'rei** f (-; -en) revelry, revel, rout; gluttony, feasting; debauch (-ery); **~erisch** adj. luxurious; revel(l)ing, gluttonous; debauched; voluptuous.

Schwelle ['ʃvɛlə] f (-; -n) threshold (a. fig.); sill, doorstep; beam, (ground-)joist; rail. sleeper, esp. Am. tie; fig. ~ des Bewußtseins threshold of consciousness; an der ~ e-r neuen Zeit on the threshold of a new time; an der ~ des Grabes on the brink of the grave.

'**schwellen I.** v/i. (irr., sn) swell; water: rise; → anschwellen; fig. increase, expand, swell; → geschwollen; **II.** v/t. (h.) swell; sails: a. fill, belly out; fig. fill (the breast); **~d** adj. swelling.

'**Schwellen...: ~energie** phys. f threshold energy; **~wert** m threshold value.

'**Schweller** mus. m (-s; -) swell.

'**Schwell...: ~gewebe** anat. n cavernous (or erectile) tissue; **~körper** m erectile organ, cavernous body; **~ton** mus. m crescendo.

'**Schwellung** f (-; -en) swelling; med. a. tumefaction; of the ground: swell.

'**Schwel...: ~teer** m low-temperature tar; **~ung** f (-; -en) low-temperature carbonization.

Schwemm|e ['ʃvɛmə] f (-; -n) watering-place, horse-pond; colloq. tavern, taproom; econ. glut (an dat. of); **2en** v/t. (h.) water (cattle); wash (off); float (timber); soak (hides); **~land** n (-[e]s) (**~sand** m) alluvial land (sand).

Schwengel ['ʃvɛŋəl] m (-s; -) swing-bar; of bell: clapper; (pump) handle.

Schwenk [ʃvɛŋk] m (-[e]s; -e) film: pan shot; '**~achse** tech. f swivel axis; '**~arm** tech. m swivel arm; '**~aufnahme** phot. f oscillating exposure; '**2bar** adj. swivel(ling), revolving, rotatable; slewing (crane, etc.); mil. traversable (gun), swivel-mounted (machine-gun).

'**schwenken I.** v/t. (h.) swing; shake (about), toss (about); wave (hat, flag, etc.); brandish, flourish (stick, etc.); film: pan; tech. swing, swivel, pivot; rinse; sich ~ turn (a)round, swivel; **II.** v/i. (sn) turn (about); mil. wheel (about); gun, a. tech.: traverse; swivel, rotate, slew (or slue) round; mil. rechts schwenkt, marsch!; right wheel — march! Am. column right — march!

'**Schwenk...: ~kran** m slewing crane; **~rad** n swivel wheel; **~ung** f (-; -en) turn(ing movement), swivel(l)ing, rotation; of crane: slewing; mil. wheeling, tactical: wheeling manoeuvre (Am. maneuver); of gun: traversing motion; fig. change of mind; pol. change of front (or sides); about-face; **~vorrichtung** f swivel(l)ing mechanism; of crane: slewing gear.

schwer [ʃve:r] **I.** adj. heavy (a. mil. cruiser, fire, weapon, etc.); weighty; ponderous, heavy(-handed), clumsy (all a. fig.); burdensome, oppressive; onerous (duty); hard, difficult, tough, → schwierig; bad, grievous, → schlimm; hard (decision, fight); serious (accident, illness, wound); bad, gross (mistake); heavy (sea, storm); grave (crime); jur. ~er Diebstahl aggravated larceny; rich, heavy, stodgy (food); strong (cigar, wine); ~er Atem short breath; ~er Boden heavy soil; colloq. ~er Junge criminal, gangster; ~er Kopf heavy head; colloq. ~e Menge a lot, a heap; ~es Schicksal hard lot; ~e Stunde grave hour; chem. ~es Wasser heavy water (or hydrogen); ~e Zeit hard times; ~e Zunge heavy tongue; ~en Herzens with a heavy heart, reluctantly; ~ von Begriff slow (-witted), slow in the uptake; 2 Pfund ~ weighing two pounds, two pounds in weight; ein ~es Geld kosten cost a lot of money (or a tidy penny); ~es Geld verdienen make big money; **II.** adv. heavily, etc.; very much, awfully; badly; ~ arbeiten work hard; ~ beleidigen offend deeply, outrage; ~ hören be hard of hearing; ~ im Magen liegen lie heavily in the stomach, fig. j-m: prey on a p.'s mind, oppress; ~ zu erlangen hard to get; ~ zu sagen hard to say; ~ zu verstehen hard to grasp; ~ betrunken helplessly (or dead) drunk; ~ enttäuscht cruelly disappointed; ~ verwundet dangerously wounded; da hat er sich aber ~ getäuscht he is very much mistaken there, Am. that's where he makes his big mistake; → schwerfallen, etc.

'**schwer...: 2arbeit** f heavy labo(u)r; **2arbeiter** m heavy worker; **2athlet** m heavy athlete; **2athletik** f heavy athletics pl.; **~atmig** ['-a:tmiç] adj. asthmatic; **~beladen** adj. heavily laden; **2benzin** n heavy petrol (Am. gasoline); **~beschädigt** adj. heavily damaged; **2beschädigte(r** m) ['-bəʃɛ:diçtə(r)] f (-n, -n; -en, -en) → Schwerkriegsbeschädigter; **~bewaffnet** adj. heavily armed; **~blütig** ['-bly:tiç] adj. thickblooded, heavy, grave.

'**Schwere** f (-) heaviness, weight; phys. gravity; med. pregnancy; fig. seriousness, gravity; severity (of punishment); (full) weight, import (of word); ponderousness (of style); **2los** adj. ethereal, floating; **~messer** m (-s; -) gravimeter; **~nöter** ['-nø:tər] m (-s; -) lady-killer, gay Lothario.

'**schwer...: ~errungen** ['-ɛr:ruŋən] adj. hard-won; **~erziehbar** ['-ɛr-'tsi:ba:r] adj. difficult to educate; recalcitrant; ~es Kind problem child; **~fallen** v/i. (irr., sn) be difficult (dat. to); es fällt ihm schwer he finds it hard, w.s. it is hard on him, it is painful for him; **~fällig** adj. heavy, ponderous (both a. person, style, etc.); awkward, clumsy; sluggish; unwieldy, cumbersome; person: dull, slow(-witted); heavy-handed (humour); **2fälligkeit** f (-) heaviness, ponderousness, etc.; **~flüssig** adj. viscous, viscid; **2gewicht** n boxing, etc.: heavy-weight; fig. chief stress, emphasis, chief importance; **2gewichtler** ['-gəviçtlər] m (-s; -) boxing: heavy-weight (boxer); **2gewichtsmeister** m heavy-weight champion; **~halten** v/i. (irr., h.): es wird ~ it will be difficult; **~hörig** adj. hard of hearing; **2hörigkeit** f hardness of hearing, deafness; **2industrie** f heavy industry; **2kraft** phys. f (-) (force of) gravity, gravitation; **2kraftsbeschleunigung** f gravity acceleration; **2kraftverlagerung** f displacement of the center of gravity; **~krank** adj. seriously (or dangerously) ill; **2kriegsbeschädigte(r)** ['-kri:gsbəʃɛ:diçtə(r)] m (-[e]n; -[e]n) seriously disabled soldier (or ex-serviceman); disabled man; **2lastwagen** m heavy-duty truck; **~lich** adv. hardly, scarcely; **2metall** n heavy metal; **2mut** f (-) melancholia, sadness; **~mütig** ['-my:tiç] adj. melancholy; heavy-hearted, heartsick; sad, mournful; **~nehmen** *v/t.* (*irr.*, *h.*): et. ~ take a th. to heart; **2öl** *n* heavy oil, Diesel oil; **2öl-motor** *m* Diesel(-type) engine; **2punkt** *m* cent|re (*Am.* -er) of gravity; *fig.* crucial (*or* focal) point; emphasis, (chief) stress; *a. mil.* point of main effort; **2punktbil-dung** *f mil.* massed concentration; *fig.* concentration, emphasis; **2-punktverlagerung** *f* displacement of the cent|re (*Am.* -er) of gravity; *sports, etc.*: weight transfer; **2spat** *min. m* heavy spar, barite.

Schwert [ʃveːrt] *n* (-[e]s; -er) sword; *of sail-boat*: cent|re- (*Am.* -er-) board, fin, drop-keel; *mit Feuer und* ~ with fire and sword; **'~ertanz** *m* sword dance; **'~fisch** *m* sword-fish; **2förmig** ['-fœrmiç] *adj.* sword-shaped; **'~lilie** *bot. f* iris, *yellow*: sword-flag; **'~streich** *m* sword-stroke; *ohne* ~ without striking a blow.

'schwer...: 2verbrecher *m* dangerous criminal, *jur.* felon; gangster; **~verdaulich** *adj.* indigestible, heavy, stodgy (*all a. fig.*); **~verdient** *adj.* hard-earned; **2verletzte(r** *m*) *f* seriously injured person, stretcher case; **~verständlich** *adj.* difficult (*or* hard) to understand; **~verwundet** *adj.* seriously wounded; **2verwundete(r)** *m* major casualty; **~wiegend** *adj. fig.* weighty, grave, momentous.

Schwester ['ʃvɛstər] *f* (-; -n) sister; *med.* (hospital) nurse; *barmherzige* ~ Sister of Charity; nun; **~chen** *n* (-s; -) little sister; **~firma** *f* affiliated firm, sister; **~kind** *n* sister's child; **2lich** *adj.* sisterly; **~liebe** *f* sisterly love; **~ndiplom** *n* Diploma of Nursing; **~npaar** *n* two sisters *pl.*; **~(n)schaft** *f* (-; -en) sisterhood; **~ntracht** *f* (nurse's) uniform; **~schiff** *n* sister ship; **~unternehmen** *n* associated company.

Schwibbogen ['ʃvip-] *arch. m* archway, arched buttress.

schwieg [ʃviːk] *pret. of schweigen.*

Schwieger|eltern ['ʃviːgər-] *pl.* parents-in-law; **~mutter** *f* (-; ⁼) mother-in-law; **~sohn** *m* son-in-law; **~tochter** *f* daughter-in-law; **~vater** *m* father-in-law.

Schwiel|e ['ʃviːlə] *f* (-; -n) horny skin, callus, callosity; welt, weal, wale; **2ig** *adj.* callous, horny; full of welts *or* wales.

schwierig ['ʃviːriç] *adj.* difficult, hard; tough; complicated, intricate; delicate, ticklish; precarious, trying; critical; troublesome, irksome, onerous; awkward; *person*: difficult, particular, fastidious, exacting; *~e Aufgabe a.* arduous task, uphill work; *~e Frage* puzzling (*or* vexed) question, poser; *~es Kind* intractable (*or* difficult) child, problem child; *~e Lage* critical (*or* awkward) position, predicament, fix; *~er Punkt*, *~e Sache* knotty (*or* thorny) point, hard nut to crack; *~e Verhältnisse* trying circumstances; *~ machen* make (*or* render) difficult, complicate, impede; *das 2ste haben wir hinter uns* the worst is over, we have broken the back of it, we are out of the wood; **2keit** *f* (-; -en) difficulty; intricacy; awkwardness; precariousness; crisis; obstacle, snag, hitch; stumbling-block; problem, crux; facer; predicament, dilemma, fix; *~en pl.* difficulties, trouble *sg.*; *finanzielle ~en* financial difficulties; *~en machen* **a**) *matter*: raise (*or* present) difficulties, **b**) *person*: raise objections, argue, **c**) *j-m*: give a p. trouble, put obstacles in a p.'s way; *das bereitete ihm keinerlei ~en* he found it quite easy, he took it in his stride; *auf ~en stoßen* encounter (*or* meet with) difficulties, run into a snag; *in ~en geraten* get into trouble; *nicht ohne ~en* not without some difficulty; **2keitsgrad** *m* degree of difficulty.

Schwimm|anstalt ['ʃvim-] *f* swimming-baths *pl.*; **~bad** *n* swimming-bath, *Am.* swimming pool; **~bahn** *f* (swimmer's) lane; **~becken** *n* (swimming-)pool; **~blase** *f ichth.* air-bladder, sound; *for non-swimmers*: water-wings *pl.*, float; **~brücke** *f* floating bridge; **~dock** *mar. n* floating dock.

'schwimmen *v/i.* (*irr.*, *h.*, *sn*) (have a) swim; *objects*: float, drift; *floor, etc.*: swim, be flooded; *fig.* flounder, be at sea; *in s-m Blute ~* swim (*or* welter) in one's blood; *im Gelde ~* be rolling in money; *im Glück ~* swim in delight, be riding on air; *in Tränen ~* be bathed in tears; *→ Strom*; *über den Kanal ~* swim the Channel; *alles schwamm vor seinen Augen* everything swam before his eyes; **2** *n* (-s) swimming; *fig. ins ~ kommen* flounder; **~d** *adj.* swimming; (*a. mar., tech.*) floating.

'Schwimmer *m* (-s; -) **1.** (*a.* **~in** *f*, -; -nen) swimmer; **2.** *fishing, a. aer., mot., tech.* float; **~nadel** *mot. f* carburet(t)or needle; **~schalter** *el. m* float switch.

'Schwimm...: 2fähig *adj.* buoyant, floatable; **~fest** *n* swimming gala, aqua show; **~flosse** *f* fin; **~fuß** *zo. m* web-foot; **~füßer** ['-fyːsər] *orn. m* (-s; -) palmiped; **~gürtel** *m* swimming-belt; life-belt; **~haut** *f* web; **~hose** *f* (e-e ~ a pair of) (bathing-)trunks *pl.*; **~kampfwagen** *mil. m* amphibious tank; **~körper** *m* float; **~kraft** *f* (-) buoyancy; **~kran** *m* floating crane; **~lehrer** *m* swimming-master (*or* instructor); **~sport** *m* (-[e]s) swimming; **~stadion** *n* swimming stadium; **~stoß** *m* stroke; **~verein** *m* swimming club; **~vermögen** *n* floating power; **~vogel** *m* web-footed (*or* swimming-)bird; **~werk** *aer. n* water landing gear; **~weste** *f* life-jacket, air-jacket, *Am.* life preserver (vest); **~wettkampf** *m* swimming competition.

Schwindel ['ʃvindəl] *m* (-s) *med.* vertigo; giddiness, dizziness; *vet.* staggers *pl.*; *fig.* swindle, humbug, bunkum, eyewash; cheat, fraud, take-in; *den ~ kenne ich* I know that trick *or* dodge; *colloq. der ganze ~* the whole lot (*or* bag of tricks); **~anfall** *med. m* fit of dizziness, vertigo.

Schwinde'lei *f* (-; -en) → *Schwindel*; white lie, fib; (constant) lying; swindling, cheat.

'Schwindel...: 2erregend *adj.* causing giddiness, *a. fig.* dizzy, vertiginous; **~firma** *f* → *Schwindelgesellschaft*; **2frei** *adj.* free from giddiness; *nicht ~* high-shy; **~gefühl** *n* (feeling of) giddiness, vertigo; **~gesellschaft** *f* bogus (*or* bubble) company, *Am.* wildcat company; **2haft** *adj.* swindling, fraudulent, bogus; *a.* → **~ig** *adj.* giddy, dizzy, vertiginous (*all a. fig.*); staggering (*cost, prices, etc.*); *ihr wurde ~* she felt giddy, her head swam, everything swam before her eyes; *das macht mich ~* it makes me giddy.

'schwindeln *v/i.* (*impers.*, *h.*): *es schwindelt mir* I feel giddy *or* dizzy, my head swims; *fig. ~ machen* stagger; *ihm schwindelte bei dem Gedanken* his mind reeled at the thought; *in ~der Höhe* at a giddy (*or* dizzy) height; (*h.*) fib, tell fibs (*or* a white lie), white-lie; cheat, swindle.

'Schwindel...: ~preis *m* fraudulent (*or* scandalous) price; **~unternehmen** *n* → *Schwindelgesellschaft*.

schwinden ['ʃvindən] *v/i.* (*irr.*, *sn*) dwindle, wane, ebb; grow less, fall off; shrink, *metall. a.* contract; wilt, wither; *colour, light, sound*: fade (away); disappear, vanish; *~de Hoffnung* dwindling hope; *ihm schwand der Mut* he lost courage, his heart sank; *ihr schwanden die Sinne* she fainted (*or* swooned) away.

'Schwinden *n* (-s) dwindling; shrinkage; disappearance; *radio*: fading.

Schwindler ['ʃvindlər] *m* (-s; -), **~in** *f* (-; -nen) swindler, cheat, humbug; shark, sharper, crook; liar; impostor, confidence-man, con man; **2isch** *adj.* swindling, fraudulent, bogus.

'schwindlig *adj.* → *schwindelig.*

Schwind... ['ʃvint-]: **~sucht** *med. f* (-) consumption, phthisis; **2süchtig** *adj.*, **~süchtige(r** *m*) *f* consumptive.

Schwing·achse ['ʃviŋ-] *mot. f* independant (*or* oscillating) axle.

'Schwinge *f* (-; -n) wing, *poet.* pinion; *agr.* winnow, fan; *for flax*: swingle; *tech.* rocker arm.

'schwingen I. *v/t.* (*irr.*, *h.*) swing; wave; brandish, flourish; wield (*the brush, pen, scalpel*); *tech.* centrifuge; *agr.* winnow (*wheat, etc.*), swingle (*flax*); *sich ~* (*irr.*, *h.*) swing o.s. (*hinauf* up); *sich in die Luft ~* soar (*a. tower, etc.*); *sich in den Sattel* (*über die Mauer*) *~* vault into saddle (over the wall); → *Tanzbein*; *sich auf den Thron ~* usurp the throne; *die Küste schwingt sich nach Norden* the coast sweeps northward; *die Brücke schwingt sich über den Fluß* the bridge spans the river; *colloq. e-e Rede ~* make a speech, hold forth; **II.** *v/i.* (*irr.*, *h.*) swing; *tech.* oscillate; vibrate; sway; *geschwungen* curved, sweeping.

'Schwinger *m* (-s; -) *boxing*: swing, *Am. a.* haymaker.

'Schwing|hebel *m* rocker (arm);

~kondensator *m* vibrating capacitor; **~kreis** *m radio*: tuned (*or* resonant) circuit; **~röhre** *f* oscillator valve (*Am.* tube); **~spule** *f* moving coil.

ˈ**Schwingung** *f* (-; -*en*) swing(ing); oscillation; vibration; pulsation; cycle; (*sub*)*harmonische* ~*en pl.* (sub)harmonics; *in* ~ *setzen* set swinging *or* going, cause to vibrate.

ˈ**Schwingungs...**: **~achse** *f* axis of oscillation; **~dämpfer** *m* vibration damper; **~dauer** *f* period (of oscillation); **~festigkeit** *f* vibratory fatigue limit; **Ϩfrei** *adj.* non-oscillating; vibration-free; **~knoten** *m* nodal point of vibration; **~kreis** *m* → *Schwingkreis*; **~weite** *f* amplitude; **~zahl** *f* frequency of oscillations; vibration rate.

Schwippschwager [ˈʃvip-] *m* brother of the brother-in-law.

Schwips [ʃvips] *colloq. m* (-es; -e) tipsiness; *e-n* ~ *haben* be tipsy, be a little on.

schwirren [ˈʃvirən] *v/i.* (*h.*, *sn*) whir(r); whiz(z); *insects*: buzz, hum; *fig. rumours*: run, be rife; Ϩ *n* (-s) whirr; whizzing (sound); buzz.

Schwitzbad [ˈʃvits-] *n* sweat (*or* Turkish) bath, steam-bath.

ˈ**schwitzen I.** *v/i.* (*h.*) sweat, perspire; *walls*: be sweaty *or* damp; *tech. Häute* ~ *lassen* sweat; *am ganzen Leibe* ~ be in a bath of perspiration, be all of a sweat; **II.** *v/t.* (*h.*) *fig. Blut* ~ **a)** sweat blood, **b)** be in agonies, agonize.

Schwitzen *n* (-s) sweating, perspiration.

ˈ**Schwitz...**: **~kasten** *m* sweating box; *wrestling*: headlock; **~kur** *f* sweating cure; **~mittel** *n* sudorific.

Schwof [ʃvo:f] *colloq. m* (-[e]s; -e) (public) dance, hop, *Am. a.* shindig; **Ϩen** *v/i.* (*h.*) (have a) dance, shake a leg, hop.

schwoll [ʃvɔl] *pret. of schwellen.*

schwor [ʃvo:r] *pret. of schwören.*

schwören [ˈʃvø:rən] *v/i. and v/t.* (*irr.*, *h.*) swear (*bei Gott* by God), take an oath (*auf acc.* upon); *vor Gericht* ~ take the oath; *j-m Rache* ~ vow vengeance against a p.; ~ *auf* have absolute confidence in, swear by, *Am. a.* be sold on; *ewige Treue* ~ swear eternal fidelity; *ich hätte geschworen, daß* I could have sworn that; → *geschworen.*

schwul [ʃvu:l] *vulg. adj.* queer, gay; ˈ**Ϩe(r)** *m* (-[e]*n*; -[e]*n*) homo, pansy.

schwül [ʃvy:l] *adj.* sultry, close, muggy, stifling, oppressive; sweltering; damp; *fig.* sultry, languorous; uneasy; *ihm wurde* ~ *zumute* he began to sweat (*or* feel ill at ease); ˈ**Ϩe** *f* (-) sultriness, closeness, stifling heat, muggy weather; *fig.* languor.

Schwuliˈtät *colloq. f* (-; -*en*) fix, scrape; *in* ~*en kommen* get into trouble.

Schwulst [ʃvulst] *m* (-es; ⸚e) bombast.

schwülstig [ˈʃvylstiç] *adj.* bombastic(ally *adv.*), pompous, inflated; **Ϩkeit** *f* (-; -*en*) bombastic style, grandiloquence.

schwummerig [ˈʃvuməriç] *colloq. adj.* → *schwind*(*e*)*lig.*

Schwund [ʃvunt] *m* (-[e]s) dwindling; loss; shrinkage; leakage; *radio*: fading (*a. mot. of brake, clutch*); *med.* atrophy; falling off (*of hair*); ˈ**~ausgleich** *m*, ˈ**~regelung** *f radio*: automatic volume control; ˈ**~zone** *f radio*: wipe-out area.

Schwung [ʃvuŋ] *m* (-[e]s; ⸚e) swing (*a. gym.*); *skiing*: turn; speed, headway; *phys.* momentum; *fig.* rise; impetus; buoyancy; energy, vitality, drive, vim, punch; verve, dash, snap, go, pep, zip; life, vivacity, animation; batch (*of things or persons*); wave *of immigrants, etc.*; ~ *der Phantasie* flight of imagination; *edler* ~ *der Sprache* lofty strain; *in* ~ *bringen* set going; ~ *bekommen* gather speed (*or* momentum, *a. fig.*); (*richtig*) *in* ~ *kommen* get into one's stride, *matter*: *a.* click into gear; *im* ~ *sein* be in full swing; *j-n auf* ~ *bringen* make a p. find his legs, goad a p. to activity; ˈ**~feder** *orn. f* pinion; ˈ**Ϩhaft** *adj.* brisk, roaring, flourishing (*trade*); → *schwungvoll*; ˈ**~kippe** *f gym.* long upstart; ˈ**~kraft** *phys. f* (-) momentum (*a. fig.*), centrifugal force; *fig.* buoyancy, vivacity; → *Schwung*; ˈ**~kraftanlasser** *mot. m* inertia starter; ˈ**Ϩlos** *adj.* without life *or* go, spiritless, slow, flat; ˈ**~rad** *tech. n* flywheel; *of watch*: balance-wheel; **~stemme** [ˈ-ʃtɛmə] *f* (-; -*n*) *gym.* uprise; ˈ**Ϩvoll** *adj.* full of energy *or* verve *or* go; spirited (*a. attack, translation, performance*), bold (*design*), racy (*melodies*), snappy; enterprising; sparkling.

schwur [ʃvu:r] *pret. of schwören.*

ˈ**Schwur** *m* (-[e]s; ⸚e) oath; vow; *e-n* ~ *leisten* take an oath, make a vow; → *Eid*; **~gericht** *n* (court of) assizes *pl.*; jury court; **~gerichtsverfahren** *n* trial by jury.

sechs [zɛks] *adj.* six; → *acht*; Ϩ *f* (-; -*en*) (number) six; Ϩˈ**achteltakt** *mus. m* six-eight time; ˈ**~atomisch** *adj.* hexatomic; **Ϩeck** [ˈ-ɛk] *n* (-[e]s; -e) hexagon; ˈ**~eckig** *adj.* hexagonal; **Ϩender** [ˈ-ɛndər] *hunt. m* (-s; -) stag with six points; ˈ**Ϩer** *m* (-s; -) (the) number six; ˈ**~erlei** *adv.* of six (different) kinds *or* sorts, six kinds of; ˈ**~fach** *adj.* six-fold, sextuple; *das* Ϩ*e* six times the amount; ˈ**~jährig** *adj.* six-year-old; sexennial; ˈ**~mal** *adv.* six times; **~malig** [ˈ-ma:liç] *adj.* six times repeated; **~monatig** [ˈ-ˈmo:natiç] *adj.* lasting (*or* of) six months, six-month ...; ˈ**~ˈmonatlich I.** *adj.* six-monthly, half-yearly, semi-annual; **II.** *adv.* every six months, every sixth month; ˈ**~motorig** *aer. adj.* six-engined; Ϩˈ**phasenstrom** *el. m* six-phase current; ˈ**Ϩpolröhre** *f* six-electrode valve, hexode; **~schüssig** [ˈ-ʃysiç] *adj.* six-chamber; ~*er Revolver Am.* six-shooter; ˈ**~seitig** *adj.* hexagonal; **~spännig** [ˈ-ʃpɛniç] *adj.* with six horses; ˈ**~stellig** *adj. number* with six digits; **~stöckig** [ˈ-ʃtœkiç] *adj.* six-storied; **~stündig** [ˈ-ʃtyndiç] *adj.* lasting (*or* of) six hours, six-hour ...; Ϩˈ**tagerennen** *n* six-day (bicycle) race; ˈ**~tägig** *adj.* lasting (*or* of) six days, six-day ...

ˈ**sechste, ~r** *adj.* (the) sixth; → *achte*; **Ϩl** *n* (-s; -) *and* **~l** *adj.* sixth (part); **~ns** *adv.* sixthly, in the sixth place.

ˈ**sechsundsechzig** *adj. and* Ϩ *n* (-) *cards*: sixty-six.

ˈ**sechs...**: **~wöchentlich I.** *adj.* six-weekly; **II.** *adv.* every six weeks, every sixth week; **Ϩzylindermotor** *m* six-cylinder engine.

sechzehn [ˈzɛçtse:n] *adj.* sixteen; **Ϩender** [ˈ-ɛndər] *hunt. m* (-s; -) stag with sixteen points; **~te** *adj.* sixteenth; **Ϩtel** *n* (-s; -) sixteenth part; **Ϩtelnote** *mus. f* semiquaver; **~tens** *adv.* (in the) sixteenth (place).

sechzig [ˈzɛçtsiç] *adj.* sixty; → *achtzig*; **Ϩer(in** *f*) [ˈ-gər] *m* (-s, -; -, -*nen*) sexagenarian; **~jährig** *adj.* sixty years old, sexagenarian; **~ste** *adj.* sixtieth; **Ϩstel** *n* (-s; -) sixtieth (part).

Sedezformat [zeˈde:ts-] *typ. n* sedecimo, 16mo.

Sediment [zediˈmɛnt] *n* (-[e]s; -e) sediment; **sedimentär** [-ˈtɛ:r] *adj.* sedimentary; **Sediˈmentgestein** *geol. n* sedimentary rocks *pl.*; **sedimenˈtieren** *v/i.* (*sn*) sediment.

See [ze:] **1.** *f* (-; -*n*) sea, ocean; wave, sea; *die offene* ~ the open sea, the offing; *an der* ~ by the sea (-side); *an die* ~ *gehen* go to the seaside (*Am.* to the seashore *or* beach); *auf* ~ at sea; *auf hoher* ~ on the main, on the high seas; *in* ~ *gehen or stechen* put to sea, set sail; *zur* ~ *gehen* go to sea; **2.** *m* (-s; -*n*) lake; pond; pool, puddle.

ˈ**See...**: **~aal** *m* sea-eel; conger; **~adler** *m* sea-eagle; **~alpen** *pl.* Maritime Alps; **~amt** *n* Admiralty Court; **~bad** *n* sea-bath; seaside resort; **~bär** *m fig.*: *alter* ~ old salt; **~beben** *n* (-s; -) seaquake; **~dienst** *m* (-es) naval service; **~-Elefant** *m* sea-elephant; **Ϩfahrend** *adj.* seafaring, maritime; **~fahrer** *m* mariner, sailor; navigator, seafarer; **~fahrt** *f* navigation (at sea), seafaring; voyage, cruise; passage; **~fahrtbuch** *n* seaman's registration book; **~fahrtschule** *f* merchant marine school; **Ϩfest** *adj.* seaworthy; *person*: not subject to sea-sickness; (*nicht*) ~ *sein* be a good (bad) sailor; ~ *werden* find (*or* get) one's sea-legs; **~fisch** *m* salt-water fish; **~fischeˈrei** *f* deep-sea fishing; **~flieger** *m* naval aviator; **~flughafen** *m* sea-plane base; seadrome; **~flugzeug** *n* seaplane; naval airplane; **~fracht** *econ. f* sea-freight, *Am.* ocean freight; **~frachtbrief** *econ. m* (ocean) bill of lading (*abbr.* B/L); **~funkdienst** *m* marine radio service; **~gang** *m* (-[e]s) (motion of the) sea; *hoher* ~ rough sea, high waves; *schwerer* ~ heavy sea; **~gebiet** *n* waters *pl.*; **~gefahr** *econ. f* sea-risk; *Versicherung gegen* ~ marine insurance; **~gefecht** *n* naval action; **~geltung** *pol. f* naval prestige; **~gesetz** *n* maritime law; **~gras** *n* seaweed; **~hafen** *m* seaport; **~handel** *m* maritime (*or* seaborne) trade; **~held** *m* naval hero;

~herrschaft *f* (-) naval supremacy, command (*or* control) of the sea; **~hund** *zo. m* seal; **~hundsfell** *n* sealskin; **~igel** *zo. m* sea-urchin; **~jungfer** *f* mermaid; *zo.* dugong; **~kabel** *n* submarine cable; **~kadett** *m* naval cadet; **~kalb** *n* sea-calf; **~karte** *f* (sea-)chart; **≈klar** *adj.* ready for sea, ready to sail; **≈krank** *adj.* seasick; *leicht ~ werden* be a bad sailor; **~krankheit** *f* (-) sea--sickness; **~krebs** *m* lobster; **~krieg(führung** *f*) *m* naval war (-fare); **~kriegsrecht** *n* law of naval warfare; **~kuh** *zo. f* sea-cow; **~küste** *f* sea-coast, seashore, seaboard; **~lachs** *m* sea salmon.

Seele ['ze:lə] *f* (-; -*n*) soul (*a. fig. vitality; core; human being; inhabitant*); mind; heart; bladder (*of herring*); bore (*of gun*); core (*of cable*); sounding-post (*of violin*); *e-e gute (schöne) ~* a good (beautiful) soul; *e-e ~ von e-m Menschen* a love of a man, a good soul; *keine ~* not a (living) soul; *zwei ~n und ein Gedanke* two minds and but a single thought; *mit Leib und ~* with body and soul; *mit or von ganzer ~* with all one's heart, *thanking* from the bottom of one's heart; *er ist mit ganzer ~ bei der Arbeit* he is heart and soul in his work; *er ist die ~ des Ganzen* he is the life and soul of it all; *j-m et. auf die ~ binden* enjoin a th. on a p.; *sich die ~ aus dem Leib reden* talk o.s. hoarse; *es tat ihm in der ~ weh* it cut him to the quick; *du sprichst mir aus der ~* you express my sentiments exactly.

'**Seelen...:** **~achse** *f* axis of the bore; **~adel** *m* nobleness of mind; **~amt** *n* office for the dead, requiem; **~arzt** *m* psychiatrist; **~freund(in** *f*) *m* soul-mate; **~friede(n)** *m* peace of mind; **≈froh** *adj.* heartily glad, very happy; **~größe** *f* (-) greatness of soul *or* mind; magnanimity; **≈gut** *adj.* (very) kind-hearted, *pred.* a good soul; **~heil** *n* salvation, spiritual welfare; **~heilkunde** *f* psychiatry; psychotherapy; **~hirt** *m* pastor; **~kunde** *f* (-) psychology; **~leben** *n* inner (*or* psychic, spiritual) life; **~leiden** *n* mental suffering; **≈los** *adj.* soulless; inanimate, lifeless; **~messe** *f* mass for the dead, requiem; **~not, ~pein, ~qual** *f* anguish of mind, (mental) agony; **~ruhe** *f* peace of mind; placidity, coolness; **≈ruhig** *adv.* placidly, cheerfully, as cool as you please; **~stärke** *f* (-) strength of mind, fortitude; **≈tötend** *adj.* soul-destroying; **≈vergnügt** *adj.* very cheerful, blithe; **~verkäufer** *m* (*bad ship*) cockle-shell; **~tröster** *colloq. m* pick-me-up; **≈verwandt** *adj.* congenial (in mind); *~ sein* be kindred souls; **~verwandtschaft** *f* congeniality (of souls), mental affinity; **≈voll** *adj.* soulful; **~wanderung** *f* transmigration of souls, metempsychosis; **~wärmer** ['-vɛ:rmər] *m* (-*s*; -) comforter, woolly; **~zustand** *m* frame of mind, psychic condition.

'**Seeleute** *pl.* seamen, mariners, sailors.

'**seelisch** *adj.* psychic(al), mental; spiritual; emotional; → *Gleichgewicht.*

'**Seelöwe** *zo. m* sea-lion.

'**Seelsorge** *f* (-) cure of souls, religious welfare; ministerial office, spiritual charge; **~r** ['-zɔrgər] *m* (-*s*; -) pastor, minister, spiritual adviser; **≈risch** *adj.* pastoral; *~e Betreuung* religous welfare.

'**See...:** **~luft** *f* sea-air; **~luftstreitkräfte** *f/pl.* navy air-force *sg.*; **~macht** *pol. f* naval power; **~mann** *m* (-[e]*s*; -*leute*) seaman, sailor, mariner; **~manns-ausdruck** *m* sea-term; **≈männisch** ['-mɛniʃ] *adj.* sailorlike, seamanlike; nautical; **≈mäßig** *adj.* seaworthy (*packing*); **~meile** *f* nautical mile; *~ pro Stunde* knot; **~mine** *f* sea-mine; **~möwe** *f* sea-gull; **~muschel** *f* sea-shell; **~not** *f* distress (at sea); **~notdienst** *m* sea rescue service; **~offizier** *m* naval officer; **~pferdchen** *zo. n* (-*s*; -) sea-horse; **~pflanze** *f* submarine plant; **~räuber** *m* pirate; *hist. a.* corsair, buccaneer; **~räube'rei** *f* piracy; **≈räuberisch** *adj.* piratic(al); **~räuberschiff** *n* pirate, corsair; **~recht** *n* (-[e]s) maritime law; **~reise** *f* voyage, cruise; sea--trip; **~rose** *f* waterlily; **~route** *f* sea-route; **~sack** *m* sea-bag; **~schaden** *m* loss suffered at sea, sea-damage, average; **~schiff** *n* sea-going vessel; **~schiffahrt** *f* sea--navigation, merchant shipping; **~schlacht** *f* naval battle; **~schlange** *f* sea-serpent; **~schwalbe** *f* sea--swallow, tern; **~sieg** *m* naval victory; **~soldat** *m* marine; **~sprache** *f* nautical language; **~stadt** *f* seaside town, seaport; **~stern** *zo. m* starfish; **~strand** *m* seaside, seashore, beach; **~streitkräfte** *f/pl.* naval forces; **~stück** *paint. n* sea--piece; **~stützpunkt** *m* naval base; **~sturm** *m* storm at sea; **~tang** *m* seaweed; **~tier** *n* marine animal; **~transport** *m* sea-transport, *econ.* shipment by sea, oversea shipment; **≈tüchtig** *adj.* seaworthy (*ship*); **~tüchtigkeit** *f* seaworthiness; **~ungeheuer** *n* sea-monster; **≈untüchtig** *adj.* unseaworthy (*ship*); **~verbindung** *f* sea-route, shipping line; **~verkehr** *m* maritime (*or* ocean-)traffic; **~versicherung** *f* marine insurance; **~vogel** *m* sea--bird; **~volk** *n* maritime nation, seafaring people; **~warte** *f* naval observatory; **≈wärts** ['-vɛrts] *adv.* seaward(s); **~wasser** *n* sea-water, salt-water; **~weg** *m* sea-route; *auf dem ~* by sea; **~wesen** *n* maritime (*or* naval) affairs *pl.*; **~wind** *m* sea--breeze; **~wissenschaft** *f* nautical science; **~zeichen** *n* sea-mark; **~zunge** *ichth. f* sole.

Segel ['ze:gəl] *n* (-*s*; -) sail; *anat., bot., zo.* velum; *mit vollen ~n fahren* carry a full press of sails; *fig. mit vollen ~n* full sail (*or* tilt); *~ heißen or hissen* make sail; *unter ~ gehen* set sail; *die ~ streichen* strike sail, *fig.* give in, throw up the sponge; → *Wind*; **~baum** *m* mast; **~boot** *n* sailing-boat, *Am.* sailboat; yacht; **≈fertig** *adj.* ready to sail, ready for sea; *sich ~ machen* get under sail; **~fliegen** *n* (-*s*) gliding, glider flying (*or* flight), soaring; glide; **~flieger(in** *f*) *m* glider, glider pilot; **~fliegerschein** *m* soaring certificate; **~flug** *m* → *Segelfliegen*; **~flugdauerrekord** *m* gliding duration record; **~fluggelände** *n* gliding field; **~flugzeug** *n* glider, sailplane; **≈klar** *adj.* → *segelfertig*; **~klasse** *f* rating; **~klub** *m* yachting club; **~macher** *m* sail--maker.

'**segeln** *v/i.* (*sn*) *and v/t.* (*h.*) sail (*a. fig. birds, clouds, etc.*); yacht; *aer.* soar; *colloq.* dash, whiz, *in den Grund ~* run down, sink; *um ein Kap ~* double a cape.

'**Segeln** *n* (-*s*) sailing; yachting.

'**Segel...:** **~regatta** *f* yacht-race, regatta; **~schiff** *n* sailing-ship, sailing-vessel; **~schlitten** *m* ice--yacht; **~sport** *m* yachting; **~stange** *f* yard; **~tau** *n* cable; **~tuch** *n* (-[e]s; -e) canvas, sail-cloth, duck; **~tuchhose** *f* ducks *pl.*; **~tuchplane** *f* canvas; tarpaulin; **~tuchschuhe** *m/pl.* canvas shoes; **~werk** *n* (-[e]s) sails *pl.*; **~wind** *m* fair wind (for sailing).

Segen ['ze:gən] *m* (-*s*; -) blessing, *esp. eccl.* benediction; prayer(s *pl.*); grace (*at table*); sign of the cross; *fig.* blessing, boon; prosperity; (rich) yield; abundance; luck; *colloq. der ganze ~* the whole lot (*or* load); *j-m s-n ~ geben* give a p. one's blessing; *ein wahrer ~* a perfect godsend, a great boon; *es war ein wahrer ~, daß sie nicht kam* it was quite a mercy that she did not come; *im Grunde war es ein ~* it was a blessing in disguise; *das bringt keinen ~* that brings no luck, no good will come of it; *zum ~ der Menschheit* for the benefit of mankind; *m-n ~ hast du* you have my blessing; **~erteilung** *eccl. f* benediction; **≈sreich** *adj.* beneficial, *pred.* a blessing; **~s-spruch, ~swunsch** *m* blessing, benediction; *pl.* good wishes.

Segler(in *f*) ['ze:glər] *m* (-*s*, -; -, -*nen*) yachts(wo)man; sailing-vessel; *guter (schlechter) ~* good *or* fast (bad *or* slow) sailor; → *Segelflugzeug.*

Segment [zɛg'mɛnt] *n* (-[e]s; -e) segment.

segn|en ['ze:gnən] *v/t.* (*h.*) bless; cross; *eccl.* consecrate; *fig.* → *zeitlich*; *Gott segne dich* God bless you; *gesegnet* blessed; *gesegnet mit (dat.)* blessed (*or* blest) with, endowed with; *in gesegneten Umständen, gesegneten Leibes* pregnant, expectant; *mit vielen Kindern gesegnet* blessed with a large offspring; **≈ung** *f* (-; -*en*) blessing, *esp. eccl.* benediction; *fig. ~en der Zivilisation* blessings of civilization.

Seh-achse ['ze:-] *f* axis of vision.

sehen ['ze:ən] **I.** *v/i.* (*irr., h.*) see; look; *gut (schlecht) ~* have good (bad, weak) eyes; → *Sicht*; *wieder ~d werden* regain one's sight; *~ auf (acc.)* look at; *das Fenster sieht auf den Park* the window looks out on (*or* opens on, faces) the park; *fig. ~ auf (acc.)* be particular about, set great store by; *darauf ~, daß* mind (*or* take care) that; *daraus ist zu* ~, *daß* this shows that, hence it appears that; ~ *nach* (*dat.*) look for; look (*or* see) after; *nach dem Rechten* ~ see (*or* make sure) that everything is in order, put things right; *nach der Uhr* ~ look at one's watch *or* at the clock; *sieh nur!* just look!; ~ *Sie mal* look here; *siehe oben* (*unten*) see above (below); *siehe Seite 15* see page 15; *sieh(e) da!* behold!, lo!; *colloq. sieh mal e-r an!* I say!, *Am.* what do you know!; *colloq. haste nicht gesehn* like a shot (*or* streak), in a jiffy; *colloq. na, siehst du!* there you are!, didn't I tell you!; *wie ich sehe, ist er nicht hier* I see he is not here; *wie Sie* ~, *habe ich recht behalten* you see I am right; ~ *Sie, die Sache war so* you see, the matter was as follows; *ich will* ~, *daß ich es dir verschaffe* I will try to get it for you; *sieh (zu), daß es erledigt wird* see (to it) that it is done; *wir werden (schon)* ~ we shall see, we'll see about it, wait and see; *lassen Sie mich* ~ (*a. fig.*) let me see; → *ähnlich*; **II.** *v/t.* (*irr.*, *h.*) see (*a. fig. experience*); *usu. poet.* behold; look at; notice; watch, observe; spy, spot; discern, distinguish; *flüchtig* ~ glimpse, catch a glimpse of; *gern* ~ like; *er sieht es gern, wenn man ihn bedient* he likes being waited on; *zu* ~ *sein* **a**) be visible, to be seen, show o.s., **b**) show, peep out, **c**) be on show *or* exhibition; *gern gesehen sein bei* (*dat.*) be welcome at *a p.'s* house, be well liked by; be popular with; *niemand war zu* ~ nobody was in sight; *die Sonne aufgehen* ~ see the sun rise; *ich sah ihn fallen* I saw him fall (*or* falling); *ich habe es kommen* ~ I knew it would happen; ~ *lassen* show, display, exhibit; *sich* ~ *lassen* show o.s., appear, put in an appearance; turn up; *du hast dich lange nicht* ~ *lassen* you are quite a stranger; *laß dich nie mehr hier* ~! don't you dare to show your face again!; *sie kann sich* ~ *lassen* she is a good-looking girl; *damit kannst du dich* ~ *lassen* that's not bad at all; *sich e-m Problem gegenüber* ~ be faced with a problem; *sich gezwungen* ~, *zu inf.* find o.s. compelled to *inf.*; *ich sehe die Sache anders* I see it differently; *wie ich die Dinge sehe* as I see it; *ich sehe keine Möglichkeit zu inf.* I see no way to *inf.*; *hat man so etwas schon gesehen!* did you ever see the like of it!, well, I never!, *Am.* can you beat it!; *fig. sie kann ihn nicht* ~ she can't bear the sight of him.

'**Sehen** *n* (*-s*) seeing; vision; eyesight; (*nur*) *vom* ~ (only) by sight; ~ *heißt glauben* seeing is believing.

'**sehens|wert**, **~würdig** *adj.* worth seeing, remarkable; worthwhile; **2würdigkeit** *f* (*-*; *-en*) object of interest, curiosity, place *or* thing worth seeing; *~en pl.* sights (*of a town*); *die ~en besichtigen* go sightseeing, see the sights, do the town, *etc.*

'**Seher** *m* (*-s*; *-*), **~in** *f* (*-*; *-nen*) seer, prophet(ess *f*); **~blick** *m*, **~gabe** *f* (*-*) prophetic eye *or* gift; **2isch** *adj.* prophetic.

'**Seh...**: **~fehler** *m* visual defect; **~feld** *n* field of vision; **~hügel** *anat. m* optic thalamus; **~kraft** *f* visual faculty, vision, (eye)sight; *eingeschränkte* ~ defective vision; **~kreis** *m* circle of vision; **~linie** *f* line of vision.

Sehne ['ze:nə] *f* (*-*; *-n*) *anat.* sinew, tendon; string (of bow); *mus.* chord.

sehnen ['ze:nən]: *sich* ~ (*h.*) *nach* (*dat.*) long for, yearn for, hanker after; crave for; grieve after; pine for; *er sehnte sich danach, zu inf.* he was longing to *inf.*

'**Sehnen** *n* (*-s*) longing, yearning, *etc.*; (ardent) desire; dream; nostalgia.

'**Sehnen...**: **~band** *anat. n* (tendinous) ligament; **~entzündung** *med. f* tenositis; **~faser** *anat. f* tendinous fib|re, *Am.* -er; **~scheide** *anat. f* tendon sheath; **~scheidenentzündung** *med. f* tenosynovitis; **~verkürzung** *f* shortening of tendon; **~zerrung** *f* pulled tendon.

'**Sehnerv** *anat. m* optic nerve.

'**sehnig** *adj.* sinewy; stringy (*meat*); *person*: wiry, brawny.

'**sehnlich** **I.** *adj.* longing; ardent; passionate; keen; *sein ~ster Wunsch* his fondest wish; **II.** *adv.* ardently, longingly, *etc.*; ~ *erwarten* await anxiously.

'**Sehnsucht** *f* longing, yearning; ardent desire; nostalgia; *mit* ~ *erwarten* long (*or* yearn) for; **2svoll**, **sehnsüchtig** *adj.* longing, yearning; pining; wistful; → *sehnlich*.

'**Seh...**: **~organ** *n* organ of sight; **~probe**, **~prüfung** *f* vision test; **~purpur** *anat. m* visual purple.

sehr [ze:r] *adv.* **1.** *preceding adj. and adv.* very, most; ~ *gern* most willingly; *ich würde es* ~ *gern tun* I should be happy to do so; ~ *oft* very often, more often than not; ~ *viel* much, a lot (*better, worse, etc.*); *with su.*: a good (*or* great) deal of, plenty of, a lot of; ~ *viele* a great many; **2.** *with vb.*: (very) much, greatly, highly, mighty, awfully; ~ *vermissen* miss badly; ~ *vermissen lassen* be sadly lacking in; *so* ~, *daß* so much (*or* to such a degree) that; *wie* ~ *auch* however much, much as.

'**Seh...**: **~rohr** *n* telescope; *of submarine*: periscope; **~schärfe** *f* (keenness of) vision, visual power *or* acuity, (eye)sight; *auf* ~ *einstellen* (bring into) focus; **~schlitz** *mil. m* observation slit; **~schwäche** *med. f* weakness of vision, amblyopia; **~störung** *f* visual disturbance; **~strang** *m* optic tract; **~tafel** *f* vision test board; **~vermögen** *n* visual faculty, sight; **~weite** *f* visual range, range of sight; *in* (*außer*) ~ (with)in (out of) sight *or* eyeshot; **~werkzeug** *n* organ of sight; **~winkel** *m* visual angle; **~zentrum** *n* visual cent|re, *Am.* -er.

seicht [zaɪçt] *adj.* shallow, low; *fig.* shallow, superficial, trivial; insipid; *~e Redensarten* banalities, platitudes; '**2igkeit** *f* (*-*) shallowness; *fig. a.* superficiality, insipidity.

Seide ['zaɪdə] *f* (*-*; *-n*) silk; *künstliche* ~ artificial silk, rayon.

Seidel ['zaɪdəl] *n* (*-s*; *-*) **1.** pint (= 1/2 *Liter*); **2.** mug; *Am.* stein (*of beer*); **~bast** *bot. m* spurge-laurel.

'**seiden** *adj.* silk, silken.

'**Seiden...**: **~abfall** *m* waste silk; **~affe** *zo. m* marmoset; **2artig** [-ɑ:rtɪç] *adj.* silky, silk-like; **~asbest** *m* silky asbestos; **~atlas** *m* (*-*; *-se*) silk-satin; **~band** *n* (*-[e]s*; *⁼er*) silk ribbon; **~bau** *m* (*-[e]s*) silk culture; rearing of silkworms, sericulture; **~draht** *m* silk-covered wire; **~ernte** *f* yield of cocoons; **~fabrik** *f* silk mill (*or* factory); **~faden** *m* silk thread; **~flor** *m* silk gauze; **~garn** *n* silk yarn, spun silk; **~gespinst** *n* cocoon (of a silkworm); **~gewebe** *n* silk fabric (*or* tissue); **~glanz** *m* silky lust|re (*Am.* -er), silky sheen; *econ. mit* ~ silk-finished; **~haar** *n* silken (*or* silky) hair; **2haarig** *adj.* silken-haired; **~handel** *m* silk trade, (silk-)mercery; **~händler** *m* silk-merchant, (silk-)mercer; **~holz** *n* satinwood; **~papier** *n* tissue paper; **~raupe** *f* silkworm; **~raupenzucht** *f* sericulture; **~spinner** *m* silk-spinner; *zo.* silk-moth; **~spinnerei** *f* silk(-spinning) mill; **~spule** *f* silk reel; **~sticke'rei** *f* silk-embroidery; **~stoff** *m* silk cloth (*or* fabric); **~strumpf** *m* silk stocking; **2umsponnen** ['-umʃpɔnən] *adj.* silk-covered; **~ware** *f* silk goods, silks *pl.*; **~weber** *m* silk-weaver; **2weich** *adj.* (as) soft as silk, silky; **~wurm** *m* silkworm; **~zucht** *f* → *Seidenbau*; **~züchter** *m* sericulturist; **~zwirn** *m* silk thread.

'**seidig** *adj.* silky, silken.

Seife ['zaɪfə] *f* (*-*; *-n*) soap; *geol.* placer; *Stück* ~ cake of soap; **2n** *v/t.* (rub with) soap, lather; *mining*: wash.

'**Seifen...**: **2artig** ['-ɑ:rtɪç] *adj.* → *seifig*; **~bad** *n* soap-bath; **~behälter** *m* soap dish; **~blase** *f* soap-bubble; *~n machen* blow bubbles; *fig. die* ~ *platzte* the bubble burst; **~brühe** *f* soap suds *pl.*; **~büchse** *f* soap box; **~fabrik** *f* soap works *pl.*; **~flocken** *f/pl.* soap flakes; **~kistenrennen** *n* soapbox derby; **~lauge** *f* soap suds *pl.*; **~napf** *m* soap dish; *for shaving*: shaving mug; **~pulver** *n* soap powder; **~schale** *f* soap dish; **~schaum** *m* lather; **~sieder** *m* soap-boiler; *fig. ihm ging ein* ~ *auf* it dawned on him, the scales fell from his eyes; **~siede'rei** *f* soap works *pl.*; **~wasser** *n* (*-s*) *f* soap suds *pl.*, soapy water; **~zäpfchen** *med. n* soap suppository.

'**seifig** *adj.* soapy, saponaceous.

seiger|n ['zaɪgərn] *v/t.* (*h.*) *metall.* liquate, refine; segregate (*steel*); **2n** *n* (*-s*) liquation, segregation; **2schacht** *m mining*: perpendicular shaft.

Seih|e ['zaɪə] *f* (*-*; *-n*) **1.** strainer, colander, filter; **2.** dregs *pl.*; **2en** *v/t.* (*h.*) strain, filter; **~er** *m* (*-s*; *-*) → *Seihe* 1; **~sack** *m* straining bag; **~tuch** *n* (*-[e]s*; *⁼er*) straining cloth, cloth filter.

Seil [zaɪl] *n* (*-[e]s*; *-e*) rope; cable; ~ *springen* skip; *auf dem* ~ *tanzen* dance on the tightrope; '**~bahn** *f* cable railway, funicular, *Am. a.* ropeway; → *Drahtseilbahn*; '**~bohrung** *f* cable drilling; '**~bremse** *f* cable brake.

'**Seiler** *m* (-s; -) ropemaker; **~bahn** *f* ropewalk; **Seile'rei** *f* (-; -en) ropery; '**Seilerware** *f* cordage.

'**Seil...:** **~fähre** *f* cable ferry; **~hüpfen** *n* (-s) (rope-)skipping; **~schaft** *mount. f* roped party; **~scheibe** *tech. f* cable pulley, sheave; **~schwebebahn** *f* suspension railway, (aerial) cableway; **~springen** *n* → *Seilhüpfen*; **~start** *aer. m* towed take-off; **~tanzen** *n* tightrope walking; **~tänzer(in** *f*) *m* tightrope walker, rope-dancer; **~trieb** *m* cable drive; **~trommel** *f* cable drum; **~winde** *f* cable winch; **~ziehen** *n sports*: tug-of-war (*a. fig.*).

Seim [zaɪm] *m* (-[e]s; -e) mucilage; liquid honey; '**≈ig** *adj.* glutinous, viscous, mucilaginous.

sein[1] [zaɪn] *v/i.* (*irr.*, *bin — war — gewesen*) be; exist, be there; live; take place, occur, happen; prove (to be); feel; *as v/aux.*: have; *sind Sie es?* is it you?; *ich bin's* it is I, *usu.* it's me; *sei(d) nicht dumm!* don't be silly!; *ich bin ihm begegnet* I have met him; *die Sonne ist untergegangen* the sun is set; *er ist nicht zu sprechen* he cannot be seen, he is engaged; *die Waren sind zu senden an* (*acc.*) the goods are to be sent to; *es ist ein Jahr (her), seit* it is now a year since; *ich bin für e-e Reform* I am for a reform; *was ist Ihnen?* what is the matter with you?; *mir ist kalt* I am (*or* feel) cold; *mir ist, als höre ich ihn* I think I hear him now; *wenn er nicht gewesen wäre* if it had not been for him, but for him; *wenn dem so ist* if that be (*or* is) so, if that be (*or* is) the case, in that case; *er ist aus Mexiko* he comes from Mexico; *er ist nach Berlin (gegangen)* he has gone to Berlin; *ich bin meinem Anwalt gewesen* I have seen my lawyer; et. *~ lassen* leave (*or* let) a th. alone; *laß das ~!* stop that!; *es ist nun an dir, zu inf.* it is now for you to *inf.*; *was soll das sein?* what does that mean?; (*das*) *mag* (*or kann*) *sein* that may be, that's possible; *es sei!* be it so!; *sei dem, wie ihm wolle* be that as it may; *es sei denn, daß* unless; *sei es, daß ... oder daß ...* whether ... or ...; *nun, wie ist's?* well, what about it?; *und das wäre?* and what might that be?; *wie wäre es mit?* how about *a game of tennis*?; *math. 5 und 2 ist sieben* five and two are (*or* is) seven; *3 mal 7 ist 21* three times seven is (*or* equals) twenty-one; *x sei* let x be; ≈ *n* (-s) being; existence; entity; *~ oder Nichtsein* to be or not to be, life or death.

sein[2] [zaɪn] **1.** *gen. of* er and es: *er war ~er nicht mehr mächtig* he had completely lost control of himself; **2.** *pron.* *~(e)* his; *of girl*: her; *of thing*: its; *of country, ship, etc.*: her; one's; *mein und ~ Vater* my father and his; *~ Glück machen* make one's fortune; *all ~ (bißchen) Geld* what (little) money he had, his little all; *zu ~er Zeit* **a**) in his (*or* its) time, **b**) in due time (*or* course); *es ist ~* it is his, it belongs to him; *≈e Majestät* His Majesty; *es kostet ~e hundert Dollar* it will cost (at least) a hundred dollars; *~er m* (*-en*; *-en*), *~e f* (*-n*; *-n*), *~es n* (*-en*; *-en*), *der* (*die, das*) *~(ig)e* (*-n*; *-n*) his (own); his property; *er und die ≈(ig)en* he and his family; (*gebt*) *jedem das ≈(ig)e* give everyone his due; *das ≈ige tun* do one's duty (*or* part, share, best, bit).

seiner|seits ['zaɪnərzaɪts] *adv.* on (*or* for) his part, as far as he is concerned; *er ~* he for one; '**~zeit** *adv.* then, at that time; in his (*or* its) time; at one time; in those days; '**~zeitig** *adj.* → *damalig*.

seinesgleichen ['-əs'glaɪçən] *pron.* his equals *pl.*, his like, the like(s) of him; people like him; *j-n wie ~ behandeln* treat a p. as one's equal; *nicht ~ haben* have no equal *or* parallel, stand alone; *er* (*es*) *hat nicht ~* there is no one (nothing) like him (it).

seinet|halben ['-əthalbən], **~wegen**, **~willen** *adv.* **1.** for his sake, on his account (*or* behalf); **2.** because of him; **3.** for all he cares.

seinige ['zaɪnigə] → *sein*[2].

seismisch ['zaɪsmiʃ] *adj.* seismic.

Seismograph [-mo'grɑːf] *m* (-en; -en) seismograph.

seit [zaɪt] **I.** *prp.* (*dat.*) since; for; *~ 1945* since 1945; *~ drei Wochen* for (the last) three weeks; *~ einigen Tagen* for some days (past); *~ damals, ~ jener Zeit* → *seitdem*; *~ langem* for a long time; *~ wann?* since when?; *~ wann sind Sie hier?* how long have you been here?; *zum ersten Mal ~ Jahren* for the first time for (*Am.* in) years; **II.** *cj.* since; *es ist ein Jahr her, seit* it is a year now since.

seit'dem **I.** *adv.* since, since then, since (*or* from) that time, ever since; **II.** *cj.* (ever) since.

Seite ['zaɪtə] *f* (-; -n) side; (*a. arch. and mil.*) flank; face (*a. tech.*); page (*of book*); *math.* member (*of equation*); side, party, camp; *fig.* side, aspect (*of a matter*); side, feature, facet (*of character, person*); *schwache* (*starke*) *~* → *Schwäche* (*Stärke*); *vordere ~* front, face; *vorderste ~* front-page (*of newspaper*); *hintere ~* back; *rechte* (*linke*) *~* right (wrong) side (*of cloth*); *an j-s ~* at (*or* by) a p.'s side, *sitting* next to a p.; *~ an ~* side by side; *fig. e-r Sache et. an die ~ stellen* compare a th. with a th.; *an or auf die ~ gehen* step aside; *auf der e-n ~* on the one side (*fig. usu.* hand); *auf j-s ~ sein* side with a p.; *j-n auf seine ~ bringen* bring a p. over to one's side; *auf die ~ bringen or schaffen* get *a th.* out of the way, remove, make away with, *j-n*: (*kill*) remove (*or* do away with) a p.; *j-n auf die ~ nehmen* take a p. aside; *die Arme in die ~ gestemmt* arms akimbo; *nach allen ~n* in all directions; *von allen ~n* on all sides *or* hands, from every quarter (*a. fig.*); *von j-s ~* at a p.'s hands, on the part of a p.; *von gutunterrichteter ~* from well-informed quarters, from a reliable source; *Blick von der ~* sidelong glance; *fig. von der ~ ansehen* look askance at; *von der ~ angreifen* attack in the flank; *j-m nicht von der ~ gehen* not to leave a p.'s side, stick to a p.; *von dieser ~ betrachtet* from this point of view, seen from that angle (*or* in that light); *sich von der besten ~ zeigen* put one's best foot forward; *sich vor Lachen die ~n halten* shake one's sides; *zur ~* apart, (*a. thea.*) aside; *zur ~ legen* **a**) put aside, **b**) put by, save (for a rainy day); *j-m zur ~ stehen* stand by a p.; *zur ~ treten* step aside, make room; *j-m zur ~ treten* help (*or* assist) a p., come to a p.'s aid; *alle ~n e-r Frage erwägen* study all sides of a question; *sein Charakter hat viele ~n* he has many sides to his character; *man sollte beide ~n anhören* we ought to hear both sides.

'**seiten:** *auf ~* (*gen.*) on the side (*or* part) of; *von ~* → *seitens*.

'**Seiten...:** **~abstand** *m* interval; **~ansicht** *f* side-view, profile, *tech. a.* side elevation; **~band(frequenz** *f*) *n* side band (frequency); **~begrenzer** ['-bəgrɛntsər] *m* (-s; -) traversing stop; **~blick** *m* side-glance, leer; **~deckung** *mil. f* flank guard; **~druck** *m* (-[e]s) lateral pressure; **~eingang** *m* side-entrance; **~erbe** *m*, **~erbin** *f* collateral heir(ess); **~fenster** *n* side window; **~fläche** *f* side-face, lateral (sur-)face; **~flosse** *aer. f* tail fin; **~flügel** *m* (side-)wing; **~gasse** *f* by-street; **~gebäude** *n* wing (of a building); **≈gesteuert** *adj.*: *~er Motor* side-valve engine; **~gewehr** *n* bayonet, *pl. a.* side-arms; **~gleis** *rail. n* siding, sidetrack; **~hieb** *m* side-cut; *fig.* passing shot (*gegen* at); **~kante** *f* lateral edge; **~kette** *chem. f* lateral chain; **~kipper** *mot. m* side tipper; **~kulisse** *thea. f* (side-)wing; **~lähmung** *med. f* hemiplegia; **≈lang** *adj.* filling (whole) pages; pages (and pages) of; **~länge** *f* lateral length; **~lehne** *f* arm; **~leitwerk** *aer. n* rudder(-assembly); **~linie** *f rail.* branch-line; *of family*: collateral line; *tennis*: side-line; *soccer*: touch(-line); **~loge** *thea. f* side-box; **~pfad** *m* bypath; **~rand** *m* margin; **~riß** *tech. m* profile view, side elevation; **~ruder** *aer. n* side rudder; **~rutsch** *aer. m* sideslip.

'**seitens** *prp.* (*gen.*) on *or* from the side of, on the part of; by.

'**Seiten...:** **~schiff** *arch. n* (side-)aisle; **~schritt** *m* side-step; **~schwimmen** *n* side-stroke; **~sicherung** *mil. f* flank protection; **~sprung** *m* side-leap; *fig.* escapade, extramarital adventure; **~stechen** *n* (-s) stitches *pl.* in the side; pleuralgia; **~steuer** *aer. n* rudder control; *~ geben* put on rudder; **~straße** *f* side-street; **~streuung** *mil. f* lateral dispersion; **~stück** *n* side-piece; → *Gegenstück*; **~tasche** *f* side-pocket; **~teil** *m* side-part, lateral portion; **~tür** *f* side-door; **~verbindung** *mil. f* lateral communication; **~verwandte(r** *m*) *f* collateral relation; **~vorhalt** *mil. m* lateral lead; **~wagen** *mot. m* side-car; **~wahl** *f sports*: choice of ends; **~wand** *f* side-wall; **~wechsel** *m sports*: change of ends; **~weg** *m* byway; **~wind** *m* side-wind, cross wind; **~winkel** *m* lateral angle; *topographically*: horizontal angle; **~zahl** *f* number of the page, page number; number of pages; *mit ~en versehen* paginate.

'**seither** *adv.* since (then *or* that time); till (*or* up to) now; *ich habe ihn ~ nicht gesehen* I have not seen him since; **~ig** *adj.* subsequent; former; present, current.

'**seitlich I.** *adj.* lateral, side(-)...; **II.** *adv.* at the side; *~ abrutschen* (*a. aer.*) sideslip.

seitwärts ['-vɛrts] *adv.* sideways, sideward(s), aside; *~ befindlich* lateral.

Sekante [ze'kantə] *math. f* (-; -*n*) secant.

Sekret [ze'kre:t] *physiol. n* (-[e]s; -e) secretion.

Sekretär [zekre'tɛ:r] *m* (-s; -e) **1.** (**~in** *f*, -; -*nen*) secretary, clerk; **2.** bureau.

Sekretariat [-tari'ɑ:t] *n* (-[e]s; -e) secretary's office, secretariat(e).

Sekretion [zekretsi'o:n] *physiol. f* (-; -*en*) secretion; **~sstoff** *m* secretal substance.

Sekt [zɛkt] *m* (-[e]s; -e) champagne, fizz.

Sekte ['zɛktə] *f* (-; -*n*) sect; **~nwesen** *n* (-s) sectarianism.

Sektierer(in *f*) [zɛk'ti:rər] *m* (-s, -; -, -*nen*) sectarian.

Sektion [zɛktsi'o:n] *f* (-; -*en*) section; *med.* **a**) dissection, **b**) autopsy, postmortem examination; **~sbefund** *m* post-mortem findings *pl.*; **~s-chef** *m* department head; **~ssaal** *m* dissection (*or* autopsy) room.

'**Sektkübel** *m* champagne cooler.

Sektor ['zɛktɔr] *m* (-s; -'*toren*) *math.* sector (*a. mil., pol.*); *fig.* field, branch.

Sekunda [ze'kunda] *f* (-; -*den*) second (highest) form; *in Britain*: fifth form.

Sekundant [-'dant] *m* (-en; -*en*) second.

sekundär [-'dɛ:r] *adj.* secondary, subordinate; **2bahn** *f* branch-line; **2element** *el. n* secondary cell; **2infektion** *med. f* secondary infection.

Se'kundawechsel *econ. m* second of exchange.

Se'kunde *f* (-; -*n*) second; *auf die ~* on the stroke of time; **~nbruchteil** *m* split second; **2nlang** *adj. and adv.* for seconds; **~nzeiger** *m* second-hand.

sekun'dieren *v/i.* (*h.*) second (*j-m* a p.).

selb [zɛlp] *adj.* same; *zur ~en Stunde a.* at that very hour; **~er** ['zɛlbər] *adv.* → *selbst*; '**~ig** *adj. the* same, selfsame.

selbst [zɛlpst] **I.** *pron.* self; in person, personally; *ich ~* I myself; *er ~* he himself; *sie ~* she herself, *pl.* they themselves; by oneself, alone, unaided, without assistance; *er möchte ~ sprechen* he wants to do his own talking; *mit sich ~ sprechen* talk to o.s.; *von ~* **a**) of one's own accord, voluntarily, **b**) *thing*: of itself, automatically, spontaneously; *das versteht sich von ~* that goes without saying; *er war die Höflichkeit ~* he was politeness itself; *er ist die Gesundheit ~* he is the picture of health; *~ ist der Mann!* do it yourself!; **II.** *adv.* even; *~ er* even he; *~ wenn* even if, even though; **III.** *2 n* (-) (one's own) self; ego; *sein ganzes ~* his whole being; *sie ist wieder ihr altes, ruhiges ~* she is her own, poised self again.

'**selbst...**: **~abdichtend** *tech. adj.* self-sealing; **2achtung** *f* self-esteem, self-respect.

selbständig ['zɛlpʃtɛndiç] **I.** *adj.* self-reliant; independent; self-supporting; separate; self-contained (*unit*); independent, established (*merchant*), self-employed; autonomous (*state*); unaided, without assistance; responsible; *an ~es Arbeiten gewöhnt* used to responsible work; *sich ~ machen* **a**) set up for o.s., **b**) go it alone; *Fahrzeug, das sich ~ gemacht hat* runaway vehicle; **II.** *adv.* independently; *~ handeln* act independently (*or* on one's own initiative); **2keit** *f* (-) independence, *pol. a.* sovereignty; autonomy; self-reliance.

'**Selbst...**: **~anklage** *f* self-accusation, self-incrimination; **~anlasser** *mot. m* self-starter; **~anschluß** *teleph. m* automatic telephone; **~anschlußamt** *n* automatic telephone exchange; **~anschlußanlage** *f* dial system; **~ansteckung** *med. f* self-infection; **~antrieb** *m* self-propulsion, automatic drive; **2anzeigend** *tech. adj.* self-registering; **~auslöser** *phot. m* automatic release, self-timer; **~ausschaltung** *el. f* automatic cut-out; **~bedarf** *m* personal requirement; **~bedienung** *f*: *Restaurant mit ~* self-service restaurant, *Am.* cafeteria; *mit ~* self-operated (*lift, etc.*); **~bedienungsladen** *m* self-service shop, *Am. a.* supermarket; **~befleckung** *f*, **~befriedigung** *f* self-abuse, masturbation; **~beherrschung** *f* self-control, self-command; *die ~ verlieren* lose one's temper; **~beköstigung** *f* boarding oneself; **~bemitleidung** *f* self-pity; **~beobachtung** *f* self-observation, introspection; **~besinnung** *f* stock-taking of o.s.; **~bespiegelung** *f* (-; -*en*) egotism; **~bestäubung** *bot. f* self-pollination; **~bestimmung** *f* self-determination; **~bestimmungsrecht** *n* (-[e]s) (right of) self-determination; **~betrug** *m* self-deception; **2bewußt** *adj.* self-confident; self-assertive; proud; conceited; **~bewußtsein** *n* self-confidence, self-assertion; **~bezichtigung** *f* → *Selbstanklage*; **~binder** *m* open-end tie; *agr.* reaper-binder; **~biographie** *f* autobiography; **2dichtend** *tech. adj.* self-sealing; **~einschätzung** *f* self-assessment; **~entzündung** *f* spontaneous ignition; **~erhaltung** *f* (-) self-preservation; **~erhaltungstrieb** *m* instinct of self-preservation; **~erkenntnis** *f* self-knowledge; knowledge of one's limitations; **~erniedrigung** *f* self-abasement; **~erregung** *el. f* self-excitation; **~fahrer** *m* self-propelling chair; *mot.* owner-driver; **~fahrerdienst** *m* drive-yourself service; **~fahrlafette** *mil. f* self-propelled mount; *Geschütz auf ~* self-propelled gun; **~fertigung** *tech. f* automation; **~finanzierung** *f* self-financing; **~füller** *m* self-filling pen; **2gebacken** *adj.* home-made; **2gefällig** *adj.* (self-)complacent, smug; **~gefälligkeit** *f* (-) (self-)complacency, smugness; **~gefühl** *n* (-[e]s) self-confidence, self-esteem; ego; amour-propre (*Fr.*); **2gekühlt** *adj.* self-cooled; **2gemacht** *adj.* self-made, home-made; **~genügsamkeit** *f* self-sufficiency; **2gerecht** *adj.* self-righteous; **~gespräch** *n* monologue, soliloquy; *~e führen* soliloquize; **2gezogen** *bot. adj.* of one's own growth, home-grown; **~haftend** *adj. and adv.* on one's own responsibility; *tech.* → *selbstklebend*; **2heilend** *med., tech. adj.* self-healing; **2herrlich** *adj.* high-handed, arbitrary; **~herrschaft** *f* autocracy; **~herrscher** *m* autocrat; **~hilfe** *f* self-help; self-defen|ce, *Am.* -se; **~hilfevereinigung** *f* self-help association; **~induktion** *el. f* self-induction; **2isch** *adj.* selfish, egotistic(al); **2klebend** *adj.* adhesive, gummed; **~kosten(preis** *m*) *pl.* prime cost, cost-price; **~kritik** *f* self-criticism; **~ladegewehr** *mil. n* (semi-)automatic rifle; **~ladepistole** *f* automatic (pistol); **~lader** ['-lɑ:dər] *m* (-s; -) *mil.* automatic weapon; *tech. a.* **~ladevorrichtung** *f* automatic loader; **~laut(er)** *gr. m* vowel; **2los** *adj.* unselfish, disinterested; self-sacrificing; **~losigkeit** *f* (-) unselfishness, disinterestedness; self-sacrifice; **~mord** *m* suicide; *~ begehen* commit suicide; **~mörder** (**-in** *f*) *m* suicide; **2mörderisch** *adj.* suicidal; *w.s.* breakneck (*speed, etc.*); *~e Absichten haben* contemplate suicide, be suicidal; **~mordversuch** *m* suicidal attempt; **~portrait** *n* self-portrait; **2quälerisch** ['-kvɛ:lərIʃ] *adj.* self-tormenting; **2redend** *adj.* → *selbstverständlich*; **~regierung** *f* self-government, autonomy; **~regler** *el. m* automatic regulator; **~schließer** *m* automatic door closer; **2schmierend** *tech. adj.* self-lubricating; **~schreiber** *tech. m* self-recording instrument; **~schuldner** *m* debtor on one's own account; **~schuß** *m* spring-gun; **~schutz** *m* self-defen|ce, *Am.* -se, self-protection; **2sicher** *adj.* self-confident, sure of o.s.; **~sicherheit** *f* (-) self-confidence, aplomb; **~steuerung** *f* automatic control; **~studium** *n* (-s) private study; **~sucht** *f* (-) selfishness, ego(t)ism; **2süchtig** *adj.* selfish, self-seeking, ego(t)istic(al); **2tätig** *adj.* spontaneous; *tech.* self-acting, automatic(ally *adv.*); *~er Schalter* snap switch; **~täuschung** *f* self-deception; **~überhebung** *f* conceit, presumption; **~überwindung** *f* self-conquest; **~unterbrecher** *el. m* automatic interrupter; **~unterricht** *m* self-instruction; **~verachtung** *f* self-contempt; **2vergessen** *adj.* self-forgetting; **~verlag** *m*: *im ~* published by the author, author's edition; **~verleugnung** *f* self-denial; **~vernichtung** *f* self-destruction; **~verschluß** *m*: *mit ~* self-locking; **2verschuldet** *adj.*: *~er Verlust* loss arising through one's own fault; **~versorger** *m* self-supporter, self-supplier; **~versorgung** *f* self-supply, self-sufficiency; **2verständlich I.** *adj.* self-evident, obvious, *pred.* a matter of course; **II.** *adv.* of course, naturally; *~! a.* by all means!; *es ist ~, daß* it stands to reason that; *das ist ~* that goes without saying; *et. für ~ halten* take a th. for granted; → *hinnehmen*; **~verständlichkeit** *f* (-; -*en*) matter of course, foregone conclusion; truism; matter-of-factness; **~verstümmelung** *f* self-mutilation, self-inflicted wound(s *pl.*); *Am.* maiming (o.s.); **~versuch** *med. m* experiment on one's own body; **~verteidigung** *f* self-defen|ce, *Am.* -se; → *Kunst*; **~vertrauen** *n* self-confidence, self-reliance; **~verwaltung** *f* self-government, autonomy; **~verwaltungskörper** *m* self-governing body; **~verwirklichung** *f* self-realization; **~wählbetrieb** *teleph. m* (-[e]s) dial system; **~wähler** *teleph. m* dial; *w.s.* automatic (dialling) telephone; **~wählerfernverkehr** *teleph. m* (-s) long-distance dial(l)ing; **~zucht** *f* (-) self-discipline; **2zufrieden** *adj.* self-satisfied, complacent, smug; **~zufriedenheit** *f* self-satisfaction, self-content; **2zündend** *adj.* self-igniting; **~zünder** *m* self-igniter; **~zweck** *m* (-[e]s) end in itself; *als ~* (*success, etc.*) for its own sake.

Selchfleisch [ˈzɛlç-] *n* smoked meat.

Selektivität [zelɛktiviˈtɛ:t] *f* (-) *radio*: selectivity.

Selen [zeˈle:n] *chem. n* (-s) selenium; **2haltig** *adj.* seleniferous; **Selenit** [zeleˈnit] *min. n* (-s; -e) selenite; **Seˈlensäure** *f* selenic acid.

selig [ˈze:liç] *adj.* blessed; *fig. a.* happy, overjoyed, blissful, *pred.* in ecstasies, in the seventh heaven of delight; *colloq.* tipsy, fuddled; *die 2en* the blessed, the departed; *~en Angedenkens* of blessed memory; *mein ~er Vater or mein Vater ~* my late father; *~ werden* go to Heaven, *esp. humor.* find salvation; **2keit** *f* (-) supreme happiness, bliss, ecstasy; *eccl. ewige ~* salvation; **~machend** *adj.* beatific; **2preisung** [ˈ-praɪzuŋ] *f* (-; -*en*) glorification; *bibl.* Beatitude; **~sprechen** *v/t.* (*irr.*, *h.*) canonize, beatify; **2sprechung** [ˈ-ʃprɛçuŋ] *f* (-; -*en*) beatification.

Sellerie [ˈzɛləri:] *bot. m* (-s; -[s]) celery; celeriac.

selten [ˈzɛltən] **I.** *adj.* rare; scarce; *w.s.* rare, exceptional; singular; *von ~er Schönheit* of rare beauty; **II.** *adv.* rarely, seldom; *nicht eben ~* not infrequently, pretty often; *höchst ~* hardly often, once in a blue moon; *es kommt ~ vor, daß er* it is rare for him to *inf.*, it is rarely that he; **2heit** *f* (-) rareness, scarcity; (-; -*en*) rarity (*a. thing*), rare (*or* curious) thing, curiosity; **2heitswert** *m* (-[e]s) rarity value.

Selterswasser [ˈzɛltərs-] *n* (-s; ⸗) seltzer(-water), soda-water.

ˈseltsam *adj.* strange, odd, curious, queer, peculiar, singular; **~erweise** *adv.* strange to say, oddly enough, paradoxically; **2keit** *f* (-; -*en*) strangeness, oddness, peculiarity; oddity, curiosity.

Semantik [zeˈmantik] *f* (-) semantics *pl. or sg.*; **~er** *m* (-s; -) semanticist.

Semaphor [zemaˈfo:r] *n* (-s; -e) semaphore.

Semester [zeˈmɛstər] *n* (-s; -) half-year; *univ.* term; **~schluß** *m* close of term.

Semikolon [zemiˈko:lɔn] *n* (-s; -s) semicolon.

Seminar [zemiˈnɑ:r] *n* (-s; -e) *univ.* seminar; *for teachers*: training college; *eccl.* seminary; **Seminaˈrist(in** *f*) *m* (-*en*, -*en*; -, -*nen*) pupil of a training-college; *eccl.* seminarist.

Semit [zeˈmi:t] *m* (-*en*; -*en*), **~in** *f* (-; -*nen*) Semite; **2isch** *adj.* Semitic.

Semmel [ˈzɛməl] *f* (-; -*n*) roll; *geriebene ~* bread crumbs *pl.*; *fig. wie warme ~n weggehen* go off like hot cakes; **2blond** *adj.* flaxen-haired, sandy.

Senat [zeˈnɑ:t] *m* (-[e]s; -e) senate; *jur.* panel; **~or** [-tɔr] *m* (-s; -ˈ*toren*) senator; **senaˈtorisch** *adj.* senatorial; **Seˈnats-ausschuß** *m* senate committee.

Send|bote [ˈzɛnt-] *m* emissary; **~brief** *m* epistle, circular letter.

Sende|anlage [ˈzɛndə-] *f* transmitter (unit *or* installation); **~antenne** *f* transmitting aerial (*Am.* antenna); **~bereich** *m* transmission range; *radio*: service area; **2bereit** *adj.*: *~ sein* stand by; **~bühne** *f* transmitting stage; **~folge** *f* program(me); **~leistung** *f* power output, (*TV* visual) transmitting power; **~leiter** *m* production director.

senden [ˈzɛndən] *v/t.* (*irr.*, *h.*) send (*nach j-m* for a p.); forward, communicate; (*h.*) *el.* transmit, send; *radio*: *a.* broadcast, go on the air with, *TV a.* telecast.

ˈSende|plan *m*, **~programm** *n* broadcasting program(me).

ˈSender *m* (-s; -) **1.** (**~in** *f*, -; -*nen*) sender; **2.** *radio*: transmitter; (broadcasting) station; *angeschlossener ~* repeater station.

ˈSenderaum *m* (broadcasting) studio.

ˈSender...: ~empfänger *m* (wireless) transmitting and receiving set, transceiver; **~gruppe** *f* network.

ˈSende...: ~röhre *f* transmitter valve *or* tube; **~spiel** *n* radio play; **~stärke** *f* transmitting power; **~station** *f*, **~stelle** *f* transmitting station, *Am. a.* outlet (station); **~turm** *m* radio tower; **~zeichen** *n* call sign; **~zeit** *f* station time.

Sendling [ˈzɛntliŋ] *m* (-s; -e) emissary.

ˈSendschreiben *n* → *Sendbrief.*

ˈSendung *f* (-; -*en*) sending; *econ.* consignment, *Am.* shipment; parcel; *radio*: transmission; broadcast, program(me), *TV a.* telecast; *fig.* (*göttlicher Auftrag*) mission.

Senf [zɛnf] *m* (-[e]s; -e) mustard (*a. bot.*); *colloq. s-n ~ dazu geben* have one's say; **ˈ~gas** *n* mustard gas; **ˈ~gurke** *f* gherkin in piccalilli; **ˈ~korn** *n* (-[e]s; ⸗er) grain of mustard seed; **ˈ~packung** *med. f* mustard fomentation; **ˈ~pflaster** *med. n* mustard-plaster; **ˈ~topf** *m* mustard-pot.

Senge [ˈzɛŋə] *colloq. pl.*: *~ bekommen* get a (sound) thrashing *or* beating.

sengen [ˈzɛŋən] **I.** *v/t.* (*h.*) singe, scorch; scald (*pig*); **II.** *v/i.* (*h.*) parch, scorch; *~de Hitze* parching heat; *~ und brennen* burn and fire; lay waste (*in dat. a country*).

ˈseng(e)rig *adj.* → *brenzlig.*

senil [zeˈni:l] *adj.* senile; **2iˈtät** *f* (-) senility.

senior [ˈze:niɔr] *adj.* (*sen.*) senior.

ˈSenior *m* (-s; -ˈ*oren*) senior; chairman.

Senkblei [ˈzɛŋk-] *n* plummet.

ˈSenkbrunnen *m* sunk well.

ˈSenke *f* (-; -*n*) depression, hollow; valley.

Senkel [ˈzɛŋkəl] *m* (-s; -) lace.

ˈsenken *v/t.* (*h.*) sink; let down, lower; dip; *agr.* lay; cast down, lower (*one's eyes*); bow (*one's head*); lower, drop (*one's voice*); lower, reduce, cut (*prices*); *tech.* → *versenken*; *sich ~* (*h.*) sink, drop, go down; *building*, *ground*: give way, subside; *foundations*: settle; *ceiling*, *wall*: sag; *road*: dip, fall; slope; *night*: descend (*über*, *auf* over).

ˈSenker *m* (-s; -) *mining*: sinker; *agr.* layer; *tech.* counterbore; core drill; spot facer.

ˈSenk...: ~fuß *m* flat foot, fallen arches *pl.*; **~fußeinlage** *f* arch support, instep raiser; **~grube** *f* sink-hole, cesspool; **~kasten** *m* caisson; **~leine** *f* fathom-line; **~niet** *tech. m* countersunk head rivet; **2recht** *adj.* vertical, *math.* perpendicular (*both a.* **~rechte** *f*); **~rechtstarter** *aer. m* vertical take-off plane; **~reis** *n* layer; **2rückig** [ˈ-rykiç] *adj.* saddle-backed; **~schnur** *f* plumb-line; **~schraube** *tech. f* countersunk screw.

ˈSenkung *f* (-; -*en*) sinking; subsidence (*of ground*); lowering, reduction, cut (*of prices*); depression, hollow; incline, slope, dip; *arch.* set (*of foundations, etc.*); sag (*of ceiling, wall*); *med.* descent, dropping (*of organ*), sedimentation (*of blood corpuscles*); *metrics*: thesis; **~sgeschwindigkeit** *med. f* sedimentation rate.

ˈSenkwaage *f* aerometer.

Senn [zɛn] *m* (-[e]s; -e) Alpine herdsman; **~e** [ˈzɛnə] *f* (-; -*n*) mountain pasture; **~eˈrei** *f* (-; -*en*), **~hütte** *f* Alpine dairy, chalet; **~erin** *f* (-; -*nen*) dairymaid.

Sennesblätter [ˈzɛnəs-] *n/pl.* senna-leaves.

Sensation [zɛnzatsiˈo:n] *f* (-; -*en*) sensation; thrill; stunt; *~ machen, e-e ~ verursachen* create a sensation, make a splash; *zur ~ machen* sensationalize.

sensationell [-tsioˈnɛl] **I.** *adj.* sen-

sational; thrilling; spectacular; **II.** *adv.*: ~ *aufgemacht* sensationally displayed (*news*).
Sensati'ons...: **~blatt** *n* sensational newspaper, rag; **~hascherei** [-haʃə'raɪ] *f* (-; -*en*), **~lust** *f* (-) sensationalism, sensation-mongering; **≈lustig** *adj.* sensation-seeking, sensationalist, sensation-happy; **~meldung** *f* sensational report, scoop; **~presse** *f* (-) sensational (*Am.* yellow) press; **~prozeß** *m* sensational trial; **~sucht** *f* (-) → *Sensationslust.*
Sense ['zɛnzə] *f* (-; -*n*) scythe; **~nmann** *fig. m* (-[e]s) Death, *the* Great Reaper.
sensibel [zɛn'zi:bəl] *adj.* sensitive.
sensibilisieren [zɛnzibili'zi:rən] *v/t.* (*h.*) sensitize.
Sensibili'tät *f* (-) sensibility; sensitiveness.
sensorisch [zɛn'zo:riʃ] *adj.* sensory (*nerve*).
Sentenz [zɛn'tɛnts] *f* (-; -*en*) sentence, maxim, aphorism.
sentenziös [-tsi'ø:s] *adj.* sententious.
sentimental [zɛntimɛn'tɑ:l] *adj.* sentimental, *contp.* mawkish, soppy;
Sentimentali'tät *f* (-; -*en*) sentimentality, *contp.* slush.
separat [zepa'rɑ:t] *adj.* separate; special; **≈ausgabe** *f* separate edition; → *Sonder...*
Separatismus [zepara'tismus] *m* (-) separatism.
Separa'tist *m* (-*en*; -*en*), **~in** *f* (-; -*nen*), **≈isch** *adj.* separatist.
sepa'rieren *v/t.* (*h.*) separate.
Sepia ['ze:pia] *f* (-; -*ien*) **1.** *zo.* cuttle-fish; **2.** *paint.* (-) sepia; **~zeichnung** *f* sepia drawing.
Sepsis ['zɛpsis] *med. f* (-; -*sen*) sepsis.
September [zɛp'tɛmbər] *m* (-[s]; -) September.
Septett [zɛp'tɛt] *mus. n* (-[e]s; -e) septet(te).
Septime [zɛp'ti:mə] *mus. f* (-; -*n*) seventh.
'septisch *med. adj.* septic(ally *adv.*); *~e Station* septic ward.
Sequester [ze'kvɛstər] *jur. n* (-s; -) sequestration; **seque'strieren** *v/t.* (*h.*) sequestrate.
Serail [ze'raɪl] *n* (-s; -s) seraglio.
Serb|e ['zɛrbə] *m* (-*n*; -*n*), **~in** *f* (-; -*nen*), **≈isch** *adj.* Serbian.
Serenade [zere'nɑ:də] *mus. f* (-; -*n*) serenade.
Serge ['sɛrʒə] *econ. f* (-; -*n*) serge.
Sergeant [zɛr'ʒant] *m* (-*en*; -*en*) sergeant.
Serie ['ze:riə] *f* (-; -*n*) series; *econ.* issue; e-e ~ *von Waren* a range *or* line of goods; *tech. in ~ herstellen* produce in quantity.
'Serien...: **~arbeit** *f* serial work; **~artikel** *m* mass produced article; **~fertigung, ~herstellung** *f* series (*or* multiple) production, duplicate production; **~haus** *n* prefabricated house, prefab; **≈mäßig I.** *adj.* standard(-type), production-line; **II.** *adv.* in series; ~ *herstellen* produce in quantity; ~ *hergestellt werden* be in production; **~reife** *f* production stage; **~schalter** *el. m* multi-circuit switch; **~schaltung** *el. f* series connection; **~wagen** *mot. m* production-line car, *Am.* stock car; **≈weise** *adv.* in series; → *Reihen...*
seriös [zer'jø:s] *adj.* serious; respectable; *econ.* reliable, sound.
Sermon [zɛr'mo:n] *m* (-s; -e) sermon, diatribe.
Sero|loge [zero'lo:gə] *m* (-*n*; -*n*) serologist; **~logie** [-lo'gi:] *f* (-) serology; **≈'logisch** *adj.* serologic(al).
Serpentin [zɛrpɛn'ti:n] *min. m* (-s; -e) serpentine.
Serpentine [zɛrpɛn'ti:nə] *f* (-; -*n*) serpentine (line); serpentine (road), winding road; double bend.
Serum ['ze:rum] *n* (-s; -*ren*) serum.
Service [zɛr'vi:s] *n* (-s; -) service, set; ['sœ:rvis] *m* (-; -s) *at hotel, etc.*: attendance, service.
Servier|brett [zɛr'vi:r-] *n* tray; **≈en I.** *v/t.* (*h.*) serve; *es ist serviert!* dinner is served!; **II.** *v/i.* (*h.*) serve; lay the table; wait (at table); **~erin** *f* (-; -*nen*), **~mädchen** *n* waitress; **~tisch** *m* sideboard, dumb waiter; **~wagen** *m* dinner-wag(g)on.
Serviette [zɛrvi'ɛtə] *f* (-; -*n*) (table-) napkin; **~nring** *m* napkin-ring.
servil [zɛr'vi:l] *adj.* servile, obsequious.
Servitut [zɛrvi'tu:t] *jur. n* (-[e]s; -e) easement, servitude.
Servo|anlage ['zɛrvo-] *tech. f* servo system; **~bremse** *f* power brake; **~lenkung** *mot. f* power steering; **~motor** *m* servo-motor.
Servus! ['zɛrvus] *colloq. int.* **a)** hello!, **b)** so long!, cheerio!
Sesam ['ze:zam] *bot. m* (-s; -s) sesame; **~knochen** *anat. m* sesamoid bone; **~, öffne dich** *fig.* open sesame.
Sessel ['zɛsəl] *m* (-s; -) easy-chair, arm-chair; seat; **~lift** *m* chair-lift; **~rolle** *f* caster.
seßhaft ['zɛshaft] *adj.* settled, established, stationary; sedentary; resident; *mil.* persistent (*gas, etc.*); ~ *werden* settle (down); **≈igkeit** *f* (-) settledness; stationariness.
Setz|angel ['zɛts-] *f* trimmer; **~art** *typ. f* composition; **~brett** *typ. n* composing board; **~ei** *n* fried egg.
'setzen I. *v/t.* (*h.*) set, place, put; *typ.* set (up in type), compose; *mus.* set (to music), compose; stack; plant, set; apply *leeches* (*an acc.* to); erect, raise *monument* (*j-m* to a p.); put in, fix (*stove*); set (*sail*); stake (*auf acc.* on), lay (upon); *den Fall* ~ suppose; *e-e Frist* ~ fix a term (*j-m* to a p.), set a deadline; *zo. Junge* ~ bring forth young, *fish*: spawn; ~ *an* (*acc.*) place near (*or* against); *an Land* ~ put ashore, disembark, land; *an die Lippen* ~ raise (*or* set) to one's lips; *an die Stelle* ~ *von* (*dat.*) substitute for; *j-n an die Luft* ~ turn a p. out; *sein Leben an et.* ~ set one's life on a th., risk one's life for a th.; *alles daran* ~ do one's utmost, move heaven and earth, leave no stone unturned; *auf j-s Rechnung* ~ charge to a p.'s account; *den Fuß über die Schwelle* ~ cross the threshold; *den Punkt über das ‚i'* ~ dot the 'i'; *j-n* ~ *über* (*andere*) set a p. over; *unter Wasser* ~ flood, submerge; *s-e Unterschrift* ~ *unter* (*acc.*) put (*or* affix) one's signature to, set one's hand (and seal) to; *zum Richter* ~ appoint (*or* make) *a p.* judge; → *Druck, Freiheit, Gang, Gebrauch, Gefecht, Hoffnung, Karte, Welt, Zeitung, etc.*; *sich* ~ sit down, take a seat; ~ *Sie sich!* sit down!, take (*Am.* have) a seat!; *bird*: perch; sink, subside; sag; *house*: settle; *chem.* settle, precipitate; clarify, settle; *Staub setzt sich in die Kleider* dust settles in (*or* clings to) the clothes; *sich zu j-m* ~ sit down beside a p., sit near a p.; *sich zu Tisch* ~ sit down to dinner; *sich aufs Pferd* ~ mount a horse; *es sich in den Kopf* ~, *daß* get it into one's head that; *sich gegen et.* ~ set o.s. (*or* one's face) against a th.; *es wird Schläge* ~ we are in for a fight (*or* beating); **II.** *v/i.* (*sn*): ~ *über* (*acc.*) leap over, clear (*a hurdle*), take (*a ditch*); → *übersetzen*; (*h.*) place the bet; ~ *auf* (*acc.*) bet on, back; → *gesetzt.*
'Setzer *typ. m* (-s; -) compositor, typesetter.
Setze'rei *f* (-; -*en*), **'Setzersaal** *m* composing room, case-department.
'Setzerjunge *m* printer's devil.
'Setz...: **~fehler** *m* printer's (*or* typographical) error, misprint; **~kasten** *m typ.* letter-case; *agr.* hutch; **~ling** *m* (-s; -e) *agr.* slip, layer, young plant; **~e** (*fish*) fry; **~linie** *typ. f* composing-rule; **~maschine** *f* typesetting machine; **~rebe** *bot. f* layer of vine; **~reis** *bot. n* slip, layer; **~schiff** *typ. n* galley; **~tisch** *typ. m* composing table; **~waage** *f* (mason's) level.
Seuche ['zɔʏçə] *f* (-; -*n*) epidemic.
'Seuchen...: **≈artig** ['-ɑ:rtiç] *adj.* epidemic; **~bekämpfung** *f* control of epidemics; **~gebiet** *n* infested area; **~herd** *m* cent|re (*Am.* -er) of an epidemic; **~krankenhaus, ~lazarett** *n* isolation hospital.
seufzen ['zɔʏftsən] *v/i. and v/t.* (*h.*) sigh (*über acc.* at; *vor dat.* with); groan, moan; **~d** *adv.* with a sigh.
'Seufzer *m* (-s; -) sigh; groan, moan; *e-n* ~ (*der Erleichterung*) *ausstoßen* heave a sigh (of relief); **~brücke** *f* (-) Bridge of Sighs.
Sex-Appeal ['sɛksə'pi:l] *m* (-s) sex appeal.
Sexta ['zɛksta] *f* (-; -*ten*) sixth class; *in Britain*: first form.
Sextant [zɛks'tant] *m* (-*en*; -*en*) sextant.
Sextett [zɛks'tɛt] *mus. n* (-[e]s; -e) sextet(te).
sexual [zɛksu'ɑ:l] *adj.* sexual, sex...; **≈hormon** *n* sex hormone.
Sexualität [-ali'tɛ:t] *f* (-) sexuality.
Sexu'al...: **~leben** *n* (-s) sex(ual) life; **~pädagogik** *f* sex education; **~verbrechen** *n* sex crime; **~wissenschaft** *f* sexology.
sexuell [zɛksu'ɛl] *adj.* sexual; *~e Aufklärung* (*Erziehung*) sex instruction (education).
Sexus ['zɛksus] *m* (-; -) sex.
Sezession [zetsɛsi'o:n] *f* (-; -*en*) secession; **~skrieg** *m* war of secession.
Sezier|besteck [ze'tsi:r-] *med. n* dissecting case; **≈en** *v/t.* (*h.*) dissect (*a. fig.*); **~messer** *n* scalpel; **~saal**

m dissecting room; **~ung** *f* (-; -*en*) dissection.
shakespearisch [ˈʃeːkspiːriʃ] *adj.* Shak(e)spe(a)rian.
Siames|e [ziaˈmeːzə] *m* (-*n*; -*n*), **~in** *f* (-; -*nen*), **2isch** *adj.* Siamese; ~*e Zwillinge* Siamese twins.
Sibir|ien [ziˈbiːriən] *n* (-*s*) Siberia; **~er(in** *f*) *m* (-*s*, -; -, -*nen*), **2isch** *adj.* Siberian.
sich [ziç] *pron.* oneself; *3. p. sg.* himself, herself, itself; *pl.* themselves; *after prp.* him, her, it; *pl.* them; (*for*: *einander*) each other, one another; *an* (*und für*) ~ in itself, potentially; *das Ding an* ~ the thing in itself; *es hat nichts auf* ~ it is of no consequence, it does not matter; *sie haben kein Geld bei* ~ they have no money with them; *er kämpfte* ~ *durch die Menge* he fought his way through the crowd; *für* ~ by itself, independently; *das ist e-e Sache für* ~ that is something else (*or* another story); *sie blickte um* ~ she looked about her; *sie kennen* ~ *gut genug* they know each other well enough; *er lud sie zu* ~ he invited them to his house; ~ *et. zum Muster nehmen* take a th. for one's model; ~ *die Hände waschen* wash one's hands.
Sichel [ˈziçəl] *f* (-; -*n*) sickle; *fig. a.* crescent; **2förmig** [ˈ-fœrmiç] *adj.* sickle-shaped; **2n** *v/t.* (*h.*) cut with a sickle.
sicher [ˈziçər] **I.** *adj.* secure, safe (*both*: *vor dat.* from); immune (from), proof (against); firm; steady (*hand*); certain, sure; definite, positive; positive, confident; reliable, good; → *Quelle*; *econ.* gilt--edged (*securities*); ~*es Anlagepapier* prime investment (security); ~*es Auftreten* (selfassured) presence, aplomb, poise; ~*er Beweis* sure (*or* positive) proof; ~*e Existenz* secure existence; ~*es Geleit* safe conduct; ~*e Grundlage* secure foundation; ~*er Griff or Halt* secure grasp *or* foothold; ~*e Methode* safe method; ~*er Ort* safe place; ~*e Sache* sure thing, *Am. a.* cinch; ~*er Schütze* sure (*or* dead) shot; ~*er Tod* certain death; e-*r Sache* ~ *sein* be sure of a th., be positive; *s-r Sache* ~ *sein* be sure of one's ground (*or* one's facts); *sind Sie* ~? are you sure?; **II.** *adv.* → *sicherlich*; *um* ~ *zu gehen* to be on the safe side, to make sure; ~ *ist* ~! let's keep on the safe side!, *Am.* let's play this safe!
ˈ**Sicherheit** *f* (-; -*en*) → *sicher*; security (*a. econ. paper, deposit*); safety; (-) surety, certainty; reliability, trustworthiness; efficiency; confidence, assurance; positiveness; *econ.* cover; *soziale* ~ social security; ~ *des Verkehrs* safety of traffic; ~ *im Flugverkehr* safety in flying; *als* ~ *gegen* as a security (*or* safeguard) against; *econ. als* ~ *für* in security for; *in* ~ *bringen* place in safety, secure, get out of harm's way; *sich in* ~ *bringen* save one's bacon; *in* ~ *sein* be safe; (*sich*) *in* ~ *wiegen* lull (o.s.) in(to) security; *mit* ~ safely; *mit einiger* ~ with a degree of certainty; *man kann mit* ~ *behaupten* (*annehmen*) it is safe to say (suppose); *econ.* ~ *leisten* act as surety, stand surety; furnish security; secure (*für, bei a loan, etc.*); *jur.* ~ *stellen* give *or* offer bail, *Am. a.* post bond.
ˈ**Sicherheits...**: **~ausschuß** *m* committee of public safety; **~beamte(r)** *m* security agent; **~behörde** *f* security board; **~bestimmungen** *f/pl.* safety regulations; **~dienst** *m* secret service; **~faktor** *m* factor of safety; **~fonds** *econ. m* guarantee fund; **~glas** *n* (-*es*; ⸗*er*) safety glass; **~gurt** *m* safety belt; **2halber** *adv.* for safety; to be on the safe side; **~kette** *f* safety-chain; **~klausel** *f* safeguard; **~koeffizient** *m* coefficient of safety; **~lampe** *f* safety lamp; **~leistung** *econ., jur. f* security; bail, *Am. a.* bond; **~maßnahme, ~maßregel** *f* safety measure, (safety) precaution; safeguard; **~nadel** *f* safety-pin; **~pakt** *pol. m* security pact; **~polizei** *f* security police; **~programm** *n* defen|ce (*Am.* -se) program(me); **~rat** *pol. m* (-[e]s) (*United Nations*) Security Council; **~schloß** *n* safety--lock; **~system** *pol. n*: *kollektives* ~ collective security system; **~ventil** *n* safety valve; **~vorrichtung** *f* safety device; **~wechsel** *econ. m* bill (of exchange) deposited as collateral security; **~zone** *f* safe zone; **~zündholz** *n* safety match.
ˈ**sicherlich** *adv.* surely, certainly, *Am. a.* sure; for certain, assuredly; undoubtedly, no doubt, doubtless; ~ *hat er recht* I am sure he is right; *er wird* ~ *kommen* he is sure to come; *er wird* ~ *gewinnen a.* he is safe to win; ~! to be sure!, rather!, *Am.* sure (thing)!, you bet!
ˈ**sichern I.** *v/t.* (*h.*) secure (*a. mil. and tech.*), safeguard; make safe, *tech. a.* lock, block; *mount.* belay; put *gun* at 'safe'; *mil.* cover, protect; guarantee, *econ. a.* give security for, secure *a loan*, cover; *w.s.* ensure; *hypothekarisch gesichert* on mortgage security; *sich* ~ *vor* (*dat.*) *or gegen* secure o.s. against, protect o.s. from, guard *or* provide against; *sich et.* ~ secure a *prize, seat, etc.*; **II.** *v/i.* (*h.*) *hunt.* scent.
ˈ**sicherstell|en** *v/t.* (*h.*) secure, *fig.* put on ice; put in safe keeping; make safe, guarantee; **2ung** *f* (-; -*en*) securing; guarantee, *econ.* guaranty, cover.
ˈ**Sicherung** *f* (-; -*en*) securing; safeguard(ing); *econ.* security, guaranty; *mil.* protection; *mount.* belay; *tech.* safety device; slide bolt (*or* stop); *el.* fuse, cut-out; *of gun*: safety-catch.
ˈ**Sicherungs...**: **~bolzen** *m* locking bolt; **~draht** *el. m* fuse wire; **~flügel** *m* safety catch; **~fonds** *m* guarantee fund; **~hypothek** *f* cautionary mortgage; **~kasten** *el. m* fuse box; **~patrone** *el. f* fuse cartridge; **~schalter** *m* safety switch; **~stöpsel** *m* fuse plug; **~tafel** *el. f* fuse panel; **~truppen** *mil. f/pl.* security forces; **~übereignung** *jur. f* protective conveyance; **~verwahrung** *jur. f* preventive detention.
Sicht [ziçt] *f* (-) sight; view (*a. fig.* = vision); visibility; *in* ~ (*kommen*) (come) in sight *or* within view; *die* ~ *nehmen* obstruct the view; *fig. auf weite* ~ on a long-term basis, in the long run; *Programm auf längere* ~ long-term *or* long-range program(me); *econ. auf* (*or bei*) ~ at sight; *auf kurze* (*lange*) ~ at short (long) sight, short- (long-)dated (*bill*); *60 Tage nach* ~ 60 days after sight, at sixty days' sight; *fig. aus seiner* ~ as he sees it, from his point of view.
ˈ**sichtbar** *adj.* visible; perceptible; noticeable; marked; conspicuous; evident, obvious; *ohne* ~*en Erfolg* without any appreciable success; ~ *werden a.* appear, show, *fig. a.* become manifest; *mar.* heave into sight; ~ *machen a. fig.* show, visualize; **2keit** *f* (-) visibleness, visibility; obviousness; **~lich** *adv.* visibly, evidently, obviously; **2machung** [ˈ-maxuŋ] *f* (-) showing, visualization; **2werden** *n* appearance, coming in sight.
ˈ**Sicht|beton** *m* fair-faced concrete; **~einlage** *econ. f* sight deposit.
ˈ**sichten** *v/t.* (*h.*) sight; *tech.* sift; winnow (*wheat, etc.*); bolt (*flour*); *fig.* examine; sift, screen; sort over.
ˈ**Sicht...**: **~feld** *n* (-[e]s) field of vision; **~flug** *aer. m* visual flight; **~geschäft** *econ. n* forward transaction; ~*e pl.* futures; **~igkeit** *f* (-) visibility; **2lich** *adj.* visible; → *sichtbar*(*lich*); **~tage** *econ. m/pl.* days of grace *or* respite; **~tratte** *econ. f* sight-draft; **~ung** *f* (-) sighting; *fig.* examination; sifting, screening; **~verhältnisse** *pl.* visibility *sg.*; **~vermerk** *m* endorsement, indorsement; *passport*: visé, visa; *econ. mit* ~ *versehen* sight, accept (*bill*); **~wechsel** *m* bill payable at sight, sight-bill, sight-draft; **~weite** *f* range of sight, *mar.* sighting, distance; *in* (*außer*) ~ (with)in (out of) sight.
Sicker|grube [ˈzikər-] *f*, **~loch** *n* drainage pit; **2n** *v/i.* (*sn*) trickle, drip, drop, ooze (out), seep; *barrel*: leak; **~ung** *f* (-) leakage, seepage; **~wasser** *n* water leakage; ground--water.
siderisch [ziˈdeːriʃ] *ast. adj.* sidereal.
sie [ziː] *pron. 3. p. f/sg.* she, *acc.* her; it; *pl.* they; *acc.* them; 2 *2. p. pl. address*: you (*a. acc.*); *int.* 2 *da!* hello, there!; *kommen* 2! come!; 2 *f* (-) *a* she, female.
Sieb [ziːp] *n* (-[e]s; -e) sieve; riddle, screen; strainer, filter; *for flour*: bolter; *el.* eliminator; *tel.* filter; ˈ**~bein** *anat. n* ethmoid bone; ˈ**~druckverfahren** *typ. n* silk-screen process.
sieben[1] [ˈziːbən] *v/t.* (*h.*) (pass through a) sieve, sift; riddle, screen (*sand, etc.*); bolt (*flour*); *radio*: filter; *fig.* sift, screen; pick (out); weed out.
sieben[2] [ˈziːbən] *adj.* seven; → *acht*; 2 *f* (-; -) (number) seven; *colloq. böse* ~ shrew, vixen, termagant, *Am.* battle-ax, hell-cat; **2bürgen** [ˈ-ˈbyrgən] *n* (-*s*) Transylvania; **2eck** [ˈ-ɛk] *math. n* (-*s*; -*e*) heptagon; **~eckig** *adj.* heptagonal; **~erlei** [ˈ-ərlaɪ] *adj.* of seven (different)

kinds, seven sorts of; **~fach, ~fältig** ['-fɛltiç] *adj.* sevenfold; **2gebirge** *n* (-s) Seven Mountains *pl.*; **~gescheit** *colloq. adj.* too clever by half, smart-aleck; **2gestirn** *ast. n* (-[e]s) Pleiades *pl.*; **2hügelstadt** *f* (*Rome*) City of the Seven Hills; **~hundert** *adj.* seven hundred; **~jährig** *adj.* **1.** seven-years-old; **2.** of (*or* lasting) seven years, septimal, seven-year...; *der 2e Krieg* the Seven Years' War; **~mal** *adv.* seven times; **~malig** ['-mɑːliç] *adj.* seven times repeated; **2meilenstiefel** *pl.* seven-league boots; **2monatskind** *n* seven-months' child; **2sachen** *pl.* things, goods and chattels; belongings; *s-e ~ packen* pack up (one's traps); **2schläfer** *m* **1.** *die ~ pl.* the Seven Sleepers; **2.** *sg. fig.* lie-abed; *zo.* dormouse; **~tägig** *adj.* of (*or* lasting) seven days, sevenday ...; **~tausend** *adj.* seven thousand.

sieb(en)te *adj.* seventh; → *achte*; **~l** *adj.*, **2l** *n* (-s; -) seventh (part); **~ns** *adv.* seventh(ly).

'siebenwertig *chem. adj.* heptavalent.

'Sieb...: 2förmig ['-fœrmiç] *adj.* sieve-shaped; **~maschine** *f* sifting (*or* screening) machine; **~mehl** *n* coarse flour, siftings *pl.*; **~trichter** *m* filter-funnel; **~tuch** *n* (-[e]s; ⸚er) bolting cloth; **~walze** *f paper manufacture*: dandy roll.

siebzehn ['ziːptseːn] *adj.* seventeen; **~te** ['-tə] *adj.* seventeenth; **~tel** ['-təl] *adj.*, **2tel** *n* (-s; -) seventeenth (part); **~tens** *adv.* (in the) seventeenth (place).

siebzig ['ziːptsiç] *adj.* seventy; **2er(in** *f*) ['-gər] *m* (-s, -; -, -*nen*) septuagenarian; **~jährig** *adj.* **1.** seventy-years-old; **2.** of (*or* lasting) seventy years; **~ste** *adj.* seventieth; **~stel** *adj.*, **2stel** *n* (-s; -) seventieth (part).

siech [ziːç] *adj.* sickly, infirm, invalid; **'~en** *v/i.* (*h.*) be ailing, be afflicted with a wasting disease, waste away; **'2enhaus** *n* hospital for incurables; **'2tum** *n* (-s) sickliness, lingering illness; *a. fig.* languishing (state).

Siede|grad ['ziːdə-] *m* boiling-point; **~grenze** *f* boiling range; distillation end point; **2heiß** *adj.* boiling hot; **~hitze** *f* boiling heat; **~kessel** *m* boiler; **~kolben** *m* boiling flask.

siedeln ['ziːdəln] *v/i.* (*h.*) settle, colonize.

'Sied(e)lung(s...) → *Siedlung(s...)*.

'sieden I. *v/i.* (*h.*) boil (*a. fig.*); simmer; *fig.* seethe; **II.** *v/t.* (*h.*) boil, allow to simmer; refine (*sugar*); **~d** *adj.* boiling, *fig.* seething; **~dheiß** *adj.* boiling (*or* piping) hot; *fig. da fiel mir ~ ein* I remembered with a shock.

'Siedepunkt *m* boiling-point.

'Sieder *m* (-s; -) boiler.

Siede'rei *f* (-; -*en*) boiling-house, refinery.

Siedler ['ziːdlər] *m* (-s; -), **~in** *f* (-; -*nen*) settler, colonist; homecrofter, *Am.* homesteader; **~stelle** *f* settler's holding; homecroft, *Am.* homestead.

'Siedlung *f* (-; -*en*) settlement; colony; housing-estate, suburban colony; **~sbau** *m* (-[e]s; -*ten*) housing development; **~sgelände** *n* development area; **~sgesellschaft** *f* land-settlement society; **~shaus** *n* development house; **~skredit** *m* land settlement loan.

Sieg [ziːk] *m* (-[e]s; -e) victory, triumph (*über acc.* over); conquest (of); *sports*: win; *glatter ~* straight win, (clean) sweep; *leichter ~* walk-over; *den ~ davontragen or erringen* gain the victory (*über acc.* over), carry (*or* win) the day; → *siegen*.

Siegel ['ziːgəl] *n* (-s; -) seal (*a. fig.*); signet; *Brief und ~ geben* promise by writ (*or* solemnly); *fig.* → *Buch*; *unter dem ~ der Verschwiegenheit* under the seal of secrecy; **~bewahrer** *m* keeper of the Seal; **~lack** *m and n* sealing-wax; **~lackstange** *f* stick of sealing-wax; **2n** *v/t.* (*h.*) seal, affix a seal to; **~ring** *m* signet-ring.

siegen ['ziːgən] *v/i.* (*h.*) be victorious (*über acc.* over), conquer (*a p.*; *a. fig. one's passion, etc.*); gain the victory (over), carry (*or* win) the day; *sports*: win, take the hono(u)rs; *~ oder sterben* do or die.

'Sieger *m* (-s; -), **~in** *f* (-; -*nen*) conqueror, *rhet.* victor; *sports*: winner; *zweiter ~* runner-up; *~ bleiben* remain triumphant, hold the field; **~ehrung** *f sports*: prize-distribution; **~kranz** *m* (conqueror's) crown; *sports*: winner's laurel; **~staat** *m* victor nation.

Sieges... ['ziːgəs-]: **2bewußt, 2gewiß** *adj.* sure of victory; **~bogen** *m* triumphal arch; **~denkmal** *n* victory monument; **~göttin** *f* Victory; **~lauf** *m* (-[e]s) *fig.* triumphant advance; **~palme** *f* palm (of victory); **~pokal** *m sports*: challenge-cup; **~preis** *m* prize (of victory); **~säule** *f* triumphal column; **~taumel** *m* flush of victory; **2trunken** *adj.* flushed with victory, drunk with success; **~wagen** *m* triumphal car; **~wille(n)** *m* will to win; **~zeichen** *n* trophy; **~zug** *m* triumphal march *or* procession; *fig.* triumphant advance; *sports*: winning streak.

'Sieg...: 2gekrönt ['-gəkrøːnt] *adj.* crowned with victory, triumphant; **2gewohnt** *adj.* accustomed to victory; **2haft** *adj.* triumphant; **2reich** *adj.* victorious (*über acc.* over), conquering, triumphant; successful.

Siel [ziːl] *n* (-[e]s; -e) sluice(way); [culvert, sewer.]

Siele ['ziːlə] *f* (-; -*n*) belt; *of horse*: breast-piece; *fig. in den ~n sterben* die in harness.

Siemens-Martin-|Ofen [ziːməns-'martiːn-] *metall. m* open-hearth furnace; **~Stahl** *m* open-hearth steel.

Sigel ['ziːgəl] *n* (-s; -) grammologue.

Signal [zig'nɑːl] *n* (-s; -e) signal; sign; *mil.* bugle-call; *akustisches ~* audible signal; *ein ~ geben* (*dat.*) (give a) signal; *mot. ~ geben* sound (*or* honk) one's horn; **~anlage** *f* (electrical) signal(l)ing system; **~buch** *n* code book.

Signalement [zignalə'mɑ̃] *n* (-s; -s) personal description.

Si'gnal...: ~feuer *n* signal light, beacon; **~flagge** *f* signal flag; **~gast** *mar. m* (-es; -*en*) signalman; wigwagger; **~horn** *n* (-[e]s; ⸚er) bugle.

signali'sieren *v/t.* (*h.*) signal; *mar. a.* wigwag; semaphore.

Si'gnal...: ~lampe *f* signal lamp, blinker; **~leine** *rail. f* communication-cord, bell-rope; **~mast** *m* signal-mast, semaphore; **~pfeife** *f* signal whistle; **~rakete** *f* signal rocket; **~scheibe** *rail. f* signal-disk; **~stange** *rail. f* semaphore; **~tuch** *aer. n* (-[e]s; ⸚er) signal panel; **~wärter** *rail. m* signalman.

Signatarmächte [zigna'tɑːrmɛçtə] *f/pl.* signatory powers (*e-s Vertrages* to a treaty).

Signatur [zigna'tuːr] *f* (-; -*en*) signature; *econ.* mark, stamp, brand; label; *library*: call number; *map*: conventional sign.

Signet [sin'jeː] *n* (-s; -s) signet; printer's mark; publisher's mark.

si'gnieren *v/t.* (*h.*) sign; *econ.* mark, designate.

Silbe ['zilbə] *f* (-; -*n*) syllable; *fig. keine ~* not a word, nothing; *er versteht keine ~ davon* it's all Greek to him.

'Silben...: ~maß *n* (syllabic) quantity, metre; **2mäßig** *adj.* syllabic; **~messung** *f* prosody; **~rätsel** *n* charade; **~stecher** *m* hairsplitter, quibbler; **~trennung** *f* syllabification; **2weise** *adv.* by syllables.

Silber ['zilbər] *n* (-s) silver; *aus ~* (of) silver; → *Silbergeschirr*; **~amalgam** *n* silver amalgam; **~arbeit** *f* silver-work; **~arbeiter** *m* silversmith; **2artig** ['-ɑːrtiç] *adj.* silvery, silver-like; **~barren** *m* bar (*or* ingot) of silver; **2beschlagen** *adj.* silver-mounted; **~blatt** *n* silver foil; **~buche** *f* white beech; **~chlorid** *n* silver chloride; **~distel** *bot. f* carline thistle; **~draht** *m* silver wire; **~erz** *n* silver ore; **2farben, 2farbig** *adj.* silver-colo(u)red; **~folie** *f* silver foil; **~fuchs** *m* silver-fox; **~gehalt** *m* silver content; **~geld** *n* (-[e]s) silver coins *pl.*, silver money; **~geschirr** *n* silver (plate), plate, *Am.* silverware; **~glanz** *m* lust|re (*Am.* -er) of silver; *min.* silver-glance, argentite; **2grau** *adj.* silver-grey; **2haltig** *adj.* containing silver, argentiferous; **2hell** *adj.* silvery; **~hochzeit** *f* silver wedding; **~klang** *m* silvery sound; **~ling** ['-liŋ] *m* (-s; -e) piece of silver, silverling; **~medaille** *m sports* silver medal; **~medaillenträger(in** *f*) *m* silver-medallist; **2n** *adj.* (of) silver; silvery (*voice, etc.*); *~e Hochzeit* silver wedding; **~papier** *n* silver paper, tin-foil; **~pappel** *bot. f* white poplar; **2plattiert** *adj.* silver-plated; **2reich** *adj.* rich in silver, silver-bearing; **~schmied** *m* silversmith; **~schrank** *m* plate-cupboard; **~stahl** *m* silver steel, *Am.* Stub's steel; **~sticke'rei** *f* embroidery in silver; **~stoff** *m* silver-cloth *or* brocade; **~streifen** *m fig. am Horizont*: silver lining; **~tanne** *f* silver-fir; **~währung** *f* silver standard; **~waren** *f/pl.* silver goods, *Am.* silverware; **2weiß** *adj.* silvery white; **~zeug** *n* → *Silbergeschirr*.

silbrig *adj.* silvery.
Silhouette [zilu'ɛtə] *f* (-; -*n*) silhouette; *of town*: *a.* skyline.
Silikat [zili'kɑ:t] *chem. n* (-[e]s; -e) silicate.
Silikose [zili'ko:zə] *med. f* (-; -*n*) silicosis.
Silizium [zi'li:tsium] *chem. n* (-s) silicon.
Silo ['zi:lo] *m* (-s; -s) silo, storage bin; grain elevator; *in e-m ~ einlagern* ensilage; **~futter** *agr. n* silage.
Silvester(abend *m*) [zil'vɛstər-] *n* (-s; -) New Year's Eve.
Simili(stein) ['zi:mili-] *m* (-s; -s) paste stone.
Simmerring ['zimər-] *tech. m* oil seal.
simpel ['zimpəl] *adj.* simple, plain.
'**Simpel** *m* (-s; -) simpleton, ninny; **~fransen** *f/pl.* fringe *sg.*
Simplex|leitung ['zimplɛks-], **~schaltung** *f* simplex circuit.
Sims [zims] *m and n* (-es; -e) ledge; *arch.* mo(u)lding cornice; (window) sill; mantelpiece; shelf; '**~hobel** *m* mo(u)lding plane.
Simu|lant(in *f*) [zimu'lant] *m* (-en, -en; -, -*nen*) malingerer; 2'**lieren** *v/i. and v/t.* (*h.*) sham, feign (illness), malinger; *only v/t.*: simulate (*a. mil., tech.*).
simultan [zimul'tɑ:n] *adj.* simultaneous; 2**betrieb** *m* simultaneous working; 2**dolmetschen** *n* (-s) simultaneous interpreting; 2**schaltung** *el. f* bunched circuit; 2**schule** *f* undenominational school.
Sinekure [zine'ku:rə] *f* (-; -*n*) sinecure, soft job.
Sinfonie [zinfo'ni:] *mus. f* (-; -*n*) symphony.
Sing|akademie [ziŋ-] *f* singing academy; '2**bar** *adj.* singable; vocal; '**~drossel** *f* song-thrush.
'**singen** *v/i. and v/t.* (*irr., h.*) sing, carol; chant; croon; vocalise; *vom Blatt ~* sing at sight; *nach Noten ~* sing from music; *falsch ~* sing out of tune; *mehrstimmig ~* sing in parts; *in Schlaf ~* lull to sleep; *fig.* → *Lied.*
'**Singen** *n* (-s) singing, chant(ing); → *Gesang.*
'**Sing...:** **~sang** *m* (-[e]s) singsong; **~spiel** *n* musical comedy *or* play, musical; **~stimme** *f* singing-voice; *mus.* vocal part; **~stunde** *f* singing-lesson.
Singular ['ziŋgulɑ:r] *gr. m* (-s; -e) singular (number).
'**Sing...:** **~vogel** *m* singing bird, song-bird, songster; **~weise** *f* air, tune, melody.
sinken ['ziŋkən] *v/i.* (*irr., sn*) sink; *ship*: *a.* go down, founder; *ground*: subside, give way; sag; *sun*: sink, set; *darkness*: sink, descend; *prices*: fall, drop, go down; decrease, abate, diminish; decay, decline; *j-m in die Arme ~* fall into a p.'s arms; *ins Grab ~* sink into the grave; *auf die Knie ~* drop to one's knees; *in e-n Stuhl ~* sink into a chair; → *fallen*; *Wert*; *seine Kräfte ~* his strength is failing; *fig. er ist tief gesunken* he has sunk very low; *~ lassen* let down, drop; *den Kopf ~ lassen* hang one's head; → *Mut*; *die Stimme ~ lassen* drop (*or* lower) one's voice; *bis in die ~de Nacht* till nightfall; *mit ~dem Herzen* with a sinking heart.
'**Sinken** *n* (-s) sinking; subsidence (*of ground*); fall, drop (*of prices, etc.*); decrease, abatement; decline, decay; lowering (*of standards*).
Sinn [zin] *m* (-[e]s; -e) sense; mind; faculty; taste, liking (*für* for); inclination, disposition, tendency; flair, instinct; soul, heart; sense, meaning; interpretation, construction; (basic) idea; gist; sense, direction; *~ und Zweck* essence and purpose; *~ haben für* (*acc.*) have a taste for; *~ für Musik* ear for music; *~ für das Schöne* eye for beauty; *~ für höhere Dinge* appreciation of higher things; *er hat ~ für Humor* he has a sense of humo(u)r, he can see a joke; *sein wacher ~ für das Schöne, etc.* his keen sense of *beauty, etc.*; *bei* (*von*) *~en sein* be in (out of) one's senses; → *ändern, schwinden, Kopf*; *im ~e haben* have in mind, intend; *im wahrsten ~e des Wortes* in the true sense of the word; *im engeren* (*weiteren*) *~e* in a narrow (broad) sense; *im ~e des Gesetzes, etc.* within the meaning of, for the purposes of, as defined by *the law, etc.*; *in gewissem ~e* in a sense; *er äußerte sich im gleichen ~e* he spoke to the same effect; *ganz in meinem ~e* just to my liking; *ganz in seinem ~e a.* just as he would have done; *es kam mir in den ~* it occurred to me (*zu* to *inf.*); *ganz wie es ihm in den ~ kam* as the fancy took him; *es will mir nicht aus dem ~* I cannot get it out of my head; *das will mir nicht in den ~* I just cannot understand it; *mit j-m e-s ~es sein* be of a mind with a p., see eye to eye with a p.; *ohne ~ und Verstand* without rhyme or reason; *s-e fünf ~e beisammenhaben* have one's wits about one; *nimm deine fünf ~e zusammen!* pull yourself together!; *das hat keinen ~* **a**) that makes no sense, **b**) there is no point to it, it is (of) no use; *was hat es für e-n ~, zu inf.* what is the sense (*or* point) of *ger.*; *das ist der ~ der Sache* that is the point; *er führte den Befehl dem ~e nach* (*und nicht dem Buchstaben nach*) *aus* he carried out the spirit rather than the letter of the order; *wenn es nach m-m ~e ginge* if I had my way.
'**Sinnbild** *n* symbol, emblem; allegory; 2**lich** *adj.* symbolic(ally *adv.*), emblematic(ally *adv.*); allegoric(al); *~ darstellen* symbolize; allegorize.
'**sinnen** *v/t. and v/i.* (*irr., h.*) meditate, reflect (*both*: *über acc.* [up]on), think (about); muse (upon); ponder (*a th.*), brood (over); *~ auf* (*acc.*) meditate, contemplate, plan, *b.s.* plot, scheme; *auf Mittel und Wege ~* devise ways and means; *Böses ~* harbo(u)r ill designs; (*auf*) *Rache ~* meditate revenge; → *gesinnt, gesonnen*; 2 *n* (-s) thinking, meditations *pl.*; brooding; planning; *in ~ versunken* lost in thought; *all sein ~ und Trachten* his every thought and wish, all his aspirations; **~d** *adj.* musing, pensive, thoughtful.
'**Sinnen...:** **~freude** *f* sensual enjoyment (*or* pleasure), sensuality; 2**freudig** *adj.* sensuous; **~genuß** *m*, **~lust** *f* → *Sinnenfreude*; **~mensch** *m* sensualist; **~rausch** *m* intoxication of the senses, sensual orgy; **~reiz** *m* sensual charm; **~taumel** *m* → *Sinnenrausch.*
'**sinn-entstellend** *adj.* distorting (the meaning), garbling.
'**Sinnenwelt** *f* (-) material world.
Sinnes... ['zinəs-]: **~änderung** *f* change of mind; **~art** *f* disposition, mentality; way of thinking; **~eindruck** *m* sense impression, sensation; **~nerv** *m* sensory nerve; **~organ** *n* sense-organ; **~täuschung** *f* illusion, hallucination, trick of the senses; **~wahrnehmung** *f* sensorial perception; **~werkzeug** *n* organ of sense.
'**Sinn...:** 2**fällig** *adj.* obvious, striking; **~gebung** ['-ge:buŋ] *f* (-; -*en*) interpretation; **~gedicht** *n* epigram; 2**gemäß I.** *adj.* analogous, corresponding, equivalent; **II.** *adv.* analogously, accordingly; *§ 107 findet ~ Anwendung* Section 107 shall apply analogously (*or* mutatis mutandis); 2**getreu** *adj.* faithful.
sin'nieren *v/i.* (*h.*) ponder, brood, ruminate.
'**sinnig** *adj.* ingenious, clever; thoughtful, nice; apt, appropriate; 2**keit** *f* (-) ingenuity; thoughtfulness.
'**sinnlich** *adj. phls.* sensuous; (*ant. geistig*) material; perceptible; sensual; voluptuous; sensuous; carnal; *~e Liebe* sensual love; *~er Mensch* sensualist; → *Wahrnehmung*; 2**keit** *f* (-) sensuousness; sensuality, voluptuousness.
'**Sinn...:** 2**los** *adj.* senseless; meaningless; absurd, foolish; crazy; pointless, futile; *~ betrunken* dead (*or* blind) drunk; *das ist völlig ~* **a**) it makes no sense at all, **b**) it is quite pointless; **~losigkeit** *f* (-) senselessness; unmeaningness, absence of meaning; absurdity, foolishness; futility; 2**reich** *adj.* ingenious, clever; witty; **~spruch** *m* device, motto, maxim; 2**verwandt** *adj.* synonymous; *~es Wort* synonym; 2**verwirrend** *adj.* bewildering, brain-staggering; 2**voll** *adj.* fraught with meaning; meaningful; wise, *pred.* good policy; sensible; ingenious; efficient; 2**widrig** *adj.* absurd, preposterous.
Sinologe [zino'lo:gə] *m* (-*n*; -*n*) sinologist.
sintemal ['zintə'mɑ:l] *cj.* (especially) since, whereas.
Sinter ['zintər] *m* (-s; -) sinter; *metall.* dross of iron; **~anlage** *f* sintering plant; **~kohle** *f* sinter(ing) coal; **~metallurgie** *f* powder metallurgy; 2**n** *v/t.* (*h.*) sinter; **~ofen** *m* sintering furnace; **~ung** *f* (-; -*en*) sintering.
Sintflut ['zintflu:t] *f* (-) flood, deluge; *bibl. the* Flood, *the* Deluge.
Sinus ['zi:nus] *m* (-; -) *math.* sine; *anat.* sinus; 2**förmig** ['-fœrmiç] *adj.* sinusoidal; **~klappe** *anat. f* sinus valve; **~kurve** *math. f* sine

curve; ~satz *math. m* sine theorem; ~strom *el. m* sinusoidal current.
Siphon ['zifɔŋ] *m* (-s; -s) siphon.
Sipp|e ['zipə] *f* (-; -n), **~schaft** *f* (-; -en) kinship, consanguinity; family; relations *pl.*; tribe (*a. bot., zo.*); *fig. iro.* clan, clique, gang; *die ganze ~* the whole lot *or* crew; **~enforschung** *f* genealogical research.
Sirene [zi're:nə] *f* (-; -n) siren (*a. myth.*).
'**Sirenen...: ~geheul** *n* hooting (*or* wail) of sirens; **~gesang** *m* siren-song (*a. fig.*); **2haft** *adj.* siren-like, seductive, bewitching.
Sirup ['zi:rup] *m* (-s; -e) treacle, molasses *sg.*; syrup, *Am.* sirup.
Sisalhanf ['zi:zal-] *m* sisal.
sistier|en [zis'ti:rən] *v/t.* (*h.*) inhibit, stop; *jur.* **a**) stay, suspend (*proceedings*), **b**) arrest, take into custody; **2ung** *f* (-; -en) inhibition; stay (of proceedings), nolle prosequi; arrest, detention.
Sitte ['zitə] *f* (-; -n) custom; habit; tradition; usage, practice, way; fashion; *usu. pl.* ~n morals, manners *pl.*; *lockere ~n* loose morals; *~n und Gebräuche* manners and customs; *das ist bei uns nicht ~* that's not the custom with us; *es ist ~, zu* it is customary to *inf.*; *gegen die guten ~n* → *sittenwidrig*.
'**Sitten...: ~bild, ~gemälde** *n* genre-picture; **~gesetz** *n* moral law; **~kodex** *m* moral code; **~lehre** *f* ethics *pl.*, moral philosophy; **2los** *adj.* immoral, licentious; **~losigkeit** *f* (-; -en) immorality, profligacy, licence; **~polizei** *f* vice squad; **~prediger** *m* moralizer; **~reinheit** *f* purity of morals, chastity; **~richter** *m* censor, moralizer; **2streng** *adj.* austere, puritanical; **~strenge** *f* austerity; **~verderbnis** *f*, **~verfall** *m* corruption of morals, demoralization; **2widrig** *jur. adj.* immoral, conflicting with national policy and public morals, contra bonos mores.
Sittich ['zitiç] *orn. m* (-s; -e) parakeet.
'**sittig** *adj.* well-mannered, wellbred; virtuous; chaste, modest.
'**sittlich** *adj.* moral, ethical; decent, respectable.
'**Sittlichkeit** *f* (-) morality, morals *pl.*; **~sgefühl** *n* moral sense; **~sverbrechen** *n* sex crime.
'**sittsam** *adj.* modest, demure; chaste, virtuous; well-behaved; decent; **2keit** *f* (-) modesty; chastity; good manners *pl.*; decency.
Situation [zituatsi'o:n] *f* (-; -en) situation, position; → *Lage*; *die ~ retten* save the situation; *sich der ~ gewachsen zeigen* rise to (*or* be equal to) the occasion; **~skomik** *f* comedy of situation; slapstick; **~splan** *m* site plan.
situiert [zitu'i:rt] *adj.*: *gut ~* well off, well-to-do.
Sitz [zits] *m* (-es; -e) seat (*a. fig. and med.*); chair; place; (place of) residence, domicile; *econ.* registered seat (*or* place of business), headquarters *pl.*; (-es) *of dress, etc., a. tech.*: fit; seat (*of valve*); *~ und Stimme haben* have seat and vote; *e-n guten ~ haben* **a**) *dress*: fit well, sit well *on a p.*, **b**) *riding*: sit well; *auf e-n ~* at one sitting (*or* go); '**~arbeit** *f* sedentary work; '**~bad** *n* hip (*or* sitz) bath; '**~bank** *f* (-; ⸗e) bench; settee; '**~bein** *anat. n* ischium.
'**sitzen** *v/i.* (*irr., h.*) sit, be seated; squat; *bird and fig.* be perched; *fig.* live, stay, be; *business, etc.*: be, have its seat (*or* place of business); *colloq. criminal*: do time, *Am. a.* do a stretch; *committee, etc.*: sit (*a. jur.*), hold a meeting; *dress, etc.*: fit; *blow, remark*: tell, hit home; *das hat gesessen!* that hit home!; *med. disease*: be seated, have its seat; *bei Tisch ~* sit at table; *bei j-m ~* sit beside (*or* next to) a. p.; *e-m Maler ~* sit for one's portrait, *a. phot.*: pose; *im Parlament ~* sit (*or* have a seat) in Parliament, be an M.P. (= *Member of Parliament*); *im Gefängnis ~* be imprisoned, be in jail; *in e-m Ausschuß ~* sit on a committee; *sehr viel ~* lead a sedentary life; *über e-r Arbeit ~* be sitting over a task; *über den Büchern ~* be poring over one's books; *colloq. e-n ~ haben* be drunk; *es sitzt sich hier gut* we have good seats here, *w.s.* we are comfortable (*or* snug) here; **~bleiben** *v/i.* (*irr., sn*) remain seated; *at a dance*: be left without partners; remain unmarried, be left on the shelf; *at school*: have to repeat the year; *bleiben Sie sitzen!* keep your seat!; **~d** *adj.* sitting, seat; *~e Lebensweise* sedentary life; **~lassen** *v/t.* (*irr., h.*) *fig.* leave, desert, abandon; throw *a p.* over, *Am.* walk out on *a p.*; let *a p.* down, leave *a p.* in the lurch; jilt *a lover*, leave *a girl* high and dry; *e-n Schimpf auf sich ~* pocket (*or* put up with) an affront.
...sitzer [-zitsər] *m* (-s; -) *in compounds* ...-seater.
'**Sitz...: ~fleisch** *n* perseverance, steadiness; *er hat kein ~* he has got the fidgets, *w.s.* he cannot stick to a job; **~gelegenheit** *f* seating accommodation, seat(s *pl.*); *~ bieten für* (*acc.*) seat; **~höcker** *anat. m* tuberosity (of ischium); **~kissen** *n* (seat-)cushion; **~ordnung** *f* seating arrangement(s *pl.*); **~platz** *m* seat; **~polster** *n* seat pad; **~reihe** *f* row (of seats); *thea.* tier; **~stange** *f for birds*: perch; **~streik** *m* sit-down strike, stay-in strike.
'**Sitzung** *f* (-; -en) meeting, conference; sitting (*a. parl., paint.*); session; *spiritism*: séance; *jur.* sitting, hearing; *öffentliche ~* hearing in public; *in öffentlicher ~* in open court; *e-e ~ abhalten* sit, hold a meeting (*or jur.* hearing).
'**Sitzungs...: ~bericht** *m* report (*or* minutes *pl.*) of proceedings; **~periode** *f* session, *jur.* term; **~saal** *m*, **~zimmer** *n* council-hall; conference-room; *parl.* chamber, *Am. a.* floor.
'**Sitz...: ~versteller** ['-fɛrʃtɛlər] *m* (-s; -) seat adjuster; **~welle** *f gym.* double knee circle.
Sizili'an|er (-s; -), **2isch** *adj.* Sicilian.
Skala ['ska:la] *f* (-; -len) scale (*a. mus.*); dial (plate); disk; *gleitende ~* sliding scale; *fig. die ganze ~ der Gefühle* the whole gamut of emotions.
'**Skalen|ablesung** *f* scale (*or* direct) reading; **~einteilung** *f* graduation; **~meßgerät** *n* direct-reading instrument; **~scheibe** *f* dial (plate), graduated scale disk.
Skalde ['skaldə] *m* (-n; -n) scald.
Skalp [skalp] *m* (-s; -e) scalp.
Skalpell [skal'pɛl] *med. n* (-s; -e) scalpel.
skal'pieren *v/t.* (*h.*) scalp.
Skandal [skan'da:l] *m* (-s; -e) scandal; disgrace, shame; row, riot, racket; *~ machen or schlagen* kick up a row; **~blatt** *n* scandal-sheet, rag; **~chronik** *f* scandal, society gossip; **~geschichte** *f* (piece of) scandal; **~macher** *m* rioter, rowdy.
skandalös [-da'lø:s] *adj.* scandalous.
Skan'dal...: ~presse *f* gutter press; **2süchtig** *adj.* fond of scandal, scandalmongering.
skandieren [skan'di:rən] *v/t.* (*h.*) scan (*verse*).
Skandinav|ien [skandi:na:viən] *n* (-s) Scandinavia; **~ier(in** *f*) *m* (-s, -; -, -nen), **2isch** *adj.* Scandinavian.
Skat [ska:t] *m* (-[e]s; -e) skat.
Skelett [ske'lɛt] *n* (-[e]s; -e) skeleton (*a. arch.*).
Skepsis ['skɛpsis] *f* (-) scepticism, *Am.* skepticism; doubt.
Skeptiker(in *f*) ['skɛptikər] *m* (-s, -; -, -nen) sceptic, *Am.* skeptic.
Skeptizismus [-'tsismus] *m* (-) (philosophic) scepticism, *Am.* skepticism.
Sketch [skɛtʃ] *thea. m* (-[es]; -e) sketch.
Ski [ʃi:] *m* (-s; -er) ski; *~ laufen* ski; '**~anzug** *m* ski(ing) suit, ski-dress; '**~ausrüstung** *f* ski outfit; '**~bindung** *f* ski-binding; '**~bluse** *f* ski-blouse, anorak; '**~fahrer(in** *f*) *m* skier, ski-runner; '**~fliegen** *n* ski-flying; '**~führung** *f* ski position; '**~gelände** *n* skiing grounds *pl.*; '**~hose** *f* (*e-e ~* a pair of) skiing trousers; '**~hütte** *f* skiing hut; **~(k)jöring** ['-jø:riŋ] *n* (-s; -s) ski-(k)joring; '**~klub** *m* skiing club; '**~lack** *m* ski-lacquer; '**~lauf** *m* skiing; '**~lehrer** *m* ski-instructor; '**~lift** *m* ski-lift, chairlift; '**~spitze** *f* ski point; '**~sport** *m* (-[e]s) → *Skilauf*; '**~springen** *n* ski-jumping; '**~springer** *m* ski-jumper; '**~sprung** *m* ski-jump(ing); '**~spur** *f* ski-track; '**~stadion** *n* skiing stadium; '**~stiefel** *m* ski-boot; '**~stock** *m* ski-stick, ski-pole; '**~wachs** *n* ski-wax; '**~wettkampf** *m* skiing competition (*or* event), ski-race.
Skizze ['skitsə] *f* (-; -n) sketch; rough draft *or* drawing; **~nbuch** *n* sketchbook; **2nhaft** *adj.* sketchy, in rough outlines.
skiz'zieren *v/t.* (*h.*) sketch, outline (*both a. fig.*); *flüchtig ~* dash off.
Sklav|e ['skla:və] *m* (-n; -n), **~in** *f* (-; -nen) slave (*a. fig.*); *fig. ein ~ sein* (*gen.*) be a slave to (*one's passions*); *wie ein ~ arbeiten* slave, drudge; *zum ~n machen* enslave.
'**Sklaven...: ~arbeit** *f* slave-work; *fig.* drudgery; **~aufseher** *m* slave-driver; **~befreiung** *f* emancipation

of slaves; **~dienst** *m* slavery; **~handel** *m* slave-trade; **~händler** *m* slave-trader, slaver; **~schiff** *n* slave-ship; slaver; **~seele** *f* slavish (*or* servile) mind *or* person.

Sklave'rei *f* (-) slavery; *fig.* servitude, thraldom.

'sklavisch *adj.* slavish; servile, abject; **~e** *Nachahmung* slavish imitation.

Sklerose [skle'roːzə] *med. f* (-; -*n*) sclerosis.

skontieren [skɔn'tiːrən] *econ. v/t.* (*h.*) allow discount.

Skonto ['skɔnto] *econ. n and m* (-*s*; -*s*) discount.

skon'trieren *econ. v/t.* (*h.*) clear.

Skorbut [skɔr'buːt] *econ. m* (-[e]s) scurvy; *in compounds* scorbutic...

Skorpion [skɔrpi'oːn] *m* (-*s*; -*e*) *zo.* scorpion; *ast.* Scorpio.

Skribent [skri'bɛnt] *contp. m* (-*en*; -*en*) scribbler, quilldriver, pen-pusher.

Skrofeln ['skroːfəln] *med. f/pl.*, **Skrofulose** [-fu'loːzə] *f* (-; -*n*) scrofula.

skrofulös [-'løːs] *med. adj.* scrofulous.

Skrupel ['skruːpəl] *m* (-*s*; -) scruple; *sich ~ machen* scruple (*über acc.* about); **≈los** *adj.* unscrupulous; **~losigkeit** *f* (-) unscrupulousness.

skrupulös [-pu'løːs] *adj.* scrupulous.

Skulptur [skulp'tuːr] *f* (-; -*en*) sculpture.

skurril [sku'riːl] *adj.* ludicrous.

Slalom(lauf) ['slɑːlɔm-] *m* (-*s*; -*s*) slalom.

S-Kurve ['ɛs-] *f* S-bend; double hairpin bend.

Slaw|e ['slɑːvə] *m* (-*n*; -*n*), **~in** *f* (-; -*nen*) Slav; **≈isch** *adj.* Slav, Slavonian, Slavic.

Slowak|e [slo'vɑːkə] *m* (-*n*; -*n*), **~in** *f* (-; -*nen*), **≈isch** *adj.* Slovakian.

Slowen|e [slo'veːnə] *m* (-*n*; -*n*), **~in** *f* (-; -*nen*), **≈isch** *adj.* Slovene.

Smaragd [sma'rakt] *m* (-[e]*s*; -*e*), **≈en** *adj.* emerald; **≈grün** *adj.* emerald (green).

Smoking ['smoːkiŋ] *m* (-*s*; -*s*) dinner-jacket, *Am.* tuxedo; **~anzug** *m* dinner-jacket suit.

so [zoː] **I.** *adv.* so, thus; in this way, (in) that way; in this (*or* that) manner; like this *or* that; *in comparisons*: as; *~! final*: that's that!; *~?* indeed?, is that so?, do you really think so?; *~, ~!* really!, you don't say so!, well, well!; *er ist gekommen! — ~! he is come!* — is he?; *er braucht Geld! — ~! he needs money!* — does he?; *~ ein* such a; *~ ein Dummkopf!* what a fool!; *~ etwas* such a thing; *colloq. nein, ~ (et)was!* well, I never!, the (very) idea!; *~ ... auch* however; *~ ... denn* so; *~ ... wie or als* as ... as; *nicht ~ ... wie* not so ... as; *~ viele* so (*or* that) many; *~ weit* so (*or* that) far; *noch einmal ~ viel* twice as much; *um ~ besser* all (*or* so much) the better; *um ~ mehr* all the more; *ach ~!* oh, I see!; *~ manche(r)* many a; *~ ist es* it is so, that's how it is; *~ ist das Leben* such is life; *~ oder ~* one way or another; *~ geht das nicht* that won't do; *~ alle acht Tage* every week or so; *~ und ~ oft* every so often, time and again; *~ gut wie nichts* next to nothing; *er ist ~ klug!* he is so (very) clever!; *~ geht's* there you are!, that's what will happen (*wenn* if)!; *ich habe ~ das Gefühl, daß* I have a feeling that; *er hat ~ seine Stimmungen* he has his little moods; *mag er auch noch ~ reich sein* may he be ever so rich, however rich he may be; **II.** *cj.* if; so, therefore, consequently; *~, daß* so that, so as to *inf.*; *~ sehr, daß* so much (so) that, to such a degree that; *not to be translated in final clauses, e.g. wenn du Zeit hast, ~ schreibe mir* if you have time, write to me.

sobald [zo'balt] *cj.*: *~ (als)* as soon as, the moment; *~ es Ihnen möglich ist* as soon as possible, *a. econ.* at your earliest convenience.

Söckchen ['zœkçən] *n* (-*s*; -) anklet.

Socke ['zɔkə] *f* (-; -*n*) sock; *econ.* *~n pl. a.* half hose; *colloq. fig. sich auf die ~n machen* get going, make off; *von den ~n sein* beflabbergasted.

Sockel ['zɔkəl] *m* (-*s*; -) *arch.* socle, base, pedestal; *el.* socket; base, cap (*of valve or tube*).

'Sockenhalter *m/pl.* (sock-)suspenders, *esp. Am.* garters.

Soda ['zoːda] *f* (-) *and n* (-*s*) soda; *chem.* carbonate of soda.

sodann [zo'dan] *adv.* then, after that.

so 'daß *cj.* so that, so as to (*inf.*).

Sodawasser *n* (-*s*; ¨) soda-water.

Sodbrennen ['zoːt-] *med. n* heartburn.

Sodomie [zodo'miː] *f* (-; -*n*) sodomy, buggery.

Sodomit [-'miːt] *m* (-*en*; -*en*) sodomite.

soeben [zo'ʔeːbən] *adv.* just (now); a minute ago; *book*: *~ erschienen* just published, just out.

Sofa ['zoːfa] *n* (-*s*; -*s*) sofa; settee; **~ecke** *f* sofa corner; **~kissen** *n* sofa cushion; **~schoner** *m* anti-macassar, tidy.

so'fern *cj.* (in) so far as, inasmuch as, if; provided that; *~ nicht* unless.

soff [zɔf] *pret. of saufen.*

Soffitten [zɔ'fitən] *el. f/pl.* tubular lamps; *a. arch.* soffits; **~lampe** *f* tubular lamp, *pl. a.* strip lighting.

so'fort *adv.* at once, immediately, directly, instantly, forthwith; on the spot; straight away, *esp. Am.* right away; *~ wirkend* instantaneous; *~!* coming!; *er war ~ tot* death was instantaneous; *~ lieferbar or zahlbar* spot; **~ig** *adj.* immediate, prompt; instantaneous; *~e Kasse* ready cash, spot(-cash); **≈maßnahme** *f* prompt (*or* urgent) measure.

sog [zoːk] *pret. of saugen.*

Sog *m* (-[e]*s*; -*e*) suction; *aer., mar.* wake; *fig. a.* drain, pressure.

so'gar *adv.* even; *ja, ~* nay; and what is more.

'sogenannt *adj.* so-called; *contp. a.* would-be, self-styled, pretended.

so'gleich *adv.* → *sofort.*

Sohle ['zoːlə] *f* (-; -*n*) sole; bottom (*of ditch, river, valley, etc.*); *mining*: floor; **≈n** *v/t.* (*h.*) sole; **~ngänger** ['-ngɛŋər] *zo. m* (-*s*; -) plantigrade.

'Sohl-leder *n* sole-leather.

Sohn [zoːn] *m* (-[e]*s*; ¨e) son; *der verlorene ~* the prodigal son; *in compounds* filial (*duty, etc.*).

Söhnchen ['zøːnçən] *n* (-*s*; -) little son; sonnie.

Soiree [soa'reː] *f* (-; -*n*) evening party, soirée.

Soja|bohne ['zoːja-] *f* soy(a) bean; **~mehl** *n* soya-meal.

so'lang(e) *cj.*: *~ (als)* as long as; while, whilst.

Solawechsel ['zoːla-] *econ. m* sole bill (of exchange), promissory note.

Solbad ['zoːl-] *n* saltwater bath, brine bath; (*resort*) saltwater springs *pl.*

solch [zɔlç] *pron. and adj.* such; *~ einer* such a one, a man like that; *als ~er* as such, in that capacity; *~e Leute* such people, people such as these; **~erart** ['-ər'ʔɑːrt] *adv.* of such a kind, of this sort; along these lines; **'~ergestalt** *adv.* in such a manner, to such a degree; **~erlei** ['-ər'laɪ] *adj.* of such a kind, such, suchlike; **~ermaßen** ['-'mɑːsən], **'~er'weise** *adv.* in such a way *or* manner.

Sold [zɔlt] *mil. m* (-[e]*s*; -*e*) pay; *fig.* wages *pl.*; *im ~e j-s stehen* be in a p.'s pay, *contp.* be one of a p.'s hirelings.

Soldat [zɔl'dɑːt] *m* (-*en*; -*en*) soldier, serviceman; *gedienter ~* exserviceman, *Am.* veteran; *einfacher ~* recruit; *aktiver ~* regular (soldier); *der Unbekannte ~* the Unknown Warrior; → *Landser, Mannschaften*; *~ werden* enter the army, enlist, join up; *~en spielen* play at soldiers.

Sol'daten...: **~bund** *m* servicemen's (*Am.* veterans') organization; **~eid** *m* military oath; **~friedhof** *m* war cemetery; **~grab** *n* war grave; **~heim** *n Brit.* leave centre, *Am.* recreation center; **~leben** *n* (-*s*) military life; **~lied** *n* soldier's song; **~rock** *m* soldier's coat, uniform; **~sprache** *f* soldier's slang; **~tum** *n* (-*s*) soldiership; military tradition.

Soldateska [zɔlda'tɛska] *f* (-; -*ken*) soldiery.

sol'datisch *adj.* soldier-like, military.

'Soldbuch *n* pay-book.

Söldling ['zœltliŋ] *m* (-*s*; -*e*) → *Söldner.*

Söldner ['zœldnər] *m* (-*s*; -) mercenary, hireling; **~heer** *n* army of mercenaries; **~truppen** *f/pl.* mercenary troops.

Sol|e ['zoːlə] *f* (-; -*n*) saltwater, brine; **~ei** ['-ʔaɪ] *n* egg boiled in brine.

solid [zo'liːt] *adj.* solid (*a. fig.*); robust, rugged (*material*); durable, wear-resistant; sound (*basis*); *econ.* sound, solvent, reliable, safe (*firm*); reasonable, fair (*price*); *fig.* respectable, staid, steady.

Solidar|bürgschaft [zoli'dɑːr-] *jur. f* joint surety; **≈isch I.** *adj.* solidary; *jur.* joint (and several), jointly and severally liable; **II.** *adv.* in a body, solidly; *jur.* jointly and severally; *sich ~ erklären mit* (*dat.*) declare one's solidarity with.

Solidarität [zolidari'tɛːt] *f* (-) solidarity.

Soli'darschuldner *m* joint debtor.

solide [zo'liːdə] → *solid.*

Solidi'tät *f* (-) solidity; *econ.* soundness, trustworthiness; respectability, steadiness.

Solist(in *f*) [zo'list] *m* (-en, -en; -, -nen) soloist, solo singer, solo player.

Solitär [zoli'tɛːr] *m* (-s; -e) solitaire.

Soll [zɔl] *n* (-s; -s) *econ.* debit, debit-side; (fixed) quota, delivery percentage; production quota; target; ~ *und Haben* debit and credit, assets and liabilities *pl.*; '**~ausgaben** *f/pl.* estimated expenditure; '**~bestand** *m econ.* calculated assets *pl.*; *mil.* **a**) required strength, **b**) authorized allowance of supplies; '**~durchmesser** *tech. m* nominal diameter; '**~einnahme** *f* estimated receipts *pl. or* revenue.

'**sollen** *v/i.* (*h.*) shall; ought to; be to; have to, be obliged to, must; should; would; be said to, be supposed (*or* believed) to; be to, be destined (*or* fated) to; *bibl. du sollst nicht töten* thou shalt not kill; *du sollst recht haben* have it your way; *er soll kommen* tell him to come; *der soll nur kommen!* just let him come!; *er hätte hingehen* ~ he ought to have gone; *wo soll ich hingehen?* where am I to go?; *was soll ich tun?* what am I to do?; *niemand soll sagen, daß* let it never be said that; *es soll nicht wieder vorkommen* it won't happen again; *du sollst sehen!* you shall (*or* will) see!; *das soll uns nicht stören* that won't bother us; *er soll reich sein* he is said to be rich, they say he is rich; *er soll morgen eintreffen* he is expected to arrive tomorrow; *ich weiß nicht, ob ich sollte* I don't know if I should; *weshalb sollte ich (auch)?* why should I?; *man sollte annehmen* one should think; *falls er kommen sollte* in case he should come; *er sollte lieber heimgehen* he had better go home; *soll das wahr sein?* can that be true?; *sollte er es gewesen sein?* could it have been him; *er wußte nicht, ob er lachen oder weinen sollte* he did not know whether to laugh or to cry; *es sollte ein Scherz sein* it was meant for a joke; *es hat nicht* ~ *sein* it was not to be; *ein Jahr sollte verstreichen, bis* one year was to pass before; *was soll das?* **a**) what's the meaning of this?, what's the idea?, **b**) what use is that!, what's the good of that?; **~d** *adj.*: *sein* ~ would-be; *witzig sein* ~*e Bemerkung* would-be witty remark.

Söller ['zœlər] *m* (-s; -) balcony; loft, garret.

'**Soll...**: **~frequenz** *f* nominal frequency; **~(l)eistung** *f* nominal (*Am.* rated) output; **~maß** *tech. n* real (*or* theoretical) size; **~posten** *m* debit item (*or* entry); **~seite** *f* debit-side; **~stärke** *f* authorized strength, *Brit.* establishment; *über* ~ overstrength; **~wert** *m* desired value, nominal (*or* rated) value; set point.

solo ['zoːlo] *adv. mus.* solo, *fig. a.* alone.

'**Solo** *n* (-s; -s, -li) solo; **~geiger** *m* solo violinist; **~maschine** *mot. f* solo; **~partie** *mus. f* solo; **~sänger(in** *f*) *m* solo singer; **~spieler** (-**in** *f*) *m* soloist; *cards*: solo player; **~stimme** *f* solo part; **~stück** *n* solo (*a. mus.*); **~tanz** *m* solo (dance); **~tänzer(in** *f*) *m* (dance) soloist.

solven|t [zɔl'vɛnt] *adj.* solvent; (financially) sound; **2z** *f* (-; -en) solvency.

'**Solquelle** *f* salt-well *or* -spring.

somatisch [zo'maːtiʃ] *adj.* somatic.

so'mit *adv.* so, thus, consequently.

Sommer ['zɔmər] *m* (-s; -) summer; *im* ~, *des* ~*s* in (the) summer; during the summer; *in der Mitte des* ~*s* in midsummer; → *Schwalbe*; **~abend** *m* summer evening; **~aufenthalt** *m* summer stay; **~fäden** ['-fɛːdən] *pl.* gossamer; **~fahrplan** *m* summer timetable; **~ferien** *pl.* summer vacation; **~frische** *f* (-; -n) summer resort; *in die* ~ *gehen Am.* go vacationing; **~frischler(in** *f*) ['-friʃlər] *m* (-s, -; -, -nen) holiday-maker, summer visitor, *Am.* vacationer; **~gast** *m* summer visitor; **~gerste** *f* spring barley; **~getreide** *n* spring corn; **~haus** *n* summer-house; bungalow, *Am.* cottage; **~kleidung** *f* summer-dress, *econ.* summer-wear; **2lich** *adj.* summer-like, summer(l)y; **2n I.** *v/i.* (*impers.*, *h.*): *es sommert* summer is coming; **II.** *v/t.* (*a.* **sömmern** ['zœmərn]) (*h.*) sun, air; *agr.* turn out, summer (*cattle*); prune (*trees*); sow *fields* with spring corn; **~nachtstraum** *m* (-[e]s) Midsummer Night's Dream; **~olympiade** *f* → *Sommerspiele*; **~sachen** *pl.* summer clothes; **~schlaf** *zo. m* (a)estivation; **~seite** *f* sunny side; **~semester** *n* summer term; **~sitz** *m* summer residence; **~sonnenwende** *f* summer solstice; **~spiele** *pl.*: *Olympische* ~ Olympic Games; **~sprosse** *f* freckle; **2sprossig** ['-ʃprɔsiç] *adj.* freckled; **~stoff** *m* material for summer-wear; **~theater** *n* open-air theat|re, *Am.* -er; **~tracht** *f* (*of bees*) summer flow of honey; **~weg** *m* summer road; soft shoulder (*of road*); **~weizen** *m* spring(-sown) wheat; **~wohnung** *f* → *Sommerhaus*; **~zeit** *f* summer time, *esp. Am.* daylight saving time; **~zeug** *n* → *Sommerstoff*.

somnambul [zɔmnam'buːl] *adj.*, **2e(r** *m*) *f* (-n, -n; -en, -en) somnambulist.

sonach [zo'naːx] *adv.* consequently, accordingly, thus, so.

Sonate [zo'naːtə] *mus. f* (-; -n) sonata.

Sonde ['zɔndə] *f* (-; -n) *med.* probe, sound (*a. fig.*); *mar.* plummet; *radio, radar*: sonde; (space) probe; *meteor.* weather-forecasting equipment, sounding balloon; **~nröhre** *TV* image dissector.

sonder ['zɔndər] *prp.* (*acc.*) without.

'**Sonder...** *in compounds* special ..., separate ..., extraordinary ..., extra ...; **~abdruck** *typ. m* (-[e]s; -e) separate print, off-print; **~anfertigung** *f* special design (*or* version); **~angebot** *n* special offer *or* bargain; **~auftrag** *m* special mission; **~ausbildung** *f* special training; **~ausführung** *f* → *Sonderanfertigung*; **~ausgabe** *f* special edition; special expenditure; **~ausstattung** *tech. f* extra equipment; **~ausschuß** *m* select committee; **2bar** *adj.* strange, odd, queer, funny; singular, extraordinary; peculiar; **2barerweise** *adv.* strange to say, oddly enough; **~barkeit** *f* (-) strangeness, oddity; singularity; peculiarity; **~beauftragte(r)** *m* special representative (*or* commissioner); **~beilage** *f* (special) supplement, inset; **~berechnung** *f*: *gegen* ~ at extra cost; **~bericht** *m* special report; **~berichterstatter(in** *f*) *m* special correspondent; **~bestimmungen** *f/pl.* exceptional provisions; **~bestrebung** *f* separatism, particularism; **~bevollmächtigte(r)** *m* plenipotentiary; **~botschafter** *m* ambassador extraordinary, ambassador-at-large; **~bündler** ['-byntlər] *m* (-s; -) separatist; **~druck** *m* (-[e]s; -e) → *Sonderabdruck*; **~einnahmen** *f/pl.* extraordinary receipts; *national budget*: special revenue *sg.*; **~ermäßigung** *f* special price reduction; **~fach** *n* special subject *or* line, *esp. Am.* specialty; **~fahrzeug** *n* special-purpose vehicle; **~fall** *m* special case, exception(al case); **~flug** *m* extra flight; **~friede** *m* separate peace; **~gericht** *jur. n* special court; **~gesetz** *n* special law; **2gleichen** *adv.* (*in English as adj.*) unequalled, matchless, peerless, unprecedented; *e-e Frechheit* ~ the height of impudence; **~interesse** *n* private (*or* special) interest; **~klasse** *f* special class; *yachting*: sonderclass; **~konto** *n* separate account; **~leistung** *f* extra service; **2lich I.** *adj.* special, peculiar, remarkable; *kein* ~*es Vergnügen* not much of an amusement; **II.** *adv.* particularly; *nicht* ~ not particularly, not much (*or* very); **~ling** ['-liŋ] *m* (-s; -e) queer (*or* eccentric) fellow, crank; **~meldung** *f* special announcement.

sondern[1] ['zɔndərn] *cj.* but; *nicht nur,* ~ *auch* not only, but (also).

'**sondern**[2] *v/t.* (*h.*) separate, sever, segregate; set asunder; → *aussondern*.

'**Sonder...**: **~nummer** *f* special edition; **~preis** *m* special (*or* preferential) price; **~rabatt** *m* special (*or* extra) discount; **~recht** *n* privilege; **~referat** *n* special branch; **~regelung** *f* separate treatment *or* settlement.

sonders ['zɔndərs] *adv.* → *samt*.

'**Sonder...**: **~sitzung** *f* special session; **~stahl** *m* special steel; **~stellung** *f* exceptional position; *fig. e-e* ~ *einnehmen* occupy a special position; **~typ** *m* special type; **~ung** *f* (-; -en) separation; **~urlaub** *m* special leave, *mil. a.* emergency (*Brit.* compassionate) leave; **~verband** *mil. m* special unit; task force; **~zug** *m* special (*or* extra) train; **~zulage** *f* special bonus.

Sondier|ballon [zɔn'diːr-] *m meteor.* sounding balloon; **2en** *v/t. and v/i.* (*h.*) *med.* probe, *a. mar.* sound (*both a. fig.*); *fig.* (*v/i.*) explore the ground.

Sonett [zo'nɛt] *poet. n* (-[e]s; -e) sonnet.

Sonnabend ['zɔnˀaːbənt] *m* (-s; -e) Saturday; **2s** on Saturdays, on a Saturday.

Sonne ['zɔnə] *f* (-; *-n*) sun; *zur ~ gehörig* solar; *an der ~* in the sun; *an der ~ getrocknet* sun-dried; *von der ~ beschienen* sunlit; *fig. Platz an der ~* place in the sun; *unter der ~* under the sun, on earth.

'**sonnen** *v/t.* (*h.*) (expose to the) sun, air; *sich ~* (*h.*) bask (in the sun), sun o.s.; *fig. sich ~ an or in* bask (*or* revel) in.

'**Sonnen...:** **~anbeter** *m* sun-worshipper; **~aufgang** *m* (*bei* at) sunrise, *Am. a.* sunup; **~bad** *n* sun-bath; *ein ~ nehmen* sun-bathe, bask; **~bahn** *f* orbit of the sun; ecliptic; **2beschienen** ['-bə'ʃi:nən] *adj.* sunlit; **~bestrahlung** *f* solar radiation, insolation; **~blende** *phot. f* lens shade; **~blendscheibe** *mot. f* sun-screen, *Am.* sun vizor; **~blume** *f* sunflower; **~brand** *m* sunburn, *Am. a.* sunscald; **~bräune** *f* sun-tan; **~brille** *f* (e-e ~ a pair of) sun-glasses, dark glasses *pl.*; **~dach** *n* sun-blind, (*a. mar.*) awning; *mot.* sunshine roof; **~deck** *mar. n* awning; **~energie** *f* solar energy; **~ferne** *ast. f* aphelion; **~finsternis** *f* solar eclipse; **~fleck** *m* sun-spot; **2gebräunt** *adj.* sun-tanned; **~glut, ~hitze** *f* blazing sun, *phys.* solar heat; **2haft** *adj.* sunlike; **~höhe** *f* sun's altitude; **~jahr** *n* solar year; **~käfer** *m* ladybird; **2klar** *fig. adj.* (as) clear as daylight, (quite) obvious; **~licht** *n* (-[e]s) sunlight; **~messer** *ast. m* heliometer; **~monat** *m* solar month; **~nähe** *ast. f* perihelion; **~scheibe** *f* disk of the sun, solar disk; **~schein** *m* (-[e]s) sunshine; **~schirm** *m* sunshade; parasol; **~segel** *n* awning; **~seite** *f* sunny side; **~spektrum** *n* solar spectrum; **~stich** *m* sunstroke; **~strahl** *m* ray of sunshine, sunbeam; **~strahlung** *f* solar radiation; **~system** *n* solar system; **~tag** *m* sunny day; *ast.* solar day; **2überflutet** *adj.* sun-splashed; **~uhr** *f* sundial; **~untergang** *m* sunset, *Am. a.* sundown; **2verbrannt** *adj.* sunburnt, (sun-)tanned; **~wende** *f* solstice; **~zeit** *ast. f* solar time; **~zelt** *n* awning.

'**sonnig** *adj.* sunny (*a. fig.*).

'**Sonntag** *m* Sunday; **2s** on Sundays, on a Sunday.

'**sonntäglich I.** *adj.* Sunday; **II.** *adv.* as on a Sunday; every Sunday; *~ gekleidet* dressed in one's Sunday best.

'**Sonntags...:** **~anzug** *m* Sunday suit *or* best, one's best bib and tucker; **~arbeit** *f* Sunday work; **~ausflügler(in** *f*) *m* week-ender; **~ausgabe** *f*, **~beilage** *f* Sunday supplement; **~fahrer** *mot. contp. m* Sunday driver; **~fahrkarte** *f* week-end ticket; **~jäger** *m* would-be sportsman; **~kind** *n* Sunday-child, person born on a Sunday; *fig. ein ~ sein* be born under a lucky star; **~kleid** *n* Sunday-dress; → *Sonntagsanzug*; **~maler** *m* Sunday painter; **~ruhe** *f* Sunday rest; **~schule** *f* Sunday school; **~staat** *m* (-[e]s) → *Sonntagsanzug*.

'**Sonn...:** **2verbrannt** *adj.* sunburnt, (sun-)tanned; **~wende** *f* solstice; midsummer festival; **~wendfeuer** *n* St. John's fire.

sonor [zo'no:r] *adj.* sonorous.

sonst [zɔnst] *adv.* otherwise, *with pron.* else; otherwise, or else; besides; in other respect; as a rule, usually, normally; (at) any other time; formerly *~ etwas* something else; *wer ~?* who else?; *~ wer?* anybody else?; *wie ~* as usual; *wie ~?* how else?; *~ einmal* some other day; *wenn es ~ nichts ist* if that's all; (*wünschen Sie*) *~ noch etwas?* anything else?, what else can I do for you?; '**~ig** *adj.* other; former; '**~wie** *adv.* in some other way; '**~wo** *adv.* elsewhere, somewhere else.

so'oft *cj.* whenever; *~ Sie wollen* as often as you like.

Sophist [zo'fist] *m* (-en; -en), **~in** *f* (-; *-nen*) sophist; **~e'rei** *f* (-; *-en*) sophistry; **2isch** *adj.* sophistic(al).

Sopran [zo'prɑ:n] *mus. m* (-s; -e) soprano, treble; **Sopra'nist(in** *f*) *m* (-en, -en; -, -nen) soprano (singer), sopranist.

Sorge ['zɔrgə] *f* (-; *-n*) care; sorrow; uneasines, anxiety, concern; apprehension; alarm, fear; trouble, vexation; *~n pl. a.* worries, trouble(s *pl.*), tribulation *sg.*; care; solicitude; *jur.* care (and custody) (*für* of); responsibility; *~ tragen für* (*acc.*) take care of, attend to, see to, ensure; *dafür ~ tragen, daß* see to it that, take care that, see *a th. done*; *dafür haben die Zweigstellen ~ zu tragen* this shall be the responsibility of the branch offices; *außer ~ sein* be at ease; *j-m ~n machen* cause (*or* give) a p. trouble, worry a p.; *sich ~n machen um* (*acc.*) be worried (*or* concerned) about; *sich ~n machen, daß* be concerned that; *das ist s-e ~* that's his problem (*or* look-out *or* headache); *laß das m-e ~ sein* leave that to me; *seien Sie ohne ~* don't worry (*or* be alarmed); *iro. keine ~!* don't you worry!, never fear!; *ich habe andere ~n* I have other fish to fry; **~berechtigte(r** *m*) *jur. f* competent tutor.

'**sorgen** *v/i.* (*h.*) **a)** *usu. sich ~* be anxious (*or* worried *or* concerned) (*um, wegen* about); be apprehensive, be alarmed (at); worry; **b)** *~ für* (*acc.*) care for, provide for; provide, cater for (*food, entertainment, etc.*); take care of, attend (*or* see) to, ensure; care for, look after (*a p. or th.*); *dafür ~, daß* take care that, see to it that, make sure that; *für ihn ist gesorgt* he is provided for; *dafür werde ich ~* I'll see to that; *für sich selbst ~* provide for o.s., fend for o.s.

'**Sorgen...:** **~brecher** *m* care-expeller; **~falten** *f/pl.* worried lines; **2frei, 2los** *adj.* free from care(s), care-free; light-hearted; **~kind** *n* problem child; **~stuhl** *m* easy chair; **2voll** *adj.* full of cares *or* trouble(s); careworn; uneasy, anxious; worried, troubled.

'**Sorgerecht** *jur. n* right to the custody (*für* of *a p.*).

Sorg|falt ['zɔrkfalt] *f* (-) care(fulness); solicitude; attention; exactness, accuracy; conscientiousness, scrupulousness; circumspection; *jur. mit der ~ e-s ordentlichen Kaufmanns* exercising the due diligence of a businessman; *große ~ verwenden auf* (*acc.*) bestow great care (up)on, take great pains with; **2fältig** ['-fɛltiç] **I.** *adj.* careful; attentive; exact, accurate; conscientious, scrupulous, painstaking; cautious; **II.** *adv.* carefully, *etc.*; with care.

'**sorglich** *adj.* careful, solicitous.

'**sorglos** *adj.* carefree; thoughtless; unconcerned; careless; negligent; easy; lighthearted, happy-go-lucky, devil-may-care; **2igkeit** *f* (-) unconcern; carelessness; negligence; lightheartedness.

'**sorgsam** *adj.* careful, painstaking, particular; cautious; **2keit** *f* (-) care(fulness), caution.

Sorte ['zɔrtə] *f* (-; *-n*) sort, kind, species, description; variety; type (*a. econ.*); *econ.* quality, grade; brand; *~n pl.* foreign notes and coins; *beste* (*or erste*) *~* prime quality; *ein Schwindler übelster ~* a crook of the worst type; → *Art*.

'**Sorten...:** **~abteilung** *econ. f* foreign-money department; **~geschäft** *n stock exchange*: transactions *pl.* in foreign notes and coins; **~zettel** *m* bill of specie.

sor'tier|en *v/t.* (*h.*) (as)sort; sort out; sift; arrange; size; grade; classify; break (*wool*); **2er(in** *f*) *m* (-s, -; -, *-nen*) sorter; **2maschine** *f* sorting machine; **2ung** *f* (-; *-en*) sorting, assortment; sizing; grading; classification.

Sortiment [zɔrti'mɛnt] *n* (-[e]s; -e) assortment, collection; set; **~er** *m* (-s; -), **~sbuchhändler** *m* retail bookseller.

so'sehr *cj.*: *~* (*auch*) however much, no matter how much (*or* strongly, deeply, *etc.*).

so'so *adv. colloq.* middling, so-so.

Soße ['zo:sə] *f* (-; *-n*) sauce; gravy; *colloq. fig.* juice.

sott [zɔt] *pret. of sieden*.

Soubrette [zu'brɛtə] *thea. f* (-; *-n*) soubrette.

Soufflé [zu'fle:] *n* (-s; -s) soufflé (*Fr.*).

Souffl|eur [su'flø:r] *m* (-s; -e), **~euse** [-'flø:zə] *f* (-; *-n*) prompter; **~eurkasten** *m* prompter's box, prompt-box; **2ieren** *v/i. and v/t.* (*h.*) prompt (*j-m* a p.).

'**so-und'so I.** *adv.*: *~ viel* so much, a certain amount; *~ viele* umpteen; *~ oft* over and over again; **II.** *su. Herr 2* Mr. What's his name *or* So-and-so; **2vielte** *adj.* such and such, odd, umptieth.

Soutane [zu'tɑ:nə] *eccl. f* (-; *-n*) cassock, soutane.

Souterrain [zutɛ'rɛ̃:] *n* (-s; -s) basement.

souverän [suvə'rɛ:n] *adj.* sovereign; *fig.* superior, (*a. adv.*) in superior style; **2** *m* (-s; -e) sovereign.

Souveräni'tät *f* (-) sovereignty.

so...: **~'viel I.** *cj.* as (*or* so) far as; *~ ich weiß* as far as I know; *~ ich gehört habe* from what I have heard, I understand; **II.** *adj. and adv.* so much; *doppelt ~(e)* twice as much (many); *fünfmal ~ a.* five times the number; ~'**weit I.** *cj.* as (*or* so) far as; ~ *nicht* unless; ~ *ich unterrichtet bin* for aught I know; **II.** *adv.* so far; ~ *ganz gut* not bad (for a start), quite good as far as it goes; ~'**wenig** *adv.* just as little (*wie* as), no more than; ~'**wie** *cj.* as soon as, just as, the moment; as well as; ~**wie'so** *adv.* in any case, anyhow, anyway; as it is.

Sowjet [sɔv'jɛt] *m* (-s; -s) Soviet; *Oberster* ~ Supreme Soviet; **so'wjetisch** *adj.* soviet; **sowjeti'sieren** *v/t.* (*h.*) sovietize.

So'wjet|rußland *n* (-s) Soviet Russia; ~**union** *f* (-) Soviet Union, *officially*: Union of Soviet Socialist Republics (*abbr.* U.S.S.R.).

so'wohl *cj.*: ~ ... *als auch* both ... and; as well ... as; not only ... but also.

sozial [zotsi'ɑ:l] *adj.* social(ly *adv.*); ~*e Wohlfahrt* social welfare; ~*e Fürsorge* social welfare work; ~*er Wohnungsbau* publicly assisted house-building; 2**abgaben** *f/pl.* social contributions; 2**amt** *n* social welfare office; 2**beamte(r)** *m* welfare worker; 2**beitrag** *m* social insurance contribution; 2**demokrat** *m* social democrat; 2**demokra'tie** *f* (-) social democracy; ~**demokratisch** *adj.* social democratic; ~**denkend** *adj.* public-spirited, charitable; 2**einrichtungen** *f/pl.* social services; 2**fürsorge** *f* social welfare work.

soziali'sier|en *v/t.* (*h.*) socialize; nationalise; 2**ung** *f* (-) socialization; nationalisation.

Sozialismus [-'lismus] *m* (-) socialism.

Sozia'list *m* (-en; -en), ~**in** *f* (-; -nen) socialist; 2**isch** *adj.* socialist(ic).

Sozi'al...: ~**lasten** *f/pl.* social charges; ~**leistung** *f* social contribution, social security benefit; ~**lohn** *m* social wages *pl.*; ~**ökonomie** *f* social economy; ~**partner** *m/pl.* employers and employed; ~**politik** *f* social policy; ~**politiker** *m* social thinker; ~**politisch** *adj.* socio-political, social; ~**prestige** *n* (social) status; ~**produkt** *n* (gross) national product, total product; ~**rentner(in** *f*) *m* social insurance pensioner, annuitant; ~**unterstützung** *f* public relief; ~**versicherung** *f* social insurance; ~**wissenschaft** *f* social science, sociology; ~**wissenschaftler(in** *f*) *m* social scientist, sociologist; ~**zulage** *f* social allowance, family bonus.

Sozietät [zotsie'tɛ:t] *econ.* *f* (-; -en) society, company.

Soziolog|e [zotsio'lo:gə] *m* (-n; -n) sociologist; 2**isch** *adj.* sociological.

Soziologie [-lo'gi:] *f* (-) sociology.

Sozius ['zo:tsius] *m* (-; -se) *econ.* partner; *mot. a.* ~**fahrer(in** *f*) *m* pillion-rider; ~**sitz** *m* pillion seat; *auf dem* ~ *mitfahren* ride pillion.

'**sozu'sagen** *adv.* so to speak, as it were.

Spachtel ['ʃpaxtəl] *m* (-s; -) spatula; *paint.* scraper; smoother; (*a.* ~**masse** *f*) surfacer, knifing glaze; filler; primer; (*a.* ~**messer** *n*) putty knife; 2**n I.** *v/t.* (*h.*) *tech.* make smooth, scrape; surface (*varnish coat*); **II.** *v/i.* (*h.*) *colloq.* eat heartily, tuck in.

Spagat [ʃpa'gɑ:t] *m and n* (-[e]s; -e) splits *pl.*; ~ *machen* do the splits.

Spaghetti [ʃpa'gɛti] *pl.* spaghetti.

spähen ['ʃpɛ:ən] *v/i.* look out (*nach* for); watch (*nach* for); peer; spy; *mil.* scout.

'**Späher** *m* (-s; -) spy; *mil.* scout; look-out; ~**blick** *m* prying glance.

'**Spähtrupp** *mil.* *m* (reconnaissance) patrol, scouting party *or* patrol; ~**führer** *m* patrol leader; ~**tätigkeit** *f* patrol activity.

'**Spähwagen** *m* reconnaissance car, scout car.

Spalier [ʃpa'li:r] *n* (-s; -e) *agr.* trellis, espalier; *fig.* lane; cordon; ~ *bilden* form a lane; form a cordon; line the street; ~**baum** *m* espalier (tree); *n.s.* wall tree; ~**obst** *n* espalier fruit; *n.s.* wall fruit.

Spalt [ʃpalt] *m* (-[e]s; -e), '~**e** *f* (-; -n) crack, cleft, rift, split; *esp. tech.* fissure, crevice; aperture; gap; chink; slit, *tech. a.* slot; crevasse (*of glacier*); *only* ~*e*: *typ.* column; *fig.* rift; '2**bar** *adj.* cleavable; *nuclear physics*: fissionable (*material*).

'**Spalte** *f* → *Spalt*.

'**spalten** *v/t.* (*h.*) split (*a. atom*); cleave, chop (*wood*); rend, rift; slit; divide; *chem.* decompose; skive (*leather*); *fig. Haare* ~ split hairs; *sich* ~ (*h.*) split, cleave; crack, *skin a.* chap; *fig.* split up, break up.

'**spalten...:** ~**lang** *adj.* covering several columns; 2**steller** ['-ʃtɛlər] *m* (-s; -) *typewriter*: tabulator; ~**weise** *adv.* in columns.

'**Spalt...:** ~**flügel** *aer.* *m* slotted wing; ~**glimmer** *m* muscovite; ~**hufer** ['-hu:fər] *zo.* *m* (-s; -) ruminant; ~**keil** *m* wedge; ~**leder** *n* skiver; ~**pilz** *m* fission fungus, schizomycete; ~**produkt** *n nuclear physics*: fission product.

'**Spaltung** *f* (-; -en) splitting, cleavage; *chem.* separation, decomposition; *biol.* cleavage; fission; splitting, fission (*of atom*); *fig.* split, rift, rupture; division; split(ting-up) (*of party*); *eccl.* schism; ~ *der Persönlichkeit* split(ting of)personality; ~**s-produkt** *n nuclear physics*: fission product.

Span [ʃpɑ:n] *m* (-[e]s; ⸚e) chip; splinter; *tech. pl. Späne* chippings, shavings; (metal) cuttings; facings; borings; *fig. wo gehobelt wird, fallen Späne* you cannot make an omelette without breaking eggs; '2**abhebend** *tech. adj.* (metal-) cutting.

spänen ['ʃpɛ:nən] *v/t.* (*h.*) **1.** scour *floor* (with steel wool); **2.** wean (*child*).

'**Span|ferkel** *n* sucking pig, porkling; ~**holzplatte** *f* chipboard.

Spange ['ʃpaŋə] *f* (-; -n) clasp; buckle; clip; bracelet; bar (*of medals*); (hair) slide; (shoe) strap; ~**nschuh** *m* strap shoe.

Span|ien ['ʃpɑ:niən] *n* (-s) Spain; ~**ier(in** *f*) ['-iər] *m* (-s, -; -, -nen) Spaniard; 2**isch** *adj.* Spanish; *die* ~*e Sprache* the Spanish language, Spanish; ~*er Pfeffer* red pepper, cayenne; *mil.* ~*er Reiter* cheval-de-frise (*Fr.*), knife rest; ~*e Wand* folding screen; *fig. das kommt mir* ~ *vor* **a**) that's all Greek to me, **b**) there is something fishy about it.

'**Span...:** ~**korb** *m* chip basket; 2**los** *tech. adj.* non-cutting.

spann [ʃpan] *pret. of spinnen.*

'**Spann** *m* (-[e]s; -e) instep.

'**Spann|arbeit** *tech.* *f* chucking work; ~**backen** *f/pl.* gripping jaws; ~**beton** *m* pre-stressed concrete; ~**draht** *m* tension (*or* guy) wire.

'**Spanne** *f* (-; -n) span; short distance; short space of time; ~ *des Lebens* span of life; *fig.* margin.

'**spannen I.** *v/t.* (*h.*) stretch; bend (*bow, etc.*); tighten; flex (*muscles*); *Pferde vor den Wagen* ~ put horses to the carriage; *tech.* grip, clamp, chuck; stress; tighten, tension (*spring*); tighten (*belt, screw, violin string*); stretch (*rope*); put in the (ski-)press; *fig.* strain (*nerves*); excite (*curiosity*); → *Folter*; *Erwartungen hoch* ~ raise expectations to a high pitch; *s-e Forderungen zu hoch* ~ be exorbitant in one's demands; *sich* ~ stretch; *sich* ~ *über e-n Fluß* span a river; → *gespannt*; **II.** *v/i.* (*h.*) *garments*: be (too) tight; *shoes*: *a.* pinch; ~**d** *adj. fig.* exciting, thrilling, gripping, breath-taking, full of suspense.

'**Spanner** *m* (-s; -) *tech.* stretcher, tenter; boot-tree; (trousers, racket, *etc.*) press; *zo.* (*moth*) looper.

'**Spann...:** ~**feder** *tech.* *f* tension spring; ~**futter** *tech.* *n* chuck; ~**haken** *tech.* *m* tenter-hook; ~**kloben** *tech.* *m* jaw; ~**kraft** *f* (-) elasticity (*a. fig.*); *machine-tool*: clamping power; *phys.* tension; *fig.* energy, buoyancy; *med.* tonicity; 2**kräftig** *adj.* elastic; ~**muskel** *anat.* *m* tensor (muscle); ~**patrone** *tech.* *f* collet; ~**rahmen** *tech.* *m* tenter(-frame); ~**riegel** *tech.* *m* strutting-piece; ~**säge** *f* frame-saw; ~**schieber** *m machine-gun*: cocking slide; ~**schloß** *tech.* *n* turnbuckle; ~**seil** *n* guy rope, tether; ~**stoß** *m soccer*: instep-kick.

'**Spannung** *f* (-; -en) tension; *tech. a.* stress; strain; (gas) pressure; *arch.* span, *in material*: stress; *el.* voltage, (electric) tension, (difference in) potential; *effektive* ~ root mean square voltage (*abbr.* R.M.S. voltage); *generator*: *innere* ~ electromotive force (*abbr.* e.m.f.); *unter* ~ (*stehend*) live, energized; *fig.* close attention; (*nervous*) tenseness; suspense; eager (*or* anxious) expectation; tension (*a. pol.*), strained relations *pl.*; discrepancy; *mit* (*or voll*) ~ all agog, with bated breath, intently; *in* ~ *versetzen* thrill, excite; *in* ~ *halten* keep in suspense.

'**Spannungs...:** ~**abfall** *el.* *m* voltage drop; ~**ausgleich** *el.* *m* compensation of voltage; ~**feld** *el.* *n* electric field; 2**führend** *el. adj.* (a)live; 2**geladen** *adj.* thrill-packed, suspense-filled; 2**los** *el. adj.* dead; ~**messer** *el.* *m* voltmeter; ~**regler** *el.* *m* voltage regulator; ~**wandler** *el.* *m* voltage transformer.

'**Spann...:** ~**vorrichtung** *tech.* *f* stretching device; clamping device;

~weite *f* spread; *aer.* wing span; *arch., math.* span; *fig.* range; **~werkzeug** *tech. n* clamping tool; **~wirbel** *tech. m* turnbuckle.

Spanplatte *tech. f* chipboard.

Spant [ʃpant] *aer. m* (-[e]s; -*en*), *usu.* ~*en pl.* rib(s *pl.*); *arch.* vertical frame.

Spar|anleihe [ˈʃpɑːr-] *f* savings bonds *pl.*; **~bank** *f* (-; -*en*) savings bank; **~beton** *m* lean concrete; **~brenner** *m* pilot burner, gas economizer; **~buch** *n* (savings bank) pass book, savings booklet; **~büchse** *f* money-box; **~einlagen** *f/pl.* savings deposits.

ˈ**sparen** *v/t. and v/i.* (*h.*) save (*money, time, strength, trouble*); put *money* by (for a rainy day); cut down expenses, economize; be sparing of, *fig. a.* be chary of; *contp.* stinge, skimp (*mit* on); spare (*cost, trouble*); ~ *Sie sich solche Bemerkungen* you had better keep such remarks to yourself.

ˈ**Sparen** *n* (-*s*) saving; economizing, economy.

ˈ**Sparer(in** *f*) *m* (-*s*, -; -, -*nen*) saver; depositor; *die kleinen* ~ the small investors.

ˈ**Sparflamme** *f* pilot light.

Spargel [ˈʃpargəl] *m* (-*s*; -) asparagus; ~ *stechen* cut asparagus; **~kopf** *m*, **~spitze** *f* asparagus tip; **~stecher** *m* asparagus knife.

ˈ**Spar...:** **~gelder** [ˈ-gɛldər] *n/pl.* savings (deposits); **~gemisch** *mot. n* lean mixture; **~groschen** *m* → *Sparpfennig*; **~guthaben** *n* savings balance; savings account; **~herd** *m* economical stove, kitchener; **~kasse** *f* savings-bank; **~kassenbuch** *n* → *Sparbuch*; **~kocher** *m* thrift cooker; **~konto** *n* savings account.

spärlich [ˈʃpɛːrliç] **I.** *adj.* scant(y) (*a. dress*); scarce; sparse; poor; meag|re, *Am.* -er; *econ.* slack (*demand*); thin (*hair*); **II.** *adv.*: ~ *bekleidet* scantily dressed; ~ *bevölkert* sparsely (*or* thinly) populated; **2keit** *f* (-) scantiness; scarcity; sparseness; poorness.

Spar... [ʃpɑːr-]: ˈ**~marke** *f* savings stamp; ˈ**~maßnahme** *f* economy measure; ~*n pl.* economies; ˈ**~pfennig** *m* savings *pl.*, nest-egg, money put by for a rainy day; ˈ**~prämienlos** *n* premium bond.

Sparren [ˈʃparən] *m* (-*s*; -) rafter, spar; *colloq. fig.* e-*n* ~ (*zuviel*) *haben* have a kink, have a screw loose; 2 *v/i. boxing*: spar; **~werk** *n* rafters *pl.*

Sparring(partner *m*) [ˈʃpariŋ] *n* (-*s*; -*s*) *boxing*: sparring (partner).

ˈ**sparsam I.** *adj.* saving, thrifty, economical (*mit* of); parsimonious; *art*: *mit* ~*en Mitteln* with economy; **II.** *adv.*: ~ *leben* lead a frugal life, economize; ~ *umgehen mit* use sparingly; **2keit** *f* (-) economy, thrift(iness); parsimony; frugality, austerity.

ˈ**Sparsinn** *m* (-[e]s) thrift.

spartanisch [ʃparˈtɑːniʃ] *adj.* Spartan; *fig. a.* austere, rugged.

Sparte [ˈʃpartə] *f* (-; -*n*) branch, field, line; subject.

ˈ**Spar...:** **~trieb** *m* saving instinct; **~- und Darlehenskasse** *f* savings and loan bank; **~verein** *m* savings club; **~verkehr** *m* savings system; savings activity; **~vertrag** *m* savings agreement; **~woche** *f* thrift week.

spasmodisch [spasˈmoːdiʃ] *adj.* spasmodic.

Spaß [ʃpɑːs] *m* (-*es*; ⸚*e*) joke, jest; fun, lark; amusement, pastime, sport; *pl. Späße a.* pranks, antics; *handgreiflicher* ~ practical joke; *rauher* ~ rough horseplay; ~ *machen* → *spaßen*; *er hat nur* ~ *gemacht* he was only joking; *es macht ihm (großen)* ~ it amuses him (hugely), he likes it (a lot), *Am. a.* he gets a (big) kick out of it; *es macht keinen* ~ it's no fun, it's a dreary business; *seinen* ~ *treiben mit j-m* make fun (*or* sport) of, play tricks on *a p.*; *er versteht keinen* ~ **a)** he cannot see (*or* take) a joke, **b)** he is not to be trifled with; ~ *beiseite* joking apart!; *viel* ~! have a good time! *aus or im or zum* ~ for (*or* in) fun, in jest; *nur zum* ~ just for the fun of it.

ˈ**spaßen** *v/i.* (*h.*) joke, jest, make fun; *damit ist nicht zu* ~ that is no joking matter, it's no joke; *er läßt nicht mit sich* ~ he is not to be trifled with.

ˈ**spaß|haft, ~ig** *adj.* facetious, waggish, jocose; funny, comical, droll; ludicrous.

ˈ**Spaß...:** **~macher(in** *f*) *m*, **~vogel** *m* wag, (*a. iro.*) joker; → *Hanswurst*; **~verderber(in** *f*) [ˈ-fɛrdɛrbər] *m* (-*s*, -; -, -*nen*) spoilsport, kill-joy, wet blanket.

Spat [ʃpɑːt] *m* (-[e]s; -*e*) *min.* spar; *vet.* spavin.

spät [ʃpɛːt] **I.** *adj.* late; belated, tardy; advanced; remote; ~*e Badegäste* belated bathers; *colloq.* ~*es Mädchen* old maid; *am* ~*en Nachmittag* late in the afternoon; *bis in die* ~*en Nachtstunden* till late at night; *es ist (wird)* ~ it is (getting) late; → *später*; **II.** *adv.* late; *zu* ~ too late; *zu* ~ *kommen* be late (*Am. a.* tardy) (*zu* for); *er kam 5 Minuten zu* ~ he was five minutes late; ~ *in der Nacht* late at night; *von früh bis* ~ from morning till night; *wie* ~ *ist es?* how late is it?; ~ *aufstehen* get up late, *generally*: be a late riser.

ˈ**Spat-eisenstein** *m* siderite.

Spatel [ˈʃpɑːtəl] *m* (-*s*; -) → *Spachtel*.

Spaten [ˈʃpɑːtən] *m* (-*s*; -) spade; **~stich** *m* cut with a spade; *den ersten* ~ *tun* dig the first spade; *fig.* break the ground.

ˈ**später I.** *adj.* later; posterior (*als* to); subsequent; ~*e Geschlechter* later (*or* future) generations; **II.** *adv.* (*a.* **~hin**) later on; at a later date; subsequently, after(wards); *früher oder* ~ sooner or later; ~ *als* later than; → *danach*.

spätestens [ˈʃpɛːtəstəns] *adv.* at the latest; not later than.

ˈ**Spät...:** **~geburt** *f* retarded birth; **~gotik** *arch. f* late Gothic (style), *in Britain*: perpendicular style; **~heimkehrer** *m* late-returning prisoner of war; **~herbst** *m* late autumn *or esp. Am.* fall; **~jahr** *n* autumn, *esp. Am.* fall; **~lese** *f* wine made from late-gathered grapes; **~ling** [ˈ-liŋ] *m* (-*s*; -*e*) calf (*or* lamb) born late in the year; late fruit; **~nachmittag** *m* (*am* in the) late afternoon; **~obst** *n* late fruit; **2reif** *adj.* late, tardy; **~sommer** *m* late (*or* Indian) summer.

Spatz [ʃpats] *m* (-*en*; -*en*) sparrow; *fig. das pfeifen die* ~*en von den Dächern* it is all over the town, it is everybody's secret; *ein* ~ *in der Hand ist besser als eine Taube auf dem Dach* a bird in hand is worth two in the bush; *mit Kanonen nach* ~*en schießen* break a butterfly on the wheel; ˈ**~enhirn** *colloq. n* chicken-brain.

ˈ**Spätzündung** *mot. f* retarded ignition.

spazieren [ʃpaˈtsiːrən] *v/i.* (*sn*) walk (about), stroll; amble, saunter; **~fahren I.** *v/i.* (*irr.*, *sn*) take a drive, go for a drive (*or* spin); go (out) in a boat; **II.** *v/t.* (*irr.*, *h.*) drive out; **~führen** *v/t.* (*h.*) take out for a walk; walk *the dog*; **~gehen** *v/i.* (*irr.*, *sn*) take (*or* go for) a walk, (take a) stroll, promenade; **~reiten** *v/i.* (*irr.*, *sn*) take (*or* go for) a ride.

Spaˈzier...: **~fahrt** *f* drive, ride; sail, row; **~gang** *m* walk, stroll, promenade; constitutional; *fig.* walkover; **~gänger(in** *f*) [-gɛŋər] *m* (-*s*, -; -, -*nen*) walker, stroller, promenader; **~ritt** *m* ride; **~stock** *m* walking-stick, cane; **~weg** *m* walk, promenade.

Specht [ʃpɛçt] *m* (-[e]s; -*e*) woodpecker.

Speck [ʃpɛk] *m* (-[e]s) bacon; *of whale*: blubber; *w.s.* fat; *mit* ~ *fängt man Mäuse* good bait catches fine fish; *colloq. ran an den* ~! let's go!, go it!; ˈ**2ig** *adj.* fatty; greasy; ˈ**~scheibe,** ˈ**~schnitte** *f* rasher (of bacon); ˈ**~schwarte** *f* bacon-rind, sward; ˈ**~seite** *f* flitch of bacon; *fig. mit der Wurst nach der* ~ *werfen* throw a sprat to catch a herring; ˈ**~stein** *geol. m* soapstone, steatite.

spedieren [ʃpeˈdiːrən] *econ. v/t.* (*h.*) forward, dispatch, send (off); haul; *mar. and Am.* ship.

Spediteur [-diˈtøːr] *m* (-*s*; -*e*) forwarding (*mar.* shipping) agent, carrier, *Am. a.* haulage contractor; (furniture) remover.

Spedition [-ditsiˈoːn] *f* (-; -*en*) forwarding, *mar. and Am.* shipping; carrying, haulage; forwarding (*or* shipping) agency.

Speditiˈons...: **~auftrag** *m* dispatch order; **~gebühren** *f/pl.* forwarding (*Am.* shipping) charges; **~geschäft** *n* forwarding trade; forwarding agency, carriers *pl.*

Speer [ʃpeːr] *m* (-[e]s; -*e*) spear; *a. sports*: javelin; ˈ**~werfen** *n* (-*s*) javelin throw(ing); ˈ**~werfer(in** *f*) *m* javelin thrower.

Speiche [ˈʃpaɪçə] *f* (-; -*n*) spoke; *anat.* radius.

Speichel [ˈʃpaɪçəl] *m* (-*s*) spittle, saliva; slaver; spit; **~bildung** *f* salivation; **~drüse** *f* salivary gland; **~fluß** *m* salivation; **2fördernd** *adj.* promoting flow of saliva; **~lecker (-in** *f*) [ˈ-lɛkər] *m* (-*s*, -; -, -*nen*) *fig.* toady, lickspittle, sycophant; **~leckeˈrei** *f* toadyism.

ˈ**Speichenrad** *n* spoke-wheel.

Speicher [ˈʃpaɪçər] *m* (-s; -) granary, (corn-)loft; silo, *esp. Am.* (grain) elevator; warehouse, store-room, storage-place; (water) reservoir; loft, garret, attic; *computer*: store; **~batterie** *el. f* storage battery; **~becken** *n* storage basin; **~kraftwerk** *n* storage power station; **2n** *v/t.* (*h.*) store (up); *econ. a.* warehouse; accumulate; hoard (up); *computer*: store; **~röhre** *f computer*: storage tube; *TV* storage camera tube; **~ung** *f* (-; -*en*) storing (up), storage (*a. computer, etc.*), accumulation.

speien [ˈʃpaɪən] *v/i. and v/t.* (*irr., h.*) spit; expectorate, throw up; vomit, be sick; *Feuer ~* belch fire; → *ausspeien.*

ˈ**Speigatt** *mar. n* scupper.

Speis [ʃpaɪs] *arch. m* (-es) mortar.

Speise [ˈʃpaɪzə] *f* (-; -*n*) food, nourishment; fare; victuals, eatables *pl.*; dish; → *Süßspeise*; *~ und Trank* meat and drink; *arch.* mortar; *metall.* speiss, (bell) metal; **~aufzug** *m* dinner-lift, *Am.* dumbwaiter; **~brei** *m* chyme; **~eis** *n* ice-cream; **~fett** *n* edible (*or* cooking) fat; **~haus** *n* eating-house; **~kammer** *f* larder, pantry; **~karte** *f* bill of fare, menu; **~kessel** *tech. m* feed boiler; **~leitung** *f* feeder (line), *el. a.* power line, mains (supply); feed pipe.

ˈ**speisen I.** *v/i.* (*h.*) eat, have a meal; take one's meals; *auswärts ~* dine out; *zu Mittag ~* dine, lunch, have dinner *or* lunch; *zu Abend ~* have supper *or* (late) dinner, dine, sup; (*ich*) *wünsche wohl zu ~* I hope you will enjoy your dinner; **II.** *v/t.* (*h.*) feed, board; keep; entertain; *el., tech.* feed, supply; **2folge** *f* menu.

ˈ**Speise...:** **~öl** *n* edible (*or* salad)oil; **~pumpe** *tech. f* feed pump; **~reste** *m/pl.* leftovers *pl.*; *med.* food particles; **~rohr** *tech. n* feed pipe; **~röhre** *anat. f* gullet, (o)esophagus; **~saal** *m* dining-hall (*or mar.* saloon); banqueting-hall; *in monastery*: refectory; *mil. for officers*: mess-room; **~saft** *physiol. m* chyle; **~schrank** *m* (meat-)safe, pantry, larder; **~strom** *el. m* feed current; **~tisch** *m* dining-table; **~wagen** *rail. m* dining-car, *esp. Am.* diner; **~wärmer** [ˈ-vɛrmər] *m* (-s; -) meat-warmer; **~wasser** *tech. n* (-s; ¨) feed water; **~zettel** *m* → *Speisekarte*; **~zimmer** *n* dining-room.

ˈ**Speisung** *f* (-; -*en*) feeding (*a. bibl. der fünftausend* of the five thousand); boarding, maintenance; *el.* supply, feed.

Spektakel [ʃpɛkˈtɑːkəl] *m* (-s; -) noise, racket; uproar, row; → *Lärm*; **2n** *v/i.* (*h.*) kick up a row.

Spektral|analyse [ʃpɛkˈtrɑːl-] *f* spectrum analysis; **~farbe** *f* spectral colo(u)r.

Spektroskop [ʃpɛktroˈskoːp] *n* (-s; -e) spectroscope.

Spektrum [ˈʃpɛktrum] *n* (-s; -*tren*) spectrum.

Spekulant(**in** *f*) [ʃpekuˈlant] *m* (-*en*, -*en*; -, -*nen*) speculator; *stock exchange*: *a.* operator.

Spekulation [-latsiˈoːn] *f* (-; -*en*) *phls., econ.* speculation; *econ. a.* venture, gamble.

Spekulatiˈons...: **~geschäft** *n* speculative operation *or* transaction; *~ auf Baisse* (*Hausse*) bear (bull) operation; **~gewinn** *m* speculative profit; **~lust** speculative spirit; **~papier** *n* speculative investment (*or* stock), *Am.* fancy stock.

spekulativ [-laˈtiːf] *adj.* speculative.

spekuˈlieren *v/i.* (*h.*) speculate (*über acc.* on); *econ.* speculate, gamble (*in dat.* in); *~ auf* (*acc.*) reckon on, *econ.* speculate on, operate for; → *Baisse, Hausse.*

Spelt [ʃpɛlt] *bot. m* (-[e]s; -e) spelt.

Spelunke [ʃpeˈluŋkə] *f* (-; -*n*) den; low gin-shop, dive, joint.

Spelz [ʃpɛlts] *bot. m* (-es; -e) spelt; ˈ**~e** *bot. f* (-; -*n*) beard, awn.

spendabel [ʃpɛnˈdɑːbəl] *colloq. adj.* → *freigebig.*

Spende [ˈʃpɛndə] *f* (-; -*n*) gift; present; alms *pl.*, charity; contribution; donation; charitable distribution; *a. to museum, etc.*: benefaction.

ˈ**spenden** *v/t.* (*h.*) give (*reichlich* freely *or* generously); donate (*blood, etc.*); distribute, dispense, deal out; *eccl.* administer (*sacraments*); bestow (*alms, praise*) (*dat.* on); *~ zu or für* contribute to; → *Beifall.*

ˈ**Spender**(**in** *f*) *m* (-s, -; -, -*nen*) giver; contributor; donor (*a. med.*); distributor, (*a. machine*) dispenser; benefactor (*f* benefactress).

spenˈdier|en I. *v/t.* (*h.*) give (*or* spend) lavishly, give freely; *j-m et. ~* treat a p. to a th., stand a p. a th.; **II.** *v/i.* (*h.*) stand treat; **2hosen** *pl.*: *die ~ anhaben* be in a generous mood.

ˈ**Spendung** *f* (-; -*en*) → *Spende*; administration (*of sacraments*).

Spengler [ˈʃpɛŋlər] *m* (-s; -) → *Klempner.*

Sperber [ˈʃpɛrbər] *m* (-s; -) sparrow-hawk.

Sperenzchen [ʃpeˈrɛntsçən] *colloq. pl.*: *mach keine ~!* don't make a fuss.

Sperling [ˈʃpɛrliŋ] *m* (-s; -e) sparrow.

Sperma [ˈʃpɛrma] *biol. n* (-s; -*men*) sperm; **~tozoon** [-toˈtsoːɔn] *n* (-s; -ˈ*zoen*) spermatozoon.

sperr-angelweit [ˈʃpɛr-] *adv.*: *~ offen* wide open, gaping.

ˈ**Sperr|ballon** *mil. m* barrage balloon; **~baum** *m* bar(rier); turnpike; *of harbour*: boom; **~depot** *econ. n* blocked deposits *pl.*; **~druck** *typ. m* (-[e]s; -e) spaced type.

ˈ**Sperre** *f* (-; -*n*) closing, closure, shutting; block(ing), obstruction; stoppage; bar(ring) (*of road, river*); barrier; *rail.* barrier, *Am.* gate; toll-bar; *tech.* lock(ing device), stop, detent; obstacle; *mil.* barrage; *aer.* fighter patrol; barricade, road block; *in harbour*: boom; *econ., mar.* embargo; blockade; *med.* quarantine; *el.* power interruption; prohibition, ban; *sports*: suspension; *aer. ~ fliegen* fly on defensive patrol; *e-e ~ verhängen über* impose a ban on, ban; → *Sperrung.*

ˈ**sperren I.** *v/t.* (*h.*) spread open *or* out; straddle (*legs*); *typ.* space (out); bar, stop; block, obstruct, barricade, *officially*: close (*road*); cordon off; *mil., mar.* lock, blockade; embargo; cut off (*gas, light*); stop, freeze (*account, payment, wages*); *e-n Scheck ~* stop (payment on) a cheque (*Am.* check); *sports*: **a)** block, *unfairly*: obstruct, **b)** disqualify, suspend; shut, close (*a. border, etc.*); lock; bolt *tech. a.* stop, arrest; *ins Gefängnis ~* put in prison, lock up; *aus dem Haus ~* lock out; prohibit, stop, ban; *sich* (*gegen et.*) *~* balk (at a th.), oppose *or.* resist (a th.), struggle (against a th.); *gesperrt gedruckt* set in spaced type, spaced out; *Straße gesperrt!* road closed!; *gesperrt für Militärpersonen!* out of bounds!, *Am.* off limits!; **II.** *v/i.* (*h.*) jam, be stuck, not to shut.

ˈ**Sperr...:** **~feder** *tech. f* click spring; **~feuer** *mil. n* barrage, curtain-fire; *~ legen* lay down a barrage; **~flug** *aer. m* interception flight; **~fort** *mil. n* outer fort; **~frist** *f* restrictive period; **~gebiet** *n* prohibited area, barred zone; neutral zone; blockaded zone; **~getriebe** *tech. n* trip gear; **~gürtel** *m* fortified lines *pl.*; barrage; **~gut** *n*, **~güter** *n/pl.* bulky goods *pl.*, *Am.* bulk freight; **~guthaben** *n* blocked account; **~hahn** *tech. m* stopcock; **~haken** *m* (safety-)catch, click; skeleton-key; **~hebel** *m* arresting lever; **~holz** *n* plywood; **2ig** *adj.* bulky, unwieldy, cumbersome; *~e Güter* → *Sperrgut*; **~kette** *f* drag-chain; (police) cordon; **~klinke** *f* (stop) pawl, ratchet; **~konto** *n* blocked account; **~kreis** *m radio*: rejector circuit, wave trap; **~mark** *f* blocked mark; **~(r)ad** *n* ratched wheel; **~(r)aste** *tech. f* stop notch; **~(r)iegel** *m* safety-bolt; *mil.* barrage; **~sitz** *thea. m* stall, reserved seat, *Am.* orchestra (seat); **~stange** *f* locking bar; **~stellung** *mil. f* barrier position.

ˈ**Sperrung** *f* (-; -*en*) barring, stoppage, obstruction; blocking (*a. of account, radar, traffic*); closing (*of road*); *mar.* blockade; *econ.* embargo; *Auftrag zur ~* stop (payment) order; prohibition, ban; *tech.* locking device, trip gear; → *Sperre.*

ˈ**Sperr...:** **~ventil** *n* check valve; **~vermerk** *econ. m* non-negotiability notice; **~vorrichtung** *tech. f* locking device, catch, stop; **~zeit** *f* restriction hours *pl.*; **~zoll** *m* prohibitive duty; **~zone** *f* → *Sperrgebiet.*

Spesen [ˈʃpeːzən] *econ. pl.* charges, (petty) expenses; costs; → *Gebühr*; **2frei** *adj.* free of charge(s); **~konto** *n* expense account; **~rechnung** *f* bill of expenses (incurred); **~vergütung** *f* reimbursement of charges.

Spezerei [ʃpeːtsəˈraɪ] *f* (-; -*en*) spice; **~waren** *f/pl.* groceries.

Spezi [ˈʃpeːtsi] *colloq. m* (-s; -[e]s) bosom-friend, crony, *Am. a.* buddy.

spezial [ʃpetsiˈɑːl] *adj.* special.

Speziˈal...: **~arzt** *m* specialist; **~ausbildung** *f* special training; **~ausführung** *f* special design; **~bericht** *m* special report, particulars *pl.*; **~erfahrung** *f* specialized experience; **~fach** *n* speciality, special line; *als ~ betreiben* specialize in; **~fahrzeug** *n* special purpose vehicle; **~fall** *m* special case; **~gebiet** *n* special subject (*or* branch); **~geschäft** *econ. n* one-line shop, *Am.* specialty store; **~gütermesse** *f* specialized trade fair.

speziali'sier|en *v/t.* (*h.*) specialize; *sich auf acc.* et. ~ specialize in a th.; **2ung** *f* (-) specialization.

Spezia'list(in *f*) *m* (-en, -en; -, -nen) specialist; *~ sein für* specialize in.

Speziali'tät *f* (-; -en) speciality, special line; *esp. Am.* specialty.

Spezi'al...: **~kräfte** *f/pl.* highly trained workers, specialists; **~sprunglauf** *m* ski-jumping proper; **~stahl** *m* special steel.

speziell [ʃpetsi'ɛl] **I.** *adj.* specific, special, particular; *~e Aufgabe* specification; **II.** *adv.* specifically, *etc.*; *~ anführen* → *spezifizieren.*

Spezies ['ʃpe:tsiɛs] *f* (-; -) species; *math. die vier ~* the four first rules of arithmetic.

spezifisch [ʃpe'tsi:fiʃ] *adj.* specific (-ally *adv.*); *~es Gewicht* specific gravity, specific weight.

spezifizier|en [ʃpetsifi'tsi:rən] *v/t.* (*h.*) specify, particularize, *Am.* itemize; **2ung** *f* (-; -en) specification.

Sphär|e ['sfɛ:rə] *f* (-; -n) sphere (*a. fig.*); **~enmusik** *f* music of the spheres; **2isch** *adj.* spherical; celestial.

Sphinx [sfiŋks] *f* (-) sphinx (*a. fig.*).

Spick|aal ['ʃpik-] *m* smoked eel; **2en I.** *v/t.* (*h.*) *cul.* lard; smoke; *fig.* interlard *speech. etc.* (*mit* with); cram, fill (*purse*); *gut gespickte Börse* well-lined purse; *von Pfeilen gespickt* bristling with arrows; *colloq. j-n ~* grease a p.; **II.** *v/i.* (*h.*) *colloq. ped.* crib; **~gans** *f* smoked goose(breast); **~nadel** *f* larding-pin.

spie [ʃpi:] *pret. of speien.*

Spiegel ['ʃpi:gəl] *m* (-s; -) (looking-) glass, mirror; pier-glass; *phys., med.* speculum; *tech.* reflector; *fig.* stern (*of ship*); (*water*) surface; (*sea*) level; top-layer; *hunt.* escutcheon; lapel; *mil.* tab; bull's-eye; *typ.* type area; (door, *etc.*) panel; *fig. im ~* (*gen.*) as reflected in; *j-m e-n ~ vorhalten* hold up a mirror to a p.; *das wird er sich nicht hinter den ~ stecken* he won't boast of that; **~belag** *m* mirror foil; **~bild** *n* reflected image; *fig.* reflection; mirage; **2blank** *adj.* mirror-like; *fig.* spick and span; **~ei** *n* fried egg; **~fechterei** ['-fɛçtəraɪ] *f* (-; -en) sham fight; *fig.* dissimulation, jugglery; humbug, eyewash; **~fernrohr** *n* reflector telescope; **~frequenz** *f* image frequency; **~glas** *n* (-es; ⸚er) plate-glass; **2glatt** *adj.* (as) smooth as a mirror, mirror-like; **2gleich, 2ig** *math. adj.* symmetrical; **~gleichheit** *math. f* mirror symmetry.

'spiegeln I. *v/i.* (*h.*) shine, glitter, sparkle; **II.** *v/t.* (*h.*) mirror, reflect (*both a. fig.*); *sich ~* (*h.*) be reflected (*or* mirrored), reflect; look at o.s. in a glass.

'Spiegel...: **~pfeiler** *arch. m* pier; **~reflexkamera** *f* reflex camera; **~saal** *m* hall of mirrors; **~scheibe** *f* (pane of) plate-glass; **~schrank** *m* wardrobe with a mirror; **~schrift** *f* mirror-writing; *typ.* reflected face; **~teleskop** *n* reflector telescope; **~tisch** *m* pier-table, dressing-table; **~ung** *f* (-; -en) reflection; mirage; **~zimmer** *n* mirror room.

Spiel [ʃpi:l] *n* (-[e]s; -e) play(ing) (*a. mus.*); game (*a. fig. b.s.* = scheme, low trick); match; sport; gambling; *fig.* child's play; *mus.* **a**) touch, **b**) execution, **c**) style; *thea.* **a**) play, **b**) acting, playing, performance; *~ Karten* pack (*Am.* deck) of cards; *~ Kegel, etc.* set of ninepins, *etc.*; *tech.* play, clearance; allowance; free space; backlash (*of gears*); slackness (*of bearing*); amount of looseness (*of fitted parts*); cycle (*of work*); *~ der Finger* (*Muskeln*) play of a p.'s fingers (muscles); *~ der Natur* freak of nature; *~ der Phantasie* play of fancy; *tennis*: (*Sieg*) *ohne ~* walkover; *soccer*: *gefährliches ~* dangerous play, *fig.* (*a. gewagtes ~*) gamble; *aufs ~ setzen* risk, stake, hazard; *auf dem ~e stehen* be at stake; *j-n aus dem ~ lassen* leave a p. out of it; *das ~ machen* have the game in one's hands; *fig. das ~ ist aus* the game is up; *die Hand dabei im ~e haben* have a finger in the pie; *ein falsches ~ treiben mit j-m* practise upon a p.; *sein ~ mit j-m treiben* make sport (*or* game) of *a p.*; *ein hohes ~ spielen* take a great gamble; *j-m freies ~ lassen* give a p. full play (*or* free hand); *gewonnenes ~ haben* have the game in one's hands, have gained one's point; *sports*: *der Ball ist im ~* the ball is in play; *fig. im ~ sein bei et.* be involved, be at the bottom of *a th.*; *fig. ins ~ kommen* (*bringen*) come (bring) into play; *leichtes ~ haben* win hands down, *fig.* have an easy task (*or* little trouble); *mit klingendem ~* drums beating (and trumpets sounding); *fig. das ~ verloren geben* throw up one's cards (*or* the sponge); *wie steht das ~?* what is the score?

'Spiel...: **~anzug** *m* jumpers, rompers *pl.*, playsuit; **~art** *f* style (of play); *bot., zo. and fig.* variety; **~automat** *m* slot machine; **~ball** *m billards*: ball in play; *tennis*: game ball; *fig.* plaything, sport; *ein ~ der Wellen sein* be at the mercy of the waves; **~bank** *f* (-; -en) gaming-table; gambling casino; **2berechtigt** *adj. sports*: eligible; **~brett** *n* (playing-)board; **~dauer** *f* time of play; *film*: run; **~dose** *f* musical box.

'spielen *v/i. and v/t.* (*h.*) play (*a. w.s. muscles, smile, etc.*); gamble; *Karten, Schach, etc.*: play (at) *cards, chess, etc.*; *mus. ein Instrument ~* **a**) play on an instrument, **b**) play an instrument; *thea.* play, act, perform; take the part of, impersonate, do; *film*: *in der Hauptrolle ~* feature, star; *mit j-m ~* be partnered with; *das Stück spielt in* the scene is laid in; *gespielt werden* be on; *sports*: *A spielte gegen B* A played B; feign, pretend, simulate; *den Höflichen ~* do the polite; *~ mit* toy with *a thing*; trifle with *a p.'s feelings*; *mit dem Gedanken ~, zu inf.* flirt (*or* trifle) with the idea of *ger.*; *colours*: glitter, sparkle; *ins Blaue ~* have a bluish tint, incline to blue; *j-m et. in die Hände ~* smuggle (*fig.* play) a th. into a p.'s hands; *falsch ~* cheat, play false, *mus.* play wrong notes; *hoch* (*niedrig*) *~* play for high (low) stakes; *mit dem Feuer ~* play with fire; *~ lassen fig.* bring into play; *s-e Beziehungen ~ lassen* pull one's strings; *s-n Witz ~ lassen* display one's wit, sparkle; *ich möchte wissen, was da gespielt wird* I wonder what's going on (*or* behind all this); what's your game?; *er läßt nicht mit sich ~* he is not to be trifled with; *mit gespielter Gleichgültigkeit* with studied (*or* feigned) unconcern; **~d** *fig. adv.*: *~* (*leicht*) easily, with effortless ease, just like that; *~ gewinnen* win hands down; *es ist ~ leicht* it's mere child's play.

'Spieler(in *f*) *m* (-s, -; -, -nen) player; gambler.

Spiele'rei *f* (-; -en) play(ing), sport, pastime; *fig.* trifle; dalliance; child's play; gadget(s *pl.*).

'Spiel...: **~ergebnis** *n sports*: score; **2erisch** *adj. sports*: playing, as a player; *fig.* playful; **~feld** *n sports*: field, (sports) ground; *tennis*: court; **~film** *m* feature (film); **~folge** *f* program(me); **~freiheit** *tech. f* absence of play; **~führer** *m* (team) captain; **~gefährt|e** *m*, **~in** *f* playfellow, playmate; **~geld** *n* play-money; stake, pool; **~geschehen** *n* course (*or* trend) of the play; **~gewinn** *m* winnings *pl.*; **~hahn** *orn. m* heath-cock; **~hälfte** *f sports*: half; **~hölle** *f* gambling den, *Am. a.* clip-joint; **~kamerad(in** *f*) *m* playfellow, playmate; **~karte** *f* playing-card; **~kasino** *n* gambling casino; **~klub** *m* card-club; **~leidenschaft** *f* passion for gambling; **~leiter** *m thea.* stage-manager; *film*: director; *sports*: referee; **~leitung** *f* direction, production; **~mann** *m* (-[e]s; -leute) musician, street-player; *hist.* minstrel; *mil.* bandsman; *pl.* (*Spielleute*) *mil.* bandsmen, drums and fifes; **~mannszug** *m* band; **~marke** *f* counter, chip; **~oper** *f* comic opera; **~plan** *m thea., etc.* program (-me); repertory; **~platz** *m* playground; *sports*: → *Spielfeld*; **~ratte** *colloq. f* gambler; **~raum** *m* room to move (about); *fig.* (free) play; latitude; margin; elbow-room; *tech.* play, clearance, → *Spiel*; *freien ~ haben* have full scope, have elbow-room; **~regel** *f* rule (of the game); *fig. ~n pl.* rules; *fig. sich an die ~n halten* play the game; **~sachen** *f/pl.* toys, playthings; **~schuld** *f* gambling debt; **~schule** *f* infant school, kindergarten; **~sitz** *tech. m* clearance fit; **~stunde** *f* playtime; **~sucht** *f* (-) passion for gambling; **~teufel** *m* gambling demon; passionate gambler; **~tisch** *m* card-table, gambling table; **~trieb** *m* play instinct; **~uhr** *f* musical clock; **~verbot** *n sports*: suspension; **~verderber(in** *f*) ['-fɛrdɛrbər] *m* (-s, -; -, -nen) spoilsport, kill-joy, wet blanket; **~ver-**

einigung *f* ball club; **~verlängerung** *f* extra time; **~verlauf** *m* → *Spielgeschehen*; **~waren** *f/pl.* toys, playthings; **~warenhändler(in** *f*) *m* toy-merchant, toy-man; **~warenhandlung** *f* toy shop; **~werk** *n* action; *of clock*: chime; **~wut** *f* passion for gambling; **~zeit** *f* playtime; *thea.*, *sports*: season; *of a match*: time of play; *film*: run; **~zeug** *n* toy(s *pl.*), plaything(s *pl.*); *contp.* gew-gaw; **~zeugeisenbahn** *f* model railway; **~zimmer** *m* card-room, gambling room; (children's) play-room, (day-)nursery.

Spiere [ˈʃpiːrə] *mar. f* (-; -*n*) spar, boom.

Spieß [ʃpiːs] *m* (-es; -e) spear, pike; javelin; *cul.* spit; *typ.* work-up; *mil. sl. Brit.* RSM (= regimental sergeant major), *Am.* top sergeant, topkick; *fig. den ~ umkehren* turn the tables (*gegen* on); *schreien wie am ~* scream piercingly, yell blue murder; → *braten*.

ˈ**Spießbürger** *m* bourgois, Philistine, sobersides, *Am.* Babbitt, square; **2lich** *adj.* Philistine, narrow-minded, humdrum, stodgy, bourgeois; **~tum** *n* (-s) Philistinism, narrow-mindedness, *Am.* babbittry.

ˈ**spießen** *v/t.* (*h.*) spear; spit; *auf die Gabel ~* stick on the fork; pierce, transfix, run through; → *aufspießen*.

ˈ**Spießer** *m* (-s; -) → *Spießbürger*; *hunt.* **a**) brocket, **b**) pricket.

ˈ**Spieß...**: **~gesell(e)** *m* accomplice, companion; **~glanz** *min. m* antimony.

ˈ**spießig** *adj.* → *spießbürgerlich*.

ˈ**Spießruten** *f/pl.*: *~ laufen* run the gauntlet (*a. fig.*).

Spill [ʃpil] *mar. n* (-[e]s; -e) capstan; windlass.

spinal [ʃpiˈnaːl] *anat. adj.* spinal; *~e Kinderlähmung* infantile spinal paralysis, polio(myelitis).

Spinat [ʃpiˈnaːt] *m* (-[e]s) spinach.

Spind [ʃpint] *m and n* (-[e]s; -e) press, wardrobe, cupboard; *mil.*, *sports*: locker.

Spindel [ˈʃpindəl] *f* (-; -*n*) spindle; distaff (*a. fig.*); *tech.* **a**) spindle, **b**) screw, **c**) arbor, **d**) mandril, **e**) lead screw; *of stairs*: newel; *of watch*: verge; bobbin; *chem.* hydrometer; **~baum** *m* spindle-tree; **~beine** *n/pl.* spindle-legs; **2beinig** *adj.* spindle-legged; **~drehbank** *f* chuck lathe; **2dürr** *adj.* lean as a rake, spindly; **2förmig** [ˈ-fœrmiç] *adj.* spindle-shaped, fusiform; **~kasten** *tech. m* headstock; **~presse** *tech. f* screw press.

Spinett [ʃpiˈnɛt] *n* (-[e]s; -e) spinet.

Spinne [ˈʃpinə] *f* (-; -*n*) spider; *fig.* spiteful person; *traffic*: multiple road junction; **2feind** *adj.*: *j-m ~ sein* hate a p. like poison.

ˈ**spinnen I.** *v/t.* (*irr.*, *h.*) spin; *fig.* hatch (*plots*, *etc.*); **II.** *v/i.* (*irr.*, *h.*) spin (round); *cat*: purr; *colloq.* rave; be crazy; *du spinnst wohl?* you must be mad!, are you nuts?; **2gewebe** *n* cobweb, spider's web.

ˈ**Spinner** *m* (-s; -), **~in** *f* (-; -*nen*) spinner; *zo.* bombyx; *colloq.* crank, *Am. a.* screwball.

Spinneˈrei *f* (-; -*en*) spinning; spinning-mill.

ˈ**Spinn...**: **~faden** *m* spider thread; **~faser** *tech. f* spinning fib|re, *Am.* -er; **~gewebe** *n* cobweb; **~maschine** *f* spinning-frame *or* -machine; **~rad** *n* spinning-wheel; **~rocken** *m* distaff; **~stoff** *m* spinning material; textile fib|re, *Am.* -er; **~stoffwaren** *f/pl.* textile fabrics, textiles; **~webe** [ˈ-veːbə] *f* (-; -*n*) cobweb.

spintisieren [ʃpintiˈziːrən] *v/i.* (*h.*) muse (*über acc.* on); ruminate.

Spion [ʃpiˈoːn] *m* (-s; -e), **~in** *f* (-; -*nen*) spy; window-mirror.

Spionage [ʃpioˈnaːʒə] *f* (-) espionage, spying; *mil.* intelligence; *~ treiben* engage in espionage, spy; **~abwehr** *f* counter-espionage, counter-intelligence; **~abwehrdienst** *m* counter-espionage service, *Am.* counterintelligence corps (*abbr.* C.I.C.); **~dienst** *m* intelligence service; **~ring** *m* spy ring.

spioˈnieren *v/i.* (*h.*) spy, play the spy; → *ausspionieren*, *schnüffeln*.

Spiral|bohrer [ʃpiˈraːl-] *tech. m* twist drill; **~e** *f* (-; -*n*) spiral (line), helix; *arch.* volute; *tech.* worm, helix; (*Draht2*) coil; *econ.* (price, *etc.*) spiral; **~feder** *f* spiral (*or* helical) spring; *of watch*: mainspring; **2förmig** [-fœrmiç] *adj.* spiral, helical; **~linie** *f* spiral line; **~nebel** *ast. m* spiral nebula; **~welle** *f* spirally wound shaft.

Spiritis|mus [ʃpiriˈtismus] *m* (-) spiritualism, spiritism; **~t(in** *f*) *m* (-en, -en; -, -*nen*) spiritist; **2tisch** *adj.* spiritist, spiritualistic.

Spirituosen [ʃpirituˈoːzən] *pl.* (ardent) spirits, spirituous (*or* alcoholic) liquors.

Spiritus [ˈʃpiːritus] *m* (-; -se) spirit(s *pl.*), alcohol; *denaturierter ~* methylated spirit; *gr.* breathing; **~brenneˈrei** *f* distillery; **~kocher** *m* spirit stove; **~lack** *m* spirit varnish; **~lampe** *f* spirit lamp.

Spirochäte [spiroˈçɛːtə] *biol. f* (-; -*n*) spiroch(a)ete.

Spital [ʃpiˈtaːl] *n* (-s; ⸚er) hospital, infirmary; → *Armenhaus*, *Altersheim*; **~schiff** *n* hospital ship.

spitz [ʃpits] *adj.* pointed, peaked; *math.* acute (*angle*); thin, peaked (*face*); *fig.* pointed, poignant, biting; *~e Zunge* sharp tongue; *~ zulaufen* taper off; *colloq.* et. *~ kriegen* find (*or* make) a th. out, catch on to a th.

Spitz *m* (-es; -e) Pomeranian (dog); *colloq.* → *Schwips*.

ˈ**Spitz...**: **~bart** *m* pointed beard; goatee; **~bauch** *m* paunch; **~blattern** *med. f/pl.* chicken-pox *sg.*; **~bogen** *arch. m* pointed (*or* Gothic) arch, ogive; **~bogenfenster** *n* lancet window; **~bube** *m*, **~bübin** *f* thief, pickpocket; *w.s.* (*a. humor.*) rogue, rascal; **~bubengesicht** *n* roguish face; **~bubenstreich** *m*, **~büberei** [ˈ-byːbəˈraɪ] *f* (-; -*en*) roguish trick, roguery, rascality; **2bübisch** *adj.* knavish, rascally, *a. humor.* roguish; impish.

ˈ**Spitze** *f* (-; -*n*) point; peak (*a. fig. maximum*), summit, top (*a. fig.*); (tree) top; spike, prong; tip; spire; *math.* vertex (*of triangle*), apex (*of pyramid*; *a. of heart*, *etc.*); lace; (cigarette-)holder; mouthpiece (*of pipe*); *tech. machine tool*: tote (*mitlaufende*) *~* dead (live) cent|re, *Am.* -er; crest (*of gear wheel*); head (*of column*, *organization*, *etc.*); *mil.* (spear)head; *sports*: **a**) leading group, **b**) lead; *fig.* pointed remark, cut, sarcasm; surplus; *die ~n der Gesellschaft* the cream (*or* leaders) of society; *sports*: *an der ~ liegen* be in the lead; *an der ~ e-r Sache stehen* be at the head of a th.; *auf die ~ treiben* carry to extremes, carry (things) too far; *e-r Sache die ~ nehmen or abbrechen* take the edge off a th.; *j-m die ~ bieten* make head against, defy, brave *a p.*; *mot. ~ fahren* drive at top speed.

ˈ**Spitzel** *m* (-s; -) police spy, informer, nark, *Am.* stool pigeon; *a.* company spy; snooper; **2n** *v/i.* (*h.*) spy, snoop about; play the informer.

ˈ**spitzen** *v/t.* (*h.*) point; sharpen; *den Mund ~* purse up one's lips; *die Ohren ~* prick up one's ears, *w.s.* sit up and take notice; *colloq. fig. sich ~ auf* look forward to, be eager about.

ˈ**Spitzen...** *in compounds* lace ...; *fig.* peak ..., maximum ..., top ...; **~abstand** *tech. m* distance between cent|res, *Am.* -ers; **~arbeit** *f* lace-work; **~belastung** *el. f* peak load; **~besatz** *m* lace-trimming; **~bluse** *f* lace blouse; **~drehbank** *tech. f* cent|re (*Am.* -er) lathe; engine lathe; **~einsatz** *m* lace insertion; **~erzeugnis** *n* first-class product; **~film** *m* top-ranking film; **~geschwindigkeit** *f* top speed, peak velocity; **~gruppe** *f sports*: leading group; **~kandidat** *m* top candidate, front runner; **~klasse** *f* top class; **~kleid** *n* dress trimmed with lace; **~klöppler(in** *f*) [ˈ-klœplər] *m* (-s, -; -, -*nen*) lace-maker; **~kragen** *m* lace collar; **~leistung** *f* masterly performance, master-piece; *sports*: record; *tech.* peak output, maximum capacity; *el.* peak power; *generally*: peak performance (*or* efficiency); **~lohn** *m* peak wage(s *pl.*); **2los** *tech. adj.* centreless, *Am.* centerless; **~organisation** *f* top (*or* central) organization; **~reiter** *m sports*: leader; **~spiel** *tech. n* crest clearance; **~spieler** *m sports*: top-ranking player, *Am.* top-notcher; **~stoff** *m* lace fabric; **~strom** *el. m* peak current; **~tänzer(in** *f*) *m* toe-dancer; **~verband** *m* top (*or* central) organization; *mil.* advance element, point squad; **~wein** *m* first-class wine; **~wert** *m* peak value.

ˈ**Spitzer** *m* (-s; -) **1.** pencil-sharpener; **2.** *zo.* Pomeranian (dog).

ˈ**spitz...**: **~findig** *adj.* subtle, sharp; captious, cavilling, hairsplitting; sophistical; nice; *~ sein* subtilize; **2findigkeit** *f* subtlety, subtleness; captiousness; sophistry, (piece of) hairsplitting; **2geschoß** *mil. n* pointed bullet; **2hacke** *f* pick-ax(e), pick; **~ig** *adj.* → *spitz*; **2kehre** *f mot.* hairpin turn; *skiing*: kick-turn; **2kopf** *m* pointed head; **2-**

kühler *m mot.* V-shape radiator; *collcq. fig.* potbelly; **2licht** *n film*: back and tangential lighting; *pl. in picture*: high lights; **2marke** *typ. f* head(ing); **2maus** *f* shrew(-mouse); *colloq.* (*person*) weaselface; **2name** *m* nickname; **2nase** *f* pointed nose; **~nasig** *adj.* sharpnosed; **2säule** *f* obelisk; **2turm** *m* spire; **2wegerich** *bot. m* ribwort; **~wink(e)lig** *math. adj.* acute-angled.

Spleen [spli:n] *m* (-*s*; -e) craze, crotchet, fad; '**2ig** *adj.* crazy, crotchety.

spleißen ['ʃplaɪsən] **I.** *v/i.* (*irr., h.*) split, crack; **II.** *v/t.* (*irr., h.*) split, cleave; splice (*cable, rope*); *metall.* refine.

splendid(e) [splɛn'di:t, -də] *colloq. adj.* freehanded, generous; splendid, magnificent; *typ.* wide(ly spaced).

Splint [ʃplint] *m* (-[e]*s*; -*e*) *bot.* sapwood; *tech.* split pin, cotter; '**~bolzen** *m* eyebolt; '**~e** *tech. f* (-; -*n*) split pin; '**2en** *v/t.* (*h.*) cotter.

Splitt [ʃplit] *m* (-[e]*s*; -e) crushed stone; *on roads*: loose gravel, chippings *pl.*

'**Splitter** *m* (-*s*; -) splinter, shiver; fragment; chip; *bibl.* mote (*in another's eye*); **~bombe** *mil. f* fragmentation bomb; **~bruch** *m*, **~fraktur** *med. f* chip fracture; **2frei** *adj.* splinterproof, non-splintering, shatterproof; **~graben** *mil. m* slit trench; **~gruppe** *pol. f* splinter group; **2ig** *adj.* splintered, splintery; **2n** *v/t.* (*h.*) *and v/i.* (*sn*) splinter, shiver (to pieces); split; **2nackt** *adj.* stark naked, *Am. a.* mother-naked; **~partei** *pol. f* splinter party; **2sicher** *adj.* → *splitterfrei*; **~es** *Glas a.* safety glass; **~wirkung** *mil. f* fragmentation effect.

spontan [ʃpɔn'tɑ:n] *adj.* spontaneous.

sporadisch [ʃpo'rɑ:diʃ] *adj.* sporadic(ally *adv.*).

Spore ['ʃpo:rə] *bot. f* (-; -*n*) spore.

Sporen ['ʃpo:rən] *pl. of Sporn.*

Sporn [ʃpɔrn] *m* (-[e]*s*; *Sporen*) spur (*a. zo. and fig.*); *mar.* ram; *aer.* tail skid; *of gun*: trail spade; *fig.* goad, incentive, stimulus; *die Sporen geben* → *spornen*; *fig. sich die Sporen verdienen* win one's spurs; **2en** *v/t.* (*h.*) spur, set (*or* put) spurs to; **~rad** *aer. n* tail wheel; **~rädchen** *n* rowel; **2streichs** ['-ʃtraɪçs] *adv.* post-haste, directly, straight away.

Sport [ʃpɔrt] *m* (-[e]*s*) sport(s *pl.*); athletics *pl.*; *fig.* hobby; *~ treiben* go in for sports; **~abzeichen** *n* sports badge; **~anlage** *f* athletic ground(s *pl.*), sports facilities *pl.*; → *Sportfeld*; **~anzug** *m* sports suit; **~art** *f* form of sport, branch of athletics; **~artikel** *m/pl.* sports goods; **~arzt** *m* sport physician; **~ausrüstung** *f* sports equipment; **2begeistert** *adj.* sports-minded; **~bericht** *m* sporting report (*or* news); **~bericht-erstatter** *m* sports reporter.

Sporteln ['-təln] *f/pl.* perquisites, fees.

'**sporteln** *colloq. v/i.* (*h.*) go in for sports.

'**Sport...:** **~ereignis** *n* (sporting) event; **~feld** *n* sports field, athletic ground(s *pl.*); stadium; **~fest** *n* sports-day, sports meeting; **~flieger** *m* sports pilot; **~flugzeug** *n* sporting (air)plane; **~freund(in** *f*) *m* sports enthusiast (*or* fan); sports-goer; **~geist** *m* (-*es*) sportsmanship; **~gelände** *n* sports grounds *pl.*; **~gerät** *n* athletic implement(s *pl.*), sports kit; **~geschäft** *n* sporting-goods shop; **~halle** *f* gymnasium; **~hemd** *n* sports shirt; (running) vest; **~herz** *med. n* athlete's heart; **~hochschule** *f* sports college; **~hose** *f* (e-e ~ a pair of) shorts *pl.*; **~jacke** *f* sports jacket; **~kabriolett** *n* convertible coupé; sport roadster; **~kleidung** *f* sports wear; **~klub** *m* sports club; **~lehrer(in** *f*) *m* sports instructor; trainer, coach; **~ler(in** *f*) *m* (-*s*, -; -, -*nen*) sports(wo)man, (woman) athlete; **2lich** *adj.* sporting, athletic; athletic-looking; sportsmanlike; *~e Veranstaltung* sporting event; *~e Tüchtigkeit* sporting prowess; **~lichkeit** *f* (-) sportsmanship; **~mantel** *m* sports coat; **~mütze** *f* sporting cap; **~nachrichten** *f/pl.* sporting news; **~platz** *m* → *Sportfeld*; **~redakteur** *m* sports writer; **~schuh** *m* athletic shoe; **~schule** *f* sports college; **~skanone** *colloq. f* star-athlete, top-ranking athlete, ace, crack, *Am. a.* top-notcher; **~smann** *m* (-[e]*s*; -*leute*) sportsman; **2smäßig** ['-mɛ:siç] *adj.* sportsmanlike; **2treibend** *adj.* sporting; **~veranstaltung** *f* sport(-ing) event, sports meeting; **~verband** *m* sport association; **~verein** *m* athletic club, sports club; **~wagen** *m mot.* sports car; *for babies*: folding pram, go-cart; **~warenhändler** *m* sports outfitter; **~welt** *f* (-) world of sports; sporting world; **~zeitung** *f* sports magazine, sporting paper.

Spott [ʃpɔt] *m* (-[e]*s*) mockery, scoff(ing); derision, ridicule; irony; banter, raillery; sarcasm; scorn; laughing-stock; *s-n ~ mit et. treiben* make fun of, mock at, scoff at, turn *a th.* to ridicule; → *Zielscheibe*; '**~bild** *n* caricature; **2'billig** **I.** *adj.* dirt-cheap; *~e Ware* dead bargain; **II.** *adv. a.* for a song; '**~drossel** *orn. f* mocking-bird.

Spöttelei [ʃpœtə'laɪ] *f* (-; -*en*) raillery, sarcasm; chaff, gibe(s *pl.*), jibe(s *pl.*); irony.

'**spötteln** *v/i.* (*h.*) scoff, sneer, jeer, gibe (*über acc.* at).

'**spotten** *v/i.* (*h.*) mock, scoff, laugh (*über acc.* at); *~ über acc.* ridicule, deride (*a p.*); sneer *or* jeer at; snap one's fingers at; chaff; make game (*or* fun) of; *fig. j-m ~* defy a p.; *jeder Beschreibung ~* defy (*or* beggar) description.

'**Spötter** *m* (-*s*; -), **~in** *f* (-; -*nen*) mocker, scoffer, sarcastic person; cynic; *eccl.* blasphemer.

Spötte'rei *f* (-; -*en*) scoffing, mockery; → *Spott.*

'**Spott...:** **~gebot** *econ. n* ridiculous offer; **~geburt** *f* monstrosity; **~gedicht** *n* satirical poem, squib; **~gelächter** *n* derisive laugh(ter); **~geld** *n* (-[e]*s*) ridiculously small sum, trifling sum; *für ein ~* for a mere song, dirt-cheap.

'**spöttisch** *adj.* mocking; scoffing, sneering; taunting; derisive, scornful; sarcastic; ironical, quizzical; satirical.

'**Spott...:** **~lied** *n* satirical song; **~lust** *f* (love of) sarcasm; **2lustig** *adj.* fond of chaff; sarcastic; **~name** *m* nickname; **~preis** *m* ridiculous price, trifling sum; *für e-n ~* for a mere song, dirt-cheap; **~schrift** *f* satire, lampoon; **~vogel** *m orn.* mocking-bird; *fig.* mocker, wag.

sprach [ʃprɑ:x] *pret. of sprechen.*

'**Sprache** *f* (-; -*n*) speech; language, tongue; vernacular; language, parlance; words *pl.*; voice; articulation; diction, style; elocution, delivery; dialect, idiom; slang; lingo; *alte ~n* ancient languages; *die ~ der Vernunft* the language of common sense; et. *zur ~ bringen* bring a th. up, broach a subject; *zur ~ kommen* come up (for discussion), be mentioned; e-e *derbe ~ führen* use strong language; *die ~ wiedergewinnen* recover one's speech; *das redet e-e deutliche ~* that speaks for itself; *heraus mit der ~!* out with it!, speak out (*or* up)!; → *beherrschen, etc.*

'**Sprach...:** **~eigenheit, ~eigentümlichkeit** *f* idiom(atic expression); *deutsche ~* Germanism; *englische* (*amerikanische, französische*) *~* Anglicism (Americanism, Gallicism); **~en-atlas** *m* language map; **~en-gewirr** *n* confusion of languages; **~fähigkeit** *f* faculty of speech; **~fehler** *m med.* defect of speech, speech impediment; *gr.* grammatical mistake, solecism; **~fertigkeit** *f* (-) fluency of speech, gift of the gab; proficiency in a foreign language; **~forscher(in** *f*) *m* philologist, linguist; **~forschung** *f* philology, linguistics *pl.*; **~führer** *m* colloquial guide (to a language), phrase-book; **~gebiet** *n* speech area; *deutsches ~* (all) German-speaking countries; *englisches ~* English-speaking world; **~gebrauch** *m* (linguistic) usage; *im gewöhnlichen ~* in colloquial (*or* everyday) usage; **~gefühl** *n* (-[e]*s*) feeling for a language, linguistic instinct; **~gelehrte(r** *m*) *f* philologist; **~genie** *n* linguistic genius; **2gewaltig** *adj.* of powerful expression; **2gewandt** *adj.* proficient in languages; fluent, glib; **~insel** *f* isolated dialect, linguistic enclave, *Am. a.* speech island; **~kenner** *m* linguist; **~kenntnisse** *f/pl.* knowledge of languages, proficiency in a foreign language; **2kundig** *adj.* versed (*or* proficient) in languages; polyglot; **~labor** *n* language laboratory; **~lehre** *f* grammar; language primer; **~lehrer(in** *f*) *m* teacher of languages; language master; **2lich** **I.** *adj.* of languages, linguistic; grammatical; **II.** *adv.* linguistically, *etc.*; as to style; **2los** *adj.* speechless; *da war er ~* that left him speechless, he was dumbfounded (*or* struck dumb); *ich bin einfach ~* well I never!, I'll be damned!; **~losigkeit** *f* (-) speechlessness; **~mittler** *m* interpreter; linguist; 2**moduliert** *tel. adj.* voice-modulated; **~neuerer** *m* language reformer; **~organ** *n* organ of speech; **~raum** *m* speech area; **~regel** *f* rule of grammar; **~regelung** *f* prescribed phraseology; **~reinheit** *f* purity of language; **~reiniger** ['-raınigər] *m* (-*s*; -) purifier of a language, *contp.* purist; 2**richtig** *adj.* correct, grammatical; **~rohr** *n* speaking-tube, megaphone; *fig.* mouthpiece; organ (*of public opinion*); **~schatz** *m* (-*es*) vocabulary; **~schnitzer** *colloq. m* grammatical blunder, howler; 2**schöpferisch** *adj.* creative in the use of language, coining new words or phrases; **~schule** *f* school of languages; **~störung** *f* speech disorder (*or* impediment); **~studium** *n* study of languages; **~sünde** *f* solecism; **~talent** *n* linguistic talent; **~unterricht** *m* instruction in a language; *englischer ~* English lessons *pl.*; **~verbesserer** *m* reformer of a language; **~verderber** ['-fɛrdɛrbər] *m* (-*s*; -) corrupter of a language; **~verein** *m* linguistic society; **~vergleichung** *f* comparative philology; **~vermögen** *n* (-*s*) faculty of speech; **~verstärker** *m* speech-amplifier; **~werkzeug** *n* organ of speech; 2**widrig** *adj.* incorrect, ungrammatical; **~wissenschaft** *f* philology; linguistics *pl.*; **~wissenschaftler(in** *f*) *m* philologist, linguist; 2**wissenschaftlich** *adj.* philological, linguistic(ally *adv.*); **~zentrum** *anat. n* speech cent|re, *Am.* -er.

sprang [ʃpraŋ] *pret. of springen.*

Sprech|art ['ʃprɛçˀɑːrt] *f* manner of speaking, diction; **~band** *n* (-[*e*]*s*; ⸚*er*) *film*: dialogue track; **~chor** *m* speaking chorus; *im ~ rufen* chorus.

'**sprechen** *v/t. and v/i.* (*irr.*, *h.*) speak, talk (*mit* to; *über acc.*, *von* of, about); say, utter; *~ mit* (*consult*) see (*one's doctor, etc.*); *~ für* **a)** speak for (*or* in behalf of), **b)** put in a good word for, **c)** plead for, argue in favo(u)r of, advocate; *das spricht für ihn* that tells in his favo(u)r *or* speaks well for him; *das spricht für s-e Nerven* that speaks well for his nerves; *alle Anzeichen ~ dafür, daß* there is every reason to believe that; *das spricht für sich selbst* that tells its own tale; *vieles spricht dafür* there is much to be said for it; *dagegen ~* argue against it, *reasons*: *a.* tell against it; *j-n zu ~ wünschen* wish to see a p.; *ich muß erst mit m-m Anwalt ~* I must see my lawyer first; *kann ich Sie kurz* (*geschäftlich*) *~* can I see you for a moment (on business); *er ist nicht zu ~* he is engaged (*or* busy), he cannot see you now; (*nicht*) *mit sich ~ lassen* (not) to listen to reason; *nicht gut zu ~ sein auf* be ill-disposed towards, have it in for a p.; *das Urteil ~* pronounce judgment; *über Politik* (*Geschäfte*) *~* talk politics (business); *von et. anderem ~* change the subject; *zu ~ kommen auf* come to speak of, bring up, touch (up)on; *man spricht viel von ihm* he is much spoken of *or* talked about; *wir ~ uns noch!* I'll be seeing you!; *~ wir nicht davon* don't talk about it, the less said about it the better; *sie ~ nicht mehr miteinander* they are no longer on speaking terms; *es spricht ihr aus dem Gesicht* it is written on her face; *aus s-n Worten spricht Begeisterung* his words express enthusiasm; *unter uns gesprochen* between ourselves; *allgemein gesprochen* generally speaking; *sprich!* speak out (*or* up)!; → *Blume, schuldig, Tischgebet, etc.*; 2 *n* speaking, talking; **~d** *adj. fig.* life-like; speaking (*likeness*), striking (*resemblance*); eloquent (*eyes*); convincing, telling.

'**Sprecher(in** *f*) *m* (-*s*, -; -, -*nen*) speaker, talker; *radio*: broadcaster, announcer; spokesman; *parl.* Speaker.

'**Sprech...**: **~fehler** *m* slip of the tongue; **~film** *m* talking film, talkie; **~frequenz** *f* voice frequency; **~funk** *m* radiotelephony (R/T), voice radio; **~funkgerät** *n* radiotelephone, radiophone set; walkie-talkie; handie-talkie; **~gebühr** *teleph. f* message fee; **~gerät** *n* inter-office communicator; **~gesang** *mus. m* recitative; **~muschel** *teleph. f* mouthpiece; **~platte** *f* speech record; **~probe** *f* auditioning; voice test; **~rolle** *thea. f* speaking part; **~stelle** *teleph. f* public telephone, call station; **~stimme** *f* speaking voice; **~strom** *el. m* speaking current; **~stunde** *f* office hour, calling hour; consultation-hour (*of doctor*); **~stundenhilfe** *f* receptionist; (doctor's) assistant; **~taste** *f* speaking key; **~übung** *f* exercise in speaking; **~verkehr** *m* telephone traffic; **~weise** *f* manner of speaking, speech, diction; **~zimmer** *n* parlo(u)r, office; *of doctor*: consulting room, surgery.

Spreiz|e ['ʃpraıtsə] *f* (-; -*n*) *tech.* prop, stay, strut; *gym.* straddle; 2**en** *v/t.* (*h.*) spread (out *or* asunder), open out; straddle (*legs*); *sich ~* (*h.*) sprawl; *fig.* swagger, strut, bluster, *gegen*: struggle (*or* strive) against, *mit*: boast of, plume o.s. on; → *gespreizt*; **~fuß** *med. m* splayfoot; **~ring** *tech. m* expander (ring); **~schritt** *mount. m* straddle.

Spreng... [ʃprɛŋ-]: '**~arbeit** *f* blasting (operation); '**~bombe** *mil. f* high-explosive (*abbr.* H.E.) bomb, demolition bomb; **~el** ['-əl] *m* (-*s*; -) district; *eccl.* diocese; parish; '2**en I.** *v/t.* (*h.*) sprinkle, spray; water (*plants, etc.*); burst (*or* force) open, force (*door*); break (*hold, fetters*); blow up, blast; spring (*mine*); break up (*meeting*), disperse, scatter (*crowd*); *gambling*: break (*the bank*); *fig.* → *Rahmen*; **II.** *v/i.* (*sn*) gallop, ride fast (*or* hard); '**~er** *m* (-*s*; -) blaster; sprinkler; '**~flüssigkeit** *f* explosive liquid; '**~geschoß** *n* explosive projectile; '**~granate** *f* high-explosive (*abbr.* H.E.) shell; '**~kammer** *f* demolition chamber; bridge chamber; '**~kapsel** *f* detonator; blasting fuse; '**~kommando** *n* demolition party; bomb disposal unit; '**~kopf** *m* warhead; '**~körper** *m* explosive; '**~kraft** *f* (-) explosive force; '**~ladung** *f* explosive (*or* demolition) charge; '**~loch** *n* blast-hole; '**~mittel** *n* blasting agent; explosive; '**~öl** *n* nitro-glycerine; '**~patrone** *f* blasting cartridge; '**~pulver** *n* blasting powder; '**~punkt** *m* blasting point; air burst; '**~ring** *tech. m* snap ring; '**~satz** *m* blasting composition; '**~schuß** *m* blast; '**~stoff** *m* blasting agent, explosive; '**~stück** *n* splinter, fragment; '**~trichter** *m* crater; '**~trupp** *m* → *Sprengkommando*; '**~ung** *f* (-; -*en*) explosion, blowing up, blasting; breaking, dispersion (*of meeting*); '**~wagen** *m* water(ing)-cart, street sprinkler; '**~wedel** *eccl. m* sprinkler; '**~werk** *arch. n* strut frame; '**~wirkung** *f* explosive effect; '**~wolke** *f* burst cloud; '**~zünder** *m* (explosive) fuse, detonator.

Sprenkel ['ʃprɛŋkəl] *m* (-*s*; -) **1.** snare, noose; **2.** speck(le), spot; 2**n** *v/t.* (*h.*) speckle, spot, mottle; marble; → *gesprenkelt*.

sprenzen ['ʃprɛntsən] *v/t.* (*h.*) spray, sprinkle.

Spreu [ʃprɔʏ] *f* (-) chaff; (*a. fig.*) *die ~ vom Weizen sondern* sift the chaff from the wheat.

Sprich|wort ['ʃpriç-] *n* (-[*e*]*s*; ⸚*er*) proverb, adage, (proverbial) saying; *wie es im ~ heißt* as the saying is; 2**wörtlich** *adj.* proverbial (*a. fig.*).

sprießen ['ʃpriːsən] *v/i.* (*sn*) sprout, shoot (up).

Spriet [ʃpriːt] *mar. n* (-[*e*]*s*; -*e*) sprit.

Spring|bein ['ʃpriŋ-] *zo. n* saltatorial leg; **~brett** *n* → *Sprungbrett*; **~brunnen** *m* fountain.

'**springen** *v/i.* (*irr.*, *sn*) jump; leap; vault; hop, skip; *lit., a. things, esp. water, blood*: spring; *ball, etc.*: bound, bounce; *ins Wasser ~* jump into the water, (take a) plunge; dive; burst, crack, break; *in die Augen ~* strike (*or fig.* leap to) the eye, be obvious; *~ über* jump, leap, clear, take; *colloq. fig. ~ lassen* stand; et. *~ lassen* spend money freely, stand treat; e-e *Mine ~ lassen* spring a mine (*a. fig.*); *der ~de Punkt* the (essential *or* crucial) point.

'**Springen** *n* (-*s*) jumping, vaulting; diving.

'**Springer** *m* (-*s*; -) **1.** (**~in** *f*, -; -*nen*) jumper; diver; **2.** *chess*: knight.

'**Spring...**: **~feder** *f* elastic spring; **~flut** *f* spring-tide; **~hengst** *m* stallion; **~insfeld** ['-ˀinsfɛlt] *m* (-[*e*]*s*; -*e*) harum-scarum, (young) whipper-snapper; (*girl*) romp, madcap; **~kraft** *f* (-) elasticity, springiness; **~konkurrenz** *f riding*: jumping test; 2**lebendig** *adj.* full of beans; **~maus** *f* jerboa; **~pferd** *n* jumping horse; **~quell(e** *f*) *m* spring, fountain, well; **~seil** *n* skipping-rope; **~wettkampf** *m* diving competition.

Sprint [ʃprint] *m* (-*s*; -*s*), '2**en** *v/i.* (*sn*) sprint.

Sprit [ʃprit] *m* (-[*e*]*s*; -*e*) spirit(s *pl.*), alcohol; *colloq. mot.* fuel, juice, *Am. a.* gas.

Spritz|apparat ['ʃprits-] *m* spray (-er); **~arbeit** *f bookbinding*: marbled work; **~bad** *n* shower-bath, douche; **~blech** *mot. n* splash-guard; **~brett** *n* splash-board; **~düse** *f* spray nozzle; *mot.* injection nozzle; *for plastics*: injection mo(u)lding nozzle.

'**Spritze** *f* (-; -n) *a. med.* syringe, squirt; *med.* injection, shot; *colloq. econ.* shot-in-the-arm; *tech.* spray (-er); (fire-)engine; *sl. mil.* (machine-)gun; *colloq. fig. an der ~ sein* be at (*or* stick to) one's post; → *Spritzfahrt.*

'**spritzen I.** *v/t.* (*h.*) squirt; syringe; splash; sprinkle; spray; *thermoplastics*: injection-mo(u)ld; *med.* **a**) inject, **b**) syringe; mix *drink* with soda-water; play the hose on; **II.** *v/i.* (*h.*) throw water, splash; spurt, spout; *water-hose, etc.*: play; *pen*: splutter; *colloq.* dash, flit; **2haus** *n* (fire-)engine house, fire-station; **2mann** *m* fireman.

'**Spritzer** *m* (-s; -) splash.

'**Spritz...**: **~fahrt** *colloq. f* (pleasure-)trip, (short) excursion, *mot.* spin; **~farbe** *f* paint spray; **~flakon** *m* spray flacon; **~flasche** *f* spray bottle; *chem.* wash bottle; **~gebäck** *n* fritters *pl.*; **~guß** *m metall.* die-casting; *plastics*: injection mo(u)lding; **~gußform, ~gußmatrize** *f* die-casting die; *plastics*: injection mo(u)ld die; **~gußmasse** *f* injection mo(u)lding compound; **2ig** *adj.* agile, quick; sparkling, fizzy (*wine*); *colloq. fig.* lively, spirited, racy; sparkling, witty; **~lack** *m* spraying varnish; **2lackieren** *v/t.* (*h.*) (paint-)spray; **~leder** *n* splash leather; **~mittel** *agr. n* spray, insecticide; **~pistole** *f* spray gun; **~tour** *colloq. f* → *Spritzfahrt*; **~vergaser** *mot. m* atomizing carburettor; **2wassergeschützt** *tech. adj.* hose-proof, splash-proof.

spröd|e ['ʃprøːdə] *adj.* brittle (*a. voice*), *metall. a.* short; friable; unyielding, inflexible; hard; rough (*hair, skin*); *fig.* reserved; coy, prim, prudish (*girl*); *~ tun* play the prude; **2igkeit** *f* (-) brittleness, *metall. a.* shortness; unyieldingness; *fig.* reserve; coyness, prudishness.

sproß [ʃprɔs] *pret. of sprießen.*

Sproß *m* (-sses; -sse) *bot.* shoot, sprout, spring; germ; *fig.* scion, offspring, descendant.

Sprosse ['ʃprɔsə] *f* (-; -n) rung, round, step (*of ladder*); stave (*of wheel*); tine, point (*of antlers*).

'**sprossen** *v/i.* (*sn*) → *sprießen.*

'**Sprossenwand** *f gym.* wall bars *pl.*

Sprößling ['ʃprœsliŋ] *m* (-s; -e) → *Sproß*; *humor.* son, junior.

Sprotte ['ʃprɔtə] *ichth. f* (-; -n) sprat.

Spruch [ʃprux] *m* (-[e]s; ⸚e) saying; aphorism, maxim; dictum; *bibl.* (scripture-)text, passage; *radio*: message; decision; award; *jur.* judgment, ruling; sentence, verdict; *die Sprüche pl. Salomonis* the Proverbs (of Solomon); *colloq. große Sprüche machen* talk big, brag; *colloq. alte Sprüche* old gags; '**~band** *n* (-[e]s; ⸚er) banner; *arch.* banderole, scroll; '**~dichtung** *f* epigrammatic poetry; '**~kammer** *f* board of appeal; *pol.* (denazification) trial tribunal; '**~kammerentscheid** *pol. m* trial tribunal decision; '**2reif** *adj.* ripe for decision; *die Sache ist noch nicht ~* the matter is not yet ripe for decision.

Sprudel ['ʃpruːdəl] *m* (-s; -) mineral water; **~getränk** *n* carbonated beverage; **2n** *v/i.* (*sn, h.*) gush (*or* bubble) forth; bubble (up); *beverage*: effervesce; *fig.* sputter; *~ vor* bubble (*or* brim) over with; *in ~der Laune* sparkling with humo(u)r.

sprüh|en ['ʃpryːən] **I.** *v/t.* (*h.*) send forth, shower; emit (*sparks*); spit (*fire*); spray (*water, varnish, etc.*); sprinkle; *ihre Augen sprühten Feuer* her eyes flashed fire; **II.** *v/i.* (*h.*) fizzle; *rain*: drizzle; *sparks*: scintillate, fly; *fig. eyes*: flash (*vor dat.* with); sparkle with wit; **2entladung** *el. f* corona; **2nebel** *m* (mist) spray; **2regen** *m* drizzling rain, drizzle.

Sprung [ʃpruŋ] *m* (-[e]s; ⸚e) leap, bound, jump; *gym.* vault; dive; *mil.* dash; *zo.* copulation; herd of deer; crack, fissure, flaw; *fig. ~ ins Ungewisse* leap in the dark; *auf dem ~e sein* be on the alert; → *sprungbereit, ansetzen*; *auf dem ~e sein, zu inf.* be on the point of *ger.*; *auf e-n ~ vorbeikommen* drop in (for a minute; *bei* on); *im ~e* leaping, in mid-air; *es ist nur ein ~ bis dorthin* it is only a stone's throw from here; *j-m auf die Sprünge kommen* find a p. out, be up to a p.'s tricks; *j-m auf die Sprünge helfen* set a p. right, help a p. out; *er kann keine großen Sprünge machen* he can't go far, he has no money to waste.

'**Sprung...**: **~balken** *m sports*: take-off board; **~bein** *n anat.* ankle bone; *sports*: take-off leg; **2bereit** *adj. and adv.* ready to leap and strike; **~brett** *n* spring board; diving-board; *fig.* stepping-stone, jumping-off place; **~feder** *f* elastic spring; **~federmatratze** *f* spring mattress; **~gelenk** *n* ankle joint; *of horse, etc.*: hock; **~grube** *f* (landing) pit; **2haft I.** *adj. fig.* desultory, erratic, flighty; *econ.* jerky, spasmodic; **II.** *adv.*: *~ steigen* rise by leaps and bounds; → *sprungweise*; **~hügel** *m* (ski-)jumping hill; **~kraft** *f* (-) *sports*: take-off power; **~latte** *f sports*: cross-bar, lath; **~lauf** *m* ski-jumping; **~netz** *n* life net; **~revision** *jur. f* direct appeal to the Supreme Court; **~riemen** *m* martingale; **~schalter** *el. m* quick-break switch; **~schanze** *f* ski-jump; ski-jumping platform; **~tuch** *n* (-[e]s; ⸚er) jumping sheet (*of fire brigade*); **~turm** *m* high-diving board; **2weise** ['-vaɪzə] *adv.* by bounds; *fig.* by leaps and bounds; by fits and starts; **~weite** *f* leaping range.

Spuck|e ['ʃpukə] *f* (-) spittle, saliva; *colloq. da blieb mir die ~ weg* I was simply flabbergasted; **2en** *v/i. and v/t.* (*h.*) spit (out), expectorate; *engine*: splutter; **~napf** *m* spittoon, *Am. a* cuspidor.

Spuk [ʃpuːk] *m* (-[e]s; -e) apparition, spectre, ghost, spook; noise, hubbub, uproar; *fig.* nightmare; **2en** *v/i.* (*h.*) *an e-m Ort*: haunt a place; *es spukt (in dem Hause)* the house is haunted; *fig. die Idee spukt bei ihm im Kopfe* the idea is haunting him, he is obsessed with the idea; *der Gedanke spukt noch immer in den Köpfen* the thought still haunts people's minds; **~geist** *m* hobgoblin; **~geschichte** *f* ghost-story; **2haft** *adj.* ghostly, weird.

Spülbecken ['ʃpyːl-] *n* rinsing bowl; *of W.C.*: flushing pan.

Spule ['ʃpuːlə] *f* (-; -n) quill (*of feather*); *tech.* spool, *a. weaving*: reel; drum; bobbin; *el.* coil; **2n** *v/t.* (*h.*) reel, spool.

'**Spül-eimer** *m* slop-pail.

'**spülen I.** *v/i.* (*h.*) wash (*an acc., gegen* against); rinse; flush; **II.** *v/t.* (*h.*) wash, swill; rinse; flush; *mot.* scavenge (*cylinders*); *an Land ~* wash ashore.

'**Spulen...**: **~antenne** *f* helical aerial, *Am.* corkscrew antenna; **~kern** *el. m* core of a coil; **~wicklung** *el. f* coil winding.

'**Spül...**: **~faß** *n* rinsing tub; **~frau** *f* scullery-maid; washer-up; **~icht** ['-içt] *n* (-[e]s; -e) dishwater, slops, swill; **~klosett** *n* water-closet, W.C., flush toilet; **~küche** *f* scullery; **~lappen** *m* dish-cloth; **~luftkolben** *mot. m* scavenging air piston; **~pumpe** *mot. f* scavenger pump; **~stein** *m* sink; **~sumpf** *mot. m* scavenge sump; **~ung** *f* (-; -en) rinsing; *med.* wash, irrigation; douche; water flush; *tech., mot.* scavenging; **~wasser** *n* (-s; ⸚) water for rinsing; dishwater, slops, *fig. a.* hog-wash.

'**Spulwurm** *m* mawworm.

Spund [ʃpunt] *m* (-[e]s; ⸚e) bung, plug, spigot; *joinery*: feather, tongue; '**~bohrer** *m* bung-hole borer; '**2en** *v/i.* (*h.*) bung; tongue and groove; '**~loch** *n* bung-hole.

Spur [ʃpuːr] *f* (-; -en) trace (*a. chem., mil., radar, and fig.*); *a. fig.* trail, track, *hunt. a.* scent; mark; (*a.* ski, sound, *etc.*) track; print; footprint, footstep; *mar.* wake; *rail.* ga(u)ge; groove; vestige; *e-e ~ Salz* a touch of salt; *fig. keine ~ von* not a trace (*or* sign, vestige) of; *colloq. keine ~!* not a bit!, not in the least!, by no means!; *auf die richtige ~ bringen or helfen* put on the scent, *fig. a.* give *a p.* a clue; *auf die ~ kommen* (*dat.*) get on the track of, trace, find out; *(scharf) auf der ~ sein* (*dat.*) be (hot) on the trail of; *auf der falschen ~ sein* be on a wrong track, *Am. a.* be barking up the wrong tree; *von der ~ abbringen* put off the scent; *s-e ~en verwischen* cover one's tracks.

spürbar ['ʃpyːrbaːr] *adj.* sensible; distinct, marked; considerable; *~ sein* be felt, be much in evidence.

'**spuren** *v/i.* (*h.*) keep on the track; *skiing*: lay the course; *colloq. pol. and w.s.* toe the line; *er spurt nicht* he is a slacker.

'**spüren I.** *v/t.* (*h.*) feel; sense, be conscious of; perceive, notice; scent (*a. fig.*); detect (*gas*); **II.** *v/i.* (*h.*) trace *or* track game, follow a track; *fig. ~ nach* go in quest of, search for; *hunt.* track.

'**Spuren|chemie** *f* trace chemistry; **~element** *n* trace element.

Spurhaltigkeit ['-haltiçkaıt] *mot. f* (-) steering stability.

'**Spürhund** *m* tracker dog, bloodhound (*a. fig.*), pointer; *fig.* sleuth, ferret.

'**spurlos I.** *adj.* trackless, traceless; **II.** *adv.* without leaving a trace; ~ *verschwinden* vanish (into thin air); *fig. nicht* ~ *an j-m vorübergehen* leave its mark on a p., tell on a p., take its toll of a p.

'**Spür...:** ~**nase** *f* good nose, scent (*both a. fig.*); *fig.* (*person*) snooper; ~**sinn** *m* (-[e]s) scent, flair (*für* for).

Spurt [ʃpurt] *m* (-[e]s; -s), '**2en** *v/i.* (*sn*) spurt.

'**Spurweite** *f rail.* ga(u)ge; *of vehicle*: wheel track; *mot.* tread (*of tyre*).

sputen ['ʃpu:tən]: *sich* ~ (*h.*) make haste, hurry up.

Sputnik ['sputnik] *m* (-s; -s) spoutnick.

Sputum ['spu:tum] *med. n* (-s; -ta) sputum.

st! *int.* hist!; hush!

Staat [ʃta:t] *m* (-[e]s; -en) state; country, nation; Government; *zo.* colony; *fig.* (-[e]s) state, pomp, splendo(u)r, show; finery, rig-out; *in vollem* ~ in full dress; *von* ~*s wegen* for reason of state; *großen* ~ *machen* make a (grand) display, cut a dash; *mit et.* ~ *machen* make a show of a th., parade a th.; *damit kannst du keinen* ~ *machen* that's nothing to write home about.

'**Staaten|bund** *m* confederacy, confederation (of states), *Brit.* commonwealth; **2los** *adj.* stateless; ~**lose(r** *m*) ['-lo:zə(r)] *f* (-n, -n; -en, -en) stateless person.

'**staatlich I.** *adj.* state(-)...; Government; national, public; political; ~*e Beihilfe* state grant; ~*e Einnahmen pl.* public revenue; ~*e Preisüberwachung* Government control of prices; **II.** *adv.*: ~ *gelenkt* state-controlled; ~ *anerkannt* state-recognized, certified.

'**Staats...:** ~**akt** *m* act of state; state ceremony; ~**aktion** *fig. f* great fuss; ~**amt** *n* public office; ~**angehörige(r** *m*) *f* national, *esp. Brit.* subject, *Am.* citizen; ~**angehörigkeit** ['-angəhø:riçkaıt] *f* (-) nationality, national status, *Am.* citizenship; ~ *erwerben* become naturalized; ~**angelegenheit** *f* state affair, public concern; ~**angestellte(r** *m*) *f* state employee; ~**anleihe** *f* government loan; *pl. a.* government stocks (*Am.* bonds); ~**anstellung** *f* public appointment, government job; ~**anwalt** *jur. m* public prosecutor, *Am.* district attorney (*abbr.* D.A.); ~**anwaltschaft** *f* public prosecutor's office, *Brit.* Director of Public Prosecutions (*abbr.* D.P.P.), *Am.* Office of the District Attorney; ~**anzeiger** *m* official gazette; ~**apparat** *m* state apparatus; ~**archiv** *n* Public Record Office; ~**aufsicht** *f* Government (*or* state) control; ~**auftrag** *m* Government contract; ~**ausgaben** *f/pl.* public expenditures; Government spending *sg.*; ~**bank** *f* (-; -en) national bank; ~**bankrott** *m* national bankruptcy; ~**be-amte(r)** *m* civil servant; Government (*or* State) official, *Am. a.* office-holder; ~**begräbnis** *n* national funeral; ~**behörde** *f* public authorities *pl.*, Government; ~**besitz** *m* state property; *in* ~ state-owned; ~**besuch** *m* state visit; ~**betrieb** *m* Government(-owned) plant; ~**bürger(in** *f*) *m* citizen; ~**bürgerkunde** *f* (-) civics *pl.*; **2bürgerlich** *adj.* civic(ally *adv.*); ~**bürgerrecht** *n* citizenship; ~**chef** *m* head (*or* chief) of state; ~**dienst** *m* civil service, *Am.* public service; **2eigen** *adj.* state-owned; ~**eigentum** *n* national (*or* state) property; public ownership; ~**einkünfte** *pl.* public revenue *sg.*; ~**examen** *univ. n* State examination; ~**feind** *m* public enemy; **2feindlich** *adj.* subversive; ~**form** *f* form of government, polity; ~**gebäude** *n* public building; **2gefährlich** *adj.* dangerous to the state; ~**gefangene(r** *m*) *f* prisoner of State, state prisoner; ~**gefängnis** *n* state prison; ~**geheimnis** *n* state secret; ~**gelder** *n/pl.* public funds; ~**geschäft** *n* state-affair; ~**gewalt** *f* (-) supreme (*or* executive) power; ~**haushalt** *m* national budget (*or* finances *pl.*); → *Haushalt*; ~**hoheit** *f* (-) sovereignty; ~**interesse** *n* public interest; ~**kasse** *f* (public) treasury, *Brit.* exchequer; ~**kirche** *f* (-) state church; *Englische* ~ Established Church, Church of England; **2klug** *adj.* politic(ally *adv.*), diplomatic (-ally *adv.*); ~**klugheit** *f* political wisdom, statesmanship; ~**kommissar** *m* state commissioner; ~**körper** *m* body politic; ~**kosten** *pl.*: *auf* ~ at (the) public expense; ~**kunde** *f* (-) civics *pl.*; ~**kunst** *f* (-) statesmanship, statecraft; ~**mann** *m* statesman; **2männisch** ['-mɛniʃ] *adj.* statesmanlike; ~**minister** *m* Secretary of State; ~**ministerium** *n* Ministry of State; ~**mittel** *n/pl.* public funds; ~**monopol** *n* state monopoly; ~**oberhaupt** *n* head of the state, *Am.* Chief Executive; sovereign; ~**papiere** *n/pl.* government stocks (*Am.* bonds), government securities *or* papers; ~**polizei** *f* (*Geheime* ~ secret) state police; **2politisch** *adj.* relating to national policy, national; ~**präsident** *m* President of the State; ~**prozeß** *m* state trial; ~**prüfung** *f univ.* State examination; ~**raison** ['-rɛzɔ̃:] *f* (-) reason of state; ~**rat** *m* (-[e]s; ⸚e) Privy Council; (*person*) Privy Council(l)or; ~**recht** *n* constitutional (*or* public) law; **2rechtlich** *adj.* under (*or* relating to) constitutional law; ~**regierung** *f* government; ~**rente** *f* government annuity; ~**schatz** *m* → *Staatskasse*; ~**schiff** *fig. n* ship of state; ~**schuld** *f* national debt; *econ.* consols *pl.*; ~**schuldschein** *m* national bond; ~**sekretär** *m* Under-Secretary of State, *Brit.* Permanent Secretary; ~**sicherheitsdienst** *m* state security service; ~**siegel** *n* Great Seal; ~**sozialismus** *m* state socialism; ~**streich** *m* coup d'état (*Fr.*); ~**umwälzung** *f* (political) revolution, upheaval; ~**unterstützung** *f* Government grant, state subsidy; ~**verbrechen** *n* political crime; ~**verbrecher** *m* political offender, state criminal; ~**verfassung** *f* political constitution; ~**vertrag** *m* (international) treaty, convention; ~**verwaltung** *f* public administration; ~**wesen** *n* (-s) political system, polity; state, commonwealth; state affairs *pl.*; ~**wirtschaft** *f* political economy; ~**wissenschaft(en** *pl.*) *f* political science; ~**wohl** *n* public weal; ~**zimmer** *n* state-room; ~**zuschuß** *m* → *Staatsunterstützung*; *durch* ~ *unterstützt* subsidized, state-aided.

Stab [ʃta:p] *m* (-[e]s; ⸚e) staff; stick; rod; bar; post; rib (*of umbrella*); slat (*of blind*); fillet; (bishop's) crosier; (magic) wand; *sports*: **a)** baton (*for relay race*), **b)** (vaulting) pole; (*mus.* conductor's, *mil.* field-marshal's) baton; *fig., a. mil.* staff; *mil.* headquarters *pl.*, staff-officers *pl.*; *fig. den* ~ *über j-n brechen* condemn a p.; '~**antenne** *f* rod aerial, *Am.* rod (*or* whip) antenna; '~**batterie** *el. f* torch battery; '~**brandbombe** *mil. f* stick-type incendiary bomb.

Stäbchen ['ʃtɛ:pçən] *n* (-s; -) small rod, *etc.*; *anat.* rod; *colloq.* (*cigarette*) fag; ~**bakterie** *f* bacillus; **2förmig** ['-fœrmiç] *adj.* rod-shaped; ~**zelle** *f* rod cell.

'**Stab...:** ~**eisen** *metall. n* bar iron; ~**führung** *mus. f* conducting; *unter der* ~ *von* conducted by; ~**hochspringer** *sports m* pole-jumper, *esp. Am.* pole-vaulter; ~**hochsprung** *m* pole-vault(ing).

stabil [ʃta'bi:l] *adj.* stable (*a. econ.*); steady; solid, sturdy, *tech. a.* rugged (*design*).

Stabilis|ator [ʃtabili'za:tɔr] *tech. m* (-s; -'toren) stabilizer; **2ieren** *v/t.* (*h.*) stabilize; *sich* ~ (*h.*) become stabilized; become steadier; ~**ierung** *f* (-) stabilization; ~**ierungsfläche** *aer. f* stabilizer.

Stabili'tät *f* (-) stability.

'**Stab...:** ~**magnet** *m* bar magnet; ~**reim** *m* stave rhyme, *w.s.* alliteration; ~**s-arzt** *mil. m* surgeon-major, *Am.* captain (Medical Corps); *mar.* staff-surgeon; ~**s-chef** *mil. m* chief of staff; ~**sfeldwebel** *mil. m Brit.* Warrant Officer Class II; *Am.* master sergeant; *aer. Am.* Senior Master Sergeant; ~**sgefreiter** *m* lance-corporal; ~**skompanie** *f* headquarters company; ~**s-offizier** *m* field-officer; staff-officer; ~**sprung** *m* → *Stabhochsprung*; ~**s-quartier** *mil. n* headquarters *pl.*; ~**s-unteroffizier** *mil. m Brit.* lance sergeant; *Am.* corporal; *aer. Am.* airman 1st class; ~**wechsel** *m sports*: baton (ex)change.

stach [ʃta:x] *pret. of stechen.*

Stachel ['ʃtaxəl] *m* (-s; -n) prick; *of insects*: sting; *bot.* prick(le), spine (*a. of hedgehog*); thorn; spike; tongue (*of buckle*); prong; goad; *fig.* sting; goad, spur, prodding; ~ *des Fleisches* lusts of the flesh; *wider den* ~ *löcken* kick against the pricks; ~**beere** *f* gooseberry; ~**beerstrauch** *m* gooseberry-bush; ~**draht** *m* barbed wire; ~**drahthindernis** *mil. n* barbed wire obstacle, wire entanglement; **~flosse** *f* spinous dorsal fin; **~halsband** *n* (-[e]s; ⸚er) spiked collar; **~häuter** ['-hɔʏtər] *zo. m* (-s; -) echinoderm.

'**stach(e)lig** *adj.* prickly, (*a. fig.*) thorny; *zo., etc.* spinous; bristly; *fig.* stinging, caustic, biting.

'**stacheln** *v/t. and v/i.* (*h.*) sting, prick; *esp. fig.* goad, prod; spur on.

'**Stachel...:** **~rochen** *ichth. m* thorn-back; **~schwein** *zo. n* porcupine.

Stadel ['ʃtɑːdəl] *m* (-s; -) barn, shed.

Stadion ['ʃtɑːdiɔn] *n* (-s; *-dien*) stadium.

Stadium ['ʃtɑːdium] *n* (-s; *-dien*) stage, phase.

Stadt [ʃtat] *f* (-; ⸚e) town; city; *in der ~ aufgewachsen* town-bred; *in die ~ gehen* go to town; *in der ~ sein* be in town; '**~amt** *n* municipal office; '**~anleihe** *f* municipal (*Brit.* corporation) loan; '**~bahn** *f* city-railway, metropolitan (railway); '**~bank** *f* (-; -en) municipal bank; '**~baumeister** *m* municipal architect; '**~behörde** *f* municipal authorities *pl.*; '**2bekannt** *adj.* (known) all over the town, notorious; '**~bewohner** *m* → *Städter*; '**~bezirk** *m* urban district; '**~bild** *n* townscape.

Städtchen ['ʃtɛːtçən] *n* (-s; -) small town.

'**Stadtdirektor** *m* town clerk, *Am.* city manager.

Städte|bau ['ʃtɛtə-] *m* (-[e]s) town (*Am.* city) planning; **~ordnung** *f* municipal statutes, *Brit.* Municipal Corporation Act; **~planung** *f* town planning; **~r(in** *f*) *m* (-s, -; -, -nen) towns(wo)man, city-dweller; *pl. a.* townspeople; **~tag** *m* meeting of city delegates, towns' conference; **~zug** *rail. m* interurban express train.

'**Stadt...:** **~gas** *n* city gas; **~gebiet** *n* urban area; **~gemeinde** *f* township, municipality, *Am.* city borough; **~gespräch** *n teleph.* local call; *fig.* *zum ~ werden* become the talk of the town; **~graben** *m* town-moat; **~grenze** *f* city boundary; → *Stadtrand.*

'**städtisch** *adj.* town(-)..., municipal; urban; metropolitan; *~e Beamte* municipal officers; *~e Bevölkerung* urban population; *~e Werke* municipal public works.

'**Stadt...:** **~kämmerer** *m* city treasurer; **~kasse** *f* city treasury; **~kind** *n* townsman, confirmed city-dweller; **~kommandant** *mil. m* town-major; **~kreis** *m* (urban) district; **2kundig** *adj.* knowing the town well; → *stadtbekannt*; **~leben** *n* (-s) town life, city life; **~leute** *pl.* townspeople, city-dwellers; **~mauer** *f* town-wall, city-wall; **~mitte** *f* town cent|re, *Am.* -er; mid-town; **~musikant** *m* town-musician; **~park** *m* town (*or* city) park; **~parlament** *n* city parliament; **~plan** *m* town plan, city map; **~planung** *f* town planning; **~rand** *m* outskirts *pl.* (*or* fringe) of the town *or* city; **~randsiedlung** *f* suburban housing estate *or* settlement; **~rat** *m* (-[e]s; ⸚e) town (*or* municipal) council; (*person*) town-council(l)or, alderman; **~recht** *n* freedom of the city; munucipal law(s *pl.*); **~schreiber** *m* town-clerk; **~schule** *f* municipal school; **~staat** *m* city-state; **~teil** *m* quarter, district, ward; **~theater** *n* municipal theat|re, *Am.* -er; **~tor** *n* town-gate, city-gate; **~väter** ['-fɛːtər] *pl.* city fathers; **~verordnete(r)** ['-fɛrˀɔrdnətə(r)] *m* (-[e]*n*; -[e]*n*) town (*or* city) council(l)or; **~verordnetenversammlung** *f* town council; **~verwaltung** *f* municipality; **~viertel** *n* → *Stadtteil*; **~wappen** *n* city arms *pl.*

Stafette [ʃta'fɛtə] *f* (-; *-n*) courier, express; *sports*: relay; **~nlauf** *m* relay race.

Staffage [ʃta'fɑːʒə] *f* (-) accessories *pl.*, figures *pl.*; decoration; *fig.* mere show.

Staffel ['ʃtafəl] *f* (-; *-n*) step, *of ladder*: *a.* rung; *fig.* degree; stage; *sports*: relay; *aer. mil.* squadron; *a.* → **~aufstellung** *f* echelon (formation); **~betrieb** *el. m* echelon working.

Staffe'lei *paint. f* (-; *-en*) easel.

'**Staffel...:** **~kapitän** *aer. m* squadron commander; **~lauf** *m sports*: relay race; **2n** *v/t.* (*h.*) raise in steps; graduate, differentiate (*taxes, wages, etc.*); *aer., tech., sports, etc.*: stagger; *mil.* echelon; **~rechnung** *f banking*: equated interest-account; **~schwimmen** *n* relay swimming; **~stab** *m sports*: (relay) baton; **~tarif** *m* progressive rate, sliding scale; **~ung** *f* (-; *-en*) graduation, progressive rates *pl.*; *mil.* echelon formation; *aer., sports, etc.*: staggering; **~zinsrechnung** *econ. f* equated calculation of interest.

staf'fieren *v/t.* (*h.*) → *ausstaffieren.*

Stag [ʃtɑːk] *mar. n* (-[e]s; -e[*n*]) stay; *großes ~* mainstay.

Sta|gnation [stagnatsi'oːn] *f* (-; *-en*) stagnation; **2'gnieren** *v/i.* (*h.*) stagnate; **2'gnierend** *adj.* stagnant.

stahl [ʃtɑːl] *pret. of stehlen.*

Stahl [ʃtɑːl] *m* (-[e]s; ⸚e) steel (*a. fig. rhet.* = *sword*); dagger; *tech.* tool; *legierter ~* alloy steel; '**2artig** *adj.* steely; '**~bad** *n* chalybeate bath (*or* spa); '**~band** *n* (-[e]s; ⸚er) strip steel; '**~bandmaß** *n* flexible steel rule; '**~bau** *m* (-[e]s; *-ten*) steel (-girder) construction; '**~beton** *m* ferro-concrete; '**2blau** *adj.* steel-blue; '**~blech** *n* sheet steel; '**~bürste** *f* steel-wire brush; '**~eisen** *n* open hearth pig iron.

stählen ['ʃtɛːlən] *v/t.* (*h.*) harden, temper (*iron*); *fig.* steel, harden; *sich ~* steel o.s.

'**stählern** *adj.* (of) steel, steely; *fig.* steely, of steel.

'**Stahl...:** **~fach** *n* safe deposit box, strongbox; **~feder** *f* steel spring; *of pen*: steel nib; **~gerüst** *n* girder construction; **2grau** *adj.* steel-grey; **~guß** *m* **a)** cast steel, **b)** cast steel product, steel casting(s *pl.*); **2haltig** *adj.* chalybeate (*water*); **2hart** *adj.* (as) hard as steel; **~helm** *m* steel helmet; **~kammer** *f of bank*: strong room, *Am.* steel vault; **~kerngeschoß** *mil. n* steel-core projectile; **~konstruktion** *f* → *Stahlbau*; **~mantelgeschoß** *mil. n* steel jacket bullet; **~möbel** *n/pl.* steel furniture; **~platte** *f* steel plate; **~quelle** *f* chalybeate spring; **~rohr** *n* steel tube; **~rohrmast** *m* tubular steel mast; **~rohrmöbel** *n/pl.* tubular (steel) furniture; **~roß** *humor. n* **a)** (*engine*) iron horse, **b)** bike; **~sorte** *f* steel grade; **~späne** ['-ʃpɛːnə] *m/pl.* steel chips; steel wool; **~stich** *m* steel engraving; **~träger** *m* steel girder; **~waren** *f/pl.* steel goods, *Am.* hardware *sg.*; **~welle** *f* shaft; **~werk** *n* steel-works *pl.*, steel mill; **~wolle** *f* steel wool.

stak [ʃtɑːk] *pret. of stecken II.*

Staken ['ʃtɑːkən] *m* (-s; -) stake; pole; boat-hook; **2** *v/i.* (*sn*) *and v/t.* (*h.*) pole, punt; *colloq.* strut, stalk.

Staket [ʃta'keːt] *n* (-[e]s; -e) palisade, paling, fence; stockade; **~enzaun** *m* picket fence.

Stalagmit [stalag'miːt] *geol. m* (-en; -e[*n*]) stalagmite.

Stalaktit [stalak'tiːt] *geol. m* (-en; -e[*n*]) stalactite.

Stalinis|mus [stali'nismus] *m* (-) Stalinism; **~t(in** *f*) *m* (-en, -en; -, *-nen*), **2tisch** *adj.* Stalinist.

'**Stalin-orgel** *mil. f* multiple rocket launcher.

Stall [ʃtal] *m* (-[e]s; ⸚e) stable (*a. fig. mot., etc.*); stall; cowshed; pigsty, pigpen; sheep-pen; chicken house *or* run; (dog) kennel; shed, *Am. a.* barn; '**~dienst** *m* stable-work, *mil.* stable-duty; '**~dünger** *m* stable manure *or* dung; '**2en** **I.** *v/t.* (*h.*) stall, stable; **II.** *v/i.* (*h.*) stale; '**~fütterung** *f* stall-feeding; '**~gefährte** *m sports*: stable mate; '**~geld** *n* stable money, stallage; '**~hase** *m* domestic rabbit; '**~knecht** *m* groom, ostler, *esp. Am.* hostler; '**~(l)aterne** *f* stable lantern; '**~meister** *m* equerry, master of the horse; '**~mist** *m* → *Stalldünger*; '**~ung** *f* (-; *-en*) stabling; *pl.* stables; '**~wache** *f* stable guard.

Stamm [ʃtam] *m* (-[e]s; ⸚e) *bot.* stem; stalk; trunk (*a. anat. of nerve, vessel*); *econ. Holz auf dem ~* standing timber; race; tribe; stock; family, house; clan; *biol.* phylum; breed (*of cattle*); *gr.* root, stem; *männlicher* (*weiblicher*) *~* male (female) line; *jur. Erbfolge nach Stämmen* succession by stirpes; *econ. ~ der Kunden* (*Gäste*) (stock of) regular customers (visitors), regulars *pl.*; core, nucleus, backbone; *mil.* skeleton (*or* permanent) personnel; cadre (personnel); '**~aktie** *econ. f* original (*or* ordinary) share, *Am.* common stock; '**~baum** *m* genealogical (*or* family) tree; *zo.* pedigree; *biol.* phylogenetic tree; *tech. for material*: flowsheet; '**~bedeutung** *f* lexical meaning (*of a word*); '**~buch** *n* album; *zo.* herdbook; '**~burg** *f* ancestral castle, family seat; '**~einheit** *mil. f* parent unit; cadre unit; '**~einlage** *econ. f* original investment, *partner's* capital share.

stammeln ['ʃtaməln] *v/i. and v/t.* (*h.*) stammer, stutter; splutter forth.

'**Stamm-eltern** *pl.* progenitors.

'**stammen** *v/i.* (*h.*): *~ von or aus* be descended from; originate (*Am. a.*

stem) from; spring (*or* proceed) from; come (*or* hail) from (*a town*); date from; *gr.* be derived from; *der Ausspruch stammt von* the word was coined by; *er stammt aus gutem Hause* he is of (*or* comes from) a good family.

ˈ**Stammes...:** **~bewußtsein** *n* clannishness, clan spirit; **~genosse** *m* clansman, tribesman; **~geschichte** *f* racial history; *biol.* phylogeny; **~häuptling** *m* chieftain.

ˈ**Stamm...:** **~form** *gr. f* cardinal (*or* principal) form; **~gast** *m* regular guest, habitué; **~gut** *n* family estate; **~halter** *m* son and heir, first-born male descendant; **~haus** *econ. n* parent firm (*or* house); **~holz** *n* trunk wood, log(s *pl.*).

stämmig [ˈʃtɛmiç] *adj.* sturdy, burly; brawny, stalwart; *Am. a.* husky, hefty; stocky; **2keit** *f* (-) sturdiness, *etc.*

ˈ**Stamm...:** **~kapital** *econ. n* original capital; share capital, *Am.* capital stock; ordinary share capital, *Am.* common capital stock; **~kneipe** *f one's* favo(u)rite pub, habitual haunt; **~kunde** *econ. m* regular customer, patron; *pl. a.* regulars; **~lokal** *n* habitual haunt; **~(m)utter** *f* (-; ⸚) ancestress; **~personal** *n* permanent staff; skeleton staff; cadre personnel; **~rolle** *mil. f* muster-roll, personnel roster; **~schloß** *n* ancestral castle; **~silbe** *gr. f* radical (*or* root) syllable; **~sitz** *m* ancestral seat; **~tafel** *f* genealogical table; *tech.* flowsheet; *chem.* volumetric table; **~tisch** *m* table reserved for regular guests; drinking company; **~tischstratege** *iro. m* arm-chair strategist; **~vater** *m* ancestor; progenitor; **2verwandt** *adj.* kindred, cognate; *pred.* of the same race; **~volk** *n* aborigines *pl.*; primitive people; **~werk** *tech. n* parent plant; **~wort** *gr. n* root-word, stem.

Stampf|beton [ˈʃtampf-] *m* compressed concrete; **~e** *f* (-; -*n*) *tech.* tamper, ram(mer); beater, beetle; pestle; punch; **2en I.** *v/i.* (*h.*) tramp(le), stamp; *mit dem Fuß ~* stamp one's foot; *horse*: paw (the ground); *mar.* pitch, heave and set; **II.** *v/t.* (*h.*) *tech.* tamp, ram; crush, stamp (*ore, etc.*); bruise (*wheat, etc.*); mash (*potatoes*); crush (*grapes*); *klein ~* crush, pulverize; *fig. aus dem Boden ~* conjure up; **~er** *tech. m* (-*s*; -) → *Stampfe.*

stand [ʃtant] *pret. of stehen.*

Stand *m* (-[e]*s*) stand(ing), upright (*or* standing) position; stand, (*a. mar., ast.*) position; footing, foothold; (barometer, *etc.*) reading; (-[e]*s*; ⸚e) (fair) stand, booth, stall; *fig.* state; condition; situation, position; level, standard; (water, *etc.*) level, height; *econ.* level, rate; *of contest*: score; social position *or* standing, station, rank, status; class; caste; profession; trade; *pol.* estate of the realm; *pol. hist. die Stände* the Diet *sg.*; *die höheren Stände* the upper classes; *aus allen Ständen* from all walks of life; *Mann von ~* man of rank; *~ der Dinge* state of affairs; (*neuester*) *~ der Technik* (latest) state of engineering, *patent law*: prior art; *Sprung aus dem ~* standing jump; *auf den neuesten ~ bringen* bring up to date; *den höchsten ~ erreichen* reach the peak (level); *mit j-m e-n harten ~ haben* have a great deal of trouble with a p.; *e-n schweren ~ haben* have a hard time of it; *gut im ~ sein* be in good condition; *j-n in den ~ setzen et. zu tun* enable a p. to do a th.; → *außerstande, imstande, instand, zustande.*

Standard [ˈʃtandart] *m* (-*s*; -*s*) standard.

standardisier|en [-diˈziːrən] *v/t.* (*h.*) standardize; **2ung** *f* (-; -*en*) standardization.

ˈ**Standard...:** **~lösung** *chem. f* standard solution; **~modell** *n*, **~typ** *m* standard type *or* design; **~werk** *n* standard work; **~wert** *m* standard value.

Standarte [ʃtanˈdartə] *f* (-; -*n*) standard, banner; guidon; **~n-träger** *m* standard bearer.

ˈ**Stand...:** **~bein** *n* standing leg; **~bild** *n* statue; *phot.* still.

Ständchen [ˈʃtɛntçən] *n* (-*s*; -) serenade; *j-m ein ~ bringen* serenade a p.

Stander [ˈʃtandər] *mar. m* (-*s*; -) pennant.

Ständer [ˈʃtɛndər] *m* (-*s*; -) stand; rack; post, pillar; *tech.* support, mount; *el.* stator; **~lampe** *f* standard (lamp), floor lamp.

Standes... [ˈʃtandəs-]: **~amt** *n* registry office, *Am.* marriage license bureau, *w.s.* Bureau of Vital Statistics; **2amtlich** *adj.*: *~e Trauung* civil marriage; **~beamte(r)** *m* registrar; **~bewußtsein** *n* caste-feeling, class-consciousness, pride of rank; **~dünkel** *m* pride of place; **~ehe** *f* marriage of rank; **~ehre** *f* professional hono(u)r; **2gemäß, 2mäßig** *adj. and adv.* in accordance with one's rank, suitable to one's station, in a style befitting one's state; **~genosse** *m one's* equal, compeer; **~person** *f* person of rank *or* quality; **~rücksichten** *f/pl.* considerations of rank; **~unterschied** *m* social difference, class distinction; **~vorurteil** *n* class prejudice; **2widrig** *adj.* unprofessional, unethical.

ˈ**Stand...:** **2fest** *adj.* stable, steady; resistant; rigid; **~festigkeit** *f* (-) stability; resistance; rigidity; **~geld** *n* stall rent; *mar.* demurrage; **~gericht** *mil. n* drumhead court martial; **~glas** *n* glass (cylinder); level ga(u)ge.

ˈ**standhaft I.** *adj.* steadfast, steady; firm; unyielding; resolute; sta(u)nch; persevering, constant; *~ bleiben* stand pat, resist temptation; **II.** *adv.*: *~ ablehnen* refuse stoutly; **2igkeit** *f* (-) steadfastness, *etc.*; perseverance, constancy.

ˈ**standhalten** *v/i.* (*irr., h.*) hold one's ground *or* own; stand firm, hold out; stand, withstand; *j-m or e-r Sache ~* resist a p. *or* a th.; *der Prüfung ~* stand the test; *es wird e-r näheren Prüfung nicht ~* it will not bear closer examination.

ständig [ˈʃtɛndiç] **I.** *adj.* permanent (*address, office, personnel, etc.*); constant; continuous; fixed, regular (*income*); established (*practice, rule*); *~er Ausschuß* standing committee; *~er Korrespondent* resident correspondent; **II.** *adv.* permanently; constantly, forever; *et. ~ sagen* keep saying a th.

ˈ**Stand...:** **~licht** *mot. n* parking light; **~motor** *m* stationary engine.

ˈ**Stand·ort** *m* (-[e]*s*; -e) stand, station, *Am.* location; *mar., a. fig.* position; *mil.* garrison, *Am.* post; **~bereich** *mil. m* garrison (*Am.* post) command; **~bestimmung** *f* position finding; **~kommandant** *m* garrison (*Am.* post) commander; **~lazarett** *n* station hospital.

ˈ**Stand...:** **~platz** *m* stand(ing-place), station; **~pauke** *colloq. f* severe reprimand *or* sermon; *j-m e-e ~ halten* lecture a p. severely; **~punkt** *m fig.* point of view, standpoint, viewpoint; *überwundener ~* discarded idea; *den ~ vertreten, daß* take the view that; *j-m den ~ klarmachen* give a p. a piece of one's mind; → *ändern*; **~quartier** *mil. n* fixed quarters *pl.*; cantonment; **~recht** *mil. n* martial law; *das ~ verhängen* impose martial law; **2rechtlich** *adj. and adv.* according to martial law; by order of a court-martial; **~rede** *f* harangue; **2sicher** *adj.* stable, free from wobble; **~spiegel** *m* full-length mirror; **~uhr** *f* grandfather's clock; **~visier** *mil. n* fixed sight; **~wild** *hunt. n* sedentary game.

Stange [ˈʃtaŋə] *f* (-; -*n*) pole; stake; (metal) rod, bar; post; (flag) staff; *orn.* perch, *for chickens*: *a.* roost; *of antlers*: branch; stick (*of shaving soap, sealing wax*); *colloq.* (*person*) tall streak, beanpole; *Anzug von der ~* reach- (*Am.* hand-)me-down; *colloq. e-e ~ Geld* a tidy penny, quite a packet; *fig. bei der ~ bleiben* stick to business (*or* to the point), *w.s.* stick to one's guns; *j-m die ~ halten* **a)** back (*or* stand by) a p., stick up for a p., **b)** be a match for a p.; *j-n bei der ~ halten* bring a p. up to scratch.

ˈ**Stangen...:** **~bohne** *f* climbing bean; **~eisen** *n* bar-iron; **~gebiß** *n* bar-bit; **~gold** *n* ingot gold, ingots *pl.*; **~pferd** *n* wheeler; **~spargel** *m* asparagus served whole.

stank [ʃtaŋk] *pret. of stinken.*

Stänker [ˈʃtɛŋkər] *m* (-*s*; -), **~in** *f* (-; -*nen*) *colloq.* cantankerous person, squabbler, trouble-maker; **Stänkeˈrei** *fig. f* (-; -*en*) squabble, bicker; ˈ**stänkern** *v/i.* (*h.*) smell, stink; *fig.* squabble, bicker.

Stanniol [ʃtaniˈoːl] *n* (-*s*; -e) tinfoil; **~papier** *n* tinfoil paper; **~streifen** *m radar*: chaff, window.

Stanz|e [ˈʃtantsə] *f* (-; -*n*) stanza; *tech.* punch(ing tool), punching machine; **2en** *tech. v/t.* (*h.*) stamp, punch; **~maschine** *f* punching machine; **~matrize** *f* punching die; **~presse** *f* stamping press; **~stahl** *m* punching tool steel.

Stapel [ˈʃtaːpəl] *m* (-*s*; -) pile, stack; *mar.* stocks, slips *pl.*; stock(pile); *fibre, wool*: staple; *econ.* emporium; *mar. auf ~ legen* lay down; *vom ~*

lassen launch (*a. fig.*), *fig.* deliver (*speech, etc.*), release, uncork (*blow*), publish (*books*); *vom ~ laufen* be launched (*a. fig.*); **~faser** *f* short-fibred rayon, staple fib|re, *Am.* -er; **~lauf** *m* launch(ing); **2n** *v/t.* (*h.*) stack, (*a. sich*) pile up; store, warehouse; **~platz** *m* stockyard, *a. mil.* dump; *econ.* emporium, mart; **~waren** *f/pl.* staple commodities.

Stapfe ['ʃtapfə] *f* (-; -*n*) footstep; **2n** *v/i.* (*sn*) plod, stump, trudge.

Star [ʃtaːr] *m* (-[e]s; -e) **1.** *orn.* starling; **2.** *thea.* (-s; -s) star; *als ~ auftreten* (*or vorstellen*) star; **3.** *med.* (*grauer ~*) cataract; *schwarzer ~* amaurosis; *grüner ~* glaucoma; *j-m den ~ stechen* couch a p. (for cataract), *fig.* open a p.'s eyes; **~allüren** ['-alyːrən] *pl.* primadonnaish airs; **~besetzung** *thea. f* star cast; **2blind** *adj.* blind from cataract.

starb [ʃtarp] *pret. of sterben.*

stark [ʃtark] **I.** *adj.* strong (*a. drink, etc.*; *gr. and fig.*); robust, sturdy; stout, corpulent; thick; powerful; intense; violent; bad; loud; large; *~e Auflage* large edition; *~er Band* big volume; *~e Erkältung* bad cold; *~er Esser* hearty eater; *~e Familie* numerous (*or* big) family; *~es Fieber* high temperature; *~er Frost* hard frost; *~er Mann pol.* strong man; *~e Meile* (*Stunde*) good mile (hour); *med. ~es Mittel* potent (*or* powerful) remedy; *~er Motor* high-powered engine; *~e Nachfrage* great (*or* keen) demand; *~er Regen* heavy shower; *~e Seite fig.* strong point, forte; *~er Trinker* heavy (*or* hard) drinker; *~er Verkehr* heavy traffic; *e-e 200 Mann ~e Kompanie* a company 200 strong *or* numbering 200; *das Buch ist 400 Seiten ~* the book comprises (*or* has) 400 pages; *colloq. das ist (doch) zu ~!, das ist ein ~es Stück!* that's a bit thick; **II.** *adv.* very much, greatly, strongly; hard; *~ benachteiligt* badly handicapped; *~ erkältet sein* have a bad cold; *~ gefragt* in great demand; *~ vermissen* miss badly; *~ übertrieben* grossly exaggerated.

Stärke ['ʃtɛrkə] *f* (-; -*n*) **1.** → *stark*; strength, force; power (*a. tech.*); stoutness, corpulence; *tech.* thickness, diameter; (*wire*) ga(u)ge; *chem.* concentration; intensity; violence; *pharm.* potency; vigo(u)r, energy; strength (*of army, etc.*); *fig.* strong point, forte; **2.** *chem.* starch; **~grad** *m* degree of strength, intensity; **2haltig** *adj.* containing starch, starchy; **~mehl** *n* starch-flour; **~meldung** *mil. f* strength return.

'**stärken** *v/t.* (*h.*) strengthen (*a. fig.*); invigorate, brace; fortify; brace (up); starch (*laundry*); *sich ~* (*h.*) *fig.* take some refreshment; **~d** *adj.* strengthening, restorative; bracing (*air*); *pharm.* (*a. ~es Mittel*) tonic.

'**Stärkezucker** *m* starch-sugar.

stark|gliedrig ['-gliːdriç], '**~knochig** *adj.* strong-limbed, big-boned.

'**Starkstrom** *el. m* power (*or* high-voltage, heavy) current; **~anlage** *f* power plant; **~kabel** *n* power cable; **~leitung** *f* power line (*or* circuit); **~technik** *f* heavy current engineering.

'**Stärkung** *f* (-; -*en*) strengthening; invigoration; comfort; refreshment; pick-me-up; **~smittel** *n* restorative, tonic.

'**stark...:** **~wandig** ['-vandiç] *adj.* thick-walled; **~wirkend** *pharm. adj.* efficacious, powerful, potent, drastic.

starr [ʃtar] **I.** *adj.* rigid (*a. fig.*); stiff; staring, fixed (*look*); *~er Blick a.* stare, glassy stare; motionless; *tech.* rigid (*a. airship*); fixed (*machine-gun*); *fig.* inflexible; *~ vor Entsetzen* paralyzed with terror, transfixed; *~ vor Staunen* thunderstruck, dum(b)founded; *~ vor Kälte* numb (with cold); **II.** *adv.* rigidly, *etc.*; *j-n ~ ansehen* stare at a p., look at a p. fixedly.

'**starren** *v/i.* (*h.*) stare (*auf acc.* at); → *Leere*; *~ von Waffen, etc.* bristle with weapons, *etc.*; *vor Kälte ~* be numb with cold; *vor Schmutz ~* be covered with dirt.

'**Starr...:** **~heit** *f* (-) → *starr*; rigidity; stiffness; fixedness; numbness; inflexibility, stubborness; **~kopf** *m* stubborn fellow, headstrong person; **2köpfig** ['-kœpfiç] *adj.* stubborn, obstinate, headstrong, bull-headed; mulish; **~köpfigkeit** *f* (-) stubborness, obstinacy; **~krampf** *med. m* (-[e]s) tetanus; **~krampfserum** *n* antitetanic serum; **~sinn** *m* (-[e]s) → *Starrköpfigkeit*; **~sucht** *med. f* (-) catalepsy.

Start [ʃtart] *m* (-[e]s; -s) start (*a. fig.*); *aer.* take-off; launch(ing); *sports*: *fliegender* (*stehender*) *~* flying (standing) start; *erneuter ~* restart; *mot. ~ und Ziel* start and finish; *gut vom ~ wegkommen* produce a perfect getaway; *aer. den ~ freigeben* clear for take-off.

'**Start...:** **~bahn** *aer. f* runway; **2berechtigt** *adj. sports*: eligible; *nicht ~* disqualified; **2bereit** *adj.* ready to start (*or* take off); **~block** *m* (-[e]s; ¨e) *sports*: starting-block; **2en I.** *v/i.* (*sn*) start; *sports*: *a.* take part (in a competition), participate; *zu früh ~* break, jump the gun; *aer.* take off, take the air; **II.** *v/t.* (*h.*) start; *fig. a.* launch (*enterprise, etc.*); **~er** *m* (-s; -) *mot. sports*: starter; **~erklappe** *mot. f* choke; **~erlaubnis** *f aer.* clearance for take-off; *sports*: permit (to take part), licence; **~geld** *n sports*: entry fee; **~hilfe** *aer. f* assisted take-off; *~ durch Raketen* rocket-assisted take-off; *fig. econ.* initial impulse; **2klar** *adj. aer.* ready for take-off; in flying condition; **~knopf** *mot. m* starter button; **~kommando** *n sports*: start command; *aer.* take-off signal; **~linie** *f* starting line; **~loch** *n* starting hole; **~nummer** *f* starting number; **~pistole** *f* starter's pistol; **~platz** *m* start(ing-place); *aer.* take-off point, airfield; **~rakete** *f* launching rocket; **~schleuder** *f* catapult; **~schuß** *m sports*: starting shot; *da ist der ~* the gun goes off; **~signal** *n* starting (*aer.* take-off) signal; **~strecke** *aer. f* take-off run *or* distance; **~verbot** *n sports*: suspension; *aer.* take-off restriction; *mit ~ belegen* ground.

Statik ['ʃtaːtik] *f* (-) statics *sg. and pl.*; **~er** *arch. m* (-s; -) stress analyst.

Station [ʃtatsi'oːn] *f* (-; -*en*) *eccl., mar., rail., radio*: station; halting-place, stop; (hospital) ward; stage; (*gegen*) *freie ~* board and lodging (found); *~ machen* make a halt, break one's journey.

stationär [ʃtatsio'nɛːr] *adj. a tech.* stationary; steady, constant; **2behandlung** *med. f* in-patient treatment.

statio'nier|en *v/t.* (*h.*) station; **2ung** *f* (-; -*en*) stationing; **2ungskosten** *pl.* stationing costs; **2ungsstreitkräfte** *mil. f/pl.* stationed forces.

Stati'ons...: **~arzt** *m* house-physician; **~schwester** *f* floor nurse; **~skala** *f radio*: station dial; **~vorsteher** *rail. m* station-master, *Am.* station agent.

'**statisch** *adj.* static(al).

stätisch ['ʃtɛːtiʃ] *adj.* restive (*horse*).

Statist [ʃta'tist] *m* (-*en*; -*en*), **~in** *f* (-; -*nen*) *thea.* super(numerary), mute; *film*: extra; **~ik** *f* (-; -*en*) statistics *pl.*; **~iker** *m* (-s; -) statistician; **2isch** *adj.* statistical.

Stativ [ʃta'tiːf] *n* (-s; -e) stand, support; *phot., etc.* tripod.

Statt [ʃtat] *f* (-) place, stead; *jur. an meiner ~* in my place and stead; *an Kindes ~ annehmen* adopt; → *von-, zustatten, anstatt.*

statt *prp.* (*gen.*; *zu with inf.*) instead of, in lieu of; *~ seiner* in his place; *~ zu arbeiten* instead of working.

Stätte ['ʃtɛtə] *f* (-; -*n*) place, spot; scene; abode; *keine bleibende ~ haben* have no fixed abode.

'**statt...:** **~finden** *v/i.* (*irr., h.*), **~haben** *v/i.* (*h.*) take place, happen; come off; be held, be staged; **~geben** *v/i.* (*irr., h.*) (*dat.*) grant, allow, give way to; **~haft** *adj.* admissible, allowable; legal.

'**Statthalter** *m* governor, *rhet. b.s.* satrap; viceroy; **~schaft** *f* (-; -*en*) governorship; government.

'**stattlich** *adj.* stately; handsome; portly; imposing, impressive, commanding; splendid, magnificent; considerable, important (*sum*); **2keit** *f* (-) stateliness, portliness, *etc.*

Statue ['ʃtaːtuə] *f* (-; -*n*) statue; **2nhaft** *adj.* statuelike, statuesque; **Statuette** [ʃtatu'ɛtə] *f* (-; -*n*) statuette.

statuieren [ʃtatu'iːrən] *v/t.* (*h.*) establish, ordain; → *Exempel.*

Statur [ʃta'tuːr] *f* (-; -*en*) figure; stature (*a. fig.*), height, size.

Status ['ʃtaːtus] *m* (-; -) state, (*a. jur.*) status; *econ.* **a)** statement (of condition), **b)** financial condition; *der ~ quo* the status quo; **~symbol** *n* status symbol.

Statut [ʃta'tuːt] *n* (-[e]s; -*en*) statute, regulation; **~en** *pl.* articles of association, by-laws; **2enmäßig** [-ənmɛːsiç] *adj.* statutory, (*a. adv.*) according to (the) statutes.

Stau [ʃtaʊ] *m* (-[e]s; -e) → *Stauung*; '**~anlage** *f* barrage, dam, reservoir.

Staub [ʃtaʊp] *m* (-[e]s) dust; powder; *bot.* pollen; *in ~ zerfallen* crumble into dust; *fig.* → *aufwirbeln*; *sich aus dem ~e machen* decamp, make off, make tracks; *in den ~ ziehen* drag through the mud; '**≈bedeckt** *adj.* covered with dust; '**~besen** *m* dust(ing)-brush, duster; '**~beutel** *bot. m* anther; '**~blüte** *f* male flower; '**~brille** *f* (e-e ~ a pair of) dust goggles *pl.*

Stäubchen ['ʃtɔʏpçən] *n* (-s; -) particle of dust, mote, atom.

'**staubdicht** *adj.* dustproof.

'**Stau·becken** *n* catchment (basin), reservoir; static-water tank.

stauben ['ʃtaubən] *v/i.* (*h.*) give off dust, raise (clouds of) dust; *es staubt* it is dusty.

stäuben ['ʃtɔʏbən] **I.** *v/t.* (*h.*) dust (*a. agr.*); spray; **II.** *v/i.* (*h.*) → *stauben*; *bird*: take a dust-bath, dust.

'**Staub...:** **~fach** *bot. n* pollen sac; **~faden** *m* filament; **~fänger** *m* dust-catcher; *tech.* dust arrester; **~feuerung** *f* coal-dust firing; **~filter** *tech. m* dust filter; **~flocke** *f* fluff; **≈frei** *adj.* dust-free; **~gefäß** *bot. n* stamen; **≈haltig** *adj.* dust-laden; **≈ig** *adj.* dusty; **~korn** *n* (-[e]s; ¨er) dust particle; **~lappen** *m* duster; **~luft** *f* (-) dust-laden air; **~lunge** *med. f* pneumoconiosis; **~mantel** *m* dust cloak, dust coat, duster; **~plage** *f* (-) dust nuisance; **~regen** *m* drizzling rain; **~sack, ~sammler** *m* dust collector; **~sauger** *m* vacuum cleaner; *mit dem ~ reinigen* vacuum; **~schicht** *f* coat (*or* layer) of dust; **≈trocken** *adj.* bone-dry; **~tuch** *n* (-[e]s; ¨er) duster; **~wedel** *m* feather-duster, whisk; **~wolke** *f* dust-cloud, cloud of dust; **~zucker** *m* powdered (*or* icing) sugar.

stauchen ['ʃtauxən] *v/t.* (*h.*) toss, jolt; kick; *tech.* compress, upset; head; *colloq.* (*steal*) swipe.

'**Staudamm** *m* coffer-dam.

Staude ['ʃtaudə] *bot. f* (-; -n) shrub, bush; perennial (plant).

'**Stau...:** **~druck** *m* (-[e]s) *phys.* impact (*or* dynamic) pressure; *med.* back-pressure; **~druckmesser** *m* pressure-head indicator; **~düsenantrieb** *aer. m* ram-jet propulsion.

'**stauen** *v/t.* (*h.*) stow (away); dam (*or* bank) up (*water*); *sich ~* **a)** *water*: rise, be dammed up, **b)** *w.s.* pile up; accumulate, **c)** be blocked *or* jammed *or* congested; *vor dem Eingang stauten sich die Menschen* a growing mass of people blocked the entrance.

'**Stauer** *mar. m* (-s; -) stevedore.

Stauffer|büchse ['ʃtaufər-] *tech. f* grease cup; **~fett** *n* (-[e]s) cup grease.

'**Stau...:** **~kurve, ~linie** *f* backwater curve; **~luft** *f* (-) ram air; **~mauer** *f* (masonry) dam.

staunen ['ʃtaunən] *v/i.* (*h.*) be astonished (*or* surprised) (*über acc.* at), be amazed (at); marvel (at); gape, make big eyes; **≈** *n* (-s) astonishment, amazement; stupefaction; admiration, awe; *voll ~* lost in amazement (*or* wonder), open-mouthed, agape; *in ~ versetzen* amaze, astound, dazzle, take away *one's* breath; **~swert** *adj.* amazing, astounding, marvellous, stupendous.

Staupe ['ʃtaupə] *f* (-; -n) **1.** (public) flogging; **2.** *vet.* distemper.

stäupen ['ʃtɔʏpən] *v/t.* (*h.*) flog (in public).

'**Stau...:** **~see** *m* reservoir, storage lake; **~strahltriebwerk** *aer. n* ram-jet engine; **~stufe** *f* (river) dam; **~ung** *f* (-; -en) *mar.* stowage; damming up (*of water*); accumulation, piling up; stoppage, obstruction, blocking; *med., traffic*: congestion; jam; **~wasser** *n* (-s; -) backwater; dammed up water; **~wehr** *n* dam, weir; **~werk** *n* barrage.

Stearin [ʃtea'ri:n] *n* (-s; -e) stearin(e); **~kerze** *f* stearin-candle; **~säure** *chem. f* stearic acid.

Stech|apfel ['ʃtɛç-] *m* thorn-apple; **~bahn** *f* tilt-yard; **~becken** *n* bed-pan; **~eisen** *n* chisel; punch.

'**stechen** *v/t. and v/i.* (*irr., h.*) prick; *insect*: sting; *flea, mosquito*: bite; pierce, *esp. med.* puncture; stab (*a. fig. ray of light, etc.*); cut (*asparagus, lawn, peat*); stick (*pig*); tap (*barrel*); *cards*: trump, take a card; *tech.* cut, engrave; punch (*clock*); *sun*: burn *sports*: jump (*or* throw, *etc.*) off (the tie); *sich in den Finger ~* prick one's finger; *j-m in die Augen ~ fig.* strike a p.'s eye, take a p.'s fancy; *es sticht mich in der Seite* I have stitches (*or* a shooting pain) in my side; *ins Rote ~* incline to red; *wie gestochen schreiben* write like copperplate; → *Hafer, See, Star, etc.*; **≈** *n* (-s) shooting (*or* stabbing) pain, stitches *pl.*; *sports*: jumping, *etc.*, off; **~d** *adj.* piercing (*eye*); stinging, pungent (*smell*); shooting, stabbing (*pain*).

'**Stecher** *m* (-s; -) engraver, pricker; hair-trigger (*of gun*); (cheese, *etc.*) scoop.

'**Stech...:** **~fliege** *f* stable fly; gadfly; **~ginster** *bot. m* furze, gorse; **~heber** *m* siphon, pipette; **~mücke** *f* gnat, mosquito; **~palme** *f* holly; **~rüssel** *zo. m* proboscis; **~schloß** *n* hair-trigger lock; **~schritt** *m* goose-step; **~uhr** *f* control clock; **~zirkel** *m* dividers *pl.*

Steck|brief ['ʃtɛk-] *m* warrant of apprehension, "wanted" circular; **≈brieflich** *adv.*: *j-n ~ verfolgen* take out a warrant against a p.; *~ verfolgt werden* be under a warrant of arrest; **~dose** *el. f* (plug *or* wall) socket, wall plug.

'**stecken I.** *v/t.* (*h.*) stick; *agr.* set, plant; put *somewhere*; *esp. tech.* insert (*in acc.* into); plug (into); → *hineinstecken*; fix, pin; *den Kopf aus dem Fenster ~* put (*or* pop) one's head out of the window; *Geld in ein Geschäft ~* put *money* into, invest in; *Grenzen ~* set bounds (*dat.* to); → *Tasche*; *j-m ein Ziel ~* set a p. a task; *sich hinter j-n ~* make a tool of a p., *a.* work on a p.; *colloq. wer hat ihm das gesteckt?* who told him (*or* tipped him off)?; *colloq. er hat es ihm ordentlich gesteckt* he ticked him off properly; **II.** *v/i.* (*h.*) be *somewhere*; be hidden (away); stick (fast), be stuck; be involved in (*debt, etc.*); *tief in Schulden ~* be over the ears in debt; *da steckt er!* there he is!; *wo steckst du denn* (*solange*)? where have you been (all the time)?; *dahinter steckt etwas* there is something in the back of it, there is more to it than meets the eye; *da steckt er dahinter* he is at the bottom of it; *in ihm steckt etwas* he has something, he will go a long way yet; *es steckt mir in allen Gliedern* I am aching all over; *gesteckt voll* crammed, jammed; → *Brand, Decke, etc.*; **~bleiben** *v/i.* (*irr., sn*) stick fast, get (*or* be) stuck, *mot. a.* bog down (*a. fig. negotiations, etc.*); *a. fig.* come to a standstill (*or* dead stop); *im Halse ~* stick in *a p.'s* throat; *speaker*: break down, get stuck; **~lassen** *v/t.* (*irr., h.*) leave; *den Schlüssel ~* leave the key (in the lock); *fig. j-n ~* leave a p. in the lurch; **≈pferd** *n* hobby-horse; *fig.* hobby, fad; *sein ~ reiten* ride one's hobby-horse (*a. fig.*).

'**Stecker** *el. m* (-s; -) plug; *~ mit Schalter* switch plug; *zweipoliger ~* two-pin plug; **~anschluß** *el. m* plug connection; **~buchse** *f* plug; adapter; **~schnur** *f* cord (and plug).

'**Steck...:** **~kartoffeln** *f/pl.* seed potatoes; **~kissen** *n* baby's pillow; **~kontakt** *el. m* plug (contact); **~ling** ['-liŋ] *bot. m* (-s; -e) layer, slip, cutting; **~nadel** *f* pin; *fig. j-n wie e-e ~ suchen* hunt for a p. high and low; *e-e ~ fallen hören* hear a pin drop; **~nadelkissen** *n* pin-cushion; **~patrone** *f* plug cartridge; **~reis** *bot. n* → *Steckling*; **~rübe** *f* turnip, swede, *esp. Am.* rutabaga; **~schlüssel** *tech. m* box-spanner, socket wrench; **~schuß** *med. m* retained missile; **~zirkel** *m* compasses *pl.* with shifting points, drawing compasses *pl.*; **~zwiebel** *bot. f* bulb for planting.

Steg [ʃte:k] *m* (-[e]s; -e) (foot)path; footbridge; *on machines*: catwalk; *mar.* landing-stage; bridge (*of spectacles, violin*); (trousers) strap; *typ.* stick, *pl.* furniture *sg.*; *tech.* cross-piece, bar; flange; side bar (*of chain*); *arch.* fillet; *el.* cell connector (*in battery*), bridge.

'**Stegreif** *m*: *aus dem ~* off-hand, extempore, impromptu, *Am. a.* ad-lib (*all a. attr.*); *aus dem ~ sprechen* extemporize, *Am. a.* adlib; **~dichter** *m* improvisator; **~gedicht** *n* impromptu.

Steh|auf ['ʃte:ʔauf] *m* (-s; -), **~aufmännchen** *n* skip-jack, (cork-) tumbler; **~bierhalle** *f* bar, pub; **~bild** *phot. n* still (picture).

stehen ['ʃte:ən] *v/i.* (*irr., h.*) stand; be *somewhere*; be written; *gr.* be used; *garment*: suit, become (*j-m* a p.); stand still, have stopped; stand one's ground, not to budge; *aufrecht ~* stand upright; *fig. ~ für* (*acc.*) stand (*or* answer) for; *gut* (*schlecht*) *mit j-m ~* be on good (bad) terms with a p.; *auf e-r Liste ~* figure (*or* appear) in a list; *auf j-s Seite ~* be on a p.'s side, side with a p.; *bei j-m in Arbeit ~* be in a p.'s employ; *im Rang vor* (*hinter*) *j-m ~* rank before (after) a p.; *in e-m Gesetz* ~ be embodied (*or* laid down) in a law; *Geld bei j-m ~ haben* have money standing with a p.; *über* (*unter*) *j-m* ~ be above (below) a p.; *unter j-s Leitung* ~ be under the direction of, be directed by; *vor et. Unangenehmem* ~ be faced with, be in for *something unpleasant*; *zu j-m* ~ stand by a p.; *zu e-m Versprechen, etc.,* ~ stand (*or* stick) to *a promise, etc.*; *zur Debatte* ~ be at issue; *sich im Einkommen ~ auf* have an income of, make, earn; → *Mann, Modell, Posten, teuer, etc.*; *auf dem Hügel standen einige Bäume* (*Häuser*) on the hill there stood (*or* were) a few trees (houses); *die Aktien ~ auf 75* the stock is at 75; *das Barometer steht auf* the barometer points to; *das Thermometer steht auf* the thermometer stands at; *gr. auf ... steht der Akkusativ ...* answers (*or* is followed by) the accusative; *auf dem Scheck steht kein Datum* (*keine Unterschrift*) the cheque bears no date (no signature); *es steht nicht bei mir* it is not in my power (*or* for me) *to decide* (*or to do it*); *es steht schlecht um ihn* he is in a bad way; *es steht zu erwarten, daß* it is to be expected that; *es ~ schwere Strafen darauf* it is severely punished; *die Sache steht so* the matter stands thus; *die Sache steht gut* matters are in a fair way; *so steht es also!* so that's how it is!; *sie ~ sich nicht schlecht dabei* they are no losers by it, they don't do so badly at it; *was in meinen Kräften steht* everything within my power, all I can, my utmost; *was steht in dem Brief?* what does it say in the letter?; *was steht in den Zeitungen?* what do the papers say?; (*und*) *wie steht es mit dir?* how about you?; *wie steht das Spiel?* what is the score?

'**Stehen** *n* (-s) standing; *Mahlzeit im* ~ stand-up meal; *zum ~ bringen* bring to a stop (*or* standstill), *fig. a.* stay, halt; sta(u)nch *blood*; *zum ~ kommen* come to a stop (*or* halt).

'**stehen...: ~bleiben** *v/i.* (*irr., sn*) remain standing (*or* on one's feet); stand (still), stop (*a. clock*), come to a standstill; stop short; *engine*: stall, die, conk out; *econ. prices*: remain stationary; *mistake, etc.*: remain, be left (*or* overlooked); *der Passus muß* ~ the passage must stand; *wo sind wir stehengeglieben* (*beim Lesen, etc.*)? where did we leave off?; *nicht ~!* move on!; **~d** *adj.* standing, *water*: *a.* stagnant; upright, erect; vertical (*a. engine*); permanent; *~es Heer* standing (*or* regular) army; *~er Ausdruck, ~e Redensart* standing phrase, stock-phrase; *~e Regel* standing rule; stationary, fixed; *~en Fußes* on the spot, straight (*esp. Am.* right) away; *boxing*: ~ *k.o.* out on one's feet; **~lassen** *v/t.* (*irr., h.*) keep standing; leave alone; turn one's back on; ignore, leave unnoticed; *chem., cul.* allow to stand (*or* settle, cool); leave *food* untouched; leave *mistake, etc.* (uncorrected), overlook; leave, forget; *alles stehen- und liegenlassen* drop everything; *sich e-n Bart* ~ grow a beard; *sports*: (*glatt*) ~ run away from *opponent*, give the slip.

'**Steher** *m* (-s; -) *sports*: stayer.

'**Steh...: ~imbiß** *m* stand-up lunch; **~kragen** *m* stand-up collar; **~lampe** *f* standard (lamp); floor lamp; **~leiter** *f* step-ladder.

stehlen ['ʃte:lən] **I.** *v/i.* (*irr., h.*) steal, thieve, *jur.* commit larceny (*or* a theft); **II.** *v/t.* (*irr., h.*) steal (*j-m Geld* a p.'s money; *fig. j-s Herz* a p.'s heart); purloin, misappropriate, take away; kidnap (*child, etc.*); embezzle; pilfer; *fig. j-m die Zeit* ~ waste a p.'s time; *sich in das* (*aus dem*) *Haus* ~ steal into (out of) the house; *gestohlenes Gut* stolen goods *pl.*; *colloq. er kann mir gestohlen bleiben!* he can go and be hanged!; *das kann mir gestohlen werden!* to hell with it!

'**Stehlen** *n* (-s) stealing; thieving; theft.

'**Stehler** *m* (-s; -) thief.

'**Stehlsucht** *f* (-) kleptomania.

'**Steh...: ~platz** *m* standing-room; **~platzinhaber** *m* standee; *rail., etc.* straphanger; **~pult** *n* standing-desk, high desk; **~satz** *typ. m* (-es) standing (*or* live) matter; **~umlegekragen** *m* turn-down collar; **~vermögen** *n* (-s) staying power, stamina.

Steier|mark ['ʃtaɪər-] *f* (-): *die* ~ Styria; **~märker(in** *f*) ['-mɛrkər] *m* (-s, -; -, -nen) Styrian.

steif [ʃtaɪf] **I.** *adj.* stiff (*vor dat.* with); *esp. phys.* rigid; inflexible; fixed, firm; thick (*liquid*); numb (*vor Kälte* with cold); muscle-bound (*athlete*); (stiffly) starched, stiff (*laundry*); *fig.* stiff, wooden, formal; starchy, strait-laced; awkward, clumsy; *~e Brise* stiff breeze; *~er Grog* stiff (glass of) grog; *~er Hals* stiff neck; *~er Hut* bowler hat, *Am.* derby (hat); ~ *wie ein Stock* stiff as a poker; ~ *werden* grow stiff *or* rigid, *muscles*: stiffen; **II.** *adv.* stiffly, *etc.*; *et. ~ und fest behaupten* maintain stubbornly, be positive *on a th.*, insist, swear; → *Ohr*; '**2e** *f* (-) → *Steifheit*; dressing, starch; *tech.* (-; -n) strut; prop, stay; '**~en** *v/t.* (h.) stiffen; starch, dress (*laundry*); *tech.* prop, stay; *fig.* → *versteifen*; → *Nacken*; '**2heit** *f* (-) stiffness, rigidity; *tech.* stability; *of cement*: workability; *fig.* stiffness; formality; starchiness; awkwardness; '**2igkeit** *tech. f* (-; -en) rigidity; '**2leinen** *n* buckram; '**~leinen** *adj. fig.* dull, stodgy; strait-laced, starchy; '**2leinwand** *f* buckram.

Steig [ʃtaɪk] *m* (-[e]s; -e) (narrow) path, footpath; '**~bö** *aer. f* bump; '**~bügel** *m* stirrup (*a. anat.*); **~e** ['ʃtaɪgə] *f* (-; -n) ladder; steep stairs *pl.*; stile; ascent; '**~eisen** *n* climbing iron; *mount.* crampon.

steigen ['ʃtaɪgən] *v/i.* (*irr., sn*) go up, ascend, mount, climb (up); rise, soar; → *aufsteigen*; *aer.* climb, zoom; *fog*: lift; *horse*: rise on its hindlegs, prance; *fig.* increase, (*a. dough, number, road, thermometer, water, etc.*) rise; *event*: come off, be held (*or* staged); *econ. prices*: rise (*bis zu* to), go up, advance, move upward, improve, *discount rate*: be advanced; *an Land* ~ go ashore, land; *auf e-n Baum* ~ climb (up) a tree; → *Dach*; *auf ein Pferd* ~ mount a horse; *auf den Thron* ~ ascend the throne; ~ *aus* (*dat.*) → *aussteigen*; *aus dem Bett* ~ get out of bed; ~ *in* (*acc.*) → *einsteigen*; *ins Examen* ~ go in (*or* sit) for an examination; *in den Kopf* ~ go (*blood a.* rush) to a p.'s head; *Tränen stiegen ihr in die Augen* tears rose to her eyes; *zu* (*vom*) *Pferde* ~ (dis)mount; 2*n* rise, ascent; *a. aer.* climb(ing); *fig.* rise, increase; *econ.* ~ *der Preise* rise (*or* advance) in prices; *stock exchange*: upward movement; *auf das ~ der Kurse spekulieren* buy for a rise; **2d** *adj. fig.* rising, increasing, advancing; growing; *stock exchange*: *~e Tendenz* upward tendency.

'**Steiger** *m* (-s; -) climber; *mining*: pit-foreman, *Am. a.* overman; *metall.* riser gate.

steiger|n ['ʃtaɪgərn] *v/t.* (*h.*) raise; increase, augment; aggravate; strengthen, enhance, intensify, heighten; improve, better; *er kann sich noch* ~ he is not yet at his peak; step up *production*; *das Tempo* ~ increase the pace; drive (*or* force) up; *gr.* compare; *auction*: bid up, outbid; *sich* ~ (*h.*) increase, rise, intensify, *person*: improve; *sich in e-e Wut* ~ work o.s. into a rage; **2ung** *f* (-; -en) raising, rise, increase; aggravation; enhancement, intensification, heightening; augmentation, boost; *gr.* comparison; *rhet.* gradation, climax; *econ.* → *Steigen*; **2ungsgrad** *gr. m* degree of comparison.

'**Steig...: ~fähigkeit** *f* (-) *aer.* climbing power; *mot.* hill-climbing ability; **~flug** *aer. m* climb (to altitude), ascent; zoom; **~geschwindigkeit** *aer. f* rate of climb; **~höhe** *f aer.* ceiling; altitude range (*of missile*); *tech.* pitch (*of thread*); **~leitung** *f el.* rising main; *tech.* → **~rohr** *n* standpipe, ascending tube; **~ung** *f* (-; -en) rise; *rail., road*: gradient, *Am.* (up)grade; slope; ascent; *thread*: **a)** pitch (*a. of air screw*), **b)** lead; **~ungswinkel** *math. m* gradient angle; *aer.* angle of climb.

steil [ʃtaɪl] **I.** *adj.* steep; precipitous; **II.** *adv.*: ~ *nach unten* (*in die Höhe*) *schießen* swoop down (zoom up); '**2abfall** *m* precipice, drop; '**2e** *f* (-; -n) → *Steilheit*; '**2feuer** *mil. n* high-angle fire; '**2feuergeschütz** *mil. n* high-trajectory gun; '**2flug** *aer. m* vertical flight; '**2hang** *m* steep slope, precipice; '**2heit** *f* (-) steepness, precipitousness; *el.* mutual conductance; *phot.* contrast; '**2kurve** *aer. f* steep turn; '**2küste** *f* steep coast, bluff; '**2paß** *m soccer*: up-field pass; '**2schrift** *f* vertical writing.

Stein [ʃtaɪn] *m* (-[e]s; -e) stone, *Am. a.* rock; *geol.* rock; *kleiner* ~ small stone, pebble; (precious) stone, gem; *of watch*: jewel; *for cigarette lighter*: flint; *on grave, memorial*:

stone; *draughts, checkers*: man, piece; *bot.* stone, kernel; *med.* stone, calculus; (beer) mug, *Am.* stein; *zu ~ machen or werden* petrify; *fig. ~ des Anstoßes* stumbling-block; *~ der Weisen* philosopher's stone; *~ und Bein frieren* freeze hard; *~ und Bein schwören* swear by all that's holy; *~e geben statt Brot* give a stone for bread; *den ~ ins Rollen bringen* set the ball rolling; *den ersten ~ werfen* cast the first stone (*nach* at); *e-n ~ im Brett haben bei j-m* be in a p.'s good books, be in good with a p.; *j-m ~e in den Weg legen* put obstacles in a p.'s way; *ein ~ fällt mir vom Herzen* that takes a load off my heart.

'**Stein...**: **~adler** *m* golden eagle; **2alt** *adj.* (as) old as the hills (*or* as Methuselah); **2artig** ['-a:rtiç] *adj.* stone-like, stony; **~axt** *hist. f* stone-axe; **~bank** *f* (-; ⸚e) stone--bench; **~bau** (-[e]s; -ten) stone structure; **~baukasten** *m* box of bricks; **~bild** *n* statue; **~block** *m* (-[e]s; ⸚e) block of stone; *geol.* boulder; **~bock** *m zo.* ibex; *ast.* Capricorn; **~boden** *m* stony soil *or* ground; *arch.* stone-floor; **~bohrer** *m* rock drill; *arch.* masonry drill, wall chisel; **~brech** ['-brɛç] *bot. m* (-[e]s; -e) saxifrage; **~brecher** *m* quarryman; (*machine*) stone crusher; **~bruch** *m* quarry; **~brucharbeiter** *m* quarryman; **~butt** *ichth. m* turbot; **~damm** *m mar.* pier, mole; paved road; **~druck** *typ. m* (-[e]s; -e) lithography; (*picture*) lithograph; **~drucker** *m* lithographer; **~druckfarbe** *f* lithographic ink; **~eiche** *f* evergreen oak; **2ern** ['-ərn] *adj.* (of) stone, stone...; *fig.* stony; *~es Herz* heart of stone; **~erweichen** *fig. n* (-s): *zum ~* to melt a heart of stone; **~fliese** *f* → *Steinplatte*; **~frucht** *bot. f* stone-fruit; **~garten** *m* rock garden; **~geröll** *n* rubble, shingle; **~gut** *n* (-[e]s; -e) earthenware, stoneware; **~hagel** *m* shower of stones; **2hart** *adj.* (as) hard as stone, stony; **~hauer** *m* stone--cutter; **~haufe(n)** *m* heap of stones; **~holz** *n* xylolith; **~huhn** *n* rock partridge; **2ig** *adj.* stony, full of stones; rocky; **2igen** ['-igən] *v/t.* (*h.*) stone; **~igung** *f* (-; -en) stoning; **~kitt** *m* mastic cement; **~klopfer** *m* stone-breaker; **~kohle** *f* hard (*or* mineral) coal, pit-coal, bituminous coal; **~kohlenbergwerk** *n* (bituminous) coal-mine, colliery; → *Kohlen...*; **~kohlenteer** *m* coal-tar; **2krank** *med. adj.* suffering from stone, calculous; **~krankheit** *f* lithiasis, calculosis; **~krug** *m* stone jug; **~kunde** *f* (-) lithology, mineralogy; **~mann** *mount. m* cairn; **~marder** *zo. m* beech marten; **~meißel** *m* stone chisel; rock bit; **~metz** ['-mɛts] *m* (-en; -en) stone--mason; **~obst** *n* stone fruit; **~öl** *n* (-[e]s) petroleum; **~pflaster** *n* (stone) pavement; **~pilz** *m* yellow boletus; **~platte** *f* stone slab; flagstone; **~reich** *n* (-[e]s) mineral kingdom; **2reich** *colloq. adj.* immensely rich, *pred.* rolling in riches; **~salz** *n* (-es) rock salt; **~schicht** *f* layer of stone(s); **~schlag** *m* falling stones *pl.*; rockfall, *Am.* rock slide; broken stone, metal; **~schleifer** *m* stone polisher; **~schleuder** *f* slingshot; **~schloß** *n* flint-lock; **~schneiden** *n* (-s) cutting stones; gem carving; **~schneider** *m* lapidary, cutter of gems; **~schnitt** *med. m* (-[e]s) lithotomy; **~schotter** *m* macadam; *mit ~ belegen* macadamize; **~schrift** *typ. f* grotesque; **~setzer** *m* stone-layer; pavio(u)r; **~stoßen** *n* (-s) *sports*: putting the stone; **~werkzeug** *hist. n* eolith; **~wurf** *m* stone's throw; **~zeichnung** *f* lithographic design; **~zeit** *f* (-) Stone Age; *ältere (jüngere) ~* pal(a)eolithic (neolithic) period; **2zeitlich** *adj.* (of the) Stone Age, eolithic.

Steiß [ʃtaɪs] *m* (-es; -e) buttocks *pl.*, rump; '**~bein** *anat. n* coccyx; '**~(bein)wirbel** *m* coccygeal vertebra; '**~geburt**, '**~lage** *med. f* breech delivery, pelvic presentation.

Stellage [ʃtɛ'lɑ:ʒə] *f* (-; -n) frame, rack; *stock exchange*: put and call (*abbr.* pac), dealing in futures, *Am.* spread.

stellbar ['ʃtɛlbɑ:r] *adj.* adjustable.

Stelldichein ['ʃtɛldiçʔaɪn] *n* (-[s]; -[s]) meeting, appointment; rendezvous, tryst, date; *sports*: meet; *j-m ein ~ geben* arrange to meet a p., make a date with a p.; *sich ein ~ geben* meet, (have a) rendezvous, have a date.

Stelle ['ʃtɛlə] *f* (-; -n) place; spot; point; stand, position; site; employment, position, job, place, post; *freie ~* vacancy; *offene ~* opening; agency, office, authority; *in book*: passage; *math.* figure, digit; (decimal) place; *schadhafte ~* flaw, defect; *fig. schwache ~* weak spot; *an erster ~* in the first place; *an erster ~ stehen* come first, take precedence (*vor dat.* of); *an ~ von or gen.* in place of, instead of, *esp. jur.* in lieu of; *an deiner ~* in your place, if I were you; *an die ~ treten von (dat.), an j-s ~ treten* take the place of *a p.*, supersede, replace, stand in for; *auf der ~* on the spot, immediately, then and there, forthwith; *auf der ~ treten mil. and fig.* mark time; *nicht von der ~ kommen* make no progress, not to get ahead, *negotiations*: *a.* be deadlocked; dawdle along; *sich nicht von der ~ rühren* not to stir *or* budge; *zur ~ schaffen* produce; *zur ~ sein* be present *or* at hand *or* on call; *sich zur ~ melden* report o.s. present, report (*bei j-m* to a p.).

'**stellen** *v/t.* (*h.*) put, place, set, stand; (ar)range; regulate, adjust; set (*watch*); time (*fuse, etc.*); stop, block (*or* bar) *a p.'s* way; intercept; buttonhole; challenge; *mil.* engage (*the enemy*); corner, bring to (*or* hold at) bay, hunt down (*game, criminal*); furnish (*a. mil. troops*), supply, make available, provide; contribute; assign; *jur.* produce (*witness*); *sich ~* (*h.*) (take one's) stand, place *or* position o.s.; *~ Sie sich hierher!* stand here!; *mil.* join up, enlist; present o.s., appear; turn to (*or* stand at) bay (*a. fig.*), *e-m Gegner*: face up to *an opponent*; *sich der Polizei ~* give o.s. up to the police; *sich dem Gericht ~* surrender to the court; *sich gut mit j-m ~* get on good terms with a p., get in good with a p.; *fig. sich krank, etc., ~* feign *or* pretend to be (*or* sham) ill, *etc.*; *sich ~ als ob* feign (*or* pretend) *to do*, make as if *or* as though, sham; *sich dumm ~* play the fool; *sich gegen (acc.) ~* oppose, set one's face against *a th. or p.*, take up a hostile attitude to(wards) *a p.*; *sich zum Kampfe ~* accept battle, enter the lists; *sich (im Preis) ~ auf* be priced at, amount (*or* come) to, work out at, cost; *der Preis stellt sich auf* the price is; *sich vor Augen ~* imagine; *die Probleme, die sich uns ~* the problems confronting us (*or* we are up against); *wie stellt er sich dazu?* what does he say (to it)?; → *bereit-, gleich-, richtigstellen, etc.*; *Bedingungen ~* make conditions; *econ. zahlbar ~* make payable, *bill of exchange*: domicile; → *Antrag, Bein, Dienst, Falle, Frage, Rechnung, Verfügung, Wand, etc.*; *gestellt phot., etc.* posed; *gut (schlecht) gestellt sein* be well (badly) off *or* paid, be in a good (bad) position; *auf sich selbst gestellt sein* be on one's own.

'**Stellen...**: **~angebot** *n* position offered, vacancy; *~e pl.* wanteds, *Am.* want ads; **~bewerber(in** *f*) *m* applicant; **~gesuch** *n* application for a post; *~e pl. in newspaper*: situations wanted; **~inhaber(in** *f*) *m* incumbent; **~jäger** *m* place--hunter, *Am.* office-seeker, job--hunter; **2los** *adj.* out of work, unemployed, *Am. a.* jobless; **~markt** *m* employment market; *newspaper*: wanteds *pl.*, *Am.* want ads *pl.*; **~nachweis** *m* employment agency (*Am.* bureau); **~suche** *f* looking for a job, job-hunting; **~vermittlung** *f* placement; *a.* → **~vermittlungsbüro** *n* employment agency (*Am.* bureau); **2weise** ['-vaɪzə] *adv.* here and there, in places (*or* spots); sporadically; **~wert** *math. m* place value.

'**Stell...**: **~geld** *econ. n* premium for a put and call (*Am.* spread); **~geschäft** *n* → *Stellage*.

...stellig ['ʃtɛliç] *in compounds* ...-digit; *einstellige Zahl* one-digit number.

Stelling ['ʃtɛliŋ] *mar. m* (-s; -e) gangway.

'**Stell...**: **~macher** *m* wheelwright; **~marke** *tech. f* index; **~motor** *m* servomotor; **~mutter** *tech. f* (-; -n) adjusting nut; **~ring** *m* adjusting ring, set collar; **~schraube** *tech. f* adjusting screw, set screw.

'**Stellung** *f* (-; -en) position (*a. fig.*); (*professional*) position (*als* of), situation, employment, job, place, post; (social) position, status, rank; standing; capacity (*als* of); (legal) status, legal position; (body) position, posture; arrangement (*a. gr.*); *ast.* constellation; furnishing, supply; production (*of witnesses*); *mil.* position; line(s *pl.*), field fortifications *pl.*; emplacement (*of gun*); *ausgebaute, befestigte ~* organized position; *taktisch günstige ~* point of vantage; ~ *beziehen mil.* move into a position, *fig.* take position, declare o.s.; *die* ~ *halten mil.* hold the position, *fig.* hold the fort, *employee*: *Am.* hold down a job; *in* ~ *bringen* bring into position, emplace (*gun*); *fig.* ~ *nehmen zu et.* comment (up)on, give one's opinion on, answer, explain *a th.*; *colloq. die* ~ *verraten* give the show away; **~nahme** *f* attitude (*zu* to [-wards]), position; opinion (on); comment (on), statement; endorsement; report; answer; decision; *sich e-e* ~ *vorbehalten* not to commit o.s., be noncommittal.

'**Stellungs...**: **~bau** *mil. m* (-[e]s; -ten) construction of field fortifications; **~befehl** *mil. m* induction order, calling-up; **~krieg** *m* stabilized (*or* static, position) warfare; trench warfare; **≈los** *adj.* → *stellenlos*; **≈pflichtig** *mil. adj.* liable to enlistment; **~suchende(r** *m*) ['-su-xəndə(r)] *f* (-n, -n; -en, -en) person looking for a post, applicant; **~spiel** *n sports*: positional play; **~wechsel** *m* change of position.

'**Stell...**: **≈vertretend** *adj.* vicarious; *adm.* acting, deputy; ~*er Geschäftsführer* assistant general manager; ~*er Vorsitzender* vice-chairman; **~vertreter(in** *f*) *m* representative, delegate; deputy; substitute; proxy; *mil. Brit.* second-in-command (*abbr.* 2 i/c), *Am.* executive (officer), chief of staff; **~vertretung** *f* representation, deputyship; substitution; agency; *in* ~ by deputy; *econ., jur.* by proxy; **~vorrichtung** *tech. f* adjusting device, regulator; **~wagen** *m* coach, (motor) bus; **~werk** *rail. n* signal box.

Stelz|bein ['ʃtɛlts-] *n* wooden leg; **≈beinig** ['-baɪnɪç] *adj.* stiff, affected; **~e** *f* (-; -n) stilt; *auf* ~*n gehen* walk on stilts, *fig.* be stilted *or* affected; **≈en** *v/i.* (*sn*) stalk.

Stemm|bogen ['ʃtɛm-] *m skiing*: stem turn; **~eisen** *tech. n* crowbar; chisel; **≈en** *v/t.* (*h.*) prop, support; lever up; lift; *gegen et.* ~ plant (*or* press) against; *sich gegen et.* ~ press against, *fig.* resist *or* oppose (*a th.*), make head against; *die Füße gegen et.* ~ plant one's feet against a th.; *die Arme in die Seiten gestemmt* arms akimbo; fell, cut down (*a tree*); chisel (out), *in wood*: mortise; **~en** *n* (-s) *sports*: weight-lifting; **~fahren** *n skiing*: stem(ming); **~kristiania** ['-kristiɑ:nia] *m* (-s; -s) stem christiania.

Stempel ['ʃtɛmpəl] *m* (-s; -) (rubber)stamp; seal, stamp; postmark; die; punch; piston, plunger; pestle, pounder; *arch.* prop, *mining*: *a.* stemple; *bot.* pistil; *metall.* hallmark; *econ.* brand, trade-mark; (*sign, a. fig.*) stamp, mark; *fig. den* ~ *e-r Sache tragen* bear the stamp of *genius, etc.*; **~abgabe** *f* stamp duty; **~amt** *n* stamp office; **~bogen** *m* stamped sheet of paper; **~druck** *m* stamp printing; **~farbe** *f* stamping ink; **≈frei** *adj.* free from stamp duty; **~gebühr** *f*, **~geld** *n* stamp duty; **~kissen** *n* ink-pad; **~marke** *f* (duty-)stamp; **≈n** *v/t.* (*h.*) mark; stamp (*document*); hallmark (*silver, etc.*); *colloq.* ~ *gehen* be on the dole; *fig. zu et.* ~ stamp (*or* label) as; brand; **~papier** *n* stamped paper; **≈pflichtig** *adj.* liable to stamp duty; **~presse** *tech. f* hand press; **~schneider** *m* stamp-cutter; *tech.* die-sinker, punch cutter; **~steuer** *f* stamp duty; **~uhr** *f* check-clock; **~zeichen** *n* → *Stempel*.

Stengel ['ʃtɛŋəl] *bot. m* (-s; -) stalk, stem; **~knollen** *m* tuber.

Stenogramm [ʃteno'gram] *n* (-s; -e) shorthand report *or* notes *pl.*, stenograph; **~block** *m* (-[e]s; -s), **~heft** *n* shorthand block.

Stenograph(in *f*) [-'grɑ:f] *m* (-en, -en; -, -nen) stenographer, shorthand writer.

Stenogra'phie *f* (-; -n) stenography, shorthand; **≈ren** *v/t. and v/i.* (*h.*) write (in) shorthand, take down in shorthand, steno; **~rmaschine** *f* stenograph, stenotype.

steno'graphisch I. *adj.* shorthand, stenographic; **II.** *adv.* in shorthand, stenographically.

Stenotypist(in *f*) [-ty'pist] *m* (-en, -en; -, -nen) shorthand typist, stenotypist.

Stentorstimme ['ʃtɛntɔr-] *f* stentorian voice.

Stepp|decke ['ʃtɛp-] quilt, *Am. a.* comforter; **≈en I.** *v/t.* (*h.*) quilt, stitch; **II.** *v/i.* (*h.*) tap(-dance); **~e** *f* (-; -n) steppe, prairie; **~enwolf** *zo. m* prairie-wolf, coyote; **~nadel** *f* quilting-needle; **~naht** *f* quilting seam; **~stich** *m* backstitch, lock-stitch.

Step|tanz ['ʃtɛp-] *m* tap-dancing; **~tänzer(in** *f*) *m* tap-dancer.

Sterbe|alter ['ʃtɛrbə-] *n* age of death; **~bett** *n* death-bed; **~fall** *m* (case of) death, decease; **~fallversicherung** *f* death insurance; **~geld** *n* death benefit, burial allowance; **~glocke** *f* funeral bell; **~hilfe** *f* **1.** → *Sterbegeld*; **2.** euthanasia, mercy killing; **~kasse** *f* burial fund; **~lager** *n* death-bed; **~liste** *f* register of deaths.

'**sterben** *v/i.* (*irr., sn*) die (*a. fig.*); *esp. jur.* decease; pass away, expire, depart (this life), breathe one's last; lose one's life, be killed *in an accident, etc.*; *e-s natürlichen Todes* ~ die a natural death; *als Christ* ~ die a Christian; *jung* ~ die young; *schwer* ~ die hard; ~ *an* (*dat.*) die of *an illness*, from *a wound, etc.*; ~ *durch* (*acc.*) die by *the sword*, through *neglect, etc.*; ~ *für* (*acc.*) die for, give one's life for, *für das Vaterland a.* make the great (*or* supreme) sacrifice; ~ *vor* (*dat.*) die with *grief, laughter, etc.*, *vor Langeweile* ~ be bored to death; *gestorben* dead, *esp. jur.* deceased; **≈** *n* (-s) dying, death; mortality; plague, epidemic; *im* ~ *liegen* be dying; *fig. es war zum* ~ *langweilig* I was bored stiff; *zum* ~ *zuviel, zum Leben zuwenig* just enough to keep the wolf from the door; **~d** *adj. and adv.* dying, moribund, in the throes of death; on one's death-bed.

'**Sterbens...**: **~angst** *f* mortal fear, terror; **≈krank** *adj.* dangerously ill, sick to death; **≈müde** *adj.* tired to death, dead-beat; **~wort**, **~wörtchen** ['-'vœrtçən] *n*: *kein* ~ not a single word, not a syllable; *kein* ~ *sagen* not to breathe a word.

'**Sterbe...**: **~sakramente** *n/pl.* last sacraments; **~stunde** *f* dying-hour; **~tag** *m* day of death; **~urkunde** *f* death certificate; **~zimmer** *n* death-room.

sterblich ['ʃtɛrplɪç] **I.** *adj.* mortal; *gewöhnliche* **≈***e* ordinary mortals; **II.** *adv.*: ~ *verliebt sein* be desperately in love (*in acc.* with); **≈keit** *f* (-) mortality; **≈keitsziffer** *f* death-rate, mortality.

Stereo|aufnahme ['ste:reo-] *phot. f* stereoscopic photo(graph), stereo exposure; **~chemie** *f* stereochemistry; **~graphie** [-gra'fi:] *f* (-) descriptive geometry; **~kamera** *phot. f* stereoscopic camera; **~metrie** [-me'tri:] *f* (-) stereometry, solid geometry; **~phonie** [-fo'ni:] *f* (-) stereophony; **~schallplatte** *f* stereo record; **~skop** [-'sko:p] *n* (-s; -e) stereoscope; **≈'skopisch** *adj.* stereoscopic(ally *adv.*); **≈typ** [-'ty:p] *adj.* *typ.* stereotype; *fig.* stereotyped, hackneyed; inevitable; ~*e Redensart* cliché (*Fr.*); **~typie** [-ty'pi:] *f* (-; -n) stereotype printing, stereotyping; **≈typieren** [-ty'pi:rən] *v/t.* (*h.*) stereotype.

steril [ste'ri:l] *adj.* sterile (*a. fig.*); → *unfruchtbar*.

Sterili|sator [sterili'zɑ:tɔr] *m* (-s; -'toren) sterilizer; **≈'sieren** *v/t.* (*h.*) sterilize; **~'tät** *f* (-) sterility.

Stern [ʃtɛrn] *m* (-[e]s; -e) star (*a. fig.*); *typ.* asterisk; *mar.* (-s; -e) stern; *fig. thea., etc.*, star; gleam (*of hope*); *mit* ~*en geschmückt* bestarred, star-spangled, starry (*sky*); *Kognak mit drei* ~*en* three-star brandy; *fig. aufgehender* ~ (*person*) rising star; *sein* ~ *ist im Aufgehen* his star is in the ascendant; *nach den* ~*en greifen* reach for the stars; *unter e-m (un)glücklichen* ~ *geboren sein* be born under a(n) (un)lucky star; *colloq.* ~*e sehen* see stars.

'**Stern...**: **≈artig** [-ɑ:rtɪç] *adj.* star-like, astral; **≈besät** ['-bəzɛ:t] *adj.* star-spangled, starry; **~bild** *ast. n* constellation; sign of the zodiac; **~blume** *bot. f* stellate flower; **~chen** *n* (-s; -) little star, (*a. film*) starlet; *typ.* asterisk; **~deuter** ['-dɔʏtər] *m* (-s; -) astrologer; **~deutung** *f* astrology; **~dreieckanlasser** *tech. m* star-delta starter.

'**Sternen...**: **~banner** *n USA*: star-spangled banner, stars and stripes *pl.*, Old Glory; **~himmel** *m* (-s) starry sky; **≈klar** *adj.* starlit, starry; **~system** *n* stellar system; **~zelt** *n* (-[e]s) firmament, starry sky.

'**Stern...**: **~fahrt** *mot. f* motor rally; **≈förmig** [-fœrmɪç] *adj.* star-shaped, stellar, *bot.* stellate; *tech.* radial; **≈geschaltet** ['-gəʃaltət] *el. adj.* star-connected, Y-connected; **~gucker** ['-gukər] *humor. m* (-s; -) stargazer; **≈hagelvoll** *colloq. adj.* dead (*or* rolling) drunk; **~haufen** *m* cluster of stars; **≈hell** *adj.* starlight, starlit, starry; **~himmel** *m* firmament, starry sky; **~jahr** *n* sidereal year; **~karte** *f* celestial chart, star map; **≈klar** *adj.* → *sternhell*; **~kreuzung** *f* multiple crossing;

~kunde *f* (-) astronomy; ~licht *n* (-[e]s) starlight; 2los *adj.* starless; ~motor *m* radial engine; ~physik *f* astrophysics *sg.*; ~rad *tech. n* star wheel; ~schaltung *el. f* Y-connection; ~schanze *mil. f* star-redoubt; ~schnuppe *f* shooting star; ~schreiber *m radar*: plan position indicator; ~stunde *f* sidereal hour; *fig.* fateful hour; ~tag *m* sidereal day; ~warte *f* observatory; ~zeit *f* sidereal time.

Sterz [ʃtɛrts] *m* (-es; -e) tail; plough- (*Am.* plow-)tail.

stet [ʃteːt] *adj.* → *stetig*; *fig.* ~*er Tropfen höhlt den Stein* little strikes fell big oaks.

Stethoskop [steto'skoːp] *med. n* (-s; -e) stethoscope.

'**stetig** *adj.* continual, constant; steady; 2keit *f* (-) constancy, continuity; steadiness.

stets ['ʃteːts] *adv.* always, at all times, (for) ever; constantly, continually.

Steuer[1] ['ʃtɔʏər] *n* (-s; -) *mar.* helm, rudder; *mot.* (steering-)wheel; *aer.* control surface; rudder; *am* ~ at the helm, *mot.* at the wheel; *a. fig. das* ~ *führen* be at the helm; *das* ~ *übernehmen* take the helm.

Steuer[2] ['ʃtɔʏər] *f* (-; -n) tax (*auf dat.* on); (communal) rate, *Am.* local tax; duty; assessment; → *erheben, etc.*

'**Steuer...**: ~abzug *m* deduction of (income) tax; ~amnestie *f* tax amnesty; ~amt *n* inland-revenue office; ~anlage *tech. f* steering mechanism, control gear; ~anschlag *m* assessment (of taxes); ~aufkommen *n* tax yield; inland (*Am.* internal) revenue; ~aufschlag *m* additional tax, surtax; ~ausfall *m* shortfall in tax revenue; ~ausgleich *m* equation of taxes; 2bar *adj.* **1.** steerable, (*a. el.*) control(l)able; manœuvrable, *Am.* maneuverable; *airship*: dirigible; **2.** taxable, assessable, ratable; dutiable; ~beamte(r) *m* revenue officer; ~befreiung *f* tax exemption, exemption from taxes; 2begünstigt *adj.* enjoying (*or* carrying) tax privileges; ~behörde *f* board of assessment; ~belastung *f* incidence of taxation; → *Steuerdruck*; ~berater *m* tax adviser (*or* expert); ~bescheid *m* notice of assessment; ~betrag *m* amount of taxation; ~bilanz *f* balance-sheet for taxation purposes; tax balance; ~bord *mar. n* (-[e]s; -e) starboard; ~delikt *n* tax offen|ce, *Am.* -se; ~druck *m* pressure (*or* burden) of taxation; ~einnahmen *f/pl.* tax collections; → *Steueraufkommen*; ~einnehmer *m* tax-collector; ~erhebung *f* levy (*or* imposition) of taxes; tax collection; ~erhöhung *f* increase in taxation; ~erklärung *f* (income-) tax return; e-e ~ *abgeben* make (*or* file) a return; ~erlaß *m* remission of taxes; tax-exemption; ~erleichterung, ~ermäßigung *f* tax abatement (*or* relief); tax allowance; ~ersparnis *f* saving of taxes; ~ertrag *m* → *Steueraufkommen*; ~fläche *aer. f* control surface; ~flosse *aer. f* fin; ~flucht *f* (-) flight from taxation; 2frei *adj.* tax-free, tax-exempt; duty-free (*goods*); ~freibetrag *m* tax-free allowance; ~freiheit *f* exemption from taxation (*or* taxes); ~gerät *tech. n* control gear, control(l)er; ~gesetzgebung *f* tax laws *pl.*, tax legislation; ~gitter *n radio*: control grid; ~gruppe *f* tax group; ~hebel *m* control lever; ~hinterzieher ['-hintərtsiːər] *m* (-s; -) tax dodger; ~hinterziehung *f* tax evasion; ~jahr *n* fiscal year; ~karte *f* (*Lohn*2 wage) tax card; ~kasse *f* tax-collector's office; ~klasse *f* tax group; ~knüppel *aer. m* (control) stick, control lever, joystick; ~kraft *f* taxable capacity; ~kurs *m* compass course, heading; ~kurve *tech. f* cam; ~last *f* burden of taxation, tax load; 2lich **I.** *adj.* fiscal; of taxation, tax...; **II.** *adv.*: ~ *begünstigt* carrying tax privileges; ~ *günstig* with low tax liability; ~ *veranlagen* assess for taxation; ~mann *mar. m* helmsman, steersman; coxswain; mate; *ohne* ~ *sports*: coxswainless; ~mannsmaat *m* second mate; ~mannsquittung *econ. f* mate's receipt; ~marke *f* revenue stamp; duty-stamp; ~meßzahl *f* percentage yielding unit for tax rate application; ~mittel *pl.* tax money *sg.*; ~moral *f* tax morale.

'**steuern** *v/t. and v/i.* (*h.*) *mar.* steer, navigate; pilot (*a. aer.*); *mot.* drive, be at the wheel; *only v/i.* (*sn*) *ship*: stand, head (*nach Süden* southward); ~ *nach* be bound for; *tech.* control; *fig.* direct, control; *e-r Sache* ~ check, curb, obviate, ward off, remedy *a th.*

'**Steuer...**: ~nachlaß *m* → *Steuerermäßigung*; ~nocken *tech. m* cam; ~organ *tech. n* control element; 2pflichtig *adj.* liable to taxation *or* duty, taxable; dutiable; ~pflichtige(r *m*) ['-pfliçtigə(r)] *f* (-n, -n; -en, -en) contributable, → *Steuerzahler*; ~politik *f* fiscal policy; ~pult *m* control desk; ~rad *n mar., mot.* (steering-)wheel; *aer.* control wheel; ~recht *n* fiscal law; 2rechtlich *adj.* fiscal; ~reform *f* taxation reform; ~röhre *f radio*: modulating valve (*Am.* tube); ~ruder *n mar.* helm, *below surface*: rudder; *aer.* control surface; ~sachen *f/pl.*: *Helfer in* ~ tax consultant; ~satz *m* rate of assessment, tax rate; ~säule *f mot.* steering column; *aer.* control column; ~schalter *el. m* control switch; ~schätzung *f* rating; ~schein *m* tax-collector's receipt; ~schraube *f* oppressive taxation; *die* ~ *anziehen* increase taxation; ~schuld *f* tax(es *pl.*) due; 2schwach *adj.* with low revenue; ~senkung *f* lowering of taxation, tax abatement; ~tabelle *f* tax table.

'**Steuerung** *f* (-; -en) steering, *aer.* piloting; *el., tech.* control; *mot.* steering mechanism; valve-gear; *aer.* controls *pl.*; *el., tech.* (*automatische* ~ automatic) control; *fig.* direction; control; prevention; redress; *der Not*: relief.

'**Steuer...**: ~ventil *n* control valve; ~veranlagung *f* assessment (of taxes); ~vergünstigung *f* tax concession (*or* allowance); ~verwaltung *f* administration of taxes; revenue department; ~welle *tech. f* control shaft, camshaft; ~wert *m* rateable value; ~wesen *n* (-s) fiscal matters *pl.*, taxation; ~zahler(in *f*) *m* taxpayer; *Brit. communal*: rate-payer; ~zuschlag *m* additional tax, supertax, surtax.

Steven ['ʃteːvən] *mar. m* (-s; -) stem; stern(post).

Steward ['stjuːərt] *m* (-s; -s) steward; **Stewardeß** [stjuːər'dɛs] *f* (-; -ssen) stewardess, *aer.* (air-)hostess.

stibitzen [ʃti'bitsən] *v/t.* (*h.*) pilfer, filch.

Stich [ʃtiç] *m* (-[e]s; -e) prick; stitch; sting (*of insect*); (flea-)bite; stab; thrust; cut; engraving; *rolling mill*: pass; *mar.* knot; *med.* shooting pain, twinge, stitch(es *pl. in the side*); *fig.* thrust, gibe, sarcasm; passing shot; *ein* ~ *ins Blaue* a tinge of blue; *ein* ~ *ins Geniale* a streak of genius; ~ *halten* hold good, hold water; *im* ~ *lassen* abandon, desert, forsake, let down, leave in the lurch, fail, *Am. a.* walk out on, go back on; e-n ~ *haben milk, etc.*: be turning sour, *meat*: be (a bit) high, *colloq. person*: be touched; *cards*: e-n ~ *machen* make a trick; *es gab ihm e-n* ~ it cut him to the quick, it jarred him; ~bahn *rail. f* switch-line; ~blatt *n* (*of épée*) guard; *cards*: trump; *fig.* butt.

Stichel ['ʃtiçəl] *m* (-s; -) style; *tech.* cutter; graver, burin.

Stiche'lei *fig. f* (-; -en) taunt, sneer, gibe; needling; teasing.

'**stichel|n** *v/t. and v/i.* (*h.*) stich, prick; *med.* scarify; *fig.* taunt, sneer, gibe, needle; tease; 2rede *f*, 2wort *n* → *Stichelei*.

'**Stich...**: ~entscheid *m* casting vote; 2fest *adj.* proof; ~flamme *f* darting flame, flash, blast flame; *tech.* (fine) jet; 2haltig *adj.* valid, sound, solid; ~ *sein* hold good; *seine Theorie ist nicht* ~ his theory doesn't hold water; ~haltigkeit *f* (-) soundness, validity; ~kampf *m sports*: play-off, run-off, jump-off, shoot-off; ~ler(in *f*) *m* (-s, -; -, -nen) taunter, mocker; teaser; ~ling ['-liŋ] *ichth. m* (-s; -e) stickleback; ~loch *tech. n* tap hole; ~maß *tech. n* ga(u)ge; ~ofen *metall. m* blast-furnace; ~probe *f* random test (*or* sample), spot check; ~säge *f* compass saw; ~tag *m* fixed day, key-day; key-date, target date; ~waffe *f* thrust (*or* stabbing) weapon; ~wahl *f* second ballot; ~wort *n* (-[e]s; ¨er) (*in dictionary*) entry (word); *esp. thea.* (*pl.* -e) cue; key-word; ~wortverzeichnis *n* index; ~wunde *f* stab (wound), puncture; ~zahl *f* test number.

Stick|arbeit ['ʃtik-] *f* embroidery; 2en *v/t. and v/i.* (*h.*) embroider; ~en *n* (-s) embroidery; 2end *adj.* → *stickig*; ~er(in *f*) *m* (-s, -; -, -nen) embroiderer; ~e'rei *f* (-; -en) embroidery; ~garn *n* embroidery cotton; ~gas *chem. n* suffocating gas, carbon dioxide; ~gaze *f* canvas; ~husten *med. m* (w)hooping-cough; 2ig *adj.* suffocating, stifling; stuffy, close (*air, room*); ~muster *n* embroidery pattern; **~nadel** *f* embroidery needle; **~oxyd** *n* nitric oxide; **~rahmen** *m* embroidery frame, tambour; **~seide** *f* embroidery silk.

Stickstoff [ˈʃtik-] *chem. m* (-[e]s) nitrogen; *mit ~ verbinden* nitrogenize; **Ձarm** *adj.* poor in nitrogen; **~dioxyd** *n* nitrogen dioxide; **~dünger** *m* nitrogenous fertilizer; **Ձfrei** *adj.* nitrogen-free, non-nitrogenous (*sugar, starch, etc.*); **Ձhaltig** *adj.* nitrogenous; **~oxydul** [ˈ-ɔksyˈduːl] *n* (-s) nitrous oxide; **~wasserstoff** *m* hydrogen nitride.

ˈ**Stickwolle** *f* Berlin wool.

stieben [ˈʃtiːbən] *v/i.* (*irr., sn*) fly about (*a. sparks*); *liquid*: spray; *crowd*: scatter.

Stiefbruder [ˈʃtiːf-] *m* stepbrother.

Stiefel [ˈʃtiːfəl] *m* (-s; -) boot, *Am. a.* shoe; *hohe ~ pl.* high (*or* top) boots; *of pump*: barrel; *italienischer ~* "boot of Italy"; *colloq. e-n ~ zusammenreden* talk through one's hat, blather; *er kann e-n ~ vertragen* he holds his liquor well; **~absatz** *m* boot-heel; **~bürste** *f* blacking brush; **~hose** *f* (e-e ~ a pair of) breeches *pl.*; **~knecht** *m* boot-jack; **Ձn** *colloq. v/i.* (*sn*) march, foot it; → *gestiefelt*; **~putzer** *m* shoeblack; *at hotel*: boots *sg.*; **~schaft** *m* leg of a boot; **~spanner** *m* boot stretcher; **~strippe** *f* boot strap.

ˈ**Stief-eltern** *pl.* step-parents.

ˈ**Stiefelwichse** *f* (shoe-)blacking, boot-polish.

ˈ**Stief...**: **~geschwister** *pl.* stepbrother(s) and stepsister(s); **~kind** *n* stepchild; *fig.* cinderella; **~mutter** *f* (-; ¨) stepmother, *b.s.* cruel mother; **~mütterchen** *bot. n* pansy; **Ձmütterlich I.** *adj.* stepmotherly, like a stepmother; **II.** *adv.*: *~ behandeln* neglect (badly), treat cruelly *or* shabbily; **~schwester** *f* stepsister; **~sohn** *m* stepson; **~tochter** *f* stepdaughter; **~vater** *m* stepfather.

stieg [ʃtiːk] *pret. of steigen.*

Stiege [ˈʃtiːgə] *f* (-; -n) staircase, stairs *pl.*; stile; (*20 pieces*) score; crate.

Stieglitz [ˈʃtiːglits] *m* (-es; -e) *orn.* goldfinch.

Stiel [ʃtiːl] *m* (-[e]s; -e) handle; helve (*of axe, etc.*); haft (*of dagger, etc.*); (broom-)stick; *arch.* strut; *bot.* stalk, peduncle; (pipe-)stem; *fig. den ~ umkehren* turn the tables (*on a p.*); → *Stumpf*; ˈ**~augen** *n/pl.* stalked eyes; *fig. Am.* pop-eyes; *fig. ~ machen* **a)** stare hungrily, **b)** make big eyes, *Am. a.* be pop-eyed; ˈ**Ձäugig** *adj.* stalk-eyed, *Am.* pop-eyed; ˈ**Ձen** *v/t.* (*h.*) furnish with a handle; → *gestielt*; **~handgranate** *f* stick-grenade.

stier [ʃtiːr] *adj.* staring, fixed, glassy; vacant; *~er Blick* (wild) stare, vacant gaze.

Stier *m* (-[e]s; -e) *zo.* bull; *ast.* Taurus; *fig. den ~ bei den Hörnern packen* take the bull by the horns.

ˈ**stieren** *v/i.* (*h.*) stare, gaze (*auf acc.* at); goggle (at); glare (at).

ˈ**Stier...**: **~fechter**, **~kämpfer** *m* bull-fighter; **~gefecht** *n*, **~kampf** *m* bull-fight; **~nacken** *m* bull-neck; **Ձnackig** [ˈ-nakiç] *adj.* bull-necked.

stieß [ʃtiːs] *pret. of stoßen.*

Stift[1] [ʃtift] *m* (-[e]s; -e) pin; peg; stud; bolt; tack; pivot; pencil, crayon; dowel (*for tooth*); *colloq.* apprentice, youngster; → *Knirps.*

Stift[2] [ʃtift] *n* (-[e]s; -e) charitable foundation *or* institution; *eccl.* **a)** convent, **b)** bishopric, **c)** chapter, **d)** seminary; home for aged ladies.

ˈ**Stiftdraht** *m* nail-wire.

ˈ**stiften** *v/t.* (*h.*) found; establish, institute; endow, give, *Am.* donate; *fig.* cause, produce; *Frieden ~* make peace; *Unfrieden ~* sow discord, make trouble; *Unheil ~* cause mischief; → *anstiften*; *colloq. ~ gehen* run away, bolt.

ˈ**Stifter(in** *f*) *m* (-s, -; -, -nen) founder, originator; donor, *Am. a.* sponsor; author.

ˈ**Stifts...**: **~dame** *f*, **~fräulein** *n* canoness; **~herr** *m* canon, prebendary; **~hütte** *f bibl.* tabernacle; **~kirche** *f* collegiate church; cathedral; **~schule** *f* foundation school.

ˈ**Stiftung** *f* (-; -en) foundation (*a. institution*); (charitable) endowment, donation, grant; *milde ~* charitable institution, charity, pious bequest; *a. to museum, etc.*: benefaction; **~sfeier** *f*, **~sfest** *n* foundation festival, commemoration (*or* founder's) day; **~s-urkunde** *f* deed of foundation.

ˈ**Stiftzahn** *m* pivot tooth.

Stigma [ˈstigma] *n* (-s; -men) stigma; **stigmatisieren** [-tiˈziːrən] *v/t.* (*h.*) stigmatize.

Stil [ʃtiːl] *m* (-[e]s; -e) style (*a.* ˈ**~art** *f*); *fig. a.* manner; *flüssiger ~* even-running style; *im großen ~* on a large scale; *Betrügereien im großen ~* large-scale (*or* wholesale) frauds; ˈ**~blüte** *f* howler; ˈ**Ձecht** *adj.* in proper style, true to style.

Stilett [stiˈlɛt] *n* (-s; -e) stiletto.

ˈ**Stil...**: **~fehler** *m* weak point in style; **~gefühl** *n* (-[e]s) stylistic sense; **Ձgerecht I.** *adj.* stylish; **II.** *adv.* in style.

stilisieren [-liˈziːrən] *v/t.* (*h.*) compose, word, pen; *ornamentally*: stylize; *gut stilisiert* written in good style.

Stiˈlist *m* (-en; -en), **~in** *f* (-; -nen) elegant writer, stylist; **~ik** *f* (-; -en) theory of style; → *Stilkunst*; **Ձisch** *adj.* stylistic; *in ~er Hinsicht* stylistically.

ˈ**Stil...**: **~kleid** *n* period costume; **~kunde** *f* composition, style; **~kunst** *f* stylistic art, (art of) composition.

still [ʃtil] *adj.* still, quiet; silent; hushed; peaceful, tranquil; calm (*air, sea, feelings*); motionless; lifeless, inanimate; soft; secret; *econ.* dull, slack; *eccl.* low (*mass*); ˈ*Ձer Freitag* Good Friday; ˈ*~es Gebet* silent prayer; *econ.* ˈ*~er Gesellschafter or Teilhaber* sleeping (*Am.* silent) partner; ˈ*~es Glück* quiet bliss; ˈ*~e Hoffnung* secret hope; *econ.* ˈ*~e Jahreszeit* dull (*or* dead) season; ˈ*~e Liebe* secret (*or* unavowed) love; ˈ*~e Nacht* silent night; ˈ*Ձer Ozean* Pacific (Ocean); *econ.* ˈ*~e Reserven* secret (*or* hidden) reserves; ˈ*~e Übereinkunft* tacit understanding; ˈ*~er Vorbehalt* mental reservation; ˈ*~e Wasser sind tief* still waters run deep; *colloq. er ist ein* ˈ*~es Wasser* he is a deep one; *~ sein* be quiet; *~!* silence!, quiet!, hush!; *sich ~ verhalten* keep still *or* quiet, not to stir, *fig. a.* bide one's time, lie low (*for a time*); *~ davon!* no more of that!, don't say anything (about it)!; *im* ˈ*~en* silently, quietly, secretly, privately, inwardly, at heart; *~ werden* grow silent, *wind, etc.*: calm down, subside; ˈ**~bleiben** *v/i.* be still, remain quiet; *n.s.* keep silence.

ˈ**Stille** *f* (-) stillness, quiet(ness), silence; peace, tranquillity, calm; hush; lull (*fig. vor dem Sturm* before the storm); *econ.* dullness, slackness; *tiefe ~* profound (*or* dead) silence; *in der ~, in aller ~* quietly, silently, secretly, privately, *b.s. a.* underhand, on the quiet.

ˈ**stille** *adj. colloq.* → *still.*

Stilleben [ˈʃtil-] (*when divided: Still-leben*) *paint. n* still life.

ˈ**stilleg|en** (*when divided: still-legen*) *v/t.* (*h.*) shut down (*enterprise*); lay up (*vehicle*); put *ship* out of commission; stop (*traffic*); neutralize, freeze (*money*); *med.* **a)** immobilize (*limb*), **b)** put *organ* out of action; *by war, strike, etc.*: paralyze; *stillgelegte Anlage* inactive installation; **Ձung** [-leːguŋ] *f* (-) shut-down; stoppage.

ˈ**Stil-lehre** *f* (art of) composition.

ˈ**stillen** *v/t.* (*h.*) quiet, calm, silence; stop, sta(u)nch (*blood*); quench (*thirst*); appease, stay (*hunger*); still, soothe (*pain*); still, satisfy (*longing*); gratify (*desire*); nurse, suckle (*baby*); **~d** *adj. pharm.* sedative, lenitive; *~e Mütter* nursing mothers.

ˈ**Still...**: **~geld** *n* nursing benefit; **~halte-abkommen** *n* standstill agreement, moratorium; **Ձhalten** *v/i.* (*irr., h.*) keep still (*or* quiet); stop, pause.

ˈ**stilliegen** (*when divided: still-liegen*) *v/i.* (*irr., h.*) be quiet; keep quiet *or* still; *fig.* lie dormant; *business, etc.*: be at a standstill; *works*: be shut down, lie idle; *traffic*: be suspended.

stillos [ˈʃtiːloːs] *adj.* without (*or* in [bad) style *or* taste.

ˈ**still...**: **~schweigen** *v/i.* (*h.*) be silent, keep silence; hold one's peace; *zu et. ~* ignore a th., close one's eyes to a th.; **Ձschweigen** *n* silence (*a. jur.*); secrecy; *~ bewahren* observe secrecy; *das ~ brechen* break silence; *j-m ~ auferlegen* enjoin secrecy on a p.; *mit ~ übergehen* pass *a th.* over in silence; **~schweigend I.** *adj.* silent; *fig.* tacit, implied, implicit (*agreement*); *mit der ~en Voraussetzung* on the tacit understanding; **II.** *adv.* silently, in silence; *fig.* tacitly, by implication; **~sitzen** *v/i.* (*irr., h.*) sit still (*or* quietly); *fig.* remain inactive, *iro.* twiddle one's thumbs; **Ձstand** *m* (-[e]s) standstill, stop (-page); *fig.* stagnation (*a. econ.*); deadlock (*of negotiations, etc.*); suspension; inaction; *zum ~ bringen* bring to a standstill, stop, halt, arrest; shut down (*works*); *zum ~ kommen* come to a standstill, *fig. a.* reach a deadlock; **~stehen** *v/i.* (*irr., h.*) stand still; *mil.* stand at attention; *stillgestanden!* attention!; stop; *fig.* be at a standstill, *trade*: *a.* be stagnant; *works, machines*: be idle; *der Verstand stand ihm still* his mind reeled (*bei* at), he was staggered; **~stehend** *adj.* at a standstill; motionless; stationary; stagnant; idle; **2ung** *f* (-) → *stillen*: sta(u)nching; quenching; appeasing; stilling; gratification; nursing, breast-feeding, lactation; **~vergnügt** *adj.* (quietly) happy, placid, serene; **2wein** *m* still wine; **2zeit** *med. f* lactation period.

'**Stil...**: **~möbel** *n/pl.* period furniture; **~übung** *f* exercise in composition; **2voll** *adj.* stylish.

Stimm|abgabe ['ʃtim-] *f* (-) voting, vote, polling; **~aufwand** *m* vocal effort; **~band** *anat. n* (-[e]s; ⸚er) vocal chord; **2berechtigt** *adj.* entitled to vote, enfranchised; *nicht ~* non-voting; **~berechtigung** *f* right to vote; → *Stimmrecht*; **~bruch** *m* (-[e]s) breaking of the voice, change of voice.

'**Stimme** *f* (-; -*n*) voice (*a. mus. and fig.*); *pol.* vote; *newspaper*: comment; *mus.* part; *erste ~* soprano; *zweite ~* alto; *die ~ des Gewissens* the voice of conscience, the still small voice; *abgegebene ~n* votes polled; *entscheidende ~* casting vote; (*nicht*) *bei ~* (not) in voice; *s-e ~ abgeben* vote, poll; *j-m s-e ~ geben* give a p. one's vote, vote for a p.; *mit lauter ~* in a loud voice; *~n werben* canvass (votes), electioneer; *s-n Gefühlen ~ verleihen* voice one's feelings; *er hat dabei keine ~* he has no voice (*or* say) in this matter; → *Sitz*.

'**stimmen I.** *v/t.* (*h.*) tune *instrument* (*nach dat.* to); *höher* (*niedriger*) *~* raise (lower) the pitch; *fig. j-n für et. ~* dispose a p. to (*or* to do) a th.; *j-n günstig ~* put a p. in a favo(u)rable mood; *j-n gegen et. ~* prejudice a p. against a th.; *glücklich ~* make (feel) happy; *traurig ~* make sad, sadden, depress; *schlecht gestimmt* ill-humo(u)red, in a bad mood; **II.** *v/i. mus., colours*: be in tune, harmonize; *fig.* be true (*or* right); be in order; *sum, etc.*: be correct; agree, tally; *~ für* (*acc.*) vote (*or* poll) for; *das stimmt!* that's (all) right! that's true!, that's correct!; *da stimmt et. nicht* there is something wrong here.

'**Stimmen...**: **~einheit** *f* unanimity; *mit ~* unanimously; **~fang** *m* vote-getting; **~gewirr** *n* babel (*or* din) of voices, babble; **~gleichheit** *f* equality (*or* parity) of votes; *parl.* tie; **~mehrheit** *f* majority of votes; *einfache ~* bare (*or* simple) majority; **~minderheit** *f* minority of votes; **~prüfung** *f* scrutiny of votes; **~teilung** *f* split ing of votes, division.

'**Stimm-enthaltung** *f* abstention (from voting).

'**Stimmen...**: **~werber** *m* canvasser; **~zählung** *f* counting of votes.

'**Stimm...**: **~er** *mus. m* (-*s*; -) tuner; **2fähig** *adj.* entitled to vote; **~falte** *anat. f* fold of vocal chord; **~führer** *m* spokesman; **~gabel** *mus. f* tuning fork; **2gewaltig** *adj.* loud-voiced; **2haft** *gr. adj.* voiced, vocal; **~hammer** *mus. m* tuning hammer; **~lage** *f* pitch (of the voice), register; **2lich** *adj.* vocal; **~liste** *f* voting list; **2los** *adj.* voiceless (*a. gr.* = unvoiced, breathed); **~pfeife** *mus. f* pitch pipe; **~recht** *n* right to vote, vote, *only pol.* franchise; *allgemeines ~* universal suffrage; *das ~ ausüben* exercise one's right to vote, vote; **~rechtlerin** ['-rɛçtlərin] *f* (-; -*nen*) suffragist, *contp.* suffragette; **~ritze** *anat. f* glottis; **~ritzendeckel** *m* epiglottis; **~schein** *m* voting certificate.

'**Stimmung** *f* (-; -*en*) *mus.* **a)** tuning, **b)** pitch, key; *fig.* atmosphere; mood (*a. paint., etc.*); frame of mind, humo(u)r, disposition, spirit; *mil.* morale; *of the public*: general feeling (*or* sentiment); *deutschfeindliche ~* anti-German sentiment; *stock exchange*: tone, tendency; high spirits *pl.*; *feindselige ~* animosity, resentment; *guter ~* in good humo(u)r, in high spirits; *in gedrückter ~* in low spirits, low-spirited, depressed; (*nicht*) *in der ~ sein zu* in the (in no) mood for *a th. or* to *inf.*, (not to) feel like doing *a th.*; *~ machen für* (*acc.*) make propaganda for, boom, plug; *für ~ sorgen* liven (*or* pep) up the party, *etc.*; *die ~ war glänzend* spirits were high.

'**Stimmungs...**: **~barometer** *m* barometer of opinion; **~bild** *paint. n* mood; **~kanone** *humor. f* great joker, life of the party; **~kapelle** *f* cheery band; **~mache** *f* boom(ing); **~mensch** *m* moody creature; **~musik** *f* mood music; **~umschwung** *m* change of mood; *stock exchange*: change of tone; **2voll** *adj.* full of genuine feeling; impressive; sentimental; idyllic.

'**Stimm...**: **~vieh** *contp. n* herd of voters; **~wechsel** *m* → *Stimmbruch*; **~werkzeug** *n* vocal organ; **~zettel** *m* voting-paper, ballot; *durch ~* by ballot.

Stimulans ['ʃti:mulans] *med. n* (-; -'*lantia*) stimulant; *fig. a.* tonic; **stimu'lieren** *v/t.* (*h.*) stimulate; '**Stimulus** *m* (-; -*li*) stimulus.

Stink|bombe ['ʃtiŋk-] *f* stink-bomb; **2en** *v/i.* (*irr., h.*) stink (*nach* of), smell bad (*or* foul), have a bad smell, be fetid; *colloq. fig.* stink, be fishy; *das stinkt zum Himmel* it stinks to high heaven, it's a crying shame; *colloq. vor Geld ~* be lousy with money; **2end, 2ig** *adj.* stinking, ill-smelling, fetid; putrid; **2faul** *adj.* bone-lazy; **~tier** *zo. n* skunk; **~wut** *colloq. f*: *e-e ~ haben* foam (with rage), *Am. a.* be sore like hell.

Stint [ʃtint] *ichth. m* (-[e]s; -e) smelt.

Stipendiat [ʃtipɛndi'ɑ:t] *univ. m* (-en; -en) scholar(ship holder).

Stipendium [ʃti'pɛndium] *n* (-*s*; -*dien*) scholarship.

stipp|en ['ʃtipən] *v/t.* (*h.*) dip, steep; **2visite** *colloq. f* flying visit, pop-visit.

stipulieren [ʃtipu'li:rən] *v/t.* (*h.*) stipulate.

Stirn [ʃtirn] *f* (-; -*en*) forehead, brow; *fig.* impudence, face; *die ~ haben zu inf. a.* have the cheek to *inf.*; → *eisern, runzeln*; *sich verzweifelt an die ~ greifen* clutch one's brow; *fig.* (*dat.*) *die ~ bieten* make head against, face (squarely), defy; *es steht ihm auf der ~ geschrieben* it is written on his face; '**~ader** *anat. f* frontal vein; '**~ansicht** *f* front view; '**~band** *n* (-[e]s; ⸚er) headband, frontlet; *on gas masks, etc.*: forehead strap; '**~bein** *anat. n* frontal bone; '**~binde** *f* → *Stirnband*; '**~falte** *f* wrinkle (on the forehead), furrow; '**~fläche** *f* face; '**~höhle** *anat. f* frontal cavity; '**~höhlenentzündung** *f*, '**~höhlenkatarrh** *m* frontal sinusitis; '**~höhlenvereiterung** *f* chronic suppurative catarrh of the frontal sinus; '**~holz** *n* end-grained wood; '**~kipper** *mot. m* end-tipping lorry, *Am.* end-dump truck; '**~lage** *f* brow presentation (*of foetus*); '**~locke** *f* forelock; '**~rad** *tech. n* spur gear; '**~riemen** *m* frontlet; '**~runzeln** *n* (-*s*) frown (-ing); '**~seite** *f* face, front (side); '**~wand** *f* front (*or* end) wall, front plate; '**~wunde** *f* frontal wound.

stob [ʃto:p] *pret. of stieben.*

stöber|n ['ʃtø:bərn] *v/i.* (*h.*) **1.** hunt, rummage (about); **2.**: *es stöbert* a fine snow is falling; **3.** clean up, tidy (*a. v/t.*); **2wetter** *n* sleety weather.

stochern ['ʃtɔxərn] *v/t. and v/i.* (*h.*) (*~ in dat.*) poke; stir (up), rake (*fire*); *sich in den Zähnen ~* pick one's teeth; *in s-m Essen ~* pick at one's food.

Stock [ʃtɔk] *m* (-[e]s; ⸚e) stick; cane; *billiards*: cue; *mus.* baton; *for hats*: block; beehive; (mountain) massif; (*pl.* -) *of house*: store(y), floor; *bot.* stock; (flower) pot; vine; (tree-) stump; *jur. hist.* stocks *pl.*; *am ~ gehen* walk with (the help of) a stick, *colloq. fig.* be broke, *w.s.* be down on one's luck; *im ersten ~ wohnen* live on the first (*Am.* second) floor; *über ~ und Stein* over hedge and ditch.

'**Stock...**: **~amerikaner** *m* thorough American, regular Yankee; **2blind** *adj.* stone-blind; **~degen** *m* sword-cane; **2dumm** *adj.* utterly stupid, blockheaded; **2dunkel** *adj.* pitch-dark.

Stöckelschuhe ['ʃtœkəl-] *m/pl.* high-heeled shoes.

'**stocken** *v/i.* (*h.*) stop (short), come to (*or* be at) a standstill; slacken; *fig. a.* make no progress, hang fire; *water and fig.*: stagnate; *blood*: cease to circulate; *heart*: cease to act; *mot.* stall; *paint*: cake; *fig. ihm stockte der Herzschlag* his heart stood still *or* missed a beat (*bei dem Anblick* at the sight); *conversation*: flag; *econ. business*: be slack (*or* stagnant); *negotiations, etc.* reach a deadlock; *traffic*: be blocked (*or* held up); hesitate, halt; *voice*: falter; *im Reden* ~ break down, get stuck; ~*d sprechen* speak haltingly; curdle, thicken; turn mo(u)ldy, *teeth*: decay, rot.

'**Stocken** *n* (-*s*) → *Stockung*; *ins* ~ *geraten* come to a standstill, → *stocken*.

'**Stock...**: ~**engländer** *m* thorough (*or* true-born) Englishman, Englishman to the core; 2**finster** *adj.* pitch-dark; ~**fisch** *m* stockfish, dried cod; *fig.* bore; ~**fleck** *m* damp stain; ~*e pl.* (*a. bot.*) mildew *sg.*; 2**fleckig** *adj.* foxed, foxy, *a. bot.* mildewy; ~**flinte** *f* cane-gun.

'**stockig** *adj.* mo(u)ldy, fusty; mildewy; *tooth*: decayed.

...**stöckig** [-ʃtœkiç] *in compounds*: ...-storied, ...-floor.

'**Stock...**: ~**laterne** *f* cresset; ~**makler** *econ. m* stockbroker; ~**presse** *f bookbinding*: large press; ~**prügel** *m/pl.* caning, flogging; ~**punkt** *m* solidifying point (*of oil*); ~**rose** *f* hollyhock; ~**schirm** *m* walking-stick umbrella; ~**schläge** ['-ʃlɛːgə] *m/pl.* caning, flogging, thrashing; ~**schnupfen** *med. m* chronic cold in the head, thick cold; 2**steif** *adj.* (as) stiff as a poker; 2**still** *adj.* stock-still; 2**taub** *adj.* (as) deaf as a post, stone-deaf.

'**Stockung** *f* (-; -*en*) standstill, stop(page); hitch; cessation; *fig.* deadlock; interruption; slowing down, hold-up; loss of time, delay; pause; hesitation; stagnation; *of traffic*: jam, congestion, *Am. a.* traffic snarl; *med.* stagnation, stasis, congestion.

'**Stock...**: ~**werk** *n* stor(e)y, floor; *geol.* section; *im ersten* ~ on the first floor; *im oberen* ~ upstairs; ~**werksgarage** *mot. f* multi-story garage; ~**zahn** *m* molar, grinder; ~**zwinge** *f* ferrule.

Stoff [ʃtɔf] *m* (-[e]*s*; -*e*) material, fabric, textile; cloth, *econ. collect.* yard goods *pl.*; stuff; *phys.* matter; material, stuff (*a. colloq. drink*); substance; element; agent; compound; fuel; pulp; *fig.* subject (-matter); *zu e-m Roman, etc.*: material (for *a novel, etc.*), story (for *a film*); food (for *conversation*), topic; ~ *zum Nachdenken* food for thought, something to think about; ~ *liefern für* furnish matter for; '~**bahn** *f* web of cloth; '~**ballen** *m* bale of cloth; '2**bespannt** *adj.* fabric-covered.

Stoffel ['ʃtɔfəl] *colloq. m* (-*s*; -) booby, yokel; boor; 2**ig** *adj.* uncouth, boorish.

'**Stoffhandschuh** *m* fabric glove.

'**stofflich** *adj.* material(ly *adv.*); with regard to the subject-matter.

'**Stoff...**: ~**male'rei** *f* painting on cloth; ~**muster** *n* (cloth) pattern; ~**patent** *n* product patent; ~**puppe** *f* stuffed doll.

'**Stoffülle** (*when divided*: *Stoff-fülle*) *f* (-) wealth of material (*or* information).

'**Stoff...**: ~**verwandtschaft** *f* chemical affinity; ~**wahl** *f* (-) selection of a subject; ~**wechsel** *m* metabolism; *in compounds*: metabolic...; ~**wechselgrundumsatz** *m* basal metabolic rate.

stöhnen ['ʃtøːnən] *v/i.* (*h.*) groan, moan (*über acc.* at, *vor dat.* with).

'**Stöhnen** *n* (-*s*) groaning, groans *pl.*

Sto|iker ['ʃtoːˀikər] *m* (-*s*; -) Stoic; 2**isch** *adj.* stoic(al).

Stola ['ʃtoːla] *f* (-; -*len*) *eccl., a. fashion*: stole.

Stolle ['ʃtɔlə] *f* (-; -*n*) loaf-shaped cake, fruit cake.

Stollen ['ʃtɔlən] *m* post, support; *mining*: tunnel, adit, (*a. mil.*) gallery; *mil.* dug-out; *on horseshoe*: calk(in); (*cake*) fruit loaf.

Stolper|draht [ʃtɔlpər-] *mil. m* trip wire; 2**ig** *adj.* stumbling; halting; → *holperig*; 2**n** ['ʃtɔlpərn] *v/i.* (*sn*) stumble, trip (*über acc.* over; *both a. fig.*).

stolz [ʃtɔlts] *adj.* proud (*auf acc.* of); conceited; haughty; arrogant; *fig.* proud (*day, sight, ship, etc.*); noble, stately, majestic; ~ *sein auf* (*acc.*) be proud of, take pride in.

Stolz *m* (-*es*) pride (*auf acc.* in); *b.s. a.* haughtiness; arrogance; conceit; *falscher* ~ false pride; *s-n* ~ *dareinsetzen zu inf.* do one's utmost to *inf.*; make a point of *ger.*; *er ist der* ~ *seiner Mutter* he is his mother's pride.

stolzieren [ʃtɔl'tsiːrən] *v/i.* (*sn*) strut, parade, swagger; *horse*: prance.

Stopf|büchse ['ʃtɔpf-] *tech. f* stuffing box; '~**ei** *n* darning-ball, darner.

stopfen ['ʃtɔpfən] **I.** *v/t.* (*h.*) stuff, cram; plug; stuff (*fowl, upholstery*); fill (*hole, pipe*); stop (*leak*); patch up; darn, mend (*stockings*); *physiol.* constipate; *mus.* mute; *mil.* (*das Feuer*) ~ cease firing; *fig. j-m den Mund* ~ stop a p.'s mouth; *gestopft voll* crammed full; *mus. gestopfte Trompete* muted trumpet; **II.** *v/i.* (*h.*) *food*: satisfy, be filling; *med.* cause constipation.

'**Stopfen**[1] *n* (-*s*) stuffing, *etc.*

'**Stopfen**[2] *m* (-*s*; -) stopper, plug.

'**Stopf...**: ~**garn** *n* darning cotton; ~**mittel** *pharm. n* emplastic; ~**nadel** *f* darning-needle; ~**naht** *f* darn; ~**nudel** *f* flour ball; ~**pilz** *m* darning mushroom; ~**twist** *m* darning cotton.

Stopp [ʃtɔp] *m* (-*s*; -*s*) stop; prohibition, (*import*) ban, (*price*) freeze.

Stoppel ['ʃtɔpəl] *f* (-; -*n*) *agr.* stubble (*a. of hair, beard*); ~**bart** *m* stubbly beard; ~**feld** *n* stubble-field; ~**gans** *f* stubble-goose; 2**ig** *adj.* stubbly; 2**n** *v/t. and v/i.* (*h.*) glean; *fig.* patch (together); ~**werk** *n* (literary) patchwork.

'**stoppen** *v/t. and v/i.* (*h.*) **1.** stop; **2.** *sports*: time, clock.

'**Stopper** *m* (-*s*; -) *mar.* stopper; *soccer*: defensive centre-half.

'**Stopp...**: ~**licht** *mot. n* stoplight; ~**lohn** *m* stopped (*or* ceiling) wage; ~**preis** *m* ceiling price; ~**schild** *mot. m* HALT sign; ~**signal** *n* stop signal; ~**uhr** *f* stop watch; ~**verordnung** *f* limitation order.

Stöpsel ['ʃtœpsəl] *m* (-*s*; -) stopper, cork; *a. el.* plug; peg; *colloq. fig.* manikin, little runt, *Am. a.* shortie; '2**n** *v/t. and v/i.* (*h.*) stopper, cork; *esp. el.* plug; '~**schnur** *el. f* plug-ended cord.

Stör [ʃtøːr] *ichth. m* (-[e]*s*; -*e*) sturgeon.

'**Stör|angriff** *mil. m* harassing (*or* nuisance) raid; ~**befreiung** *f radio*: elimination of interference.

Storch ['ʃtɔrç] *m* (-*es*; ⸚*e*) stork; *colloq. da brat mir e-r 'nen* ~! well, I'll be hanged!, *Am.* can you beat it?; 2**beinig** *adj.* spindle-legged; ~**ennest** *n* stork's nest; ~**schnabel** *m* stork's bill; *tech.* pantograph; *med.* cranesbill; *bot., pharm.* dove's-foot.

Störchin ['ʃtœrçin] *f* (-; -*nen*) female stork.

Store [ʃtoːr] *m* (-*s*; -*s*) (window-) curtain.

'**Stör...**: 2**anfällig** *tech. adj.* susceptible to trouble; ~**anzeigelampe** *f* trouble light; ~**einsatz** *mil. m* nuisance operation.

stören ['ʃtøːrən] **I.** *v/t.* (*h.*) *usu.* disturb (*a. jur.* = interfere with); trouble; bother, annoy; irritate, vex; upset, disarrange; interrupt; interfere with; jam (*radio transmitter*); *mil.* harass; *lassen Sie sich nicht* ~! don't let me disturb you!; *darf ich Sie kurz* ~? may I trouble you for a minute?; *stört es Sie, wenn ich rauche?* do you mind my smoking?; *das stört mich nicht* I don't mind (that); *er stört mich nicht* I don't mind him; *was stört dich das?* why should that bother you?; *teleph. gestörte Leitung* faulty line; *gestörter Schlaf* broken sleep; *geistig gestört* mentally deranged; **II.** *v/i.* (*h.*) be intruding; meddle; be in the way; mar the picture, spoil the effect, be an eyesore; be inconvenient (*or* awkward); '~**d** *adj.* disturbing, *etc.*; troublesome, inconvenient; awkward; intrusive; '2**fried** ['-friːt] *m* (-[e]*s*; -*e*) marplot, mischief-maker, troublemaker; intruder.

'**Störer(in** *f*) *m* (-*s*, -; -, -*nen*) disturber; intruder; → *Störsender*.

'**Stör...**: ~**feuer** *mil. n* harassing fire; ~**fleck(e** *pl.*) *m radar*: clutter; ~**flug** *aer. m* nuisance raid; 2**frei** *adj. radio*: undisurbed; ~**frequenz** *f* interference frequency; ~**funk** *m* jamming; ~**geräusch** *n radio*: background noise; statics *pl.*; interference; jamming.

stornier|en [stɔr'niːrən] *econ. v/t.* (*h.*) reverse (*an entry*); cancel (*order*); 2**ung** *f* (-; -*en*), **Storno** ['stɔrno] *n* (-*s*; -*ni*) reversal, contra-entry; cancellation.

störrig ['ʃtœriç], **störrisch** ['-iʃ] *adj.* stubborn, headstrong, obstinate; mulish, pigheaded; unmanageable, refractory; restive (*horse*).

'**Störrigkeit** *f* (-) stubbornness, obstinacy; pigheadedness; refractoriness; restiveness.

'**Stör...**: ~**schutz** *m* (*radio*) noise suppressor, interference elimination; ~**sender** *m* jamming station, interfering transmitter; ~**sendung** *f* jamming.

'**Störung** *f* (-; -*en*) disturbing, *etc.*, → *stören*; disturbance, trouble (*both a. med.*); inconvenience, upset; annoyance, irritation; intrusion; interference; interruption;

hitch; obstruction; disarrangement, disorder; dislocation (*of traffic*); *radio*: **a**) *atmosphärische* ~ statics, atmospherics *pl.*, **b**) jamming, interference; *tech.* fault, trouble; failure, breakdown; *geistige* ~ mental disorder; *verzeihen Sie die* ~! pardon the intrusion!

'Störungs...: **~dienst** *m* fault-clearing service; **~feuer** *mil. n* harassing fire; **2frei** *adj.* undisturbed; *radio*: *a.* interference-free; *tech.* trouble-free; **~stelle** *f* trouble spot; → *Störungsdienst*; **~sucher** *teleph. m* lineman, faultsman; **~trupp** *teleph. m* repair gang.

Stoß [ʃto:s] *m* (-es; ⸚e) push, shove; (*a. fenc., mil., phys.*) thrust; blow, knock; → *Schlag*; kick; butt; poke; dig (*in the ribs*), nudge; stroke; *sports*: put; *billiards*: stroke; jerk; bump, *phys. and w.s.* impact; blast (*of explosion, trumpet, wind*); burst; shock, concussion; collision, crash; jolt; recoil, kick (*of gun*); *tech.* butt joint; *el.* surge; *rail.* junction; *mining*: stope, face of work; pile, stack (*of wood, etc.*), bundle, file (*of paper, etc.*), sheaf, *Am. a.* wad (*of bank-notes*), batch (*of letters*); → *Schub*; *dressmaking*: seam, hem; *e-n* ~ *versetzen* give *a p.* a push, *fig.* be (*or* come as) a blow to, *j-s Gesundheit*: affect, injure, take its toll of *a p.'s strength*, *j-s Glauben*: shake *a p.'s faith*; *gib deinem Herzen e-n* ~! be a sport!, have a heart!; **'~arbeiter** *m* shock worker; **'2artig** *adj.* intermittent, sporadic (-ally *adv.*); abrupt; **'~bedarf** *econ. m* emergency needs; **'~borte** *f* tail braid; **'~brigade** *f* shock brigade; **'~dämpfer** *tech. m* anti-shock pad; *mot., etc.*: shock-absorber; **'~degen** *m* rapier, foil; **'~druck** *m* (-[e]s; ⸚e) impact pressure.

Stößel ['ʃtø:səl] *m* (-s; -) pestle; tamping *or* ramming tool; (piston) plunger; *mot.* (valve) tappet.

'stoßempfindlich *adj.* sensitive to shock.

stoßen ['ʃto:sən] **I.** *v/t.* (*irr., h.*) push, shove; thrust; kick; punch, cuff, jab; knock, strike; nudge, jostle; poke; ram; drive; *sports*: put (*the shot*); pound; *zu Pulver* ~ powder, pulverize; *tech.* slot; ~ *aus dem Haus, e-m Verein, etc.*: expel from, turn out of *house, club, etc.*; *j-n in die Rippen* ~ nudge a p., prod a p.'s ribs; *j-m das Messer in die Brust* ~ plunge a knife into a p.'s breast; *von sich* ~ push away, reject; → *Kopf, Nase*; *sich* ~ *an* (*dat.*) strike (*or* knock *or* run *or* bump *or* hit) against; *fig.* take offence (*Am.* -se) at, take exception to, be shocked by, stick at; object to, disapprove; *s-e Zehen* ~ *an* stub one's toes at; **II.** *v/i.* **a**) (*irr., h.*) thrust, kick, butt (*nach* at); *buck*: butt; *gun*: recoil; *vehicle*: jolt, bump; ~ *an* (*acc.*) run (*or* bump) against; jostle against; *fig.* border (*or* abut) on, adjoin; touch; *tech.* butt against; *ins Horn* ~ blow the horn; *in die Trompete* ~ sound the trumpet; *vom Lande* ~ put to sea; **b**) (*irr., sn*) ~ *auf* (*acc.*) *bird, etc.*: pounce on, swoop down on; *fig.* (happen to) meet, come across, run (*or* bump) into; come across, stumble on, discover; meet with, encounter (*obstacle, resistance, etc.*); *zu j-m* ~ join (up with) a p.; **c**) ~ *gegen or an* (*acc.*) knock (*or* strike) against.

'Stoß...: **~fänger** *m* bumper, buffer; → *Stoßdämpfer*; **~feder** *f* buffer spring; **2fest** *adj.* shock-proof, shock-resistant; **~festigkeit** *f* resistance to shock; **2frei** *adj.* smooth, joltless; **~gebet** *n* fast and fervent prayer; **2gesichert** *adj.* shock-protected; **~hobel** *tech. m* jointer; **~kante** *f* hem, edge, lining; **~keil** *mil. m* spearhead; **~kraft** *f* (-) *tech.* impact (force), percussive power; *w.s.* impetus, drive, force; **~kreis** *m sports*: weight (*Am.* shot) circle; **~kugel** *f sports*: weight, *esp. Am.* shot; **~maschine** *f* slotting machine; **~seufzer** *m* deep heartfelt sigh, groan; **2sicher** *adj.* shock-proof; **~stange** *f mot.* bumper; *for valves*: push-rod; *rail.* buffer-bar; **~trupp** *mil. m* raiding patrol, assault-party; **~truppen** *f/pl.* shock troops; **~truppunternehmen** *n* raid; **~verbindung** *tech. f* butt joint; **~verkehr** *m* rush-hour traffic; **~waffe** *mil. f* thrust-weapon; **2weise** *adv.* intermittently, sporadically, by jerks, by fits and starts; in waves; **~wind** *m* squall, gust (of wind); **~zahn** *m* tusk.

Stott|erer ['ʃtɔtərər] *m* (-s; -), **~rerin** *f* (-; -nen) stutterer, stammerer.

'stottern *v/i. and v/t.* (*h.*) stutter, stammer; *mot.* splutter.

'Stottern *n* (-s) stuttering; *colloq. auf* ~ *kaufen* buy on the instalment plan (*or* on the never-never).

stracks [ʃtraks] *adv.* direct, straight; directly, on the spot, right away.

Straf|änderung ['ʃtra:f-] *jur. f* commutation of sentence; **~androhung** *f* sanction (of an offence), penalty provided by law; *unter* ~ under a penalty; → *Vorladung*; **~anstalt** *f* penal institution; prison; *mil.* detention (*Am.* disciplinary) barracks *pl.*; **~antrag** *m* **a**) private application (by the injured party), **b**) sentence demanded (by the public prosecutor); **~antritt** *m* commencement of imprisonment; **~anzeige** *f*: ~ *erstatten gegen* bring a criminal charge against; **~arbeit** *ped. f* imposition, *Am.* extra-work; **~aufschub** *m* reprieve; *j-m* ~ *gewähren* reprieve a p.; ~ *gegen Bewährungsfrist gewähren* grant suspension of sentence on probation; **~ausschließungsgrund** *m* ground for exemption from punishment; **~aussetzung** *f* suspension of (*or* suspended) sentence; **2bar** *adj. person*: liable to prosecution, *act*: punishable, criminal, triable; culpable; **~e** *Handlung* (criminal) offence (*Am.* -se); ~ *sein* be an offen|ce (*Am.* -se), be punishable (*nach* under); *sich* ~ *machen* incur a penalty, be liable to prosecution; **~barkeit** *f* (-) punishability, criminal nature; culpability; **~bataillon** *mil. n* delinquent battalion; **~befehl** *m* order (of summary punishment); **~befugnis** *f* penal authority; power of sentence; **~bescheid** *m* order (inflicting punishment); **~bestimmung** *f* penal clause *or* provision; **~en** *pl. a.* penal laws, penalties; **~dienst** *m* extra duty, fatigue duty.

Strafe ['ʃtra:fə] *f* (-; -*n*) punishment (*für* for); *econ., jur., sports, and fig.*: penalty; fine; chastisement, correction; retribution; *jur.* sentence; *bei* ~ *von* on pain of, on penalty of; *zur* ~ as a punishment; → *abbüßen, etc.*; ~ *zahlen* pay a fine; *er hat seine* ~ he has got his deserts; *das ist die* ~ *dafür, daß du mir nicht folgtest* that's for disobeying me; **2n** *v/t.* (*h.*) punish (*mit* with); *esp. sports, a. fig.*: penalize; chastise, correct; *um Geld* ~ fine; → *Lüge*; censure, reprove; *mit Verachtung* ~ turn one's back on, ignore; **2nd** ['-fənt] *adj.* punishing, punitive, corrective; *jur.* penal; avenging; reproachful, withering (*look*).

'Straf...: **~entlassene(r** *m*) *f* (-*n*, -*n*; -*en*, -*en*) ex-convict; **~entlassung** *f*: *bedingte* ~ *Brit.* ticket of leave, *Am.* parole; **~erkenntnis** *n* sentence (passed on a p.); **~erlaß** *m* remission of punishment; *bedingter* ~ conditional sentence; *teilweiser* ~ remission of part of the sentence; *allgemeiner* ~ amnesty; **~exerzieren** *mil. n* (-s) punishment drill; **~expedition** *f* punitive expedition.

straff [ʃtraf] **I.** *adj.* stretched; tight; taut (*muscle, sinew, rope*); firm (*bust*); straight, erect (*bearing*); *fig.* tense (*articulation*); concise (*style*); strict, rigid, austere; **II.** *adv.*: ~ *anliegen* fit tightly, sit close; ~ *anziehen* tighten, pull tight (*screw, etc.*); tauten, stretch (*rope, etc.*).

'Straf·fall *m* criminal case, punishable offen|ce (*Am.* -se).

'straf·fällig *adj.* → *strafbar*.

straffen ['ʃtrafən] *v/t.* (*h.*) *and sich* ~ tighten; *rope, etc.*: *a.* tauten, stretch; *fig.* render *a plot, etc.*, concise (*or* compact); *s-e Haltung straffte sich* he drew himself up.

'Straffheit *f* (-) tightness; tautness; tenseness; *fig.* conciseness (*of style*); strictness, severity, rigidity (*of discipline, etc.*).

'straffrei *adj.* exempt from punishment; (*a. adv.*) with impunity; ~ *ausgehen* go unpunished (*or* scot-free); **2heit** *f* (-) impunity; immunity (from criminal prosecution).

'Straf...: **~gebühr** *f* surcharge; fine; **~gefangene(r** *m*) *f* prisoner, convict; **~geld** *n* fine, penalty; **~gericht** *n* criminal court, tribunal; *fig.* punishment, chastisement; vengeance; judgment (of God); **~gerichtsbarkeit** *f* criminal jurisdiction; **~gesetz** *n* penal law; **~gesetzbuch** *n* penal code; **~gesetzgebung** *f* penal legislation; **~gewalt** *f* disciplinary power; *jur.* power of sentence; *die* ~ *haben über* (*acc.*) have corrective control over; **~justiz** *f* criminal justice; **~kammer** *f* criminal division; **~kolonie** *f* convict settlement, penal colony; **~lager** *n* (-s; -) concentration camp.

sträflich ['ʃtrɛ:fliç] **I.** *adj.* punishable, criminal (*a. fig.*); culpable; reprehensible; inexcusable, unpardonable; **II.** *adv.* criminally, incredibly, awfully.

Sträfling [ˈʃtrɛːfliŋ] *m* (-s; -e) prisoner, convict; **~sjacke, ~skleidung** *f* convict's garb, prison clothes *pl.*

ˈ**Straf...: ≈los** *adj.* → *straffrei*; **~mandat** *n* penalty, *Am.* ticket; **~maß** *n* degree of punishment, sentence; *höchstes ~* maximum penalty; **~maßnahme** *f* sanction; **≈mildernd** *adj.* mitigating, extenuating (*circumstance*); *~ wirken* be considered in mitigation; **~milderung** *f* commutation of punishment; **≈mündig** *adj.* of a responsible age, liable for crime; **~mündigkeit** *f* age of discretion; **~pflege** *f* criminal justice; **~porto** *mail. n* additional (*or* excess) postage, postage-due, surcharge; **~predigt** *f* severe lecture; *j-m e-e ~ halten* lecture a p., take a p. to task; **~prozeß** *m* trial, criminal case; **~prozeßordnung** *f* code of criminal procedure; **~punkt** *m sports*: bad point, penalty; **~raum** *m sports*: penalty area; **~recht** *n* (-[e]s) criminal law; **≈rechtlich** *adj.* penal, criminal, under criminal law; *~ verfolgen* prosecute; **~register** *n* penal register, criminal records *pl.*; **~richter** *m* criminal judge; **~sache** *f* criminal case; *Zuständigkeit in ~n* criminal jurisdiction; **~senat** *m* criminal panel; **~stoß** *m soccer*: penalty kick; **~tat** *f* punishable act, (criminal) offence (*Am.* -se); **~umwandlung** *f* commutation of punishment; **~verfahren** *n* criminal procedure (*or* proceedings *pl.*); **~verfolgung** *f* criminal prosecution; **≈verschärfend** *adj.* aggravating; **~verschärfung** *f* increase of penalty; **≈versetzen** *v/t.* (*h.*) transfer for disciplinary reasons; **~versetzung** *f* transfer for disciplinary reasons; **~verteidiger** *m* trial lawyer; **~vollstreckung** *f*, **~vollzug** *m* execution of a sentence; *sich der ~ (dem ~) entziehen* evade justice; **~vollzugsanstalt** *f* penal institution; **≈würdig** *adj.* → *sträflich*; **~zeit** *f* term of confinement; **~zumessung** *f* award of punishment; **~zuschlag** *m* surcharge.

Strahl [ʃtrɑːl] *m* (-[e]s; -en) ray (*a. fig. of hope*); beam; flash; stream (*of air, gas, water*), jet; *math.* radius, straight line; *vet.* frog; *kosmische ~en* cosmic rays; *einfallender ~* incident ray; ˈ**~antrieb** *aer. m* jet propulsion; ˈ**~düse** *f* blast nozzle; ˈ**~einspritzung** *mot. f* solid injection; ˈ**~empfänger** *m radio*: unidirectional (*or* beam) receiver.

ˈ**strahlen I.** *v/i.* (*h.*) emit rays, radiate; shine, flash, sparkle; *fig. face, person*: be radiant (*vor dat.* with), beam (with), shine (with); *~d* radiating, *a. fig.* radiant, beaming, shining; *vor Gesundheit ~* radiate health; **II.** *v/t.* (*h.*) radiate (forth); *radio*: beam (*nach* at).

ˈ**Strahlen...: ~behandlung** *f* radiotherapy, ray treatment; **~biologie** *f* radiobiology; **≈brechend** *phys. adj.* refractive; **~brechung** *f* refraction (of rays); **~bündel, ~büschel** *n* pencil of rays, beam (*or* brush); **~dermatitis** [ˈ-dɛrmaˈtiːtis] *med. f* (-) radiodermatitis; **~dosis** *f* radiation dose; **~einfall** *m* incidence of rays; **≈förmig** *adj.* radiate(d), radial; **~forscher(in** *f*) *m* radiologist; **~forschung** *f* radiology; **~geschädigte(r** *m*) *f* radiation victim; **~heilkunde** *f* radiotherapeutics *pl.*; **~kegel** *m* cone of rays; **~krone** *f* halo, nimbus, *fig.* glory; **~messer** *m* actinometer; **~pilz** *m* ray fungus; **~schädigung** *f* radiation injury; **~schutz** *m* radiological protection, anti-radiation precautions *pl.*; **≈sicher** *adj.* radiation-proof.

ˈ**Strahler** *m* (-s; -) *phys.* emitter; radiator; (cathode) heater.

ˈ**Strahlflugzeug** *n* jet-propelled aircraft, jet plane.

ˈ**strahlig** *adj.* radiating, radiate(d).

ˈ**Strahl...: ~motor** *m* jet-propulsion engine; **~ofen** *m* radiator; **~rohr** *n* jet pipe; **~sender** *m* unidirectional (*or* beam) transmitter; **~triebwerk** *n* jet power plant, jet unit; **~turbine** *f* turbo-jet.

ˈ**Strahlung** *f* radiation, rays *pl.*

ˈ**Strahlungs...: ~energie** *f* radiant energy; **~menge** *f* quantity of radiation; **~messer** *m* actinometer; **~ofen** *m* radiation furnace; **~quant** [ˈ-kvant] *n* (-s; -en) light quantum, photon; **~schäden** *med. m/pl.* radiation damage *sg.*; **~vermögen** *n* radiating power; **~wärme** *f* radiant heat.

ˈ**Strahlvortrieb** *aer. m* jet propulsion.

Strähn|e [ˈʃtrɛːnə] *f* (-; -n) strand; *of yarn*: skein, hank; **≈ig** *adj.* wispy, stringy; in strands.

Stramin [ʃtraˈmiːn] *m* (-s; -e) canvas (for needlework).

stramm [ʃtram] **I.** *adj.* tight, taut; smart, snappy (*salute, etc.*); erect, rigid (*bearing*); *~e Haltung annehmen* snap to attention; robust, sturdy, stalwart; *~er Bursche* strapping fellow; *~es Mädchen* bouncing girl; stiff, severe; *~e Disziplin* strict discipline; *j-m die Hosen ~ziehen* give a p. a spanking; **II.** *colloq. adv.* smartly, briskly; *~ arbeiten* put one's back into it, work hard; **~stehen** *mil. v/i.* (*irr., sn*) stand at attention.

strampel|n [ˈʃtrampəln] *v/i.* (*h.*) kick, fidget, struggle; *sich bloß~* kick the bed-clothes off; *colloq. cyclist*: pedal (away); **≈hös-chen** [ˈ-høːsçən] *n* (-s; -) rompers *pl.*

Strand [ʃtrant] *m* (-[e]s; ⸚e) (sea-) shore; beach; *mar. auf den ~ laufen* run ashore, be stranded; ˈ**~anzug** *m* beach suit; ˈ**~bad** *n* seaside (*or* beach) resort, lido; open-air swimming bath (*Am.* pool); ˈ**~batterie** *mil. f* shore battery; ˈ**≈en** [ˈ-dən] *v/i.* (*sn*) (be) strand(ed), be beached *or* wrecked; *only mar.* run ashore; *fig. a.* fail, founder; *girl*: go to the bad; ˈ**~fischeˈrei** *f* shore-fishing; ˈ**~gut** *n* (-[e]s; ⸚er) stranded goods *pl.*; flotsam; jetsam; *fig. ~ des Lebens* derelict(s *pl.*); ˈ**~hotel** *n* seaside hotel; ˈ**~kleidung** *f* beach-wear; ˈ**~korb** *m* (canopied) beach-chair; ˈ**~läufer** *orn. m* sandpiper; ˈ**~promenade** *f* promenade, *Am.* boardwalk; ˈ**~raub** *m* wrecking; ˈ**~räuber** *m* wrecker; ˈ**~recht** *n* right of salvage; ˈ**~schuhe** *m/pl.* sand-shoes; ˈ**~ung** *f* (-; -en) stranding, shipwreck; ˈ**~vögel** *m/pl.* beach-birds; ˈ**~wache** *f*, ˈ**~wächter** *m* lifeguard; ˈ**~weg** *m* promenade.

Strang [ʃtraŋ] *m* (-[e]s; ⸚e) cord (*a. anat.*); rope; halter; trace; *of yarn*: skein, hank; *rail.* track; *wir ziehen alle am selben ~* we are all in the same boat; *über die Stränge schlagen* kick over the traces; *wenn alle Stränge reißen* as a last resort, in an extremity, if all else fails; *jur. zum Tode durch den ~ verurteilen* sentence to be hanged; ˈ**≈gepreßt** *tech. adj.* extruded; ˈ**~presse** *f* extrusion press.

strangulier|en [ʃtraŋguˈliːrən] *v/t.* (*h.*) strangle; **≈ung** *f* (-; -en) strangulation.

Strapaze [ʃtraˈpɑːtsə] *f* (-; -n) exertion, strain, fatigue; hardship; drudgery, fag.

strapazier|en [-paˈtsiːrən] *v/t.* (*h.*) strain (*a. fig.*), fatigue, exhaust; *sich ~* exert o.s., rough it; wear hard, punish (*material, etc.*); **~fähig** *adj.* (for) hard wear, hard-wearing, rugged.

strapaziös [-tsiˈøːs] *adj.* exhausting, fatiguing, trying, rough.

Straße [ˈʃtrɑːsə] *f* (-; -n) road, street; lane; boulevard, avenue; highway, highroad, *Am. a.* route; *zollpflichtige ~* toll road; thoroughfare; *contp.* gutter; *geogr.* strait(s *pl.*); *~ von Messina the* Strait of Messina; *tech.* **a)** rolling train, **b)** assembly (*or* production) line; *an der ~* by the wayside *or* roadside; *auf der ~* on the road, in the (*Am.* on the) street, *prostitutes*: on the streets; *auf offener ~* in a public thoroughfare, *w.s.* in broad daylight; *auf die ~ setzen* turn out, (give the) sack; *in e-r ~ wohnen* live in a street; *sein Geld auf die ~ werfen* throw one's money out of the window; *der Mann auf der ~* the man in the street; *Filmstoffe, etc., liegen auf der ~ film stories, etc.*, are there and all arounds us.

ˈ**Straßen...: ~anzug** *m* lounge suit, *Am.* business suit; **~arbeit** *f* road work; *~en!* road under repair!; **~arbeiter** *m* navvy, *Am.* road laborer; **~aufseher** *m* road surveyor.

ˈ**Straßenbahn** *f* tram(way), tramline, *Am.* trolley line; tram(-car), *Am.* streetcar, trolley(-car); **~depot** *n* tramway depot; **~er** *m* tramway man; **~führer** *m* tram driver, *Am.* motorman; **~haltestelle** *f* tram stop, *Am.* streetcar stop; **~linie** *f* → *Straßenbahn*; **~schaffner** *m* (tram)conductor; **~verkehr** *m* tramway traffic; **~wagen** *m* → *Straßenbahn*.

ˈ**Straßen...: ~bau** *m* (-[e]s; -ten) road building (*or* construction); *~ten pl.* road-building projects; **~befestigung** *f*, **~belag** *m* road surface; **~beleuchtung** *f* street lighting; **~benutzungsgebühr** *f* road toll; **~beschaffenheit** *f* road conditions *pl.*; **~betonierung** *f* road reinforcement; **~biegung** *f* road bend; **~bild** *n* streetscape; **~brücke** *f* highway bridge; **~damm** *m* roadway; **~decke** *f* highway surface, paving coat; **~dirne** *f* streetwalker; **~dreieck** *n* triangular road junction; **~ecke** *f* street-corner; **~einmündung** *f* road junction; **~feger** *m* street cleaner, *Am.* scavenger; **~front** *f* street front; **~glätte** *f* slippery roads *pl.*; **~graben** *m* (road) ditch; **~handel** *m* street-hawking, (trade of) street-vendors *pl.*; **~händler(in** *f*) *m* street-vendor, street-hawker; **~instandsetzung** *f* road repair (*or* maintenance); **~junge** *m* street arab, street-urchin, guttersnipe; **~hobel** *m* (road) grader; **~kampf** *mil. m* street-fighting; **~karte** *f* road map; **~kehrer** *m* → *Straßenfeger*; **~kehricht** *m* street-sweepings *pl.*; **~kehrmaschine** *f* motor sweeper, rotary road brush; **~kleid** *n* out-door dress; **~kot** *m* mud (in the road); **~kreuzer** *colloq. m* road cruiser, *Am. a.* heap; **~kreuzung** *f* cross-roads *sg.*, (street) crossing, intersection; **~lage** *mot. f* road holding (qualities); *der Wagen hat e-e gute ~ a.* the car sticks to the road; **~laterne** *f* street-lamp; **~mädchen** *n* streetwalker; **~musikant** *m* strolling musician, *pl. a.* street-band; **~netz** *n* road net (-work); **~ordnung** *f* rules *pl.* of the road; **~pflaster** *n* pavement; **~planum** *n* (-s) street level; **~raub** *m* highway robbery; **~räuber** *m* highwayman; **~reinigung** *f* street-cleaning; scavenging; **~rennen** *n* road race; **~rinne** *f* drain, sewer; **~sammlung** *f* street collection; **~schild** *n* street *or* road sign; **~schotter** *m* road metal; **~schuh** *m* (street) shoe, Oxford (shoe); **~schwein** *colloq. n* road hog, speed demon; **~sperre** *f* road block; **~spinne** *f* multiple road junction; **~transport** *m* road haulage; **~tunnel** *m* vehicular tunnel; **~überführung** *f* overpass; **~übergang** *m* street-crossing; **~umleitung** *f* detour; **~unfall** *m* street (*or* road) accident; **~unterführung** *f* subway, underpass; **~verengung** *f* defile; **~verhältnisse** *pl.* road condition; **~verkauf** *m* street sale; **~verkäufer(in** *f*) *m* street-vendor; **~verkehr** *m* road traffic, *in town*: street traffic; *Vorsicht im ~* road care; **~verkehrsordnung** *f* (-) road traffic regulations *pl.*, Highway Code; **~verstopfung** *f* traffic jam (*or* congestion); **~walze** *f* road roller; **~zug** *m* series of streets, street block; **~zustand** *m* road condition(s *pl.*).

Stratege [ʃtra'te:gə] *m* (-*n*; -*n*) strategist.

Strategie [ʃtrate'gi:] *f* (-) strategy, generalship.

strategisch [-'te:giʃ] *adj.* strategic (-al); *~es Material* strategic material.

Stratosphäre [strato'sfɛ:rə] *f* (-) stratosphere; **~nflugzeug** *n* stratospheric aircraft, high-altitude airplane, *Am.* stratoplane; **~nkreuzer** *m* stratocruiser, stratoliner.

strato'sphärisch *adj.* stratospheric(al).

sträuben ['ʃtrɔʏbən] *v/t.* (*h.*) ruffle up (*feathers, hair, etc.*); *sich ~* **a)** *hair*: stand on end, bristle (up), **b)** *fig.* struggle, refuse, balk, argue; *sich ~ gegen et.* strive (*or* struggle) against a th., resist a th., refuse to do a th.; *die Feder sträubt sich bei dieser Schilderung* the pen boggles at this description.

'**Sträuben** *n* (-*s*) *fig.* struggling, resistance, opposition, reluctance.

Strauch [ʃtraux] *m* (-[e]s; ⸚er) shrub, bush; '**2artig** *adj.* shrublike, shrubby; '**~dieb** *m* footpad, highwayman; '**2eln** *v/i.* (*sn*) (*a. fig.*) stumble, trip (*über acc.* over); make (*fig.* take) a false step; stagger; *fig. daran strauchelte er* this was his undoing; '**2ig** *adj.* shrubby; '**~ritter** *m* → *Strauchdieb*; '**~werk** *n* (-[e]s) shrubbery, copse; brushwood.

Strauß [ʃtraus] *m* **1.** (-es; -e) (*Vogel ~*) ostrich; **2.** (-es; ⸚e) strife, struggle, combat; duel; feud; *harter ~* hot fight; *e-n ~ ausfechten mit* tussle (*or* do battle) with, *fig. a.* lock horns with; **3.** (-es; ⸚e) nosegay, bunch (of flowers); bouquet.

Sträußchen ['ʃtrɔʏsçən] *n* (-*s*; -) small bunch, small bouquet.

'**Straußen|ei** *n* ostrich-egg; **~feder** *f* ostrich-feather.

Strazze ['ʃtratsə] *econ. f* (-; -*n*) scrap-book, *Am.* blotter.

Strebe ['ʃtre:bə] *f* (-; -*n*) *arch., tech.* prop, stay, support; crossbeam, traverse; brace; *aer., tech., etc.* (*arch. a.* **~balken** *m*) strut; **~bogen** *m* (flying) buttress; **~mauer** *f* retaining wall.

streben ['ʃtre:bən] *v/i.* (*h*): *~ nach* strife after, struggle for; aspire to, aim to, pursue, seek; *zu ... hin~, nach e-r Richtung ~* tend to(wards), make for; *in die Höhe ~* push aloft; *colloq. ped.* (be a) swot.

'**Streben** *n* (-*s*) striving (*nach* for, after); aspiration (to); endeavo(u)r, effort; ambition.

'**Strebepfeiler** *m* buttress.

'**Streber** *m* (-*s*; -) pusher, careerist, *Am. a.* climber; eager beaver; place-hunter; tuft-hunter; *ped.* swot; **~tum** *n* (-*s*) pushing, ambition; place-hunting; tuft-hunting; *ped.* swotting.

'**strebsam** *adj.* assiduous, active; zealous, pushing; eager; aspiring; ambitious; **2keit** *f* (-) assiduity; zeal, push; ambition.

Streck|apparat ['ʃtrɛk-] *med. m* extension apparatus; '**2bar** *adj.* extensible; ductile; malleable; '**~barkeit** *f* (-) extensibility, *etc.*; '**~bett** *n* orthop(a)edic bed.

'**Strecke** *f* (-; -*n*) stretch; route; stage, *Am.* leg; distance; span; space; reach (*of river*); *sports*: **a)** distance, **b)** course; *math.* straight line; *aer., mar., teleph.* line (*a. rail.*), section; *mining*: roadway; *hunt.* bag; *durchlaufene* (*or zurückgelegte*) *~* distance covered; *auf freier ~* **a)** *rail.* on the open track, **b)** on the road; *auf der ~ bleiben* break down, collapse, succumb, *fig. a.* fail, come to grief, (*die*) perish, lick the dust; *zur ~ bringen hunt.* kill, shoot down, bag; *fig.* hunt down (*criminal, etc.*), *w.s.* defeat, do for (*opponent*).

'**strecken** *v/t.* (*h.*) stretch, extend; spread; dilute; eke out, (make) spin out (*supply, soup, etc.*); extend, fill (*paint*); *metall.* roll, laminate; draw; straighten; *s-e Beine* (*Glieder*) *~* stretch one's legs (limbs); *sich ~* stretch (o.s.); *sich ins Gras ~* lie down on the grass; → *Decke, vier*; *die Waffen ~* lay down arms, surrender, *fig. a.* give in; *j-n zu Boden ~* stretch on the ground, fell, floor *a p.*; *die Arme zum Himmel ~* raise one's arms (toward heaven); *mil. gestreckte Ladung* elongated (*or* pole) charge; *in gestrecktem Galopp* in full career, (at) full tilt.

'**Strecken...:** **~arbeiter** *m* plate-layer, navvy, *Am.* section-hand; **~bau** *m* (-[e]s; -*ten*) railway construction; **~feuer** *aer. n* airway beacon; **~flug** *aer. m* long-distance flight; **~führung** *f* routing; **~karte** *f* route map; **~posten** *m* *sports*: course judge; **~rekord** *m* *sports*: track record; **~signal** *n* block signal; **~tauchen** *n* underwater swimming; **~wärter** *m* linesman, *Am.* trackman; **2weise** *adv.* in parts, here and there.

'**Streck...:** **~hang** *m* (-[e]s) *gym.* straight-cross hang; **~mittel** *n* extender, thinner, *b.s.* adulterant; *for oil paints*: filler; **~muskel** *anat. m* extensor (muscle); **~stahl** *m* rolled steel; **~ung** *f* (-) stretching, extension; lengthening (*of supplies*); *metall.* rolling; **~verband** *med. m* traction *or* extension bandage; *ein Bein im ~* one leg in high traction.

Strehler ['ʃtre:lər] *tech. m* (-*s*; -) chaser.

Streich [ʃtraiç] *m* (-[e]s; -e) stroke; blow; (whip-)lash; *fig.* stroke (of business); (*lustiger*) *~* prank, trick, joke; escapade; (*dummer*) *~* stupid thing to do, (piece of) folly; (*schlechter*) *~* mean (*or* shabby) trick; *auf e-n ~* at a blow; *j-m e-n ~ versetzen* deal a p. a blow; *j-m e-n* (*bösen*) *~ spielen* play a p. a (nasty) trick; *er arbeitete keinen ~* he did not do a stroke of work.

streicheln ['ʃtraiçəln] *v/t.* (*h.*) stroke; caress, fondle; pat.

'**streichen I.** *v/t.* (*irr., h.*) stroke, rub gently, touch gently; *a. tech.* sleek, smooth; spread (*butter, etc.*); *es läßt sich wie Butter ~* it spreads like butter; *mus.* play, bow; whet (*knife*), strop (*razor*); strike (*match*) (*an dat.* against); paint, coat (*a. tech. paper*), → *frisch*; strike (*or* cross) out *or* off, *esp. fig.* cancel; delete, obliterate; *von der Liste ~* strike off the roll; strike, haul down (*flag, sail*); *sports*: scratch (*entry*); *tech.* card (*wool*); make (*brick*); (*sich*) *das Haar aus der Stirn ~* push one's hair back; → *gestrichen*; **II.** *v/i.* **a)** (*irr., sn*) extend, sweep (*über acc.* over; *nach Süden* southward); run *or* stretch (*von ... nach* from ... to); *~ an* (*acc.*) graze, touch; pass (*vorbei an j-m* a p.), brush, rush (past a p.); run, fly, sweep (*über acc.* over); *~ über das Wasser, etc.*:

skim (over) *the water, etc.*; *bird*: sweep; stroll, ramble, roam; *beast, criminal*: prowl; **b)** (h.) *mit der Hand über et.* ~ pass one's hand over a th.

ˈ**Streicher** *mus. m/pl. the* strings.

ˈ**Streich...:** **~fähigkeit** *f* (-) *of lacquer*: ease of brushing; **~fläche** *f* striking surface; **~garn** *n* worsted yarn; **~garnspinneˈrei** *f* carded--wool spinning mill; **~holz** *n* match, *Am. a.* matchstick; **~holzschachtel** *f* match-box; **~instrument** *mus. n* string(ed) instrument; *~e pl. the* strings; **~käse** *m* spread cheese; **~lack** *m* brushing lacquer; **~masse** *f* coating (compound); **~musik** *f* string-music; **~orchester** *n* string-orchestra; **~papier** *n* coated paper; **~quartett** *mus. n* string quartet; **~riemen** *m* (razor-)strop.

ˈ**Streichung** *f* (-; -en) cancellation (*a. fig.*); *typ.* deletion; suppressed (*typ.* deleted) passage; cut.

ˈ**Streichwolle** *f* carding wool.

Streif [ʃtraɪf] *m* (-[e]s; -e) stripe, streak; → *Streifen*; ˈ**~band** *n* (-[e]s; ¨er) (postal) wrapper, cover; *unter* ~ by book-post, *econ. securities*: (held) in safe custody deposit; ˈ**~blick** *m* (short) glance.

ˈ**Streife** *f* (-; -n) patrol; patrolman; raid; (policeman's) beat.

ˈ**Streifen** *m* (-s; -) stripe (*a. mil.*), streak, *anat., bot., geol., zo.* stria; vein; strip (*a. el.*), tract (*of land*), *a. mil.* sector; strip (*of paper*); *tel., etc.*: tape; (film) strip, *w.s.* film, *Am. a.* picture; braid, list; *arch.* fillet; shred; *in ~ schneiden* shred.

ˈ**streifen**[1] *v/t.* (h.) (*a. sich*) stripe, streak, *bot.* striate; *arch.* channel, flute.

ˈ**streifen**[2] (h.) **I.** *v/t. and v/i.* touch; ~ (*an acc.*) graze (*a. mil. bullet*), skim; brush (against); *über et.* ~ glide (*or* skim) over *a th.*; strip off; *den Ring vom Finger* ~ take (*or* slip) off *the ring*; *fig.* touch (upon), skirt (*topic*); verge (*or* border) on; **II.** *v/i.* stroll, ramble; roam, range (*a. animal, glance*); prowl; *mil.* reconnoitre, patrol; make inroads; **2drucker**, **2schreiber** *m* tape printer; **2polizist** *m esp. Am.* patrolman; **2wagen** *m* (police) patrol car, *Am.* squad (*or* prowl) car.

ˈ**streifig** *adj.* striped, streaky, *scient.* striate.

ˈ**Streif...:** **~jagd** *f* coursing; **~korps** *mil. n* flying column, raiding force; **~licht** *paint. n* accidental light(s *pl.*); *fig.* side-light; **~schuß** *mil. m* grazing shot; *e-n ~ bekommen* be grazed (by a bullet); **~ung** *f* (-) striping, striation; **~wunde** *f* skin wound, (mere) scratch; **~zug** *m* (roving) expedition; *mil.* raid, incursion.

Streik [ʃtraɪk] *m* (-[e]s; -s) strike, *Am. a.* walkout; *wilder* ~ unauthorized (*or* wildcat) strike; *e-n ~ ausrufen* call a strike; *in den ~ treten* go on strike, *Am. a.* walk out; *sich im ~ befinden* be on strike; ˈ**~arbeit** *f* scab work; ˈ**~aufruf** *m* strike call; ˈ**~ausschuß** *m* strike committee; ˈ**~brecher** *m* (-s; -) strike-breaker, blackleg, scab; ˈ**2en** *v/i.* (h.) strike, go (*or* be on) strike, *Am. a.* walk out; *colloq. fig.* rebel, refuse (to go along, *etc.*), *engine, etc.*: refuse to work; ˈ**~ender** [ˈ-kəndər] *m* (-en; -en) striker; ˈ**~kasse** *f* strike fund; ˈ**~lohn** *m* strike pay; ˈ**~posten** *m* picket; picketer; *~ stehen* picket; ˈ**~recht** *n* freedom of strike; ˈ**~welle** *f* chain (*or* series) of strikes.

Streit [ʃtraɪt] *m* (-[e]s; -e) quarrel (*über acc.* about); difference, *leichter*: tiff; dispute, argument; controversy; altercation; squabble; wrangling; brawl, row; conflict, strife, struggle; battle, combat; feud; clash; rupture; *jur.* litigation, lawsuit; contest; *in ~ geraten mit* have a quarrel (*or* words) with, fall out with, clash with; *mit j-m in ~ liegen* be at variance (*or* loggerheads) with; ˈ**~axt** *f* battle-ax(e); *fig. die ~ begraben* bury the hatchet; ˈ**2bar** *adj.* warlike, martial; valiant; combative, fighting; militant; pugnacious, belligerent.

ˈ**streiten** *v/i.* (*irr., h.*) contend (*um* for); fight, struggle (for); combat; (*a. sich* ~) quarrel, be at loggerheads, *contp.* squabble, bicker, wrangle; dispute, argue, altercate, be at high words together; have a fight (*mit* with); clash (with); *jur.* litigate; *things*: be at variance (*mit* with), clash (with), be contrary (*gegen* to); *sie ~ sich fortwährend* they live like cat and dog; *darüber läßt sich* ~ that's open to question, that's a moot point; **~d** *adj. jur.* litigant (*parties*); *die ~e Kirche* the Church Militant.

ˈ**Streiter(in** *f*) (-s, -; -, -nen) *m* fighter, warrior, combatant; disputant; champion.

ˈ**Streit...:** **~fall** *m*, **~frage** *f* (question at) issue, (point of) controversy; dispute, difference, conflict; *jur.* case (at law); **~gegenstand** *jur. m* matter in dispute; **~gehilfe** *jur. m* intervener; **~hahn** *m*, **~hammel** *colloq. m* squabbler; **~handel** *m* quarrel, dispute.

ˈ**streitig** *adj.* contestable, debatable, disputable, controversial; *jur.* sub judice; *~er Punkt* (point at) issue; contested, *pred.* in dispute, at issue; *j-m et. ~ machen* dispute a p.'s right to a th., contend with a p. for a th.; *j-m or e-r Sache den Rang ~ machen* compete (*or* vie) with, rival *a p. or th.*; **2keit** *f* (-; -en) → *Streit*.

ˈ**Streit...:** **~kräfte** *f/pl.* (military *or* armed) forces; services; troops; **~lust** *f* (-) quarrelsomeness, pugnacity, aggressiveness; **2lustig** *adj.* pugnacious, belligerent, aggressive; *pred.* spoiling for a fight; **~macht** *f* (-) → *Streitkräfte*; **~objekt** *n jur.* matter in dispute; bone of contention; **~punkt** *m* (point at) issue, point of controversy; moot point; **~roß** *n* war-horse, charger; **~sache** *f* controversial matter; *jur.* litigation, law-suit; **~satz** *m* thesis; **~schrift** *f* polemic (pamphlet *or* treatise); **~sucht** *f* (-) quarrelsomeness; **2süchtig** *adj.* quarrelsome, cantankerous; → *streitlustig*; **~wagen** *hist. m* war-chariot; **~wert** *jur. m* value in dispute, matter in controversy.

streng [ʃtrɛŋ] **I.** *adj.* severe, rigorous (*a. cold*), stern (*a. expression, glance*); inclement (*climate, weather*); harsh; rigid; austere (*character, life, style*); strict (*order, discipline, etc.*); stringent (*measure, rule*), sharp, tart (*taste*); *mil. ~er Arrest* close confinement; *~e Kritik* severe criticism; *~e Prüfung* stiff examination; *~e Sitten* strict morals; *~ sein gegen j-n* be strict with a p.; *ein ~es Regiment führen* rule with a heavy hand; **II.** *adv.* severely, *etc.*; *~ geheim* most (*Am.* top) secret; *~ vertraulich* in strict confidence, *esp. adm.* strictly confidential; *~ befolgen, sich ~ an (acc.) halten* adhere strictly to; *~ verboten* strictly forbidden; *Parken ~stens verboten* positively no parking; *~ nach Vorschrift* in strict accordance with regulations.

ˈ**Strenge** *f* (-) → *streng*; severity, rigo(u)r, sternness; inclemency; harshness; strictness; stringency; sharpness.

ˈ**streng...:** **~genommen** *adv.* strictly speaking, in the strict sense; **~gläubig** *adj.* orthodox; **2gläubigkeit** *f* (-) orthodoxy.

Strepto|kokkus [strɛptoˈkɔkus] *m* (-; *-kokken*) streptococcus; **~mycin** [-myˈtsiːn] *n* (-s) streptomycine.

Streß [ʃtrɛs] *med. m* (-sses; -sse) stress.

Streu [ʃtrɔʏ] *f* (-; -en) *agr.* litter; *for persons*: bed of straw, shakedown; ˈ**~büchse** *f* castor; dredger; (*pepper, etc.*) box, sprinkler; ˈ**2en** *v/t. and v/i.* (h.) strew, scatter; sow; *fig.* disseminate; → *Sand*; *Pfeffer (Zucker) auf et.* ~ pepper (sugar) a th.; *agr. dem Vieh*: litter *the cattle*; spread (*manure*); *el.* stray; *gun*: spread (the shot), *mil.* scatter, *intentionally*: sweep, *lengthwise*: search; ˈ**~er** *m* (-s; -) → *Streubüchse*; ˈ**~feuer** *mil. n* scattered fire; area fire; sweeping fire; ˈ**~gold** *n* gold dust.

streunen [ˈʃtrɔʏnən] *v/i.* (sn) roam about, stray; *~der Hund* stray dog.

ˈ**Streu...:** **~neutron** *phys. n* stray neutron; **~pulver** *n* sprinkling powder; **~sand** *m* dry sand, grit; writing-sand; **~strahlung** *f nuclear physics*: stray radiation; **~ung** *f* (-; -en) strewing, *etc.*; deviation; *mil., a. statistics, etc.*: dispersion, spread; *nuclear physics*: stray, scattering; **~zucker** *m* powdered sugar, castor-sugar.

strich [ʃtriç] *pret. of streichen.*

Strich *m* (-[e]s; -e) stroke; line; dash; stripe, streak; stroke (of the brush), touch, *varnishing, spraying*: pass; *mus.* bar; touch (*of bow*); point (*of compass*); migration, passage (*of birds*), flight; covey (*of partridges*); region, tract, district; grain (*of wood, etc.*); *gegen den ~ rasieren* shave up; *paint. mit wenigen ~en* with a few strokes; *e-n ~ durch et. machen* cross a th. out, run one's pen through a th.; *e-n ~ unter et. machen* underline a th.; *fig. e-n (dicken) ~ unter et. machen* make a clean break with a th.;

e-n ~ *unter seine Vergangenheit machen* turn over a new leaf; *colloq. fig. j-n auf dem ~ haben* have it in for a p.; *colloq. auf den ~ gehen* walk the streets (*prostitute*); *colloq. das ging mir gegen den ~* it rubbed me the wrong way; *nach ~ und Faden* thoroughly; *nach ~ und Faden besiegen* inflict a crushing defeat on, mop the floor with *an opponent*; ~ *darunter!* forget it!

'**Strich...: ~ätzung** *f* line etching; line-plate; **~einteilung** *f* graduation; **2eln** *v/t.* (*h.*) mark with little lines; dot; hatch, shade; *gestrichelte Linie* dotted line; **~mädchen** *n* streetwalker; **~platte** *f* graduated dial, graticule; **~punkt** *m* semicolon; **~regen** *m* local shower; **~vogel** *m* migratory bird, visitant; **2weise** *adv.* by strokes (*or* lines); in parts, here and there; ~ *Regen* scattered rain showers; **~zeit** *orn. f* time of migration.

Strick [ʃtrik] *m* (-[e]s; -e) cord, line; rope; → *Strang*; *colloq. fig.* scamp, young rascal, good-for--nothing; *fig. j-m aus et. e-n ~ drehen* (try to) trip a p. up with a th.; *wenn alle ~e reißen* if all else fails, as a last resort.

'**Strick...: ~arbeit** *f* knitting; **~beutel** *m* knitting-bag; **2en** *v/t.* (*h.*) *and v/i.* knit; *netzartig ~* net; **~en** *n* knitting; **~er(in** *f*) *m* (-s, -; -, -nen) knitter; **~e'rei** *f* (-; -en) knitting; **~garn** *n* knitting yarn; **~handschuhe** *m/pl.* knitted gloves; **~jacke** *f* cardigan (jacket), jersey; **~kleidung** *f* knit(ted) wear; **~leiter** *f* rope-ladder; **~maschine** *f* knitting machine; **~muster** *n* knitting pattern; **~nadel** *f* knitting needle; **~strumpf** *m* stocking which is being knitted, knitting; **~waren** *f/pl.* knit(ted) goods; **~weste** *f* → *Strickjacke*; **~wolle** *f* knitting wool; **~zeug** *n* knitting (things *pl.*).

Striegel ['ʃtri:gəl] *m* (-s; -) curry-comb; **2n** *v/t.* (*h.*) curry (*horse*); brush; *fig.* take to task, blow up; *gestriegelt und gebügelt* spick and span.

Striem|e ['ʃtri:mə] *f* (-; -n), **~en** *m* (-s; -) stripe, streak; band; *on skin*: wale, weal; **2ig** *adj.* striped, streaky; *skin*: covered with wales.

striezen ['ʃtri:tsən] *colloq. v/t.* (*h.*) **1.** pilfer, filch; **2.** harass, plague.

strikt [ʃtrikt] *adj.* strict; **~e** *adv.* strictly.

Strippe ['ʃtripə] *f* (-; -n) strap; string; *colloq. an der ~ hängen* be on the phone (all day long).

stritt [ʃtrit] *pret. of streiten.*

strittig ['ʃtritiç] *adj.* → *streitig*; **~er** *Punkt* point at issue, moot point.

Stroh [ʃtro:] *n* (-[e]s) straw; *on roof*: thatch; *fig. leeres ~ dreschen* platitudinize, talk hot air, *politician*: churn out the old catch-cries; ~ *im Kopfe haben* be empty-headed.

'**Stroh...: 2blond** *adj.* flaxen-haired; **~blume** *f* immortelle; **~bund** *n* truss of straw; **~dach** *n* thatch(ed roof); **2ern** ['-ərn] *adj.* (of) straw; *fig.* dry (as dust), jejune; **2farben** *adj.* straw-colo(u)red; **~feuer** *n* straw fire; *fig.* short-lived passion (*or* enthusiasm); **~geflecht** *n* straw--plaiting, straw-work; **2gelb** *adj.* → *strohfarben*; **~halm** *m* (blade of) straw; *fig. nach e-m ~ greifen* catch at a straw; **~hut** *m* straw hat; **~hütte** *f* thatched hut; **~kartoffeln** *f/pl.* potato chips *pl.*; **~kopf** *colloq. m* blockhead, numskull; **~lager** *n* layer of straw; shakedown; **~mann** *m* (-[e]s; ⸚er) man of straw (*a. fig.*), scarecrow; *fig.* dummy (*a. cards*); **~matratze** *f* straw-mattress; **~matte** *f* straw mat; **~puppe** *f agr.* scarecrow; *mil.* dummy; **~sack** *m* straw mattress, paliasse; **~wisch** *m* wisp (*or* whisk) of straw; **~witwe(r** *m*) *f* grass widow(er).

Strolch [ʃtrɔlç] *m* (-[e]s; -e) tramp, *Am. a.* bum; *contp. or humor. a.* scamp, scalawag; blackguard; '**2en** *v/i.* (*sn*) roam, ramble, tramp about, loaf about.

Strom [ʃtro:m] *m* (-[e]s; ⸚e) stream, (large) river; torrent; flood; current (*a. fig.*); (electric) current; power; *el. unter ~* live; *fig.* stream (*or* flood) of people, throng; flow of traffic; ~ *von Tränen* flood of tears ~ *von Worten* torrent (*or* flood) of words; *Ströme pl. Blutes* streams of blood; *der in Strömen fließende Wodka* the flowing wodka; *gegen den ~ schwimmen* swim against the current (*fig. a.* against the tide); *fig. mit dem ~e schwimmen* go with the tide; *es gießt in Strömen* it is pouring with rain.

'**Strom...: ~abnehmer** *el. m* **a)** current collector, **b)** user of electric power; **2ab(wärts)** *adv.* downstream, down the river; **~aggregat** *n* generating set *or* plant; **~anzeiger** *m* current indicator; **~art** *f* type of current; **2'auf(wärts)** *adv.* upstream, up the river; **~bett** *n* river--bed; **~dichte** *el. f* current density; **2durchflossen** *el. adj.* (a)live.

strömen ['ʃtrø:mən] *v/i.* (*h.*, *sn*) stream; flow, run; gush; *blood*: *a.* rush (*in den Kopf* to a p.'s head); *rain*: pour; *persons*: stream, throng, pour (*aus* out of; *in acc.* into).

'**Strom...: ~enge** *f* narrows *pl.* of a river; **~entnahme** *el. f* consumption of current; **~er** *colloq. m* (-s; -) → *Strolch*; **~erzeuger** *m* generator; **~erzeugung** *f* generation of current; **2führend** *el. adj.* current--carrying, live; **~gebiet** *n* (river-) basin; **~kreis** *el. m* circuit; service circuit; *dreiphasiger ~* threephase circuit; **~leiter** *m* (current) conductor; **~leitung** *f* circuit line; **~lieferung** *f* supply of power; **~linie(nform** [-]) *f* streamline(d design); **2linienförmig** ['-fœrmiç] *adj.* streamline(d); ~ *gestalten* streamline; **2los** *el. adj.* dead, at earth potential; **~messer** *el. m* ammeter; **~netz** *n* power supply system; → *Stromkreis*; **~polizei** *f* river-police; **~quelle** *el. f* source of power (supply), power source; **~richter** *el. m* (current) converter; **~sammler** *el. m* accumulator, storage battery; **~schiene** *el. f* live (*or* contact) rail; bus bar; **~schnelle** ['-ʃnɛlə] *f* rapid, *Am. a.* riffle; **~schwankungen** *el. f/pl.* current variations; **~sicherung** *el. f* fusible cut-out; **~spannung** *el. f* voltage; **~sperre** *el. f* stoppage of current, power interruption (*or* cut); **~stärke** *el. f* intensity of current; amperage; **~stärkemesser** *m* galvanometer; **~stoß** *el. m* current impulse; current surge.

'**Strömung** *f* (-; -en) current; flow, flux; *aerodynamische ~* flow; *fig.* current, drift, trend, movement; **~sbild** *n* flow characteristics *pl.*; **~sgeschwindigkeit** *tech. f* velocity of flow; **~sgetriebe** *tech. n* hydraulic gear, fluid drive; **~slehre** *f* (-) hydrodynamics; aerodynamics *pl.*

'**Strom...: ~unterbrecher** *el. m* circuit-breaker, interrupter; **~verbrauch** *m* current (*or* power) consumption; **~verbraucher** *m* consumer of electric current; *esp. machine*: power consumer; **~verlust** *m* loss of current, leakage; **~versorgung** *f* power supply; **~wandler** *m* current transformer; **~wender** ['-vɛndər] *m* (-s; -) commutator; **~zähler** *m* electric meter.

Strontium ['strɔntsium] *chem. n* (-s) strontium.

'**Strophe** ['ʃtro:fə] *f* (-; -n) stanza, verse; strophe.

strotzen ['ʃtrɔtsən] *v/i.* (*h.*) exuberate; ~ *von or vor* (*dat.*) abound in; be teeming with (*people, lice, mistakes, etc.*), be lousy with; be full of, be brimming with; bristle with (*arms, errors, etc.*); be covered with (*dirt*); burst with (*health, strength, pride*); **~d** *adj.* abundant (*von, vor dat.* in); exuberant; *vor Gesundheit ~* exuberant with health.

strubbel|ig ['ʃtrubəliç] *adj.* dishevel(l)ed, tousled; shock(-headed); **2kopf** *m* shock head; tousled hair.

Strudel ['ʃtru:dəl] *m* (-s; -) swirl, whirlpool, eddy, *großer*: maelstrom; *esp. phys.* vortex, turbulence; rapids *pl.*; *fig.* whirl, maelstrom; ~ *der Gesellschaft* vortex of society; *cul.* strudel; **2n** *v/i.* (*h.*) whirl, swirl, eddy, boil.

Struktur [ʃtruk'tu:r] *f* (-; -en) structure (*a. metall.*); texture; *in compounds and* **strukturell** [-tu'rɛl] *adj.* structural.

Strumpf [ʃtrumpf] *m* (-[e]s; ⸚e) stocking; *pl. econ.* (*lange Strümpfe*) hose *sg.*; (*halblanger*) *kurzer* (*Herren*)~ (midlength) sock, half hose; *el.* mantle; *colloq. fig. sich auf die Strümpfe machen* make off, beat it.

'**Strumpf...: ~band** *n* (-[e]s; ⸚er) garter; **~fabrik** *f* stocking *or* hosiery factory; **~fabrikant** *m* stocking manufacturer; **~form** *f* stocking leg; **~garn** *n* hosiery yarn; knitting cotton; **~gewebe** *n* hosiery fabric; **~halter** *m* (stocking) suspender, *Am.* garter; **~haltergürtel** *m* suspender belt, *Am.* garter belt, girdle; **~stricker(in** *f*) *m* stocking-knitter; **~waren** *f/pl.* hosiery *sg.*; **~warenhändler(in** *f*) *m* hosier, haberdasher; **~weber, ~wirker** *m* stocking weaver; **~wirke'rei** *f* manufacture of stockings.

Strunk [ʃtruŋk] *m* (-[e]s; ⸚e) stalk; (tree) trunk, stump.

struppig ['ʃtrupiç] *adj.* rough, dishevel(l)ed, unkempt (*hair*); shaggy (*dog*); bristly (*beard*).

Struwwel|kopf [ˈʃtruvəl-] *m* shock-head; **~peter** [ˈ-peːtər] *m* (-s; -) shock-headed Peter.
Strychnin [ʃtryçˈniːn] *n* (-s) strychnine.
Stübchen [ˈʃtyːpçən] *n* (-s; -) little room, cubby-hole.
Stube [ˈʃtuːbə] *f* (-; -n) room, apartment; *gute* ~ parlo(u)r.
ˈ**Stuben...:** **~älteste(r)** *mil.* *m* (squad-)room leader; **~appell** *mil.* *m* bunk inspection; **~arbeit** *f* indoor work; **~arrest** *m* confinement to one's room (*mil.* to quarters); ~ *haben* be confined to one's room (*mil.* to quarters); **~fliege** *f* (common) house-fly; **~gelehrsamkeit** *f* book-learning, bookishness; **~gelehrte(r)** *m* bookworm, bookman; **~hocker** *m* stay-at-home; **~kamerad** *m* fellow-lodger, room-mate; **~mädchen** *n* parlo(u)r maid, house-maid; **~maler** *m* decorator; **2rein** *adj.* house-trained, *Am.* house-broke(n).
Stuck [ʃtuk] *m* (-[e]s) stucco.
Stück [ʃtyk] *n* (-[e]s; -e) piece (*a. measure after figures; coin, gun, work of art*); bit; morsel; cut, hunk; part, portion; fragment; specimen; shred; slice; (~ *Seife*) cake (*of soap*); (~ *Zucker*) lump (*of sugar*); *tech.* unit; ~ *Land* piece of land, plot, lot, patch; (~ *Weg*) stretch, distance; *mus.* piece of music; *thea.* piece, play; copy; (~ *Vieh or Wild*) head (*of cattle or game*); extract, passage (*in book, etc.*); act, deed; *econ.* ~*e pl.* stocks, securities; *e-r Anleihe*: individual bonds; *in ~en zu 100 Dollar* (issued) in denominations of $100; *ein hübsches ~ Geld* a nice little sum, a tidy penny; *ein schweres ~ Arbeit* a tough job; *colloq. freches ~* (*person*) saucy one; *das ist doch ein starkes ~!* that's a bit thick!; *50 Cent das ~* 50 cent apiece (*or* each); *colloq. ~er 10* about ten; *aus e-m ~* all of a piece, (made) in one piece; *fig. aus freien ~en* of one's own free will, voluntarily; *in allen ~en* in every respect; *in vielen ~en* in many points (*or* ways); *~ für ~* piece by piece, bit by bit; *econ. dem ~ nach verkaufen* sell by the piece, retail; *in ~e gehen* go (*or* break) to pieces; *in ~e schlagen* knock to pieces, smash (to bits); *fig. große ~e halten auf* (*acc.*) think highly (*or* the world) of, make much of; *wir* (*die Verhandlungen*) *sind ein* (*gutes*) *~ weitergekommen* we (the negotiations) have made some (considerable) headway.
ˈ**Stuckarbeit** *f* stuccowork.
ˈ**Stück...:** **~arbeit** *f* piecework; jobbing; **~arbeiter(in** *f*) *m* piece-worker.
ˈ**Stückchen** *n* (-s; -) small piece *or* morsel *or* bit; chip; scrap (*of paper*); shred; *mus.* air, tune, snatch; *fig.* trick; stunt; anecdote.
ˈ**Stückekonto** *econ.* *n* stock-account.
ˈ**stückel|n** *v/t.* (*h.*) cut in(to) pieces *or* bits; *stock exchange*: divide into shares; (*a.* ˈ**stücken**) piece (together), patch up; **2ung** *f* (-; -en) denomination (*of shares*).
ˈ**Stück...:** **~faß** *n* butt, large cask; **~fracht** *f*, **~gut** *n* mixed cargo; piece-goods *pl.*; parcel(s *pl.*); **~gutladung** *f* mixed cargo, *Am. a.* less-than-carload; **~kohle** *f* lump coal; **~leistung** *tech.* *f* capacity; **~liste** *f* parts list; inventory; specification; **~lohn** *m* piece-wage(s *pl.*); **~metall** *n* gun metal; **~preis** *m* price by the piece, price per unit; **2weise** [ˈ-vaɪzə] *adv.* piece by piece, piecemeal; *econ.* by the piece, (by) retail; **~werk** *contp.* *n* patchwork; *unser Wissen ist ~* our knowledge is scrappy; **~zahl** *f* number of pieces; **~zeit** *f* piece rate (*or* time), individual production time; machining time; **~zinsen** *econ.* *pl.* accrued interest (on shares); additional interest *sg.*; **~zoll** *m* specific duty.
Student [ʃtuˈdɛnt] *m* (-en; -en), **~in** *f* (-; -nen) (*f* woman) student, (*f* girl) undergraduate; *graduierter ~* graduate; *~ der Medizin* medical student; *~ der Philosophie* student of philosophy; *~ der Rechte* law student.
Stuˈdenten...: **~austausch** *m* exchange of students; **~heim** *n* students' hostel, *esp. Am.* dormitory; **~jahre** *n/pl.* → *Studienzeit*; **~leben** *n* (-s) student life, college life; **~schaft** *f* (-; -en) (body of) students; **~verbindung** *f* students' club, *Am.* fraternity; **~wohnhaus** *n* → *Studentenheim*.
stuˈdentisch *adj.* student-like, academic, *Am.* collegiate.
Studie [ˈʃtuːdiə] *f* (-; -n) study (*a. paint., etc.*); sketch, essay; *univ.* *~n pl.* → *Studium*.
ˈ**Studien...:** **~assessor** *m* assistant master (not yet appointed); **~aufenthalt** *m* educational stay; **~ausschuß** *m* research committee; **~direktor(in** *f*) *m* headmaster (*f* headmistress) of a secondary school, *Am.* high-school principal; **~fach** *n* branch of study, subject; **~fahrt** *f* study trip; **~gang** *m* course of studies; **~genosse** *m* fellow-student; **2halber** *adv.* for the purpose of studying; **~jahr** *n* academic year; *~e pl.* → *Studienzeit*; **~kommission** *f* research commission, study group; **~plan** *m* plan of study; curriculum, syllabus; **~rat** *m* (-[e]s; ⸚e), **~rätin** [ˈ-rɛːtin] *f* (-; -nen) assistant master (*f* mistress) of a secondary school; **~referendar** *m* assistant master on probation; **~reise** *f* informative (*or* educational) trip; **~zeit** *f* years of study, college days.
studieren [ʃtuˈdiːrən] *v/t. and v/i.* (*h.*) study (*a. w.s. read, consider*); go to the university, go to college; *Philosophie ~* study philosophy; *die Rechte ~* study the law, be a law-student, read for the bar; *~ lassen* send to the university (*or* to a college); *er hat studiert* he has (had) academic training, he is a university-man; *wo hat er studiert?* which university has he been to?
Stuˈdieren *n* (-s) studying, studies *pl.*
stuˈdiert *adj.* educated; *~er Mann* (*a.* **2er**) university-man; *fig.* studied, affected.
Stuˈdierzimmer *n* study.
Studio [ˈʃtuːdio] *n* (-s; -s) studio; **~übertragung** *f* studio broadcast (*or* pick-up).
Studium [ˈʃtuːdium] *n* (-s; -dien) study; studies *pl.*, reading; research, investigation; *pl. Studien* studies.
Stufe [ˈʃtuːfə] *f* (-; -n) step; *of ladder*: *a.* rung (*a. fig.*); door-step; *on terrain*: terrace; *fig.* interval; shade, hue; *gr.* degree (of comparison); stage (*of development*; *a. tech., a. of rocket*); phase; degree, grade; level, standard; rank; *auf gleicher ~ mit* (*dat.*) on a level (*or* par) with; *auf e-e ~ stellen* put on a level with; *die höchste ~ des Glücks* the height of happiness.
ˈ**Stufen...:** **~anordnung** *tech.* *f* stepped arrangement; **2artig** [ˈ-ɑːrtiç] *adj.* like steps, steplike; *fig.* graduated, gradual; **~nbarren** *gym.* *m* assymetrical bars; **~folge** *f* *fig.* graduation, succession, sequence of stages; **2förmig** [ˈ-fœrmiç] *adj.* in the form of steps, by steps; *~ angeordnet* graded; **~gang** *m fig.* → *Stufenfolge*; **~härtung** *metall.* *f* hot tempering; **~leiter** *f* step-ladder; *mus.* scale, *a. fig.* gamut (*of emotions*); *fig.* (progressive) scale, graduation; **2los** *tech. adj.*: *~* (*regelbar*) infinitely variable (*speed transmission*); **~rakete** *f* multi-step rocket; **~schalter** *el.* *m* tap (*or* stepping) switch; **~transformator** *el.* step-up (*or* step-down) transformer; **2weise** [ˈ-vaɪzə] *adv.* by steps *or* degrees, gradually; *esp.* stepwise, in stages.
Stuhl [ʃtuːl] *m* (-[e]s; ⸚e) chair, seat; stool; (church) pew; *eccl. der Heilige ~* the Holy See; *jur. elektrischer ~* electric chair; *auf dem elektrischen ~ hinrichten Am.* electrocute; *physiol.* **a)** → *Stuhlgang*, **b)** stool; *j-m den ~ vor die Tür setzen* show a p. the door; turn a p. out, give a p. the sack; *sich zwischen zwei Stühle setzen* fall between two stools.
ˈ**Stuhl...:** **~abgang** *med.* *m* def(a)ecation; **~bein** *n* leg of a chair; **~drang** *med.* *m* straining, tenesmus; **~flechter(in** *f*) [ˈ-flɛçtər] *m* (-s, -; -, -nen) chair-bottomer; **2fördernd** *pharm.* *adj.* aperient, laxative; **~gang** *physiol.* *m* (-[e]s) stool, f(a)eces; motion, evacuation of the bowels; *~ haben* **a)** go to stool, **b)** have open bowels, be regular; *keinen ~ haben* have no motions; **~lehne** *f* back of a chair; **~sitz** *m* bottom of a chair; **~verhaltung** [ˈ-fɛrhaltuŋ] *f* (-; -en), **~verstopfung** *med.* *f* constipation; **~verhärtung** *med.* *f* f(a)ecal impaction; **~zäpfchen** *med.* *n* anal suppository; **~zwang** *med.* *m* (-[e]s) tenesmus.
Stuka [ˈʃtuːka] *aer.* *m* (-s; -s) (= *Sturzkampfbomber*) dive bomber, stuka; *mit ~s angreifen* divebomb.
Stukkatur [ʃtukaˈtuːr] *f* (-; -en) stuccowork.
Stulle [ˈʃtulə] *f* (-; -n) slice of bread (and butter); sandwich.
Stulpe [ˈʃtulpə] *f* (-; -n) (boot-)top; cuff.
stülpen [ˈʃtylpən] *v/t.* (*h.*) turn (inside out); turn up(side down); put over *or* (up)on; *den Hut auf den*

Kopf ~ stick (*or* clap) on one's hat.

ˈ**Stulphandschuh** *m* gauntlet glove; *fenc.* fencing-glove.

ˈ**Stülpnase** *f* turn(ed)-up nose.

ˈ**Stulpenstiefel** *m* top-boot.

stumm [ʃtum] *adj.* dumb, mute (*both a. fig.*); silent; *gr.* silent, mute; *fig.* ~ *vor Erstaunen, etc.*: struck dumb with, speechless with (*amazement, etc.*); ~*es Flehen* mute appeal; *thea.* ~*es Spiel* dumb-show; ~*er Zorn* speechless anger, dumb rage; ~ *wie ein Fisch* mute as a fish; ˈ**2abstimmung** *f radio*: silent tuning.

Stummel [ˈʃtuməl] *m* (-*s*; -) stump; *of cigar, etc.*: fag(-end), *Am.* butt, stub; **~pfeife** *f* short-stemmed pipe.

ˈ**Stumme**(**r** *m*) *f* (-*n*, -*n*; -*en*, -*en*) mute (person).

ˈ**Stummfilm** *m* silent film; **~zeit** *f* silent era.

ˈ**Stummheit** *f* (-) dumbness, muteness; silence.

Stumpen [ˈʃtumpən] *m* (-*s*; -) body (of a felt-hat); (*cut cigar*) cheroot.

Stümper [ˈʃtympər] *m* (-*s*; -), **~in** *f* (-; -*nen*) bungler; duffer; **Stümpeˈrei** *f* (-; -*en*) bungling, bad job, incompetence; blunder; ˈ**stümperhaft** *adj.* bungling, clumsy, incompetent; ˈ**stümpern** *v/i. and v/t.* (*h.*) bungle, botch, *sl.* foozle; *auf dem Klavier*: strum on *the piano*.

stumpf [ʃtumpf] *adj.* blunt, dull; *math.* obtuse (*angle*), truncated (*cone*); ~*e Pyramide* frustrum; ~*e Nase* snub nose; *tech.* ~ *aneinanderfügen* butt-(joint); *fig.* dull; masculine (*rhyme*); blunt, obtuse, dull (*mind, etc.*); stolid; apathetic, dull; ~ *machen* (*a. fig.*) blunt, dull; ~ *werden fig.* grow shaky (*or* rusty); *j-n* ~ *anblicken* look at a p. dully.

Stumpf (-[e]s; ¨e) stump, stub; *math.* frustrum; *fig. mit* ~ *und Stiel* root and branch, completely; *mit* ~ *und Stiel ausrotten a.* wipe *village, etc.*, off the map.

ˈ**Stumpf...**: **~heit** *f* (-) bluntness, dul(l)ness; *fig. a.* obtuseness; apathy; **2kantig** *adj.* blunt-edged; **~kegel** *math. m* truncated cone; **~nahtschweißung** *tech. f* butt-seam welding; **~näschen** [ˈ-nɛːsçən] *n* (-*s*; -), **~nase** *f* snub-nose; **2nasig** [ˈ-nɑːziç] *adj.* snub-nosed; **2schweißen** *tech. v/i.* (*h.*) butt-weld; **~sinn** *m* (-[e]s) dul(l)ness, stupidity, stupor, apathy; *colloq.* (*boring activity*) dul(l)ness, monotony; **2sinnig** *adj.* dull(-witted), stupid; dull, apathetic; *colloq.* (*boring*) dull, tedious; ~*er Kerl* dullard, dolt; **2winkelig** *adj.* obtuse-angled.

Stunde [ˈʃtundə] *f* (-; -*n*) hour (*a. fig.*); *ped.* lesson, *Am.* period; ~*n geben* give lessons; ~ *nehmen bei* (*dat.*) take (*or* have) lessons from; *e-e halbe* ~ half an hour, *Am. a.* a half-hour; *freie* ~ off hour; *fig. in letzter* ~ at the eleventh hour; *mot.* *50 Meilen in der* ~ 50 miles per hour; *von drei* ~*n* (*Dauer*) of (*or* lasting) three hours, three-hour (*speech, etc.*); *von Stund an* from that (very) hour, ever since (then); *von* ~ *zu* ~ from hour to hour; *zur* ~ at this hour; *bis zur* ~ up to this hour, as yet; *seine* ~ *ist gekommen* **a**) his time has come (*to win, etc.*), **b**) his time is up, his sands are running out, **c**) his last hour has come.

ˈ**stunden** *econ. v/t.* (*h.*) grant (*or* allow) a respite *or* delay for; *j-m die Zahlung* ~ grant *a p.* a respite in payment, extend the term of payment.

ˈ**Stunden...**: **~durchschnitt** *m*, **~geschwindigkeit** *f* (average) speed per hour; ~ *von 40 Meilen* an average of 40 miles per hour (*abbr.* m.p.h.); **~geld** *n* fee for lessons; **~glas** *n* hour-glass; **~kilometer** *m/pl.* kilomet|res (*Am.* -ers) per hour; **2lang I.** *adj.* lasting (for) hours; **II.** *adv.* for hours (and hours); **~leistung** *f* hourly output; *of machine*: output per hour; **~lohn** *m* wage(s *pl.*) per hour; **~plan** *m* time-table, curriculum, *Am.* schedule; **~satz** *m* hourly rate; **~schlag** *m* striking of the hour; *mit dem* ~ on the stroke; **2weise** [ˈ-vaɪzə] **I.** *adj.*: ~ *Beschäftigung* part-time employment; **II.** *adv.* by the hour; **~zeiger** *m* hour-hand.

Stündlein [ˈʃtyntlaɪn] *n* (-*s*; -) little (*or* short) hour; *sein letztes* ~ *hat geschlagen* his last hour has come.

ˈ**stündlich I.** *adj.* hourly; **II.** *adv.* every hour; per hour; hour by hour.

ˈ**Stundung** *econ. f* (-; -*en*) respite, delay, extension of time; **~sfrist** *f* time (*or* grace) allowed for payment; **~sgesuch** *n* request for (a) respite.

Stunk [ʃtunk] *colloq. m* (-*s*) row, stink; ~ *machen* kick up a row, raise a stink.

stupfen [ˈʃtupfən] *v/t.* (*h.*) push, nudge.

stupid(**e**) [ʃtuˈpiːt, -də] *adj.* stupid, idiotic.

Stups [ʃtups] *colloq. m* (-es; -e), ˈ**2en** *v/t.* (*h.*) push, nudge; ˈ**~nase** *f* turn(ed)-up nose, snub-nose; **2nasig** [ˈ-nɑːziç] *adj.* snub-nosed.

stur [ʃtuːr] *adj.* staring, fixed (*glance*); pigheaded, mulish; stolid; dull (*job*); ˈ**2heit** *f* (-) stubborness, pigheadedness.

Sturm [ʃturm] *m* (-[e]s; ¨e) storm, tempest (*both a. fig.*); *a. mar.* gale; hurricane, tornado, cyclone; gust; *fig.* (-[e]s) *mil.* assault, onset, charge; *soccer*: forward line, forwards *pl.*; *econ.* ~ *auf* (*acc.*) rush for *goods*, run on *a bank*; tumult, turmoil; rage, fury; ~ *der Entrüstung* outcry; ~ *im Wasserglas* storm in a tea-cup; ~ *und Drang* Storm and Stress; ~ *laufen auf* assault, assail (*both a. fig.*); ~ *läuten* ring the alarm-bell; *im* ~ *erobern or nehmen* take by assault, *a. fig.* take by storm.

ˈ**Sturm...**: **~abteilung** *mil. f* storming-party; **~abzeichen** *mil. n* assault badge; **~angriff** *mil. m* assault; **~artillerie** *mil. f* assault artillery; **~bataillon** *mil. n* assault (*or* shock) battalion; **~bö** *f* white squall; **~bock** *hist. m* battering-ram; **~boot** *mil. n* assault boat.

stürmen [ˈʃtyrmən] **I.** *v/t.* (*h.*) *mil.* storm (*a. w.s. bank, etc.*); assault; *mit* ~*der Hand erobern* take by assault; **II.** *v/i.* **a**) (*h.*) *mil.* make an assault, charge; *a. sports*: attack; *wind*: rage; *fig.* storm, rage; *es stürmt* it is stormy weather; **b**) (*sn*) rush (along), tear.

ˈ**Stürmer** *m* (-*s*; -) hotspur; *sports*: forward; **~reihe** *f* forward line.

ˈ**Sturm...**: **2fest** *adj.* storm-proof; **~flut** *f* tidal wave; **2frei** *adj.* sheltered from the storm; *mil.* unassailable; **~gepäck** *mil. n* combat pack; **2gepeitscht** [ˈ-gəpaɪtʃt] *adj.* gale-lashed; **~geschütz** *mil. n* (self-propelled) assault gun; assault tank; **~gewehr** *mil. n* automatic rifle; **~glocke** *f* alarm-bell, tocsin; **~haube** *hist. f* helmet, morison.

ˈ**stürmisch** *adj.* stormy, tempestuous, squally; storm-swept; rough (*sea, passage*); *fig.* impetuous; tumultuous, uproarious; tempestuous, passionate, violent; stormy (*debate, life*); rapid (*expansion, etc.*); *et.* ~ *verlangen* clamour for; *nicht so* ~! gently, gently!, *Am.* take it easy!

ˈ**Sturm...**: **~lauf** *mil. m* assault; **~leiter** *hist. f* scaling-ladder; **2reif** *adj.* ready to be assaulted; ~ *machen* soften up; **~riemen** *mil. m* chin-strap; **~schaden** *m* damage caused by storm; **~schritt** *mil. m* double-quick step; *im* ~ at the double; **~schwalbe** *f* petrel; **~segel** *n* lug-sail; **~signal** *mar. n* storm signal; **~spitze** *f soccer*: striker; **~trupp** *mil. m* assault (*or* storming-)party; **~vogel** *m* (stormy) petrel; **~warnung** *f* gale warning; **~welle** *mil. f* assault wave; **~wetter** *n* stormy weather; **~wind** *m* storm(y wind), heavy gale; **~wolke** *f* storm cloud; **~zeichen** *n* storm signal (*a. fig.*).

Sturz [ʃturts] *m* (-es; ¨e) (sudden) fall, tumble; crash, smash; plunge; fall (*von* off *a horse, etc.*), cropper; *aer.* dive; precipice; *mot.* camber; *arch.* (*pl.* -e) lintel; *fig.* drop (*of temperature, etc.*); *econ.* slump, collapse (*of prices*); (down-)fall, ruin; *econ.* crash, smash, collapse; overthrow (*of government*); disgrace; *e-n* (*schweren*) ~ *tun* have a (bad) fall.

ˈ**Sturz...**: **~acker** *m* new-ploughed field, *Am.* plowed field; **~angriff** *aer. m* diving attack; **~bach** *m* torrent; **~bad** *n* plunge; **~bomber** *aer. m* dive bomber.

Stürze [ˈʃtyrtsə] *f* (-; -*n*) (dish-)cover, lid; bell (*of wind instrument*).

ˈ**stürzen I.** *v/i.* (*sn*) (have a) fall, tumble; crash (*in acc.* into); *vom Pferd* ~ fall off one's horse, come a cropper; *aer.* dive (*for attack*); *terrain*: fall abruptly; descend precipitously; *econ. prices*: plunge, collapse; *ins Zimmer* ~ rush (*or* plunge, burst) into the room; **II.** *v/t.* (*h.*) precipitate; throw, hurl (down), plunge; rush; upset, overturn; turn up, tilt, dump; overthrow (*government*); *sich ins Wasser* ~ **a**) plunge into the water, **b**) drown o.s.; *sich* ~ *auf* rush at *a p.*, pounce (up)on *a th.*, plunge into, throw o.s. into *work*; *ins Elend* ~

ruin, plunge into misery; *in e-n Krieg* ~ plunge into a war; → *Verderben*; *sich in Schulden* ~ plunge into debt; *sich in Unkosten* ~ go to expense, spend a lot of money; *on boxes*: *Nicht* ~*!* this side up!

ˈ**Stürzen** *n* (-s) (heavy) fall, tumble; *econ.* collapse, slump.

ˈ**Sturz...:** ~**flug** *aer. m* (nose-)dive; *e-n* ~ *machen* dive; ~**geburt** *med. f* precipitate labo(u)r *or* delivery; ~**güter** *econ. n/pl.* bulk goods *pl.*; ~**helm** *m* crash helmet; ~**kampfbomber** *aer. m* dive bomber; ~**see** *mar. f* heavy sea; *e-e* ~ *bekommen* ship a sea; ~**welle** *f* breaker.

Stuß [ʃtus] *colloq. m* (-sses) → *Quatsch*.

Stute [ˈʃtuːtə] *f* (-; -*n*) mare; ~**nfohlen**, ~**nfüllen** *n* filly; ~ˈ**rei** *f* (-; -*en*) stud.

Stütz [ʃtʏts] *m* (-es; -e) *gym.* (straight-arm) rest, support; ˈ~**balken** *m* supporting beam, brace, joist, shore.

ˈ**Stütze** *f* (-; -*n*) support, prop, (main-)stay (*all a. fig.*); *arch.* shore, post; pillar (*a. fig.*); standard (*of machine*); staff (*a. fig.*); *fig.* help; support, backing; ~ *der Hausfrau* lady help; *du bist die* ~ *seines Alters* you are the staff of his old age.

stutzen [ˈʃtutsən] **I.** *v/t.* (*h.*) cut (short), curtail (*a. fig.*); trim, crop (*beard, hair*); prune, lop (*tree*); clip (*hedge, wings*); crop (*ears*); dock (*tail*); → *zurechtstutzen*; **II.** *v/i.* (*h.*) start, be startled; stop short; be puzzled, wonder; become suspicious; boggle (*all bei* at); ~ *bei a.* be taken aback by.

ˈ**Stutzen** *m* (-s; -) short rifle, carbine; *tech.* connecting piece, union; nozzle.

ˈ**stützen** *v/t.* (*h.*) support, prop, stay; *arch.* shore up; buttress; *fig.* support, uphold, back (up); *econ.* peg (*prices*); ~ *auf* (*acc.*) base (*or* found) on (*a. fig.*); *s-e Ellenbogen* ~ *auf* rest one's elbows on; *auf s-e Ellenbogen gestützt* propped on his elbows; *sich* ~ *auf* rest (*or* lean) (up)on, *fig.* rely on *a th., argument, judgement*: be based on.

ˈ**Stutzer** *m* (-s; -) dandy, fop, swell, *Am. a.* dude; 2**haft** *adj.* foppish, dandified; ~**tum** *n* (-s) foppishness.

ˈ**Stutz...:** ~**flügel** *mus. m* baby grand (piano); ~**glas** *n* low tumbler.

ˈ**stutzig** *adj.* startled, taken aback; surprised; perplexed, nonplussed; ~ *machen* startle, surprise, perplex; make suspicious; ~ *werden* be startled; be(come) puzzled, become suspicious, begin to wonder.

ˈ**Stütz...:** ~**lager** *tech. n* single-thrust bearing; ~**mauer** *f* retaining wall; ~**pfeiler** *m* supporting pillar, buttress, abutment; ~**pfosten** *m* supporting post; ~**punkt** *m* point of support; fulcrum; *fig.* footing, foothold; *mil.* **a)** base, **b)** strongpoint.

ˈ**Stutz...:** ~**schwanz** *m* bob-tail; ~**uhr** *f* mantlepiece (*or* shelf) clock.

ˈ**Stützung** *econ. f* (-; -*en*) support, pegging.

ˈ**Stütz...:** ~**waage** *f gym.* support lever; ~**wort** *gr. n* (-[e]s; ⸚er) prop-word.

subaltern [zupʔalˈtɛrn] *adj.* subordinate; *esp. mil.* subaltern; 2**er** *contp.* underling; 2**be-amte**(**r**) *m* subordinate (*or* inferior) official.

Subjekt [zupˈjɛkt] *n* (-[e]s; -e) *gr.* subject; *contp.* (*person*) fellow, individual; *übles* ~ blackguard, bad egg.

subjektiv [-ˈtiːf] *adj.* subjective; *jur.* → *Tatbestand*; **Subjektivität** [-tiviˈtɛːt] *f* (-) subjectivity.

subkutan [zupkuˈtɑːn] *med. adj.* subcutaneous; ~*e Einspritzung* hypodermic injection.

sublim [zubˈliːm] *adj.* sublime.

Subli|mat [-liˈmɑːt] *chem. n* (-[e]s; -e) sublimate; 2ˈ**mieren** *v/t.* (*h.*) sublimate (*a. fig.*).

Submissiˈon *econ. f* call for tenders, invitation to bid; contract by tender; *in* ~ *geben* put out by contract; ~**s-angebot** *n* tender; ~**s-preis** *m* contract price.

subordiˈnieren *v/t.* (*h.*) subordinate.

Subsidien [zupˈziːdiən] *n/pl.* subsidies; *econ.* bounty *sg.*; *durch* ~ *unterstützen* subsidize.

subskribieren [zupskriˈbiːren] *v/i.* (*h.*): ~ *auf* (*acc.*) subscribe for.

Subskription [-skriptsiˈoːn] *f* (-; -*en*) subscription; ~**sanzeige** *econ. f* prospectus; ~**sliste** *f* subscription-list; ~**s-preis** *m* (price of) subscription.

substantiell [zupstantsiˈɛl] *adj.* substantial.

Substantiv [ˈ-tiːf] *gr. n* (-s; -e) noun, substantive; **substantivieren** [-tiˈviːrən] *v/t.* (*h.*) use as a noun; **substantivisch** [-tiːviʃ] **I.** *adj.* substantival; **II.** *adv.* substantively.

Substanz [zupˈstants] *f* (-; -*en*) substance (*a. fig.*); *econ.* (actual) capital; *jur.* (*ant. income, interest*) principal; *von der* ~ *leben* live on one's capital.

substanˈzieren *jur. v/t.* (*h.*) particularize (*claim, etc.*).

Subˈstanzverlust *m* loss of substance; *econ.* loss of real assets.

substituieren [zupstituˈiːrən] *v/t.* (*h.*) substitute (*et. or j-n durch* for a th. *or* a p.).

subtil [zupˈtiːl] *adj.* subtle.

Substrat [zupˈstrɑːt] *biol., gr. n* (-[e]s; -e) substratum.

Subtra|hend [zuptraˈhɛnt] *math. m* (-*en*; -*en*) subtrahend; 2ˈ**hieren** *v/t.* (*h.*) subtract.

Subtraktion [-traktsiˈoːn] *f* (-; -*en*) subtraction.

ˈ**subtropisch** *adj.* subtropical.

Subvention [zupvɛntsiˈoːn] *f* (-; -*en*) subvention; subsidy; bounty.

subventioˈnier|en *v/t.* (*h.*) subsidize; 2**ung** *f* (-; -*en*) subsidies *pl.*, subvention.

Such|aktion [ˈzuːx-] *f* search; ~**anzeige** *f* want ad(vertisement); ~**apparat** *m* detector; ~**dienst** *m* tracing service.

ˈ**Suche** *f* (-) search, hunt (*nach* for); *hunt.* tracking; *auf der* ~ *nach* in search (*or* quest) of; *auf der* ~ *sein nach* be on the look-out for, search (*or* hunt) for; *econ. and fig.* be in the market for.

ˈ**suchen** *v/t. and v/i.* (*h.*) seek (*esp. w.s. advice, happiness, wealth, etc.*), search (out); trace (*errors, missing persons*); want, desire; ~ *nach* (*dat.*) search for; look for; hunt for; rummage for; grope for (*a. fig. nach e-m Ausdruck, etc., a term, etc.*); look up (*a word in the dictionary*); ~ *zu inf.* seek to, try (*or* attempt) to, endeavo(u)r to; *Abenteuer* ~ go in quest of adventures; *seinesgleichen* ~ stand alone, be unrivalled; *Streit mit j-m* ~ pick a quarrel with a p.; *das Weite* ~ run away, beat a hasty retreat; *nach Worten* ~ be at a loss for words; *bibl. suchet, so werdet ihr finden* seek and you shall find; *das hätte ich nie in ihm gesucht* I never thought he had it in him; *Sie haben hier nichts zu* ~ you have no business to be here; → *gesucht*.

ˈ**Sucher** *m* (-s; -) seeker (*a. w.s., of God, truth, etc.*), searcher (*a.* ~**in** *f*, -; -*nen*); *med.* probe; *opt.* (*phot.* view-)finder.

ˈ**Such...:** ~**gerät** *n* detector; search radar; ~**kartei** *f* tracing file; ~**licht** *n* (-[e]s; -er) searchlight; ~**mannschaft** *f* search party.

Sucht [zuxt] *f* (-; ⸚e) sickness, disease; mania, passion, rage (*nach* for); addiction (to *narcotics, etc.*); *fallende* ~ falling sickness.

süchtig [ˈzʏçtiç] *adj.* addicted (*e.g., morphium*~ addicted to morphia); craving; having a mania (*nach* for), maniac(al); sickly, diseased; 2**e**(**r** *m*) [ˈ-igə(r)] *f* (-*n*, -*n*; -*en*, -*en*) addict.

suckeln [ˈzukəln] *v/i.* (*h.*) suckle (*an dat.* at).

Sud [zuːt] *m* (-[e]s; -e) decoction; brew.

Süd[1] [zyːt] (-) south.

Süd[2] *m* (-[e]s) south(-wind).

Süd...: ~ˈ**afrika** *n* South Africa; ~**afriˈkaner**(**in** *f*) *m* South African; 2**afriˈkanisch** *adj.* South African; 2*e Union* Union of South Africa; ~**aˈmerika** *n* South America; ~**ameriˈkaner**(**in** *f*) *m*, 2**ameriˈkanisch** *adj.* South American.

Sudanes|e [zudaˈneːzə] *m* (-*n*; -*n*), ~**in** *f* (-; -*nen*), 2**isch** *adj.* Sudanese.

ˈ**Süd...:** ~**breite** *geogr. f* south latitude; 2**deutsch** *adj.*, ~**deutsche**(**r** *m*) *f* South German.

Sudelarbeit [ˈzuːdəl-], **Sudeˈlei** *f* (-; -*en*) dirty work; slovenly work, sloppy job; *paint.* daub; obscene (*or* filthy) picture(s *pl.*); scrawl(ing), scribble.

ˈ**sud**(**e**)**lig** *adj.* dirty, messy; slovenly; filthy.

ˈ**Sudelkoch** *m* slovenly cook; botcher.

ˈ**sudeln** *v/i. and v/t.* (*h.*) work (*or* do) in a slovenly way; mess about; botch; *paint.* daub; scribble, scrawl; → *besudeln*.

ˈ**Sudelwetter** *n* wet weather.

Süden [ˈzyːdən] *m* (-s) south; *im* ~ in the south, *of a town, etc.*: to the south (*gen.* of), south (of); *nach* ~ (towards the) south, southward; *ast. Kreuz des* ~*s* the Southern Cross.

ˈ**Süd...:** ~**früchte** [ˈ-frʏçtə] *f/pl.* citrus and other tropical fruit *sg.*; ~**fruchthandlung** *f* Italian ware-

house *or* store; **~küste** *f* south(ern) coast; **~lage** *f* southern exposure; **~länder(in** *f*) ['-lɛndər] *m* (-*s*, -; -, -*nen*) inhabitant of the south, southerner; **≈ländisch** ['-lɛndiʃ] *adj.* southern; *in Europe*: meridional; dark(-complexioned).
Sudler(in *f*) ['zu:dlər] *m* (-*s*, -; -, -*nen*) botcher; dauber; scribbler.
südlich ['zy:t-] **I.** *adj.* south(ern), southerly, South; ~ *von* (to the) south of; ~*e Breite* south latitude; ~*e Halbkugel* southern hemisphere; *in* ~*er Richtung* (towards the) south, southward(s); **II.** *adv.* south (*von* of).
'**Süd...:** **~licht** *n* (-[e]*s*) aurora australis; **~'ost(en)** *m* (*SO*) south-east (*abbr.* S.E.); southeaster, souther; **≈'östlich** *adj.* south-east(ern); **~pol** *m* (-*s*) South Pole, antarctic pole; **~polarland** *n* antarctic region; **~see** *f* (-) Pacific (Ocean), *hist.* South Sea; **~seite** *f* south (*or* sunny) side; **~slawien** ['-slɑ:viən] *n* (-*s*) → *Jugoslawien*; **~staaten** *m*/*pl.* southern states; **≈wärts** ['-vɛrts] *adv.* southward(s), (to the) south; **~wein** *m* sweet wine; **~west(en)** *m* (*SW*) south-west (*abbr.* S.W.); **~wester** ['-vɛstər] *m* (-*s*; -) (*hat*) southwester; **≈westlich** *adj.* southwest(ern); **~westwind** *m* southwester; **~wind** *m* south (wind), southerly breeze.
Suezkanal ['zu:ɛs-] *m* Suez Canal.
Suff [zuf] *colloq. m* (-[e]*s*) boozing, booze; *sich dem* ~ *ergeben* take to drinking, hit the booze.
Süff|el ['zyfəl] *colloq. m* (-*s*; -) tippler; **≈eln** *v*/*i. and v*/*t.* (*h.*) tipple, booze; **≈ig** *adj.* tasty.
süffisant [zyfi'zant] *adj.* smug, blasé (*Fr.*).
Suffix [zu'fiks] *gr. n* (-*es*; -*e*) suffix.
suggerieren [zuge'ri:rən] *v*/*t.* (*h.*) suggest.
Suggestion [zugɛsti'o:n] *f* (-; -*en*) suggestion.
suggestiv [-'ti:f] *adj.* suggestive; **≈frage** *f* leading question.
Suhle ['zu:lə] *f* (-; -*n*), **≈n** *hunt. v*/*i. and sich* ~ (*h.*) wallow.
sühnbar ['zy:nbɑ:r] *adj.* expiable.
'**Sühne** *f* (-; -*n*) expiation, atonement; **~maßnahme** *f* sanction; **≈n** *v*/*t.* (*h.*) expiate, atone for; **≈nd** *adj.* expiatory; **~termin** *jur. m* conciliation hearing; *a.* → **~versuch** *m* attempt at reconciliation.
'**Sühn-opfer** *n* expiatory sacrifice, sin-offering; *fig.* atonement.
'**Sühnung** *f* (-; -*en*) → *Sühne.*
Suite ['svi:tə] *f* (-; -*n*) suite (*a. mus.*), retinue, train.
sukzessiv [zuktsɛ'si:f] *adj.* successive; ~**e** *adv.* gradually, little by little, hand over fist.
Sulfat [zul'fɑ:t] *chem. n* (-[e]*s*; -*e*) sulphate.
Sulfid [-'fi:t] *chem. n* (-[e]*s*; -*e*) sulphide.
Sulfonamid [-fona'mi:t] *pharm. n* (-[e]*s*; -*e*) sulphonamide; *pl. a.* sulphy drugs.
Sultan ['zultɑ:n] *m* (-*s*; -*e*) sultan; **~in** *f* (-; -*nen*) sultana.
Sultanine [-ta'ni:nə] *f* (-; -*n*) sultana.
Sülze ['zyltsə] *f* (-; -*n*) *cul.* aspic, jellied meat; brine; **≈n** *v*/*t.* (*h.*) jelly.
Summa ['zuma] *f* (-; -*en*) → *Summe*; *in* ≈, ≈ *summarum* in short, taking all in all, in a nutshell.
Summand [zu'mant] *math. m* (-*en*; -*en*) term of a sum; item.
summarisch [-'mɑ:riʃ] **I.** *adj.* summary (*a. jur.*); ~*e Rechtsprechung* (~*es Verfahren*) summary jurisdiction (proceedings); **II.** *adv.*: ~ *zu bestrafendes Delikt* offen|ce (*Am.* -se) summarily punishable.
Sümmchen ['zymçən] *n* (-*s*; -) small sum; *nettes* ~ nice little sum (of money), nice little pile.
'**Summe** *f* (-; -*n*) sum (*a. fig. of experience, wishes, etc.*); (sum) total; *esp. fig.* totality; amount; *fehlende* ~ deficit.
summen ['zumən] *v*/*i. and v*/*t.* (*h.*) buzz; hum (*a. v*/*t. a tune*); drone.
'**Summen** *n* (-*s*) buzz(ing), hum (-ming).
'**Summengleichung** *math. f* summation equation.
'**Summer** *el. m* (-*s*; -) buzzer; **~ton** *m*, **~zeichen** *n* buzzer signal, *teleph. a.* dial(l)ing tone.
sum'mier|en *v*/*t.* (*h.*) sum (*or* add) up, cast up, totalize; *sich* ~ sum (*or* total) up, run up; **≈ung** *f* (-; -*en*) summing up; addition; accumulation.
Sumpf [zumpf] *m* (-[e]*s*; ¨*e*) swamp, bog; marsh(y country), fen; *fig.* morass; *mot.*, *aer.* sump; **~boden** *m* marshy ground; **~dotterblume** *f* marsh marigold; **≈en** *colloq. v*/*i.* (*h.*) go on a binge, be out on the tiles, wallow in the mire; **~fieber** *med. n* marsh-fever, malaria; **~gas** *n* marsh-gas, methane; **~gegend** *f* marshy district; **~huhn** *zo. n* moorhen; *colloq. fig.* rake, debauchee; boozer; **≈ig** *adj.* marshy, swampy, boggy; **~land** *n* marshland, fen; **~loch** *n* mud hole, slough; **~otter** *zo. f* mink; **~pflanze** *f* marsh plant; **~vogel** *m* wader; **~wasser** *n* bog-water; **~wiese** *f* swampy meadow.
Sums [zums] *colloq. m* (-*es*): *e-n großen* ~ *machen* make a great fuss (*mit, um* about).
Sund [zunt] *m* (-[e]*s*; -*e*) sound, strait.
Sünde ['zyndə] *f* (-; -*n*) sin; transgression, trespass; offen|ce, *Am.* -se; *kleine* ~ trifling offence, peccadillo; *fig.* ~ *gegen den guten Geschmack* sin against good taste.
'**Sünden...:** **~babel** ['-bɑ:bəl] *n* (-*s*; -) sink of iniquity, hotbed of vice; **~bekenntnis** *n* confession of sins; **~bock** *m* scapegoat, *Am. a.* goat; **~erlaß** *m* remission of sins, absolution; **~fall** *m the* Fall of man; **~geld** *n* illgotten money; enormous sum, mint of money; **~last** *f* burden of sin; **~lohn** *m* wages *pl.* of sin; **~maß** *n* (-*es*): *sein* ~ *war voll* the measure of his iniquities was full; **~pfuhl** *m* sink of iniquity; **~register** *n* (long) list of sins; **~schuld** *f* (-) (sum of) transgressions; **~vergebung** *f* forgiveness of sins.
'**Sünder** *m* (-*s*; -), **~in** *f* (-; -*nen*) sinner; *alter* ~ old offender; *armer* ~ criminal under sentence of death; *fig.* poor wretch.
Sündflut ['zynt-] *f* → *Sintflut.*
'**sündhaft** **I.** *adj.* sinful, wicked; **II.** *adv.*: ~ *teuer* awfully expensive; **≈igkeit** *f* (-) sinfulness, wickedness.
sündig ['zyndiç] *adj.* sinful; guilty; **~en** ['-digən] *v*/*i.* (*h.*) (commit a) sin, trespass; *humor. fig.* indulge, exceed; *an j-m* ~ wrong a p.
'**sündlos** *adj.* sinless; innocent.
Super ['zu:pər] *m* (-*s*; -) *radio*: (= ~*heterodynempfänger*) superhet; **~-dividende** *econ. f* extra-dividend, (cash-)bonus; **~festung** *aer. f Am.* Superfortress;* **~het(erodynempfänger)** [-hɛt(ɛro'dy:n-)] *m* (-*s*; -) *radio*: superhet(erodyne receiver); **~intendent** [-ˀintɛn'dɛnt] *m* (-*en*; -*en*) superintendent; **~kargo** ['-kargo] *mar. m* (-*s*; -*s*) supercargo; **≈klug** *colloq. adj.* overwise, too clever by half; **~kluge(r** *m*) ['-klu:gə(r)] *f* (-*n*, -*n*; -*en*, -*en*) wiseacre, smart alec(k).
Superlativ ['-lati:f] *m* (-*s*; -*e*) superlative (degree *esp. gr.*); **≈isch** ['-ti:viʃ] *adj.* superlative.
'**Super|macht** *pol. f* superpower; **~markt** *econ. m* supermarket; **~o'xyd** *chem. n* peroxide; **~phos'phat** *n* superphosphate.
Suppe ['zupə] *f* (-; -*n*) soup; *klare* ~ clear soup; broth; *fig. die* ~ *auslöffeln müssen* (, *die man sich eingebrockt hat*) face the music; *j-m* (*sich*) *e-e schöne* ~ *einbrocken* get a p. (o.s.) into a nice mess; *j-m die* ~ *versalzen* spoil a p.'s fun, give a p. what for.
'**Suppen...:** **~fleisch** *n* meat to make soup of (*or* with); gravy beef; **~grün** *n* greens *pl.*; **~kelle** *f* dipper; **~kraut** *n* pot-herb; **~löffel** *m* soup-ladle; table spoon; **~schüssel**, **~terrine** *f* soup tureen; **~teller** *m* soup plate; **~topf** *m* stock pot; **~würfel** *m* soup cube; **~würze** *f* soup seasoning.
Supplement [zuple'mɛnt] *n* (-[e]*s*; -*e*) supplement; **~band** *m* supplement(ary volume); **~winkel** *math. m* supplement(ary angle).
Support [zu'pɔrt] *m* (-[e]*s*; -*e*) *tech. of machine tool*: **a)** rest, **b)** carriage (*of grinder*), saddle; (*Quer*≈) cross slide (rest); (*Kreuz*≈) compound slide rest; tool post; tool rest; tool arm; head; *schwenkbarer* ~ swing rest; *drehbarer* ~ full swing rest; *w.s.* base.
Supremat [zupre'mɑ:t] *n* (-[e]*s*; -*e*) supremacy.
surren ['zurən] *v*/*i.* (*h.*, *sn*) whir(r); buzz, hum; ≈ *n* (-*s*) whirring, buzz(ing), hum(ming).
Surrogat [zuro'gɑ:t] *n* (-[e]*s*; -*e*) substitute.
suspekt [zus'pɛkt] *adj.* suspect.
suspendieren [zuspɛn'di:rən] *v*/*t.* (*h.*) suspend (*a. chem.*); **Suspension** [-zi'o:n] *f* (-; -*en*) suspension.
Suspensorium [-'zo:rium] *med. n* (-*s*; -*ien*) suspensory.
süß [zy:s] *adj.* sweet; sugary, sugared (*a. fig.*); *fig.* sweet; lovely, charming; *b.s.* honeyed (*smile, words*); ~ *machen* sweeten, sugar.
'**Süße** *f* (-) sweetness; (-*n*; -*n*) *colloq.*

(*girl*) sweet(ie); 2**n** *v/t.* (*h.*) sweeten.
'**Süßholz** *n* liquorice; *colloq. fig.* ~ *raspeln* spoon, flirt, feed *a p.* with sweet nothings; **~raspler** ['-rasplər] *colloq. m* (-*s*; -) spoon, flirt.
'**Süßigkeit** *f* (-) sweetness; *fig. a.* suavity; ~*en pl.* sweetmeats, sweets, *Am.* candy *sg.*; *gern* ~*en essen* have a sweet tooth.
'**Süßkirsche** *f* sweet cherry.
'**süßlich** *adj.* sweetish; *fig.* honeyed, sugared (*smile, words*); mawkish, soppy, treacly; 2**keit** *f* (-) sweetishness; *fig.* mawkishness.
'**Süß...:** **~rahm** *m* sweet cream; 2**-sauer** *adj.* sour-sweet; **~speise** *f* sweet, *Am.* dessert; **~stoff** *m* saccharin(e), sweetener; **~waren** *f/pl.* sweetmeats, sweets, *Am.* candy *sg.*; **~warengeschäft** *n* sweet-shop, *Am.* candy-store; **~wasser** *n* (-*s*; -) fresh water; **~wasserfisch** *m* fresh-water fish; **~wein** *m* sweet (*or* dessert) wine.
Sylvester [zyl'vɛstər] *n* (-*s*; -) → *Silvester.*
Symbiose [zymbi'o:zə] *f* (-; -*n*) symbiosis.
Symbol [zym'bo:l] *n* (-*s*; -*e*) symbol; sign; *on maps*: *a.* conventional sign; *heraldic, etc.*, emblem; **~ik** *f* (-) symbolism; 2**isch** *adj.* symbolic(al).
symboli'sieren *v/t.* (*h.*) symbolize.
Symbolismus [-bo'lismus] *m* (-) *arts*: symbolism.
Symmetrie [zyme'tri:] *f* (-; -*n*) symmetry; **symmetrisch** [-'me:triʃ] *adj.* symmetric(al).
sympathetisch [zympa'te:tiʃ] *adj.* sympathetic.
Sympa'thie *f* (-; -*n*) sympathy; **~streik** *m* sympathetic strike; *in* ~ *treten für* (*acc.*) come out in sympathy with.
sympathisch [-'pɑ:tiʃ] *adj.* sympathetic(ally *adv.*); likable, engaging; *er ist mir* ~ I like him; *das ist mir gar nicht* ~ I don't like that at all; *anat.* ~*es Nervensystem* sympathetic system.
sympathisieren [-pati'zi:rən] *v/i.* (*h.*) sympathize (*mit* with); *er sympathisiert mit den Kommunisten* he is a Communist-sympathizer.
Symphonie [zymfo'ni:] *mus. f* (-; -*n*) symphony; **~konzert** *n* symphony concert; **symphonisch** [-'fo:niʃ] *adj.* symphonic(ally *adv.*); ~*e Dichtung* symphonic poem.
Symptom [zymp'to:m] *n* (-*s*; -*e*) symptom; **symptomatisch** [-to-'mɑ:tiʃ] *adj.* symptomatic (*für acc.* of).
Synagoge [zyna'go:gə] *f* (-; -*n*) synagogue.
synchron [zyn'kro:n] *adj.* synchronous; 2**getriebe** *mot. n* synchromesh gear.
synchronisier|en [-kroni'zi:rən] *v/t.* (*h.*) synchronize; *film usu.* dub; 2**ung** *f* (-; -*en*) synchronization; dubbing.
Synchronismus [-kro'nismus] *m* (-; -*men*) synchronism.
Syn'chronmotor *m* synchronous motor.
Synchrotron [zynkro'tro:n] *n* (-*s*; -*e*) *nuclear physics*: synchrotron.
Syndikalismus [zyndika'lismus] *pol. m* (-) syndicalism.
Syndikat [-'kɑ:t] *n* (-[*e*]*s*; -*e*) syndicate.
Syndikus ['-kus] *m* (-; -*se*) syndic, *Am.* corporation lawyer.
Synkope [zyn'ko:pə] *gr. f* (-; -*n*) syncope (*a. med., mus.*); **synko'pieren** *v/t.* syncopate; **syn'kopisch** *adj.* syncopic(ally *adv.*).
Synod|e [zy'no:də] *f* (-; -*n*) synod; 2**isch** *adj.* synodical.
Synonym [zyno'ny:m] *n* (-*s*; -*e*) synonym(ous word); 2 *adj.* (*a.* 2**isch**) synonymous; **~ik** *f* (-) synonymy, study of synonyms.
syn'optisch *adj.* synoptic(al).
syn'taktisch *gr. adj.* syntactic(al).
Syntax ['zyntaks] *gr. f* (-) syntax.
Syn'the|se *f* synthesis; 2**tisch** [-'te:tiʃ] *adj.* synthetic(al); ~ *herstellen* synthesize.
Syphilis ['zy:filis] *med. f* (-) syphilis; **Syphilitiker(in** *f*) [-'li:tikər] *m* (-*s*, -; -, -*nen*) syphilitic (patient); **syphilitisch** [-'li:tiʃ] *adj.* syphilitic.
Syrien ['zy:riən] *n* (-*s*) Syria; '**Syr(i)er(in** *f*) *m* (-*s*, -; -, -*nen*), '**syrisch** *adj.* Syrian.
System [zys'te:m] *n* (-*s*; -*e*) system; plan, scheme; method; doctrine; *in ein* ~ *bringen* systematize; *da ist* ~ *drin* there is method in that.
Systemat|ik [zyste'mɑ:tik] *f* (-; -*en*) systematic manner (*or* representation); **~iker** *m* (-*s*; -) systematizer, *w.s.* systematic person; 2**isch** *adj.* systematic(al), methodical; **systematisieren** [-mati'zi:rən] *v/t.* (*h.*) systematize.
sy'stemlos *adj.* unsystematic(al), unmethodical.
Szenarium [stse'nɑ:rium] *thea. n* (-*s*; -*ien*) scenario.
Szene ['stse:nə] *f* (-; -*n*) scene (*a. fig.*); *film*: **a)** sequence, **b)** shot, take; *thea. and fig. hinter der* ~ behind the scenes, *Am.* backstage; *thea. bei offener* ~ during the act; *in* ~ *setzen a. fig.* stage; *fig. sich in* ~ *setzen* put o.s. into the limelight, show off; (*j-m*) *e-e* ~ *machen* make (a p.) a scene; **~n-aufnahme** *f* *film*: shot, take; **~nwechsel** *m* shifting of scenes, *fig.* change of scene.
Szene'rie *f* (-; -*n*) scenery.
'**szenisch** *adj.* scenic(ally *adv.*).
Szepter ['stsɛptər] *n* (-*s*; -) scept|re, *Am.* -er.

T

T, t [te:] *n* T, t.
Tabak ['tɑ:bak] *m* (-*s*; -*e*) tobacco; *leichter* (*schwerer*) ~ mild (strong) tobacco; *fig. das ist aber starker* ~ that's a bit thick; **~bau** *m* (-[*e*]*s*) cultivation of tobacco; **~beize** *f* sauce; **~händler(in** *f*) *m* tobacconist, (*wholesaler*) tobacco-merchant; **~laden** *m* tobacco-shop, tobacconist's (shop), *Am.* cigar-store; **~pflanze** *f* tobacco plant; **~pflanzung** *f* tobacco plantation; **~qualm** *m* tobacco smoke; **~regie** *f* government monopoly of the tobacco trade; **~sbeutel** *m* tobacco pouch; **~sdose** *f* tobacco (*or* snuff-) box; **~spfeife** *f* (tobacco-)pipe; **~steuer** *f* duty on tobacco; **~waren** *f/pl.* tobacco products, (*shop sign*) Tobacconist.
Tabatiere [tabati'ɛ:rə] *f* (-; -*n*) snuffbox.
tabellarisch [tabɛ'lɑ:riʃ] **I.** *adj.* tabular, tabulated; **II.** *adv.* in tabular form.
tabellari'sieren *v/t.* (*h.*) tabulate.
Ta'belle *f* (-; -*n*) table (*a. sports*); index; schedule; chart; tabulation; 2**nförmig** [-nfœrmiç] *adj.* → *tabellarisch.*
Tabernakel [tabɛr'nɑ:kəl] *n* (-*s*; -) tabernacle.
Tablett [ta'blɛt] *n* (-[*e*]*s*; -*e*) tray; salver.
Tablette [ta'blɛtə] *pharm. f* (-; -*n*) tablet; lozenge.
tabu [ta'bu:] *adj. and* 2 *n* (-*s*; -*s*) taboo; *ein* 2 *durchbrechen* break a taboo.
tabu'ieren *v/t.* (*h.*) (put under) taboo.
Tabulator [tabu'lɑ:tɔr] *m* (-*s*; -'*toren*) tabulator.
Taburett [tabu'rɛt] *n* (-[*e*]*s*; -*e*) stool, tabouret.
Tachograph [taxo'grɑ:f] *mot. m* (-*en*; -*en*) tachograph.
Tacho'meter *n* (-*s*; -) tachometer; *mot. a.* speedometer.
Tadel ['tɑ:dəl] *m* (-*s*; -) blame; censure; reprimand, rebuke, upbraiding; reproof; reproach; admonition; criticism; blemish, fault, flaw; *ohne* ~ blameless, spotless; *über jeden* ~ *erhaben* above reproach; 2**frei,** 2**los** *adj.* irreproachable, blameless, above reproach; faultless, flawless; perfect; excellent, splendid, firstclass; *colloq. fig.* → *prima*; **~losigkeit** *f* (-) blamelessness, faultlessness; 2**n** *v/t.* (*h.*) blame (*wegen* for); censure, rebuke, reprove; reprimand, scold; admonish; criticize; find fault with, carp at; disapprove of; *an allem et. zu* ~ *finden* find fault with everything; 2**nswert** *adj.* blameworthy, blamable, censurable, objectionable, reprehensible; bad, faulty; **~sucht** *f* (-) censoriousness; 2**süchtig** *adj.* censorious, fault-finding.
'**Tadler(in** *f*) *m* (-*s*, -; -, -*nen*) fault-finder, censurer, critic.
Tafel ['tɑ:fəl] *f* (-; -*n*) table (*a. list*);

(*a. memorial*) tablet; board; panel; plate (*a. book illustration*); slab; slate; blackboard; plaque; chart; slab, cake, bar (*of chocolate*); dinner; *große* ~ gala dinner; → *Tisch; aufheben*; ~**aufsatz** *m* cent|re-(*Am.* -er)piece; cutlery; ~**besteck** *n* knife, fork, and spoon; ~**birne** *f* dessert pear; ~**brötchen** *n* dinner roll; ~**butter** *f* best fresh butter; 2**fertig** *adj.* ready-to-eat, *Am. a.* instant; 2**förmig** ['-fœrmiç] *adj.* tabular; ~**freuden** *f/pl.* pleasures of the table; ~**geschirr** *n* dinner service, tableware; ~**glas** *n* (-es; ¨er) sheet glass; plate-glass; ~**land** *n* table-land, plateau; ~**musik** *f* table-music.

'**tafeln** *v/i.* (*h.*) dine; feast, banquet.

täfeln ['tɛ:fəln] *v/t.* (*h.*) inlay, floor, board (*floor*); wainscot, panel (*wall*).

'**Tafel...:** ~**obst** *n* (fruit for) dessert; ~**öl** *n* salad-oil; ~**runde** *f* guests *pl.* (at table); (King Arthur's) Round Table; ~**schiefer** *m* slate (in slabs); ~**silber** *n* table-plate, *Am.* silverware; ~**tuch** *n* (-[e]s; ¨er) tablecloth; ~**waage** *f* platform scales *pl.*; ~**wasser** *n* table-water, mineral water; ~**wein** *m* dinner-wine.

'**Täfelung** *f* (-; -en) (floor) inlaying; wainscot(ing), (wall) panelling.

'**Tafelzeug** *n* table-linen.

Taf(fe)t ['taf(ə)t] *m* (-[e]s; -e) taffeta.

Tag [tɑ:k] *m* (-[e]s; -e) day; date; *denkwürdiger or freudiger* ~ red-letter day; *großer* ~ field-day; *am* ~*e* by day; *am* ~*e nach* the day after; *bei* ~*e* by day, in the daytime, during the day, by daylight; *alle* ~*e* every day; *auf s-e alten* ~*e* in his old age (*or* days); *dieser* ~*e* **a)** one of these days, **b)** lately, the other day; *e-s* ~*es* **a)** one day, **b)** some day (or other); *früh am* ~*e* early in the day; *den ganzen* ~ all day long, (a)round the clock; *den lieben langen* ~ the livelong day; ~ *für* ~ day by day; ~ *und Nacht* day and night; *e-n* ~ *um den andern, jeden zweiten* ~ every other day, day about; *mining*: *unter* ~*e* underground; *über* ~ aboveground; *von* ~ *zu* ~ from day to day; *vor acht* ~*en* a week ago; *in acht* ~*en* this day week; *in vierzehn* ~*en* in a fortnight, *Am.* in two weeks; *freier* ~ day off, off day; *guten* ~! **a)** how do you do!, **b)** good morning!, good afternoon!; **c)** good day!, so long!; *heller* ~ broad daylight; *am hell(icht)en* ~*e* in broad daylight; *es wird* ~ it dawns; *fig. nun wird's* ~ **a)** what a go!, good night!, **b)** now I see (daylight)!; *an den* ~ *kommen* come to light; *an den* ~ *bringen, zutage fördern* bring to light, unearth; *zutage liegen* be manifest (*or* patent); *an den* ~ *legen* exhibit, display, show; (*genau*) *auf den* ~ to a day; *bis auf den heutigen* ~ to this day; *in den* ~ *hinein* (*live, talk*) at random; *sich e-n guten* ~ *machen* make a day of it; *er hatte e-n guten* ~ he was in good form; → *Abend, jüngst, etc.*

'**Tag...:** ~**arbeit** *f* day-labo(u)r; 2'**aus** *adv.*: ~, *tagein* day in day out; ~**bau** *m* (-[e]s; -e) *mining*: opencast working, surface mining; ~**baubergwerk** *n* open-pit mine; ~**blatt** *n* daily (paper); ~**blindheit** *f* day-blindness; ~**blume** *bot. f* flower pollinated by butterflies.

Tage... ['tɑ:gə-]: ~**buch** *n* diary, journal; *econ. a.* daybook; *mar.* logbook; ~**dieb(in** *f*) *m* idler, loafer, lazybones; ~**geld(er** *pl.*) *n* daily (*or* per diem) allowance.

tag'ein *adv.* → *tagaus*.

'**Tage...:** 2**lang I.** *adj.* of (*or* lasting for) days; **II.** *adv.* for days (together), day after day; ~**lohn** *m* day's (*or* daily) wages *pl. or* pay; *im* ~ *arbeiten* work by the day; ~**löhner** [-lø:nər] *m* (-s; -) day-labo(u)rer; ~**marsch** *m* day's march.

'**tagen** *v/i.* **1.** (*impers., h.*) dawn; *es tagt* it is dawning, the day is breaking; *fig. es tagte bei ihm* he was beginning to see daylight, it dawned on him; **2.** (*h.*) hold a meeting, meet, sit (in conference); *jur.* be in session; deliberate, confer.

'**Tagereise** *f* day's journey.

'**Tages...:** ~**ablauf** *m*: *gewöhnlicher* ~ (daily) routine; ~**anbruch** *m* daybreak; *bei* ~ at daybreak (*or* dawn); ~**angriff** *mil. m* daylight attack (*aer.* raid); ~**arbeit** *f* day's work; (daily) routine; ~**ausflug** *m* day trip; ~**befehl** *mil. m* order of the day; ~**bericht** *m* daily report, bulletin; ~**dienst** *m* day-service, day-duty; ~**einnahme** *f* day's takings *pl.*; ~**ereignis** *n* event of the day; *pl. a.* current events; *Gespräch über* ~*se* topical talk; ~**gebühr** *f* day rate; ~**gespräch** *n* topic (*or* talk) of the day; *das* ~ *bilden a.* be in the news; ~**grauen** *n* → *Tagesanbruch*; ~**helle** *f* light of day; ~**karte** *f* day-ticket; ~**kasse** *f thea.* advance booking-office; *econ.* **a)** petty cash, **b)** receipts (*or* takings) *pl.* of the day; ~**krem** *f* vanishing cream; ~**kurs** *m econ.* current rate (*of foreign exchange*); daily quotation, current price (*of securities*); *ped.* day course; ~**leistung** *f* daily output, *of machine*: *a.* capacity per day; ~**leuchtfarbe** *typ. f* daylight-luminous ink; ~**licht** *n* (-[e]s) daylight; *ans* ~ *kommen* come to light, become known, *Am. a.* develop; *ans* ~ *bringen* bring to light, expose, unearth; *das* ~ *scheuen* shun daylight; ~**lichtaufnahme** *phot. f* daylight shot; ~**mädchen** *n* part-time maid; daily; ~**marsch** *m* day's march; ~**meldung** *f* daily report (*or* return); ~**nachrichten,** ~**neuigkeiten** *f/pl.* news of the day, (evening) news; ~**ordnung** *f* order of the day (*a. fig.*); agenda; *auf die* ~ *setzen* put on the agenda; *auf der* ~ *stehen* be on the agenda; *Punkt der* ~ issue, item; *zur* ~ *übergehen* proceed to the order of the day; *fig. das ist an der* ~ that is the order of the day (*or* quite common); ~**preis** *econ. m* (to)day's (*or* current, ruling) price; → *Tageskurs*; ~**presse** *f* daily press; ~**raum** *m* day room; ~**satz** *m* day rate; *stock exchange*: current rate; *mil., etc.*: daily ration, one day's supply; ~**schicht** *f* day-turn; ~**stempel** *m* date-stamp; ~**umsatz** *econ. m* daily turnover; ~**verdienst** *m* daily earnings *pl.*; ~**verpflegung** *f* daily ration(s *pl.*); ~**zeit** *f* time (*or* hour) of the day; daytime; *zu jeder* ~ at any hour, at any time of the day; ~**zeitung** *f* daily (paper); ~**ziel** *mil. n* day's objective; ~**zinsen** *econ. m/pl.* interest on daily balances.

'**Tage...:** 2**weise** [-vaɪzə] *adv.* by the day; ~**werk** *n* day's work, daily task.

'**Tag...:** ~**falter** *m* butterfly; 2**hell** *adj.* (as) light as day; ~**hemd** *n* day-shirt; chemise.

...tägig [-tɛ:giç] *adj. in compounds* of ... days, ...-day.

täglich ['tɛ:kliç] **I.** *adj.* daily; everyday; *ast.* diurnal; *med.* quotidian; *econ.* ~*es Geld* call-money; *auf* ~*e Kündigung* at call; **II.** *adv.* every day, daily, *econ. a.* per diem; *zweimal* ~ twice a day.

tags [tɑ:ks] *adv.*: ~ *darauf* the following day, the day after; ~ *zuvor* (on) the previous day, the day before.

Tagschicht ['tɑ:kʃiçt] *f* (-; -en) day-turn.

'**tags-über** *adv.* during the day, in the daytime.

tag'täglich *adv.* every day, day in day out.

Tag- und 'Nachtgleiche [-glaɪçə] *f* (-; -n) equinox.

Tagung ['tɑ:guŋ] *f* (-; -en) meeting, conference, congress, *Am. a.* convention; *parl.* session.

'**tagweise** *adv.* by the day.

Taifun [taɪ'fu:n] *m* (-s; -e) typhoon.

Taille ['taljə] *f* (-; -n) waist; bodice; *enge* ~ slim (*or* wasp-)waist.

tailliert [tal'ji:rt] *adj.* waist-fitting.

Takel ['tɑ:kəl] *mar. n* (-s; -) tackle; **Takelage** [-'lɑ:ʒə] *f* (-; -n) rigging, tackle.

'**takeln** *v/t.* (*h.*) rig (*ship*).

'**Takel|ung** *f* (-; -en), ~**werk** *n* → *Takelage*.

Takt [takt] *m mus.* **a)** (-[e]s; -e) time, measure, **b)** bar; rhythm, *a. tel.* cadence; *mot.* cycle; *fig.* (-[e]s) tact, delicacy; $^3/_4$-~ three-four time; *den* ~ *schlagen* beat time; *den* ~ *halten* keep time, *rowing*: keep stroke; *den* ~ *verlieren, aus dem* ~ *kommen* lose the beat, *fig.* be put off one's stroke; *fig. aus dem* ~ *bringen* put out, disconcert; *im* ~ *marschieren* march in time; *er spielte die ersten* ~*e des Liedes* he played the first few bars of the song; ~**art** *f* time, measure; 2**fest** *adj.* steady in keeping time; *fig.* firm, sound; ~**gefühl** *n* (-[e]s) tact (-fulness), delicacy.

tak'tieren *mus. v/i.* (*h.*) beat time.

'**Taktik** *f* (-; -en) tactics (*a. fig.*); ~**er** *m* (-s; -) tactician.

'**taktisch** *adj.* tactical; ~ *wichtiges Gelände* tactical (*or* vital) area; ~*er Führer* officer in tactical command; ~*e Luftunterstützung* tactical air support.

'**Takt...:** 2**los** *adj.* tactless, indiscreet, indelicate; ~**losigkeit** *f* (-; -en) tactlessness, want of tact; indiscretion; *e-e* ~ *begehen* commit an indiscretion, make a faux pas; 2**mäßig** [-mɛːsiç] *adj.* well-timed, rhythmical; ~**note** *mus. f* semibreve; ~**stock** *m* baton; ~**strich** *m* bar; 2**voll** *adj.* tactful, discreet; ~**vorzeichnung** *mus. f* time-signature.

Tal [tɑːl] *n* (-[e]s; ⸚er) valley, *poet. and fig.* vale; *phys.* trough; dale; *zu* ~(e) → 2'**abwärts** *adv.* down the valley, downhill; downstream.

Talar [ta'lɑːr] *m* (-s; -e) *jur.* robe; *eccl., univ.* gown.

'**Tal...:** 2'**aufwärts** *adv.* up the valley, uphill; ~**enge** *f* narrow (part of a) valley; → *Schlucht.*

Talent [ta'lɛnt] *n* (-[e]s; -e) talent (*für et.* for a th. *or* doing a th.); (natural) gift, aptitude, ability; talented person, *pl.* talent *sg.*; **talen'tiert, ta'lentvoll** *adj.* talented, gifted; **ta'lentlos** *adj.* without talent, not gifted.

'**Talfahrt** *f* descent; *mot.* downhill driving.

Talg [talk] *m* (-[e]s; -e) suet; tallow; ~**drüse** *anat. f* sebaceous gland; ~**fett** *n* stearine; 2**ig** ['talgiç] *adj.* suety; tallowy, tallowish; ~**licht** *n* (-[e]s; -er) tallow-candle.

Talisman ['tɑːlisman] *m* (-s; -e) talisman, mascot, good-luck charm.

Talje ['taljə] *mar. f* (-; -n) tackle.

Talk [talk] *m* (-[e]s) talc(um); ~**erde** *f* magnesia.

Talkessel ['tɑːl-] *m* basin (of a valley), hollow.

'**talk|ig** *adj.* talcky, talcose; 2**puder** *m* talcum powder.

Talmi ['talmi] *n* (-s), ~**gold** *n* talmi gold, pinchbeck, *Am.* gold brick.

'**Talmulde** *f* basin (*or* hollow) of a valley.

Talon [ta'lɔ̃] *econ. m* (-s; -s) talon.

'**Tal...:** ~**schlucht** *f* glen; ~**senke** *f* → *Talmulde*; ~**sohle** *f* bottom of a valley; ~**sperre** *f* barrage, (storage) dam; ~**überführung** *f* viaduct; 2**wärts** *adv.* downhill; downstream; ~**weg** *m* road through (*or* along) a valley.

Tamarinde [tama'rində] *bot. f* (-; -n) tamarind.

Tambour ['tambuːr] *m* (-s; -e) drummer; ~**major** *m* drum-major; ~**majorin** *f* (-; -nen) drum-majorette; ~**stock** *m* baton.

Tamburin [tambu'riːn] *mus. n* (-s; -e) tambourine.

Tampon [tɑ̃'pɔ̃ː] *med. m* (-s; -s) tampon, plug; **tampo'nieren** *v/t.* (*h.*) plug, tampon.

Tamtam [tam'tam] *n* (-s; -s) *mus.* tomtom; *fig.* noise, fuss, to-do; ballyhoo.

Tand [tant] *m* (-[e]s) trifles, trumpery; (k)nick-(k)nacks *pl.*; tinsel, finery; trinkets *pl.*; bauble, gewgaw, gimcrack.

Tändelei [tɛndə'lɑɪ] *f* (-; -en) dallying, trifling; flirtation, philandering, spooning.

'**tändeln** *v/i.* (*h.*) dally, trifle; philander, flirt, spoon; dawdle.

Tandem ['tandɛm] *n* (-s; -s) tandem; ~**anordnung** *tech. f* tandem arrangement; ~**flugzeug** *n* tandem aircraft (*or* plane).

Tang [taŋ] *bot. m* (-[e]s; -e) seaweed.

Tangente [taŋ'gɛntə] *math. f* (-; -n) tangent.

Tangential... [-tsi'ɑːl] tangential...

tan'gieren *v/t.* (*h.*) touch, be tangent to; *econ.* affect.

Tango ['taŋgoː] *m* (-s; -s) tango.

Tank [taŋk] *m* (-[e]s; -s) tank, container; *mil.* → *Panzer*; ~**anhänger** *m* tank trailer; 2**en** *v/t. and v/i.* (*h.*) (take in) petrol, (re)fuel, fill (up); ~**en** *n* (-s) refuel(l)ing; ~**er** *mar. m* (-s; -) tanker; ~**flugzeug** *n* tanker airplane; ~**säule** *f* petrol pump, *Am.* gasoline dispensing pump; ~**schiff** *n* tanker; ~**stelle** *f* filling (*or* service) station, petrol station, *Am. a.* gas(oline) station; ~**verschluß** *mot. m* tank cap; ~**wagen** *m rail.* tank-car; *mot.* tank lorry (*Am.* truck); ~**wart** *m* service station attendant.

Tanne ['tanə] *f* (-; -n) fir(-tree); silver fir; spruce; 2**n** *adj.* (of) fir.

'**Tannen...:** ~**baum** *m* fir(-tree); ~**harz** *n* fir resin; ~**holz** *n* fir-wood, deal; ~**nadel** *f* fir-needle; ~**wald** *m* fir-wood; ~**zapfen** *m* fir-cone.

Tannin [ta'niːn] *chem. n* (-s) tannin.

Tantalusqualen ['tantalus-] *f/pl.* torments of Tantalus; *j-m* ~ *bereiten* tantalize a p.; *er litt* ~ he suffered hell.

Tante ['tantə] *f* (-; -n) aunt.

T-Antenne ['teː-] *f* T-aerial, *Am.* T-antenna.

Tantieme [tɑ̃ti'ɛːmə] *f* (-; -n) percentage, bonus, share in profits; (author's, *etc.*) royalty; *Aufsichtsrats*2 directors' fees; *Geschäftsführer*2 manager's commission.

Tanz [tants] *m* (-es; ⸚e) dance; *fig.* row, shindy; *zum* ~ *aufspielen* strike up for a dance; *fig. jetzt geht der* ~ *los!* now the fun begins!; ~**abend** *m* (evening's) dancing, dancing-party; ~**bär** *m* dancing bear; ~**bein** *n* (-[e]s): *das* ~ *schwingen* dance, do the light fantastic, shake a leg, foot it; ~**boden** *m*, ~**diele** *f* dance hall; dance floor.

tänzeln ['tɛntsəln] *v/i.* (*h., sn*) dance, frisk, skip; *horse:* amble.

'**tanzen I.** *v/i.* (*h., sn*) dance (*a. fig.*); *fig. auf den Wellen* ~ rock on the waves; *nach j-s Pfeife* ~ be at a p.'s beck and call; do a p.'s bidding; *es wurde getanzt* there was dancing; **II.** *v/t.* (*h.*) dance (*e-n Walzer* a waltz); *sich müde* ~ tire o.s. with dancing.

'**Tanzen** *n* (-s) dancing.

Tänzer(in *f*) ['tɛntsər(in)] *m* (-s, -; -, -nen) dancer; *thea.* ballet-dancer, *f a.* danseuse; partner.

'**Tanz...:** ~**fläche** *f* dance floor; ~**gesellschaft** *f* dancing-party; ~**kapelle** *f* dance band; ~**kunst** *f* art of dancing; ~**lehrer(in** *f*) *m* dancing-master; ~**lied** *n* dancing-tune; ~**lokal** *n* dance hall; 2**lustig** *adj.* fond of dancing; ~**meister** *m* dancing master; ~**musik** *f* dance music; ~**partner** *m* partner; ~**platz** *m* dancing-ground; dance floor; ~**saal** *m* dancing-room, dance hall; ~**schritt** *m* (dancing-)step; ~**schuh** *m* dancing-shoe; ~**schule** *f* dancing school; ~**stunde** *f* dancing lesson; ~**tee** *m* afternoon(-tea) dance; ~**turnier** *n* dancing contest; ~**unterricht** *m* dancing lessons *pl.*; ~**vergnügen** *n* dance, ball; ~**wut** *f* dancing mania.

Tapet [ta'peːt] *n*: *aufs* ~ *bringen* bring *a subject* on the carpet (*or* up).

Ta'pete *f* (-; -n) wall-paper; ~(*n pl.*) paper-hangings *pl.*; tapestry; ~**nhändler(in** *f*) *m* dealer in wall-paper; ~**nmuster** *n* (wallpaper) design; ~**ntür** *f* jib door, hidden door.

Tapezier|er [tape'tsiːrər] *m* (-s; -) paper-hanger; upholsterer; ~**arbeit** *f* upholstery; 2**en** *v/t.* (*h.*) (hang with) paper; *neu* ~ repaper; ~**nagel** *m* tack; ~**ware** *f* upholstery.

tapfer ['tapfər] **I.** *adj.* brave; valiant, gallant, heroic(ally *adv.*); courageous, plucky; intrepid, dauntless, fearless; dogged(ly *adv.*); **II.** *adv.* bravely, *etc.*; manfully; vigorously, with gusto, like blazes; 2**keit** *f* (-) bravery, valo(u)r, gallantry; heroism; courage, pluck; fortitude; ~ *vor dem Feind* gallantry in the field; *hervorragende* ~ outstanding heroism; 2**keitsmedaille** *f* medal (awarded) for bravery.

Tapisseriewaren [tapisə'riːvɑːrən] *f/pl.* tapestry goods, tapestries.

tappen ['tapən] *v/i.* (*h., sn*) grope about, fumble; paw; *im dunkeln* ~ *a. fig.* grope in the dark; → *tapsen.*

täppisch ['tɛpiʃ] *adj.* clumsy, awkward, gawky, thumb-fingered.

Taps [taps] *colloq. m* (-es; -e) clumsy fellow, hobbledehoy, gawk; '2**en** *v/i.* (*h., sn*) walk clumsily, plod; tap, pat.

Tara ['tɑːra] *econ. f* (-; -ren) tare.

Tarantel [ta'rantəl] *zo. f* (-; -n) tarantula; *fig. wie von der* ~ *gestochen* as if stung by an adder, wildly.

tarieren [ta'riːrən] *v/t.* (*h.*) tare.

Tarif [ta'riːf] *m* (-s; -e) tariff, (table of) rates *pl.*; *rail.* **a)** *for passengers:* (table of) fares, **b)** *for goods:* railway rates *pl.*; postal rates *pl.*; scale (of wages), wage scale; *gleitender* ~ sliding scale; ~**abkommen** *n* → *Tarifvertrag*; ~**bruch** *m* breach of tariff; 2**lich I.** *adj.* tariff..., in accordance with the tariff; *wages:* standard..., tradeunion...; contractual; ~*e Arbeitszeit* contractual hours; **II.** *adv.* according to (*or* by) the tariff; *wages:* according to scale; ~**lohn** *m* standard wage(s *pl.*); 2**mäßig** [-mɛːsiç] *adj. and adv.* → *tariflich*; ~**ordnung** *f* wage scale, wages regulations *pl.*; ~**partner** *m* party to a wage agreement; ~**satz** *m* tariff rate; *for wages:* (rate of) scale; ~**verhandlungen** *f/pl.* collective bargaining; ~**vertrag** *m* wage (*or* industrial) agreement, *Am.* collective agreement.

Tarn|anstrich ['tarn-] *m* camouflage painting, dazzle (*or* pattern) painting; ~**anzug** *m* camouflage suit; ~**bezeichnung** *f* code word (*or* designation); ~**bezug** *m* camouflage cover; 2**en** *v/t.* (*h.*) camouflage, mask, screen, *esp. fig. a.* cloak, disguise; ~**farbe** *f* camouflage paint; ~**kappe** *f* magic hood; ~**netz** *n* camouflage net; ~**ung** *f* (-; -en) camouflage, screen(ing), cloak(ing).

Tasche ['taʃə] *f* (-; -n) pocket; pouch

(*a. anat., zo.*); bag; purse; → *Akten*~~, *etc.*; shoulder bag; *ped.* satchel; case; *in der* ~ *haben* (*a. colloq. fig.*) have in one's pocket; *in die* ~ *stecken* (put into one's) pocket; *fig. j-n in die* ~ *stecken* be more than a match for a p., be head and shoulders above a p.; *j-m auf der* ~ *liegen* live at a p.'s expense, live on a p.; *in die eigene* ~ *arbeiten* line one's pocket; *tief in die* ~ *greifen müssen* have to pay through one's nose; e-e *Stadt wie seine* ~ *kennen* know a town like the back of one's hand; *colloq. ich habe es in der* ~ it's in the bag; *colloq. steig mir in die* ~ go to blazes.

'**Taschen...:** ~**apotheke** *f* pocket medicine-case; ~**ausgabe** *f* pocket edition; ~**buch** *n* pocketbook; ~**dieb(in** *f*) *m* pickpocket; *vor* ~*en wird gewarnt!* beware of pickpockets; ~**diebstahl** *m* pocket-picking; ~**feuerzeug** *n* pocket-lighter; ~**format** *n* pocket-size; ~**geld** *n* pocket-money, (monthly) allowance; ~**kalender** *m* pocket almanac; ~**krebs** *zo. m* common crab; ~**lampe** *f* pocket-lamp; (electric) torch, *esp. Am.* flashlight; ~**messer** *n* pocket-knife, clasp-knife, *Am a.* jackknife; penknife; ~**sender** *m* pocket transmitter; ~**spiegel** *m* pocket-mirror; ~**spieler** *m* juggler, conjurer; ~**spiele'rei** *f* jugglery, sleight of hand; ~**tuch** *n* (-[e]s; ¨er) (pocket) handkerchief, hanky; ~**uhr** *f* (pocket) watch; ~**wörterbuch** *n* pocket-dictionary.

Täschner ['tɛʃnər] *m* (-s; -) purse-maker; trunk-maker.

Tasse ['tasə] *f* (-; -*n*) cup; cup and saucer; e-e ~ *Tee* a cup of tea; *colloq. nicht alle* ~*n im Schrank haben* be not quite right (in the head).

Tastatur [tasta'tuːr] *f* (-; -*en*) keyboard, keys *pl.*

tastbar ['tastbaːr] *adj.* palpable.

Taste ['tastə] *f* (-; -*n*) key; *tech.* press key, (push button) key.

'**tasten I.** *v/i.* (*h.*) touch, feel; grope (about), fumble (*nach* for); *sich* ~ feel (*or* grope) one's way (*a. fig.*); **II.** *v/t.* (*h.*) (transmit by) key; sense; ~*d fig.* tentative, groping; ~**brett** *mus. n* keyboard; ~**geber** *m* key transmitter; ~**instrument** *n* keyed instrument.

'**Taster** *m* (-s; -) *zo.* feeler, antenna; *tel.* key, prod; *typ.* keyboard; *tech.* **a)** → *Taste*, **b)** cal(l)iper (compasses), **c)** tracer, **d)** probe; ~**lehre** *tech. f* snap ga(u)ge; ~**zirkel** *m* cal(l)ipers *pl.*

'**Tast...:** ~**haar** *zo. n* tactile hair; ~**organ,** ~**werkzeug** *n* organ of touch; ~**sinn** *m* (-[e]s) sense of touch.

Tat [taːt] *f* (-; -*en*) act; action; deed; exploit, feat; *jur.* criminal act, crime, offen|ce, *Am.* -se; *Männer der* ~ men of action; *auf frischer* ~ *ertappen* catch red-handed (*or* in the act); *durch die* ~ *beweisen* make good by one's actions; *zur* ~ *schreiten* proceed to action; *in der* ~ indeed, in (point of) fact; *in Wort und* ~ in word and deed; → *umsetzen.*

tat *pret. of tun.*

Tatar [ta'taːr] *m* (-*en*; -*en*), ~**in** *f* (-; -*nen*) Ta(r)tar; ~**ennachricht** *f* scare news; canard.

'**Tat...:** ~**bericht** *jur. mil. m* delinquency report, charge sheet; ~**bestand** *m* state of affairs; *jur.* facts *pl.* of the case, constituent facts *pl.*, factual findings; *objektiver* (*subjektiver*) ~ physical (mental) element of an offen|ce, *Am.* -se; *den* ~ *e-s Deliktes erfüllen* constitute an offence; ~**bestandsaufnahme** *f* factual statement; ~**bestandsmerkmal** *n* element of an offen|ce, *Am.* -se; ~**einheit** *jur. f*: *in* ~ *mit* in coincidence with; ~**endrang,** ~**endurst** *m* thirst (*or* zest) for action; enterprise; ~**endurstig** *adj.* burning for action, *Am. a.* raring to go; enterprising, full of go; ~**enlos** *adj.* inactive, idle; ~**enreich,** ~**envoll** *adj.* active, full of action.

Täter ['tɛːtər] *m* (-s; -), ~**in** *f* (-; -*nen*) doer, actor; perpetrator (*a. jur.* = delinquent), culprit; author; ~**schaft** *f* (-) guilt; *die* ~ *ableugnen* plead not guilty.

'**tätig** *adj.* active (*a. gr.*); busy, hard at work; restless; (*wirksam*) efficacious; → *Reue*; *econ.* ~*er Gesellschafter* active partner; ~ *sein als* act as; *als Arzt* ~ *sein* practise medicine; *bei e-r Firma* ~ *sein* be in the employ of, be employed with (*a firm*), work at (*an institute, etc.*); ~ *sein für* (*acc.*) work for; ~**en** ['tɛːtigən] *v/t.* (*h.*) bring off, carry out; *econ.* effect, transact; undertake (*sales*), do (*a business*); conclude.

Tätigkeit ['tɛːtiçkaɪt] *f* (-; -*en*) activity; *anat., tech., etc.* action; function; occupation, business, job; profession, vocation; *in* ~ in action; *in voller* ~ in full swing; *in* ~ *setzen* put into action (*or* motion, operation), set going, *anat.* activate; *außer* ~ *setzen* **a)** suspend (*person*), **b)** bring *a th.* to a standstill, stop, *tech.* throw out of gear, put out of operation; ~**sbereich** *m* field of activity; ~**sbericht** *m* progress report; ~**sform** *gr. f* active voice; ~**sgebiet** *n* field of activity; ~**swort** *gr. n* (-[e]s; ¨er) verb.

'**Tätigung** ['-guŋ] *econ. f* (-; -*en*) effecting, transaction, conclusion.

'**Tat...:** ~**kraft** *f* (-) energy; enterprise; ~**kräftig** *adj.* energetic(ally *adv.*), active; ~*er Mensch a.* man of action, live wire.

tätlich ['tɛːtliç] *adj.* violent; *jur.* ~*e Beleidigung* assault (and battery); ~ *beleidigen,* ~ *werden gegen* assault *a p.*; ~ *werden* resort to violence, *miteinander*: come to blows; ~**keit** *f* (-; -*en*) (act of) violence, *a. pl.* physical violence; *jur.* assault (and battery).

'**Tat-ort** *m* place (*or* scene) of a crime.

tätowier|en [tɛːto'viːrən] *v/t.* (*h.*) tattoo; ~**ung** *f* (-; -*en*) tattoo(ing).

'**Tatsache** *f* (matter of) fact; *pl.* (established) facts, data; *nackte* ~*n* hard facts; *verbürgte* ~ matter of record; *vollendete* ~ fait accompli (*Fr.*); *als* ~ *hinstellen* aver; *sich auf den Boden der* ~*n stellen* face the facts, be realistic; *j-n vor vollendete* ~*n stellen* confront a p. with a fait accompli; ~ *ist, daß* the fact (of the matter) is that; *das ändert nichts an der* ~, *daß* it doesn't alter the fact that; ~**nbericht** *m* factual (*or* documentary) report, matter-of-fact account; ~**nfilm** *m* documentary; ~**n-irrtum** *jur. m* error of fact; ~**nsinn** *m* factual sense.

tat'sächlich I. *adj.* actual, real, factual; based on fact; **II.** *adv.* in fact, actually, really, in reality; *adm.* de facto; *introductory phrase*: believe it or not; the fact is that; *jur. rechtlich und* ~ in fact and in law.

tätscheln ['tɛːtʃəln] *v/t.* (*h.*) pet, pat.

Tatterich ['tatəriç] *colloq. m* (-s): *den* ~ *haben* be doddering; *from fright*: be all of a dither, have the jitters.

'**Tat...:** ~**umstände** *m/pl.* circumstances surrounding the case; ~**verdacht** *m* suspicion.

Tatze ['tatsə] *f* (-; -*n*) paw, claw; ~**nhieb** *m* stroke with a paw.

Tau[1] [taʊ] *m* (-[e]s) dew.

Tau[2] *n* (-[e]s; -e) rope, cable, *mar. a.* hawser.

taub [taup] *adj.* deaf (*fig. gegen, für* to); hard of hearing; *auf e-m Ohre* ~ deaf of (*or* in) one ear; ~ *machen* make deaf, deafen; ~ *werden* grow deaf; *fig. limbs*: benumbed, numb; sterile, barren; empty (*nut, etc.*); addled (*egg*); dead (*rock*); unfruitful (*seed*); ~ *sein gegen or für* be deaf to; ~*en Ohren predigen* talk to the winds; *der or die* ~*e* ['-bə] deaf man *or* woman; *die* ~*en pl.* the deaf.

Täubchen ['tɔʏpçən] *n* (-s; -) little dove; *mein* ~! my love (*or* duckie)!

Taube ['taubə] *orn. f* (-; -*n*) pigeon, *rhet.* dove; *sanft wie e-e* ~ (as) gentle as a dove; ~**n-ei** *n* pigeon's egg; ~**ngrau** *adj.* dove-colo(u)red; ~**nhaus** *n* → *Taubenschlag*; ~**nschießen** *n* pigeon-shooting; ~**nschlag** *m* pigeonry, dovecot; ~**nzucht** *f* pigeon-breeding.

'**Tauber, Täuber** ['tɔʏbər] *m* (-s; -), **Täuberich** [-iç] *m* (-s; -e) cock pigeon.

Taubheit ['tauphaɪt] *f* (-) deafness; numbness; barrenness; emptiness.

'**Taubnessel** *bot. f* dead nettle.

'**taubstumm** *adj.* deaf and dumb; ~**e(r** *m*) *f* deaf-mute, deaf and dumb person; ~**en-alphabet** *n* deaf-and-dumb alphabet; ~**en-anstalt** *f* institute for the deaf and dumb; ~**heit** *f* (-) deaf-mutism.

Tauch|badschmierung ['taux-] *tech. f* splash lubrication; ~**batterie** *el.* plunge battery; ~**boot** *mar. n* submersible (boat), submarine; ~**elektrode** *f* dipped electrode; ~**en I.** *v/i.* (*h., sn*) dive, plunge; dip (*a. bird, sun*); swim under water; *submarine*: submerge; *boxing*: duck; **II.** *v/t.* (*h.*) dip (in), duck; *tech.* immerse, dip, steep; *die Hand* ~ *in* dip one's hand in; *fig. in Licht, etc., getaucht* bathed in light, *etc.*; ~**en** *n* (-s) diving, *etc.*

'**Taucher** *m* (-s; -) diver (*a. orn.*); ~**anzug** *m* diving suit; ~**glocke** *f* diving bell; ~**helm** *m* diver's helmet; **~kolben** *m* plunger; **~lunge** *f* aqualung.

ˈ**tauch...:** **~fähig** *adj.* submersible; **~klar** *adj. submarine*: ready to submerge; **≈kolben** *tech. m* plunger (piston); **≈sieder** *m* immersion heater; **≈station** *f submarine*: diving station; **≈verfahren** *metall. n* hot dipping process.

tauen [ˈtauən] **I.** *v/i.* (*h., sn*) **1.** thaw, melt; *es taut* it is thawing; *der Schnee ist von den Dächern getaut* the snow has melted off the roofs; **2.** *es taut* dew is falling; **II.** *v/t.* (*h.*) melt; *mar.* tow.

ˈ**Tau·ende** *n* rope end.

Tauf|akt [ˈtauf-] *m* christening ceremony; baptism; **~becken** *n* baptismal font; **~buch** *n* parish register; **~e** *f* (-; -*n*) baptism, *a. fig.* christening; *die ~ empfangen* be baptized *or* christened; *aus der ~ heben* stand godfather (*or* godmother) to, stand sponsor to, *fig.* call into being, initiate, inaugurate; **≈en** *v/t.* (*h.*) baptize, christen (*a. fig.* = name *a ship, etc.*); *fig. iro.* dub; *getaufter Jude* converted Jew; *colloq. fig.* water, adulterate (*wine*).

Täufer [ˈtɔʏfər] *m* (-*s*): *Johannes der ~* John the Baptist.

ˈ**tau·feucht** *adj.* bedewed.

Täufling [ˈtɔʏfliŋ] *m* (-*s*; -*e*) child (*or* person) to be baptized.

ˈ**tau·frisch** *adj.* fresh with dew, dewy.

ˈ**Tauf...:** **~name** *m* Christian (*Am. a.* given) name; **~pate** *m* godfather, *f* godmother; sponsor; **~schein** *m* certificate of baptism; **~stein** *m* baptismal font; **~wasser** *n* baptismal water; **~zeuge** *m* sponsor.

taugen [ˈtaugən] *v/i.* (*h.*) be good *or* fit *or* of use (*all zu* for), answer (well); (*zu*) *nichts ~* be good for nothing, be no good, be of no use; *taugt es etwas?* is it any good?; *sie ~ nicht viel* they are not worth (*or* up to) much.

ˈ**Taugenichts** *m* (-; -*e*) good-for-nothing, scamp, *Am. a.* deadbeat.

tauglich [ˈtaukliç] *adj.* good, fit, useful, suitable (*für, zu* for, to *do*); *person*: qualified, (cap)able; *mil.* fit (for service), *a. mar.* able-bodied; *ship*: seaworthy; **≈keit** *f* (-) usefulness; *a. mil.* fitness; qualification; **≈keitsgrad** *m* medical classification.

tauig [ˈtauiç] *adj.* dewy, wet with dew.

Taumel [ˈtauməl] *m* (-*s*) reeling; giddiness; *fig.* whirl; rapture, ecstasy, delirium, frenzy; **≈ig** *adj.* reeling, staggering, giddy; **≈n** *v/i.* (*sn*) reel, stagger, totter; be giddy; **~scheibe** *tech. f* wobble plate.

ˈ**Taupunkt** *phys. m* dew point.

Tausch [tauʃ] *m* (-[*e*]*s*; -*e*) exchange, barter, truck; *im ~ gegen* (*acc.*) in exchange for; *in ~ geben* give in exchange, barter (away) (*für* for); ˈ**≈en** *v/t. and v/i.* (*h.*) exchange (*gegen* for), barter (for), swap, swop (for); *econ.* barter, truck; *fig. Blicke ~* exchange glances; *ich möchte nicht mit ihm ~* I should not like to be in his place *or* shoes.

täuschen [ˈtɔʏʃən] *v/t. and v/i.* (*h.*) deceive (*a. matter* = be deceptive); fool, hoodwink, dupe; mislead, lead astray, delude; hoax; outwit, trick; disappoint, deceive (*expectations, etc.*); *sports*: deceive *an opponent*, *only v/i.* (*h.*) feint, fake a blow, *etc.*; *sich ~* deceive o.s., be mistaken (*in dat.* in), be wrong; *sich ~ lassen* let o.s. be deceived; *in Hoffnungen, etc., getäuscht werden* be disappointed in *one's hope, etc.*; *da täuscht er sich aber* he is very much mistaken there; **~d** *adj.* deceptive, delusive; striking, bewildering (*likeness*); *~ ähnlich* practically identical; *~ nachahmen* mimic (*or* copy) to perfection.

ˈ**Tausch...:** **~geschäft** *n* barter (deal), swap transaction; *a.* → **~handel** *m* barter, exchange trade; *~ treiben* barter, truck; **~mittel** *n* medium of exchange, barter-medium; **~objekt** *n* bartering object.

ˈ**Täuschung** *f* (-; -*en*) deception (*gen.* practised upon); delusion; illusion; imposition, imposture; mystification; trick, sleight of hand; error; fallacy; *jur.* fraud; *arglistige ~* wilful deceit; *optische ~* optical delusion; *sich e-r ~ hingeben* deceive o.s. (*über acc.* on); *sie gaben sich hinsichtlich ... keiner ~ hin* they were under no illusions about ...; **~s-absicht** *jur. f* intent to defraud; **~s-angriff** *mil. m* feint attack; **~smanöver** *mil. n* feint, diversion; **~sversuch** *m* attempt to deceive (*or jur.* defraud).

ˈ**Tausch...:** **~verkehr** *m* barter, exchange (of goods); **≈weise** [ˈ-vaizə] *adv.* by way of exchange; **~wert** *m* exchangeable value.

tausend [ˈtauzənt] *adj.* thousand; a thousand (and one); *~ und aber ~* thousands upon thousands; *nicht einer unter ~* not one in a thousand; **≈undeine** *Nacht* Arabian Nights *pl.*; *~ Dank!* a thousand thanks!; **≈** *n* (-*s*) thousand; a thousand; *zu ~en* by the thousands; *in die ~e gehen* run into thousands; *econ. im ~* per thousand, pro mille.

ˈ**Tausender** [-dər] *m* (-*s*; -) thousand; figure marking the thousand; thousand mark note; **≈lei** *adj.* (of) a thousand different kinds, a thousand (kinds of); a thousand things.

ˈ**Tausend...:** **≈fach** [-fax], **≈fältig** [-fɛltiç] **I.** *adj.* thousandfold; **II.** *adv.* in a thousand ways; **~fuß, ~füßler** [-fy:slər] *zo. m* (-*s*; -) millepede, centipede, *Am. a.* wireworm; **~güldenkraut** [-ˈgyldənkraut] *bot. n* (-[*e*]*s*) lesser centaury; **≈jährig** *adj.* a thousand years old; of a thousand years, millenial; *~es Reich* millenium; **~künstler** *m* wizard, jack-of-all-trades, *Am. a.* whiz; **≈mal** *adv.* a thousand times; **~sasa** [-zaza] *m* (-*s*; -[*s*]) devil of a fellow; → *Tausendkünstler*; **~schön(chen)** [-ʃø:n(çən)] *bot. n* (-*s*, -*e*; -*s*, -) daisy; **≈st** *adj.* thousandth; **~stel** [-stəl] *n* (-*s*; -), **≈stel** *adj.* thousandth (part).

Tau... [tau]: ˈ**~tropfen** *m* dew-drop; ˈ**~werk** *n* ropes *pl.*, cordage, *mar.* rigging; ˈ**~wetter** *n* thaw (*a. fig. pol.*); ˈ**~ziehen** *n* tug-of-war (*a. fig.*).

Taxameter [taksaˈme:tər] *m* (-*s*; -) (*a.* **~uhr** *f*) taximeter, clock; *a.* → **~droschke** *f* taxicab, cab.

Taxator [taˈksa:tɔr] *m* (-*s*; -ˈ*toren*) valuer, appraiser.

Taxe [ˈtaksə] *f* (-; -*n*) rate; tax; fee; estimate, appraisal, assessment; *mot.* taxi(cab), cab; **~nhaltestelle** *f* taxi rank, *Am.* taxi (*or* cab) stand.

Taxi [ˈtaksi] *n* (-[*s*]; -[*s*]) taxi(cab), cab.

taˈxier|en *v/t.* (*h.*) rate, estimate; value; appraise; tax, assess (*all auf acc.* at); **≈er** *m* (-*s*; -) → *Taxator*; **≈ung** *f* (-; -*en*) estimate; valuation, appraisal; assessment.

ˈ**Taxifahrer** *m* taxi-driver.

ˈ**Tax-uhr** *f* taximeter.

Taxus [ˈtaksus] *bot. m* (-; -) yew.

ˈ**Taxwert** *m* appraised (*or* assessed) value.

Technik [ˈtɛçnik] *f* (-) engineering; technology, technical science; (*pl.* -*en*) technique (*a. arts, sports, etc.*), practice; skill, workmanship; *mus.* execution; *tech. Schweiß≈* **a)** welding engineering, **b)** welding practice; **~er** *m* (-*s*; -) (technical) engineer; technician; technologist; *sports*: technical man; **~um** *n* (-*s*; -*ka*) technical school.

ˈ**technisch** *adj.* engineering (*department, fair, journal, process, etc.*); technical; mechanical; industrial; *~er Chemiker* chemical engineer; *~e Einzelheiten* technicalities; *~er Direktor* engineering manager; *~e Hochschule* technical college; *~er Kaufmann* sales engineer; *~er K.o.* technical knock-out; *≈e Nothilfe* Technical Emergency Service; *~er Offizier* specialist officer; *~es Personal* technical staff; *~e Schwierigkeiten* technical difficulties; *~e Störung* breakdown, mechanical failure; *~e Wunder* engineering marvels.

Techniˈsierung *f* (-; -*en*) engineering progress; mechanization.

Techno|krat [-ˈkra:t] *m* (-*en*; -*en*) technocrat; **~loge** [-ˈlo:gə] *m* (-*n*; -*n*) technologist; **~logie** [-loˈgi:] *f* (-) technology; **≈ˈlogisch** *adj.* technological.

Techtelˈmechtel [ˈtɛçtəlˈmɛçtəl] *n* (-*s*; -) love affair, flirtation, entanglement.

Teckel [ˈtɛkəl] *m* (-*s*; -) dachshund.

Teddybär [ˈtɛdi-] *m* Teddy bear.

Tee [te:] *m* (-*s*; -*s*) tea; infusion (of herbs); tea(-party); *~ trinken* have (*or* take, drink) tea; *fig. abwarten und ~ trinken!* (just) wait and see!

ˈ**Tee...:** **~blatt** *n* tea-leaf; **~brett** *n* tea-tray; **~büchse** *f* tea-caddy; **~-Ei** *n* tea-infuser; **~gebäck** *n* tea-cake, scone, *Am.* biscuit, cookies *pl.*; **~geschirr** *n* tea-service; **~gesellschaft** *f* tea-party; **~haube** *f* tea-cosy; **~kanne** *f* teapot; **~kessel** *m* tea-kettle; **~kräuter** *n/pl.* herbs (for infusion); **~löffel** *m* tea-spoon; **~löffelvoll** *m* teaspoonful; **~maschine** *f* tea-urn; **~mischung** *f* blend of tea; **~mütze** *f* tea-cosy.

Teer [te:r] *m* (-[*e*]*s*; -*e*) tar; **~asphalt** *m* coal-tar, pitch, tar asphalt; **~brenneˈrei** *f* tar factory; **≈en** *v/t.*

(*h.*) tar; **~farbstoffe** *m/pl.* coal-tar (*or* aniline) dyes; **~jacke** *f* tarred jacket; *colloq.* (*sailor*) Jack Tar; **~leinwand** *f* tarpaulin.

'**Tee-rose** *f* tea-rose.

'**Teer...:** **~pappe** *f* tar-board; **~straße** *f* tarred street; **~ung** *f* (-; -*en*) tarring.

'**Tee...:** **~service** *n* tea service, tea set; **~sieb** *n* tea-strainer; **~strauch** *m* tea-shrub; **~stunde** *f* tea-time; **~tasse** *f* teacup; **~wagen** *m* tea-wagon, tea-cart; **~wärmer** ['-vɛrmər] *m* (-s; -) tea-cosy; **~zeug** *n* tea-things *pl.*

Teich [taɪç] *m* (-[e]s; -e) pond, pool; tank; *fig.* (*ocean*) *der große ~* the Pond.

Teig [taɪk] *m* (-[e]s; -e) dough; batter, paste; **2ig** ['taɪgiç] *adj.* doughy, pasty (*a. fig.*); mellow (*fruit*); **~mulde** *f* kneading-trough; **~rolle** *f* rolling pin; **~waren** *f/pl.* farinaceous food (*or* products), paste articles.

Teil [taɪl] *m and n* (-[e]s; -e) part (*a. tech.*); piece; portion, share, cut; section; element, component; member; *jur.* party; *edle ~e pl.* vital parts (*of the body*); *ein ~ davon* part of it; *ein gut ~ von* a good deal of; *beide ~e* both parties *or* sides; *für beide ~e vorteilhaft* of mutual advantage; *beide ~e anhören* hear both sides; *der größte ~ von or gen.* the greater part of, the bulk of; *der größte ~ der Menschen a.* the majority of mankind, most people; *aus allen ~en der Welt* from all parts (*or* all over) the world; *sein ~ beitragen* do one's share (*or* bit); *sich sein ~ denken* have one's own thoughts about it; *in zwei ~e zerbrechen* break in two; *er hat sein ~ fig.* he has his share (*or* due); *ich für mein ~* I for my part, as for me; *zum ~* partly, in part, to some extent; *zum großen ~* largely, to a great extent; *zum größten ~* for the most part, mostly; *zu gleichen ~en* at equal shares, *jur. a.* share and share alike.

'**Teil...:** **~ansicht** *f* partial view; **2bar** *adj.* divisible; **~barkeit** ['-ba:rkaɪt] *f* (-) divisibility; **~beschäftigte(r** *m*) ['-bəʃɛftiçtə(r)] *f* (-*n*, -*n*; -*en*, -*en*) part-time worker; **~beschäftigung** *f* part-time employment; **~betrag** *m* partial amount; instal(l)ment; **~bild** *n TV* frame, *Am.* field; **~chen** *n* (-s; -) particle; **~chenbeschleuniger** *m nuclear physics*: particle accelerator.

'**teilen** *v/t.* (*h.*) divide; split; dismember; distribute, portion out; separate, partition off; share (*mit* with); *fig.* share (in), take part in; *j-s Ansichten ~* share a p.'s views; *j-s Gefühle ~* enter into a p.'s feelings, sympathize with a p.; *die Meinungen waren geteilt* opinion was divided; *geteilter Meinung sein* be of a different opinion, differ; *sich ~* divide, part, *party, etc.*: split, *road*: branch out, fork; *sich in et. ~* share (*or* split) a th.; go halves; *number*: *sich ~ lassen durch* be divisible by; *er würde sein letztes Stück Brot ~* he would share his last crust.

'**Teiler** *m* (-s; -) **1.** *a.* **~in** *f* (-; -*nen*) divider, sharer; **2.** *math.* divisor.

'**Teil...:** **~erfolg** *m* partial success; **~gebiet** *n* section, branch; **2haben** *v/i.* (*h.*) share, participate, take part (*all*: *an dat.* in), partake (of); **~haber(in** *f*) ['-ha:bər] *m* (-s, -; -, -*nen*) participator; *econ.* partner, associate; joint proprietor; *beschränkt haftender ~* limited partner; *persönlich haftender ~* responsible partner; *stiller ~* sleeping (*Am.* silent) partner; **~haberschaft** *econ. f* (-) partnership; **2'haft(ig)** *adj.* (*gen.*) partaking of, sharing; *e-r Sache ~ werden* partake of a th., share in a th.; **~haftung** *econ. f* partial commitment.

...teilig *adj. in compounds, e.g.*: *zwei~* in two parts; two-piece (*suit, set, etc.*).

'**Teil...:** **~lieferung** *f* part-delivery, instal(l)ment; **2möbliert** *adj.* partly furnished; **~montage** *tech. f* subassembly; **2motorisiert** *mil. adj.* semimobile; **~nahme** ['-na:mə] *f* (-) participation (*an dat.* in); co-operation; *jur.* participation, complicity; attendance (*an dat.* at *a meeting*); *fig.* interest (in); sympathy (with), compassion (for); condolences *pl.*; *j-m seine ~ ausdrücken* condole with, express one's sympathy with *a p.*; **2nahmslos** *adj.* indifferent, unconcerned; impassible, unfeeling; passive; apathetic, listless; **~nahmslosigkeit** *f* (-) indifference; impassibility; passiveness; apathy; **2nahmsvoll** *adj.* sympathetic(ally *adv.*), solicitous; **2nehmen** *v/i.* (*irr.*, *h.*) participate (*an dat.* in), take part (in); join (in), share (in); be present (at), attend (*a th.*); collaborate, cooperate (in), take an active part (in); contribute (to); *an e-r Mahlzeit ~* partake of a meal; *fig.* take an interest (in); sympathize (with); **2nehmend** *adj. fig.* interested (*an dat.* in); sympathetic(ally *adv.*); solicitous; **~nehmer(in** *f*) *m* (-s, -; -, -*nen*) participant, participator; partner, sharer; member; student; competitor, contestant, entrant; *jur.* accessory (*an e-m Verbrechen* to a crime); *teleph.* subscriber, party; *pl.* those present; *sports*: *~ an der Schlußrunde* finalist; **~nehmeranschluß** *teleph. m* subscriber's set; **~nehmerverzeichnis** *teleph. n* telephone directory.

teils *adv.* partly, in part; *~ ..., ~ ...* partly ..., partly ...; some ..., some ...

'**Teil...:** **~schaden** *m* partial loss; **~schuldverschreibung** *econ. f* bond of a bond issue; **~sendung** *econ. f* consignment in part; **~staat** *m* constituent state; **~strecke** *f rail.* section, fare stage; *w.s.* stage, *Am.* leg; **~strich** *m tech.* graduation mark; *mil.* mil; **~stück** *n* fragment.

'**Teilung** *f* (-; -*en*) division; distribution; separation, partition; dismemberment; sharing; parcelling out (*of land*); fork(ing), bifurcation (*of road*); *in degrees*: graduation; *physiol.* segmentation (*of a cell*); **~s-artikel** *gr. m* partitive article; **~sbruch** *math. m* partial fraction; **~svertrag** *pol. m* partition treaty; **~szahl** *math. f* dividend; **~szeichen** *math. n* division sign.

'**Teil...:** **2weise** ['-vaɪzə] **I.** *adj.* partial; **II.** *adv.* partially, partly, in part(s); to some extent, in some cases; *ganz oder ~* in whole or in part; **~zahl** *math. f* quotient; **~zahlung** *f* part-payment, (payment by) instal(l)ment; *~en leisten* pay by instal(l)ments; *auf ~ kaufen* buy on the instal(l)ment plan; **~zahlungskredit** *m* instal(l)ment sales credit.

Teint [tɛ̃:] *m* (-s; -s) complexion.

T-Eisen ['te:-] *tech. n* T-iron.

tektonisch [tɛk'to:niʃ] *adj.* tectonic (-ally *adv.*).

Tel-autograph ['telˀautogra:f] *m* (-s; -e[n]) telautograph.

Telefon [tele'fo:n] *n* (-s; -e) → *Telephon, etc.*

Telegramm [-'gram] *n* (-s; -e) telegram, wire; cable(gram); **~adresse**, **~anschrift** *f* telegraphic address; cable address; **~formular** *n* telegraph form (*Am.* blank); **~schalter** *m* telegram-office; **~stil** *m* (-[e]s) telegraphic style, telegraphese.

Telegraph [-'gra:f] *m* (-s; -en) telegraph.

Tele'graphen...: **~amt** *n* telegraph office; **~arbeiter** *m* linesman; **~be-amte(r)** *m* telegraph clerk; **~bote** *m* telegraph messenger; **~draht** *m* telegraph wire; **~leitung** *f* telegraph line; **~mast** *m* telegraph pole; **~netz** *n* telegraph system; **~schlüssel** *m* telegraph code; **~stange** *f* telegraph pole.

Telegraphie [-gra'fi:] *f* (-) telegraphy; *drahtlose ~* wireless telegraphy, radiotelegraphy; **2ren** *v/t. and v/i.* (*h.*) telegraph (*a. sl. boxing*), wire; *from overseas*: cable.

tele'graphisch *adj.* telegraphic(ally *adv.*); *adv. usu.* by telegraph, by wire; by cable; *~e Überweisung* cable transfer; *~ überweisen* (send by) wire *or* cable.

Telegra'phist(in *f*) *m* (-en, -en; -, -*nen*) telegraph operator, telegrapher.

Tele-objektiv ['te:le-] *phot. n* telephoto lens.

Tele|pathie [telepa'ti:] *f* (-) telepathy; **2pathisch** [-'pa:tiʃ] *adj.* telepathic(ally *adv.*).

Telephon [-'fo:n] *n* (-s; -e) telephone, phone; *am ~* on the (tele-) phone; *ans ~ gehen* answer the (tele)phone; *~ haben* be on the (tele)phone; *in compounds* → *Fernsprech...*

Telephonat [-fo'na:t] *n* (-[e]s; -e) → *Telephongespräch.*

Tele'phon...: **~anruf** *m* (tele)phone call; **~anschluß** *m* telephone connection (*or* extension); *~ haben* be on the (tele)phone; **~apparat** *m* telephone set; **~buch** *n* telephone directory; **~gespräch** *n* telephone conversation; (tele)phone call; **~hörer** *m* (telephone) receiver, handset.

Telephonie [telefo'ni:] *f* (-): (*drahtlose ~* wireless *or* radio) telephony; **2ren** *v/i.* (*h.*) telephone, phone; *mit j-m ~* ring (*or* call) a p. up, *a.* talk to a p. over the (tele)phone.

tele'phonisch *adj.* telephonic(ally *adv.*); *adv. usu.* by (tele)phone, over the (tele)phone; *~e Mitteilung* telephone message; *~ (nicht) erreichbar* (not) on the (tele)phone; **Telephonist(in** *f*) [-fo'nist(in)] *m* (*-en, -en; -, -nen*) (telephone) operator, *mil.* telephonist.

Tele'phon...: ~leitung *f* telephone line; **~nummer** *f* telephone (*or* call) number; **~verbindung** *f* telephone connection; e-e *~ herstellen* put through a call; **~zelle** *f* telephone (*or* call) box *or* booth; **~zentrale** *f* (telephone) exchange; *Am.* telephone central office.

'Telephotographie *f* telephotography; (*picture*) telephoto.

Teleskop [telɛ'sko:p] *n* (*-s; -e*) telescope; **~gabel** *mot. f* telescopic fork; **2isch** *adj.* telescopic(ally *adv.*).

Telexdienst ['te:lɛks-] *m* telex [(service).]

Teller ['tɛlər] *m* (*-s; -*) plate; trencher; tray; *tech.* disk, disc; seat (*of valve*); snow ring, disc (*on ski stick*); palm (*of hand*); **~brett** *n* plate rack; **2förmig** ['-fœrmiç] *adj.* plate-shaped; *~e Feder* plate spring; **~mine** *mil. f* Teller mine; **~mütze** *f* flat cap; beret; **~rad** *mot. n* (axle-drive) bevel gear; **~schrank** *m* cupboard, sideboard; **~tuch** *n* (*-[e]s; ⸚er*) dishcloth; **~ventil** *tech. n* disc valve; **~voll** *m* (*-s*) plateful; **~wärmer** ['-vɛrmər] *m* (*-s; -*) plate-warmer; **~wäscher** *m Am.* dishwasher.

Tellur [tɛ'lu:r] *chem. n* (*-s*) tellurium; **~silber** *n* silver telluride.

Tempel ['tɛmpəl] *m* (*-s; -*) temple; sanctuary; **~herr, ~ritter** *hist. m* (Knight) Templar; **~raub** *m*, **~schändung** *f* sacrilege.

Tempera-malerei ['tɛmpəra-] *f* painting in distemper.

Temperament [tɛmpəra'mɛnt] *n* (*-[e]s; -e*) temper(ament); mettle, spirits *pl.*; vivacity; → *Schwung*; *hitziges ~* hot temper; *sie hat kein ~* there is no life in her, she's got no pep; **2los** *adj.* spiritless; **2voll** *adj.* full of spirits, ebullient, (high-)spirited, mettlesome, vivacious; impetuous; glowing; passionate.

Temperatur [-'tu:r] *f* (*-; -en*) temperature; *med. ~ haben* have a temperature; *j-s ~ messen* take a p.'s temperature; **~anstieg** *m* rise of temperature; **~ausgleich** *m* temperature balance; **~einfluß** *m* influence of temperature; temperature factors *pl.*; **~regler** *tech. m* thermoregulator, thermostat; **~schwankung** *f* variation of temperature; **~sturz** *m* drop of temperature; **~unterschied** *m* difference in temperature.

Temperenzler [tɛmpə'rɛntslər] *m* (*-s; -*) abstemious person, teetotal(l)er.

Temperguß ['tɛmpər-] *metall. m* malleable cast iron.

tempe'rieren *v/t.* (*h.*) temper (*a. mus., metall.*); *temperiertes Wasser* lukewarm water.

'Temper-ofen *metall. m* annealing (*or* tempering) furnace.

Templer ['tɛmplər] *m* (*-s; -*) (Knight) Templar.

Tempo ['tɛmpo] *n* (*-; -s*) time, measure, *a. w.s.* tempo; pace; speed; rate; *fig.* tempo, pace (*of drama, etc.*); *in rasendem ~* at a breakneck speed; *in langsamem ~* at a slow pace (*or* rate); *das ~ angeben* set the pace; *das ~ steigern* increase the pace; *~!* hurry up!, step on it!

temporär [-'rɛ:r] *adj.* temporary.

'Temposchwung *m skiing*: speed swing.

Tempus ['tɛmpus] *gr. n* (*-; Tempora*) tense.

Tendenz [tɛn'dɛnts] *f* (*-; -en*) tendency; trend; current.

tendenziös [-'tsjø:s] *adj.* tendentious.

Ten'denz...: ~roman *m* novel with a purpose, purpose-novel; **~stück** *thea. n* play with a purpose, purpose-play.

Tender ['tɛndər] *mar., rail. m* (*-s; -*) tender.

ten'dieren *v/i.* (*h.*) show a tendency, tend (*nach* to), incline (to).

Tenne ['tɛnə] *f* (*-; -n*) threshing-floor, barn-floor.

Tennis ['tɛnis] *n* (*-*) (lawn-)tennis; *~ spielen* play (*or* have a game of) tennis; **~ball** *m* tennis ball; **~halle** *f* covered court; **~platz** *m* tennis court; **~schläger** *m* (tennis) racket; **~schuhe** *m/pl.* tennis pumps, sand-shoes; **~spiel** *n* game of tennis; **~spieler(in** *f*) *m* tennis player; **~turnier** *n* tennis tournament.

Tenor[1] *esp. jur.* ['te:nɔr] *m* (*-s*) tenor, substance.

Tenor[2] [te'no:r] *m* (*-s; ⸚e*), **Teno'rist** *mus. m* (*-en; -en*) tenor; **Te'norstimme** *f* tenor (voice).

Teppich ['tɛpiç] *m* (*-s; -e*) carpet, rug; *on wall*: tapestry; *mit e-m ~ belegen* carpet; **~besen** *m*, **~bürste** *f* carpet brush; **~händler** *m* carpet dealer; **~kehrmaschine** *f* carpet-sweeper; **~schoner** *m* drugget; **~stange** *f* carpet rod; **~weber, ~wirker** *m* carpet-weaver; **~wirke'rei** *f* carpet weaving *or* manufacture.

Termin [tɛr'mi:n] *m* (*-[e]s; -e*) appointed time *or* day; (fixed) date *or* term, target date; closing date; *äußerster ~* final date, *Am.* deadline; date of completion; *sports*: fixture; term, time-limit; *jur.* **a)** hearing, **b)** summons (to appear in court); *e-n ~ anberaumen* appoint a date, fix a date (*für* for); **~einlage** *f banking*: time deposit; **2gemäß, 2gerecht** *adv.* in due time, on the due date, to schedule; **~geschäft** *n*, **~handel** *econ. m* time-bargain, forward transaction; *pl. a.* futures; **~kalender** *m* date-block, memo-book, *jur.* cause-list, *Am.* calendar; **~lieferung** *econ. f* forward (*or* future) delivery; **~liste** *jur. f* cause-list, *Am.* calendar; **~markt** *m* forward market.

Terminologie [tɛrminolo'gi:] *f* (*-; -n*) terminology; nomenclature.

Ter'min...: ~verkauf *m* forward (*or* future) sale; **~verfolgungsplan** *m* (*-[e]s; ⸚e*) follow-up chart; **~verlängerung** *f* extension; **2weise** [-vaɪzə] *adv.* by terms, at fixed times; by instal(l)ments; **~zahlung** *f* payment by instal(l)ments; instal(l)ment.

Termite [tɛr'mi:tə] *f* (*-; -n*) white ant, termite.

Terpentin [tɛrpɛn'ti:n] *n* (*-s; -e*) turpentine; **~öl** *n* oil of turpentine.

Terrain [tɛ'rɛ̃:] *n* (*-s; -s*) ground; plot of land; building-site; *fig. ~ aufholen* make up leeway; **~aufnahme** *f* surveying; **~verhältnisse** *n/pl.* condition *sg.* of the ground.

Terrakotta [tɛra'kɔta] *f* (*-; -tten*) terra-cotta.

Terrasse [tɛ'rasə] *f* (*-; -n*) terrace; **2nförmig** [-nfœrmiç] *adj.* terraced, in terraces.

Terrine [tɛ'ri:nə] *f* (*-; -n*) tureen.

territorial [tɛritori'a:l] *adj.* territorial; **2truppen** *f/pl.* territorials.

Territorium [tɛri'to:rium] *n* (*-s; -ien*) territory.

Terror ['tɛrɔr] *m* (*-s*) terror; **~angriff** *m* terror attack; **~bande** *f* terror gang.

terrorisieren [tɛrori'zi:rən] *v/t.* (*h.*) terrorize.

Terro'rist *m* (*-en; -en*) terrorist.

Tertia ['tɛrtsia] *f* (*-; -ien*) *ped.* fourth form; *typ.* great primer.

tertiär [tɛrtsi'ɛ:r] *adj.* tertiary; **2formation** *geol. f* tertiary formation.

Terz [tɛrts] *f* (*-; -en*) *mus.* third; *kleine* (*große*) *~* minor (major) third; *fenc.* tierce.

Terzerol [tɛrtsə'ro:l] *n* (*-s; -e*) pocket-pistol.

Terzett [-'tsɛt] *mus. n* (*-[e]s; -e*) trio.

Tesching ['tɛʃiŋ] *n* (*-s; -e*) sub-calibre rifle.

Test [tɛst] *m* (*-[e]s; -e*) test; *chem.* cupel.

Testament [tɛsta'mɛnt] *n* (*-[e]s; -e*) (last) will, *jur.* last will and testament; *bibl. Altes* (*Neues*) *~* Old (New) Testament; *ein ~ machen* make a will; *jur. Anerkennung des ~s* probate; *j-n im ~ bedenken* remember (*or* include) a p. in one's will; *ohne Hinterlassung e-s ~s sterben* die intestate.

testamentarisch [-'ta:riʃ] **I.** *adj.* testamentary; **II.** *adv.* by will; *~ verfügen* dispose by will.

Testa'ments...: ~bestätigung *jur. f* probate; **~er-öffnung** *f* opening of the will; **~vollstrecker(in** *f*) *m* executor (*f* executrix); administrator; **~zusatz** *m* codicil.

Testator [tɛs'ta:tɔr] *jur. m* (*-s; -'toren*) testator.

'testen *v/t.* (*h.*) test.

te'stier|en I. *v/i.* (*h.*) make a will; **II.** *v/t.* (*h.*) dispose by will; bequeath; testify to; certify, attest; **~fähig** *jur. adj.*: *~ sein* have testamentary capacity.

'Testpilot *aer. m* test pilot.

Tetanus-serum ['te:tanus-] *med. n* antitetanic serum.

Tetrachlor'kohlenstoff [tetra-'klo:r-] *chem. m* carbon tetrachloride.

Tetraeder [-'e:dər] *chem. n* (*-s; -*) tetrahedron.

teuer ['tɔʏər] **I.** *adj.* dear, costly, expensive; valuable; *fig.* dear, precious, cherished, beloved; *~es Geld* dear (*or* close) money; *~e Preise* high prices; *wie ~ ist es?* how much is it?, what does it cost?; *das Hotel ist sehr ~* the hotel is very expensive; → *Rat*; **II.** *adv.* dearly, *etc.*; at a high price; → *erkaufen*; *~ verkaufen* sell (*a. fig. one's life*) dearly; *~ zu stehen kommen* cost dearly; *das wird ihn ~ zu stehen kommen* he will have to pay dearly for that.

'**Teu(e)rung** *f* (-; -*en*) dearness, high (*or* rising) prices *pl.*, high cost of living; dearth, scarcity; famine; **~swelle** *f* wave of high prices; **~s-zulage** *f* cost-of-living bonus; **~s-zuschlag** *m* extra charge due to increased cost; **~szuwachs** *m* price increment.

Teufe ['tɔʏfə] *f* (-; -*n*) *mining*: depth; **℘n** *v/t.* (*h.*) deepen (*shaft*).

Teufel ['tɔʏfəl] *m* (-*s*; -) devil; fiend; *der ~* the Devil, Satan, the Evil One, Old Nick; *fig. armer ~* poor devil (*or* wretch); *der ~ der Habgier* the devil of greed; *pfui ~!* **a)** ugh!, faugh!, how nasty!, **b)** for shame!, disgusting!; *zum ~!* dickens!, hang it!; *wer* (*wo, was*) *zum ~?* who (where, what) the devil (*or* deuce *or* hell)?; *wie der ~* like the deuce (*or* devil), like blazes; *bist du des ~s?* are you mad?; *der ~ ist los* the fat is in the fire; *er fragt den ~ danach* he doesn't care a rap about it; *er hat den ~ im Leib* he is a devil of a fellow; *in ~s Küche kommen* get into a devil of a mess; *nur nicht den ~ an die Wand malen!* talk of the devil and he will appear!; *scher dich zum ~!* go to hell!, go to blazes!; *zum ~ gehen* go to the devil (*or* to the dogs), go to pot (*or* phut).

Teufe'lei *f* (-; -*en*) devilry, *Am.* deviltry; devilish trick.

'**Teufels...**: **~banner** *m* exorcist; **~beschwörung** *f* exorcism; **~brut** *f* hellish crew; **~kerl** *m* devil of a fellow; **~kreis** *fig. m* vicious circle; **~weib** *n* she-devil, devil of a woman; **~werk** *n* piece of devilry.

'**teuflisch** *adj.* devilish, diabolical, satanic, fiendish.

Text [tɛkst] *m* (-*es*; -*e*) text; wording; context; *of song*: words *pl.*; *of opera*: book, libretto; *typ.* **a)** letterpress, **b)** double pica; *redaktioneller ~* editorial matter; *fig. aus dem ~ bringen* fluster, put out; *aus dem ~ kommen* lose the thread, be put out; *j-m den ~ lesen* lecture a p., blow a p. up; *weiter im ~!* go on!; **~buch** *thea. n* (play)book, libretto; **~dichter** *thea. m* librettist; **~er** *m* (-*s*; -) copywriter.

Textil|arbeiter(in *f*) [tɛks'ti:l-] *m* textile worker; **~fabrik** *f* textile mill; **~industrie** *f* textile industry; **~ien** [-iən] *pl.*, **~waren** *f/pl.* textile goods, textiles.

'**textlich I.** *adj.* textual; **II.** *adv.* concerning the text.

'**Text...**: **~kritik** *f* textual criticism; **~schreiber** *m* → *Texter*; **~schrift** *typ. f* double pica.

Theater [te'ɑ:tər] *n* (-*s*; -) theatre, *Am.* (regular) theater; playhouse; stage; performance; (stage-)play; *fig. contp.* farce; fuss, to-do; *am or im ~* at the theatre; *ins ~ gehen* go to the theatre; *zum ~ gehen* go on the stage; *fig. ~ spielen* play-act, put on an act; *mach kein ~!* don't make a fuss!; *es ist immer das gleiche ~* it's always the same old story; **~agentur** *f* theatrical agency; **~bericht** *m* theatrical news *pl.*; **~besuch** *m* playgoing; **~besucher (-in** *f*) *m* playgoer; **~dichter(in** *f*) *m* dramatic author, playwright; **~direktor** *m* manager of theatre; **~effekt** *m* stage-effect; **~gruppe** *f* (theatrical) company; **~karte** *f* theatre ticket; **~kasse** *f* box office; **~kritiker** *m* drama critic; **~leiter** *m* producer; **~maler** *m* scene-painter; **~probe** *f* rehearsal; **~stück** *n* (stage-)play; **~vorstellung** *f* theatrical performance; **~wesen** *n* (-*s*) theatrical concerns *pl.*, *the* stage; **~zettel** *m* play-bill.

theatralisch [-a'trɑ:liʃ] *adj.* theatrical, stagy; *e-e ~e Haltung annehmen* strike a theatrical pose.

Theismus [te'ismus] *m* (-) theism.

Theke ['te:kə] *f* (-; -*n*) bar, *Am. a.* counter.

Thema ['te:ma] *n* (-*s*; -*men*) theme (*a. mus., etc.*), subject; topic; *beim ~ bleiben* stick to the point.

the'matisch *adj.* thematic(ally *adv.*).

Theolog|e [teo'lo:gə] *m* (-*n*; -*n*), **~in** *f* (-; -*nen*) theologian, divine; *univ.* student of divinity.

Theologie [-lo'gi:] *f* (-; -*n*) theology, divinity; *Doktor der ~* Doctor of Divinity (*abbr.* D.D.); *~ studieren* read for holy orders, *Am.* study for ministry.

theo'logisch *adj.* theological.

Theoret|iker [teo're:tikər] *m* (-*s*; -) theorist; **℘isch** *adj.* theoretical(ly *adv., a.* in theory); *contp.* academic.

theoreti'sieren *v/i.* (*h.*) theorize.

Theorie [teo'ri:] *f* (-; -*n*) theory; *e-e ~ aufstellen* evolve a theory.

Theosophie [teozo'fi:] *f* (-; -*n*) theosophy.

Therapeut [tera'pɔʏt] *med. m* (-*en*; -*en*) therapist; **~ik** *f* (-) therapeutics *sg.*; **Therapie** [-'pi:] *f* (-; -*n*) therapy.

Thermal|bad [tɛr'mɑ:l] *n*, **~quellen** *f/pl.* hot springs *pl.*, thermal spa.

Therm|e ['tɛrmə] *f* (-; -*n*) thermal (*or* hot) spring; **~ik** *f* (-), **℘isch** *adj.* thermal.

thermion|isch [tɛrmi'o:niʃ] *phys. adj.* thermionic; **℘ik** *f* (-) thermionics *sg.*

Thermit [tɛr'mi:t] *n* thermite.

thermo|chemisch ['tɛrmo-] *adj.* thermochemical; **℘dynamik** *f* thermodynamics *sg.*; **~elektrisch** *adj.* thermoelectric; **℘element** *n* thermocouple element.

Thermo'meter *n* thermometer; **~kugel** *f* thermometer bulb; **~säule** *f* thermometer column; **~stand** *m* thermometer reading.

thermo'metrisch *adj.* thermometric(al).

'**thermonuklear** *adj.* thermonuclear.

thermo'plastisch *tech. adj.* thermoplastic(ally *adv.*).

'**Thermosflasche** *f* vacuum flask, thermos (flask *or* bottle).

Thermostat [tɛrmo'stɑ:t] *m* (-[*e*]*s*; -*e*[*n*]) thermostat.

thesaurieren [tezaʊ'ri:rən] *econ. v/t.* (*h.*) hoard (up).

These ['te:zə] *f* (-; -*n*) thesis.

Thomas ['to:mas] *m* (-): *fig. ungläubiger ~* doubting Thomas; **~schlacke** *tech. f* Thomas (*or* basic) slag; **~stahl** *m* Thomas steel, basic converter steel.

Thrombose [trɔm'bo:zə] *f* (-; -*n*) *med. f* thrombosis.

Thron [tro:n] *m* (-[*e*]*s*; -*e*) throne; '**~anwärter** *m* heir apparent; '**~besteigung** *f* accession to the throne; '**~bewerber(in** *f*) *m* pretender (*or* aspirant) to the throne; '**℘en** *v/i.* (*h.*) be enthroned; *fig.* reign; '**~entsagung** *f* abdication; '**~erbe** *m*, '**~erbin** *f* heir(ess *f*) to the throne, heir apparent; '**~folge** *f* succession to the throne; '**~folger(in** *f*) ['-fɔlgər] *m* (-*s*, -; -, -*nen*) successor to the throne; '**~himmel** *m* canopy; '**~räuber** *m* usurper; '**~rede** *f* speech from the throne; *parl.* Queen's Speech; '**~sessel** *m* chair of state.

Thunfisch ['tu:n-] *m* tunny.

Thüring|en ['ty:riŋən] *n* (-*s*) Thuringia; **~er(in** *f*) *m* (-*s*, -; -, -*nen*), **℘isch** *adj.* Thuringian.

Thymian ['ty:miɑ:n] *bot. m* (-*s*; -*e*) thyme.

Tiara [ti'ɑ:ra] *f* (-; -*ren*) tiara.

Tibetan|er(in *f*) [ti:be'tɑ:nər(in)] *m* (-*s*, -; -, -*nen*), **℘isch** *adj.* Tibetan.

tick! [tik] *int.* tick; *~tack!* tick-tock.

Tick *m* (-[*e*]*s*; -*s*) crotchet, fad, kink; *colloq. auf j-n e-n ~ haben* have a grudge against a p.

'**ticken** *v/i.* (*h.*) tick.

tief [ti:f] **I.** *adj.* deep (*a. fig.*); profound (*knowledge, etc.*); low; deep, bass (*voice*), low-pitched (*tone*); *aus ~stem Herzen* from the bottom of one's heart; *im ~sten Elend* in utter (*or* extreme) misery; *im ~sten Frieden* in the lap of peace; *im ~sten Winter* in the depth (*or* dead) of winter; *in ~ster Nacht* in the dead of night; *bis ~ in die Nacht* far into the night; *in ~er Trauer* deeply afflicted; **II.** *adv.* deep; low; *fig.* deeply, profoundly; *~ atmen* take a deep breath; *~ seufzen* draw a deep sigh; *sich ~ verbeugen* make a low bow; *~ in j-s Schuld* deeply endebted to a p.; *fig. ~ liegen* range (*prices*: *a.* rule) low; *mus. ~er stimmen* lower the pitch; *zu ~ singen* sing flat; *das läßt ~ blicken* that speaks volumes.

Tief *n* (-*s*; -*s*) → *Tiefdruck*(*gebiet*).

'**Tief...**: **~angriff** *mil. m* low-level attack; strafing; **~aufschlag** *m tennis*: underhand service; **~bau** *m* (-[*e*]*s*) underground engineering (*or* construction); **℘beleidigt** *adj.* stung to the soul; **℘betrübt** *adj.* deeply grieved, very sad; **~bettfelge** *tech. f* (-; -*n*) drop base rim; **℘bewegt** *adj.* deeply moved; **℘blau** *adj.* deep blue; **~blick** *fig. m* keen insight, penetration; **℘blikkend** *adj.* penetrating; **~bohrer** *tech. m* auger; **~bunker** *mil. m* deep (*or* underground) shelter; **~decker** [-dɛkər] *aer. m* (-*s*; -) low-wing monoplane; **~druck** *m* (-[*e*]*s*) *meteor.* low pressure, depression; *typ.* (*pl.* -*e*) intaglio, *Am.* rotogravure; **~druckgebiet** *n* low pressure (area), low.

'**Tiefe** *f* (-; -n) depth (*a. fig.*); deepness (*of voice, etc.*); *fig.* profoundness, profundity; deep, abyss; *~ des Gedankens* depth of thought; *~n pl. mus.* bass notes.

'**Tief-ebene** *f* low plain, low land.

tiefempfunden ['-ɛmpfundən] *adj.* heartfelt.

'**Tiefen...:** **~anzeiger** *m mar.* depth gauge; *radio*: bass indicator; **~ausdehnung** *f* extension in depth; **~feuer** *mil. n* searching fire; **~messung** *f* measuring of depth, sounding; **~psychologie** *f* depth psychology; **~ruder** *mar. n* hydrovane; **~schärfe** *phot. f* depth of focus; **~staffelung** *mil. f* echelonment in depth; **~wahrnehmung** *f* perception of depth; **~wirkung** *f* depth effect; plastic effect.

'**tief...:** **~ernst** *adj.* very grave; **2flieger** *aer. m* low-flying plane, strafer, hedgehopper; **2fliegerangriff** *m* → *Tiefangriff*; **2fliegerbeschuß** *m* strafing; **2flug** *m* low-level flight, hedgehopping; **2gang** *mar. m* draught; **2garage** *f* underground car park; **~gebeugt** [-gəbɔʏkt] *adj.* deeply afflicted, bowed down; **~gefühlt** *adj.* heartfelt; **~gegliedert** *adj.* distributed in depth; **~gehend** *adj.* deep-drawing (*ship*); *fig.* profound, intense; far-reaching, thoroughgoing; **~gekühlt** [-gəky:lt] *adj.* deep-freeze, quick-frozen; **~greifend** *adj.* far-reaching, thoroughgoing, fundamental, radical; **~gründig** [-gryndiç] *adj.* deep, profound; **~kühlen** *v/t.* (*h.*) deep-freeze, quick-freeze; **2kühlkost** *f* frozen food; **2kühltruhe** *f* deep-freeze chest; **2ladeanhänger** *mot. m* flat-bed trailer; **2ladewagen** *rail. m* well wag(g)on; **2land** *n* lowland(s *pl.*); **~liegend** *adj.* deep-seated; deep-set, sunken (*eyes*); **2lot** *n* deep-sea lead; **2punkt** *fig. m* low (mark), bottom; low point (*in life*); **2schlag** *m boxing*: low hit, hit below the belt; **~schürfend** *adj.* profound; thorough, exhaustive; **~schwarz** *adj.* deep black, jet-black; **2see** *f* deep sea; **2seeforschung** *f* deep-sea research; **2seekabel** *n* deep-sea cable; **2seekunde** *f* (-) oceanology; **2tauchkugel** [-taux-] *f* bathysphere; **2sinn** *m* (-[e]s) profoundness; melancholy; **~sinnig** *adj.* profound; thoughtful, meditative; melancholy, pensive; **2stand** *m* low level; lowness; *fig.* low (level), nadir; *e-n neuen ~ erreichen* hit a new low; **2start** *m sports*: crouch start; **2strahler** *m* flood light; **~stehend** *adj.* low-lying; *fig.* low, inferior; **2stwert** *m* minimum value; **~wurzelnd** *adj.* deep-rooted; **~ziehen** *tech. v/t.* (*irr.*, *h.*) deep-draw, cup.

Tiegel ['ti:gəl] *m* (-s; -) *cul.* saucepan, stewpan; *tech.* crucible, melting-pot; **~druck** *typ. m* (-[e]s; -e) platen-printing; **~ofen** *metall. m* crucible furnace; **~stahl** *m* crucible steel.

Tiekholz ['ti:khɔlts] *n* (-es) teak (-wood).

Tier [ti:r] *n* (-es; -e) animal; creature; beast; *wildes ~* wild beast; *fig. b.s.* beast, brute, animal; *colloq. großes (or hohes) ~* bigwig, big bug, big shot, *mil.* brass-hat; *das ~ in j-m wecken* rouse the beast in a p.

'**Tier...:** **~art** *f* species of animal; **~arzt** *m* veterinary (surgeon), *esp. Am.* veterinarian, vet; **2ärztlich** *adj.* veterinary; **~bändiger(in** *f*) *m* tamer of wild beasts; **~beschreibung** *f* zoography; **~fabel** *f* animal fable; **~fänger** *m* animal trapper; **~fett** *n* animal fat; **~freund** *m* lover of animals; **~garten** *m* zoological gardens *pl.*, Zoo; (game) park, deer park; preserve; **~handlung** *f* pet shop; **~haut** *f* hide; **~heilkunde** *f* (-) veterinary science; **2isch** *adj.* animal; *fig. b.s.* bestial, brutish; *colloq. fig. ~er Ernst* awful seriousness; **~kohle** *f* (-) animal charcoal; **~kreis** *ast. m* zodiac; **~kreiszeichen** *n* sign of the zodiac; **~kunde** *f* (-) zoology; **~leben** *n* (-s) animal life; **~maler(in** *f*) *m* animal-painter; **~park** *m* → *Tiergarten*; **~quäler** *m* tormentor of animals; **~quäle'rei** *f* cruelty to animals; **~reich** *n* (-[e]s) animal kingdom; **2reich** *adj.* rich in animals; **~schau** *f* show of animals, menagerie; **~schutzgebiet** *n* game preserve; **~schutzverein** *m* Society for Prevention of Cruelty to Animals; **~versuch** *m* animal test, experiment on an animal; **~wärter** *m* keeper (of animals); **~welt** *f* (-) animal world; **~zucht** *f* animal husbandry, livestock breeding; **~zuchtschau** *f* cattle breed show.

Tiger ['ti:gər] *m* (-s; -) tiger; **~fell** *n* tiger skin; **~in** *f* (-; -nen), **~weibchen** *n* tigress; **~katze** *f* tiger-cat; **2n** *v/t.* (*h.*) speckle, spot.

Tilde ['tildə] *f* (-; -n) sign of repetition, swung dash (~), tilde.

tilgbar ['tilkba:r] *adj.* extinguishable; *econ.* redeemable (*bond, etc.*), amortizable.

tilgen ['tilgən] *v/t.* (*h.*) extinguish; strike out, expunge, cancel, *typ.* delete; wipe (*or* blot) out (*a. fig.* = eradicate); efface, obliterate; cancel, annul; destroy; *econ.* discharge, pay (*or* clear) off (*debt*); redeem (*bond, etc.*); amortize; write off; *jur. im Strafregister ~* erase in the penal register; *fig.* expiate, wipe out *a disgrace*.

'**Tilgung** *f* (-; -n) extinction; cancel(l)ation; deletion; effacement, obliteration; annulment; destruction; *econ.* discharge, (re)payment, settlement; redemption; amortization; write-off; *jur.* erasure; *fig.* expiation; **~s-anleihe** *econ. f* amortization loan; **~sbetrag** *m* amortization instal(l)ment; **~sfonds** *m* redemption fund; *for securities*: sinking fund; **~s-plan** *m* scheme of redemption; **~szeichen** *typ. n* delete (δ).

Tingeltangel ['tiŋəltaŋəl] *m and n* (-s; -) (low) music hall, *Am.* honky-tonk.

Tinktur [tiŋktu:r] *f* (-; -en) tincture.

Tinte ['tintə] *f* (-; -n) ink; *paint.* tint; *fig. in der ~ sitzen* be in a scrape (*or* in the soup); *colloq. das ist klar wie dicke ~* that's as clear as mud.

'**Tinten...:** **~faß** *n* inkstand; inkwell; **~fisch** *m* cuttle-fish; **~fleck, ~klecks** *m* ink-stain, ink-spot, (ink-)blot; **~gummi** *m* ink-eraser; **~kleckser** *colloq. m* scribbler, ink-slinger; **~löscher** *m* (rocker) blotter; **~stift** *m* copying(-ink) pencil, indelible (ink) pencil; **~wischer** *m* pen-wiper.

Tip [tip] *m* (-s; -s) hint, (*a. sports*) tip; *j-m e-n ~ geben* tip a p. off.

Tippel|bruder ['tipəl-] tramp, *Am.* hobo; **2n** *v/i.* (*sn*) tramp, hike.

tippen ['tipən] *v/t. and v/i.* (*h.*) touch with a finger, tip; *colloq.* type, pound the typewriter; *mot.* flood, tickle (*carburettor*); *colloq.* tip (*im Fußballtoto* in the football pool; *auf j-n* a p. to win, a win for a p.).

Tipp... [tip-]: '**~fehler** *m* error in typing, type slip; '**~fräulein** *n* typist.

tipptopp ['tip'tɔp] *colloq. adj.* tip-top, first class.

Tirol [ti'ro:l] *n* (-s) *the* Tyrol; **~er(in** *f*) *m* (-s, -; -, -nen), *adj.* Tyrolese.

Tisch [tiʃ] *m* (-[e]s; -e) table; board; *bei ~* at table, at dinner (*or* lunch); *getrennt von ~ und Bett* separated from bed and board; *parl. auf den ~ des Hauses legen* (lay on the) table; *fig.* → *grün*; *reinen ~ machen (damit)* make a clean sweep (of it); *sich zu ~ setzen* sit down to dinner *or* supper; *fig. unter den ~ fallen* fall flat; *unter den ~ fallen lassen* (let) drop; *unter den ~ trinken* drink under the table; *zu ~ bitten* invite (*or* ask) to dinner *or* supper; *bitte zu ~!* dinner is ready!; *eccl. zum ~e des Herrn gehen* partake of the Lord's Supper; → *decken*.

'**Tisch...:** **~apparat** *teleph. m* desk telephone; **~bein** *n* leg of a table; **~besen** *m* crumb-brush; **~blatt** *n* (table-)top; leaf (of a table); **~dame** *f* partner at table; **~decke** *f* table-cover; **~empfänger** *m radio, TV*: table set; **~ende** *n*: *oberes (unteres) ~* head (foot) of the table; **2fertig** *adj.* ready-prepared (*food*); **~gast** *m* guest, diner; **~gebet** *n* grace; *das ~ sprechen* say grace; **~gerät, ~geschirr** *n* table-requisites *pl.*; **~gesellschaft** *f* dinner-party; (company at) table; **~gespräch** *n* table-talk; **~glocke** *f* dinner-bell; hand-bell; **~herr** *m* partner at table; **~karte** *f* menu; place-card; **~kasten** *m*, **~lade** *f* table-drawer; **~klopfen** *n* table-rapping; **~lampe** *f* portable standard, table lamp; **~läufer** *m* table-cent|re (*Am.* -er); **~leindeckdich** ['-laɪn'dɛkdiç] *n* (-s) magic table.

Tischler ['tiʃlər] *m* (-s; -) joiner; cabinetmaker; **~arbeit** *f* joiner's work, joinery.

Tischle'rei *f* (-; -en) joinery; joiner's workshop.

'**Tischler...:** **~geselle** *m* journeyman joiner; **~leim** *m* solid (*or* bone) glue; **~meister** *m* master joiner; **2n I.** *v/i.* (*h.*) do joiner's work; **II.** *v/t.* (*h.*) make.

'**Tisch...:** **~messer** *n* table-knife;

~**nachbar**(**in** *f*) *m* neighbo(u)r at table; ~**platte** *f* table-top; leaf; ~**rede** *f* after-dinner speech, toast; ~**rücken** *n* (-*s*) table-turning; ~**telephon** *n* desk-telephone; ~**tennis** *n* table tennis; ~**tennisschläger** *m* table tennis bat; ~**tuch** *n* (-[*e*]*s*; ¨*er*) table cloth; ~**tuchklammer** *f* table clamp; ~**wäsche** *f* table linen; ~**wein** *m* table wine; ~**zeit** *f* meal-time.

Titan [ti'tɑ:n] **1.** *m* (-*en*; -*en*) Titan; **2.** *chem. n* (-*s*) titanium; ≗**isch** *adj.* titanic; ≗**sauer** *chem. adj.* titanite of.

Titel ['ti:təl] *m* (-*s*; -) title; heading; *jur.* **a**) title (to), **b**) title-deed; *econ. pl.* securities; *das Buch trägt den* ~ the book is entitled; *sports*: *e-n* ~ *innehaben* hold a title; ~**bewerber** *m sports*: aspirant to a title; ~**bild** *n* frontispiece; cover (picture); ~**blatt** *n* title-page; ~**bogen** *typ. m* title-sheet; ~**halter** *m sports*: title-holder; ~**kampf** *m sports*: title bout; ~**rolle** *thea. f* title-rôle, name-part; ~**seite** *f* front page; ~**sucht** *f* (-) craze for titles; ~**verteidiger** *m* defender of championship, title-holder; ~**wort** *n* (-[*e*]*s*; ¨*er*) *dictionary*: head-word; ~**zeile** *f* headline.

Titrier|analyse [ti'tri:r-] *chem. f* volumetric analysis; ≗**en** *v/t.* (*h.*) titrate; ~**flüssigkeit** *f* standard solution.

titular [titu'lɑ:r] *adj.* titular, nominal.

Titulatur [-la'tu:r] *f* (-; -*en*) titles *pl.*, styling.

titu'lieren *v/t.* (*h.*) give the title of; call, style, address as.

Toast [to:st] *m* (-[*e*]*s*; -*e*) toast (*a.* = toasted bread); *e-n* ~ *ausbringen* propose a toast; *auf j-n e-n* ~ *ausbringen* (propose a) toast (to) a p.; ≗**en** *v/i.* (*h.*) toast (*auf j-n* a p.); drink toasts; ~**röster** *m* toaster.

Tobak ['to:bak] *m* (-[*e*]*s*; -*e*) → *Tabak.*

toben ['to:bən] *v/i.* (*h.*) rage, rave, storm, bluster, foam; *children*: romp; *wind, sea, etc.*: rage, roar; rage (*battle*); ~**d** *adj.* enraged, furious; frantic; tempestuous, boisterous; ~*e See* raging sea; ~*er Sturm* roaring storm; ~*er Beifall* frantic applause.

'**Tob...**: ~**sucht** *med. f* (-) raving madness, frenzy; ≗**süchtig** *adj.* raving mad, frantic; seized with frenzy; ~**suchts-anfall** *m* fit of raving madness; *fig.* tantrum; *e-n* ~ *bekommen* have (*or* throw) a tantrum, blow one's top.

Tochter ['tɔxtər] *f* (-; ¨) daughter; ~ *des Hauses* young lady of the house; *econ.* → ~*gesellschaft*; ~**geschwulst** *med. f* metastasis; ~**gesellschaft** *econ. f* subsidiary (company); ~**kind** *n* daughter's child; ~**kirche** *f* filial church; ~**land** *n* colony.

töchterlich ['tœçtərliç] *adj.* daughterly, filial.

'**Töchterschule** *f*: *Höhere* ~ girls' high school.

'**Tochter...**: ~**sprache** *f* derivative language; ~**staat** *m* colony.

Tod [to:t] *m* (-[*e*]*s*; -[*e*]) death, *a. jur.* decease; *personified*: *der* ~ death, the grim reaper; *den* ~ *finden* meet one's death, be killed, perish; (*ein Kind*) *des* ~*es sein* be doomed, be a dead man (*or* a goner); *e-s natürlichen* ~*es sterben* die a natural death; *für den* ~ *nicht leiden können* hate like poison; *sich den* ~ *holen* catch one's death (*of cold*); *sich zu* ~*e arbeiten* slave o.s. to death; → *erschrecken*; *fig. zu* ~*e hetzen or reiten* do *a th.* to death; *zu* ~*e langweilen* bore to death, bore stiff; → *tot...*; *zum* ~*e verurteilen* sentence to death; *zu* ~*e betrübt* mortally grieved, heart-broken; *des e-n* ~ *ist des andern Brot* one man's meat is another man's poison; *das wird noch mein* ~ *sein* it will be the death of me yet; *es geht um Leben und* ~ it is a matter of life and death; *Kampf auf Leben und* ~ life-and-death struggle; *nach j-s* ~ *veröffentlichte Werke, etc.* posthumous *works, etc.*; ≗**bringend** *adj.* deadly, fatal; ≗**ernst I.** *adj.* deadly serious; **II.** *adv.* in dead earnest.

Todes... ['to:dəs]: ~**ahnung** *f* presentiment of death; ~**angst** *f* agony (of death); *fig.* mortal fear; *Todesängste ausstehen* be scared to death, be frightened out of one's wits; ~**anzeige** *f* obituary (notice); ~**art** *f* manner of death; ~**blässe** *f* deadly pallor; ~**engel** *m* angel of death; ~**erklärung** *jur. f* (official) declaration of death; ~**fall** *m* (case of) death; *Todesfälle pl.* deaths, casualties; ~**furcht** *f* fear of death; ~**gefahr** *f* peril (*or* danger) of (one's) life, deadly peril; *in* ~ *schweben* be in mortal danger; ~**kampf** *m* death-struggle, last agony, throes *pl.* of death; ~**kandidat** *m* doomed man, goner; ~**keim** *m* seeds *pl.* of death; ≗**mutig** *adj.* defying death, fearless; ~**nachricht** *f* news of a p.'s death; ~**opfer** *n* death; *Zahl der* ~ (death) toll; ~**qualen** *f/pl.* pangs of death; ~**röcheln** *n* death-rattle; ~**stoß** *m* death-blow; *den* ~ *versetzen* deliver the death-blow (*dat.* to); ~**strafe** *f* capital punishment, death penalty; *bei* ~ on pain (*or* penalty) of death; ~**strahlen** *m/pl.* death rays; ~**stunde** *f* hour of death, last hour; ~**sturz** *m* fatal fall, fall to one's death; ~**tag** *m* day (*or* anniversary) of *a p.'s* death; ~**ursache** *f* cause of death; ~**urteil** *n* sentence of death; *a. fig.* death warrant; ~**verachtung** *f* defiance of death; *mit* ~ recklessly; ~**wunde** *f* mortal wound; ~**wunsch** *m* death wish.

'**Tod...**: ~**feind**(**in** *f*) *m* deadly (*or* mortal) enemy; ~**feindschaft** *f* deadly hatred; ≗**geweiht** *adj.* doomed; ≗**krank** *adj.* dangerously (*or* hopelessly) ill.

tödlich ['tø:tliç] **I.** *adj.* deadly; lethal (*poison, weapon*); fatal (*blow, etc.*), *wound*: *a.* mortal; *mit* ~*er Sicherheit* with deadly accuracy; **II.** *adv.*: ~ *treffen* (*a. fig.*) strike a mortal blow to; ~ *verunglücken* be killed in an accident; *fig. sich* ~ *langweilen* be bored to death, be bored stiff.

'**tod...**: ~**müde** *adj.* tired to death, dead tired, dead-beat; ~**schick** *adj.* dashing, gorgeous, groovy; ~**sicher I.** *adj.* cock-sure (*a. person* = self-confident); (as) sure as death (*or* as fate); *Am. a.* surefire (*method, etc.*); *judgement*: unerring; ~*er Schütze* dead shot; ~*e Sache* sure thing, dead certainty, *Am. a.* cinch; **II.** *adv.* undoubtedly; *er kommt* ~ he is sure to come; ≗**sünde** *f* deadly (*or* mortal) sin; ~**unglücklich** *adj.* dreadfully unhappy, sick at heart; ~**wund** *adj.* mortally wounded.

Tohuwabohu ['to:huva'bo:hu] *n* (-[*s*]; -*s*) confusion, topsy-turvydom; hubbub.

Toilette [toa'lɛtə] *f* (-; -*n*) toilet; toilet(-table), *Am.* dresser; lavatory, gentlemen's (ladies') room, *esp. Am.* toilet; public convenience; ~ *machen* make one's toilet, dress; *in großer* ~ in full dress, in evening dress.

Toi'letten...: ~**artikel** *m* toilet article *or* requisite; *pl. Am. a.* toiletry; ~**garnitur** *f* toilet set; ~**papier** *n* (-*s*) toilet paper; ~**seife** *f* toilet soap; ~**spiegel** *m* toilet glass; ~**tisch** *m* toilet(-table), dressing-table, *Am.* dresser.

toleran|t [tole'rant] *adj.* tolerant (*gegen* of); broad-minded; ≗**z** [-'rants] *f* (-) toleration, tolerant attitude, *etc.*; *tech.* (*pl.* -*en*) tolerance, allowance, allowable variation; correct clearance.

tole'rieren *v/t.* (*h.*) tolerate.

toll [tɔl] **I.** *adj.* raving mad, frantic; mad, crazy, wild (*all a. fig.*); dare-devil; break-neck; incredible, fantastic; frightful (*noise, etc.*), infernal, awful; hilarious, rollicking, too funny for words; terrific, great, fabulous, gorgeous, hot; breath-taking; grotesque; bizarre, eccentric; *er* (*es*) *ist nicht so* ~ he (it) is not so hot; ~*er Hund* mad dog; ~*e Gerüchte* wild rumo(u)rs; ~*er Kerl* devil of fellow, *Am. a.* wow, whiz; *e-e* ~*e Sache* a wild affair, *Am. a.* a wow, a humdinger; a perfect scream; *e-e* ~*e Wirtschaft* an awful mess; **II.** *adv.*: *wie* ~ like mad; *es kommt noch* ~*er* the worst is yet to come; *er treibt es zu* ~ he goes too far, he is overdoing it; *es ging* ~ *her or zu* it was a wild affair, things were at sixes and sevens.

'**Tolle** ['tɔlə] *colloq. f* (-; -*n*) tuft.

'**tollen**[1] *v/i.* (*h., sn*) romp, rag, fool about, frolic.

'**tollen**[2] *v/t.* (*h.*) crimp.

'**Toll...**: ~**haus** *n* madhouse, lunatic asylum; *fig.* bedlam; ~**häusler** (-**in** *f*) *m* mad(wo)man, maniac; ~**heit** *f* (-; -*en*) madness, frenzy, fury; mad trick, piece of folly; ~**kirsche** *bot. f* deadly nightshade, belladonna; ~**kopf** *m* madcap; ≗**kühn** *adj.* foolhardy, rash, dare-devil, reckless; ~**kühnheit** *f* foolhardiness, rashness; ~**wut** *f* hydrophobia, rabies; ≗**wütig** *adj.* rabid.

Tolpatsch ['tɔlpatʃ] *m* (-*es*; -*e*) → *Tölpel, etc.*

Tölpel ['tœlpəl] *m* (-*s*; -*e*) awkward (*or* clumsy) fellow, gawk, butter-fingers; boob(y), oaf, duffer; boor, lout; **Tölpe'lei** *f* (-; -*en*), '**Tölpelhaftigkeit** *f* (-) awkwardness,

clumsiness; boorish manners *pl.*; ˈ**tölpelhaft** *adj.* awkward, clumsy; doltish; boorish.
Tomate [toˈmɑːtə] *f* (-; -*n*) tomato; *~n ziehen* raise tomatoes; **~nmark** *n* tomato-pulp.
Tombak [ˈtɔmbak] *m* (-*s*) tombac, pinchbeck.
Tombola [ˈtɔmbola] *f* (-; -*s*) tombola, raffle.
Ton¹ [toːn] *min. m* (-[e]*s*; -*e*) clay, potter's earth.
Ton² (-[e]*s*; ⸚*e*) *mus.* **a**) tone (*a. of speech*), **b**) note, **c**) key, **d**) timbre; sound; accent, stress; *fig.* tone; *paint.* tone (*a. phot.*), tint, shade; *med. Herztöne* heart tones; *guter ~* good form; *zum guten ~ gehören* be the fashion; *den ~ angeben* give the key-note, *fig.* set the tone (*or* fashion), call the tune; → *anschlagen*; *a. fig. den richtigen ~ treffen* strike the right note; *den ~ legen auf* (*acc.*) put the stress on; *in höchsten Tönen reden von or schildern* praise to the skies, speak in superlatives about, gush about; *colloq. große Töne reden* talk big, boast (*von* of); *keinen ~ von sich geben* not to utter a sound; *der ~ macht die Musik* it is the tone that makes the music; *keinen ~ mehr!* not another word!; *colloq. hast du Töne!* well I never!, *Am.* can you beat that!
ˈ**Ton...:** **~abnehmer** *m* sound (*or* phono) pick-up; **≗angebend** *adj.* setting the tone, leading, predominant; **~arm** *m* tone (*or* pickup) arm; **~art** *f* **1.** *min.* kind of clay; **2.** *mus.* key, pitch; *fig. in allen ~en* in all keys, in every possible strain; *e-e andere ~ anschlagen* change one's tune; **~assistent** *m film*: sound camera operator, *Am.* sound recorder; **~atelier** *n* sound studio; **~aufnahme** *f* sound recording; transcription; **~ausfall** *TV m* loss of sound; **~bad** *phot. n* toning solution; **~band** *n* (-[e]*s*; ⸚*er*) (recording) tape; *auf ~ aufnehmen* record on tape; **~bandaufnahme** *f* tape recording; **~band(aufnahme)gerät** *n* tape recorder; **~bereich** *m* audio range; **~blende** *f* tone control; **~boden** *m* clay(ey) soil; **~dichter** *m* (musical) composer, tone poet; **~dichtung** *f* tone poem.
tönen [ˈtøːnən] **I.** *v/i.* (*h.*) sound, ring; resound; *fig.* orate, hold forth; **II.** *v/t.* (*h.*) tone (*a. phot.*), tint, shade (down).
ˈ**Ton-erde** *f* argillaceous earth; *essigsaure ~* alumina acetate.
tönern [ˈtøːnərn] *adj.* (of) clay, earthen, clayey; hollow (*sound*); *~e Füße* feet of clay.
ˈ**Ton...:** **~fall** *m* (-[e]*s*) *mus.* cadence, modulation; *speech*: intonation, accent; **~farbe** *f* timbre; **~film** *m* sound film, talking film; **~fixierbad** *phot. n* (tone-)fixing bath; **~folge** *f* scale; strains *pl.*, melody; **~frequenz** *f* audio frequency; **~fülle** *f* sonority; volume (of sound); **~funk** *m* sound radio; **~gefäß** *n* earthen(ware) vessel; **~geschirr**, **~gut** *n* (-[e]*s*) pottery, earthenware; **~grube** *f* clay-pit; **≗haltig** [-haltiç] *adj.* clayey; **~höhe** *mus. f* pitch (of a note).
Tonika [ˈtoːnika] *mus. f* (-; -*ken*) tonic.
ˈ**Ton-ingenieur** *m* sound engineer.
ˈ**tonisch** *med., mus. adj.* tonic.
ˈ**Ton...:** **~kalk** *m* argillaceous limestone; **~kamera** *f* sound camera; **~kunst** *f* (-) musical art, music; **~künstler(in** *f*) *m* musician; **~lage** *mus. f* pitch; **~lager** *min. n* clay-bed; **~leiter** *mus. f* scale, gamut; **≗los** *adj.* soundless; *gr.* unstressed; *fig.* toneless; **~meister** *m* sound engineer; **~messung** *f* measurement of sounds, tonometry; **~mischpult** *n* sound mixer; **≗moduliert** *adj.* tone-modulated.
Tonnage [tɔˈnɑːʒə] *mar. f* (-; -*n*) tonnage.
Tonne [ˈtɔnə] *f* (-; -*n*) tun; cask, barrel; *mar.* buoy; (*weight*) ton.
ˈ**Tonnen...:** **~brücke** *f* cask bridge; **~dach** *n* barrel roof; **≗förmig** [-fœrmiç] *adj.* barrel-shaped; **~gehalt** *mar. m* tonnage; **~geld** *n* tonnage; **~gewölbe** *arch. n* barrel-vault; **≗weise** [-vaɪzə] *adj.* by (*or* in) tuns *or* barrels.
ˈ**Ton...:** **~papier** *phot. n* tinted paper; **~pfeife** *f* clay pipe; **~röhre** *f* earthenware tube, clay conduit; **~Rundfunk** *m* sound radio; **~säule** *f* public address pillar; **~schreiber** *m* sound recorder; **~schwund** *m radio*: fading; **~setzer** *m* (musical) composer; **~silbe** *gr. f* accented (*or* tone) syllable; **~spur** *f film*: sound track; **~stärke** *f* intensity of tone; **~streifen** *m film*: sound track; **~stück** *n* piece of music; **~stufe** *mus. f* pitch.
Tonsur [tɔnˈzuːr] *f* (-; -*en*) tonsure.
ˈ**Ton...:** **~taube** *f* clay pigeon; **~taubenschießen** *n* clay pigeon shooting; **~techniker** *m* audio engineer; **~träger** *m* sound carrier.
Tönung [ˈtøːnuŋ] *paint. f* (-; -*en*) tinge, shading, tint; *phot.* tone.
ˈ**Ton...:** **~veränderung** *f* change of tone; **~verstärker** *m* sound amplifier; **~verstärkung** *f* sound amplification; **~wagen** *m* sound van (*Am.* truck); **~waren** *f/pl.* pottery, earthenware *sg.*; **~wiedergabe** *f* sound reproduction; (audio) fidelity; **~zeichen** *n mus.* note; *gr.* accent.
Topas [toˈpɑːs] *m* (-*es*; -*e*) topaz.
Topf [tɔpf] *m* (-[e]*s*; ⸚*e*) pot; saucepan; jar (*a. pharm.*); vessel; container; *in Töpfe setzen* pot (*plants*); *fig. in e-n ~ werfen* lump together.
Töpfchen [ˈtœpfçən] *n* (-*s*; -) small pot; *pharm.* gallipot; chamber pot; *colloq. aufs ~ gehen* go pottie.
ˈ**Töpfer** *m* (-*s*; -) potter; stove-fitter; **~arbeit** *f* potter's work, pottery.
Töpfeˈrei *f* (-; -*en*) potter's trade; ceramic art; potter's workshop.
ˈ**Töpfer...:** **~erde** *f* potter's earth (*or* clay); **~scheibe** *f* potter's wheel; **~ware** *f* pottery, earthenware, crockery.
ˈ**Topf...:** **~hut** *m* cloche (hat); **~lappen** *m* kettle-holder; **~pflanze** *f* potted plant, pot-plant; **~scherbe** *f* potsherd.
Topographie [topograˈfiː] *f* (-; -*n*) topography; **topographisch** [-ˈgrɑːfiʃ] *adj.* topographical.
topp! [tɔp] *int.* done!, agreed!, I'm on!
ˈ**Topp** *mar. m* (-*s*; -*e*) top, (mast-) head; *über die ~en flaggen* dress with mast-head flags; **~mast** *m* topmast; **~reep** *n* guy; **~segel** *n* topsail.
Tor¹ [toːr] *m* (-*en*; -*en*) fool.
Tor² [toːr] *n* (-[e]*s*; -*e*) gate (*a. of town and fig.*), door; portal; gateway (*a. fig.*); soccer goal; *skiing*: gate, pair of flags; *ein ~ schießen* shoot a goal, score (a goal); ˈ**~bogen** *m* archway; ˈ**~chance** *f soccer*: scoring chance; ˈ**~(ein)fahrt** *f* gateway.
Torf [tɔrf] *m* (-[e]*s*) peat; *~ stechen* cut peat; **~boden** *m* peat-soil; **~erde** *f* peaty mo(u)ld; **~gewinnung** *f* peat cutting; **~kohle** *f* peat charcoal; **~lager** *n* peat bed *or* bog.
ˈ**Torflügel** *m* wing of a gate.
ˈ**Torf...:** **~moor** *n* peat bog; **~mull** *m* peat dust; **~stechen** *n*, **~stich** *m* peat cutting; **~streu** *f* peat litter.
ˈ**Tor...:** **~halle** *f* porch; **~heit** *f* (-; -*en*) foolishness, folly; silliness; **~hüter** *m* gate-keeper; *sports*: goal-keeper, goalie.
töricht [ˈtøːriçt] **I.** *adj.* foolish, silly, unwise; **II.** *adv.*: *sich ~ benehmen* act like a fool, make a fool of o.s.; **~erweise** [ˈ-ərˈvaɪzə] *adv.* like a fool, foolishly enough.
Törin [ˈtøːrin] *f* (-; -*nen*) fool(ish woman).
torkeln [ˈtɔrkəln] *v/i.* (*h.*, *sn*) stagger, reel, totter.
ˈ**Tor...:** **~latte** *f sports*: cross-bar; **~lauf** *m skiing*: slalom; **~linie** *f sports*: goal-line; **≗los** *adj.* goalless.
Tornado [tɔrˈnɑːdo] *m* (-*s*; -*s*) tornado, *Am. a.* twister.
Tornister [tɔrˈnistər] *m* (-*s*; -) knapsack, *mil. a.* (field) pack; *ped.* satchel; **~empfänger** *m* portable receiver; **~sprechfunkgerät** *n* walkie-talkie.
torpedieren [tɔrpeˈdiːrən] *mar. v/t.* (*h.*) torpedo (*a. fig.*).
Torpedo [tɔrˈpeːdo] *m* (-*s*; -*s*) torpedo; **~bahn** *f* torpedo wake; **~boot** *n* torpedo boat; **~(boot)zerstörer** *m* torpedo-boat destroyer; **~flugzeug** *n* torpedo plane (*or* bomber); **~rohr** *n* torpedo tube; **~schutznetz** *n* crinoline; **~spur** *f* → *Torpedobahn*; **~wulst** *m* torpedo bulge.
ˈ**Tor...:** **~pfosten** *m* door-post; *sports*: goal-post; **~raum** *m soccer*: goal area; **~schluß** *m* (-*sses*) closing of the gates; closing-time; *fig. kurz vor ~* at the last minute, at the eleventh hour; **~schlußpanik** *colloq. f* last-minute panic; **~schuß**, **~stoß** *m sports*: goal(-kick); **~schütze** *m sports*: scorer; **~steher** *m sports*: goal-keeper.
Torsion [tɔrziˈoːn] *tech. f* (-; -*en*) torsion, twist; **~sbe-anspruchung** *f* torsional stress; **~sfeder** *f* torsion spring; **~sfestigkeit** *f* torsional strength; **~s-stab** *m* torsion bar.
Torso [ˈtɔrzo] *m* (-*s*; -*s*) torso.
Tort [tɔrt] *m* (-[e]*s*) wrong, injury; *j-m zum ~* to spite a p.; *j-m e-n ~ antun* serve a p. a nasty trick.
Torte [ˈtɔrtə] *f* (-; -*n*) fancy-cake,

flat cake; tart, *Am.* pie; **~nbäcker** *m* pastry-cook; **~nform** *f* cake mo(u)ld; **~nheber** *m* cake server.

Tortur [tɔr'tu:r] *f* (-; -en) torture; *fig.* ordeal.

'Tor...: ~wächter, ~wart *m sports*: goal-keeper, goalie; **~weg** *m* gateway, archway.

tosen ['to:zən] *v/i.* (*h., sn*) roar, rage; *~der Beifall* frantic (*or* thundering) applause.

tot [to:t] *adj.* dead (*a. fig.*); deceased, defunct; lifeless, inanimate (*a. fig.*); dead, desolate; deserted; dead, dull; extinct; *sports*: *~er Ball* dead ball; *med. ~es Fleisch* proud flesh; *tech. ~er Gang* **a)** dead travel, **b)** *of transmission*: lost motion, **c)** *of thread*: backlash; *mining*: *~es Gebirge* exhausted mines; → *Geleise*; *jur. ~e Hand* mortmain; *~es Kapital* unemployed capital; *~es Konto* impersonal account; *das 2e Meer* the Dead Sea; *~er Punkt tech.* dead cent|re, *Am.* -er, *fig.* impasse, deadlock, fatigue, *fig. auf dem ~en Punkt ankommen* **a)** reach a deadlock, **b)** be exhausted; *den ~en Punkt überwinden* **a)** break the deadlock, **b)** get one's second wind; *sports*: *~es Rennen* dead heat; *~e Sprache* dead language; *~er Winkel* shielded angle; *~es Wissen* useless knowledge; *~e Zeit* dead (*or* dull) season; *radio*: *~e Zone* blind spot *or* area.

total [to'ta:l] **I.** *adj.* total, complete; all-out; *~er Krieg* total (*or* all-out) war(fare); **II.** *adv.* altogether, utterly; clean (*gone, mad, wrong, etc.*); *~ verrückt* stark staring mad; **2ausfall** *m* total loss; **2ausverkauf** *m* clearance sale; **~e** *f* (*-n; -n*) *film*: long shot; **2finsternis** *ast. f* total eclipse.

Totalisator [totali'za:tɔr] *m* (-s; -'*toren*) totalizer, tote.

totalitär [-'tɛ:r] *adj.* totalitarian.

Totali'tät *f* (-) totality.

To'talverlust *m* total loss.

'tot...: ~arbeiten: *sich ~* (*h.*) kill o.s. with work, slave o.s. to death, *Am. a.* work o.s. to a frazzle; **~ärgern** *v/t.* (*h.*) devil the life out of a p.; *sich ~* (*h.*) fret and fume.

'Tote(r *m*) *f* (*-n, -n; -en, -en*) dead (wo)man; (dead) body, corpse; *der* (*die*) *~, die ~n pl.* the dead, the deceased *or* departed; *mil. pl.* casualties.

töten ['tø:tən] *v/t.* (*h.*) kill, slay, put to death; destroy; murder; execute; *med.* deaden (*nerve*); *sich ~* kill o.s., take one's own life, commit suicide.

'Toten...: ~amt *eccl. n* burial service; mass for the dead; **~bahre** *f* bier; **~bett** *n* deathbed; **2blaß, 2bleich** *adj.* deathly pale, (as) white as a sheet; **~blässe** *f* deadly pallor; **~feier** *f* obsequies *pl.*; **~geläut(e)** *n* knell; **~gerippe** *n* skeleton; **~glocke** *f* knell; **~gräber** *m* grave-digger; *zo.* burying beetle; **~gruft** *f* (funeral) vault; **~hemd** *n* shroud; **~klage** *f* bewailing of the dead; dirge; **~kopf** *m* death's-head (*a. zo.*), skull; (*symbol*) skull and cross-bones; **~kranz** *m* funeral wreath; **~liste** *f* list of casualties, *esp. mil.* death-roll; **~maske** *f* death-mask; **~messe** *eccl. f* mass for the dead, requiem; **~reich** *n* realm of the dead, Hades; **~schädel** *m* → *Totenkopf*; **~schau** *jur. f* coroner's inquest; **~schein** *m* death certificate; **~sonntag** *m* Memorial Day; **~starre** *med. f* rigor mortis; **2still** *adj.* (as) silent as the grave, deathly silent; **~stille** *f* dead silence; **~tanz** *paint. m* Dance of Death, *a.* danse macabre (*Fr.*); **~uhr** *zo. f* death-watch (beetle); **~urne** *f* funeral urn; **~wache** *f* wake, death-watch; **~wagen** *m* hearse.

'tot...: ~fahren *v/t.* (*irr., h.*) kill (by running over); **~geboren** *adj.* still-born; *fig.* abortive, predestined to failure; **2geburt** *f* still birth; still-born child; **~lachen:** *sich ~* (*h.*) nearly die with laughter, split one's sides with laughter; *es ist zum 2* it's too funny for words, it's a (perfect) scream; *ich könnte mich ~* I am tickled to death (*a. iro.*); **2last** *f* dead load; **2lauf** *tech. m* dead travel; **~laufen** *fig.*: *sich ~* (*irr., h.*) peter out; **~machen** *v/t.* (*h.*) → *töten*.

Toto ['to:to] *m* (*-s; -s*) *horse racing*: tote; *soccer*: football pool; *im ~ spielen* bet on the pools; *im ~ gewinnen* win the pools; **~gewinn** *m* football pools win; **~gewinner** *m* pools winner; **~zettel** *m* pool coupon.

'tot...: 2punkt *tech. m* dead cent|re, *Am.* -er; **~schießen** *v/t.* (*irr., h.*) shoot dead, kill, bump off; **2schlag** *jur. m* second-degree murder; **~schlagen** *v/t.* (*irr., h.*) kill, slay; *fig. die Zeit ~* kill time; *er läßt sich eher ~, als* he would rather cut off his arm than; *colloq. du kannst mich ~, ich weiß nicht* I'll be shot if I know; **2schläger** *m* killer, homicide; (*weapon*) cudgel, *Am.* blackjack; **~schweigen** *v/t.* (*irr., h.*) hush up; pass over in silence; *a. j-n*: ignore; **~sicher** *adj.* → *todsicher*; **~stechen** *v/t.* (*irr., h.*) stab to death; **~stellen:** *sich ~* (*h.*) feign death, play dead.

Tötung *f* (-; -en) killing, slaying; *jur.* homicide; *fahrlässige ~* manslaughter; → *Leibesfrucht*.

Tour [tu:r] *f* (-; -en) tour; excursion, trip; hike; *tech.* revolution, turn; *dancing*: figure, set; *knitting*: round; *colloq. fig.* trick, dodge; *auf ~* on the road; *auf ~ gehen* take the road; *tech. auf ~en* on speed; *auf ~en kommen mot.* pick (*or* rev) up, *fig.* get into one's stride, go into higher gear; *auf vollen ~en laufen fig.* go full blast, be in full swing; *in e-r ~* **a)** at a stretch, **b)** incessantly.

'Touren...: ~fahrt *mot. f* touring competition; **~rad** *n* roadster; **~ski** *m* touring ski; **~wagen** *mot. m* touring car; **~zahl** *f* speed, revolutions *pl.* per minute (*abbr.* r.p.m.); **~zähler** *m* revolution indicator, tachometer.

Tourist [tu'rist] *m* (*-en; -en*), **~in** *f* (-; *-nen*) tourist; **~enklasse** *aer., mar. f* (-) tourist class; **~enverkehr** *m*, **Tou'ristik** *f* (-) tourist traffic, tourism.

Tournee [tur'ne:] *thea. f* (-; -s) tour; *auf ~ gehen* go on a tour.

Toxin [tɔ'ksi:n] *med. n* (-s; -e) toxin; **'toxisch** *adj.* toxic.

Trab [tra:p] *m* (-[e]s) trot; *gestreckter* (*verkürzter*) *~* extended (collected) trot; *im ~* at a trot, *colloq. fig.* on the run; *fig. j-n auf ~ bringen* make a p. get a move on; *j-n im ~ halten* keep a p. on the trot (all day).

Trabant [tra'bant] *ast. m* (*-en; -en*) satellite; **~en-staat** *pol. m* satellite (state); **~enstadt** *f* satellite town.

traben ['tra:bən] *v/i.* (*h., sn*) trot.

'Traber *m* (-s; -) trotter; **~wagen** *m* sulky.

'Trabrennen *n* trotting race.

Tracht [traxt] *f* (-; -en) dress, attire; (traditional) costume; (*nurses', etc.*) uniform; fashion, style; load; *of bees*: **a)** swarming-time, **b)** yield; *zo.* litter; e-e (*gehörige*) *~ Prügel* a sound thrashing.

trachten ['traxtən] *v/i.* (*h.*): *~ nach* (*dat.*) strive for *or* after, aspire to, seek, endeavo(u)r (after); covet, have an eye on; (*danach*) *~, zu inf.* endeavo(u)r (*or* strive *or* try) to *inf.*; *j-m nach dem Leben ~* seek a p.'s life; **'Trachten** *n* (-s) striving, aspiration; endeavo(u)rs *pl.*; → *Sinnen*.

'Trachtenfest *n* show of national costumes.

trächtig ['trɛçtiç] *adj.* (big) with young, pregnant, gravid; **2keit** *f* (-) pregnancy, gestation, gravidity.

Tradition [traditsi'o:n] *f* (-; -en) tradition; **traditio'nell** [-tsio'nɛl] *adj.* traditional.

traf [tra:f] *pret. of treffen.*

Trafo ['tra:fo] *el. m* (-[s]; -s) transformer.

Trag|bahre ['tra:k-] *f* stretcher, litter; **~(e)balken** *m* (supporting) beam; transom; stringer; girder; **~band** *n* (-[e]s; ⸚er) (carrying) strap; *med.* suspender; *tech.* conveyer belt; *arch.* strap, brace; **2bar** *adj.* portable; wearable; *fig.* bearable, supportable; acceptable; reasonable; *im Rahmen des 2en* within reason; **~bügel** *m* carrying handle.

Trage ['tra:gə] *f* (-; -n) hand-barrow; → *Tragbahre*.

träge ['trɛ:gə] *adj.* lazy, indolent; idle, slothful; sluggish (*a. stock exchange*: = dull); (*a. phys.*) inert.

tragen ['tra:gən] **I.** *v/t.* (*irr., h.*) carry; take; convey, transport; lift; carry, support, (up)hold; bear, yield, produce; wear (*dress, hat, etc.*), have on; e-e *Brille* (e-n *Bart*) *~* wear glasses (a beard); carry (*sound*); bear (*fruit, fig. consequences, loss, name, responsibility, etc.*); bear, defray (*cost*); *fig.* bear, endure, suffer; → *Bedenken, Rechnung, Sorge, Verlangen, Zinsen, etc.*; *bei sich ~* have about one *or* on one's person; *fig. schwer ~ an* (*dat.*) be weighed down by; *sich ~ person*: dress; *sich gut ~ cloth*: wear well; *fig. sich mit et. ~* have one's mind occupied with, brood over *a th.*; *sich mit der Absicht ~ zu inf.* have in mind to *inf.*, intend to *inf.*, toy with the idea of (*ger.*); *econ. sich selbst ~* pay its way; **II.** *v/i.* (*irr., h.*) carry loads; *tree*: bear fruit; *zo.* be with young; *voice*: carry (*weit far*); *gun*: carry, have a range of; *schwer* zu ~ *haben* be heavily laden; *getragen* **a)** worn, second-hand (*clothes*), **b)** *fig.* solemn, measured, slow; *von e-m Gedanken, etc., getragen sein* be governed (*or* inspired) by; be based on *an idea, etc.*

Träger ['trɛːgər] *m* (-s; -) **1.** (*a.* **~in** *f* (-; -nen) carrier (*a. med. of disease*), bearer; porter; holder, bearer; wearer; *fig.* representative, champion, sustainer (*of idea*); body responsible (*gen.* for *a th.*); supporter; **2.** (shoulder) strap; *tech.* support; *arch.* supporting beam; transom; pillar; girder; *el.* carrier; *chem.* vehicle; **~frequenz** *el. f* carrier frequency; **~kleid** *n* dress with shoulder-straps; **~lohn** *m* porterage; **2los** *adj.* strapless (*dress*); **~rakete** *f* carrier rocket; **~welle** *el. f* carrier wave.

Trag... ['trɑːk-]: **2fähig** *adj.* able to support load, strong; *econ.* productive; *fig.* sound; **~fähigkeit** *f* (-) carrying (*or* load) capacity; *of bridge*: safe load; *of crane, a. aer.*: lifting capacity; *mar.* tonnage; buoyancy; **~fläche** *f*, **~flügel** *aer. m* wing, airfoil; **~gurt** *m* carrying strap; *arch.* suspension band.

Trägheit ['trɛːkhaɪt] *f* (-) laziness, indolence; sluggishness; *phys.* inertia (*a. fig.*); *chem.* inactivity; **~sgesetz** *n* (-es) law of inertia; **~smoment** *n* moment of inertia.

Tragik ['trɑːgik] *f* (-) tragedy; *fig. a.* tragicalness, tragic nature; **~er** *m* (-s; -) tragic poet, tragedian.

'tragikomisch *adj.* tragicomic(ally *adv.*); *fig. a.* pathetic(ally *adv.*).

Tragiko'mödie *f* tragicomedy.

'tragisch I. *adj.* tragic(al *fig.*); **II.** *adv.* tragically; *et. ~ nehmen* take a th. to heart; *ich nehme es nicht ~* I don't take it hard.

'Trag...: ~korb *m* pannier, hamper; back-basket; **~kraft** *f* (-) → *Tragfähigkeit*; **~last** *f* load, burden; portable luggage; *tech.* (load) capacity.

Tragöd|e [tra'gøːdə] *m* (-n; -n) tragic actor, tragedian; **~ie** [-diə] *f* (-; -n) tragedy; **~in** *f* (-; -nen) tragic actress, tragedienne.

'Trag...: ~pfeiler *m* pillar; **~riemen** *m* (carrying) strap; sling (*of rifle*); **~sattel** *m* pack-saddle; **~schrauber** [-ʃraubər] *aer. m* (-s; -) gyroplane, autogiro; **~seil** *n* supporting cable; **~sessel, ~stuhl** *m* sedan (-chair); **~tasche** *f* carrying case; **~tier** *n* pack animal; **~tüte** *f* carrier bag; **~weite** *f* (-) range; *fig.* reach, import(ance), consequences *pl.*, implications *pl.*; *von großer ~* of great moment; **~werk** *aer. n* wing unit.

Train [trɛ̃ː] *mil. m* (-s; -s) train, *Brit.* Army Service Corps.

Trainer ['trɛːnər] *m* (-s; -) trainer, coach.

trai'nieren *v/t. and v/i.* (*h.*) train, coach.

Training ['-niŋ] *n* (-s; -s) training; **~s-anzug** *m* training overall, track-suit; **~sfahrt** *mot. f* practise run; **~slager** *n* training camp.

Trajekt(schiff) [tra'jɛkt-] *n* (-[e]s; -e) train-ferry.

Trak|tat [trak'tɑːt] *n* (-[e]s; -e) treatise, *eccl.* tract; treaty; **2tieren** *v/t.* (*h.*) treat (*mit* to); *mit Fußtritten ~* kick.

Traktor ['traktɔr] *m* (-s; -'toren) tractor.

trällern ['trɛlərn] *v/t. and v/i.* (*h.*) trill, hum.

Trampel ['trampəl] *colloq. m* (-s; -) clodhopper, lout; **2n** *v/i.* (*h.*) trample, stamp; **~pfad** *m* beaten track, trail; **~tier** *zo. n* Bactrian camel.

Tran [trɑːn] *m* (-[e]s; -e) train(-oil), whale-oil; blubber.

Trance [trɑ̃ːns] *f* (-; -n) trance; *in ~ fallen* go off into a trance; *in ~ versetzen* (en)trance, mediumize.

Tranche ['trɑ̃ːʃ(ə)] *econ. f* (-; -n) slice (of a loan).

Tranchier|besteck [trɑ̃'ʃiːr-] *n* (*ein ~* a pair of) carvers *pl.*; **2en** *v/t.* (*h.*) carve, cut up; **~messer** *n* carving-knife.

Träne ['trɛːnə] *f* (-; -n) tear; *den ~n nahe* on the verge of tears; *unter ~n* amid tears; *in ~n ausbrechen* burst into tears; → *auflösen*.

'tränen *v/i.* (*h.*) run with tears, water; **2drüse** *f* lachrymal gland; **~erstickt** *adj.* choked with tears; **2gas** *n* (-es) tear-gas; **~leer** *adj.* tearless; **~reich** *adj.* tearful, lachrymose; **2sack** *m* lachrymal sac; **2strom** *m* flood of tears; **~überströmt** *adj.* bathed in tears.

tranig ['trɑːniç] *adj.* smelling (*or* tasting) of train-oil; *w.s.* oily; *fig.* dull.

Trank [traŋk] *m* (-[e]s; ⸚e) drink, beverage; *pharm.* draught, potion; infusion.

trank *pret. of trinken.*

Tränke ['trɛŋkə] *f* (-; -n) watering-place, horse-pond; watering tank; **2n** *v/t.* (*h.*) *j-n*: give *a p.* to drink, still *a p.'s* thirst; water (*cattle, plant*); soak, steep; *tech. a.* impregnate; *chem.* saturate.

'Trank-opfer *n* drink-offering.

Trans-akti'on [transˀ-] *f* transaction.

transat'lantisch *adj.* transatlantic.

Transfer [-'feːr] *econ. m* (-s) transfer; **~agent** *m* transfer agent.

transfe'rier|bar *econ. adj.* transferable; **2en** *v/t.* (*h.*) transfer (*an or auf acc.* to *or* on).

Transformati'on *f* transformation.

Transfor|mator [-fɔr'mɑːtɔr] *el. m* (-s; -'toren) transformer.

transfor'mieren *el. v/t.* (*h.*) transform; step up (*or* down).

Transfusion [-fuzi'oːn] *med. f* (-; -en) transfusion.

Transistorgerät [tran'zistɔr-] *n* transistor radio.

Transit|güter [tran'ziːt-] *econ. n/pl.* transit goods; **~handel** *m* transit trade.

transitiv ['-zitiːf] *gr. adj.* transitive.

transitorisch [-'toːriʃ] *adj.* transitory, transient; *econ.* suspense (*account, item, etc.*), transmitted (*loan*).

Tran'sitverkehr *econ. m* transit trade (*or* traffic).

Transjor'danien *n* Trans-Jordan.

Transmissi'on *tech. f* transmission; **~skette** *f* transmission (*or* driving) chain; **~swelle** *f* connecting shaft.

transoze'anisch *adj.* transoceanic.

transparent [-pa'rɛnt] *adj.* transparent, diaphanous; **2** *n* (-[e]s; -e) transparency; (*demonstrators', etc.*) banner.

Transpi|ration [-piratsi'oːn] *f* (-) perspiration; **2'rieren** *v/i.* (*h.*) perspire.

Transplan|tation [-plantatsi'oːn] *f* (-; -en) *med. f* (-; -en) transplantation, grafting; **2'tieren** *v/t.* (*h.*) transplant, graft.

transponieren [-po'niːrən] *mus. v/t.* (*h.*) transpose.

Transport [-'pɔrt] *m* (-[e]s; -e) transport(ation *Am.*), conveyance, carriage, *mar. or. Am.* shipment; haulage; *bookkeeping*: → *Übertrag*; *während des ~es* in transit; **trans-por'tabel** [-'tɑːbəl] *adj.* transportable; portable; mobile.

Trans'port...: ~arbeiter *m* transport worker; **~band** *n* (-[e]s; ⸚er) conveyor(-belt); **~er** *m* (-s; -) → *Transportschiff, Transportflugzeug.*

Transporteur [-'tøːr] *m* (-s; -e) transporter, carrier; *math.* protractor.

Trans'port...: 2fähig *adj.* transportable; *patient*: *a.* transferable; **~firma** *f* → *Transportunternehmen*; **~flugzeug** *n* transport aircraft *or* plane, cargo (*mil.* troop) carrier aircraft; **~gelegenheit** *f* transport facility; **~geschäft** *n* carrying trade, forwarding business.

transpor'tieren *v/t.* (*h.*) transport, carry, convey; move; haul; *mar. or Am.* ship; *bookkeeping*: carry forward.

Trans'port...: ~kolonne *f* motor convoy; **~kosten** *pl.* transport(ation) charges, carriage *sg.*; *mar.* freight (charges); cartage *sg.*; **~mittel** *n* means of transport(ation *Am.*) *or* conveyance; **~schiff** *n* transport, *mil.* troopship, *Brit. a.* trooper; **~schwimmen** *n* rescuing, carry swimming; **~schnecke** *tech. f* screw conveyor; **~unternehmen** *n* carriers *pl.*, haulage contracting firm; **~unternehmer** *m* carrier, hauler, *Am. a.* teamster; **~versicherung** *f* insurance against risk of transport; (*See2*) marine insurance; **~wesen** *n* (-s) transportation (system).

transzendent [-tsen'dɛnt] *adj.* transcendental.

Trapez [tra'peːts] *n* (-es; -e) *math.* trapezoid; trapezium; *gym.* trapeze; **~effekt** *TV m* keystone effect; **2förmig** [-fœrmiç] *adj.* trapezoid(al); **~gewinde** *tech. n* acme thread; **~künstler(in** *f*) *m* trapezist, aerial acrobat.

Trappe ['trapə] *orn. f* (-; -n) bustard.

trappeln ['trapəln] *v/i.* (*h., sn*) tramp, clatter; patter.

Trara [tra'rɑː] *colloq. n* (-s; -s) fuss, noise, hullabaloo.

Tras|sant [tra'sant] *econ. m* (-en; -en) drawer; **~sat** [-'sɑːt] *m* (-en; -en) drawee.

Trasse ['trasə] *tech. f* (-; -n) line.

tras'sieren *v/t. and v/i.* (*h.*) *econ. ~ auf* (*acc.*) draw on; *tech.* lay out, trace (out).

trat [trɑːt] *pret. of treten.*

Tratsch [trɑːtʃ] *colloq. m* (-es) gossip, tittle-tattle; twaddle; **2en** *v/i.* (*h.*) gossip; twaddle, gabble.

Tratte ['tratə] *econ. f* (-; -n) draft; **~n-avis** *n* advice of draft; **~nkredit** *m* acceptance credit.

Traualtar ['traʊ-] *m* marriage-altar.

Traube ['traʊbə] *f* (-; -n) bunch of grapes; grape; *fig.* cluster.

'**Trauben...:** **~beere** *f* grape; **2-förmig** [-fœrmiç] *adj.* grape-like; **~kur** *f* grape-cure; **~lese** *f* vintage; **~presse** *f* wine-press; **~saft** *m* grape juice; **~säure** *f* racemic acid; **~stock** *m* vine; **~zucker** *m* grape-sugar, glucose.

trauen ['traʊən] **I.** *v/t.* (*h.*) marry, join in marriage *or* wedlock; *sich ~ lassen* get married, marry, ankle up the aisle; **II.** *v/i.* (*h.*) trust (*j-m* a p.), confide (*dat.* in), have (*or* put one's) confidence (in); rely (*j-m* on a p.); → *Weg*; *trau, schau, wem!* look before you leap; *ich traute m-n Ohren nicht* I could not believe my ears; *sich ~* → *getrauen*.

Trauer ['traʊər] *f* (-) sorrow, affliction, grief (*um* at, *j-n*: for *a p.*); (*a. ~kleidung*) mourning; *tiefe ~* deep mourning; *~ anlegen* (*ablegen*) go into (out of) mourning; *~ haben* be in mourning; **~anzeige** *f* obituary (notice); **~binde** *f* (black) crape; **~botschaft** *f* sad (*or* mournful) news *sg.*; **~esche** *bot. f* weeping ash; **~fahne** *f* black (*or* half-mast) flag; **~fall** *m* death; **~feier** *f* funeral service, obsequies *pl.*; **~flor** *m* mourning crape; **~geleit** *n* funeral procession; **~gottesdienst** *m* → *Trauerfeier*; **~haus** *n* house of mourning; **~jahr** *n* year of mourning; **~kleid** *n* mourning(-dress); **~kloß** *colloq. m* stick-in-the-mud, wet blanket, *Am. a.* lemon; **~marsch** *m* funeral march.

'**trauern** *v/i.* (*h.*) mourn (*um* for); *um j-n ~ a.* lament a p.'s loss; *w.s.* grieve (about); be in (*or* wear) mourning; **2** *n* (-s) mourning; **~d** *adj.* afflicted, grief-stricken; **2de(r** *m*) *f* (-n, -n; -en, -en) mourner.

'**Trauer...:** **~nachricht** *f* sad (*or* mournful) news *sg.*; **~rand** *m* mourning-border, mourning-edge; *Briefpapier mit ~* mourning-paper; *humor.* dirty fingernails; **~rede** *f* funeral oration; **~schleier** *m* mourning-veil, weeper; **~spiel** *n* tragedy; **2voll** *adj.* mournful, sad; **~weide** *f* weeping willow; **~zeit** *f* time of mourning; **~zug** *m* funeral procession.

Traufe ['traʊfə] *f* (-; -n) eaves *pl.*; gutter; → *Regen*.

träufeln ['trɔʏfəln] **I.** *v/t.* (*h.*) drop, drip; **II.** *v/i.* (*h.*) drop, drip, trickle, fall in drops.

'**Trauf|rinne** *f* gutter; **~röhre** *f* gutter-pipe.

traulich ['traʊliç] *adj.* intimate; cosy, snug; **2keit** *f* (-) intimacy; cosiness.

Traum ['traʊm] *m* (-[e]s; ⸗e) dream (*a. fig.*); reverie, daydream; vision; *böser* (*quälender*) *~* nightmare, bad dream; *das fällt mir nicht im ~ ein* I would not dream of (doing) it; *all seine Träume erfüllten sich* all his dreams came true.

Trauma ['traʊma] *n* (-s; -men) (*seelisches ~* psychic) trauma.

trau'matisch *adj.* traumatical.

'**Traum...:** **~bild** *n* vision, phantom; **~buch** *n* dream-book; **~deuter(in** *f*) [-dɔʏtər(in)] *m* (-s, -; -, -nen) dream-reader; **~deutung** *f* interpretation of dreams.

träumen ['trɔʏmən] *v/i. and v/t.* (*h.*) dream (*von* of) day-dream, be in a reverie; *schwer ~* have heavy dreams; *ich* (*or mir*) *träumte* I dreamt (*or* dreamed); *fig. das hätte ich mir nie ~ lassen* I should never have dreamed of such a thing; *träume schön!* pleasant dreams!; '**Träumen** *n* (-s) dreaming; dreams *pl.*

'**Träumer** *m* (-s; -), **~in** *f* (-; -nen) dreamer (*a. fig.* visionary; **Träume'rei** *f* (-; -en) dreaming; *fig. a.* reverie (*a. mus.*), day-dream, musing; '**träumerisch** *adj.* dreamy; (sinnend) musing, bemused.

'**Traum...:** **~gesicht** *n* (-[e]s; -e) → *Traumbild*; **2haft** *adj.* dreamlike; **~land** *n* dreamland; **2verloren**, **2versunken** *adj.* lost in dreams; **~welt** *f* world of dreams; **~zustand** *m* (*hypnotischer ~*) trance.

'**Traurede** *f* marriage sermon.

traurig ['traʊriç] *adj.* sad (*über acc.* at); grieved, sorrowful; mournful, brokenhearted; melancholy; unhappy; depressed, crestfallen, *Am. a.* blue; gloomy; wretched; deplorable, sorry (*sight, state, etc.*); *~ stimmen* sadden; **2keit** *f* (-) sadness; grief, sorrow; melancholy, *the* blues; wretchedness.

'**Trau...:** **~ring** *m* wedding-ring; **~schein** *m* marriage certificate.

traut [traʊt] *adj.* beloved, dear; *a.* → *traulich*.

'**Trau...:** **~ung** *f* (-; -en) marriage ceremony; wedding; **~zeuge** *m* witness to a marriage.

Traveller-Scheck ['trɛvələr-] *m* traveller's cheque, *Am.* traveler's check.

Travestie [travɛ'sti:] *f* (-; -n), **2ren** *v/t.* (*h.*) travesty.

Treber ['tre:bər] *pl.* husks of grapes; draff *sg.*, brewer's grains.

Treck [trɛk] *m* (-s; -s) trek; '**2en** *v/i.* (*h., sn*) trek; *mar.* tow, haul; '**~er** *m* (-s; -) tractor.

Treff [trɛf] **1.** *n* (-s; -s) *cards*: club(s *pl.*); **2.** *m* (-[e]s; -e) hit, blow; *colloq. e-n ~ weghaben* be no longer the same; **3.** rendezvous (*Fr.*).

treffen **I.** *v/t.* (*irr., h.*) hit, strike; *nicht ~* miss; *der Schlag traf ihn am Kinn* the blow caught him on the chin; befall; *fig.* concern, touch, affect; hit *it* off (well); meet; find at home; *sich ~* (*irr., h.*) meet; gather, assemble; *sich mit j-m ~ a.* have an appointment *or* rendezvous with a p., have a date with a p.; *sich ~* happen; *es traf sich, daß* it so happened that; *das trifft sich gut!* that's lucky!, how fortunate!, *Am. a.* what a break!; *colloq. es gut ~* come at the right time, *w.s.* strike gold, strike it rich; *paint., phot. du bist gut getroffen* this is a good likeness of you; *fig.* cut to the quick, hit hard; *sich getroffen fühlen* feel hurt; *das Los traf ihn* the lot fell on him; *wen trifft die Schuld?* who is to blame?, who is responsible for this?; *dieser Vorwurf trifft mich nicht* this reproach doesn't apply to me; → *Anstalten, Blitz, Entscheidung, Maßnahme, Ton, Vorkehrung, etc.*; **II.** *v/i.* (*irr., h.*) hit, find its (*or* their) mark, go home (*all a. fig.*); *boxing*: *a.* land, connect; *nicht ~* miss (the mark); *getroffen!* hit!, *fenc.* touché (*Fr.*)!; *~ auf* (*acc.*) meet with, light on, come across, stumble on; *auf den Feind*: encounter, fall in with (*the enemy*); **2** *n* (-s) meeting, assembly, (*a. w.s.*) rendezvous; *Am. a.* rally; gathering; *sports*: meet, contest, bout; *mil.* encounter; *fig. Gründe ins ~ führen* put forward arguments; **~d** *adj.* striking; apt, appropriate, to the point.

'**Treffer** *m* (-s; -) hit (*a. fenc., boxing*), good shot; (*Voll2*) direct hit; *sports*: goal; *fig.* (lucky) hit, lucky strike; (*lottery*) prize; *thea.* great hit, draw; (*book*) best-seller; *~ erzielen* score (hits *or* goals), *boxing*: *a.* land (punches); **~bild** *n shooting*: group.

'**trefflich** *adj.* excellent; exquisite, choice; **2keit** *f* (-) excellence, choiceness.

'**Treff...:** **~punkt** *m* meeting-place, rendezvous; *artillery*: point of impact; **2sicher** *adj.* sure-hitting, unerring; *fig.* unerring, sound (*judgement*); **~sicherheit** *f* (-) accuracy of aim, unfailing aim.

Treib|anker ['traɪpˀ-] *mar. m* drag anchor; **~eis** *n* drift-ice, floating ice.

treiben ['traɪbən] **I.** *v/t.* (*irr., h.*) drive (*a. ball, cattle, wheel, etc.*); *tech.* drive, work, operate; put in motion, propel; *e-n Nagel in die Wand ~* drive a nail into the wall; *den Feind aus dem Land ~* drive the enemy from the country; *river*: *Eis ~* carry ice; drift (*smoke, snow*); *bot.* put forth (*leaves*); force (*plants*); *med.* produce, promote (*sweat*); raise (*dough*); (en)chase, emboss, raise (*metal*); refine, cupel; *fig.* impel, move; drive (*worker*); *j-n ~ zu inf.* induce (*or* bring *or* prompt) a p. to *inf.*, urge (*or* press *or* force) a p. to *inf.*; practise; cultivate (*arts, science*); pursue, follow (*profession*); carry on (*business, trade*); *er trieb e-n schwunghaften Handel mit* he drove a roaring trade with; *e-e Politik ~* pursue a policy; → *Sport*; *Sprachen ~* study languages; *jur.* commit, practise; *Aufwand ~* live in great style; *es toll ~* carry on like mad, go too far; *wenn er es weiterhin so treibt* if he carries (*or* goes) on like that; *was treibst du?* what are you doing there?; *die Dinge ~ lassen* let things drift; *sich ~ lassen* float, *fig.* let o.s. drift (*or* go); → *Enge, Spitze, Unfug, Verzweiflung, etc.*; **II.** *v/i.* (*irr., sn*) drive; float; drift (*a. of smoke, snow*; *fig. in e-n Krieg* into a war); *bot.* shoot forth, germinate; ferment, work; (*Urin ~*) be a (*or* act as) a dieretic; *mar. vor Anker ~* drag the anchor; *~de Kraft* driving force, moving power, *a. fig.* prime mover; **2** *n* (-s) driving, *etc.*; doings, activities *pl.*; goings-on *pl.*; bustle, stir, activity; *buntes ~* medley, colo(u)rful scene.

ˈ**Treiber** *m* (-s; -) driver; drover; *hunt.* beater; oppressor, slave-driver; *tech.* propeller; *on loom*: picker.

Treibeˈrei *f* (-; -en) urging, rushing.

ˈ**Treib...:** **~fäustel** [-fɔʏstəl] *m* (-s; -) sledge hammer; **~gas** *n* fuel (*or* propellent) gas; **~haus** *n* hothouse; **~hauspflanze** *f* hothouse plant; **~holz** *n* driftwood; **~jagd** *f* battue; *fig.* (witch-)hunt; **~kraft** *f* (-) propelling (*or* motive) power, driving power *or* force; **~ladung** *mil. f* propelling charge; **~mine** *f* floating mine; **~mittel** *tech. n* propellent (*a. fig.*); *med.* purgative, evacuant; *baking, etc.*: raising agent; **~öl** *n* fuel oil; **~rad** *n* driving-wheel; *mil.* sprocket wheel (*of tank*); **~riemen** *m* driving belt; **~satz** *m* propelling charge (*of rocket*); **~stoff** *mot. m* (power) fuel, *esp. of rocket*: propellent; → *Benzin*; **~stofflager** *n* fuel dump.

treidel|n [ˈtraɪdəln] *mar. v/t. and v/i.* (*h.*) tow; **²pfad** *m* tow(ing)-path.

tremulieren [tremuˈliːrən] *mus. v/i.* (*h.*) quaver, shake; sing with a tremolo.

trennbar [ˈtrɛnbaːr] *adj.* separable; detachable; **²keit** *f* (-) separability.

ˈ**trennen** *v/t.* (*h.*) separate (*a. chem., tech.*), sever, put asunder; divide; detach; disjoin; isolate, segregate; disunite; separate (*spouses*); dissolve, break up; rip up, undo (*seam*); *teleph.* cut off, disconnect; *sich ~* (*h.*) separate (*von* from); part; *spouses*: separate; *sich in Zwietracht etc., ~ von* (*dat.*) break with, sever o.s. with, sever one's connection with *a p.*; *sich in zwei Lager ~* split (*into two camps, parties, etc.*); *j-m den Kopf vom Rumpfe ~* sever a p.'s head (from his body); *~!* *boxing*: break!; *getrennt leben* be separated; *econ. mit getrennter Post* under separate cover.

ˈ**Trenn...:** **²scharf** *adj. radio*: selective; **~schärfe** *f radio*: selectivity.

ˈ**Trennung** *f* (-; -en) separation (*a. chem., tech.*), severance; disconnection; segregation; division (*a. gr.*); *jur. eheliche ~* judicial separation; *fig.* divorce; **~slinie** *f* dividing (*or* parting) line; **~sschmerz** *m* wrench, pain of separation; **~sstrich** *m* dash; → *Trennungszeichen*; **~sstunde** *f* parting hour; **~swand** *f* partition (wall); **~szeichen** *n gr., typ.* hyphen; di(a)eresis; *teleph.* cut-off signal; **~szulage** *f* separation allowance.

Trense [ˈtrɛnzə] *f* (-; -n) snaffle, *mil.* bridoon.

treppauf [trɛpˈˀaʊf] *adv.*: *~, treppab* upstairs, downstairs.

Treppe [ˈtrɛpə] *f* (-; -n) staircase, (*eine ~* a flight *or* pair of) stairs *pl.*; *Am. a.* stairway; steps *pl.*; *zwei ~n hoch* on the second floor; *die ~ hinab* (*hinauf*) downstairs (upstairs).

ˈ**Treppen...:** **~absatz** *m* landing; **~flucht** *f* flight of steps; **²förmig** [-fœrmiç] *adj.* stepped, terraced; **~geländer** *n* banisters *pl.*; **~haus** *n* (well of a) staircase; **~läufer** *m* stair-carpet; **~stufe** *f* stair, step; **~witz** *m* after-wit; *w.s.* bad joke; *~ der Weltgeschichte* paradox of history.

Tresor [treˈzoːr] *m* (-s; -e) treasury; strong-room, *esp. Am.* vault; *n.s.* safe; **~abteilung** *f* safe deposit department; **~fach** *n* safe deposit box.

Tresse [ˈtrɛsə] *f* (-; -n) galloon, lace; *mil.* stripe.

Trester [ˈtrɛstər] *m pl.* → *Treber.*

Tret-anlasser [ˈtreːt-] *mot. m* kick-starter.

ˈ**treten I.** *v/i.* (*irr., sn*) tread; step, walk; stride; *cyclist*: treadle, pedal; *ins Haus ~* enter the house; *fig. in ein Amt ~* enter upon an office; *j-m in den Weg ~* block (*or* stand in) a p.'s way; *j-m unter die Augen ~* appear before (*or* face) a p.; *zu j-m ~* step (*or* walk) up to a p.; *über die Ufer ~* overflow its banks; → *nahe, näher*; *~ Sie näher!* step nearer!; → *Dasein, Kraft, Seite, Stelle*; **II.** *v/t.* (*irr., h.*) tread; treadle, work (*the treadle*); kick; *mit Füßen ~* trample upon; *sein Glück mit Füßen ~* spurn one's fortune; (*in*) *die Pedale ~* pedal (away); *in den Staub ~* crush under foot; *sich e-n Dorn in den Fuß ~* run a thorn into one's foot; *swimming*: *Wasser ~* tread water.

ˈ**Tret...:** **~hebel** *m*, **~kurbel** *f* treadle; **~mine** *mil. f* contact mine; **~mühle** *f* treadmill (*a. fig.*); **~schalter** *m* foot switch; **~(zwei)rad** *n* push-bicycle.

treu [trɔʏ] *adj.* faithful (*a. fig.* = accurate), true (*dat.* to); loyal (to); devoted (to); sta(u)nch (*adherent, friend*); trusty; faithful (*memory*); *zu ~en Händen* in trust; *~ wie Gold* true as steel; *sich* (*s-n Grundsätzen*) *~ bleiben* remain true to o.s. (one's principles); *s-m Vorsatz ~ bleiben* stick to one's purpose; *das Glück blieb ihm ~* his luck held; **²** *f* (-) → *Treue*; *auf ~ und Glauben* in good faith, in trust; *meiner ~!* upon my soul!

ˈ**Treu...:** **~bruch** *m* breach of faith (*or* trust); disloyalty; perfidy; **²brüchig** *adj.* faithless; perfidious; **~e** *f* (-) faithfulness (*a. fig.* accuracy); loyalty; faith; *j-m die ~ brechen* break faith with a p., betray a p.; *j-m die ~ halten* keep faith with, remain loyal to *a p.*; **~eid** *m* oath of allegiance; **²ergeben, ²gesinnt** *adj.* loyal (*dat.* to); **~hand** *f* (-) trust; **~händer** [-hɛndər] *m* (-s; -) trustee, fiduciary, custodian; (official) receiver; **²händerisch I.** *adj.* fiduciary; **II.** *adv.* in trust; *~ verwalten* hold in trust; **~händerschaft** *f* (-) trusteeship; **~handgesellschaft** *f* trust company; **~handverhältnis** *n* trust; **~handvermögen** *n* trust estate, trust property; **~handvertrag** *m* trust-deed; **²herzig** *adj.* guileless; candid, frank; simple-minded, ingenuous, naive; **~herzigkeit** *f* (-) guilelessness; frankness; ingenuousness; **²lich** *adv.* faithfully; truly; **²los** *adj.* faithless (*gegen* to); disloyal (to); perfidious, treacherous; **~losigkeit** *f* (-) faithlessness; infidelity (*of spouse*); perfidy, treachery; **~pflicht** *f* conscientious obligation; *Verletzung der ~* breach of trust.

Triangel [ˈtriːaŋəl] *math., mus. m* (-s; -) triangle.

Tribun [triˈbuːn] *m* (-s; -e) tribune.

Tribunal [-buˈnaːl] *n* (-s; -e) tribunal.

Tribüne [triˈbyːnə] *f* (-; -n) **1.** platform, rostrum; **2.** (grand)stand.

Tribut [-ˈbuːt] *m* (-[e]s; -e) tribute; *fig. j-m s-n ~ zollen* pay tribute to; **²pflichtig** *adj.* tributary.

Trichine [triˈçiːnə] *f* (-; -n) trichina; **~nkrankheit, Trichiˈnose** [triçiˈnoːzə] *f* (-; -n) trichinosis.

Trichter [ˈtriçtər] *m* (-s; -) funnel; *tech.* feeding hopper; *metall.* (down)gate; *mil.* crater; horn (*of loudspeaker*); megaphone; *anat.* infundibulum; **~feld** *n* shell-pitted area; **²förmig** [-fœrmiç] *adj.* funnel-shaped; **~lautsprecher** *m* horn-loudspeaker; **²n** *v/t.* (*h.*) pour through a funnel; **~wagen** *rail. m* hopper car.

Trick [trik] *m* (-s; -s) trick (*a. cards*); stunt; gimmick; artifice, dodge, sleight of hand; ˈ**~aufnahme** *f film*: trick shot; ˈ**~film** *m* trick film, stunt film; cartoon film.

Trieb [triːp] *m* (-[e]s; -e) *bot.* sprout, young shoot; germinating power; driving force; impulse; instinct; urge; desire; inclination, bent; *sinnlicher ~* carnal desire, sexual urge.

trieb *pret. of treiben.*

ˈ**Trieb...:** **~feder** *f* main-spring; *fig. a.* motive; *die ~ e-r Sache sein* be at the bottom of a th.; **²haft** *adj.* instinctive; animal-like, being a slave to one's instincts; carnal; **~knospe** *f* leaf bud; **~kraft** *f* propelling (*a. fig.* motive) power, driving force; **~leben** *n* (-s) sex life; **~ling** [-liŋ] *tech. m* (-s; -e) (drive) pinion; **~rad** *n* driving wheel; **~sand** *m* quicksand; **~stahl** *m* pinion steel; **~verbrecher** *m* sex offender; **~wagen** *m rail.* rail-car, (rail) Diesel car, autorail, *Brit.* rail-motor; prime mover, motor carriage (*of streetcar*); **~wagenzug** *m* motorcoach train; **~welle** *tech. f* drive shaft; **~werk** *tech. n* gear (drive), (driving) mechanism, transmission (machinery); engine; power plant (*or* unit).

Trief|auge [ˈtriːf-] *n* blear-eye; **²äugig** *adj.* blear-eyed; **²en** *v/i.* (*irr., h.*) drip (*von* with); *eye, nose*: run; *candle*: gutter; *fig.* overflow (with); **²nasig** [-naːziç] *adj.* snivel(l)ing; **²naß** *adj.* dripping wet.

triezen [ˈtriːtsən] *colloq. v/t.* (*h.*) vex, plague; tease, rib.

Trift [trift] *f* (-; -en) pasturage; pasture, *poet. a.* meadow; drove, herd; cattle-track; (timber) floating; *geol.* drift.

ˈ**triftig** *adj.* valid, sound, strong; weighty; cogent; convincing, conclusive; plausible; *~er Grund a.* good reason; **²keit** *f* (-) validity; weight(iness); cogency; plausibility.

Trigonometrie [trigonomeˈtriː] *f* (-) trigonometry; **trigonome-**

trisch [-ˈme:triʃ] *adj.* trigonometrical; **~er** *Punkt* triangulation point.
Trikot [triˈko:] *n* (-s; -s) (*cloth*) stockinet, (*a. garment*) tricot; *circus*: tights *pl.*; fleshings *pl.*; *sports*: vest.
Trikotagen [-koˈtɑ:ʒən] *pl.* hosiery, knitted goods *pl.*
Triˈkot...: ~jacke *f* jersey; **~wäsche** *f* tricot lingerie.
Triller [ˈtrilər] *m* (-s; -) trill, shake; *mus.* quaver; **2n** *v/i. and v/t.* (*h.*) trill, shake; *mus.* quaver; *bird*: warble; **~pfeife** *f* alarm-whistle.
Trillion [triliˈo:n] *f* (-; -en) trillion, *Am.* quintillion.
Trilogie [triloˈgi:] *f* (-; -n) trilogy.
ˈ**trimmen** [ˈtrimən] *v/t.* (*h.*) trim (*a. aer., mar., el.*).
Trinitrotoluol [trinitrotoluˈo:l] *n* (-s) trinitrotoluene (*abbr.* T.N.T.).
trink|bar [ˈtriŋkbɑ:r] *adj.* drinkable, potable; **2becher** *m* drinking-cup; **2branntwein** *m* potable spirit(s *pl.*); **~en** *v/t.* (*irr., h.*) drink (*a. v/i., a. b.s.*); take, have (*tea, etc.*); carouse, tipple; *fig.* imbibe, drink in; ~ *auf j-n or et.* drink to, toast (*a p. or th.*); *gern eins* ~ be fond of a drop; *der Wein läßt sich* ~ the wine is drinkable; *was* ~ *Sie?* what do you have (to drink)?, what's your poison?; **2en** *n* (-s) drinking; *sich das* ~ *angewöhnen* take to drinking (*or* the bottle); **2er(in** *f*) *m* (-s, -; -, -nen) drinker; *b.s.* drunkard, alcoholic; **2erheilanstalt** *f* institution for the cure of alcoholics; **~fest** *adj.* able to stand alcohol; *er ist* ~ *a.* he holds his liquor well; **2gefäß** *n* drinking-vessel; **2gelage** *n* drinking-bout, carousal; **2geld** *n* gratuity, tip; *j-m (ein)* ~ *geben* tip a p.; **2glas** *n* drinking-glass; tumbler; **2halle** *f* **1.** *at spa*: pump-room; **2.** coffee-stall; **2halm** *m* drinking-straw; **2kur** *f* course of waters; *e-e* ~ *machen* drink the waters; **2lied** *n* drinking-song; **2milch** *f* certified milk; **2spruch** *m* toast; **2stube** *f* tap-room; **2wasser** *n* (-s) drinking-water; **2wasseraufbereitungsanlage** *f* water purification unit.
Trio [ˈtri:o] *n* (-s; -s) trio.
Triode [triˈo:də] *el. f* (-; -n) triode, three-electrode tube.
Triole [triˈo:lə] *mus. f* (-; -n) triplet.
Triplik [triˈpli:k] *jur. f* (-; -en) (plaintiff's) surrejoinder.
trippeln [ˈtripəln] *v/i.* (*sn*) trip.
Tripper [ˈtripər] *med. m* (-s; -) gonorrh(o)ea, clap.
Triptik [ˈtriptik] *mot. n* (-s; -s) triptique.
Tritt [trit] *m* (-[e]s; -e) tread, step; pace; footprint, footstep; footfall; kick; stepstool; *tech.* treadle; → *Trittbrett, Trittleiter*; *mount.* foothold; *im* ~ in step; *in falschem* ~ out of step; ~ *fassen* fall in step; ~ *halten* keep step; *aus dem* ~ *geraten* break step; *j-m e-n* ~ *versetzen* give a p. a kick; *colloq. j-m den* ~ *geben* give a p. the push; *mil. ohne* ~, *marsch!* route step, march!; **~brett** *n* footboard, carriage-step; *mot.* running-board; **~fläche** *f* tread (*of ladder*); **~leiter** *f* step-ladder, (*eine* ~ a pair of) steps *pl.*

Triumph [triˈumf] *m* (-[e]s; -e) triumph (*a. fig.*: *über acc.* over); *im* ~ triumphantly; *fig. große* ~*e feiern* achieve great triumphs, *fig. iro.* be rampant.
triumphal [-ˈfɑ:l] *adj.* triumphant.
Triˈumph|bogen *m* triumphal arch; **~geheul** *n* howl of triumph.
triumˈphieren *v/i.* (*h.*) triumph, exult (*über acc.* over); *b.s.* gloat (over); (*defeat*) triumph (*über acc.* over), score off *a p.*; have the last laugh (*on a p.*); *zu früh* ~ count unhatched chickens.
Triˈumphzug *m* triumphal procession (*fig.* march).
trivial [triviˈɑ:l] *adj.* trivial.
trocken [ˈtrɔkən] **I.** *adj.* dry (*a. w.s. cough, cow, wine*); arid; ~*es Brot* dry (*or* plain) bread; ~*er Frost* black frost; *fig.* dry (*humour, remark*); jejune, dull, dry-as-dust; ~*er Kerl* prosy (fellow), dry stick; *prohibition*: ~*es Land* dry country; *econ.* ~*er Wechsel* promissory note; *im Trockenen* under cover, *fig. im trocknen* in safety, out of the wood; *fig. auf dem trocknen sitzen* be stranded (*or* in low water), be on the rocks; → *Schäfchen*; *noch nicht* ~ *hinter den Ohren* still wet behind the ears; ~ *bleiben* (*halten*) remain (keep) dry; **II.** *adv.*: *fig. ..., sagte er* ~ he said drily (*or* dryly).
ˈ**Trocken...: ~anlage** *f* drier installation; **~apparat** *m* drier; desiccator; **~bagger** *m* excavator; **~batterie** *el. f* dry battery; **~boden** *m* drying loft; **~dampf** *m* dry steam; **~darre** *f* drying kiln; **~dock** *mar. n* dry dock; **~ei** *n* (-[e]s) dehydrated eggs, dried (whole) eggs *pl.*; **~eis** *n* dry ice; **~element** *el. n* dry cell; **~farbe** *f* pigment; **~fäule** *f* dry rot; **~futter** *n* dry feed, provender; **~gehalt** *m* dry content; **~gemüse** *n* dried (*or* dehydrated) vegetables *pl.*; **~gestell** *n* drying-rack; clothes-horse; **~haube** *f* drying hood; **~hefe** *f* dry yeast; **~heit** *f* (-) dryness; aridity; drought; *fig.* dul(l)ness, tediousness; **~kartoffeln** *f/pl.* dehydrated potatoes; **~kost** *med. f* dry diet; **2legen** *v/t.* (*h.*) dry up; drain (*land, pit shaft*); change (*a baby's* napkins); **~legung** [ˈ-le:guŋ] *f* (-) drainage; **~maß** *n* dry measure; **~milch** *f* dried (*or* powdered) milk; **~mittel** *n* drying agent, (de)siccative; **~obst** *n* dried fruit; **~ofen** *m* drying kiln; **~periode** *f* dry spell; **~platz** *m* drying-ground; **~rasierer** [-razi:rər] *m* (-s; -) dry-shaver; **~reinigung** *f* dry cleaning; **~schleuder** *f* centrifugal drier; **~schliff** *tech. m* dry grinding; **~skilauf** *m* dry skiing; **~ständer** *m* drying rack; **~stempel** *m* embossed seal; **~substanz** *f* dry substance; **~verfahren** *n* drying process; **~zeit** *f* drying time; *meteor.* drought.
trockn|en [ˈtrɔknən] **I.** *v/t.* (*h.*) dry (up), wipe dry; *tech.* desiccate; season (*wood*); dehydrate (*fruit*); drain (*land, etc.*); air (*laundry*), hang up to dry; **II.** *v/i.* (*sn*) dry (up); **2er** *m* (-s; -) drier, desiccator; **2ung** *f* (-) drying; desiccating; seasoning; dehydration.
Troddel [ˈtrɔdəl] *f* (-; -n) tassel.
Trödel [ˈtrø:dəl] *m* (-s) second-hand articles *pl.*; lumber, *Am.* junk; rubbish, trash; **~bude** *f* old-clothes shop.
Trödeˈlei *f* (-; -en) dawdling, loitering.
ˈ**Trödel...: ~fritz** [-frits] *colloq. m* (-en; -en) slow-coach; **~kram** *m* → *Trödel*; **~markt** *m* old-clothes market, rag-fair; **2n** *v/i.* (*h.*) deal in second-hand goods; *fig.* dawdle, loiter.
Trödler [ˈtrø:dlər] *m* (-s; -) second-hand dealer, *Am.* junk-dealer; *fig.* dawdler, slow-coach; loiterer.
troff [trɔf] *pret. of triefen.*
Trog [tro:k] *m* (-[e]s; ⸚e) trough; vat; *arch.* (mason's) hod.
trog [tro:k] *pret. of trügen.*
T-Rohr [te:-] *tech. n* T-pipe (*or* -tube).
Trojan|er [troˈjɑ:nər] *m* (-s; -), **~erin** *f* (-; -nen), **2isch** *adj.* Trojan.
trollen [ˈtrɔlən] *v/i.* (*sn*) toddle along; *sich* ~ (*h.*) toddle off.
Trommel [ˈtrɔməl] *f* (-; -n) drum; *tech.* a. cylinder, barrel; *die* ~ *rühren* play the drum, *fig.* advertise, make propaganda; **~fell** *n* drumskin; *anat.* eardrum, tympanic membrane; **2fell-erschütternd** *adj.* ear-splitting, deafening; **~feuer** *n mil.* drumfire, *a. fig.* barrage (*of questions, etc.*); **2n** *v/i.* (*h.*) drum (*a. v/t.*); *nervös mit den Fingern* ~ drum with one's fingers, beat the devil's tattoo; pommel; **~revolver** *m* revolver, *Am. a.* six-shooter; **~schlag** *m* beat of the drum; *bei gedämpftem* ~ with muffled drums; **~schlegel, ~stock** *m* drumstick; **~wirbel** *m* roll of the drum(s), ruffle.
Trommler [ˈtrɔmlər] *m* (-s; -) drummer.
Trompete [trɔmˈpe:tə] *f* (-; -n) trumpet; *anat.* tube; **2n** *v/i. and v/t.* (*h.*) trumpet; (*only v/i.* [*h.*]) blow (*or* sound) the trumpet; **~ngeschmetter** *n* blare of trumpets; **~nstoß** *m* trumpet-blast; flourish of trumpets; **~r** *m* (-s; -) trumpeter.
Tropen [ˈtro:pən] *pl.* tropics; **~ausführung** *tech. f* tropical design; **~ausrüstung** *f* tropical kit; **2beständig, 2fest** *adj.* tropic-proof, withstanding tropical conditions, tropical; ~ *machen* tropicalize; **~fieber** *med. n* tropical fever; **~helm** *m* sun helmet, pith-helmet; **~kleidung** *f* tropicals *pl.*; **~koller** *med. m* tropical frenzy; **~krankheit** *f* tropical disease.
Tropf [trɔpf] *m* (-[e]s; ⸚e) **1.** simpleton, dunce; **2.** rogue, rascal; *armer* ~ poor wretch; **2bar** *adj.* liquid.
tröpfeln [ˈtrœpfəln] **I.** *v/i.* (*h.*) drop, drip, trickle, fall in drops; *water tap*: leak; *rain*: *es tröpfelt* a few drops are falling; **II.** *v/t.* (*h.*) drop, drip.
tropfen [ˈtrɔpfən] *v/t.* (*h.*) *and v/i.* (*h.*) → *tröpfeln*; *candle*: gutter.
ˈ**Tropfen** *m* (-s; -) drop; bead (*of sweat*); *pl. pharm.* drops; *fig.* *guter*

~ splendid wine; *ein ~ auf den heißen Stein* a drop in the bucket; → stet; **~fänger** *m* dripcatcher; **~form** *tech. f* drop shape; **2förmig** [-fœrmiç] *adj.* drop-shaped; **~glas** *n* dropping-glass; **2weise** [-vaɪzə] *adv.* drop by drop, by drops, dropwise.

'**Tropf...:** **~flasche** *f* dropping-bottle; **2flüssig** *adj.* liquid; **~leiste** *tech. f* drop ledge; **2naß** *adj.* dripping wet; **~ölung** *mot. f* drip-feed lubrication.

'**Tropfstein** *m* **a)** stalactite, **b)** stalagmite; **~höhle** *f* stalactite cavern.

'**tropfwassergeschützt** *adj.*: *~er Motor* drip-proof engine.

Trophäe [tro'fɛ:ə] *f* (-; -*n*) trophy.

'**tropisch** *adj.* tropical.

Troposphäre [tropo'sfɛ:rə] *f* (-) troposphere.

'**Troß** [trɔs] *mil. m* (-*sses*; -*sse*) baggage(-train); *fig.* train, (camp-) followers, hangers-on *pl.*

Trosse ['trɔsə] *f* (-; -*n*) cable, *mar.* hawser.

'**Troß...:** **~pferd** *n* baggage-horse; **~wagen** *m* baggage-cart.

Trost ['tro:st] *m* (-*es*) comfort, consolation, solace; *schlechter ~* cold comfort; *~ schöpfen aus* (*dat.*) take comfort from, find solace in; *~ zusprechen* → *trösten*; *finden*; *du bist wohl nicht recht bei ~!* you must be out of your mind!; **2bedürftig** *adj.* in need of consolation, desolate; **2bringend** *adj.* comforting.

trösten ['trø:stən] *v/t.* (*h.*) console, comfort, solace; soothe; cheer (up); *sich ~* (*h.*) take comfort (*mit* from), find solace (in), console o.s. (with); *~ Sie sich!* take comfort!, cheer up!

'**Tröster(in** *f*) *m* (-*s*, -; -, -*nen*) comforter, consoler.

'**tröstlich** *adj.* comforting, consoling; cheering.

'**Trost...:** **2los** *adj.* disconsolate, inconsolable (*über acc.* at), desolate; *fig.* cheerless; bleak, dreary, desolate; wretched, miserable; *matters*: *a.* hopeless, desperate; **~losigkeit** *f* (-) desolation, despair, prostration; *fig.* bleakness, dreariness; wretchedness; hopelessness; **~lauf** *m sports*: consolation contest; **~preis** *m* consolation prize, booby prize; **2reich** *adj.* consolatory; comforting.

'**Tröstung** *f* (-; -*en*) consolation, comfort; soothing (*or* cheering) words *pl.*

Trott [trɔt] *m* (-[*e*]*s*; -*e*) trot; *fig.* jog-trot, routine; *der alte ~* the old jog-trot.

Trottel ['trɔtəl] *m* (-*s*; -) idiot, fool, sap.

trotten *v/i.* (*sn*, *h.*) trot (along), jog along.

Trottoir [trɔto'ɑ:r] *n* (-*s*; -*e*) pavement, footpath, *Am.* sidewalk.

trotz [trɔts] *prp.* (*gen. or dat.*) in spite of, despite, notwithstanding; in the face (*or* teeth) of; *~ alledem* for all that; *~ all s-r Bemühungen* for all his efforts.

Trotz *m* (-*es*) defiance; obstinacy, pigheadedness; *aus ~* from spite; *j-m zum ~* to spite a p.; *j-m ~ bieten* defy a p.; → *trotzen*.

trotzdem [-'de:m] **I.** *adv.* nevertheless, all the same, still, in spite of it; though; **II.** *cj.* although, even though, notwithstanding that.

'**trotz|en** *v/i.* (*h.*) (*dat.*) defy, dare; brave (*danger*); resist; be obstinate; sulk, be sulky; **~ig**, **~köpfig** [-kœpfiç] *adj.* defiant; obstinate, pigheaded; sulky; **2kopf** *m* sulky child; *w.s.* stubborn (*or* pigheaded) person.

trüb(e) [try:p, '-bə] *adj.* cloudy, turbid, muddy, thick (*liquid*); dull, dim (*eyes, window, etc.*); dull, cloudy (*weather*), *a fig.* dreary, gloomy, cheerless, bleak; sad (*experience, thought*); dismal (*times*); *im ~en fischen* fish in troubled waters; *es sieht ~e aus* things are looking black.

Trubel ['tru:bəl] *m* (-*s*) turbulence, bustle, fuss; milling crowd.

'**trüben** *v/t.* (*h.*) make *liquid* (*sich* become) thick *or* muddy *or* turbid; (*a. sich ~*) cloud; (*a. sich ~*) dim (*a. light*), dull; *silver, mirror, etc.*: tarnish; (*a. sich ~*) darken; spoil, mar (*a p.'s pleasure*), cast a gloom over; blur (*vision, mind*); dull, becloud (*intellect, mind*); cloud, poison, *sich*: become strained; *der Himmel trübt sich* the sky is getting overcast; *fig. sein Urteil ist getrübt* his judgment is clouded; → *Wässerchen.*

'**Trüb...:** **~heit** *f* (-) → *trüb*; muddiness, turbidness, turbidity; dimness; dul(l)ness; cloudiness; *fig.* gloom, dreariness; **~sal** *f* (-; -*e*) affliction; misery; distress; grief, sorrow; *~ blasen* mope, be in the dumps; **2selig** *adj.* sad, gloomy, melancholy; wretched, miserable; dejected, woeful, forlorn; dreary, bleak; **~seligkeit** *f* (-) sadness, gloominess; **~sinn** *m* (-[*e*]*s*) melancholy, gloom, low spirits *pl.*, blue devils; **2sinnig** *adj.* melancholy, gloomy, dejected, sad; **~ung** *f* (-; -*en*) → *trüben*; making muddy, rendering turbid; dimming, *etc.*; (*condition*) → *Trübheit*; opacity (*on X-ray picture*); *med.* cloudiness (*of urine*).

trudeln ['tru:dəln] *aer. v/i.* (*sn*) spin; '**Trudeln** *n* (-*s*) (tail) spin; *ins ~ kommen* get into a spin.

Trüffel ['tryfəl] *bot. f* (-; -*n*) truffle.

trug [tru:k] *pret. of tragen.*

'**Trug** *m* (-[*e*]*s*) deceit, fraud; delusion, illusion, deception; falsehood; **~bild** *n* phantom, vision; illusion, hallucination, mirage.

trüg|en ['try:gən] **I.** *v/t.* (*irr.*, *h.*) deceive; *wenn m-e Augen mich nicht ~* if my eyes do not deceive me; *wenn mich mein Gedächtnis nicht trügt* if my memory serves me right; **II.** *v/i.* (*irr.*, *h.*) be deceptive; *der Schein trügt* appearances are deceptive; **2erisch** *adj.* deceitful, guileful; *fig.* deceptive; false; misleading; delusive, illusory; treacherous (*a. ice, weather*); fallacious.

'**Trug|schluß** *m* fallacy, false conclusion; **~werk** *n* deception; delusion.

Truhe ['tru:ə] *f* (-; -*n*) chest, trunk; *radio, etc.*: cabinet, console.

Trümmer ['trymər] *pl.* ruins; rubble, debris; *mar.* wreckage; fragments; remnants; *in ~ legen* lay in ruins; *in ~ gehen* go to pieces, be shattered; *in ~ schlagen* wreck, smash to pieces, *fig. a.* go to rack and ruin; **~beseitigung** *f* rubble clearance, rubble (and debris) clearing; **~feld** *n* expanse of ruins; *fig. a.* shambles; **~gestein** *geol. n* breccia; **~grundstück** *n* bombed site; **~haufen** *m* heap of ruins *or* rubble.

Trumpf [trumpf] *m* (-[*e*]*s*; ⸚*e*) (*a. fig.*) trump(-card); *was ist ~?* what are trumps; *alle Trümpfe in der Hand haben* hold all the trumps (*a. fig.*); e-*n ~ ausspielen* (play a) trump (*a. fig.*); *fig. den letzten ~ ausspielen* play one's last trump; *~ sein a. fig.* be trumps (*bei* in); *Höflichkeit ist ~* courtesy is the word; '**2en** *v/i. and v/t.* (*h.*) trump; '**~karte** *f* trump-card.

Trunk [truŋk] *m* (-[*e*]*s*; ⸚*e*) drink; *pharm.* potion; draught, gulp; drinking; *dem ~ ergeben* given to drink, addicted to the bottle; *im ~* when drunk *or* intoxicated.

'**trunken** *adj.* drunken; *pred.* drunk (*a. fig. von* with); intoxicated, inebriated; **2bold** [-bɔlt] *m* (-[*e*]*s*; -*e*) drunkard, sot; **2heit** *f* (-) drunkenness (*a. fig.*), intoxication; *jur. ~ am Steuer* drunken driving, driving while under the influence of alcohol.

'**Trunksucht** *f* (-) drunkenness, alcoholism, dipsomania.

'**trunksüchtig** *adj.* addicted to drinking, dipsomaniac; **2e(r** *m*) *f* (-*n*, -*n*; -*en*, -*en*) dipsomaniac, alcoholic.

Trupp [trup] *m* (-*s*; -*s*) troop (*a. zo.*), band, gang; *mil.* detachment, detail, party; gang, team, crew (*of workers*).

'**Truppe** *f* (-; -*n*) *mil.* troop, body; *die ~* the services, the armed forces *pl.*; unit; → *Truppengattung*; *kämpfende ~* fighting forces *pl.*, combat element; *thea.* company, troupe.

'**Truppen** *f/pl.* troops, forces; **~ansammlung** *f* concentration of forces; **~arzt** *m* medical officer; **~aushebung** *f* levy (of troops); **~betreuung** *f Brit.* Army Welfare Services *pl.*, *Am.* Special Services *pl.*; **~bewegungen** *f/pl.* troop movements; **~führer** *m* military leader, commander; **~gattung** *f* arm, branch (of the service); **~offizier** *m* line officer; **~schau** *f* military review; **~teil** *m* unit, formation; **~transport** *m* troop transport(ation) *or* movement; **~transporter** *m mar.* transport, troopship, *Brit. a.* trooper; *aer.* troop carrying aircraft, troop-carrier; **~übung** *f* field exercise, manœuvre, *Am.* maneuver; **~übungsplatz** *m* (*großer* major) training area; **~verbandplatz** *m* advanced field dressing station; clearing station; **~verschiebung** *f* dislocation of troops.

'**Trupp...:** **~führer** *m* squad leader; **2weise** [-vaɪzə] *adv.* in troops.

Trust [trast] *econ. m* (-[*e*]*s*; -*e*) trust, *Am. a.* combine.

Trut|hahn ['tru:t-] *m* turkey(-cock); **~henne** *f* turkey-hen.

Trutz [truts] *m* (-*es*) *poet.* = *Trotz.*

Tschako ['tʃako] *m* (-*s*; -*s*) shako.
Tschech|e ['tʃɛçə] *m* (-*n*; -*n*), **~in** *f* (-; -*nen*), **2isch** *adj.* Czech.
Tsetsefliege ['tsɛtse-] *zo. f* tsetse-fly.
T-Träger ['te:-] *arch. m* T-girder.
Tube ['tu:bə] *f* (-; -*n*) (collapsible) tube; *colloq. mot. auf die ~ drücken* step on it, step on the gas.
Tuberkel [tu'bɛrkəl] *m* (-*s*; -) tubercle; **~bazillus** *m* tubercle bacillus.
tuberkul|ös [-ku'lø:s] *adj.* tuberculous, tubercular; **2ose** [-ku'lo:zə] *f* (-; -*n*) tuberculosis; **~osenverdächtig** *adj.* suspected of tuberculosis.
Tuch [tu:x] *n* (-[e]*s*; -e) cloth; fabric; (-[e]*s*; ⸗er) kerchief; shawl; scarf, neckerchief, muffler; duster; rag; *das wirkt auf ihn wie ein rotes ~* that's a red rag to him; **~ballen** *m* bale of cloth; **2en** *adj.* (of) cloth; **~fabrik** *f* cloth factory; **~fühlung** *mil. f* (-) close touch; *in ~* shoulder to shoulder; *fig. ~ haben mit* be in close touch with, rub shoulders with; **~handel** *m* cloth trade, drapery; **~händler** *m* (wool[l]en) draper; **~handlung** *f*, **~laden** *m* clothier's (*or* draper's) shop; **~macher** *m* cloth-maker.
tüchtig ['tyçtiç] **I.** *adj.* able, fit; (cap)able, competent, qualified; efficient; clever, skil(l)ful; proficient, experienced; excellent; good, considerable; powerful, strong; thorough; *~ in (dat.)* good at, proficient (*or* well versed) in; *~er Esser* hearty eater; **II.** *adv.* vigorously, with a vengeance, like blazes; thoroughly, well; *colloq.* awfully; *~ arbeiten* work hard; *~ essen* eat heartily; *~ verprügeln* give a sound thrashing; **2keit** *f* (-) ability, fitness; efficiency; cleverness; proficiency; excellency; *sportliche (soldatische) ~* sporting (military) prowess.
'**Tuch...:** **~waren** *f/pl.* cloths, drapery *sg.*; **~zeichen** *aer. n* ground panel.
Tück|e ['tykə] *f* (-; -*n*) malice, spite; perfidy, insidiousness; trick (*of fate, memory*); **2isch** *adj.* malicious, spiteful; insidious (*a. disease* = malignant); vicious (*a. animal, blow*); treacherous (*a. ice, road, etc.*).
Tuff [tuf] *m* (-*s*; -e), '**~stein** *m* tuff.
tüft|eln ['tyftəln] *v/i.* (*h.*) split hairs, subtilize; *~ an (dat.)* fuss over; **2e'lei** *f* (-; -*en*) hair-splitting; '**2(e)ler** *colloq. m* (-*s*; -) (old) fuss-pot; '**~elig** *adj.* punctilious, fussy, pernickety, footling.
Tugend ['tu:gənt] *f* (-; -*en*) virtue; *es sich zur ~ machen, zu inf.* make a virtue of *doing a th.*; → *Not*; **~bold** [-bɔlt] *m* (-[e]*s*; -e), **~held** *m* paragon of virtue; **2haft** *adj.* virtuous; **2reich** *adj.* most virtuous; **~richter**(**in** *f*) *m* moralist, censor; **2sam** *adj.* virtuous; chaste.
Tüll [tyl] *m* (-*s*; -e) tulle; **~e** ['tylə] *f* (-; -*n*) socket; spout; **~spitzen** *f/pl.* net lace.
Tulpe ['tulpə] *f* (-; -*n*) *bot.* tulip; **~nzwiebel** *f* tulipbulb.
tummel|n ['tuməln] *v/t.* (*h.*) put in motion, set going; work (*horse*); *sich ~* **a**) disport o.s., bustle about, *children*: romp, frisk about, **b**) hurry (up), **c**) bestir o.s., *Am.* hustle; *tummelt euch!* hurry up!; **2platz** *m* play ground; *fig.* arena, scene; hotbed; stamping ground (*a. zo.*).
Tümmler ['tymlər] *m* (-*s*; -) *orn.* tumbler; *ichth.* porpoise.
Tumor ['tu:mɔr] *med. m* (-*s*; -'*moren*) tumo(u)r.
Tümpel ['tympəl] *m* (-*s*; -) pool.
Tumult [tu'mult] *m* (-[e]*s*; -e) tumult; riot, turmoil, uproar; racket, row, hubbub.
Tumultu|ant [-tu'ant] *m* (-*en*; -*en*) rioter; **2arisch** [-tu'ɑ:riʃ] *adj.* tumultuous, riotous.
tun [tu:n] *v/t.* (*irr., h.*) do; perform, make; → *machen*; put (*to school, into the bag, etc.*); make (*remark, request*); take (*jump, oath*); *nichts ~* do nothing; *so ~, als ob* make *or* act as if, pretend to *inf.*; *würdig, etc., ~* assume an air of (*or* affect) dignity, *etc.*; *~ Sie ganz, als ob Sie zu Hause wären* make yourself quite at home!; *was hat er dir getan?* what has he done to you?; *das will getan sein* that wants doing; *damit ist es nicht getan* that's not enough; *es tut nichts* it doesn't matter, never mind; *es tut sich (et)was* something is going on (*or* is in the wind *or* is brewing); *es tut nichts zur Sache* it is of no significance, that is neither here nor there; *das tut man nicht!* it is not done!; *gut daran ~* act wisely, do well *to inf.*; *du tätest gut daran, zu gehen* you had better go; *tu doch nicht so!* don't make a fuss!, be yourself!; *was ist zu ~?* what is to be done?; *dazu ~* **a**) add (to it), **b**) contribute, **c**) do in the matter; *ich kann nichts dazu ~* I cannot help it; *es ist mir darum zu ~* I am anxious about (it), it is of great consequence to me; *ihm ist nur um das Geld zu ~* he is only interested in the money; *das tut gut!* that is a comfort!, that does one good!; *das tut nicht gut* no good can come of it; *j-m nicht gut~* (*drug, etc.*) disagree with a p.; *was man zu ~ und zu lassen hat* the do's and don'ts; *zu ~ haben* be busy; *zu ~ haben mit* have to do with; concern; *viel zu ~ haben* have one's hands full; (*nichts*) *mit j-m zu ~ haben* have (no) business *or* dealings with a p.; *es zu ~ haben mit* be dealing with, find o.s. up against; *nichts zu ~ haben mit et.* have no part in (*or* concern with) *a th.*; *das hat damit nichts zu ~* that has nothing to do with it; *damit (mit ihm) will ich nichts mehr zu ~ haben* I wash my hands of it (him), I have done with it (him), *Am.* I am through with it (him); *du wirst es mit ihm zu ~ bekommen* you will have trouble with him, you will have him down on you; *und was habe ich damit zu ~?* and where do I come in?; *j-m zu wissen ~* let a p. know; → *daran, leid, schön, weh, etc.*; **Tun** *n* (-*s*) doings, activities; proceedings *pl.*; action; conduct; *~ und Treiben* ways and doings, actions.
Tünche ['tynçə] *f* (-; -*n*) whitewash; *fig.* varnish, veneer; **2n** *v/t.* (*h.*) whitewash; **~r** *m* whitewasher.
Tundra ['tundra] *f* (-) tundra.
Tunichtgut ['tu:niçtgu:t] *m* (-[e]*s*; -e) ne'er-do-well, good-for-nothing.
Tunke ['tuŋkə] *f* (-; -*n*) sauce; gravy; **2n** *v/t.* (*h.*) dip, steep.
'**tunlich** *adj.* practicable, feasible; expedient; **~st** *adv.* if possible, whenever practicable.
Tunnel ['tunəl] *m* (-*s*; -) tunnel; *tech. a.* duct; *mining*: gallery; subway; **~bau** *m* (-[e]*s*; -*ten*) tunnel(l)ing.
Tüpfel ['typfəl] *m and n* (-*s*; -) dot, spot; **~chen** *n* (-*s*; -) (small) dot; *fig. bis aufs ~* to a T; **2n** *v/t.* (*h.*) dot, spot; stipple.
tupfen ['tupfən] *v/t.* (*h.*) touch lightly, dab (*a. wound*); → *tüpfeln*; '**Tupfen** *m* (-*s*; -) dot, spot.
'**Tupfer** *m* (-*s*; -) *med.* swab, tampon; dot, spot; *mot.* tickler.
Tür [ty:r] *f* (-; -*en*) door; *in der ~* in the doorway; *fig. e-r Sache ~ und Tor öffnen* leave the door open for, open a door to *a th.*; *fig. mit der ~ ins Haus fallen* blunder out, blurt out the news; → *einrennen*; *fig. j-n vor die ~ setzen* turn a p. out; *fig. vor der ~ stehen* be near at hand, be forthcoming, be just (a)round the corner; *fig. zwischen ~ und Angel* on the point of leaving, *w.s.* off-hand; → *kehren*; '**~angel** *f* (door-) hinge.
Turban ['turbɑ:n] *m* (-*s*; -e) turban.
Turbine [tur'bi:nə] *f* (-; -*n*) turbine.
Tur'binen...: **~anlage** *f* turbine plant; **~dampfer** *m* turbine steamer; **~flugzeug** *n* turbo-jet plane; **~motor** *m* turbine engine; **~schaufel** *f* turbine blade; **~strahltriebwerk** *n* jet turbine engine.
Turbo|düsenmotor ['turbo-] *m* turbo-jet; **~gebläse** *n* turbo-blower; **~kompressor** *m* turbosuper-charger.
turbulent [turbu'lɛnt] *adj.* turbulent, hectic.
'**Tür...:** **~eingang** *m* doorway; **~flügel** *m* leaf (*or* wing) of a door; **~füllung** *f* door-panel; **~griff** *m* door-handle; **~hüter** *m* door-keeper, porter.
Türk|e ['tyrkə] *m* (-*n*; -*n*), **~in** *f* (-; -*nen*) Turk(ish woman).
Türkis [-'ki:s] *min. m* (-*es*; -e) turquoise.
'**türkisch** *adj.* Turkish; *~e Bohne* scarlet runner; *~er Honig* Turkish delight; *~er Weizen* Indian corn.
'**Tür...:** **~klinke** *f* door-handle, latch; **~klopfer** *m* knocker.
Turm [turm] *m* (-[e]*s*; ⸗e) tower (*a. fig.*); (*church*) steeple; dungeon; *mil.* turret; *sports*: diving stage; *chess*: castle, rook; **~bau** *m* (-[e]*s*; -*ten*) building of a tower.
Türmchen ['tyrmçən] *n* (-*s*; -) turret.
'**türmen I.** *v/t.* (*h.*) pile up; *sich ~* tower (up), rise high, pile up; **II.** *v/i.* (*sn*) *colloq.* (*flee*) bolt, skedaddle, hook it, vamoose.
'**Türmer** *m* (-*s*; -) watchman on the tower, warder.
'**Turm...:** **~fahne** *f* vane; **~falke** *m* kestrel; **~geschütz** *mil. n* turret-

-gun; 2**hoch I.** *adj.* (as) high as a tower, towering; *fig.* towering, lofty; **II.** *adv.*: *j-m ⁓ überlegen sein* tower above, be head and shoulders above, be vastly superior to *a p.*; **⁓schwalbe** *f* swift; **⁓spitze** *f* spire; **⁓springen** *n* high diving; **⁓uhr** *f* tower clock, church clock; **⁓verlies** *n* dungeon, keep; **⁓zinne** *f* battlement of a tower.

Turn|anzug ['turn-] *m* gym dress; 2**en** *v/i.* (*h.*) do gymnastics, practise (*or* go in for) gymnastics; **⁓en** *n* (-s) gymnastics, gymnastic exercise(s); *ped.* physical training (*abbr.* P.T.); callisthenics *pl.*; **⁓er(in** *f*) *m* (-s, -; -, -nen) gymnast; **⁓e'rei** *f* (-) gymnastics *pl.*; 2**erisch** *adj.* gymnastic; **⁓erschaft** *f* (-; -en) gymnastic club; **⁓fest** *n* gymnastic display; **⁓gerät** *n* gymnastic apparatus; **⁓halle** *f* gym(nasium); **⁓hemd** *n* singlet; **⁓hose** *f* P.T. (= physical training) shorts *pl.*

Turnier [tur'ni:r] *n* (-s; -e) tournament; *hist. a.* joust(ing); **⁓bahn, ⁓platz** *hist. m* tilt-yard, *the* lists *pl.*; **⁓reiter(in** *f*) *m* tournament rider; **⁓schranken** *f/pl.* lists.

'**Turn...: ⁓lehrer(in** *f*) *m* gym(-nastic) instructor; **⁓platz** *m* athletic grounds *pl.*; **⁓riege** *f* gym squad; **⁓schuh** *m* gym(nasium) shoe; **⁓spiele** *n/pl.* athletics; indoor games; **⁓stunde** *f* gym lesson, P.T. (= physical training) lesson; **⁓übung** *f* gymnastic exercise; **⁓unterricht** *m* instruction in gymnastics, P.T. (= physical training) lesson.

Turnus ['turnus] *m* (-; -se) turn, rotation, cycle; *im ⁓* in rotation, by turns; 2**mäßig** [-mɛ:siç] *adj.* regular(ly recurring), in rotation.

'**Turn...: ⁓verein** *m* gymnastic (*or* athletic) club; **⁓wart** *m* superintendent of gymnastics; squad leader.

'**Tür...: ⁓pfosten** *m* door post; **⁓rahmen** *m* door frame; **⁓riegel** *m* bolt; **⁓schild** *n* door plate; **⁓schließer** *m* **1.** door catch; **2.** door-keeper; **⁓schloß** *n* (door-)lock; **⁓schwelle** *f* threshold; **⁓steher** *m* door-keeper; *jur.* usher; **⁓sturz** *arch. m* lintel.

Turteltaube ['turtəl-] *f* turtle-dove; *fig. wie die ⁓n* billing and cooing.

Tusch [tuʃ] *m* (-es; -e) flourish (of trumpets); *e-n ⁓ blasen* sound a flourish; strike up the band, break into a chord.

Tusche ['tuʃə] *f* (-; -n) → *Tuschfarbe.*

tuscheln ['tuʃəln] *v/i. and v/t.* (*h.*) whisper.

'**tuschen** *v/t. and v/i.* (*h.*) (colo[u]r-)wash; paint in watercolo(u)rs; draw in Indian ink.

'**Tusch...: ⁓farbe** *f* watercolo(u)r; Indian (*or* Chinese) ink; **⁓kasten** *m* paint-box; **⁓pinsel** *m* ink-brush; **⁓zeichnung** *f* sketch in Indian ink, China-ink drawing.

Tüte ['ty:tə] *f* (-; -n) paper bag; (*icecream-*)cone; *colloq. kommt nicht in die ⁓!* nothing doing!

tuten ['tu:tən] *v/i. and v/t.* (*h.*) toot(le); *mot.* honk, blow one's horn; *fig. er hat keine Ahnung von 2 und Blasen* he doesn't know the first thing about it.

Tüttel ['tytəl] *m* (-s; -), **⁓chen** *n* (-s; -) dot; *fig.* jot.

Twen [tvɛn] *m* (-s; -s) man in his twenties.

Twist [tvist] *m* (-[e]s; -e) twist, darning-cotton.

Typ [ty:p] *m* (-s; -en) type; *tech.* [*a.* model.]

Type ['ty:pə] *f* (-; -n) type; *colloq.* (*person*) character, crank; *finstere ⁓n* ugly customers, hooligans; **⁓nbezeichnung** *tech. f* model (*or* type) designation; **⁓ndruck** *typ. m* (-[e]s; -e) type-printing; **⁓ndrukker** *m* type printer; **⁓nhebel** *m* type bar; **⁓nschild** *tech. n* type (*or* name-)plate.

'**typgerecht** *adj.* true to type.

typhös [ty'fø:s] *med. adj.* typhoid.

Typhus ['ty:fus] *med. m* (-) typhoid (fever); **⁓bekämpfung** *f* anti-typhoid measures *pl.*; **⁓erreger** *m* typhoid bacillus; **⁓impfung** *f* anti-typhoid vaccination; **⁓kranke(r** *m*) *f* typhoid patient (*or* case).

'**typisch** *adj.* typical (*für* of); *⁓ sein für a.* typify; *das 2e* the typical feature *or* character; *colloq. das ist ⁓ Georg* that's George all over.

Typo|graph [ty:po'gra:f] *m* (-en; -en) typographer; **⁓graphie** [-gra-'fi:] *f* (-) typography; 2'**graphisch** *adj.* typographic(al).

typisieren [typi'zi:rən] *v/t.* (*h.*) typify; *tech.* standardize.

Typus ['ty:pus] *m* (-; -pen) type.

Tyrann [ty'ran] *m* (-en; -en), **⁓in** *f* (-; -nen) tyrant (*a. fig.*), despot; **Tyran'nei** [-'naɪ] *f* (-; -en) tyranny, despotism.

Ty'rann|enmord *m*, **⁓enmörder(in** *f*) *m* tyrannicide; 2**isch** *adj.* tyrannical, despotic.

tyrannisieren [-ni'zi:rən] *v/t.* (*h.*) tyrannize (over), oppress; bully *a p.*

U

U, u [u:] *n* U, u.

'**U-Bahn** *f* → *Untergrundbahn.*

übel ['y:bəl] **I.** *adj.* evil, bad; → *schlecht*; vile, loathsome, nasty, ugly; disastrous, dire, calamitous; foul (*smell, weather*); *nicht ⁓* not (half) bad, rather nice, pretty good *or* well; *kein übler Gedanke* not a bad idea; *ein übler Kerl* a bad lot, an ugly customer; *er ist kein übler Kerl* he is not a bad sort; *ein übler Streich* a nasty trick; *mir ist ⁓* I feel sick; *mir wird ⁓* I am feeling sick; *dabei kann einem ⁓ werden* it is enough to make one sick; *sich in e-r üblen Lage befinden* be in a fix, be in a bad mess *or* pinch; *Übles von j-m reden* talk badly *or* ill of a p., slander (*or* calumniate) a p.; **II.** *adv.* ill, badly, *comp.* worse; et. *⁓ aufnehmen* take a th. in bad part; *⁓ aufgenommen werden* be ill received; *⁓ beraten sein* be ill-advised; *⁓ gelaunt sein* be in a bad mood, be cross; *⁓ riechen* smell (badly), have an unpleasant (*or* offensive *or* foul) smell; *es gefällt mir nicht ⁓* I rather like it; *es ist ihm ⁓ bekommen* **a)** he had to pay for it (dearly), **b)** it did not agree with him; → *mitspielen, wohl.*

'**Übel** *n* (-s; -) evil; mischief, calamity; complaint, malady; harm; grievance, abuse; trial, visitation; nuisance, pest; *notwendiges ⁓* necessary evil; *das kleinere ⁓* the lesser evil; *von zwei ⁓n wähle das kleinere* of two evils choose the less; *vom ⁓* no good, harmful.

'**Übel...: ⁓befinden** *n* (-s) indisposition; 2**gelaunt** *adj.* ill-humo(u)red, cross; 2**gesinnt** *adj.* ill-disposed (*dat.* towards); *j-m ⁓ sein a.* bear a p. a grudge; **⁓keit** *f* (-) sickness, nausea; *⁓ erregend* sickening, nauseating; 2**launig** *adj.* ill-tempered; 2**nehmen** *v/t.* (*irr., h.*) take *a th.* ill (*or* amiss *or* in bad part), take offen|ce (*Am.* -se) *or* be offended at, resent *a th.*; *es j-m ⁓* take it ill of a p.; 2**nehmend,** 2**nehmerisch** ['-ne:mǝriʃ] *adj.* easily offended, touchy, huffy; 2**riechend** *adj.* ill-smelling, malodorous, smelly; foul (*breath*); **⁓stand** *m* (-[e]s; ⁼e) inconvenience; grievance, abuse; drawback, defect; **⁓tat** *f* misdeed; **⁓täter(in** *f*) *m* evil-doer, wrongdoer, malefactor; 2**wollen** *v/i.* (*h.*) wish ill (*dat.* to), bear *a p.* a grudge; have it in for *a p.*; **⁓wollen** *n* (-s) ill-will, malevolence; 2**wollend** *adj.* malevolent, spiteful, hostile.

üben ['y:bən] *v/t. and v/i.* (*h.*) exercise, (*a. mus.*) practise; *mil.* drill, train; *sports*: train; cultivate (*arts*); *sich im Fechten ⁓* practise fencing; *fig.* practise; pursue (*trade*); *Geduld ⁓* have patience; *Gerechtigkeit ⁓* do justice (*gegen* to); → *Nachsicht, Rache, etc.*; → *geübt.*

über ['y:bər] **I.** *prp.* (*where? dat.*; *where to? acc.*) over, above; higher than; more than; *adm.* (*nicht*) *⁓* (not) exceeding; across; on account of, over; during, while; *⁓ dem Tisch* **a)** over the table, **b)** above the table; *⁓ e-n Graben springen* leap over *or* clear a ditch; *gehen, reisen, etc. ⁓* go, travel, *etc.*, **a)** across *a river, the sea*, **b)** by way of, via *a town*; *⁓ die Straße gehen* go across the street, cross the street; *⁓ e-e Dienststelle, etc.* through, by the agency of *an office, etc.*; concerning, relating to, as to; *speech, treatise,* *etc.* on (*a subject*); *talk, etc.*, about, of; *film, etc.*, dealing with, depicting; ~ *Geschäfte (den Beruf, Politik) reden* talk business (shop, politics); *nachdenken* ~ think about *or* over, reflect (up)on; ~ *hundert* more than (*or* over, above) a hundred; *Fehler* ~ *Fehler* fault upon fault; → *heute*; ~*s Jahr* next year, in a year; ~ (*hinaus*) beyond, past; ~ *meine Kräfte* beyond my strength; ~ *meinen Verstand* beyond me, over my head; ~ *Nacht* over night; *zehn Minuten* ~ *zwölf* 10 minutes past twelve; *er ist* ~ *70 Jahre alt* he is past (*or* over) seventy; *es ist* ~ *e-e Woche her* it is over (*or* more than) a week; *einer* ~ *den andern* one upon the other, one on top of the other; ~ *das Wochenende* over the weekend; ~ *einige Jahre verteilt* spread over a series of years; ~ *kurz oder lang* sooner or later; ~ *der Arbeit sein* be at work; ~ *den Büchern sitzen* sit (*or* pore) over one's books; ~ *der Arbeit einschlafen* go to sleep over one's work; ~ *j-m stehen fig.* be superior to a p.; *das geht mir* ~ *alles* I put it above everything else; *e-e Wandlung kam* ~ *ihn* a change came over him; *es geht nichts* ~ ... there is nothing like *or* better than ..., ... beats everything; ~ *den Erfolgen dürfen wir nicht die Nachteile vergessen* the success must not blind us to the drawbacks; **II.** *adv.*: ~ *und* ~ over and over, all over; *mil. Das Gewehr* ~! slope arms!; *die ganze Zeit* ~ all along; *j-m in et.* ~ *sein* surpass (*or* outdo) a p. in a th., → *überlegen* II.; *colloq. mir ist die Sache* ~ I am tired (*or* sick) of it; *colloq.* → *übrig, vorüber.*

über'all *adv.* everywhere, *Am. a.* all over; throughout; ~ *wo* wherever; ~**'her** *adv.* from all sides (*or* quarters); ~**'hin** *adv.* everywhere, in all directions.

überalter|t [-'ʔaltərt] *adj.* superannuated; 2**ung** *f* (-) rise in the ratio of old people to total population.

'Überangebot *n* excessive supply.

'überängstlich *adj.* over-anxious.

über'anstreng|en *v/t.* (*h.*) overexert, overstrain; 2**ung** *f* (-; -*en*) over-exertion.

über'antworten (*h.*) *v/t.* deliver up, give over, surrender (*dat.* to).

'Über-anzug *m* overall(s *pl. Am.*).

über'arbeit|en *v/t.* (*h.*) do over again, retouch, touch up, finish off; revise; *sich* ~ overwork o.s.; ~**et** *adj.* overworked, over-wrought; 2**ung** *f* **1.** (-; -*en*) revision, touching up; **2.** (-) overwork.

'Über-ärmel *m* oversleeve.

'überaus *adv.* exceedingly, extremely.

'Überbau *m* (-[e]s; -ten, -e) superstructure.

über'bauen *v/t.* (*h.*) build over.

'überbe-anspruchen *v/t.* (*h.*) *tech.* overload, (*a. arch.*) overstress; *fig.* (*sn*) strain, overtax, overwork.

'Überbein *med. n* node, exostosis.

'überbelast|en *v/t.* (*h.*), 2**ung** *f* (-; -*en*) overload.

'überbelegt *adj.* overcrowded.

'überbelicht|en *phot. v/t.* (*h.*) overexpose; 2**ung** *f* (-; -*en*) overexposure.

'überbesetzt *adj.* overstaffed.

'überbeton|en *v/t.* (*h.*) overemphasize; 2**ung** *f* (-; -*en*) overemphasis.

'Überbett *n* coverlet, quilt.

'überbewerten *v/t.* (*h.*) overvalue.

über'bieten *v/t.* (*irr.*, *h.*) outbid; *fig.* surpass, outdo, beat; *sich gegenseitig* ~ *in et.* vie with one another in a th.

Überbleibsel ['-blaɪpsəl] *n* (s; -) remainder, remnant, *Am.* holdover; *pl. a.* remains (*a. fig.*); residue; *of meal*: leavings, left-overs *pl.*; *fig.* (*historic*) survival, *Am.* hangover.

über'blend|en *v/t.* (*h.*) *radio, film*: fade over; 2**ung** *f* (-; -*en*) fading.

'Überblick *m* survey; *fig. a.* summary, review, synopsis; *e-n* ~ *gewinnen* obtain a general view (*über acc.* of); *es fehlt ihm an* ~ he lacks perspective.

über...: ~**'blicken** *v/t.* (*h.*) glance over; overlook, survey; *fig.* survey, view; assess; ~**'bringen** *v/t.* (*irr.*, *h.*): *j-m et.* ~ deliver (*or* take, bring, present) a th. to a p.; 2**'bringer(in** *f*) *m* (-s, -; -, -*nen*) bearer; 2**'bringung** *f* (-; -*en*) delivery; ~**'brücken** *v/t.* (*h.*) bridge, span; *fig.* bridge over *a th.*; 2**'brückungsgelder** *n/pl.* tide-over *sg.*; 2**'brückungshilfe** *f* stopgap relief, readjustment allowance; 2**'brückungskredit** *m* stopgap loan, temporary accommodation; ~**'bürden** *v/t.* (*h.*) overburden; 2**'bürdung** *f* (-) overburdening; overwork; overpressure; ~**'dachen** *v/t.* (*h.*) roof (over *or* in), shelter; ~**'dauern** *v/t.* (*h.*) outlast, outlive; ~**'decken** *v/t.* (*h.*) cover *a th.* over; overlap; conceal (*a. tech.*); *w.s.* veil, shroud; *tech. a.* mask (*a. taste*); ~**'denken** *v/t.* (*irr.*, *h.*) think *a th.* over, reflect (up)on *a th.*, consider; ~**'dies** *adv.* besides, moreover, what is more; **'2dosis** *f* overdose; ~**'drehen** *v/t.* (*h.*) overwind (*watch*); overspeed (*engine*); strip (*thread*).

'Überdruck *m* (-[e]s; -e, ⸗e) transfer; *mail.* surcharge, overprint; *tech.* overpressure; ~**anzug** *m* high-pressure suit; 2**en** [-'drukən] *v/t.* (*h.*) overprint; ~**kabine** *f* pressurized cabin; ~**ventil** *n* (high-pressure) relief valve.

Über|druß ['y:bərdrus] *m* (-sses) weariness; disgust; satiety; *bis zum* ~ to satiety; 2**drüssig** ['-drysiç] *adj.* (*gen.*) disgusted with, tired (*or* sick *or* weary) of.

'überdurchschnittlich *adj.* above average, outstanding.

über'eck *adv.* across, diagonally.

'Über-eif|er *m* over-zeal; 2**rig** *adj.* over-zealous.

über'eign|en *v/t.* (*h.*) make *a th.* over (*dat.* to), assign, transfer; convey *real estate* (to); 2**ung** *f* (-; -*en*) assignment, transfer, conveyance.

über'eil|en *v/t.* (*h.*) precipitate *or* rush (*die Sache* matters); scamp (*work*); *sich* ~ hurry too much, act precipitately, overshoot the mark; *übereilt* over-hasty, precipitate, (*a. fig.*) rash; 2**ung** *f* (-; -*en*) precipitance, rashness, overhaste; *nur keine* ~! take your time!

über-ein'ander *adv.* one upon the other; ~**greifen** *v/i.* (*irr.*, *h.*) overlap; ~**schlagen** *v/t.* (*irr.*, *h.*) fold (*arms*); cross (*legs*).

über'ein|kommen *v/i.* (*irr.*, *sn*) agree (*über acc.* about *or* on); reach an agreement, come to terms; *man kam überein, daß* it was agreed that; 2**kommen** *n* (-s), 2**kunft** [-kunft) *f* (-; ⸗e) agreement, arrangement, understanding; settlement, compromise; *eine* ~ *treffen* reach (*or* come to *or* make) an agreement; *laut* ~ as agreed (upon); ~**stimmen** *v/i.* (*h.*) *person*: *mit j-m* ~ (*über or in*) agree with a p. (on), concur with a p. (in), share a p.'s opinion (of); see eye to eye with a p.; *matter*: correspond, harmonize; be in agreement (*or* keeping), tally, coincide, square, *Am. a.* check (*all mit* with); ~**stimmend I.** *adj.* corresponding, conformable; concurring (*opinion*); consistent; unanimous; identical; **II.** *adv.*: ~ *mit* (*dat.*) in accordance (*or* conformity) with; in keeping with; 2**stimmung** *f* (-; -*en*) agreement; correspondence, conformity, concurrence; harmony, accord; unison; *in* ~ *mit* in agreement (*or* accordance *or* conformity) with, in keeping (*or* harmony, *Am. a.* line) with; *in* ~ *bringen* make agree (*mit* with), reconcile, synchronize (with).

'über-empfindlich *adj.* hyper- *or* oversensitive (*gegen acc.* to); 2**keit** *f* (-; -*en*) hypersensitiveness.

'über-entwickelt *adj.* overdeveloped.

über'essen (*irr.*, *h.*) **I.** *sich* ~ overeat; **II.** *'überessen v/t.*: *sich eine Speise* ~ sicken o.s. of a dish.

'überfahren I. *v/i.* (*irr.*, *sn*, *h.*) pass over, cross; **II.** *über'fahren v/t.* (*irr.*, *h.*) run over (*a p., dog, etc.*); overrun (*signal*); cross (*river, etc.*); pass over *a th.*; *fig. j-n*: ride roughshod over, walk all over *a p.*, *sports*: *a.* trounce, whip.

'Überfahrt *f* passage; crossing (*über e-n Fluß, etc.*: *a river, etc.*).

'Überfall *m* sudden attack, surprise (attack); invasion; hold-up; assault; inroad; raid (*a. aer.*).

über'fallen *v/t.* (*irr.*, *h.*) fall upon, attack suddenly, surprise; invade, raid; hold up; assault; *fig. disease, night*: overtake; *sleep*: steal upon; *fright*: seize; *er überfiel mich mit der Frage* he pounced on me with the question; *plötzlich überfiel es ihn* it came to him suddenly.

'überfällig *adj.* overdue.

'Überfall|kommando *n* flying (*Am.* riot) squad; *das* ~ *anrufen* send in a riot call; ~**wagen** *m* Q-car.

'überfein *adj.* superfine; *fig.* overrefined; fastidious (*tastes*).

über'feiner|n [-'faɪnərn] *v/t.* (*h.*) overrefine; 2**ung** *f* (-; -*en*) overrefinement.

über'fliegen *v/t.* (*irr.*, *h.*) fly over *or* across; *fig. mit den Augen*: glance over, run over, skim; *den Ozean* ~ fly the ocean.

ˈ**überfließen** *v/i.* (*irr.*, *sn*) flow over, overflow.

überˈflügeln *v/t.* (*h.*) *mil.* outflank; *fig.* surpass, outstrip.

ˈ**Überfluß** *m* (*-sses*) abundance, plenty, profusion; superfluity; excess; redundancy; wealth (*all*: *an dat.* of); glut; surplus; ~ *haben an* (*dat.*), *et. im* ~ *haben* abound in, have plenty of, have oodles of; *im* ~ *vorhanden sein* be (super-)abundant *or* plentiful; *zum* ~ needlessly, unnecessarily.

ˈ**überflüssig** *adj.* superfluous, unnecessary, useless; undesired, uncalled-for; surplus, excess; ~ *machen* render superfluous, *etc.*; *er ist hier* ~ we can certainly do without him.

überfluten [-ˈfluːtən] *v/t.* (*h.*) overflow; inundate, flood (*a. fig. and of light*); *den Damm* ~ top the dam.

überˈforder|n *v/t.* (*h.*) overcharge; *fig.* overtax; 2**ung** *f* (*-; -en*) overcharge; *fig.* overstrain, overwork.

ˈ**Überfracht** *f* overfreight, excess freight; excess luggage.

überˈfragen *v/t.* (*h.*): *da bin ich überfragt* I am afraid I don't know that, that's one too many for me.

Überfremdung [-ˈfrɛmduŋ] *f* (-) foreign infiltration *or* control.

ˈ**überführen** *v/t.* (*h.*) **1.** carry *a p.* over, lead across; transport; **2.** *überˈführen v/t.* (*h.*) convey; transport *deceased* (in state); *aer.* fly in, ferry; transfer (*money, etc.*); convince (*gen.* of); *jur.* convict (*gen.* of), find guilty (of).

Überˈführung *f* (*-; -en*) transportation, conveyance; transfer; road-bridge, viaduct, fly-over, *Am.* overpass; *jur.* conviction.

ˈ**Überfülle** *f* superabundance, profusion.

überˈfüll|en *v/t.* (*h.*) overfill; cram; (*a. stomach*); overload; overcrowd, jam; *econ.* overstock, glut (*the market*); 2**ung** *f* (-) overfilling; overloading; cramming; glut, surfeit; *econ.* overstock(ing); (traffic) congestion.

ˈ**Überfunktion** *med. f* hyperfunction(ing).

überˈfüttern *v/t.* (*h.*) overfeed.

ˈ**Übergabe** *f* (-) delivery, handing-over; submittal; *mil.* surrender (*a. jur.*); ~**verhandlungen** *f/pl.* negotiations for surrender.

ˈ**Übergang** *m* passage, (*a. rail.*) crossing; *schienengleicher* ~ level crossing, *Am.* grade crossing; *fig.* transition, change; going over (*zum Feind* to the enemy); devolution, assignment (*of rights*).

ˈ**Übergangs...:** ~**bestimmungen** *f/pl.* transitional (*or* provisional) regulations; ~**farbe** *f* transition colo(u)r; ~**kleidung** *f* interseasonal wear; ~**lösung** *f* interim solution, stopgap; ~**stadium** *n* transition stage; ~**stelle** *f* place of crossing; ~**zeit** *f* transition period.

überˈgeben I. *v/t.* (*irr.*, *h.*) deliver up, give up; hand over, present (*j-m et.* a th. to a p.); *mil.* surrender (*a. sich* ~); *med. sich* ~ vomit, be sick; *fig. j-m et.* ~ entrust to, place into the hands of; consign to (*the flames*); *e-e Sache dem Gericht* ~ take a matter to court, submit a matter to the court; *dem Verkehr* ~ open for traffic; **II.** *v/i.* (*irr.*, *h.*) hand over (*an acc.* to).

ˈ**Übergebot** *econ. n* higher bid.

ˈ**übergehen I.** *v/i.* (*irr.*, *sn*) pass over (*zu* to); ~ *auf* (*acc.*) *office, etc.*: devolve upon (*successor*); ~ *in* (*acc.*) pass into, change (*or* turn) into, merge (*or* fade) into *another colo(u)r*; *ineinander* ~ blend; → *Fäulnis*; *in j-s Besitz* ~ pass to a p.; *in andere Hände* ~ change hands; *zu et.* ~ proceed to; start, take up; switch over to; take to *a th.*; *zu e-m anderen Thema* ~ go (*or* pass) on to another subject; *zum Angriff* ~ take the offensive; *zur Gegenpartei* ~ change sides, *pol. a.* rat; *die Augen gingen ihm über* his eyes filled with tears; **II.** *überˈgehen v/t.* (*irr.*, *h.*) pass over (*mit Stillschweigen* in silence), overlook, ignore; omit, skip; leave out, neglect.

Übergehung [-ˈgəːuŋ] *f* (-) passing over; omission; neglect.

ˈ**übergenug** *adj.* more than enough, ample; ~ *haben* have enough and to spare.

ˈ**überge-ordnet** [-ɔrdnət] *adj.* higher, superior.

ˈ**Übergewicht** *n* (*-[e]s*) overweight; *fig.* preponderance, superiority (*über acc.* over); *das* ~ *bekommen* lose one's balance, *fig.* get the upper hand, prevail; *das* ~ *haben* predominate.

ˈ**übergießen** *v/t.* (*irr.*, *h.*) **1.** pour over; spill; **2.** *überˈgießen* pour over; douse (*mit* with), cover (with); baste (*roast*); *chem.* transfuse; *fig.* suffuse (with); *mit Licht* ~ bathe in light; *mit Schamröte übergossen* blushing all over (with shame).

überglasen [-ˈglɑːzən] *v/t.* (*h.*) glaze.

ˈ**überglücklich** *adj.* extremely happy, overjoyed, delirious with joy.

ˈ**übergreifen** *v/i.* (*irr.*, *h.*) overlap; *mus. on violine*: shift; *fig.* ~ *auf or in* (*acc.*) encroach on, *epidemic, fire, panic, etc.*: spread to, *w.s. a.* affect.

ˈ**Übergriff** *m* encroachment, infringement, inroad (*auf acc.* on).

ˈ**über|groß** *adj.* outsize(d), oversize(d); immense, huge, colossal; 2**größe** *econ. f* oversize.

ˈ**Überguß** *m* covering, crust; icing.

ˈ**überhaben** *v/t.* (*irr.*, *h.*) have *coat, etc.*, on; have left (over); *colloq. e-e Sache* ~ be (sick and) tired of a th., be fed up with a th.

überˈhandnehmen *v/i.* (*irr.*, *h.*) prevail, increase, spread; 2 *n* (*-s*) increase, spread, prevalence.

ˈ**Überhang** *m* overhang(ing rock, *etc.*); *arch.* projection; curtain; *fig. econ.* surplus, excess; residue; carry-over; backlog; 2**en** *v/i.* (*irr.*, *h.*) hang over, overhang; *arch.* project, jut forth.

ˈ**überhängen I.** *v/i.* (*irr.*, *h.*) → *überhangen*; **II.** *v/t.* (*h.*) hang *a th.* over; throw *coat* round one's shoulders; sling *rifle* over one's shoulder.

überˈhast|en *v/t.* (*h.*) hurry (*or* race through) *a th.*; ~**et I.** *adj.* overhasty, hurried; **II.** *adv.* precipitately, overhastily, hurry-skurry.

überˈhäufen *v/t.* (*h.*) overwhelm (*mit* with); swamp (with) (*letters, orders, applications, etc.*); *econ.* overstock, glut (*the market*); *mit Arbeit überhäuft* swamped with work.

überˈhaupt *adv.* generally (speaking), on the whole; actually; altogether; after all; ~ *nicht* not at all, not a bit; ~ *kein* ... no ... whatever; *wenn* ~ if at all; *du hättest es* ~ *nicht tun sollen* you shouldn't have done so in the first place; *gibt es* ~ *eine Möglichkeit?* is there any chance (whatever)?; *was willst du* ~? what are you driving at, anyhow?

überˈheb|en *v/t.* (*irr.*, *h.*) exempt, excuse (*gen.* from); *e-r Mühe, etc.*: spare *a p.* a trouble, *etc.*; *sich* ~ overstrain o.s. (by lifting), *fig.* be overbearing, presume too much; ~**lich** [-ˈheːpliç] *adj.* overbearing, presumptuous, arrogant; 2**lichkeit** *f* (*-; -en*) presumption, arrogance, hauteur (*Fr.*).

über|ˈheizen, ~**hitzen** [-ˈhitsən] *v/t.* (*h.*) overheat (*a. fig.*, *econ.*); *tech.* superheat.

überˈhöh|en *v/t.* (*h.*) *arch.* surmount; superelevate, *Am.* bank (*road bend*); raise excessively, send up (*prices*); ~**t** *adj.* superelevated, *Am.* banked (*curve*); excessive, prohibitive (*prices*); 2**ung** *f* (*-; -en*) superelevation, bank; increase, excess.

ˈ**überholen**[1] **I.** *v/t.* (*h.*) fetch *a p.* over, ferry over; *hol über!* ferryman ahoy!; **II.** *v/i.* (*h.*) *mar.* heel (*ship*).

überˈhol|en[2] *v/t.* (*h.*) pass (*a. mot.*), overtake; (out)distance, outrun, outpace, (*a. fig.*) outstrip; *tech.* overhaul, recondition, service; 2**en** *n* (*-s*) passing (*a. mot.*); 2**fahrbahn** *f* passing lane; ~**t** *adj.* antiquated, out-of-date, outmoded; (~ *durch*) superseded (by); *tech.* overhauled, reconditioned; 2**ung** *tech. f* (*-; -en*) overhaul, reconditioning.

überˈhören *v/t.* (*h.*) not to hear: **a**) miss, not to catch, **b**) ignore (*words*); *das will ich überhört haben!* don't say that again!

ˈ**Über-Ich** *psych. n* superego.

ˈ**über-irdisch** *adj.* supernatural; celestial, heavenly; divine; spiritual; *fig. von* ~*er Schönheit* of unearthly (*or* divine) beauty.

ˈ**Überkapitalisierung** *f* overcapitalization.

ˈ**überkippen** *v/i. and v/t.* (*sn*) till (*or* tip) over; lose one's balance.

ˈ**überkleben, überˈkleben** *v/t.* (*h.*) paste over.

ˈ**Überkleid** *n* upper garment, outer dress; tunic; overall.

überˈkleiden *v/t.* (*h.*) cover *a th.* over (*mit* with).

ˈ**Überkleidung** *f* outer wear.

ˈ**überklug** *adj.* overwise, too clever (by half); *ein* ~*er Mensch* a wiseacre.

ˈ**überkochen** *v/i.* (*sn*) boil over; *fig.* (*vor Wut*) ~ boil with rage.

überˈkommen I. *v/t.* (*irr.*, *h.*) receive; *Furcht, etc. überkam ihn* he was overcome by fear, *etc.*; **II.** *v/i.* (*irr.*, *sn*): *diese Sitte ist uns* ~ this custom has been handed down (*or* has come down) to us; **III.** *adj.* traditional, conventional.

'überkompensieren *v/t.* (*h.*) overcompensate.

'überkonfessionell *adj.* interdenominational.

'Überkonjunktur *econ. f* super-boom.

'überkopieren *phot. v/t.* (*h.*) overprint.

'überkritisch *adj.* overcritical.

über'kronen *v/t.* (*h.*) crown (*teeth*).

'Überkultur *f* overrefinement.

über'lad|en I. *v/t.* (*irr.*, *h.*) overload (*a. stomach*); *mar.* overfreight; *tech.* overcharge (*a. gun*; *a. fig. description, picture*); *mit Arbeit* ~ overburden with work, overwork *a p.*; *fig. sich den Geist* ~ stuff o.s. (*mit* with); **II.** *adj. fig.* florid, ornate, too profuse (*all a. style*); **2ung** *f* overload(ing); overcharge.

über'lager|n *v/t.* (*h.*) super(im)pose, overlie; overlap; *tech.* overlay; *radio*: heterodyne; jam (*station*); **2ung** *f* super(im)position; heterodyning; jamming; **2ungs-empfänger** *m radio*: superhet(erodyne receiver).

Über'land|bahn *f* interurban railway; **~flug** *m* cross-country flight; **~leitung** *el. f* transmission line; **~omnibus** *m* cross-country bus, motor coach; **~straße** *f* highway; **~transport** *m* overland transport, long-distance haulage; **~verkehr** *m* interurban traffic; **~zentrale** *el. f* long-distance power station.

über'lappen *tech. v/t.* (*h.*) overlap.

über'lass|en *v/t.* (*irr.*, *h.*): *j-m et.* ~ let a p. have a th., leave a th. to a p.('s discretion); cede, leave (to); *käuflich*: sell; *zur Miete*: let (*lodgings*); abandon, relinquish; entrust (to); *sich e-m Gefühl, etc.*, ~ give o.s. up to, give way to (*feeling, etc.*); *j-n sich selbst* ~ leave a p. to o.s. (*or s-m Schicksal* to one's fate); *sich selbst* ~ *sein* be left to one's own resources, be on one's own; ~ *Sie das mir* leave it to me; *es bleibt ihm* ~, *was er tun will* he is at liberty to do as he pleases; **2ung** *f* (-) leaving; abandonment; *jur.* cession.

'Überlast *f* overweight; overload.

über'last|en *v/t.* (*h.*) overload, overcharge; *fig.* overburden, overtax; **2ung** *f* (-; -*en*) overload, overcharge; *fig.* overstress, overwork, pressure of business.

'überlaufen I. *v/i.* (*irr.*, *sn*) run (*or* flow) over; boil over; *paints*: *ineinander* ~ run (into one another); *mil.* desert, *w.s. a.* go over (*zu* to); *zum* 2 *voll* full to overflowing, brimful; **II.** *über'laufen v/t.* (*irr.*, *h.*) overrun; spread over; pester, annoy; besiege; *ein Beruf* (*e-e Gegend*) *ist* ~ a profession (a region) is overcrowded; *es überlief mich kalt* a cold shudder seized me.

'Überläufer *m* deserter; *pol.* turncoat.

'Überlaufventil *n* overflow trap.

'überlaut *adj.* too loud (*or* noisy), overloud, deafening.

über'leb|en *v/t.* (*h.*) survive, outlive; *die Nacht, etc.*, ~ live the night, *etc.*, out; *das überlebe ich nicht* that will be the death of me; *das hat sich überlebt* that has had its day; **2ende(r** *m*) *f* (-*n*, -*n*; -*en*, -*en*) survivor; **2ens-chance** *f* survival chance; **~ensgroß** *adj.* more than life-sized, larger than life; **2enszeit** *f* survival time; **~t** [-'le:pt] *adj.* antiquated, out-of-date, disused.

'überlegen¹ *v/t.* (*h.*) lay over.

über'leg|en² I. *v/t. and v/i.* (*h.*) consider, reflect (up)on, think *a th.* over; *ich will es mir* ~ I will think it over; *noch einmal* ~ reconsider; *es sich wieder* (*or anders*) ~ change one's mind; *wenn ich es mir recht überlege* on second thoughts; *das will wohl überlegt sein* that requires careful consideration; *das würde ich mir zweimal* ~ I should think twice before doing it; **II.** *adj.* superior (*dat.* to; *an dat.* in); *j-m* ~ *sein a.* be more than a match for, have the edge on, be head and shoulders above *a p.*; *zahlenmäßig* ~ *sein* outnumber (*dat. opponents*); *mit* ~*er Miene* with a superior air; **III.** *adv.* in superior style; by a wide margin; ~ *besiegen* outclass, whip, mop the floor with *an opponent*; **2enheit** [-'le:gənhaɪt] *f* (-) superiority; preponderance; **~t** [-'le:kt] *adj.* considerate; deliberate; premeditated; prudent; **2theit** *f* (-) deliberation; circumspection; **2ung** [-'le:guŋ] *f* (-; -*en*) consideration, reflection, thought; *mit* ~ deliberately; *ohne* ~ inconsiderately, blindly, on the spur of the moment; *bei näherer* ~ on second thoughts; *nach reiflicher* ~ upon mature consideration.

'überleiten I. *v/t.* (*h.*) lead (*or* conduct) over; transfuse (*blood*); **II.** *v/i.* (*h.*) lead over (*zu* to), transfer; form a transition.

'Überleitungsvertrag *m* transition agreement.

über'lesen *v/t.* (*irr.*, *h.*) read (*or* run) *a th.* over, peruse; overlook.

über'liefer|n *v/t.* (*h.*) deliver, hand over (*dat.* to); *der Nachwelt*: hand down, pass on (*to posterity*); *mil.* surrender; **~t** *adj.* traditional; **2ung** *f* (-; -*en*) delivery; *mil.* surrender; *fig.* tradition.

Über'liege|geld *econ. n* demurrage; **~tage** *m/pl.*, **~zeit** *f* (days of) demurrage.

über'listen *v/t.* (*h.*) outwit, dupe, outsmart.

überm ['y:bərm] *colloq.* = *über dem* → *über*.

über'machen *v/t.* (*h.*) make over (*dat.* to); remit.

'Über|macht *f* (-) superiority; superior strength (*esp. mil.* force); *fig.* predominance; *der* ~ *weichen* yield to superior force; **2mächtig** *adj.* superior (in strength), too powerful; predominant, paramount.

'übermalen *v/t.* (*h.*) **1.** paint over; **2.** *über'malen* paint out (*or* over).

überman'gansauer *chem. adj.* permanganic; **~es** *Kali* permanganate of potash.

über'mannen *v/t.* (*h.*) overpower, overwhelm, overcome (*both a. fig.*).

'Über|maß *n* (-*es*) excess; → *Überfluß*; *im* ~ in excess, excessively; *bis zum* ~ to excess; **2mäßig I.** *adj.* excessive; immoderate; undue; **II.** *adv.* excessively, overmuch, *Am. a.* overly; ~ *arbeiten* work too hard; ~ *rauchen* overindulge with tobacco, smoke too much.

'übermechanisiert *adj.* over-engined.

'Übermensch *m* superman; **2lich** *adj.* superhuman.

über'mitt|eln *v/t.* (*h.*) transmit, convey (*dat.* to); **2(e)lung** *f* (-; -*en*) transmission.

'übermodern *adj.* ultra-fashionable.

'übermorgen *adv.* the day after tomorrow.

über'müd|et *adj.* overtired; **2ung** *f* (-) overfatigue.

'Über|mut *m* wantonness; high spirits *pl.*; sportiveness, frolicsomeness; insolence; **2mütig** ['-my:tiç] *adj.* wanton; in high spirits; sportive, frolicsome, rollicking, playful; insolent, cocky; *ein* ~*er Film, etc.*, a rollicking film, *etc.*

'übernächst *adj. the* next but one; ~*e Woche* the week after next.

über'nachten *v/i.* (*h.*) pass (*or* spend) the night, stay over night.

übernächtig ['-nɛçtiç] *adj.* having stayed up all night; fatigued (from lack of sleep), worn (out), haggard, blear-eyed; ~ *aussehen a.* look seedy.

Über'nachtung *f* (-; -*en*) passing the night; night's lodging, overnight accommodation; **~sgeld** *n* night-lodging allowance; **~smöglichkeit** *f* lodging for the night, overnight accommodation.

Übernahme ['-na:mə] *f* (-; -*n*) → *übernehmen 1*; taking over; acceptance; undertaking; assumption; adoption; taking charge of; taking possession of; entering upon, succession to (*estate, office*); *econ.* takeover; **~bedingungen** *f/pl.* conditions of acceptance; **~preis** *m* taking-over (*or* contract) price.

'übernational *adj.* supranational.

'übernatürlich *adj.* supernatural.

über'nehm|en *v/t.* (*irr.*, *h.*) **1.** take over; receive; undertake, take upon o.s. (*duty, responsibility*); take (*command, lead, risk*); take charge of; accept (*duty, merchandise*; *a. estate* = enter upon); assume (*debt, responsibility*); take possession of; adopt (*method, etc.*); enter upon, succeed to (*an office*); → *annehmen*; *sich* ~ undertake too much, overstrain o.s., overextend o.s., in *et.*: overdo *a th.*; *im Essen*; overeat; *fig.* overreach o.s.; **2.** *'übernehmen* shoulder; *mil. das Gewehr*: slope (*Am.* shoulder) (*arms*); **2er** *m* (-*s*; -) one who takes (over *or* upon o.s.); receiver; contractor; *of bill of exchange*: **a)** acceptor, drawee; *jur.* assign, transfereee.

'über-ordnen *v/t.* (*h.*): *j-n* (*or et.*) *j-m* (*or e-r Sache*) ~ place (*or* set) a p. (*or* a th.) over a p. (*or* a th.).

'überparteilich *adj.* above party lines, non-partisan.

über'pinseln *v/t.* (*h.*) paint *a th.* over.

über'pflanz|en *v/t.* (*h.*) transplant; **2ung** *f* transplantation.

'Überpreis *m* excessive price.

ˈ**Überproduktion** *f* overproduction.
überˈprüf|en *v/t.* (*h.*) (re)consider, study; examine, investigate; scrutinize; screen (*a p. for security reasons*); review; check; verify; test; inspect; **2ung** *f* examination, investigation; scrutiny; checking; audit; review; verification; test (-ing); inspection.
überˈquer [-ˈkveːr] *adv.* across, crossways, diagonally; **~en** *v/t.* (*h.*) cross, transverse; **2ung** *f* (-; -*en*) crossing.
überˈragen *v/t.* (*h.*) rise (*or* tower) above *a th.*, overtop (*or* overlook) *a th.*; *fig.* tower above, surpass, (*a. v/i.*) excel (*durch* by); **~d** *adj. fig.* paramount; outstanding, brilliant.
überrasch|en [-ˈraʃən] *v/t.* (*h.*) (take by) surprise; take unawares, come upon; catch (*bei* at); surprise; *vom Regen überrascht werden* be caught in the rain; **~end** *adj.* surprising; amazing, startling; unexpected; *~ kommen* come as a surprise (*dat.* to); **2ung** *f* (-; -*en*) surprise; **2ungs-angriff** *m* surprise (*or* sneak) attack; **2ungsmoment** *n* element of surprise; **2ungssieger** *m* surprise winner.
überˈrechnen *v/t.* (*h.*) count (reckon) *a th.* over; check.
überˈred|en *v/t.* (*h.*) persuade (*zu* [in]to); *j-n zu et. ~* talk a p. into (doing) a th.; *j-n zu ~ suchen* reason with a p.; *sich ~ lassen* allow o.s. to be persuaded, come round, *zu et.*: let o.s. be talked into a th.; **2ung** *f* (-) persuasion; **2ungsgabe** (-), **2ungskunst** *f* gift (*or* art) of persuasion; *Am. a.* salesmanship; **2ungskraft** *f* (-) power of persuasion, persuasiveness.
ˈ**überregional** *adj.* supra-regional.
ˈ**überreich** *adj.* too (*or* extremely) rich; *~ an* (*dat.*) abounding in; overflowing with.
überˈreichen *v/t.* (*h.*) hand *a th.* over, present *a th.* (*j-m* to a p.); submit; enclose, attach.
ˈ**überreichlich I.** *adj.* superabundant; **II.** *adv.* in profusion, amply.
Überˈreichung *f* (-; -*en*) presentation.
ˈ**überreif** *adj.* overripe.
überˈreiz|en *v/t.* (*h.*) overexcite; overstrain (*nerves*); **~t** *adj.* overwrought; on edge; **2theit** (-), **2ung** *f* (-; -*en*) overexcitement, overstrain; overwrought state.
überˈrennen *v/t.* (*irr.*, *h.*) run over *or* down; *esp. mil.* overrun.
ˈ**Überrest** *m* remainder; remnant (*a. fig.*); *chem.*, *jur.* residue; (*a.* **~e** *pl.*) remains *pl.*; *w.s.* ruins, relics *pl.*; *sterbliche ~e* mortal remains; → *Überbleibsel*.
ˈ**Überrock** *m* overcoat, topcoat.
überˈrollen *mil. v/t.* (*h.*) overroll, sweep over.
überˈrumpel|n *v/t.* (*h.*) surprise, take unawares; rush; catch between wind and water; *mil.* take by surprise; *sich ~ lassen* be caught napping; **2ung** *f* (-; -*en*) surprise (attack *mil.*); **2ungstaktik** *f* rush tactics.
überˈrunden *v/t.* (*h.*) *sports* (out)lap.
ˈ**übers** *colloq.* = *über das* → *über*.
überˈsät *adj.* strewn, littered (*mit* with); *fig.* dotted, studded; bespangled (*mit* with *stars*).
ˈ**übersatt** *adj.* surfeited (*von* with).
überˈsättig|en *v/t.* (*h.*) surfeit (*a. fig.*); *chem.* oversaturate; *tech.* overheat (*steam*); *fig. übersättigt von* (*dat.*) (sick and) tired of, fed up with; **2ung** *f* surfeit (*a. fig.*); *chem.* supersaturation.
überˈsäuer|n *v/t.* (*h.*) make too sour; overacidify (*a. med.*); **2ung** *f* hyperacidity.
ˈ**Überschall...** *phys.* supersonic, faster-than-sound; **~geschwindigkeit** *f* supersonic speed.
überˈschatten *v/t.* (*h.*) overshadow (*a. fig.* = throw into the shade); *events, etc.*: cast a cloud over.
überˈschätz|en *v/t.* (*h.*) overrate, overestimate; **2ung** *f* overestimation.
überˈschauen *v/t.* (*h.*) overlook, survey.
ˈ**überschäumen** *v/i.* (*sn*) foam (*or* froth) over; *fig.* brim (*or* bubble) over (*vor* with); **~d** *adj. fig.* exuberant.
ˈ**Überschicht** *f* extra shift.
ˈ**überschießen I.** *v/i.* (*irr.*, *sn*) fall forward; be in excess; **II.** *überˈschießen v/t.* (*irr.*, *h.*) overshoot; **~d** *adj.* shifting (*ballast*); surplus.
überschlächtig [ˈ-ʃlɛçtiç] *tech. adj.* overshot.
überˈschlafen *v/t.* (*irr.*, *h.*) sleep on *a th.*
ˈ**Überschlag** *m* somersault, *gym. a.* handspring, overthrow; *aer.* loop, *on landing*: noseover; *tailoring*: facing; (rough) calculation, estimate; *el.* flashover.
ˈ**überschlagen**[1] **I.** *v/t.* (*irr.*, *h.*) cross (*legs*); **II.** *v/i.* (*irr.*, *sn*) turn (*or* tumble) over; *spark*: flash across; *fig. ~ in* (*acc.*) turn abruptly into.
überˈschlagen[2] **I.** *v/t.* (*irr.*, *h.*) omit, skip, miss *a page*; calculate roughly, (make an) estimate (of); take the chill off; *sich ~* turn a somersault, tumble over, go head over heels; *car, etc.*: overturn, *mar.* capsize, *aer.* loop the loop, *on landing*: noseover, *mil. shell*: tumble; (*voice*), crack, break, *fig. events*: follow hot on the heels of one another; *sich vor Liebenswürdigkeit fast ~* fall over o.s. to be nice; **II.** *adj.* lukewarm, tepid.
ˈ**überschlau** *adj.* oversmart, too clever by halves.
ˈ**überschnappen** *v/i.* (*sn*) *voice*: squeak; *colloq.* go crazy, go mad, crack up, flip; *übergeschnappt* cracked, nuts.
überˈschneid|en *v/t.* (*irr.*, *h.*) *and sich ~* overlap (*a. fig.*); *lines*: intersect; **2ung** *f* (-; -*en*) overlapping; (point of) intersection.
überˈschreiben *v/t.* (*irr.*, *h.*) superscribe, head, entitle; address (*letter*); transfer, make *a th.* over (*dat.* to), sign over *rights* (to); *econ.* carry over; *auf ein Konto ~* pass to an account; give, transmit (*order*); label, mark.
überˈschreien *v/t.* (*irr.*, *h.*) cry down; *sich ~* overstrain one's voice.
überˈschreit|bar *adj.* passable, crossable; **~en** *v/t.* (*irr.*, *h.*) cross, pass over *a th.*, go across *a th.*; overstep (*boundary*); *fig.* transgress; infringe (*law*); exceed, overstep, go beyond (*measure*); exceed, fail to meet (*deadline*); surpass (*credit*); overdraw (*one's account*); *sein Einkommen ~* overspend; **2ung** *f* (-; -*en*) crossing; *fig.* transgression; infringement; exceeding.
ˈ**Überschrift** *f* heading, title; headline.
ˈ**Überschuh** *m* overshoe; galosh; **~e** *pl. Am.* rubbers.
überˈschuld|et *adj.* deeply involved in debt; heavily encumbered (*property*); **2ung** *f* (-; -*en*) heavy indebtedness (*or* encumbrance).
ˈ**Über|schuß** *m* surplus, excess; *econ.* **a**) balance (*a.* = remainder), **b**) margin, **c**) profit; *e-n ~ abwerfen* yield a profit; **~schußgebiet** *n* area producing a surplus; **2schüssig** [ˈ-ʃysiç] *adj.* surplus, excess; (*a. adv.*) in excess; *~e Erzeugnisse* excess products, surplus goods; *~e Kaufkraft* surplus purchasing power; *~e Kräfte* unused strength, spare energy.
überˈschütten *v/t.* (*h.*) cover; *fig.* overwhelm (*mit* with); *mit Geschenken*: shower with.
ˈ**Überschwang** *m* (-[e]s) exuberance, excess.
überˈschwemm|en *v/t.* (*h.*) inundate (*a. fig.*); flood, overflow; swamp (*esp. floor, table, etc.*); *fig. mit Briefen, Aufträgen, etc.*: deluge (*or* flood *or* swamp) with *letters, orders, etc.*; *econ.* overstock, glut (*the market*); **2ung** *f* (-; -*en*) inundation, flood(ing); *econ.* overstocking, glutting; **2ungskatastrophe** *f* flood disaster.
ˈ**überschwenglich** [ˈ-ʃvɛŋliç] *adj.* rapturous, effusive, gushing; **2keit** *f* (-; -*en*) effusiveness.
ˈ**überschwer** *adj. mil.*: *~er Panzer* superheavy tank.
ˈ**Übersee** *f* (-) oversea(s *pl.*); *nach ~ gehen* go overseas; **~bank** *f* (-; -*en*) overseas bank; **~dampfer** *m* transoceanic steamer, ocean liner; **~handel** *m* oversea(s) trade; **2isch** *adj.* oversea(s); transoceanic (*communication, steamer*); transmarine (*cable*); foreign (*market*); *~e Route* oversea route; **~kabel** *el. n* transoceanic (*or* transatlantic *or* submarine) cable; **~streitkräfte** *mil. f/pl.* overseas forces; **~telegramm** *n* cablegram; **~verkehr** *m* oversea (*or* transoceanic) traffic.
überˈsegeln *v/t.* (*h.*) run foul of *a ship*.
überˈseh|bar *adj.* surveyable, visible at a glance, in full view; **~en** *v/t.* (*irr.*, *h.*) → *überblicken*; survey, run the eye over, take in at a glance; overlook, miss, fail to notice; *~ werden* escape *a p.'s* notice; disregard, ignore, shut one's eyes to, wink at; realize, perceive; *er übersieht die Sache fast nicht mehr* he can hardly keep track of the business.
ˈ**überselig** *adj.* overjoyed, delirious with joy.
überˈsend|en *v/t.* (*irr.*, *h.*) send, forward, transmit; *econ.* consign, *Am.* ship (*goods*); remit (*money*); **2er(in** *f*) *m* (-s, -; -, -*nen*) sender;

econ. consigner; remitter; 2**ung** *f* (-) sending; transmission; consignment; remittance.
über'setzbar *adj.* translatable.
'übersetzen[1] **I.** *v/i.* (*h.*) pass over; **II.** *v/t.* (*h.*) carry (*or* ferry) over.
über'setz|en[2] *v/t.* (*h.*) translate (*in acc.* into), render (into *English*); *falsch* ~ mistranslate; interpret; *tech.* gear; 2**er(in** *f*) *m* (-s, -; -, -nen) translator; 2**ung** *f* (-; -en) translation (*aus* from; *in acc.* into); rendering; version; *tech.* gear(ing), transmission; 2**ungsfehler** *m* error of translation, misrendering; 2**ungsgetriebe** *tech. n* transmission gearing; 2**ungsverhältnis** *tech. n* gear ratio.
'Übersicht *f* (-; -en) survey, view; *fig.* survey, review; summary outline; synopsis; *e-e ~ bekommen* obtain a general view (*über acc.* of); *die ~ verlieren* lose control (over); *man verlor jede ~ a.* the matter got completely out of hand; 2**lich** *adj.* easy to survey; clear(ly arranged); lucid; open (*terrain*); *fig.* predictable; **~lichkeit** *f* clearness; lucidity; **~skarte** *f* outline map; **~s-tabelle** *f* synoptical table.
'übersiedel|n *v/i.* (*sn*) (re)move (*nach* to); emigrate (to); 2**ung** *f* removal; emigration.
'übersinnlich *adj.* transcendental; psychic(al) *forces.*
über'spann|en *v/t.* (*h.*): *mit et. ~* cover *a th.* with a th.; overstretch, overstrain; *fig.* exaggerate (*demands*), push too far; overexcite, overheat (*imagination*); → *Bogen*; **~t** *adj.* extravagant, fantastic, outré (*Fr.*); high-flown (*idea, plan*); eccentric; 2**theit** *f* extravagance, eccentricity; 2**ung** *f* overstraining; *el.* excess voltage; *fig.* exaggeration.
über'spielen *v/t. and v/i.* (*h.*) *sports*: pass (*opponent*); *fig.* outmanoeuvre, *Am.* outmaneuver; *thea.* overact, *Am. a.* ham it up.
über'spinnen *v/t.* (*h.*) spin *a th.* over, cover; *übersponnener Draht* covered wire.
über'spitz|en *v/t.* (*h.*) subtilize; exaggerate, overdo; **~t** *adj.* oversubtle, sophisticated, footling; exaggerated.
'überspringen I. *v/i.* (*sn*) leap over; *el.* flash across; *fig. in conversation*: *~ von ... zu* flit from ... to; *disease*: shift (*auf acc.* to *other parts*), *epidemic*: *~ auf* spread to, grip; **II.** *über'springen v/t.* (*h.*) jump, clear; (*a. fig.*) overleap; skip; *j-n im Amt ~* be promoted over the head of a p.
'übersprudeln *v/i.* (*sn*) bubble (*or* gush) over (*fig. vor dat.* with); *~d* exuberant (*joy*); *~der Witz* sparkling wit.
'überstaatlich *adj.* supranational.
'überständig *adj.* stale, flat; *fig.* decrepit, superannuated.
'überstehen I. *v/i.* (*irr., h.*) jut out, project; **II.** *über'stehen v/t.* (*irr., h.*) overcome, surmount; endure, get over (*a th., an illness*); survive; weather, ride out (*storm, crisis*); *er hat es überstanden* (*is dead*) he is at rest; *er hat es gut überstanden* he has stood it well; *das wäre überstanden!* that's that!
'übersteigen I. *v/i.* (*irr., sn*) step (*or* climb) over, cross; **II.** *über'steigen v/t.* (*irr., h.*) cross, climb over; *fig.* overcome, surmount; exceed, pass (*all expectations, one's understanding, etc.*); *j-s Kräfte ~* be too much for a p.
über'steiger|n *v/t.* (*h.*) outbid (*a p.*); force up (*prices, etc.*); *fig.* overdo; **~t** *adj.* excessive; *~er Nationalismus* ultranationalism.
über'steuern *v/t.* (*h.*) overcharge; *radio*: overmodulate.
über'stimmen *v/t.* (*h.*) outvote, vote down.
über'strahlen *v/t.* (*h.*) shine upon, irradiate; *fig.* outshine, eclipse.
über'streichen *v/t.* (*irr., h.*) paint *a th.* out (*a.* over), coat; *mit Firnis ~* varnish.
'überstreifen *v/t.* (*h.*) slip *a th.* over.
'überströmen I. *v/i.* (*sn*) overflow, run over; *fig.* overflow (*vor dat.* with); *vor Freude ~* exult with joy; *~d fig.* gushing; **II.** *über'strömen v/t.* (*h.*) inundate, flood, deluge.
'überstülpen *v/t.* (*h.*) put on, tilt (*or* slip) over.
'Überstunde *f*, **~n** *pl.* overtime; *~n machen* work overtime; **~ngeld(er** *pl.*) *n* overtime pay.
über'stürz|en *v/t.* (*h.*) hurry, rush, precipitate; *sich ~* act rashly (*or* overhastily), *events, etc.*: press one another, follow in rapid succession; **~t** *adj.* precipitate, overhasty, rash; 2**ung** *f* (-) precipitancy, hurry, rush; *nur keine ~* there is no hurry!, take your time!
übertäuben [-'tɔʏbən] *v/t.* (*h.*) stun, deafen; stifle.
über'teuern *v/t.* (*h.*) overcharge.
über'tölpeln *v/t.* (*h.*) dupe, take in.
über'tönen *v/t.* (*h.*) drown (out).
Übertrag ['-traːk] *econ. m* (-[e]s; ⸚e) **a**) carrying over, **b**) sum carried over *or* forward, carry-over, **c**) balance, **d**) transfer.
über'trag|bar *adj.* transferable; *econ.* negotiable; *nicht ~* non-transferable, *econ.* non-negotiable; *med.* communicable, infectious, catching, contagious (*diseases*); → *übersetzbar*; 2**barkeit** *f* (-) transferability; *econ.* negotiability; *med.* infectiousness, contagiousness; **~en** *v/t.* (*h.*) *econ.* **a**) carry over, bring forward, **b**) transfer; make over *property* (*auf j-n* to), transfer (to); assign (*a patent, right, etc.*, to); transfuse (*blood*); convey *real estate* (to); confer *office* ([up]on); delegate *powers* (to), vest (*a p.* with); *et. auf j-s Namen ~* register a th. in a p.'s name; *j-m e-e Aufgabe, etc., ~* charge (*or* commission) a p. with *a task*, entrust *a th.* to a p.; translate, render, do (*in acc.* into *another language*); transcribe (*shorthand notes*); *med., phys., tech., radio*: transmit; *radio a.* broadcast, relay; televise; communicate *disease* (*auf acc.* to); *surgery*: transplant, graft; *sich ~ disease, fig. mood, panic, etc.*: communicate itself (*auf acc.* to), be infectious *or* catching; *die Krankheit übertrug sich auf mich* I caught the disease; *~e Bedeutung* figurative (*or* metaphorical) sense; 2**ung** *f* (-; -en) transfer (*a. econ.*); assignment (*of rights, patents, etc.*), cession; delegation (*of powers*); (*blood*) transfusion; conferring (*of an office*); conveyance (*of real estate*); *med., phys., tech., radio*: transmission; broadcast, program (-me); telecast; *of disease*: *a.* spreading; infection; translation; transcription (*of shorthand notes*); 2**ungs-urkunde** *f* deed of conveyance; *for securities*: transfer deed.
über'treffen *v/t.* (*irr., h.*) excel, outdo (*sich selbst* o.s.), outstrip (*a p.*); surpass, exceed, beat (*a. a th.*) (*all*: *an dat., in dat.* in); *im Laufen* (*Boxen, in der Leistung, etc.*) *~* outrun (outbox, outperform, *etc.*); *alle Erwartungen ~* exceed all expectations; *sich selbst ~* eclipse o.s.
über'treib|en *v/t. and v/i.* (*irr., h.*) overdo; carry *a th.* too far; exaggerate, overstate; (*only v/i.*) draw the long bow, *stark ~ a.* lay it on thick; *thea.* overact, overdo, *Am. a.* ham it up; → *übertrieben*; 2**ung** *f* (-; -en) overdoing; exaggeration, overstatement; overacting; *zu sagen, daß ..., wäre eine ~* to say that ..., would be to exaggerate.
'übertreten I. *v/i.* (*irr., sn*) pass (*or* step) over; *~ zu* go over to, join; *zu e-r andern Partei* (*Religion*) *~* change sides (one's religion); *zum Katholizismus ~* turn Roman Catholic; **II.** *über'treten v/t.* (*irr., h.*) *sports*: overstep; *sich den Fuß ~* sprain one's ankle; *fig.* transgress, trespass against, infract, violate (*ein Gesetz, etc.* a law, *etc.*).
Über'tret|er(in *f*) *m* (-s, -; -, -nen) transgressor, trespasser, offender; **~ung** *f* (-; -en) transgression, trespass; *jur.* infraction, violation; *n.s.* petty offen|ce, *Am.* -se.
übertrieben [-'triːbən] *adj.* overdone; exaggerated, magnified; excessive (*price, demands, etc.*); extravagant, extreme (*views*); outré (*Fr.*); unreasonable; *leicht ~* slightly (*or* mildly) exaggerated; *in ~em Maße* excessively.
'Übertritt *m* going over (*zu* to), joining; *eccl.* conversion, change of religion.
über'trumpfen *v/t.* (*h.*) overtrump; *fig. a.* outdo, go one better than.
über'tünchen *v/t.* (*h.*) whitewash (*a. fig.*), brush over; *fig.* gloss over, varnish.
'überversichern *v/t.* (*h.*) over-[insure.]
übervölker|n [-'fœlkərn] *v/t.* (*h.*) overpopulate; 2**ung** *f* (-) overpopulation.
'übervoll *adj.* overfull; brimful; overcrowded; *~ von* (*dat.*) brimming (*or* bursting) with.
über'vorteil|en *v/t.* (*h.*) overcharge, overreach, do (down); cheat; 2**ung** *f* (-) overreaching, *etc.*
über'wach|en *v/t.* (*h.*) watch over; supervise, superintend; control, inspect; *police*: keep under surveillance, shadow; *radio, etc.*: monitor; 2**ung** *f* (-; -en) watching over; supervision, superintendence; control, inspection; surveillance; monitoring; 2**ungsausschuß** *m* watch committee.

über'wachsen *v/t.* (*irr.*, *h.*) overgrow.

'überwallen *v/i.* (*sn*) boil over (*a. fig.*).

überwältigen [-'vɛltigən] *v/t.* (*h.*) overcome, overpower, overwhelm (*all a. fig.*); subdue; defeat; **~d** *adj.* overwhelming, imposing; *~e Mehrheit* overwhelming majority; *~e Schönheit* breathtaking beauty; *~er Sieg* smashing victory; *iro. nicht ~!* nothing to write home about!, not so hot!

über'weis|en *v/t.* (*irr.*, *h.*) assign, transfer; *for decision*: refer (*dat. or an acc.* to), *parl. a.* devolve (*an acc.* upon *a committee*); remit (*money*); transfer; **2ung** *f* assignment, transfer (*of property, etc.*); *for decision*: reference (*an acc.* to); *parl.* devolution (upon); (*Geld2*) remittance; **2ungs-auftrag** *m* remittance order; **2ungsformular** *n* transfer form; **2ungsscheck** *m* transfer cheque (*Am.* check); **2ungsverkehr** *m* bank transfer business, giro mechanism.

'überweltlich *adj.* ultramundane.

überwendlich [-'vɛntliç] *adj. and adv.*: *~ nähen* oversew, whip; *~e Naht* overhand seam.

'überwerfen I. *v/t.* (*irr.*, *h.*) throw over; slip (*or* fling) on; **II.** *über'werfen v/refl.* (*irr.*, *h.*): *sich mit j-m ~* fall out (*or* quarrel) with a p.

über'wiegen I. *v/t.* (*irr.*, *h.*) outweigh; **II.** *v/i.* (*irr.*, *h.*) have overweight; *fig.* preponderate, prevail; predominate; **2** *n* (*-s*) preponderance; **~d I.** *adj.* preponderant, prevailing, predominant, vast, overwhelming; *~er Teil* majority, bulk; **II.** *adv.* predominantly; chiefly, mainly; *~ schuldig* predominantly guilty.

über'wind|en *v/t.* (*irr.*, *h.*) overpower; overcome (*a. fig. one's inhibitions, etc.*); conquer (*a. fig. passion, etc.*); subdue (*a. fig.*); surmount, overcome, get over (*difficulties*); *sich selbst ~* carry a victory over o.s.; *sich ~ können zu et.* bring o.s. to *do a th.*; *ein überwundener Standpunkt* an antiquated view, an exploded idea; **2er(in** *f*) *m* (*-s, -; -, -nen*) conqueror; **2ung** *f* (*-; -en*) conquest; overcoming; surmounting; → *Selbstüberwindung*; *es kostete mich ~* it cost me an effort; *er tat es nur mit ~* he did it with reluctance.

über'winter|n I. *v/i.* (*h.*) (pass the) winter; *esp. zo.* hibernate; **II.** *v/t.* winter; **2ung** *f* (*-*) hibernation.

über'wölben *v/t.* (*h.*) arch (*or* vault) over.

über'wuchern *v/t.* (*h.*) overgrow, overrun; *fig.* stifle.

'Überwurf *m* wrap(per), shawl; *wrestling*: throw-back; **~mutter** *tech. f* (*-; -n*) screw cap.

'Überzahl *f* (*-*) superior number(s) *or* (*only mil.*) forces *pl.*, numerical superiority, odds *pl.*

über'zählen *v/t.* (*h.*) count *money* over.

'überzählig *adj.* supernumerary, odd; left over, surplus, spare.

'Überzahn *m* projecting tooth.

über'zeichn|en *econ. v/t.* (*h.*) oversubscribe; **2ung** *f* oversubscription.

über'zeug|en *v/t.* (*h.*) convince (*von* of), persuade; *esp. jur.* satisfy (*von* as to); *w.s.* be convincing (*a. performance, play, etc.*); *zu ~ suchen* argue (*or* reason) with; *sich ~ von* satisfy o.s. as to, make sure of; *~ Sie sich selbst!* go and see for yourself!; *Sie dürfen überzeugt sein, daß* you may rest assured that; **~end** *adj.* convincing; compelling (*a. speaker*), conclusive; telling (*argument, etc.*); convincing, brilliant (*performance*); *~ klingen or wirken* carry conviction; *das ist nicht sehr ~* (there is) not much force in that; **~t** [-'tsɔʏkt] *adj.* positive, assured; ardent, strong (*socialist, etc.*); *~ sein von Am. a.* be sold on *a th.*; **2ung** *f* (*-; -en*) conviction; persuasion; certainty, assurance; *gegen s-e ~* contrary to one's convictions; *der festen ~ sein* be thoroughly convinced; *zu der ~ gelangen, daß* come to the conclusion that, decide that; **2ungskraft** *f* (*-*) persuasive power, *esp. fig.* logic.

'überziehen[1] **I.** *v/t.* (*irr.*, *h.*) pull (*or* draw *or* slip) *a th.* over; *j-m eins ~* give a p. a cut with a stick; **II.** *v/i.* (*irr.*, *sn*) (re)move (*nach, in acc.* to).

über'ziehen[2] *v/t.* (*irr.*, *h.*) cover; coat; plate; line; *mit Zucker* (*Gips*) *~* ice (plaster); put fresh linen on *bed*; *aer.* stall; *econ.* overdraw (*account*); *ein Land mit Krieg ~* invade a country; *sich ~ sky*: become overcast.

'Überzieh|er *m* (*-s; -*) overcoat, topcoat; **~hose** *f* (*e-e ~* a pair of) overalls *pl.*, **~socken** *f/pl.* golf socks.

Über'ziehung *econ. f* overdraft.

über'zuckern *v/t.* (*h.*) sugar (over); candy.

'Überzug *m* cover; *bed*: case, tick; *pillow*: slip; *tech.* coat(ing), film; plating; (protective) lining.

überzwerch [-'tsvɛrç] *colloq. adv.* across.

üble(r) ['y:blə(r)] → *übel.*

üblich ['y:pliç] *adj.* usual, customary; conventional (*a. tech.*); common, ordinary; normal, *esp. tech.* standard; *nicht mehr ~* (gone) out of use, antiquated, no longer practised; *es ist allgemein ~* it is a common practice; *wie es ~ war* as was the custom.

'U-Boot *n* submarine, U-boat; → *Unterseeboot.*

übrig ['y:briç] *adj.* left over, remaining; *chem., jur.* residual; odd; superfluous; *mein ~es Geld* the rest of my money; *im ~en Deutschland* in the rest of Germany; *die ~en pl.* the others, the rest; *im ~en, ~ens* **a**) (as) for the rest, otherwise, **b**) by the way, **c**) besides, **d**) after all; *~ behalten or haben* have *a th.* left; *keine Zeit ~ haben* have no time to spare; *et. ~ haben für* care for, have a soft spot for; *nichts* (*or nicht viel*) *~ haben für* care little for, have no use for, think little of; *ein ~es tun* do more than one's due, go out of one's way (*to do a th.*; *for a p.*); **'~bleiben** *v/i.* (*irr.*, *sn*) be left (*j-m* to a p.), remain (to; *j-m zu tun* for a p. to do); *fig. es blieb mir nichts anderes ~* (*als*) I had no (other) alternative *or* choice (but); **'~ens** *adv.* → *übrig*; **'~lassen** *v/t.* (*irr.*, *h.*) leave, spare; *viel* (*wenig*) *zu wünschen ~* leave much (little) to be desired.

Übung ['y:buŋ] *f* (*-; -en*) exercise (*a. gym., mus.*); *mus. a.* study; practice; use, practice, custom; *mil.* **a**) drill(ing), training, **b**) field exercise; *nicht in* (*or aus der*) *~ sein* be out of practice; *außer ~ sein* have fallen into disuse; *in ~ bleiben* keep in training, keep one's hand in.

'Übungs...: ~aufgabe *f* exercise; **~bombe** *f* practice bomb; **~buch** *n* exercise-book; **~flug** *m* practice flight; **~flugzeug** *n* training (air-) plane, trainer; **~gelände** *n* training ground *or* area; **~handgranate** *f* practice grenade; **~hang** *m* (*-[e]s; ⸚e*) *skiing*: practice slope; **~heft** *n* exercise-book; **~lager** *n* training camp; **~marsch** *mil. m* route-march; **~munition** *mil. f* practice ammunition; **~platz** *mil. m* drill-ground; training area; **~schießen** *mil. n* practice firing, target practice.

Ufer ['u:fər] *n* (*-s; -*) shore; beach; lakeside; (*river*) bank; *am* (*or ans*) *~* ashore; *an den ~n der Themse* on the banks of the Thames; *über die ~ treten* overflow (its banks); **'~bewohner(in** *f*) *m* riparian (dweller); **'~damm** *m* embankment, *Am. a.* levee (*of river*); **'~land** *n* shoreland; **'2los** *adj. fig.* boundless; extravagant, wild; *ins ~e führen* lead nowhere; **'~mauer** *f* quay; → *Uferdamm*; **'~staat** *m* riparian state.

Uhr [u:r] *f* (*-; -en*) clock; watch; timepiece, mantle-clock; hour, time (of the day); *wieviel ~ ist es?* what time is it?; *es ist halb drei ~* it is half past two; *nach meiner ~ ist es vier* by my watch it is four o'clock; *um vier ~* at four o'clock; *um wieviel ~?* at what time?; *fig. wie nach der ~* like clockwork; **'~armband** *n* (wrist)watch band *or* strap, watch bracelet; expansion band; **'~aufzug** *m* clock winding; **'~deckel** *m* outer case of a watch; **'~enfabrik** *f* watch factory, makers *pl.* of clocks and watches; **'~engeschäft** *n* watchmaker's shop; **'~enhandel** *m* trade in clocks and watches; **'~feder** *f* watch (*or* clock) spring; **'~gehäuse** *n* watch (*or* clock) case; **'~getriebe** *n* pinion of a watch; **'~glas** *n* watch glass; **'~kette** *f* watch chain; **'~macher** *m* (*-s; -*) watch maker, clockmaker; **'~stempel** *m* time stamp; **'~werk** *n* clockwork, works *pl.*; **'~zeiger** *m* hand (of a watch *or* clock); **'~zeigersinn** *m*: *im ~* clockwise; *entgegen dem ~* counterclockwise, anti-clockwise; **'~zeit** *f* (clock) time.

Uhu ['u:hu:] *m* (*-s; -s*) eagle-owl.

Ukas ['u:kas] *m* (*-ses; -se*) ukase, decree.

U'K-Stellung *mil. f* exemption (from military service).

Ukrain|e [ukra'i:nə, -'kraɪnə] *f* (*-*): *die ~* the Ukraine; **2isch** *adj.* Ukrainian.

Ulan [u'lɑːn] *mil. m* (-en; -en) uhlan, lancer.
Ulk [ulk] *m* (-s; -e) fun, (practical) joke, hoax; spree, lark; ⁓ *treiben* skylark; ⁓ *treiben mit* (*dat.*) make fun of; '⁓**bild** *n* caricature; '2**en** *v/i.* (*h.*) (sky)lark; joke, quip; '2**ig** *adj.* funny, droll, comical.
Ulme ['ulmə] *bot. f* (-; -*n*) elm.
Ultimatum [ulti'mɑːtum] *n* (-*s*; -*ten*) ultimatum; *j-m ein* ⁓ *stellen* deliver an ultimatum to a p.
Ultimo ['ultimo] *econ. m* (-*s*; -*s*) last day (*or* end) of the month; *per* ⁓ for the monthly settlement; ⁓**abrechnung** *f* monthly settlement; ⁓**effekten** *f/pl.*, ⁓**papiere** *n/pl.* *stock exchange*: forward securities; ⁓**geld** *n* monthly loans *pl.*
Ultra...: ⁓**dyn-empfänger** [ultra'dyn-] *m* ultradyne receiver; ⁓'**kurzwelle** *phys. f* (UKW) ultra-short wave; very high frequency (*abbr.* v.h.f.); ⁓'**kurzwellensender** *m* ultra-short wave transmitter; ⁓**ma'rin** *n* (-s) ultramarine; 2**mon'tan** *adj.* ultramontane; '2**rot** *adj.* ultrared, infrared; '⁓**schall** *phys. m* (-[e]s) ultrasonics *pl.*; ⁓'**schallfrequenz** *f* supersonic frequency; ⁓'**schallwelle** *f* ultrasonic wave; '⁓**strahlen** *m/pl.* cosmic rays; '2**violett** *adj.* ultraviolet.
um [um] **I.** *prp.* (*acc.*) about; → *ungefähr*; *time*: about, near, towards, *precisely*: at; *approximately*: (a-)round, round about; for (*a price, wage*); by (*a measure*); ⁓ *die Hälfte größer* larger by a half; ⁓ *die Zeit* (*herum*) about the time; → *Tag*; *einer* ⁓ *den andern* **a**) one by one, **b**) alternately, by turns; ⁓ *so besser* all (*or* so much) the better; ⁓ *so mehr* (*weniger*) all the more (less); (so much) the more (*als* as; *weil* because); ⁓ *so weniger darf er es tun* all the more reason why he should not do it; *je länger ich darüber nachdenke*, ⁓ *so weniger gefällt mir die Sache the longer I think about it* the less I like it; ⁓ *ein bedeutendes* (*Stück*) by a great deal, considerably; ⁓ *e-r Sache or j-s willen* for the sake (*or* on behalf) of *a th. or p.*; → *drehen, handeln, stehen, etc.*; **II.** *cj.*: ⁓ *zu inf.* (in order) to *inf.*; ⁓ *Fehler zu vermeiden* (in order) to avoid errors; **III.** *adv.* about; ⁓ *und* ⁓ **a**) round about, **b**) from (*or* on) all sides; ⁓ *sein* be over, be past, be gone, be up.
'**um-ackern** *v/t.* (*h.*) plough (*Am.* plow) up.
'**um-adressieren** *v/t.* (*h.*) redirect.
'**um-ändern** *v/t.* (*h.*) change, alter, modify; rearrange.
'**um-arbeit|en** *v/t.* (*h.*) work over; remodel, recast; improve, modify; make over, remodel (*dress*); revise (*book*); rewrite; (re)adapt (*for the screen, etc.*); *fig.* ⁓ *zu* (*dat.*) make (*or* turn) into; 2**ung** *f* (-; -*en*) working over; remodel(l)ing; modification; revision; (re)adaptation.
umarm|en [-'ʔarmən] *v/t.* (*h.*) embrace (*a. einander, sich*), hug; 2**ung** *f* (-; -*en*) embrace, hug.
'**Umbau** *m* (-[e]*s*; -*e*, -*ten*) reconstruction; rebuilding; alteration(s *pl.*), remodel(l)ing; **a**) modification, **b**) conversion (*in acc.* into); *fig.* reorganization, recasting; 2**en** *v/t.* (*h.*) **1.** reconstruct, rebuild; remodel; alter; *tech.* **a**) modify, **b**) convert (*in acc.* into); *thea.* (*v/i.*) change the setting; *fig.* reorganize; **2.** *um'bauen*: enclose; surround with buildings; *umbauter Raum* enclosed area, interior space.
'**umbehalten** *v/t.* (*irr.*, *h.*) keep on.
'**umbenennen** *v/t.* (*irr.*, *h.*) re-designate, rename.
'**umbesetz|en** *v/t.* (*h.*) change; *thea.* recast; *pol.* reshuffle; 2**ung** *f* change(s *pl.*); recast(ing); reshuffle, *Am. a.* shake-up.
'**umbetten** *v/t.* (*h.*) put into another (*or* fresh) bed.
'**umbiegen** *v/t.* (*irr.*, *h.*) bend (over); turn down *or* up.
'**umbild|en** *v/t.* (*h.*) remodel, reconstruct; recast, transform; reorganize; reform; *pol.* reshuffle (*cabinet*); 2**ung** *f* (-; -*en*) remodel(l)ing, reconstruction; transformation; reorganization; reform; *pol.* reshuffle.
'**umbinden** *v/t.* (*irr.*, *h.*) tie round; put on (*apron, etc.*).
'**umblasen** *v/t.* (*irr.*, *h.*) blow down *or* over.
'**umblättern** *v/t. and v/i.* (*h.*) turn [over (the page).]
'**Umblick** *m* panorama, view round.
'**umbrechen** *v/t.* (*irr.*, *h.*) **1.** break down (*or* up; *a. agr.*); **2.** *um'brechen typ.* make up (into pages).
'**umbringen** *v/t.* (*irr.*, *h.*) kill, make away with (*both*: *sich* o.s.); murder, slay; *iro. bring dich bloß nicht um!* don't sprain something!; *sich* (*fast*) ⁓ bend over backwards (*to try, etc.*); *colloq. fig. nicht umzubringen person or thing*: indestructible.
'**Umbruch** *m typ.* **a**) making up into pages, **b**) page-proofs *pl.*; *fig.* radical change; *esp. pol.* revolution, upheaval; *parl.* landslide.
'**umbuch|en** *econ. v/t.* (*h.*) transfer (to another account); 2**ung** *f* (book) transfer.
'**umdenken I.** *v/t.* (*irr.*, *h.*) rethink; **II.** *v/i.* (*irr.*, *h.*) change one's views (*or* approach).
'**umdeuten** *v/t.* (*h.*) give a new interpretation to.
'**umdichten** *v/t.* (*h.*) recast (*poem*).
'**umdisponieren I.** *v/t.* (*h.*) redispose, rearrange; **II.** *v/i.* (*h.*) make new arrangements, change one's plans.
um'drängen *v/t.* (*h.*) throng (*or* press) round.
'**umdrehen** *v/t.* (*h.*) turn (round), whirl, spin round (*all a. sich*); *fig.* twist; → *Spieß*.
Um'drehung *f* turning round; turn (*a. tech. of the screw, etc.*); *phys.* rotation, revolution; ⁓**en** *pl. pro Minute* (U/Min.) revolutions per minute (*abbr.* r.p.m.); ⁓**s-achse** *f* axis of rotation; ⁓**sbewegung** *f* rotatory motion; ⁓**szähler** *m* revolution counter, tachometer.
'**Umdruck** *typ. m* (-[e]s; -e) transfer (process), reprint; 2**en** *v/t.* (*h.*) transfer.
um-ein'ander *adv.* round each other.
'**um-erzieh|en** *v/t.* (*irr.*, *h.*) re-educate; 2**ung** *f* re-education.
'**umfahr|en 1.** *v/t.* (*irr.*, *h.*) run down; **2.** *um'fahren v/t.* (*irr.*, *h.*) drive (*or* sail) round; double (*cape*); 2**t** *f* (circular) tour, round-trip.
'**Umfall** *m fig.* (sudden) change of mind (*or* opinion); *parl.* defection; 2**en** *v/i.* (*irr.*, *sn*) fall (down *or* over); collapse; *vehicle*: (be) overturn(ed), be upset; *fig.* cave in, capitulate; *parl.* change sides, rat; *zum* 2 *müde sein* feel ready to drop.
'**Umfang** *m* (-[e]s) circumference, circuit; periphery; bulk; girth; *tailoring*: width; extent (*a. fig.*), size; radius, range (*a. fig.* = scope); *phys.* volume (*a. of traffic, sales, etc.*); *zehn Zoll im* ⁓ ten inches round; *in vollem* ⁓*e* in its entirety; *in großem* ⁓*e* on a large scale, large-scale, wholesale.
um'fangen *v/t.* (*irr.*, *h.*) encircle; embrace; *fig.* surround.
'**umfangreich** *adj.* extensive; voluminous; big; spacious, wide.
'**umfärben** *v/t.* (*h.*) redye.
um'fass|en *v/t.* (*h.*) grasp, grip; enclose, surround; embrace (*a. fig.*), clasp (round); *mil.* envelop, outflank, encircle; *fig.* comprise, cover, include; ⁓**end** *adj.* comprehensive, extensive; complete, full, overall; all-out; sweeping, drastic; 2**ung** *f* embracing, encompassing; enclosure; *mil.* envelopment, encirclement, outflanking; 2**ungsbewegung** *mil. f* outflanking movement; 2**ungsmauer** *f* enclosure wall.
um'flattern *v/t.* (*h.*) flutter around.
um'flechten *v/t.* (*irr.*, *h.*) plait round; braid (*wire*).
um'fliegen *v/t.* (*irr.*, *h.*) fly round *a th.*
um'fließen *v/t.* (*irr.*, *h.*) flow round, surround.
umflor|en [-'floːrən] *v/t.* (*h.*) cover with crape, veil; ⁓**t** *adj.* muffled (*voice*); dim with tears, sad (*glance*).
um'fluten *v/t.* (*h.*) → *umfließen*.
'**umform|en** *v/t.* (*h.*) remodel, recast, transform; redesign; *el.* transform, convert; 2**er** *el. m* converter, transformer; (phase) inverter.
'**Umfrage** *f* inquiry (all round); *öffentliche*: (opinion) poll; ⁓ *halten* make general inquiries.
umfried(ig)|en [-'friːd(ig)ən] *v/t.* (*h.*) enclose, fence in; 2**ung** *f* (-; -*en*) enclosure, fence.
'**umfüllen** *v/t.* (*h.*) decant, transfuse.
'**umfunktionieren** *v/t.* (*h.*) convert (*in acc.* into).
'**Umgang** *m* (going) round, circuit; rotation, turn; *el.* convolution (*of winding*); *arch.* gallery, ambulatory; procession; social intercourse, relations *pl.* (*mit* with); *colloq.* company, acquaintances *pl.*, (circle of) friends; ⁓ *mit* way how to deal with, approach to; ⁓ *haben or pflegen mit* associate (*or* keep company) with, see a great deal of *a p.*; *guten* (*schlechten*) ⁓ *pflegen* keep good (bad) company; *wenig* ⁓ *haben* have few acquaintances, not to see many people.
umgänglich ['-gɛŋliç] *adj.* sociable, companionable, affable; easy to

get along with; **℘keit** *f* (-) sociability; affability.
ˈ**Umgangs...:** **~formen** *f/pl.* (social) manners *pl.*, deportment; **~sprache** *f* colloquial language; *die englische ~* colloquial English; *Wendung der ~* colloquialism.
umgarnen [-ˈgarnən] *v/t.* (*h.*) *fig.* ensnare.
umˈgaukeln *v/t.* (*h.*) hover (*or* flutter) (a)round.
umˈgeb|en *v/t.* (*irr.*, *h.*) surround (*sich* o.s.; *mit* with); *mit Mauern* (*e-m Zaun*) *~* wall (fence) in; **℘ung** *f* (-; -*en*) environs; surroundings *pl.*; environment; neighbo(u)rhood, vicinity; background; company, set; **℘ungs-temperatur** *tech. f* ambient temperature.
ˈ**Umgegend** *f* environs *pl.*, surroundings *pl.*, vicinity.
ˈ**umgehen I.** *v/i.* (*irr.*, *sn*) go round; make a detour; go the round, circulate; *~ lassen* pass *a th.* round, (let) circulate; *ghost*: walk, *an or in e-m Ort* haunt a place; *mit j-m ~* **a)** associate (*or* keep company) with, **b)** deal with, manage, handle; *er kann mit den Leuten ~* he knows how to deal with (*or* handle) people; *er weiß mit Frauen* (*Pferden*, *etc.*) *umzugehen* he has a way with women (horses, *etc.*); *kann er mit der Maschine ~?* does he know how to use (*or* handle, operate) the machine?; *mit j-m hart ~* treat a p. harshly; → *schonend*, *sparsam*; *mit et. ~* **a)** deal with, **b)** intend, plan, contemplate, **c)** be occupied with; *mit dem Gedanken* (*or Plan*) *~, zu* be thinking of, have in mind to; *mit ~der Post*, *~d* by return of post; *~d* immediate(ly *adv.*), *econ.* at your earliest convenience; **II.** *umˈgehen v/t.* (*irr.*, *h.*) go round (about); by-pass (*traffic*); *fig.* avoid, evade, circumvent, dodge, elude, by-pass; *mil.* **a)** outflank, envelop, **b)** by-pass.
Umgehung [-ˈgeːuŋ] *f mil.* **a)** outflanking, **b)** by-passing; *traffic*: detouring, by-passing; *fig.* elusion, (*a. jur.*) evasion; **~sstraße** *f* by-pass; perimeter (*or* ring) road; detour.
umgekehrt [ˈ-gəkeːrt] **I.** *adj.* reverse, inverted; opposite, contrary; *~ proportional zu*, *im ~en Verhältnis zu* (*dat.*) in inverse ratio to; *~!* just the other way (round), quite the contrary!; *das ℘e* the reverse (*or* opposite *or* contrary); **II.** *adv.* (*dasselbe ~*) vice versa, conversely; by the same token.
ˈ**umgestalten** *v/t.* (*h.*) alter, recast, transform; (*a. tech.*) remodel, redesign; reorganize; reform.
ˈ**umgießen** *v/t.* (*irr.*, *h.*) decant; *metall.* refound, recast.
ˈ**umgliedern** *v/t.* (*h.*) reorganize, regroup.
ˈ**umgraben** *v/t.* (*irr.*, *h.*) dig (*or* turn) up (*field*); break up (*soil*).
umˈgrenzen *v/t.* (*h.*) bound; encircle; enclose; *fig.* circumscribe, limit.
ˈ**umgründen** *econ. v/t.* (*h.*) convert (*in acc.* into), reorganize.
ˈ**umgruppier|en** *v/t.* (*h.*) regroup; *pol.*, *sports*: reshuffle; **℘ung** *f* regrouping; reshuffling.
ˈ**umgürten** *v/t.* (*h.*) **1.** gird; buckle on (*sword*); **2.** *umˈgürten* (*h.*) gird up; *fig. ~ mit* gird (*or* encircle) with.
ˈ**Umguß** *m* transfusion, decanting; *metall.* recast.
ˈ**umhaben** *v/t.* (*irr.*, *h.*) have on.
ˈ**umhacken** *v/t.* (*h.*) hoe (up); cut down, fell.
umhalsen [-ˈhalzən] *v/t.* (*h.*) hug, embrace.
ˈ**Umhang** *m* wrap; shawl.
umˈhängen *v/t.* (*h.*) **1.** hang round (*mit* with); **2.** *ˈumhängen* put on, wrap *shawl*, *etc.*, about one; sling (*rifle*); take up (*knapsack*, *etc.*); rehang (*picture*).
ˈ**Umhänge|tasche** *f* shoulder bag; **~tuch** *n* shawl, wrap.
ˈ**umhauen** *v/t.* (*irr.*, *h.*) fell, cut down; *colloq. fig.* bowl over.
umˈher *adv.* about, round, *Am.* around; → *herum*(...); **~blicken** *v/i.* (*h.*) look about (one); **~bummeln** *v/i.* (*sn*) stroll about, have a stroll; **~irren**, **~schweifen** *v/i.* (*sn*) wander (*or* roam) about, rove; **~schleichen** *v/i.* (*irr.*, *sn*) sneak about; **~streifen** *v/i.* (*sn*), **~ziehen** *v/i.* (*irr.*, *sn*) rove, gad about.
umˈhin *adv.*: *ich kann nicht ~, zu sagen* I cannot help saying.
umˈhüll|en *v/t.* (*h.*) wrap up (*mit* in); cover, envelop (with); veil; *tech.* cover, sheathe; **℘ung** *f* (-; -*en*) wrapping, wrap(per), cover(ing); envelope; *tech.* casing, sheathing.
Umkehr [ˈ-keːr] *f* (-) turning back, return (*zu* to; *a. fig.*); *fig.* change; *pol.* about-face; conversion; fresh start (in life); *tech.* reversal; **℘bar** *adj.* reversible; **℘en I.** *v/i.* (*sn*) turn back, return; retrace one's steps; *fig.* turn over a new leaf, make a fresh start; change one's ways; **II.** *v/t.* (*h.*) (*a. sich*) turn round (*or* about); overturn, upset; turn upside down; turn *a pocket*, *etc.* (inside) out; *gr.*, *math.*, *mus.* invert; *el.*, *tech.* reverse; *jur. die Beweislast ~* shift the burden of the proof; → *umdrehen*, *umgekehrt*; **~motor** *tech. m* reversible motor; **~ung** *f* (-; -*en*) overturning; reversal; inversion; *fig. a.* subversion.
ˈ**umkippen I.** *v/t.* (*h.*) tip over, upset; **II.** *v/i.* (*sn*) tilt over, be upset; *vehicle*: *a.* overturn, *mar.* capsize; *a. person*: topple over.
umˈklammer|n *v/t.* (*h.*) clasp, cling to, embrace; *wrestling*: lock, tie up; *boxing*: clinch; *mil.* encircle; **℘ung** *f* (-; -*en*) (*tödliche* deadly) embrace; *boxing*: clinch; *mil.* pincer-movement, envelopment.
ˈ**umklapp|bar** *adj.* collapsible, folding; **~en I.** *v/t.* (*h.*) turn down, fold (back); **II.** *v/i.* (*sn*) collapse, drop down.
ˈ**Umkleidekabine** *f* bathing cabin *or* cubicle; → *Umkleideraum*.
ˈ**umkleiden** *v/t.* (*h.*) **1.** change *a p.'s* clothes (*or* dress); *sich ~* change (one's clothes *or* dress); **2.** *umˈkleiden v/t.* (*h.*) clothe, cover.
ˈ**Umkleideraum** *m* dressing-room; *sports*: locker room.
ˈ**umknicken I.** *v/t.* (*h.*) break down, snap off; **II.** *v/i.* (*sn*): *mit dem Fuß ~* sprain one's foot.
ˈ**umkniffen** *v/t.* (*h.*) fold down.
ˈ**umkommen** *v/i.* (*sn*) perish, die, be killed; spoil, go to waste; *zum ℘* unbearable, awful.
ˈ**Umkreis** *m* (-*es*) circumference, circuit; *math.* periphery; vicinity; *im ~ von* within a radius of, for *three miles* round.
umˈkreisen *v/t.* (*h.*) circle (*or* turn *or* revolve) round *a th.*
ˈ**umkrempeln** *v/t.* (*h.*) turn (*or* tuck) up; turn *a th.* inside out; *fig.* turn *a th.* upside down, change radically.
ˈ**umlad|en** *v/t.* (*irr.*, *h.*) reload, shift; *mar.* transship; **℘ung** *f* reloading, transshipment.
ˈ**Umlage** *f* special fee; apportionment; → *Abgabe*.
umˈlagern *v/t.* (*h.*) **1.** *mil.* surround closely, besiege; *fig.* beset, beleaguer; **2.** *ˈumlagern* restore (*goods*); *fig.* re-direct (*credits*, *etc.*).
ˈ**Umlauf** *m phys.*, *tech.* rotation, revolution; cycle; circulation, currency (*of money*); circular (letter); *in ~ bringen or setzen* put in circulation, circulate, issue; circulate, spread, start (*rumour*); *im ~ sein* circulate, *rumour*: *a.* be abroad; *außer ~ setzen* withdraw from circulation, call in; *im ~* (*befindlich*) in circulation; **~bahn** *astr. f* orbit.
umˈlaufen[1] *v/t.* (*irr.*, *h.*) run (*or* move) round.
ˈ**umlaufen**[2] **I.** *v/t.* (*irr.*, *h.*) run down; **II.** *v/i.* (*irr.*, *sn*) revolve, rotate; *blood*, *money*, *report*, *rumour*: circulate; **~d** *tech. adj.* rotary, rotating.
ˈ**Umlauf...:** **~getriebe** *tech. n* planetary gear; **~motor** *m* rotary engine; **~schmierung** *tech. f* circulation-system lubrication; **~skapital** *n* floating capital; **~(s)schreiben** *n* circular (letter); **~szeit** *f* period.
ˈ**Umlaut** *gr. m* vowel mutation, umlaut; mutated (*or* modified) vowel; *umgelautet* mutated.
ˈ**Umleg|(e)kragen** *m* turn-down collar; **℘en** *v/t.* (*h.*) **1.** put on (*collar*, *etc.*); apply (*bandage*); turn down; tuck (*seam*); *tech.* throw (*lever*); lay (down); tilt; lower; place differently, shift; re-lay (*rails*); divert (*traffic*); *teleph.* transfer; *fig.* apportion (*cost*, *tax*); *vulg.* do in, bump off; *sich ~* tilt over, *ship*: carreen (over); *wind*: veer (round); **2.** *umˈlegen v/t.* (*h.*): *~ mit* lay *a th.* round with; **~ung** *f* (-; -*en*) shifting; transfer; diversion; apportionment.
ˈ**umleit|en** *v/t.* (*h.*) divert, by-pass, *Am.* deroute (*traffic*); **℘ung** *f* by-pass, diversion, detour.
ˈ**umlenken** *v/t.* (*h.*) turn round *or* back.
ˈ**umlernen I.** *v/t.* (*h.*) learn anew; **II.** *v/i.* (*h.*) *fig.*: *~ müssen* have to change one's views (*or* relearn one's lesson).
ˈ**umliegend** *adj.* surrounding, neighbo(u)ring; *~e Gegend a.* environs *pl.*
umˈmantel|n *tech. v/t.* (*h.*) cover, case, jacket, sheathe; **℘ung** *f* (-; -*en*) jacket, casing.
umˈmauern *v/t.* (*h.*) wall in *or* round.
ummodeln [ˈ-moːdəln] *v/t.* (*h.*) remodel, change.

ˈ**ummontieren** *v/t.* (*h.*) remount.
umˈnacht|en *v/t.* (*h.*) shroud in darkness; **~et** *adj. fig.* clouded, benighted; demented; **2ung** *f* (-) (*geistige* ~) mental derangement.
umˈnebeln *v/t.* (*h.*) *fig.* (be)fog, obfuscate; befuddle.
ˈ**umnehmen** *v/t.* (*irr.*, *h.*) take round one, put on, wrap o.s. up in.
ˈ**um-ordnen** *v/t.* (*h.*) rearrange.
ˈ**um-organisieren** *v/t.* (*h.*) re-organize.
ˈ**umpacken** *v/t.* (*h.*) repack.
ˈ**umpflanzen** *v/t.* (*h.*) **1.** transplant; **2.** *umˈpflanzen*: ~ *mit* plant *a th.* round with.
ˈ**umpflügen** *v/t.* (*h.*) plough (*Am.* plow) up.
umpol|en [ˈ-po:lən] *el. v/t.* (*h.*) reverse; **2ung** *f* (-; -*en*) reversion, pole-changing.
ˈ**umprägen** *v/t.* (*h.*) recoin.
ˈ**umquartieren** *v/t.* (*h.*) remove to other quarters, rebillet; evacuate (*population*).
umˈrahmen *v/t.* (*h.*) frame; *fig.* surround, serve as setting to.
umrand|en [-ˈrandən] *v/t.* (*h.*) border, edge, put a border round; **2ung** *f* border, edge, rim.
umˈranken *v/t.* (*h.*) twine (itself) round *a th.*, cling to; ~ *mit* entwine with.
ˈ**umräumen** *v/t.* (*h.*) (re)move, rearrange.
ˈ**umrechn|en** *v/t.* (*h.*) convert (*in acc.* into); *umgerechnet auf* converted into, expressed in terms of; **2ung** *f* conversion; **2ungsfaktor** *m* conversion factor; **2ungskurs** *m* rate of exchange; **2ungstabelle** *f* conversion table; **2ungswert** *m* exchange value.
ˈ**umreißen** *v/t.* (*irr.*, *h.*) **1.** pull down; knock down; **2.** *umˈreißen* outline; *scharf umrissen* sharply defined, clear-cut, edgy.
ˈ**umreiten** *v/t.* (*irr.*, *h.*) **1.** ride down (*a p.*); **2.** *umˈreiten* ride round *a th.*
ˈ**umrennen** *v/t.* (*irr.*, *h.*) run (*or* knock) down.
umˈringen *v/t.* (*h.*) ring (*or* throng) round; surround; *fig.* beset.
ˈ**Umriß** *m* outline (*a. fig.*), contour; *in kräftigen Umrissen* in bold outlines; *in Umrissen schildern* outline; **~karte** *f* outline (*or* skeleton-) map; **~zeichnung** *f* outline drawing, sketch.
ˈ**umrühren** *v/t.* (*h.*) stir (up).
ums *colloq.* = *um das* → *um*.
ˈ**umsägen** *v/t.* (*h.*) saw down.
ˈ**umsatteln** *v/t. and v/i.* (*h.*) resaddle; *fig.* change one's profession *or* studies; ~ *auf et.* switch to; *pol.* change sides.
ˈ**Umsatz** *m* turnover; sales *pl.*; returns *pl.*; *schneller* ~ quick returns; **~kapital** *n* working capital; **2los** *adj.* without turnover; dormant (*asset*); inactive (*account*); **~steuer** *f* turnover (*or* sales) tax; **~ziffer** *f* turnover rate.
umˈsäumen *v/t.* (*h.*) hem (round); *fig.* surround; line (*street, etc.*).
ˈ**umschalt|en** *v/t.* (*h.*) switch (*or* change) over; shift; **2er** *m el.* (-*s*; -) change-over switch, commutator; *typewriter*: shift-key; **2hebel** *m el.* switch lever; *tech.* change lever; **2-stöpsel** *el. m* switch plug; **2ung** *f* commutation.
umˈschatten *v/t.* (*h.*) shade.
ˈ**Umschau** *f* (-) look(ing) round; *fig.* survey, (*a. magazine*) review; ~ *halten* look round, *nach et.*: be on the look-out for *a th.*; **2en** (*h.*): *sich* ~ look round; → *umsehen*; look (*or* glance) back.
ˈ**umschaufeln** *v/t.* (*h.*) turn (over), dig up.
ˈ**umschicht|en** *v/t.* (*h.*) pile afresh; *fig.* shift, regroup, reshuffle; **~ig** *adv.* by (*or* in) turns, alternately; **2ung** *f* regrouping, shifting; *gesellschaftliche* ~ social upheaval.
umˈschiff|en *v/t.* (*h.*) **1.** circumnavigate, sail round; double (*a cape*); **2.** *ˈumschiffen mar.* transship (*cargo*); transfer (*passengers*); **2ung** *f* (-; -*en*) circumnavigation; doubling.
ˈ**Umschlag** *m* (sudden) change, turn; revulsion; envelope; cover, wrapper, *of book*: jacket; *on sleeve*: cuff; *on trousers*: turn-up; *med.* **a)** compress, **b)** poultice, cataplasm; **~bild** *n* cover picture; **2en I.** *v/i.* (*irr.*, *sn*) turn over, overturn, upset, fall down, topple over; *mar.* capsize; *fig.* turn, change (abruptly) (*both*: *in acc.* into); *wind*: shift, veer (round); *voice*: break; **II.** *v/t.* (*irr.*, *h.*) knock down; turn over (*page, etc.*); turn up (*hem*); turn down (*collar*); tuck up (*sleeves*); put on, wrap round; **~(e)tuch** *n* (-[e]*s*; ⁓er) shawl, wrap; **~hafen** *m* port of transshipment; **~platz** *m* emporium.
umˈschleichen *v/t.* (*irr.*, *h.*) sneak (*or* creep, prowl) round.
umˈschließen *v/t.* (*irr.*, *h.*) surround, enclose; clasp (round); *mil.* invest (*fortress*); *fig.* encompass.
umˈschling|en *v/t.* (*irr.*, *h.*) entangle; embrace, clasp; *wrestling*: lock, encircle; **2ung** *f* (-; -*en*) embrace, hug.
ˈ**umschmeißen** *colloq. v/t.* (*irr.*, *h.*) → *umstoßen*.
umˈschmeicheln *v/t.* (*h.*) → *schmeicheln*.
ˈ**umschmelzen** *v/t.* (*irr.*, *h.*) remelt; recast (*a. fig.*).
ˈ**umschnallen** *v/t.* (*h.*) buckle on, strap.
ˈ**umschreib|en** *v/t.* (*irr.*, *h.*) **1.** rewrite; transcribe; transfer *property* (*auf acc.* to), → *übertragen*; *econ.* re-indorse (*bill of exchange*); **2.** *umˈschreiben esp. math.* circumscribe; paraphrase; **~d** periphrastic; **2ung** *f* **1.** transcription; **2.** *Umˈschreibung math.* description; paraphrase.
ˈ**Umschrift** *f of coin*: (marginal) inscription, legend; (*phonetic*) transcription.
ˈ**umschulden** *v/t.* (*h.*) convert, fund.
ˈ**umschul|en** *v/t.* (*h.*) retrain, *esp. mil.* convert; **2ung** *f* retraining, conversion; *auf e-n Zivilberuf*: vocational rehabilitation; **2ungskurs** *m* course for retraining; *mil.* conversion course; *Teilnehmer e-s* **~es** retrainee.
ˈ**umschütt|eln** *v/t.* (*h.*) shake (up); **~en** *v/t.* (*h.*) pour out into another vessel, decant; spill, upset.
umˈschwärmen *v/t.* (*h.*) swarm (*or* buzz) round; *fig.* → *schwärmen* (*für j-n*).
ˈ**Umschweif** *m* circumlocution; digression; **~e** *machen* beat about the bush, make roundabout remarks; digress; *ohne* **~e** without further ado; point-blank, plainly; *er machte keine* **~e** he wasted no time in beating about the bush; **2ig** *adj.* roundabout.
ˈ**umschwenken** *v/i.* (*sn*) wheel round; *fig.* veer round.
umˈschwirren *v/t.* (*h.*) buzz (*or* whizz) round.
ˈ**Umschwung** *m* revolution; reversal; change, reaction; revulsion; reverse (*of luck*), turn of the tide; *gym.* circle.
umˈsegel|n *v/t.* (*h.*) sail round, circumnavigate; double (*a cape*); **2ung** *f* (-; -*en*) sailing round; doubling; circumnavigation.
ˈ**umsehen** (*irr.*, *h.*): *sich* ~ look round (*nach* at), look about one; look *or* glance back; *fig.* look out (*nach* for), be on the look-out (for); *an, in e-m Ort, etc.*: take a view of, have a look around *a town, etc.*; *im* 2 in a twinkling *or* jiffy.
ˈ**umseitig** *adv.* overleaf, on the reverse (*or* next page).
ˈ**umsetz|bar** *econ. adj. in Geld*: realizable; sal(e)able, marketable; negotiable; **~en** *v/t.* (*h.*) transpose (*a. mus.*), shift, transfer; *agr.* transplant; *tech.* change over; *el.* transform, convert; *typ.* reset; *weight-lifting*: clean; *econ.* realize; *in bares Geld* ~ *a.* turn (*or* convert) into cash; sell, dispose of (*goods*); turn over (*money*); *in die Tat, Musik, etc.*, ~ translate into action, music, *etc.*; *chem. sich* ~ *in* (*acc.*) change into, be converted into; *econ. es wurde wenig umgesetzt* there was a small turnover; **2ung** *f* (-; -*en*) transposition; transformation; conversion; realization; sale.
ˈ**Umsichgreifen** *n* (-*s*) spread (-ing).
ˈ**Umsicht** *f* circumspection; **2ig** *adj.* circumspect.
ˈ**umsied|eln I.** *v/t.* (*h.*) resettle; **II.** *v/i.* (*sn*) (re)move to (*or* settle at) another place; **2ler** *m* resettler; evacuee; **2lung** *f* resettlement; (family) relocation; evacuation.
ˈ**umsinken** *v/i.* (*irr.*, *sn*) sink down; fall into a swoon; *vor Müdigkeit* ~ drop down with fatigue.
umˈsonst *adv.* for nothing, gratis, gratuitously; free (of charge); in vain; to no purpose, useless, a waste of time; *nicht* ~ not without good reason, not for nothing.
umˈspannen *v/t.* (*h.*) span, encompass; *fig. a.* comprise, embrace; clasp.
ˈ**umspann|en I.** *v/i.* (*h.*) change horses; **II.** *v/t. el.* transform; **2er** *el. m* (-*s*; -) transformer; **2werk** *el. n* transformer station.
umˈspielen *v/t.* (*h.*) **1.** *sports*: pass; *soccer*: *a.* dribble round; **2.** *ˈumspielen* play back (*recording*).
umˈspinnen *v/t.* (*irr.*, *h.*) spin (all) round; *tech.* braid, cover.
umˈspringen I. *v/t.* (*irr.*, *h.*) skip round; **II.** *ˈumspringen v/i.* (*irr.*, *sn*) *wind*: change, veer; *skiing*: jump-

-turn; *fig.* ~ *mit* manage, handle, treat, deal with.

'umspulen *v/t.* (*h.*) rewind.

um'spülen *v/t.* (*h.*) wash (a)round.

'Umstand *m* (-[e]s; ⸚e) circumstance; fact; detail; *pl. Umstände* (*Lage*) conditions, position, state (of affairs); *günstige Umstände* favo(u)rable factors; *nähere Umstände* (further) particulars; *unter Umständen* **a**) possibly, it is possible that, perhaps, **b**) if need be; *unter allen Umständen* **a**) in any case, at all events, **b**) by hook or by crook; *unter keinen Umständen* under no circumstances, on no (*or* not on any) account; *unter diesen Umständen* in these circumstances, as matters stand; *colloq. in andern* (*or gesegneten*) *Umständen* in the family way, expecting; *der* ~, *daß er nicht daheim war* the circumstance (*or* fact) that he was not in, his being away from home; *Umstände machen* **a**) *matter*: cause inconvenience *or* trouble, **b**) *person*: be formal (*or* ceremonious), make a fuss; *machen Sie* (*sich*) *meinetwegen keine Umstände!* don't put yourself out on my account!; *ohne viel Umstände* without much ado, without circumstance, (rather) unceremoniously; *nicht viel Umstände machen mit* make short work of.

umständehalber ['-ʃtɛndəhalbər] *adv.* owing to circumstances.

umständlich ['-ʃtɛntliç] **I.** *adj.* circumstantial; longwinded; minute, detailed; ceremonious; fussy; complicated, involved; troublesome; *das ist mir viel zu* ~ that is far too much trouble (for me); **II.** *adv.*: ~ *erzählen* narrate at great detail (*or* length); **2keit** *f* (-) circumstantiality; formality (*a. pl.*); fussiness; complicatedness; troublesomeness.

'Umstands...: **~kleid** *n* maternity dress; **~krämer(in** *f*) *m* fussy person, fuss-pot; **~wort** *gr. n* (-[e]s; ⸚er) adverb; ~ *der Art und Weise* adverb of manner.

'umstecken *v/t.* (*h.*) pin differently; change; rearrange (*dress, etc.*).

um'stehen *v/t.* (*irr., h.*) stand round.

'umstehend I. *adj.* next (*page*); *text*: (stated) overleaf; *die* **2en** *pl.* the bystanders; **II.** *adv.* as stated overleaf.

'Umsteig(e)|billet *n*, **~karte** *f* transfer-ticket.

'umsteigen *rail. v/i.* (*irr., sn*) change (*nach* to).

'umstell|en *v/t. and v/i.* (*h.*) **1.** shift, transpose; rearrange; *gr.* invert, transpose (*words*); adapt, readjust; convert, shift (*auf acc.* to), (*a. sich*) change over (to); switch (to); *tech.* reverse; *auf Maschinenbetrieb* ~ mechanize; *sports*: redispose (*one's forces*); *sich* ~ adapt *or* accommodate *or* readjust o.s. (*auf acc.* to), accommodate o.s. to new conditions, change one's attitude; **2.** *um'stellen* surround; **2hebel** *m* reversing lever; **2ung** *f* transposition; change of position; conversion, change-over (*auf acc.* to); *fig.* adaptation; switch-over; readjustment; change.

'umsteuern *tech. v/t.* (*h.*) reverse.

'umstimmen *v/t.* (*h.*) *mus.* retune; tune to another pitch; *fig. j-n* ~ change a p.'s mind, bring a p. round, talk a p. over.

'umstoßen *v/t.* (*irr., h.*) knock down *or* over, overthrow; *fig.* annul; overrule; reverse, set aside (*judgment*); upset, change (*plan*); change (*last will*).

um'strahlen *v/t.* (*h.*) bathe in light, irradiate.

um'stricken *fig. v/t.* (*h.*) ensnare.

umstritten [-'ʃtritən] *adj.* disputed, contested; controversial.

'umstülpen *v/t.* (*h.*) tilt over, bottoms-up; turn upside down (*or* inside out).

'Umsturz *m* overthrow, upheaval (*both a. fig.*), upset, overturn; *fig.* subversion, revolution.

'umstürz|en I. *v/t.* (*h.*) overthrow (*a. fig.*), upset, overturn; *fig.* subvert; **II.** *v/i.* (*sn*) fall down (*or* over), overturn; **2ler(in** *f*) *m* (-s, -; -, -nen) revolutionist; **~lerisch** *adj.* subversive, revolutionary.

'Umsturzpartei *f* revolutionary party.

'umtaufen *v/t.* (*h.*) rename, rechristen; *eccl.* rebaptize; *fig. j-n* ~ change a p.'s name.

'Umtausch *m* (-es) exchange; barter; conversion (*in acc.* into *another currency*); **2bar** *adj.* convertible (*money*); **2en** *v/t.* (*h.*) exchange (*gegen* for); convert.

um'toben *v/t.* (*h.*) rage (*or* roar) round.

'umtopfen *v/t.* (*h.*) repot (*plant*).

'umtreiben *fig. v/t.* (*irr., h.*) worry, be on *a p.'s* mind.

'Umtrieb *m forestry*: cycle of cultivation; *colloq.* activity, bustle; **~e** *pl.* machinations, intrigues, (subversive) activities.

'umtun *v/t.* (*irr., h.*) put on (*shawl, etc.*); *sich* ~ bestir o.s.; *sich* ~ *nach* look out (*or* about) for; make inquiries after.

Um'wallung *f* circumvallation.

'umwälz|en *v/t.* (*h.*) roll round; *fig.* revolutionize; **~end** *adj.* revolutionary, epoch-making (*invention, etc.*); **2ung** *f* (-; -en) revolution, upheaval.

'umwand|elbar *adj. phys.* transformable; *econ.* convertible; **~eln** *v/t.* (*h.*) change, (*a. phys.*) transform (*in acc.* into); *el.* transform, convert; *econ.* convert (*rate of interest*); commute *penalty* (*in acc.* into); *chem. sich* ~ *in* be converted into; *gr.* conjugate, inflect; *er ist wie umgewandelt* he is a changed man; **2ler** *el. m* (-s; -) transformer, converter; **2lung** *f* change; transformation; metamorphosis; *econ.* conversion; *physiol.* metabolism; *jur.* commutation; **2lungstemperatur** *tech. f* equilibrium temperature.

'umwechseln *v/t.* (*h.*) *money*: change.

'Umweg *m* roundabout way, detour; *e-n* ~ *machen* go a roundabout way, take a circuitous route; *fig. auf* **~en** indirectly, in a roundabout way; *b.s.* by devious means, underhand, stealthily; *ohne* **~e** straight to the point, point-blank, plainly.

'umwehen *v/t.* (*h.*) **1.** blow down; **2.** *um'wehen* blow round, waft round, fan.

'Umwelt *f* environment, *the* world around us (*or* a p.); **2bedingt** *adj.* environmental; **~einflüsse** *m/pl.* environmental factors.

'umwenden *v/t.* (*irr., h.*) turn over; *sich* ~ turn round.

um'werben *v/t.* (*irr., h.*) court, woo; *umworben a.* sought after.

'umwerfen *v/t.* (*irr., h.*) overthrow, overturn, upset, knock down; → *umstoßen*; throw *coat* round (one's shoulders).

'umwert|en *v/t.* (*h.*) revalue, convert; **2ung** *f* revaluation, conversion; *phls.* ~ *aller Werte* transvaluation of all values.

um'wickeln *v/t.* (*h.*) wind round (*mit* with), lap (round); tape; *tech.* cover; wrap up (*mit* in).

um'winden *v/t.* (*irr., h.*) wind round *or* about, entwine (*mit* with).

um'wittern *fig. v/t.* (*h.*) surround.

'umwohn|end *adj.* neighbo(u)ring; **2er** *m* (-s; -) inhabitant of the neighbo(u)ring district, neighbo(u)r.

umwölken [-'vœlkən] *v/t.* (*h.*) (*a. sich*) cloud (over), darken (*both a. fig.*).

'umwühlen *v/t.* (*h.*) ransack; *pig*: root (up).

umzäun|en [-'tsɔynən] *v/t.* (*h.*) fence in, enclose; **2ung** *f* (-; -en) enclosure, fence.

'umziehen[1] **I.** *v/i.* (*irr., sn*) (re-)move (*nach* to), change one's residence; **II.** *v/t.* (*irr., h.*): *sich* ~ change (one's clothes).

um'ziehen[2] *v/t.* (*irr., h.*) surround; cover all round; draw the outlines of; *der Himmel hat sich umzogen* the sky has become overcast.

umzingel|n [-'tsiŋəln] *v/t.* (*h.*) surround, encompass, encircle; invest (*fortress*); **2ung** *f* (-; -en) encirclement.

'Umzug *m* procession; pageant; move, removal, change of residence.

umzüngeln [-'tsyŋəln] *v/t.* (*h.*) *flames*: leap up, lick about.

un-ab|änderlich [-ʔap'ʔɛndərliç] *adj.* unalterable, irrevocable, definite; *sich ins* **2e** *fügen* resign o.s. to what cannot be changed, bow to inevitability; **~dingbar** [-ʔap'diŋbaːr] *adj.* unalterable; inalienable (*rights*); **~hängig** ['-hɛŋiç] *adj.* independent (*von* of); *tech.* self-contained (unit); *gr.* absolute; free-lance (*writer, etc.*); ~ *von* irrespective of; **2hängige(r)** ['-igə] *pol. m* (-n; -n) independent, *Am. a.* mugwump; **2hängigkeit** *f* (-) independence; **2hängigkeitskrieg** *m* war of independence; **~kömmlich** ['-kœmliç] *adj.* indispensable, irreplaceable; *mil.* in reserved occupation; busy, unable to get away; **'~lässig** *adj.* incessant, unremitting; unrelenting (*efforts*); → *unaufhörlich*; **'~lösbar, '~löslich** *adj. fig. and econ.* irredeemable; consolidated (*loan*); perpetual (*annuity*); **~'sehbar** *adj. fig.* not to be foreseen, incalculable; immense, vast, immeasurable; *in* **~er** *Ferne* in a distant future, a far cry off; **~'setzbar** *adj.* irremovable; **'~sichtlich** *adj.* unintentional, undesigned, involuntary; accidental; inadvertent; **~'weisbar, ~'weislich** [-'vaɪs-] *adj.* not to be refused; imperative, peremptory; inevitable; **~'wendbar** [-'vɛntbɑːr] *adj.* inevitable, inescapable, fated.

'un·achtsam *adj.* inattentive; absent-minded; careless, negligent; **2keit** *f* carelessness, negligence; inadvertence.

'un·ähnlich *adj.* unlike, dissimilar (*dat.* to); **2keit** *f* unlikeness, dissimilarity.

'un·an|fechtbar *adj.* unimpeachable, unchallengeable, incontestable; non-appealable (*judgment*); **~gebaut** ['-ʔangəbaʊt] *adj.* uncultivated; **~gebracht** *adj.* out of place, inappropriate; out of turn; inopportune; **~gefochten** ['-gəfɔxtən] *adj.* undisputed; unchallenged (*champion, etc.*); unhindered; unmolested; **~gemeldet** ['-gəmɛldət] **I.** *adj.* unannounced; **II.** *adv.* without being (previously) announced; unadvised, without previous notice; **~gemessen** *adj.* unsuitable; improper; inadequate; incongruous; **~genehm** *adj.* disagreeable (*dat.* to), unpleasant; distasteful, hateful; unwelcome; awkward; annoying, troublesome, irksome; *das 2e dabei ist* the trouble with it is; **~getastet** *adj.* untouched; **~greifbar** *adj.* unassailable, impregnable; **~'nehmbar** *adj.* unacceptable; **2nehmlichkeit** *f* (-; -en) unpleasantness, difficulty; inconvenience, drawback; *~en pl.* trouble; → *zuziehen*; **~sehnlich** *adj.* unsightly, mean-looking; plain; insignificant, trifling; **2sehnlichkeit** *f* (-) unsightliness; plainness; insignificance, paltriness; **~ständig** *adj.* indecent (*a. w.s.*); obscene, blue; unmannerly; shocking; *~es Wort a.* four-letter word; **2ständigkeit** *f* (-; -en) indecency; obscenity; unmannerliness; **~'tastbar** *adj.* unimpeachable; sacrosanct, taboo; inviolable (*rights*); **~wendbar** *adj.* inapplicable.

'un·appetitlich *adj.* unsavo(u)ry.

'Un·art 1. *f* bad habit *or* trick; rudeness, incivility; illbreeding; naughtiness; **2.** *m* naughty child; **2ig** *adj.* rude, uncivil; ill-bred; naughty.

'un·artikuliert *adj.* inarticulate, indistinct.

'un·ästhetisch *adj.* not (a)esthetical; nasty, offensive; *~er Anblick* eyesore.

'un·auf|dringlich *adj.* unobtrusive; **~fällig** *adj.* inconspicuous, unobtrusive; **~findbar** [-'fint-] *adj.* not to be found, undiscoverable, untraceable; **~gefordert** ['-gəfɔrdərt] **I.** *adj.* unasked, unbidden; **II.** *adv.* of one's own accord, spontaneously; **~geklärt** *adj.* unexplained, mysterious; unsolved (*crime*); unenlightened (*person*); **~geschlossen** *adj.* narrow(-minded); reserved; **~haltsam** *adj.* irresistible, unchecked; **~hörlich** [-'høːr-] **I.** *adj.* incessant, continuous; endless, interminable; **II.** *adv.* incessantly, *etc.*; without letup; forever; *es regnete ~* it kept on raining; **~'lösbar, ~'löslich** *adj.* indissoluble; *a. chem., math.* insoluble; **~merksam** *adj.* inattentive; distracted, absent-minded; careless; thoughtless; **2merksamkeit** *f* inattention; thoughtlessness; **~richtig** *adj.* insincere; **2richtigkeit** *f* insincerity; **~schiebbar** [-'ʃiːpbɑːr] *adj.* not to be delayed; urgent, imperative; *die Sache ist ~* the matter brooks no delay.

un·aus|bleiblich ['-ʔaus'blaɪplɪç] *adj.* inevitable, unfailing; *das war ~* that was bound to happen; **'~'denkbar** *adj.* unimaginable, unthinkable; **'~'führbar** *adj.* impracticable, not feasible; impossible; **'~gebildet** *adj.* not (fully) formed *or* developed; *biol.* rudimentary; *mil.* untrained; **'~gefüllt** *adj.* blank (*form*); **'~geglichen** *adj.* unbalanced; **'2geglichenheit** *f* unbalance; disequilibrium; **'~gesetzt** *adj.* uninterrupted, incessant; **'~gesprochen** *adj.* unsaid, unspoken; → *still*; **~löschlich** ['-'lœʃlɪç] **I.** *adj.* inextinguishable; indelible; *fig.* lasting; **II.** *adv.*: *~ eingeprägt* deeply engraved on one's mind; **'~'rottbar** *adj.* not exterminable; ineradicable; **~sprechbar** ['-'ʃprɛç-] *adj.* unpronounceable; *~es Wort* jaw-breaker; **'~'sprechlich** *adj.* inexpressible, ineffable; unspeakable; indescribable; *die 2en* (*trousers*) unmentionables; **~stehlich** ['-'ʃteː-] *adj.* insupportable, insufferable, intolerable; detestable, loathsome; *er ist ihr ~* she cannot bear the sight of him; **~weichlich** ['-'vaɪç-] *adj.* inevitable, unavoidable.

unbändig ['unbɛndɪç] *adj.* unruly, intractable; *colloq. fig.* tremendous.

'unbarmherzig *adj.* unmerciful; merciless, pitiless, relentless; **2keit** *f* unmercifulness, *etc.*

'un|be-absichtigt *adj.* unintentional, undesigned; inadvertent, unwitting; **~be-achtet** *adj.* unnoticed; *~ lassen* leave unnoticed, disregard; not to take into account; **~be-anstandet** *adj.* not objected to, unopposed, uncontested; **~be-antwortet** *adj.* unanswered; **~be-arbeitet** *adj.* crude, raw; *tech.* unfinished, unmachined; **~be-aufsichtigt** *adj.* uncontrolled, without supervision; not looked after; **~bebaut** *adj. agr.* untilled, idle; undeveloped (*terrain*); vacant (*property*); **~bedacht(sam)** *adj.* inconsiderate, thoughtless; imprudent; rash; **~bedeckt** *adj.* uncovered; bare; *~en Hauptes* bare-headed; **~bedenklich I.** *adj. matter*: unobjectionable; harmless; *person*: unhesitating, having no scruples; **II.** *adv.* without hesitation; **2bedenklichkeitsbescheinigung** *f pol., etc.* clearance certificate, clean bill of health; *econ.* import certificate, certificate of non-objection; **2bedenklichkeitsüberprüfung** *f* security clearance; **~bedeutend** *adj.* insignificant; slight, negligible, trifling; minor; **~bedingt I.** *adj.* unconditional; absolute; positive; implicit (*faith, obedience*); **II.** *adv.* absolutely; in any case, under any circumstances; without fail; by all means; **~be'eidigt** *adj.* unsworn; **~be-einflußt** *adj.* uninfluenced, unbiassed, unaffected (*von* by); **~be-einträchtigt** *adj.* unimpaired, unprejudiced (*durch* by); **~befähigt** *adj.* unqualified, incompetent; **~befahrbar** *adj.* impracticable, impassable; **~befangen** *adj.* impartial, (*a. jur.*) unbiassed; ingenuous; unembarrassed; unaffected, natural, free; **2befangenheit** *f* impartiality; freedom from bias; ease, openness; unaffectedness; **~befestigt** *adj. mil.* unfortified; unsurfaced (*road*); **~befleckt** *adj.* unsullied, spotless (*both a. fig.*); *fig.* undefiled, (*a. eccl.*) immaculate; **~befriedigend** *adj.* unsatisfactory; **~befriedigt** *adj.* unsatisfied, dissatisfied; disappointed; **~befristet I.** *adj.* unlimited; **II.** *adv.* for an unlimited period; **~befugt** *adj.* unauthorized, incompetent; **2befugte(r)** *m* (*-n; -n*) unauthorized person; trespasser; *Unbefugten ist der Eintritt verboten!* trespassing prohibited!, no admittance except on business!; **~befugterweise** *adv.* without authority *or* permission; **~begabt** *adj.* untalented, not gifted; **2begabtheit** *f* lack of talent; **~beglichen** ['-bəglɪçən] *adj.* unsettled, unpaid, outstanding; **~be'greiflich** *adj.* inconceivable, incomprehensible; inexplicable, mysterious; *das ist mir völlig ~* that is beyond me; **2be'greiflichkeit** *f* (-) inconceivability; **~begrenzt** *adj.* unlimited, boundless; *adv. a.* indefinitely; **~begründet** *adj.* unfounded, unbased, groundless; *jur. als ~ zurückweisen* dismiss *a case, a petition, etc.*, on the merits; **~behaart** *adj.* hairless; bald; *bot., zo.* smooth; **2behagen** *n* uneasiness, discomfort; **~behaglich** *adj.* uncomfortable; *fig. usu.* uneasy, *pred. a.* ill at ease; **~behauen** *adj.* unhewn, uncut; unsquared (*timber*); **~behelligt** *adj.* unmolested; **~beherrscht** *adj. fig.* lacking self-control, unrestrained; **2beherrschtheit** *f* (-) lack of self-control; **~behindert** *adj.* unhindered, unhampered, unimpeded, free; **~beholfen** ['-bəhɔlfən] *adj.* clumsy, awkward, fumbling; heavy(-handed *humour*); **2beholfenheit** *f* (-) clumsiness; awkwardness; heaviness; **~beirrbar** [-bəʔ'irbɑːr] *adj.* imperturbable, unwavering; **~be-irrt** [-ʔ'irt] *adj.* unperturbed, unswerving, unflustered; sta(u)nch; **~bekannt** *adj.* unknown; unfamiliar; *~ mit* unacquainted with, unfamiliar with; obscure; *math. die 2e* the unknown; (*a. fig.*) *~e Größe* unknown quantity; *aer. ~e Flugobjekte* unidentified objects; *das war mir ~* I did not know that, I was not aware of that; *es wird Ihnen nicht ~ sein, daß* you are aware, I suppose, that; *ich bin hier ~* I am a stranger here; **2bekannt** *jur.* person or persons unknown; **~be'kehrbar** *adj.* inconvertible, callous; **~bekleidet** *adj.* unclothed, undressed, with nothing on; **~bekümmert** *adj.* unconcerned, careless (*von* of); brisk; reckless; **~be-**

lastet *adj. fig.* unencumbered (*real estate*); *person*: carefree, light-hearted; ~ *von* free of; *pol.* with a clean record; *jur.* not incriminated, uncompromised; *el.* unloaded, no-load *condition*; **~belaubt** *adj.* leafless, bare; **~belebt** *adj.* inanimate; unfrequented, quiet (*street*); *stock exchange*: dull, slack, dead; **~beleckt** *adj.*: *fig. von der Kultur* ~ without a trace of culture, uncivilized; **~be'lehrbar** *adj.* unconvincable; ~ *sein* take no advice, not to listen to reason; **~belesen** *adj.* unlettered; **≈belesenheit** *f* want of reading (*or* learning); **~belichtet** *phot. adj.* unexposed; **~beliebt** *adj.* disliked; unpopular (*bei* with); **≈beliebtheit** *f* unpopularity; **~belohnt** *adj.* unrewarded; **~bemannt** *adj.* unmanned; *aer.* pilotless; **~bemerkbar** *adj.* imperceptible; **~bemerkt** *adj. and adv.* unnoticed, unseen; **~bemittelt** *adj.* without means, impecunious; **~benannt** ['-bənant] *adj.* unnamed; *math.* abstract; **~be'nommen** *adj.*: *es ist* (*or bleibt*) *Ihnen* ~ *zu* your are at liberty to; **~benutzt** *adj.* unused, unemployed; idle (*money*); unoccupied (*building*); *e-e Gelegenheit nicht* ~ *lassen* (not to fail) to make good use of an opportunity; **~be-obachtet** *adj.* unobserved; **~bequem** *adj.* inconvenient, uncomfortable; unwieldy; troublesome, irksome; *person*: disagreeable; **≈bequemlichkeit** *f* lack of comfort; inconvenience; *j-m* ~*en bereiten* put a p. to trouble; **~be'rechenbar** *adj.* incalculable (*a. person*); dangerous; unpredictable; ~*e Umstände* imponderables *pl.*; **≈be'rechenbarkeit** *f* (-) unpredictability; **~berechnet** *adj.* free of charge, complimentary; **~berechtigt** *adj.* unauthorized, (*a. adv.*) without authority; unfounded; unfair (*a. reproach*), unreasonable; unqualified, ineligible; **~berechtigterweise** *adv.* without authority; without good (*or* valid) reason; **~berücksichtigt** *adj.* unconsidered, not taken into account; ~ *lassen* leave out of account, make no allowance for; not to consider, neglect; **~berufen** *adj.* uncalled for, unbidden; → *unbefugt*; ~! (*usu. unbe'rufen*) touch wood!; **~berühmt** *adj.* obscure; **~berührt** *adj.* untouched; virgin (*forest, soil*); *von e-m Gesetz, etc.,* ~ *bleiben* not to be affected by, not to fall within the scope of *law, etc.*; **~beschadet** ['-bə'ʃɑːdət] *prp.* (*gen.*) without prejudice to; irrespective of, notwithstanding; **~beschädigt** *adj.* uninjured, intact; *econ.* undamaged, in good condition; **~beschäftigt** *adj.* unemployed, non-employed; idled; free, at leisure; **~bescheiden** immodest; presumptuous; unreasonable (*price, etc.*); **≈bescheidenheit** *f* immodesty; presumption; **~beschnitten** ['-bəʃnitən] *adj.* deckle-edged (*book*); *med.* uncircumcised; *fig.* uncurtailed; **~bescholten** ['-bəʃɔltən] *adj.* blameless, irreproachable, of good reputation, of stainless character; **≈bescholtenheit** *f* (-) blamelessness, integrity, good name; **~beschränkt** *adj.* unrestricted; absolute (*power, title*); uncontrolled; **~beschreiblich** ['-bəʃraɪpliç] *adj.* indescribable, past all (*or* beggaring) description; unspeakable; **~beschrieben** ['-bəʃriːbən] *adj.* blank (*paper*); *fig.* ~*es Blatt* unknown quantity; **~beschwert** *adj. fig.* unencumbered, unburdened, free and easy; light, easy (*conscience*); light-hearted, detached; **≈beschwertheit** *f* (-) carefree nature, light-heartedness, detachment; **~beseelt** *adj.* unanimate; **~besehen** *adv.* unseen, unexamined; without inspection; **~besetzt** *adj.* unoccupied, free, disengaged; vacant (*office, post*); *teleph.* clear; **~besiegbar** ['-bə'ziːkbɑːr] *adj.* invincible; **≈besiegbarkeit** *f* (-) invincibility; **~besiegt** *adj.* undefeated; **~besoldet** *adj.* unsalaried, unpaid; honorary; **~besonnen** *adj.* thoughtless, imprudent; rash; reckless; **≈besonnenheit** *f* thoughtlessness; rashness; **~besorgt** *adj.* unconcerned; *seien Sie deswegen* ~ make your mind easy about it!, don't let it worry you!; **≈bestand** *m* (-[e]s) → *Unbeständigkeit*; **~beständig** *adj.* inconstant, unsteady, unstable; unsettled (*weather, econ. market*); changeable; fluctuating; *person*: erratic, fickle, inconstant; **≈beständigkeit** *f* inconstancy, instability; fickleness; **~bestätigt** *adj.* unconfirmed; **~be'stechlich** *adj.* incorruptible, unbribable; *fig.* keen, unerring; **≈be'stechlichkeit** *f* incorruptibility, integrity, **~besteigbar** *adj.* inaccessible, unscaleable; **~be'stellbar** *mail. adj.* undeliverable; dead (*letter*); **~besteuert** *adj.* untaxed; **~bestimmbar** *adj.* indeterminable; undefinable; **~bestimmt** *adj.* indeterminate, vague, (*a. gr.*) indefinite; uncertain; undecided; *auf* ~*e Zeit* for an indefinite time, sine die; **≈bestimmtheit** *f* indetermination; indefiniteness; vagueness; uncertainty; **~bestraft** *adj.* unpunished; → *straffrei*; **~be'streitbar** *adj.* incontestable, indisputable, unquestionable; **~bestritten** ['-bə'ʃtritən] **I.** *adj.* uncontested, undisputed; **II.** *adv.* indisputably, without doubt; **~beteiligt** *adj.* not concerned *or* interested; not involved; indifferent; detached; **≈beteiligte(r** *m*) *f* (-n, -n; -en, -en) disinterested party, outsider; **~betont** *adj.* unaccented, unstressed; **~beträchtlich** *adj.* inconsiderable, insignificant, trifling; **~betreten** *adj.* untrodden, unbeaten (*track*); **~beugsam** *fig. adj.* inflexible, unshakable, uncompromising, adamant, *Am. a.* hard-shell; **~bewacht** *adj.* unwatched, (*a. fig.*) unguarded; **~bewaffnet** *adj.* unarmed, defenceless; naked, unaided (*eye*); **~bewaldet** *adj.* unwooded, bare; **~bewandert** *adj.* inexperienced (*in dat.* in), not versed (in), unskilled (in); **~beweglich** *adj.* immovable; motionless; *tech.* fixed; rigid; stationary; ~ *machen* immobilize; *jur.* ~*e Güter* immovables; ~*es Eigentum* immovable property, realty; *fig.* rigid; → *unbeugsam*; **≈beweglichkeit** *f* immovableness; **~beweibt** ['-bəvaɪpt] *adj.* unmarried, bachelor; **~beweint** *adj.* unwept (for), unlamented; **~beweisbar** *adj.* unprovable, undemonstrable; **~bewiesen** ['-bə'viːzən] *adj.* unproven; **~bewirtschaftet** *adj.* not subject to control; non-rationed; **~bewohnbar** *adj.* uninhabitable; **~bewohnt** *adj.* uninhabited; unoccupied, vacant (*building*); deserted; **~bewölkt** *adj.* cloudless; **~bewußt** *adj.* unconscious (*gen.* of); involuntary, instinctive, mechanical; *mir* ~ without my knowledge; **~be'zahlbar** *adj.* beyond price; *fig.* invaluable, priceless; capital (*joke, etc.*); **~bezahlt** *adj.* unpaid, unsettled; outstanding (*claim*); **~be'zähmbar** *adj.* untamable; *fig.* indomitable; **~be'zwingbar** *adj.* invincible; impregnable (*fortress*); **~bezwungen** ['-bətsvuŋən] *adj.* unconquered (*a. mountain*).

'**un|biegsam** *adj.* inflexible; **≈bildung** *f* lack of education, want of culture, illiteracy; **≈bill** ['-bil] *f* (-; *-bilden*) injury, wrong; *Unbilden pl. der Witterung* inclemency of the weather; **~billig** *adj.* unfair, unreasonable; *jur. a.* inequitable; ~*e Härte* undue hardship; **≈billigkeit** *f* unfairness; inequity; **~blutig** *adj.* bloodless; *adv.* without bloodshed.

'**unbotmäßig** *adj.* insubordinate; unruly, refractory; **≈keit** *f* insubordination; unruliness.

'**unbrauchbar** *adj.* useless, of no use; *tech.* unserviceable; waste (*material*); impracticable, unworkable (*plan*); **≈keit** *f* uselessness; **≈machung** *f* (-) rendering *a th.* useless *or* unserviceable; dismounting (*of gun*).

'**unbußfertig** *adj.* impenitent, unrepenting; **≈keit** *f* impenitence.

'**unchristlich** *adj.* unchristian.

und [unt] *cj.* and; ~? and after that?, what then?; *colloq. na* ~? what of it?, so what?; ~ *so fort or weiter* (*usf., usw.*) and so on *or* forth (*abbr.* etc., &, a.s.o.); *iro. er* ~ *Angst haben!* he afraid!; *ich* ~ *Tennisspielen!* playing tennis, my foot!; ~ *wenn* (*auch*) even if; ~ *er auch nicht* nor he either; *er schreibt nicht,* ~ *ich auch nicht* he does not write, neither (*or* nor) do I; *er kam* ~ *strahlte über das ganze Gesicht* he came along beaming.

'**Undank** *m* ingratitude, ungratefulness; ~ *ernten* get small thanks for it, get more kicks than ha'pence; **≈bar** *adj.* ungrateful (*gegen* to); thankless (*task*); **~barkeit** *f* ingratitude; thanklessness.

'**un|datiert** *adj.* undated; **~definierbar** *adj.* indefinable; **~dehnbar** *adj.* inextensible, inelastic; **~deklinierbar** *adj.* indeclinable; **~'denkbar** *adj.* unthinkable; inconceivable; **~denklich** *adj.*: *seit* ~*en Zeiten* from times immemorial; **~deutlich** *adj.* indistinct; vague (*a. fig.* = obscure, hazy); blurred (*impression, picture*); inarticulate (*sound*); illegible (*writing*); **≈deut-**

lichkeit *f* indistinctness; vagueness; obscurity; **⁓deutsch** *adj.* un-German; **⁓dicht** *adj.* not tight; leaky, leaking; not waterproof *or* watertight; not airtight; porous; ⁓ *sein a.* leak; **²ding** *n* absurdity; impossibility; monstrosity; *es wäre ein* ⁓, *zu behaupten* it would be absurd to maintain *that*; **⁓diszipliniert** *adj.* undisciplined; **⁓dramatisch** *adj.* undramatic.

ˈ**unduldsam** *adj.* intolerant; **²keit** *f* intolerance.

ˈ**undurchˈdringlich** *adj.* impenetrable (*für* to); impervious; inscrutable (*face*); ⁓*es Gesicht a.* poker face; **²keit** *f* impenetrability; imperviousness.

ˈ**undurchführbar** *adj.* impracticable, *Am.* impractical; unworkable.

ˈ**undurchlässig** *adj.* impervious (*für* to), impermeable; waterproof, watertight.

ˈ**undurchsichtig** *adj.* non-transparent, opaque; *fig.* impenetrable; mysterious; unfathomable; **²keit** *f* opacity.

ˈ**un-eben** *adj.* uneven; rough, rugged, bumpy (*road*); broken (*ground*); *nicht* ⁓ not (so) bad; **⁓bürtig** *adj.* of inferior birth; *fig.* inferior.

ˈ**un-echt** *adj.* not genuine; spurious, false (*a. fig.*); counterfeit(ed), fake(d), *Am. a.* phon(e)y; imitation (*only attr.*), artificial (*teeth*; *a. fig.*); fading, not fast (*colour*); *math.* improper; → *falsch*.

ˈ**un-edel** *adj.* ignoble, (*a. metal*) base.

ˈ**un-ehelich** *adj.* illegitimate, born out of wedlock; unmarried (*mother*); **²keit** *f* (-) illegitimacy.

ˈ**Un-ehr|e** *f* dishono(u)r; *j-m* ⁓ *machen* discredit (*or* disgrace) a p.; **²enhaft** *adj.* dishono(u)rable; **²erbietig** *adj.* disrespectful, irreverent; **⁓erbietigkeit** *f* disrespect(fulness), irreverence; **²lich** *adj.* dishonest, insincere; **⁓lichkeit** *f* dishonesty; insincerity; duplicity.

ˈ**un|eigennützig** *adj.* disinterested, unselfish; **⁓eigentlich** *adj.* not proper (*or* real); **⁓einbringlich** [-ˀaɪnˈbrɪŋlɪç] *econ. adj.* irrecoverable, bad (*debt*); **²einˈbringlichkeit** *f* (-): *im Falle der* ⁓ in default of payment; **⁓eingedenk** *adj.* unmindful (*gen.* of); **⁓eingeladen** [-ˀaɪngəlaːdən] *adj.* uninvited, unasked; **⁓eingelöst** [-ˀaɪngəløːst] *econ. and fig. adj.* unredeemed; **⁓eingeschränkt** [-ˀaɪngəʃrɛŋkt] *adj.* unrestricted, unlimited, uncontrolled; full, unqualified; **⁓eingeweiht** *adj.* uninitiated; **²eingeweihte(r** *m*) *f* outsider; *pl. a. the* uninitiated; **⁓einheitlich** *adj.* non-uniform; irregular; *stock exchange*: *ein* ⁓*es Bild bieten* make a mixed showing; **⁓einig** *adj.* disagreeing, disunited, discordant, divided; ⁓ *sein* be at variance *or* issue *or* odds; ⁓ *werden* quarrel, fall out (*mit* with); *ich bin mit mir selbst noch* ⁓ I have not yet made up my mind; **²einigkeit** *f* disagreement; dissension, discord, disharmony; **⁓einˈnehmbar** *adj.* impregnable; **⁓elegant** *adj.* inelegant (*a. fig.*); **⁓eins** *adj.*: ⁓ *sein* → *uneinig*; **⁓empfänglich** *adj.* insusceptible (*für* to), unreceptive, impervious (to); **⁓empfindlich** *adj.* insensible (*gegen* to); insensitive (to *pressure, light, etc.*); inured (to); *fig.* indifferent (to); **²empfindlichkeit** *f* insensibility, insensitiveness; **⁓ˈendlich I.** *adj.* endless; infinite (*a. fig. pleasure, care, etc.*); boundless; *phot. auf* ⁓ *einstellen* focus for infinity; *ins* ⁓*e* ad infinitum; *das geht ins* ²*e* there is no end to it; **II.** *adv.* infinitely (*a. fig.*), *etc.*; ⁓ *klein* infinitesimal; ⁓ *lang* endless; *fig.* hugely, vastly, tremendously; ⁓ *viel Sorgen, etc.* no end of trouble, *etc.*; **⁓englisch** *adj.* un-English; **⁓entˈbehrlich** *adj.* indispensable; *er* (*es*) *ist mir* ⁓ I cannot do without him (it); **²entˈbehrlichkeit** *f* indispensableness; **⁓entˈgeltlich** *adj.* gratuitous, (*a. adv.*) free (of charge), gratis.

un-entˈhaltsam *adj.* intemperate; *esp. sexually*: incontinent; **²keit** *f* intemperance; incontinence.

un-entˈrinnbar *adj.* inescapable.

ˈ**un-entschieden** *adj. and adv.* undecided (*a. person*); open, unsettled (*question*), pending; *sports*: drawn; ⁓*es Rennen* dead heat, tie; ⁓ *enden* finish as a draw, be a tie; ⁓ *stehen* be even; ⁓ *spielen* draw; ² *n* (-*s*; -) *sports*: draw, tie; **²heit** *f* undecidedness; indecision.

ˈ**un-entschlossen** *adj.* irresolute, undecided; ⁓ *sein a.* waver, hesitate, → *schwanken*; *pol.* sit on the fence, *Am. a.* straddle; **²heit** *f* irresolution.

un-entˈschuld|bar *adj.* inexcusable, unpardonable; *es ist* ⁓ it allows of no excuse; **⁓igt** *adj.*: ⁓*es Fehlen* absence without valid excuse, absenteeism.

un-entwegt [ˈ-ˀɛntˈveːkt] *adj.* unswerving, unflinching, stalwart; **²e(r)** *pol. m* (-*n*; -*n*) die-hard, stalwart, *Am.* standpatter; **²heit** *f* (-) steadfastness; *pol.* die-hardism.

ˈ**un-entwickelt** *adj.* undeveloped.

un-entˈwirrbar *adj.* inextricable.

un-entˈzifferbar *adj.* undecipherable.

un-entˈzündbar *adj.* non-inflammable; inert (*ammunition*).

ˈ**un|erˈbittlich** *adj.* inexorable, pitiless; *die* ⁓*en Tatsachen* the stubborn facts; **²erˈbittlichkeit** *f* (-) inexorability, pitilessness; **⁓erfahren** *adj.* inexperienced (*in dat.* in), new (to); callow; green; **⁓erfindlich** [ˈ-ˀɛrˈfɪntlɪç] *adj.* undiscoverable; incomprehensible; *aus* ⁓*en Gründen* for obscure reasons; *es ist mir* ⁓ it is a mystery to me; **⁓erˈforschlich** *adj.* impenetrable; inscrutable (*mind, decision*); **⁓erforscht** *adj.* unexplored, unchartered; *w.s.* unaccounted; **⁓erfreulich** *adj.* unpleasant; **⁓erˈfüllbar** *adj.* unrealizable, unattainable; **⁓erfüllt** *adj.* unfulfilled; **⁓ergiebig** *adj.* unproductive; *w.s.* unprofitable; **⁓ergründlich** [ˈ-ˀɛrˈgryntlɪç] *adj.* unfathomable, bottomless; *fig. a.* inscrutable; **⁓erheblich** *adj.* inconsiderable, insignificant, unimportant, trivial; *esp. jur.* irrelevant (*für* to), immaterial; **²erheblichkeit** *f* inconsiderableness, insignificance, slightness, irrelevance; ˈ**⁓erhört** *adj.* **1.** not granted, unheard; **2.** *unerˈhört* unheard-of, unprecedented; outrageous, scandalous; *colloq.* tremendous, terrific; ⁓*!* the insolence of it!, shame!; **⁓erkannt** [ˈ-ˀɛrkant] *adj.* unrecognized, unidentified; **⁓erkennbar** *adj.* unrecognizable; **⁓erkenntlich** *adj.* ungrateful; **⁓erˈklärlich** *adj.* inexplicable, unaccountable, mysterious; **⁓erˈläßlich** *adj.* indispensable, essential, imperative; *diese Maßnahme ist völlig* ⁓ this measure is a must; **⁓erlaubt** *adj.* unauthorized, prohibited; illegal, illicit; *sports*: foul; *jur.* ⁓*e Handlung* tort(ious act), civil wrong; *mil.* ⁓*e Entfernung von der Truppe* absence without leave (*abbr.* AWOL); **⁓erledigt** *adj.* unsettled, not disposed of; pending; **⁓erlöst** *adj.* unredeemed; **⁓erˈmeßlich** *adj.* immeasurable, immense, vast; **²erˈmeßlichkeit** *f* (-) immeasurableness, immensity, vastness; **⁓ermüdlich** [-ˀɛrˈmyːtlɪç] *adj. person*: indefatigable; untiring, unflagging (*efforts*), unremitting(ly *adv.*); **²erˈmüdlichkeit** *f* (-) indefatigableness; **⁓erörtert** *adj.* undiscussed; **⁓erprobt** *adj.* untried, not tested; **⁓erquicklich** *adj.* unpleasant, unedifying; **⁓erˈreichbar** *adj.* unattainable; inaccessible; *pred.* out of (*or* beyond) reach; **⁓erˈreicht** *adj. fig.* unequal(l)ed, unrival(l)ed; record (*performance*); ⁓ *sein a.* stand alone; **⁓ersättlich** [-ˀɛrˈzɛtlɪç] *adj.* insatiable; **⁓erschlossen** [ˈ-ˀɛrʃlɔsən] *adj.* undeveloped (*area, market*); untapped (*market, resources*); **⁓erˈschöpflich** *adj.* inexhaustible; **⁓erschrocken** *adj.* intrepid, undaunted, fearless; **²erschrockenheit** *f* (-) intrepidity, fearlessness; **⁓erˈschütterlich** *adj.* unshakable; imperturbable, stolid; *pred.* (as) firm as a rock; → *unentwegt*; **⁓erˈschwinglich** *adj.* unattainable, *pred.* beyond one's means; exorbitant, prohibitive (*price*); *das ist mir* ⁓ I (simply) cannot afford it; **⁓erˈsetzlich** *adj.* irreplaceable; *thing*: *a.* irreparable, irrecoverable; **⁓erˈsprießlich** *adj.* unprofitable; fruitless (*endeavour*); unpleasant; **⁓erˈträglich** *adj.* intolerable, unbearable, insufferable; *pred.* past endurance; **⁓erwähnt** *adj.* unmentioned; ⁓ *lassen* fail to mention, make no mention of, pass *a th.* over (in silence); **⁓erwartet I.** *adj.* unexpected; unforeseen; surprise (*visitors, attack, etc.*); **II.** *adv.* unexpectedly, all of a sudden; **⁓erˈweislich** *adj.* indemonstrable; **⁓erwidert** *adj.* unanswered (*letter, etc.*); unreturned, unrequited (*love*); **⁓erwünscht** *adj.* undesirable, unwelcome; **⁓erzogen** [ˈ-ˀɛrtsoːgən] *adj.* uneducated; *b.s.* ill-bred.

ˈ**unfähig** *adj.* incapable (*gen.* of); unable (*zu inf.* to *inf.*); unfit (*für* for), incompetent; inefficient; *jur. für* ⁓ *erklären* incapacitate; **²keit** *f* incapacity; inability; incompetence, unfitness; inefficiency.

un'fahrbar *adj.* impracticable, impassable; *mar.* not navigable.
unfair ['-fɛːr] *adj.* unfair; *sports*: *a.* foul; *pred.* below the belt (*a. fig.*).
'Unfall *m* accident; disaster; mishap; *Tod durch ~* accidental death; *e-n ~ haben* meet with an accident; **~flucht** *f* absconding after an accident; **~kommando** *n* emergency car, ambulance; **~rente** *f* accident annuity; **~station** *f* first-aid station; **~stelle** *f* scene of accident; **~tod** *m* accidental death; **~verhütung** *f* accident prevention; **~verhütungsvorschrift** *f* safety rule(s *pl.*); **~verluste** *m/pl.* casualties; **~versicherung** *f* accident insurance; **~wagen** *m* motor ambulance; *aer.* crash tender; **~ziffer** *f* accident rate; toll of the road.
un'faßbar, ~lich *adj.* incomprehensible, inconceivable; *das ist mir ~* that is beyond me, that beats me.
un'fehlbar I. *adj.* infallible (*a. R.C.*); unerring (*a. shot*); unfailing (*remedy, etc.*); **II.** *adv.* (as) sure as death; without fail; inevitably; **℗keit** *f* infallibility.
'unfein *adj.* indelicate; unmannerly, not gentlemanlike (*or* ladylike); coarse; *pred.* bad form, not nice.
'unfern I. *adv.* not far off, near (at hand); **II.** *prp.* (*gen. or von*) not far from, near.
'unfertig *adj.* not ready, unfinished, incomplete; *fig.* immature, half-baked.
Un|flat ['unflaːt] *m* (-[e]s) dirt, filth (*a. fig.*); **℗flätig** ['-flɛːtiç] *adj.* dirty, filthy; (*adv.*) *~ schimpfen* swear like a fishwife *or* trooper.
'unfolgsam *adj.* disobedient; wayward; **℗keit** *f* disobedience.
unförm|ig ['-fœrmiç] *adj.* misshapen, deformed; shapeless; monstrous; unwieldy; bulky; clumsy; disproportionate; **℗igkeit** *f* (-) shapelessness; deformity; monstrosity; clumsiness; **~lich** *adj.* informal, unceremonious.
'unfrankiert *adj.* not prepaid, carriage-forward; unstamped (*letter*).
'unfrei *adj.* unfree, not free; *fig.* constrained, self-conscious; **℗heit** *f* bondage, serfdom; *fig.* constraint; **℗willig** *adj.* involuntary; compulsory; *aer.* forced (*landing*); unconscious (*humour*).
'unfreundlich *adj.* unfriendly, unkind (*zu, gegen* to); disobliging; gruff; inclement (*climate, weather*); cheerless (*room, etc*); **℗keit** *f* unfriendliness; ill-feeling; inclemency.
'Unfriede *m* discord; dissension, strife; → *stiften*.
'unfroh *adj.* cheerless.
'unfruchtbar *adj.* unfruitful (*a. fig.*), barren, sterile; *fig. auf ~en Boden fallen* fall upon stony ground, *bei j-m*: be lost on *a p.*; **℗keit** *f* unfruitfulness; barrenness, sterility.
Unfug ['unfuːk] *m* (-[e]s) mischief, nuisance; *Am. a.* monkeyshines, shenanigans *pl.*; *jur. grober ~* gross misdemeano(u)r, public nuisance; *~ treiben* be up to mischief, play (mischievous) tricks, monkey (*mit* with); *~!* nonsense!
'unfügsam *adj.* unmanageable, intractable.
un'fühlbar *adj.* intangible, impalpable.
'unfundiert *econ. adj.* unfounded, floating.
'ungalant *adj.* ungallant, dis- [courteous.]
'ungangbar *adj.* impassable; *coin*: not current; unsal(e)able (*goods*).
Ungar ['uŋgaːr] *m* (-*n*; -*n*), **~in** *f* (-; -*nen*), **℗isch** *adj.* Hungarian.
'ungastlich *adj.* inhospitable.
unge|achtet ['ungəˈʔaxtət] **I.** *adj.* not esteemed, despised; **II.** *prp.* (*gen.*) regardless of, irrespective of, notwithstanding; despite; **~ahndet** ['-ˈʔaːndət] *adj.* unpunished; *adv. a.* with impunity; **~ahnt** *adj.* undreamt-of, unthought-of; unexpected, unhoped-for; **~bahnt** *adj.* unbeaten, untrodden; **~bärdig** ['-bɛːrdiç] *adj.* unruly, wild; **~beten** *adj.* uninvited, unasked; *~er Gast* intruder, gatecrasher; **~beugt** *adj.* unbent, uncurbed; **~bildet** *adj.* uneducated, uncultured; ill-bred, uncivilized; unpolished; **~bleicht** *adj.* unbleached; **~boren** *adj.* unborn; **~bräuchlich** *adj.* unusual; obsolete; **~braucht** *adj.* unused, quite new.
'Ungebühr *f* (-) impropriety, indecency, unseemliness; excess, abuse; *jur. ~ vor Gericht* contempt of court; **℗lich I.** *adj.* improper, indecent, unseemly, unbecoming; undue, unwarrantable; *jur. ~e Beeinflussung* undue influence; **II.** *adv.* unduly; **~lichkeit** *f* (-; -*en*) → *Ungebühr*.
'ungebunden *adj.* unbound; *book*: in sheets; *fig.* free, unrestrained; *b.s.* licentious, loose; *~e Rede* prose; **℗heit** *f fig.* freedom, unrestraint; licence.
'ungedämpft *phys. adj.* undamped, non-attenuated; continuous (*wave*).
'ungedeckt *adj.* uncovered (*a. sports* = unmarked); unsheltered, unprotected, exposed; uncovered (*cheque*); unsecured (*credit*); *der Tisch ist ~* the cloth is not laid yet.
'ungedruckt *adj.* unprinted, *w.s.* unpublished.
'Ungeduld *f* impatience; *mit ~* impatiently; → *brennen*; **℗ig** ['-diç] *adj.* impatient.
'unge-eignet *adj.* unfit (*zu* for); *person*: *a.* unqualified; inopportune (*moment*).
'unge-erdet *el. adj.* unearthed, *Am.* ungrounded.
ungefähr ['ungəfɛːr] **I.** *adj.* approximate, rough; **II.** *adv.* about, approximately, in the neighbo(u)rhood (*or* region) of, *Am. a.* around; sketchily; *~ hundert a.* a hundred or so (*or* thereabouts); *wo ~?* whereabouts?; *~ wie* much as; *von ~* **a)** by chance, **b)** out of a clear sky; *wenn ich ~ wüßte, was er will* if I had some idea of what he wants; **℗** *n* (-*s*) chance.
'ungefähr|det *adj.* unendangered, safe(ly *adv.*); *pred.* out of danger (*or* harm's way); **~lich** *adj.* harmless, not dangerous.
'ungefällig *adj.* disobliging (*person*); unpleasant, disagreeable (*matter*); **℗keit** *f* unkindness.
unge|färbt ['ungəfɛrpt] *adj.* undyed, uncolo(u)red; raw (*silk*); *fig.* unvarnished; ungarbled (*report*); **~fragt** ['-fraːkt] *adj.* without being asked; **~frühstückt** *adj.* without a breakfast, *adv. a.* on an empty stomach; **~füge** *adj.* clumsy, bulky, hulking; staggering (*blow*); **~fügig** *adj.* unpliant, unwieldy, clumsy; **~gerbt** ['-gɛrpt] *adj.* untanned; **~goren** *adj.* unfermented; **~halten** *adj.* displeased, annoyed, indignant (*über acc.* at); **~härtet** *tech. adj.* unhardened; **~heilt** *adj.* uncured; **~heißen I.** *adj.* unbidden; **II.** *adv.* of one's own accord; **~heizt** *adj.* unfired; cold; **~hemmt I.** *adj.* unchecked; **II.** *adv.* without restraint, freely; **~heuchelt** *adj.* unfeigned; sincere.
'ungeheuer I. *adj.* (*a.* unge'heuer) vast, huge, enormous, colossal, immense, monstrous; *~e Freude* immense joy, huge pleasure; *~er Fehler* colossal mistake; fabulous, tremendous, terrific; **II.** *adv.* vastly, *etc.*; awfully, tremendously, mighty.
'Ungeheuer *n* (-*s*; -) monster; **℗lich** *adj.* monstrous, atrocious; **~lichkeit** *f* (-; -*en*) monstrosity; enormity; atrocity.
'ungehindert *adj.* unhindered; *adv. a.* without let or hindrance.
'ungehobelt *adj.* not planed; *fig.* uncouth, rude, churlish.
'ungehörig *adj.* undue; improper; impertinent; **℗keit** *f* (-; -*en*) impropriety.
'ungehorsam *adj.* disobedient; *mil.* insubordinate; **'Ungehorsam** *m* disobedience; insubordination.
'unge|hört *adj. and adv.* unheard; **~kämmt** *adj.* uncombed; *wool*: not carded; **~klärt** *adj.* unsettled, unclear; *pred.* open to question; *mil. ~e Lage* obscure situation; **~kocht** *adj.* unboiled, uncooked; **~künstelt** *adj.* unaffected, unstudied; **~kündigt** ['-diçt] *adj.*: *in ~er Stellung* fully employed; without notice having been given; **~kürzt** *adj.* unabridged (*book, right, etc.*); **~laden** *adj.* uninvited (*guest*); unloaded (*gun*); *el.* uncharged; **~leckt** *adj. fig.*; *~er Bär* unlicked cub.
'ungelegen *adj.* inopportune, inconvenient, awkward; untimely, unseasonable; *j-m ~ kommen* inconvenience (*or* disturb) a p.; *das kommt mir sehr ~!* how awkward!; **℗heit** *f* inconvenience; trouble; *j-m ~en machen* put a p. to inconvenience, give a p. trouble.
'unge|lehrig *adj.* indocile, unteachable, slow; **~lehrt** *adj.* unlearnt, illiterate; **~lenk** ['-lɛŋk] *adj.* stiff; *fig.* awkward, clumsy; **~lernt** *adj.* unskilled (*worker, work*); **~logen** *adv.* honestly, truly; no less than; **~löscht** *adj.* unquenched; unslaked (*lime*); **℗mach** ['-maːx] *n* (-[e]s; -e) hardship, trouble, adversity; **~mein I.** *adj.* uncommon, extraordinary; **II.** *adv.* exceedingly, profoundly, acutely; *~ viel* an abundance of; **~messen** *adj.* unmeasured; *fig.* unlimited; **~mischt** *adj.* unmixed (*a. fig. joy*); **~münzt** *adj.* uncoined; *~es Gold or Silber* bullion; **~mütlich** *adj.* uncomfortable; cheerless,

dreary; *colloq.* ticklish, *mil. a.* unhealthy; unpleasant, nasty (*person*); **~nannt** *adj.* unnamed; anonymous; **~nau** *adj.* inaccurate, inexact; **2nauigkeit** *f* inaccuracy.

'**ungeneigt** *adj.* disinclined, unwilling; **2heit** *f* disinclination.

ungeniert ['unʒeni:rt] **I.** *adj.* free and easy, unceremonious; nonchalant; undisturbed; **II.** *adv.* freely; nonchalantly; without let or hindrance; *völlig ~* with the greatest aplomb; *du darfst das ~ sagen* you can say that without the slightest misgivings; **2heit** *f* (-) free and easy ways *pl.*; unceremoniousness; nonchalance.

'**ungenießbar** *adj.* not fit to eat *or* drink; uneatable; undrinkable; unpalatable (*a. fig.*); *colloq. person*: in a bad humo(u)r, unbearable.

'**ungenüg|end I.** *adj.* insufficient, inadequate; *a. ped.* poor; **II.** *adv.*: *mar. ~ bemannt* undermanned; *~ bezahlt* underpaid; **~sam** *adj.* insatiable, greedy; **2samkeit** *f* insatiability, greediness.

'**ungenützt** *adj.* → *unbenutzt.*

'**unge|ordnet** *adj.* unarranged, unsettled; *b.s.* disorderly; *~e Verhältnisse* disorder; **~pflastert** *adj.* unpaved; **~pflegt** *adj.* uncared for, neglected; *a. person*: unkempt; **~rächt** *adj.* unavenged; **~rade** *adj.* uneven, out of line; odd (*number*); **~raten** *adj.* spoilt, undutiful (*child*); **~rechnet I.** *adj.* uncounted; not included; **II.** *adv.* not counting, apart from.

'**ungerecht** *adj.* unjust, unfair; **~fertigt** *adj.* unjustified, unwarrantable; **2igkeit** *f* injustice (*gegen* to).

'**ungeregelt** *adj.* not regulated; irregular; *b.s.* disorderly.

ungereimt ['ungəraɪmt] *adj.* unrhymed; *~e Verse* blank verse; *fig.* absurd; *~es Zeug reden* talk nonsense (*or* rot); **2heit** *f* (-; -en) absurdity.

'**ungerichtet** *adj.*: *~e Antenne* equiradial aerial.

'**ungern** *adv.* unwillingly, grudgingly; reluctantly; *~ tun a.* hate to do.

'**unge|rührt** *adj. fig.* unmoved, untouched, unaffected; **~rupft** *adj. fig.*: *~ davonkommen* get off lightly, get away without being fleeced; **~sagt** *adj.* unsaid; **~salzen** *adj.* unsalted; **~sättigt** *adj.* not satisfied, unsatiated; *chem.* unsaturated; **~säuert** *adj.* unleavened; **~säumt I.** *adj.* **1.** seamless (*cloth*); **2.** prompt, immediate; **II.** *adv. a.* without delay, forthwith; **~schehen** *adj.* undone; *~ machen* undo; *das kann man nicht ~ machen* that cannot be undone; **~schichtlich** *adj.* unhistorical.

'**Ungeschick** *n*, **~lichkeit** *f* awkwardness, clumsiness; bungling, fumble; **2t** *adj.* awkward, clumsy, maladroit; bungling, fumbling, thumb-fingered; *~ sein a.* be all thumbs.

unge|schlacht ['ungəʃlaxt] *adj.* bulky, hulking; uncouth; **~schlagen** *adj.* undefeated, unbeaten; **~schlechtlich** *adj.* asexual, neuter; **~schliffen** *adj.* unpolished (*a. fig.*); uncut, *diamond*: *a.* rough; *fig.* crude; rude, rough, uncivil; *~er Bengel* unlicked cub; **~schmälert** *adj.* undiminished, unimpaired, uncurtailed, in full; **~schminkt** *adj.* unpainted; *fig.* unvarnished, unadorned, plain (*truth*); **~schoren** *adj.* unshorn; *fig.* unmolested; *~ lassen* leave (*or* let) alone; **~schrieben** *adj.*: *~es Gesetz* unwritten law; **~schult** *adj.* untrained, unschooled; **~schützt** *adj.* unprotected, unsheltered; exposed; **~schwächt** *adj.* unweakened; *~e Tatkraft* unimpaired energy; **~sehen** *adj.* unseen, unnoticed; **~sellig** *adj.* unsociable.

'**ungesetzlich** *adj.* illegal, unlawful, illicit; *für ~ erklären* outlaw; **2keit** *f* illegality; **2keitserklärung** *f* outlawry (*gen.* of).

'**unge|sichert** *econ. adj.* unsecured; **~sittet** *adj.* uncivilized; unmannerly; **~stalt(et)** *adj.* misshapen; **~stillt** *adj.* unstilled (*pain*, *desire*); unappeased (*hunger*); unquenched (*thirst*); **~stört** *adj.* undisturbed, uninterrupted, peaceful; **~straft I.** *adj.* unpunished; **II.** *adv.* with impunity; *~ davonkommen* go scot-free.

ungestüm ['ungəʃty:m] *adj.* impetuous; vehement, violent; tumultuous.

'**Ungestüm** *n* (-[e]s) impetuosity; violence, vehemence.

'**unge|sucht** *fig. adj.* unaffected, unstudied; spontaneous; **~sühnt** *adj.* unpunished, unavenged; **~sund** *adj.* unhealthy; *matter*: *a.* unhealthful, unwholesome, injurious to health; *fig.* unsound; **~süßt** *adj.* unsweetened; **~tan** *adj.*: *et. ~ lassen* leave a th. undone; **~teilt** *adj.* undivided (*a. fig. attention, etc.*); integral; unanimous; **~trübt** ['ungətry:pt] *adj.* unclouded, clear; *fig.* untroubled, serene; unmixed (*pleasure*); **~übt** *adj.* untrained, unpractised; inexperienced; **~waschen** *adj.* unwashed; *fig. ~er Mund* foul (*or* filthy) tongue.

'**ungewiß** *adj.* uncertain; doubtful; undecided; *j-n im ungewissen lassen* keep a p. in suspense (*or* on tenterhooks); *Sprung ins Ungewisse* leap in the dark; **2heit** *f* uncertainty; suspense; wavering.

'**Ungewitter** *n* thunderstorm.

'**ungewöhnlich** *adj.* unusual, uncommon; abnormal; odd; novel.

'**ungewohnt** *adj.* unaccustomed; *diese Arbeit ist mir ~* I am unaccustomed to this kind of work; unusual, unwonted; **2heit** *f* (-) unwontedness.

'**ungewollt** *adj.* unintentional, involuntary.

'**ungezählt** *adj.* numberless, innumerable, countless, untold.

'**ungezähmt** *adj.* untamed; *fig.* unbridled (*passion*); uncurbed (*mind, etc.*).

Ungeziefer ['ungətsi:fər] *n* (-s; -) vermin; *voll ~* vermin-infested *or* -ridden; *Mittel gegen ~* vermin-killer.

'**ungeziemend** *adj.* improper, unseemly.

'**ungeziert** *adj.* unaffected.

'**ungezogen** *adj.* ill-bred, rude, uncivil; naughty; **2heit** *f* (-; -en) rudeness; naughtiness.

'**ungezügelt I.** *adj. fig.* unbridled; **II.** *adv.* without restraint.

'**ungezwungen** *adj.* unconstrained, without constraint; *fig. a.* off-hand; unaffected, easy; **2heit** *f* (-) unconstraint, ease.

'**Unglaube** *m* unbelief.

'**ungläubig** *adj.* incredulous, disbelieving; *eccl.* unbelieving; infidel; **2e(r** *m*) *f* unbeliever, infidel.

'**unglaub|lich** *adj.* incredible, unbelievable; **~würdig** *adj.* untrustworthy, not worthy of credit; incredible; fantastic; cock-and-bull *story.*

'**ungleich I.** *adj.* unequal, different; uneven; unlike, dissimilar; varying; odd (*number*); **II.** *adv. preceding comp.*: (by) far, a great deal, much (*better, etc.*); **~artig** *adj.* heterogeneous, different, diverse; **~förmig** *adj.* unequal, not uniform; irregular; **2heit** *f* inequality; irregularity; diversion, variation; **~mäßig** *adj.* uneven, unbalanced; disproportionate; unsymmetrical; erratic; non-uniform.

Unglimpf ['unglimpf] *m* (-[e]s) harshness; insult, affront; wrong; **2lich** *adj.* harsh; (*adv.*) *~ behandeln* deal harshly with.

'**Unglück** *n* misfortune; *at games*: ill luck; calamity; disaster; accident; misadventure, mishap; distress, misery; *ein ~ kommt selten allein* it never rains but it pours; *zum ~* unfortunately, as (ill) luck would have it; **2lich** *adj.* unfortunate; unhappy; unlucky, hapless; ill-fated; fatal; wretched, miserable; woebegone; *~e Liebe* unrequited love, disappointment in love; *~ enden* turn out badly, end in disaster; **2licherweise** *adv.* unfortunately, unluckily, as (ill) luck would have it; **~sbote** *m* bringer of bad tidings; **~sbringer** *m* voodoo, *Am.* hoodoo, jinx; **2selig** *adj.* unfortunate; miserable, lamentable; calamitous, disastrous; ill-starred.

'**Unglücks...**: **~fall** *m* misadventure; accident; **~gefährte** *m* fellow sufferer; **~rabe** *m fig.* **1.** croaker; **2.** unlucky fellow *or* bird; **~stern** *m*: *unter einem ~ (stehend)* ill-starred; **~tag** *m* fatal (*or* black) day; **~wurm** *colloq. m* poor creature.

'**Un|gnade** *f* disgrace, disfavo(u)r; *in ~ fallen* fall out of favo(u)r (*or* into disgrace), *bei j-m*: incur the displeasure of a p., get into a p.'s bad books; **2gnädig I.** *adj.* ungracious, unkind; ill-humo(u)red, cross; **II.** *adv.* ungraciously, *etc.*; with disfavo(u)r; **2graziös** *adj.* ungraceful, clumsy.

'**ungültig** *adj.* invalid, void; *ticket*: not available; *law*: inoperative; *coin*: not current; *pol. ~e Stimme* spoilt vote; *sports*: foul *blow, etc.*; *für ~ erklären* invalidate, declare null and void, (render) void, annul (*a. marriage*); set aside, quash (*judgment*); repeal, rescind (*law*); *sports*: disallow (*goal*); *~ machen a.* cancel; **2keit** *f* invalidity; voidness; nullity (*a. of marriage*); **2keits-erklärung** *f* invalidation, nullification; *of documents*: notice of legal extinction.

ˈ**Un|gunst** *f* disfavo(u)r, ill-will; inclemency (*of weather*); zu *j-s* ~*en* in a p.'s disfavo(u)r, to a p.'s disadvantage, against a p.; *das spricht zu seinen* ~*en* that tells against him; 2**günstig** *adj.* unfavo(u)rable; disadvantageous, adverse, untoward.

ˈ**ungut** *adj.*: ~*es Gefühl* misgivings *pl.*; *nichts für* ~*!* no offen|ce, *Am.* -se!, no harm meant!, no hard feelings!

ˈ**unhaltbar** *adj.* untenable, indefensible; *promise*: that cannot be kept; *sports*: overpowering *shot*; 2**keit** *f* untenability.

ˈ**unhandlich** *adj.* unwieldy; clumsy, bulky.

ˈ**unharmonisch** *adj.* inharmonious, discordant.

ˈ**Unheil** *n* mischief, harm; ruin; disaster, calamity; ~ *anrichten or stiften* cause mischief, *storm, etc.*: cause havoc; 2**bar** *adj.* incurable; *fig.* irreparable; 2**bringend** *adj.* unlucky, fatal, baneful; 2**schwanger** *adj.* portentous, fraught with danger; ~**stifter(in** *f*) *m* mischief-maker; ~**verkündend** *adj.* ominous, portentous.

ˈ**unheimlich I.** *adj.* uncanny, weird (*a. fig.*), unearthly; sinister; *colloq. fig.* tremendous, terrific; **II.** *adv. colloq. fig.* dreadfully, awfully; ~ *viel* heaps of, an awful lot of.

ˈ**unhöflich** *adj.* uncivil, impolite; rude; 2**keit** *f* incivility, impoliteness; rudeness.

ˈ**unhold** *adj.* ungracious; ill-disposed (*dat.* to).

ˈ**Unhold** *m* (-[e]s; -e) monster, fiend.

ˈ**unhörbar** *adj.* inaudible, imperceptible.

ˈ**unhygienisch** *adj.* insanitary, unsanitary.

uni [yˈniː] *econ. adj.* uni-colo(u)red, plain.

Uniform [uniˈfɔrm] *f* (-; -*en*) uniform; 2 *adj.* uniform; **uniformiert** [-ˈmiːrt] *adj.* uniformed, in uniform; *fig.* uniform; **Uniformiˈtät** *f* (-; -*en*) uniformity.

Unikum [ˈuːnikum] *n* (-*s*; -*ka*) unique (thing); (*person*) original, character.

ˈ**un-interess|ant** *adj.* uninteresting, unattractive; ~**iert** *adj.* uninterested (*an dat.* in); 2**iertheit** *f* (-) lack of interest, indifference.

Union [uniˈoːn] *f* (-; -*en*) union; ~**s-priorität** *f patent law*: convention agreement.

unisono [uniˈzoːno] *adv.* in unison.

Universal|erbe [univerˈzaːl-] *m* sole (*or* universal) heir; ~**genie** *n* universal genius, all-round man; ~**küchenmaschine** *f* universal kitchen machine; ~**mittel** *n* universal remedy, panacea, cure-all; ~**motor** *el. m* universal motor; ~**schraubenschlüssel** *m* monkey wrench; ~**werkzeug** *n* all-purpose tool.

universell [univerˈzɛl] *adj.* universal, allround, *tech. a.* all-purpose.

Universität [univɛrziˈtɛːt] *f* (-; -*en*) university; *auf der* ~ *sein* study at a university; ~**s-professor** *m* university professor; ~**szeit** *f* college years.

Universum [uniˈverzum] *n* (-*s*) universe.

Unke [ˈuŋkə] *f* (-; -*n*) toad; *colloq. fig.* croaker, Jeremiah; grumbler; 2**n** *v/i.* (*h.*) *colloq. fig.* croak; grouse.

ˈ**unkennt|lich** *adj.* unrecognizable; ~ *machen* deface, obliterate; disguise; 2**lichkeit** *f* (-) unrecognizable condition; *bis zur* ~ past recognition; 2**nis** *f* (-) ignorance, unawareness; *in* ~ *sein über* be unaware of; *j-n in* ~ *lassen über* keep a p. in the dark about; ~ *schützt vor Strafe nicht* ignorance of the law is no excuse.

ˈ**unkeusch** *adj.* unchaste; 2**heit** *f* unchastity.

ˈ**unkindlich** *adj.* unchildlike; unfilial; precocious.

ˈ**unkirchlich** *adj.* unclerical; secular, worldly.

ˈ**unklar** *adj.* not clear; muddy; misty; indistinct; *fig.* vague, obscure; muddled; woolly, fuzzy (*ideas*); *im* ~*en sein* be in the dark (*über acc.* about); *j-n im* ~*en lassen über* leave a p. guessing at *a th.*; 2**heit** *f* want of clearness; vagueness, obscurity; open points.

ˈ**unkleidsam** *adj.* unbecoming.

ˈ**unklug** *adj.* unwise, imprudent, ill-advised; 2**heit** *f* imprudence.

ˈ**unkompliziert** *adj.* uncomplicated, simple; straightforward.

ˈ**unkontrollierbar** *adj.* uncontrollable.

ˈ**unkollegial** *adj.* unlike a colleague, disobliging.

ˈ**unkonvertierbar** *adj.* inconvertible.

ˈ**unkörperlich** *adj.* incorporeal, immaterial; disembodied, spiritual.

ˈ**Unkosten** *pl.* costs, expenses, charges; *auf meine* ~ at my expense *sg.*; *allgemeine* ~ overhead expenses, overhead(s *pl.*); *kleine* ~ petty expenses, out-of-pocket expenses; → *stürzen*; ~**berechnung** *f* cost accounting; ~**beteiligung** *f* sharing (of) expenses; ~**konto** *n* expense account; ~**rechnung** *f* account of charges.

ˈ**Unkraut** *n* weed(s *pl.*); *fig.* ~ *vergeht nicht* ill weeds grow apace.

ˈ**un|kultiviert** *adj.* uncultivated; uncultured (*person*); ~**kündbar** *adj.* irrevocable, binding; irredeemable (*bond*); perpetual (*annuity*); permanent (*post*); non-callable (*capital*); permanent, funded (*debt*); ~**kundig** *adj.* ignorant (*gen.* of), unacquainted (with), not knowing (*a th. or how to do a th.*); *des Englischen* ~ *sein* have no (command of) English; ~**künstlerisch** *adj.* inartistic(ally *adv.*); *person*: unartistic; ~**längst** *adv.* lately, recently, not long ago; ~**lauter** *adj.* impure; shady; *econ.* unfair (*competition*); ~**legiert** *adj.* unalloyed; ~**leidlich** *adj.* intolerable, insufferable; ~**lenksam** *adj.* unmanageable, intractable, unruly; ~**leserlich** *adj.* illegible; 2**leserlichkeit** *f* illegibility; ~**leugbar** [ˈunlɔʏkbaːr] *adj.* undeniable; ~**lieb** *adj.* disagreeable; *es war ihr nicht* ~ she was rather glad (about it); ~**liebenswürdig** *adj.* unfriendly, unkind, surly; ~**liebsam** *adj.* disagreeable, unpleasant; ~**liniert** *adj.* unruled; ~**logisch** *adj.* illogical; ~**lösbar** *adj.* unsolvable (*problem*); inseparable; *a.* → ~**löslich** *chem. adj.* insoluble.

ˈ**Unlust** *f* (-) listlessness; dislike (*zu* for), aversion (to); 2**ig** *adj.* listless; morose; (*widerstrebend*) reluctant (*zu* to).

ˈ**unmanierlich** *adj.* unmannerly, ill-behaved.

ˈ**unmännlich** *adj.* unmanly, effeminate; 2**keit** *f* unmanliness.

ˈ**Unmaß** *n* (-es): *im* ~ to excess.

ˈ**Unmasse** *colloq. f* enormous (*or* vast) quantity *or* number; *e-e* ~ *gen. or von a.* a host of, heaps (*or* oodles) of *money, etc.*

ˈ**unmaßgeblich** *adj.* not authoritative; *nach m-r* ~*en Meinung* in my humble opinion, speaking under correction.

ˈ**unmäßig I.** *adj.* immoderate, excessive, inordinate; intemperate; **II.** *adv.* extremely, to excess; 2**keit** *f* immoderateness, excess; intemperance.

ˈ**Unmenge** *f* → *Unmasse.*

ˈ**Unmensch** *m* monster, brute; *colloq. sei kein* ~*!* have a heart!; 2**lich** *adj.* inhuman, brutal; degrading; superhuman; *colloq. fig.* tremendous, awful; ~**lichkeit** *f* inhumanity, brutality.

ˈ**un|merklich** *adj.* imperceptible; ~**meßbar** *adj.* immeasurable; ~**methodisch** *adj.* unmethodical; ~**militärisch** *adj.* unmilitary; ~**mißverständlich I.** *adj.* unmistakable, unequivocable; **II.** *adv.* unmistakably; plainly, bluntly; ~**mittelbar I.** *adj.* immediate, direct; ~*e Kenntnis*(*se*) first-hand knowledge; **II.** *adv.* immediately; ~ *an* (*acc.*) direct to; ~ *vor* (*dat.*) right before; ~ *bevorstehend* imminent; ~ *darauf* immediately afterwards; 2**mittelbarkeit** *f* (-) immediateness; *fig.* immediacy, directness; ~**möbliert** *adj.* unfurnished; ~**modern** *adj.* outmoded, unfashionable; ~ *werden* go out (of fashion).

ˈ**unmöglich I.** *adj.* impossible (*a. fig.*); *es ist* ~*, mit ihr zu leben* there is no living with her; *zu e-r* ~*en Stunde* at an ungodly hour; 2*es leisten* do the impossible; *fig. sich* ~ *machen* compromise o.s., make a nuisance of o.s., be socially disgraced; **II.** *adv.* not possibly; 2**keit** *f* impossibility, impracticability; → *Ding.*

ˈ**unmoralisch** *adj.* immoral.

ˈ**unmotiviert** *adj.* unmotivated, without a motive.

ˈ**unmündig** *adj.* under age, not of age, minor; 2**e(r** *m*) *f* (-*n*, -*n*; -en, -en) minor; 2**keit** *f* minority.

ˈ**unmusikalisch** *adj.* unmusical.

ˈ**Unmut** *m* ill humo(u)r, displeasure, annoyance (*über acc.* at); 2**ig** *adj.* annoyed.

ˈ**un|nachahmlich** *adj.* inimitable, matchless; ~**nachgiebig** *adj.* unyielding, inflexible, uncompromising; *pred.* adamant; ~**nachsichtig** *adj.* strict, severe; ~**nahbar** [-ˈnaːbaːr] *adj.* inaccessible, unapproachable, exclusive; 2ˈ**nahbarkeit** *f* (-) inaccessibility, haughty reserve.

ˈ**Unnatur** *f* unnaturalness, abnormity.

ˈ**unnatürlich** *adj.* unnatural; affected; forced.

ˈ**un|nennbar** *adj.* inexpressible; unnamable, unutterable; **~notiert** *adj. stock exchange*: unquoted; **~nötig** *adj.* unnecessary, needless; superfluous; **~nötigerweise** [ˈunnø:tigərvaɪzə] *adv.* unnecessarily, needlessly; **~nütz** [ˈunnyts] *adj.* useless, unprofitable; superfluous; *~es Gerede* idle talk; *sich ~ machen* make a nuisance of o.s.; **~operierbar** *med. adj.* inoperable; **~ordentlich** *adj.* disorderly, *person a.* careless; slovenly, slipshod; unkempt; untidy; **≈ordentlichkeit** *f* disorderliness; untidiness; **≈ordnung** *f* disorder, confusion, disarray, mess; *in ~* in a mess; *in ~ bringen* throw into disorder *or* confusion, disarrange, disorganize, mess up; *in ~ sein* be out of order; **~organisch** *adj.* inorganic; **~paar** *adj.* not even (*number*); odd, without a fellow (*glove, etc.*); **~pädagogisch** *adj.* unpedagogical; **~parlamentarisch** *adj.* unparliamentary.

ˈ**unpartei|isch** *adj.* impartial, unbiass(ed); **≈ische(r)** *m* (-n; -n) umpire; **≈lichkeit** *f* impartiality.

ˈ**unpassend** *adj.* unsuitable; inappropriate, *pred.* out of place; improper; unseasonable, untimely.

ˈ**unpassierbar** *adj.* impassable.

unpäßlich [ˈunpɛsliç] *adj.* indisposed, unwell; *pred.* poorly, out of sorts; **≈keit** *f* (-; -en) indisposition.

ˈ**un|patriotisch** *adj.* unpatriotic(ally *adv.*); **~persönlich** *adj.* impersonal (*a. gr.*); **~pfändbar** *adj.* unseizable, exempt from execution; **~po-etisch** *adj.* unpoetical, prosy; **~politisch** *adj.* non-political; *fig.* impolitic; **~praktisch** *adj.* unpractical, *Am.* impractical; unskil(l)ful; **~produktiv** *adj.* unproductive; **~proportioniert** *adj.* unproportionate, disproportionate; *pred.* out of proportion; **~provoziert** *adj.* unprovoked; **~pünktlich** *adj.* unpunctual; **≈pünktlichkeit** *f* unpunctuality; **~qualifizierbar** [ˈunkvalifitsi:rbɑ:r] *adj.* unqualifiable; **~qualifiziert** *adj.* unqualified; **~quittiert** *adj.* unreceipted; **~rasiert** *adj.* unshaven; **≈rast** *f* (-) restlessness; **≈rat** *m* (-[e]s) rubbish; filth (*a. fig.*); *fig. ~ wittern* smell a rat; **~rationell** *adj.* inefficient, wasteful; **~rätlich, ~ratsam** *adj.* inadvisable.

ˈ**unrecht** *adj.* wrong; → *falsch*; unjust, unfair; improper; inopportune; *am ~en Platze sein* be misplaced, be out of place; *an den ≈en kommen* come to the wrong man, catch a Tartar; *in ~e Hände fallen* fall into the wrong hands; *zur ~en Zeit* at the wrong time; → *Gut*.

ˈ**Unrecht** *n* (-[e]s) wrong; injustice; *j-m ~ tun* do a p. injustice, wrong a p.; *im ~ sein, ≈ haben* be (in the) wrong, be mistaken; *er hat nicht so ganz ≈* there is something in what he says, he is not so far out; *j-m ≈ geben* decide against a p., disagree with a p.; *es ist ihm ~ geschehen* he has been wronged; *mit or zu ~* wrong(ful)ly, unjustly; *j-n ins ~ setzen* put a p. in the wrong.

ˈ**unrechtmäßig** *adj.* unlawful, illegal; **≈keit** *f* unlawfulness, illegality.

ˈ**unredlich I.** *adj.* dishonest, underhand, shady; **II.** *adv.* in bad faith; **≈keit** *f* dishonesty.

ˈ**unre-ell** *adj.* dishonest; unfair; unreliable, unsound.

ˈ**unregelmäßig** *adj.* irregular, erratic; *~ leben* lead an irregular life; **≈keit** *f* irregularity.

ˈ**unreif** *adj.* unripe, *fruit*: *a.* green; *fig.* immature, callow, raw; **≈e** *f* unripeness; immaturity.

ˈ**unrein** *adj.* impure (*a. fig.*), unclean; polluted (*air, water*); flawy (*gem*); *mus.* **a)** out of tune, **b)** false (*note*); *ins ~e schreiben* make a rough copy of; **≈heit** *f* impurity; uncleanness.

ˈ**unreinlich** *adj.* uncleanly; **≈keit** *f* uncleanliness.

ˈ**unrentabel** *adj.* unprofitable, not paying (its way).

ˈ**unrettbar I.** *adj.* irrecoverable, *pred.* past recovery; ruined (*person*); **II.** *adv.*: *~ verloren* irretrievably lost, *person*: beyond help, ruined.

ˈ**unrichtig** *adj.* incorrect, wrong; erroneous; *~e Angaben* misrepresentation, *jur.* false recital of fact; **≈keit** *f* incorrectness; inaccuracy; error.

ˈ**unritterlich** *adj.* unchivalrous.

Unruh [ˈunru:] *f* (-; -en) *of clock*: balance.

ˈ**Unruh|e** *f* restlessness; unrest (*a. fig. among population*); *fig.* uneasiness; trouble, *Am. a.* worriment; commotion, tumult; alarm, anxiety, agitation; flurry; *tech.* balance (*of clock*); *~n pl.* disturbances, riots; *in ~ versetzen* alarm, disturb, worry; *in großer ~ sein* be very anxious; **~e-herd** *m* storm cen|tre, *Am.* -er, trouble spot; **≈ig** *adj.* unquiet, restless; fidgety, nervous; broken, fitful (*sleep*); restive (*horse*); troubled, unsettled (*times*); rough, choppy (*sea*); *fig.* uneasy (*über acc.* about); alarmed, worried (at); turbulent.

ˈ**unrühmlich** *adj.* inglorious, infamous.

ˈ**Unruhstifter** *m* troublemaker; breaker of the public peace; agitator.

uns [uns] *pers. pron.* us; *only dat.*: to us; *refl.* (to) ourselves, *after prp.*: us; *ein Freund von ~* a friend of ours; *unter ~* between ourselves; *wir sehen ~ (einander) nie* we never see each other.

ˈ**un|sachgemäß** *adj.* improper; inexpertly, faulty; **~sachlich** *adj.* not objective; personal; irrelevant, not pertinent; *pred. or adv.* off the point; **~sagbar** [ˈ-ˈzɑ:kbɑ:r] *adj.* unspeakable, unutterable; **~säglich** [ˈ-ˈzɛ:kliç] **I.** *adj.* untold; **II.** *adv.* immensely; infernally; beyond words; **~sanft** *adj.* ungentle, harsh; **~sauber** *adj.* unclean, dirty; unfair, underhand; *sports*: unfair; **~schädlich** *adj.* innocuous, harmless; *~ machen* render harmless, neutralize (*poison*), disarm (*mines*), put *tank, etc.*, out of action, hunt down (*criminal*); **~scharf** *adj.* blurred, fuzzy, poorly defined (*picture*); *mil.* unarmed; (*adv.*) *~ eingestellt* dimly focus(s)ed, *pred.* out of focus; **~schätzbar** *adj.* inestimable, invaluable; **~scheinbar** *adj.* insignificant; plain, *esp. Am.* homely; inconspicuous.

ˈ**unschicklich** *adj.* unbecoming, unseemly, improper; indecent; **≈keit** *f* impropriety, unseemliness; indecency.

ˈ**unschlagbar** *adj.* unbeatable.

Unschlitt [ˈunʃlit] *n* (-[e]s; -e) tallow.

ˈ**unschlüssig** *adj.* irresolute; undecided, wavering; **≈keit** *f* (-) irresolution, indecision.

ˈ**unschmackhaft** *adj.* unpalatable (*a. fig.*); tasteless, insipid.

ˈ**unschön** *adj.* unlovely, unsightly; *~er Anblick* eye-sore; *fig.* unfair, unkind, *pred.* not nice.

ˈ**Unschuld** *f* (-) innocence; purity (of heart *or* mind); virginity; *colloq. ~ vom Lande* naive country-girl, country-cousin; *in aller ~* quite innocently; *ich wasche m-e Hände in ~* I wash my hands of it; **≈ig** *adj.* innocent (*an dat.* of); chaste; untouched, virgin; harmless; *für ~ erklären* declare innocent, acquit; *jur. sich für ~ erklären* plead not guilty; *den ≈en spielen* do the innocent; **~s-engel** *m* little innocent; **~smiene** *f* air of innocence.

ˈ**unschwer I.** *adj.* not difficult, easy; **II.** *adv.* without difficulty.

ˈ**Unsegen** *m* adversity; curse.

ˈ**unselbständig** *adj.* dependent (on others); helpless, resourceless; *~e Erwerbsperson* employed person, wage or salary earner; *Einkommen aus ~er Arbeit* wage and salary incomes; **≈keit** *f* (lack of in)dependence, helplessness.

ˈ**unselig** *adj.* unfortunate, wretched; fatal (*event*); accursed (*habit, etc.*).

unser [ˈunzər] *pron.* **1.** *gen. of wir*: of us; *~ aller Wunsch* the wish of all of us; *es waren ~ vier* there were four of us; **2.** *possessive*: our, *pred.* ours; *der (die, das) ~e or uns(e)rige* ours; *die Unsrigen pl.* our people *or* men; **~eins** *indef. pron.* (such as) we; (*a.* **~esgleichen** [ˈ-rəsˈglaɪçən]) the likes of us, our equals; **~thalben** [ˈ-thalbən], **~twegen** *adv.* for our sake; on account (*or* because) of us.

ˈ**unsicher** *adj.* insecure; unsteady; unsafe, precarious; uncertain, doubtful; *e-e Gegend ~ machen* haunt *or* infest an area; *j-n mit Fragen ~ machen* rattle a p. with questions; *~ auf den Beinen* shaky, wobbly; **≈heit** *f* insecurity; unsteadiness; precariousness; uncertainty.

ˈ**unsichtbar** *adj.* invisible; *colloq. sich ~ machen* vanish, make o.s. scarce; **≈keit** *f* invisibility.

ˈ**Unsinn** *m* (-[e]s) nonsense; → *Quatsch*; *~ machen* play the fool, clown about, fool about; *~ reden* talk nonsense (*or* rot); **≈ig I.** *adj.* nonsensical; foolish, unreasonable; absurd; insensate, insane, mad; **II.** *adv.* madly, crazily, insanely, *etc.*

ˈ**Unsitt|e** *f* bad habit; abuse; **≈lich** *adj.* immoral, indecent; **~lichkeit** *f* immorality.

'**unsoldatisch** *adj.* unsoldierlike.

'**un|solid(e)** *adj.* not solid; fickle, unstable (*character*); loose, dissipated (*life*); *econ.* unreliable; **~sozial** *adj.* unsocial, anti-social; **~sportlich** *adj.* unsportsmanlike, unfair.

uns(e)rige ['unz(ə)rigə] → *unser* 2.

'**unständig** *adj. and adv.*: ~ *Beschäftigter* casual worker.

'**unstarr** *aer. adj.* non-rigid.

'**unstatthaft** *adj.* inadmissible; illicit; *sports*: contrary to the rules, foul.

'**unsterblich I.** *adj.* immortal; undying (*love*); ~ *machen* immortalize; **II.** *adv. colloq. fig.* awfully, dreadfully; *sich* ~ *blamieren* make an ass of o.s.

'**Unstern** *m* (-[e]s) unlucky star; *fig.* misfortune, ill luck.

'**unstet** *adj.* unsteady; inconstant, changeable; restless; vagrant, unsettled, wandering; **2igkeit** *f* unsteadiness; inconstancy; restlessness; vagrancy.

'**unstillbar** *adj.* unappeasable; unquenchable (*thirst*).

Unstimmigkeit ['unʃtimiçkaɪt] *f* (-; -en) discrepancy, inconsistency; disagreement, dissension; friction.

'**unsträflich** *adj.* blameless.

'**unstreitig** *adj.* incontestable, indisputable.

'**Unsumme** *f* immense amount, enormous sum.

'**unsymmetrisch** *adj.* unsymmetrical, asymmetrical.

'**unsympathisch** *adj.* unpleasant, disagreeable, unappealing; *er (es) ist mir* ~ I don't like him (it).

'**untadel|haft, ~ig** *adj.* blameless, irreproachable; flawless (*material, performance*); immaculate (*dress*).

'**Untat** *f* (monstrous) crime, outrage.

'**untätig** *adj.* inactive; idle; **2keit** *f* (-) inaction, inactivity; idleness.

'**untauglich** *adj.* unfit (*a. mil.*); unsuitable, *tech.* unserviceable; unseaworthy (*ship*); useless; *person*: incompetent; ~ *machen* disqualify, (make) unfit, *mil.* disable; *jur.* ~*er Versuch* impossible attempt; **2keit** *f* unfitness; uselessness; disqualification.

'**unteilbar** *adj.* indivisible; **2keit** *f* indivisibility.

unten ['untən] *adv.* below, beneath; down; downstairs; ~ *am Berge* at the foot of the hill; (*dort*) ~ *am See* down by the lake; ~ *im Wasser, Faß* at the bottom of the water, of the cask; ~ *an der Seite* at the bottom (*or* foot) of the page; *da* ~ down there; *tief* ~ far below; *von* ~ *an* from the bottom, right up from below; *von* ~ *auf dienen* serve (*or* rise) from the ranks; *von oben bis* ~ from top to bottom; *siehe* ~ see below; ~ *näher bezeichnet* hereinafter mentioned, as (set forth) below; *colloq. er ist bei ihnen* ~ *durch* he is in their bad books, they are through with him; **~erwähnt, ~genannt** *adj.* undermentioned; **~stehend** *adj.* as (mentioned) below.

unter ['untər] **I.** *prp.* (*where at? dat.*; *where to? acc.*) under, below; beneath, underneath; among; *as to time* (*dat.*): during; ~ ... *hervor* from under ...; *mitten* ~ amid(st), in the midst of; ~ *Null* below zero; ~ *Pari* below par; ~ *21 (Jahren)* under 21 (years of age); ~ *uns* among (*or* between) ourselves; (*ganz*) ~ *uns* (*gesagt*) between you and me; *nicht einer* ~ *hundert* not one in a hundred; ~ *anderem* (u.a.) among other things, among others, *jur. a.* including but not limited to; ~ *zehn Mark* for less than ten marks; ~ *aller Kritik* beneath contempt; ~ *diesem Gesichtspunkt* from this point of view; ~ *großem Gelächter* amid(st) roars of laughter; ~ *der Regierung von* under (*or* in) the reign of, under; ~ *meiner Würde* beneath my dignity; ~ *dem (Datum vom)* ... under the date of; ~ *dem heutigen Datum* under today's date; ~ *sich haben* have at one's command, be in charge of; *was versteht man* ~? what is meant by?; **II.** *adj.* ~(e) low(er), inferior; ~*e Beamtenlaufbahn* minor civil service; ~*ste* lowest; *das 2ste zuoberst kehren* turn everything upside down (*or* topsy-turvy).

'**Unter** *m* (-s; -) *cards*: knave.

'**Unter|absatz** *m* sub-paragraph; **~abschnitt** *m* subsection; *mil.* subsector; **~abteilung** *f* subdivision; **~arm** *m* forearm; **~art** *f* subspecies, subvariety; **~arzt** *m* junior surgeon, physician assistant; *mil.* medical NCO (= noncommissioned officer); *mar.* surgeon ensign; **~ausschuß** *m* sub-committee; **~bau** *m* (-[e]s; -ten) substructure, foundation; *rail.* groundwork; base; **~bauch** *anat. m* hypogastrium; **~be-amte(r)** *m* subordinate official; **~befehlshaber** *m* second in command; **2belichten** *phot. v/t.* (*h.*) under-expose; **~belichtung** *f* under-exposure; **2besetzt** *adj.* understaffed, shorthanded; **~bett** *n* underbedding, under-blankets *pl.*; **2bevölkert** *adj.* underpopulated; **~bevollmächtigte(r)** *m* subagent; **~bewußtsein** *n the* subconscious; *im* ~ subconsciously.

unter'bieten *v/t.* (*irr., h.*) underbid; *econ.* undercut (*price*); undersell (*competitors*); lower (*record*).

'**Unterbilanz** *f* adverse balance, deficit.

'**unterbinden** *v/t.* (*irr., h.*) **1.** tie underneath; **2.** *unter'binden med.* tie up, ligature; *fig.* stop, call a halt to; cut off; *mil.* neutralize (*attack*); forestall, obviate.

unter'bleiben *v/i.* (*irr., sn*) remain (*or* be left) undone; not to take place, not to be forthcoming; be discontinued, cease; *das muß* ~ that must be stopped; **2** *n* (-s) omission.

unter'brech|en *v/t.* (*irr., h.*) interrupt, break, cut short; *rail. die Fahrt or Reise* ~ break one's journey, *Am.* stop over; *el., teleph.* disconnect; *mil.* stop, suspend (*fire*); hold up, suspend (*game*); *jur.* adjourn, stay, stop (*proceedings*); *sich* ~ stop short, pause; **2er** *el. m* contact breaker, cut-out; **2ung** *f* interruption, break; suspension; *rail.* ~ *der Fahrt Am.* stopover; *el.* disconnection; *ohne* ~ without a pause, non-stop; *mit* ~*en* intermittently, interruptedly.

unter'breit|en *v/t.* (*h.*) **1.**: *j-m* ~ lay before a p., submit to a p.; refer *to a higher court, etc.*; **2.** '*unterbreiten* lay (*or* spread) under; **2ung** *f* (-; -en) submission, submittal.

'**unterbring|en** *v/t.* (*irr., h.*) place (*a p.*; *econ. orders, loans, etc.*); accommodate, lodge; house; *mil.* quarter, billet; *jur.* commit (*in dat.* to *an institution*); store; *econ.* sell, dispose of (*goods*), invest (*capital*), *bill of exchange*: (have) discount(ed); place (*securities*); *tech.* instal, fit (*in* into); *fig.* get *or* fit (*in* into); *colloq. fig. ich kann ihn nirgends* ~ I can't place him; **2ung** *f* (-; -en) lodgings *pl.*, accommodation; housing; placing, placement; *jur.* committal (*in dat.* to *an institution*); storage; disposal; investment; **2ungsmöglichkeit(en** *pl.*) *f* accommodation.

'**Unterdeck** *mar. n* lower deck.

unterderhand [untərder'hant] *adv.* secretly, on the quiet; *econ.* privately.

unterdes(sen) [-'dɛs(ən)] *adv.* in the meantime, meanwhile; by that time.

'**Unterdruck** *phys. m* (-[e]s; ⸚e) low (*or* negative) pressure; **~kammer** *aer. f* low-pressure chamber; **~messer** *m* (-s; -) suction (*Am.* vacuum) ga(u)ge.

unter'drück|en *v/t.* (*h.*) suppress; stifle (*laugh, oath, etc.*); repress (*sigh*); oppress; crush, put down, quell (*revolt*); *unterdrücktes Gähnen* suppressed yawn; *unterdrücktes Gelächter* stifled laugh; **2er** *m* oppressor; **2ung** *f* (-; -en) suppression; oppression.

'**unterdurchschnittlich** *adj.* sub-average, below normal.

'**unter-einander** *adv.* **1.** one beneath the other; **2.** *unterein'ander* one (with) another, among one another, mutually; → *durcheinander*; ~ *heiraten* intermarry; ~ *verbinden* interconnect.

'**Unter-einheit** *f* sub-unit.

'**unter-entwickel|n** *phot. v/t.* (*h.*) underdevelop; **~t** *adj.* underdeveloped; *child, country, economy*: *a.* backward; *psych.* subnormal.

'**unter-ernähr|t** *adj.* underfed, undernourished; **2ung** *f* underfeeding, malnutrition.

unter'fangen *v/refl.* (*irr., h.*): *sich e-r Sache* (*gen.*) ~ attempt (*or* venture) a th., (dare to) undertake a th.; *sich* ~ *zu inf.* presume to *inf.*

Unter'fangen *n* (-s) (bold) attempt *or* venture, risky enterprise, undertaking.

'**unterfassen** *v/t.* (*h.*) take *a p.'s* arm; *sich* ~ link arms with each other.

unter'fertig|en *v/t.* (*h.*) sign, execute; **2te(r** *m*) *f* (-n, -n; -en, -en) *the* undersigned.

'**Unterführer** *mil. m* non-commissioned officer (*abbr.* NCO).

Unter'führung *f* subway (crossing), *Am.* underpass.

'**Unterfunktion** *f* subnormal function, weak function.

'**Unterfutter** *n* (inner) lining.

unter'füttern *v/t.* (*h.*) line underneath.

'Untergang *m ast.* setting; *fig.* (down)fall, ruin; destruction; end (*of the world*); *mar.* shipwreck.

'Untergattung *f* subspecies.

unter'geben *adj.*: *j-m ~ sein* be under a p.'s authority *or* control; **2e(r)** *m* (-*n*; -*n*) inferior, subordinate; *contp.* underling.

untergehakt ['-gəha:kt] *adv.*: *~ gehen* go arms linked.

'untergehen *v/i.* (*irr.*, *sn*) *mar.* go down (*or* under), sink, founder; *ast.* set; *fig.* perish, be ruined; *im Lärm ~* be drowned by *or* be lost in noise; → *Fahne*.

unterge·ordnet ['-gəˀɔrdnət] *adj.* subordinate; *fig.* ancillary (*dat.* to); secondary (*importance*), minor (*a.* rôle); **2e(r)** *m* (-*n*; -*n*) subordinate.

'Untergeschoß *n* ground-floor, *Am.* first floor.

'Untergesenk *tech. n* lower die.

'Untergestell *n* underframe, trestle; base; *on car*: undercarriage.

'Untergewicht *n* underweight.

unter'graben *v/t.* (*irr.*, *h.*) sap, undermine; *fig. a.* corrupt.

'Untergriff *m gym.*, *etc.*: reverse grip; *wrestling*: body lock.

'Untergrund *m* (-[e]s) subsoil; *fig.* underground; *fester ~* bed-rock, *Am. a.* hardpan; *paint.* ground (-ing), undercoat; **~bahn** *f* underground (railway), *in London a.* tube, *Am.* subway; **~bewegung** *f* underground (movement).

'Untergruppe *f* sub-group.

'unterhalb *prp.* (*gen.*) below, under(neath).

'Unterhalt *m* (-[e]s) support, maintenance, upkeep; subsistence, livelihood, living; *jur.* maintenance, alimony; *s-n ~ (selbst) verdienen* earn one's (own) living, make a living (*durch* by); *s-n ~ bestreiten aus* (*dat.*) provide for one's maintenance from.

unter'halt|en *v/t.* (*irr.*, *h.*) support, maintain, keep up; operate; keep up, maintain (*correspondence*); keep on, feed (*fire*); keep, have (*account*); run (*business*); keep *building* in repair; entertain, amuse; *sich ~* **a)** converse, talk (*mit j-m über acc.* with a p. on *or* about *a th.*), **b)** amuse (*or* enjoy) o.s., have a good time; **~end**, **~sam** *adj.* entertaining, amusing, pleasant; **2er** *m* conversationalist; *thea.* entertainer.

'Unterhalts...: **~anspruch** *m* right to alimony; **~beihilfe** *f* subsistence allowance; **2berechtigt** *adj.* entitled to maintenance; *wife*: entitled to alimony; **~berechtigte(r** *m*) *f* dependent; **~kosten** *pl.* alimony *sg.* (*of wife*); **~pflicht** *f* obligation to pay alimony; **2pflichtig** *adj.* liable to pay the cost of maintenance.

Unter'haltung *f* entertainment; conversation, talk; maintenance, upkeep; **~sbeilage** *f* literary supplement; **~skosten** *pl.* (cost of) upkeep, maintenance (cost), operating cost; **~sfilm** *m* feature film; **~slektüre**, **~sliteratur** *f* light reading, fiction; **~smusik** *f* light music; **~s-programm** *n radio*: light program(me); **~s-ton** *m* conversational tone.

unter'handeln *v/i.* (*h.*) negotiate, treat (*mit* with); *mil.* (hold a) parley.

'Unterhändler *m* negotiator; *econ.* agent; *mil.* parlementaire (*Fr.*).

Unter'handlung *f* negotiation; *mil.* parley; *in ~ stehen mit* be in treaty with, carry on negotiations with; *in ~ treten* enter into negotiations (*or mil.* parley).

'Unterhaus *n* (-es) *Brit.* House of Commons.

'Unterhemd *n* vest, *Am.* under-shirt.

unterhöhlen [-'hø:lən] *v/t.* (*h.*) undermine (*a. fig.*), hollow out (from below).

'Unterholz *n* (-es) underwood, brushwood, copse.

'Unterhose(n *pl.*) *f* (*eine ~* a pair of) drawers *pl.*; (*men's*) pants *pl.*, *Am.* underdrawers; trunk drawers *pl.*; (*ladies'*) knickers *pl.*, panties *pl.*

'unter·irdisch *adj.* subterranean, underground.

'Unteritalien *n* Lower Italy.

'Unterjacke *f* (under)vest, *Am.* undershirt; singlet.

unterjoch|en [-'jɔxən] *v/t.* (*h.*) subjugate, subdue; enslave; **2ung** *f* (-; -*en*) subjugation.

'Unterkapitalisierung *f* undercapitalization.

unter'kellern *v/t.* (*h.*) provide with a cellar.

'Unter|kiefer *m* lower jaw; **~klasse** *f* lower class *or* form; **~kleid** *n* undergarment; slip; **~kleidung** *f* underwear, underclothing; **2kommen** *v/i.* (*irr.*, *sn*) find accommodation; find employment; be taken on; **~kommen** *n* accommodation, lodgings *pl.*; room; shelter; place, situation, berth; *~ und Verpflegung* board and lodging; *mil.* quarter, billet; **2kopieren** *v/t.* (*h.*) *phot.* underprint; **~körper** *m* lower part of the body; **2kriegen** *colloq. v/t.* (*h.*) get *a p.* down, bring *a p.* to heel, get the better of *a p.*; *sich nicht ~ lassen* hold one's ground, not to give in (*or* knuckle under); *laß dich nicht ~!* bear up!, never say die!, don't let it get you (down)!; **~kunft** ['-kunft] *f* (-; *ᵘe*) → *Unterkommen*; **~kunftshaus** *n* hostel; **~kunftshütte** *f* refuge-hut; chalet; **~lage** *f tech.* base (plate), support, bed, rest; *rail.* groundwork; *geol.* substratum; *for babies*: waterproof sheet; *wrestling*: underneath position; *fig.* proof, voucher; *~n pl.* (supporting) documents, records, material; data; sources, references, literature *sg.*; **~land** *n* (-[e]s) lowland, low country; **~laß** [-'las] *m*: *ohne ~* without intermission (*or* let-up), incessantly.

unter'lass|en *v/t.* (*irr.*, *h.*) omit; neglect; fail (*zu inf.* to); abstain (*or* refrain) from, forbear; leave off *doing a th.*, stop, discontinue; *nichts ~* leave nothing undone; **2ung** *f* (-; -*en*) omission; neglect, failure; *jur. a.* default; *auf ~ klagen* apply for an injunction; **2ungsklage** *f* prohibitory action; **2ungssünde** *f* sin of omission, lapse; **2ungsurteil** *jur. n* restraining order.

'Unterlauf *m* (-[e]s) lower course.

unter'laufen I. *v/t.* (*irr.*, *h.*) run under a p.('s guard); **II.** *v/i.* (*irr.*, *sn*) *error*, *etc.*: slip (*or* creep) in (*a. mit~*); *mir ist ein Fehler ~* I made a mistake; **III.** *p.p. and adj.*: suffused; *mit Blut ~* bloodshot.

'Unterleder *n* sole leather.

'unterlegen[1] *v/t.* (*h.*) lay (*or* put) under; *e-r Sache* (*dat.*) *e-n anderen Sinn ~* give another meaning to, put another construction upon *a th.*

unter'legen[2] **I.** *v/t.* (*h.*) underlay, line (*mit* with); **II.** *adj.* inferior (*dat.* to); **2e(r** *m*) *f* (-*n*, -*n*; -*en*, -*en*) loser, underdog; **2heit** *f* inferiority.

'Unterlegscheibe ['-le:k-] *tech. f* washer.

'Unterleib *m* abdomen, belly; **~s...** abdominal...; **~s-typhus** *m* typhoid fever.

'Unterlieferant *m* subcontractor.

unter'liegen *v/i.* (*irr.*, *sn*) be overcome (*dat.* by); be defeated (*a. sports* = lose to); get worsted; succumb (to); *fig. e-r Regel*, *etc. ~* be subject to *or* be governed by a rule, *etc.*; *dem Zoll ~ a.* be dutiable; underlie, be at the bottom of; *Zweifeln ~* be open to doubt; *es unterliegt keinem Zweifel* there is no doubt about it; *jur. ~de Prozeßpartei* unsuccessful party.

'Unterlippe *f* lower lip.

'Unterlizenz *f* sublicen|ce, *Am.* -se.

unter'mal|en *v/t.* (*h.*) prime, ground; *fig. with music*: accompany, supply the background for; **2ung** *f* (-; -*en*) *mus.* incidental music.

unter'mauer|n *v/t.* (*h.*) underpin; *fig.* bolster, corroborate; **2ung** *fig. f* (-; -*en*) ground work.

unter|'mengen, **~'mischen** *v/t.* (*h.*) intermingle, intermix.

'Untermensch *m* subhuman; brute, gangster.

'Untermiete *f* sublease; *in ~ wohnen* be a subtenant (*Am.* a roomer); **~r(in** *f*) *m* subtenant, lodger, *Am.* roomer.

untermi'nieren *v/t.* (*h.*) undermine, sap.

unter'nehm|en *v/t.* (*irr.*, *h.*) undertake; attempt, venture upon; *es ~ zu inf.* take it upon o.s. to *inf.*; *er unternahm nichts* he did nothing, he took no action; → *Schritt*; **2en** *n* **1.** *econ.* firm, enterprise, business, concern, company; operation; **2.** → *Unternehmung*; **3.** *mil.* operation; **~end** *adj.* enterprising; **2er** *m* entrepreneur (*Fr.*); contractor; employer, *Am. a.* operator; industrialist; **2ertum** *n* (-[e]s) *the* industrialists *pl.*, *the* employers *pl.*, *freies ~* free enterprise; *~ und Arbeiter* industry and labo(u)r; **2erverband** *m* employers' association; **2ung** *f* (-; -*en*) enterprise, undertaking; project; venture; transaction; *mil.* operation; **2ungsgeist** *m* (-[e]s) (spirit of) enterprise, initiative, *Am.* go-ahead(ativeness); **~ungslustig** *adj.* enterprising, go-ahead; adventurous; full of go (*or* pep).

'unter|normal *adj.* subnormal; **2offizier** *m* non-commissioned officer (*abbr.* NCO); corporal; *aer. Am.* airman 1st class; *~e und Mann-*

schaften Brit. other ranks, *Am.* enlisted personnel; **2offiziersanwärter** *m* aspirant NCO; **~ordnen** *v/t.* (*h.*) subordinate; *sich* ~ (*dat.*) submit (to); → *untergeordnet*; **2ordnung** *f* subordination; *biol.* suborder; **2organisation** *f* subsidiary; **2pacht** *f* sublease; **2pächter** *m* subtenant; **2pfand** *n* pledge; **~pflügen** *v/t.* (*h.*) plough (*Am.* plow) under.

Unterputz|leitung ['untər'putslaɪtuŋ] *el. f* (-; -*en*) concealed wiring; **~schalter** *m* flush switch.

unter'red|en: *sich* ~ (*h.*) converse, confer; **2ung** *f* (-; -*en*) conversation, conference, talk; *mil.* parley; interview; *j-m e-e* ~ *gewähren* grant a p. an interview.

Unterricht ['untərriçt] *m* (-[e]s; -e) instruction, training; lessons *pl.*; *ped. a.* classes *pl.*; tuition; ~ *geben* teach, give lessons; hold classes.

unter'richten *v/t.* (*h.*) instruct, teach, train; give lessons (*dat.* to; *über acc.* on); *fig.* inform (*von, über acc.* of); acquaint (with), advise (of); *laufend*: keep *a p.* informed; *falsch* ~ misinform; *sich* ~ *über* inform o.s. about, obtain information about; acquaint o.s. with; *unterrichtet sein* be (well) informed, be conversant (*über acc.* with); *unterrichtete Kreise* informed quarters.

'Unterrichts...: **~briefe** *m/pl.* correspondence lessons *pl.*; *Lehrgang in ~n* correspondence course; **~fach** *n*, **~gegenstand** *m* subject of instruction; **~film** *m* educational film; **~ministerium** *n Brit.* Ministry of Education; *Am.* Office of Education; **~raum** *m* class (*or* lecture) room; **~stoff** *m* subject-matter; **~stunde** *f* lesson, *Am. ped.* period; **~werk** *n* school-book; **~wesen** *n* (-s) public instruction, education(al affairs *pl.*).

Unter'richtung *f* (-; -*en*) instruction; information.

'Unterrock *m* petticoat; slip.

unter'sag|en *v/t.* (*h.*) forbid (*et.* a th.; *j-m et.* a p. to do a th.); prohibit (a th.; a p. from doing a th.); tell a p. not to do a th.; *jur. a.* restrain (a p. from doing a th.); **2ung** *f* (-; -*en*) prohibition, interdiction.

'Untersatz *m* support; stand; *arch.* socle; saucer; *logics*: minor (proposition).

'Unterschallgeschwindigkeit *f* subsonic velocity.

unter'schätz|en *v/t.* (*h.*) undervalue; underestimate, underrate; **2ung** *f* undervaluation, underestimate.

unterscheid|bar [-'ʃaɪtbaːr] *adj.* distinguishable, discernible; **~en** [-dən] *v/t. and v/i.* (*irr., h.*) distinguish (*zwischen* between); make a distinction (between); tell (*von* from); discriminate; discern; differentiate; *sich* ~ differ (*von* from); **~end** *adj.* distinctive, characteristic; **2ung** *f* distinction, discrimination; difference; **2ungsfähigkeit** *f* (-) distinctiveness (*of trade-mark*); **2ungsmerkmal** *n* distinctive mark (*or* feature), (*a. tech.*) characteristic; criterion; **2ungsvermögen** *n* (-s) power of distinction.

'Unterschenkel *m* shank, lower leg.

'Unterschicht *f* lower stratum; *geol.* substratum.

'unterschieb|en *v/t.* (*irr., h.*) push under; substitute; *fig.* attribute falsely (*dat.* to), foist (*or* father) (on); (*Worten*) *e-n falschen Sinn* ~ put a wrong construction on (*words*); *untergeschoben* supposititious (*child, writings, etc.*); **2ung** *f* substitution.

Unterschied ['-ʃiːt] *m* (-[e]s; -e) difference, distinction; *e-n* ~ *machen* make a distinction (*zwischen* between), discriminate; *zum* ~ *von* unlike, as distinguished from, as opposed to; *ohne* ~ indiscriminately; *ohne* ~ *der Nationalität* irrespective of nationality; *das ist ein großer* ~! that makes a great (*or* all the) difference!; **2lich I.** *adj.* different; differing, variable, varied; **II.** *adv.*: ~ *behandeln* discriminate against; **2slos I.** *adj.* indiscriminate; **II.** *adv.* indiscriminately, without exception.

'unterschlagen *v/t.* (*irr., h.*) cross *one's arms*.

unter'schlag|en *v/t.* (*irr., h.*) embezzle (*money*); intercept (*letter*); suppress (*evidence*); *fig.* hold back, keep silent about; **2ung** *f* (-; -*en*) embezzlement; interception; suppression.

Unterschleif ['-ʃlaɪf] *m* (-[e]s; -e) embezzlement, defraudation, *jur. a.* peculation.

Unterschlupf ['-ʃlupf] *m* (-[e]s; *ꞏꞏ*e) hiding-place, *Am. a.* hide-out; shelter, refuge.

unter'schreiben *v/t.* (*irr., h.*) sign, subscribe (*fig.* to *a view, etc.*); affix one's signature to, set one's hand (and seal) to, execute; *fig.* subscribe to, endorse.

unter'schreiten *v/t.* (*irr., h.*) fall short of, remain under.

'Unterschrift *f* signature; *mit* (*s*)*einer* ~ *versehen* → *unterschreiben*; **~enmappe** *f* signature blotting-book; **~sbeglaubigung** *f* attestation, confirmation of signature; *jur.* formal witnessing of a signature; **2sberechtigt** *adj.* authorized to sign; **~s-probe** *f* specimen of signature.

unterschwellig ['-ʃvɛliç] *adj. psych.* subliminal.

'Unterseeboot *n* submarine (boat), U-boat; **~abwehr** *f* anti-submarine defen|ce, *Am.* -se; **~bunker** *m* submarine pen; **~falle** *f* Q-ship; **~jäger** *m* submarine chaser; **~krieg** *m* submarine warfare.

untersee|isch ['-zeːiʃ] *adj.* submarine; **2kabel** *n* submarine cable.

'Unterseite *f* underside, bottom side.

'untersetzen *v/t.* (*h.*) set (*or* place) under.

untersetzt [-'zɛtst] *adj.* stocky, square-built, thick-set, squat.

Untersetzung [-'zɛtsuŋ] *tech. f* (-; -*en*) (gear)reduction; **~sgetriebe** *n* reduction gear(ing).

'untersinken *v/i.* (*irr., sn*) sink (under), go down.

'Unterspannung *el. f* undervoltage.

unter'spülen *v/t.* (*h.*) wash away, hollow (from below).

unterst ['untərst] *adj.* lowest, undermost, lowermost, bottom(most); last.

Unter'staatssekretär *m* Under-secretary of State.

'Unterstand *mil. m* shelter; dug-out.

'unterstecken *v/t.* (*h.*) put (*or* stick) under.

'unterstehen *v/i.* (*irr., h.*) **1.** take (*or* find) shelter; **2.** *unter'stehen*: *j-m* ~ be subordinate to; come under, be subject to (*law, jurisdiction*); *j-s Aufsicht* (*or j-m*) ~ be under a p.'s control, *Am.* report to a p.; *sich* ~ *zu inf.* dare, venture to *inf.*; have the impudence (*or* cheek) to *inf.*; ~ *Sie sich!* don't you dare!; *was* ~ *Sie sich?* how dare you?

'unterstellen *v/t.* (*h.*) **1.** place (*or* put) under; *mot.* garage, park; *sich* ~ take shelter (*vor dat.* from); **2.** *unter'stellen* **a**) impute (*dat.* to), **b**) presuppose, assume; *wenn man dies unterstellt* granting this to be so; *mil. j-m* ~ put *troops* under a p.'s command *or* control; assign to, attach to; **Unter'stellung** *f* imputation, supposition; assignment, attachment.

unter'streichen *v/t.* (*irr., h.*) underline (*a. fig.* = emphasize), underscore; *s-e Worte mit Gesten* ~ punctuate one's words with gestures.

'Unterströmung *f* undercurrent.

'Unterstufe *f* lower grade.

unter'stütz|en *v/t.* (*h.*) prop, support; *fig.* support, back up, assist, aid; second; advocate, endorse; relieve (*the poor*); carry, second (*motion*); corroborate (*evidence*); **2ung** *f* support (*a. mil.*); *fig. a.* assistance, aid; relief; subsidy; (*insurance*) benefit; *zur* ~ *e-r Klage, etc.* in support of an action, *etc.*; *zu Ihrer* ~ for your guidance; *auf staatliche* ~ *angewiesen sein* be a public charge; *von* ~ *leben* live on relief; **~ungsberechtigt** *adj.* indigent; entitled to insurance benefit; **2ungs-empfänger(in** *f*) *m* recipient of public relief, reliefer; **2ungsfonds** *m* relief fund; **2ungssumme** *f* allowance; **2ungsleistungen** *f/pl.* benefits.

unter'suchen *v/t.* (*h.*) inquire (*or* look) into; examine (*a. med.*), inspect, scrutinize; test (*auf acc.* for); explore, investigate; analy|se, *Am.* -ze; lab-examine; *tech.* go over, overhaul (*machine*).

Unter'suchung *f* (-; -*en*) examination (*a. med.*); scrutiny; inquiry, investigation (*a. jur.*); test; *chem. or fig.* analysis; treatise; survey; **~sausschuß** *m* committee of inquiry, fact-finding committee; **~sgefangene(r** *m*) *f* prisoner at the bar *or* on trial *or* on remand; **~sgericht** *n* court of inquiry; **~shaft** *f* detention (pending trial), imprisonment on remand; *die* ~ *anrechnen* compensate the detention; *in* ~ *nehmen* commit for trial (*wegen* on a charge of); *in* ~ *sein* be on remand; *in die* ~ *zurücksenden* remand (into custody); **~srichter** *m* examining magistrate, investigating judge.

Untertag|bau [-'taːkbau] *m* (-[e]s)

underground mining; **~e-arbeiter** [-ˈtɑːgə-] *m* workman underground.

Untertan [ˈuntərtɑːn] *m* (-s; -en) subject; 2 *pred. adj.*: *j-m* ~ subject to a p.; **~en-eid** *m* oath of allegiance.

untertänig [ˈ-tɛːniç] *adj.* subject; *fig.* submissive, humble; **2keit** *f* (-) *fig.* submission, humility.

ˈ**Untertasse** *f* saucer.

ˈ**untertauchen** *v/i.* (*sn*) dive; *submarine*: submerge; (*a. v/t.*, *h.*) duck, dip, *a. tech.* immerse; *fig.* disappear, go underground, lie low.

ˈ**Unterteil** *m* (*n*) lower part, base.

unterˈ**teilen** *v/t.* (*h.*) subdivide, break down; classify; **2ung** *f* subdivision; breakdown; classification; partition.

ˈ**Untertitel** *m* subhead(ing); subtitle, caption (*a. film*).

ˈ**Unterton** *m* undertone; *fig.* overtone(s *pl.*).

Untertreibung [-ˈtraɪbuŋ] *colloq. f* (-; -*en*) understatement.

ˈ**untertreten** *v/i.* (*irr.*, *sn*) take shelter.

unterˈ**tunneln** *v/t.* (*h.*) tunnel.

ˈ**unter|verfrachten** *v/t.* (*h.*) subcharter; **2verkauf** *m* subsale; **~vermieten** *v/t.* (*h.*) sublet; **2vermieter(in** *f*) *m* sublessor; **~verpachten** *v/t.* (*h.*) sublease; **~versichern** *v/t.* (*h.*) under-insure.

unterˈ**wander|n** *pol. v/t.* (*h.*) infiltrate; **2ung** *f* infiltration.

unterwärts [ˈvɛrts] *adv.* downward(s).

ˈ**Unterwäsche** *f* → *Unterkleidung.*

Unterˈ**wasser|bombe** *mar. f* depth-charge *or* -bomb; **~horchgerät** *n* hydrophone; **~ortung** *f* subaqueous ranging; **~ortungsgerät** *n* SONAR (*abbr. of* sound navigation and ranging); **~schallmeßgerät** *n* phonic chronometer; **~wende** *f* *swimming*: underwater turn.

unterwegs [untərˈveːks] *adv.* on the way; en route (*Fr.*); *econ.* in transit; *immer* ~ always on the move.

unterˈ**weis|en** *v/t.* (*irr.*, *h.*) instruct; **2ung** *f* instruction.

ˈ**Unterwelt** *f* underworld (*a. fig. criminals*), Hades.

unterˈ**werf|en** *v/t.* (*irr.*, *h.*) subdue, subjugate; subject (*dat.* to *reign, interrogation, etc.*); submit (to *arbitration, etc.*); *sich* ~ submit (*dat.* to *a decision, etc.*), acquiesce (in), accept; *e-r Sache unterworfen sein* be subject to a th.; **2ung** [-ˈvɛrfuŋ] *f* (-; -*en*) subjugation, conquest; subjection; *fig.* submission (*unter acc.* to), acquiescence (in).

unterˈ**wühlen** *v/t.* (*h.*) undermine.

unterwürfig [-ˈvyrfiç] *adj.* submissive; subservient, obsequious; **2keit** *f* (-) submissiveness; subservience.

unterˈ**zeichn|en** *v/t.* (*h.*) sign; → *unterschreiben*; **2er** *m* signer, *the* undersigned; subscriber (*gen.* *to charity, loan, etc.*); signatory (*of treaty*); **2erstaat** *m* signatory state; **2ete(r** *m*) [-ətə(r)] *f* (-*n*, -*n*; -*en*, -*en*) undersigned; **2ung** *f* signature, signing.

ˈ**Unterzeug** *n* (-[e]s) underwear.

ˈ**unterziehen I.** *v/t.* (*irr.*, *h.*) pull (*or* draw) under; put on *garment* underneath; **II.** *unter*ˈ*ziehen v/t.* (*irr.*, *h.*; *dat.*) subject to; *sich e-r Operation, Prüfung, etc.*, ~ undergo an operation, sit (*or* go in) for an examination, *etc.*; *sich der Mühe* ~ *zu inf.* take the trouble to *inf.*, take it upon o.s. to *inf.*

ˈ**untief** *adj.* shallow; **2e** *f* shallow, shoal; *w.s.* (bottomless) abyss.

ˈ**Untier** *n* monster (*a. fig.*).

unˈ**tilgbar** *adj.* inextinguishable, indelible; irredeemable (*loan*).

unˈ**tragbar** *adj.* unbearable, intolerable; *pred. a.* past endurance; prohibitive (*cost, price*).

unˈ**trennbar** *adj.* inseparable.

ˈ**untreu** *adj.* unfaithful, untrue; disloyal; *e-r Sache, etc.*, ~ *werden* desert *a cause*, deviate from *a policy*, give up *one's principles*; **2e** *f* unfaithfulness, disloyalty; infidelity; *jur.* **a)** breach of trust, **b)** fraudulent conversion, peculation.

unˈ**tröstlich** *adj.* inconsolable, disconsolate.

untrüglich [unˈtryːkliç] *adj.* infallible, unfailing, unerring; unmistakable; **2keit** *f* (-) infallibility.

ˈ**untüchtig** *adj.* unfit, incapable (*zu* for); inefficient; incompetent; *mar.* unseaworthy; **2keit** *f* unfitness, incapacity, inefficiency, incompetence.

ˈ**Untugend** *f* vice, bad habit, failing.

ˈ**untunlich** *adj.* impracticable.

unüber|brückbar [ˈunˀyːbər-ˈbrykbɑːr] *adj. fig.* unbridgeable, insurmountable; **~legt** [ˈ-leːkt] *adj.* inconsiderate, thoughtless; ill-considered, unwise; rash; **~sehbar** [-ˈzeːbɑːr] *adj.* immense, vast; incalculable; *e-e* ~*e Zahl von a.* a host (*or* sea) of; **~setzbar** [-ˈzɛts-bɑːr] *adj.* untranslatable; **~sichtlich** *adj.* badly arranged, difficult to survey; unmethodical; complex, involved; ~*e Fahrbahn!* blind corner!, concealed drive!; **~steigbar** [-ˈʃtaɪkbɑːr] *adj.* insurmountable, insuperable; **~tragbar** [-ˈtrɑːkbɑːr] *adj.* not transferable; non-negotiable (*securities*); **~**ˈ**trefflich** *adj.* unsurpassable, matchless, peerless; **~troffen** [-ˈtrɔfən] *adj.* unsurpassed, unmatched, unexcelled; ~*er Meister* past-master; **~windlich** [-ˈvintliç] *adj.* invincible; impregnable (*fortress, etc.*); insurmountable (*difficulties*); insuperable (*aversion*).

unum|gänglich [unˀumˈgɛŋliç] *adj.* indispensable, unavoidable, absolutely necessary; **~schränkt** [-ˈʃrɛŋkt] *adj.* unlimited; *pol.* absolute, autocratic(ally *adv.*); **~stößlich** [-ˈʃtøːsliç] *adj.* irrefutable; incontestable; irrevocable; **~wunden** [-ˈvundən] *adj.* (*and adv.*) frank(ly), plain(ly), flat(ly), blunt(-ly); *adv. a.* point-blank, without reserve, in so many words.

ununterbrochen [ˈunˀuntərbrɔ-xən] *adj.* uninterrupted, unbroken; continuous; incessant.

ˈ**unver|**ˈ**änderlich** unchangeable, (*a. gr.*) invariable; constant, stable; **2änderliche** *phys. f* (-*n*; -*n*) constant; **~ändert** *adj.* unchanged, (just) as it was, the same as before; **~antwortlich** *adj.* irresponsible; inexcusable, unwarrantable; **2antwortlichkeit** *f* irresponsibility; **~arbeitet** *tech. adj.* unfinished, unwrought, *Am.* unprocessed; raw; *fig.* undigested; **~ausgabt** *econ. adj.* unexpended; **~äußerlich** *adj.* inalienable; **~besserlich** *adj.* incorrigible, inveterate; **~bindlich I.** *adj.* not binding (*or* obligatory); informal; noncommittal; disobliging; *econ. Preise* ~ prices subject to change; **II.** *adv.* without obligation *or* engagement; **2bindlichkeit** *f* (-) non-obligation; noncommittal attitude; disobliging manner; **~blümt** *adj.* plain, direct, blunt; **~braucht** *adj.* unused; unspent (*vitality*); fresh; **~brennbar** *adj.* incombustible; **~brieft** *econ. adj.* unsecured, non-bonded (*credit, etc.*); **~brüchlich** [ˈunfɛrˈbryçliç] *adj.* inviolable, absolute; steadfast, unswerving, sta(u)nch; **~bürgt** *adj.* unwarranted; unconfirmed (*news*); **~dächtig** *adj.* unsuspected, unsuspicious; **~daulich** *adj.* indigestible (*a. fig.*); **2daulichkeit** *f* indigestibility; **~daut** *adj.* undigested (*a. fig.*); **~derbt, ~dorben** *adj.* unspoilt (*a. fig.*), *esp. fig.* uncorrupted; *fig.* pure, innocent; **~drossen** *adj.* indefatigable, unflagging, unwearied; persevering; patient; **~dünnt** *adj.* undiluted; neat, *Am.* straight (*whisky, etc.*); **~eidigt** *adj.* unsworn; **~einbar** *adj.* incompatible, inconsistent, irreconcilable (*all*: *mit* with); **2einbarkeit** *f* (-) incompatibility; **~fälscht** *adj.* unadulterated (*a. fig.*), pure; *fig.* genuine; **2fälschtheit** *f* (-) genuineness; **~fänglich** *adj.* harmless, not captious; **~formbar** *tech. adj.* non-workable; **~froren** *adj.* unabashed, brazenfaced, impertinent; **2frorenheit** *f* (-) impertinence, impudence, cheek; **~gänglich** *adj.* imperishable, everlasting; immortal, deathless; unfading (*fame*); **~gessen** *adj.* unforgotten; **~geßlich** *adj.* unforgettable, not to be forgotten, ever memorable; *das wird mir* ~ *bleiben* I shall never forget that; **~gleichlich** *adj.* incomparable, peerless, unrival(l)ed; unique; ~ *sein a.* stand alone; **~hältnismäßig** *adj.* disproportionate; excessive, unreasonable; **~heiratet** *adj.* unmarried, single; **~hofft** [ˈunfɛrˈhɔft] *adj.* unhoped-for; unexpected, unforeseen; sudden; **~hohlen** *adj.* unconcealed; unreserved, frank; **~hüllt** *adj.* unveiled (*a. fig.*); bare; *fig.* undisguised, open; **~jährbar** *jur. adj.* imprescriptible, not subject to the statute of limitation; **~käuflich** *adj.* unsal(e)able; not for sale; ~*e Ware* dead stock, drug on the market; **~kauft** *adj.* unsold; *pred.* on hand; **~kennbar** *adj.* unmistakable; obvious; **~kürzt** *adj.* uncurtailed; unabridged; **~langt** *adj.* unsolicited, not asked for; **~letzbar, ~letzlich** *adj.* invulnerable, (*a. fig.*) inviolable (*rights*); *fig.* sacred; **2letzbarkeit** *f* (-) invulnerability; immunity; **~letzt** *adj.* uninjured, unhurt, unharmed; safe (and sound); *w.s.* intact; **~lierbar** *adj.* that cannot be lost, never lost; *pred.* in safe keeping; **~mählt** *adj.* unmarried; **~meidlich** *adj.* inevitable, unavoidable, unfailing; *sich ins 2e fügen* bow to the inevitable; **~merkt** *adj.* unperceived; **~mindert** *adj.* undiminished; **~mischt** *adj.* unmixed; unblended; *metall.* unalloyed; **~mittelt** *adj.* abrupt, sudden, unheralded.

ˈ**Unvermögen** *n* (-s) inability, incapacity; impotence; *econ.* insolvency; **2d** *adj.* unable (*zu* to), incapable (*zu* of); impotent, powerless; impecunious, without means.

ˈ**unvermutet** *adj.* unexpected, unforeseen.

ˈ**unvernehmlich** *adj.* inaudible.

ˈ**Unver|nunft** *f* lack of reason, unreasonableness; absurdity; **2nünftig** *adj.* irrational; unreasonable, absurd, foolish; **2öffentlicht** *adj.* unpublished; **2packt** *adj.* unpacked, loose; **2pfändet** *adj.* unpledged; **2richtet** *adj.* unperformed; *~erdinge, ~ersache* unsuccessfully, without having achieved one's object; empty-handed; **2rückbar** *adj.* unremovable; *fig.* steadfast, unshakable.

ˈ**unverschämt** *adj.* impudent, impertinent, insolent, saucy, cheeky; bare-faced (*lie*); (*adv.*) *lie* shamelessly; unconscionable; **2heit** *f* impudence, impertinence, insolence, effrontery, sauciness; *die ~ haben zu* have the face to.

ˈ**unver|schlossen** *adj.* unlocked; unsealed (*letter*); **~schuldet** *adj.* undeserved; arising through no fault of *ours, etc.*; not in debt; unencumbered (*property*); **~sehens** *adv.* unexpectedly, all of a sudden, unawares; **~sehrt** *adj.* uninjured; intact; **2sehrtheit** *f* (-) integrity; **~sichert** *adj.* uninsured; **~siegbar** [ˈunfɛrˈziːkbɑːr] *adj.* inexhaustible, everflowing; **~siegelt** *adj.* unsealed; **~söhnlich** *adj.* implacable, irreconcilable; intransigent; **2söhnlichkeit** *f* implacability; intransigence; **~sorgt** *adj.* unprovided for, without means.

ˈ**Unverstand** *m* lack of judgement, injudiciousness; folly, stupidity.

unver|standen [ˈunfɛrʃtandən] *adj.* not understood; misunderstood; **~ständig** *adj.* injudicious, imprudent; foolish; **~ständlich** *adj.* unintelligible; incomprehensible, inconceivable; obscure (*reasons*); *das ist mir völlig ~* I cannot make head or tail of it, that's beyond me; **2ständlichkeit** *f* (-) unintelligibility; inconceivableness; **~stellbar** *adj.* fixed; **~stellt** *adj.* undisguised, unfeigned; **~sucht** [ˈ-zuːxt] *adj.* untried; *nichts ~ lassen* try everything, leave no stone unturned (*um zu* to); **~teidigt** *adj.* undefended, unprotected; **~tilgbar** [ˈ-tilkbɑːr] *adj.* ineradicable, indelible; **~träglich** *adj.* unsociable; quarrelsome, cantankerous; *fig. ~ mit* incompatible with; **2träglichkeit** *f* unsociableness, quarrelsomeness; incompatibility; **~wandt** *adj.* fixed; steadfast; unswerving; *s-n Blick ~ richten auf* (*acc.*) rivet (*or* fix) one's eyes on; **~wechselbar** *adj.* unmistakable; **~wehrt** *adj.*: *es ist Ihnen ~* you are (quite) at liberty to *inf.*; **~weilt** *adv.* without delay, immediately; **~wendbar** *adj.* unusable, unemployable; **~weslich** *adj.* incorruptible; **~wundbar** *adj.* invulnerable; **~wüstlich** *adj.* indestructible; *tech. a.* (very) robust, of unlimited service life; everlasting; *fig.* irrepressible (*humour*); **~zagt** *adj.* intrepid, undaunted; **~zeihlich** *adj.* unpardonable; **~zerrt** *adj.* undistorted (*a. radio*); **~zinslich** *adj.* bearing no interest; *~e Papiere* non-interest bearing securities; *~es Darlehen* free loan; **~zollt** *adj.* duty unpaid; in bond; **~züglich** [ˈ-tsyːkliç] *adj.* (*and adv.*) immediate(ly), instant(ly), prompt(ly); *adv. a.* forthwith, without delay, on the spot, at once.

ˈ**unvoll|endet** *adj.* unfinished; **~kommen** *adj.* imperfect; defective, wanting; **2kommenheit** *f* imperfection; **~ständig** *adj.* incomplete; **2ständigkeit** *f* incompleteness; **~zählig** *adj.* incomplete.

ˈ**unvor|bereitet** *adj.* unprepared; *adj. and adv.* extempore; *~ sprechen a.* extemporize, *Am.* ad-lib; **~denklich** [ˈunfoːrdɛŋkliç] *adj.*: *seit ~en Zeiten* from time immemorial; **~eingenommen** *adj.* unbias(s)ed, unprejudiced; **~hergesehen** [ˈ-ˈheːrgəzeːən] *adj.* unforeseen; *~e Ausgaben* contingencies, incidentals; **~sätzlich** *adj.* unintentional, undesigned; *jur.* unpremeditated; **~schriftsmäßig** *adj.* improper, irregular; *pred. and adv.* contrary to regulations; **~sichtig** *adj.* incautious; inconsiderate; imprudent; rash; careless; **2sichtigkeit** *f* (-; -en) incautiousness; imprudence; carelessness; *aus ~* through negligence; **~stellbar** *adj.* unimaginable; incredible; **~teilhaft** *adj.* unprofitable; unfavo(u)rable, disadvantageous; unbecoming (*dress*).

ˈ**unwägbar** *adj.* imponderable; *~e Dinge* imponderables.

ˈ**unwahr** *adj.* untrue, false; **~haftig** *adj.* untruthful, insincere; **2heit** *f* untruth, falsehood; **~scheinlich** *adj.* improbable, unlikely; *fig.* incredible, fantastic; **2scheinlichkeit** *f* improbability.

unˈwandelbar *adj.* immutable, unchangeable; unshakable, sta(u)nch; **2keit** *f* immutability.

unwegsam [ˈunveːkzɑːm] *adj.* impassable, pathless.

ˈ**unweiblich** *adj.* unwomanly.

unweigerlich [unˈvaɪgərliç] *adj. and adv.* without fail, inevitab|le, *adv.* -ly; *ich muß es ~ tun* I cannot help doing it; *es mußte ~ so kommen* this was bound to happen.

ˈ**unweise** *adj.* unwise, imprudent.

ˈ**unweit I.** *adv.* not far (off), near; **II.** *prp.* (*gen.*) not far from, close to.

ˈ**Unwesen** *n* (-s) nuisance; excesses *pl.*; *sein ~ treiben* do (*or* be up to) mischief, *an e-m Ort*: haunt *or* infest a place; **2tlich** *adj.* unessential, immaterial (*für* to), unimportant; negligible; *pred.* of no consequence; beside the point.

ˈ**Unwetter** *n* stormy weather; thunderstorm, tempest.

ˈ**unwichtig** *adj.* unimportant, insignificant; **2keit** *f* insignificance; *~en pl.* trivialities.

unwiderˈleg|bar, ~lich *adj.* irrefutable, conclusive; **2barkeit** *f* (-) irrefutability.

unwiderˈruflich *adj.* irrevocable (*a. econ.*), beyond recall; definite(ly), positive(ly *adv.*).

unwidersprochen [ˈunviːdərʃprɔxən] *adj.* uncontradicted, unchallenged.

unwiderstehlich [-ˈʃteːliç] *adj.* irresistible; overpowering (*desire*); **2keit** *f* (-) irresistibility.

unwiederbringlich [unviːdərˈbriŋliç] *adj.* irretrievable.

ˈ**Unwill|e** *m* indignation, displeasure, anger; unwillingness; **2ig** *adj.* indignant, displeased; annoyed, angry (*all*: *über acc.* at); unwilling, reluctant; **2kommen** *adj.* unwelcome; **2ˈkürlich** *adj.* involuntary; instinctive, automatic(ally *adv.*); *~ mußte ich an ihn denken* I could not help thinking of him.

ˈ**unwirklich** *adj.* unreal.

ˈ**unwirksam** *adj.* ineffective, inoperative (*jur. a.* void), inefficient; *chem.* inactive; **2keit** *f* inefficiency, inoperativeness; *chem.* inactivity; futility.

unwirsch [ˈunvirʃ] *adj.* cross, testy.

ˈ**unwirt|lich** *adj.* inhospitable, desolate; **~schaftlich** *adj.* uneconomic (-al *person*), unthrifty; inefficient.

ˈ**unwissen|d** *adj.* ignorant; **2heit** *f* (-) ignorance; **~schaftlich** *adj.* unscientific(ally *adv.*); **~tlich** *adj.* (*and adv.*) unwitting(ly), unknowing(ly), unconscious(ly).

ˈ**unwohl** *adj.* unwell (*a. woman*), indisposed; out of sorts, seedy; **2sein** *n* indisposition; *physiol.* monthly period(s *pl.*).

ˈ**unwohnlich** *adj.* uncomfortable, cheerless.

ˈ**unwürdig** *adj.* unworthy (*gen.* of); disgraceful; degrading; *das ist seiner ~* that is beneath him; **2keit** *f* (-) unworthiness.

ˈ**Unzahl** *f* (-) immense number; *e-e ~ von* a host (*or* sea) of, no end of.

unˈzähl|bar, ~ig *adj.* innumerable, numberless, countless.

ˈ**unzart** *adj.* indelicate; rough; **2heit** *f* indelicacy.

Unze [ˈuntsə] *f* (-; -n) ounce (*abbr.* oz. = *28,35 g*).

ˈ**Unzeit** *f* (-): *zur ~* at the wrong time, inopportunely; prematurely; **2gemäß** *adj.* old-fashioned, behind the times; unseasonable, inopportune; **2ig** *adj.* untimely (*a. adv.*); premature; ill-timed; unseasonable, inopportune.

unzer|ˈbrechlich *adj.* unbreakable; **~ˈlegbar** *adj.* undecomposable, indivisible; **~ˈreißbar** *adj.* untearable; **~ˈstörbar** *adj.* indestructible; **~ˈtrennlich** *adj.* inseparable.

ˈ**unziem|end, ~lich** *adj.* unseemly, unbecoming; indecent.

ˈ**Unzier(de)** *f* blemish, disfigurement; eye-sore.

ˈ**unzivilisiert** *adj.* uncivilized.

ˈ**Un|zucht** *f* (-) lewdness; *jur.* sexual offen|ce, *Am.* -se, (act of) indecency, *gewerbsmäßige*: prostitution; *widernatürliche*: sodomy; *außereheliche*: fornication; 2**züchtig** *adj.* lewd, lascivious; obscene (*gesture, word, literature, etc.*), indecent.

'**unzufrieden** *adj.* dissatisfied, discontented, *esp. pol.* malcontent; 2**heit** *f* dissatisfaction, discontent.

'**unzugänglich** *adj.* inaccessible (*a. tech.*), unapproachable; reserved, standoffish; ~*er Geist* closed mind; ~ *für* (*acc.*) impervious to, deaf to.

'**unzulänglich** *adj.* insufficient, inadequate; 2**keit** *f* insufficiency, inadequacy; deficiency, shortcoming.

'**unzulässig** *adj.* inadmissible; undue (*a. jur. influence*); *für* ~ *erklären* rule out, *jur. a.* outlaw.

'**unzumutbar** *adj.* unimputable; unreasonable (*demands*); that cannot be expected *of a p.*

'**unzurechnungsfähig** *adj.* irresponsible, not responsible for one's actions; imbecile; insane; *jur. a.* non compos (mentis), of unsound mind; 2**keit** *f* irresponsibility; imbecility; *jur.* diminished responsibility; *Einrede der* ~ plea of insanity.

'**unzureichend** *adj.* insufficient.

'**unzusammenhängend** *adj.* disconnected; incoherent (*speech, etc.*).

'**unzuständig** *adj.* incompetent; having no jurisdiction (*für* over); 2**keit** *f* incompetence, want of jurisdiction.

'**unzuträglich** *adj.* disadvantageous, prejudicial (*dat.* to), not good (for); unwholesome, unhealthy (*a. fig.*); 2**keit** *f* unwholesomeness.

'**unzutreffend** *adj.* incorrect; unfounded; *das ist gänzlich* ~ nothing could be further from the truth; inapplicable.

'**unzuverlässig** *adj.* unreliable, untrustworthy; uncertain; treacherous (*memory, weather, etc.*); ~*e Freunde a.* fair-weather friends; 2**keit** *f* unthrustworthiness; uncertainty; treacherousness.

'**unzweckmäßig** *adj.* inexpedient, unsuitable; 2**keit** *f* inexpediency, unsuitableness.

'**unzweideutig** *adj.* unequivocal, unambiguous; plain, clear.

'**unzweifelhaft I.** *adj.* undoubted, indubitable; ~*e Tatsache* established fact; **II.** *adv.* doubtless, without doubt.

üppig ['ypiç] *adj.* luxurious; luxuriant, exuberant (*vegetation, language, health, etc.*), lush; opulent, sumptuous (*meal*); well-developed, voluptuous, lush (*figure, woman*); *fig.* presuming, uppish, highty and mighty, cocky, *Am.* chesty; generous; ~ *leben* live high (*or* on the fat of the land); *colloq. er wird zu* ~ he is getting too big for his breeches; 2**keit** *f* luxury; luxuriant growth, exuberance; opulence; voluptuousness; presumption; uppishness.

Ur [u:r] *zo. m* (-[e]s; -e) aurochs.

Ur... ['u:r-]: **a**) original; primitive, prime, **b**) thorough, **c**) *as adv. with adj.* extremely, very; ~**abstimmung** *f* strike ballot; ~**ahn** *m* great-grandfather; *w.s.* ancestor; ~**ahne** *f* (-; -*n*) great-grandmother; 2**alt** *adj.* very old, very ancient, old as the hills; age-long (*problem*); *seit* ~*en Zeiten* from time immemorial; ~**anfang** *m* first beginning; prime origin; 2**anfänglich** *adj.* original, primeval; 2**aufführen** *v/t.* (*h.*) play for the first time, première, *film a.* release; ~**aufführung** *f* first night *or* performance; release, première (*film*).

Uran [u'ra:n] *n* (-*s*) uranium; ~**brenner** *m* uranium pile; 2**haltig** *adj.* uraniferous, uranium-bearing; ~**pechblende** *f*, ~**pech-erz** *n* pitchblende; ~**vorkommen** *n* uranium deposit.

urbar ['u:rba:r] *adj.* arable, cultivated; ~ *machen* cultivate; clear, reclaim; 2**machung** ['-maxuŋ] *f* (-) cultivation; reclamation.

'**Ur...:** ~**bedeutung** *f* original meaning; ~**bestandteil** *m* primitive (*or* ultimate) constituent; ~**bewohner** *m* original inhabitant, native; *pl.* aborigines; ~**bild** *n* original, prototype, archetype; *fig.* ideal; 2**deutsch** *adj.* thoroughly German, German to the core; 2**eigen** *adj.* one's very own; innate, inherent; ~**einwohner** *m* → *Urbewohner*; ~**eltern** *pl.* ancestors; ~**enkel** *m* great-grandson; ~**enkelin** *f* great-granddaughter; ~**erzeugung** *f* primary production; ~**fehde** *hist. f* oath of truce; ~**form** *f* original form; ~**gebirge** *n* primitive mountains *or* rocks *pl.*; ~**geschichte** *f* (-) early (*or* primeval) history; 2**geschichtlich** *adj.* prehistoric(ally *adv.*); ~**großeltern** *pl.* great-grandparents *pl.*; ~**großmutter** *f* great-grandmother; ~**großvater** *m* great-grandfather; ~**heber** *m* author (*a. b.s.*), originator; creator; ~**heberrecht** *n* copyright; *Inhaber des* ~*s* copyright owner; ~**heberschaft** *f* (-) authorship.

Urin [u'ri:n] *m* (-*s*; -*e*) urine; ~**flasche** *f* urinal; **uri'nieren** *v/i.* (*h.*) urinate; **urin'treibend** *adj.* diuretic.

'**ur...:** ~**komisch** *adj.* extremely (*or* screamingly) funny; 2**kraft** *f* original force; primitive strength.

'**Urkunde** *f* document, deed, legal instrument; record; title (deed); charter; *zu Urkund dessen* in witness whereof; ~**nbeweis** *m* documentary evidence; ~**ndolmetscher** *m* sworn interpreter for the translation of documents; ~**nfälschung** *f* forgery of documents; ~**nrolle** *f* document register.

urkund|lich ['u:rkuntliç] *adj.* documentary; authentic(ally *adv.*); ~ *belegt* documented; ~ *dessen* in witness whereof; 2**sbe-amte(r)** *m* Clerk of the Court, registrar.

Urlaub ['u:rlaup] *m* (-[e]*s*; -*e*) leave (of absence); vacation, holidays *pl.*; *mil.* leave, furlough; ~ *auf Ehrenwort* leave on parole; ~ *bis zum Wecken* night leave; *auf* ~ on vacation, (*a. mil.*) on leave; ~ *nehmen* take a holiday, *Am.* vacation; ~**er** ['-bər] *m* (-*s*; -) *mil.* man on leave, *pl.* leave personnel; (*civilian*) holiday-maker, *Am.* vacationist; ~**erzug** *mil. m* leave train; ~**s-anspruch** *m* vacation privilege; ~**sschein** *mil. m* pass; ~**sgesuch** *n* application for a leave; ~**szeit** *f* holiday-time.

'**Ur|maß** *n* standard gauge; ~**mensch** *m* primitive man.

'**Urne** ['urnə] *f* (-; -*n*) urn; *pol.* ballot-box.

'**Ur...:** ~**ochs** *m* aurochs; 2'**plötzlich I.** *adj.* very sudden, abrupt, totally unexpected; **II.** *adv.* all of a sudden; ~**quell** *m* primary source; ~**sache** *f* cause; reason; occasion; motive; *er hat keine* ~ *zu inf.* there is no reason for him to *inf.*, there is no reason why he should *do so*; *das scheint die eigentliche* ~ *zu sein a.* this appears to be at the bottom of it; *keine* ~! don't mention it!, (you are) welcome!; → *Wirkung*; ~**sachenzusammenhang** *jur. m* causal nexus; 2**sächlich** *adj.* causal, *gr.* causative; ~**sächlichkeit** *f* (-) causality; ~**schleim** *m* protoplasm; ~**schrift** *f* original (text *or* copy); 2**schriftlich I.** *adj.* original, autographic; **II.** *adv.* in the original; ~**sprache** *f* primitive language; *translation*: original; ~**sprung** *m* source; *fig.* origin; *s-n* ~ *haben in* (*dat.*) originate in *or* from, take its rise from; *deutschen* ~*s* of German origin (*person a.* extraction); *econ.* made in Germany; 2**sprünglich** ['-ʃpryŋliç] **I.** *adj.* original (*a. fig.*); primitive; initial; **II.** *adv.* in the beginning, at first; ~**sprünglichkeit** *f* (-) originality; ~**sprungsland** *econ. n* country of origin; ~**sprungszeugnis** *econ. n* certificate of origin; ~**ständ** ['-ʃtent] *pl.*: *colloq. fröhliche* ~ *feiern* be happily revived; ~**stoff** *m* primary matter; *chem.* element.

Urteil ['urtaıl] *n* (-*s*; -*e*) judg(e)ment; opinion; decision; *jur.* judgment; sentence; (*divorce*) decree; finding; verdict; (arbitration) award; → *fällen, etc.*; *meinem* ~ *nach* in my judgment; *sich ein* ~ *bilden über* (*acc.*) form (a) judgment of *or* on, form an opinion on; *ein* ~ *abgeben* express an opinion; 2**en** *v/i.* (*h.*) judge (*über j-n* a p.; et. of a th.; *nach* by *or* from); *über et.* ~ *a.* give one's opinion on *a th.*; *er urteilte anders darüber* he took a different view of it; *darüber kann er nicht* ~ he is no judge; ~ *Sie selbst!* judge for yourself!; *nach seinem Aussehen zu* ~ judging (*or* to judge) by his looks.

'**Urteils...:** ~**aufhebung** *f* reversal of judgment; ~**begründung** *f* opinion; ~**er-öffnung** *f* publication of a judgment; 2**fähig** *adj.* discerning, discriminating; ~**fällung** *f* passing of judgment; ~**forderung** *f* judgment claim; ~**gläubiger** *m* judgment creditor; ~**kraft** *f* (-) (power of) judgment; discernment; ~**schuldner** *m* judgment debtor; ~**spruch** *m* sentence, judgment; ~**verkündigung** *f* pronouncing of judgment; ~**vollstreckung** *f* execution of the sentence.

'**Ur...:** ~**text** *m* original text; ~**tierchen** ['-ti:rçən] *n* (-*s*; -) protozoon, *pl.* protozoa; 2**tümlich** ['-ty:mliç] *adj.* original, native; ~**urgroßvater** *m* great-great-grandfather; ~**vater** *m* first father, ancestor; **~väterzeit** ['u:rfɛ:tər-] *f* olden times, days of yore; **²verwandt** *adj.* of same origin; cognate (*words*); **~volk** *n* primitive people; aborigines *pl.*; **~wahl** *f* preliminary election; **~wald** *m* primeval (*or* virgin) forest, jungle; **~welt** *f* primeval world; **²weltlich** *adj.* primeval, antediluvian; **²wüchsig** ['-vy:ksiç] *adj.* original, native; *fig.* natural; rough, blunt; earthy (*humour, person*); **~zeit** *f* primitive times, dawn of history; *fig. vor ~en* a long, long time ago; *seit ~en nicht mehr* not for ages; **~zelle** *f* primitive cell; **~zeugung** *biol.* spontaneous generation; **~zustand** *m* primitive state; original state.

Usance [y'zã:s] *econ. f* (-; -*n*) usage, practice, custom.

Uso ['u:zo] *econ. m* (-*s*) *bill of exchange*: usance; **~wechsel** *m* bill at usance.

usuell [uzu'ɛl] *adj.* usual; *pred. nicht ~ a.* not the practice *or* custom.

Usur|pator [u:zur'pa:tɔr] *m* (-*s*; -'*toren*) usurper; **²'pieren** *v/t.* (*h.*) usurp.

Usus ['u:zus] *m* (-) usage, custom, practice, rule.

Utensilien [utɛn'zi:liən] *pl.* utensils, implements.

Utopie [u:to'pi:] *f* (-; -*n*), **Utopien** [u'to:piən] *n* (-*s*) Utopia.

u'topisch *adj.*, **Uto'pist(in** *f*) *m* (-*en*, -*en*; -, -*nen*) Utopian.

uzen ['u:tsən] *v/t.* (*h.*) tease, chaff, kid.

V

V, v [faʊ] *n* V, v.

vag [va:k] *adj.* vague.

Vagabund [vaga'bunt] *m* (-*en*; -*en*) vagabond, vagrant, tramp, *Am. a.* bum, hobo.

vagabundieren [-'di:rən] *v/i.* (*sn, h.*) tramp about, lead a vagabond life, vagabondize; *el.* stray; *~der Strom* stray current.

vakan|t [va'kant] *adj.* vacant; **²z** [-ts] *f* (-; -*en*) vacancy; → *Ferien.*

Vaku-Blitz ['va:ku-] *phot. m* photoflash.

Vakuum ['va:kuum] *n* (-*s*; -*kuen*) vacuum; **~bremse** *f* vacuum brake; **~röhre** *f* vacuum tube; **~schalter** *el. m* vacuum switch.

Valenz [va'lɛnts] *chem. f* (-; -*en*) valence.

validieren [vali'di:rən] *v/t.* (*h.*) validate (*securities*).

Valuta [va'lu:ta] *f* (-; -*ten*) value; currency; *beständige ~* standard; monies *pl.*; **~klausel** *f* exchange clause; **~kurs** *m* rate of exchange; **~notierung** *f* quotation of foreign exchange; **²schwach, (²stark)** *adj.* having a low (high) rate of exchange.

valu'tieren *v/t.* (*h.*) value.

Vampir ['vampi:r] *m* (-*s*; -*e*) vampire.

Vandal|e [van'da:lə] *m* (-*n*; -*n*), **²isch** *adj. fig.* Vandal.

Vandalismus [-da'lismus] *m* (-) vandalism.

Vanille [va'niliə] *f* (-) vanilla.

variabel [vari'a:bəl] *adj.* variable.

Variante [vari'antə] *f* (-; -*n*) variant.

Variation [-tsi'o:n] *f* (-; -*en*) variation.

Varietät [varie'tɛ:t] *f* (-; -*en*) variety.

Varieté [varie'te:] *n* (-*s*; -*s*), **~theater** *n* variety theatre, music-hall, *Am.* vaudeville theater; **~künstler (-in** *f*) *m* music-hall entertainer, *Am.* vaudeville performer; **~vorstellung** *f* variety show, *Am.* vaudeville.

variieren [vari'ʔi:rən] *v/i. and v/t.* (*h.*) vary.

Vario'meter [vario-] *n* variometer.

Vasall [va'zal] *m* (-*en*; -*en*) vasall; **~enstaat** *m* satellite state.

Vase ['va:zə] *f* (-; -*n*) vase.

Vaselin(e *f*, -) [vaze'li:n(ə)] *n* (-*s*; -) vaseline.

Vater ['fa:tər] *m* (-*s*; ⸗) father; *zo.* sire; *die Väter der Stadt* the town fathers; **~freuden** *f/pl.* parental joys; **~haus** *n* parental home; **~land** *n* one's country, native country; (*Germany*) *the* Fatherland; **²ländisch** ['-lɛndiʃ] *adj.* national; patriotic(ally *adv.*); **~landsliebe** *f* patriotism; **²landslos** *adj.* unpatriotic, treacherous; **~landsverräter** *m* traitor to one's country.

väterlich ['fɛ:tərliç] **I.** *adj.* fatherly, paternal; *~es Erbteil* patrimony; **II.** *adv.* like a father; **~erseits** [-ər-zaɪts] *adv.* on one's father's side.

'Vater...: ~liebe *f* paternal love; **²los** *adj.* fatherless; **~mord** *m* parricide; **~mörder** *m* parricide (*a.* **~mörderin** *f*); stand-up collar; **~schaft** *f* (-) paternity, fatherhood, *jur. Feststellung der ~* affiliation order; *j-s ~ zu e-m Kinde feststellen* affiliate a child to a p.; **~schaftsklage** *f* affiliation case, paternity suit.

'Vater(s)name *m* surname.

'Vater...: ~stadt *f* native town, home-town; **~stelle** *f*: *~ vertreten bei* (*dat.*) father, be a father to; **~teil** *n* patrimony; **~'unser** *n* (-*s*; -) Lord's Prayer.

Vati ['fa:ti] *colloq. m* (-*s*; -*s*) dad(dy).

Vegetabil|ien [vegeta'bi:liən] *pl.* vegetables; **²isch** *adj.* vegetable.

Vegetar|ier [vege'ta:riər] *m* (-*s*; -) vegetarian; **²isch** *adj.* vegetarian; *~e Lebensweise* vegetarianism.

Vegeta|tion [-tatsi'o:n] *f* (-; -*en*) vegetation; **²tiv** [-'ti:f] *adj.* vegetative (*a. physiol.*); *~es Nervensystem* autonomous nervous system.

vege'tieren *v/i.* (*h.*) vegetate (*a. fig.*).

Vehemenz [vehe'mɛnts] *f* (-) vehemence.

Vehikel [ve'hi:kəl] *n* (-*s*; -) vehicle (*a. chem.*).

Veilchen ['faɪlçən] *n* (-*s*; -) violet; **²blau** *adj.* violet.

Veits-tanz ['faɪts-] *med. m* (-*es*) St. Vitus's dance.

Velar(laut) [vel'a:r-] *m* (-*s*; -*e*) velar.

Velin [ve'lɛ̃:] *n* (-), **~papier** *n* vellum(-paper).

Velours [və'lu:r] *m* (-; -) velours.

Vene ['ve:nə] *f* (-; -*n*) vein; **~n-entzündung** *f* phlebitis.

venerisch [ve'ne:riʃ] *adj.* venereal.

Venezian|er [venetsi'a:nər] *m* (-*s*; -), **~erin** *f* (-; -*nen*), **²isch** *adj.* Venetian.

Ventil [vɛn'ti:l] *n* (-*s*; -*e*) valve; *fig.* vent, outlet, *a.* safety-valve.

Ventilation [-latsi'o:n] *f* (-; -*en*) ventilation.

Ventilator [-'la:tɔr] *m* (-*s*; -'*toren*) ventilator, (electric) fan; *tech. a.* blower.

venti'lieren *v/t.* (*h.*) ventilate, air (*both a. fig. question, grievance*).

Ven'til...: ~klappe *f* flap-valve; **~kolben** *m* valve-piston; **~sitz** *m* valve seat(ing); **~steuerung** *f* valve timing; **~stößel** *m* tappet; **~teller** *m* valve face (*or* disc).

verabfolg|en [fɛr'ʔapfɔlgən] *v/t.* (*h.*) deliver, hand over; give (*a. humor. e-e Tracht Prügel* a thrashing); provide, serve (*food, drink*); *med.* administer; *j-m et. ~ lassen* let a p. have a th.; **²ung** *f* (-; -*en*) delivery; provision; *med.* administration.

ver'abred|en *v/t.* (*h.*) agree upon, arrange; appoint, fix (*time, place*); *sich ~* make an appointment, (have a) date; *schon anderweitig verabredet sein* have a previous engagement; *ich bin für morgen mit ihm verabredet* I have an appointment with him for tomorrow, I am to meet him tomorrow; *contp. verabredete Sache* pre-arranged affair, put-up job; *wie verabredet* → **~etermaßen** [-dətər'ma:sən] *adv.* as arranged, as agreed (upon); **²ung** *f* (-; -*en*) agreement; arrangement; appointment, date; *jur.* conspiracy (*to commit a criminal act*); *nach ~* by appointment.

ver'abreichen *v/t.* (*h.*) → *verabfolgen.*

ver'absäumen *v/t.* (*h.*) neglect, fail to do; omit.

ver'abscheuen *v/t.* (*h.*) abhor, detest, loathe; **~swert** *adj.* detestable, loathsome, horrid.

verabschied|en [fɛr'ʔapʃi:dən] *v/t.* (*h.*) dismiss, discharge; retire (*officer*), put on the retired list; pass (*bill*); *sich ~* take (one's) leave (*von* of), say good-bye (to *a p.*); **²ung** *f* (-; -*en*) dismissal; passing.

ver'achten *v/t.* (*h.*) despise, (hold in) disdain; scorn; *colloq. nicht zu ~* not to be sneezed at.

Verächt|er [fɛr'ʔɛçtər] *m* (-*s*; -), **~in** *f* (-; -*nen*) despiser; **²lich** *adj.* contemptuous, disdainful, scornful; contemptible, despisable; abject, vile.

Ver'achtung *f* contempt, disdain.
ver'albern *v/t.* (*h.*) ridicule, mock, poke fun at.
ver'allgemeiner|n *v/t.* (*h.*) generalize; **2ung** *f* (-; -*en*) generalization.
ver'alte|n *v/i.* (*sn*) become obsolete *or* antiquated; go out of date, go out (of fashion); **~t** *adj.* antiquated, obsolete, out of date, dated; out-moded; *~er Ausdruck* archaism.
Veranda [ve'randa] *f* (-; -*den*) veranda(h), *Am.* porch; piazza; stoop.
veränder|lich [fɛr'ˀɛndərliç] *adj.* changeable, (*a. math., gr.*) variable; *~e Drehzahl* variable speed; fluctuating; **2lichkeit** *f* (-) changeableness; variability; **~n** *v/t.* (*h.*) (*a. sich*) alter, change; vary; *sich ~* change one's place, take another situation; → *ändern*; **2ung** *f* (-; -*en*) change, alteration (*in dat.* in; *an dat.* to); variation; fluctuation.
verängstigt [-'ˀɛŋstiçt] *adj.* intimidated, scared.
ver'anker|n *v/t.* (*h.*) *mar.* anchor (*a. fig.*), *a. aer.* moor; *arch.* tie, grapple; *el.* stay, guy; *fig. in e-m Gesetz verankert* embodied in a law; **2ung** *f* (-; -*en*) anchorage, staying; *arch.* tie beam, anchor tie.
veranlag|en [fɛr'ˀanlaːgən] *v/t.* (*h.*) *steuerlich*: assess (for taxation); **~t** *adj.* talented; *künstlerisch ~* artistically gifted; *~ sein für* (*acc.*) be cut out for; *med.* be predisposed to; *methodisch ~ sein* have a methodical turn of mind, be methodical; **2ung** *f* (-; -*en*) assessment; *fig.* disposition, turn of mind; bent, inclination; talent(s *pl.*), gift, turn (*für* for); predisposition (*zu* to); *s-r ganzen ~ nach* temperamentally.
veranlass|en [-'ˀanlasən] *v/t.* (*h.*) occasion, cause, call forth; arrange for; *j-n zu et. ~* induce (*or* get) a p. to do a th., prevail (up)on a p. to do a th., make a p. do a th.; *das Nötige ~* take the necessary steps; *sich veranlaßt fühlen zu inf.* feel bound (*or* urged) to *inf.*; **2ung** *f* (-; -*en*) occasion; cause, reason; motive; *auf ~ von or gen.* **a**) at the instance of, **b**) at *a p.'s* suggestion (*or* recommendation), **c**) at *a p.'s* request, **d**) at *a p.'s* initiative; *zu et. ~ geben* give rise to, occasion; *adm. zur weiteren ~* for further action; *ohne jede ~* without any provocation; *er hat keine ~, zu inf.* there is no occasion for him to *inf.*, there is no reason why he should *do so*.
veranschaulich|en [-'ˀanʃauliçən] *v/t.* (*h.*) illustrate, be illustrative of; **2ung** *f* (-; -*en*) illustration.
ver'-anschlag|en *v/t.* (*h.*) rate, value, estimate (*auf acc.* at); appropriate (in the budget); *zu hoch* (*niedrig*) *~* overestimate (underestimate); **2ung** *f* (-) valuation, estimate; appropriation.
veranstalt|en [fɛr'ˀanʃtaltən] *v/t.* (*h.*) arrange, organize; stage (*a. fig. humor.*); give (*concert, ball, etc.*); **2er** *m* (-*s*; -) organizer; *sports*: promoter; **2ung** *f* (-; -*en*) arrangement, organization; event; *sports*: event, meeting, fixture, *Am. a.* meet; **2ungskalender** *m* calendar of events.
ver'antwort|en *v/t.* (*h.*) answer (*or* account) for; *sich ~* justify o.s. (*vor dat.* before); *das können Sie nicht ~* you can't answer for that; **~lich** *adj.* responsible, answerable (*für* for); *~e Stellung* responsible post; *j-n ~ machen* hold a p. responsible, blame a p. (*für* for), lay the blame (for *a th.*) on a p.; *~ zeichnen für* be responsible for, be the author of; **2lichkeit** *f* (-) responsibility; accountability.
Ver'antwortung *f* (-; -*en*) responsibility; justification; *auf seine ~* at his own responsibility, at his own risk; → *abwälzen*; *~ übernehmen* take (*or* accept) responsibility; *zur ~ ziehen* call to account, hold responsible; **2sbewußt** *adj.* responsible; **~sbewußtsein** *n* sense of responsibility; **2sfreudig** *adj.* ready to take responsibility; **2slos** *adj.* irresponsible; **2svoll** *adj.* responsible.
veräppeln [-'ˀɛpəln] *colloq. v/t.* (*h.*) kid, rib, pull *a p.'s* leg.
ver'arbeitbar *adj.* workable, machinable; **2keit** *f* (-) workability, machinability.
ver'arbeit|en *v/t.* (*h.*) work up, consume; *tech.* put into work; manufacture, process, convert (*zu* into); treat; machine; digest (*food*; *a. fig.*); *~de Industrie* manufacturing (*or* finishing) industry; *verarbeitetes Metall* wrought metal; *verarbeitete Hände* hard-worked hands; **2ung** *f* (-; -*en*) working up; manufacture, processing; (mechanical, chemical, *etc.*) treatment; digestion; workmanship.
verargen [-'ˀargən] *v/t.* (*h.*): *j-m et. ~* blame a p. for a th.; *ich kann es ihm nicht ~* I cannot blame him (*wenn* if), I won't hold it against him.
ver'ärger|n *v/t.* (*h.*) annoy, vex, anger; **2ung** *f* (-; -*en*) annoyance, irritation.
ver'arm|en I. *v/i.* (*sn*) become poor *or* impoverished, be reduced to poverty; **II.** *v/t.* (*h.*) impoverish; **~t** *adj.* impoverished; **2ung** *f* (-) impoverishment, pauperization.
ver'arzten *colloq. v/t.* (*h.*) doctor; *fig.* take care of.
verästel|n [fɛr'ˀɛstəln]: *sich ~* (*h.*) ramify; **2ung** *f* (-; -*en*) ramification.
verauktionier|en [-ˀauktsio'niːrən] *v/t.* (*h.*) sell by (*Am.* at) auction; **2ung** *f* (-; -*en*) public sale.
ver'ausgaben *v/t.* (*h.*) spend, expend; *sich ~* run short of money; *fig.* spend o.s.
ver'auslagen *v/t.* lay out, disburse; advance.
ver'äußer|lich *adj.* alienable; negotiable (*securities*); **2er** *m* (-*s*; -) alienator, transferor, seller; **~n** *v/t.* (*h.*) alienate; transfer (*an acc.* to); dispose of, sell; **2ung** *f* (-; -*en*) alienation; disposal, sale; **2ungsrecht** *n* right of disposal; **2ungsverbot** *n* (total) restraint on alienation; receiving order.
Verb [vɛrp] *n* (-*s*; -*en*) verb.
verbal [-'baːl] *adj.* verbal; **2adjektiv** *gr. n* verbal adjective; **2injurie** *jur. f* insult(ing words *pl.*).
verballhornen [fɛr'balhɔrnən] *v/t.* (*h.*) corrupt, transmogrify.
Ver'bal...: **~note** *pol. f* verbal note; **~substantiv** *gr. n* verbal noun.
Verband [fɛr'bant] *m* (-[e]s *-̈e*) *arch.* binding; bracing; *med.* dressing, bandage; *fig.* association, federation, union; *mil.* formation (*a. aer., mar.*), unit; task force; *fliegender ~* **a**) flying unit, **b**) flight formation; **~kasten** *m* first-aid box; **~mull** *m* surgical gauze; **~päckchen** *n* first-aid packet; **~platz** *mil. m* field-dressing station; **~schere** *f* bandage scissors *pl.*; **~sflug** *aer. m* formation flying; **~s-preis** *econ. m* combine price; **~stelle** *f* first-aid post; **~stoff** *m* bandaging material; **~tasche** *f* first-aid bag; **~watte** *f* surgical wool; **~zeug** *n* dressing (material), first-aid kit.
ver'bann|en *v/t.* (*h.*) banish (*a. fig.*), exile; outlaw; deport; **2te(r** *m*) *f* (-*n*, -*n*; -*en*, -*en*) exile; outlaw; **2ung** *f* (-; -*en*) banishment, exile; deportment; *in ~ leben* live in exile.
verbarrikadieren [-barika'diːrən] *v/t.* (*h.*) barricade (*sich* o.s.); block.
ver'bauen *v/t.* (*h.*) **a**) build up, obstruct, block up; **b**) build badly; **c**) spend (*money*) *or* use up (*material*) in building; *fig. sich den Weg ~* bar one's way (*zu* to), cut o.s. off (from).
verbauern [-'bauərn] *v/i.* (*sn*) become countrified.
ver'beißen *v/t.* (*irr., h.*) suppress (*pain, smile, etc.*); *sich das Lachen ~* stifle one's laughter, bite one's lips; *ich konnte mir das Lachen nicht ~* I could not help laughing; *fig. sich in et. ~* stick doggedly to a th., be dead stuck on a th.
ver'bergen *v/t.* (*irr., h.*) conceal, hide (*vor dat.* from); → *verborgen*[2].
Ver'besser|er *m* (-*s*; -) improver; reformer; corrector; **2n** *v/t.* (*h.*) improve (*a. tech.*), (a)meliorate (*both a. sich*); correct, rectify; modify; revise (*edition*); *sich ~ speaker*: correct o.s., *financially*: better o.s.; **~ung** *f* (-; -*en*) improvement; correction; rectification; **2ungsbedürftig** *adj.* (*sehr* badly) in need of improvement; **~ungspatent** *n* patent of improvement.
verbeten [-'beːtən] *p.p. of verbitten*: *Beileidsbesuche ~* no visitors will be received.
ver'beug|en: *sich ~* (*h.*) bow (*vor dat.* to); **2ung** *f* (-; -*en*) bow.
verbeulen [-'bɔʏlən] *v/t.* (*h.*) dent, batter.
ver'biegen *v/t.* (*irr., h.*) bend, twist, distort; *sich ~* twist; *wood*: warp.
ver'bieten *v/t.* (*irr., h.*) forbid (*j-m et.* [*zu tun*] a p. [to do] a th.), prohibit (a th.; a p. from doing a th.); ban; rule out; outlaw.
ver'bild|en *v/t.* (*h.*) form wrongly, deform; educate *or* train badly, miseducate, spoil; **~et** *adj.* (over-) sophisticated.
verbillig|en [-'biligən] *v/t.* (*h.*) bring down the price of, reduce (*or* lower) in price, cheapen; **2ung** *f* (-; -*en*) reduction in price, cheapening; **2ungsschein** *econ. m* price-reduction certificate.

ver'binden *v/t.* (*irr.*, *h.*) tie (together), bind (up); link (*mit* to); (*a. sich*) join, unite, combine (*mit* with); connect (*a. tech.*, *teleph.*), *tech. a.* couple, link; *chem.* combine (*mit* with); *econ. sich ~ mit* associate with, go into partnership with, *companies*: amalgamate with; join forces with; *sich ehelich ~ (mit)* marry; *med.* dress, bandage; *j-n ~* dress a p.'s wounds; *teleph.* put a p. through (*mit* to, *Am.* with); *j-m die Augen ~* blindfold a p.; *mit verbundenen Augen* blindfolded; *fig. eng verbunden sein mit* be bound up with; *ich bin Ihnen sehr verbunden* I am greatly obliged to you; *teleph. falsch verbunden!* wrong number!; *mit Gefahr verbunden* attended with danger, involving a risk; *das ist mit Gefahr verbunden* there is danger in it, it is dangerous; *die damit verbundenen Unkosten* the cost incident to it (*or* thereto); *die damit verbundenen Bedingungen* the conditions attaching thereto.

verbindlich [-'bintliç] *adj.* binding, obligatory, compulsory (*all*: *für* upon); obliging; *für ~ erklären* make *a th.* compulsory; *j-m ~en Dank sagen* express a p. one's sincere thanks!; *~(st)en Dank!* my best thanks!; *sich ~ machen* bind o.s.; **2keit** *f* (-; -*en*) obligation, liability, commitment; binding force (*of contract*, *etc.*); obligingness, readiness to oblige; civility, polite way(s *pl.*); compliment; *econ. ~en pl.* liabilities *pl.*; *s-n ~en nachkommen* meet one's engagements.

Ver'bindung *f* union (*a. marriage*); bond, alliance; combination; blending (*of colours*); association (*of ideas*); connexion, connection (*a. tech.*, *teleph.*); context; association, society; → *Studentenverbindung*; relation; *geschäftliche ~* business relations *pl.* (*or* relationship); *traffic*, *teleph.*, *etc.*: communication; *mil.* **a)** liaison, **b)** *tactical*: contact, communication; *rückwärtige ~en* lines of communication; *chem.* compound; *tech.* joint, junction, union; *in ~ mit* (*dat.*) combined with; in connection with, in conjunction with; *~ herstellen mit* contact (*a. mil.*), establish communication with (*a. radio*); *in ~ bleiben* keep in touch (*mit* with); *in ~ bringen mit fig.* connect (*or* associate) with, link up with; *in ~ stehen mit* communicate with, be in communication (*or* touch) with; correspond with; *fig.* be connected with; *die ~ verlieren mit* lose touch with; *teleph. ~ bekommen (haben)* get (be) through; *~ aufnehmen* get in touch (*mit* with).

Ver'bindungs...: **~bahn** *f* junction line; **~gang** *m* connecting passage; **~gleis** *n* junction-rail(s *pl.*); **~kabel** *n* connector cable; **~kanal** *m* junction canal; **~klemme** *el. f* terminal, connector; **~linie** *f* line of communication; **~mann** *m* contact (*or* liaison) man; mediator, go-between; **~offizier** *m* liaison officer; **~rohr** *n* connecting tube; **~schnur** *el. f* connecting cord, flex(ible cord); **~stange** *tech. f* connecting-rod; **~stecker** *el. m* connecting plug; **~steg** *m* walkway; **~stelle** *f* junction; *tech.* joint; *fig.* liaison office; information department; **~straße** *f* communication road, feeder road; **~stück** *n* connecting piece; tie, brace; coupling; union coupling (*of pipe*); *el.* connector; **~tür** *f* communication door; **~wärme** *f* heat of combination; **~weg** *m mil.* line of communication; *radio*: transmission path.

verbissen [fɛr'bisən] *adj.* crabbed, morose; dogged, grim; *~ sein in* (*acc.*) stick doggedly to; **2heit** *f* (-) sourness of temper, moroseness; doggedness.

ver'bitten: *sich ~* (*irr.*, *h.*) (beg to) decline; → *verbeten*; refuse to tolerate, not to stand for; *das verbitte ich mir!* I won't suffer (*or* stand for) that!

verbitter|n [-'bitərn] *v/t.* (*h.*) embitter, fill with bitterness; *j-m das Leben ~* make life miserable for a p.; **~t** *adj.* embittered, bitter; **2ung** *f* (-) bitterness (of heart).

verblassen [-'blasən] *v/i.* (*sn*) (grow) pale; *cloth*, *etc.*, *a. fig.*: fade; *fig. ~ gegenüber* (*dat.*) pale (into insignificance) against *or* beside.

Verbleib [-'blaip] *m* (-[e]s) whereabouts; **2en** *v/i.* (*irr.*, *sn*) be left, remain; *bei s-r Meinung*, *etc. ~* persist in *or* stick to one's opinion, *etc.*; *wir sind so verblieben* it was (finally) agreed (that); *~ wir hochachtungsvoll* (we remain,) Yours faithfully.

ver'bleichen *v/i.* (*irr.*, *sn*) → *verblassen*.

verbleit [-'blaɪt] *tech. adj.* leaded.

ver'blend|en *v/t.* (*h.*) blind, delude, dazzle; infatuate; *arch.* face; *esp. mil.* mask, screen; **2stein** *m* face brick; **2ung** *f* (-) blindness, delusion; infatuation; *arch.* facing; masking.

ver'bleuen *colloq. v/t.* (*h.*) beat black and blue, thrash.

verblichen [-'bliçən] *adj.* faded; **2e(r** *m*) *f* (-*n*, -*n*; -*en*, -*en*) deceased.

ver'blöd|en *v/i.* (*sn*) turn imbecile, go gaga; **2ung** *f* (-) imbecility.

verblüff|en [-'blyfən] *v/t.* (*h.*) amaze; perplex, bewilder, nonplus; dum(b)found, stupefy, stagger, flabbergast, stun; **~t** *adj.* perplexed, *etc.*; taken aback; **2ung** *f* (-) amazement, perplexity; stupefaction.

ver'blühen *v/i.* (*sn*) fade, wither; *fig. verblühte Schönheit* faded beauty.

verblümt [-'bly:mt] *adj.* veiled, allusive; figurative.

ver'bluten *v/i.* (*sn*) *and sich ~* bleed to death.

ver'bocken *colloq. v/t.* (*h.*) bungle, botch.

ver'bohlen *v/t.* (*h.*) plank.

ver'bohr|en: *sich ~* (*h.*) *in* (*acc.*) bend o.s. to; go mad about, be gone *or* dead set on; **~t** *adj.* cranky, faddy; pigheaded, stubborn.

ver'bolzen *v/t.* (*h.*) bolt (together).

ver'borgen[1] *v/t.* (*h.*) lend (out).

verborgen[2] [-'bɔrgən] *adj.* hidden, concealed; secret; *a. phys.* latent; *im ~en* secretely, in secret; in obscurity; *et. ~ halten vor* (*dat.*) keep a th. secret from; **2heit** *f* (-) concealment, secrecy; obscurity; retirement, seclusion.

Verbot [fɛr'bo:t] *n* (-[e]s; -e) prohibition; ban (*gen.* on); **2en** *adj.* forbidden, prohibited; illicit; *sports*: foul; *Rauchen (streng) ~* (positively) no smoking; → *Betreten*, *etc.*; **~srecht** *jur. n* right of garnishment; **~sschild** *n*, **~s-tafel** *f* prohibitory sign.

verbrämen [-'brɛ:mən] *v/t.* (*h.*) border, edge, trim; fur; *fig.* gloss over; veil, cloak.

Verbrauch [-'braux] *m* (-[e]s) consumption (*an dat.* of); **2en** *v/t.* (*h.*) consume; use up; spend; wear out; exhaust; waste; *verbraucht* stale (*air*), finished, run down (*battery*), worn out (*person*); **~er** *m* (-s; -) consumer; user; **~ergenossenschaft** *f* consumers' union, cooperative society; **~ergruppe** *f* consumer group; **~erkreis** *el. m* output load circuit; **~erleitung** *el. f* service cable; **~erwaren** *f/pl.*, **~sgüter** *n/pl.* consumer goods, commodities, articles of consumption; **~ssatz** *m* consumption rate; **~ssteuer** *f* excise duty; **~swirtschaft** *f* consumption.

ver'brechen *v/t.* (*irr.*, *h.*) commit; *humor.* perpetrate (*book*, *joke*, *etc.*); *was hat er verbrochen?* what is his offen|ce, *Am.* -se?, what has he done?; *ich habe nichts verbrochen* I have done no wrong.

Ver'brechen *n* (-s; -) crime; *jur. a.* felony, major offen|ce, *Am.* -se.

Ver'brecher *m* (-s; -) criminal, *jur. a.* felon (*a.* **~in** *f*, -; -*nen*); crook, gangster.

Ver'brecher...: **~album** *n* rogues' gallery; **~bande** *f* gang; *Angehöriger e-r ~* gangster; **~film** *m* gangster film; **2isch** *adj.* criminal, *jur. a.* felonious; *das 2e* the criminality (*of an act*); **~kolonie** *f* convict colony; **~nest** *n* criminals' hide-out; **~tum** *n* (-s) criminality, outlawry; → **~welt** *f* (-) crime world, underworld, *Am. a.* gangland.

ver'breiten *v/t.*, *a. sich* (*h.*) spread (*über acc.* over); diffuse (*a. phys.*); circulate (*news*); propagate, disseminate (*doctrine*, *etc.*); shed (*light*, *peace*); noise abroad; *sich ~ über* (*acc.*) enlarge (*or* expatiate) on, hold forth on (*a subject*); (*weit*) *verbreitet* wide-spread, common; widely-held (*view*); popular.

verbreiter|n [-'braɪtərn] *v/t.* (*h.*) (*a. sich*) widen, broaden; **2ung** *f* (-; -*en*) widening, *etc.*

Ver'breitung *f* (-; -*en*) → *verbreiten*: spread(ing); diffusion; dissemination, propagation; distribution.

ver'brenn|bar *adj.* combustible; **~en** (*irr.*) *v/t.* (*h.*) *and v/i.* (*sn*) burn; *only v/i.* (*sn*) be consumed by fire; *lebend*: be burnt to death; burn up; cremate; scorch; scald; *fig.* → *Finger*; *von der Sonne verbrannt* sunburnt, tanned; *mil. Strategie der verbrannten Erde* scorched earth strategy.

Ver'brennung *f* (-; -*en*) burning,

combustion; deflagration; cremation; death by fire; *med.* burn (*an dat.* to); → *Grad.*

Ver'brennungs...: ~halle *f* crematorium; **~kammer** *mot. f* combustion chamber; **~maschine** *f*, **~motor** *m* internal combustion engine; **~ofen** *m* combustion furnace; incinerator; **~vorgang** *m* process of combustion; **~wärme** *f* heat of combustion.

verbriefen [fɛr'bri:fən] *v/t.* (*h.*) confirm by documents; (secure by) charter; *verbriefte Forderung* (*Schuld*) bonded claim (debt); *verbrieftes Recht* vested right *or* interest.

ver'bringen *v/t.* (*irr.*, *h.*) spend, pass; transfer, take (*nach* to).

verbrüder|n [-'bry:dərn]: *sich* ~ (*h.*) fraternize; **2ung** *f* (-; -*en*) fraternization.

ver'brüh|en *v/t.* (*h.*), **2ung** *f* (-; -*en*) scald.

ver'buchen *v/t.* (*h.*) book; → *buchen*[1]; *fig.* register, secure.

Verbum ['vɛrbum] *gr. n* (-s; -*ba*) verb.

ver'bummel|n I. *v/t.* (*h.*) trifle away, squander, blue (*money*); idle away (*time*); neglect, forget (completely); lose; **II.** *v/i.* (*h.*) fall into idle ways, go to seed; **~t** *adj.* idling, loafing, dissolute; *~er Kerl* loafer.

verbünden [-'byndən] *v/t.* (*h.*) ally (*mit* to); confederate (with); *sich ~ mit* ally o.s. to, form an alliance with, enter into league with.

verbunden [-'bundən] *p.p. of verbinden.*

Ver'bundenheit *f* (-) community; bonds, ties *pl.*; solidarity; affection, cordiality.

Verbündete(r *m*) [-'byndətə(r)] *f* (-*n*, -*n*; -*en*, -*en*) ally (*a. fig.*), confederate; *die ~n pl.* the allies, the allied powers (*or mil.* forces).

Ver'bund|folie [fɛr'bunt-] *f* laminated foil; **~maschine** *tech. f* compound engine; **~motor** *m el.* compound motor; *aer.* aero engine coupled with turbo-supercharger; **~wirtschaft** *econ. f* integrated industries, collective economy.

ver'bürgen *v/t.* (*h.*) guarantee, warrant; *sich ~ für* answer *or* vouch for; → *bürgen*; *verbürgte Tatsache* authentic (*or* established) fact, matter of record.

ver'büß|en *v/t.* (*h.*): *s-e Strafe* ~ complete one's sentence, serve one's time; **2ung** *f* (-) completion of one's sentence.

verchrom|en [-'kro:mən] *v/t.* (*h.*) chrome(-plate); **~t** *adj.* chromium-plated, chromed.

Verdacht [-'daxt] *m* (-[e]s) suspicion; *jur. dringender* (*hinreichender*) ~ strong (reasonable) suspicion; ~ *erregen* arouse suspicion; *in ~ haben* suspect; *in ~ kommen* be suspected; ~ *schöpfen* become suspicious, smell a rat; *auf den ~ (gen.) hin* on the suspicion (of); *unter dem ~ gen.* under suspicion of.

verdächtig [-'dɛçtiç] *adj.* suspected, *pred.* suspect (*gen.* of); suspicious, fishy; *sich ~ machen* arouse suspicion; **~en** [-'dɛçtigən] *v/t.* (*h.*) suspect (*gen.* of); cast suspicion on; *j-n e-r Sache ~ a.* impute a th. to a p.; **2ung** *f* (-; -*en*) suspicion; insinuation.

Ver'dachts...: ~grund *m* cause (*or* ground) of suspicion; **~moment** *n* suspicious fact; **~person** *f* suspect.

verdamm|en [-'damən] *v/t.* (*h.*) condemn; damn, curse; *eccl.* damn, anathemize; **~enswert, ~lich** *adj.* damnable; **2nis** *eccl. f* (-) damnation, perdition; **~t I.** *adj.* damned, accursed, blasted, bloody; blessed, *Am.* darned; *~!* damn (it)!, confound it!, hang it!, dash it!, *Am. a.* doggone!; *dazu ~, et. zu tun* doomed (*or* condemned) to do a th.; → *Pflicht*; **II.** *adv.* damnably, awfully, goddam; *~ kalt* beastly cold; **2ung** *f* (-) condemnation; *eccl.* damnation.

ver'dampf|en *v/t.* (*h.*) *and v/i.* (*sn*) evaporate, vaporize; **2er** *m* (-s; -) evaporator; **2ung** *f* (-; -*en*) evaporation.

ver'danken *v/t.* (*h.*): *j-m et. ~* owe a th. to a p., be indebted to a p. for a th.; *es ist diesem Umstand* (*s-r Vorsicht*) *zu ~* it is owing to *or* due to this circumstance (his prudence).

verdarb [-'darp] *pret. of verderben.*

verdattert [-'datərt] *adj. and adv.* bewildered, dazed(ly); *ganz ~ Am.* all of a dither.

verdau|en [-'dauən] *v/t.* (*h.*) digest (*a. fig.*); **~lich** *adj.* digestible; *leicht ~* easy to digest, light; *schwer ~* hard to digest, heavy, rich; **2lichkeit** *f* (-) digestibility; **2ung** *f* (-) digestion.

Ver'dauungs... digestive...; **~beschwerden** *f/pl.* digestive troubles; **~kanal** *m* alimentary canal, digestive tract; **~organ** *n* digestive organ; **~schwäche** *f* weak digestion, dyspepsia; **~spaziergang** *m* constitutional; **~störung** *f* indigestion; **~werkzeug** *n* → *Verdauungsorgan.*

Ver'deck *n* covering; awning; *mar.* deck; *aer.* canopy; *mot.* roof, top (*a. of bus*); **2en** *v/t.* (*h.*) cover (up); hide, *a. tech.* conceal; *mil.*, *tech.* mask, screen; veil; cloak; *mil. verdeckte Feuerstellung* defiladed position; *mit verdeckten Karten spielen* not to show one's hand; **~sitz** *m* top seat, outside place.

ver'denken *v/t.* (*irr.*, *h.*) → *verargen.*

Verderb [fɛr'dɛrp] *m* (-[e]s) waste; ruin, destruction; deterioration; *dem ~ ausgesetzt* (*goods*) of a perishable nature; **2en** [-bən] **I.** *v/i.* (*irr.*, *sn*) spoil; get spoiled *or* damaged; go bad, deteriorate; rot; perish; *es mit j-m ~* fall out with a p., lose a p.'s favo(u)r, get into a p.'s bad book; *ich will es mit ihm nicht ~* I want to keep in with him; *er will es mit niemandem ~* he tries to please everybody; **II.** *v/t.* (*irr.*, *h.*) spoil; corrupt, deprave; ruin, destroy; deteriorate; make a hash of, botch; *sich die Augen ~* ruin one's eyes; *sich den Magen ~* upset one's stomach; *j-m die Freude ~* spoil (*or* mar) a p.'s pleasure; *j-s Laune ~* put a p. out of temper; **~en** [-bən] *n* (-s) corruption; ruin, destruction; doom; *j-n ins ~ stürzen* bring a p. to ruin, ruin a p.; *ins ~ rennen* rush (headlong) into destruction; *das wird noch sein ~ sein* that will be his undoing yet; **2enbringend** *adj.* fatal, ruinous; **2lich** [-'dɛrpliç] *adj.* pernicious, fatal (*für* to), ruinous; deadly; perishable (*goods*); **~lichkeit** *f* (-) perniciousness; perishableness; **~nis** *f* (-; -*se*) corruption, depravity; vice; **2t** *adj.* corrupted, depraved; **~theit** *f* (-) corruptness; depravity.

verdeutlichen [-'dɔʏtliçən] *v/t.* (*h.*) make plain *or* clear, elucidate; illustrate; **~d** *adj.* illustrative.

ver'dicht|en *v/t.* (*h.*) (*a. sich*) condense; solidify (*gas*); compress; *fig.* concentrate; *sich ~ a.* take shape (in one's mind); *suspicion*: grow stronger; **2er** *m* (-s; -) (steam) condenser; *mot.* compressor; **2ung** *f* condensation; compression; *fig.* concentration.

verdicken [fɛr'dikən] *v/t.* (*h.*) (*a. sich*) thicken; curdle (*milk*); *chem.* inspissate.

ver'dienen *v/t.* (*h.*) deserve (*praise, criticism, etc.*); earn, gain, make (*money*); *et. ~ an or bei* (*dat.*) make money out of; *gut ~* do well, be doing well; *ein Vermögen ~* make a fortune; *sich verdient machen um* (*acc.*) deserve well of; *daran ist nichts zu ~* there is no money in it; *das habe ich nicht um Sie verdient* I haven't deserved that from you; *das hatte er längst verdient* he had it coming to him.

Ver'dienst 1. *m* (-[e]s; -e) earnings *pl.*; wages *pl.*; salary; gain, profit; **2.** *fig. n* (-[e]s; -e) merit; *sich ~e erwerben um* deserve well of; *nach ~* according to one's merits; deservedly, duly; *es ist* (*allein*) *sein ~, daß* it is (entirely) owing *or* due to him that; **~ausfall** *m* loss of earnings; **~kreuz** *n* Distinguished Service Cross; **2lich, 2voll** *adj.* meritorious, of great merit, deserving; **~möglichkeit** *f* money-making opportunity; **~spanne** *econ. f* (profit) margin.

ver'dient *adj.* deserving (*person*); well-earned, deserved (*thing*); well-deserved (*punishment*); **~ermaßen** [-ər'ma:sən] *adv.* deservedly.

Verdikt [fɛr'dikt] *n* (-[e]s- -e) verdict.

ver'dingen *v/t.* hire out (*thing*); put *a p.* to service (*bei* with); *sich ~ bei* go into service with.

ver'dolmetschen *v/t.* (*h.*) interpret; translate.

ver'donner|n *colloq. v/t.* (*h.*) → *verurteilen*; **~t** *adj.* bewildered, thunderstruck.

verdoppel|n [fɛr'dɔpəln] *v/t.* (*h.*) double; *s-e Schritte ~* quicken one's steps; **2ung** *f* (-; -*en*) doubling.

verdorben [-'dɔrbən] *p.p. of verderben and adj.* foul (*air*); tainted (*meat*); disordered, upset (*stomach*); corrupt (*character, person*), depraved; **2heit** *f* (-) corruption, depravity.

ver'dorren *v/i.* (*sn*) dry up, wither.

ver'drahten *v/t.* (*h.*) wire.

ver'dräng|en *v/t.* (*h.*) push away, thrust aside; *phys. and fig.* displace; *fig. a.* supersede; oust; supplant;

drive away, dislodge; *psych.* repress; *verdrängte Personen* displaced persons; 2**ung** *f* (-; -*en*) displacement; *fig.* supersession; *psych.* repression.

ver'dreck|en *v/t.* (*h.*) cover with mud, soil, muck; ⁓**t** *adj.* filthy, covered with dirt.

ver'dreh|en *v/t.* (*h.*) distort, wrench, twist (*a. fig.*); *tech. a.* subject to torsional stress; sprain (*ankle, etc.*); roll (*one's eyes*); *fig.* pervert (*justice*); *den Sinn e-r Sache* ⁓ twist the meaning of a th.; *die Tatsachen* ⁓ distort (*or* misrepresent) the facts; *j-s Worte* ⁓ twist a p.'s words; *j-m den Kopf* ⁓ turn a p.'s head; ⁓**t** *adj.* distorted; crazy, cracked, screwy; 2**theit** *f* (-; -*en*) craziness, screwiness; 2**ung** *f* (-; -*en*) twist(ing), distortion; *tech. a.* torsion; 2**festigkeit** *f* torsional strength.

ver'dreifachen *v/t.* (*h.*) treble, triple.

ver'dreschen *colloq. v/t.* (*irr., h.*) thrash.

verdrieß|en [-'driːsən] *v/t.* (*irr., h.*) vex, annoy, gall; *sich et. nicht* ⁓ *lassen* not to shrink from a th. *or* doing a th.; *laß dich's nicht* ⁓! don't let it discourage you!; *sich keine Mühe* ⁓ *lassen* grudge no pains; ⁓**lich** *adj.* vexed, annoyed; ill-humo(u)red, morose, peevish, glum; *matter*: annoying, irksome, tiresome; 2**lichkeit** *f* (-; -*en*) moroseness, peevishness, sulkiness; (*matter*) vexation, annoyance.

verdroß [-'drɔs] *pret. of verdrießen.*

verdrossen [-'drɔsən] **I.** *p.p. of verdrießen*; **II.** *adj.* peevish, cross, sulky; listless; 2**heit** *f* (-) peevishness, crossness; listlessness.

ver'drucken *typ. v/t.* (*h.*) misprint.

ver'drücken *colloq. v/t.* (*h.*) **a)** stow away, polish off (*food*), **b)** *sich heimlich* ⁓ sidle off, slip away.

Verdruß [-'drus] *m* (-*sses*) displeasure, vexation; annoyance, vexation; ⁓ *bereiten* give *a p.* trouble, vex, annoy; *j-m et. zum* ⁓ *tun* do a th. to spite a p.

verdübeln [-'dyːbəln] *tech. v/t.* (*h.*) dowel.

ver'duften *v/i.* (*sn*) evaporate (*a. colloq. fig.*); *colloq. fig.* hop it, *Am.* beat it, vamoose, take a powder.

verdumm|en [-'dumən] **I.** *v/t.* (*h.*) make stupid, stultify; *w.s.* play *a p.* for a fool; **II.** *v/i.* (*sn*) become stupid; 2**ung** *f* (-; -*en*) stultification, stupefaction.

ver'dunkel|n *v/t.* (*h.*) darken (*a. sich*), obscure (*a. sich*); cloud (*a. fig.*); deepen (*colours*); *air-raid precaution*: black out (*a. v/i.*); *ast.* eclipse (*a. fig.* = throw into the shade); *fig.* camouflage; 2**ung** *f* (-; -*en*) darkening; obscuration; blackout; *ast.* eclipse; *jur.* collusion; 2**ungsgefahr** *jur. f* danger of collusion; 2**ungsübung** *f* trial blackout.

verdünn|en [-'dynən] *v/t.* (*h.*) thin (*a. paint, varnish* = reduce); rarefy (*gas*); dilute (*liquid*); *pol. mil. verdünnte Zone* thinned-out zone; 2**ung** *f* (-; -*en*) thinning; rarefaction; dilution; 2**ungsmittel** *n* thinner, reducer.

verdunst|en [-'dunstən] *v/t.* (*h.*) *and v/i.* (*sn*) evaporate, volatilize; 2**ung** *f* (-) evaporation; 2**ungsdruck** *m* (-[e]s) vapo(u)r pressure.

verdursten [-'durstən] *v/i.* (*sn*) die with thirst.

verdüstern [-'dyːstərn] *v/t.* (*h.*) → *verdunkeln.*

verdutz|en [-'dutsən] *v/t.* (*h.*) disconcert, nonplus, startle; ⁓**t** *adj.* startled, bewildered, taken aback.

verebben [-'ʔɛbən] *v/i.* (*sn*) ebb, subside.

veredel|n [-'ʔeːdəln] *v/t.* (*h.*) ennoble; refine; purify; finish (*goods*), process, finish (*raw material*); improve (*animal, plant, soil*); graft (*fruit tree*); enrich; 2**ung** *f* (-; -*en*) refinement; improvement; processing, finishing; 2**ungsindustrie** *f* finishing industry; 2**ungsverkehr** *m* job-processing.

ver'ehelichen *v/t.* (*h.*) (*a. sich*) marry.

ver'ehr|en *v/t.* (*h.*) revere, venerate, look up to; worship, *fig. a.* admire, adore; *j-m et.* ⁓ make a p. a present of a th., present a p. with a th.; *Verehrte Anwesende!* Ladies and Gentlemen!; *Verehrtester!* my dear sir!; 2**er(in** *f*) *m* (-*s*, -; -, -*nen*) worshipper; admirer; ⁓**erpost** *f* fan mail; ⁓**lich** *adj.* hono(u)red, estimable (*a.* ⁓**t** *adj.*); 2**ung** *f* (-; -*en*) reverence, veneration; worship, *a. fig.* adoration; admiration; ⁓**ungswürdig** *adj.* venerable.

vereidig|en [fɛr'ʔaɪdigən] *v/t.* (*h.*) swear *a p.* (in) (*auf acc.* on); administer an oath to *a p.*, put *a p.* under an oath; ⁓**t** *adj.* sworn (in); ⁓*er Übersetzer* sworn translator; 2**ung** *f* (-; -*en*) swearing in.

Verein [fɛr'ʔaɪn] *m* (-[e]s; -e) **1.** union; *im* ⁓ *mit* together with, combined with, in conjunction with; **2.** society, association; club; *colloq. contp.* gang, bunch.

ver'einbar *adj.* compatible, consistent (*mit* with); 2**en** *v/t.* (*h.*) agree upon, arrange; *jur. a.* stipulate, covenant; *im voraus* ⁓ pre-arrange; *sich (nicht)* ⁓ *lassen mit* be (in)consistent with; ⁓**t** *adj.* agreed, stipulated; ⁓*es Vorgehen* concerted action; *es gilt als* ⁓, *daß* it is understood that; 2**ung** *f* (-; -*en*) agreement; convention; arrangement; clause, provision; appointment; *laut* ⁓ as agreed (upon); *nach* ⁓ by appointment; *e-e* ⁓ *treffen* make (*or* reach) an agreement.

ver'einen *v/t.* (*h.*) → *vereinigen*; *Vereinte Nationen* (*abbr. UNO*) United Nations; *mit vereinten Kräften* with one's united strength *or* combined effort.

vereinfach|en [-'ʔaɪnfaxən] *v/t.* (*h.*) simplify; *math.* reduce; ⁓**end** *adj.* simplistic; 2**ung** *f* (-; -*en*) simplification; *zur* ⁓ to simplify matters.

vereinheitlich|en [-'ʔaɪnhaɪtliçən] *v/t.* (*h.*) unify, standardize; 2**ung** *f* (-; -*en*) unification, standardization.

ver'einig|en *v/t.* (*h.*) unite, join (*a. sich*); combine (*a. sich and in sich* ⁓); pool (*capital, forces*); coordinate; *mil.* combine (*fire*); integrate (*in* within); associate (*a. sich*); *econ.* amalgamate, consolidate, merge (*zu* into) (*all a. sich*); assemble, gather; *esp. pol., mil.* rally (*all a. sich*); reconcile; *sich* ⁓ *rivers, etc.*: meet, merge; *Vereinigte Staaten (von Nordamerika)* (*abbr. USA*) United States (of North America); 2**ung** *f* (-; -*en*) union; combination; concentration; *of rivers*: confluence; *of persons*: association, → *Verein*; alliance, coalition, confederacy; *econ.* combination, amalgamation, merger; assembly, gathering; 2**ungs-punkt** *m* junction, meeting point; *mil.* rallying point, rendezvous.

vereinnahmen [-'ʔaɪnnaːmən] *v/t.* (*h.*) take in, collect; *colloq. fig.* pocket.

vereinsam|en [fɛr'ʔaɪnzaːmən] *v/i.* (*sn*) become isolated, grow lonely *or* solitary; 2**ung** *f* (-) isolation.

Ver'eins...: ⁓**bruder**, ⁓**kamerad** *m* club mate; ⁓**freiheit** *f* freedom of association; ⁓**haus**, ⁓**lokal** *n* club house; ⁓**kampf** *m* inter-club competition; ⁓**kasse** *f* treasury; ⁓**wesen** *n* (-*s*) (matters *pl.* relating to) clubs and societies; club activities *pl.*

vereint [-'ʔaɪnt] *adj.* → *vereinen.*

vereinzel|n [fɛr'ʔaɪntsəln] *v/t.* (*h.*) isolate; ⁓**t** *adj.* single; isolated; sporadic(ally *adv.* = here and there, now and then), scattered (*a. rain showers*).

vereis|en [fɛr'ʔaɪzən] *v/t.* (*h.*) *and v/i.* (*sn*) freeze (*a. med.*); *road*: be covered with ice; *aer.* ice up; ⁓**t** *adj.* ice-coated, iced(-over); *geol.* glaciated; 2**ung** *f* (-) freezing; icing; glaciation; 2**ungsgefahr** *f* danger of icing.

vereitel|n [-'ʔaɪtəln] *v/t.* (*h.*) frustrate, foil, thwart, defeat; disappoint, shatter (*hope*); 2**ung** *f* (-) frustration.

ver'eiter|n *v/i.* (*sn*) suppurate, fester; 2**ung** *f* (-; -*en*) suppuration.

ver'ekeln *v/t.* (*h.*): *j-m et.* ⁓ disgust a p. with a th., spoil a th. for a p.

verelend|en [-'ʔeːlɛndən] *v/i.* (*sn*) be reduced to misery, sink into poverty; 2**ung** *f* (-) (reduction to) misery, pauperization.

ver'enden *v/i.* (*sn*) perish, die.

ver'eng|e(r)n *v/t.* (*h.*) (*a. sich*) narrow; contract; 2**erung** *f* (-; -*en*) narrowing; contraction.

ver'erb|en *v/t.* (*h.*) leave, bequeath (*dat.* to), (transfer by) will (to); *med.* transmit; hand down (*tradition*); *sich* ⁓ be hereditary; *sich* ⁓ *auf* (*acc.*) descend (*or* devolve) (up)on, fall to; ⁓**lich** *adj.* (in)heritable; *physiol.* hereditary; ⁓**t** *adj. physiol.* hereditary; 2**ung** *f* (-) leaving, *etc.*; *med.* transmission; *physiol.* heredity; 2**ungsforscher** *m* geneticist; 2**ungsforschung** *f* genetics *pl.*; 2**ungsgesetz** *n* Mendelian law; 2**ungslehre** *f* genetics *pl.*

vererzen [fɛr'ʔeːrtsən] *v/t.* (*h.*) mineralize.

verewig|en [-'ʔeːvigən] *v/t.* (*h.*) perpetuate; immortalize; *colloq. sich* ⁓ *in* (*dat.*) inscribe one's name in, carve (*or* scratch) one's name into; perpetuate one's memory in; ⁓**t** *adj.* deceased, late, departed.

ver'fahren I. *v/i.* (*irr.*, *sn*) proceed, act (*nach* on); ~ *mit* deal with, handle; **II.** *v/t.* (*irr.*, *h.*) spend *money* on vehicles (*or* travelling about); bungle, muddle; *sich* ~ miss the way, take the wrong road; *fig.* blunder, get into a muddle; **III.** *adj.* bungled, muddled; e-e ~e *Geschichte* a muddle, a bungled job; ~ *sein* be in a bad tangle.

Ver'fahren *n* (*-s*; -) procedure (*a. jur.*); *jur.* (*trial*) proceedings *pl.*; *tech.* process, method, technique, practice; operation; *fig.* policy, system; *jur. das* ~ *einleiten gegen* take (*or* institute) proceedings against; **~splan** *m* procedural plan; **2srechtlich** *adj.* procedural; **~svorschrift** *f* procedural rule; **~sweise** [-vaɪzə] *f* (-; -*n*) → *Verfahren.*

Ver'fall *m* (-[e]s) decay, ruin, (*a. med.*) decline; dilapidation (*of building*); degeneracy; ~ *der Sitten* corruption of morals; *jur.* forfeiture (*an den Staat* to the public authority); expiration, lapse; foreclosure (*of mortgage*); maturity (*of bill of exchange*); *bei* ~ upon expiration, *bill of exchange*: when due, at maturity; *in* ~ *geraten* → *verfallen*; **~buch** *econ. n* bill-book, *Am.* maturity index, tickler; **~datum** *n* expiry date; date of maturity, due date (*of bill of exchange*); **2en I.** *v/i.* (*irr.*, *sn*) (fall into) decay, go to ruin; *house*: dilapidate, fall into disrepair; *jur.* expire, lapse; *pledge*: become forfeited; *right*: lapse; *bill of exchange*: fall due, mature; *patient*: waste away; *j-m* ~ **a)** become the property of, **b)** *fig.* become *a p.'s* slave, **c)** become addicted to (*a vice*); ~ *lassen* let go to waste; ~ *auf* (*acc.*) hit upon *an idea, etc.*, think of, *w.s.* take a fancy to; ~ *in* (*acc.*) fall (*or* lapse) into, slip back into, relapse into; *in Strafe*: incur *punishment*; *in e-e Krankheit* ~ fall ill; **II.** *adj.* ruinous; decayed; dilapidated, tumble-down; wasted, worn (*face*); *jur.* forfeited, lapsed; confiscated; expired; void; *für* ~ *erklären* forfeit; foreclose (*mortgage, pledge*); ~ (*dat.*) addicted to (*drug, etc.*); a slave to; **~s-erklärung** *f* foreclosure; **~s-erscheinung** *f* symptom of decline; **~tag** *m*, **~zeit** *f* day of payment; due date; expiry date; *bis zur Verfallzeit* until maturity, till due.

ver'fälsch|en *v/t.* (*h.*) falsify, *jur. a.* alter fraudulently; adulterate (*foodstuff*); → *fälschen*; **2er** *m* adulterer; **2ung** *f* falsification; adulteration; **2ungsmittel** *n* adulterant.

ver'fangen *v/t.* (*irr.*, *h.*) tell (*bei* on), go down (with *a p.*); *nicht* ~ avail nothing, cut no ice (*bei j-m* with a p.), be lost on (a p.); *sich* ~ be caught, become entangled, *fig.* contradict (*or* betray) o.s.

verfänglich [fɛr'fɛŋliç] *adj.* captious, insidious (*question*); risky; embarrassing, compromising; risqué (*joke*).

ver'färben *v/t.* (*h.*) discolo(u)r; *sich* ~ lose colo(u)r, *person*: change colo(u)r.

ver'fass|en *v/t.* (*h.*) compose, write, pen; → *abfassen*; **2er(in** *f*) *m* (-*s*, -; -, -*nen*) author, writer.

Ver'fassung *f* state, condition; disposition, state (*or* frame) of mind; system; *pol.* constitution; *in bester* (*körperlicher*) ~ in great (*or* top) form, in excellent shape; **2gebend** *adj.*: ~*e Versammlung* constituent assembly.

Ver'fassungs...: **~änderung** *f* amendment of the constitution; **~bruch** *m* breach of constitution; **~gericht** *n* Constitutional Court; **2mäßig** [-mɛːsiç] *adj.* constitutional; **~mäßigkeit** *f* constitutionality; **~recht** *n* (-[e]s) constitutional law; **2rechtlich** *adj.* under constitutional law, constitutional; **~schutz** *m*: *Amt für* ~ Office for the Protection of the Constitution; **~urkunde** *f* charter of the constitution; **2widrig** *adj.* unconstitutional.

ver'faulen *v/i.* (*sn*) rot, mo(u)lder, decay, putrefy.

ver'fecht|en *v/t.* (*irr.*, *h.*) stand up (*or* fight) for; defend; argue, maintain (*view*); assert (*right*); advocate; **2er(in** *f*) *m* defender; advocate, champion.

ver'fehl|en *v/t.* (*h.*) miss (*aim, train, profession, etc.*); *sich* (= *einander*) ~ miss each other, fail to meet; *nicht* ~, *zu inf.* not to fail to *inf.*; ~ *Sie nicht, zu* be sure to; *s-n Zweck* ~ miss its mark, fail of its object; *s-e Wirkung* ~ miss fire; **~t** *adj.* wrong, false; unsuccessful; misspent (*life*); miscarried (*plan*); ~*e Sache* failure, miss; **2ung** *f* (-; -*en*) offen|ce, *Am.* -se; mistake, lapse.

verfeind|en [fɛr'faɪndən] *v/t.* (*h.*) make enemies of; *j-n mit j-m* ~ set a p. against a p.; *sich* ~ make an enemy (*mit* of), fall out with; **~et** *adj.* hostile; on bad terms, at daggers drawn.

verfeiner|n [-'faɪnərn] *v/t.* (*h.*) (*a. sich*) refine; *tech. a.* improve; **2ung** *f* (-; -*en*) refinement.

verfemen [-'feːmən] *v/t.* (*h.*) outlaw; *socially*: ostracize, send to Coventry.

verfertig|en [-'fɛrtigən] *v/t.* (*h.*) make, manufacture, fabricate, prepare; compose (*poem, etc.*); **2er(in** *f*) *m* (-*s*, -; -, -*nen*) maker, manufacturer; **2ung** *f* (-; -*en*) making, manufacture, fabrication, preparation.

ver'festig|en *tech. v/t.* (*h.*) (strain-) harden, consolidate; **2ung** *f* (-; -*en*) strain-hardening, consolidation.

Verfettung [-'fɛtuŋ] *med. f* (-; -*en*) fatty degeneration, adiposis.

ver'feuern *v/t.* (*h.*) use up for fuel; use up, fire (*bullets, etc.*).

ver'film|en *v/t.* (*h.*) film, picturize, screen; **2ung** *f* (-; -*en*) filming, screening; picturization; film version, screen-adaptation.

ver'filzen *v/i.* (*sn*) felt; *hair*: mat; *sich* ~ get matted.

verfinstern [-'finstərn] *v/t.* (*h.*) → *verdunkeln.*

verflachen [-'flaxən] **I.** *v/t.* (*h.*) flatten; **II.** *v/i.* (*sn*) (*a. sich*) flatten, level off; (*a. fig.*) (become) shallow.

ver'flecht|en *v/t.* (*irr.*, *h.*) plait, interweave, interlace, entwine; *fig.* ~ *in* (*acc.*) entangle in, involve in; **2ung** *f* (-; -*en*) interlacing; *fig.* entanglement, complexity; ~ *von Umständen* (strange) coincidence; *econ.* interlocking; business concentration.

ver'fliegen *v/i.* (*irr.*, *sn*) fly away; *fig.* vanish; blow over, pass off; *time*: fly; evaporate; *sich* ~ (*irr.*, *h.*) *bird*: stray, *aer.* lose one's bearings, get lost.

ver'fließen *v/i.* (*irr.*, *sn*) flow away; *paints*: (*ineinander* ~) blend, run into each other; *time*: elapse, slip by.

verflixt [-'flikst] *adj.* confounded, deuced, blasted; ~*er Kerl* devil of a fellow.

verflossen [-'flɔsən] *adj.* past (*time*); *im* ~*en Jahr* last year; late, ex-... (*friend, president, etc.*).

ver'fluch|en *v/t.* (*h.*) curse, *Am. a.* cuss; **~t** *adj. and int.* → *verdammt.*

verflüchtigen [fɛr'flyçtigən] *v/t.* (*h.*) volatilize; *sich* ~ evaporate (*a. fig.*); *colloq. fig.* make o.s. scarce, vanish.

verflüssig|en [fɛr'flysigən] *v/t.* (*h.*) (*a. sich*) liquefy; *metall.* fuse; dilute, thin; **2ung** *f* (-) liquefaction; *econ.* increasing liquidity; **2ungsmittel** *n* liquefacient.

Verfolg [fɛr'fɔlk] *m* (-[e]s) course, progress; *im* ~ *gen.* **a)** in pursuance of, **b)** in the course of; *econ. im* ~ *unseres Schreibens* reverting to our letter; **2en** *v/t.* (*h.*) pursue (*a. mil.*; *fig. career, idea, policy, etc., a. jur. claim*); *b.s.* persecute; *jur.* prosecute; track (*game, criminal*); trail, shadow; *s-n Weg* ~ go one's way; *fig.* follow up (*a. mil.*); *dream, thought*: haunt (*a p.*); follow, observe (*event*); *jur. e-e Anklage* ~ prosecute an indictment, proceed with a charge; **~er(in** *f*) *m* (-*s*, -; -, -*nen*) pursuer; persecutor; **~te(r** *m*) *f* (-*n*, -*n*; -*en*, -*en*): *politisch* ~ persecutee; **~ung** *f* (-; -*en*) pursuit; persecution; pursuance; *strafrechtliche* ~ prosecution; *wilde* ~ chase; **~ungsjäger** *aer. m* pursuit plane; **~ungswahn** *m* persecution mania.

ver'form|bar *tech. adj.* workable, deformable; *warm* ~ thermoplastic; **~en** *v/t.* (*h.*) (de)form, work, shape; **2ung** *f* (-; -*en*) working; (*spanlose* ~ noncutting) shaping; *b.s.* deformation, distortion.

ver'fracht|en *v/t.* (*h.*) charter (*ship*); freight, *mar. or Am.* ship; *colloq. fig.* bundle *a p.* off, put in *a train, etc.*; **2er** *m* freighter, shipper.

verfranzen [fɛr'frantsən] *sl. aer.*: *sich* ~ (*h.*) wander off course, get lost.

Verfremdung [-'frɛmduŋ] *f* (-; -*en*) alienation; **~s-effekt** *thea. m* alienation effect.

verfroren [fɛr'froːrən] *adj.* sensitive to cold; chilled through.

verfrüht [fɛr'fryːt] *adj.* premature.

verfügbar [fɛr'fyːkbaːr] *adj.* available; *frei* ~ freely usable; ~*es Geld* (*capital*) uninvested capital, funds available, (*cash*) cash in hand; *tech.* ~*e Pferdestärke* actual horsepower; ~ *machen* make available (*dat.* to); **2keit** *f* (-) availability.

ver'fugen *arch. v/t.* (h.) point up.

ver'fügen I. *v/t.* (h.) decree, order; *law*: enact, provide; *sich* ~ proceed (*nach* to), betake o.s. (to); **II.** *v/i.* (h.): ~ *über (acc.)* dispose of, have at one's disposal, control; be provided *or* equipped with, have; make use of; ~ *Sie über mich!* I am at your service!

Ver'fügung *f* (-; -en) decree, order; instruction; *jur. einstweilige* ~ injunction; disposition; disposal; *freie* ~ *über* power freely to dispose of; *zur* ~ *stehen* be available; *j-m zur* ~ *stehen* be at a p.'s disposal *or* command, be available to a p.; *es steht zu Ihrer* ~ *a.* you are welcome to it; *j-m* et. *zur* ~ *stellen* make a th. available to a p., place a th. at a p.'s disposal; *sein Amt zur* ~ *stellen* tender one's resignation; *sich zur* ~ *stellen* volunteer; *sich zur* ~ *halten* keep ready; *mil. zur besonderen* ~ seconded for special duty; **2sberechtigt** *adj.* authorized to dispose; **~sbeschränkung** *f* restraint on disposal; **~sfreiheit** *f* discretion; **~sgewalt** *f* (*freie* discretionary) power of disposition; control; **~srecht** *n* right of disposal.

ver'führ|en *v/t.* (h.) lead astray; seduce; entice, tempt; lure; **2er** (**-in** *f*) *m* seducer; **~erisch** *adj.* seductive, bewitching; enticing, tempting; **2ung** *f* seduction; **2ungskünste** [-kynstə] *f/pl.* seductive ways *or* ruses.

ver'fünffachen *v/t.* (h.) quintuple.

ver'füttern *v/t.* (h.) feed.

Ver'gabe *f* giving away, gift; *econ.* placing (*of orders*); allocation (*of public funds*).

ver'gaffen: *sich* ~ (h.) fall in love (*in acc.* with), be smitten (with).

vergäl|len [fɛr'gɛlən] *v/t.* (h.) embitter, sour, mar; methylate, denature (*spirits*); **2lungsmittel** *n* denaturant.

vergalop'pieren: *sich* ~ (h.) make a (bad) blunder; overshoot the mark.

ver'gammeln *colloq. v/i.* (sn) rot; go to seed.

vergangen [fɛr'gaŋən] *adj.* (by-) gone, past; *im* ~*en Jahre* last year; **2heit** *f* (-; -en) past; *gr.* past tense; past, antecedents *pl.*; *politische* ~ political background; *e-e* ~ *haben* have a past (*thing*: history); *laßt die* ~ *ruhen* let bygones be bygones; *der* ~ *angehören* be a thing of the past.

ver'gänglich [fɛr'gɛŋliç] *adj.* passing, transitory, transient; fugitive, fleeting; **2keit** *f* (-) transitoriness.

ver'gären *v/i.* (*irr.*, *sn*) ferment.

vergaß [fɛr'gɑ:s] *pret. of vergessen.*

vergas|en [-'gɑ:zən] *v/t.* (h.) gasify; *mot.* carburet; *med.* gas; **2er** *mot. m* (-s; -) carburet(t)or; **2erbrand** *m* fire in the carburet(t)or; **2ermotor** *m* carburet(t)or engine; **2ung** *f* (-; -en) gasification; carburetion; gassing; *colloq. bis zur* ~ like blazes.

vergatter|n [fɛr'gatərn] *v/t.* (h.) grate; *mil.* sound *the guard mount*; *colloq. fig.* admonish; **2ung** *mil. f* (-; -en) guard mount.

ver'geb|en *v/t.* (*irr.*, *h.*) give away (*an acc.* to); *econ.* place *order* (with); confer, bestow (on); give out; let slip, miss (*chance*); relinquish, cede (*right*); *ein Amt an j-n* ~ appoint a p. to an office; *noch nicht* ~ still vacant (*position*); forgive; *sich* et. ~ compromise o.s. (*or* one's dignity); *es tut mir leid, ich bin schon* ~ sorry, I have a previous engagement; **~ens** *adv.* in vain; vainly; to no purpose, of no avail; **~lich I.** *adj.* vain, fruitless, futile, useless, wasted; *pred.* of no avail (*or* use); needless; **II.** *adv.* → *vergebens*; **2lichkeit** *f* (-) uselessness; **2ung** *f* (-; -en) giving away; placing (*of orders*); bestowal, conferment (*an acc.* on); forgiveness, pardon(ing); ~ *der Sünden* remission of sins; *j-n um* ~ *bitten* ask a p.'s forgiveness.

vergegenwärtig|en [fɛr'ge:gənvɛrtigən] *v/t.* (h.) represent, bring to mind, bring home (*dat.* to); *sich* et. ~ realize (*or* visualize) a th., picture a th. to o.s.; **2ung** *f* (-; -en) realization.

ver'gehen *v/i.* (*irr.*, *sn*) pass (away); fade (away); disappear, vanish; *pain, etc.*: pass off, blow over; *fig. vor et.* ~ die of; *vor Ungeduld* ~ be dying with impatience; *vor Angst schier* ~ be scared to death; *vor Gram* ~ pine away; *der Appetit ist mir vergangen* I have lost my appetite; → *Hören*; *sich* ~ commit an offen|ce, *Am.* -se; *sich* ~ *an j-m tätlich*: assault *a p.*, *unsittlich*: commit an indecent assault on, violate *a p.*; *sich* ~ *gegen ein Gesetz, etc.*: offend against, violate *a law, etc.*; **2** *n* (-s) offen|ce, *Am.* -se; delict.

vergeistig|en [fɛr'gaɪstigən] *v/t.* (h.) spiritualize; **2ung** *f* (-) spiritualization.

ver'gelt|en *v/t.* (*irr.*, *h.*) repay (*dat.* to), requite, return; reward (*j-m* et. a p. for a th.); *b.s.* retaliate, pay back; → *gleich*; **2ung** *f* (-) requital, return; reward; *b.s.* retribution, retaliation, reprisal; ~ *üben* retaliate (*an dat.* on); **2ungs-angriff** *mil. m* retaliation attack; **2ungsfeuer** *mil. n* retaliatory fire; **2ungsmaßnahme** *f* retaliatory measure; reprisal; **2ungswaffe** *f* retaliatory weapon.

vergesellschaft|en [fɛrgə'zɛlʃaftən] *v/t.* (h.) socialize, nationalize; *econ.* convert into a company (*Am.* corporation); *esp. med.* associate (*a. sich*); **~et** *med. adj.* associated; **2ung** *f* (-) socialization; *med.* association.

vergessen [fɛr'gɛsən] **I.** *v/t.* (*irr.*, *h.*) forget; leave (behind); overlook; omit; neglect; ~ *haben a.* be forgetful (*or* oblivious) of; *nicht* ~ *zu inf.* be careful to *inf.*; *sich* ~ forget o.s., lose one's head; *ich habe es* ~ *a.* it slipped my mind; *ich habe ganz* ~, *wie* I forget how; *das werde ich dir nicht* ~ I won't forget that; *das vergißt sich leicht* that is easily forgotten; **II.** *p.p. of* **I.**; **2heit** *f* (-) oblivion; *in* ~ *geraten* fall into oblivion.

vergeßlich [-'gɛsliç] *adj.* forgetful; ~ *sein a.* forget things; **2keit** *f* (-) forgetfulness.

vergeud|en [fɛr'gɔʏdən] *v/t.* (h.) dissipate, squander (*money*); *w.s.* waste; **2er(in** *f*) *m* (-s, -; -, -nen) squanderer; waster; **2ung** *f* (-; -en) dissipation; waste (*of material, strength, time, etc.*).

vergewaltig|en [fɛrgə'valtigən] *v/t.* (h.) violate, do violence to, use force on; violate, rape, ravish (*woman*); *fig.* twist (*truth*); **2ung** *f* (-; -en) violation; rape; *fig.* outrage (*gen.* upon).

vergewissern: *sich* ~ (h.) make sure (*e-r Sache* of a th.); ascertain (a th.).

ver'gießen *v/t.* (*irr.*, *h.*) shed (*blood, tears*); spill; *metall.* cast.

vergift|en [fɛr'giftən] *v/t.* (h.) poison (*a. fig.* = envenom); contaminate; *sich* ~ take poison; **2ung** *f* (-; -en) poisoning.

vergilbt [fɛr'gilpt] *adj.* yellowed.

ver'gipsen *v/t.* (h.) plaster.

Vergißmeinnicht [fɛr'gismaɪnniçt] *bot. n* (-[e]s; -[e]) forget-me-not(s *pl.*).

vergittern [fɛr'gɪtərn] *v/t.* (h.) (furnish with a) grate, lattice; wire in; bar.

verglasen [fɛr'glɑ:zən] *v/t. and v/i.* (sn) glaze (*a. fig. eyes*); vitrify; glass in (*room*).

Vergleich [fɛr'glaɪç] *m* (-[e]s; -e) comparison; simile; (*gütlicher* ~ amicable) agreement; arrangement, compromise; composition (*mit* with *creditors*); settlement; *im* ~ *zu* compared to, in comparison with; *den* ~ *aushalten* bear *or* stand comparison; *e-n* ~ *anstellen* make a comparison, draw a parallel; *das ist nichts im* ~ *zu* it does not compare to; → *eingehen*; **2bar** *adj.* comparable (*mit* to); **2en** *v/t.* (*irr.*, *h.*) compare (*mit* with; to); liken (to); check (*accounts, etc.*); collate (*texts*); synchronize (*clocks*); adjust, settle; *sich* ~ come to an agreement (*or* to terms), settle (*mit* with), compound (with *creditors*); *verglichen mit* as against, compared to; **2end** *adj.* comparative (*a. study, history, etc.*); **~smaßstab** *m* standard of comparison; **~sjahr** *n* base year; **~ssumme** *f* compensation; **~s-unterlage** *f* basis of comparison; **~sverfahren** *n* settlement proceedings *pl.*; **~sverwalter** *m* trustee in composition proceedings; **2sweise** [-vaɪzə] *adv.* comparatively; by way of comparison; **~swert** *m* relative value; **~szahlen** *f/pl.* comparative figures; **~ung** *f* (-; -en) → *Vergleich.*

ver'gletscher|n *v/i.* (sn) glaciate; **2ung** *f* (-; -en) glaciation.

ver'glimmen *v/i.* (*irr.*, *sn*) die away.

vergnügen [fɛr'gny:gən] *v/t.* (h.) amuse; *sich* ~ amuse (*or* enjoy *or* divert) o.s., (*an dat.*) take pleasure (in).

Ver'gnügen *n* (-s; -) pleasure, enjoyment; fun; entertainment; sport, pastime; ~ *an e-r Sache finden* find pleasure (*or* delight) in; (*großes*) ~ *bereiten* afford (great) pleasure, amuse (immensely); *es war mir ein* ~ it was a pleasure; *viel* ~*!* have a good time!, *iro.* I wish you joy!; *es war kein* ~ it was no picnic; *mit* ~ gladly; *mit größtem* ~ with the greatest pleasure.

verˈgnüglich *adj.* pleasant, amusing, enjoyable.
vergnügt [fɛrˈgnyːkt] *adj.* (*über acc.*) pleased (with), delighted (at), happy (at); joyous, merry, gay, cheerful; rollicking, in high spirits.
Verˈgnügung *f* (-; -*en*) pleasure, amusement, entertainment.
Verˈgnügungs...: **⁓dampfer** *m* pleasure-boat; **⁓lokal** *n* place of entertainment; **⁓park** *m* amusement park; **⁓reise** *f* pleasure-trip; **⁓reisende(r** *m*) *f* tourist; **⁓steuer** *f* entertainment tax; **⁓stätte** *f* → *Vergnügungslokal*; **⁓sucht** *f* (-) (inordinate) love of pleasure; **≈süchtig** *adj.* pleasure-seeking; *⁓er Mensch* pleasure-hunter.
vergold|en [fɛrˈgɔldən] *v/t.* (*h.*) gild; gold-plate; **≈er** *m* gilder; **≈ung** *f* (-; -*en*) gilding; *⁓ mit Blattgold* burnished gilding.
verˈgönnen *v/t.* (*h.*) grant, allow; not to grudge; *es war mir vergönnt, zu inf.* I had the privilege to *inf.*
vergötter|n [fɛrˈgœtərn] *v/t.* (*h.*) deify; *fig.* idolize, worship, adore; **≈ung** *f* (-; -*en*) deification; idolatry, adoration.
verˈgraben *v/t.* (*irr., h.*) hide in the ground, (*a. fig.*) bury.
verˈgräm|en *hunt. v/t.* (*h.*) frighten away, start; **⁓t** *adj.* care-worn, woebegone, grief-stricken.
verˈgreifen: *sich ⁓* (*irr., h.*) mistake; *mus.* touch the wrong note; *sich ⁓ an* (*dat.*) **a**) lay (violent) hands on, attack, assault, (*a. sexually*) violate *a p.*, **b**) misappropriate, encroach on *other people's property*; *sich an Geld ⁓* embezzle money; profane (*sacred things*); *sich im Ausdruck ⁓* confuse one's terms.
vergreis|en [fɛrˈgraɪzən] *v/i.* (*sn*) become senile; **≈ung** *f* (-) senescence.
vergriffen [fɛrˈgrifən] *adj. book*: out-of-print, *pred.* out of print.
vergröbern [fɛrˈgrøːbərn] *v/t. and sich ⁓* (*h.*) coarsen.
vergrößer|n [fɛrˈgrøːsərn] *v/t., a. sich* (*h.*) enlarge (*a. phot.*); magnify (*a. fig.*); (*a. sich*) expand, extend (*a. tech. works*); widen (*a. fig. influence*); increase, augment, add to; *fig. a.* aggrandize; aggravate; *in vergrößertem Maßstab* on a larger scale; **≈ung** *f* (-; -*en*) enlargement (*a. phot.*); *opt.* magnification; increase; augmentation; expansion, extension; aggravation; **≈ungsapparat** *phot. m* enlarging camera, enlarger; **≈ungsglas** *n* magnifying glass, magnifier.
Vergünstigung [fɛrˈgynstiguŋ] *f* (-; -*en*) privilege, favo(u)r; benefit, allowance (*a. econ.*); preferential treatment.
vergüt|bar [fɛrˈgyːtbɑːr] *adj.* remunerable; *tech.* heat-treatable; **⁓en** *v/t.* (*h.*) compensate (*j-m et.* a p. for a th.); reimburse, refund (*expenses*); allow (*discount*); indemnify (*damage, interest*); compensate for, make good (*loss*); *tech.* improve, (re)fine; quench and temper, air harden, oil harden and temper (*steel*); harden (*aluminum alloys*); **≈ung** *f* (-; -*en*) compensation, allowance; reimbursement; indemnification; consideration; fee; *tech.* improvement; *of steel*: heat-treatment, hardening, *etc.*, → *vergüten*.
verˈhaft|en *v/t.* (*h.*) arrest, apprehend, take into custody (*wegen* on a charge of); **⁓et** *adj.*: *⁓ mit* bound to, rooted in; dominated by; **≈ung** *f* (-; -*en*) arrest, apprehension.
verˈhageln *v/i.* (*sn*) be damaged by hail.
verˈhallen *v/i.* (*sn*) die away.
verˈhalten I. *v/t.* (*irr., h.*) keep back, retain (*a. urine, etc.*); hold in (*one's breath*); rope (*horse*); suppress, check; *sich ⁓* **a**) *matter*: be, **b**) *person*: behave, conduct o.s., act; *sich brav ⁓* behave o.s., be good; *sich ruhig ⁓* keep quiet, hold one's peace; *ich weiß nicht, wie ich mich ⁓ soll* I don't know what to do (*or* how to act); *sich anders ⁓ matter*: be different; *wissen Sie, wie sich die Sache verhält?* do you know the facts of the case?; *wenn es sich so verhält* if that is the case; *math. A verhält sich zu B wie C zu D* A is to B as C is to D; *sich umgekehrt ⁓ zu* be in inverse ratio to; **II.** *p.p.* of I. *and adj.* restrained; bated (*breath*); low (*voice*); pent-up (*feelings, anger*); suppressed (*laughter*); (*adv.*) *⁓ spielen* play a waiting game, play with plenty in reserve; *thea.* underact.
Verˈhalten *n* (-*s*) behavio(u)r (*a. zo., etc.*), conduct, demeano(u)r; attitude; way of acting, *w.s.* policy; *tech.* characteristics *pl.*; *chem.* reaction; **⁓sforscher** *m* behavio(u)rial scientist; **⁓sforschung** *f* behavio(u)ristics.
Verhältnis [fɛrˈhɛltnis] *n* (-*ses*; -*se*) proportion, rate; ratio; *pl. ⁓se* conditions, circumstances *pl.*, *econ.* financial status; means *pl.*; standards *pl.*; relation(s *pl.*) (*zu* with); liaison, love-affair; mistress; *außer ⁓ zu* (*dat.*) disproportionate to; *außer jedem ⁓ stehen* be out of all proportion; *aus kleinen ⁓sen stammend* of humble origin, *coming* from a family in modest circumstances; *im ⁓ zu* in proportion to, compared with; *im ⁓ von 1 : 2* in the ratio (*or* at the rate) of one to two; *in freundlichem ⁓ mit* on friendly terms with; *im entsprechenden ⁓* proportionately; *in angenehmen ⁓sen* (*lebend*) in easy circumstances; *im umgekehrten ⁓ zu* at an inverse ratio to, inversely as; *über s-e ⁓se leben* live beyond one's means; *unter den ⁓sen* under the circumstances; *er hat kein inneres ⁓ zu s-r Arbeit* his heart is not in his work; **⁓anteil** *m* quota, share; **≈mäßig I.** *adj.* proportional, comparative, rateable, pro rata; **II.** *adv.* in proportion; comparatively (speaking); **⁓wahl** *parl. f* proportional representation; **≈widrig** *adj.* disproportionate; **⁓wort** *gr. n* (-[e]s; ⁼er) preposition; **⁓zahl** *f* proportional number; coefficient, factor.
Verˈhaltungsmaßregeln *f/pl.* instructions.
verˈhandeln I. *v/i.* (*h.*) negotiate, treat (*über acc., wegen* for); parley; deliberate, confer; *jur.* try (*über et.* a th.; *gegen j-n* a p.); *lawyer*: plead before a court; **II.** *v/t.* sell; discuss, argue, debate; *jur.* hear (and decide), dispose of.
Verˈhandlung *f* (-; -*en*) negotiation; *mil.* parley; discussion, deliberation; conference, talks *pl.*; *jur.* hearing, trial; proceedings *pl.*; certificate, deed; *jur. zur ⁓ kommen* come up for hearing (*or* trial); **⁓sbericht** *m* minutes *pl.*, statement of proceedings; **⁓sfriede** *m* negotiated peace; **⁓sgegenstand** *m* issue, business, item; **⁓s-partner** *m* party to a deal; **⁓s-position** *f* bargaining position; **⁓ssaal** *jur. m* court-room; **⁓s-tag** *jur. m* day fixed for trial; **⁓stisch** *m* bargaining table; **⁓sweg** *m*: *auf dem ⁓e* by negotiation.
verˈhäng|en *v/t.* (*h.*) cover (over), hang *or* drape (*mit* with); veil; impose, inflict, (*a. sports*) award (*penalty*); *mit verhängtem Zügel* with a loose rein; **≈nis** *n* (-*ses*; -*se*) destiny, fate; doom; *e-m zum ⁓ werden* be a p.'s doom (*or* undoing); **⁓nisvoll** *adj.* fateful, fatal; disastrous.
verhärmt [fɛrˈhɛrmt] *adj.* care-worn.
verˈharren *v/i.* (*h., sn*) persevere, hold out; (*auf, bei, in dat.*) persist (in), abide (by), stick (to).
verharschen [fɛrˈharʃən] *v/i.* (*sn*) *snow*: crust; *wound*: *a.* close.
verˈhärt|en *v/t.* (*h., a. sich*) harden; *med. den Leib ⁓* constipate the bowels; **≈ung** *f* (-; -*en*) hardening; *fig. a.* induration; callosity.
verˈharzen *v/t.* (*h.*) resinify.
verˈhaspeln *v/t.* (*h., a. sich*) tangle; *fig. sich ⁓* get muddled.
verhaßt [fɛrˈhast] *adj.* hated, detested; hateful, odious (*dat.* to); *sich ⁓ machen* make o.s. unpopular (*bei* with); *es ist mir ⁓* I hate (*or* loathe) it.
verˈhätscheln *v/t.* (*h.*) coddle, pamper, spoil.
Verhau [fɛrˈhaʊ] *mil. m* (-[e]*s*; -*e*) abatis, entanglement; **≈en** *v/t.* (*h.*) thrash, flog, beat up; spank (*child*); *colloq. fig.* make a hash of; muff (*a ball, catch, exam, etc.*); *sich ⁓* (make a) blunder.
verˈheben: *sich ⁓* (*irr., h.*) injure (*or* strain) o.s. in lifting.
verheddern [fɛrˈhɛdərn]: *sich ⁓* (*h.*) get entangled; get muddled (*or* balled up).
verheer|en [fɛrˈheːrən] *v/t.* (*h.*) devastate, lay waste, ravage; **⁓end** *fig. adj.* disastrous, awful; **≈ung** *f* (-; -*en*) devastation, ravages *pl.*, havoc; *⁓en anrichten* play havoc (*unter dat.* among).
verhehl|en [fɛrˈheːlən], **verheimlich|en** [fɛrˈhaɪmliçən] *v/t.* (*h.*) hide, conceal (*dat.* from); *j-m et. ⁓ a.* keep a th. secret from a p., keep a p. in the dark about; hush up; suppress, hold back; **≈ung** *f* (-) concealment, dissimulation; suppression.
verˈheilen *v/i.* (*sn*) heal (up).
verˈheirat|en *v/t.* (*h.*) marry (*mit, an acc.* to), give in marriage, wed; *sich ⁓* marry, get married; *sich*

untereinander ~ intermarry; *sich wieder* ~ marry again, remarry; *sich gut* ~ make a good match; *colloq. fig. ich bin ja nicht mit dir verheiratet* I am not wedded to you; 𝔏**ung** *f* (-) marriage.
ver'heiß|en *v/t. (irr., h.)* promise; 𝔏**ung** *f* (-; -en) promise; *Land der* ~ Land of Promise; ~**ungsvoll** *adj.* (*wenig* ~ un)promising, (in)auspicious.
ver'heizen *v/t. (h.)* fire, use up (*fuel*); *colloq. fig.* send *troops* to glory.
ver'helfen *v/i. (irr., h.)*: *j-m* ~ *zu* help a p. to.
verherrlich|en [fɛr'hɛrliçən] *v/t. (h.)* glorify, exalt; 𝔏**ung** *f* (-; -en) glorification.
ver'hetz|en *v/t. (h.)* instigate; 𝔏**ung** *f* (-) instigation.
ver'hex|en *v/t. (h.)* bewitch, *Am. a.* put the jinx on (*a th.*); 𝔏**ung** *f* (-) bewitchment.
verhimmel|n [fɛr'himəln] *v/t. (h.)* deify, praise to the skies, worship; 𝔏**ung** *f* (-) deification; *w.s.* ecstasy, rapture.
ver'hinder|n *v/t. (h.)* prevent (*j-n an dat.* a p. from); hinder, stop; *wir können es nicht* ~ we cannot help it; *verhindert sein* be prevented from coming; *verhinderter Maler, etc.* would-be artist, *etc.*; 𝔏**ung** *f* (-) prevention; hindrance, obstacle; *im Falle seiner* ~ in the case of his disability.
verhohlen [-'ho:lən] *adj.* hidden, secret, surreptitious.
ver'höhn|en *v/t. (h.)* deride; jeer, mock, jibe (at), snap one's fingers at; taunt; 𝔏**ung** *f* (-; -en) derision; mockery; scoffing; jeer(s *pl.*), jibe(s *pl.*).
ver'holen *mar. v/t. (h.)* haul, tow.
ver'hökern *v/t. (h.)* → *verschachern.*
Verhör [fɛr'hø:r] *jur. n* (-[e]s; -e) examination; interrogation; *w.s.* trial, hearing; *ins* ~ *nehmen* (cross-)examine, question closely, *Am. a.* grill; *fig.* take to task; 𝔏**en** *v/t. (h.)* examine, interrogate, question; *w.s.* try, hear; *sich* ~ hear wrong, misunderstand a p.'s words.
verhudeln [fɛr'hu:dəln] *v/t. (h.)* bungle, botch, spoil.
ver'hüll|en *v/t. (h.)* cover, veil (*a. fig.* = disguise, cloak), wrap up (*a. fig.*: in darkness); drape; *in verhüllten Worten* in veiled language; 𝔏**ung** *f* (-; -en) cover, veil; disguise.
verhundertfachen [fɛr'hundərtfaxən] *v/t. (h.)* (*a. sich*) multiply a hundredfold, centuple.
ver'hungern *v/i. (sn)* die of hunger, starve; ~ *lassen* starve to death; *verhungert aussehen* look (half-)starved *or* famished.
verhunzen [fɛr'huntsən] *v/t. (h.)* bungle, make a hash of, muck (up), foozle; murder (*language*).
ver'hüt|en *v/t. (h.)* prevent, avert, obviate, ward off; ~**end** *adj.* preventive; *med.* prophylactic; 𝔏**ung** *f* (-) prevention, *med.* prophylaxis; contraception; 𝔏**ungsmaßregel** *f* preventive measure; 𝔏**ungsmittel** *n* preventive, *med.* prophylactic; contraceptive.
verhütt|en [fɛr'hytən] *metall. v/t. (h.)* work (off), smelt (*ore*); 𝔏**ung** *f* (-) smelting.
verhutzelt [fɛr'hutsəlt] *adj.* shrivel(l)ed; wizened (*face, person*).
verinnerlich|en [fɛr'ʔinərliçən] *v/t. (h.)* spiritualize (*person*); intensify, deepen (*matter*); 𝔏**ung** *f* (-) spiritualization; intensification.
ver'irr|en: *sich* ~ (*h.*) go astray, lose one's way; *verirrtes Schaf* stray sheep; *verirrte Kugel* stray bullet; 𝔏**ung** *fig. f* (-; -en) aberration; error, mistake.
ver'jagen *v/t. (h.)* drive away, chase away; *fig.* banish.
verjähr|bar [fɛr'jɛ:rba:r] *adj.* prescriptible; ~**en** *v/i. (sn) und sich* ~ (*h.*) *right*: become prescriptive; come under (*or* be barred by) the statute of limitations; ~**t** *jur. adj.* prescriptive (*right*); superannuated (*claim, etc.*); *a. offence*: barred by the statute of limitations, statute-barred; 𝔏**ung** *f* (-; -en) limitation (by lapse of time), (negative) prescription; 𝔏**ungsfrist** *f* term of limitation.
verjazzen [fɛr'dʒɛzən] *v/t. (h.)* jazz.
ver'jubeln *colloq. v/t. (h.)* squander, blue.
verjüng|en [fɛr'jyŋən] *v/t. (h.)* make (*sich* ~ grow) young again *or* younger; restore to youth, (*a. sich*) rejuvenate; *phys.* taper (off *sich* ~); reduce (*scale*); *in verjüngtem Maßstab* on a reduced scale; 𝔏**ung** *f* (-) rejuvenescence; tapering; reduction; 𝔏**ungskur** *f* rejuvenating cure; 𝔏**ungsmaßstab** *m* scale of reduction.
verjuxen [fɛr'juksən] *colloq. v/t. (h.)* blue.
verkalk|en [fɛr'kalkən] *v/i. (sn), a. sich* ~ (*h.*) *physiol.* calcify; *colloq.* ossify; *chem.* calcine; ~**t** *adj. med.* sclerotic, *colloq.* fossilated, dried up; 𝔏**ung** *f* (-) calcification; (arterio)sclerosis; calcination.
verkalku'lieren: *sich* ~ (*h.*) miscalculate; make a mistake.
ver'kapp|en *v/t. (h.)* disguise, mask; ~**t** *adj.* secret, in disguise.
verkapsel|n [fɛr'kapsəln] *med.*: *sich* ~ (*h.*) encyst; encapsulate; 𝔏**ung** *f* (-; -en) encystment.
verkatert [fɛr'ka:tərt] *colloq. adj.* morning-afterish.
Ver'kauf *m* (-[e]s; ⸗e) sale; selling; realization; *zum* ~ for sale; 𝔏**en** *v/t. (h.)* sell (*a. sich*); dispose of, realize; *sich leicht* ~ sell readily, have a ready sale; *sich nicht* ~ *lassen* find no sale, be unsal(e)able; *zu* ~(d) for sale; *fig. (verraten und) verkauft* sold (down the river *Am.*).
Ver'käufer(in *f*) *m* seller; retailer; *a. jur.* vendor; shop-assistant, *Am.* clerk (*m and f*), salesman, *Am.* salesclerk, *f* saleswoman, shopgirl, *Am.* salesgirl.
ver'käuflich *adj.* for sale; (*gut* ~) sal(e)able, vendible; marketable; negotiable; *leicht* ~ easy to sell; *schwer* ~ hard to sell, unsal(e)able; 𝔏**keit** *f* (-) sal(e)ableness.
Ver'kaufs...: ~**abteilung** *f* sales department; ~**auftrag** *m* selling order; ~**automat** *m* (automatic) vending machine; ~**bedingungen** *f/pl.* conditions (*or* terms) of sale; ~**berater** *m* sales consultant; ~**büro** *n* sales office, distribution cent|re, *Am.* -er; ~**erlös** *m* proceeds *pl.*; ~**förderung** *f* sales promotion; ~**gemeinschaft** *f* joint sales agency; ~**ingenieur** *m* sales engineer; ~**kontrolle** *f* sales control; ~**leiter** *m* sales manager; ~**organisation** *f* sales organization; ~**personal** *n* selling staff; ~**plan** *m* selling plan; ~**preis** *m* selling-price; market value; ~**raum** *m* sale-room; ~**rechnung** *f* account-sales; ~**recht** *n* right to sell; ~**schlager** *m* best seller, drawcard, *Am.* hit-seller; ~**stand** *m* stand, stall, booth; ~**stelle** *f* outlet, retail shop; ~**- und Einkaufsgenossenschaft** *f* marketing and purchasing cooperative; ~**vertretung** *f* selling agency; ~**werbung** *f* sales promotion; ~**wert** *m* sale value; ~**ziffer** *f* sales figure.
Verkehr [fɛr'ke:r] *m* (-[e]s) traffic; transport(ation *Am.*); communication; *aer., mar.* service; commerce, trade; (personal *or* sexual) intercourse; communion, communing; correspondence; *bargeldloser* ~ transfer business, clearing system; *aus dem* ~ *ziehen* withdraw from service (*money*: from circulation); *in* ~ *bringen* issue, *securities*: *a.* offer for sale, *Am.* market; *dem* ~ *übergeben* open for traffic; 𝔏**en I.** *v/t. (h.)* turn the wrong way (*or* upside down); invert, reverse; turn *or* change *or* convert (*all*: *in acc.* into); *fig.* pervert; **II.** *v/i. (h.)* *vehicle*: run, be operated; ply *or* run (*zwischen* between); traffic, trade; ~ *bei j-m* visit (*or* go to) a p.'s house, frequent a p.'s house; ~ *in* (*dat.*) frequent (*a restaurant, etc.*); ~ *mit* associate (*or* mix) with, hobnob with; have (sexual) intercourse with; *viel mit j-m* ~ see a great deal of a p.
Ver'kehrs...: ~**abwicklung** *f* traffic handling; ~**ader** *f* arterial road; ~**ampel** *f* traffic light(s *pl.*); ~**amt**, ~**büro** *n* tourist office; ~**andrang** *m* rush (of traffic); ~**anlagen** *f/pl.* transport installations, traffic facilities; ~**dichte** *f* density of traffic; ~**disziplin** *f* (-) traffic discipline, road sense; ~**einrichtungen** *f/pl.* traffic facilities; ~**erziehung** *f* road safety campaign, kerb drill; ~**flugzeug** *n* airliner; ~**fluß** *m* traffic flow; ~**gesellschaft** *f* transport(ation) company, *Am. a.* common carrier; 𝔏**günstig** *adj.*: ~ *gelegen* favo(u)rably situated as regards transport facilities; ~**hindernis** *n* traffic block, obstruction to general street traffic; ~**insel** *f* (street-)refuge, island; ~**knotenpunkt** *m* junction; ~**luftfahrt** *f* commercial (*or* civil) aviation; ~**minister** *m* Minister of Transport; ~**mittel** *n* (*öffentliches* public) conveyance, transport(ation *Am.*); ~**netz** *n* network of communications; ~**ordnung** *f* traffic regulations *pl.*; ~**polizist** *m* → *Verkehrsschutzmann*; ~**polizei** *f* traffic police; 𝔏**reich** *adj.* busy, congested; → *verkehrsstark*; ~**schild** *n* traffic sign; 𝔏**schwach** *adj.*: ~**e** *Zeit* slack

period, *Am.* light hours *pl.*; **~schutzmann** *m* **a)** traffic constable *or* officer, pointsman, **b)** mobile policeman, *Am. a.* speed cop; **~sicherheit** *f* (-) safety in traffic (*or* on the road); **~spitze** *f* peak of traffic; **ℒstark** *adj.*: *~e Zeit* rush hours; **~stärke** *f* traffic load; **~stauung** *f* traffic jam *or* congestion; **~steuer** *f* property transfer tax; **~stockung** *f* stoppage of traffic, block, *Am.* blockade, traffic tie-up; **~störung** *f* interruption of traffic; breakdown; **~straße** *f* thoroughfare; **~streife** *f* traffic patrol; **~sünder** *m* traffic offender; **~tafel** *f* traffic sign; **~teilnehmer** *m* road user; **~turm** *m* traffic control tower; **~unfall** *m* traffic accident; **~unternehmen** *n* transport(ation *Am.*) firm *or* company; **~verein** *m* tourist bureau; **~verhältnisse** *pl.* traffic conditions; **~werbung** *f* tourist traffic propaganda; **~wert** *m* market value; **~wesen** *n* (-s) traffic (system); (system of) communications *pl.*, transport(ation *Am.*); **~widrigkeit** *f* traffic violation; **~zählung** *f* traffic census; **~zeichen** *n* traffic sign(al); sign-post.

verkehrt [fɛr'keːrt] *adj.* inverted, reversed; upside down; inside out; wrong; *fig.* perverse, absurd; wrongheaded (*person*); *Kaffee ~* white coffee, coffee dash; *~e Welt* crazy world; et. *~ anfangen* put the cart before the horse; do things hind end to; **ℒheit** *f* (-) wrongness, perversity, absurdity; wrongheadedness; folly.

ver'keilen *v/t.* (*h.*) wedge (tight), quoin; *colloq. fig.* thrash.

ver'kenn|en *v/t.* (*irr.*, *h.*) mistake (*a p.*); misunderstand, misjudge; undervalue; fail to appreciate; *nicht zu ~* unmistakable; *verkanntes Genie* unappreciated genius; *e-e Sache nicht ~* be fully alive to a th.; *wir ~ die Schwierigkeit nicht* we are (not un)aware of the difficulty.

ver'kett|en *v/t.* (*h.*) chain up; *el.* interlink; *fig.* link together, concatenate; **ℒung** *f* (*h.*) *tech.* interlinkage; *fig.* enchainment, concatenation.

ver'kitten *v/t.* (*h.*) cement (*a. fig.*), putty; *chem.* lute.

ver'klag|bar *adj.* suable, actionable; **~en** *v/t.* (*h.*) accuse, inform against; squeal on; *jur.* sue (*auf acc.*, *wegen* for); take legal proceedings (*or* bring action) against, go to law with; **ℒte(r** *m*) [fɛr'klaːktə(r)] *f* (-n, -n; -en, -en) accused.

ver'klär|en *v/t.* (*h.*) transfigure; *fig.* illumine; *sich ~* be(come) transfigured; *verklärt* radiant (*face*, *person*); **ℒung** *f* (-; -en) transfiguration; *fig.* radiance, ecstasy.

Verklarung [fɛr'klaːruŋ] *mar. f* (ship's) protest.

ver'klatschen *v/t.* (*h.*) slander, tell tales about; gossip away (*time*).

verklausulieren [fɛrklauzu'liːrən] *v/t.* (*h.*) safeguard (*or* hedge) by clauses; stipulate.

ver'kleben *v/t.* (*h.*) paste *a th.* over *or* up; *med.* apply a plaster to, plaster over; stick together, cement, glue.

ver'klecksen *v/t.* (*h.*) cover with blots *or* smudges, smudge.

ver'kleid|en *v/t.* (*h.*) disguise (*sich* o.s.); *thea.* (*a. sich*) make up as, dress up as; *tech.* line, *externally*: (en)case; *arch.* face; *mar.* plank; *mil.* → *tarnen*; *aer.* fair; panel, wainscot (*wall*); *mar.* timber; **ℒung** *f* (-; -en) disguise; *thea.* make-up; *tech.* lining; facing; panel(l)ing, wainscoting.

verkleiner|n [fɛr'klaɪnərn] *v/t.* (*h.*) make smaller, reduce (in size); *math.* reduce (*a. scale*); scale down (*drawing*); diminish, lessen; depreciate (*value*); *~d gr.* diminutive; *fig.* belittle, minimize; derogate, detract from; disparage; **ℒung** *f* (-; -en) reduction, diminution; *fig.* belittling, derogation, detraction (*gen.* from); disparagement; **ℒungsmaßstab** *m* scale of reduction; **ℒungssilbe** *f* diminutive ending; **ℒungswort** *n* (-[e]s; ⸚er) diminutive.

ver'kleistern *v/t.* (*h.*) glue, paste up; (*a. fig.*) patch up.

verklemmt [fɛr'klɛmt] *psych. adj.* inhibited, repressed.

ver'klingen *v/i.* (*irr.*, *sn*) die away (*a. fig.*).

ver'klopfen *colloq. v/t.* (*h.*) thrash.

ver'knacken *colloq. v/t.* (*h.*) → *verurteilen.*

verknacksen [fɛr'knaksən] *colloq.*: *sich den Fuß ~* sprain one's foot.

ver'knallen *colloq.*: *sich ~* (*h.*) fall violently in love (*in acc.* with); *verknallt sein in j-n* be smitten with (*or* gone on), have a crush on *a p.*

verknapp|en [fɛr'knapən] *v/i.* (*sn*) run short, become scarce; **ℒung** *f* (-) shortage, scarcity, tightness; **ℒungsfaktor** *econ. m* factor tending to cause shortage.

ver'kneifen *colloq*: *sich et. ~* (*irr.*, *h.*) deny o.s. a th.; *er konnte sich nicht ~, zu sagen* he could not help saying; *verkniffen* pinched (*face*, *mouth*).

verknöcher|n [fɛr'knœçərn] *v/t.* (*h.*) *and v/i.* (*sn*) ossify; *fig. a.* fossilize; *verknöcherter Kerl* fossil; **ℒung** *f* (-; -en) ossification, fossilization.

verknorpeln [fɛr'knɔrpəln] *v/i.* (*sn*) become cartilaginous.

verknoten [fɛr'knoːtən] *v/t.* (*h.*) fasten with knots, tie up.

ver'knüpf|en *v/t.* (*h.*) knot *or* tie (together); *fig.* connect, combine (*mit* with), attach (to); **~t** *adj. fig.*: *~ mit* involving, entailing, attended with (*costs*, *difficulties*); *eng ~ mit* closely associated (*or* entwined) with, bound up with; **ℒung** *f* (-; -en) knotting (together); connection, nexus, concurrence.

verknusen [fɛr'knuːzən] *colloq. v/t.*: *ich kann ihn nicht ~* I cannot stand (*or* stomach, stick) him.

ver'kochen I. *v/i.* (*sn*) boil away; *fig. anger*: blow over; **II.** *v/t.* (*h.*) use up in cooking.

ver'kohlen *v/t.* (*h.*) carbonize, (*a. v/i. sn*) char; *colloq. fig.* hoax, pull *a p.'s* leg, fool.

verkok|en [fɛr'koːkən] *v/t.* (*h.*) coke, carbonize; **ℒung** *f* (-) carbonization, coking.

ver'kommen I. *v/i.* (*irr.*, *sn*) decay, go to wreck and ruin, go to seed; *person*: come down in the world, go to the dogs; **II.** *adj.* decayed; depraved, corrupt; **ℒheit** *f* (-) depravity, immorality.

ver'koppeln *v/t.* (*h.*) couple, join.

ver'korken *v/t.* (*h.*) cork (up).

ver'korksen *v/t.* (*h.*) make a hash of, botch, bungle; foozle, muck; *sich den Magen ~* upset one's stomach.

verkörper|n [fɛr'kœrpərn] *v/t.* (*h.*) personify, embody; represent; *esp. thea.* impersonate; typify; **ℒung** *f* (-; -en) personification, embodiment; incarnation; impersonation.

verköstig|en [fɛr'kœstigən] *v/t.* (*h.*) board, feed; **ℒung** *f* (-) board, food.

ver'krachen *v/i.* (*sn*) become bankrupt, *Am. a.* go bust; *colloq. sich ~* (*h.*) fall out (*mit* with); *verkrachte Existenz* failure.

verkraften [fɛr'kraftən] *v/t.* (*h.*) bear, handle; cope *or* deal with, meet; *das konnte er nicht mehr ~* that was more than he could handle.

ver'kramen *v/t.* (*h.*) mislay, disarrange.

verkrampf|en [fɛr'krampfən]: *sich ~* (*h.*) cramp; *hand, jaws, etc.*: clench; **~t** *adj.* clenched, (*a. fig.*) cramped; tense.

ver'kriechen: *sich ~* (*irr.*, *h.*) hide; crawl away; creep into a hole, *etc.*; *fig. sich ~ müssen vor* (*dat.*) be a fool to.

ver'krümeln *v/t.*, *v/i. and sich ~* (*h.*) crumble away, fritter away; *colloq. sich ~* slink away, sidle off, make tracks, beat it.

ver'krümm|en *v/t.* (*h.*) crook, curve, bend; *wood*: *sich ~* warp; **~t** *adj.* crooked; **ℒung** *f* (-; -en) distortion; *~ der Wirbelsäule* curvature of the spine.

verkrüppeln [fɛr'krypəln] **I.** *v/t.* (*h.*) cripple; deform; stunt; **II.** *v/i.* (*sn*) become crippled; be stunted (*or* deformed).

verkrusten [fɛr'krustən] *v/i.* (*sn*), *a. sich* (*h.*) become incrusted; *mud*: cake; *von Schmutz verkrustet* mud-caked.

ver'kühl|en *v/i.* (*sn*) cool down; *sich ~* (*h.*) catch (a) cold; **ℒung** *f* (-) cold.

ver'kümmer|n I. *v/i.* (*sn*) become stunted, atrophy (*a. fig.*); waste away; pine (away); starve; **II.** *v/t.* (*h.*) curtail (*right*); spoil, embitter (*fun*); **~t** *adj.* stunted, dwarfed; *zo.* rudimentary, vestigial; **ℒung** *f* (-; -en) stunted growth, atrophy (*a. fig.*); curtailment.

ver'künd(ig)|en *v/t.* (*h.*) announce, make known; publish, proclaim; promulgate (*law*); pronounce (*judgment*); *eccl.* preach *the gospel*; predict, prophesy; *matter*: bode (*ill*); *fig.* herald *a new epoch, etc.*; **ℒer** *m* (-s; -) harbinger, herald; prophet; **ℒung** *f* (-; -en) announcement; proclamation; pronouncement; promulgation; preaching; prediction, prophesy; *Mariä ~* Annunciation, Lady Day.

ver'künsteln *v/t.* (*h.*) overrefine; *colloq. sich ~* tie o.s. into knots (*doing a th.*).

ver'kupfern *v/t.* (*h.*) copper(plate).
ver'kuppeln *v/t.* (*h.*) pander, sell, prostitute; *tech.* couple.
ver'kürz|en *v/t.* (*h.*) shorten; *paint.* foreshorten; clip; abridge; curtail; cut (down *wages*); beguile, while away (*time*); *sich* ~ become shorter, shorten; *verkürzte Arbeitszeit* short time (work); **⁀ung** *f* (-; -*en*) shortening; *paint.* foreshortening; abridgement; curtailment, cut.
ver'lachen *v/t.* (*h.*) laugh at, deride, snap one's fingers at.
Verlade|bahnhof [fɛr'lɑːdə-] *m* loading station; **~brücke** *f* loading bridge; **~hafen** *m* port of embarkation.
ver'laden *v/t.* (*irr.*, *h.*) load, ship; *rail.* entrain, *econ.* consign, forward; *mil.* entrain, *mar.* embark, *aer.* emplane, *mot.* entruck.
Ver'lade...: **~papiere** *n/pl.* shipping documents; **~r** *econ. m* (-*s*; -) shipping agent, carrier; *rail.* consignor; *w.s.* exporter; **~rampe** *f* loading platform; **~schein** *m* certificate of receipt; **~stelle** *f* loading point; point of embarkation *or* shipment.
Ver'ladung *f* (-; -*en*) loading, shipping, shipment; entraining, *etc.*, → *verladen.*
Verlag [fɛr'lɑːk] *m* (-[*e*]*s*; -*e*) publication; publishing house, *the* publishers *pl.*; *im* ~ *von* published by; *in* ~ *nehmen* undertake the publication of, publish.
ver'lager|n *v/t.* (*h.*) displace, dislocate; (*a. sich*) shift (*a. phys.*, *geol.*; *a. jur. the burden of proof*); transfer, remove (*nach* to); evacuate; *sich* ~ *interest*: be switched over (*von* ... *zu* from ... to); **⁀ung** *f* (-; -*en*) displacement; shifting; transfer, removal; evacuation; *fig.* shift, basic change.
Ver'lags...: **~anstalt** *f* publishing house; **~artikel** *m* publication; **~buchhandel** *m* publishing trade (*or* business); **~buchhändler** *m* publisher; **~buchhandlung**, **~firma** *f* publishing house; **~katalog** *m* publisher's catalog(ue); **~recht** *n*, **⁀rechtlich** *adj.* copyright; **~werk** *n* publication.
ver'langen **I.** *v/t.* (*h.*) demand; claim; desire; charge; insist on, clamo(u)r for; *matter*: demand, require, call for; *es verlangt mich, zu erfahren* I am anxious to know; *das ist zuviel verlangt* that is asking too much; *mehr kann man nicht* ~ one cannot wish for more; *Sie werden am Telephon verlangt* you are wanted on the phone; *viel* ~ *school, etc.*: set a high standard; **II.** *v/i.* (*h.*): ~ *nach* (*dat.*) ask for; wish to see *a p.*; long for, hanker after, crave; **Ver'langen** *n* (-*s*) desire; craving; longing (*nach* for), *Am. a.* yen; demand, request; *auf* ~ by request, *econ.* on demand; *auf* ~ *von* at the request of; *zahlbar auf* ~ payable at call; ~ *tragen nach* have a longing for; *kein* ~ *haben, zu inf.* feel no desire to *inf.*, have no ambition to *inf.*
verlänger|n [fɛr'lɛŋərn] *v/t.* (*h.*) lengthen, elongate; *math.* produce; prolong (*time*), extend (*a. credit, patent, game*); renew (*contract, bill of exchange*); *film*: (*die Laufzeit* ~) hold over; *sports*: (*den Ball*) ~ help the ball on (*zu* to); *fig. verlängerter Arm* instrument(ality); **⁀ung** *f* (-; -*en*) lengthening, elongation; *math.* production; prolongation, extension; renewal; *sports*: **a)** extra time, **b)** first-time pass; projection; **⁀ungsschnur** *el. f* extension cord; **⁀ungsstück** *n tech.* extension piece; *econ.* allonge (*of bill of exchange*).
verlangsam|en [fɛr'laŋzɑːmən] *v/t.* (*h.*) (*a. sich*) slacken down, slow down; retard, delay; impede; **⁀ung** *f* (-; -*en*) slackening, slow-down; retardation, delay.
verläppern [fɛr'lɛpərn] *v/t.* (*h.*) trifle (*or* fritter) away.
Verlaß [fɛr'las] *m* (-*sses*) reliance; *es ist kein* ~ *auf ihn* there is no relying on him, he cannot be trusted.
ver'lassen **I.** *v/t.* (*irr.*, *h.*) leave, quit; forsake, abandon, leave in the lurch; desert; *s-e Kräfte verließen ihn* his strength failed him; *sich* ~ *auf* (*acc.*) rely (*or* depend *or* count) on, *Am. a.* bank (*or* figure) on; *Sie können sich darauf* ~, *daß* you may rely on it that, you may rest assured that; *auf ihn* (*sein Wort*) *kann man sich* ~ he is as good as his word; *colloq. verlaß dich drauf!* take it from me!, you bet!; **II.** *adj.* forsaken, abandoned; deserted; desolate; forlorn; isolated; **⁀** *n* (-*s*) leaving, *etc.*; *jur.* ~ *in hilfloser Lage* exposure; *böswilliges* ~ wil(l)ful desertion; **⁀heit** *f* (-) abandonment; loneliness; forlornness; isolation.
verläßlich [fɛr'lɛsliç] *adj.* reliable; **⁀keit** *f* (-) reliability.
ver'last|en *mil. v/t.* (*h.*) pack (*or* load) on vehicles; **~et** *adj.* lorry-borne, *Am.* trucked (*troops*).
ver'lästern *v/t.* (*h.*) malign, slander.
Verlaub [fɛr'laup] *m* (-): *mit* ~ by your permission (*or* leave); *mit* ~ *zu sagen* if I may say so.
Ver'lauf *m* (-[*e*]*s*) lapse, course (*of time*); progress, course (*of event, process, illness*); development; *weiterer* ~ sequel; trend; *im* ~ *gen. or von* in the course of; *im weiteren* ~ in the sequel, later on; *nach* ~ *von* after (a lapse of); *e-n schlimmen* ~ *nehmen* take a bad turn; **⁀en** **I.** *v/i.* (*irr.*, *sn*) *time*: pass, elapse; *event, process*: take a ... course, proceed, develop; go, come off; *border, road, etc.*: run, extend; *paints*: run, bleed, blend; *sich* ~ (*irr.*, *h.*) go astray, lose one's way, get lost; *waters*: flow off, disperse; *crowd*: scatter, disperse, drift away; → *Sand*; **II.** *adj.* stray (*animal, child*).
verlaust [fɛr'laust] *adj.* full of lice, lousy.
verlaut|baren [fɛr'lautbɑːrən] **I.** *v/t.* (*h.*) divulge, make known, disclose; issue a statement to the effect that; **II.** *v/i.* (*sn*) → **~en** *v/i.* (*h.*) be reported, be disclosed, transpire; ~ *lassen* give to understand, hint; be heard to say; *wie verlautet* as reported; **⁀barung** *f* (-; -*en*) announcement, report, statement, disclosure, bulletin; (press) release.
ver'leb|en *v/t.* (*h.*) spend, pass; *schöne Tage* ~ *a.* have nice days, have a good time; **~t** [-'leːpt] *adj.* dissipated; worn out; decrepit.
ver'legen[1] *v/t.* (*h.*) misplace; transfer (*a. mil. troops*), shift (*a. mil. fire; a. phys. centre of gravity*); remove (*a. residence*); evacuate (*nach* to); *den Schauplatz e-r Erzählung, etc.,* ~ *in or nach* lay (*or* locate) the scene *of story, etc.*, in; publish, bring out (*book*); *tech.* lay (*cable, etc.*); relocate (*road, railway line*); bar, cut off, block (*the way*); put off (*auf acc.* to), postpone, defer (to); *sich* ~ *auf* (*acc.*) apply (*or* devote) o.s. to, take up (*activity*), take to *a habit, etc. or* doing *a th.*, *aufs Bitten, Leugnen, etc.*: resort to (*begging, denials, etc.*).
ver'legen[2] *adj.* embarrassed, confused; self-conscious, ill at ease; blushing, ~ *um* at a loss for (*an answer, etc.*), short of *money*; **⁀heit** *f* (-) embarrassment; difficulty; predicament; *in* ~ *sein* be at a loss (*um* for); *colloq.* be in a scrape *or* fix; be in financial difficulties *or* straits; *in* ~ *bringen* embarrass; *in* ~ *kommen* get embarrassed, *w.s.* get o.s. into a scrape; *sich aus der* ~ *ziehen* get out of a difficulty; → *helfen.*
Verleger [fɛr'leːgər] *m* (-*s*; -) publisher.
Ver'legung *f* (-; -*en*) transfer, removal; evacuation; shifting; laying *of cables*, wiring; postponement; publishing, publication.
verleiden [fɛr'laɪdən] *v/t.*: *j-m et.* ~ (*h.*) disgust a p. with a th.; *j-m s-e Freude* ~ spoil (*or* mar) a p.'s pleasure; *es war ihm verleidet* he had taken a dislike to it; *mir ist alles verleidet* I am sick of everything.
Verleih [fɛr'laɪ] *m* (-[*e*]*s*; -*e*) hire service; *film*: **a)** distribution, **b)** distributors *pl.*; **⁀en** *v/t.* (*irr.*, *h.*) lend (out), *Am.* loan; hire out, let out; bestow, confer (*right, title, etc.*; *j-m* on a p.); vest (*authority, right dat.* in); grant (*favour, etc.*); award (*prize*); *Offiziersrang* ~ commission (*dat. a p.*); *j-m ein Amt* ~ appoint a p. to an office; give, impart *charm, quality* (*dat.* to); *e-m Gesetz Rechtskraft* ~ render *a law* effective; → *geben*; **~er(in** *f*) *m* (-*s*, -; -, -*nen*) lender; bestower; *jur.* grantor; *film*: distributor; **~ung** *f* (-; -*en*) lending out; bestowal; grant; award.
ver'leit|en *v/t.* (*h.*) mislead, lead astray; seduce; induce; ~ *zu* carry *a p.* away into doing *a th.*; *jur.* suborn (*to perjury*); *sich* ~ *lassen, zu* be talked into *ger.*, be induced to *inf.*; commit o.s. to, be carried away into *ger.*; *dies verleitete mich zu der Annahme* this led me to believe; **⁀ung** *f* (-) misleading; seduction; inducement; subornation.
ver'lernen *v/t.* (*h.*) unlearn, forget.
ver'lesen *v/t.* (*irr.*, *h.*) read out; call over (*names*); pick (*vegetables, etc.*); *sich* ~ read wrong, slip (in reading).
verletz|bar [fɛr'lɛtsbɑːr] *adj.* damageable; vulnerable; unshielded,

exposed; *fig.* (over)sensitive, touchy; **~en** *v/t.* (*h.*) hurt, injure; wound; damage; *fig.* hurt, wound (*a p.'s feelings*), offend; violate (*oath, right*); infringe (*law, patent*); offend against (*rule, decency*); *s-e Pflicht ~* fail in one's duty; **~end** *adj.* offensive; cutting (*remark*); **~lich** *adj.* → *verletzbar*; **Ωte(r** *m*) *f* (-*n*, -*n*; -*en*, -*en*) person injured, injured party, victim; *pl. die ~n* the injured; **Ωung** *f* (-; -*en*) hurt; injury; damage; violation, infraction (*of law, etc.*), (*a.* patent) infringement; breach (*of duty, contract, etc.*); *~ der Sorgfaltspflicht* lack of proper care, neglect.

ver'leugn|en *v/t.* (*h.*) deny; disown, disavow (*child, friend*); renounce, disclaim (*principle*); act contrary to; *sich ~ lassen* have o.s. denied, not to be at home (*vor j-m* to a p.); *fig. sich nicht ~ lassen* reveal (*or* show) itself; **Ωung** *f* (-; -*en*) denial, disavowal; renunciation.

verleumd|en [fɛr'lɔymdən] *v/t.* (*h.*) calumniate, backbite, defame; slander, *jur. a.* libel; **Ωer(in** *f*) *m* (-*s*, -; -, -*nen*) calumniator; slanderer, libeller; **~erisch** *adj.* slanderous; calumnious, defamatory; slanderous, libellous; → *Beleidigung*; **Ωung** *f* (-; -*en*) calumny, backbiting; defamation (*jur.* of character); slander, *jur. a.* libel.

ver'lieb|en: *sich ~* (*h.*) *in* (*acc.*) fall in love with; *w.s.* take a fancy to, be infatuated with; **~t** *adj.* (*in acc.*) in love (with), enamo(u)red (of), smitten (with), gone (on); amorous (*glances, etc.*); love-sick, madly in love; **Ωtheit** *f* (-; -*en*) amorousness.

verlier|en [fɛr'li:rən] *v/t.* (*irr., h.*) lose (*a. v/i.*: *gegen* to); shed (*leaves, hair*); outgrow (*habit*); *aus den Augen ~* lose sight of; *bei j-m ~* sink in a p.'s estimation; *sich ~* lose o.s.; disappear; *crowd*: disperse; *colour*: fade; *sich ins Rote ~* melt into red; *pain*: subside; *sounds*: die away; *kein Wort darüber ~* not to waste a word on it; → *verloren*; **Ωer(in** *f*) *m* (-*s*, -; -, -*nen*) loser; *guter* (*schlechter*) *~* good (bad) loser; *zum ~ erklären* declare *a p.* the loser.

Verlies [fɛr'li:s] *n* (-*es*; -*e*) dungeon, keep.

verlitzen [fɛr'litsən] *el. v/t.* (*h.*) strand.

ver'loben *v/t.* (*h.*) engage (*mit* to); *sich ~* become engaged *or* betrothed; *verlobt sein* be engaged to be married.

Verlöbnis [fɛr'lø:pnis] *n* (-*ses*; -*se*) betrothal, engagement; **~bruch** *m* breach of promise.

Verlobte(r *m*) [fɛr'lo:ptə(r)] *f* (-*n*, -*n*; -*en*, -*en*): *ihr ~r* her fiancé *or* intended (husband); *s-e ~* his fiancée *or* intended (wife); *die ~n pl.* the engaged couple, the betrothed.

Verlobung [fɛr'lo:buŋ] *f* (-; -*en*) betrothal, engagement; *e-e ~* (*auf-*) *lösen* break off an engagement; **~s-anzeige** *f* announcement of an engagement; **~sring** *m* engagement ring.

ver'lock|en *v/t.* (*h.*) allure, entice; tempt; seduce; inveigle (*zu et.* into doing a th.); **~end** *adj.* tempting, enticing; **Ωung** *f* (-; -*en*) allurement, lure, enticement; temptation; seduction.

verlogen [fɛr'lo:gən] *adj.* (given to) lying, untruthful, mendacious; **Ωheit** *f* (-) constant lying; untruthfulness, mendacity.

ver'lohnen *v/refl.* (*h.*): *es verlohnt sich der Mühe* it is worth the trouble, it is worth while.

verlor [fɛr'lo:r] *pret. of verlieren.*

ver'loren *p.p. of verlieren and adj.* lost (*a. fig.*); forlorn; → *Ei*; *~e Hoffnung* vain hope; *~e Partie* losing game; *~er Haufen or Posten* forlorn hope; *auf ~em Posten stehen* fight a losing battle; *arch.* → *Schalung*; *der ~e Sohn* the prodigal son; *~ geben* give up for lost; *das Spiel ~ geben* throw up the game (for lost), *fig.* give in; **~gehen** *v/i.* (*irr., sn*) be (*or* get) lost; *letter*: *a.* miscarry; *an ihm ist ein Schauspieler verlorengegangen* he would have made a splendid actor.

ver'löschen I. *v/t.* (*h.*) extinguish; efface (*writing*); **II.** *v/i.* (*sn*) → *erlöschen.*

ver'los|en *v/t.* (*h.*) dispose of by lot; draw (*or* cast) lots for, raffle; **Ωung** *f* (-; -*en*) lottery, raffle.

ver'löten *v/t.* (*h.*) solder up; *hart ~* braze; *colloq.* e-n *~* (*drink*) hoist one, *Am.* have a snifter.

verlotter|n [fɛr'lɔtərn] *v/i.* (*sn*) *person*: go to the bad, come down (in the world); *matter*: go to rack and ruin, go to seed; **~t** *adj.* dissolute; *thing*: ruined.

Verlust [fɛr'lust] *m* (-*es*; -*e*) loss (*an dat.* of); bereavement; damage; waste; *~e pl. mil.* casualties; *at game*: losings; *bei ~ von* under pain of, with forfeiture of; *in ~ geraten* get lost; *mit ~ sell, work, etc.*, at a loss, at a sacrifice; **~anteil** *m* share in the loss; **~anzeige** *f* notice of (a) loss; **Ωbringend** *adj.* involving (a) loss, losing *business*; **Ωfrei** *adj.* free from losses; **~geschäft** *n* losing business; **Ωig** *adv.* (*gen.*): *e-r Sache ~ gehen* forfeit a th., be deprived of a th.; lose a th.; *j-n e-r Sache für ~ erklären* declare a p. to have forfeited a th.; **~konto** *n* loss account; **~liste** *mil. f* (list of) casualties *pl.*; **~meldung** *f* report of loss; casualty report; **~rechnung** *f* → *Verlustkonto*; **Ωreich** *adj.* involving heavy losses, bloody.

ver'machen *v/t.* (*h.*): *j-m et. ~* leave (*or* will) a th. to a p.; *jur.* bequeath, devise.

Vermächtnis [fɛr'mɛçtnis] *n* (-*ses*; -*se*) (last) will; *fig.* legacy, trust; bequest; *of money*: legacy; *of real estate*: devise; **~geber** *m* legator; **~nehmer** *m* legatee; devisee.

ver'mahlen *v/t.* (*h.*) grind up.

vermähl|en [fɛr'mɛ:lən] *v/t.* (*h.*) wed, marry (*mit* to; *sich mit j-m* a p.); *fig.* unite; *die Vermählten* the bridal pair, the newly married couple; **Ωung** *f* (-; -*en*) wedding, marriage.

ver'mahn|en *v/t.* (*h.*) admonish, exhort, warn; **Ωung** *f* (-; -*en*) admonition, exhortation, warning.

vermaledei|en [fɛrmalə'daɪən] *v/t.* (*h.*) curse, execrate; **~t** *adj.* → *verdammt.*

vermännlich|en [fɛr'mɛnliçən] *v/t.* (*h.*) masculinize; **Ωung** *f* (-) masculinization.

ver'manschen *colloq. v/t.* (*h.*) mess up.

vermasseln [fɛr'masəln] *v/t.* (*h.*) bungle, make a botch of, *esp. sports*: foozle.

Vermassung [fɛr'masuŋ] *f* (-) stereotyping.

ver'mauern *v/t.* (*h.*) wall up (*or* in).

ver'mehr|en *v/t.* (*h.*) (*a. sich*) increase (*um* by), augment; multiply; propagate, *zo. a.* breed; add to; *vermehrte Auflage e-s Buches* enlarged edition; **Ωung** *f* (-) increase; addition (*gen.* to); propagation.

ver'meid|en *v/t.* (*irr., h.*) avoid; evade, dodge, steer clear of; shun; *es läßt sich nicht ~* it is unavoidable, it cannot be helped; *tun Sie es nicht, wenn Sie es ~ können* don't do it, if you can help it; **~lich** [-'maɪtliç] *adj.* avoidable; **Ωung** [-duŋ] *f* (-) avoidance.

ver'mein|en *v/t.* (*h.*) think, believe, suppose; **~tlich** [-'maɪntliç] *adj.* supposed; pretended, putative; imaginary; presumptive.

ver'melden *v/t.* (*h.*) announce; mention; inform, notify (*j-m et.* a p. of a th.).

ver'mengen *v/t.* (*h.*) mix (up), mingle, blend; confound, mix up; *sich ~ mit* mix (*or* blend) with; *in e-e Sache vermengt werden* be involved in, be mixed up in (*or* with) *a th.*

ver'menschlich|en *v/t.* (*h.*) represent in a human form, humanize; **Ωung** *f* humanization.

Vermerk [fɛr'mɛrk] *m* (-[*e*]*s*; -*e*) note, notice; entry; endorsement; **Ωen** *v/t.* (*h.*) note down, record; remark, observe; make a (mental) note of; enter, make an entry of; *übel ~* take *a th.* amiss, take offen|ce (*Am.* -se) at.

ver'mess|en I. *v/t.* (*irr., h.*) measure, take the measurement of; survey (*land*); *sich ~* measure wrong; dare, presume, have the temerity (*or* impudence) to; **II.** *adj.* daring, presumptious; impudent, insolent; **Ωenheit** *f* (-) presumption; **Ωer** *m* (-*s*; -) surveyor.

Ver'messung *f* (-; -*en*) measurement; survey (*of land*).

Ver'messungs...: **~amt** *n* surveyor's office; **~be-amte(r)** *m* surveyor; **~flugzeug** *n* survey-plane; **~ingenieur** *m* land surveyor; **~kunde** *f* (-) geodesy; **~punkt** *m* survey point; **~trupp** *mil. m* survey party; **~wesen** *n* (-*s*) surveying.

ver'miet|bar *adj.* rentable; **~en** *v/t.* (*h.*) let (on hire), *esp. Am.* rent; hire (out); *jur.* lease; *Haus zu ~* house to (be) let; *Möbel, etc., zu ~* furniture, *etc.*, on hire; **Ωer(in** *f*) *m* letter; landlord (*f* landlady); hirer (out); *jur.* lessor; **Ωung** *f* (-; -*en*) letting; leasing; hiring (out).

ver'minder|n *v/t.* (*h.*) (*a. sich*) diminish, decrease, lessen; *sich ~*

a. decline, fall off; impair; reduce, curtail, cut (down, *Am.* back); 2**ung** *f* (-) diminution, decrease, lessening; impairment; reduction, cut.

verminen [fɛr'mi:nən] *v/t.* (*h.*) mine.

ver'misch|en *v/t.* (*h.*) mix (up), mingle; blend (*paints, tobaccos, tea*); interbreed, cross (*races*); adulterate; alloy; *sich* ~ mix, blend; interbreed; ~**t** *adj.* mixed; miscellaneous (*news, etc.*); ~*e Schriften* miscellany *sg.*; 2**ung** *f* (-) mixture; blend(ing); interbreeding, crossing; intermarriage; medley, jumble.

ver'missen *v/t.* (*h.*) miss; fail to see; regret; ~ *lassen* lack, not to have; *vermißt* missing (in action *mil.*).

Vermißte(**r** *m*) [-'mistə(r)] *f* (-*n*, -*n*; -*en*, -*en*) missing person; *pl. the* missing, *mil.* missing personnel.

vermitt|eln [fɛr'mitəln] **I.** *v/t.* (*h.*) mediate; arrange, adjust, settle; negotiate (*loan, peace*); reconcile; arrange; procure, obtain, get (*j-m* for a p.), supply *a p.* with; give, convey, offer (*idea, impression, picture*); impart *knowledge* (*j-m* to a p.); **II.** *v/i.* (*h.*) mediate, act as a mediator (*bei* in); intercede, interpose, intervene (*zwischen* between); ~**elnd** *adj.* intermediary, conciliatory; ~**els**(**t**) *prp.* (*gen.*) by means (*or* dint) of, through; 2**ler** (-**in** *f*) *m* (-*s*, -; -, -*nen*) mediator (*f a.* mediatrix), *often b.s.* go-between; *econ.* agent, middle-man.

Ver'mittlung *f* (-; -*en*) mediation, agency; settlement, adjustment; arrangement; negotiation; procuring, supplying; intercession, intervention; *durch* ~ *gen. or von* through (the intermediary of); *durch freundliche* ~ *des Herrn X.* by the good offices of Mr. X.; *teleph.* exchange; ~**s-amt** *teleph. n* (telephone) exchange, *Am.* central office; ~**s-ausschuß** *m* mediation committee; ~**sgebühr**, ~**sprovision** *f* commission; brokerage; ~**sschrank** *teleph. m* switchboard; ~**svorschlag** *m* proposal for settlement.

vermöbeln [fɛr'mø:bəln] *colloq. v/t.* (*h.*) → *verprügeln*.

ver'modern *v/i.* (*sn*) mo(u)lder, decay, rot.

vermöge [fɛr'mø:gə] *prp.* (*gen.*) in virtue of, on the strength of; by dint of; owing to.

vermögen [fɛr'mø:gən] *v/t.* (*irr.*, *h.*) be able to do; ~ *zu inf.* be able to *inf.*; be capable of *ger.*; be in a position to *inf.*, have the power to *inf.*; *wir werden sehen, was er vermag* we shall see what he can do; et. ~ *bei j-m* have influence with a p.; *j-n zu* et. ~ induce a p. (*or* prevail upon a p.) to do a th.; *es über sich* ~ bring o.s. to do it.

Ver'mögen *n* (-*s*; -) ability; power, capacity (*a. tech.*); property; fortune; means *pl.*; *econ.* capital; assets *pl.*; *ein* ~ *verdienen* make a fortune; *nach bestem* ~ to the best of one's ability; *das geht über mein* ~ that's beyond me; 2**d** *adj.* wealthy, rich, well-to-do; *pred.* well to do, well off.

Ver'mögens...: ~**abgabe** *f* capital levy; ~**abschätzung** *f* valuation of property; ~**anlage** *f* capital asset, (productive) investment; ~**aufsicht** *f* property control; ~**aufstellung** *f* financial statement; ~**bestand** *m* amount of property, assets *pl.*; ~**bilanz** *f* statement of resources and liabilities, *Am.* statement of condition; ~**bildung** *f* formation of wealth; ~**gegenstand** *m* asset; ~**masse** *f* (-) estate, assets *pl.*; (*ant. interest*) principal; 2**rechtlich** *adj.* under the law of property; ~*e Ansprüche* pecuniary claims; ~**steuer** *f* property tax; ~**verhältnisse** *pl.* pecuniary circumstances; *in angenehmen* ~*n* in easy circumstances; ~**werte** *m/pl.* assets *pl.*; ~**zuwachssteuer** *f* tax on the increment value of property.

vermottet [fɛr'mɔtət] *adj.* mothy, moth-eaten.

vermumm|en [fɛr'mumən] *v/t.* (*h.*) muffle up; disguise, mask; 2**ung** *f* (-; -*en*) disguise, mummery.

vermut|en [fɛr'mu:tən] *v/t.* (*h.*) suppose, assume, *Am. a.* guess; conjecture, gather; expext; image; suspect; surmise; *ich vermutete, daß a.* I had an idea (*or* a hunch) that; ~**lich I.** *adj.* presumable, supposed; probable, likely; presumptive (*heir*); **II.** *adv.* presumably, *etc.*; I suppose; 2**ung** *f* (-; -*en*) presumption (*a. jur.*); supposition, *Am. a.* guess; idea, hunch; conjecture; expectation; speculation (*a. pl.*); (*bloße* mere) surmise *or* guesswork; ~*en anstellen* speculate (*über acc.* upon).

vernachlässig|en [fɛr'na:xlɛsigən] *v/t.* (*h.*) neglect; *s-e Pflicht* ~ fail (*or* be neglectful, *Am.* be derelict) in one's duty; 2**ung** *f* (-) neglect (-ing).

ver'nagel|n *v/t.* (*h.*) nail (up); nail down; *mit Brettern* ~ board up; ~**t** *colloq. adj.* dense, blockheaded; *ich war wie* ~ my mind was a blank.

ver'nähen *v/t.* (*h.*) sew up.

ver'narben *v/i.* (*sn*; *a. sich* [*h.*]) cicatrice, scar over; heal (*or* close) up.

vernarr|en [fɛr'narən]: *sich* ~ (*h.*) *in* (*acc.*) become infatuated with, go wild about; ~**t** *adj.*: ~ *in* (*acc.*) infatuated with, madly in love with, gone on; *Am. a.* stuck (*or* nuts) on; wild (*or* crazy) about; *in ein Kind* ~ *sein* dote on a child.

ver'naschen *v/t.* (*h.*) spend on sweets; *colloq. fig.* love up.

vernebel|n [fɛr'ne:bəln] *v/t.* (*h.*) *mil.* cover by a smoke screen, screen; *aer., mot.* atomize; *fig.* obscure; 2**ung** *f* (-) (smoke) screen; atomizing.

vernehm|bar [fɛr'ne:mba:r] *adj.* perceptible, audible; within ear-shot; ~**en** *v/t.* (*irr.*, *h.*) perceive, hear, become aware of; learn, hear, understand; interrogate, question, *jur. a.* examine, inspect; *als Zeuge vernommen werden* be called into the witness-box (*Am.* witness-stand); ~ *lassen* declare, intimate, say; *sich* ~ *lassen* be (*or* make o.s.) heard; 2**en** *n* (-*s*): *gutes* ~ good understanding, friendly terms; *dem* ~ *nach* as reported, from what I (*or* we) hear *or* understand; rumo(u)r has it that; *sicherem* ~ *nach* according to reliable reports, we have it on good authority that; *im* ~ *mit* in agreement with; ~**lich** *adj.* audible, distinct; loud, resounding; 2**ung** *f* (-; -*en*) interrogation, questioning; examination, inspection; 2**ungsbe-amte**(**r**) *m* interrogator; ~**ungsfähig** *adj.* in a condition to be examined.

ver'neig|en: *sich* ~ (*h.*), 2**ung** *f* (-; -*en*) bow; curtsy (*vor dat.* to).

vernein|en [fɛr'naınən] *v/t. and v/i.* (*h.*) say no *or* answer in the negative (*e-e Frage* to a question); deny; *er verneinte a.* the answer was no, his answer was in the negative; ~**end** *adj.* negative; 2**ung** *f* (-; -*en*) negation; denial; *gr.* negative; 2**ungssatz** *gr. m* negative clause; 2**ungswort** *gr. n* (-[*e*]*s*; ⸗*er*) negative.

vernichten [fɛr'niçtən] *v/t.* (*h.*) annihilate; destroy (*a. documents*); exterminate; eradicate; dash, shatter (*hopes*); ~**d** *adj.* destructive, (*a. fig.*) devastating; *fig.* crushing (*answer, blow, defeat*); withering (*look*); scathing (*criticism, etc.*).

Ver'nichtung *f* (-; -*en*) annihilation; destruction; extermination.

Ver'nichtungs...: ~**feuer** *mil. n* annihilating fire; ~**krieg** *m* war of extermination; ~**lager** *n* extermination camp; ~**mittel** *n* (*weed, etc.*) killer; ~**schlacht** *f* battle of annihilation; ~**waffe** *f* destructive weapon.

vernickel|n [fɛr'nikəln] *v/t.* (*h.*) nickel(-plate); 2**ung** *f* (-) nickel-plating.

verniedlichen [fɛr'ni:tliçən] *v/t.* (*h.*) make *a th.* look harmless, minimize, play *a th.* down.

ver'nieten *v/t.* (*h.*) rivet, clinch.

Vernunft [fɛr'nunft] *f* (-) reason; judgment; *die gesunde* ~ common sense, good sense; ~ *annehmen* listen to reason; *j-n zur* ~ *bringen* bring a p. to reason *or* to his senses; *j-m* ~ *predigen* plead with a p. to be reasonable; *wieder zur* ~ *kommen* come back to one's senses; 2**begabt** *adj.* rational; ~**ehe** *f* marriage of convenience.

Vernünftelei [fɛrnynftə'laı] *f* (-; -*en*) subtlety, sophistry, hair-splitting; **vernünfteln** [-'nynftəln] *v/i.* (*h.*) subtilize, split hairs.

Ver'nunft...: 2**gemäß** *adj.* rational, reasonable, logical; ~**glaube** *m* rational belief, rationalism; ~**grund** *m* rational argument.

ver'nünftig *adj.* rational; reasonable; sensible, level-headed; judicious, wise; ~ *reden* talk sense; ~**erweise** [-vaızə] *adv.* reasonably; ~ *ging er nicht hin* he had the good sense not to go there.

ver'nunft...: ~**los** *adj.* senseless, unreasonable; ~**mäßig** *adj.* rational; ~**widrig** *adj.* contrary to reason, unreasonable, irrational.

vernuten [fɛr'nu:tən] *tech. v/t.* (*h.*) groove.

veröd|en [fɛr'ˀø:dən] **I.** *v/t.* (*h.*) make desolate; lay waste, devastate; depopulate; *med.* sclerose, obliter-

ate, atrophy; **II.** *v/i.* (*sn*) become desolate *or* deserted; **2ung** *f* (-) desolation; devastation; depopulation; *med.* sclerosing, obliteration.
veröffentlich|en [fɛr'ʔœfəntliçən] *v/t.* (*h.*) publish; make public, announce; promulgate (*law*); advertise; **2ung** *f* (-; -*en*) publication (*a. book, treatise, etc.*); (public) announcement; promulgation.
ver'ordn|en *v/t.* (*h.*) *jur.* ordain, decree; establish, (*a. med.*) order; *med.* prescribe (*j-m* for a p.); **2ung** *f* (-; -*en*) decree, ordinance, regulation, order; *med.* prescription; **2ungsblatt** *n* official gazette; **2ungsweg** *m*: *auf dem* ~*e* by decree.
ver'pacht|en *v/t.* (*h.*) farm out; rent, *jur.* lease (*real estate*); **2ung** *f* (-; -*en*) farming out; *jur.* leasing.
Ver'pächter(**in** *f*) *m* (-*s*, -; -, -*nen*) lessor.
ver'pack|en *v/t.* (*h.*) pack (up); *econ.* package; wrap up; **2ung** *f* (-; -*en*) packing up; *econ.* packaging; packing material; wrapping; *econ. einschließlich* ~ packing included; **2ungsgewicht** *n* tare, dead weight; **2ungsstraße** *f* packaging line.
ver'passen *v/t.* (*h.*) let *opportunity* slip, miss (*a chance*); miss, lose (*train*); *mil.* fit (on) (*uniform, etc.*); *colloq. fig.* give; *j-m e-n Schlag* ~ land on a p., paste a p. one.
verpatzen [fɛr'patsən] *colloq. v/t.* (*h.*) → *vermasseln*.
verpest|en [fɛr'pɛstən] *v/t.* (*h.*) infect, poison, taint, pollute; *w.s. die Luft* ~ raise a stench; **2ung** *f* (-) infection; pollution.
ver'petzen *colloq. v/t.* (*h.*) peach on; *esp. ped.* sneak against.
ver'pfänd|en *v/t.* (*h.*) pledge (*a. fig. sein Wort* one's word); mortgage; pawn, *Am. a.* hock; **2ung** *f* (-; -*en*) pledging; mortgaging; pawning.
ver'pfeifen *colloq. v/t.* (*irr.*, *h.*) squeal on.
ver'pflanz|en *v/t.* (*h.*) transplant; **2ung** *f* transplanting, *esp. med.* transplant(ation).
ver'pfleg|en *v/t.* (*h.*) → *pflegen*; board; cater for; *mil. a.* supply with rations, provision, victual; **2ung** *f* (-) board; catering, victual(l)ing, food supply; board, food; *mil.* provisions, rations.
Ver'pflegungs...: ~**amt** *n* food office; *mil.* commissariat; ~**geld** *n* basic allowance for subsistence; ration allowance; ~**lager** *n* ration depot; ~**offizier** *m* mess (*Brit.* catering) officer; ~**satz** *m* ration scale; daily ration quantity; ~**stärke** *f* ration strength; ~**unteroffizier** *m* mess (*Brit.* catering) sergeant; ~**wesen** *n* (-*s*) food service; catering.
verpflicht|en [fɛr'pfliçtən] *v/t.* (*h.*) oblige; *esp. contractually*: obligate, engage; sign (up); → *eidlich* **II**; *sich* ~ bind o.s.; sign on; *mil.* enrol(l), enlist; *sich zu et.* ~ bind (*or* engage, commit) o.s. to do a th., *jur. a.* undertake, covenant to do a th.; *in contracts*: *der Verkäufer verpflichtet sich, zu inf.* Seller agrees (and engages) to *inf.*; *zu Dank* ~ lay *a p.* under an obligation; *j-m zu Dank verpflichtet sein* be (greatly) obliged *or* indebted to a p.; *gesetzlich verpflichtet sein* be liable, be bound by law; *sich verpflichtet fühlen, zu inf.* feel bound to *inf.*; ~**end** *adj.* binding, obligatory; **2ung** *f* (-; -*en*) obligation; liability (*a. econ. debt*); pledge (*zu* of); duty; engagement, commitment; *e-e* ~ *eingehen* undertake an obligation, enter into an engagement, assume (*or* incur) a liability; ~*en gegen j-n haben* be under an obligation to a p.
ver'pfusch|en *v/t.* (*h.*) bungle, botch; make a mess (*or* hash) of; ~**t** *adj.* ruined, wrecked, misspent (*life*).
verpichen [fɛr'piçən] *v/t.* (*h.*) (coat *or* stop with) pitch; → *erpicht*.
ver'planen *v/t.* (*h.*) **1.** budget wrongly; misapply; **2.** budget; plan.
ver'plappern, ver'plaudern *v/t.* (*h.*) prattle away (*time*); *sich* ~ blab out a secret, let the cat out of the bag; give o.s. away.
verplempern [fɛr'plɛmpərn] *colloq. v/t.* (*h.*) spend (*or* waste) foolishly, fritter away; *sich* ~ fritter away one's energy.
verpönt [fɛr'pøːnt] *adj.* prohibited, taboo; *w.s.* despised.
ver'prassen *v/t.* (*h.*) dissipate (in luxury), get through *one's money*.
verproviantieren [fɛrprovian'tiːrən] *v/t.* (*h.*) victual, provision; supply with food (*or* rations).
ver'prügeln *v/t.* (*h.*) thrash (soundly), wallop, trounce, trim, flog, lick, *Am.* beat up.
ver'puffen *v/i.* (*h.*) deflagrate; detonate, explode; *fig.* fizzle out, go up in smoke; fall flat.
verpulvern [fɛr'pulfɛrn] *colloq. v/t.* (*h.*) squander, blue (*money*).
ver'pumpen *colloq. v/t.* (*h.*) lend, give on tick.
verpupp|en [fɛr'pupən]: *sich* ~ (*h.*) change into a chrysalis, pupate; **2ung** *f* (-) pupation.
ver'pusten *colloq.*: *sich* ~ (*h.*) recover (one's) breath, get one's wind back.
Ver'putz *m* (-*es*) *arch.* roughcast, plaster; *tech.* dressing; **2en** *v/t.* (*h.*) roughcast, plaster; *colloq.* **a)** blue (*money*), **b)** polish off (*food*), **c)** *ich kann ihn* (*das*) *nicht* ~ I can't stand *or* stomach him (that).
verqualmt [fɛr'kvalmt] *adj.* filled (*or* thick) with smoke.
verquicken [fɛr'kvikən] *v/t.* (*h.*) amalgamate, fuse; *fig.* mix up (*mit* with).
verquollen [fɛr'kvɔlən] *adj.* warped (*wood*); swollen (*eyes, face*).
verramme(l)n *v/t.* (*h.*) bar(ricade), block up.
verramschen [fɛr'ramʃən] *colloq. v/t.* (*h.*) sell at a loss *or* dirt-cheap.
verrant [fɛr'rant] *fig. adj.*: ~ *sein in* (*acc.*) be stuck fast in; be blindly enamo(u)red of *an idea*; **2heit** *f* (-) wrongheadedness, stubbornness.
Verrat [fɛr'rɑːt] *m* (-[*e*]*s*) betrayal (*an dat.* of); *jur.* treason (to *one's country, etc.*); treachery (to); (unauthorized) divulging *or* disclosure (*gen. or von of secrets, etc.*); ~ *an j-m begehen* betray a p.; **2en** *v/t.* (*irr.*, *h.*) betray (*sich* o.s.), give *a p., o.s., a secret* away; blab out, let out, *Am. a.* spill; *alles* ~ give the show away; disclose, divulge (*secret*); *fig.* show, reveal, give evidence of, bespeak, betray; sell; *nicht* ~! mum's the word!
Verräter [fɛr'rɛːtər] *m* (-*s*; -) traitor (*an dat.* to); *w.s.* betrayer; *an j-m zum* ~ *werden* betray a p.; **Verräte'rei** *f* (-; -*en*) treachery; **Ver'räter|in** *f* (-; -*nen*) traitress; **2isch** *adj.* treacherous, traitorous, *jur.* treasonable; perfidious; *fig.* revealing; telltale.
ver'rauchen I. *v/i.* (*sn*) go off in smoke; *anger*: blow over; **II.** *v/t.* (*h.*) spend on smoking tobacco, *etc.*
ver'räucher|n *v/t.* (*h.*) fill with smoke; ~**t** *adj.* smoky, thick with smoke.
ver'rauschen *v/i.* (*sn*) pass away.
ver'rechnen *v/t.* (*h.*) reckon up; charge; pass to account; set off (*mit* against); compensate; clear; *sich* ~ miscalculate; *a. fig.* make a mistake; *sich verrechnet haben* be out in one's reckoning, *fig.* be mistaken; *sich um 10 Dollar verrechnet haben* be $10 out.
Ver'rechnung *f* (-; -*en*) reckoning up; charging; settling, settlement (of an account); clearing; miscalculation; *nur zur* ~ not negotiable, only for account (*cheque*).
Ver'rechnungs...: ~**abkommen** *n* clearing agreement; ~**bank** *f* (-; -*en*) clearing bank; ~**konto** *n* offset account; ~**land** *n* agreement country; ~**posten** *m* offset item; ~**scheck** *m* collection-only (*or* not negotiable) cheque (*Am.* check); ~**stelle** *f* clearing-house; ~**verkehr** *m* clearing system, clearings *pl.*; ~**währung** *f* agreement currency.
ver'recken *v/i.* (*sn*) perish, die; *vulg. person*: turn up one's toes, croak, kick the bucket.
ver'regne|n *v/t.* (*h.*) spoil by rain (-ing); ~**t** *adj.* rainy, rain-spoilt.
ver'reiben *v/t.* (*irr.*, *h.*) grind down; *pharm.* triturate; spread by rubbing, rub in (*ointment*).
ver'reis|en *v/i.* (*sn*) go on a journey; ~ *nach* start (*or* leave, set out) for; ~**t** *adj.* out of town; away (*geschäftlich* on business).
ver'reißen *colloq. v/t.* (*irr.*, *h.*) pull to pieces, slate.
verrenk|en [fɛr'rɛŋkən] *v/t.* (*h.*) contort; *med.* wrench, sprain; dislocate, luxate; *sich neugierig den Hals* ~ crane one's neck; **2ung** *f* (-; -*en*) contortion; dislocation, luxation.
ver'rennen *fig. v/i.* (*irr.*, *h.*): *sich* ~ *in* (*acc.*) be stuck in *a matter*; → *verrannt*.
ver'richt|en *v/t.* (*h.*) do, perform; acquit o.s. of; execute, carry out; *s-e Andacht* ~ perform one's devotions, be at prayer; *sein Gebet* ~ say one's prayer(s); → *Notdurft*; **2ung** *f* (-; -*en*) performance; business; work; *tägliche* ~*en* daily work (*or* routine).
verriegeln [fɛr'riːgəln] *v/t.* (*h.*) bolt, bar.
verringer|n [fɛr'riŋərn] *v/t.* (*h.*)

diminish, decrease, lessen (*a. sich*); reduce, cut (down, *Am.* back); *das Tempo* ~ slacken off, slow down; **2ung** *f* (-; -*en*) diminution; decrease; reduction, cut.

ver'rinnen *v/i.* (*irr.*, *sn*) run off *or* away; *time*: elapse, fly.

Ver'riß *colloq. m* (-sses; -sse) slating.

ver'röcheln *v/i.* (*sn*) breathe one's last.

verroh|en [fɛr'ro:ən] **I.** *v/t.* (*h.*) brutalize; **II.** *v/i.* (*sn*) grow brutal *or* brutish; **2ung** *f* (-) brutalization.

ver'rosten *v/i.* (*sn*) get rusty, rust (*a. fig.*); corrode.

verrotte|n [fɛr'rɔtən] *v/i.* (*sn*) rot; **~t** *adj.* rotten (*a. fig.* = corrupt).

verrucht [fɛr'ru:xt] *adj.* wicked, villainous; heinous (*crime*); **2heit** *f* (-) wickedness, villainy, infamy.

ver'rück|en *v/t.* (*h.*) displace, (re-)move, shift; disarrange; **~t** *adj.* mad, crazy, crack-brained, cracked, batty, balmy, nuts, loony; *pred.* out of one's mind, off one's onion; *fig.* ~ *nach* (*dat.*) mad on, crazy for, nuts on; ~ *auf* (*acc.*) crazy (*or* wild) about; *~e Idee* crazy idea; *j-n ~ machen* drive a p. mad, *etc.*; ~ *spielen* play *or* act the (giddy) goat; *wie* ~ like mad; *ich werd' ~!* I'll be doggone!; **2te(r** *m*) *f* (-*n*, -*n*; -*en*, -*en*) lunatic; madman, *f* madwoman; crackpot, loon; **2theit** *f* (-; -*en*) madness; foolish action, folly; craze.

Ver'ruf *m* (-[e]s): *in ~ bringen* (*kommen*) bring (get) into discredit, bring (fall) into disrepute; *in ~ sein* be notorious, *w.s.* be under a cloud; *in ~ tun* boycott, taboo; **2en I.** *v/t.* (*irr.*, *h.*) decry, cry down; **II.** *adj.* ill-reputed, ill-famed, notorious.

ver'rühren *v/t.* (*h.*) stir, mix.

ver'rußen I. *v/t.* (*h.*) soot; **II.** *v/i.* (*sn*) become sooted *or* sooty.

ver'rutschen *v/i.* (*sn*) slip, get out of place.

Vers [fɛrs] *m* (-es; -e) verse (*a. bibl.*), line; stanza; *in ~e bringen* put into verse; *fig. er kann sich keinen ~ darauf machen* he cannot make head or tail of it.

versachlichen [fɛr'zaxliçən] *v/t.* (*h.*) render factual (*or contp.* banal).

ver'sag|en I. *v/t.* (*h.*) refuse, deny; *den Dienst* ~ fail (to act *or* work); *sich et.* ~ deny o.s. a th., forgo a th.; *versagt sein* be engaged; *e-n Tanz versagt haben* have promised a dance; *es war ihm versagt, zu inf.* it was denied to him to *inf.*; **II.** *v/i.* (*h.*) fail (*a. a p.*, *voice*, *etc.*), *tech. a.* break down; *gun*: miss fire, misfire; **2en** *n* (-s) failure; **2er** *m* (-s; -) misfire, stoppage (*of gun*); dud; *fig.* (*a. person*) failure, flop, washout; **2ung** *f* (-; -*en*) refusal, denial.

ver'salzen *v/t.* (*h.*) oversalt; *fig.* spoil; → *Suppe*.

ver'samm|eln *v/t.* (*h.*) assemble, *mil. a.* rally; convoke, convene; collect (*horse*); *sich* ~ assemble, meet, gather; hold a meeting; flock together; **2lung** *f* (-; -*en*) assembly (*a. mil.*), meeting, gathering (*all a.* = assemblage); *aer.* forming-up; *gesetzgebende* ~ legislative assembly; *eccl.* congregation; **2lungs-ort, 2lungs-platz** *m* meeting-place; *mil.* rallying-point, rendezvous; **2lungsraum** *mil. m* assembly area; **2lungsrecht** *n* (-[e]s) right of assembly.

Versand [fɛr'zant] *m* (-[e]s) dispatch; delivery; *mar. or Am.* shipment; mailing; *ins Ausland a.* export(ation); **~abteilung** *f* forwarding department; **~anweisung** *f* shipping instruction; **~anzeige** *f* advice of dispatch; **~artikel** *m* article of exportation, *pl.* export goods, exports; **2bereit** *adj.* ready for delivery; **~bier** *n* export beer.

versanden [fɛr'zandən] *v/i.* (*sn*) silt up; *fig.* bog down, peter out, be deadlocked.

Ver'sand...: **2fertig** *adj.* ready for delivery; **~geschäft** *n* export (*or* mail-order) business; **~haus** *n* mail-order house; **~kosten** *pl.* forwarding expenses; **~papiere** *n/pl.* shipping documents; **~wechsel** *m* out-of-town (*or* foreign) bill.

Versatz|mauer [fɛr'zats-] *f* partition wall; **~stück** *thea. n* set-scene.

versauen [fɛr'zaʊən] *colloq. v/t.* (*h.*) soil, mess up; *fig.* ruin, make a mess of, louse up.

ver'saufen *vulg. v/t.* (*irr.*, *h.*) waste on drink; → *versoffen*.

ver'säumen *v/t.* (*h.*) neglect (*duty*); miss, let slip (*opportunity*); miss (*train*, *school*, *etc.*); *Versäumtes nachholen* make up leeway, recover lost ground; ~ *zu tun* fail (*or* omit) to do.

Versäumnis [fɛr'zɔʏmnis] *n* (-ses; -se) neglect, (sin of) omission, failure; loss of time; **~urteil** *n* judgment by default.

'Versbau *m* (-[e]s) versification; metrical structure.

ver'schachern *v/t.* (*h.*) barter away, sell (*or* job) off.

verschachtel|n [fɛr'ʃaxtəln] *v/t.* (*h.*) interlock; *gr. verschachtelter Satz* involved period; **2ung** *f* (-; -*en*) interlocking.

ver'schaffen *v/t.* (*h.*) procure, get (*j-m* for a p.; a p. *a th.*), provide, furnish, supply (a p. with *a th.*); *sich et.* ~ obtain, get, secure; raise (*money*); *sich Respekt* ~ make o.s. respected; *sich Recht* ~ obtain justice, take the law into one's own hands; *sich e-n Vorteil* ~ gain an advantage.

verschal|en [fɛr'ʃɑ:lən] *v/t.* (*h.*) plank, *arch.* board; encase; *aer.* fair; **2ung** *f* (-; -*en*) planking; boarding; casing; *aer.* fairing.

verschämt [fɛr'ʃɛ:mt] *adj.* bashful, shamefaced; *die ~en Armen* the deserving poor; ~ *tun* put on a bashful air; **2heit** *f* (-) bashfulness.

verschandeln [fɛr'ʃandəln] *v/t.* (*h.*) disfigure; spoil, ruin; murder (*language*).

ver'schanz|en *v/t. and sich* ~ (*h.*) entrench, fortify (o.s.); *sich ~ hinter* (*dat.*) *fig.* (take) shelter behind; **2ung** *f* (-; -*en*) entrenchment.

verschärf|en *v/t.* (*h.*) add to, (*a. sich*) intensify, heighten; *b.s.* (*a. sich*) aggravate; *das Tempo* ~ increase the pace, step on the gas; **2ung** *f* (-; -*en*) intensification, heightening; aggravation.

ver'scharren *v/t.* (*h.*) bury (hurriedly).

ver'schätzen: *sich* ~ (*h.*) be out in one's reckoning, make a mistake.

ver'scheiden *v/i.* (*irr.*, *sn*) pass away, expire; **2** (-*s*) *n* decease.

ver'schenken *v/t.* (*h.*) give away; *den Sieg ~ fig.* throw away (*or* make a present of) the victory (*or* the race, the game, *etc.*); retail (*beer*, *etc.*).

ver'scherzen *v/t.* (*h.*) forfeit; let slip (*a chance*); *sein Glück* ~ spurn one's fortune.

ver'scheuchen *v/t.* (*h.*) scare away; chase off (*birds*); shoo away; *fig.* banish.

ver'schick|en *v/t.* (*h.*) send away, dispatch, forward; evacuate, send *children* (into the country); deport (*criminal*); **2ung** *f* (-; -*en*) sending away, dispatch(ing); evacuation; deportation.

verschiebbar [fɛr'ʃi:pbɑ:r] *adj.* sliding, movable; adjustable.

Verschiebe|bahnhof [-'ʃi:bə-] *m* shunting station, marshalling (*Am.* switching) yard; **2n** *v/t.* (*irr.*, *h.*) shift, (re)move; displace; *rail.* shunt; disarrange; defer, put off, postpone; adjourn; *econ.* sell underhand, job away; *sich* ~ shift, get out of place.

Ver'schiebung *f* (-; -*en*) shift(ing); displacement (*a. tech.*; *mil. of troops*); postponement; adjournment; *geol.* dislocation; *econ.* illicit sale.

verschieden [fɛr'ʃi:dən] **I.** *p.p. of verscheiden*; **II.** *adj.* different, distinct (*von* from); dissimilar, unlike; varied; *~e pl.* various, several, diverse; **2es** various things, *esp. econ.* sundries; miscellaneous things; *in den ~sten Ausführungen* of all (possible) designs, a great variety of *models*; *das ist* ~ that depends; *darüber kann man ~er Auffassung sein* opinions may differ as to that, that is a moot question; *colloq. da hört doch ~es auf!* that's really too much!; **~artig** [-ɑ:rtiç] *adj.* of a different kind, different, dissimilar, heterogeneous; varied; **2artigkeit** *f* (-; -*en*) difference; heterogeneity; variety; **~erlei** [-ər-laɪ] *adj.* of various kinds, divers, sundry; **~farbig** *adj.* of different colo(u)rs, varicoloured; **2heit** *f* (-; -*en*) difference; dissimilarity; diversity, variety; **~tlich I.** *adj.* several, repeated; **II.** *adv.* repeatedly; at times, now and then, here and there.

ver'schießen I. *v/t.* (*irr.*, *h.*) expend, use up; *s-e Munition* (*or sich*) ~ run out of ammunition; → *Pulver*; **II.** *v/i.* (*irr.*, *sn*) *cloth*, *colour*: fade; → *verschossen*.

ver'schiff|en *v/t.* (*h.*) ship; **2ung** *f* (-) shipment; **2ungshafen** *m* port of shipment (*mil.* of embarkation).

ver'schimmeln *v/i.* (*sn*) get mo(u)ldy.

ver'schlacken *v/i.* (*sn*) *and sich* ~ (*h.*) turn into dross, slag, scorify.

ver'schlafen I. *v/t.* (*irr.*, *h.*) miss (*or* lose *or* neglect) by sleeping; *fig.* forget, neglect; sleep away (*time*); sleep off (*hangover*, *etc.*); oversleep o.s.; **II.** *adj.* sleepy (*a. fig.*), drowsy; **2heit** *f* (-) sleepiness, drowsiness.

Ver'schlag *m* (-[e]s; ⁼e) partition; box; crate; shed; **2en I.** *v/t.* (*irr., h.*) board (up); nail up; *e-n Ball* ~ lose a ball; ~ *werden mar.* be driven out of one's course; *in e-e Stadt, etc.,* ~ *werden* be driven to, find o.s. in, wind up in (*a town, etc.*); *der Sturm verschlug sie nach Neuseeland* the gale drove them to New Zealand; *j-m den Atem* ~ take a p.'s breath away; *es verschlug ihm die Sprache* it dum(b)founded him, he was struck dumb; ~ *lassen* take the chill off; *es verschlägt nichts* it does not matter; **II.** *adj.* cunning, crafty, wily, sly; shifty (*eyes*); lukewarm, tepid (*water*); **~enheit** *f* (-) cunning, craftiness, slyness.

verschlammen [fɛr'ʃlamən] *v/i.* (*sn*) silt up; get choked with mud; become muddy.

ver'schlampen *colloq.* **I.** *v/t.* (*h.*) lose, forget; ruin through neglect; **II.** *v/i.* (*sn*) neglect o.s., get slovenly.

verschlechter|n [fɛr'ʃlɛçtərn] *v/t.* (*h.*) deteriorate, make worse, impair, debase; *jur.* waste; *sich* ~ deteriorate, get worse, worsen; change for the worse; fall off in quality (*or* performance, *etc.*); **2ung** *f* (-) deterioration; worsening; change for the worse.

verschleier|n [fɛr'ʃlaɪərn] *v/t.* (*h.*) veil (*a. fig.* = mask, disguise); *mar., mil.* screen; *econ. b.s.* cook, doctor, fake; **~t** *adj.* veiled (*a. look*); hazy (*meadows, etc.*); husky (*voice*); **2ung** *f* (-) veiling; screening; *econ.* window-dressing.

ver'schleifen *v/t.* (*h.*) slur (*syllables*).

ver'schleim|en *v/t.* (*h.*) obstruct with phlegm (*or* mucus); coat, fur (*tongue*); *verschleimt sein* suffer from phlegm; **2ung** *f* (-) obstruction through phlegm.

Verschleiß [fɛr'ʃlaɪs] *m* (-es; -e) retail trade; *tech.* wear (and tear); abrasion, attrition; erosion; corrosion; wastage; *med.* wear; **2en** *v/t.* (*irr., h.*) retail; (*a. sich*) wear out; **~erscheinung** *f* sign of wear; **2-fest** *adj.* wear-resistant; **~festigkeit** *f* (-) resistance to wear.

ver'schlemmen *v/t.* (*h.*) squander on food and drink.

ver'schlepp|en *v/t.* (*h.*) carry off, *pol.* displace; abduct, kidnap (*person*); misplace; protract, delay; *parl.* obstruct; *sich* ~ drag, be drawn out; *med.* **a)** carry, spread (*infection*), **b)** neglect (*illness*); *verschleppte Lungenentzündung* neglected case of pneumonia; **2te(r** *m*) *f* (-n, -n; -en, -en) displaced person (*abbr.* D.P.); **2ung** *f* (-) carrying off; displacement; abduction; procrastination, delay(ing); *parl.* obstructionism.

ver'schleuder|n *v/t.* (*h.*) dissipate, waste; *econ.* sell at a loss (*or* dirt-cheap); **2ung** *f* (-) dissipation; *econ.* underselling, *abroad*: dumping.

ver'schließ|bar *adj.* (provided) with lock and key, lockable; **~en** *v/t.* (*irr., h.*) shut, close; lock up, put under lock and key; bolt; block (up); seal (*letter*); *j-m die Tür* ~ lock the door against a p.; *sich e-r Sache* ~ close one's mind to, refuse to have anything to do with *a th.*; *sich j-m* ~ hide one's feelings from a p., shut o.s. off from a p.; *die Augen* ~ *vor et.* shut one's eyes to, wink at *a th.*

verschlimmer|n [fɛr'ʃlimərn] *v/t.* (*h.*) make worse, add to; aggravate (*a. sich*); *sich* ~ get (*or* grow) worse, worsen, change for the worse, go from bad to worse; **2ung** *f* (-) change for the worse; aggravation.

ver'schlingen *v/t.* (*irr., h.*) devour (*a. fig. with one's eyes or ears*), swallow; gobble up, gulp down, wolf; bolt; *fig. night, etc.*: engulf, devour; *mit den Augen* ~ stare hungrily at; *viel Geld* ~ run away with a lot of money; *die Ausgaben* ~ *seinen ganzen Verdienst* the expenses swallow up all his earnings; (*ineinander* ~) intertwine, entwine, interlace, entangle (*all a. sich*); *verschlungen fig.* intricate, complex; tortuous, winding (*path*).

verschlissen [fɛr'ʃlisən] *adj.* threadbare, worn-out.

verschlossen [fɛr'ʃlɔsən] *adj.* close(d), shut; locked (up); *fig.* taciturn, reserved, silent; *hinter* **~en** *Türen* behind closed doors; **2heit** *f* (-) taciturnity.

ver'schlucken *v/t.* (*h.*) swallow up (*a. fig.*); slur over (*syllable*); *sich* ~ swallow the wrong way.

Ver'schluß *m* (-sses; ⁼sse) fastener, fastening; lock; catch; clasp; stopper (*of bottle*); plug; *tech., a. customs*: seal; *phot.* shutter; breech (mechanism) (*of gun*); *Ware in* ~ *legen* bond goods; *unter* ~ *haben* keep under lock and key (*customs*: in bond); **~auslösung** *phot. f* shutter release; **~block** *mil. m* breech block; **~laut** *gr. m* (ex)plosive; **~mutter** *f* (-; -n) lock nut; **~schraube** *f* locking screw.

verschlüssel|n [fɛr'ʃlysəln] *v/t.* (*h.*) encode; **~t** *adj.*: **~e** *Meldung* code(d) message; **~er** *Text* code text, cryptogram; **2ung** *f* (-; -en) encoding.

ver'schmachten *v/i.* (*sn*) languish, pine away; die (*or* be dying) of thirst, be parched with thirst.

ver'schmähen *v/t.* (*h.*) disdain, scorn; *verschmähte Liebe* unrequited love.

ver'schmelz|en *v/t.* (*irr., h.*) *and v/i.* (*irr., sn*) melt into one another, (*a. fig.*) fuse; *chem.* amalgamate (*a. fig.* = merge); *colours*: blend (into one another); **2ung** *f* (-) fusion, amalgamation, *econ. a.* merger.

ver'schmerzen *v/t.* (*h.*) get over (the loss of), make the best of; *längst verschmerzt* long past and forgotten.

ver'schmieren *v/t.* (*h.*) smear (over); blur; stop up.

verschmitzt [fɛr'ʃmitst] *adj.* crafty, cunning, sly; roguish, arch(ly *adv.*); **2heit** *f* (-) slyness; roguishness.

ver'schmoren *v/t.* (*h.*) *and v/i.* (*sn*) scorch, char; *el.* fuse.

ver'schmutzen I. *v/t.* (*h.*) soil; pollute (*water*); foul (*gun, spark plug*); **II.** *v/i.* (*sn*) get dirty.

ver'schnappen *colloq.*: *sich* ~ (*h.*) blurt it out, let the cat out of the bag, give the show away, *Am. a.* spill the beans.

ver'schnauf|en: *sich* ~ (*h.*) stop for breath; *a. fig.* have a breather; **2-pause** *f* breather.

ver'schneiden *v/t.* (*irr., h.*) cut away, clip; cut up; cut wrong *or* badly, spoil (in cutting); blend (*wine, etc.*); *vet.* geld, castrate; *verschnittenes Tier* gelding.

verschneit [fɛr'ʃnaɪt] *adj.* snowed up; snow-capped.

Ver'schnitt *m* (-[e]s) blend; **2en** *econ. adj.* blended; **~ene(r)** *m* (-n; -n) eunuch.

verschnörkel|n [fɛr'ʃnœrkəln] *v/t.* (*h.*) adorn with flourishes; **~t** *adj.* ornate (*a. fig. style*).

ver'schnupfen *v/t.* (*h.*) *fig.* pique, huff; *med. verschnupft sein* have a cold.

ver'schnüren *v/t.* (*h.*) tie up, cord (up); lace.

verschollen [fɛr'ʃɔlən] *adj.* not heard of again; missing; *jur.* presumed dead; *für* ~ *erklären* declare legally dead; **~e(r** *m*) *f* (-n, -n; -en, -en) missing person, *jur. a.* absentee; **2heit** *f* (-) presumption of death.

ver'schonen *v/t.* (*h.*) spare; *j-n mit et.* ~ spare a p. a th.; *von Steuern, etc. verschont bleiben* be spared.

verschöner|n [fɛr'ʃø:nərn] *v/t.* (*h.*) embellish, beautify; improve (*a. sich*); brighten (*a. sich*); *sich* ~ grow beautiful; **2ung** *f* (-; -en) embellishment; improvement; face-lifting, facelift (*a. fig.*); **2ungsverein** *m* society for the improvement of local amenities.

verschorfen [fɛr'ʃɔrfən] *v/i.* (*sn*) scab.

verschossen [fɛr'ʃɔsən] *adj.* faded (*cloth, colour*); *colloq. fig.* ~ *sein in* (*acc.*) be madly in love with, be smitten with (*or* gone on); *Am.* be stuck on, have a crush on.

verschränken [fɛr'ʃrɛŋkən] *v/t.* (*h.*) cross, fold (*arms, legs*); *tech.* stagger; joggle (*beam*); set (the teeth of *saw*).

ver'schraub|en *v/t.* (*h.*) screw (on; *miteinander* together); **2ung** *f* (-; -en) screwed joint.

ver'schreib|en *v/t.* (*irr., h.*) use up (in writing); spend *time* in writing; write for, order; *med.* prescribe (*j-m* for a p.); *jur.* assign, make over (*j-m* to a p.); write incorrectly, miswrite; *sich* ~ make a slip of the pen; make a mistake in writing; *fig. sich e-r Sache* ~ devote (*b.s.* sell) o.s. to a th.; **2ung** *f* (-; -en) order; prescription; assignment; bond.

ver'schreien *v/t.* (*irr., h.*) decry, cry down; **verschrien** [-'ʃri:(ə)n] *adj.* ill reputed of, having a bad name; ~ *sein als* be notorious as, be branded as.

verschroben [fɛr'ʃro:bən] *adj.* eccentric, queer, odd, cranky; **~er** *Mensch* eccentric, crank; **2heit** *f* (-) eccentricity.

verschroten [fɛr'ʃro:tən] *v/t.* (*h.*) → *schroten.*

verschrott|en [fɛr'ʃrɔtən] *v/t.* (*h.*) scrap; **2ung** *f* (-) scrapping.

verschrumpeln [-'ʃrumpəln], **ver-**

ˈ**schrumpfen** *colloq.* *v/i.* (*sn*) shrink, shrivel (up).
verschüchtern [fɛrˈʃyçtərn] *v/t.* (*h.*) intimidate.
verˈschuld|en *v/t.* (*h.*) encumber with debts; *fig.* be guilty of, be to blame for; be the cause of, bring on; **2en** *n* (-s) wrong, fault; guilt; responsibility; cause; *ohne mein* ~ through no fault of mine; **~et** [-ət] *adj.* indebted, (involved) in debt; encumbered; **2ung** *f* (-) indebtedness.
verˈschütten *v/t.* (*h.*) spill (*liquid*); fill up; block (up); bury (alive *person*).
verschwäger|t [fɛrˈʃvɛːgərt] *adj.* related by marriage; *fig.* affiliated; hand in glove (*mit* with); **2ung** *f* (-) relationship by marriage; *esp. jur. and fig.* affinity.
verˈschwatzen *v/t.* (*h.*) → *verplappern.*
verˈschweig|en *v/t.* (*irr.*, *h.*) conceal (*j-m* from a p.; *a. jur.*); keep secret, withhold, hide (from); **2en** *n* (-s), **2ung** *f* (-) concealment.
verˈschweißen *v/t.* (*h.*) weld together.
verschwend|en [fɛrˈʃvɛndən] *v/t.* (*h.*) waste, squander (*an acc.* on; *a. fig.*); lavish (on); **2er** *m* (-s; -) spendthrift, squanderer, prodigal; **~erisch** *adj.* prodigal, lavish (*mit* of); wasteful, extravagant; profuse; sumptuous; ~ *mit et. umgehen* be lavish of a th., lavish a th.; **2ung** *f* (-) waste; extravagance; **2ungssucht** *f* (-) waste(fulness), extravagance, prodigality; squandermania.
verschwiegen [fɛrˈʃviːgən] *adj.* discrete, reticent, close; *fig.* secret, secluded (*place*); ~ *wie das Grab* silent as the grave; **2heit** *f* (-) discretion; secrecy; *zur* ~ *verpflichtet* sworn to secrecy; *unter dem Siegel der* ~ under the seal of secrecy.
verˈschwimmen *v/i.* (*irr.*, *sn*) become indistinct *or* blurred; dissolve; (*ineinander* ~) melt into one another, blend; *fig.* fade (away); → *verschwommen.*
verˈschwinden *v/i.* (*irr.*, *sn*) disappear, vanish; dissolve, fade away; *j-n* (*or et.*) *spurlos* ~ *lassen* spirit a p. (*or* a th.) away; *colloq.* make o.s. scarce, beat it; *verschwinde!* fade away!, get lost!; *fig.* ~ *neben* (*dat.*) sink into insignificance by the side of; **~d** *klein* infinitely small, infinitesimal; **2** *n* (-s) disappearance.
verschwister|n [fɛrˈʃvistərn]: *sich* ~ (*h.*) form a sisterly union; *fig.* associate; **~t** *adj.* brother and sister; *fig.* closely united; congenial, kindred (*souls*); **2ung** *f* (-) *fig.* close union, intimate connection.
verˈschwitzen *v/t.* (*h.*) soak with sweat; *colloq. fig.* forget; *ich hatte es ganz verschwitzt* it had completely slipped my mind.
verschwollen [fɛrˈʃvɔlən] *adj.* swollen.
verschwommen [fɛrˈʃvɔmən] *adj.* vague, indistinct, hazy; *fig. a.* foggy; *phot.* blurred; *paint. and fig.* woolly; **2heit** *f* (-) indistinctness, vagueness; woolliness.
verˈschwör|en *v/t.* (*irr.*, *h.*) forswear; *sich* ~ conspire (*mit* with; *gegen* against), plot; *sich zu et.* ~ plot a th.; *verschworene Gemeinschaft* blood brotherhood; **2er** *m* (-s; -) conspirator, plotter; **2erin** *f* (-; *-nen*) conspiratress; **2ung** *f* (-; *-en*) conspiracy, plot.
verˈsehen *v/t.* (*irr.*, *h.*) perform, discharge (*duty*); hold, act as, administer (*office*); fill (*post*); *j-s Amt or Dienst* ~ fill (*or* take) a p.'s place, do the work of; look after (*business, household*); *die Küche* ~ do the cooking; *mit et.* ~ furnish (*or* supply) with, (*a. tech.*) provide *or* equip with; *econ. mit Akzept* ~ accept; *mit Giro* ~ endorse; *mit Unterschrift* ~ affix one's signature to, sign; *mit Vollmacht* ~ invest with full power(s), authorize; *reichlich* ~ *sein mit* have plenty of, have ample *supplies, etc.*; neglect, overlook; *sich* ~ make a mistake (slip); *sich e-r Sache* ~ expect a th., be aware of (*or* prepared for) a th.; *ehe man sich's versieht* all of a sudden, before you know it; **2** *n* oversight, mistake, slip, blunder; inadvertence; *aus* ~ → **~tlich** *adv.* by (a) mistake, through oversight, erroneously; inadvertently.
versehr|en [fɛrˈzeːrən] *v/t.* (*h.*) hurt, injure; disable; damage; **~t** *adj.* (war-)disabled; **2te(r)** *m* (*-n*; *-n*) disabled person; **2tenrente** *f* disability allowance; **2tenstufe** *f* degree of disablement.
verˈseifen *v/t.* (*h.*) saponify.
verselbständigen [fɛrˈzɛlpʃtɛndigən] *v/t.* (*h.*) render independent.
verˈsend|en *v/t.* (*irr.*, *h.*) send, dispatch, forward; ship; *ins Ausland* ~ *a.* export; **2ung** *f* (-) dispatch, shipment, forwarding.
verˈsengen *v/t.* (*h.*) singe, scorch.
versenk|bar [fɛrˈzɛŋkbaːr] *adj.*: ~*e Nähmaschine* table (sewing) machine; **~en** *v/t.* (*h.*) sink; send *ship* to the bottom; *tech.* countersink (*screw head*), counterbore; *sich* ~ *in* immerse o.s. into, plunge into; *fig.* become absorbed in; **~t** *tech. adj.* sunk; flush; **2ung** *f* (-; *-en*) sinking; *thea.* trapdoor; *fig. spurlos in der* ~ *verschwinden* drop completely out of sight.
versessen [fɛrˈzɛsən] *adj.*: ~ *auf* (*acc.*) bent on, mad after, nuts on; **2heit** *f* (-) craze.
verˈsetz|en I. *v/t.* (*h.*) displace, *a. ped.* remove, *esp. Am.* promote (*pupil*); shift; stagger (*a. tech.*); transplant (*tree*); transpose; transfer (*official, etc.*); pawn, pledge, *Am. a.* hock; *colloq.* stand *a p.* up; mix; *metall.* alloy; *das versetzte ihm den Atem* it took his breath away; *j-m e-n Schlag* ~ give (*or* deal) a p. a blow, land on a p.; *in e-e Lage, e-n Zustand* ~ put (*or* place) into *a position, a state*; *in Schwingungen* ~ set vibrating; → *Angst, Ruhestand, Stoß, etc.*; ~ *Sie sich in meine Lage* put (*or* place *or* imagine) yourself in my position; **II.** *v/i.* (*h.*) reply, retort; **2ung** *f* (-; *-en*) removal; transplanting; transposition; transfer; *ped.* remove, *esp. Am.* promotion; pledging, pawning; alloy; *tech.* staggered arrangement; **2ungsprüfung** *f* examination for promotion; **2ungszeichen** *mus. n* accidental.
verseuch|en [fɛrˈzɔʏçən] *v/t.* (*h.*) infect (*a. mil. with mines*); poison; contaminate; *verseuchtes Gelände* contaminated area; **2ung** *f* (-) infection; contamination.
ˈ**Versfuß** *m* (metrical) foot.
versicher|bar [fɛrˈziçərbaːr] *adj.* insurable; **2er** *m* (-s; -) insurer; underwriter; **~n** *v/t.* (*h.*) assure, assert; protest, (*a. jur.*) affirm; → *beteuern*; *j-n e-r Sache* ~ assure (*or* convince) a p. of *a th.*; *sich e-r Sache* ~ make sure of, ascertain *a th.*; *sich j-s* ~ make sure of a p.; secure a p., get a p. under one's control; insure (*property*; *sich* o.s.; *gegen* against; *bei* with); assure (*life*); *zu hoch* (*niedrig*) ~ overinsure (underinsure); *seien Sie dessen versichert* you may rely on it, you may rest assured of it; **2te(r** *m*) *f* (*-n*, *-n*; *-en*, *-en*) → *Versicherungsnehmer.*
Verˈsicherung *f* assurance, (*a. jur.*) affirmation; protestation; guarantee; insurance; (life) assurance; → **~sgesellschaft**; *prämienfreie* ~ paid up (*or* free) policy; *e-e* ~ *abschließen* effect an insurance, take out an insurance policy.
Verˈsicherungs...: **~agent** *m* insurance agent; **~anspruch** *m* insurance claim; **~anstalt** *f* insurance bank (*or* company); **~beitrag** *m* (insurance) premium; **~betrag** *m* amount insured; **~betrug** *m* insurance fraud; **2fähig** *adj.* insurable; **~fall** *m* occurrence of a loss; *Regelung des* **~es** claim settlement; **~fonds** *m* benefit fund; **~gesellschaft** *f* insurance company; **~höhe** *f* amount of insurance (policy); **~leistung** *f* insurance benefit; **~mathematik** *f* actuarial theory; **~mathematiker** *m* actuary, insurance technician; **~nehmer** *m* insurant, the insured, policy holder; assured; **2pflichtig** *adj.* liable to pay insurance fees, subject to obligatory insurance; **~police** *f*, **~schein** *m* (insurance) policy; **~prämie** *f* (insurance) premium, *Am.* insurance rate; **~schutz** *m* insurance cover(age); **~statistiker** *m* actuary; **2statistisch** *adj.* actuarial; **~summe** *f* sum insured; **~träger** *m* underwriter; **~vertrag** *m* contract of insurance, insurance policy; **~wert** *m* insurance value; *assessed*: insurance valuation; **~wesen** *n* (-s) insurance (business); **~zwang** *m* (-[e]s) liability to insure.
verˈsickern *v/i.* (*sn*) ooze away.
verˈsieben *colloq.* *v/t.* (*h.*) → *vermasseln.*
verˈsiegel|n *v/t.* (*h.*) seal (up); *jur.* put under seal; **~t** *adj.* sealed; under seal; **2ung** *f* (-; *-en*) sealing.
verˈsiegen *v/i.* (*sn*) dry up, run dry; be exhausted; *nie* **~d** inexhaustible.
versiert [vɛrˈziːrt] *adj.* versed (*in dat.* in), experienced.
versilber|n [fɛrˈzilbərn] *v/t.* (*h.*) silver (*a. fig.*); *tech.* silver-plate; *fig.* realize, convert to cash; **2ung** *f* (-) silvering; silver-plating; realization.
verˈsinken *v/i.* (*irr.*, *sn*) sink (down);

go under, *ship*: *a.* founder; *fig.* lapse (*in* into); → *versunken.*

ver'sinnbildlich|en *v/t.* (*h.*) symbolize, represent; **2ung** *f* (-) symbolization.

versintern [-'zintərn] *v/i.* (*sn*) sinter.

Version [vɛrzi'o:n] *f* (-; *-en*) version.

versippt [fɛr'zipt] *adj.* closely related.

versittlichen [fɛr'zitliçən] *v/t.* (*h.*) civilize.

versklaven [fɛr'sklɑ:vən] *v/t.* (*h.*) enslave.

Vers...: **~kunst** *f* (-) versification; **~(e)macher** *m* versifier; **~maß** *n* metre.

versoffen [fɛr'zɔfən] *vulg. adj.* sodden (with drink), drunk, boozy.

versohlen [fɛr'zo:lən] *colloq. fig. v/t.* (*h.*) thrash (soundly), give *a p.* a good hiding; spank (*child*).

versöhn|en [fɛr'zø:nən] *v/t.* (*h.*) reconcile (*mit* to, with *a p.*; to *a fate, etc.*); appease, placate; *sich* (*wieder*) ~ be(come) reconciled, make it up, bury the hatchet; **~lich** *adj.* conciliatory, forgiving, placable; ~ *stimmen* conciliate, placate; **2lichkeit** *f* (-) placability; forgiveness; **2ung** *f* (-) reconciliation; **2ungstag** *m* Day of Atonement.

versonnen [-'zɔnən] *adj.* thoughtful, meditative; dreamy, pensive; lost in thought.

ver'sorg|en *v/t.* (*h.*) provide, supply, furnish (*mit* with); provide for (*child, family*); support, maintain; take care of, look after; → *versehen*; tend (*cattle*); tend, dress (*wound*); *sie ist gut versorgt* she is well looked after (*or financially*: provided for); **2er(in** *f*) *m* (-s, -; -, *-nen*) provider, supporter, breadwinner; **~t** *adj.* provided for; care-worn (*face*); **2ung** *f* (-) providing (for); supplying (*mit dat.* with); supply, provision; support, maintenance; subsistence, living; public assistance; situation; care; *ärztliche* ~ medical care *or* attention; *mil.* **a)** logistics *pl.*, **b)** supply; *tech.* servicing; ~ *aus der Luft* aerial *or* air supply.

Ver'sorgungs...: **~amt** *n* pension office; **~anspruch** *m* claim to maintenance; claim to pension; **~basis** *mil. f* supply base; **2berechtigt** *adj.* entitled to maintenance; **~betrieb** *m* public supply service; public utility (company); **~e** *pl.* public utilities; **~empfänger(in** *f*) *m* old-age beneficiary; pensioner; **~gesetz** *mil. n* Law Governing Pensions and Grants for All Ranks of the Armed Forces; **~lage** *f* supply position; food situation; **~netz** *el., tech. n* supply network, mains *pl.*; **~truppen** *f/pl.* supply services; **~weg** *m* supply line; **~wirtschaft** *f* public utilities *pl.*

ver'spann|en *tech. v/t.* (*h.*) brace, stay, guy; **2ung** *f* (-; *-en*) bracing, stays *pl.*

verspät|en: *sich* ~ (*h.*) be (*or* come) too late; be behind time; **~et** *adj.* belated; too late; **2ung** *f* (-; *-en*) lateness; delay; tardiness; *train, etc.*: (*2 Minuten*) ~ *haben* be (2 minutes) late *or* overdue; *mit 2 Stunden* ~ two hours behind schedule; ~ *aufholen* make up lost time.

ver'speisen *v/t.* (*h.*) eat up, consume.

verspeku'lieren: *sich* ~ (*h.*) make a bad speculation; ruin o.s. by speculation; *fig.* be out in one's reckoning.

ver'sperren *v/t.* (*h.*) bar, block (up), obstruct; barricade; lock (up), shut, close; *j-m die Aussicht* ~ obstruct a p.'s view.

ver'spiel|en I. *v/t.* (*h.*) lose (at play *or* at cards *or* in gambling); gamble away (*a. time*); **II.** *v/i.* (*h.*) lose (the game); *fig. bei j-m* ~ get into a p.'s bad books; *er hat bei mir verspielt* I am through with him; **~t** *adj.* playful.

ver'spleißen *tech. v/t.* (*h.*) splice.

versponnen [fɛr'ʃpɔnən] *adj.* meditative; ~ *in* (*acc.*) wrapt up in.

ver'spott|en *v/t.* (*h.*) scoff (*or* sneer) at, mock; jeer at, taunt; deride, ridicule; chaff, tease; **2ung** *f* (-) derision, ridicule; jeers *pl.*; chaff.

ver'sprech|en *v/t.* (*irr., h.*) promise; *sich* ~ make a mistake in speaking, make a slip of the tongue; → *sich verloben*; *sich et.* ~ *von* expect much of; *sich nicht viel* ~ *von a.* set no great hopes on, have no great hopes of; *er verspricht, ein guter Schauspieler zu werden* he promises to be a good actor; **2en** *n* (-s; -) promise; slip of the tongue; *j-m ein* ~ *abnehmen* exact a promise from a p.; **2er** *colloq. m* slip of the tongue; **2ung** *f* (-; *-en*) promise; *j-m große ~en machen* hold out great hopes to a p., promise a p. the earth.

ver'spreng|en *v/t.* (*h.*) disperse, scatter (*a. mil.*); **2te(r)** *mil. m* (-*n*; -*n*) straggler.

versprochenermaßen [fɛr'ʃprɔxənər'mɑ:sən] *adv.* as promised.

ver'spritzen *v/t.* (*h.*) squirt (away); spray; spatter, splash; spill; shed (*one's blood*); *tech.* die-cast.

ver'sprühen *v/t.* (*h.*) spray.

verspunden [fɛr'ʃpundən] *v/t.* (*h.*) bung up.

ver'spüren *v/t.* (*h.*) feel, perceive, sense, be conscious of.

verstaatlich|en [fɛr'ʃtɑ:tliçən] *v/t.* (*h.*) nationalize, put under government control, transfer to state ownership; expropriate; **2ung** *f* (-) nationalization.

verstädter|n [fɛr'ʃtɛ:tərn] **I.** *v/t.* (*h.*) urbanize; **II.** *v/i.* (*sn*) be(come) urbanized; **2ung** *f* (-; *-en*) urbanization.

verstadtlich|en [fɛr'ʃtatliçən] *v/t.* (*h.*) municipalize; **2ung** *f* (-) municipalization.

Verstand [fɛr'ʃtant] *m* (-[e]s) understanding; intelligence, intellect, brains *pl.*; (*Geist*) mind, wits *pl.*; reason; judg(e)ment; sense; *gesunder* ~ common (*or* good) sense; *klarer* (*kühler*) ~ clear (cool) head; *scharfer* ~ keen mind (*or* intellect); *den* ~ *verlieren* lose one's mind; *j-n um den* ~ *bringen* drive a p. out of his senses *or* wits; *s-n* ~ *zusammennehmen* keep one's wits about one; *wieder zu* ~ *kommen* come to one's senses; *med. bei* ~ *bleiben* retain one's mental faculties; *da steht mir der* ~ *still, das geht über meinen* ~ that's beyond me, that's over my head; *da steht einem der* ~ *still* the mind boggles at it, that leaves one gasping; *er ist nicht recht bei* ~ he is not in his right mind, he isn't all there; *mit* ~ sensibly, *colloq. das mußt du mit* ~ *essen!* (*or genießen*) you must really savo(u)r this!

Verstandes... [-'ʃtandəs-]: **~kraft** *f* intellectual faculty (*or* power); **2mäßig** *adj.* rational; intellectual; **~mensch** *m* matter-of-fact person; **~schärfe** *f* sagacity, acumen; **~wesen** *n* rational being.

verständig [fɛr'ʃtɛndiç] *adj.* intelligent; reasonable, sensible; judicious; *~es Alter* years *pl.* of discretion; **~en** [-gən] *v/t.* (*h.*) inform, notify, advise (*von* of); *sich mit j-m* ~ **a)** *in a foreign language*: make o.s. understood to a p., **b)** come to an understanding with a p., arrange with a p.; **2keit** *f* (-) sensibleness, good sense; prudence.

Verständigung [-'ʃtɛndiguŋ] *f* (-; *-en*) information; understanding, agreement; *teleph.* communication; audibility; (quality of) reception; **~sfriede** *m* negotiated peace; **~spolitik** *f* rapprochement policy.

verständlich [-'ʃtɛntliç] *adj.* intelligible; distinct; clear; *fig.* understandable; *allgemein* ~ within everybody's grasp, popular (*science, etc.*); *schwer* ~ difficult to grasp; abstruse; *j-m et.* ~ *machen* make a th. clear to a p.; *sich* ~ *machen* make o.s. understood (*j-m* by a p.); *es ist* ~, *daß er nicht will* it is obvious why, I quite understand that *he doesn't want to.*

Verständnis [-'ʃtɛntnis] *n* (-ses) understanding, comprehension; insight, understanding; appreciation (*für* of); sympathy; ~ *haben für* (*acc.*) appreciate, understand; *j-m* ~ *entgegenbringen* show understanding for a p.; *für solche Leute habe ich kein* ~ I have no patience with such people; *dafür fehlt mir jedes* ~ that is beyond me; **2innig** *adj.* knowing, meaningful; **2los** *adj.* uncomprehending; blank (*face, look*); unappreciative; unsympathetic(ally *adv.*); **~losigkeit** *f* (-) lack of comprehension (*fig.* of appreciation, sympathy); **2voll** *adj.* intelligent; *w.s.* understanding; appreciative; sympathetic; *glance*: knowing.

ver'stänkern *v/t.* (*h.*) fill with stench.

ver'stärk|en *v/t.* (*h.*) strengthen, (*a. tech., mil.*) reinforce; *el.* boost (*a. colloq. fig.*); *radio*: amplify; intensify, increase (*both a. sich*), add to; *sich* ~ grow stronger, strengthen (*a. fig. suspicion, etc.*); *tel.* gain; *mit Nylon verstärkt* nylon fortified; **2er** *m* (-s; -) *el., radio*: amplifier; *teleph.* repeater; *phot.* intensifier; **2erröhre** *f* amplifier valve (*or* tube); **2erstufe** *f* amplifier stage; **2ung** *f* (-; *-en*) strengthening (*a. tech.*) reinforcement; *el., radio*: amplification; intensification; *mil. tactical*: support; *~en pl.* reinforcements.

verstatten [fɛr'ʃtatən] *v/t.* (*h.*) → *gestatten.*
ver'staub|en *v/i.* (*sn*) get dusty; **~t** *fig. adj.* dusty, antiquated, moth-eaten.
ver'stäuben I. *v/t.* (*h.*) dust; **II.** *v/i.* (*sn*) fly off as dust.
ver'stauch|en *v/t.* (*h.*) sprain; *sich den Fuß ~* sprain one's foot; **2ung** *f* (-; -*en*) spraining.
ver'stauen *v/t.* (*h.*) stow away.
Versteck [fɛr'ʃtɛk] *n* (-[e]s; -e) hiding-place; hideout (*of criminals*); ambush; *~ spielen* play at hide-and-seek; **2en** *v/t.* (*h.*) hide (*a. sich*), conceal; *sich versteckt halten* be in hiding; *fig. sich vor j-m ~ müssen* be a fool to a p.; **~spiel** *n* hide-and-seek (*a. fig.*); **2t** *adj.* hidden; *fig. a.* veiled, covert; ulterior (*intention, etc.*).
ver'stehen *v/t. and v/i.* (*irr., h.*) understand, get; see; realize; comprehend, grasp, catch; know (*language*); *falsch ~* misunderstand, get *a th.* wrong, *fig.* take *a th.* in bad part; *es ~, zu inf.* know (how) to, manage to *inf.*; *sich ~* understand one another; *sich ~ auf* (*acc.*) know well, be an expert at, be at home in, be a judge of; *sich mit j-m gut ~* get on well with a p.; *sich ~ zu* **a**) bring o.s. to *do*, **b**) agree (*or* consent, accede) to; *econ. die Preise ~ sich ...* prices are *ex works, etc.*; *Spaß ~* take (*or* see) a joke; (*dat.*) *zu ~ geben* give *a p.* to understand, intimate to; *ich weiß, er wird mich* (*or mein Tun*) *~* I know he will understand; *ich verstehe!* I see (*or* understand)!; *Sie ~ mich nicht (recht)!* you don't take my meaning!; *~ Sie?* do you see?; *verstanden?* (do you) understand?, (do you) get me?; *(das) versteht sich!* that's understood!, of course!; *es versteht sich von selbst* it goes without saying, it stands to reason; *was ~ Sie unter* (*dat.*)*?* what do you mean (*or* understand) by?; *wie ~ Sie diesen Satz?* how do you read this sentence?; *wie ~ Sie es?* what do you make of it?; *er versteht etwas davon* he knows a thing or two about it; *er versteht gar nichts davon* he doesn't know the first thing about it; *ich verstehe die Sache nicht* I cannot make it out, I don't get it; *wohl verstanden* let it be understood, mind you, to be sure; *wenn ich recht verstanden habe* I take it that *the show is off.*
ver'steifen *v/t.* (*h.*) *tech.* strut, prop, brace; *sich ~* stiffen, harden (*a. econ. prices, etc.*); *fig. sich ~ auf* (*acc.*) make a point of, insist on.
ver'steigen: *sich ~* (*irr., h.*) lose one's way (in the mountains); *fig. sich ~ zu* (*dat.*) go so far as to *inf.*; *er verstieg sich zu der Behauptung* he went so far as to claim (*that*).
Ver'steiger|er *m* (-s; -) auctioneer; **2n** *v/t.* (*h.*) sell by (*Am.* at) auction, put up for public sale; **~ung** *f* (-; -*en*) (sale by) auction, public sale.
ver'steiner|n *v/t.* (*h.*) *and v/i.* (*sn*) turn (in)to (*or* harden into) stone, (*a. fig.*) petrify; **~t** *adj. fig.* petrified, transfixed (*expression, etc.*); *wie ~* petrified, thunderstruck; **2ung** *f* (-; -*en*) petrification; petrifaction, fossil.
ver'stell|bar *adj.* adjustable; variable; **2barkeit** *f* (-) adjustability; **~en** *v/t.* (*h.*) shift; adjust; misplace; disarrange; bar, block, obstruct; disguise (*handwriting*), change, dissemble (*a. voice*); *sich ~* play a part, disguise o.s., dissemble, feign; *er kann sich gut ~* he is a good play-actor; **2ung** *f* (-; -*en*) dissimulation, disguise; make-believe, play-acting, preten|ce, *Am.* -se; *tech.* adjustment; **2ungskunst** *f* play-acting.
ver'steuer|bar *adj.* dutiable, taxable; **~n** *v/t.* (*h.*) pay duty (*or* tax) on; *zu versteuernde Einkünfte* taxable income; *voll zu ~* subject to full taxation; **~t** *adj.* duty-paid; **2ung** *f* (-) *e-r Sache*: payment of duty on *a th.*; taxation; **2ungswert** *m* taxable value.
verstiegen [fɛr'ʃti:gən] *fig. adj.* eccentric(ally *adv.*); high-flown (*ideas, plans, etc.*); **2heit** *f* (-; -*en*) eccentricity; extravagance.
ver'stimm|en *v/t.* (*h.*) put out of tune; *tech.* detune; *fig.* put out (of humo[u]r); *w.s.* irritate, huff; **~t** *adj.* out of tune; *fig.* cross (*über acc.* with), put out *or* disgruntled (about); irritated (at), huffed; upset (*stomach*); **2ung** *f* (-; -*en*) ill-humo(u)r; irritation; *w.s.* disagreement, tiff; ill-feeling, resentment.
verstockt [fɛr'ʃtɔkt] *adj.* hardened, callous, obdurate; impenitent; **2heit** *f* (-) obduracy, (*a. eccl.*) impenitence.
ver'stofflichen *v/t.* (*h.*) materialize.
verstohlen [fɛr'ʃto:lən] **I.** *adj.* furtive, stealthy; surreptitious, clandestine; **II.** *adv.* stealthily, *etc.*; by stealth, on the sly; *~ lachen* laugh in one's sleeve; *~ anblicken* steal a glance at.
ver'stopf|en *v/t.* (*h.*) stop (up), plug; clog, obstruct; jam, choke up (*street*); tamp (*drilled hole*); *med.* constipate; **2ung** *f* (-; -*en*) stopping; clogging, obstruction; jam, congestion; *med.* constipation; *an ~ leiden* be constipated.
verstorben [fɛr'ʃtɔrbən] *adj.* late; deceased, defunct; **2e(r** *m*) *f* (-n, -n; -en, -en) *the* deceased; *die ~en pl.* the dead, the departed.
verstört [fɛr'ʃtø:rt] *adj.* distracted; bewildered; consternated; stricken, haggard (*face*); wild (*look*); **2heit** *f* (-) distraction; bewilderment; consternation.
Ver'stoß *m* (-es; ¨e) offen|ce, *Am.* -se (*gegen* against); contravention, violation, infraction (of); infringement (of); mistake, fault; blunder; **2en I.** *v/t.* (*irr., h.*) expel (*aus* from), cast out; repudiate, divorce (*wife*); disown, cast off (*child*); **II.** *v/i.* (*irr., h.*): *~ gegen* offend against; violate, contravene; infringe; **~ene(r** *m*) *f* (-n, -n; -en, -en) outcast; **~ung** *f* (-; -*en*) expulsion; repudiation.
ver'streb|en *tech. v/t.* (*h.*) strut, brace; **2ung** *f* (-; -*en*) strut(ting), brace.
ver'streichen I. *v/i.* (*irr., sn*) *time*: pass (away), slip by, elapse; expire (*period*); **II.** *v/t.* (*irr., h.*) stop up (*joints*); spread (*butter, ointment*).
ver'streuen *v/t.* (*h.*) disperse, scatter; *fig.* dot (about); *über e-e Fläche, etc. verstreut sein* be scattered over *an area,* dot *a country, etc.*
ver'stricken *v/t.* (*h.*) use up (*or* spend (*time*) in knitting; *fig.* entangle, ensnare; *in e-e Sache verstrickt sein* be involved in, be mixed up in (*or* with) *a matter.*
verstümmel|n [fɛr'ʃtyməln] *v/t.* (*h.*) mutilate; *fig.* garble (*message*); **2ung** *f* (-; -*en*) mutilation.
verstummen [-'ʃtumən] *v/i.* (*sn*) grow dumb *or* silent; *vor Erstaunen:* be struck dumb with amazement; *noise*: stop, cease, die away; *rumours*: cease to be heard; *~ machen* silence.
Versuch [fɛr'zu:x] *m* (-[e]s; -e) attempt (*a. jur.*), trial, try; *phys.* experiment; *a. tech.* test, try-out; endeavour; effort; *e-n ~ machen mit* give *a p. or a th.* a trial, try *a p. or a th.*, try one's hand at *a th.*, have a go (*or* shot) at *a th.*; *phys. e-n ~ anstellen mit* (make an) experiment on; *das käme auf e-n ~ an* we might as well try; **2en** *v/t.* (*h.*) attempt, try; endeavour, make an effort (*zu inf.* to); taste, try (*dish, etc.*); *j-n ~* tempt a p.; *alles ~* try everything; *es ~ mit* → *e-n Versuch machen mit*; *sein Glück ~* try one's luck; *versuch's noch mal!* try again!; **~er(in** *f*) *m* (-s, -; -, -nen) tempter, *f a.* temptress; *eccl. der ~* the Tempter.
Ver'suchs...: **~abteilung** *f* experimental department; **~anlage** *f* testing (*or* pilot) plant; **~anstalt** *f* experimental station; research institute; **~ballon** *m* trial balloon; *fig. a.* kite, ballon d'essai (*Fr.*); *e-n ~ steigen lassen* fly a kite; **~bohrung** *f* test drilling; **~fahrt** *f* trial run; **~feld** *n* proving ground; **~ingenieur** *m* research engineer; **~kaninchen, ~karnickel** *fig. n* guinea-pig; **~laboratorium** *n* research laboratory; **~lauf** *m* → *Versuchsfahrt*; **~modell** *n* test (*or* working) model; **~muster** *n* experimental type; **~raum** *m* testing room; **~reihe** *f* series of experiments; **~schießen** *n* test firing; **~stadium** *n* experimental stage; **~stand** *m* testing stand; **~station** *f* experimental station; **~strecke** *f* test track; **~tier** *n* laboratory (*or* experimental, test) animal; **2weise** [-vaɪzə] *adv.* by way of trial *or* (an) experiment; on trial; tentatively; **~zweck** *m*: *zu ~en* for experimental purposes.
Ver'suchung *f* (-; -*en*) temptation; *in ~ führen* lead into temptation, tempt; *in ~ kommen* be tempted.
ver'sumpfen [fɛr'zumpfən] *v/i.* (*sn*) become marshy; *fig.* grow dissolute, go to the bad.
ver'sündig|en: *sich ~* (*h.*) sin (*an dat.* against), wrong *a p.*; **2ung** *f* (-; -*en*) sin.
versunken [fɛr'zuŋkən] *adj.* sunk, submerged; *fig. ~ in* absorbed (*or* engrossed *or* lost) in; **2heit** *fig. f* (-) absorption; reverie.

ver'süßen *v/t.* (*h.*) sweeten (*a. fig.*).
ver'tag|en *v/t.* (*h.*) adjourn; *parl.* prorogue; *sich* ~ take a recess; **2ung** *f* (-; -en) adjournment; *parl.* prorogation, recess.
ver'tändeln *v/t.* (*h.*) trifle away.
vertäuen [-'tɔyən] *mar. v/t.* (*h.*) moor.
ver'tausch|en *v/t.* (*h.*) exchange (*gegen, für, mit, um* for); change *places*; *math.* substitute; → *verwechseln*; **2ung** *f* (-; -en) exchange.
ver'tausendfachen *v/t.* (*h.*) (*a. sich*) increase a thousandfold.
verteidig|en [fɛr'taɪdigən] *v/t.* (*h.*) defend, *jur. a.* plead on behalf of, appear for; uphold, support; stand up for; maintain (*thesis, view*); *sich* ~ justify (*or* vindicate) o.s.; **2er(in** *f*) *m* (-s, -; -, -nen) defender; *fig. a.* advocate, champion; *jur.* ~ *des Angeklagten* counsel for the defence, *Am.* defense counsel, attorney for the defense; *soccer*: full-back; **2ung** *f* (-) defen|ce, *Am.* -se (*a. sports*); *mil. tactical*: defensive; *zur* ~ *gen. or von* in defen|ce (*Am.* -se) of; *zu s-r* ~ in one's defen|ce, *Am.* -se.
Ver'teidigungs...: ~beitrag *m* defence (*Am.* -se) contribution; **~bündnis** *n* defensive alliance; **~gemeinschaft** *f* defen|ce (*Am.* -se) community; **~krieg** *m* defensive war(fare); **~minister** *m* Minister of Defence, *Am.* Secretary of Defense; **~ministerium** *n* Ministry of Defence, *Am.* Department of Defense; **~rede** *f* speech for the defen|ce, *Am.* -se, plea; *w.s.* apology; **~schlacht** *f* defensive battle; **~schrift** *f* written defen|ce, *Am.* -se; apology; **~stellung** *f* defensive position; **~system** *n* defensive system; system of defences; **~waffe** *f* defensive weapon; **~zustand** *m* state of defen|ce, *Am.* -se.
ver'teil|bar *adj.* distributable; *econ.* ~*er Gewinn* profit available for distribution; **~en** *v/t.* (*h.*) distribute (*auf acc., unter acc.* among; *a. econ.*); apportion, allot, allocate; share; divide; disseminate (*news*); *thea.* cast (*parts*); spread (*paint*; *a. fig. über e-n Zeitraum* over *a period*); *steuerlich* ~ spread out (*income*); (*a. sich*) disperse (*fog, crowd*); *sich* ~ be distributed (*unter acc.* among), *mil.* spread out, deploy.
Ver'teiler *m* (-s; -) distributor (*a. mot.*); retailer; *radio*: distribution frame; distribution list; **~dose** *el. f* junction box; **~feld** *n* distribution panel; **~finger** *mot. m* distributor arm; **~kasten** *m* distribution box; **~organisation** *econ. f* distributing organization.
Ver'teilung *f* (-) distribution (*a. econ.*); apportionment, allotment; dissemination; *thea.* casting; *mil.* deployment; ~ *der Geschäftsunkosten* overhead allocation; **~sschlüssel** *m* ratio of distribution.
verteuern [fɛr'tɔyərn] *v/t.* (*h.*) make dearer, raise (*or* increase) the price of.
verteufel|n [fɛr'tɔyfəln] *v/t.* (*h.*) make a bog(e)yman of; **~t** *colloq.* **I.** *adj.* devilish, fiendish, deuced; ~*er Kerl* devil of a fellow; **II.** *adv.* devilish, fiendishly, awfully.
vertief|en [fɛr'ti:fən] *v/t.* (*h.*) deepen (*a. sich*); hollow out; *fig.* (*a. sich*) deepen; heighten (*impression, etc.*); *sich* ~ *in* (*acc.*) plunge into; become absorbed (*or* engrossed) in (*thoughts, book*); **2ung** *f* (-; -en) deepening (*a. fig.*); hollow, cavity; recess; *fig.* absorption.
vertiert [fɛr'ti:rt] *adj.* brutish.
vertikal [vɛrti'kɑ:l] *adj.* vertical; **2e** *f* (-; -en) vertical line; **2verflechtung** *econ. f* vertical combination.
vertilg|en [fɛr'tilgən] *v/t.* (*h.*) extirpate, exterminate; annihilate, wipe out; consume (*supply, food*); **2ung** *f* (-) extermination.
ver'tippen *v/t.* (*h.*) type wrong; *sich* ~ make a typing error.
verton|en [fɛr'to:nən] *v/t.* (*h.*) set to music, compose; **2ung** *f* (-; -en) composition, music.
vertrackt [fɛr'trakt] *colloq. adj.* confounded.
Vertrag [fɛr'trɑ:k] *m* (-[e]s; ⸚e) agreement, contract; *pol.* treaty; convention; pact; *mündlicher* ~ verbal agreement, parol contract; *auf Grund e-s* ~*es* under an agreement; *Anspruch aus e-m* ~*e* claim under a contract; *e-n* ~ *schließen* make (*or* enter into) an agreement; **2en** [-gən] *v/t.* (*irr., h.*) carry away; endure, *a. w.s.* stand (*a p.*; *a. alcohol, backtalk, etc.*); bear (*a. of things*), tolerate; *diese Speise kann ich nicht* ~ this food does not agree with me; *colloq. et.* ~ *können* be able to take it, hold one's liquor well; *colloq. er kann e-n Puff* ~ he can take a lot; *sich* ~ *things*: be compatible; *colours, etc.*: go well together, agree, harmonize; *persons*: agree; *sich* (*gut, schlecht*) *miteinander* ~ get on *or* along (well, ill) together; *sich wieder* ~ be reconciled (*mit* with), make it up (with); *die Farben* ~ *sich nicht a.* the colo(u)rs clash; **2lich** [-'trɑ:kliç] **I.** *adj.* contractual, stipulated; **II.** *adv.* by contract; under a (*or* this) agreement; as stipulated; ~ *verpflichtet sein* be bound by contract; *sich* ~ *verpflichten* contract (*zu* for a th., to do a th.).
verträglich [fɛr'trɛ:kliç] *adj.* sociable, peacable, conciliatory; good-natured; *things*: compatible, consistent; *med.* well tolerated; **2keit** *f* (-) sociability; compatibility.
Ver'trags...: ~abschluß *m* conclusion of an agreement; **2ähnlich** *adj.* quasi-contractual; **~bedingung** *f* contractual term; **~bruch** *m* breach of contract; **2brüchig** *adj.* defaulting; ~ *werden* commit a breach of contract.
ver'tragschließend *adj.* contracting (*parties*).
Ver'trags...: ~dauer *f* life (*or* term) of a contract; **~entwurf** *m* draft agreement; **2fähig** *adj.* competent to contract; **~fähigkeit** *f* (-) contracting capacity; **2gemäß** *adv.* according to (*econ.* as per) agreement, as stipulated; **~gegenstand** *m* object of agreement; **~hafen** *m* treaty port; **~händler** *m* appointed dealer; **~hilfe** *jur. f* judicial assistance; **2mäßig** *adj.* → *vertraglich*; **~macht** *f* treaty power; **~nehmer** *m* contractor; **~partei** *f*, **~partner** *m* party to a contract; **~pflicht** *f* obligation under a contract; **~preis** *m* contract price; **~recht** *n* law of contract; contractual right; **~strafe** *f* (conventional) penalty; **~verhältnis** *n* contractual relationship; **~werk** *n* (set of) agreements *pl.*; **2widrig** *adj.* contrary to (the terms of) an agreement.
ver'trauen I. *v/t.* (*h.*) → *anvertrauen*; **II.** *v/i.* (*h.*) trust (*j-m* a p.); ~ *auf* (*acc.*) trust (*or* confide) in, place confidence in, rely on; **2** *n* confidence, trust (*auf acc.* in); *im* ~ privately, confidentially; *ganz im* ~ between you and me; *j-m* (*ganz*) *im* ~ *sagen* tell *a p.* in (strict) confidence; *im* ~ *auf* trusting to, confiding in, relying on; ~ *haben zu* put faith in, have confidence in, trust; *j-m sein* ~ *schenken, sein* ~ *in j-n setzen* place confidence in a p.; *j-n ins* ~ *ziehen* take a p. into one's confidence, confide in a p.; *das* ~ *verlieren zu* lose faith in; **~erweckend** *adj.* inspiring trust *or* confidence; *fig.* promising; *wenig* ~ *a.* suspicious.
Ver'trauens...: ~arzt *m* company doctor; **~bruch** *m* breach (*or* betrayal) of trust; indiscretion; **~frage** *f*: *die* ~ *stellen* pose the question (*or* ask for a vote) of confidence; **~mann** *m*, **~person** *f* man of confidence; confidential agent; confidant(e *f*); spokesman; shop steward; informant; **~posten** *m* position of trust; **~rat** *m* worker's council; **~sache** *f* confidential matter; *w.s. das ist* ~ that's a matter of confidence; **~schüler(in** *f*) *m* prefect; **2selig** *adj.* (too) confiding; gullible; **~seligkeit** *f* blind confidence; **~stellung** *f* position of trust; **~verhältnis** *n*: *persönliches* ~ personal confidence; **2voll** *adj.* trustful, trusting; **~votum** *n* vote of confidence; **2würdig** *adj.* trustworthy.
ver'trauern *v/t.* (*h.*) pass in mourning.
ver'traulich *adj.* confidential; intimate, familiar; (*a. plump* ~) chummy; *et.* ~ *behandeln* treat a th. confidentially; *streng* ~*!* strictly confidential!; **2keit** *f* (-; -en) confidence, intimacy, familiarity; *sich* ~*en herausnehmen* take liberties (*mit* with).
ver'träum|en *v/t.* (*h.*) dream away; **~t** *adj.* dreamy; sleepy (*village*).
ver'traut *adj.* intimate, familiar; ~ *mit* well acquainted with, (well) versed in, (fully) conversant with, at home in *a th.*; *sich mit et.* ~ *machen* acquaint (*or* familiarize) o.s. with a th.; *sich mit dem Gedanken* ~ *machen* get used to the idea; **2e(r** *m*) *f* (-n, -n; -en, -en) intimate friend, confidant(e *f*), chum; **2heit** *f* (-) familiarity; ~ *mit et.* intimate knowledge of, familiarity with.
ver'treib|en *v/t.* (*irr., h.*) drive away; expel (*aus* from); turn out (of the house); *j-n aus s-m Besitz-*

tum ~ dispossess a p., evict a p.; *j-n aus dem Lande* ~ banish (*or* exile) a p.; *den Feind* (*aus e-r Stellung*) ~ dislodge the enemy; *fig.* banish (*cares, etc.*); remove, cure (*disease*); *econ.* sell, distribute (*goods*), peddle; (*sich*) *die Zeit* ~ pass (*or* while) away one's time, kill time; **≈ung** *f* (-) expulsion.

vertret|bar [-ˈtreːtbɑːr] *adj.* justifiable; defendable (*point of view*); *jur.* fungible (*things*); **~en** *v/t.* (*irr., h.*): *sich den Fuß* ~ sprain one's foot; *sich die Beine* ~ stretch one's legs; *j-m den Weg* ~ bar (*or* stand in) a p.'s way, stop a p.; represent, act on behalf of (*a p., company*); replace (*a p.*); act (*or* substitute, deputize) for (*an official*); *a. jur.* appear *or* plead for; *jur. j-s Sache* ~ plead a p.'s cause, hold a brief for a p.; attend to, safeguard, look after (*a p.'s interests*); answer for (*an action*); *e-e Ansicht* ~ take a view, hold; advocate (*scheme, etc.*); *parl.* sit for, represent (*constituency*); **≈er(in** *f*) *m* (-s, -; -, -nen) representative; agent; sales representative; commercial traveller, *Am.* traveling salesman; proxy, agent, attorney (-in-fact); substitute, deputy; assistant; *of doctor*: locum tenens; advocate; champion; exponent; **≈erprovision** *f* agent's commission; **≈ervertrag** *m* contract of agency.

Verˈtretung *f* (-; -en) representation; *econ.* agency; *pol., mil.* mission (*abroad*); substitution (*in office*); *in* ~ by proxy; *in* ~ (*gen.*) (acting) for; *j-s* ~ *übernehmen* take the functions (*or* place) of a p., act as a substitute for a p.; **~smacht** *f* (agent's) authority; **~svollmacht** *f* power of attorney; **≈sweise** [-vaɪzə] *adv.* as (a) representative, by proxy.

Vertrieb [fɛrˈtriːp] *m* (-[e]s; -e) sale, marketing; distribution.

Vertriebene(r *m*) [-ˈtriːbənə(r)] *f* (-n, -n; -en, -en) expellee.

Verˈtriebs...: ~abkommen *n* marketing agreement; **~abteilung** *f* sales department; **~gemeinschaft** *f* joint marketing organization, sales combine; **~gesellschaft** *f* trading company, *Am. a.* marketing corporation; **~kosten** *pl.* distribution cost(s), sales expense *sg.*; **~leiter** *m* sales manager; **~recht** *n* right of sale; licen|ce, *Am.* -se; monopoly; copyright.

verˈtrinken *v/t.* (*irr., h.*) spend on drink.

verˈtrocknen *v/i.* (*sn*) dry up.

verˈtrödeln *v/t.* (*h.*) dawdle away, waste.

verˈtröst|en *v/t.* (*h.*) feed with hopes (*auf acc.* on); console; put off (*auf acc.* till; *von e-m Tag zum andern* from day to day); **≈ung** *f* (-; -en) empty promise(s *pl.*), fair words *pl.*

vertrusten [fɛrˈtrastən] *econ. v/t.* (*h.*) pool.

verˈtun *v/t.* (*irr., h.*) spend, squander, waste; *Zeit* ~ *mit* waste time on (*a th.*); *colloq. sich* ~ make a mistake.

verˈtuschen *v/t.* (*h.*) hush up, suppress; gloss over.

verübeln [fɛrˈˀyːbəln] *v/t.* (*h.*) take *a th.* amiss; *j-m et.* ~ blame a p. for a th.; *ich hoffe, Sie werden mir die Frage nicht* ~ I hope you won't mind the question.

verˈüb|en *v/t.* (*h.*) commit, perpetrate; play (*pranks*); **≈ung** *f* (-) committing, perpetration.

verˈulken *v/t.* (*h.*) make fun of, tease, pull *a p.'s* leg, guy, kid.

verunehren [fɛrˈˀunˀeːrən] *v/t.* (*h.*) dishono(u)r.

verˈuneinig|en *v/t.* (*h.*) disunite, set at variance; *sich* ~ fall out, quarrel; **≈ung** *f* (-; -en) disunion, discord.

verun|glimpfen [fɛrˈˀunglimpfən] *v/t.* (*h.*) disparage, blacken, calumniate, slander; **≈glimpfung** *f* (-; -en) defamation, calumny; *jur.* ~ *Verstorbener* blackening the memory of the deceased.

verˈun|glücken [-glykən] *v/i.* (*sn*) meet with an accident; be killed in an accident, perish; *matter*: fail, miscarry, go wrong; **≈glückte(r** *m*) *f* (-n, -n; -en, -en) victim, casualty.

verˈunreinig|en *v/t.* (*h.*) soil, dirty (*a. wound*); infect, pollute (*air, water, etc.*); *fig.* dirty; **≈ung** *f* (-; -en) soiling; pollution; defilement; impurity, impurities *pl.*

verˈunsichern *v/t.* (*h.*) rattle.

verˈunstalt|en [-ʃtaltən] *v/t.* (*h.*) deform, disfigure, deface; *verunstaltet a.* misshapen; **≈ung** *f* (-; -en) disfigurement.

verˈuntreu|en [-trɔyən] *v/t.* (*h.*) embezzle; **≈ung** *f* (-; -en) embezzlement; misappropriation.

verˈunzieren *v/t.* (*h.*) disfigure, mar.

verursachen [fɛrˈˀuːrzaxən] *v/t.* (*h.*) cause, occasion; produce, create; give rise to; entail; *j-m Kosten* (*Umstände*) ~ put a p. to expense (inconvenience).

verˈurteil|en *v/t.* (*h.*) condemn (*a. fig.*), sentence (*zu* to), convict; → *Kosten*; *zu e-r Geldstrafe* (*von 20 Mark*) ~ fine *a. p.* (20 marks); *zum Nichtstun verurteilt* condemned to idleness; → *Scheitern*; **≈te(r** *m*) *f* (-n, -n; -en, -en) convict, person under sentence; **≈ung** *f* (-; -en) condemnation (*a. fig.*), conviction; sentence; *im Falle der* ~ upon conviction.

vervielfältigen [fɛrˈfiːlfɛltigən] *v/t., a. sich* (*h.*) multiply; manifold, duplicate; mimeograph; reproduce, duplicate.

Verˈvielfältigung *f* (-; -en) multiplication; duplication, mimeographing; duplicate, mimeographed sheet; **~s-apparat** *m* duplicating apparatus, hectograph, mimeograph; **~s-arbeit** *f* manifolding work; **~s-papier** *n* duplicating paper; **~srecht** *n* right of reproduction; **~sverfahren** *n* copying process, duplication.

vervierfachen [fɛrˈfiːrfaxən] *v/t., a. sich* (*h.*) quadruple.

vervollkommn|en [fɛrˈfɔlkɔmnən] *v/t.* (*h.*) perfect, improve (upon); **≈ung** *f* (-) perfection, improvement.

verˈvollständig|en [-ʃtɛndigən] *v/t.* (*h.*) complete, supplement; *econ. sein Lager wieder* ~ replenish one's stock; **≈ung** *f* (-) completion.

verˈwachs|en I. *v/i.* (*irr., sn*) grow together; *med.* close (*or* heal) up; become overgrown; **II.** *adj.* deformed, crooked; hunchbacked; dense, thick (*forest*); *fig.* ~ *mit* intimately bound up with, attached to, deeply rooted in; **≈ung** *f* (-; -en) deformity; *med.* adhesion.

verˈwackeln I. *v/t.* (*h.*) *phot.* jump; **II.** *v/i.* (*sn*) *TV* be blurred.

verˈwahr|en *v/t.* (*h.*) keep, guard (*vor dat.* from); have in safe keeping; hold in trust; *j-m zu* ~ *geben* entrust to a p.'s care; *gut* ~*!* keep in safe place!; *fig. sich* ~ protest (*gegen* against); **≈er** *m* (-s; -) keeper; custodian, depositary (*of assets*).

verwahrlos|en [fɛrˈvɑːrloːzən] **I.** *v/t.* (*h.*) neglect; **II.** *v/i.* (*sn*) be neglected, go to seed; *person*: be demoralized, go to the bad; *child*: run wild; **~t** *adj.* uncared-for, neglected; *person*: *a.* unkempt, ragged; demoralized, wild, wayward; **≈ung** *f* (-) neglect; demoralization.

Verˈwahrung *f* (-; -en) keeping, guard; charge, custody; safekeeping; custodianship, *Am.* safe custody; *fig.* preservation (*vor dat.* from); (*j-m*) *in* ~ *geben* deposit, give into a p.'s charge; *gegen et.* ~ *einlegen* enter a protest against, take exception to (*a th.*); *in* ~ *haben* → *verwahren*; *in* ~ *nehmen* take charge of, take into custody *or* deposit; **~s-konto** *n* suspense account; **~s-ort** *m* depository; **~s-vertrag** *m* safe-deposit contract.

verwais|en [fɛrˈvaɪzən] *v/i.* (*sn*) become an orphan, lose one's parents; *fig.* be deserted; **~t** *adj.* orphan(ed); *fig.* deserted.

verˈwalt|en *v/t.* (*h.*) administer (*a. bankrupt's, etc., estate*); manage; conduct (*affairs*); control, supervise; hold in trust, act as a trustee to *a p.'s property*; hold (*office*); **≈er** *m* (-s; -) administrator, manager; trustee, custodian; steward; **≈erin** *f* (-; -nen) administratrix, manageress.

Verˈwaltung *f* (-; -en) administration (*a. authorities*); management; *pol., mil.* caretaker control; Civil Service; administrative authority, governing body; department, agency; *städtische* ~ municipal administration (*or* authorities).

Verˈwaltungs...: ~akt *m* act of administration; **~apparat** *m* administrative machinery; **~ausschuß** *m* managing committee; **~be-amte(r)** *m* administrative official, Civil Servant; **~behörde** *f* → *Verwaltung*; **~bezirk** *m* administrative district; **~dienst** *m* Civil Service; **~gebäude** *n* administration building, offices *pl.*; **~gebühr** *f* administrative fee; *n.s.* management charge; **~gericht** *n* Administrative Court; **~kosten** *pl.* administrative expenses; **~offizier** *m* administrative officer; **~rat** *m* (-[e]s; ⸚e) governing council; board of trustees; *econ.* **a)** board of directors, **b)** director; **~weg** *m*: *auf dem* ~*e* through administrative channels, administratively; **~wesen** *n* (-*s*) (public) administration; **~zweig** *m* administrative department.

ver'wandel|bar *adj.* transformable, (*a. tech.*) convertible; **~n** *v/t.* (*h.*) change; turn, convert; transform (*all: in acc.* into); *math.* reduce; *scient.* transmute, metamorphose; *jur.* commute (*sentence*); *in e-n Aschenhaufen ~* reduce to (a heap of) ashes; *in Staub ~* turn to dust, pulverize; *soccer*: convert, *v/i. a.* score; *sich ~* change; *sich ~ in* change into; be transformed *or* converted, *etc.* into.

Ver'wandlung *f* (-; -*en*) change; conversion; transformation; transmutation; metamorphosis; *jur.* commutation; *thea.* shifting of scenes; *eccl.* transsubstantiation; **~skünstler(in** *f*) *m* quick-change artist; **~sszene** *thea. f* transformation scene.

verwandt [fɛr'vant] *adj.* related (*mit* to); *fig. a.* kindred; *esp. words*: cognate (to, with); analogous (to); similar; *~e Gebiete* related (*or* allied) subjects; *~e Seelen* congenial (*or* kindred) souls; *er ist mit mir ~* he is a relative (*or* relation) of mine; **≈e(r** *m*) *f* (-*n*, -*n*; -*en*, -*en*) relative, relation; *jur. der nächste ~* the next of kin; **≈schaft** *f* (-; -*en*) relationship; kinship; consanguinity; relations *pl.*; *fig.* congeniality; affinity (*a. by marriage or chem.*); connection; **~schaftlich** *adj.* kinsmanlike; **≈schaftsgrad** *m* degree of relationship (*or* affinity).

verwanzt [fɛr'vantst] *adj.* bug-ridden, buggy.

ver'warn|en *v/t.* (*h.*) warn (off), admonish; caution (*a. sports* = warn); **≈ung** *f* (-; -*en*) warning, admonition; caution.

ver'waschen I. *v/t.* (*irr., h.*) use up in washing; **II.** *adj.* washed out, faded (*both a. fig.*); pale; *fig.* vapid, wishy-washy.

ver'wässer|n *v/t.* (*h.*) water (*a. econ. stock*), dilute; *fig.* water down; **~t** *adj. fig.* watered-down; wishy-washy.

ver'weben *v/t.* (*irr., h.*) interweave; *fig. a.* mingle (*mit* with; *a. sich*).

ver'wechs|eln *v/t.* (*h.*) change by mistake; exchange; confound (*mit* with); confuse (with), mix up (with); *j-n mit e-m andern ~* (mistake a p. for another; *den Hut, etc. ~* take the wrong hat, *etc.*; *sie sehen sich zum ≈ ähnlich* they are as like as two peas; **≈lung** *f* (-; -*en*) mistake; confusion; mix-up.

verwegen [fɛr'veːgən] *adj.* daring, bold, audacious; rakish (*hat, etc.*); **≈heit** *f* (-; -*en*) boldness, audacity, dare-devilry, temerity.

ver'weh|en I. *v/t.* (*h.*) blow away; scatter; cover with snow; **II.** *v/i.* (*sn*) blow away, drift (off); *voice, etc.*: trail away; **≈ung** *f* (-; -*en*) (snow *or* sand) drift.

ver'wehren (*h.*): *j-m et. ~* keep (*or* hinder, debar) a p. from; disallow a p. to; *et. ~* bar a th.; *j-m Zutritt ~* refuse a p. admittance (*zu* to).

verweichlich|en [fɛr'vaɪçliçən] **I.** *v/t.* (*h.*) render effeminate (*or* soft), coddle; **II.** *v/i.* (*sn*) grow effeminate (*or* soft); **~t** *adj.* effeminate, soft, coddled; **≈ung** *f* (-) effeminacy, softness.

ver'weiger|n *v/t.* (*h.*) deny, refuse, decline; *econ. Auslieferung ~* withhold delivery; *e-n Befehl ~* disobey (*or* flout) an order; *j-m den Gehorsam ~* disobey a p.; **≈ung** *f* (-; -*en*) denial, refusal; *econ. ~ der Annahme* non-acceptance; **≈ungsfall** *m*: *im ~* in case of refusal.

ver'weilen *v/i.* (*sn*) stay, linger; *fig. ~ bei et.* dwell (*or* enlarge) on *a th.*

verweint [fɛr'vaɪnt] *adj.* tear-stained *face*; *eyes* red with tears.

Verweis [fɛr'vaɪs] *m* (-*es*; -*e*) reprimand, reproof, censure; set-down; reference; *j-m e-n ~ erteilen* reprimand (*or* rebuke, censure) a p. (*wegen* for), rap the knuckles of a p.; **≈en** *v/t.* (*irr., h.*) banish, exile; expel (*pupil*); *sports*: *des Feldes ~* send off (the field); *j-m et. ~* reprimand a p. for *a th.*; *~ auf* (*acc.*) *or an* (*acc.*) refer to; **~ung** *f* (-; -*en*) banishment; expulsion; reference (*auf acc., an acc.* to); **~ungszeichen** *n* mark of reference.

ver'welken *v/i.* (*sn*) fade, wilt, wither.

verweltlich|en [fɛr'vɛltliçən] *v/t.* (*h.*) secularize; **≈ung** *f* (-) secularization.

verwend|bar [fɛr'vɛntbaːr] *adj.* applicable, available; usable; suitable; serviceable; **≈barkeit** *f* (-) availability; usability, suitability; applicability; serviceableness; **~en** *v/t.* (*irr., h.*) apply (*auf acc., für* to), employ, use (in, for); (*nützlich*) *~* utilize; spend, expend; *~ auf* bestow *care* on; *Zeit ~ auf* devote time to; *sich bei j-m ~ für* intercede with a p. for, use one's influence on behalf of, recommend *a p.* to a p.; *er verwandte kein Auge von ihr* he never turned his eyes from her; **≈ung** *f* application, use, employment; utilization; expenditure; intercession; *vielseitige ~* versatility; *jur. widerrechtliche ~* conversion; *keine ~ haben für* have no use for; *mil. zur besonderen ~* (seconded) for special duty; **≈ungszweck** *m* use, intended purpose.

ver'werf|en *v/t.* (*irr., h.*) reject, repudiate, turn down; spurn; *jur. and fig.* dismiss (*action, idea*); quash (*sentence*); overrule (*motion*); *sich ~ wood*: warp; *geol.* dislocate; **~lich** *adj.* objectionable, blamable, reprehensible; bad, abject, abominable; **≈lichkeit** *f* (-) reprehensibleness; badness, abjectness; **≈ung** *f* (-; -*en*) rejection; *jur.* dismissal; quashing; *geol.* dislocation.

verwert|bar [fɛr'veːrtbaːr] *econ. adj.* realizable; usable; convertible (*shares, etc.*), negotiable; **~en** *v/t.* (*h.*) turn to account, make use of, utilize; evaluate; realize; commercialize; exploit; *sich gut ~ lassen* be most useful, come in handy, *econ.* find a ready sale (*or* market), fetch a good price; **≈ung** *f* utilization; realization; commercialization; exploitation.

verwes|en [fɛr'veːzən] **I.** *v/i.* (*sn*) rot, putrefy; decay, decompose; *halb verwest* putrefying, half rotten; **II.** *v/t.* (*h.*) administer; **≈er** *m* (-*s*; -) asministrator; vice-regent; **~lich** *adj.* corruptible, putrefiable; **≈ung** *f* (-) decay, putrefaction; decomposition; *in ~ übergehen* begin to putrefy; administration, management; **≈ungsprozeß** *m* process of decomposition; putrefaction.

ver'wetten *v/t.* (*h.*) bet, wager, stake (*für* on); lose by betting; gamble away.

ver'wickel|n *v/t.* (*h.*) entangle (*in acc.* in); *fig. a.* involve, embroil, engage (in); complicate (*a matter*); *mil.* engage (*in combat*); *j-n ~ in a. b.s.* drag a p. into; *j-n in ein Streitgespräch ~* engage a p. in an argument; *in et. verwickelt werden* be(come) involved in *a lawsuit, etc.*, get mixed up (in *or* with); *sich ~ in* get entangled in; **~t** *fig. adj.* complicated, involved, intricate; **≈ung** *f* entanglement, implication; complexity; complication; confusion, tangle, imbroglio.

verwilder|n [fɛr'vildərn] *v/i.* (*sn*) *garden, etc.*: run to seed; *bot. and fig.* run wild; *morals*: degenerate; **~t** *adj.* uncultivated, weed-grown; *fig.* wild, unruly; degenerate.

verwind|en [fɛr'vindən] *v/t.* (*irr., h.*) overcome, get over *a th.*; *tech.* distort, twist; **≈ung** *f tech.* distortion; *aer.* wing twisting.

ver'wirk|en *v/t.* (*h.*) forfeit; incur, be liable to (*penalty*); **≈ung** *f* forfeiture.

verwirklich|en [fɛr'virkliçən] *v/t.* (*h.*) realize; translate into reality (*or* action); *sich ~* be realized, *esp. Am.* materialize; come true; **≈ung** *f* (-) realization.

verwirr|en [fɛr'virən] *v/t.* (*h.*) entangle; *fig. j-n*: confound, bewilder, perplex; embarrass *a p.*; *et.*: make involved (*or* intricate), confuse *a th.*; *sich ~* get entangled; **~t** *adj.* confused, bewildered, *etc.*; dazed; **≈ung** *f* (-; -*en*) entanglement; *fig.* confusion; disorder; perplexity, bewilderment; embarrassment; mix-up, muddle, topsy-turvydom; tumult; *in ~ geraten or sein* get into (*or* be in) confusion; *in ~ bringen* throw into confusion, *j-n*: confuse, discompose *a p.*

ver'wirtschaften *v/t.* (*h.*) squander away.

ver'wischen *v/t.* (*h.*) wipe (*or* blot) out; (*a. fig.*) efface; blur, obscure; smear; cover (*tracks*); *sich ~* become effaced *or* blurred, *fig.* vanish, become indistinct.

ver'witter|n *v/i.* (*sn*) weather (*a. v/t.*); disintegrate, decay; *chem.* effloresce; **~t** *adj.* weather-beaten, weather-worn; **≈ung** *f* (-; -*en*) weathering; decomposition; efflorescence.

verwitwet [fɛr'vitvət] *adj.* widowed.

verwöhn|en [fɛr'vøːnən] *v/t.* (*h.*) spoil; coddle, pamper; **~t** *adj.* pampered, spoilt (*child*); fastidious (*palate, taste*); **≈ung** *f* (-) spoiling; pampering.

verworfen [fɛr'vɔrfən] *adj.* depraved; base, abject, vile; **≈heit** *f* (-) depravity; abjectness.

verworren [fɛr'vɔrən] *adj.* confused, muddled (*thoughts*); intri-

cate, confused (*situation*); 2**heit** *f* (-) confusion, intricacy.
verwund|bar [fɛr'vuntbɑːr] *adj.* vulnerable (*a. fig.*); ~**en** [-dən] *v/t.* (*h.*) wound (*a. fig.*).
ver'wunder|lich *adj.* astonishing, remarkable; wondrous; odd, strange; *es ist nicht* ~, *daß* it is small wonder that; ~**n** *v/t.* (*h.*) astonish, amaze; *sich* ~ wonder, be astonished *or* surprised (*über acc.* at); *verwundert* wondering, astonished, lost in wonder; 2**ung** *f* (-) astonishment, surprise, amazement; *zu m-r* ~ to my amazement.
Verwundete(r) [fɛr'vundətə(r)] *mil. m* (-*n*; -*n*) wounded (soldier), casualty; ~**n-abzeichen** *n* Wound Badge; *Brit.* Gold Stripe; *Am.* Purple Heart.
Ver'wundung *f* (-; -*en*) wound(ing), injury.
verwunschen [fɛr'vunʃən] *adj.* enchanted (*prince, island*); haunted (*house*).
ver'wünsch|en *v/t.* (*h.*) curse, execrate; enchant, bewitch; ~**t** *adj.* accursed, confounded, blessed; ~! confound it!; 2**ung** *f* (-; -*en*) curse, imprecation; ~*en ausstoßen gegen j-n* hurl imprecations at a p.
ver'wurzelt *adj.* (deeply) rooted (*in dat.* in); *fest* ~ firmly rooted.
verwüst|en [fɛr'vyːstən] *v/t.* (*h.*) lay waste, devastate; ravage (*a. fig. face*); 2**ung** *f* (-; -*en*) devastation, ravages *pl.*
ver'zag|en *v/i.* (*h.*) despair, despond (*an dat.* of); lose heart, give up hope; *nur nicht* ~! never say die!; ~**t** *adj.* disheartened, despondent; pusillanimous, faint-hearted; 2**t-heit** *f* (-) despondency, hopelessness; faint-heartedness.
ver'zählen: *sich* ~ (*h.*) miscount, make a mistake (in counting).
ver'zahn|en *v/t.* (*h.*) tooth, gear, cog (*wheel*); indent, dovetail (*board, etc.*); *fig.* (*a. sich*) link together, interlock; *fig. miteinander* ~ dovetail; 2**ung** *f* (-; -*en*) *tech.* tooth system, toothing; *arch.* indentation; *fig.* interlocking.
ver'zapfen *v/t.* (*h.*) sell *beer* on draught; *tech.* tenon, mortise; *colloq. fig.* tell, dish out; *Unsinn* ~ talk rot.
verzärtel|n [fɛr'tsɛːrtəln] *v/t.* (*h.*) coddle, pamper; *verzärtelte Person* molly-coddle; 2**ung** *f* (-) pampering; effeminacy.
ver'zauber|n *v/t.* (*h.*) put a spell on, bewitch, charm, enchant; ~ *in* (*acc.*) transform into; ~**t** *adj.* enchanted (*island, prince, etc.*).
verzehnfachen [fɛr'tseːnfaxən] *v/t. and sich* ~ (*h.*) increase tenfold, decuple.
ver'zehr|en *v/t.* (*h.*) consume (*a. fig.*), eat (up); *fig. sich* ~ eat one's heart out; *sich* ~ *vor Gram, etc.* pine away with, be consumed with (*grieve, etc.*); ~**end** *adj. fig.* burning (*look, passion*); 2**ung** *f* (-) consumption; 2**zwang** *m* (-[e]s) obligation to order.
ver'zeich|nen *v/t.* (*h.*) note (*or* write) down; *adm., a. fig.* record, register; list, *econ.* quote; draw incorrectly; *fig.* misrepresent, draw a distorted picture of; *opt.* distort; *fig.* register, secure; ~ *können or zu* ~ *haben* score (*success, victory*); *auf e-r Liste verzeichnet sein* figure in *or* on a list; ~**net** [-nət] *adj.* out of drawing; 2**nis** *n* (-ses; -se) list, catalogue; register; statement; specification; inventory; roll; index (*of book*); table, schedule; *econ.* ~ *versandter Waren* invoice; 2**nung** *f* (-; -*en*) *opt., TV* distortion (*a. fig.*).
ver'zeih|en *v/t.* (*irr., h.*) pardon, forgive (*both*: *j-m* [et.] a p. [a th.]); excuse; condone; ~ *Sie!* I beg your pardon!, excuse me!, (so) sorry; *nicht zu* ~ inexcusable; ~**lich** *adj.* pardonable, excusable; venial (*sin*); 2**ung** *f* (-) pardon; *j-n um* ~ *bitten* beg a p.'s pardon; ~! I beg your pardon!, please forgive me!, (so) sorry!
ver'zerr|en *v/t.* (*h.*) distort, twist; *fig.* caricature; *sich* ~ become *or* get distorted, get out of shape; *sich den Knöchel* ~ sprain one's ankle; *das Gesicht* ~ (make a) grimace, pull a face; 2**ung** *f* (-; -*en*) distortion; contortion, grimace; ~**ungsfrei** *adj.* free from distortion.
verzetteln [fɛr'tsɛtəln] *v/t.* (*h.*) fritter away; *sich* ~ dissipate one's energies, squander one's strength.
Verzicht [fɛr'tsiçt] *m* (-[e]s; -e) (*a.* ~**leistung** *f*) renunciation (*auf acc.* of); sacrifice; abandonment; *jur.* waiver, disclaimer (*of claim, right*); ~ *leisten* → 2**en** *v/i.* (*h.*; *auf acc.*) renounce, resign, relinquish; *jur.* waive, disclaim; deliver a waiver; dispense with, do without; for(e)go; ~**erklärung** *f* waiver, disclaimer.
ver'ziehen I. *v/i.* (*irr., sn*) (re)move (*nach* to); *falls verzogen* in case of change of address, if moved; linger; **II.** *v/t.* (*irr., h.*) distort; draw, screw up (*mouth*); *das Gesicht* ~ make a wry face, (make a) grimace; *keine Miene* ~ not to move a muscle, not to bat an eyelash; spoil (*child*); *sich* ~ *wood*: warp, *dress*: hang badly, drag; disappear, vanish, *colloq.* make off, make tracks; *fog, steam*: dissolve; *crowd, cloud*: disperse; *storm*: pass over; *pain*: blow over.
ver'zier|en *v/t.* (*h.*) adorn, decorate; trim; embellish; 2**ung** *f* (-; -*en*) decoration; ornament; *mus.* flourish, grace note; *colloq. fig.* frill(s *pl.*).
verzinken [fɛr'tsiŋkən] *v/t.* (*h.*) zinc (coat), galvanize.
verzinnen [fɛr'tsinən] *v/t.* (*h.*) tin.
verzins|en [fɛr'tsinzən] *v/t.* (*h.*) pay interest on; *e-n Betrag zu 3%* ~ pay 3 per cent interest on a sum; *5% verzinst* bearing 5 per cent interest; *sich* ~ yield (*or* bear) interest; ~**lich** *adj.* bearing interest; interest-bearing (*papers*); ~*es Darlehen* loan on interest; *niedrig* ~ low interest; ~ *mit 4%* bearing interest at 4 per cent; ~ *vom 1. Januar an* interest payable from January 1st; ~ *anlegen* put out at interest; 2**ung** *f* (-) (payment of) interest; interest rate; interest return.
verzogen [fɛr'tsoːgən] *adj.* spoiled (*child*); → *verziehen.*
ver'zöger|n *v/t.* (*h.*) delay, retard; slow down (*a. sich* ~); protract; *sich* ~ be delayed; be long in coming; 2**ung** *f* (-; -*en*) delay, retardation, time-lag; *e-e* ~ *erleiden* suffer a delay, be delayed; 2**ungs-taktik** *f* delaying tactics *pl.*; 2**ungszünder** *mil. m* delay(-action) fuse.
ver'zoll|bar *adj.* subject to duty, dutiable; ~**en** *v/t.* (*h.*) pay duty on; *mar.* clear; *haben Sie et. zu* ~? have you anything to declare?; ~**t** *adj.* duty-paid; 2**ung** *f* (-) payment of duty; *mar.* clearance.
ver'zück|en *v/t.* (*h.*) ecstasize, enrapture; ~**t** *adj.* ecstatic, enraptured; in raptures, rapt; 2**ung** *f* (-; -*en*) ecstasy, rapture; *in* ~ *geraten* go into ecstasies (*wegen* over).
ver'zuckern *v/t.* (*h.*) sugar (over); candy (*fruit*); ice (*cake*); *fig. die Pille* ~ sugar the pill.
Ver'zug *m* (-[e]s) delay; *ohne* ~ without delay, forthwith; *jur. in* ~ *geraten* come in default; *in* ~ *sein* default (*mit* with); *es ist Gefahr im* ~ there is danger ahead; ~**s-aktien** *f/pl.* deferred shares; ~**s-strafe** *f* penalty for delay; ~**s-tage** *m/pl.* days of grace; ~**szinsen** *m/pl.* interest for delay (*or* on arrears).
ver'zweif|eln *v/i.* (*sn*) despair (*an dat.* of); be in despair, abandon hope; *es ist zum* 2 it is enough to drive one mad (*or* to despair); *nur nicht* ~! never say die!; ~**elt** [-əlt] *adj.* despairing; desperate; ~*e Versuche* desperate efforts; dreadful(ly *adv.*); 2**lung** *f* (-) despair; *in* ~ *geraten* (sink into) despair; *zur* ~ *bringen or treiben* drive to despair, drive mad; *Mut der* ~ courage of despair.
verzweig|en [fɛr'tsvaɪgən] *v/t. and sich* ~ (*h.*) branch out, ramify; 2**ung** *f* (-; -*en*) ramification, branching.
verzwickt [fɛr'tsvikt] *adj.* intricate, complicated, ticklish, tricky.
Vesper [fɛspər] *f* (-; -*n*) *eccl.* vespers *pl.*; *a.* ~**brot** *n* light meal, snack; 2**n** *v/i.* (*h.*) have a snack.
Vestalin [vɛs'tɑːlin] *f* (-; -*nen*) Vestal (virgin).
Vestibül [vesti'byːl] *n* (-*s*; -*e*) vestibule, hall.
Veteran [vete'rɑːn] *m* (-*en*; -*en*) *Brit.* ex-serviceman, *Am.* veteran; *fig.* veteran.
Veterinär [veteri'nɛːr] *m* (-*s*; -*e*) veterinary surgeon, veterinarian.
Veto ['veːto] *n* (-*s*; -*s*) veto; *ein* ~ *einlegen* interpose one's veto; *gegen*: (*acc.*) put a veto upon, veto *a th.*; ~**recht** *n* power of veto.
Vettel ['fɛtəl] *f* (-; -*n*): *alte* ~ old hag, harridan, slut.
Vetter ['fɛtər] *m* (-*s*; -*n*) cousin; ~**nwirtschaft** *f* (-) nepotism, cronyism.
Vexier|bild [fɛ'ksiːr-] *n* picture-puzzle; 2**en** *v/t.* (*h.*) vex, tease; puzzle, mystify; ~**schloß** *n* puzzle-lock; ~**spiegel** *m* distorting mirror; ~**spiel** *n* (Chinese) puzzle.
V-förmig ['faufœrmiç] *adj.* V-shaped.
Viadukt [via'dukt] *m* (-[e]s; -e) viaduct.
Vibration [vibratsi'oːn] *f* (-; -*en*) vibration; ~**smassage** *med. f* vibro-massage.

vibrier|en [vi'bri:rən] *v/i.* (*h.*) vibrate; **2tisch** *tech. m* vibrating table.

Videofrequenz ['videˀo-] *f* video frequency.

Vieh [fi:] *n* (-[e]s) cattle, livestock; *w.s.*, *a. fig.* brute, beast; '**~ausstellung** *f* cattle show; '**~bestand** *m* livestock; '**~bremse** *f* gadfly; '**~futter** *n* fodder, provender; '**~händler** *m* cattle dealer; '**~hof** *m* stockyard; '**2isch** *adj.* bestial, brutal, beastly; '**~magd** *f* milkmaid; '**~markt** *m* cattle market; '**~salz** *n* cattle-salt; '**~seuche** *f* cattle-plague, rinderpest; '**~stand** *m* stock of cattle, livestock; '**~treiber** *m* (cattle-)drover; '**~wagen** *m* live-stock wag(g)on, *Am.* stock car; '**~weide** *f* pasturage; '**~zählung** *f* livestock census; '**~zeug** *n* animals *pl.*; '**~zucht** *f* stock farming, cattle breeding; '**~züchter** *m* stock-farmer, cattle-breeder, *Am. a.* rancher; **~züchte'rei** *f* (-; -en) cattle breeding establishment, *Am.* ranch.

viel [fi:l] *adj. and adv.* much; *~e pl.* many; *sg. and pl.*: a lot (of), lots of; plenty of *cake, money, room, time, etc.*; *sehr ~* a great deal; *sehr ~e pl.* a great many; *noch einmal so ~* as much again; *~ besser* much better; *ziemlich ~* a good deal (of); *ziemlich ~e pl.* a good many; *einer zu ~* one too many; *ein bißchen ~* a little too much; *~ zu ~* far too much; *das ~e Geld* all that money; *seine ~en Geschäfte* his numerous affairs; *in ~em* in many respects; *um ~es besser* far (*or* much, a great deal) better; *das will ~ sagen* that is saying a great deal; *es hätte nicht ~ gefehlt, so hätte er* a little more and he would have.

'**viel...**: **~adrig** [-ˀa:driç] *adj.* multi-core (*cable*); **~bändig** [-bεndiç] *adj.* of many volumes; **~begehrt** *adj.* much sought-after, prized; **~beschäftigt** *adj.* very busy; sought-after, *doctor, lawyer* in large practice; **~deutig** [-dɔʏtiç] *adj.* ambiguous; **2deutigkeit** *f* (-) ambiguity; **2eck** [-ˀεk] *n* (-[e]s; -e) polygon; **~eckig** *adj.* polygonal; **2ehe** *f* polygamy; **~erlei** ['-ər'laɪ] *adj.* of many kinds, many kinds of, a great variety of; multifarious; **~erorts** ['-ərˀɔrts] *adv.* in many places; **~fach** [-fax] **I.** *adj.* multiple; **II.** *adv.* in many cases, frequently, widely; **2fache(s)** *n* (-*n*) multiple; *um ein ~s* many times over; **2fachschalter** *el. m* multiple switchboard; **2fachschaltung** *el. f* multiple connection; **~fältig** [-fεltiç] *adj.* manifold, multifarious; **2fältigkeit** *f* (-) multiplicity; diversity, variety; **~farbig** *adj.* many-colo(u)red, variegated, *tech.* multi-colo(u)red, polychromatic; **2fraß** [-fra:s] *m* (-es; -e) glutton (*a. zo.* = wolverine); **~gebraucht** *adj.* much used; **~geliebt** *adj.* dearly (*or* well-)beloved; **~genannt** *adj.* often-mentioned; noted, distinguished; **~geprüft** [-gəpry:ft] *adj.* much tried; **~gereist** [-gəraɪst] *adj.* (widely) travel(l)ed; **~geschmäht** *adj.* [-gəʃmε:t] much abused; **~gestaltig** *adj.* multiform, polymorphic; *fig.* multifarious; **~gliedrig** [-gli:driç] *adj.* many-membered; *math.* polynominal; **2götterei** ['-gœtə'raɪ] *f* (-) polytheism; **2heit** *f* (-) multiplicity, variety, plurality; multitude, great number; **~jährig** *adj.* of many years, many years old; **~köpfig** [-kœpfiç] *adj.* many-headed, *scient.* polycephalous; *fig.* large (*crowd*).

vielleicht [fi'laɪçt] *adv.* perhaps, maybe; possibly, it is possible that; *Sie haben ~ recht* you may be right; *~ besuchen Sie ihn doch einmal!* it might be better if you called on him some time!; *weißt du ~ einen Rat?* (*a. iro.*) have you an idea, by any chance?; *contp. ist er ~ der Chef?* he isn't the boss, is he?; *colloq. das war ~ ein Durcheinander!* some (*or* what a) mess!

'**viel...**: **~malig** [-ma:liç] *adj.* often-repeated; frequent; **~mal(s)** [-ma:l(s)] *adv.* many times, frequently, often(times); *ich danke Ihnen ~* thank you very much, many thanks; *sie läßt (dich) ~ grüßen* she sends you her best regards; *ich bitte ~ um Entschuldigung* I am very sorry; **2männe'rei** *f* (-) polyandry; **~mehr** *adv.* rather; on the contrary; **~motorig** [-moto:riç] *adj.* multi-engined; **~phasig** *el. adj.* polyphase; **~polig** *el. adj.* multipolar; **~sagend** *adj.* significant, suggestive, eloquent; **~schichtig** *adj.* many-layered, stratified; **2schreiber** *m* prolific writer; *contp.* scribbler; **~seitig** ['-zaɪtiç] *adj.* many-sided, *person*: *a.* versatile, all-round; *math.* polygonal; multilateral (*treaty*); *~ verwendbar* multi-purpose, versatile; *auf ~en Wunsch* by popular request; **2seitigkeit** *f* (-) *fig.* many-sidedness, versatility; **2seitigkeits-prüfung** *f riding*: combined test; **~silbig** *adj.* polysyllabic; **~sprachig** *adj.* polyglot; **~stimmig** *adj.* many-voiced; *scient.* polyphonic; **~umstritten** *adj.* much discussed; **~verheißend, ~versprechend** *adj.* (very) promising, of great promise, up-and-coming; *nicht ~* unpromising; **2weibe'rei** *f* (-) polygamy; **~wertig** *adj.* multivalent; **2wisser** *m* (-s; -) pundit; *contp.* walking dictionary, sciolist; **2zahl** *f* multitude.

vier [fi:r] *adj.* four; *~ und ~, zu ~en* by fours; *zu ~t* four of us (*or* them); *auf allen ~en* on all fours; *unter ~ Augen* confidentially, privately; *um halb ~* at half past three; *alle ~e von sich strecken* **a)** stretch o.s. out, **b)** give up the ghost, turn up one's toes; → *Buchstaben, etc.*

'**vier...**: **~basisch** *chem. adj.* tetrabasic; **~beinig** *adj.* four-legged; **~blätt(e)rig** *adj.* four-leaved; **~dimensional** *adj.* [-dimεnzio'na:l] four-dimensional; **2eck** [-ˀεk] *n* (-[e]s; -e) square, quadrangle; **~eckig** *adj.* square, quadrangular.

'**Vierer** *m* (-s; -) *rowing*: four; *~ mit Steuermann* coxed four; *golf*: foursome; *el.* quad, four-wire unit; **~bob** *m* four-seater bob; **2lei** [-laɪ] *adj.* of four different kinds, four kinds of; **~leitung** *el. f* phantom circuit; **~spiel** *n golf*: foursome.

'**vier...**: **~fach** [-fax], **~fältig** [-fεltiç] *adj.* fourfold; *~e Ausfertigung* quadruplicate, four copies; **2farbendruck** *m* (-[e]s; -e) four-colo(u)r print(ing); **2felderwirtschaft** *f* four-strip cultivation; **~flächig** *adj.* tetrahedral; **~füßig** [-fy:siç] *adj.* four-footed; *zo.* quadruped; **2füß(l)er** [-fy:s(l)ər] *m* (-s; -) quadruped; **~gängig** *tech. adj.* quadruple threaded (*screw*); four-start (*worm*); **2gespann** *n* carriage-and-four, four-in-hand; *hist.* quadriga; *humor.* foursome; **~händig** [-hεndiç] *adj.* quadrumanous; *mus.* fourhanded; *~ spielen* play a duet; **~hundert** *adj.* four hundred; **2'jahresplan** *m* four-year plan; **~jährig** *adj.* four years old, *attr.* four-year-old; quadrennial, four-year (*period*); **2kant** [-kant] *tech. m* square; **2kantholz** *n* squared timber; **~kantig** *adj.* square, tetragonal; **2kantschraube** *f* square-head(ed) bolt; **2kantstahl** *m* square steel (bar); **2leiterkabel** *el. n* four-core cable; **2ling** [-liŋ] *m* (-[e]s; -e) four-barrel(l)ed gun; **2linge** *pl.* quadruplets, quads; **2lingsflak** *mil. f* four-barrel(l)ed AA gun; **2'mächtebesprechung** [-mεçtə-] *f* four-power talk; **~mal** *adv.* four times; **~malig** [-ma:liç] *adj.* four times repeated; **~motorig** [-moto:riç] *adj.* four-engined; **2pol** *el. m* four-terminal network; **~polig** *el. adj.* four-pole, quadripolar; **2polröhre** *f* tetrode; **2radantrieb** *mot. m* four-wheel drive; **2radbremse** *mot. f* four-wheel brake; **2radlenkung** *f* four-wheel steering; **~räd(e)rig** [-rε:d(ə)riç] *adj.* four-wheeled; **~schrötig** [-ʃrø:tiç] *adj.* square-built, thick-set; hulking; **~seitig** [-zaɪtiç] *adj.* four-sided; *math.* quadrilateral; **~silbig** [-zilbiç] *adj.* of four syllables, tetrasyllabic; **2sitzer** *m* (-s; -) four-seater; **~sitzig** *adj.* four-place, four-seater; **2spänner** [-ʃpεnər] *m* (-s; -) carriage-and-four, (*a.* **~spännig** *adj.*) four-in-hand; **~stellig** *adj.* four-digit; **~stimmig** [-ʃtimiç] *mus. adj.* for (*or* in) four voices; **~stöckig** *adj.* four-storied; **~stufig** *tech. adj.* four-stage; **~tägig** *adj.* of four days, four-day; four days old; **2takt** *mot. m* four-stroke cycle; **2taktmotor** *m* four-cycle (*or* -stroke) engine; **~tausend** *adj.* four thousand; **~te(r)** *adj.* fourth; → *achte(r)*; **~teilen** *v/t.* (*h.*) divide into four parts, (*a. hist.*) quarter.

Viertel ['firtəl] *n* (-s; -) fourth (part); quarter; *ein ~ fünf or ein ~ nach vier* a quarter past four; *drei ~ (ein ~ auf) vier* a quarter to four; **~drehung** *f* quarter turn; **~finale** *n sports*: quarter-final; **~jahr** *n* three months *pl.*, quarter (of a year); **~jahresbericht** *m* quarterly report; **~jahres(steuer)erklärung** *f* quarterly return; **~jahresschrift** *f* quarterly journal; **2jährig** *adj.* of three months, three-month; three months old; **2jährlich** *adj.* quarterly (*a. adv.* = every three months); *~e Kündigung* three months' notice; **~kreis** *m* quadrant; ≗n *v/t.* (*h.*) → *vierteilen*; **~note** *mus. f* crotchet; **~pause** *mus. f* crotchet-rest; **~'pfund** *n* quarter of a pound; '**~'stunde** *f* quarter of an hour; *Am. a.* quarter hour; **≗stündig** [-ʃtyndiç] *adj.* of a quarter of an hour, lasting fifteen minutes; **≗stündlich** *adv.* every quarter of an hour; **~takt** *mus. m* fourth of a bar; **~ton** *m* quarter tone.

viertens ['fiːrtəns] *adv.* fourthly, in the fourth place.

'**Vier...:** **~'vierteltakt** *mus. m* common time; **≗zehn** *adj.* fourteen; ~ *Tage* fortnight, *Am.* two weeks; **≗zehntägig** *adj.* fortnightly, *Am.* two-week; **≗zehnte** *adj.* fourteenth; **~zehntel** *n* fourteenth part; **~zeiler** [-tsaɪlər] *m* (-s; -) quatrain, four-lined stanza.

vierzig ['firtsiç] *adj.* forty; **≗er** ['-gər] *m* (-s; -), **≗erin** *f* (-; *-nen*) man (*f* woman) in the forties; quadragenarian; *in den Vierzige(r)n* in the forties *or* on the wrong (*or* shady) side of forty; **~ste(r)** *adj.* fortieth; **≗'stundenwoche** *f* 40-hour week.

Vignette [vini'ɛtə] *f* (-; *-n*) vignette.

Vikar [vi'kaːr] *m* (-s; -e) curate, assistant.

Viktualien [viktu'aːliən] *pl.* victuals, provisions, eatables.

Vill|a ['vila] *f* (-; *-llen*) villa; **~enkolonie** *f* garden city, residential suburb; **~enviertel** *n* residential district.

vinkuliert [viŋku'liːrt] *adj.*: **~e** *Aktien* registered shares (*Am.* stock) not transferable without the consent of the board.

Viola [vi'oːla] *f* (-; *-len*) viola.

violett [vio'lɛt] *adj.* violet.

Violine [vio'liːnə] *f* (-; *-n*) violin.

Violinist(in *f*) [-li'nist(in)] *m* (*-en*, *-en*; *-*, *-nen*) violinist.

Violinschlüssel [-'liːn-] *m* treble clef.

Violon'cello [violɔn-] *n* violoncello.

Viper ['viːpər] *f* (-; *-n*) viper.

virtuos [virtu'oːs] *adj.* masterly; **≗e** *m* (*-n*; *-n*), **≗in** *f* (-; *-nen*) virtuoso; **≗entum** *n* (*-s*) professional skill.

Virtuosität [-ozi'tɛːt] *f* (-) virtuosity, artistic perfection, masterly skill.

virulen|t [viru'lɛnt] *med. adj.* virulent; **≗z** [-'lɛnts] *f* (-) virulence.

Virusforschung ['viːrus-] *f* virus research.

Visage [vi'zaːʒə] *vulg. f* (-; *-n*) mug, *Am.* map.

Visier [vi'ziːr] *n* (-s; -e) *on helmet*: visor; *on gun*: sight; *das ~ stellen* set the sight; *fig. mit offenem ~* quite openly; **~einrichtung** *f* sighting mechanism; **≗en I.** *v/t.* (*h.*) *tech.* adjust; gauge; visa, endorse (*passport*); **II.** *v/i.* (*h.*) (take) aim *or* sight; **~fernrohr** *n* rifle telescope; **~kimme** *f* rear sight notch; **~korn** *n* (-[e]s) fore sight; **~linie** *f* line of sighting; **~stab** *m surv.* ranging-pole; *tech.* gauging rod.

Vision [vizi'oːn] *f* (-; *-en*) vision; **visionär** [-zio'nɛːr] *adj.* visionary.

Visitation [vizitatsi'oːn] *f* (-; *-en*) search; inspection.

Visite [vi'ziːtə] *f* (-; *-n*) visit (*a. med.*), social call; **~nkarte** *f* visiting-card, *Am.* calling card.

visitieren [vizi'tiːrən] *v/t.* (*h.*) search; inspect.

Viskose [vis'koːzə] *f* (-) viscose.

Viskosi'tät *f* (-) viscosity.

visuell [vizu'ɛl] *adj.* visual.

Visum ['viːzum] *n* (*-s*; *-sa*) visé, visa; *mit e-m ~ versehen* visa.

Vitalität [vitali'tɛːt] *f* (-) vitality, vigo(u)r.

Vitamin [vita'miːn] *n* (-s; -e) vitamin(e); ~ *C* ascorbic acid; ~ B_2 *or G* riboflavin; **≗arm** *adj.* lacking vitamins; **≗haltig** *adj.* vitamin-containing; **~mangel** *m* vitamin deficiency; **≗reich** *adj.* rich in vitamins.

Vitrine [vi'triːnə] *f* (-; *-n*) glass case (*or* cupboard); show-case, display case.

Vitriol [vitri'oːl] *n* (-s; -e) vitriol; **≗artig** *adj.* vitriolic; **~flasche** *f* carboy.

Vize|admiral ['fiːtsə-] *m* vice admiral; **~kanzler** *m* vice-chancellor; **~könig** *m* viceroy; **~konsul** *m* vice-consul; **~präsident** *m* vice-president; deputy chairman; **~statthalter** *m* deputy governor.

Vlies [fliːs] *n* (-es; -e) fleece.

V-Mann *m* agent.

Vogel ['foːgəl] *m* (-s; ¨) bird; ~ *Strauß* ostrich; *colloq. lustiger ~* gay dog; *komischer ~* queer bird; *colloq. fig. e-n ~ haben* have a bee in one's bonnet, have bats in the belfry, have a kink; *fig. den ~ abschießen* steal the show, take the cake; *friß, ~, oder stirb!* root, hog or die!; → *ausfliegen*; **~augenholz** *n* bird's eye wood; **~bauer** *n* (-s; -) bird-cage; **~beerbaum** *m* mountain ash, rowan(-tree); **~beere** *f* rowan-berry; **~fang** *m* (-[e]s) bird-catching; **~fänger** *m* bird-catcher; **~flinte** *f* fowling-piece; **≗frei** *adj.* outlawed; *für ~ erklären* outlaw; **~futter** *n* bird seed; **~händler** *m* bird-seller; **~haus** *n* aviary; **~hecke** *f* breeding-cage; **~herd** *m* fowling-floor; **~kirsche** *f* bird-cherry; **~kunde** *f* (-) ornithology; **~leim** *m* bird-lime; **~liebhaber(in** *f*) *m* bird-fancier; **~mist** *m* bird dung; **~napf** *m* seed-box; **~nest** *n* bird's nest; **~perspektive** *f* (-) bird's-eye view; **~pfeife** *f* bird-call; **~schau** *f* (-): *Berlin aus der ~* a bird's-eye view of Berlin; **~scheuche** *f* scarecrow (*a. fig.*); **~schutzgebiet** *n* bird sanctuary; **~stange** *f* perch; **~steller** [-ʃtɛlər] *m* (-s; -) bird-catcher; **~-'Strauß-Politik** *f* ostrich policy; *~ treiben* hide one's head in the sand; **~warte** *f* ornithological station; **~zug** *m* passage (*or* migration) of birds.

Vöglein ['vøːklaɪn] *n* (-s; -) little bird.

Vogt [foːkt] *m* (-[e]s; ¨e) overseer; bailiff; governor; steward.

Vokabel [vo'kaːbəl] *f* (-; *-n*) word; **~schatz** *m* (-es), **Vokabular** [-kabu'laːr] *n* (-s; -e) vocabulary.

Vokal [vo'kaːl] *m* (-s; -e) vowel; **~ablaut** *m* (vowel) gradation; **~anlaut** *m* initial vowel; **~auslaut** *m* final vowel; **≗isch** *adj.* vocalic; vowel *sound, ending*; **≗isieren** [vokali'ziːrən] *v/t.* (*h.*) vocalize; **~musik** *f* vocal music; **~partie** *mus. f* vocal part.

Volant [vo'lɑ̃ː] *m* (*-s*; *-s*) *dressmaking*: flounce; *mot.* steering-wheel.

Volk [fɔlk] *n* (-[e]s; ¨er) people; nation; race; populace, the common people, the lower classes *pl.*; *contp. a.* the common herd; mob, rabble; *zo.* swarm (*of bees*); *hunt.* covey (*of partridges*); *das arbeitende ~* the working classes; *der Mann aus dem ~e* the man in the street; *ein Mann aus dem ~e* a man of the people; *viel ~(s)* a large crowd, swarms of people; *im ganzen ~e Widerhall finden* find a nation-wide response.

'**volk-arm** *adj.* thinly peopled (*or* populated).

Völkchen ['fœlkçən] *n* (-s; -): *lustiges ~* jolly crowd.

Völker... ['fœlkər-]: **~beschreibung** *f* ethnography; **~bund** *m* (-[e]s) League of Nations; **~bundsrat** *m* League Council; **~friede** *f* international peace; **~kunde** *f* (-) ethnology; **≗kundlich** ['-kuntliç] ethnological; **~mord** *m* (-[e]s) genocide; **~recht** *n* (-[e]s) law of nations, international law; **≗rechtlich I.** *adj.* relating to the law of nations, international; **II.** *adv.* under international law; **~schaft** *f* (-; *-en*) people; tribe; **~schlacht** *f* battle of (the) nations; **~verständigung** *f* agreement between nations; **~wanderung** *f* migration of nations.

'**völkisch** *adj.* national, racial.

'**volkreich** *adj.* populous.

'**Volks...:** **~abstimmung** *f* plebiscite; **~aufklärung** *f* education of the people; **~aufstand** *m* national uprising, insurrection; **~ausdruck** *m* popular expression; **~ausgabe** *f* popular edition; **~bank** *f* (-; *-en*) people's bank; **~befragung** *f* public opinion poll; → *Volksentscheid*; **~begehren** *n* (-s; -) people's (*or* national) referendum; **~belustigung** *f* popular amusement; **~bewußtsein** *n* national consciousness; **~bibliothek, ~büche'rei** *f* public library; **~bühne** *f* (-) people's theatre organization; **~bildung** *f* national education; **~charakter** *f* national character; **~demokratie** *f* people's democracy; **≗deutsch** *adj.*, **~deutsche(r** *m*) *f* Ethnic German; **~dichter** *m* popular (*or* national) poet; **≗eigen** *adj.* nationalized, publicly owned; **~eigentum** *n* public property; *im ~* publicly owned; *ins ~ überführen* nationalize; **~einkommen** *n* national income; **~empfinden** *n*: *das gesunde ~* sound popular instinct; **~entscheid** *m* (popular) referendum; plebiscite; **~erhebung** *f* → *Volksaufstand*; **~etymologie** *f* folk-etymology; **~feind** *m* public enemy; **≗feindlich** *adj.* subversive, unpatriotic; **~fest** *n* public festival; **~freund** *m* friend of the people; **~front** *pol. f* popular front; **~führer** *m* popular leader, demagogue; **~gruppe** *f* ethnic group; **~gunst** *f* popularity; **~haufe(n)** *m* crowd; populace, mob; **~herrschaft** *f* democracy; **~hochschule** *f* University Extension; adult college (*or* education classes *pl.*); **~justiz** *f* lynch law, mob justice; **~küche** *f* (public) soup-kitchen; **~kunde** *f* (-) folklore; **~kund-**

ler(in *f*) ['-kuntlər] *m* (-s, -; -, -nen) folklorist; ≈**kundlich** *adj.* (relating to) folklore; ~**kunst** *f* (-) folk art; ~**lied** *n* folk-song; ≈**mäßig** *adj.* popular; ~**menge** *f* crowd (of people), multitude, *b.s.* mob; ~**mund** *m* (-[e]s) vernacular; ~**musik** *f* popular music; ~**partei** *f* people's party; ~**polizei** *f* people's police; ~**redner** *m* popular speaker; mob orator, *esp. Am.* stump orator; ~**sage** *f* folk-tale; ~**schicht** *f* social class (*or* stratum); ~**schlag** *m* race; ~**schule** *f* elementary (*or* primary, *Am. a.* grade) school; ~**schullehrer(in** *f*) *m* elementary (*or* primary, *Am.* grade) teacher; ~**schulwesen** *n* elementary education; ~**sprache** *f* popular (*or* vulgar) tongue; vernacular (language); ~**staat** *m* people's state; ~**stamm** *m* tribe, race; ~**stimme** *f* voice of the people; ~**stimmung** *f* public feeling; ~**stück** *n* folk-play; ~**tanz** *m* folk-dance; ~**tracht** *f* national costume; ~**trauertag** *m* day of national mourning; ~**tribun** *m* tribune (of the people), popular leader; ~**tum** *n* (-s) nationality, nationhood; national characteristics *pl.*; ≈**tümlich** [-ty:mliç] *adj.* **a**) national, **b**) popular; ~**tümlichkeit** *f* (-) popularity; ~**versammlung** *f* public meeting; ~**verbundenheit** *f* solidarity with the people; ~**vermögen** *n* national wealth; ~**vertreter** *m* representative of the people; deputy; ~**vertretung** *f* representation of the people; parliament; ~**wirt(schaftler)** *m* (political) economist; ~**wirtschaft** *f* **a**) political economics *pl.*, **b**) economic system; ≈**wirtschaftlich** *adj.* relating to political economics; economic; ~**wirtschaftslehre** *f* political economy; ~**wohlfahrt** *f* public welfare; ~**zählung** *f* census.

voll [fɔl] **I.** *adj.* full; filled; *colloq.* drunk; *tech.* solid; full, round; well-developed, buxom; corpulent (*figure*); whole, complete, full (*amount*); *voller Knospen, etc.* = ~ *von* full of (*buds, etc.*; *a. fig. hope, ideas, one's plan*); *e-e ~e Stunde* a full (*or* solid) hour; *6 ~e Tage* six clear days; *ein ~es Jahr* a whole year; *~e 40 Jahre alt* quite forty years old; *~e Beschäftigung* full (*or* full-time) employment; *die ~e Wahrheit* the whole truth; *~e Einzelheiten* full details; *econ. ~er Satz Verschiffungspapiere* complete set of shipping documents; *aus ~er Brust* heartily, lustily; *aus ~em Halse* at the top of one's voice; *aus ~em Herzen* from the bottom of one's heart; *bei ~er Besinnung* fully conscious; *im ~en Sinne des Wortes* in the full(est) sense of the word; *im ~en leben* live in the lap of luxury; *in ~em Ernst* quite seriously, in dead earnest; *in ~er Fahrt* at full speed; *aus dem ~en schöpfen* draw on plentiful resources, have plenty; *mit ~en Händen* lavishly, liberally; *mit ~em Recht* with perfect right; *das Theater war ganz ~* the theatre was crowded *or* full; **II.** *adv.* fully, in full; *econ. ~ eingezahlt* fully paid-up; *~ und ganz* fully, entirely; *clock*: *~ schlagen* strike the full hour; *j-n nicht für ~ ansehen* not to take a p. seriously; *~ ausnützen v/t.* (*h.*) utilize to full advantage; → *vollmachen, etc.*; '≈**aktie** *econ. f* fully paid-up share (*Am.* stock); ~**auf** *adv.* abundantly, amply, plenty; perfectly.

'**Vollast** *el. f* (*when divided*: *Voll-last*) full load.

'**vollaufen** (*when divided*: *voll-laufen*) *v/i.* (*irr.*, *sn*) fill, run to overflowing; *colloq. fig. sich ~ lassen* get o.s. drunk.

'**Voll...**: ~**automat** *tech. m* fully automatic machine; ≈**automatisch** *adj.* fully automatic; ~**bad** *n* complete bath, plunge (bath); ~**bart** *m* (full) beard; ≈**berechtigt** *adj.* fully qualified; ≈**beschäftigt** *adj.* fully employed; full-time *worker*; ~**beschäftigung** *f* full employment; ~**besitz** *m* full possession; ~**bier** *n* entire (beer); ~**bild** *n* full-page illustration; ~**bildfrequenz** *TV f* picture frequency; ~**blut(pferd)** *n*, ~**blüter** [-bly:tər] *m* (-s; -) thoroughbred (horse); ≈**blütig** [-bly:tiç] *adj.* full-blooded; *med., scient.* plethoric; ~**blütigkeit** *f* (-) fullness of blood; *scient.* plethora; ≈'**bringen** *v/t.* (*irr.*, *h.*) accomplish, achieve; do, perform; ~'**bringung** *f* (-) accomplishment, achievement; ≈**bürtig** [-byrtiç] *adj.* of the same parents, whole-blood; ≈**busig** [-bu:ziç] *adj.* full-bosomed, bosomy; ~**dampf** *m* (-[e]s) full steam; *fig. mit ~* at full blast; *~ voraus!* full steam ahead!; ~**draht** *m* solid wire; ~**eigentümer** *jur. m* lawful owner in one's own right; ~**einzahlung** *f* payment in full; ≈**elektrisch** *adj.* all-electric; ≈'**enden** *v/t.* (*h.*) finish; bring to a close, terminate; complete (*a. studies, year of life, a. jur. offence*); round off; perfect, accomplish; ≈'**endet** *adj.* perfect (*a. iro.*), accomplished, consummate; *iro.* utter, downright.

vollends ['fɔlɛnts] *adv.* entirely, wholly, quite; altogether; to top it off; *~ da* especially since.

Voll'endung *f* (-) finishing, completion; perfection; *nach ~ des 21. Lebensjahres* upon completion of his 21st year.

voller ['fɔlər] **I.** *comp. of voll*: fuller; **II.** *with gen.* (= *voll von*) full of (*a. fig.*).

Völlerei [fœlə'raɪ] *f* (-; -en) gluttony.

voll'führ|en *v/t.* (*h.*) execute, carry out; make (*noise*); ≈**ung** *f* (-; -en) execution.

'**voll...**: ~**füllen** *v/t.* (*h.*) fill (up); ≈**gas** *mot. n* (-es) full throttle; *mit ~* at full throttle; *~ geben* open the throttle, step on it; ≈**gefühl** *n*: *im ~ (gen.)* fully conscious of; ≈**genuß** *m* full enjoyment; ~**gepackt**, ~**gepfropft**, ~**gestopft** *adj.* crammed (full), jammed, packed; ≈**gewicht** *n* full weight; ~**gießen** *v/t.* (*irr.*, *h.*) fill (up); ~**gültig** *adj.* of full value, valid; ≈**gummi** *n and m* solid rubber; ≈**gummireifen** *m* solid tyre (*Am.* tire); ~**hauen** *colloq. v/t.* (*h.*): → *Jacke*.

völlig ['fœliç] **I.** *adj.* full, entire; complete, total; thorough; perfect; dead, absolute (*certainty*); downright, out-and-out (*fool*); **II.** *adv.* fully, thoroughly, perfectly, *etc.*; quite; clean (*gone, mad, through, wrong*).

'**Voll...**: ≈**inhaltlich** *adj.* complete (-ly *adv.* = in all points); ≈**jährig** *adj.* of (full) age; major *person*; *~ werden* come of age, attain one's majority; ~**jährigkeit** *f* (-) full age, majority; ~**jährigkeitserklärung** *f* declaration of majority; ~**jurist** *m* trained (*or* fully qualified) lawyer; ~**kettenfahrzeug** *mil. n* full-track vehicle; ≈**kommen** [-kɔmən] *adj.* perfect; accomplished, consummate; absolute (*power, right, etc.*); → *völlig*; ~**kommenheit** *f* (-) perfection; ~**kornbrot** *n* wholemeal bread; ≈**körnig** *adj.* full-grained; ~**kraft** *f* (-) full vigo(u)r; *in der ~ seines Lebens* in the prime of life; ≈**machen** *v/t.* (*h.*) fill (up); *fig.* complete; soil, dirty; *um das Unglück vollzumachen* to crown it all.

'**Vollmacht** *f* (-; -en) full power(s *pl.*), authority; proxy; *jur.* power of attorney; *gesetzliche ~* legal power; *unbeschränkte ~en* plenary powers; *j-m ~ erteilen* give a p. authority, authorize (*or* empower) a p.; ~**geber** *m* mandator, constituent; ~**haber** [-ha:bər], ~**träger** *m* (-s; -) mandatary, proxy.

'**Voll...**: ~**matrose** *m* able-bodied seaman; ~**milch** *f* whole milk; ~**milchpulver** *n* whole-milk powder; ~**mond** *m* full moon; *es ist ~* the moon is full; ≈**motorisiert** *adj.* fully motorized, mobile; ≈**mundig** [-mundiç] *adj.* full-bodied; ≈**nehmen** *v/t.* (*irr.*, *h.*): *den Mund ~* brag, boast; talk big; ≈**packen**, ≈**pfropfen** → *vollstopfen*; ~**rohr** *n* solid tube; ≈**saftig** *adj.* very juicy, succulent; ≈**saugen**: *sich ~* (*h.*) suck o.s. full; ≈**schenken** *v/t.* (*h.*) fill (up); ~**schiff** *n* full-rigged ship; ≈**schlank** *adj.* plump, not-so-slim; ~**sitzung** *f* plenary sitting; ≈**spurig** *adj.*, ~**spur...** *rail.* standard-gauge, broad-gauge; ≈**ständig** **I.** *adj.* complete; whole, entire; total; integral; **II.** *adv.* fully, quite, wholly, utterly, absolutely, perfectly; altogether; *~ machen* complete; ~**ständigkeit** *f* (-) completeness, entirety; totality; integrity; ≈**stopfen** *v/t.* (*h.*) stuff, cram; *sich ~* stuff o.s.; ≈'**streckbar** *jur. adj.* executable, enforceable; *~er Titel* executory title; *~e Forderung* judgment-debt; ≈'**strecken** *v/t.* (*h.*) execute, enforce, carry out; ~'**strecker(in** *f*) *m* (-s, -; -, -nen) executor, *f a.* executrix; *soccer*: scorer, striker; ~'**streckung** *f* execution; ~'**streckungs-aufschub** *m* stay of execution; ~'**streckungsbeamte(r)** *m* executory officer; ~'**streckungsbefehl** *m* writ of execution; ~'**streckungsschuldner** *m* judgment debtor; ≈**tönend** *adj.* full-toned, sonorous, rich; ~**treffer** *m* direct hit; *a. fig.* bull's-eye; ~**versammlung** *f* plenary meeting (*or* assembly); ~**waise** *f* orphan who has lost both parents; ≈**wertig** *adj.* full, of full value; up to standard; **2zählig** [-tsɛːliç] *adj.* complete, full; ~ *machen* complete; **~zähligkeit** *f* (-) completeness; **2'ziehen** *v/t.* (*irr.*, *h.*) execute; effect, perform, carry out; consummate (*marriage*), *eccl.* solemnize; *die ~de Gewalt* the executive; *sich ~* take place, come to pass; **~'ziehung** *f*, **~'zug** *m* (-[e]s) execution; *jur. a.* enforcement; **~'zugs-anordnung** *f* executive order; **~'zugs-anstalt** *jur. f* penal institution (where a sentence is carried out); **~'zugsgewalt** *f* executive power; **~'zugsmeldung** *f* report of execution.

Volontär [volõ'tɛːr] *econ. m* volunteer; unpaid assistant, pupil.

Volt [vɔlt] *el. n* (-; -) volt; **voltaisch** [vɔl'taiʃ] *adj.* voltaic.

Volte ['vɔltə] *f* (-; -*n*) volt.

voltigieren [-ti'ʒiːrən] *v/i.* (*h.*) vault.

'Volt...: **~meter** *n* voltmeter; **~spannung**, **~zahl** *f* voltage.

Volumen [vo'luːmən] *n* (-*s*; -) volume (*a. fig.* = total amount); size; capacity; **~einheit** *f* unit of volume.

volu'metrisch *adj.* volumetric.

Vo'lumgewicht *n* weight of volume.

voluminös [volumi'nøːs] *adj.* voluminous.

Vo'lumverhältnis *n* volume ratio.

vom [fɔm] = *von dem*; → *von*.

von [fɔn] *prp.* (*dat.*) *as to place*: from; ~ *wo(her)?* from where?, whence?; ~ *seiten* (*gen.*) from, on the part of; *as to time*: from; ~ *morgen an* from tomorrow (on), *adm.* as of (*or* beginning, commencing) tomorrow; → *an* II.; ~ *Kindheit auf* from earliest childhood; *for genitive*: of; *die Einfuhr ~ Weizen* the import of wheat; *die Errichtung ~ Schulen* the erection of schools; *zwei ~ uns* two of us; *ein Freund ~ mir* a friend of mine; *ein Teufel ~ einem Weib* a devil of a woman; ~ *dem Apfel essen* eat (some) of the apple; *ich habe ~ ihm gehört* I have heard of him; *er weiß ~ der Sache* he knows about it; *was wollen Sie ~ mir?* what do you want of me?; *with titles proceding proper names*: *der Herzog ~ Edinburgh* the Duke of Edinburgh; *causally*, *with passive*: by; *ein Gedicht ~ Schiller* a poem by Schiller; *Kinder haben ~* have children by; ~ *selbst*, ~ *sich aus* by oneself; → *selbst*; *measure*, *quality*: ~ *drei Ellen Länge* three yards long; *ein Betrag ~ 300 Dollar* a sum of $ 300; *ein Mann ~ Bildung* a man of culture; *Aufenthalt ~ drei Wochen* a stay of three weeks; *Kind ~ drei Jahren* a child three years old; *9 ~ 10 Leuten* nine in ten persons; ~ *Vorteil* of advantage; ~ *Holz* (made) of wood; *subject*: of, about, on; *das ist nett ~ ihm* that is nice of him; ~ *mir aus* I don't mind, as far as I am concerned; for all I care.

von-ein'ander *adv.* of (*or* from) each other; → *auseinander*.

vonnöten [fɔn'nøːtən] *adj.* necessary, needful.

vonstatten [fon'ʃtatən] *adv.*: ~ *gehen* take place, proceed, come (*or* pass) off; *gut ~ gehen* go well *or* swimmingly, prove a success.

vor [foːr] *prp.* (*dat. or acc.*) *as to space or time*: before; *as to space*: in front of; ago; prior to, previous to; in advance of; preparatory to; ahead of; in the presence of (*witnesses*, *God*); opposite; *hide*, *protect*, *warn*, *etc.* from, against; on account of, because of; *tremble* with (*cold*, *etc.*); *preference*: before, above, in preference to; *am Tage ~* (on) the day before, on the eve of; ~ *einigen Tagen* a few days ago, the other day; ~ *der Zeit* prematurely, too early; ~ *e-m Hintergrund* against a background; ~ *Hunger sterben* die of hunger; *sich fürchten ~* be afraid of, fear, dread; (*heute*) ~ *acht Tagen* a week ago (today); *5 Minuten ~ 12* five minutes to (*Am.* of) twelve, *fig.* at the eleventh hour; ~ *allen Dingen* above all; ~ *der Tür sein* be at the door, *fig.* be close at hand; (*dicht*) ~ *dem Untergang stehen* be on the brink (*or* verge) of ruin; ~ *sich gehen* take place, pass off, proceed; *et. ~ sich haben* be in for (*or* face) a th., *n.s.* be face to face with, be looking at; ~ *sich hin murmeln* (*lächeln*, *etc.*) mutter (smile, *etc.*) to o.s.; *sich ~ j-m auszeichnen* distinguish o.s. above a p.; *das Subjekt steht ~ dem Zeitwort* the subject comes before (*or* precedes) the verb.

vor'ab *adv.* in advance; first of all; beforehand; tentatively.

'Vor-abdruck *m* advance copy, preprint.

'Vor-abend *m* eve; *am ~* on the eve (*gen.* of).

'vor-ahn|en *v/t.* (*h.*) have a presentiment of; **2ung** *f* (-; -*en*) presentiment, foreboding.

'Vor-alarm *mil. m* early warning.

'Vor-alpen *pl. the* Lower Alps.

voran [fo'ran] *adv.* before, at the head (*dat.* of), in front (of); *geh ~!* lead on!; *nur ~!* go on (*or* ahead)!; *Kopf ~* head first (*or* foremost); **~eilen** *v/i.* (*sn*, *dat.*) hurry on before, run in front of; **~gehen** *v/i.* (*irr.*, *sn*) lead the way, walk in front (*dat.* of), go at the head (of), (*a. fig.*) take the lead; *a. as to space or rank*: precede (*j-m*, *etc.* a p., *etc.*); *work*: *gut ~* make progress (*or* headway), get ahead; *~d* preceding; **~kommen** *v/i.* (*irr.*, *sn*) make headway (*or* progress), advance, get ahead.

Vor-an|kündigung ['foːr-] *f* → *Voranzeige*; **~schlag** *m* (rough) estimate, previous calculation.

voran... [fo'ran-]: **~schreiten** *v/i.* (*irr.*, *sn*) stride ahead (*dat.* of); → *vorangehen*; **~stellen** *v/t.* (*h.*) place in front (*dat.* of); **~treiben** *v/t.* (*irr.*, *h.*) push, hasten; advance.

Vor-anzeige ['foːr-] *f* advance (*or* previous) notice; preliminary announcement; *film*: trailer.

'Vor-arbeit *f* preparatory work; general preparations *pl.*; preliminary studies *pl.*; spade work; *gute ~ leisten* prepare the ground well; **2en I.** *v/t.* (*h.*) prepare, do *a th.* in advance; *sich ~* work one's way forward (*or* up), forge ahead; **II.** *v/i.* (*h.*) prepare work; *fig. j-m ~* pave the way for a p.; **~er** *m* foreman; **~erin** *f* forewoman.

vorauf [fo'rauf] *adv.* → *voran*.

voraus [fo'raus] *adv.* in front, ahead (*dat.* of); *im ~*, *zum ~ usu.* '*voraus* in advance, beforehand; *thank* in anticipation; *Kopf ~* head first (*or* foremost); *s-m Alter ~ sein* be forward (for one's age); *geh ~!* lead on!; **2abteilung** *f* advance detachment.

Vor-ausbildung ['foːr-] *f* preparatory training.

voraus... [fo'raus-]: **~bedingen** *v/t.* (*irr.*, *h.*) stipulate beforehand; **2berechnung** *f* precalculation, forecast; **~bestellen** *v/t.* (*h.*) → *vorbestellen*; **~bestimmen** *v/t.* (*h.*) predetermine; **~bezahlen** *v/t.* (*h.*) pay in advance, prepay; **2bezahlung** *f* advance payment, prepayment; **~datieren** *v/t.* (*h.*) → *vordatieren*; **~denken** *v/i.* (*irr.*, *h.*) look ahead; **~eilen** *v/i.* (*sn*) hurry on ahead *or* in advance (*dat.* of); **2exemplar** *n* advance copy; **~gehen** *v/i.* (*irr.*, *sn*) walk in front *or* ahead (*dat.* of), *a. fig.* precede; *geh voraus!* lead on!; **~haben** *v/t.* (*irr.*, *h.*): *j-m et. ~* have an advantage over a p., be superior to a p. in a th.; have the edge on a p.; **2klage** *f* preliminary proceedings *against debtor*; **2planung** *f* forward planning; **2sage**, **2sagung** *f* (-; -*en*) prediction; prophecy; forecast; tip; **~sagen** *v/t.* (*h.*) foretell, predict; forecast; prophesy; **2schau** *f* forecast; **~schauend** *adj.* prospective; far-sighted, long-range (*policy*); **~schicken** *v/t.* (*h.*) send on in advance; *fig.* mention before, premise; **~sehen** *v/t.* (*irr.*, *h.*) foresee; **~setzen** *v/t.* (*h.*) presuppose, require; assume, presume; expect (*bei j-m* of a p.); *als bekannt ~* take for granted; *vorausgesetzt, daß* provided (that); **2setzung** *f* (-; -*en*) (pre)supposition, assumption; pre-requisite, pre-condition, (basic) requirement; *die ~en erfüllen* meet the requirements, have the qualifications; *unter der ~, daß* on the understanding that, on condition that; *zur ~ haben* presuppose; → *ausgehen*; **2sicht** *f* foresight; *aller ~ nach* in all probability, by all known odds; **~sichtlich I.** *adj.* prospective, probable, presumable; expected; estimated; **II.** *adv.* probably; *er geht ~ a.* he is likely to go; *er trifft ~ morgen ein* he is expected to arrive tomorrow; **~wirkend** *adj.* anticipatory; **2zahlung** *f* advance payment (*or* instalment).

Vorbau ['foːr-] *m* (-[e]*s*; -*ten*) front building; porch; projecting structure; **2en I.** *v/t.* (*h.*) build in front; build out; **II.** *v/i.* (*h.*, *dat.*) guard (*or* take precautions) against, obviate; provide for (the future).

'Vorbe-arbeitung *tech. f* (-; -*en*) preliminary working.

'Vorbedacht *m* forethought, premeditation; *mit ~* deliberately, on purpose, advisedly; **2** *adj.* premeditated; aforethought.

'vorbedeut|en *v/t.* (*h.*) forebode, presage; **2ung** *f* foreboding, omen, portent.

ˈ**Vorbedingung** *f* precondition, prerequisite, basic requirement.
Vorbehalt [ˈfoːrbəhalt] *m* (-[e]s; -e) reservation, reserve, proviso; *innerer* ~ mental reservation; *ohne* ~ without restriction, unconditionally; *unter* ~ *aller Rechte* all rights reserved; **2en** *v/t.* (*irr.*, *h.*): *sich* ~ reserve to o.s.; *j-m* ~ *sein* be reserved for a p.; *Änderungen* ~ subject to change (without notice); *Irrtümer* ~ errors excepted; *es bleibt der Zukunft* ~ it remains for the future (*to show*, *etc.*); **2lich** *prp.* (*gen.*) subject to, with reservation as to; ~ *§ 23* subject to (the provisions of) Section 23, except as provided in Section 23; ~ *abweichender Vorschriften* unless otherwise provided; **2los** *adj.* unreserved, unconditional; **~sklausel** *f* proviso clause.
ˈ**vorbehand|eln** *v/t.* (*h.*) pre-treat; **2lung** *f* preliminary treatment.
vorˈbei [forˈbaɪ] *adv.* along, by, past (*all a.*: ~ *an dat.*); *time*: over, past, gone; ~! missed!; *es ist* ~ *mit ihm* it is all over with him; ~ *ist* ~ gone is gone, that's all water under the bridge; *3 Uhr* ~ past three (o'clock); **~drücken:** *sich* ~ (*h.*) squeeze by (*an j-m*, *etc.* a p., *etc.*); **~fahren** *v/i.* (*irr.*, *sn*) drive (*or mar.* sail, *etc.*) past (*an* et. a th.); pass (by); **~flitzen** *v/i.* (*sn*) flit by; **~gehen** *v/i.* (*irr.*, *sn*) pass by (*an j-m* a p.); *fig.* fail to see; steer clear of, avoid, side-step; pass over *a th.* in silence (*all*: *an dat. a p. or th.*); pass (over); *pain, rage, storm, etc., a.* blow over; miss the mark; *im* 2 in passing; **~kommen** *v/i.* (*irr.*, *sn*) pass by; *an* (*dat.*): get past *or* round (*obstacle, opponent*); *colloq.* (*visit*) drop in; **~lassen** *v/t.* (*irr.*, *h.*) let pass; **2marsch** *m* march(ing) past, march in review; **~marschieren** *v/i.* (*sn*) march past (*an j-m* a p.), file by; **~müssen** *v/i.* (*irr.*, *h.*) have to pass (*an dat.* by); **~reden** *v/i.* (*h.*): *aneinander* ~ be at cross-purposes; *an e-m Thema* ~ talk round the subject, evade the issue; **~schießen** *v/i.* (*irr.*, *h.*) shoot past (*an j-m or* et. a p. *or* a th.); miss the mark; miss (*an* et. a th.); **~schlagen** *v/i.* (*irr.*, *h.*) miss (in striking); **~tragen** *v/t.* (*irr.*, *h.*) carry past; **~ziehen** *v/i.* (*irr.*, *sn*) march past; pass (*an j-m* a p.).
Vorbemerkung [ˈfoːr-] *f* preliminary remark *or* note; preamble (*zu dat.* to *a treaty*, *etc.*); representations *pl.*
vorbenannt [ˈ-bənant] *adj.* (afore-) said.
ˈ**Vorbenutzung** *f patent law*: prior use.
ˈ**vorbereit|en** *v/t.* (*h.*) prepare; *sich* ~ *auf acc.* (*or für*) prepare o.s. for, get ready for; *sich auf e-e Prüfung* ~ prepare for an examination; *e-e vorbereitete Rede* a set speech; *auf et. vorbereitet sein* be prepared for a th.; **~end** *adj.* preparatory; preliminary; **2ung** *f* preparation (*für, auf acc.* for); *als* ~ *zu* preparatory to; *in* ~ being prepared, *thea.* in rehearsal; **2ungs...** preparatory.
Vorberge [ˈ-bɛrgə] *m/pl.* foot-hills.

ˈ**Vorbericht** *m* preliminary report.
ˈ**vorberuflich** *adj.* prevocational.
ˈ**Vorbescheid** *m* preliminary decision; *patent law*: interim action.
ˈ**Vorbesprechung** *f* preliminary discussion (*or* talk).
ˈ**vorbestell|en** *v/t.* (*h.*) order in advance; subscribe for (*ein Buch* a book); book, *Am. a.* make reservation for (*seat, rooms, etc.*); **2ung** *f* advance order; booking, *Am. a.* reservation, billing; *econ. umfangreiche* ~*en* heavy booking.
ˈ**vorbestraft** *adj.* previously convicted, having a (criminal) record; *nicht* 2*er* first offender.
ˈ**vorbeten I.** *v/t.* (*h.*): *j-m et.* ~ repeat (*or* recite) *a prayer, etc.*, to a p.; **II.** *v/i.* (*h.*) lead in prayer.
ˈ**vorbeug|en I.** *v/i.* (*h.*, *dat.*) prevent, obviate; guard against; **II.** *v/t.*, *a. sich* (*h.*) bend forward; **~end** *adj.* preventive; *med.* prophylactic; **2ung** *f* prevention; *med.* prophylaxis; **2ungsmaßregel** *f* preventive measure; **2ungsmittel** *n* preventive, preservative; *med.*, *a. fig.* prophylactic.
ˈ**Vorbilanz** *f* trial balance.
ˈ**Vorbild** *n* model; pattern; standard; example; prototype; **2lich** *adj.* exemplary; *attr. a.* model; ideal; representative, typical (*für* of); **~ung** *f* preparatory training; educational background.
ˈ**vorbinden** *v/t.* (*irr.*, *h.*) tie (*or* put) *a th.* on.
ˈ**vorbohr|en** *v/t. and v/i.* (*h.*) pre-drill; **2er** *m* gimlet, auger.
ˈ**Vorbote** *m* forerunner; *fig.* harbinger, precursor; early sign, symptom.
ˈ**vorbringen** *v/t.* (*irr.*, *h.*) bring forward, produce (*a. jur. evidence*); advance (*excuse, opinion, reason*); propose (*plan*); *jur.* prefer (*gegen a charge* against *a p.*), plead, allege; utter, say, state.
ˈ**Vorbringen** *jur. n* (-s) pleading.
ˈ**vorbuchstabieren** *v/t.* (*h.*) spell out (*j-m* to a p.).
ˈ**Vorbühne** *thea. f* proscenium, [apron.]
ˈ**vorchristlich** *adj.* pre-Christian.
ˈ**vordatieren** *v/t.* (*h.*) **a**) antedate, **b**) postdate.
vordem [foːrˈdeːm] *adv.* formerly.
vorder [ˈfɔrdər] *adj.* front, fore, anterior, forward.
ˈ**Vorder...:** **~achs-antrieb** *mot. m* front axle drive; **~achse** *f* front axle; **~ansicht** *f* front view; *arch.* front elevation; **~antrieb** *mot. m* front (wheel) drive; **~arm** *m* forearm; **~asien** *n* Anterior Asia, *the* Near East; **~bein** *n* foreleg; **~deck** *n* fore-part of the deck; **~fuß** *m* forefoot; **~gebäude** *n* front building; **~grund** *m* foreground; *fig. in den* ~ *rücken* place into the foreground, throw into relief; *im* ~ *stehen* be well to the fore, be in the limelight, be in the foreground *of discussions*; *in den* ~ *treten* come to the fore; **2gründig** [-gryndiç] *fig.* **I.** *adj.* surface, superficial; **II.** *adv.* on the surface; on the face of it; **~hand** *f* forehand (*of horse*); **~haus** *n* → *Vordergebäude*.
ˈ**vorderhand** *adv.* for the present, for the time being; just now.

ˈ**Vorder...:** **~lader** [-laːdər] *m* (-s; -) muzzle-loader; **2lastig** [-lastiç] *aer. adj.* nose-heavy; **~lauf** *hunt. m* foreleg; **~mann** *m* man in front (*of a p.*), *mil. a.* front rank man; *fig.* superior; *econ.* **a**) *cheques, etc.*: prior (*or* previous) indorser, **b**) *securities*: previous holder; *mil. auf* ~ *stehen* be covered in file; ~! cover off!; *colloq. j-n auf* ~ *bringen* make a p. toe the line; **~mast** *m* foremast; **~rad** *n* front wheel; **~rad-antrieb** *mot. m* front wheel drive; **~radnabe** *f* front hub; **~reihe** *f* front row (*or* rank); **~satz** *phls. m* antecedent, premise; **~seite** *f* front (side), *arch., tech. a.* face; *of coin*: obverse; **2seitig** *adj.* front; **~sitz** *m* front seat.
vorderst [ˈfɔrdərst] *adj.* foremost, first; *mil.* ~*e Linie* front line.
ˈ**Vorder...:** **~steven** *mar. m* stem; **~teil** *m and n* front (part), *mar.* prow; **~tür** *f* front door; **~zahn** *m* front tooth; **~zimmer** *n* front room.
vordrängen [ˈfoːr-] *v/t.*, *a. sich* (*h.*) press (*or* push) forward.
ˈ**vordringen** *v/i.* (*irr.*, *sn*) advance, press forward, make headway, forge ahead, gain ground; 2 *n* (-s) advance.
ˈ**vordringlich** *adj.* urgent, most important, (claiming) priority; ~*e Aufgabe* priority task; ~ *behandelt werden* be given priority, be treated as a matter of urgency; **2keit** *f* urgent nature, priority; **2keitsliste** *f* priority list.
ˈ**Vordruck** *m* (-[e]s; -e) *adm.* form, *Am.* blank; *typ.* first impression.
ˈ**vor-ehelich** *adj.* prenuptial, premarital.
ˈ**vor-eilig** *adj.* hasty, rash, precipitate; ~*e Schlüsse ziehen* jump to conclusions; **2keit** [ˈ-aɪliçkaɪt] *f* (-) rashness, overhaste; precipitancy.
ˈ**vor-eingenommen** *adj.* prepossessed, prejudiced, biassed (*für* in favo[u]r of; *gegen* against); **2heit** *f* prepossession, prejudice, bias.
ˈ**Vor-eltern** *pl.* forefathers, ancestors, progenitors.
ˈ**vor-enthalt|en** *v/t.* (*irr.*, *h.*) keep back, withhold (*j-m* from a p.), deny (*a th.* to a p.); **2ung** *f* withholding, retention; denial; *jur.* detention.
ˈ**Vor-entnahme** *jur. f* anticipatory succession.
ˈ**Vor-entscheidung** *f* preliminary decision; *jur.* precedent.
ˈ**Vor-erb|e** *m* heir in tail; **~schaft** *f* estate in tail.
ˈ**vor-erst** *adv.* first of all; for the present, for the time being.
ˈ**vor-erwähnt** *adj.* before- (*or* afore)mentioned, (afore)said, above.
ˈ**Vor-erzeugnis** *n* primary product.
ˈ**Vor-examen** *n* → *Vorprüfung*.
Vorfahr [ˈ-faːr] *m* (-en; -en) ancestor.
ˈ**vorfahr|en** *v/i.* (*irr.*, *sn*) drive up; pass; *den Wagen* ~ *lassen* order the car; **2t(recht** *n*) *f* (-) right of way, priority; **2tzeichen** *n* priority sign.
ˈ**Vorfall** *m* incident, occurrence; event; *med.* prolapsus; **2en** *v/i.* (*irr.*, *sn*) happen, occur; *med.* prolapse.

ˈ**Vor...:** **~feier** *f* preliminary celebration; **~feld** *n mil.* forefield, approaches *pl.*; *aer.* apron; **~fenster** *n* outer window; **~fertigung** *tech. f* prefabrication; **~film** *m* program(me) picture; **~finanzierung** *f* prefinancing; anticipatory credit; **2finden** *v/t.* (*irr., h.*) find, come upon; **2fordern** *v/t.* (*h.*) → *vorladen*; **~frage** *f* preliminary question; **~freude** *f* anticipated joy; **~frühling** *m* early spring; **2fühlen** *v/i.* (*h.*) *fig.* put out one's feelers; *bei j-m*: sound (out) *a p.*

ˈ**Vorführ|dame** *f* mannequin, model; **2en** *v/t.* (*h.*) bring forward; (*dat.*) bring before (*the judge*); produce (*witnesses*); show, display, exhibit; demonstrate (*machine, etc.*); show, present, *n.s.* project (*film*); **~er** *m* demonstrator; *cinema*: projectionist, operator; **~raum** *m* projection room; **~ung** *f* presentation, showing; projection; demonstration; *jur.* production (*of witness, etc.*); *thea., etc.* performance.

ˈ**Vorgabe** *f sports*: handicap; *games*: points (*or* odds) given; *Wettkampf ohne ~* scratch competition; **~rennen, ~spiel** *n* handicap.

ˈ**Vorgang** *m* proceedings *pl.*; facts *pl.*; record, reference; previous correspondence; *tech.* process, operation.

Vorgänger(**in** *f*) [ˈ-gɛŋər(in)] *m* (*-s, -; -, -nen*) predecessor.

ˈ**Vorgarten** *m* front garden, *Am.* front-yard.

ˈ**vorgaukeln** *v/t.* (*h.*): *j-m et. ~* mislead a p. with blandishments, deceive a p. with fair words, buoy a p. up with false hopes.

ˈ**vorgeben I.** *v/t.* (*irr., h.*) *sports*: give, owe; allege, assert, pretend, purport; **II.** *v/i.* (*irr., h.*) give odds (*j-m* to a p.); **2** *n* preten|ce, *Am.* -se, pretext.

ˈ**vorgebildet** *adj.*: *juristisch ~* legally trained.

ˈ**Vorgebirge** *n* promontory, cape; foot-hills *pl.*

vorgeblich [ˈ-ge:pliç] *adj.* pretended, ostensible, alleged; so-called, would-be.

vorgefaßt [ˈ-gəfast] *adj.* preconceived.

ˈ**Vorgefühl** *n* presentiment; *banges ~* foreboding, misgivings *pl.*

ˈ**vorgehen** *v/i.* (*irr., sn*) go forward, (*a. mil.*) advance; go before (*or* first), lead the way, take the lead; *clock*: be fast, gain (*fünf Minuten* five minutes); *in rank*: have the (*or* take) precedence (*dat.* of), *matter a.*: have priority (over), be more important (than); take action, act (*gegen* against; *rücksichtslos* ruthlessly); proceed (*a. jur. gegen* against); go on, happen, occur; *was geht hier vor?* what's going on here?; *was ging wohl in ihm vor?* I wonder what he was thinking (*or* what came over him).

ˈ**Vorgehen** *n* advance; proceeding, action; *gemeinschaftliches ~* concerted action.

ˈ**Vor...:** **2gelagert** *adj.*: *~e Inseln* offshore islands; **~gelege** [-gəle:gə] *mot. n* (*-s; -*) reduction gear; *a.* **~gelegewelle** *f* countershaft; **2genannt** *adj.* → *vorerwähnt*; **~genuß** *m* foretaste of pleasure; **~gericht** *n* → *Vorspeise*; **2gerückt** [-gərykt] *adj.* → *vorrücken*; **~geschichte** *f* (-) *scient.* prehistory, early history; *of matter*: previous (*or* past) history; *of person*: antecedents *pl.*; *med.* case history; **2geschichtlich** *adj.* prehistoric(ally *adv.*); **~geschmack** *m* (-[e]s) foretaste; **2geschoben** *mil. adj.* advanced, forward; **~gesetzte**(**r**) [-gəzɛtstə(r)] *m* (*-n; -n*) superior, senior; **~gesetztenverhältnis** *mil. n* authority; **2gestern** *adv.* the day before yesterday; **2gestrig** *adj.* of the day before yesterday, (of) two days ago; **~glühzeit** *mot. f* preliminary heating time; **2greifen** *v/i.* (*irr., h.*) anticipate, forestall (*j-m, e-r Sache* a p., a th.); *e-r Frage ~* prejudge a matter; prejudice; **~griff** *m* anticipation; **2gucken** *colloq. v/i.* (*h.*) peep out; *slip, etc.*: show.

ˈ**vorhaben** *v/t.* (*irr., h.*) have *an apron, etc.,* on; *fig.* intend, mean, have in mind, propose, *Am. a.* plan; be busy (*or* occupied) with, be engaged in; *j-n ~* **a**) question a p., **b**) have a p. on the carpet, call a p. to account; *was haben Sie heute vor?* what are your plans for today?; *haben Sie heute abend et. vor?* have you anything on tonight?; *was hat er jetzt wieder vor?* what is he up to now?; *was hast du mit ihm vor?* what are you going to do with him?

ˈ**Vorhaben** *n* (*-s; -*) intention, purpose, *jur.* intent; scheme, plan; project.

ˈ**Vorhafen** *m* outer harbo(u)r.

ˈ**Vorhaftung** *econ. f* prior commitment.

ˈ**Vorhalle** *f* vestibule, (entrance-) -hall; *parl.* lobby, *thea., hotel*: *a.* lounge.

ˈ**Vorhalt** *m mil.* lead; *mus.* suspension, retard; *jur.* query; **~e** *gym. f* (*-; -n*) (*Arme in ~*) arms at front horizontal; *Hang mit den Beinen in ~* half-lever hang; **2en I.** *v/t.* (*irr., h.*): *j-m et. ~* hold a th. before a p.; *fig.* reproach a p. with a th.; **II.** *v/i.* (*irr., h.*) *supplies, etc.*: last, hold out; *mil.* take (*or* apply) a lead; **~ewinkel** *mil. m* lead angle; lateral deflection; *for bombs*: dropping angle; **~ung** *f* remonstrance, representation; *j-m ~en machen* remonstrate with a p. (*über acc.* on), make representations to a p.

ˈ**Vorhand** *f* (-) *cards*: lead (*a. fig.*); *tennis*: forehand; *econ.* **a**) first claim, **b**) first option.

vorhanden [fo:rˈhandən] *adj.* present, at hand; available, *econ. a.* on hand, in stock; extant, existing; *~ sein* be at hand, *etc.*, exist; *davon ist nichts mehr ~* there is no more of it left; **2sein** *n* presence, availability; existence.

ˈ**Vor...:** **~handschlag** *m tennis*: forehand (stroke); **~hang** *m* curtain, *Am. a.* shade; *thea.* curtain; → *eisern*; *fig. thea. zehn Vorhänge haben* have ten curtains, *Am.* have ten curtain calls; **~hängeschloß** *n* padlock; **~hangstoff** *m* casement cloth, drapery fabric; **~haut** *anat. f* foreskin, prepuce.

vorher [ˈfo:rhe:r] *adv.* before, previously; in advance, before(hand); *am Abend ~* on the previous evening; *kurz ~* a short while before.

vorher... [fo:rˈhe:r-]: **~bestellen** *v/t.* (*h.*) → *vorbestellen*; **~bestimmen** *v/t.* (*h.*) determine beforehand, predetermine; preordain (*fate, etc.*); *eccl.* predestine; **2bestimmung** *f* predetermination; *eccl.* predestination; **~gehen** *v/i.* (*irr., sn*) (*dat.*) precede (*a th. or a p.*); **~gehend** *adj.* preceding, foregoing; *aus dem 2en* from the foregoing; **~ig** *adj.* preceding, previous, foregoing; former.

Vorherr|schaft [ˈfo:r-] *f* predominance; superiority; **2schen** *v/i.* (*h.*) predominate, prevail; **2schend** *adj.* predominant, prevalent, prevailing.

Vorˈher|sage *f*, **~sagung** [-zɑ:guŋ] *f* (*-; -en*) → *Voraussage*; **2sehen** *v/t.* (*irr., h.*) foresee; **2wissen** *v/t.* (*irr., h.*) foreknow; **~wissen** *n* foreknowledge, precognition.

ˈ**vorhin** *adv.* a little while ago, just now.

ˈ**Vor...:** **~hof** *m* vestibule, front court, outer court; *anat.* atrium, auricle (*of heart*); **~hölle** *f* purgatory, limbo; **~hut** *mil. f* vanguard.

vorig [ˈfo:riç] *adj.* former, previous; last; *~en Monats* of last month.

ˈ**Vor...:** **~instanz** *f* lower court; **~jahr** *n* preceding (*or* previous, last) year; **2jährig** *adj.* of last year, last year's; **2jammern** *v/t.* (*h.*): *j-m et. ~* pour forth a tale of woe to a p.; **~kalkulation** *f* preliminary calculation; **~kammer** *f anat.* atrium, auricle (*of heart*); *mot.* antechamber; **~kampf** *m* semifinal; *boxing*: preliminary bout; **~kämpfer**(**in** *f*) *m* champion, protagonist, pioneer; **2kauen** *v/t.* (*h.*) *j-m*: chew *a th.* for *a p.*; *fig.* trash out *a th.* to, spoon-feed *a th.* to; **~kauf** *m* pre-emption; **~käufer** *m* pre-emptor; *stock exchange*: dealer in futures; **~kaufsrecht** *n* right of pre-emption, option right; *das ~ haben a.* have the (first) refusal (*für* of); **~kehrung** [ˈ-ke:ruŋ] *f* (*-; -en*) precaution; measure; *~en treffen* take precautions *or* measures (*gegen* against); make arrangements (*or* arrange) (*für* for).

ˈ**Vorkenntnis** *f* (*a. ~se pl.*) preliminary *or* previous *or* basic knowledge (*von* of); previous experience; (*er hat gute*) *~se in* (*dat.*) (he is well grounded in the) elements of.

ˈ**vorknöpfen** *colloq.*: *sich j-n ~* (*h.*) call a p. on the carpet, take a p. to task.

ˈ**Vorkommando** *n* advance party.

ˈ**vorkomm|en** *v/i.* (*irr., sn*) be found, be met (with), occur; happen; be brought forward, be proposed; *jur.* come on for hearing *or* trial; *es kommt mir vor* it seems to me; *es kommt mir merkwürdig vor* I think it rather strange, it strikes me as (being) strange; *sich dumm, etc., ~* feel silly, *etc.*; *sich klug* (*wichtig, etc.*) *~* fancy o.s. (*or* believe o.s. to be) clever (important, *etc.*); *das kommt dir nur so vor* you are just imagining that; *so etwas ist mir noch nicht vorgekommen!*

I have never heard of such a th.!, well, I never!; *dieses Wort kommt bei Goethe vor* this word occurs in Goethe; **2en** *n* occurrence; incidence; *min.* occurrence, deposit; **~endenfalls** ['fo:rkɔmәndәn'fals] *adv.* should the case arise; **2nis** *n* (-ses; -se) incident, occurrence; *mil. keine besonderen ~se* no unusual occurrence.

'**Vorkonnossement** *econ. n* initial bill of lading.

'**Vorkriegs...** *in compounds* pre-war.

'**Vor...:** **~kühlung** *f* pre-cooling; **2laden** *v/t.* (*irr., h.*) summon, serve a summons on, cite; subpoena; **~ladung** *f* (writ of) summons *sg.*, citation; subpoena; **~lage** *f* copy; pattern; *parl.* bill; presentation, submission; production; filing (*of documents*); *econ. zahlbar bei ~* payable on presentation (*or* demand), payable at sight; advance; rug, carpet; *artillery*: flash reducer; *distillation*: condenser; *soccer*: pass; *skiing*: forward lean, vorlage; **2lagern** *v/t.* (*h., dat.*) extend in front of; **~land** *n* (-[e]s) foreland; **2lassen** *v/t.* (*irr., h.*) let *a p.* pass in front *or* before, allow *a p.* to pass; admit; *vorgelassen werden a.* be shown in; **~lassung** *f* (-; -*en*) admission, admittance; **~lauf** *m sports*: preliminary run, eliminating heat; **~läufer(in** *f*) *m* forerunner, precursor; **2läufig** [-lɔʏfiç] **I.** *adj.* preliminary; provisional, temporary; interim; tentative; **II.** *adv.* provisionally, temporarily; for the present, for the time being; **2laut** *adj.* forward, pert; *~es Wesen* pertness; **2leben** *v/t.* (*h.*): *j-m et. ~* set an example of a th. to a p.; **~leben** *n* former life, past (life), antecedents *pl.*

Vorlege|besteck ['fo:rle:gә-] *n* (*ein ~* a pair of) carvers *pl.*; **~frist** *econ. f* time of presentation; **~gabel** *f* carving-fork; **~löffel** *m* soup-ladle; **~messer** *n* carving-knife.

'**vorlegen** *v/t.* (*h.*) lay *or* put forward (*or* before); put on (*padlock*); produce, submit, file (*documents*); propose (*plan*); present (*bill, cheque, etc.*); *zur Annahme* (*Zahlung*) *~* present for acceptance (payment); *j-m et. ~* lay (*or* place, put) a th. before a p.; show (*or* exhibit) a th. to a p.; *at table*: help a p. to a th.; *for examination, etc.*: submit (*or* refer) a th. to a p.; *fig. j-m e-e Frage ~* address (*or* put) a question to a p.; *sich ~* lean forward; *soccer*: pass *the ball* in front of *a p.*; *colloq. ein rasendes Tempo ~* go at a breakneck pace.

'**Vorlege|r** *m* (-s; -) rug; mat; **~schloß** *n* padlock; **~welle** *mot. f* countershaft.

'**Vorlegung** *f* (-; -*en*) → *Vorlage.*

'**Vorleistung** *econ. f* advance (payment).

'**Vorlese** *f* early vintage.

'**vorles|en** *v/t.* (*irr., h.*) read aloud; *j-m et. ~* read a th. (out) to a p.; **2er(in** *f*) *m* reader; lecturer; **2ung** *f* reading; *univ., etc.*: lecture (*über acc.* on; *vor dat.* to); *e-e ~ halten* (give a) lecture; *~en halten über* (*acc.*) deliver a course of lectures on, lecture on; **2ungsverzeichnis** *n* (university) calendar, *Am.* catalog.

'**vorletzt** *adj.* last but one, *Am.* next to the last; *gr.* penultimate; *~e Nacht* the night before last.

'**Vorliebe** *f* predilection, preference, partiality (*für* for); *e-e ~ haben für a.* have a special liking for, be partial to.

vorliebnehmen [fo:r'li:p-] *v/i.* (*irr., h.*): *~ mit* put up with; *at table*: *~ (mit dem, was da ist)* take pot luck.

vorliegen ['fo:r-] *v/i.* (*irr., h.*): *j-m ~* lie before a p.; *fig. motion, etc.*: be in hand, be submitted; be under consideration; *w.s.* be there, exist; *es liegen keine Gründe vor, zu inf.* there are no reasons why; *da muß ein Irrtum ~* there must be a mistake here; *es liegt heute nichts vor* there is nothing to be discussed, *etc.*, today, nothing doing today; *was liegt gegen ihn vor?* what is the charge against him?; **~d** *adj.* present, in hand; in question, at issue.

'**Vorlizenz** *econ. f* preliminary licen|ce, *Am.* -se.

'**vorlügen** *v/t.* (*irr., h.*): *j-m et. ~* tell a p. lies (*über acc.* about).

'**vormachen** *v/t.* (*h.*) put *a board, etc.*, before; *j-m et. ~* show a p. how to do a th. (*a. fig.*); demonstrate a th. to a p.; *b.s.* humbug (*or* mystify, hoodwink) a p.; *sich (selbst) et. ~* fool o.s.; *ihm kannst du nichts ~* he is nobody's fool.

'**Vormacht(stellung)** *f* predominance; supremacy; hegemony.

vormal|ig ['fo:rma:liç] *adj.* former; **~s** *adv.* formerly; erstwhile, one-time.

'**Vormann** *m* foreman; *econ.* → *Vordermann.*

'**Vormarsch** *m* advance; **~straße** *f* road (*or* route) of advance.

'**Vormast** *m* foremast.

'**Vormerk|buch** *n* memo-book; **2en** *v/t.* (*h.*) note (down), make a note of, mark down; reserve; book (*a. ~ lassen*); earmark; *sich ~ lassen für* put one's name down for; **~gebühr** *f* registration fee, booking fee; **~liste** *f* waiting list; **~ung** *f* (-; -*en*) note, entry; booking, reservation.

'**vormilitärisch** *adj.*: *~e Ausbildung* pre-military training.

'**Vormittag** *m* morning, forenoon; **2s** *adv.* in the morning, *abbr.* a.m.

'**Vormonat** *m* previous month.

'**Vormund** *m* guardian; **~schaft** *f* (-; -*en*) guardianship, tutelage; *unter ~ stehen (stellen)* be placed (place) under the care of a guardian; **2schaftlich** *adj.* of a guardian, tutelary; **~schaftsgericht** *n* Guardianship Court.

vorn [fɔrn] *adv.* in front, before; ahead, at the head; *ganz ~* right in front; at the beginning; *nach ~* forward; *von ~* from the front, from before; *ich sah sie von ~* I saw her face; *von ~ anfangen* begin at the beginning *or* anew *or* afresh, *a.* make a new start; *~ und hinten* before and behind; *von ~ bis hinten* from front to back, from first to last; *noch einmal von ~* all over again; → *vorn(e)an, etc.*

Vornahme ['fo:rna:mә] *f* (-; -*n*) undertaking, effecting; *~ von Rechtsgeschäften* engaging in transactions.

'**Vorname** *m* first name, Christian name, *Am. a.* given name.

vorn|e ['fɔrnә] → *vorn*; **~(e)an** *adv.* in (*or* at the) front.

vornehm ['fo:rne:m] *adj.* of (superior) rank, distinguished, refined, aristocratic; noble; elegant, fashionable; stylish; highclass; exclusive; *die 2en pl.* people of rank *or* quality; *~e Gesinnung* high mind; *~es Äußeres, ~er Anstrich* distinguished air *or* appearance; *~er Besuch* distinguished visitor(s *pl.*); *die ~e Welt* the rank and fashion, high society (*or* life); *~ste Aufgabe, Pflicht, etc.* principal, chief, first and foremost *duty, etc.*; *~ tun* give o.s. (*or* put on) airs; **~en** *v/t.* (*irr., h.*) take before one; put on (*apron*); undertake, take in hand, take up; deal with; occupy (*or* busy) o.s. with; effect; make (*alterations, etc.*); *sich j-n ~* take a p. to task, take a p. up (*wegen* about); *sich et. ~* make up one's mind to do a th., resolve (up)on a th. *or* to do a th.; *sich vorgenommen haben* have made up one's mind, intend, propose, be determined (*zu inf.* to *inf.*); **2heit** *f* (-) rank; distinction; refinement; elegance; exclusiveness; high-mindedness; *~ der Erscheinung* distinguished appearance; **~lich** *adv.* especially, chiefly, largely, above all; **2tuerei** [-tu:ә'raɪ] *f* (-) putting on airs, snobbery.

vornherein ['fɔrn-] *adv.*: *von ~* from the beginning, from the first (*or* start).

Vornorm ['fo:r-] *tech. f* tentative standard.

'**vornotieren** *v/t.* (*h.*) → *vormerken.*

vornüber [fɔrn'ʔy:bәr] *adj.* forward; head foremost.

Vor-ort ['fo:r-] *m* suburb; *of federation*: administrative cent|re, *Am.* -er; **~(s)...** ['fo:rʔɔrt(s)-] suburban; **~bahn** *f* suburban (*or* local) railway; **~verkehr** *m* suburban traffic; **~zug** *m* suburban (*or* local) train, city train, *Am. a.* commuter train.

'**Vorplatz** *m* place in front, forecourt; *of staircase*: landing; *in apartment*: hall(way *Am.*).

'**Vorposten** *mil. m* outpost; *auf ~* on outpost duty; **~boot** *n* patrol boat; **~kette** *f* line of outposts.

'**Vor|prämie** *econ. f* (premium for the) call, buyer's option; **~produkt** *n* initial product; **~prüfung** *f* previous (*or* preliminary) examination; *sports*: trial; **2pumpen** *mot. v/t.* (*h.*) prime (*fuel*); **2quellen** *v/i.* (*irr., sn*) *eyes, etc.*: bulge (out); **2ragen** *v/i.* (*h.*) project, protrude, jut out.

'**Vorrang** *m* (-[e]s) pre-eminence; precedence; priority; *den ~ haben vor* (*dat.*) take precedence of, *matter*: *a.* have priority over; **2ig** *adj.* having priority, priority (*matter, treatment, etc.*).

Vorrat ['fo:rra:t] *m* (-[e]s; ⸚e) store, stock, supply, provision (*an dat.* of); reserve; *heimlicher ~* secret hoard; stockpile; *auf ~ kaufen* buy in stock; *solange der ~ reicht* while quantities last.

'**vorrätig** [-rɛːtiç] *adj.* available, *econ. a.* on hand, in stock, stocked; *nicht (mehr)* ~ out of stock; *wir haben diesen Artikel nicht mehr* ~ we are out of this line; et. ~ *halten* keep a th. in stock.

'**Vorrats...:** **~ansammlung** *f* accumulation of stocks, stockpiling; **~behälter** *m* storage bin; **~bewirtschaftung** *f* inventory control; **~haus** *n* storehouse, magazine; **~kammer** *f* store-room; pantry, larder; **~lager** *n* storage dump; **~schrank** *m* pantry, safe.

'**Vorraum** *m* anteroom; outer office; → *Vorhalle.*

'**vorrechnen** *v/t.* (*h.*) reckon up (*j-m* to a p.); enumerate (to a p.).

'**Vorrecht** *n* privilege, prerogative; priority; preference.

'**Vorred|e** *f* opening speech, words of introduction; preface, introduction; *mit e-r ~ versehen* preface; **2en** *v/t.* (*h.*): *j-m* et. ~ tell a p. tales (*über acc.* about), *Am. a.* hand a p. a line; **~ner** *m* previous speaker.

'**vorreit|en I.** *v/i.* (*irr.*, *sn*) ride forward; ride before; *j-m* ~ show a p. how to ride; **II.** *v/t.* (*irr.*, *h.*): *ein Pferd* ~ put a horse through its paces; *fig. j-m* et. ~ parade a th. before a p.; **2er** *m* outrider.

'**vorricht|en** *v/t.* (*h.*) prepare, get (*or* make) ready; put on, advance (*clock*); **2ung** *f* preparation; device, contrivance, appliance, gadget; equipment; fixture, chuck; *patent*: *e-e ~ zum* a device for.

'**vorrücken I.** *v/t.* (*h.*) move *chair, etc.*, forward, advance; put on (*clock*); **II.** *v/i.* (*sn*) advance (*mil. in Richtung auf* on; *nach* to); *in office*: advance, be promoted; *in vorgerücktem Alter* at an advanced age; *zu e-r vorgerückten Stunde* at a late hour.

'**vorrufen** *v/t.* (*irr.*, *h.*) call forth.

'**Vorrunde** *f sports*: preliminary round, prelim.

vors [foːrs] *colloq.* = *vor das.*

'**Vorsaal** *m* entrance-hall, anteroom, vestibule.

'**vorsagen** *v/t.* (*h.*): *j-m* et. ~ recite a th. to a p.; prompt a p. (a th.).

'**Vorsaison** *f* early season; previous season; **~geschäft** *n* early season business.

'**Vorsänger(in** *f*) *m eccl.* precentor; leader of a choir.

Vorsatz ['foːrzats] *m* (-es; ⸚e) intention, resolution; plan, design, purpose; *jur.* (criminal) intent, premeditation, malice aforethought; *gute Vorsätze* good intentions; *mit* ~ designedly, on purpose, *jur.* wil(l)fully, with malice aforethought; *jur. mit dem ~ zu inf.* with the intent of *ger.*; *den ~ fassen* resolve, make up one's mind (*zu inf.* to); **~blatt** *typ. n* **a)** fly-leaf, **b)** end-paper; **~gerät** *tech. n* attached device; *radio*: adapter; *film*: head.

vorsätzlich ['foːrzetsliç] **I.** *adj.* intentional, deliberate, *jur.* wil(l)ful; *~er Mord* premeditated murder; **II.** *adv.* deliberately, *etc.*; *jur. a.* with criminal intent, with malice aforethought.

'**Vorsatzlinse** *phot. f* ancillary lens.

'**vorschalt|en** *v/t.* (*h.*) *el.* connect in series; *tech.* arrange *unit* ahead (*dat.* of); **2widerstand** *m* series resistance.

'**Vorschau** *f* preview (*auf acc.* of); forecast; *film*: preview, trailer(s *pl.*).

'**Vorschein** *m*: *zum ~ bringen* bring to light, bring forward, produce; *zum ~ kommen* come forward (*or* to light), appear, turn up.

'**vorschicken** *v/t.* (*h.*) send forward (*or* to the front).

'**vorschieben** *v/t.* (*irr.*, *h.*) push forward *or* on, advance; *tech.* feed; slip (*bolt*); *fig.* → *Riegel*; pretend, plead (as an excuse); *j-n*: use *a p.* as a front *or* dummy.

'**vorschießen I.** *v/t.* (*irr.*, *h.*) advance (*sum*); **II.** *v/i.* (*irr.*, *sn*) dash forward, shoot forth.

'**Vorschiff** *n* forecastle.

'**Vorschlag** *m* proposal, proposition; recommendation; suggestion; offer; *parl.* motion; nomination (*of candidate*); *mus.* grace(-note); *book*: blank space on front page; *metall.* flux; *auf ~ von or gen.* on the proposal of, at the recommendation (*or* suggestion) of; **2en** *v/t.* (*irr.*, *h.*) propose; suggest; recommend; offer; nominate (*candidate*); **~hammer** *m* sledge hammer.

'**Vor|schleifen** *n* (-s), **~schliff** *m* rough grinding.

'**Vorschlußrunde** *f sports*: semi-final.

'**vorschmecken** *v/i.* (*h.*) predominate.

'**Vorschneide|brett** *n* trencher; **~messer** *n* carving-knife; *tech.* counterblade; **2n** *v/t.* (*irr.*, *h.*) carve; make a first cut in; **~r** *m* carver; *tech.* (wire) cutter; *for screws*: taper tap.

Vorschneidfräser ['foːrʃnait-] *tech. m* roughing cutter.

'**vorschnell** *adj.* → *voreilig.*

'**vorschreiben** *v/t.* (*irr.*, *h.*) set a copy of *a th.* (*dat.* to), write *a th.* out (for); prescribe, order, direct, tell; specify; *ich lasse mir nichts* ~ I won't be dictated to.

'**vorschreiten** *v/i.* (*irr.*, *sn*) step forward, advance; *vorgeschrittenes Stadium* (*vorgeschrittene Jahreszeit*) advanced state (season).

'**Vorschrift** *f esp. med.* prescription; direction, instruction; order; regulation(s *pl.*), rule(s *pl.*); manual; specification; provision (*of clause, section*); *streng nach ~ arbeiten* work to rule; *ich lasse mir keine ~en machen* I won't be dictated to; **2smäßig** *adj.* prescribed, regulation; *pred. and adv.* according to regulations, as ordered, in due form; **2swidrig** *adj.* irregular; *pred. and adv.* contrary to regulations.

'**Vorschub** *m tech.* feed; *fig.* assistance, furtherance, support, countenance; ~ *leisten* (*dat.*) lend one's countenance to, pander to *vice, etc.*; further, encourage; *jur.* aid and abet; **~spindel** *tech. f* feed screw.

'**Vorschuh** *m* upper leather, vamp; **2en** *v/t.* (*h.*) new-front, re-vamp.

'**Vorschule** *f* preparatory school; *w.s.* elementary course; (*book*) primer.

'**Vorschuß** *m* advance(d money); loan; retaining fee retainer (*of lawyer*); ~ *auf den Lohn* advance against wages; ~ *leisten* advance money, make a loan; **~dividende** *f* interim dividend; **~kasse** *f* loan fund; **~lorbeeren** *fig. f/pl.* advance praise *sg.*; **~verein** *m* loan society; **2weise** ['-vaɪzə] *adv.* as an advance; by way of a loan.

'**vorschütz|en** *v/t.* (*h.*) plead (as an excuse), pretend; **2ung** *f* (-; -en) preten|ce, *Am.* -se.

'**vorschweben** *v/i.* (*h.*): *mir schwebt etwas vor* I have a (vague) notion of a th., I have a dim recollection of a th., I have a th. (something else) in mind.

'**vorschwindeln** *v/i.* (*h.*): *j-m* et. ~ tell a p. (a pack of) lies, humbug a p. about a th.

'**Vorsegel** *n* foresail.

'**vorseh|en** *v/t.* (*irr.*, *h.*) provide for *a th.*; plan, schedule; assign (*or* earmark) (*für* for); *sich* ~ take care, be careful; *sich ~ vor* (*dat.*) (be on one's) guard against, look out for *a th.*; *das Gesetz sieht vor, daß* the law provides that; *was ist für heute vorgesehen* what is the program(me) today; *vorgesehen!* take care!, look out!; **2ung** *f* (-) providence; (*God*) Providence; ~ *spielen* (*bei*) play Providence (in *a matter*).

'**vorsetzen** *v/t.* (*h.*) put forward; (*dat.*) place (*or* put *or* set) before; serve; offer (*a. fig.*); *gr.* prefix (*syllable*); *mus.* mark with; *sich* et. ~ resolve, decide.

'**Vorsicht** *f* caution; care; circumspection; discretion; *on boxes*: with care!; ~ *Stufe!* mind the step; ~! take care!, look out!, *as inscription*: caution!, danger!; *mit* ~ cautiously; *mit äußerster* ~ with the utmost caution; *mit ~ zu Werke gehen* proceed very cautiously, play (it) safe; ~ *ist die Mutter der Weisheit* caution is the mother of wit; ~ *ist besser als Nachsicht* prevention is better than cure; *colloq. er ist mit ~ zu genießen* he must be handled with kid gloves; **2ig** *adj.* cautious, chary, wary (*in dat.* of); careful; conservative (*estimate, etc.*); ~! steady!, look (*Am.* watch) out!, careful!; **2s-halber** *adv.* as a precaution; **~smaßregel** *f* precaution (-ary measure); *~n treffen* take precautions.

'**Vorsilbe** *gr. f* prefix.

'**vorsingen I.** *v/t.* (*irr.*, *h.*): *j-m* et. ~ sing a th. to a p.; **II.** *v/i.* (*irr.*, *h.*) lead (the choir) [(*a. fig.*).

'**vorsintflutlich** *adj.* antediluvian

'**Vorsitz** *m* (-es) presidency, chair (-manship); *den ~ haben or führen* be in the chair, preside (*bei* over, at); *den ~ übernehmen* take the chair; *unter dem ~ von* (*dat.*) under the chairmanship of, with ... in the chair; **~ende(r** *m*) [-zitsəndə(r)] *f* (-n, -n; -en, -en) chairman (*f* chairwoman), president; *jur.* presiding judge.

'**Vorsorg|e** *f* (-) provision, providence; precaution; ~ *treffen* take precautions, make provision, provide (*gegen* against), see to it *that*; **2en** *v/i.* (*h.*) provide (*für* for); take care; provide for the future; **2lich** [-zɔrkliç] **I.** *adj.* provident; precautionary; **II.** *adv.* providently; as a precaution, just in case; ~ *kündigen* give protective notice (*dat.* to).

ˈ**Vorspann** *m* team of horses, relay; *film*: cast and credits; **2en** *v/t.* (*h.*) put *horses, etc.* (*dat. or vor acc.* to); *el.* bias; **~ung** *el. f* bias voltage.

ˈ**Vorspeise** *f* hors d'oeuvre, entree, appetizer.

ˈ**vorspiegel|n** *v/t.* (*h.*) pretend (*dat.* to *a p.*); *j-m* et. ~ delude a p. (into believing a th.), (try to) make a p. believe a th.; **2ung** *f* preten|ce, *Am.* -se; delusion, make-believe; (*unter*) ~ *falscher Tatsachen* (under) false pretences.

ˈ**Vorspiel** *n mus.* prelude (*a. fig.*; *zu* to); overture; *thea.* curtain--raiser, (*a. fig.*) prologue; *sports*: preliminary match; **2en** *v/t.* (*h.*) *j-m* et. play a th. to *or* before *a p.*

ˈ**Vorspinnmaschine** *f* roving frame.

ˈ**vorsprechen I.** *v/t.* (*irr., h., dat.*) pronounce to *or* for *a p.*; **II.** *v/i.* (*irr., h.*) call, drop in (*bei* on *a p.*; at *an office*); see (*a p.*).

ˈ**vorspringen** *v/i.* (*irr., sn*) jump (*or* leap) forward; project, jut (out); **~d** projecting, prominent (*chin, nose, etc.*); salient (*angle*).

ˈ**Vorsprung** *m arch.* projection; ledge; (head) start, lead, advantage (*vor dat.* of); *mit großem* ~ by a wide margin; *mit e-m* ~ *von 2 Sekunden* by a margin of 2 seconds; *er hat e-n* ~ *von 3 Runden* he is leading by 3 laps; → *abgewinnen.*

ˈ**Vorstadt** *f* suburb.

ˈ**Vorstädt|er(in** *f*) *m* suburban dweller; **2isch** *adj.* suburban.

ˈ**Vorstand** *m* board of directors, executive *or* managing board; board of trustees; (*person*) head, principal; *of company*: chairman of the board; **~sgehälter** [ˈ-sgəhɛltər] *n/pl.* director's fees; **~smitglied** *n* member of the managing board; managing director; **~ssitzung** *f* board meeting; **~swahl** *f* board elections.

ˈ**vorsteck|en** *v/t.* (*h.*) put before; pin (*or* stick) before; poke (*or* stick) out (*one's head*); *fig. das vorgesteckte Ziel erreichen* obtain one's object; **2er** *tech. m* cotter (pin); *of bomb, mine*: safety pin; **2nadel** *f* breast- (*or* scarf-)pin.

ˈ**vorsteh|en** *v/i.* (*irr., h.*) project, protrude, jut out; *vorstehende Zähne* buck-teeth; *fig.* (*dat.*) direct, superintend, be at the head of, be in charge of; preside over; administer, manage; **~d** foregoing, preceding, above, aforesaid; *wie* ~*d* as above; *aus dem* 2*den* from the foregoing; **2er(in** *f*) [-ʃteːər(in)] *m* (*-s, -; -, -nen*) director, superintendent, manager(ess *f*); head, chief; *of prison*: governor, *Am.* warden; *of cloister*: (*f* mother-) superior; *ped.* headmaster (*f* headmistress), *Am.* principal; **2erdrüse** *f* prostate gland; **2hund** *m* pointer; setter.

ˈ**vorstell|bar** *adj.* conceivable, imaginable; **~en** *v/t.* (*h.*) put forward *or* in front; place before; put on, advance (*clock*); *j-n e-r Person* ~ introduce a p. to a p.; *darf ich Ihnen Herrn A.* ~? may I introduce you to Mr. A.?, *Am. a.* (I want you to) meet Mr. A.!; mean, signify; stand for; represent, *thea. a.* personate, play; *j-m* et. ~ **a**) point out a th. to a p., **b**) remonstrate with a p. about a th.; *sich* ~ **a**) stand in front, **b**) introduce o.s., present o.s. (*bei* at), make o.s. known; *sich et.* ~ imagine, fancy; envisage; visualize, picture (to o.s.); *colloq. stell dir vor!* imagine!, fancy that!; *stell dir meine Überraschung vor!* imagine (*or* picture) my surprise!; *stell dir das nicht so leicht vor* don't think it is so easy; *so stelle ich mir einen schönen Urlaub, etc., vor* that's my idea of fine holidays; *ich kann mir nichts Besseres* ~ I cannot think of anything better; *was soll das* ~? what is that supposed to be?; *colloq. er stellt etwas vor* he is quite impressive; **~ig** *adj.*: ~ *werden* make representations (*bei* to); *bei der Behörde* ~ *werden* **a**) apply to the authorities, **b**) lodge a complaint with the authorities; **2ung** *f* introduction, presentation; interview (*bei* with); *thea.* performance; *film*: showing; idea, conception; *falsche* ~ wrong idea, misconception; *sich e-e* ~ *machen von* form (*or* get) an idea of; *du machst dir keine* ~! you have no idea!, you wouldn't believe it!; *das geht über alle* ~ imagination boggles at it; remonstrance, representation; *j-m* ~*en machen* make representations to a p., remonstrate with a p.; (*a.* **2ungsvermögen** *n*, *-s*) imaginative faculty, imagination.

ˈ**Vorstoß** *m mil.* thrust, drive, advance; *sports*: attack (*a. fig.*); piping; *fig.* attempt, try; **2en I.** *v/t.* (*irr., h.*) push (*or* thrust) forward; raise (*hem*); **II.** *v/i.* (*irr., sn*) *mil.* thrust forward, advance; *sports*: rush (forward), attack.

ˈ**Vorstrafe** *f* previous conviction; **~n(register** *n*) *pl.* (criminal) record.

ˈ**vor...:** **~strecken** *v/t.* (*h.*) thrust out, stretch forward, extend; put forward, poke (*or* stick) out (*one's head*); advance (*money*); **2studium** *n* preliminary studies *pl.*; **2stufe** *f* first step (*or* stage); (first) elements *pl.*; primary course; primer; *el.* input stage; **~stürmen, ~stürzen** *v/i.* (*sn*) rush (*or* dash) forward; **2tag** *m* previous day, day before; **~tanzen** *v/t. and v/i.* (*h.*) *j-m*: dance (*a th.*) before *a p.*; show *a p.* how to dance (*a th.*); lead off the dance; **2tänzer(in** *f*) *m* leader of the dance, leading dancer; **~täuschen** *v/t.* (*h.*) feign, simulate, pretend, counterfeit; *e-n Schlag* ~ feint, fake (a blow); *Erregung* ~ put on emotion.

ˈ**Vorteil** *m* advantage; profit, benefit; main chance; *tennis*: (ad)vantage; *die Vor- und Nachteile e-r Sache abwägen* consider the pros and cons *of a matter*; ~ *bringen* be profitable, pay; ~ *haben von* (*dat.*) benefit from; et. *zu s-m* ~ *benützen* turn a th. to account; *sich auf s-n* ~ *verstehen* know on which side one's bread is buttered; *auf s-n* ~ *bedacht sein* have an eye to the main chance (*or* to one's own interests); *mit* ~ (*sell, etc.*) at a profit; *er ist im* ~ the odds are on his side; *zu deinem eignen* ~ in your own interest; *er hat sich zu seinem* ~ *verändert* he has changed for the better; → *abgewinnen, gewähren*; **2haft I.** *adj.* advantageous, profitable (*für* to); lucrative; favo(u)rable; beneficial; ~*es Geschäft* bargain, good deal; *econ. für beide Teile* ~ mutually profitable; ~ *aussehen* look one's best; **II.** *adv.* advantageously, *etc.*; *aufs* ~*este* to the best advantage.

ˈ**Vortrab** *m* vanguard.

Vortrag [ˈfoːrtraːk] *m* (*-[e]s*; ⸚*e*) performance; delivery, *rhet.* elocution; recitation (*of poem*); *mus.* **a**) recital, **b**) execution; lecture; *radio*: talk; report; *econ.* **a**) balance carried forward, carry-forward, **b**) balance, **c**) transfer; ~ *auf neue Rechnung* amount carried forward to fresh account; *einen* ~ *halten* read a paper, lecture (*über acc.* on); **2en** *v/t.* (*irr., h.*) carry forward (*a. mil. an attack*); report (*et.* on *a th.*; *j-m* to *a p.*); recite; lecture (on); deliver (*speech*); recite, declaim (*poem*); state, express (*views*); propose, submit; present; plead, contend; *mus.* execute; play, perform; *econ. den Saldo* ~ carry forward the balance; **~ende(r** *m*) [ˈ-əndə(r)] *f* (*-n, -n; -en, -en*) performer; lecturer; speaker.

ˈ**Vortrags...:** **~folge** *f* series of lectures; **~kunst** *f* art of reciting *or* lecturing *or* delivery; **~künstler** (**-in** *f*) *m rhet.* elocutionist; *mus.* executant, performer; **~recht** *n*: *direktes* ~ direct access (*bei* to); **~saal** *m* lecture hall.

vorˈ**trefflich** *adj.* excellent, splendid, superior, superb, capital; ~! capital!; **2keit** *f* excellence, superiority.

ˈ**vor...:** **~treiben** *v/t.* (*irr., h.*) drive before *or* on; drive (on) (*tunnel*); **~treten** *v/i.* (*irr., sn*) step (*or* come) forward; project, protrude, stick out; **2trieb** *m* propulsion, forward thrust; **2tritt** *m* (*-[e]s*) precedence; *j-m den* ~ *geben* give precedence to a p.; *den* ~ *haben vor j-m* take precedence over a p.; *unter* ~ (*gen.*) preceded by; **~trocknen** *v/t.* (*h.*) pre-dry; **2trupp** *m* advance party.

vorüber [foˈryːbər] *adv.* along, by, past; *time*: gone by, over; *matter*: finished, done with; **~gehen** *v/i.* (*irr., sn*) pass; pass (*or* go) by; *fig.* pass (over); *pain, rage, storm*: *a.* blow over; ~ *an* (*dat.*) ignore, pass *a th.* over in silence; ~ *lassen* miss (*opportunity*), let slip by; *die schlimmste Zeit ist nicht spurlos an ihr vorübergegangen* has told on her; **~ziehen** *v/i.* (*irr., sn*) march past, pass by; *storm*: pass.

ˈ**Vor-übung** *f* preliminary practice, preparatory exercise.

ˈ**vor...:** **2untersuchung** *f* preliminary examination; *jur.* (preliminary) investigation, pre-trial hearings *pl.*; **2urteil** *n* prejudice; **~urteilsfrei, ~urteilslos** *adj.* unprejudiced, unbias(s)ed; **2urteilslosigkeit** *f* (-) freedom from prejudice; open-mindedness; **2väter** [ˈ-fɛːtər] *m/pl.* forefathers, ancestors; 2**verbrennung** *mot. f* precombustion; ~**verdichten** *mot. v/t.* (*h.*) supercharge; 2**verdichter** *mot. m* supercharger; 2**vergangenheit** *gr. f* (-) past perfect, pluperfect; 2**verkauf** *m* advance sale; *thea.* advance booking; *im ~ zu haben thea.* bookable; 2**verkaufskasse** *thea. f* booking office; ~**verlegen** *v/t.* (*h.*) advance; place on an earlier date; *mil. das Feuer ~* lift fire; 2**versicherung** *f* previous insurance; 2**verstärker** *m* pre-amplifier; 2**versuch** *m* pilot test; 2**vertrag** *m* provisional agreement; 2**verzerrung** *f* *radio*: pre-emphasis; ~**vorgestern** *adv.* three days ago *or* since; ~**vorletzt** *adj.* last but two; ~**wagen:** *sich ~* (*h.*) venture forward; 2**wahl** *f* preliminary election, *Am.* primary (election); *el.* preselection; 2**wähler** *el. m* preselector; 2**wählnummer** *teleph. f* call prefix, *Am.* area code; 2**wählschalter** *mot. m* preselector gear change; ~**walten** *v/i.* (*h.*) prevail, predominate; 2**wand** ['-vant] *m* (-[e]*s*; ⸚e) pretext, preten|ce, *Am.* -se, excuse; subterfuge; *unter dem ~ von or daß* on the pretext (*or* preten|ce, *Am.* -se, *or* plea) of *or* that; e-*n ~ suchen* look for an excuse; ~**wärmen** *v/t.* (*h.*) warm up, *a. tech.* preheat; 2**warnung** *mil. f* early warning.

vorwärts ['fo:rvɛrts] *adv.* forward, onward, on; *~!* go ahead!, let's go!; 2**bewegung** *f* forward movement; ~**bringen** *fig. v/t.* (*irr., h.*) advance, further, promote; ~**drängen** *v/i.* (*h.*) press on; 2**gang** *mot. m* forward speed; ~**gehen** *v/i.* (*irr., sn*) go ahead, advance, progress; improve; ~**kommen** *v/i.* (*irr., sn*) make headway; *fig. a.* make one's way, get on *or* along in the world, improve one's position; 2**strategie** *f* forward strategy.

vorweg [for'vɛk] *adv.* beforehand; from the beginning; to begin with; 2**nahme** ['-na:mə] *f* (-) anticipation; *patent law*: prior art; ~**nehmen** *v/t.* (*irr., h.*) anticipate.

vor... ['fo:r-]: 2**weihnachtszeit** *f* Advent season; ~**weisen** *v/t.* (*irr., h.*) produce, show; *fig. ~ können* be able to show, possess, boast; 2**welt** *f* (-) former ages *pl.*; prehistoric world; ~**weltlich** *adj.* prehistoric; *fig.* antediluvian; ~**werfen** *v/t.* (*irr., h.*) (*dat.*) throw (*or* cast) before; *fig. j-m* et. ~ reproach a p. with a th., cast a th. in a p.'s teeth; *ich habe mir nichts vorzuwerfen* I have nothing to reproach myself with; *sie haben einander nichts vorzuwerfen* the one is as bad as the other; 2**werk** *n* farm steading; *mil.* outwork; 2**widerstand** *el. m* series resistance; *of tube*: dropping resistor; *of voltmeter*: voltage multiplier; ~**wiegen** *v/i.* (*irr., h.*) preponderate, predominate; ~**wiegend I.** *adj.* preponderant, predominant; **II.** *adv.* predominantly, chiefly, mainly, mostly, largely; 2**wissen** *n* (fore)knowledge, prescience; *ohne mein ~* unknown to me, without my knowledge; 2**witz** *m* (-es) inquisitiveness, nosiness; forwardness, pertness; ~**witzig** *adj.* inquisitive, nosy; forward, pert; 2**wort** *n* (-[e]*s*; -e) preface; foreword; introduction; 2**wurf** *m* reproach; blame; subject, theme; story; e-*n ~ or Vorwürfe machen* → *vorwerfen*; ~**wurfsfrei** *adj.* irreproachable; ~**wurfsvoll** *adj.* reproachful; ~**zählen** *v/t.* (*h.*) enumerate, count out (*dat.* to *a p.*); 2**zeichen** *n* omen, prognostic; *mus.* signature; accidental; *math.* sign; *med.* preliminary symptom; *fig. mit umgekehrten ~* with completely reversed premises, in a reversed situation; ~**zeichnen** *v/t.* (*h.*): *j-m* et. ~ draw (*or* sketch) a th. for a p.; show a p. how to draw a th.; mark *or* trace (out), indicate; 2**zeichnung** *f* drawingcopy; pattern; design; *mus.* signature.

'**vorzeig|en** *v/t.* (*h.*) produce, show; exhibit; 2**er** *m*: *der ~ dieses* the bearer of this; 2**ung** *f* (-) producing, showing; exhibition.

'**Vorzeit** *f* (remote) antiquity; times of old, days of yore, olden times *pl.*; → *grau.*

vor'zeiten *adv.* in former times, formerly; once upon a time.

'**vorzeitig** *adj.* premature.

'**Vorzeitmensch** *m* prehistoric man.

'**vorziehen** *v/t.* (*irr., h.*) draw forth; draw (*curtains*); *mot.* pull up (*the car*); *mil.* (*irr., sn*) move up (*a. v/i.*); *esp. econ.* anticipate; *fig.* prefer (et. e-*r anderen Sache* a th. to another th.); give preference to; like better; es *~ zu inf.* prefer to *inf.*, (*a. iro.*) choose to *inf.*

'**Vorzimmer** *n* antechamber, anteroom; outer office.

'**Vorzug** *m* preference; priority (*vor dat.* over); advantage; merit, (*a. tech.*) virtue; superiority; privilege; *rail.* pilot train, relief train; *den ~ haben, zu inf.* have the distinction of *ger.*; *den ~ geben* → *vorziehen*; *den ~ haben vor* (*dat.*) have the advantage over; excel (*or* be superior to) *a p. or th.*

vorzüglich [-'tsy:kliç] **I.** *adj.* excellent, superior; exquisite; first-rate; *pred.* of the first order; **II.** *adv.* especially; 2**keit** *f* (-) excellence; superiority; superior (*or* first-rate) quality.

Vorzugs... ['fo:rtsu:ks-]: ~**aktie** *f* preference (*or* preferred) share, *Am.* preferred stock; ~**behandlung** *f* preferential treatment; ~**milch** *f* certified milk; ~**pfandrecht** *n* prior lien; ~**preis** *m* special price; preferential rate; ~**recht** *n* privilege; 2**weise** ['-vaɪzə] *adv.* preferably, by preference; chiefly, mostly; ~**zoll** *m* preferential duty.

'**Vorzündung** *mot. f* pre-ignition.

Votiv|bild [vo'ti:f-] *n* votive picture; ~**tafel** *f* votive tablet.

Votum ['vo:tum] *n* (-*s*; -*ten*) vote.

vulgär [vul'gɛ:r] *adj.* vulgar.

Vulkan [vul'ka:n] *m* (-*s*; -e) volcano (*a. fig.*); ~**fiber** *tech. f* vulcanized fib|re, *Am.* -er; 2**isch** *adj.* volcanic (-ally *adv.*); **vulkanisieren** [-kani'zi:rən] *v/t.* (*h.*) vulcanize.

W

W, w [ve:] *n* W, w.

Waage ['va:gə] *f* (-; -*n*) balance, (pair of) scales *pl.*; (automatic) weigher; steelyard; weighing-machine; level; *ast.* Libra; *gym.* **a**) lever, **b**) lever hang; *die ~ halten* (*dat.*) counterbalance; *j-m*: be a match for *a p.*; *in der ~ halten* hold in equilibrium; ~**balken** *m* (scale-) beam; ~**haus** *n* weigh-house; ~**meister** *m* public weigher; 2**recht** *adj.* horizontal, level.

'**Waagrecht-Stoßmaschine**['va:k-] *tech. f* shaper; shaping machine.

Waagschale ['va:k-] *f* scale; *fig. in die ~ fallen* be of weight *or* import (-ance); *in die ~ werfen* throw into the scale(s), bring to bear, tip the scales with; *s-e Worte auf die ~ legen* weigh one's words; *du darfst seine Worte nicht auf die ~ legen* don't attach too much importance to what he says.

wabb(e)lig ['vab(ə)liç] *adj.* wobbling, flabby.

Wabe ['va:bə] *f* (-; -*n*) honeycomb; ~**nhonig** *m* honey in the comb; ~**nkühler** *mot. m* honeycomb radiator.

wach [vax] *adj. pred.* awake; *ganz ~* wide awake; *~ werden* awake, wake up; *attr.* wakeful *state*; *fig.* alert *mind, person*; wideawake *person*; alive.

'**Wachbattaillon** *n* guard battalion, *the* guards *pl.*

'**Wache** *f* (-; -*n*) watch, guard; guard-house, guard-room; police-station; sentry, sentinel, guard; escort; *auf ~* on guard, on duty; *auf ~ ziehen* mount guard; *die ~ ablösen* relieve guard; *~ halten* keep guard; *~ stehen* be on guard (*or* duty), stand sentinel (*Am.* guard); *~ raus!* turn out, guard!; 2**n** *v/i.* be awake; watch (*über acc.* over), guard; keep an eye on; *bei j-m ~* sit up with a p.

'**wachhalten** *v/t.* (*irr., h.*) *fig.* keep alive; *sich ~* keep awake.

'**Wach|hund** *m* watchdog; ~**mannschaft** *f* men on guard, guard detail.

Wacholder [va'xɔldər] *m* (-*s*; -) juniper; ~**beere** *f* juniper-berry; ~**branntwein** *m*, ~**geist** *m* (-es) gin; ~**strauch** *m* juniper tree.

'**Wach...:** ~**posten** *m* guard, *mil. a.* sentry; 2**rufen** *fig. v/t.* (*irr., h.*) rouse, call forth; → *Erinnerung*; 2**rütteln** *v/t.* (*h.*) (*a. fig.*) rouse, shake up (*aus* from); *fig. a.* shake into action.

Wachs [vaks] *n* (-es; -e) wax; '**~abdruck** *m* impression in wax.

wachsam ['vaxzɑːm] *adj.* watchful, vigilant; alert; *~ sein* be on the alert, be on one's guard; *ein ~es Auge haben auf* (*acc.*) keep a sharp eye on; **2keit** *f* (-) watchfulness; vigilance.

wachsen[1] ['vaksən] *v/i.* (*irr.*, *sn*) grow (*a. fig.*; *an dat.* in); *fig.* increase (*an dat.* in); extend, expand; develop; *mit ~der Spannung* with growing (*or* mounting) suspense; *mit ~dem Argwohn* with a growing sense of suspicion; *sie ist mir ans Herz gewachsen* I have become attached to her; → *Kopf*.

'**wachsen**[2] *v/t.* (*h.*) wax (*a. ski*).

wächsern ['vɛksərn] *adj.* wax; *fig.* waxen, waxy.

'**Wachs...**: **~figur** *f* wax figure; *pl. a.* wax work; **~figurenkabinett** *n* waxworks (*usu. sg.*); **2gelb** *adj.* wax-colo(u)red; **~kerze** *f*, **~licht** *n* (-[e]s; -er) wax candle; **~leinwand** *f* oilcloth; **~matrize** *f* stencil; **~papier** *n* wax-coated paper; **~perle** *f* wax bead *or* pearl; **~puppe** *f* wax doll; **~stock** *m* (-[e]s; ⸚e) wax taper; **~streichholz** *n* (wax) vesta; **~tuch** *n* (-[e]s; ⸚er) oilcloth.

'**Wachs·tum** *m* (-s) growth; *fig. a.* increase, development; expansion; *im ~ hindern* stunt; **2sfördernd** *adj.* growth-promoting; **2shemmend** *adj.* growth-inhibiting.

'**wachsweich** *adj.* (as) soft as wax; medium boiled (*egg*).

Wacht [vaxt] *f* (-; -en) → *Wache*; **~boot** *n* patrol boat; **~dienst** *m* guard duty.

Wächte ['vɛçtə] *f* (-; -n) (snow-) cornice.

Wachtel ['vaxtəl] *f* (-; -n) quail; **~hund** *m* spaniel.

Wächter ['vɛçtər] *m* (-s; -) watcher, guard(ian), keeper; watchman; attendant; *el.* automatic control(l)er.

'**Wacht...**: **~feuer** *n* watch-fire; **2habend** *adj.* on duty; **~habende(r)** ['-hɑːbəndə(r)] *m* (-n; -n) commander of the guard; *mar.* officer of the watch; **~haus** *n* guardhouse; **~meister** *m* cavalry sergeant; sergeant; **~parade** *f* guard mounting.

'**Wach·traum** *m* waking dream, daydream.

'**Wacht...**: **~schiff** *n* guard-ship; **~stube** *f* guard-room; **~turm** *m* watch-tower; **~vergehen** *n* neglect of duty while on guard.

wack(e)lig ['vak(ə)liç] *adj.* shaky (*a. fig.*), tottering; unsteady; rickety (*chair*); loose (*pin, tooth*); ramshackle (*cabin*).

'**Wackelkontakt** *el. m* loose connection, intermittent contact.

'**wackeln** *v/i.* (*h.*) shake; rock; wobble; reel, totter, stagger; *pin, tooth*: be loose; *~ mit* wag with; *aer. mit den Flügeln ~* rock wings.

wacker ['vakər] **I.** *adj.* honest, upright, worthy (*a. iro.*); brave, stout; **II.** *adv.* heartily, lustily.

Wade ['vɑːdə] *f* (-; -n) calf (of the leg); **~nbein** *n* fibula; **~nkrampf** *m* cramp in the leg; **~nstrumpf** *m* half-stocking.

Waffe ['vafə] *f* (-; -n) weapon (*a. fig.*); *usu. pl.* arm; *mil.* arm, (branch of the) service; → *greifen, strecken*; *fig. j-n mit s-n eigenen ~n schlagen* beat a p. at his own game; *unter den ~n stehen* be under arms.

Waffel ['vafəl] *f* (-; -n) waffle; wafer; **~eisen** *n* waffle-iron.

'**Waffen...**: **~amt** *n* ordnance department; **~appell** *m* arms inspection; **~ausbildung** *f* weapons training; **~bruder** *m* brother in arms, comrade; **~brüderschaft** *f* brotherhood in arms, alliance; **~dienst** *m* military service; **~fabrik** *f* (manu-) factory of arms, *Am.* armory; **~fabrikant** *m* arms manufacturer; **2fähig** *adj.* capable of bearing arms; **~gang** *m* passage of (*or* at) arms; **~gattung** *f* arm (of the service), service; **~gewalt** *f* (-) force of arms, armed force; **~kammer** *f* armo(u)ry; **~lager** *n* ordnance depot; cache; **2los** *adj.* weaponless, unarmed; **~meister** *m* armo(u)rer; **~meisterei** ['-maɪstə'raɪ] *f* (-; -en) armo(u)ry; **~pflege** *f* care of weapons, gun maintenance; **~rock** *m* service coat, tunic; **~ruhe** *f* suspension of hostilities, cease-fire; **~schein** *m* fire-arm certificate, *Am.* gun license; **~schmied** *m* armo(u)rer; **~schmuggel** *m* gun-running; **~stillstand** *m* armistice, (*a. fig.*) truce; **~tat** *f* feat of arms, (military) exploit; **~übung** *f* military exercise.

'**waffnen** *v/t.* (*h.*) arm.

wägbar ['vɛːkbɑːr] *adj.* weighable; *fig. a.* ponderable.

Wage|hals ['vɑːgə-] *m* daredevil; **2halsig** ['-halziç] *adj.* foolhardy, daring, reckless; *attr.* daredevil, breakneck; **~halsigkeit** *f* (-; -en) foolhardiness, daredevilry; **~mut** *m* daring; spirit of adventure.

'**wagen** *v/t.* (*h.*) venture (*a. sich*); risk, hazard; dare; *es ~* take the plunge, take a chance; *es mit j-m ~* measure one's strength with a p.; *es mit et. ~* try a th., *Am.* take a crack at a th.; *alles ~* risk (*or* stake) everything; *viel ~* take a great gamble; *wer nicht wagt, der nicht gewinnt* nothing venture nothing have; *er wagte sich nicht aus dem Hause* he did not venture out of doors; → *gewagt*.

Wagen ['vɑːgən] *m* (-s; -) carriage (*a. rail., Am.* car); coach (*a. rail.*); wag(g)on; cart; *mot.* car; lorry, *Am.* truck; van; *of typewriter*: carriage; *ast. der Große ~* Charles's Wain, the Plough, the Great Bear, *Am.* the Big Dipper; *fig. j-m an den ~ fahren* tread on a p.'s toes.

wägen ['vɛːgən] *v/t.* (*h.*) weigh (*a. fig.*); *erst ~, dann wagen* look before you leap.

'**Wagen...**: **~abteil** *rail. n* compartment; **~antenne** *f* car aerial; **~aufbau** *m* (-[e]s; -ten) car body, coachwork; **~bauer** *m* (-s; -) carriage builder, coach builder; **~burg** *f* barricade of wag(g)ons, laager; **~führer** *m* driver; **~haltung** *f* upkeep of a car; car maintenance; **~heber** *m mot.* (lifting)jack; garage trolley jack; *of typewriter*: carriage lever; **~heizung** *f* heating system (of a car), car heater; **~kasten** *m* car body; **~ladung** *f* wag(g)on-load, carload; **~meister** *m* wag(g)on inspector; **~park** *m* (-[e]s) vehicle fleet; **~pflege** *f* maintenance (of a car); servicing; **~schlag** *m* carriage-door, car-door; **~schmiere** *f* cart-grease; **~schuppen** *m* car-shed; coachhouse; **~spur** *f* wheel-track, rut; **~winde** *f* screw-jack.

'**Wagestück** *n* daring deed.

Waggon [va'gɔŋ] *rail. m* (-s; -s) (railway) carriage, *Am.* (railroad) car; goods van, *Am.* freight car; *econ. frei ~* free on rail (*abbr.* f.o.r.); **~fracht** *f* carload freight; **~waage** *f* wag(g)on weigh-bridge; **2weise** [-vaɪzə] *adv.* by the carload.

waghalsig ['vɑːkhalziç] *adj.* → *wagehalsig*.

Wagner ['vɑːgnər] *m* (-s; -) cartwright.

Wagnis ['vɑːknis] *n* (-ses; -se) venture, risk, hazard(ous enterprise); **~zuschlag** *econ. m* addition for risk involved.

Wahl [vɑːl] *f* (-; -en) choice; alternative; selection; option; *aus freier ~* of one's own (free) choice; *pol.* election, poll(ing); *econ.* (-) *erste ~* first quality; *zweite ~* seconds; *pol. ~en abhalten* hold elections; *fig. die ~ haben* have one's choice; *keine ~ haben* have no alternative (*als* but); *es bleibt mir keine (andere) ~* I have no choice; it's Hobson's choice; *in die engere ~ kommen* be on the short list, be selected for further consideration; *s-e ~ treffen* make one's choice; *zur ~ schreiten* go to the polls; *das Mädchen seiner ~* the girl of his choice; '**~alter** *n* voting age.

Wähl-amt ['vɛːl-] *n* automatic exchange.

'**Wahl-ausschreiben** *n* (-s) writ for an election.

'**wählbar** *adj.* eligible; *nicht ~* ineligible; **2keit** *f* (-) eligibility.

'**Wahl...**: **2berechtigt** *adj.* entitled to vote; **~bericht** *m* election return; **~beteiligung** *f* percentage of voting, turnout; *starke (schwache) ~* heavy (light) voting (*or* polling); **~bezirk** *m* division, ward.

'**wählen** *v/t. and v/i.* (*h.*) choose; select, pick (out); take one's choice; *pol.* elect; *~ (gehen)* go to the polls; *zu s-m Führer ~* choose as one's leader; *zum König ~* elect (*or* choose) *a p.* king; → *gewählt*; *teleph.* dial.

'**Wahl-ergebnis** *n* election result (*or* return).

'**Wähler** *m* (-s; -), **~in** *f* (-; -nen) elector, voter; *teleph.* selector; **~betrieb** *teleph. m* dial system; **2isch** *adj.* particular, nice (*in dat.* about); choosy; dainty, *a. w.s.* fastidious; *~ sein* pick and choose; *fig. nicht gerade ~* not over-fastidious *in his choice of friends*; *er ist in seinen Mitteln nicht gerade ~* he is not too particular about his methods; **~liste** *f* register of voters, voters' list; **~schaft** *f* (-; -en) constituency; *w.s.* voting population; **~scheibe** *teleph. f* (selector) dial.

'**Wahl...**: **~fach** *n ped.* optional subject, *Am.* elective; **2fähig** *adj.*

a) having a vote, **b**) eligible; **~feldzug** *m* election campaign; **2frei** *adj. ped.* optional, *Am.* elective; **~gang** *m* ballot; **~geheimnis** *n* (-es) election secrecy; **~gesetz** *n* electoral law; **~handlung** *f* poll; **~heimat** *f* adopted country; **~kampf** *m* election campaign; **~kommissar** *m* returning officer; **~kreis** *m* constituency, electoral district; **~liste** *f* elective register; **~lokal** *n* polling place (*or* station); **2los I.** *adj.* indiscriminate; **II.** *adv.* indiscriminately, at random, haphazardly; **~mann** *m* delegate, constituent, *Am.* elector; **~maschine** *f* voting machine; **~ort** *m* polling-place; **~prüfer** *m* scrutineer; **~prüfung** *f* scrutiny; **~recht** *n* (-[e]s) *aktives*: franchise; *passives*: eligibility; *allgemeines ~* universal suffrage; **~rede** *f* election speech, electoral address; *~n halten* electioneer, *Am.* stump (*in e-m Bezirk* a district); **~redner** *m* election speaker, campaigner, *Am. a.* stump orator; **~schlacht** *f* election campaign; **~spruch** *m* device, motto; slogan; **~stimme** *f* vote; **~tag** *m* election-day; **~urne** *f* ballot- (*or* voting-) box; *fig. zur ~ schreiten* go to the polls; **~versammlung** *f* election meeting, electoral assembly; **~versprechen** *n* election pledge; **~verwandtschaft** *f chem.* elective affinity; *fig.* affinity, congeniality; **2weise** ['-vaɪzə] **I.** *adj.* alternative, selective; **II.** *adv.* alternatively; **~zeit** *f* election time; *n.s.* hours for voting; period for which *a p.* is elected; **~zelle** *f* polling- (*or* voting-)booth; **~zettel** *m* voting paper, ballot.

Wahn [vɑːn] *m* (-[e]s) delusion, illusion; madness; mania; *in e-m ~ befangen sein* labour under an delusion; '**~bild** *n* chimera, phantom; hallucination.

wähnen ['vɛːnən] *v/t.* (*h.*) fancy, imagine, believe.

'**Wahn...: ~idee** *f* delusion, mania; crazy notion; **~sinn** *m* (-[e]s) insanity, madness; *religiöser ~* religious mania; *es wäre heller ~, zu inf.* it would be (sheer) madness to *inf.*; **2sinnig I.** *adj.* insane, (*a. fig.*) mad (*vor dat.* with); *fig. a.* frantic; horrible, dreadful (*fear, pain, shock, etc.*); → *verrückt*; **II.** *adv. colloq.* madly, crazily, awfully; *~ verliebt* madly in love; *ich habe ~ viel zu tun* I have an unconscionable lot to do; **~sinnige(r** *m*) ['-zinigə(r)] *f* (-n, -n; -en, -en) madman, *f* madwoman; lunatic; **~vorstellung** *f* delusion, hallucination; fixed idea; **~witz** *m* (-es) madness; absurdity; **2witzig** *adj.* mad; reckless, irresponsible; → *wahnsinnig.*

wahr [vɑːr] *adj.* true; real, veritable; genuine; proper; sincere, frank, open; *es ist ~, daß* it is true (*or* a fact) that; *ein ~er Künstler* a true (*or* veritable) artist; *~e Liebe* true love; *e-e ~e Wohltat* quite a comfort; *so ~ ich lebe!* as sure as I live!; *so ~ mir Gott helfe!* so help me God; *et. ~ machen* carry out, go ahead with, translate into action, make *a th.* come true; *sein ~es Gesicht zeigen* show the cloven hoof, drop the mask; *es ist kein ~es Wort daran* there is not a word of truth in it; *das ist leider nur zu ~* that is only too true; *et. 2es wird schon dran sein* no smoke without fire; *das ist nicht das 2e* that's not the thing, *Am.* that's not the real McCoy; → *wahrhaben.*

'**wahren** *v/t.* (*h.*) watch over; guard, defend; preserve, keep (*a. secret*); look after, protect, safeguard (*interests*); *s-e Würde ~* maintain one's dignity; *den Schein ~* keep up appearances.

währen ['vɛːrən] *v/i.* (*h.*) last, continue; *es währte nicht lange, so* it was not long before.

'**während I.** *prp.* (*gen.*) during; in the course of; *jur.* pending; *~ eines Jahres* for a year; **II.** *cj.* **a**) while, whilst, **b**) whereas, while; **~'dessen** *adv.* meanwhile.

'**wahrhaben** *v/t.* (*h.*): *et. nicht ~ wollen* not to admit a th.

'**wahrhaft, wahr'haftig I.** *adj.* true, veritable; truthful, veracious; **II.** *adv.* truly, really, indeed, in all conscience; *~!* upon my word!, no mistake!; *~ nicht!* certainly not!, by no means!; **Wahr'haftigkeit** *f* (-) truthfulness, veracity.

'**Wahrheit** *f* (-; -en) truth; *in ~* in truth, in fact, in reality; *colloq. j-m die ~ sagen* give a p. a piece of one's mind; *um die ~ zu sagen* to tell the truth.

'**Wahrheits...: ~beweis** *m*: *den ~ antreten or erbringen* embark upon the proof of a th.; **2gemäß, 2getreu I.** *adj.* true, truthful, faithful; **II.** *adv.* truly, in accordance with the facts; **~liebe** *f* (-) love of truth, veracity; **2liebend** *adj.* truthful, veracious; **~sucher** *m* seeker of truth.

'**wahrlich** *adv.* truly, in truth; [*bibl.* verily.]

'**wahrnehm|bar** *adj.* perceptible, noticeable; visible; audible; **~en** *v/t.* (*irr., h.*) perceive, notice, observe; become aware of; make use of, avail o.s. of, seize (*opportunity*); look after, protect, safeguard (*interests*); observe (*deadline*); *das Amt e-s Statthalters, etc., ~* exercise the functions of *a governor, etc.*; **2ung** *f* (-; -en) (*sinnliche* sense) perception, observation; care (*gen.* of); safeguarding (*of interests*); acting on behalf *of a p.*; *jur. ~ berechtigter Interessen* fair comment (on a matter of public interest); **2ungsvermögen** *n* (-s) perceptive faculty.

'**wahrsag|en** *v/t. and v/i.* (*h.*) prophesy, predict; tell fortunes; *sich ~ lassen* have one's fortune told; **2er(in** *f*) *m* (-s, -; -, -nen) soothsayer; fortune-teller; **2e'rei** *f* (-; -en) fortune-telling.

wahrscheinlich [vɑːr'ʃaɪnliç] **I.** *adj.* probable, likely; **II.** *adv.* probably; *er wird ~ (nicht) kommen* he is (not) likely to come; *~ wird er verlieren* chances (*or* the odds) are that he will lose; **2keit** *f* (-) probability, likelihood; *aller ~ nach* in all probability, by all known odds; **2keitsrechnung** *f* theory of probabilities, probability calculus.

'**Wahrspruch** *m* verdict.

'**Wahrung** *f* (-) maintenance; safeguarding, protection (*of interests*).

Währung ['vɛːruŋ] *f* (-; -en) currency; (*gold, etc.*) standard; *harte (weiche) ~* hard (soft) currency.

'**Währungs...: ~abkommen** *n* monetary agreement; **~angleichung** *f* adjustment of exchange rates; **~ausgleichfonds** *m* exchange equalization fund; **~bank** *f* (-; -en) bank of issue; **~-Dollar** *m* currency dollar; **~einheit** *f* monetary unit; **~gebiet** *n* currency area; **~krise** *f* monetary crisis; **~parität** *f* par of exchange; **~politik** *f* currency (*or* monetary) policy; **2politisch** *adj.* from the point of view of monetary policy; monetary; **~reform** *f* currency reform; **~schnitt** *m* currency cut; **~standard** *m* monetary standard; **~umstellung** *f* currency conversion.

'**Wahrzeichen** *n* (distinctive) sign *or* mark, token; landmark.

Waise ['vaɪzə] *f* (-; -n) orphan; **~nhaus** *n* orphanage, orphan asylum; **~nkind** *n* orphan; **~nknabe** *m* orphan (boy); *colloq. fig. er ist ein ~ gegen ihn* he is a fool to him.

Wal [vɑːl] *m* (-[e]s; -e) whale.

Wald [valt] *m* (-[e]s; ⸚er) wood, forest; woodland, wooded area; *fig. er sieht den ~ vor lauter Bäumen nicht* he does not see the wood for trees; *wie man in den ~ hineinruft, so schallt's heraus* as the question, so the answer; '**~ameise** *f* red ant; '**2arm** *adj.* destitute of forests, sparsely wooded; '**~bestand** *m* forest stand; '**~brand** *m* forest fire.

Wäldchen ['vɛltçən] *n* (-s; -) little wood, grove.

'**Wald...: ~erdbeere** *f* wood-strawberry; **~erholungsheim** *n* woodland recreation home; **~esdunkel** ['valdəs-] *n* forest gloom; **~fläche** *f* wooded area; **~frevel** *m* offen|ce (*Am.* -se) against the forest-laws; **~gebirge** *n* woody mountains *pl.*; **~gegend** *f* woodland; **~gelände** *n* wooded area; **~gott** *m* sylvan deity, faun; **~horn** *n* (-[e]s; ⸚er) French horn; *poet.* bugle(-horn); **~hüter** *m* forest-keeper, ranger; **2ig** ['valdiç] *adj.* woody, wooded; **~kampf** *mil. m* combat in woods; **~land** *n* woodland; **~lauf** *m* cross-country run; **~meister** *bot. m* (-s) woodruff; **~mensch** *m* wild man; **~nymphe** *f* wood-nymph, dryad; **~rand** *m* edge of the forest; **2reich** *adj.* rich in forests, well-wooded; **~schnepfe** *f* woodcock; **~ung** ['valduŋ] *f* (-; -en) wood(ed area), woodland, forest; **~wiese** *f* (forest-)glade; **~wirtschaft** *f* forest culture.

'**Wal...: ~fang** *m* whaling; **~fänger** *m* whaler (*a. ship*); **~fisch** *colloq. m* whale; **~speck** *m* blubber; **~tran** *m* train-oil.

Walk|e ['valkə] *f* (-; -n) fulling; fulling machine; **2en** *v/t.* (*h.*) full; felt (*hat*); work (*grease*); *colloq. fig.* thrash; **~er** *m* (-s; -) fuller; **~erde** *f* fuller's earth; **~mühle** *f* fulling-mill; **~müller** *m* fuller.

Walküre [val'kyːrə] *f* (-; -n) Valkyrie.

Wall [val] *m* (-[e]s; ⸚e) *mil.* rampart

(*a. fig.*); dam, dike, embankment; mound; *fig. a.* bulwark, wall, dam.
Wallach ['valax] *m* (-[e]s; -e) gelding.
wallen ['valən] *v/i.* (*h.*) **1.** wave; *hair, robe*: flow; simmer; boil (*a. fig. blood*); **2.** (*sn*) → *wallfahr(t)en.*
'**Wall|fahrer(in *f*)** *m* pilgrim; **~fahrt** *f* pilgrimage; **2fahr(t)en** *v/i.* (*sn*) (go on a) pilgrimage; *w.s.* wander, march; **~fahrts-ort** *m* (-[e]s; -e) place of pilgrimage.
'**Wallgraben** *m* moat.
'**Wallung** *f* (-; -*en*) ebullition (*a. fig.*); *med.* flush, congestion; *fig. in ~ bringen* make *a p.'s* blood boil, enrage; *in ~ kommen* boil (with rage), fly into a passion.
Walmdach ['valm-] *arch. n* hip-roof.
Walnuß ['val-] *f* (*Am.* English) walnut; **~baum** *m* walnut-tree.
Walpurgisnacht [val'purgis-] *f* Walpurgisnight.
Walroß ['val-] *n* walrus.
Walstatt ['vɑ:lʃtat] *f* (-; ⸚en) battlefield.
walten ['valtən] *v/i. and v/t.* (*h.*) govern, rule; be at work; → *schalten*; *s-s Amtes ~* attend to one's duties; *walte deines Amtes!* do your duty!; *j-n ~ lassen* let a p. do as he pleases, give a p. a free hand; *Gnade ~ lassen* show mercy; *Sorgfalt ~ lassen* exercise proper care; *in diesem Hause waltet ein guter Geist* a friendly spirit presides over this house; *das walte Gott!* God grant it!; 2 *n* (-s) rule; working, *the* hand *of God, etc.*
Walzblech ['valts-] *n* rolled plate.
'**Walze** *f* (-; -*n*) roller (*a. typ.*); cylinder (*a. typ.*); *tech. a.* roll; *of typewriter*: platen; *of barrel-organ, etc.*: barrel; drum; *colloq. fig. auf der ~* on the tramp; *auf die ~ gehen* take to the road.
'**Walz-eisen** *n* rolled iron.
'**walzen I.** *v/t.* (*h.*) *tech.* roll; grind, crush; **II.** *v/i.* (*h., sn*) waltz; *colloq.* (*sn*) hike, tramp.
wälzen ['vɛltsən] *v/t.* (*a. sich*) (*h.*) roll; *sich ~* wallow (*in dat.* in *mud, etc.*); welter (*in one's blood*); *sich schlaflos im Bette ~* toss and turn; *Bücher ~* thumb (*or* pore over) books; *Gedanken ~* turn thoughts over on one's mind; *von sich ~* release o.s. from, shift *the blame, burden, etc.* from o.s.; *sich vor Lachen ~* be rolling (*or* convulsed) with laughter; *die Schuld auf j-n ~* lay the blame on a p.; *colloq.* es ist *zum* 2 it's a (perfect) scream.
walzenförmig ['-fœrmiç] *adj.* cylindrical.
'**Walzer** *mus. m* (-s; -) waltz; *~ tanzen* (dance a) waltz.
'**Wälzer** *m* (-s; -) bulky volume, huge tome.
'**Walzgold** *n* rolled gold.
'**Wälzlager** *n* anti-friction bearing.
'**Walzstahl** *m* rolled steel (*or* stock).
'**Walzwerk** *n* rolling mill.
Wamme ['vamə] *f* (-; -*n*) dewlap; *fur-making*: belly part; *colloq.* paunch.
Wams [vams] *n* (-es; ⸚er) jacket; *hist.* doublet.
wand [vant] *pret. of winden.*
Wand [vant] *f* (-; ⸚e) wall; partition; *tech.* screen, panel; side (*of vessel*); *fig. in s-n vier Wänden* at home; *j-n an die ~ drücken* push a p. to the wall; *an die ~ gedrückt werden* go to the wall; *an die ~ stellen* shoot (dead), execute; *mit dem Kopf durch die ~ wollen* run one's head against a wall; *Wände haben Ohren* walls have ears; *es ist, um an den Wänden hochzugehen* it's enough to drive you mad; '**~arm** *m* (wall) bracket; '**~bekleidung** *f* wall facing; panel(l)ing, wainscot (-ing); '**~bewurf** *m* plastering; '**~dekoration** *f* mural decoration.
Wandel ['vandəl] *m* (-s) change; *~ der Zeiten* changing times; way of living; behavio(u)r, conduct; *Handel und ~* trade and traffic; *~ schaffen* bring about a change; **~anleihe** *econ. f* convertible loan; **~bahn** *f* covered walk; **2bar** *adj.* changeable; variable; **~barkeit** *f* (-) changeableness, inconstancy; **~gang** *m*, **~halle** *f parl.* lobby, *thea. a.* foyer; *at spa*: pump room; **2n I.** *v/i.* (*sn*) *poet.* walk; wander, travel; *colloq. fig. ~des Lexikon* walking encyclop(a)edia; **II.** *v/t.* (*h.*) change (*a. person*), alter, vary (*all a. sich*); *sich ~ in* (*acc.*) change (*or* turn) into; **~obligation** *econ. f* convertible bond; **~stern** *m* planet.
Wander|arbeiter ['vandər-] *m* itinerant worker; **~ausrüstung** *f* hiking outfit; **~ausstellung** *f* touring exhibition; **~bühne** *f* travelling theatre, *Am.* traveling theater, touring company; **~bursche** *m* travel(l)ing journeyman; tramp; **~düne** *f* shifting sand dune; **~er(in *f*)** *m* (-s, -; -, -*nen*) wanderer, travel(l)er; hiker; **~geschwindigkeit** *phys. f* speed of travel; **~gewerbe** *n* itinerant trade; **~heuschrecke** *f* migratory locust; **~jahre** *n/pl.* (journeyman's) years of travel; **~leben** *n* (-s) vagrant life.
'**wandern** *v/i.* (*sn*) wander, travel; ramble, rove; walk; hike; *birds, tribes, etc.*: migrate; *dune*: shift; *chem.* diffuse; *tech.* creep; *fig.* go; *glance, thoughts*: wander, rove; *ins Gefängnis ~* go to prison; **~d** *adj.* itinerant; nomadic, migratory; strolling; travel(l)ing.
'**Wander...:** **~niere** *f* floating kidney; **~prediger** *m* itinerant preacher; **~pokal** *m* challenge cup; **~preis** *m* challenge trophy; **~ratte** *f* brown (*or* Norway) rat; **~schaft** *f* (-) wanderings *pl.*, travel(l)ing, travels *pl.*; *auf der ~* on the tramp; *auf die ~ gehen* go on one's travels, take to the road; **~smann** *m* (-[e]s; -*leute*) → *Wanderer*; **~stab** *m* (walking-) stick; *fig. den ~ ergreifen* set out on one's travels; **~trieb** *m* (-[e]s) roving spirit; *biol.* migratory instinct; **~truppe** *thea. f* strolling players *pl.*, touring company; **~ung** *f* (-; -*en*) walking-tour, hike; → *Ausflug*; *of tribes, etc.*: migration; *fig. er setzte seine ~ durch das Zimmer fort* he continued to pace the room; **~vogel** *m* bird of passage; *pl. fig.* Ramblers, Hikers *pl.*; **~weg** *m* footpath; **~welle** *phys. f* transient wave.
'**Wand...:** **~fliese** *f* wall flag; **~gemälde** *n* mural (painting); **~heizkörper** *m* wall heater; **~kalender** *m* sheet almanac; **~karte** *f* wall-map; **~konsole** *f* wall bracket.
Wandler ['vandlər] *m* (-s; -) *el.* converter; (instrument) transformer, transducer; (*Bild*2) phototube.
'**Wand...:** **~leuchter** *m* bracket (-candlestick), sconce; **~lüfter** *m* wall ventilator.
Wandlung ['vandluŋ] *f* (-; -*en*) change, (*a. el.*) transformation; *eccl.* transubstantiation; *jur.* redhibition, conversion; **~sklage** *jur. f* redhibitory action.
'**Wand...:** **~male'rei** *f* mural painting; **~pfeiler** *m* pilaster; **~schalter** *m* wall-mounted switch; **~schirm** *m* folding-screen; **~schoner** *m* splasher; **~schrank** *m* wall-chest, closet; **~spiegel** *m* pier-glass; **~stärke** *f* (wall) thickness; **~stecker** *m* wall plug; **~tafel** *f* blackboard; wall panel; **~teppich** *m* wall-hanging; **~uhr** *f* wall-clock; **~ung** ['vanduŋ] *f* (-; -*en*) → *Wand*; **~verkleidung** *f* → *Wandbekleidung.*
wandte ['vantə] *pret. of wenden.*
Wange ['vaŋə] *f* (-; -*n*) cheek; *tech. a.* side wall (*or* piece).
Wankel|mut ['vaŋkəl-] *m* fickleness, inconstancy; **2mütig** ['my:tiç] *adj.* fickle, inconstant.
'**wanken** *v/i.* (*h., sn*) totter, stagger, reel; sway; *ground, house*: rock; *ihm wankten die Knie* his knees gave (way); *fig.* waver, falter, vaccilate; *ins* 2 *bringen* shake, rock (the foundations of); *ins* 2 *kommen* shake, become unsettled; *nicht ~ und nicht weichen* be as firm as a rock, not to budge (an inch).
wann [van] *adv.* when; → *dann*; *seit ~?* how long?, since what time?; *bis ~?* till when?, by what time?
Wanne ['vanə] *f* (-; -*n*) tub; bath; vat; trough; *mot.* oil sump; *mil.* hull (*of tank*); *aer.* underfuselage tunnel.
'**wannen** *adv.*: *von ~* whence.
'**Wannenbad** *n* tub-bath, tubbing.
Wanst [vanst] *m* (-es; ⸚e) paunch, belly.
Want [vant] *mar. m* (-; -*en*) shroud.
Wanz|e ['vantsə] *f* (-; -*n*) bug, *Am.* bedbug; **2ig** *adj.* buggy, bug-ridden.
Wappen ['vapən] *n* (-s; -) (coat of) arms *pl.*; *ein ~ führen* bear a coat of arms; *im ~ führen* bear; **~bild** *n* heraldic figure; **~buch** *n* book of heraldry; **~halter** *m* supporter; **~herold, ~könig** *m* herald, King-of-Arms; **~kunde** *f* (-) heraldry; **~schild** *m* escutcheon, blazon; **~spruch** *m* heraldic motto; **~tier** *n* heraldic animal.
wappnen ['vapnən] *v/t.* (*h.*) arm; *fig. sich mit Geduld ~* have patience; *gewappnet* forearmed.
warb [varp] *pret. of werben.*
Ware ['vɑ:rə] *f* (-; -*n*) ware; article (of commerce), commodity; *collect., a. ~n pl.* merchandise; product, line; *~n pl.* goods; *stock exchange*: stock, supply, *on list*: offers, sellers.
wäre ['vɛ:rə] → *sein*; *wie ~ es mit?*

how about?; *wie* ~ *es, wenn?* what if?, how about (*ger.*)?

Waren...: **~akkreditiv** *n* commercial letter of credit; **~akzept** *n* trade acceptance; **~aufzug** *m* hoist, *Am.* freight elevator; **~ausfuhr** *f* export(ation of goods); **~ausgangsbuch** *n* sales ledger; **~austauschabkommen** *n* barter agreement; **~begleitschein** *m* → *Begleitschein*; **~bestand** *m* stock (on hand); **~bezeichnung** *f* trade description; **~börse** *f* produce exchange; **~eingang** *m* goods received; **~einheit** *f* unit of (*exported, etc.*) goods; **~empfänger** *m* consignee; **~forderungen** *f/pl. balance-sheet*: trade debtors; **~haus** *n* store(s *pl.*), *Am.* department store; **~kenntnis** *f* knowledge of goods; **~konto** *n* goods account; **~kredit** *m* goods credit; **~kunde** *f* (-) → *Warenkenntnis*; **~lager** *n* stock-in-trade; warehouse, depot, magazine; **~niederlage** *f* warehouse, magazine, depot; **~probe** *f* sample, specimen; pattern; **~rechnung** *f* invoice; **~speicher** *m* warehouse; **~stempel** *m* trade-mark; **~umsatz** *m* goods turnover; **~umschlag** *m* movement of goods; **~verkehr** *m* merchandise traffic; **~verzeichnis** *n* inventory, list of goods; **~vorrat** *m* stock; **~wechsel** *m* trade bill; **~zeichen** *n* trade-mark; *mit* ~ *versehene Güter* trade-marked goods; **~zeichenschutz** *m* trade-mark protection; **~zoll** *m* customs duty.

warf [varf] *pret. of werfen.*

warm [varm] **I.** *adj.* warm (*a. fig.*), *a. tech.* hot; *mir ist* ~ I am warm; *~er Empfang* warm reception; *mit ~en Worten* warmly; ~ *werden* warm up (*a. fig. für et.* to a th.), get hot; *ich kann nicht mit ihm* ~ *werden* I can't get close to him at all; *weder* ~ *noch kalt* neither fish nor flesh; et. ℒes essen have a hot meal, eat something warm; **II.** *adv.* warmly; *sich* ~ *halten* keep o.s. warm; *die Sonne scheint* ~ the sun is hot; *fig.* ~ *empfehlen* recommend warmly; *er sitzt* ~ he is in clover, he is sitting pretty; *tech.* ~ *satiniert* hot rolled; 'ℒ**bad** *n* warm bath; thermal springs *pl.*; '**~behandelt** *tech. adj.* heat-treated; ℒ**blüter** ['-bly:tər] *m* (-*s*; -) warm-blooded animal.

Wärme ['vɛːrmə] *f* (-) warmth (*a. fig.*); *phys.* heat; temperature; *gebundene* (*freie*) ~ latent (uncombined) heat; **~abgabe** *f* loss of heat; heat emission; **~ausdehnung** *f* thermal expansion; **~ausgleich** *m* heat balance; **~ausnutzung** *f* heat utilization; **~ausstrahlung** *f* heat radiation; **~austausch** *m* heat exchange; **~bedarf** *m* heat requirement; **~behandlung** *f* heat treatment; ℒ**beständig** *adj.* heat-resistant; **~beständigkeit** *f* resistance to heat, high-temperature (*or* thermal) stability; **~bilanz** *f* → *Wärmeausgleich*; **~einheit** *f* thermal unit, unit of heat, caloric unit; **~elektrizität** *f* thermo-electricity; ℒ**geformt** *adj.* die-formed; **~grad** *m* degree of heat; **~isolierung** *f* heat insulation; **~kraftmaschine** *f* heat engine; **~lehre** *f* (-) theory of heat, thermodynamics *pl.*; **~leiter** *m* conductor of heat; **~leitfähigkeit** *f* heat conductivity; **~mauer** *aer. f* heat barrier; **~mechanik** *f* thermodynamics *pl.*; **~menge** *f* quantity of heat; **~messer** *m* (-*s*; -) thermometer; calorimeter; ℒ**n** *v/t.* (*h.*) warm, make warm *or* hot; heat; *sich die Füße* ~ warm one's feet; **~regler** *m* thermostat; **~speicher** *m* heat accumulator; **~speicherung** *f* heat storage; **~tauscher** ['-tauʃər] *m* (-*s*; -) heat exchanger; **~technik** *f* (-) thermodynamics *pl.*; **~wert** *m* thermal value; *Zündkerze mit hohem* (*niedrigem*) ~ cold (hot) plug.

'**warmfest** *adj.* heat-resistant; *~er Stahl* high-temperature steel.

'**Wärmflasche** *f* hot-water bottle.

'**warm...:** **~halten** *v/t.* (*irr., h.*) keep warm; *fig. sich j-n* ~ keep in with a p.; ℒ**halter** *m* plate-warmer; **~herzig** *adj.* warm-hearted; **~laufen** *v/i.* (*irr., sn*) run hot, run up; *sich* ~ (*irr., h.*) warm up; *mot.* ~ *lassen* warm (*or* run) up; ℒ**luftfront** *f* warm front; ℒ**luftheizung** *f* hot-air heating; ℒ**luftklappe** *f* heater valve; ℒ**luftmassen** *f/pl.* warm air masses.

'**Wärmplatte** *f* warming plate.

'**warm...:** **~recken** *tech. v/t.* (*h.*) hot-strain; ℒ**ver-arbeitung**, ℒ**verformung** *f* hot-working.

Warm'wasser|bereiter [-bəraɪtər] *m* (-*s*; -) (instantaneous) water heater; **~heizung** *f* hot-water (*or* central) heating; **~speicher** *m* hot-water tank; **~versorgung** *f* hot-water supply.

'**warmziehen** *tech. v/t.* (*irr., h.*) hot-draw.

Warn|boje ['varn-] *f* fairway buoy; **~dienst** *m* warning service; ℒ**en** *v/t.* (*h.*) (*vor dat.*) warn (of, against), caution (against); *davor* ~, *zu inf.* warn against doing *a th.*; *vor Hunden, etc. wird gewarnt!* beware of *the dog, etc.*!; *Sie sollten gewarnt sein durch* you should take warning from; **~er(in** *f*) *m* (-*s*, -; -, -*nen*) warner, admonisher; **~lampe** *tech. f* warning (*or* tell-tale) lamp; **~ruf** *m* warning cry; **~schuß** *m* warning shot; **~signal** *n* warning (*or* danger) signal; **~streik** *m* token strike; **~tafel** *f* danger (*or* warning) board; **~ung** *f* (-; -*en*) warning; admonition; caution; *laß dir das zur* ~ *dienen* let that be a warning (*or* lesson) to you; **~zeichen** *n* warning sign(al).

Wart [vart] *m* (-[e]s; -e) *tech.* maintenance man, mechanic; *aer.* ground engineer.

Warte ['vartə] *f* (-; -*n*) watch-tower, look-out; *tech.* switchboard gallery; *fig.* level; *von hoher geistiger* ~ from a lofty standpoint.

'**Warte...:** **~frau** *f* → *Wärterin*; **~geld** *n mil.* half-pay; *mar.* demurrage; *auf* ~ on half-pay; **~liste** *f* waiting list.

warten ['vartən] **I.** *v/i.* (*h.*) wait; stay; ~ *auf* (*acc.*) wait for, await; be in store for *a p.*, lie ahead of *a p.*; *j-n* ~ *lassen* keep a p. waiting; *mit dem Essen auf j-n* ~ keep dinner waiting for a p.; (*nicht lange*) *auf sich* ~ *lassen* (not to) be long in coming; *warte mal!* wait a minute!, let me see!; *na, warte!* you just wait!; *da(rauf) kannst du lange* ~ you can wait for it till you are blue in the face; *iro. auf dich haben wir bloß noch gewartet* you were all we wanted; **II.** *v/t.* (*h.*) nurse; *w.s.* attend to, look after; *tech.* service, maintain.

'**Warten** *n* (-*s*) waiting, wait.

wartepflichtig ['-pflɪçtɪç] *adj.*: *~e Straße* stop street.

Wärter ['vɛrtər] *m* (-*s*; -) attendant; guard; (prison) warder, *Am.* (prison-)guard; (*esp.* lunatic's) keeper; (male) nurse; *rail.* lineman.

'**Warte-raum** *m* waiting-room.

'**Wärter...:** **~häus-chen** *n* lineman's hut; **~in** *f* (-; -*nen*) (female) attendant; nurse.

'**Warte...:** **~saal** *m*, **~zimmer** *n* → *Warteraum*; **~zeit** *f* waiting period; *mar.* (days of) demurrage.

'**Wartung** *f* (-) attendance, tending; nursing; *tech.* maintenance, servicing; *laufende* ~ maintenance routine; ℒ**sfrei** *tech. adj.* maintenance-free.

warum [va'rum] *adv.* why, wherefore, for what reason, on what grounds; ~ *nicht?* why not?; ~ *nicht gar?* what next?; *ich weiß nicht* ~ I don't know why; ~ *er es tat, ist nicht klar* (the reason) why he did it is not clear.

Warz|e ['vartsə] *f* (-; -*n*) wart; nipple; *zo.* teat, dug; *bot.* tubercle; *tech.* lug, stud; **~enschwein** *n* wart-hog; ℒ**ig** *adj.* warty; *tech.* nodular.

was [vas] **I.** *interr. pron.* what; *rel. pron.* (*das was*) what, *a.* that which; *alles,* ~ *er weiß* all (that) he knows; which; ~ *ihn völlig kalt ließ* which left him quite cold; ~ *auch immer,* ~ *nur* what(so)ever, no matter what; ~ *für (ein)?* what?, what sort of?; ~ *für (ein)!* what (a)!; ~ *ihn betrifft* as for him; ~ *kostet es?*, ~ *bekommen Sie?* how much is it?; *ich lief,* ~ *ich konnte* I ran as fast as I could; ~ *haben sie gelacht!* how they laughed!; **II.** *colloq.* (*etwas*) something; *colloq. ich will dir* ~ *sagen* I'll tell you what; *colloq.* ~ *brauchte er zu lügen* why need he tell a lie; *colloq.* (*nicht wahr?*) what?; isn't it?, eh?

Wasch|anstalt ['vaʃ-] *f* laundry; **~automat** *m* automatic washing-machine; ℒ**bar** *adj.* washable; fast (*colour*); **~bär** *m* racoon; *Am. a.* coon; **~becken** *n* wash- (*or* hand-)basin; **~benzin** *n* dry-cleaning spirit; **~blau** *n* washing-blue; **~brett** *n* washboard; **~bütte** *f* wash(ing)-tub.

Wäsche ['vɛʃə] *f* (-; -*n*) wash; washing; laundry; linen; underwear; lingerie; *große* ~ washing-day; *schmutzige* ~ dirty linen (*a. fig.*); *mining*: dressing floor; *in die* ~ *geben* get *a th.* washed, send *a th.* to the laundry; *das Hemd ist in der* ~ the shirt is at the wash *or* is being washed; *die* ~ *wechseln* change one's underclothes.

'**wasch-echt** *adj.* fast; *colloq. fig.* genuine, true-blue, dyed-in-the-wool.

'**Wäsche...:** **~geschäft** *n* lingerie store; **~klammer** *f* clothes-peg; **~leine** *f* clothes-line.

'**waschen** *v/t., v/i. and sich ~ (irr., h.)* wash (*a. mining, metall.*); launder; shampoo; wash, scour (*wool*); *sich gut ~ lassen* wash well; *colloq. fig. e-e Ohrfeige, e-e Kritik, etc., die sich gewaschen hat a slap, criticism, etc.*, that really made itself felt.

'**Wäscher** *m* (-s; -) washer; laundryman; **Wäsche'rei** *f* (-; -en) laundry; (wool) scouring mill; '**Wäscherin** *f* (-; -nen) washerwoman, laundress.

'**Wäsche...:** **~rolle** *f* mangle; **~sack** *m* laundry bag; **~schleuder** *f* centrifugal laundry drier, spin-drier; **~schrank** *m* linen-cupboard, linen-press; **~tinte** *f* marking-ink; **~trockner** *m* clothes-airer.

'**Wasch...:** **~faß** *n* wash-tub; **~flasche** *f* wash(ing) bottle; **~frau** *f* → *Wäscherin*; **~gelegenheit** *f* washing facility; **~gold** *n* placer gold; **~haus** *n* wash-house, laundry; **~kessel** *m* copper, wash boiler; **~kleid** *n* washable dress, cotton frock; **~korb** *m* clothes basket; **~küche** *f* wash-house, wash-room; *sl. aer. (fog)* pea-soup; **~lappen** *m* face cloth, *Am.* wash-rag; dish-cloth; *colloq. fig.* sissy; **~lauge** *f* lye; **~leder** *n*, **≈ledern** *adj.* wash-leather, chamois, shammy; **~maschine** *f* washing-machine, washer; **~mittel** *n* washing agent, detergent; **~pulver** *n* washing powder; **~raum** *m* lavatory; **~schüssel** *f* → *Waschbecken*; **~seide** *f* washing silk; **~seife** *f* washing-soap, laundry soap; **~tag** *m* washing-day; **~tisch** *m*, **~toilette** *f* washing-stand; **~trog** *m* washing trough.

'**Waschung** *f* (-; -en) washing; *esp. med., eccl.* ablution.

'**Wasch...:** **~wanne** *f* wash(ing)-tub; **~wasser** *n* (-s) water for washing; **~weib** *fig. n* (old) gossip, chatterbox; **~zettel** *m* laundry list; *fig.* blurb (*on book*); **~zeug** *n* washing kit; **~zuber** *m* → *Waschwanne*.

Wasser ['vasər] *n* (-s; -, *a.* ¨) water; *fließendes (stehendes) ~* running (stagnant) water; *chem. schweres ~* heavy water; urine, water; *~ lassen* pass water; *unter ~ setzen* flood, submerge; *zu ~ und zu Land* by sea and land; *fig. ~ auf beiden Schultern tragen* blow hot and cold; *das ist ~ auf s-e Mühle* that's grist to his mill; *vom reinsten ~* of the first water; *bei ~ und Brot sitzen* be on bread and water; *ins ~ fallen* not to come off; *zu ~ werden* come to naught, end in smoke; *sich (mühsam) über ~ halten* keep one's head (barely) above water; *das ~ läuft mir im Munde zusammen* my mouth waters; *er kann ihr das ~ nicht reichen* he is not fit to hold a candle to her; *er ist mit allen ~n gewaschen* he is a smooth customer (*or* an old hand); → *still, Schlag, etc.*

'**Wasser...:** **~ablaß** *m* drain; **≈abstoßend** *adj.* water-repellent; **~anlage** *f* waterworks *pl.*; **≈arm** *adj.* ill supplied with water; arid; **~auslaß, ~austritt** *m* water outlet; **~ball(spiel)** *n* (-s) water polo; **~bau** *m* (-[e]s; -ten) hydraulic engineering (*or* structure); **~baukunst** *f* hydraulic engineering; **~baumeister** *m* hydraulic engineer; **~bekken** *n* (water) basin; **~bedarf** *m* water requirement; **~behälter** *m* reservoir, tank, cistern; well (*of steam engine*); **≈beständig** *adj.* water-resistant, waterproof; **~bewohner** *m* aquatic (animal *or* plant); **≈bindend** *adj.* water-absorbent; **~blase** *f* bubble; *med.* water-blister, vesicle; **~blau** *n* sea-blue; **~bombe** *f* depth charge; **~bruch** *med. m* hydrocele.

Wässerchen ['vɛsərçən] *fig. n* (-s; -): *er sah so aus, als könnte er kein ~ trüben* he looked as if butter would not melt in his mouth.

'**Wasser...:** **~dampf** *m* water-vapo(u)r, steam; **≈dicht** *adj.* waterproof, impermeable; *mar.* watertight; *~ sein a.* hold water; *~ verschlossen* moisture-sealed; **~druck** *m* (-[e]s) water pressure, hydraulic pressure; **~eimer** *m* (water) pail, bucket; **~enthärtungs-anlage** *f* water softener; **~entziehung** *f* dehydration; **~fahrt** *f* boating; **~fahrzeug** *n* watercraft, vessel; **~fall** *m* waterfall; cataract; cascade; *wie ein ~ dahinrauschen* cascade; *fig. sie redete wie ein ~* she talked the hindleg off a donkey; **~farbe** *f* water-colo(u)r; **≈fest** *adj.* water-resistant, waterproof; **~fläche** *f* surface of (the) water; sheet of water; **~flasche** *f* water-bottle; **~floh** *m* water-flea; **~flugzeug** *n* waterplane, seaplane, hydroplane; **~flut** *f* flood; **~fracht** *f* water-carriage (*Am.* water freight); **≈führend** *adj.* water-bearing; **~gas** *n* water gas; **≈gekühlt** *adj.* water-cooled; **~glas** *n* water glass (*a. chem.*); tumbler; *fig.* → *Sturm*; **~graben** *m* drain; *hist.* moat; *sports:* water jump; **~hahn** *m* water-tap, water cock, *Am. a.* (water) faucet; **≈haltig** *adj.* containing water, *chem.* aqueous, hydrated; **~härtungsstahl** *m* water-hardening steel; **~haushalt** *m* water conservation; *physiol.* water balance; **~heilanstalt** *f* hydropathic establishment; **~heilkunde** *f* hydropathy; **~heizung** *f* hot-water heating; **≈hell** *adj.* clear as water, transparent; **~hose** *f* waterspout; **~huhn** *n* coot.

'**wässerig** *adj.* watery; diluted, weak; *~e Lösung* hydrous solution; *med.* serous; *fig.* washy; *j-m den Mund ~ machen* make a p.'s mouth water (*nach* for).

'**Wasser...:** **~jungfer** *zo. f* dragon-fly; **~kanne** *f* water-jug, ewer; **~karte** *f* hydrographic chart; **~kasten** *m* water tank (*or* compartment); *mot.* header (tank); **~kessel** *m* kettle; copper; *tech.* boiler; **~klosett** *n* water-closet, W.C.; **~kopf** *m* hydrocephalus; **~kraft** *f* water-power, hydraulic power; *a.* white coal; **~kraftwerk** *n* hydro-electric power plant; **~kran** *m* feeding crane; **~krug** *m* water-jug, pitcher; **~kühlung** *f* water cooling (system); *mit ~* water-cooled; **~kultur** *bot. f* hydroponics *pl.*; **~kunde** *f* (-) hydrology; **~kunst** *f* fountain; **~kur** *f* water-cure; **~landflugzeug** *n* amphibian plane; **~lauf** *m* watercourse; **~leitung** *f* water pipe(s *pl.*), water conduit (*or* main); aqueduct; **~leitungsrohr** *n* water pipe; **~lilie** *f* water-lily; **~linie** *f* water-line, water mark; **~linse** *bot. f* duckweed; **~loch** *n* drain hole; **≈löslich** *adj.* water-soluble; **~mangel** *m* water shortage, water famine; **~mann** *ast. m* (-[e]s) Watercarrier, Aquarius, *Am. a.* Water Bearer; **~mantel** *tech. m* (-s) water jacket; **~marke** *f* watermark; **~melone** *f* water-melon; **~messer** *m* (-s; -) hydrometer, water-gauge; **~mine** *f* submarine mine; **~mühle** *f* water mill.

'**wassern** *aer. v/i.* (sn) alight on water.

'**wässern** *v/t.* (h.) water; irrigate (*fields, etc.*); soak, steep; *phot.* wash; *chem.* hydrate.

'**Wasser...:** **~nymphe** *f* water-nymph, naiad; **~pflanze** *f* aquatic plant; **~pistole** *f* water pistol; **~pocken** *med. f/pl.* chicken-pox; **~rad** *n* water wheel; **~ratte** *f* water-rat; *fig.* enthusiastic swimmer; **≈reich** *adj.* abounding in water; of high humidity; **~reinigungs-anlage** *f* water-purification plant; **~rinne** *f* gutter; water channel; **~rohr** *n* water pipe; **~rohrbruch** *m* water main burst; **~röhrenkessel** *m* water-tube boiler; **~rutschbahn** *f* water chute; **~sack** *m* canvas bucket; **~säule** *f* water column; **~schaden** *m* damage caused by water, water damage; **~scheide** *f* watershed, *Am.* divide; **≈scheu** *adj.* afraid of water, hydrophobic; **~scheu** *f* dread of water, hydrophobia, water-funk; **~schlange** *f* water-snake; **~schnecke** *tech. f* hydraulic screw.

'**Wassersnot** *f* (-) distress caused by water, flood.

'**Wasser...:** **~speicher** *m* reservoir, tank; **~speicherung** *f* storage of water; **~speier** ['-ʃpaɪər] *m* (-s; -) gargoyle; **~spiegel** *m* water-surface, water level; **~sport** *m* aquatic sports *pl.*, aquatics *pl.*; **~spülung** *f* (water) flushing; **~stand** *m* water level (*or* gauge), height of level; *höchster schiffbarer ~* highest navigable flood-stage; **~stands-anzeiger** *m* water-level indicator; **~start** *m* water take-off; **~stein** *m* scale (from water), incrustation; **~stiefel** *m/pl.* waterproof boots, waders.

'**Wasserstoff** *chem. m* (-[e]s) hydrogen; *schwerer ~* heavy hydrogen, deuterium; **~bombe** *f* hydrogen bomb, hydrobomb, H-bomb; **~gas** *n* hydrogen gas; **≈haltig** *adj.* hydrogenous; **~säure** *f* hydracid; **~superoxyd** *n* (-[e]s) hydrogen peroxide.

'**Wasser...:** **~strahl** *m* jet of water; *fig. kalter ~* cold water; **~straße** *f* waterway, canal; **~straßennetz** *n* inland waterways system; **~straßenverkehr** *m* inland waterborne transport; **~sucht** *f* (-) dropsy; **≈süchtig** *adj.* dropsical; **~suppe** *f* water-gruel; **~tankanhänger** *m* water-tank trailer; **~tier** *n* aquatic animal; **~träger** *m* water-carrier; **~tropfen** *m* drop of water; **~turm** *m* water-tower; **~uhr** *f* water meter; **2undurchlässig** *adj.* → *wasserdicht.*

ˈ**Wässerung** *f* (-) watering, irrigation; soaking, steeping; *phot.* washing.

ˈ**Wasserung** *f* (-) alighting on water.

ˈ**Wasser...: 2unlöslich** *adj.* insoluble in water; **~verdrängung** *f* displacement of water; **~vergoldung** *f* water gilding; **~verschluß** *m* water seal; **~versorgung** *f*, **~vorrat** *m* water supply; **~vogel** *m* aquatic bird, *pl. a.* water-fowl; **~waage** *f* (spirit *or* bubble) level; **~wagen** *m* water-tank lorry; **~weg** *m* waterway; *auf dem ~* by water; *Handel auf dem ~e* water- (*or* sea-, river-)borne commerce; **~welle** *f* *hairdo*: water-wave; **~werfer** *m* water gun; **~werk(e** *pl.*) *n* water works; **~wirtschaft** *f* (-) water supply; **~wirtschafts-amt** *n* water resources agency; **~zeichen** *n* water-mark; **~zins** *m* water rate.

wäßrig [ˈvɛsriç] *adj.* → *wässerig.*

waten [ˈvɑːtən] *v/i.* (*sn*) wade.

watschel|ig [ˈvɑːtʃəliç] *adj.* waddling; **~n** *v/i.* (*sn*) waddle.

Watt [vat] *n* (-[e]s; -*en*) **1.** *geogr.* banks of sands, flats *pl.*; **2.** (-s; -) *el.* watt.

Watte [ˈvatə] *f* (-; -*n*) cotton wool, *Am.* cotton; wadding; surgical cotton; *blutstillende ~* styptic cotton; **~bausch, ~pfropfen** *m* wad; **~kugel** *f* cotton-wool ball.

watˈtieren *v/t.* (*h.*) wad, pad.

ˈ**Watt...: ~leistung** *el. f* real power, wattage; **~stunde** *f* watt-hour; **~verbrauch** *m*, **~zahl** *f* wattage.

ˈ**Watvermögen** *mot. n* (-s) fording ability.

ˈ**Watvogel** *m* wader.

wauwau [ˈvauˈvau]: *~!* bow-bow; **2** *m* (-s; -s) bow-bow, doggie.

weben [ˈveːbən] *v/t. and v/i.* (*h.*) weave.

ˈ**Weber** *m* (-s; -), **~in** *f* (-; -*nen*) weaver; **~baum** *m* loom beam; **~blatt** *n* weaver's reed.

Webeˈrei *f* (-; -*en*) weaving; weaving mill; woven material; **~erzeugnis** *n* weaving product.

ˈ**Weber...: ~kamm** *m* weaver's reed; **~knecht** *zo. m* harvestman, daddy-longlegs; **~knoten** *m* reef knot; **~schiffchen** *n* shuttle.

Web... [ˈveːp-]: **~fehler** *m* flaw (in weaving); **~stoff** *m* woven material; **~stuhl** *m* (weaver's) loom; **~vogel** *tech. m* picker; **~waren** *f/pl.* woven goods, textiles; **~warenfabrik** *f* weaving mill, textile mill.

Wechsel [ˈvɛksəl] *m* (-s; -) change; vicissitude, reverse; exchange; succession; rotation; fluctuation; *econ.* bill of exchange, bill; allowance; *hunt.* runway, *Am.* trace; *sports*: **a)** (baton) change, **b)** change of ends, **c)** *skating*: crossing; *econ. eigener* (*trockener*) *~* promissory note; *gezogener* (*or trassierter*) *~* drawn bill; *kurzer ~* short bill; *~ auf Sicht* bill payable at sight, sight bill; *offener ~* letter of credit; *~ zum Inkasso* bill for collection; *e-n ~ ausstellen* make (*or* issue) a bill, *auf j-n*: draw a bill on a p.

ˈ**Wechsel...: ~abrechnung** *f* discount liquidation; **~agent** *m* bill broker; **~agio** *n* exchange; **~akzept** *n* acceptance of a bill; **~arbitrage** *f* arbitrage in (foreign) exchange; **~bad** *med. n* alternating *or* contrast bath; **~balg** *m* changeling; **~bank** *f* (-; -*en*) discount house; → *Wechselstube*; **~bestand** *m* bill holdings *pl.*, *Am.* bills *pl.* receivable; *Wechsel- und Scheckbestand* bills and cheques (*Am.* checks) in hand; **~beziehung** *f* correlation, interrelation; **~brief** *m* bill of exchange; **~buch** *n* bill register; **~bürge** *m* guarantor of a bill; **~bürgschaft** *f* guarantee (*Am.* guaranty) of the due payment of a bill, collateral acceptance on a bill; **~diskontierung** *f* (-) discounting of bills; **~domizil** *n* domicile of a bill; **2fähig** *adj.* authorized to draw bills (of exchange); **~fälle** *pl.* vicissitudes, reverses, ups and downs *of life, etc.*; **~fälschung** *f* forgery of bills; **2farbig** *adj.* iridescent; **~fieber** *med. n* intermittent fever, malaria; **~folge** *f* alternation, rotation; **~forderung** *f* claim based on a bill (of exchange); **~frist** *f* usance; **~geber** *m* drawer of a bill; **~geld** *n* exchange, agio; (small) change, small coin; **~gesang** *m* antiphony, glee; **~gesetz** *n* (-es) Bills of Exchange Act; **~gespräch** *n* dialogue; **~getriebe** *tech. n* change(-speed) gear, variable gear; **~giro** *n* indorsement (on a bill of exchange); **~gläubiger, ~inhaber** *m* holder of a bill of exchange; **~handel** *m* bill (*Am.* note) brokerage; **~inkassogeschäft** *n* collection of bills (of exchange); **~jahre** *physiol. pl.* climacteric (period), change of life, menopause; **~klage** *f* action arising out of a bill of exchange: *~ erheben* sue on a bill of exchange; **~kredit** *m* acceptance credit; discount credit; **~kurs** *m* rate of exchange, (foreign) exchange rate; **~lager** *tech. n* double-thrust bearing; **~laufzeit** *f* currency of a bill; **~makler** *m* bill broker, exchange broker.

ˈ**wechseln** *v/t. and v/i.* (*h.*) change; vary; exchange (*a. blows, words, etc.*); *Briefe ~* exchange letters, correspond (*mit* with); shift; alternate; reverse; *hunt.* pass; *die Kleider ~* change (one's clothes); *~ mit* vary (*food, etc.*); → *Besitzer, Farbe*; **~d** *adj.* changing, varying, alternating; changeable.

ˈ**Wechsel...: ~nehmer** *m* taker of a bill, payee; **~pari** *n* par of exchange; **~protest** *m* protest of a bill; *~ einlegen* have a bill protested; **~recht** *n* (-[e]s) law relating to bills of exchange; **~reiter** *m* bill-jobber; **~reiteˈrei** *f* bill-jobbing, kite flying; **~richter** *el. m* inverse rectifier; **~schalter** *el. m* change-over switch; **~schnee** *m* changing (*or* patchy) snow; **~schuld** *f* debt founded on a bill of exchange; *pl.* → *a. Wechselverbindlichkeiten*; **2seitig** [ˈzaɪtiç] *adj.* mutual, reciprocal; **~seitigkeit** *f* (-) reciprocity; **~spiel** *n* alternate play, interplay; **~sprung** *m sports*: reverse; **~stempel** *m* bill-stamp.

ˈ**Wechselstrom** *el. m* alternating current (*abbr.* A.C., a.c., ac., a—c); **~generator** *m* alternator, A.C. generator; **~motor** *m* alternating-current motor; **~spannung** *f* alternating voltage.

ˈ**Wechsel...: ~stube** *f* exchange office; **~tierchen** [ˈ-tiːrçən] *n* (-s; -) amoeba; **~verbindlichkeiten** *f/pl.* bills (*Am.* notes) payable; **~verkehr** *teleph. m* two-way communication; **2voll** *adj.* changeable; eventful; **~winkel** *m/pl.* alternate angles; **~wirkung** *f* reciprocal action, interaction.

ˈ**Wechsler** *econ. m* (-s; -) money-changer; (exchange) banker.

Weck [vɛk] *m* (-[e]s; -e), ˈ**~e** *f* (-; -*n*), ˈ**~en** *m* (-s; -) roll.

wecken [ˈvɛkən] *v/t.* (*h.*) awake, wake(n) (*a. fig.*), call; rouse (*a. fig.*); ˈ**Wecken** *n* (-s) awakening; *mil.* reveille.

ˈ**Wecker** *m* (-s; -) awakener, knocker-up; alarm(-clock); *teleph.* bell, ringer.

ˈ**Weckruf** *m* reveille.

Wedel [ˈveːdəl] *m* (-s; -) whisk; fan; duster; *bot.* frond; *zo.* tail, brush; **2n** *v/t. and v/i.* (*h.*) fan; wag (*mit dem Schwanz* one's tail).

weder [ˈveːdər] *cj.*: *~ ... noch* neither ... nor; not either ... or.

Weg [veːk] *m* (-[e]s; -e) way; path; road; route; walk; passage; *phys.* distance; *tech.* travel; errand; direction, way; *fig.* way; manner, method; course; *der ~ zum Erfolg* the road to success; *Mitte des ~es* midway; → *halb*; *e-e Meile ~es* a distance of a mile; *am ~e* by the wayside; *auf dem ~e über* (*acc.*) by way of, via, *fig. a.* through (the channel of); *auf diplomatischem ~e* through diplomatic channels; *auf gerichtlichem ~e* by legal steps, legally; *auf gütlichem ~e* amicably; *fig. auf den rechten ~ bringen* put in the right way; *fig. auf dem richtigen ~e sein* be on the right track; *sich auf den ~ machen* set out, start; *j-m in den ~ laufen or kommen* get in a p.'s way; *er steht mir im ~e* he is in my way; *s-r ~e gehen* go one's ways; *aus dem ~e gehen* get out of the way, stand aside; *fig.* avoid, dodge (*dat. a th.*); *fig. j-m weit aus dem ~e gehen* give a p. a wide berth; *aus dem ~e räumen* remove (*a. fig.* = liquidate, bump off); *den ~ bereiten* (*dat.*) pave the way for; *in die ~e leiten* set on foot, initiate, start *a th.*; prepare, pave the way for; *~ und Steg kennen* know one's way; *neue ~e beschreiten* apply new methods; *wohin des ~s?* where are you off to?; *ich traue ihm nicht über den ~* I don't trust him out of my sight; *der gerade ~ ist der beste* honesty is the best policy.

weg [vɛk] *adv.* away, off; gone; gone, lost; *~ da!* be off!, get away!; *~ damit!* take it away!, away with it!; *Hände ~!* hands off! *ich muß ~* I must be off; *er war völlig ~* **a)** he was quite beside himself (*vor Freude* with joy), he was in ecstasies (*über* *acc.* about), **b)** he was dum(b)-founded *or* flabbergasted.

wegbekommen ['vɛk-] *v/t.* (*irr.*, *h.*) get off; *colloq. fig.* get the knack (*or* hang) of.

Wegbereit|er ['ve:kbəraɪtər] *m* (-*s*; -) pioneer; *der ~ sein für* (*acc.*) pave the way for; **~ung** *f* (-) pioneering.

weg... ['vɛk-]: **~blasen** *v/t.* (*irr.*, *h.*) blow off *or* away; *fig. wie weggeblasen* clean gone, without leaving a trace; **~bleiben** *v/i.* (*irr.*, *sn*) stay away; be omitted; **~blicken** *v/i.* (*h.*) look away; **~brechen** *v/t.* (*irr.*, *h.*) break off; **~bringen** *v/t.* (*irr.*, *h.*) take away, remove; take out (*spots*); **~denken** *v/i.* (*irr.*, *h.*) unthink, imagine as not being there; *dies ist aus dem Erziehungswesen nicht wegzudenken* education would be unthinkable without it; **~dürfen** *v/i.* (*irr.*, *h.*) be allowed to go (away); *darf ich weg?* may I go (*or* leave)?

Wege... ['ve:gə-]: **~bau** *m* (-[e]s; -ten) road building; **~biegung** *f* road bend; **~gabel** *f* road fork; **~geld** *n* travelling allowance, *Am.* mileage; (turnpike) toll; **~lagerer** ['-la:gərər] *m* (-*s*; -) highwayman; **~meister** *m* road surveyor.

wegen ['ve:gən] *prp.* (*gen.*) because of, on account of; by reason of; owing to, due to, as a result of; for the sake of, for; regarding; *jur. ~ Diebstahls* for larcency; *econ.* for account of; *von Amts ~* ex officio, officially; *von Rechts ~* by right; *colloq. ~ mir* I don't mind.

weg-engagieren ['vɛk-] *v/t.* (*h.*) hire away.

'**Wegerecht** *n* right of way.

Wegerich ['ve:gəriç] *bot. m* (-*s*; -*e*) plantain.

weg... ['vɛk-]: **~essen** *v/t.* (*irr.*, *h.*) eat up; *er hat mir alles weggegessen* he ate all my *sandwiches, etc.*; **~fahren I.** *v/t.* (*irr.*, *h.*) carry away, cart off; drive away; **II.** *v/i.* (*irr.*, *sn*) leave; drive away; **𝔖fall** *m* (-[e]s) omission; suppression; cessation; abolition, removal; *jur.* lapse (*of claims, rights*); *in ~ kommen* → **~fallen** *v/i.* (*irr.*, *sn*) fall away; be omitted *or* dropped; be abolished; not to take place; cease; become void, be cancel(l)ed; *~ lassen* discard, leave out, drop; **~fangen** *v/t.* (*irr.*, *h.*), *colloq.* **~fischen** *v/t.* (*h.*) snatch away (*j-m et.* a th. from under a p.'s nose); **~fegen** *v/t.* (*h.*) sweep away (*a. fig.*); **~führen** *v/t.* (*h.*) lead (*or* take) away; **𝔖gang** *m* (-[e]s) leaving, going away, departure; **~geben** *v/t.* (*irr.*, *h.*) give away, dispose of, *econ.* sell; **~gehen** *v/i.* (*irr.*, *sn*) go away *or* off; sell (*wie warme Semmeln* like hot cakes); *~ über* (*acc.*) pass over (*a. fig.*); **~gießen** *v/t.* (*irr.*, *h.*) pour away; **~haben** *colloq. v/t.* (*h.*) have got *or* received *one's share*; *er will ihn ~* he wants to get rid of him; *fig.* have got the hang of; *colloq. der hat einen weg* **a)** he is drunk, **b)** he has a screw loose; **~hängen** *v/t.* (*h.*) hang away; **~helfen** *v/i.* (*irr.*, *h.*) (*dat.*) help *a p.* to get away; **~holen** *v/t.* (*h.*) fetch away; **~jagen** *v/t.* (*h.*) drive (*or* chase) away, expel; **~kapern** *colloq. v/t.* (*h.*) → *wegfischen*; **~kommen** *v/i.* (*irr.*, *sn*) get away, get off; be (*or* get) lost; *fig. gut* (*schlecht*) *~* come off well (badly); *über et. ~* get over (*a. fig.*); **~lassen** *v/t.* (*irr.*, *h.*) let go; leave out, omit, drop; **𝔖lassung** ['-lasuŋ] *f* (-; -*en*) omission; **~legen** *v/t.* (*h.*) lay (*or* put) aside, put away; **~machen** *v/t.* (*h.*) take away, remove; take out (*spots*); *colloq. sich ~* make off, make o.s. scarce.

Weg... ['ve:k-]: **~markierung** *f* marking of the road, marker; **~messer** *tech. m* (-*s*; -) odometer, mileage recorder.

weg... ['vɛk-]: **~müssen** *v/i.* (*irr.*, *h.*) be obliged (*or* have) to go; *ich muß weg* I must be off; *das muß weg* that must go; **𝔖nahme** ['-na:mə] *f* (-; -*n*) taking (away); seizure; *mar., mil.* capture; *jur. widerrechtliche ~* unlawful taking; **~nehmen** *v/t.* (*irr.*, *h.*) take away (*j-m* from a p.); remove; capture; rob (*j-m et.* a p. of a th.); seize; take up, occupy (*space, time*); *mot. Gas ~* release the accelerator, throttle down; **~packen** *v/t.* (*h.*) pack away; *sich ~* pack off, beat it; **~putzen** *v/t.* (*h.*) wipe away *or* off; *colloq.* polish off (*one's food*); **~radieren** *v/t.* (*h.*) erase; **~raffen** *v/t.* (*h.*) carry off; **~räumen** *v/t.* (*h.*) clear away, remove (*a. fig.*); **~reisen** *v/i.* (*sn*) depart, leave; start (on a journey); **~reißen** *v/t.* (*irr.*, *h.*) tear (*or* pull) away *or* off; snatch away (*j-m* from a p.); *storm, etc.*: sweep *or* carry away; pull down (*houses*); **~rücken I.** *v/t.* (*h.*) move away, remove; **II.** *v/i.* (*sn*) move (*or* edge) away; **~schaffen** *v/t.* (*h.*) clear away, remove, carry off; do away with, get rid of; *math.* eliminate; **~scheren** *colloq.*: *sich ~* (*h.*) beat it; **~schikken** *v/t.* (*h.*) send away *or* off, dispatch; *colloq. fig.* send *a p.* packing; **~schieben** *v/t.* (*irr.*, *h.*) push away; **~schießen** *v/t.* (*irr.*, *h.*) shoot away *or* off; **~schleichen:** *sich ~* (*irr.*, *h.*) steal away, sneak away; **~schleppen** *v/t.* (*h.*) drag off; **~schließen** *v/t.* (*irr.*, *h.*) lock up (*or* away), put under lock and key; **~schmeißen** *v/t.* (*irr.*, *h.*) throw away; **~schnappen** *v/t.* (*h.*) snatch away (*j-m et.* a th. from a p.).

Wegschnecke ['vɛk-] *f* slug.

weg... ['vɛk-]: **~schütten** *v/t.* (*h.*) dump; pour away; **~sehen** *v/i.* (*irr.*, *h.*) look away; *~ über* (*acc.*) overlook, shut one's eyes to; **~sein** *v/i.* (*irr.*) be away *or* absent; not to be in; be gone; be gone *or* lost; *weg sein über* (*acc.*) have passed a th.; *colloq.* → *weg*; **~setzen I.** *v/t.* (*h.*) put away; *fig. sich ~ über* (*acc.*) disregard, ignore; **II.** *v/i.* (*sn*): *~ über* jump (over) *a th.*, clear (*or* take) *a th.*; **~spülen** *v/t.* (*h.*) wash away (*a. geol.*); **~stecken** *v/t.* (*h.*) put away; hide; **~sterben** *v/i.* (*irr.*, *sn*) die off; **~streben** *v/i.* (*sn*): *~ von* (*dat.*) tend from.

Wegstrecke ['ve:k-] *f* stretch (of road); distance covered, mileage; *schlechte ~!* bad road!; **~nmesser** *m* mileage recorder.

weg... ['vɛk-]: **~streichen** *v/t.* (*irr.*, *h.*) strike out, take off, cancel; **~stoßen** *v/t.* (*irr.*, *h.*) push away; **~treiben I.** *v/t.* (*irr.*, *h.*) drive away; **II.** *v/i.* (*irr.*, *sn*) drift away; **~treten** *v/i.* (*irr.*, *sn*) step aside; stand off; *mil.* break (the) ranks; *~ lassen* dismiss; *weggetreten!* dismiss(ed *Am.*)!, move out!; **~tun** *v/t.* (*irr.*, *h.*) put away *or* aside, remove; *tu die Hände weg!* (take your) hands off!

Wegweiser ['ve:k-] *m* signpost, guidepost, finger-post; *in building*: directory; (*book, person*) guide.

weg... ['vɛk-]: **~wenden** *v/t.*, *a. sich* (*irr.*, *h.*) turn away *or* off; avert (*face, eyes*); **~werfen** *v/t.* (*irr.*, *h.*) throw away; *fig. sich ~* throw o.s. away (*an j-n* on a p.). degrade o.s.; **~werfend** *adj.* disparaging, deprecating; **~wischen** *v/t.* (*h.*) wipe off; *fig.* dismiss (*objection, etc.*); **~zaubern** *v/t.* (*h.*) spirit away.

Wegzehrung ['ve:k-] *f* provisions *pl.* for the journey; *eccl. letzte ~* viaticum.

weg... ['vɛk-]: **~zerren** *v/t.* (*h.*) drag off; **~ziehen I.** *v/t.* (*irr.*, *h.*) pull (*or* draw) away; **II.** *v/i.* (*irr.*, *sn*) (re)move (*aus* from *dwelling*); *mil.* march away; **𝔖zug** *m* (-[e]s) removal.

weh [ve:] *adj.* sore, painful, aching; *~er Finger* sore finger; *~es Gefühl* pang, *at farewell*: wrench; *mit ~em Herzen* with an aching heart; *~!* woe!; *~ mir!* woe is me!; *~e dir, etc.!* woe be to you, *etc.*!, *iro.* you just wait!; *~ tun* ache, hurt, *j-m*: pain (*or* hurt) a p., cause a p. pain; grieve (*or* wound) a p.; *mir tut der Finger ~* my finger hurts; *sich ~ tun* hurt o.s.; **Weh** *n* (-[e]s; -e) pain; grief, woe; → *Wohl.*

Wehe ['ve:ə] *f* (-; -*n*) drift.

'**Wehen** *pl.* labo(u)r-pains; *esp. fig.* travail.

'**wehen I.** *v/i.* (*h.*) blow; drift, waft; flutter, wave; *~de Gewänder* flowing robes; *fig. spirit*: live, reign; **II.** *v/t.* (*h.*) blow along; drift.

'**Weh...**: **~geschrei** *n* woeful cries *pl.*, wail; **~klage** *f* lament(ation); **𝔖klagen** *v/i.* (*h.*) lament, wail (*um* for; *über acc.* over); *~ um a.* bewail; **𝔖leidig** *adj.* sorry for o.s., snivelling; plaintive, tearful (*voice, etc.*); *sei nicht so ~!* don't be a sissy!; **~mut** ['-mu:t] *f* (-) (sweet) melancholy, woefulness; wistfulness; nostalgic feelings *pl.*; **𝔖mütig** ['-my:tiç] *adj.* melancholy, sad; wistful; nostalgic; **~mutter** *f* (-; ⸚) midwife.

Wehr [ve:r] **1.** *f* (-; -*en*) defen|ce, *Am.* -se; resistance; weapon; armo(u)r; bulwark; *sich zur ~ setzen* offer resistance, show (*or* put up a) fight, struggle (*a. w.s.*; *gegen* against); **2.** *n* (-[e]s; -e) weir; dam, barrage; '**𝔖en** *v/i.* (*h.*) (*dat.*) restrain, check; *j-m et. ~* hinder (*or* keep) a p. from doing a th., forbid a th. to a p.; *dem Feuer ~* arrest (*or* check) the spread of fire; *sich ~* (*h.*) defend o.s., offer resistance; *sich mit Händen und Füßen ~* put up a fierce resistance (*gegen* to), struggle (against).

ˈ**Wehr...:** **~auftrag** *m* defen|ce (*Am.* -se) contract; **~be-auftragte(r)** *m* ombudsman, Commissioner for the Armed Forces; **~bereich** *m* military district; **~bezirk** *m* military sub-district; **~bezirkskommando** *n* military sub-district command; **~dienst** *m* military service; **~dienstbeschädigung** *f* disability incurred in line of duty; **~dienstpflicht,** *etc.* → *Wehrpflicht, etc.*; **~ersatz(amt** *n*) *m* recruiting and replacement (office); **~ertüchtigung** *f* pre-military training; **~ersatzdienst** *mil. m* alternative service (for conscientious objectors); **2fähig** *adj.* fit for military service, able-bodied; **2freudig** *adj.* military-minded; **~gehänge, ~gehenk** *n* sword-belt; **~gesetz** *n Brit.* National Service Act, *Am.* Universal Military Training and Service Act; **2haft** *adj.* → *wehrfähig*; **~hoheit** *f* (-) military sovereignty; **~kraft** *f* (-) military power; **2los** *adj.* defenceless, *Am.* defenseless; unarmed; helpless; ~ *machen* disarm; **~macht** *f* (-) armed services, *Am.* armed forces; **~machtsbericht** *m* communiqué of the High Command; **~machts-teil** *m* service, branch (of the services); **~meldeamt** *n* (local) recruiting station; **~ordnung** *f* Army statute; **~paß** *m* service record (book); **~pflicht** *f* (-): (*allgemeine*) ~ (universal) compulsory military service, (universal) conscription; **2pflichtig** *adj.* liable to military service; ~*er Jahrgang* (draft-)age class; **~pflichtige(r)** [ˈ-pfliçtigər] *m* (-n; -n) person liable to military service; inductee, draftee, conscript; **~sold** *m* (service) pay; **~sport** *m* military sports *pl.*; **~stammblatt** *n* military registration record; **~stammbuch** *n* basic military record book; **~stammrolle** *f* service roster; **2unwürdig** *adj.* ineligible for military service; **~vorlage** *parl. f* Defence Bill; **~wissenschaft** *f* (-) military science.

Weib [vaɪp] *n* (-[e]s; -er) woman (*a. contp.*); wife; **~chen** *n* (-s; -) little woman; little wife, wifey; *zo.* female.

Weiber... [ˈvaɪbər-]: **~art** *f* woman's ways *pl.*; **~feind** *m* woman-hater, misogynist; **~geschwätz** *n* gossip, (women's) cackle; **~held** *m* lady-killer, lady's man; **~herrschaft** *f* (-) petticoat government; **~klatsch** *m* → *Weibergeschwätz*; **~laune** *f* woman's caprice; **~narr** *m* philanderer; **~rock** *m* woman's skirt; petticoat; **~volk** *colloq. n* (-[e]s) women(folk).

ˈ**weib...:** **~isch** [ˈ-biʃ] *adj.* womanish, effeminate; **~lich** *adj.* female, *gr.* feminine; womanly, feminine (*nature*); *das ewig* 2*e* the Eternal Woman; **2lichkeit** *f* (-) womanliness; *a. collect.* womanhood; *die holde* ~ the fair sex.

ˈ**Weibs|bild** *n*, **~person** *f* female, hussy, wench, skirt, *Am. a.* broad.

weich [vaɪç] *adj.* soft (*a. fig.*); tender (*a. meat*); mellow; smooth; supple, pliable; flabby; tender-hearted; ~ *werden* (*a. fig.*) soften; *fig.* yield, give way; relent; be moved (*bei* at); ~ *gekochte Eier* soft-boiled eggs.

ˈ**Weichbild** *n* precincts *pl.*, municipal area; city boundaries *pl.*; outskirts *pl.*

ˈ**Weiche** *f* (-; -n) **1.** *anat.* flank, side; *pl.* groin; **2.** *rail.* switch, *Brit. a.* points *pl.*; ~*n stellen* shift (*or* throw) the switch; *fig. die* ~*n stellen* set the course.

ˈ**weichen**[1] *v/t.* (*h.*) → *aufweichen*.

weichen[2] [ˈvaɪçən] *v/i.* (*a. fig.*) (*irr.*, *sn*) give way *or* ground, yield (*dat.* to); *mil.* fall back, retreat; *fig. prices*: ease off, recede; *von j-m* ~ leave, abandon; *j-m nicht von der Seite* ~ not to budge from a p.'s side; *nicht von der Stelle* ~ not to budge an inch.

ˈ**Weichen...:** **~signal** *rail. n* switch-signal; **~steller** [ˈ-ʃtɛlər] *m* (-s; -) pointsman, *esp. Am.* switchman.

weichgeglüht [ˈ-gəgly:t] *adj.* soft annealed.

ˈ**Weichheit** *f* (-) → *weich*: softness; tenderness; mellowness; smoothness; suppleness; flabbiness; plasticity.

ˈ**weich...:** **~herzig** *adj.* tender-hearted; **2herzigkeit** *f* (-) tender-heartedness; **2holz** *n* softwood; **2käse** *m* cream-cheese; **~lich** *adj.* soft, tender; sloppy; *fig.* weak, effeminate; indolent; **2ling** [ˈ-liŋ] *m* (-s; -e) weakling, mollycoddle, sissy, softie; **~löten** *tech. v/t.* (*h.*) (soft) solder; **2macher** *tech. m* softening agent, plasticiser.

Weichsel|kirsche [ˈvaɪksəl-] *f* mahaleb cherry, morello; **~rohr** *n* cherry-wood tube; **~zopf** *m* Polish plait.

ˈ**Weich...:** **~teile** *anat. pl.* soft parts; abdomen; **~tier** *n* mollusc.

Weide [ˈvaɪdə] *f* (-; -n) **1.** *bot.* willow; *for wickerwork*: osier; **2.** *agr.* pasture, meadow; *auf der* ~ at grass; *auf die* ~ *gehen* (*treiben*) go (turn out) to grass; **~koppel** *f* grazing padlock; **~land** *n* pasture-land, pasture-ground; **2n I.** *v/i.* (*h.*) graze, pasture; **II.** *v/t.* (*h.*) turn out to grass, feed; *fig. sich* ~ *an* (*dat.*) revel in, gloat over; feast one's eyes on.

ˈ**Weiden...:** **~baum** *m* willow(-tree); **~geflecht** *n* wickerwork; **~gehölz** *n* willow-plot; **~kätzchen** *n* willow catkin; **~korb** *m* wicker-basket; **~rute** *f* osier switch.

ˈ**Weide...:** **~platz** *m* pasture-ground; **~recht** *n* pasture rights *pl.*

Weiderich [ˈvaɪdəriç] *bot. m* (-s) willow-herb; (purple) loosestrife.

weidgerecht [ˈvaɪt-] *adj.* skilled in hunting; sportsmanlike.

ˈ**weidlich** *adv.* thoroughly, fully, properly.

Weid|mann [ˈvaɪt-] *m* huntsman, sportsman; **2männisch** [ˈ-mɛniʃ] *adj.* sportsmanlike; **~mannsheil** *n*: ~! good sport!; **~mannssprache** *f* hunter's slang; **~messer** *n* hunting knife; **~werk** *n* (-[e]s) sportsmanship, *the* chase, hunting; **2wund** *adj.* shot in the belly.

weige|rn [ˈvaɪgərn]: *sich* ~ (*h.*) refuse, decline; be unwilling (to do a th.); **2rung** *f* (-; -en) refusal; **2rungsfall** *m*: *im* ~*e* in case of refusal.

Weih [vaɪ] *orn. m* (-[e]s; -e) kite.

Weih|altar [ˈvaɪ-] *m* consecrated altar; **~becken** *n* holy-water font; **~bischof** *m* suffragan (bishop).

ˈ**Weihe** *f* (-; -n) **1.** consecration; inauguration; dedication; ordination (*of priest*); solemn mood; *j-m die* ~ *erteilen* consecrate a p. in holy orders; **2.** → *Weih*.

ˈ**weihen** *v/t.* (*h.*) consecrate; ordain (*a p.* as a priest); devote (*sich e-r Sache* o.s. to a th.), dedicate; *eccl. sich* ~ *lassen* take holy orders; *fig. dem Tode, etc., geweiht* doomed (to death, *etc.*).

Weiher [ˈvaɪər] *m* (-s; -) (fish-) pond.

ˈ**Weihe...:** **~stätte** *f* shrine; **~stunde** *f* hour of commemoration; **2voll** *adj.* solemn.

ˈ**Weihgeschenk** *n* oblation.

Weihnacht|en [ˈvaɪnaxtən] *n* Christmas, Xmas; *fröhliche* ~! Merry Christmas!; **2lich** *adj.* Christmas.

ˈ**Weihnachts...:** **~abend** *m* Christmas Eve; **~baum** *m* Christmas tree; **~bescherung** *f* (giving) Christmas presents *pl.*; **~fest** *n* Christmas; **~geschenk** *n* Christmas present; **~gratifikation** *f* Christmas bonus; **~lied** *n* Christmas carol; **~mann** *m* (Old) Father Christmas, Santa Claus; **~markt** *m* Christmas fair; **~tag** *m*: *erster* ~ Christmas Day; *zweiter* ~ Boxing Day; **~zeit** *f* (-) Christmas tide, Yuletide.

ˈ**Weih...:** **~rauch** *m* incense; **~wasser** *n* (-s) holy water; **~wasserbecken** *n* (holy-water) font; **~wedel** *m* aspergillum, holy-water sprinkler.

weil [vaɪl] *cj.* because, since.

weiland [ˈvaɪlant] *adv.* formerly, erstwhile, onetime; late, deceased.

Weil|chen [ˈvaɪlçən] *n* (-s): *ein* ~ a little while, a spell; *warte ein* ~ wait a bit; **~e** *f a* while, *a* (space of) time; leisure; *geraume* ~ long time; *damit hat es gute* ~ there is no hurry (about it); **2en** *v/i.* (*h.*) stay; linger, tarry; *fig. er weilt nicht mehr unter uns* he is no longer with us.

Weiler [ˈvaɪlər] *m* (-s; -) hamlet.

Wein [vaɪn] *m* (-[e]s; -e) wine; *bot.* vine; *wilder* ~ Virginia creep; *fig. j-m klaren* ~ *einschenken* tell a p. the plain truth; ~, *Weib und Gesang* wine, woman and song.

ˈ**Wein...:** **2artig** [ˈ-ɑ:rtiç] *adj.* vinous; **~bau** *m* (-[e]s) wine-growing, viniculture; **~bauer** *m* wine-grower; **~beere** *f* grape; **~berg** *m* vineyard; **~bergschnecke** *f* edible snail; **~blatt** *n* vine-leaf; **~brand** *m* (-s; ⸚e) brandy, cognac; **~brenneˈrei** *f* distillery.

wein|en [ˈvaɪnən] *v/i.* (*h.*) weep (*um, vor dat.* for), shed tears (*um* over), cry; *dem* 2 *nahe* on the verge of tears, close to tears; *iro. es ist zum* 2 it's a shame; **~erlich** *adj.* tearful, lachrymose; whining, crying.

ˈ**Wein...:** **~ernte** *f* vintage; **~erzeuger** *m* wine-grower; **~essig** *m* wine-

-vinegar; **~faß** *n* wine-cask; **~flasche** *f* wine-bottle; **~garten** *m* vineyard; **~gärtner** *m* vine-dresser; **~gegend** *f* wine(-growing) district; **~geist** *m* (-es; -e) spirit(s *pl.*) of wine; **~glas** *n* (-es; ⸚er) wine-glass; **~händler** *m* wine-merchant; **~handlung** *f* wine-store; **~heber** *m* wine-syphon; **~hefe** *f* dregs *pl.* of wine; **~jahr** *n a good, etc.*, wine-year; **~karte** *f* wine-list; **~keller** *m* wine-cellar; vaults *pl.*; **~kelle'rei** *f* winery; **~kelter** *f* winepress; **~kenner** *m* connoisseur of wine; **~krampf** *m* crying fit; **~küfer** *m* cooper; **~kühler** *m* wine-cooler; **~lager** *n* stock of wine(s *pl.*); **~laub** *n* vine-leaves *pl.*; **~laune** *f* (-) expansive mood (inspired by wine); *in e-r ~* in one's cups; **~lese** *f* vintage, grape-gathering; **~leser(in** *f*) *m* vintager; **~most** *m* must; **~presse** *f* winepress; **~probe** *f* wine test; **~ranke** *f* tendril of vine; **~rebe** *f* (grape)vine; **≈rot** *adj.* ruby-colo(u)red; **≈sauer** *adj.* tartrate of; **~säure** *f* acidity of wine; *chem.* tartaric acid; **~schenke** *f* wine-shop *or* -house; **~schlauch** *m* wine-skin; **≈selig** *adj.* in one's cups, vinous, tipsy; **~stube** *f* wine-tavern; **~traube** *f* bunch of grapes, grape; **~trester** *pl.* skins (*or* husks) of pressed grapes.

weise ['vaɪzə] *adj.* wise; *a. iro.* sage; wise, prudent; **≈(r)** *m* (-n; -n) wise man, sage; *die ~n aus dem Morgenland* the (three) wise men from the East, the (three) Magi; *Stein der ~n* philosopher's stone.

Weise ['vaɪzə] *f* (-; -n) manner, way, mode, fashion, style; → *Art*; *mus.* melody, tune, air; *auf diese ~* in this way, by this means; *auf jede ~* in every way; *in der ~, daß* in such a way that, so that; *in keiner ~* in no way; *jeder nach seiner ~* everyone in his own way.

'**weisen I.** *v/t.* (*irr., h.*) point out, show; *~ an* (*acc.*) refer to; *j-n ~ nach* direct to; *von sich ~* refuse, reject; *aus dem Lande ~* banish, exile; *j-m die Tür ~* show a p. the door; *das wird sich ~* we shall see; → *Hand*; *sports*: *vom Felde ~* send off (the field); **II.** *v/i.* (*irr., h.*): *~ auf* (*acc.*) point at *or* to.

'**Weiser** *m* (-s; -) pointer; signpost; → *Weise(r)*.

Weis... ['vaɪs-]: **~heit** *f* (-; -en) wisdom; *mit seiner ~ am Ende sein* be at one's wits' end; *der ~ letzter Schluß* the last resort; *behalte deine ~en für dich!* keep your remarks to yourself!, mind your own business!; **~heitskrämer** *m* wiseacre; **~heitszahn** *m* wisdom-tooth; **≈lich** *adv.* wisely, prudently; **≈machen** *v/t.* (*h.*): *j-m et. ~* make a p. believe a th., tell a p. a yarn; *laß dir nichts ~!* don't be fooled; *mach das einem anderen weis!* tell that to the marines!

weiß [vaɪs] *adj.* white; clean; *≈er Sonntag* Low Sunday; *~ machen* whiten; *~ werden* whiten, turn white; *j-n ~waschen* whitewash a p.; *econ.* *≈e Woche* white sale; *das ≈e* the white (*of eye, egg*); → *Weiße(r)*.

'**weis...**: **~sagen** *v/t.* (*h.*) foretell, predict, prophesy; **≈sager(in** *f*) ['-zaːgər] *m* (-s, -; -, -nen) prophet (-ess *f*); **≈sagung** ['-zaːguŋ] *f* (-; -en) prophecy.

'**Weiß...**: **~bäcker** *m* baker and confectioner; **~bier** *n* pale beer; **~blech** *n* tinplate; **~bluten** *n*: *zum ~ bringen* bleed *a p.* white; **~brot** *n* white bread; **~buch** *pol. n* white-paper; **~buche** *f* white beech; **~dorn** *bot. m* (-[e]s; -e) whitethorn.

'**Weiße(r** *m*) *f* (-n, -n; -en, -en) white man (*a. collect.*); *f* white woman.

'**weißen** *v/t.* (*h.*) whiten; whitewash.

'**Weiß...**: **~fisch** *m* whiting, dace; whitebait; **~fluß** *med. m* leucorrh(o)ea; **≈gekleidet** *adj.* dressed in white; **≈gelb** *adj.* pale yellow; **~gerber** *m* tawer; **≈glühend** *adj.* white-hot, incandescent; **~glut** *f* (-) white heat, incandescence; *fig. bis zur ~ reizen* make *a p.* see red; **≈haarig** *adj.* white-haired; **~käse** *m* curds *pl.*; **~kohl** *m* (white) cabbage; **≈lich** *adj.* whitish; **~mehl** *n* fine flour; **~metall** *n* white metal; **~nähe'rei** *f* plain (needle)work; **~näherin** *f* plain seamstress; **~tanne** *f* white fir; **~tüncher** *m* white-washer; **~wandreifen** *mot. m* white-wall tyre; **~waren** *pl.* linen goods *pl.*; **~warenhändler** *m* linen draper; **~wäsche** *f*, **~zeug** *n* (-[e]s) (household) linen; **~wein** *m* white wine, hock.

'**Weisung** *f* (-; -en) direction; instruction, order; **≈sgebunden** *adj.* subject to directions; **≈sgemäß** *adv.* as directed (*or* instructed).

weit [vaɪt] **I.** *adj.* distant; wide; broad, *esp. tech.* wide; large, spacious; extensive; vast, immense; loose (*a. tech.*); *~e Reise*, (*~er Weg*) long journey (way); *fig.* *~e Auslegung* broad interpretation; *~er Begriff* comprehensive idea; *~es Gewissen* elastic conscience; *~er Unterschied* vast difference; *im ~esten Sinne* in the broadest sense; *wenn es so ~ ist* when it is ready, *fig.* when the time has come; *so ~ ist es noch nicht* it has not come to that yet; *so ~ ist es nun gekommen?* has it come to that?; **II.** *adv.* far, wide(ly); *~ entfernt* far away; *~ entfernt von a.* a long distance from, *fig.* far from, a far cry from; *fig.* *~ entfernt!*, *~ gefehlt!* far from it!; *e-e Meile ~ entfernt* a mile off; *~ und breit* far and wide; *~ über sechzig* (*Jahre alt*) well over sixty; *bei ~em* by far; *bei ~em besser* far (*or* much) better; *bei ~em nicht* not by a long way; *bei ~em nicht so gut* not nearly so good; *so ~ wie möglich* as far as possible; *von ~em* from afar; *fig.* *nicht ~ her sein mit* not to be worth much, not to be up to much, be not so hot; *es ~ bringen* get on in the world, go far; attain great proficiency *in a field*; *er wird es noch ~ bringen* he will go a long way yet; *fig.* *zu ~ gehen* go too far, overshoot the mark, overplay one's hand; *das geht zu ~* that's going too far; *ich bin so ~* I am ready; *wie ~ bist du* (*mit der Arbeit*)? how far have you got (with your work)?; → *Weite, weiter*.

'**weit...**: **~ab** *adv.* far away (*von* from); **~aus** *adv.* by far, much; **~bekannt** *adj.* widely known, far-famed; **≈blick** *m* (-[e]s) far-sightedness, vision; **~blickend** *adj.* far-sighted.

'**Weite 1.** *f* (-; -n) wideness, *tech.* width; *tech.* diameter; → *licht*; largeness; distance; expanse; *fig.* range, scope; **2.** *n* (-): *das ~ suchen* take to one's heels, decamp, cut and run.

'**weiten** *v/t. and sich ~* (*h.*) widen; enlarge; expand; stretch (*shoes, etc.*); *fig.* widen, broaden.

weiter ['vaɪtər] *comp. adj. and adv.* wider; more distant; farther, (*esp. fig.*) further; additional(ly *adv.*), added (*proof, etc.*); on, forward; further(more), moreover; *~!* go on!; *immer ~* on and on; *nichts ~* nothing more (*or* further *or* else), that's all; *~ niemand* no one else; *und ~?* and then?; *und so ~* and so on (*or* forth), et cetera (*abbr.* etc.); *≈es* the rest; further details, more; *das ≈e* what follows; *bis auf ~es* until further notice, for the time being; *ohne ~es* without further ceremony *or* ado, easily, readily; *das hat ~ nichts zu sagen* that's not very important; *es fiel mir ~ nicht auf* it did not strike me particularly; *fig.* *er ging noch viel ~* he went much further.

'**weiter...**: **~befördern** *v/t.* (*h.*) forward (on), send on; redirect; **≈beförderung** *f* re-forwarding; further transportation; *zur ~* to be forwarded; **~begeben** *econ. v/t.* (*irr., h.*) negotiate (further); **≈bestand** *m* (-[e]s) continued existence, continuance, survival; **~bestehen** *v/i.* (*irr., h.*) continue to exist, survive; **~bilden** *v/t.* (*h.*) develop; *sich ~* continue one's studies, develop one's knowledge; **≈bildung** *f* (further) development; continued education; **~bringen** *v/t.* (*irr., h.*) help on; *das bringt mich nicht weiter* that is not much help; **≈e(s)** *n* (-n) → *weiter*; **~empfehlen** *v/t.* (*irr., h.*) recommend; **≈entwicklung** *f* (further) development; **~erzählen** *v/t.* (*h.*) tell others, repeat, spread; **~führen** *v/t.* (*h.*) carry on; continue; extend (*pipeline, etc.*); **≈führung** *f* (-) carrying-on, continuation; **≈gabe** *f* (-) passing-on, transmission; **~geben** *v/t.* (*irr., h.*) pass on, transmit; → *weiterleiten*; **~gehen** *v/i.* (*irr., sn*) go (*or* walk *or* pass) on; *~!* move on!; *fig.* continue, go on; *das kann so nicht ~!* things cannot go on like this!; **~hin** *adv.* further on, in (*or* for the) future; further(more), moreover; *et. ~ tun* continue doing *or* to do a th., keep doing a th.; **~kämpfen** *v/i.* (*h.*) continue fighting; **~kommen** *v/i.* (*irr., sn*) get on; *fig. a.* progress, advance; *nicht ~* get stuck; *so kommen wir nicht weiter* this won't get us anywhere; **≈kommen** *n* advancement; **~können** *v/i.* (*irr., h.*) be able to go on; *nicht ~* be stuck; **~leben** *v/i.* (*h.*) live on, survive (*a. fig.*); **≈leben** *n* (-s) continued existence, survival; *~ nach dem Tode* life after death;

~leiten *v/t.* (*h.*) forward, transmit (*letter, etc.*); refer *application, case, etc.* (*an acc.* to); **~lesen** *v/i. and v/t.* (*irr., h.*) go on (reading), continue reading *or* to read; **~machen** *v/t. and v/i.* (*h.*) carry on, continue; *mil.* *~! a.* as you were!; **~schreiten** *v/i.* (*irr., sn*) advance (*a. fig.*); **2ungen** *f/pl.* complications, difficulties, (unpleasant) consequences; **2ver-arbeitung** *f* processing, subsequent treatment; machining; **~verfolgen** *v/t.* (*h.*) follow up; **2verkauf** *m* resale; **~vermieten** *v/t.* (*h.*) sub-let; **2versand** *m* re-forwarding.

'**weit...**: **~gehend I.** *adj.* extensive, far-reaching, large; sweeping (*statement*); full (*understanding*); wide (*powers*); **II.** *adv.* largely; **~gereist** ['-gəraɪst] *adj.* widely travel(l)ed; **~gesteckt** ['-gəʃtɛkt] *adj.* long-range (*goal*); **~greifend** *adj.* far-reaching; **~her** *adv.* from afar; **~hergeholt** [-'he:rgəho:lt] *adj.* far-fetched; **~herzig** *adj.* broad-minded; **~läufig I.** *adj.* extensive, vast; spacious; rambling; detailed; complicated; circumstantial; → *weitschweifig*; straggling (*village, etc.*); distant (*relation*); **II.** *adv.* at great length (*or* detail); *~ verwandt* distantly related; **2läufigkeit** ['-lɔʏfɪçkaɪt] *f* (-) vast extent; spaciousness; complicated nature; → *Weitschweifigkeit*; **~maschig** *adj.* wide-meshed; **~reichend** *adj.* far-reaching; *mil.* long-range; **~schweifig** ['-ʃvaɪfɪç] *adj.* diffuse, long-winded, lengthy, verbose; **2schweifigkeit** *f* (-) diffuseness, lengthiness, verbosity, prolixity; **~sichtig** ['-zɪçtɪç] *adj.* long-sighted; *fig.* farsighted; **2sichtigkeit** *f* (-) long-sightedness; **2sprung** *m* long (*Am.* broad) jump; **2sprunggrube** *f* long-jump pit; **~spurig** ['-ʃpu:rɪç] *rail. adj.* wide-tracked, broad-gauged; **~tragend** *adj.* long-range; *fig.* far-reaching; **2ung** *f* (-) widening; **~verbreitet** *adj.* widespread; widely held (*view*); widely circulated (*newspaper*); **~verzweigt** *adj.* widely ramified.

Weizen ['vaɪtsən] *m* (*-s*) wheat; → *türkisch*; *fig. sein ~ blüht* he is in clover; **~brand** *m* (-[e]s) black rust; **~flocken** *f/pl.* squashed wheat; **~mehl** *n* wheaten flour; **~schrot** *n* shredded wheat.

welch [vɛlç] **1.** *interr. pron.* what; which; *~er?* which one?; *~er von den beiden?* which of the two?; *~ ein Mann!* what a man!; **2.** *rel. pron.* who, which, that; *~er (auch) immer* who(so)ever; *~es (auch) immer* whatever, whichever; *von ~er Art auch* of whatever kind; **3.** *indef. pron.* some, any; *have you any money?* — *ja, ich habe ~es* yes, I have some; *brauchen Sie ~es?* do you want any?; *es gibt ~e, die sagen* there are some who say; **~erlei** ['-ərlaɪ] *adj.* of what kind.

welk [vɛlk] *adj.* faded, withered; flabby; shrivelled; *~e Reize (Schönheit)* faded charms (beauty); '**~en** *v/i.* (*sn*) fade, wither; '**2heit** *f* (-) faded (*or* withered) state; flabbiness.

Wellblech ['vɛl-] *n* corrugated sheet iron (*or* steel); **~baracke** *f* tin hut, *Am. mil.* Quonset hut.

'**Welle** *f* (-; *-n*) wave (*a. el., opt., etc.*; *in hair*; *of attack*; *of heat*); billow; ripple; breaker; undulation; *radio*: wave(-length); *tech.* shaft, axle (-tree); fag(g)ot; *gym.* circle, grinder; *~n schlagen* rise in waves; *fig. ~ der Begeisterung, etc.* wave, (up)surge *of enthusiasm, etc.*; **2n** *v/t. and sich ~* (*h.*) undulate.

Wellen... ['vɛlən-]: **~antenne** *f* wave aerial; **~anzeiger** *m radio*: wave-detector; **2artig** ['-ɑ:rtɪç] *adj.* wave-like, wavy, undulatory; **~bad** *n* sea-bath; *artificial*: wave-bath; **~band** *n* (-[e]s; ⸚er) wave band; **~bereich** *m radio*: wave range; **~bewegung** *f* undulation, undulatory motion; **~brecher** *mar. m* breakwater; **~filter** *m* wave filter; **2förmig** ['-fœrmɪç] *adj.* undulatory; **~kupplung** *tech. f* shaft coupling; **~länge** *f radio, nuclear psysics, etc.*: wave-length; **~linie** *f* waved line; **~messer** *m* (-s; -) *radio*: wavemeter; **~reiten** *n* surf-riding, surfing; **~reiter** *m* surf-rider, surfer; **~schlag** *m* (-[e]s) wash (*or* dashing) of the waves; *kurzer ~* choppy sea; **~schreiber** *m* ondograph; **~sittich** *m* budgerigar; **~strom** *el. m* wave current; **~tal** *n* trough of the sea; **~theorie** *f* wave theory; **~verteilung** *f radio*: allocation of frequencies; **~zapfen** *tech. m* journal.

'**wellig** *adj.* wavy (*a. hair*), undulating; undulatory.

'**Wellpappe** *f* corrugated board.

Welpe ['vɛlpə] *m* (*-n*; *-n*) puppy.

welsch [vɛlʃ] *adj.* Roman, Latin; Italian, French; southern.

Welt [vɛlt] *f* (-; *-en*) world (*a. fig.*); *alle ~* all the world, everybody; *die große ~* the great world, high society; → *vornehm*; *die ~ der Wissenschaft* the world (*or* realm) of science, the scientific world; *die künstlerische ~* the world of art; *die Neue ~* the New World; *ein Mann von ~* a man of the world; *auf der ~* in the world; *die ganze ~* the whole world; → *ganz*; *bis ans Ende der ~* to the world's end; *was in aller ~?* what in the world (*or* on earth)?; *um alles in der ~!* for goodness sake!; *nicht um alles in der ~!* not for the world!, not on my (*or* your, *etc.*) life!; *aus der ~ schaffen* do away with; settle (*quarrel, problem*); *in die ~ setzen* beget, put *children* into the world; *zur ~ bringen* bring into the world, give birth to; *zur ~ kommen* come into the world, be born; *colloq. es ist nicht aus der ~* it isn't all that far away; *es wird die ~ nicht kosten* it won't cost a fortune; *du bist die ~ für mich* you are all the world to me; *du bist der beste Mann von der ~* you are the best man alive.

'**Welt...**: **2abgeschieden** *adj.* secluded (from the world), isolated; **2abgewandt** [-apgəvant] *adj.* detached from the world; **~all** *n* universe, cosmos; **~alter** *n* age; **2anschaulich** *adj.* ideological; **~anschauung** *f* philosophy of life, world-outlook, Weltanschauung; ideology; **~ausstellung** *f* international exhibition, World's Fair; **~bank** *f* (-; *-en*) World Bank; **2bekannt, 2berühmt** *adj.* generally known, known all over the world; world-famed, world-renowned, of worldwide fame; **~berühmtheit** *f* (person of) worldwide fame; **~bestleistung** *f* world record; **2bewegend** *adj.*: *iro. es war nicht ~* it was not exactly earth-shaking, it was not so hot; **~bild** *n* view of life; **~brand** *m* world conflagration; **~bummler** *m* globe-trotter; **~bund** *m* international union; **~bürger** *m* citizen of the world, cosmopolite; **2bürgerlich** *adj.* cosmopolitan; **~bürgertum** *n* cosmopolitanism; **~dame** *f* woman of the world, fashionable lady; **~enraum** *m* → *Weltraum*; **~er-eignis** *n* event of worldwide importance, international sensation; **2erfahren** *adj.* experienced in the ways of the world, worldly-wise; **~erfahrung** *f* experience in the ways of the world.

Weltergewicht(ler *m*) ['-ərgəvɪçt (-lər)] *n* (-[e]s; *-s*, -) *boxing*: welter-weight.

Welt...: **2erschütternd** *adj.* world-shaking; **~firma** *f* firm of international importance, world-renowned firm; **~flucht** *f* (-) withdrawal from life, escapism; **~flug** *m* round-the-world flight; **2fremd** *adj.* worldly innocent, ignorant of the world; unworldly; starry-eyed; ivory-towered (*scholar, etc.*); **~friede(n)** *m* universal peace; **~gebäude** *n* cosmic system; **~geistliche(r)** *m* secular priest; **~geltung** *f* international standing *or* reputation; **~gericht** *n* last judgment; **~geschehen** *n* world affairs *pl.*; **~geschichte** *f* (-) world history; *colloq. fig. da hört doch die ~ auf!* that's the last straw!; **2gewandt** *adj.* versed in the ways of the world, having savoir vivre (*Fr.*); **~gewandtheit** *f* savoir vivre (*Fr.*); **~gewerkschaftsbund** *m* World Federation of Trade Unions; **~handel** *m* international trade, world's commerce; **~herrschaft** *f* (-) world domination; **~karte** *f* map of the world; **~kenntnis** *f* knowledge of the world; **~kind** *n* worldling, child of this world; **2klug** *adj.* worldly-wise, politic(ally *adv.*); **~klugheit** *f* worldly wisdom; **~körper** *m* heavenly body; **~krieg** *m* world war; *der ~ (1914—18)* World War I, *(1939—45)* World War II; **~kugel** *f* globe; **~lage** *f* international situation; **~lauf** *m* course of the world.

'**weltlich** *adj.* worldly, mundane; secular, temporal; profane; *~e Freuden* worldly pleasures; *~e Schule* secular school; *~ gesinnt* worldly-minded; **2keit** *f* (-) worldliness; secular state.

'**Welt...**: **~literatur** *f* universal literature; **~lust** *f* (-) worldly pleasure; **~macht** *f* world power; **~machtpolitik** *f* imperialist policy, imperialism; **~mann** *m* man of the world; **2männisch** ['-mɛnɪʃ] *adj.* gentlemanly; man-of-the-world (*air, etc.*); **~markt** *m* (-[e]s) international market; **~meer** *n* ocean; **~meister(in** *f*) *m* champion of the world, world champion; **~meisterschaft(skämpfe** *m/pl.*) *f* world championship(s); **~monopol** *n* global monopoly; **~ordnung** *f* system of the world; **~politik** *f* international (*or* world-)politics *pl.*; **~postverein** *m* (Universal) Postal Union; **~rätsel** *n* riddle of the universe; **~raum** *m* (-[e]s) (outer) space; **~raumforscher** *m* space-explorer; **~raumschiff** *n* space-ship; **~raumschiffahrt** *f* (-) space travel, astronautics *pl.*; **~raumstation** *f* space station; **~reich** *n* universal empire; *das Britische ~* the British Empire; **~reise** *f* journey round the world, world tour; **~reisende(r** *m*) *f* globe-trotter; **~rekord** *m* world record; **~rekordinhaber, ~rekordler** ['-rekɔrtlər] *m* (-*s*; -), **~rekordmann** *m* world-record holder; **~ruf** *m* (-[e]s) world-wide renown, international reputation; **~schmerz** *m* (-*es*) world-weariness, Weltschmerz; **~sprache** *f* universal (*or* world) language; **~stadt** *f* metropolis; **~stadtverkehr** *m* metropolitan traffic; **~teil** *m* part of the world; continent; **2umfassend** *adj.* world-spanning, worldwide, global; **~umsegler** *m* circumnavigator (of the globe); **~umseglung** *f* circumnavigation of the globe; **~untergang** *m* end of the world; **~weise(r)** *m* philosopher; **~weisheit** *f* philosophy; **2weit** *adj.* worldwide; global; **~wende** *f* turning-point in world history; **~wirtschaft** *f* (-) world (*or* international) economy; **~wirtschaftskrise** *f* international economic crisis, world depression; **~wunder** *n* wonder of the world, prodigy.

wem [veːm] *dat. of* wer: to whom; *von ~* of whom, by whom.

wen [veːn] *acc. of* wer: whom; *colloq.* somebody.

Wende ['vɛndə] *f* (-; -*n*) turning-point (*a. fig.*); *sports*: turn; *gym.* front vault *or* dismount; **~getriebe** *mot. n* reversing gear(box); **~hals** *orn. m* wryneck; **~kreis** *m geogr.* tropic; *mot.* turning circle.

Wendel ['vɛndəl] *tech. f* (-; -*n*) coil, helix; **2n** *v/t.* (*h.*) coil; **~treppe** *f* (*e-e ~* a flight of) winding stairs *pl.*, spiral staircase.

'**Wendemarke** *f sports*: turning mark.

'**wenden** *v/t. and v/i., a. sich* (*h.*, *a. irr.*) turn (about *or* round); *dressmaking*: turn; turn over (*page, hay*); put about (*ship*); *el.* reverse; (*a. sich*) change; *Geld ~ an* (*acc.*) spend money on; *Mühe, Zeit*: devote *efforts, time* to; *s-e Kräfte ~ auf* (*acc.*) direct one's energies to; *bitte ~!* please turn over! (*abbr.* P.T.O.); *mit ~der Post* by return of post; *kein Auge ~ von* (*dat.*) not to take one's eyes off; *sich ~ an j-n* address o.s. to a p.; apply to a p. (*um* for), consult (*or* see) a p., appeal (*or* turn) to a p. (*for help*); *sich ~ gegen* turn against *or* on, *gegen et.*: *a.* set one's face against, criticize, object to *a th.*; *sich zur Flucht* (*zum Gehen*) *~* turn to flight (to leave); *sich zum Besseren ~* take a turn to the better; *sich zum besten ~* turn out for the best.

'**Wende...**: **~pol** *el. m* reversing pole; **~punkt** *m* turning-point (*a. fig.*); *ast.* solstitial point.

'**wendig** *adj.* nimble, agile (*a. fig. mind*); (*a. fig.*) manoeuvrable, *Am.* maneuverable; easily steered, flexible (*car, boat*); versatile, resourceful (*person*); adaptable; **2keit** *f* (-) nimbleness, agility; manoeuvrability, *Am.* maneuverability; flexibility; *fig.* versatility, resourcefulness; adaptability.

wendisch ['vɛndiʃ] *adj.* Wendish.

'**Wendung** *f* (-; -*en*) turn(ing); *mil.* facing; *mar.* turn; going about (*the wind*); *fig.* turn; change; *entscheidende ~* decisive turn, crisis; expression, figure of speech, phrase; idiom(atic expression); → *Redensart*; *~ zum Besseren* (*Schlimmeren*) change (*or* turn) for the better (worse); *eine neue ~ geben* (*dat.*) give a new turn to; *glückliche ~* favo(u)rable turn.

wenig ['veːniç] *adj. and adv.* little; *pl.* few, *su.* few (people); *~er* less, *math. a.* minus, *pl.* fewer; *das ~e* the little; *das ~ste* the least; *am ~sten* least (of all); *ein ~* a little; *ein ~ übertrieben* a little (*or* a bit, somewhat, slightly) exaggerated; *ein ~ schneller* a little quicker; *nicht ~* not a little; *ich war nicht ~ erstaunt* I was not a little surprised; *nicht ~e* not a few, a good many, quite a few (people); *einige ~e* some few, a few; *nicht ~er als* no less than, *pl.* no(t) fewer than; *nichts ~er als* nothing less than, anything but; *die ~en wahren Künstler* the few true artists; *mein ~es Geld* the little money I have, my little all; *~er werden* become less, diminish, decrease; *~ bekannt* little known; *in ~er als sieben Jahren* in under seven years; **2keit** *f* (-) small quantity; little, trifle; *meine ~* my humble self, yours truly; **~stens** ['-stəns] *adv.* at least; *wenn ... ~* if only ...

wenn [vɛn] *cj. as to time*: when; *conditional*: if, in case; *jur.* if and when; whenever; as long as; as soon as; *~ nicht* unless, if not, except if (*or* when); → *außer*; provided (that); *~ auch, selbst ~* (al)though, even if *or* though; *~ auch noch so* however; *~ bloß or doch or nur* if only; *~ er nicht gewesen wäre* had it not been for him, but for him; *~ ich das gewußt hätte* if I had (*or* had I) known that; *~ man bedenkt, daß* to think that; *~ man ihn reden hört* to hear him (talk); *es ist nicht gut, ~ man* it is not good to *inf.*; *es ist, als ~ er es geahnt hätte* one would think he had felt it; *~ du (erst) einmal dort bist* once you are there; *~ man von ... spricht* speaking of ...; *~ man nach ... urteilt* judging from *or* by ...; *~ schon!* what of it?, so what?; *~ schon, denn schon* in for a penny, in for a pound, I (we) may as well be hanged for a sheep as for a lamb; **II.** *das 2* the if; *ohne ~ und Aber* without 'ifs' or 'buts', unreservedly; **~'gleich, ~'schon** *cj.* although, though.

Wenzel ['vɛntsəl] *m* (-*s*; -) *cards*: knave.

wer [veːr] **1.** *rel. pron.* who, he who; *~ auch (immer)* who(so)ever; **2.** *interr. pron.* who?, which?; *~ von euch?* which of you?; *mil. ~ da?* who goes there?; **3.** *colloq. indef. pron.* somebody, anybody.

Werbe|abteilung ['vɛrbə-] *f* advertising (*or* publicity) department; **~agent** *m* advertising agent, canvasser; **~aktion** *f* → *Werbefeldzug*; **~artikel** *m* advertising novelty; **~berater** *m* advertisement consultant; **~beratung** *f* advertising advice; **~blatt** *n* leaflet; **~brief** *m* publicity (*or* sales) letter; **~büro** *n* advertising agency; *mil.* recruiting office; **~erfolg** *m* advertising result, effectiveness of advertising; **~fachmann** *m* advertising expert (*or* man), publicity specialist; **~feldzug** *m* publicity campaign, (advertising) drive; **~film** *m* advertising film; **~fläche** *f* advertising space; **~graphik** *f* advertising (*or* commercial) art; **~kosten** *pl.* advertising expenditure; **~kraft** *f* (-) advertising appeal, publicity value, pull; eye appeal; **2kräftig** *adj.* having advertising appeal, effective; **~leiter** *m* publicity manager; **~material** *n* advertising material; **~mittel** *n* advertising medium (*pl.* media), means of publicity; *pl.* advertising appropriation; **~muster** *n* trial sample.

'**werben** *v/i. and v/t.* (*irr., h.*) *mil.* enlist, recruit; enlist (*members*); canvass (*customers, votes*); *j-n für e-e Sache ~* win a p. over to a th.; *~ für* (*acc.*) make propaganda for, *Am. a.* publicize; *econ.* advertise, boost, push, plug; *~ um* (*acc.*) sue for, *lover*: court, *rhet.* woo (*both a. fig.*); *~des Kapital* working capital; '**Werben** *n* (-*s*) → *Werbung*.

'**Werber** *m* (-*s*; -) suitor; *econ.* canvasser; *mil.* recruiting officer; **~kolonne** *f* team of canvassers.

'**Werbe...**: **~schrift** *f* prospectus, brochure; advertising pamphlet, leaflet, *Am. a.* folder; **~sendung** *f* commercial; **~spruch** *m* (advertising) slogan; **~trommel** *f*: *die ~ rühren* beat up for recruits; *fig.* make propaganda, advertise; → *werben*; **2wirksam** *adj.* → *werbekräftig*; **~woche** *f* propaganda week; **~zweck** *m* advertising purpose.

'**Werbung** *f* (-; -*en*) *mil.* recruiting; *of suitor*: courting, wooing; courtship; *econ.* propaganda; publicity, advertising; sales promotion; publicity campaign; canvassing (*von of orders, etc.*); **~skosten** *pl. tax return*: professional outlay, *of company*: business expenses; → *Werbekosten*.

Werdegang ['veːrdə-] *m* (-[e]s) development; career (*of person*), background; *tech.* process of manufacture.

'**werden I.** *v/i.* (*irr., sn*) become, get; grow, come to be; turn *pale*, *sour, etc.*; come into existence, arise; turn out, prove; *Arzt* ~ become a doctor; *blind* ~ go blind; *böse* ~ grow (*or* get) angry; *gesund* ~ get well, recover; *Mohammedaner* ~ turn Mohammedan; *ein* (*or zum*) *Verräter* ~ turn traitor; *es wird kalt* ~ it is getting cold; *was soll aus ihm* (*or daraus*) ~? what will become of him (*or* it)?; *was ist aus ihm geworden?* what has become of him?; *was will er* ~? what is he going to be?; *was soll nun* ~? what (are we going to do) now?; *daraus wird nichts* **a**) nothing will come of it, **b**) that's out!, nothing doing!; *es ist nichts daraus geworden* it has come to nothing; *es wird schon* ~ it will be all right; *es muß anders* ~ there must be a change, we cannot go on like this; *colloq. er wird wieder* ~ he will come round; *es werde Licht! und es ward Licht* let there be light! and there was light; **II.** *v/aux. ich werde fahren* I shall drive; *sie wird gleich weinen* she is going to cry; *es wurde getanzt* there was dancing, they danced; *er würde es mir gesagt haben* he would have told me; *es ist uns gesagt worden* we have been told; *geliebt* ~ be loved; *gebaut* ~ **a**) be built, **b**) be being built; ♀ *n* (-*s*) growing; development; rise, birth; formation; progress; *noch im* ~ *sein* be in process of development, be in embryo; *Amerika im* ~ America in the making; *große Dinge sind im* ~ great things are preparing; ~**d** *adj.* growing, nascent; ~*e Mutter* expectant mother.

Werder ['vɛrdər] *m* (-*s*; -) river-islet, holm.

werf|en ['vɛrfən] *v/t.* (*irr., h.*) throw (*a. v/i.*; *nach* at); fling, hurl; *a. fig.* cast (*anchor, light, look, shadow*); toss; *aer.* drop (*bombs*); project (*picture*); emit (*rays*); *Junge* ~ bring forth (*or* drop) young, *cow, mare*: foal, *beast of prey*: cub, *sow*: litter; *Falten* ~ raise folds, pucker; *tech. sich* ~ buckle, distort, *wood*: warp; *fig. sich auf* (*acc.*) ~ apply o.s. to, throw o.s. into *space research, etc.*; *von sich* ~ throw away, cast off; *um sich* ~ *mit* **a**) be lavish of (*money, etc.*), **b**) bandy about (*words of praise, etc.*), **c**) show off with (*fancy words, etc.*); *aufs Papier* ~ jot down; *mil. aus e-r Stellung* ~ dislodge (*or* drive) from a position; *er wirft zuerst* he has the first throw; *e-n Gegner* ~ throw an opponent; → *Brust, Hals, Haufen, etc.*; ♀**er** *m* (-*s*; -) *sports*: pitcher; *mil.* mortar; (*rocket*) launcher.

Werft [vɛrft] *f* (-; -en) shipyard, dockyard; *aer.* → *Werfthalle*; '~**arbeiter** *m* docker; '~**halle** *aer. f* repair hangar.

Werg [vɛrk] *n* (-[e]s) tow; oakum; '~**dichtung** *tech. f* hemp packing.

Werk [vɛrk] *n* (-[e]s; -e) work (*a. of artist, author* = opus; *a. collect.*); act(ion), deed; performance, achievement; undertaking, enterprise; work, production; mechanism, works *pl.*; works *usu. sg.*, factory, (industrial) plant; workmanship; *econ. ab* ~ ex works; *ans* ~! now for it!, let us begin!; *am* ~ *sein* be at work; *ans* ~ *gehen, Hand ans* ~ *legen* set (*or* go) to work; *ein gutes* ~ *tun* perform a good deed, do an act of kindness (*an dat.* to); *im* ~*e sein* be on foot *or* in the wind; *ins* ~ *setzen* set going *or* on foot, bring about, engineer; *zu* ~*e gehen* proceed, go about it; *b.s. es war sein* ~ it was his doing; *es war das* ~ *weniger Augenblicke* it was a matter of seconds, it took a few moments.

'**Werk...**: ~**anlage** *f* industrial plant, works *usu. pl.*; ~**bahn** *f* factory railway; ~**bank** *f* (-; ⸚e) (work-) bench; ~**blei** *n* work (*or* raw) lead; ~**druckpapier** *n* book paper; ♀**en** *v/i.* (*h.*) work; be busy, potter about; ♀**fremd** *adj.* outside; ~**führer** *m* foreman, *Am.* superintendent; ~**halle** *f* workshop hall; ~**küche** *f* factory canteen; ~**leistung** *f* service; ~**leute** *pl.* workmen; ~**lieferungsvertrag** *m* contract for work, labo(u)r, and materials; ~**lohn** *m* wage(s *pl.*); ~**meister** *m* foreman; ~**nummer** *f* factory serial number; ~**photo** *n* studio still; ~**prüfung** *f* testing of materials; ~**s-angehörige(r** *m*) *f* employee (of the firm); ~**schutz** *m* works-protection force; ~**seide** *f* floss silk; ~**s-erprobung** *f* factory test; ~**s-kantine** *f* work canteen; ~**s-leiter** *m* works manager; ~**s-norm** *f* works standard specification; ~**spionage** *f* industrial espionage; ~**statt**, ~**stätte** *f* workshop; ~**statt-auftrag** *m* work order; ~**statt-montage** *f* shop assembly; ~**statt-schreiber** *m* time recorder; ~**statt-wagen** *m* mobile repair-shop, *Am.* maintenance truck; ~**stattzeichnung** *f* workshop drawing; ~**stelle** *f* workshop; factory, works *usu. sg.*; place of work; ~**stein** *m* freestone; ~**stoff** *m* material, stock; raw material; plastic material; ~**stoff-ermüdung** *f* material fatigue; ~**stück** *tech. n* workpiece, work(ing part); ~**stückzeichnung** *f* component drawing; ~**student** *m* working (*or* part-time) student; ~**s-vorschrift** *f* works specification; ~**tag** *m* workday, weekday; working-day; ♀**täglich** *adj.* weekday; workaday; ♀**tags** *adv.* on weekdays; ♀**tätig** *adj.* working; *die* ♀*en* the working population; ~**tisch** *m* work-table; ~**vertrag** *m* work contract, contract of manufacture; ~**wohnung** *f* company(-owned) dwelling; ~**zeichnung** *f* working drawing.

'**Werkzeug** *n* tool; instrument; implement; *physiol.* organ; *fig.* tool; *nur Gottes* ~ God's passive agent; ~**ausrüstung** *f* tool kit; ~**halter** *tech. m* toolholder; ~**kasten** *m* tool box *or* kit; ~**lehre** *f* (-) tool gauge; ~**macher** *m* tool maker; ~**maschine** *f* machine tool; ~**satz** *m* tool set; ~**schlitten** *m* tool carriage, saddle; ~**schlosser** *m* → *Werkzeugmacher*; ~**schlüssel** *m* tool wrench; ~**schrank** *m* tool chest; ~**stahl** *m* tool steel; ~**tasche** *f* tool-bag.

Wermut ['veːrmuːt] *m* (-[e]s) *bot.* wormwood; verm(o)uth; *fig.* sorrow, bitterness.

wert [veːrt] *adj.* worth (*e-r Sache* a th.); worthy (*gen.* of); dear; esteemed, valued; *nicht viel* ~ not up to much (*a. person*); *nichts* ~ worth nothing, worthless, of no value, good for nothing; → *Mühe, Rede*; *Ihr* ~*es Schreiben* your (esteemed) letter; *das ist schon viel* ~ that's a great point gained; *das Buch ist* ~, *daß man es liest* the book is worth reading; *er ist es nicht* ~, *daß* he does not deserve that; *colloq. er ist drei Millionen Dollar* ~ he is worth three million dollars; *wie ist Ihr* ~*er Name?* may I ask your name?

Wert *m* (-[e]s; -e) value (*a. phys., math., tech.*); worth; equivalent; price; asset; *of coin*: standard; *chem.* valence; *phys., tech.* coefficient, factor; use; *äußerer* ~ face value; *künstlerischer* ~ merit; *math. fester* (*veränderlicher*) ~ fixed (variable) quantity; ~*e pl. phys., tech.* data; *econ.* assets; securities, issues, stocks; *greifbare* ~*e* tangible assets; *innerer* ~ intrinsic value; *im* ~*e von* of the value of, valued at; *Waren im* ~*e von 300 Dollar* $300 worth of goods; *von geringem* ~ of small value; *e-e Entdeckung von unschätzbarem* ~ an invaluable discovery; (*großen*) ~ *legen auf* set (*a* high) value on, attach (great) importance to, set (great) store by; make a point of, insist on; *im* ~ *sinken* depreciate; *econ.* ~ *erhalten* value received.

'**Wert...**: ~**angabe** *f* declaration of value; ~**arbeit** *f* high-class workmanship; ~**berichtigung** *econ. f* adjustment of value; *Rückstellung für* ~ re-valuation reserves; ~**berichtigungsbuchung** *f* reversing entry; ~**berichtigungs-posten** *m* adjustment item; ♀**beständig** *adj.* of fixed value; *fig.* lasting in value; stable (*currency*); ~**beständigkeit** *f* fixed value; stability; ~**bestimmung** *f* valuation; appraisal, estimate; computation; (tax) assessment; *phys.* determination of value (*chem.* of valence); ~**brief** *m* insured letter; money-letter; ♀**en** *v/t.* (*h.*) value; appraise; judge; classify; *esp. ped., sports*: rate (*nach Leistung* on performance); *sports*: *a.* score; evaluate; admit; *soccer*: *ein Tor nicht* ~ disallow (*or* annul) a goal; ~**gegenstand** *m* article of value; *pl.* valuables; ♀**geschätzt** *adj.* esteemed; ~**grenze** *f* maximum value; ♀**ig** *chem. adj.*: *zwei*~ divalent; *drei*~ trivalent; ~**igkeit** *f* (-) valence; ~**igkeitsstufe** *f* valency; ♀**los** *adj.* worthless (*a. person*), valueless; useless; futile; ♀**mäßig** *econ. adj. and adv.* ad valorem; ~**maßstab**, ~**messer** *m* (-*s*; -) standard (of value) (*für* for); ~**minderung** *f* depreciation, deterioration in value; ~**paket** *n* insured parcel; ~**papiere** *n/pl.* securities; ~**papierkonto** *n* deposit account; ~**sachen** *f/pl.* valuables; ♀**schaffend** *adj.* productive; ♀**schätzen** *v/t.* (*h.*) esteem highly, appreciate (highly); ~**schätzung** *f* esteem (*gen.* for), appreciation (of); **~sendung** *f* consignment of valuables; remittance (*of money*); **~steigerung** *f* increase in value; improvement (*of real estate*); **~ung** *f* (-; -en) → *werten*; valuation; appraisal, estimate; rating; judging; evaluation; scoring; **~urteil** *n* judgment as to value; **~verlust** *m*, **~verringerung** *f* depreciation; **2voll** *adj.* valuable, precious; **~zeichen** *n* (postage) stamp; **~zoll** *m* ad valorem duty; **~zuwachs** *m* accretion, increment value; **~zuwachssteuer** *f* increment-value tax.

Werwolf [ˈveːr-] *m* Wer(e)wolf.

Wesen [ˈveːzən] *n* (-s; -) being, creature; *phls.* (-) entity; essence, substance; nature, character; personality; manners *pl.*, way, bearing; *gekünsteltes ~* affected air; *mürrisches ~* moroseness; organization; affairs, matters *pl.*; system; *Sparkassen2* savings-bank system; *Bank2* banking; fuss, ado; *armes ~* poor creature (*or* thing); *kein lebendes ~ weit und breit* not a living soul anywhere; *viel ~s von et. machen* make a fuss about a th.; *nicht viel ~s mit j-m machen* treat a p. unceremoniously; *sein ~ treiben* be active, *ghost, etc.*: haunt (*in, an dat. a place*); *2 v/i.* (*h.*) *poet.* live, (be at) work; **2haft** *adj.* substantial, real; characteristic; **~heit** *f* (-) essence; substantiality; **2los** *adj.* unsubstantial; unreal, shadowy.

ˈ**Wesens...:** **~art** *f* nature, character, mentality; **2eigen** *adj.* characteristic; **2fremd** *adj.* foreign to one's nature, incompatible; **2gleich** *adj.* identical (in character); **~gleichheit** *f* identity (of character), essential likeness; **~lehre** *f* (-) ontology; **~zug** *m* characteristic (feature *or* trait).

wesentlich [ˈveːzəntliç] **I.** *adj.* essential, substantial; material (*für* to); vital; fundamental; *das 2e* the essential, the vital point; *~er Inhalt* substance *of a book, etc.*; *kein ~er Unterschied* no appreciable difference; *im ~en* essentially, in the main; **II.** *adv.*: *~ verschieden* very (*or* vastly) different.

weshalb [vɛsˈhalp] **1.** *interr. pron.* why, wherefore, for what reason; **2.** *cj.* and therefore, and so, and that's why.

Wespe [ˈvɛspə] *f* (-; -n) wasp; **~nnest** *n* wasps' nest; *fig. in ein ~ stechen* bring a hornets' nest about one's ears, stir a nest of vipers; **~nstich** *m* wasp's sting; **~ntaille** *f* wasp-waist.

wessen [ˈvɛsən] **1.** *gen. of wer*: whose; **2.** *gen. of was*: of what; *~ wird er beschuldigt?* what is he accused of?

West [vɛst] **1.**: *Stuttgart, etc. ~* Stuttgart, *etc.* West; **2.** *m* (-[e]s, -e) → *Westwind.*

Weste [ˈvɛstə] *f* (-; -n) waistcoat, *econ. and Am.* vest; *fig. er hat eine reine ~* his scutcheon is clean.

Westen [ˈvɛstən] *m* (-s) west; (*land*) West; occident; *nach ~* westward.

Westen|tasche *f* vest-pocket; *fig. wie seine ~ kennen* know *a th. or p.* inside out; know all the ins and outs (*of area, house*); **~taschenformat** *n*: *im ~* pocket-size *dictionary, car, etc.*

ˈ**West...:** **~europa** *n* Western Europe; **2europäisch** *adj.* Western European; **~fale** [-ˈfɑːlə] *m* (-n; -n), **2fälisch** [-ˈfɛːliʃ] *adj.* Westphalian; **2lich** *adj.* west(ern), westerly; *die ~e Welt* the West(ern World), the Occident; *~ von* (to the) west of; **~mächte** [ˈ-mɛçtə] *f/pl.* Western Powers; **~mark** *f* (-; -) (*currency*) Western mark; **2wärts** [ˈ-vɛrts] *adv.* westward; **~wind** *m* west(erly) wind.

weswegen [ˈvɛsˈveːgən] → *weshalb.*

wett [vɛt] *pred. adj.* even, equal; quits.

Wett-annahme [ˈvɛt-] *f* betting office.

Wettbewerb [ˈ-bəvɛrp] *m* (-[e]s; -e) competition, contest; *sports*: *a.* event; *econ. freier ~* free competition, competitive trade; *unlauterer ~* unfair competition; *außer ~* non-competitive; *in ~ stehen* (*mit*) compete (with), rival (*a p. or th.*); *in ~ treten mit* enter into competition with; **~er(in** *f*) *m* competitor, contestant; **~s-beschränkung** *f* restraint on trade; **2s-fähig** *adj.* competitive.

ˈ**Wettbüro** *n* betting office.

ˈ**Wette** *f* (-; -n) bet, wager; *e-e ~ eingehen* make a bet; *ich gehe jede ~ ein, daß* I bet you ten to one that; *was gilt die ~?* what will you bet?; *et. um die ~ tun* vie with each other in doing a th.; *sie liefen um die ~* they raced each other; *sie lachten um die ~* they nearly split their sides with laughter.

ˈ**Wett-eifer** *m* emulation, rivalry; **2n** *v/i.* (*h.*) vie (*mit* with; *in dat.* in *a th.*); compete (with; in; *um et.* for a th.); *mit j-m ~ a.* emulate *or* rival a p.

ˈ**wetten** *v/t. and v/i.* (*h.*) bet, wager (*mit j-m* a p.; *um et.* a th.); *~ auf* (*acc.*) bet (*or* lay) on, back (*a horse*); *ich wette zehn zu eins, daß* I bet you ten to one that; *fig. so haben wir nicht gewettet* we did not bargain for that; *2 n* (-s) betting; **2de(r** *m*) *f* (-n, -n; -en, -en), ˈ**Wetter**[1]**(in** *f*) *m* (-s, -; -, -nen) better; backer.

Wetter[2] [ˈvɛtər] *n* (-s) weather; storm, bad weather; thunderstorm; *mining* (-s; -): *böses ~* damp; *schlagende ~ pl.* fire damp; *es war schönes ~* the weather was fine, it was a beautiful day; *falls das ~ mitmacht* (wind and) weather permitting; *fig. gut ~ bei j-m machen* put a p. in the right frame of mind; *alle ~!* **a)** hang it all!, **b)** dear me!, by Jove!, *Am.* golly!, gee!; **~ansage** *f* → *Wetterbericht*; **~aussichten** *f/pl.* weather-outlook *sg.*; **~be-obachter** *m* weather observer; **~be-obachtung** *f* meteorological observation; **~bericht** *m* weather report, weather forecast; **~dach** *n* penthouse, open shed; **~dienst** *m* weather service; **~fahne** *f* (weather) vane; **2fest** *adj.* weatherproof; **~front** *f* front; **~frosch** *colloq. m* weatherman; **~fühlig** [ˈ-fyːliç] *med. adj.* sensitive to changes in the weather, meteorosensitive; **~glas** *n* weather-glass; **~hahn** *m* weather-cock; **2hart** *adj.* weather-beaten; **~karte** *f* weather-chart; **~kunde** *f* (-) meteorology; **~lage** *f* weather conditions *pl.*; **~leuchten** *n* sheet-lightning, summer-lightning; *fig. ~ am politischen Horizont* clouds (*or* storm brewing) on the political horizon; **2leuchten** *v/i.* (*h.*): *es wetterleuchtet* there is sheet-lightning; **~mantel** *m* raincoat, trench-coat; **~meldung** *f* weather-report; **2n** *v/i.* (*h.*) be stormy; *fig.* storm, thunder; swear; *~ gegen a.* inveigh against; **~prophet** *m* weather-prophet; **~schacht** *m mining*: air-shaft; **~schaden** *m* damage done by the weather; **~schutz** *m* weather protection; **~seite** *f* weather-side; **~sturz** *m* sudden fall of temperature; **~verhältnisse** *n/pl.* weather conditions; **~voraussage, ~vorhersage** *f* weather forecast; **~warte** *f* weather-station, *Am.* weather bureau; **~wechsel** *m* change of weather; **2wendisch** [ˈ-vɛndiʃ] *adj.* changeable, fickle; **~wolke** *f* thunder-cloud; **~zeichen** *n* sign of approaching storm; **~zone** *f* zone of bad weather.

ˈ**Wett...:** **~fahrt** *f* race; **~fliegen** *n*, **~flug** *m* air-race; **~gesang** *m* singing-match; **~kampf** *m* contest, competition; → *Wettspiel*; **~kampfbestimmungen** *f/pl.* competition rules; **~kämpfer(in** *f*) *m* competitor, contestant; athlete; **~kampfspeer** *m* standard javelin; **~kurs** *m* odds *pl.*, *often sg.*; **~lauf** *m* (foot-)race, running-match; ski-race; *fig. ~ mit der Zeit* race against time; **~läufer(in** *f*) *m* runner; ski-racer; **2machen** *v/t.* (*h.*) make up for, square; make good, make up for (*loss, omission*); *du mußt es wieder ~ bei ihr!* make it up to her!; **~rennen** *n* race; **~rudern** *n* boat-race; **~rüsten** *n* armament race; **~schwimmen** *n* swimming contest; **~segeln** *n* regatta; **~spiel** *n* match, *Am.* game; **~springen** *n* ski-jumping competition; **~steuer** *f* betting tax; **~streit** *m* contest, match; *fig. edler ~* noble contest; *es war ein edler ~* they vied with each other for the hono(u)r *of doing it*; **~zettel** *m* betting-slip.

wetzen [ˈvɛtsən] *v/t.* (*h.*) whet, sharpen; grind; rub.

ˈ**Wetz|stahl** *m* (butcher's) steel; **~stein** *m* whetstone, hone.

Whisky [ˈviski] *m* (-s; -s) whisk(e)y; *~ und Soda* whisk(e)y and soda, *Am.* highball.

wich [viç] *pret. of weichen.*

Wichs [viks] *m* (-es; -e) gala; *in vollem ~* in full dress; ˈ**~bürste** *f* blacking-brush; ˈ**~e** *f* (-; -n) blacking, polish; ˈ**2en** *v/t.* (*h.*) black; polish, shine; *colloq.* thrash.

Wicht [viçt] *m* (-[e]s; -e) wight, creature; *armer ~* poor wretch; *kleiner ~* hop-o'-my-thumb, whipper-snapper; urchin, brat.

Wichte [ˈviçtə] *tech. f* (-; -n) specific gravity, weight per unit volume.

ˈ**Wichtelmännchen** *n* brownie.

wichtig [ˈviçtiç] *adj.* important (*für* to); momentous; essential; vital;

weighty; ~ *tun* assume an air of importance, give o.s. airs; 2**keit** *f* (-) importance, import, moment; seriousness; 2**tuer** ['-tu:ər] *m* (-s; -) pompous ass, bumble, busy-body; 2**tue'rei** *f* (-; -en) pomposity, bumbling; ~**tuerisch I.** *adj.* pompous, bumbling; **II.** *adv.* pompously, importantly.

Wicke ['vikə] *bot. f* (-; -n) vetch; sweet pea.

Wickel ['vikəl] *m* (-s; -) roll(er); *med.* packing; *feuchter* ~ wet compress; *heißer* ~ hot fomentation; hair-curler, curling-paper; *colloq. j-n beim* ~ *kriegen* take a p. by the scruff of his neck, collar a p.; ~**band** *n* (-[e]s; ⸚er) swaddling-band; ~**gamasche** *f* puttee; ~**kind** *n* child in swaddling-clothes, baby (in arms); ~**kondensator** *el. m* roller type capacitor; ~**maschine** *f* winding machine; *spinning*: lap-machine; 2**n** *v/t.* (*h.*) wind, roll, coil; reel, spool; curl (*hair*); wrap up; swathe, swaddle (*baby*); roll, make (*cigar, cigarette*); *sich* ~ *um* wind *or* coil (o.s.) round *a th.*; *sich in eine Decke* ~ wrap a blanket about one; *fig.* → *Finger, schief*; ~**schürze** *f* wrap-over apron; ~**schwanz** *m* prehensile tail; ~**tuch** *n* (-[e]s; ⸚er) wrapper, baby's roller.

'**Wicklung** *el. f* (-; -en) winding.

Widder ['vidər] *m* (-s; -) ram; *ast.* Ram, Aries.

wider ['vi:dər] *prp.* (*acc.*) against, contrary to, in opposition to, versus, in the face of; → *für*; *gegen*; ~**borstig** *adj.* cross-grained, stubborn; ~'**fahren** *v/i.* (*irr., sn*) (*dat.*) befall, happen to (*a p.*); meet with *an accident, etc.*; *j-m et.* ~ *lassen* mete a th. out to a p.; *j-m Gerechtigkeit* ~ *lassen* do justice to a p., *esp. w.s.* give a p. his due; ~**haarig** *adj.* cross-grained, refractory; 2**haken** *m* barbed hook; *on arrow, fishing-line, etc.*: barb; *mit* ~ *versehen* barbed; 2**hall** *m* echo, reverberation, resonance (*all a. fig.*); *fig. keinen* ~ *finden* meet with no response; ~ *in der Presse* press echo; ~**hallen** *v/i.* (*h.*) (re-) echo, resound (*von* with); 2**klage** *f* counter-action, counter-claim; 2**kläger**(**in** *f*) *m* defendant counter-claiming; 2**lager** *n arch.* abutment; counterfort; *tech.* support; ~**legbar** [-'le:kba:r] *adj.* refutable; ~'**legen** *v/t.* (*h.*) refute, disprove; *diese Erkenntnis widerlegte die ganze Theorie* this finding defeated the whole theory; *s-e eigenen Worte* ~ give the lie to one's own words; 2**legung** [-'le:guŋ] *f* (-; -en) refutation, confutation, *esp. jur.* rebuttal.

'**widerlich** *adj.* repugnant, repulsive; distasteful, (*a. person*) loathsome, disgusting, sickening; nauseating; → *widerwärtig*; 2**keit** *f* (-) repulsiveness; loathsomeness.

'**wider...:** ~**natürlich** *adj.* unnatural, perverse; → *Unzucht*; 2**natürlichkeit** *f* perversity; 2**part** *m* opponent, adversary; ~ *halten* (*dat.*) oppose; ~'**raten** *v/t.* (*irr., h.*): *j-m et.* ~ dissuade a p. from a th., advise a p. against a th.; ~**rechtlich** *adj.* illegal, unlawful, wrongful; *jur.* ~ *betreten* trespass (up)on; *sich* ~ *aneignen* misappropriate, usurp; 2**rechtlichkeit** *f* illegality, unlawfulness; 2**rede** *f* contradiction, objection; *Am.* backtalk; *ohne* ~ unquestionably; 2**rist** *vet. m* withers *pl.*; 2**ruf** *m* revocation; recantation, retraction, disavowal (*of statement*); *econ.* countermand, *a. of command, etc.*: cancel(l)ation, withdrawal; (*gültig*) *bis auf* ~ until recalled, unless countermanded *or* cancel(l)ed; ~'**rufen** *v/t.* (*irr., h.*) revoke; retract, recant (*statement*); repeal; cancel, countermand, withdraw (*contract, order, command*); ~'**ruflich I.** *adj.* revocable; **II.** *adv.* revocably; on probation; at pleasure, at will; 2**sacher** ['-zaxər] *m* (-s; -) adversary, antagonist, opponent (*all*: *a. f*); *eccl. the* Foe *or* Fiend; 2**schein** *m* reflection; ~'**setzen:** *sich* ~ (*h.*) (*dat.*) oppose, resist; set one's face against; struggle against; disobey (*law, order*); ~**setzlich** [-'zεtsliç] *adj.* refractory; insubordinate; obstructive; 2'**setzlichkeit** *f* (-) refractoriness; insubordination; 2**sinn** *m* (-[e]s) nonsense, absurdity; ~**sinnig** *adj.* paradoxical; absurd, nonsensical, preposterous; ~**spenstig** ['-ʃpεnstiç] *adj.* refractory, recalcitrant; obstinate, stubborn; rebellious, restive; unruly (*child, hair, etc.*); *der* 2*en Zähmung* the Taming of the Shrew; 2**spenstigkeit** *f* (-) refractoriness, obstinacy; 2**spiel** *n* contrary, reverse, counterpart; ~'**sprechen** *v/i.* (*irr., h.*) (*dat.*) contradict (*sich* o.s.); oppose (*a proposal, etc.*); be repugnant to (*a law*); *sich or einander* ~ *views, instructions, etc.*: be contradictory, be at variance; ~'**sprechend** *adj.* contradictory; conflicting (*feelings, laws, etc.*).

'**Wider|spruch** *m* contradiction; opposition (*gegen* to *a proposal, a.* to *patent application*); *Am.* backtalk; *innerer* ~ inconsistency; ~ *in sich selbst* contradiction in terms; *im* ~ *zu* in contradiction to; *in offenem* ~ *zu* in flagrant contradiction to; *im* ~ *stehen zu* be inconsistent with, be at variance with; 2**sprüchlich** ['-ʃpryçliç] *adj.* contradictory, inconsistent.

'**Widerspruchs...:** ~**geist** *m* (-es) contradictoriness; 2**los I.** *adj.* uncontradicted; **II.** *adv.* without contradiction; meekly; 2**voll** *adj.* (self-)contradictory, incongruous.

'**Widerstand** *m* resistance, opposition; *el.* **a**) resistance, *spezifischer* ~ volume resistivity, **b**) resistor; *aer.* drag of air; *tech.* (material) strength, stability; *mil. hinhaltender* ~ delaying action; ~ *leisten* offer (*or* put up a) resistance; *auf* (*heftigen*) ~ *stoßen* meet with fierce resistance, run into stiff opposition; *den* ~ *aufgeben* give in; *jur.* ~ *gegen die Staatsgewalt* resisting a public officer in the execution of his office.

'**Widerstands...:** ~**bewegung** *f* resistance movement, *the* Resistance; 2**fähig** *adj.* resistant, robust, rugged (*all a. tech.*); ~**fähigkeit** *f* (-) resistance, strength; ~**kämpfer** *pol. m* member of the Resistance; ~**kern** *mil. m* cent|re (*Am.* -er) of resistance, strong point; ~**kraft** *f* power of resistance; *tech.* strength, stability; 2**los** *adj.* unresisting; *adv. a.* without resistance; meekly; ~**messer** *el. m* (-s; -) ohmmeter; ~**nest** *mil. n* pocket of resistance; ~**schweißung** *f* resistance welding; ~**wert** *m* coefficient of resistance.

'**wider...:** ~'**stehen** *v/i.* (*irr., h.*) (*dat.*) resist, withstand; be repugnant to; *food*: disagree with, make *a p.* heave; *er konnte der Versuchung nicht* ~ he could not resist (*or* he succumbed to) temptation; ~'**streben** *v/i.* (*h.*) (*dat.*) oppose; strive (*or* struggle) against; be repugnant to, go against one's grain; *es widerstrebt mir, dies zu tun* I am reluctant to do it, I hate to do it; 2'**streben** *n* resistance, opposition; reluctance; *mit* ~ → ~'**strebend** *adv.* reluctantly, with reluctance; 2**streit** *m* (-[e]s) opposition, antagonism; *fig.* conflict, clash; ~'**streiten** *v/i.* (*irr., h.*) (*dat.*) conflict (*or* clash) with, be contrary to; ~'**streitend** *adj.* antagonistic; conflicting, clashing; ~**wärtig** ['-vεrtiç] *adj.* unpleasant, disagreeable; repulsive; disgusting, loathsome, nasty; hateful, odious; 2**wärtigkeit** *f* (-) unpleasantness, disagreeableness; repulsiveness; nastiness; nuisance; adversity, untoward event; 2**wille** *m* aversion (*gegen* to), dislike (for), antipathy (to); disgust (at), loathing; reluctance; ~**willig I.** *adj.* unwilling, reluctant; grudging (*admiration, etc.*); **II.** *adv.* reluctantly, with reluctance; with distaste *or* disgust; grudgingly.

widm|en ['vitmən] *v/t.* (*h.*) dedicate; devote (*all*: *dat.* to); *sich e-r Sache* ~ devote o.s. (*or* give o.s. up) to a th.; *sich j-m* ~ attend to, devote one's time to, entertain *a p.*; 2**ung** *f* (-; -en) dedication; 2**ungsexemplar** *n* presentation copy.

widrig ['vi:driç] *adj.* adverse, untoward, contrary; → *widerwärtig*; ~**enfalls** ['-gən-] *adv.* failing which, in default of which, otherwise; 2**keit** *f* (-) contrariety, unpleasantness; repulsiveness, loathsomeness; adversity, untoward event.

wie [vi:] *adv.* **1.** *interr.* how?, in what way?; ~ *alt sind Sie?* how old are you?, what is your age?; ~ *sagten Sie?* what did you say?, (I beg your) pardon?; ~ *ist* (*or war*) *es mit?* what about?; ~ *wäre es mit?* what about?; ~ *wäre es, wenn?* what if?; **2.** *int.* ~ *schön?* how beautiful!; ~ *froh war ich!* how glad I was!; ~ *gut, daß!* lucky for him (us, them) that!; *und* ~! and how!, not half!; **3.** *comparative*: as, *usu.* as ... as; → *so*; such as; like; ~ *ein Freund* as (*or* like) a friend; *ein Mann* ~ *er* a man such as he, a man like him; (*nicht*) *so alt* ~ as (not so) old as; *er sieht nicht* ~ *50* (*Jahre alt*) *aus* he doesn't look fifty; ~ *oben* (*zuvor*) as above (before); ~ *gesagt* as has been said, as I have said before; ~ *du mir, so ich dir* tit for tat; ~ *man mir gesagt hat* as I have been told; **4.** *as to time*: (*cj.*) as; *~ er dies hörte* hearing this; *~ ich so vorbeiging* just as I was passing by; *ich sah, ~ ihm die Tränen in die Augen traten* I saw tears come into his eyes; *ich hörte, ~ er es sagte* I heard him say so; **5.** *with adv.*: *~ sehr er es auch versuchte* much as he tried; *parenthetical*: *~ es scheint* it seems; **6.** *generalizing*: *~ (auch) immer* however, no matter how; *~ dem auch sei* however that may be, be that as it may; *~ sie auch alle heißen mögen* whatever their names may be.

Wie *n* (-): *das ~ und Warum* the why and the wherefore; *auf das ~ kommt es an* it all depends on how it is done (*or* said).

Wiedehopf ['vi:dəhɔpf] *m* (-[e]s; -e) hoopoe.

wieder ['vi:dər] *adv.* again, once more; anew, afresh; back; in return; *~ und ~* again and again, over and over again; *~ ist ein Tag vergangen* another day has passed; **ꝛabdruck** *m* (-[e]s; -e) reprint, new impression; **ꝛanfang** *m* → *Wiederbeginn*; **~'anknüpfen** *fig. v/i.* (*h.*) renew; **ꝛanlage** *econ. f* reinvestment; **ꝛannäherung** *pol. f* rapprochement; **~'annehmen** *v/t.* (*irr., h.*) reassume (*name, title*); **~'anstellen** *v/t.* (*h.*) reappoint, reinstall; → *wiedereinstellen*; **ꝛ'anstellung** *f* reappointment; **ꝛ'aufbau** *m* (-[e]s) reconstruction; rehabilitation; rebuilding; **~'aufbauen** *v/t.* (*h.*) rebuild; reconstruct; rehabilitate; **~'aufblühen** *v/i.* (*sn*) → *aufblühen*; **~'auf-erstehen** *v/i.* (*irr., sn*) rise from the dead; **ꝛ'auf-erstehung** *f* resurrection; **~aufführen** *thea. v/t.* (*h.*) reproduce; **ꝛaufführung** *f* reproduction; **~'aufkommen** *v/i.* (*irr., sn*) *fashion, etc.*: revive, come into fashion again; *patient*: recover; **ꝛ'aufkommen** *n* revival; recovery; **~'aufladen** *v/t.* (*irr., h.*) recharge (*battery, etc.*); **~'aufleben** *v/i.* (*sn*) (*a. ~ lassen*) revive; *Versicherung ~ lassen* reinstate (*insurance*); **ꝛ'aufleben** *n* revival; **ꝛ'aufnahme** *f* resumption; **ꝛ'aufnahmeverfahren** *jur. n* new hearing; new trial, trial de novo; *das ~ einleiten in e-m Prozeß (gegen j-n)* retry a case (a p.); **~'aufnehmen** *v/t.* (*irr., h.*) resume; **~'aufrichten** *v/t.* (*h.*) set up (again), re-erect; **~aufrüsten** *v/t. and v/i.* (*h.*) rearm; **ꝛ'aufrüstung** *f* rearmament, rearming; **~'auftauchen** *v/i.* (*sn*) come to light again, reappear, turn up again; *mar.* re-surface; **~'auftreten** *v/i.* (*irr., sn*) reappear; **ꝛ'auftreten** *n* reappearance; **ꝛausfuhr** *f* re-exportation; **ꝛausgabe** *econ. f* reissue; **ꝛbeginn** *m* recommencement; re-opening (*of school, etc.*); **~bekommen** *v/t.* (*irr., h.*) get back, recover; **~beleben** *v/t.* (*h.*) restore to life; *fig.* revive, put new life into, reanimate, revitalize; **ꝛbelebung** *f* revival, reanimation; *med.* resuscitation; **ꝛbelebungsmittel** *n* restorative; **ꝛbelebungsversuch** *m* attempt at resuscitation; **~beschaffen** *v/t.* (*h.*) replace; **~bringen** *v/t.* (*irr., h.*) bring back; return, restore (*dat.* to); **~'einbauen** *v/t.* (*h.*) reinstall; **~'einbringen** *v/t.* (*irr., h.*) make good, recover; make up for; **~'einfinden** *n*: *sich ~* (*irr., h.*) turn up again; **ꝛ'einfuhr** *f* re-importation; *zollfreie ~* duty-free return; **~'einführen** *v/t.* (*h.*) re-introduce; revive, re-establish; *econ.* re-import; **ꝛ'einführung** *f* reintroduction; **ꝛ'eingliederung** *f* reintegration (*in* within); vocational rehabilitation; **ꝛ'einlieferung** *f med.* rehospitalization; *jur.* reincarceration; **~'einlösen** *v/t.* (*h.*) redeem; **ꝛ'einlösung** *f* redemption; **ꝛ'einnahme** *f* recapture; **~'einnehmen** *v/t.* (*irr., h.*) recapture; resume (*place, seat*); **~'einpacken** *v/t.* (*h.*) pack up again; **ꝛ'einreise-erlaubnis** *f* re-entry permit; **ꝛ'einschiffung** *f* re-embarkation; **~'einsetzen** *v/t.* (*h.*) replace; reinstate (*in acc.* in *an office, etc.*), restore (to); restitute (to *rights*); **ꝛ'einsetzung** *f* reinstatement, restoration; restitution; **~'einstellen** *v/t.* (*h.*) re-engage, re-employ; *mil.* re-enlist; *sich ~* turn up again; **ꝛ'einstellung** *f* re-engagement, re-employment; *mil.* re-enlistment; **~ergreifen** *v/t.* (*irr., h.*) reseize, recapture; **ꝛergreifung** *f* reseizure; **~erhalten** *v/t.* (*irr., h.*) get back; recover; **~erkennen** *v/t.* (*irr., h.*) recognize; *nicht wiederzuerkennen* totally changed; past recognition; **ꝛerkennung** *f* recognition; **~erlangen** *v/t.* (*h.*) recover, get back; be restored to *the throne, etc.*; **ꝛerlangen** *n* (-s) recovery (*des Eigentums* of title); **~ernennen** *v/t.* (*irr., h.*) reappoint; **~er-obern** *v/t.* (*h.*) reconquer, recapture; **ꝛer-öffnung** *f* re-opening; resumption (*of hostilities*); **~erscheinen** *v/i.* (*irr., sn*) reappear; *newspaper*: resume publication; *~ lassen* republish; **~erstatten** *v/t.* (*h.*) restore, return, restitute (*dat.* to); refund, reimburse (*costs*); **ꝛerstattung** *f* restitution; repayment; refund, reimbursement; **~erstehen** *v/i.* (*irr., sn*) be rebuild, rise again; *fig.* (*a. ~ lassen*) revive; **~erzählen** *v/t.* (*h.*) retell, repeat; **~finden** *v/t.* (*irr., h.*) find again; **ꝛgabe** *f* restitution, return; reproduction (*of sound, picture, etc.*); rendering (*of text, music*); **ꝛgabegerät** *n* reproducer; **ꝛgabegüte** *f* quality of reproduction, fidelity; **ꝛgaberöhre** *TV f* picture tube, *Am.* kinescope; **ꝛgabetreue** *f* fidelity (of reproduction); **~geben** *v/t.* (*irr., h.*) give back, return; restore (*dat.* to); reproduce; render, interpret; quote; reflect; **ꝛgeburt** *f* rebirth, regeneration, palingenesis; **~genesen** *v/i.* (*irr., sn*) recover; **ꝛgenesung** *f* recovery; **~gewinnen** *v/t.* (*irr., h.*) regain, recover; reclaim (*material*); **ꝛgewinnung** *f* recovery; *tech.* reclamation, salvage; **~grüßen** *v/i.* (*h.*) return a bow (*or mil.* a salute); **~'gutmachen** *v/t.* (*h.*) make good, repair; cure (*a default*); *nicht wiedergutzumachen* irreparable; **ꝛ'gutmachung** *f* (-; -en) reparation; **~haben** *v/t.* have back (again); **~'herstellen** *v/t.* (*h.*) restore (*a. right*); re-establish (*connection*); *med. wiederhergestellt* cured, recovered; **ꝛ'herstellung** *f* restoration; restitution (*of right*); *med.* recovery; re-establishing (*of contacts*); **~holbar** [-'ho:lba:r] *adj.* repeatable; reproducible; **~'holen** *v/t.* (*h.*) **1.** repeat, say (over) again; reiterate; recapitulate, sum up; *sich ~ person*: repeat o.s.; *matter*: *a.* happen again, recur; **2.** *'wiederholen* fetch back, bring back; take back; **~holt** [-'ho:lt] *adj.* repeated(ly *adv.*); **ꝛholung** [-'ho:luŋ] *f* (-; -en) repetition; repeat; reiteration; recapitulation; **ꝛ'holungsfall** *m*: *im ~e* if it should occur again, in case of recurrence; **ꝛ'holungslehrgang** *m* refresher course; **ꝛ'holungszeichen** *n mus.* repeat; *typ.* ditto-marks *pl.*; **ꝛhören** *n*: *auf ~* good-bye; **~in'standsetzen** *v/t.* (*h.*) repair; recondition, overhaul; **ꝛin'standsetzung** *f* repair(s *pl.*); reconditioning, overhaul; **~käuen** ['-kɔyən] **I.** *v/i.* (*h.*) ruminate, (*a. fig.*) chew the cud; **II.** *v/t.* (*h.*) (*fig.*) repeat over and over; **ꝛkäuer** *m* (-s; -) ruminant; **ꝛkauf** *m* repurchase; **ꝛkehr** ['-ke:r] *f* (-) return; recurrence; anniversary; **~kehren** *v/i.* (*sn*) return, come back; recur, repeat itself; **~kehrend** *adj.* recurrent, periodical; **~kommen** *v/i.* (*irr., sn*) come again; come back, return; **ꝛkunft** ['-kunft] *f* (-) return; **ꝛnahme** ['-na:mə] *f* (-) taking back; *mar., mil.* recapture; **~sehen** *v/t., a. sich* (*irr., h.*) see (*or* meet) again; **ꝛsehen** *n* meeting again, reunion; *auf ~!* good-bye!, au revoir (*Fr.*)!, see you again!, so long!, cheerio!; **ꝛtaufe** *f* rebaptism; **ꝛtäufer** *m* anabaptist; **~tun** *v/t.* (*irr., h.*) do again, repeat; **~um** *adv.* again, anew; on the other hand; in his, *etc.*, turn; **~'umkehren** *v/i.* (*sn*) turn back, retrace one's steps; **~vereinigen** *v/t., a. sich* (*h.*) reunite; **ꝛvereinigung** *f* reunion; *a. pol.* reunification; **~vergelten** *v/t.* (*irr., h.*) *b.s.* requite, retaliate, pay back; **ꝛvergeltung** *f* requital, reprisal; retaliation; **~verheiraten** *v/t., a. sich* (*h.*) remarry; **ꝛverheiratung** *f* remarriage; **~verkaufen** *v/t.* (*h.*) resell; **ꝛverkäufer** *m* reseller; retailer, retail dealer; **ꝛverkaufs-preis** *m* trade price; **ꝛverkaufsrecht** *n* right of resale; **~verpflichten** *mil. v/t., a. sich* (*h.*) re-enlist; **ꝛverwendung** *f* re-use; **ꝛverwertung** *f* reutilization; **ꝛ'vorlage** *f* renewed submission; **ꝛwahl** *f* re-election; *sich zur ~ stellen* stand for re-election; **~wählen** *v/t.* (*h.*) re-elect; **~'zulassen** *v/t.* (*irr., h.*) readmit; **ꝛ'zulassung** *f* readmission; **~zu'sammenbauen** *v/t.* (*h.*) reassemble; **~zu'sammentreten** *v/i.* (*irr., sn*) reassemble, reconvene; **~'zustellen** *v/t.* (*h.*), **ꝛ'zustellung** *f* return.

Wiege ['vi:gə] *f* (-; -n) cradle (*a. mil. of gun*; *a. fig. origin*); *fig. seine ~ stand in Berlin* he was born in Berlin; *von der ~ bis zur Bahre* from cradle to grave; *das ist ihm auch* *nicht an der ~ gesungen worden* no one would have thought he would come to this; **~brett** *n* chopping-board; **~brücke** *f* weigh-bridge; **~messer** *n* mincing-knife.

wiegen[1] ['vi:gən] *v/t., v/i. (irr., h.)* weigh; *only v/i.*: have a weight of; *was ~ Sie?* what is your weight?; *fig.* carry weight; *schwerer ~ als* outweigh.

'**wiegen**[2] *v/t. (h.)* **1.** rock (*in den Schlaf* to sleep); *den Kopf ~* shake one's head slowly; *sich ~* sway, seesaw, *Am.* teeter; *sich in den Hüften ~d* with swaying hips; *fig. sich ~ in (dat.)* delude o.s. with; *~der Gang* rolling gait; **2.** mince, chop.

'**Wiegen...:** **~druck** *typ. m* (-[e]s; -e) incunabulum; **~fest** *n* birthday; **~kind** *n* infant in the cradle, baby; **~lied** *n* lullaby, cradlesong.

wiehern ['vi:ərn] *v/i. (h.)* neigh; *fig.* hee-haw, guffaw; *~des Gelächter* horse-laugh, guffaw; ≈ *n* (-s) neighing.

Wien [vi:n] *n* (-s) Vienna; '**Wiener** *m* (-s; -), **~in** *f* (-; -nen), **≈isch** *adj.* Viennese.

wies [vi:s] *pret. of weisen.*

Wiese ['vi:zə] *f* (-; -*n*) meadow; lawn; pasture.

Wiesel ['vi:zəl] *n* (-s; -) weasel; → *flink.*

'**Wiesen...:** **~bau** *m* (-[e]s) cultivation of meadows; **~klee** *m* red clover; **~land** *n* meadow-land, grassland; **~schaumkraut** *n* (-[e]s) cuckoo-flower.

wie'so? why?, why so?, but why?; *~ weißt du das?* how is it you know that?

wie'viel? how much?; *~(e) pl.* how many; *int.* how!; *um ~ mehr!* how much more!; *~ Uhr ist es?* what is the time?; **~mal?** how many times?; *der, die, das* **~te?** ['-tə] which?; what number?; *den ~n haben wir heute?* what day of the month is it?; *zum ~n Male jetzt?* that makes it how many times?

wie'wohl *cj.* (al)though.

wild [vilt] *adj.* wild; savage; ferocious; fierce; furious, enraged; tempestuous, *fig. a.* impetuous; turbulent, uproarious; unruly, unmanageable (*child*); dishevel(l)ed, unkempt (*hair*); *~es Mädchen* tomboy, romp; *~er Boden* virgin soil; *med. ~es Fleisch* proud flesh; *~e Ehe* concubinage; *~e Flucht* headlong flight, rout; → *Jagd*; *~er Streik* illegal strike, *esp. Am.* wildcat strike; *~e Vermutungen* wild speculation; → *Wein*; *~ machen* drive *a p.* wild, enrage, infuriate; frighten (*animal*); *~ sein auf (acc.)* be wild *or* crazy about; *~ wachsen* grow wild; *~ werden* turn wild, *fig.* see red, get wild; *seid nicht so ~!* don't make so much noise!

'**Wild** *n* (-[e]s) game; head of game; deer; (*meat*) game, venison; **~bach** *m* torrent; **~bad** *n* hotsprings *pl.*, thermal baths *pl.*; **~bahn** *f* hunting-ground; **~braten** *m* roast venison; **~bret** ['-brɛt] *n* (-s) game; venison; **~dieb** *m* poacher; **~diebe'rei** *f* poaching; **~ente** *f* common wild duck.

Wilde(r) ['vildə(r)] *m* (-*n*; -*n*) savage; *parl.* free lance; *fig. wie ein ~r* like mad.

'**Wilder|er** *m* (-s; -) poacher; **≈n** *v/i. (h.)* poach.

'**Wild...:** **~fang** *m* madcap; (*girl*) *a.* romp, tomboy; **~fleisch** *n* → *Wildbret*; **≈fremd** *adj.* quite strange; *~er Mensch* complete stranger; **~gans** *f* wild goose; **~geschmack** *m* (-[e]s) gamy taste; **~heit** *f* (-) wildness; savageness; ferocity; fierceness; savagery; **~hüter** *m* gamekeeper; **~leder** *n*, **≈ledern** *adj.* buckskin; doeskin; chamois-leather; **~lederschuhe** *m/pl.* suede shoes; **~ling** ['-liŋ] *bot. m* (-s; -e) wild stock *or* tree; wilding; *fig.* → *Wildfang*; **~nis** *f* (-; -se) wilderness, wild (*a. fig.*); jungle (*a. fig.*); **~park** *m* (game-)preserve, deer-park; **~sau** *f* (-; -en) wild sow; **~schaden** *m* damage done by game; **~schütz(e)** *m* poacher; **~schutzgebiet** *n* game reserve; **~schwein** *n* wild boar (*f* sow); **~stand** *m* stock of game; **≈wachsend** *adj.* (growing) wild; **~wasser** *n* torrent; **~wechsel** *m* *Am.* deer pass; **~west...** Western; **~westfilm** *m* Western (film).

Wille(n) ['vilə(n)] *m* (-[*n*]s; -[*n*]) will; *esp. phls.* volition; intent(ion); determination; *böser ~* ill-will; *guter ~* good intention; *letzter ~* (last) will, *jur.* last will and testament; *aus freiem ~n* of one's own free will, of one's own accord, voluntarily; *gegen s-n ~n* **a)** against one's will, **b)** despite of o.s.; *mit ~n* on purpose, expressly; *um ... ≈n* for the sake of; → *willens*; *j-m s-n ~n lassen* let a p. have his (own) way; *j-m zu ~n sein* comply with a p.'s wishes, oblige a p.; *s-n ~n durchsetzen* have one's way, carry one's point; *ich kann es beim besten ~n nicht tun* I cannot do it, much as I should like to (*or* not for the life of me); *wenn es nach s-m ~n ginge* if he had his way; *wo ein ~ ist, ist auch ein Weg* where there is a will, there is a way.

'**willen...:** **~los** *adj.* lacking will-power, will-less; irresolute; spineless; *j-s ~es Werkzeug sein* be a p.'s slave; *j-m ~ ausgeliefert sein* be at a p.'s mercy; **≈losigkeit** *f* (-) lack of will-power; indecision.

'**willens** *adj.*: *~ sein, zu inf.* be willing *or* ready to *inf.*; *ich bin nicht ~ zu, inf. a.* I do not propose to *inf.*

'**Willens...:** **~akt** *m* act of volition; **~anstrengung** *f* effort of will; **~äußerung** *f* expression of one's will; *a.* = **~erklärung** *jur. f* declaratory act; *one's* act and deed; **~freiheit** *f* (-) freedom of (the) will, free will; **~kraft** *f* (-) will-power, strength of mind; **≈schwach** *adj.* weak(-willed), lacking will-power; **~schwäche** *f* (-) weak will, lack of will-power; **≈stark** *adj.* strong-willed; **~stärke** *f* (-) will-power, strong will.

'**willentlich** *adv.*: *wissentlich und ~* consciously and deliberately.

will'fahren *v/i. (h.) (dat.)* comply with, grant, accede to; *j-m ~* please (*or* gratify) a p.; humo(u)r a p.

willfährig ['-fɛ:riç] *adj.* compliant, complaisant; docile; *contp.* obsequious; *j-s ~es Werkzeug sein* be at a p.'s beck and call; **≈keit** *f* (-) compliance, complaisance; docility; obsequiousness.

'**willig** *adj.* willing, ready; docile; *ein ~es Ohr leihen (dat.)* lend a willing ear to; **~en** ['-gən] *v/i.* → *einwilligen*; **≈keit** *f* (-) willingness; zeal.

'**Will...:** **~komm** *m* (-s; -e), **~'kommen** *n* (*m*) (-s; -) welcome, reception; **≈'kommen** *adj.* welcome (*a. fig.*); *j-n ~ heißen* welcome a p., bid a p. welcome.

Willkür ['-ky:r] *f* (-) arbitrariness; discretion; *j-s ~ preisgegeben sein* be at the mercy of; **~akt** *m* arbitrary act; **~herrschaft** *f* arbitrary rule, despotism; **≈lich I.** *adj.* arbitrary, high-handed; random (*sample, etc.*); **II.** *adv.* in an arbitrary, *etc.*, manner; at will, at pleasure; at random; **~lichkeit** *f* (-) arbitrariness; arbitrary act.

wimmeln ['viməln] *v/i. (h.)* swarm (*von* with), be alive (*or* crawling, teeming) (with).

wimmern ['vimərn] *v/i. (h.)* whimper, whine.

'**Wimmern** *n* (-s) whimper.

Wimpel ['vimpəl] *m* (-s; -) pennant, pennon, streamer; **~stange** *f* pennant staff.

Wimper ['vimpər] *f* (-; -*n*) eyelash; *zo., bot. ~n pl.* cilia; *ohne mit der ~ zu zucken* without wincing, *fig.* without turning a hair, *Am.* without batting an eyelash; **~ntusche** *f* eyelash black.

Wind [vint] *m* (-[e]s; -e) wind; *med.* flatulence, wind; *guter, günstiger ~* fair wind; *starker ~* high wind, gale; → *Windstoß*; *sanfter ~* (gentle) breeze; *~ von vorn* head wind; *beim ~, dicht am ~ sail* on the wind, close-hauled; *gegen den ~* into the wind, (right) into the wind's eye; *mit dem ~* down wind; *im ~e flattern* flutter before the wind; *bei ~ und Wetter* in storm and rain, in all weathers; *fig. ~ bekommen* (*or haben*) *von* get wind of; *~ machen fig.* boast, brag, talk hot air, gas; *j-m den ~ aus den Segeln nehmen* take the wind out of a p.'s sails, steal a p.'s thunder; *~ säen und Sturm ernten* sow the wind and reap the whirlwind; *in alle ~e zerstreuen* scatter to the four winds; *in den ~ reden* speak to the winds; *in den ~ schlagen* toss to the winds, make light of, ignore; *sich den ~ um die Nase wehen lassen* see the world; *wissen, woher der ~ weht* know how the wind blows; → *Mantel.*

'**Wind...:** **~beutel** *m cul.* cream-puff, éclair (*Fr.*); *colloq. fig.* windbag, humbug; **~beutelei** ['-bɔytə'laɪ] *f* (-; -en) swaggering, humbug; **~blattern** *med. f/pl.* chicken-pox; **~bluse** *f* → *Windjacke*; **~bruch** *m* windfall; **~büchse** *f* air-gun.

Winde ['vində] *f* (-; -*n*) *tech.* winch, windlass, hoist; *of anchor*: capstan; lifting jack; reel; *bot.* bindweed.

'**Wind·ei** *n* wind-egg.

Windel ['vindəl] *f* (-; -*n*) diaper,

(baby's) napkin; *pl.* ~n *a.* swaddling-clothes (*a. fig.*); *colloq. fig.* (*noch*) *in den* ~n *steckend* (still) in its infancy (*or* early stages); 2n *v/t.* (*h.*) swaddle, swathe; 2**weich** *adj.*: *j-n* ~ *schlagen* beat a p. to a jelly.
winden[1] ['vindən] *v/i.* (*impers., h.*): *es windet* there is a wind blowing.
'**winden**[2] *v/t.* (*irr., h.*) wind; twist, twirl (*um* round); coil; reel (*yarn, etc.*); make, bind (*wreath*); *in die Höhe* ~ hoist; *j-m et. aus den Händen* ~ wrest a th. out of a p.'s hands; *sich* ~ squirm, writhe (*vor dat.* with *pain, shame*); *road*: wind, twist its way (along); *river*: meander; *worm*: wriggle, turn; *fig. sich* ~ *und drehen* wriggle like an eel; → *gewunden*.
'**Windes-eile** *f*: *mit* ~ at lightning-speed, in no time; *das Gerücht verbreitete sich mit* ~ the rumo(u)r spread like wildfire.
'**Wind...**: ~**fahne** *f* (weather-)vane; ~**fang** *m* draught-screen; *tech.* vent hole; *arch.* porch; ~**fangfenster** *n* air-trap window; ~**flügel** *mot. m* fan (blade); 2**geschützt** *adj.* protected against the wind; ~**hafer** *m* wild oats *pl.*; ~**harfe** *f* Aeolian harp; ~**hauch** *m* breath of wind, gentle breeze; ~**hose** *f* whirlwind, tornado; ~**hund** *m* greyhound; *fig.* giddy fellow.
windig ['-diç] *adj.* windy, wind-swept; *fig.* giddy, frivolous (*person*); precarious, shaky (*thing*); thin, lame (*excuse*).
'**Wind...**: ~**jacke** *f* field-jacket, *Am.* windbreaker; ~**kanal** *m* wind tunnel; ~**kessel** *m* air-chamber; ~**klappe** *f* air-valve; ~**licht** *n* (-[e]s; -er) storm lantern; ~**messer** *m* (-s; -) wind gauge, anemometer; ~**mühle** *f* windmill; *fig. gegen* ~n *kämpfen* fight windmills; ~**mühlenflugzeug** *n* gyroplane, autogyro; ~**pocken** *med. f/pl.* chicken-pox; ~**rad** *n* fan blower; ~**richtung** *f* direction of the wind; ~**röschen** ['-rø:sçən] *bot. n* (-s; -) anemone; ~**rose** *mar. f* (compass-)card, rhumb-card, wind rose; ~**sack** *aer. m* wind cone (*or* sleeve); ~**sbraut** *f* (-) hurricane, gale whirlwind; ~**schacht** *m mining*: air-shaft; ~**schatten** *m* (-s) *mar.* lee; *aer.* sheltered zone; 2**schief** *adj.* warped (*a. fig.*), *esp. arch.* skew; *fig.* awry, *Am.* cock-eyed; ~**schirm** *m* wind-screen, draught-screen; 2**schlüpfrig**, 2**schnittig** *adj.* streamlined, aerodynamic; ~(**schutz**)**scheibe** *f* wind-screen, *Am.* windshield; ~**seite** *f* windward (*or* weather-)side; ~**spiel** *n* Italian greyhound; ~**stärke** *f* wind force *or* velocity; ~ *1* Beaufort 1; 2**still** *adj.* calm; ~**stille** *f* calm, lull; ~**stoß** *m* blast of wind, gust, squall; ~**streichhölzchen** ['-ʃtraiçhœltsçən] *n* (-s; -) fusee, vesuvian; ~**tunnel** *m* wind tunnel.
Windung ['vinduŋ] *f* (-; -en) winding, turn, convolution; bend, sinuosity; coil; whorl (*of spiral, shell*); worm, thread (*of screw*); ~**szahl** *tech. f* number of turns.
'**Wind...**: ~**wehe** *f* snowdrift; ~**zug** *m* draught, current of air.
Wink [viŋk] *m* (-[e]s; -e) sign; wave; wink; nod; *fig.* hint, pointer, tip-off, tip; → *Zaunpfahl*; *j-m e-n* ~ *geben* give (*or* drop) a p. a hint *einen* ~ *verstehen* take a hint.
Winkel ['viŋkəl] *m* (-s; -) *math.* angle; *w.s.* corner, nook; *fig.* recess (*of the heart*); *mil.* chevron; *tech.* square; *el.* phase angle; → *spitz, tot, etc.*; *im rechten* ~ at a right angle; ~**abstand** *m* angular distance; ~**abweichung** *f* angular deflection; ~**advokat** *m* pettifogger, hedge-lawyer, *Am.* shyster; ~**beschleunigung** *f* angular acceleration; ~**börse** *econ. f* bucket-shop; ~**eisen** *tech. n* angle iron; 2**förmig** ['-fœrmiç] *adj.* angular; ~**funktion** *math. f* goniometric function; ~**gasse** *f* back lane; ~**getriebe** *mot. n* mitre-gear; ~**haken** *typ. m* composing-stick; ~**halbierende** ['-halbi:rəndə] *f* (-n; -n) bisector of an angle; ~**hebel** *m* bell-crank.
'**wink(e)lig** *adj.* angular; *w.s.* full of corners, cornered; crooked (*lane*); *in compounds, esp. math.* ...angled.
'**Winkel...**: ~**makler** *m* outside broker, *Am.* bucketeer; ~**maß** *n* (steel) square; ~**messer** *m* (-s; -) protractor; *surv.* goniometer; *mil.* clinometer; ~**planierer** ['-plani:rər] *m* (-s; -) angle-dozer; 2**recht** **I.** *adj.* right-angled; **II.** *adv.* at right angles; ~**reflektor** *m* corner reflector; ~**schere** *f* angular scissors *pl.*; ~**stellung** *f* angular adjustment; ~**stütze** *f* bracket; ~**zug** *m* dodge, subterfuge, shift, trick; evasion; *Winkelzüge machen* dodge, shuffle, prevaricate; use shifts, *etc.*
'**wink|en** *v/i.* (*h.*) make a sign, signal (*dat.* to); wave, motion, beckon; nod; wink; *mar., mil.* semaphore, flag; *mit der Hand* (*dem Taschentuch*) ~ wave one's hand (handkerchief); *fig. reward*: be in store (*dat.* for); 2**er** *m* (-s; -) *mot.* direction indicator; *mil.* (*person*) flag signal(l)er; 2**erflagge** *mil. f* signalling flag; 2**spruch** *m* semaphore message; 2**zeichen** *mil. n* semaphore; ~ *geben* semaphore, flag.
winseln ['vinzəln] *v/i.* (*h.*) whimper, whine.
Winter ['vintər] *m* (-s; -) winter; *im* ~ in winter; → *mitten*; ~**aufenthalt** *m* winter abode; winter resort; ~**betrieb** *tech. m* winter operation; ~**feldzug** *m* winter campaign; 2**fest** *adj.* winterproof; *tech.* ~ *machen* winterize; *bot.* hardy; ~**frische** *f* (-; -n) winter holidays *pl.*; winter resort; ~**frucht** *f*, ~**getreide** *n* wintercorn; ~**garten** *m* winter garden; ~**grün** *bot. n* winter-green, periwinkle; ~**halbjahr** *n* winter half-year; ~**hart** *adj.* cold-climate; ~**kleidung** *f* winter clothes *pl.*, (*a. fig.*) winter garment; ~**korn** *n* (-[e]s; -e) → *Winterfrucht*; 2**lich** *adj.* wintry; ~**mantel** *m* winter overcoat; ~**märchen** *n* winter tale; ~**mode** *f* winter fashion; ~**öl** *mot. n* winter oil; ~**olympiade** *f* → *Winterspiele*; ~**quartier** *n* winter quarters *pl.*; ~**saat** *f* winter corn; ~**schlaf** *m* winter-sleep, hibernation; *med. künstlicher* ~ artificial hibernation, hypothermia; ~ *halten* hibernate; ~**semester** *n* winter term; ~**sonnenwende** *f* winter solstice; ~**spiele** *n/pl.*: *Olympische* ~ Olympic Winter Games; ~**sport** *m* winter sport(s *collect.*); ~**sportplatz** *m* winter sports centre; ~**überzieher** *m* winter overcoat; ~**vorrat** *m* winter stock.
Winzer ['vintsər] *m* (-s; -) vine-dresser; wine-grower; vintager.
winzig ['vintsiç] *adj.* (*a.* ~ *klein*) tiny, minute, diminutive; infinitesimal, microscopic; *ein* ~*es Kerlchen* (*Zimmer*) *a.* a slip of a boy (room); 2**keit** *f* (-) tininess, minuteness, diminutive size; 2**posten** *econ. pl.* petty accounts.
Wipfel ['vipfəl] *m* (-s; -) (tree-)top.
Wipp|e ['vipə] *f* (-; -n) seesaw; 2**en** *v/i.* (*h.*) seesaw, rock; *Am. a.* teeter; *gym.* dip, spring the board; ~ *mit* wag (*one's tail, etc.*); ~**säge** *f* jig saw.
wir [vi:r] *pers. pron.* we; ~ *beide* (*alle*) both (all) of us; ~ *drei* we three, the three of us.
wirb [virp] → *werben*.
Wirbel ['virbəl] *m* (-s; -) whirl, swirl; eddy; whirlpool, maelstrom, (*a. phys.*) vortex; whirlwind; *tech.* turbulence; eddy, wreath (*of smoke*); flurry (*of dust, snow, blows*); *anat.* vertebra (*pl.* -ae); crown (of the head); swivel (*of chain*); peg (*of violin*); (*drum*) roll; (*bird song*) warble; *fig.* whirl (*of pleasure, traffic, etc.*); vortex (*of society, etc.*), maelstrom (*of politics, etc.*); turbulence, hurly-burly; row, racket; *e-n* ~ *machen* make a big fuss *or* noise; ~**bildung** *phys. f* turbulence; 2**förmig** ['-fœrmiç] *adj.* whirling; vertebral; 2**frei** *adj.* irrotational; ~**gelenk** *tech. n* swivel joint; 2**ig** *adj.* whirling; *fig.* giddy, vertiginous, wild; ~**kammer** *mot. f* turbulence chamber; ~**kasten** *mus. m* pegbox, head (*of violin, etc.*); ~**knochen** *m* vertebra; 2**los** *adj.* invertebrate, spineless; 2**n** *v/i.* (*sn*) whirl; eddy; (*h.*) *drums*: roll; *bird*: warble (*a. v/t.*); *fig. mir wirbelt der Kopf* my head is in a whirl; ~**säule** *f* spinal (*or* vertebral) column, spine; ~**strom** *el. m* eddy current; ~**sturm** *m* cyclone, tornado, *Am. a.* twister; ~**tier** *n* vertebrate; ~**wind** *m* whirlwind (*a. fig.*).
wirk|en ['virkən] **I.** *v/t.* (*h.*) work (*Wunder* wonders), cause, effect; knit, weave (*stockings, etc.*); knead (*dough*); **II.** *v/i.* (*h.*) (be at) work, operate, be active; take (effect) (*a. med.*); ~ *als* act as, function as (*a. tech.*); ~ *auf* (*acc.*) produce an impression on, influence, impress; *beruhigend, etc.*, ~ have a soothing, *etc.*, effect *or* influence; *auf die Sinne* ~ affect the senses; *dahin* ~, *daß* see that, bring one's influence to bear that; *an e-r Schule* ~ teach at a school; 2**en** *n* (-s) work, effect, action; functioning; influence; activity; ~**end** *adj.* acting, active; *stark* ~ highly effective, drastic; 2**er** *m* (-s; -) knitter, weaver; 2**e'rei** *f* (-; -en) knitting, weaving; 2**leistung** *tech. f* true power; true output.
'**wirklich** **I.** *adj.* real, actual; true,

genuine; substantial; visible (*supply, etc.*); *mil.* *~er Bestand* effective strength; **II.** *adv.* really, actually, truly, in fact; *~?* (*a. iro.*) really?, indeed?, is that so?; **2keit** *f* (-; *-en*) reality, actuality; truth; real life; *rauhe ~* harsh reality, hard facts *pl.*; *in ~* in reality; **2keitsform** *gr. f* indicative mood; **~keitsfremd** *adj.* unrealistic; starry-eyed; **~keitsnah** *adj.* realistic, down-to-earth; **2keitssinn** *m* (-[e]s) realism, realistic outlook.

'**Wirkmaschine** *f* knitting (*or* hosiery) machine.

'**wirksam** *adj.* effective, efficacious, (*esp. person*) efficient; *med. a.* operative; *sehr ~* powerful, drastic; *~ gegen* effective against, good for; telling (*blow, etc.*); impressive; *~ werden* take effect, *law, etc.*: *a.* become effective, come into force; **2keit** *f* (-) efficacy; effectiveness (*a. med.*); efficiency; impressiveness.

'**Wirk...:** **~spannung** *el. f* active voltage; **~stoff** *m* active substance, additive; hormone; enzyme; biocatalyst; **~stuhl** *m* knitting frame.

'**Wirkung** *f* (-; *-en*) effect; operation (*a. of drug*); action; consequence; result; impression, impact; *esp. thea.* appeal; reaction; *adm., etc.* *mit ~ vom* with effect from, as from (*or* of); *mit sofortiger ~* effective immediately, as of now; *~ erzielen* produce an effect, tell; *s-e ~ verfehlen, ohne ~ bleiben* fail to work, produce no effect, prove ineffectual; *~ zeigen boxing*: be groggy, wilt; *Gesetz über Ursache und ~* law of cause and effect; *keine ~ ohne Ursache* no effect without cause, no smoke without a fire.

'**Wirkungs...:** **~bereich** *m* sphere (*mil.* radius) of action; *artillery*: effective radius; operation (*of law*); **~dauer** *f* duration of effect; *chem.* persistency; **~feuer** *mil. n* fire for effect; **~grad** *tech. m* effect; efficiency; **~kraft** *f* efficacity; **~kreis** *m* sphere (*or* field) of activity; province, domain; **2los** *adj.* inefficacious, ineffectual, inefficient; *~ bleiben* produce no effect, *joke, etc.*: fall flat, *bei j-m*: be lost on a p.; **~losigkeit** *f* (-) inefficacy, inefficiency; **2voll** *adj.* → *wirksam*; **~weise** *f* mode of action (*or* operation); working; mechanism.

'**Wirkwaren** *pl.* knit(ted) goods, knitwear.

'**Wirkzeit** *chem. f* reaction time.

wirr [vir] *adj.* confused; bewildered, *contp.* muddle-headed; disorderly, chaotic; incoherent (*talk*); dishevel(l)ed (*hair*); tangled (*a. fig.*); *mir ist ganz ~ im Kopf* my head is in a whirl.

'**Wirren** *pl.* disorders, troubles.

'**Wirr...:** **~kopf** *fig. m* muddle-headed fellow, scatterbrain; **~nis** *f*, **~sal** *n* (-[e]s; -e) chaos, confusion, entanglement; **~warr** ['-var] *m* (-s) confusion, chaos, jumble, muddle; mess; hubbub, hurly-burly.

Wirsing(kohl) ['virziŋ-] *m* (-s) savoy.

Wirt [virt] *m* (-[e]s; -e) host (*a. biol.*); landlord; innkeeper, (restaurant) proprietor, *Am. a.* saloon-keeper; *fig.* *den ~ machen* do the hono(u)rs; *die Rechnung ohne den ~ machen* reckon without one's host; '**~in** *f* (-; *-nen*) hostess; landlady; innkeeper's wife; proprietress; '**2lich** *adj.* hospitable; habitable.

'**Wirtschaft** *f* (-; *-en*) housekeeping; domestic economy; economy; economic system; trade and industry; economics *pl.*; *freie ~* free enterprise, free competitive system; economic activity; household; *agr.* farm; husbandry; public house, pub; *Am.* saloon; inn; *rail.* refreshment room; *contp.* doings *pl.*, goings-on *pl.*; mess; bustle, racket; **2en** *v/i.* (*h.*) keep house, run the household; economize, husband, operate economically; (*gut ~*) manage well, be a good manager; (*schlecht ~*) mismanage; hustle (*or* potter) about, rummage (about); **~er** *m* (-s; -) manager; steward; **~erin** *f* (-; *-nen*) manageress; housekeeper; **~ler** ['-lər] *m* (-s; -) economist, economic expert; **2lich** *adj.* economic(ally *adv.*); financial; commercial; business *turnover, value*; economical, thrifty; efficient; profitable, paying; *~ gestalten* rationalize; **~lichkeit** *f* (-) economy; good management; efficiency; profitability.

'**Wirtschafts...:** **~abkommen** *n* trade agreement; **~ablauf** *m* economic process; **~barometer** *m* business barometer; **~berater** *m* business consultant, methods study man; **~betrieb** *m* (business) enterprise, industrial unit; *rail.* buffet service; **~beziehungen** *f/pl.* economic (*or* trade) relations; **~buch** *n* housekeeping book; **~einheit** *f* economic entity; **~form** *f* economic system; **~fragen** *f/pl.* economic problems; **~führer** *m* industrial leader, captain of industry; business executive; **~gebäude** *n/pl.* farm buildings *pl.*; *mil.* domestic offices; **~geld** *n* housekeeping money; **~gemeinschaft** *f*: *Europäische ~* European Economic Community; **~geographie** *f* economic geography; **~güter** *n/pl.* economic goods; *balance-sheet*: asset; **~hilfe** *f* economic aid; **~jahr** *n* financial year; *agr.* farm year; **~kraft** *f* (-) economic power (*or* resources *pl.*); **~krieg** *m* economic war(fare); **~krise** *f* economic crisis, business depression, slump; **~leben** *n* (-s) economic activity (*or* life); **~leistung** *f* economic effort; production; **~lenkung** *f* governmental control, *Am.* guidance of trade; **~minister** *m* minister for economic affairs; **~ministerium** *n* ministry of economics; *Am.* Department of Commerce; **~plan** *m* budget, economics *pl.*; **~politik** *f* economic policy; **2politisch** *adj.* economic(ally *adv.*); **~potential** *n* economic potential; **~prüfer** *m* chartered accountant, *Am.* certified public accountant; **~rat** *m* (-[e]s; ≈e) economic council; **~sachverständige(r)** *m* economic expert (*or* consultant); **~teil** *m* trade section (*of newspaper*); **~unternehmen** *n* business enterprise, industrial firm; **~verband** *m* trade association; **~volumen** *n* volume of economic activity; **~wunder** *n* economic miracle; **~zeitung** *f* economic paper; **~zweig** *m* sector of the economy, branch of trade.

'**Wirts...:** **~haus** *n* public house, pub; *Am.* saloon; inn; **~leute** *pl.* host and hostess; landlord and landlady.

Wisch [viʃ] *m* (-es; -e) wisp of straw, *etc.*; *contp.* scrap of paper; **2en** *v/t.* (*h.*) wipe; mop; *sich den Mund ~* wipe one's mouth; *sich mit dem Taschentuch die Stirn ~* mop one's brow; **~er** *m* (-s; -) *mot.* wiper; *mil.* slush brush; *for drawing*: stump; *colloq.* telling-off, wigging; **~lappen** *m* dish-cloth; floor-cloth; **~stock** *mil. m* cleaning rod; **~tuch** *n* (-[e]s; ≈er) → *Wischlappen.*

Wisent ['vi:zɛnt] *m* (-[e]s; -e) bison.

Wismut ['vismu:t] *n* (-[e]s) bismuth.

wispern ['vispərn] *v/i. and v/t.* (*h.*) whisper.

Wiß|begier(de) ['vis-] *f* thirst for knowledge, (intellectual) curiosity; curiosity; **2begierig** *adj.* eager for knowledge, anxious to learn; *w.s.* curious, inquisitive.

wissen ['visən] *v/t.* (*irr., h.*) know (*et.* a th.; *um, von* about, of); *~ von a.* have knowledge of, be aware *or* informed of (*daß* that); *~, zu inf.* know how to; *j-n ~ lassen, j-m et. zu ~ tun* let a p. know a th., acquaint a p. with a th., send a p. word of a th.; give a p. to understand (*daß* that); *genau ~, daß* be positive that; *nichts von et. ~ a.* be quite in the dark about a th., have no idea of a th.; → *Bescheid, Dank, Rat*; *ich möchte gern ~* I should like to know, (ob) I wonder if; *man kann nie ~* you never can tell, you never know (*bei* with); *ich weiß nicht recht!* I am not so sure!; *nicht, daß ich wüßte!* not that I know of!; *soviel ich weiß* as far as I know, for aught (*or* all) I know; *was weiß ich!* search me!; *und, was weiß ich noch alles* and what not; *als ob es, wer weiß was, gekostet habe* as if it had cost a fortune; *ich will von ihm (davon) nichts ~* I will have nothing to do with him (it); *er will nichts davon ~ a.* he won't hear of it; *ich will von ihr nichts mehr ~* I am through with her; *ich weiß mir kein größeres Vergnügen als* for me, there is nothing nicer than; *weißt du noch?* (do you) remember?; *was ich nicht weiß, macht mich nicht heiß* what the eye does not see, the heart does not grieve about; **2** *n* (-s) knowledge; learning; scholarship, erudition; information; *tech.* know-how; *ohne mein ~* without my knowledge, unknown to me; *meines ~s* to my knowledge, as far as I know; *wider besseres ~* against one's better judg(e)ment, despite one's better knowledge; *nach bestem ~ und Gewissen* to the best of one's knowledge and belief; **~d** *adj.* knowing (*glance*).

'**Wissenschaft** *f* (-; *-en*) science; knowledge; intelligence; **~ler** ['-lər] *m* (-s; -) man of science *or* learning, scholar; scientist, scientific man; researcher; ²lich *adj.* scientific(ally *adv.*); ~ *gebildet* academically trained; ~lichkeit *f* (-) scientific character *or* method.

'**Wissens...**: ~**drang** *m* (-[e]s), ~**durst** *m* urge (*or* thirst) for knowledge; ²**durstig** *adj.* eager for knowledge, anxious to learn, curious; ~**gebiet** *n* field of knowledge; ~**schatz** *m* (great) store of knowledge; ~**trieb** *m* → *Wissensdrang*; ²**wert** *adj.* worth knowing *or* learning; interesting; ²es interesting facts *pl. or* information.

'**wissentlich** **I.** *adj.* knowing, conscious; wil(l)ful, deliberate; **II.** *adv.* knowingly, *etc.*; wittingly.

wittern ['vitərn] *v/t.* (*h.*) scent, smell; *fig. a.* suspect; et. (*or Unrat*) ~ smell a rat; → *Gefahr, etc.*

'**Witterung** *f* (-) weather; → ~*sverhältnisse*; *zo., hunt.* scent; *bei günstiger* ~ weather permitting; *bei jeder* ~ in all weathers; *e-e feine* ~ *haben* (*a. fig.*) have a good nose.

'**Witterungs...**: ²**beständig** *adj.* weatherproof; rustless (*steel*); ~**einflüsse** ['-aınflysə] *m/pl.* influence of the weather, atmospheric effects, weather factors *pl.*; ~**kunde** *f* (-) meteorology; ~**umschlag** *m* sudden change of the weather; ~**verhältnisse** *n/pl.* atmospheric (*or* meteorological) conditions.

Wittum ['vitu:m] *n* (-[e]s; ⸗er) dower; *jur.* jointure, widow's estate.

Witwe ['vitvə] *f* (-; -*n*) widow; *Königin*² Queen Dowager, *Herzogin*² dowager duchess.

'**Witwen...**: ~**geld** *n* widow's pension *or* allowance; ~**jahr** *n* year of mourning; ~**kasse** *f* widow's fund; ~**rente** *f* → *Witwengeld*; ~**stand** *m* (-[e]s) widowhood; ~**tracht**, ~**trauer** *f* widow's weeds *pl.*

'**Witwer** *m* (-s; -) widower.

Witz [vits] *m* (-es) wit; mother wit; (*pl.* -e) joke; witticism, quip, wisecrack; pun; pleasantry, gag; *alter* ~ stale joke, chestnut; *beißender* ~ caustic wit, sarcasm; ~*e reißen* crack jokes; *das ist der* ~ *an der Sache* that's the funny part of it, that's where the fun comes in, *w.s.* that's the point (of it)!; *colloq. das ist der ganze* ~ that's all; *colloq. mach keine* ~*e!* you don't say!, *Am.* no kidding?; '~**blatt** *n* comic paper; '~**bold** ['-bɔlt] *m* (-[e]s; -e) wit(ty fellow), joker; wag; *Am. a.* wisecracker; ~**elei** [-ə'laı] *f* (-; -en) witticism; joking; chaffing, leg-pulling; ²**eln** ['-əln] *v/i.* (*h.*) affect wit; quip, wisecrack; ~ *über* (*acc.*) mock, poke fun at; *über j-n: a.* be witty at a p.'s expense; '²**ig** *adj.* witty; facetious; funny; clever, ingenious; *iro.* (*das*) *ist ja* ~*!* that's rich!; '~**igkeit** *f* (-) wittiness.

W-Motor ['ve:-] *m* arrow-type engine.

wo [vo:] **1.** *interr. pron. and rel. pron.*: where; **2.** *cj.* when; while; ~ *nicht* if not, unless; ~ *auch* (*nur*) wherever; *colloq.* (*irgend*~) somewhere; *colloq. i* ~*!, ach* ~*!,* ~ *werd' ich!* (I'll do) nothing of the kind!, nonsense!, oh, no!

wob [vo:p] *pret. of weben.*

wobei [vo:'baı] **1.** *interr. pron.* at what?; **2.** *rel. pron.* at which; in doing so, in the course of which; through which, whereby; ~ *der Bolzen im Gehäuse einrastet* the bolt engaging in the recess provided in the casing.

Woche ['vɔxə] *f* (-; -*n*) week; → *weiß*; *in einer* ~ in a week; *heute über* (*or vor*) *drei* ~*n* this day three weeks; ~ *um* ~ week in, week out; *in den* ~*n sein or liegen* be lying in; *in die* ~*n kommen* be confined, be delivered (*mit* of *a child*).

'**Wochen...**: ~**ausgabe** *f* weekly edition; ~**ausweis** *econ. m of bank*: weekly return (*Am.* statement); ~**(bei)hilfe** *f* maternity benefit; ~**bericht** *m* weekly report; ~**bett** *n* childbed, lying-in, confinement; *in compounds* puerperal (*fever, psychosis*); → *Woche*; ~**blatt** *n* weekly (paper); ~**end...** ['-ˀɛnt-], ~**ende** *n* week-end; *das* ~ *verleben bei* week-end with; ~**endurlaub** *m* week-end leave; ~**fieber** *n* puerperal fever; ~**geld** *n* weekly allowance; *econ.* weekly fixtures (*Am.* loans) *pl.*; *med.* maternity allowance; ²**lang** *adj.* for weeks, for whole weeks together; *nach* ~*em Warten* after (many) weeks of waiting; ~**lohn** *m* weekly pay (*or* wages *pl.*); ~**markt** *m* weekly market; ~**pflegerin** *f* monthly nurse; ~**schau** *f film*: newsreel; *tönende* ~ sound-news; ~**tag** *m* week-day; day of the week; ²**tags** *adv.* on week-days.

wöchentlich ['vœçəntliç] **I.** *adj.* weekly; week-by-week; **II.** *adv.* every week, weekly; by the week; *einmal* ~ once a week; *dreimal* ~ three times a week, three times weekly.

wochenweise ['-vaızə] → *wöchentlich.*

Wöchnerin ['vœçnərin] *f* (-; -*nen*) woman in childbed, maternity case; ~**nenheim** *n* maternity home.

Wodka ['vɔtka] *m* (-s; -s) vodka.

wo|'durch **1.** *interr. pron.* by what?, by what means?, whereby?, how?; **2.** *rel. pron.* by (*or* through) which; by means of which; whereby; ~'**fern** *cj.* provided that, in so far as, if; ~ *nicht* unless; ~'**für** **1.** *interr. pron.* for what?, what ... for?; ~ *ist das gut?* what is that good for?; ~ *halten Sie mich?* what do you take me for?; **2.** *rel. pron.* for which, in return for which.

wog [vo:k] *pret. of wägen and wiegen.*

Woge ['vo:gə] *f* (-; -*n*) wave, billow; *fig.* wave, (up)surge *of enthusiasm, etc.*; *fig. die* ~*n glätten* pour oil on (the) troubled waters; *die* ~*n glätten sich* the tempest subsided.

wo'gegen **1.** *interr. pron.* against what?; **2.** *rel. pron.* against which; in return *or* exchange for which; **3.** *cj.* whereas, whilst; *he, etc.*, on the other hand.

'**wog|en** *v/i.* (*h.*) surge (*a. fig.*), billow; *wheat, etc.*: *a.* wave; *a. bosom*: heave; undulate; fluctuate; *battle*: seesaw; ~**ig** *adj.* wavy, billowy, surging.

wo|'her **1.** *interr. pron. and rel. pron.* from where, where ... from, from what place; whence; ~ *wissen Sie das?* how do you (come to) know that?; *ich frage mich,* ~ *er das hat* I wonder where he got that from; **2.** *colloq. int.*: ~ *denn!* I should say not!, nothing of the kind!, far from it!; ~'**hin** **1.** *interr. pron. and rel. pron.* where (... to), whither; ~ *auch* wherever; **2.** *indef. pron.* somewhere, (to) some place; ~**hin'gegen** *cj.* whereas, while, whilst.

wohl [vo:l] **I.** *pred., adj. and adv.*: well; *er* (*or ihm*) *ist* ~ he is well; *sich* ~ *fühlen*, **a)** be well (*or* in good health), **b)** be happy *or* at ease, be in good spirits; feel at home (*bei* with; *in dat.* in); *sich nicht* ~ *fühlen* **a)** be unwell, be out of sorts, **b)** be ill at ease; → *bekommen, leben*; ~ *oder übel* willy-nilly; *wir müssen* ~ *oder übel hingehen* we cannot help going there, we have no choice but go there; *er weiß das sehr* ~ he knows that all right *or* well enough; *ich bin mir dessen* ~ *bewußt* I am fully conscious (*or* aware) of that; *das kann* ~ *sein, das ist* ~ *möglich* that may well be; ~ *dem, der* happy he who; ~ *ihm, daß* good for him that; ~ *daran tun, zu inf.* do well to *inf.*; *es sich* ~ *sein lassen* enjoy (*or* indulge) o.s., have a good time; *siehst du* ~*, daß* now you see that; **II.** *concessive or suppositional*: I presume (*or* daresay, suppose, think), I should say, to be sure, surely; (it is) true; probably; doubtless; possibly; perhaps, maybe; *er könnte* ~ *noch kommen* he might come yet; ~ *kaum* hardly, there is little chance that; *das kann er* ~ *nicht tun* he cannot very well do that; *er ist* ~ *gesund, aber* he is healthy enough, but; *ich kann* ~ *schwimmen, aber* I can swim all right, but; ~ *hundertmal* at least a hundred times; *ob er* ~ *weiß, daß* I wonder if *or* whether he knows, *that* ...; *das habe ich mir* ~ *gedacht* I thought as much.

Wohl *n* (-[e]s) welfare; well-being, prosperity; *das gemeine* ~ the common weal; *sein* ~ *und Weh* his weal and woe; *auf Ihr* ~*!, zum* ~*!* your health!, here is to you!; → *anstoßen.*

wohl'an *int.* well!, now then!, all right!

'**wohl...**: ~**angebracht** *adj.* opportune, (very) apt; ~**anständig** *adj.* well-becoming, decent; ~'**auf** **1.** *pred. adj.* well, in good health; **2.** *int.* well!, cheer up!, come on!; ~**bedacht** *adj.* well-considered, deliberate; ²**bedacht** *m*: *mit* ~ after mature reflection; deliberately; ²**befinden** *n* good health, well-being; ²**behagen** *n* comfort, ease; *mit* ~ with relish; ~**behalten** *adj.* safe (and sound); *thing*: in good condition; ~**bekannt** *adj.* well-known, familiar, *b.s.* notorious; ~**beleibt** *adj.* corpulent, portly; ~**beschaffen** *adj.* in good condition; ~**bestellt** ['-bəʃtɛlt] *adj.* duly appointed; ²**ergehen** *n* welfare, prosperity; health and happiness; ~**ergehen** *v/i.* (*irr., sn*) (*dat.*) go well with, prosper; ~**erwogen** ['-ər-

'vo:gən] *adj.* well-weighed; **~erworben** ['-ər'vɔrbən] *adj.* duly acquired; *~es Recht* vested (*or* well-established) rights; **~erzogen** ['-ər'zo:gən] *adj.* well-bred, well-behaved.

'**Wohlfahrt** *f* (-) welfare; (*öffentliche*) ~ (public) relief, public assistance.

'**Wohlfahrts...**: **~amt** *n* welfare cent|re, *Am.* -er; **~ausschuß** *m* public welfare committee; **~beamte(r)** *m* welfare officer *or* worker; **~einrichtung** *f* welfare institution; **~fonds** *m* benefit (*or* relief) fund; ~ *für Angestellte* employees' benefit fund; **~organisation** *f* charitable institution, non-profitmaking organization; **~pflege** *f* welfare work; **~rente** *f* benefit pension; **~staat** *m* welfare state; **2staatlich** *adj.* welfarist; **~unterstützung** *f* public relief.

'**wohl...**: **~feil** *adj.* cheap, low-priced; **2feilheit** *f* cheapness; **~geartet** *adj.* well-disposed; well-bred, well-mannered; **~geboren** *adj.*: *Ew.* 2 Sir; *in letters*: 2 *Herrn Wilhelm Braun* William Brown Esq. (= Esquire); **2gefallen** *n* pleasure, satisfaction (*über acc.* at); *sein ~ haben an* be well pleased with *or* by, take delight in; *sich in ~ auflösen* be settled to everyone's satisfaction, *humor.* end in smoke, *colloq. book*: go to pieces, come apart; **~gefällig I.** *adj.* pleasant, agreeable; complacent; *ein Gott ~es Leben* a life well pleasing to God; **II.** *adv.* with pleasure, contentedly; **2gefälligkeit** *f* (-) pleasantness; complacency; **2gefühl** *n* (-[e]s) pleasant sensation; sense of well-being; **~gelitten** *adj.* well (*or* much) liked, popular, welcome; **~gemeint** ['-gəmaınt] *adj.* well-meant, well-intentioned; **~gemerkt!** ['-gəmɛrkt] mind you!, mark you!, remember!; **~gemut** ['-gəmu:t] *adj.* cheerful; **~genährt** ['-gənɛ:rt] *adj.* well-fed; **~geneigt** *adj.* affectionate, well-affected; well disposed (*dat.* towards); **~geraten** *adj.* well-behaved, good (*child*); *thing* (*pred.*): well-done; **2geruch** *m* pleasant odo(u)r, fragrance, perfume; **2geschmack** *m* (-[e]s) pleasant taste, flavo(u)r; **~gesetzt** *adj.* well-chosen (*words*); well-worded (*or* formulated) (*speech*); **~gesinnt** *adj.* well-meaning; *j-m ~* well-disposed towards a p.; **~gesittet** *adj.* well-mannered; **2gestalt** *f* (-) fine shape, shapeliness; **~gestaltet** *adj.* well-shaped, well-turned; shapely; **~habend** *adj.* well-to-do, wealthy; well-off (*pred.* well off), moneyed; **2habenheit** *f* (-) easy circumstances *pl.*, wealth; prosperity.

'**wohlig** *adj.* comfortable, pleasant; cosy, snug.

'**Wohl...**: **~klang** *m* (-[e]s), **~laut** *m* melodious sound, harmony, euphony; **2klingend** *adj.* melodious, harmonious, musical, pleasing to the ear; **~leben** *n* (-s) life of pleasure, good living, luxury; **2meinend** *adj.* well-meaning, friendly; **2riechend** *adj.* fragrant, perfumed, sweet-scented; **2schmeckend** *adj.* savo(u)ry, palatable, tasty; **~sein** *n* (-s) well-being; good health; *Ihr* (*or zum*) ~ your health!; **~stand** *m* (-[e]s) prosperity, wealth, affluence; **~standsgesellschaft** *f* affluent society; **~tat** *f* good deed, kindness, charity; (*a. jur.*) benefit; *fig.* boon, blessing; comfort, treat; *das ist e-e wahre ~* it's quite a comfort; **~täter** *m* benefactor; **~täterin** *f* benefactress; **2tätig** *adj.* charitable; beneficent, salutary; **~tätigkeit** *f* (-) charity; beneficence; **~tätigkeitsbasar** *m* charity bazaar; **~tätigkeitsveranstaltung** *f* charity performance, benefit; **~tätigkeitsverein** *m* charitable (*or* benevolent) society; **~tätigkeitszweck** *m* charitable use, charity; **2tuend** *adj.* pleasant, comfortable; ~ *berührt* pleasantly surprised, gratified (*durch* at); **2tun** *v/i.* (*irr., h.*) do good; *j-m ~* do a p. good, be pleasing to a p.; *das tut einem wohl* it does one good; *er tut wohl daran, zu inf.* he does well to *inf.*; **2überlegt** *adj.* well-considered; deliberate; set (*speech*); **2unterrichtet** *adj.* well-informed; **2verdient** *adj.* well-deserved, well-earned; *person*: of great merit; **~verhalten** *n* good conduct; **2verstanden** ['-fɛrʃtandən] *adj.* well-understood; *~!* mind you!, mark my words!; **2weislich** *adv.* prudently, very wisely; *et. ~ tun* be careful to do a th.; **~wollen** *n* (-s) goodwill, benevolence; favo(u)r; **2wollen** *v/i.* (*h.*): *j-m ~* wish a p. well, be well-disposed towards a p.; **2wollend** *adj.* kind, benevolent; favo(u)rable; *e-r Sache ~ gegenüberstehen* favo(u)r a th., take a favo(u)rable view of a th.

Wohn|atelier ['vo:n-] *n* residential studio; **~bedarf** *m* home requirements *pl.*, household furnishings *pl.*; **~bevölkerung** *f* resident population; **~bezirk** *m* residential district; **~block** *m* (-[e]s; -s) block of flats.

'**wohnen** *v/i.* (*h.*) live (*bei* with), dwell, reside; *adm.* reside, be domiciled (*in dat.* at); stay (*bei* with); lodge (*in dat.* at, *bei* with); *fig.* dwell, live.

'**Wohn...**: **~fläche** *f* dwelling (*or* floor) space; **~gebäude** *n* dwelling-house, residential premises *pl.*; block of flats, *Am.* apartment house; **~gelegenheit** *f* accommodation; **~grundstück** *n* residential property (*or* site); **2haft** *adj.* resident, living (*in* at); **~haus** *n* → *Wohngebäude*; **~heim** *n* residential home, *Am.* rooming house; **~küche** *f* kitchen-living room; **~kultur** *f* (-) style of living; **2lich** *adj.* comfortable, livable; cosy, snug; *in ~em Zustand* in tenantable repair; **~ort** *m* (-[e]s; -e) dwelling-place, residence; *gesetzlicher ~* (legal) domicile, place of residence; *fester* (*ständiger*) ~ permanent residence; *ohne festen ~* → *wohnungslos*; **~partei** *f* family unit, tenant(s *pl.*); **~raum** *m* housing space; → *Wohnstube*; **~-Schlafzimmer** *n* bed-sitting room; **~siedlung** *f* housing estate, residential settlement; **~sitz** *m* residence; *mit ~ in* resident in; → *Wohnort*; **~straße** *f* residential street; **~stube** *f* sitting-room, *esp. Am.* living room.

'**Wohnung** *f* (-; -*en*) dwelling, habitation; lodgings, apartment(s), rooms *pl.*; flat; home; accommodation; → *Wohnsitz*.

'**Wohnungs...**: **~amt** *n* housing office; **~bau** *m* (-[e]s) housebuilding, housing construction, *Am.* home-building; **~baugenossenschaft** *f* co-operative house-building society; **~bauprogramm** *n* housing program(me); **~einheit** *f* dwelling unit; **~frage** *f* housing problem; **~inhaber** *m* lodger, tenant; **2los** *adj.* homeless; *adm.* without permanent home, having no fixed address; **~mangel** *m* (-s), **~not** *f* (-) housing shortage (*or* problem); **~nachweis** *m* house-agency; **~suche** *f* house-hunting; **~wechsel** *m* change of residence (*or* address); **~wesen** *n* (-s) housing; **~zwecke** *m/pl.* habitation *sg.*

'**Wohn...**: **~verhältnisse** *n/pl.* housing conditions; **~viertel** *n* residential quarter (*Am.* section); **~wagen** *m* caravan, *Am.* trailer (coach); **~zimmer** *n* → *Wohnstube*.

Woilach ['vɔʏlax] *m* (-s; -e) saddle blanket.

wöl|ben ['vœlbən] *v/t. and sich ~* (*h.*) arch, vault; *tech.* curve; **2bung** *f* (-; -*en*) vault, arch; dome; curvature; *tech. a.* camber, buckling; *of road*: crossfall.

Wolf [vɔlf] *m* (-[e]s; ⸗e) *zo.* wolf; *spinning*: willow; *metall.* **a**) devil, **b**) pig bloom; *cul.* mincer, meat grinder; *colloq. fig. durch den ~ drehen* put in a meat grinder; *med.* chafing, intertrigo; *med. e-n ~ haben* be sore; *fig. mit den Wölfen muß man heulen* when in Rome do as the Romans do; → *Schafpelz*.

Wölfin ['vœlfin] *f* (-; -*nen*) she-wolf.

'**wölfisch** *adj.* wolfish.

Wolfram ['vɔlfram] *chem. n* (-s) tungsten; **~karbid** *n* tungsten carbide; **~stahl** *m* tungsten steel.

'**Wolfs...**: **~falle** *f* wolf-trap; *a.* → **~grube** *f* pitfall; *mil.* obstacle pit; **~hund** *m* Alsatian (dog); **~hunger** *m* wolfish appetite, ravenous hunger; **~milch** *bot. f* spurge; **~rachen** *med. m* cleft palate; **~rudel** *n* wolf pack.

Wolke ['vɔlkə] *f* (-; -*n*) cloud (*a. fig.*); *in gem*: flaw; *fig. aus allen ~n gefallen sein* be thunderstruck; *fig. über den ~n schweben* live in the clouds; *colloq. fig.* humdinger, wow.

'**Wolken...**: **~bank** *f* (-; ⸗e) cloud bank; **~bildung** *f* cloud formation; **~bruch** *m* cloudburst; **2bruchartig** ['-ʔa:rtiç] *adj.* torrential; **~decke** *f* (-) cloud cover; **~fetzen** *m/pl.* tattered clouds; **~himmel** *m* clouded sky; **~höhe** *aer. f* (cloud) ceiling; **~kratzer** *m* skyscraper; **~kuckucksheim** *n* cloud cuckooland, fool's paradise; **~kunde** *f* (-) nephology; **~landschaft** *f* skyscape; **2los** *adj.* cloudless (*a. fig.*), clear; **~meer** *n* sea of clouds; **~schicht** *f* cloud layer; **~schleier** *m* cloud veil, haze; **~streifen** *m* cloud banner; **≈umhüllt** *adj.* cloud-hidden; **~wand** *f* bank of clouds; **~zug** *m* passage of clouds.

wölken ['vœlkən] → *bewölken.*

'**wolkig** *adj.* cloudy, clouded; overcast.

Woll|abfall ['vɔl-] *m* wool waste; **~arbeiter** *m* wool-dresser, wool-picker; **~atlas** *m* worsted satin; **~börse** *f* wool-hall; **~decke** *f* (wool) blanket; **~e** *f* (-) wool; *in der ~ gefärbt* dyed in the wool (*a. fig.*); *fig. in der ~ sitzen* live in clover; *~ lassen müssen* get fleeced; *sich in die ~ geraten* have a row (*mit* with); *colloq. j-n in die ~ bringen* nettle, enrage, get *a p.'s* goat; → *Geschrei.*

'**wollen**[1] *adj.* wool(l)en; *stockings: a.* worsted; *~e Sachen* wool(l)ens *pl.*

wollen[2] ['vɔlən] *v/t. and v/i.* (*h.*) will; wish, desire; want; demand, claim; be willing (to *inf.*); intend, mean; be going (*or* about) to *inf.*, be on the point of *ger.*; *lieber ~* prefer; *ich will* (*or wollte*) *lieber* I should prefer, I would (*or* had) rather; *unbedingt ~* insist on; *nicht ~* refuse (*a. thing: to work, etc.*); be unwilling to, not to want (*or* like) to; *so Gott will!* please God!; *ich will es* (*nicht*) *tun* I will (won't) do it; *ich will das nicht gehört haben!* mind your tongue!; *das will überlegt sein* that requires some thinking; → *heißen, meinen, etc.*; *was ~ Sie von mir?* what do you want (of me)?; *was ~ Sie damit sagen?* what do you mean by it?, what are you driving at?; *was ~ Sie mit einem Regenschirm?* what do you want with an umbrella?; *ohne es zu ~* in spite of o.s., unintentionally; *er mag ~ oder nicht* whether he likes it or not, willy-nilly; *dem sei, wie ihm wolle* be that as it may; *er weiß nicht, was er will* he doesn't know his own mind; *mach, was du willst!* do what you want!, do your worst!; *du hast es ja so gewollt* you asked for it; *wie du willst* as you like, suit yourself; *hier ist nichts zu ~* there is nothing to be had here, nothing doing; → *gewollt.*

'**Wollen** *n* (-s) will; *phls.* volition; intention(s *pl.*); aspiration(s *pl.*), ambition.

'**Woll...:** **~färber** *m* wool-dyer; **~faser** *f* wool fib|re, *Am.* -er; **~fett** *n* wool grease; **~garn** *n* wool(l)en yarn, worsted; **~haar** *n* strand of wool; wool(l)y hair; **~handel** *m* wool-trade; **~händler** *m* wool-merchant; **≈ig** *adj.* wool(l)y; **~industrie** *f* wool(l)en industry; **~jacke** *f* guernsey, cardigan; **~kämmer** *m* wool carder; **~kleidung** *f* wool(l)en clothing; **~markt** *m* wool market (*or* mart); **~sachen** *f/pl.* wool(l)ens *pl.*; **~sack** *m* wool-bag; *Brit. parl.* woolsack; **~schaf** *n* wool-sheep; **~schur** *f* sheep-shearing; **~schweiß** *m* suint; **~spinne'rei** *f* wool-spinning mill.

Wol|lust ['vɔlust] *f* (-) voluptuousness, lust; **≈lüstig** ['-lystiç] *adj.* voluptuous; → *lüstern*; **~lüstling** ['-lystliŋ] *m* (-s; -e) voluptuary, libertine, debauchee.

'**Woll...:** **~waren** *f/pl.* wool(l)en goods, wool(l)ens; **~warenhändler** *m* wool(l)en-draper; **~wäsche'rei** *f* scouring mill.

wo...: **~'mit** **1.** *interr. pron.* with what?, what ... with?, by what (means)?; *~ kann ich dienen?* what can I do for you?; **2.** *rel. pron.* with which, by which, whereby; *~ ich nicht sagen will* by which I do not mean to say; **~'möglich** *adv.* if possible; possibly; *das Bild ist ~ noch schlechter als* the picture is if anything worse than; **~'nach** **1.** *interr. pron.* after what?; *~ fragt er?* what is he asking for?; **2.** *rel. pron.* after which, whereupon; according to which.

Wonne ['vɔnə] *f* (-; -n) delight, bliss; *in* (*eitel*) *~ schwimmend* → *wonnetrunken*; *colloq. mit ~* with relish; **~gefühl** *n* thrill of delight; **~leben** *n* (-s) blissful life; **~monat, ~mond** *m* month of delight (*or* May); **~schauer** *m* thrill of delight; **≈trunken** *adj.* blissful, in raptures (*or* ecstasies), riding on air; **≈voll** *adj.* blissful; delicious.

'**wonnig** *adj.* delightful, blissful; lovely, sweet.

wor|an [voː'ran] **1.** *interr. pron.* at what?, by what?; *~ denken Sie?* what are you thinking of?; *~ liegt es, daß?* how is it that?, what is the reason for?; **2.** *rel. pron.* at which, against which, by which; *ich weiß nicht, ~ ich bin* I don't know where I stand, *mit ihm*: I don't know what to make of him; **~'auf** **1.** *interr. pron.* on what?, what ... on?; *~ wartest du?* what are you waiting for?; **2.** *rel. pron.* on which; whereupon, after which; **~'aus** **1.** *interr. pron.* out of what?, from what?; what ... of?; **2.** *rel. pron.* out of which, from which, whence; **~'ein** **1.** *interr. pron.* into where?; into what?; **2.** *rel. pron.* into which.

worfeln ['vɔrfəln] *agr. v/t.* (*h.*) winnow, fan.

wor'in **1.** *interr. pron.* in what; **2.** *rel. pron.* in which, wherein.

Wort [vɔrt] *n* (-[e]s; ⸚er) word; term, expression; saying, word; word (of hono[u]r); *~e pl.* words; *in ~en* in letters; *in ~ und Bild* with text and illustrations; *in ~ und Tat* in word and deed; *ein Mann von ~ sein, ~ halten* be as good as one's word, keep one's word; *ein Mann, ein ~!* word of hono(u)r!, hono(u)r bright!; *~ Gottes* Word of God, Gospel; *auf ein ~!* a word with you!; *aufs ~ gehorchen* obey to the letters (*or* implicitly); *aufs ~ glauben* believe implicitly; *e-r Sache das ~ reden* hold a brief for, back, support, defend *a cause*; *ein gutes ~ einlegen für j-n* intercede for, put in a good word for *a p.*; *das ~ erhalten* be allowed to speak, *parl.* catch the Speaker's eye, *esp. Am.* get the floor; → *entziehen*; *das ~ ergreifen* (begin) to speak, *parl.* rise to speak, address the House, *esp. Am.* take the floor; *j-m das ~ erteilen* give the floor; *das ~ führen* be the spokesman, do the talking; *das große ~ führen* **a**) do all the talking, **b**) talk big, **c**) lay down the law; *das ~ haben* have leave to speak, *parl. a.* have the ear of the house; *esp. Am.* have (*or* hold) the floor; *das letzte ~ haben* **a**) have the final say, **b**) have the last word; *das letzte Wort ist noch nicht gesprochen* the last word has not yet been said; → *fassen, kleiden, melden, mitreden*; *j-m ins ~ fallen* cut a p. short; *mit anderen ~en* in other words; *mit einem ~* in a word; *ums ~ bitten* ask permission to speak; *zu ~e kommen* get a hearing; *nicht zu ~e kommen* not to get a word in edgewise; *ohne viel ~e zu machen* without further ado; *kein ~ mehr!* not another word!; *colloq. hast du ~e!* well, I never!; *j-n beim ~ nehmen* take a p. at his (her) words; *man kann sein eigenes ~ nicht verstehen* one cannot hear one's own voice; *er macht nicht viele ~e* he is a man of few words.

'**Wort...:** **~akzent** *m* word-stress; **≈arm** *adj.* poor in words; **~armut** *f* poverty of words; **~art** *gr. f* part of speech; **~aufwand** *m* verbosity; **~bedeutungslehre** *f* (-) semantics *pl.*; **~bildung** *f* word formation; **~bruch** *m* breach of one's word (*or* faith), treachery; **≈brüchig** *adj.* false (to one's word), treacherous; *~ werden* break one's word.

Wörter|buch ['vœrtər-] *n* dictionary; **~verzeichnis** *n* list of words, vocabulary.

'**Wort...:** **~familie** *f* family of words; **~folge** *f* word order; **~fügung** *f* construction; (*a.* = **~fügungslehre** *f*, -) syntax; **~führer(in** *f*) *m* speaker; *only m*: spokesman; **~fülle** *f* verbosity; **~gefecht** *n* dispute, altercation; **~geklingel** *n* jingle of words; **~gemälde** *n* word-picture; **~gepränge** *n* bombast; **≈getreu** *adj.* literal, word-for-word, true; **≈gewandt** *adj.* eloquent, glib; **≈karg** *adj.* taciturn, silent, sparing of words; **~kargheit** *f* taciturnity; **~klasse** *gr. f* part of speech; **~klauber(in** *f*) ['-klaubər] *m* (-s, -; -, -nen) quibbler; **~klaube'rei** *f* (-; -en) word-splitting; **~krämer** *m* phrasemonger; **~kunde** *f* (-) word lore; **~laut** *m* (-[e]s) wording; text; *jur.* tenor; *der Brief hat folgenden ~* the letter runs as follows.

Wörtlein ['vœrtlaın] *n* (-s; -): *ein* (*gewichtiges*) *~ mitzureden haben* have (quite) a say in the matter.

'**wörtlich** *adj.* verbal, literal; word-for-word.

'**Wort...:** **~malerei** *f* word-painting; **~rätsel** *n* rebus; **≈reich** *adj.* abundant in words; *b.s.* verbose, wordy; **~reichtum** *m* (-s) abundance of words; *b.s.* verbosity; **~schatz** *m* (-es) stock of words, vocabulary, word-power; **~schwall** *m* (-[e]s) flood (*or* torrent) of words, verbiage; **~sinn** *m* (-[e]s) literal sense; **~spiel** *n* play on words, pun; **~stamm** *m* radical, root; **~stammkunde** *f* (-) etymology; **~stellung** *f* word-order; **~streit** *m* dispute, altercation, squabble, words *pl.*; **~verdreher** (**-in** *f*) ['-fɛrdreːər] *m* (-s, -; -, -nen) distorter of words, equivocator; **~verdrehung** *f* distortion of words; **~wechsel** *m* dispute, altercation; *e-n ~ haben a.* have words (*mit* with); **~witz** *m* (-es) pun; **⁀wörtlich I.** *adj.* literal; word-for--word; **II.** *adv.* literally (*a. fig.*); word for word.

wor|über [voːˈryːbər] **1.** *interr. pron.* over (*or* upon) what?, what ... over (*or* about *or* on)?; *~ lachst du?* what are you laughing at *or* about?; **2.** *rel. pron.* over (*or* upon) which, about which; *~ er ärgerlich war* which annoyed him; **~ˈum 1.** *interr. pron.* about what?, what ... about?; *~ handelt es sich?* what is it about?; **2.** *rel. pron.* about which, for which; **~ˈunter 1.** *interr. pron.* under (*or* among) what?, what ... under?; **2.** *rel. pron.* under (*or* among) which.

wo...: ~ˈselbst *adv.* where; **~ˈvon 1.** *interr. pron.* of (*or* from) what?, what ... from *or* of?, about what?, what ... about?; → *leben, etc.*; **2.** *rel. pron.* of (*or* from) which, whereof; **~ˈvor 1.** *interr. pron.* before what?; of what?, what ... of?; **2.** *rel. pron.* before which; of which; → *sich fürchten, etc.*; **~ˈzu 1.** *interr. pron.* for what?, what (...) for?; why?; to what point?; **2.** *rel. pron.* for which; why; *~ noch kommt* to which must be added; **3.** *indef. pron.* for something.

Wrack [vrak] *mar. n* (-[e]s; -s) wreck (*a. fig.*); **ˈ~gut** *n* wrecked goods *pl.*, wreckage; flotsam.

Wrasen [ˈvrɑːzən] *m* (-s; -) vapo(u)r(s *pl.*).

wring|en [ˈvriŋən] *v/t.* (*irr., h.*) wring; **⁀maschine** *f* wringing--machine, wringer.

Wucher [ˈvuːxər] *m* (-s) usury; profiteering; *~ treiben* practise usury; **~er** *m* (-s; -) usurer; profiteer; **~gesetz** *n* law against usury (*or* profiteering); **~gewinn** *m* usurious profit; **⁀haft, ⁀isch** *adj.* usurious; profiteering; **~handel** *m* usurious trade; profiteering; **~miete** *f* rack-rent; **⁀n** *v/i.* (*h.*) *bot.* grow exuberantly *or* rankly; *med.* grow luxuriantly, proliferate; *jur.* practise usury; profiteer; *fig.* be rampant, rankle; → *Pfund*; **~preis** *m* exorbitant (*or* cut-throat) price; **~ung** *f* (-; -en) *bot.* rank growth; *med.* excrescence, growth, tumo(u)r; proud flesh; vegetation; proliferation; **~zins(en** *pl.*) *m* usurious interest (*sg.*).

Wuchs [vuːks] *m* (-es) growth; figure, shape; stature, physique, build; height.

wuchs *pret. of wachsen.*

Wucht [vuxt] *f* (-) weight; force; impetus; impact (*a. fig.*); *phys.* inertia force, momentum, kinetic energy; *die volle ~ e-s Angriffs, etc., aushalten müssen* bear the brunt of an attack, *etc.*; *mit voller ~ rennen gegen* (*acc.*) cannon against; *colloq. fig. eine ganze ~* a load (*gen.* of); *sl. das is 'ne ~* it's a wow!; **ˈ⁀en I.** *v/i.* (*h.*) weigh heavy, press heavily (*auf acc.* upon); *colloq. fig.* work like a nigger; **II.** *v/t.* (*h.*) raise (by lever), lever up, heave; balance; **ˈ⁀ig** *adj.* weighty, heavy; powerful (*blow, figure, style, etc.*).

Wühl|arbeit [ˈvyːl-] *fig. f* subversive (*or* underground) activity, insidious agitation; **⁀en** *v/i.* (*h.*) dig; *animal*: burrow (*a. sich*; *in* into); *pig*: root *or* grub (about); *~ in* rummage in; *fig. usu. pol.* agitate, foment; *fig. im Gelde ~* wallow in money, be rolling in riches; → *Wunde*; *in j-m ~ hatred, insult*: rankle in a p., gnaw at a p.'s vitals; **~er** *fig. m* (-s; -) agitator, fomentor; **⁀erisch** [ˈ-əriʃ] *adj.* subversive, inflammatory, rabble-raising; **~maus** *f* vole; *fig.* → *Wühler.*

Wulst [vulst] *m* (-es; ⁼e) roll; pad; bulge; hump; chignon; tuberosity; *arch.* torus; *mot.* bead (*on tyre*); **~felge** *f* clincher rim; **⁀ig** *adj.* stuffed, padded; bulging; puffed up; thick, protruding, pouting (*lips*); **~lippen** *f/pl.* thick lips, blubber lips; **~reifen** *mot. m* bead tyre (*Am.* tire); **~schutzstreifen** *mot. m* chafing strip.

wummern [ˈvumərn] *colloq. v/i.* (*h.*) boom.

wund [vunt] *adj.* sore; galled, chafed; wounded (*a. fig. heart*); *~e Stelle* sore; *fig. ~er Punkt* tender spot, sore point; *sich die Füße ~ laufen* get sore feet, become foot--sore; *~ reiben* gall, chafe; **ˈ⁀arzt** *m* surgeon; **ˈ~ärztlich** *adj.* surgical; **ˈ⁀benzin** *n* surgical spirit; **ˈ⁀brand** *m* gangrene; **⁀e** [ˈvundə] *f* (-; -n) wound (*a. fig.* = hurt); injury; sore; cut, gash; *fig.* → *Punkt*; *alte ~n wieder aufreißen* open old sores; *in e-r ~ wühlen* turn the knife in the wound; *s-n Finger in eine offene ~ legen* put one's finger on an open sore; *die Zeit heilt alle ~n* time is a great healer.

Wunder [ˈvundər] *n* (-s; -) miracle; wonder, marvel; (*thing, person*) prodigy; *~ der Technik* engineering marvel; (*es ist*) *kein ~,* (*daß*) no (*or* small) wonder (that); *~ tun* (*or wirken*) do (*or* work) miracles *or* (*esp. fig.*) wonders; *~ verrichten* perform miracles; *es grenzt an ~* it borders on the miraculous; *sein blaues ~ erleben* get the shock (*or* surprise) of one's life; *wenn nicht ein ~ geschieht, sind wir verloren* only a miracle could save us; *⁀ was halten von* think the world of; *er glaubt ⁀, was er getan hat* he thinks a world of what he has done; *er bildet sich ⁀ was darauf ein* he prides himself ever so much on it; *ich dachte ⁀, was das wäre* I expected something wonderful; → *Zeichen*; **⁀bar** *adj.* wonderful, marvel(l)ous; miraculous, magic; wondrous; astounding, fabulous, great; capital; *~e Sache* wonder, marvel; **⁀barerweise** [ˈ-bɑːrərˈvaɪzə] *adv.* miraculously; strange to say, mysteriously; **~bild** *n* miraculous (*or* wonder-working) image; **~ding** *n* wonder(ful thing), marvel, prodigy; **~droge** *f* miracle drug; **~doktor** *m* quack; faith-healer; **~geschichte** *f* miraculous story, legend; **~glaube** *m* belief in miracles; **~horn** *n* magic horn; **⁀hübsch** *adj.* lovely, awfully nice; **~kerze** *f* sparkler; **~kind** *n* infant prodigy; **~knabe** *m* boy wonder; **~kraft** *f* miraculous (*or* magic) power; **~kur** *f* miraculous cure; **~lampe** *f* magic lantern; **~land** *n* Fairyland, wonderland; **⁀lich** *adj.* queer, quaint, odd, strange; whimsical; peculiar; eccentric; *~er Kauz* queer chap, eccentric; **~lichkeit** *f* (-; -en) queerness, strangeness, oddity; whimsicality; eccentricity; **~mittel** *n* wonder-drug, panacea; **⁀n** *v/t.* (*h.*) surprise, astonish; *sich ~* wonder (*über acc.* at), be surprised *or* astonished (at); be surprised *to see, etc.*; *es wundert mich* I am surprised, *etc.*, (at it); *es sollte mich nicht ~, wenn* I shouldn't be at all surprised if, I shouldn't wonder if; **⁀nehmen** *v/t.* (*irr., h.*) astonish, surprise; *es nimmt mich wunder, daß* I am astonished that; **⁀sam** *adj.* wondrous, wonderful; **⁀schön** *adj.* very beautiful, of breathtaking beauty, lovely; **~spiegel** *m* magic mirror; **~tat** *f* miraculous deed, miracle; **~täter(in** *f*) *m* miracle--worker; **⁀tätig** *adj.* wonder-working, miraculous; **~tier** *n* monster; *fig.* prodigy; *er wurde wie ein ~ angestarrt* he was stared at as if he were a strange animal; **⁀voll** *adj.* wonderful, marvel(l)ous, admirable; grand (*day*); **~welt** *f* world of wonders; **~werk** *n* miracle; *fig. a.* wonder, marvel; **~zeichen** *n* miraculous sign.

ˈWund...: ~fieber *n* wound-fever; **⁀laufen:** *sich ~* (*irr., h.*) get footsore; **⁀liegen:** *sich ~* (*irr., h.*) get bedsore; **~mal** *n* (-[e]s; -e) scar; *eccl.* stigma; *~e pl.* stigmata; **~mittel** *n* remedy for wounds, vulnerary; **~pflaster** *n* adhesive plaster; **~pulver** *n* vulnerary powder; **~rand** *m* lip of wound; **~rose** *f* wound erysipelas; **~salbe** *f* ointment, salve; **~schere** *f* surgical scissors *pl.*; **~schorf** *m* scab; **~sein** *n* soreness; *of babies*: diaper rash; **~starrkrampf** *m* (-[e]s) tetanus.

Wunsch [vunʃ] *m* (-es; ⁼e) wish, desire; request; ambition; *auf ~* by (*or* on) request; if desired; *auf j-s ~* at a p.'s request; *auf allgemeinen ~* by popular request; (*je*) *nach ~* as desired; *es ging alles nach ~* everything went smoothly; *mit den besten Wünschen* with the best wishes; *mit den besten Wünschen zum Fest* with the compliments of the season; *haben Sie noch e-n ~?* is there anything else I can do for you?; → *fromm*; **ˈ~bild** *n* ideal; **ˈ~denken** *n* wishful thinking.

Wünschelrute [ˈvynʃəl-] *f* divining--rod, dowser's rod; **~ngänger** [ˈ-gɛŋər] *m* (-s; -) diviner, dowser.

wünschen [ˈvynʃən] *v/t.* (*h.*) wish, desire (*j-m et.* a th. for a p.); want; request; → *Glück*; *sich ~* wish for, long for; *viel zu ~ übriglassen* leave much to be desired; *j-m e-n guten Morgen ~* bid a p. good morning; (*ich*) *wünsche wohl geruht zu haben* I hope you have slept well; *ich wünsche Ihnen alles Gute* I wish you well *or* all the best; *ich wünsche es Ihnen von ganzem Herzen* I wish it for you with all my heart; *was ~ Sie (von mir)?* what do you want (of me)?, what can I do for you?; *wie Sie ~* as you please, *iro.* suit yourself; **~swert** *adj.* desirable.

'**Wunsch...:** **~form** *gr. f* optative form; **2gemäß** *adv.* as requested (*or* desired), according to one's wishes; **~konzert** *n* (musical) request program(me); **2los** *adv.*: *~ glücklich* perfectly happy; **~traum** *m* wish-dream; wishful thinking; *Am. a.* pipe dream; **~zettel** *m* list of wishes, letter to Santa Claus.

wupp [vup], '**wuppdich I.** *int.* pop!; **II.** *adv.* like a shot, in a flash.

wurde ['vurdə] *pret. of werden I and II.*

Würde ['vyrdə] *f* (-; -*n*) dignity; *w.s. a.* (position of) hono(u)r, title, office; *akademische ~* academic degree; *unter aller ~* beneath contempt; *unter meiner ~* beneath my dignity; **2los** *adj.* undignified; **~(n)träger** *m* dignitary, high official; **2voll I.** *adj.* dignified; solemn, grave; **II.** *adv.* with dignity.

'**würdig** *adj.* worthy (*gen.* of); deserving (of); dignified; *er ist dessen nicht ~* he does not deserve it; **~en** ['-gən] *v/t.* (*h.*) appreciate, value; give proper attention to; mention hono(u)rably; laud, praise; assess; *j-n e-s Blickes (Wortes) ~* deign to look at (speak to) a p.; *j-n keines Blickes ~* ignore a p. completely, do not so much as look at a p.; *er würdigte mich, etc., keiner Antwort* he vouchsafed no answer; *er kann solche Dinge nicht recht ~* he has no appreciation of such things; **2ung** ['-guŋ] *f* (-; -*en*) appreciation, assessment (*both a. jur.*); valuation; *in ~ s-r Verdienste* in appreciation of, in recognition of *his merits.*

Wurf [vurf] *m* (-[e]s; ⸚e) throw (*a. wrestling*), cast; pitch; *aer.* release (*of bombs*); *zo.* (*~ Junge*) litter, brood; *fig.* (*glücklicher ~*) hit, ten-strike; *fig. e-n guten ~ tun* have a stroke of luck, hit the jackpot; *großer ~* bold design, great success; *alles auf einen ~ setzen* put all one's eggs in one basket, stake all on a single throw *or* card; '**~anker** *m* kedge, grapnel; '**~bahn** *f* trajectory; '**~disziplin** *f sports*: throwing event.

Würfel ['vyrfəl] *m* (-s; -) cube; *games*: die, *pl.* dice; *falsche ~* loaded dice; *~ spielen* play (at) dice; *die ~ sind gefallen* the die is cast; **~becher** *m* dice-box; **2förmig** ['-fœrmiç] *adj.* cubic(al), cube-shaped; **2ig** *adj.* cubic(al); chequered (*pattern*); **~muster** *n* chequered design; **2n I.** *v/i.* (*h.*) play (at) dice; throw dice; *um et. ~* throw dice for, raffle for *a th.*; **II.** *v/t.* (*h.*) chequer (*fabric*); **~schraube** *tech. f* cube-headed screw; **~spiel** *n* game of dice; **~spieler** *m* dice-player; **~zucker** *m* lump sugar, cube-sugar.

'**Wurf...:** **~gerät** *mil. n* projector; → *Wurfrahmen*; **~geschoß** *n* missile, projectile; **~granate** *f* mortar shell; **~höhe** *f* height of projection; **~kraft** *f* (-) projectile force; **~lehre** *f* (-) ballistics *pl.*; **~leine** *mar. f* warp line; **~linie** *f* line of projection, projectile curve; **~messer** *n* throwing knife; **~pfeil** *m* dart; **~rahmen** *mil. m* multiple rocket launcher; **~schaufel** *agr. f* winnow (-ing shovel); **~scheibe** *f* quoit; discus; **~sendung** *f* bulk mail; **~speer, ~spieß** *m* javelin; **~taube** *f* clay pigeon; **~weite** *mil. f* mortar (*or* throwing) range; forward travel.

Würg|egriff ['vyrgə-] *m* stranglehold (*a. fig.*); **2en I.** *v/t.* (*h.*) throttle, choke (*both a. tech.*); strangle, take by the throat; *poet.* slay, slaughter; *thing*: choke, stick in *a p.'s* throat; **II.** *v/i.* (*h.*) choke; retch; gag on one's food; gulp; *fig. an e-r Arbeit ~* struggle hard at, sweat over *a job*; **~engel** *m* destroying angel; **~er** *m* (-s; -) slayer, butcher, murderer (*a.* **~erin** *f*, -; -*nen*); *orn.* butcher-bird.

Wurm [vurm] **1.** *m* (-[e]s; ⸚er) worm (*a. med., tech., and fig.*); grub, maggot; dragon; *anat.* vermiform process; *med. on finger*: whitlow; *vet.* farcy; *colloq. fig.* crotchet, maggots *pl.* in the brain; *colloq. j-m die Würmer aus der Nase ziehen* worm secrets out of a p., draw a p. out; **2.** *colloq. n* mite (of a child); *das arme ~!* poor little mite!; '**2abtreibend** *adj.* anthelmintic; *a.* (*~es Mittel*) vermifuge; '**2ähnlich** *adj.* worm-like, vermicular.

Würmchen ['vyrmçən] *n* (-s; -) little worm; *colloq. fig.* (poor) little mite.

'**wurmen** *v/t.* (*h.*) gall, vex; rankle (*j-n* in a p.).

'**Wurm...:** **2förmig** ['-fœrmiç] *adj.* vermicular, wormshaped, vermiform; **~fortsatz** *anat. m* appendix; **~fraß** *m* damage done by worms; **2ig** *adj.* wormy, worm-eaten; maggoty; **2krank** *adj.* suffering from worms; **~krankheit** *f* (intestinal) worms *pl.*; **~kur** *f* cure for worms, vermifuge; **~loch** *n* → *Wurmstich*; **~mehl** *n* worm-dust; **~mittel** *n* vermifuge; **~stich** *m* worm-hole; **2stichig** ['-ʃtiçiç] *adj.* worm-eaten; wormy (*fruit*); *fig.* unsound, rotten, corrupt.

Wurst [vurst] *f* (-; ⸚e) sausage; *colloq. ~ wider ~* tit for tat; *colloq. es ist mir (ganz) ~* I don't care (a rap), it's all the same to me; *colloq. jetzt geht's um die ~!* now or never!, it's do or die now!; *mit der ~ nach der Speckseite werfen* cast a sprat to catch a mackerel; '**~blatt** *colloq. n* (*newspaper*) rag.

Würstchen ['vyrstçən] *n* (-s; -) little sausage; *warmes ~* hot sausage, *Am.* hot dog; *colloq. fig. kleines ~* small fry, *a* nobody, *Am. a.* small-time operator.

'**Wurstdarm** *m* sausage skin.

Wurstelei [vurstə'laɪ] *colloq. f* (-) muddling, muddle.

'**wursteln** *colloq. v/i.* (*h.*) muddle along (*or* through).

'**wursten** *v/i.* (*h.*) make sausages.

'**Wurst...:** **~fleisch** *n* sausage-meat; **2förmig** ['-fœrmiç] *adj.* sausage-shaped; **~händler** *m* pork-butcher; **~haut** *f* sausage skin (*or* casing); **2ig** *colloq. adj.* quite indifferent, devil-may-care; **~igkeit** *colloq. f* (-) (utter) indifference, unconcern, nonchalance; **~kessel** *m*: *colloq. im ~ sitzen* be in the soup; **~laden** *m* pork-butcher's shop; **~vergiftung** *f* sausage-poisoning, botulism; **~waren** *f/pl.* sausages (and similar products); **~zipfel** *m* sausage-end.

Würze ['vyrtsə] *f* (-; -*n*) spice, condiment; seasoning, flavo(u)r; *for beer*: wort; fragrance; *fig.* (special) flavo(u)r; → *Kürze*; *~ des Lebens* salt of life.

Würzelchen ['vyrtsəlçən] *n* (-s; -) rootlet, radicle.

Wurzel ['vurtsəl] *f* (-; -*n*) root (*a. math., of tooth, and fig.*); *gr.* root, stem; (*hair*) bulb; carrot; *math. zweite (dritte) ~* square (cubic) root; *~ fassen or schlagen (a. fig.)* take (*or* strike) root; *math. die ~ (aus e-r Zahl) ziehen* find (*or* extract) the root (of a number); *fig. mit der ~ ausrotten* eradicate; **2artig** ['-ɑːrtiç] *adj.* root-like; **~behandlung** *f* root-treatment; **~brand** *m* (-[e]s) root-rot; **2echt** *bot. adj.* own-rooted; **~exponent** *math. m* radical index; **~faser** *f* root fibril; **~fäule** *f* → *Wurzelbrand*; **2fest** *adj.* root-bound; **~füllung** *med. f* root filling; **~gemüse** *n* root vegetables *pl.*; **~größe** *math. f* radical quantity; **2haft** *adj.* rooted; **2ig** *adj.* rooty (*ground*); **~keim** *m* radicle; **~knollen** *m* tuber, bulb; **2los** *adj.* rootless; **2n** *v/i.* (*h., sn*) (take) root, send out roots; *fig. ~ in* have its root in, be rooted (*or* grounded) in; *tief ~* be deep-rooted; **~schößling** *m* sucker, runner; **~silbe** *gr. f* root syllable; **~stock** *m* (-[e]s; ⸚e) root stock; **~trieb** *m* root sucker, rootling; **~werk** *n* (-[e]s) root system, roots *pl.*; **~wort** *gr. n* (-[e]s; ⸚er) radical word, root; **~zahl** *math. f* root; **~zeichen** *math. n* radical sign.

'**würz|en** *v/t.* (*h.*) spice, season, flavo(u)r; *fig. a.* give zest to, ginger up; **~ig** *adj.* spicy, well-seasoned, aromatic; piquant; **2kräuter** *n/pl.* aromatic herbs; **~los** *adj.* unspiced, flavo(u)rless; *fig.* flat; **2nelke** *f* clove; **2stoff** *m* seasoning, aromatic essence; **2wein** *m* spiced wine.

wusch [vuːʃ] *pret. of waschen.*

wuschel|ig ['vuʃəliç] *adj.* tousled; **2kopf** *m* mop of curly hair.

wuseln ['vuːzəln] *v/i.* (*sn*) swarm (*von* with); be crawling (with).

wußte ['vustə] *pret. of wissen.*

Wust [vuːst] *m* (-es) tangled mass; rubbish, trash; mess, jumble.

wüst [vyːst] *adj.* desert, waste, desolate; confused; wild, dissolute, depraved; vulgar; filthy, vile; *colloq.* awful; *~ und leer* waste and void; **2e(nei)** ['-ə('naɪ)] *f* (-; -*en*) desert, waste, wilderness; *fig. Rufer in der ~* voice crying in the wilderness; *fig. in die ~ schicken* send into the wilderness; '**~en** *v/i.* (*h.*): *mit et. ~* waste, ruin; play havoc with; '**2enschiff** *fig. n* ship of the desert, camel; **2ling** ['-liŋ] *m*

(-*s*; -*e*) libertine, debauchee, rake, lecher.
Wut [vu:t] *f* (-) rage, fury; towering rage; wrath; mania; *in* ~ in a rage; *in* ~ *geraten* fly into a rage *or* passion, see red; *j-n in* ~ *bringen* enrage (*or* incense, infuriate) a p.; *colloq. vor* ~ *platzen* hit the ceiling, blow one's top; *vor* ~ *kochen* boil with rage, foam (at the mouth), fume; → *auslassen, etc.*; '**~anfall** *m* fit of rage; '**~ausbruch** *m* outburst of fury, explosion; tantrum.
wüten ['vy:tən] *v/i.* (*h.*) rage, storm; *person*: *a.* rave, foam; *crowd*: riot; **~d I.** *adj.* furious, raving, fuming, rabid; convulsed with rage; *esp. Am.* mad (*auf acc., über acc.* at), hot under the collar; *fig.* furious, fierce, savage (*attack, etc.*); raging (*elements*); **II.** *adv.* furiously; ~ *machen* infuriate, incense, enrage; ~ *blicken* glare, look daggers.
wutentbrannt ['-ˀɛntbrant] *adj.* enraged, infuriated, furious.
Wüterich ['vy:tərɪç] *m* (-[*e*]*s*; -*e*) berserk, bloodthirsty man; maniac; tyrant.
'**wütig** *adj.* → *wütend.*
'**wutschnaubend** *adj.* foaming (with rage), breathing revenge.
'**Wutschrei** *m* yell of rage.

X, Y

X, x [iks] *n* X, x; *j-m ein* ~ *für ein U vormachen* throw dust in a p.'s eyes; *er läßt sich kein* ~ *für ein U vormachen* he is nobody's fool.
'**X-Achse** *math. f* axis of x.
'**X-Beine** *n/pl.* knock-knees; **X-beinig** ['-baɪnɪç] *adj.* knock-kneed.
'**x-beliebig** *adj.* any (... you please).
'**x-mal** *colloq. adv.* (ever so) many times, umpteen times.
'**X-Motor** *m* X-type engine.
'**X-Koordinate** *math. f* x-coordinate.
xte ['ikstə] *adj.*: *zum* ~*n Male* for the nth (*or* umpteenth, umptieth) time.
Xylo|graph [ksylo'grɑ:f] *m* (-*en*; -*en*) xylographer; **~gra'phie** *f* (-; -*n*) xylography; **♀'graphisch** *adj.* xylographic(al).
Xylol [ksy'lo:l] *n* (-*s*) xylene.
Xylophon [ksylo'fo:n] *mus. n* (-*s*; -*e*) xylophon.
Xylose [ksy'lo:zə] *f* (-) xylose.
Y, y ['ypsilɔn] *n* Y, y.
'**Y-Achse** *math. f* axis of y.
Ypsilon ['ypsilɔn] *n* (-[*s*]; -*s*) the letter Y.
Ysop ['y:zɔp] *bot. m* (-*s*; -*e*) hyssop.

Z

Z, z [tsɛt] *n* Z, z.
Zäckchen ['tsɛkçən] *n* (-*s*; -) denticle; small prong; *of lace*: purl.
Zacke ['tsakə] *f* (-; -*n*), **~n** *m* (-*s*; -) (sharp) point; prong, tine; indent (-ation); spike; (*mountain*) jag, peak; *bot.* crenature; tooth (*of comb, saw*); notch; *dressmaking*: scallop; wave (*of cardiogram, etc.*).
'**zacken** *v/t.* (*h.*) indent, notch; tooth; jag; *dressmaking*: scallop, pink; **♀borste** *f* purl-edging; **~-förmig** ['-fœrmɪç] *adj.* serrated, jagged.
'**zackig** *adj.* indented, notched; jagged; pointed; branched; *bot.* crenate, serrate(d); scalloped (*dress*); *colloq. fig.* smart, snappy, *Am. a.* snazzy.
zag|en ['tsɑ:gən] *v/i.* (*h.*) quail; shrink, flinch; waver; **♀en** *n* (-*s*) quailing; trembling; shrinking, flinching; **~haft** ['tsɑ:k-] *adj.* faint-hearted, fearful; timid; cautious; gingerly (*a. adv.*); **♀haftigkeit** *f* (-) faint-heartedness; timidity.
zäh|(e) ['tsɛ:(ə)] *adj.* tough, tenacious; ropy, viscous, glutinous (*liquid*); stringy (*meat*); *metall.* ductile; *fig.* tough; wiry; tenacious; stubborn; grim, dogged (*energy*); ~*er Bursche* hard customer; *ein* ~*es Leben haben* be tenacious of life, be difficult to kill; **♀festigkeit** *tech. f* tenacity; **~flüssig** *adj.* viscous, thickly liquid, sticky; **♀igkeit** *f* (-) toughness, tenacity; ropiness; viscosity; *metall.* ductility; *fig.* tenacity; doggedness.
Zahl [tsɑ:l] *f* (-; -*en*) number; figure; numeral; cipher; digit; *vierstellige* ~ 4-digit number; *in großer* ~ in large numbers; *an* ~ *übertreffen* outnumber.
Zähl-apparat ['tsɛ:l-] *m* → *Zähler.*
zahlbar ['tsɑ:l-] *adj.* payable (*bei* at, with; *an acc.* to); ~ *sein or werden* fall due, be(come) payable; ~ *machen or stellen* make payable; domiciliate (*bill of exchange*); ~ *bei Lieferung* cash (*Am.* collect) on delivery (*abbr.* C.O.D.).
'**zählbar** *adj.* countable, computable.
'**Zahlbrett** *n* money-tray.
zählebig ['tsɛ:le:bɪç] *adj.* tenacious of life.
'**zahlen** *v/t. and v/i.* (*h.*) pay; settle *debt* (*dat.* with), pay off; meet (*bill of exchange*); *Kinder* ~ *die Hälfte* children half-price; *at restaurant*: ~! the bill (*Am.* the check), please!
'**zählen** *v/t. and v/i.* (*h.*) count (*a. fig.*); number; *cards, sports, etc.*: (keep the) score; *parl. Stimmen* ~ tell the votes; take the census of (*population*); *tech.* register, integrate; ~*des Meßgerät* integrating meter; *fig.* number, have; boast, call one's own; ~ *auf* (*acc.*) count on; *unter* (*acc.*) ... ~, *zu* (*dat.*) ... ~ number among, rank with, *v/i. a.* be reckoned among, be considered one of, be classed with; *sie zählte 12 Jahre* she was twelve (years old); *er* (*es*) *zählt nicht* he (it) does not count; *seine Tage sind gezählt* his days are numbered; → *drei.*
'**Zahlen...**: **~akrobatik** *f* juggling with figures; **~angaben** *f/pl.* numerical data, figures; **~beispiel** *n* numerical example; **~bild** *n* figures *pl.*; **~bruch** *math. m* numerical fraction; **~folge** *f* numerical order; **~größe** *math. f* numerical quantity; **~lotterie** *f*, **~lotto** *n* → *Lotto*; **♀mäßig** ['-mɛ:sɪç] **I.** *adj.* numerical; **II.** *adv. a.* in terms of figures; *j-m* ~ *überlegen sein* outnumber; **~material** *n* → *Zahlenangaben*; **~reihe** *f* numerical series; **~schloß** *n* combination lock; **~sinn** *m* (-[*e*]*s*) sense (*or* head) for figures; **~verhältnis** *n* numerical proportion; **~wert** *m* numerical value.
'**Zahler(in** *f*) *m* (-*s*, -; -, -*nen*) payer; *pünktlicher* (*säumiger*) ~ prompt (dilatory) payer.
'**Zähler** *m* (-*s*; -) counter; *bank, parl.*: teller; *math.* numerator; *tech.* counter; integrating meter; *el., etc.*: meter; **~ablesungen** *f/pl.* meter readings; **~tafel** *f* meter board; **~taste** *f* register key.
'**Zahl...**: **~grenze** *f* fare stage; **~karte** *f* paying-in form *or* slip.
'**Zählkarte** *f sports*: scoring card; *statistics*: census-paper.
'**Zahl...**: **~kellner** *m* head waiter, cashier; **♀los** *adj.* numberless, innumerable, countless; a sea of; **~meister** *m mil.* paymaster, *mar.* purser; **~meisterei** ['-maɪstə'raɪ] *f* (-; -*en*) paymaster's office; **~pfennig** *m* counter; **♀reich I.** *adj.* numerous, a great many; **II.** *adv.*: in great number.
'**Zählrohr** *n* Geiger counter.
'**Zahlstelle** *f* paying office; sub-branch (*of bank*).
'**Zählstrich** *m* tally.
'**Zahltag** *m* pay day; *stock exchange*: settling day.
'**Zähltaste** *tech. f* register key.
'**Zahlung** *f* (-; -*en*) payment; settlement, clearance (*of debt*); disbursement (*of expenses*); *gegen* (*mangels*) ~ against (in default of) payment;

an ~s Statt in lieu of payment; *~ leisten* make (*or* effect) payment; *e-e ~ leisten* make a payment; *in ~ geben* offer as payment; trade in; *in ~ nehmen* take in part payment *or* in part exchange, receive in payment.

'**Zählung** *f* (-; -*en*) counting; count; numeration; census; *tech.* metering, registering.

'**Zahlungs...**: **~abkommen** *n* payments agreement; **~anweisung** *f* order to pay; money order, postal order; → *Scheck*; **~anzeige** *f* advice of payment; **~aufforderung** *f* request for payment; **~aufschub** *m* respite, extension of time, moratorium; **~auftrag** *m* payment order; **~ausgang** *m* out-payment; **~ausgleich** *m* settlement of payments; **~bedingungen** *f/pl.* terms of payment; **~befehl** *m* default summons, writ of execution; **~beleg** *m* voucher; **~bilanz** *f* balance of payments; **~bilanzkredit** *m* balance of payments credit; **~eingang** *m* in-payment; *pl.* payments received; **~einstellung** *f* suspension of payment; **~empfänger** *m* payee; **~erleichterungen** *f/pl.* facilities (of payment), deferred terms available; *mit ~* on extended terms; **2fähig** *adj.* able to pay; solvent; **~fähigkeit** *f* (-) ability to pay; *econ.* solvency; **~freigrenze** *f* free quota for payments; **~frist** *f* term of payment; → *Zahlungsaufschub*; **2kräftig** *adj.* substantial; **~mittel** *n* currency; *gesetzliches ~* legal tender; *bargeldloses ~* credit instrument; **~ort** *m* place of payment; domicile (*of bill of exchange*); **~plan** *m* instal(l)ment plan, partial payment plan; terms *pl.* of redemption; **~schwierigkeiten** *f/pl.* financial difficulties, pecuniary embarrassment; **~sperre** *f* stoppage of payments; blocking; **2technisch** *adj.* relating to payments; *~ bedingt* due to payment factors; **~termin** *m* date of payment; **2unfähig** *adj.* unable to pay; *econ.* insolvent; **~unfähigkeit** *f* (-) inability to pay; *econ.* insolvency; **~union** *f*: *Europäische ~* (*E.Z.U.*) European Payments Union; **~verkehr** *m* payments system; transfers *pl.*; *bargeldloser ~* clearance system, cashless transfer system; **~verpflichtung** *f* liability (to pay); **~versprechen** *n* promise to pay; promissory note; **~verweigerung** *f* refusal to pay, non-payment; **~verzug** *m* default; **~weise** *f* mode of payment.

'**Zählwerk** *n* counting train; meter, register.

'**Zahl...**: **~wort** *gr. n* (-[e]s; ⸗er) numeral; **~zeichen** *n* figure, cipher.

zahm [tsɑːm] *adj.* tame, domestic (-ated); *bot.* cultivated; *fig.* tame (*man, story, etc.*); gentle; mild; tractable; *j-n ~ machen* bring a p. to heel.

zähm|bar ['tsɛːmbɑːr] *adj.* tamable; **~en** *v/t.* (*h.*) tame (*a. fig.*), domesticate; break in (*horse*); *fig.* restrain, control, master, check (*sich* o.s.).

'**Zahmheit** *f* (-) tameness; *fig.* mildness.

'**Zähmung** *f* (-; -*en*) taming.

Zahn [tsɑːn] *m* (-[e]s; ⸗e) tooth; *zo.* fang; tusk; *tech.* tooth, gear, cog; *Zähne betreffend* dental; *fig. der ~ der Zeit* the ravages *pl.* of time; *Zähne bekommen* cut one's teeth; *bis an die Zähne bewaffnet* armed to the teeth; *die Zähne zeigen* show one's teeth (*a. fig.*: *j-m* to a p.), *beast*: bare one's fangs; → *zusammenbeißen*; *colloq. etwas für den hohlen ~* precious little; *j-m auf den ~ fühlen* sound a p.; *colloq. mit e-m tollen ~* at a roaring speed; *sich e-n ~ ausbeißen* break a tooth; *fig. sich die Zähne ausbeißen* bite a file; → *fletschen, knirschen*; '**~arzt** *m* dental surgeon, dentist; '**2ärztlich** *adj.* dental; '**~behandlung** *f* dental treatment; '**~bein** *n* dentin(e); '**~belag** *m* film (on the teeth); '**~bohrer** *m* dental drill; '**~bürste** *f* tooth brush; '**~chirurgie** *f* dental surgery; '**~durchbruch** *m* dentition.

Zähne ['tsɛːnə-]: **~fletschen** *n* (-*s*) showing one's teeth, snarl, bared teeth *or* fangs; **~klappern** *n* chattering of teeth; *mit ~* with chattering teeth; **~knirschen** *n* (-*s*) gnashing of teeth; **2knirschend** *adv.* gnashing (*or* gritting) his (her) teeth, grimly.

'**zahnen I.** *v/i.* (*h.*) cut one's teeth, be teething; **II.** *v/t.* (*h.*) *tech.* tooth, notch; **2** *n* (-*s*) teething, dentition.

'**zähnen** *v/t.* (*h.*) indent, notch; denticulate.

'**Zahn...**: **~ersatz** *m* (artificial) denture, dental prosthesis; **~fäule** *f* caries; **~fistel** *f* alveolar fistula; **~fleisch** *n* gums *pl.*; **~fleischblutung** *f* bleeding from the gums; **~formel** *f* dental formula, dentition; **~füllung** *f* filling, stopping; **~geschwür** *n* abscess in the gums, gum boil; **~hals** *m* neck of a tooth; **~heilkunde** *f* (-) dentistry; **~höhle** *f* socket of a tooth; *med.* dental cavity; **~infektion** *f* dental infection; **~klinik** dental clinic; **~kranz** *tech. m* gear rim; **~krem** *f* tooth-paste; **~krone** *f* crown; **~laut** *gr. m* dental (sound); **~lippenlaut** *gr. m* labiodental (sound); **2los** *adj.* toothless; **~lücke** *f* gap between two teeth; *tech.* tooth space; **~nerv** *m* (dental) pulp, nerve (of tooth); **~paste** *f* tooth-paste; **~patient** *m* dental patient; **~pflege** *f* care of one's teeth, dental hygiene; **~plombe** *f* filling, stopping; **~prothese** *f* denture, dental prosthesis; **~pulver** *n* tooth-powder.

'**Zahnrad** *n* cog-wheel, gear(-wheel), toothed wheel; **~abwalzfräsmaschine** *f* gear hobbing machine; **~antrieb** *m* gear drive; **~bahn** *f* rack-railway, cog-wheel railway; **~fräser** *m* gear cutter; **~getriebe** *n* toothed gear, gear transmission; pinion gear; **~übersetzung** *f* (back) gearing, transmission gear.

'**Zahn...**: **~reinigungsmittel** *n* dentifrice; **~schmelz** *m* dental enamel; **~schmerz** *m* toothache; **~schutz** *m sports*: mouthpiece, gum shield; **~stange** *f* (toothed) rack; **~stein** *med. m* (-[e]s) tartar; **~stocher** *m* toothpick; **~techniker** *m* dental technician.

'**Zähnung** *f* (-; -*en*) serration; *tech.* toothing.

'**Zahn...**: **~wasser** *n* tooth wash; **~wechsel** *m* second dentition; **~weh** *n* toothache; **~werk** *tech. n* rack-work; **~wurzel** *f* root of a tooth; **~zange** *f* dental forceps; **~zerfall** *m* dental necrosis, tooth decay; **~ziehen** *n* extraction *or* pulling of teeth.

Zähre ['tsɛːrə] *poet. f* (-; -*n*) tear.

Zander ['tsandər] *ichth. m* (-*s*; -) pike-perch.

Zange ['tsaŋə] *f* (-; -*n*) (*e-e ~* a pair of) tongs *pl.*; nippers; pliers *pl.*; tweezers *pl.*; *med.* forceps (*a. zo.* = forcipated claw), *a. zo.* pincers *pl.*; *fig. j-n in die ~ nehmen* work on a p. (from two sides), corner a p., *soccer*: sandwich a p.; **~nbewegung** *mil. f* pincer movement; **~ngeburt** *f* forceps delivery; **~nvorschub** *tech. m* gripper feed.

Zank [tsaŋk] *m* (-[e]s) quarrel; bickering, squabble, row; '**~apfel** *m* (-*s*) apple of discord, bone of contention; '**2en** *v/i. and sich ~* (*h.*) quarrel (*um* over), wrangle, squabble, bicker; brawl; *sich ~ mit a.* have words with.

Zän|ker ['tsɛŋkər] *m* (-*s*; -), **~kerin** *f* (-; -*nen*) quarrel(l)er, wrangler, squabbler; *only f*: scold, termagant, shrew; **~ke'rei** *f* (-; -*en*) bickering, quarrel(l)ing.

'**zankhaft**, '**zänkisch** *adj.* quarrelsome, bickering, nagging.

'**Zank|sucht** *f* (-) quarrelsomeness; **2süchtig** *adj.* quarrelsome.

Zäpfchen ['tsɛpfçən] *n* (-*s*; -) small peg; *anat. gr.* uvula; *in eye*: cone; *med.* suppository; **~...** *a. gr.* uvular.

Zapfen ['tsapfən] *m* (-*s*; -) plug; peg, pin; tenon; bung, spigot; pivot; journal; trunnion; stud; *bot.* cone; **2** *v/t.* (*h.*) tap; join *beams* with (mortise and) tenon; **~bohrer** *m* tap borer; **2förmig** ['-fœrmiç] *adj.* peg-shaped, cone-shaped; **~lager** *tech. n* pivot (*or* journal) bearing; trunnion seat; bush; chock (*of cylinder*); **~loch** *n* tap hole; *tech.* pivot hole; *cabinet-making*: mortise; **~streich** *mil. m* curfew; tattoo, retreat, *Am.* taps *pl.*; **2tragend** *adj.* coniferous.

'**Zapf...**: **~er** *m* (-*s*; -) tapster; *tech.* feeder; **~hahn** *m* tap, *Am.* faucet; *mot.* hose nozzle; **~säule** *mot. f* (fuel) dispensing pump; **~stelle** *f* tap; *mot.* filling station; *el.* wiring point.

Zaponlack [tsa'poːn-] *m* Zapon [varnish.]

zappel|ig ['tsapəliç] *adj.* fidgety, restless; nervous; **~n** *v/i.* (*h.*) struggle; wriggle; flounder; fidget; *fig. j-n ~ lassen* keep a p. in suspense *or* on tenterhooks; tantalize a p.; **2liese** ['-liːzə] *f* (-; -*n*), **2philipp** ['-filip] *colloq. m* (-*s*; -*e*) fidget.

Zar [tsɑːr] *m* (-*en*; -*en*) tsar, czar; '**Zarentum** *n* (-*s*) tsardom; **Zarewitsch** [tsa'reːvitʃ] *m* (-[e]s; -*e*) tsarevitch.

Zarge ['tsargə] *tech. f* (-; -*n*) border, edge; frame, case; sash; side (*of violin, etc.*).

'**Zarin** *f* (-; -nen) tsarina.
zart [tsaːrt] *adj.* tender (*age, conscience, heart, meat, etc.*); soft (*skin, sound, etc.*); *colour*: *a.* pale, subdued; gentle; sensitive; delicate (*child, flower, health, skin*); slight, dainty (*child, girl*); *das* ~*e Geschlecht* the gentle sex; ~*er Wink* gentle hint; '~**besaitet** *fig. adj.* delicately strung, sensitive; '~**fühlend** *adj.* delicate, tactful; '2**gefühl** *n* (-[e]s) delicacy (of feeling), good sense, tactfulness; '~**grün** *adj.* pale green; '2**heit** *f* (-) tenderness; softness; delicacy, delicateness; gentleness.
zärtlich ['tsɛːrtliç] *adj.* tender; fond, loving, amorous; 2**keit** *f* (-; -en) tenderness; fondness; caress.
Zaster ['tsastər] *colloq. m* (-s) (*money*) brass, dough.
Zäsur [tse'zuːr] *f* (-; -en) caesura; cut; break.
Zauber ['tsaubər] *m* (-s; -) spell, charm, magic (*all a. fig.*); enchantment; glamo(u)r; lure; *contp.* trick; *fauler* ~ humbug, swindle; *der ganze* ~ the whole concern; ~ *des Rampenlichts* glamo(u)r of the footlights; *wie durch* ~ as if by magic; *den* ~ *lösen* break the spell; ~**bann** *m* spell; ~**buch** *n* conjuring book.
Zaube|'rei *f* (-; -en) magic, sorcery; witchcraft; conjuring, juggling, sleight-of-hand; '~**rer** *m* (-s; -) sorcerer, magician, (*a. fig.*) wizard; *fig.* enchanter; → *Zauberkünstler*.
'**Zauber...**: ~**flöte** *f* magic flute; ~**formel** *f* spell, charm, magic formula; ~**garten** *m* enchanted garden; 2**haft**, 2**isch** *adj.* enchanting, magical, glamo(u)rous, bewitching; ~**in** *f* (-; -nen) sorceress; *fig.* enchantress; ~**kraft** *f* magic (power); ~**kunst** *f* magic (*or* black) art, witchcraft; → *Zauberkunststück*; ~**künstler** *m* conjurer, illusionist, juggler; ~**kunststück** *n* conjuring trick, sleight-of-hand; ~**land** *n* enchanted land, Fairyland; ~**mittel** *n* charm, spell; 2**n I.** *v/i.* (*h.*) practise magic; do conjuring tricks; *colloq. fig. ich kann doch nicht* ~ I can't work miracles; **II.** *v/t.* (*h.*) produce by magic, conjure; ~**schloß** *n* enchanted castle; ~**spiegel** *m* magic mirror; ~**spruch** *m* → *Zauberformel*; ~**stab** *m* magic wand; ~**trank** *m* magic potion, philtre; ~**wald** *m* enchanted forest; ~**werk** *n* witchcraft, sorcery; ~**wort** *n* (-[e]s; -e) magic word.
Zauder|er ['tsaudərər] *m* (-s; -) lingerer, delayer; irresolute person, temporizer; 2**n** *v/i.* (*h.*) linger, delay; hesitate (*mit* about), waver; temporize, shilly-shally; ~**n** *n* (-s) lingering; hesitation, wavering.
Zaum [tsaum] *m* (-[e]s; ⸚e) bridle; *fig. im* ~ *halten* keep in check; keep a tight rein on; curb, bridle (*passion, etc.*).
zäumen ['tsɔymən] *v/t.* (*h.*) bridle.
'**Zaum...**: ~**pfad** *m* bridle-path; ~**zeug** *n* headgear, bridle.
Zaun [tsaun] *m* (-[e]s; ⸚e) fence; *lebendiger* ~ quickset hedge; hoarding, boarding; *fig. vom* ~*e brechen* **a)** *e-n Krieg*: start *a war*, **b)** *e-e Gelegenheit*: make *an opportunity*, **c)** *e-n Streit*: (take the first opportunity to) pick *a quarrel*; *fig. j-m über den* ~ *helfen* help a p. over the stile; '~**gast** *m* deadhead, intruder, looker-on; '~**könig** *orn. m* wren; '~**pfahl** *m* pale; *j-m e-n Wink mit dem* ~ *geben* give a p. a broad hint; '~**rebe** *bot. f* Virginia creeper.
zausen ['tsauzən] *v/t.* (*h.*) pull about; tousle (*hair*), *a. fig.* ruffle.
Zebra ['tseːbra] *n* (-s; -s) zebra; ~**streifen** *m traffic*: zebra crossing.
Zech|bruder ['tsɛç-] *m* tippler, toper; boon-companion; ~**e** *f* (-; -n) **1.** score, reckoning, bill; *die* ~ *bezahlen* foot the bill, *fig.* pay the piper; **2.** mine; coal pit, colliery; mining company; 2**en** *v/i.* (*h.*) carouse, tipple, banquet; ~**enkohle** *f* mine coal; ~**enkoks** *m* furnace coke; ~**er** *m* (-s; -) (hard) drinker, tippler, toper, revel(l)er; ~**gelage** *f* carouse, drinking-bout, spree; ~**kumpan** *m* boon-companion; ~**preller** ['-prɛlər] *m* (-s; -) bilk(er), hotel-bill skipper; ~**prelle'rei** *f* (-; -en) hotel fraud, bilk(ing).
Zecke ['tsɛkə] *f* (-; -n) tick.
Zedent [tse'dɛnt] *m* (-en; -en) transferor, assigner.
Zeder ['tseːdər] *bot. f* (-; -n) cedar.
ze'dieren *v/t.* (*h.*) cede, transfer, assign (*dat.* to).
Zeh [tseː] *m* (-[e]s; -en), '~**e** *f* (-; -n) toe; *bot.* clove (*of garlic*); *großer* (*kleiner*) ~ big (little) toe; '~**ennagel** *m* toenail; '~**enspitze** *f* point *or* tip of the toe; *auf den* ~*n* on tiptoe.
zehn [tseːn] *adj.* ten; → *acht*; 2 *f* (-; -en) (number) ten; 2**eck** ['-ʔɛk] *n* (-[e]s; -e) decagon; 2**ender** ['-ʔɛndər] *m* (-s; -) stag of ten points (*or* antlers); '2**er** *m* (-s; -) ten; ten-pfennig piece; *colloq. fig. der* ~ *fällt* the penny drops; ~**erlei** ['-ərlaɪ] *adj.* of ten sorts, ten different (kinds of); '2**erreihe** *f* column of tens; '2**erstelle** *f* decimal place; '~**fach**, ~**fältig** ['-fɛltiç] *adj.* tenfold; '2**fingersystem** *n typing*: touch system; '~**jährig** *adj.* ten-year-old; of (*or* lasting) ten years, ten-year; '2**kampf** *m* decathlon; '2**kämpfer** *m* decathlon competitor *or* man; '~**mal** *adv.* ten times; '~**malig** *adj.* ten (times repeated); '~**tägig** *adj.* of (*or* lasting) ten days, ten days', ten-day; '~**tausend** *adj.* ten thousand; 2*e von Exemplaren, etc.* tens of thousands of copies, *etc.*; ~**te** ['-tə] *adj.* tenth; '2**te** *m* (-en; -en) tithe; 2**tel** ['-təl] *n* (-s; -) tenth (part); '~**ten** *v/t.* (*h.*) tithe; *math.* decimate; ~**tens** ['-təns] *adv.* tenth(ly), in the tenth place; '~**tpflichtig** *adj.* tithable.
zehren ['tseːrən] *v/i.* (*h.*): ~ *von* (*dat.*) live (*or* exist) on; *fig.* live off *the capital*; draw on *supplies*; *von e-r Erinnerung* (*an et.*) ~ remember *a th.* fondly, enjoy a recollection; *physiol.* make thin; give an appetite; *fig.* ~ *an* (*dat.*) gnaw at, prey upon, undermine; ~**d** *med. adj.* consumptive, wasting.
'**Zehr...**: ~**fieber** *med. n* hectic fever; ~**geld** *n*, ~**pfennig** *m* travel(l)ing money; ~**ung** *f* (-) (expenses *pl.* of) living; provisions *pl.*; *eccl. letzte* ~ viaticum; waste.
Zeichen ['tsaɪçən] *n* (-s; -) sign (*a. ast., mus., typ., and fig.*), token; symbol; mark; badge; indication, sign, *esp. med.* symptom; signal; brand; trade-mark; omen; warning; *the* hand on the wall; *econ. unser* (*Ihr*) ~ our (your) reference (*abbr.* Ref.); ~ *der Freundschaft* token (*or* mark) of friendship; *das* ~ *des Kreuzes* the sign of the cross; ~ *und Wunder* signs and wonders; *es geschehen noch* ~ *und Wunder* wonders will never cease; ~ *der Zeit* signs of the time; *auf ein* ~ *von* at a sign of; *ein* ~ *geben* make a sign (*dat.* to), (give a) signal (to); *das* ~ *geben für* give the word for; *ein* ~ *sein für* be a sign of, be indicative of; *im* ~ *des ... stehen ast.* be in ..., *fig.* be marked by, show; be under the banner of ...; be affected by; be governed by; *s-s* ~*s ein Bäcker* a baker by trade; *zum* ~ *gen.* in *or* as a sign of, as a mark of; *zum* ~, *daß* as a proof that.
'**Zeichen...**: ~**block** *m* sketch block; ~**brett** *n* drawing board; ~**buch** *n* sketch-book; ~**büro** *n* drawing office, *Am.* drafting room; ~**deuter** ['-dɔʏtər] *m* (-s; -) astrologer; ~**drei-eck** *math. n* set-square; ~**erklärung** *f* list of conventional signs; signs and symbols; ~**feder** *f* drawing pen; ~**film** *m* (animated) cartoon; ~**garn** *n* marking thread; ~**gerät** *n* drawing instrument; ~**kunst** *f* (art of) drawing; ~**lehrer** *m* art master; ~**mappe** *f* portfolio; ~**papier** *n* drawing paper; ~**rolle** *f* register of trade-marks; ~**saal** *m* → *Zeichenbüro*; *ped.* art room; ~**schule** *f* school of drawing; ~**schutz** *m* protection of registered trademarks and designs; ~**setzung** ['-zɛtsuŋ] *f* (-) punctuation; ~**sprache** *f* sign language; ~**stift** *m* crayon; ~**system** *n* code; ~**talent** *n* talent for drawing; ~**tisch** *m* drawing board; ~**trickfilm** *m* animated cartoon; ~**unterricht** *m* drawing lessons *pl.*; *ped.* art.
zeichn|en ['tsaɪçnən] *v/t. and v/i.* (*h.*) draw (*nach* from *life, etc.*), delineate (*a. fig.*); design; *tech.* draft, draught; sketch, outline (*a. fig.*); mark; sign; subscribe (*für e-n Fonds* to *a fund*); subscribe for (*loan, shares*), take up (*stock*); underwrite (*a risk, a policy*); *in letters*: *ich zeichne hochachtungsvoll* I am (*or* I remain), dear Sir(s), ...; → *gezeichnet*; 2**en** *n* (-s) drawing, *etc.*; *ped.* art; 2**er(in** *f*) *m* (-s, -; -, -nen) draughtsman, *esp. Am.* draftsman; *f* draughtswoman; *m and f* designer; *econ.* subscriber (*gen.* to); ~**erisch** *adj.*: ~*e Darstellung* graphic representation; ~*e Konstruktion* design; ~*e Begabung* gift for drawing.
'**Zeichnung** *f* (-; -en) drawing (*a. tech.*); sketch; design; illustration, *tech.* figure, diagram; blueprint; marking; *of wood*: grain; pattern; signing, signature; *econ.* subscription (*gen.* for [*loan, etc.*]); → *auflegen, aufgelegt*; 2**sberechtigt** *adj.* authorized to sign (*für* for), having signatory power; ~**sliste** *econ. f*

subscription list; **~svollmacht** *f* signatory power, authority to sign *on behalf of the firm*; *for stock, etc.*: subscription privilege; *~ haben* have the signature, be authorized to sign.

Zeigefinger ['tsaɪgə-] *m* forefinger, index (finger).

'**zeigen** *v/t.* (*h.*) show (*a. fig.*; *wie* how to *inf.*); *thea., film*: *a.* present; point at *or* out, indicate; *thermometer*: stand at; *clock*: point to; indicate; exhibit, display (*a. fig.*); register (*effect, etc.*); present, show; set forth, point out; demonstrate, prove; *sich ~* **a**) show o.s., **b**) appear, make an appearance, turn (*or* show) up; *sich freundlich ~* be friendly; *sich ~ als* prove (o.s.) to be; *sich ~ wollen, sich ~ mit* show off; *matter*: show, appear, become apparent, come to light; *es zeigte sich, daß* it appeared that; *es wird sich ja ~* we shall see, time will tell; *colloq. ihm werd' ich's ~* I'll show him; → *erkenntlich*.

'**Zeiger** *m* (-s; -) *of clock*: hand; *kleiner* (*großer*) *~* short (long) hand; *of barometer, etc.*: pointer; *tech. a.* indicator, needle, *math. a.* index; **~ausschlag** *m* pointer deflection; *radar*: needle deviation; **~instrument** *n* indicating instrument.

'**Zeigestock** *m* (-[e]s; ⸗e) pointer.

zeihen ['tsaɪən] *v/t.* (*irr., h.*) (*gen.*) accuse of.

Zeile ['tsaɪlə] *f* (-; -*n*) line; *TV* (scanning) line; row; *j-m ein paar ~n schreiben* drop a p. a line.

'**Zeilen...**: **~abstand** *m* line spacing; **~abtastung** *f* (-) *TV*: line scanning; **~flimmern** *n* (-s) line flicker; **~honorar** *n* lineage, *Am.* space rates *pl.*; **~raster** *m TV*: line-scanning pattern; **~schalter** *n of typewriter*: spacer; **2weise** ['-vaɪzə] *adv.* by the line; **~zahl** *f* lineage.

Zeisig ['tsaɪzɪç] *orn. m* (-[e]s; -e) siskin; *fig. lockerer ~* loose fish; **2grün** *adj.* canary-green.

Zeit [tsaɪt] *f* (-; -*en*) time; times, days; hours *pl.*; *gr.* tense; epoch, era, age; period, space (of time); season; term, duration; stage, phase; *freie ~* spare-time, off-time, leisure hours *pl.*; *schlechte ~en* hard times; *für schlechte ~en save* for a rainy day; *econ. auf ~* on account, on credit; *Kauf auf ~* forward purchase; *sports*: *auf ~ laufen* make a time trial; *der beste Spieler, etc., aller ~en* the best player, *etc.*, of all time; *die ganze ~ her or über* ever since, all along; *er hat es die ganze ~ (über) gewußt* he knew it all along; *sports*: *die ~ nehmen* time (*von a run*); *eine ~lang* for a time; *für alle ~en* for all time, for good; *gegen die ~* (*run, work*) against time; *in der ~ vom ... bis ...* in the time between ... and ...; *in kurzer ~* in a short time; *in kürzester ~* in no time; *in letzter ~* lately, of late, recently; *mit der ~* in course of time, with time; *mit der ~ gehen* keep pace (*or* go) with the times; *von ~ zu ~* from time to time, now and then; *vor der ~* prematurely; *vor ~en* in former times; *vor langer ~* long ago, a long time ago; *zur ~* **a**) (*gen.*) in the time of, **b**) at present, at the moment, at (*or* for) the time being; *zur gleichen ~* at the same time; *zuzeiten* at times; *zu meiner ~* in my time; *zu s-r ~* in due course; *alles zu s-r ~* all in good time; → *recht*; *die ~ nutzen* take time by the forelock, let no grass grow under one's feet; *j-m ~ lassen* give a p. time; *sich ~ lassen* take one's time about it; *boxing*: *für die ~ zu Boden gehen* go down for the count; *~ schinden* temporize, play for time; *das hat ~* there is no hurry (about it), that will keep; *das hat ~ bis nächste Woche* that can wait till next week; *gib mir ~!* give me time!; *ich gebe dir ~ bis morgen* (*ich gebe dir 5 Minuten ~*) I give you till tomorrow (five minutes); *ich habe keine ~* I have no time (*für* for; *zu* to *inf.*); *es ist* (*höchste*) *~* it is (high) time; *es ist ~ anzufangen* it is about time to begin; *ihre Zeit* (*der Entbindung*) *ist nahe* she is near her time (of delivery); *die ~ ist gekommen, zu inf.* the time has come to *inf.*, now is the time for *ger.*; → *totschlagen, vertreiben*.

zeit *prp.*: *~ (seines) Lebens* during (his) life-time; → *zeitlebens*.

'**Zeit...**: **~ablauf** *m* lapse of time (*a. jur.*); **~abschnitt** *m* epoch; period; **~abstand** *m* (time) interval; *in regelmäßigen Zeitabständen* periodically; **~alter** *n* age, era, epoch; generation; **~angabe** *f* exact date and hour; date; *ohne ~* undated; **~aufnahme** *phot. f* time exposure; **~aufwand** *m* time spent (*für* on); sacrifice of time; **2bedingt** *adj.* entailed by the times, under today's circumstances; **~begriff** *m* conception of time; **~bombe** *f* time bomb; **~dauer** *f* length of time; period, term, duration; **~dehner** ['-deːnər] *m* (-s; -) → *Zeitlupe*; **~dokument** *m* document of *our* time; **~einheit** *f* unit of time; **~enfolge** *gr. f* sequence of tenses; **~ereignis** *n* event; **~ersparnis** *f* saving of time; **~faktor** *m* time element; **~folge** *f* chronological order; **~form** *gr. f* tense; **~funk** *m* topical talk(s *pl.*) *or* news *pl.*; **~geber** *tech. m* timer; **~geist** *m* (-es) spirit of the age, zeitgeist; **2gemäß** *adj.* seasonable, opportune, timely; modern, up-to-date; current; **~genosse** *m*, **~genossin** *f*, **2genössisch** ['-gənœsɪʃ] *adj.* contemporary; **2gerecht I.** *adj.* timely; **II.** *adv.* in (*or* on) time, according to schedule; **~geschäft** *econ. n* time bargain; *~e pl. a.* forward transactions, *Am.* (trading in) futures; **~geschichte** *f* (-) contemporary history; **~geschmack** *m* prevailing taste; **~gewinn** *m* saving of time; **2ig I.** *adj.* early; mature; **II.** *adv.* in good time, in (*or* on) time; **2igen** ['-igən] *v/t.* (*h.*) mature, ripen; produce, call forth; **~karte** *f* season-ticket, *Am.* commutation *or* commuter's ticket; *auf ~ fahren* travel by season-ticket, *Am.* commute; **~karten-inhaber** *m* season-ticket holder, *Am.* commuter; **~konstante** *f* time constant, period; **~kontrollwesen** *tech. n* (-s) time study; **2kritisch** *adj.* topical; **~lang** *f*: *eine ~* for a (*or* some) time, for a while; **~lauf** *m* course of time, period; **~läufte** ['-lɔʏftə] *pl.* conjunctures, times; **2lebens** *adv.* for life, during life; all one's life; **2lich I.** *adj.* temporal; time (*factor, etc.*); chronological; *~e Abstimmung* timing; *das 2e segnen* depart this life; **II.** *adv.* as to time; within a given time; per unit time; *~ berechnen* time; *~ zusammenfallen* coincide; **~lichkeit** *f* (-) temporal state, temporality; **~lohn** *m* time-wage(s *pl.*); **2los** *adj.* timeless (*a. beauty, etc.*); **~lupe** *f* (-) slow-motion camera; **~lupen-aufnahme** *f* slow-motion picture; **~lupentempo** *n* slow motion; *fig. im ~* at a snail's pace; **~mangel** *m* (-s) lack of time; **~maß** *n* measure of time; *poet.* quantity; *mus.* time; **~messer** *m* (-s; -) chronometer; *mus.* metronome; **~messung** *f* timing, time-measuring; **2nah(e)** *adj.* topical, current, up-to-date; **~nehmer** *m sports*: time-keeper, timer; *tech.* time-study man; **~ordnung** *f* chronological order; **~plan** *m* time-table, schedule; timing, phasing; **~punkt** *m* (point of) time, moment, instant; timing; date; juncture; **~raffer** ['-rafər] *m* (-s; -) *film*: time-lapse motion camera; **~raffer-aufnahme** *f* quick-motion picture; **2raubend** *adj.* time-consuming; **~raum** *m* space (of time), period; **~rechnung** *f* chronology; *christliche ~* Christian era; **~reihendiagramm** *n* time-series diagram; **~relais** *el. n* time-limit relay; **~schalter** *m* time switch; timer; **~schaltgerät** *n* preset timer; **~schrift** *f* journal, periodical, magazine; review; **~schriftenwesen** *n* (-s) periodical literature; **~sichtwechsel** *econ. m* after-sight bill; **~sinn** *m* (-[e]s) time sense; **~spanne** *f* space (of time), span; **2sparend** *adj.* time-saving; *~e Vorrichtungen, etc.* time-savers; *~es Verfahren* short cut; **~stempel** *m* (automatic) time-stamp; **~stil** *m*: *Haus im ~* period house; **~stück** *thea. n* period play; **~studienbe-amte(r)** *m* efficiency engineer, time-study man; **~tafel** *f* chronological table; **~umstände** ['-umʃtɛndə] *m/pl.* circumstances, conjunctures.

'**Zeitung** *f* (-; -*en*) (news)paper, journal; gazette; *fig.* tidings *pl.*; *in die ~ setzen* insert in a newspaper, advertise.

'**Zeitungs...**: **~abonnement** *n* subscription to a paper; **~anzeige** *f* → *Zeitungsinserat*; **~artikel** *m* newspaper article; **~ausschnitt** *m* press (*or* newspaper) cutting, *Am.* (newspaper) clipping; **~austräger** *m* → *Zeitungsjunge*; **~beilage** *f* supplement (of *or* to a newspaper); **~deutsch** *n* journalese; **~ente** *f* (newspaper) hoax, canard; **~halter** *m* newspaper holder; **~händler** *m* news-agent, *Am.* news-dealer; **~inserat** *n* press advertisement, insertion, ad; **~junge** *m* newsboy,

Am. a. newsy; **~kiosk** *m* news-stall, *esp. Am.* newsstand; **~korrespondent** *m* press correspondent; **~lesezimmer** *n* news-room; **~notiz** *f* press item; **~nummer** *f* copy; *alte ~* back number; **~papier** *n* newsprint; **~redakteur** *m* editor of a newspaper; **~reklame** *f* press advertising; **~schreiber(in** *f*) *m* journalist, columnist; **~stand** *m* → *Zeitungskiosk*; **~stil** *m* journalese; **~verkäufer(in** *f*) *m* **a)** news-vendor, newsman, newsboy, **b)** → *Zeitungshändler*; **~verleger** *m* newspaper proprietor, *Am.* newspaper publisher; **~werbung** *f* press advertising; **~wesen** *n* (-*s*) journalism, *the* daily press; **~wissenschaft** *f* (science of) journalism.

'Zeit...: **~verlust** *m* loss of time, delay; **~vergeudung**, **~verschwendung** *f* waste of time; **~vertreib** *m* pastime, diversion, amusement; *zum ~* to pass the time; **~wegschreiber** ['-ve:k-] *mot. m* tachograph, recording mileage counter; **2weilig** ['-vaılıç] **I.** *adj.* temporary; intermittent; **II.** *adv.* → **2weise** ['-vaızə] *adv.* for a time; from time to time, at times, occasionally; **~wert** *econ. m* current value; **~wort** *n* (-[e]*s*; ⸚*er*) verb; **~zeichen** *n radio*: time signal; **~zünder** *m* time fuse; *of bomb*: delayed-action cap.

zelebrieren [tsele'bri:rən] *v/t.* (*h.*) celebrate, officiate at.

Zelle ['tsɛlə] *f* (-; -*n*) cell (*a. biol., pol.*); *el. a.* element; *aer.* air-frame; *mar.* tank; *teleph.* booth, phone-box.

'Zellen...: **~atmung** *physiol. f* vesicular breathing; **~aufbau** *m* (-[e]*s*) cell structure; **~bildung** *f* cell formation; **2förmig** ['-fœrmıç] *adj.* cellular; **~gefangene(r)** *m* prisoner in solitary confinement; **~genosse** *m* cell mate; **~gewebe** *anat. n* cellular tissue; **~kühler** *mot. m* cell-type radiator.

'Zell...: **~faser** *f* cellulose fib|re, *Am.* -er; **~haut** *f* cellophane.

'zellig *adj.* cellular.

'Zellkern *biol. m* cell nucleus.

Zellophanpapier [tsɛlo'fɑ:n-] *n* (-*s*) cellophane.

'Zell...: **~stoff** *m* cellulose; pulp; **~stoffseide** *f* cellulose silk; **~stoffwatte** *f* cellucotton; **~tätigkeit** *biol. f* (-) cell activity; **~teilung** *biol. f* cell division.

Zelluloid [tsɛlu'lɔʏt] *n* (-[e]*s*) celluloid.

Zellulose [-'lo:zə] *f* (-; -*n*) cellulose.

'Zell...: **~wand** *f* cell wall; **~wolle** *f* (-) rayon staple, synthetic.

Zelot [tse'lo:t] *m* (-*en*; -*en*) zealot; **2isch** *adj.* fanatical.

Zelt [tsɛlt] *n* (-[e]*s*; -*e*) tent; pavilion, marquee; *poet. fig.* canopy; **~ausrüstung** *f* tent equipment; camping outfit; **~bahn** *f* tent square; *mil. Brit.* ground sheet, *Am.* shelter half; **~bau** *m* (-[e]*s*; -*ten*) tent pitching; **~dach** *n* tent-roof; **~decke** *f* awning; **2en** *v/i.* (*h.*) tent, camp (out); **2en** *n* (-*s*) camping.

'Zelter *m* (-*s*; -) palfrey.

'Zelt...: **~fahrt** *f* camping trip; **~lager** *n* (tent) camp; **~leine** *f* guy rope; **~leinwand** *f* tent-cloth, canvas; **~pflock** *m* tent peg; **~platz** *m* camping site; **~stange** *f*, **~stock** *m* tent pole.

Zement [tse'mɛnt] *m* (-[e]*s*) cement; **~beton** *m* cement concrete; **~bewurf** *m* cement facing; **~formstück** *n* concrete block; **~fußboden** *m* concrete floor.

zemen'tier|en *v/t.* (*h.*) cement (*a. fig.*); *metall.* case-harden, carburize; *fig. econ.* solidify; **2mittel** *n* cementing agent; **2ung** *f* (-) cementation.

Zenit [tse'ni:t] *m* (-[e]*s*) zenith (*a. fig.*); *im ~* at the zenith.

zensieren [tsɛn'zi:rən] *v/t.* (*h.*) censor; *ped.* mark, give marks, *Am.* grade; *fig.* censure, criticise.

Zensor ['tsɛnzɔr] *m* (-*s*; -'*oren*) censor.

Zensur [tsɛn'zu:r] *f* (-; -*en*) censorship; certificate, marks *pl.*; *ped.* (term's) report, *Am. a.* credit, grade; mark, *Am.* point; *gute ~* good mark.

zentesimal [tsɛntezi'mɑ:l] *adj.* centesimal.

Zenti|'gramm [tsɛnti-] *n* centigram(me); **~'meter** *n and m* centimet|re, *Am.* -er; **~'meterwelle** *tel. f* centimetre wave; superhigh frequency (*abbr.* SHF).

Zentner ['tsɛntnər] *m* (-*s*; -) (metric) hundred-weight, quintal; **~last** *fig. f* heavy burden; e-e *~ fiel mir vom Herzen* that was a load off my mind; **2schwer** *adj.* very heavy, crushing.

zentral [tsɛn'trɑ:l] *adj.* central; **2bank** *f* (-; -*en*) central bank; **2bahnhof** *m* central station; **2e** *f* (-; -*n*) central (*or* head) office, *Am. a.* headquarters *pl.*; *tech.* control room; *el.* central station, power house; *mar.* control station; *teleph.* telephone exchange; **2gewalt** *f* central authority; **2heizung** *f* central heating.

zentra|li'sieren *v/t.* (*h.*) centralize; **2li'sierung** *f* (-) centralization; **2lismus** [-tra'lismus] *pol. m* (-) centralism.

Zen'tral...: **~kartei** *f* master file; **~nervensystem** *n* central nervous system; **~schmierung** *mot. f* central lubrication; **~verband** *m* central association.

zen'trieren *tech. v/t.* (*h.*) cent|re, *Am.* center.

zentri|fugal [tsɛntrifu'gɑ:l] *adj.* centrifugal; **2fu'galkraft** *f* centrifugal force; **2'fuge** *f* centrifuge, (cream) separator; **~fu'gieren** *v/t.* (*h.*) centrifuge; **~petal** [-pe'tɑ:l] *adj.* centripetal.

'zentrisch *adj.* (con)centric(ally *adv.*).

Zentrum ['tsɛntrum] *n* (-*s*; -*tren*) cent|re, *Am.* -er; bull's-eye; **~bohrer** *tech. m* centre-bit.

Zephir ['tse:fir] *m* (-*s*) zephyr (*a. econ.*).

Zeppelin ['tsɛpə'li:n] *m* (-*s*; -*e*) Zeppelin, Zepp.

zer|'beißen [tsɛr-] *v/t.* (*irr., h.*) bite through (*or* to pieces), crunch; **~'bersten** *v/i.* (*irr., sn*) burst asunder; **~beulen** [-'bɔʏlən] *v/t.* (*h.*) dent; (c)rumple (*garment*); **~'bleuen** *v/t.* (*h.*) beat soundly; **~bombt** [-'bɔmt] *adj.* bomb-wrecked, bombed; **~'brechen** *v/t.* (*irr., h.*) *and v/i.* (*irr., sn*) break (to pieces), crack; *fig. ~ an* break under, be broken by; *sich den Kopf ~* rack one's brain (*über acc.* over); **~brechlich** [-'brɛçlıç] *adj.* breakable; fragile (*a. person, figure*); brittle; **2'brechlichkeit** *f* (-) fragility, brittleness; **~'bröckeln** *v/t.* (*h.*) *and v/i.* (*sn*) crumble; **~'drükken** *v/t.* (*h.*) crush, squash; mash (*potatoes*); crumple, wrinkle, crease (*garment*).

zerebral [tsere'brɑ:l] *adj.* cerebral.

Zeremonie [-mo'ni:] *f* (-; -*n*) ceremony.

zeremoniell [-moni'ɛl] *adj.* ceremonial, formal; **2** *n* (-*s*; -*e*) ceremonial.

Zeremonienmeister [tsere'mo:niən-] *m* master of ceremonies.

zeremoniös [-moni'ø:s] *adj.* ceremonious.

zer'fahren [tsɛr-] **I.** *v/t.* (*irr., h.*) ruin (by driving over); **II.** *v/i.* (*irr., sn*) burst asunder; **III.** *adj.* rutted, rutty (*road*); *fig.* flighty, giddy, harum-scarum; scatter-brained; absent-minded, distracted; **2heit** *f* (-) flightiness; giddiness; thoughtlessness; absent-mindedness; inconsistency.

Zer'fall *m* (-[e]*s*) ruin, decay; *fig. a.* decadence; *phys.* disintegration (*a. fig.*), dissociation; *chem.* decomposition; → *Atom*2; **2en** *v/i.* (*irr., sn*) fall apart (*or* to pieces); fall into ruin, decay; collapse, crumple (away); disintegrate (*a. phys., chem.*); *~ in mehrere Teile* fall (*or* divide) into *several pieces*; *fig. ~ mit j-m* fall out with, quarrel with *a p.*; *~ sein mit* be at variance with; **~s-produkt** *n* decomposition product, dissociated constituent.

zer... [tsɛr-]: **~'fasern** *v/t.* (*h.*) reduce to fib|res, *Am.* -ers; *paper-making*: pulp, rag; unravel (*cloth*); (*a. v/i., sn*) fray out, fuzz; **~'flattern** *v/i.* (*sn*) flutter away, be scattered; **~fetzen** [-'fɛtsən] *v/t.* (*h.*) tear up, tear in (*or* to) pieces *or* rags; shred; slash; **~'fetzt** *adj.* ragged, torn (to pieces), tattered; **~fleischen** ['-flaıʃən] *v/t.* (*h.*) mangle; lacerate; rend, tear to pieces; slash; *fig. einander im Krieg ~* slaughter one another (*in war*); **~'fließen** *v/i.* (*irr., sn*) melt, dissolve (*fig. in Tränen* in tears); *chem.* deliquesce; *paint, ink*: run; *fig. hope, etc.*: melt away; **~'fressen** *v/t.* (*irr., h.*) eat away, gnaw; *chem.* corrode; **~furcht** [-'furçt] *adj.* furrowed; **~'gehen** *v/i.* (*irr., sn*) dissolve, melt; *fig. a.* dwindle, vanish; *in nichts ~* dwindle to nothing; **~'gliedern** *v/t.* (*h.*) dismember; *anat.* dissect; *fig.* analy|se, *Am.* -ze (*a. gr.*); **2'gliederung** *f* dismemberment; dissection; analysis; **~'hacken** *v/t.* (*h.*) hack *or* cut in(to) pieces; mince; chop; slash; **~'hauen** *v/t.* (*h.*) cut (asunder *or* to pieces); **~'kauen** *v/t.* (*h.*) chew (well), masticate thoroughly; **~kleinern** [-'klaınərn] *v/t.* (*h.*) reduce to small pieces, comminute; mince; chop up (*wood*); crush (*stones*); grind, pulverize; 2'**kleinerung** *f* (-) breaking up; cutting to bits; comminution; mincing; chopping; crushing; grinding; ~'**klopfen** *v/t.* (*h.*) knock to pieces, pound, smash; ~**klüftet** [-'klyftət] *adj.* fissured, cleft, rugged; ~'**knallen** *v/i.* (*sn*) detonate, explode; ~'**knautschen** *colloq. v/t.* (*h.*) crumple; ~'**knicken** *v/t.* (*h.*) break, crack, snap; ~**knirscht** [-'knirʃt] *adj.* contrite; 2'**knirschung** *f* (-) contrition; ~'**knittern** *v/t.* (*h.*) *and v/i.* (*sn*) (c)rumple, crease, wrinkle; *colloq. fig.* zerknittert crestfallen, down in the mouth; ~'**knüllen** *v/t.* (*h.*) crumple; ~'**kochen** *v/t.* (*h.*) *and v/i.* (*sn*) cook to rags; ~'**kratzen** *v/t.* (*h.*) scratch; ~'**krümeln** *v/t.* (*h.*) *and v/i.* (*sn*) crumble; ~'**lassen** *v/t.* (*irr., h.*) melt, dissolve.

zerleg|bar [tsɛr'le:kba:r] *adj.* divisible (*a. math.*); *tech.* capable of being disassembled, collapsible; *chem.* decomposable; ~**en** [-gən] *v/t.* (*h.*) take apart (*or* to pieces); cut up; carve (*meat, etc.*); *anat.* dissect (*a. fig.*); *chem.* decompose; *tech.* disassemble, *Am. a.* knock down; strip, dismantle; disperse (*light, military unit*); *fig.* analys|e, *Am.* -ze (*a. gr.*); *math., mus.* resolve; *in zwei Teile* ~ divide in two; 2**ung** [-guŋ] *f* (-) taking to pieces; carving; dissection; disassembly; stripping, dismantling; decomposition; analysis.

zer... [tsɛr-]: ~'**lesen** *adj.* well-thumbed; ~**löchern** [-'lœçərn] *v/t.* (*h.*) perforate; ~'**löchert** *adj.* full of holes; ~**lumpt** [-'lumpt] *adj.* ragged, tattered; ~*er Kerl* ragamuffin; ~'**mahlen** *v/t.* (*h.*) grind (fine *or* down), pulverize; ~**malmen** [-'malmən] *v/t.* (*h.*) crush (*a. fig.*); crunch; ~'**martern** *v/t.* (*h.*) torment; *sich den Kopf* ~ rack one's brains; ~**mürben** [-'myrbən] *v/t.* (*h.*) wear down *or* out; punish; break down the resistance *or* defen|ce, *Am.* -se of; ~*d* punishing; 2'**mürbung** *f* (-; -en) wearing down; attrition; 2'**mürbungskrieg** *m* war of attrition; ~'**nagen** *v/t.* (*h.*) gnaw away *or* asunder; *chem., etc.* corrode, (*a. fig.*) erode; ~'**pflücken** *v/t.* (*h.*) pluck (*fig.* pull) to pieces; ~'**platzen** *v/i.* (*sn*) burst (asunder), explode; ~'**quetschen** *v/t.* (*h.*) crush, bruise (*both a. tech.*); squash; mash.

Zerrbild ['tsɛr-] *n* caricature; *fig. a.* distorted picture.

zer'reiben *v/t.* (*irr., h.*) rub to powder, grind down, pulverize; *chem.* triturate.

zerreiß|bar [tsɛr'raɪsba:r] *adj.* capable of being torn, tearable; ~**en I.** *v/t.* (*irr., h.*) tear, rip up; rend (*in Stücke* to pieces); disconnect, sever, disrupt; dismember; shred; lacerate; *med.* rupture; → *Zielband*; **II.** *v/i.* (*irr., sn*) tear; break, snap; split; *clouds, fog, thread*: break; 2**festigkeit** *f* tear resistance, tensile strength; 2**probe** *f* tensile test; *fig.* breaking test; 2**ung** *f* (-) rending, tearing; dismemberment; *med.* rupture; laceration.

zerren ['tsɛrən] *v/t.* (*h.*) tug, pull (*v/i.*: *an dat.* at); drag (*durch den Schmutz* through the mud); strain (*muscle, sinew*); *fig. vor Gericht* ~ haul before a court.

zer'rinnen *v/i.* (*irr., sn*) melt away (*a. fig. hopes*); *fig.* vanish, dissolve; *in nichts* ~ dwindle to nothing, end in smoke; *das Geld zerrinnt ihm zwischen den Fingern* runs through his fingers like water.

zerrissen [tsɛr'risən] *adj.* torn (*a. fig.*); 2**heit** *f* (-) raggedness; *fig.* confusion of mind; inner strife, disruption.

'**Zerrspiegel** *m* distorting mirror.

'**Zerrung** *med. f* (-; -en) strain.

zer'rupfen *v/t.* (*h.*) → *zerpflücken*.

zerrütt|en [-'rytən] *v/t.* (*h.*) derange, unsettle; disorganize; ruin, shatter, disorder (*health, nerves, etc.*); derange, unhinge (*mind*); wreck, *jur.* disrupt the foundations of (*a marriage*); 2**ung** *f* (-) derangement; disruption; disorganization; disorder; disruption.

zer... [tsɛr-]: ~'**sägen** *v/t.* (*h.*) saw up (*or* to pieces); ~'**schellen I.** *v/t.* (*h.*) dash (*or* smash) to pieces, shatter; **II.** *v/i.* (*sn*) be dashed *or* smashed; *mar.* be wrecked; *aer., etc.* crash; ~'**schießen** *v/t.* (*irr., h.*) shoot to pieces, batter; riddle with bullets; ~'**schlagen I.** *v/t.* (*irr., h.*) knock *or* break *or* smash (to pieces); batter; *fig.* smash; *sich* ~ come to nothing; *hopes*: be disappointed, be blasted; *engagement, etc.*: be broken off; **II.** *adj.* battered (*a. face*), shattered; *fig.* knocked up, (all) washed-out, all in; ~**schlissen** [-'ʃlisən] *adj.* tattered, worn to shreds; ~'**schmelzen** *v/i.* (*irr., sn*) melt away (*a. fig.*); ~'**schmettern I.** *v/t.* (*h.*) dash *or* smash (to pieces), shatter; crush, flatten; **II.** *v/i.* (*sn*) be dashed, *etc.*; *aer.* crash; ~'**schneiden** *v/t.* (*irr., h.*) cut up, cut in two *or* to pieces; slice; shred; carve (*roast*); *fig. j-m das Herz* ~ break a p.'s heart; ~'**schrammen** *v/t.* (*h.*) bruise, scratch; mar; ~'**schroten** *v/t.* (*h.*) bruise; ~'**setzen** *v/t. and sich* ~ (*h.*) decompose, (*a. fig.*) disintegrate; *fig.* undermine, demoralize; 2**setzung** [-'zɛtsuŋ] *f* (-) decomposition, disintegration; decay; demoralization; *pol.* subversion; sedition; 2'**setzungswärme** *f* heat of decomposition; ~'**spalten** *v/t.* (*h.*) cleave, split; ~'**splittern** *v/t.* (*h.*) split (up), shiver (to pieces), splinter (*all a. v/i.*); *fig.* (*a. sich*) split (*or* break up); disperse (*crowd, troops*); dissipate (*energy, time*), fritter away (*sich* one's energy); ~'**splittert** *adj. med.* splintered; *fig.* disunited; 2'**splitterung** *f* (-) dispersal; dissipation; disunion; fragmentation (*of property, etc.*); ~'**sprengen** *v/t.* (*h.*) break, burst open, blow up; disperse, scatter (*crowd*); *mil.* rout; ~'**springen** *v/i.* (*irr., sn*) burst, break; *glass*: crack; *fig. head*: be splitting; *heart*: burst (*vor dat.* with); ~'**stampfen** *v/t.* (*h.*) crush (underfoot), trample down; pound.

zer'stäub|en I. *v/t.* (*h.*) pulverize; spray, atomize; *fig.* disperse, scatter; **II.** *v/i.* (*sn*) fall to dust, be scattered as dust; 2**er** *m* (-s; -) pulverizer; sprayer, atomizer; scent-spray; 2**erdüse** *f* spray nozzle.

zer... [tsɛr-]: ~'**stechen** *v/t.* (*irr., h.*) prick *or* sting (all over); *insects*: bite; pierce; ~'**stieben** *v/i.* (*irr., sn*) fly away, be scattered as dust, vanish, disperse.

zerstör|bar [tsɛr'ʃtø:rba:r] *adj.* destructible; ~**en** *v/t.* (*h.*) destroy (*a. fig.*), demolish; lay in ruins, ruin (*a. fig. health, etc.*); wreck (*a. marriage, etc.*); devastate, ravage; *fig.* destroy, blast (*happiness*); 2**er** *m* (-s; -) destroyer (*a. mar.*); *aer.* pursuit interceptor; ~**erisch** [-əriʃ] *adj.* destructive; 2**ung** *f* (-; -en) destruction, demolition; ruin; devastation, ravages *pl.*; 2**ungskraft** *f* destructive power; 2**ungs-trieb** *m* impulse to destroy; 2**ungswerk** *n* work of destruction; 2**ungswut** *f* vandalism.

zer'stoßen *v/t.* (*irr., h.*) bruise, break; mar; *in mortar*: pound; powder, pulverize.

Zer'strahlung *f* (-) *nuclear physics*: annihilation (of matter).

zer'streu|en *v/t.* (*h.*) disperse, scatter (*both a. sich*); *phys.* diffuse; *fig.* dispel, dissipate (*scruples*); divert, amuse (*sich* o.s.); ~**t** *adj.* scattered, dispersed; diffuse(d) (*light*); *fig.* absent(-minded), distracted; 2**theit** *f* (-) absent-mindedness; 2**ung** *f* scattering, dispersion; diffusion; diversion, amusement; → *Zerstreutheit*; 2**ungslinse** *opt. f* dispersing lens.

zer'stückel|n *v/t.* (*h.*) cut up *or* into pieces; dismember (*body, land*); parcel out; disintegrate; 2**ung** *f* cutting up; parcel(l)ing out; dismemberment.

zer'teil|en *v/t., a. sich* (*h.*) divide (*in acc.* into), split; disperse; separate; *math., med.* resolve; 2**ung** *f* division; dispersion; *math., med.* resolution.

Zertifikat [tsɛrtifi'ka:t] *n* (-[e]s; -e) certificate.

zer... [tsɛr-]: ~'**trampeln** *v/t.* (*h.*) trample down; crush underfoot; ~'**trennen** *v/t.* (*h.*) rip up (*garment*); ~'**treten** *v/t.* (*irr., h.*) tread down, crush underfoot; stamp out (*fire*; *a. fig.*); crush.

zertrümmer|n [-'trymərn] *v/t.* (*h.*) demolish, wreck; smash, shatter; lay in ruins; *phys.* split, disintegrate (*atoms*); 2**ung** *f* (-) demolition, smashing.

Zervelatwurst [tsɛrvə'la:t-] *f* saveloy.

zer'wühlen *v/t.* (*h.*) root up (*ground*); dishevel (*hair*), rumple (*a. bed*).

Zerwürfnis [-'vyrfnis] *n* (-ses; -se) discord, quarrel, disunion, dissension.

zer'zaus|en *v/t.* (*h.*) rumple, tousle; pull about (*a p.*); ~**t** *adj.* tousled (*hair*); untidy.

zer'zupfen *v/t.* (*h.*) pull (*or* pick) to pieces.

Zession [tsɛsi'o:n] *jur. f* (-; -en) assignment, transfer; conveyance;

Zessionar [-o'nɑːr] *m* (-s; -e) transferee, assignee, *Am.* assign.

Zeter ['tseːtər] *n* (-s): ~ *und Mord(io) schreien* cry murder, raise a hue and cry; **~geschrei, ~mordio** *n* loud outcry, clamo(u)r; **2n** *v/i.* (*h.*) clamo(u)r; scold, nag.

Zettel ['tsetəl] *m* (-s; -) slip (of paper), (scrap of) paper; note; ticket; label, *Am.* sticker; tag; placard, poster, bill; handbill, leaflet; *thea.* play-bill; *weaving*: warp; **~ankleben** *n* (-s): ~ *verboten!* stick no bills!; **~ankleber** *m* (-s; -) bill-sticker; **~bank** *econ. f* (-; -en) bank of issue; **~kasten** *m* card index (box), filing cabinet; **~katalog** *m* card index; **2n** *v/t.* (*h.*) *weaving*: warp; **~verteiler** *m* bill-boy; **~wahl** *f* ballot (*or* card) vote.

Zeug [tsɔʏk] *n* (-[e]s; -e) stuff (*a. colloq. alcohol, etc.*), material; cloth, fabric; linen; (*paper*) pulp; tools *pl.*; things *pl.*; *contp.* stuff, trash, rubbish, junk; → *dumm, scharf*; *tolles* ~ hot stuff; *fig. das* ~ *zu et. haben* have the makings of *a doctor, etc.*, be cut out for, have it in one to be *or* do *a th.*; *er hat das* ~ *dazu* he has got what it takes; *colloq. was das* ~ *hält* to beat the band, hell for leather, *play the piano* for all it is worth; *sich ins* ~ *legen* put one's back into it, put one's shoulders to the wheel; *sports*: extend o.s., make a tremendous effort; *j-m am* ~ *flicken* pick holes in, find fault with, show up *a p.*

'**Zeug...**: **~amt** *n* arsenal; (ordnance) depot; **~druck** *m* (-[e]s; -e) cloth printing.

Zeuge ['tsɔʏgə] *m* (-n; -n) witness; → *anrufen, etc.*; *vor* **~n** in the presence of witnesses; **2n**[1] *v/i.* (*h.*) witness; *jur.* give evidence; *für (gegen, von) et.* ~ testify for (against, of) a th.; *fig.* ~ *von* be evidence of, testify to *a th.*, bespeak *strength, etc.*; **2n**[2] **I.** *v/t.* (*h.*) engender, beget, procreate; *fig.* generate, produce, create; **II.** *v/i.* (*h.*) produce offspring.

'**Zeugen...**: **~aussage** *f* testimony (of a witness), evidence; deposition; **~bank** *f* (-; ⸗e) witness-box, *Am.* witness stand; **~be-einflussung** *f* corruption (*or* suborning) of witnesses; **~beweis** *m* (proof of) evidence; **~eid** *m* oath of a witness; **~geld** *n* conduct money; **~verhör** *n*, **~vernehmung** *f* hearing (*or* examination) of witnesses.

Zeughaus ['tsɔʏk-] *mil. n* arsenal.

Zeugin ['tsɔʏgin] *f* (-; -nen) (female) witness.

Zeugmeister ['tsɔʏk-] *mil. m* master of (the) ordnance.

Zeugnis ['tsɔʏknis] *n* (-ses; -se) *jur.* testimony, evidence; deposition; certificate, attestation; witness; testimonial; character; *ärztliches* ~ medical certificate; *ped.* **a)** (term's) report, *Am.* credit, grade, **b)** mark, *Am.* point; *zum* ~ (*gen.*) in witness of; *zum* ~ *dessen* in witness whereof; ~ *ablegen or geben* bear witness (*für* to; *von* of); *matter*: give proof (of), testify (to); *wir können ihr nur das beste* ~ *ausstellen* we cannot speak highly enough of her; **~abschrift** *f* copy of testimonial; **~verweigerung** *f* refusal to give evidence.

Zeug... ['tsɔʏk-]: **~schmied** *m* toolsmith; **~schuhe** *m/pl.* cloth shoes.

Zeugung ['tsɔʏguŋ] *f* (-; -en) procreation, generation.

'**Zeugungs...**: **~akt** *m* progenitive act; **2fähig** *adj.* capable of begetting, procreative; **~fähigkeit** *f* (-) procreative capacity; **~kraft** *f* generative power; **~organe** *n/pl.* genital (*or* reproductive) organs; **~trieb** *m* procreative instinct; **2unfähig** *adj.* impotent, sterile; **~unfähigkeit** *f* (-) impotency, sterility.

Zichorie [tsi'çoːriə] *f* (-; -n) chicory, succory.

Zick|e ['tsikə] *colloq. f* (-; -n) → *Ziege*; *colloq. mach keine* **~n** don't be funny!; **~lein** ['-laɪn] *n* (-s; -) kid.

Zickzack ['tsiktsak] *m* (-[e]s; -e) zigzag; *im* ~ *fahren, etc.* zigzag; **~kurs** *m* zigzag course; **~linie** *f* zigzag line.

Ziege ['tsiːgə] *f* (-; -n) (she-)goat, nanny-goat.

Ziegel ['tsiːgəl] *m* (-s; -) brick; tile; **~brennen** *n* brick burning; **~brenner** *m* brickmaker; **~brenne'rei** *f* brickworks *pl.*, brickyard; **~dach** *n* tiled roof; **~decker** ['-dɛkər] *m* (-s; -) tiler.

Ziege'lei *f* (-; -en) → *Ziegelbrennerei.*

'**Ziegel...**: **~erde** *f* brick clay; **2farben** *adj.* brick-colo(u)red; **~ofen** *m* brick-kiln; **2rot** *adj.* brick red; **~stein** *m* brick; **~streicher** *m* (-s; -) brickmaker.

'**Ziegen...**: **~bart** *m* goat-beard; (*man's*) goatee; **~bock** *m* he-goat, billy-goat; **~fell** *n* goatskin; **~hirt** *m* goatherd; **~käse** *m* goat-cheese; **~leder** *n* kid(-leather); **~milch** *f* goat's milk; **~peter** ['-peːtər] *med. m* (-s; -) mumps *sg.*

zieh [tsiː] *pret. of zeihen.*

Zieh|bank ['tsiː-] *tech. f* (-; ⸗e) draw-bench; **2bar** *metall. adj.* ductile; **~brücke** *f* drawbridge; **~brunnen** *m* draw-well.

'**ziehen I.** *v/t.* (*irr., h.*) pull; draw (*a. line, lot, conclusion*); tug, haul; *econ.* draw *a bill* (*auf j-n* on a p.), make out; *bot.* cultivate; *zo.* breed, rear; *at chess, etc.*: move; *tech.* draw; rifle (*barrel*); take off (*hat*); build, erect (*wall*); dig, cut (*ditch*); describe (*circle*); tow, haul (*ship*); *math.* erect, drop (*perpendicular*); extract, pull (*tooth*); *auf Fäden* ~ thread, *pearls*: string; *auf Flaschen* ~ bottle; *Blasen* ~ raise blisters; *e-n Gewinn* ~ draw a winner; *Wasser* ~ leak, *sun*: suck up water; *j-n an den Haaren (Ohren)* ~ pull a p.'s hair (ears); *an sich* ~ draw to one, attract; monopolize; *Boot an Land* ~ haul *boat* ashore; *auf sich* ~ attract (*attention, etc.*), incur (*enmity, etc.*); *j-n auf seine Seite* ~ win a p. over to one's side; *math. die Wurzel aus e-r Zahl* ~ extract the root of a number; *j-n ins Vertrauen* ~ take a p. into one's confidence; *et. nach sich* ~ bring on, entail, involve, have *a th.* as consequence; *Gewinn* ~ *aus et.* derive profit from; ~ *durch* pass *a th.* through; → *Schmutz*; ~ *über* pull over, stretch across; → *Fell*; *es zog mich nach dem Süden* I was drawn towards the South; → *Bilanz, Länge, Lehre, Rat, Rechenschaft, Schlußstrich, Wache, Zweifel, etc.*; **II.** *v/i.* (*irr., h.*) pull (*an dat.* at); *an e-r Glocke*: pull, ring *a bell*; (*irr., sn*) move; go; march, advance; migrate; *durch ein Dorf, etc.* ~ pass through *a village, etc.*; *in den Krieg* ~ go to war; ~ *aus* quit; (*irr., h.*) *pipe, stove, etc.*: draw; *an der Zigarette, etc.*: have a whiff *or* puff, puff (*Am.* drag) *at a cigar, etc.*; *tea*: infuse, draw; ~ *lassen* allow to draw (*or* stand); *chess, etc.*: move; *pain*: twinge, ache; *sports*: *runner*: set the pace; *sich von j-m* ~ *lassen* cling to a p., ride on a p.'s heels; *nach vorne* ~ move up; *rowing*: draw it home; *film, stage play*: catch on, draw (large audiences); *merchandise*: draw (custom), take (*a. book*); *zu j-m* ~ go to live with, take lodgings with; *ich bin hierhergezogen* I have come to live here; *dieser Grund zieht bei mir nicht* this reason does not weigh with me; *das zieht bei mir nicht* that cuts no ice with me; *diese Wahlparole zieht beim Volke (nicht)* this election slogan does (not) go down with the people; *es zieht hier* there is a draught (*Am.* draft) here; **III.** *sich* ~ (*irr., h.*) extend, stretch, run (*durch* through; *über acc.* over, across); *wood*: warp; *steel*: distort; *liquid*: be ropy; *stockings*: give; *sich in die Länge* ~ drag on; *fig. sich* ~ *durch* run through; → *Affäre.*

'**Ziehen** *n* (-s) drawing (*a. tech.*), pulling; hauling; *bot.* cultivation; *zo.* breeding, rearing; removal; migration; twinge, ache, rheumatic pain.

'**Zieher** *econ. m* (-s; -) drawer.

'**Zieh...**: **~harmonika** *f* accordion, concertina; **~kind** *n* foster-child; **~kraft** *f* → *Zugkraft*; **~presse** *tech. f* extrusion press; **~schleifen** *tech. n* (-s) honing; **~schnur** *f* draw cord.

'**Ziehung** *f* (-; -en) drawing (of lots; *econ.* of bills, securities); **~sliste** *f* drawing list; **~s-tag** *m* drawing day.

Ziel ['tsiːl] *n* (-[e]s; -e) aim; *fig. a.* end, target, object; *mil.* (*tactical*) objective; mark; target, butt (*a. fig.*); *of journey*: destination; *racing*: winning-post, finish, goal; purpose; term; *econ.* credit; *auf* ~ *kaufen* → *auf Zeit kaufen*; *auf kurzes* ~ at short date; *gegen 3 Monate* ~ at 3 months' credit; ~ *wie gewöhnlich* at the usual date; *mil. das* ~ *ansprechen* designate the target; *das* ~ *aufsitzen lassen* hold at bottom of target; *sports*: *durchs* ~ *gehen* reach the winning-post, → *Zielband*; *als Sieger durchs* ~ *gehen* finish first (*or* as the winner); *als Zweiter durchs* ~ *gehen* come in (*or* run) second; *sich ins* ~ *werfen* lunge into the tape; *fig. sein* ~ *erreichen, zum* ~ *gelangen* reach one's goal, gain one's end(s *pl.*), achieve one's object, get there; *e-r Sache ein* ~ *setzen* set bounds (*or* limits) to, put a stop to *a th.*; *sich das ~ setzen or stecken zu (inf.)* aim at (*ger. or* to *inf.*); *sich ein hohes ~ setzen* aim high; *über das ~ hinausschießen* overshoot the mark; *zum ~e führen* succeed, be successful; *nicht zum ~e führen* fail, miscarry; *er ist weit vom ~* he is far afield.

'**Ziel...:** **~anflug** *aer. m* approach run; **~anfluggerät** *n* homing device; **~ansprache** *mil. f* target designation; **⁲ansteuernd** *adj.* → *zielsuchend*; **~band** *n* (-[e]s; ⁼er) *sports*: tape; *das ~ zerreißen* breast (*or* break) the tape; **~bewußt** *adj.* purposeful, single-minded, systematic(ally *adv.*); **⁲en** *v/i.* (*irr., h.*) (take) aim, level, sight; *~ auf* (*acc.*) aim at, (*fig.*) drive at; tend to; *gezielt measure*: directed to specific objectives, control(l)ed; **~erfassung** *mil. f* target pick-up; **~fehler** *m* sighting error; **~fernrohr** *n* telescopic sight; **~flug** *m* homing; **~geber** *m* tracker; **~genauigkeit** *f* accuracy of aim (*or* sighting); **~gerade** *f sports*: home stretch, straight; **~gerät** *n* sighting mechanism; *aer.* bomb sight; **~kamera** *f sports*: photo-finish camera; **~linie** *f sports*: finishing line; **⁲los** *adj.* aimless(ly *adv.*), purposeless; **~photographie** *f sports*: photo-finish; **~punkt** *m* aiming point, mark; *sports and fig.*: goal; **~richter** *m sports*: judge; **~scheibe** *f* target butt; *fig. ~ des Spottes* butt of derision, laughing-stock; **~schiff** *n* target ship; **~setzung** ['-zɛtsuŋ] *f* (-; -*en*) fixing one's aim; objective, target; **⁲sicher** *adj.* sure of one's aim; unerring; *a.* → **⁲strebig** ['-ʃtre:biç] *adj.* single-minded, purposeful, systematic(ally *adv.*); **~strebigkeit** *f* (-) singleness (*or* steadfastness) of purpose, determination; **⁲suchend** *adj.* homing, target-seeking (*missile*); **~sucher** *m* homing device; **~vorrichtung** *f* → *Zielgerät*.

ziemen ['tsi:mən] *v/i. and sich ~* (*impers., h.*) → *geziemen*.

Ziemer ['tsi:mər] *m* (-*s*; -) haunch; pizzle; whip.

'**ziemlich I.** *adj.* passable; tolerable, pretty, middling; considerable, quite a; *e-e ~e Anzahl* a fair (*or* good) number; *e-e ~e Strecke* a considerable distance, rather a long way; **II.** *adv.* pretty, fairly, rather, tolerably; about; *~ gut* pretty good, fair; *~ lang* pretty long, longish; *~ ausführlich* at some length; *~ gleichaltrig* much of an age; *~ viel* quite a lot; a good deal of; *~ viel Leute* a good many people, quite a few; *so ~ alles* practically (*or* almost) everything; *so ~ dasselbe* pretty much (*or* very nearly) the same thing.

ziepen ['tsi:pən] *colloq. v/t.* (*h.*) pull (*an den Haaren* by the hair), tweak; (*a. v/i.*) twinge.

Zier [tsi:r] *f* (-) ornament, embellishment.

Zierat ['tsi:ra:t] *m* (-[e]s; -e) ornament, decoration, adornment, finery; baubles *pl.*

'**Zier...:** **~baum** *m* ornamental tree; **~de** ['-də] *f* (-; -*n*) ornament; *fig.* ornament, hono(u)r, credit (*für* to); **⁲en** *v/t.* (*h.*) adorn, embellish, grace; decorate; garnish; *sich ~* (*h.*) *fig.* be affected, give o.s. airs, *woman*: be prim *or* prudish, act coy; stand on ceremony; refuse, *at table*: need pressing; → *geziert*; *~ Sie sich nicht!* don't be funny!, come on!; **~erei** [-ə'raɪ] *f* (-; -*en*) affectation; airs and graces *pl.*; **~fisch** *m* toy fish; **~garten** *m* pleasure-garden; **~kappe** *mot. f* hub cap; **~lampe** *f* decorative lamp; **~leiste** *f* moulding; edging; *typ.* vignette; **⁲lich** *adj.* dainty, delicate; graceful, elegant; neat, natty; slight; **~lichkeit** *f* (-) daintiness, delicacy; gracefulness, elegance; neatness; **~nagel** *m* stud, nailhead; **~pflanze** *f* ornamental plant; **~puppe** *f* dressy woman; **~schrift** *f* ornate type.

Ziffer ['tsifər] *f* (-; -*n*) figure, numeral; digit; cipher; subparagraph; item; **~blatt** *n* dial(-plate), (clock-) face; **⁲nmäßig** *adj.* numerical, in figures; **~nschrift** *f* cipher code.

...zig [-tsiç] *colloq. adj.* umpteen; **~ste** [-tsiçstə] *colloq. adj.* umpteenth.

Zigarette [tsiga'rɛtə] *f* (-; -*n*) cigaret(te).

Ziga'retten...: **~automat** *m* cigarette slot-machine; **~etui** *n* cigarette-case; **~marke** *f* brand of cigarettes; **~packung** *f* pack of cigarettes; **~spitze** *f* cigarette-holder; **~stummel** *m* cigarette-end, butt, stub.

Zigarillo [tsiga'rilo] *n* (-*s*; -*s*) cigarillo, small cigar.

Zigarre [tsi'garə] *f* (-; -*n*) cigar; *colloq. fig. j-m e-e ~ verpassen* blow a p. up, give a p. a dressing-down.

Zi'garren...: **~abschneider** *m* cigar-cutter; **~deckblatt** *n* wrapper; **~händler** *m* tobacconist; **~kiste** *f* cigar-box; **~laden** *m* tobacconist's shop, *Am.* cigar store; **~spitze** *f* cigar-holder; cigar-tip; **~stummel** *m* cigar-end, butt, stub; **~tasche** *f* cigar-case.

Zigeuner [tsi'gɔʏnər] *m* (-*s*; -) gipsy; **⁲haft** *adj.* gipsy(-like); **~in** *f* (-; -*nen*) gipsy (girl *or* woman); **~kapelle** *f* gipsy (*or* tsigane) band; **~leben** *fig. n* (-*s*) roving life; Bohemianism; **~musik** *f* tsigane music; **~wagen** *m* gipsy caravan.

Zikade [tsi'ka:də] *f* (-; -*n*) cicade.

Zimbel ['tsimbəl] *f* (-; -*n*) cymbal.

Zimmer ['tsimər] *n* (-*s*; -) room; apartment; *das ~ hüten* keep to one's room; **~antenne** *f radio*: indoor aerial (*Am.* antenna); **~arbeit** *f* carpenter's work, carpentry; **~axt** *f*, **~beil** *n* carpenter's ax(e); **~bestellung** *f* booking of rooms; **~dekoration** *f* upholstery; **~einrichtung** *f* furnishing; furniture; interior; **~flucht** *f* suite of rooms; **~gesell(e)** *m* journeyman carpenter; **~genosse** *m* room-mate; **~gymnastik** *f* indoor gymnastics *pl.*; **~handwerk** *n* carpenter's trade, carpentry; **~herr** *m* lodger, *Am.* roomer; **~holz** *n* timber.

...zimmerig *adj.* ...-roomed.

'**Zimmer...:** **~kamerad** *m* room-mate; **~kellner** *m* bedroom waiter; **~mädchen** *n* chambermaid; **~mann** *m* (-[e]s; -*leute*) carpenter; *fig. j-m zeigen, wo der ~ das Loch gelassen hat* show a p. the door; **⁲n** *v/t.* (*h.*) timber; carpenter (*a. v/i.*); make, construct; *fig.* frame; **~pflanze** *f* indoor plant; **~platz** *m* carpenter's yard, timber-yard; **~temperatur** *f* room temperature; **~vermieter(in** *f*) *m* lodging-house keeper; landlord, (*f* landlady); **~werk** *n* → *Zimmerarbeit*.

zimperlich ['tsimpərliç] *adj.* prim, kid-glove; prudish; affected; squeamish; super-sensitive; plaintive; *sei nicht so ~* don't be a sissy; **⁲keit** *f* (-) primness; prudery; affectation; super-sensitiveness; squeamishness.

Zimt [tsimt] *m* (-[e]s; -e) cinnamon; *colloq. fig.* → *Quatsch*; *der ganze ~* the whole business.

Zink [tsiŋk] *n* (-[e]s) zinc; '**~ätzung** *f* **a)** zincograph, **b)** zincography; '**~blech** *n* sheet zinc; zinc plate; '**~blende** *f* zinc blende; '**~blume** *f* zinc bloom.

Zinke ['tsiŋkə] *f* (-; -*n*) prong, tine; *of comb*: tooth; **~n** *m* (-*s*; -) → *Zinke*; *colloq.* (*nose*) proboscis, boko.

'**zinken** *v/t.* (*h.*) mark *cards* (secretly).

'**Zink...:** **⁲haltig** *adj.* stanniferous; **~hütte** *f* zinc works *pl.*

...zinkig *adj.* ...-pronged.

'**Zinksalbe** *f* zinc ointment.

Zinn [tsin] *n* (-[e]s) tin; pewter; tinware.

Zinne ['tsinə] *f* (-; -*n*) *arch.* pinnacle (*a. fig.*); *mil.* battlement.

'**zinne(r)n** *adj.* tin; pewter.

'**Zinn...:** **~erz** *n* tin ore; **~folie** *f* tin-foil; **~geschirr** *n* pewter; **~gießer** *m* tin-founder, pewterer; **⁲haltig** *adj.* stanniferous; **~krug** *m* pewter mug.

Zinnober [tsi'no:bər] *m* (-*s*) cinnabar; **⁲rot** *adj.* vermilion.

'**Zinnsoldat** *m* tin soldier.

Zins [tsins] *m* (-*es*; -*en*) rent; (ground-)rent; tribute; *usu.* **~en** *pl.* interest (*sg.*); *aufgelaufene ~en* accumulated interest; *rückständige ~en* arrears of interest; *~en zum Satz von* interest at the rate of; *Aktien mit 4% ~en* four-per-cents; *~en berechnen* compute the interest; charge interest; *~en tragen* bear interest; *die ~en zum Kapital schlagen* add the interest to the capital; *fig. mit ~en heimzahlen* return with usury; *mit ~ und Zinseszinsen* in full measure; '**~abschnitt** *m* (interest) coupon; '**⁲bar** *adj.* tributary; → *zinsbringend*; '**⁲billig** *adj. and adv.* at a low rate of interest; '**~bogen** *m* coupon-sheet; '**⁲bringend** *adj.* bearing interest, interest-bearing; *~ anlegen* put out at interest; '**~darlehen** *n* interest-bearing loan; '**~einkommen** *n* interest income; '**~erhöhung** *f* increase in the interest rate.

Zinseszins ['-əstsins] *m* (-*es*; -*en*) compound interest; *fig.* → *Zins*.

'**zins...:** **~frei** *adj.* rent-free; free of interest; **⁲fuß** *m* rate of interest, interest (rate); bank rate; **⁲gefälle** *n* interest margin; **⁲gut** *n* leasehold;

2herabsetzung *f* reduction in the rate of interest; **2kupon** *m* (interest) coupon; **2leiste** *f* talon; **~los** *adj.* free of interest; no interest-bearing *loan, etc.*; **2marge** *f* interest margin; **2mehraufwand** *m* net interest paid; **2mehrertrag** *m* net interest earned; **~pflichtig** *adj.* tributary; subject to rent; **2politik** *f* interest rate policy; **2rechnung** *f* calculation of interest; interest account; **2schein** *m* coupon, *for stock*: dividend warrant; **2satz** *m* → *Zinsfuß*; *Darlehen mit niedrigem* ~ low-interest loan; **~tragend** *adj.* → *zinsbringend*; **2verlust** *m* loss of interest; **2voraus** *m* (-es) preferential interest margin; **2wucher** *m* usury; **2zahlungen** *f/pl.* interest payments.

Zionis|mus [tsio'nismus] *m* (-) Zionism; **~t** *m* (-*en*; -*en*), **~tin** *f* (-; -*nen*), **2tisch** *adj.* Zionist.

Zipfel ['tsipfəl] *m* (-*s*; -) tip, point, end; *anat., tel.* lobe; corner (*of cloth, etc.*); *fig.* et. *am rechten* ~ *anfassen* tackle a th. from the right angle; **2ig** *adj.* having points *or* ends, pointed; **~mütze** *f* jelly-bag cap; night-cap.

Zipperlein ['tsipərlaın] *colloq. med. n* (-*s*) gout.

Zirbel|drüse ['tsirbəl-] *anat. f* pineal gland; **~kiefer** *f* cembra pine.

zirka ['tsirka] *adv.* about, approximately, in the neighbo(u)rhood of; or thereabouts.

Zirkel ['tsirkəl] *m* (-*s*; -) circle (*a. fig.*); (*ein* ~ a pair of) compasses *or* dividers; *in compounds*: → *Kreis...*; **2n** *v/i.* (*h.*) measure with compasses; *fig.* (move in a) circle.

Zirkonlampe [tsir'ko:n-] *f* zirconium lamp.

Zirku|lar [tsirku'lɑ:r] *n* (-*s*; -*e*) circular; **2'lieren** *v/i.* (*h.*) circulate; ~ *lassen* circulate, pass round.

Zirkumflex [tsirkum'flɛks] *m* (-*es*; -*e*) circumflex.

Zirkus ['tsirkus] *m* (-; -*se*) circus; *colloq. fig.* hurly-burly; **~reiter(in** *f*) *m* circus-rider.

zirpen ['tsirpən] *v/i. and v/t.* (*h.*) chirp, cheep.

Zirruswolke ['tsirus-] *f* cirrus cloud.

zisch|eln ['tsiʃəln] *v/i. and v/t.* (*h.*) whisper, hiss; **2eln** *n* (-*s*) whisper (-ing); **~en** *v/i. and v/t* (*h.*) *gas, snake, person, etc.*: hiss; *thing*: *a.* sizzle, fizz; whiz(z); *colloq.* einen ~ have a drink; **2laut** *m* hissing sound; *gr.* sibilant.

Ziselier|arbeit [tsize'li:r-] *f* chased work; **2en** *v/t.* (*h.*) chase.

Zisterne [tsi'stɛrnə] *f* (-; -*n*) cistern, tank.

Zitadelle [tsita'dɛlə] *f* (-; -*n*) citadel.

Zitat [tsi'tɑ:t] *n* (-[*e*]*s*; -*e*) quotation; *falsches* ~ misquotation.

Zither ['tsitər] *f* (-; -*n*) zither.

zi'tieren *v/t.* (*h.*) cite, summon; invoke (*ghosts*); cite, quote.

Zitronat [tsitro'nɑ:t] *n* (-[*e*]*s*; -*e*) candied (lemon) peel.

Zitrone [tsi'tro:nə] *f* (-; -*n*) lemon.

Zi'tronen...: **~baum** *m* lemon-tree; **~falter** *m* brimstone butterfly; **2gelb** *adj.* lemon (yellow), citrine; **~limonade** *f* lemonade; lemon squash; **~presse** *f* lemon-squeezer; **~saft** *m* (-[*e*]*s*) lemon juice; **2sauer** *chem. adj.* citrate of; **~säure** *f* citric acid; **~schale** *f* lemon-peel; **~scheibe** *f* slice of lemon; **~wasser** *n* (still) lemonade.

Zitter|aal ['tsitər-] *m* electric eel; **~gras** *n* quaking-grass; **2ig** *adj.* trembly, shaky; *voice*: *a.* tremulous, faltering; **2n** *v/i.* (*h.*) tremble, shake, quiver (*vor* with *cold, fear, etc.*); *a. earth*: quake; shiver; vibrate; ~ *und beben* shiver and shake, quake in one's shoes; **~n** *n* (-*s*) trembling, *etc.*; shiver(s *pl.*); vibration(s *pl.*); *mit* ~ *und Zagen* shaking with fear, fearfully; **~pappel** *f* aspen, trembling poplar; **~rochen** *ichth. m* electric ray, torpedo fish.

Zitze ['tsitsə] *f* (-; -*n*) teat, dug, nipple.

zivil [tsi'vi:l] *adj.* civil; (*ant. military*) civilian; *econ.* reasonable, moderate (*prices*); **2** *n* (-*s*) (*ant. military*) civil body, civilians *pl.*; civilian (*or* plain) clothes; *esp. mil.* mufti; **2angestellte(r)** *m* civil employee; **2anzug** *m* civilian suit; **2arbeiter** *m* civilian worker; **2bevölkerung** *f* civilian population, civilians *pl.*; *mil. a.* non-combatants *pl.*; **2courage** *f* courage (of one's convictions), moral courage; **2ehe** *f* civil marriage.

Zivili|sation [tsivilizatsi'o:n] *f* (-) civilization; **~sati'onskrankheiten** *f/pl.* ills of civilization; **2satorisch** [-za'to:riʃ] *adj.* civilizing; **2'sieren** *v/t.* (*h.*) civilize.

Zivi'list *m* (-*en*; -*en*) civilian.

Zi'vil...: **~klage** *f* → *Zivilprozeß*; **~kleidung** *f* civilian (*or* plain) clothes *pl.*; **~luftfahrt** *f* civil aviation; **~person** *f* civilian; **~prozeß** *jur. m* civil action *or* suit; **~prozeßordnung** *f* Code of Civil Procedure; **~recht** *n* (-[*e*]*s*) civil law; **2rechtlich** *adj. and adv.* under (*or* according to) civil law; civil law; ~ *verfolgen* bring a civil action against, sue; **~sache** *f* civil case; **~versorgung** *f* guarantee of civil employment for ex-servicemen; **~verteidigung** *f* civil defen|ce, *Am.* -se; **~verwaltung** *f* civil administration.

Zobel ['tso:bəl] *zo. m* (-*s*; -) sable; *a.* → **~fell** *n* sable-skin; **~pelz** *m* sable-fur. [zodiac.]

Zodiakus [tso'di:akus] *ast. m* (-)

Zofe ['tso:fə] *f* (-; -*n*) lady's maid.

zog [tso:k] *pret. of ziehen.*

zögern ['tsø:gərn] *v/i.* (*h.*) hesitate; waver, shilly-shally; linger, tarry; delay; ~ *mit* defer, delay; *er zögerte nicht, zu inf.* he did not hesitate to *inf.*, he lost no time in *ger.*; **2** *n* (-*s*) hesitation, hesitancy; delay; *ohne* ~ unhesitatingly, without (a moment's) hesitation; **~d** *adj.* hesitating, hesitant; dilatory; slow, gradual.

Zögling ['tsø:kliŋ] *m* (-*s*; -*e*) pupil.

Zölibat [tsøli'bɑ:t] *n and m* (-[*e*]*s*) celibacy.

Zoll [tsɔl] *m* **1.** (-[*e*]*s*; -) inch; *jeder* ~ *ein Ehrenmann* every inch a gentleman; **2.** (-[*e*]*s*; ⸚*e*) custom, duty; → *Zolltarif*; toll; tribute (*a. fig.*); customs; *fig.* s-n ~ *fordern* take its toll; **'~abfertigung(sstelle)** *f* customs clearance; **'~amt** *n* custom-house *or* -office; **'2amtlich** *adj.*: ~*e Untersuchung* customs inspection; *unter* ~*em Verschluß* in bond; **'~aufschlag** *m* additional duty; **'~aufseher** *m* surveyor of customs; **'~beamte(r)** *m* customs official *or* officer; **'~begleitschein** *m* customs bond warrant; **'~begünstigungsliste** *f* Special Tariff List; **'~behörde** *f* board of customs and excise; **'~einfuhrschein** *m* bill of entry; **'~einnehmer** *m* collector of customs; **'2en** *v/t.* (*h.*) *fig.* give, pay; *Anerkennung* ~ pay tribute (*dat.* to); *Dank* ~ express one's gratitude (to), thank (*a p.*); *Beifall* ~ applaud (*a p.*); **'~erklärung** *f* customs declaration; **'~ermäßigung** *f* tariff reduction; **'~fahndungsstelle** *f* customs-search office; **'2frei** *adj.* duty-free; *fig. Gedanken sind* ~ thoughts pay no toll; **'~freiheit** *f* exemption from duty; **'~gebiet** *n* customs district; **'~gebühren** *f/pl.* customs duties; **'~gesetz** *n* tariff law; **'~grenze** *f* customs frontier; **'~haus** *n* custom-house; **'~hinterziehung** *f* evasion of the customs.

...zöllig [-tsœliç] *adj.* ...-inch.

'Zoll...: **~inland** *n* (*German, etc.*) customs area; **~inspektor** *m* customs officer; **~kasse** *f* customs collection office; **~kontrolle** *f* customs examination; **~krieg** *m* tariff war; **~(l)ager** *n* bonded warehouse.

Zöllner ['tsœlnər] *m* (-*s*; -) customs collector; *bibl.* publican.

'Zoll...: **~papiere** *n/pl.* customs documentation *sg.*; **2pflichtig** *adj.* liable to duty, dutiable; **~plombe** *f* (customs) seal; **~politik** *f* customs policy; **~revision** *f* customs examination; **~satz** *m* rate of duty; **~schein** *m* clearance(-bill); **~schiff** *n* revenue cutter; **~schranke** *f* customs-barrier; **~schutz** *m* tariff protection; **~senkung** *f* customs tariff reduction; **~speicher** *m* bonded warehouse; **~stock** *m* (-[*e*]*s*; ⸚*e*) foot-rule; folding rule; yard-stick; **~straße** *f* turnpike (*or* toll) road; **~tarif** *m* tariff (of duties); → *Zollsatz*; **2tief** *adj.* inches deep; **~verband, ~verein** *m* customs (*or* tariff) union; **~vergünstigungen** *f/pl.*p referential tariff; **~verschluß** *m* customs seal, bond; *Waren unter* ~ bonded goods; *unter* ~ *lassen* leave in bond; **~vertrag** *m* tariff agreement; **~vorschriften** *f/pl.* customs regulations; **~wächter** *m* → *Zollbeamter*; **2weise** ['-vaızə] *adv.* by inches.

Zone ['tso:nə] *f* (-; -*n*) zone; region, climate; *britisch besetzte* ~ British-occupied zone; *heiße* (*kalte, gemäßigte*) ~ torrid (frigid, temperate) zone; *radio*: *tote* ~ silent area; **~ngrenze** *f* zonal border; **~ntarif** *m* zone-tariff.

Zoo [tso:] *colloq. m* (-[*s*]; -*s*) (= *Zoologischer Garten*) Zoo, Zoological Gardens.

Zoolo|ge [tso⁹o'lo:gə] *m* (-*n*; -*n*) zoologist; **~'gie** *f* (-) zoology; **2gisch** *adj.* zoological.

Zopf [tsɔpf] *m* (-[e]s; ⸗e) plait of hair, tress; pigtail; *fig.* pedantry, formality; (*alter*) ~ antiquated custom, obsolete tradition; *falscher* ~ switch; *in Zöpfe flechten* plait; *sie trägt Zöpfe* she wears her hair plaited *or* in plaits; ˈ**~band** *n* (-[e]s; ⸗er) pigtail ribbon, hair-ribbon; ˈ**2ig** *fig.* pedantic(ally *adv.*); antiquated; ˈ**~stil** *m* (-[e]s) *art*: late rococo (style).

Zorn [tsɔrn] *m* (-[e]s) anger; *rhet.* wrath, ire; rage; temper; resentment; *in* ~ *geraten* fly into a passion, bridle up; *in* ~ *versetzen* anger, incense, infuriate; → *auslassen, etc.* ˈ**~ausbruch** *m* fit of anger, outburst, explosion; **2entbrannt** [ˈ-ɛntbrant] *adj.* boiling with rage, furious, fuming; ˈ**2ig** *adj.* angry (*auf acc.* at *a th.*, with *a p.*), mad (at); ˈ**~röte** *f* flush of anger.

Zot|e [ˈtso:tə] *f* (-; -*n*) ribald jest, filthy (*or* smutty) joke, obscenity; *~n reißen* talk smut, make obscene jokes; **2enhaft, 2ig** *adj.* obscene, smutty, filthy; **~enreißer** *m* obscene talker.

Zott|e [ˈtsɔtə] *f* (-; -*n*) tuft (of hair); *anat.* villus; **~el** [ˈ-əl] *f* (-; -*n*) tuft; tassel; **2eln** *colloq. v/i.* (*sn*) shuffle along, toddle; (*trödeln*) dawdle; **2ig** *adj.* shaggy, tufted; matted; *anat.* villous.

zu [tsu:] **I.** *prp.* (*dat.*) to; towards, up to; at, in, on; in addition to; along with; beside, next to; for; ~ *Beginn* at the beginning *or* outset; ~ *Berlin* in (*adm.* at) Berlin; → *Beispiel, Bett, Ende, Fuß, Gesicht, Haus, Hundert, Tausend, Mal, Not, etc.*; *sports*: *3* ~ *1* three (points, *etc.*) and one; ~ *deutsch* in German; ~ *Weihnachten, etc.* at Christmas, *etc.*; *balance-sheet* ~*m 31. Dezember* as at December 31st; *der Schlüssel* ~*m Schrank* the key of the cupboard; ~ *ebener Erde* on the ground floor; ~*m Ergötzen* (*gen.*) to the amusement of; ~ *m-m Erstaunen* to my surprise; ~*r Hälfte* by half, half of it; ~*m Preise von* at a price of; ~*m Scherz* in fun; ~*r Stadt* to town; ~ *Tal* downhill; ~*r Unterhaltung* (*gen.*) for the entertainment of; *Liebe* ~ *Gott* love of God; *aus Freundschaft* ~ *ihm* out of friendship for him; ~*m Dichter geboren* born (to be) a poet; ~ *j-m gehen* go to see a p.; *j-n* ~ *et. ermuntern* encourage a p. to do a th.; *j-n* ~*m Freunde* (*Vater*) *haben* have a p. for a friend (father); *j-n* ~*m Oberst befördern* raise a p. to the rank of a colonel; *j-n* ~*m Präsidenten wählen* elect a p. President; *sich* ~ *j-m setzen* sit down by a p.'s side; ~ *et. werden* turn (*or* change) into *a th.*; *Brot* ~*m Ei essen* have bread with one's egg; **II.** *adv.* **1.** *before adj. and adv.*: too; ~ *sehr* too much; *gar* ~ far too, all too; ~ *viel* far too much; (*gar*) ~ *vorsichtig* (*eilig*) overcautious (overhasty); ~ *sehr betonen* overstress; **2.** closed; *Tür* ~*!* shut (*or* close) the door!; *die Tür ist* ~ the door is to *or* shut; *immer* (*or nur*) ~*!* go ahead!; **3.** *with infinitive*: ~ *sein* to be; *ich habe* ~ *arbeiten* I have to work, I have work to do; *ich erinnere mich, ihn gesehen* ~ *haben* I remember seeing him; *es ist* ~ *hoffen* it may be hoped for; *ein nachzuahmendes Beispiel* an example worthy of imitation; *ein sorgfältig* ~ *erwägender Plan* a plan requiring careful consideration; *die auszuwechselnden Fahrzeugteile* the parts to be exchanged.

zuˈaller|erst *adv.* first of all; **~letzt** *adv.* last of all.

ˈ**zubauen** *v/t.* (*h.*) build (*or* wall) up *or* in; block (*passage, view*).

Zubehör [ˈ-bəhø:r] *n* (-[e]s; -*e*) appurtenances (*a. jur. of real estate*), fittings (*a. jur. of chattels*), *Am.* fixings; *esp. tech.* accessories; attachment(s *pl.*); *Wohnung von sechs Zimmern mit* ~ six-roomed flat (*Am.* apartment) with all conveniences *or* appointments; **~kasten** *tech. m* accessories box; **~teil** *n* accessory (part); *pl.* ~*e* accessories.

ˈ**zubeißen** *v/i.* (*irr., h.*) bite; snap.

ˈ**zubekommen** *v/t.* (*irr., h.*) get in addition (*or* into the bargain); get *a door, etc.*, shut.

Zuber [ˈtsu:bər] *m* (-*s*; -) tub.

ˈ**zubereit|en** *v/t.* (*h.*) prepare; mix (*drink*); dress (*salad*; *a. tech.*); **2ung** *f* preparation; dressing.

ˈ**zubilligen** *v/t.* (*h.*) grant, concede, allow; *jur.* award.

ˈ**zubinden** *v/t.* (*irr., h.*) tie (*or* bind) up; bandage; blindfold (*eyes*).

ˈ**zubleiben** *v/i.* (*irr., sn*) remain closed *or* shut.

ˈ**zublinzeln** *v/i.* (*h.*) *j-m*: wink at *a p.*

ˈ**zubring|en** *v/t.* (*irr., h.*) pass, spend (*time*); *tech.* feed; **2er** [ˈ-briŋər] *tech. m* (-*s*; -) feeder; **2erdienst** *m* feeder service; **2erlinie** *aer. f* feeder-line; **2erstraße** *f*, **2weg** *m* feeder road.

ˈ**Zubuße** *f* allowance; contribution, additional payment.

Zucht [tsuxt] *f* (-) breeding, rearing, farming; culture (*of bees, bacteria*); *bot.* (*pl.* -*en*) cultivation, growing; *zo.* breed, race, stock; *fig.* education; training; *harte* ~ drill; discipline; decency, propriety, modesty; *in* ~ *halten* (*nehmen*) keep (take) in hand; ˈ**~buch** *n* stud-book; ˈ**~bulle** *m* bull (for breeding).

zücht|en [ˈtsyçtən] *v/t.* (*h.*) breed, rear, raise (*animals*); grow, cultivate (*plants*); culture (*bacteria, pearls*); **2er(in** *f*) *m* (-*s*, -; -, -*nen*) breeder; (*bee-*)keeper; grower.

ˈ**Zucht...:** **~haus** *n* penitentiary; *zwei Jahre* ~ sentence of two years' penal servitude *or* hard labo(u)r; **~hausarbeit** *f* convict labo(u)r; **~häusler** *m* convict; **~hausstrafe** *f* penal servitude, *Am.* confinement in a penitentiary; **~hengst** *m* stud-horse, stallion; **~henne** *f* brood-hen; **~holz** *n* trees grown artificially.

züchtig [ˈtsyçtiç] *adj.* chaste, modest, coy, demure; **2keit** *f* (-) chastity, modesty, coyness.

züchtig|en [ˈ-gən] *v/t.* (*h.*) correct, punish; discipline; flog, *rhet.* chastise; **2ung** *f* (-; -*en*) correction, punishment; flogging, corporal punishment; chastisement.

ˈ**Zucht...:** **2los** *adj.* undisciplined, without discipline; unruly, wild; disorderly, licentious; **~losigkeit** *f* (-) want of discipline; disorderly ways *pl.*, licentiousness; **~meister** *m* task-master, disciplinarian; **~mittel** *n* means of correction, disciplinary measure; **~perle** *f* culture pearl; **~rasse** *f* improved breed; **~rute** *f* rod of correction, scourge; **~sau** *f* brood sow; **~schaf** *n* ewe for breeding; **~stier** *m* bull (for breeding); **~stute** *f* brood mare.

ˈ**Züchtung** *f* (-; -*en*) breeding, farming; *bot.* growing, cultivation; culture (*of bacteria*); *neue* ~ variety.

ˈ**Zucht...:** **~vieh** *n* breeding cattle, registered cattle; **~wahl** *f*: *natürliche* ~ natural selection.

zuckeln [ˈtsukəln] *colloq. v/i.* (*sn*) jog along.

zucken [ˈtsukən] *v/i.* (*h.*) jerk; move convulsively, twitch (*both*: *mit et.* a th.); quiver; wince; *flame, light*: flicker; flash; dart; → *Achsel, Wimper.*

zücken [ˈtsykən] *v/t.* (*h.*) draw (*sword, etc.*); pull out (*purse*); poise (*pen, etc.*).

Zucker [ˈtsukər] *m* (-*s*) sugar; *ein Stück* ~ a lump of sugar; *med. er hat* ~ he has diabetes; **2artig** [ˈ-ɑ:rtiç] *adj.* sugary; **~bäcker** *m* confectioner; *humor. in compounds*: gingerbread *gothic, etc.*; **~bäckeˈrei** *f* confectioner's shop; **~bildung** *f* formation of sugar; *biol.* glycogenesis; **~brezel** *f* sweet cracknel; **~brot** *n* sweet bread; ~ *und Peitsche* carrot or the stick; **~büchse, ~dose** *f* sugar-basin, *Am.* -bowl; **~erbse** *f bot.* green pea; sugar-plum; **~fabrik** *f* sugar factory *or* works; **~gewinnung** *f* extraction of sugar; sugar manufacture; **~guß** *m* sugar-icing, frosting, sugar-coating; *mit* ~ *überziehen* ice, frost; **2haltig** *adj.* containing sugar, saccharated; **~hut** *m* sugar-loaf; **2ig** *adj.* sugary; **~kand**(**is**) *m* (-[e]s; -) sugar candy; **2krank, ~kranke**(**r** *m*) *f* diabetic; **~krankheit** *f* (-) diabetes; **~mäulchen** *n* sweet-tooth; **2n** *v/t.* (*h.*) sugar; **~pflanzung** *f* sugar plantation; **~plätzchen** *n* drop, lozenge; **~raffinerie** *f* sugar refinery; **~rohr** *n* sugar cane; **~rübe** *f* sugar-beet; sweet turnip; **~saft** *m* syrup; **~säure** *f* saccharic acid; **~schale** *f* → *Zuckerbüchse*; **~sieder** *m* sugar refiner; **~siedeˈrei** *f* sugar refinery; **~sirup** *m* molasses *pl.*, treacle; **2süß** *adj.* (as) sweet as sugar; *fig.* honeyed; **~wasser** *n* sugared water; **~ware** *f*, **~werk** *n* (-[e]s) confectionery, sweetmeats *pl.*; *Am.* candy; **~zange** *f* (*eine* ~ a pair of) sugar-tongs *pl.*

ˈ**Zuckung** *f* (-; -*en*) convulsion, spasm; jerk, twitch; quiver; *a. fig. letzte* ~*en* death throes.

ˈ**zudämmen** *v/t.* (*h.*) dam up.

ˈ**zudecken** *v/t.* (*h.*) cover (up); *fig.* conceal, cover up; *colloq. j-n* ~ *mit* rain *blows, etc.*, on a p., shower a p. with *gifts, etc.*, *mil. with fire*: pin down.

zuˈdem *adv.* besides, moreover, in addition (to this).

ˈ**zudenken** *v/t.* (*irr., h.*): *j-m et.* ~

intend a th. for a p., want a p. to have a th.

ˈ**zudiktieren** *v/t.* (*h.*) impose, inflict *penalty* (*j-m* upon a p.).

ˈ**Zudrang** *m* rush; (*zu dat.*) run (on).

ˈ**zudrängen:** *sich* ~ (*h.*) press forward, crowd, throng (*zu* to).

ˈ**zudrehen** *v/t.* (*h.*) turn off (*faucet, water, etc.*); *j-m den Rücken* ~ turn one's back on a p.

ˈ**zudringlich** *adj.* importunate, obtrusive; intruding, forward; ~ *werden e-m Mädchen gegenüber* make advances, make a pass *at a girl*; **2keit** *f* importunity, obtrusiveness, forwardness; pass.

ˈ**zudrücken** *v/t.* (*h.*) close, shut; → *Auge.*

ˈ**zu-eign|en** *v/t.* (*h.*) dedicate *book, etc.* (*dat.* to); *sich et.* ~ appropriate (to one's use), *illegally*: misappropriate, *jur. a.* convert (unlawfully) into one's own use; **2ung** *f* dedication; appropriation.

ˈ**zu-eilen** *v/i.* (*sn*) (*dat.*; *auf acc.*) hasten to(wards), run *or* rush up to.

ˈ**zu-erkenn|en** *v/t.* (*irr., h.*) award (*a. prize*) (*dat.* to); confer (on); *jur.* award, adjudge, adjudicate (to); **2ung** *f* award; adjudication.

zuˈerst *adv.* **1.** first; *er kam* ~ *an a.* he was the first to arrive; **2.** first (of all), in the first place, above all; to begin with; **3.** at first, in (*or* at) the beginning; ~ *tat er* he began by *ger.*; *fig. wer* ~ *kommt, mahlt* ~ first come first served.

ˈ**zu-erteilen** *v/t.* (*h.*) → *zuteilen, zuerkennen.*

ˈ**zufächeln** *v/t.* (*h.*): *j-m et.* ~ fan a th. to(wards) a p., *wind*: waft a th. to a p.; *sich Luft* ~ fan o.s.

ˈ**zufahr|en** *v/i.* (*irr., sn*) drive (*or* go) on; *auf et.* ~ drive to(wards) *or* in the direction of, head (*or* make) for; *door, etc.*: slam (shut); *fig. auf j-n* ~ rush at, pitch into; **2t(sstraße)** *f* approach (road); *to house*: drive(way *Am.*).

ˈ**Zufall** *m* chance, accident; coincidence; *bloßer* ~ mere accident; *glücklicher* ~ lucky chance, (lucky) break; *unglücklicher* ~ piece of ill-luck, unfortunate accident, mischance, bad break; *durch* ~ by chance, by accident, → *zufällig*; *durch glücklichen* ~ by a fluke; *es dem* ~ *überlassen* leave it to chance; *der* ~ *fügte es, daß wir* luck would have it that we, as it happened we; *es hängt vom* ~ *ab, ob* it is a matter of chance whether; *es ist kein* ~, *wenn* it is no accident that; **2en** *v/i.* (*irr., sn*) *eyes*: be closing (with sleep); *door*: shut (of) itself, slam shut; *j-m* ~ fall to a p.('s share), *inheritance*: *a.* devolve upon a p.; *task*: fall to a p., devolve upon a p., be incumbent upon a p.

ˈ**zufällig I.** *adj.* accidental; chance; fortuitous; casual; incidental; random (*a. phys.*); ~*es Zusammentreffen* **a)** chance encounter, **b)** coincidence; **II.** *adv.* (*a.* ~**erweise** [ˈ-gərˈvaɪzə]) accidentally, by chance; as it happened; *er war* ~ *zu Hause* he happened to be at home; *ich traf ihn* ~ I happened (*or* chanced) to meet him; *ich stieß* ~ *auf dieses Wort* I came across (*or* stumbled upon) that word; **2keit** *f* accidentalness; casualness; fortuitousness; contingency; ~*en pl. a.* coincidences.

ˈ**Zufalls|...** chance ...; ~**auswahl** *f* random sample; ~**gesetz** *n* law of probability; ~**kurve** *f* probability curve; ~**moment** *n* chance factor; ~**treffer** *m* chance (*or* fluke) hit.

ˈ**zufassen** *v/i.* (*h.*) make a grasp *or* grab; catch, seize, clutch; *helper*: (*mit*) ~ lend *or* give a hand; *fig.* seize the opportunity.

ˈ**zufliegen** *v/i.* (*irr., sn*) (*dat.*; *auf acc.*) fly to(wards); *door*: slam (shut), (shut with a) bang; *fig. es fliegt ihm alles zu* things come easily to him.

ˈ**zufließen** *v/i.* (*irr., sn*) (*dat.*) flow to(wards); *fig.* be devoted to *charity, etc.*; *j-m*: come to, *profit*: accrue to *a p.*; *j-m* ~ *lassen* bestow on, grant, let have.

ˈ**Zuflucht** *f* (-) refuge, shelter, resort; *s-e* ~ *nehmen bei j-m* take refuge with *a p.*, *zu et.*: have recourse to, resort to, take refuge to *a th.*; ~**s-ort** *m* (-[e]s; -e) place of refuge, retreat, asylum, sanctuary.

ˈ**Zufluß** *m* afflux; influx (*a. fig. of capital, goods, etc.*); *tech.* feed, (in-) flow; *river*: affluent; *econ.* supply; ~**gebiet** *n* basin; ~**graben** *m* feeder; ~**menge** *tech. f* rate of flow; ~**regler** *tech. m* flow regulator; ~**rohr** *n* feed pipe.

ˈ**zuflüstern** *v/t.* (*h.*) *j-m*: whisper to *a p.*; prompt to.

zufolge [tsuˈfɔlgə] *prp.* (*gen. and dat.*) in consequence of, as a result of, due (*or* owing) to; according to; on the strength of, by virtue of.

zufrieden [tsuˈfriːdən] *adj.* content (-ed), satisfied; pleased, gratified; *j-n* ~ *lassen* let alone, leave in peace; *sich* ~ *geben mit* rest (*or* be) content with, put up with, acquiesce in; *nicht* ~ dissatisfied, displeased; **2heit** *f* (-) contentment, satisfaction; contentedness; *zu m-r größten* ~ to my greatest satisfaction; ~**stellen** *v/t.* (*h.*) content, satisfy; give satisfaction to; gratify, satisfy (*a p.'s wishes*); *schwer zufriedenzustellen* difficult to please, exacting; ~**stellend** *adj.* satisfactory.

ˈ**zufrieren** *v/i.* (*irr., sn*) freeze up *or* over.

ˈ**zufügen** *v/t.* (*h.*) add; do, cause (*dat.* to); inflict *harm, losses* ([up-] on); *j-m Schaden* ~ harm (*or* injure) a p.; *sich selbst zugefügt* self-inflicted (*wound, etc.*).

Zufuhr [ˈtsuːfuːr] *f* (-) supply; importation; *meteor.* influx; supplies *pl.*; → *Zuführung*; *j-m die* ~ *abschneiden* cut off a p.'s supplies.

ˈ**zuführ|en** *v/t.* (*h.*) carry (up), convey (to the spot), lead, bring; *tech.* feed; supply (*goods, etc.*; *a tech.*), deliver (*a. tech.*); lead in (*wire*); import; *e-m Heere Lebensmittel* ~ provision, cater for; *j-m e-e Person* ~ introduce a p. to a p.; *j-n s-r Bestrafung* ~ punish a p.; *e-e Sache ihrer Bestimmung* ~ devote a th. to its proper purpose; **2ung** *f* conveyance; *tech.* feeding; (*machine element*) feed; (*wire*) lead; *econ.* supply; delivery; importation; approach, feeder road; intake (*of food*); ~ *durch Druck* pressure feed.

ˈ**Zuführungs...:** ~**apparat** *tech. m* feeder; ~**draht** *m* feed (*el.* lead) wire; ~**kabel** *n* leading-in cable; ~**leitung** *f* supply main; ~**rohr** *n* supply (*or* feed) pipe; ~**schnur** *el. f* flexible cable.

ˈ**zufüllen** *v/t.* (*h.*) add; pour on; fill up (*hole*).

Zug [tsuːk] *m* (-[e]s; ⸗e) draw; *a. gym., wrestling, swimming, weight-lifting*: pull; jerk; *tech.* pull, traction; tension, stress; suction; piston; drawing tool; hoist; pulley; grip; strap; march; procession; expedition, campaign; column; file; range (*of mountains*); *rail.* train; shoal (*of fish*); flight, passage; migration (*of birds*); drift (*of clouds*); team (*of oxen, etc.*); herd, flock; *mil.* platoon; draught, *Am.* draft (*of air*); flue; *mus.* slide; (*organ*) stop, register; *chess, etc.*: move; *at drinking*: draught, *Am.* draft, swig; *at smoking*: whiff, puff; drag (*an dat.* at), pull (at *a pipe*); *of rifle*: groove, *pl. Züge* rifling *sg.*; *of face*: feature; *fig.* bent, tendency, trend; trait, feature, characteristic; *fig.* ~ *der Zeit* trend of the times; ~ *des Herzens* inner voice; *dem* ~*e s-s Herzens folgen* follow the promptings of one's heart; *auf einen* ~ at one draught (*Am.* draft); *im* ~*e rail.* in (*Am.* on) the train, *fig.* in train, in progress; *im* ~*e der Neugestaltung* in the course of reorganization; *im besten* ~*e sein* be well under way, be in full swing, *person*: be going strong; *er ist jetzt gut im* ~*e a.* his ball is rolling good now; *in einem* ~ at a stretch, at one go; *in kurzen Zügen* in a few strokes, in brief outlines; *in großen Zügen* in broad outlines, along general lines; → *grob*; *in vollen Zügen genießen* enjoy thoroughly, revel in; *in den letzten Zügen liegen* be breathing one's last, *fig. matter*: be in its death throes, be petering out; ~ *um* ~ without delay, without a break, in rapid succession, *econ.* concurrently, pari passu; against counterdelivery; *Zahlung* ~ *um* ~ *bei Auslieferung* cash on delivery; *chess*: *wer ist am* ~? whose move is it?; *fig. er kam nicht zum* ~*e* he did not get a chance; *fig. j-s Züge tragen* bear the imprint of; *das ist ein schöner* ~ *an ihr* that's very decent of her; *fig. da ist kein* ~ *drin* it is slow (*or* dull), there is no snap to it.

ˈ**Zugabe** *f* addition; extra; bonus, premium; makeweight; *thea.* encore; *als* ~ into the bargain.

Zug-abfertigung(sdienst *m*) *f* train dispatch (service).

ˈ**Zugang** *m* access (*a. fig.*); approach, access road; gate(way) (*a. fig.*), *fig.* doorway; entry; increase; *econ.* accrual; receipts *pl.*; in-payment; credit entries *pl.*; arrivals, incoming stocks *pl.*; *of personnel, members, library books*: accession(s *pl.*); ~ *zu Urkunden gewähren* give access to documents.

zugänglich [ˈtsuːgɛŋlıç] *adj.* accessible (*für* to); *fig.* ~ *für* (*or dat.*)

amenable to, open to, willing to listen to *reason*; *fig.* approachable, get-at-able; responsive; *leicht* ~ *person*: easy of access; ~ *machen* make accessible (*or* available); *fig. der breiten Öffentlichkeit* ~ *machen* throw open to the public, bring within the reach of the masses, popularize.

'**Zugangsweg** *m* access road, approach.

'**Zug...**: ~**artikel** *econ. m* draw; ~**aufsichtsbe-amte(r)** *m* train dispatcher; ~**be-anspruchung** *tech. f* tensile load, tractive stress; ~**(begleit)personal** *rail. n* train staff, *Am.* train crew; ~**brücke** *f* drawbridge.

'**zugeben** *v/t.* (*irr.*, *h.*) add; *econ.* give into the bargain, throw in; allow; confess; concede, admit, grant; *zugegeben* granted; *zugegeben, sie ist nicht klug* true, she is not smart; *ein Lied* ~ give a song as an extra treat; *man muß* ~, *daß er* you must grant it to him that he; **zugegebenermaßen** ['tsu:gəge:bənər'ma:sən] *adv.* admittedly.

zugegen [tsu'ge:gən] *pred. adj.* present (*bei* at); ~ *sein bei a.* attend.

'**zugehen** *v/i.* (*irr.*, *sn*) close, shut; move on, go faster; happen; *auf j-n* ~ go up to, walk towards; *geraden Wegs auf et.* ~ make for, head for, make a beeline for; *j-m* ~ come to a p.'s hand, reach a p.; *adm.* be served on a p.; *j-m et.* ~ *lassen* forward (*or* transmit) to a p., let a p. have *a th.*; *wie geht es zu, daß?* how is it that?; *es müßte seltsam* ~, *wenn* it would be strange if; *das geht nicht mit rechten Dingen zu* there is something uncanny about it, it looks fishy (to me); → *hergehen.*

'**zugehören** *v/i.* (*h.*) (*dat.*) belong to.

'**zugehörig** *adj.* (*dat.*) belonging to *a p. or a th.*; appertaining, pertinent; accompanying; matching, *colo(u)r, etc.*, to match; ♀**keit** *f* (-) membership (*zu dat.* of), affiliation (to); belonging (to).

zugeknöpft ['tsu:gəknœpft] *fig. adj.* reserved, uncommunicative, silent.

Zügel ['tsy:gəl] *m* (-*s*; -) rein; bridle; *fig. a.* curb, restraint; *die* ~ *pl. der Regierung* the reins of government; *die* ~ *schießen lassen* (*dat.*) give *a horse* its head, *fig.* give full rein to; *j-n an die* ~ *nehmen* take a p. in hand; *sich an die* ~ *nehmen* get a grip on o.s.; *in die* ~ *fallen* (*dat.*) seize by the bridle, *fig.* stop, restrain; → *anziehen.*

'**zugelassen** → *zulassen.*

'**Zügel...**: ~**hilfe** *f* rein aid; ♀**los** *adj.* unbridled; *fig. a.* unrestrained; inordinate; licentious, dissolute; ~ *werden* get out of hand; ~**losigkeit** *f* (-) dissoluteness, licentiousness, looseness; ♀**n** *v/t.* (*h.*) rein, pull up; *fig.* bridle, rein, curb, check.

Zugereiste(r *m*) ['tsu:gəraɪstə(r)] *f* (-*n*, -*n*; -*en*, -*en*) newcomer.

'**zugesellen** *v/t.* (*h.*) give as a companion; (*a. sich*) join (*dat.* to; *j-m* a p.), associate (with).

zugestandenermaßen ['tsu:gəʃtandənər'ma:sən] *adv.* admittedly.

'**Zugeständnis** *n* concession, admission; ~*se machen* (*dat.*) make concessions, *fig.* make allowances (*wegen* for). [admit, grant.]

'**zugestehen** *v/t.* (*irr.*, *h.*) concede,

'**zugetan** *pred. adj.* (*dat.*) attached to, devoted to; *j-m* ~ *sein a.* feel kindly towards, be fond of, have a great affection for *a p.*

Zugewanderte(r *m*) ['tsu:gəvandərtə(r)] *f* (-*n*, -*n*; -*en*, -*en*) newcomer.

'**zugewandt** *adj.* (*dat.*) interested (in); → *zuwenden.*

Zug... ['tsu:k-]: ~**fähre** *f* cable ferry; ~**feder** *tech. f* tension spring; *of watch*: barrel spring; ~**festigkeit** *tech. f* (-) tensile strength; ♀**frei** *adj.* draught-free; ~**führer** *m rail.* chief guard, *Am.* conductor; *mil.* platoon-leader; ~**gespräch** *rail. teleph. n* train-call; ~**griff** *tech. m* pull handle, grip; ~**hebel** *m* draw lever.

'**zugießen** *v/t.* (*irr.*, *h.*) add, pour on; fill up (*mit* with).

zugig ['tsu:giç] *adj.* draughty, *Am.* drafty.

zügig ['tsy:giç] *adj.* speedy; free, easy; uninterrupted; efficient; *econ.* ~ *beliefern* supply freely; *mot.* ~ *schalten* change gears smoothly; ♀**keit** *f* (-) easy flow *of traffic.*

'**Zug...**: ~**klappe** *f* damper; ~**knopf** *m* pull knob; ~**kraft** *f* power of traction, tractive force; drawbar pull; *fig.* attraction, draw, appeal; ♀**kräftig** *adj. fig.* attractive, popular, powerful; ~ *sein a.* be a draw.

zugleich [tsu'glaɪç] *adv.* at the same time; together.

'**Zug...**: ~**leine** *f* towing rope; ~**leistung** *f* tractive power; ~**luft** *f* (-) draught, *Am.* draft; ~**(luft)schraube** *aer. f* tractor (airscrew); ~**maschine** *f* traction engine, prime mover, tractor; truck tractor; ~**meldewesen** *n* (-*s*) train-signal(l)ing system; ~**mittel** *fig. n* draw, attraction; ~**nummer** *thea. f* drawing card; ~**ochse** *m* draught-ox; ~**personal** *n* train staff, *Am.* train crew; ~**pferd** *n* draught-horse; ~**pflaster** *n* blistering plaster, vesicatory.

'**zugreifen** *v/i.* (*irr.*, *h.*) make a grasp *or* grab; grab *or* grasp it; *at table*: help o.s.; fall to; (*mit*) ~ lend (*or* take) a hand; *fig.* seize the opportunity; put one's back into it; *er braucht nur zuzugreifen* he may have it for the mere asking.

Zugrichtung ['tsu:k-] *rail. f* direction in which the (*or* a) train runs.

'**Zugriff** *m* grip, clutch; *fig. a.* seizure; *dem* ~ *j-s entziehen* get out of the reach of a p.

Zugring ['tsu:k-] *m* pull ring.

zugrunde [tsu'grundə] *adv.*: ~ *gehen fig.* go to ruin, perish; ~ *legen* take as a basis (*dat.* for); *er legte seinen Behauptungen* ... ~ he based his allegations on ...; ~ *liegen* (*dat.*) underlie *a th.*, form the basis *or* be at the bottom (of *a th.*); ~ *richten* ruin, destroy, wreck; ♀**legung** [-le:guŋ] *f* (-): *unter* ~ (*gen. or von*) taking as a basis; ~**liegend** *adj.* underlying.

Zug... ['tsu:k-]: ~**salbe** *med. f* vesicant ointment, *Am.* resin cerate; ~**schaffner** *m* train conductor; ~**schalter** *el. m* pull switch; ~**seil** *n* towing-line; traction rope, haulage rope; control cable; hoisting rope; ~**stange** *f* tie rod; drawbar; *machine tool*: draw-in spindle; ~**stemme** ['-ʃtɛmə] *f* (-; -*n*) *gym.* uprise from straight hang; ~**stiefel** *m/pl.* (boots with) elastic sides; ~**stück** *n* draw, *Am.* hit; ~**tier** *n* draught (*Am.* draft) animal.

'**zugucken** *colloq.* → *zuschauen.*

'**Zug-unglück** *n* train accident.

zugunsten [tsu'gunstən] *prp.* (*gen.*) in favo(u)r of, for the benefit of; to the credit of.

zugute [tsu'gu:tə] *pred.*: *j-m et.* ~ *halten* give a p. credit for a th.; pardon a p. a th.; *j-m s-e Jugend* ~ *halten* make allowance for a p.'s youth; ~ *kommen* (*dat.*) be for the benefit of, be an advantage to; stand *a p.* in good stead; *jur.* inure to; *sich et.* ~ *tun auf e-e Sache* pride (*or* pique, plume) o.s. on a th.

zu guter Letzt *adv.* in the end, at long last; last but not least.

Zug... ['tsu:k-]: ~**verkehr** *m* train service; ~**vieh** *n* draught-cattle *pl.*; ~**vogel** *m* bird of passage, migrant (bird); ~**wache** *f* trainguard; ♀**weise** ['-vaɪzə] *adv.* in troops *or* flocks; *mil.* in platoons; ~**welle** *tech. f* feed screw; ~**wind** *m* → *Zugluft.*

'**zuhaben** *v/t. and v/i.* (*h.*) keep *or* have *a th.* closed *or* shut *or* (*dress*) buttoned up; *das Geschäft hat am Montag zu* the shop does not open on Monday.

'**zuhaken** *v/t.* (*h.*) hook (up).

'**zuhalten I.** *v/t.* (*irr.*, *h.*) keep *a th.* shut; close (*eyes*); stop (*ears*); clench (*fist*); *sich die Nase* ~ hold one's nose; **II.** *v/i.* (*irr.*, *h.*): *auf et.* ~ make for a th., go straight for a th.; *sich* ~ bestir o.s., hurry up.

Zuhälter ['tsu:hɛltər] *m* (-*s*; -) pimp; **Zuhälte'rei** *f* (-) procuring, living on a woman's immoral earnings.

'**Zuhaltung** *f* tumbler (*on lock*).

'**zuhämmern** *v/t.* (*h.*) hammer down.

zuhanden [tsu'handən] *prp.* (*gen.*) to be handed to; Attention: *Mr. Wiseacre.*

'**zuhängen** *v/t.* (*h.*) hang (*or* cover) with curtains, *etc.*

'**zuhauen I.** *v/i.* (*h.*) strike (out); lay about one; **II.** *v/t.* (*h.*) rough--hew; trim, shape, dress.

zuhauf [tsu'haʊf] *poet. adv.* together.

Zuhause [tsu'haʊzə] *n* (-) home.

'**zuheften** *v/t.* (*h.*) stitch up.

'**zuheilen** *v/i.* (*sn*) heal up, close, skin over, cicatrize.

Zuhilfenahme [tsu'hilfəna:mə] *f* (-): *unter* ~ *von* (*dat.*) with (*or* by) the aid of; *ohne* ~ *von* without having recourse to.

zu'hinterst [tsu-] *adv.* last of all, at the (very) end.

'**zuhören** *v/i.* (*h.*) (*dat.*) listen, attend (*both*: to); listen in (on), eavesdrop; *hör mal zu!* listen!

'**Zuhörer** *m*, ~**in** *f* hearer, listener; *pl.* audience *pl.*; *ein guter* ~ a good listener; ~**raum** *m* lecture room, auditorium, auditory; ~**schaft** *f* (-) audience.

zu'innerst [tsu-] *adv.* innermost, in one's heart (of hearts), deeply.
'**zujauchzen,** '**zujubeln** *v/i.* (*h.*) (*dat.*) shout to, cheer; *a. fig.* hail.
'**zukaufen** *v/t.* (*h.*) buy in addition.
'**zukehren** *v/t.* (*h.*) (*dat.*) turn to (-wards); *j-m das Gesicht* ~ face a p.; *j-m den Rücken* ~ turn one's back (up)on a p.
'**zukitten** *v/t.* (*h.*) cement (up), putty up.
'**zuklappen** *v/t.* (*h.*) *and v/i.* (*sn*) shut, close (with a snap); *laut* ~ bang, slam (to *v/i.*).
'**zuklatschen** *v/i.* (*h.*) (*dat.*) applaud, clap, give *a p.* a hand.
'**zukleben** *v/t.* (*h.*) paste (*or* glue) up; seal (*letter*).
'**zuklemmen** *v/t.* (*h.*) squeeze together.
'**zuklinken** *v/t.* (*h.*) latch.
'**zuknallen** *v/t.* (*h.*) bang, slam.
'**zukneifen** *v/t.* (*irr., h.*) squeeze together; shut (*eye*); *er kniff listig ein Auge zu* he winked.
'**zuknöpfen** *v/t.* (*h.*) button (up); *fig.* → *zugeknöpft.*
'**zuknüpfen** *v/t.* (*h.*) tie (up).
'**zukommen** *v/i.* (*irr., sn*): *auf j-n* ~ come up to a p., (*a. fig.*) approach a p.; *j-m* ~ **a)** *letter, etc.*: reach *a p.*, **b)** fall to *a p.'s* share, **c)** be due to, **d)** befit; *das kommt ihm nicht zu* he has no right to that, he has no business (*or* it is not for him) to do, *etc.*, that; *j-m et.* ~ *lassen* let a p. have a th., furnish a p. with a th., send a p. a th.; pass a th. on to a p.; *jedem was ihm zukommt* everyone his due.
'**zukorken** *v/t.* (*h.*) cork (up).
'**Zukost** *f* vegetables, trimmings *pl.*; preserves *pl.*
'**zukriegen** *v/t.* (*h.*) → *zubekommen.*
Zukunft ['tsu:kunft] *f* (-) future, *a.* time to come; *gr.* future (tense); prospects *pl.*; *Blick in die* ~ forward glance; *Mann der* ~ *the* coming man; *in* ~ in future, henceforth, from now on; *in naher* (*nächster*) ~ in the near (immediate) future; *e-e große* ~ *haben* have a great future; *die* ~ *lesen* read the future; *was die* ~ *j-m bringt* what the future has in store for a p.; *das ist der* ~ *vorbehalten* time will tell.
'**zukünftig I.** *adj.* future; *person*: *a.* prospective, would-be; ~*er Vater* father-to-be; *meine* ♀*e, mein* ♀*er* my intended; *jur.* expectant (*right*); **II.** *adv.* in future, for the future.
'**Zukunfts...:** ~**forschung** *f* futurology; ~**musik** *fig. f* dreams *pl.* of the future; castles *pl.* in Spain; ~**pläne** ['-plɛ:nə] *m/pl.* plans for the future; ♀**reich** *adj.* ... with a great future, promising; ~**roman** *m* science fiction novel.
'**zulächeln** *v/i.* (*h.*) (*dat.*) smile at, give a smile; smile (up)on.
'**Zuladung** *f* additional load; *aer.* disposable load.
'**Zulage** *f* additional allowance, *e.g.*, *Familien*♀ family allowance; extra pay, increase; rise, *Am.* raise.
zulande [tsu'landə] *adv.*: *bei uns* ~ in my *or* our (native) country; *hier* ~ in this country, here.
'**zulangen** *v/i.* (*h.*) → *zugreifen*; *at table*: help o.s.; be enough *or* sufficient, do.
zulänglich ['tsu:lɛŋliç] *adj.* adequate, sufficient; ♀**keit** *f* (-) adequacy, sufficiency.
'**zulassen** *v/t.* (*irr., h.*) leave shut; keep closed, not to open; admit (*a p.*); *als Rechtsanwalt* ~ call (*Am.* admit) to the Bar; *zu e-m Gericht* ~ admit to a court; *adm.* license (*car, person, etc.*); qualify (*doctor*); *jur.* approve, authorize; grant leave for; *Kaution* ~ grant bail; *wieder* ~ re-admit; suffer, tolerate, allow; admit of (*doubt, interpretation*).
'**zulässig** *adj.* admissible, permissible, allowable; authorized, approved; *tech.* ~*e Abweichung* permissible variation, tolerance, allowance; ~*e Belastung* safe load; *das ist* (*nicht*) ~ that is (not) allowed; ♀**keit** *f* (-) admissibility.
Zulassung ['tsu:lasuŋ] *f* (-; -*en*) admission, permission; licen|ce, *Am.* -se; *stock exchange*: listing; *jur.* e-r *Berufung*: preliminary leave of a court to appeal.
'**Zulassungs...:** ~**nummer** *mot. f* licence number; ~**papiere** *n/pl.* registration papers; ~**prüfung** *f* acceptance test; *aer.* certification test; ~**schein** *m* licen|ce, *Am.* -se.
'**Zulauf** *m* (-[e]s) rush (of people), throng; *großen* ~ *haben* be much run (*or* sought) after, be much in demand; *doctor, lawyer*: have an extensive practice; *business*: have a rush of customers; *stage-play*: have a great run, be very popular, draw large crowds; *speaker, etc.*: have large audiences; ♀**en** *v/i.* (*irr., sn*) run on *or* faster; *j-m*: come *or* stray to, crowd (*or* flock) to *a p.*; *auf j-n* ~ run up to *a p.*, *zugelaufener Hund* stray dog.
'**zulegen I.** *v/t.* (*h.*) cover up (*mit* with); add (*dat.* to), *e-m Gehalt et.* ~ increase a salary by, raise a p.'s pay by; *sich et.* ~ get (o.s.), buy, treat o.s. to *a th.*; *humor. sich e-e Frau* ~ get o.s. married; **II.** *v/i.* (*h.*) put on weight; lose money (*bei* on); raise one's offer.
zuleide [tsu'laɪdə] *adv.*: *j-m et.* ~ *tun* do a p. harm, harm (*or* hurt) a p.; *was hat er dir* ~ *getan?* what harm has he done (to) you?, what has he done to you?
'**zuleimen** *v/t.* (*h.*) glue up, cement.
'**zuleit|en** *v/t.* (*h.*) let in (*water, etc.*); *tech.* supply, pipe in, feed; (*dat.*) conduct (*or* lead, direct) to; pass to *a p.*; transmit *news* to; impart to; *adm.* channel to; ♀**ung** *f* supply; conduction; transmission; *tech.* feed; *el.* lead; ♀**ungsdraht** *el. m* lead-in wire; ♀**ungsrohr** *n* supply (*or* feed) pipe.
'**zulernen** *v/t.* (*h.*) learn (in addition), add to one's stock of knowledge.
zuletzt [tsu'lɛtst] *adv.* finally, in the end, eventually; at last, ultimately; after all; at last; *er kommt immer* ~ he is always the last to arrive; *wir blieben bis* ~ we sat it out; *als ich ihn* ~ *sah* when I saw him for the last time, when I last saw him; *nicht* ~ *dank s-r Bemühungen* not least owing to his efforts.
zuliebe [tsu'li:bə] *adv.*: *j-m* ~ for a p.'s sake, to please a p.; *tun Sie es mir* ~ do it for my sake.
Zuliefer|er ['tsu:li:fərər] *m* (-s; -) supplier, subcontractor; ♀**n** *v/t.* (*h.*) supply; ~**betrieb** *m* mill-supply house, subcontractors *pl.*; ~**ung** *f* supply; ~**(ungs)industrie** *f* supplying (*or* ancillary) industry; ~**ungs-teile** *m/pl.* fabricating parts.
Zulu(kaffer) ['tsu:lu-] *m* (-[s]; -[s]) Zulu.
'**zumachen I.** *v/t.* (*h.*) shut, close; stop up (*hole*); seal, close (*letter*); button, do up (*dress*); put down (*umbrella*); fasten; *ich habe kein Auge zugemacht* I didn't sleep a wink (last night); **II.** *v/i.* (*h.*) close down (*business*); *colloq. fig. da können wir* ~ we might as well pack up; *mach zu!* hurry up!, be quick!, step on it!
zumal [tsu'ma:l] *cj.*: (*da or weil*) *positive*: the more so as, especially (*or* particularly) since; *negative*: the less so since; ~ *es eine Erklärung enthält a.* including, as it does, an explanation.
'**zumauern** *v/t.* (*h.*) wall up; brick.
zumeist [tsu'maɪst] *adv.* mostly; for the most part.
'**zumessen** *v/t.* (*irr., h.*) measure out; (*dat.*) apportion, allot (*a p. his share, a time*); mete out (*punishment, etc.*).
zumindest [tsu'mindəst] *adv.* at least.
'**zumischen** *v/t.* (*h.*) admix, add.
zumutbar ['tsu:mu:tba:r] *adj.* reasonable; → *zumuten.*
zumute [tsu'mu:tə] *pred.*: ~ *sein schlecht*: feel ill, be in low spirits; *gut*: be in good spirits, be of good cheer, feel fine; *mir war sonderbar* ~ I felt strange, I had a funny feeling; *mir ist nicht danach* ~ I am not in the mood for it; *mir ist nicht lächerlich* ~ I am in no joking mood.
'**zumut|en** *v/t.* (*h.*): *j-m et.* ~ expect a th. of a p.; demand (*or* exact) a th. from a p.; burden (*or* saddle) a p. with a th.; *sich zuviel* ~ overtask o.s., attempt too much, bite off more than one can chew; ♀**ung** *f* (-; -*en*) exacting (*or* unreasonable) demand, exaction; suggestion; impudence; *eine* (*starke*) ~ a tall order, a bit strong; *welch eine* ~*!* what a thing to ask for!
zunächst [tsu'nɛ:çst] **I.** *prp.* (*dat.*) next to; **II.** *adv.* first of all, above all; to begin with, in the first instance; for the present, for the time being; ♀**liegende**(s) [-li:gəndə(s)] *n* (-*n*) *the* obvious (thing to do).
'**zunageln** *v/t.* (*h.*) nail up; nail down (*a lid*).
'**zunähen** *v/t.* (*h.*) sew up.
Zunahme ['tsu:na:mə] *f* (-; -*n*) increase, growth; rise; improvement; increment.
'**Zuname** *m* surname, last name.
Zünd|anlage ['tsynt-] *mot. f* ignition system; ~**batterie** *f* ignition battery; ~**bolzen** *mil. m* percussion pin; ~**einstellung** *mot. f* ignition (*Diesel*: injection) timing; ♀**en** ['-dən] **I.** *v/i.* (*h.*) catch fire, kindle; *esp. mot.* ignite; *fig. bei j-m* ~ catch

a p.; electrify (*beim Publikum* the audience); **II.** *v/t.* (*h.*) kindle; *esp. mot.* ignite; detonate, fire (*dynamite, etc.*); **&end** ['-dənt] *fig. adj.* stirring, catching, electrifying.

Zunder ['tsundər] *m* (-s) tinder, touchwood; punk; *metall.* scale; *sl. mil.* heavy punishment *or* fire.

Zünder ['tsyndər] *m* (-s; -) fuse; detonator, igniter.

Zünd... ['tsynt-]: **~flamme** *f* by--pass, pilot flame; **~folge** *mot. f* firing order; **~funke** *mot. m* (ignition) spark; **~holz** *n*, **~hölzchen** ['-hœltsçən] *n* (-s; -) match; **~hütchen** ['-hy:tçən] *n* (-s; -) percussion cap; **~kabel** *n mot.* ignition cable; firing wire; **~kapsel** *f* detonator (cap); **~kerze** *mot. f* sparking plug, spark plug; **~loch** *mil. n* touch--hole; vent, flash hole; **~magnet** *mot. m* magneto; **~moment** *mot. n* firing point; **~nadelgewehr** *n* needle-gun; **~punkt** *mot. m* ignition point; **~punkt-einstellung** *mot. f* magneto timing; **~satz** *m* priming charge; *of ammunition*: igniting charge; **~schalter** *mot. m* ignition switch; **~schlüssel** *mot. m* ignition key; **~schnur** *f* (safety) fuse, (slow) match; **~schwamm** *m* tinder; **~stein** *m* flint; **~stift** *mot. m* cent|re (*Am.* -er) electrode; **~stoff** *m* inflammable matter; fuel; *fig.* dynamite.

Zündung ['-duŋ] *f* (-; -en) ignition.

Zünd... ['tsynt-]: **~verteiler** *mot. m* ignition distributor; **~vorrichtung** *f* ignition device.

'**zunehmen** *v/i.* (*irr., h.*) increase, gain (*an dat.* in); grow (larger, bigger, longer, stronger, stouter); rise, augment; *days*: grow (*or* get) longer; *evil*: grow (*or* get) worse; *an Alter ~* advance in years; *an Gewicht ~ person*: put on weight; *an Wert ~* improve in value; *an Zahl* (*Umfang*) *~* increase in number (bulk); **~d I.** *adj.* increasing, growing (*a. antipathy, etc.*); *~er Mond* waxing moon; *mit ~em Alter* with advancing years, as one grows older; *in ~em Maße* → **II.** *adv.* increasingly, more and more.

'**zuneig|en** *v/t.* (*h.*) *and sich ~* (*dat.*) lean towards; incline to; *sich dem Ende ~* draw to a close; **&ung** *f* affection (*für, zu* for); attachment (to); *~ zu j-m fassen* take a liking (*or* fancy) to a p., take to a p.

Zunft [tsunft] *f* (-; ⸗e) guild, corporation; *b.s.* gang, clique, tribe; **~geist** *m* (-es) clannishness; **&gemäß** *adj. and adv.* according to the statutes of a guild.

zünftig ['tsynftiç] *adj.* → *zunftgemäß*; belonging to a guild; *fig.* skilled, expert, competent; *esp. sports*: scientific; real; *colloq.* thorough(ly *adv.*).

'**Zunftwesen** *n* (-s) system of guilds.

Zunge ['tsuŋə] *f* (-; -n) tongue (*a. of shoe*; *a. language*); *mus. of wind instrument*: reed; *of organ*: languet; *of clasp*: catch; *of scales*: pointer; *fig. böse* (*lose, scharfe*) *~* malicious (loose, sharp) tongue; *e-e geläufige ~ haben* have the gift of the gab; *e-e feine ~ haben* have a delicate palate, be a gourmet; *e-e schwere ~ haben* have an impediment of one's speech, *drunk person*: have a thick voice; *auf der ~ zergehen* melt on the tongue; *sich auf die ~ beißen* bite one's tongue, *fig.* bite one's lips; *es lag mir auf der ~* I had it on the tip of my tongue; *hüte deine ~!* mind your tongue!; → *herausstrecken, lösen*.

züngeln ['tsyŋəln] *v/i.* (*h.*) play with the tongue; dart; *flame*: lick; *snake*: hiss.

'**Zungen...:** **~band** *n* (-[e]s; ⸗er) ligament of the tongue; **~bein** *n* hyoid bone; **~belag** *med. m* fur on the tongue; **~brecher** *fig. m* jaw--breaker; **&brecherisch** *adj.* crack--jaw; **~fehler** *m* defect in one's speech; **&fertig** *adj.* voluble; glib; **~fertigkeit** *f* (-) volubility, glibness, gift of the gab; **&förmig** ['-fœrmiç] *adj.* tongue-shaped; **~gegend** *f* lingual region; **~krebs** *med. m* (-es) cancer of the tongue; **~kuß** *m* deep kiss; **~laut** *gr. m* lingual (sound); **~pfeife** *mus. f* reed-pipe; **~schlag** *m* stammering; *of drunk person*: thick voice; *e-n guten ~ haben* have a good long tongue; **~spitze** *f* tip of the tongue; **~(spitzen)-R** ['-(ʃpitsən)ˀɛr] *gr. n* (-; -) lingual r.

Zünglein ['tsyŋlaın] *n* (-s; -) little tongue; *das ~ der Waage* index (*or* tongue) of the scales; *fig. das ~ an der Waage bilden* hold the balance of power, tip the scales.

zunichte [tsu'niçtə] *pred.*: *~ machen* bring to nothing; destroy, undo; blight (*happiness*); blast (*hope*); frustrate, thwart, defeat (*plan, etc.*); explode (*theory*); *~ werden* come to nothing; be frustrated, *etc.*

'**zunicken** *v/i.* (*h.*) (*dat.*) nod to; *j-m beifällig ~* nod one's approval to a p.

zunutze [tsu'nutsə] *pred.*: *sich et. ~ machen* turn *a th.* to account, utilize, avail o.s. of; take advantage of, make the most of; *b.s.* practise on *a th.*, capitalize on.

zuoberst [tsu'ˀo:bərst] *adv.* (quite) at the top, uppermost, topmost.

'**zu-ordnen** *v/t.* (*h.*) → *beiordnen*.

'**zupacken** *v/i.* (*h.*) → *zugreifen*; **~d** *fig. adj.* powerful, gripping (*style*).

zupaß [tsu'pas], **zupasse** [-'pasə] *adv.*: *~ kommen* come at the right time *or* in the nick of time, come in handy; *j-m*: suit *a p.* admirably *or a p.'s* book.

zupf|en ['tsupfən] *v/t.* (*h.*) pull, pluck, tug (*all a. v/i.*: *an dat.* at); pick (*wool*); *j-n am Ärmel ~* pull a p. by *the sleeve*; **&instrument** *n* plucking instrument; **&leinwand** *f* lint.

'**zupfropfen** *v/t.* (*h.*) cork (up), stopper up.

'**zuprosten** *v/i.* (*h.*) (*dat.*) raise one's glass to.

zur [tsu:r] = *zu der*; → *zu*.

'**zuraten** *v/i.* (*irr., h.*) advise; *j-m zu et. ~* advise a p. to (do) a th.; *ich will weder zu- noch abraten* I don't wish to advise you one way or another; *auf sein &* by his advice.

'**zurechn|en** *v/t.* (*h.*) add; *zu e-r Klasse, etc.*: number (*or* reckon) among (*a class, etc.*), class with; *fig. j-m*: ascribe (*or* attribute) to, *b.s.* impute to *a p.*; **&ung** *f* (-) addition; inclusion; *fig.* attribution; imputation; *mit ~ aller Kosten* including all charges; **~ungsfähig** *adj.* sane, of sound mind, *jur. a.* responsible; **&ungsfähigkeit** *f* (-) accountability; sanity, soundness of mind; *jur.* (capacity for) penal responsibility; *verminderte ~* diminished responsibility.

zurecht [tsu'rɛçt] *pred.* right, in order; to rights, rightly, with reason; **~basteln** *v/t.* (*h.*) tinker (*or* rig) up; **~bringen** *v/t.* (*irr., h.*) put to rights, set right; bring about, contrive; **~finden:** *sich ~* (*irr., h.*) find (*fig.* see) one's way; **~hämmern** *v/t.* (*h.*) hammer into shape; **~kommen** *v/i.* (*irr., sn*) arrive in (good) time; *fig. ~* (*mit*) get on well (with), *mit et.*: *a.* manage a th., see one's way to do a th.; **~legen** *v/t.* (*h.*) lay in order, (*a. fig.*) arrange; *fig. sich et. ~* **a)** explain a th. to o.s., **b)** prepare (*or* figure out) a th.; **~machen** *v/t.* (*h.*) get ready, prepare, *Am. a.* fix; make up (*bed*); dress (*salad*); *sich ~* get ready, *lady*: make (o.s.) up; tidy up (*room*); **~schneiden** *v/t.* (*irr., h.*) trim to size; **~setzen** *v/t.* (*h.*) set right, put straight, put in the right place; *fig. j-m den Kopf ~* put a p.'s head right, bring a p. to his senses; **~stellen** *v/t.* (*h.*) put right *or* in the right place; set up; **~stutzen** *v/t.* (*h.*) trim to size, cut to shape; **~weisen** *v/t.* (*irr., h.*) reprimand, rebuke; **&weisung** *f* reprimand, rebuke; instruction; **~zimmern** *v/t.* (*h.*) rig up; *fig.* concoct, make up.

'**zureden** *v/i.* (*h.*): *j-m ~* try to persuade a p.; coax a p. *to do a th.*; urge a p.; encourage a p.; exhort a p.; *& n* (-s) persuasion; coaxing; urging, urgent request, entreaty; encouragement; exhortation, admonition.

'**zureichen I.** *v/t.* (*h.*) reach *or* hand (over); hold out (*dat.* to), pass (to); **II.** *v/i.* (*h.*) be sufficient, reach, do.

'**zureit|en I.** *v/t.* (*irr., h.*) break in; **II.** *v/i.* (*irr., sn*) ride on; ride faster; *~ auf* (*acc.*) ride up to; **&er** *m* breaker-in.

'**zuricht|en** *v/t.* (*h.*) prepare; *tech.* dress (*a. leather, tool*); cut, trim, square (*stone, wood*); finish (*fabric*); *typ.* make (*or* get) ready; *übel ~ j-n*: use *a p.* badly, handle roughly, injure badly, maul; *a. et.*: batter (*a p. or th.*); make a mess of (*a th.*); **&ebogen** *typ. m* register sheet; **&er** *m* preparer; *tech.* dresser; *typ.* feeder; **&ung** *f* preparation; dressing; trimming, finish; *typ.* make--ready.

'**zuriegeln** *v/t.* (*h.*) bolt (up).

zürnen ['tsyrnən] *v/i.* (*h.*) be angry (*mit j-m* with a p.; *über acc.* about); storm, fume.

zurren ['tsurən] *v/t.* (*h.*) lash, tie.

Zur'schaustellung *f* display, exhibition; *fig. a.* parading.

zurück [tsu'ryk] *adv.* back; backward(s); behind; in arrears, behindhanded; *sports*: *11 Punkte ~* 11 points down; → *zurücksein, etc.*; *~ an den Absender* returned to writer; *~!* stand back!, back there!, go back!; **~beben** *v/i.* (*sn*) shrink back (*vor dat.* from), recoil; **~begeben:** *sich ~* (*irr., h.*) return, go back; **~begleiten** *v/t.* (*h.*) conduct back, see *a p.* home; **~behalten** *v/t.* (*irr., h.*) keep back, retain, detain; withhold; **♀behaltung** [-bəhaltuŋ] *f* (-; -*en*) retention, detention; **♀behaltungsrecht** *jur. n* (-[e]s) right of detention, lien; *~ an der Ware* lien on the goods; **~bekommen** *v/t.* (*irr., h.*) get back; recover; **~belasten** *econ. v/t.* (*h.*) re-debit; **~be-ordern** *v/t.* (*h.*) order back; **~berufen** *v/t.* (*irr., h.*) call back; recall; **~bezahlen** *v/t.* (*h.*) pay back, repay, refund, reimburse; **~bleiben** *v/i.* (*irr., sn*) remain (*or* stay) behind; be left behind; survive; *sports*: be left behind, drop back; be left over, be left (as a residue); *fig.* fall behind, lag; *at school*: be kept down; *~ hinter* fall short of (*expectations, etc.*); *production, etc.*: *hinter dem letzten Jahr ~* drop off from last year; *mentally, etc.*: be backward, be retarded; *geistig zurückgeblieben* mentally retarded, backward; **~blenden** *v/i.* (*h.*) *film, a. fig.*: flash back; **~blikken** *v/i.* (*h.*) look back (*a. fig.*); **~bringen** *v/t.* (*irr., h.*) bring back (*ins Leben* to life); return, (*a. fig.*) restore; *math.* reduce (*auf acc.* to); **~datieren** *v/t.* (*h.*) date back, antedate; **~denken** *v/i.* (*irr., h.*) think back (*an acc.* to), recall *a th.* (to memory); *sich ~* carry one's thoughts back, cast one's mind back; **~drängen** *v/t.* (*h.*) push back; *mil.* drive *or* force back; *fig.* restrain, repress; **~drehen** *v/t.* (*h.*) turn (*or* put) back; **~dürfen** *v/i.* (*irr., h.*) be allowed to go back *or* to return; **~eilen** *v/i.* (*sn*) hasten back; **~erhalten** *v/t.* (*irr., h.*) get back, be restored *a th.*; **~erbitten** *v/t.* (*irr., h.*) ask back; **~erinnern** (*h.*): *sich ~* (*an*) remember, recollect; → *zurückdenken*; **~er-obern** *v/t.* (*h.*) reconquer; **~erstatten** *v/t.* (*h.*) restore, return; refund, repay, reimburse (*cost, outlay*); remise, restore (*right*); **~fahren I.** *v/i.* (*irr., sn*) drive back; *w.s.* go (*or* travel) back (by train, *etc.*), return; rebound, *fig.* start back; **II.** *v/t.* (*irr., h.*) drive back; **~fallen** *v/i.* (*irr., sn*) fall back; *rays*: be reflected; fall behind, *sports*: drop back; relapse (*in acc.* into); *jur. ~ an* (*acc.*) revert to; *fig. shame, etc.*: *auf j-n ~* reflect on; **~finden:** *sich ~* (*irr., h.*) find the (*or* one's) way back; **~fließen** *v/i.* (*irr., sn*) flow back; **~fluten** *v/i.* (*sn*) flow back, flood back (*a. fig.*); *mil.* sweep back; **~fordern** *v/t.* (*h.*) claim back, reclaim; **♀forderung** *f* reclamation; **~führen** *v/t.* (*h.*) lead (*or* conduct) back; *tech.* feed back; *in die Heimat*: repatriate; *jur. in die Haft ~* remand to custody; *fig. auf ein Minimum, e-n Nenner, e-e Regel, etc. ~* reduce to (*a minimum, a denominator, a rule, etc.*); *~ auf e-e Ursache, etc.* trace (back) to, attribute to, explain by (*a cause*); *zurückzuführen auf* traceable to, due to, to be explained by; **♀führung** *f* reduction; **♀gabe** *f* return (-ing), restitution; surrender; **~geben** *v/t.* give back, return, restore; surrender; *sports*: pass back; *speaker*: retort, give back; **~gehen** *v/i.* (*irr., sn*) go back, walk back, return; *denselben Weg*: *a.* retrace one's steps; *mil.* fall back, retreat; *fig. ~ auf* (*acc.*) trace back to *the sources, etc.*; originate in *a th. or* from *a p.*, have its origin in; be due to; diminish, decrease; *epidemic, etc.*: subside, abate; *business*: recede, fall off; *price*: go down, decline, give way; *swelling*: recede; *deal*: be off, be cancelled, *engagement*: be broken off; *~ lassen* return, send back; **~geleiten** *v/t.* (*h.*) lead back, conduct (*or* escort) back; **~gewinnen** *v/t.* (*irr., h.*) win back, regain, recuperate, recover; **~gezogen** *adj.* retired, secluded; *~ leben* lead a retired life, live in seclusion; **♀gezogenheit** *f* (-) retirement, seclusion; privacy; **~girieren** *v/t.* (*h.*) endorse (*or* indorse) back, negotiate back; **~greifen** *v/i.* (*irr., h.*): *fig. ~ auf* (*acc.*) fall back (up)on *reserves, etc.*; *w.s a.* have recourse to, refer to; *weiter ~ in der Erzählung, etc.* begin (*or* go) farther back (*in one's story*); **~halten I.** *v/t.* (*irr., h.*) hold (*or* keep) back, retain; withhold; delay, (*a. tech.*) retard; suppress; *j-n ~* keep a p. back (*von* from), restrain a p.; restrain, repress *feelings*, keep to o.s.; hold back, restrain *tears*; *sich ~* be reserved, keep to o.s., keep aloof; restrain o.s., check o.s., hold back; **II.** *v/i.* (*irr., h.*): *~ mit* keep (*or* hold) *a th.* back; conceal; *mit s-r Meinung ~* reserve one's opinion; **~haltend** *adj.* reserved, (*a. stock exchange*) distant, exclusive, offish; uncommunicative; cautious, guarded; discreet *nicht ~ sein* be not bashful, *mit Tadel, Lob*: be unsparing in (*criticism, praise*); **♀haltung** *f* (-) retention; *fig.* reserve; caution; discretion; *econ.* dul(l)ness, slackness; *mit ~* guardedly; *sich ~ auferlegen* exercise restraint; **~hängen** *colloq. v/i.* (*h.*) lag behind, trail; **~holen** *v/t.* (*h.*) fetch back; *j-n* (*a. fig.*): call back *a p.*; **~klappen** *v/t.* (*h.*) fold back, tip back; **~kaufen** *v/t.* (*h.*) buy back, repurchase; redeem (*pawn*); **~kehren** *v/i.* (*sn*) return, go (*or* come) back; **~kommen** *v/i.* (*irr., sn*) come back, return; *auf et. ~* return (*or* revert) to a th.; *econ. wir kommen zurück auf Ihr Schreiben* we revert (*or* refer) to your letter; **~können** *v/i.* (*irr., h.*) be able to return *or* recede; *jetzt kann er nicht mehr zurück* now he is in for it; **♀kunft** [-kunft] *f* (-) return; **~lassen** *v/t.* (*irr., h.*) leave (behind; *a. children, wife*); abandon; outstrip, outdistance, leave (far) behind; allow to return; **~laufen** *v/i.* (*irr., sn*) run back; **~legen** *v/t.* (*h.*) put back; lay aside, hold in reserve (*money, goods*); put aside (*for a buyer*); put by, save (*money*); complete (*years of life*); cover (*distance, a. sports*), travel, traverse; *zurückgelegte Strecke* distance covered, *mot., etc.*: *a.* mileage; *sich ~* lie back, recline; **~lehnen** *v/t.* *and sich ~* (*h.*) lean back; **~leiten** *v/t.* (*h.*) lead back, return; *tech.* feed back; **~lenken** *v/t.* (*h.*): *s-e Schritte ~* retrace one's steps; **~liegen** *v/i.* (*irr., h.*) date back; belong to the past; **~melden:** *sich ~* (*h.*) report back; **~müssen** *v/i.* (*irr., h.*) be obliged to return, have to go back; *das Buch muß zurück the book* has to be returned; *der Schreibtisch muß zurück* must be moved back; **♀nahme** [-nɑːmə] *f* (-; -*n*) → *zurücknehmen*; taking back; reacceptance; revocation; withdrawal; retractation; recantation; *jur.* withdrawal of an action, nonsuit; **~nehmen** *v/t.* (*irr., h.*) take back; withdraw, retract (*statement*), eat *one's words*; revoke (*a. law, etc.*); *econ.* countermand, cancel (*an order*); *jur.* withdraw, drop (*a charge*), *Am.* nol-pros; *ein Versprechen ~* go back from (*or* on) *or* retract one's promise *or* word; *mot.* throttle back; **~prallen** *v/i.* (*sn*) rebound, recoil, bounce off; *bullet*: ricochet; *rays*: reverberate, be reflected; *person*: recoil, start back (*vor dat.* from); **~rechnen** *v/t.* (*h.*) count back; **~reichen I.** *v/t.* (*h.*) hand back, return (*a. documents*); **II.** *v/i.* (*h.*) *fig.* go back to *a time*; **~reisen** *v/i.* (*sn*) travel back, return; **~rufen** *v/t.* (*irr., h.*) call back; withdraw (*bill of exchange*); *ins Gedächtnis ~* call to mind, recall (to one's memory); **~sagen** *v/t.* (*h.*) reply; *~ lassen* send back word; **~schaffen** *v/t.* (*h.*) convey (*or* take) back, haul back; return; **~schallen** *v/i.* (*h.*) resound, re-echo; **~schalten** *mot. v/i.* (*h.*) change down; **~schaudern** *v/i.* (*sn*) shrink (back) (*vor dat.* from); **~schauen** *v/i.* (*h.*) look back; **~scheuen** *v/i.* (*sn*) shrink (back) (*vor dat.* from), flinch (from), balk (at); *vor nichts ~* stick at nothing; **~schicken** *v/t.* (*h.*) send back, return; *jur. in die Haft ~* remand (to custody); **~schlagen I.** *v/t.* (*irr., h.*) strike back; beat off, repel, repulse (*attack, enemy*); fold back (*blanket*); throw open (*coat*); return (*ball*); **II.** *v/i.* (*irr., sn, h.*) hit back; *flame*: flash back; **~schnellen** *v/i.* (*sn*) rebound, jump back; **~schrecken I.** *v/t.* (*h.*) frighten away, deter; **II.** *v/i.* (*sn*) shrink (back) (*von, vor dat.* from), start back (from); *vor nichts ~* stop (*or* stick) at nothing; **~schreiben** *v/i.* (*irr., h.*) write back; **~sehnen:** *sich ~* (*h.*) long to return, wish o.s. back; **~sein** *v/i.* have come back, be back; *fig.* be behind(hand), be in arrears (*mit* with); be backward (*in knowledge, development*); (*hinter der Zeit*) *~* be behind the times; not to be up to date; **~senden** *v/t.* (*irr., h.*) send back; return; **~setzen** *v/t.* (*h.*) place (*or* put) back; *fig. j-n*: slight, neglect (*a p.*); lower, reduce (*price*); *zurückgesetzte Waren* marked-down articles, seconds; **♀setzung** [-zɛtsuŋ] *f* (-; -*en*) slight, disregard, neglect; discrimination; *econ.* reduction (*of prices*); **~sinken** *v/i.* (*irr., sn*) sink (*or* fall) back; *fig.* relapse (*in acc.* into); **~spiegeln** *v/t.* (*h.*) reflect; **~spielen** *v/t.* *and v/i.*

(*h.*) *sports*: pass (the ball) back; **~springen** *v/i.* (*irr.*, *sn*) leap (*or* jump) back; rebound; *arch.* recede; **~stecken I.** *v/t.* (*h.*) put back; **II.** *v/i.* (*h.*) *fig.* come down a peg or two; **~stehen** *v/i.* (*irr.*, *h.*) stand back; *fig.* ~ *hinter* (*dat.*) be inferior to; not to come up to *expectations, standards, etc.*; ~ *müssen* have to wait, have to forgo it; **~stellen** *v/t.* (*h.*) place (*or* set) back; put back (*a. watch*); replace; defer; postpone, hold over; set aside, lay aside (*reserves, supply*); *mil.* **a**) defer, **b**) exempt from service; *teleph.* delay; *tech.* reset; *die eigenen Interessen* ~ sink one's own interest; **2stellung** *mil. f* deferment; exemption from service; **~stoßen** *v/t.* (*irr.*, *h.*) push back; *fig.* repel, repulse; **~strahlen I.** *v/t.* (*h.*) reflect, reverberate; **II.** *v/i.* (*h.*) be reflected, reverberate; **2strahlung** *f* reflection, reverberation; **~streifen** *v/t.* (*h.*) turn (*or* tuck) up; **~taumeln** *v/i.* (*sn*) reel back; **~telegraphieren** *v/t. and v/i.* (*h.*) wire back; **~trassieren** *econ. v/t.* (*h.*) redraw; **~treiben** *v/t.* (*irr.*, *h.*) drive back; *esp. mil.* repel, repulse; **~treten** *v/i.* (*irr.*, *sn*) step (*or* stand) back; *mil. in Reih u. Glied*: fall back (into the ranks); *river*: subside; *fig. a.* recede *von* from); resign; retire (to private life); ~ *von* withdraw from *contract, etc.*, back out of, terminate, cancel (*contract*); be unimportant (*gegenüber* in comparison with); *et.* ~ *lassen* put into the background, throw into the shade; **~tun** *v/t.* (*irr.*, *h.*) put back; *e-n Schritt* ~ take a step back; **~übersetzen** *v/t.* (*h.*) retranslate, translate back (*ins Englische* into English); **2übersetzung** *f* retranslation; **~verfolgen** *v/t.* (*h.*) retrace (*way*); *fig.* trace back (*zu* to); **~vergüten** *v/t.* (*h.*) refund; **~versetzen** *v/t.* (*h.*) restore (to a former condition); *ped.* send *pupil* back to a lower form, *Am.* demote; *sich in e-e frühere Zeit* ~ think (*or* turn one's mind) back to a former period; *sich ins Mittelalter zurückversetzt fühlen* feel to have stepped back into the Middle Ages; **~verwandeln** *v/t.* (*h.*) retransform (*in acc.* into); (*a. sich*) change back (into), revert (to); **~verweisen** *v/t.* (*irr.*, *h.*) refer back (*an acc.* to; *a. jur.*); *parl.* recommit (to); **~weichen** *v/i.* (*irr.*, *sn*) (*a. mil.*) fall back; give ground *or* way; *erschreckt*: shrink (back); (*a. fig.*) recede (*a. arch., etc.*); yield, give way; **~weisen** *v/t.* (*irr.*, *h.*) turn back; refuse (to accept), decline, (*a. econ., tech.*) reject; rebuff; repulse (*attack*); *jur.* dismiss (*action*); dishono(u)r (*bill of exchange*); *als unberechtigt* ~ repudiate; ~ *auf* (*acc.*) refer to; **2weisung** *f* refusal, rejection; rebuff; repulse; dismissal; repudiation; **~wenden** *v/t. and sich* ~ (*irr.*, *h.*) turn back; **~werfen** *v/t.* (*irr.*, *h.*) throw back; repulse (*enemy*); toss (*one's head*); *fig.* set back (*in health, economic power, etc.*); *phys.* reflect (*light, etc.*), reverberate (*sound*); **~wirken** *v/i.* (*h.*) react (*auf acc.* upon); *law, etc.*: have retroactive effect; **~wollen** *v/i.* (*h.*) wish to return, want to go back; **~wünschen** *v/t.* (*h.*) wish (*sich* o.s.) back; **~zahlen** *v/t.* (*h.*) pay back, repay (*both a. fig.*); refund (*outlay*); redeem (*mortgage*); pay off (*debt*); **2zahlung** *f* repayment; refund (-ment); **~ziehen I.** *v/t.* (*irr.*, *h.*) draw back, retract (*a. fig. a statement* = recant); call in (*money*); withdraw (*troops*; *a. fig.*); *sich* ~ retire, withdraw; *mil.* retreat; *to rest*: retire; *sich vom Geschäft* ~ retire from business; *sich zur Beratung* ~ retire for deliberation; *sich in sich selbst* ~ retire into o.s.; *sich* ~ *auf et.* (*acc.*) fall back (up)on *a th.*; *sich von et.* ~ retire from, quit, give up; **II.** *v/i.* (*irr.*, *sn*) move (*or* march) back; **2ziehung** *f* withdrawal.

Zuruf ['tsu:-] *m* call, shout; acclamation, *pl.* cheers; *durch* ~ (*a. parl.*) by acclamation; **2en** *v/i. and v/t.* (*irr.*, *h.*) *j-m*: call (out) to, shout to *a p.*; acclaim, cheer.

'zurüst|en *v/t.* (*h.*) prepare; fit out, equip; *tech.* make (*or* get) ready; **2ung** *f* preparation; fitting-out, equipment.

'Zusage *f* promise, word; assent; undertaking; acceptance; approval; **2n I.** *v/t.* (*h.*) promise; *j-m et. auf den Kopf* ~ tell a th. to a p.'s face; **II.** *v/i.* (*h.*) promise to come; *j-m* ~ **a**) *climate, food, etc.*: agree with a p., **b**) suit (*or* please) a p., be to a p.'s taste *or* liking, appeal to a p.; accept a p.'s invitation; *~de Antwort* acceptance.

zusammen [tsu'zamən] *adv.* together; (con)jointly; ~ *mit* along with, in company with; in conjunction with; at the same time; *alle* ~ all in a body, all of them, (*sing, say*) in chorus; *alles* ~ (all) in all, all together, the whole lot; ~ *betragen* amount (*or* come) to, total; *wir haben 6 Dollar* ~ we have 6 dollars between us; **2arbeit** *f* co-operation; collaboration (*mit* with *the enemy*); teamwork; **~arbeiten** *v/i.* (*h.*) work together; co-operate, collaborate; **~backen** *v/i.* (*h.*) cake (together); **~ballen** *v/t. and sich* ~ (*h.*) form into a ball, conglomerate; bunch (*or* mass) together; *mil.* concentrate, mass; **2ballung** *f* bunch (-ing) (*a. phys.*), massing; conglomeration; congestion; *mil.* concentration, massing; **2bau** *tech. m* (-[e]s; -e) assembly; → *Montage*; **~bauen** *v/t.* (*h.*) *tech.* assemble; *mar.* rig; **~beißen** *v/t.* (*irr.*, *h.*): *die Zähne* ~ set (*or* clench) one's teeth (*a. fig.*); **~bekommen** *v/t.* (*irr.*, *h.*) succeed in joining, get together; raise, scrape together (*money*); **~berufen** *v/t.* (*irr.*, *h.*) convoke, call together, summon; **~binden** *v/t.* (*irr.*, *h.*) bind (*or* tie) together; **~brauen** *v/t.* (*h.*) concoct (*a. fig.*); *fig. sich* ~ be brewing; **~brechen** *v/i.* (*irr.*, *sn*) break down; collapse (*unter* under), *econ. a.* fail, smash; drop; *a. person*: go to pieces; *unter e-r Last* ~ give way to, buckle under *a load*; **~bringen** *v/t.* (*irr.*, *h.*) bring (*or* get) together; join, unite; collect (*a. s-e Gedanken* one's thoughts), gather; raise (*money*); (*wieder*) ~ reconcile; *colloq.* manage, muster; *das war alles, was er* ~ *konnte* that was all he had to say; **2bruch** *m* breakdown (*a. med., mil., pol.*); collapse, debacle; *econ.* failure, smash; nervous breakdown, crack-up; **~drängen** *v/t.* (*h.*) press (*or* crowd) together; compress; condense; *sich* ~ crowd (*or* huddle) together; **~drehen** *v/t.* (*h.*) twist (together); **~drücken** *v/t.* (*h.*) compress, press (*or* squeeze) together; **~fahren I.** *v/i.* (*irr.*, *sn*) collide (*mit* with), crash (into); *fig.* start (*bei e-m Anblick* at *a sight*; *vor dat.* with *fright*); wince; **II.** *v/t.* (*irr.*, *h.*) ruin, smash (*car, etc.*); **~fallen** *v/i.* (*irr.*, *sn*) fall in, collapse; crumble away; *person*: lose flesh (*or* strength); *fig.* coincide; **~falten** *v/t.* (*h.*) fold up; furl (*sail*); **~fassen** *v/t.* (*h.*) comprise, comprehend, embrace; collect (*a. s-e Gedanken* one's thoughts); unite, combine, concentrate; *mil.* mass (*troops*), concentrate (*fire, forces*); pool (*material*); integrate; condense (*book*); summarize, sum up, recapitulate; *~d* summary, comprehensive; **2fassung** *f* collection; (*a. mil.*) concentration; pooling; condensation; summary, résumé; synopsis; recapitulation; **~finden:** *sich* ~ (*irr.*, *h.*) meet, come together; **~flicken** *v/t.* (*h.*) patch up; **~fließen** *v/i.* (*irr.*, *sn*) flow together, meet, join; **2fluß** *m* confluence, junction; **~fügen** *v/t.* (*h.*) join (together), unite (*a. sich*); *tech. a.* fit into one another; assemble; **~führen** *v/t.* (*h.*) bring together; **~geben** *v/t.* (*irr.*, *h.*) join in marriage, marry; **~gehen** *v/i.* (*irr.*, *sn*) go together; *in colo(u)r, etc.*: *a.* match; diminish; shrink; close; *eng* ~ fold down compactly; **~gehören** *v/i.* (*h.*) belong together; *fig. a.* be correlated; form a pair, be pairs, be fellows; **~gehörig** *adj.* belonging together (*or* to one another); homogeneous; related, allied; **2gehörigkeit** *f* (-) fellowship, solidarity; homogeneousness; unity; **2gehörigkeitsgefühl** *n* feeling of fellowship, solidarity; team-spirit; **~genommen** *adj.* combined; **~geraten** *v/i.* (*irr.*, *sn*) *fig.* collide (*mit* with), clash (with), have words (with); **~gesetzt** *adj.* composed (*aus* of), consisting (of); *esp. gr., math., mus., pharm.*: compound; complex; *~er Satz* complex (*or* compound) sentence; *~es Wort* compound (word); **~gewürfelt** *adj.* motley, mixed; scratch (*team*); **2halt** *m* (-[e]s) holding together; sticking together; tie, bond; team-spirit, esprit de corps (*Fr.*); solidarity; unity; **~halten I.** *v/i.* (*irr.*, *h.*) hold together (*a. fig.*), cohere; *friends*: stick together; keep together; **II.** *v/t.* (*irr.*, *h.*) hold together (*a. fig.*); compare; **2hang** *m* coherence; connection; (cor)relation; continuity; context; association; *aus dem* ~ *kommen* lose the thread; *aus dem* ~ *reißen* separate (*or* divorce) *words* from their context; *im* ~ *stehen mit* be connected with; *nicht im* ~ *stehen mit a.* have no connection with; *in* ~ *bringen* *mit* connect with, link to; *in diesem ~* in this connection; **~hängen** *v/i.* (*irr.*, *h.*) hang together, cohere; *fig.* be connected; *das hängt damit nicht zusammen* that has nothing to do with it; **~hängend** *adj.* coherent; continuous; connected; related, allied; interdependent; **~hang(s)los** *adj.* incoherent, disconnected; loose, rambling; **Չhang(s)losigkeit** *f* (-) incoherence; **~hauen** *v/t.* (*h.*) smash (*or* dash) to pieces; *colloq.* beat up *a p.*; **~häufen** *v/t.* (*h.*) heap up, pile up, accumulate; **~heften** *v/t.* (*h.*) stitch together (*book*); tack (*dress, etc.*); **~heilen** *v/i.* (*sn*) heal up *or* over, close; **~holen** *v/t.* (*h.*) fetch from all sides, bring together; **~kauern:** *sich ~* (*h.*) cower, squat down; **~kaufen** *v/t.* (*h.*) buy up; **~ketten** *v/t.* (*h.*) chain together; **~kitten** *v/t.* (*h.*) cement (*a. fig.*); **Չklang** *m* accord, harmony; **~klappbar** *adj.* folding, fold-away, collapsible; **~klappen I.** *v/t.* (*h.*) fold up; *knife*: shut; *die Hacken ~* click one's heels; **II.** *colloq. v/i.* (*sn*) *person*: break down, collapse, go to pieces; **~kleben** *v/t. and v/i.* (*h.*) stick together; **~knüllen** *v/t.* (*h.*) crumple; **~kommen** *v/i.* (*irr.*, *sn*) come together, meet, assemble; **~krachen** *v/i.* (*sn*) crash down; **~kratzen** *v/t.* (*h.*) scrape together; **Չkunft** [-kunft] *f* (-; ⁼e) meeting, assembly; gathering; conference; interview; social gathering, reunion; *ast.* conjunction; **Չkunftsort** *m* meeting place; **~läppern** *colloq.*: *sich ~* (*h.*) accumulate, mount up, run into money; **~laufen** *v/i.* (*irr.*, *sn*) run together (*a. paints*), crowd together; *math., roads*: converge; *milk*: curdle; → *Wasser*; **~leben** *v/i.* (*h.*) live together; *mit j-m ~* live with a p.; **Չleben** *n* (-s) living together, companionship; corporate (*or* social) life; **~legbar** [-le:kbɑ:r] *adj.* folding, collapsible; **~legen** *v/t.* (*h.*) lay (*or* put) together; fold up; fold (*one's arms*); club *money* (together), pool (*money or expenses, etc.*); *econ.* reduce *share capital* (*Am. capital stock*); combine, consolidate, merge, fuse; centralize, integrate; **Չlegung** [-le:guŋ] *f* (-; -en) consolidation (*a. of shares, real estate*); integration; merger, fusion; centralization; **~nehmen** *v/t.* (*irr.*, *h.*) take together; gather (up); collect (*one's thoughts*); *sich ~* collect o.s., control o.s.; pull o.s. together, be on one's good behavio(u)r; *s-e Kräfte ~* brace o.s., summon all one's strength; *alles zusammengenommen* all in all, all things considered; in total; **~packen** *v/t.* (*h.*) pack up; **~passen I.** *v/t.* (*h.*) fit (into one another), adjust; match; **II.** *v/i.* (*h.*) be (well) matched, go well together, harmonize, agree; **~pferchen** *v/t.* (*h.*) pen up; *fig. a.* crowd together, pack like sardines; **Չprall** [-pral] *m* (-[e]s; -e) collision, clash (*both a. fig.*); impact; **~prallen** *v/i.* (*sn*) collide, clash (*both a. fig.*); bump (*mit* against *or* into); **~pressen** *v/t.* (*h.*) press (*or* squeeze) together, compress; condense; clench, set (*one's teeth*); **~raffen** *v/t.* (*h.*) snatch up, collect in haste; *fig.* amass (*money*); *sich ~* pull o.s. together; *sich noch einmal ~* rally; **~rechnen** *v/t.* (*h.*) add (*or* cast, sum, reckon) up, total; *alles zusammengerechnet fig.* all in all, taking everything into account; **~reimen** *fig. v/t.* (*h.*) make out; es *sich ~* put two and two together; *sich ~* add up; *wie reimt sich das zusammen?* how do you account for (*or* reconcile) that?; **~reißen:** *sich ~* (*irr.*, *h.*) pull o.s. together; **~rollen** *v/t.* (*h.*) roll (*or* coil) up; *sich ~* roll o.s. up; **~rotten:** *sich ~* (*h.*) flock (*or* troop) together; *b.s.* band together; riot; *sich mit j-m* (*gegen j-n*) *~ Am.* gang up with (on) a p.; **Չrottung** [-rɔtuŋ] *f* (-; -en) riot(ing); riotous assembly, (public) mob; **~rücken I.** *v/t.* (*h.*) move together *or* (*chairs, etc.*) closer; **II.** *v/i.* (*sn*) move up, sit closer; make room; **~rufen** *v/t.* (*irr.*, *h.*) call together; convoke, convene; *parl.* summon; **~sacken** *v/i.* (*sn*) fall in a heap, collapse, drop; **~scharen** *v/t. and sich ~* (*h.*) flock together, rally; **~scharren** *v/t.* (*h.*) scrape (*or* rake) together; **Չschau** *f* (-) synopsis; **~schiebbar** [-ʃi:pbɑ:r] *adj.* telescopic; **~schieben** *v/t.* (*irr.*, *h.*) push together; *tech.* (*a. sich*) telescope; **~schießen** *v/t.* (*irr.*, *h.*) shoot down (*or* to pieces); batter down; *colloq.* club *or* pool *money* (together); **~schlagen I.** *v/t.* (*irr.*, *h.*) beat (*or* strike) together; smash; throw together; *colloq.* beat *a p.* to a pulp, give *a p.* the works; *die Hacken ~* click one's heels; *die Hände ~* clap one's hands (together); *die Hände über dem Kopf ~* throw up one's hands *in surprise, etc.*; **II.** *v/i.* (*irr.*, *sn*) clash; *~ über* (*dat.*) dash over, engulf; **~schließen** *v/t.* (*irr.*, *h.*) link together; (*a. sich*) join (closely); (*a. sich*) unite, *econ.* merge, amalgamate, pool; integrate (*zu* into *a whole*); consolidate; *sich ~ a.* join forces; combine; form an alliance; (*a. sich*) rally; → *zusammenrotten*; **Չschluß** *m* union; combination, association, federation; integration, consolidation; *econ.* amalgamation, merger; alliance; **~schmelzen I.** *v/t.* (*irr.*, *h.*) melt down; fuse; **II.** *v/i.* (*irr.*, *sn*) melt away (*a. fig.* dwindle); **~schmieden** *fig. v/t.* (*h.*) weld together; **~schmieren** *fig. v/t.* (*h.*) scribble; **~schnüren** *v/t.* (*h.*) lace up; cord up; choke, strangle; *fig.* wring (*a. p.'s heart*); *j-m die Kehle ~* choke *a p.*; **~schrauben** *v/t.* (*h.*) bolt together; **~schrecken** *v/i.* (*irr.*, *sn*) (give a) start (*bei* at); **~schreiben** *v/t.* (*irr.*, *h.*) write in one word; compile; *contp.* scribble; **~schrumpfen** *v/i.* (*sn*) shrivel (up); shrink (up), *fig. a.* dwindle, run short; **~schweißen** *v/t.* (*h.*) weld together (*a. fig.*); **Չsein** *n* meeting, gathering; → *Zusammenkunft*; **~setzen** *v/t.* (*h.*) put together; *mil. die Gewehre*: pile (*arms*); compose; compound (*medicine, word*); *tech.* assemble; *sich ~* sit (down) together, *fig. Am.* get together, go into a huddle (*mit* with); **Չsetzspiel** *n* jigsaw puzzle; **Չsetzung** [-zɛtsuŋ] *f* (-; -en) composition; *chem., gr.* compound; *chem. a.* chemical analysis; ingredients *pl.*; structure; **~sinken** *v/i.* (*irr.*, *sn*) sink down, collapse; **Չspiel** *n* (-[e]s) *sports, thea.*: teamwork; *soccer*: combination; (*~ der Kräfte*) interplay (*of forces*); (*Zusammenarbeit*) co-operation; **~stecken I.** *v/t.* (*h.*) put together (*a. die Köpfe their heads*), join; **II.** *colloq. v/i.* (*h.*) be hand in glove with one another; *immer ~* be always together, be inseparable; **~stehen** *v/i.* (*irr.*, *h.*) stand together (*or* side by side); *fig.* hold (*or* stick) together; **~stellen** *v/t.* (*h.*) place (*or* put) together; *fig.* arrange; group; classify; assort; match; make up (*list*); compile (*dictionary, documents, list, medicine, etc.*); assemble (*train, troops*); combine; **Չstellung** *f* putting together; combination, compilation; arrangement; grouping; classification; (comparison) table, schedule; survey, summarizing sheet, synopsis; *mil., rail.* assembly; **~stimmen** *v/i.* (*h.*) harmonize, agree, match; tally; **~stoppeln** *v/t.* (*h.*) patch up, piece together; **Չstoß** *m* collision (*a. fig.* = clash, conflict); *mot. a.* smash-up, *Am.* crash; *frontaler ~* head-on collision; impact, shock; **~stoßen I.** *v/t.* (*irr.*, *h.*) strike (*or* knock, bang) together; touch, clink (*glasses*); **II.** *v/i.* (*irr.*, *sn*) collide (*a. fig.* = clash); *~ mit a.* run into, crash with *or* into; *fig.* adjoin, meet, abut (on); **~streichen** *v/t.* (*irr.*, *h.*) cut down; **~strömen** *v/i.* (*sn*) flow together; flock (*or* crowd) together; **~stürzen** *v/i.* (*sn*) collapse; fall in; **~suchen** *v/t.* (*h.*) gather; collect; **~tragen** *v/t.* (*irr.*, *h.*) bring (*or* carry) together; gather (*a. fig. information*); compile (*notes, etc.*); **~treffen** *v/i.* (*irr.*, *sn*) meet; *fig.* coincide, concur; **Չtreffen** *n* meeting; encounter; coincidence, concurrence; **~treiben** *v/t.* (*irr.*, *h.*) drive together, *Am.* round up; *hunt.* beat up; *fig.* raise (*money*); drum up (*people, things*); **~treten** *v/i.* (*irr.*, *sn*) meet; *parl. a.* assemble, convene; **Չtritt** *m* (-[e]s) meeting; **~trommeln** *v/t.* (*h.*) drum up, call together, get hold of; **~tun** *v/t.* (*irr.*, *h.*) put together; *sich ~* combine, join forces, team up (*mit* with), gang up (*gegen* on); **~wachsen** *v/i.* (*irr.*, *sn*) grow together; **~werfen** *v/t.* (*irr.*, *h.*) throw together; confound; mix up, jumble up; lump together; **~wickeln** *v/t.* (*h.*) wrap up; roll up; **~wirken** *v/i.* (*h.*) co-operate, collaborate, work together; *a. matter*: combine; **Չwirken** *n* co-operation, combined action, joint operation; interplay; concurrence; **~zählen** *v/t.* (*h.*) add (*or* cast, count, sum) up, total (up), *Am.* tote up; **~ziehbar** *adj.* contracti(b)le; **~ziehen I.** *v/t.* (*irr.*, *h.*) draw together (*a. fig.*); (*a. phys.*) contract (*a. sich*); knit (*one's brows*); *med.* a(d)stringe; shrink (*a. sich*); condense (*text*); *mil.* gather, mass, concentrate (*forces*); → *zusammenzählen*; *sich* ~ *storm*: gather, (*a. fig.*) be brewing; *fig.* draw nearer; **II.** *v/i.* (*irr.*, *sn*) move together; ~ *mit j-m* go to live with; share rooms with *a p.*; **~ziehend** *adj. pharm.* astringent; **≈ziehung** *f* contraction (*a. gr.*); constriction; condensation; *mil.* concentration; *gr.* contracted form *or* word.

Zusatz ['tsu:zats] *m* (-es; ⸚e) addition; addendum; admixture, additive; *metall.* alloy; dash; appendix; supplement; postscript; rider; codicil; **~abkommen** *n* supplementary agreement; **~aggregat** *n tech.* additional set; *el.* booster aggregate; **~antrag** *parl. m* amendment; **~ausrüstung** *f* auxiliary equipment; **~batterie** *el. f* booster battery; **~behälter** *mot. m* spare tank; **~düse** *tech. f* auxiliary jet; **~eisen** *metall. n* additive agent; **~feder** *tech. f* helper spring; **~frage** *f* additional question; **~gerät** *n* attachment; adaptor; **~klausel** *f* additional clause; **~ladung** *f mot.* supercharge; *mil.* booster (charge); **~last** *el. f* additional load; **~motor** *m* booster (engine); **~nahrung** *f* supplemental feed; **~patent** *n* patent of addition; **~schalter** *el. m* booster switch; **~steuer** *f* supplementary tax; **~versicherung** *f* complementary insurance; **~vertrag** *m* supplementary agreement.

zusätzlich ['tsu:zɛtsliç] **I.** *adj.* additional, added; supplementary, supplemental; extra; auxiliary; **II.** *adv.* besides, in addition (*zu* to), on top of that, into the bargain.

'**Zuschaltung** *tech. f* synchronizing.

zuschanden [tsu'ʃandən] *adv.*: ~ *hauen* knock to pieces; ~ *machen* ruin, spoil, wreck, smash, destroy, blight; bring to naught, defeat; frustrate, thwart; *ein Pferd* ~ reiten founder a horse; ~ *werden* be ruined, go to ruin, go to the dogs; come to naught, be frustrated.

'**zuschanzen** *colloq. v/t.* (*h.*): *j-m et.* ~ get a p. a th., play it a p.'s way.

'**zuscharren** *v/t.* (*h.*) cover up, fill up.

'**zuschau|en** *v/i.* (*h.*) look on (*e-r Sache* at a th.); watch (*a game, the proceedings, etc.*); *j-m*: watch *a p.* (*bei et.* doing a th.); **≈er(in** *f*) *m* (-s, -; -, -nen) spectator; looker-on, onlooker; by-stander; observer; (eye-)witness; **≈erraum** *thea. m* auditorium; **≈ertribüne** *f* → *Tribüne*.

'**zuschaufeln** *v/t.* (*h.*) shovel (*or* fill) up.

'**zuschicken** *v/t.* (*h.*) send (*dat.* to); mail; consign, forward (to); remit (*money*).

'**zuschieben** *v/t.* (*irr.*, *h.*) close; shoot (*the bolt*); shut (*drawer*); (*dat.*) push towards, *fig. b.s.* impute to; *jur. j-m den Eid* ~ administer the oath to a p., put a p. on his (her) oath; *j-m die Schuld* ~ lay the blame on a p. *or* at a p.'s door; *j-m die Verantwortung* ~ saddle the responsibility on a p.

'**zuschießen I.** *v/t. and v/i.* (*irr.*, *h.*) contribute (*money*); add, supply; *j-m e-n Blick* ~ dart a glance at, give *a p.* a rapid look; **II.** *v/i.* (*irr.*, *sn*): ~ *auf* (*acc.*) rush up to, rush at.

'**Zuschlag** *m* addition; extra (*or* additional) charge, increase (in price); compensation; *rail., etc.*: excess fare; *mail.* surcharge; surtax, additional tax; *metall.* flux, addition; road metal; *auction*: knocking down; *econ.* award (of contract), acceptance of tender; *den* ~ *erhalten* obtain the contract; **≈en I.** *v/i.* (*irr.*, *sn*, *h.*) strike; *door*: slam to; **II.** *v/t.* (*irr.*, *h.*) shut (*book*); bang, slam (*door, lid*); *fig.* add; *auction*: knock down; *econ.* award (*the contract*); **~(s)gebühr** *f* additional fee; *mail.* surcharge; *rail.* excess fare; **~(s)karte** *f* extra (*or* additional) ticket; **≈(s)pflichtig** *adj.* liable to extra payment; **~porto** *n* excess postage, surcharge; **~steuer** *f* surtax; **~zoll** *m* additional duty.

'**zuschließen** *v/t.* (*irr.*, *h.*) lock (up).

'**zuschmeißen** *colloq. v/t.* (*irr.*, *h.*) bang, slam (*door, lid*); *j-m et.*: chuck (*or* throw) *a th.* to *a p.*

'**zuschmieren** *v/t.* (*h.*) smear up *or* over.

'**zuschnallen** *v/t.* (*h.*) buckle (up); strap up, fasten.

'**zuschnappen** *v/i.* (*sn*, *h.*) snap (*nach* at); *lock, etc.*: snap to, close with a snap, click (shut).

'**zuschneid|en** *v/t.* (*irr.*, *h.*) cut up; cut *suit* (to size), *w.s.* style; *fig. zugeschnitten auf* tailored for, *stage part*: *a.* written for; **≈er(in** *f*) *m* cutter.

'**Zuschnitt** *m* (-[e]s) cut; *w.s. and fig.* style; *geistiger* ~ turn of mind.

'**zuschnüren** *v/t.* (*h.*) lace up; cord up; *das schnürt mir den Hals zu* it chokes me; *die Kehle war ihm wie zugeschnürt* he felt a lump in his throat, he choked with emotion.

'**zuschrauben** *v/t.* (*h.*) screw up *or* tight.

'**zuschreiben** *v/t.* (*irr.*, *h.*): *j-m et.* ~ **a)** ascribe (*or* attribute *or* put down) to a p., **b)** *b.s.* impute to *or* blame on a p.; *j-m die Schuld* ~ lay the blame on a p., blame a p. (*an* for); *et. e-r Sache* ~ ascribe (*or* put down, set down, trace) *a th.* to a th.; *es ist dem Umstande zuzuschreiben, daß* it is due (*or* owing) to the fact that; *das hast du dir selbst zuzuschreiben* it is your own fault (*or* doing), you have to thank yourself for it; *j-m e-e Summe* ~ place an amount to a p.'s credit.

'**zuschreien** *v/t. and v/i.* (*irr.*, *h.*): *j-m* ~ shout to a p., call (*or* cry) out (*a th.*) to a p.

'**zuschreiten** *v/i.* (*irr.*, *sn*; *auf acc.*) step up to; *tüchtig* ~ step out (well), strike out, walk on briskly.

'**Zuschrift** *f* letter; official communication.

zuschulden [tsu'ʃuldən] *adv.*: *sich et.* ~ *kommen lassen* make o.s. guilty of a th., do something wrong; *w.s.* misconduct o.s., misbehave; sin, err.

'**Zuschuß** *m* allowance; contribution; subsidy, grant(-in-aid); **~betrieb** *m* subsidized undertaking; **~bogen** *typ. m* extra sheet; **~gebiet** *n* deficiency area.

'**zuschütten** *v/t.* (*h.*) add; fill up.

'**zuschwören** *v/t.* (*irr.*, *h.*): *j-m et.* ~ swear a th. to a p.

'**zusehen** *v/i.* (*irr.*, *h.*) look on (*bei* at), watch, witness; *j-m*: watch *a p.* (*bei et.* doing *a th.*); *fig.* **a)** ~, *daß* see (to it) that, take care that (*or* to *inf.*); *da müssen Sie selber* ~ you must see to it yourself, **b)** wait and see, be patient, **c)** tolerate; *ich kann nicht länger* ~ I cannot stand it any longer; *bei genauerem* ≈ on closer inspection; *fig. das* ≈ *haben* be left out in the cold; **~ds** *adv.* visibly, noticeably.

'**zusenden** *v/t.* (*irr.*, *h.*) → *zuschicken*.

'**zusetzen I.** *v/t.* (*h.*) add; *chem. a.* admix; put on (*meal*); lose (*money, time*); **II.** *v/i.* (*h.*) lose (money), be a loser (*bei* by); *j-m* ~ **a)** press a p. hard, **b)** urge a p., be urgent with a p., **c)** importune (*or* pester, plague) a p. (*mit* with); *mit Fragen, Gründen*: ply a p. with *questions, reasons*, **d)** *heat, trouble, etc.*: be hard on a p., tell on a p., *sports*: punish a p.

'**zusicher|n** *v/t.* (*h.*): *j-m et.* ~ assure a p. of a th., guarantee a th. to a p.; promise a p. a th.; **≈ung** *f* promise, assurance; guarantee, pledge.

'**zusiegeln** *v/t.* (*h.*) seal (up).

Zuspätkommende [tsu'ʃpɛ:tkɔməndə] *pl.* late-comers.

'**Zuspeise** *f* side dish, trimmings *pl.*

'**zusperren** *v/t.* (*h.*) shut, close, lock, bar.

'**Zuspiel** *n sports*: pass(es *pl.*); **≈en** *v/t.* (*h.*): *j-m et.* ~ play a th. into a p.'s hands (*or* a p.'s way); *sports*: pass (*the ball*) to a p.

'**zuspitz|en** *v/t.* (*h.*) point, sharpen; *sich* ~ taper (off); *fig.* become more and more critical, come to a point *or* head; **≈ung** *f* (-): ~ *der Lage* increasing gravity of the situation.

'**zusprechen I.** *v/t.* (*irr.*, *h.*) phone (*telegramme*); *j-m Trost* ~ comfort (*or* console) a p.; *j-m Mut* ~ cheer up a p., encourage a p., give a p. a pep-talk; adjudge, award; **II.** *v/i.* (*irr.*, *h.*) (*dat.*) *wacker* ~ eat heartily of; partake freely of; drink copiously; *j-m gut* ~ reason with a p.

'**zuspringen** *v/i.* (*irr.*, *sn*): *auf j-n* ~ spring (*or* leap) towards; rush at *or* upon *a p.*; *lock*: snap to.

'**Zuspruch** *m* (-[e]s) encouragement, pep-talk; consolation, words of comfort; exhortation, lecture; run (of customers); custom, clientele; *sich e-s großen* ~*s erfreuen* be much sought after, be greatly in demand.

'**Zustand** *m* state, condition, *Am. a.* shape; *pl.* state of affairs; circumstances; position, situation; phase; (*legal, political*) status; frame of mind; fit, spell; *Zustände bekommen* have a fit; *in gutem* ~ in good condition *or* order, in good repair; *in betrunkenem* ~ drunk, while under the influence; *contp. hier herrschen Zustände!* what a mess!

zustande [tsu'ʃtandə] *adv.*: ~ *bringen* bring about (*or* off), manage, achieve, accomplish, get *a th.* done, wangle; realize; negotiate; ~ *kom-*

men come about (*or* off), be accomplished, *plan*: materialize, be realized, *event*: take place, *contract*: be reached (*or* signed); *nicht ~ kommen* fail (to materialize), not to come off, come to naught; **2kommen** *n* realization, accomplishment; *am ~ e-s Vertrages kann nicht gezweifelt werden* an agreement is sure to be reached.
zuständig [ˈtsuːʃtɛndiç] *adj.* competent; responsible; proper, appropriate; local; duly qualified; *jur.* having jurisdiction (*für* over); *~es Postamt* serving post-office; *sich in e-r Sache für ~ erklären* assume jurisdiction over a case; *für die Berufung ~ sein* have appellate jurisdiction; *in erster Instanz ~ sein* have original jurisdiction; *dafür bin ich nicht ~* that's not in my province *or* department; **2keit** *f* (-; -*en*) competence; responsibility; powers *pl.*; *jur. sachliche*: jurisdiction (*für* over), *örtliche*: (territorial) jurisdiction, venue; **2keitsbereich** *m* jurisdiction; (sphere of) responsibility.
zustatten [tsuˈʃtatən] *adv.*: (*gut*) *~ kommen* (*dat.*) be useful to *a p.*, stand *a p.* in good stead; come in handy, serve to good purpose.
ˈ**zustecken** *v/t.* (*h.*) pin (up); *j-m et. ~* slip a p. a th., slip a th. into a p.'s hand *or* pocket, *etc.*
ˈ**zustehen** *v/i.* (*irr., h.; dat.*) be due to, belong to; *es steht ihm zu* he is entitled to it; *power*: be vested in; accrue to; befit, behoove; *es steht ihm nicht zu, zu inf.* he has no right to *inf.*, it is not for him to *inf.*
ˈ**zustell|en** *v/t.* (*h.*) deliver (*a. mail.*); *jur.* serve (*j-m* on a p., a p. with *legal process or a writ*); *öffentlich ~* cause the service by publication (*or* public citation); **2ung** *f* delivery; *jur.* service; *~en pl.* (service of) legal process; (*Ladung durch*) *öffentliche ~* public citation; **2ungsbevollmächtigte(r** *m*) *f* person authorized to receive service of legal process on a p.'s behalf; **2ungsgebühr** *f* delivery charge; **2ungs-urkunde** *jur. f* writ of summons.
ˈ**zusteuern I.** *v/t.* (*h.*) contribute (*zu* to); **II.** *v/i.* (*sn*): *~ auf* (*acc.*) steer (*or* make) for; *fig.* aim at; drift towards, be headed for.
ˈ**zustimm|en** *v/i.* (*h.; dat.*) agree (to *a th.*; with *a p.*), consent, (give one's) assent (to *a th.*); approve (of *a th.*), acquiesce (in *a th.*), *Am. a.* okay (*a th.*); subscribe (to *a th.*), endorse (*a th.*); **~end I.** *adj.* affirmative; *~e Antwort* answer in the affirmative, consent; **II.** *adv.* in the affirmative, approvingly; *~ nicken* nod assent; **2ung** *f* consent, assent, agreement; endorsement; *allgemeine ~ finden* meet with unanimous approval; **2ungserklärung** *f* declaration of consent.
ˈ**zustopfen** *v/t.* (*h.*) stop up, plug, stuff; mend, darn.
ˈ**zustöpseln** *v/t.* (*h.*) stopper, plug (up).
ˈ**zustoßen I.** *v/t.* (*irr., h.*) push *a th.* to; close, shut, slam (*door*); **II.** *v/i.* (*irr., sn, h.*) *fenc.* lunge, thrust (*mit* with); *fig. j-m ~* happen to a p., befall a p.; *ihm ist et. zugestoßen* he has had (*or* met with) an accident; *falls mir et. ~ sollte* in case anything should happen to me.
ˈ**zustreben** *v/i.* (*sn; dat.*) make for; *fig.* aim at, strive for *or* after; *matter*: tend towards.
ˈ**Zustrom** *m* (-[e]s) influx; *pol.* infiltration; *econ.* run (*of customers*); rich flow (*of ideas, etc.*).
ˈ**zuströmen** *v/i.* (*sn; dat.*) stream *or* flow towards; *fig. crowd*: throng (*or* mill, pour) to(wards).
ˈ**zustürzen** *v/i.* (*sn; auf acc.*) rush up to.
ˈ**zustutzen** *v/t.* (*h.*) trim; fit (up), cut to size (*a. fig.*); *fig.* adapt (*für* for *the stage, etc.*); lick into shape.
zutage [tsuˈtɑːgə] *adv.* open to view, to light; *~ bringen or fördern* bring to light, *fig. a.* unearth; *~ liegen* be evident; *~ treten* come to light, become evident, manifest itself, *geol.* outcrop.
Zutaten [ˈtsuːtɑːtən] *f/pl. cul.* ingredients; seasoning; garnishing *sg.*; *of dress*: trimmings.
zuteil [tsuˈtaɪl] *adv.*: *j-m ~ werden* fall to a p.'s share (*fig. a.* lot); *j-m et. ~ werden lassen* allot (*or* grant, mete out) a th. to a p., bestow a th. on a p.; *in reichem Maße*: lavish a th. on a p.; *ihm wurde eine freundliche Aufnahme ~* he met with a kind reception, he was kindly received.
zuteil|en [ˈtsuːtaɪlən] *v/t.* (*h.*) allot (*a. econ. shares, etc.*); allocate, apportion; grant, allow; issue; distribute; *j-n*: *mil., pol.* attach *a p.*; assign; delegate *powers* (*dat.* to); **2ung** *f* allotment, allocation, apportionment; allowance; distribution; attachment, assignment; quota; ration; **2ungskurs** *econ. m* allotment rate (*for shares*); **2ungssystem** *m* quota system.
zutiefst [tsuˈtiːfst] *adv.* deeply, intensely; badly.
ˈ**zutragen** *v/t.* (*irr., h.*) carry (*dat.* to; *a. fig.*); *sich ~* happen, come to pass, take place, occur.
ˈ**Zuträger(in** *f*) *m* talebearer, telltale, informer.
Zuträgeˈrei *f* (-; -*en*) talebearing, informing; gossip, tittle-tattle.
zuträglich [ˈtsuːtrɛːkliç] *adj.* conducive, beneficial (*dat. or für* to); advantageous (to); salubrious (*climate*); wholesome (*food, etc.*); *j-m* (*nicht*) *~ sein* (dis)agree with a p.; **2keit** *f* (-; -*en*) conduciveness, advantageousness; salubrity; wholesomeness.
ˈ**zutrau|en** *v/t.* (*h.*): *j-m et. ~* believe a p. capable of a th., credit a p. with a th.; *sich zuviel ~* **a**) overrate o.s., **b**) take too much on o.s.; *ich traue es mir* (*nicht*) *zu* I (don't) think I can do it; *ich traue ihm nicht viel zu* he is no great shakes (, if you ask me); *iro. ich traue es ihm glatt zu* I would not put it past him; *ich hätte es ihm nie zugetraut* I never knew he had it in him; **2en** *n* (-s) confidence (*zu* in); **~lich** *adj.* confiding, trusting; *animal*: unafraid, friendly, tame; **2lichkeit** *f* (-; -*en*) confidingness; tameness.
ˈ**zutreffen** *v/i.* (*irr., h.*) be right *or* true (*bei* of), be correct, be the case; hold true, come true; *~ auf* (*acc.*) be true of, (*a. ~ für*) apply to; *das dürfte nicht ganz ~* that's not quite correct; *es trifft nicht immer zu* it does not always follow; **~d** *adj.* right, true, correct; apt, to the point; applicable; **~denfalls** [ˈ-dənfals] *adv.* if this is correct, if so; *in questionnaires*: where applicable.
ˈ**zutrinken** *v/i.* (*irr., h.*) *j-m*: drink to, raise one's glass to.
ˈ**Zutritt** *m* (-[e]s) access; admission; *~ frei* admission free; *~ verboten!* no admittance!, private!, no entry!, *mil.* out of bounds!, *Am.* off limits (*für* to)! *freien ~ haben zu* have free access to, have the run of.
ˈ**zutun** *v/t.* (*irr., h.*) close, shut; add; → *Auge, zugetan*; ˈ**Zutun** *n*: *ohne sein ~* without his help (*or* agency); through no fault of his; *es geschah ohne mein ~* I had nothing to do with it.
zutu(n)lich [ˈtsuːtuː(n)liç] *adj.* **a**) → *zutraulich*; **b**) obliging.
zuungunsten [tsuˈʔungunstən] *prp.* (*gen.*) to the disadvantage of.
zuunterst [tsuˈʔuntərst] *adv.* right at the bottom.
zuverlässig [ˈtsuːfɛrlɛsiç] *adj.* reliable (*a. tech.*), dependable, trustworthy, trusty; loyal, staunch; safe (*a. econ., tech.*); *news*: sure, certain, authentic; *aus ~er Quelle* from a reliable source; *von ~er Seite erfahren haben, daß* have it on good authority that; **2keit** *f* (-) reliability; dependability; trustworthiness; loyalty; certainty; **2keitsfahrt** *mot. f* reliability trial; **2keits-prüfung** *f* reliability test; **2keits-überprüfung** *pol. f* security clearance, screening (*of personnel*).
Zuversicht [ˈtsuːfɛrziçt] *f* (-) confidence, trust; *die* (*feste*) *~ haben* be confident that; *mit ~* confidently; **2lich** *adj.* confident, optimistic (-ally *adv.*); **~lichkeit** *f* (-) confidence, assurance.
zuviel [tsuˈfiːl] *adv.* too much; *einer, etc., ~* one, *etc.*, too many; *viel ~* far too much; *~ des Guten* too much of a good thing; *was ~ ist, ist ~!* that's really too much!; **2** *n* (-s) excess.
zuvor [tsuˈfoːr] *adv.* before, previously; first, beforehand; *kurz ~* shortly before; *so klug als wie ~* none the wiser (for it).
zuvörderst [tsuˈfœrdərst] *adv.* first and foremost, first of all; to begin with.
zuˈvor|kommen *v/i.* (*irr., sn*) *j-m*: anticipate, forestall, get the start of, steal a march on (*mit or in* with) *a p.*; *er kam mir zuvor Am.* he beat me to it; *e-r Sache*: anticipate, obviate, prevent *a th.*; **~kommend** *adj.* obliging, accommodating; courteous; **2kommenheit** *f* (-) obligingness, considerateness; **~tun** *v/t.* (*irr., h.*): *es j-m ~* surpass (*or* outdo) a p., go one better than a p.
Zuwachs [ˈtsuːvaks] *m* (-es) in-

crease, increment, accretion; *econ. a.* accession (*to real estate*); *colloq.* (*child*) addition to the family, little newcomer; *auf ~ geschneidert* made so as to allow for growing; **2en** *v/i.* (*irr., sn*) become overgrown; *med.* heal up *or* over, close; *j-m*: accrue to *a p.*; **~rate** *econ. f* ratio of increase; **~steuer** *f* increment tax.
'**zuwandern** *v/i.* (*sn*) immigrate.
Zuwasserlassen [tsu'vasərlasən] *mar. n* (-s) launching; lowering (*gen. or von of boats*).
'**zuwarten** *v/i.* (*h.*) wait (patiently), wait and see.
zuwege [tsu've:gə] *adv.*: *~ bringen* bring about, bring to pass, succeed (in doing), put *it* across; accomplish, get *a th.* done; *gut ~ sein* be quite well.
'**zuwehen** *v/t.* (*h.*) blow (*or* waft) (*dat.* to *or* toward[s]); block up (with sand *or* snow).
zuweilen [tsu'vaɪlən] *adv.* at times, sometimes; occasionally, now and then.
'**zuweis|en** *v/t.* (*irr., h.*) assign; → *zuteilen*; **2ung** *f* assignment; allocation.
'**zuwend|en** *v/t.* (*irr., h.*; *dat.*) turn to(wards); *j-m das Gesicht ~* face a p.; *fig. j-m et. ~* let a p. have, present a p. with, give a p. *a th.*; bestow *love, etc.*, on a p.; devote *one's attention, efforts* to *a th.*; *sich e-r Tätigkeit ~* proceed to *do*, apply o.s. to, switch over to *an activity*; *sich e-m Beruf, e-r Aufgabe ~* devote o.s. to *a trade, task*; *sich alle Herzen ~* win all hearts; **2ung** *f* allowance, benefit; allocation; grant; bequest; donation; *unentgeltliche ~* gift, voluntary settlement.
zuwenig [tsu've:niç] *adv.* too little.
'**zuwerfen** *v/t.* (*irr., h.*) *j-m*: throw to, toss to *a p.*; *e-n Blick*: cast, flash, dart *a glance*; fill up (*pit*); slam, bang (*door*).
zuwider [tsu'vi:dər] *prp.* (*dat.*) contrary to, opposed to, against; repugnant, distasteful, hateful; → *zuwidersein*; **~handeln** *v/i.* (*h.*; *dat.*) act contrary to, counteract; contravene, violate, offend against (*a law, etc.*); **2handelnde(r** *m*) (-handəlndə(r)] *f* (*-n, -n*; *-en, -en*) offender, trespasser; **2handlung** *jur. f* contravention, violation, offen|ce, (*Am.* -se); **~laufen** *v/i.* (*irr., sn*; *dat.*) run counter to, be contrary to; **~sein** *v/i.* (*irr.*; *dat.*) displease, be repugnant to; *er* (*es*) *ist mir zuwider a.* I dislike him (it), I loathe (*or* hate) him (it), he (it) makes me sick.
'**zuwinken** *v/i.* (*h.*; *dat.*) make a sign to, motion to (*a p. to do a th.*); wave to; beckon to; nod to.
'**zuzahlen** *v/t.* (*h.*) pay extra *or* in addition, pay an additional *$100*.
'**zuzählen** *v/t.* (*h.*) add; include.
zuzeiten [tsu'tsaɪtən] *adv.* at times.
'**zuzieh|en I.** *v/t.* (*irr., h.*) draw *a knot* together; tighten (*noose, screw*) (*a. sich*); draw (*curtains*); *fig.* consult, call in (*doctor, expert*); *sich et. ~* incur (*hatred, punishment, etc.*), catch, get, contract (*disease*); *sich Unannehmlichkeiten ~* get into trouble; *j-n als Zeugen ~* take a p. to witness, call a p. as witness; **II.** *v/i.* (*irr., sn*) *tenant*: move in; immigrate; settle (down); **2ung** *f* (-) consultation, calling-in; *unter ~ gen. a.* with the aid of.
'**Zuzug** *m* immigration; arrival; additional population; *mil.* reinforcements *pl.*
zuzüglich ['tsu:tsy:kliç] *prp.* (*gen.*) plus; including.
'**Zuzugsgenehmigung** *f* residence permit.
zwacken ['tsvakən] *v/t.* (*h.*) pinch; *fig.* torment; fleece.
Zwang [tsvaŋ] *m* (-[e]s; ¨e) compulsion, coercion; constraint, restraint; moral obligation; pressure (*a. med.* = tenesmus); *esp. jur.* duress; *psychischer ~* mental duress; force; *~ antun* (*dat.*) **a**) do violence to, **b**) twist the meaning of (*a text*), **c**) pervert *the law*; *sich ~ antun or auferlegen* check (*or* restrain) o.s.; *tun Sie sich nur keinen ~ an!* don't stand on ceremony!, make yourself at home!; *iro. tun Sie Ihren Gefühlen nur keinen ~ an!* (go ahead,) speak your mind!; *unter ~ stehen* (*or handeln*) be (*or* act) under duress.
zwang *pret. of zwingen.*
zwängen ['tsvɛŋən] *v/t.* (*h.*) press, force.
'**zwang|los** *adj.* unconstrained; *fig. a.* free and easy, unceremonious, informal, *Am. a.* shirt-sleeve (*conference, etc.*); **2losigkeit** *f* (-) ease, informality, unceremoniousness.
Zwangs... [tsvaŋs-]: '**~anleihe** *f* forced loan; '**~antrieb** *mot. m* positive drive; '**~arbeit** *f* forced labo(u)r; *jur.* hard labo(u)r; '**~ausgleich** *m* compulsory settlement; '**~beitreibung** *f* forcible collection; '**2bewirtschaftet** *adj.* under economic control, control(l)ed; '**~bewirtschaftung** *f* (economic) control; '**~ent-eignung** *f* compulsory expropriation; '**~ernährung** *f* forcible feeding; '**~erziehungs-anstalt** *f* reformatory; '**~förderung** *mot. f* pump feed; '**2geschmiert** *mot. adj.* positively lubricated; '**2gestellt** *adj.* in custody; '**~gestellung** *f* arrest, detention; '**~haft** *jur. f* coercive detention; '**~handlung** *f* compulsive act; '**~herrschaft** *f* despotism; '**~idee** *f* compulsive (*or* obsessional) idea; '**~innung** *f* obligatory guild; '**~jacke** *f* strait-jacket (*a. fig.*); *j-n in e-e ~ stecken* straitjacket *a p.*; '**~kapitalbildung** *f* compulsory formation of capital; '**~kauf** *m* compulsory purchase; '**~lage** *f* position of constraint, exigency, embarrassing situation; quandary, fix; *sich in e-r ~ befinden a.* be hard pressed; '**2läufig I.** *adj. tech.* guided, geared; *mot.* positive *drive*; *fig.* necessary, inevitable; **II.** *adv.* with necessity, inevitably, automatically; '**~liquidation** *f* compulsory liquidation; compulsory winding-up (*of company*); '**2mäßig** *adj.* forced, compulsory; '**~maßregel** *f* coercive measure; *pol.* sanction; reprisal; *zu ~n greifen* employ (*or* resort to) compulsion; '**~mieter** *m* assigned tenant; '**~mittel** *n* means of coercion; '**~neurose** *f* compulsion neurosis; '**~preis** *m* controlled price; '**~psychose** *f* compulsive insanity; '**~räumung** *f* compulsory evacuation; '**~steuerung** *mot. f* positive control; '**~verfahren** *n* coercive proceedings *pl.*; '**~vergleich** *m* enforced settlement; '**2verpflichtet** *adj.* conscript; '**~versicherung** *f* compulsory insurance; '**~versteigerung** *f* forced sale *or* auction; '**~verwalter** *m* (official) receiver, judicial trustee, sequestrator; '**2verwalten** *v/t.* (*h.*) sequester; '**~verwaltung** *f* forced administration, sequestration; '**~verwaltungsbeschluß** *m* receiving-order; '**2vollstrecken** *v/t.* (*h.*) issue execution; foreclose; '**~vollstreckung** *f* execution, distraint; *e-e ~ vornehmen* put in an execution; '**~vorstellung** *med. f* obsession(al idea); **2weise** ['-vaɪzə] *adv.* compulsorily, by force; on an obligatory basis; '**~wirtschaft** *f* Government control; controlled economy; *Aufhebung der ~* decontrol.
zwanzig ['tsvantsiç] *adj.* twenty; *in den ~er Jahren* in the twenties; **2** *f* (-; -en) (number) twenty; **2er** ['-gər] *m* (-s; -) person of twenty; *Männer in den ~n* men in the twenties; *in den ~n sein* be under thirty; **~erlei** ['-ərlaɪ] *adj.* of twenty kinds, twenty different (kinds of); **~fach, ~fältig** ['-fɛltiç] *adj.* twentyfold; **~st** *adj.* twentieth; **2stel** ['-stəl] *n* (-s; -) twentieth (part); **~stens** ['-stəns] *adv.* in the twentieth place.
zwar [tsva:r] *adv.* indeed, (it is) true, I admit; certainly, no doubt, of course; *und ~* **a**) and that, **b**) that is, namely; *er kam ~, aber* he did come but.
Zweck [tsvɛk] *m* (-[e]s; -e) purpose; object (*a. of company, invention*), aim, end; intent, design; intended use; application; function; point; *~ und Ziel* aim and purpose; *ein Mittel zum ~* a means to an end; *e-n ~ verfolgen* pursue an object, be after (*or* out for) something; *s-n ~ erfüllen* answer (*or* serve) its purpose; *s-n ~ erreichen* achieve one's purpose; *s-n ~ verfehlen* miss its mark, fail of its object; *zu dem ~e* (*gen. or zu inf.*) for the purpose of (*a th. or ger.*), with a view to (*a th. or ger.*), with the object of (*ger.*); *zu diesem ~e* to this end; *zu welchem ~e?* to what purpose?, what (...) for?; *welchen ~ soll es haben, zu inf.?* what is the point of *ger.*?; *colloq. das ist* (*gerade*) *der ~ der Übung* that's just the point; *das wird wenig ~ haben* that won't help much (*or* do any good), there is no point in doing it; *entspricht das Ihren ~en?* does that serve your turn?; *der ~ heiligt die Mittel* the end justifies the means; '**~bau** *m* (-[e]s; -ten) functional building; '**2bestimmt** *adj.* purposive; *tech.* functional; tendentious (*publication, etc.*); '**~bestimmung** *f* application, appropriation (*of funds*); '**2betont** *adj.* purposive; utilitarian, utility ...; functional; '**~denken** *n*

utility thinking; '**2dienlich** *adj.* serviceable; useful, expedient, suitable; efficient; relevant, pertinent; '**~dienlichkeit** *f* (-) serviceableness; usefulness, expediency; efficiency.

Zwecke ['tsvɛkə] *f* (-; -*n*) tack, brad; peg; drawing-pin, *Am.* thumb tack; **2n** *v/t.* (*h.*) tack; peg.

'**zweck...:** **~entfremdet** *adj.* used for purposes other than originally intended; **~entsprechend** *adj.* answering the purpose, appropriate, proper; **2freundschaft** *f* working friendship; **~gebunden** *adj.* earmarked, appropriated (*funds*); **~los** *adj.* aimless, purposeless; useless, pointless, *pred.* of no use, to no point; *es ist ~ zu inf. a.* there is no point in *ger.*; **~mäßig** *adj.* expedient, well-directed, appropriate, suitable, practical, proper; advisable; *tech.* functional; *es für ~ halten, zu inf. a.* think fit (*or* proper) to *inf.*; **2mäßigkeit** *f* (-) expediency, fitness, practicality; **2mäßigkeits-erwägung** *f* interest of expediency; **2möbel** *pl.* functional furniture; **~pessimismus** *m* calculated pessimism.

zwecks *prp.* (*gen.*) for the purpose of, with a view to, by way of (*a th. or doing*).

'**Zweck...:** **~verband** *m* (local) administration union; **~vermögen** *n* special-purpose fund; **2widrig** *adj.* inexpedient, inappropriate, unserviceable.

zwei [tsvaɪ] *adj.* (*gen.* ~*er*; *dat.* ~*en*) two; *zu ~en* in (*or* by) twos, two by two; *halb ~ (Uhr)* half past one; **2achser** ['-aksər] *mot. m* (-*s*; -) two-axle vehicle, four-wheeler; **~achsig** ['-aksiç] *adj.* biaxial; *mot.* two-axle, four-wheeled; '**~armig** *adj.* two-armed; '**~atomig** *adj.* diatomic; **~bändig** ['-bɛndiç] *adj.* two-volume, in two volumes; **~basisch** ['-bɑ:ziʃ] *chem. adj.* dibasic; '**2bein** *n* bipod; '**~beinig** *adj.* two-legged; '**~bettig** *adj.* double-bedded; '**~blätt(e)rig** *bot. adj.* two-leaved, bifoliate; **2decker** ['-dɛkər] *aer. m* (-*s*; -) biplane; **~deutig** ['-dɔʏtiç] *adj.* ambiguous, equivocal; *b.s.* suggestive, risqué (*Fr.*), *Am.* off-color (*joke*); '**2deutigkeit** *f* (-; -*en*) ambiguity, equivocality; *b.s.* suggestive remark, risqué joke; **~dimensional** ['-dimɛnzio'nɑ:l] *adj.* two-dimensional; **2'drittelmehrheit** *f* two thirds majority; **~eiig** ['-aɪiç] *biol. adj.* binovular; *~e Zwillinge* fraternal twins; '**2er** *m* (-*s*; -) (figure) two; *rowing*: pair, two(-seater); *~ mit Steuermann* coxed two; '**2erbob** *m* two-man bob; **~erlei** ['-ərlaɪ] *adj.* of two kinds, two sorts of, two different (kinds of); '**~fach, ~fältig** ['-fɛltiç] *adj.* double, twofold, dual; twice; *in ~er Ausfertigung* in duplicate; **2'fadenlampe** *el. f* bifilar bulb; '**2familienhaus** *n* duplex house; **2'farbendruck** *m* (-[e]*s*; -*e*) two-colo(u)r print(ing); '**~farbig** *adj.* two-colo(u)red, dichromatic, two-tone.

Zweifel ['tsvaɪfəl] *m* (-*s*; -) doubt; uncertainty; misgiving(s *pl.*); suspicion; *berechtigter ~* reasonable doubt; *außer ~* beyond doubt; *über allen ~ erhaben* beyond all doubt; *ohne ~* without doubt, no doubt, doubtless, unquestionably; *im ~ sein* be doubtful *or* in doubt (*über acc.* about), be in two minds (about); in *~ ziehen* doubt, (call in) question; *es besteht kein ~* there is no doubt; → *aufkommen, unterliegen.*

Zweifelderwirtschaft [tsvaɪ'fɛldər-] *agr. f* twocrop rotation.

'**Zweifel...:** **2haft** *adj.* doubtful, dubious; questionable; precarious; *econ. ~e Außenstände* **a**) doubtful claims, **b**) doubtful debts, *Am.* bad debts; *von ~em Wert* of debatable merit; *et. ~ machen* cast a doubt on, call in question; *es erscheint kaum ~* there appears little doubt; **2los** *adj.* undoubted, (*a. adv.*) doubtless; **2n** *v/i.* (*h.*) doubt (*an dat. a th., a p.*); *~ an e-r Sache a.* be in doubt about *or* as to, be in two minds about, question *a th.*; *~d* doubting, → *zweifelsüchtig*; **~sfall** *m* (*im ~* in) case of doubt; **2sohne** *adv.* doubtless, without doubt, beyond all doubt; **~sucht** *f* (-) scepticism, *Am.* skepticism; **2süchtig** *adj.* sceptic(al), *Am.* skeptic(al).

Zweifler ['tsvaɪflər] *m* (-*s*; -), **~in** *f* (-; -*nen*) doubter, sceptic, *Am.* skeptic; **2isch** *adj.* sceptical, *Am.* skeptical.

'**zwei...:** **~flügelig** *adj.* two-winged; *aer.* two-bladed (*air-screw*); **2frontenkrieg** ['-'frɔntən-] *m* war on two fronts.

Zweig [tsvaɪk] *m* (-[e]*s*; -*e*) branch (*a. fig.*), bough; *kleiner ~* twig; → *grün.*

'**Zwei...:** **~ganggetriebe** *n* two-speed gear; **2gängig** *adj.* double-threaded (*screw*).

Zweig...: **~anstalt** *f* branch; **~bahn** *f* branch line.

'**Zwei...:** **2geschlechtig** *adj.* bisexual; **~gespann** *n* carriage and four; *colloq.* (*persons*) twosome; **2gestrichen** *mus. adj.*: *~e Note* semiquaver; **2geteilt** *adj.* bipartite; divided, split.

'**Zweig...:** **~geschäft** *n* branch (establishment); **~gesellschaft** *f* affiliated company; subsidiary (company).

Zweigitterröhre ['tsvaɪ'gitər-] *f radio*: tetrode, *Am.* double grid tube.

'**Zweig...:** **~leitung** *f* branch line; **~niederlassung** *f* → *Zweiggeschäft*; **~schalter** *el. m* branch switch; **~stelle** *f* branch (office).

'**Zwei...:** **2händig** *adj.* two-handed; *mus.* for two hands; **~heit** *f* (-) duality; **2höckerig** *adj.* two-humped; **~hufer** ['-hu:fər] *m* (-*s*; -) cloven-footed animal; **2hundert** *adj.* two hundred; **~hundertjahrfeier** *f* bicentenary; **2jährig** *adj.* two-year-old; of (*or* lasting) two years, two years', two-year; *esp. bot.* biennial; **2jährlich** *adj.* (happening) every two years, biennial; **~kampf** *m* duel; *mil.* single combat; **~leiterkabel** *el. n* two-core cable; **2mal** *adv.* twice; *es sich ~ überlegen* think twice (*before doing it*); *sich et. nicht ~ sagen lassen* not to wait to be told twice, jump at a th.; *~ die Woche* twice a week; *~ im Monat (Jahr) erscheinend* bimonthly (biannual); **2malig** ['-mɑ:liç] *adj.* done twice; (twice) repeated; **~master** ['-mastər] *mar. m* (-*s*; -) two-master; **2monatig** *adj.* of (*or* lasting) two months, two months', two-month; **2monatlich** *adj.* (recurring) every second month; **2motorig** ['-moto:riç] *adj.* two-engined, twin-engined; bimotored; **~par'teiensystem** *pol. n* two-party system; **~phasen..., 2phasig** *adj.* two-phase; **2polig** *adj.* two-pole, bipolar; two-pin (plug); **~polröhre** *f* diode, two-electrode valve; **~rad** *n* bicycle; **2räd(e)rig** ['-rɛ:d(ə)riç] *adj.* two-wheeled; **2reihig** ['-raɪiç] *adj.* having two rows, double-row; double-breasted (*suit*); **~röhrenempfänger** *m radio*: two-valve receiver; **2schläf(e)rig** ['-ʃlɛ:f(ə)riç] *adj. bed* for two persons, double; **2schneidig** *adj.* double-edged, two-edged (*a. fig.*); *fig. ~ sein a.* cut both ways; **2seitig** ['-zaɪtiç] *adj.* two-sided; bilateral (*treaty, etc.*); bipartite (*administration, negotiations*); reversible (*cloth*); **2silbig** ['-zilbiç] *adj.* dissyllabic; *~es Wort* dissyllable; **~sitzer** *m* (-*s*; -) two-seater (*a. aer.*); *mot. a.* **a**) runabout, roadster, **b**) coupé; **2sitzig** ['-zitsiç] *adj.* two-seated; double-seated; with tandem seats; **2spaltig** *adj.* with two columns, in double columns; **~spänner** ['-ʃpɛnər] *m* (-*s*; -) carriage-and-pair; **2spännig** *adj.* drawn by two horses; **2sprachig** ['-ʃprɑ:xiç] *adj.* in two languages, bilingual; **~stärkenglas** *n* bifocal lens; **2stellig** *adj.*: *~e Zahl* two-digit (*or* two-place) number; **2stimmig** ['-ʃtimiç] *adj.* for (*song*: in) two voices; *~er Gesang* duet; **2stöckig** *adj.* two-storied; double-deck (*bed*); **2stufig** *adj.* two-stage; **2stündig** ['-ʃtyndiç] *adj.* of (*or* lasting) two hours, two-hour; **2stündlich** *adv.* every two hours, every second hour.

zweit [tsvaɪt] *adj.* second; next; *~er April* April (the) 2nd, *Am.* April 2; *ein ~er* another; *ein ~er Bismarck* another Bismarck; *~es Ich* alter ego; *~es Gesicht* second sight; *aus ~er Hand gekauft (kaufen)* bought (buy) second-hand; *jeder ~e* every other person; *zu ~* by twos, two by two, in pairs; *wir waren zu ~* we were two of us; *zum ~en* secondly, in the second place; → *Geige.*

'**zweitägig** *adj.* of two days, two days', two-day.

Zweitakt|er ['-taktər] *m* (-*s*; -), **~motor** *m* two-stroke (cycle) engine, two-cycle engine; **~gemisch** *n* petrol mixture, *Am.* gasoline-oil mixture, two-stroke blend; **~öl** *n* two-stroke oil; **~verfahren** *n* two-stroke cycle.

'**zweit-älteste** *adj.* second eldest.

zwei'tausend *adj.* two thousand.

'**Zweit-ausfertigung** *f* second copy, duplicate.

'**zweitbest** *adj.* second-best.

'**zweiteil|ig** *adj.* bipartite; two-

-piece (*suit, etc.*); **2ung** *f* bisection, bipartition; division.

zweitens ['tsvaɪtəns] *adv.* secondly, in the second place.

'**zweit...:** **~geboren** *adj.* second, younger; **~größt** *adj.* second largest; **~höchst** *adj.* second in height; **~jüngst** *adj.* youngest but one; **~klassig** *adj.* second-class, second-rate; **~letzt** *adj.* last but one, *Am.* next to the last; **~rangig** *adj.* of secondary importance, secondary; **2schrift** *f* second copy, duplicate; **2schuldner** *m* secondary debtor.

'**Zwei...:** **~unddreißigstelnote** *mus. f* demisemiquaver; **~viertelnote** *f* minim; **~vierteltakt** *m* two-four time; **~wegehahn** ['-ve:gəhɑ:n] *m* two-way cock; **~weggleichrichter** ['-ve:kglaɪçrɪçtər] *m* full wave rectifier; **2wertig** *chem. adj.* bivalent; *~es Element* dyad; **2wöchentlich** *adj.* bi-weekly; **2wöchig** ['-vœçɪç] *adj.* fortnightly, *esp. Am.* two-week; **2zackig**, **2zinkig** *adj.* two-pronged; **~zeiler** ['-tsaɪlər] *m* (*-s*; -) distich, couplet; **2zeilig** *adj.* of two lines; *typewriter, etc.*: double-spaced; **~zweck...** double-purpose; **~zylindermotor** *m* two-cylinder engine.

Zwerchfell ['tsvɛrç-] *anat. n* diaphragm, midriff; *fig. das ~ erschüttern* make a p.'s side split; **~atmung** *f* diaphragmatic breathing; **2erschütternd** *adj.* side-splitting.

Zwerg [tsvɛrk] *m* (-[e]*s*; -e), **~in** ['-gin] *f* (-; *-nen*) dwarf, pygmy, (*only m*) gnome; midget; '**~baum** *m* dwarf-tree; '**~betrag** *econ. m* diminutive amount; **2enhaft** ['-gənhaft] *adj.* dwarfish, pygmean, diminutive; '**~huhn** *n* bantam; '**~hund** *m* lap dog; '**~maus** *f* harvest-mouse; '**~mensch** *m* pygmy; '**~pflanze** *f* dwarf (plant); '**~schule** *f* one-room school; '**~staat** *m* mini-state; '**~wuchs** *m* stunted growth, nanism.

Zwetsch(g)e ['tsvɛtʃ(g)ə] *f* (-; *-n*) plum; *gedörrte ~* prune; **~nschnaps** *m*, **~nwasser** *n* plum brandy.

Zwickel ['tsvikəl] *m* (*-s*; -) *dressmaking*: gore, gusset; *tech.* wedge; *arch.* spandrel.

zwick|en ['tsvikən] *v/t. and v/i.* (*h.*) pinch, nip, tweak; *colloq. es zwickt mich im Bauch* I have the gripes; **2en** *n* (*-s*) twinge; gripe; **2er** *m* (*-s*; -) pince-nez (*Fr.*); **2mühle** *f* double-mill; *fig.* dilemma, quandary; *in e-r ~ sein* be caught on the horns of a dilemma, be in a quandary, *etc.*; **2zange** *f* (*eine ~* a pair of) pincers *pl.*, nippers *pl.*

Zwieback ['tsvi:bak] *m* (-[e]*s*; ⸚e) rusk, zwieback, *Am. a.* biscuit.

Zwiebel ['tsvi:bəl] *f* (-; *-n*) onion; bulb; *colloq.* (*watch*) turnip; **2artig** ['-ɑ:rtiç] *adj.* bulbous; **~fisch** *typ. m* pie; **2förmig** ['-fœrmiç] *adj.* bulb-shaped, bulbous; **~gewächs** *n* bulbous plant; **~knollen** *m* bulbous tuber; **2n** *colloq. v/t.* (*h.*) torment, make it hot for, give *a p.* a bad time; **~schale** *f* onion-skin; **~turm** *m* bulbous spire.

zwie|fach ['tsvi:fax], **~fältig** ['-fɛltiç] *adj.* double, twofold; **2gespräch** *n* dialogue; colloquy; talk; interview; **2licht** *n* (-[e]s) twilight; **~lichtig** ['-liçtiç] *adj.* dusky; *fig.* shady.

Zwiesel ['tsvi:zəl] *f* (-; *-n*) *bot.* forked branch; bifurcation, fork.

'**Zwie...:** **~spalt** *m* (-[e]*s*; -e) disunion, discord; conflict, strife; schism; discrepancy; *innerer ~* inner conflict; *im ~ sein mit* be at variance with; **2spältig** ['-ʃpɛltiç] *adj.* disunited, discordant; conflicting (*feelings*); **~sprache** *f* dialogue; *fig. ~ halten mit* commune with; **~tracht** *f* (-) discord, disunion; strife; feud; *~ säen* sow the seeds of discord; **2trächtig** *adj.* discordant; at variance.

Zwil(li)ch ['tsvil(i)ç] *m* (-[e]*s*; -e) tick(ing).

Zwilling ['tsviliŋ] *m* (*-s*; -e) twin; double-barreled gun; **~e** *ast. pl.* Gemini, Twins.

'**Zwillings...:** **~bereifung** *mot. f* dual tyres (*Am.* tires); **~bruder** *m* twin brother; **~paar** *n a* pair of twins; **~schwester** *f* twin sister; **~waffe** *mil. f* twin-barrel(l)ed *or* two-barrel(l)ed gun.

Zwing|burg ['tsviŋ-] *f* (tyrant's) strong castle, fortress; **~e** *f* (-; *-n*) ferrule; *tech.* clamp; **2en** *v/t.* (*irr.*, *h.*) compel, constrain, force, make (*zu inf.* to *inf.*); oblige; conquer, overcome, master, get the better of; cope with; *sich ~ zu e-r Sache* force o.s. to (*or* to do) *a th.*, make o.s. do *a th.*; make an effort to be *polite, etc.*; *ich mußte mich dazu ~* it cost me an effort; *gezwungen sein* (*or sich gezwungen sehen*) *zu inf.* be compelled, *etc.*, to *inf.*, see o.s. obliged to *inf.*; → *gezwungen*; **2end** *adj.* forcible; cogent, compelling (*reason, etc.*); imperative (*necessity*); conclusive (*evidence*); peremptory (*rules*); **~er** *m* (*-s*; -) tower, dungeon, keep; (dog) kennel; bear-pit; cage; outer court-yard; **~herr** *m* tyrant, despot; **~herrschaft** *f* tyranny.

zwinkern ['tsviŋkərn] *v/i.* (*h.*) blink (one's eyes); *verschmitzt*: twinkle, wink; **2** *n* (*-s*) twinkle, winking.

zwirbeln ['tsvirbəln] *colloq. v/t.* (*h.*) twirl, twist.

Zwirn [tsvirn] *m* (-[e]*s*; -e) (twisted) thread, sewing cotton; twine, twisted yarn; '**2en I.** *adj.* thread; **II.** *v/t.* (*h.*) twist, twine; throw (*silk*); '**~handschuh** *m* cotton glove; '**~knäuel** *m* ball of thread; '**~maschine** *f* twine-machine; twisting-frame; '**~seide** *f* thrown silk; '**~sfaden** *m* thread; '**~spitze** *f* thread-lace.

zwischen ['tsviʃən] *prp.* (*dat.*) between, *poet.* betwixt; among.

'**Zwischen...:** **~abschluß** *econ. m* → *Zwischenbilanz*; **~akt** *thea. m* entr'acte (*Fr.*); **~aktsmusik** *f* (musical) entr'acte; **~aufenthalt** *m* intermediate stop; **~ausweis** *econ. m* interim return; **~bemerkung** *f* incidental remark; interruption; **~bescheid** *m* intermediate reply; **2betrieblich** *adj.* intercompany; **~bilanz** *f* interim financial statement; interim results *pl.*; **~blatt** *n* interleaf; **~deck** *mar. n* between decks *pl.*, steerage; **~decks-passagier** *m* steerage passenger; **~ding** *n* intermediate (thing), cross, *a* bit of both; **2durch** *adv.* through; in the midst; at intervals, occasionally; in between; for a change; **~empfang** *m* (-[e]*s*) *radio*: superheterodyne reception; **~entscheidung** *jur. f* interlocutory decree, interim judgment; **~ergebnis** *n* provisional result; **~fall** *m* incident; unforeseen event; *ohne ~* without a hitch; **~frequenz** *f* intermediate frequency; **~fuß** *m* metatarsus; **~fußknochen** *m* metatarsal; **~frage** *f* (incidental *or* interpolated) question; interruption; **~frucht** *agr. f* intercrop; **~futter** *tech. n* interlining; **~gas** (*-es*) *mot. n* double clutching; *~ geben* double-clutch; **~gelenk** *n* intermediate link; **~gericht** *n cul.* extra dish, entremets (*Fr.*) *pl.*; **~geschoß** *n* → *Zwischenstock*; **~glied** *n* connecting link; **~glühen** *metall. n* (*-s*) process annealing; **~handel** *m* intermediate trade, commission business; transit trade; wholesale trade; **~händler** *m* middleman, intermediary (agent), commission agent; **~handlung** *f* episode, incident; **~hirn** *n* mid-brain, diencephalon; **~hoch** *meteor. n* ridge of high pressure; **~jahreszeit** *f* between-season; **~kiefer** *m* intermaxillary bone; **~konto** *n* suspense account; **~kredit** *m* interim credit; **~legscheibe** *tech. f* washer; **~landung** *f* intermediate landing, stop, *Am.* stopover; *Flug ohne ~* non-stop flight; **2liegend** *adj.* intermediate; intervening (*time*); **~lösung** *f* interim solution; → *Notbehelf*; **~mauer** *f* partition wall; **~pause** *f* interval, intermission, break; **~person** *f* intermediary, middleman, go-between; **~prüfung** *f* intermediate test; **~raum** *m* (inter)space, interval; distance; clearance; interstice, gap; spacing; **~raumtaste** *f typewriter*: space-bar; **~rede** *f* interruption; **~regierung** *f* interregnum; **~ruf** *m* (loud) interruption; boo; *durch ~e aus der Fassung bringen* heckle; **~rufer** *m* (*-s*; -) interrupter; heckler; **~runde** *f sports*: semi-final; **~satz** *gr. m* parenthesis; **2schalten** *v/t.* (*h.*) *el.*, *tech.* insert, interpose (*a. econ. mortgage bonds, etc.*); interconnect; **~schalter** *el. m* intermediate switch; **~schaltung** *f el.* insertion, interposition; *typ.* interlineation; **~schein** *econ. m* provisional (*Am.* interim) certificate (*for shares*); **~sender** *m* relay station; **~spurt** *m sports*: spurt off (*a. vb. e-n ~ einschalten*); **2staatlich** *adj.* inter-governmental, international; interstate; **~stadium** *n* intermediate phase; **~station** *f* intermediate station; **~stecker** *el. m* adapter plug; **~stock** *m* (-[e]*s*; *-werke*) entresol (*Fr.*), intermediate stor|ey, *Am.* -y; **~stück** *n* intermediate piece, connection; *el.* adapter; *thea.* interlude, entr'acte; **~stufe** *f* intermediate stage; **~stunde** *f* intermediate hour; *ped.* recreation; **~summe** *f* sub-total; **~tief** *meteor. n* ridge of low pressure; **~ton** *m* intermediate tone; *fig.* overtone; **~träger(in** *f*) *m* talebearer, telltale, informant; **~träge'rei** *f* (-) talebearing, taletelling; **~urteil** *n* → *~entscheidung*; **~verkauf** *econ. m*: *~ vorbehalten* subject unsold (*or* to prior sale); **~verkehr** *m* intercommunication; **~verstärker** *el. m* intermediate amplifier; **~vorhang** *thea. m* drop-scene; **~wand** *f* partition (wall); **~zeile** *typ. f* space line; **~zeit** *f* interval, interim (period), intervening period; *in der ~* (*a.* **2zeitlich** *adv.*) in the meantime, meanwhile; → *vorläufig*.

Zwist [tsvist] *m* (-es; -e) discord; disunion; quarrel, dispute, feud; '**2ig** *adj.* → *zwieträchtig*; '**~igkeit** *f* (-; -en) → *Zwist*.

zwitschern ['tsvitʃərn] *v/i. and v/t.* (*h.*) twitter, chirp; 2 *n* (-s) chirp (-ing), twitter(ing).

Zwitter ['tsvitər] *m* (-s; -) hermaphrodite (*a. bot.*); hybrid (*a. bot.*), cross; **~blüte** *f* hermaphrodite flower; **2haft** *adj.* hermaphrodite, *bot. a.* gynandrous; bisexual; hybrid; **~haftigkeit** *f* (-) hybrid character; **~stellung** *fig. f* ambiguous position; **~wort** *gr. n* (-[e]s; ⸚er) hybrid (word).

zwo [tsvo:] → *zwei*.

zwölf [tsvœlf] *adj.* twelve; *um ~ Uhr* at twelve (o'clock), at noon, at midnight; *fig. fünf Minuten vor ~* at the eleventh hour; 2 *f* (-; -en) (number) twelve; **2eck** ['-ɛk] *n* (-[e]s; -e) dodecagon; '**~eckig** *adj.* dodecagonal; **2ender** ['-ɛndər] *hunt. m* (-s; -) stag with twelve points; **~erlei** ['-ərlaɪ] *adj.* of twelve different kinds, twelve different (sorts of); '**~fach** *adj.* twelvefold; **2'fingerdarm** *m* duodenum; *Geschwür am ~* duodenal ulcer; '**~flächig** *adj.* dodecahedral; '**~jährig** *adj.* twelve-year-old (*child*); of twelve years, twelve years', twelve-year; **~malig** ['-ma:liç] *adj.* repeated twelve times; **~seitig** ['-zaɪtiç] *adj.* twelve-sided; **~stündig** ['-ʃtyndiç] *adj. of* twelve hours, twelve-hour; **~t** *adj.* twelfth; *fig. in ~er Stunde* at the eleventh hour; '**~tägig** *adj.* of twelve days; **2tel** ['-təl] *n* (-s; -) twelfth (part); **~tens** ['-təns] *adv.* in the twelfth place; '**2tonmusik** *f* twelve-tone music.

Zyan [tsy'ʔa:n] *chem. n* (-s) cyanogen; **~eisen** *n* iron cyanide.

Zyan'kali [tsyan-] *n* potassium cyanide.

Zyklon [tsy'klo:n] *m* (-s; -e), **~e** *f* (-; -n) cyclone.

Zyklop [tsy'klo:p] *m* (-en; -en) Cyclops, *pl.* Cyclopes; **2isch** *adj.* cyclopean.

Zyklotron [tsyklo'tro:n] *n* (-s; -e) cyclotron.

'**zyk|lisch** *adj.* cyclic(al); **2lus** ['-lus] *m* (-; -len) cycle; *of lectures, etc.*: course, set.

Zylinder [tsy'lindər] *m* (-s; -) *math., tech.* cylinder; *of lamp*: chimney; silk hat, top-hat; **~block** *tech. m* (-[e]s; ⸚e) cylinder block; **~bohrung** *tech. f* cylinder bore; **~büchse** *tech. f* cylinder liner; **~hub** *mot. m* cylinder stroke; **~inhalt** *mot. m* swept volume, piston displacement; **~kopf** *tech. m* cylinder head; **~kühlrippe** *mot. f* cylinder cooling fin; **~mantel** *tech. m* cylinder jacket; **~reihe** *mot. f* bank of cylinders.

zy'lindrisch *adj.* cylindrical.

Zyn|iker ['tsy:nikər] *m* (-s; -) cynic; **2isch** *adj.* cynical.

Zynismus [tsy'nismus] *m* (-) cynicism.

Zypresse [tsy'presə] *f* (-; -n) cypress(-tree); **~nhain** *m* cypress grove.

Zyste ['tsystə] *f* (-; -n) cyst.

Proper Names

Eigennamen

A

Aachen ['ɑ:xən] *n* Aachen, *Fr.* Aix--la-Chapelle.
Aargau ['ɑ:rgaʊ] *m* Argovia (*Swiss canton*).
Abessinien [abe'si:niən] *n* Abyssinia.
Adelheid ['ɑ:dəlhaɪt] *f* Adelaide.
Adenauer ['ɑ:dənaʊər] *first chancellor of the Federal Republic of Germany.*
Adler ['ɑ:dlər] *Austrian psychologist.*
Adolf ['ɑ:dɔlf] *m* Adolph.
Adorno [a'dɔrno] *German philosopher.*
Adria ['ɑ:dria] *f*, **Adriatische(s) Meer** [adri'ɑ:tiʃə(s)] *n* Adriatic Sea.
Afghanistan [af'gɑ:nistɑ:n] *n* Afghanistan.
Afrika ['ɑ:frika] *n* Africa.
Ägäis [ɛ'ge:is] *f*, **Ägäische(s) Meer** [ɛ'ge:iʃə(s)] *n* Aegean Sea.
Agathe [a'gɑ:tə] *f* Agatha.
Agnes ['agnɛs] *f* Agnes.
Ägypten [ɛ'gyptən] *n* Egypt.
Aichinger ['aɪçiŋər] *Austrian authoress.*
Akropolis [a'kro:polis] *f* Acropolis.
Albanien [al'bɑ:niən] *n* Albania.
Albert ['albɛrt], **Albrecht** ['albrɛçt] *m* Albert.
Albertus Magnus [al'bɛrtus 'magnus] *German philosopher.*
Alexander [alɛ'ksandər] *m* Alexander.
Alexandria [alɛksan'dri:a], **Alexandrien** [alɛ'ksandriən] *n* Alexandria.
Alfons ['alfɔns] *m German Christian name.*
Alfred ['alfre:t] *m* Alfred.
Algerien [al'ge:riən] *f* Algeria.
Algier ['alʒi:r] *n* Algiers.
Allgäu ['algɔʏ] *n* Al(l)gäu (*region of Bavaria*).
Alpen ['alpən] *pl.* Alps *pl.*
Altdorfer ['altdɔrfər] *German painter.*
Amazonas [ama'tso:nas] *m* Amazon.
Amerika [a'me:rika] *n* America.
Anden ['andən] *pl.* Andes *pl.*
Andersch ['andərʃ] *German author.*
Andorra [an'dɔra] *n* Andorra.
Andrea [an'drɛ:a] *f*, **Andreas** [an'dre:as] *m* Andrea, Andrew.
Angelika [aŋ'ge:lika] *f* Angelica.
Anna ['ana], **Anne** ['anə] *f* Anna.
Anneliese ['anəli:zə] *f German Christian name.*
Annemarie ['anəmari:] *f German Christian name.*
Annette [a'nɛtə] *f* Annette.
Antarktis [ant'ˀarktis] *f* Antarctica.
Antillen [an'tilən] *pl.* Antilles *pl.*
Anton ['anto:n] *m* Anthony.
Antwerpen [ant'vɛrpən] *n* Antwerp.
Apenninen [apɛ'ni:nən] *pl.* Apennines *pl.*
Appenzell [apən'tsel] *n Swiss canton.*
Arabien [a'rɑ:biən] *n* Arabia.
Argentinien [argɛn'ti:niən] *n* Argentina.
Ärmelkanal ['ɛrməlkanɑ:l] *m* English Channel.
Armenien [ar'me:niən] *n* Armenia.
Arnold ['arnɔlt] *m* Arnold.
Arp [arp] *German painter.*
Art(h)ur ['artur] *m* Arthur.
Asien ['ɑ:ziən] *f* Asia.
Athen [a'te:n] *n* Athens.
Äthiopien [ɛti'o:piən] *n* Ethiopia.
Atlantik [at'lantik], **Atlantische(r) Ozean** [at'lantiʃə(r)] *m* Atlantic, Atlantic Ocean.
Ätna ['ɛ:tna] *m* Etna.
Attika ['atika] *n* Attica.
Augsburg ['aʊksburk] *n town in Bavaria.*
August ['aʊgust] *m* August.
Australien [aʊs'trɑ:liən] *n* Australia.
Axel ['aksəl] *m shortened form of* → *Alexander.*
Azoren [a'tso:rən] *pl.* Azores *pl.*

B

Babette [ba'bɛtə] *f* Babette.
Bach [bax] *German composer.*
Bachmann ['baxman] *Austrian authoress.*
Baden-Württemberg ['bɑ:dən-'vyrtəmbɛrk] *n Land of the Federal Republic of Germany.*
Balkan ['balkan] *m* Balkan Peninsula.
Baltikum ['baltikum] *n the three former* Baltic Provinces of Russia.
Barbara ['barbara], **Bärbel** ['bɛrbəl] *f* Barbara.
Barbarossa [barba'rɔsa] *hist. appellation of the German emperor Friedrich I.*
Barcelona [bartse'lo:na] *n* Barcelona.
Barlach ['barlax] *German sculptor.*
Barth [bɑ(:)rt] *Swiss theologian.*
Barzel ['bartsəl] *German politician.*
Basel ['bɑ:zəl] *n* Basel, Basle, *Fr.* Bâle (*Swiss town and canton*).
Baskenland ['baskənlant] *n*, **Baskische(n) Provinzen** ['baskiʃə(n)] *f/pl.* Basque Provinces *pl.*
Baumeister ['baumaɪstər] *German painter.*
Bayern ['baɪərn] *n* Bavaria (*Land of the Federal Republic of Germany*).
Bayerische(r) Wald ['baɪəriʃə(r)] *m* Bavarian Forest.
Beatrice [bea'tri:sə] *f* Beatrice.
Bebel ['be:bəl] *German socialist.*
Beckmann ['bɛkman] *German painter.*
Beethoven ['be:tho:fən] *German composer.*
Belgien ['bɛlgiən] *n* Belgium.
Belgrad ['bɛlgrɑ:t] *n* Belgrade.
Benares [be'nɑ:rɛs] *n* Banaras Benares.
Benedikt ['be:nedikt] *m* Benedict.
Bengalen [bɛŋ'gɑ:lən] *n* Bengal.
Benjamin ['bɛnjami:n] *m* Benjamin.
Benn [bɛn] *German poet.*
Berg [bɛrk] *Austrian composer.*
Bergische(s) Land ['bɛrgiʃə(s)] *n mountainous region of North Rhine--Westphalia.*
Beringstraße ['be:riŋʃtrɑ:sə] *f* Bering Strait.
Berlin [bɛr'li:n] *n* Berlin.
Bermuda-Inseln [bɛr'mu:da-] *f/pl.* Bermudas *pl.*
Bern [bɛrn] *n* Bern, *Fr.* Berne (*Swiss town and canton*).
Bernhard ['bɛrnhart] *m* Bernard.
Bert(h)a ['bɛrta] *f*, **Bert(h)old** ['bɛrtɔlt] *m* Bertha, Berthold.
Bielefeld ['bi:ləfɛlt] *n town in West Germany.*
Biermann ['bi:rman] *German poet.*
Biskaya [bis'kɑ:ja] *f* Biscay, *Golf von* ~ *m* Bay of Biscay.
Bismarck ['bismark] *German statesman.*
Bloch [blɔx] *German philosopher.*
Böcklin ['bœklin] *German painter.*
Bodensee ['bo:dənze:] *m* Lake of Constance.
Böhm [bø:m] *Austrian conductor.*
Böhmen ['bø:mən] *n* Bohemia, *Böhmer Wald m* Bohemian Forest.

Bolivien [bo'li:viən] *n* Bolivia.
Böll [bœl] *German author.*
Bonn [bɔn] *n capital of the Federal Republic of Germany.*
Born [bɔrn] *German physicist.*
Bosporus ['bɔsporus] *m* Bosporus.
Bozen ['bo:tsən] *n* Bolzano.
Brahms [brɑ:ms] *German composer.*
Brandt [brant] *fourth chancellor of the Federal Republic of Germany.*
Brasilien [bra'zi:liən] *n* Brazil.
Braunschweig ['braʊnʃvaɪk] *n* Brunswick.
Brecht [breçt] *German poet.*
Bremen ['bre:mən] *n Land of the Federal Republic of Germany.*
Brigitte [bri'gitə] *f* Bridget.
Broch [brɔx] *Austrian author.*
Bruckner ['bruknər] *Austrian composer.*
Brügge ['brygə] *n* Brugge, Bruges.
Brunhilde [bru:n'hildə] *f German Christian name.*
Brüning ['bry:niŋ] *Chancellor of the Weimar Republic.*
Brünn [bryn] *n* Brno.
Bruno ['bru:no] *m German Christian name.*
Brüssel ['brysəl] *n* Brussels.
Buber ['bu:bər] *German philosopher.*
Büchner ['by:çnər] *German poet.*
Budapest ['bu:dapɛst] *n* Budapest.
Buenos Aires [bu'ɛnɔs 'aɪrɛs] *n* Buenos Aires.
Bukarest ['bu:karɛst] *n* Bucharest.
Bulgarien [bul'gɑ:riən] *n* Bulgaria.
Bunsen ['bunzən] *German chemist.*
Burgenland ['burgənlant] *n province of Austria.*
Burgund [bur'gunt] *n* Burgundy.
Burma ['burma] *n* Burma.
Busch [buʃ] *German satirist.*
Butenandt ['bu:tənant] *German chemist.*

C

Cäcilie [tsɛ'tsi:liə] *f* Cecilia.
Calais [ka'lɛ:] *n*: *Straße von* ~ Straits of Dover.
Calvin [kal'vi:n] *Swiss religious reformer.*
Capri ['kɑ:pri] *n* Capri.
Celan ['tsɛ:lan] *Austrian poet.*
Ceylon ['tsaɪlɔn] *n* Ceylon.
Charlotte [ʃar'lɔtə] *f* Charlotte.
Chikago [ʃi'kɑ:go] *n* Chicago.
Chile ['tʃi:le] *n* Chile.
China ['çi:na] *n* China.
Christian ['kristian] *m*, **Christi(a)ne** [kris'ti:nə (kristi'ɑ:nə)] *f* Christian, Christiana.
Christoph ['kristɔf] *m* Christopher.
Christus ['kristus] *m* Christ.
Chur [ku:r] *n* Chur, *Fr.* Coire.
Claudia ['klaʊdia] *f* Claudia.
Claudius ['klaʊdius] *German poet.*
Corinth [ko'rint] *German painter.*
Cottbus ['kɔtbus] *n town and district in the German Democratic Republic.*
Cranach ['krɑ:nax] *German painter.*

D

Daimler ['daɪmlər] *German inventor.*
Damaskus [da'maskus] *n* Damascus.
Dänemark ['dɛ:nəmark] *n* Denmark.
Daniel ['dɑ:niel] *m* Daniel.
David ['dɑ:fit, 'dɑ:vi:t] *m* David.
Den Haag [den 'hɑ:k] *n* → *Haag.*
Deutschland ['dɔʏtʃlant] *n* Germany.
Diesel ['di:zəl] *German inventor.*
Dieter ['di:tər], **Dietrich** ['di:triç] *m German Christian name.*
Dietrich ['di:triç] *German actress.*
Döblin ['dø:bli:n] *German author.*
Dolomiten [dolo'mi:tən] *pl.* Dolomites *pl.*
Dominikanische Republik [domini'kɑ:niʃə] *f* Dominican Republic.
Donau ['do:naʊ] *f* Danube.
Dora ['do:ra] *f* Dora.
Dorothea [doro'te:a] *f* Dorothy.
Dortmund ['dɔrtmunt] *n industrial town in West Germany.*
Dresden ['dre:sdən] *n town and district in the German Democratic Republic.*
Droste-Hülshoff ['drɔstə 'hylshɔf] *German poetess.*
Dublin ['dablin] *n* Dublin.
Dünkirchen ['dy:nkirçən] *n* Dunkirk.
Dürer ['dy:rər] *German painter.*
Dürrenmatt ['dyrənmat] *Swiss dramatist.*
Düsseldorf ['dysəldɔrf] *n capital of North Rhine-Westphalia.*

E

Eberhard ['e:bərhart] *m German Christian name.*
Ebert ['e:bərt] *first president of the Weimar Republic.*
Eckart ['ɛkart]: Meister ~ *founder of German mysticism.*
Ecuador [ekua'do:r] *n* Ecuador.
Edgar ['ɛtgar] *m* Edgar.
Edinburgh ['e:dinburk] *n* Edinburgh.
Edith ['e:dit] *f* Edith.
Edmund ['ɛtmunt] *m* Edmund.
Eduard ['e:duart] *m* Edward.
Egk [ɛk] *German composer.*
Eichendorff ['aɪçəndɔrf] *German poet.*
Einstein ['aɪnʃtaɪn] *German physicist.*
Eismeer ['aɪsme:r] *n*: Nördliches ~ Arctic Ocean, Südliches ~ Antarctic Ocean.
Elba ['ɛlba] *n* Elba.
Elbe ['ɛlbə] *f German river.*
Eleonore [eleo'no:rə] *f* Eleanor.
Elfenbeinküste ['ɛlfənbaɪnkystə] *f* Ivory Coast.
Elisabeth [e'li:zabɛt] *f* Elizabeth.
El Salvador [ɛl zalva'do:r] *n* El Salvador.
Elsaß ['ɛlzas] *n* Alsace.
Emil ['e:mi:l] *m German Christian name.*
Emilia [e'mi:lia], **Emilie** [e'mi:liə] *f* Emily.
Emma ['ɛma] *f* Emma.
Engadin [ɛŋga'di:n] *n* Engadine.
Engels ['ɛŋəls] *German philosopher.*
England ['ɛŋlant] *n* England.
Enzensberger ['ɛntsənsbɛrgər] *German author.*
Erfurt ['ɛrfurt] *n town and district in the German Democratic Republic.*
Erhard ['e:rhart] *second chancellor of the Federal Republic of Germany.*
Erich ['e:riç] *m*, **Erika** ['e:rika] *f* Eric, Erica.
Ernst [ɛrnst] **1.** *m* Ernest; **2.** *German painter.*
Erzgebirge ['e:rtsgəbirgə] *n* Erz Gebirge.
Essen ['ɛsən] *n industrial town in West Germany.*
Esther ['ɛstər] *f* Esther.
Estland ['e:stlant] *n* Estonia.
Etzel ['ɛtsəl] *hist. m* Attila.
Eugen ['ɔʏge:n] *m* Eugene.
Euphrat ['ɔʏfrat] *m* Euphrates.
Eurasien [ɔʏ'rɑ:ziən] *n* Eurasia.
Europa [ɔʏ'ro:pa] *n* Europe.
Eva ['e:fa, 'e:va] *f* Eve.

F

Feldberg ['fɛltbɛrk] *m German mountain.*
Felix ['fe:liks] *m*, **Felizitas** [fe'li:tsitas] *f* Felix, Felizia.
Ferdinand ['fɛrdinant] *m German Christian name.*
Ferne(r) Osten *m* Far East.
Feuerbach ['fɔʏərbax] *German philosopher.*
Fichte ['fiçtə] *German philosopher.*
Finnland ['finlant] *n* Finland.
Florenz [flo'rɛnts] *n* Florence.
Florian ['flo:riɑ:n] *m German Christian name.*
Fontane [fɔn'tɑ:nə] *German author.*
Formosa [fɔr'mo:za] (**Taiwan**) *n* Formosa.
Frank [fraŋk] *m* Frank.
Franken ['fraŋkən] *n* Franconia.
Frankfurt am Main ['fraŋkfurt] *n* Frankfort on the Main.
Frankfurt an der Oder ['fraŋkfurt] *n* Frankfort on the Oder (*town and district in the German Democratic Republic*).
Frankreich ['fraŋkraɪç] *n* France.
Franz [frants] *m*, **Franziska** [fran'tsiska] *f* Francis, Frances.
Freiburg ['fraɪburk] *n Fr.* Fribourg (*Swiss town and canton*).
Freiburg im Breisgau ['fraɪburk im 'braɪsgaʊ] *n town in West Germany.*
Freud [frɔʏt] *Austrian psychologist.*
Fridolin ['fri:doli:n] *m German Christian name.*
Friederike [fri:də'ri:kə] *f* Frederica.
Friedrich ['fri:driç] **1.** *German painter*; **2.** ~ der Große Frederick the Great (*king of Prussia*).
Friedrich ['fri:driç] *m* Frederic.
Friesische(n) Inseln ['fri:ziʃə(n)] *f/pl.* Frisian Islands *pl.*
Frisch [friʃ] *Swiss author.*
Fritz [frits] *m shortened form of* → *Friedrich.*
Fudschijama [fudʒi'jɑ:ma] *m* Fujiyama.

G

Gabriel ['gɑ:briel] *m*, **Gabriele** [gabri'e:lə] *f* Gabriel, Gabriella.
Ganges ['gaŋɛs] *m* Ganges.
Gardasee ['gardaze:] *m* Lake Garda.
Garmisch ['garmiʃ] *n health resort in Bavaria.*
Gauss [gaʊs] *German mathematician.*
Genf [gɛnf] *n* Geneva (*Swiss town and canton*).
Genua ['ge:nua] *n* Genoa.
Georg [ge'ˀɔrk, 'ge:ɔrk] *m* George.
Gera ['ge:ra] *n town and district in the German Democratic Republic.*
Gerd [gɛrt] *m shortened form of* → *Gerhard.*

Gerhard ['ge:rhart] *m* Gerard.
Gerhardt ['ge:rhart] *German poet.*
Gertrud(e) ['gɛrtru:t (gɛr'tru:də)] *f* Gertrude.
Ghana ['gɑ:na] *n* Ghana.
Gibraltar [gi'braltar] *n* Gibraltar.
Glarus ['glɑ:rus] *n Swiss town and canton.*
Gluck [gluk] *German composer.*
Gobi ['go:bi] *f* Gobi.
Goethe ['gø:tə] *German poet.*
Goldküste ['gɔltkystə] *f* Gold Coast.
Gottfried ['gɔtfri:t] *m* Godfrey.
Grass [gras] *German author.*
Graubünden [grau'byndən] *n Fr.* Grisons *pl.* (*Swiss canton*).
Gregor ['gre:gɔr] *m* Gregory.
Grete(l) ['gre:tə(l)] *f shortened form of* → *Margarete.*
Griechenland ['gri:çənlant] *n* Greece.
Grieshaber ['gri:shɑ:bər] *German painter.*
Grillparzer ['grilpartsər] *Austrian dramatist.*
Grimm [grim]: *Gebrüder* ~ *German philologists.*
Grimmelshausen ['griməlshaʊzən] *German poet.*
Grönland ['grø:nlant] *n* Greenland.
Gropius ['gro:pius] *German architect.*
Großbritannien [gro:sbri'taniən] *n* Great Britain.
Großglockner [gro:s'glɔknər] *m Austrian mountain.*
Grünewald ['gry:nəvalt] *German painter.*
Guatemala [guate'mɑ:la] *n* Guatemala.
Guayana [gua'jɑ:na] *n* Guiana.
Guinea [gi'ne:a] *n* Guinea.
Gustav ['gustaf] *m* Gustavus.
Gutenberg ['gu:tənbɛrk] *German inventor.*

H

Haag [hɑ:k] *n*: *Den* ~ The Hague.
Habermas ['hɑ:bərmɑ:s] *German philosopher.*
Habsburg ['hɑ:psburk] *hist. n* Hapsburg (*German dynasty*).
Hahn [hɑ:n] *German chemist.*
Haiti [ha'i:ti] *n* Haiti.
Halle ['halə] *n town and district in the German Democratic Republic.*
Hamburg ['hamburk] *n Land of the Federal Republic of Germany.*
Händel ['hɛndəl] Handel (*German composer*).
Handke ['hantkə] *Austrian poet.*
Hanna ['hana] *f* Hannah.
Hannelore ['hanəlo:rə] *f German Christian name.*
Hannes, Hans ['hanəs, hans] *m* Jack.
Hannover [ha'no:fər] *n* Hanover (*capital of Lower Saxony*).
Hanoi [ha'nɔʏ] *n* Hanoi.
Harz [hɑ:rts] *m* Harz Mountains *pl.*
Hauptmann ['hauptman] *German dramatist.*
Haydn ['haɪdən] *German composer.*
Hebriden [he'bri:dən] *pl.* Hebrides *pl.*
Hedwig ['he:tviç] *f* Hedwig.
Hegel ['he:gəl] *German philosopher.*
Heidegger ['haɪdɛgər] *German philosopher.*
Heidelberg ['haɪdəlbɛrk] *n town in West Germany.*
Heine ['haɪnə] *German poet.*
Heinemann ['haɪnəman] *third president of the Federal Republic of Germany.*
Heinrich ['haɪnriç] *m* Henry.
Heisenberg ['haɪzənbɛrk] *German physicist.*
Heißenbüttel ['haɪsənbytəl] *German poet.*
Helena ['he:lena], **Helene** [he'le:nə] *f* Helen.
Helgoland ['hɛlgolant] *n* Heligoland.
Helsinki ['hɛlziŋki] *n* Helsinki.
Henriette [hɛnri'ɛtə] *f* Henrietta.
Henze ['hɛntsə] *German composer.*
Hermann der Cherusker ['hɛrman der çe'ruskər] *hist.* Arminius.
Hesse ['hɛsə] *German author.*
Hessen ['hɛsən] *n* Hesse (*Land of the Federal Republic of Germany*).
Hessische(s) Bergland ['hɛsiʃə(s)] *n mountainous region of Hesse.*
Herder ['hɛrdər] *German philosopher.*
Hertz [hɛrts] *German physicist.*
Heuss [hɔʏs] *first president of the Federal Republic of Germany.*
Hildegard ['hildəgart] *f German Christian name.*
Himalaja [hi'mɑ:laja] *m* Himalaya.
Hindemith ['hindəmit] *German composer.*
Hindustan [hindus'tɑ:n] *n* Hindustan.
Hiros(c)hima [hiro'ʃi:ma] *n* Hiroshima.
Hochhuth ['ho:xhu:t] *German dramatist.*
Hoffmann ['hɔfman] *German poet.*
Hohenzollern [ho:ən'tsɔlərn] *m/pl. hist. German dynasty.*
Hölderlin ['hœldərlin] *German poet.*
Holland ['hɔlant] *n* Holland.
Horkheimer ['hɔrkhaɪmər] *German philosopher.*
Hubert ['hu:bɛrt] *m* Hubert.
Hudsonbai ['hadsənbaɪ] *f* Hudson Bay.
Hugo ['hu:go] *m* Hugh.
Humboldt ['humbɔlt] *German naturalist.*

I

Iberische Halbinsel [i'be:riʃə] *f* Iberian Peninsula.
Ida ['i:da] *f* Ida.
Ilse ['ilzə] *f* Ilse.
Indien ['indiən] *n* India.
Indische(r) Ozean ['indiʃə(r)] *m* Indian Ocean.
Indochina ['indo'çi:na] *n* Indochina.
Indonesien [indo'ne:ziən] *n* Indonesia.
Inn [in] *m affluent of the Danube.*
Innerasien ['inər'ʔɑ:ziən] *n* Central Asia.
Innsbruck ['insbruk] *n town in Austria.*
Ionische(s) Meer [i'o:niʃə(s)] *n* Ionian Sea.
Irak [i'rɑ:k] *m* Iraq.
Iran [i'rɑ:n] *n* Iran.
Irene [i're:nə] *f* Irene.
Irische Republik ['i:riʃə] *f* Republic of Ireland.
Irische See ['i:riʃə] *f* Irish Sea.
Irland ['irlant] *n* Ireland.
Irma ['irma] *f* Irma.
Isabella [iza'bɛla] *f* Isabel.
Island ['i:slant] *n* Iceland.
Isolde [i'zɔldə] *f* Isolde.
Israel ['israɛl] *n* Israel.
Istanbul ['istambu:l] *n* Istanbul.
Italien [i'tɑ:liən] *n* Italy.

J

Jakob ['jɑ:kɔp] *m* Jacob, James.
Jalta ['jalta] *n* Yalta.
Jamaika [ja'maɪka] *n* Jamaica.
Jangtse ['jaŋtse] *m* Yangtze.
Japan ['jɑ:pan] *n* Japan.
Japanische(s) Meer [ja'pɑ:niʃə(s)] *n* Sea of Japan.
Jaspers ['jaspərs] *German philosopher.*
Java ['jɑ:va] *n* Java.
Jean Paul [ʒɑ̃ 'paul] *German poet.*
Jemen ['je:mən] *m* Yemen.
Jenissei [jeni'se:i] *m* Yenisei.
Jerusalem [je'ru:zalem] *n* Jerusalem.
Jesus ['je:zus] *m* Jesus.
Joachim ['jo:axim, jo'axim], **Jochen** ['jɔxən] *m* Joachim.
Johann(es) [jo'han(əs)] *m* John.
Johanna, Johanne [jo'hana, jo'hanə] *f* Joan(na).
Johnson ['jo:nzɔn] *German author.*
Jörg [jœrk] *m shortened form of* → *Georg.*
Jordanien [jɔr'dɑ:niən] *n* Jordan.
Josef, Joseph ['jo:zɛf] *m* Josef.
Judith ['ju:dit] *f* Judith.
Jugoslawien [jugo'slɑ:viən] *n* Yugoslavia.
Julia ['ju:lia], **Julie** ['ju:liə] *f* Julia.
Jung [juŋ] *Swiss psychologist.*
Jura ['ju:ra] *m mountain range in France and Switzerland.*
Jürgen ['jyrgən] *m* → *Georg.*
Jutta ['juta] *f* → *Judith.*

K

Kafka ['kafka] *German poet.*
Kairo ['kaɪro] *n* Cairo.
Kalifornien [kali'fɔrniən] *n* California.
Kalkutta [kal'kuta] *n* Calcutta.
Kambodscha [kam'bɔdʒa] *n* Cambodia.
Kamerun [kamə'ru:n] *n* Cameroon.
Kanada ['kanada] *n* Canada.
Kanalinseln [ka'nɑ:linzəln] *f/pl.* Channel Islands *pl.*
Kant [kant] *German philosopher.*
Kanton ['kantɔn] *n* Canton.
Kap der Guten Hoffnung *n* Cape of Good Hope.
Kapstadt ['kapʃtat] *n* Cape Town.
Kap Verde ['verdə] *n* Cape Verde.
Karajan ['kɑ:rajan] *Austrian conductor.*
Karibische(n) Inseln [ka'ri:biʃə(n)] *f/pl.* Caribbees *pl.*
Karin ['kɑ:ri:n] *f* Karen.
Karl [karl] *m*, **Karla** ['karla] *f* Charles, Carol.
Karl der Große *hist.* Charlemagne (*Holy Roman emperor*).
Karl-Marx-Stadt [karl'marksʃtat] *n* (*formerly Chemnitz*) *town and district in the German Democratic Republic.*
Karlsruhe ['karlsru:ə] *n town in West Germany.*
Kärnten ['kɛrntən] *n* Carinthia (*province of Austria*).
Karola ['kɑ:rola, ka'ro:la], **Karoline** [karo'li:nə] *f* Carol, Caroline.

Karpaten [kar'pɑ:tən] *pl.* Carpathian Mountains *pl.*
Kaschmir ['kaʃmir] *n* Cashmere.
Kaspische(s) Meer ['kaspiʃə(s)] *n*, **Kaspisee** ['kaspize:] *m* Caspian Sea.
Kassel ['kasəl] *n* Cassel.
Kästner ['kɛstnər] *German author.*
Katharina [kata'ri:na] *f* Catherine.
Käthe ['kɛ:tə], **Kathrein** [ka'traɪn], **Kathrine** [ka'tri:nə] *f shortened forms of* → *Katharina.*
Kaukasus ['kaukazus] *m* Caucasus Mountains *pl.*
Kenia ['ke:nia] *n* Kenya.
Kepler ['kɛplər] *German astronomer.*
Kiel [ki:l] *n capital of Schleswig-Holstein.*
Kiesinger ['ki:ziŋər] *third chancellor of the Federal Republic of Germany.*
Kiew ['ki:ɛf] *n* Kiev.
Kilimandscharo [kiliman'dʒɑ:ro] *m* Mount Kilimanjaro.
Klara ['klɑ:ra] *f* Clara, Clare.
Klaudia ['klaudia] *f* Claudia.
Klaus [klaus] *m shortened form of* → *Nikolaus.*
Klee [kle:] *Swiss painter.*
Kleinasien [klaɪn'ʔɑ:ziən] *n* Asia Minor.
Koblenz ['ko:blɛnts] *n* Coblenz.
Koch [kɔx] *German bacteriologist.*
Kokoschka [ko'kɔʃka] *Austrian painter.*
Köln [kœln] *n* Cologne.
Kolumbien [ko'lumbiən] *n* Columbia.
Kolumbus [ko'lumbus] *m* Columbus.
Kongo ['kɔŋgo] *m* Congo.
Konrad ['kɔnrɑ:t] *m* Conrad.
Konstantin [kɔnstan'ti:n] *m* Constantine.
Konstanz ['kɔnstants] *n* Constance; → *Bodensee.*
Kopenhagen [kopən'hɑ:gən] *n* Copenhagen.
Korea [ko're:a] *n* Korea.
Korfu ['kɔrfu] *n* Corfu.
Korinth [ko'rint] *n* Corinth.
Kornelia [kɔr'ne:lia] *f* Cornelia.
Kreisky ['kraɪski] *federal chancellor of Austria.*
Kreml ['kre:məl] *m* Kremlin.
Kreta ['kre:ta] *n* Crete.
Krim [krim] *f* Crimea.
Kuba ['ku:ba] *f* Cuba.
Kurt [kurt] *m* Curtis.

L

Lappland ['laplant] *n* Lapland.
Lassalle [la'sal] *German socialist.*
Lateinamerika [la'taɪname:rika] *n* Latin America.
Leibniz ['laɪbnits] *German philosopher.*
Leipzig ['laɪptsiç] *n* Leipsic (*town and district in the German Democratic Republik*).
Lena ['le:na], **Lenchen** ['le:nçən], **Lene** ['le:nə] *f shortened forms of* → *Magdalene, Helene.*
Lenz [lɛnts] *German author.*
Leo ['le:o] *m* Leo.
Leonhard ['le:ɔnhart] *m* Leonard.
Lessing ['lɛsiŋ] *German poet.*
Lettland ['lɛtlant] *n* Latvia.
Libanon ['li:banɔn] *m* Lebanon.
Liberia [li'be:ria] *n* Liberia.
Libyen ['li:byən] *n* Libya.
Liebig ['li:biç] *German chemist.*
Liebknecht ['li:pknɛçt] *German socialist.*
Liechtenstein ['liçtənʃtaɪn] *n* Liechtenstein.
Liese ['li:zə], **Lisbeth** ['lisbɛt] *f shortened forms of* → *Elisabeth.*
Lieselotte ['li:zəlɔtə] *f German Christian name.*
Lissabon ['lisabɔn] *n* Lisbon.
Litauen ['li:tauən] *n* Lithuania.
London ['lɔndɔn] *n* London.
Lore ['lo:rə] *f shortened form of* → *Hannelore.*
Lothringen ['lo:triŋən] *n Fr.* Lorraine.
Lotte ['lɔtə] *f shortened form of* → *Charlotte, Lieselotte.*
Lübeck ['ly:bɛk] *n town in West Germany.*
Lübke ['lypkə] *second president of the Federal Republic of Germany.*
Ludwig ['lu:tviç] *m* Louis.
Luise [lu'i:zə] *f* Louisa.
Lüneburg ['ly:nəburk] *n town in West Germany,* ~*er Heide f* Lüneburg Heath.
Luther ['lutər] *German religious reformer.*
Luxemburg ['luksəmburk] **1.** *n* Luxemb(o)urg; **2.** *German female socialist.*
Luzern [lu'tsɛrn] *n Fr.* Lucerne (*Swiss town and canton*).

M

Maas [mɑ:s] *f* Maas, *Fr.* Meuse.
Madagaskar [mada'gaskar] *n* Madagascar.
Madrid [ma'drit] *n* Madrid.
Magda ['makda], **Magdalena** [makda'le:na] *f* Magdalen.
Magdeburg ['makdəburk] *n town and district in the German Democratic Republic.*
Mahler ['mɑ:lər] *Austrian composer.*
Mailand ['maɪlant] *n* Milan.
Main [maɪn] *m German river.*
Mainz [maɪnts] *n* Mayence (*capital of Rhineland-Palatinate*).
Malaysia [ma'laɪzia] *n* Malaysia.
Mali ['mɑ:li] *n* Mali.
Mallorca [ma'lɔrka] *n* Majorca.
Malta ['malta] *n* Malta.
Mandschurei [mandʒu'raɪ] *f* Manchuria.
Manfred ['manfre:t] *m German Christian name.*
Mann [man] *German authors.*
Mannheim ['manhaɪm] *n town in West Germany.*
Marc [mark] *German painter.*
Marcuse [mar'ku:zə] *German sociologist.*
Margareta [marga're:ta], **Margarete** [marga're:tə] *f* Margaret.
Margot ['margɔt] *f* Margot.
Maria [ma'ri:a], **Marie** [ma'ri:] *f* Mary.
Marianne [mari'anə] *f* Marian.
Marion ['mɑ:riɔn] *f* Marion.
Marokko [ma'rɔko] *n* Morocco.
Martha ['marta] *f* Martha.
Martin ['marti:n] *m* Martin.
Marx [marks] *German philosopher.*
Mathilde [ma'tildə] *f* Mat(h)ilda.
Matterhorn ['matərhɔrn] *n Swiss mountain.*
Matthias [ma'ti:as] *m* Matthias.
Max(imilian) [maks(i'mi:liɑ:n)] *m* Max.
Mazedonien [matsə'do:niən] *n* Macedonia.
Meißen ['maɪsən] *n* Meissen.
Mekka ['mɛka] *n* Mecca.
Melanchthon [me'lançtɔn] *German religious reformer.*
Memel ['me:məl] *f* Niemen (River).
Menzel ['mɛntsəl] *German painter.*
Mexiko ['mɛksiko] *n* Mexico.
Metternich ['mɛtərniç] *Austrian statesman.*
Michael ['miçaɛl], **Michel** ['miçəl] *m* Michael.
Mies van der Rohe ['mi:s fan der 'ro:ə] *German architect.*
Mittelamerika ['mitəla'me:rika] *n* Middle America.
Mitteldeutschland ['mitəldɔʏtʃlant] *n* Middle Germany.
Mitteleuropa ['mitəlɔʏ'ro:pa] *n* Central Europe.
Mittelmeer ['mitəlme:r] *n* Mediterranean (Sea).
Mittlere(r) Osten *m* Middle East.
Moldau ['mɔldau] *f* Moldavia.
Moltke *German field marshal.*
Mongolei [mɔŋgo'laɪ] *f: die Innere* ~ Inner Mongolia; *die Äußere* ~ Outer Mongolia.
Monika ['mo:nika] *f* Monica.
Mörike ['mø:rikə] *German poet.*
Moritz ['mo:rits] *m German Christian name.*
Mosel ['mo:zəl] *f Fr.* Moselle.
Moskau ['mɔskau] *n* Moscow.
Mozambique [mozam'bik] *n* Mozambique.
Mozart ['mo:tsart] *German composer.*
München ['mynçən] *n* Munich (*capital of Bavaria*).
Münster ['mynstər] *n town in West Germany.*
Musil ['musil, 'mu:zil] *Austrian author.*

N

Nahe(r) Osten *m* Near East.
Neapel [ne'ɑ:pəl] *n* Naples.
Neiße ['naɪsə] *f German river;* → *Oder-Neiße-Grenze.*
Nepal [ne'pɑ:l] *n* Nepal.
Neubrandenburg [nɔʏ'brandənburk] *n town and district in the German Democratic Republic.*
Neu-Delhi [nɔʏ'de:li] *n* New Delhi.
Neuenburg ['nɔʏənburk] *n Fr.* Neuchâtel (*Swiss town and canton*).
Neufundland [nɔʏ'funtlant] *n* Newfoundland.
Neuguinea [nɔʏgi'ne:a] *n* New Guinea.
Neuseeland [nɔʏ'ze:lant] *n* New Zealand.
Newa ['ne:va] *f* Neva.
Niagarafälle [nia'gɑ:rafɛlə] *m/pl.* Niagara Falls *pl.*
Niederlande ['ni:dərlandə] *pl.* Netherlands *pl.*
Niederösterreich ['ni:dərø:stəraɪç] *n* Lower Austria (*province of Austria*)
Niedersachsen ['ni:dərzaksən] *n* Lower Saxony (*Land of the German Federal Republic*).
Nietzsche ['ni:tʃə] *German philosopher.*
Nigeria [ni'ge:ria] *n* Nigeria.
Nikolaus ['ni:kolaus] *m* Nicholas.
Nil [ni:l] *m* Nile.
Nizza ['nitsa] *n Fr.* Nice.

Nolde ['nɔldə] *German painter.*
Norbert ['nɔrbɛrt] *m* Norbert.
Nordamerika ['nɔrta'me:rika] *n* North America.
Nordirland ['nɔrt'ˀirlant] *n* Northern Ireland.
Nordkap ['nɔrtkap] *n* North Cape.
Nord-Ostsee-Kanal [nɔrt'ˀɔstze:-kanɑ:l] *m* Kiel Canal.
Nordrhein-Westfalen ['nɔrtraɪn-vɛst'fɑ:lən] *n* North Rhine-Westphalia (*Land of the Federal Republic of Germany*).
Nordsee ['nɔrtze:] *f* German Ocean, North Sea.
Norwegen ['nɔrve:gən] *n* Norway.
Novalis [no'vɑ:lis] *German poet.*
Nowgorod ['nɔfgorɔt] *n* Novgorod.
Nubien ['nu:biən] *n* Nubia.
Nürnberg ['nyrnbɛrk] *n* Nuremberg.

O

Ob [ɔp] *m* Ob.
Oberösterreich ['o:bərøstəraɪç] *n* Upper Austria (*province of Austria*).
Odenwald ['o:dənvalt] *m mountainous region in Hesse.*
Oder ['o:dər] *f German river.*
Oder-Neiße-Grenze ['o:dər'naɪsə-] *f* Oder-Neisse Line.
Olaf ['o:laf] *m* Olaf.
Oldenburg ['ɔldənburk] *n town in West Germany.*
Olymp [o'lymp] *m* Mount Olympus.
Orff [ɔrf] *German composer.*
Oskar ['ɔskar] *m* Oscar.
Oslo ['ɔslo] *n* Oslo.
Osnabrück [ɔsna'bryk] *n town in West Germany.*
Ossietzky [ɔsi'ɛtski] *German writer and pacifist.*
Ostasien ['ɔst'ˀɑ:ziən] *n* Eastern Asia.
Ost-Berlin ['ɔstbɛrlin] *n* East Berlin (*town and district in the German Democratic Republic*).
Ostdeutschland ['ɔstdɔʏtʃlant] *n* East Germany.
Ostende [ɔst'ˀɛndə] *n* Ostend.
Österreich ['ø:stəraɪç] *n* Austria.
Ostpreußen ['ɔstprɔʏsən] *n* East Prussia.
Ostsee ['ɔstze:] *f* Baltic Sea.
Ottawa ['ɔtava] *n* Ottawa.
Otto ['ɔto] *m* Otto.
Otto der Große Otto the Great (*Holy Roman emperor*).

P

Pakistan ['pɑ:kistɑ(:)n] *n* Pakistan.
Palästina [palɛ'sti:na] *n* Palestine.
Panamakanal ['panamakanɑ:l] *m* Panama Canal.
Pandschab [pan'dʒɑ:p] *m* Punjab.
Paracelsus [para'tsɛlzus] *German chemist and physician.*
Paraguay [paragu'ɑ:i] *n* Paraguay.
Paris [pa'ri:s] *n* Paris.
Paul [paʊl] *m*, **Paula** ['paʊla] *f* Paul, Paula.
Pazifik [pa'tsi:fik], **Pazifische(r) Ozean** [pa'tsi:fiʃə(r)] *m* Pacific Ocean.
Peking ['pe:kiŋ] *n* Peking.
Peloponnes [pelopɔ'ne:s] *m* Peloponnesus.
Penninische(s) Gebirge [pɛ'ni:niʃə(s)] *n* Pennine Chain.
Persien ['pɛrziən] *n* Persia.
Peru [pe'ru:] *n* Peru.
Pestalozzi [pɛsta'lɔtsi] *Swiss educationist.*
Peter ['pe:tər] *m* Peter.
Petersburg ['pe:tərsburk] *hist. n* Saint Petersburg.
Pfalz [pfalts] *f* → *Rheinland-Pfalz.*
Philipp ['fi:lip] *m* Philip.
Philippinen [fili'pi:nən] *pl.* Philippine Islands, Philippines *pl.*
Planck [plaŋk] *German physicist.*
Plattensee ['platənze:] *m* Plattensee, Balaton.
Po [po:] *m* Po.
Polen ['po:lən] *n* Poland.
Pommern ['pɔmərn] *n* Pomerania.
Pompeji [pɔm'pe:ji] *m* Pompeii.
Portugal ['pɔrtugal] *n* Portugal.
Potsdam ['pɔtsdam] *n town and district in the German Democratic Republic.*
Prag [prɑ:k] *n* Prague.
Preußen ['prɔʏsən] *hist. n* Prussia.
Puerto Rico [pu'ɛrto 'ri:ko] *n* Puerto Rico.
Pyrenäen [pyre'nɛ:ən] *pl.* Pyrenees *pl.*

Q

Quebec [kwi'bɛk], **Quebeck** [kve-'bɛk] *n* Quebec.

R

Raabe ['rɑ:bə] *German poet.*
Raimund, Reimund ['raɪmunt] *m* Raymond.
Rainer, Reiner ['raɪnər] *m* Rayner
Rathenau ['rɑ:tənaʊ] *German industrialist and statesman.*
Rebekka [re'bɛka] *f* Rebecca.
Regensburg ['re:gənsburk] *n* Ratisbon, Regensburg.
Reger ['re:gər] *German composer.*
Regina [re'gi:na], **Regine** [re'gi:nə] *f* Regina.
Reich [raɪç] *German psychologist.*
Renate [re'nɑ:tə] *f* Renata.
Reykjavik ['raɪkjavik] *n* Reykjavik.
Rhein [raɪn] *m* Rhine.
Rheinland-Pfalz ['raɪnlant'pfalts] *n* Rhineland-Palatinate (*Land of the Federal Republic of Germany*).
Rhodesien [ro'de:ziən] *n* Rhodesia.
Rhodos ['ro(:)dɔs] *n* Rhodes.
Rhone ['ro:nə] *f* Rhone.
Richard ['riçart] *m* Richard.
Riga ['ri:ga] *n* Riga.
Rilke ['rilkə] *Austrian poet.*
Riviera [rivi'e:ra] *f* Riviera.
Robert ['ro:bɛrt] *m* Robert.
Roland ['ro:lant] *m* Roland.
Rolf [rɔlf] *m shortened form of* → *Rudolf.*
Rom [ro:m] *n* Rome.
Röntgen ['rœntgən] *German physicist.*
Rosemarie ['ro:zəmari:] *f* Rosemary.
Rostock ['rɔstɔk] *n town and district in the German Democratic Republic.*
Rote(s) Meer *n* Red Sea.
Rudolf, Rudolph ['ru:dɔlf] *m* Rudolph.
Rügen ['ry:gən] *n German island.*
Ruhr [ru:r] *f German river;* **~gebiet** *n industrial centre of West Germany.*
Rumänien [ru'mɛ:niən] *n* Ro(u)mania.
Rupert ['ru:pɛrt], **Ruprecht** ['ru:-prɛçt] *m* Rupert.
Rußland ['ruslant] *n* Russia.
Ruth [ru:t] *f* Ruth.

S

Saale ['zɑ:lə] *f German river.*
Saar [zɑ:r] *f affluent of the Moselle;* **~brücken** [~'brykən] *n capital of the Saar;* **~land** ['~lant] *n* Saar (*Land of the Federal Republic of Germany*).
Sabine [za'bi:nə] *f* Sabina.
Sachalin [zaxa'li:n] *n* Sakhalin.
Sachs [zaks] *German poet.*
Sachsen ['zaksən] *n* Saxony.
Sahara ['zɑ:hara, za'hɑ:ra] *f* Sahara.
Salzburg ['zaltsburk] *n town and province of Austria.*
Sankt Bernhard [zaŋkt 'bɛrnhart] *m*: *Große(r)* ~ Great Saint Bernard; *Kleine(r)* ~ Little Saint Bernard.
Sankt Gallen [zaŋkt 'galən] *n* Saint Gallen (*Swiss town and canton*).
Sankt Gotthard [zaŋkt 'gɔthart] *m* Saint Gotthard.
Sankt-Lorenz-Strom [zaŋkt'lo:-rɛnts-] *m* Saint Lawrence.
Sankt Moritz ['zaŋkt 'mo:rits] *n* Saint-Moritz.
Santiago de Chile [zanti'ɑ:go] *n* Santiago de Chile.
Sardinien [zar'di:niən] *n* Sardinia.
Saudi-Arabien [zaʊdia'rɑ:biən] *n* Saudi Arabia.
Schaffhausen [ʃaf'haʊzən] *n Fr.* Schaffhouse (*Swiss town and canton*).
Schanghai ['ʃaŋhaɪ] *n* Shanghai.
Scheel [ʃe:l] *German politician.*
Schiller ['ʃilər] *German poet.*
Schlesien ['ʃle:ziən] *n* Silesia.
Schleswig-Holstein ['ʃle:sviç'hɔl-ʃtaɪn] *n Land of the Federal Republic of Germany.*
Schönberg ['ʃø:nbɛrk] *Austrian composer.*
Schopenhauer ['ʃo:pənhaʊər] *German philosopher.*
Schottland ['ʃɔtlant] *n* Scotland.
Schubert ['ʃu:bərt] *Austrian composer.*
Schumann ['ʃu:man] *German composer.*
Schwaben ['ʃvɑ:bən] *n* Swabia.
Schwarze(s) Meer *n* Black Sea.
Schwarzwald ['ʃvartsvalt] *m* Black Forest.
Schweden ['ʃve:dən] *n* Sweden.
Schweiz [ʃvaɪts] *f*: *die* ~ Switzerland.
Schwerin [ʃve'ri:n] *n town and district in the German Democratic Republic.*
Schwind [ʃvint] *German painter.*
Schwyz [ʃvi:ts] *n Swiss town and canton.*
Sebastian [ze'bastian] *m German Christian name.*
Senegal ['ze:negal] *n* Senegal.
Serbien ['zɛrbiən] *n* Serbia.
Sewastopol [ze'vastopɔl] *n* Sevastopol.
Shetland-Inseln ['ʃɛtlantinzəln] *f/pl.* Shetland Islands *pl.*
Sibirien [zi'bi:riən] *n* Siberia.
Sibylle [zi'bilə] *f* Sibyl.
Siebengebirge ['zi:bəngəbirgə] *n mountain range along the Rhine.*
Siemens ['zi:məns] *German inventor.*
Sinai ['zi:naɪ] *f* Sinai.
Singapur ['ziŋgapu:r] *n* Singapore.
Sizilien [zi'tsi:liən] *n* Sicily.

Skandinavien [skandiˈnaːviən] *n* Scandinavia.
Slowakei [slovaˈkaɪ] *f*: *die* ~ Slovakia.
Sofia [ˈzɔfia, ˈzoːfia] *n* Sofia.
Solothurn [ˈzoːloturn] *n Swiss town and canton.*
Somaliland [zoˈmaːlilant] *n* Somaliland.
Sophie [zoˈfiː] *f* Sophia.
Sowjetunion [zɔˈvjɛtunioːn] *f* Soviet Union.
Spanien [ˈʃpaːniən] *n* Spain.
Spengler [ˈʃpɛŋlər] *German philosopher.*
Spitzbergen [ˈʃpitsbɛrgən] *n* Spitsbergen.
Spitzweg [ˈʃpitsveːk] *German painter.*
Spranger [ˈʃpraŋər] *German philosopher.*
Spree [ʃpreː] *f German river.*
Stefan, Stephan [ˈʃtɛfan] *m* Stephen.
Steiermark [ˈʃtaɪərmark] *f* Styria (*province of Austria*).
Stifter [ˈʃtiftər] *Austrian author.*
Stille(r) Ozean *m* → *Pazifik.*
Stockholm [ˈʃtɔkhɔlm] *n* Stockholm.
Storm [ʃtɔrm] *German poet.*
Straßburg [ˈʃtraːsburk] *n Fr.* Strasbourg.
Strauss [ʃtraus]: *Richard* ~ *German composer.*
Strauß [ʃtraus]: *Johann* ~ *Austrian composer.*
Stresemann [ˈʃtreːzəman] *German statesman.*
Stuttgart [ˈʃtutgart] *n capital of Baden-Württemberg.*
Südafrika [ˈzyːtˈʔaːfrika] *n* South Africa.
Südamerika [ˈzyːtaˈmeːrika] *n* South America.
Sudan [zuːˈdaːn] *m* S(o)udan.
Sudeten [zuˈdeːtən] *pl.* Sudetes, Sudetic Mountains *pl.*
Südsee [ˈzyːtzeː] *f* South Sea, South Pacific Ocean.
Südwestafrika [zyːtˈvɛstaːfrika] *n* South-West Africa.
Sueskanal [ˈzuːɛskanaːl] *m* Suez Canal.
Suhl [zuːl] *n town and district in the German Democratic Republic.*
Susanne [zuˈzanə] *f* Susan.
Syrien [ˈzyːriən] *n* Syria.

T

Taiwan [ˈtaɪvan] *n* → *Formosa.*
Tanganjika [taŋganˈjiːka] *n* Tanganyika.
Teheran [teheˈraːn] *n* Teh(e)ran.
Tel Aviv [telaˈviːf] *n* Tel Aviv.
Telemann [ˈteːləman] *German composer.*
Teneriffa [teneˈrifa] *n* Tenerif(f)e.
Tessin [tɛˈsiːn] *n* Ticino (*Swiss canton*).
Thailand [ˈtaɪlant] *n* Thailand.
Theiß [taɪs] *f* Tisza, Theiss.
Themse [ˈtɛmzə] *f* Thames.
Theodor [ˈteːodoːr] *m* Theodore.
Therese [teˈreːzə] *f* Theresa.
Thomas [ˈtoːmas] *m* Thomas.
Thurgau [ˈtuːrgau] *m* Thurgovia (*Swiss canton*).
Thüringen [ˈtyːriŋən] *n* Thuringia.
Thüringer Wald [ˈtyːriŋər] *m* Thuringian Forest.
Tiber [ˈtiːbər] *m* Tiber.
Tibet [ˈtiːbɛt] *n* Tibet.
Tieck [tiːk] *German poet.*
Tigris [ˈtiːgris] *m* Tigris.
Tirana [tiˈraːna] *n* Tirana.
Tirol [tiˈroːl] *n* Tyrol (*province of Austria*).
Tokio [ˈtoːkio] *n* Tokyo.
Tom [tɔm] *m shortened form of* → *Thomas.*
Tongking [ˈtɔŋkiŋ] *n* Tonkin(g).
Toskana [tɔsˈkaːna] *f* Tuscany.
Tote(s) Meer *n* Dead Sea.
Trakl [ˈtraːkəl] *Austrian poet.*
Trient [triˈɛnt] *n* Trent.
Trier [triːr] *n* Trier, *Fr.* Treves.
Triest [triˈɛst] *n* Trieste.
Tschechoslowakei [tʃɛçoslovaˈkaɪ] *f*: *die* ~ Czechoslovakia.
Tucholsky [tuˈxɔlski] *German author.*
Tunesien [tuˈneːziən] *n* Tunis(ia).
Türkei [tyrˈkaɪ] *f*: *die* ~ Turkey.
Tyrrhenische(s) Meer [tyˈreːniʃə(s)] *n* Tyrrhenian Sea.

U

Ukraine [ukraˈiːnə, uˈkraɪnə] *f* Ukraine.
Ulrich [ˈulriç] *m* Ulric.
Ungarn [ˈuŋgarn] *n* Hungary.
Union der Sozialistischen Sowjetrepubliken *f* Union of Soviet Socialist Republics.
Ural [uˈraːl] *m* Ural, Ural Mountains *pl.*
Uri [ˈuːri] *n Swiss canton.*
Ursula [ˈurzula] *f German Christian name.*
Uruguay [uruguˈaːi] *n* Uruguay.
Ussuri [ussuˈri] *m* Ussuri.

V

Vaduz [faˈduts, vaˈduːts] *n* Vaduz.
Valentin [ˈvaːlɛntiːn] *m* Valentine.
Vatikan [vatiˈkaːn] *m* Vatican.
Venedig [veˈneːdiç] *n* Venice.
Venezuela [venetsuˈeːla] *n* Venezuela.
Vereinigte Arabische Republik *f* United Arab Republic.
Vereinigte(s) Königreich (von Großbritannien und Nordirland) *n* United Kingdom (of Great Britain and Northern Ireland).
Vereinigte(n) Staaten (von Amerika) *pl.* United States (of America).
Veronika [veˈroːnika] *f* Veronica.
Vesuv [veˈzuːf] *m* Vesuvius.
Viktor [ˈviktɔr] *m*, **Viktoria** [vikˈtoːria] *f* Victor, Victoria.
Vierwaldstätter See [fiːrˈvaltʃtɛtər] *m* Lake of Lucerne.
Vietnam [viˈɛtnam] *n* Vietnam, Viet Nam.
Virchow [ˈfirço, ˈvirço] *German pathologist.*
Vogesen [voˈgeːzən] *pl. Fr.* Vosges *pl.*
Volksrepublik China [ˈçiːna] *f* People's Republic of China.
Vorarlberg [ˈfoːrarlbɛrk] *n province of Austria.*
Vorderasien [ˈfɔrdərˈʔaːziən] *n* Anterior Asia, Near East.

W

Waadt [vaːt, vat] *f Fr.* Vaud (*Swiss canton*).
Wagner [ˈvaːgnər] *German composer.*
Wallenstein [ˈvalənʃtaɪn] *Austrian general.*
Wallis [ˈvalis] *n Fr.* Valais (*Swiss canton*).
Walser [ˈvalzər] *German author.*
Walter [ˈvaltər] *m* Walter.
Walther von der Vogelweide [ˈvaltər fɔn der ˈfoːgəlvaɪdə] *German poet.*
Wankel [ˈvaŋkəl] *German inventor.*
Warschau [ˈvarʃau] *n* Warsaw.
Weber [ˈveːbər] *German composer.*
Weichsel [ˈvaɪksəl] *f* Vistula.
Weiß [vaɪs] *German dramatist.*
Weiße(s) Meer *n* White Sea.
Weißrußland [ˈvaɪsruslant] *n* White Russia.
Weizsäcker [ˈvaɪtszɛkər] *German physicist.*
Werfel [ˈvɛrfəl] *Austrian author.*
Weser [ˈveːzər] *f German river.*
West-Berlin [ˈvɛstbɛrliːn] *n* West Berlin.
Westdeutschland [ˈvɛstdɔʏtʃlant] *n* West Germany.
Westfalen [vɛstˈfaːlən] *n* → *Nordrhein-Westfalen.*
Westindische(n) Inseln [ˈvɛstˈʔindiʃə(n)] *f/pl.* West Indies *pl.*
Wieland [ˈviːlant] *German poet.*
Wien [viːn] *n* Vienna (*capital and province of Austria*).
Wiesbaden [ˈviːsbaːdən] *n capital of Hesse.*
Wilhelm [ˈvilhɛlm] *m* William.
Willi [ˈvili] *m shortened form of* → *Wilhelm.*
Windhuk [ˈvinthuk] *n* Windhoek.
Wittgenstein [ˈvitgənʃtaɪn] *Austrian philosopher.*
Wladiwostok [vladivɔsˈtɔk] *n* Vladivostok.
Wolfram von Eschenbach [ˈvɔlfram fɔn ˈʔɛʃənbax] *German poet.*
Wolga [ˈvɔlga] *f* Volga.
Wuppertal [ˈvupərtaːl] *n town in West Germany.*
Württemberg [ˈvyrtəmbɛrk] *n* → *Baden-Württemberg.*
Würzburg [ˈvyrtsburk] *n town in West Germany.*

X

Xaver [ˈksaːvər] *m German Christian name.*

Z

Zentralafrikanische Republik [tsɛnˈtraːlafrikaːniʃə] *f* Central African Republic.
Zeppelin [ˈtsɛpəliːn] *German inventor.*
Zuckmayer [ˈtsukmaɪər] *German dramatist.*
Zug [tsuːk] *n Swiss town and canton.*
Zugspitze [ˈtsuːkʃpitsə] *f highest mountain of Germany.*
Zuidersee [ˈzɔʏdərzeː] *f* Zuider Zee, Ijsselmeer.
Zürich [ˈtsyːriç] *n* Zurich (*Swiss town and canton*).
Zweig [tsvaɪk] *Austrian author.*
Zwingli [ˈtsviŋli] *Swiss Reformation leader.*
Zypern [ˈtsyːpərn] *n* Cyprus.

Current German Abbreviations

Gebräuchliche deutsche Abkürzungen

A

A *Ampere* ampere.
AA *Auswärtiges Amt* Foreign Office.
a.a.O. *am angeführten Ort* in the place cited, *abbr.* loc.cit., l.c.
Abb. *Abbildung* illustration, *abbr.* fig. (= figure).
ABC *Argentinien, Brasilien und Chile* Argentina, Brazil, and Chile; *atomar, biologisch und chemisch* atomic, biological, and chemical.
Abf. *Abfahrt* departure.
Abg. *Abgeordnete(r)* parliamentary representative, Member of Parliament, *etc.*
Abk. *Abkürzung* abbreviation.
Abs. *Absatz* paragraph; *Absender* sender.
Abschn. *Abschnitt* paragraph, chapter.
Abt. *Abteilung* department.
abzgl. *abzüglich* less.
a. Chr. (n.) *ante Christum (natum)* before Christ, *abbr.* B.C.
A. D. *Anno Domini, Im Jahre des Herrn* in the year of our Lord.
a. D. *außer Dienst* retired; *an der Donau* on the Danube.
ADAC *Allgemeiner Deutscher Automobil-Club* General German Automobile Association.
ADN *Allgemeiner Deutscher Nachrichtendienst* General German News Service (*in the* → *DDR*).
Adr. *Adresse* address.
AG *Aktiengesellschaft* (public) limited company, *Am.* (stock) corporation.
a. G. *thea. als Gast* as a guest.
A.-Gew. *Atomgewicht* atomic weight.
Ah *Amperestunde* ampere-hour.
Akad. *Akademie* academy.
allg. *allgemein* general.
allj. *alljährlich* annual.
allm. *allmählich* gradual.
alph. *alphabetisch* alphabetic(al).
Alu *Aluminium* aluminium, *Am.* aluminum.
a. M. *am Main* on the Main.
amtl. *amtlich* official.
anat. *anatomisch* anatomic(al).
Anf. *Anfang* beginning.
Angest. *Angestellte(r)* employee.
Anh. *Anhang* appendix.
Ank. *Ankunft* arrival.
Anl. *Anlage with letter*: enclosure.
Anm. *Anmerkung* note.
Antw. *Antwort* answer.
Anz. *Anzahlung* first instal(l)ment.
a. O. *an der Oder* on the Oder.
AOK *Allgemeine Ortskrankenkasse* local health insurance.
ao. Prof., a. o. Prof. *außerordentlicher Professor* senior lecturer, *Am.* associate professor.
APO *Außerparlamentarische Opposition* extra-parliamentary opposition.
ARD *Arbeitsgemeinschaft der öffentlich-rechtlichen Rundfunkanstalten der Bundesrepublik Deutschland* Working Pool of the Broadcasting Corporations of the Federal Republic of Germany.
a. Rh. *am Rhein* on the Rhine.
Art. *Artikel* article.
ASTA *Allgemeiner Studentenausschuß* general students' committee.
A. T. *Altes Testament* Old Testament.
at *technische Atmosphäre* technical atmosphere.
atm *physikalische Atmosphäre* physical atmosphere.
atü *Atmosphärenüberdruck* atmospheric excess pressure.
Aufl. *Auflage* edition.
Aug. *August* August.
ausschl. *ausschließlich* exclusive(ly), excluding.
AvD *Automobilclub von Deutschland* Automobile Association of Germany.
Az *Aktenzeichen* file number.

B

b. *bei* at; with; *place*: near; *address*: care of.
b. a. w. *bis auf weiteres* until further notice.
Bd. *Band* volume.
Bde. *Bände* volumes.
BDI *Bundesverband der deutschen Industrie* Federal Association of German Industry.
bed. *bedingt* limited, conditional.
Beibl. *Beiblatt* supplement(ary publication).
beil. *beiliegend* enclosed.
Bem. *Bemerkung* note, comment, observation.
BENELUX *Belgien, Niederlande, Luxemburg* Belgium, Netherlands, Luxemb(o)urg.
bes. *besonders* especially.
Best.Nr. *Bestellnummer* order number.
Betr. *Betreff, betrifft at head of letter*: subject, re.
betr. *betreffend, betrifft, betreffs* concerning, respecting, regarding.
bev. *bevollmächtigt* authorized.
Bez. *Bezirk* district.
bez. *bezahlt* paid; *bezüglich* with reference to.
BFH *Bundesfinanzhof* Federal Finance Court.
BGB *Bürgerliches Gesetzbuch* (German) Civil Code.
BGH *Bundesgerichtshof* Federal Supreme Court.
BGS *Bundesgrenzschutz* Federal Border Police.
BHE *Bund der Heimatvertriebenen und Entrechteten* Union of Expellees and Persons Deprived of their Rights.
Bhf. *Bahnhof* station.
Biol. *Biologie* biology.
bisw. *bisweilen* sometimes, occasionally.
BIZ *Bank für internationalen Zahlungsausgleich* Bank of International Settlements.
Bj. *Baujahr* year of construction, model.
Bkl. *Beklagte(r)* defendant.
Bl. *Blatt* sheet; *Seite* page.
Bln. *Berlin* Berlin.
BND *Bundesnachrichtendienst* Federal Intelligence Service.
Bot. *Botanik* botany.
BP *Bundespost* Federal Postal Administration.
BRD *Bundesrepublik Deutschland* Federal Republic of Germany.
brosch. *broschiert* stitched.
BRT *Brutto-Register-Tonnen* gross register tons.
btto. *brutto* gross.
BVN *Bund der Verfolgten des Naziregimes* Union of Persons Persecuted under the Nazi Regime.
Bw *Bundeswehr* Federal Armed Forces.
b. w. *bitte wenden* please turn over.
BWM *Bundeswirtschaftsministerium* Federal Ministry for Economic Affairs.
bzgl. *bezüglich* with reference to.
bzw. *beziehungsweise* respectively.

C

C *Celsius* Celsius, centigrade.

ca. *circa, ungefähr, etwa* about, approximately.

Cal *Kilogrammkalorie* kilogram(me)-calory, *Am.* -calorie.

cal *(Gramm)Kalorie* gram(me)-calory, *Am.* -calorie.

cand. *candidatus, Kandidat* candidate.

cbm *Kubikmeter* cubic metre, *Am.* -er.

ccm *Kubikzentimeter* cubic centimetre, *Am.* -er.

CDU *Christlich-Demokratische Union* Christian Democratic Union.

cent. *centum, hundert* a hundred.

chem. *chemisch* chemical.

Chr. *Christus* Christ, Jesus.

Cie. *Kompanie* Company.

cm *Zentimeter* centimetre, *Am.* -er.

Co. *Kompagnon* partner; *Kompanie* Company.

cos. *Kosinus* cosine.

cot., cotg. *Kotangens* cotangent.

CSU *Christlich-Soziale Union* Christian Social Union.

c. t. *cum tempore, mit akademischem Viertel* with a quarter of an hour's allowance.

C.V.J.F. *Christlicher Verein Junger Frauen* Young Women's Christian Association, *abbr.* Y.W.C.A.

C.V.J.M. *Christlicher Verein Junger Männer* Young Men's Christian Association, *abbr.* Y.M.C.A.

D

D *D-Zug* corridor train, *Am.* express train.

D. → *Dr. theol.*

3D *dreidimensional* tridimensional.

d. Ä. *der Ältere* senior.

DAG *Deutsche Angestellten-Gewerkschaft* Trade Union of German Employees.

DAK *Deutsche Angestellten-Krankenkasse* Employees' Health Insurance.

DB *Deutsche Bundesbahn* German Federal Railway; *Deutsche Bundesbank* German Federal Bank.

dB, db *Dezibel* decibel.

Dbd. *Doppelband* double volume.

DBGM *Deutsches Bundesgebrauchsmuster* German Federal Registered Design (Pattern).

DBP *Deutsche Bundespost* German Federal Postal Administration; *Deutsches Bundespatent* German Federal Patent.

D.B.P.a. *Deutsches Bundespatent angemeldet* German Federal Patent pending.

DDR *Deutsche Demokratische Republik* German Democratic Republic, *abbr.* G.D.R.

den *Denier* denier.

DER *Deutsches Reisebüro* German Travel Agency.

desgl. *desgleichen* the like.

Dez. *Dezember* December.

DGB *Deutscher Gewerkschaftsbund* Federation of German Trade Unions.

dgl. *dergleichen, desgleichen* the like.

d. Gr. *der Große* the Great.

d. h. *das heißt* that is, *abbr.* i.e.

d. i. *das ist* that is, *abbr.* i.e.

DIN *Deutsche Industrie-Norm* German Industrial Standards.

Dipl. *Diplom* diploma.

Dipl.-Kfm. *Diplomkaufmann* person holding an academy's diploma in commerce.

Dipl.-Ing. *Diplomingenieur* academically trained engineer.

Dir. *Direktion* management; *Direktor* director, manager; *Dirigent* conductor.

d. J. *dieses Jahres* of this year; *der Jüngere* junior.

DJH *Deutsches Jugendherbergswerk* German Youth Hostel Association.

dkg *Dekagramm* decagram(me).

DKP *Deutsche Kommunistische Partei* German Communist Party.

DM *Deutsche Mark* German Mark.

dm *Dezimeter* decimetre, *Am.* -er.

d. M. *dieses Monats* instant.

DNA *Deutscher Normenausschuß* German Committee of Standards.

do. *dito* ditto.

d. O. *der (die, das) Obige* the above-mentioned.

dopp. *doppelt* double.

Doz. *Dozent* university lecturer.

dpa *Deutsche Presse-Agentur* German Press Agency.

D.P.a. *deutsches Patent angemeldet* German Patent pending.

Dpf. *D-Pfennig* German Pfennig.

Dr. *Doktor* Doctor; ~ **jur.** *Doktor der Rechte* Doctor of Laws (LL.D.); ~ **med.** *Doktor der Medizin* Doctor of Medicine (M.D.); ~ **phil.** *Doktor der Philosophie* Doctor of Philosophy (D. ph[il].), Ph.D.; ~ **theol.** (*evangelisch* D.) *Doktor der Theologie* Doctor of Divinity (D.D.).

DRK *Deutsches Rotes Kreuz* German Red Cross.

DSB *Deutscher Sportbund* German Sports Association.

DSG *Deutsche Schlafwagen- und Speisewagen-Gesellschaft* German Society for Dining- and Sleeping-Cars.

dt(sch). *deutsch* German.

dto. *dito* ditto.

Dtschld. *Deutschland* Germany.

Dtzd. *Dutzend* dozen.

d. U. *der Unterzeichnete* the undersigned.

Dupl. *Duplikat* duplicate.

d. Verf. *der Verfasser* the author.

dz *Doppelzentner* 100 kilogrammes.

dz. *derzeit* at present.

E

E *Eilzug* fast train.

ebd. *ebenda* in the same place.

Ed. *Edition, Ausgabe* edition.

ed. *edidit = hat (es) herausgegeben;*
edd. *ediderunt = haben (es) herausgegeben* published by.

EDV *elektronische Datenverarbeitung* electronic data processing.

eff. *effektiv* effective.

EGKS *Europäische Gemeinschaft für Kohle und Stahl* European Coal and Steel Community.

EGmbH *Eingetragene Genossenschaft mit beschränkter Haftpflicht* Registered Co-operative Society with Limited Liability.

e.h. *ehrenhalber of degree*: honorary.

ehem., ehm. *ehemals* formerly.

eig., eigtl. *eigentlich* really, strictly speaking.

einschl. *einschließlich* inclusive(ly), including.

Einw. *Einwohner* inhabitant.

EKD *Evangelische Kirche in Deutschland* Protestant Church in Germany.

EKG *Elektrokardiogramm* electrocardiogram.

el *elektrisch* electric, electrical.

ela *elektroakustisch* electroacoustic.

E-Lok *elektrische Lokomotive* electric engine.

EMK *elektromotorische Kraft* electromotive force.

Empf. *Empfänger* addressee.

Empf. (**Preis**) *Empfohlen(er Preis)* recommended (price).

engl. *englisch* English.

entspr. *entsprechend* corresponding.

entw. *entweder* either; *entwickelt* developed.

ER *Europarat* Council of Europe.

erg. *ergänze* supply, add.

Erl. *Erläuterung* explanation, (explanatory) note.

erstkl. *erstklassig* first-rate.

erw. *erweitert* extended.

E-Straßen *Europastraßen* European highways.

EU *Europaunion* European Union.

Euratom *Europäische Atomgemeinschaft* European Atomic Community.

ev. *evangelisch* Protestant.

e. V. *eingetragener Verein* registered society *or* association.

evtl. *eventuell* perhaps, possibly.

EWA *Europäisches Währungsabkommen* European Monetary Agreement.

E-Werk *Elektrizitätswerk* (electric) power station.

EWG *Europäische Wirtschaftsgemeinschaft* European Economic Community.

e. Wz. *eingetragenes Warenzeichen* registered trade-mark.

exkl. *exklusive* except(ed), not included.

Expl. *Exemplar*, sample, copy.

F

F *Fahrenheit* Fahrenheit; *Farad* farad.

f. *folgende (Seite)* following (page).

Fa. *Firma* firm; *in letters*: Messrs.

Fak. *Fakultät* faculty.

Fam. *Familie* family.

FC *Fußballclub* football club.

FDGB *Freier Deutscher Gewerkschaftsbund* Free Federation of German Trade Unions (*of the* → *DDR*).

FDJ *Freie Deutsche Jugend* Free German Youth (*of the* → *DDR*).

FDP *Freie Demokratische Partei* Liberal Democratic Party.

F. d. R. *Für die Richtigkeit* I certify (that) this (*statement*) is correct.

Febr. *Februar* February.

ff *sehr fein* extra fine.

ff. *folgende Seiten* following pages.

Ffm. *Frankfurt am Main* Frankfort on the Main.

Fig. *Figur* figure.

fig. *figürlich, bildlich* figurative.

Fil. *Filiale* branch.

FKK *Freikörperkultur* nudism.

fl. W. *fließendes Wasser* running water.
fm *Festmeter* cubic metre, *Am.* -er.
fortl. *fortlaufend* running, successive.
Forts. *Fortsetzung* continuation.
Fr. *Frau* Mrs.
fr. *franko, frei* post paid, free.
frdl. *freundlich* kind.
Frhr. *Freiherr* Baron.
Frl. *Fräulein* Miss.
frz. *französisch* French.
FSV *Fußballsportverein* football association.
F.T. *Funkentelegraphie* radiotelegraphy.
FU *Freie Universität (Berlin)* Free University of Berlin.
Fu *Funk* radio.
F-Zug *Fernschnellzug* long-distance express train.

G

g *Gramm* gram(me).
gar. *garantiert* guaranteed.
Gbd. *Großband* oversize volume.
Gbf *Güterbahnhof* goods station.
Geb. *Gebühr* charge, fee; *Gebäude* building.
geb. *geboren* born; *geborene* ... née; *gebunden* bound.
Gebr. *Gebrüder* Brothers.
gebr. *gebraucht* used.
gefl. *gefällig(st)* kind(ly), (if you) please.
gegr. *gegründet* founded.
geh. *geheftet* stitched.
gek. *gekürzt* abbreviated.
gem. *gemäß* according to; *gemischt* mixed.
Gem. *Gemeinde* community, local authority.
GEMA *Gesellschaft für musikalische Aufführungs- und mechanische Vervielfältigungsrechte* association for the protection of musical works regarding their performance in public and their reproduction in any material form.
Gen. *Genossenschaft* co-operative (society).
Gen. Dir. *Generaldirektor* managing director.
gepr. *geprüft* tested.
Ges. *Gesellschaft* association, company; society; *Gesetz* law.
ges. *gesamt* total; *gesetzlich* legal.
gesch. *geschieden* divorced.
ges. gesch. *gesetzlich geschützt* registered.
geschl. *geschlossen* closed; private.
Geschw. *Geschwister* brother(s) and sister(s); *Geschwindigkeit* speed.
gest. *gestorben* deceased.
gew. *gewisser* certain; *gewöhnlich* usually.
gez. *gezeichnet* (*in front of signatures*) signed.
GG *Grundgesetz* Basic Constutional Law.
ggez. *gegengezeichnet* countersigned → **gez.**
ggf. *gegebenenfalls* if necessary, if the occasion arises.
GHz *Gigahertz* gigacycles per second.
GmbH, G.m.b.H. *Gesellschaft mit beschränkter Haftung* private limited company.
GMD. *Generalmusikdirektor* musical director.
gr. *gratis* gratis, free of charge.
griech.-or. *griech-orthodox* Greek-Orthodox.
Guth. *Guthaben* credit.
gzj. *ganzjährig* all-year, full-year.
Gzln *Ganzleinen(band)* full-cloth (volume).

H

h *Stunde* hour.
ha *Hektar* hectare.
habil. *habilitatus, habilitiert*; *of univ. degree*: habilitated.
haupts. *hauptsächlich* principally, mainly.
Hbf. *Hauptbahnhof* central (*or* main station).
Hbg. *Hamburg* Hamburg.
h. c. *honoris causa, ehrenhalber*; *of univ. degree*: honorary.
Hdb. *Handbuch* handbook, manual.
Hdt *Hundert* hundred.
herg. *hergestellt* made, produced.
HF *Hochfrequenz* high frequency.
HG *Handelsgesellschaft* trading company.
HGB *Handelsgesetzbuch* Commercial Code.
Hj. *Halbjahr* half-year.
hj. *halbjährlich* half-yearly.
hl *Hektoliter* 22 gallons.
Hl. *Heilige(r)* saint.
hl. *heilig* holy.
Hln *Halbleinenband* half-cloth (volume).
HO *Handelsorganisation* Trade Organization (*of the → DDR*).
höfl. *höflich(st)* kindly (kindliest).
Hptst. *Hauptstadt* capital.
hpts. *hauptsächlich* principally, mainly.
Hr., Hrn. *Herr(n)* Mr.
hrsg. *herausgegeben* edited.
Hrsg. *Herausgeber* editor.
Hst. *Haltestelle* stop.
HTL *Höhere Technische Lehranstalt* polytechnical school.
Hz *Hertz* cycle per second.

I

i. *im, in* in.
i. A. *im Auftrag* for, by order, under instruction.
i. allg. *im allgemeinen* in general, generally speaking.
i. B. *im Bau* under construction.
i. b. *im besonderen* in particular.
i. D. *im Durchschnitt* on an average.
id. *identisch* identical.
i. Fa. *in Firma* care of.
IG *Industriegewerkschaft* Industry Trade Union.
I.G. *Interessengemeinschaft* pool, trust.
i. g. *im ganzen* on the whole.
i. J. *im Jahre* in the year.
i. L. *in Liquidation* in liquidation.
ill. *illustriert* illustrated.
inbegr. *inbegriffen* included.
Ing. *Ingenieur* engineer.
Inh. *Inhaber* proprietor; *Inhalt* contents.
inkl. *inklusive, einschließlich* inclusive(ly), including.
insb. *insbesondere* in particular.
insg. *insgesamt* altogether.
Insp. *Inspektor* inspector, supervisor.
Inst. *Instanz* instance; *Institut* institute.
Int. *Intendant* director; *Internist* internal specialist.
int. *international* international; *intern* internal.
Interpol *Internationale Kriminalpolizei-Kommission* International Criminal Police Commission.
inzw. *inzwischen* meanwhile, in the meantime.
IOK *Internationales Olympisches Komitee* International Olympic Committee.
IQ *Intelligenzquotient* intelligence quotient.
IR *Infrarot...* infra-red.
i. R. *im Ruhestand* retired, *esp. univ.*: emeritus.
IRK *Internationales Rotes Kreuz* International Red Cross.
IS *Ingenieurschule* engineering college.
i. S. *im Sinne (gen.)* in the meaning (of); *in Sachen* in re, in the matter of.
ISG *Internationale Schlafwagen- und Speisewagengesellschaft* International Society for Dining- and Sleeping-cars.
i. V. *in Vertretung* by proxy, by order, on behalf of; *im Vorjahre* in the last (*or* previous) year; *in Vorbereitung* in preparation.
i. W. *in Worten* in words.
i. w. S. *im weiteren Sinne* in a broad sense.

J

Jan. *Januar* January.
Jb. *Jahrbuch* annual.
jew. *jeweils* at a time.
Jg. *Jahrgang* age-group, volume; *Jugend* youth.
JH *Jugendherberge* youth hostel.
Jh. *Jahrhundert* century.
jhrl. *jährlich* annual.
jr., jun. *junior, der Jüngere* junior.
jur. *juristisch* legal.

K

Kal. *Kalender* calendar.
Kap. *Kapitel* chapter.
kart. *kartoniert* bound in boards.
Kat. *Kategorie* category.
kath. *katholisch* Catholic.
Kfm. *Kaufmann* merchant.
kfm. *kaufmännisch* commercial.
Kfz. *Kraftfahrzeug* motor vehicle.
KG *Kommanditgesellschaft* limited partnership.
kg *Kilogramm* kilogram(me).
Kgl. *Königlich* Royal.
kHz, KHz *Kilohertz* kilocycles per second.
k. J. *kommenden Jahres* of next year
Kl. *Klasse* class; *school*: form.
k. M. *kommenden Monats* of next month.
km *Kilometre* kilometre, *Am.* -er.
kn *Knoten* (= 1,852 *km/h*) knot (= 1,852 *km/h*).
Koeff. *Koeffizient* coefficient.
komb. *kombiniert* combined.
komm. *kommunistisch* Communist; *kommunal* municipal.
Komp. *Kompanie* company.
kompl. *komplett* complete.
Konf. *Konfession* creed, denomination.

konst. *konstant* constant.
konv. *konventionell* conventional.
KP *Kommunistische Partei* Communist Party.
kp *Kilopond* (*unit of force*) kilogram(me)-weight.
KPdSU *Kommunistische Partei der Sowjetunion* Communist Party of the Soviet Union.
Kpt. *Kapitän* captain.
Kripo *Kriminalpolizei* Criminal Investigation Department.
Kr(s). *Kreis* district.
Kto. *Konto* account.
KW *Kurzwelle* short wave.
kW *Kilowatt* kilowatt.
kWh *Kilowattstunde* kilowatt hour.
KZ *Konzentrationslager* concentration camp.
Kzf. *Kurzform* abbreviated form.

L

l Liter litre, *Am.* -er.
l. *links* on the left.
Lab. *Labor(atorium)* lab(oratory).
LAG *Lastenausgleichsgesetz* Equalization of Burdens Law.
landw. *landwirtschaftlich* agricultural.
Ldkr. *Landkreis* (rural) district.
LDPD *Liberal-Demokratische Partei Deutschlands* Liberal Democratic Party of Germany (*of the* → *DDR*).
led. *ledig* unmarried.
Lekt. *Lektion* lesson.
lfd. *laufend* current, running.
lfd. Js. *laufenden Jahres* of the current year.
lfd. Ms. *laufenden Monats* of the current month.
lfd. Nr. *laufende Nummer* current number.
Lfg., Lfrg. *Lieferung* delivery; instal(l)ment.
LG *Landgericht* District Court.
lib. *liberal* liberal.
Lit. *Literatur* literature.
liz. *lizensiert* licensed.
Lkw. *Lastkraftwagen* lorry, truck.
Ln. *Leinen(einband)* cloth binding.
log *Logarithmus* logarithm.
Lok *Lokomotive* engine.
LSD *Lysergsäurediäthylamid* lysergic acid dietylamide; *Liberaler Studentenbund Deutschlands* Association of Liberal Students of Germany.
lt. *laut* according to.
ltd. *leitend* managing.
Ltg. *Leitung* direction, management.
luth. *lutherisch* Lutheran.
LW *Langwelle* long wave.

M

M *Mark* German Mark (*in the* → *DDR*); *Mega...* mega...
m *Meter* metre, *Am.* -er.
MA. *Mittelalter* Middle Ages.
mA *Milliampere* milliampere.
ma. *mittelalterlich* medieval.
m. A. n. *meiner Ansicht nach* in my opinion.
Math. *Mathematik* mathematics.
m. a. W. *mit anderen Worten* in other words.
max. *maximal* maximum.
mb *Millibar* millibar.
m. b. H. *mit beschränkter Haftung* with limited liability.
MdB, M. d. B. *Mitglied des Bundestages* Member of the "Bundestag".
MdL, M. d. L. *Mitglied des Landtages* Member of the "Landtag".
mdl. *mündlich* verbal.
ME *Mache-Einheit* Mache Unit.
m. E. *meines Erachtens* in my opinion.
mech *mechanisch* mechanical.
med. *medizinisch* medical.
mehrf. *mehrfach* multiple.
Mehrw.St. *Mehrwertsteuer* value-added tax.
Meth. *Methode* method.
MEZ *mitteleuropäische Zeit* Central European Time.
mg *Milligramm* milligram(me[s]).
MG *Maschinengewehr* machine-gun.
MHz *Megahertz* megacycles per second.
Mill. *Million(en)* million(s).
Min., min. *Minute(n)* minute(s).
min. *minimal* minimum.
mind. *minderjährig* minor; *mindestens* at least.
mkg *Meterkilogramm* kilogram(me)-metre, *Am.* -er.
ml *Milliliter* millilitre, *Am.* -er.
mm *Millimeter* millimetre, *Am.* -er.
möbl. *möbliert* furnished.
mod. *modern* modern.
MP *Militärpolizei* Military Police; *Maschinenpistole* submachine gun.
Mrd. *Milliarde* thousand millions, *Am.* billion.
Ms., Mskr. *Manuskript* manuscript.
m/sec *Metersekunde* metres (*Am.* -ers) per second.
mtl. *monatlich* monthly.
mV *Millivolt* millivolt.
m. W. *meines Wissens* as far as I know.

N

N *Norden* north; *Leistung* power.
Nachdr. *Nachdruck* reprint.
Nachf. *Nachfolger* successor.
nachm. *nachmittags* in the afternoon, *abbr.* p.m.
Nachtr. *Nachtrag* appendix, supplement.
nat. *national* national.
naturw. *naturwissenschaftlich* scientific.
N.B. *notabene* note carefully.
n. Br. *nördlicher Breite* of northern latitude.
n. Chr. *nach Christus* after Christ, *abbr.* A.D.
NDPD *National-Demokratische Partei Deutschlands* National-Democratic Party of Germany (*in the* → *DDR*).
NDR *Norddeutscher Rundfunk* North German Broadcasting Station.
NF *Niederfrequenz* audiofrequency.
n. J. *nächsten Jahres* of next year.
n. M. *nächsten Monats* of next month.
NN *Normalnull* sea-level.
N.N. *nescio nomen, Name unbekannt* name unknown.
NO *Nordosten* north-east.
NOK *Nationales Olympisches Komitee* National Olympic Committee.
Nov. *November* November.
NPD *National-Demokratische Partei Deutschlands* National-Democratic Party of Germany.
Nr. *Numero, Nummer* number.
NS *Nachschrift* postscript; *hist. nationalsozialistisch* National Socialistic.
N.T. *Neues Testament* New Testament.
NW *Nordwesten* north-west.
NWDR *Nordwestdeutscher Rundfunk* North-West German Broadcasting Station.

O

O *Osten* east.
o. *oben* above; *oder* or; *ohne* without.
o. ä. *oder ähnlich* or the like.
ö. A. *öffentliche Anstalt* public institution.
ÖAMTC *Österreichischer Automobil-, Motorrad- und Touring-Club* Austrian Automobile, Motorcycle and Touring Association.
OB *Oberbürgermeister* Chief Burgomaster.
o. B. *med. ohne Befund* no appreciable disease.
ÖBB *Österreichische Bundesbahnen* Federal Railways of Austria.
Obb. *Oberbayern* Upper Bavaria.
obh. *oberhalb* above.
od. *oder* or.
OEZ *Osteuropäische Zeit* time of the East European zone.
öff., öffentl. *öffentlich* public.
offiz. *offiziell* official.
OHG *Offene Handelsgesellschaft* general partnership.
o. J. *ohne Jahr* no date.
Okt. *Oktober* October.
ö. L. *östlicher Länge* of eastern longitude.
OLG *Oberlandesgericht* Regional Appeal Court.
O.P. *Originalpackung* original pack.
Op. *Operationssaal* operating room.
o. Prof. *ordentlicher Professor* (ordinary) professor.
organ. *organisch* organic.
orient. *orientalisch* oriental.
Orig. *Original* original.
orth. *orthodox* orthodox.
ÖVP *Österreichische Volkspartei* Austrian People's Party.

P

PA *Patentanmeldung* patent application.
p. A(dr). *per Adresse* care of.
pädag. *pädagogisch* pedagogic, educational.
Part. *Parterre* groundfloor; *Partizip* participle.
pat. *patentiert* patented.
Pf *Pfennig* (*German coin*) pfennig.
Pfd. *Pfund* (*weight*) German pound.
PH *Pädagogische Hochschule* teachers' college.
pharm. *pharmazeutisch* pharmaceutical.
phot. *photographisch* photographic.
Pkt. *Punkt* point.
PKW, Pkw. *Personenkraftwagen* (motor) car.
Pl. *Platz* square.
pl., Pl. *Plural* plural.
pol. *politisch* political; *polizeilich* police.
pop. *populär* popular.
Pos. *Position* position, post.

Postf. *Postfach* post-office box.
P.P. *praemissis praemittendis* omitting titles, to whom it may concern.
p.p., p.pa., ppa. *per procura* per proxy.
Ppbd. *Pappband* volume bound in boards.
priv. *privat* private.
Priv.-Doz. *Privatdozent* (unsalaried) private lecturer.
Prof. *Professor* professor.
prom. *promoviert* graduated.
prot. *protestantisch* Protestant.
Prov. *Provinz* province.
prov. *provisorisch* provisional.
PS *Pferdestärke(n)* horse-power; *postscriptum, Nachschrift* postscript.
Psych. *Psychiatrie* psychiatry, psychiatrics; *Psychologie* psychology.

Q

qkm *Quadratkilometer* square kilometre, *Am.* -er.
qm *Quadratmeter* square metre, *Am.* -er.

R

r. *rechts* on the right.
rd. *rund* roughly, in round figures.
Red. *Redakteur* editor; *Redaktion* editorial staff, editor's office.
Reg. *Regierung* government, administration; *Regisseur* stage manager, producer; *Register* register.
Reg.Bez. *Regierungsbezirk* administrative district.
REFA *Reichsausschuß für Arbeitsstudien* Reich Committee for Labo(u)r Research.
Rel. *Religion* religion.
Rep. *Republik* republic.
resp. *respektive* respectively.
Rhj. *Rechnungshalbjahr* half of the financial year.
RIAS *Rundfunk im amerikanischen Sektor (von Berlin)* Radio in the American Sector (of Berlin).
rk. *römisch-katholisch* Roman Catholic.
rm *Raummeter* cubic metre, *Am.* -er.
röm. *römisch* Roman.

S

S *Süden* south.
S. *Seite* page.
s. *siehe* see, *abbr.* v. (= vide).
s. a. *siehe auch* see also.
S-Bahn *Schnellbahn* city-railway.
SB. *Selbstbedienung* self-service.
SBB *Schweizerische Bundesbahnen* Swiss Federal Railways.
s.Br. *südlicher Breite* of southern latitude.
s. d. *siehe dies* see this.
SDR *Süddeutscher Rundfunk* South German Broadcasting Station.
SDS *Sozialistischer Deutscher Studentenbund* Association of German Socialist Students.
sec *Sekunde* second.
SED *Sozialistische Einheitspartei Deutschlands* United Socialist Party of Germany (*of the* → *DDR*).
Sek., sek *Sekunde* second.
Sekt. *Sektion, Sektor* section.
selbst. *selbständig* independent.
Sen. *Senator* senator.
sen. *senior, der Ältere* senior.
Sept. *September* September.
Ser. *Serie* series.
SFB *Sender Freies Berlin* Broadcasting Station of Free Berlin.
sin. *Sinus* sine.
sm *Seemeile* nautical mile.
SO *Südosten* south-east.
s. o. *siehe oben* see above.
sog. *sogenannt* so-called.
SOS *internationales Notsignal* international signal of distress.
soz. *sozial(istisch)* social, socialist.
SPD *Sozialdemokratische Partei Deutschlands* Social Democratic Party of Germany.
spez. *speziell* special; *spezifisch* specific.
SPÖ *Sozialistische Partei Österreichs* Socialist Party of Austria.
SS *Sommersemester* summer term.
SSD *Staatssicherheitsdienst* State Security Service (*of the* → *DDR*).
St. *Stück* piece; *Sankt* Saint.
staatl. gepr. *staatlich geprüft* state-certificated.
städt. *städtisch* urban, municipal.
StAng. *Staatsangehöriger* citizen, subject; *Staatsangehörigkeit* nationality, citizenship.
Std., Stde. *Stunde* hour.
stdl. *stündlich* every hour.
stellv. *stellvertretend* assistant.
StGB *Strafgesetzbuch* Penal Code.
StKl. *Steuerklasse* tax bracket.
StPO *Strafprozeßordnung* Code of Criminal Procedure.
Str. *Straße* street, road.
stud. *studiosus, Student* student.
StVO *Straßenverkehrsordnung* road traffic regulations.
s. t. *sine tempore, ohne akademisches Viertel* sharp, on time.
SU *Sowjetunion* Soviet Union.
s. u. *siehe unten* see below.
SV *Sportverein* sports club.
svw. *soviel wie* as much as.
SW *Südwesten* south-west.
SWF *Südwestfunk* South-West Broadcasting Station.
s. Z. *seinerzeit* at that time.

T

t *Tonne* ton.
TA *Tonabnehmer* pick-up.
Tab. *Tabelle* table, chart.
tägl. *täglich* daily, per day.
Tb, Tbc *Tuberkulose* tuberculosis.
techn. *technisch* engineering, technical; *technologisch* technological.
TEE *Trans-Europ-Express* Trans-European Express Train.
Teilh. *Teilhaber* partner.
Teilz. *Teilzahlung* part-payment.
Tel. *Telephon* telephone; *Telegramm* wire, cable.
Temp. *Temperatur* temperature.
tg *Tangens* tangent.
TH *Technische Hochschule* technical university *or* college.
Tit. *Titel* title.
TNT *Trinitrotoluol* trinitrotoluol.
Tsd. *Tausend* thousand.
TSV *Turn- und Sportverein* gymnastics and sports club.
TU *Technische Universität (Berlin)* Technical University.
TÜV *Technischer Überwachungsverein* Association for Technical Inspection.
TV *Turnverein* gymnastics club.

U

u. *und* and.
u. a. *und andere(s)* and others; *unter anderem or anderen* among other things, inter alia.
u. ä. *und ähnliche(s)* and the like.
U.A.w.g. *Um Antwort wird gebeten* an answer is requested.
übl. *üblich* usual.
u. desgl. (m.) *und desgleichen (mehr)* and the like.
u. dgl. (m.) *und dergleichen (mehr)* and the like.
u. d. Ltg. *unter der Leitung von* under the direction of.
u. d. M. *unter dem Meeresspiegel* below sea level; **ü. d. M.** *über dem Meeresspiegel* above sea level.
UdSSR *Union der Sozialistischen Sowjetrepubliken* Union of Soviet Socialist Republics.
u. d. T. *unter dem Titel* under the title of.
u. E. *unseres Erachtens* in our opinion.
u. f., u. ff. *und folgende* and the following.
UHF *Ultra-Hochfrequenz* ultra-high frequency.
UKW *Ultrakurzwelle* ultra-short wave, very high frequency.
ult. *ultimo* on the last day of the month.
U/min. *Umdrehungen in der Minute* revolutions per minute.
Univ. *Universität* university.
univ. *universal* universal.
unverk. *unverkäuflich* not for sale.
urspr. *ursprünglich* original(ly).
US(A) *Vereinigte Staaten (von Amerika)* United States (of America).
usf. *und so fort* and so forth.
usw. *und so weiter* and so on, *abbr.* etc.
u. U. *unter Umständen* circumstances permitting.
u. ü. V. *unter üblichem Vorbehalt* with the usual reservation.
UV *ultraviolett* ultra-violet.
u. v. a. (m.) *und viele(s) andere mehr* and many others more.
u. W. *unseres Wissens* as far as we know.
u. zw. *und zwar* that is, namely.

V

v. *von, vom* of; from; by.
V *Volt* volt; *Volumen* volume.
V. *Vers* line, verse.
VA *Voltampere* volt-ampere.
VAR *Vereinigte Arabische Republik* United Arabic Republic.
var. *variabel* variable.
v. A. w. *von Amts wegen* ex officio, officially.
v. Chr. *vor Christus* before Christ, *abbr.* B.C.
VDE *Verband deutscher Elektrotechniker* Association of German Electrical Engineers.
VDI *Verein deutscher Ingenieure* Association of German Engineers.
VDS *Verband deutscher Studentenschaften* Association of German Students.

VEB *Volkseigener Betrieb* People's Enterprise (*in the* → *DDR*).
Verbr.Pr. *Verbraucherpreis* consumer price.
Verf., Vf. *Verfasser* author.
verh. *verheiratet* married.
Verl. *Verlag* publishing firm; *Verleger* publisher.
verl. *verlängert* prolonged, extended.
Verm. *Vermerk* note; *Vermögen* property.
versch. *verschieden* different.
verst. *verstorben* deceased.
vgl. *vergleiche* compare, *abbr.* cf., cp.
v. g. u. *vorgelesen, genehmigt, unterschrieben* read, confirmed, signed.
v. H. *vom Hundert* per cent.
v. J. *vorigen Jahres* of last year.
v. M. *vorigen Monats* of last month.
v. o. *von oben* from above.
Vollm. *Vollmacht* authority, full power.
vollst. *vollständig* complete.
vorl. *vorläufig* provisional.
vorm. *vormittags* in the morning, *abbr.* a.m.; *vormals* formerly.
Vors. *Vorsitzender* chairman.
VR *Volksrepublik* People's Republic.
v. R. w. *von Rechts wegen* de jure, by operation of law.
v. T. *vom Tausend* per thousand.
v. u. *von unten* from below.

W

W *Westen* west; *Watt* watt(s).
WDR *Westdeutscher Rundfunk* West German Broadcasting Station.
WE *Wärmeeinheit* thermal unit.
WEU *Westeuropäische Union* Western European Union.
WEZ *westeuropäische Zeit* Western European time (Greenwich mean time).
WGB *Weltgewerkschaftsbund* World Federation of Trade Unions.
Whg. *Wohnung* flat, *Am.* apartment.
Wkst. *Werkstatt* workshop; *Werkstück* workpiece.
w. L. *westlicher Länge* of western longitude.
w. o. *wie oben* as above mentioned.
WS *Wintersemester* winter term.
Wwe. *Witwe* widow.
Wwr. *Witwer* widower.
Wz. *Warenzeichen* registered trade-mark.

Z

Z. *Zahl* number; *Zeile* line.
z. *zu, zum, zur* at; to.
z. A. *zur Ansicht* for approval, for inspection.
z. B. *zum Beispiel* for instance, *abbr.* e.g.
zck *zurück* back, returned.
z. d. A. *zu den Akten* to be filed.
ZDF *Zweites Deutsches Fernsehen* Second Program(me) of German Television Broadcasting.
ZF *Zwischenfrequenz* intermediate frequency.
zfr. *zollfrei* duty-free.
zgl. *zugleich* at the same time.
z. H(d). *zu Händen* attention of, to be delivered to, care of.
Zi *Zimmer* room.
Ziff. *Ziffer* figure.
ZK *Zentralkomitee* Central Committee.
z. K. *zur Kenntnisnahme* for information.
ZPO *Zivilprozeßordnung* Code of Civil Procedure.
z. S. *zur Sache* to the subject; *zur See* of the Navy.
z. T. *zum Teil* partly.
Ztg. *Zeitung* newspaper.
Ztr. *Zentner about* hundredweight.
Ztschr. *Zeitschrift* periodical.
Zub. *Zubehör* accessories.
zuf. *zufolge* as a result of, due to.
zus. *zusammen* together.
zw. *zwischen* between; among.
z. Wv. *zur Wiedervorlage* for renewed submission.
z. w. V. *zur weiteren Veranlassung* for further action.
z. Z(t). *zur Zeit* at the time, at present, for the time being.

Rules for Converting Temperatures

Temperatur-Umrechnungsregeln

	Celsius	Fahrenheit	Réaumur
x °C	—	$= \left(32 + \frac{9}{5}x\right)$ °F	$= \left(\frac{4}{5}x\right)$ °R
x °F	$= (x - 32)\frac{5}{9}$ °C	—	$= (x - 32)\frac{4}{9}$ °R
x °R	$= \left(\frac{5}{4}x\right)$ °C	$= \left(32 + \frac{9}{4}x\right)$ °F	—

Thermometer Comparisons

Temperatur-Umrechnungs-Tabelle

Thermometer Scales			**Clinical Thermometer**		
Fahrenyeit °F	Celsius °C	Réaumur °R	°F	°C	°R
			104.0	40.0	32.0
+482	+250	+200	103.6	39.8	31.8
392	200	160	103.3	39.6	31.7
302	150	120	102.9	39.4	31.5
212	100	80	102.6	39.2	31.4
176	80	64	102.2	39.0	31.2
140	60	48	101.8	38.8	31.0
122	50	40	101.5	38.6	30.9
104	40	32	101.1	38.4	30.7
86	30	24	100.8	38.2	30.6
68	20	16	100.4	38.0	30.4
50	10	8	100.0	37.8	30.2
32	0	0	99.7	37.6	30.1
14	—10	— 8	99.3	37.4	29.9
0	—17.8	—14.2	99.0	37.2	29.8
— 4	—20	—16	98.6	37.0	29.6
—22	—30	—24	98.2	36.8	29.4
—40	—40	—32	97.9	36.6	29.3

Numerals — Zahlwörter

Cardinal Numbers

Grundzahlen

0 null *nought, zero, cipher*
1 eins *one*
2 zwei *two*
3 drei *three*
4 vier *four*
5 fünf *five*
6 sechs *six*
7 sieben *seven*
8 acht *eight*
9 neun *nine*
10 zehn *ten*
11 elf *eleven*
12 zwölf *twelve*
13 dreizehn *thirteen*
14 vierzehn *fourteen*
15 fünfzehn *fifteen*
16 sechzehn *sixteen*
17 siebzehn *seventeen*
18 achtzehn *eighteen*
19 neunzehn *nineteen*
20 zwanzig *twenty*
21 einundzwanzig *twenty-one*
22 zweiundzwanzig *twenty-two*
23 dreiundzwanzig *twenty-three*
30 dreißig *thirty*
31 einunddreißig *thirty-one*
40 vierzig *forty*
41 einundvierzig *forty-one*
50 fünfzig *fifty*
51 einundfünfzig *fifty-one*
60 sechzig *sixty*
61 einundsechzig *sixty-one*
70 siebzig *seventy*
71 einundsiebzig *seventy-one*
80 achtzig *eighty*
81 einundachtzig *eighty-one*
90 neunzig *ninety*
91 einundneunzig *ninety-one*
100 hundert a (*or one*) *hundred*
101 hundert(und)eins *hundred and one*
200 zweihundert *two hundred*
300 dreihundert *three hundred*
572 fünfhundert(und)zweiundsiebzig *five hundred and seventy-two*
1000 tausend *a* (*or one*) *thousand*
2000 zweitausend *two thousand*
1 000 000 eine Million *a* (*or one*) *million*
2 000 000 zwei Millionen *two million*
1 000 000 000 eine Milliarde *a* (*or one*) *milliard, Am. billion*

Ordinal Numbers

Ordnungszahlen

1. erste *first*
2. zweite *second*
3. dritte *third*
4. vierte *fourth*
5. fünfte *fifth*
6. sechste *sixth*
7. siebente *seventh*
8. achte *eighth*
9. neunte *ninth*
10. zehnte *tenth*
11. elfte *eleventh*
12. zwölfte *twelfth*
13. dreizehnte *thirteenth*
14. vierzehnte *fourteenth*
15. fünfzehnte *fifteenth*
16. sechzehnte *sixteenth*
17. siebzehnte *seventeenth*
18. achtzehnte *eighteenth*
19. neunzehnte *nineteenth*
20. zwanzigste *twentieth*
21. einundzwanzigste *twenty-first*
22. zweiundzwanzigste *twenty-second*
23. dreiundzwanzigste *twenty-third*
30. dreißigste *thirtieth*
31. einunddreißigste *thirty-first*
40. vierzigste *fortieth*
41. einundvierzigste *forty-first*
50. fünfzigste *fiftieth*
51. einundfünfzigste *fifty-first*
60. sechzigste *sixtieth*
61. einundsechzigste *sixty-first*
70. siebzigste *seventieth*
71. einundsiebzigste *seventy-first*
80. achtzigste *eightieth*
81. einundachtzigste *eighty-first*
90. neunzigste *ninetieth*
100. hundertste (*one*) *hundredth*
101. hundertunderste *hundred and first*
200. zweihundertste *two hundredth*
300. dreihundertste *three hundredth*
572. fünfhundert(und)zweiundsiebzigste *five hundred and seventy-second*
1000. tausendste (*one*) *thousandth*
2000. zweitausendste *two thousandth*
1 000 000. millionste *millionth*
2 000 000. zweimillionste *two millionth*

Fractional Numbers and other Numerical Values

Bruchzahlen und andere Zahlenwerte

$^1/_2$ ein halb *one* (*or a*) *half*
$1^1/_2$ anderthalb *one and a half*
$2^1/_2$ zweieinhalb *two and a half*
$^1/_2$ Meile *half a mile*
$^1/_3$ ein Drittel *one* (*or a*) *third*
$^2/_3$ zwei Drittel *two thirds*
$^1/_4$ ein Viertel *one* (*or a*) *fourth, one* (*or a*) *quarter*
$^3/_4$ drei Viertel *three fourths, three quarters*
$1^1/_4$ ein und eine Viertelstunde *one hour and a quarter*
$^1/_5$ ein Fünftel *one* (*or a*) *fifth*
$3^4/_5$ drei vier Fünftel *three and four fifths*
0,4 Null Komma vier *point four* (.4)
2,5 zwei Komma fünf *two point five* (2.5)

Einfach *single*
zweifach *double*
dreifach *treble, triple, threefold*
vierfach *fourfold, quadruple*
fünffach *fivefold etc.*

Einmal *once*
zweimal *twice*
drei-, vier-, fünfmal *etc. three, four, five times*
zweimal soviel(e) *twice as much* (*or many*)
noch einmal *once more*

Erstens, zweitens, drittens *etc. firstly, secondly, thirdly, in the first* (*second, third*) *place*

2 × 3 = 6 zweimal drei ist (*or* macht) sechs *twice three are* (*or make*) *six*

7 + 8 = 15 sieben und acht ist fünfzehn *seven and eight are fifteen*

10—3 = 7 zehn weniger drei ist sieben *ten less three are seven*

20 : 5 = 4 zwanzig geteilt (*or* dividiert) durch fünf ist vier *twenty divided by five make four*

German Measures and Weights

Deutsche Maße und Gewichte

I. Linear Measures

1 mm *Millimeter* millimetre
= $^1/_{1000}$ metre
= 0.001 093 6 yard
= 0.003 280 9 foot
= 0.039 370 79 inch

1 cm *Zentimeter* centimetre
= $^1/_{100}$ metre
= 0.3937 inch

1 dm *Dezimeter* decimetre
= $^1/_{10}$ metre
= 3.9370 inches

1 m *Meter* metre
= 1.0936 yard
= 3.2809 feet
= 39.37079 inches

1 km *Kilometer* kilometre
= 1000 metres
= 1093.637 yards
= 3280.8693 feet
= 39370.79 inches
= 0.621 38 British or Statute Mile

1 sm *Seemeile* nautical mile
= 1852 metres

II. Surface or Square Measures

1 qmm *Quadratmillimeter* square millimetre
= $^1/_{1000000}$ square metre
= 0.000001 196 square yard
= 0.000010 764 1 square foot
= 0.00155 square inch

1 qcm *Quadratzentimeter* square centimetre
= $^1/_{10000}$ square metre

1 qdm *Quadratdezimeter* square decimetre
= $^1/_{100}$ square metre

1 qm *Quadratmeter* square metre
= 1 × 1 metre
= 1.19599 square yard
= 10.7641 square feet
= 1550 square inches

1 a *Ar* are
= 100 square metres
= 119.5993 square yards
= 1076.4103 square feet

1 ha *Hektar* hectare
= 100 ares
= 10000 square metres
= 11959.90 square yards
= 107641.03 square feet
= 2.4711 acres

1 qkm *Quadratkilometer* square kilometre
= 100 hectares
= 1000000 square metres
= 247.11 acres
= 0.3861 square mile

1 Morgen
= 25.5322 ares
= about $^2/_3$ acre

III. Cubic or Solid Measures

1 ccm *Kubikzentimeter* cubic centimetre
= 1000 cubic millimetres
= 0.061 cubic inch

1 cdm *Kubikdezimeter* cubic decimetre
= 1000 cubic centimetres
= 61.0253 cubic inches

1 cbm *Kubikmeter*
1 rm *Raummeter* } cubic metre
1 fm *Festmeter*
= 1000 cubic decimetres
= 1.3079 cubic yard
= 35.3156 cubic feet

1 RT *Registertonne* register ton
= 2.832 cbm
= 100 cubic feet

IV. Measures of Capacity

1 l *Liter* litre
= 10 decilitres
= 1.7607 pint (Brit.)
= 7.0431 gills (Brit.)
= 0.8804 quart (Brit.)
= 0.2201 gallon (Brit.)
= 2.1134 pints (U.S.)
= 8.4534 gills (U.S.)
= 1.0567 quart (U.S.)
= 0.2642 gallon (U.S.)

1 hl *Hektoliter* hectolitre
= 100 litres
= 22.009 gallons (Brit.)
= 2.751 bushels (Brit.)
= 26.418 gallons (U.S.)
= 2.84 bushels (U.S.)

V. Weights

1 mg *Milligramm* milligramme
= $^1/_{1000}$ gramme
= 0.0154 grain (troy)

1 g *Gramm* gramme
= $^1/_{1000}$ kilogramme
= 15.4324 grains (troy)

1 dkg *Dekagramm* decagramme
= 10 grammes
= 0.3527 ounce

1 Lot (*alt*)
= $^1/_{30}$—$^1/_{32}$ Pfund
= 15.7—16.7 grammes

1 Pfd *Pfund* pound (German)
= $^1/_2$ kilogramme
= 500 grammes
= 1.1023 pound (avdp.)
= 1.3396 pound (troy)

1 kg *Kilogramm, Kilo* kilogramme
= 1000 grammes
= 2.2046 pounds (avdp.)
= 2.6792 pounds (troy)

1 Ztr. *Zentner* centner
= 100 pounds (German)
= 50 kilogrammes
= 110.23 pounds (avdp.)
= 0.9842 British hundredweight
= 1.1023 U. S. hundredweight

1 dz *Doppelzentner*
= 100 kilogrammes
= 1.9684 British hundredweight
= 2.2046 U. S. hundredweights

1 t *Tonne* ton
= 1000 kilogrammes
= 0.984 British ton
= 1.1023 U. S. ton

Second Part

ENGLISH-GERMAN

By

HEINZ MESSINGER

and

WERNER RÜDENBERG

Reprinted 1987

Preface

Basis: the New Muret-Sanders

This present dictionary is an enlarged new version of the first English-German "Handwörterbuch", which was based on the "New Muret-Sanders". Thus the arrangement and presentation of the translations is also based on what is the largest English dictionary of our generation.

Thousands of Neologisms

Another notable feature is the fund of new words systematically collected by the Langenscheidt editorial staff. The old "Handwörterbuch" has been enlarged and brought up to date by the addition of thousands of new words from every sphere of life: *box junction, in-depth, intensive care unit, isometrics, meritocracy, opinion leader, slip-road, trendy, voice-over, worker director*. Entries such as *boo-boo, kinky, yummy* indicate that the compilers have not hesitated to draw on slangy or substandard levels of speech. "*A living language must keep pace with improvements in knowledge and with the multiplication of ideas*" (Noah Webster). In this dictionary every effort has been made to keep abreast of today's linguistic development.

Arrangement

The arrangement and treatment of the entry words are still unequalled at the present time: Roman numerals, Arabic numerals, small letters, numbers in superscript and four styles of type are used to analyse and bring out the various meanings of the entry word (cf. *mark, spring*). At the same time these devices will help the user to find the particular translation he or she is looking for.

Revised Appendices

The appendices of proper names and abbreviations have been completely revised. Among other things all independent states have been listed (as of 1976); the new Scottish administrative regions have been taken into account as well as some of the latest abbreviations, e.g. *CB*.

Guide to Pronunciation

One of our main concerns has been to give good phonetic transcriptions, in accordance with the standards of the IPA. The Guide to Pronunciation—greatly neglected in many dictionaries—has been given ample space on pages 17—18.

Irregular Forms as Separate Entries

Generous room has also been given to irregular forms—especially irregular forms of the "strong" verbs—which are listed in their alphabetically proper place.

Syllabification

This Concise English Dictionary offers more than merely translations and phonetic transcriptions. Even advanced users are frequently faced with the problem how to divide an English word correctly. Here too the user will find the help he needs, since the syllabification of each English entry is carefully indicated.

The new words have been selected and incorporated by the Langenscheidt editorial staff in collaboration with Mr. Heinz Messinger. In this connection we would like to extend our special thanks to Mr. Dietrich Geiger and Mr. Helmut Willmann.

"Wörterbuch der goldenen Mitte"

We hope that this enlarged new version of our English-German Handwörterbuch will find many friends. Among our seven sizes of dictionaries it represents an effort to steer a "golden" middle course: "Langenscheidt's Handwörterbuch Englisch-Deutsch" is comprehensive—being twice the size of our well-known Pocket Dictionary—yet handy; rooted in tradition—based as it is on the New Muret-Sanders—and yet fully up to date.

LANGENSCHEIDT

The following remarks which introduced the first version of the "Handwörterbuch" fully apply to the present dictionary:

Explanations and Illustrations

"A glance over entries such as *line, operation, racket, rate, record, term, work, yield* may suffice to show that no pains have been spared to do justice to each English entry word through translation, example, explanation and illustration of all the essential syntactic aspects.

Differentiation of Meanings

Roman and Arabic numerals divide up each entry, according to its parts of speech and its different meanings; and this makes both for reliable orientation and a workable system of cross references. The more than 75 subdivisions in articles such as *take, run* etc. give an idea of the detailed treatment attempted.

Neologisms

In order to cope with the ceaseless growth of English vocabulary, many important new words from all spheres of life have been included, e.g. *affluent society, escalation, factoring, G.L.C., mods, one-upmanship, pay-television, rockers, 'with it'*. Nevertheless the main emphasis has lain on thoroughness: painstakingly accurate translation, accompanied by both detailed and comprehensive information on the various meanings and shades of meanings of each entry word.

Cruxes Idioms Slang

Special attention has been given to notorious "cruxes" such as *frustration*. On the idiomatic side, all levels of usage have been taken into account, from the literary to slang—everything a modern dictionary of this type can be expected to cover. The growing impact of slangy and vulgar terms on contemporary literature made it seem necessary to include a large number of them here, notably those of American origin.

Equivalent Level of Usage

The main concern in rendering those expressions into German has been to find an equivalent on the same level of usage, e.g. "massiv werden" *(cut up rough)*, "auf die Pauke hauen" *(go to town)*, "den Laden schmeißen" *(run the show)*. In most cases the German translation is followed by the appropriate standard expression: "Leine ziehen" *(flüchten)*, "Penne" *(Schule)*.

Expressions Difficult to Translate

Moreover a great many expressions that often defy translation have been tackled: *it refused to work (es wollte nicht funktionieren), every self-respecting craftsman (jeder Handwerker, der etwas auf sich hält), it cramps my style (dabei kann ich mich nicht recht entfalten), in cold print (schwarz auf weiß)*. Humorous, ironical and pejorative connotations as well as figurative usages have been duly indicated.

Technical Terminology

A word must be added on technical terminology: We have tried to include at least a brief mention of the most essential terms in every field. This is true especially of commercial terms (see *margin, note, market, marketing, merchandising*) and legal ones (e.g. *grand jury, inquest, nolle prosequi, trespass*).

British and American Usage

Differences between British and American usage have been indicated in each case.

We are fully aware that a dictionary of even this size cannot be more than an attempt. The very nature of the English language, as well as our own shortcomings, make this inevitable. In spite of this it is our hope that this book may prove a useful tool in the hands of the user. In conclusion we should like to thank all those who have shared in the work, and especially Mr. Reginald St. Leon, M.A."

HEINZ MESSINGER

Vorwort

Grundlage: Der neue Muret-Sanders

Das vorliegende Wörterbuch ist eine erweiterte Neuausgabe des bisherigen englisch-deutschen Handwörterbuchs, das auf der Grundlage des „Neuen Muret-Sanders“ erarbeitet wurde. Somit basiert auch dieses Nachschlagewerk in der Anordnung des Wortschatzes und der Darstellung der Übersetzungen auf dem Material dieses größten englischen Wörterbuchs unserer Generation.

Tausende von Neologismen

Die planvolle Neologismenarbeit der Langenscheidt-Redaktion ist der andere Pfeiler, auf dem diese Neuausgabe ruht. Das bisherige „Handwörterbuch“ wurde durch wichtiges modernes Wortgut aus allen Lebensbereichen erweitert. Tausende von Neologismen tragen dazu bei, daß sich das vorliegende Wörterbuch redaktionell auf dem neuesten Stand befindet: *box junction, in-depth, intensive care unit, isometrics, meritocracy, opinion leader, slip-road, trendy, voice-over, worker director*. Stichwörter wie *boo-boo, kinky* und *yummy* zeigen an, daß bei diesen Neuaufnahmen auch niedere Sprachebenen berücksichtigt wurden. “*A living language must keep pace with improvements in knowledge and with the multiplication of ideas*” (Noah Webster). Wir haben uns bemüht, im vorliegenden Wörterbuch mit dieser Entwicklung Schritt zu halten.

Anlage und Aufbau

Anlage und Aufbau der einzelnen Stichwortartikel sind nach wie vor unerreicht: römische Ziffern, arabische Ziffern, kleine Buchstaben, Exponenten, vier Schriftarten etc. gliedern und differenzieren (vgl. *mark, spring*) und fördern damit die Freude am Nachschlagen.

Neubearbeitete Anhänge

Die Eigennamen- und Abkürzungsanhänge wurden neu bearbeitet. U. a. wurden die Namen aller souveränen Staaten (Stand 1976) aufgenommen und die Namen der neuen schottischen Verwaltungsregionen berücksichtigt. Auch neueste Abkürzungen wie *CB* fanden Aufnahme.

Internationale Lautschrift

Auf die Darstellung der Aussprache durch eine exakte phonetische Umschrift nach den Prinzipien der IPA wurde großer Wert gelegt. Den Erläuterungen zur Lautschrift, die in vielen Wörterbüchern stiefmütterlich behandelt werden, ist auf den

Unregelmäßige Formen als separate Stichwörter

Seiten 17-18 viel Platz eingeräumt. Auch bei der Aufnahme der unregelmäßigen Formen — vor allem der Stammformen der starken Verben — wurde nicht an Platz gespart. Sie sind als separate Stichwörter an der alphabetisch richtigen Stelle eingefügt worden.

Silbentrennung

Dieses englische Handwörterbuch bietet dem Benutzer mehr als Übersetzungen und Aussprachehilfen. Selbst der Fortgeschrittene steht häufig vor der Frage, wie er ein englisches Wort korrekt trennen soll. Das vorliegende Wörterbuch hilft ihm auch in diesem Fall: durch die Angabe der Silbentrennungsmöglichkeiten in jedem englischen Stichwort.

Die Auswahl und Einarbeitung der Neologismen, die in Übereinstimmung mit Heinz Messinger erfolgte, wurde von der anglistischen Redaktion des Verlages vorgenommen. Hier sei den Redakteuren Dietrich Geiger und Helmut Willmann ein besonderer Dank gesagt.

Wörterbuch der goldenen Mitte

Wir hoffen, daß diese erweiterte Neuausgabe unseres englisch-deutschen Handwörterbuchs eine gute Aufnahme finden wird. Unter den sieben Wörterbuchgrößen unseres Hauses ist es gleichsam ein Wörterbuch der goldenen Mitte: umfassend — denn es ist doppelt so groß wie unser bekanntes Taschenwörterbuch — und doch handlich; in der Tradition stehend — denn es basiert auf dem „Neuen Muret-Sanders" — und doch auf dem neuesten Stand.

LANGENSCHEIDT

Die folgenden Ausführungen des Autors aus seinem Vorwort zum bisherigen englisch-deutschen Handwörterbuch haben auch für das vorliegende Wörterbuch volle Gültigkeit:

Anwendungsbeispiele und Erläuterungen

„Ein Blick auf Stichwörter wie *line, operation, racket, rate, record, term, work, yield* dürfte zeigen, daß hier keine Mühe gescheut wurde, um jedem englischen Wort mit Übersetzung, Beispiel, Erläuterung und Erfassung aller wichtigen syntaktischen Beziehungen gerecht zu werden. Die konsequente Unterteilung der Stichwortartikel mit römischen und arabischen

Differenzierung der Bedeutungen

Zahlen nach Wortarten und Bedeutungen dient zur sicheren Orientierung und ermöglichte die Vornahme präziser Verweise. Daß der Bedeutungsinhalt von Wörtern wie *run, take* usw. dabei über 75 Ziffern ergab, mag ein Hinweis für die eingehende Behandlung sein, die hier angestrebt wurde.

Neologismen

Dem unentwegten Anwachsen des angelsächsischen Sprachschatzes wurde durch die Aufnahme wichtiger Neuwörter aus allen Lebensbereichen Rechnung getragen, z. B. *affluent society, escalation, factoring, G.L.C., mods, one-upmanship, pay-television, rockers, ‚with it'*, doch lag der Nachdruck auf der gründlichen

„Kleinarbeit“, dem Versuch, für jedes Stichwort treffende Übersetzungen zu finden und über die mannigfaltigen Bedeutungen und Nuancen jedes Wortes möglichst erschöpfend Auskunft zu geben.

Harte Nüsse

Den altbekannten „harten Nüssen“ im englischen Wortschatz, nämlich Wörtern wie *frustration*, wurde besondere Beachtung geschenkt.

Idiomatik

Auf idiomatischem Gebiet wurde vom hochsprachlichen Niveau bis zum Slang alles erfaßt, was man von einem modernen Wörterbuch dieser Art erwarten kann.

Slang

Die immer stärkere Verbreitung von Slang und Vulgärsprache in der zeitgenössischen Literatur ließ es angemessen erscheinen, eine große Zahl solcher Wendungen, gerade auch aus dem Amerikanischen, aufzunehmen.

Wahrung der Sprachebene

Wahrung der Sprachebene war bei der deutschen Wiedergabe solcher Bildungen oberstes Gebot, z. B. „massiv werden“ (*cut up rough*), „auf die Pauke hauen“ (*go to town*), „den Laden schmeißen“ (*run the show*). Meist wurde die deutsche Entsprechung noch durch Zusatz des Standardwortes erläutert, z. B. „Leine ziehen (*flüchten*)“, „Penne (*Schule*)“.

Übersetzungsschwierigkeiten

Darüber hinaus wurde auch eine Fülle von Beispielen und Wendungen des normalen Sprachgebrauchs eingearbeitet, deren Wiedergabe häufig Schwierigkeiten macht, z. B. *it refused to work* (*es wollte nicht funktionieren*), *every self-respecting craftsman* (*jeder Handwerker, der etwas auf sich hält*), *it cramps my style* (*dabei kann ich mich nicht recht entfalten*), *in cold print* (*schwarz auf weiß*). Humoristische, ironische und verächtliche Nuancen oder figurative Verwendung wurden jeweils gekennzeichnet.

Fachwortschatz

Über den Fachwortschatz wäre zu sagen, daß bei knapper Darstellung die wesentlichen Begriffe aller Sachgebiete erfaßt wurden, von Wissenschaft und Technik bis zum Sport. Dies gilt gerade auch für die Sprache der Wirtschaft und des Handels (vgl. z. B. die Einträge bei *margin, note, market, marketing, merchandising*) oder die juristischen Termini (z. B. *grand jury, inquest, nolle prosequi, trespass*).

Britisches und Amerikanisches Englisch

Die Unterschiede zwischen britischem und amerikanischem Sprachgebrauch wurden stets deutlich gemacht.

Die Verfasser sind sich klar darüber, daß selbst ein Wörterbuch dieser Größe nicht mehr sein kann als ein gutgemeinter Versuch. Dafür sorgen schon die Natur der englischen Sprache und die eigene Unzulänglichkeit. Dennoch hoffen sie, hiermit dem Benutzer ein brauchbares Werkzeug in die Hand gegeben zu haben. Sie danken allen denen, die ihnen bei dieser Arbeit mit Rat und Tat geholfen haben, insbesondere Mr. Reginald St. Leon, M.A.“

HEINZ MESSINGER

Contents

Inhaltsverzeichnis

Directions
for the Use of the Dictionary

I. Arrangement

1. **Alphabetic Order** has been maintained throughout the dictionary. This applies equally to
   a) the irregular forms of comparatives and superlatives;
   b) the various forms of pronouns;
   c) the principal parts (infinitive, past tense, and past participle) of strong verbs.

Abbreviations and proper names are set forth in a special list provided at the end of the dictionary.

2. **Entry words**
   a) Where an entry word has fundamentally different primary meanings or is derived from different roots, it has been subdivided by means of exponents:

   mark¹ [mɑːk] **I.** *s.* **1.** Markierung *f*, Marke *f*, Mal *n*; *engS.* Fleck *m*: *adjusting* ~ ⊕ Einstellmarke; **2.** *fig.* ...
   mark² [mɑːk] *s.* ✝ **1.** (deutsche) Mark: *blocked* ~ Sperrmark; **2.** *hist.* Mark *f* (*Münze, Goldgewicht*).
   Mark³ [mɑːk] *npr. u. s. bibl.* ˈMarkus(evanˌgelium *n*) *m*,

   not so, however, in the case of direct derivatives.

   b) Articles have been subdivided as follows: by Roman numerals to distinguish the various parts of speech (noun, adjective, adverb, etc.); by Arabic numerals to distinguish the various senses of the entry word; and by small letters to point out the several related senses of the entry word or the various connotations of a basic translation. Illustrative phrases printed in lightface type have usually been listed under the respective numerals; in some instances, however, these have been collected in a special paragraph ("*Besondere Redewendungen*") at the end of the article (see **heart**). The translation of illustrative phrases has been omitted where it is obvious:

   a·like ... **II.** *adv.* gleich, ebenso, in gleichem Maße: *she helps enemies and friends* ~.

   Verb-preposition and verb-adverb phrases are entered in a separate paragraph following the simple verb entry (see **get, go**).

   Where British and American spelling differ a cross reference from the American form to the British form indicates its full lexicographical treatment there:

   di·er·e·sis *Am.* → *diaeresis.*

Hinweise
für die Benutzung des Wörterbuches

I. Anordnung

1. **Die alphabetische Reihenfolge** der Stichwörter ist durchweg beachtet worden. An ihrem alphabetischen Platz sind gegeben:
   a) die unregelmäßigen Formen des Komparativs und Superlativs;
   b) die verschiedenen Formen der Pronomina;
   c) die Stammformen (Infinitiv, Präteritum, Partizip Perfekt) der starken Verben.

Eigennamen und Abkürzungen sind am Schluß des Bandes in einem besonderen Verzeichnis zusammengestellt.

2. **Das Stichwort**
   a) weist ein Stichwort grundsätzlich verschiedene Bedeutungen auf, so erfolgt Unterteilung durch Exponenten:

   mark¹ [mɑːk] **I.** *s.* **1.** Markierung *f*, Marke *f*, Mal *n*; *engS.* Fleck *m*: *adjusting* ~ ⊕ Einstellmarke; **2.** *fig.* ...
   mark² [mɑːk] *s.* ✝ **1.** (deutsche) Mark: *blocked* ~ Sperrmark; **2.** *hist.* Mark *f* (*Münze, Goldgewicht*).
   Mark³ [mɑːk] *npr. u. s. bibl.* ˈMarkus(evanˌgelium *n*) *m*,

   nicht aber, wo sich die zweite Bedeutung aus der Hauptbedeutung des Grundworts entwickelt hat;

   b) die Übersetzungen wurden folgendermaßen untergliedert: römische Ziffern zur Unterscheidung der Wortarten (Substantiv, Adjektiv, Adverb etc.), arabische Ziffern zur Unterscheidung der einzelnen Bedeutungen, kleine Buchstaben zur weiteren Bedeutungsdifferenzierung. Anwendungsbeispiele in Auszeichnungsschrift wurden meist unter den zugehörigen Ziffern aufgeführt, bei größerer Anzahl in einem eigenen Abschnitt „*Besondere Redewendungen*" zusammengefaßt (siehe Stichwort **heart**). Eine Übersetzung der Beispiele ist unterblieben, wo diese sich von selbst ergibt:

   a·like ... **II.** *adv.* gleich, ebenso, in gleichem Maße: *she helps enemies and friends* ~.

   Zusammensetzungen mit Präpositionen oder Adverbien wurden am Schluß der betreffenden Stichwortartikel angehängt (siehe Stichwort **get, go**).

   Sind die britische und amerikanische Schreibung eines Stichworts verschieden, so wird von der amerikanischen Form auf die britische verwiesen:

   di·er·e·sis *Am.* → *diaeresis.*

An adjective marked with □ takes the regular adverbial form:

bald□ = *baldly,*
change·a·ble□ = *changeably,*
bus·y□ = *busily.*

(□ ~ally) means that an adverb is formed by affixing -ally to the catchword:

his·tor·ic (□ *~ally*) = *historically.*

There may be but one adverbial form for adjectives ending in both **-ic** and **-ical.** This is indicated in the following way:

phil·o·soph·ic *adj.*; **phil·o·soph·i·cal** *adj.* □, i.e. philosophically is the adverb of **phil·o·soph·ic** and **phil·o·soph·i·cal.** A cross reference from an adjective to its adverbial form means that the latter, as a separate entry, contains a translation or translations different from those of the adjective:

a·ble□ → *ably.*

c) The accent has been marked in those German words which might cause difficulty. The stress mark has been placed immediately before the first letter of the stressed orthographical syllable. The following categories of words have been given stress marks: foreign words especially when not stressed on the first syllable, German words not stressed on the first syllable, e.g., "Bäcke'rei", "je'doch", except for those beginning with a prefix which is always unstressed, and German words beginning with a prefix which is sometimes stressed and sometimes not, e.g. "'Mißtrauen", "miß'trauen". Accentuation has been omitted a) in verbs ending in "-ieren" and their derivates, b) in explanations printed in italics, and c) in the translation of illustrative phrases.

The short hyphen (-) is placed between two consonants to indicate that they must be pronounced separately, e.g., "Häus-chen", and in words which might otherwise be misunderstood, e.g., "Erb-lasser".

The gender of the German nouns is given by *m, f, n* or *pl.* Gender is not indicated: where it can be inferred from the context, e.g., "scharfes Durchgreifen"; where in the translation the female suffix is added in brackets, e.g., "Verkäufer(in)"; in the translation of illustrative phrases; and in all explanations in italics. Entry words for which there is no exact German equivalent have been given a definition in italics:

Scot·land Yard ['skɔtlənd] *s.* (*Hauptdienstgebäude der*) *Londoner Kriminalpolizei.*

The grammatical construction of a German preposition is indicated only if it governs two different cases, e.g., "vor",

□ nach einem Adjektiv bedeutet, daß das Adverb regelmäßig gebildet wird:

bald□ = *baldly,*
change·a·ble□ = *changeably,*
bus·y□ = *busily.*

(□ ~ally) weist auf die unregelmäßige Adverbbildung hin:

his·tor·ic (□ *~ally*) = *historically.*

Bei Adjektiven, die auf **-ic** und **-ical** enden können, wird die Adverbbildung auf folgende Weise gekennzeichnet:

phil·o·soph·ic *adj.*; **phil·o·soph·i·cal** *adj.* □, d. h. philosophically ist das Adverb zu beiden Adjektivformen. Wird bei der Adverbangabe auf das Adverb selbst verwiesen, so bedeutet dies, daß unter diesem Stichwort vom Adjektiv abweichende Übersetzungen zu finden sind:

a·ble□ → *ably;*

c) bei der Übersetzung wurde in Fällen, wo die Aussprache Schwierigkeiten verursachen könnte, die Betonung durch Akzent(e) vor der zu betonenden Trennsilbe gegeben. Akzente werden gesetzt: bei Fremdwörtern, besonders wenn sie nicht auf der ersten Silbe betont werden, bei deutschen Wörtern, die nicht auf der ersten Silbe betont werden, z. B. „Bäcke'rei", „je'doch", außer wenn es sich um eine der stets unbetonten Vorsilben handelt, sowie bei Zusammensetzungen mit Vorsilben, deren Betonung wechselt, z. B. „'Mißtrauen", „miß'trauen". Grundsätzlich entfällt der Akzent jedoch bei Verben auf „-ieren" und deren Ableitungen. Bei kursiven Erläuterungen und bei Übersetzung von Anwendungsbeispielen werden keine Akzente gesetzt.

Der verkürzte Bindestrich (-) steht zwischen zwei Konsonanten, um anzudeuten, daß sie getrennt auszusprechen sind, z. B. „Häus-chen", ebenso in Fällen, die zu Mißverständnissen führen können, z. B. „Erb-lasser".

Die Angabe des Genus eines Substantivs erfolgt durch *m, f, n* bzw. *pl.* Sie unterblieb, wenn das Genus aus dem Kontext ersichtlich ist, z. B. „scharfes Durchgreifen" und wenn die weibliche Endung in Klammern steht, z. B. „Verkäufer(in)", sowie in Anwendungsbeispielen und Kursiverläuterungen. Wörter ohne genaue deutsche Entsprechung werden kursiv umschrieben:

Scot·land Yard ['skɔtlənd] *s.* (*Hauptdienstgebäude der*) *Londoner Kriminalpolizei.*

Die Rektion von deutschen Präpositionen wird dann angegeben, wenn sie verschiedene Kasus regieren, z. B. „vor", „über".

"über". The grammatical construction of a verb has been indicated only where it differs from that of the entry word or where the English verb is governed by a preposition. The following arrangements are possible:
Where an English transitive verb is rendered in German by an intransitive verb, the different construction has been indicated:

con·tro·vert ... **2.** wider'sprechen (*dat.*).

When each translation has a different grammatical construction the English preposition printed in lightface type within parentheses precedes the first German translation, the German preposition or prepositions (or other grammatical information) following each individual translation:

dis·pose ... **7.** (*of*) sich entledigen (*gen.*), sich trennen (von).

When the English preposition and its German equivalent (either a preposition or indication of the case required) applies to all the translations of a subdivision, they follow the last translation:

ob·serve ... **4.** Bemerkungen machen, sich äußern (*on, upon* über *acc.*).

Inverted commas are used to indicate that a translation either belongs to a low level of usage

old ...: ~ *woman* ‚Alte' (*Ehefrau*),

or is used in a figurative sense:

land·slide ... **2.** *pol. fig.* ‚Erdrutsch' *m*: **a)** völliger 'Umschwung, **b)** über'wältigender (Wahl)Sieg.

d) In entry words of more than one syllable syllabification is indicated by centered dots or by stress marks, e.g., **ex·pect, ex'pect·ance.** In the case of combining forms, e.g., **electro-,** syllabification has been omitted since it may vary according to the other components of the word to be formed.

e) A u placed in parentheses (**u**) within an entry word or an illustrative phrase is meant to indicate the difference of spelling between British and American English; i.e., **la·bo(u)r·ing** is spelt **labouring** in British usage, **laboring** in American usage.

II. Swung Dash or Tilde (~, ♀, ~, ♀) Derivatives and compounds with a common root are frequently combined with the aid of the tilde to save room. The bold-faced tilde stands for the entry-word or the part of it preceding the vertical line (|). In the examples printed in lightface type the simple tilde stands for the preceding entry word, which itself may have been formed with the boldfaced tilde.

Die Rektion von Verben wird nur dann angegeben, wenn sie von der des Grundworts abweicht oder wenn das englische Verb von einer bestimmten Präposition regiert wird. Folgende Anordnungen sind möglich:
wird ein im Englischen transitives Verb im Deutschen intransitiv übersetzt, so wird die abweichende Rektion angegeben:

con·tro·vert ... **2.** wider'sprechen (*dat.*);

gelten für die deutschen Übersetzungen verschiedene Rektionen, so steht die englische Präposition in Auszeichnungsschrift vor der ersten Übersetzung in Klammern, die deutschen Rektionsangaben hinter jeder Einzelübersetzung:

dis·pose ... **7.** (*of*) sich entledigen (*gen.*), sich trennen (von);

stimmen Präposition und Rektion für alle Übersetzungen überein, so stehen sie in Klammern hinter der letzten Übersetzung:

ob·serve ... **4.** Bemerkungen machen, sich äußern (*on, upon* über *acc.*);

Einfache Anführungszeichen bedeuten, daß eine Übersetzung entweder einer niederen Sprachebene angehört

old ...: ~ *woman* ‚Alte' (*Ehefrau*),

oder in figürlicher Bedeutung gebraucht wird

land·slide ... **2.** *pol. fig.* ‚Erdrutsch' *m*: **a)** völliger 'Umschwung, **b)** über'wältigender (Wahl)Sieg;

d) bei mehrsilbigen Stichwörtern ist die Silbentrennung durch auf Mitte stehenden Punkt oder durch Betonungsakzent angezeigt, z. B. **ex·pect, ex'pect·ance.** Bei Wortbildungselementen, wie z. B. **electro-** entfiel die Angabe der Trennung, weil diese sich je nach der weiteren Zusammensetzung ändern kann;

e) das eingeklammerte u (**u**) in einem Stichwort oder Anwendungsbeispiel kennzeichnet den Unterschied zwischen britischer und amerikanischer Schreibung; **la·bo(u)r·ing** bedeutet: britisch **labouring,** amerikanisch **laboring.**

II. Das Wiederholungszeichen oder die Tilde (~, ♀, ~, ♀)
Zusammengehörige oder verwandte Wörter sind häufig zum Zwecke der Raumersparnis unter Verwendung der Tilde zu Gruppen vereinigt. Die fette Tilde vertritt dabei entweder das ganze Stichwort oder den vor dem Strich (|) stehenden Teil des Stichworts. Bei den in Auszeichnungsschrift gesetzten Redewendungen vertritt die ein-

Where the initial letter changes from a capital to a small letter or vice-versa, a circle is added: ~̊ or ~̊.

Examples:

drink·ing ... '~-**wa·ter**; **ho·ly** ... ~̊ **Scrip·ture**; **Con·cert|** **of Eu·rope** ... ~̊ **pitch**; **black|jack** ... '~-**lead** ...: ~ *pencil*; **'guild'hall** ...: *the* ~̊.

III. Variety of Meanings

The various meanings of the English words are explained

a) by explanatory additions in italics which either precede the translation as a direct or indirect object of verbs or follow it as an explanation:

e·lect ... **1.** *j-n zu e-m Amt* (er)wählen; **gum²** ... **4.** ⚘ 'Gummifluß *m* (*Baumkrankheit*);

b) by preceding symbols and abbreviated definitions (see list on page 15);

c) by stating the antonyms, e.g.,

clink·er-built *adj.* ⚓ klinkergebaut (*Ggs. kraweelgebaut*). **rock·er** ... **6.** *pl. Brit.* Rocker *pl.*, Halbstarke *pl.* mit bewußt ungepflegtem Aussehen (*Ggs. mods*).

The semicolon serves to set apart translations of essentially different meaning listed under the same Arabic numeral, e.g.,

kill ... **9.** *fig.* zu'grunde richten, ruinieren, durch Kri'tik vernichten, totmachen; *Gesetz* zu Fall bringen.

IV. The **Mark of Reference** (→) has the following uses:

a) direct reference (= see) from one entry word to another, e.g.,

game-law → *game-act*;

b) indirect reference from an illustrative phrase to an entry word, e.g.,

dice [dais] **I.** *s. pl. von* **die¹** *1* Würfel *pl.*, Würfelspiel *n*: *to play* (*at*) ~ → *II*; → *load 8*; **II.** *v/i.* würfeln, knobeln;

c) in many cases a cross reference to another entry is given in place of an illustrative phrase. In the article referred to the user will find an illustrative phrase containing both entry words, e.g.,

square ... **15.** ⅍ **a)** den Flächeninhalt berechnen von (*od. gen.*), **b)** *Zahl* quadrieren, ins Quadrat erheben; **c)** *Figur* quadrieren; → *circle 1*.

V. Parentheses are used

a) to indicate the abbreviated use of the full translation, e.g.,

co-op [kou'ɔp] *s.* F 'Konsum *m*, Kon'sum (-verein, -laden) *m* (*abbr. für co-operative*);

b) where two or more illustrative phrases have been combined to save space, e.g.,

to make (*break*) *contact* Kontakt herstellen (unterbrechen).

fache Tilde (~) stets das unmittelbar vorhergehende Stichwort, das auch mit Hilfe der fetten Tilde gebildet sein kann.

Wenn sich die Anfangsbuchstaben ändern (groß zu klein oder umgekehrt), steht statt der Tilde das Zeichen ~̊ oder ~̊.

Beispiele:

drink·ing ... '~-**wa·ter**; **ho·ly** ... ~̊ **Scrip·ture**; **Con·cert|** **of Eu·rope** ... ~̊ **pitch**; **black|jack** ... '~-**lead** ...: ~ *pencil*; **'guild'hall** ...: *the* ~̊.

III. Bedeutungsunterschiede

Die Bedeutungsunterschiede sind gekennzeichnet:

a) durch Kursivzusätze, die entweder als Dativ- oder Akkusativobjekt der Übersetzung vorangehen oder ihr als erläuternder Hinweis nachgestellt sind:

e·lect ... **1.** *j-n zu e-m Amt* (er)wählen; **gum²** ... **4.** ⚘ 'Gummifluß *m* (*Baumkrankheit*);

b) durch vorgesetzte bildliche Zeichen und abgekürzte Begriffsbestimmungen (siehe Verzeichnis Seite 15);

c) durch Angabe des Gegensatzes, z. B.

clink·er-built *adj.* ⚓ klinkergebaut (*Ggs. kraweelgebaut*). **rock·er** ... **6.** *pl. Brit.* Rocker *pl.*, Halbstarke *pl.* mit bewußt ungepflegtem Aussehen (*Ggs. mods*).

Das Semikolon zwischen deutschen Übersetzungen trennt auch innerhalb einer arabischen Ziffer zwei wesentlich voneinander verschiedene Bedeutungen, z. B.

kill ... **9.** *fig.* zu'grunde richten, ruinieren, durch Kri'tik vernichten, totmachen; *Gesetz* zu Fall bringen.

IV. Das **Verweiszeichen** (→) hat folgende Bedeutungen:

a) direkter Verweis (= siehe) von Stichwort zu Stichwort, z. B.

game-law → *game-act*;

b) indirekter Verweis von Anwendungsbeispiel auf Stichwort, z. B.

dice [dais] **I.** *s. pl. von* **die¹** *1* Würfel *pl.*, Würfelspiel *n*: *to play* (*at*) ~ → *II*; → *load 8*; **II.** *v/i.* würfeln, knobeln;

c) oft wurde an Stelle eines Anwendungsbeispiels auf ein Stichwort mit näheren Angaben (Exponenten, römischen oder arabischen Ziffern) verwiesen. Dort findet der Benutzer ein Anwendungsbeispiel, in dem beide Stichwörter vorkommen; z. B.

square ... **15.** ⅍ **a)** den Flächeninhalt berechnen von (*od. gen.*), **b)** *Zahl* quadrieren, ins Quadrat erheben; **c)** *Figur* quadrieren; → *circle 1*.

V. Die **runde Klammer** wird verwendet:

a) bei Vereinfachung des Gesamtworts der Übersetzung, z. B.

co-op [kou'ɔp] *s.* F 'Konsum *m*, Kon'sum (-verein, -laden) *m* (*abbr. für co-operative*),

b) zur Raumersparnis bei gekoppelten Anwendungsbeispielen, z. B.

to make (*break*) *contact* Kontakt herstellen (unterbrechen).

Explanation of Symbols and Abbreviations

Erklärung der Zeichen und Abkürzungen

1. Symbols — Bildliche Zeichen

~, ~̥	siehe Seite 13: Fette und einfache Tilde; *see page 13: Bold-faced and Simple Tilde.*
F	familiär, *familiar*; Umgangssprache, *colloquial.*
V	vulgär, *vulgar*; unanständig, *indecent.*
⚘	Botanik, *botany.*
⊕	Handwerk, *handicraft*; Technik, *engineering.*
⚒	Bergbau, *mining.*
⚔	militärisch, *military term.*
⚓	Schiffahrt, *nautical term.*
†	Handel u. Wirtschaft, *commercial term.*
🚂	Eisenbahn, *railway.*
✈	Flugwesen, *aviation.*
	Postwesen, *postal affairs.*
♪	Musik, *musical term.*
	Architektur, *architecture.*
⚡	Elektrotechnik, *electrical engineering.*
⚖	Rechtswissenschaft, *legal term.*
	Mathematik, *mathematics.*
	Landwirtschaft, *agriculture.*
	Chemie, *chemistry.*
⚕	Medizin, *medicine.*
→	siehe Seite 14: Verweiszeichen; *see page 14: Mark of Reference.*

2. Abbreviations — Abkürzungen

a.	auch, *also.*
abbr.	*abbreviation*, Abkürzung.
acc.	*accusative* (*case*), Akkusativ.
act.	*active voice*, Aktiv.
adj.	*adjective*, Adjektiv.
adv.	*adverb*, Adverb.
allg.	allgemein, *generally.*
Am.	*Americanism*, sprachliche Eigenheit aus dem oder (besonders) im amerikanischen Englisch.
amer., amer.	amerikanisch, *American.*
anat.	*anatomy*, Anatomie.
Arab.	*Arabic*, arabisch.
ast.	*astronomy*, Astronomie.
art.	*article*, Artikel.
attr.	*attributive*(*ly*), attributiv.
bibl.	*biblical*, biblisch.
biol.	*biology*, Biologie.
Brit.	*in British usage only*, nur im britischen Englisch gebräuchlich.
brit., brit.	britisch, *British.*
b.s.	*bad sense*, in schlechtem Sinne.
bsd.	besonders, *particularly.*
cj.	*conjunction*, Konjunktion.
coll.	*collectively*, als Sammelwort.
comp.	*comparative*, Komparativ.
contp.	*contemptuously*, verächtlich.
dat.	*dative* (*case*), Dativ.
dem.	*demonstrative*, Demonstrativ.
dial.	*dialectal*, dialektisch.
eccl.	*ecclesiastical*, kirchlich, geistlich.
e-e, *e-e*	eine, *a* (*an*).
e-m, *e-m*	einem, *to a* (*an*).
e-n, *e-n*	einen, *a* (*an*).
engS.	in engerem Sinne, *more strictly taken.*
e-r, *e-r*	einer, *of a* (*an*), *to a* (*an*).
e-s, *e-s*	eines, *of a* (*an*).
et., *et.*	etwas, *something.*
etc.	usw. *oder* und ähnliches, *and others* or *and the like.*
euphem.	*euphemistically*, beschönigend.
f	*feminine*, weiblich.
fenc.	*fencing*, Fechtkunst.
fig.	*figuratively*, figürlich, in übertragenem Sinne.
Fr.	*French*, französisch.
gen.	*genitive* (*case*), Genitiv.
geogr.	*geography*, Geographie.
geol.	*geology*, Geologie.
Ger.	*German*, deutsch.
ger.	*gerund*, Gerundium.
Ggs.	Gegensatz, *antonym.*
her.	*heraldry*, Heraldik, Wappenkunde.
hist.	*history*, Geschichte.
humor.	*humorously*, scherzhaft.
hunt.	*hunting*, Jagd.
ichth.	*ichthyology*, Ichthyologie, Fischkunde.
impers.	*impersonal*, unpersönlich.

ind.	*indicative (mood)*, Indikativ.
inf.	*infinitive (mood)*, Infinitiv.
int.	*interjection*, Interjektion.
interrog.	*interrogative*, Interrogativ(...)
Ir.	*Irish*, irisch.
iro.	*ironically*, ironisch.
irr.	*irregular*, unregelmäßig.
Ital.	*Italian*, italienisch.
j-d, j-s j-m, j-n *j-d, j-s* *j-m, j-n*	jemand(es *of*; -em *dat. to*; -en *acc.*) *somebody*.
konkr.	konkret, *concrete*.
konstr.	konstruiert, *construed*.
Lat.	*Latin*, lateinisch.
ling.	*linguistics*, Linguistik, Sprachwissenschaft.
lit.	*literary*, literarisch.
m	*masculine*, männlich.
m-e, *m-e*	meine, *my*.
metall.	*metallurgy*, Metallurgie.
meteor.	*meteorology*, Meteorologie.
min.	*mineralogy*, Mineralogie.
m-m, *m-m*	meinem, *to my*,
m-n, *m-n*	meinen, *my*.
mot.	*motoring*, Kraftfahrwesen.
mount.	*mountaineering*, Bergsteigen.
m-r, *m-r*	meiner, *of my*, *to my*.
m-s, *m-s*	meines, *of my*.
mst	meistens, *mostly*, *usually*.
myth.	*mythology*, Mythologie.
n	*neuter*, sächlich.
neg.	*negative*, verneinend.
nom.	*nominative (case)*, Nominativ.
npr.	*proper name*, Eigenname.
obs.	*obsolete*, veraltet.
od., *od.*	oder, *or*.
opt.	*optics*, Optik.
orn.	*ornithology*, Ornithologie, Vogelkunde.
o.s.	*oneself*, sich.
paint.	*painting*, Malerei.
parl.	*parliamentary term*, parlamentarischer Ausdruck.
pass.	*passive voice*, Passiv.
ped.	*pedagogy*, Pädagogik, Schülersprache.
pers.	*personal*, Personal...
pharm.	*pharmacy*, Pharmazie.
phls.	*philosophy*, Philosophie.
phot.	*photography*, Photographie.
phys.	*physics*, Physik.
physiol.	*physiology*, Physiologie.
pl.	*plural*, Plural.
poet.	*poetically*, dichterisch.
pol.	*politics*, Politik.
poss.	*possessive*, Possessiv...
p.p.	*past participle*, Partizip Perfekt.
p.pr.	*present participle*, Partizip Präsens.
pred.	*predicative(ly)*, prädikativ.
pres.	*present*, Präsens.
pret.	*preterit(e)*, Präteritum.
pron.	*pronoun*, Pronomen.
prp.	*preposition*, Präposition.
psych.	*psychology*, Psychologie.
R.C.	*Roman-Catholic*, römisch-katholisch.
Redew.	Redewendung(en), *phrase(s)*.
refl.	*reflexive*, reflexiv.
rel.	*relative*, Relativ...
rhet.	*rhetoric*, Rhetorik.
s.	*substantive*, *noun*, Substantiv.
Scot.	*Scotch*, schottisch.
sculp.	*sculpture*, Bildhauerei.
s-e, *s-e*	seine, *his*, *one*'s.
sg.	*singular*, Singular.
sl.	*slang*, Slang.
s-m, *s-m*	seinem, *to his*, *to one's*.
s-n, *s-n*	seinen, *his*, *one's*.
s.o.	*someone*, jemand(en).
sociol.	*sociology*, Soziologie.
sport	*sport*, Sport.
s-r, *s-r*	seiner, *of his*, *of its*, *to his*, *to its*.
s-s, *s-s*	seines, *of his*, *of one's*.
s.th.	*something*, etwas.
subj.	*subjunctive (mood)*, Konjunktiv.
sup.	*superlative*, Superlativ.
surv.	*surveying*, Geodäsie, Landvermessung.
tel.	*telegraphy*, Telegraphie.
teleph.	*telephone system*, Fernsprechwesen.
thea.	*theatre*, Theater.
typ.	*typography*, Buchdruck.
u., *u.*	und, *and*.
univ.	*university*, Hochschulwesen, Studentensprache.
v/aux.	*auxiliary verb*, Hilfszeitwort.
vet.	*veterinary medicine*, Tiermedizin.
v/i.	*intransitive verb*, intransitives Verb.
v/refl.	*reflexive verb*, reflexives Verb.
v/t.	*transitive verb*, transitives Verb.
weitS.	im weiteren Sinne, *more widely taken*.
z.B.	zum Beispiel, *for instance*.
zo.	*zoology*, Zoologie.
Zs.-, zs.-	zusammen, *together*.
Zssg(n)	Zusammensetzung(en), *compound word(s)*.

Guide to Pronunciation for German-speaking Users

Erläuterung der phonetischen Umschrift

Die phonetische Umschrift wird in diesem Wörterbuch nach den Grundsätzen der *International Phonetic Association (IPA)* gegeben.

A. Vokale und Diphthonge

Die Länge eines Vokals wird durch das Zeichen [:] angegeben, die Kürze wird nicht bezeichnet, z. B. see [si:] und it [it].

[ɑ:] langer a-Laut, „dunkler" gesprochen als meist im deutschen Vater, kam, Schwan: *far* [fɑ:], *father* [ˈfɑ:ðə].

[ʌ] kurzer, halboffener Laut zwischen einem o-Laut und einem dunklen a-Laut, fast wie das a im deutschen matt, hatte; Lippen leicht gespreizt, d. h. auseinandergezogen; dadurch vermeidet man Lippenrundung, die den Laut zum ö werden läßt: *butter* [ˈbʌtə], *come* [kʌm], *colour* [ˈkʌlə], *blood* [blʌd], *flourish* [ˈflʌriʃ], *twopence* [ˈtʌpəns].

[æ] heller, ziemlich offener, nicht zu kurzer Laut, der dem „bäh" beim Blöken der Schafe ähnelt; Raum zwischen Zunge und Gaumen noch größer als bei ä in Ähre: *fat* [fæt], *man* [mæn].

[ɛə] kommt im Englischen nur in der Verbindung des Vokals mit einem r vor; nicht zu offener, halblanger ä-Laut, der allmählich mit immer mehr abfallender Tonstärke zum „Murmellaut" [ə] abgleitet: *bare* [bɛə], *pair* [pɛə], *there* [ðɛə].

[ai] vom hellen a-Laut (heller als im deutschen Mai, nein) hebt sich die Zunge halbwegs zur i-Stellung: *I* [ai], *lie* [lai], *dry* [drai].

[au] vom hellen a-Laut (heller als im deutschen Haus, auch) hebt sich die Zunge zur u-Stellung, die meist nicht ganz erreicht wird: *house* [haus], *now* [nau].

[ei] vom halboffenen, zum ä-Laut neigenden e hebt sich die Zunge halbwegs zur i-Stellung: *date* [deit], *play* [plei], *obey* [əˈbei].

[e] halbgeschlossenes, kurzes e, etwas mehr zum i-Laut neigend als das e im deutschen Bett: *bed* [bed], *less* [les].

[ə] nur in unbetonter Stellung vorkommender „Murmellaut" oder neutraler Laut, ähnlich dem deutschen, flüchtig gesprochenen e in Gelage: *about* [əˈbaut], *butter* [ˈbʌtə], *connect* [kəˈnekt].

[i:] langes i, wie in lieb, Bibel, aber etwas offener einsetzend als im Deutschen; wird in Südengland vielfach „zweigipfelig" als Doppellaut gesprochen, wobei sich die Zunge aus einer nicht zu tiefen i-Stellung zur höheren hebt: *scene* [si:n], *sea* [si:], *feet* [fi:t], *ceiling* [ˈsi:liŋ].

[i] kurzes i wie im deutschen bin, mit, aber etwas offener als dieses; Zunge liegt etwas niedriger und ist etwas schlaffer als beim [i:]: *big* [big], *city* [ˈsiti].

[iə] kommt im Englischen nur in der Verbindung des Vokals mit einem r vor; halboffener, halblanger i-Laut, der allmählich mit immer mehr abfallender Tonstärke zum „Murmellaut" [ə] abgleitet: *here* [hiə], *hear* [hiə], *inferior* [inˈfiəriə].

[ou] aus der Stellung des geschlossenen o gleitet die Zunge in die des u-Lautes; Lippenrundung verstärkt sich etwas; der Diphthong [ou] wird heute auch gern zu [əu] abgeschwächt: *note* [nout], *boat* [bout], *below* [biˈlou].

[ɔ:] langer, dem a-Laut nahestehender Laut zwischen dem o-Laut im deutschen rot, Note und dem englischen [ɔ]. Daneben Tendenz, den o-Laut heller auszusprechen. Geringere Lippenrundung als im Deutschen; Lippen nicht vorgestülpt: *fall* [fɔ:l], *nought* [nɔ:t], *or* [ɔ:], *before* [biˈfɔ:].

[ɔ] sehr offener, dem a-Laut nahestehender Laut, bedeutend offener als der o-Laut im deutschen Motte: *god* [gɔd], *not* [nɔt], *wash* [wɔʃ], *hobby* [ˈhɔbi].

[o] flüchtiges geschlossenes o: *molest* [mouˈlest]; siehe Abschnitt D, Seite 18.

[ɔi] vom offenen o-Laut hebt sich die Zunge halbwegs zur i-Stellung: *boy* [bɔi], *annoy* [əˈnɔi].

[ə:] im Deutschen nicht vorkommender langer Laut; Zunge wird zu einem Punkt zwischen „hell" und „dunkel" gehoben wie in unbetonter Stellung beim neutralen „Murmellaut" [ə]; kein Runden oder Vorstülpen der Lippen; keine Hebung der Zunge; dadurch wird der ö-Laut vermieden: *word* [wə:d], *girl* [gə:l], *learn* [lə:n], *murmur* [ˈmə:mə].

[u:] langes u wie im deutschen Mut, Schule, doch offener und mit kaum vorgestülpten Lippen; vielfach diphthongisch als Doppellaut gesprochen, wobei sich die Zunge aus einer nicht zu tiefen u-Stellung mit gleichzeitig sich etwas verstärkender Lippenrundung einem geschlossenen u nähert:

fool [fuːl], *shoe* [ʃuː], *you* [juː], *rule* [ruːl], *canoe* [kəˈnuː].

[u] kurzer u-Laut, ähnlich wie im deutschen Butter, muß, aber flüchtiger und ohne Vorstülpung der Lippen: *put* [put], *look* [luk], *careful* [ˈkɛəful].

[uə] kommt im Englischen nur in der Verbindung des Vokals mit einem r vor; halboffener, halblanger Laut, der allmählich mit immer mehr abfallender Tonstärke zum „Murmellaut“ [ə] abgleitet: *poor* [puə], *sure* [ʃuə], *allure* [əˈljuə].

B. Konsonanten

[r] nur vor Vokalen gesprochen. Völlig verschieden vom deutschen Zungenspitzen- oder Zäpfchen-R. Die Zungenspitze bildet mit der oberen Zahnwulst eine Enge, durch die der Ausatmungsstrom mit Stimmton hindurchgetrieben wird, ohne den Laut zu rollen. Am Ende eines Wortes wird r nur bei Bindung mit dem Anlautvokal des folgenden Wortes gesprochen: *rose* [rouz], *pride* [praid], *there is* [ðɛərˈiz].

[ʒ] stimmhafter Laut, entsprechend dem deutschen „weichen“ sch-Laut, geschrieben g in Genie, j in Journal; häufig mit vorhergehendem deutlich gesprochenem [d]: *azure* [ˈæʒə], *jazz* [dʒæz], *jeans* [dʒiːnz], *large* [lɑːdʒ].

[ʃ] stimmloser sch-Laut wie im deutschen Schnee, rasch, aber immer ohne Vorstülpung oder Rundung der Lippen: *shake* [ʃeik], *washing* [ˈwɔʃiŋ], *lash* [læʃ].

[θ] im Deutschen nicht vorhandener stimmloser Lispellaut; durch Anlegen der Zungenspitze an die Rückwand der oberen Schneidezähne hervorgebracht: *thin* [θin], *path* [pɑːθ], *method* [ˈmeθəd].

[ð] derselbe Laut stimmhaft, d. h. mit Stimmton; der Laut muß gesungen werden können: *there* [ðɛə], *breathe* [briːð], *father* [ˈfɑːðə].

[s] stimmloser Zischlaut, entsprechend dem deutschen ß in Spaß, reißen; auch am Wortanfang immer „scharf“ gesprochen: *see* [siː], *hats* [hæts], *decide* [diˈsaid].

[z] stimmhafter Zischlaut wie s im deutschen brausen; auf genügende Stimmhaftigkeit ist zu achten: *zeal* [ziːl], *rise* [raiz], *horizon* [həˈraizn].

[x] stimmloser, hinten im Mund gebildeter Reibelaut; entspricht dem deutschen ch in ach: *loch* [lɔx].

[ŋ] wird wie der deutsche Nasenlaut in fangen oder singen gebildet: *ring* [riŋ], *singer* [ˈsiŋə].

[ŋg] ng-Laut mit nachfolgendem g, wie im deutschen Mungo: *finger* [ˈfiŋgə], *English* [ˈiŋgliʃ].

[ŋk] ng-Laut mit nachfolgendem k, wie im deutschen senken, Wink: *ink* [iŋk], *tinker* [ˈtiŋkə].

[w] flüchtiges, mit Lippe an Lippe gesprochenes w, aus der Mundstellung für u: gebildet: *will* [wil], *swear* [swɛə], *queen* [kwiːn].

[f] stimmloser Lippenzahnlaut wie im deutschen flott: *fat* [fæt], *tough* [tʌf], *effort* [ˈefət].

[v] stimmhafter Lippenzahnlaut wie im deutschen Vase, Ventil: *vein* [vein], *velvet* [ˈvelvit].

[j] flüchtiger, wie der i-Laut gebildeter Laut, der sofort zum folgenden Vokal weitergleitet: *onion* [ˈʌnjən], *yes* [jes], *filial* [ˈfiljəl].

C. Lautsymbole der nichtanglisierten Stichwörter

In nichtanglisierten Stichwörtern, d. h. in Fremdwörtern, die noch nicht als eingebürgert empfunden werden, wurden gelegentlich einige Lautsymbole der französischen Sprache verwandt, um die nichtenglische Lautung zu kennzeichnen. Die nachstehende Liste gibt einen Überblick über diese Symbole:

[ɑ̃] ein nasaliertes, offenes a wie im französischen Wort *enfant.*

[ɛ̃] ein nasaliertes, offenes ä wie im französischen Wort *fin.*

[ɔ̃] ein nasaliertes, offenes o wie im französischen Wort *bonbon.*

[œ] ein offener ö-Laut wie im französischen Wort *jeune.*

[ø] ein geschlossener ö-Laut wie im französischen Wort *feu.*

[y] ein kurzes ü wie im französischen Wort *vu.*

[ɥ] ein kurzer halbvokalischer Reibelaut. Beide Lippen werden etwas vorgeschoben; Zungenstellung wie beim deutschen ü („gleitendes ü“). Wie im französischen Wort *muet.*

[ɲ] ein j-haltiges n, noch zarter als in *Champagner.* Wie im französischen Wort *Allemagne.*

D. Kursive phonetische Zeichen und (ː)

Ein kursives phonetisches Zeichen bedeutet, daß der Buchstabe gesprochen oder nicht gesprochen werden kann. Beide Aussprachen sind dann im Englischen gleich häufig. Z. B. das kursive *u* in der Umschrift von molest [moᵘˈlest] bedeutet, daß die Aussprache des Wortes mit [o] oder mit [ou] etwa gleich häufig ist.

Zwei Längepunkte in einer runden Klammer zeigen an, daß der vorangegangene Vokal auch lang gesprochen werden kann. Z. B. (ː) in duplicity [dju(ː)ˈplisiti] bedeutet, daß die Aussprache des Wortes mit [u] oder mit [uː] etwa gleich häufig ist.

E. Betonungsakzent

Die Betonung der englischen Wörter wird durch das Zeichen [ˈ] vor der zu betonenden Silbe angegeben, z. B. onion [ˈʌnjən]. Sind zwei Silben eines Wortes mit Betonungsakzent versehen, so sind beide gleichmäßig zu betonen, z. B. **disloyal** [ˈdisˈlɔiəl], **ˈupˈstairs**; jedoch wird häufig je nach der Stellung des Wortes im Satzverband oder in nachdrucksvoller Sprache nur eine der beiden Silben betont, z. B. *upstairs* in *the upstairs rooms* [ði ˈʌpstɛəz ˈrumz] und *on going upstairs* [ɔn ˈgouiŋ ʌpˈstɛəz]. Diese mehr satzphonetisch bedingten Akzente können naturgemäß in einem Wörterbuch nicht angezeigt werden.

Bei zusammengesetzten Stichwörtern, deren Bestandteile als selbständige Stichwörter mit Aussprachebezeichnung im Wörterbuch gegeben sind, wird der Betonungsakzent im zusammengesetzten Stichwort selbst gegeben, z. B. **ˈupˈstairs**. Die Betonung erfolgt auch dann im Stichwort, wenn nur ein Teil der Lautschrift gegeben wird, z. B. **adˈministrator** [-treitə], **ˈripˈsnorter** [-ˈsnɔːtə].

A

A, a [ei] **1.** A *n*, a *n* (*Buchstabe*): *from A to Z* von A bis Z, vollständig; **2.** ♪ A *n*, a *n* (*Note*); **3.** *ped. Am.* Eins *f* (*Note*).

A 1 ['ei'wʌn] *adj.* **1.** ⚓ erstklassig (*von Schiffen bei Lloyds*); **2.** F 'prima, I a, ff; **3.** ⚔ kriegsverwendungsfähig, k.v.

a [ei; ə], *vor vokalischem Anlaut* **an** [æn; ən] **1.** ein, eine (*unbestimmter Artikel*): *a woman*; *manchmal vor pl.*: *a barracks* eine Kaserne; *a bare five minutes* knappe fünf Minuten; **2.** der-, die-, das'selbe: *two of a kind* zwei (von jeder Art); **3.** per, pro, je: *twice a week* zweimal in der Woche, zweimal wöchentlich; *fifty pence a dozen* fünfzig Pence pro *od.* das Dutzend; **4.** einzig: *at a blow* auf 'einen Schlag; **5.** jemand wie: *he is a Lincoln* er ist ein wahrer *od.* zweiter Lincoln.

a- (*Vorsilbe*) **1.** [ə-] *Lage*: *ashore* an Land; *Zustand*: *afire* in Flammen; **2.** [æ-] *Verneinung*: *amoral* amoralisch.

Aar·on's| beard ['ɛərənz] *s.* ⚘ **1.** Großblumiges Jo'hanniskraut; **2.** Wuchernder Steinbrech; ~ **rod** *s.* ⚘ **1.** Königskerze *f*; **2.** Goldrute *f*.

a·back [ə'bæk] *adv.* **1.** ⚓ back, gegen den Mast; **2.** *fig. taken* ~ bestürzt, verblüfft, über'rascht; **3.** nach hinten, zu'rück.

ab·a·cus ['æbəkəs] *pl.* **-ci** [-sai] *u.* **-cus·es** *s.* **1.** ✝, ⚗ 'Abakus *m*, Rechenbrett *n* (*mit Kugeln an Stäben*); **2.** ⚠ Abakus *m*, Kapi'telldeckplatte *f*.

a·baft [ə'bɑ:ft] **I.** *prp.* achter, hinter; **II.** *adv.* achteraus, nach hinten.

a·ban·don [ə'bændən] **I.** *v/t.* **1.** (völlig) aufgeben (*a. sport*), verzichten auf (*acc.*) (*beide a.* ✝), entsagen (*dat.*), preisgeben, *Hoffnung* fahrenlassen; **2.** (auf immer) verlassen, aufgeben; **3.** ⚓ *Schiff* aufgeben, verlassen; **4.** im Stich lassen; *Ehefrau* böswillig verlassen; *Kinder* aussetzen; **5.** (*s.th. to s.o.* j-m et.) über'lassen, ausliefern; **6.** ~ *o.s.* (*to*) sich 'hingeben, sich über'lassen (*dat.*); **II.** *s.* [abɑ̃dɔ̃] **7.** Sich'gehenlassen *n*, Eifer *m*, Unbeherrschtheit *f*: *with* ~ mit Hingabe, rückhaltlos; **a'ban·doned** [-nd] *adj.* **1.** verlassen, aufgegeben; **2.** liederlich, verworfen; **a'ban·don·ment** [-mənt] *s.* **1.** Aufgabe *f*, Verzicht *m*, Preisgabe *f*; Über'lassung *f*, Abtretung *f*; **2.** *endgültiges* Verlassen; ⚖ böswilliges Verlassen; **3.** Hingabe *f*, Selbstvergessenheit *f*.

a·base [ə'beis] *v/t* erniedrigen, demütigen, degradieren; **a'base·ment** [-mənt] *s.* Erniedrigung *f*, Demütigung *f*.

a·bash [ə'bæʃ] *v/t.* beschämen, demütigen; in Verlegenheit bringen; **a'bashed** [-ʃt] *adj.* beschämt, verlegen.

a·bate [ə'beit] **I.** *v/t.* **1.** vermindern, verringern; *Preis etc.* her'absetzen, ermäßigen; **2.** *Schmerz* lindern; *Stolz, Eifer* mäßigen; **3.** ⚖ *Mißstand* beseitigen; *Verfügung* aufheben; **II.** *v/i.* **4.** abnehmen, nachlassen; sich legen (*Wind, Schmerz*); fallen (*Preis*); **a'bate·ment** [-mənt] *s.* **1.** Abnehmen *n*, Nachlassen *n*, Verminderung *f*, Linderung *f*; (*Lärm- etc.*)Bekämpfung *f*; **2.** Abzug *m*, (*Preis- etc.*)Nachlaß *m*; **3.** ⚖ Beseitigung *f*, Aufhebung *f*.

ab·a(t)·tis ['æbətis] *s. sg. u. pl.* [*pl.* -ti:z] Baumverhau *m*.

ab·at·toir ['æbətwɑ:] (*Fr.*) *s.* Schlachthaus *n*.

ab·ba·cy ['æbəsi] *s.* Würde *f od.* Amtsdauer *f* e-s Abts.

ab·bé ['æbei] (*Fr.*) *s.* Priester *m*.

ab·bess ['æbis] *s.* Äb'tissin *f*.

ab·bey ['æbi] *s.* **1.** Ab'tei *f*: *the* ♀ *Brit.* die Westminsterabtei; **2.** *Brit.* herrschaftlicher Wohnsitz (*frühere Abtei*).

ab·bot ['æbət] *s.* Abt *m*.

ab·bre·vi·ate [ə'bri:vieit] *v/t. bsd. Wörter od. Reden* (ab)kürzen; **ab·bre·vi·a·tion** [əbri:vi'eiʃən] *s.* Ab-, Verkürzung *f*.

ABC, Abc ['eibi:'si:] **I.** *s.* **1.** *Am. oft pl.* Abc *n*, Alpha'bet *n*; **2.** *fig.* Anfangsgründe *pl.*; **3.** *Brit.* alpha'betischer Fahrplan; **II.** *adj.* **4.** die ABC-Staaten (*Argentinien, Brasilien, Chile*) betreffend: *the* ~ *Powers*; **5.** ato'mare, bio'logische u. 'chemische Waffen betreffend: ~ *warfare* ABC-Kriegführung; ~ *weapons* ABC-Waffen.

Ab·di·as [æb'daiəs] → *Obadiah*.

ab·di·cate ['æbdikeit] **I.** *v/t. Amt, Recht etc.* aufgeben, niederlegen; verzichten auf (*acc.*), entsagen (*dat.*); **II.** *v/i.* abdanken; **ab·di·ca·tion** [æbdi'keiʃən] *s.* Abdankung *f*, Verzicht *m* (*of* auf *acc.*); freiwillige Niederlegung (*e-s Amtes etc.*): ~ *of the throne* Thronverzicht.

ab·do·men ['æbdəmen] *s.* **1.** *anat.* Ab'domen *n*, 'Unterleib *m*, Bauch *m*; **2.** *zo.* Leib *m*, 'Hinterleib *m* (*von Insekten etc.*); **ab·dom·i·nal** [æb'dɔminl] *adj.* **1.** *anat.* Unterleibs..., Bauch...; **2.** *zo.* Hinterleibs...

ab·duct [æb'dʌkt] *v/t. gewaltsam* entführen; **ab'duc·tion** [-kʃən] *s.* Entführung *f*.

a·beam [ə'bi:m] *adv. u. adj.* ⚓, ✈ querab, dwars.

a·be·ce·dar·i·an [eibi(:)si(:)'dɛəriən] **I.** *s.* **1.** Abc-Schütze *m*; **II.** *adj.* **2.** alpha'betisch (geordnet); **3.** *fig.* elemen'tar.

a·bed [ə'bed] *adv.* zu *od.* im Bett.

Ab·er·don·i·an [æbə'dounjən] **I.** *adj.* aus Aber'deen stammend; **II.** *s.* Einwohner(in) von Aberdeen.

ab·er·ra·tion [æbə'reiʃən] *s.* **1.** Abirrung *f*, Abweichung *f*; Fehltritt *m*; **2.** (geistige) Verwirrung; **3.** *phys.*, *ast.* Aberrati'on *f*.

a·bet [ə'bet] *v/t.* begünstigen, Vorschub leisten (*dat.*) (*mst bei schlechten Taten*); anstiften; → *aid 1*; **a'bet·ment** [-mənt] *s.* Beihilfe *f*, Vorschub *m*; Anstiftung *f*; **a'bet·tor** [-tə] *s.* (Helfers)Helfer *m*, Anstifter *m*.

a·bey·ance [ə'beiəns] *s.* Unentschiedenheit *f*, Schwebe *f*: *in* ~ **a)** *bsd.* ⚖ in der Schwebe, schwebend unwirksam, unentschieden, **b)** ⚖ herrenlos (*Grund u. Boden*); *to fall into* ~ zeitweilig außer Kraft treten.

ab·hor [əb'hɔ:] *v/t.* ver'abscheuen; **ab·hor·rence** [əb'hɔrəns] *s.* **1.** Abscheu *m* (*of* vor *dat.*); **2.** Gegenstand *m* des Abscheus: *hypocrisy is my* ~ Heuchelei ist mir ein Greuel; **ab·hor·rent** [əb'hɔrənt] *adj.* □ ver'abscheuungswürdig, verhaßt (*to dat.*).

a·bide [ə'baid] **I.** *v/i.* [*irr.*] **1.** bleiben, fortdauern; **2.** (*by*) treu bleiben (*dat.*), festhalten (an *dat.*), sich halten (an *acc.*); sich abfinden (mit); **II.** *v/t.* [*irr.*] **3.** erwarten; **4.** F (*mst neg.*) (v)ertragen, ausstehen: *I can't* ~ *him*; **a'bid·ing** [-diŋ] *adj.* □ dauernd, beständig.

Ab·i·gail ['æbigeil] (*Hebrew*) **I.** *npr.* **1.** *bibl.* Abi'gail *f*; **2.** *weiblicher Vorname*; **II.** *s.* **3.** ♀ (Kammer)Zofe *f*.

a·bil·i·ty [ə'biliti] *s.* **1.** (geistige *od.* körperliche) Fähigkeit; Geschicklichkeit *f*: *to the best of one's* ~ nach besten Kräften; ~ *to pay* ✝ Zahlungsfähigkeit, Solvenz; **2.** *mst pl.* geistige Anlagen *pl.*

ab·ject ['æbdʒekt] *adj.* □ **1.** niedrig, gemein, verächtlich: ~ *flattery* elende Schmeichelei; **2.** *fig.* tiefst, höchst, äußerst: ~ *despair*; ~ *misery*; **'ab·ject·ness** [-nis] *s.* Niedrigkeit *f*, Verworfenheit *f*.

ab·ju·ra·tion [æbdʒuə'reiʃən] *s.* Abschwörung *f*; **ab·jure** [əb'dʒuə] *v/t.* abschwören, (feierlich) entsagen (*dat.*); aufgeben.

ab·lac·ta·tion [æblæk'teiʃən] *s.* Entwöhnung *f e-s Säuglings*.

ab·la·ti·val [æblə'taivəl] *adj. ling.* Ablativ...; **ab·la·tive** ['æblətiv] *ling.* **I.** *s.* 'Ablativ *m*; **II.** *adj.* Ablativ...

ab·laut ['æblaut] (*Ger.*) *s. ling.* Ablaut *m.*

a·blaze [ə'bleiz] *adv. u. adj.* **1.** in Flammen, lodernd; **2.** *fig.* (*with*) glänzend (vor *dat.*, von), erregt (vor *dat.*): *all* ~ Feuer und Flamme.

a·ble ['eibl] *adj.* □ → *ably*; **1.** fähig, tauglich, geschickt, tüchtig: *to be* ~ *to* können, imstande sein zu; *he was not* ~ *to get up* er konnte nicht aufstehen; ~ *to work* arbeitsfähig; ~ *to pay* ☤ zahlungsfähig, solvent; ~ *seaman* → *able-bodied* 1; **2.** begabt, befähigt; **3.** (vor)'trefflich: *an* ~ *speech*; **4.** ⚖ berechtigt, fähig; **'able-'bod·ied** *adj.* **1.** körperlich leistungsfähig, kräftig: ~ *seaman Brit.* Vollmatrose (*abbr.* A.B.); **2.** ⚔ wehrfähig, (dienst)tauglich.

ab·let ['æblit] *s. ichth.* Weißfisch *m*, Karpfenfisch *m.*

a·bloom [ə'blu:m] *adv. u. adj.* in Blüte, blühend.

a·blush [ə'blʌʃ] *adv. u. adj.* (scham-)rot, errötend.

ab·lu·tion [ə'blu:ʃən] *s.* **1.** (Ab)Waschung *f*; **2.** Wasch-, Spülflüssigkeit *f*; **3.** *eccl.* Abluti'on *f.*

a·bly ['eibli] *adv.* geschickt, mit Geschick.

A-B meth·od *s.* ⚡ A-B-Betrieb *m.*

ab·ne·gate ['æbnigeit] *v/t.* (ab)leugnen, aufgeben, verzichten auf (*acc.*); **ab·ne·ga·tion** [æbni'geiʃən] *s.* **1.** Ab-, Verleugnung *f*; **2.** Verzicht *m* (*of* auf *acc.*); **3.** *mst self-*~ Selbstverleugnung *f.*

ab·nor·mal [æb'nɔ:məl] *adj.* □ **1.** ab'norm, regelwidrig, ungewöhnlich; 'mißgestaltet; **2.** ⊕ 'normwidrig; **ab·nor·mal·i·ty** [æbnɔ:'mæliti] *s.* **1.** Abweichung *f*, Regelwidrigkeit *f*; 'Mißbildung *f* (*a.* ⚕); **2.** Über'spanntheit *f*; **ab'nor·mi·ty** [-miti] *s.* Abnormi'tät *f*, Regelwidrigkeit *f*, Entartung *f*; 'Mißgeburt *f*, -gestalt *f.*

a·board [ə'bɔ:d] *adv. u. prp.* **1.** ⚓ an Bord: *to go* ~ an Bord gehen, sich einschiffen; *all* ~*!* **a)** alle Mann *od.* alle Reisenden an Bord!, **b)** 🚂 *etc.* alles einsteigen!; **2.** in (*e-m od. ein Verkehrsmittel*): ~ *a bus.*

a·bode[1] [ə'boud] *pret. u. p.p. von abide.*

a·bode[2] [ə'boud] *s.* Aufenthalt *m*; Wohnort *m*, Wohnung *f*: *to take one's* ~ s-n Wohnsitz aufschlagen; *fixed* ~ ⚖ fester Wohnsitz.

a·boil [ə'bɔil] *adv. u. adj.* siedend, in Wallung (*a. fig.*); *fig.* in Aufregung.

a·bol·ish [ə'bɔliʃ] *v/t.* **1.** abschaffen, aufheben, tilgen; **2.** vernichten, zerstören.

ab·o·li·tion [æbə'liʃən] *s.* Abschaffung *f* (*Am. bsd. der Sklaverei*), Aufhebung *f*, Beseitigung *f*; **ab·o'li·tion·ism** [-ʃənizəm] *s.* **1.** (Poli'tik *f* der) Sklavenbefreiung *f*; **2.** Abolitio'nismus *m*, Bekämpfung *f* e-s Rechtszwanges; **ab·o'li·tion·ist** [-ʃənist] *s.* **1.** *hist. Am.* Verfechter *m* der Sklavenbefreiung; **2.** Kämpfer *m* gegen e-n Rechtszwang.

'A-'bomb *s.* A'tombombe *f.*

a·bom·i·na·ble [ə'bɔminəbl] *adj.* □ ab'scheulich, 'widerwärtig, scheußlich; **a'bom·i·nate** [-neit] *v/t.* ver'abscheuen, nicht leiden können; **a·bom·i·na·tion** [əbɔmi'neiʃən] *s.* **1.** Abscheu *m* (*of* vor *dat.*); **2.** Greuel *m*, Schandfleck *m*; Gegenstand *m* des Abscheus: *smoking is her pet* ~ F das Rauchen ist ihr ein wahrer Greuel.

ab·o·rig·i·nal [æbə'ridʒənl] **I.** *adj.* □ eingeboren, ureingesessen, ursprünglich, einheimisch; **II.** *s.* Ureinwohner *m*; **ab·o'rig·i·nes** [-dʒini:z] *s. pl.* **1.** Ureinwohner *pl.*, Urbevölkerung *f*; **2.** die ursprüngliche Flora und Fauna.

a·bort [ə'bɔ:t] *v/i.* **1.** ⚕ fehl- *od.* zu früh gebären; **2.** verkümmern; **3.** fehlschlagen; **a'bort·ed** [-tid] *adj.* zu früh geboren; verkümmert; fehlgeschlagen; **a·bor·ti'fa·cient** [-ti'feiʃənt] *s.* Abtreibungsmittel *n*; **a·bor·tion** [ə'bɔ:ʃən] *s.* **1.** ⚕ Fehl-, Frühgeburt *f*; **2.** ⚕ Abtreibung *f*; **3.** 'Mißgeburt *f* (*a. fig.*); Verkümmerung *f*; **4.** Fehlschlag *m*; **a·bor·tion·ist** [ə'bɔ:ʃənist] *s.* Abtreiber(in) der Leibesfrucht; **a'bor·tive** [-tiv] *adj.* □ **1.** zu früh geboren; **2.** vorzeitig; **3.** miß'lungen, erfolglos, verfehlt: *to prove* ~ fehlschlagen; **4.** *biol.* verkümmert; **5.** ⚕ Frühgeburt verursachend.

a·bound [ə'baund] *v/i.* **1.** im 'Überfluß *od.* reichlich vor'handen sein; **2.** Überfluß haben (*in* an *dat.*); **3.** (*with*) (an)gefüllt sein (mit), voll sein (von), wimmeln (von); **a'bound·ing** [-diŋ] *adj.* reichlich (vor'handen), reich (*in* an *dat.*), voll (*with* von).

a·bout [ə'baut] **I.** *adv.* **1.** um'her, ('rings-, 'rund)her'um, im 'Umfang: *the wrong way* ~ falsch herum; *three miles* ~ drei Meilen im Umkreis; *all* ~ überall; *a long way* ~ ein großer Umweg; ~ *face! Am.*, ~ *turn! Brit.* ⚔ (ganze Abteilung) kehrt!; **2.** ungefähr, etwa; um, gegen: ~ *three miles* etwa drei Meilen; ~ *this time* ungefähr um diese Zeit; ~ *noon* um die Mittagszeit; *that's just* ~ *enough!* das genügt schon!, das reicht mir gerade!; **3.** auf, auf den Beinen, in Bewegung: *to be* ~, *to be up and* ~ auf den Beinen sein; *there is no one* ~ es ist niemand in der Nähe *od.* da; *is there a cat* ~*?* gibt es hier e-e Katze?; *smallpox is* ~ die Pocken gehen um; **II.** *prp.* **4.** um, um ... herum; **5.** umher in (*dat.*): *to wander* ~ *the streets*; **6.** bei, auf (*dat.*), an (*dat.*), um: *have you any money* ~ *you?* haben Sie Geld bei sich?; *look* ~ *you!* sieh dich um!; *there is nothing special* ~ *him* an ihm ist nichts Besonderes; **7.** wegen, über (*acc.*), um (*acc.*), betreffs: *to talk* ~ *business* über Geschäfte sprechen; *I'll see* ~ *it* ich werde danach sehen *od.* daran denken; *well, what is it* ~*?* worum handelt es sich eigentlich?; **8.** im Begriff: *he was* ~ *to go out*; **9.** beschäftigt mit: *he knows what he is* ~ er weiß, was er tut *od.* was er will; *mind what you're* ~*!* nimm dich in acht!; **III.** *v/t.* **10.** ⚓ *Schiff* wenden; **~-face, ~-turn** *s.* Kehrtwendung *f*; *fig.* (völliger) 'Umschwung.

a·bove [ə'bʌv] **I.** *adv.* **1.** oben, oberhalb; **2.** *eccl.* droben im Himmel: *from* ~ von oben, von Gott; *the powers* ~ die himmlischen Mächte; **3.** über, dar'über (hin'aus): *over and* ~ obendrein, überdies; **4.** weiter oben, oben...: ~*-mentioned*; **5.** nach oben; **II.** *prp.* **6.** über, oberhalb: ~ *ground* **a)** ⊕, ⚒ über Tage, oberirdisch, **b)** (noch) am Leben; ~ *sea level* über dem Meeresspiegel; ~ *(the) average* über dem Durchschnitt; **7.** *fig.* über, mehr als; erhaben über (*acc.*): ~ *all* vor allem; *you,* ~ *all others* von allen Menschen gerade du; *he is* ~ *that* er steht über der Sache, er ist darüber erhaben; *she was* ~ *taking advice* sie war zu stolz, Rat anzunehmen; *he is not* ~ *accepting a bribe* er scheut sich nicht, Bestechungsgelder anzunehmen; ~ *praise* über alles Lob erhaben; *to be* ~ *s.o.* j-m überlegen sein; *it is* ~ *me* es ist mir zu hoch, es geht über m-n Verstand; **III.** *adj.* **8.** obig, obenerwähnt: *the* ~ *remarks*; **IV.** *s.* **9.** *das* Obige, *das* Obenerwähnte.

a'bove-'board *adv. u. adj.* **1.** offen, ehrlich; **2.** einwandfrei.

A-B pow·er pack *s.* ⚡ Gerät *n* zur Lieferung von Heiz- u. An'odenleistung.

ab·ra·ca·dab·ra [æbrəkə'dæbrə] *s.* **1.** Abraka'dabra *n* (*Zauberwort*); **2.** *fig.* Kauderwelsch *n.*

ab·rade [ə'breid] *v/t.* **abreiben, abschürfen, ab-, aufscheuern;** ***Reifen*** **abfahren.**

A·bra·ham ['eibrəhæm] *npr. bibl.* 'Abraham *m*: ~*'s bosom* Abrahams Schoß.

ab·ra·sion [ə'breiʒən] *s.* **1.** Abreiben *n*, Abschleifen *n*; **2.** ⚕ (Haut)Abschürfung *f*, Schramme *f*; **3.** ⊕ Aufrauhung *f*, Abrieb *m*; **4.** Abnutzung *f*; **ab'ra·sive** [-siv] **I.** *adj.* abreibend, abschleifend, schmirgelartig; **II.** *s.* ⊕ Schleifmittel *n.*

ab·re·act [æbri'ækt] *v/t. psych.* abreagieren; **ab·re'ac·tion** [-kʃən] *s.* 'Abreakti‚on *f.*

a·breast [ə'brest] *adv.* **1.** Seite an Seite, nebenein'ander: *four* ~; *the ship was* ~ *of the cape* das Schiff lag auf der Höhe des Kaps; **2.** *fig.* auf der Höhe, auf dem laufenden: *to keep* ~ *of* (*od. with*) Schritt halten mit.

a·bridge [ə'bridʒ] *v/t.* **1.** (ab-, ver-)kürzen; zs.-ziehen; **2.** beschränken; **a'bridged** [-dʒd] *adj.* (ab)gekürzt, Kurz...; **a'bridg(e)·ment** [-mənt] *s.* **1.** (Ab-, Ver)Kürzung *f*; **2.** Abriß *m*, Auszug *m*; **3.** Beschränkung *f.*

a·broad [ə'brɔ:d] *adv.* **1.** draußen, außen, auswärts, im *od.* ins Ausland: *to go* ~ ins Ausland reisen; *from* ~ aus dem Ausland; **2.** aus dem Haus, draußen, im Freien: *to be* ~ *early* schon früh aus dem Haus sein; **3.** weit um'her, überall'hin: *to spread* ~ weit verbreiten; *to publish* ~ öffentlich verbreiten; *a rumo(u)r is* ~ es geht das Gerücht; **4.** *fig. all* ~ **a)** ganz im Irrtum, **b)** verwirrt.

ab·ro·gate ['æbrougeit] *v/t.* abschaffen, *Gesetz etc.* aufheben; **ab·ro·ga·tion** [æbrou'geiʃən] *s.* Abschaffung *f*, Aufhebung *f*.

ab·rupt [ə'brʌpt] *adj.* □ **1.** abgerissen, abgebrochen; zs.-hanglos (*a. fig.*); **2.** jäh, steil; **3.** kurz angebunden, schroff; **4.** plötzlich, ab'rupt; **ab'rupt·ness** [-nis] *s.* **1.** Abgerissenheit *f*, Zs.-hangslosigkeit *f*; **2.** Steilheit *f*; **3.** Schroffheit *f*; **4.** Plötzlichkeit *f*.

ab·scess ['æbsis] *s.* ⚕ Ab'szeß *m*, Geschwür *n*, Eiterbeule *f*.

ab·scis·sion [æb'siʒən] *s.* **1.** Abschneiden *n*; **2.** gewaltsame Trennung, plötzliches Abbrechen.

ab·scond [əb'skɔnd] *v/i.* **1.** sich heimlich da'vonmachen, flüchten (*from* vor *dat.*); sich den Gesetzen entziehen: ~*ing debtor* flüchtiger Schuldner; **2.** sich verstecken.

ab·sence ['æbsəns] *s.* **1.** Abwesenheit *f*: ~ *of mind* → *absent-mindedness*; **2.** (*from*) Fernbleiben *n* (von), Nichterscheinen *n* (in *dat.*, bei, zu): ~ *without leave* ⚔ unerlaubte Entfernung von der Truppe; **3.** (*of*) Mangel *m* (an *dat.*), Fehlen *n* (*gen. od.* von): *in the* ~ *of* in Ermangelung von (*od. gen.*).

ab·sent I. *adj.* □ ['æbsənt] **1.** abwesend, fehlend, nicht vor'handen: *to be* ~ fehlen; **2.** geistesabwesend, zerstreut; **II.** *v/t.* [æb'sent] **3.** ~ *o.s.* (*from*) fernbleiben (*dat. od.* von), sich entfernen (von, aus); **ab·sen·tee** [æbsən'ti:] *s.* **1.** Abwesende(r *m*) *f*, dauernd im Ausland *od.* nicht zu Hause Lebende(r *m*) *f* (*bsd. Grundbesitzer*): ~ *vote pol. Am.* Briefwahl; ~ *voter pol. Am.* Briefwähler; **2.** ohne Erlaubnis Abwesende(r *m*) *f*; **ab·sen·tee·ism** [æbsən'ti:izəm] *s.* **1.** dauerndes Wohnen im Ausland; **2.** unerlaubte Abwesenheit, unentschuldigtes Fernbleiben (*bsd. von der Arbeit*).

'ab·sent-'mind·ed *adj.* □ geistesabwesend, zerstreut; **'ab·sent-'mind·ed·ness** *s.* Geistesabwesenheit *f*, Zerstreutheit *f*.

ab·sinth(**e**) ['æbsinθ] *s.* **1.** ♀ Wermut *m*; **2.** Ab'sinth *m* (*Likör*).

ab·so·lute ['æbsəlu:t] **I.** *adj.* □ **1.** abso'lut (*a.* ♄, *ling.*, *phys.*): ~ *majority* absolute Mehrheit; **2.** unbedingt, unbeschränkt: ~ *ruler* unumschränkter Herrscher; ~ *gift* Schenkung; **3.** ⚗ rein: ~ *alcohol* absoluter (*wasserfreier*) Alkohol; **4.** rein, völlig, 'vollständig, voll'kommen: ~ *nonsense*; **5.** bestimmt, wirklich; 'positiv: ~ *fact* nackte Tatsache; *to become* ~ ⚖ rechtskräftig werden; **II.** *s.* **6.** *the* ~ das Absolute; **'ab·so·lute·ly** [-li] *adv.* **1.** absolut, völlig, vollkommen, 'durchaus; **2.** F ganz bestimmt, ganz richtig, ja'wohl!

ab·so·lute| tem·per·a·ture *s. phys.* abso'lute Tempera'tur, 'Kelvin-Tempera,tur *f*; ~ **ze·ro** *s.* ♄, *phys.* absoluter Nullpunkt.

ab·so·lu·tion [æbsə'lu:ʃən] *s.* **1.** *eccl.* Absoluti'on *f*, Sündenerlaß *m*; **2.** ⚖ Freisprechung *f*; **ab·so·lu·tism** ['æbsəlu:tizəm] *s. pol.* Absolu'tismus *m*, unbeschränkte Regierungsform *od.* Herrschergewalt.

ab·solve [əb'zɔlv] *v/t.* **1.** frei-, lossprechen (*of* von *Sünde*, *from* von *Schuld*, *Verpflichtung*), entbinden (*from* von); **2.** Absoluti'on erteilen (*dat.*).

ab·sorb [əb'sɔ:b] *v/t.* **1.** absorbieren, auf-, einsaugen, verschlucken; *a. fig. Wissen etc.* (in sich) aufnehmen; vereinigen (*into* mit); **2.** zu sich nehmen, trinken; **3.** aufzehren, verschlingen; ✝ *Kaufkraft* abschöpfen; **4.** *fig.* ganz in Anspruch nehmen *od.* beschäftigen, fesseln; **5.** *phys.* absorbieren, resorbieren, in sich aufnehmen, auffangen, *Schall*, *Stoß* dämpfen; **ab'sorbed** [-bd] *adj.* □ *fig.* (*in*) gefesselt (von), vertieft *od.* versunken (in *acc.*): ~ *in worries* von Sorgen bedrückt; **ab'sorb·ent** [-bənt] **I.** *adj.* absorbierend, aufsaugend: ~ *cotton* ⚕ Verbandwatte; **II.** *s.* Absorpti'onsmittel *n*; **ab'sorb·ing** [-biŋ] *adj.* □ **1.** aufsaugend; *fig.* fesselnd, packend; **2.** ⊕, *biol.* Absorptions..., Aufnahme... (*a.* ✝); **ab·sorp·tion** [əb'sɔ:pʃən] *s.* **1.** *a.* ⚡, ♀, ⊕, *biol.*, *phys.* Auf-, Einsaugung *f*, Aufnahme *f*, Absorpti'on *f*; Vereinigung *f*; **2.** Verdrängung *f*, Verbrauch *m*; Dämpfung *f* (*Schall*, *Stoß*); **3.** *fig.* (*in*) Vertieftsein *n* (in *acc.*), gänzliche In'anspruchnahme (durch); **ab·sorp·tive** [əb'sɔ:ptiv] *adj.* absorp'tiv, Absorptions..., absorbierend, (auf)saug-, aufnahmefähig.

ab·stain [əb'stein] *v/i.* **1.** sich enthalten (*from gen.*), sich zu'rückhalten; **2.** *a.* ~ *from voting* sich der Stimme enthalten; **3.** enthaltsam leben; **ab'stain·er** [-nə] *s.* j-d der sich (*bsd. geistiger Getränke*) enthält, Absti'nenzler *m*, Tempe'renzler *m*, *verstärkt*: *total* ~.

ab·ste·mi·ous [æb'sti:mjəs] *adj.* □ mäßig (*bsd. im Essen u. Genuß*), enthaltsam; **ab'ste·mi·ous·ness** [-nis] *s.* Mäßigkeit *f*, Enthaltsamkeit *f*.

ab·sten·tion [æb'stenʃən] *s.* **1.** Enthaltung *f* (*from* von *Genüssen*); **2.** *a.* ~ *from voting* Stimmenthaltung *f*.

ab·ster·gent [əb'stə:dʒənt] **I.** *adj.* reinigend; ⚕ abführend; **II.** *s.* Reinigungs-, ⚕ Abführmittel *n*.

ab·sti·nence ['æbstinəns] *s.* Absti'nenz *f*, Enthaltung *f* (*from* von), Enthaltsamkeit *f* (*bsd. Keuschheit*, *Fasten*, *Enthaltung vom Alkoholgenuß*): *total* ~ vollkommene Enthaltsamkeit (*vom Alkohol*); *day of* ~ *R.C.* Abstinenztag; **'ab·sti·nent** [-nt] *adj.* □ enthaltsam, mäßig.

ab·stract[1] ['æbstrækt] **I.** *adj.* □ **1.** ab'strakt, theo'retisch; nur begrifflich; **2.** *ling.* abstrakt (*Ggs. konkret*); **3.** ♄ abstrakt, rein (*Ggs. angewandt*): ~ *number* abstrakte Zahl; **4.** dunkel, schwerverständlich: *an* ~ *theory*; **II.** *s.* **5.** *das* Abstrakte, *das* rein Theoretische: *in the* ~ rein theoretisch (betrachtet), an u. für sich; **6.** *ling.* Ab'straktum *n*, Begriffs(haupt)wort *n*; **7.** Auszug *m*, Abriß *m*, Inhaltsangabe *f*, 'Übersicht *f*: ~ *of title* ⚖ Grundbuchauszug.

ab·stract[2] [æb'strækt] *v/t.* **1.** abziehen, -lenken; (ab)sondern, trennen; **2.** für sich *od.* (ab)gesondert betrachten; **3.** e-n Auszug machen von, kurz zs.-fassen; **4.** ⚗ destillieren; **5.** entwenden; **ab'stract·ed** [-tid] *adj.* □ **1.** (ab)gesondert, getrennt; **2.** zerstreut, geistesabwesend; **ab'stract·ed·ness** [-tidnis] *s.* **1.** Absonderung *f*; **2.** Zerstreutheit *f*; **ab'strac·tion** [-kʃən] *s.* **1.** Abstrakti'on *f*, (Ab)Sonderung *f*; Fortnahme *f*, Entwendung *f*; **2.** *phls.* Abstraktion *f*, ab'strakter Begriff; **3.** Versunkenheit *f*, Zerstreutheit *f*; **4.** *Kunst*: abstrakte Kompositi'on.

ab·struse [æb'stru:s] *adj.* □ dunkel, schwerverständlich, ab'strus; tiefgründig.

ab·surd [əb'sə:d] *adj.* □ ab'surd, 'widersinnig, unsinnig, albern, lächerlich; **ab'surd·i·ty** [-diti], **ab'surd·ness** [-nis] *s.* Sinnwidrigkeit *f*; Albernheit *f*, Unsinn *m*.

a·bun·dance [ə'bʌndəns] *s.* **1.** (*of*) 'Überfluß *m* (an *dat.*), Fülle *f* (von), Menge *f* (von): *in* ~ in Hülle und Fülle; **2.** 'Überschwang *m der Gefühle*; **3.** Wohlstand *m*, Reichtum *m*; **a'bun·dant** [-nt] *adj.* □ **1.** reichlich (vor'handen); **2.** (*in od. with*) im 'Überfluß besitzend (*acc.*), reich (an *dat.*), reichlich versehen (mit); **3.** ✝ ergiebig; **a'bun·dant·ly** [-ntli] *adv.* reichlich, völlig.

a·buse I. *v/t.* [ə'bju:z] **1.** miß'brauchen; 'übermäßig beanspruchen; **2.** grausam behandeln, miß'handeln; **3.** schmähen, beschimpfen, tadeln; **II.** *s.* [ə'bju:s] **4.** 'Mißbrauch *m*, 'Mißstand *m*, falscher Gebrauch: ~ *of authority* ⚖ Amtsmißbrauch, Mißbrauch der Macht; **5.** Miß'handlung *f*; **6.** Kränkung *f*, Beschimpfung *f*, Schimpfworte *pl.*; **a'bu·sive** [-ju:siv] *adj.* □ **1.** Mißbrauch treibend; **2.** beleidigend: *he became* ~; ~ *language* Schimpfworte; **3.** falsch angewendet.

a·but [ə'bʌt] *v/i.* angrenzen, -stoßen, (sich) anlehnen (*on*, *upon*, *against* an *acc.*); **a'but·ment** [-mənt] *s.* △ Strebe-, Stützpfeiler *m*, 'Widerlager *n e-r Brücke etc.*; **a'but·tal** [-tl] *s.* (*mst pl.*) (Land)Grenze *f*, Grenzstück *n*; **a'but·ter** [-tə] *s.* ⚖ Anlieger *m*.

a·bysm [ə'bizəm] *s. poet.* Abgrund *m*; **a'bys·mal** [-zməl] *adj.* □ abgrundtief, bodenlos, unergründlich (*a. fig.*): ~ *ignorance* grenzenlose Dummheit; **a'bys·mal·ly** [-zməli] *adv.* grenzenlos, höchst.

a·byss [ə'bis] *s.* **1.** Abgrund *m*, Schlund *m*; **2.** Hölle *f*; **3.** *fig.* Unendlichkeit *f*: *the* ~ *of time*.

Ab·ys·sin·i·an [æbi'sinjən] **I.** *adj.* abes'sinisch; **II.** *s.* Abes'sinier(in).

a·ca·cia [ə'keiʃə] *s.* **1.** ♀ A'kazie *f*; **2.** A'kazien,gummi *m*, *n*, ,Gummia'rabikum *n*.

ac·a·dem·ic [ækə'demik] **I.** *adj.* (□ ~*ally*) **1.** aka'demisch, mit dem Universi'tätsstudium zs.-hängend: ~ *costume bsd. Am.*, ~ *dress bsd. Brit.* akademische Tracht (*Mütze u. Talar*); **2.** (geistes)wissenschaftlich: ~ *achievement*; *an* ~ *course*; **3.** theo'retisch, unpraktisch: *an* ~ *question* e-e akademische *od.* rein theoretische Frage; **4.** konventio'nell,

traditio'nell; **II.** *s.* **5.** Aka'demiker *m*; **ac·a'dem·i·cal** [-kəl] **I.** *adj.* □ → *academic* 1, 2; **II.** *s. pl.* akademische Tracht; **a·cad·e·mi·cian** [əkædə'miʃən] *s.* Mitglied *n* e-r Akade'mie; **a·cad·e·my** [ə'kædəmi] *s.* **1.** Akademie *f* (*Platos Philosophenschule*); **2.** höhere Bildungsanstalt (*allgemeiner od. spezieller Art*): *military* ~ Militärakademie, Kriegsschule; *riding* ~ Reitschule; **3.** Akademie *f der Wissenschaften etc.*, gelehrte Gesellschaft; **4.** 'Kunstakade,mie *f*, -ausstellung *f*.
ac·a·jou ['ækəʒu:] → *cashew*.
a·can·thus [ə'kænθəs] *s.* **1.** ⚘ Bärenklau *m, f*; **2.** △ A'kanthus *m*, Laubverzierung *f* (*am korinthischen Kapitell*).
ac·cede [æk'si:d] *v/i.* **1.** (*to*) *e-m Vertrag, Verein etc.* beitreten, *e-m Vorschlag* beipflichten, in *et.* einwilligen; **2.** (*to*) zu *et.* (*z.B. Macht*) gelangen; *Amt* antreten; *Thron* besteigen.
ac·cel·er·an·do [ækselə'rændou] (*Ital.*) *adv.* ♪ all'mählich schneller.
ac·cel·er·ant [æk'selərənt] **I.** *adj.* beschleunigend; **II.** *s.* ⚗ 'positiver Kataly'sator; **ac·cel·er·ate** [æk'seləreit] **I.** *v/t.* **1.** beschleunigen, die Geschwindigkeit erhöhen von (*od. gen.*); *Entwicklung etc.* fördern; **2.** *Zeitpunkt* vorverlegen; **3.** *fig.* ankurbeln; **II.** *v/i.* **4.** schneller werden; **ac'cel·er·at·ing** [-reitiŋ] *adj.* Beschleunigungs...: ~ *grid* ⚡ Beschleunigungs-, Schirmgitter; **ac·cel·er·a·tion** [ækselə'reiʃən] *s.* *bsd.* ⊕, *phys.*, *ast.* Beschleunigung *f*, zunehmende Geschwindigkeit; **ac'cel·er·a·tor** [-reitə] *s.* **1.** *bsd.* ⊕, *mot.* Beschleuniger *m*; 'Gashebel *m*, -pe,dal *n*: *to step on the* ~ Gas geben; **2.** *anat.* Sym'pathicus *m*.
ac·cent **I.** *s.* ['æksənt] **1.** Ton *m*, Betonung *f*; Tonzeichen *n*, Ak'zent *m*; **2.** *ling.* Akzent *m*; **3.** *fig.* Betonung *f*, Nachdruck *m*: *the* ~ *at present is on ...* das Wichtigste ist jetzt ...; **4.** *pl. poet.* Rede *f*, Sprache *f*; **II.** *v/t.* [æk'sent] **5.** betonen, mit e-m Tonzeichen *od.* Akzent versehen; **6.** *fig.* her'vorheben.
ac·cen·tu·ate [æk'sentjueit] *v/t.* **1.** akzentuieren, betonen, mit Tonzeichen versehen; **2.** her'vorheben, Wert legen auf (*acc.*); **ac·cen·tu·a·tion** [æksentju'eiʃən] *s.* Betonung *f*, Tonbezeichnung *f*.
ac·cept [ək'sept] **I.** *v/t.* **1.** annehmen, entgegennehmen; **2.** aufnehmen (*into* in *acc.*); **3.** auf sich nehmen; **4.** akzeptieren, hinnehmen, sich mit *et.* abfinden; **5.** *j-n od. et.* akzeptieren, anerkennen, *et.* gelten lassen; **6.** auffassen, verstehen; **7.** ✝ *Wechsel* akzeptieren: *to* ~ *the tender* den Zuschlag erteilen; **II.** *v/i.* **8.** annehmen, zusagen, bejahen; **ac·cept·a·bil·i·ty** [əkseptə'biliti] *s.* **1.** Annehmbarkeit *f*, Eignung *f*; **2.** Annehmlichkeit *f*, Erwünschtheit *f*; **ac'cept·a·ble** [-təbl] *adj.* □ **1.** akzep'tabel, annehmbar, tragbar (*to* für); **2.** angenehm, will'kommen; **3.** ✝ beleihbar, lom'bardfähig; **ac'cept·ance** [-təns] *s.* **1.** Annahme *f*, Empfang *m*; **2.** Aufnahme *f* (*into* in *acc.*); **3.** Zusage *f*, Billigung *f*, Anerkennung *f*; **4.** 'Übernahme *f*; **5.** *bsd.* ✝ Abnahme *f bestellter Waren*: ~ *test* Abnahmeprüfung; **6.** ✝ Annahme *f od.* Anerkennung *f e-s Wechsels*; Ak'zept *n*, angenommener Wechsel; **ac·cep·ta·tion** [æksep'teiʃən] *s.* *ling.* gebräuchlicher Sinn *e-s Wortes*; **ac'cept·ed** [-tid] *adj.* allgemein anerkannt: ~ *text* offizieller Text; **ac'cept·er, ac'cep·tor** [-tə] *s.* **1.** Annehmer *m*, Abnehmer *m etc.*; **2.** ✝ Akzep'tant *m*, Wechselnehmer *m*.
ac·cess ['ækses] *s.* **1.** Zugang *m* (*Weg*): ~ *hatch* ⚓, ✈ Einsteigluke; ~ *road Am.* **a)** Zufahrtsstraße, **b)** (Autobahn)Zubringerstraße; **2.** *fig.* (*to*) Zugang *m* (zu), Zutritt *m* (zu, bei); Gehör *n* (bei): ~ *to means of education* Bildungsmöglichkeiten; *easy of* ~ leicht zugänglich; **3.** Ausbruch *m* (*Wut, Krankheit*).
ac'ces·sa·ry → *accessory*.
ac·ces·si·bil·i·ty [æksesi'biliti] *s.* Erreichbarkeit *f*, Zugänglichkeit *f* (*a. fig.*); **ac·ces·si·ble** [æk'sesəbl] *adj.* □ **1.** zugänglich, erreichbar (*to* für); **2.** *fig.* 'um-, zugänglich; **3.** zugänglich, empfänglich (*to* für).
ac·ces·sion [æk'seʃən] *s.* **1.** (*to*) Gelangen *n* (*zu e-r Würde*): ~ *to power* Machtübernahme; **2.** (*to*) Anschluß *m* (an *acc.*), Beitritt *m* (zu); Antritt *m e-s Amtes*: ~ *to the throne* Thronbesteigung; **3.** (*to*) Zuwachs *m* (an *dat.*), Vermehrung *f* (*gen.*): *recent* ~*s* Neuanschaffungen; **4.** Wertzuwachs *m*, Vorteil *m*; **5.** (*to*) Erreichung *f e-s Alters*.
ac·ces·so·ry [æk'sesəri] **I.** *adj.* **1.** zusätzlich, beitragend, Hilfs..., Neben..., Begleit...; **2.** nebensächlich, 'untergeordnet; **3.** teilnehmend, mitschuldig (*to* an *dat.*); **II.** *s.* **4.** Zusatz *m*, Anhang *m*; **5.** *pl.* ⊕ Zubehör(teile *pl.*) *n, m*; **6.** *oft pl.* Hilfsmittel *n*, Beiwerk *n*; **7.** ⚖ Teilnehmer *m an e-m Verbrechen*: ~ *after the fact* Begünstiger, *z.B.* Hehler; ~ *before the fact* **a)** Anstifter, **b)** Gehilfe.
ac·ci·dence ['æksidəns] *s.* *ling.* Formenlehre *f*.
ac·ci·dent ['æksidənt] *s.* **1.** Zufall *m*, zufälliges Ereignis: *by* ~ zufällig; **2.** zufällige Eigenschaft, Nebensache *f*; **3.** Unfall *m*, Unglücksfall *m*: ~ *benefit* Unfallentschädigung; ~ *insurance* Unfallversicherung; **ac·ci·den·tal** [æksi'dentl] **I.** *adj.* □ **1.** zufällig, unbeabsichtigt; nebensächlich; **2.** mit e-m Unfall zs.-hängend: ~ *death* Tod durch Unfall; **II.** *s.* **3.** ♪ Versetzungs-, Vorzeichen *n*; **4.** *mst pl. paint.* Nebenlichter *pl.*
ac·claim [ə'kleim] **I.** *v/t.* **1.** mit (lautem) Beifall begrüßen, anerkennen; *j-m* zujubeln; **2.** jauchzend ausrufen: *they* ~*ed him* (*as*) *king* sie riefen ihn zum König aus; **3.** sehr loben; **II.** *s.* **4.** Beifall *m*.
ac·cla·ma·tion [æklə'meiʃən] *s.* **1.** lauter Beifall, Zujauchzen *n*; **2.** *pol.* Abstimmung *f* durch Zuruf: *carried by* ~ durch Zuruf genehmigt.
ac·cli·ma·ta·tion [əklaimə'teiʃən] → *acclimatization*; **ac·cli·mate** [ə'klaimit] *bsd. Am.* → *acclimatize*; **ac·cli·ma·tion** [æklai'meiʃən] → *acclimatization*; **ac·cli·ma·ti·za·tion** [əklaimətai'zeiʃən] *s.* Akklimatisierung *f*, Eingewöhnung *f*, Einbürgerung *f* (*von Tieren u. Pflanzen*); **ac·cli·ma·tize** [ə'klaimətaiz] *v/t. u. v/i. bsd. Brit.* (sich) akklimatisieren, (sich) gewöhnen (*to* an *acc.*) (*a. fig.*).
ac·cliv·i·ty [ə'kliviti] *s.* Steigung *f*, Böschung *f*.
ac·co·lade ['ækəleid] *s.* **1.** Ritterschlag *m*; *fig. Am.* Auszeichnung *f*, Ehrung *f*; **2.** ♪ Klammer *f*.
ac·com·mo·date [ə'kɔmədeit] **I.** *v/t.* **1.** (*to*) **a)** anpassen (*dat.*, an *acc.*): *to* ~ *o.s. to circumstances*, **b)** in Einklang bringen (mit): *to* ~ *facts to theory*; **2.** *j-n* versorgen, *j-m* aushelfen *od.* gefällig sein (*with* mit): *to* ~ *s.o. with money*; **3.** *Streit* schlichten, beilegen; **4.** 'unterbringen, Platz haben für, fassen; **II.** *v/i.* **5.** sich einstellen (*to* auf *acc.*); **6.** ⚕ sich akkommodieren; **ac'com·mo·dat·ing** [-tiŋ] *adj.* □ gefällig, entgegenkommend; anpassungsfähig; **ac·com·mo·da·tion** [əkɔmə'deiʃən] *s.* **1.** Anpassung *f* (*to* an *acc.*); Über'einstimmung *f*; **2.** Über'einkommen *n*, gütliche Einigung; **3.** Gefälligkeit *f*, Aushilfe *f*, geldliche Hilfe; **4.** bequeme Einrichtung; **5.** Versorgung *f* (*with* mit); **6.** *Brit. sg.*, *Am. mst pl.* (Platz *m* für) 'Unterkunft *f*, -bringung *f*; **7.** *Am. a.* ~ *train* Bummelzug *m*.
ac·com·mo·da·tion| ac·cept·ance *s.* ✝ Ge'fälligkeitsak,zept *n*; ~ **address** *s.* 'Decka,dresse *f*; ~ **bill**, ~ **draft** *s.* ✝ Gefälligkeitswechsel *m*; ~ **lad·der** *s.* ⚓ Fallreep *n*, Fallreepstreppe *f*; ~ **road** *s.* Hilfs-, Verbindungsstraße *f*.
ac·com·pa·ni·ment [ə'kʌmpənimənt] *s.* **1.** ♪ Begleitung *f*; **2.** Begleiterscheinung *f*; **ac'com·pa·nist** [-nist] *s.* *bsd.* ♪ Begleiter(in); **ac·com·pa·ny** [ə'kʌmpəni] *v/t.* **1.** *a.* ♪ begleiten; **2.** gehören zu: *thunder accompanies lightning*; ~*ing address* (*phenomenon*) Begleitadresse (-erscheinung); **3.** verbinden (*with* mit): *he accompanied the advice with a warning*.
ac·com·plice [ə'kɔmplis] *s.* Kom'plice *m*, 'Mitschuldige(r *m*) *f*.
ac·com·plish [ə'kɔmpliʃ] *v/t.* **1.** *Aufgabe* voll'bringen, erfüllen, *Absicht* ausführen, *Zweck* erreichen, erfüllen: *to* ~ *one's object* sein Ziel erreichen; *to be* ~*ed* sich vollziehen; **2.** leisten; **3.** schulen; **ac'com·plished** [-ʃt] *adj.* **1.** 'vollständig ausgeführt; **2.** wohlerzogen, kultiviert, fein *od.* vielseitig gebildet; **3.** voll'endet, ausgezeichnet, per'fekt (*a. iro.*): *an* ~ *liar* ein Erzlügner; **ac'com·plish·ment** [-mənt] *s.* **1.** Ausführung *f*, Voll'endung *f*; Erfüllung *f*; **2.** Voll'kommenheit *f*, Ausbildung *f*; **3.** *mst pl.* Bildung *f*, Fertigkeiten *pl.*, Ta'lente *pl.*
ac·cord [ə'kɔ:d] **I.** *v/t.* **1.** bewilligen, gewähren: *to* ~ *praise* Lob spenden; **II.** *v/i.* **2.** über'einstimmen, harmonieren, passen; **III.** *s.* **3.** Über'einstimmung *f*, Einigkeit *f*; **4.** Zustimmung *f*; **5.** Über'einkommen *n*, Vergleich *m*: *with one* ~ einstimmig,

einmütig; *of one's own* ~ aus eigenem Antrieb, freiwillig; **ac'cordance** [-dəns] *s.* Über'einstimmung *f*: *to be in* ~ *with* übereinstimmen mit; *in* ~ *with* in Übereinstimmung mit, gemäß; **ac'cord·ing** [-diŋ] **I.** ~ *as cj.* je nach'dem (wie), so wie: ~ *as you behave* je nachdem, wie du dich benimmst; **II.** ~ *to prp.* gemäß, nach, laut (*gen.*): ~ *to taste* (je) nach Geschmack; ~ *to directions* vorschriftsmäßig; **ac'cord·ing·ly** [-diŋli] *adv.* demgemäß, folglich; entsprechend.

ac·cor·di·on [ə'kɔ:djən] *s.* 'Zieh-, 'Handhar,monika *f.*

ac·cost [ə'kɔst] *v/t.* **1.** her'antreten an (*acc.*), *j-n* ansprechen, grüßen; **2.** *j-n* ansprechen (*Prostituierte*).

ac·couche·ment [ə'ku:ʃmɑ̃:ŋ] (*Fr.*) *s.* Entbindung *f*, Niederkunft *f*; **ac·cou·cheur** [æku:'ʃə:; akuʃœ:r] *s.* Geburtshelfer *m*; **ac·cou·cheuse** [æku:'ʃə:z; akuʃø:z] *s.* Hebamme *f.*

ac·count [ə'kaunt] **I.** *v/t.* **1.** ansehen als, erklären für, betrachten als: *to* ~ *s.o.* (*to be*) *guilty*; *to* ~ *o.s. happy* sich glücklich schätzen; **II.** *v/i.* **2.** (*for*) Rechenschaft *od.* Rechnung ablegen (über *acc.*), verantwortlich sein (für); **3.** erklären, begründen: *how do you* ~ *for that?* wie erklären Sie das?; *Henry* ~*s for ten of them* zehn davon sind Heinrich zuzuschreiben *od.* kommen auf H.; *there is no* ~*ing for it* das ist nicht zu begründen, das ist Ansichtssache; **4.** (*for*) *hunt.* töten; *sport* ‚erledigen'; **III.** *s.* **5.** Rechnung *f*, Berechnung *f* (*von Ausgaben*); 'Konto *n*: ~*-book* Konto-, Geschäftsbuch; ~ *current od. current* ~ laufende Rechnung, Kontokorrent; ~ *sales* Verkaufsabrechnung; ~*s payable Am.* Kreditoren; ~*s receivable Am.* Debitoren; *on* ~ auf Abschlag, a conto, als Teilzahlung; *on one's own* ~ auf eigene Rechnung (u. Gefahr), für sich selber; *to balance an* ~ e-e Rechnung bezahlen, ein Konto ausgleichen; *to carry to a new* ~ auf neue Rechnung vortragen; *to charge to s.o.'s* ~ j-s Konto belasten mit, j-m in Rechnung stellen; *to close an* ~ ein Konto schließen; *to keep an* ~ Buch führen; *to make out an* ~ e-e Rechnung ausstellen; *to open an* ~ ein Konto eröffnen; *to pass an* ~ e-e Rechnung anerkennen; *to place to s.o.'s* ~ j-m in Rechnung stellen; *to render an* ~ (*for*) Rechnung (vor)legen (für); ~ *rendered* zur Begleichung nochmals vorgelegte Rechnung; *to settle an* ~ e-e Rechnung begleichen; *to settle od. square* ~*s with, to make up one's* ~ *with fig.* abrechnen mit; *to square an* ~ ein Konto ausgleichen; **6.** Rechenschaft(sbericht *m*) *f*: *to bring to* ~ *fig.* abrechnen mit; *to call to* ~ zur Rechenschaft ziehen; *to demand an* ~ Rechenschaft fordern; *to give od. render an* ~ *of* Rechenschaft ablegen über (*acc.*) → 7; *to give a good* ~ *of et.* gut erledigen, *Gegner* abfertigen; *to give a good* ~ *of o.s.* sich bewähren; **7.** Bericht *m*, Darstellung *f*, Beschreibung *f*: *by all* ~*s* nach allem, was man hört; *to give od. render an* ~ *of* Bericht erstatten über (*acc.*) → 6; **8.** Liste *f*, Verzeichnis *n*; **9.** 'Umstände *pl.*, Erwägung *f*: *on* ~ *of* um ... willen, wegen; *on his* ~ seinetwegen; *on no* ~ keineswegs, unter keinen Umständen; *to leave out of* ~ außer Betracht lassen; *to take* ~ *of* Rechnung tragen (*dat.*); *to take into* ~ in Betracht ziehen, berücksichtigen; **10.** Wert *m*, Wichtigkeit *f*, Geltung *f*: *of no* ~ ohne Bedeutung; **11.** Gewinn *m*, Vorteil *m*: *to find one's* ~ *in* bei *et.* profitieren *od.* auf s-e Kosten kommen; *to turn to* (*good*) ~ ausnutzen, sich nutzbar machen; **ac·count·a·bil·i·ty** [əkauntə'biliti] *s.* Verantwortlichkeit *f*; **ac'count·a·ble** [-təbl] *adj.* □ **1.** verantwortlich, rechenschaftspflichtig; **2.** erklärlich; **ac'count·an·cy** [-tənsi] *s.* Buchhaltung *f*; Buchhalterstellung *f*, -beruf *m*; **ac'count·ant** [-tənt] *s.* **1.** (Bilanz-)Buchhalter *m*, Rechnungsführer *m*; **2.** 'Bücherre,visor *m*; → *certified public accountant*; *charter* 5; **ac'count·ing** [-tiŋ] *s.* Rechnungswesen *n*, Buchführung *f*: ~ *period* Abrechnungszeitraum.

ac·cou·tred [ə'ku:təd] *adj.* ausgerüstet; **ac'cou·tre·ment** [-mənt] *s. mst pl.* **1.** Kleidung *f*, Ausstattung *f*; **2.** ⚔ Ausrüstung *f* (*außer Uniform u. Waffen*).

ac·cred·it [ə'kredit] *v/t.* **1.** *bsd. e-n Gesandten* akkreditieren, beglaubigen (*to* bei); **2.** bestätigen, als berechtigt anerkennen; **3.** zuschreiben (*s.th. to s.o. od. s.o. with s.th.* j-m et.); **ac'cred·it·ed** [-tid] *adj.* beglaubigt, (offizi'ell) anerkannt; *Brit.* nicht gesundheitsschädigend: ~ *milk.*

ac·cre·tion [æ'kri:ʃən] *s.* **1.** Zunahme *f*, Wachstum *n*, Zuwachs *m*; **2.** ⚘ Zs.-wachsen *n*; **3.** ⚖ Wertzuwachs *m* (*Erbschaft, Land*).

ac·crue [ə'kru:] *v/i.* (als Anspruch) erwachsen, entstehen, zufallen, zukommen (*to dat., from, out of* aus): ~*d interest* aufgelaufene Zinsen.

ac·cu·mu·late [ə'kju:mjuleit] **I.** *v/t.* ansammeln, anhäufen, aufspeichern (*a.* ⊕), aufstauen; **II.** *v/i.* anwachsen, sich anhäufen, sich summieren; **ac·cu·mu·la·tion** [əkju:mju'leiʃən] *s.* **1.** (An)Häufung *f*, Aufspeicherung *f* (*a.* ⊕); Ansammlung *f*, Haufe(n) *m*; **2.** † Kapi'talzuwachs *m* durch Zu'rückbehalten der Gewinne *od.* der Zinsen, Akkumulati'on *f*; **ac'cu·mu·la·tive** [-lətiv] *adj.* (sich) anhäufend *od.* summierend; Häufungs..., Zusatz..., Sammel...; **ac'cu·mu·la·tor** [-tə] *s.* **1.** Anhäufer *m*, Ansammler *m*; **2.** ⚡ Akkumu'lator *m*, (Strom)Sammler *m.*

ac·cu·ra·cy ['ækjurəsi] *s.* Genauigkeit *f*, Sorgfalt *f*, Präzisi'on *f*, Richtigkeit *f*; **'ac·cu·rate** [-rit] *adj.* □ **1.** genau, sorgfältig; pünktlich; **2.** richtig, zutreffend.

ac·curs·ed [ə'kə:sid] *adj.*, *a.* **ac'curst** [-st] *adj.* **1.** verflucht, verwünscht; **2.** ab'scheulich; ‚verflixt'.

ac·cu·sa·tion [ækju(:)'zeiʃən] *s.* Anklage *f*, Beschuldigung *f*: *to bring an* ~ *against s.o.* e-e Anklage gegen j-n erheben.

ac·cu·sa·ti·val [əkju:zə'taivəl] *adj.* □ *ling.* 'akkusativisch; **ac·cu·sa·tive** [ə'kju:zətiv] *s. a.* ~ *case ling.* 'Akkusativ *m*, vierter Fall.

ac·cuse [ə'kju:z] *v/t.* anklagen, beschuldigen (*of gen.*); **ac'cused** [-zd] *s.* Angeklagte(r *m*) *f*; **ac'cus·ing** [-ziŋ] *adj.* □ anklagend, vorwurfsvoll.

ac·cus·tom [ə'kʌstəm] *v/t.* gewöhnen (*to* an *acc.*): *to be* ~*ed to do(ing) s.th.* gewohnt sein, et. zu tun, et. zu tun pflegen; *to get* ~*ed to s.th.* sich an et. gewöhnen; **ac'cus·tomed** [-md] *adj.* **1.** gewohnt, üblich; **2.** gewöhnt (*to* an *acc.*, zu *inf.*).

ace [eis] **I.** *s.* **1.** As *n* (*Spielkarten*): *an* ~ *in the hole Am.* F ein Trumpf in petto; **2.** Eins *f* (*Würfel*); **3.** Kleinigkeit *f*: *within an* ~ um ein Haar; **4.** (Flieger)As *n* (*erfolgreicher Kampfflieger*); **5.** *bsd. sport* ‚Ka'none' *f*, As *n*; **II.** *adj.* **6.** her'vorragend, Spitzen..., Star...: ~ *reporter.*

a·cer·bi·ty [ə'sə:biti] *s.* **1.** Herbheit *f*, herber Geschmack; **2.** *fig.* Bitterkeit *f*, Härte *f*, Heftigkeit *f.*

ac·e·tate ['æsitit] *s.* ⚗ Ace'tat *n*, essigsaures Salz: ~ *rayon* Acetatkunstseide; **a·ce·tic** [ə'si:tik] *adj.* ⚗ essigsauer: ~ *acid* Holzessig, Essigsäure; *glacial* ~ *acid* Eisessig; **a·cet·i·fy** [ə'setifai] **I.** *v/t.* in Essig verwandeln, säuern; **II.** *v/i.* sauer werden.

a·cet·y·lene [ə'setili:n] *s.* ⚗ Acety'len *n.*

ache[1] [eik] **I.** *v/i.* **1.** schmerzen, weh tun: *I am aching all over* mir tut alles weh; **2.** F sich sehnen (*for* nach), dar'auf brennen (*to do et.* zu tun); **II.** *s.* **3.** *anhaltender* Schmerz: ~*s and pains* Schmerzen.

ache[2] → *aitch.*

a·chieve [ə'tʃi:v] *v/t.* **1.** zu'stande bringen, ausführen; **2.** erlangen; *Ziel* erreichen, *Erfolg* erzielen.

a·chieve·ment [ə'tʃi:vmənt] *s.* **1.** Ausführung *f*, Voll'endung *f*; **2.** Erlangung *f*; **3.** *oft pl.* Großtat *f*, Werk *n*, Leistung *f*, Errungenschaft *f*; ~ **test** *s. psych.* Leistungstest *m* (*zur Ermittlung erworbener Fertigkeiten od. Kenntnisse*).

A·chil·les [ə'kili:z] *npr.* A'chill(es) *m*: ~ *heel fig.* Achillesferse; ~ *tendon anat.* Achillessehne.

ach·ing ['eikiŋ] *adj.* schmerzhaft.

ach·ro·mat·ic [ækrou'mætik] *adj.* (□ ~*ally*) *phys., biol.* achro'matisch, farblos: ~ *lens.*

ac·id ['æsid] **I.** *adj.* □ **1.** sauer, scharf (*Geschmack*): ~ *drops Brit.* saure (Frucht)Bonbons, Drops; **2.** *fig.* bissig, bitter: *an* ~ *remark*; **3.** ⚗, ⊕ säurehaltig, Säure...: *to suffer from an* ~ *stomach* an überschüssiger Magensäure leiden; **II.** *s.* **4.** ⚗ Säure *f*; **5.** *sl.* LS'D *n*; **'~·head** *s. sl.* LS'D-Fixer *m.*

a·cid·i·fy [ə'sidifai] *v/t.* (an)säuern; in Säure verwandeln; **a·cid·i·ty** [ə'siditi] *s.* **1.** Säure *f*, Schärfe *f*, Säuregehalt *m*; **2.** Magensäure *f.*

'ac·id|-'proof *adj.* ⊕ säurefest; ~ **re·sist·ance** *s.* Säurefestigkeit *f*; ~ **test** *s.* **1.** ⚗, ⚡ Scheide-, Säureprobe *f*; **2.** *fig.* strengste Prüfung, Feuerprobe *f*: *to put to the* ~ auf Herz u. Nieren prüfen.

a·cid·u·lat·ed [ə'sidjuleitid] *adj.* säuerlich gemacht: ~ *drops* saure

Bonbons; a'**cid·u·lous** [-ləs] *adj.* säuerlich.

ack-ack ['æk'æk] *Funkerabkürzung für anti-aircraft s. sl.* **1.** Flakfeuer *n*; **2.** 'Flugzeugˌabwehrkaˌnone(n *pl.*) *f*, Flak *f*.

ack·em·ma [æk'emə] *Funkerwort für a.m. Brit. sl.* **I.** *adv.* vormittags; **II.** *s.* 'Flugzeugmeˌchaniker *m*.

ac·knowl·edge [ək'nɔlidʒ] *v/t.* **1.** anerkennen; **2.** ein-, zugestehen, zugeben; **3.** sich bekennen zu; **4.** sich erkenntlich zeigen für; **5.** *Empfang* bestätigen, quittieren; *Gruß* erwidern; **ac'knowl·edged** [-dʒd] *adj.* anerkannt: *he is an ~ American citizen* er ist als amerikanischer Staatsbürger anerkannt; **ac'knowl·edg(e)·ment** [-mənt] *s.* **1.** Anerkennung *f*; **2.** Zugeständnis *n*; **3.** Bekenntnis *n*; **4.** Erkenntlichkeit *f*, Dank *m* (of für); **5.** (Empfangs)Bestätigung *f*; **6.** ⚖ Beglaubigungsklausel *f* (*Urkunde*).

ac·me ['ækmi] *s.* **1.** Gipfel *m*; *fig.* Höhepunkt *m*; **2.** ⚕ 'Krisis *f*.

ac·ne ['ækni] *s.* ⚕ 'Akne *f*, pustelartiger Hautausschlag.

ac·o·lyte ['ækəlait] *s.* **1.** *eccl.* Meßgehilfe *m*, Al'tardiener *m*; **2.** Gehilfe *m*; Anhänger *m*.

ac·o·nite ['ækənait] *s.* ⚘ **a)** Eisenhut *m* (*blau blühend*), **b)** *yellow ~* gelber Winterling.

a·corn ['eikɔːn] *s.* ⚘ Eichel *f*.

a·cous·tic *adj.*; **a·cous·ti·cal** [ə'kuːstik(əl)] *adj.* □ ⊕, ⚕, *phys.* a'kustisch, Gehör..., Schall..., Hör...; **a'cous·tics** [-ks] *s. pl. phys.* **1.** *mst sg. konstr.* A'kustik *f*, Lehre *f* vom Schall; **2.** *pl. konstr.* Akustik *f e-s Raumes*.

ac·quaint [ə'kweint] *v/t.* **1.** (o.s. sich) bekannt *od.* vertraut machen (*with* mit); → *acquainted*; **2.** *j-m* mitteilen (*with a th.* et., *that* daß); **ac'quaint·ance** [-təns] *s.* **1.** (*with*) Bekanntschaft *f* (mit), Kenntnis *f* (von *od. gen.*): *when did you make his ~?* wann hast du ihn kennengelernt?; **2.** Bekannte(r *m*) *f*, Bekanntenkreis *m*: *an ~ of mine* eine(r) meiner Bekannten; **ac'quaint·ed** [-tid] *adj.* bekannt: *to be ~ with* kennen; *to become ~ with j-n od. et.* kennenlernen; *we are ~* wir sind Bekannte.

ac·qui·esce [ækwi'es] *v/i.* **1.** (*in*) sich beruhigen (bei), (stillschweigend) hinnehmen (*acc.*), dulden (*acc.*); **2.** einwilligen; **ac·qui'es·cence** [-sns] *s.* (*in*) Ergebung *f* (in *acc.*); Einwilligung *f* (in *acc.*); **ac·qui'es·cent** [-snt] *adj.* □ ergeben, fügsam.

ac·quire [ə'kwaiə] *v/t.* erwerben, erlangen, erreichen, gewinnen; **ac'quired** [-əd] *adj. durch Gewöhnung od. Erfahrung* erworben: *an ~ taste* anerzogener *od.* angewöhnter Geschmack; **ac'quire·ment** [-mənt] *s.* **1.** Erwerbung *f*; **2.** (erworbene) Fertigkeit; *pl.* Kenntnisse *pl.*

ac·qui·si·tion [ækwi'ziʃən] *s.* **1.** Erwerbung *f*, Erwerb *m*; **2.** erworbenes Gut, Errungenschaft *f*; **3.** Vermehrung *f*, Bereicherung *f*.

ac·quis·i·tive [ə'kwizitiv] *adj.* **1.** auf Erwerb gerichtet, gewinnsüchtig; **2.** lernbegierig; **ac'quis·i·tive·ness** [-nis] *s.* Gewinnsucht *f*, Erwerbstrieb *m*.

ac·quit [ə'kwit] *v/t.* **1.** *Schuld* bezahlen, *Verbindlichkeit* erfüllen; **2.** entlasten; ⚖ freisprechen (of von); **3.** (of) *j-n e-r Verpflichtung* entheben; **4.** ~ o.s. (of) *Pflicht etc.* erfüllen; sich *e-r Aufgabe* entledigen; **5.** ~ *o.s.* sich benehmen: *to ~ o.s. well* s-e Sache gut machen; **ac'quit·tal** [-tl] *s.* **1.** Freisprechung *f*, Freispruch *m*; **2.** Erfüllung *f e-r Pflicht*; **ac'quit·tance** [-təns] *s.* **1.** Erfüllung *f e-r Verpflichtung*, Begleichung *f e-r Schuld*; **2.** Quittung *f*.

a·cre ['eikə] *s.* ‚Morgen' *m* (*Flächenmaß*): *~s and ~s* weite Flächen; **a·cre·age** ['eikəridʒ] *s.* Flächeninhalt *m* (nach Acres, Morgen), Fläche *f*.

ac·rid ['ækrid] *adj.* scharf, ätzend, beißend (*a. fig.*).

ac·ri·mo·ni·ous [ækri'mounjəs] *adj.* □ scharf, bitter, beißend (*mst fig.*); **ac·ri·mo·ny** ['ækriməni] *s.* Schärfe *f*, Herbheit *f*, Bitterkeit *f* (*mst fig.*).

ac·ro·bat ['ækrəbæt] *s.* Akro'bat *m*; **ac·ro·bat·ic** *adj.*; **ac·ro·bat·i·cal** [ækrə'bætik(əl)] *adj.* □ akro'batisch: *acrobatic flying* Kunstfliegen; **ac·ro·bat·ics** [ækrə'bætiks] *s. pl. mst sg. konstr.* Akro'batik *f*; akro'batische Kunststücke *pl.*

a·cross [ə'krɔs] **I.** *adv.* **1.** kreuzweise: *with arms (folded) ~* mit verschränkten Armen; **2.** im 'Durchmesser: *ten feet ~* zehn Fuß im Durchmesser *od.* breit; **3.** (quer) hin-, her'über; (quer)durch; **II.** *prp.* **4.** quer *od.* mitten durch: *~ country* querfeldein; **5.** über (*acc.*), jenseits (*gen.*): *he walked ~ the bridge* er ging über die Brücke; *he lives ~ the street* er wohnt auf der gegenüberliegenden Seite der Straße; *from ~ the lake* von jenseits des Sees.

a'cross-the-'board *adj.* glo'bal, um'fassend, line'ar: *~ tax cut.*

a·cros·tic [ə'krɔstik] *s.* A'krostichon *n*.

act [ækt] **I.** *s.* **1.** Tat *f*, Werk *n*, Handlung *f*, Tätigkeit *f*, Akt *m*: *to catch in the ~* auf frischer Tat ertappen; *~ of war* kriegerische Handlung; *not an ~ of faith but an ~ of reason* eine nicht auf Glauben, sondern auf Vernunft beruhende Tat; *~ of God* höhere Gewalt; *~ of grace* Gnadenakt, Amnestie; **2.** Urkunde *f*, Vertrag *m*; **3.** *mst* ~ Verordnung *f*: *~ of Parliament Brit.*, *~ of Congress Am.* (verabschiedetes) Gesetz; *rent ~* Mietengesetz; **4.** *~s (of the Apostles) pl. bibl.* Apostelgeschichte; **5.** *thea.* Aufzug *m*, Akt *m*; **6.** Stück *n*, Nummer *f e-s Artisten*; F *fig.* Pose *f*, ‚Tour' *f*; **II.** *v/t.* **7.** dar-, vorstellen, aufführen, spielen: *to ~ a part* e-e Rolle spielen; *to ~ the fool* den Narren spielen; *to ~ one's part* s-e Pflicht tun; **8.** *fig.* spielen: *to ~ outraged dignity* den Beleidigten spielen; **III.** *v/i.* **9.** *thea.* spielen (*a. fig.*), auftreten; **10.** bühnenfähig sein: *the play ~s well*; **11.** handeln, tätig sein, wirken, eingreifen: *to ~ as* fungieren *od.* amtieren *od.* dienen als; *to ~ in a case* in e-r Sache vorgehen; *to ~ for s.o.* für j-n handeln, j-n vertreten; *to ~ (up)on* sich richten nach; **12.** (*towards*) sich (*j-m* gegenüber) *wie* benehmen *od.* verhalten; **13.** *a.* ⚗, ⊕ (on) (ein)wirken (auf *acc.*), Einfluß haben (auf *acc.*); **14.** gehen, in Betrieb sein, funktionieren: *his bowels do not ~* ⚕ er leidet an Darmträgheit; **15.** ~ *up* F verrückt spielen (*Person od. Sache*); **'act·a·ble** [-təbl] *adj. thea.* bühnengerecht; **'act·ing** [-tiŋ] **I.** *adj.* **1.** handelnd, wirkend, tätig; **2.** stellvertretend, amtierend, geschäftsführend: *the ~ Consul*; **3.** *thea.* spielend, Bühnen...: *~ version* Bühnenfassung; **II.** *s.* **4.** *thea.* Spiel(en) *n*, Aufführung *f*; Schauspielkunst *f*.

ac·tin·ic [æk'tinik] *adj.* ⚗, *phys.* ak'tinisch; **ac'tin·i·um** [-niəm] *s.* ⚗ Ak'tinium *n*.

ac·tion ['ækʃən] *s.* **1.** Handeln *n*, Handlung *f*, Tat *f*: *man of ~* Mann der Tat; *full of ~* geschäftig; *course of ~* Handlungsweise; *for further ~* zur weiteren Veranlassung; *to take ~ against* vorgehen gegen; *to put into ~* in die Tat umsetzen; *to take ~* et. *in e-r Angelegenheit* tun; → 7; **2.** *a.* ⊕ Tätigkeit *f*, Verrichtung *f*, Gang *m*, Funktionieren *n*, Mecha'nismus *m*, Werk *n*: *~ of the bowels* ⚕ Stuhlgang; *to put out of ~* unfähig *od.* unbrauchbar machen, außer Betrieb setzen; → 9; **3.** *a.* ⚗, ⊕, ⚡, *phys.* (Ein)Wirkung *f*, Wirksamkeit *f*, Einfluß *m*; Vorgang *m*, Pro'zeß *m*: *the ~ of this acid on metal* die Einwirkung dieser Säure auf Metall; **4.** Handlung *f e-s Dramas*; **5.** Benehmen *n*, Haltung *f*, Führung *f*; **6.** Bewegung *f*, Gangart *f e-s Pferdes*; **7.** *rhet.*, *thea.* Vortragsweise *f*, Ausdruck *m*; **8.** ⚖ Klage *f*, Prozeß *m*: *to bring an ~ against j-n* verklagen; *to take ~* Klage erheben; → *1*; **9.** ⚔ Gefecht *n*, Kampf *m*, Einsatz *m*: *killed (wounded) in ~* gefallen (verwundet); *to put out of ~* außer Gefecht setzen; → 2; **'ac·tion·a·ble** [-ʃnəbl] *adj.* ⚖ (ein-, ver)klagbar; strafbar.

ac·ti·vate ['æktiveit] *v/t.* **1.** ⚗, ⊕ aktivieren, in Betrieb setzen, (radio)ak'tiv machen: *~d carbon* Aktivkohle; **2.** ⚔ **a)** *Truppen* aufstellen, **b)** *Zünder* scharf machen; **ac·ti·va·tion** [ækti'veiʃən] *s.* Aktivierung *f*.

ac·tive ['æktiv] *adj.* □ **1.** tätig, emsig, geschäftig, rührig, rege, lebhaft, tatkräftig: *an ~ mind* ein reger Geist; *an ~ manager* ein rühriger Chef; *an ~ volcano* ein tätiger Vulkan; **2.** wirklich, tatsächlich: *to take an ~ interest* reges Interesse zeigen; **3.** *a.* ⚗, ⚕, *biol.*, *phys.* (schnell) wirkend, wirksam, aktiv; **4.** ☤ produk'tiv, zinstragend (*Wertpapiere*); rege, lebhaft (*Markt*); **5.** ⚔ aktiv: *on ~ service, on the ~ list* im aktiven Dienst; **6.** *ling.* aktiv, 'transitiv: *~ voice* Aktiv, Tatform; **ac·tiv·i·ty** [æk'tiviti] *s.* **1.** Tätigkeit *f*, Betätigung *f*; Rührigkeit *f*; *pl.* Leben *n* u. Treiben *n*, Unter'nehmungen *pl.*: *social activities*; **2.** Lebhaftigkeit *f*, Beweglichkeit *f*; **3.** Wirksamkeit *f*; Arbeitsleistung *f*, Betrieb *m*: *in full ~* in vollem Gang.

ac·tor ['æktə] *s.* **1.** Schauspieler *m*; **2.** Handelnde(r) *m*, Täter *m* (*a.* ⚖); '~-'**man·ag·er** *s.* The'aterdi,rektor, der selbst Rollen über'nimmt.

ac·tress ['æktris] *s.* Schauspielerin *f.*

Acts [ækts] → *act 4.*

ac·tu·al ['æktjuəl] *adj.* □ → *actually*; **1.** wirklich, tatsächlich, eigentlich: *an ~ case* ein konkreter Fall; *~ power* ⊕ effektive Leistung; **2.** gegenwärtig, jetzig: *~ inventory* (*od. stock*) Istbestand; **ac·tu·al·i·ty** [æktju'æliti] *s.* **1.** Wirklichkeit *f*; **2.** *pl.* Tatsachen *pl.*: *the actualities of life* die Gegebenheiten des Lebens; '**ac·tu·al·ly** [-li] *adv.* **1.** wirklich, tatsächlich; **2.** augenblicklich, jetzt; **3.** so'gar, tatsächlich (*obwohl nicht erwartet*); **4.** F eigentlich (*unbetont*): *what time is it ~?*

ac·tu·ar·i·al [æktju'ɛəriəl] *adj.* ver'sicherungssta,tistisch; **ac·tu·ar·y** ['æktjuəri] *s.* Ver'sicherungssta,tistiker *m*, -kalku,lator *m.*

ac·tu·ate ['æktjueit] *v/t.* **1.** in Gang bringen; **2.** antreiben, anreizen; **3.** ⊕ betätigen, auslösen; **ac·tu·a·tion** [æktju'eiʃən] *s.* Anstoß *m*, Antrieb *m* (*a.* ⊕); ⊕ Betätigung *f.*

a·cu·i·ty [ə'kju(:)iti] *s.* Schärfe *f* (*a. fig.*).

a·cu·men [ə'kju:men] *s.* Scharfsinn *m.*

ac·u·punc·ture [ækju'pʌŋktʃə] *s.* ⚕ Akupunk'tur *f.*

a·cute [ə'kju:t] *adj.* □ **1.** scharf; *bsd.* 𝔄 spitz: *~ triangle* spitzwink(e)liges Dreieck; → *angle*[1] *1*; **2.** scharf (*Sehvermögen*); heftig (*Schmerz, Freude etc.*); fein (*Gehör*); brennend (*Frage*); bedenklich: *~ shortage*; **3.** scharfsinnig, schlau; **4.** schrill, 'durchdringend; **5.** ⚕ a'kut, heftig; **6.** *ling. ~ accent* A'kut *m*; **a'cute·ness** [-nis] *s.* **1.** Schärfe *f*, Heftigkeit *f* (*a.* ⚕); **2.** Scharfsinnigkeit *f.*

ad [æd] *s. abbr. für advertisement*: *small ~* Kleinanzeige; *~ writer* Texter.

ad·age ['ædidʒ] *s.* Sprichwort *n.*

a·da·gio [ə'dɑ:dʒiou] (*Ital.*) *adv.* ♪ a'dagio, langsam.

Ad·am ['ædəm] *npr.* 'Adam *m*: *I don't know him from ~* F ich kenne ihn überhaupt nicht; *to cast off the old ~* F den alten Adam ausziehen.

ad·a·mant ['ædəmənt] *adj.* **1.** sehr hart, steinhart; **2.** *fig.* unerbittlich, unnachgiebig (*to* gegenüber): *~ to entreaties*; **ad·a·man·tine** [ædə'mæntain] *adj.* sehr hart: *~ will* eiserner Wille.

Ad·am's| ale *s.* F Wasser *n*, Gänsewein *m*; *~* **ap·ple** *s. anat.* 'Adamsapfel *m*; '~-'**nee·dle** *s.* ✿ 'Yucca *f*, 'Palm,lilie *f.*

a·dapt [ə'dæpt] *v/t.* **1.** anpassen, angleichen (*for, to* an *acc.*), 'umstellen (*to* auf *acc.*), zu'rechtmachen: *to ~ the means to the end* die Mittel dem Zweck anpassen; **2.** anwenden (*to* auf *acc.*); **3.** bearbeiten: *~ed from the English* nach dem Englischen bearbeitet; **a·dapt·a·bil·i·ty** [ədæptə'biliti] *s.* **1.** Anpassungsfähigkeit *f* (*to* an *acc.*); **2.** (*to*) Anwendbarkeit *f* (auf *acc.*), Verwendbarkeit *f* (für, zu); **a'dapt·a·ble** [-təbl] *adj.* **1.** anpassungsfähig (*to* an *acc.*); **2.** anwendbar (*to* auf *acc.*); **3.** geeignet (*for, to* für, zu); **ad·ap·ta·tion** [ædæp'teiʃən] *s.* **1.** *a. biol.* Anpassung *f* (*to* an *acc.*); **2.** Anwendung *f*; **3.** 'Um-, Bearbeitung *f* (*für Bühne, Film etc.*); **4.** über'arbeitetes *od.* angepaßtes Stück; **a'dapt·ed** [-tid] *adj.* geeignet; **a'dapt·er, a'dap·tor** [-tə] *s.* **1.** Bearbeiter *m* (*e-s Theaterstücks etc.*); **2.** *phys.* A'dapter *m*, Anpassungsvorrichtung *f*; **3.** ⊕ Zwischen-, Anschlußstück *n*; ⚡ Zwischenstecker *m.*

add [æd] **I.** *v/t.* **1.** hin'zufügen, -rechnen (*to* zu): *he ~ed that ...* er fügte hinzu, daß ...; *~ to this that ...* hinzu kommt, daß ...; *that does not ~ anything at all fig.* das ändert überhaupt nichts (an der Sache); **2.** *a. ~ up od. together* addieren, zs.-zählen: *five ~ed to five* fünf plus fünf; **3.** †, 𝔄, ⊕ aufschlagen, zusetzen: *to ~ 5% to the price* 5% auf den Preis aufschlagen; **II.** *v/i.* **4.** hin'zukommen, beitragen: *that ~s to my worries* das vermehrt m-e Sorgen; **5.** *~ up* **a)** sich summieren, mehr werden, **b)** aufgehen (*Rechnung*) (*a. fig.*): *that ~s up* F das stimmt; **add·ed** ['ædid] *adj.* vermehrt, erhöht, zusätzlich.

ad·den·dum [ə'dendəm] *pl.* **-da** [-də] *s.* Zusatz *m*, Nachtrag *m.*

ad·der ['ædə] *s. zo.* Natter *f*, Otter *f*, 'Viper *f*: *common ~* Gemeine Kreuzotter.

ad·dict I. *v/t.* [ə'dikt] **1.** *~ o.s.* (*to*) sich hin- *od.* ergeben (*dat.*): *to ~ o.s. to drink* sich dem Trunk ergeben; **2.** (*to*) widmen (*dat.*), *s-n Sinn* richten (auf *acc.*); **II.** *s.* ['ædikt] **3.** Süchtige(r *m*) *f*; Fa'natiker *m*: *alcohol ~* (Gewohnheits-) Trinker; *drug ~* Rauschgiftsüchtige(r); *film ~ humor.* Filmnarr; **ad'dict·ed** [-tid] *adj.* zugetan, ergeben: *~ to drink* trunksüchtig; **ad'dic·tion** [-kʃən] *s.* **1.** Neigung *f*, Hang *m*, Sucht *f* (to zu); **2.** ⚕ Süchtigkeit *f*: *~ to LSD* LSD-Sucht; *drug of ~* Suchtmittel.

add·ing ma·chine ['ædiŋ] *s.* Ad'dier-, Additi'onsma,schine *f.*

ad·di·tion [ə'diʃən] *s.* **1.** Hin'zufügung *f*, Ergänzung *f*, Zusatz *m*, Beigabe *f*: *in ~* noch dazu, außerdem; *in ~ to* außer (*dat.*), zuzüglich (*gen.*); **2.** Vermehrung *f*, Zuwachs *m* (*Familie, Einkommen, Grundbesitz*); Anbau *m*: *recent ~s* Neuerwerbungen; **3.** 𝔄 Additi'on *f*, Zs.-zählen *n*: *~ sign* Pluszeichen; **4.** † Auf-, Zuschlag *m*; **5.** ⊕ Zusatz *m*, Beimischung *f*; **6.** *Am.* neuerschlossenes Baugelände; **ad'di·tion·al** [-ʃənl] *adj.* □ **1.** zusätzlich, ergänzend, weiter(er, -e, -es); **2.** Zusatz..., Mehr..., Extra..., Über..., Nach...: *~ charge* † Auf-, Zuschlag; *~ charges* † Mehrkosten; *~ postage* Nachporto; **ad'di·tion·al·ly** [-ʃnəli] *adv.* zusätzlich, in verstärktem Maße, außerdem; **ad·di·tive** ['æditiv] **I.** *adj* zusätzlich; **II.** *s.* Zusatz *m* (*a.* ⌂).

ad·dle ['ædl] **I.** *v/i.* **1.** faul werden, verderben (*Ei*); **II.** *v/t.* **2.** faul *od.* unfruchtbar machen; **3.** verwirren; **III.** *adj.* **4.** unfruchtbar, faul (*Ei*); **5.** verwirrt, kon'fus; '~-**brain** *s.* Hohlkopf *m*; '~-**head·ed**, '~-**pat·ed** *adj.* hohlköpfig; verwirrt.

ad·dress [ə'dres] **I.** *v/t.* **1.** *Worte etc.* richten (to an *acc.*), *j-n* anreden; *Brief* adressieren, richten, schreiben (*to* an *acc.*); **2.** e-e Ansprache halten an (*acc.*); **3.** *Waren* (ab)senden (*to* an *acc.*); **4.** *~ o.s.* (*to*) sich widmen (*dat.*), sich zuwenden (*dat.*); sich anschicken (zu); sich wenden (an *acc.*); **II.** *s.* **5.** Anrede *f*; Ansprache *f*, Rede *f*; **6.** A'dresse *f*, An-, Aufschrift *f*: *to change one's ~* s-e Adresse ändern, umziehen; **7.** Eingabe *f*, Bitt-, Dankschrift *f*, Er'gebenheitsa,dresse *f*: *the* ♀ *Brit. parl.* die Erwiderung des Parlaments auf die Thronrede; **8.** Benehmen *n*, Anstand *m*; **9.** Geschick *n*, Gewandtheit *f*; **10.** *pl.* Huldigungen *pl.*: *he paid his ~es to the lady* er machte der Dame den Hof; **ad·dress·ee** [ædre'si:] *s.* Adres'sat *m*, Empfänger(in); **ad'dress·ing ma·chine** [-siŋ] *s.* Adres'sierma,schine *f.*

ad·duce [ə'dju:s] *v/t. Beweis etc.* bei-, erbringen.

ad·e·noid ['ædinɔid] ⚕ **I.** *adj.* die Drüsen betreffend, Drüsen..., drüsenartig; **II.** *mst pl.* Po'lypen *pl.* (*in der Nase*); Wucherungen *pl.* (*im Rachen*).

ad·ept ['ædept] **I.** *s.* A'dept *m*: **a)** Eingeweihte(r *m*) *f*, **b)** Meister(in) (*in* in *dat.*): *to be an ~ at* gut sein in (*dat.*); **II.** *adj.* erfahren, geschickt (*in* in *dat.*).

ad·e·qua·cy ['ædikwəsi] *s.* Angemessenheit *f*, Zulänglichkeit *f*; **ad·e·quate** ['ædikwit] *adj.* □ **1.** angemessen, entsprechend (*to dat.*); **2.** 'hinreichend, genügend.

ad·here [əd'hiə] *v/i.* (*to*) **1.** kleben, haften (an *dat.*); **2.** *fig.* festhalten (an *dat.*), sich halten (an *acc.*), bleiben (bei *e-r Meinung, e-r Gewohnheit, e-m Plan*), *j-m, e-r Partei, e-r Sache etc.* treu bleiben; **3.** angehören (*dat.*); **ad'her·ence** [-ərəns] *s.* (*to*) **1.** Festhaften *n* (an *dat.*); **2.** Anhänglichkeit *f* (an *dat.*); **3.** Festhalten *n* (an *dat.*), Befolgung *f* (*e-r Regel*); **ad'her·ent** [-ərənt] **I.** *adj.* **1.** anklebend, anhaftend; **2.** *fig.* festhaltend, (fest)verbunden (*to* mit), anhänglich; **II.** *s.* **3.** Anhänger(in) (of *gen.*).

ad·he·sion [əd'hi:ʒən] *s.* **1.** Festhaften *n*, Ankleben *n*; **2.** Anhänglichkeit *f*, Festhalten *n* (*to* an *dat.*): *~ to a policy*; **3.** Beitritt *m*, Anschluß *m*; Einwilligung *f*; **4.** ⚕, *phys.* Adhäsi'on *f*; **ad'he·sive** [-siv] **I.** *adj.* □ **1.** anhaftend, klebend, gummiert: *~ plaster* Heftpflaster; *~ tape* **a)** Heftpflaster, **b)** Klebstreifen; *~ rubber* Klebgummi; **2.** gar zu anhänglich, aufdringlich; **3.** ⊕, *phys.* haftend, Adhäsions...: *~ capacity* (*od. power*) Haftvermögen, Adhäsions-, Klebkraft; **II.** *s.* **4.** Bindemittel *n*, Klebstoff *m.*

ad hoc ['æd'hɔk] (*Lat.*) *adv. u. adj.* nur für diesen Fall bestimmt, spezi'ell.

a·dieu [ə'dju:] **I.** *int.* lebe wohl!: *to bid a person ~ j-m* Lebewohl sagen; **II.** *pl.* **a·dieus** *u.* **a·dieux** [-z] *s.*

Lebe'wohl *n*: *to make one's* ~ Lebewohl sagen.

ad in·fi·ni·tum [ædinfi'naitəm] (*Lat.*) *adv.* endlos, bis ins Un'endliche.

ad in·te·rim [æd'intərim] (*Lat.*) *adv. u. adj.* in'zwischen, Interims..., vorläufig.

ad·i·pose ['ædipous] **I.** *adj.* fett (-haltig), Fett...: ~ *tissue* Fettgewebe; **II.** *s.* (Körper)Fett *n.*

ad·it ['ædit] *s.* Zutritt *m*, *bsd.* ⚒ waag(e)rechter Eingang, Stollen *m.*

ad·ja·cen·cy [ə'dʒeisənsi] *s.* **1.** Angrenzen *n*; **2.** *mst pl. das* Angrenzende, Um'gebung *f*; **ad'ja·cent** [-nt] *adj.* □ angrenzend, -liegend, -stoßend (*to* an *acc.*); benachbart, Nachbar..., Neben...: ~ *angle* ⩤ Nebenwinkel.

ad·jec·ti·val [ædʒek'taivəl] *adj.* □ 'adjektivisch; **ad·jec·tive** ['ædʒiktiv] **I.** *s.* **1.** 'Adjektiv *n*, Eigenschaftswort *n*; **II.** *adj.* □ **2.** adjektivisch; **3.** abhängig; **4.** (*Färberei*) 'adjektiv (*nur zs. mit einer Vorbeize färbend*): ~ *dye* Beizfarbe; **5.** ⚖ for'mell (*Recht*).

ad·join [ə'dʒɔin] **I.** *v/t.* **1.** (an)stoßen *od.* (an)grenzen an (*acc.*); **2.** beifügen (*to dat.*); **II.** *v/i.* **3.** angrenzen, naheliegen; **ad'joined** [-nd] *adj.* beigefügt; **ad'join·ing** [-niŋ] *adj.* angrenzend, benachbart, Nachbar..., Neben...

ad·journ [ə'dʒə:n] **I.** *v/t.* **1.** aufschieben, vertagen: *to* ~ *sine die* ⚖ auf unbestimmte Zeit vertagen; **2.** *Sitzung etc.* schließen; **II.** *v/i.* **3.** sich vertagen; den Sitzungsort verlegen (*to* nach): *to* ~ *to the sitting-room* F sich ins Wohnzimmer zurückziehen; **ad'journ·ment** [-mənt] *s.* **1.** Vertagung *f*, Verschiebung *f*; **2.** Verlegung *f* des Sitzungsortes.

ad·judge [ə'dʒʌdʒ] *v/t.* **1.** *gerichtlich* entscheiden *od.* erkennen, für *schuldig etc.* erklären, *ein Urteil* fällen: *to* ~ *s.o. bankrupt* über j-s Vermögen den Konkurs eröffnen; **2.** ⚖, *sport* zuerkennen, zusprechen; **3.** verurteilen (*to* zu).

ad·ju·di·cate [ə'dʒu:dikeit] **I.** *v/t.* **1.** gerichtlich *od.* als Schiedsrichter entscheiden, ein Urteil fällen über (*acc.*); **II.** *v/i.* **2.** Urteil sprechen, entscheiden (*upon* über *acc.*); **3.** als Schieds- *od.* Preisrichter fungieren (*at* bei); **ad·ju·di·ca·tion** [ədʒu:di'keiʃən] *s.* **1.** richterliche Entscheidung, Urteil *n*; **2.** ⚖ Kon'kursverhängung *f*; **ad'ju·di·ca·tor** [-tə] *s.* Schieds-, Preisrichter *m.*

ad·junct ['ædʒʌŋkt] *s.* **1.** Zusatz *m*, Beigabe *f*; 'Neben,umstand *m*; **2.** Kol'lege *m*, Mitarbeiter *m*, Gehilfe *m*; **3.** *ling.* Attri'but *n*, Beifügung *f*; **ad·junc·tive** [ə'dʒʌŋktiv] *adj.* □ beigeordnet, verbunden.

ad·ju·ra·tion [ædʒuə'reiʃən] *s.* **1.** Beschwörung *f*, dringende Bitte; **2.** Auferlegung *f* des Eides; **3.** Eidesformel *f*; **ad·jure** [ə'dʒuə] *v/t.* **1.** beschwören, dringend bitten; **2.** *j-m* den Eid auferlegen.

ad·just [ə'dʒʌst] **I.** *v/t.* **1.** in Ordnung bringen, ordnen, regulieren, abstimmen; berichtigen; **2.** anpassen (*a. psych.*), angleichen (*to dat.*, an *acc.*); **3.** ~ *o.s.* (*to*) sich anpassen (*dat.*, an *acc.*) *od.* einfügen (in *acc.*); **4.** ⚕ *Konto* bereinigen; *Schaden etc.* berechnen, festsetzen; **5.** *Streit* schlichten; **6.** ⊕ an-, einpassen, (ein)stellen, richten, regulieren; *a. Gewehr etc.* justieren; **7.** *Maße* eichen; **II.** *v/i.* **8.** sich anpassen; **9.** sich einstellen lassen; **ad'just·a·ble** [-təbl] *adj.* □ *bsd.* ⊕ regulierbar, ein-, verstellbar, Lenk..., Dreh..., Stell...: ~ *speed* regelbare Drehzahl; ~ *wedge* Stellkeil; **ad'just·er** [-tə] *s.* **1.** j-d der *od.* et. was regelt, ausgleicht, ordnet; Schlichter *m*; **2.** *Versicherung*: Schadenssachverständige(r) *m*; **ad'just·ing** [-tiŋ] *adj. bsd.* ⊕ (Ein-) Stell..., Richt..., Justier...: ~ *balance* Justierwaage; ~ *lever* (Ein)Stellhebel; ~ *screw* Justier-, Stellschraube; **ad'just·ment** [-mənt] *s.* **1.** (An-) Ordnung *f*, Regelung *f*, Berichtigung *f*, Änderung *f*; **2.** Anpassung *f*; **3.** Schlichtung *f*, Beilegung *f* (*e-s Streits*); **4.** ⊕ Einstellung *f*, Einstellvorrichtung *f*; Berichtigung *f*, Regulierung *f*; Eichung *f*; **5.** Berechnung *f* von Schadens(ersatz)ansprüchen (*bsd. Versicherung*).

ad·ju·tant ['ædʒutənt] *s.* ⚔ Adju'tant *m*; '~-**gen·er·al** *pl.* '~**s-gen·er·al** *s.* ⚔ Gene'raladju,tant *m.*

ad-lib [æd'lib] *v/i. u. v/t.* F improvisieren, aus dem Stegreif sagen.

ad lib·i·tum [æd 'libitəm] (*Lat.*) *adj. u. adv.* **1.** nach Belieben, nach Herzenslust; **2.** ♪ *u.* F aus dem Stegreif.

ad·man ['ædmən] *s.* [*irr.*] F **1.** Werbefachmann *m*; **2.** Setzer *m* für den Werbeteil (*e-r Zeitung etc.*); **ad-mass** ['æd'mæs] *s.* 'Massen,publikum *n* der Werbesendungen.

ad·min·is·ter [əd'ministə] **I.** *v/t.* **1.** verwalten; **2.** ausüben, handhaben: *to* ~ *justice* (*od. the law*) Recht sprechen; *to* ~ *punishment* Strafe verhängen; **3.** verabreichen, erteilen (*to dat.*): *to* ~ *medicine* Arznei (ein)geben; *to* ~ *a shock* e-n Schrecken einjagen; *to* ~ *an oath* e-n Eid abnehmen; *to* ~ *the Blessed Sacrament* das heilige Sakrament spenden; **II.** *v/i.* **4.** als Verwalter fungieren; **5.** beitragen (*to* zu); **6.** abhelfen (*to dat.*); **ad·min·is·tra·tion** [ədminis'treiʃən] *s.* **1.** Verwaltung *f* (*Geschäft, Vermögen, Nachlaß*); **2.** Verwaltungsbehörde *f*, Mini'sterium *n*; Staatsverwaltung *f*, Regierung *f*; **3.** *Am.* Amtsdauer *f od.* Regierungszeit *f* (*bsd. e-s Präsidenten*); **4.** Handhabung *f*, 'Durchführung *f*: ~ *of justice* Rechtsprechung; ~ *of an oath* Eidesabnahme; **5.** Aus-, Erteilung *f*; Verabreichung *f* (*Arznei*); Spendung *f* (*Sakrament*); **ad'min·is·tra·tive** [-trətiv] *adj.* □ verwaltend, Verwaltungs..., Regierungs...: ~ *body* Behörde, Verwaltungskörper; **ad'min·is·tra·tor** [-treitə] *s.* **1.** Verwalter *m*, Verwaltungsbeamte(r) *m*; **2.** ⚖ Nachlaß-, Vermögensverwalter *m*; **ad'min·is·tra·trix** [-treitriks] *pl.* **-tri·ces** [-trisi:z] *s.* (Nachlaß)Verwalterin *f.*

ad·mi·ra·ble ['ædmərəbl] *adj.* □ bewundernswert, großartig.

ad·mi·ral ['ædmərəl] *s.* **1.** Admi'ral *m*: ♀ *of the Fleet* Großadmiral; **2.** *zo.* Admiral *m* (*Schmetterling*); '**ad·mi·ral·ty** [-ti] *s.* **1.** Admi'ralsamt *n*, -würde *f*; **2.** Admirali'tät *f*: *Lords Commissioners of* ♀ (*od. Board of* ♀) *Brit.* Marineministerium; *First Lord of the* ♀ *Brit.* Marineminister; ~ *law* ⚖ Seerecht; **3.** ♀ *Brit.* Admiralitätsgebäude *n* (*in London*).

ad·mi·ra·tion [ædmə'reiʃən] *s.* **1.** Bewunderung *f* (*of, for* für), Entzücken *n*; **2.** Gegenstand *m* der Bewunderung: *she was the* ~ *of all beholders* sie war der Gegenstand allgemeiner Bewunderung.

ad·mire [əd'maiə] *v/t.* **1.** bewundern (*for* wegen); **2.** hochschätzen, verehren; **ad'mir·er** [-ərə] *s.* Bewunderer *m*; Verehrer *m*; **ad'mir·ing** [-əriŋ] *adj.* □ bewundernd.

ad·mis·si·bil·i·ty [ədmisə'biliti] *s.* Zulässigkeit *f*; **ad·mis·si·ble** [əd'misəbl] *adj.* **1.** *a.* ⚖ zulässig, erlaubt; **2.** würdig, zugelassen zu werden; **ad·mis·sion** [əd'miʃən] *s.* **1.** Einlaß *m*, Ein-, Zutritt *m*: ~ *free* Eintritt frei; ~ *ticket* Eintrittskarte; **2.** Eintrittserlaubnis *f* -gebühr *f*; **3.** Zulassung *f*, Aufnahme *f* (*als Mitglied in e-e Gemeinschaft etc.*; *Am. a. e-s Staates in die Union*): ♀ *Day* Jahrestag der Aufnahme in die Union; **4.** Ernennung *f*; **5.** Anerkennung *f*, Eingeständnis *n*; **6.** ⊕ Eintritt *m*, -laß *m*, Zufuhr *f.*

ad·mit [əd'mit] **I.** *v/t.* **1.** zu-, einvorlassen: ~ *bearer* dem Inhaber *dieser Karte* ist der Eintritt gestattet; *to* ~ *s.o. into one's confidence* j-n ins Vertrauen ziehen; **2.** Platz haben für, fassen: *the theatre only* ~*s 200 persons*; **3.** *als Mitglied in e-e Gemeinschaft, Schule etc.* aufnehmen, *in ein Krankenhaus* einliefern, *zu e-m Amt etc.* zulassen: *to* ~ *to the Bar* als *plädierenden* Rechtsanwalt zulassen; **4.** gelten lassen, anerkennen, zugeben: *I* ~ *this to be wrong od. that this is wrong* ich gebe zu, daß dies falsch ist; *to* ~ *a claim* e-e Reklamation anerkennen; **5.** ⚖ für amtsfähig erklären, als rechtsgültig anerkennen; **6.** ⊕ zuführen, einlassen: *the window does not* ~ *enough air*; **II.** *v/i.* **7.** Einlaß gewähren; **8.** ~ *of* gestatten, erlauben: *it* ~*s of no excuse* es läßt sich nicht entschuldigen; *to* ~ *of doubt* Zweifel zulassen; **ad'mit·tance** [-təns] *s.* **1.** Zulassung *f*, Einlaß *m*, Zutritt *m*: *no* ~ Zutritt verboten; *no* ~ *except on business* Zutritt für Unbefugte verboten; **2.** Aufnahme *f*, Empfang *m*; **ad'mit·ted** [-tid] *adj.* □ anerkannt, zugegeben: *an* ~ *fact*; *an* ~ *thief* anerkanntermaßen ein Dieb; **ad'mit·ted·ly** [-tidli] *adv.* anerkanntermaßen, zugegebenermaßen.

ad·mix [əd'miks] *v/t.* beimischen (*with dat.*); **ad'mix·ture** [-tʃə] *s.* Beimischung *f*, Mischung *f*; Zusatz(stoff) *m.*

ad·mon·ish [əd'mɔniʃ] **1.** *v/t.* (er-) mahnen, *j-m* dringend raten (*to inf.* zu *inf.*, *that* daß); **2.** *j-m* Vorhaltungen machen (*of od. about* wegen *gen.*); **3.** warnen (*not to inf.* davor, zu *inf. od. of* vor *dat.*): *he was* ~*ed* *not to go* er wurde davor gewarnt zu gehen; **ad·mo·ni·tion** [ædmə'niʃən] *s.* **1.** Ermahnung *f*; **2.** Warnung *f*, Verweis *m*; **ad'mon·i·to·ry** [-itəri] *adj.* ermahnend, warnend.

ad nau·se·am [æd'nɔːsiæm] (*Lat.*) *adv.* zum Ekel, (bis) zum Erbrechen.

a·do [ə'duː] *s.* Getue *n*, Aufheben(s) *n*, Mühe *f*: *much ~ about nothing* viel Lärm um nichts; *without more ~* ohne weitere Umstände.

a·do·be [ə'doubi] *s.* **1.** Lehmstein *m*, Luftziegel *m*; **2.** Haus *n* aus Lehmsteinen.

ad·o·les·cence [ædou'lesns] *s.* Jünglingsalter *n*; **ad·o'les·cent** [-nt] **I.** *s.* Jugendliche(r *m*) *f*; **II.** *adj.* her'anwachsend, jugendlich; Jünglings...

A·do·nis [ə'dounis] **I.** *npr. antiq.* **1.** A'donis *m*; **II.** *s.* **2.** *fig.* Adonis *m*, schöner junger Mann; **3.** Geck *m*, Stutzer *m*.

a·dopt [ə'dɔpt] *v/t.* **1.** adoptieren, (an Kindes Statt) annehmen; *j-n* in s-e Fa'milie aufnehmen; **2.** *fig.* annehmen, über'nehmen, einführen, sich *ein Verfahren etc.* zu eigen machen; *Handlungsweise* wählen; *Maßregeln* ergreifen; **3.** *pol. e-r Gesetzesvorlage* zustimmen; **4.** *~ a town* e-e im Kriege zerstörte Stadt als ‚Patenkind' annehmen; **5.** *pol. e-n Kandidaten* (*für die nächste Wahl*) annehmen; **6.** F sti'bitzen; **a'dopt·ed** [-tid] *adj. an Kindes Statt* angenommen, Adoptiv...: *his ~ country* s-e Wahlheimat; **a'dop·tion** [-pʃən] *s.* **1.** Adopti'on *f*, Annahme *f* (an Kindes Statt); **2.** Aufnahme *f in e-e Gemeinschaft*; **3.** *fig.* Annahme *f*, Aneignung *f*, 'Übernahme *f*; **a'dop·tive** [-tiv] *adj.* □ angenommen, Adoptiv...

a·dor·a·ble [ə'dɔːrəbl] *adj.* □ **1.** verehrungs-, bewunderungswürdig; liebenswert; **2.** allerliebst, entzückend; **ad·o·ra·tion** [ædɔː'reiʃən] *s.* **1.** Anbetung *f*, *kniefällige* Verehrung; **2.** *fig.* Liebe *f*, Bewunderung *f*, Verehrung *f*; **a·dore** [ə'dɔː] *v/t.* **1.** anbeten (*a. fig.*); **2.** *fig. innig* lieben, verehren, tief bewundern; **3.** schwärmen für; **a'dor·er** [-rə] *s.* Anbeter(in); Verehrer *m*, Bewunderer *m*, Liebhaber *m*; **a'dor·ing** [-riŋ] *adj.* □ anbetend, bewundernd, liebend: *~ glances* schmachtende Blicke.

a·dorn [ə'dɔːn] *v/t.* **1.** schmücken, zieren; **2.** verschönen: *he ~ed the evening* er trug besonders zum Gelingen des Abends bei; **a'dorn·ment** [-mənt] *s.* Schmuck *m*, Verzierung *f*; Zierde *f*, Verschönerung *f*.

ad·re·nal [ə'driːnl] *anat.* **I.** *adj.* zur Nebenniere gehörig: *~ glands* Nebennierendrüsen; **II.** *s.* Nebenniere *f*; **ad·ren·al·in** [ə'drenəlin] *s.* Adrena'lin *n* (*Nebennierenhormon*).

A·dri·at·ic [eidri'ætik] *geogr.* **I.** *adj.* adri'atisch: *~ Sea* Adriatisches Meer; **II.** *s. the ~* das Adriatische Meer, die 'Adria.

a·drift [ə'drift] *adv. u. adj.* **1.** (um'her)treibend, Wind und Wellen preisgegeben: *to cut ~* treiben lassen; **2.** *fig.* aufs Geratewohl; hilflos: *to be all ~* weder aus noch ein wissen; *to cut o.s. ~* sich losreißen *od.* frei machen *od.* lossagen; *to turn s.o. ~* j-n auf die Straße setzen.

a·droit [ə'drɔit] *adj.* □ geschickt, gewandt; schlagfertig, pfiffig.

ad·sum ['ædsʌm] (*Lat.*) *int.* hier! (*Antwort bei Namensaufruf*).

ad·u·late ['ædjuleit] *v/t. j-m* schmeicheln; lobhudeln; **ad·u·la·tion** [ædju'leiʃən] *s. niedere* Schmeiche'lei, Lobhude'lei *f*; **'ad·u·la·tor** [-tə] *s.* Schmeichler *m*, Speichellecker *m*; **'ad·u·la·to·ry** [-təri] *adj.* schmeichlerisch, lobhudelnd.

a·dult ['ædʌlt] **I.** *adj.* erwachsen; reif; **II.** *s.* Erwachsene(r *m*) *f*; *~* **ed·u·ca·tion** *s.* Erwachsenenbildung *f*; *engS.* Volkshochschule *f*.

a·dul·ter·ant [ə'dʌltərənt] *s.* Verfälschungsmittel *n*; **a·dul·ter·ate** [ə'dʌltəreit] *v/t.* **1.** *Nahrungsmittel* verfälschen; **2.** *fig.* verschlechtern, verderben; **a·dul·ter·a·tion** [ədʌltə'reiʃən] *s.* Verfälschung *f*, verfälschtes Pro'dukt, Fälschung *f*; **a'dul·ter·er** [-rə] *s.* Ehebrecher *m*; **a'dul·ter·ess** [-ris] *s.* Ehebrecherin *f*; **a'dul·ter·ous** [-tərəs] *adj.* □ ehebrecherisch; **a'dul·ter·y** [-ri] *s.* Ehebruch *m*.

ad·um·brate ['ædʌmbreit] *v/t.* **1.** im 'Umriß darstellen; skizzieren; **2.** andeuten; vor'ausahnen lassen; **ad·um·bra·tion** [ædʌm'breiʃən] *s.* flüchtiger Entwurf; Andeutung *f*, Vorahnung *f*.

ad va·lo·rem ['ædvə'lɔːrem] (*Lat.*) *adj. u. adv.* dem Wert entsprechend.

ad·vance [əd'vaːns] **I.** *v/t.* **1.** vorwärtsbringen, vorrücken (lassen), vorschieben; **2. a)** *Uhr, Fuß* vorstellen, **b)** *Zeitpunkt* vorverlegen: *they ~d the date of their wedding*, **c)** hin'aus-, aufschieben: *a tendency to ~ the age of marriage*; **3.** *Meinung, Grund, Anspruch* vorbringen, geltend machen; **4.** fördern, verbessern: *to ~ one's position*; **5.** beschleunigen: *to ~ growth*; **6.** erheben (*im Amt od. Rang*), befördern (*to the rank of general* zum Gene'ral); **7.** *Preis* erhöhen; **8.** *Geld* vor'ausbezahlen; vorschießen, leihen; im voraus liefern; **II.** *v/i.* **9.** vor-, vorwärtsgehen, vordringen, vormarschieren, vorrücken (*a. fig. Zeit*); **10.** vor'ankommen, Fortschritte machen: *to ~ in knowledge*; **11.** *im Rang* aufrücken, befördert werden; **12.** zunehmen (*in* an *dat.*), steigen; **13.** † steigen; teurer werden; **III.** *s.* **14.** Vorwärtsgehen *n*, Vor-, Anrücken *n*, Vormarsch *m* (*a. fig.*); Vorrücken *n des Alters*; **15.** Aufrücken *n* (*im Amt*), Beförderung *f*; **16.** Fortschritt *m*, Verbesserung *f*; **17.** Vorsprung *m*: *in ~* **a)** vorn, **b)** im voraus, vorher; *~ section* vorderer Teil; *to be in ~* Vorsprung haben (*of* vor *dat.*); *to arrive in ~ of the others* vor den anderen ankommen; *to order* (*od. book*) *in ~* vor(aus)bestellen; *~ booking*, *~ sale* Vorverkauf; *~ sheets* Aushängebogen (*e-s Buches*); **18.** *a. ~ payment* Vorschuß *m*, Vor'auszahlung *f*: *in ~* in pränumerando; **19.** (Preis)Erhöhung *f*; Mehrgebot *n* (*Versteigerung*); **20.** *mst pl.* Entgegenkommen *n*, Vorschlag *m*, erster Schritt (*zur Verständigung*); **21.** ⚔ *Am.* Vorhut *f*, Spitze *f*: *~ guard Brit. u. Am.* Vorhut; **ad'vanced** [-st] *adj.* **1.** vorgerückt, vorgeschritten: *~ age* vorgerücktes Alter; *~ in pregnancy* hochschwanger; **2.** vor-, fortgeschritten; fortschrittlich: *~ opinions*; *~ students*; *~ English* Englisch für Fortgeschrittene; **3.** gar zu fortschrittlich, ex'trem; keck, ungeniert; **4.** ⚔ vorgeschoben, Vor(aus)...; **ad'vance·ment** [-mənt] *s.* **1.** Förderung *f*; **2.** Beförderung *f*; **3.** Em'por-, Fortkommen *n*, Fortschritt *m*, Wachstum *n*.

ad·van·tage [əd'vaːntidʒ] **I.** *s.* **1.** Vorteil *m* (*a. Tennis*), Über'legenheit *f*: *to ~* günstig, vorteilhaft; *to have the ~ of s.o.* j-m gegenüber im Vorteil sein; *you have the ~ of me iro.* ich habe nicht die Ehre, Sie zu kennen; **2.** Nutzen *m*, Gewinn *m*: *to take ~ of s.o.* j-n übervorteilen *od.* ausnutzen; *to take ~ of s.th.* et. ausnutzen; *to derive od. gain ~ from s.th.* aus et. Nutzen ziehen; **3.** günstige Gelegenheit; **II.** *v/t.* **4.** fördern, begünstigen; **ad·van·ta·geous** [ædvən'teidʒəs] *adj.* □ vorteilhaft, günstig, nützlich.

Ad·vent ['ædvənt] *s.* **1.** *eccl.* Ad'vent *m*, Ad'ventszeit *f*: *~ Sunday*; **2.** ♀ Kommen *n*, Erscheinen *n*, Ankunft *f*; **'Ad·vent·ist** [-tist] *s.* Adven'tist *m*.

ad·ven·ti·tious [ædven'tiʃəs] *adj.* □ **1.** (zufällig) hin'zugekommen; zufällig, nebensächlich: *~ causes* Nebenursachen; **2.** ⚘, ⚖ zufällig erworben.

ad·ven·ture [əd'ventʃə] **I.** *s.* **1.** Abenteuer *n*, Wagnis *n*: *life of ~* Abenteuerleben; **2.** (unerwartetes) Erlebnis; **3.** † Spekulati'onsgeschäft *n*; **II.** *v/t.* **4.** wagen, gefährden; **5.** *~ o.s.* sich wagen (*into* in *acc.*); **III.** *v/i.* **6.** sich wagen (*on, upon* in, auf *acc.*); *~* **play·ground** *s.* Abenteuerspielplatz *m*.

ad·ven·tur·er [əd'ventʃərə] *s.* **1.** Abenteurer *m*, Wagehals *m*; **2.** Hochstapler *m*; **3.** Speku'lant *m*; **ad'ven·ture·some** [-səm] *adj.* abenteuerlustig; **ad'ven·tur·ess** [-tʃəris] *s.* Abenteu(r)erin *f*; **ad'ven·tur·ism** [-tʃərizəm] *s.* Abenteurertum *n*; **ad'ven·tur·ous** [-tʃərəs] *adj.* □ **1.** abenteuerlich; **2.** abenteuerlustig, waghalsig; **3.** gewagt, kühn.

ad·verb ['ædvəːb] *s.* Ad'verb *n*, Umstandswort *n*; **ad·ver·bi·al** [əd'vəːbjəl] *adj.* □ adverbi'al: *~ phrase* adverbiale Bestimmung.

ad·ver·sar·y ['ædvəsəri] *s.* **1.** Gegner(in), 'Widersacher(in); **2.** ♀ *eccl.* Teufel *m*; **ad·ver·sa·tive** [əd'vəːsətiv] *adj.* □ *bsd. ling.* gegensätzlich, adversa'tiv: *~ word*; *~ particle*.

ad·verse ['ædvəːs] *adj.* □ **1.** entgegenwirkend, zu'wider, widrig (*to dat.*): *~ winds* widrige Winde; **2.** gegnerisch, feindlich; **3.** ungünstig, nachteilig (*to* für): *~ balance of trade* passive Handelsbilanz; *~ judg(e)ment* ungünstiges Urteil; **ad·ver·si·ty** [əd'vəːsiti] *s.* Mißgeschick *n*, Not *f*, Unglück *n*.

ad·vert I. *v/i.* [əd'vəːt] hinweisen,

sich beziehen (*to* auf *acc.*); **II.** *s.* ['ædvɜ:t] *Brit.* F *für advertisement.*

ad·ver·tise, *Am. a.* **ad·ver·tize** ['ædvətaiz] **I.** *v/t.* **1.** ankündigen, anzeigen, *durch die Zeitung etc.* bekanntmachen: *to ~ a post* eine Stellung *öffentlich* ausschreiben; *you need not ~ the fact* du brauchst es nicht an die große Glocke zu hängen; **2.** *durch Zeitungsanzeige etc.* Re'klame machen für, werben für; **II.** *v/i.* **3.** inserieren, annoncieren, öffentlich ankündigen: *to ~ for* durch Inserat suchen; **4.** werben, Reklame machen; **ad·ver·tise·ment** [əd'vɜ:tismənt] *s.* **1.** *öffentliche* Anzeige, Ankündigung *f in e-r Zeitung,* Inse'rat *n,* An'nonce *f*: *to put an ~ in a paper* ein Inserat in e-r Zeitung aufgeben; **2.** Re'klame *f,* Werbung *f*; '**ad·ver·tis·er** [-zə] *s.* **1.** Inse'rent(in); **2.** Anzeiger *m,* Anzeigenblatt *n*; '**ad·ver·tis·ing** [-ziŋ] **I.** *s.* **1.** Inserieren *n*; Ankündigung *f*; **2.** Reklame *f,* Werbung *f*; **II.** *adj.* **3.** Reklame..., Werbe...: *~ agency* Werbeagentur; *~ agent* Anzeigenvertreter; *~ campaign* Werbefeldzug; *~ expert* Werbefachmann; *~ space* Reklamefläche; '**ad·ver·tize** *etc.* → *advertise etc.*

ad·vice [əd'vais] *s.* **1.** Rat *m,* Ratschlag *m,* Gutachten *n*: *a piece of ~* ein Ratschlag; *to take medical ~* ärztlichen Rat einholen; *take my ~* folge meinem Rat; **2.** Nachricht *f,* Anzeige *f,* (schriftliche) Mitteilung; **3.** ✝ A'vis *m,* Bericht *m*: *letter of ~* Avisbrief, Benachrichtigungsschreiben; *as per ~* laut Aufgabe *od.* Bericht.

ad·vis·a·bil·i·ty [ədvaizə'biliti] *s.* Ratsamkeit *f*; **ad·vis·a·ble** [əd'vaizəbl] *adj.* □ ratsam.

ad·vise [əd'vaiz] **I.** *v/t.* **1.** *j-m* raten *od.* empfehlen (*to inf.* zu *inf.*); *et.* (an-)raten; *j-n* beraten: *he was ~d to go* man riet ihm zu gehen; *to ~ a change of air* e-e Luftveränderung (an)raten; **2.** *(against)* warnen (vor *dat.*); *j-m* abraten (von); **3.** ✝ benachrichtigen (*of* von, *that* daß), avisieren (*s.o. of s.th.* j-m et.); **II.** *v/i.* **4.** sich beraten (*with* mit); **ad'vised** [-zd] *adj.* □ → *advisedly*; **1.** beraten: *badly ~*; **2.** besonnen, über'legt; → *ill-advised*; *well-advised*; **ad'vis·ed·ly** [-zidli] *adv.* mit Bedacht *od.* Über'legung; vorsätzlich, absichtlich; **ad'vis·er** *od.* **ad'vi·sor** [-zə] *s.* **1.** Berater *m,* Ratgeber *m*; **2.** *ped. Am.* 'Studienberater *m*; **ad'vi·so·ry** [-zəri] *adj.* beratend, Beratungs...: *~ board, ~ committee* Beratungsausschuß, Beirat, Gutachterkommission; *~ body, ~ council* Beirat.

ad·vo·ca·cy ['ædvəkəsi] *s.* Befürwortung *f,* Empfehlung *f,* Eintreten *n* (*of* für); **ad·vo·cate I.** *s.* ['ædvəkit] **1.** Verfechter *m,* Befürworter *m,* Verteidiger *m,* Fürsprecher *m*: *an ~ of peace*; **2.** *Scot. u. hist.* Advo'kat *m,* (plädierender) Rechtsanwalt: *Lord ≗* Oberster Staatsanwalt; **II.** *v/t.* ['ædvəkeit] **3.** verteidigen, befürworten, eintreten für.

adze [ædz] *s.* Breitbeil *n,* Krummaxt *f.*

Ae·ge·an [i(:)'dʒi:ən] *geogr.* **I.** *adj.* ä'gäisch: *~ Sea* Ägäisches Meer; **II.** *s. the ~* die Ägäis.

ae·gis ['i:dʒis] *s. myth.* 'Ägis *f*; *fig.* Ä'gide *f,* Schutzherrschaft *f.*

ae·gro·tat [i(:)'groutæt] (*Lat.*) *s. Brit. univ.* 'Krankheitsat,test *n* (*für Examenskandidaten*).

Ae·o·li·an [i(:)'ouljən] *adj.* ä'olisch: *~ harp* Äolsharfe.

ae·on ['i:ən] *s.* Ä'one *f,* Ewigkeit *f.*

a·er·ate, *Am. a.* **a·ër·ate** ['eiəreit] *v/t.* **1.** der Luft aussetzen; **2.** mit Kohlensäure sättigen; zum Sprudeln bringen; '**a·er·at·ed,** *Am. a.* '**a·ër·at·ed** [-tid] *adj.* mit Luft *od.* Kohlensäure durch'setzt; sprudelnd.

a·e·ri·al, *Am. a.* **a·ë·ri·al** ['ɛəriəl] **I.** *adj.* □ **1.** zur Luft gehörend, in der Luft lebend *od.* befindlich, fliegend; hoch, Luft...: *~ advertising* Luftwerbung, Himmelsschrift; *~ cableway* Seilschwebebahn; *~ camera* Luftbildkamera; *~ railway* Hänge-, Schwebebahn; *~ spires* hochragende Kirchtürme; **2.** aus Luft bestehend, leicht, gasförmig, flüchtig; **3.** ä'therisch, zart: *~ fancies* Phantastereien; **4.** ✈ zu e-m Flugzeug *od.* zum Fliegen gehörig: *~ attack* Luft-, Fliegerangriff; *~ barrage* **a)** (Luft)Sperr-, Flakfeuer, **b)** Ballonsperre; *~ map* Luftbildkarte; *~ navigation* Luftschiffahrt; *~ view* Flugzeugaufnahme, Luftbild; **5.** ⊕ oberirdisch, Ober..., Frei..., Luft...: *~ cable* Luftkabel; *~ wire* ⚡ Ober-, Freileitung; **6.** ⚡, *Radio, Fernsehen*: Antennen...: *~ wire*; **II.** *s.* **7.** ⚡, *Radio, Fernsehen*: An'tenne *f*: *frame ~* Rahmenantenne.

a·e·ri·al·ist, *Am. a.* **a·ë·ri·al·ist** ['ɛəriəlist] *s.* 'Luftakro,bat *m,* Tra'pezkünstler *m.*

a·er·ie, *Am. a.* **a·ër·ie** ['ɛəri] *s.* **1.** Horst *m* (*Raubvogelnest*); **2.** *fig.* Wohnsitz *m od.* Schloß *n od.* Festung *f* auf e-r Anhöhe.

a·er·o, *Am. a.* **a·ër·o** ['ɛərou] **I.** *pl.* **-os** *s.* Flugzeug *n,* Luftschiff *n*; **II.** *adj.* Luftschiffahrt..., Flugzeug...: *~ engine.*

aero-, *Am. a.* **aëro-** [ɛərou; -rə] *in Zssgn*: **a)** Luft..., **b)** Gas...

a·er·o·bat·ic [ɛərou'bætik] *adj.* 'luftakro,batisch; **a·er·o'bat·ics** [-ks] *s. pl. sg. konstr.* Luftsport *m,* Kunstfliegen *n,* -flüge *pl.*; **a·er·o·cab** ['ɛərəkæb] *s. Am.* F 'Luft,taxi *n,* Hubschrauber *m*; **a·er·o·drome** [ɛərə'droum] *s. bsd. Brit.* Flugplatz *m,* -hafen *m.*

a·er·o|·dy·nam·ic *adj.*; **~·dy·nam·i·cal** [ɛəroudai'næmik(əl)] *adj.* □ aerody'namisch; **~·dy'nam·ics** [-ks] *s. pl. sg. konstr.* Aerody'namik *f,* Lehre *f* von den Bewegungsgesetzen der Luft; **~·dyne** ['ɛəroudain] *s.* Luftfahrzeug *n* schwerer als Luft.

a·er·o|·foil ['ɛərəfɔil] *s. Brit.* Tragfläche *f, a.* Höhen-, Kiel- *od.* Seitenflosse *f*; '**~·gram** [-əgræm] *s.* durch Radio *od.* Flugzeug über'mittelte Nachricht, Funkspruch *m*; '**~·lite** [-əlait] *s.* Aero'lith *m,* Mete'orstein *m.*

a·er·ol·o·gy [ɛə'rɔlədʒi] *s. phys.* **1.** Aerolo'gie *f,* Lehre *f* von den Eigenschaften der Atmo'sphäre; **2.** aero'nautische Wetterkunde; **a·er'om·e·ter** [-ɔmitə] *s. phys.* Aero'meter *m,* (Luft- *od.* Gas-) Dichtemesser *m* (*Instrument*).

a·er·o|·naut ['ɛərənɔ:t] *s.* Aero'naut *m,* Luftschiffer *m*; **~·nau·tic** *adj.*; **~·nau·ti·cal** [ɛərə'nɔ:tik(əl)] *adj.* □ aero'nautisch, Luftfahrt...: *~ weather service* Flugwetterdienst; **~·nautics** [ɛərə'nɔ:tiks] *s. pl sg. konstr.* Aero'nautik *f,* Luftfahrt *f,* Flugwesen *n.*

a·er·o|·neu·ro·sis [ɛərounjuə'rousis] *s.* ⚕ 'Flugkrankheit *f,* -neu,rose *f*; **~·plane** ['ɛərəplein] *s. bsd. Brit.* Flugzeug *n,* ‚Flieger' *m.*

a·er·o|·stat ['ɛəroustæt] *s.* Luftschiff *n,* 'Luftbal,lon *m*; **~·stat·ic** *adj.*; **~·'stat·i·cal** [ɛərou'stætik(əl)] *adj.* □ aero'statisch; **~·stat·ics** [ɛərou'stætiks] *s. pl. sg. konstr.* Aero'statik *f.*

Aes·cu·la·pi·an [i:skju'leipjən] **I.** *adj.* **1.** Äskulap...; **2.** ärztlich; **II.** *s.* **3.** Arzt *m*; **Aes·cu'la·pi·us** [-jəs] *npr. myth.* Äsku'lap *m*: *~' staff* Äskulapstab.

aes·thete ['i:sθi:t] *s.* Äs'thet *m,* Schöngeist *m*; **aes·thet·ic** *adj.*; **aes·thet·i·cal** [i:s'θetik(əl)] *adj.* □ äs'thetisch, geschmackvoll; **aes·thet·ics** [i:s'θetiks] *s. pl. sg. konstr.* Äs'thetik *f.*

aes·ti·val [i:s'taivəl] *adj.* sommerlich.

ae·ther *etc.* → *ether etc.*

a·far [ə'fɑ:] *adv.* fern: *~ off* in der Ferne; *from ~* aus weiter Ferne.

af·fa·bil·i·ty [æfə'biliti] *s.* Leutseligkeit *f,* Freundlichkeit *f,* Güte *f*; **af·fa·ble** ['æfəbl] *adj.* □ leutselig, freundlich, 'umgänglich.

af·fair [ə'fɛə] *s.* **1.** Angelegenheit *f,* Sache *f,* Geschäft *n*; Handlung *f,* Ereignis *n*: *a disgraceful ~*; *that is his ~* das ist seine Sache; *that is not my ~* das geht mich nichts an; *to make an ~ of s.th.* et. aufbauschen; *one's own ~* die eigene Angelegenheit, Privatsache; *~ of honour* Ehrensache, -handel; **2.** *pl.* Angelegenheiten *pl.,* Verhältnisse *pl.*: *public ~s* öffentliche Angelegenheiten, das Gemeinwesen; *state of ~s* Lage der Dinge, Sachlage; *as ~s stand* so wie die Dinge liegen; *Foreign ≗s Brit. pol.* Auswärtige Angelegenheiten; **3.** F Ding *n,* Sache *f,* Angelegenheit *f*: *her dress is a wonderful ~*; **4.** Liebschaft *f,* ‚Verhältnis' *n*: *to have an ~ with s.o.*

af·fect[1] [ə'fekt] *v/t.* **1.** lieben, Gefallen finden an (*dat.*), neigen zu: *to ~ bright colo(u)rs* lebhafte Farben bevorzugen; *a hat much ~ed by the French* ein bei Franzosen sehr beliebter Hut; **2.** vortäuschen, vorgeben, zur Schau tragen, nachahmen: *to ~ stupidity* sich dumm stellen; *he ~s an Oxford accent* er redet mit gekünstelt Oxforder Aussprache; *he ~s to sleep* er tut, als ob er schlafe; **3.** bewohnen, vorkommen in (*dat.*) (*Tiere u. Pflanzen*): *to ~ the woods* in Wäldern vorkommen.

af·fect[2] [ə'fekt] *v/t.* **1.** betreffen: *that does not ~ me*; **2.** (ein)wirken auf (*acc.*), beeinflussen, beeinträchtigen, in Mitleidenschaft ziehen: *to ~ the health*; **3.** bewegen, rühren: *to be deeply ~ed*; **4.** ⚕ angreifen, befallen, anstecken: *to ~ the liver.*

af·fec·ta·tion [æfek'teiʃən] *s.* Affektiertheit *f*, Ziere'rei *f*, Verstellung *f*, Vorgeben *n*.

af·fect·ed[1] [ə'fektid] *adj.* □ **1.** affektiert, gekünstelt, geziert; **2.** angenommen, vorgetäuscht; **3.** geneigt, gesinnt.

af·fect·ed[2] [ə'fektid] *adj.* **1.** ⚕ befallen (*with* von), angegriffen; **2.** ergriffen, betroffen, berührt; **3.** gerührt, bewegt.

af·fect·ing [ə'fektiŋ] *adj.* □ rührend, ergreifend; liebevoll; **af'fec·tion** [-kʃən] *s.* **1.** *oft pl.* Liebe *f*, (Zu-)Neigung *f* (*for, towards* zu); **2.** Gemütsbewegung *f*, -zustand *m*, Stimmung *f*; **3.** ⚕ Erkrankung *f*, Leiden *n*; **4.** Einfluß *m*, Einwirkung *f*; **af'fec·tion·ate** [-kʃnit] *adj.* □ gütig, liebevoll, herzlich, vertraut; **af'fec·tion·ate·ly** [-kʃnitli] *adv.*: *yours* ~ Dein Dich liebender (*Briefschluß*); ~ *known as Pat* unter dem Kosenamen Pat bekannt.

af·fi·ance [ə'faiəns] **I.** *s.* **1.** Vertrauen *n*; **2.** Eheversprechen *n*; **II.** *v/t.* **3.** *j-n od. sich* verloben

af·fi·ant [ə'faiənt] *s. Am.* Aussteller (-in) e-s *affidavit*.

af·fi·da·vit [æfi'deivit] *s.* ⚖ *schriftliche* beeidigte Erklärung: ~ *of means* Offenbarungseid.

af·fil·i·ate [ə'filieit] **I.** *v/t.* **1.** *als Mitglied* aufnehmen; **2.** *j-m* die Vaterschaft *e-s Kindes* zuschreiben: *to* ~ *a child on* (*od. to*); **3.** (*on, upon*) zu'rückführen (auf *acc.*), zuschreiben (*dat.*); **4.** (*to*) verknüpfen, verbinden (mit); angliedern, anschließen (*dat.*, an *acc.*); **II.** *v/i.* **5.** sich anschließen (*with* an *acc.*); **III.** *s.* [-iit] **6.** *Am.* 'Zweigorganisati,on *f*; **af'fil·i·at·ed** [-tid] *adj.* angeschlossen: ~ *company* Tochter-, Zweiggesellschaft; **af·fil·i·a·tion** [əfili'eiʃən] *s.* **1.** Aufnahme *f* (*als Mitglied etc.*); **2.** Zuschreibung *f* der Vaterschaft; **3.** Zu'rückführung *f* (*auf den Ursprung*); **4.** Angliederung *f*; **5.** *oft eccl.* Zugehörigkeit *f*, Mitgliedschaft *f*: *what is your church* ~? welcher Kirche gehören Sie an?

af·fin·i·ty [ə'finiti] *s.* **1.** Verschwägerung *f*; **2.** *geistige* Verwandtschaft, enge Beziehungen *pl.*, gegenseitige Anziehung; **3.** ⚗ stofflich-'chemische Verwandtschaft, Affini'tät *f*.

af·firm [ə'fəːm] **I.** *v/t.* **1.** behaupten, versichern, bejahen, beteuern; **2.** *Urteil* bestätigen, ratifizieren; **II.** *v/i.* **3.** bejahen; **af·fir·ma·tion** [æfəː'meiʃən] *s.* **1.** Behauptung *f*, Versicherung *f*, Bestätigung *f*, Bejahung *f*; **2.** ⚖ Beteuerung *f* (an Eides Statt); **af'firm·a·tive** [-mətiv] **I.** *adj.* □ bestätigend, bejahend; 'positiv, bestimmt; **II.** *s.* Bejahung *f*: *to answer in the* ~ bejahen.

af·fix I. *v/t.* [ə'fiks] **1.** (*to*) befestigen, anbringen (an *dat.*), anheften, ankleben (an *acc.*); **2.** beilegen, hin'zufügen; *Siegel, Unterschrift* anbringen; **II.** *s.* ['æfiks] **3.** *ling.* Af'fix *n*, Anhang *m*, Hin'zufügung *f*.

af·flict [ə'flikt] *v/t.* **1.** betrüben, quälen; **2.** *fig.* trüben; **af'flict·ed** [-tid] *adj.* **1.** niedergeschlagen, betrübt; **2.** (*with*) leidend, krank (an *dat.*); belastet, behaftet (mit), geplagt (von); **af'flic·tion** [-kʃən] *s.* **1.** Betrübnis *f*, Kummer *m*; **2.** Schmerz *m*, Leid(en) *n*; Elend *n*, Übel *n*; **3.** Heimsuchung *f*, Unglück *n*.

af·flu·ence ['æfluəns] *s.* **1.** Fülle *f*, 'Überfluß *m*; **2.** Reichtum *m*, Wohlstand *m*; **'af·flu·ent** [-nt] **I.** *adj.* □ **1.** reichlich; **2.** wohlhabend, reich (*in* an *dat.*): ~ *society sociol.* Wohlstandsgesellschaft; **II.** *s.* **3.** Nebenfluß *m*.

af·flux ['æflʌks] *s.* **1.** Zufluß *m*, Zustrom *m* (*a. fig.*); **2.** ⚕ (Blut)Andrang *m*.

af·ford [ə'fɔːd] *v/t.* **1.** gewähren, bieten; *Schatten* spenden; **2.** *als Produkt* liefern; *Gewinn* einbringen; **3.** sich leisten, die Mittel haben für, erschwingen; *Zeit* erübrigen: *I can't* ~ *it* ich kann es mir nicht leisten.

af·for·est [æ'fɔrist] *v/t.* aufforsten; **af·for·est·a·tion** [æfɔris'teiʃən] *s.* Aufforstung *f*.

af·fran·chise [ə'fræntʃaiz] *v/t.* befreien.

af·fray [ə'frei] *s.* **1.** Raufe'rei *f*, Schläge'rei *f*, Kra'wall *m*; **2.** ⚖ Landfriedensbruch *m*.

af·fri·cate ['æfrikit] *s. ling.* Affri'kata *f* (*Verschlußlaut mit folgendem Reibelaut*).

af·front [ə'frʌnt] **I.** *v/t.* **1.** beleidigen, beschimpfen; **2.** trotzen (*dat.*); **II.** *s.* **3.** Beleidigung *f*, Beschimpfung *f*, Schmach *f*, Af'front *m*.

Af·ghan ['æfgæn] **I.** *s.* Af'ghane *m*, Af'ghanin *f*; **II.** *adj.* af'ghanisch.

a·field [ə'fiːld] *adv.* **1.** im *od.* auf dem Feld; ins *od.* aufs Feld; **2.** in der *od.* in die Ferne, draußen, hin'aus: *far* ~ weit entfernt.

a·fire [ə'faiə] *adv. u. adj.* brennend, in Flammen (*a. fig.*).

a·flame [ə'fleim] → *afire*.

a·flight [ə'flait] *adv.* fliegend, in der Luft: *the fastest plane* ~.

a·float [ə'flout] *adv. u. adj.* **1.** flott, schwimmend: *to keep* ~ (sich) über Wasser halten (*a. fig.*); **2.** an Bord, auf dem Meere; **3.** in 'Umlauf; **4.** im Gange; **5.** über'schwemmt (*Fußboden etc.*).

a·foot [ə'fut] *adv. u. adj.* **1.** zu Fuß, auf den Beinen; **2.** in Bewegung, im Gange (*a. fig.*); **3.** *fig.* im Anzug, im Kommen: *mischief* ~.

a·fore [ə'fɔː] **I.** *prp.* vor; **II.** *adv.* (nach) vorn; **~·men·tioned, ~-said** *adj.* obenerwähnt *od.* -genannt; **~·thought** *adj.* vorbedacht; → *malice 3*.

a·fraid [ə'freid] *adj.* bange (*of* vor *dat.*), ängstlich: *to be* ~ *of j-n od. et.* fürchten; *I am* ~ (*that*) *he will not come* ich fürchte, er wird nicht kommen; *I am* ~ *I must go* F leider muß ich gehen; *I shall tell him, don't be* ~! F nur keine Angst, ich werde es ihm bestimmt sagen!; ~ *of hard work* F arbeitsscheu; *to be* ~ *to do* sich scheuen zu tun.

a·fresh [ə'freʃ] *adv.* von neuem, wieder.

Af·ri·can ['æfrikən] **I.** *s.* **1.** Afri'kaner(in); **2.** *Am.* Neger(in) (*in Amerika lebend*); *Brit.* Neger(in) (*allgemeiner Höflichkeitsausdruck*); **II.** *adj.* **3.** afri'kanisch; **4.** afrikanischer Abstammung, Neger...

Af·ri·kaans [æfri'kɑːns] *s. ling.* Afri'kaans(ch) *n*, Kapholländisch *n*; **Af·ri'kan·(d)er** [-'kæn(d)ə] *s.* Afri'kander *m*, Weiße(r *m*) *f* aus Süd'afrika.

'Af·ro|-A'mer·i·can ['æfrou] *s.* 'Afroameri'kaner(in); **'~-'A·sian** *adj.* 'afro-asi'atisch.

aft [ɑːft] *adv.* ⚓ (nach) achtern *od.* hinten.

aft·er ['ɑːftə] **I.** *adv.* **1.** nach'her, hinter'her, da'nach, später: *to follow* ~ nachfolgen; *for months* ~ noch monatelang; *shortly* ~ kurz danach; **II.** *prp.* **2.** nach: ~ *lunch*; ~ *a week*; *day* ~ *day* Tag für Tag; *time* ~ *time* immer wieder; *the day* ~ *tomorrow* übermorgen; *the month* ~ *next* der übernächste Monat; ~ *all* schließlich, im Grunde, immerhin, (also) doch; ~ *all my trouble* nach *od.* trotz all meiner Mühe; *to look* ~ *s.o.* **a)** nach j-m sehen, **b)** *fig.* sich um j-n kümmern; **3.** hinter ... (*dat.*) (her): *I came* ~ *you*; *shut the door* ~ *you*; *the police are* ~ *you* die Polizei ist hinter dir her; ~ *you, sir!* nach Ihnen!; *one* ~ *another* nacheinander; **4.** nach, gemäß: *named* ~ *his father* nach s-m Vater genannt; ~ *his nature* s-m Wesen gemäß; ~ *my own heart* ganz nach m-m Herzen *od.* Wunsch; *a picture* ~ *Rubens* ein Gemälde nach (*im Stil von*) Rubens; **III.** *adj.* **5.** später, künftig, Nach...: *in* ~ *years*; **6.** ⚓ Achter...; **IV.** *cj.* **7.** nach'dem: ~ *he (had) sat down*.

'aft·er|·birth *s.* ⚕ Nachgeburt *f*; **'~-cab·in** *s.* ⚓ 'Heckka,bine *f*; **'~-care** *s.* **1.** ⚕ Nachbehandlung *f*; **2.** ⚖ Entlassenenfürsorge *f* (*für Strafgefangene*); **'~-crop** *s.* Nachernte *f*; **'~-damp** *s.* ⊕ Nachschwaden *m* (*im Bergwerk*); **'~-deck** *s.* ⚓ Achterdeck *n*; **'~-din·ner** *adj.* nach Tisch: ~ *speech* Tischrede; **'~-ef·fect** *s.* Nachwirkung *f*, Folge *f*; **'~-glow** *s.* Abendrot *n*; **'~-grass** *s.* ⚘ Grummet *n*, zweite Grasernte; **'~-hold** *s.* ⚓ Achterraum *m*; **'~-life** *s.* Leben *n* nach dem Tode; (zu-)künftiges Leben; **'~·math** [-mæθ] *s.* **1.** ⚘ Grummet *n*, Spätheu *n*; **2.** Nachwirkungen *pl.*; **'~'noon** *s.* Nachmittag *m*: *in the* ~ am Nachmittag, nachmittags; *this* ~ heute nachmittag; ~ *of life* Herbst des Lebens; → *good 1*; **'~·pains** *s. pl.* ⚕ Nachwehen *pl.*; **'~·play** *s.* (sexu'elles) Nachspiel; **'~-shave lotion** *s.* After-shave-Lotion *f*, Rasierwasser *n*; **'~·taste** *s.* Nachgeschmack *m* (*a. fig.*); **'~·thought** *s.* nachträglicher Einfall; **'~-treatment** *s.* ⚕ Nachbehandlung *f*, -kur *f*.

aft·er|·ward ['ɑːftəwəd] *Am.*, **'~-wards** [-dz] *Brit.*, *Am. adv.* später, nach'her, nachträglich.

a·ga ['ɑːgə] *s.* 'Aga *m* (*Titel in der Türkei u. im Mittleren Osten*).

a·gain [ə'gen] *adv.* **1.** 'wieder(um), von neuem, nochmals: *come* ~! komm wieder!; ~ *and* ~ immer wieder; *now and* ~ hin und wieder; *to be o.s.* ~ wieder gesund *od.* der alte sein; **2.** schon wieder: *that fool* ~ schon wieder dieser Narr!; *what's his name* ~? F wie heißt er doch schnell?; **3.** außerdem, noch da'zu: ~ *we must remember* ferner müssen wir bedenken; **4.** noch einmal: *as much* ~ noch einmal so viel; *half as much* ~ anderthalbmal so viel; **5.** *a. then* ~ andererseits, da'gegen, aber: *these* ~ *are more expensive.*

a·gainst [ə'genst] *prp.* **1.** gegen, wider, entgegen: ~ *the law; to run (up)* ~ *s.o.* j-n zufällig treffen; **2.** gegen, gegen'über: *my rights* ~ *the landlord; over* ~ *the town hall* gegenüber dem Rathaus; **3.** auf ... (*acc.*) zu, an (*dat. od. acc.*), vor (*dat. od. acc.*), gegen: ~ *the wall;* **4.** *a. as* ~ verglichen mit; **5.** in Erwartung (*gen.*), für.

a·gape [ə'geip] *adv. u. adj.* gaffend, mit offenem Munde (*vor Staunen*).

a·gar·ic ['ægərik] *s.* ⚘ Blätterpilz *m*, -schwamm *m*; → *fly agaric.*

ag·ate ['ægət] *s.* **1.** *min.* A'chat *m*; **2.** *Am.* bunte Glasmurmel; **3.** *typ. Am.* Pa'riser Schrift *f.*

a·ga·ve [ə'geivi] *s.* ⚘ A'gave *f.*

age [eidʒ] **I.** *s.* **1.** (Lebens)Alter *n*, Lebensdauer *f*: *what is his* ~ *od. what* ~ *is he?* wie alt ist er?; *ten years of* ~ 10 Jahre alt; *at the* ~ *of* im Alter von; *at his* ~ in seinem Alter; *he does not look his* ~ man sieht ihm sein Alter nicht an; *over* ~ über die Altersgrenze; *the* ~ *of this building;* **2.** Zeit *f* der Reife: (*to come*) *of* ~ mündig *od.* volljährig (werden); *under* ~ minderjährig; **3.** *a. old* ~ Alter *n*: ~ *before beauty* Alter kommt vor Schönheit; **4.** Zeit *f*, Zeitalter *n*; Menschenalter *n*, Generati'on *f*: *Ice* ♀ Eiszeit; *the* ~ *of Queen Victoria; in our* ~ in unserer (*od.* der heutigen) Zeit; *down the* ~*s* durch die Jahrhunderte; **5.** *oft pl.* F lange Zeit, Ewigkeit *f*: *I haven't seen him for* ~*s* ich habe ihn seit e-r Ewigkeit nicht gesehen; **II.** *v/t.* **6.** alt machen; ⊕ altern, vergüten; **III.** *v/i.* **7.** alt werden, altern; **aged** [eidʒd] *adj.* ... Jahre alt: ~ *twenty;* **a·ged** ['eidʒid] *adj.* bejahrt, betagt; **'age-group** *s.* Altersklasse *f*, Jahrgang *m*; **age·ing** → *aging.*

age·less ['eidʒlis] *adj.* nicht alternd, zeitlos; **'age-lim·it** *s.* Altersgrenze *f*; **'age·long** *adj.* lebenslänglich, dauernd.

a·gen·cy ['eidʒənsi] *s.* **1.** (Trieb-) Kraft *f*, (ausführendes) Or'gan, Werkzeug *n* (*fig.*); **2.** Tätigkeit *f*, Wirkung *f*; **3.** Vermittlung *f*, Mittel *n*: *by od. through the* ~ *of;* **4.** ✝ Agen'tur *f*: **a)** Vertretung *f*, **b)** Bü'ro *n od.* Amt *n* e-s A'genten; **5.** Geschäfts-, Dienststelle *f*; Amt *n*, Behörde *f*; ~ **busi·ness** *s.* Kommissi'onsgeschäft *n.*

a·gen·da [ə'dʒendə] *s.* Tagesordnung *f.*

a·gent ['eidʒənt] *s.* **1.** Handelnde(r *m*) *f*, Urheber(in): *free* ~ selbständig Handelnde(r); **2.** ⚗, ⚕, *biol., phys.* 'Agens *n*, Wirkstoff *m*, (bewirkende Kraft *od.* Ursache, Mittel *n*, Werkzeug *n*: *protective* ~ Schutzmittel; **3.** ✝ A'gent *m* (*a. pol.*), Vertreter *m*, Bevollmächtigte(r *m*) *f*, Verwalter *m*, Vermittler *m*; Handlungsreisende(r *m*) *f.*

a·gent pro·vo·ca·teur [aʒɑ̃ prɔvɔkatœ:r] *pl.* **a·gents pro·vo·ca·teurs** [aʒɑ̃; -tœ:r] (*Fr.*) *s.* Lockspitzel *m.*

'age|-old *adj.* uralt; **'~-worn** [wɔ:n] *adj.* altersschwach.

Ag·ge·us [ə'gi:əs] → *Haggai.*

ag·glom·er·ate I. *v/t. u. v/i.* [ə'glɔməreit] **1.** (sich) zs.-ballen, (sich) an- *od.* aufhäufen; **II.** *s.* [-rit] **2.** angehäufte Masse; **3.** ⊕, *geol., phys.* Agglome'rat *n*; **III.** *adj.* [-rit] **4.** zs.-geballt, gehäuft; **ag·glom·er·a·tion** [əglɔmə'reiʃən] *s.* Zs.-ballung *f*; Anhäufung *f*; (wirrer) Haufen.

ag·glu·ti·nate I. *adj.* [ə'glu:tinit] **1.** zs.-geklebt, verbunden; **2.** *ling.* agglutiniert; **II.** *v/t.* [-neit] **3.** zs.-kleben, verbinden; **4.** *biol., ling.* agglutinieren; **ag·glu·ti·na·tion** [əglu:ti'neiʃən] *s.* **1.** Zs.-kleben *n*; anein'anderklebende Masse; **2.** *biol., ling.* Agglutinati'on *f*; **ag'glu·ti·na·tive** [-nətiv] *adj. bsd. ling.* agglutinierend.

ag·gran·dize [ə'grændaiz] *v/t.* **1.** *Macht, Reichtum* heben, erhöhen, vermehren; **2.** verherrlichen, ausschmücken, bereichern; **ag'gran·dize·ment** [-dizmənt] *s.* Vermehrung *f*, Erhöhung *f*, Beförderung *f*, Aufstieg *m.*

ag·gra·vate ['ægrəveit] *v/t.* **1.** erschweren, verschärfen, verschlimmern; verstärken: ~*d larceny* ⚖ schwerer Diebstahl; **2.** F erbittern, ärgern; **'ag·gra·vat·ing** [-tiŋ] *adj.* ☐ **1.** erschwerend, verschlimmernd; **2.** F ärgerlich, unangenehm; **ag·gra·va·tion** [ægrə'veiʃən] *s.* **1.** Erschwerung *f*, Verschlimmerung *f*, erschwerender 'Umstand; **2.** F Ärger *m.*

ag·gre·gate ['ægrigit] **I.** *adj.* ☐ **1.** angehäuft, vereinigt, gesamt; **2.** zs.-gesetzt, Sammel...; **II.** *s.* **3.** Anhäufung *f*; (Gesamt)Menge *f*; Summe *f*: *in the* ~ insgesamt; **4.** ⚡, ⊕, *biol.* Aggre'gat *n*; **III.** *v/t.* [-geit] **5.** anhäufen, ansammeln; vereinigen (*to* mit); **6.** sich insgesamt belaufen auf (*acc.*); **ag·gre·ga·tion** [ægri'geiʃən] *s.* **1.** Anhäufung *f*, Ansammlung *f*; Zs.-fassung *f*; **2.** *phys.* Aggre'gat *n*: *state of* ~ Aggregatzustand.

ag·gres·sion [ə'greʃən] *s.* Angriff *m*, 'Überfall *m*; Aggressi'on *f* (*a. pol.*); 'Übergriff *m*; **ag'gres·sive** [-esiv] *adj.* ☐ **1.** aggres'siv, streitsüchtig, angriffslustig; **2.** forsch, aufdringlich; **3.** rührig, 'übereifrig; **ag'gres·sor** [-esə] *s.* Angreifer *m.*

ag·grieved [ə'gri:vd] *adj.* **1.** bedrückt, betrübt; **2.** geschädigt, betroffen.

a·ghast [ə'gɑ:st] *adj.* entgeistert, entsetzt (*at* über *acc.*).

ag·ile ['ædʒail] *adj.* ☐ flink, be'hend(e); rege, hell (*Verstand*); **a·gil·i·ty** [ə'dʒiliti] *s.* Flinkheit *f*, Be'hendigkeit *f*; Aufgewecktheit *f.*

ag·ing ['eidʒiŋ] **I.** *s.* **1.** Altern *n*; **2.** ⊕ Alterung *f*, Vergütung *f*; **II.** *p.pr. u. adj.* **3.** alternd.

ag·i·o ['ædʒou] *pl.* **ag·i·os** *s.* ✝ 'Agio *n*, Auf-, Wechselgeld *n*; **ag·i·o·tage** ['ædʒətidʒ] *s.* Agio'tage *f*, Wechsel- *od.* Börsengeschäft *n.*

ag·i·tate ['ædʒiteit] **I.** *v/t.* **1.** hin und her bewegen, schütteln; (um)rühren; **2.** *fig.* beunruhigen, auf-, erregen; aufwiegeln; **3.** erwägen, lebhaft erörtern; **II.** *v/i.* **4.** agitieren, wühlen, hetzen; Propa'ganda machen (*for* für, *against* gegen); **'ag·i·tat·ed** [-tid] *adj.* ☐ aufgeregt; **ag·i·ta·tion** [ædʒi'teiʃən] *s.* **1.** Erschütterung *f*, heftige Bewegung; **2.** Aufregung *f*, Unruhe *f*; **3.** Agitati'on *f*, Hetze'rei *f*; Bewegung *f*, Gärung *f*; **'ag·i·ta·tor** [-tə] *s.* **1.** Agi'tator *m*, Aufwiegler *m*, Wühler *m*, Hetzer *m*; **2.** ⊕ 'Rührappa,rat *m.*

a·glow [ə'glou] *adv. u. adj.* glühend, gerötet; *fig.* glühend, erregt (*with* von, vor *dat.*).

ag·nate ['ægneit] **I.** *s.* **1.** A'gnat *m* (*Verwandter väterlicherseits*); **II.** *adj.* **2.** väterlicherseits verwandt; **3.** stamm-, wesensverwandt; **ag·nat·ic** *adj.*; **ag·nat·i·cal** [æg'nætik(əl)] *adj.* ☐ → *agnate 2, 3;* **ag·na·tion** [æg'neiʃən] *s.* **1.** Verwandtschaft *f* väterlicherseits; **2.** Stamm-, Wesensverwandtschaft *f.*

ag·no·men [æg'noumen] *pl.* **-nom·i·na** [-'nɔminə] *s. antiq.* Bei-, Zuname *m.*

ag·nos·tic [æg'nɔstik] **I.** *s.* A'gnostiker *m*; **II.** *adj.* → *agnostical;* **ag'nos·ti·cal** [-kəl] *adj.* a'gnostisch; **ag'nos·ti·cism** [-tisizəm] *s.* Agnosti'zismus *m.*

Ag·nus De·i ['ɑ:gnus'deii:] (*Lat.*) *s. eccl. das* Lamm Gottes.

a·go [ə'gou] *adv. u. adj.* (*nur nachgestellt*) vergangen, vor'über, her, vor: *ten years* ~ vor zehn Jahren; *long, long* ~ lang, lang ist's her; *no longer* ~ *than last month* erst vorigen Monat.

a·gog [ə'gɔg] *adv. u. adj.* gespannt, erpicht (*for* auf *acc.*): *all* ~ (*to inf.* zu *inf.*).

ag·o·nize ['ægənaiz] **I.** *v/t.* **1.** quälen, martern; **II.** *v/i.* **2.** Todespein erdulden; **3.** sich (ab)quälen, verzweifelt ringen; **'ag·o·niz·ing** [-ziŋ] *adj.* ☐ quälend, herzzerreißend; **'ag·o·ny** [-ni] *s.* **1.** heftiger Schmerz; Qual *f*, Pein *f*, Seelenangst *f*: ~ *of despair;* ~ *column* F *bsd. Brit. Zeitung*: Seufzerspalte (*in der persönliche Verluste angezeigt werden*); **2.** ♀ Ringen *n* Christi mit dem Tode; **3.** (Todes)Kampf *m*: *death-*~.

ag·o·ra·pho·bi·a [ægərə'foubjə] *s.* ⚕ Platzangst *f.*

a·grar·i·an [ə'grɛəriən] **I.** *adj.* **1.** a'grarisch, landwirtschaftlich, Agrar...: ~ *unrest* Unruhe in der Landwirtschaft; **2.** gleichmäßige Landaufteilung betreffend; **II.** *s.* **3.** A'grarier *m*; **4.** Befürworter *m* gleichmäßiger Aufteilung des (Acker)Landes; **a'grar·i·an·ism** [-nizəm] *s.* **1.** Lehre *f* von der gleichmäßigen Aufteilung des (Acker)Landes; **2.** Bewegung *f* zur Förderung der Landwirtschaft.

a·gree [ə'gri:] **I.** *v/i.* **1.** (*to*) zustimmen (*dat.*), einwilligen (in *acc.*), beipflichten (*dat.*), genehmigen (*acc.*), einverstanden sein (mit), eingehen (auf *acc.*), gutheißen (*acc.*): *to* ~ *to a plan; I* ~ *to come with you* ich bin bereit mitzukommen; *you will ~ that* du mußt zugeben, daß; **2.** (*on, upon, about*) sich einigen *od.* verständigen (über *acc.*); vereinbaren, verabreden (*acc.*): *they ~d about the price; we ~d to differ* wir einigten uns dahin, daß wir verschiedener Meinung waren; **3.** über'einkommen, vereinbaren (*to inf.* zu *inf.*, *that* daß): *it is ~d* es ist vereinbart, es steht fest; **4.** (*with* mit) über'einstimmen (*a. ling.*), (sich) einig sein, gleicher Meinung sein: *I ~ that your advice is best* auch ich bin der Meinung, daß Ihr Rat der beste ist; **5.** sich vertragen, auskommen, zs.-passen, sich vereinigen (lassen); **6.** bekommen, zuträglich sein (*with dat.*): *wine does not ~ with me* Wein bekommt mir nicht; **II.** *v/t.* **7.** ✝ *Bücher etc.* abstimmen, in Einklang bringen.

a·gree·a·ble [ə'griəbl] *adj.* ☐ → *agreeably*; **1.** angenehm; gefällig, liebenswürdig; **2.** einverstanden (*to* mit): *~ to the plan*; **3.** F bereit, gefügig; **4.** (*to*) über'einstimmend (mit), entsprechend (*dat.*): *~ to the rules*; **a'gree·a·ble·ness** [-nis] *s.* angenehmes Wesen; Annehmlichkeit *f*; **a'gree·a·bly** [-li] *adv.* **1.** angenehm: *~ surprised*; **2.** entsprechend (*to dat.*): *~ to his instructions.*

a·greed [ə'gri:d] *adj.* **1.** einig (*on* über *acc.*); einmütig: *~ decisions*; **2.** vereinbart: *the ~ price*; *~!* abgemacht!, einverstanden!; **a'gree·ment** [-mənt] *s.* **1.** Abkommen *n*, Vereinbarung *f*, Einigung *f*, Verständigung *f*, Über'einkunft *f*, Vertrag *m*: *to come to an ~* sich einigen, sich verständigen; *by mutual ~* in gegenseitigem Einvernehmen; *~ country (currency)* ✝ Verrechnungsland (-währung); **2.** Einigkeit *f*, Eintracht *f*; **3.** Über'einstimmung *f* (*a. ling*), Einklang *m*; **4.** Genehmigung *f*, Zustimmung *f*.

ag·ri·cul·tur·al [ægri'kʌltʃərəl] *adj.* ☐ landwirtschaftlich, Ackerbau (u. Viehzucht) treibend *od.* betreffend, Landwirtschaft(s)...: *~ labo(u)rer* Landarbeiter; *~ show* Landwirtschaftsausstellung; **ag·ri'cul·tur·al·ist** [-rəlist] *s.* Landwirt *m*; **ag·ri·cul·ture** ['ægrikʌltʃə] *s.* Landwirtschaft *f*, Ackerbau *m* (u. Viehzucht *f*); **ag·ri'cul·tur·ist** [-tʃərist] *s.* Landwirt *m*.

ag·ri·mo·ny ['ægriməni] *s.* ⚘ Acker-, Odermennig *m*: *noble ~* Leberblümchen.

ag·ro·nom·ic *adj.*; **ag·ro·nom·i·cal** [ægrə'nɔmik(əl)] *adj.* ☐ Ackerbaukunde betreffend; **ag·ro'nom·ics** [-ks] *s. pl. sg. konstr.* Agrono'mie *f*, Ackerbaukunde *f*; **a·gron·o·mist** [ə'grɔnəmist] *s.* Agro'nom *m*, aka'demisch gebildeter Landwirt; **a·gron·o·my** [ə'grɔnəmi] → *agronomics*.

a·ground [ə'graund] *adv. u. adj.* ⚓ gestrandet: *to run ~* auflaufen, stranden, auf (den) Strand setzen; *to be ~* **a)** aufgelaufen sein, **b)** *fig.* auf dem trocknen *od.* in der Klemme sitzen.

a·gue ['eigju:] *s.* Fieber-, Schüttelfrost *m*; (Wechsel)Fieber *n*; **a·gu·ish** ['eigju:iʃ] *adj.* ☐ fieberhaft, fieb(e)rig.

ah [ɑ:] *int.* ah, ach, oh, ha, ei!

a·ha [ɑ(:)'hɑ:] *int.* a'ha, ha'ha!

a·head [ə'hed] *adv. u. adj.* **1.** vorn, nach vorn; be'vorstehend; vor'aus, vorwärts; einen Vorsprung habend, an der Spitze: *right* (*od. straight*) *~* geradeaus; *full speed ~* ⚓ volle Kraft *od.* mit Volldampf voraus; *to go ~* vorgehen, vorankommen; *go ~!* vorwärts!, fahr fort!; *to go ~ with s.th.* et. vorantreiben, mit et. fortfahren; *to look ~* vorausschauen; *look ~!* **a)** sieh dich vor!, **b)** *fig.* denk an die Zukunft!; *to get ~* F vorwärtskommen, Karriere machen; **2.** *~ of* vor (*dat.*) vor'aus: *to be ~ of the others* vor den anderen sein, den anderen voraus sein, die anderen übertreffen; *to get ~ of s.o.* j-n überholen *od.* überflügeln; *~ of the times* der *od.* s-r Zeit voraus.

a·hem [m'mm; ə'hem] *int.* hm!

a·hoy [ə'hɔi] *int.* ⚓ ho!, a'hoi!

aid [eid] **I.** *v/t.* **1.** unter'stützen, fördern; *j-m* helfen, behilflich sein (*in* bei, *to inf.* zu *inf.*): *to ~ and abet* ⚖ Vorschub leisten (*dat.*); **II.** *s.* **2.** Hilfe *f* (*to* für), -leistung *f* (*in* bei), Unter'stützung *f*: *he came to her ~* er kam ihr zu Hilfe; *by od. with (the) ~ of* mit Hilfe von; *in ~ of* zugunsten von (*od. gen.*); **3.** Helfer(in); **4.** **Hilfsmittel** *n*, -gerät *n*, Mittel *n*: *hearing-~* Hörhilfe, -gerät; *~s and appliances.*

aide [eid] *s.* **1.** ⚔ → *aid(e)-de-camp*; **2.** Gehilfe *m*.

aid(e)-de-camp ['eiddə'kɑ̃:ŋ] *pl.* **'aid(e)s-de-'camp** ['eidz-] *s.* ⚔ Adju'tant *m*.

ai·grette ['eigret] *s.* **1.** *orn.* kleiner, weißer Reiher; **2.** Kopfschmuck *m* (*aus Federn etc.*).

ail [eil] **I.** *v/t.* schmerzen: *what ~s you?* was fehlt dir?; **II.** *v/i.* kränkeln.

ai·lan·thus [ei'lænθəs] *s.* ⚘ Götterbaum *m*.

ai·ler·on ['eilərɔn] (*Fr.*) *s.* ✈ Querruder *n*.

ail·ing ['eiliŋ] *adj.* kränklich, leidend; **ail·ment** ['eilmənt] *s.* Unpäßlichkeit *f*, Leiden *n*.

aim [eim] **I.** *v/i.* **1.** zielen (*at* auf *acc.*, nach); **2.** *fig. et.* beabsichtigen, im Sinn(e) haben, erstreben: *~ing to please* zu gefallen suchend; **3.** abzielen, anspielen (*at* auf *acc.*): *that was not ~ed at you* das war nicht auf dich gemünzt; **II.** *v/t.* **4.** *Waffe* richten (*at* auf *acc.*); **5.** (*at*) *Bemerkungen* richten (gegen); *Bestrebungen* richten (auf *acc.*); **III.** *s.* **6.** Ziel *n*, Richtung *f*: *to take ~ at* zielen auf (*acc.*) *od.* nach; **7.** Ziel *n*, Zweck *m*, Absicht *f*; **'aim·less** [-lis] *adj.* ☐ zwecklos, ziellos; **'aim·less·ness** [-lisnis] *s.* Ziel-, Planlosigkeit *f*.

ain't [eint] V *abbr. für*: *am not, is not, are not, has not, have not.*

air[1] [ɛə] **I.** *s.* **1.** Luft *f*, Atmo'sphäre *f*, Luftraum *m*: *by ~* auf dem Luftwege, mit dem Flugzeug; *in the open ~* im Freien; *hot ~ sl.* leeres Geschwätz, blauer Dunst; → *beat 11*; *to dissolve into thin ~ fig.* sich in nichts auflösen; *change of ~* Luftveränderung; *to take the ~* **a)** frische Luft schöpfen, **b)** ✈ aufsteigen, starten; *to walk on ~* sich wie im Himmel fühlen; *to be in the ~ fig.* in der Luft liegen; (*quite up*) *in the ~* ungewiß; **2.** Brise *f*, Luftzug *m*, Lüftchen *n*; **3.** ⚒ Wetter *n*: *foul ~* schlagende Wetter; **4.** *Radio, Fernsehen*: 'Äther *m*: *on the ~* im Rundfunk; *to put on the ~* senden; *to be* (*od. go*) *on the ~* sprechen (*Person*), gesendet werden (*Nachrichten etc.*); *to go off the ~* die Sendung beenden; **5.** Art *f*, Stil *m*; **6.** Miene *f*, Aussehen *n*, Wesen *n*: *an ~ of importance* e-e gewichtige Miene; **7.** *mst pl.* Getue *n*, Al'lüre *f*, Ziere'rei *f*: *to put on* (*od. give o.s.*) *~s* vornehm tun; **II.** *v/t.* **8.** der Luft aussetzen, lüften; **9.** **a)** *Wäsche* trocknen, zum Trocknen aufhängen, **b)** *Wäsche od. Bett* anwärmen; **10.** *Getränke* abkühlen; **11.** an die Öffentlichkeit bringen, zur Schau tragen: *to ~ one's grievances*; **12.** *~ o.s.* frische Luft schöpfen; **III.** *adj.* **13.** Luft..., pneu'matisch.

air[2] [ɛə] *s.* ♪ Arie *f*, Lied *n*, Melo'die *f*, Weise *f*.

air| a·lert *s.* 'Flieger-, 'Luftaˌlarm *m*; **~ arm** *s.* ✈ *Brit.* Luftwaffe *f*, Luftstreitkräfte *pl.*; **~ bar·rage** *s.* ✈ Luftsperre *f*; **'~-base** *s.* ✈ Flugstützpunkt *m*, 'Fliegerstatiˌon *f*, -horst *m*; **'~-bath** *s.* Luftbad *n*; **~ bea·con** *s.* ✈ Leuchtfeuer *n*; **'~-bed** *s.* 'Luftmaˌtratze *f*; **'~-blad·der** *s. zo.* Schwimmblase *f der Fische*; **'~-borne** *adj.* **1.** im Flugzeug befördert *od.* eingebaut: *~ troops* Luftlandetruppen; **2.** Bord...: *~ equipment*; **3.** in der Luft befindlich, aufgestiegen, auf dem Luftwege; **'~-brake** *s.* ⊕ Druckluftbremse *f*; **'~-brick** *s.* ⊕ Luftziegel *m*, Ventilati'onsstein *m*; **'~-bridge** *s.* Luftbrücke *f* (*durch Lufttransport*); **'~-bub·ble** *s.* Luftblase *f*; **'~-bump** *s.* ✈ Bö *f*, aufsteigender Luftstrom; **~ cas·ing** *s.* ⊕ Luftmantel *m um e-e Röhre*; **'~-cham·ber** *s.* **1.** ⚘, *zo.* Luftkammer *f*; **2.** ⊕ Luftkasten *m*, -kammer *f*, Windkessel *m*; **~ com·pres·sor** *s.* ⊕ Luftverdichter *m*, Preßlufterzeuger *m*; **'~-con·di·tion** *v/t.* ⊕ mit 'Klimaanlage versehen; **'~-con·di·tioned** *adj.* 'klimageregelt, luftgekühlt; **'~-con·di·tion·ing** *s.* ⊕ Luftreinigung *f*, Klimatisierung *f*: *~ plant* Klimaanlage; **'~-cooled** *adj.* luftgekühlt; **2 Corps** *s. hist. Am.* Luftwaffe *f*, Luftstreitkräfte *pl.*; **~ cor·ri·dor** *s.* 'Luftˌkorridor *m*, Einflugschneise *f*; **~ cov·er** *s.* Luftsicherung *f*.

'air·craft *s.* Flugzeug *n*; *coll.* Flugzeuge *pl.*; **~ car·ri·er** *s.* Flugzeugträger *m*, -mutterschiff *n*; **'~-en·gine** *s.* 'Flugˌmotor *m*; **~ in·dus·try** *s.* 'Luftfahrt-, 'Flugzeugindu,strie *f*; **'~·man** [-mən] *s.* [*irr.*] *Brit.* Flieger *m* (*Dienstgrad*); **~ shed** *s.* Flugzeughalle *f*; **~ weap·ons** *s. pl.* Bordwaffen *pl.*

air| crew *s.* ✈ Besatzung *f* e-s Flugzeuges; **'~-cure** *v/t.* ⊕ *Tabak etc.* e-r Luftbehandlung aussetzen; **'~-cush·ion** *s.* **1.** Luftkissen *n*;

2. ⊕ Luftkammer *f*; ~ **de·fence**, *Am.* ~ **de·fense** *s.* ⚔ Luftschutz *m*, -verteidigung *f*, Fliegerabwehr *f*; '~**drome** *s. Am.* Flughafen *m*, -platz *m*; '~**drop** *v/t.* vom Flugzeug abwerfen; ~ **duct** *s.* ⊕ 'Luft(ˌzuführungs)kaˌnal *m*.

Aire·dale ['ɛədeil] *s. zo.* 'Airdaleˌterrier *m*.

air| ed·dy *s.* ✈ Luftstrudel *m*; '~**ex·haust·er** *s.* ⊕ Entlüfter *m*; '~**field** *s.* ✈ Flugplatz *m*, -hafen *m*; ~ **force**, 2 **Force** *s.* ✈ Luftwaffe *f*, Luftstreitkräfte *pl.*; '~**frame** *s.* ✈ Flugzeuggerippe *n*; '~**graph** *s.* 'Photoluftpostbrief *m*; '~**gun** *s.* Luftgewehr *n*; '~**gun·ner** *s.* ✈ Bordschütze *m*; ~ **host·ess** *s.* ✈ 'Luftˌstewardeß *f*.

air·i·ly ['ɛərili] *adv.* **1.** 'leichtfertig, -'hin, sorglos; **2.** affektiert, hochtrabend; '**air·i·ness** [-nis] *s.* **1.** luftige Lage; **2.** Leichtigkeit *f*; Munterkeit *f*; **3.** Leichtfertigkeit *f*; '**air·ing** [-riŋ] *s.* **1.** Lüftung *f*, Trocknen *n*, Anwärmen *n*; **2.** Spaziergang *m*: *to take an* ~ frische Luft schöpfen; **3.** Zur'schaustellen *n*.

'**air|-jack·et** *s.* **1.** Schwimmweste *f*; **2.** ⊕ Luftmantel *m*; ~ **jet** *s.* ⊕ Luftstrahl *m*, -düse *f*; ~ **lane** *s. festgelegte* Luftroute, Flugschneise *f*.

air·less ['ɛəlis] *adj.* **1.** ohne Luft (-zug); **2.** dumpf.

air| let·ter *s.* Luftpostbrief *m* (*auf amtlichem Formular*); ~ **lev·el** *s.* ⊕ Li'belle *f*, Setzwaage *f*; '~**lift I.** *s.* Versorgung *f* auf dem Luftwege; Luftbrücke *f*; **II.** *v/t.* auf dem Luftwege befördern; '~**line** *s.* 'Luftverkehrsˌlinie *f*, -gesellschaft *f*; ~ **lin·er** *s.* ✈ Verkehrsflugzeug *n*; ~ **mail** *s.* Luftpost *f*; '~**mail** *v/t.* mit Luftpost befördern; '~**man** [-mæn] *s.* [*irr.*] Flieger *m*; '~**me'chan·ic** *s.* ✈ 'Bordmonˌteur *m*; '~**mind·ed** *adj.* ✈ luft(fahrt)-begeistert; '~**mind·ed·ness** *s.* ✈ Flugbegeisterung *f*; ~ **pas·sage** *s.* **1.** *biol.*, ⚕ Luft-, Atemweg *m*; **2.** ⊕ Luftschlitz *m*; '~**pas·sen·ger** *s.* ✈ Fluggast *m*; ~ **pho·to(·graph)** *s.* ✈ Luftbild *n*, -aufnahme *f*; '~**plane** *s.* ✈ *bsd. Am.* Flugzeug *n*; '~**plane car·ri·er** *bsd. Am.* → *aircraft carrier*; '~**pock·et** *s.* Fallbö *f*, Luftloch *n*; ~ **pol·lu·tion** *s.* Luftverschmutzung *f*; '~**port** *s.* ✈ Flughafen *m*, -platz *m*; '~**proof** *adj.* luftbeständig, -dicht; '~**pump** *s.* ⊕ Luftpumpe *f*; ~ **raft** *s.* Schlauchboot *n*; ~ **raid** *s.* Luftangriff *m*; ~ **raid·er** *s.* angreifendes (feindliches) Flugzeug.

'**air-raid| pre·cau·tions** *s. pl.* Luftschutz *m*; ~ **shel·ter** *s.* Luftschutzraum *m*, -keller *m*, (Luftschutz-) Bunker *m*; ~ **ward·en** *s.* Luftschutzwart *m*; ~ **warn·ing** *s.* 'Fliegerwarnung *f*, -aˌlarm *m*.

'**air|-route** *s.* ✈ Flugroute *f*; ~ **sched·ule** *s.* Flugplan *m*; '~**screw** *s.* ✈ Luftschraube *f*, 'Flugzeugproˌpeller *m*; '~**shaft** *s.* ⊕ Luftschacht *m*; '~**ship** *s.* Luftschiff *n*; '~**sick** *adj.* luftkrank; '~**sick·ness** *s.* Luftkrankheit *f*; ~ **speed** *s.* ✈ Fluggeschwindigkeit *f*; ~ **strip** *s.* ✈ **1.** Behelfslandeplatz *m*; **2.** *Am.* Roll-, Start-, Landebahn *f*; '~**tax·i** *s.* ✈ Lufttaxi *n*; ~ **tee** *s.* ✈ Landekreuz *n*; ~ **ter·mi·nal** *s.* ✈ **1.** Großflughafen *m*; **2.** *Brit.* 'Endstatiˌon *f* der 'Zubringerˌlinie zum und vom Flughafen; '~**tight** *adj.* **1.** luftdicht; **2.** *fig.* todsicher; '~**traf·fic con·trol** *s.* ✈ Flugsicherung *f*; '~**traf·fic con·trol·ler** *s.* ✈ Fluglotse *m*; '~**tube** *s* ⊕ Luftschlauch *m*; ~ **um·brel·la** *s.* ✈ Luftschirm *m*; '~**way** *s.* **1.** ⊕, ⚒ Wetterstrecke *f*, Luftschacht *m*; **2.** ✈ Luft(verkehrs)weg *m*, Luftroute *f*; '~**wom·an** *s.* [*irr.*] Fliegerin *f*; '~**wor·thi·ness** *s.* ✈ Lufttüchtigkeit *f*; '~**wor·thy** *adj.* ✈ lufttüchtig.

air·y ['ɛəri] *adj.* □ → *airily*; **1.** die Luft betreffend, Luft...; **2.** luftig, leicht, dünn, 'durchsichtig; **3.** lebhaft, leichtfertig; **4.** nichtig, hohl; **5.** F hochtrabend, affektiert.

aisle [ail] *s.* **1.** △ Seitenschiff *n*, -chor *m* (*e-r Kirche*); **2.** Schiff *n*, Abteilung *f* (*e-r Kirche od. e-s Gebäudes*); **3.** (Mittel)Gang *m* (*zwischen Bänken, Tischen etc.*); **4.** *fig.* Schneise *f*.

aitch [eitʃ] *s.* H *n*, h *n* (*Buchstabe*): *to drop one's* ~*es* das H nicht aussprechen (*Zeichen der Unbildung*); '**aitch·bone** *s.* Lendenknochen *m*, -stück *n* (*vom Rind*).

a·jar[1] [ə'dʒɑː] *adv. u. adj.* halb offen, angelehnt.

a·jar[2] [ə'dʒɑː] *adv. u. adj. fig.* im Zwiespalt.

a·kim·bo [ə'kimbou] *adv.* in die Seite gestemmt (*Arme*).

a·kin [ə'kin] *adj.* **1.** (bluts- *od.* stamm)verwandt (*to* mit); **2.** verwandt; sehr ähnlich (*to dat.*).

à la [ɑːlɑː] (*Fr.*) nach ... Art, wie.

al·a·bas·ter ['æləbɑːstə] **I.** *s. min.* Ala'baster *m*; **II.** *adj.* ala'bastern, ala'basterweiß.

à la carte [ɑːlɑː'kɑːt] (*Fr.*) *adv.* nach der (Speise)Karte.

a·lack [ə'læk] *int. obs.* ach!, o weh!

a·lac·ri·ty [ə'lækriti] *s.* **1.** Heiterkeit *f*; **2.** Bereitwilligkeit *f*, Eifer *m*.

A·lad·din's lamp [ə'lædinz] *s.* 'Aladins Wunderlampe *f*; *fig.* wunderwirkender 'Talisman.

a·la·mode ['æləmoud], *a.* **à la mode** [ɑːlɑː'moud] (*Fr.*) *adj.* **1.** *Brit.* gespickt u. geschmort: *beef* ~ Schmorbraten; **2.** *Am.* mit einer Porti'on Speiseeis dar'auf: *cake* ~; *pie* ~.

a·larm [ə'lɑːm] **I.** *s.* **1.** A'larm *m*, Warnruf *m*, Warnung *f*: *false* ~ blinder Alarm, falsche Meldung; *to sound the* ~ Alarm schlagen *od.* blasen; **2.** Wecker *m*, Läutwerk *n* (*e-r Uhr*); **3.** Angst *f*, Unruhe *f*, Bestürzung *f*; **II.** *v/t.* **4.** alarmieren, warnen; **5.** beunruhigen, erschrekken (*at* über *acc.*, *by* durch): *to be* ~*ed* sich ängstigen, bestürzt sein; ~**bell** *s.* A'larm-, Sturmglocke *f*; ~**clock** *s.* Wecker *m* (*Uhr*).

a·larm·ing [ə'lɑːmiŋ] *adj.* □ beunruhigend, beängstigend; **a'larm·ist** [-mist] **I.** *s.* Bangemacher *m*; **II.** *adj.* beunruhigend.

a'larm|-post *s.* Sammelplatz *m* bei A'larm; ~**sig·nal** *s.* ⊕ A'larmzeichen *n*, 'Notsiˌgnal *n*.

a·lar·um [ə'lɛərəm] *s. obs. für alarm*.

a·las [ə'lɑːs] *int.* ach!, o weh!, leider!

alb [ælb] *s. eccl.* Albe *f*, Chorhemd *n*.

Al·ba·ni·an [æl'beinjən] **I.** *adj.* al'banisch; **II.** *s.* Al'ban(i)er(in).

al·ba·tross ['ælbətrɔs] *s. orn.* 'Albatros *m*, Sturmvogel *m*.

al·be·it [ɔːl'biːit] *cj.* ob'gleich, wenn auch.

al·bert ['ælbət] *s. a.* 2 *chain Brit.* kurze Uhrkette.

al·bi·no [æl'biːnou] *pl.* **-nos** *s.* Al'bino *m*, 'Kakerlak *m*.

Al·bion ['ælbjən] *npr. poet.* 'Albion *n*.

al·bum ['ælbəm] *s.* **1.** 'Album *n*, Stammbuch *n*, *a.* 'Schallplattenˌalbum *n*; **2.** *Am.* Gästebuch *n*.

al·bu·men ['ælbjumin] *s.* **1.** *zo.* Eiweiß *n*, Al'bumen *n*; **2.** ⚘, ⚗, ⚕ Eiweiß(stoff *m*) *n*, Albu'min *n*; **al·bu·min** ['ælbjumin] → *albumen* 2; **al·bu·mi·nous** [æl'bjuːminəs] *adj.* eiweißartig, -haltig.

al·chem·ic *adj.*; **al·chem·i·cal** [æl'kemik(əl)] *adj.* □ alchi'mistisch; **al·che·mist** ['ælkimist] *s.* Alchi'mist *m*, Goldmacher *m*; **al·che·my** ['ælkimi] *s.* Alchi'mie *f*.

al·co·hol ['ælkəhɔl] *s.* 'Alkohol *m*: **a)** Sprit *m*, 'Spiritus *m*, Weingeist *m*: *ethyl* ~ Äthylalkohol, **b)** geistige *od.* alko'holische Getränke *pl.*; **al·co·hol·ic** [ælkə'hɔlik] **I.** *adj.* **1.** alko'holisch, 'alkoholartig, -haltig, Alkohol...: ~ *drinks*; ~ *strength* Alkoholgehalt; **II.** *s.* **2.** (Gewohnheits-) Trinker *m*, Alko'holiker *m*; **3.** *pl.* Alko'holika *pl.*, alkoholische Getränke *pl.*; '**al·co·hol·ism** [-lizəm] *s.* 'Alkoholvergiftung *f*, Trunksucht *f*.

Al·co·ran [ælkɔ'rɑːn] → *Koran*.

al·cove ['ælkouv] *s.* Al'koven *m*, Nische *f*; Laube *f*, Grotte *f*.

Al·deb·a·ran [æl'debərən] *s. ast.* Aldeba'ran *m* (*Stern im Stierauge*).

al·de·hyde ['ældihaid] *s.* ⚗ Alde'hyd *m*.

al·der ['ɔːldə] *s.* ⚘ Erle *f*.

al·der·man ['ɔːldəmən] *s.* [*irr.*] Ratsherr *m*, Stadtrat *m*; **al·der·man·ic** [ɔːldə'mænik] *adj.* **1.** *e-n* Ratsherrn betreffend, ratsherrlich: ~ *seat* Ratssitz; **2.** *fig.* würdevoll; '**al·der·man·ry** [-ri] *s.* **1.** Stadtbezirk *m*; **2.** Amt *n* e-s Ratsherrn; '**al·der·man·ship** [-ʃip] → *aldermanry* 2.

Al·der·ney ['ɔːldəni] **I.** *npr.* 'Alderney *n* (*Insel*); **II.** *s.* Alderney Kuh *f*.

al·der·wom·an ['ɔːldəwumən] *s.* [*irr.*] Stadträtin *f*.

ale [eil] *s.* Ale *n*, *englisches* Bier.

a·leck ['ælik] *s. Am.* F → *smart aleck*.

a·lee [ə'liː] *adv. u. adj.* leewärts.

'**ale-house** *s.* 'Bierloˌkal *n*.

a·lem·bic [ə'lembik] *s.* Destillierkolben *m*.

a·lert [ə'ləːt] **I.** *adj.* □ **1.** wachsam, auf der Hut; achtsam; **2.** rege, munter; **II.** *s.* **3.** (A'larm)Bereitschaft *f*: *to be on the* ~ auf der Hut *od.* in Alarmbereitschaft sein; **4.** A'larm(siˌgnal *n*) *m*, Warnung *f*; **III.** *v/t.* **5.** (zur Alarmbereitschaft) aufrufen, mobilisieren, warnen; **a'lert·ness** [-nis] *s.* **1.** Wachsamkeit *f*; **2.** Munterkeit *f*, Flinkheit *f*.

ale·wife ['eilwaif] *s.* **1.** Schankwirtin *f*; **2.** *ichth. Am.* Großaugenhering *m.*

Al·ex·an·drine [ælig'zændrain] *s.* Alexan'driner *m* (*Versart*).

al·fa (grass) ['ælfə] *s.* ⚘ 'Halfa-, 'Alfa-, E'spartogras *n.*

al·fal·fa [æl'fælfə] *s.* ⚘ Lu'zerne *f.*

al·fres·co [æl'freskou] (*Ital.*) *adj. u. adv.* im Freien: ~ *lunch.*

al·ga ['ælgə] *pl.* **-gae** [-dʒi:] *s.* ⚘ Alge *f*, Tang *m.*

al·ge·bra ['ældʒibrə] *s.* ∡ 'Algebra *f*, Buchstabenrechnung *f*; **al·ge·bra·ic** *adj.*; **al·ge·bra·i·cal** [ældʒi'breiik(əl)] *adj.* □ alge'braisch: *algebraic calculus* Algebra.

Al·ge·ri·an [æl'dʒiəriən] **I.** *adj.* al'gerisch; **II.** *s.* Al'gerier(in).

Al·gol ['ælgɔl] *s.* ALGOL *n* (*Computersprache*).

a·li·as ['eiliæs] **I.** *adv.* 'alias, sonst, sonst ... genannt; **II.** *s. pl.* **-as·es** angenommener Name, Deckname *m.*

al·i·bi ['ælibai] **I.** *adv.* **1.** anderswo (*als am Tatort*); **II.** *s.* **2.** ⚖ 'Alibi *n*: *to establish one's* ~ sein Alibi erbringen; **3.** F Ausrede *f*, Entschuldigung *f.*

al·ien ['eiljən] **I.** *adj.* **1.** fremd; ausländisch: ~ *subjects* ausländische Staatsangehörige; **2.** *fig.* andersartig, fernliegend, fremd (*to dat.*); **3.** *fig.* zu'wider, 'unsym,pathisch (*to dat.*); **II.** *s.* **4.** Fremde(r *m*) *f*, Ausländer(in): *enemy* ~ feindlicher Ausländer; ~*s police* Fremdenpolizei; **5.** nicht naturalisierter Bewohner des Landes; **6.** *fig.* Fremdling *m*; **'al·ien·a·ble** [-nəbl] *adj.* veräußerlich; über'tragbar; **'al·ien·age** [-nidʒ] *s.* Ausländertum *n*; **'al·ien·ate** [-neit] *v/t.* **1.** ⚖ veräußern, über'tragen; **2.** entfremden, abspenstig machen (*from dat.*); **al·ien·a·tion** [eiljə'neiʃən] *s.* **1.** ⚖ Veräußerung *f*, Über'tragung *f*; **2.** Entfremdung *f* (*a. psych., pol.*) (*from* von), Abwendung *f*, Abneigung *f*: ~ *of affections* ⚖ Entfremdung; **3.** *a. mental* ~ Geistesgestörtheit *f*; **'al·ien·ist** [-nist] *s.* Irrenarzt *m*, Psychi'ater *m.*

a·light[1] [ə'lait] *pret. u. p.p.* **a'light·ed** [-tid] *v/i.* **1.** ab-, aussteigen; **2.** sich niederlassen, sich setzen (*Vogel*), fallen (*Schnee*): *to* ~ *on one's feet* auf die Füße fallen; **3.** ✈ niedergehen, landen; **4.** (*on*) (zufällig) stoßen (auf *acc.*), antreffen (*acc.*).

a·light[2] [ə'lait] *adj.* brennend, in Flammen (*a. fig.*), erleuchtet (*with* von).

a·lign [ə'lain] **I.** *v/t.* **1.** in e-e (gerade) 'Linie bringen, ausfluchten, in gerader Linie *od.* in Reih und Glied aufstellen; ausrichten (*with* nach); **2.** *fig.* zu e-r Gruppe (*Gleichgesinnter*) zs.-schließen; **3.** ~ *o.s.* (*with*) sich anschließen, sich anpassen (an *acc.*); **II.** *v/i.* **4.** sich in gerader Linie *od.* in Reih und Glied aufstellen; sich ausrichten (*with* nach); **a'lign·ment** [-mənt] *s.* **1.** Anordnung *f* in einer (geraden) Linie, Ausrichten *n* (*von Soldaten etc.*); Anpassung *f*: *in* ~ *with* in 'einer Linie *od.* Richtung mit (*a. fig.*); **2.** ⊕ 'Linien-, Zeilenführung *f*; 'Absteckungs,linie *f*, Trasse *f*; Richten *n*, Ausfluchten *n*; Gleichlauf *m*; **3.** *fig.* Ausrichtung *f*, Gruppierung *f*: ~ *of political forces.*

a·like [ə'laik] **I.** *adj.* gleich, ähnlich: *all things are* ~ *to him* ihm ist alles gleich; **II.** *adv.* gleich, ebenso, in gleichem Maße: *she helps enemies and friends* ~.

al·i·ment ['ælimənt] *s.* Nahrungsmittel *n*, 'Unterhalt *m*; **al·i·men·ta·ry** [æli'mentəri] *adj.* **1.** nahrhaft; **2.** Nahrungs..., Ernährungs...: ~ *canal* Verdauungskanal; **al·i·men·ta·tion** [ælimen'teiʃən] *s.* Ernährung *f*, Verpflegung *f*, Unterhalt *m.*

al·i·mo·ny ['æliməni] *s.* **1.** 'Unterhalt *m*; **2.** Ali'mente *pl.*, 'Unterhaltsbeitrag *m*, -zahlung *f.*

a·line *etc.* → *align etc.*

al·i·quant ['ælikwənt] *adj.* ∡ nicht (*ohne Rest*) aufgehend; **'al·i·quot** [-kwɔt] *adj.* ∡ (*ohne Rest*) aufgehend.

a·live [ə'laiv] *adj.* **1.** lebend, (noch) am Leben: *the proudest man* ~ der stolzeste Mann der Welt; *no man* ~ kein Sterblicher; *man* ~! F Menschenskind!; **2.** tätig, in voller Kraft *od.* Wirksamkeit, im Gange: *to keep* ~ **a)** aufrechterhalten, bewahren, **b)** am Leben bleiben; **3.** lebendig, lebhaft, belebt: ~ *and kicking* F gesund u. munter; *look* ~! F mach flink!, paß auf!; **4.** (*to*) empfänglich (für), Anteil nehmend (an *dat.*), bewußt (*gen.*), achtsam (auf *acc.*); **5.** voll, belebt, wimmelnd (*with* von); **6.** ⚡ Strom führend, geladen.

a·liz·a·rin [ə'lizərin] *s.* ⚗ Aliza'rin *n.*

al·ka·hest ['ælkəhest] *s.* Alka'hest *n*, Univer'sallösungsmittel *n* (*a. fig.*).

al·ka·li ['ælkəlai] ⚗ **I.** *pl.* **-lies** *od.* **-lis** *s.* **1.** Al'kali *n*; **2.** (in wäßriger Lösung) stark al'kalisch reagierende Verbindung: *caustic* ~ Ätzalkali; *mineral* ~ kohlensaures Natron; **3.** *geol.* kalzinierte Soda; **II.** *adj.* **4.** alkalisch: ~ *soil*; **'al·ka·line** [-lain] *adj.* ⚗ alkalisch, al'kalihaltig, basisch; **al·ka·lin·i·ty** [ælkə'liniti] *s.* ⚗ Alkalini'tät *f*, alkalische Eigenschaft; **'al·ka·lize** [-laiz] *v/t.* ⚗ alkalisieren, auslaugen; **'al·ka·loid** [-lɔid] ⚗ **I.** *s.* Alkalo'id *n*; **II.** *adj.* al'kaliartig, laugenhaft.

all [ɔ:l] **I.** *adj.* **1.** all, sämtlich, vollständig, ganz: ~ *the wine* der ganze Wein; ~ *day* (*long*) den ganzen Tag; ~ *the time* die ganze Zeit; *for* ~ *time* für immer; ~ *the way* die ganze Strecke; *with* ~ *my heart* von ganzem Herzen; *with* ~ *respect* bei aller Hochachtung; ~ *Shaw's writings* Shaws sämtliche Schriften; **2.** jeder, jede, jedes (beliebige); alle *pl.*: *at* ~ *hours* zu jeder Stunde; *in* ~ *respects* in jeder Hinsicht; *beyond* ~ *question* fraglos; → *event 3, mean*[3] *3*; **3.** ganz, rein: ~ *wool* reine Wolle; → *all-American*; **II.** *s.* **4.** das Ganze, alles; Gesamtbesitz *m*: *his* ~ **a)** sein Hab u. Gut, **b)** sein ein u. alles; **III.** *pron.* **5.** alles: ~ *of it* alles; ~ *of us* wir alle; ~*'s well that ends well* Ende gut, alles gut; *when* ~ *is said* (*and done*) F letzten Endes, im Grunde genommen; *what is it* ~ *about?* um was handelt es sich?; *the best of* ~ *would be* das allerbeste wäre; ~ *in* ~ alles in allem, vollkommen; *that is* ~ weiter nichts; *is that* ~? **a)** sonst noch et.?, **b)** F schöne Geschichte!; **IV.** *adv.* **6.** ganz, gänzlich, höchst: ~ *wrong* ganz falsch, völlig im Irrtum; *that is* ~ *very fine* (*od. very well*), *but* ... das ist ja ganz schön u. gut, aber ...; *he was* ~ *ears* (*eyes*) er war ganz Ohr (Auge); *she is* ~ *kindness* sie ist die Güte selber; ~ *the better* um so besser; ~ *one* einerlei, gleichgültig; ~ *the same* **a)** ganz gleich, gleichgültig, **b)** gleichwohl, trotzdem, immerhin; → *above 7, after 2, at*[1] *7, but 13, once 4 b*;

Zssgn mit adv. u. prp.:

all| a·long a) der ganzen Länge nach, **b)** F die ganze Zeit, schon immer; ~ **in** *sl.* ‚fertig', ganz ‚erledigt'; ~ **out a)** ‚auf dem Holzweg', **b)** völlig ‚ka'putt', **c)** mit aller Macht: *to be* ~ *for s.th.* mit aller Macht auf et. aussein; ~ **o·ver a)** *es ist* alles aus, **b)** gänzlich: *that is Max* ~ F das sieht Max ähnlich, das ist typisch Max, **c)** am ganzen Körper, **d)** über'all(hin); ~ **right** ganz richtig, in Ordnung, ‚schon gut!'; ~ **round** 'ringsum'her, über'all; ~ **there** F gescheit: *he is not* ~ er ist nicht ganz bei Trost; ~ **up**: *it's* ~ *with him* mit ihm ist's aus; **for** ~ **a)** trotz: ~ *his smartness*; ~ *that* trotzdem, **b)** so'viel: ~ *I know* soviel *od.* soweit ich (davon) weiß; ~ *I care* F was ich mir schon daraus mache!, meinetwegen!; **in** ~ insgesamt.

Al·lah ['ælə] *s. eccl.* 'Allah *m.*

all|-A'mer·i·can *adj.* rein ameri'kanisch, die ganzen USA vertretend; **'~-a'round** *Am.* → *all-round.*

al·lay [ə'lei] *v/t.* beschwichtigen, beruhigen; *Streit* schlichten; mildern, lindern, *Hunger, Durst* stillen.

'all-'clear *s.* Ent'warnungssi,gnal *n*, Entwarnung *f* (*bsd. nach e-m Luftangriff*); *fig.* Genehmigung *f.*

al·le·ga·tion [æle'geiʃən] *s. unerwiesene* Behauptung, Aussage *f*, Vorbringen *n*; Darstellung *f.*

al·lege [ə'ledʒ] *v/t.* **1.** *Unerwiesenes* behaupten, erklären, vorbringen; **2.** vorgeben, vorschützen; **al'leged** [-dʒd] *adj.* □ angeblich, vermeintlich; **al'leg·ed·ly** [-dʒidli] *adv.* angeblich.

al·le·giance [ə'li:dʒəns] *s.* **1.** 'Untertanenpflicht *f*, -treue *f*, -gehorsam *m*: *oath of* ~ Treu-, Untertaneneid; *to change one's* ~ s-e Staats- *od.* Parteiangehörigkeit wechseln; **2.** (*to*) Treue *f* (zu); Anhänglichkeit *f*, Bindung *f* (an *acc.*); Ergebenheit *f*, Gefolgschaft *f.*

al·le·gor·ic *adj.*; **al·le·gor·i·cal** [æle'gɔrik(əl)] *adj.* □ alle'gorisch, (sinn)bildlich; **al·le·go·rize** ['æligəraiz] **I.** *v/t.* allegorisch darstellen; **II.** *v/i.* in Gleichnissen reden; **al·le·go·ry** ['æligəri] *s.* Allego'rie *f*, Sinnbild *n*, sinnbildliche Darstellung, Gleichnis *n.*

al·le·gret·to [æli'gretou] (*Ital.*) *adv.* ♪ alle'gretto, mäßig lebhaft; **al·le·gro** [ə'leigrou] (*Ital.*) *adv.* ♪ al'legro, lebhaft.

al·le·lu·ia [æli'lu:jə] **I.** *s.* Halle'luja *n*, Loblied *n*; **II.** *int.* halleluja!, lobet Gott!

al·ler·gic [ə'lə:dʒik] *adj.* ⚕ all'ergisch, 'überempfindlich (*to* gegen): *to be* ~ *to* F *fig. et. od. j-n* nicht ausstehen können; **al·ler·gy** ['ælədʒi] *s.* **1.** ♀, ⚕, *zo.* Aller'gie *f*, 'Überempfindlichkeit *f*; **2.** F Abgeneigtheit *f*, Abneigung *f*.

al·le·vi·ate [ə'li:vieit] *v/t.* erleichtern, mildern, lindern, (ver)mindern; **al·le·vi·a·tion** [əli:vi'eiʃən] *s.* Erleichterung *f*, Linderung *f*, Milderung *f*.

al·ley ['æli] *s.* **1.** Al'lee *f*; **2.** (schmale) Gasse, Verbindungsgang *m*, 'Durchgang *m* (*a. fig.*): *that's down* (*od. up*) *my* ~ F das ist et. für mich, das ist mein Fall; **3.** Spielbahn *f*; → *bowling-alley, skittle-alley*; '**~·way** *s.* Durchgang *m*, enge Gasse.

All| Fools' Day ['ɔ:l'fu:lzdei] *s.* der 1. A'pril; **⁀ fours 1.** alle vier (*Kartenspiel*); **2.** *on* **~ a)** auf allen vieren, **b)** (*with*) vergleichbar (mit), gleich (*dat.*), entsprechend (*dat.*); **~ Hallows** ['ɔ:l'hælouz] *s.* Aller'heiligen *n*.

al·li·ance [ə'laiəns] *s.* **1.** Verbindung *f*, Verknüpfung *f*; **2.** Bund *m*, Bündnis *n*: *triple* ~ Dreibund; *offensive and defensive* ~ Schutz- und Trutzbündnis; **3.** Heirat *f*, Verwandtschaft *f*, Verschwägerung *f*; **4.** *weitS.* Verwandtschaft *f*; **5.** *fig.* Band *n*, (Inter'essen)Gemeinschaft *f*; **6.** Über'einkunft *f*; **al·lied** [ə'laid; *attr.* 'ælaid] *adj.* **1.** verbündet, alliiert (*with* mit): *the* **⁀** *Powers*; **2.** (art)verwandt (*to* mit): *German is nearly* ~ *to Dutch*; **Al·lies** ['ælaiz] *s. pl.*: *the* ~ die Alliierten, die Verbündeten.

al·li·ga·tor ['æligeitə] *s. zo.* Alli'gator *m*; 'Kaiman *m*; **~ ap·ple** *s.* ♀ Alli'gator-, Hundsapfel *m*; **~ pear** *s.* ♀ Avo'cadobirne *f*, Aba'kate *f*; **~ skin** *s.* Kroko'dilleder *n*.

'all|-im'por·tant *adj.* äußerst wichtig; '**~-'in** *adj. bsd. Brit.* alles inbegriffen.

al·lit·er·ate [ə'litəreit] *v/t.* alliterieren, im Stabreim dichten; **al·lit·er·a·tion** [əlitə'reiʃən] *s.* ˌAlliterati'on *f*, Stabreim *m*; **al'lit·er·a·tive** [-rətiv] *adj.* □ alliterierend.

'all|-'mains *adj.* ⚡ Allstrom..., mit Netzanschluß; '**~-'met·al** *adj.* ⊕ Ganzmetall...

al·lo·cate ['æləkeit] *v/t.* **1.** zuteilen, an-, zuweisen (*to dat.*): *to* ~ *duties*; *to* ~ *shares* Aktien zuteilen; **2.** den Platz bestimmen für; **al·lo·ca·tion** [ælə'keiʃən] *s.* **1.** Zu-, Verteilung *f*, An-, Zuweisung *f*, Kontin'gent *n*; **2.** ✝ Bewilligung *f*, Zahlungsanweisung *f*.

al·lo·cu·tion [ælou'kju:ʃən] *s.* feierliche *od.* ermahnende Ansprache.

al·lo·path ['æloupæθ] *s.* ⚕ Allo'path *m*; **al·lop·a·thy** [ə'lɔpəθi] *s.* ⚕ Allopa'thie *f*.

al·lot [ə'lɔt] *v/t.* **1.** aus-, verteilen (*a. durch Los*), teilen; **2.** bewilligen, abtreten; **3.** *für j-n od. e-n Zweck* bestimmen; **al'lot·ment** [-mənt] *s.* **1.** Ver-, Zuteilung *f*, Anteil *m*; zugeteilte 'Aktien *pl.*; **2.** *Brit.* Par'zelle *f*; (*a.* ~ *garden*) Schrebergarten *m*; **3.** Los *n*, Schicksal *n*; **4.** ⚔ Über'weisung *f* e-s Teils der Löhnung an eine(n) Angehörige(n).

'all-'out *adj.* to'tal, um'fassend, Groß...: ~ *effort*; *to go* ~ alles einsetzen, aufs Ganze gehen.

al·low [ə'lau] **I.** *v/t.* **1.** erlauben, gestatten, zulassen: *he is not* ~*ed to go there* er darf nicht hingehen; *smoking* ~*ed* Rauchen gestattet; **2.** gewähren, bewilligen, gönnen, zuerkennen: *to* ~ *more time*; *we are* ~*ed two ounces a day* uns stehen täglich zwei Unzen zu; *to* ~ *an item of expenditure* e-n Ausgabeposten billigen; **3. a)** zugeben: *I* ~ *I was rather rash*, **b)** gelten lassen, *Forderung* anerkennen: *to* ~ *a claim*; **4.** dulden, lassen, ermöglichen: *you must* ~ *the soup to get cold*; *this gate* ~*s access to the garden*; **5.** *Summe für gewisse Zeit* zuwenden, geben: *my father* ~*s me £ 100 a year* mein Vater gibt mir jährlich £ 100 (*Zuschuß od. Unterhaltsgeld*); **6.** ab-, anrechnen, abziehen, nachlassen, vergüten: *to* ~ *a discount* e-n Rabatt gewähren; *to* ~ *10 % for inferior quality*; **II.** *v/i.* **7.** erlauben, zulassen, ermöglichen (*of acc.*): *it* ~*s of no excuse* es läßt sich nicht entschuldigen; **8.** berücksichtigen, in Betracht ziehen, anrechnen (*for acc.*): *to* ~ *for wear and tear*; **9.** *Am.* erklären, denken; **al'low·a·ble** [-əbl] *adj.* □ **1.** erlaubt, zulässig, rechtmäßig; **2.** abziehbar, -zugsfähig: ~ *expenses* ✝ abzugsfähige Ausgaben; **al'low·ance** [-əns] **I.** *s.* **1.** Erlaubnis *f*, Be-, Einwilligung *f*, Anerkennung *f*; **2.** *geldliche* Zuwendung; Zuteilung *f*, Rati'on *f*, Maß *n*; Zuschuß *m*, Beihilfe *f*, Taschengeld *n*: *weekly* ~; *family* ~ Familienunterstützung; *dress* ~ Kleidergeld; **3.** Nachsicht *f*: *to make* ~ *for* berücksichtigen, bedenken; **4.** Entschädigung *f*, Vergütung *f*: *expense* ~ Aufwandsentschädigung; **5.** ✝ Nachlaß *m*, Ra'batt *m*: ~ *for cash* Skonto; *tax* ~ Steuerermäßigung; **6.** ⊕, ⚒ Tole'ranz *f*, Spielraum *m*, zulässige Abweichung; **7.** *sport* Vorgabe *f*; **II.** *v/t.* **8.** *j-n* auf Rationen setzen; *Waren* rationieren.

al·loy I. *s.* ['ælɔi] **1.** Me'tallegierung *f*; **2.** ⊕ Legierung *f*, Gemisch *n*; **3.** *fig.* (Bei)Mischung *f*: *pleasure without* ~ ungemischte Freude; **II.** *v/t.* [ə'lɔi] **4.** *Metalle* legieren, mischen; **5.** *fig.* vermischen, verschlechtern.

'all|-'pur·pose *adj.* für jeden Zweck verwendbar, Allzweck..., Universal...: ~ *outfit*; '**~-'red** *adj. bsd. geogr.* rein 'britisch.

'all|-'round *adj.* all-, vielseitig; '**~-round·er** *s.* Aller'weltskerl *m*.

All| Saints' Day ['ɔ:l'seintsdei] *s.* Aller'heiligen *n*; **~ Souls' Day** ['ɔ:l'soulzdei] *s.* Aller'seelen *n*; '**⁀-'star** *adj.* nur mit ersten Kräften besetzt: ~ *cast* Galabesetzung; '**⁀-'time** *adj.* noch nie erreicht: ~ *high* Höchstleistung, -stand; ~ *low* Tiefststand.

al·lude [ə'lu:d] *v/i.* (*to*) anspielen, hinweisen (auf *acc.*); *et.* andeuten, erwähnen.

al·lure [ə'ljuə] **I.** *v/t.* **1.** an-, verlocken, gewinnen (*to* für); abbringen (*from* von); **2.** anziehen, reizen; **II.** *s.* **3.** → *allurement*; **al'lure·ment** [-mənt] *s.* **1.** (Ver)Lockung *f*; **2.** Lockmittel *n*, Köder *m*; **3.** Anziehungskraft *f*; **al'lur·ing** [-riŋ] *adj.* □ verlockend, verführerisch.

al·lu·sion [ə'lu:ʒən] *s.* (*to*) Anspielung *f*, Hinweis *m* (auf *acc.*); Erwähnung *f*, Andeutung *f* (*gen.*); **al'lu·sive** [-u:siv] *adj.* □ anspielend, verblümt.

al·lu·vi·al [ə'lu:vjəl] *adj. geol.* angeschwemmt, alluvi'al; **al'lu·vi·on** [-ən] *s. geol.* Anschwemmung *f*; Schwemmland *n*; **al'lu·vi·um** [-əm] *pl.* **-vi·ums** *od.* **-vi·a** [-vjə] *s. geol.* Al'luvium *n*, Schwemmland *n*.

'all|-'wave *adj.* ⚡: ~ *receiving set* Allwellenempfänger; '**~-'weath·er** *adj.* Allwetter...: ~ *body mot.* Allwetterkarosserie; '**~-'wheel** *adj.* ⊕, *mot.* Allrad...(*-antrieb, -bremse*).

al·ly [ə'lai] **I.** *v/t.* **1.** (*durch Heirat, Verwandtschaft, Ähnlichkeit*) vereinigen, verbinden (*to, with* mit); **2.** ~ *o.s.* sich verbinden *od.* verbünden (*with* mit); **II.** *v/i.* **3.** sich vereinigen, sich verbinden, sich verbünden (*to, with* mit); → *allied*; **III.** *s.* ['ælai; ə'lai] **4.** Alliierte(r *m*) *f*, Verbündete(r *m*) *f*, Bundesgenosse *m*, Bundesgenossin *f* (*a. fig.*); **5.** ♀, *zo.* verwandte Sippe.

Al·ma Ma·ter ['ælmə'meitə] (*Lat.*) *s.* 'Alma *f* 'mater.

al·ma·nac ['ɔ:lmənæk] *s.* 'Almanach *m*, Ka'lender *m*, Jahrbuch *n*.

al·might·y [ɔ:l'maiti] **I.** *adj.* **1.** allmächtig: *the* **⁀** der Allmächtige; **2.** F ‚riesig', ‚mächtig'; **II.** *adv.* **3.** F ‚mächtig'.

al·mond ['ɑ:mənd] *s.* ♀ Mandel *f*; Mandelbaum *m*; '**~-eyed** *adj.* mit mandelförmigen Augen, mandeläugig.

al·mon·er ['ɑ:mənə] *s.* **1.** 'Almosenpfleger *m*; **2.** (Sozi'al)Fürsorger(in) u. Gebührenverwalter(in) im Krankenhaus.

al·most ['ɔ:lmoust] *adv.* fast, beinahe.

alms [ɑ:mz] *s. sg. u. pl.* 'Almosen *n*; '**~·house** *s.* **1.** *Brit.* Altersheim *n* (*bsd. für würdige Bedürftige*); **2.** *Am.* Armenhaus *n*; '**~·man** [-mən] *s.* [*irr.*] 'Almosenempfänger *m*.

al·oe ['ælou] *s.* **1.** ♀ 'Aloe *f*; **2.** *pl. sg. konstr.* ⚕ Aloe *f* (*Abführmittel*).

a·loft [ə'lɔft] *adv.* **1.** *poet.* hoch (oben), em'por, droben, im Himmel; **2.** ⚓ oben, in der Takelung.

a·lone [ə'loun] **I.** *adj.* al'lein, einsam; → *leave alone, let alone, let*[1] *Redew.*; **II.** *adv.* allein, nur.

a·long [ə'lɔŋ] **I.** *prp.* **1.** entlang, längs; **II.** *adv.* **2.** entlang, längs; **3.** vorwärts, weiter: *to get* ~ **a)** vorwärtskommen, Fortschritte machen, **b)** auskommen (*with* mit *j-m*); *get* ~ (*with you*)! F scher dich fort!; **4.** zu'sammen (mit), mit, bei sich: *to take* ~ mitnehmen; *come* ~ komm mit!, ‚komm doch schon!'; *I'll be* ~ *in a few minutes* ich werde in ein paar Minuten da sein; **5.** → *all along*; **~'shore** *adv.* längs der Küste; **~'side I.** *adv.* **1.** ⚓ längsseits; **2.** *fig.* (*of, with*) verglichen (mit), im Vergleich (zu); **II.** *prp.* **3.** längsseits (*gen.*); neben (*dat.*).

a·loof [ə'lu:f] **I.** *adv.* fern, abseits, von fern: *to keep* ~ sich fernhalten (*from* von) (*a. fig.*); *to stand* ~ für sich bleiben; **II.** *adj.* zu'rückhaltend: *her ~ manner*; a'**loof·ness** [-nis] *s.* Sich'fernhalten *n*, Abgeschlossenheit *f*; Zu'rückhaltung *f*.

a·loud [ə'laud] *adv.* laut, mit lauter Stimme.

alp [ælp] *s.* Alp(e) *f*, Alm *f*.

al·pac·a [æl'pækə] *s.* **1.** *zo.* 'Pako *n*, Al'paka *n*, Peru'anisches Schaf; **2. a)** Al'pakawolle *f*, **b)** Al'pakastoff *m*.

'al·pen|·glow ['ælpən] *s.* Alpenglühen *n*; '**~·horn** (*Ger.*) *s.* Alphorn *n*; '**~·stock** ['ælpin] (*Ger.*) *s.* Bergstock *m*.

al·pes·tri·an [æl'pestriən] *s.* Alpi'nist(in).

al·pha ['ælfə] *s.* **1.** 'Alpha *n*: *the ~ and omega* der Anfang u. das Ende, *fig.* das A u. O; **2.** *~ rays pl. phys.* 'Alphastrahlen *pl.*; **3.** *univ. Brit.* Eins *f* (*beste Note*): *~ plus* hervorragend.

al·pha·bet ['ælfəbit] *s.* **1.** Alpha'bet *n*, Abc *n*; **2.** *fig.* Anfangsgründe *pl.*, Abc *n*; **al·pha·bet·ic** *adj.*; **al·pha·bet·i·cal** [ælfə'betik(ə)l)] *adj.* □ alpha'betisch: *~ order* alphabetische Reihenfolge.

'alp·horn → *alpenhorn*.

Al·pine ['ælpain] *adj.* **1.** Alpen...; **2.** al'pin, Hochgebirgs...: *~ sun* ⚡ Höhensonne; '**Al·pin·ist** [-pinist] *s.* Alpi'nist(in); **Alps** [ælps] *s. pl. die* Alpen *pl.*

al·read·y [ɔ:l'redi] *adv.* schon, bereits.

al·right ['ɔ:l'rait] *adv. unrichtige Schreibung von all right.*

Al·sa·tian [æl'seiʃjən] **I.** *adj.* **1.** elsässisch; **II.** *s.* **2.** Elsässer(in); **3.** *a. ~ dog* (*od. ~ wolf-hound*) Wolfshund *m*, deutscher Schäferhund.

al·so ['ɔ:lsou] *adv.* auch, ferner, außerdem, ebenfalls: *~ ran* (*Rennsport*) ferner liefen; '**al·so-ran** *s.* **1.** *Rennsport*: siegloses Pferd; **2.** F Versager *m*, Niete *f*.

al·tar ['ɔ:ltə] *s.* Al'tar *m*: *high ~* Hochaltar; *to lead to the ~* zum Altar führen, heiraten; '**~-cloth** *s.* Al'tardecke *f*; '**~-piece** *s.* Al'tarblatt *n*, -gemälde *n*; '**~-rail** *s.* Al'targitter *n*; '**~-screen** *s.* reichverzierte Al'tarrückwand, Re'tabel *n*.

al·ter ['ɔ:ltə] **I.** *v/t.* **1.** (ver)ändern, ab-, 'umändern; **2.** *Am. dial. Tiere* kastrieren; **II.** *v/i.* **3.** sich (ver)ändern (*bsd. Personen*); '**al·ter·a·ble** [-tərəbl] *adj.* veränderlich, wandelbar; **al·ter·a·tion** [ɔ:ltə'reiʃən] *s.* **1.** (Ab-, 'Um)Änderung *f*, Veränderung *f*; **2.** 'Umbildung *f*; 'Umbau *m*: *closed during ~s* während des Umbaus geschlossen.

al·ter·ca·tion [ɔ:ltə:'keiʃən] *s. heftiger* Wortwechsel, Zank *m*, Streit *m*.

al·ter e·go ['æltə 'egou] (*Lat.*) *s.* **1.** das andere Ich; **2.** Busenfreund *m*.

al·ter·nate [ɔ:l'tə:nit] **I.** *adj.* □ → *alternately*; **1.** (mitein'ander) abwechselnd, wechselseitig: *on ~ days* jeden zweiten Tag; **2.** ⚔ Ausweich-...: *~ position* Ausweichstellung; **II.** *s.* **3.** *pol. Am.* Stellvertreter *m*; **III.** *v/t.* ['ɔ:ltə:neit] **4.** wechselweise tun; abwechseln lassen, *miteinander* vertauschen: *to ~ weakness with severity*; **5.** ⚡, ⊕ peri'odisch verändern; **IV.** *v/i.* ['ɔ:ltə:neit] **6.** abwechseln; **7.** ⚡ wechseln; **al'ter·nate·ly** [-li] *adv.* abwechselnd, wechselweise; **al·ter·nat·ing** ['ɔ:ltə:neitiŋ] *adj.* abwechselnd, Wechsel...: *~ current* ⚡ Wechselstrom; *~ voltage* ⚡ Wechselspannung; **al·ter·na·tion** [ɔ:ltə:'neiʃən] *s.* Abwechslung *f*, Wechsel *m*;

al'ter·na·tive [-nətiv] **I.** *adj.* □ → *alternatively*; **1.** alterna'tiv, die Wahl lassend, ein'ander ausschließend, nur 'eine Möglichkeit lassend; **2.** ander(er, e, es) (*von zweien*), Ersatz..., Ausweich...: *~ airport* Ausweichflughafen; **II.** *s.* **3.** Alterna'tive *f*, (Aus)Wahl *f* (*zwischen zwei od. mehreren Dingen*): *to have no (other) ~* keine andere Möglichkeit *od.* keinen anderen Ausweg haben; **al'ter·na·tive·ly** [-nətivli] *adv.* im anderen Falle; **al·ter·na·tor** ['ɔ:ltə:neitə] *s.* ⚡ 'Wechselstromma,schine *f*.

al·tho [ɔ:l'ðou] *Am.* → *although*.

alt-horn ['ælthɔ:n] *s.* ♪ Althorn *n*.

al·though [ɔ:l'ðou] *cj.* ob'wohl, ob'gleich, wenn auch.

al·tim·e·ter ['æltimi:tə] *s. phys.* Höhenmesser *m*.

al·ti·tude ['æltitju:d] *s.* **1.** Höhe *f* (*bsd. über dem Meeresspiegel, a.* ✈, ⚹, *ast.*): *~ control* Höhensteuerung; *~ flight* Höhenflug; *~ of the sun* Sonnenstand; **2.** *mst pl.* hochgelegene Gegend: *mountain ~s* Berghöhen; **3.** *fig.* Erhabenheit *f*.

al·to ['æltou] *pl.* '**al·tos** (*Ital.*) *s.* ♪ **1.** Alt *m*, Altstimme *f*; **2.** Al'tist(in), Altsänger(in).

al·to·geth·er [ɔ:ltə'geðə] **I.** *adv.* **1.** gänzlich, ganz u. gar: *it was ~ bad* es war völlig *od.* wirklich schlecht; **2.** im ganzen genommen; **II.** *s.* **3.** *in the ~* splitternackt.

al·to-re·lie·vo ['æltouri'li:vou] (*Ital.*) *s.* 'Hochreli,ef *n*, erhabene Arbeit.

al·tru·ism ['æltruizəm] *s.* Altru'ismus *m*, Nächstenliebe *f*, Uneigennützigkeit *f*; **al·tru·is·tic** [æltru'istik] *adj.* (□ *~ally*) uneigennützig, altru'istisch.

al·um ['æləm] *s.* ⚗ A'laun *m*.

a·lu·mi·na [ə'lju:minə] *s.* ⚗ Tonerde *f*.

al·u·min·i·um [ælju'minjəm], *Am.* **a·lu·mi·num** [ə'lu:minəm] *s.* ⚗ Alu'minium *n*.

a·lum·na [ə'lʌmnə] *pl.* **-nae** [-ni:] *s.* ehemalige Stu'dentin *od.* Schülerin; **a'lum·nus** [-nəs] *pl.* **-ni** [-nai] *s.* ehemaliger Stu'dent *od.* Schüler.

al·ve·o·lar [æl'viələ] *adj.* **1.** alveo'lar, den Zahndamm *od.* die Zahnhöhle betreffend; **2.** *ling.* alveolar, am Zahndamm artikuliert; **al·ve·o·lus** [æl'viələs] *pl.* **-li** [-lai] *s. anat.* Alve'ole *f*, Zahnhöhle *f*.

al·ways ['ɔ:lwəz] *adv.* **1.** immer, stets: *~ provided* ⚖ (immer) vorausgesetzt (daß); **2.** F immer'hin.

a·lys·sum ['ælisəm] *s.* ⚘ Steinkraut *n*.

am [æm; əm] *1. sg. pres. von* be.

a·mal·gam [ə'mælgəm] *s.* **1.** Amal'gam *n*; **2.** *fig.* Mischung *f*, Gemenge *n*, Verschmelzung *f*; **a'mal·gam·ate** [-meit] **I.** *v/t.* **1.** amalgamieren; **2.** *fig.* vereinigen, verschmelzen; zs.-legen, zs.-schließen, ✝ fusionieren; **II.** *v/i.* **3.** sich amalgamieren; **4.** sich vereinigen, sich verschmelzen, sich zs.-schließen, ✝ fusionieren; **a·mal·gam·a·tion** [əmælgə'meiʃən] *s.* **1.** Amalgamieren *n*; **2.** Vereinigung *f*, Verschmelzung *f*, Mischung *f*; **3.** *bsd.* ✝ Zs.-schluß *m*, Kombi'nat *n*, Fusi'on *f*.

a·man·u·en·sis [əmænju'ensis] *pl.* **-ses** [-si:z] *s.* Amanu'ensis *m*, (Schreib)Gehilfe *m*, Sekre'tär(in).

am·a·ranth ['æmərænθ] *s.* **1.** ⚘ Ama'rant *m*, Fuchsschwanz *m*; **2.** *poet.* unverwelkliche Blume; **3.** Ama'rantfarbe *f*, Purpurrot *n*.

am·a·ryl·lis [æmə'rilis] *s.* ⚘ Ama'ryllis *f*, Nar'zissenlilie *f*.

a·mass [ə'mæs] *v/t. bsd. Geld etc.* an-, aufhäufen, ansammeln.

am·a·teur ['æmətə:] *s.* Ama'teur *m*: **a)** (Kunst-, Sport)Liebhaber *m*: *~ flying* Sportflugwesen, **b)** Nichtfachmann *m*, *contp.* Dilet'tant *m*, Stümper *m* (*at painting* im Malen), **c)** Bastler *m*; **am·a·teur·ish** [æmə'tə:riʃ] *adj.* □ dilet'tantisch, stümperhaft.

am·a·tive ['æmətiv] *adj.*, '**am·a·to·ry** [-təri] *adj.* verliebt, sinnlich, Liebes...

a·maze [ə'meiz] *v/t.* in Staunen setzen, verblüffen, über'raschen; **a'mazed** [-zd] *adj.* □ erstaunt, verblüfft (*at* über *acc.*); **a'maz·ed·ly** [-zidli] *adv.* → *amazed*; **a'maze·ment** [-mənt] *s.* (Er)Staunen *n*, Verwunderung *f*; **a'maz·ing** [-ziŋ] *adj.* □ erstaunlich, verblüffend; unbegreiflich, ‚furchtbar'.

Am·a·zon ['æməzən] *s.* **1.** *antiq.* Ama'zone *f*; **2.** ♀ *fig.* Mannweib *n*; **Am·a·zo·ni·an** [æmə'zounjən] *adj.* **1.** ama'zonenhaft, Amazonen...; **2.** den Ama'zonenstrom betreffend, Amazonas...

am·bas·sa·dor [æm'bæsədə] *s.* **1.** *pol.* Botschafter *m*; **2.** Abgesandte(r) *m*, Vertreter *m*, Vermittler *m*, Bote *m* (*a. fig.*): *~ of peace*; **am·bas·sa·do·ri·al** [æmbæsə'dɔ:riəl] *adj.* Botschafts...; **am'bas·sa·dress** [-dris] *s.* **1.** Botschafterin *f*; **2.** Gattin *f* e-s Botschafters.

am·ber ['æmbə] **I.** *s.* **1.** *min.* Bernstein *m*; **2.** Gelb *n*, gelbes Licht (*Verkehrsampel*); **II.** *adj.* **3.** Bernstein...; **4.** bernsteinfarben, gelbbraun.

am·ber·gris ['æmbəgri(:)s] *s.* (graue) Ambra.

ambi- [æmbi] *in Zssgn* beide, zweifach.

am·bi·dex·trous ['æmbi'dekstrəs] *adj.* □ **1.** beidhändig; **2.** ungewöhnlich geschickt; **3.** doppelzüngig, 'hinterhältig.

am·bi·ence ['æmbiəns] *s. Kunst*: Ambi'ente *n*, *fig. a.* Mi'lieu *n*, Atmo'sphäre *f*.

am·bi·ent ['æmbiənt] *adj.* um'gebend, um'kreisend; ⊕ Umgebungs...(*-temperatur etc.*), Neben...(*-geräusch*).

am·bi·gu·i·ty [æmbi'gju(:)iti] *s.* Zweideutigkeit *f*, Doppelsinn *m*; Unklarheit *f*; **am·big·u·ous** [æm'bigjuəs] *adj.* □ zweideutig; unklar.

am·bit ['æmbit] *s.* **1.** 'Umfang *m*, -kreis *m*; **2.** Gebiet *n*, Bereich *m*.

am·bi·tion [æm'biʃən] *s.* Ehrgeiz *m*, Streben *n*, Begierde *f*, Sehnsucht *f*, Wunsch *m* (*of* nach *od. inf.*), Ziel *n*, (An)Trieb *m*; *pl.* Bestrebungen *pl.*;

am'bi·tious [-ʃəs] *adj.* □ **1.** ehrgeizig (*a. Plan etc.*); **2.** strebsam; begierig (*of* nach); **3.** ambiti'ös, anspruchsvoll.

am·bi·va·lence ['æmbi'veiləns] *s. psych., phys.* Ambiva'lenz *f*, Doppelwertigkeit *f*; *fig.* Zwiespältigkeit *f*; **'am·bi'va·lent** [-nt] *adj. psych., phys.* ambiva'lent, doppelwertig; *fig.* zwiespältig.

am·ble ['æmbl] **I.** *v/i.* im Paßgang gehen *od.* reiten; *fig.* schlendern; **II.** *s.* Paß *m*, Zeltergang *m* (*Pferd*); *fig.* gemächlicher Gang (*Person*); **'am·bler** [-lə] *s.* Paßgänger *m*, Zelter *m.*

am·bro·si·a [æm'brouzjə] *s. antiq.* Am'brosia *f*, Götterspeise *f* (*a. fig.*); **am'bro·si·al** [-əl] *adj.* □ am'brosisch; *fig.* köstlich; duftend.

am·bu·lance ['æmbjuləns] *s.* **1.** Ambu'lanz *f*, Kranken-, Sani'tätswagen *m*; **2.** ⚔ 'Feldlaza,rett *n*; ~ **bat·tal·ion** *s.* ⚔ 'Krankentrans'portbatail,lon *n*; ~ **box** *s.* Verbandskasten *m*; ~ **sta·tion** *s.* Sani'tätswache *f*, 'Unfallstati,on *f.*

am·bu·lant ['æmbjulənt] *adj.* ambu'lant: **a)** wandernd, **b)** gehfähig: ~ *patients*; **'am·bu·la·to·ry** [-ətəri] **I.** *adj.* **1.** beweglich, nicht fest; **2.** → *ambulant*; **II.** *s.* **3.** Ar'kade *f*, Wandelgang *m.*

am·bus·cade [æmbəs'keid], **am·bush** ['æmbuʃ] **I.** *s.* **1.** 'Hinterhalt *m*, Versteck *n*; **2.** im Hinterhalt liegende Truppen *pl.*; **II.** *v/i.* **3.** im Hinterhalt liegen; **III.** *v/t.* **4.** in e-n Hinterhalt legen; **5.** aus dem Hinterhalt über'fallen, auflauern (*dat.*).

a·mel·io·rate [ə'mi:ljəreit] **I.** *v/t.* verbessern (*bsd.* ⚒); **II.** *v/i.* besser werden (*Zustände*); **a·mel·io·ra·tion** [əmi:ljə'reiʃən] *s.* Verbesserung *f*, *bsd.* Bodenverbesserung *f.*

a·men ['ɑ:'men] **I.** *int.* **1.** 'amen!, so sei es!; **2.** *sl.* ganz meine Meinung; **II.** *s.* **3.** 'Amen *n.*

a·me·na·ble [ə'mi:nəbl] *adj.* □ **1.** zugänglich (*to dat.*): ~ *to flattery*; ~ *to reason*; **2.** gefügig; **3.** unter'worfen (*to dat.*): ~ *to law*; ~ *to a fine*; **4.** verantwortlich; **a'me·na·bly** [-li] *adv.* gemäß: ~ *to the rules.*

a·mend [ə'mend] **I.** *v/t.* **1.** (ver)bessern, berichtigen; **2.** *Gesetz etc.* (ab)ändern, ergänzen; **II.** *v/i.* **3.** sich bessern (*bsd. Betragen*).

a·mende ho·no·ra·ble [amɑ̃:d ɔnɔrabl] (*Fr.*) *s.* öffentliche Ehrenerklärung.

a·mend·ment [ə'mendmənt] *s.* **1.** Besserung *f* (*bsd. des Betragens*); Verbesserung *f*, Berichtigung *f*, Neufassung *f*; **2.** *bsd.* ⚖ (Ab)Änderungs-, Zusatzantrag *m*; *Am.* 'Zusatzar,tikel *m* zur Verfassung, Nachtragsgesetz *n*: *the Fifth* ♀.

a·mends [ə'mendz] *s. pl. sg. konstr.* (Schaden)Ersatz *m*, Genugtuung *f*: *to make* ~ Schadenersatz leisten, es wiedergutmachen.

a·men·i·ty [ə'mi:niti] *s.* **1.** Annehmlichkeit *f*, angenehme Lage; **2.** Anmut *f*, Liebenswürdigkeit *f*; **3.** *pl.* na'türliche Vorzüge *pl.*, Reize *pl.* (*Person od. Ort*).

A·mer·i·can [ə'merikən] **I.** *adj.* **1. a)** ameri'kanisch, **b)** die USA betreffend: *the* ~ *navy*; **II.** *s.* **2. a)** Ameri'kaner(in), **b)** Bürger(in) der USA; **3.** Amerikanisch *n* (*Sprache der USA*); ~ **cloth** *s.* Wachstuch *n*; ~ **In·di·an** *s.* Indi'aner(in).

A·mer·i·can·ism [ə'merikənizəm] *s.* **1.** Ameri'kanertum *n*; **2.** Amerika'nismus *m*: **a)** ameri'kanische Spracheigentümlichkeit, **b)** amerikanischer Brauch; **A·mer·i·can·i·za·tion** [əmerikənai'zeiʃən] *s.* Amerikanisierung *f*; **A·mer·i·can·ize** [ə'merikənaiz] **I.** *v/t.* amerikanisieren; **II.** *v/i.* Ameri'kaner *od.* amerikanisch werden.

A·mer·i·can| leath·er → *American cloth*; ~ **Le·gion** *s. Am.* Frontkämpferbund *m* (*der Teilnehmer am 1. u. 2. Weltkrieg*); ~ **or·gan** *s.* ♪ Har'monium *n*; ~ **plan** *s. Am.* Ho'telzimmer-Vermietung *f* nur mit voller Verpflegung.

Am·er·ind ['æmərind], **Am·er·in·di·an** [æmər'indjən] *s.* ameri'kanischer Indi'aner *od.* 'Eskimo.

am·e·thyst ['æmiθist] *s. min.* Ame'thyst *m.*

a·mi·a·bil·i·ty [eimjə'biliti] *s.* Freundlichkeit *f*, Liebenswürdigkeit *f*; **a·mi·a·ble** ['eimjəbl] *adj.* □ liebenswürdig, liebreich, freundlich.

am·i·ca·ble ['æmikəbl] *adj.* □ freund(schaft)lich, friedlich: ~ *settlement* gütliche Einigung; **'am·i·ca·bly** [-li] *adv.* freundschaftlich, in Güte, gütlich.

a·mid [ə'mid] *prp.* in'mitten (*gen.*), (mitten) in *od.* unter (*dat. od. acc.*); **a'mid·ship(s)** [-ʃip(s)] ⚓ **I.** *adv.* mittschiffs; **II.** *adj.* in der Mitte des Schiffes (befindlich); **a'midst** [-st] → *amid.*

a·mine ['æmain] *s.* ⚗ A'min *n.*

amino- [əmi:nou] ⚗ *in Zssgn* Amino...: ~ *acid.*

a·miss [ə'mis] **I.** *adv.* verkehrt, verfehlt, schlecht: *to take* ~ übelnehmen; **II.** *adj.* unpassend, verkehrt, falsch, übel: *there is s.th.* ~ etwas stimmt nicht.

am·i·ty ['æmiti] *s.* Freundschaft *f*, gutes Einvernehmen.

am·me·ter ['æmitə] *s.* ⚡ Am'pere,meter *n*, Strom(stärke)messer *m.*

am·mo ['æmou] *s.* ⚔ *sl.* Muniti'on *f.*

am·mo·ni·a [ə'mounjə] *s.* ⚗ Ammoni'ak *n*: *liquid* ~ (*od.* ~ *solution*) Salmiakgeist; **am'mo·ni·ac** [-niæk] *adj.* ammonia'kalisch: (*gum*) ~ Ammoniakgummi; → *sal.*

am·mo·ni·um [ə'mounjəm] *s.* ⚗ Am'monium *n*; ~ **car·bon·ate** *s.* ⚗ Hirschhornsalz *n*; ~ **chlo·ride** *s.* ⚗ Am'moniumchlo,rid *n*, 'Salmiak *m*; ~ **ni·trate** *s.* ⚗ Am'moniumni,trat *n*, Ammoni'aksal,peter *m.*

am·mu·ni·tion [æmju'niʃən] *s.* Muniti'on *f* (*a. fig.*): ~ *belt* Patronengurt; ~ *carrier* Munitionswagen; ~ *dump* Munitionslager; ~ *pouch* Patronentasche.

am·ne·si·a [æm'ni:zjə] *s.* ⚕ Amne'sie *f*, Gedächtnisschwund *m.*

am·nes·ty ['æmnesti] **I.** *s.* Amne'stie *f*, allgemeiner Straferlaß; **II.** *v/t.* begnadigen.

a·moe·ba [ə'mi:bə] *s. zo.* A'möbe *f*; **a'moe·bic** [-bik] *adj.* a'möbisch: ~ *dysentery* Amöbenruhr.

a·mok [ə'mɔk] → *amuck.*

a·mong(st) [ə'mʌŋ(st)] *prp.* **1.** (mitten) unter (*dat. od. acc.*), in'mitten (*gen.*), zwischen (*dat. od. acc.*), bei: *who* ~ *you?* wer von euch?; *a custom* ~ *the savages* e-e Sitte bei den Wilden; *to be* ~ *the best* zu den Besten gehören; ~ *other things* unter anderem; *from among* aus der Zahl (derer), aus ... heraus; **2.** zu'sammen: *they had two pounds* ~ *them* sie hatten zusammen zwei Pfund.

a·mor·al [æ'mɔrəl] *adj.* mo'ralisch indiffe'rent, 'amo,ralisch.

am·o·rist ['æmərist] *s.* Liebhaber *m.*

am·o·rous ['æmərəs] *adj.* □ amou'rös; liebebedürftig; verliebt (*of in acc.*); Liebes...: ~ *songs*; **'am·o·rous·ness** [-nis] *s.* (*bsd. sinnliche*) Verliebtheit.

a·mor·phous [ə'mɔ:fəs] *adj.* **1.** formlos, 'mißgestaltet; **2.** *min.* a'morph, 'unkristal,linisch.

a·mor·ti·za·tion [əmɔ:ti'zeiʃən] *s.* **1.** Amortisierung *f*, Tilgung *f* (*von Schulden*); **2.** ⚖ Veräußerung *f* (*von Grundstücken*) an die tote Hand; **a·mor·tize** [ə'mɔ:taiz] *v/t.* **1.** amortisieren, tilgen, abzahlen; **2.** ⚖ an die tote Hand veräußern.

A·mos ['eimɔs] *npr. u. s. bibl.* (das Buch) Amos *m.*

a·mount [ə'maunt] **I.** *v/i.* **1.** (*to*) sich belaufen (auf *acc.*), betragen (*acc.*): *his debts* ~ *to £ 120*; **2.** hin'auslaufen (*to* auf *acc.*), bedeuten: *it* ~*s to the same thing* es läuft *od.* kommt auf dasselbe hinaus; *that doesn't* ~ *to much* das bedeutet nicht viel; *you'll never* ~ *to much* F aus dir wird nie etwas werden; **II.** *s.* **3.** Betrag *m*, Summe *f*, Höhe *f* (*e-r Summe*), Menge *f*: *gross* ~ Bruttobetrag; *net* ~ Nettobetrag; ~ *carried forward* Übertrag; **4.** *fig.* Inhalt *m*, Ergebnis *n*, Wert *m*, Bedeutung *f.*

a·mour [ə'muə] (*Fr.*) *s.* Liebschaft *f*, ‚Verhältnis' *n.*

a·mour-pro·pre ['æmuə'prɔpr] (*Fr.*) *s.* Eigenliebe *f*, Eitelkeit *f.*

amp [æmp] F → *ampere.*

am·per·age [æm'pɛəridʒ] *s.* ⚡ Stromstärke *f*, Am'perezahl *f.*

am·pere ['æmpɛə], **am·père** [ɑ̃'pɛ:r] (*Fr.*) *s.* ⚡ Am'pere *n* (*Stromstärke*); ~ **me·ter** *s.* ⚡ Am'pere,meter *n*, Strom(stärke)messer *m.*

am·per·sand ['æmpəsænd] *s. typ.* das Zeichen & (*abbr. für and*).

am·phet·a·mine [æm'fetəmin] *s.* ⚗ Benze'drin *n.*

amphi- [æmfi] *in Zssgn* doppelt, zwei..., zweiseitig, beiderseitig, umher...

Am·phib·i·a [æm'fibiə] *s. pl. zo.* Am'phibien *pl.*, Lurche *pl.*; **am'phib·i·an** [-ən] **I.** *adj.* **1.** *zo., a.* ⚔, ⊕ am'phibisch, Amphibien...; Wasserland...; **II.** *s.* **2.** *zo.* Am'phibie *f*, Lurch *m*; **3.** Am'phibienflugzeug *n*; **4.** *a.* ~ *tank* ⚔ Schwimmkampfwagen *m*; **am'phib·i·ous** [-əs] *adj.* **1.** *zo.* amphibisch; zum Leben im Wasser u. auf dem Lande geeignet; **2.** von gemischter Na'tur, zweierlei Wesen habend; **3.** ⚔, ⊕

Amphibien..., Wasserland...: ~ *landing* amphibische Landung *od.* Operation; ~ *tank* Schwimmkampfwagen; ~ *truck* Schwimmlastkraftwagen.

am·phi·the·a·tre, *Am.* **am·phi·the·a·ter** ['æmfiθiətə] *s.* **1.** Am'phithe,ater *n*; **2.** Gebäudeteil *m od.* Landschaft *f* in der Form e-s Amphitheaters.

am·pho·ra ['æmfərə] *pl.* **-rae** [-ri:] *od.* **-ras** [-əz] (*Lat.*) *s.* Am'phore *f.*

am·ple ['æmpl] *adj.* □ → *amply*; **1.** weit, groß, geräumig; weitläufig: *his ~ figure* s-e stattliche Figur; **2.** ausführlich, um'fassend; **3.** reich (-lich), (vollauf) genügend: *~ means* reich(lich)e Mittel; '**am·ple·ness** [-nis] *s.* **1.** Weite *f*, Geräumigkeit *f*; **2.** Reichlichkeit *f*, Fülle *f.*

am·pli·fi·ca·tion [æmplifi'keiʃən] *s.* **1.** Erweiterung *f*, Vergrößerung *f*, Ausdehnung *f*; **2.** weitere Ausführung, Weitschweifigkeit *f*, Ausschmückung *f*; **3.** ⚡, *Radio, phys.* Vergrößerung *f*, Verstärkung *f.*

am·pli·fi·er ['æmplifaiə] *s.* **1.** *phys.* Vergrößerungslinse *f*; **2.** *Radio, phys.* Verstärker *m*: *~ tube* (*od. valve*) Verstärkerröhre; **am·pli·fy** ['æmplifai] **I.** *v/t.* **1.** erweitern, vergrößern, ausdehnen; **2.** ausmalen, -schmücken; weitläufig darstellen; näher ausführen *od.* erläutern; **3.** *Radio, phys.* verstärken; **II.** *v/i.* **4.** sich weitläufig ausdrücken *od.* auslassen; '**am·pli·tude** [-tju:d] *s.* **1.** Weite *f*, 'Umfang *m* (*a. fig.*), Reichlichkeit *f*, Fülle *f*; **2.** *phys.* Ampli'tude *f*, Schwingungsweite *f* (*Pendel etc.*).

am·ply ['æmpli] *adv.* reichlich.

am·poule ['æmpu:l] *s.* ⚕ Am'pulle *f.*

am·pul·la [æm'pulə] *pl.* **-lae** [-li:] *s.* **1.** *antiq.* Am'pulle *f*, Phi'ole *f*, Salbengefäß *n*; **2.** Blei- *od.* Glasflasche *f der Pilger*; **3.** *eccl.* Krug *m* für Wein u. Wasser (*Messe*); Gefäß *n* für das heilige Öl (*Salbung*).

am·pu·tate ['æmpjuteit] *v/t.* **1.** *Bäume* stutzen; **2.** ⚕ amputieren, *ein Glied* abnehmen; **am·pu·ta·tion** [æmpju'teiʃən] *s.* Amputati'on *f.*

a·muck [ə'mʌk] *adv.*: *to run ~* **a)** Amok laufen, **b)** *fig.* blind losgehen (*at, on, against* auf *et.*).

am·u·let ['æmjulit] *s.* Amu'lett *n*, Zauber(schutz)mittel *n.*

a·muse [ə'mju:z] *v/t.* amüsieren, unter'halten, belustigen: *you ~ me!* da muß ich (über dich) lachen; *to be ~d* sich freuen (*at, by, in, with* über *acc.*); *it ~s them* es macht ihnen Spaß; *to ~ o.s.* sich amüsieren; *he ~s himself with gardening* er gärtnert zu s-m Vergnügen; **a'mused** [-zd] *adj.* amüsiert, belustigt, erfreut; **a'muse·ment** [-mənt] *s.* Unter'haltung *f*, Belustigung *f*, Vergnügen *n*, Freude *f*, Zeitvertreib *m*; **a'mus·ing** [-ziŋ] *adj.* □ amü'sant, unter'haltend; 'komisch.

am·yl ['æmil] *s.* ⚗ A'myl *n*; **am·y·la·ceous** [æmi'leiʃəs] *adj.* stärkemehlartig, stärkehaltig.

an [æn; ən] *unbestimmter Artikel* (*vor Vokalen od. stummem h*) ein, eine.

an·a·bap·tism [ænə'bæptizəm] *s.* Anabap'tismus *m*, Lehre *f* der 'Wiedertäufer; **an·a'bap·tist** [-ist] *s.* Wiedertäufer *m.*

a·nach·ro·nism [ə'nækrənizəm] *s.* Anachro'nismus *m*; **a·nach·ro·nis·tic** [ənækrə'nistik] *adj.* (□ *~ally*) anachro'nistisch, mit der Zeit(rechnung) im 'Widerspruch stehend.

a·nae·mi·a [ə'ni:mjə] *s.* ⚕ Anä'mie *f*, Blutarmut *f*, Bleichsucht *f*; **a'nae·mic** [-mik] *adj.* ⚕ blutarm, bleichsüchtig, an'ämisch.

an·aes·the·si·a [ænis'θi:zjə] *s.* ⚕ **1.** Anästhe'sie *f*, Nar'kose *f*, Betäubung *f*; **2.** Unempfindlichkeit *f* (*gegen Schmerz*); **an·aes'thet·ic** [-'θetik] **I.** *adj.* (□ *~ally*) nar'kotisch, betäubend, Narkose...; **II.** *s.* Betäubungsmittel *n*; **an·aes·the·tist** [æ'ni:sθitist] *s.* Narkoti'seur *m*, Nar'kosearzt *m*; **an·aes·the·tize** [æ'ni:sθitaiz] *v/t.* betäuben, narkotisieren.

an·a·gram ['ænəgræm] *s.* Ana-['gramm *n.*]

a·nal ['einəl] *adj. anat.* a'nal, After...

an·a·lects ['ænəlekts] *s. pl.* Ana'lekten *pl.*, Lesefrüchte *pl.*

an·al·ge·si·a [ænæl'dʒi:zjə] *s.* ⚕ Unempfindlichkeit *f* gegen Schmerz, Schmerzlosigkeit *f*; **an·al'ge·sic** [-'dʒesik] **I.** *adj.* schmerzlindernd; **II.** *s.* schmerzlinderndes Mittel.

an·a·log·ic *adj.*; **an·a·log·i·cal** [ænə'lɔdʒik(əl)] *adj.* □, **a·nal·o·gous** [ə'næləgəs] *adj.* □ ana'log, ähnlich, entsprechend, paral'lel (*to dat.*); **an·a·logue** ['ænəlɔg] *s.* A'nalogon *n*, Entsprechende(s) *n*: *~ computer* Analogrechner; **a·nal·o·gy** [ə'nælədʒi] *s. a.* 𝔸, *ling.* Analo'gie *f*, Ähnlichkeit *f*, Über'einstimmung *f*: *on the ~ of* (*od. by ~ with*) analog, nach, gemäß (*dat.*).

an·a·lyse ['ænəlaiz] *v/t.* **1.** ⚗, 𝔸, ⊕, *psych., phys., ling.* analysieren, zergliedern, zerlegen, auflösen, scheiden; **2.** *fig.* genau unter'suchen; erläutern, darlegen; **a·nal·y·sis** [ə'næləsis] *pl.* **-ses** [-si:z] *s.* **1.** ⚗, 𝔸, ⊕, *psych., phys., ling.* Ana'lyse *f*, Zerlegung *f*, 'kritische Zergliederung, Auflösung *f*; **2.** *fig.* gründliche Unter'suchung, Darlegung *f*, Deutung *f*: *in the last ~* im Grunde; '**an·a·lyst** [-list] *s.* **1.** ⚗, 𝔸 Ana'lytiker(in); *fig.* Unter'sucher(in): *public ~* (behördlicher) Lebensmittelchemiker; **2.** Psychoanalytiker *m*; **an·a·lyt·ic** *adj.*; **an·a·lyt·i·cal** [ænə'litik(əl)] *adj.* □ ana'lytisch: *analytical chemist* Chemiker(in); **an·a·lyt·ics** [ænə'litiks] *s. pl. sg. konstr.* Ana'lytik *f.*

an·a·lyze *Am.* → *analyse.*

an·a·paest ['ænəpi:st] *s.* Ana'päst *m* (*Versfuß*).

an·aph·ro·dis·i·ac [ænæfrou'diziæk] ⚕ **I.** *adj.* den Geschlechtstrieb hemmend; **II.** *s.* ,Anaphrodi'siakum *n.*

an·ar·chic *adj.*; **an·ar·chi·cal** [æ'nɑ:kik(əl)] *adj.* □ an'archisch, anar'chistisch, gesetzlos, zügellos.

an·arch·ism ['ænəkizəm] *s.* **1.** Anar'chie *f*, Regierungs-, Gesetzlosigkeit *f*; **2.** Anar'chismus *m*; '**an·arch·ist** [-ist] **I.** *s.* Anar'chist *m*, 'Umstürzler *m*; **II.** *adj.* anar'chistisch, 'umstürzlerisch; '**an·arch·y** [-ki] *s.* Anar'chie *f*, Gesetzlosigkeit *f*; Verwirrung *f.*

an·as·tig·mat·ic [ænæstig'mætik] *adj. phys.* anastig'matisch (*Linse*).

a·nath·e·ma [ə'næθimə] (*Greek*) *s.* **1.** *eccl.* A'nathema *n*, Kirchenbann *m*; *fig.* Fluch *m*, Verwünschung *f*; **2.** *eccl.* Exkommunizierte(r *m*) *f*, Verfluchte(r *m*) *f*; *fig. das* Verhaßte, Greuel *m*; **a'nath·e·ma·tize** [-ətaiz] *v/t.* in den Bann tun, verfluchen.

an·a·tom·ic *adj.*; **an·a·tom·i·cal** [ænə'tɔmik(əl)] *adj.* □ ana'tomisch.

a·nat·o·mist [ə'nætəmist] *s.* **1.** Ana'tom *m*; **2.** Zergliederer *m* (*a. fig.*); **a'nat·o·mize** [-maiz] *v/t.* **1.** ⚕ zerlegen, sezieren; **2.** *fig.* zergliedern; **a'nat·o·my** [-mi] *s.* **1.** Anato'mie *f*; **2.** ana'tomischer Aufbau; **3.** F Körper *m*; Ske'lett *n*, ,wandelndes Gerippe'.

an·ces·tor ['ænsistə] *s.* **1.** Vorfahr *m*, Ahnherr *m*, Stammvater *m* (*a. fig.*): *~ worship* Ahnenkult; **2.** ⚖ Vorbesitzer *m*; **an·ces·tral** [æn'sestrəl] *adj.* die Vorfahren betreffend, Ahnen..., angestammt, Erb...; '**an·ces·tress** [-tris] *s.* Ahnfrau *f*, Stammutter *f*; '**an·ces·try** [-tri] *s.* Abstammung *f*, *hohe* Geburt; Ahnen(reihe *f*) *pl.*

an·chor ['æŋkə] **I.** *s.* **1.** ⚓ Anker *m*: *at ~* vor Anker; *to weigh ~* **a)** den Anker lichten, **b)** abfahren; *to cast* (*od. drop*) *~* ankern, vor Anker gehen; *to ride at ~* vor Anker liegen; **2.** *fig.* Rettungsanker *m*, Zuflucht *f*; **3.** ⊕ Anker *m*, Querbolzen *m*, Schließe *f*, Klammer *f*; **II.** *v/t.* **4.** verankern, vor Anker legen; **5.** ⊕ *u. fig.* verankern; **III.** *v/i.* **6.** ankern, vor Anker liegen.

an·chor·age ['æŋkəridʒ] *s.* **1.** Ankerplatz *m*; **2.** *a. ~-dues* Anker-, Liegegebühr *f*; **3.** fester Halt, Verankerung *f*; **4.** *fig.* sicherer Hafen, verläßliche Stütze.

an·cho·ress ['æŋkəris] *s.* Einsiedlerin *f*; '**an·cho·ret** [-ret], '**an·cho·rite** [-rait] *s.* Einsiedler *m.*

'**an·chor·man** [-mən] *s.* [*irr.*] **1.** *sport* **a)** Schlußläufer *m*, **b)** Schlußschwimmer *m*; **2.** *Am. Fernsehen*: Mode'rator *m e-r Nachrichtensendung.*

an·cho·vy ['æntʃəvi] *s. ichth.* An'schovis *f*, Sar'delle *f.*

an·chu·sa [æŋ'kju:sə] *s.* ✿ Ochsenzunge *f.*

an·cient ['einʃənt] **I.** *adj.* □ **1.** alt, aus alter Zeit, das Altertum betreffend: *~ Rome*; **2.** uralt, altberühmt; **3.** altertümlich; ehemalig; **II.** *s.* **4.** *the ~s* **a)** die Alten (*Griechen u. Römer*), **b)** die (griechischen u. römischen) Klassiker; '**an·cient·ly** [-li] *adv.* vor'zeiten.

an·cil·lar·y [æn'siləri] *adj.* 'untergeordnet (*to dat.*), Hilfs..., Neben...

and [ænd; ən(d)] *cj.* und: *~ so forth* und so weiter; *better ~ better* immer besser; *there are books ~ books* es gibt gute und schlechte Bücher; *nice ~ warm* schön warm; *for miles ~ miles* viele Meilen weit; *~ all sl.* und so weiter; *skin ~ all* mitsamt der Haut; *bread ~ butter* Butterbrot; *a little more ~ ...* es fehlte nicht viel, so ...; *try ~ come* versuchen Sie zu kommen.

an·dan·te [æn'dænti] (*Ital.*) *adv.* ♪ an'dante, mäßig langsam; **an·dan-**

ti·no [ændæn'ti:nou] (*Ital.*) *adv.* ♪ andan'tino, lebhafter als andante.
and·i·ron ['ændaiən] *s.* Ka'minbock *m.*
An·drew ['ændru:] *npr.* An'dreas *m*: *St. ~'s cross* Andreaskreuz.
an·drog·y·nous [æn'drɔdʒinəs] *adj.* zwitterartig, zweigeschlechtig; ⚘ zwitterblütig.
an·droph·a·gous [æn'drɔfəgəs] *adj.* menschenfressend.
an·dro·pho·bi·a [ændrou'foubjə] *s.* Andropho'bie *f*, Männerscheu *f*.
an·ec·do·tal [ænek'doutl] *adj.* anek'dotenhaft; **an·ec·dote** ['ænikdout] *s.* Anek'dote *f*; **an·ec·dot·ic** *adj.*; **an·ec·dot·i·cal** [ænek'dɔtik(əl)] *adj.* □ anekdotenhaft.
a·ne·mi·a, a·ne·mic *Am.* → *anaemia, anaemic*.
an·e·mom·e·ter [æni'mɔmitə] *s. phys.* Windmesser *m*.
a·nem·o·ne [ə'nemǝni] *s.* **1.** ⚘ Ane'mone *f*, Buschwindrös-chen *n*; **2.** *zo.* 'Seeane,mone *f*.
an·er·oid ['ænərɔid] *s. phys. a. ~ barometer* Anero'idbaro,meter *n*.
an·es·the·si·a *etc. Am.* → *anaesthesia etc.*
a·new [ə'nju:] *adv.* von neuem; auf neue Art und Weise.
an·gel ['eindʒəl] *s.* **1.** Engel *m*: *~ of death* Todesengel; *to rush in where ~s fear to tread* sich törichter- *od.* anmaßenderweise in Dinge einmischen, die einen nichts angehen; **2.** *fig.* Engel *m* (*Person*): *be an ~ and ...* sei doch so lieb und ...; **3.** *sl.* fi'nanzkräftiger 'Hintermann.
'an·gel|-cake *s. ein* leichter Kuchen; **'~-fish** *s. ichth.* Gemeiner Meerengel, Engelhai *m*.
an·gel·ic *adj.*; **an·gel·i·cal** [æn'dʒelik(əl)] *adj.* □ engelhaft, -gleich, Engels...
an·gel·i·ca [æn'dʒelikə] *s.* **1.** ⚘ Brustwurz *f* (*als Gewürz*); **2.** kandierte An'gelikawurzel.
An·ge·lus ['ændʒiləs] *s. eccl.* 'Angelus(gebet *n*, -läuten *n*) *m*.
an·ger ['æŋgə] **I.** *s.* Ärger *m*, Zorn *m*, Wut *f* (*at* über *acc.*); **II.** *v/t.* erzürnen, ärgern.
An·ge·vin ['ændʒivin] **I.** *adj.* **1.** aus An'jou (*in Frankreich*); **2.** die Plan'tagenets betreffend; **II.** *s.* **3.** Mitglied *n* des Hauses Plantagenet.
an·gi·na [æn'dʒainə] *s.* ⚕ An'gina *f*, Halsentzündung *f*; **~ pec·to·ris** *s.* ⚕ An'gina *f* 'pectoris, Herzbräune *f*.
an·gle[1] ['æŋgl] **I.** *s.* **1.** *bsd.* ⩘ Winkel *m*: *acute* (*obtuse, right*) *~* spitzer (stumpfer, rechter) Winkel; *~ of incidence* Einfallswinkel; **2.** ⊕ **a)** Knie(stück) *n*, **b)** *pl.* Winkeleisen *pl.*; **3.** Ecke *f*, Vorsprung *m*, spitze Kante; **4.** *fig.* Standpunkt *m*, Gesichtswinkel *m*, Seite *f*: *to consider all ~s of a question*; **5.** *Am.* Me'thode *f*, 'Technik *f* (*et. zu erreichen*); **II.** *v/t.* **6.** 'umbiegen; **7.** *Am. fig.* entstellen, verdrehen.
an·gle[2] ['æŋgl] *v/i.* angeln (*a. fig. for* nach).
an·gled ['æŋgld] *adj.* winklig, *mst in Zssgn*: *right-~* rechtwinklig.
'an·gle-park *v/t. u. v/i. mot.* schräg parken.
an·gler ['æŋglə] *s.* **1.** Angler(in); **2.** *ichth.* Seeteufel *m*.
An·gles ['æŋglz] *s. pl. hist.* Angeln *pl.*; **'An·gli·an** [-gliən] **I.** *adj.* englisch; **II.** *s.* Angehörige(r *m*) *f* des Volksstammes der Angeln.
An·gli·can ['æŋglikən] **I.** *adj. eccl.* angli'kanisch, hochkirchlich; **II.** *s. eccl.* Angli'kaner(in), Hochkirchler(in).
An·gli·cism ['æŋglisizəm] *s.* **1.** *ling.* Angli'zismus *m*; **2.** englische Eigenart; **'An·gli·cist** [-ist] *s.* An'glist *m*; **'An·gli·cize** [-saiz], *a.* ♀ *v/t.* anglisieren, englisch machen.
an·gling ['æŋgliŋ] *s.* Angeln *n*.
Anglo- [æŋglou] Anglo..., anglo..., englisch-, englisch und ...
'An·glo|-A'mer·i·can **I.** *s.* 'Anglo-Ameri'kaner(in); **II.** *adj.* anglo-ameri'kanisch; **'~-'In·di·an** **I.** *s.* Anglo-'inder(in); **II.** *adj.* anglo'indisch; **~'ma·ni·a** *s.* Angloma'nie *f*, Englände'rei *f*; **'~-'Nor·man** **I.** *s.* **1.** Anglonor'manne *m*; **2.** *ling.* Anglonor'mannisch *n*; **II.** *adj.* **3.** anglonormannisch; **'~phile** [-fail] **I.** *s.* Englandfreund *m*; **II.** *adj.* englandfreundlich; **'~phobe** [-foub] **I.** *s.* Englandfeind *m*; **II.** *adj.* englandfeindlich; **~'pho·bi·a** [-'foubjə] *s.* Anglopho'bie *f*; **'~-'Sax·on** **I.** *s.* **1.** Angelsachse *m*; **2.** *ling.* Altenglisch *n*, Angelsächsisch *n*; **II.** *adj.* **3.** angelsächsisch; **'~-'Scot** *s.* dauernd in England lebender Schotte.
an·go·la [æŋ'goulə], **an·go·ra** [æŋ'gɔ:rə], *a.* ♀ *s.* Gewebe *n* aus An'gorawolle; **~ cat** *s. zo.* An'gorakatze *f*; **~ goat** *s. zo.* An'goraziege *f*; **~ wool** *s.* Angorawolle *f*; Mo'här *m*.
an·gos·tu·ra| bark [æŋgɔs'tjuərə] *s.* ⚘ Ango'sturarinde *f*; **~ bit·ters** *s. pl.* Ango'sturabitter *m*.
an·gry ['æŋgri] *adj.* □ **1.** (*at, about*) ärgerlich, ungehalten (über *acc.*), zornig, böse (auf *j-n*, über *et.*, *with* mit *j-m*): *~ young man* ‚zorniger junger Mann' (*der seinem Zorn über das Versagen der älteren Generation Luft macht*); **2.** ⚕ entzündet, schlimm; **3.** *fig.* drohend, stürmisch, finster.
ang·strom, *a.* ♀ ['æŋstrəm] *s. phys. a. ~ unit* Angström(einheit *f*) *n*.
an·guish ['æŋgwiʃ] *s.* Qual *f*, Pein *f*, Angst *f*, Schmerz *m*: *~ of mind* Seelenqual.
an·gu·lar ['æŋgjulə] *adj.* □ **1.** winklig, winkelförmig, eckig; Winkel...; **2.** *fig.* knochig, hager; **3.** *fig.* steif, for'mell; barsch; **an·gu·lar·i·ty** [æŋgju'læriti] *s.* **1.** Winkligkeit *f*; **2.** *fig.* Eckigkeit *f*, Steifheit *f*.
an·hy·drous [æn'haidrəs] *adj.* ⚗, *biol.* kalziniert, wasserfrei; getrocknet, Dörr... (*Obst etc.*).
an·il ['ænil] *s.* ⚘ 'Indigopflanze *f*; Indigo(farbstoff) *m*.
an·i·line ['ænili:n] *s.* Ani'lin *n*: *~ dye* Anilinfarbstoff, *weitS.* chemisch hergestellte Farbe.
an·i·mad·ver·sion [ænimæd'vɔ:ʃən] *s.* Tadel *m*, Rüge *f*, Kri'tik *f*; **an·i·mad'vert** [-'vɔ:t] *v/i.* (*on, upon*) 'kritische Bemerkungen machen (über *acc.*); tadeln, rügen (*acc.*).
an·i·mal ['æniməl] **I.** *s.* **1.** Tier *n*, ‚Vierfüß(l)er' *m*; tierisches Lebewesen (*Ggs. Pflanze*, F *a. Ggs. Vogel*); **2.** *fig.* viehischer Mensch, 'Bestie *f*; **II.** *adj.* **3.** ani'malisch, tierisch (*beide a. fig.*); Tier...
an·i·mal·cu·le [æni'mælkju:l] *s.* mikro'skopisch kleines Tierchen: *infusorial ~s*.
an·i·mal·ism ['æniməlizəm] *s.* **1.** Vertiertheit *f*; **2.** Sinnlichkeit *f*; **3.** Lebenstrieb *m*, -kraft *f*.
an·i·mal| king·dom *s. zo.* Tierreich *n*; **~ life** *s.* Tierleben *n*; **~ mag·net·ism** *s.* tierischer Magne'tismus; **~ spir·its** *s. pl.* Lebenskraft *f*, -geister *pl*.
an·i·mate **I.** *v/t.* ['ænimeit] **1.** beseelen, beleben; anregen, aufmuntern; **2.** e-n Anschein von Leben geben, lebendig gestalten: *to ~ a cartoon* e-n Zeichentrickfilm herstellen; **II.** *adj.* [-mit] **3.** belebt, lebend; lebhaft, munter; **'an·i·mat·ed** [-tid] *adj.* □ **1.** lebendig, beseelt (*with, by* von), voll Leben: *~ cartoon* Zeichentrickfilm; **2.** ermutigt; **3.** lebhaft, angeregt; **an·i·ma·tion** [æni'meiʃən] *s.* **1.** Leben *n*, Feuer *n*, Lebhaftigkeit *f*, Munterkeit *f*; Leben *n* und Treiben *n*; **2.** Herstellung *f* von Zeichentrickfilmen; **'an·i·mat·or** [-tə] *s.* Zeichner *m* von Trickfilmen.
an·i·mism ['ænimizəm] *s.* Ani'mismus *m*.
an·i·mos·i·ty [æni'mɔsiti] *s.* Feindseligkeit *f*, Erbitterung *f*.
a·ni·mo·so [ani'mousou] (*Ital.*) *adv.* ♪ lebhaft.
an·i·mus ['æniməs] → *animosity*.
an·ise ['ænis] *s.* ⚘ A'nis *m*; **'an·i·seed** [-si:d] *s.* A'nis(samen) *m*.
an·i·sette [æni'zet] *s.* Ani'sett *m* (*Likör*).
an·kle ['æŋkl] *s. anat.* **1.** (Fuß-)Knöchel *m*: *to sprain one's ~* sich den Fuß verstauchen; **2.** Knöchelgegend *f des Beins*; **'~·bone** *s. anat.* Sprungbein *n*; **~ boot** *s.* Halbstiefel *m*; **'~-'deep** *adj.* bis zu den Knöcheln; **'~·sock** *s.* Knöchelsocke *f*; **'~-strap** *s.* Knöchel-, Schuhspange *f*: *~ shoes* Spangenschuhe.
an·klet ['æŋklit] *s.* **1.** Fußring *m*, -spange *f* (*als Schmuck od. Fessel*); **2.** *Am.* Knöchelsocke *f*.
an·na ['ænə] *s.* An'na *m* (*ind. Münze*).
an·nal·ist ['ænəlist] *s.* Chro'nist *m*; **an·nals** ['ænlz] *s. pl.* **1.** An'nalen *pl.*, Jahrbücher *pl.*; **2.** hi'storischer Bericht; **3.** *regelmäßig erscheinende* wissenschaftliche Berichte *pl*.
an·neal [ə'ni:l] *v/t.* **1.** ⊕ *Metall* ausglühen, anlassen, vergüten, tempern; *Glas* kühlen; **2.** *fig.* härten, zäh(e) machen.
an·nex **I.** *v/t.* [ə'neks] **1.** (*to*) beifügen (*dat.*), anhängen (an *acc.*); **2.** annektieren, einverleiben: *the province was ~ed to France* Frankreich verleibte sich das Gebiet ein; **3.** F sich aneignen; (sich) ‚organisieren': *the fountain-pen was ~ed by Mr. X* Herr X hat sich den Füllhalter angeeignet; **II.** *s.* ['æneks] **4.** Anhang *m*, Nachtrag *m*; Anlage *f zum Brief*; **5.** Nebengebäude *n*, Anbau *m*; **an·nex·a·tion** [ænek'seiʃən] *s.* **1.** Hin'zufügung *f* (*to* zu); **2.** Annexi'on *f*, Einverleibung *f* (*to* in

acc.); **3.** Aneignung *f*; **an·nex·a·tion·ist** [ænek'seiʃənist] *s.* Annexio'nist *m* (*Anhänger e-r Annexionspolitik*); **an·nexe** ['æneks] (*Fr.*) → *annex 5*; **an'nexed** [-kst] *adj.* ✝ beifolgend, beigefügt.

an·ni·hi·late [ə'naiəleit] *v/t.* **1.** vernichten; **2.** ⚔ aufreiben; **3.** *fig.* zu'nichte machen, aufheben; **an·ni·hi·la·tion** [ənaiə'leiʃən] *s.* Vernichtung *f*; Aufhebung *f*.

an·ni·ver·sa·ry [æni'vəːsəri] *s.* Jahrestag *m*, -feier *f*, jährlicher Gedenktag: *wedding* ~ Hochzeitstag; *the 50th* ~ *of his death* die 50. Wiederkehr s-s Todestages.

an·no Dom·i·ni ['ænou'dɔminai] (*Lat.*) im Jahre des Herrn, nach Christi Geburt.

an·no·tate ['ænouteit] **I.** *v/t.* *e-e Schrift* mit Anmerkungen versehen, kommentieren; **II.** *v/i.* (*on*) Anmerkungen machen (zu), einen Kommen'tar schreiben (über *acc.*); **an·no·ta·tion** [ænou'teiʃən] *s.* Kommentieren *n*; Anmerkung *f*.

an·nounce [ə'nauns] *v/t.* **1.** ankündigen, (an)melden, anzeigen, bekanntmachen, verkünden; **2.** zeigen, enthüllen; **an'nounce·ment** [-mənt] *s.* **1.** Ankündigung *f*, (An-)Meldung *f*; Ansage *f*, Bekanntmachung *f*; *Radio*: 'Durchsage *f*; **2.** Veröffentlichung *f*, Anzeige *f*; **an'nounc·er** [-sə] *s.* Ansager(in) (*Radio*).

an·noy [ə'nɔi] *v/t.* **1.** ärgern: *to be* ~*ed* sich ärgern (*at s.th.* über et., *with s.o.* über j-n); **2.** beunruhigen, belästigen, stören; schikanieren; **an'noy·ance** [-əns] *s.* **1.** Störung *f*, Belästigung *f*, Ärgernis *n*; Ärger *m*; **2.** Plage(geist *m*) *f*; **an'noyed** [-ɔid] *adj.* ärgerlich (*Person*); **an'noy·ing** [-iŋ] *adj.* □ ärgerlich (*Sache*), lästig; **an'noy·ing·ly** [-iŋli] *adv.* ärgerlicherweise.

an·nu·al ['ænjuəl] **I.** *adj.* □ **1.** jährlich, Jahres...; **2.** *bsd.* ♀ einjährig: ~ *ring* Jahresring; **II.** *s.* **3.** jährlich erscheinende Veröffentlichung, Jahrbuch *n*; **4.** einjährige Pflanze; → *hardy 3*.

an·nu·i·tant [ə'nju(ː)itənt] *s.* Empfänger(in) e-r Jahresrente, Leibrentner(in); **an'nu·i·ty** [-ti] *s.* **1.** (Jahres)Rente *f*; **2.** Jahreszahlung *f*; **3.** ✝ *a.* ~ *bond* Rentenbrief *m*; **4.** *pl.* 'Rentenpa,piere *pl.*

an·nul [ə'nʌl] *v/t.* aufheben, auflösen, für ungültig erklären, tilgen, annullieren.

an·nu·lar ['ænjulə] *adj.* □ ringförmig: ~ *eclipse* ringförmige Sonnenfinsternis; **'an·nu·late** [-leit], **'an·nu·lat·ed** [-leitid] *adj.* geringelt, aus Ringen bestehend, Ring...

an·nul·ment [ə'nʌlmənt] *s.* Aufhebung *f*, Nichtigkeitserklärung *f*, Annullierung *f*.

an·nun·ci·ate [ə'nʌnʃieit] *v/t.* ankündigen, verkünden; **an·nun·ci·a·tion** [ənʌnsi'eiʃən] *s.* **1.** Ankündigung *f*, Verkündigung *f*; **2.** ~, *a.* ~ *Day eccl.* Mariä Verkündigung; **an'nun·ci·a·tor** [-tə] *s.* Si'gnalappa,rat *m*, -tafel *f*; Klappenkasten *m e-r Klingelanlage*.

an·ode ['ænoud] *s.* ⚡ An'ode *f*, 'positiver Pol: ~ *potential* Anodenspannung; *DC* ~ Anodenruhestrom.

an·o·dyne ['ænoudain] **I.** *adj.* schmerzstillend; *fig.* lindernd, beruhigend; **II.** *s.* schmerzstillendes Mittel.

a·noint [ə'nɔint] *v/t.* **1.** einölen, einschmieren; **2.** *bsd. eccl.* salben; **a'noint·ing** [-tiŋ] *s.* Salbung *f*.

a·nom·a·lous [ə'nɔmələs] *adj.* □ 'anomal, regelwidrig; ungewöhnlich, abweichend; **a'nom·a·ly** [-li] *s. a. ast., ling.* Anoma'lie *f*, Unregelmäßigkeit *f*.

a·non [ə'nɔn] *adv.* bald, so'gleich.

an·o·nym·i·ty [ænə'nimiti] *s.* Anonymi'tät *f*; **a·non·y·mous** [ə'nɔniməs] *adj.* □ ano'nym, namenlos, ungenannt; unbekannten Ursprungs: *to remain* ~ anonym bleiben.

a·noph·e·les [ə'nɔfiliːz] *s. zo.* Fiebermücke *f*.

a·no·rak ['ænəræk] *s.* Anorak *m*.

an·oth·er [ə'nʌðə] *adj. u. pron.* **1.** ein anderer, eine andere, ein anderes (*than* als): ~ *thing* etwas anderes; *one* ~ **a)** einander, **b)** uns (euch, sich) gegenseitig; *one after* ~ einer nach dem andern; *he is* ~ *man now* jetzt ist er ein (ganz) anderer Mensch; **2.** ein zweiter *od.* weiterer *od.* neuer, eine zweite *od.* weitere *od.* neue, ein zweites *od.* weiteres *od.* neues; **3.** noch ein(er, e, es): *yet* ~ noch ein(er, e, es); ~ *cup of tea* noch eine Tasse Tee; ~ *five weeks* weitere *od.* noch fünf Wochen; *tell us* ~! *sl.* das glaubst du doch selbst nicht!; ~ *Shakespeare* ein zweiter Shakespeare; *A.N.Other sport* ein ungenannter (Ersatz)Spieler.

An·schluss ['ɑːnʃlus] (*Ger.*) *s. pol.* Anschluß *m*.

an·swer ['ɑːnsə] **I.** *s.* **1.** Antwort *f*, Entgegnung *f* (*to* auf *acc.*): *in* ~ *to* **a)** in Beantwortung (*gen.*), **b)** auf *et.* hin; **2.** *fig.* Antwort *f*, Erwiderung *f*; Reakti'on *f*; **3.** Gegenmaßnahme *f*, -mittel *n*; **4.** ⚖ Klagebeantwortung *f*, Gegenschrift *f*; *weitS.* Rechtfertigung *f*; **5.** Lösung *f e-r Aufgabe*; **II.** *v/i.* **6.** antworten (*to j-m* auf *acc.*): *to* ~ *back* F freche Antworten geben; **7.** sich verantworten, sich verteidigen; **8.** verantwortlich sein, haften, bürgen (*for* für); **9.** die Folgen tragen, büßen (*for* für): *you have much to* ~ *for* du hast viel auf dem Kerbholz; **10.** *fig.* (*to*) reagieren (auf *acc.*), hören (auf *e-n Namen*); gehorchen, Folge leisten (*dat.*); **11.** *to e-r Beschreibung* entsprechen; **12.** sich eignen, taugen; gelingen (*Plan*); **III.** *v/t.* **13.** *j-m* antworten, *et.* beantworten; erwidern; **14.** sich vor *j-m* verantworten; sich gegen *e-e Anklage etc.* verteidigen; **15.** eingehen *od.* reagieren auf (*acc.*): *to* ~ *the bell* (*od. door*) auf das Läuten *od.* Klopfen die Tür öffnen; *to* ~ *the telephone* e-n Anruf entgegennehmen, ans Telefon gehen; **16.** *dem Steuer* gehorchen; *Gebet* erhören; *Zweck*, *Wunsch etc.* erfüllen; *Auftrag etc.* ausführen: *to* ~ *the call of duty* dem Ruf der Pflicht folgen; **17.** *bsd. Aufgabe* lösen; **18.** *e-r Beschreibung*, *e-m Bedürfnis* entsprechen; **19.** *j-m* genügen, *j-n* zu'friedenstellen; **'an·swer·a·ble** [-sərəbl] *adj.* **1.** verantwortlich (*for* für): *to be* ~ *to s.o. for s.th.* j-m für et. bürgen, sich vor j-m für et. verantworten müssen; **2.** (*to*) entsprechend, angemessen, gemäß (*dat.*); **3.** zu beantworten(d).

ant [ænt] *s. zo.* Ameise *f*.

an't [ɑːnt; ænt] → *ain't*.

ant·ac·id ['ænt'æsid] *adj. u. s.* ⚕ gegen Magensäure wirkend(es Mittel).

an·tag·o·nism [æn'tægənizəm] *s.* **1.** 'Widerstreit *m*, Feindschaft *f*, Gegensatz *m*, 'Widerspruch *m* (*between* zwischen *dat.*); **2.** 'Widerstand *m* (*against*, *to* gegen); **an'tag·o·nist** [-ist] *s.* Gegner(in), 'Widersacher(in); **an·tag·o·nis·tic** [æntægə'nistik] *adj.* (□ ~*ally*) gegnerisch, feindlich (*to* gegen); wider'streitend (*to dat.*); **an'tag·o·nize** [-naiz] *v/t.* entgegenwirken (*dat.*), bekämpfen; sich *j-n* zum Gegner *od.* Feind machen.

ant·arc·tic [ænt'ɑːktik] **I.** *adj.* ant'arktisch, Südpol...: ~ *Circle* südlicher Polarkreis; ~ *Ocean* südliches Eis- *od.* Polarmeer; **II.** *s.* Ant'arktis *f*.

'ant-'bear *s. zo.* Ameisenbär *m*.

an·te ['ænti] (*Lat.*) **I.** *prp.*, *adv.* vor, vorher; **II.** *s.* F *Pokerspiel*: Einsatz *m*; **III.** *v/t. u. v/i. mst* ~ *up Am.* (ein)setzen; *fig.* **a)** s-e Schulden bezahlen, **b)** sein Scherflein beitragen.

ante- [ænti] *in Zssgn* vor, vorher, früher.

'ant-eat·er *s. zo.* Ameisenfresser *m*.

an·te·ced·ence [ænti'siːdəns] *s.* **1.** Vortritt *m*, Vorrang *m*; **2.** *ast.* Rückläufigkeit *f*; **an·te'ced·ent** [-nt] **I.** *adj.* **1.** vor'hergehend, früher (*to* als); **II.** *s.* **2.** *pl.* Anteze'denzien *pl.*: *his* ~*s* sein Vorleben; **3.** *ling.* Beziehungswort *n*.

an·te|·cham·ber ['æntitʃeimbə] *s.* Vorzimmer *n*; ~**·date** ['ænti'deit] *v/t.* **1.** zu'rückdatieren; **2.** vor'wegnehmen; **3.** *zeitlich* vor'angehen (*dat.*); ~**·di·lu·vi·an** ['æntidi'luːvjən] **I.** *adj.* vorsintflutlich (*a. fig.*); **II.** *s.* vorsintflutliches Wesen; rückständige Per'son; *bsd. contp.* ‚Fos'sil' *n* (*sehr alte Person*).

an·te·lope ['æntiloup] *s.* **1.** *zo.* Anti'lope *f*; **2.** Anti'lopenleder *n*.

an·te me·rid·i·em ['æntimə'ridiəm] (*Lat.*) *abbr. a.m.* vormittags.

an·te·na·tal ['ænti'neitl] *adj.* vor der Geburt: ~ *care* Schwangerschaftsfürsorge.

an·ten·na [æn'tenə] *s.* **1.** *pl.* -nae [-niː] *zo.* Fühler *m*; Fühlhorn *n*; *fig.* Gespür *n*, ‚An'tenne' *f*; **2.** *pl.* -nas *Radio*, *Fernsehen*: Antenne *f*.

an·te|·nup·tial ['ænti'nʌpʃəl] *adj.* vorhochzeitlich; ~**·pe·nul·ti·mate** ['æntipi'nʌltimit] **I.** *adj.* drittletzt (*bsd. Silbe*); **II.** *s.* drittletzte Silbe.

an·te·ri·or [æn'tiəriə] *adj.* **1.** vorder; **2.** vor'hergehend, früher (*to* als).

an·te·room ['æntirum] *s.* Vor-, Wartezimmer *n*.

an·them ['ænθəm] *s.* 'Hymne *f*, Cho'ral *m*: *national* ~ Nationalhymne.

an·ther ['ænθə] *s.* ♀ Staubbeutel *m*.

'ant-hill *s. zo.* Ameisenhaufen *m.*
an·thol·o·gy [æn'θɔlədʒi] *s.* Antholo'gie *f*, Gedichtsammlung *f.*
an·thra·cite ['ænθrəsait] *s. min.* Anthra'zit *m*, Glanzkohle *f.*
an·thrax ['ænθræks] *s.* ⚕ 'Anthrax *m*, Milzbrand *m.*
anthropo- [ænθrəpɔ-, -pə-] *in Zssgn* Mensch...
an·thro·poid ['ænθrəpɔid] *zo.* **I.** *adj.* menschenähnlich, Menschen...; **II.** *s.* Menschenaffe *m.*
an·thro·po·log·i·cal [ænθrəpə'lɔdʒikəl] *adj.* □ anthropo'logisch; **an·thro·pol·o·gist** [ænθrə'pɔlədʒist] *s.* Anthropo'loge *m*; **an·thro·pol·o·gy** [ænθrə'pɔlədʒi] *s.* Anthropolo'gie *f*, Lehre *f* vom Menschen; **an·thro·pom·e·try** [ænθrə'pɔmitri] *s.* Anthropome'trie *f*, Messung *f* des menschlichen Körpers und Ske'letts; **an·thro·po'mor·phous** [-ə'mɔ:fəs] *adj.* anthropo'morph(isch), von menschlicher *od.* menschenähnlicher Gestalt; **an·thro·poph·a·gi** [ænθrə'pɔfəgai] *s. pl.* Menschenfresser *pl.*; **an·thro·poph·a·gous** [ænθrə'pɔfəgəs] *adj.* menschenfressend.
an·ti ['ænti] *s.* F (grundsätzlicher) Gegner, ‚Anti' *m.*
anti- [ænti] *in Zssgn* Gegen..., gegen ... eingestellt *od.* wirkend, vor ... schützend, ...feindlich, anti..., Anti...
'an·ti|-'air·craft *adj.* ⚔ Fliegerabwehr...: ~ *gun* Flakgeschütz, Fliegerabwehrkanone; **'~-'ba·by pill** *s.* ⚕ Anti'babypille *f*; **'~·bac'te·ri·al** *adj.* bak'terienfeindlich, -tötend; **'~·bi'ot·ic** [-bai'ɔtik] **I.** *s.* Antibi'otikum *n*; **II.** *adj.* antibi'otisch; **'~·bod·y** *s.* ⚗, *biol.* 'Antikörper *m*, Abwehrstoff *m.*
an·tic ['æntik] *s. mst pl.* Possen *pl.*, Mätzchen *pl.*, (tolle) Sprünge *pl.*
'an·ti|'cath·ode *s.* ⚡ Antika'thode *f*; **'~·christ** *s. eccl.* 'Antichrist *m*; **'~'chris·tian I.** *adj.* christenfeindlich; **II.** *s.* Christenfeind(in).
an·tic·i·pate [æn'tisipeit] *v/t.* **1.** vor'ausempfinden, -sehen, -ahnen; **2.** erwarten, erhoffen: **~d** *profit* voraussichtlicher Verdienst; **3.** im vor'aus tun *od.* erwähnen, vor'wegnehmen; *Ankunft* beschleunigen; vor'auseilen (*dat.*); **4.** *j-m od. e-m Wunsch etc.* zu'vorkommen; **5.** vorgreifen, verhindern; **6.** *bsd.* ✝ vorzeitig bezahlen *od.* verbrauchen; **an·tic·i·pa·tion** [æntisi'peiʃən] *s.* **1.** Vorgefühl *n*, Vorahnung *f*, Vor'aussicht *f*, Vorgeschmack *m*; **2.** Erwartung *f*, Hoffnung *f*, Vorfreude *f*; **3.** Zu'vorkommen *n*, Vorgreifen *n*, Vor'wegnahme *f*: *in* ~ im voraus; **4.** Verfrühtheit *f*: *payment by* ~ Vorauszahlung; **an'tic·i·pa·to·ry** [-təri] *adj.* **1.** vor'wegnehmend, vorgreifend, erwartend: ~ *account* Vorbericht; **2.** *ling.* vor'ausdeutend.
'an·ti|'cler·i·cal *adj.* kirchenfeindlich; **'~'cli·max** *s.* (Ab)Fallen *n*, Abstieg *m*; 'Umschwung *m*, Gegensatz *m*; **'~-'clock·wise** *adv. u. adj.* entgegen dem Uhrzeigersinn: ~ *rotation* Linksdrehung; **'~·cor'ro·sive** *adj.* rostfest: ~ *composition* Rostschutzmittel; **'~'cy·clone** *s. meteor.* Antizy'klone *f*, Hoch(druckgebiet) *n*; **'~-'daz·zle** *adj.* Blendschutz...: ~ *switch* Abblendumschalter; **'~·dis'tor·tion** *s.* ⚡ Entzerrung *f*; **'~·dot·al** [-doutl] *adj.* als Gegengift dienend (*a. fig.*); **'~·dote** [-dout] *s.* Gegengift *n*, Gegenmittel *n* (*against, for, to* gegen); **'~'fad·ing** ⚡ **I.** *s.* Schwundausgleich *m*; **II.** *adj.* schwundmindernd; **'~-'Fas·cist** *pol.* **I.** *s.* Antifa'schist(in); **II.** *adj.* antifa'schistisch; **'~'fe·brile** ⚕ **I.** *adj.* fieberbekämpfend; **II.** *s.* Fiebermittel *n*; **'2'fed·er·al·ist** *s. Am. hist.* Antiföder'a'list *m*, Gegner *m* der 'Bundeskonstituti,on; **'~-'freeze I.** *adj.* Gefrier-, Frostschutz...; **II.** *s.* Frostschutzmittel *n*; **'~-'fric·tion** *s.* Mittel *n* gegen Reibung, Schmiermittel *n*: ~ *metal* Lagermetall; **'~-'gas** *adj.* Gasschutz...
an·ti·gen ['æntidʒən] *s.* ⚕ Anti'gen *n*, Abwehrstoff *m.*
'an·ti|-'glare → *anti-dazzle*; **'~-'ha·lo** *adj. phot.* lichthoffrei; **'~-'he·ro** *s.* Antiheld *m*; **'~·im'pe·ri·al·ist** *s.* Gegner *m* des Imperia'lismus; **'~-in·ter'fer·ence con·dens·er** *s.* ⚡ Ent'störungskonden,sator *m*; **'~·jam** *v/t. u. v/i. Radio* entstören; **'~'knock** ⚗, *mot.* **I.** *adj.* klopffest; **II.** *s.* Anti'klopfmittel *n.*
an·ti·ma·cas·sar ['æntimə'kæsə] *s.* Antima'kassar *m*, Sofa- *od.* Sesselschoner *m.*
'an·ti·ma'lar·i·al ⚕ **I.** *adj.* gegen Ma'laria wirksam; **II.** *s.* Ma'lariamittel *n.*
an·ti·mo·ny ['æntiməni] *s.* ⚗, *min.* [Anti'mon *n.*]
an·tin·o·my [æn'tinəmi] *s.* Antino'mie *f*, 'Widerspruch *m.*
an·ti·pa'thet·ic *adj.*; **an·ti·pa'thet·i·cal** *adj.* □ (*to*) **1.** zu'wider (*dat.*); **2.** abgeneigt (*dat.*); **an·tip·a·thy** [æn'tipəθi] *s.* Antipa'thie *f*, Abneigung *f* (*against, to* gegen).
an·ti|-per·son'nel *adj.* ⚔ gegen Per'sonen gerichtet: ~ *bomb* Splitterbombe; ~ *mine* Schützen-, Tretmine; **'~·phlo'gis·tic I.** *adj.* **1.** ⚗ antiphlo'gistisch; **2.** ⚕ entzündungshemmend; **II.** *s.* **3.** ⚕ Antiphlo'gistikum *n.*
an·tiph·o·ny [æn'tifəni] *s.* Antipho'nie *f*, Wechselgesang *m.*
an·tip·o·dal [æn'tipədl] *adj.* **1.** anti'podisch; **2.** genau entgegengesetzt; **an·tip·o·de·an** [æntipə'di(:)ən] *s.* Anti'pode *m*, Gegenfüßler *m*; **an·tip·o·des** [æn'tipədi:z] *s. pl.* **1.** die diame'tral gegen'überliegenden Teile *pl.* der Erde; **2.** *sg. u. pl.* Gegenteil *n*, -satz *m*, -seite *f.*
'an·ti·pol'lu·tion *adj.* umweltschützend; **'an·ti·pol'lu·tion·ist** *s.* Umweltschützer *m.*
'an·ti|·pope *s.* Gegenpapst *m*; **'~·py·'ret·ic** ⚕ **I.** *adj.* fieberverhütend; **II.** *s.* Fiebermittel *n*; **~·py·rin(e)** [ænti'paiərin] *s.* ⚕ Antipy'rin *n.*
an·ti·quar·i·an [ænti'kweəriən] **I.** *adj.* altertümlich; **II.** *s.* → *antiquary*; **an·ti·quar·y** ['æntikwəri] *s.* **1.** Altertumskenner *m*, -forscher *m*; **2.** Antiqui'tätensammler *m*, -händler *m*; **an·ti·quat·ed** ['æntikweitid] *adj.* veraltet, altmodisch, über'holt.
an·tique [æn'ti:k] **I.** *adj.* □ **1.** an'tik, alt; **2.** altmodisch, veraltet; **II.** *s.* **3.** An'tike *f*, antikes Möbelstück, alter Kunstgegenstand: ~ *shop* Antiquitätenladen; **an·tiq·ui·ty** [æn'tikwiti] *s.* **1.** Altertum *n*, Vorzeit *f*; **2.** die Alten *pl.* (*bsd. Griechen u. Römer*); **3.** *die* Antike; **4.** *pl.* Antiqui'täten *pl.*, Altertümer *pl.*; **5.** (hohes) Alter.
an·tir·rhi·num [ænti'rainəm] *s.* ⚘ Löwenmaul *n.*
'an·ti|-'rust *adj.* Rostschutz...; **~-sab·ba'tar·i·an** *adj. u. s.* der strengen Sonntagsheiligung abgeneigt(e Per'son); **~-'Sem·ite** *s.* Antise'mit (-in); **~-Se'mit·ic** *adj.* antise'mitisch; **~-'Sem·i·tism** *s.* Antisemi'tismus *m*; **~'sep·tic** *adj.* (□ **~ally**) **I.** anti'septisch, fäulnisverhindernd; **II.** *s.* Anti'septikum *n*; **'~-'skid** *adj.* ⊕, *mot.* gleit-, schleudersicher, Gleitschutz...; **'~'so·cial** *adj.* 'unsozi,al; ungesellig; **'~-'tank** *adj.* ⚔ Panzerabwehr... (*-kanone etc.*), Panzer...(*-sperre etc.*); Panzerjäger...: ~ *battalion.*
an·tith·e·sis [æn'tiθisis] *pl.* **-ses** [-si:z] *s.* Gegensatz *m*; 'Widerspruch *m*; **an·ti·thet·ic** *adj.*; **an·ti·thet·i·cal** [ænti'θetik(əl)] *adj.* □ im Widerspruch stehend, gegensätzlich.
'an·ti|'tox·in *s.* ⚕ Antito'xin *n*, Gegengift *n*; **'~-'trust** *adj.* kar'tell- u. mono'polfeindlich; **'~·type** *s.* Gegen-, Vorbild *n*; **~'un·ion** *adj. Am.* gewerkschaftsfeindlich; **'~-vac·ci·'na·tion** *adj.*: ~ *league* Vereinigung der Impfgegner.
ant·ler ['æntlə] *s. zo.* Geweihsprosse *f*; *pl.* Geweih *n.*
an·to·nym ['æntənim] *s.* Anto'nym *n*, Wort *n* entgegengesetzter Bedeutung.
a·nus ['einəs] *s. anat.* After *m.*
an·vil ['ænvil] *s.* Amboß *m* (*a. fig.*).
anx·i·e·ty [æŋ'zaiəti] *s.* **1.** Angst *f*, Unruhe *f*; Bedenken *n*, Besorgnis *f*, Sorge *f* (*for* um); **2.** ⚕ Beängstigung *f*, Beklemmung *f*; **3.** (eifriges) Verlangen, Bestreben *n* (*for* nach, *to inf.* zu *inf.*).
anx·ious ['æŋkʃəs] *adj.* □ **1.** ängstlich, bange, besorgt, unruhig (*about* um, wegen): ~ *about his health* um s-e Gesundheit besorgt; **2.** *fig.* (*for, to inf.*) begierig (auf *acc.*, nach, zu *inf.*), bestrebt (zu *inf.*), bedacht (auf *acc.*): ~ *for his report* auf s-n Bericht begierig *od.* gespannt; *he is* ~ *to please* er bemüht sich zu *od.* möchte gern gefallen; *I am* ~ *to see him* mir liegt daran, ihn zu sehen; ~ *for success* auf Erfolg bedacht.
an·y ['eni] **I.** *adj.* **1.** (*fragend, verneinend od. bedingend*) (irgend-) ein, (irgend)welch; etwaig; einige *pl.*; etwas: *have you* ~ *money on you?* haben Sie Geld bei sich?; *if I had* ~ *hope* wenn ich irgendwelche Hoffnung hätte; *not* ~ kein; *there was not* ~ *milk in the house* es war keine Milch im Hause; *I cannot eat* ~ *more* ich kann nichts mehr essen; **2.** (*bejahend*) jeder, jede, jedes (beliebige): ~ *cat will scratch* jede Katze kratzt; ~ *amount* jede beliebige Menge, ein ganzer Haufen; *in* ~ *case* auf jeden Fall; *at* ~ *rate* jedenfalls, wenigstens; *at* ~ *time* jederzeit; **II.** *pron. sg. u. pl.* **3.** irgendein; irgendwelche *pl.*;

etwas: *no money and no prospect of* ~ kein Geld und keine Aussicht auf welches; **III.** *adv.* **4.** irgend(wie), (noch) etwas: ~ *more?* noch (etwas) mehr?; *not* ~ *more than* ebensowenig wie; *is he* ~ *happier now?* ist er denn jetzt glücklicher?; → *if 1*; **'~·bod·y** *pron.* irgend jemand, irgendeine(r), ein beliebiger, eine beliebige: ~ *but you* jeder andere eher als du; *is he* ~ *at all?* ist er überhaupt jemand (von Bedeutung)?; *ask* ~ *you meet* frage den ersten besten, den du triffst; **'~·how** *adv.* **1.** irgendwie; so gut wie's geht, schlecht und recht; **2.** trotzdem, jedenfalls, sowie'so, ohne'hin, immer'hin: *you won't be late* ~ jedenfalls wirst du nicht zu spät kommen; *who wants him to come* ~? wer will denn überhaupt, daß er kommt?; **'~·one** → *anybody*; **'~·thing** *pron.* **1.** (irgend) etwas, etwas Beliebiges: *not* ~ gar nichts; *not for* ~ um keinen Preis; *take* ~ *you like* nimm, was du willst; *my head aches like* ~ F mein Kopf schmerzt wie toll; *for* ~ *I know* soviel ich weiß; **2.** alles: ~ *but* alles andere (eher) als; **'~·way** *adv.* **1.** irgendwie; **2.** → *anyhow* 2; **'~·where** *adv.* **1.** irgendwo(hin): *not* ~ nirgendwo; **2.** über'all.

An·zac ['ænzæk] *s.* (*Anfangsbuchstaben des*) *Australian and New Zealand Army Corps.*

A one → *A 1.*

a·o·rist ['ɛərist] *s. ling.* Ao'rist *m.*

a·or·ta [ei'ɔːtə] *s. anat.* A'orta *f*, Hauptschlagader *f.*

a·pace [ə'peis] *adv.* schnell, rasch, zusehends.

A·pach·e *pl.* **-es** *od.* **-e** *s.* **1.** [ə'pætʃi] A'pache *m* (*Indianer*); **2.** ♀ [ə'pɑːʃ] Apache *m*, 'Unterweltler *m* (*in Paris*).

ap·a·nage → *appanage.*

a·part [ə'pɑːt] *adv.* **1.** einzeln, für sich, (ab)gesondert (*from* von): *to keep* ~ getrennt *od.* auseinanderhalten; *to take* ~ zerlegen; ~ *from* abgesehen von; **2.** abseits, bei'seite: *joking* ~ Scherz beiseite; *to set s.th.* ~ et. beiseite setzen *od.* aufbewahren.

a·part·heid [ə'pɑːthaid] *s.* (Poli'tik *f* der) Rassentrennung *f in Südafrika.*

a·part·ment [ə'pɑːtmənt] *s.* **1.** *Brit.* (*mst* möbliertes) Einzelzimmer; **2.** *Am.* (E'tagen)Wohnung *f*; Zimmerflucht *f*; **3.** *pl. Brit.* (*mst* möblierte Miet)Wohnung; ~ **ho·tel** *s. Am.* 'Wohnhoˌtel *n* (*mit od. ohne Bedienung od. Verpflegung*); ~ **house** *s. Am.* Wohnhaus *n.*

ap·a·thet·ic *adj.*; **ap·a·thet·i·cal** [æpə'θetik(əl)] *adj.* □ a'pathisch, teilnahmslos; **ap·a·thy** ['æpəθi] *s.* Apa'thie *f*, Teilnahmslosigkeit *f*; Gleichgültigkeit *f* (*to* gegen).

ape [eip] **I.** *s. zo.* (*bsd.* Menschen-) Affe *m*; *fig.* Nachäffer(in); **II.** *v/t.* nachäffen.

a·peak [ə'piːk] *adv. u. adj.* ⚓ senkrecht.

a·pe·ri·ent [ə'piəriənt] ⚕ **I.** *adj.* abführend; **II.** *s.* Abführmittel *n.*

a·pé·ri·tif [aperitif] (*Fr.*) *s.* Aperi'tif *m* (*appetitanregendes Getränk*).

ap·er·ture ['æpətjuə] *s.* **1.** Öffnung *f*, Schlitz *m*, Loch *n*; **2.** *phot.*, *phys.* Blende *f.*

a·pex ['eipeks] *pl.* **'a·pex·es** *od.* **'a·pi·ces** [-pisiːz] *s.* **1.** (*a. anat. Lungen- etc.*)Spitze *f*, Gipfel *m*, Scheitelpunkt *m*; **2.** *fig.* Gipfel *m*, Höhepunkt *m.*

a·phe·li·on [æ'fiːljən] *s.* **1.** *ast.* A'phelium *n*; **2.** *fig.* entferntester Punkt.

a·phid ['eifid], *a.* **a·phis** ['eifis] *pl.* **'aph·i·des** [-diːz] *s. zo.* Blattlaus *f.*

aph·o·rism ['æfərizəm] *s.* Apho'rismus *m*, Gedankensplitter *m*; **'aph·o·rist** [-ist] *s.* Apho'ristiker *m.*

aph·ro·dis·i·ac [æfrou'diziæk] ⚕ **I.** *adj.* den Geschlechtstrieb steigernd; **II.** *s.* Aphrodi'siakum *n.*

a·pi·ar·i·an [eipi'ɛəriən] *adj.* Bienen(zucht) betreffend; Bienen...; **a·pi·a·rist** ['eipjərist] *s.* Bienenzüchter *m*, Imker *m*; **a·pi·ar·y** ['eipjəri] *s.* Bienenhaus *n.*

ap·i·cal ['æpikəl] *adj.* □ die Spitze betreffend, Spitzen...: ~ *angle* ⩓ Winkel an der Spitze; ~ *pneumonia* ⚕ Lungenspitzenkatarrh.

a·pi·cul·ture ['eipikʌltʃə] *s.* Bienenzucht *f.*

a·piece [ə'piːs] *adv.* für jedes Stück, je; für jeden, pro Per'son, pro Kopf.

ap·ish ['eipiʃ] *adj.* □ **1.** affenartig; **2.** nachäffend; albern.

a·plomb ['æplɔ̃ːŋ; aplɔ̃] (*Fr.*) *s.* (selbst)sicheres Auftreten; Selbstbewußtsein *n*, Fassung *f.*

A·poc·a·lypse [ə'pɔkəlips] *s.* **1.** *bibl.* Apoka'lypse *f*, Offen'barung *f* Jo'hannis; **2.** ♀ *fig.* Enthüllung *f*, Offenbarung *f*; **a·poc·a·lyp·tic** [əpɔkə'liptik] *adj.* (□ ~*ally*) **1.** apoka'lyptisch, nach Art der Offenbarung Johannis; **2.** *fig.* dunkel, rätselhaft.

a·poc·o·pe [ə'pɔkəpi] *s. ling.* A'pokope *f* (*Endverkürzung e-s Wortes*).

a·poc·ry·pha [ə'pɔkrifə] *s. bibl.* Apo'kryphen *pl.*; **a'poc·ry·phal** [-əl] *adj.* apo'kryphisch; unecht; zweifelhaft.

ap·o·gee ['æpoudʒiː] *s.* **1.** *ast.* Apo'gäum *n*, Erdferne *f*; **2.** *fig.* Höhepunkt *m*, Gipfel *m.*

A·pol·lo [ə'pɔlou] **I.** *npr. myth.* A'poll(o) *m*; **II.** *s. fig.* schöner Jüngling.

a·pol·o·get·ic [əpɔlə'dʒetik] **I.** *s.* **1.** Entschuldigung *f*, Verteidigung *f*; **2.** *mst pl. eccl.* Apolo'getik *f*; **II.** *adj.* **3.** → *apologetical*; **a·pol·o'get·i·cal** [-kəl] *adj.* □ **1.** entschuldigend, rechtfertigend; **2.** kleinlaut, schüchtern.

ap·o·lo·gi·a [æpə'loudʒiə] *s.* Verteidigung *f*, (Selbst)Rechtfertigung *f*; **a·pol·o·gist** [ə'pɔlədʒist] *s.* **1.** Verteidiger(in); **2.** *eccl.* Apolo'get *m*; **a·pol·o·gize** [ə'pɔlədʒaiz] *v/i.* sich entschuldigen, Abbitte tun (*for* wegen, *to* bei): *you ought to* ~ *to your father for him* Sie sollten ihn bei Ihrem Vater entschuldigen; **a·pol·o·gy** [ə'pɔlədʒi] *s.* **1.** Entschuldigung *f*, Abbitte *f*; Rechtfertigung *f*: *to make an* ~ *to s.o. for* sich bei j-m entschuldigen für; **2.** Verteidigungsrede *f*, -schrift *f*; **3.** F minderwertiger Ersatz, Notbehelf *m*: *an* ~ *for a meal* ein armseliges Essen.

ap·o·phthegm → *apothegm.*

ap·o·plec·tic *adj.*; **ap·o·plec·ti·cal** [æpə'plektik(əl)] *adj.* □ Schlagfluß-...; zum Schlagfluß neigend: ~ *fit*, ~ *stroke* Schlaganfall; **ap·o·plex·y** ['æpəpleksi] *s.* ⚕ Schlaganfall *m*, -fluß *m*, Schlag *m.*

a·pos·ta·sy [ə'pɔstəsi] *s.* Abfall *m*, Abtrünnigkeit *f* (*vom Glauben, von e-r Partei etc.*); **a'pos·tate** [-tit] **I.** *s.* Abtrünnige(r *m*) *f*, Rene'gat *m*; **II.** *adj.* abtrünnig; **a'pos·ta·tize** [-tətaiz] *v/i.* **1.** (*from*) abfallen (von), abtrünnig *od.* untreu werden (*dat.*); **2.** 'übergehen (*from ... to* von ... zu).

a·pos·tle [ə'pɔsl] *s.* **1.** *eccl.* A'postel *m*: ♀*s' Creed* Apostolisches Glaubensbekenntnis; **2.** *fig.* Apostel *m*, Verfechter *m*, Vorkämpfer *m*: ~ *of Free Trade*; **a·pos·to·late** [ə'pɔstəlit] *s.* Aposto'lat *n*, A'postelamt *n*, -würde *f*; **ap·os·tol·ic**, *oft* ♀ [æpəs'tɔlik] *adj.* (□ ~*ally*) apo'stolisch: ~ *succession* apostolische Nachfolge; ♀ See Heiliger Stuhl; **ap·os·tol·i·cal** [æpəs'tɔlikəl] *adj.* □ → *apostolic.*

a·pos·tro·phe [ə'pɔstrəfi] *s.* **1.** Anrede *f*; **2.** *ling.* Apo'stroph *m*; **a'pos·tro·phize** [-faiz] *v/t.* **1.** anreden, sich wenden an (*acc.*); **2.** mit e-m Apostroph versehen.

a·poth·e·car·y [ə'pɔθikəri] *s. obs.* Apo'theker *m.*

ap·o·thegm ['æpouθem] *s.* Denk-, Kern-, Lehrspruch *m*; Ma'xime *f.*

a·poth·e·o·sis [əpɔθi'ousis] *s.* **1.** Apothe'ose *f*: **a)** Vergöttlichung *f*, **b)** *fig.* Verherrlichung *f*, Vergötterung *f*; **2.** *fig.* Ide'al *n.*

Ap·pa·lach·i·an [æpə'leitʃjən] *adj.*: ~ *Mountains* Appalachen (*Gebirge im Nordosten der USA*).

ap·pal, *selten* **ap·pall** [ə'pɔːl] *v/t.* erschrecken, entsetzen: *to be* ~*led* entsetzt sein (*at* über *acc.*); **ap'pall·ing** [-liŋ] *adj.* □ erschreckend, entsetzlich, schrecklich.

ap·pa·nage ['æpənidʒ] *s.* **1.** Apa'nage *f*, Leibgedinge *n e-s Prinzen*; *fig.* Erbteil *m*; Einnahme(quelle) *f*; **2.** abhängiges Gebiet; **3.** *fig.* Zubehör *n.*

ap·pa·ra·tus [æpə'reitəs] *pl.* **-tus**, **-tus·es** *s.* **1.** Appa'rat *m*, Gerät *n*, Vorrichtung *f*; *coll.* Apparate *pl.*, Hilfsmittel *pl.*, Appara'tur *f* (*a. fig.*), Maschine'rie *f* (*a. fig.*): ~ *work* Geräteturnen; **2.** ⚕ Sy'stem *n*, Apparat *m*: *respiratory* ~ Atmungsapparat, Atemwerkzeuge.

ap·par·el [ə'pærəl] *s.* **1.** Kleidung *f*, Tracht *f*; **2.** *fig.* Schmuck *m*, Gewand *n.*

ap·par·ent [ə'pærənt] *adj.* □ → *apparently*; **1.** sichtbar; **2.** augenscheinlich, offenbar; ersichtlich, einleuchtend; **3.** scheinbar, anscheinend; **ap'par·ent·ly** [-li] *adv.* anscheinend, wie es scheint; **ap·pa·ri·tion** [æpə'riʃən] *s.* **1.** (plötzliches) Erscheinen; **2.** Erscheinung *f*, Gespenst *n*, Geist *m.*

ap·peal [ə'piːl] **I.** *v/i.* **1.** (*to*) appellieren, sich wenden (an *acc.*); *j-n od. et.* (als Zeugen) anrufen, **sich berufen** (auf *acc.*): *to* ~ *to the law* das Gesetz anrufen; *to* ~ *to history* die Geschichte als Zeugen anrufen; **2.** (*to s.o. for s.th.*) (j-n) dringend (um et.) bitten, (j-n um et.) anrufen; **3.** Einspruch erheben; *bsd.* ⚖ Berufung *od.* Revisi'on *od.* Beschwerde einlegen (*against*, ⚖ *mst from* gegen); **4.** (*to*) wirken (auf *acc.*), reizen (*acc.*), gefallen, zusagen (*dat.*), Anklang finden (bei); **II.** *s.* **5.** (*to*) dringende Bitte (an *acc.*, *for* um); Aufruf *m*, Mahnung *f* (an *acc.*); Werbung *f* (bei); Aufforderung *f* (zu): ~ *for mercy* Gnadengesuch; **6.** (*to*) Ap'pell *m* (an *acc.*), Anrufung *f* (*gen.*): ~ *to reason* Appell an die Vernunft; **7.** (*to*) Verweisung *f* (an *acc.*), Berufung *f* (auf *acc.*); **8.** ⚖ Rechtsmittel *n* (*from od. against* gegen): **a)** Berufung *f od.* Revision *f*, **b)** (Rechts)Beschwerde *f*, Einspruch *m*: *Court of* ♀ Appellationsgericht; **9.** (*to*) **Wirkung** *f*, Anziehung(skraft) *f* (auf *acc.*); †, *thea. etc.* Zugkraft *f*; Anklang *m*, Beliebtheit *f* (bei); **ap'peal·ing** [-liŋ] *adj.* □ **1.** flehend; **2.** ansprechend, reizvoll.

ap·pear [ə'piə] *v/i.* **1.** erscheinen (*a. von Büchern*), sich zeigen; *öffentlich* auftreten; **2.** erscheinen, sich stellen (*vor Gericht etc.*); **3.** scheinen, den Anschein haben, aussehen, *j-m* vorkommen: *it ~s to me you are right* mir scheint, Sie haben recht; *he ~s to be tired*; *it does not ~ that* es liegt kein Anhaltspunkt dafür vor, daß; **4.** sich her'ausstellen: *it ~s from this* hieraus ergibt sich *od.* geht hervor; **ap·pear·ance** [ə'piərəns] *s.* **1.** Erscheinen *n*, *öffentliches* Auftreten, Vorkommen *n*: *to make one's ~* sich einstellen, sich zeigen; *to put in an ~* (persönlich) erscheinen; **2.** (äußere) Erscheinung, Aussehen *n*, *das* Äußere: *at first ~* beim ersten Anblick; **3.** äußerer Schein, (An)Schein *m*: *there is every ~ that* es hat ganz den Anschein, daß; *in ~* anscheinend; *to all ~(s)* allem Anschein nach; *~s are against him* der (Augen)Schein spricht gegen ihn; *to keep up (od. save) ~s* den Schein wahren.

ap·pease [ə'pi:z] *v/t.* **1.** *j-n od. j-s Zorn etc.* beruhigen, beschwichtigen; *Streit* schlichten, beilegen; *Leiden* mildern; *Durst* stillen; *Neugier* befriedigen; **2.** *bsd. pol.* durch (zu große) Nachgiebigkeit *od.* Zugeständnisse beschwichtigen; **ap'pease·ment** [-mənt] *s.* Beruhigung *f etc.*; Be'schwichtigungspoli,tik *f*; **ap'peas·er** [-zə] *s. pol.* Be'schwichtigungspo,litiker *m*.

ap·pel·lant [ə'pelənt] **I.** *adj.* appellierend; **II.** *s.* Appel'lant *m*, Berufungskläger(in); Beschwerdeführer(in); **ap'pel·late** [-lit] *adj.* Berufungs...: ~ *court* Berufungsinstanz, Appellationsgericht.

ap·pel·la·tion [æpe'leiʃən] *s.* Benennung *f*, Name *m*; **ap·pel·la·tive** [ə'pelətiv] **I.** *adj.* □ *ling.* appella'tiv: ~ *name* Gattungsname; **II.** *s. ling.* Gattungsname *m*.

ap·pel·lee [æpe'li:] *s.* ⚖ Berufungsbeklagte(r *m*) *f*.

ap·pend [ə'pend] *v/t.* **1.** (*to*) befestigen, anbringen (an *dat.*), anhängen (an *acc.*); **2.** hin'zu-, beifügen (*to dat.*, zu): *to ~ the signature*; *to ~ a price-list*; **ap'pend·age** [-didʒ] *s.* **1.** Anhang *m*, Anhängsel *n*, Zubehör *n*, *m*; **2.** *fig.* Anhängsel *n*, Beigabe *f*; **3.** *fig.* (ständiger) Begleiter.

ap·pen·dec·to·my [æpen'dektəmi] *s.* 'Blinddarmoperati,on *f*; **ap·pen·di·ces** *pl. von appendix*; **ap·pen·di·ci·tis** [əpendi'saitis] *s.* ⚕ Blinddarmentzündung *f*; **ap·pen·dix** [ə'pendiks] *pl.* **-dix·es, -di·ces** [-disi:z] *s.* **1.** Anhang *m e-s Buches*; **2.** ⊕ Ansatz *m*; **3.** *a. vermiform ~ anat.* Wurmfortsatz *m*, Blinddarm *m*.

ap·per·tain [æpə'tein] *v/i.* (*to*) gehören (zu), (zu)gehören (*dat.*); zustehen, gebühren (*dat.*).

ap·pe·tence ['æpitəns], **'ap·pe·ten·cy** [-si] *s.* **1.** Verlangen *n* (*of, for, after* nach); **2.** instink'tive Neigung; (Na'tur)Trieb *m*.

ap·pe·tite ['æpitait] *s.* **1.** (*for*) Verlangen *n*, Gelüst *n* (nach); Neigung *f*, Trieb *m*, Lust *f* (zu); **2.** Appe'tit *m* (*for* auf *acc.*), Eßlust *f*: *to have an ~* Appetit haben; *to take away (od. spoil) s.o.'s ~* j-m den Appetit nehmen *od.* verderben; *loss of ~* Appetitlosigkeit; **'ap·pe·tiz·er** [-aizə] *s.* appe'titanregendes Mittel (*Gericht od. Getränk*), Aperi'tif *m*; **'ap·pe·tiz·ing** [-aiziŋ] *adj.* □ appetitanregend; appe'titlich, lecker (*beide a. fig.*); *fig.* reizvoll, ‚zum Anbeißen'.

ap·plaud [ə'plɔ:d] **I.** *v/i.* applaudieren, Beifall spenden; **II.** *v/t.* beklatschen, *j-m* Beifall spenden; *fig.* loben, billigen; *j-m* zustimmen; **ap·plause** [ə'plɔ:z] *s.* **1.** Ap'plaus *m*, Beifall(klatschen *n*) *m*: *to break into ~* in Beifall ausbrechen; → *round 28*; **2.** *fig.* Zustimmung *f*, Anerkennung *f*.

ap·ple ['æpl] *s.* Apfel *m*: ~ *of discord fig.* Zankapfel; ~ *of one's eye anat.* Augapfel (*a. fig.*); **'~-cart** *s.* Apfelkarren *m*: *to upset s.o.'s ~ fig.* j-s Pläne über den Haufen werfen; **~ char·lotte** *s.* 'Apfelchar,lotte *f* (*e-e Apfelspeise*); **~ dump·ling** *s.* Apfel *m* im Schlafrock; **~ frit·ters** *s. pl.* (in Teig gebackene) Apfelschnitten *pl.*; **'~-jack** *s. Am.* Apfelschnaps *m*; **~ pie** *s.* (warmer) gedeckter Apfelkuchen; **'~-pie or·der** *s.* F schönste Ordnung; **~ pud·ding** *s.* (warme) gedämpfte Apfelspeise; **'~-sauce** *s.* **1.** Apfelmus *n* (*als Beigabe zum Braten*); **2.** *Am. sl.* **a)** Schmeiche'lei *f*, **b)** *int.* Quatsch!; **'~-tree** *s.* ♀ Apfelbaum *m*.

ap·pli·ance [ə'plaiəns] *s.* (Hilfs-)Mittel *n*, Gerät *n*, Vorrichtung *f*, Appa'rat *m*.

ap·pli·ca·bil·i·ty [æplikə'biliti] *s.* (*to*) Anwendbarkeit *f* (auf *acc.*), Eignung *f* (für); **ap·pli·ca·ble** ['æplikəbl] *adj.* □ (*to*) anwendbar (auf *acc.*), passend, geeignet (für): *not ~ in Formularen*: nicht zutreffend, entfällt.

ap·pli·cant ['æplikənt] *s.* (*for*) Bewerber(in) (um), Besteller(in) (*gen.*); Antragsteller(in); (Pa'tent-)Anmelder(in); **ap·pli·ca·tion** [æpli'keiʃən] *s.* **1.** ⚕ Auf-, Anlegen *n e-s Verbandes etc.*; Anwendung *f*; **2.** An-, Verwendung *f*, Gebrauch *m*: ~ *of poison*; ~ *of drastic measures*; **3.** (*to*) Anwendung *f*, Anwendbarkeit *f* (auf *acc.*); Beziehung *f* (zu): *to have no ~* keine Anwendung finden, unangebracht sein, nicht zutreffen; **4.** (*for*) Gesuch *n*, Bitte *f* (um); Antrag *m* (auf *acc.*): *an ~ for help*; *to make an ~* ein Gesuch einreichen, e-n Antrag stellen; ~ *for a patent* Anmeldung zum Patent; *samples on ~* Muster auf Verlangen *od.* Wunsch; *tickets payable on ~* Eintrittskarten zahlbar bei Bestellung; **5.** Bewerbung *f* (*for* um); Bewerbungsschreiben *n*; **6.** Fleiß *m*, Eifer *m* (*in* bei): ~ *in one's studies*.

ap·plied [ə'plaid] *adj.* praktisch, angewandt: ~ *chemistry*; ~ *art* Kunstgewerbe.

ap·pli·qué [æ'pli:kei] *adj.* aufgelegt, -genäht, appliziert: ~ *work* Applikation(sstickerei).

ap·ply [ə'plai] **I.** *v/t.* **1.** (*to*) auflegen, -tragen, legen (auf *acc.*), anbringen (an, auf *dat.*): *to ~ a plaster to a wound* ein Pflaster auf e-e Wunde kleben; **2.** (*to*) **a)** verwenden (auf *acc.*, für), **b)** anwenden (auf *acc.*): *to ~ a rule*; *applied to modern conditions* auf moderne Verhältnisse angewandt, **c)** gebrauchen (für): *to ~ the brakes* bremsen; *to ~ one's skill* s-e Geschicklichkeit aufbieten, **d)** verwerten (zu, *for* für); **3.** *Sinn* richten (*to* auf *acc.*); **4.** ~ *o.s.* sich widmen (*to dat.*): *to ~ o.s. to a task*; **II.** *v/i.* **5.** (*to*) sich wenden (an *acc.*, *for* wegen), sich melden (bei): *to ~ to the manager*; **6.** (*for*) sich bewerben, sich bemühen, ersuchen (um); beantragen (*acc.*): *to ~ for a job*; **7.** (*to*) Anwendung finden (bei), passen, zutreffen (auf *acc.*), gelten (für): *cross out that which does not ~* Nichtzutreffendes bitte streichen.

ap·point [ə'pɔint] *v/t.* **1.** ernennen, berufen, an-, bestellen: *to ~ a teacher* e-n Lehrer anstellen; *to ~ s.o. governor* j-n zum Gouverneur ernennen, j-n als Gouverneur berufen; *to ~ s.o. to a professorship* j-m e-e Professur übertragen; **2.** festsetzen, bestimmen; vorschreiben; verabreden: *to ~ a time*; *the ~ed day* der festgesetzte Tag, der Stichtag; *the ~ed task* die vorgeschriebene Aufgabe; **3.** einrichten, ausrüsten: *a well-~ed house*; **ap·point·ee** [əpɔin'ti:] *s.* Ernannte(r *m*) *f*, *zu e-m Amt* Berufene(r *m*) *f*; **ap'point·ment** [-mənt] *s.* **1.** Ernennung *f*, Anstellung *f*, Berufung *f*: ♀*(s) Board* Behörde zur Besetzung höherer Posten; *by special ~ to the King* Königlicher Hoflieferant; **2.** Amt *n*, Stellung *f*; **3.** Festsetzung *f bsd. e-s Termins*; **4.** Verabredung *f*; Zs.-kunft *f*; *Brit.* Stelldichein *n*: *by ~* nach Vereinbarung; *to make an ~* e-e Verabredung treffen; *to keep (break) an ~* eine Verabredung (nicht) einhalten; ~ *book* Terminkalender; **5.** *pl.* Ausstattung *f*, Einrichtung *f e-r Wohnung etc.*

ap·por·tion [ə'pɔ:ʃən] *v/t. e-n Anteil* zuteilen, (gleichmäßig *od.* gerecht) ein-, verteilen; *Lob* erteilen, zollen; *Aufgabe* zuteilen; *Schuld* beimessen; *Kosten* 'umlegen; **ap-**

ˈpor·tion·ment [-mənt] *s.* (gleichmäßige *od.* gerechte) Ver-, Zuteilung, Einteilung *f*; Erteilung *f*.

ap·po·site [ˈæpəzit] *adj.* □ (*to*) passend (für), angemessen, geeignet (für); treffend; **ˈap·po·site·ness** [-nis] *s.* Angemessenheit *f*, Schicklichkeit *f*; **ap·po·si·tion** [æpəˈziʃən] *s.* **1.** Bei-, Hinˈzufügung *f*; **2.** *ling.* Appositiˈon *f*, Beifügung *f*.

ap·prais·al [əˈpreizəl] *s.* (Ab-)Schätzung *f*, Taxierung *f*; Schätzungswert *m*, Bewertung *f*; **ap·praise** [əˈpreiz] *v/t.* (ab-, ein-)schätzen, taxieren, bewerten; **apˈpraise·ment** [-zmənt] → *appraisal*; **apˈprais·er** [-zə] *s.* (Ab-)Schätzer *m*, Taˈxator *m*.

ap·pre·ci·a·ble [əˈpriːʃəbl] *adj.* □ merklich, spürbar, nennenswert; **ap·pre·ci·ate** [əˈpriːʃieit] **I.** *v/t.* **1.** (hoch)schätzen, richtig einschätzen, würdigen, zu schätzen *od.* würdigen wissen; **2.** Gefallen finden an (*dat.*): *to ~ music*; **3.** dankbar sein für: *I ~ your kindness*; **4.** (richtig) beurteilen, einsehen, erkennen: *to ~ a danger*; **5.** *bsd. Am.* den Wert *e-r Sache* erhöhen, aufwerten; **II.** *v/i.* **6.** im Wert steigen; **ap·pre·ci·a·tion** [əpriːʃiˈeiʃən] *s.* **1.** Würdigung *f*, (Ein)Schätzung *f*, Anerkennung *f*; **2.** Verständnis *n* (of für): *~ of music* Musikverständnis; **3.** richtige Beurteilung, Einsicht *f*; **4.** kritische Würdigung, *bsd. günstige* Kriˈtik; **5.** Dankbarkeit *f* (of für): *~ of help received*; **6.** Wertsteigerung *f*; Aufwertung *f*; **apˈpre·ci·a·tive** [-ʃjətiv] *adj.* □ (*of*) **1.** anerkennend, würdigend (*acc.*); **2.** verständnisvoll, empfänglich, dankbar (für); **apˈpre·ci·a·to·ry** [-ʃjətəri] → *appreciative*.

ap·pre·hend [æpriˈhend] *v/t.* **1.** ergreifen, festnehmen, verhaften: *to ~ a thief*; **2.** *fig.* wahrnehmen, erkennen; begreifen, erfassen; **3.** *fig.* vorˈaussehen, (be)fürchten, wittern; **ap·preˈhen·si·ble** [-səbl] *adj.* faßlich, begreiflich; **ap·preˈhen·sion** [-nʃən] *s.* **1.** Festnahme *f*, Verhaftung *f*; **2.** *fig.* Begreifen *n*, Erfassen *n*; Verstand *m*, Fassungskraft *f*: *a man of clear ~*; **3.** Begriff *m*, Ansicht *f*: *according to popular ~*; **4.** (Vor)Ahnung *f*, Besorgnis *f*: *in ~ of et.* befürchtend; **ap·preˈhen·sive** [-siv] *adj.* □ besorgt (*for* um, *that* daß), ängstlich, bedenklich: *~ for one's life* um sein Leben besorgt; *to be ~ of dangers* sich vor Gefahren fürchten.

ap·pren·tice [əˈprentis] **I.** *s.* Auszubildende(r) *m*, Lehrling *m*; *fig.* Anfänger *m*, Neuling *m*; **II.** *v/t.* in die Lehre geben: *to be ~d to* in die Lehre kommen zu, in der Lehre sein bei; **apˈpren·tice·ship** [-tiʃip] *s.* Lehrzeit *f*; Lehre *f*: *to serve one's ~ (with)* in die Lehre gehen (bei).

ap·prise [əˈpraiz] *v/t.* benachrichtigen, in Kenntnis setzen (of von).

ap·pro [ˈæprou] *Brit. abbr. für approval*: *on ~* ✝ zur Probe, zur Ansicht.

ap·proach [əˈproutʃ] **I.** *v/i.* **1.** sich nähern; (herˈan)nahen, bevorstehen; **2.** *fig.* nahekommen, ähnlich sein (*to dat.*); **3.** ✈ an-, einfliegen; **II.** *v/t.* **4.** sich nähern (*dat.*): *to ~ the city*; *to ~ the end*; **5.** *fig.* nahekommen (*dat.*), (fast) erreichen: *to ~ the required sum*; **6.** herˈangehen an (*acc.*): *to ~ a task*; **7.** herˈantreten *od.* sich herˈanmachen an (*acc.*): *to ~ a customer*; *to ~ a girl*; **8.** *j-n* angehen, bitten; sich an *j-n* wenden (*for* um, *on* wegen); **9.** auf *et.* zu sprechen kommen; **III.** *s.* **10.** (Heran)Nahen *n* (*e-s Zeitpunktes etc.*); Annäherung *f*, Anmarsch *m* (*a.* ⚔), ✈ Anflug *m*; **11.** *fig.* (*to*) Nahekommen *n*, Annäherung *f* (an *acc.*); Ähnlichkeit *f* (mit): *an ~ to truth* annähernd die Wahrheit; **12.** Zugang *m*, Zufahrt *f*, Ein-, Auffahrt *f*; *pl.* ⚔ Laufgräben *pl.*; **13.** (*to*) Einführung *f* (in *acc.*), erster Schritt (zu), Versuch *m* (*gen.*): *a good ~ to philosophy*; *an ~ to a smile* der Versuch e-s Lächelns; **14.** *oft pl.* Herantreten *n* (*to* an *acc.*), Annäherungsversuche *pl.*; **15.** (*to*) Auffassung *f* (*gen.*), Haltung *f*, Einstellung *f* (zu), Stellungnahme *f* (zu); Behandlung *f e-s Themas etc.*; Meˈthode *f*: (*basic*) *~* Ansatz; **apˈproach·a·ble** [-tʃəbl] *adj.* zugänglich (*a. fig.*); **apˈproach·ing** [-tʃiŋ] *adj.* sich nähernd, herˈankommend; bevorstehend.

ap·pro·ba·tion [æprəˈbeiʃən] *s.* Billigung *f*, Genehmigung *f*; Bestätigung *f*; Beifall *m*.

ap·pro·pri·ate **I.** *adj.* [əˈproupriit] □ **1.** (*to, for*) passend, geeignet (für, zu), angemessen (*dat.*), richtig (für); **2.** eigen, zugehörig (*to dat.*); **II.** *v/t.* [-ieit] **3.** verwenden, bereitstellen; *parl. bsd. Geld* bewilligen (*to* zu, *for* für); **4.** sich *et.* aneignen (*a. widerrechtlich*); **ap·pro·pri·a·tion** [əproupriˈeiʃən] *s.* **1.** Aneignung *f*, Besitzergreifung *f*; **2.** Verwendung *f*, Bereitstellung *f*; *parl.* (Geld)Bewilligung *f*.

ap·prov·a·ble [əˈpruːvəbl] *adj.* zu billigen(d), anerkennenswert; **apˈprov·al** [-vəl] *s.* **1.** Billigung *f*, Genehmigung *f*: *the plan has my ~*; **2.** Anerkennung *f*, Beifall *m*: *to meet with ~* Beifall finden; **3.** Begutachtung *f*: *on ~* zur Ansicht, auf Probe; **ap·prove** [əˈpruːv] **I.** *v/t.* **1.** billigen, gutheißen, anerkennen, annehmen; bestätigen, genehmigen; **2.** *~ o.s.* sich erweisen *od.* bewähren (*as* als); **II.** *v/i.* **3.** billigen, anerkennen, gutheißen, genehmigen (*of acc.*): *to ~ of s.o.* j-n akzeptieren; *to be ~d of* Anklang finden; **apˈproved** [-vd] *adj.* **1.** erprobt, bewährt: *an ~ friend*; *in the ~ manner*; **2.** anerkannt: *~ school Brit.* Fürsorge-, Erziehungsanstalt; *~ society* staatlich anerkannte Krankenversicherungsgesellschaft; **apˈprov·er** [-və] *s.* ⚖ *Brit.* Kronzeuge *m*; **apˈprov·ing·ly** [-viŋli] *adv.* zustimmend, beifällig.

ap·prox·i·mate **I.** *adj.* [əˈprɔksimit] □ → *approximately*; **1.** annähernd, ungefähr; Näherungs...: *~ value* Näherungswert; **2.** *fig.* sehr ähnlich; **II.** *v/t.* [-simeit] **3.** (*bsd. von Menge od. Wert*) sich nähern, näherkommen (*dat.*); **III.** *v/i.* [-simeit] **4.** nahe- *od.* näherkommen (*oft mit to*); **apˈprox·i·mate·ly** [-li] *adv.* annähernd, ungefähr, etwa, fast, ziemlich; **ap·prox·i·ma·tion** [əprɔksiˈmeiʃən] *s.* **1.** Annäherung *f* (*to* an *acc.*): *an ~ to the truth* annähernd die Wahrheit; **2.** annähernde Gleichheit; **apˈprox·i·ma·tive** [-simətiv] *adj.* □ annähernd.

ap·pur·te·nance [əˈpəːtinəns] *s.* **1.** Zubehör *n*, *m*; **2.** *pl.* ⚖ Reˈalrechte *pl.* (*aus Eigentum an Liegenschaften*).

a·pri·cot [ˈeiprikɔt] *s.* ♀ Apriˈkose *f*, Maˈrille *f*.

A·pril [ˈeiprəl] *s.* Aˈpril *m*: *in ~* im April; *~ fool* Aprilnarr; *to make an ~ fool of s.o.* j-n in den April schicken; *~ weather* Aprilwetter.

a pri·o·ri [ˈeipraiˈɔːrai] *adv. u. adj. phls.* **1.** a priˈori, dedukˈtiv; **2.** F mutmaßlich, ohne (Über)ˈPrüfung.

a·pron [ˈeiprən] *s.* **1.** Schürze *f*; Schurz(fell *n*) *m*; **2.** Schurz *m von Freimaurern od. engl. Bischöfen*; **3.** ⊕ Schutzblech *n*, -leiste *f*, -kappe *f*; **4.** Windschutz *m am Auto*; **5.** Schutzleder *n*, Kniedecke *f an Fahrzeugen*; **6.** ✈ (betoniertes) Vorfeld der Flughalle; **7.** *thea.* Vorbühne *f*; **ˈ~-stage** → *apron 7*; **ˈ~-strings** *s. pl.* Schürzenbänder *pl.*; *fig.* Gängelband *n*: *tied to one's mother's ~* an Mutters Schürzenzipfel hängend; *tied to s.o.'s ~* unter j-s Fuchtel stehend.

ap·ro·pos [ˈæprəpou] **I.** *adv.* **1.** angemessen, zur rechten Zeit: *he arrived very ~* er kam wie gerufen; **2.** ˈhinsichtlich (*of gen.*): *~ of our talk*; **II.** *adj.* **3.** passend, angemessen: *his remark was very ~*.

apse [æps] *s.* ⚠ ˈApsis *f*, halbkreisförmige Alˈtarnische.

apt [æpt] *adj.* □ **1.** passend, geeignet; treffend: *an ~ remark*; **2.** geneigt, neigend (*to inf.* zu *inf.*): *he is ~ to believe it* er wird es wahrscheinlich glauben; *~ to be overlooked* leicht zu übersehen; *~ to rust* leicht rostend; **3.** (*at*) geschickt (in *dat.*), begabt (für): *an ~ pupil*.

ap·ter·ous [ˈæptərəs] *adj.* **1.** *zo.* flügellos; **2.** ♀ ungeflügelt.

ap·ti·tude [ˈæptitjuːd] *s.* Begabung *f*, Befähigung *f*, Geschick *n*; Fähigkeit *f*; Auffassungsgabe *f*; Tauglichkeit *f* (*for* für, zu); **apt·ness** [ˈæptnis] *s.* **1.** Angemessenheit *f*, Tauglichkeit *f* (*for* für, zu); **2.** (*for, to*) Neigung *f* (zu), Eignung *f* (für, zu), Geschicklichkeit *f* (in *dat.*).

aq·ua for·tis [ˈækwəˈfɔːtis] *s.* ⚗ Scheidewasser *n*, Salˈpetersäure *f*.

aq·ua·lung [ˈækwəlʌŋ] *s.* ⊕ Taucherlunge *f*, Atmungsgerät *n*.

aq·ua·ma·rine [ækwəməˈriːn] *s.* **1.** *min.* Aquamaˈrin *m*; **2.** Aquamaˈrinblau *n*.

aq·ua·plane [ˈækwəplein] *s. Wellenreiten*: Gleitbrett *n*.

aq·ua·relle [ækwəˈrel] *s.* Aquaˈrell (-malereiˌ*f*) *n*; **aq·uaˈrel·list** [-list] *s.* Aquaˈrellmaler(in).

a·quar·i·um [əˈkwɛəriəm] *pl.* **-i·ums** *od.* -i·a [-iə] *s.* Aˈquarium *n*.

A·quar·i·us [əˈkwɛəriəs] *s. ast.* Wassermann *m*.

a·quat·ic [əˈkwætik] **I.** *adj.* **1.** auf dem

od. im Wasser lebend *od.* betrieben, Wasser...: ~ *plants*; ~ *sports* Wassersport; **II.** *s.* **2.** *biol.* Wassertier *n*, -pflanze *f*; **3.** *pl.* Wassersport *m.*
aq·ua·tint ['ækwətint] *s.* Aqua'tinta *f*, 'Tuschmaˌnier *f*: ~ *engraving* Kupferstich in Tuschmanier.
aq·ua vi·tae ['ækwə'vaiti:] *s.* **1.** ⚗ *hist.* 'Alkohol *m*; **2.** Branntwein *m.*
aq·ue·duct ['ækwidʌkt] *s.* Aqua'dukt *m*, offene Wasserleitung.
a·que·ous ['eikwiəs] *adj.* wässerig (*a. fig.*), wasserartig; wasserhaltig; Wasser...
Aq·ui·la ['ækwilə] *s. ast.* Adler *m.*
aq·ui·le·gi·a [ækwi'li:dʒiə] *s.* ⚘ Ake'lei *f.*
aq·ui·line ['ækwilain] *adj.* gebogen, Adler..., Habichts...: ~ *nose.*
Ar·ab ['ærəb] **I.** *s.* **1.** 'Araber *m*, A'raberin *f*; **2.** Araber *m*, a'rabisches Pferd; **3.** → *street Arab*; **II.** *adj.* **4.** arabisch; **ar·a·besque** [ærə'besk] **I.** *s.* Ara'beske *f*; **II.** *adj.* ara'besk; **A·ra·bi·an** [ə'reibjən] **I.** *adj.* **1.** arabisch: *The* ~ *Nights* Tausendundeine Nacht; **II.** *s.* **2.** → *Arab 1*; **3.** → *Arab 2*; '**Ar·a·bic** [-bik] **I.** *adj.* arabisch: ~ *figures* (*od. numerals*) arabische Ziffern *od.* Zahlen; **II.** *s. ling.* Arabisch *n*; '**Ar·ab·ist** [-bist] *s.* Ara'bist *m* (*Kenner des Arabischen*).
ar·a·ble ['ærəbl] **I.** *adj.* pflügbar, anbaufähig: ~ *land* Ackerland (*Ggs. Wiesenland*); **II.** *s.* Ackerland *n.*
Ar·a·by ['ærəbi] *s. poet.* A'rabien *n.*
ar·au·ca·ri·a [ærɔ:'kɛəriə] *s.* ⚘ Zimmertanne *f*, Arau'karie *f.*
ar·bi·ter ['ɑ:bitə] *s.* **1.** Schiedsrichter *m*; **2.** *fig.* Richter *m* (*of* über *acc.*): ~ *of our fate*; **3.** *fig.* Herr *m*, Gebieter *m.*
ar·bi·trage [ɑ:bi'trɑ:ʒ] *s.* ☤ Arbi'trage *f.*
ar·bi·tral ['ɑ:bitrəl] *adj.* schiedsrichterlich: ~ *tribunal* Schiedsgericht; **ar·bit·ra·ment** [ɑ:'bitrəmənt] *s.* Schiedsspruch *m*, Entscheidung *f*: *the* ~ *of war* der Krieg als oberster Schiedsrichter.
ar·bi·trar·i·ness ['ɑ:bitrərinis] *s.* Willkür *f*, Eigenmächtigkeit *f*; **ar·bi·trar·y** ['ɑ:bitrəri] *adj.* □ **1.** willkürlich, eigenmächtig, -willig; **2.** launenhaft; **3.** ty'rannisch; **ar·bi·trate** ['ɑ:bitreit] **I.** *v/t.* **1.** (als Schiedsrichter *od.* durch Schiedsspruch) entscheiden, schlichten, beilegen; **2.** e-m Schiedsspruch unter'werfen; **II.** *v/i.* **3.** Schiedsrichter sein; **ar·bi·tra·tion** [ɑ:bi'treiʃən] *s.* Schiedsgerichtsverfahren *n*, Schiedsspruch *m*; Schlichtung *f*: *Court of* ~ Schiedsgericht; *to submit to* ~ e-m Schiedsgericht unterwerfen; '**ar·bi·tra·tor** [-reitə] *s.* Schiedsrichter *m*, Schlichter *m.*
ar·bor[1] *Am.* → *arbour.*
ar·bor[2] ['ɑ:bə] *s.* ⊕ Achse *f*, Welle *f*; (Aufsteck)Dorn *m*, Spindel *f.*
Ar·bor Day *s. Am.* Baumpflanzungstag *m*, Tag *m* des Baumes.
ar·bo·re·al [ɑ:'bɔ:riəl] *adj.* baumartig; Baum...; auf Bäumen lebend; **ar'bo·re·ous** [-iəs] *adj.* **1.** baumreich, waldig; **2.** baumartig; Baum...; **ar·bo·res·cent** [ɑ:bə'resnt] *adj.* baumartig, verzweigt; **ar·bo·re·tum** [ɑ:bə'ri:təm] *pl.* **-ta** [-tə] *s.* bo'tanischer Garten für Bäume und Sträucher; **ar·bo·ri·cul·ture** ['ɑ:bərikʌltʃə] *s.* Baumzucht *f.*
ar·bor vi·tae ['ɑ:bə'vaiti] *s.* ⚘ Lebensbaum *m.*
ar·bour ['ɑ:bə] *s.* Laube *f.*
ar·bu·tus [ɑ:'bju:təs] *s.* ⚘ **1.** Erdbeerbaum *m*; **2.** *Am. trailing* ~ Kriechende Heide.
arc [ɑ:k] *s.* **1.** *a.* ⨯, ⊕, *ast.* Bogen *m*; **2.** ⚡ (Licht)Bogen *m*: ~ *welding* ⊕ Lichtbogenschweißen.
ar·cade [ɑ:'keid] *s.* △ Ar'kade *f*, Säulen-, Bogen-, Laubengang *m*; **ar'cad·ed** [-did] *adj.* mit Arkaden (versehen).
Ar·ca·di·a [ɑ:'keidjə] *s.* Ar'kadien *n*, ländliches Para'dies *od.* I'dyll; **Ar'ca·di·an** [-ən] *adj.* ar'kadisch, i'dyllisch.
ar·cane [ɑ:'kein] *adj.* geheimnisvoll; **ar'ca·num** [-nəm] *pl.* **-na** [-nə] *s. mst pl.* Geheimnis *n*, My'sterium *n.*
arch[1] [ɑ:tʃ] **I.** *s.* **1.** *mst* △ (Brücken-, Fenster- *etc.*)Bogen *m*; über'wölbter (Ein-, 'Durch)Gang; ('Eisenbahn- *etc.*)Überˌführung *f*; **2.** Wölbung *f*, Gewölbe *n*: ~ *of the instep* Rist des Fußes; ~ *support* Senkfußeinlage; *fallen* ~*es* Senkfuß; **II.** *v/t.* **3.** *a.* ~ *over* mit Bogen versehen, über'wölben; **4.** wölben, krümmen: *to* ~ *the back* e-n Buckel machen (*Katze*); **III.** *v/i.* **5.** sich wölben.
arch[2] [ɑ:tʃ] *adj. oft* **arch-** erst, oberst, schlimmst, Haupt..., Erz..., Riesen...: ~ *rogue* Erzschurke.
arch[3] [ɑ:tʃ] *adj.* □ schalkhaft, schelmisch: *an* ~ *look.*
arch- [ɑ:tʃ] *Präfix bei Titeln etc.*; *Bedeutung*: erst, oberst, Haupt..., Erz...
ar·chae·o·log·ic *adj.*; **ar·chae·o·log·i·cal** [ɑ:kiə'lɔdʒik(əl)] *adj.* □ archäo'logisch, Altertums...; **ar·chae·ol·o·gist** [ɑ:ki'ɔlədʒist] *s.* Archäo'loge *m*, Altertumsforscher *m*; **ar·chae·ol·o·gy** [ɑ:ki'ɔlədʒi] *s.* Archäolo'gie *f*, Altertumskunde *f.*
ar·cha·ic [ɑ:'keiik] *adj.* (□ ~*ally*) ar'chaisch, altertümlich; veraltet, altmodisch (*bsd. Wörter*); **ar·cha·ism** ['ɑ:keiizəm] *s.* veraltete Ausdrucksweise *od.* Sitte.
arch·an·gel ['ɑ:keindʒəl] *s.* Erzengel *m.*
'**arch**|'**bish·op** [ɑ:tʃ] *s.* Erzbischof *m*; ~'**bish·op·ric** *s.* **1.** Erzbistum *n*; **2.** Amt *n* e-s Erzbischofs; '~'**dea·con** *s.* Archidia'kon *m*; '~'**di·o·cese** *s.* 'Erzdiöˌzese *f*; '~'**du·cal** *adj.* erzherzoglich; '~'**duch·ess** *s.* Erzherzogin *f*; '~'**duch·y** *s.* Erzherzogtum *n*; '~'**duke** *s.* Erzherzog *m.*
arched [ɑ:tʃt] *adj.* gewölbt, gebogen, gekrümmt.
'**arch-'en·e·my** *s.* Erzfeind *m*: *the* ~ Satan.
arch·er ['ɑ:tʃə] *s.* **1.** Bogenschütze *m*; **2.** ♀ *ast.* Schütze *m*; '**arch·er·y** [-əri] *s.* **1.** Bogenschießen *n*; **2.** *coll.* Schützengilde *f.*
ar·che·type ['ɑ:kitaip] *s.* Urform *f*, -bild *n*, Arche'typ(us) *m.*
'**arch-'fiend** *s.* Erzfeind *m*; 'Satan *m*, Teufel *m.*
ar·chi·bald ['ɑ:tʃibəld] → *archie.*
ar·chie ['ɑ:tʃi] *s.* ⚔ *Brit. sl.* Flak *f* (*Fliegerabwehrkanone*).
ar·chi·e·pis·co·pal [ɑ:kii'piskəpəl] *adj.* erzbischöflich; **ar·chi·e'pis·co·pate** [-pit] *s.* Amt *n od.* Würde *f* e-s Erzbischofs.
Ar·chi·pel·a·go [ɑ:ki'peligou] **I.** *npr.* Ä'gäisches Meer; **II.** ♀ *pl.* **-gos** *s.* Inselmeer *n*, -gruppe *f*, Archi'pel *m.*
ar·chi·tect ['ɑ:kitekt] *s.* **1.** Archi'tekt(in), Baumeister(in); **2.** *fig.* Schöpfer(in), Urheber(in): *the* ~ *of one's fortunes* des eigenen Glükkes Schmied; **ar·chi·tec·ton·ic** [ɑ:kitek'tɔnik] *adj.* (□ ~*ally*) **1.** architek'tonisch, baukünstlerisch, baulich; **2.** aufbauend, konstruk'tiv, planvoll, schöpferisch, syste'matisch; **ar·chi·tec·tur·al** [ɑ:ki'tektʃərəl] *adj.* □ die Baukunst *od.* Architek'tur betreffend, Architektur..., Bau...; '**ar·chi·tec·ture** [-tʃə] *s.* **1.** Architektur *f*, Baukunst *f*; Bauart *f*, Baustil *m*; **2.** Konstrukti'on *f*; (Auf)Bau *m*, Struk'tur *f*, Anlage *f* (*a. fig.*).
ar·chi·trave ['ɑ:kitreiv] *s.* △ Archi'trav *m*, Tragbalken *m.*
ar·chive ['ɑ:kaiv] *s. mst pl.* Ar'chiv *n*; Urkundensammlung *f*; **ar·chi·vist** ['ɑ:kivist] *s.* Archi'var *m.*
arch·ness ['ɑ:tʃnis] *s.* Schalkhaftigkeit *f*, Mutwille *m.*
'**arch**'**priest** [ɑ:tʃ] *s. eccl. hist.* Erzpriester *m.*
'**arch**|**·way** [ɑ:tʃ] *s.* △ Bogengang *m*, über'wölbter Torweg; '~**·wise** [-waiz] *adv.* bogenartig.
'**arc**|**-lamp** *s.* ⚡ Bogenlampe *f*; '~**-light** *s.* Bogenlicht *n*, -lampe *f.*
arc·tic ['ɑ:ktik] **I.** *adj.* **1.** 'arktisch, nördlich, Nord..., Polar...: ♀ *Circle* Nördlicher Polarkreis; ♀ *Ocean* Nördliches Eismeer; ~ *fox* Polarfuchs; **2.** *fig.* sehr kalt, eisig; **II.** *s.* **3.** 'Arktis *f*, Nordpo'largebiet *n*; **4.** *pl. Am.* gefütterte, wasserdichte 'Überschuhe *pl.*
ar·dent ['ɑ:dənt] *adj.* □ **1.** heiß, glühend, hitzig: ~ *spirits* hochprozentige Spirituosen; ~ *eyes* blitzende Augen; **2.** *fig.* feurig, heiß, heftig, innig: ~ *love*; **3.** *fig.* glühend, begeistert: *an* ~ *admirer.*
ar·dour, *Am.* **ar·dor** ['ɑ:də] *s. fig.* **1.** Hitze *f*, Glut *f*, Heftigkeit *f*; **2.** Eifer *m*, Begeisterung *f* (*for* für).
ar·du·ous ['ɑ:djuəs] *adj.* □ **1.** schwierig, anstrengend, mühsam: *an* ~ *task*; **2.** ausdauernd, zäh, e'nergisch: *an* ~ *worker*; **3.** steil, jäh (*Berg etc.*); '**ar·du·ous·ness** [-nis] *s.* Schwierigkeit *f*, Mühsal *f.*
are[1] [ɑ:] *pres. pl. u. 2. sg. von* **be.**
are[2] [ɑ:] *s.* Ar *n* (*Flächenmaß*).
a·re·a ['ɛəriə] *s.* **1.** (begrenzte) Fläche, Flächenraum *m od.* -inhalt *m*; Grundstück *n*; Ober-, Grundfläche *f*; **2.** Raum *m*, Gebiet *n*, Gegend *f*: *danger* ~ Gefahrenzone; *prohibited* (*od. restricted*) ~ Sperrzone; **3.** Bereich *m*, Reichweite *f*; **4.** Kellervorhof *m* e-s *Wohnhauses*: ~ *bell* Klingel zu den Wirtschaftsräumen; **5.** ⚔ Operati'onsgebiet *n*: ~ *bombing* Bombenflächenwurf; *back* ~ Etappe; *forward* ~ Kampfgebiet.
ar·e·ca ['ærikə] *s.* ⚘ Betelnußpalme *f.*
a·re·na [ə'ri:nə] *s.* **1.** A'rena *f*, Kampfplatz *m*; **2.** *fig.* Schauplatz *m*, Stätte *f.*
are·n't [ɑ:nt] F *für are not.*

a·rête [æ'reit] *(Fr.)* *s.* (Fels)Grat *m*, spitzer Gebirgskamm.

ar·gent ['ɑ:dʒənt] **I.** *s.* Silber(farbe *f*) *n*; **II.** *adj.* silberfarbig.

Ar·gen·tine ['ɑ:dʒəntain], **Ar·gen·tin·e·an** [ɑ:dʒən'tiniən] **I.** *adj.* argen'tinisch; **II.** *s.* Argen'tinier(in).

ar·gil ['ɑ:dʒil] *s.* Ton *m*, Töpfererde *f*; **ar·gil·la·ceous** [ɑ:dʒi'leiʃəs] *adj.* tonartig, Ton...

ar·gon ['ɑ:gɔn] *s.* ⚗ 'Argon *n*.

Ar·go·naut ['ɑ:gənɔ:t] *s.* **1.** *myth.* Argo'naut *m*; **2.** *Am.* Goldsucher *m* in Kali'fornien *(1848/49)*.

ar·go·sy ['ɑ:gəsi] *s.* großes (Handels)Schiff.

ar·got ['ɑ:gou] *s.* Ar'got *n*, Jar'gon *m*, Slang *m*, *bsd.* Gaunersprache *f*.

ar·gu·a·ble ['ɑ:gjuəbl] *adj.* disku'tabel: *it is* ~ man könnte mit Recht behaupten; **ar·gue** ['ɑ:gju:] **I.** *v/i.* **1.** argumentieren, erörtern, Gründe (für *od.* wider) anführen: *to* ~ *for s.th.* für et. eintreten; *to* ~ *against s.th.* gegen et. Einwände machen; *don't* ~*!* keine Widerrede!; **2.** streiten, rechten (*with* mit); entgegnen; disputieren (*about* über *acc.*, *for* für, *against* gegen, *with* mit); **3.** geltend machen, behaupten: *to* ~ *that black is white*; **4.** begründen, beweisen; folgern (*from* aus); **II.** *v/t.* **5.** *e-e Angelegenheit* erörtern, diskutieren: *to* ~ *a question*; **6.** *j-n* über'reden *od.* (durch Beweisgründe) bewegen: *to* ~ *s.o. into s.th.* j-n zu et. überreden; *to* ~ *s.o. out of s.th.* j-n von et. abbringen; **7.** verraten, (an)zeigen, beweisen: *his clothes* ~ *poverty*; **ar·gu·ment** ['ɑ:gjumənt] *s.* **1.** Argu'ment *n*, (Beweis)Grund *m*; Beweisführung *f*, Schlußfolgerung *f*; **2.** Behauptung *f*; Entgegnung *f*, Einwand *m*; **3.** Erörterung *f*, Besprechung *f*: *to hold an* ~ diskutieren; **4.** F (Wort-)Streit *m*, Ausein'andersetzung *f*; Streitfrage *f*; **5.** 'Thema *n*, (Haupt-)Inhalt *m*; **ar·gu·men·ta·tion** [ɑ:gjumen'teiʃən] *s.* **1.** Beweisführung *f*, Schlußfolgerung *f*; **2.** Erörterung *f*, Besprechung *f*; **ar·gu·men·ta·tive** [ɑ:gju'mentətiv] *adj.* □ **1.** streitlustig; **2.** strittig, um'stritten; **3.** 'kritisch.

Ar·gus ['ɑ:gəs] *npr. myth.* 'Argus *m*; '~**-eyed** *adj.* 'argusäugig, wachsam, mit 'Argusaugen.

a·ri·a ['ɑ:riə] *s.* ♪ 'Arie *f*.

Ar·i·an ['ɛəriən] *eccl.* **I.** *adj.* ari'anisch; **II.** *s.* Ari'aner *m*.

ar·id ['ærid] *adj.* □ dürr, trocken, unfruchtbar; *fig.* trocken, reizlos, nüchtern; **a·rid·i·ty** [æ'riditi] *s.* Dürre *f*, Trockenheit *f*, Unfruchtbarkeit *f* (*a. fig.*).

A·ri·es ['ɛəri:z] *s. ast.* Widder *m*.

a·right [ə'rait] *adv.* recht, richtig: *to set* ~ richtigstellen.

a·rise [ə'raiz] *v/i.* [*irr.*] **1.** (*from, out of*) entstehen, entspringen, her'vorgehen (aus), herrühren, stammen (von); **2.** entstehen, sich erheben, erscheinen, auftreten; **3.** aufstehen, sich erheben.

a·ris·en [ə'rizn] *p.p. von arise.*

ar·is·toc·ra·cy [æris'tɔkrəsi] *s.* **1.** Aristokra'tie *f*; *coll.* Adel *m*, Adlige *pl.*; **2.** *fig.* E'lite *f*, Adel *m*; **a·ris·to·crat** ['æristəkræt] *s.* Aristo'krat(in), Adlige(r *m*) *f*; *fig.* Pa'trizier(in); **a·ris·to·crat·ic** *adj.*; **a·ris·to·crat·i·cal** [æristə'krætik(ə)l] *adj.* □ aristo'kratisch, Adels...; *fig.* adlig, vornehm.

a·rith·me·tic [ə'riθmətik] *s.* Arith'metik *f*, Rechnen *n*, Rechenkunst *f*; **ar·ith·met·ic** *adj.*; **ar·ith·met·i·cal** [æriθ'metik(ə)l)] *adj.* □ arith'metisch, Rechen...; **a·rith·me·ti·cian** [əriθmə'tiʃən] *s.* Rechner (-in), Rechenmeister(in).

ark [ɑ:k] *s.* **1.** Arche *f*: *Noah's* ~ Arche Noah(s); **2.** Schrein *m*: ♀ *of the Covenant bibl.* Bundeslade.

arm[1] [ɑ:m] **I.** *s.* **1.** *anat.* Arm *m*: *to keep s.o. at* ~*'s length fig.* sich j-n vom Leibe halten; *within* ~*'s reach* in Reichweite; *with open* ~*s fig.* mit offenen Armen; *to fly into s.o.'s* ~*s* j-m in die Arme fliegen; *to take s.o. in one's* ~*s* j-n in die Arme nehmen; *infant* (*od. babe*) *in* ~*s* Wickelkind, Säugling; **2.** Fluß-, Meeresarm *m*; **3.** Arm-, Seitenlehne *f e-s Stuhles etc.*; **4.** Ast *m*, großer Zweig; **5.** Ärmel *m*; **6.** ⊕ Arm *m e-r Maschine etc.*: ~ *of a balance* Waagebalken; **7.** *fig.* Arm *m*, Macht *f*: *the* ~ *of the law* der Arm des Gesetzes; **II.** *v/t.* **8.** *j-m* den Arm reichen; **9.** um'armen, um'fassen.

arm[2] [ɑ:m] **I.** *s.* **1.** ⚔ *mst pl.* Waffe(n *pl.*) *f*: *to do* ~*s drill* Gewehrgriffe üben; *in* ~*s* bewaffnet; *to rise in* ~*s* zu den Waffen greifen, sich empören; *up in* ~*s* **a)** in Aufruhr, **b)** *fig.* in Harnisch, in hellem Zorn; *by force of* ~*s* mit Waffengewalt; *to bear* ~*s* **a)** Waffen tragen, **b)** als Soldat dienen; *to lay down* ~*s* die Waffen strecken; *to take up* ~*s* die Waffen ergreifen (*a. fig.*); *passage of* (*od. at*) ~*s* Waffengang, *fig.* Wortstreit; ~*s race* Wettrüsten; *ground* ~*s!* Gewehr nieder!; *order* ~*s!* Gewehr ab!; *pile* ~*s!* setzt die Gewehre zusammen!; *port* ~*s!* fällt das Gewehr!; *present* ~*s!* präsentiert das Gewehr!; *slope* ~*s!* das Gewehr über!; *shoulder* ~*s!* das Gewehr an Schulter!; *to* ~*s!* zu den Waffen!, ans Gewehr!; **2.** Waffengattung *f*, Truppe *f*: *the naval* ~ die Kriegsmarine; **3.** *pl.* Wappen *n*; → *coat of arms*; **II.** *v/t.* **4.** bewaffnen: ~*ed to the teeth* bis an die Zähne bewaffnet; **5.** ⊕ armieren, bewehren, befestigen, verstärken, *mit Metall* beschlagen, sichern; **6.** ⚔ *Munition, Mine* scharf machen; **7.** (aus)rüsten, bereit machen, versehen: *to be* ~*ed with an umbrella*; *to be* ~*ed with arguments*; **III.** *v/i.* **8.** sich bewaffnen, sich (aus)rüsten.

ar·ma·da [ɑ:'mɑ:də] *s.* **1.** ♀ *hist.* Ar'mada *f*; **2.** Kriegsflotte *f*, Luftflotte *f*, Geschwader *n*.

ar·ma·dil·lo [ɑ:mə'dilou] *s. zo.* **1.** Arma'dill *n*, Gürteltier *n*; **2.** Apo'theker-assel *f*.

Ar·ma·ged·don [ɑ:mə'gedn] *s. bibl. u. fig.* Entscheidungskampf *m*.

ar·ma·ment ['ɑ:məmənt] *s.* ⚔ **1.** Kriegsstärke *f*, -macht *f e-s Landes*: *naval* ~ Kriegsflotte; **2.** Bewaffnung *f*, Bestückung *f e-s Kriegsschiffes etc.*; **3.** (Kriegsaus)Rüstung *f*: ~ *race* Wettrüsten.

ar·ma·ture ['ɑ:mətjuə] *s.* **1.** Rüstung *f*, Panzer *m*; **2.** ⊕ Panzerung *f*, Beschlag *m*, Bewehrung *f*, Armierung *f*, Arma'tur *f*; **3.** ⚡ Anker *m* (*a. e-s Magneten etc.*), Läufer *m*: ~ *shaft* Ankerwelle; **4.** ⚘, *zo.* Bewehrung *f*.

'**arm**|**·band** *s.* Armbinde *f*; '~**-'chair** **I.** *s.* Lehnstuhl *m*, (Lehn)Sessel *m*; **II.** *adj.* Bierbank..., Stammtisch..., Salon...: ~ *strategists* Stammtischstrategen.

armed[1] [ɑ:md] *adj. bsd. in Zssgn* mit Armen, ...armig.

armed[2] [ɑ:md] *adj.* **1.** bewaffnet: ~ *forces* (Gesamt)Streitkräfte; ~ *neutrality*; ~ *robbery* schwerer Raub; **2.** ⚔ scharf, zündfertig (*Munition etc.*).

Ar·me·ni·an [ɑ:'mi:njən] **I.** *adj.* ar'menisch; **II.** *s.* Ar'menier(in).

'**arm**|**·ful** [-ful] *s.* Armvoll *m*; '~**-hole** *s.* Arm-, Ärmelloch *n*.

arm·ing ['ɑ:miŋ] *s.* **1.** Bewaffnung *f*, (Aus)Rüstung *f*; **2.** ⊕ Armierung *f*, Arma'tur *f*; **3.** Wappen *n*.

ar·mi·stice ['ɑ:mistis] *s.* Waffenstillstand *m* (*a. fig.*); ♀ **Day** *s.* Jahrestag *m* des Waffenstillstandes vom 11. November 1918.

arm·let ['ɑ:mlit] *s.* **1.** Armbinde *f als Abzeichen*; Armspange *f*; **2.** kleiner Meeres- *od.* Flußarm.

ar·mor *etc. Am.* → *armour etc.*

ar·mo·ri·al [ɑ:'mɔ:riəl] **I.** *adj.* Wappen..., he'raldisch: ~ *bearings* Wappen(schild); **II.** *s.* Wappenbuch *n*;

ar·mor·y ['ɑ:məri] *s.* **1.** He'raldik *f*, Wappenkunde *f*; **2.** *Am.* → *armoury*.

ar·mour ['ɑ:mə] *s.* **1.** Rüstung *f*, Panzer *m* (*a. fig.*); **2.** ⚔, ⊕ Panzer(ung *f*) *m*, Armierung *f*; *coll.* Panzerfahrzeuge *pl.*, -truppen *pl.*; **3.** ⚘, *zo.* Panzer *m*, Schutzdecke *f*; '~**-clad** → *armour-plated*.

ar·moured ['ɑ:məd] *adj.* ⚔, ⊕ gepanzert, Panzer...: ~ *cable* armiertes Kabel, Panzerkabel; ~ *car* Panzerwagen; ~ *train* Panzerzug; ~ *turret* Panzerturm; '**ar·mour·er** [-ərə] *s.* Waffenschmied *m*; ⚔, ⚓ Waffenmeister *m*.

'**ar·mour**|**-pierc·ing** *adj.* panzerbrechend, Panzer...: ~ *ammunition*; '~**-plate** *s.* Panzerplatte *f*; '~**-plat·ed** *adj.* gepanzert, Panzer...

ar·mour·y ['ɑ:məri] *s.* **1.** Rüst-, Waffenkammer *f* (*a. fig.*), Arse'nal *n*, Zeughaus *n*; **2.** *Am.* **a)** 'Waffenfa͵brik *f*, **b)** Exerzierhalle *f*.

'**arm**|**-pit** *s.* Achselhöhle *f*; '~**-rest** *s.* Armlehne *f*, -stütze *f*; '~**-twist·ing** *s.* F Druckausübung *f*.

ar·my ['ɑ:mi] *s.* **1.** Ar'mee *f*, Heer *n*; Mili'tär *n*: ~ *contractor* Heereslieferant; *to join the* ~ Soldat werden; ~ *of occupation* Besatzungsarmee; ~ *issue die* dem Soldaten gelieferte Ausrüstung, Heereseigentum; **2.** Armee *f* (*als militärische Einheit*); **3.** *fig.* Heer *n*, Menge *f*: *a whole* ~ *of workmen*; ~ **chap·lain** *s.* Mili'tärseelsorger *m*; ~ **corps** *pl.* ~ **corps** *s.* ⚔ Ar'meekorps *n*; ~ **group** *s.* ⚔ Heeresgruppe *f*; '~**-list** *s.* ⚔ Rangliste *f*; ♀ **Serv·ice Corps** *s.* ⚔ Train *m*, Versorgungstruppen *pl.*

ar·ni·ca ['ɑːnikə] *s.* ⚕ 'Arnika *f.*
arn't [ɑːnt] F *für are not.*
a·ro·ma [ə'roumə] *s.* **1.** A'roma *n*, Duft *m*, Würze *f*, Blume *f* (*Wein*); **2.** *fig.* Würze *f*, Reiz *m*; **ar·o·mat·ic** *adj.*; **ar·o·mat·i·cal** [ærou'mætik(əl)] *adj.* □ aro'matisch, würzig, duftig: ~ *bath* Kräuterbad.
a·rose [ə'rouz] *pret. von arise.*
a·round [ə'raund] **I.** *adv.* **1.** 'ringsher'um, im Kreise; nach *od.* auf allen Seiten, über'all; **2.** *Am.* F um'her, von Ort zu Ort; in der Nähe, da'bei; **II.** *prp.* **3.** um, um ... her (-um), rund um; **4.** *Am.* F (rings-) herum, durch, hin und her; **5.** *Am.* F (nahe) bei, in; **6.** *Am.* F ungefähr, etwa.
a·rouse [ə'rauz] *v/t.* **1.** *j-n* (auf-) wecken; **2.** *fig.* aufrütteln; *Gefühle etc.* erregen.
ar·peg·gio [ɑː'pedʒiou] *s.* ♪ Ar'peggio *n.*
ar·que·bus ['ɑːkwibəs] → *harquebus.*
ar·rack ['ærək] *s.* 'Arrak *m.*
ar·raign [ə'rein] *v/t.* **1.** ⚖ **a)** vor Gericht stellen, **b)** zur Anklage vernehmen; **2.** *öffentlich* beschuldigen, rügen; **3.** *fig.* anfechten; **ar'raign·ment** [-mənt] *s.* for'melle Anklageverlesung, förmliche Vernehmung *des Beschuldigten.*
ar·range [ə'reindʒ] **I.** *v/t.* **1.** (an-) ordnen, in Ordnung bringen; aufstellen; einteilen; ein-, ausrichten; erledigen: *to ~ one's ideas* s-e Gedanken ordnen; *to ~ one's affairs* s-e Angelegenheiten regeln; **2.** verabreden, vereinbaren; festsetzen, planen: *everything had been ~d beforehand*; *an ~d marriage* e-e (von den Eltern) arrangierte Ehe; **3.** *Streit etc.* beilegen, schlichten; **4.** ♪, *thea.* einrichten, bearbeiten; **II.** *v/i.* **5.** sich verständigen (*about* über *acc.*); **6.** Vorkehrungen treffen (*for, about* für, zu, *to inf.* zu *inf.*); es einrichten, dafür sorgen (*that* daß): *to ~ for the car to be ready od. that the car is ready*; **7.** sich einigen (*with s.o. about s.th.* mit j-m über et.); **ar'range·ment** [-mənt] *s.* **1.** (An-) Ordnung *f*, Einrichtung *f*, Einteilung *f*; Auf-, Zs.-stellung *f*; Sy'stem *n*; **2.** Vereinbarung *f*, Verabredung *f*: *to make an ~ with s.o.* mit j-m e-e Verabredung treffen; **3.** Ab-, Über'einkommen *n*; Schlichtung *f*: *to come to an ~* e-n Vergleich schließen; **4.** *pl. to make ~s* Vorkehrungen *od.* Vorbereitungen treffen; *today's ~s* die heutigen Veranstaltungen; **5.** ♪, *thea.* Bearbeitung *f.*
ar·rant ['ærənt] *adj.* □ völlig, ausgesprochen, ‚kom'plett': *an ~ fool*; *an ~ rogue* ein Erzgauner; *~ nonsense.*
ar·ray [ə'rei] **I.** *v/t.* **1.** ordnen, aufstellen (*bsd. Truppen*); **2.** ⚖ *Geschworene* aufrufen; **3.** *fig.* aufbieten; **4.** (o.s. sich) kleiden, putzen; **II.** *s.* **5.** Ordnung *f*; Schlachtordnung *f*; **6.** ⚖ Geschworenen(liste *f*) *pl.*; **7.** stattliche Reihe, Menge *f*, Aufgebot *n*; **8.** Kleidung *f*, Staat *m*, Aufmachung *f.*
ar·rear [ə'riə] *s.* **a)** *mst pl.* Rückstand *m*, *bsd.* Schulden *pl.*: *~s of rent* rückständige Miete; *in ~(s)* im Rückstand *od.* Verzug, **b)** *et.* Unerledigtes: *~s of work.*
ar·rest [ə'rest] **I.** *s.* **1.** Aufhalten *n*, Hemmung *f*, Stockung *f*; **2.** ⚖ **a)** Verhaftung *f*, Haft *f*: *under ~* verhaftet, in Haft, **b)** Urteilssistierung *f*; **II.** *v/t.* **3.** an-, aufhalten, hemmen, hindern: *to ~ progress*; *~ed growth biol.* gehemmtes Wachstum; *~ed tuberculosis* ⚕ inaktive Tuberkulose; **4.** ⊕ feststellen, sperren, arretieren; **5.** ⚖ **a)** verhaften, **b)** *to ~ judgment* die Urteilsvollstreckung aussetzen; **6.** *Geld etc.* einbehalten, konfiszieren; **7.** *Aufmerksamkeit etc.* fesseln, festhalten; **ar'rest·ing** [-tiŋ] *adj.* fesselnd, interes'sant.
ar·riv·al [ə'raivəl] *s.* **1.** Ankunft *f*, Eintreffen *n*; *fig.* Gelangen *n* (*at* zu); **2.** Erscheinen *n*, Auftreten *n*; **3. a)** Ankömmling *m*: *new ~* Neuankömmling, Familienzuwachs, **b)** *et.* Angekommenes; **4.** *pl.* ankommende Züge *pl. od.* Schiffe *pl. od.* Per'sonen *pl.*; Zufuhr *f*; **ar·rive** [ə'raiv] *v/i.* **1.** (an)kommen, eintreffen; **2.** erscheinen, auftreten; **3.** *fig.* (*at*) erreichen (*acc.*), gelangen (zu): *to ~ at a decision*; **4.** kommen (*Zeit, Ereignis*); **5.** Erfolg haben.
ar·ro·gance ['ærəgəns] *s.* Arro'ganz *f*, Anmaßung *f*, Über'heblichkeit *f*; **'ar·ro·gant** [-nt] *adj.* □ arro'gant, anmaßend, über'heblich; **ar·ro·gate** ['ærougeit] *v/t.* **1.** sich *et.* anmaßen, *et.* für sich in Anspruch nehmen (*mst to o.s.*); **2.** zuschreiben, zuschieben (*s.th. to s.o.* j-m et.); **ar·ro·ga·tion** [ærou'geiʃən] *s.* Anmaßung *f.*
ar·row ['ærou] *s.* **1.** Pfeil *m*; **2.** Pfeil (-zeichen *n*) *m*; **3.** *surv.* Zähl-, Markierstab *m*; **'ar·rowed** [-oud] *adj.* mit Pfeilen *od.* Pfeilzeichen (versehen).
'ar·row|-head ['ærou-] *s.* **1.** Pfeilspitze *f*; **2.** (Zeichen *n* der) Pfeilspitze *f* (*brit. Regierungsgut kennzeichnend*); **'~·root** ['ærə-] *s.* ⚘ **a)** Pfeilwurz *f*, **b)** Pfeilwurzstärke *f.*
arse [ɑːs] *s. Brit.* V Arsch *m*, Hintern *m*: *to give s.o. a kick in the ~* j-m e-n Arschtritt geben.
ar·se·nal ['ɑːsinl] *s.* **1.** Arse'nal *n*, Zeughaus *n*, Waffenlager *n* (*a. fig.*); **2.** 'Waffen-, Muniti'onsfa͵brik *f.*
ar·se·nic I. *s.* ['ɑːsnik] Ar'sen(ik) *n*; **II.** *adj.* [ɑː'senik] ⚗ ar'senhaltig, durch Arsen verursacht, Arsen...: *~ poisoning* Arsenvergiftung; **ar·sen·i·cal** [ɑː'senikəl] → *arsenic II.*
ar·sis ['ɑːsis] *s.* **1.** *poet.* Hebung *f*, betonte Silbe; **2.** ♪ Aufschlag *m.*
ar·son ['ɑːsn] *s.* ⚖ Brandstiftung *f*; **'ar·son·ist** [-nist] *s. bsd. Am.* Brandstifter *m.*
art[1] [ɑːt] **I.** *s.* **1.** Kunst *f*, *bsd.* bildende Kunst: *the fine ~s* die schönen Künste; *brought to a fine ~ fig.* zu e-r wahren Kunst entwickelt; *~ gallery* Bildergalerie; *a work of ~* ein Kunstwerk; **2.** Kunst(fertigkeit) *f*, Geschicklichkeit *f* (*oft Ggs. Natur*): *the ~ of the painter*; *the ~ of cooking*; *industrial ~(s)* (*od. ~s and crafts*) Kunstgewerbe, -handwerk; *the black ~* die Schwarze Kunst, die Zauberei; **3.** *pl. univ.* Geisteswissenschaften *pl.*: *Faculty of ⁀s*, *Am. ⁀s' Department* philosophische Fakultät; *liberal ~s* humanistische Fächer; → *master 10, bachelor 2*; **4.** *mst pl.* Kunstgriff *m*, Kniff *m*, List *f*, Tücke *f*; **5.** *Patentrecht*: Fachgebiet *n*; → *prior 1*; **II.** *adj.* **6.** Kunst..., kunstvoll, künstlerisch.
art[2] [ɑːt] *obs. 2. pres. sg. von* be.
art di·rec·tor *s. Werbung*: künstlerischer Leiter, Ateli'erleiter *m.*
ar·te·fact → *artifact.*
ar·te·mis·i·a [ɑːti'miziə] *s.* ⚘ Beifuß *m*, Wermut *m.*
ar·te·ri·al [ɑː'tiəriəl] *adj.* **1.** ⚕ Ar'terien betreffend, Arterien...: *~ blood* Pulsaderblut; **2.** *fig. ~ road* Hauptverkehrsader, Ausfall-, Hauptverkehrsstraße.
ar·te·ri·o·scle·ro·sis [ɑː'tiəriouskliə'rousis] *s.* ⚕ Ar'terienverkalkung *f.*
ar·ter·y ['ɑːtəri] *s.* **1.** Ar'terie *f*, Puls-, Schlagader *f*; **2.** *fig.* Verkehrsader *f*, *bsd.* Hauptstraße *f*, -fluß *m*: *~ of traffic.*
ar·te·sian well [ɑː'tiːzjən] *s.* **1.** ar'tesischer Brunnen; **2.** *Am.* tiefer Brunnen.
art·ful ['ɑːtful] *adj.* □ schlau, listig, verschlagen; **'art·ful·ness** [-nis] *s.* List *f*, Schläue *f*, Verschmitztheit *f.*
ar·thrit·ic *adj.*; **ar·thrit·i·cal** [ɑː'θritik(əl)] *adj.* ⚕ ar'thritisch, gichtisch; **ar·thri·tis** [ɑː'θraitis] *s.* ⚕ Ar'thritis *f*, Gelenkentzündung *f.*
Ar·thu·ri·an [ɑː'θjuəriən] *adj.* (König) Arthur *od.* Artus betreffend, Arthur..., Artus...
ar·ti·choke ['ɑːtitʃouk] *s.* ⚘ **1.** *a. globe ~* Arti'schocke *f*; **2.** *Jerusalem ~* 'Erdarti͵schocke *f.*
ar·ti·cle ['ɑːtikl] **I.** *s.* **1.** ('Zeitungs- *etc.*)Ar͵tikel *m*, Aufsatz *m*; **2.** Artikel *m*, Gegenstand *m*, Sache *f*; Posten *m*, Ware *m*: *~ of trade* Handelsware; **3.** Abschnitt *m*, Para'graph *m*, Klausel *f*, Punkt *m*: *~s of apprenticeship* Lehrvertrag; *~s of association* ✝ Satzung; *the Thirty-nine ⁀s* die 39 Glaubensartikel *der Anglikanischen Kirche*; **4.** *ling.* Artikel *m*, Geschlechtswort *n*; **II.** *v/t.* **5.** vertraglich binden; in die Lehre geben (*to* bei); **6.** schriftlich anklagen (*for* wegen); **'ar·ti·cled** [-ld] *adj.* **1.** vertraglich gebunden; **2.** in der Lehre (*to* bei): *~ clerk Brit.* Anwaltsgehilfe *m.*
ar·tic·u·late I. *v/t.* [ɑː'tikjuleit] **1.** artikulieren, deutlich (aus)sprechen; **2.** gliedern; **3.** *Knochen* zs.-fügen; **II.** *adj.* [-lit] **4.** klar erkennbar, deutlich (gegliedert), artikuliert, verständlich (*Wörter etc.*); **5.** sich klar ausdrückend; sich Gehör verschaffend; **6.** ⚕, ⚘, *zo.* gegliedert; **ar'tic·u·lat·ed** [-tid] *adj.* ⊕ Gelenk..., Glieder...: *~ train*; **ar·tic·u·la·tion** [ɑːtikju'leiʃən] *s.* **1.** *bsd. ling.* Artikulati'on *f*, deutliche Aussprache; Verständlichkeit *f*; **2.** Anein'anderfügung *f*; **3.** ⊕ Gelenk(verbindung *f*) *n.*
ar·ti·fact ['ɑːtifækt] *s.* Kunsterzeugnis *n*, *bsd.* Werkzeug *n od.* Gerät *n primitiver od. prähistorischer Kulturen*; **'ar·ti·fice** [-fis] *s.* **1.** (kunstvolle) Vorrichtung; **2.** Kunstgriff *m*; Kniff *m*, List *f*; **ar·tif·i·cer** [ɑː'tifisə] *s.* **1.** (Kunst)Handwerker *m*; **2.** ⚔ Muniti'ons͵techniker *m*,

Feuerwerker *m*; **3.** Urheber(in), Schöpfer(in), Erfinder(in).

ar·ti·fi·cial [ɑ:ti'fiʃəl] *adj.* □ **1.** künstlich (hergestellt), Kunst...: ~ *leg* Beinprothese; ~ *teeth* künstliche Zähne; **2.** gekünstelt, 'unnaˌtürlich, affektiert: ~ *smile* gezwungenes Lächeln; **ar·ti·fi·ci·al·i·ty** [ɑ:tifiʃi'æliti] *s.* Künstlichkeit *f*; *et.* Gekünsteltes.

ar·ti·fi·cial silk ['ɑ:tifiʃəl] *s.* Kunstseide *f*.

ar·til·ler·ist [ɑ:'tilərist] *s.* Artille'rist *m*, Kano'nier *m*.

ar·til·ler·y [ɑ:'tiləri] *s.* Artille'rie *f*; **~man** [-mən] *s.* [*irr.*] Artille'rist *m*.

ar·ti·san [ɑ:ti'zæn] *s.* (Kunst)Handwerker *m*, Me'chaniker *m*.

art·ist ['ɑ:tist] *s.* **1.** Künstler(in), *bsd.* Kunstmaler(in); **2.** Künstler *m*, Könner *m*, geschickter Arbeiter; **ar·tiste** [ɑ:'ti:st] (*Fr.*) *s.* Ar'tist(in), Künstler(in), Sänger(in), Tänzer (-in); **ar·tis·tic** *adj.*; **ar·tis·ti·cal** [ɑ:'tistik(əl)] *adj.* □ **1.** künstlerisch, Künstler..., Kunst...; **2.** kunstverständig; **'art·ist·ry** [-tri] *s.* Künstlertum *n*, Kunstsinn *m*; künstlerische Wirkung *od.* Voll'endung.

art·less ['ɑ:tlis] *adj.* □ **1.** ungekünstelt, na'türlich, schlicht, unschuldig, na'iv; **2.** unkünstlerisch, stümperhaft.

art nou·veau ['ɑ:rnu:'vou] (*Fr.*) *s.* *Kunst*: Jugendstil *m*.

art pa·per *s.* ⊕ 'Kunstdruckpaˌpier *n*.

Art Work *s.* Art Work *n*: **a)** künstlerische Gestaltung, Illustrati'on(en *pl.*) *f*, Grafik *f*, **b)** (grafische *etc.*) Gestaltungsmittel *pl*.

art·y ['ɑ:ti] *adj.* F aufgeputzt, affig; bohemi'en; kitschig; **'~-and-'craft·y** *adj.* gewollt künstlerisch.

ar·um lil·y ['ɛərəm] *s.* ♀ weiße 'Gartenˌlilie.

Ar·y·an ['ɛəriən] **I.** *s.* **1.** 'Arier *m*, Indoger'mane *m*; **2.** *ling.* 'arische Sprachengruppe; **3.** Arier *m*, Nichtjude *m* (*in nationalsozialistischer Ideologie*); **II.** *adj.* **4.** arisch; **5.** arisch, nichtjüdisch.

as [æz; əz] **I.** *adv.* **1.** (ebenso) wie, so: ~ *usual* wie gewöhnlich *od.* üblich; ~ *soft* ~ *butter* weich wie Butter; *twice* ~ *large* zweimal so groß; *just* ~ *good* ebenso gut; **2.** als: *he appeared* ~ *Macbeth*; *I knew him* ~ *a child*; ~ *prose style this is bad* für Prosa ist das schlecht; **3.** wie (z.B.): *cathedral cities*, ~ *Ely*; **II.** *cj.* **4.** wie, so wie: ~ *follows*; *do* ~ *you are told!* tu, wie man dir sagt!; ~ *I said before*; ~ *you were!* ⚔ Kommando zurück!; ~ *it is* unter diesen Umständen, ohnehin; ~ *it* were sozusagen, gleichsam; **5.** als, in'dem, während: ~ *he entered* bei s-m Eintritt; **6.** ob'gleich, wenn auch; wie, wie sehr, so sehr: *old* ~ *I am* so alt wie ich bin; *try* ~ *he would* soviel *od.* so sehr er auch versuchte; **7.** da, weil: ~ *you are sorry I'll forgive you*; **III.** *pron.* **8.** was, wie: ~ *he himself admits*; → *such 7*; *Zssgn mit adv. u. prp.*:

as| ... as (eben)so ... wie: *as fast as I could* so schnell ich konnte; *as sweet as can be* so süß wie möglich; *as cheap as five pence a bottle* schon für (*od.* für nur) fünf Pence die Flasche; *as recently as last week* noch (*od.* erst) vorige Woche; *as good as* so gut wie, sozusagen; *not as bad as (all) that* gar nicht so schlimm; *as fine a song as I ever heard* ein Lied, wie ich kein schöneres je gehört habe; **~ far as** so'weit (wie), so'viel: ~ *I know* soviel ich weiß; ~ *Cologne* bis (nach) Köln; *as far back as 1890* schon im Jahre 1890; **~ for** was ... (an)betrifft, bezüglich (*gen.*); **~ from** *vor Zeitangaben*: von ... an, ab; **~ if** *od.* **though** als ob, als wenn: *he talks* ~ *he knew them all*; **~ long as a)** so'lange (wie): ~ *he stays*, **b)** wenn (nur); vor'ausgesetzt, daß: ~ *you have enough money*; **~ much** gerade (*od.* eben) das: *I thought* ~; ~ *again* doppelt soviel; **~ much as** (*neg. mst not so much as*) **a)** (eben-) soviel wie: ~ *my son*, **b)** so sehr, so viel: *did he pay* ~ *that?* hat er so viel (dafür) bezahlt?, **c)** so'gar, über'haupt (*neg.* nicht einmal): *without* ~ *looking at him* ohne ihn überhaupt anzusehen; **~ soon as** → *soon 3*; **~ to 1.** → *as for*; **2.** (als *od.* so) daß: *be so kind* ~ *come* sei so gut und komm; **3.** nach, gemäß (*dat.*); **~ well** → *well*[1] *11*; **~ yet** → *yet 2*.

as·a·f(o)et·i·da [æsə'fetidə] *s.* ⚕ Asa'fötida *f*, Teufelsdreck *m*.

as·bes·tos [æz'bestəs] *s. min.* As'best *m*: ~ *board* Asbestpappe.

as·cend [ə'send] **I.** *v/i.* **1.** (auf-, em'por-, hin'auf)steigen; **2.** ansteigen, (schräg) in die Höhe gehen: *the path* ~*s here*; **3.** *zeitlich* hin'aufreichen, zu'rückgehen (*to* bis in *acc.*, bis auf *acc.*); **4.** ♪ steigen (*Ton*); **II.** *v/t.* **5.** be-, ersteigen: *to* ~ *a river* e-n Fluß hinauffahren; *to* ~ *the throne* den Thron besteigen; **as'cend·an·cy, as'cend·en·cy** [-dənsi] *s.* Über'legenheit *f*; (bestimmender) Einfluß, Gewalt *f* (*over* über *acc.*); **as'cend·ant, as'cend·ent** [-dənt] **I.** *s.* **1.** *ast.* Aufgangspunkt *m e-s Gestirns*: *in the* ~ *fig.* im Aufstieg; **2.** → *ascendancy*; **II.** *adj.* **3.** aufgehend, aufsteigend; **4.** über'legen, (vor)herrschend; **as'cend·ing** [-diŋ] *adj.* (auf)steigend (*a. fig.*): ~ *air current* Aufwind; **as'cen·sion** [-nʃən] *s.* **1.** Aufsteigen *n* (*a. ast.*), Besteigung *f*; **2.** *the* ♀ die Himmelfahrt Christi: ♀ *Day* Himmelfahrtstag; **as'cent** [-nt] *s.* **1.** Aufstieg *m* (*a. fig.*), Besteigung *f*; **2.** *bsd.* 🚂, ⊕ Steigung *f*, Gefälle *n*, Abhang *m*; **3.** Auffahrt *f*, Rampe *f*, (Treppen-) Aufgang *m*.

as·cer·tain [æsə'tein] *v/t.* feststellen, ermitteln; **as·cer'tain·a·ble** [-nəbl] *adj.* feststellbar, zu ermitteln(d); **as·cer'tain·ment** [-mənt] *s.* Feststellung *f*, Ermittlung *f*.

as·cet·ic [ə'setik] **I.** *adj.* (□ ~*ally*) as'ketisch, sich ka'steiend; **II.** *s.* As'ket *m*; **as'cet·i·cism** [-isizəm] *s.* As'kese *f*; Ka'steiung *f*.

As·cot ['æskət] **I.** *npr.* Ascot (*Pferderennbahn bei Windsor*): ~ *week*; **II.** *s.* ♀ *Am.* breite Kra'watte, Pla'stron *m*, *n*.

as·crib·a·ble [əs'kraibəbl] *adj.* zuzuschreiben(d), beizumessen(d); **as·cribe** [əs'kraib] *v/t.* (*to*) zuschreiben, beimessen, beilegen (*dat.*); zu'rückführen (auf *acc.*); **as'crip·tion** [-ripʃən] *s.* (*to*) Zuschreiben *n* (*dat.*), Zu'rückführen *n* (auf *acc.*).

As·dic ['æzdik] *abbr. für Allied Submarine Detection Investigation Committee*; → *sonar*.

a·sep·sis [æ'sepsis] *s.* ⚕ A'sepsis *f*; keimfreie Wundbehandlung; **a'sep·tic** [-ptik] *adj.* (□ ~*ally*) a'septisch, keimfrei, ste'ril.

a·sex·u·al [æ'seksjuəl] *adj.* □ *biol.* geschlechtslos, ungeschlechtlich: ~ *reproduction* ungeschlechtliche Fortpflanzung.

ash[1] [æʃ] *s.* ♀ Esche *f*: *weeping* ~ Traueresche.

ash[2] [æʃ] *s.* **1.** (*a.* ⚗) Asche *f*: *cigarette* ~; **2.** *pl.* Asche *f*: *burnt to* ~*es*; *to lay in* ~*es* niederbrennen; **3.** *pl. fig.* sterbliche 'Überreste *pl.*; Trümmer *pl.*, Staub *m*; **4.** *to win the* ~*es back from Australia* (*Kricket*) die Niederlage gegen Australien wieder wettmachen.

a·shamed [ə'ʃeimd] *adj.* □ sich schämend, beschämt: *to be* (*od. feel*) ~ *of* sich *e-r Sache od. j-s* schämen; *to be* ~ *to* (*inf.*) sich schämen zu (*inf.*); *I am* ~ *that* es ist mir peinlich, daß; *be* ~ *of yourself!* schäme dich!

'ash-bin *s.* Aschen-, Mülleimer *m*.

ash can *Am.* → *ash-bin*.

ash·en[1] ['æʃn] *adj.* ♀ eschen, von Eschenholz.

ash·en[2] ['æʃn] *adj.* Aschen...; *fig.* aschfahl, -grau.

'ash-fur·nace *s.* ⊕ Glasschmelzofen *m*.

Ash·ke·naz·im [æʃki'næzim] (*Hebrew*) *s. pl.* As(ch)ke'nasim *pl*.

ash·lar ['æʃlə] *s.* ⚠ Quaderstein *m*.

a·shore [ə'ʃɔ:] *adv. u. adj.* ans *od.* am Ufer *od.* Land: *to go* ~ an Land gehen; *to run* ~ stranden, auflaufen; auf Strand setzen.

'ash|-pan *s.* Aschenkasten *m*; **'~-pit** *s.* Aschengrube *f*; **'~-tray** *s.* Aschenbecher *m*, -schale *f*; **♀ Wednes·day** *s.* Ascher'mittwoch *m*.

ash·y ['æʃi] *adj.* **1.** aus Asche (bestehend); mit Asche bedeckt; **2.** aschfarben, aschfahl; totenblaß.

A·sian ['eiʃən], **A·si·at·ic** [eiʃi'ætik] **I.** *adj.* asi'atisch; **II.** *s.* Asi'at(in).

a·side [ə'said] **I.** *adv.* **1.** bei'seite, abseits, seitwärts: *to step* ~; *to lay* (*put, set, turn*) ~; **2.** *thea.* beiseite: *to speak* ~; **3.** ~ *from Am.* abgesehen von; **II.** *s.* **4.** *thea.* A'parte *n*, beiseite gesprochene Worte *pl.*; **5.** *Brit.* Nebenwirkung *f*, -bemerkung *f*.

as·i·nine ['æsinain] *adj.* eselartig, Esels...; *fig.* eselhaft, dumm.

ask [ɑ:sk] **I.** *v/t.* **1. a)** *j-n* fragen: ~ *the policeman*, **b)** nach *et.* fragen: *to* ~ *the way*; *to* ~ *the time* fragen, wie spät es ist; *to* ~ *a question of s.o.* e-e Frage an j-n stellen; **2.** *j-n* nach *et.* fragen, sich bei *j-m* nach *et.* erkundigen: *to* ~ *s.o. the way*; *may I* ~ *you a question?* darf ich Sie (nach) etwas fragen?; **3.** *j-n* bitten (*for* um, *to inf.* zu *inf.*, *that* daß): *to* ~ *s.o. for advice*; *we were* ~*ed to believe* man wollte uns glauben machen; **4.** bitten um, erbitten: *to* ~ *his advice*; *to* ~ *a favo(u)r of s.o.* j-n um e-n Gefallen bitten; *to be had for the* ~*ing* umsonst *od.* mühelos zu haben;

5. einladen, bitten: *to ~ s.o. to lunch*; *to ~ him in* ihn hereinbitten; 6. fordern, verlangen: *to ~ a high price*; *that is ~ing too much* das ist zuviel verlangt!; 7. → *banns*; **II.** *v/i.* 8. (*for*) bitten (um), verlangen (*acc. od.* nach); fragen (nach), *j-n* zu sprechen wünschen; *et.* erfordern: *to ~ for help* um Hilfe bitten; *s.o. has been ~ing for you* es hat jemand nach Ihnen gefragt; *the matter ~s for great care* die Angelegenheit erfordert große Sorgfalt; 9. *fig.* her'beiführen: *you have ~ed for it* (*od. for trouble*) du hast es (*od.* das Unglück) heraufbeschworen, du wolltest es ja so haben; 10. fragen, sich erkundigen (*after, about* nach, wegen): *to ~ after s.o.'s health*; *to ~ about the trains.*

a·skance [əs'kæns] *adv.* von der Seite; *bsd. fig.* schief, scheel, mißtrauisch: *to look ~ at s.o.* (*od. s.th.*).

a·skew [əs'kjuː] *adv.* schief, schräg (*a. fig.*).

a·slant [ə'slɑːnt] **I.** *adv. u. adj.* schräg, quer; **II.** *prp.* quer über *od.* durch.

a·sleep [ə'sliːp] *adv. u. adj.* **1.** schlafend, im *od.* in den Schlaf: *to be ~* schlafen; *to fall ~* einschlafen; **2.** *fig.* entschlafen, leblos; **3.** *fig.* unaufmerksam, teilnahmslos; **4.** *fig.* eingeschlafen (*Glied*).

a·slope [ə'sloup] *adv. u. adj.* abschüssig, schräg.

a·so·cial [æ'souʃəl] *adj.* □ ungesellig, kon'taktfeindlich.

asp¹ [æsp] *s. zo.* Natter *f.*

asp² [æsp] → *aspen.*

as·par·a·gus [əs'pærəgəs] *s.* ✿ Spargel *m*: *~ tips* Spargelspitzen.

as·pect ['æspekt] *s.* **1.** Aussehen *n*, Erscheinung *f*, Anblick *m*, Gestalt *f*; **2.** Gebärde *f*, Miene *f*; **3.** A'spekt *m* (*a. ast.*), Gesichtspunkt *m*, Seite *f*; Hinsicht *f*, (Be)Zug *m*: *in its true ~* im richtigen Licht; **4.** Aussicht *f*, Lage *f*: *the house has a southern ~* das Haus liegt nach Süden.

as·pen ['æspən] ✿ **I.** *s.* Espe *f*, Zitterpappel *f*; **II.** *adj.* espen: *to tremble like an ~ leaf* wie Espenlaub zittern.

as·per·gill ['æspədʒil], **as·per·gil·lum** [æspə'dʒiləm] *s. eccl.* Weihwedel *m.*

as·per·i·ty [æs'periti] *s.* Rauheit *f*, (*bsd. fig.*) Schroffheit *f*; Schärfe *f*, Strenge *f*, Herbheit *f.*

as·perse [əs'pəːs] *v/t.* verleumden, in schlechten Ruf bringen, schmälern, schmähen; **as'per·sion** [-əːʃən] *s.* **1.** *eccl.* Besprengung *f*; **2.** Verleumdung *f*, Schmähung *f*: *to cast ~s on s.o.* j-n verleumden *od.* mit Schmutz bewerfen.

as·phalt ['æsfælt] **I.** *s. min.* As'phalt *m*; **II.** *v/t.* asphaltieren.

as·phyx·i·a [æs'fiksiə] *s.* ⚕ Erstickung *f*, Erstickungstod *m*; Scheintod *m*; **as'phyx·i·ate** [-ieit] *v/t.* ersticken: *to be ~d* ersticken; **as·phyx·i·a·tion** [æsfiksi'eiʃən] *s.* Erstickung *f.*

as·pic ['æspik] *s.* A'spik *m*, Ge'lee *n.*

as·pi·dis·tra [æspi'distrə] *s.* ✿ Aspi'distra *f.*

as·pir·ant [əs'paiərənt] *s.* (*to, after, for*) Aspi'rant(in), Kandi'dat(in) (für); (eifriger) Bewerber (um): *~ officer* Offiziersanwärter.

as·pi·rate ['æspərit] *ling.* **I.** *s.* Hauchlaut *m*; **II.** *adj.* aspiriert; **III.** *v/t.* [-pəreit] aspirieren; **as·pi·ra·tion** [æspə'reiʃən] *s.* **1.** Bestrebung *f*, Trachten *n*, Sehnen *n* (*for, after* nach); **2.** *ling.* Aspirati'on *f*; Hauchlaut *m*; **3.** ⊕, ⚕ Absaugung *f*; **as·pi·ra·tor** ['æspəreitə] *s.* ⊕, ⚕ 'Saugappa,rat *m.*

as·pire [əs'paiə] *v/i.* streben, trachten, verlangen, sich sehnen (*to, after* nach, *to inf.* zu *inf.*); *fig.* sich erheben.

as·pi·rin ['æspərin] *s.* ⚕ Aspi'rin *n*: *two ~s* zwei Aspirintabletten.

as·pir·ing [əs'paiəriŋ] *adj.* □ hochstrebend, ehrgeizig.

ass¹ [æs] *s. zo.* Esel *m*; *fig.* Esel *m*, Dummkopf *m*: *to make an ~ of o.s.* sich lächerlich machen.

ass² [æs] *s. Am.* V → *arse.*

as·sa·gai ['æsəgai] *s.* Assa'gai *m.*

as·sai [ɑːs'sɑːiː] (*Ital.*) *adv.* ♩ sehr.

as·sail [ə'seil] *v/t.* **1.** angreifen, über'fallen, bestürmen (*a. fig.*): *to ~ a city*; *to ~ s.o. with blows*; *to ~ s.o. with questions* j-n mit Fragen überschütten; *~ed by fear* von Furcht ergriffen; **2.** (eifrig) in Angriff nehmen; **as'sail·a·ble** [-ləbl] *adj.* angreifbar (*a. fig.*); **as'sail·ant** [-lənt], **as'sail·er** [-lə] *s.* Angreifer(in), Gegner(in); *fig.* 'Kritiker *m.*

as·sas·sin [ə'sæsin] *s.* Meuchelmörder(in), po'litischer Mörder; **as'sas·si·nate** [-neit] *v/t.* meuchlings (er)morden; **as·sas·si·na·tion** [əsæsi'neiʃən] *s.* Meuchelmord *m*, politischer Mord, Ermordung *f.*

as·sault [ə'sɔːlt] **I.** *s.* **1.** Angriff *m* (*a. fig.*), 'Überfall *m* (*upon, on auf acc.*); **2.** ⚔ Sturm *m*: *to carry* (*od. take*) *by ~* erstürmen; *~ boat* **a)** Sturmboot, **b)** Landungsfahrzeug; *~ troops* Stoßtruppen; **3.** ⚖ **a)** (unmittelbare) Bedrohung, **b)** tätlicher Angriff, tätliche Beleidigung: *~ and battery* schwere tätliche Beleidigung, Mißhandlung; *criminal ~* körperliche Mißhandlung; *indecent ~* unzüchtige Handlung (*Belästigung*); **II.** *v/t.* **4.** angreifen, über'fallen (*a. fig.*); tätlich werden gegen; **5.** ⚔ bestürmen (*a. fig.*); **6.** ⚖ tätlich *od.* schwer beleidigen; **7.** vergewaltigen.

as·say [ə'sei] **I.** *s.* **1.** ⊕, ⚒ Prüfung *f*, Unter'suchung *f bsd. von* (*Edel-*)*Metallen*: *~ office* Prüfungs-, Eichamt; **II.** *v/t.* **2.** *bsd.* (*Edel*)*Metalle* eichen, prüfen, unter'suchen; **3.** *fig.* versuchen, probieren; **III.** *v/i.* **4.** *Am.* 'Edelme,tall enthalten; **as'say·er** [-eiə] *s.* (Münz)Prüfer *m.*

as·se·gai ['æsigai] → *assagai.*

as·sem·blage [ə'semblidʒ] *s.* **1.** Zs.-kommen *n*, Versammlung *f*; **2.** Ansammlung *f*, Schar *f*, Menge *f*; **3.** ⊕ Zs.-setzen *n*, Mon'tage *f*; **as·sem·ble** [ə'sembl] **I.** *v/t.* **1.** versammeln, zs.-berufen, *Truppen* zs.-ziehen; **2.** ⊕ *Teile* zs.-setzen, montieren; **II.** *v/i.* **3.** sich versammeln, zs.-kommen; *parl.* zs.-treten; **as'sem·bler** [-lə] *s.* ⊕ Mon'teur *m*; **as'sem·bly** [-li] *s.* **1.** Versammlung *f*, Gesellschaft *f*: *~ hall*, *~ room* Gesellschafts-, Ballsaal; **2.** *oft* ♀ *pol.* beratende *od.* gesetzgebende Körperschaft; *Am.* ♀, *a. General* ♀ 'Unterhaus *n* (*in einigen Staaten*): *~ man* Abgeordnete(r); **3.** ⊕ Zs.-setzung *f*, -bau *m*, Montage *f*: *~ line* Montage-, Fließband, laufendes Band; *~ plant* Montagewerk; *~ shop* Montagehalle; **4.** ⚔ 'Sammelsi,gnal *n.*

as·sent [ə'sent] **I.** *v/i.* (*to*) zustimmen (*dat.*), beipflichten (*dat.*), billigen (*acc.*); genehmigen (*acc.*); **II.** *s.* Zustimmung *f*: *royal ~ pol. Brit.* königliche Genehmigung.

as·sert [ə'səːt] *v/t.* **1.** behaupten, erklären; **2.** *Anspruch*, *Recht* behaupten, geltend machen; bestehen auf (*acc.*); verteidigen, einstehen für: *to ~ one's liberties*; **3.** *~ o.s.* sich behaupten, sich geltend machen *od.* 'durchsetzen; sich zu'viel anmaßen; **as·ser·tion** [ə'səːʃən] *s.* **1.** Behauptung *f*, Erklärung *f*: *to make an ~* e-e Behauptung aufstellen; **2.** Verteidigung *f*, Geltendmachung *f e-s Anspruches etc.*; **as'ser·tive** [-tiv] *adj.* □ **1.** 'positiv, zur Geltung kommend, ausdrücklich; **2.** anspruchsvoll, anmaßend; **as'ser·tor** [-tə] *s.* Verfechter(in).

as·sess [ə'ses] *v/t.* **1.** besteuern, zur Steuer einschätzen *od.* veranlagen (*in od. at* [*the sum of*] mit); **2.** *Steuer*, *Geldstrafe etc.* auferlegen (*upon dat.*); **3.** *bsd. Wert zur Besteuerung od. e-s Schadens* schätzen, veranschlagen, festsetzen; **4.** *fig. Leistung etc.* einschätzen, bewerten, beurteilen; **as'sess·a·ble** [-səbl] *adj.* □ **1.** (ab)schätzbar; **2.** steuerpflichtig; **as'sess·ment** [-mənt] *s.* **1.** (Steuer-)Veranlagung *f*, Einschätzung *f*, Besteuerung *f*; **2.** Festsetzung *f e-r* Zahlung (*als Entschädigung etc.*), (*Schadens*)Feststellung *f*; **3.** (*Betrag der*) Steuer *f*, Abgabe *f*, Zahlung *f*; **4.** *fig.* Bewertung *f*; **as'ses·sor** [-sə] *s.* **1.** Steuereinschätzer *m*; **2.** As'sessor *m*, Beisitzer *m*, Ratgeber *m.*

as·set ['æset] *s.* **1.** † Ak'tivposten *m*; *pl.* † Ak'tiva *pl.*, Vermögenswerte *pl.*, Besitzteile *pl.*, Besitztümer *pl.*, Guthaben *n u. pl.*: *~s and liabilities* Aktiva u. Passiva; **2.** *pl.* ⚖ Vermögen *n*, Nachlaß *m*; Kon'kursmasse *f*; **3.** *fig.* Gewinn *m*, Vorteil *m*, Wert *m*, Vorzug *m.*

as·sev·er·ate [ə'sevəreit] *v/t.* beteuern, feierlich erklären; **as·sev·er·a·tion** [əsevə'reiʃən] *s.* Beteuerung *f.*

as·si·du·i·ty [æsi'dju(ː)iti] *s.* Emsigkeit *f*, anhaltender Fleiß; **as·sid·u·ous** [ə'sidjuəs] *adj.* □ **1.** emsig, fleißig, eifrig, beharrlich; **2.** aufmerksam, dienstbeflissen.

as·sign [ə'sain] **I.** *v/t.* **1.** *Aufgabe etc.* zu-, anweisen, zuteilen, über'tragen (*to s.o.* j-m); **2.** *j-n zu e-r Aufgabe etc.* bestimmen, *j-n mit et.* beauftragen; *e-m Amt*, ⚔ *e-m Regiment* zuteilen; **3.** *Zeit*, *Aufgabe* festsetzen, bestimmen; **4.** angeben, anführen; **5.** zuschreiben (*to dat.*); **6.** ⚖ über'tragen; abtreten; **II.** *s.* **7.** ⚖ Rechtsnachfolger(in), Zessio'nar *m*; **as'sign·a·ble** [-nəbl] *adj.* bestimmbar, zuweisbar; zuzuschreiben(d); anführbar; ⚖ über'tragbar.

as·sig·na·tion [æsig'neiʃən] *s.* **1.** Zuweisung *f*, Bestimmung *f*; Zuschreibung *f*; **2.** ⚖ Über'tragung *f*, Abtretung *f*; **3.** *mst b.s.* Stelldichein *n*: *house of* ~ *Am.* Bordell; **as·sign·ee** [æsi'niː] *s.* ⚖ **1.** Bevollmächtigte(r *m*) *f*; Treuhänder *m*: ~ *in bankruptcy* Konkursverwalter; **2.** → *assign* 7; **as·sign·ment** [ə'sainmənt] *s.* **1.** An-, Zuweisung *f*; **2.** Bestimmung *f*, Festsetzung *f*; **3.** Aufgabe *f*, Arbeit *f*, Stellung *f*, Posten *m*; **4.** ⚖ **a)** Übertragung *f*, Abtretung *f*, **b)** Abtretungsurkunde *f*; **as·sign·or** [æsi'nɔː] *s.* ⚖ Über'trager(in), Abtretende(r *m*) *f*.

as·sim·i·late [ə'simileit] **I.** *v/t.* **1.** **ähnlich machen, gleichmachen,** angleichen, anpassen (*to, with dat.*); **2.** vergleichen (*to, with* mit); **3.** *biol. Nahrung* assimilieren, einverleiben; **4.** aufnehmen, aufsaugen, absorbieren, sich aneignen; **II.** *v/i.* **5.** sich assimilieren, gleich *od.* ähnlich werden, sich anpassen, sich angleichen; **6.** aufgenommen werden; **as·sim·i·la·tion** [əsimi'leiʃən] *s.* **1.** (*to*) Assimilati'on *f*, Angleichung *f* (an *acc.*), Gleichsetzung *f* (mit); **2.** Aufnahme *f*, Einverleibung *f*; **as·sim·i·la·tion·ist** [əsimi'leiʃənist] *s.* Verfechter *m* der Angleichung.

as·sist [ə'sist] **I.** *v/t.* **1.** *j-m* helfen, beistehen: ~*ed take-off* Start mit Starthilfe; **2.** fördern, (*mit Geld*) unter'stützen: ~*ed immigration* Einwanderung mit (staatlicher) Beihilfe; **II.** *v/i.* **3.** Hilfe leisten, mithelfen (*in* bei): *to* ~ *in doing a job* bei e-r Arbeit (mit)helfen; **4.** (*at*) beiwohnen (*dat.*), teilnehmen (an *dat.*); **as'sist·ance** [-təns] *s.* Hilfe *f*, Unter'stützung *f*: *to afford* (*od. lend*) ~ Hilfe gewähren *od.* leisten; **as'sist·ant** [-tənt] **I.** *adj.* **1.** behilflich; **2.** Hilfs..., Unter..., stellvertretend, zweite(r); **II.** *s.* **3.** Assi'stent(in), Gehilfe *m*, Gehilfin *f*, Mitarbeiter(in); Angestellte(r *m*) *f*; **4.** Ladengehilfe *m*, -gehilfin *f*, Verkäufer(in).

as·size [ə'saiz] *s.* **1.** ⚖ (Schwur-) Gerichtssitzung *f*, Gerichtstag *m*; **2.** ♀*s pl.* ⚖ *Brit.* peri'odische (Schwur)Gerichtssitzungen *pl.* des *High Court of Justice* in den einzelnen Grafschaften (*bis 1971*).

as·so·ci·a·ble [ə'souʃjəbl] *adj.* (gedanklich) vereinbar (*with* mit).

as·so·ci·ate [ə'souʃieit] **I.** *v/t.* **1.** vereinigen, verbinden, verknüpfen (*with* mit); hin'zu-, zs.-fügen, angliedern, -schließen, zugesellen, einbeziehen; **2.** *bsd. psych.* (gedanklich) assoziieren, verbinden, in Zs.-hang bringen, verknüpfen; **3.** ~ *o.s.* sich anschließen (*with dat.*); **II.** *v/i.* (*with* mit) **4.** 'Umgang haben, verkehren; **5.** sich verknüpfen, sich verbinden; **III.** *adj.* [-ʃiit] **6.** eng verbunden, verbündet; verwandt (*with* mit); **7.** beigeordnet, Mit...: ~ *editor* Mitherausgeber; ~ *judge* beigeordneter Richter; **8.** außerordentlich (*Mitglied etc.*): ~ *professor Am.* außerordentlicher Professor; **IV.** *s.* [-ʃiit] **9.** Teilhaber *m*, Gesellschafter *m*; **10.** Gefährte *m*, Genosse *m*, Kol'lege *m*, Mitarbeiter *m*; **11.** außerordentliches Mitglied, Beigeordnete(r *m*) *f*; **12.** *Am. univ.* Lehrbeauftragte(r *m*) *f*.

as·so·ci·a·tion [əsousi'eiʃən] *s.* **1.** Vereinigung *f*, Verbindung *f*, An-, Zs.-schluß *m*; **2.** Verein(igung *f*) *m*, Gesellschaft *f*; Genossenschaft *f*, Handelsgesellschaft *f*, Verband *m*; **3.** Freundschaft *f*, Kame'radschaft *f*; 'Umgang *m*, Verkehr *m*; **4.** Zs.-hang *m*, Beziehung *f*, Verknüpfung *f*; (Ge'danken)Verbindung *f*, (-)Assoziati'on *f*: ~ *of ideas*; ~ **foot·ball** *s. sport* **(Verbands)Fußball(spiel** *n*) *m* (*Ggs. Rugby*).

as·so·nance ['æsənəns] *s.* Asso'nanz *f*, vo'kalischer Gleichklang; '**as·so·nant** [-nt] **I.** *adj.* anklingend; **II.** *s.* Gleichklang *m*.

as·sort [ə'sɔːt] **I.** *v/t.* **1.** sortieren, gruppieren, (passend) zs.-stellen; **2.** † assortieren; **II.** *v/i.* **3.** (*with*) passen (zu), über'einstimmen (mit); **4.** verkehren, 'umgehen (*with* mit); **as'sort·ed** [-tid] *adj.* **1.** sortiert, geordnet; **2.** † assortiert, gemischt, verschiedenartig; **as'sort·er** [-tə] *s.* Sortierer(in); **as'sort·ment** [-mənt] *s.* **1.** Sortieren *n*, Ordnen *n*; **2.** Zs.-stellung *f*, Sammlung *f*; **3.** *bsd.* † Sorti'ment *n*, Auswahl *f*, **Mischung** *f*, **Kollekti'on** *f*.

as·suage [ə'sweidʒ] *v/t.* **1.** erleichtern, lindern, mildern; **2.** besänftigen, beruhigen; **3.** stillen, befriedigen; **as'suage·ment** [-mənt] *s.* Linderung *f*, Beruhigung *f*.

as·sume [ə'sjuːm] *v/t.* **1.** vor'aussetzen, annehmen, unter'stellen: *assuming that* angenommen, daß; **2.** *Pflicht, Schuld etc.* über'nehmen, (*a. Gefahr*) auf sich nehmen: *to* ~ *office*; **3.** *Gestalt, Eigenschaft etc.* annehmen, bekommen; sich zulegen, sich geben, sich angewöhnen; **4.** sich anmaßen *od.* aneignen: *to* ~ *power* die Macht ergreifen; **5.** vorschützen, vorgeben, (er)heucheln; **6.** *Kleider etc.* anziehen; **as'sumed** [-md] *adj.* □ **1.** angenommen, vor'ausgesetzt; **2.** vorgetäuscht, unecht: ~ *name* Deckname; **as'sum·ed·ly** [-midli] *adv.* vermutlich; **as'sum·ing** [-miŋ] *adj.* □ anmaßend.

as·sump·tion [ə'sʌmpʃən] *s.* **1.** Annahme *f*, Vor'aussetzung *f*; Vermutung *f*: *on the* ~ *that* in der Annahme, daß; **2.** 'Übernahme *f*, Annahme *f*; **3.** ('widerrechtliche) Aneignung; **4.** Anmaßung *f*; **5.** Vortäuschung *f*; **6.** ♀ (*Day*) *eccl.* Mariä Himmelfahrt.

as·sur·ance [ə'ʃuərəns] *s.* **1.** Ver-, Zusicherung *f*; **2.** Bürgschaft *f*, Garan'tie *f*; **3.** (*bsd.* Lebens)Versicherung *f*; **4.** Sicherheit *f*, Gewißheit *f*; Sicherheitsgefühl *n*, Zuversicht *f*; **5.** Selbstsicherheit *f*, -vertrauen *n*; sicheres Auftreten; *b.s.* Dreistigkeit *f*; **as·sure** [ə'ʃuə] *v/t.* **1.** sichern, sicherstellen, bürgen für: *this will* ~ *your success*; **2.** ver-, zusichern: *to* ~ *s.o. of s.th.* j-n e-r Sache versichern, j-m et. zusichern; *to* ~ *s.o. that* j-m versichern, daß; **3.** beruhigen; **4.** (*o.s.* sich) **über'zeugen**; **5.** *Leben* **versichern**: *to* ~ *one's life with* e-e Lebensversicherung abschließen bei *e-r Gesellschaft*; **as·sured** [ə'ʃuəd] **I.** *adj.* □ **1.** ge-, versichert; **2.** sicher, über'zeugt; **3.** gewiß, zweifellos; **II.** *s.* **4.** Versicherte(r *m*) *f*; **as'sur·ed·ly** [-ridli] *adv.* ganz gewiß; **as·sured·ness** [ə'ʃuədnis] *s.* Gewißheit *f*; Selbstvertrauen *n*; *b.s.* Dreistigkeit *f*; **as'sur·er** [-rə] *s.* Versicherer *m*.

As·syr·i·an [ə'siriən] **I.** *adj.* as'syrisch; **II.** *s.* As'syrer(in).

a·stat·ic [æ'stætik] *adj.* **1.** veränderlich; **2.** *phys.* a'statisch.

as·ter ['æstə] *s.* ⚘ Aster *f*.

as·ter·isk ['æstərisk] *s. typ.* Sternchen *n*.

a·stern [əs'təːn] *adv.* ⚓ **1.** achtern, hinten; **2.** achteraus, nach hinten, rückwärts.

as·ter·oid ['æstərɔid] *s. ast.* Aste'roid *m*.

asth·ma ['æsmə] *s.* ⚕ 'Asthma *n*, Atemnot *f*; **asth·mat·ic** [æs'mætik] **I.** *adj.* (□ ~*ally*) asth'matisch; **II.** *s.* Asth'matiker(in); **asth·mat·i·cal** [æs'mætikəl] → *asthmatic I*.

as·tig·mat·ic *adj.*; **as·tig·mat·i·cal** [æstig'mætik(əl)] *adj.* □ *phys.* astig'matisch; **a·stig·ma·tism** [æs'tigmətizəm] *s. phys.* Astigma'tismus *m*.

a·stir [ə'stəː] *adv. u. adj.* **1.** in Bewegung, rege, auf den Beinen; **2.** auf(gestanden), aus dem Bett; **3.** in Aufregung.

as·ton·ish [əs'tɔniʃ] *v/t.* **1.** in Erstaunen *od.* Verwunderung setzen; **2.** über'raschen, befremden: *to be* ~*ed* erstaunt *od.* überrascht sein (*at* über *acc.*, *to inf.* zu *inf.*), sich wundern (*at* über *acc.*); **as'ton·ish·ing** [-ʃiŋ] *adj.* □ erstaunlich, überraschend; **as'ton·ish·ing·ly** [-ʃiŋli] *adv.* erstaunlich(erweise); **as'ton·ish·ment** [-mənt] *s.* Verwunderung *f*, (Er)Staunen *n*, Befremden *n* (*at* über *acc.*): *to fill* (*od. strike*) *with* ~ in Erstaunen setzen.

as·tound [əs'taund] *v/t.* verblüffen, in Erstaunen setzen, äußerst über'raschen; **as'tound·ing** [-diŋ] *adj.* □ verblüffend, höchst erstaunlich.

as·tra·chan → *astrakhan*.

a·strad·dle [ə'strædl] *adv.* rittlings.

as·tra·khan [æstrə'kæn] *s.* 'Astrachan *m*, Krimmer *m* (*Pelzart*).

as·tral ['æstrəl] *adj.* Stern(en)..., Astral...: ~ *body* Astralleib; ~ *lamp* Astrallampe.

a·stray [ə'strei] **I.** *adv.* vom rechten Wege ab, auf dem Irrwege (*a. fig.*): *to go* ~ **a)** irregehen, sich verirren *od.* verlaufen, **b)** abschweifen; *to lead* ~ irreführen, verleiten; **II.** *adj.* irregehend, abschweifend (*a. fig.*); irrig, falsch.

a·stride [ə'straid] *adv., adj. u. prp.* rittlings, mit gespreizten Beinen: *to ride* ~ im Herrensattel reiten; ~ (*of*) *a horse* zu Pferde; ~ (*of*) *a road* quer über die Straße.

as·tringe [əs'trindʒ] *v/t.* (*a.* ⚕) zs.-ziehen, adstringieren; **as'trin·gent** [-dʒənt] **I.** *adj.* □ **1.** ⚕ adstringierend, zs.-ziehend, stopfend; **2.** *fig.* streng, ernst; **II.** *s.* **3.** ⚕ Ad'stringens *n*.

astro- [æstrou; -ɔ; -ə] *in Zssgn* Stern..., Gestirn...

as·tro·dome ['æstroudoum] *s.* ✈ Kuppel *f* für astro'nomische Navigati'on; **as·tro·labe** ['æstrouleib] *s. ast.* Astro'labium *n*, Sternhöhenmesser *m*.

as·trol·o·ger [əs'trɔlədʒə] *s.* Astro'log(e) *m*, Sterndeuter *m*; **as·tro·log·ic** *adj.*; **as·tro·log·i·cal** [æstrə'lɔdʒik(əl)] *adj.* □ astro'logisch; **as·trol·o·gy** [əs'trɔlədʒi] *s.* Astrolo'gie *f*, Sterndeute'rei *f*.

as·tro·naut ['æstrounɔ:t] *s.* Weltraumfahrer *m*, Astro'naut *m*; **as·tro·nau·tics** [æstrə'nɔ:tiks] *s. pl. sg. konstr.* Raumfahrt *f*.

as·tron·o·mer [əs'trɔnəmə] *s.* Astro'nom *m*; **as·tro·nom·ic** *adj.*; **as·tro·nom·i·cal** [æstrə'nɔmik(əl)] *adj.* □ **1.** astro'nomisch, Stern..., Himmels...; **2.** *fig.* riesengroß: ~ *figures* astronomische Zahlen; **as·tron·o·my** [əs'trɔnəmi] *s.* Astrono'mie *f*, Sternkunde *f*.

as·tro·phys·i·cal [æstrou'fizikəl] *adj.* astrophysi'kalisch; **as·tro'phys·i·cist** [-isist] *s.* Astro'physiker *m*; **as·tro'phys·ics** [-ks] *s. pl. sg. konstr.* Astrophy'sik *f*.

as·tute [əs'tju:t] *adj.* □ **1.** scharfsinnig; **2.** schlau, listig, verschmitzt; **as'tute·ness** [-nis] *s.* **1.** Scharfsinn *m*; Schlauheit *f*; **2.** Arglist *f*.

a·sun·der [ə'sʌndə] **I.** *adv.* ausein'ander, ent'zwei, in Stücke: *to cut s.th.* ~; **II.** *adj.* ausein'ander (-liegend); *fig.* verschieden.

a·sy·lum [ə'sailəm] *s.* **1.** A'syl *n*, Heim *n*; **2.** *a. insane* (*od. lunatic*) ~ Irrenanstalt *f*; **3.** (*a. politisches*) Asyl, Freistätte *f*, Zufluchtsort *m*; **4.** *fig.* Asyl *n*, Schutz *m*.

a·sym·met·ric *adj.*; **a·sym·met·ri·cal** [æsi'metrik(əl)] *adj.* □ asym'metrisch, 'unsym,metrisch, ungleichmäßig: *asymmetrical bars Turnen*: Stufenbarren; **a·sym·me·try** [æ'simitri] *s.* Asymme'trie *f*, Ungleichmäßigkeit *f*.

at[1] [æt; *unbetont* ət] *prp.* **1.** (*Ort*) an (*dat.*), bei, zu, auf (*dat.*), in (*dat.*): ~ *the corner* an der Ecke; ~ *home* zu Hause; ~ *the baker's* beim Bäcker; ~ *school* in der Schule; ~ *a ball* bei (*od.* auf) e-m Ball; ~ *Bath* in Bath (*at vor dem Namen jeder Stadt außer London u. dem eigenen Wohnort; vor den beiden letzteren in*); **2.** (*Richtung*) auf (*acc.*), nach, gegen, zu, durch: *to point* ~ *s.o.* auf j-n zeigen; *to rush* ~ *s.o.* auf j-n zueilen; **3.** (*Art u. Weise, Zustand*) in (*dat.*), bei, zu, unter (*dat.*), auf (*acc.*): ~ *work* bei der Arbeit; ~ *your service* zu Ihren Diensten; *good* ~ *Latin* gut in Latein; ~ *my expense* auf meine Kosten; ~ *a gallop* im Galopp; *he is still* ~ *it* er ist noch dabei *od.* damit beschäftigt; **4.** (*Zeit*) um, bei, zu, auf (*dat.*): ~ *3 o'clock* um 3 Uhr; ~ *dawn* bei Tagesanbruch; ~ *Christmas* zu Weihnachten; ~ (*the age of*) *21* im Alter von 21 Jahren; **5.** (*Grund*) über (*acc.*), von, bei: *alarmed* ~ beunruhigt über; **6.** (*Preis, Maß*) für, um, zu: ~ *6 dollars*; *charged* ~ berechnet mit; **7.** ~ *all in neg. od. Fragesätzen*: über'haupt, gar *nichts etc.*: *is he suitable* ~ *all?* ist er überhaupt geeignet?; *not* ~ *all* überhaupt nicht; *not* ~ *all!* F nichts zu danken!, gern geschehen!

At[2] [æt] *s. Brit.* ⚔ F Wehrmachtshelferin *f*.

at·a·vism ['ætəvizəm] *s. biol.* Ata'vismus *m*, Entwicklungsrückschlag *m*; **at·a·vis·tic** [ætə'vistik] *adj.* ata'vistisch.

a·tax·i·a [ə'tæksiə], **a'tax·y** [-ksi] *s.* Ata'xie *f*, Bewegungsstörung *f*.

ate [et] *pret. von eat.*

at·el·ier ['ætəliei; atəlje] (*Fr.*) *s.* Ateli'er *n*.

Ath·a·na·sian [æθə'neiʃən] *adj.*: ~ *Creed eccl.* Athanasianisches Glaubensbekenntnis.

a·the·ism ['eiθiizəm] *s.* Athe'ismus *m*, Gottesleugnung *f*; **'a·the·ist** [-ist] *s.* **1.** Athe'ist *m*; **2.** gottloser Mensch; **a·the·is·tic** *adj.*; **a·the·is·ti·cal** [eiθi'istik(əl)] *adj.* □ **1.** athe'istisch; **2.** gottlos.

A·the·ni·an [ə'θi:njən] **I.** *adj.* a'thenisch; **II.** *s.* A'thener(in).

a·thirst [ə'θə:st] *adj.* **1.** durstig; **2.** begierig (*for* nach).

ath·lete ['æθli:t] *s.* **1.** *Brit.* ('Leicht-) Ath,let *m*; Sportler *m*; **2.** *fig.* Ath'let *m*, Hüne *m*; **~'s foot** *s.* ⚕ Dermatophy'tose *f* der Füße.

ath·let·ic [æθ'letik] *adj.* (□ ~*ally*) **1.** ath'letisch, Sport...; **2.** von athletischem Körperbau, kräftig; ~ **heart** *s.* ⚕ Sportherz *n*.

ath·let·i·cism [æθ'letisizəm] *s.* Ath'letik *f*; **ath'let·ics** [-iks] *s. pl. sg. konstr.* **1. a)** *Am.* Ath'letik *f*, **b)** *Brit.* 'Leichtath,letik *f*; **2.** sportliche Betätigung.

at-home [ət'houm] *s.* zwangloser Empfangstag.

a·thwart [ə'θwɔ:t] **I.** *adv.* **1.** quer, schräg hin'durch; ⚓ dwars (über); **2.** *fig.* verkehrt, ungelegen, in die Quere; **II.** *prp.* **3.** (quer) über (*acc.*) *od.* durch; ⚓ dwars (über *acc.*); **4.** *fig.* (ent)gegen.

a·tilt [ə'tilt] *adv. u. adj.* **1.** vorgebeugt, kippend; **2.** mit eingelegter Lanze: *to run* (*od. ride*) ~ *at s.o. fig.* gegen j-n zu Felde ziehen.

At·lan·tic [ət'læntik] **I.** *adj.* at'lantisch; **II.** *s.*: *the* ~ der At'lantik, der Atlantische Ozean; ~ **Char·ter** *s. pol.* At'lantik-,Charta *f*; ~ (**stand·ard**) **time** *s.* Atlantische ('Standard)Zeit (*im Osten Kanadas*).

at·las ['ætləs] *s.* **1.** 'Atlas *m* (*Buch*); **2.** △ gebälktragende Säule; **3.** *fig.* Hauptstütze *f*; **4.** *anat.* Atlas *m* (*oberster Halswirbel*); **5.** *großes Papierformat*.

at·mos·phere ['ætməsfiə] *s.* **1.** Atmo'sphäre *f*, Lufthülle *f*; **2.** Luft *f*: *a moist* ~; **3.** ⊕ Atmosphäre *f* (*Druckeinheit*); **4.** *fig.* Atmosphäre *f*: **a)** Um'gebung *f*, **b)** Stimmung *f*.

at·mos·pher·ic [ætməs'ferik] *adj.* (□ ~*ally*) **1.** atmo'sphärisch, Luft...: ~ *pressure phys.* Luftdruck; **2.** Witterungs..., Wetter...; **3.** ⊕ mit (Luft)Druck betrieben; **at·mos'pher·i·cal** [-kəl] → *atmospheric*; **at·mos'pher·ics** [-ks] *s. pl.* ⊕ atmosphärische Störungen *pl.*

at·oll ['ætɔl] *s.* A'toll *n*.

at·om ['ætəm] *s.* **1.** *phys.* A'tom *n*: ~ *bank* Atombank; **2.** *fig.* Atom *n*, winziges Teilchen, bißchen *n*: *not an* ~ *of truth* kein Körnchen Wahrheit; ~ **bomb** → *atomic bomb*.

a·tom·ic [ə'tɔmik] *adj. phys.* (□ ~*ally*) ato'mar, a'tomisch, Atom...; ~ **age** *s.* A'tomzeitalter *n*.

a·tom·i·cal [ə'tɔmikəl] → *atomic*.

a·tom·ic| bomb *s.* A'tombombe *f*; ~ **clock** *s.* A'tomuhr *f*; ~ **en·er·gy** *s.* A'tomener,gie *f*; ~ **fis·sion** *s.* A'tomspaltung *f*; ~ **force** *s.* A'tomkraft *f*; ~ **fu·el** *s.* Kernbrennstoff *m*; ~ **nu·cle·us** *s.* A'tomkern *m*; ~ **pile** *s.* A'tombatte,rie *f*, -säule *f*, -meiler *m*; ~**-pow·ered** *adj.* durch A'tomkraft betrieben, Atom...; ~ **pow·er-plant** *s.* A'tomkraftwerk *n*.

a·tom·ics [ə'tɔmiks] *s. pl. mst sg. konstr.* A'tomphy,sik *f*.

a·tom·ic weight *s.* A'tomgewicht *n*.

at·om·ism ['ætəmizəm] *s. phls.* Ato'mismus *m*; **'at·om·ist** [-mist] *s.* Anhänger *m* des Atomismus; **at·om·is·tic** [ætə'mistik] *adj.* (□ ~*ally*) ato'mistisch; **'at·om·ize** [-maiz] *v/t.* **1.** in A'tome auflösen; **2.** *Flüssigkeit* zerstäuben; **'at·om·iz·er** [-maizə] *s.* ⊕ Zerstäuber *m*.

at·om| smash·ing *s. phys.* A'tomzertrümmerung *f*; ~ **split·ting** *s. phys.* A'tomspaltung *f*.

at·o·my[1] ['ætəmi] *s.* **1.** A'tom *n*; **2.** *fig.* Zwerg *m*, Knirps *m*.

at·o·my[2] ['ætəmi] *s. humor.* Gerippe *n*, Ske'lett *n*.

a·tone [ə'toun] *v/i.* (*for*) büßen (für); sühnen, wieder'gutmachen (*acc.*); **a'tone·ment** [-mənt] *s.* **1.** Buße *f*, Sühne *f*, Genugtuung *f* (*for* für): *Day of* ♀ *eccl.* **a)** Buß- und Bettag, **b)** Versöhnungstag (*jüd. Feiertag*); **2.** *eccl.* Sühneopfer *n* Christi.

a·ton·ic [æ'tɔnik] *adj.* **1.** ⚕ a'tonisch, schlaff, schwächend; **2.** *ling.* **a)** unbetont, **b)** stimmlos; **at·o·ny** ['ætəni] *s.* ⚕ Ato'nie *f*, Erschlaffung *f*.

a·top [ə'tɔp] **I.** *adv.* oben(auf); **II.** *prp. a.* ~ *of* (oben) auf (*dat.*); *fig.* besser als.

a·trip [ə'trip] *adv.* ⚓ **1.** gelichtet (*Anker*); **2.** steifgeheißt (*Segel*).

a·tri·um ['ɑ:triəm] *pl.* **-a** [-ə] *s.* **1.** *antiq.* 'Atrium *n*, Vorhalle *f*; **2.** *anat.* Herzvorhof *m*, Vorkammer *f*.

a·tro·cious [ə'trouʃəs] *adj.* □ **1.** scheußlich, gräßlich; grausam; **2.** F scheußlich, mise'rabel, schlimm: ~ *weather*; **a·troc·i·ty** [ə'trɔsiti] *s.* **1.** Scheußlichkeit *f*, Gräßlichkeit *f*; **2.** Greueltat *f*, Greuel *m*; **3.** F Verstoß *m*, Ungeheuerlichkeit *f*.

at·ro·phied ['ætrəfid] *adj.* ⚕ atrophiert, geschrumpft, verkümmert (*a. fig.*); **'at·ro·phy** [-fi] ⚕ **I.** *s.* Atro'phie *f*, Abzehrung *f*, Schwund *m*, Verkümmerung *f* (*a. fig.*); **II.** *v/t.* abzehren *od.* verkümmern lassen; **III.** *v/i.* schwinden, verkümmern (*a. fig.*).

at·ro·pine ['ætrəpin] *s.* ⚗ Atro'pin *n*.

Ats [æts] *s. pl. Brit.* F *statt* A.T.S. ['ei'ti:'es] *abbr. für* (*Women's*) *Auxiliary Territorial Service Organisation der* Wehrmachthelferinnen *pl.*

at·tach [ə'tætʃ] **I.** *v/t.* **1.** (*to*) befestigen, anbringen (an *dat.*); beifügen (*dat.*), anheften, -binden, -kleben (an *acc.*), verbinden (mit); **2.** *fig.* (*to*) *Sinn etc.* verknüpfen, verbinden (mit); *Wert, Wichtigkeit, Schuld* beimessen (*dat.*), *Namen* beilegen (*dat.*); **3.** *fig. j-n* fesseln, gewinnen, für sich einnehmen: *to be* ~*ed to s.o.* an j-m hängen *od.* festhalten; *to* ~ *o.s.* sich anschließen (*to dat.*, an *acc.*); **4.** (*to*) *j-n* angliedern, zuteilen (*dat.*); **5.** ⚖ *j-n* verhaften; *et.* beschlagnahmen; **II.** *v/i.* **6.** (*to*) anhaften (*dat.*), verknüpft *od.* verbunden sein (mit): *no blame* ~*es to him* ihn trifft keine Schuld; **7.** ⚖ als Rechtsfolge eintreten: *liability* ~*es*; **at'tach·a·ble** [-tʃəbl] *adj.* **1.** anfügbar, an-, aufsteckbar; **2.** *fig.* verknüpfbar (*to* mit); **3.** ⚖ **a)** zu verhaften(d), **b)** zu beschlagnahmen(d).

at·ta·ché [əˈtæʃei] (*Fr.*) *s.* Attaˈché *m*: *commercial* ~ Handelsattaché; *press* ~ Presseattaché; ~ **case** *s.* Aktenkoffer *m.*

at·tached [əˈtætʃt] *adj.* **1.** befestigt, fest, daˈzugehörig: *with collar* ~ mit festem Kragen; **2.** angeschlossen, zugeteilt; **3.** anhänglich, zugetan; **at'tach·ment** [-tʃmənt] *s.* **1.** Befestigung *f*, Anbringung *f*; Anschluß *m*; **2.** Verbindung *f*, Verknüpfung *f*; **3.** Anhängsel *n*, Beiwerk *n*; ⊕ Zusatzgerät *n*; **4.** *fig.* (*to, for*) Bindung *f* (an *acc.*); Zugehörigkeit *f* (zu); Anhänglichkeit *f* (an *acc.*), Neigung *f*, Liebe *f* (zu); **5.** ⚖ **a)** Verhaftung *f*, **b)** Beschlagnahme *f.*

at·tack [əˈtæk] **I.** *v/t.* **1.** angreifen, überˈfallen; **2.** *fig.* angreifen, scharf kritisieren; **3.** *fig. Arbeit etc.* in Angriff nehmen, über *Essen etc.* herfallen; **4.** *fig.* befallen (*Krankheit*); angreifen: *acid* ~*s metals*; **II.** *s.* **5.** Angriff *m* (*a.* ⚗ *Einwirkung*), ˈÜberfall *m*; **6.** *fig.* Angriff *m*, (scharfe) Kriˈtik: *to be under* ~ unter Beschuß stehen; **7.** ⚕ Anfall *m*; **8.** Inˈangriffnahme *f*; **at'tack·er** [-kə] *s.* Angreifer *m.*

at·tain [əˈtein] **I.** *v/t. Zweck etc.* erreichen; erlangen; erzielen; **II.** *v/i.* (*to*) gelangen (zu), erreichen (*acc.*); **at'tain·a·ble** [-nəbl] *adj.* erreichbar; **at'tain·der** [-də] *s.* ⚖ Verlust *m* der bürgerlichen Ehrenrechte u. Einziehung *f* des Vermögens; **at'tain·ment** [-mənt] *s.* **1.** Erreichung *f*, Erwerbung *f*; **2.** *pl.* Kenntnisse *pl.*, Fertigkeiten *pl.*; **at'taint** [-nt] **I.** *v/t.* **1.** zum Tode und zur Ehrlosigkeit verurteilen; **2.** befallen (*Krankheit*); **3.** *fig.* beflecken, entehren; **II.** *s.* **4.** Makel *m*, Schande *f.*

at·tar [ˈætə] *s.* ˈBlumenesˌsenz *f*, *bsd.* ~ *of roses* Rosenöl *n.*

at·tempt [əˈtempt] **I.** *v/t.* **1.** versuchen: *to* ~ *singing* (*od. to sing*); **2.** zu überˈwältigen suchen: *to* ~ *s.o.'s life* e-n Mordanschlag auf j-n verüben; **3.** in Angriff nehmen; zu bewältigen suchen, sich zumuten; **II.** *s.* **4.** Versuch *m*, Bemühung *f*, Unterˈnehmung *f* (*to inf.* zu *inf.*): ~ *at explanation* Erklärungsversuch; **5.** Angriff *m*: ~ *on s.o.'s life* Mordanschlag, Attentat auf j-n.

at·tend [əˈtend] **I.** *v/t.* **1.** *j-m* aufwarten; als Diener *od.* dienstlich begleiten; **2.** *bsd. Kranke* warten, pflegen; *ärztlich* behandeln; **3.** *fig.* begleiten: *may good luck* ~ *you*; *the plan was* ~*ed with great difficulties* der Plan war mit großen Schwierigkeiten verbunden; **4.** beiwohnen (*dat.*), teilnehmen an (*dat.*); *Vorlesung, Schule, Kirche etc.* besuchen; **II.** *v/i.* **5.** (*to*) beachten (*acc.*), hören, achten (auf *acc.*): ~ *to what I am saying*; **6.** (*to*) sich kümmern (um), *j-n* **bedienen** (*im Laden*); **7.** (*to*) sorgen (für); besorgen, erledigen (*acc.*); **8.** ([*up*]*on*) *j-m* **aufwarten**, zur Verfügung stehen; *j-n* bedienen; **9.** erscheinen, zuˈgegen sein; **10.** *obs.* achtgeben; **at'tend·ance** [-dəns] *s.* **1.** (*on, upon*) Dienst(leistung *f*) *m*, Bedienung *f*, Aufwartung *f*, Pflege *f*: *medical* ~ ärztliche Hilfe; *hours of* ~ Dienststunden; *in* ~ diensthabend, -tuend; → *dance 3*; **2.** Anwesenheit *f*, Erscheinen *n*, Besuch *m*, Beteiligung *f*: ~ *list* Anwesenheitsliste; *hours of* ~ Besuchszeit; **3.** Begleitung *f*, Dienerschaft *f*, Gefolge *n*; **4. a)** Besucher(zahl *f*) *pl.*, **b)** Besuch *m*; **at'tend·ant** [-dənt] **I.** *adj.* **1.** (*on, upon*) begleitend (*acc.*), diensttuend (bei); **2.** anwesend; **3.** *fig.* (*upon*) verbunden (mit), zugehörig (*dat.*), Begleit...; **II.** *s.* **4.** Begleiter(in), Gefährte *m*, Gesellschafter(in); **5.** Diener(in), Bediente(r *m*) *f*; Aufseher(in), Wärter(in); **6.** *pl.* Dienerschaft *f*, Gefolge *n*; **7.** ⊕ Bedienungsmann *m.*

at·ten·tion [əˈtenʃən] *s.* **1.** Aufmerksamkeit *f*, Beachtung *f*: *to call* ~ *to* die Aufmerksamkeit lenken auf (*acc.*); *to pay* ~ *to j-m od. et.* Beachtung schenken; **2.** Berücksichtigung *f*, Erledigung *f*: (*for the*) ~ *of* zu Händen von (*od. gen.*); **3.** Aufmerksamkeit *f*, Freundlichkeit *f*; *pl.* Aufmerksamkeiten *pl.*: *to pay one's* ~*s to s.o.* j-m den Hof machen; **4.** ~! **a)** Achtung!, **b)** ⚔ stillgestanden!; **5.** Bedienung *f*, Wartung *f*: *personal* ~ persönliche Bedienung; **at'ten·tive** [-ntiv] *adj.* □ (*to*) aufmerksam, achtsam (auf *acc.*), sorgfältig (mit); *fig.* aufmerksam (gegen), höflich (zu).

at·ten·u·ate **I.** *v/t.* [əˈtenjueit] **1.** dünn *od.* schlank machen; verdünnen; ⚡ dämpfen; **2.** *fig.* vermindern, abschwächen; **II.** *adj.* [-uit] **3.** verdünnt, vermindert, abgeschwächt, abgemagert; **at·ten·u·a·tion** [ətenjuˈeiʃən] *s.* Verminderung *f*, Verdünnung *f*, Schwächung *f*, Abmagerung *f*; ⚡ Dämpfung *f.*

at·test [əˈtest] **I.** *v/t.* **1. a)** beglaubigen, bescheinigen, **b)** amtlich begutachten *od.* attestieren: *to* ~ *cattle*; **2.** bestätigen, beweisen; **3.** vereidigen; **II.** *v/i.* **4.** zeugen (*to* für); **at·tes·ta·tion** [ætesˈteiʃən] *s.* **1.** Bezeugung *f*, Zeugnis *n*, Beweis *m*, Bescheinigung *f*, Bestätigung *f*; **2.** Eidesleistung *f*, Vereidigung *f*; **at·tes·tor** [əˈtestə] *s.* Beglaubiger *m*, Zeuge *m.*

at·tic¹ [ˈætik] *s.* **1.** Dachstube *f*, Manˈsarde *f*; *pl.* Dachgeschoß *n*; **2.** *fig. humor.* Oberstübchen *n*, Kopf *m.*

At·tic² [ˈætik] *adj.* ˈattisch, aˈthenisch: ~ *salt*, ~ *wit* Scharfsinn, feiner Witz.

at·tire [əˈtaiə] **I.** *v/t.* **1.** kleiden, anziehen; **2.** putzen; **II.** *s.* **3.** Kleidung *f*, Gewand *n*; **4.** Putz *m*, Schmuck *m.*

at·ti·tude [ˈætitjuːd] *s.* **1.** Stellung *f*, Haltung *f*: *to strike an* ~ e-e Pose annehmen; **2.** Standpunkt *m*, Verhalten *n*: ~ *of mind* Geisteshaltung; **3.** Stellung(nahme) *f*, Einstellung *f* (*to, towards* zu); **4.** (*a.* ✈) Lage *f*; **at·ti·tu·di·nize** [ætiˈtjuːdinaiz] *v/i.* sich in Posiˈtur setzen, posieren, geziert sprechen *od.* schreiben.

at·tor·ney [əˈtəːni] *s.* ⚖ (Rechts-)Anwalt *m* (*Am. a.* ~ *at law*); Bevollmächtigte(r *m*) *f*, (Stell)Vertreter *m*: *letter* (*od. warrant*) *of* ~ schriftliche Vollmacht; *power of* ~ Vollmacht; *by* ~ in Vollmacht (*Ggs. persönlich*); **♀-Gen·er·al** *s.* ⚖ *Brit.* Geneˈralstaatsanwalt *m*; *Am.* Juˈstizmiˌnister *m.*

at·tract [əˈtrækt] *v/t.* **1.** anziehen (*a. phys.*); **2.** *fig.* anziehen, anlocken, fesseln, reizen; auf sich lenken (*od.* ziehen): *to* ~ *attention* Aufmerksamkeit erregen; *to* ~ *new members* neue Mitglieder gewinnen; ~*ed by the music* von der Musik angelockt; *to be* ~*ed* (*to*) eingenommen sein (für), liebäugeln (mit), sich hingezogen fühlen (zu); **at'trac·tion** [-kʃən] *s.* **1.** *phys.* Anziehungskraft *f*: ~ *of gravity* Gravitationskraft; **2.** *fig.* Anziehungskraft *f*, -punkt *m*, Reiz *m*, Attraktiˈon *f*; *thea.* Zugstück *n*; **at'trac·tive** [-tiv] *adj.* □ *mst fig.* **anziehend, reizvoll, fesselnd,** verlockend; zugkräftig; **at'trac·tive·ness** [-tivnis] *s.* Reiz *m.*

at·trib·ut·a·ble [əˈtribjutəbl] *adj.* ˈzuzuschreiben(d), beizumessen(d);

at·trib·ute **I.** *v/t.* [əˈtribju(ː)t] (*to*) **1.** zuschreiben, beilegen, -messen (*dat.*); *b.s.* unterˈstellen (*dat.*); **2.** zuˈrückführen (auf *acc.*); **II.** *s.* [ˈætribjuːt] **3.** Attriˈbut *n* (*a. ling.*), Eigenschaft *f*, Merkmal *n*; **4.** (Kenn)Zeichen *n*, Sinnbild *n*; **at·tri·bu·tion** [ætriˈbjuːʃən] *s.* **1.** Zuschreibung *f*; **2.** beigelegte Eigenschaft; **3.** zuerkanntes Recht; **at'trib·u·tive** [-tiv] **I.** *adj.* □ **1.** zugeschrieben, beigelegt; **2.** *ling.* attribuˈtiv; **II.** *s.* **3.** *ling.* Attriˈbut *n.*

at·trit·ed [əˈtraitid] *adj.* abgenutzt; **at·tri·tion** [əˈtriʃən] *s.* **1.** Ab-, Auf-, Zerreibung *f*, Abnutzung *f*; **2.** Zermürbung *f*: *war of* ~ Zermürbungs-, Abnutzungskrieg.

at·tune [əˈtjuːn] *v/t.* ♪ stimmen; *fig.* (*to*) in Einklang bringen (mit), anpassen (*dat.*); abstimmen (auf *acc.*).

au·ber·gine [ˈoubəʒiːn] *s.* ♀ Auberˈgine *f*, Eierfrucht *f.*

au·burn [ˈɔːbən] *adj.* gold-, kaˈstanienbraun (*Haar*).

auc·tion [ˈɔːkʃən] **I.** *s.* Auktiˈon *f*, Versteigerung *f*: *to sell by* (*Am. at*) ~, *to put up for* (*od. to, Am. at*) ~ verauktionieren, versteigern; *Dutch* ~ Auktion, bei der der Preis so lange erniedrigt wird, bis sich ein Käufer findet; *sale by* ~ Versteigerung; ~ *bridge Kartenspiel*: Auktionsbridge; ~ *room* Auktionslokal; **II.** *v/t. mst to* ~ *off* versteigern; **auc·tion·eer** [ɔːkʃəˈniə] **I.** *s.* Auktioˈnator *m*, Versteigerer *m*; **II.** *v/t.* → *auction II.*

au·da·cious [ɔːˈdeiʃəs] *adj.* □ **1.** kühn, verwegen; **2.** keck, dreist, unverfroren; **au·dac·i·ty** [ɔːˈdæsiti] *s.* **1.** Kühnheit *f*, Verwegenheit *f*, Waghalsigkeit *f*; **2.** Frechheit *f*, Dreistigkeit *f*, Unverfrorenheit *f*.
au·di·bil·i·ty [ɔːdiˈbiliti] *s.* Hörbarkeit *f*, Vernehmbarkeit *f*; Lautstärke *f*; **au·di·ble** [ˈɔːdəbl] *adj.* □ hör-, vernehmbar, vernehmlich; ⊕ aˈkustisch: *~ signal*.
au·di·ence [ˈɔːdjəns] *s.* **1.** Anhören *n*, Gehör *n* (*a.* ⚖): *to give ~ to s.o.* j-m Gehör schenken, j-n anhören; *right of ~* ⚖ rechtliches Gehör; **2.** Audiˈenz *f* (*of, with* bei), Gehör *n*; **3.** Zuhörer(schaft *f*) *pl.*, ˈPublikum *n*, Anwesende *pl.*, Besucher *pl.*; **4.** Leserkreis *m*.
audio- [ɔːdiou] *in Zssgn* Hör..., Ton...: *~-frequency* Tonfrequenz; *~-range* Tonbereich.
au·di·o·gram [ˈɔːdiəgræm] *s.* ⚕ Audioˈgramm *n*; **au·di·om·e·ter** [ɔːdiˈɔmitə] *s.* Audioˈmeter *n*, Gehörmesser *m*.
au·di·on [ˈɔːdiɔn] *s. Radio*: ˈAudion *n*: *~ tube Am.*, *~ valve Brit.* Verstärkerröhre.
au·di·o|·typ·ist [ˈɔːdiouˈtaipist] *s.* Phonotyˈpistin *f*; **ˈ~-ˈvis·u·al** *adj. ped.* audiovisuˈell: *~ aids* audiovisuelle Hilfsmittel.
au·di·phone [ˈɔːdifoun] *s.* ⚕ Audiˈphon *n*, ˈHörappaˌrat *m*.
au·dit [ˈɔːdit] **I.** *s.* **1.** ✝ ˈBücherrevisiˌon *f*; **2.** *fig.* Rechenschaftslegung *f*; **II.** *v/t.* **3.** *Geschäftsbücher* (amtlich) prüfen, revidieren; **ˈau·dit·ing** [-tiŋ] *s.* ✝ Rechnungsprüfung *f*, Bücherrevision *f*.
au·di·tion [ɔːˈdiʃən] **I.** *s.* **1.** ⚕ Hörvermögen *n*, Gehör *n*; **2.** *thea. etc.* Vorsprechen *n*, Vorsingen *n*; **II.** *v/t.* **3.** *thea. etc. j-n* vorsprechen *od.* vorsingen lassen.
au·di·tor [ˈɔːditə] *s.* **1.** Rechnungsprüfer *m*, ˈBücherreˌvisor *m*, Kassenprüfer *m*; **2.** *Am. univ.* Gasthörer(in); **au·di·to·ri·um** [ɔːdiˈtɔːriəm] *s.* Audiˈtorium *n*, Zuhörer-, Zuschauerraum *m*; *Am.* Vortragssaal *m*; **ˈau·di·to·ry** [-təri] **I.** *adj.* **1.** Gehör..., Hör...; **II.** *s.* **2.** Zuhörer (-schaft *f*) *pl.*; **3.** → *auditorium*.
au fait [o fɛ] (*Fr.*) auf dem laufenden, vertraut.
au fond [o fɔ̃] (*Fr.*) im Grunde.
Au·ge·an [ɔːˈdʒi(ː)ən] *adj.* Augias..., ˈüberaus schmutzig: *to cleanse the ~ stables fig.* die Augiasställe reinigen.
au·ger [ˈɔːgə] *s.* ⊕ *großer* Bohrer, Löffel-, Schneckenbohrer *m*.
aught [ɔːt] *pron.* (irgend) etwas: *for ~ I care* meinetwegen; *for ~ I know* soviel ich weiß.
aug·ment [ɔːgˈment] **I.** *v/t.* vermehren, vergrößern; **II.** *v/i.* sich vermehren, zunehmen; **III.** *s.* [ˈɔːgmənt] *ling.* Augˈment *n* (*Vorsilbe in griech. Verben*); **aug·men·ta·tion** [ɔːgmenˈteiʃən] *s.* Vergrößerung *f*, Vermehrung *f*, Zunahme *f*; Zusatz *m*; **augˈment·a·tive** [-tətiv] **I.** *adj.* vermehrend, verstärkend; **II.** *s. ling.* Verstärkungsform *f*.
au gra·tin [o gratɛ̃] (*Fr.*) *Küche*: au graˈtin, überˈkrustet
au·gur [ˈɔːgə] **I.** *s. antiq.* ˈAugur *m*, Wahrsager *m*; **II.** *v/t. u. v/i.* vorˈaussagen, ahnen (lassen), verheißen, propheˈzeien: *to ~ ill (well)* ein schlechtes (gutes) Zeichen sein (*for* für); **au·gu·ry** [ˈɔːgjuri] *s.* **1.** Weissagung *f*, Propheˈzeiung *f*; **2.** Vorbedeutung *f*, Anzeichen *n*; Vorahnung *f*.
au·gust[1] [ɔːˈgʌst] *adj.* □ erhaben, hehr, majeˈstätisch.
Au·gust[2] [ˈɔːgəst] *s.* Auˈgust *m*: *in ~* im August.
Au·gus·tan [ɔːˈgʌstən] **I.** *adj.* **1.** den Kaiser Auˈgustus betreffend, auguˈsteisch; **2.** klassisch; **II.** *s.* **3.** Schriftsteller *m* des augusteischen Zeitalters; *~* **age** *s.* **1.** Zeitalter *n* des Augustus; **2.** Blütezeit *f* e-r Natiˈon.
Au·gus·tine [ɔːˈgʌstin], *a. ~* **fri·ar** *s.* Auguˈstiner(mönch) *m*.
auk [ɔːk] *s. orn.* Alk *m*.
auld [ɔːld] *adj. Scot. u. dial.* alt; *~* **lang syne** [læŋˈsain] **1.** vor langer Zeit; **2.** *fig.* die gute alte Zeit (*Lied*).
aunt [ɑːnt] *s.* Tante *f*; **ˈaunt·ie** [-ti] *s.* F Tantchen *n*; **Aunt Sal·ly** [ˈsæli] *s.* **1.** volkstümliches Wurfspiel; **2.** Zielscheibe *f* der Beschimpfung.
au pair [ouˈpɛə] *adj.* au ˈpair: *~ girl* Au-pair-Mädchen.
au·ra [ˈɔːrə] *pl.* **-rae** [-riː] *s.* **1.** Hauch *m*, Duft *m*; Aˈroma *n*; **2.** ⚕ Vorgefühl *n* vor Anfällen; **3.** *fig.* Atmoˈsphäre *f*, ˈNimbus *m*.
au·ral [ˈɔːrəl] *adj.* □ durch das Ohr vernommen; Ohren..., Gehör...: *~ surgeon* Ohrenarzt.
au·re·o·la [ɔːˈriələ], **au·re·ole** [ˈɔːrioul] *s.* **1.** Strahlenkrone *f*, Aureˈole *f*; **2.** *fig.* ˈNimbus *m*; **3.** *ast.* Hof *m* *um Sonne od. Mond.*
au·ri·cle [ˈɔːrikl] *s. anat.* **1.** äußeres Ohr, Ohrmuschel *f*; **2.** Herzvorhof *m*; Herzohr *n*.
au·ric·u·la [əˈrikjulə] *s.* ⚘ Auˈrikel *f*.
au·ric·u·lar [ɔːˈrikjulə] *adj.* □ **1.** das Ohr betreffend, Ohren..., Hör...: *~ confession* Ohrenbeichte; *~ tradition* mündliche Überlieferung; *~ witness* Ohrenzeuge; **2.** *anat.* zu den Herzohren gehörig.
au·rif·er·ous [ɔːˈrifərəs] *adj.* goldhaltig.
au·ri·phone [ˈɔːrifoun] *s.* Hörrohr *n*.
au·rist [ˈɔːrist] *s.* ⚕ Ohrenarzt *m*.
au·rochs [ˈɔːrɔks] *s. zo.* Auerochs *m*, Ur *m*.
au·ro·ra [ɔːˈrɔːrə] *s.* **1.** *poet.* Morgenröte *f*; **2.** ♀ *myth.* Auˈrora *f*; *~* **bo·re·a·lis** *s. phys.* Nordlicht *n*.
au·ro·ral [ɔːˈrɔːrəl] *adj.* **1.** die Morgenröte betreffend; rosig; **2.** wie ein Nordlicht.
aus·cul·tate [ˈɔːskəlteit] *v/t. u. v/i. Lunge, Herz etc.* abhorchen; **aus·cul·ta·tion** [ɔːskəlˈteiʃən] *s.* ⚕ Abhorchen *n*.
aus·pice [ˈɔːspis] *s.* **1.** (günstiges) Vor-, Anzeichen; **2.** *pl. fig.* Auˈspizien *pl.*; Schutzherrschaft *f*: *under the ~s of* ... unter der Schirmherrschaft von ...; **aus·pi·cious** [ɔːsˈpiʃəs] *adj.* □ günstig, glücklich, glückverheißend; **aus·pi·cious·ness** [ɔːsˈpiʃəsnis] *s.* günstige Aussicht, Glück *n*.
Aus·sie [ˈɔːsi] *s. sl.* Auˈstralier *m*; *engS.* auˈstralischer Solˈdat.
aus·tere [ɔsˈtiə] *adj.* □ **1.** streng, herb; rauh, hart; **2.** einfach, nüchtern; mäßig, enthaltsam, genügsam; **3.** dürftig, karg; **aus·ter·i·ty** [ɔsˈteriti] **I.** *s.* **1.** Strenge *f*, rauhes Wesen; **2.** Einfachheit *f*, Nüchternheit *f*; **3.** Mäßigung *f*, Genügsamkeit *f*; *Brit.* wirtschaftliche Einschränkung, Sparmaßnahmen *pl.* (*während des 2. Weltkrieges*); **II.** *adj.* **4.** Spar...
Aus·tin [ˈɔstin] *adj.* auguˈstinisch; → *friar*.
aus·tral [ˈɔːstrəl] *adj. ast.* südlich.
Aus·tral·a·sian [ɔstrəˈleiʒjən] **I.** *adj.* auˈstralˌasisch; **II.** *s.* Auˈstralˌasier (-in), Bewohner(in) Ozeˈaniens.
Aus·tral·ian [ɔsˈtreiljən] **I.** *adj.* auˈstralisch; **II.** *s.* Auˈstralier(in).
Aus·tri·an [ˈɔstriən] **I.** *adj.* österreichisch; **II.** *s.* Österreicher(in).
Austro- [ɔstrou] *in Zssgn* österreichisch: *~-Hungarian Monarchy* österreichisch-ungarische Monarchie.
au·tar·chic *adj.*; **au·tar·chi·cal** [ɔːˈtɑːkik(əl)] *adj.* selbstregierend; **au·tarch·y** [ˈɔːtɑːki] *s.* Selbstregierung *f*, volle Souveräniˈtät.
au·tar·kic *adj.*; **au·tar·ki·cal** [ɔːˈtɑːkik(əl)] *adj.* auˈtark, wirtschaftlich unabhängig; **au·tar·ky** [ˈɔːtɑːki] *s.* **1.** Autarˈkie *f*, wirtschaftliche Unabhängigkeit; **2.** → *autarchy*.
au·then·tic [ɔːˈθentik] *adj.* (□ *~ally*) **1.** auˈthentisch, zuverlässig, verbürgt, echt; **2.** ⚖ rechtskräftig, autorisiert; **auˈthen·ti·cate** [-keit] *v/t.* **1.** als echt erweisen, verbürgen; **2.** beglaubigen, legalisieren, rechtskräftig machen; **au·then·ti·ca·tion** [ɔːθentiˈkeiʃən] *s.* Beglaubigung *f*, Legalisierung *f*; **au·then·tic·i·ty** [ɔːθenˈtisiti] *s.* **1.** Authentiziˈtät *f*, Echtheit *f*, Glaubwürdigkeit *f*; **2.** Rechtsgültigkeit *f*.
au·thor [ˈɔːθə] *s.* **1.** Urheber(in); **2.** ˈAutor *m*, Auˈtorin *f*, Schriftsteller(in), Verfasser(in); **au·thor·ess** [ˈɔːθəris] *s.* Autorin *f*, Schriftstellerin *f*, Verfasserin *f*.
au·thor·i·tar·i·an [ɔːθɔriˈtɛəriən] *adj. pol.* autoriˈtär; **au·thor·iˈtar·i·an·ism** [-nizəm] *s. pol.* autoritäres Reˈgierungssyˌstem; **au·thor·i·ta·tive** [ɔːˈθɔritətiv] *adj.* □ **1.** gebieterisch, herrisch; **2.** autoritaˈtiv, maßgebend, -geblich.
au·thor·i·ty [ɔːˈθɔriti] *s.* **1.** Autoriˈtät *f*, (Amts)Gewalt *f*: *by ~* mit amtlicher Genehmigung; *on one's own ~* aus eigener Machtbefugnis; *to be in ~* die Gewalt in Händen haben; **2.** ˈVollmacht *f*, Ermächtigung *f*, Befugnis *f* (*for, to inf.* zu *inf.*): *on the ~ of* ... im Auftrage *od.* mit Genehmigung von (*od. gen.*) ...; → 4; **3.** Ansehen *n* (*with* bei), Einfluß *m* (*over* auf *acc.*); Glaubwürdigkeit *f*: *of great ~* von großem Ansehen; **4.** Zeugnis *n e-r Persönlichkeit*; Gewährsmann *m*, Quelle *f*, Beleg *m*: *on good ~* aus glaubwürdiger Quelle; *on the ~ of* **a)** nach Maßgabe *od.* auf Grund von (*od. gen.*) ..., **b)** mit ... als Gewährsmann; → 2; **5.** Autorität *f*, Sachverständige(r *m*) *f*, Fachmann *m*

(on auf e-m *Gebiet*): *he is an ~ on the subject of Law*; **6.** *mst pl.* Behörde *f*, Obrigkeit *f*: *the local authorities* die Ortsbehörde(n); *competent ~* zuständige Behörde; *British Electricity* ♀; **au·thor·i·za·tion** [ɔ:θərai'zeiʃən] *s.* Ermächtigung *f*, Genehmigung *f*, Befugnis *f*; **au·thor·ize** ['ɔ:θəraiz] *v/t.* **1.** ermächtigen, bevollmächtigen, berechtigen; **2.** *et.* gutheißen, billigen, genehmigen; *Handlung* rechtfertigen; **au·thor·ized** ['ɔ:θəraizd] *adj.* **1.** autorisiert, bevollmächtigt, befugt; zulässig: *~ capital* ✝ bewilligtes Kapital; *~ person* Befugte(r); *~ to sign* unterschriftsberechtigt; ♀ *Version eccl.* engl. Bibelübersetzung von 1611; **2.** ⚖ rechtsverbindlich; **au·thor·ship** ['ɔ:θəʃip] *s.* **1.** 'Autorschaft *f*, Urheberschaft *f*; **2.** Schriftstellerberuf *m*.

au·to ['ɔ:tou] *pl.* **-tos** *s. Am.* F 'Auto *n*: *~ graveyard* Autofriedhof.

auto- [ɔ:tou] *in Zssgn* **a)** selbsttätig, selbst..., Selbst..., auto..., Auto..., **b)** Auto..., Kraftfahr...

au·to·bahn ['ɔ:toubɑ:n] *pl.* **-bah·nen** [-nən] (*Ger.*) *s.* 'Autobahn *f*.

au·to·bi·og·ra·pher [ɔ:toubai'ɔgrəfə] *s.* 'Auto-, 'Selbstbio͵graph *m*; **au·to·bi·o·graph·ic** *adj.*; **au·to·bi·o·graph·i·cal** ['ɔ:toubaiou'græfik(əl)] *adj.* □ autobio'graphisch; **au·to·bi'og·ra·phy** [-fi] *s.* 'Selbstbiogra͵phie *f*.

au·to·bus ['ɔ:toubʌs] *s. Am.* 'Autobus *m*.

au·to·cade ['ɔ:toukeid] → *motorcade*.

au·to·car ['ɔ:toukɑ:] *s.* Auto(mo'bil) *n*, Kraftwagen *m*.

'au·to-chang·er *s.* Plattenwechsler *m*.

au·toch·thon [ɔ:'tɔkθən] *s.* Auto'chthone *m*, Ureinwohner *m*; **au'toch·tho·nous** [-θənəs] *adj.* auto'chthon, 'alteingesessen.

au·toc·ra·cy [ɔ:'tɔkrəsi] *s.* Autokra'tie *f*, Selbstherrschaft *f*; **au·to·crat** ['ɔ:təkræt] *s.* Auto'krat(in), Selbstherrscher(in); **au·to·crat·ic** *adj.*; **au·to·crat·i·cal** [ɔ:tə'krætik(əl)] *adj.* □ auto'kratisch, selbstherrlich, unum'schränkt.

au·to-da-fé ['ɔ:toudɑ:'fei] *pl.* **au·tos-da-fé** ['ɔ:touzdɑ:'fei] *s. hist.* Autoda'fé *n*, Ketzergericht *n*, -verbrennung *f*.

au·tog·e·nous [ɔ:'tɔdʒənəs] *adj.* auto'gen: *~ welding* ⊕ Autogenschweißen.

au·to·gi·ro ['ɔ:tou'dʒaiərou] *pl.* **-ros** *s.* ✈ 'Autogiro *n* (*ein Hubschrauber*).

au·to·graph ['ɔ:təgrɑ:f; -græf] **I.** *s.* **1.** Auto'gramm *n*, eigenhändige 'Unterschrift; **2.** eigene Handschrift; **3.** Urschrift *f*; **II.** *adj.* **4.** eigenhändig unter'schrieben: *~ letter* Handschreiben; **III.** *v/t.* **5.** eigenhändig (unter)'schreiben, mit s-m Autogramm versehen; ⊕ autographieren, 'umdrucken; **au·to·graph·ic** *adj.*; **au·to·graph·i·cal** [ɔ:tə'græfik(əl)] *adj.* □ auto'graphisch, eigenhändig geschrieben; **au·tog·ra·phy** [ɔ:'tɔgrəfi] *s.* **1.** ⊕ Autogra'phie *f*, 'Umdruck *m*; **2.** Urschrift *f*.

au·to·ig·ni·tion ['ɔ:touig'niʃən] *s.* ⊕ Selbstzündung *f*.

au·to·mat ['ɔ:təmæt] *s.* Auto'matenrestau͵rant *n*; **'au·to·mate** [-meit] *v/t.* auf Automati'on 'umstellen; **au·to·mat·ic** [ɔ:tə'mætik] **I.** *adj.* □ → *automatically*; **1.** auto'matisch, selbsttätig; **2.** ⊕ automatisch, me'chanisch, Repetier...; **3.** *fig.* unwillkürlich, mechanisch; **II.** *s.* **4.** 'Selbstladepi͵stole *f*; **au·to·mat·i·cal** [ɔ:tə'mætikəl] → *automatic 1, 2, 3*; **au·to·mat·i·cal·ly** [ɔ:tə'mætikəli] *adv.* automatisch; ohne weiteres.

au·to·mat·ic| ex·change *s. teleph.* Selbstanschlußamt *n*; *~* **ma·chine** *s.* (*Verkaufs*)Auto'mat *m*; *~* **pi·lot** *s.* ✈ → *autopilot*; *~* **pis·tol** *s.* ⚔ 'Selbstladepi͵stole *f*; *~* **start·er** *s.* ⊕ Selbstanlasser *m*; *~* **tel·e·phone** *s.* 'Selbstanschluß(͵telephon *n*) *m*.

au·to·ma·tion [ɔ:tə'meiʃən] *s.* ⊕ Automati'on *f*; **au·tom·a·ton** [ɔ:'tɔmətən] *pl.* **-ta** [-tə], **-tons** *s.* Auto'mat *m*, 'Roboter *m* (*beide a. fig.*).

au·to·mo·bile ['ɔ:təməbi:l] *s. bsd. Am.* 'Auto *n*, Automo'bil *n*, Kraftwagen *m*; **au·to·mo·bil·ism** [ɔ:tə'moubilizəm] *s.* Kraftfahrwesen *n*; **au·to·mo·bil·ist** [ɔ:tə'moubilist] *s.* Kraftfahrer *m*; **au·to·mo·tive** [ɔ:tə'moutiv] *adj.* selbstbewegend, -fahrend; *bsd. Am.* 'kraftfahr͵technisch, Auto(mobil)..., Kraftfahrzeug...

au·ton·o·mous [ɔ:'tɔnəməs] *adj.* auto'nom, sich selbst regierend; **au'ton·o·my** [-mi] *s.* Autono'mie *f*, Selbständigkeit *f*.

au·to·pi·lot [ɔ:tə'pailət] *s.* ✈ 'Autopi͵lot *m*, auto'matische Steuervorrichtung.

au·top·sy ['ɔ:təpsi] *s.* ⚕ Autop'sie *f*, Leichenöffnung *f*.

au·to·sug·ges·tion ['ɔ:tousə'dʒestʃən] *s.* 'Autosuggesti͵on *f*.

au·to·type ['ɔ:tətaip] **I.** *s. typ.* Autoty'pie *f*, Fak'simileabdruck *m*; **II.** *v/t.* mittels Autotypie vervielfältigen.

au·tumn ['ɔ:təm] *s. bsd. Brit.* Herbst *m* (*a. fig.*): *the ~ of life*; **au·tum·nal** [ɔ:'tʌmnəl] *adj.* herbstlich, Herbst... (*a. fig.*).

aux·il·ia·ry [ɔ:g'ziljəri] **I.** *adj.* **1.** helfend, mitwirkend, Hilfs...: *~ engine* Hilfsmotor; *~ troops* Hilfstruppen; *~ verb* Hilfszeitwort; **2.** ⚔ Behelfs..., Ausweich...; **II.** *s.* **3.** Helfer *m*: *medical auxiliaries* ärztliches Hilfspersonal; **4.** *pl.* ⚔ Hilfstruppen *pl.*; **5.** *ling.* Hilfszeitwort *n*.

a·vail [ə'veil] **I.** *v/t.* **1.** nützen (*dat.*), helfen (*dat.*), fördern; **2.** *to ~ o.s. of s.th.* sich e-r Sache bedienen, et. benutzen, Gebrauch von et. machen; **II.** *v/i.* **3.** nützen, helfen; **III.** *s.* **4.** Nutzen *m*, Vorteil *m*, Gewinn *m*: *of no ~* nutzlos; *of what ~ is it?* was nützt es?; **a·vail·a·bil·i·ty** [əveilə'biliti] *s.* **1.** Brauchbarkeit *f*, Verwendbarkeit *f*; **2.** Verfügbarkeit *f*; Vor'handensein *n*; Vorrat *m*; **3.** Gültigkeit *f*; **a·vail·a·ble** [ə'veiləbl] *adj.* □ **1.** verfügbar, erhältlich, vor'handen, vorrätig, zu haben(d): *to make ~* bereitstellen; **2.** anwesend, abkömmlich; **3.** benutzbar; statthaft; gültig (*Fahrkarte etc.*).

av·a·lanche ['ævəlɑ:nʃ] *s.* **1.** La'wine *f* (*a. fig.*), Schneesturz *m*; **2.** *fig.* Unmenge *f*.

av·ant-garde ['ævɑ̃:ŋ'gɑ:d] (*Fr.*) *s. mst fig.* A'vantgarde *f*; *oft pred.* e-e mo'derne (Kunst- *etc.*)Richtung vertretend, avantgar'distisch.

av·a·rice ['ævəris] *s.* Geiz *m*, Habsucht *f*; **av·a·ri·cious** [ævə'riʃəs] *adj.* □ geizig, habgierig.

a·ve ['ɑ:vi] **I.** *int.* **1.** sei gegrüßt!; **2.** leb wohl!; **II.** *s.* **3.** ♀ 'Ave (Ma'ria) *n*.

a·venge [ə'vendʒ] *v/t.* **1.** rächen (*on, upon an dat.*): *to ~ one's friend* s-n Freund rächen; *to ~ o.s., to be ~d* sich rächen; **2.** *et.* rächen, ahnden; **a'veng·er** [-dʒə] *s.* Rächer *m*; **a'veng·ing** [-dʒiŋ] *adj.*: *~ angel* Racheengel.

av·e·nue ['ævinju:] *s.* **1.** *mst fig.* Zugang *m*, Weg *m* (*to, of* zu): *~ to fame* Weg zum Ruhm; **2.** Al'lee *f*; mit Bäumen bepflanzte Straße; **3.** *bsd. Am.* Haupt-, Prachtstraße *f*.

a·ver [ə'vɔ:] *v/t.* **1.** behaupten, als Tatsache hinstellen (*that* daß); **2.** ⚖ beweisen.

av·er·age ['ævəridʒ] **I.** *s.* **1.** 'Durchschnitt *m*: *on an* (*od. the*) *~* im Durchschnitt, durchschnittlich; *to strike an ~* den Durchschnitt schätzen *od.* nehmen; **2.** ⚓, ⚖ Hava'rie *f*, Seeschaden *m*: *~ adjuster* Dispacheur; *general ~* große Havarie; *particular ~* besondere (*od.* partikulare) Havarie; **II.** *adj.* □ **3.** 'durchschnittlich; Durchschnitts...: *~ amount* Durchschnittsbetrag; *~ Englishman* Durchschnittsengländer; **III.** *v/t.* **4.** den Durchschnitt schätzen (*at* auf *acc.*) *od.* nehmen; **5.** ✝ anteilsmäßig auf-, verteilen: *to ~ one's losses*; **6.** durchschnittlich betragen, haben, erreichen, verlangen, tun *etc.*: *I ~ £ 6 a week* ich verdiene durchschnittlich £ 6 die Woche.

a·ver·ment [ə'vɔ:mənt] *s.* **1.** Behauptung *f*; Bekräftigung *f*; **2.** ⚖ Beweisangebot *n*, Tatsachenbehauptung *f*.

a·verse [ə'vɔ:s] *adj.* □ **1.** abgeneigt (*to, from dat., to inf.* zu *inf.*): *not ~ to a drink*; *~ from such methods*; **2.** abhold, zu'wider (*to dat.*); **a·ver·sion** [ə'vɔ:ʃən] *s.* **1.** (*to, for, from*) 'Widerwille *m*, Abneigung *f* (gegen), Abscheu *m* (vor *dat.*): *to take an ~ (to)* e-e Abneigung fassen (gegen); **2.** Unlust *f*, Abgeneigtheit *f* (*to inf.* zu *inf.*); **3.** Gegenstand *m* des Abscheus: *beer is my pet* (*od. chief*) *~* Bier ist mir ein Greuel.

a·vert [ə'vɔ:t] *v/t.* **1.** abwenden, -kehren; **2.** *fig.* abwenden, -wehren, verhüten.

a·vi·ar·y ['eivjəri] *s.* Vogelhaus *n*, Voli'ere *f*.

a·vi·ate ['eivieit] *v/i.* ✈ *im Flugzeug* fliegen; **a·vi·a·tion** [eivi'eiʃən] *s.* ✈ Luftfahrt *f*, Flugwesen *n*, Fliegen *n*, Flugsport *m*: *~ ground* Flugplatz; *~ industry* Flugzeugindustrie; *Ministry of* ♀ Ministerium für zivile Luftfahrt; **a·vi·a·tor** ['eivieitə] *s.* Flieger *m*.

a·vi·cul·ture ['eivikʌltʃə] *s.* Vogelzucht *f*.

av·id ['ævid] *adj.* □ (be)gierig (*of*

nach, *for* auf *acc.*); **a·vid·i·ty** [ə'viditi] *s.* Gier *f*, Begierde *f*, Habsucht *f*.

a·vi·ta·min·o·sis [eivaitəmi'nousis] *s.* Vita'minmangel(krankheit *f*) *m*.

av·o·ca·do [ævə'kɑ:dou] *s.* ⚘ Avo'catobirne *f*.

av·o·ca·tion [ævou'keiʃən] *s.* (Neben)Beschäftigung *f*.

a·void [ə'vɔid] *v/t.* **1.** (ver)meiden, ausweichen (*dat.*), aus dem Wege gehen (*dat.*), *Pflicht etc.* um'gehen, *e-r Gefahr* entgehen: *to ~ s.o.* j-n meiden; *to ~ doing s.th.* es vermeiden, et. zu tun; **2.** ⚖ aufheben, ungültig machen; **a'void·a·ble** [-dəbl] *adj.* vermeidbar; **a'void·ance** [-dəns] *s.* **1.** Vermeidung *f* (*Sache*), Meidung *f* (*Person*); Um'gehung *f*: *tax ~* Steuerhinterziehung; **2.** ⚖ Aufhebung *f*, Nichtigkeitserklärung *f*.

av·oir·du·pois [ævədə'pɔiz] *s.* **1.** † *a. ~ weight* Handelsgewicht *n* (*1 Pfund = 16 Unzen*): *~ pound* Handelspfund; **2.** F Gewicht *n*, Schwere *f e-r Person*.

a·vow [ə'vau] *v/t.* bekennen, (ein-)gestehen; rechtfertigen; anerkennen: *to ~ o.s.* sich bekennen, sich erklären; **a·vow·al** [ə'vauəl] *s.* Bekenntnis *n*, Geständnis *n*, Erklärung *f*; **a·vowed** [ə'vaud] *adj.* □ erklärt, offen ausgesprochen: *his ~ principle; he is an ~ Jew* er bekennt sich offen zum Judentum; **a·vow·ed·ly** [ə'vauidli] *adv.* eingestandenermaßen.

a·vun·cu·lar [ə'vʌŋkjulə] *adj.* Onkel..., onkelhaft.

a·wait [ə'weit] *v/t.* **1.** erwarten (*acc.*), entgegensehen (*dat.*); **2.** *fig.* erwarten, bestimmt sein für (*od. dat.*): *a hearty welcome ~s you*.

a·wake [ə'weik] **I.** *v/t.* [*irr.*] **1.** wecken; **2.** *fig.* erwecken, aufrütteln (*from* aus): *to ~ s.o. to s.th.* j-m et. zum Bewußtsein bringen; **II.** *v/i.* [*irr.*] **3.** auf-, erwachen; **4.** *fig. zu neuer Tätigkeit etc.* erwachen: *to ~ to s.th.* sich e-r Sache bewußt werden; **III.** *adj.* **5.** wach: *wide ~* hell wach; **6.** *fig.* munter, wachsam, auf der Hut: *to be ~ to s.th.* sich e-r Sache bewußt sein; **a'wak·en** [-kən] → *awake 1–4*; **a'wak·en·ing** [-kniŋ] *s.* Erwachen *n*: *a rude ~ fig.* ein unsanftes Erwachen (*Enttäuschung*).

a·ward [ə'wɔ:d] **I.** *v/t.* **1.** zuerkennen, zusprechen: *he was ~ed the prize* der Preis wurde ihm zuerkannt; **2.** gewähren, verleihen, zuwenden, zuteilen; **II.** *s.* **3.** Urteil *n*, (Schieds)Spruch *m*; **4.** (zuerkannte) Belohnung *od.* Auszeichnung, Preis *m*, 'Prämie *f*.

a·ware [ə'wɛə] *adj.* gewahr (*of gen.*, *that* daß): *to be ~* sich bewußt sein, wissen, kennen; *to become ~ of s.th.* et. gewahr werden *od.* merken; *not that I am ~ of* nicht, daß ich wüßte; **a'ware·ness** [-nis] *s.* Bewußtsein *n*, Kenntnis *f*.

a·wash [ə'wɔʃ] *adv. u. adj.* ⚓ **1.** über'flutet; **2.** über'füllt (*with* von).

a·way [ə'wei] *adv.* **1.** weg, hin'weg, fort: *to go ~* weg-, fortgehen; *~ with you!* fort mit dir!; **2.** (*from*) entfernt, (weit) weg (von), fern, abseits (*gen.*): *~ from the question* nicht zur Frage *od.* Sache gehörend; **3.** fort, abwesend, verreist: *~ from home* nicht zu Hause; *~ on leave* auf Urlaub; *~ with flu* abwesend wegen Grippe; **4.** *bei vb. oft* immer weiter, (darauf)'los: *to chatter ~; to drink ~*; **5.** *bsd. Am.* bei weitem: *~ below the average*; **6.** *sport* Auswärts...: *~ match*.

awe [ɔ:] **I.** *s.* **1.** Ehrfurcht *f*, (heilige) Scheu (*of* vor *dat.*): *to hold s.o. in ~* Ehrfurcht vor j-m haben; *to stand in ~ of* e-e Scheu besitzen *od.* sich fürchten vor (*dat.*); **2.** *fig.* Macht *f*, Maje'stät *f*; **II.** *v/t.* **3.** Ehrfurcht *od.* Furcht einflößen (*dat.*); **'awe-in·spir·ing** *adj.* ehrfurchtgebietend; **awe·some** ['ɔ:səm] *adj.* □ ehrfurchtgebietend, furchteinflößend; **'awe·struck** *adj.* von Ehrfurcht *od.* Scheu *od.* Schrecken ergriffen.

aw·ful ['ɔ:ful] *adj.* □ **1.** furchtbar, schrecklich; **2.** ehrfurchtgebietend; eindrucksvoll; **3.** F ['ɔ:fl] **a)** furchtbar, riesig, kolos'sal: *an ~ lot* e-e riesige Menge, **b)** furchtbar, scheußlich, schlimm: *an ~ noise* ein schrecklicher Lärm; **aw·ful·ly** ['ɔ:fli] *adv.* F furchtbar, äußerst, sehr: *~ cold* furchtbar kalt; *~ nice* furchtbar *od.* riesig nett; *I am ~ sorry* es tut mir schrecklich leid; *thanks ~!* tausend Dank!; **'aw·ful·ness** [-nis] *s.* **1.** Schrecklichkeit *f*; **2.** Erhabenheit *f*.

a·while [ə'wail] *adv.* eine Weile, ein Weilchen.

awk·ward ['ɔ:kwəd] *adj.* □ **1.** ungeschickt, unbeholfen, linkisch; **2.** tölpelhaft: *to feel ~* verlegen sein; **3.** peinlich, mißlich, unangenehm; **4.** unhandlich, schwer zu behandeln, schwierig, lästig: *an ~ door to open* e-e schwer zu öffnende Tür; *an ~ customer* ein unangenehmer Zeitgenosse; **'awk·ward·ness** [-nis] *s.* **1.** Ungeschicklichkeit *f*, linkisches Wesen; **2.** Peinlichkeit *f*, Unannehmlichkeit *f*; Lästigkeit *f*.

awl [ɔ:l] *s.* ⊕ Ahle *f*, Pfriem *m*.

awn [ɔ:n] *s.* ⚘ Granne *f*.

awn·ing ['ɔ:niŋ] *s.* **1.** ⚓ Sonnensegel *n*; **2.** Wagendecke *f*, Plane *f*; **3.** Mar'kise *f*, 'Baldachin *m*.

a·woke [ə'wouk] *pret. u. p.p. von awake*.

a·wry [ə'rai] *adv. u. adj.* **1.** schief, krumm: *his hat was all ~* sein Hut saß ganz schief; **2.** *to look ~ fig.* schief *od.* scheel blicken; **3.** *fig.* verkehrt, schief: *to go ~* fehlgehen (*Personen*), schiefgehen (*Sachen*).

ax, *mst* **axe** [æks] **I.** *s.* **1.** Axt *f*, Beil *n*: *to have an ~ to grind* eigennützige Zwecke verfolgen; **2.** *fig.* **a)** Henkersbeil *n*, **b)** F rücksichtslose Sparmaßnahme, Abbau *m*, Entlassung *f*; **II.** *v/t.* **3.** *fig.* rücksichtslos kürzen *od.* beseitigen; *Beamte etc.* abbauen.

ax·i·al ['æksiəl] *adj.* □ ⊕ Achsen..., axi'al.

ax·il ['æksil] *s.* ⚘ Blattachsel *f*, Astwinkel *m*.

ax·i·om ['æksiəm] *s.* Axi'om *n*, allgemein anerkannter Grundsatz; **ax·i·o·mat·ic** *adj.*; **ax·i·o·mat·i·cal** [æksiə'mætik(əl)] *adj.* □ axio'matisch, einleuchtend, 'unum,stößlich, selbstverständlich.

ax·is ['æksis] *pl.* **'ax·es** [-si:z] *s.* **1.** A, ⊕, *phys.* Achse *f*, 'Mittel,linie *f*: *~ of the earth* Erdachse; **2.** *pol.* Achse *f*: *the* ♀ *Powers* die Achsenmächte; *the* ♀ die Achse Berlin-Rom-Tokio (*vor dem u. im 2. Weltkrieg*).

ax·le ['æksl] *s.* ⊕ **1.** (Rad)Achse *f*, Welle *f*; **2.** Angel(zapfen *m*) *f*; **'~-box** *s.* ⊕ **1.** Achs-, Schmierbüchse *f*; **2.** Achsgehäuse *n*; **'~-tree** → *axle 1*.

Ax·min·ster ['æksminstə] **I.** *npr.* Axminster *n* (*engl. Stadt*); **II.** *s. a. ~ carpet* Axminsterteppich *m*.

ay → *aye*.

a·yah ['aiə] *s. Brit. Ind.* 'Aja *f*, indisches Kindermädchen.

aye [ai] **I.** *int. bsd. parl.* ja; **II.** *s. parl.* Ja *n*, Jastimme *f*: *the ~s have it* die Mehrheit ist dafür.

Ayr·shire ['ɛəʃiə] *s. zo.* Ayrshire-Rind *n*.

a·za·le·a [ə'zeiljə] *s.* ⚘ Aza'lee *f*.

az·i·muth ['æziməθ] *s. ast.* Azi'mut *m*, Scheitelkreis *m*.

a·zo·ic [ə'zouik] *adj. geol.* a'zoisch (*ohne Lebewesen*): *the ~ age*.

Az·tec ['æztek] *s.* Az'teke *m*.

az·ure ['æʒə] **I.** *adj.* a'zur-, himmelblau; **II.** *s.* **a)** (A'zur-, Himmel-)Blau *n*, **b)** *poet.* das blaue Himmelszelt.

B

B, b [bi:] *s.* **1.** B *n*, b *n* (*Buchstabe*); **2.** ♪ H *n*, h *n* (*Note*): *B flat* B, b; *B sharp* His, his; **3.** *ped. Am.* Zwei *f* (*Note*); **4.** *B flat Brit. sl.* Wanze.

baa [bɑ:] **I.** *s.* Blöken *n*; **II.** *v/i.* blöken; **III.** *int.* bäh!

Ba·al ['beiəl] **I.** *npr. bibl. Gott* Baal *m*; **II.** *s.* Abgott *m*, Götze *m*; **'Ba·al·ism** [-lizəm] *s.* Götzendienst *m.*

baas [bɑ:s] *s. S.Afr.* Herr *m* (*bsd. als Anrede*).

Bab·bitt ['bæbit] *s.* **1.** *Am.* Spießbürger *m*; **2.** ⊕ 2 *od.* *~-metal* 'Lagerweißmeˌtall *n.*

bab·ble ['bæbl] **I.** *v/t. u. v/i.* **1.** stammeln; plappern, schwatzen; nachschwatzen, ausplaudern; **2.** plätschern, murmeln; **II.** *s.* **3.** Geplapper *n*, Geschwätz *n*; **'bab·bler** [-lə] *s.* **1.** Schwätzer(in); **2.** *orn. e-e* Drossel *f.*

babe [beib] *s.* **1.** kleines Kind, Baby *n* (*beide a. fig. naiver Mensch*); → *arm*¹ *1*; **2.** *Am. sl.* ‚Puppe' *f* (*Mädchen*).

Ba·bel ['beibəl] **I.** *npr. bibl.* Babel *n*; **II.** *s. fig.* 2 Babel *n* (*Wirrwarr*; *Stimmengewirr*).

ba·boo ['bɑ:bu:] *s. Brit.-Ind.* **1.** Herr *m* (*bei den Hindus*); **2.** Inder *m* mit oberflächlicher engl. Bildung.

ba·boon [bə'bu:n] *s. zo.* 'Pavian *m.*

ba·by ['beibi] **I.** *s.* **1.** Baby *n*, Säugling *m*; jüngstes Kind: *to hold the ~ fig.* die Sache am Hals haben; **2.** kindischer Mensch, ‚Kindskopf' *m*; **3.** *sl.* ‚Kindchen' *n*, ‚Süße' *f* (*Mädchen*); **4.** *sl.* Sache *f*: *it's your ~*; **II.** *adj.* **5.** Säuglings..., Baby..., Kinder...; **6.** kindlich, kindisch; **7.** klein; **~ bond** *s.* † *Am.* Kleinschuldverschreibung *f*; **~ bot·tle** *s.* (Säuglings)Flasche *f*; **~ car** *s.* Kleinwagen *m*; **~ car·riage** *s. Am.* Kinderwagen *m*; **'~-farm·er** *s.* **a)** Frau, die gewerbsmäßig Kinder in Pflege nimmt, **b)** *b.s.* Engelmacherin *f*; **~ grand** *s.* ♪ Stutzflügel *m.*

ba·by·hood ['beibihud] *s.* Säuglingsalter *n*; **'ba·by·ish** [-iiʃ] *adj.* kindlich; kindisch.

ba·by lin·en *s.* Kinderwäsche *f.*

Bab·y·lon ['bæbilən] **I.** *npr.* 'Babylon *n*; **II.** *s. fig.* (Sünden)Babel *n*; **Bab·y·lo·ni·an** [bæbi'lounjən] **I.** *adj.* baby'lonisch; **II.** *s.* Baby'lonier(in).

'ba·by|-sit·ter *s.* Kinderhüter(in), Babysitter *m*; **'~-sit·ting** *s.* Kinderhüten *n*; **~ talk** *s.* kindlich(tuend)es Gebabbel.

bac·ca·lau·re·ate [bækə'lɔ:riit] *s. univ.* **1.** Bakkalaure'at *n*; → *bachelor 2*; **2.** *a.* *~ sermon Am.* Predigt *f* an die promovierten Stu'denten.

bac·ca·ra(t) ['bækərɑ:] *s.* 'Bakkarat *n* (*Glücksspiel*).

Bac·cha·nal ['bækənl] **I.** *s.* **1.** Bac'chant(in); **2.** ausgelassener *od.* trunkener Zecher; **3.** *a. pl.* Bacchanal *n* (*wüstes Gelage*); **II.** *adj.* **4.** 'bacchisch; **5.** bac'chantisch; **Bac·cha·na·li·a** [bækə'neiljə] → *Bacchanal 3*; **Bac·cha·na·li·an** [bækə'neiljən] **I.** *adj.* bacchantisch, ausschweifend; **II.** *s.* Bacchant(in); **Bac·chant** ['bækənt] **I.** *s.* Bacchant *m*; *fig.* wüster Trinker *od.* Schwelger; **II.** *adj.* bacchantisch; **Bac·chante** [bə'kænti] *s.* Bacchantin *f*; **Bac·chic** ['bækik] → *Bacchanal 4 u. 5.*

bac·cy ['bæki] *s.* F *abbr. für tobacco.*

bach·e·lor ['bætʃələ] *s.* **1.** Junggeselle *m*; ledig (*dem Namen nachgestellt*); **2.** *univ.* Bakka'laureus *m* (*Grad*): *2 of Arts* (*abbr.* B.A.) Bakkalaureus der philosophischen Fakultät; *2 of Science* (*abbr.* B.Sc.) Bakkalaureus der Naturwissenschaften; **~ girl** *s.* Junggesellin *f.*

bach·e·lor·hood ['bætʃələhud] *s.* Junggesellenstand *m*; **bach·e·lor's but·ton** *s.* **1.** ⚘ **a)** Kornblume *f*, **b)** scharfer Hahnenfuß; **2.** Pa'tentknopf *m.*

ba·cil·lar·y [bə'siləri] *adj.* **1.** stäbchenförmig; **2.** ⚕ Bazillen...; **ba·cil·lus** [bə'siləs] *pl.* **-li** [-lai] *s.* ⚕ Ba'zillus *m.*

back¹ [bæk] **I.** *s.* **1.** Rücken *m* (*Mensch, Tier*); **2.** 'Hinter-, Rückseite *f* (*Kopf, Haus, Tür, Bild, Brief, Kleid etc.*); (Rücken)Lehne *f* (*Stuhl*); **3.** *untere od. abgekehrte Seite*: (*Hand-, Buch-, Messer*)Rükken *m*, 'Unterseite *f* (*Blatt*), linke Seite (*Stoff*), Kehrseite *f* (*Münze*), Oberteil *m*, *n* (*Bürste*); → *beyond 6*; **4.** *rückwärtiger od. entfernt gelegener Teil*: hinterer Teil (*Mund, Schrank, Wald etc.*), 'Hintergrund *m*; Rücksitz *m* (*Wagen*); **5.** Rumpf *m* (*Schiff*); **6.** *fig.* Rücken *m* (*Kraft*); **7.** *the 2s* die Parkanlagen *pl.* hinter den Colleges in Cambridge; **8.** *Fußball*: (Außen)Verteidiger *m*;

Besondere Redewendungen:

(*at the*) *~ of* hinter (*dat.*), hinten in (*dat.*); *~ to front* die Rückseite nach vorn, falsch herum; *to have s.th. at the ~ of one's mind* insgeheim an et. denken; *to turn one's ~ on fig.* *j-m* den Rücken kehren, *et.* aufgeben; *behind s.o.'s ~* hinter j-s Rücken; *on one's ~* **a)** auf dem Körper (*Kleidungsstück*), **b)** bettlägerig, **c)** hilflos, verloren; (*to fight*) *with one's ~ to the wall* mit dem Rücken zur Wand (kämpfen); *to break s.o.'s ~* j-n überanstrengen *od.* zu Fall bringen *od.* zugrunde richten; *to break the ~ of s.th.* das Schwierigste überwinden; *to put one's ~ into s.th.* sich bei e-r Sache ins Zeug legen, sich in e-e Sache hineinknien; *to put s.o.'s ~ up* j-n ‚auf die Palme bringen';

II. *adj.* **9.** rückwärtig, letzt, hinter, Rück..., Hinter..., Nach...: *the ~ left-hand corner* die hintere linke Ecke; **10.** rückläufig; **11.** rückständig (*Zahlung*); zu'rückliegend, alt (*Zeitung etc.*); **12.** fern, abgelegen; *fig.* finster; **III.** *adv.* **13.** zu'rück, rückwärts; zurückliegend; (wieder) zurück: *he is ~ again* er ist wieder da; *he is ~ home* er ist wieder zu Hause; *~ home Am.* bei uns (zulande); *~ and forth Am.* hin und her; **14.** zurück, 'vorher: *20 years ~* vor 20 Jahren; *~ in 1900* (schon) im Jahre 1900; **IV.** *v/t.* **15.** *Buch* mit e-m Rücken *od.* *Stuhl* mit e-r Lehne *od.* Rückenverstärkung versehen; **16.** hinten grenzen an (*acc.*), den Hintergrund *e-r Sache* bilden; **17.** *a.* *~ up j-m* den Rücken decken *od.* stärken, *j-n* unter'stützen, eintreten für; **18.** *a.* *~ up* zu'rückbewegen; *Wagen, Pferd, Maschine* rückwärts fahren *od.* laufen lassen: *to ~ a car out of the garage* e-n Wagen rückwärts aus der Garage fahren; *to ~ water* (*od. the oars*) rückwärts rudern; **19.** auf der Rückseite beschreiben; *Wechsel* verantwortlich gegenzeichnen, indossieren; **20.** wetten *od.* setzen auf (*acc.*); **V.** *v/i.* **21.** *a.* *~ up* sich rückwärts bewegen, zu'rückgehen *od.* -fahren; **~ down (from)**, **~ out (of)** *v/i.* zu'rücktreten *od.* sich zu'rückziehen (von), aufgeben (*acc.*); F sich drücken, abspringen (von); klein beigeben, ‚den Schwanz einziehen'; **~ on to** *v/i.* hinten grenzen an (*acc.*) *od.* blicken auf (*acc.*).

back² [bæk] *s.* ⊕, *Brauerei, Färberei etc.*: Bottich *m.*

'back|·ache *s.* Rückenschmerzen *pl.*; **~ al·ley** *s. Am.* finsteres Seitengäßchen; **'~·band** *s.* Rückengurt *m e-s Pferdes*; **'~-'bench** *s.* hintere Sitzreihe (*im Parlament*); **'~-'bench·er** *s. pol.* 'Hinterbänkler *m*, weniger bedeutendes Mitglied des Parla'ments; **'~·bite** *v/t. u. v/i.* [*irr.* → *bite*] *j-n* verleumden; **'~·bit·er** *s.* Verleumder(in); **'~·board** *s.* **1.** Rükkenbrett *n*, -lehne *f*, Lehnbrett *n* (*im Boot, Wagen etc.*); **2.** ⚕ Geradehalter *m*; '**~·bone** *s.* **1.** Rückgrat *n*: *to the ~* bis auf die Knochen, ganz u. gar; **2.** *fig.* Rückgrat *n*: **a)** (Cha'rakter)Stärke *f*, Mut *m*, **b)** Hauptstütze *f*; '**~-break·ing** *adj.* erschöpfend, ermüdend: *~ work* F Pferdearbeit; '**~-chat** *s. sl.* **1.** freche Antwort(en *pl.*); **2.** *Brit.* schlagfertige Wechselrede; '**~-cloth** → *backdrop*; '**~-cou·pling** *s.* Rückkopplung *f*; **~ cur·rent** *s.* Rück-, Gegenstrom *m*; '**~-date** *v/t.* zu'rückdatieren; '**~'door I.** *s.* 'Hintertür *f* (*a. fig. Ausweg*); **II.** *adj.* heimlich, geheim; '**~-drop** *s.* **1.** *thea.* 'Hintergrund *m* (*gemalter Vorhang*); **2.** *fig.* Hintergrund *m*, 'Folie *f*.

backed [bækt] *adj.* **1.** mit Rücken, Lehne *etc.* versehen; **2.** gefüttert: *a curtain ~ with satin*; **3.** *in Zssgn*: *straight-~* mit geradem Rücken, geradlehnig.

back·er ['bækə] *s.* **1.** Unter'stützer (-in), Helfer(in), Förderer *m*, Gönner(in); **2.** ✝ (Wechsel)Bürge *m*, Indossierer *m*, 'Hintermann *m*; **3.** Wetter(in).

'**back|-'fire I.** *v/i.* **1.** ⊕ früh-, fehlzünden; **2.** *fig.* fehlschlagen, ‚ins Auge gehen': *the plan ~d* der Schuß ging nach hinten los; **II.** *s.* **3.** ⊕ Früh-, Fehlzündung *f*; **~ for·ma·tion** *s. ling.* Rückbildung *f*; **~'gam·mon** *s.* Back'gammon *n*, Puffspiel *n*; '**~·ground** *s.* **1.** 'Hintergrund *m*: *to keep in the ~*; **2.** *fig.* Hintergrund *m*, Grund-, 'Unterlage *f*; *j-s* 'Lebens,umstände *pl.*; Erfahrung *f*, Vergangenheit *f*, Mili'eu *n*: *educational ~* Vorbildung; *financial ~* finanzieller Rückhalt; '**~·hand I.** *s.* **1.** nach links geneigte Handschrift; **2.** *sport* Rückhand(schlag *m*) *f*; **II.** *adj.* **3.** *sport* Rückhand...: *~ stroke* Rückhandschlag; '**~·hand·ed** *adj.* **1.** nach links geneigt (*Schrift*); **2.** Rückhand...; **3.** zweideutig, spöttisch; '**~·hand·er** *s.* **1.** Rückhandschlag *m*; **2.** 'indi,rekter Angriff; '**~·house** *s. Am.* F ‚Häus-chen' *n*, A'bort *m*.

back·ing ['bækiŋ] *s.* **1.** Unter'stützung *f*, Hilfe *f*; Beifall *m*; *coll.* Gruppe *f* von Unter'stützern *od.* Förderern; **2.** rückwärtige Verstärkung; (Rock- *etc.*)Futter *n*; Stützung *f*; **3.** ✝ **a)** Indossierung *f*, **b)** Deckung *f*.

'**back|·lash** *s.* **1.** ⊕ toter Gang, Flankenspiel *n*; **2.** (heftige) Reakti'on, Rückwirkung *f*; '**~·log I.** *s.* **1.** großes Scheit hinten im Ka'min (*um das Feuer zu unterhalten*); **2.** (*Arbeits-, Auftrags- etc.*)Rückstand *m*, 'Überhang *m* (*of* an *dat.*); **3.** Rücklage *f*, Re'serve *f* (*of* an *dat.*, von); **II.** *adj.* **4.** ausstehend: *~ demand* Nachholbedarf; **~ num·ber** *s.* **1.** alte Nummer *e-r Zeitung etc.*; **2.** *fig. j-d od. et.* Altmodisches; **~ pay** *s.* Lohn-, Gehaltsnachzahlung *f*; '**~-'ped·al** *v/i.* rückwärtstreten (*Radfahrer*); '**~-'ped·al·(l)ing brake** *s.* ⊕ *Brit.* Rücktrittbremse *f*; **~ rest** *s.* Rükkenstütze *f*; **~ room** *s.* 'Hinterzimmer *n*; '**~-room boys** *s. pl. Brit.* F Wissenschaftler *pl.*, die an Ge'heimpro,jekten arbeiten; **~ sal·a·ry** → *back pay*; **~ seat** *s.* Rücksitz *m*: *back-seat driver fig.* Besserwisser; *to take a ~ fig.* in den Hintergrund treten, in untergeordneter Stellung sein.

back·sheesh → *baksheesh*.

'**back|'side** *s.* **1.** *mst back side* Kehr-, Rückseite *f*, hintere *od.* linke Seite; **2.** V Hintern *m*; '**~-sight** *s.* **1.** ⊕ Visier *n*; **2.** ⚔ (Visier-) Kimme *f*; **~ slang** *s.* 'Umkehrung *f* (der Schreibweise) der Wörter; '**~'slide** *v/i.* [*irr.* → *slide*] **1.** rückfällig werden; **2.** auf die schiefe Bahn geraten, abtrünnig werden; '**~'slid·er** *s.* Rückfällige(r *m*) *f*; '**~'slid·ing** *s. fig.* Sündenfall *m*; '**~-spac·er** *s.* Rücktaste *f* (*Schreibmaschine*); '**~'stage I.** *s.* **1.** *thea.* Garde'robenräume *pl.* u. Bühne *f* hinter dem Vorhang; **II.** *adv.* **2.** (hinten) auf der Bühne; **3.** hinter dem *od.* den Vorhang (*a. fig.*); '**~'stair(s)** *adj.* **1.** Hintertreppen-...; **2.** *fig.* geheim, unehrlich, krumm; '**~'stairs** *s.* **1.** 'Hintertreppe *f*; **2.** *fig.* Hintertreppe *f*, ‚krumme Tour'; '**~-stitch** *s.* Steppstich *m*; '**~·stop** *s.* **1.** *Kricket*: Feldspieler *m*, Fänger *m*; **2.** *Baseball*: Gitter *n* (*hinter dem Fänger*); **3.** *Am. Schießstand*: Kugelfänger *m*; '**~-stroke** *s.* *sport* **1.** Rückschlag *m des Balls*; **2.** Rückenschwimmen *n*; '**~·swept** *adj.* ⊕, ✈ nach hinten verjüngt, pfeilförmig; **~ talk** *s. sl.* unverschämte Antwort(en *pl.*); '**~·track** *v/i. Am.* **1.** den'selben Weg zu'rückgehen; **2.** sich zu'rückziehen, *et.* aufgeben; ‚sich drücken'; **3.** den 'umgekehrten Weg einschlagen.

back·ward ['bækwəd] **I.** *adj.* **1.** rückwärts gerichtet; 'umgekehrt; **2.** hinten gelegen, Hinter...; **3.** langsam, saumselig, schwerfällig; **4.** zu'rückhaltend, schüchtern; **5.** *in der Entwicklung* zu'rückgeblieben (*Kind etc.*), rückständig (*Land, Arbeit*); **6.** vergangen; **II.** *adv.* **7.** *a. backwards* [-dz] rückwärts, zu'rück: *~ and forwards* vor u. zurück; **8.** *fig.* 'umgekehrt; zum Schlechten; **back·ward·a·tion** [bækwə'deiʃən] *s. Brit.* ✝ De'port *m*, Kursabschlag *m*; '**back·ward·ness** [-nis] *s.* **1.** Rückständigkeit *f*; **2.** Langsamkeit *f*, Saumseligkeit *f*; **3.** Wider'streben *n*; '**back·wards** [-dz] → *backward 7*.

'**back|·wash** *s.* **1.** Rückströmung *f*, Kielwasser *n*; **2.** *fig.* Nachwirkung *f*; '**~·wa·ter** *s.* **1.** totes Wasser, Stauwasser *n*; **2.** Seitenarm *m e-s Flusses*; **3.** *fig.* Ort *m od.* Zustand *m* der Rückständigkeit *od.* des Stillstandes; '**~·woods I.** *s. pl.* **1.** 'Hinterwälder *pl.*, abgelegene Wälder; **II.** *adj.* **2.** 'hinterwäldlerisch (*a. fig.*), abgelegen; **3.** *fig.* rückständig; '**~·woods·man** [-mən] *s.* [*irr.*] **1.** 'Hinterwäldler *m* (*a. fig.*); **2.** *Brit. parl.* Mitglied *n* des Oberhauses, das selten erscheint; **3.** *fig.* ungehobelter *od.* rückständiger Mensch; **~ yard** *s.* 'Hinterhof *m*; *Am.* Garten *m* hinter dem Hause.

ba·con ['beikən] *s.* Speck *m*: *eggs and ~ Küche*: Speck mit (Spiegel-) Ei; *he brought home the ~* F er hat es geschafft; *to save one's ~* F mit heiler Haut davonkommen.

Ba·co·ni·an [bei'kounjən] *adj.* Sir Francis Bacon betreffend; **~ the·o·ry** *s.* 'Bacon-Theo,rie *f* (*daß Francis Bacon Shakespeares Werke verfaßt habe*).

bac·te·ri·a [bæk'tiəriə] *s. pl.* Bak'terien *pl.*, Spaltpilze *pl.*; **bac'te·ri·al** [-əl] *adj.* Bakterien...; **bac·te·ri·o·log·i·cal** [bæktiəriə'lɔdʒikəl] *adj.* □ bakterio'logisch; **bac·te·ri·ol·o·gist** [bæktiəri'ɔlədʒist] *s.* Bakterio'loge *m*; **bac·te·ri·ol·o·gy** [bæktiəri'ɔlədʒi] *s.* Bak'terienkunde *f*; **bac·te·ri·um** [bæk'tiəriəm] *sg. von bacteria*.

bad [bæd] **I.** *adj.* □ → *badly*; **1.** (*allgemein*) schlecht, schlimm: *~ manners* schlechte Manieren; *from ~ to worse* immer schlimmer; **2.** böse, ungezogen: *a ~ boy*; *a ~ lot* F ein schlimmes Pack (*Leute*); **3.** lasterhaft: *a ~ woman*; **4.** anstößig, häßlich: *a ~ word*; *~ language* **a)** Schimpfworte, **b)** Zoten; **5.** unbefriedigend, ungünstig, schlecht: *~ lighting* schlechte Beleuchtung; *~ name* schlechter Ruf; *in ~ health* kränkelnd; *his ~ German* sein schlechtes Deutsch; *he is ~ at mathematics* er ist in Mathematik schwach; *~ debts* ✝ zweifelhafte Forderungen; **6.** unangenehm, schlecht: *a ~ smell*; *~ news*; *that's too ~* F das ist doch zu dumm; *not ~* gar nicht übel; *not too ~* soso lala; **7.** schädlich: *~ for the eyes*; *~ for you*; **8.** schlecht, verdorben (*Fleisch, Ei etc.*): *to go ~* schlecht werden; **9.** ungültig, falsch (*Münze etc.*); unberechtigt (*Forderung*); **10.** unwohl, krank: *he is* (*od. feels*) *~*; *a ~ finger* ein schlimmer *od.* böser Finger; *he is in a ~ way* es geht ihm nicht gut (*gesundheitlich od. finanziell*); **11.** heftig, schlimm, arg: *a ~ cold*; *a ~ crime* ein schweres Verbrechen; **II.** *s.* **12.** *das* Schlechte: *to go to the ~* F auf die schiefe Bahn geraten; **13.** ✝ 'Defizit *n*, Verlust *m*: *to be £5 to the ~* £5 Defizit haben; **III.** *adv.* **14.** → *badly*.

bad·dish ['bædiʃ] *adj.* ziemlich schlecht.

bade [beid] *pret. von bid 7, 8, 9*.

badge [bædʒ] *s.* Ab-, Kennzeichen *n*, Marke *f*; Merkmal *n*.

badg·er ['bædʒə] **I.** *s.* **1.** *zo.* Dachs *m*; **2.** *Am.* F Bewohner(in) von Wis'consin; **II.** *v/t.* **3.** *fig.* hetzen, plagen, belästigen; '**~-bait·ing** *s.* Dachshetze *f*.

bad·i·nage ['bædinɑ:ʒ] *s.* Necke'rei *f*.

'**bad·lands** *s. pl. Am.* Ödland *n*.

bad·ly ['bædli] *adv.* **1.** schlecht, schlimm: *he is ~* (*Am. a. bad*) *off* es geht ihm schlecht (*mst finanziell*); *to do* (*od. come off*) *~* schlecht fahren (*in* bei, mit); *to be in ~ with* (*od. over*) *Am.* F über Kreuz stehen mit; **2.** dringend, heftig, sehr: *~ needed* dringend nötig; *~ wounded* schwerverwundet.

bad·min·ton ['bædmintən] *s. sport* Badminton *n*, Federballspiel *n*.

bad·ness ['bædnis] *s.* schlechte Beschaffenheit, Schlechtigkeit *f*, Verderbtheit *f*.

'bad-'tem·pered *adj.* schlechtgelaunt.
Bae·de·ker ['beidikə] *s.* Baedeker *m*, Reiseführer *m* (*nach Karl Baedeker*).
baf·fle ['bæfl] *v/t.* **1.** *j-n* verwirren, verblüffen, narren, täuschen, *j-m* ein Rätsel sein; **2.** *Plan etc.* durch'kreuzen, vereiteln, unmöglich machen: *it* ~*s description* es spottet jeder Beschreibung; ~ **paint** *s.* ⚔ Tarnungsanstrich *m*; '~**-plate** *s.* Ablenk-, Prallplatte *f*; Schlingerwand *f* (*im Kraftstoffbehälter*).
baf·fling ['bæfliŋ] *adj.* □ **1.** verwirrend, vertrackt; **2.** vereitelnd, hinderlich; **3.** veränderlich, 'umspringend (*Wind*).
bag [bæg] **I.** *s.* **1.** Sack *m*, Beutel *m*, Tüte *f*, (Schul-, Hand- *etc.*)Tasche *f*; *engS.* **a)** Reisetasche *f*, **b)** Geldbeutel *m*; → *bone 1*; **2.** *sport* **a)** Jagdtasche *f*, **b)** Jagdbeute *f*, Strekke *f*: *in the* ~ F ‚in der Tasche', sicher, **c)** *weitS.* Menge *f*: *mixed* ~ *et.* Uneinheitliches, Sammelsurium; ~ *and baggage* (mit) Sack u. Pack, mit allem Drum u. Dran; *the whole* ~ *of tricks* alles, der ganze Kram; **3.** (*pair of*) ~*s* F Hose *f*; **II.** *v/t.* **4.** in e-n Sack stecken, einsacken; in e-n Beutel tun; **5.** *sport* zur Strecke bringen, fangen (*a. fig.*); **6.** *sl.* sti'bitzen; **7.** bauschen; **III.** *v/i.* **8.** sich bauschen.
bag·a·telle [bægə'tel] *s.* **1.** Baga'telle *f*, Kleinigkeit *f*; **2.** 'Tivolispiel *n*.
bag·gage ['bægidʒ] *s.* **1.** *bsd. Am.* (Reise)Gepäck *n*; **2.** ⚔ Ba'gage *f*, Gepäck *n*, Troß *m*; **3.** *obs.* V Dirne *f*; **4.** F ‚Fratz' *m*, schnippisches Mädel; ~ **car** *s. Am.* Gepäckwagen *m*; ~ **check** *s. Am.* Gepäckschein *m*; ~ **claim** *s.* ✈ *Am.* Gepäckabholung *f*, -ausgabe *f*; ~ **hoist** *s. Am.* Gepäckaufzug *m*; ~ **hold** *s. Am.* Gepäckraum *m*; ~ **in·sur·ance** *s. Am.* (Reise)Gepäckversicherung *f*; ~ **rack** *s. Am.* Gepäcknetz *n*.
bag·ging ['bægiŋ] **I.** *s.* **1.** Sack-, Packleinwand *f*; **II.** *adj.* **2.** sich bauschend; **3.** sackartig her'abhängend (*Kleider*); **bag·gy** ['bægi] *adj.* bauschig, zu weit, sackartig herabhängend; ausgebeult (*Hose*).
'bag|·man [-mən] *s.* [*irr.*] *Brit.* Handlungsreisende(r) *m*; '~**·pipe** *s.* ♪ Dudelsack(pfeife *f*) *m*; '~**·pip·er** *s.* Dudelsackpfeifer *m*; '~**-snatch·er** *s.* Handtaschenräuber *m*.
bah [bɑ(:)] *int.* pah! (*Verachtung*).
bail[1] [beil] ⚖ **I.** *s.* (*nur sg.*) **1. a)** Bürge *m*, **b)** ('Haft)Kauti'on *f*, Sicherheitsleistung *f*: *to go* (*od. stand*) ~ Sicherheit leisten, Kaution stellen, *fig.* wetten, sicher sein; *to admit to* (*od. allow*) ~ gegen Kaution freilassen; *out on* ~ gegen Kaution auf freiem Fuße; *to forfeit* (*Am. sl. jump*) *one's* ~ nicht *vor Gericht* erscheinen; *to surrender to* (*od. save one's*) ~ *vor Gericht* erscheinen; *to find* ~ sich e-n Bürgen verschaffen; **II.** *v/t.* **2.** *mst* ~ *out j-n* gegen Kauti'onsstellung freibekommen; **3.** *Güter* kon'traktlich über'geben.
bail[2] [beil] **I.** *v/t.* **1.** *Wasser* ausschöpfen: *to* ~ *out water*; *to* ~ *out a boat* ein Boot ausschöpfen; **2.** *mst* ~ *out fig. j-n od. et.* retten; **II.** *v/i.* **3.** ~ *out* ✈ ‚aussteigen', mit dem Fallschirm abspringen.
bail[3] [beil] *s.* Bügel *m*, Henkel *m*, (Halb)Reifen *m*, (Hand)Griff *m*.
bail[4] [beil] *s.* **1.** Schranke *f* (*im Stall*); **2.** *Kricket*: Querstab *m*.
bail·a·ble ['beiləbl] *adj.* ⚖ kauti'onsfähig.
bail·ee [bei'li:] *s.* ⚖ Verwahrer *m* (*e-r beweglichen Sache*).
bail·er[1] ['beilə] *s.* **1.** j-d der Wasser aus e-m Boote schöpft; **2.** Schöpfeimer *m*.
bail·er[2] ['beilə] *s. Kricket*: Ballwurf *m*, der die Querstäbe trifft.
bai·ley[1] ['beili] *s. hist.* Außenmauer *f*, Außenhof *m e-r Burg*: *Old* ♀ *Hauptkriminalgericht in London*.
Bai·ley[2] ['beili] *npr.*: ~ *bridge e-e* Gerüstbrücke.
bail·iff ['beilif] *s.* **1.** ⚖ **a)** Gerichtsvollzieher *m*, **b)** Gerichtsdiener *m*; **2.** *bsd. Brit.* (Guts)Verwalter *m*.
bail·i·wick ['beiliwik] *s.* ⚖ Amtsbezirk *m* e-s *bailiff*.
bail·ment ['beilmənt] *s.* ⚖ (vertragliche) Hinter'legung (*e-r beweglichen Sache*), Verwahrung(svertrag *m*) *f*.
bail·or ['beilə] *s.* ⚖ Hinter'leger *m*.
bairn [bɛən] *s. Scot.* Kind *n*.
bait [beit] **I.** *s.* **1.** Köder *m*; *fig.* Lokkung *f*, Reiz *m*; **2.** Rast *f*, Imbiß *m*; **3.** Füttern *n* (*Pferde*); **II.** *v/t.* **4.** mit Köder versehen; *fig.* ködern, (an)locken; **5.** *Pferde unterwegs* füttern; **6.** mit Hunden hetzen; *fig. j-n* reizen, quälen; **III.** *v/i.* **7.** einkehren, rasten; **8.** fressen (*Pferde*); **'bait·er** [-tə] *s.* Hetzer *m*, Quäler *m*; **'bait·ing** [-tiŋ] *s.* **1.** Hetze *f*, Quäle'rei *f*; **2.** Rast *f*.
baize [beiz] *s. mst grüner* Fries (*Wollstoff für Tischüberzug*).
bake [beik] **I.** *v/t.* **1.** backen, im (Back)Ofen braten; → *half-baked*; **2. a)** dörren, austrocknen, härten: *sun-baked ground*, **b)** *Ziegel* brennen, **c)** ⊕ *Lack* einbrennen; **II.** *v/i.* **3.** backen, braten (*a. fig. in der Sonne*); gebacken werden (*Brot etc.*); **4.** dörren, hart werden; **III.** *s.* **5.** *Am.* gesellige Zs.-kunft; '~**-house** *s.* Backhaus *n*, -stube *f*.
ba·ke·lite ['beikəlait] *s.* ⊕ Bake'lit *n*.
bak·er ['beikə] *s.* **1.** Bäcker *m*: ~*'s dozen* dreizehn; **2.** *Am.* tragbarer Backofen; **'bak·er·y** [-əri] *s.* Bäcke'rei *f*.
bakh·shish → *baksheesh*.
bak·ing ['beikiŋ] **I.** *s.* Backen *n*; Brennen *n* (*Ziegel*); **II.** *adv. u. adj.* glühend heiß; '~**-pow·der** *s.* Backpulver *n*.
bak·sheesh, bak·shish ['bækʃi:ʃ] *s.* 'Bakschisch *n*, Trinkgeld *n*; Bestechungsgeld *n* (*im Orient*).
Ba·la·kla·va hel·met [bælə'klɑ:və] *s.* ⚔ *Brit.* (wollener) Kopfschützer.
bal·a·lai·ka [bælə'laikə] *s.* Bala'laika *f* (*russ. Zupfinstrument*).
bal·ance ['bæləns] **I.** *s.* **1.** Waage *f* (*a. fig.*); **2.** Gleichgewicht *n* (*a. fig.*); Gleichmut *m*: *loss of* ~ ⚕ Gleichgewichtsstörungen; *to hold the* ~ *fig.* das Zünglein an der Waage bilden; *to turn the* ~ den Ausschlag geben; *to lose one's* ~ das Gleichgewicht *od. fig.* die Fassung verlieren; *in the* ~ in der Schwebe; *to tremble in the* ~ auf Messers Schneide stehen; ~ *of mind* Gleichmut, Gelassenheit; ~ *of power* politisches Gleichgewicht; **3.** Gegengewicht *n*, Ausgleich *m*: *on* ~ wenn man alles erwägt; **4.** Ausgeglichenheit *f*, har'monisches Verhältnis (*Kunstwerk*); **5.** → *balance-wheel*; **6.** ✝ 'Saldo *m*, Ausgleichsposten *m*, 'Überschuß *m*, Guthaben *n*, 'Kontostand *m*; Bi'lanz *f*: *adverse* ~ Unterbilanz; ~ *brought* (*od. carried*) *forward* Übertrag, Saldovortrag; (*un*)*favo*(*u*)*rable* ~ *of trade* aktive (passive) Handelsbilanz; ~ *due* Debetsaldo; ~ *at the bank* Bankguthaben; ~ *in hand* Kassenbestand; ~ *of payments* Zahlungsbilanz; *to strike a* ~ den Saldo *od.* (*a. fig.*) die Bilanz ziehen; **7.** Bestand *m*; F ('Über)Rest *m*; **II.** *v/t.* **8.** *fig.* er-, abwägen; **9.** (*a. o.s.* sich) im Gleichgewicht halten; ins Gleichgewicht bringen, ausgleichen; ausbalancieren; ✝ *Rechnung od. Konto* ausgleichen, aufrechnen, saldieren, abschließen; *to* ~ *the cash* Kasse(nsturz) machen; → *account 5*; **10.** *Kunstwerk* har'monisch gestalten; **III.** *v/i.* **11.** sich im Gleichgewicht halten (*a. fig.*), balancieren; **12.** sich (hin u. her) wiegen; *fig.* schwanken; **13.** ✝ sich ausgleichen.
bal·ance beam *s. Turnen*: Schwebebalken *m*.
bal·anced ['bælənst] *adj. fig.* (gut-) ausgewogen, wohlerwogen, ausgeglichen (*a.* ✝), gleichmäßig: ~ *diet* ausgeglichene Kost.
'bal·ance|-sheet *s.* ✝ Bi'lanz *f*, Rechnungsabschluß *m*; '~**-wheel** *s.* ⊕ Hemmungsrad *n*, Unruh *f* (*Uhr*).
ba·la·ta ['bælətɑ:] *s.* Ba'lata *f* (*kautschukähnlicher Pflanzensaft*).
bal·co·ny ['bælkəni] *s.* Bal'kon *m* (*a. thea., zwischen erstem Rang u. Galerie*).
bald [bɔ:ld] *adj.* □ **1.** kahl (*ohne Haar, Federn, Laub, Pflanzenwuchs*): *as* ~ *as a coot* völlig kahl; **2.** *fig.* kahl, schmucklos, nüchtern, armselig, dürftig; **3.** *fig.* nackt, unverhüllt, trocken, unverblümt: *a* ~ *statement*; **4.** *zo.* weißköpfig (*Vögel*), mit Blesse (*Pferde*).
bal·da·chin, bal·da·quin ['bɔ:ldəkin] *s.* 'Baldachin *m*, Thron-, Traghimmel *m*.
bal·der·dash ['bɔ:ldədæʃ] *s.* sinnloses Geschwätz *od.* Geschreibsel, ‚Quatsch' *m*.
'bald|·head *s.* Kahlkopf *m*; '~**·head·ed** *adj.* kahlköpfig: *to go* ~ *into sl.* blindlings hineinrennen in (*acc.*).
bald·ing ['bɔ:ldiŋ] *adj.* kahl werdend; **bald·ness** ['bɔ:ldnis] *s.* Kahlheit *f*; *fig.* Dürftigkeit *f*, Nacktheit *f*; **'bald·pate** *s.* **1.** Kahl-, Glatzkopf *m*; **2.** *orn.* Pfeifente *f*.
bal·dric ['bɔ:ldrik] *s. hist.* Wehrgehenk *n*.
bale[1] [beil] **I.** *s.* ✝ Ballen *m*: ~ *goods* Ballengüter; **II.** *v/t.* in Ballen verpacken.
bale[2] → *bail*[2].
'bale·fire *s.* Si'gnal-, Freudenfeuer *n*.
bale·ful ['beilful] *adj.* □ unheilvoll, verderblich; böse: *a* ~ *eye*.

bal·er → *bailer*[1].

balk [bɔ:k] **I.** *s.* **1.** Hindernis *n*; **2.** Enttäuschung *f*; **3.** *dial. u. Am.* Auslassung *f*, Fehler *m*, Schnitzer *m*; **4.** (Furchen)Rain *m*; **5.** Hindernis *n*, Hemmnis *n*; **6.** △ Hauptbalken *m*; **7.** *Billard*: Quartier *n*; **8.** *Am. Baseball*: vorgetäuschter Wurf; **II.** *v/i.* **9.** stocken, stutzen; scheuen (*at* bei, vor *dat.*) (*Pferd*); **10.** ~ *at fig.* zu'rückweisen; **III.** *v/t.* **11.** hindern, vereiteln: *to ~ s.o. of s.th.* j-n um et. bringen; **12.** ausweichen (*dat.*), um'gehen; **13.** sich entgehen lassen.

Bal·kan ['bɔ:lkən] **I.** *adj.* Balkan...; **II.** *s.*: *the ~s pl.* die 'Balkanstaaten, der 'Balkan; '**Bal·kan·ize** [-naiz] *v/t.* balkanisieren (*in [feindliche] Splitterstaaten zerstückeln*).

ball[1] [bɔ:l] **I.** *s.* **1.** Ball *m*, Kugel *f*; rund(lich)er Körper, Knäuel *m*, *n*, Klumpen *m*, Kloß *m*, Ballen *m*: *three ~s* drei Kugeln (*Zeichen des Pfandleihers*); **2.** Kugel *f* (*zum Spiel*); **3.** *sport* **a)** Ball *m*, **b)** Ballspiel *n*, *Am. bsd.* Baseballspiel *n*, **c)** falscher Wurf: *to be on the ~ sl.* ‚auf Draht sein'; *to have the ~ at one's feet Brit.* das Spiel in der Hand haben, nur zuzugreifen brauchen; *to keep the ~ rolling* das Gespräch *od.* die Sache in Gang halten; *to set the ~ rolling* den Stein ins Rollen bringen; *to play ~* F mitmachen, ‚spuren'; **4.** ⚔ *etc.* Kugel *f*; → *cartridge 1*; **5.** (Abstimmungs)Kugel *f*; → *black ball*; **6.** *ast.* Himmelskörper *m*, Erdkugel *f*; **7.** ~ *of the eye* Augapfel; ~ *of the foot* Fußballen; ~ *of the thumb* Handballen; **8.** *pl.* → *balls*; **II.** *v/t.* **9.** (*v/i.* sich) zs.-ballen; **10.** ~ *up sl.* et. durchein'anderbringen.

ball[2] [bɔ:l] **I.** *s.* Ball *m*, Tanzgesellschaft *f*: *to open the ~* **a)** den Ball (*mst fig.* den Reigen) eröffnen, **b)** *fig.* die Diskussion *od.* die Sache in Gang bringen; *to have a ~ sl.* **a)** sich (gut) amüsieren, **b)** → *II*; *to get a ~ out of s.th. sl.* an et. Spaß haben; **II.** *v/i. sl.* ‚bumsen'.

ball[3] [bɔ:l] *s.* große Arz'neipille (*für Pferde etc.*).

bal·lad ['bæləd] *s.* Bal'lade *f*; '**bal·lad-mon·ger** *s.* Bänkelsänger *m*; Dichterling *m*; '**bal·lad·ry** [-dri] *s.* Bal'ladendichtung *f*.

'**ball-and-'sock·et joint** *s.* ⊕, *anat.* **Kugel-, Drehgelenk** *n*.

bal·last ['bæləst] **I.** *s.* **1.** ⚓, ✈ 'Ballast *m*, Beschwerung *f*: *in ~* in Ballast; **2.** *fig.* et. was Stetigkeit gibt: *mental ~* innerer Halt; **3.** ⊕ Steinschotter *m*, 'Bettungsmateri,al *n*; **II.** *v/t.* **4.** ⚓, ✈ mit Ballast beladen; **5.** *fig.* Festigkeit geben (*dat.*); **6.** ⊕ beschottern; '**bal·last·age** [-tidʒ] *s.* 'Ballastgebühren *pl.*

'**ball**|-'**bear·ing** *s.*, *oft pl.* ⊕ Kugellager *n*; '**~-cock** *s.* ⊕ Schwimmerhahn *m*.

bal·le·ri·na [bælə'ri:nə] *s.* **1.** (Prima)Balle'rina *f*; **2.** Bal'lettänzerin *f*.

bal·let ['bælei] *s.* **1.** Bal'lett *n*; **2.** Bal'lettkorps *n*; '**~-danc·er** ['bæli] *s.* Bal'lettänzer(in); '**~-danc·ing** ['bæli] *s.* Bal'lettanzen *n*; Tanzen *n*.

bal·let·o·mane [bæ'litoumein] *s.* Bal'lettfa,natiker(in).

'**ball**|-**flow·er** *s.* △ Ballenblume *f* (*gotische Verzierung*); **~ game** *s. sport* **1.** Ballspiel *n*; **2.** *Am.* Baseballspiel *n*.

bal·lis·tic [bə'listik] *adj.* (□ *~ally*) *phys.*, ⚔ bal'listisch; → *missile I*; **bal'lis·tics** [-ks] *s. pl. mst sg. konstr. phys.*, ⚔ Bal'listik *f*.

ball joint *s. anat.*, ⊕ Kugelgelenk *n*.

bal·lon d'es·sai [balɔ̃ desɛ] (*Fr.*) *s. bsd. fig.* Ver'suchsbal,lon *m*.

bal·loon [bə'lu:n] **I.** *s.* **1.** ✈ ('Luft-)Bal,lon *m*; **2.** Luftballon *m* (*Spielzeug*); **3.** △ (Pfeiler)Kugel *f*; **4.** ⚗ Bal'lon *m*, Rezipi'ent *m*; **5.** (*in Witzblättern etc.*) Sprech-, Denkblase *f*; **6.** *a.* ~ *glass* 'Kognakschwenker *m*; **II.** *v/i.* **7.** im Ballon aufsteigen; **8.** sich blähen; **III.** *v/t.* **9.** aufblasen; *fig.* aufblähen, über'treiben, steigern; **10.** † *Am. Preise* in die Höhe treiben; **IV.** *adj.* **11.** aufgebläht: ~ *sleeve* Puffärmel; **~ bar·rage** *s.* ⚔ Bal'lonsperre *f*; **~ fab·ric** *s.* Bal'lonstoff *m*.

bal·loon·ist [bə'lu:nist] *s.* Bal'lonflieger(in), Luftschiffer(in).

bal·loon tire (*Brit.* **tyre**) *s.* ⊕ Bal'lonreifen *m*.

bal·lot ['bælət] **I.** *s.* **1.** *hist.* Wahlkugel *f*; *weitS.* Stimmzettel *m*; **2.** (Geheim)Wahl *f*: *voting is by ~* die Wahl ist geheim; **3.** Zahl *f* der abgegebenen Stimmen; **4.** Wahlgang *m*: *second ~* Stichwahl; **II.** *v/i.* **5.** in geheimer Wahl wählen; **6.** losen (*for* um); '**~-box** *s.* Wahlurne *f*; '**~-pa·per** *s.* Stimmzettel *m*; **~ vote** *s.* Urabstimmung *f* (*bei Lohnkämpfen*).

'**ball(-point) pen** *s.* Kugelschreiber *m*.

'**ball-room** *s.* Ball-, Tanzsaal *m*; **~ danc·ing** *s.* Gesellschaftstanz *m*, -tänze *pl.*

balls [bɔ:lz] *s. pl.* V **1.** ‚Eier' *pl.*; **2.** ‚Quatsch' *m*.

bal·ly ['bæli] *Brit. sl.* **I.** *adj.* verflixt (*oft nur Verstärkungswort*); **II.** *adv.* ‚riesig', sehr.

bal·ly·hoo [bæli'hu:] F **I.** *s.* Propa'gandarummel *m*, unverschämte Re'klame; ‚Tam'tam' *n*, Getue *n*; **II.** *v/i. u. v/t.* e-n Rummel machen (um), marktschreierisch anpreisen.

bal·ly·rag ['bæliræg] *v/t.* mit *j-m* Possen *od.* Schindluder treiben.

balm [bɑ:m] *s.* **1.** 'Balsam *m*: **a)** aro'matisches Harz, **b)** wohlriechende Salbe, **c)** *fig.* Trost *m*; **2.** *fig.* bal'samischer Duft; **3.** ⚘ ~ *of Gilead* **a)** 'Balsamstrauch *m*, **b)** *dessen aromatisches Harz*.

bal·mor·al [bæl'mɔrəl] *s.* **1.** Tou'risten-, Schnürstiefel *m*; **2.** Schottenmütze *f*; **3.** wollener 'Unterrock.

balm·y ['bɑ:mi] *adj.* □ **1.** bal'samisch; **2.** *fig.* mild; heilend; **3.** *Brit. sl.* blöde, ‚verdreht'.

bal·ne·ol·o·gy [bælni'ɔlədʒi] *s.* ⚕ Balneolo'gie *f*, Bäderkunde *f*.

ba·lo·ney → *boloney*.

bal·sam ['bɔ:lsəm] *s.* **1.** → *balm 1*; **2.** ⚘ **a)** Springkraut *n*, **b)** Balsa'mine *f*; **bal·sam·ic** [bɔ:l'sæmik] *adj.* (□ *~ally*) **1.** 'balsamartig, Balsam...; **2.** bal'samisch (duftend); **3.** *fig.* mild, sanft; lindernd, heilend.

Balt [bɔ:lt] *s.* Balte *m*, Baltin *f*; '**Bal·tic** [-tik] **I.** *adj.* **1.** baltisch; **2.** Ostsee...; **II.** *s.* **3.** *a.* ~ *Sea* Ostsee *f*.

bal·us·ter ['bæləstə] *s.* Geländersäule *f*; *pl.* Treppengeländer *n*; **bal·us·trade** [bæləs'treid] *s.* Balu'strade *f*, Brüstung *f*; Geländer *n*.

bam·boo [bæm'bu:] *s.* **1.** ⚘ 'Bambus *m*: ~ *curtain pol.* Bambusvorhang (*von Rotchina*); **2.** 'Bambusrohr *n*, -stock *m*.

bam·boo·zle [bæm'bu:zl] *v/t. sl.* **1.** beschwindeln (*out of* um), übers Ohr hauen; **2.** foppen, verwirren.

ban [bæn] **I.** *v/t.* **1.** verbieten: *to ~ a play*; *to ~ s.o. from speaking* j-m verbieten zu sprechen; **2.** *sport* sperren, *j-m* Startverbot auferlegen; **II.** *s.* **3.** (amtliches) Verbot: *travel ~* Reiseverbot; **4.** Ablehnung *f* durch die öffentliche Meinung: *under a ~* allgemein mißbilligt, geächtet; **5.** ⚖, *eccl.* Bann *m*, Acht *f*: *under the ~* in die Acht erklärt, exkommuniziert.

ba·nal [bə'nɑ:l] *adj.* ba'nal, abgedroschen; **ba·nal·i·ty** [bə'næliti] *s.* Banali'tät *f*, Gemeinplatz *m*.

ba·nan·a [bə'nɑ:nə] *s.* ⚘ Ba'nane *f* (*Pflanze od. Frucht*); **~ plug** *s.* ⚡ Ba'nanenstecker *m*.

band[1] [bænd **I.** *s.* **1.** Schar *f*, Gruppe *f*; Bande *f*: *~ of robbers* Räuberbande; **2.** Band *f*, (Mu'sik)Ka,pelle *f*, ('Tanz)Or,chester *n*: *big ~* Big Band; → *beat 12*; **II.** *v/t.* **3.** *mst ~ together* zu e-r Gruppe *etc.* vereinigen; **III.** *v/i.* **4.** *mst ~ together* sich zs.-tun, *b.s.* sich zs.-rotten.

band[2] [bænd] **I.** *s.* **1.** (flaches) Band; (Heft)Schnur *f*: *rubber ~* Gummiband; **2.** Band *n* (*an Kleidern*), Gurt *m*, Binde *f*, (Hosen- *etc.*)Bund *m*, Einfassung *f*; **3.** Band *n*, Ring *m* (*als Verbindung od. Befestigung*); **4.** ⚕ (Gelenk)Band *n*; Verband *m*; **5.** (Me'tall)Reifen *m*; Ring *m*, Streifen *m*; **6.** ⊕ Treibriemen *m*; **7.** *pl.* Beffchen *n der Geistlichen u. Richter*; **8.** *andersfarbiger od. andersartiger* Streifen, Querstreifen *m*; Schicht *f*; **9.** *Radio*: (Fre'quenz)Band *n*: *~ filter* Bandfilter; **II.** *v/t.* **10.** mit e-m Band *od.* e-r Binde versehen, zs.-binden; *Am. Vogel etc.* kennzeichnen; **11.** mit (e-m) Streifen versehen; **band·age** ['bændidʒ] **I.** *s.* **1.** ⚕ Verband *m*, Binde *f*, Ban'dage *f*: *~ case* Verbandskasten; **2.** Binde *f*, Band *n*; **II.** *v/t.* **3.** *Wunde etc.* verbinden, *Bein etc.* bandagieren.

ban·dan·a [bæn'dɑ:nə], **ban·dan·na** [bæn'dænə] *s.* buntes Taschen- *od.* Halstuch.

band|**·box** ['bænd*b*ɔks] *s.* Hutschachtel *f*: *as if one came out of a ~* wie aus dem Ei gepellt; '**~-brake** *s.* ⊕ Bandbremse *f*.

ban·deau ['bændou] *pl.* **-deaux** [-douz] (*Fr.*) *s.* Haar- *od.* Stirnband *n der Frauen*.

ban·de·rol(e) ['bændəroul] *s.* **1.** langer Wimpel, Fähnlein *n*; **2.** Inschriftenband *n*.

ban·dit ['bændit] *pl. a.* **-ti** [bæn'diti(:)] *s.* Ban'dit *m*, (Straßen)Räuber *m*: *a banditti coll.* e-e Räuberbande; '**ban·dit·ry** [-tri] *s.* Räuber(un)wesen *n*.

band·mas·ter ['bænd*m*ɑ:stə] *s.* ♪ Ka'pellmeister *m*.

'ban·dog *s. Brit.* Kettenhund *m.*

ban·do·leer, ban·do·lier [bændə'liə] *s.* ⚔ (*um die Brust geschlungener*) Pa'tronengurt.

'band|-pass fil·ter *s. Radio*: Bandfilter *n, m*; **~ pul·ley** *s.* ⊕ Riemenscheibe *f*, Schnurrad *n*; **'~-saw** *s.* ⊕ Bandsäge *f*; **~ shell** *s.* offener, muschelförmiger Or'chester,pavillon.

bands·man ['bændzmən] *s.* [*irr.*] ♪ 'Musiker *m*, Mitglied *n* e-r Mu'sikka,pelle.

'band|·stand *s.* Mu'sik,pavillon *m*; **~ switch** *s.Radio*: Fre'quenz(band)-,umschalter *m*; **~ wag·on** *s.* **1.** Wagen *m* mit e-r Mu'sikka,pelle; **2.** F *pol.* erfolgreiche Seite: *to climb on the ~* sich j-m *od.* e-r (siegreichen) Sache anschließen; **~ width** *s. Radio*: Bandbreite *f.*

ban·dy[1] ['bændi] *v/t., a.* ~ *about* **1.** 'hin- u. 'herwerfen, -schlagen, -schleudern (*a. fig.*); **2.** *Schläge, Blicke, böse Worte etc.* wechseln (*with* mit); **3.** *Gerüchte etc.* verbreiten; *et.* stets im Munde führen: *his name was bandied about* sein Name war in aller Munde (*oft b.s.*).

ban·dy[2] ['bændi], **'bandy-legged** [-legd] *adj.* nach außen gebogen (*Beine*), O- *od.* säbelbeinig.

bane [bein] *s.* Verderben *n*, Ru'in *m*: *the ~ of his life* der Fluch s-s Lebens; **'bane·ful** [-ful] *adj.* □ verderblich, schädlich.

bang[1] [bæŋ] **I.** *s.* **1.** schallender Schlag; **2.** Krach *m*, Knall *m*; **3.** *Am.* Ener'gie *f*, Schwung *m*; **4.** V ,Nummer' *f*: *to have a ~* e-e Nummer schieben; **II.** *v/t.* **5.** knallen mit, dröhnend schlagen, heftig stoßen; *Tür* (zu)schlagen: *to ~ one's fist on the table* mit der Faust auf den Tisch schlagen; *to ~ sense into him fig.* ihm Vernunft einhämmern; **6.** F (ver)hauen; besiegen; **7.** V ,bumsen'; **III.** *v/i.* **8.** knallen (*a.* = *schießen*); knallend schlagen, heftig stoßen; **9.** (zu)knallen (*Tür*); **10.** V ,bumsen'; **IV.** *adv.* **11.** mit Knall *od.* Krach; *fig.* plötzlich, unerwartet: *~ in the eye* ,peng' ins Auge; *~ goes the money* futsch ist das Geld; *~ up-to-date* hochmodern; **V.** *int.* **12.** paff!, bum(s)!, peng!

bang[2] [bæŋ] *s.* 'Ponyfri,sur *f.*

bang·er[1] ['bæŋə] *s. sl.* Wurst *f*, Würstchen *n.*

bang·er[2] ['bæŋə] *s.* etwas das knallt (*z.B. Feuerwerk*).

ban·gle ['bæŋgl] *s.* Armring *m*, -reif *m*; Fußring *m*, -spange *f.*

'bang-up *adv. u. adj. Am. sl.* ,prima', Klasse...

ban·ian ['bæniən] *s.* **1.** Bani'an *m* (*Kaufmann der Hindus*); **2.** lose Jacke der Hindus; **'~-tree** *s.* ⚘ indischer Feigenbaum.

ban·ish ['bæniʃ] *v/t.* **1.** verbannen, ausweisen (*from* aus); **2.** *fig.* (ver-)bannen, verscheuchen, vertreiben: *to ~ care*; **'ban·ish·ment** [-mənt] *s.* **1.** Verbannung *f*, Ausweisung *f*; **2.** *fig.* Vertreiben *n*, Bannen *n.*

ban·is·ter ['bænistə] *s.* Geländersäule *f*; *pl.* Treppengeländer *n.*

ban·jo ['bændʒou] *pl.* **-jos, -joes** *s.* Banjo *n*; **'ban·jo·ist** [-ouist] *s.* Banjospieler *m.*

bank[1] [bæŋk] **I.** *s.* **1.** ✝ Bank *f*, Bankhaus *n*: *the* ♀ *Brit.* die Bank von England; *~ of deposit* Depositenbank; *~ of issue* (*od. circulation*) Noten-, Emissionsbank; **2.** (Spiel-)Bank *f*: *to break* (*keep*) *the ~* die Bank sprengen (halten); **3.** Vorrat *m*, Re'serve *f*; → *blood bank*; **II.** *v/i.* **4.** ✝ Geld auf e-r Bank haben: *I ~ with ...* ich habe mein Bankkonto bei ...; **5.** *Glücksspiel*: die Bank halten; **6.** (*on*) bauen, s-e Hoffnung setzen (auf *acc.*); **III.** *v/t.* **7.** *Geld* bei e-r Bank einzahlen *od.* hinter'legen.

bank[2] [bæŋk] **I.** *s.* **1.** Erdwall *m*, Damm *m*, Wall *m*, Böschung *f*; Über'höhung *f e-r Straße*; **2.** Ufer *n e-s Flusses etc.*; **3.** (Sand)Bank *f*, Untiefe *f*: *Dogger* ♀ Doggerbank (*in der Nordsee*); **4.** Bank *f*, Wand *f*, Wall *m*; Zs.-ballung *f*: *~ of clouds* Wolkenbank; *snow ~* Schneewall; **5.** ✈ Querneigung *f in der Kurve*; **II.** *v/t.* **6.** eindämmen, mit e-m Wall um'geben; *fig.* dämpfen; **7.** *e-e Straße in der Kurve* über'höhen; **8.** *a. ~ up* aufhäufen, zs.-ballen; **9.** ✈ in die Kurve bringen; **10.** *a. ~ up ein Feuer* mit Asche belegen (*um den Zug zu vermindern*); **III.** *v/i.* **11.** *a. ~ up* sich aufhäufen, sich zs.-ballen (*Wolken, Sand etc.*); **12.** ✈ in die Kurve gehen, in der Kurve liegen; **13.** e-e Über'höhung haben (*Straße in der Kurve*).

bank[3] [bæŋk] *s.* **1.** Ruderbank *f od.* (Reihe *f* der) Ruderer *pl. in e-r Galeere*; **2.** ⊕ Reihe *f*, Reihenanordnung *f.*

bank·a·ble ['bæŋkəbl] *adj.* ✝ bankfähig, diskontierbar.

bank| ac·count *s.* ✝ 'Bank,konto *n*; **'~-bill** *s.* Bankwechsel *m* (*von e-r Bank gedeckt*); **'~-book** *s.* Sparbuch *n*; **~ clerk** *s.* Bankangestellte(r *m*) *f*, -beamte(r) *m*, -beamtin *f*; **~ dis·count** *s.* 'Bankdis,kont *m*; **'~-draft** *s.* Bankwechsel *m* (*von e-r Bank auf e-e andere gezogen*).

bank·er ['bæŋkə] *s.* **1.** ✝ Banki'er *m*; **2.** *Kartenspiel*: Bankhalter *m.*

bank hol·i·day *s. Brit.* Bankfeiertag *m.*

bank·ing[1] ['bæŋkiŋ] ✝ **I.** *s.* Bankwesen *n*; **II.** *adj.* Bank...

bank·ing[2] ['bæŋkiŋ] *s.* ✈ Schräglage *f.*

bank·ing| ac·count *s.* ✝ 'Bank,konto *n*; **~ house** *s.* Bankhaus *n*, -geschäft *n.*

bank| man·ag·er *s.* 'Bankdi,rektor *m*; **'~-note** *s.* ✝ Banknote *f*; **'~-rate** *s.* ✝ Dis'kontsatz *m*; **'~-rob·ber** *s.* Bankräuber *m*; **'~-rob·ber·y** *s.* Bankraub *m.*

bank·rupt ['bæŋkrəpt] **I.** *s.* **1.** ⚖ Kon'kurs-, Gemeinschuldner *m*, Bankrot'teur *m*: *~'s certificate* Dokument über Einstellung des Konkursverfahrens; *~'s estate* Konkursmasse; **2.** *fig.* her'untergekommener Mensch; **II.** *adj.* **3.** ⚖ bank'rott: *to go ~* in Konkurs geraten, Bankrott machen; **4.** *fig.* mittellos, ruiniert: *morally ~* sittlich verkommen; *~ in intelligence* bar aller Vernunft; **III.** *v/t.* **5.** ⚖ bankrott machen; **6.** *fig.* zu'grunde richten; **'bank·rupt·cy** [-ptsi] *s.* **1.** ⚖ Bank'rott *m*, Kon'kurs *m*: *~ act* Konkursordnung; *court of ~* Konkursgericht; *declaration of ~* Bankrotterklärung; *petition in ~* Konkursantrag; **2.** *fig.* Ru'in *m*, Bankrott *m.*

bank state·ment *s.* ✝ Bankausweis *m.*

ban·ner ['bænə] **I.** *s.* **1.** Banner *n*, Fahne *f*, Heeres-, Kirchen-, Reichsfahne *f*; **2.** *fig.* Banner *n*, Fahne *f*: *the ~ of freedom*; **3.** Banner *n* mit Inschrift, Spruchband *n*, Transpa'rent *n bei politischen Umzügen*; **4.** *a. ~ headline* 'Balken,überschrift *f*, Schlagzeile *f*; **II.** *adj. Am.* **5.** führend, 'prima: *~ class* beste Sorte; **'~-bear·er** *s.* **1.** Fahnenträger *m*; **2.** Vorkämpfer *m.*

ban·nock ['bænək] *s. Scot.* flacher Hafer- *od.* Gerstenmehlkuchen.

banns [bænz] *s. pl. eccl.* Aufgebot *n des Brautpaares vor der Ehe*: *to ask* (*od. call od. publish od. put up*) *the ~* kirchlich aufbieten.

ban·quet ['bæŋkwit] **I.** *s.* Ban'kett *n*, Festessen *n*; **II.** *v/t.* festlich bewirten; **III.** *v/i.* tafeln; **'ban·quet·er** [-tə] *s.* Ban'ketteilnehmer(in).

ban·shee [bæn'ʃi:] *s. Ir., Scot.* Todesfee *f.*

ban·tam ['bæntəm] **I.** *s.* **1.** *zo.* 'Bantam-, Zwerghuhn *n*, -hahn *m*; **2.** *fig.* Zwerg *m*, Knirps *m*; **II.** *adj.* **3.** klein, winzig; **'~-weight** *s. sport* 'Bantamgewicht(ler *m*) *n.*

ban·ter ['bæntə] **I.** *v/t.* necken, hänseln; **II.** *v/i.* necken, scherzen; **III.** *s.* Necke'rei *f*, Scherz *m*; **'ban·ter·er** [-ərə] *s.* Spaßvogel *m.*

bant·ing ['bæntiŋ] *s. obs.* Entfettungskur *f.*

Ban·tu ['bæn'tu:] *pl.* **-tu, -tus I.** *s.* **1.** 'Bantu(neger) *m*; **2.** 'Bantusprache *f*; **II.** *adj.* **3.** Bantu...

ban·yan ['bæniən] → *banian-tree.*

ban·zai ['bæn'zai] *int.* Banzai! (*japanischer Hoch- od. Hurraruf*).

ba·o·bab ['beiəbæb] *s.* ⚘ 'Baobab *m*, Affenbrotbaum *m.*

bap·tism ['bæptizəm] *s.* **1.** *eccl.* Taufe *f*: *~ of blood* Märtyrertod; **2.** *fig.* Taufe *f*, Einweihung *f*, Namensgebung *f*: *~ of fire* ⚔ Feuertaufe; **bap·tis·mal** [bæp'tizməl] *adj. eccl.* Tauf...; **'bap·tist** [-ist] *s. eccl.* **1.** Bap'tist(in); **2.** Täufer *m*: *John the* ♀; **'bap·tis·ter·y** [-təri], **'bap·tist·ry** [-tri] *s.* **1.** 'Taufka,pelle *f*; **2.** Taufbecken *n*; **bap·tize** [bæp'taiz] *v/t. u. v/i. eccl. u. fig.* taufen.

bar [bɑ:] **I.** *s.* **1.** Stange *f*, Stab *m*: *~s* Gitter; *prison ~s* Gefängnis; *behind ~s fig.* hinter Schloß u. Riegel; **2.** Riegel *m*, Querbalken *m*, -holz *n*, -stange *f*; Schranke *f*, Sperre *f*; **3.** *fig.* (*to*) Hindernis *n* (für) (*a.* ⚖), Verhinderung *f* (*gen.*), Schranke *f* (gegen); ⚖ Ausschließungsgrund *m*: *a ~ to progress* ein Hemmnis für den Fortschritt; *as a ~ to, in ~ of* ⚖ zwecks Ausschlusses (*gen.*); **4.** Riegel *m*, Stange *f*: *a ~ of soap* ein Riegel Seife; *~ soap* Stangenseife; *a chocolate ~* ein Riegel (*a.* e-e Tafel) Schokolade; *gold ~* Goldbarren; **5.** Barre *f*, Sandbank *f* (*am Hafeneingang*); **6.** Strich *m*, Streifen *m*, Band *n*, Strahl *m* (*Farbe, Licht*); **7.** ⚡ La'melle *f*; **8.** ♪ **a)**

Taktstrich *m*, **b)** *ein* Takt; **9.** Streifen *m*, Band *n an e-r Medaille*; Spange *f am Orden*; **10.** ⚖ **a)** Schranke *f vor der Richterbank*: *prisoner at the* ~ Angeklagte(r); *trial at* ~ *Brit.* Verhandlung vor dem vollen Strafsenat des *High Court of Justice* (*z. B. bei Landesverrat*), **b)** Schranke *f* in den *Inns of Court*: *to be called* (*Am. admitted*) *to the* ~ als Barrister (*plädierender Anwalt*) zugelassen werden; *to be at the* ~ Barrister sein; *to read for the* ~ Jura studieren, **c)** *the* ~ die gesamte Anwaltschaft; Beruf des Barristers: 2 *Association Am.* (halbamtliche) Anwaltsvereinigung, -kammer; **11.** *parl.*: *the* ~ *of the House* Schranke im brit. Unterhaus (*bis zu der geladene Zeugen vortreten dürfen*); **12.** *fig.* Gericht *n*, Tribu'nal *n*: *the* ~ *of public opinion* das Urteil der öffentlichen Meinung; **13.** Bar *f*: **a)** Bü'fett *n*, Theke *f*, **b)** Schankraum *m*, Imbißstube *f*; → *ice-cream bar*; **II.** *v/t.* **14.** verriegeln: *to* ~ *in* einsperren; *to* ~ *out* aussperren; **15.** *a.* ~ *up* vergittern, mit Schranken um'geben: ~*red window* Gitterfenster; **16.** versperren: *to* ~ *the way* (*a. fig.*); **17.** hindern (*from* an *dat.*); hemmen, auf-, abhalten; **18.** ausschließen (*from* von; *a.* ⚖), verbieten; **19.** absehen von; **20.** *Brit. sl.* nicht leiden können; **21.** mit Streifen versehen; **III.** *prp.* **22.** außer, abgesehen von: ~ *one* außer einem; ~ *none* (alle) ohne Ausnahme.

barb[1] [bɑːb] *s.* **1.** 'Widerhaken *m*; **2.** *fig.* Stachel *m*; **3.** *zo.* Bart(faden) *m*; Fahne *f e-r Feder.*

barb[2] [bɑːb] *s. zo.* Berberpferd *n.*

bar·bar·i·an [bɑː'bɛəriən] **I.** *s.* **1.** Bar'bar *m*; **2.** *fig.* Barbar *m*, roher u. ungesitteter Mensch; Unmensch *m*; **II.** *adj.* **3.** bar'barisch, unzivilisiert; **4.** *fig.* roh, ungesittet, grausam; **bar'bar·ic** [-'bærik] *adj.* (□ ~*ally*) barbarisch, wild, roh, ungesittet; **bar·ba·rism** ['bɑːbərizəm] *s.* **1.** Barba'rismus *m*, Sprachwidrigkeit *f*; **2.** Barba'rei *f*, 'Unkulˌtur *f*; **bar'bar·i·ty** [-'bæriti] *s.* Barbarei *f*, Roheit *f*, Grausamkeit *f*, Unmenschlichkeit *f*; **bar·ba·rize** ['bɑːbəraiz] **I.** *v/t.* **1.** verrohen *od.* verwildern lassen; **2.** *Sprache, Kunst etc.* durch Stilwidrigkeiten *etc.* verderben; **II.** *v/i.* **3.** verrohen; **bar·ba·rous** ['bɑːbərəs] *adj.* □ barbarisch, roh, ungesittet, grausam.

bar·be·cue ['bɑːbikjuː] **I.** *s.* **1.** großer Bratrost *für ganze Tiere*; **2.** im ganzen gebratenes Tier (*bsd. Ochse, Schwein*); **3.** Essen *n* im Freien, bei dem ganze Tiere gebraten werden; **II.** *v/t.* **4.** *ganze Tiere* auf großem Rost braten.

barbed [bɑːbd] *adj.* **1.** mit 'Widerhaken *od.* Stacheln (versehen), Stachel...; **2.** *fig.* scharf, verletzend: ~ *words*; ~ **wire** *s.* Stacheldraht *m.*

bar·bel ['bɑːbəl] *s. ichth.* Barbe *f.*

'bar-bell *s. sport* Hantel *f mit langer Stange*, Kugelstange *f.*

bar·ber ['bɑːbə] **I.** *s.* Bar'bier *m*, ('Herren)Friˌseur *m*: ~('s) *shop* Friseurladen; **II.** *v/t. Am.* rasieren; frisieren.

bar·ber·ry ['bɑːbəri] *s.* ♣ Berbe'ritze *f.*

bar·ber's| itch *s.* ⚕ Bartflechte *f*; ~ **pole** *s.* spi'ralig bemalte Stange als Geschäftszeichen der Fri'seure.

'bar·ber-'sur·geon *s. obs.* Bader *m.*

bar·bi·can ['bɑːbikən] *s.* ⚔ Außenwerk *n*, Vorwerk *n*, Wachtturm *m.*

bar·bi·tal ['bɑːbitæl] *s. pharm. Am.* Barbi'tal *n* (*Schlafmittel*); ~ **so·di·um** *s. pharm.* 'Natriumsalz *n* von Barbital (*Schlafmittel*).

bar·bi·tone ['bɑːbitoun] *s. pharm. Brit.* → *barbital*; **bar·bi·tu·rate** [bɑː'bitjuəreit] *s. pharm.* Barbi'tursäurepräpaˌrat *n* (*Schlafmittel*); **bar·bi·tu·ric** [bɑːbi'tjuərik] *adj. pharm.*: ~ *acid* Barbitursäure; ~ *tablets* Barbiturtabletten (*Schlafmittel*).

bar·ca·rol(l)e ['bɑːkəroul] *s.* ♪ Barka'role *f* (*Gondellied*).

bar cop·per *s.* ⊕ Stangenkupfer *n.*

bard [bɑːd] *s.* **1.** Barde *m* (*keltischer Sänger*); **2.** *fig.* Barde *m*, Sänger *m* (*Dichter*): 2 *of Avon* Shakespeare; **'bard·ic** [-dik] *adj.* Barden...; **bard·ol·a·try** [bɑː'dɔlətri] *s.* Shakespearevergötterung *f.*

bare [bɛə] **I.** *adj.* □ → *barely*; **1.** nackt, unbekleidet, bloß: *in one's* ~ *skin* splitternackt; **2.** kahl, leer, nackt, unbedeckt: ~ *walls* kahle Wände; *the* ~ *boards* der nackte Fußboden; *the larder was* ~ die Speisekammer war leer, *fig.* es war nichts zu essen im Hause; ~ *sword* bloßes *od.* blankes Schwert; **3.** ♣, *zo.* kahl; **4.** unverhüllt, klar: *to lay* ~ darlegen, zeigen, enthüllen (*a. fig.*); *the* ~ *facts* die nackten Tatsachen; ~ *nonsense* barer *od.* reiner Unsinn; **5.** (*of*) entblößt (von), arm (an *dat.*), ohne; **6.** knapp, kaum hinreichend: ~ *majority* knappe Mehrheit; *a* ~ *ten pounds* gerade noch 10 Pfund; **7.** bloß, al'lein, nur: *the* ~ *thought* der bloße (*od.* allein der) Gedanke; **II.** *v/t.* **8.** entblößen, entkleiden; **9.** *fig.* bloßlegen, enthüllen: *to* ~ *one's heart* sein Herz öffnen (*to j-m*).

'bare|·back *adj. u. adv.* ungesattelt; **'~-backed** *adj.* → *bareback*; **'~-faced** [-feist] *adj.* □ *fig.* unverhüllt, schamlos, frech; **'~-faced·ness** [-feistnis] *s. fig.* Frechheit *f*; **'~-foot** *adj. u. adv.* barfuß; **'~'foot·ed** *adj.* barfuß, barfüßig; **'~-'head·ed** *adj. u. adv.* mit bloßem Kopf, barhäuptig, ohne Kopfbedeckung; **'~-'legged** *adj.* mit nackten Beinen.

bare·ly ['bɛəli] *adv.* **1.** kaum, knapp, gerade (noch): ~ *enough time*; **2.** ärmlich, spärlich; **bare·ness** ['bɛənis] *s.* **1.** Nacktheit *f*, Blöße *f*, Kahlheit *f*; **2.** Dürftigkeit *f.*

bare·sark ['bɛəsɑːk] **I.** *s.* Ber'serker *m*; **II.** *adv.* ohne Rüstung.

bar·gain ['bɑːgin] **I.** *s.* **1.** (geschäftliches) Abkommen, Handel *m*, Geschäft *n*: *a good* (*bad*) ~; **2.** vorteilhaftes Geschäft, günstiger Kauf, Gelegenheitskauf *m* (*a. die gekaufte Sache*): *at £ 10 it is a* (*dead*) ~ für £ 10 ist es spottbillig; *it's a* ~*!* abgemacht!, topp!; *into the* ~ obendrein, noch dazu; *to strike a* ~ ein Abkommen treffen, e-n Handel abschließen; *to make the best of a bad* ~ sich so gut wie möglich aus der Affäre ziehen; *to drive a hard* ~ zäh um den Preis feilschen, rücksichtslos s-n Vorteil wahren; **II.** *v/i.* **3.** handeln, feilschen (*for, about* um); **4.** verhandeln, über'einkommen (*for* über *acc.*, *that* daß): ~*ing point* Verhandlungspunkt; ~*ing position* Verhandlungsposition; **5.** (*for*) rechnen (mit), erwarten (*acc.*) (*mst neg.*): *I did not* ~ *for that* darauf war ich nicht gefaßt; *it was more than we had* ~*ed for* damit hatten wir nicht gerechnet, das war e-e peinliche Überraschung für uns; **III.** *v/t.* **6.** *Tarif etc.* aushandeln; ~ **base·ment** *s.* Niedrigpreisabteilung *f* im Tiefgeschoß *e-s Warenhauses*; ~ **count·er** *s.* Wühltisch *m.*

bar·gain·er ['bɑːginə] *s.* Feilscher (-in); j-d der (immer) die günstigsten Bedingungen auszuhandeln sucht.

bar·gain| price *s.* Spott-, Schleuderpreis *m*; ~ **sale** *s.* (Aus)Verkauf *m* zu her'abgesetzten Preisen.

barge [bɑːdʒ] **I.** *s.* **1.** ⚓ flaches Flußod. Ka'nalboot, Lastkahn *m*; **2.** ⚓ Bar'kasse *f*; **3.** ⚓ Hausboot *n*; **II.** *v/i.* **4.** F ungeschickt gehen *od.* fahren *od.* sich bewegen, torkeln, stürzen, prallen (*into* in *acc.*, *against* gegen): **5.** ~ *in* F her'einplatzen, sich einmischen; **bar·gee** [bɑː'dʒiː] *s. Brit.* **1.** Kahnführer *m*; **2.** roher Kerl: *to swear like a* ~ fluchen wie ein Landsknecht.

'barge|·man [-mən] *s.* [*irr.*] Kahnführer *m*; **'~-pole** *s.* Bootsstange *f*: *I wouldn't touch him with a* ~ *Brit.* F ich würde ihn nicht mit e-r Feuerzange anfassen.

bar·ic ['bɛərik] *adj.* ⚗ Barium...

bar i·ron *s.* ⊕ Stabeisen *n.*

bar·i·tone ['bæritoun] *s.* ♪ 'Bariton *m* (*Stimme u. Sänger*).

bar·i·um ['bɛəriəm] *s.* ⚗ 'Barium *n*; ~ **sul·phate** *s.* 'Bariumsulˌfat *n*, Ba'ryt *m*, Schwerspat *m.*

bark[1] [bɑːk] **I.** *s.* **1.** ♣ (Baum)Rinde *f*, Borke *f*; **2.** → *Peruvian I*; **3.** ⊕ (Gerber)Lohe *f*; **II.** *v/t.* **4.** *Bäume* abrinden; **5.** abschürfen: *to* ~ *one's knees.*

bark[2] [bɑːk] **I.** *v/i.* **1.** bellen, kläffen (*a. fig.*): *to* ~ *at s.o. fig.* j-n anschnauzen; ~*ing dogs never bite* Hunde, die bellen, beißen nicht; *to* ~ *up the wrong tree* **a)** auf dem Holzweg sein, **b)** an der falschen Adresse sein; **2.** *fig.* ‚bellen' (*husten*); böllern (*Schußwaffe*), donnern (*Kanonen*); **3.** ‚anreißen'; **II.** *s.* **4.** Bellen *n*: *his* ~ *is worse than his bite* er kläfft nur (aber beißt nicht); **5.** *fig.* ‚Bellen' *n* (*Husten*); Donnern *n* (*Kanonen*).

bark[3] [bɑːk] *s.* **1.** ⚓ Bark *f*; **2.** *poet.* Schiff *n.*

'bar|·keep *Am.* F → *barkeeper*; **'~·keep·er** *s.* **1.** Barkellner *m*, -mixer *m*; **2.** Barbesitzer *m.*

bark·er[1] ['bɑːkə] *s.* **1.** Beller *m*, Kläffer *m*; **2.** F ‚Anreißer' *m*; **3.** *sl.* ‚Schießeisen' *n* (*Pistole*).

bark·er[2] ['bɑːkə] *s.* Rindenschäler *m.*

bark| pit *s. Gerberei*: Lohgrube *f*; ~ **tree** *s.* ♣ 'Chinarindenbaum *m.*

bar·ley ['bɑːli] *s.* ♀ Gerste *f*: *French* ~, *pearl* ~ Perlgraupen *pl.*; *pot* ~ ungeschälte Graupen *pl.*; '~**-broth** *s.* **1.** Gerstensuppe *f*; **2.** Starkbier *n*; '~**-corn** *s.* Gerstenkorn *n*: *John* ♀ *scherzhafte Personifikation (der Gerste als Grundstoff) von Bier (‚Gerstensaft') od. Whisky*; ~ **sugar** *s.* Gerstenzucker *m*; '~**-wa·ter** *s.* ⚕ Gerstenschleim *m*, -trank *m*.

barm [bɑːm] *s.* Bärme *f*, (Bier-) Hefe *f*.

'**bar|·maid** *s. bsd. Brit.* Bardame *f*, -kellnerin *f*; '~**·man** [-mən] *s.* [*irr.*] → *barkeeper 1*.

barm·y ['bɑːmi] *adj.* **1.** hefig, gärend, schaumig; **2.** *Brit. sl. a.* ~ *on the crumpet* ‚verdreht', ‚plem-'plem': *to go* ~ verrückt werden.

barn [bɑːn] *s.* **1.** Scheune *f*; **2.** *Am.* (Vieh)Stall *m*.

bar·na·cle[1] ['bɑːnəkl] *s.* **1.** *orn.* Ber'nikel-, Ringelgans *f*; **2.** *zo.* Entenmuschel *f*; **3.** *fig.* ‚Klette' *f* (*nicht abzuschüttelnder od. aufdringlicher Mensch*).

bar·na·cle[2] ['bɑːnəkl] *s.* **1.** *mst pl.* Nasenknebel *m für unruhige Pferde*; **2.** *pl. Brit.* F Kneifer *m*, Zwicker *m*.

barn| dance *s. Am.* ländlicher Tanz; '~-'**door** *s.* Scheunentor *n*: *as big as a* ~ F groß wie ein Scheunentor, nicht zu verfehlen; ~ **fowl** *s.* Haushuhn *n*; '~**-owl** *s. orn.* Schleiereule *f*; '~**-storm** *v/i.* F ‚auf die Dörfer gehen': **a)** her'umreisen u. auf dem Lande The'ateraufführungen veranstalten, **b)** *pol.* Wahlreden *etc.* halten; '~**-storm·er** *s.* F Wander- *od.* Schmierenschauspieler *m*; her'umreisender Wahlredner; ~ **swallow** *s. orn.* Rauchschwalbe *f*; '~**-yard** *s.* Scheunen-, Bauernhof *m*.

bar·o·graph ['bærougrɑːf, -græf] *s. phys., meteor.* Baro'graph *m* (*selbstaufzeichnender Luftdruckmesser*).

ba·rom·e·ter [bə'rɔmitə] *s.* **1.** *phys.* Baro'meter *n*, Wetterglas *n*; **2.** *fig.* Grad-, Stimmungsmesser *m*; **bar·o·met·ric** [bærə'metrik] *adj.* (□ ~*ally*) *phys.* baro'metrisch, Barometer...: ~ *maximum* Hoch, Hochdruckgebiet; ~ *pressure* Atmosphären-, Luftdruck; **bar·o·met·ri·cal** [bærə'metrikəl] *adj.* □ → *barometric*.

bar·on ['bærən] *s.* **1.** *hist.* Pair *m*, Ba'ron *m*; *jetzt*: Baron *m* (*brit. Adelstitel*); **2.** *nicht-Brit.* Baron *m*, Freiherr *m*; **3.** *fig.* (Indu'strie- *etc.*) Ba,ron *m*, Ma'gnat *m*; **4.** *Küche*: ungeteilte Lendenstücke *pl.*: ~ *of beef*.

bar·on·age ['bærənidʒ] *s.* **1.** *coll.* (Gesamtheit *f* der) Ba'rone *pl.*; **2.** Verzeichnis *n* der Barone; **3.** Rang *m* e-s Barons; '**bar·on·ess** [-nis] *s.* **1.** *Brit.* Ba'ronin *f*; **2.** *nicht-Brit.* Baronin *f*, Freifrau *f*; '**bar·on·et** [-nit] **I.** *s.* 'Baronet *m* (*brit. Adelstitel*; *abbr. Bart.*); **II.** *v/t.* zum Baronet ernennen; '**bar·on·et·age** [-nitidʒ] *s.* **1.** *coll.* (Gesamtheit *f* der) Baronets *pl.*; **2.** Verzeichnis *n* der Baronets; '**bar·on·et·cy** [-nitsi] *s.* Titel *m od.* Rang *m* e-s Baronet; **ba·ro·ni·al** [bə'rounjəl] *adj.* **1.** Barons..., freiherrlich; **2.** prunkvoll, großartig; '**bar·o·ny** [-ni] *s.* Baro'nie *f*: **a)** Herrschaftsgebiet *n* e-s Barons, **b)** Barons-, Freiherrnwürde *f*.

ba·roque [bə'rouk] **I.** *adj.* **1.** ba'rock (*a. von Perlen*); **2.** *fig.* verschnörkelt; **II.** *s.* **3.** Ba'rock(stil *m*) *n*, *m*.

'**bar-par·lour** *s. Brit.* Schank-, Gaststube *f*.

barque → *bark*[3].

bar·rack ['bærək] **I.** *s.* **1.** *mst pl.* Ka'serne *f*: *a* ~*s* e-e Kaserne; → *confine 3*; **2.** *mst pl. fig.* 'Mietska,serne *f*; **II.** *v/t.* **3.** in Kasernen *od.* Ba'racken 'unterbringen; **4.** F *sport, pol. Gegenpartei* anpöbeln; **III.** *v/i.* **5.** in Kasernen *od.* Baracken wohnen; ~ **bread** *s.* Kom'mißbrot *n*; '~**-square** *s.* ⚔ Ka'sernenhof *m*.

bar·rage[1] ['bærɑːʒ] *s.* **1.** ⚔ Sperrfeuer *n*; **2.** ⚔ Sperre *f*: *creeping* ~ Feuerwalze; ~ *balloon* Sperrballon; **3.** *fig.* über'wältigende Menge: *a* ~ *of questions* ein Schwall *od.* Kreuzfeuer von Fragen.

bar·rage[2] ['bɑːridʒ] *s.* Talsperre *f*, Staudamm *m*.

bar·ra·try ['bærətri] *s.* **1.** ⚖, ⚓ Baratte'rie *f* (*Veruntreuung durch Schiffsführer od. Besatzung gegenüber dem Reeder*); **2.** ⚖ Anstiftung *f* zu leichtfertiger Klageführung; **3.** Ämterschacher *m*.

barred [bɑːd] *adj.* **1.** (ab)gesperrt, verriegelt; **2.** gestreift; **3.** ♪ durch Taktstriche abgeteilt.

bar·rel ['bærəl] **I.** *s.* **1.** Faß *n*, Tonne *f*; **2.** ⊕ Walze *f*, Rolle *f*, Trommel *f*, Zy'linder *m*, (rundes) Gehäuse; (Gewehr)Lauf *m*, (Geschütz)Rohr *n*; Kolbenrohr *n*; Rumpf *m e-s Dampfkessels*; Tintenbehälter *m e-r Füllfeder*; Walze *f der Drehorgel*; Kiel *m e-r Feder*; Zylinder *m e-r Spritze*; **3.** Rumpf *m e-s Pferdes etc.*; **II.** *v/t.* **4.** in Fässer füllen *od.* packen; ~ **chair** *s.* Lehnstuhl *m* mit hoher runder Lehne; '~**-drain** *s.* ⊕, Δ gemauerter runder 'Abzugska,nal; ~ **house** *s. Am. sl.* Spe'lunke *f*, Kneipe *f*.

bar·rel(l)ed ['bærəld] *adj.* **1.** faßförmig; **2.** in Fässer gefüllt; **3.** ...läufig (*Gewehr*).

'**bar·rel|·mak·er** *s.* Faßbinder *m*; '~**-or·gan** *s.* ♪ Drehorgel *f*; ~ **roll** *s.* ✈ Rolle *f* (*im Kunstflug*); ~ **roof** *s.* Δ Tonnendach *n*, tonnenförmiges Dach; '~**-vault** *s.* Δ Tonnengewölbe *n*.

bar·ren ['bærən] **I.** *adj.* □ **1.** unfruchtbar (*Lebewesen, Pflanze etc.*); **2.** öde, kahl, dürr; **3.** *fig.* trocken, langweilig, seicht; dürftig; **4.** 'unproduk,tiv (*Geist*); tot (*Kapital*); **5.** leer, arm (*of an dat.*); **II.** *s.* **6.** *mst pl.* Ödland *n*; '**bar·ren·ness** [-nis] *s.* **1.** Unfruchtbarkeit *f* (*a. fig.*); **2.** *fig.* Trockenheit *f*, geistige Leere, Dürftigkeit *f*, Dürre *f*.

bar·ri·cade [bæri'keid] **I.** *s.* **1.** ⚔ Barri'kade *f*: *to mount* (*od. go to*) *the* ~*s* auf die Barrikaden steigen; **2.** *fig.* Hindernis *n*; **II.** *v/t.* **3.** (ver)barrikadieren, (ver)sperren (*a. fig.*).

bar·ri·er ['bæriə] *s.* **1.** Schranke *f* (*a. fig.*), Barri'ere *f*, Sperre *f*; **2.** Schlag-, Grenzbaum *m*; **3.** *sport* Startschranke *f*; **4.** *fig.* (*to*) Hindernis *n* (für), Behinderung *f* (*gen.*); Grenze *f*; **5.** ♀ 'Eisbarri,ere *f* der Ant'arktis: ♀ *Reef* Barriereriff.

bar·ring ['bɑːriŋ] *prp.* abgesehen von, ausgenommen.

bar·ris·ter ['bæristə] *s.* ⚖ **1.** *Brit.* Barrister *m*, *plädierender* Rechtsanwalt (vor höheren Gerichten); **2.** *Am. weitS.* Rechtsanwalt *m*.

'**bar-room** *s.* Schenk-, Schankstube *f*.

bar·row[1] ['bærou] *s.* **1.** 'Tumulus *m*, Hügelgrab *n*; **2.** Hügel *m*, Erhebung *f*.

bar·row[2] ['bærou] *s.* (Schub)Karren *m*, (Hand)Karre *f*; → *hand-barrow*, *wheelbarrow*.

'**bar·row|-boy** *s.*, '~**·man** [-mən] *s.* [*irr.*] Straßenhändler *m* mit Waren (*mst Gemüse*) auf e-r Karre.

bar| steel *s.* ⊕ Stangenstahl *m*; '~**·tend·er** *s.* → *barkeeper 1*.

bar·ter ['bɑːtə] **I.** *v/i.* Tauschhandel treiben; **II.** *v/t. im Handel* (ein-, 'um)tauschen, austauschen (*for, against* gegen): *to* ~ *away* verschachern, -kaufen (*a. fig. Ehre etc.*); **III.** *s.* Tauschhandel *m*, Tausch *m* (*a. fig.*): ~ *shop* Tauschladen; ~ **trans·ac·tion** *s.* ✝ Tausch(handels)-, Kompensati'onsgeschäft *n*.

Bart·lett (pear) ['bɑːtlit] *s.* ♀ *e-e gelbe, saftige amer. Birne*.

Bart's [bɑːts] *s. abbr. das Bartholomäuskrankenhaus in London*.

bar·y·tone → *baritone*.

bas·al ['beisl] *adj.* □ **1.** an der 'Basis *od.* Grundfläche befindlich; **2.** *mst fig.* grundlegend: ~ *metabolism*, ~ *metabolic rate* ⚕ Grundumsatz.

ba·salt ['bæsɔːlt] *s. geol.* Ba'salt *m*; **ba·sal·tic** [bə'sɔːltik] *adj.* ba'saltisch, Basalt...

'**bas·cule-bridge** ['bæskjuːl] *s.* ⊕ *durch Gegengewichte betriebene* Klappbrücke.

base[1] [beis] **I.** *s.* **1.** 'Basis *f*, 'Unterteil *m*, *n*, Boden *m*; 'Unterbau *m*, -lage *f*; Funda'ment *n*; **2.** Fuß *m*, Sockel *m*; Sohle *f*; **3.** *fig.* Basis *f*, Grund *m*, Grundlage *f*; Ausgangspunkt *m*: ~ *camp* Standquartier; **4.** Grundstoff *m*, Hauptbestandteil *m*; **5.** ⚹ Grundlinie *f*, -fläche *f*, -zahl *f*; **6.** ⚗ Base *f*; *Färberei*: Beize *f*; **7.** *sport* Grund-, Startlinie *f*, Mal *n*; **8.** ⚔, ⚓ **a)** Standort *m*, Stati'on *f*, (Operati'ons),Basis *f*, Stützpunkt *m*; *Am.* (Flieger)Horst *m*: *naval* ~ Flottenstützpunkt, **b)** E'tappe *f*; **II.** *v/t.* **9.** stützen, gründen (*on, upon auf acc.*): *to be* ~*d on* beruhen auf (*dat.*), sich stützen auf (*acc.*); *to* ~ *o.s. on* sich verlassen auf (*acc.*); **10.** *a.* ⚔ stationieren: *a holiday* ~*d on ...* Ferien mit ... als Standquartier.

base[2] [beis] *adj.* □ **1.** gemein, niedrig, niederträchtig; **2.** minderwertig; unedel: ~ *metals*; **3.** falsch, unecht (*Geld*): ~ *coins*; **4.** *ling.* unrein, unklassisch.

'**base|·ball** *s. sport* **1.** Baseball *m* (*Art Schlagballspiel*); **2.** (*der dabei verwendete*) Ball; '~**-born** *adj.* von niedriger *od.* unehelicher Geburt.

based [beist] *adj.* **1.** (*on*) gegründet (auf *acc.*), beruhend (auf *dat.*), mit e-r Grundlage (von); **2.** (*on*) *mst* ⚔ mit ... als Stützpunkt; stationiert (in, an, auf *dat.*): *a submarine* ~ *on Malta*; *shore-*~ *guns*.

base hit *s. Baseball*: Schlag *m*, der

es e-m Spieler ermöglicht, das erste Mal zu erreichen.

base·less ['beislis] *adj.* grundlos, unbegründet.

'**base|-line** *s.* **1.** 'Grund,linie *f* (*a. sport*); **2.** *surv.* 'Stand,linie *f*; **3.** ⚔ Operati'ons,linie *f*; ~ **load** *s.* ⚡ Grundlast *f*, -belastung *f*; '**~·man** [-mən] *s.* [*irr.*] *Baseball*: e-r der drei Spieler, die am Mal stehen: *first* ~, *second* ~, *third* ~.

base·ment ['beismənt] *s.* ⚠ **1.** Kellergeschoß *n*; **2.** Grundmauer(n *pl.*) *f*.

base·ness ['beisnis] *s.* **1.** Gemeinheit *f*, Niederträchtigkeit *f*; **2.** Minderwertigkeit *f*; **3.** Unechtheit *f*.

ba·ses ['beisi:z] *pl. von basis.*

base wal·lah *s.* ⚔ *Brit. sl.* E'tappenschwein *n*.

bash [bæʃ] **I.** *v/t.* F heftig schlagen: *to* ~ *in* einschlagen, zertrümmern; **II.** *s.* F heftiger Schlag: *to have a* ~ *at s.th.* et. anpacken.

bash·ful ['bæʃful] *adj.* □ schüchtern, verschämt, scheu; zu'rückhaltend; '**bash·ful·ness** [-nis] *s.* Schüchternheit *f*, Scheu *f*.

bash·ing ['bæʃiŋ] *s.* F ‚Senge' *f*, Prügel *pl.*: *to get* (*od. take*) *a* ~ Prügel beziehen (*a. fig.*).

bas·ic ['beisik] *adj.* (□ ~*ally*) **1.** grundlegend, die Grundlage bildend; Einheits..., Grund...; **2.** ⚗, *geol., min.* basisch; **3.** ⚡ ständig (*Belastung*); '**bas·i·cal·ly** [-kəli] *adv.* im Grunde, grundsätzlich.

Bas·ic| Eng·lish *s.* Basic English *n* (*vereinfachte Form des Englischen von C. K. Ogden*); ♀ **for·mu·la** *s.* ⚗ Grundformel *f*; ♀ **in·dus·try** *s.* 'Schlüsselindu,strie *f*; ♀ **i·ron** *s.* ⊕ Thomaseisen *n*; ♀**load** *s.* ⚡ ständige Grundlast; ♀ **ra·tion** *s.* ⚔ Mindestverpflegungssatz *m*; ♀ **re·search** *s.* Grundlagenforschung *f*; ♀ **sal·a·ry** *s.* ✝ Grundgehalt *n*; ♀ **size** *s.* ⊕ Sollmaß *n*; ♀ **slag** *s.* ⚗ Thomasschlacke *f*; ♀ **steel** *s.* ⊕ Thomasstahl *m*; ♀ **wage** *s.* ✝ Grundlohn *m*.

bas·il ['bæzl] *s.* ⚘ Ba'silienkraut *n* (*Gewürz*).

ba·sil·i·ca [bə'zilikə] *s.* ⚠ Ba'silika *f*.

bas·i·lisk ['bæzilisk] **I.** *s.* **1.** Basi'lisk *m* (*Fabeltier*); **2.** *zo.* Legu'an *m*, Kroneidechse *f*; **II.** *adj.* **3.** Basilisken...: ~ eye.

ba·sin ['beisn] *s.* **1.** (Wasser-, Wasch-, Rasier- *etc.*)Becken *n*, Schale *f*, Schüssel *f*; **2.** Fluß-, Hafenbecken *n*; Springbrunnen-, Schwimmbecken *n*; **3.** Stromgebiet *n*; **4.** Wasserbehälter *m*; **5.** Becken *n*, Einsenkung *f*, Mulde *f*.

ba·sis ['beisis] *pl.* **-ses** [-si:z] *s.* **1.** 'Basis *f*, Grundlage *f*, Funda'ment *n*: *to take as* ~ zugrunde legen; **2.** Hauptbestandteil *m*; **3.** ⚔, ⚓ Operati'ons,basis *f*, Stützpunkt *m*.

bask [bɑ:sk] *v/i.* sich wohlig wärmen, sich aalen, sich sonnen (*a. fig.*): *to* ~ *in the sun* ein Sonnenbad nehmen.

bas·ket ['bɑ:skit] *s.* **1.** Korb *m*; **2.** Korb(voll) *m*; **3.** *Basketball*: **a)** Korb *m*, **b)** Treffer *m*; **4.** (Passa'gier)Korb *m*, Gondel *f* (*e-s Luftballons od. Luftschiffes*); '**~-ball** *s. sport* **1.** Basketball(spiel *n*) *m*; **2.** (*der dabei verwendete*) Ball; ~ **chair** *s.* Korbsessel *m*; ~ **din·ner** *s. Am.* Picknick *n*.

bas·ket·ful ['bɑ:skitful] *pl.* **-fuls** *s. ein* Korb(voll) *m*.

'**bas·ket|-hilt** *s.* Säbelkorb *m*; ~ **lunch** *s. Am.* Picknick *n*; ~ **stitch** *s. Sticken*: Korbstich *m*; '**~-work** *s.* **1.** Korbgeflecht *n*; **2.** Korbwaren *pl.*

'**bask·ing-shark** ['bɑ:skiŋ] *s. ichth.* Riesenhai *m*.

Basque [bæsk] **I.** *s.* Baske *m*, Baskin *f*; **II.** *adj.* baskisch.

bas-re·lief ['bæsrili:f] *s. Bildhauerei*: 'Bas-, 'Flachreli,ef *n*.

bass[1] [beis] ♪ **I.** *adj.* tief, Baß...; **II.** *s.* Baß *m* (*Stimme u. Sänger*).

bass[2] [bæs] *pl. mst* **bass** *s. ichth.* Barsch *m*.

bass[3] [bæs] *s.* **1.** (Linden)Bast *m*; **2.** Bastmatte *f*.

Bass[4] [bæs] **I.** *npr. Name e-r engl. Brauerei*; **II.** *s.* Bier *n aus dieser Brauerei*.

bas·set ['bæsit] *s. zo.* Dachshund *m*.

bas·si·net [bæsi'net] *s.* **1.** Korbwiege *f*; **2.** Korb(kinder)wagen *m* (*mit Verdeck*).

bas·soon [bə'su:n; ♪ bə'zu:n] *s.* ♪ [Fa'gott *n*.]

bas·so| pro·fun·do ['bæsou prə'fʌndou] (*Ital.*) *s.* ♪ tiefster Baß (*Stimme od. Sänger*); '**~-re'lie·vo** [-ri'li:vou] *pl.* **-vos** → *bas-relief.*

'**bass-re·lief** [bæs] → *bas-relief.*

bass-vi·ol ['beis'vaiəl] *s.* ♪ 'Cello *n*.

'**bass-wood** [bæs] *s.* ⚘ **1.** Linde *f*; **2.** Lindenholz *n*.

bast [bæst] *s.* (Linden)Bast *m*.

bas·tard ['bæstəd] **I.** *s.* **1.** 'Bastard *m*, uneheliches Kind; **2.** *biol.* Bastard *m*, Mischling *m*; **3.** *fig. et.* Unechtes, Fälschung *f*; **4.** V ‚Schweinehund' *m*, ‚Scheißkerl' *m*; **II.** *adj.* **5.** unehelich, Bastard...; **6.** *biol.* Bastard...; **7.** *fig.* unecht, falsch; **8.** ab'norm, ungewöhnlich; '**bas·tard·ize** [-daiz] *v/t.* **1.** ⚖ für unehelich erklären; **2.** verschlechtern, verfälschen; '**bas·tard·ized** [-daizd] *adj.* entartet, Mischlings..., Bastard...

bas·tard| slip *s.* 'Bastard *m*, uneheliches Kind; ~ **ti·tle** *s. typ.* Schmutztitel *m*.

bas·tar·dy ['bæstədi] *s.* uneheliche Geburt: ~ *procedure* Verfahren zur Feststellung der (unehelichen) Vaterschaft u. Unterhaltspflicht.

baste[1] [beist] *v/t.* **1.** ‚hauen', verprügeln; **2.** *fig.* schelten, beschimpfen.

baste[2] [beist] *v/t.* **1.** *Braten etc.* mit Fett begießen; **2.** *Docht der Kerze* mit geschmolzenem Wachs begießen.

baste[3] [beist] *v/t.* lose (an)heften.

Bas·tille [bæs'ti:l] *s. hist.* Ba'stille *f* (*in Paris*); *weitS.* Gefängnis *n*.

bas·ti·na·do [bæsti'neidou] *pl.* **-does** **I.** *s.* Basto'nade *f* (*Stockschläge auf die Fußsohlen*); **II.** *v/t. j-m* die Bastonade geben.

bas·tion ['bæstiən] *s.* ⚔ Ba'stei *f*, Bollwerk *n* (*a. fig.*).

bat[1] [bæt] **I.** *s.* **1.** *sport* **a)** Schlagholz *n*, Schläger *m*, Schlagkeule *f* (*bsd. Baseball u. Kricket*): *to carry one's* ~ *Kricket*: nicht aus sein; *off one's own* ~ *Kricket u. fig.* selbständig, ohne Hilfe, auf eigene Faust; *right off the* ~ F auf Anhieb; *to be at* (*the*) ~ am Schlagen sein, dran sein; *to go to* ~ *for s.o. Baseball u. fig.* für j-n eintreten, **b)** Schläger *m* (*beim Kricket*; *Spieler, der schlägt*): *a good* ~; **2.** F Stockhieb *m*; **3.** *Brit. sl.* (Schritt)Tempo *n*: *at a rare* ~ mit Windeseile; **4.** *Am. sl.* ‚Saufe'rei' *f*: *to go on a* ~ e-e ‚Sauftour' machen; **II.** *v/i.* **5. a)** mit dem Schlagholz schlagen, **b)** am Schlagen sein; **6.** ~ *for fig.* für *j-n* eintreten.

bat[2] [bæt] *s.* **1.** *zo.* Fledermaus *f*: *to have* ~*s in the belfry* verrückt sein, ‚e-n Vogel haben'; → *blind* **1**; **2.** ✈, ⚔ 'radargelenkte Bombe.

bat[3] [bæt] *v/t.*: *to* ~ *the eyes* mit den Augen blinzeln *od.* zwinkern; *without* ~*ting an eyelid* ohne mit der Wimper zu zucken; *I never* ~*ted an eyelid* ich habe kein Auge zugetan.

ba·ta·ta [bə'tɑ:tə] *s.* ⚘ Ba'tate *f*, 'Süßkar,toffel *f*.

batch [bætʃ] *s.* **1.** Schub *m* (*die auf einmal gebackene Menge Brot*): *a* ~ *of bread*; **2.** Menge *f gleichartiger Dinge*; Par'tie *f* (*Zigaretten*); Satz *m* (*Muster*); Stoß *m* (*Briefe*); Schicht *f*, Schub *m*, Stapel *m*, Haufen *m* (*Gepäck*); **3.** Menge *f*, Schub *m*, ‚Schwung' *m gleichartiger Personen*, Trupp *m* (*Gefangener*), Gruppe *f* (*Verwandter*).

bate[1] [beit] **I.** *v/i.* abziehen, nachlassen; **II.** *v/t.* schwächen, *Hoffnung etc.* vermindern, *Neugier etc.* mäßigen, *Forderung etc.* her'absetzen: *with* ~*d breath* mit verhaltenem Atem, in quälender Spannung.

bate[2] [beit] *s.* ⊕ *Gerberei*: Ätzlauge *f*.

bate[3] [beit] *s. Brit. sl.* Wut *f*, Zorn *m*.

ba·teau [bɑ:'tou] *pl.* **-teaux** [-'touz] (*Fr.*) *s. Am.* leichtes langes Flußboot; ~ **bridge** *s.* Pon'tonbrücke *f*.

bath [bɑ:θ] *pl.* **baths** [-ðz] **I.** *s.* **1.** (Wannen)Bad *n*: *to have* (*od. take*) *a* ~ ein Bad nehmen, baden; **2.** Badewasser *n*; **3.** Badewanne *f*: *enamelled* ~; **4.** Badezimmer *n*; **5.** *mst pl.* **a)** Badeanstalt *f*, **b)** Badeort *m*; **6.** ⚗, *phot.* **a)** Bad *n* (*Behandlungsflüssigkeit*), **b)** Behälter *m dafür*; **7.** *Brit.*: *order of the* ♀ Bathorden; *Knight of the* ♀ Ritter des Bathordens; *Knight Commander of the* ♀ Komtur des Bathordens; **II.** *v/t.* **8.** *Kind etc.* baden; **III.** *v/i.* **9.** baden, ein Bad nehmen.

Bath| brick *s.* Me'tallputzstein *m*; ~ **bun** *s.* über'zuckertes Kuchenbrötchen; ~ **chair** *s.* Rollstuhl *m für Kranke*; ~ **chap** *s.* gepökelte Schweinsbacke.

bathe [beið] **I.** *v/t.* **1.** *Auge, Hand,* (*verletzten*) *Körperteil* baden, in Wasser *etc.* tauchen; **2.** ~*d in sunlight* (*perspiration*) in Sonne (Schweiß) gebadet; ~*d in tears* in Tränen aufgelöst; **3.** *poet.* bespülen; **II.** *v/i.* **4.** (sich) baden; **5.** schwimmen; **6.** (Heil)Bäder nehmen; **III.** *s.* **7.** *bsd. Brit.* Bad *n im Freien*; '**bath·er** [-ðə] *s.* **1.** Badende(r *m*) *f*; **2.** Badegast *m*.

'**bath·house** *s. Am.* **1.** Badeanstalt *f*; **2.** 'Umkleideka,binen *pl. e-s Schwimmbades.*

bath·ing ['beiðiŋ] *s.* **1.** Baden *n*; **2.** *in Zssgn* Bade...; ~ **beau·ty** *s.*, ~ **belle** *s.* F Badeschönheit *f*; '**~-cos·tume** → *bathing-dress*; '**~-**

drawers *s. pl.* Badehose *f*; '~-**dress** *s. bsd. Brit.* Badeanzug *m*; '~-**gown** *s.* Bademantel *m*; '~-**machine** *s.* Badekarren *m* (*fahrbare Umkleidekabine*); '~-**suit** *s.* Badeanzug *m*.

Bath met·al *s.* ⊕ 'Tombak *m*.

ba·thos ['beiθɔs] *s.* **1.** 'Übergang *m* vom Erhabenen zum Lächerlichen; **2.** Gemeinplatz *m*, Plattheit *f*.

'**bath|·robe** *s.* Bademantel *m*; '~-**room** *s.* Badezimmer *n*; ~ **salts** *s. pl.* Badesalz *n*; ~ **sheet** *s.* Badelaken *n*; ♀ **stone** *s.* Muschelkalkstein *m* (*zum Häuserbau*); ~ **tow·el** *s.* Badelaken *n*; '~-**tub** *s.* Badewanne *f*.

ba·thym·e·try [bə'θimitri] *s.* **1.** Tiefenmessung *f*; **2.** Tiefseemessung *f*.

bath·y·sphere ['bæθisfiə] *s.* ⊕ Tiefsee-Taucherkugel *f*.

ba·tik ['bætik] *s.* 'Batik(druck) *m*.

ba·tiste [bæ'ti:st] *s.* Ba'tist *m*.

bat·man ['bætmən] *s.* [*irr.*] ⚔ *Brit.* Offi'ziersbursche *m*.

ba·ton ['bætən] *s.* **1.** (Amts-, Kom'mando)Stab *m*: *Field-Marshal's* ~ Marschallsstab; **2.** ♪ Taktstock *m*; **3.** *sport* (Staffel)Stab *m*; **4.** *Brit.* (Poli'zei)Knüppel *m*.

ba·tra·chi·an [bə'treikjən] *zo.* **I.** *adj.* frosch-, krötenartig; **II.** *s.* Ba'trachier *m*, Froschlurch *m*.

bats·man ['bætsmən] *s.* [*irr.*] *Kricket, Baseball etc.*: Schläger *m*, Schlagmann *m*.

bat·tal·ion [bə'tæljən] *s.* ⚔ Batail'lon *n*: *labo(u)r* ~.

bat·tels ['bætlz] *s. pl.* (*Universität Oxford*) College-Rechnungen *pl.* für Lebensmittel u. sonstige Einkäufe.

bat·ten[1] ['bætn] *v/i.* **1.** fett werden (*on* von *dat.*), gedeihen; **2.** (*on*) *a. fig.* sich mästen (mit), sich gütlich tun (an *dat.*): *to* ~ *on others* sich auf Kosten anderer bereichern; **3.** *fig.* sich weiden (*on* an *dat.*).

bat·ten[2] ['bætn] **I.** *s.* **1.** Latte *f*, Leiste *f*; **2.** Diele *f*, (Fußboden-)Brett *n*; **II.** *v/t.* **3.** mit Latten verkleiden *od.* befestigen; **4.** ⚓ *to* ~ *down the hatches* die Luken schalken *od.* schließen (*a. fig.*).

bat·ter[1] ['bætə] *s.* geschlagener dünner Eierteig, Schlagteig *m*.

bat·ter[2] ['bætə] → *batsman*.

bat·ter[3] ['bætə] △ **I.** *v/i.* sich nach oben verjüngen (*Mauer*); **II.** *s.* Böschung *f*, Verjüngung *f*, Abdachung *f*.

bat·ter[4] ['bætə] **I.** *v/t.* **1.** *a.* ~ *down*, ~ *in* heftig *od.* wieder'holt schlagen (gegen); zerschlagen, zerschmettern (*a. fig.*): *to* ~ *a door with stones* e-e Tür mit Steinen bombardieren; **2.** ⚔ bombardieren: *to* ~ *down* zs.-schießen; **3.** abnutzen, beschädigen, zerbeulen; **4.** böse zurichten; *Kind etc.* miß'handeln; **II.** *v/i.* **5.** heftig *od.* wiederholt schlagen: *to* ~ *at the door* gegen die Tür hämmern; '**bat·tered** [-əd] *adj.* **1.** zerschlagen, zerschmettert; **2.** abgenutzt, schäbig; zerfleddert (*Buch etc.*); **3.** mitgenommen, übel zugerichtet; miß'handelt (*Kind etc.*).

bat·ter·ing ['bætəriŋ] *adj.* ⚔ **1.** Sturm..., Angriffs...; **2.** Belagerungs...; '~-**ram** *s.* ⚔ *hist.* (Belagerungs)Widder *m*, Sturmbock *m*.

bat·ter·y ['bætəri] *s.* **1. a)** ⚔ Batte'rie *f*, **b)** ⚓ Geschützgruppe *f*; **2.** ⚡, ⊕ Batterie *f*, Ele'ment *n*; **3.** *fig.* Reihe *f*, Satz *m*, Batterie *f* (*von Maschinen, Flaschen etc.*); **4.** *Baseball*: Werfer *m* u. Fänger *m zusammen*; **5.** ⚖ Re'alin,jurien *pl.*, tätlicher Angriff; *a.* Körperverletzung *f*; → *assault 3*; '~-**charg·ing sta·tion** *s.* ⚡ 'Ladestati,on *f*.

bat·ting ['bætiŋ] *s.* **1.** Schlagen *n bsd. der Rohbaumwolle zu Watte*; **2.** (Baumwoll)Watte *f*; **3.** *Kricket, Baseball etc.*: Schlagen *n* (*Ball*), Schlägerspiel *n*.

bat·tle ['bætl] **I.** *s.* **1.** Schlacht *f* (*of mst* bei), Gefecht *n*: ~ *of Britain* Schlacht um England (*2. Weltkrieg*); **2.** *fig.* Kampf *m*, Ringen *n* (*for* um, *against* gegen): *to fight a* ~ e-n Kampf führen; *to fight a losing* ~ *against* e-n aussichtslosen Kampf führen gegen; *to fight s.o.'s* ~ j-s Sache vertreten; *to give* ~ e-e Schlacht liefern; *that is half the* ~ das ist schon ein großer Vorteil; *to join* ~ den Kampf beginnen; *line of* ~ Schlachtlinie; ~ *of words* Wortgefecht; **II.** *v/i.* **3.** *mst fig.* kämpfen, streiten, fechten (*with* mit, *for* um, *against* gegen); ~ **ar·ray** *s.* ⚔ Schlachtordnung *f*; '~-**ax(e)** *s.* **1.** ⚔ *hist.* Streitaxt *f*; **2.** F ‚(Haus)Drache' *m*, Xan'thippe *f*; '~-**cruis·er** *s.* ⚔ Schlachtkreuzer *m*; '~-**cry** *s.* **1.** Schlacht-, Kriegsruf *m*; **2.** *fig.* Schlagwort *n*.

bat·tle·dore ['bætldɔ:] *s.* **1.** Waschschlegel *m*; **2.** *sport* Federballschläger *m*; **3.** *sport*: ~ *and shuttle-cock* Federballspiel *n*.

bat·tle| dress *s. Brit.* ⚔ Kampfanzug *m*; '~-**field** *s.* Schlachtfeld *n*; '~-**ground** *s.* **1.** Schlachtfeld *n*; **2.** *fig.* Gegenstand *m* e-s Streits.

bat·tle·ment ['bætlmənt] *s. mst pl.* (Brustwehr *f* mit) Zinnen *pl.*

'**bat·tle|-piece** *s.* Schlachtenszene *f* (*in Malerei od. Literatur*); ~ **roy·al** *s.* erbitterter Kampf (*a. fig.*); Massenschläge'rei *f*; '~-**ship** *s.* ⚔ Schlacht-, 'Linienschiff *n*; ~ **star** *s.* ⚔ *Am.* Er'innerungsme,daille *f* (*für Schlachtteilnehmer*).

bat·tue [bæ'tu:; baty] (*Fr.*) *s.* **1.** Treibjagd *f* (*a. fig.*); **2.** (auf e-r Treibjagd erlegte) Strecke; **3.** *fig.* Abschlachten *n* (wehrloser Menschen).

bat·ty ['bæti] *adj. sl.* ‚plem'plem' (*verrückt*).

bau·ble ['bɔ:bl] *s.* Spielzeug *n*, Tand *m*, Spiele'rei *f*.

baulk → *balk*.

baux·ite ['bɔ:ksait] *s. min.* Bau'xit *n*.

Ba·var·i·an [bə'vɛəriən] **I.** *adj.* bay(e)risch; **II.** *s.* Bayer(in).

baw·bee [bɔ:'bi:] *Scot.* F → *halfpenny*.

baw·cock ['bɔ:kɔk] *s.* F feiner Kerl.

bawd [bɔ:d] *s. obs.* Kupplerin *f*; '**bawd·ry** [-dri] *s.* **1.** Kuppe'lei *f*; **2.** Unzucht *f*; **3.** Zote *f*.

bawd·y ['bɔ:di] *adj.* unzüchtig, unflätig (*Rede*); '~-**house** *s.* Bor'dell *n*.

bawl [bɔ:l] **I.** *v/i.* schreien, grölen, brüllen: *to* ~ *about the house* im Haus herumbrüllen; *to* ~ *at s.o.* j-n anbrüllen; **II.** *v/t. a.* ~ *out* (her-)'ausschreien; *Am. sl. j-n* anschreien, zs.-stauchen.

bay[1] [bei] *s.* ⚘ **1.** *a.* ~ *tree* Lorbeer(-baum) *m*; **2.** *pl.* **a)** Lorbeerkranz *m*, **b)** *fig.* Lorbeeren *pl.*, Ehren *pl.*

bay[2] [bei] *s.* **1.** Bai *f*, Bucht *f*, Meerbusen *m*; **2.** Talbucht *f*.

bay[3] [bei] *s.* **1.** △ Fach *n*, Abteilung *f*, Feld *n zwischen Pfeilern, Balken etc.*; Brückenglied *n*, Joch *n*; **2.** △ Fensternische *f*, Erker *m*; **3.** ✈ Abteilung *f od.* Zelle *f* im Flugzeugrumpf; **4.** ⚓ 'Schiffslaza,rett *n*; **5.** 🚂 'Endstati,on *f* e-s Nebengeleises; Seitenbahnsteig *m*.

bay[4] [bei] **I.** *v/i.* **1.** (dumpf) bellen (*bsd. Jagdhund*): *to* ~ *at s.o. od. s.th.* j-n *od.* et. anbellen; **II.** *v/t.* **2.** *obs.* anbellen: *to* ~ *the moon*; **III.** *s.* **3.** dumpfes Gebell *der Meute*; **4.** Stellen *n* des Wildes *durch die Jagdhunde*: *to be (od. to stand) at* ~ **a)** gestellt sein (*Wild*), **b)** *fig.* zum Äußersten *od.* in die Enge getrieben sein, sich verzweifelt wehren; *to bring to* ~ in die Enge treiben; *to keep at* ~ **a)** sich *j-n* vom Leibe halten, **b)** *j-n* in Schach halten, fernhalten; *Seuche, Feuer etc.* unter Kontrolle halten; *to turn to* ~ sich stellen (*a. fig.*).

bay[5] [bei] **I.** *adj.* ka'stanienbraun (*Pferd*): ~ *horse* Braune(r); **II.** *s.* Braune(r) *m*.

bay·ber·ry ['beibəri] *s.* ⚘ **1.** Frucht *f* des Lorbeerbaumes; **2. a)** Pi'mentbaum *m* (*Westindien*), **b)** Frucht *f* des Pimentbaumes, Nelkenpfeffer *m*.

bay leaf *s.* Lorbeerblatt *n*.

bay·o·net ['beiənit] ⚔ **I.** *s.* Bajo'nett *n*, Seitengewehr *n*: *at the point of the* ~ mit dem Bajonett, im Sturm; *to fix the* ~ das Seitengewehr aufpflanzen; **II.** *v/t.* mit dem Bajonett angreifen *od.* erstechen.

bay·ou ['baiu:] *s. Am.* sumpfiger Flußarm (*Südstaaten der USA*).

bay| rum *s.* 'Bayrum *m*, Pi'mentrum *m*; '~-'**salt** *s.* Seesalz *n*; ~ **win·dow** *s.* **1.** Erkerfenster *n*; **2.** *Am. sl.* ‚Vorbau' *m* (*Bauch*); '~-**wood** *s.* Kam'pescheholz *n*.

ba·zaar [bə'zɑ:] *s.* **1.** (*Orient*) Ba'sar *m*, Markt *m*, Ladenstraße *f*; **2.** ✝ Warenhaus *n*; **3.** 'Wohltätigkeitsba,sar *m*.

ba·zoo·ka [bə'zu:kə] *s.* ⚔ (Ra'keten)Panzerbüchse *f*, Panzerschreck *m*.

B bat·ter·y *s.* ⚡ An'odenbatte,rie *f*.

be [bi:; bi] [*irr.*] **I.** *v/aux.* **1.** *bildet das Passiv transitiver Verben*: *I was cheated* ich wurde betrogen; *I was told* man sagte mir; **2.** *lit.*, *bildet das Perfekt einiger intransitiver Verben*: *he is come* er ist gekommen *od.* da; *the sun is set* die Sonne ist untergegangen; **3.** *bildet die umschriebene Form (continuous od. progressive form) der Verben*: *he is reading* er liest gerade; *the house was building (od. was being built)* das Haus war im Bau; *what I was going to say* was ich sagen wollte; **4.** *drückt die (nahe) Zukunft aus*: *I am leaving for Paris tomorrow* ich reise morgen nach Paris (ab); **5.** *mit inf. zum Ausdruck der Absicht, Pflicht, Möglichkeit etc.*: *I am to go* ich soll gehen; *the house is to let (od. to be let)* das Haus ist zu vermieten; *he is to be pitied* er ist zu bedauern; *it was not to be found* es war nicht zu finden; **6.** *Kopula*: *he is my father* er ist mein Vater; *trees are green* (die) Bäume sind grün; *she is 40* sie ist 40 (Jahre alt); *they were of good cheer* sie waren guter Dinge; *the book is mine (my brother's)* das Buch gehört mir (m-m Bruder); **II.** *v/i.* **7.** (vor'handen *od.* anwesend) sein, bestehen, sich befinden, geschehen; werden: *I think, therefore I am* ich denke, also bin ich; *to be or not to be* sein oder nicht sein; *when is the wedding?* wann findet die Hochzeit statt?; *it was not to be* es hat nicht sollen sein; *how is it that ...?* wie kommt es, daß ...?; *what will you be when you grow up?* was willst du werden, wenn du erwachsen bist?; *was it you?* warst du es?; *nach there*: *there is no milk in the house* es ist keine Milch im Hause; *there is no substitute for wool* für Wolle gibt es keinen Ersatz; **8.** stammen (*from* aus): *he is from Liverpool*; **9.** gleichkommen, bedeuten: *seeing is believing* was man (selbst) sieht, glaubt man; *twice two is four* zweimal zwei ist vier; *that is nothing to me* das bedeutet mir nichts; **10.** kosten: *the picture is £ 10* das Bild kostet 10 Pfund; **11.** been (*p.p.*): *have you been to Rome?* sind Sie (je) in Rom gewesen?; *has anyone been?* F ist j-d dagewesen?, hat j-d vorgesprochen?

beach [biːtʃ] **I.** *s.* Strand *m*; **II.** *v/t.* ⚓ *Schiff* auf den Strand setzen *od.* ziehen; '**~-comb·er** *s.* **1.** ⚓ F Strandguträuber *m* (*Weißer auf den pazifischen Inseln*); **2.** *fig.* Nichtstuer *m*; **3.** *Am.* breite Strandwelle; '**~-head** *s.* **1.** ⚔ Lande-, Brückenkopf *m*; **2.** *fig.* Ausgangsstellung *f*; **~ hut** *s.* 'Badehäus-chen *n*, -ka,bine *f*.

bea·con ['biːkən] **I.** *s.* **1.** Leucht-, Si'gnalfeuer *n*; (Feuer)Bake *f*, Seezeichen *n*; **2.** *fig.* Fa'nal *n*; **3.** Leuchtturm *m*; **4.** ✈ Funkfeuer *n*, -bake *f*, Landelicht *n*; **5.** *fig.* Leitstern *m*, Leuchte *f*; Warnung *f*; **II.** *v/t.* **6.** mit Baken versehen; **7.** *mst fig.* erleuchten.

bead [biːd] **I.** *s.* **1.** (Glas-, Stick-, Holz)Perle *f*; **2.** *pl. eccl.* Rosenkranz *m*: *to tell one's ~s* den Rosenkranz beten; **3.** (Schaum)Bläs-chen *n*, (Tau-, Schweiß- *etc.*)Perle *f*, Tröpfchen *n*; **4.** △ perlartige Verzierung; **5.** ⊕ Wulst *m*; **6.** ⚔ *Am.* (Perl)Korn *n am Gewehr*: *to draw a ~ on* zielen auf (*acc.*); **II.** *v/t.* **7.** mit Perlen *od.* perlartiger Verzierung *etc.* versehen; **8.** *wie Perlen* aufziehen, aufreihen; **III.** *v/i.* **9.** perlen, Perlen bilden; '**bead·ed** [-did] *adj.* **1.** mit Perlen versehen *od.* verziert; **2.** ⊕ mit Wulst; '**bead·ing** [-diŋ] *s.* **1.** 'Perlsticke,rei *f*; **2.** △ Rundstab *m*; **3.** ⊕ Wulst *m*.

bea·dle ['biːdl] *s.* **1.** *bsd. Brit.* Kirchendiener *m*; **2.** → *bedel(l)*.

bead mo(u)ld·ing *s.* △ Perl-, Rundstab *m*, Perlleiste *f*.

beads·man ['biːdzmən] *s.* [*irr.*] *obs.* Armenhäusler *m*; '**beads·wom·an** [-wumən] *s.* [*irr.*] *obs.* Armenhäuslerin *f*.

bead·y ['biːdi] *adj.* **1.** mit Perlen verziert; **2.** perlend; **3.** klein, rund u. glänzend (*Augen*).

bea·gle ['biːgl] *s.* **1.** *zo.* kleiner Spürhund; **2.** *fig.* Spi'on *m*.

beak[1] [biːk] *s.* **1.** *zo.* Schnabel *m*; **2.** ⊕ **a)** Tülle *f*, Ausguß *m*, **b)** Schnauze *f*, Nase *f*, Röhre *f*.

beak[2] [biːk] *s. Brit. sl.* **1.** (Friedens-)Richter *m*; **2.** ‚Pauker' *m* (*Lehrer*).

beaked [biːkt] *adj.* **1.** mit Schnabel, schnabelförmig; **2.** vorspringend, spitz.

beak·er ['biːkə] *s.* **1.** Becher *m*, Humpen *m*; **2.** ⚗ Becherglas *n*.

'**be-all** *s. das* Ganze; Wesenskern *m*: *the ~ and end-all* das ein u. alles, der Inbegriff.

beam [biːm] **I.** *s.* **1.** △ Balken *m*; Tragbalken *m* (*Haus, Brücke*); *a.* ✈ Holm *m*; **2.** ⚓ **a)** Deckbalken *m*, **b)** größte Schiffsbreite: *on the starboard ~* querab an Steuerbord; **3.** *fig.* F Körperbreite *f e-s Menschen*; **4.** ⊕ **a)** (Waage)Balken *m*, **b)** Weberbaum *m*, **c)** Pflugbaum *m*, **d)** Spindel *f der Drehbank*, **e)** Balan'cier *m e-r Dampfmaschine*; **5.** *zo.* Stange *f am Geweih*; **6.** (Licht-)Strahl *m*; (Strahlen)Bündel *n*; **7.** *Radio*: Richt-, Peil-, Leitstrahl *m*: *to ride the ~* ✈ nach dem Leitstrahl steuern; *on the ~* **a)** auf dem richtigen Kurs, **b)** *fig. sl.* ‚auf Draht'; **8.** strahlender Blick, Glanz *m*; **II.** *v/t.* **9.** ⊕ *Weberei*: *Kette* aufbäumen; **10.** *a. phys.* (aus)strahlen; **11.** ⚡ *Funkspruch* mit Richtstrahler senden; **III.** *v/i.* **12.** strahlen, glänzen (*a. fig.*): *~ing with joy* freudestrahlend; **~ a·e·ri·al, ~ an·ten·na** *s. Radio*: 'Richtstrahler *m*, -an,tenne *f*; '**~-'ends** *s. pl.* **1.** ⚓ *on her ~* mit starker Schlagseite, in Gefahr; **2.** *fig.*: *on one's ~* in (*bsd.* Geld)Not; **~ feath·er** *s. zo.* Kielfeder *f*.

beam·ing ['biːmiŋ] *adj.* □ *fig.* strahlend (*with* vor *dat.*).

beam| sys·tem *s. Radio*: 'Richtstrahlsy,stem *n*; **~ trans·mis·sion** *s. Radio*: Sendung *f* durch Richtstrahl; **~ trans·mit·ter** *s. Radio*: Richtstrahler *m*.

bean [biːn] *s.* **1.** ⚘ Bohne *f*: *full of ~s* F lebensprühend, übermütig; *to give s.o. ~s sl.* j-m ‚Saures geben' (*j-n schlagen, strafen, schelten*); *I haven't a ~ sl.* ich habe keinen roten Heller; *to spill the ~s sl.* alles ausplaudern; **2.** bohnenförmiger Samen: → *coffee-bean, cocoa bean*; **3.** *sl.* **a)** Bursche *m*, Kerl *m*, **b)** *Am.* ‚Birne' *f* (*Kopf*); **~ curd** *s.* Bohnenquark *m* (*Nahrungsmittel in Ostasien*); '**~-feast** *s.* F Festessen *n*, Freudenfest *n*.

bean·o ['biːnou] F → *bean-feast*.

bean| pod *s.* Bohnenhülse *f*; '**~-stalk** *s.* Bohnenstengel *m*.

bear[1] [bɛə] **I.** *v/t.* [*irr.*] [*p.p. borne*; *born* (*bei Geburt*; → *a. borne* 2)] **1.** *Lasten etc.* tragen, befördern: *to ~ a message* e-e Nachricht überbringen; → *borne* 1; **2.** *fig. Waffen, Namen etc.* tragen, führen; *Datum* tragen; **3.** *fig. Kosten, Verlust, Verantwortung, Folgen etc.* tragen, über'nehmen; → *blame* 4, *palm*[2] 2, *penalty* 1; **4.** *fig. Zeichen, Stempel etc.* tragen, zeigen: *to ~ resemblance to* ähneln (*dat.*); **5.** zur Welt bringen, gebären: *to ~ children*; *he was born into a rich family* er kam als Kind reicher Eltern zur Welt; → *born*; **6.** *fig.* her'vorbringen: *to ~ fruit* Früchte tragen (*a. fig.*); *to ~ interest* Zinsen tragen; **7.** *fig. Schmerzen etc.* ertragen, (er)dulden, (er)leiden, aushalten; *e-r Prüfung etc.* standhalten: *to ~ comparison* den Vergleich aushalten; *mst neg. od. interrog.*: *I cannot ~ him* ich kann ihn nicht leiden *od.* ausstehen; *I cannot ~ it* ich kann es nicht ausstehen *od.* aushalten; *his words won't ~ repeating* s-e Worte lassen sich unmöglich wiederholen; **8.** *fig.*: *to ~ a hand* zur Hand gehen, helfen (*dat.*); *to ~ love (a grudge)* Liebe (Groll) hegen; *to ~ a part in* teilnehmen an (*dat.*); **9.** *~ o.s.* sich betragen: *to ~ o.s. well*; **II.** *v/i.* [*irr.*] **10.** tragen, aushalten (*Balken, Eis etc.*): *will the ice ~ today?* wird das Eis heute tragen?; **11.** Früchte tragen; **12.** Richtung annehmen: *to ~ (to the) left* sich links halten; *to ~ to the north* sich nach Norden erstrecken; **13.** → *bring* 1.

Zssgn mit prp.:

bear| a·gainst *v/i.* drücken gegen; 'Widerstand leisten (*dat.*); **~ on** *od.* **up·on** *v/i.* **1.** sich beziehen auf (*acc.*), betreffen (*acc.*); **2.** einwirken *od.* zielen auf (*acc.*); **3.** drücken *od.* sich stützen auf (*acc.*), lasten auf (*dat.*); **4.** *to bear hard on* zusetzen (*dat.*), bedrücken (*acc.*); **5.** ⚔ beschießen; **~ with** *v/i.* Nachsicht üben mit, geduldig ertragen (*acc.*);

Zssgn mit adv.:

bear| a·way I. *v/t.* forttragen, -reißen (*a. fig.*); **II.** *v/i.* ⚓ absegeln, abfahren; **~ down I.** *v/t.* über'winden, unter'drücken; **II.** *v/i.*: *~ on* **a)** sich wenden gegen, sich stürzen auf (*acc.*), überwältigen (*acc.*), **b)** sich (schnell) nähern (*dat.*), zusteuern (*dat. od.* auf *acc.*); **~ in** *v/t.*: *it was borne in upon him* es wurde ihm klar(gemacht), er überzeugte sich; **~ out** *v/t.* bestätigen, bekräftigen, unter'stützen: *to bear s.o. out* j-m recht geben; **~ up I.** *v/t.* **1.** stützen, ermutigen; **II.** *v/i.* **2.** (tapfer) standhalten; **3.** *~ against* mutig ertragen (*acc.*), die Stirn bieten (*dat.*).

bear[2] [bɛə] **I.** *s.* **1.** *zo.* Bär *m*; **2.** *fig.* Tolpatsch *m*; **3.** ✝ 'Baissespeku,lant *m*, Baissi'er *m*: *~ market* Baissemarkt; **4.** *ast.*: *Great* ♀ Großer Bär; *Little* ♀ Kleiner Bär; **II.** *v/i.* **5.** ✝ auf Baisse spekulieren; **III.** *v/t.* **6.** ✝ *Preise od. Kurse* drücken.

bear·a·ble ['bɛərəbl] *adj.* □ tragbar, erträglich, zu ertragen(d).

'**bear|-bait·ing** *s. hist.* Bärenhetze *f*; '**~·ber·ry** [-bəri] *s.* ⚘ Bärentraube *f*.

beard [biəd] **I.** *s.* **1.** Bart *m* (*a. von Tieren*); → *grow* 7; **2.** ⚘ Grannen *pl.*; **3.** ⊕ 'Widerhaken *m* (*an Pfeil, Angel etc.*); **II.** *v/t.* **4.** *fig.* mutig entgegentreten, Trotz bieten (*dat.*): *to ~ the lion in his den* sich in die Höhle des Löwen wagen; '**beard·ed** [-did] *adj.* **1.** bärtig; **2.** ⚘ mit Grannen; **3.** ⊕ mit e-m 'Widerhaken; '**beard·less** [-lis] *adj.* **1.** bartlos; **2.** ⚘ ohne Grannen; **3.** *fig.* jugendlich, unreif.

bear·er ['bɛərə] *s.* **1.** Träger(in): *standard* ~ Fahnenträger; **2.** Über'bringer(in) *e-s Briefes etc.*; **3.** ✝ Inhaber(in), Vorzeiger(in) *e-s Wechsels, Schecks etc.*: ~ *cheque* (*Am. check*) Inhaberscheck; ~ *securities* Inhaber(wert)papiere; **4.** ⚘ *a good* ~ ein Baum, der gut trägt; **5.** *her.* Schildhalter *m.*

'**bear·gar·den** *s.* **1.** Bärenzwinger *m*; **2.** *fig.* ‚Tollhaus' *n* (*lärmende Versammlung etc.*).

bear·ing ['bɛəriŋ] **I.** *adj.* **1.** tragend; **2.** ⚒, *min.* ... enthaltend, ...haltig; **II.** *s.* **3.** (Körper)Haltung *f*: *of noble* ~; **4.** Betragen *n*, Verhalten *n*: *his kindly* ~; **5.** (on) Bezug *m* (auf *acc.*), Beziehung *f* (zu), Verhältnis *n* (zu), Zu'sammenhang *m* (mit); Tragweite *f*, Bedeutung *f*: *to have no* ~ *on* keine Beziehung haben zu, nichts zu tun haben mit; *to consider it in all its* ~*s* es in s-r ganzen Tragweite *od.* von allen Seiten betrachten; **6.** *pl.* ⚓, ✈, *surv.* Richtung *f*, Lage *f*; Peilung *f*; *fig.* Orientierung *f*: *to take the* ~*s* die Richtung *od.* Lage feststellen, peilen; *to take one's* ~*s* sich orientieren; *to find* (*od. get*) *one's* ~*s* sich zurechtfinden; *to lose one's* ~*s* sich verirren, im ungewissen sein; **7.** Ertragen *n*, Erdulden *n*, Nachsicht *f*: *beyond* (*all*) ~ unerträglich; *there is no* ~ *with such a fellow* solch ein Kerl ist nicht auszustehen; **8.** *mst pl.* ⊕ **a)** (Zapfen-, Achsen- *etc.*)Lager *n*, **b)** Stütze *f*; **9.** *pl. her.* → *armorial* I; **10.** (Früchte)Tragen *n*: *beyond* (*still in*) ~ ⚘ nicht mehr (noch) tragend.

bear·ing| com·pass *s.* ⚓ 'Peil,kompaß *m*; ~ **line** *s.* ⚓, ✈ 'Peil-, Vi'sier,linie *f*; ~ **met·al** *s.* ⊕ 'Lagerme,tall *n*; ~ **pin** *s.* ⊕ Lagerzapfen *m.*

bear·ish ['bɛəriʃ] *adj.* **1.** bärenhaft; **2.** *fig.* plump; brummig, unfreundlich; **3.** ✝ flau.

'**bear·lead·er** *s.* Bärenführer *m* (*a. fig. Reisebegleiter*).

'**bear's|-breech** → *acanthus* 1; '~**-ear** *s.* ⚘ Au'rikel *f*; '~**-foot** *s.* [*irr.*] ⚘ stinkende Nieswurz.

'**bear|·skin** *s.* **1.** Bärenfell *n*; **2.** ⚔ Bärenfellmütze *f*; '~**·wood** *s.* ⚘ Kreuz-, Wegdorn *m.*

beast [bi:st] *s.* **1.** *bsd. vierfüßiges u. wildes* Tier: ~ *of burden* Lasttier; ~*s of the forest* Waldtiere; ~ *of prey* Raubtier; *the* ~ *in us fig.* das Tier(ische) in uns; **2.** ⚒ Vieh *n* (*Rinder*), *bsd.* Mastvieh *n*; **3.** *fig.* **a)** bru'taler Mensch, 'Bestie *f*, Biest *n*, **b)** ungefälliger, scheußlicher Mensch: *don't be a* ~ sei nicht so eklig; **beast·li·ness** ['bi:stlinis] *s.* **1.** Brutali'tät *f*, viehisches Wesen; **2.** F Scheußlichkeit *f*; Unflätigkeit *f*; **beast·ly** ['bi:stli] **I.** *adj.* **1.** *fig.* viehisch, bru'tal, roh, gemein; **2.** F ab'scheulich; eklig: ~ *weather* Hundewetter; *it's a* ~ *shame* es ist e-e Affenschande; **II.** *adv.* **3.** F scheußlich, ‚verflucht': *it was* ~ *hot.*

beat [bi:t] **I.** *s.* **1.** (*regelmäßig wiederholter*) Schlag; Herz-, Puls-, Trommelschlag *m*; Ticken *n* (*Uhr*); **2.** ♪ **a)** Takt(schlag) *m*, **b)** *Jazz*: Beat *m*, 'rhythmischer Schwerpunkt; **3.** *Versmaß*: Hebung *f*; **4.** *phys.*, *Radio*: Schwebung *f*; **5.** Runde *f od.* Re'vier *n e-s Schutzmanns etc.*: *to be on one's* ~ die Runde machen; *to be off* (*od. out of*) *one's* ~ *fig.* nicht in s-m Element sein; *that is outside my* ~ *fig.* das schlägt nicht in mein Fach *od.* ist mir ungewohnt; **6.** *Am.* (Verwaltungs)Bezirk *m*; **7.** *Am.* F **a)** *wer od. was alles übertrifft*: *I've never seen his* ~ der schlägt alles, was ich je gesehen habe, **b)** (sensatio'nelle) Erst- *od.* Al'leinmeldung *e-r Zeitung*, **c)** → *dead beat*, **d)** → *beatnik*; **8.** *hunt.* Treibjagd *f*; **II.** *adj.* **9.** F (wie) erschlagen: **a)** ‚ganz ka'putt', erschöpft, **b)** *Am.* verblüfft; **10.** *Am. sl.* 'antikonfor,mistisch, illusi'onslos: *the* ♀ *Generation*; **III.** *v/t.* [*irr.*] **11.** (*regelmäßig od. häufig*) schlagen; *Teppich etc.* klopfen; *Metall* hämmern *od.* schmieden; *Eier, Sahne* (zu Schaum *od.* Schnee) schlagen; *Takt, Trommel* schlagen: *to* ~ *a horse* ein Pferd schlagen; *to* ~ *a path* e-n Weg (durch Stampfen *etc.*) bahnen; *to* ~ *the wings* mit den Flügeln schlagen; *to* ~ *the air fig.* vergebliche Versuche machen, gegen Windmühlen kämpfen; *to* ~ *a charge Am. sl.* e-r Strafe entgehen; *to* ~ *s.th. into s.o.'s head* j-m et. einbleuen; *to* ~ *one's brains* sich den Kopf zerbrechen; *to* ~ *it sl.* ‚verduften'; ~ *it! sl.* hau ab!; → *black and blue*, *retreat* 1; **12.** *Gegner* schlagen, besiegen; über'treffen, -'bieten; zu'viel sein für *j-n*: *to* ~ *s.o. at tennis* j-n im Tennis schlagen; *to* ~ *the record* den Rekord schlagen *od.* brechen; *to* ~ *the band* **a)** alles übertreffen, **b)** (*Wendung*) mit Macht; *to* ~ *s.o. hollow* j-n völlig besiegen; *to* ~ *s.o. to it* j-m zuvorkommen; *that* ~*s me!* F das ist mir zu hoch!, da komme ich nicht mit!; *this poster takes some* ~*ing* dieses Plakat ist schwer zu überbieten; *that* ~*s everything!* F das ist die Höhe!; *the journey* ~ *me* die Reise hat mich völlig erschöpft; *I think that hock* ~*s claret* ich denke, Weißwein ist besser als Rotwein; **13.** *Wild* aufstöbern, treiben: *to* ~ *the woods* e-e Treibjagd *od.* Suche durch die Wälder veranstalten; **14.** schlagen, verprügeln, (ver)hauen; **15.** abgehen, ‚abklopfen', e-n Rundgang machen um; **IV.** *v/i.* [*irr.*] **16.** schlagen (*a. Herz etc.*); ticken (*Uhr*): *I heard the drum* ~*ing* ich hörte den Trommelschlag; *to* ~ *at* (*od. on*) *the door* (fest) an die Tür pochen; *rain* ~ *on the windows* der Regen schlug *od.* peitschte gegen die Fenster; *the hot sun was* ~*ing down on us* die heiße Sonne prallte auf uns nieder; **17.** *hunt.* treiben; → *bush*[1] 1; **18.** ⚓ lavieren: *to* ~ *against the wind* gegen den Wind kreuzen; *Zssgn mit adv.*:

beat| back *v/t.* **1.** zu'rückschlagen, -treiben; **2.** *fig.* vernichten; ~ **down** *v/t.* **1.** 'umlegen, -werfen; **2.** *fig.* niederdrücken; **3.** *fig.* unter'drükken; **4.** *Preis* drücken, her'unterhandeln: *to beat s.o. down in price* j-n im Preis drücken; ~ **off** *v/t.* *Angriff, Gegner* abschlagen, -wehren; ~ **out** *v/t.* **1.** *Metall* (aus-)schmieden, hämmern: *to* ~ *s.o.'s brains* j-m den Schädel einschlagen; **2.** *Feuer* (durch Schlagen) löschen; **3.** *fig. Sinn etc.* ‚ausknobeln', her'ausarbeiten; ~ **up** *v/t.* **1.** *Eier, Sahne* (zu Schaum *od.* Schnee) schlagen; **2.** ⚔ **a)** über'fallen (*a. fig.*), **b)** *Rekruten* werben; **3.** *sl.* verprügeln; **4.** *fig.* aufrütteln; **5.** absuchen (*for* nach); **6.** *et.* auftreiben, -stöbern.

beat·en ['bi:tn] *p.p. u. adj.* geschlagen; besiegt; erschöpft: ~ *gold* Blattgold; *the* ~ *track* **a)** der gebahnte Weg, **b)** *fig.* das ausgefahrene Geleise; *off the* ~ *track* **a)** abgelegen, **b)** *fig.* ungewohnt; ~ *biscuit Am. ein* Blätterteiggebäck.

beat·er ['bi:tə] *s.* **1.** Schläger *m*, Klopfer *m* (*Person od. Gerät*); Stößel *m*, Stampfe *f*; **2.** *hunt.* Treiber *m.*

be·a·tif·ic [bi:ə'tifik] *adj.* glück'selig; seligmachend; **be·at·i·fi·ca·tion** [bi(:)ætifi'keiʃən] *s. eccl.* Seligsprechung *f*; **be·at·i·fy** [bi(:)'ætifai] *v/t.* **1.** beseligen, selig machen; **2.** *eccl.* seligsprechen.

beat·ing ['bi:tiŋ] *s.* **1.** Schlagen *n* (*a. Herz, Flügel etc.*); **2.** Prügel *pl.*: *to give the boy a good* ~ dem Jungen e-e Tracht Prügel geben; *to give the enemy a good* ~ den Feind schlagen; *the enemy took a sound* ~ der Feind erlitt e-e schwere Niederlage.

be·at·i·tude [bi(:)'ætitju:d] *s.* (Glück)'Seligkeit *f*: *the* ♀*s bibl.* die Seligpreisungen.

beat mu·sic *s.* 'Beatmu,sik *f.*

beat·nik ['bi:tnik] *s.* junger 'Antikonfor,mist u. Bohemi'en.

beau [bou] *pl.* **beaux** [bouz] (*Fr.*) *s.* **1.** Stutzer *m*, Geck *m*; **2.** Liebhaber *m*, ‚Kava'lier' *m.*

beau i·de·al *s.* Ide'al *n*, Vorbild *n*; Muster *n.*

beau·te·ous ['bju:tjəs] *adj. mst poet.* (äußerlich) schön.

beau·ti·cian [bju:'tiʃən] *s.* Schönheitspfleger(in), Kos'metiker(in).

beau·ti·ful ['bju:təful] **I.** *adj.* □ **1.** schön; **2.** bewundernswert; **II.** *s.* **3.** *the* ~ das Schöne; die Schönen *pl.*; '**beau·ti·ful·ly** [-təfli] *adv.* F schön, ausgezeichnet: *the car runs* ~ das Auto fährt tadellos; ~ *warm* schön warm; '**beau·ti·fy** [-tifai] *v/t.* verschönern, verzieren.

beau·ty ['bju:ti] *s.* **1.** Schönheit *f*; **2.** *das* Schön(st)e, *et.* Schönes: *that is the* ~ *of it* das ist das Schönste daran; **3.** schöner Gegenstand, ‚Gedicht' *n*, Prachtstück *n*: *a* ~ *of a vase* ein Gedicht von e-r Vase; **4.** Schönheit *f*, schöne Per'son (*mst Frau*; *a. Tier*); **5.** *iro.*: *you are a* ~*!* du bist mir ein Schöner *od.* ein Schlimmer!; ~ **par·lo(u)r**, ~ **sa·lon**, ~ **shop** *s.* 'Schönheitssa,lon *m*; '~**-sleep** *s.* Schlaf *m* vor Mitternacht; '~**-spot** *s.* **1.** Schönheitspflästerchen *n*; **2.** schönes Fleckchen Erde.

beaux *pl. von beau.*

bea·ver[1] ['bi:və] *s.* **1.** *zo.* Biber *m*; **2.** Biberpelz *m*; **3.** ✝ Biber *m* (*filziger Wollstoff*).

bea·ver[2] ['bi:və] *s.* ⚔ *hist.* Vi'sier *n*, Helmsturz *m.*

be·bop ['bi:bɔp] *s.* ♪ *Am.* Bebop *m* (*Jazz*).

be·calm [bi'kɑ:m] *v/t.* **1.** beruhigen; **2.** ⚓: *to be* ~*ed* in e-e Flaute geraten.

be·came [bi'keim] *pret. von become.*

be·cause [bi'kɔz] **I.** *cj.* weil, da; **II.** ~ *of prp.* wegen (*gen.*), in'folge von (*od. gen.*).

bé·cha·mel sauce ['beʃəmel] (*Fr.*) *s.* Bécha'melsoße *f.*

bêche-de-mer ['beiʃdəmɛə; bɛʃ də mɛr] (*Fr.*) *s. zo.* eßbare Seewalze, 'Trepang *m.*

beck[1] [bek] *s.* Wink *m*, Nicken *n*: *to be at s.o.'s* ~ *and call* j-m auf den (leisesten) Wink gehorchen.

beck[2] [bek] *s. Brit.* (Wild)Bach *m.*

beck·et ['bekit] *s.* ⚓ Haken *m*, Krampe *f.*

beck·on ['bekən] *v/t. u. v/i. j-m* (zu-)winken, zunicken, *j-n* her'anwinken.

be·cloud [bi'klaud] *v/t.* um'wölken, verdunkeln (*a. fig.*).

be·come [bi'kʌm] [*irr.* → *come*] **I.** *v/i.* **1.** werden: *to* ~ *an actor*; *to* ~ *warmer*; *what has* ~ *of him?* was ist aus ihm geworden?, F wo ist er?; **II.** *v/t.* **2.** sich schicken für, sich (ge)ziemen für: *it does not* ~ *you*; **3.** *j-m* stehen, passen zu, *j-n* kleiden (*Kleidungsstück*); **be'com·ing** [-miŋ] *adj.* □ **1.** schicklich, geziemend, anständig; **2.** passend, kleidsam: *a most* ~ *hat* ein äußerst kleidsamer Hut.

bed [bed] **I.** *s.* **1.** Bett *n*: *his life is no* ~ *of roses* er ist nicht auf Rosen gebettet; *to be brought to* ~ entbunden werden (of von); *to die in one's* ~ e-s natürlichen Todes sterben; *to get out of* ~ *on the wrong side* mit dem verkehrten *od.* linken Fuß zuerst aufstehen; *to go to* ~ zu Bett *od.* schlafen gehen; *to keep one's* ~ das Bett hüten; *to make the* ~ das Bett machen; *as you make your* ~, *so you must lie upon it* wie man sich bettet, so schläft man; *to put to* ~ *j-n* zu Bett bringen; *to take to one's* ~ sich (krank) ins Bett legen; **2.** Federbett *n* (*als Unterlage*); **3.** Ehebett *n*: ~ *and board* Tisch u. Bett (*Ehe*); **4.** Lager(statt *f*) *n* (*a. e-s Tieres*): ~ *of straw* Strohlager; **5.** *fig.* letzte Ruhestätte; **6.** 'Unterkunft *f*: ~ *and breakfast* Zimmer mit Frühstück; **7.** (Fluß- *etc.*)Bett *n*; **8.** ✿ Beet *n*; **9.** ⊕, ⚠ Bett *n* (*a. e-r Werkzeugmaschine*), Bettung *f*, 'Unterlage *f*, Schicht *f*: ~ *of concrete* Betonunterlage; **10.** *geol.*, ⚒ Bett *n*, Schicht *f*, Lage *f*, Lager *n*, Flöz *n* (*Kohle*); **11.** 🚂 'Unterbau *m*; **II.** *v/t.* **12.** betten (*mst fig.*); **13.** *a.* ~ *down Pferd etc.* mit Streu versorgen; **14.** *mst* ~ *out* in ein Beet pflanzen, auspflanzen; **15.** *a.* ~ *in* ⊕ (ein)betten, einmörteln; **III.** *v/i.* **16.** zu Bett gehen; **17.** (sich ein-)nisten (*a. fig.*).

be·dad [bi'dæd] *int. Ir.* bei Gott!, wahr'haftig!

be·daub [bi'dɔ:b] *v/t.* beschmieren.

be·daz·zle [bi'dæzl] *v/t.* blenden (*a. fig.*).

bed| bath → *blanket bath*; '~·**bug** *s. zo.* Wanze *f*; '~·**cham·ber** *s.* (königliches) Schlafgemach: *Gentleman od. Groom of the* ♀ königlicher Kammerherr; *Lady of the* ♀ königliche Kammerzofe; '~-**clothes** *s. pl.* Bettwäsche *f.*

bed·der ['bedə] *s. Brit. univ. sl.* **1.** Schlafzimmer *n* (*im College*); **2.** → *bedmaker*; '**bed·ding** [-diŋ] **I.** *s.* **1.** Bettzeug *n*, Bett *n* u. 'Zubehör *n, m*; **2.** (Lager)Streu *f für Tiere*; **3.** ⊕ Bettung *f*, 'Unterschicht *f*, -lage *f*, Lager *n*; **II.** *adj.* **4.** ~ *plants* Beetpflanzen (*Blumen etc.*).

be·deck [bi'dek] *v/t.* (ver)zieren, schmücken.

be·del(l) [be'del] *s. Brit. univ.* Herold *m.*

be·dev·il [bi'devl] *v/t.* **1.** *fig.* verhexen; bedrücken, belasten; **2.** *fig.* um'nebeln, in Verwirrung bringen.

be·dew [bi'dju:] *v/t.* betauen, benetzen.

'**bed|·fel·low** *s.* **1.** 'Schlafkameˌrad *m*; **2.** *fig.* Genosse *m*; '~·**gown** *s.* (Frauen)Nachthemd *n.*

be·dim [bi'dim] *v/t.* trüben.

be·diz·en [bi'daizn] *v/t.* (über'trieben) her'ausputzen.

bed·lam ['bedləm] *s.* **1.** Tollhaus *n* (*mst fig.*); **2.** *fig.* tolles Durchein'ander; '**bed·lam·ite** [-mait] *s.* Tollhäusler(in).

bed| lin·en *s.* Bettwäsche *f*; '~·**mak·er** *s. Brit. univ.* Zimmeraufwärter (-in).

Bed·ou·in ['beduin] **I.** *s.* Bedu'ine *m*; **II.** *adj.* Beduinen...

'**bed|-pan** *s.* Stechbecken *n für Bettlägerige*; '~-**plate** *s.* ⊕ 'Unterlagsplatte *f*, -gestell *n od.* -rahmen *m*; '~·**post** *s.* Bettpfosten *m*: *between you and me and the* ~ F unter uns *od.* im Vertrauen (gesagt).

be·drag·gle [bi'drægl] *v/t.* (*mst pass.*) *Kleider* durch den Schmutz schleppen lassen, beschmutzen, durch'nässen.

'**bed|-rail** *s.* Seitenteil *m, n* des Bettes; '~·**rid·den** *adj.* bettlägerig; '~-'**rock** *s.* **1.** *geol.* unterste Felsschicht, Grundgestein *n*; **2.** (*mst fig.*) Grundlage *f*: *to get down to* ~ der Sache auf den Grund gehen; '~·**roll** *s.* zs.-gerolltes Bettzeug; '~·**room** *s.* Schlafzimmer *n*; '~·**room sub·urb** *s.* Schlafstadt *f*; '~·**sheet** *s.* Bettlaken *n.*

'**bed·side** *s.*: *at the* ~ am (Kranken-)Bett; *good* ~ *manner* gute Art, mit Kranken umzugehen; ~ **lamp** *s.* Nachttischlampe *f*; ~ **rug** *s.* Bettvorleger *m*; ~ **ta·ble** *s.* Nachttisch *m.*

'**bed|-'sit·ter** *s. Brit.*, '~-'**sit·ting-room** *s. Brit.* Wohn-Schlafzimmer *n*; '~·**sore** *s.* ⚕ wundgelegene Stelle; '~·**spread** *s.* (Zier)Bettdecke *f*; Tagesdecke *f*; '~·**stead** *s.* Bettstelle *f*, -gestell *n*; '~·**straw** *s.* ✿ Labkraut *n*; '~·**tick** *s.* Inlett *n*; '~·**time** *s.* Schlafenszeit *f.*

bee [bi:] *s.* **1.** *zo.* Biene *f*: *to have a* ~ *in one's bonnet* F ‚e-n Vogel haben', übergeschnappt sein; **2.** *fig.* Biene *f*, fleißiger Mensch; → *busy* 2; **3.** *bsd. Am.* **a)** Treffen *n von Freunden* zur Gemeinschaftshilfe *od.* Unter'haltung: *sewing* ~ Nähkränzchen, **b)** Wettbewerb *m*; ~ **ant** *s. zo.* Bienenameise *f*; ~ **bird** *s. orn.* Fliegenschnäpper *m*; '~·**bread** *s.* Bienenbrot *n* (*Blütenstaub*).

beech [bi:tʃ] *s.* **1.** ✿ Buche *f*; **2.** Buchenholz *n*; **beech·en** ['bi:tʃən] *adj.* aus Buchenholz.

beech| mar·ten *s. zo.* Steinmarder *m*; '~·**mast** *s.* Buchnüsse *pl.*; '~-**nut** *s.* Buchecker *f.*

'**bee-eat·er** *s. orn.* Bienenspecht *m.*

beef [bi:f] *pl.* **beeves** [bi:vz], *Am. a.* **beefs I.** *s.* **1.** *obs.* Rind *n*; **2.** Rindfleisch *n*; **3.** F **a)** Fleisch *n* (*am Menschen*), **b)** (Muskel)Kraft *f*; **4.** *sl.* ‚Mecke'rei' *f*, Beschwerde *f*; **II.** *v/i.* **5.** *sl.* nörgeln, ‚meckern', sich beschweren; '~·**cake** *s. Am. sl.* Bild *n* e-s Muskelprotzen; '~·**eat·er** *s. Brit.* Tower-Wächter *m*; *obs.* königlicher 'Leibgarˌdist; '~'**steak** *s.* 'Beefsteak *n*, Rindfleisch-, Lendenschnitte *f*; ~ **tea** *s.* (Rind)Fleisch-, Kraftbrühe *f*, Bouil'lon *f.*

beef·y ['bi:fi] *adj.* **1.** fleischig; kräftig, bullig; **2.** schwerfällig.

'**bee|·hive** *s.* Bienenstock *m*, -korb *m*; '~·**keep·er** *s.* Bienenzüchter *m*, Imker *m*; '~·**keep·ing** *s.* Bienenzucht *f*; '~-**line** *s. fig.* kürzester Weg: *to make a* ~ *for s.th.* schnurgerade auf et. losgehen.

Be·el·ze·bub [bi(:)'elzibʌb] **I.** *npr.* Be'elzebub *m*; **II.** *s.* Teufel *m* (*a. fig.*).

'**bee-mas·ter** *s.* Bienenzüchter *m*, Imker *m.*

been [bi:n; bin] *p.p. von be.*

bee net·tle *s.* ✿ Bienensaug *m.*

beer [biə] *s.* **1.** Bier *n*: *two* ~*s* zwei Glas Bier; *life is not all* ~ *and skittles Brit.* F das Leben besteht nicht nur aus Vergnügen; → *small beer*; **2.** bierähnliches Getränk (*aus Pflanzen*); '~-**en·gine** *s.* 'BierˌdruckappaˌratS *m*; '~-**gar·den** *s.* Biergarten *m*; '~·**house** *s. Brit.* Bierschenke *f*; '~-**mon·ey** *s. Brit.* Bier-, Trinkgeld *n*; '~-**pull** *s.* (Griff *m* der) Bierpumpe *f.*

beer·y ['biəri] *adj.* **1.** bierartig; **2.** bierselig.

beest·ings ['bi:stiŋz] *s.* Biestmilch *f* (*erste Milch nach dem Kalben*).

bees·wax ['bi:zwæks] *s.* Bienenwachs *n.*

beet [bi:t] *s.* ✿ **1.** Runkelrübe *f*, Mangold *m*, Bete *f*: ~ *greens* Mangoldgemüse; **2.** *Am.* rote Rübe.

bee·tle[1] ['bi:tl] *s. zo.* Käfer *m*; → *black-beetle*, *blind 1.*

bee·tle[2] ['bi:tl] **I.** *s.* **1.** Holzhammer *m*, Schlegel *m*; **2.** ⊕ **a)** Erdstampfe *f*, **b)** 'Stampfkaˌlander *m*; **II.** *v/t.* **3.** mit e-m Schlegel bearbeiten, (ein)stampfen; **4.** ⊕ ka'landern.

bee·tle[3] ['bi:tl] **I.** *adj.* 'überhängend; **II.** *v/i.* vorstehen, 'überhängen: *beetling cliffs* überhängende *od.* bedrohliche Klippen.

'**bee·tle|-browed** *adj.* **1.** mit buschigen Augenbrauen; **2.** finster blikkend; '~-**crush·ers** *s. pl.* **a)** ‚Elbkähne' *pl.* (*riesige Schuhe*), **b)** ‚Qua'dratlatschen' *pl.* (*riesige Füße*).

'**beet|·root** *s.* ✿ *bsd. Brit.* rote Rübe; ~ **sug·ar** *s.* ✿ Rübenzucker *m.*

beeves [bi:vz] *pl. von beef.*

be·fall [bi'fɔ:l] [*irr.* → *fall*] **I.** *v/i.* sich ereignen; **II.** *v/t.* 'zustoßen, wider'fahren (*dat.*).

be·fit [bi'fit] *v/t.* sich ziemen *od.* schicken für; **be'fit·ting** [-tiŋ] *adj.* □ passend, schicklich.

be·fog [bi'fɔg] *v/t.* um'nebeln, in Dunkel hüllen, verwirren, irremachen.
be·fool [bi'fu:l] *v/t.* **1.** zum Narren haben, täuschen; **2.** dumm machen, betören.
be·fore [bi'fɔ:] **I.** *adv.* **1.** *räumlich*: vorn, vor'an: *to go* ~ vorangehen; ~ *and behind* vorn u. hinten; **2.** *zeitlich*: 'vorher, vormals, früher; (schon) früher: *the year* ~ das vorige *od.* vorhergehende Jahr; *an hour* ~ e-e Stunde vorher *od.* früher; *long* ~ lange vorher; *never* ~ noch niemals; **II.** *prp.* **3.** *räumlich*: vor: *he sat* ~ *me*; ~ *my eyes*; *the question* ~ *us* die (uns) vorliegende Frage; **4.** vor, in Gegenwart von: ~ *witnesses*; **5.** *Reihenfolge, Rang*: vor'aus: *to be* ~ *the others in class* den anderen in der Klasse voraus sein; **6.** *zeitlich*: vor, früher als: ~ *lunch* vor dem Mittagessen; *an hour* ~ *the time* e-e Stunde früher *od.* zu früh; ~ *long* in Kürze, bald; ~ *now* schon früher *od.* vorher; *the day* ~ *yesterday* vorgestern; *the month* ~ *last* vorletzten Monat; *to be* ~ *one's time* s-r Zeit voraus sein; **III.** *cj.* **7.** be'vor, ehe: *he died* ~ *I was born*; *not* ~ nicht früher *od.* eher als bis, erst als *od.* wenn; **8.** lieber ... als daß: *I would die* ~ *I lied* (*od.* ~ *lying*); **be'fore·hand** *adv.* zu'vor, (im) voraus: *to know s.th.* ~ et. im voraus wissen; *to be* ~ *in one's suspicions* zu früh e-n Verdacht äußern; **be'fore-men·tioned** *adj.* vorerwähnt.
be·foul [bi'faul] *v/t.* besudeln, beschmutzen (*a. fig.*).
be·friend [bi'frend] *v/t. j-m* Freundschaft erweisen; *j-m* behilflich sein, sich *j-s* annehmen.
be·fud·dle [bi'fʌdl] *v/t.* ‚benebeln', berauschen.
beg [beg] **I.** *v/t.* **1.** *et.* erbitten (*of s.o.* von j-m), bitten um: *to* ~ *leave* um Erlaubnis bitten; → *pardon 4*; **2.** betteln *od.* bitten **um**: *to* ~ *a meal*; **3.** *j-n* bitten (*to do s.th.* et. zu tun); **II.** *v/i.* **4.** betteln: *to go* ~*ging* **a)** betteln (gehen), **b)** keinen Interessenten finden; **5.** (dringend) bitten (*for* um, *of s.o. to inf.* j-n zu *inf.*): *to* ~ *off* sich entschuldigen, absagen; **6.** sich erlauben: *I* ~ *to differ* ich erlaube mir, anderer Meinung zu sein; *I* ~ *to inform you* ✝ ich erlaube mir, Ihnen mitzuteilen; **7.** schönmachen, Männchen machen (*Hund*); **8.** → *question 1.*
be·gad [bi'gæd] *int.* F bei Gott!
be·gan [bi'gæn] *pret. von begin.*
be·gat [bi'gæt] *obs. pret. von beget.*
be·get [bi'get] *v/t.* [*irr.*] **1.** zeugen; **2.** *fig.* erzeugen, her'vorbringen; **be'get·ter** [-tə] *s.* **1.** Erzeuger *m*, Vater *m*; **2.** *fig.* Urheber *m.*
beg·gar ['begə] **I.** *s.* **1.** Bettler(in); Arme(r *m*) *f*: ~*s must not be choosers* arme Leute dürfen nicht wählerisch sein; **2.** F Kerl *m*, Bursche *m*: *lucky* ~ Glückspilz; *a naughty little* ~ ein kleiner Schelm; **II.** *v/t.* **3.** an den Bettelstab bringen; **4.** *fig.* erschöpfen; über'steigen: *it* ~*s description* es spottet jeder Beschreibung; **'beg·gar·ly** [-li] *adj.* **1.** (sehr) arm; **2.** *fig.* armselig, lumpig; **'beg·gar-my-'neigh·bo(u)r** [-mi-] *s.* Bettelmann *m* (*Kartenspiel*); **'beg·gar·y** [-əri] *s.* Bettelarmut *f*: *to reduce to* ~ an den Bettelstab bringen.
be·gin [bi'gin] [*irr.*] **I.** *v/t.* **1.** beginnen, anfangen: *to* ~ *a new book*; **2.** (be)gründen; **II.** *v/i.* **3.** beginnen, anfangen: *to* ~ *with s.o. od. s.th.* mit *od.* bei j-m *od.* et. anfangen; *to* ~ *with* zunächst; *to* ~ *on s.th.* et. vornehmen; *he began by asking* zuerst fragte er; ... *began to be put into practice* ... wurde bald in die Praxis umgesetzt; *he does not even* ~ *to try* er versucht es nicht einmal; **4.** entstehen; **be'gin·ner** [-nə] *s.* Anfänger(in), Neuling *m*; **be'gin·ning** [-niŋ] *s.* **1.** Anfang *m*, Beginn *m*: *from the* (*very*) ~ (ganz) von Anfang an; *the* ~ *of the end* der Anfang vom Ende; **2.** Ursprung *m*; **3.** *pl.* **a)** Anfangsgründe *pl.*, **b)** Anfänge *pl.*
be·gone [bi'gɔn] *int.* fort (mit dir)!
be·go·ni·a [bi'gounjə] *s.* ♀ Be'gonie *f.*
be·got [bi'gɔt] *pret. von beget.*
be·got·ten [bi'gɔtn] *p.p. von beget*: *God's only* ~ *son* Gottes eingeborener Sohn.
be·grime [bi'graim] *v/t.* (*mit Ruß, Rauch etc.*) beschmutzen.
be·grudge [bi'grʌdʒ] *v/t.* **1.** *to* ~ *s.o. s.th.* j-m et. mißgönnen, j-n um et. beneiden; **2.** *et.* nicht gern geben.
be·guile [bi'gail] *v/t.* **1.** täuschen; betrügen (*of od. out of* um); **2.** verleiten (*into doing* zu tun); **3.** *Zeit* (angenehm) vertreiben; **4.** betören; **be'guil·ing** [-liŋ] *adj.* □ verführerisch, betörend.
be·gum ['beigəm] *s.* 'Begum *f* (*Titel für mohammed. indische Fürstin*).
be·gun [bi'gʌn] *p.p. von begin.*
be·half [bi'hɑ:f] *s.*: *on* (*od. in*) ~ *of* zugunsten *od.* im Namen *od.* im Auftrag von (*od. gen.*), für *j-n*; *on* (*od. in*) *my* ~ zu m-n Gunsten, für mich.
be·have [bi'heiv] **I.** *v/i.* **1.** sich (gut) benehmen, sich zu benehmen wissen: *please* ~! bitte benimm dich!; *he doesn't know how to* ~, *he can't* ~ er kann sich nicht (anständig) benehmen; **2.** sich verhalten; funktionieren (*Maschine etc.*); **II.** *v/t.* **3.** ~ *o.s.* sich (gut) benehmen: ~ *yourself!* benimm dich!; **be'haved** [-vd] *adj.*: *he is well-*~ er hat ein gutes Benehmen.
be·hav·io(u)r [bi'heivjə] *s.* Benehmen *n*, Betragen *n*; Verhalten *n* (*a.* ⚗, ⊕, *phys.*): ~ *pattern psych.* Verhaltensweise; *during good* ~ *Am.* auf Lebenszeit (*Ernennung*); *to be in office on one's good* ~ ein Amt auf Bewährung innehaben; *to be on one's best* ~ sich sehr zs.-nehmen; *to put s.o. on his good* ~ j-m einschärfen, sich gut zu benehmen; **be'hav·io(u)r·ism** [-ərizəm] *s. psych.* Behavior'ismus *m*, Verhaltensforschung *f.*
be·head [bi'hed] *v/t.* enthaupten.
be·held [bi'held] *pret. u. p.p. von behold.*
be·hest [bi'hest] *s. poet.* Geheiß *n.*
be·hind [bi'haind] **I.** *prp.* **1.** hinter: ~ *the tree* hinter dem *od.* den Baum; *he looked* ~ *him* er blickte hinter sich; *to be* ~ *s.o.* **a)** hinter j-m stehen, j-n unterstützen, **b)** j-m nachstehen, hinter j-m zurück sein; *what is* ~ *all this?* was steckt dahinter?; **II.** *adv.* **2.** hinten, da'hinter, hinter'her: *to walk* ~ hinterhergehen; **3.** nach hinten, zu'rück: *to look* ~ zurückblicken; **4.** zurück, im Rückstand: ~ *with one's work* mit s-r Arbeit im Rückstand; *my watch is* ~ m-e Uhr geht nach; **5.** *fig.* da'hinter, verborgen: *there is more* ~ da steckt (noch) mehr dahinter; **III.** *s.* **6.** F ‚Hintern' *m*, Gesäß *n*; **be'hind·hand** *adv. u. pred. adj.* **1.** im Rückstand (befindlich), zurück (*with* mit); **2.** *fig.* rückständig; altmodisch.
be·hold [bi'hould] **I.** *v/t.* [*irr.* → *hold*] erblicken, anschauen; **II.** *int.* siehe da!; **be'hold·en** [-dən] *adj.* verpflichtet, dankbar (*to dat.*); **be'hold·er** [-də] *s.* Beschauer(in), Betrachter(in).
be·hoof [bi'hu:f] *s. lit.*: *in* (*od. to, for, on*) (*the*) ~ *of* um ... willen; *on her* ~ zu ihren Gunsten.
be·hoove [bi'hu:v] *Am.*, **be'hove** [-'houv] *Brit. v/t. impers.*: *it* ~*s you* (*to inf.*) es obliegt dir *od.* ist deine Pflicht (zu *inf.*).
beige [beiʒ] **I.** *s.* Beige *f* (*Wollstoff*); **II.** *adj.* beige(farben).
be·ing ['bi:iŋ] *s.* **1.** (Da)Sein *n*: *in* ~ existierend, wirklich (vorhanden); *to come into* ~ entstehen; *to call into* ~ ins Leben rufen; **2.** *j-s* Wesen *n*, Na'tur *f*; **3.** Wesen *n*; Geschöpf *n*: *living* ~ Lebewesen.
be·la·bo(u)r [bi'leibə] *v/t.* **1.** (mit den Fäusten *etc.*) bearbeiten, 'durchprügeln; **2.** *fig.* (*mit Reden*) plagen, ‚bearbeiten'.
be·lat·ed [bi'leitid] *adj.* **1.** verspätet; **2.** von der Nacht über'rascht.
be·laud [bi'lɔ:d] *v/t.* preisen, rühmen.
be·lay [bi'lei] *v/t.* [*irr.* → *lay*] **1.** ⚓ festmachen, *Tau* belegen; **2.** *mount. j-n* sichern; **be·lay·ing pin** [bi'leiiŋ] *s.* ⚓ Belegnagel *m.*
belch [beltʃ] **I.** *v/i.* **1.** aufstoßen, rülpsen; **II.** *v/t.* **2.** *Rauch etc.* ausspeien; **III.** *s.* **3.** Rülpsen *n*; **4.** *fig.* Ausbruch *m* (*Rauch etc.*).
bel·dam(e) ['beldəm] *s. obs.* Ahnfrau *f*; alte Frau; Vettel *f*, Hexe *f.*
be·lea·guer [bi'li:gə] *v/t.* **1.** belagern, um'zingeln; **2.** *fig.* um'geben.
bel es·prit [bel es'pri:] *pl.* **beaux es·prits** [bouz es'pri:] (*Fr.*) *s.* Schöngeist *m.*
bel·fry ['belfri] *s.* **1.** Glockenturm *m*; → *bat² 1*; **2.** Glockenstuhl *m.*
bel·ga ['belgə] *s.* Belga *m* (*belg. Währungseinheit*).
Bel·gian ['beldʒən] **I.** *adj.* belgisch; **II.** *s.* Belgier(in).
Bel·gra·vi·a [bel'greivjə] **I.** *npr. vornehmer Stadtteil Londons*; **II.** *s.* die aristo'kratische Welt.
be·lie [bi'lai] *v/t.* **1.** Lügen erzählen über (*acc.*), *et.* falsch darstellen; **2.** *j-n od. et.* Lügen strafen; **3.** wider'sprechen (*dat.*); **4.** *Hoffnung etc.* enttäuschen, *e-r Sache* nicht entsprechen.
be·lief [bi'li:f] *s.* **1.** *eccl.* Glaube *m*, Religi'on *f*: *the* ♀ das apostolische Glaubensbekenntnis; **2.** (*in*) **a)** Glaube *m* (an *acc.*): *beyond* ~ un-

glaublich, **b)** Vertrauen *n* (auf *et. od.* zu *j-m*); **3.** Meinung *f*, Anschauung *f*, Über'zeugung *f*: *to the best of my* ~ nach bestem Wissen u. Gewissen.

be·liev·a·ble [bi'li:vəbl] *adj.* glaubhaft; **be·lieve** [bi'li:v] **I.** *v/i.* **1.** glauben (*in* an *acc.*); **2.** (*in*) Vertrauen haben (zu), viel halten (von): *I do not* ~ *in sports* ich halte nicht viel vom Sport; **II.** *v/t.* **3.** glauben, meinen, denken: ~ *it or not* ob Sie es glauben *od.* nicht!, ganz sicher; *do not* ~ *it* glaube es nicht; *would you* ~ *it!* ist so et. möglich!; *he is* ~*d to be a miser* man hält ihn für e-n Geizhals; **4.** Glauben schenken, glauben (*dat.*): ~ *me* glaube mir; *not to* ~ *one's eyes* s-n Augen nicht trauen; **be'liev·er** [-və] *s.* **1.** Glaubende(r *m*) *f*: *to be a great od. firm* ~ *in* fest glauben an (*acc.*); **2.** Gläubige(r *m*) *f*: *a true* ~ ein Rechtgläubiger; **be'liev·ing** [-viŋ] *adj.* □ gläubig: *a* ~ *Christian.*

Be·lish·a bea·con [bi'li:ʃə] *s. Brit.* Blinklicht *n* an 'Fußgänger,überwegen.

be·lit·tle [bi'litl] *v/t.* **1.** verkleinern, her'absetzen, schmälern; **2.** herabsetzen, schmähen; **3.** verharmlosen.

bell[1] [bel] **I.** *s.* **1.** Glocke *f*, Klingel *f*, Schelle *f*: *to carry away* (*od. bear*) *the* ~ Sieger sein; *does that name ring a* (*od. the*) ~? erinnert dich der Name an et.?; *the* ~ *has rung* es hat geklingelt; → *clear 5, sound*[1] *1*; **2.** *pl.* ⚓ (halbstündige Schläge *pl.* der) Schiffsglocke *f*; **3.** Taucherglocke *f*; **4.** ⚘ glockenförmige Blumenkrone, Kelch *m*; **5.** ⚠ Glocke *f*, Kelch *m* (*am Kapitell*); **II.** *v/t.* **6.** *to* ~ *the cat fig.* der Katze die Schelle umhängen (*et. Gefährliches unternehmen*).

bell[2] [bel] *v/i.* röhren (*Hirsch*).

bel·la·don·na [belə'dɔnə] *s.* **1.** ⚘ Tollkirsche *f*; **2.** ⚕ Atro'pin *n*.

'bell|-bot·tomed *adj.* unten weit ausladend: ~ *trousers*; **'~-boy** *s. Am.* Ho'telpage *m*; **'~-buoy** *s.* ⚓ Glokkenboje *f*; **~ but·ton** *s.* ⚡ Klingelknopf *m*.

belle [bel] (*Fr.*) *s.* Schöne *f*, Schönheit *f*: ~ *of the ball* Ballkönigin; ~ *of the village* Dorfschöne.

belles-let·tres ['bel'letr] (*Fr.*) *s. pl.* Belle'tristik *f*, schöne Litera'tur.

'bell|-flow·er *s.* ⚘ Glockenblume *f*; **'~-found·er** *s.* Glockengießer *m*; **'~-found·ry** *s.* Glockengieße'rei *f*; **'~-glass** *s.* Glasglocke *f*; **'~-hang·er** *s. berufsmäßiger* Glockenaufhänger; **'~-hop** *s. Am.* Ho'telpage *m*.

bel·li·cose ['belikous] *adj.* □ kriegslustig, kriegerisch; **bel·li·cos·i·ty** [beli'kɔsiti] *s.* Kriegs-, Kampf(es)lust *f*.

bel·lied ['belid] *adj.* bauchig; *in Zssgn* ...bauchig, ...bäuchig.

bel·lig·er·ence [bi'lidʒərəns] *s.* Kriegführung *f*; **bel'lig·er·en·cy** [-rənsi] *s.* Kriegszustand *m*; **bel'lig·er·ent** [-nt] **I.** *adj.* □ **1.** kriegführend: *the* ~ *powers*; ~ *rights* Rechte der Kriegführenden; **2.** *fig.* streitlustig; **II.** *s.* **3.** kriegführendes Land.

'bell|·man [-mən] *s.* [*irr.*] öffentlicher Ausrufer; **'~-met·al** *s.* ⊕ 'Glockenme,tall *n*, -speise *f*; **'~-mouthed** *adj.* (*a.* ⚔) mit trichterförmiger Öffnung.

bel·low ['belou] **I.** *v/t. u. v/i.* brüllen; laut schreien; *fig.* donnern, brausen; **II.** *s.* Gebrüll *n*.

bel·lows ['belouz] *s. pl.* (*a. sg. konstr.*) **1.** ⊕ **a)** Gebläse *n*, **b)** *a. pair of* ~ Blasebalg *m*; **2.** Lunge *f*; **3.** *phot.* Balg(en) *m*.

'bell|-pull *s.* Klingelzug *m*; **'~-punch** *s. Brit.* Fahrscheinlochzange *f* mit Glocke; **'~-push** *s.* Klingelknopf *m*; **'~-ring·er** *s.* Glöckner *m*; **'~-rope** *s.* **1.** Glockenstrang *m*; **2.** Klingelzug *m*; **'~-shaped** *adj.* glockenförmig; **'~-tent** *s.* glockenförmiges Zelt; **'~-weth·er** *s.* Leithammel *m* (*a. fig., mst contp.*).

bel·ly ['beli] **I.** *s.* **1.** Bauch *m* (*bsd. vom Tier*); 'Unterleib *m*; **2.** Magen *m*; **3.** *fig.* **a)** Appe'tit *m*, **b)** Schlemme'rei *f*; **4.** Bauch *m*, Ausbauchung *f*, Höhlung *f*; **5.** 'Unterseite *f*; **6.** ♪ Reso'nanzboden *m* (*Streichinstrumente*); **II.** *v/i.* **7.** sich (aus-) bauchen, (an)schwellen; **'~-ache I.** *s.* Bauchschmerzen *pl.*; **II.** *v/i.* F ‚meckern', nörgeln; **'~-band** *s.* Bauch-, Sattelgurt *m*; **~ danc·er** *s.* Bauchtänzerin *f*; **'~-land·ing** *s.* ✈ Bauchlandung *f*; **'~-pinched** *adj.* ausgehungert; **~ tank** *s.* Abwurfbehälter *m* (*unter dem Flugzeugrumpf*).

be·long [bi'lɔŋ] *v/i.* **1.** gehören (*to dat.*): *this* ~*s to me*; **2.** gehören (*to* zu), da'zugehören, am richtigen Platz sein: *this lid* ~*s to another pot* dieser Deckel gehört zu e-m anderen Topf; *where does this book* ~? wohin gehört dieses Buch?; *he does not* ~ er gehört nicht hierher; **3.** (*to*) sich gehören (für), *j-m* ziemen; **4.** *Am.* **a)** verbunden sein (*with* mit), gehören *od.* passen (*with* zu), **b)** wohnen (*in* in *dat.*); **5.** an-, zugehören (*to dat.*): *to* ~ *to a club*; **be'long·ings** [-ŋiŋz] *s. pl.* **a)** Habseligkeiten *pl.*, Habe *f*, Gepäck *n*, **b)** Zubehör *n*, **c)** F Angehörige *pl.*

be·lov·ed [bi'lʌvd; *attr. a.* -vid] **I.** *adj.* (innig) geliebt (*of, by* von); **II.** *s.* [*mst* -vid] Geliebte(r *m*) *f*, Liebling *m*: *my* ~!

be·low [bi'lou] **I.** *adv.* **1.** unten: *he is* ~ er ist unten (*im Haus*); *as stated* ~ wie unten erwähnt; **2.** hin'unter; **3.** *poet.* hie'nieden; **4.** in der Hölle; **5.** (dar)'unter, niedriger: *the class* ~; **6.** strom'ab; **II.** *prp.* **7.** unter, 'unterhalb, tiefer als: ~ *the line* unter der *od.* die Linie; ~ *cost* unter dem Kostenpreis; ~ *s.o.* unter j-s Rang, Würde, Fähigkeit *etc.*; *20* ~ F 20 Grad Kälte.

belt [belt] **I.** *s.* **1.** Gürtel *m*, Gurt *m*: *to hit below the* ~ **a)** *Boxen*: *j-m* e-n Tiefschlag versetzen, **b)** *fig. j-n* unfair behandeln; *to tighten one's* ~ *fig.* den Gürtel enger schnallen; **2.** ⚔ Koppel *n*; Gehenk *n*; **3.** ⚓ Panzergürtel *m* (*Kriegsschiff*); **4.** Gürtel *m*, Gebiet *n*, Zone *f*: *green* ~ Gürtel von Grünanlagen *od.* Feldern; *cotton* ~ *Am. geogr.* Baumwollgürtel; **5.** *Am.* Gebiet *n* (*in dem ein Typus vorherrscht*): *the black* ~ vorwiegend von Negern bewohnte Staaten der USA; **6.** ⊕ **a)** (Treib-) Riemen *m*: ~ *drive* Riemenantrieb, **b)** Förderband *n*, **c)** Streifen *m*, **d)** ⚔ (Ma'schinengewehr)Gurt *m*; **II.** *v/t.* **7.** um'gürten, mit Riemen befestigen; zs.-halten; **8.** 'durchprügeln; **9.** ~ *out sl. Lied* schmettern; **10.** *a.* ~ *down Schnaps etc.* ‚kippen'; **III.** *v/i.* **11.** ~ *up! sl.* (halt die) Schnauze!; **12.** *sl.* rasen: *to* ~ *down the road*; **'belt·ed** [-tid] *adj.* **1.** mit e-m Gürtel (versehen); **2.** gestreift; **'belt·ing** [-tiŋ] *s.* **1.** Gürtelstoff *m*; **2.** ⊕ Riemenleder *n*; **3.** Treibriemenanlage *f*.

belt| line *s. Am.* Verkehrsgürtel *m um e-e Stadt*; **~ pul·ley** *s.* ⊕ Riemenscheibe *f*; **~ trans·mis·sion** *s.* ⊕ 'Riementransmissi,on *f*.

be·lu·ga [bi'lu:ga:] *s.* **1.** *zo.* Weißwal *m*; **2.** *ichth.* Weißstör *m*.

be·moan [bi'moun] *v/t.* beklagen, betrauern.

be·muse [bi'mju:z] *v/t.* verwirren, benebeln, betäuben; **be'mused** [-zd] *adj.* **1.** verwirrt *etc.*; **2.** gedankenverloren.

bench [bentʃ] *s.* **1.** Bank *f* (*zum Sitzen*); **2.** ⚖ (*oft* ♀) **a)** Richterbank *f*, **b)** Gerichtshof *m*, **c)** *coll.* Richter *pl.*: *raised to the* ~ zum Richter (*od.* Bischof) ernannt; ~ *and bar* die Richter u. die Anwälte; *to be on the* ~ Richter sein; **3.** Platz *m*, Sitz *m* (*im Parlament etc.*); **4.** Werkbank *f*, -tisch *m*, Experimentiertisch *m*: *carpenter's* ~ Hobelbank; *cobbler's* ~ Schusterbank; **5.** *geogr. Am.* **a)** Riff *n*, **b)** ter'rassenförmiges Flußufer; **6.** *Am.* Bank *f* für die Teilnehmer an e-m Wettspiel; **7.** *Am.* Ruderbank *f*; **'bench·er** [-tʃə] *s.* **1.** *Brit.* Vorstandsmitglied *n* e-r Anwaltskammer; **2.** *parl.* → *backbencher, front-bencher*; **3.** *Am.* Ruderer *m*.

bench| lathe *s.* ⊕ Me'chanikerdrehbank *f*; **'~-war·rant** *s.* ⚖ richterlicher Haftbefehl.

bend [bend] **I.** *v/t.* [*irr.*] **1.** biegen, krümmen: *to* ~ *out of shape* verbiegen; **2.** beugen, neigen: *to* ~ *the knee* **a)** das Knie beugen, *fig.* sich unterwerfen, **b)** beten; **3.** *Bogen, Feder* spannen; **4.** ⚓ *Tau, Segel* festmachen; **5.** *fig.* beugen: *to* ~ *s.o. to one's will* sich j-n gefügig machen; **6.** richten, (zu)wenden: *to* ~ *one's steps towards home* s-e Schritte heimwärts lenken; *to* ~ *o.s.* (*one's mind*) *to a task* sich (s-e Aufmerksamkeit) e-r Sache zuwenden *od.* widmen; **II.** *v/i.* [*irr.*] **7.** sich biegen, sich krümmen, sich winden: *the road* ~*s here* die Straße macht hier e-e Kurve; **8.** sich neigen, sich beugen: *to* ~ *down* sich niederbeugen, sich bücken; **9.** (*to*) *fig.* sich beugen, sich fügen (*dat.*); **10.** (*to*) sich zuwenden, sich widmen (*dat.*); **III.** *s.* **11.** Biegung *f*, Krümmung *f*, Windung *f*, Kurve *f*; **12.** Knoten *m*, Schlinge *f*; **13.** **a)** *on the* ~ et. verrückt, **b)** → *bender*; **14.** *the* ~*s pl.* ⚕ Cais'sonkrankheit *f*; **'bend·ed** [-did] *adj.* gebeugt: *on* ~ *knees* kniefällig; **'bend·er** [-də] *s. sl.* ‚Saufe'rei' *f*, ‚Bummel' *m*.

'bend|-leath·er *s.* Sohlen-, Kern-

leder *n*; ~ **sin·is·ter** *s. her.* Schrägbalken *m.*
be·neath [bi'ni:θ] **I.** *adv.* dar'unter, 'unterhalb, (weiter) unten; **II.** *prp.* unter, unterhalb (*gen.*): ~ *a tree* unter e-m Baum; *it is* ~ *him* es ist unter s-r Würde, er verschmäht es (*to inf.* zu *inf.*); ~ *notice* nicht der Beachtung wert; ~ *contempt* verachtenswert, unter aller Kritik.
Ben·e·dic·tine [beni'diktin] *s.* **1.** Benedik'tiner *m* (*Mönch*); **2.** [-ti:n] Benediktiner *m* (*Likör*).
ben·e·dic·tion [beni'dikʃən] *s. eccl.* Segnung *f*, Segen(sspruch) *m.*
ben·e·fac·tion [beni'fækʃən] *s.* **1.** Wohltat *f*; **2.** Spende *f*, Geschenk *n*; Zuwendungen *pl.*; **3.** wohltätige Stiftung; **ben·e·fac·tor** ['benifæktə] *s.* **1.** Wohltäter *m*; **2.** Gönner *m*; Stifter *m*; **ben·e·fac·tress** ['benifæktris] *s.* Wohltäterin *f etc.*
ben·e·fice ['benifis] *s. eccl.* Pfründe *f*; '**ben·e·ficed** [-st] *adj.* im Besitz e-r Pfründe; **be·nef·i·cence** [bi'nefisəns] *s.* Wohltätigkeit *f*; **be·nef·i·cent** [bi'nefisənt] *adj.* □ wohltätig, gütig, wohltuend.
ben·e·fi·cial [beni'fiʃəl] *adj.* □ **1.** (*to*) nützlich, wohltuend, förderlich (*dat.*); vorteilhaft (für); **2.** ⚖ nutznießend: ~ *owner* unmittelbarer Besitzer, Nießbraucher; ~ *ownership* Nutznießung; **ben·e'fi·ci·ar·y** [-'fiʃəri] *s.* **1.** Nutznießer(in); Begünstigte(r *m*) *f*; Empfänger(in); **2.** Pfründner *m.*
ben·e·fit ['benifit] **I.** *s.* **1.** Vorteil *m*, Nutzen *m*, Gewinn *m*: *for the* ~ *of* zum Besten *od.* zugunsten (*gen.*); *to derive* ~ *from* Nutzen ziehen aus *od.* haben von; *to give s.o. the* ~ *of the doubt* den vorhandenen Zweifel zu j-s Gunsten auslegen; **2.** j-m zustehende Rente, Beihilfe *f*, Zuschuß *m*: *insurance* ~ Versicherungsleistung, -zahlung; *sickness* ~ Krankengeld; *unemployment* ~ Arbeitslosenunterstützung; **3.** ⚖ Vorrecht *n*, Rechtswohltat *f*: *without* ~ *of counsel*; **4.** Bene'fiz(vorstellung *f*, *sport* -spiel *n*) *n*, Wohltätigkeitsveranstaltung *f*; **5.** Wohltat *f*, Gefallen *m*, Vergünstigung *f*; **II.** *v/t.* **6.** nützen (*dat.*), fördern (*acc.*), begünstigen (*acc.*); **III.** *v/i.* **7.** (*by, from*) Vorteil haben (von, durch), Nutzen ziehen (aus).
Ben·e·lux ['benilʌks] *s.* Benelux-Länder *pl.* (*Belgien, Niederlande, Luxemburg*).
be·nev·o·lence [bi'nevələns] *s.* Wohlwollen *n*, Güte *f*; Wohltätigkeit *f*, Wohltat *f*; **be'nev·o·lent** [-nt] *adj.* □ wohl-, mildtätig, gütig; wohlwollend: ~ *fund* Unterstützungsfonds; ~ *society* Hilfsverein.
Ben·gal [beŋ'gɔ:l] *npr.* Ben'galen *n*: ~ *light* bengalisches Feuer; **Ben'ga·li** [-li] **I.** *s.* **1.** Ben'gale *m*, Ben'galin *f*; **2.** *ling.* das Ben'galische; **II.** *adj.* **3.** ben'galisch.
be·night·ed [bi'naitid] *adj. fig.* um'nachtet, unwissend.
be·nign [bi'nain] *adj.* □ **1.** gütig; **2.** günstig, mild, zuträglich; **3.** ⚕ gutartig; **be·nig·nant** [bi'nignənt] *adj.* □ **1.** gütig, freundlich; **2.** günstig, wohltuend; **3.** → *benign 3*;
be·nig·ni·ty [bi'nigniti] *s.* Güte *f*, Freundlichkeit *f.*
ben·i·son ['benizn] *s. poet.* Segen *m*, Gnade *f.*
bent[1] [bent] **I.** *pret. u. p.p. von bend I u. II*; **II.** *adj.*: *to be* ~ *on* **a)** entschlossen sein zu, **b)** ausgehen auf (*acc.*), erpicht *od.* darauf aus sein (zu *inf.*); **III.** *s.* Neigung *f*, Hang *m*, Trieb *m* (*for* zu): *to the top of one's* ~ nach Herzenslust; *to allow full* ~ freien Lauf lassen (*dat.*).
bent[2] [bent] *s.* ⚘ Straußgras *n*; ~ **grass** *s.* ⚘ Sandsegge *f.*
Ben·tham·ism ['bentəmizəm] *s. phls. Jeremy Benthams Lehre vom Prinzip des größten Glücks der größten Zahl*; '**Ben·tham·ite** [-mait] *s.* Anhänger(in) der Lehre Benthams.
'**bent·wood** *s.* gebogenes *od.* geschweiftes Holz: ~ *chair* Wiener Stuhl.
be·numb [bi'nʌm] *v/t.* gefühllos machen, betäuben; *fig.* lähmen; **be'numbed** [-md] *adj.* betäubt, gelähmt, starr, gefühllos.
ben·zene ['benzi:n] *s.* ⚗ Ben'zol *n.*
ben·zine ['benzi:n] *s.* ⚗ Ben'zin *n.*
ben·zo·ic [ben'zouik] *adj.* ⚗ Benzoe...: ~ *acid* Benzoesäure; **ben·zo·in** ['benzouin] *s.* ⚗ Ben'zoe,gummi *n*, *m*, -harz *n*, Ben'zoe *f.*
ben·zol(e) ['benzɔl] *s.* ⚗ Ben'zol *n*; '**ben·zo·line** [-zəli:n] → *benzine.*
be·queath [bi'kwi:ð] *v/t.* **1.** *Vermögen* hinter'lassen, vermachen (*to s.o.* j-m); **2.** über'liefern, vererben (*fig.*).
be·quest [bi'kwest] *s.* Vermächtnis *n*, Hinter'lassenschaft *f.*
be·rate [bi'reit] *v/t.* heftig ausschelten, auszanken.
Ber·ber ['bə:bə] **I.** *s.* **1.** Berber(in); **2.** *ling.* Berbersprache(n *pl.*) *f*; **II.** *adj.* **3.** Berber...
Ber·ber·is ['bə:bəris], **ber·ber·ry** ['bə:bəri] → *barberry.*
be·reave [bi'ri:v] *v/t.* [*irr.*] **1.** berauben (*of gen.*); **2.** hilflos zu'rücklassen; **be'reaved** [-vd] *adj.* durch den Tod beraubt, hinter'blieben: *the* ~ die Hinterbliebenen; **be'reave·ment** [-mənt] *s.* Verlust *m* (*durch Tod*); Trauerfall *m* (*in der Familie*); Verlassenheit *f von Witwen etc.*
be·reft [bi'reft] **I.** *pret. u. p.p. von bereave*; **II.** *adj.* beraubt (*of gen.*) (*mst fig.*): ~ *of hope* aller Hoffnung beraubt; ~ *of reason* von Sinnen.
be·ret ['berei] *s.* **1.** Baskenmütze *f*; **2.** ⚔ *Brit.* 'Felduni,formmütze *f.*
berg [bə:g] *s. abbr. für iceberg.*
ber·ga·mot ['bə:gəmɔt] *s.* **1.** ⚘ Berga'mottenbaum *m*; **2.** Berga'mottöl *n*; **3.** Berga'motte *f* (*Birnensorte*).
be·rib·boned [bi'ribənd] *adj.* mit (Ordens)Bändern geschmückt.
ber·i·ber·i ['beri'beri] *s.* ⚕ Beri'beri *f*, Reisesserkrankheit *f.*
Ber·lin| black [bə:'lin] *s.* schwarzer Eisenlack; ~ **wool** *s.* feine Strickwolle.
Ber·nard·ine ['bə:nədin] *s. eccl.* Bernhar'diner *m*, Zisterzi'enser *m.*
Ber·nese [bə:'ni:z] **I.** *adj.* aus Bern, Berner...; **II.** *s.* Berner(in).
ber·ry ['beri] **I.** *s.* **1.** ⚘ **a)** Beere *f*, **b)** Korn *n*, Kern *m* (*beim Getreide*); **2.** *zo.* Ei *n* (*vom Hummer od. Fisch*); **II.** *v/i.* **3. a)** ⚘ Beeren tragen, **b)** Beeren sammeln.
ber·serk ['bə:sə:k] *adj. u. adv.* wütend, rasend; '**ber·serk·er** [-kə] *s. hist.* Ber'serker *m* (*a. fig. Wüterich*): ~ *rage* Berserkerwut.
berth [bə:θ] **I.** *s.* **1.** ⚓ (genügend) Seeraum (*an der Küste od. zum Ausweichen*): *to give a wide* ~ *to* **a)** weit abhalten von (*Land, Insel etc.*), **b)** *fig.* um *j-n* e-n Bogen machen; **2.** ⚓ Liegeplatz *m* (*e-s Schiffes am Kai*); **3. a)** ⚓ (Schlaf)Koje *f*, **b)** Bett *n* (*Schlafwagen*); **4.** *Brit.* F Stellung *f*, ‚Pöstchen' *n*: *he has a good* ~; **II.** *v/t.* **5.** ⚓ am Kai festmachen; vor Anker legen, docken; **6.** *Brit. j-m* einen (Schlaf)Platz anweisen; *j-n* 'unterbringen; **III.** *v/i.* **7.** ⚓ anlegen.
ber·yl ['beril] *s. min.* Be'ryll *m*; **be·ryl·li·um** [be'riljəm] *s.* ⚗ Be'ryllium *n.*
be·seech [bi'si:tʃ] *v/t.* [*irr.*] *j-n* dringend bitten (*for* um), ersuchen, anflehen (*to inf.* zu *inf.*, *that* daß); **be'seech·ing** [-tʃiŋ] *adj.* □ flehend, bittend; **be'seech·ing·ly** [-tʃiŋli] *adv.* flehentlich.
be·seem [bi'si:m] *v/t.* sich ziemen *od.* schicken für.
be·set [bi'set] [*irr.* → *set*] *v/t.* **1.** um'geben, (von allen Seiten) bedrängen, verfolgen: ~ *with difficulties* mit Schwierigkeiten überhäuft; **2.** *Straße* versperren; **be'set·ting** [-tiŋ] *adj.* **1.** hartnäckig: ~ *sin* Gewohnheitslaster; **2.** ständig drohend (*Gefahr*).
be·side [bi'said] *prp.* **1.** neben, dicht bei: *sit* ~ *me* setz dich neben mich; **2.** *fig.* außerhalb (*gen.*), außer, nicht gehörend zu: ~ *the point* nicht zur Sache gehörig; ~ *o.s.* außer sich (*with* vor *dat.*); **3.** im Vergleich zu; **be'sides** [-dz] **I.** *adv.* **1.** außerdem, ferner, über'dies, noch da'zu; **2.** *neg.* sonst; **II.** *prp.* **3.** außer, neben (*dat.*); **4.** über ... hin'aus.
be·siege [bi'si:dʒ] *v/t.* **1.** belagern (*a. fig.*); **2.** *fig.* bestürmen, bedrängen.
be·slav·er [bi'slævə] *v/t.* **1.** bespeien; **2.** *fig. j-m* lobhudeln.
be·slob·ber [bi'slɔbə] *v/t.* **1.** → *beslaver*; **2.** abküssen.
be·smear [bi'smiə] *v/t.* beschmieren.
be·smirch [bi'smə:tʃ] *v/t.* besudeln (*bsd. fig.*).
be·som ['bi:zəm] *s.* (Reisig)Besen *m.*
be·sot·ted [bi'sɔtid] *adj.* □ **1.** töricht, betört; **2.** vernarrt (*on* in *acc.*); **3.** berauscht (*with* von).
be·sought [bi'sɔ:t] *pret. u. p.p. von beseech.*
be·spat·ter [bi'spætə] *v/t.* **1.** (mit Kot *etc.*) bespritzen, beschmutzen; **2.** *fig.* (mit Vorwürfen *etc.*) über'schütten.
be·speak [bi'spi:k] [*irr.* → *speak*] *v/t.* **1.** (vor'aus)bestellen, im voraus bitten um: *to* ~ *a seat* e-n Platz bestellen; *to* ~ *s.o.'s help* j-n um Hilfe bitten; **2.** zeigen, zeugen von; **3.** *poet.* anreden.
be·spec·ta·cled [bi'spektəkld] *adj.* bebrillt.
be·spoke [bi'spouk] **I.** *pret. u. p.p. von bespeak*; **II.** *adj. Brit.* auf Be-

stellung *od.* nach Maß angefertigt, Maß...: ~ *tailor* Maßschneider; **be'spo·ken** [-kən] *p.p. von bespeak.*
be·sprin·kle [bi'spriŋkl] *v/t.* besprengen, bespritzen, bestreuen.
Bes·se·mer steel ['besimə] *s.* ⊕ Bessemerstahl *m.*
best [best] **I.** *sup. von good adj.* **1.** best: *the ~ of wives* die beste aller (Ehe)Frauen; *to be ~ at* hervorragen in (*dat.*); **2.** geeignetst; höchst; **3.** größt, meist: *the ~ part of* der größte Teil (*gen.*); **II.** *sup. von well adv.* **4.** am besten (meisten, passendsten): *as ~ I can* so gut ich kann; *the ~ hated man of the year* der meist- *od.* bestgehaßte Mann des Jahres; ~ *used* meistgebraucht; *you had ~ go* es wäre das beste, Sie gingen; **III.** *v/t.* **5.** über'treffen; **6.** F über'vorteilen; **IV.** *s.* **7.** *der (die, das)* Beste (Passendste *etc.*): *with the ~* mindestens so gut wie jeder andere; *for the ~* zum besten; *to do one's ~* sein möglichstes tun; *to be at one's ~* in bester Verfassung (*od.* Form) sein; *that is the ~ of ...* das ist der Vorteil (*gen. od.* wenn ...); *to look one's ~* am vorteilhaftesten aussehen; *to have (od. get) the ~ of it* am besten dabei wegkommen; *to make the ~ of* **a)** bestens ausnutzen, **b)** sich abfinden mit, **c)** *e-r Sache* die beste Seite abgewinnen; *at ~* höchstens, bestenfalls; *all the ~!* alles Gute!, viel Glück!; → *ability 1, belief 3, job*[1] *5.*
bes·tial ['bestjəl] *adj.* □ **1.** besti'alisch, tierisch, viehisch; **2.** *fig.* gemein, verderbt; sinnlich-vertiert; **bes·ti·al·i·ty** [besti'æliti] *s.* **1.** Bestiali'tät *f*, tierisches Wesen; **2.** Perversi'tät *f*, Sodo'mie *f.*
be·stir [bi'stə:] *v/t.*: ~ *o.s.* sich rühren, sich aufraffen; sich bemühen: ~ *yourself!* tummle dich!
best man *s.* [*irr.*] *Freund des Bräutigams, der bei der Ausrichtung der Hochzeit e-e wichtige Rolle spielt.*
be·stow [bi'stou] *v/t.* **1.** schenken, gewähren, geben, spenden, erweisen, verleihen (*s.th.* [*up*]*on s.o.* j-m et.): *to ~ one's hand on s.o.* j-m die Hand fürs Leben reichen; **2.** *obs.* 'unterbringen; **be'stow·al** [-ouəl] *s.* **1.** Gabe *f*, Schenkung *f*, Verleihung *f*; **2.** *obs.* 'Unterbringung *f.*
be·strew [bi'stru:] [*irr.* → *strew*] *v/t.* **1.** bestreuen; **2.** verstreut liegen auf (*dat.*).
be·strid·den [bi'stridn] *p.p. von bestride.*
be·stride [bi'straid] *v/t.* [*irr.*] **1.** rittlings sitzen auf (*dat.*), reiten; **2.** mit gespreizten Beinen stehen auf *od.* über (*dat.*); **3.** über'spannen, über'brücken; **4.** sich (schützend) breiten über (*acc.*).
be·strode [bi'stroud] *pret. von bestride.*
best sell·er *s.* 'Bestseller *m*, Verkaufsschlager *m*, meistgekauftes Buch.
bet [bet] **I.** *s.* Wette *f*; gewetteter Betrag *od.* Gegenstand; **II.** *v/t. u. v/i.* [*irr.*] wetten, (ein)setzen: *I ~ you ten pounds* ich wette mit Ihnen um zehn Pfund; (*I*) *you ~! sl.* aber sicher!; *to ~ one's bottom dollar Am. sl.* den letzten Heller wetten, völlig sicher sein.
be·ta ['bi:tə] *s.* **1.** 'Beta *n* (*griech. Buchstabe*); **2.** ♄, *ast., phys. der (die, das)* Zweite in e-r Reihe; **3.** *ped. Brit.* Zwei *f* (*Note*).
be·take [bi'teik] [*irr.* → *take*] *v/t.*: ~ *o.s.* (*to*) sich begeben (nach); s-e Zuflucht nehmen (zu).
be·ta rays *s. pl. phys.* 'Betastrahlen *pl.*
be·tel ['bi:təl] *s.* 'Betel *m*; '~-**nut** *s.* ♆ 'Betelnuß *f.*
bête noire ['beit'nwa:] (*Fr.*) *s. fig. das* rote Tuch, Dorn *m* im Auge.
beth·el ['beθəl] *s.* **1.** *Brit.* Dis'senterka,pelle *f*; **2.** *Am.* Kirche *f* für Ma'trosen.
be·think [bi'θiŋk] *v/t.* [*irr.* → *think*]: ~ *o.s.* sich über'legen, sich besinnen; sich vornehmen: *to ~ o.s. to do* sich in den Kopf setzen zu tun.
be·thought [bi'θɔ:t] *pret. u. p.p. von bethink.*
be·tide [bi'taid] *v/i. u. v/t.* (*nur 3. sg. pres. subj.*) (*j-m*) geschehen; *v/t. j-m* zustoßen; → *woe 2.*
be·times [bi'taimz] *adv.* **1.** bei'zeiten, rechtzeitig; **2.** früh(zeitig).
be·to·ken [bi'toukən] *v/t.* andeuten, bedeuten.
be·took [bi'tuk] *pret. von betake.*
be·tray [bi'trei] *v/t.* **1.** Verrat begehen an (*dat.*), verraten (*to* an *acc.*); **2.** *j-n* hinter'gehen; *j-m* die Treue brechen: *to ~ s.o.'s trust* j-s Vertrauen mißbrauchen; **3.** *fig.* offen'baren; (*a. o.s.* sich) verraten; **4.** verleiten (*into, to* zu); **be'tray·al** [-eiəl] *s.* Verrat *m*, Treubruch *m.*
be·troth [bi'trouð] *v/t. j-n* (*od. o.s.* sich) verloben (*to* mit); **be'troth·al** [-ðəl] *s.* Verlobung *f*; **be'trothed** [-ðd] *s.* Verlobte(r *m*) *f.*
bet·ter[1] ['betə] **I.** *comp. von good adj.* **1.** besser: *I am ~* es geht mir (*gesundheitlich*) besser; *to get ~* **a)** besser werden, **b)** sich erholen; ~ *late than never* besser spät als nie; *to go one ~ than s.o.* j-n übertreffen; ~ *off* **a)** besser daran, **b)** wohlhabender; *to be ~ than one's word* mehr tun als man versprach; *my ~ half* m-e bessere Hälfte; **2.** größer: *on ~ acquaintance* bei näherer Bekanntschaft; **II.** *s.* **3.** *das* Bessere: *for ~ for worse* **a)** in Freud' u. Leid (*Trauformel*), **b)** was auch geschehe; *to get the ~ (of)* die Oberhand gewinnen (über *acc.*), besiegen (*acc.*), überwinden (*acc.*), *j-m* den Rang ablaufen; **4.** *pl. mit pers. pron.* Vorgesetzte *pl.*, Höherstehende *pl.*, Über'legene *pl.*; **III.** *comp. von well adv.* **5.** besser: *I know ~* ich weiß es besser; *to think ~ of ger.* sich e-s Besseren besinnen und; *to think ~ of s.o.* e-e bessere Meinung von j-m haben; *so much the ~* desto besser; *you had ~ (od.* F *mst you ~) go* es wäre besser, wenn du gingest; *you'd ~ not!* F laß das lieber sein!; *to know ~ than to ...* gescheit genug sein, nicht zu ...; **6.** mehr: *to like ~* lieber haben; ~ *loved*; **IV.** *v/t.* **7.** (ver)bessern, über'treffen; **8.** ~ *o.s.* sich (*finanziell*) verbessern, vorwärtskommen; **V.** *v/i.* **9.** besser werden.
bet·ter[2] ['betə] *s.* Wetter(in).
bet·ter·ment ['betəmənt] *s.* **1.** (Ver-)Besserung *f*; **2.** Wertzuwachs *m* (*bei Grundstücken*), Meliorati'on *f.*
bet·ting ['betiŋ] *s. sport* Wetten *n*; ~ **man** *s.* [*irr.*] *sport* (berufsmäßiger) Wetter.
bet·tor → *better*[2].
be·tween [bi'twi:n] **I.** *prp.* **1.** zwischen: ~ *the chairs* zwischen den Stühlen, zwischen die Stühle; ~ *nine and ten at night* abends zwischen neun und zehn; *in ~ his meals* zwischen s-n *od.* den Mahlzeiten; → *4*; **2.** unter: *they shared the money ~ them* sie teilten das Geld unter sich; ~ *ourselves*, ~ *you and me* unter uns (gesagt); **3.** gemeinschaftlich: *we had fifty pence ~ us* wir hatten zusammen fünfzig Pence; **II.** *adv.* **4.** da'zwischen: *the space ~* der Zwischenraum; *in ~* dazwischen, zwischendurch; ~-**decks** → *'tween-decks*; ~-**maid** *Brit.* → *tweeny*; ~ **whiles** *adv.* dann u. wann, bis'weilen, hier u. da.
be·twixt [bi'twikst] **I.** *adv.* da'zwischen: ~ *and between* halb u. halb, weder das e-e noch das andere; **II.** *prp. obs.* zwischen.
bev·el ['bevəl] ⊕ **I.** *s.* **1.** Abschrägung *f*; Fase *f*, Fa'cette *f*; **2.** Schrägmaß *n*; **II.** *v/t.* **3.** abschrägen: ~(*l*)*ed edge* abgeschrägte Kante; ~(*l*)*ed glass* facettiertes Glas; **III.** *adj.* **4.** abgeschrägt; ~ **cut** *s.* Schrägschnitt *m*; '~-**gear** *s.* ⊕ Kegelrad(getriebe) *n*, konisches Getriebe; ~ **plane** *s.* ⊕ Schräghobel *m*; '~-**wheel** *s.* ⊕ Kegelrad *n.*
bev·er·age ['bevəridʒ] *s.* Getränk *n.*
Bev·in boy ['bevin] *s. Brit.* (*2. Weltkrieg*) junger Wehrpflichtiger, der durch Los zur Arbeit im Bergwerk bestimmt wurde.
bev·y ['bevi] *s.* Schar *f*, Schwarm *m* (*Vögel*; *a. fig. Mädchen etc.*), Rudel *n.*
be·wail [bi'weil] **I.** *v/t.* beklagen, betrauern; **II.** *v/i.* wehklagen.
be·ware [bi'weə] *v/i.* sich in acht nehmen, sich hüten (*of* vor *dat.*, *lest* daß nicht): ~! Achtung!; ~ *of pickpockets!* vor Taschendieben wird gewarnt!; ~ *of the dog!* Warnung vor dem Hunde!
be·wil·der [bi'wildə] *v/t.* **1.** irreführen; **2.** verwirren, irremachen; **be'wil·dered** [-əd] *adj.* verwirrt; verblüfft, bestürzt, verdutzt; **be'wil·der·ing** [-dəriŋ] *adj.* □ irreführend; verwirrend; **be'wil·der·ment** [-mənt] *s.* Verwirrung *f*, Bestürzung *f.*
be·witch [bi'witʃ] *v/t.* behexen, bezaubern, bestricken; entzücken; **be'witch·ing** [-tʃiŋ] *adj.* □ bezaubernd, entzückend, bestrickend.
bey [bei] *s.* Bei *m* (*Titel e-s höheren türkischen Beamten*).
be·yond [bi'jɔnd] **I.** *adv.* **1.** dar'über hin'aus, jenseits; **2.** weiter weg; **II.** *prp.* **3.** jenseits: ~ *the seas* in Übersee; **4.** außer, abgesehen von: ~ *dispute* außer allem Zweifel, unstreitig; **5.** über ... (*acc.*) hin'aus; mehr als, weiter als: ~ *the time* über die Zeit hinaus; ~ *belief* unglaublich; ~ *all blame* über jeden Tadel erhaben; *books ~ counting* Bücher ohne Zahl; ~ *endurance* unerträg-

lich; ~ *hope* hoffnungslos; ~ *measure* über die Maßen; *it is* ~ *my power* es übersteigt m-e Kraft; ~ *praise* über alles Lob erhaben; ~ *repair* nicht mehr zu reparieren; ~ *reproach* untadelig; *that is* ~ *me* das geht über m-n Verstand; ~ *me in Latin* weiter als ich in Latein; **III.** *s.* **6.** Jenseits *n*: *at the back of* ~ im entlegensten Winkel, am Ende der Welt.

be·zoar ['bi:zɔ:] *s. zo.* Bezo'ar *m.*

'**B-girl** *s. Am.* Animierdame *f*, -mädchen *n.*

bi- [bai] *in Zssgn* zwei(mal).

bi·an·nu·al [bai'ænjuəl] *adj.* □ halbjährlich, zweimal jährlich.

bi·as ['baiəs] **I.** *s.* **1.** schiefe Seite, schräge Richtung; **2.** schräger Schnitt: *cut on the* ~ diagonal geschnitten; **3.** *sport* 'Überhang *m* der (*einseitig beschwerten*) Kugel (*beim Bowling-Spiel*); **4.** (*towards*) *fig.* Hang *m*, Neigung *f* (zu); Vorliebe *f* (für); **5.** *fig.* Vorurteil *n*; ⚖ Befangenheit *f*; **6.** ⚡ (Gitter)Vorspannung *f*; **II.** *adj. u. adv.* **7.** schräg, schief; **III.** *v/t.* **8.** (*mst* ungünstig) beeinflussen; gegen *j-n* einnehmen; '**bi·as(s)ed** [-st] *adj.* voreingenommen; ⚖ befangen.

bi·ath·lete [bai'æθli:t] *s. sport* 'Bi-ath,let *m*, 'Biathlonkämpfer *m*; **bi-'ath·lon** [-'æθlɔn] *s.* 'Biathlon *n.*

bi·ax·i·al [bai'æksiəl] *adj.* zweiachsig.

bib [bib] **I.** *s.* **1.** Lätzchen *n*; **2.** Schürzenlatz *m*, Schürze *f*; **II.** *v/i.* **3.** (unmäßig) trinken.

bib-cock ['bibkɔk] *s.* ⊕ Zapfhahn *m.*

Bi·ble ['baibl] *s.* **1.** Bibel *f*; **2.** ♀ *fig.* Bibel *f* (*maßgebendes Buch*); '~**-clerk** *s.* (*in Oxford*) *Student, der in der College-Kapelle während des Gottesdienstes die Bibeltexte verliest.*

bib·li·cal ['biblikəl] *adj.* □ biblisch, Bibel...

bib·li·og·ra·pher [bibli'ɔgrəfə] *s.* Biblio'graph *m*, Verfasser *m* e-r Bibliogra'phie; **bib·li·o·graph·ic** *adj.*; **bib·li·o·graph·i·cal** [biblio*u*'græfik(əl)] *adj.* □ biblio'graphisch; **bib·li'og·ra·phy** [-fi] *s.* Bibliogra'phie *f*; **bib·li·o·ma·ni·a** [biblio*u*'meinjə] *s.* Biblioma'nie *f*, (krankhafte) Bücherleidenschaft; **bib·li·o·ma·ni·ac** [biblio*u*'meiniæk] *s.* Büchernarr *m*; **bib·li·o·phil** ['biblio*u*fil], **bib·li·o·phile** ['biblio*u*fail] *s.* Biblio'phile *m*, Bücherliebhaber(in).

bib·u·lous ['bibjuləs] *adj.* □ trunksüchtig, dem Trunk ergeben.

bi·cam·er·al [bai'kæmərəl] *adj. pol.* Zweikammer...

bi·car·bon·ate [bai'kɑ:bənit] *s.* ⚗ Bikarbo'nat *n*: ~ *of soda* doppel(t)-kohlensaures Natrium.

bi·cen·te·nar·y [baisen'ti:nəri] **I.** *adj.* zweihundertjährig; **II.** *s.* Zweihundertjahrfeier *f*; **bi·cen'ten·ni·al** [-'tenjəl] **I.** *adj.* zweihundertjährig; alle zweihundert Jahre eintretend; **II.** *s. bsd. Am.* → *bicentenary II.*

bi·ceph·a·lous [bai'sefələs] *adj.* zweiköpfig.

bi·ceps ['baiseps] *s.* **1.** *anat.* 'Bizeps *m*, zweiköpfiger Armmuskel; **2.** *fig.* Muskelkraft *f.*

bick·er ['bikə] *v/i.* **1.** (sich) zanken; quengeln; **2.** plätschern (*Fluß, Regen*); **3.** flackern (*Flamme*); '**bick·er·ing** [-əriŋ] *s. a. pl.* kleinliches Gezänk.

bi·cy·cle ['baisikl] **I.** *s.* Fahrrad *n*, Zweirad *n*; **II.** *v/i.* radfahren, radeln; '**bi·cy·cler** [-lə] *Am.*, '**bi·cy·clist** [-list] *Brit. s.* Radfahrer(in), Radler(in).

bid [bid] **I.** *s.* **1. a)** Gebot *n* (*bei Versteigerungen*), **b)** ✝ Angebot *n* (*bei öffentlichen Ausschreibungen*); **2.** *Kartenspiel*: Reizen *n*: *no* ~ ich passe; **3.** Bemühung *f*, Bewerbung *f* (*for* um); Versuch *m* (*to inf.* zu *inf.*): *to make a* ~ *for* sich bemühen um *et. od.* zu *inf.*; **4.** *Am.* F Einladung *f*; **II.** *v/t.* [*irr.*] *5 u. 6 pret. u. p.p.* **bid**; *7-9 pret.* **bade** [beid], *p.p. mst* **bid·den** ['bidn] **5.** bieten (*bei Versteigerungen*): *to* ~ *up den Preis* in die Höhe treiben; **6.** *Kartenspiel*: melden, reizen; **7.** *Gruß* entbieten; wünschen: *to* ~ *good morning* e-n guten Morgen wünschen; *to* ~ *farewell* Lebewohl sagen; **8.** *lit. j-m et.* gebieten, befehlen, *j-n et. tun* lassen, heißen: ~ *him come in* laß ihn hereinkommen; **9.** *obs.* einladen (*to* zu); **III.** *v/i.* [*irr., pret. u. p.p.* **bid**] **10.** ✝ ein (Preis)Angebot machen; **11.** *Kartenspiel*: melden, reizen; **12.** (*for*) werben, sich bemühen (um); '**bid·den** [-dn] *p.p. von bid*; '**bid·der** [-də] *s.* **1.** Bieter *m* (*bei Versteigerungen*): *highest* ~ Meistbietende(r); **2.** Bewerber *m bei Ausschreibungen*; '**bid·ding** [-diŋ] *s.* **1.** Gebot *n*, Bieten *n* (*bei Versteigerungen*); **2.** Geheiß *n*: *to do s.o.'s* ~ *tun*, was j-d will.

bide [baid] *v/t.* [*irr.*] er-, abwarten: *to* ~ *one's time* den rechten Augenblick abwarten.

bi·en·ni·al [bai'eniəl] **I.** *adj.* □ **1.** alle zwei Jahre eintretend; **2.** ⚘ zweijährig; **II.** *s.* **3.** ⚘ zweijährige Pflanze; **bi'en·ni·al·ly** [-li] *adv.* alle zwei Jahre.

bier [biə] *s.* (Toten)Bahre *f.*

biff [bif] *sl.* **I.** *v/t.* ‚hauen', schlagen; **II.** *s.* Schlag *m*, Hieb *m.*

bif·fin ['bifin] *s. Brit.* roter Kochapfel.

bi·fo·cal ['bai'foukəl] **I.** *adj.* **1.** Zweistärken..., mit zwei Brennpunkten (*Linse*); **II.** *s.* **2.** Zweistärkenlinse *f*; **3.** *pl.* Zweistärkenbrille *f.*

bi·fur·cate ['baifə:keit] **I.** *v/t.* gabelförmig teilen; **II.** *v/i.* sich gabeln; **III.** *adj.* gegabelt, gabelförmig, zweiästig; **bi·fur·ca·tion** [baifə:'keiʃən] *s.* Gabelung *f.*

big [big] **I.** *adj.* **1.** groß, dick; stark, kräftig (*a. fig.*): *the* ~ *toe* der große Zeh; ~ *business* Großunternehmertum; ~ *money Am.* ein Haufen Geld; *a* ~ *voice* e-e volle Stimme; **2.** groß, weit; → *boot*[1] *1*; **3.** groß, hoch: ~ *game* Großwild; **4.** groß, erwachsen: *my* ~ *brother*; **5.** schwanger; *fig.* voll: ~ *with child* hochschwanger; ~ *with fate* schicksalsschwer; **6.** hochmütig, eingebildet: ~ *talk* hochtrabende Reden; **7.** F **groß**, bedeutend, wichtig, führend: *the* ♀ *Three* (*Five*) die großen Drei (Fünf) (*führende Staaten, Banken etc.*); **8.** großmütig, edel: *a* ~ *heart*; **II.** *adv.* **9.** großspurig: *to talk* ~ prahlen.

big·a·mist ['bigəmist] *s.* Biga'mist (-in); '**big·a·mous** [-məs] *adj.* □ **a)** bi'gamisch, **b)** in Biga'mie lebend; '**big·a·my** [-mi] *s.* Bigamie *f*, Doppelehe *f.*

Big| Ben [ben] *s. Glocke im Uhrturm des brit. Parlamentsgebäudes*; ~ **Bertha** ['bə:θə] *s.* ⚔ F Dicke Bertha (*deutscher 42-cm-Mörser im 1. Weltkrieg*).

bight [bait] *s.* **1.** Bucht *f*; Einbuchtung *f*; **2.** Krümmung *f*; **3.** ⚓ Bucht *f* (*im Tau*).

big·ot ['bigət] *s.* blinder Anhänger, Fa'natiker *m*; Frömmler(in); '**big·ot·ed** [-tid] *adj.* bi'gott, blindgläubig, fa'natisch, engstirnig; '**big·ot·ry** [-tri] *s.* blinder Eifer, Fana'tismus *m*, Engstirnigkeit *f.*

'**big| shot** *s.* F ‚großes Tier', Bonze *m*; ~ **stick** *s. Am. fig.* Macht *f*, Gewalt *f*; ~ **top** *s. Am.* **1.** großes 'Zirkuszelt; **2.** 'Zirkus *m* (*a. fig.*).

'**big·wig** *s.* gewichtige Per'sönlichkeit, ‚großes' *od.* ‚hohes Tier'.

bike [baik] F → *bicycle.*

Bi·ki·ni [bi'ki:ni] **I.** *npr.* Bi'kini (*Atoll im Stillen Ozean*); **II.** *s.* ♀ Bikini *m* (*zweiteiliger Badeanzug*).

bi·lat·er·al [bai'lætərəl] *adj.* □ zweiseitig, bilate'ral: **a)** ⚖ beiderseitig verbindlich, gegenseitig (*Vertrag etc.*), **b)** *biol.* beide Seiten (*Organ etc.*) betreffend, **c)** ⊕ doppelseitig (*Antrieb*).

bil·ber·ry ['bilbəri] *s.* ⚘ Heidel-, Blaubeere *f.*

bile [bail] *s.* **1.** ⚕ **a)** Galle *f*, **b)** Gallenflüssigkeit *f*; **2.** *fig.* schlechte Laune, Galle *f.*

bilge [bildʒ] *s.* **1.** ⚓ Kielraum *m*, Bilge *f*, Kimm *f*; **2.** → *bilge-water*; **3.** *sl.* ‚Quatsch' *m*, ‚Mist' *m*, Unsinn *m*; '~**-keel** *s.* ⚓ Kimm-, Schlingerkiel *m*; '~**-pump** *s.* ⚓ Bilgen-, Lenzpumpe *f*; '~**-wa·ter** *s.* ⚓ Bilgenwasser *n*, Grundsuppe *f.*

bi·lin·gual [bai'liŋgwəl] *adj.* zweisprachig.

bil·ious ['biljəs] *adj.* □ **1.** ⚕ Gallen...: ~ *complaint* Gallenleiden; ~ *complaints* Gallenbeschwerden; **2.** *fig.* verstimmt, reizbar; '**bil·ious·ness** [-nis] *s.* **1.** Gallenkrankheit *f*; **2.** *fig.* schlechte Laune.

bilk [bilk] **I.** *v/t.* prellen, *um Geld* beschwindeln; **II.** *s.*, *a.* '**bilk·er** [-kə] *s.* Schwindler(in), Preller(in); '**bilk·ing** [-kiŋ] *s.* Prelle'rei *f.*

bill[1] [bil] **I.** *s.* **1.** *zo.* **a)** Schnabel *m*, **b)** schnabelähnliche Schnauze; **2.** Spitze *f am Anker, Zirkel etc.*; **3.** *geogr.* spitz zulaufende Halbinsel; **II.** *v/i.* **4.** (sich) schnäbeln; **5.** *fig.*, *a. to* ~ *and coo* sich liebkosen, wie die Turteltauben mitein'ander schnäbeln.

bill[2] [bil] **I.** *s.* **1.** *pol.* (Gesetzes)Vorlage *f*, Gesetzentwurf *m*: ~ *of Rights* **a)** *Brit.* Staatsgrundgesetz (*von 1689*), **b)** *USA*: die ersten 10 Zusatzartikel zur Verfassung; **2.** ⚖ (An)Klage-, Rechtsschrift *f*: *to find a true* ~ e-e Anklage für begründet erklären; **3.** ✝ *a.* ~ *of exchange* Wechsel *m*, Tratte *f*: ~*s payable* Wechselschulden; ~*s receivable* Wechselforderungen; *long(-dated od. -termed)* ~ langfristiger Wechsel; ~ *of lading* Seefrachtbrief, Konnossement, *Am. a.* Frachtbrief; **4.** Rechnung *f*: ~ *of costs* Kostenrechnung; ~ *of sale* Kauf-, Übereignungsvertrag; *to fill the* ~ den Ansprüchen genügen; *have you paid your* ~*?*; **5.** Liste *f*, Schein *m*, Zettel *m*, Pla'kat *n*: ~ *of fare* Speisekarte; *theatre* ~ Theaterzettel, -programm; *(clean)* ~ *of health* Gesundheitszeugnis (*a. fig.*); *stick no* ~*s!* Zettelankleben verboten!; **6.** *Am.* Banknote *f*, (Geld-)Schein *m*; **II.** *v/t.* **7.** *durch Plakat etc.* ankündigen: *he was* ~*ed to appear* sein Auftreten wurde angekündigt; **8.** *j-m et.* berechnen.

bill[3] [bil] *s.* **1.** *hist. obs.* Pike *f* (*Spieß*); **2.** → *billhook.*

'bill|·board *s.* Anschlagbrett *n*, Re'klamefläche *f*; **'~-bro·ker** *s.* ✝ Wechselmakler *m*; **~ dis·count** *s.* ✝ 'Wechseldis,kont *m*.

bil·let[1] ['bilit] **I.** *s.* **1.** ⚔ **a)** Quartierzettel *m*, **b)** Quartier *n*: *in* ~*s* privat einquartiert; **2.** 'Unterkunft *f*; **3.** *fig.* Stellung *f*, Posten *m*; **II.** *v/t.* **4.** 'unterbringen, einquartieren (*on* bei).

bil·let[2] ['bilit] *s.* **1.** Holzscheit *n*, -klotz *m*; **2.** *metall.* Knüppel *m*.

bil·let-doux ['bilei'du:] (*Fr.*) *s. humor.* Liebesbrief *m*.

'bill|·fold *s. Am.* Geldscheintasche *f*; **'~-head** *s.* gedrucktes 'Rechnungsformu,lar; **'~-hook** *s.* ⚒ Gartenmesser *n*.

bil·liard ['biljəd] *adj.* Billard...; **'~-ball** *s.* 'Billardkugel *f*; **'~-cue** *s.* Queue *n*, 'Billardstock *m*; **'~-mark·er** *s.* Mar'kör *m* (*Punktezähler*).

bil·liards ['biljədz] *s. sg. od. pl. konstr.* 'Billard(spiel) *n*.

'bil·liard-ta·ble *s.* 'Billard(tisch *m*) *n*.

bill·ing ['biliŋ] *s.* Re'klame *f* (*bsd. für Schauspieler etc.*).

Bil·lings·gate ['biliŋzgit] **I.** *npr. Fischmarkt in London*; **II.** ♀ *s.* gemeine Schimpfe'rei, Gekeife *n*: *to talk* ~ keifen wie ein Fischweib.

bil·lion ['biljən] *s. Brit.* Billi'on *f*; *Am.* Milli'arde *f*.

'bill|-job·ber *s.* ✝ *Brit.* Wechselreiter *m*; **'~-job·bing** *s.* ✝ *Brit.* Wechselreite'rei *f*.

bil·low ['bilou] **I.** *s.* Welle *f*, Woge *f* (*a. fig.*); **II.** *v/i.* wogen, schwellen, sich türmen; **'bil·low·y** [-oui] *adj.* wogend; wellig.

'bill|-post·er, '~-stick·er *s.* Pla'kat-, Zettelankleber *m*.

bil·ly ['bili] *s.* **1.** *Am.* (Poli'zei)Knüppel *m*; **2.** Feldkessel *m*; **'~-cock (hat)** *s. Brit.* F ‚Me'lone' *f* (*steifer Filzhut*); **'~-goat** *s. zo.* F Ziegenbock *m*.

bi·met·al·lism [bai'metəlizəm] *s.* Bimetal'lismus *m*, Doppelwährung *f* (*mst Gold u. Silber*).

bi·month·ly ['bai'mʌnθli] *adj. u. adv. mst* zweimonatlich, alle zwei Monate; *a. gebraucht für* zweimal monatlich.

bi·mo·tored [bai'moutəd] *adj.* ✈ 'zweimo,torig.

bin [bin] *s.* **1.** (großer) Behälter, Kasten *m*; **2.** Verschlag *m*.

bi·na·ry ['bainəri] *adj.* ♏, ⊕, ⚗, *phys.* bi'när, aus zwei Einheiten bestehend; **~ dig·it** *s. Computer*: bi'näre Einheit, Bit *n*; **~ meas·ure** *s.* ♪ gerader Takt; **~ star** *s. ast.* Doppelstern *m*.

bind [baind] [*irr.*] **I.** *v/t.* **1.** binden, an-, 'um-, festbinden, verbinden: *to* ~ *to a tree* an e-n Baum binden; *to* ~ *a belt about one* sich gürten; *bound hand and foot fig.* an Händen u. Füßen gebunden; **2.** *Buch* (ein-)binden; **3.** *Saum etc.* einfassen; **4.** *Rad etc.* (mit Me'tall) beschlagen; **5.** *Sand etc.* fest *od.* hart machen; zs.-fügen; **6.** (o.s. sich) binden (*a.* vertraglich), verpflichten; zwingen: *to* ~ *an apprentice j-n* in die Lehre geben (*to* bei); *to* ~ *a bargain* e-n Handel (durch Anzahlung) verbindlich machen; → *bound*[1] *1*; **7.** ♏, ⊕ binden; **8.** ⚕ verstopfen; **II.** *v/i.* **9.** binden, fest *od.* hart werden, zs.-halten; **~ o·ver** *v/t.* durch Bürgschaft verpflichten: *to be bound over* ⚖ e-e Bewährungsfrist erhalten; **~ to·geth·er** *v/t.* zs.-, verbinden; **~ up** *v/t.* **1.** vereinigen, zs.-binden; *Wunde* verbinden; **2.** *pass. to be bound up* (*in od. with*) eng verknüpft sein (mit), ganz in Anspruch genommen werden (von).

bind·er ['baində] *s.* **1. a)** (*Buch-, Garben*)Binder(in), **b)** Garbenbinder *m* (*Maschine*); **2.** Binde *f*, Band *n*, Schnur *f*; **3.** 'Aktendeckel *m*, 'Umschlag *m*; **4.** ⊕ Bindemittel *n*; **'bind·er·y** [-əri] *s.* Buchbinde'rei *f*.

bind·ing ['baindiŋ] **I.** *adj.* **1.** *fig.* bindend, verbindlich ([*up*]*on* für); **II.** *s.* **2.** (Buch)Einband *m*; **3. a)** Einfassung *f*, Borte *f*, **b)** (Me'tall)Beschlag *m* (*Rad*), **c)** (Ski)Bindung *f*; **~ a·gent** → *binder 4*; **~ post** *s.* ⚡ (Pol-, Anschluß)Klemme *f*.

'bind·weed *s.* ♀ *e-e* Winde *f*.

bine [bain] *s.* ♀ Ranke *f* (*bsd. Hopfen*).

binge [bindʒ] *s. sl.* Saufe'rei *f*, Gelage *n*, ‚Bierreise' *f*.

bin·go ['biŋgou] *s.* Bingo *n*.

bin·na·cle ['binəkl] *s.* ⚓ 'Kompaßhaus *n*.

bin·oc·u·lar I. *adj.* [bai'nɔkjulə] für beide *od.* mit beiden Augen, binoku'lar; **II.** *s.* [bi'n-] *mst pl.* Feldstecher *m*, Opern-, Fernglas *n*.

bi·no·mi·al [bai'noumjəl] *adj.* **1.** ⚗ bi'nomisch, zweigliedrig: ~ *theorem* binomischer (Lehr)Satz; **2.** ♀, *zo.* → *binominal.*

bi·nom·i·nal [bai'nɔminl] *adj.* ♀, *zo.* binomi'nal, zweinamig: ~ *system* (System der) Doppelbenennung.

bi·nu·cle·ar [bai'nju:kliə], **bi'nu·cle·ate** [-ieit] *adj. phys.* zweikernig.

bio- [baiou] *in Zssgn* Leben...

bi·o·chem·i·cal ['baiou'kemikəl] *adj.* □ bio'chemisch; **'bi·o'chem·ist** [-ist] *s.* Bio'chemiker *m*; **'bi·o-'chem·is·try** [-istri] *s.* Bioche'mie *f*.

bi·og·ra·pher [bai'ɔgrəfə] *s.* Bio'graph *m*; **bi·o·graph·ic** *adj.*; **bi·o·graph·i·cal** [baiou'græfik(əl)] *adj.* □ bio'graphisch; **bi'og·ra·phy** [-fi] *s.* Biogra'phie *f*, Lebensbeschreibung *f*.

bi·o·log·ic [baiə'lɔdʒik] *adj.* (□ *~ally*) → *biological*; **bi·o'log·i·cal** [-kəl] *adj.* □ bio'logisch: ~ *warfare* Bakterienkrieg; **bi·ol·o·gist** [bai'ɔlədʒist] *s.* Bio'loge *m*; **bi·ol·o·gy** [bai'ɔlədʒi] *s.* Biolo'gie *f*.

bi·om·e·try [bai'ɔmitri] *s. biol.* Biome'trie *f*.

bi·o·nom·ics [baiou'nɔmiks] *s. pl. sg. konstr. biol.* Ökolo'gie *f*; **bi·o·phys·ics** [baiou'fiziks] *s. pl. sg. konstr.* Biophy'sik *f*.

bi·o·scope ['baiəskoup] *s.* Bio'skop *n* (*Vorläufer des Filmprojektors*).

bi·par·ti·san [baipɑ:ti'zæn] *adj.* zwei Par'teien vertretend, Zweiparteien...; **bi·par·ti'san·ship** [-ʃip] *s.* Zugehörigkeit *f* zu zwei Parteien;

bi·par·tite [bai'pɑ:tait] *adj.* **1.** zweiteilig; **2.** *pol.*, ⚖ zweiseitig, doppelt ausgefertigt (*Dokumente*).

bi·ped ['baiped] *s. zo.* Zweifüß(l)er *m*.

bi·plane ['baiplein] *s.* ✈ Doppel-, Zweidecker *m*.

birch [bə:tʃ] **I.** *s.* **1. a)** ♀ Birke *f*, **b)** Birkenholz *n*; **2.** (Birken)Rute *f*; **II.** *v/t.* **3.** mit der Rute züchtigen; **'birch·en** [-tʃən] *adj.* birken, Birken...; **'birch·ing** [-tʃiŋ] *s.* (Ruten-)Schläge *pl.*; **'birch-rod** → *birch* 2.

bird [bə:d] *s.* **1.** Vogel *m*; **2. a)** F ‚Knülch' *m*, Bursche *m*, **b)** *Brit. sl.* ‚Puppe' *f* (*Mädchen*): *early* ~ Frühaufsteher, wer früh kommt; *queer* ~ komischer Kauz; *old* ~ alter Knabe; *gay* ~ lustiger Vogel; *the early* ~ *catches the worm* Morgenstunde hat Gold im Munde; ~*s of a feather flock together* gleich u. gleich gesellt sich gern; *to kill two* ~*s with one stone* zwei Fliegen mit e-r Klappe schlagen; *a* ~ *in the hand is worth two in the bush* ein Sperling in der Hand ist besser als e-e Taube auf dem Dach; *fine feathers make fine* ~*s* Kleider machen Leute; *the* ~ *is* (*od. has*) *flown fig.* der Vogel ist ausgeflogen; *to give s.o. the* ~ j-n auspfeifen *od.* abweisen; *a little* ~ *told me* mein kleiner Finger hat es mir gesagt; *to tell a child about the* ~*s and the bees* ein Kind aufklären; **'~-cage** *s.* Vogelbauer *n*, -käfig *m*; **'~-call** *s.* Vogelruf *m*; Lockpfeife *f*; **~ dog** *s.* Hühnerhund *m*; **'~-fan·ci·er** *s.* Vogelliebhaber(in), -züchter(in), -händler(in).

bird·ie ['bə:di] *s.* **1.** Vögelchen *n* (*a. Kosewort*); **2.** *Golf*: 'Birdie *n*, ein Schlag unter Par.

bird| life *s.* Vogelleben *n*, -welt *f*; **'~-lime** *s.* Vogelleim *m*; **'~-nest** *s.* Vogelnest *n*; **'~-nest·ing** *s.* Ausnehmen *n* von Vogelnestern; **~ of par·a·dise** *s. orn.* Para'diesvogel *m*; **~ of pas·sage** *s.* Zugvogel *m* (*a. fig.*); **~ of prey** *s.* Raubvogel *m*; **'~-seed** *s.* Vogelfutter *n*.

'bird's|-eye I. *s.* **1.** ♀ A'donisrös-chen *n*; **2.** Feinschnittabak *m*; **II.** *adj.* **3.** ~ *view* (Blick aus der) Vogelperspektive, allgemeiner Überblick; **~ nest** *s.* Vogelnest *n* (*a. eßbares, in Ostasien*); **'~-nest·ing** → *birdnesting.*

'bird|-watch·er *s.* Vogelbeobachter *m*; **'~-watch·ing** *s.* Beobachtung *f* des Vogellebens.

bi·reme ['bairi:m] *s. antiq.* Bi'reme *f* (*Zweiruderer*).

bi·ret·ta [bi'retə] *s.* Bi'rett *n* (*Kopfbedeckung kathol. Geistlicher*).

birth [bə:θ] *s.* **1.** Geburt *f*; Wurf *m* (*Hunde etc.*): *to give* ~ *to* gebären, zur Welt bringen, *fig.* hervorbringen, -rufen; *by* ~ von Geburt;

2. Abstammung *f*, 'Herkunft *f*; *engS.* edle Herkunft; 3. Ursprung *m*, Entstehung *f*; ~ **cer·tif·i·cate** *s.* Geburtsurkunde *f*; '~**-con·trol** *s.* Geburtenregelung *f*, -beschränkung *f*; '~**-day** *s.* Geburtstag *m*: ~ *honours Brit.* Titelverleihungen zum Geburtstag des Königs *od.* der Königin; *in one's* ~ *suit* im Adamskostüm; ~ *party* Geburtstagsparty; '~**-mark** *s.* Muttermal *n*; '~**-place** *s.* Geburtsort *m*; '~**-rate** *s.* Geburtenziffer *f*: *falling* ~ Geburtenrückgang; '~**-right** *s.* (Erst)Geburtsrecht *n*; '~**-wort** *s.* ⚘ 'Osterlu,zei *f*.

bis [bis] (*Lat.*) *adv.* ♪ noch einmal.

bis·cuit ['biskit] **I.** *s.* **1.** *Brit.* Keks *m*: *that takes the* ~! *humor.* das ist die Höhe!; **2.** *Am.* weiches Brötchen; **3.** *Brit.* ⚔ 'ein Teil e-r mehrteiligen Ma'tratze; **4.** → *biscuit ware*; **II.** *adj.* **5.** hellbraun; ~ **ware** *s.* ⊕ Bis'kuit *n* (*Porzellan*).

bi·sect [bai'sekt] *v/t.* **1.** in zwei Teile zerschneiden; **2.** ⩘ halbieren; **bi·'sec·tion** [-kʃən] *s.* ⩘ Halbierung *f*.

bi·sex·u·al ['bai'seksjuəl] *adj.* zweigeschlechtig, zwitterhaft.

bish·op ['biʃəp] *s.* **1.** 'Bischof *m*; **2.** *Schach*: Läufer *m*; **3.** Bischof *m* (*Getränk*); '**bish·op·ric** [-rik] *s.* 'Bistum *n*, Diö'zese *f*.

bis·muth ['bizməθ] *s.* ⚗, *min.* 'Wismut *n*.

bi·son ['baisn] *s. zo.* **1.** 'Bison *m*, amer. Büffel *m*; **2.** euro'päischer 'Wisent.

bis·sex·tile [bi'sekstail] **I.** *s.* Schaltjahr *n*; **II.** *adj.* Schalt...: ~ *day* Schalttag.

bit[1] [bit] *s.* **1.** Gebiß *n* (*am Pferdezaum*): *to take the* ~ *between one's teeth* **a)** durchgehen (*Pferd*), **b)** störrisch werden; **2.** *fig.* Zaum *m*, Zügel *m u. pl.*; **3.** ⊕ **a)** Bohrerspitze *f*, **b)** Hobeleisen *n*, **c)** Maul *n* der Zange *etc.*, **d)** Bart *m* des Schlüssels.

bit[2] [bit] *s.* **1.** Stückchen *n*: *a* ~ *of bread*; *a* ~ ein bißchen, ein wenig, e-e Kleinigkeit; *a* ~ *of a* ... so et. wie ein(e) ...; *a* ~ *of a fool* et. närrisch; ~ *by* ~ Stück für Stück, allmählich; *after a* ~ nach e-m Weilchen; *every* ~ *as good* ganz genauso gut; *not a* ~ *better* kein bißchen besser; *not a* ~ (*of it*) ,keine Spur', ganz und gar nicht; *to do one's* ~ s-e Pflicht tun; *to give s.o. a* ~ *of one's mind* j-m (gehörig) die Meinung sagen; **2.** kleine Münze: **a)** *Brit.* F *threepenny* ~, **b)** *Am.* F *two* ~*s* 25 Cent.

bit[3] [bit] *s. Computer*: Bit *n*, bi'näre Einheit.

bit[4] [bit] *pret. von bite.*

bitch [bitʃ] *s.* **1.** Hündin *f*; **2.** *a.* ~ *fox* Füchsin *f*; *a.* ~ *wolf* Wölfin *f*; **3.** V *contp.* Weibsstück *n*, Hure *f*.

bite [bait] **I.** *s.* **1.** Beißen *n*, Biß *m*; Stich *m* (*Insekt*); **2.** Bissen *m*, Happen *m*: *not a* ~ *to eat*; **3.** (An)Beißen *n* (*Fisch*); **4.** ⊕ Fassen *n*, Eindringen *n*; **5.** *fig.* Bissigkeit *f*, Schärfe *f*, Spitze *f*; **6.** *fig.* Würze *f*, Geist *m*; **II.** *v/t.* [*irr.*] **7.** beißen: *to* ~ *one's lips* sich auf die Lippen (*fig.* auf die Zunge) beißen; *to* ~ *one's nails* an den Nägeln kauen; *to* ~ *the dust fig.* ins Gras beißen; *bitten with a desire fig.* von e-m Wunsch gepackt; *what's biting you? Am. sl.* was ist mit dir los?; **8.** beißen, stechen (*Insekt*); **9.** ⊕ fassen, eingreifen, -dringen; **10.** ⚗ beizen, zerfressen, angreifen; beschädigen; **11.** F *pass.*: *to be bitten* hereingefallen sein; *once bitten twice shy* gebranntes Kind scheut das Feuer; **III.** *v/i.* [*irr.*] **12.** beißen; **13.** (an-)beißen; *fig.* sich verlocken lassen; **14.** ⊕ fassen, greifen (*Rad, Bremse, Werkzeug*); **15.** *fig.* beißen, schneiden, brennen, stechen, scharf sein (*Kälte, Wind, Gewürz, Schmerz*); **16.** *fig.* beißend *od.* verletzend sein; ~ **off** *v/t.* abbeißen: *to* ~ *more than one can chew* sich zuviel zumuten.

bit·ing ['baitiŋ] *adj.* □ beißend, scharf, schneidend (*a. fig.*).

bit·ten ['bitn] *p.p. von bite.*

bit·ter ['bitə] **I.** *adj.* □ → *a.* 4 **1.** bitter (*Geschmack*); **2.** *fig.* bitter (*Schicksal, Wahrheit, Tränen, Worte etc.*), schmerzlich, hart: *to the* ~ *end* bis zum bitteren Ende; **3.** *fig.* verärgert, böse, verbittert; streng, unerbittlich; rauh, unfreundlich (*a. Wetter*); **II.** *adv.* **4.** *nur*: ~ *cold* bitter kalt; **III.** *s.* **5.** Bitterkeit *f* (*a. fig.*); **6.** *a.* ~ *beer* Bitterbier *n*; **7.** *pl.* Magenbitter *m*.

bit·tern ['bitə(:)n] *s. orn.* Rohrdommel *f*.

bit·ter·ness ['bitənis] *s.* **1.** Bitterkeit *f*; **2.** *fig.* Bitterkeit *f*, Schmerzlichkeit *f*; **3.** *fig.* Verbitterung *f*, Härte *f*, Grausamkeit *f*.

'**bit·ter-sweet** **I.** *adj.* bittersüß; halbbitter; **II.** *s.* ⚘ Bittersüß *n*.

bi·tu·men ['bitjumin] *s* **1.** *min.* Bi'tumen *n*, Erdpech *n*, As'phalt *m*; **2.** *geol.* Bergteer *m*.

bi·tu·mi·nous [bi'tju:minəs] *adj. min.* bitumi'nös, as'phalt-, pechhaltig; ~ **coal** *s.* Stein-, Fettkohle *f*.

bi·va·lent ['baiveilənt] *adj.* ⚗ zweiwertig.

bi·valve ['baivælv] *s. zo.* zweischalige Muschel (*z.B. Auster*).

biv·ouac ['bivuæk] ⚔ **I.** *s.* 'Biwak *n*, Nachtlager *n* im Freien; **II.** *v/i.* biwakieren.

bi·week·ly ['bai'wi:kli] **I.** *adj. u. adv.* **1.** zweiwöchentlich, vierzehntägig, halbmonatlich; **2.** zweimal die Woche; **II.** *s.* **3.** Halbmonatsschrift *f*.

biz [biz] *s. sl. für business.*

bi·zarre [bi'zɑ:] *adj.* bi'zarr, phan'tastisch, wunderlich, launenhaft, ex'zentrisch.

blab [blæb] **I.** *v/t.* ausplaudern; **II.** *v/i.* schwatzen, klatschen; **III.** *s.* Schwätzer(in), Klatschbase *f*, -weib *n*; '**blab·ber** [-bə] *s.* Schwätzer(in).

black [blæk] **I.** *adj.* **1.** schwarz (*a. Tee, Kaffee*): ~ *as coal* (*od. the devil od. ink od. night*) kohlrabenschwarz; ~ *as pitch* pechschwarz; *to prove that* ~ *is white* das Gegenteil beweisen (wollen); → *belt 5, diamond 1*; **2.** dunkel: ~ *in the face* dunkelrot im Gesicht (*vor Aufregung etc.*); **3.** dunkel(häutig): ~ *man* Schwarzer, Neger; **4.** schwarz, schmutzig: ~ *hands*; **5.** *fig.* dunkel, trübe, düster (*Gedanken, Wetter*); **6.** böse, schlecht: ~ *soul* schwarze Seele; *not so* ~ *as he is painted* besser als sein Ruf; **7.** ungesetzlich; **8.** ärgerlich, böse: ~ *look(s)* böser Blick; *to look* ~ *at s.o.* j-n böse anblicken; **9.** schlimm: ~ *despair* völlige Verzweiflung; **10.** *Am.* eingefleischt; **II.** *s.* **11.** Schwarz *n*; **12.** *et.* Schwarzes, schwarzer Fleck: *to wear* ~ Trauer(kleidung) tragen; **13.** Schwarze(r *m*) *f*, Neger(in); **14.** Schwärze *f*, schwarze Schuhkrem; **15.** *to be in the* ~ *bsd.* † **a)** mit Gewinn arbeiten, **b)** aus den roten Zahlen heraus sein; **III.** *v/t.* **16.** schwärzen, *Schuhe* wichsen; ~ **out** **I.** *v/t.* **1.** verdunkeln (*a.* ⚔); **2.** ausstreichen, (aus)tilgen; **II.** *v/i.* **3.** das Bewußtsein verlieren.

black·a·moor ['blækəmuə] *s.* Neger *m*, Mohr *m*.

black| and blue *adj.*: *to beat s.o.* ~ j-n grün und blau schlagen; ~ **and tan** *adj.* schwarz mit braunen Flecken; ♀ **and Tans** *s. pl. brit. Truppen, die 1921 gegen Irland eingesetzt wurden*; ~ **and white** *s.* **1.** Schwarz'weißzeichnung *f*; **2.** *in* ~ schwarz auf weiß, schriftlich, gedruckt; ~ **art** → *black magic*; ~ **ball** *s.* schwarze (Wahl)Kugel; *fig.* Gegenstimme *f*; '~**-ball** *v/t.* gegen *j-n* stimmen, *j-n* ausschließen; '~-'**bee·tle** *s. zo.* Küchenschabe *f*; '~**-ber·ry** [-bəri] *s.* ⚘ Brombeere *f*: *as plentiful* (*od. common*) *as blackberries fig.* (zahlreich) wie Sand am Meer; '~**-ber·ry·ing** [-beriiŋ] *s.* Brombeerenpflücken *n*; '~**-bird** *s. orn.* Amsel *f*; '~**-board** *s.* (Schul-, Wand)Tafel *f*; ~ **box** *s.* ✈ Flugschreiber *m*; ~ **cap** *s.* schwarze Kappe (*des Richters bei Todesurteilen*); '~**-cap** *s. orn.* **a)** Kohlmeise *f*, **b)** Schwarzköpfige Grasmücke; ~ **cat·tle** *s. zo.* schwarze Rinderrasse; '~**-coat(·ed)** *adj. Brit.*: ~ *worker* Büroangestellte(r) (*Ggs. Arbeiter*); '~**-cock** *s. orn.* Schwarzes Schottisches Moorhuhn (*Hahn*); ♀ **Country** *s.* Indu'striegebiet *n* von Staffordshire u. Warwickshire; ♀ **Death** *s. der* Schwarze Tod, Pest *f*; ~ **dog** *s.* F schlechte Laune.

black·en ['blækən] **I.** *v/t.* **1.** schwärzen; wichsen; **2.** *fig.* anschwärzen: ~*ing the memory of the deceased* ⚖ Verunglimpfung Verstorbener; **II.** *v/i.* **3.** schwarz werden.

black| eye *s.* ,blaues Auge': *to get away with a* ~ mit e-m blauen Auge davonkommen; '~**-eyed** *adj.* dunkel-, schwarzäugig; '~**-face** *s.* **1.** *zo.* Schaf *n* mit schwarzem Gesicht; **2.** *typ. Am.* (halb)fette Schrift; ~ **flag** *s.* schwarze (Pi'raten)Flagge; ~ **flux** *s.* ⊕ schwarzer Fluß, Weinsteinkohle *f*; ~ **fly** *s. zo.* schwarze Blattlaus; ~ **frost** *s.* strenge Kälte (*ohne Schnee*); ~ **game**, ♀ **Grouse** *s. sg. u. pl.* Schwarzes Schottisches Moorhuhn.

black·guard ['blægɑ:d] **I.** *s.* Lump *m*, Schurke *m*; **II.** *v/t. j-n* beschimpfen; '**black·guard·ly** [-li] *adj.* roh, gemein.

'**black|-head** *s.* ⚕ Mitesser *m*; '~-'**heart·ed** *adj.* boshaft; ~ **hole** *s.* ⚔ schwarzes Loch, strenger Ar'rest; ~ **hu·mo(u)r** *s.* schwarzer Hu'mor; ~ **ice** *s.* Glatteis *n*.

black·ing ['blækiŋ] *s.* **1.** schwarze

(Schuh)Wichse; **2.** (Ofen)Schwärze *f*.

black·ish ['blækiʃ] *adj.* schwärzlich.

black| jack *s.* **1.** → *black flag*; **2.** *Am.* Totschläger *m*, Keule *f*; **3.** *hist.* schwarzer lederner Trinkkrug; '**~jack** *v/t. Am.* niederknüppeln; '**~·'lead** [-'led] **I.** *s. min.* Gra'phit *m*, Reißblei *n*: ~ *pencil* Graphitstift; ~ *powder* Ofenschwärze; **II.** *v/t. Ofen etc.* schwärzen; '**~·leg I.** *s.* **1.** *Brit.* Streikbrecher *m*; **2.** F Schwindler *m*; **II.** *v/i.* **3.** *Brit.* e-n Streik brechen; ~ **let·ter** *s. typ.* Frak'tur *f*, gotische Schrift; '**~·let·ter** *adj.*: ~ *day* Schwarzer Tag (*Unglückstag*); ~ **list** *s.* schwarze Liste; '**~·list** *v/t.* auf die schwarze Liste setzen; ~ **mag·ic** *s.* Schwarze Kunst, Hexe'rei *f*; '**~·mail I.** *s.* **1.** ⚖ Erpressung *f*; **2.** Erpressungsgeld *n*: *to levy* ~; **II.** *v/t.* **3.** von *j-m* Geld erpressen: *to* ~ *s.o. into s.th.* j-n durch Erpressung zu et. zwingen; '**~·mail·er** *s.* Erpresser *m*; **2 Ma·ri·a** [mə'raiə] *s.* **1.** Gefangenenwagen *m*, ‚Grüne Minna'; **2.** ⚔ *sl.* große Gra'nate; ~ **mark** *s.* schlechtes Zeugnis, Tadel *m*; ~ **mar·ket** *s.* schwarzer Markt, Schwarzmarkt *m*, -handel *m* (*in* mit); ~ **mar·ket·eer** *s.* Schwarzhändler *m*, Schieber *m*; **2 Mon·day** *s.* **1.** Unglückstag *m*; **2.** erster Schultag (nach den 'Ferien); ~ **monk** *s.* Benedik'tiner (-mönch) *m*.

black·ness ['blæknis] *s.* **1.** Schwärze *f*, Dunkelheit *f*; **2.** *fig.* Verderbtheit *f*.

'**black|-out** *s.* **1.** Verdunkelung *f* (*a.* ⚔); **2.** (*Nachrichten- etc.*)Sperre *f*: *news* ~; *intellectual* ~ geistige Blockade; **3.** kurzer Gedächtnisschwund; **4.** kurze Ohnmacht: *he had a* ~ ihm wurde schwarz vor den Augen; **2 Prince** *s. der* Schwarze Prinz (*Eduard, Fürst* [*od. Prinz*] *von Wales*); ~ **pud·ding** *s. Brit.* Blutwurst *f*; **2 Rod** *s.* **1.** oberster Dienstbeamter des brit. Oberhauses; **2.** erster Zere'monienmeister des Hosenbandordens; ~ **sheep** *s. fig.* schwarzes Schaf; '**~·shirt** *s.* Schwarzhemd *n* (*italienischer Faschist*); '**~·smith** *s.* (Grob-, Huf-) Schmied *m*: ~('s) *shop* Schmiede; '**~·strap** *s.* F **1.** starker *od.* verfälschter Portwein; **2.** *Am.* dunkler Li'kör (*Rum etc. mit Sirup*); '**~·thorn** *s.* ⚘ Schwarz-, Schlehdorn *m*; '**~·top** *s. Straßenbau*: Schwarzdecke *f*; **2 Watch** *s. Brit. das 42.* 'Hochländerregi,ment; '**~·wa·ter fe·ver** *s.* ⚕ Schwarzwasserfieber *n*; '**~·wood** *s.* Schwarzholz *n*.

black·y ['blæki] *s. sl.* Schwarze(r *m*) *f*.

blad·der ['blædə] *s.* **1.** *anat.* (Gallen-, *engS.* Harn)Blase *f*; **2.** Blase *f*, Hohlraum *m*: *football* ~ Fußballblase; **3.** Schwimmblase *f*; **4.** *fig.* Hohlkopf *m*, Windbeutel *m*; ~ **fern** *s.* ⚘ Blasenfarn *m*; '**~·wort** *s.* ⚘ Wasserschlauch *m*, -helm *m*; '**~·wrack** *s.* ⚘ Blasentang *m*.

blad·der·y ['blædəri] *adj.* **1.** blasig; **2.** blasenartig; **3.** aufgeblasen.

blade [bleid] *s.* **1.** ⚘ Blatt *n* (*mst poet.*), Spreite *f* (*e-s Blattes*), Halm *m*: *in the* ~ auf dem Halm; ~ *of grass* Grashalm; **2.** ⊕ Blatt *n* (*Säge, Axt, Schaufel, Ruder*); **3.** ⊕ **a)** Flügel *m* (*Propeller*), **b)** Schaufel *f* (*Schiffsrad, Turbine*); **4.** ⊕ Klinge *f* (*Messer, Degen etc.*); **5.** → *shoulder-blade*; **6.** *poet.* Degen *m*, Klinge *f*; **7.** F (forscher) Kerl, Bursche *m*; '**blad·ed** [-did] *adj. mst in Zssgn* mit Halmen *od.* Blättern *od.* Klingen *od.* Flügeln.

blae·ber·ry ['bleibəri] → *bilberry*.

blah [blɑ:] *s. sl.* Quatsch *m*.

blain [blein] *s.* ⚕ Pustel *f*, Pickel *m*, (Eiter)Beule *f*.

blam·a·ble ['bleiməbl] *adj.* □ zu tadeln(d), schuldig; **blame** [bleim] **I.** *v/t.* **1.** tadeln, rügen, *j-m* Vorwürfe machen (*for* wegen); **2.** (*for*) verantwortlich machen (für), *j-m* die Schuld geben *od.* zuschreiben (an *dat.*): *he is to* ~ *for it* er ist daran schuld; *he has only himself to* ~ das hat er sich selbst zuzuschreiben; *I cannot* ~ *him for it* ich kann es ihm nicht verübeln; **II.** *s.* **3.** Tadel *m*, Vorwurf *m*, Rüge *f*; **4.** Schuld *f*, Verantwortung *f*: *to lay* (*od. put*) *the* ~ *on s.o.* j-m die Schuld geben; *to bear the* ~ die Schuld auf sich nehmen; '**blame·less** [-lis] *adj.* □ untadelig, schuldlos (*of* an *dat.*); '**blame·less·ness** [-lisnis] *s.* Schuldlosigkeit *f*, Unschuld *f*; '**blame·wor·thy** *adj.* tadelnswert, schuldig.

blanch [blɑ:ntʃ] **I.** *v/t.* **1.** bleichen, weiß machen; *fig.* erbleichen lassen; **2.** ⛏ (*durch Ausschluß von Licht*) bleichen: *to* ~ *celery*; **3.** *Küche*: *Mandeln etc.* blanchieren, brühen; **4.** ⊕ weiß sieden; brühen; **5.** ~ *over fig.* beschönigen; **II.** *v/i.* **6.** erbleichen.

blanc·mange [blə'mɔnʒ] *s. Küche*: Mandelpudding *m*.

bland [blænd] *adj.* □ höflich, (ein-) schmeichelnd, sanft, mild.

blan·dish ['blændiʃ] *v/t.* schmeicheln, zureden (*dat.*); '**blan·dish·ment** [-mənt] *s.* Schmeiche'lei *f*, Zureden *n*; *pl.* Über'redungskunst *f*.

bland·ness ['blændnis] *s.* Milde *f*.

blank [blæŋk] **I.** *adj.* □ **1.** leer, nicht ausgefüllt, unbeschrieben; Blanko-... (*bsd.* †): *a* ~ *page*; *a* ~ *space* ein leerer Raum; *in* ~ blanko; *to leave* ~ frei lassen; ~ *acceptance* Blankoakzept; ~ *signature* Blankounterschrift; → *cheque*; **2.** leer, unbebaut; **3.** blind (*Fenster, Tür*); **4.** leer, inhalt(s)-, ausdruckslos, nichtssagend; **5.** verdutzt, verblüfft, verlegen: *a* ~ *look*; **6.** bar, rein, völlig: ~ *astonishment* sprachloses Erstaunen; ~ *despair* helle Verzweiflung; **7.** → *cartridge 1*, *fire 13*, *verse 3*; **II.** *s.* **8.** Formblatt *n*, Formu'lar *n*, Vordruck *m*; unbeschriebenes Blatt (*a. fig.*); **9.** leerer *od.* freier Raum (*bsd. für Wort*[*e*] *od. Buchstaben*); Lücke *f*, Leere *f* (*a. fig.*): *to leave a* ~ e-n freien Raum lassen (*beim Schreiben etc.*); *his mind is a* ~ **a)** er hat alles vergessen, **b)** in s-m Kopf herrscht völlige Leere; **10.** *Lotterie*: Niete *f*: *to draw a* ~ **a)** e-e Niete ziehen, **b)** *fig.* kein Glück haben; **11.** *bsd. sport* Null *f*; **12.** Öde *f*, Nichts *n*; **13.** ⊕ unbearbeitetes Werkstück, Rohling *m*; ungeprägte Münzplatte; **14.** F **a)** (unanständiges) (Schimpf)Wort, **b)** Gedankenstrich *m dafür*.

blan·ket ['blæŋkit] **I.** *s.* **1.** (wollene) Decke, Bettdecke *f*: *to get between the* ~*s* F in die Federn kriechen; *on the wrong side of the* ~ F unehelich; → *wet 1*; **2.** *fig.* Decke *f*, Hülle *f*: ~ *of snow* Schneedecke; **3.** ⊕ 'Filz,unterlage *f*; **II.** *v/t.* **4.** zudekken; **5.** ⚓ den Wind abfangen (*dat.*): **6.** *fig.* verdecken, unter'drücken, ersticken, vertuschen; **7.** ⚡, ⚔ abschirmen; **8.** *Radio*: stören, über'lagern; **9.** prellen; **10.** *Am.* zs.-fassen, um'fassen; **III.** *adj.* **11.** gemeinsam, allgemein, um'fassend, Gesamt...; ~ **bath** *s.* Krankenwaschung *f* im Bett (*durch die Pflegerin*); ~ **clause** *s.* † Gene'ralklausel *f*.

blan·ket·ing ['blæŋkitiŋ] *s.* Stoff *m* zu Wolldecken.

blan·ket| in·sur·ance *s.* † Kollek'tivversicherung *f*; ~ **or·der** *s.* 'Blankoauftrag *m*, gene'reller Auftrag; ~ **price** *s.* Einheitspreis *m*.

blare [bleə] **I.** *v/i. u. v/t.* schmettern (*Trompeten*); brüllen, grölen (*a. Radio etc.*); **II.** *s.* Schmettern *n*; Getöse *n*.

blar·ney ['blɑ:ni] F **I.** (plumpe) Schmeiche'lei, ‚Schmus' *m*; **II.** *v/i.* (*v/t. j-n* be)schmusen.

bla·sé ['blɑ:zei] (*Fr.*) *adj.* blasiert.

blas·pheme [blæs'fi:m] **I.** *v/t.* (*engS. Gott*) lästern; schmähen; **II.** *v/i.*: ~ *against j-m* fluchen, *j-n* lästern; **blas'phem·er** [-mə] *s.* (Gottes-) Lästerer *m*; **blas·phe·mous** ['blæsfiməs] *adj.* □ lästernd, verletzend; **blas·phe·my** ['blæsfimi] *s.* **1.** Blasphe'mie *f*, (Gottes)Lästerung *f*; **2.** Fluchen *n*.

blast [blɑ:st] **I.** *s.* **1.** Windstoß *m*, Sturm *m*; **2.** ♪ Schmettern *n*, Schall *m*: ~ *of a trumpet* Trompetenstoß; **3.** Si'gnal *n*, Pfeifen *n*; **4.** *fig.* Erkrankung *f*, Seuche *f*; Pesthauch *m*, Fluch *m*; **5.** ⚘ Brand *m*, Mehltau *m*, Verdorren *n*; **6.** ⊕ Sprengladung *f*; (Spreng)Schuß *m*; **7.** ⊕ Explosi'on *f*, Knall *m*; **8.** ⊕ *a.* ~ *wave* Druckwelle *f e-r Explosion*; **9.** ⊕ Gebläse *n*; Gebläseluft *f*, -wind *m*: (*at od. in*) *full* ~ ⊕ auf Hochtouren, mit Volldampf (*beide a. fig.*); **II.** *v/t.* **10.** *mit Pulver* sprengen; **11.** versengen, -brennen; zu'grunde richten, vernichten; **12.** *fig.* verderben, vereiteln; **13.** *sl.* verfluchen: ~ *him!* zum Teufel mit ihm!; ~ *it!* verflucht!; **14.** *sl.* *j-n* ‚anscheißen'; **III.** *v/i.* **15.** starten (*Rakete*); '**blast·ed** [-tid] *adj. sl.* verflucht.

'**blast|-fur·nace** *s.* ⊕ Hochofen *m*; '**~·hole** *s.* ⊕ Sprengloch *n*.

blast·ing ['blɑ:stiŋ] *s.* **1.** Sprengen *n*; Versengen *n*; **2.** ⚡ 'Durchbrennen *n*; **3.** Vernichtung *f*; **4.** *sl.* ‚Anschiß' *m*: *to get a* ~ *from one's boss*; ~ **charge** *s.* Sprengladung *f*; ~ **pow·der** *s.* Sprengpulver *n*.

'**blast-off** *s.* (Ra'keten)Start *m*.

bla·tan·cy ['bleitənsi] *s.* lärmendes Wesen, Angebe'rei *f*; '**bla·tant** [-nt] *adj.* □ brüllend; marktschreierisch, lärmend: ~ *nonsense* himmelschreiender Unsinn; ~ *lie* eklatante Lüge.

blath·er ['blæðə] I. v/i. Unsinn schwatzen; II. s. Geschwätz n, Quatsch m; '~**·skite** [-skait] s. F ‚Großmaul' n, ‚Quatschkopf' m.

blaze [bleiz] I. s. 1. lodernde Flamme, Feuer n, Glut f: to be in a ~ in Flammen stehen; 2. pl. Hölle f: go to ~s! sl. scher dich zum Teufel!; like ~s F wie verrückt od. toll; what the ~s is the matter? F was zum Teufel ist denn los?; 3. Leuchten n, Glanz m (a. fig.): ~ of noon Mittagshitze; ~ of fame Ruhmesglanz; ~ of colo(u)r Farbenpracht; ~ of publicity volles Licht der Öffentlichkeit; 4. fig. plötzlicher Ausbruch, Auflodern n (Gefühl); 5. Blesse f (bei Rind od. Pferd); 6. Anschalmung f, Markierung f an Waldbäumen durch Entfernen von Rinde; II. v/i. 7. (auf)flammen, brennen (a. fig.): to ~ into prominence fig. e-n kometenhaften Aufstieg erleben; in a blazing temper in heller Wut; 8. leuchten, strahlen (a. fig.): blazing with joy freudestrahlend; III. v/t. 9. Bäume anschalmen; → trail 14; Zssgn mit adv.:

blaze| a·broad v/t. verkünden, 'auspo,saunen; ~ **a·way** v/i. losschießen; fig. F mit et. loslegen, sich auf et. stürzen; ~ **forth** v/i. aufflammen, erstrahlen: to ~ at s.o. j-n anfahren; ~ **up** v/i. 1. auflodern, -flammen; 2. fig. von Zorn entbrennen.

blaz·er ['bleizə] s. Blazer m, Klubjacke f, leichte Sportjacke.

blaz·ing ['bleiziŋ] adj. 1. fig. a) schreiend, auffallend: ~ colo(u)rs, b) offenkundig, ekla'tant: ~ lie, c) hunt. warm (Fährte); → scent 3; 2. F verteufelt; ~ **star** s. Gegenstand m allgemeiner Bewunderung (Person od. Sache).

bla·zon ['bleizn] I. s. 1. a) Wappenschild m, n, b) Wappenkunde f; 2. lautes Lob; II. v/t. 3. Wappen ausmalen; 4. fig. schmücken, zieren; 5. mst ~ abroad, ~ out rühmen, 'auspo,saunen; '**bla·zon·ry** [-ri] s. 1. a) Wappenzeichen n, b) He'raldik f; 2. fig. Farbenschmuck m.

bleach [bli:tʃ] I. v/t. bleichen (a. fig.); II. s. Bleichmittel n; '**bleach·er** [-tʃə] s. 1. Bleicher(in); 2. mst pl. Am. sport 'unüber,dachte Tri'büne.

bleach·ing ['bli:tʃiŋ] s. Bleiche(n n) f; '~**-pow·der** s. Bleichpulver n.

bleak [bli:k] adj. □ 1. kahl, öde; 2. ungeschützt, windig (gelegen); 3. rauh, kalt, scharf (Wind, Wetter); 4. fig. finster, freudlos, traurig, trübe.

blear [bliə] I. adj. verschwommen, trübe (a. Augen); II. v/t. trüben; ~**-eyed** ['bliəraid] adj. 1. triefäugig, schwachsichtig; 2. fig. einfältig.

bleat [bli:t] I. v/i. 1. blöken (Schaf, Kalb), meckern (Ziege); 2. oft ~ out in weinerlichem Ton reden; II. s. 3. Blöken n, Gemecker n (a. fig.).

bled [bled] pret. u. p.p. von bleed.

bleed [bli:d] [irr.] I. v/i. 1. (ver-)bluten (a. Pflanze): to ~ to death verbluten; 2. sein Blut vergießen, sterben (for für); 3. fig. (for) bluten (um) (Herz), (tiefes) Mitleid empfinden (mit); 4. F ‚bluten' (zahlen): to ~ for s.th. für et. schwer bluten müssen; 5. auslaufen, ‚bluten' (Farbe); zerlaufen (Teer etc.); leck sein; 6. typ. angeschnitten od. bis eng an den Druck beschnitten sein (Buch, Bild); II. v/t. 7. ⚕ zur Ader lassen; 8. Flüssigkeit, Dampf etc. ausströmen lassen, abzapfen; 9. ⊕, bsd. mot. Bremsleitung entlüften; 10. F ‚bluten lassen', schröpfen: to ~ white bis zum Weißbluten auspressen; '**bleed·er** [-də] s. ⚕ Bluter m.

bleed·ing ['bli:diŋ] I. s. 1. Blutung f, Aderlaß m (a. fig.): ~ of the nose Nasenbluten; 2. ⊕ ‚Bluten' n, Auslaufen n (Farbe, Teer); 3. ⊕ Entlüften n; II. adj. 4. sl. verflixt; ~ **heart** s. ⚘ flammendes Herz.

blem·ish ['blemiʃ] I. v/t. verunstalten, schaden (dat.); fig. beflecken; II. s. Fehler m, Mangel m; Makel m, Schönheitsfehler m.

blench[1] [blentʃ] I. v/i. fig. stutzen, zu'rückschrecken, ausweichen; II. v/t. (ver)meiden.

blench[2] [blentʃ] → blanch 6.

blend [blend] I. v/t. 1. (ver)mengen, (ver)mischen, verschmelzen; 2. e-e (Tee-, Tabak-, Whisky)Mischung zs.-stellen; Wein etc. verschneiden; II. v/i. 3. (with) sich mischen od. har'monisch verbinden (mit); 4. verschmelzen, inein'ander 'übergehen (Farben); III. s. 5. Mischung f, (harmonische) Zs.-stellung (Getränke, Tabak, Farben); Verschnitt m.

blende [blend] s. min. Blende f, engS. Zinkblende f.

Blen·heim or·ange ['blenim] s. Brit. eine Apfelsorte.

blent [blent] obs. pret. u. p.p. von blend.

bless [bles] v/t. 1. segnen; 2. segnen, preisen; glücklich machen: I ~ the day I met you ich segne od. preise den Tag, an dem ich dich kennenlernte; ~ed with a mild climate mit e-m milden Klima gesegnet; to ~ one's stars sich glücklich schätzen; 3. ~ o.s. sich bekreuzigen;
Besondere Redewendungen:
(God) ~ you! Gott befohlen!, leb wohl!; Gesundheit!; well, I'm ~ed! F na, so was!; I'm ~ed if I know F ich weiß es wahrhaftig nicht; Mr. Brown, ~ him Herr Brown, der Gute; ~ my soul! F du meine Güte!; not at all, ~ you! iro. o nein, mein Verehrtester!; ~ that boy, what is he doing there? F was zum Kuckuck stellt der Junge dort an?; he'll ~ you if you do that er wird dich verfluchen, wenn du das tust; not to have a penny to ~ o.s. with keinen roten Heller besitzen.

bless·ed ['blesid] I. adj. 1. gesegnet, selig, glücklich: of ~ memory seligen Angedenkens; ~ event freudiges Ereignis (Geburt e-s Kindes); 2. gepriesen, selig, heilig: the ♀ Virgin die Heilige Jungfrau (Maria); 3. the whole ~ day F den lieben langen Tag; not a ~ soul keine Menschenseele; II. s. 4. the ~ (ones) die Seligen; '**bless·ed·ness** [-nis] s. Glück'seligkeit f, Glück n; Seligkeit f: to live in single ~ Junggeselle sein; '**bless·ing** [-siŋ] s. Segen m, Segnung f, Wohltat f, Gnade f: to ask a ~ a) Segen erbitten, b) das Tischgebet sprechen; what a ~ that ... welch ein Segen, daß ...; a ~ in disguise Glück im Unglück; to count one's ~s dankbar sein für das, was e-m beschert ist; to give one's ~ (to) s-n Segen geben (zu) (a. fig. et. gutheißen).

blest [blest] I. poet. pret. u. p.p. von bless; II. pred. adj. poet. → blessed; III. s.: the Isles of the ♀ die Inseln der Seligen.

bleth·er ['bleðə] → blather.

blew [blu:] pret. von blow[1] II u. III u. blow[3].

blight [blait] I. s. 1. ⚘ Mehltau m, Fäule f, Brand m (Pflanzenkrankheit); 2. fig. Gift-, Pesthauch m, schädlicher Einfluß; Enttäuschung f, Schatten m; II. v/t. 3. fig. im Keim ersticken, zu'nichte machen, vereiteln; '**blight·er** [-tə] s. Brit. sl. ‚Ekel' n (Person); Kerl m, Knülch m; ‚Affe' m: (plain) ~ (dumme) Pute, Gans.

Blight·y ['blaiti] s. ⚔ Brit. sl. 1. die Heimat, England n; 2. a. a ~ one ‚Heimatschuß' m.

bli·mey ['blaimi] int. V leck(t) mich am Arsch! (Überraschung).

blimp[1] [blimp] s. F unstarres Kleinluftschiff.

Blimp[2] [blimp] s. Brit. Blimp m (Personifikation des reaktionären Engländers).

blind [blaind] I. adj. □ → a. 9 1. blind: ~ in one eye auf 'einem Auge blind; struck ~ mit Blindheit geschlagen; as ~ as a bat (od. beetle) stockblind; the ~ die Blinden; 2. fig. blind, verständnislos (to gegen['über]): ~ to s.o.'s faults j-s Fehlern gegenüber blind; ~ chance blinder Zufall; ~ with rage blind vor Wut; ~ side fig. schwache Seite; to turn a ~ eye fig. ein Auge zudrücken, et. absichtlich übersehen; 3. unbesonnen: ~ bargain; 4. zweck-, ziellos, leer: ~ excuse Ausrede; 5. verborgen, geheim: ~ staircase Geheimtreppe; 6. schwerer kennbar: ~ corner unübersichtliche Ecke od. Kurve; ~ copy typ. unleserliches Manuskript; 7. △ blind: ~ window; 8. ⚘ blütenlos, taub; II. adv. 9. ~ drunk sinnlos betrunken, ‚blau'; III. v/t. 10. blenden, blind machen; j-m die Augen verbinden: ~ing rain alles verhüllender Regen; 11. verblenden, täuschen; blind machen (to gegen); 12. fig. verdunkeln, verbergen, vertuschen, verwischen; IV. v/i. 13. Brit. sl. blind drauf'lossausen; V. s. 14. (Fenster)Vorhang m; Fensterladen m, Jalou'sie f, ('Fenster-)Rou,leau n; → Venetian I; 15. pl. Scheuklappen pl.; 16. fig. Vorwand m, Bemäntelung f; (Vor-)Täuschung f; 17. At'trappe f; 18. the ~ die Blinden; ~ **al·ley** s. Sackgasse f (a. fig.); '~**-al·ley** adj.: ~ occupation Stellung ohne Aufstiegsmöglichkeit; ~ **coal** s. Anthra'zit m.

blind·ed ['blaindid] adj. 1. geblendet, erblindet; 2. verblendet.

blind·er ['blaində] s. Am. Scheuklappe f (a. fig.).

blind| flight s. ✈ Blindflug m; ~ **fly·ing** s. ✈ Blindfliegen n; '~**·fold**

I. *adj. u. adv.* **1.** mit verbundenen Augen; **2.** blind(lings) (*a. fig.*); **II.** *v/t.* **3.** *j-m* die Augen verbinden; **4.** *fig.* (ver)blenden; ~ **gut** *s. anat.* Blinddarm *m*; '~**-man's-'buff** ['blaindmænz] *s.* Blindekuh(spiel *n*) *f*; ~ **man's hol·i·day** *s. humor.* Zwielicht *n.*

blind·ness ['blaindnis] *s.* **1.** Blindheit *f* (*a. fig.*); **2.** *fig.* Verblendung *f*; **3.** Unbesonnenheit *f.*

blind| shell *s.* ⚔ Blindgänger *m*; ~ **spot** *s.* **1.** ⚕ blinder Fleck *auf der Netzhaut*; **2.** *fig.* schwacher *od.* wunder Punkt; **3.** *Radio*: Ort *m* mit schlechtem Empfang; ~ **stitch** *s.* blinder (*unsichtbarer*) Stich; ~ **ti·ger** *s. Am. sl.* 'illegaler 'Alkoholausschank; '~**-worm** *s. zo.* Blindschleiche *f.*

blink [bliŋk] **I.** *v/i.* **1.** blinken, blinzeln, zwinkern, die Augen halb zukneifen; **2.** flimmern, schimmern; **II.** *v/t.* **3.** *to* ~ *one's eyes* mit den Augen zwinkern; **4.** (absichtlich) über'sehen (*acc.*), ausweichen (*dat.*): *to* ~ *the fact* sich der Tatsache verschließen; **III.** *s.* **5.** flüchtiger Blick; **6.** (Licht)Schimmer *m*; '**blink·er** [-kə] **I.** *s.* **1.** *pl.* **a)** Scheuklappen *pl.*, **b)** Schutzbrille *f*; **2.** Blinklicht *n*, 'Lichtsi,gnal *n*; **II.** *v/t.* **3.** mit Scheuklappen versehen; **4.** täuschen; '**blink·ing** [-kiŋ] *adj. Brit. sl.* ‚verflixt'.

blip [blip] *s.* Echozeichen *n* (*Radar*).

bliss [blis] *s.* Freude *f*, Entzücken *n*, (Glück)'Seligkeit *f*, Wonne *f*; '**bliss·ful** [-ful] *adj.* □ (glück)'selig, völlig glücklich; '**bliss·ful·ness** [-fulnis] *s.* Wonne *f.*

blis·ter ['blistə] **I.** *s.* **1.** ⚕ (*Haut-*) Blase *f*, Pustel *f*; **2.** Blase *f* (*auf bemaltem Holz, in Glas etc.*); **3.** ⚕ Zugpflaster *n*; **4.** ✈ Bordwaffen- *od.* Beobachterstand *m*; **II.** *v/t.* **5.** Blasen her'vorrufen auf (*dat.*); **6.** *fig.* scharf kritisieren: ~*ing criticism*; **7.** brennenden Schmerz hervorrufen auf (*dat.*): ~*ing heat* glühende Hitze; **III.** *v/i.* **8.** Blasen ziehen.

blithe [blaið] *adj.* □ fröhlich, munter.

blith·er·ing ['bliðəriŋ] *adj. Brit.* F blöde; verflucht: ~ *idiot* Vollidiot.

blitz [blits] ⚔ **I.** *s.* **1.** Blitzkrieg *m*; **2.** schwerer Luftangriff; schwere Luftangriffe *pl.*; **II.** *v/t.* **3.** schwer bombardieren: ~*ed area* zerbombtes Gebiet; '~**-krieg** [-kri:g] → *blitz* **1.**

bliz·zard ['blizəd] *s.* Schneesturm *m*, -gestöber *n.*

bloat[1] [blout] *v/t. bsd. Heringe* räuchern.

bloat[2] [blout] **I.** *v/t. a.* ~ *up* aufblasen, -blähen (*a. fig.*); **II.** *v/i. a.* ~ *out* auf-, anschwellen; '**bloat·ed** [-tid] *adj.* aufgeblasen (*a. fig.*), aufgedunsen.

bloat·er ['bloutə] *s.* Räucherhering *m.*

blob [blɔb] *s.* **1.** Tropfen *m*, Klümpchen *n*, Klecks *m*; **2.** *Kricket*: null Punkte.

bloc [blɔk] *s. pol.* Block *m*: *sterling* ~ ✝ Sterlingblock.

block [blɔk] **I.** *s.* **1.** Block *m*, Klotz *m* (*mst Holz, Stein*); **2.** Hackklotz *m*; **3.** *the* ~ der Richtblock; **4.** ⊕ Block *m*, Rolle *f*; → *hat-block, tackle 3*; **5.** *typ.* Kli'schee *n*, Druckstock *m*; Prägestempel *m*; **6.** *Brit.* Wohnblock *m*; Häuserreihe *f*: ~ *of flats* Wohnhaus; *office* ~ Bürohaus; **7.** *Am.* Häuserblock *m*: *three* ~*s from here* drei Straßen weiter; **8.** Haufen *m*, Gruppe *f*; *attr.* Gesamt...: ~ *of shares* Aktienpaket; ~ *of seats* Reihe von Sitzen; **9.** Abreißblock *m*: *scribbling* ~ Notiz-, Schmierblock; **10.** *fig.* Klotz *m*, Tölpel *m*; **11.** Verstopfung *f*, Hindernis *n*, Stockung *f*: *traffic* ~ Verkehrsstockung; **12.** 🚂 Blockstrecke *f*; **II.** *v/t.* **13.** (auf e-m Block) formen: *to* ~ *a hat*; **14.** hemmen, hindern; *fig.* durch'kreuzen: *to* ~ *a bill Brit. pol.* die Beratung e-s Gesetzentwurfs verhindern; **15.** *oft* ~ *up* (ab-, ver)sperren, verstopfen, blockieren: *road* ~*ed* Straße gesperrt; **16.** ✝ *Konto*, ⚡ *Röhre*, *Leitung* sperren; ✝ *Kredit etc.* einfrieren; **17.** *Kricket*: *Ball* am Schläger abprallen lassen; ~ **in** *v/t.* skizzieren, roh ausführen; ~ **out** *v/t.* **1.** entwerfen; zurichten; **2.** ausstreichen; ~ **up** *v/t.* versperren.

block·ade [blɔ'keid] **I.** *s.* Bloc'kade *f*, (Hafen)Sperre *f*: *to impose a* ~ e-e Blockade verhängen; *to raise a* ~ e-e Blockade aufheben; *to run the* ~ die Blockade brechen; **II.** *v/t.* blockieren, absperren; **block'ad·er** [-də] *s.* Bloc'kadeschiff *n.*

block'ade-run·ner *s.* Bloc'kadebrecher *m.*

block| brake *s.* Backenbremse *f*; '~**-bust·er** *s. sl.* Minenbombe *f*; '~**-chain** *s.* ⊕ Kette *f* ohne Ende.

blocked| ac·count [blɔkt] *s.* ✝ 'Sperr,konto *n*; ~ **mark** *s.* ✝ Sperrmark *f.*

'**block|·head** *s.* Dummkopf *m*; '~**-house** *s.* Blockhaus *n* (*a.* ⚔); ~ **let·ters** *s. pl. typ.* Blockschrift *f*; ~ **print·ing** *s.* Handdruck *m*; ~ **sig·nal** *s.* 🚂 'Blocksi,gnal *n*; ~ **sys·tem** *s.* **1.** 🚂 'Blocksy,stem *n*; **2.** ⚡ Blockschaltung *f*; ~ **vote** *s.* Sammelstimme *f* (*e-e ganze Organisation vertretend*).

bloke [blouk] *s.* F Kerl *m*, Bursche *m.*

blond [blɔnd] *adj.* **1.** blond (*Haar*), hell (*Gesichtsfarbe*); **2.** blond(haarig); **blonde** [blɔnd] *s.* **1.** Blon'dine *f*; **2.** ✝ Blonde *f* (*seidene Spitze*).

blood [blʌd] *s.* **1.** Blut *n*: *to spill* ~ Blut vergießen; *to give one's* ~ (*for*) sein Blut (Leben) lassen (für); *to taste* ~ *fig.* Blut lecken; *fresh* ~ *fig.* frisches Blut; ~*-and-thunder story* Schauergeschichte; **2.** *fig.* Blut *n*, Tempera'ment *n*, Wesen *n*: *it made his* ~ *boil* er kochte vor Wut; *his* ~ *was up* sein Blut war in Wallung; *his* ~ *froze* (*od. ran cold*) das Blut erstarrte ihm in den Adern; *to breed* (*od. make*) *bad* ~ böses Blut machen; → *cold blood, curdle II*; **3.** (edles) Blut, Geblüt *n*, Abstammung *f*; Rasse *f* (*Mensch, Pferd*): *prince of the* ~ *royal* Prinz von königlichem Geblüt; *noble* ~ → *blue blood*; *related by* ~ blutsverwandt; *it runs in the* ~ es liegt im Blut *od.* in der Familie; ~ *will out* Blut bricht sich Bahn; ~ **bank** *s.* ⚕ Blutbank *f*; ~ **broth·er** *s.* leiblicher Bruder; ~ **cir·cu·la·tion** *s.* ⚕ Blutkreislauf *m*; ~ **clot** *s.* ⚕ Blutgerinnsel *n*; '~**-cur·dling** *adj.* blutrünstig, entsetzlich; ~ **do·nor** *s.* ⚕ Blutspender *m.*

blood·ed ['blʌdid] *adj.* **1.** Vollblut-...; **2.** *in Zssgn* ...blütig.

blood| feud *s.* Blut-, Todfehde *f*; ~ **group** *s.* ⚕ Blutgruppe *f*; '~**-guilt**, '~**-guilt·i·ness** *s.* Blutschuld *f*; '~**-guilt·y** *adj.* mit Blutschuld beladen; '~**-heat** *s.* ⚕ Blutwärme *f*, 'Körpertempera,tur *f*; '~**-horse** *s.* 'Vollblutpferd *n*; '~**-hound** *s.* **1.** Schweiß-, Bluthund *m*; **2.** *fig.* Häscher *m*, Verfolger *m.*

blood·less ['blʌdlis] *adj.* □ **1.** blutlos, -leer (*a. fig.*); **2.** bleich; **3.** *fig.* kalt; **4.** unblutig (*Kampf etc.*).

'**blood|-mon·ey** *s.* Blutgeld *n*; ~ **or·ange** *s.* 'Bluto,range *f*; '~**-poi·son·ing** *s.* ⚕ Blutvergiftung *f*; '~**-pres·sure** *s.* ⚕ Blutdruck *m*; '~**-re'la·tion** *s.* Blutsverwandte(r *m*) *f*; ~ **sam·ple** *s.* ⚕ Blutprobe *f*: *to take a* ~ *from s.o.* j-m e-e Blutprobe entnehmen; '~**-shed** *s.* Blutvergießen *n*; '~**-shot** *adj.* 'blutunter,laufen; ~ **spec·i·men** *s.* ⚕ Blutprobe *f*; ~ **sports** *s.* Hetzjagd *f* (*bsd. auf Füchse*); '~**-stained** *adj.* blutbefleckt (*a. fig.*); '~**-stock** *s.* 'Vollblutpferde *pl.*; ~ **stream** *s.* ⚕ Blut(kreislauf *m*) *n*; '~**-suck·er** *s.* **1.** *zo.* Blutegel *m*; **2.** *fig.* Blutsauger *m* (*Erpresser*); ~ **sug·ar** *s.* ⚕ Blutzucker *m*; ~ **test** *s.* ⚕ Blutprobe *f*, 'Blutunter,suchung *f*; '~**-thirst·i·ness** *s.* Blutdurst *m*; '~**-thirst·y** *adj.* blutdürstig; ~ **trans·fu·sion** *s.* ⚕ 'Blutüber,tragung *f*; '~**-ves·sel** *s. anat., zo.* Blutgefäß *n.*

blood·y ['blʌdi] **I.** *adj.* □ **1.** blutig, blutbefleckt: ~ *flux* ⚕ rote Ruhr; **2.** blutdürstig, mörderisch, grausam: *a* ~ *battle* e-e blutige Schlacht; **3.** *Brit.* V verdammt, verflucht, saumäßig (*oft nur verstärkend*): *not a* ~ *soul* kein Schwanz; *a* ~ *fool* ein Vollidiot; *a* ~ *lie* e-e faustdicke Lüge; **II.** *adv.* **4.** *Brit.* (*sehr anstößig*) mordsmäßig, sehr: ~ *awful* ganz fürchterlich.

bloom[1] [blu:m] **I.** *s.* **1.** Blüte *f*, Blume *f*: *in full* ~ in voller Blüte; **2.** *fig.* Blüte(zeit) *f*, Jugendfrische *f*; **3.** Flaum *m* (*auf Pfirsichen etc.*); **4.** *fig.* Schmelz *m*, Glanz *m*; **II.** *v/i.* **5.** (er)blühen (*a. fig.*).

bloom[2] [blu:m] *metall.* **I.** *s.* (Eisen-) Luppe *f*; **II.** *v/t.* luppen: ~*ing mill* Luppenwalzwerk.

bloom·er ['blu:mə] *s. sl.* grober Fehler, Schnitzer *m*, (Stil)Blüte *f.*

bloom·ers ['blu:məz] *s. pl.* **a)** (altmodische Damen)Pumphose *f*, **b)** *Am.* Re'formschlupfhose *f.*

bloom·ing ['blu:miŋ] *p. pr. u. adj.* **1.** blühend (*a. fig.*); **2.** *sl.* **a)** verflucht, verdammt: ~ *idiot* Vollidiot, **b)** *nur verstärkend*: *every* ~ *thing* der ganze Kram.

blos·som ['blɔsəm] **I.** *s.* (*bsd.* Obst-) Blüte *f*; Blütenfülle *f*: *in* ~ in (voller) Blüte; **II.** *v/i.* blühen, Blüten treiben (*a. fig.*): *to* ~ (*out*) (*into*) erblühen, gedeihen (zu).

blot [blɔt] **I.** *s.* **1.** (Tinten)Klecks *m*,

Fleck *m*; **2.** *fig.* Schandfleck *m*, Makel *m*: *a ~ on his character* ein Charakterfehler; → *escutcheon 1*; **3.** Verunstaltung *f*; Verunglimpfung *f*; **II.** *v/t.* **4.** *mit Tinte* beschmieren, beklecksen; **5.** *~ out Schrift* ausstreichen; **6.** *~ out fig.* verwischen, auslöschen, verdunkeln, verhüllen: *fog ~ted out the view* Nebel verhüllte die Aussicht; **7.** *mit Löschpapier* (ab)löschen.

blotch [blɔtʃ] *s.* **1.** Fleck *m*, Klecks *m*; **2.** *fig.* Makel *m*; **3.** ⚕ Pustel *f*, Ausschlag *m*; **blotched** [-tʃt] *adj.* fleckig; mit Pusteln bedeckt; verunstaltet; **'blotch·y** [-tʃi] *adj.* fleckig.

blot·ter ['blɔtə] *s.* **1.** (Tinten)Löscher *m*; **2.** *Am.* Kladde *f*, Berichtsliste *f* (*bsd. der Polizei*).

'blot·ting|-pad ['blɔtiŋ] *s.* 'Schreibˌunterlage *f od.* Block *m* aus 'Löschpaˌpier; '**~-pa·per** *s.* Löschpapier *n*, -blatt *n*.

blot·to ['blɔtou] *adj. sl.* ‚sternhagelvoll', ‚stinkbesoffen'.

blouse [blauz] *s.* Bluse *f.*

blow¹ [blou] **I.** *s.* **1.** Blasen *n*, Luftzug *m*, Brise *f*: *to go for a ~* an die frische Luft gehen; **2.** Blasen *n*, Schall *m*: *a ~ on a whistle* ein Pfiff; **3.** *Am. sl.* **a)** Prahle'rei *f*, **b)** Prahlhans *m*; **II.** *v/i.* [*irr.*] **4.** blasen, wehen, pusten: *it is ~ing hard* es weht ein starker Wind; *to ~ hot and cold fig.* unbeständig *od.* wetterwendisch sein; **5.** ertönen: *the horn is ~ing*; **6.** keuchen, schnaufen; **7.** spritzen, blasen (*Wal*); **8.** *Am.* F prahlen; **9.** ⚡ 'durchbrennen (*Sicherung*); **III.** *v/t.* [*irr.*] **10.** wehen, treiben (*Wind*): *~n ashore* auf Strand geworfen; *he was ~n off his feet* er wurde umgeweht; **11.** anfachen: *to ~ the fire*; **12.** (an)blasen: *to ~ the soup*; **13.** blasen, ertönen lassen: *to ~ the horn* ins Horn stoßen; **14.** auf-, ausblasen: *to ~ bubbles* Seifenblasen machen; *to ~ glass* Glas blasen; *to ~ one's nose* sich die Nase putzen, sich schnauben; *to ~ an egg* ein Ei ausblasen; **15.** *sl. Geld* ‚verpulvern', verschwenden; **16.** zum Platzen bringen: *blew itself to pieces* zersprang in Stücke; **17.** F (*p.p. blowed*) verfluchen: *~ it!* verflucht!; *I'll be ~ed (if) ...!* zum Teufel (wenn) ...!;

Zssgn mit adv.:

blow| down *v/t.* her'unter-, 'umwehen; *~* **in I.** *v/i. fig.* auftauchen, her'einschneien; **II.** *v/t. Scheiben* eindrücken; *~* **off I.** *v/i.* **1.** fortwehen; **2.** abtreiben (*Schiff*); **II.** *v/t.* **3.** fortblasen, verjagen; **4.** *Dampf etc.* ablassen; → *steam 1*; *~* **out I.** *v/i.* **1.** verlöschen; **2.** platzen; **3.** ⚡ 'durchbrennen (*Sicherung*); **II.** *v/t.* **4.** *Licht* ausblasen, *Feuer* (aus-) löschen; **5.** her'ausblasen, -treiben: *to ~ one's brains* sich e-e Kugel durch den Kopf jagen; **6.** sprengen, zertrümmern; *~* **o·ver I.** *v/i.* **1.** *fig.* vor'über-, vergehen, nachlassen; **2.** vergessen werden; **II.** *v/t.* **3.** 'umwehen; *~* **up I.** *v/i.* **1.** aufkommen, sich erheben (*Wind*); **2.** in die Luft fliegen, zerspringen; **3.** *fig.* F auffliegen, scheitern (*Plan*); **4.** in Zorn geraten; **II.** *v/t.* **5.** aufblasen; **6.** (in die Luft) sprengen; **7.** *fig. Plan* vereiteln; **8.** *fig. sl.* ausschimpfen, ‚anblasen', ‚anhauchen'.

blow² [blou] *s.* **1.** Schlag *m*, Streich *m*, Stoß *m*: *at a* (*od. one*) *~* mit 'einem Schlag *od.* Streich; *without striking a ~ fig.* ohne Schwertstreich, mühelos; *to come to ~s* handgemein werden; *to strike a ~ at* e-n Schlag führen gegen (*a. fig.*); *to strike a ~ (for)* sich einsetzen (für), helfen (*dat.*); **2.** *fig.* (Schicksals)Schlag *m*, Unglück *n*: *it was a ~ to his pride* es traf ihn schwer in s-m Stolz.

blow³ [blou] *v/i.* [*irr.*] (auf)blühen, sich entfalten (*a. fig.*).

'blow·ball *s.* ♀ Pusteblume *f.*

blowed [bloud] *p.p. von blow¹* 17.

blow·er ['blouə] *s.* **1.** Bläser *m*: *glass-~*; *~ of a horn*; **2.** ⊕ *Blech am Kamin zur Regulierung des Zuges.*

'blow|-fly *s. zo.* Schmeißfliege *f*; **'~-hole** *s.* **1.** 'Luft-, Zugloch *n*; **2.** Nasenloch *n* (*Wal*); **'~-lamp** *s.* ⊕ Lötlampe *f.*

blown¹ [bloun] **I.** *p.p. von blow¹ II u. III*; **II.** *adj.* **1.** *oft ~ up* aufgeblasen, -gebläht (*a. fig.*); **2.** außer Atem.

blown² [bloun] **I.** *p.p. von blow³*; **II.** *adj.* blühend, aufgeblüht (*a. fig.*).

'blow|-out *s.* **1.** **a)** Zerplatzen *n*, **b)** Reifenpanne *f*; **2.** *sl.* Gelage *n*, ‚Futte'rei' *f*; **'~-pipe** *s.* **1.** ⊕ Lötrohr *n*, Schweißbrenner *m*; **2.** Puste-, Blasrohr *n*; **'~-torch** *s.* ⊕ *Am.* Lötlampe *f.*

blow·y ['bloui] *adj.* windig, luftig.

blowz·y ['blauzi] *adj.* schlampig, zerzaust; rotgesichtig.

blub·ber ['blʌbə] **I.** *s.* Walfischspeck *m*; **II.** *v/i.* heulen, weinen.

blu·chers ['blu:tʃəz] *s. pl. obs.* **1.** starke Halbstiefel *pl.*; **2.** Schaftstiefel *pl.*

bludg·eon ['blʌdʒən] **I.** *s.* **1.** Knüppel *m*, Keule *f*; **II.** *v/t.* **2.** 'niederknüppeln; **3.** *j-n* zwingen (*into* zu).

blue [blu:] **I.** *adj.* **1.** blau: *till you are ~ in the face* F bis Sie schwarz werden; *the air was ~ with oaths* es wurde (gottes)lästerlich geflucht; → *moon 1*; **2.** F trübe, schwermütig, traurig: *to feel ~* niedergeschlagen sein; *to look ~* traurig aussehen (*Person, Umstände*); **3.** *pol.* blau (*als Parteifarbe*), konserva'tiv; **4.** *Brit.* F nicht sa'lonfähig, schlüpfrig (*Rede*); **II.** *s.* **5.** Blau *n*, blaue Farbe; **6.** Waschblau *n*; **7.** blaue (Dienst-*etc.*)Kleidung; **8.** *mst poet.* *the ~* **a)** der Himmel: *out of the ~* aus heiterem Himmel, unerwartet, **b)** das Meer; **9.** *pol.* Konserva'tive(r) *m*; **10.** *the dark (light) ~s pl. Studenten von Oxford (Cambridge), die bei Wettkämpfen ihre Universität vertreten*: *to get one's ~* in die Universitätsmannschaft aufgenommen werden; **11.** *pl.* F Schwermut *f*, Trübsinn *m*; **12.** *pl.* ♪ Blues *m*; **III.** *v/t.* **13.** *Wäsche* bläuen; **14.** *sl. Geld* verprassen, ‚verjuxen', verspielen; *~* **ba·by** *s.* ⚕ blaues Baby (*mit angeborenem Herzfehler*); '**2-beard** *s. Ritter* Blaubart *m* (*a. fig. Frauenmörder*); '**~-bell** *s.* ♀ **1.** 'Sternhyaˌzinthe *f* (*England*); **2.** *e-e* Glockenblume *f* (*Schottland*); '**~-ber·ry** [-bəri] *s.* ♀ Blau-, Heidelbeere *f*; '**~-'black** *adj.* blauschwarz; *~* **blood** *s.* **1.** blaues Blut, alter Adel; **2.** Aristo'krat(in), Adlige(r *m*) *f*; '**~-book** *s.* Blaubuch *n*: **a)** *Brit. amtliche politische Veröffentlichung*, **b)** *Am. Verzeichnis prominenter Persönlichkeiten*; '**~-bot·tle** *s.* **1.** *zo.* Schmeißfliege *f*; ‚Brummer' *m*; **2.** ♀ Kornblume *f*; '**~-jack·et** *s. fig.* Blaujacke *f*, Ma'trose *m*; *~* **laws** *s. pl. Am.* strenge puri'tanische Gesetze *pl.* (*bsd. gegen die Entheiligung des Sonntags*).

blue·ness ['blu:nis] *s.* Bläue *f.*

blue| pen·cil *s.* **1.** Blaustift *m*; **2.** *fig.* Zen'sur *f*; '**~-'pen·cil** *v/t.* **1.** *Manuskript etc.* (mit Blaustift) korrigieren *od.* (zs.-, aus)streichen; **2.** *fig.* zensieren, 'unter'sagen; **2 Pe·ter** *s.* ⚓ Abfahrts-Si'gnalflagge *f*; *~* **print** *s.* **1.** Blaupause *f*; **2.** *fig.* Plan *m*, Entwurf *m*; '**~-print I.** *v/t.* entwerfen, planen; **II.** *adj.*: *~ stage* Planungsstadium; *~* **rib·bon** *s.* blaues Band: **a)** *des Hosenbandordens*, **b)** *als Auszeichnung für e-e Höchstleistung, bsd.* ⚓ *das* Blaue Band des 'Ozeans; '**~-stock·ing** *s.* Blaustrumpf *m*; '**~-stone** *s.* ⚗ 'Kupfervitriˌol *n*; '**~-throat** *s. orn.* Blaukehlchen *n*; *~* **tit(·mouse)** *s. orn.* Blaumeise *f.*

bluff¹ [blʌf] **I.** *v/t. j-n* bluffen, verblüffen, bei *j-m* (durch Prahle'rei) Eindruck schinden; *j-n* abschrekken, ins Bockshorn jagen, irremachen; **II.** *v/i.* **a)** *Poker*: bluffen, **b)** bluffen, dreist auftreten; **III.** *s. Poker u. fig.* Bluff *m*; dreiste Irreführung; Großtue'rei *f*: *to call s.o.'s ~* j-n auffordern, es doch zu tun.

bluff² [blʌf] **I.** *adj.* **1.** ⚓ breit (*Bug*); **2.** schroff, steil (*Felsen, Küste*); **3.** ehrlich-grob, gutmütig-derb; **II.** *s.* **4.** Steilufer *n*, schroffes Vorgebirge.

bluff·er ['blʌfə] *s.* Bluffer *m.*

blu·ish ['blu(:)iʃ] *adj.* bläulich.

blun·der ['blʌndə] **I.** *s.* **1.** (grober) Fehler, Schnitzer *m*; **II.** *v/i.* **2.** e-n (groben) Fehler *od.* Schnitzer machen, e-n Bock schießen; **3.** pfuschen, unbesonnen handeln; **4.** stolpern: *to ~ about* umhertappen; *to ~ into (od. upon) s.th.* zufällig auf et. stoßen; *to ~ along (od. on)* blind darauflostappen; **III.** *v/t.* **5.** verpfuschen, verderben; **6.** *~ out* (unbedacht) her'ausplatzen mit.

blun·der·buss ['blʌndəbʌs] *s.* ⚔ *hist.* Donnerbüchse *f.*

blun·der·er ['blʌndərə] *s.* Stümper *m*, Pfuscher *m*, Tölpel *m*; **'blun·der·ing·ly** [-dəriŋli] *adv.* ungeschickterweise.

blunt [blʌnt] **I.** *adj.* □ **1.** stumpf; **2.** *fig.* unempfindlich (*to* gegen); **3.** *fig.* ungeschliffen, derb, ungehobelt (*Manieren etc.*); **4.** schonungslos, offen; schlicht; **II.** *v/t.* **5.** stumpf machen, abstumpfen (*a. fig.*); **6.** *Gefühle etc.* mildern, schwächen; **III.** *s.* **7.** *pl.* kurze Nähnadeln *pl.*; **'blunt·ly** [-li] *adv. fig.* frei her'aus, grob: *to put it ~* um es ganz offen zu sagen; *to refuse ~* glatt ablehnen; **'blunt·ness** [-nis] *s.* **1.** Stumpfheit *f* (*a. fig.*); **2.** *fig.* Grobheit *f*, zu offenes Wesen.

blur [blə:] **I.** *v/t.* **1.** *Schrift* verwischen, verschmieren; *Bild* verschwommen machen; verschleiern; **2.** verdunkeln, verwischen, *Sinne* trüben; **3.** *fig.* besudeln, entstellen; **II.** *v/i.* **4.** verschwimmen; **III.** *s.* **5.** Fleck *m*, verwischte Stelle; **6.** *fig.* Makel *m*; **7.** undeutlicher *od.* nebelhafter Eindruck; Verschwommenheit *f*.

blurb [blə:b] *s.* F *Buchhandel:* **a)** ‚Waschzettel' *m*, Klappentext *m*, **b)** ‚Bauchbinde' *f* (*Reklamestreifen um ein Buch*).

blurred [blə:d] *adj.* unscharf, verschwommen, verschleiert.

blurt [blə:t] *v/t.* ~ *out* ('voreilig *od.* unbesonnen) her'ausplatzen mit, ausschwatzen.

blush [blʌʃ] **I.** *v/i.* erröten, rot werden, in Verwirrung geraten (*at, for* über *acc.*); sich schämen (*to do* zu tun); **II.** *s.* Erröten *n*, (Scham)Röte *f*: *at the first* ~ auf den ersten Blick; *to put to* (*the*) ~ *j-n* zum Erröten bringen; '**blush·ing** [-ʃiŋ] *adj.* □ errötend; *fig.* züchtig.

blus·ter ['blʌstə] **I.** *v/i.* **1.** brausen, tosen, stürmen; **2.** *fig.* poltern, toben, schimpfen; **3.** prahlen, bramarbasieren: *a* ~*ing fellow* ein Bramarbas; **II.** *s.* **4.** Brausen *n*, Toben *n* (*a. fig.*); **5.** Schimpfen *n*; **6.** Prahlen *n*; Über'heblichkeit *f*.

bo [bou] *int.* hu!: *he can't say* ~ *to a goose* er ist ein Hasenfuß.

bo·a ['bouə] *s.* **1.** *zo.* 'Boa *f*, Riesenschlange *f*; **2.** Boa *f* (*Halspelz*).

boar [bɔ:] *s. zo.* Eber *m*, Keiler *m*: *wild* ~ Wildschwein.

board [bɔ:d] **I.** *s.* **1.** Brett *n*, Planke *f*; **2.** (*Schach-, Plätt*)Brett *n*: *to sweep the* ~ alles gewinnen; **3.** Anschlagbrett *n*; **4.** *ped.* → *blackboard*; **5.** *pl. fig.* Bretter *pl.*, Bühne *f*: *to appear on the* ~*s* als Schauspieler auftreten; **6.** Tisch *m*, Tafel *f* (*nur in festen Ausdrücken*): → *above-board, bed 3, groan 2*; **7.** Kost *f*, Verpflegung *f*: ~ *and lodging* Kost u. Logis, Wohnung u. Verpflegung; **8.** *fig. oft* ♀ Ausschuß *m*, Behörde *f*, Amt *n*: ♀ *of Admiralty* Admiralität; ♀ *of Examiners* Prüfungskommission; ~ *of directors* † Verwaltungsrat (*e-r AG*); ♀ *of Governors* (Schul- *etc.*)Behörde; ♀ *of Trade* **a)** *Brit.* Handelsministerium, **b)** *Am.* Handelskammer; **9.** ⚓ Bord *m*, Bordwand *f* (*nur in festen Ausdrücken*): *on* ~ an Bord (*Am. a.* ✈); *on* ~ *a ship* an Bord e-s Schiffes; *on* ~ *a train Am.* im *od.* in den Zug; *free on* ~ (*abbr. f.o.b.*) † frei an Bord (geliefert); *to go by the* ~ **a)** über Bord gehen *od.* fallen, **b)** *fig.* zugrunde *od.* verloren gehen, scheitern; **10.** Pappe *f*: *in* ~*s* kartoniert (*Buch*); **II.** *v/t.* **11.** täfeln; mit Brettern bedecken *od.* absperren, dielen, verschalen; **12.** beköstigen, in Kost nehmen *od.* geben (*with* bei); **13. a)** *Schiff* besteigen, an Bord gehen, **b)** in *e-n Zug od. ein Flugzeug* einsteigen, **c)** ⚓ entern; **III.** *v/i.* **14.** sich in Kost *od.* Pensi'on befinden, wohnen (*with* bei); ~ **out I.** *v/t.* außerhalb in Kost geben; **II.** *v/i.* auswärts essen; ~ **up** *v/t.* mit Brettern vernageln.

board·er ['bɔ:də] *s.* **1.** Kostgänger (-in), Pensio'när(in); **2.** Inter'natsschüler(in).

board·ing ['bɔ:diŋ] *s.* **1.** Bretterverschalung *f*, Dielenbelag *m*, Täfelung *f*; **2.** Kost *f*, Verpflegung *f*; '~**-card** *s.* ✈ Bordkarte *f*; '~**-house** *s.* Pensi'on *f*; '~**-school** *s.* Inter'nat *n*, Pensio'nat *n*.

board| meet·ing *s.* Vorstands- *od.* Ausschußsitzung *f*; ~ **room** *s.* Sitzungssaal *m*; '~**-school** *s. hist. Brit.* öffentliche Elemen'tarschule, Volksschule *f*; '~-'**wag·es** *s. pl.* Kostgeld *n der Dienstboten*.

boast [boust] **I.** *s.* **1.** Prahle'rei *f*, Großtue'rei *f*; **2.** Stolz *m* (*Gegenstand des Stolzes*): *it was his proud* ~ *that* ... es war sein ganzer Stolz, daß ...; *he was the* ~ *of his age* er war der Stolz s-r Zeit; **II.** *v/i.* **3.** (*of, about*) prahlen, großtun (mit): *he* ~*s of his riches*; *it is not much to* ~ *of* damit ist es nicht weit her; **4.** (*of*) sich rühmen (*gen.*), stolz sein (auf *acc.*): *our village* ~*s of a fine church*; **III.** *v/t.* **5.** sich (des Besitzes) *e-r Sache* rühmen, aufzuweisen haben: *our street* ~*s the tallest house in the town*; '**boast·er** [-tə] *s.* Prahler(in); '**boast·ful** [-ful] *adj.* □ prahlerisch, über'heblich.

boat [bout] **I.** *s.* **1.** Boot *n*, Kahn *m*; Schiff *n* (*jeder Art*); Dampfer *m*: *we are all in the same* ~ *fig.* wir sitzen alle in 'einem Boot; *to miss the* ~ *fig.* den Anschluß verpassen; *to burn one's* ~*s* alle Brükken hinter sich abbrechen; **2.** bootförmiges Gefäß; → *sauce-boat*; **II.** *v/i.* **3.** (in e-m) Boot fahren: *to go* ~*ing* e-e Bootfahrt machen (*mst* rudern); ~ **drill** *s.* ⚓ 'Bootsmaˌnöver *n*.

boat·er ['boutə] *s. Brit.* steifer Strohhut, ‚Kreissäge' *f*.

'**boat|-hook** *s.* ⚓ Bootshaken *m*; '~**-house** *s.* Bootshaus *n*.

boat·ing ['boutiŋ] *s.* Bootfahren *n*; Rudersport *m*.

'**boat|-load** *s.* Bootsladung *f*; '~**·man** [-mən] *s.* [*irr.*] Bootsführer *m*, -verleiher *m*; '~**-race** *s.* 'Ruderreˌgatta *f*; ~**·swain** ['bousn] *s.* ⚓ Bootsmann *m*; ~ **train** *s.* Zug *m* mit Schiffsanschluß.

bob[1] [bɔb] **I.** *s.* **1.** Haarschopf *m*, Büschel *n*; Bubikopf-Haarschnitt *m*; gestutzter Pferdeschwanz; Quaste *f*; **2.** Ruck *m*; Knicks *m*; **3.** *sg. u. pl. obs. Brit. sl.* Schilling *m*: *five* ~; ~ *a job* e-n Schilling für jede Arbeit; **4.** *abbr. für bob-sleigh*; **II.** *v/t.* **5.** ruckweise (hin u. her, auf u. ab) bewegen; **6.** *Haare, Pferdeschwanz etc.* kurz schneiden, stutzen; **III.** *v/i.* **7.** sich auf u. ab *od.* hin u. her bewegen, baumeln, tänzeln; **8.** schnappen (*for* nach); **9.** knicksen; **10.** Bob fahren; **11.** ~ *up* (plötzlich) auftauchen: *to* ~ *up like a cork fig.* immer wieder hochkommen, sich nicht unterkriegen lassen.

Bob[2] [bɔb] *npr., abbr. für Robert*: ~*'s your uncle* **a)** fertig ist die Laube, **b)** das geht in Ordnung.

bobbed [bɔbd] *adj.*: ~ *hair* Bubikopf.

bob·bin ['bɔbin] *s.* **1.** ⊕ Spule *f*, (Garn)Rolle *f*; **2.** ⚡ Indukti'onsspule *f*; **3.** Klöppel(holz *n*) *m*; ~ **frame** *s.* ⊕ Spulengestell *n*; '~**-lace** *s.* Klöppelspitze *f*.

bob·ble ['bɔbl] *s. Am.* F Schnitzer *m*, Fehler *m*.

bob·by ['bɔbi] *s. Brit.* F ‚Schupo' *m*, Poli'zist *m*; ~ **pin** *s.* Haarklemme *f* (*aus Metall*); '~**-socks** *s. pl. Am.* F Söckchen *pl.* (*bsd. von jungen Mädchen*); '~**-sox·er** [-sɔksə] *s. Am.* F Backfisch *m*, (halbwüchsiges) junges Mädchen.

'**bob|-sled,** '~**-sleigh** *s.* Bob *m* (*Rennschlitten*); '~**·tail** *s.* **1.** Stutzschwanz *m*; **2.** Pferd *n od.* Hund *m* mit Stutzschwanz.

Boche [bɔʃ] (*Fr.*) *s. sl. contp.* Deutsche(r *m*) *f*.

bock (**beer**) [bɔk] *s.* Bockbier *n*.

bode[1] [boud] **I.** *v/t.* prophe'zeien, ahnen lassen: *this* ~*s you no good* das bedeutet nichts Gutes für dich; **II.** *v/i.* e-e Vorbedeutung sein: *to* ~ *well* Gutes versprechen; *to* ~ *ill* Unheil verkünden.

bode[2] [boud] *pret. von bide*.

bo·de·ga [bou'di:gə] *s.* Weinstube *f*, -keller *m*.

bod·ice ['bɔdis] *s.* **1.** Leibchen *n*, Mieder *n*; **2.** Taille *f am Kleid*.

bod·ied ['bɔdid] *adj. in Zssgn* ...gebaut, von ... Körperbau *od.* Gestalt: *small-*~ klein von Gestalt.

bod·i·less ['bɔdilis] *adj.* **1.** körperlos; **2.** unkörperlich, wesenlos; '**bod·i·ly** [-ili] **I.** *adj.* **1.** körperlich, leiblich: ~ *injury* Körperverletzung; ~ *fear* körperliche Angst; **II.** *adv.* **2.** leib'haftig, per'sönlich; **3.** ganz u. gar, als Ganzes.

bod·kin ['bɔdkin] *s.* **1.** ⊕ Ahle *f*, Pfriem *m*: *to sit* ~ eingepfercht sitzen; **2.** 'Durchzieh-, Schnürnadel *f*; **3.** lange Haarnadel.

Bod·le·ian (**Li·brar·y**) [bɔd'li(:)ən] *s.* Bodley'anische Biblio'thek (*in Oxford*).

bod·y ['bɔdi] **I.** *s.* **1.** Körper *m*, Leib *m*: *heir of one's* ~ Leibeserbe; *in the* ~ lebend; *to keep* ~ *and soul together* Leib u. Seele zs.-halten; **2.** *engS.* Rumpf *m*, Leib *m*: *one wound in the leg and one in the* ~; **3.** *oft dead* ~ Leiche *f*; **4.** Hauptteil *m*, *das* Wesentliche, Kern *m*, Stamm *m*, Rahmen *m*, Gestell *n*; Rumpf *m* (*Schiff, Flugzeug*); eigentlicher Inhalt, Sub'stanz *f* (*Schriftstück, Rede*): *car* ~ Karosserie; *hat* ~ Hutstumpen; *in the* ~ *of the hall* mitten im Saal; **5.** Gesamtheit *f*, Masse *f*: *in a* ~ zusammen, geschlossen, wie 'ein Mann; ~ *of water* Wassermasse, -fläche, Gewässer; ~ *of facts* Tatsachenmaterial; ~ *of laws* Gesetz(es)sammlung; **6.** Körper(schaft *f*) *m*, Gesellschaft *f*; Gruppe *f*: *diplomatic* ~ diplomatisches Korps; *governing* ~ Verwaltungskörper; ~ *politic* Staat; *a* ~ *of unemployed* e-e Gruppe Arbeitsloser; *student* ~ Studentenschaft; **7.** ⚔ Truppenkörper *m*, Trupp *m*, Ab'teilung *f*; **8.** *phys.* Körper *m*: *solid* ~ fester Körper; *heavenly* ~ *ast.* Himmelskörper; **9.** ⚗ Masse *f*, Sub'stanz *f*; **10.** F Per'son *f*, Mensch *m*: *a curious old* ~ ein komischer alter Kauz; **11.** *fig.* Güte *f*, Stärke *f*, Festigkeit *f*, Gehalt *m*, Körper *m* (*Wein*), Fülle *f*

(*Ton*); **II.** *v/t.* **12.** *mst* ~ *forth* verkörpern, darstellen; ~ **belt** *s.* Leibbinde *f*, -gurt *m*; ~ **blow** *s. Boxen*: Körperschlag *m*; ~ **build** *s. biol.* Körperbau *m*; '~**-guard** *s.* Leibgarde *f*, -wache *f*; '~**-mak·er** *s.* ⊕ Karosse'riebauer *m*; ~ **plasm** *s.* ♀, *zo.* 'Körper-, 'Somatoˌplasma *n*; ~ **search** *s.* 'Leibesvisitatiˌon *f*; ~ **seg·ment** *s. biol.* 'Körper-, 'Rumpfsegˌment *n*; '~**-serv·ant** *s.* Leib-, Kammerdiener *m*; '~**-snatch·er** *s.* ⚖ Leichenräuber *m*; '~**-work** *s.* ⊕ Karosse'rie *f*.

Boer ['bouə] **I.** *s.* Bur(e) *m*, Boer *m* (*Südafrika*); **II.** *adj.* burisch: ~ *War* Burenkrieg.

bog [bɔg] **I.** *s.* **1.** Sumpf *m*, Mo'rast *m* (*a. fig.*); Moor *n*; **2.** V Scheißhaus *n*; **II.** *v/t.* **3.** im Sumpf versenken; *fig. a.* ~ *down* zum Stocken bringen, versanden lassen; **III.** *v/i.* **4.** *a.* ~ *down* im Sumpf *od.* Schlamm versinken; *a. fig.* steckenbleiben, sich festfahren.

bo·gey[1] ['bougi] *s. Golf*: 'Bogey *n*, ein Schlag über Par.

bo·gey[2] → *bogy*.

bog·gle ['bɔgl] *v/i.* **1.** (*at*) zu'rückschrecken (vor *dat.*), stutzen (vor, bei *dat.*); Bedenken tragen, zögern (zu *inf.*); **2.** pfuschen, stümpern.

bog·gy ['bɔgi] *adj.* sumpfig, mo'rastig.

bo·gie ['bougi] *s.* **1.** ⊕ *Brit.* **a)** Blockwagen *m* (*mit beweglichem Radgestell*), **b)** 🚂 Dreh-, Rädergestell *n*; **2.** ⚒ *Art* Förderkarren *m*; ~ **wheel** *s.* ⚔ (Ketten)Laufrad *n* (*Panzerwagen*).

'**bog-trot·ter** *s. contp.* Ire *m*, Irländer *m*.

bo·gus ['bougəs] *adj.* falsch, unecht, Schein..., Schwindel...

bo·gy ['bougi] *s.* 'Kobold *m*, 'Popanz *m*, (Schreck)Gespenst *n*; ~ **man** *s.* [*irr.*] Butzemann *m*, *der* Schwarze Mann (*Kindersprache*).

boh → *bo*.

Bo·he·mi·an [bou'hi:mjən] **I.** *s.* **1.** Böhme *m*, Böhmin *f*; **2.** Bohemi'en *m*, *ein* 'unkonventioˌnell Lebender (*bsd. Künstler*); **II.** *adj.* **3.** böhmisch; **4.** *fig.* unkonventionell (lebend), leichtlebig; **bo'he·mi·an·ism** [-nizəm] *s.* Bo'hemewirtschaft *f*.

boil[1] [bɔil] *s.* ⚕ Geschwür *n*, Fu'runkel *m*; Eiterbeule *f*.

boil[2] [bɔil] **I.** *s.* **1.** Kochen *n*, Sieden *n*: *to bring to the* ~ zum Kochen bringen; **2.** Wallen *n*, Wogen *n*, Schäumen *n* (*Gewässer*); **3.** *fig.* Erregung *f*, Wut *f*, Wallung *f*; **II.** *v/i.* **4.** kochen, sieden: *the water* (*kettle*) *is* ~*ing* das Wasser (der Kessel) kocht; **5.** wallen, wogen, brausen, schäumen; **6.** *fig.* kochen, schäumen (*with* vor *Wut*); **III.** *v/t.* **7.** kochen (lassen), zum Kochen bringen, ab-, einkochen: *to* ~ *eggs* Eier kochen; *to* ~ *clothes* Wäsche kochen; ~ **a·way** *v/i.* **1.** verdampfen; **2.** weiterkochen; ~ **down** *v/t.* verdampfen, einkochen; *fig.* zs.-fassen, kürzen: *what it* ~*s down to* was davon übrig bleibt, worauf es hinausläuft; ~ **o·ver** *v/i.* 'überkochen, -laufen, -schäumen (*alle a. fig.*).

boiled| din·ner [bɔild] *s. Am.* Eintopf(gericht *n*) *m*; ~ **po·ta·toes** *s. pl.* Salzkartoffeln *pl.*; ~ **shirt** *s.* F steifes (Frack)Hemd; ~ **sweet** *s.* Bon'bon *m*, *n*.

boil·er ['bɔilə] *s.* **1.** *mst in Zssgn* Sieder *m*: *soap-*~; **2.** ⊕ Dampfkessel *m*; **3.** *Brit.* 'Boiler *m*, Heißwasserspeicher *m*; **4.** Siedepfanne *f*; **5.** *bsd.* zum Kochen geeignetes Fleisch, Gemüse *etc.*: *this chicken is a good* ~ dies ist ein gutes Kochhuhn; '~**-mak·er** *s.* Kesselschmied *m*; ~ **suit** *s.* 'Overall *m*.

boil·ing ['bɔiliŋ] **I.** *adj.* kochend, heiß; *fig.* kochend, erregt; **II.** *adv.*: ~ *hot* kochend heiß; **III.** *s. das* Gekochte: *the whole* ~ *sl.* die ganze Sippschaft *od.* Blase; '~**-point** *s.* Siedepunkt *m* (*a. fig.*).

bois·ter·ous ['bɔistərəs] *adj.* □ **1.** rauh, stürmisch, ungestüm; **2.** ausgelassen, lärmend, tobend, laut; '**bois·ter·ous·ness** [-nis] *s.* Ungestüm *n*.

bold [bould] *adj.* □ **1.** kühn, zuversichtlich, mutig, unerschrocken; **2.** keck, verwegen, dreist, frech; anmaßend: *to make* ~ *to* ... sich erdreisten *od.* es wagen zu ...; *to make* ~ (*with*) sich Freiheiten herausnehmen (gegen); *as* ~ *as brass* F frech wie Oskar, unverschämt; **3.** kühn, gewagt: *a* ~ *plan*; **4.** scharf her'vortretend, ins Auge fallend, deutlich: *in* ~ *outline* in deutlichen Umrissen; *a few* ~ *strokes of the brush* ein paar kühne Pinselstriche; **5.** steil (*Küste*); '~**-faced** *adj.* **1.** frech; **2.** *typ.* (halb)fett (gedruckt).

bold·ness ['bouldnis] *s.* **1.** Kühnheit *f*, Mut *m*; **2.** Keckheit *f*, Dreistigkeit *f*.

bole [boul] *s.* starker Baumstamm.

bo·le·ro[1] [bə'lɛərou] *s.* Bo'lero *m* (*spanischer Tanz*).

bo·le·ro[2] ['bɔlərou] *s.* Bo'lero *m* (*kurzes Jäckchen*).

bo·lide ['boulaid] *s. ast.* Feuerkugel *f*.

boll [boul] *s.* ♀ Samenkapsel *f* (*Baumwolle, Flachs*).

bol·lard ['bɔləd] *s.* ⚓ Poller *m*.

'**boll-wee·vil** *s. zo.* Baumwollkapselkäfer *m* (*Schädling*).

bo·lo ['boulou] *s. Am.* großes, einschneidiges Messer (*Philippinen*).

Bo·lo·gna sau·sage [bə'lounjə] *s.* Bolo'gneser Wurst *f*, Mettwurst *f*.

bo·lo·ney [bə'louni] *s.* **1.** *sl.* ‚Quatsch' *m*, Geschwafel *n*; **2.** *Am.* F Mettwurst *f*; → *polony*.

Bol·she·vik ['bɔlʃivik] **I.** *s.* Bolsche'wik *m*; **II.** *adj.* bolsche'wistisch; '**Bol·she·vism** [-izəm] *s.* Bolsche'wismus *m*; '**Bol·she·vist** [-ist] **I.** *s.* Bolsche'wist *m*; **II.** *adj.* bolschewistisch; **Bol·she·vi·za·tion** [bɔlʃivai'zeiʃən] *s.* Bolschewisierung *f*; '**Bol·she·vize** [-vaiz] *v/t.* bolschewisieren.

bol·ster ['boulstə] **I.** *s.* **1.** Kopfpolster *n* (*unter dem Kopfkissen*), Keilkissen *n*; **2.** Polster *n*, Polsterung *f*, 'Unterlage *f* (*a.* ⊕); **II.** *v/t.* **3.** *j-m* Kissen 'unterlegen; **4.** (aus)polstern; **5.** *sl.* mit Kissen werfen (*Schülersprache*); **6.** ~ *up* unter'stützen, künstlich aufrechterhalten.

bolt[1] [boult] **I.** *s.* **1.** Schraube *f* (mit Mutter), Bolzen *m*: ~ *nut* Schraubenmutter; **2.** Bolzen *m*, Pfeil *m*: *to shoot one's* ~ e-n (letzten) Versuch machen; *he has shot his* ~ er hat sein Pulver verschossen; ~ *upright* kerzengerade; **3.** ⊕ (Tür-, Schloß-)Riegel *m*: *behind* ~ *and bar* hinter Schloß u. Riegel; **4.** Schloß *n an Handfeuerwaffen*; **5.** Blitzstrahl *m*: *a* ~ *from the blue* ein Blitz aus heiterem Himmel; **6.** plötzlicher Sprung, Flucht *f*: *he made a* ~ *for the door* er machte e-n Satz zur Tür; *he made a* ~ *for it* F er machte sich aus dem Staube; **7.** *pol. Am.* Abtrünnigkeit *f* von der Poli'tik der eigenen Par'tei; **8.** ✝ *ein* Ballen *od. e-e* (Origi'nal)Rolle (*Stoff*); **II.** *v/t.* **9.** *Tür etc.* ver-, zuriegeln; **10.** *Essen* hin'unterschlingen; **11.** *Am. pol. die eigene Partei* im Stich lassen; **III.** *v/i.* **12.** 'durchgehen (*Pferd*); **13.** da'vonlaufen, ausreißen; entfliehen, ‚'durchbrennen'.

bolt[2] [boult] *v/t. Mehl* sieben, beuteln.

bolt·er ['boultə] *s.* **1.** Ausreißer *m*, 'Durchgänger *m* (*Pferd*); **2.** *pol. Am.* Abtrünnige(r *m*) *f*.

bo·lus ['bouləs] *s.* ⚕ große Pille.

bomb [bɔm] **I.** *s.* **1.** ⚔ **a)** (Flieger-)Bombe *f*, **b)** 'Handgraˌnate *f*; **2.** *allg.* Bombe *f* (*a. fig.*), Sprengkörper *m*: *time* ~; *stink od. stench* ~ Stinkbombe; **II.** *v/t.* **3.** mit Bomben belegen, bombardieren; zerbomben: ~*ed out* ausgebombt; ~*ed site* Ruinengrundstück.

bom·bard [bɔm'bɑ:d] *v/t.* **1.** ⚔ bombardieren, Bomben werfen auf (*acc.*), beschießen; **2.** *fig.* (*with*) bombardieren, bestürmen (mit); **3.** *phys.* bombardieren, beschießen; **bom·bard·ier** [bɔmbə'diə] *s.* ⚔ **1.** *Brit.* Artille'rieˌunteroffiˌzier *m*; **2.** Bombenschütze *m* (*im Flugzeug*); **bom'bard·ment** [-mənt] *s.* Bombarde'ment *n*, Beschießung *f* (*a. phys.*), Belegung *f* mit Bomben.

bom·bast ['bɔmbæst] *s. fig.* Bom'bast *m*, (leerer) Wortschwall, Schwulst *m*; **bom·bas·tic** [bɔm'bæstik] *adj.* (□ ~*ally*) bom'bastisch, schwülstig.

Bom·bay duck ['bɔmbei] *s. Delikatesse aus kleinen getrockneten ostindischen Seefischen.*

'**bomb|-bay** *s.* ✈ Bombenschacht *m*; '~**-dis·pos·al** *s.* ⚔ Bombenräumung *f*: ~ *squad* Bombenräumungs-, Sprengkommando; ~ **door** *s.* ✈ Bombenklappe *f*.

bombed [bɔmd] *adj. sl.* **1.** ‚besoffen'; **2.** im Drogenrausch.

bomb·er ['bɔmə] *s.* **1.** Bomber *m*, Bombenflugzeug *n*; **2.** Bombenleger *m*.

bomb·ing ['bɔmiŋ] *s.* Bombenabwurf *m*: ~ *raid* Bombenangriff.

'**bomb|-proof** ⚔ **I.** *adj.* bombensicher; **II.** *s.* Bunker *m*; ~ **rack** *s.* ✈ Bombenaufhängevorrichtung *f*; '~**-shell** *s. fig.* Bombe *f*: *the news came like a* ~ die Nachricht schlug ein wie e-e Bombe; '~**-sight** *s.* ✈ Bombenzielgerät *n*; ~ **throw·er** *s.* **1.** ⚔ Gra'natwerfer *m*; **2.** j-d der Bomben wirft, Atten'täter *m*.

bo·na fi·de ['bounə'faidi] *adj. u. adv.* **1.** in gutem Glauben, auf Treu u. Glauben: ~ *owner* ⚖ gutgläubiger Besitzer; **2.** ehrlich; echt; '**bo·na**

'**fi·des** [-i:z] *s. pl.* guter Glaube; ehrliche Absicht; Rechtmäßigkeit *f*.
bo·nan·za [bou'nænzə] **I.** *s.* **1.** *min.* reiche Erzader (*bsd. Edelmetalle*); **2.** F Goldgrube *f*, Glücksquelle *f*, -strähne *f*; Wohlstand *m*; Fundgrube *f*; **II.** *adj.* **3.** sehr einträglich; erfolgreich; wohlhabend.
bon·bon ['bɔnbɔn; bɔ̃bɔ̃] *s.* Bon'bon *m, n*.
bond [bɔnd] **I.** *s.* **1.** *pl. obs.* Fesseln *pl.*: *in* ~*s* in Fesseln, gefangen, versklavt; *to burst one's* ~*s* s-e Ketten sprengen; **2.** *sg. od. pl. fig.* Bande *pl.*: ~*s of love*; **3.** Verpflichtung *f*, Bürgschaft *f*; ('Haft)Kauti,on *f*; Vertrag *m*; Urkunde *f*: *to enter into a* ~ e-e Verpflichtung eingehen; *his word is as good as his* ~ er ist ein Mann von Wort; **4.** ✝ Schuldschein *m*, *öffentliche* Schuldverschreibung, 'Wertpa,pier *n*, Obligati'on *f*; **5.** ✝ Zollverschluß *m*: *in* ~ unter Zollverschluß; **6.** △ Verband *m*, Verbindungsstück *n*; **7.** ⊕, ⚗ Bindemittel *n*; **8.** → *bond paper*; **II.** *v/t.* **9.** verpfänden; **10.** ✝ unter Zollverschluß legen; **11.** ⊕ *Lack etc.* binden (*a. v/i.*); '**bond·age** [-didʒ] *s.* Knechtschaft *f*, Sklave'rei *f* (*a. fig.*): *in the* ~ *of vice* dem Laster verfallen; '**bond·ed** [-did] *adj.* ✝: ~ *debt* fundierte Schuld; ~ *goods* Waren unter Zollverschluß; ~ *warehouse* Zollspeicher; '**bond·er** [-də] *s.* ✝ j-d der Waren unter Zollverschluß liegen läßt.
'**bond|·hold·er** *s.* Inhaber *m* von Obligati'onen *etc.*; '~**·man** [-mən] *s.* [*irr.*] Sklave *m*, Leibeigene(r) *m*; ~ **mar·ket** *s.* ✝ Rentenmarkt *m*; ~ **pa·per** *s.* festes 'Schreib- *od.* 'Druckpa,pier.
bonds·man ['bɔndzmən] → *bondman*.
bone [boun] **I.** *s.* **1.** Knochen *m*; Bein *n*: ~ *of contention* Zankapfel; *to the* ~ bis auf die Knochen *od.* die Haut, durch u. durch (*naß od. kalt*); *price cut to the* ~ aufs äußerste reduzierter Preis, Schleuderpreis; *I feel it in my* ~*s fig.* ich spüre es in den Knochen, ich habe e-e Ahnung; *bag of* ~*s* F nur (noch) Haut u. Knochen, Skelett; *bred in the* ~ angeboren; *to make no* ~*s about it* nicht viel Federlesens machen, nicht lange (damit) fackeln; *to have a* ~ *to pick with s.o.* ein Hühnchen mit j-m zu rupfen haben; **2.** *pl.* Gebeine *pl.*; **3.** *pl.* Körper *m*, Knochen *pl.*: *my old* ~*s* m-e alten Knochen; **4.** (Fisch-)Gräte *f*; **5.** *pl.* Kor'settstangen *pl.*; **6.** *pl. Am.* Knöchel *pl.*, Würfel *pl.*; 'Dominosteine *pl.*; **II.** *v/t.* **7.** die Knochen her'ausnehmen aus (*dat.*), entgräten; **8.** (Fischbein)Stäbchen einarbeiten in *ein Korsett*; **9.** *sl.* ‚klauen' (*stehlen*); **III.** *v/i.* **10.** *oft* ~ *up on sl.* ‚büffeln', ‚ochsen' (*eifrig studieren*); **IV.** *adj.* **11.** beinern, knöchern, aus Bein *od.* Knochen; '~**-black** *s.* **1.** ⚗ Knochenkohle *f*; **2.** Beinschwarz *n* (*Farbe*); ~ **chi·na** *s.* feines Porzel'lan.
boned [bound] *adj.* **1.** *in Zssgn* ...knochig: *strong-*~ starkknochig; **2.** *Küche*: **a)** ohne Knochen: ~ *chicken*, **b)** entgrätet: ~ *fish*; **3.** mit (Fischbein)Stäbchen (versehen) (*Korsett etc.*).
'**bone|-'dry** *adj.* **1.** knochentrocken; **2.** *Am. sl.* streng 'antialko,holisch; '~**-dust** → *bone-meal*; ~ **glue** *s.* Knochenleim *m*; '~**·head** *s. sl.* Dummkopf *m*; '~**·head·ed** *adj. sl.* dumm, blöde; '~**-'i·dle** → *bone-lazy*; '~**-lace** *s.* Klöppelspitze *f*; '~**-'la·zy** *adj.* F ‚stinkfaul'; '~**-meal** *s.* Knochenmehl *n*.
bon·er ['bounə] *s. Am. sl.* Schnitzer *m*, Ungeschick *n*.
'**bone|-set·ter** *s.* Knocheneinrichter *m*; '~**-shak·er** *s. sl.* ‚Klapperkasten' *m* (*Bus etc.*).
bon·fire ['bɔnfaiə] *s.* **1.** Freudenfeuer *n*; **2.** Feuer *n* im Garten (*zum Unkrautverbrennen*); Kar'toffelfeuer *n*: *to make a* ~ *of s.th.* et. vernichten.
bon·ho·mie ['bɔnɔmi:] (*Fr.*) *s.* Gutmütigkeit *f*.
bon·ia·ta [bə'njɑ:tə] *s.* ♀ 'Yam-, Mehlwurzel *f*.
Bon·i·face ['bɔnifeis] *s.* F (durch'triebener, lustiger) Gastwirt.
bon mot [bɔ̃ 'mou] *pl.* **bons mots** [bɔ̃ 'mouz] (*Fr.*) *s.* Bon'mot *n*, witzige *od.* treffende Bemerkung.
bon·net ['bɔnit] **I.** *s.* **1.** (*bsd.* Schotten)Mütze *f*, Kappe *f*; → *bee 1*; **2.** (Damen)Hut *m*, (Damen- *od.* Kinder)Haube *f* (*mst randlos*); **3.** Kopfschmuck *m* der Indi'aner; **4.** ⊕ Schornsteinkappe *f*; **5.** *mot. Brit.* 'Motorhaube *f*; **6.** ⊕ Schutzkappe *f* (*für Ventil, Zylinder etc.*); **II.** *v/t.* **7.** *j-m* den Hut über die Augen drücken; '**bon·net·ed** [-tid] *adj.* e-e Mütze *od.* Kappe *od.* Haube tragend.
bon·ny ['bɔni] *adj. bsd. Scot.* **1.** hübsch, schön; **2.** F drall.
bo·nus ['bounəs] *s.* ✝ **1.** 'Bonus *m*, Gratifikati'on *f*, Sondervergütung *f*, Tanti'eme *f*; **2.** 'Prämie *f*, 'Extradivi,dende *f*, Sonderausschüttung *f*: ~ *share* Gratisaktie; **3.** Vergünstigung *f*.
bon·y ['bouni] *adj.* **1.** knochenartig, Knochen...; **2.** starkknochig; **3.** voll Knochen *od.* Gräten; **4.** knochendürr.
bonze [bɔnz] *s.* Bonze *m* (*buddhistischer Mönch od. Priester*).
boo [bu:] **I.** *int.* **1.** huh! (*um j-n zu erschrecken*); **2.** huh!, pfui! (*Ausruf der Verachtung*); **II.** *s.* **3.** „Huh"- *od.* „Pfui"-Ruf *m*: *greeted by* ~*s* mit „Pfui"-Rufen begrüßt; **III.** *v/i.* **4.** huh! *od.* pfui! schreien; **IV.** *v/t.* **5.** durch „Pfui"-Rufe verhöhnen; auspfeifen, niederbrüllen; **6.** *Hund etc.* durch „Pfui"-Rufe verscheuchen.
boob [bu:b] *sl.* **I.** *s.* **1.** ‚Schnitzer' *m*, Fehler *m*; **2.** *Am.* ‚Ka'mel' *n* (*Dummkopf*); **3.** *pl.* ‚Titten' *pl.* (*Brüste*); **II.** *v/i.* **4.** e-n ‚Schnitzer' machen.
boo-boo ['bu:bu:] *s. Am. sl.* Fehler *m*, ‚Schnitzer' *m*.
boo·by ['bu:bi] *s.* **1.** Tölpel *m*, Dummkopf *m*; **2.** Letzte(r *m*) *f*, Schlechteste(r *m*) *f* (*in Wettkämpfen etc.*); **3.** *orn.* Tölpel *m*, Seerabe *m*; ~ **hatch** *s. Am. sl.* ‚Klapsmühle' *f* (*Irrenanstalt*); ~ **prize** *s.* Trostpreis *m*; ~ **trap** *s.* **1.** ⚔ Minenfalle *f*, Schreckladung *f* (*in harmlosen Gegenständen versteckte Sprengladung*); **2.** grober Scherz (*bei dem versteckt über e-r halbgeöffneten Tür angebrachte Gegenstände auf den Eintretenden herabfallen*).
boo·dle ['bu:dl] *Am. sl.* → *caboodle*.
boo·gie-woo·gie ['bu:giwu:gi] *s.* ♪ Boogie-Woogie *m* (*Tanz*).
boo·hoo [bu:'hu:] **I.** *s.* lautes Weinen; **II.** *v/i.* schreien, brüllen, plärren.
book [buk] **I.** *s.* **1.** Buch *n*: *to be at one's* ~*s* über s-n Büchern sitzen; *without the* ~ auswendig; *he talks like a* ~ er redet wie ein Buch; *the* ~ *of life* (*nature*) *fig.* das Buch des Lebens (der Natur); *a closed* ~ ein Buch mit sieben Siegeln; *the* ♀ die Bibel; *to kiss the* ♀ die Bibel küssen; *to swear on the* ♀ bei der Bibel schwören; *to suit one's* ~ *fig.* e-m gut passen *od.* recht sein; **2.** Buch *n* (*Teil e-s Gesamtwerkes*); **3.** ✝ Geschäfts-, Handelsbuch *n*: *to close the* ~*s* die Bücher abschließen; *to keep* ~*s* Bücher führen; *to be deep in s.o.'s* ~*s* bei j-m tief in der Kreide stehen; *to bring to* ~ **a)** *j-n* zur Rechenschaft ziehen, **b)** ✝ (ver)buchen; *to be in s.o.'s good* (*bad od. black*) ~*s* bei j-m gut (schlecht) angeschrieben sein; **4.** (Schreib)Heft *n*, No'tizblock *m*: *exercise-*~ Schul-, Aufgabenheft; **5.** (Namens)Liste *f*, Verzeichnis *n*, Buch *n*: *visitors'* ~ Gästebuch; *to be on the* ~*s* auf der Mitgliedsliste (*univ.* Liste der Immatrikulierten) stehen; **6.** Heft *n*, Block *m*: ~ *of stamps* Briefmarkenheft; **7.** Wettbuch *n*; **8.** (Opern-)Textbuch *n*; **II.** *v/t.* **9.** ✝ (ver)buchen, eintragen; **10.** *j-n* verpflichten, engagieren; **11.** *j-n als* (*Fahr*)*Gast, Teilnehmer etc.* einschreiben, vormerken; **12.** *Platz, Zimmer* bestellen; *Überfahrt etc.* buchen; *Eintritts-, Fahrkarte* nehmen, lösen; *Auftrag* notieren; *Güter, Gepäck* (*zur Beförderung*) aufgeben; *Ferngespräch* anmelden; **III.** *v/i.* **13.** eine Fahrkarte *etc.* lösen *od.* nehmen: *to* ~ *through* (*to*) durchlösen (bis, nach); **14.** Platz *etc.* bestellen; '**book·a·ble** [-kəbl] *adj.* im Vorverkauf erhältlich (*Karten etc.*).
'**book|·bind·er** *s.* Buchbinder *m*; '~**·bind·ing** *s.* Buchbinderhandwerk *n*, Buchbinde'rei *f*; '~**·case** *s.* 'Bücherschrank *m*, -re,gal *n*; ~ **cloth** *s.* Buchbinderleinwand *f*; ~ **club** *s.* Buchgemeinschaft *f*; ~ **cov·er** *s.* 'Buchdecke *f*, -,umschlag *m*; ~ **debt** *s.* ✝ Buchschuld *f*, buchmäßige Schuld.
booked [bukt] *adj.* **1.** gebucht, eingetragen; **2.** vorgemerkt, bestimmt, bestellt: *all* ~ (*up*) voll besetzt, ausverkauft; **3.** verabredet, verpflichtet; **4.** *sl.* erwischt.
book end *s. mst pl.* Bücherstütze *f*.
book·ie ['buki] *sl.* → *book-maker*.
book·ing ['bukiŋ] *s.* **1.** Buchung *f*, Eintragung *f*; **2.** Bestellung *f*; '~**-clerk** *s.* Schalterbeamte(r) *m*, Fahrkartenverkäufer *m*; '~**-hall** *s.* Schalterhalle *f*; '~**-of·fice** *s.* **1.** Fahrkartenschalter *m*; **2.** *thea. etc.* Kasse *f*; Vorverkaufsstelle *f*.
book·ish ['bukiʃ] *adj.* □ **1.** belesen,

gelehrt; **2.** voll Bücherweisheit: ~ *person* **a)** Büchernarr, **b)** Stubengelehrte(r); ~ *style* papierener Stil; **'book·ish·ness** [-nis] *s.* Stubengelehrsamkeit *f.*

'book|-keep·er *s.* Buchhalter(in); **'~-keep·ing** *s.* Buchhaltung *f,* -führung *f*: ~ *by single* (*double*) *entry* einfache (doppelte) Buchführung; **~ knowl·edge, ~ learn·ing** *s.* Buchgelehrsamkeit *f,* Bücherweisheit *f.*

book·let ['buklit] *s.* Büchlein *n,* Bro'schüre *f.*

'book|-mak·er *s.* Buchmacher *m*; **'~·man** [-mən] *s.* [*irr.*] Büchermensch *m,* Gelehrte(r) *m*; **'~-mark** *s.* Lesezeichen *n*; **'~·mo·bile** [-məbi:l] *s. Am.* 'Wanderbüche,rei *f.*

Book of Com·mon Prayer *s.* Gebetbuch *n* der angli'kanischen Kirche.

'book|-plate *s.* Ex'libris *n,* Bucheignerzeichen *n*; **'~-post** *s. Brit.* Drucksachen(post *f*) *pl.*; **'~-rack** *s.* 'Büchergestell *n,* -re,gal *n*; **'~-rest** *s.* **1.** Buchstütze *f* (*zum Halten e-s Buches*); **2.** (kleines) Lesepult; **~ review** *s.* Buchbesprechung *f*; **~ review·er** *s.* 'Buch,kritiker *m*; **'~-sell·er** *s.* Buchhändler(in); **'~·shelf** *s.* Bücherbrett *n,* -gestell *n*; **'~·shop** *s.* Buchhandlung *f*; **'~·stack** *s.* Bücherregal *n*; **'~·stall** *s.* Bücher(verkaufs)stand *m,* Zeitungsstand *m*; **'~·stand** → *book-rack*; **'~·store** *s. Am.* Buchhandlung *f*; **~ to·ken** *s. Brit.* Büchergutschein *m*; **'~-trade** *s.* Buchhandel *m*; **~ val·ue** *s.* † Buchwert *m*; **'~-work** *s.* 'Bücher,studium *n*; **'~·worm** *s. zo. u. fig.* Bücherwurm *m.*

boom¹ [bu:m] **I.** *s.* Brummen *n,* Dröhnen *n,* Donnern *n,* Brausen *n*; **II.** *v/i. a.* ~ *out* brummen, dröhnen, donnern, brausen.

boom² [bu:m] *s.* **1.** ⚓ Baum *m* (*Hafen- od. Flußsperrgerät*); **2.** ⚓ Baum *m,* Spiere *f* (*Stange am Segel*); **3.** *Am.* Schwimmbaum *m* (*zum Auffangen des Floßholzes*); **4.** *Film, Fernsehen*: Mikro'phon- *od.* 'Kameragalgen *m.*

boom³ [bu:m] **I.** *s.* **1.** Aufschwung *m*; Berühmtheit *f, das* Berühmtwerden, Blüte(zeit) *f*: *a* ~ (*holiday*) *resort* ein blühender Kurort; **2.** † **a)** Boom *m,* ('Hoch)Konjunk,tur: *building* ~ Bauboom, **b)** *Börse*: Hausse *f*; **3.** Re'klamerummel *m,* aufdringliche Propa'ganda; **II.** *v/i.* **4.** *e-n* Aufschwung nehmen, in die Höhe schnellen, anziehen (*Preise, Kurse*), blühen; **III.** *v/t.* **5.** die Werbetrommel rühren für; *Preise* in die Höhe treiben; **'~-and-bust** *s. Am.* F außergewöhnlicher Aufstieg, dem e-e ernste Krise folgt.

boom·er·ang ['bu:məræŋ] **I.** *s.* 'Bumerang *m* (*a. fig.*); **II.** *v/i. fig.* sich als Bumerang erweisen.

boon¹ [bu:n] *s.* **1.** Wohltat *f,* Segen *m*; **2.** Gefälligkeit *f.*

boon² [bu:n] *adj. lit.* freundlich, munter: ~ *companion* lustiger Kumpan *od.* Zechbruder.

boor [buə] *s. fig.* Flegel *m,* ‚Bauer' *m,* ungebildete Per'son; **boor·ish** ['buəriʃ] *adj.* □ *fig.* flegelhaft; ungebildet; **boor·ish·ness** ['buəriʃnis] *s. fig.* flegelhaftes Wesen; Ungeschliffenheit *f.*

boost [bu:st] **I.** *v/t.* **1.** hochschieben, -treiben; nachhelfen (*dat.*) (*a. fig.*); **2.** † F fördern, in die Höhe treiben, ‚ankurbeln', Auftrieb geben (*dat.*), anpreisen, Re'klame machen für; **3.** ⊕, ⚡ *Druck, Spannung* erhöhen, verstärken; **II.** *s.* **4.** Förderung *f,* Erhöhung *f*; Auftrieb *m*; **5.** *fig.* Reklame *f.*

boost·er ['bu:stə] *s.* **1.** F Förderer *m,* Re'klamemacher *m*; Preistreiber *m*; **2.** ⊕ *oft attr.* Verstärkung *f,* Zusatz *m*; **~ bat·ter·y** *s.* ⚡ 'Zusatzbatte,rie *f*; **~ rock·et** *s.* 'Startra,kete *f*; **~ shot** *s.* ⚕ Wieder'holungsimpfung *f.*

boot¹ [bu:t] **I.** *s.* **1.** (*Am.* Schaft-) Stiefel *m*: *the* ~ *is on the other leg* **a)** der Fall liegt umgekehrt, **b)** die Verantwortung liegt bei der anderen Seite; *you can bet your* ~*s sl.* darauf kannst du Gift nehmen (*dich verlassen*); *to die in one's* ~*s* **a)** in den Sielen sterben, **b)** e-s plötzlichen *od.* gewaltsamen Todes sterben; *to get the* ~ *sl.* ‚rausgeschmissen' (*entlassen*) werden; *too big for his* ~*s* ‚üppig', anmaßend, größenwahnsinnig; **2.** *Brit.* **a)** Kutschkasten *m* (*für Gepäck*), **b)** *mot.* Kofferraum *m*; **3.** ⊕ Schutzkappe *f,* -hülle *f*; **II.** *v/t.* **4.** *sl. j-m* e-n Fußtritt geben; **5.** *sl. fig. j-n* ‚rausschmeißen' (*entlassen*).

boot² [bu:t] *s. obs.* Vorteil *m,* Gewinn *m*: *to* ~ obendrein, noch dazu.

'boot·black *s. Am.* Schuhputzer *m.*

boot·ed ['bu:tid] *adj.* Stiefel tragend: *jack*~ hohe Stiefel tragend; ~ *and spurred* gestiefelt u. gespornt.

boot·ee ['bu:ti:] *s.* **1.** Damen-Halbstiefel *m*; **2.** gestrickter Babyschuh.

booth [bu:ð] *s.* **1.** (Bretter)Hütte *f,* (Markt)Bude *f*; (Messe)Stand *m*; **2.** (Fernsprech-, Wahl)Zelle *f*; **3.** *Film, Radio*: schalldichte Zelle; Vorführraum *m.*

'boot|·jack *s.* Stiefelknecht *m*; **'~·lace** *s. bsd. Brit.* Schnürsenkel *m,* -riemen *m.*

boot·leg ['bu:tleg] *v/t. u. v/i. Am. sl.* 'illegal herstellen, schwarz verkaufen, schmuggeln (*bsd. Spirituosen*); **'boot·leg·ger** [-gə] *s. Am. sl.* ('Alkohol)Schmuggler *m*; *weitS.* Schieber *m*; **'boot·leg·ging** [-giŋ] *s. Am. sl.* ('Alkohol)Schmuggel *m*; *weitS.* Schiebung *f.*

boot·less ['bu:tlis] *adj.* □ nutzlos, ohne Erfolg; **'boot·less·ly** [-li] *adv.* vergeblich.

'boot|·lick *v/t. u. v/i. sl.* (*j-m*) in den Hintern kriechen (*schmeicheln*); **'~·lick·er** *s. sl.* Speichellecker *m,* Arschkriecher *m*; **'~·mak·er** *s.* Schuhmacher *m.*

boots [bu:ts] *s. sg.* Hausdiener *m* (*im Hotel*).

'boot|·strap *s.* Stiefelstrippe *f,* -schlaufe *f*; **~ top** *s.* Stiefelstulpe *f*; **'~-tree** *s.* Schuh-, Stiefelleisten *m.*

boot·y ['bu:ti] *s.* **1.** (Kriegs)Beute *f,* Raub *m*; **2.** *fig.* Ausbeute *f,* reicher Gewinn.

booze [bu:z] F **I.** *v/i.* **1.** ‚saufen', sich ‚vollaufen' lassen; **II.** *s.* **2.** 'Alkohol *m*; **3.** *Brit. a.* ~-*up* ‚Saufe'rei' *f,* Besäufnis *n*: *to have a* ~(-*up*), *to go on the* ~ → *1*; **boozed** [-zd] *adj.* F ‚blau', ‚voll', besoffen; **'booz·er** [-zə] *s.* **1.** F Säufer *m*; **2.** *Brit. sl.* Kneipe *f*; **'booz·y** [-zi] *adj.* F **1.** → *boozed*; **2.** versoffen.

bop [bɔp] → *bebop.*

bo·rac·ic [bə'ræsik] *adj.* ⚗ 'boraxhaltig, Bor...: ~ *acid* Borsäure.

bor·age ['bɔridʒ] *s.* ⚘ Boretsch *m,* Gurkenkraut *n.*

bo·rax ['bɔ:ræks] *s.* ⚗ 'Borax *m.*

Bor·deaux [bɔ:'dou] *s.* Bor'deaux(-wein) *m.*

bor·der ['bɔ:də] **I.** *s.* **1.** Rand *m,* Kante *f*; **2.** (*Landes- od. Gebiets-*) Grenze *f*; Grenzgebiet *n*: *the* ♀ Grenze *od.* Grenzgebiet zwischen England u. Schottland; *north of the* ♀ in Schottland; **3.** Um'randung *f,* Borte *f,* Einfassung *f,* Saum *m*; Zierleiste *f*; **4.** Randbeet *n,* Ra'batte *f*; **II.** *v/t.* **5.** einfassen, besetzen; **6.** begrenzen, (um)'säumen: *my lawn is* ~*ed by trees*; **7.** grenzen an (*acc.*): *my park* ~*s yours*; **III.** *v/i.* **8.** grenzen (*on* an *acc.*) (*a. fig.*); **'bor·dered** [-əd] *adj.* mit e-r Zierkante versehen; **'bor·der·er** [-ərə] *s.* **1.** Grenzbewohner *m*; **2.** ♀*s pl.* ⚔ 'Grenzregi,ment *n.*

'bor·der|·land *s.* Grenzgebiet *n* (*a. fig.*); **'~-line I.** *s.* 'Grenz,linie *f*; Grenze *f*; **II.** *adj.* auf *od.* an e-r Grenze: ~ *case* Grenzfall.

bor·dure ['bɔ:djuə] *s. her.* 'Schild-, 'Wappenum,randung *f.*

bore¹ [bɔ:] **I.** *v/t.* **1.** (durch)'bohren: *to* ~ *a plank* ein Brett durchbohren; *to* ~ *a well* e-n Brunnen bohren; *to* ~ *one's way fig.* sich (mühsam) e-n Weg bahnen; **II.** *v/i.* **2.** (*for*) bohren, Bohrungen machen (nach); ⚒ schürfen (nach); **3.** ⊕ *bei Holz*: (ins Volle) bohren; *bei Metall*: (aus-, auf)bohren; **4.** sich einbohren (*into* in *acc.*); **III.** *s.* **5.** ⚒ Bohrung *f,* Bohrloch *n*; **6.** ⚔, ⊕ Bohrung *f,* Seele *f,* Ka'liber *n* (*e-r Schußwaffe*).

bore² [bɔ:] **I.** *s.* **1.** *et.* Langweiliges *od.* Lästiges *od.* Stumpfsinniges: *what a* ~ wie langweilig; *the book is a* ~ *to read* das Buch ist ‚stinkfad'; **2.** langweiliger *od.* lästiger Mensch, (altes) Ekel; **II.** *v/t.* **3.** langweilen, belästigen, *j-m* lästig sein *od.* auf die Nerven gehen: *to be* ~*d* sich langweilen.

bore³ [bɔ:] *s.* Springflut *f,* Flutwelle *f* (*in manchen Flußmündungen*).

bore⁴ [bɔ:] *pret. von bear*¹.

bo·re·al ['bɔ:riəl] *adj.* nördlich, Nord...; **bo·re·a·lis** [bɔ:ri'eilis] → *aurora borealis*; **Bo·re·as** ['bɔriæs] **I.** *npr.* 'Boreas *m*; **II.** *s. poet.* Nordwind *m.*

bore·dom ['bɔ:dəm] *s.* Langeweile *f,* Gelangweiltsein *n*; Stumpfsinn *m.*

bor·er ['bɔ:rə] *s.* **1.** ⊕ Bohrer *m*; **2.** *zo.* Bohrer *m* (*Insekt*).

bo·ric ['bɔ:rik] *adj.* ⚗ Bor...: ~ *acid* Borsäure.

bor·ing ['bɔ:riŋ] *adj.* **1.** bohrend, Bohr...; **2.** langweilig.

born [bɔ:n] **I.** *p.p. von bear*¹; **II.** *adj.* geboren: ~ *of* ... geboren von ..., Kind des *od.* der ...; *a* ~ *poet*, ~ *a poet* ein geborener Dichter, zum Dichter geboren; *a* ~ *fool* ein völliger Narr; *an Englishman ~ and bred* ein echter Engländer; *in all my ~ days* mein Lebtag.

borne [bɔːn] *p.p. von bear*[1] **1.** getragen *etc.*: *lorry-~* mit e-m Lastwagen befördert; **2.** geboren (*in Verbindung mit by und dem Namen der Mutter*): *Elizabeth I was ~ by Anne Boleyn.*

bo·ron ['bɔːrɔn] *s.* ⚗ Bor *n*.

bor·ough ['bʌrə] *s.* **1.** *Brit.* **a)** Stadt *f od.* im Parla'ment vertretener städtischer Wahlbezirk, **b)** Stadtgemeinde *f*; **2.** *the* ~ Southwark (*Stadtteil von London*); **3.** *Am.* **a)** Stadt- *od.* Dorfgemeinde *f*, **b)** e-r der fünf Verwaltungsbezirke von Groß-New-York.

bor·row ['bɔrou] *v/t.* **1.** ausborgen, (ent)leihen (*from, of* von); **2.** *fig.* entlehnen: *~ed word* Lehnwort; **'bor·row·er** [-ouə] *s.* **1.** Entleiher (-in), Borger(in); **2.** ✝ Kre'ditnehmer(in); **'bor·row·ing** [-ouiŋ] *s.* (Aus)Borgen *n*; Anleihe *f*: *~ power* ✝ Kreditfähigkeit.

Bor·stal (In·sti·tu·tion) ['bɔːstl] *s. Brit.* 'Jugendreˌformgeˌfängnis *n*: *Borstal training* Strafvollzug in e-m Jugendreformgefängnis.

bosh [bɔʃ] *sl.* **I.** *s.* ‚Quatsch' *m*, Blödsinn *m*; **II.** *v/t. Brit.* ‚verkohlen', hänseln.

bosk·y ['bɔski] *adj.* bewaldet.

bos·om ['buzəm] *s.* **1.** Busen *m*, Brust *f*; **2.** *fig.* Busen *m*, Herz *n* (*Sitz der Gefühle etc.*): *~-friend* Busenfreund; *to keep* (*od. lock*) *in one's* (*own*) *~* in s-m Busen verschließen; *to take s.o. to one's ~* j-n ans Herz drücken; **3.** *fig.* Schoß *m*: *in the ~ of one's family* (*the Church*); **4.** Brustteil *m* (*Kleid etc.*); *bsd. Am.* Hemdbrust *f*; **5.** Tiefe *f*, *das* Innere: *in the ~ of the earth* im Erdinnern; **'bos·omed** [-md] *adj.* **1.** *in Zssgn* ...busig; **2.** *fig.* ~ *in* umgeben von.

boss[1] [bɔs] **I.** *s.* Beule *f*, Buckel *m*, Knauf *m*, Knopf *m*, erhabene Verzierung; ⊕ (*Rad-, Schiffsschrauben-*) Nabe *f*; **II.** *v/t.* mit Buckeln *etc.* verzieren, bosseln, treiben.

boss[2] [bɔs] F **I.** *s.* **1.** Chef *m*, Vorgesetzte(r) *m*; **2.** *fig.* ‚Macher' *m*, Tonangebende(r) *m*; **3.** *Am. pol.* (Par'tei)ˌBonze *m*; **II.** *v/t.* **4.** Herr sein über (*acc.*): *to ~ the show* der Chef vom Ganzen sein; **III.** *v/i.* **5.** den Chef *od.* Herrn spielen, kommandieren; **6.** *~ about* her'umdirigieren; **boss·y** ['bɔsi] *adj.* F **1.** herrisch, dikta'torisch; **2.** rechthaberisch.

bos·ton ['bɔstən] *s.* **1.** 'Boston *n* (*Kartenspiel*); **2.** Boston *m* (*Walzer*).

bo·sun ['bousn] → *boatswain.*

bo·tan·ic *adj.*; **bo·tan·i·cal** [bə'tænik(əl)] *adj.* □ bo'tanisch, Pflanzen ...

bot·a·nist ['bɔtənist] *s.* Bo'taniker *m*, Pflanzenkenner *m*; **'bot·a·nize** [-naiz] *v/i.* botanisieren; **'bot·a·ny** [-ni] *s.* Bo'tanik *f*, Pflanzenkunde *f*: ~ *wool* Wollgarn.

botch [bɔtʃ] **I.** *s.* Flicken *m*, Flickwerk *n* (*a. fig.*); Pfuscharbeit *f*: *to make a ~ of s.th.* et. verpfuschen; **II.** *v/t.* zs.-flicken; verpfuschen; **III.** *v/i.* pfuschen, stümpern; **'botch·er** [-tʃə] *s.* **1.** Flickschneider *m*, -schuster *m* (*a. fig.*); **2.** Pfuscher *m*, Stümper *m*.

both [bouθ] **I.** *adj. u. pron.* beide, beides: *~ my sons* m-e beiden Söhne; *~ parents* beide Eltern; *~ of them* sie (*od.* alle) beide; *you can't have it ~ ways* du kannst nicht beides *od.* nur eins von beiden haben; **II.** *adv. od. cj.*: *~ ... and* sowohl ... als (auch): *~ boys and girls*; *~ good and cheap.*

both·er ['bɔðə] **I.** *s.* **1.** Last *f*, Plage *f*, Mühe *f*, Ärger *m*; **2.** Schere'rei *f*, Aufregung *f*, Getue *n*; **3.** Gegenstand *m* der Plage *od.* Aufregung: *this boy is a great ~* dieser Junge ist e-e große Plage; **II.** *v/t.* **4.** belästigen, quälen, stören, beunruhigen, ärgern: *don't ~ me!* laß mich in Frieden!; *to be ~ed about s.th.* **a)** über et. beunruhigt sein, **b)** sich um et. kümmern; *I can't be ~ed with it* ich kann mich nicht damit abgeben; *to ~ one's head about s.th.* sich über et. den Kopf zerbrechen; *~ (it)!* F zum Henker!, wie dumm!; **III.** *v/i.* **5.** (*about*) sich sorgen (um), sich aufregen (über *acc.*); **6.** sich Mühe geben: *don't ~!* bemüh dich nicht!; **7.** (*about*) sich kümmern (um), sich befassen (mit), sich Gedanken machen (wegen): *I shan't ~ about it*; **both·er·a·tion** [bɔðə'reiʃən] F **I.** *s.* Belästigung *f*; **II.** *int.* ‚Mist'!

bo-tree ['boutriː] *s. der* heilige Feigenbaum (*unter dem Buddha s-e Erleuchtung fand*).

bot·tle ['bɔtl] **I.** *s.* **1.** Flasche *f* (*a. Inhalt*): *stone ~* (Stein)Kruke; *wine in ~s* Flaschenwein; *to bring up on the ~ Säugling* mit der Flasche aufziehen; *to be fond of the ~* gern trinken (*Wein, Bier*); **II.** *v/t.* **2.** in Flaschen abfüllen; **3.** *bsd. Brit. Früchte etc.* in Gläsern einmachen; **~ up** *v/t.* **1.** *fig. Gefühle etc.* verbergen, zu'rückhalten, unter'drükken: *bottled-up* aufgestaut; **2.** einschließen: *to ~ the enemy's fleet.*

bot·tle cap *s.* Flaschenkapsel *f*.

bot·tled ['bɔtld] *adj.* in Flaschen *od.* (Einmach)Gläser (ab)gefüllt: *~ beer* Flaschenbier.

'bot·tle|-fed child *s.* Flaschenkind *n*; **'~-feed·ing** *s.* Aufziehen *n e-s Säuglings* mit der Flasche; **'~-gas** *s.* Flaschengas *n*; **~ gourd** *s.* ⚘ Flaschenkürbis *m*; **'~-green** *adj.* flaschen-, dunkelgrün; **'~-hold·er** *s.* **1.** *Boxen*: Sekun'dant *m*; **2.** *fig.* Helfershelfer *m*; **'~-neck** *s.* **1.** verengte Fahrbahn; **2.** *fig.* Engpaß *m*, Schwierigkeit *f*, Klemme *f*: *~ in supplies* Versorgungsengpaß; **'~-nose** *s.* Säufernase *f*; **'~-nosed** *adj.* mit aufgedunsener Nase; **'~-par·ty** *s.* Gesellschaft *f*, zu der jeder Gast e-e Flasche Wein *etc.* mitbringt; **~ post** *s.* ⚓ Flaschenpost *f*.

bot·tler ['bɔtlə] *s.* 'Abfüller(ˌfirma *f*) *m*.

'bot·tle-wash·er *s.* **1.** Flaschenreiniger *m*; **2.** *humor.* Fak'totum *n*, ‚Mädchen *n* für alles'.

bot·tom ['bɔtəm] **I.** *s.* **1.** *der* unterste Teil, 'Unterseite *f*, Boden *m* (*Gefäß etc.*), Fuß *m* (*Berg, Treppe, Seite etc.*), Sohle *f* (*Brunnen, Tal etc.*); **2.** Boden *m*, Grund *m* (*Gewässer*): *to go to the ~* versinken; *to send to the ~* versenken; *to touch ~* **a)** auf Grund geraten, **b)** *fig.* den Tiefpunkt erreichen; *the ~ has fallen out of the market* der Markt hat e-n Tiefstand erreicht; **3.** *fig.* Grund (-lage *f*) *m*: *to stand on one's own ~ fig.* auf eigenen Füßen stehen; *what is at the ~ of it?* was ist der Grund dafür?, was steckt dahinter?; *to knock the ~ out of s.th.* et. gründlich widerlegen; *to get to the ~ of s.th.* e-r Sache auf den Grund gehen *od.* kommen; **4.** *fig. das* Innere, Tiefe *f*: *from the ~ of my heart* aus tiefstem Herzen; *at ~* im Grunde; **5.** ⚓ Schiffsboden *m*; Schiff *n*: *~ up(wards)* kieloben; *shipped in British ~s* in brit. Schiffen verladen; **6.** (*Stuhl*)Sitz *m*; **7.** F *der* Hintern, ‚Po'po' *m*: *to smack the boy's ~* den Jungen ‚versohlen'; *smooth as a baby's ~* glatt wie ein Kinderpopo; **8.** (unteres) Ende (*Tisch, Klasse, Garten*); **II.** *adj.* **9.** unterst, letzt, äußerst: *~ shelf* unterstes (*Bücher*)Brett; *~ drawer* Hamsterkiste; *~ price* äußerster Preis; *~ line* letzte Zeile; **III.** *v/t.* **10.** mit e-m Boden *od.* Sitz versehen; **11.** ergründen; **'bot·tomed** [-md] *adj.*: *~ on* beruhend auf (*dat.*); *double-~* mit doppeltem Boden; *cane-~* mit Rohrsitz (*Stuhl*); **'bot·tom·less** [-lis] *adj.* bodenlos (*a. fig.*); unergründlich; unerschöpflich; **'bot·tom·ry** [-ri] *s.* ⚓ Bodme'rei(geld *n*) *f*.

bot·u·lism ['bɔtjulizəm] *s.* ⚕ Wurst-, Fleischvergiftung *f*.

bou·clé [buː'klei] (*Fr.*) *s.* Bou'clégarn *n*, -stoff *m*.

bou·doir ['buːdwɑː] (*Fr.*) *s.* Bou'doir *n*.

bouf·fant [bu'fɑ̃] (*Fr.*) *adj.* bauschig.

bou·gain·vil·l(a)e·a [buːgən'viliə] *s.* ⚘ ˌBougain'villea *f* (*ein Kletterstrauch*).

bough [bau] *s.* Ast *m*, Zweig *m*.

bought [bɔːt] *pret. u. p.p. von buy.*

boul·der ['bouldə] *s.* Fels-, Geröllblock *m*; *geol.* er'ratischer Block: *~ period* Eiszeit.

bou·le·vard ['buːlvɑː] *s.* Boule'vard *m*, Prachtstraße *f*, *Am. a.* Hauptverkehrsstraße *f*.

boult → *bolt*[2].

bounce [bauns] **I.** *v/i.* **1.** springen, hochschnellen: *the ball ~d over the wall* der Ball sprang über die Mauer; *he ~d out of his chair* er schnellte von s-m Stuhl in die Höhe; *to ~ about* herumhüpfen; **2.** stürzen, stürmen: *to ~ into a room*; **3.** auf-, anprallen: *to ~ against s.th.* gegen et. prallen; *to ~ off* abprallen; **4.** ✝ ‚platzen' (*Scheck*); **II.** *v/t.* **5.** *Ball* (auf)springen lassen; **6.** irreführen; *j-n* drängen *od.* verleiten (*into* zu); **7.** *Am. sl.* ‚Knall u. Fall' (*plötzlich*) entlassen; **III.** *s.* **8.** Sprungkraft *f*; **9.** Sprung *m*, Schwung *m*, Stoß *m*; **10.** Unverfrorenheit *f*; **11.** *Am.* F ‚Schwung' *m* (*Lebenskraft*); **12.** *Am. sl.* ‚Rausschmiß' *m* (*Entlassung*); **'bounc·er** [-sə] *s. sl.* **1.** Prahler *m*, Lügner *m*; **2.** freche

Lüge; **3.** ‚Mordskerl' *m*, ‚Prachtweib' *n*; **4.** *Am.* ‚Rausschmeißer' *m* (*in Nachtlokalen etc.*); ˈ**bounc·ing** [-siŋ] *adj.* **1.** kräftig, stramm, drall; **2.** Mords...

bound[1] [baund] **I.** *pret. u. p.p. von bind*; **II.** *adj.* **1.** *to be ~ to do* zwangsläufig *et.* tun müssen; *he is ~ to tell me* er ist verpflichtet, es mir zu sagen; *he is ~ to be late* er muß ja zu spät kommen; *I'll be ~* ich bürge dafür, ganz gewiß; **2.** *in Zssgn* festgehalten *od.* verhindert durch: *ice-~*; *storm~*.

bound[2] [baund] *adj.* (*for*) bestimmt, unterˈwegs (nach): *~ for London*; *homeward* (*outward*) *~* ⚓ auf der Heimreise (Ausreise) (befindlich); *where are you ~ for?* wohin reisen Sie?

bound[3] [baund] **I.** *s.* **1.** Grenze *f*, Schranke *f*, Bereich *m*: *beyond all ~s* über alle Maßen; *to keep within ~s* in vernünftigen Grenzen halten; *within the ~s of possibility* im Bereich des Möglichen; *out of ~s Brit.* Zutritt (für Militärpersonen) verboten; **II.** *v/t.* **2.** be-, abgrenzen, die Grenze von *et.* bilden; **3.** *fig.* beschränken, in Schranken halten.

bound[4] [baund] **I.** *v/i.* **1.** (hoch-) springen, hüpfen (*a. fig.*); **2.** lebhaft gehen, laufen; **3.** an-, abprallen; **II.** *s.* **4.** Sprung *m*, Satz *m*, Schwung *m*: *at a single ~* mit ˈeinem Satz; *on the ~* in der Luft (*Ball*).

bound·a·ry [ˈbaundəri] *s.* **1.** Grenze *f*, ˈGrenzˌlinie *f*; **2.** *Kricket*: Schlag *m* bis zur Spielfeldgrenze; **3.** *fig.* Grenze *f*, Bereich *m*; **4.** A, ⊕ Rand *m*.

bound·en [ˈbaundən] *adj.*: *my ~ duty* m-e Pflicht u. Schuldigkeit.

bound·er [ˈbaundə] *s. sl.* Flegel *m*, Schurke *m*.

bound·less [ˈbaundlis] *adj.* □ grenzenlos, unbegrenzt; *fig.* ˈübermäßig.

boun·te·ous [ˈbauntiəs] *adj.* □ **1.** freigebig, großzügig; **2.** (allzu) reichlich; ˈ**boun·ti·ful** [-tiful] *adj.* □ → *bounteous*; **boun·ty** [ˈbaunti] *s.* **1.** Freigebigkeit *f*; **2.** (milde) Gabe; Spende *f* (*bsd. e-s Herrschers*); **3.** ⚔ Handgeld *n*; **4.** ✝ (*bsd.* Exˈport)ˌPrämie *f*, Zuschuß *m* (*on* auf, für); **5.** Belohnung *f*.

bou·quet [ˈbukei] *s.* **1.** Buˈkett *n*, (Blumen)Strauß *m*; **2.** Aˈroma *n*; Blume *f* (*Wein*); **3.** *bsd. Am.* Kompliˈment *n*.

Bour·bon [ˈbuəbən] *s.* **1.** Reaktioˈnär *m* (*bsd. pol.*); **2.** 2 [ˈbəːbən] ˈBourbon *m* (*amer. Whisky aus Mais*).

bour·don [ˈbuədn] *s.* ♪ Borˈdun *m*: **a)** Brummbaß *m*, -ton *m*, **b)** *gedacktes Orgelregister*, **c)** Brummer *m* (*des Dudelsacks*).

bour·geois[1] [ˈbuəʒwɑː] **I.** *s.* BourˈGeois *m* (*wohlhabender Bürger*); Spieß(bürg)er *m*; **II.** *adj.* bourˈgeois; spießbürgerlich.

bour·geois[2] [bəːˈdʒɔis] *typ.* **I.** *s.* ˈBorgis *f*; **II.** *adj.* in ˈBorgisˌlettern gedruckt.

bourn [buən] *s.* Bach *m*.

bourn(e) [buən] *s.* Grenze *f*, Ziel *n*; Gebiet *n*.

bourse [buəs] *s.* ✝ (ausländische) Börse.

bout [baut] *s.* **1.** Arbeitsgang *m*; *Fechten, Tanz*: Runde *f*: *drinking ~* Zecherei; **2.** (Krankheits)Anfall *m*; **3.** Zeitspanne *f*; **4.** Kraftprobe *f*, Kampf *m* (*a. Boxen, Ringen*).

bo·vine [ˈbouvain] *adj.* **1.** *zo.* Rinder...; **2.** *fig.* (*a. geistig*) träge, schwerfällig, dumm.

bow[1] [bau] **I.** *s.* **1.** Verbeugung *f*, Verneigung *f*: *to make one's ~* **a)** sich vorstellen, **b)** sich verabschieden; *to take a ~* sich verbeugen, sich für den Beifall bedanken; **II.** *v/t.* **2.** beugen, neigen: *to ~ one's head* den Kopf neigen; *to ~ one's knee* (*to*) das Knie beugen (vor *dat.*); *to ~ one's neck fig.* den Nacken beugen; *to ~ one's thanks* sich dankend verneigen; *~ed with grief* gramgebeugt; **3.** biegen: *the wind has ~ed the branches*; **III.** *v/i.* **4.** (*to*) sich verbeugen *od.* verneigen (vor *dat.*), grüßen (*acc.*): *a ~ing acquaintance* e-e bloße Grußbekanntschaft; *on ~ing terms* auf dem Grußfuße, flüchtig bekannt; *to ~ and scrape* Kratzfüße machen; **5.** *fig.* sich beugen *od.* unterˈwerfen (*to dat.*): *to ~ to the inevitable* sich in das Unvermeidliche fügen; **~ down** *v/i.* (*to*) **1.** verehren, anbeten (*acc.*); **2.** sich unterˈwerfen (*dat.*); **~ in** *v/t. j-n* unter Verbeugungen hinˈeingeleiten; **~ out I.** *v/t. j-n* hinˈauskomplimentieren; **II.** *v/i.* sich verabschieden.

bow[2] [bou] **I.** *s.* **1.** (Schieß)Bogen *m*: *to have more than one string to one's ~ fig.* mehrere Eisen im Feuer haben; *to draw the long ~ fig.* aufschneiden, übertreiben; **2.** ♪ (*Violin- etc.*)Bogen *m*; **3.** A, ⊕ **a)** Bogen *m*, Kurve *f*, **b)** *pl.* ˈBogenˌzirkel *m*; **4.** Bügel *m* (*der Brille*); **5.** Knoten *m*, Schleife *f*; **II.** *v/i.* **6.** ♪ den Bogen führen.

bow[3] [bau] *s.* ⚓ **1.** *a. pl.* Bug *m*; **2.** Bugmann *m* (*im Ruderboot*).

Bow| bells [bou] *s. pl.* Glocken *pl.* der Kirche *St. Mary le Bow* (*London*): *within the sound of ~* in der Londoner City; 2 **com·pass**(·**es**) *s. sg. od. pl.* A, ⊕ → *bow*[2] *3b*.

bowd·ler·ize [ˈbaudləraiz] *v/t. Bücher* (von anstößigen Stellen) säubern.

bow·els [ˈbauəlz] *s. pl.* **1.** *anat.* Darm *m*, Gedärm *n*: *to have open ~s* regelmäßig Stuhlgang haben; **2.** *das* Innere, Mitte *f*: *the ~ of the earth* das Erdinnere.

bow·er[1] [ˈbauə] *s.* (Garten)Laube *f*, schattiges Plätzchen; *poet.* Wohnung *f*, Gemach *n*.

bow·er[2] [ˈbauə] *s.* ⚓ Buganker *m*.

ˈ**bow·er-bird** *s. orn.* auˈstralischer Laubenvogel.

bow·er·y [ˈbauəri] *s. hist. Am.* Farm *f*, Pflanzung *f*: *the* 2 die Bowery (*Straße u. Gegend in New York City*).

ˈ**bow-head** [bou] *s. zo.* Grönlandwal *m*.

ˈ**bow·ie-knife** [ˈboui] *s.* [*irr.*] ˈBowiemesser *n* (*langes Jagdmesser*).

bow·ing [ˈbouiŋ] *s.* ♪ Bogenführung *f*.

bowl[1] [boul] *s.* **1.** Napf *m*, Schale *f*; Bowle *f* (*Gefäß*); **2.** Schüssel *f*, Becken *n*; **3.** *poet.* Gelage *n*; **4. a)** (Pfeifen)Kopf *m*, **b)** Höhlung *f* (*Löffel etc.*); **5.** *Am.* ˈStadion *n*.

bowl[2] [boul] **I.** *s.* **1.** (*hölzerne*) Kugel (*zum Bowls-Spiel*); **II.** *v/t.* **2.** *Kugel, Ball* rollen, werfen (*a. Kricket*); *Reifen* schlagen, treiben; **III.** *v/i.* **3.** Bowls spielen; **4.** *mst ~ along* (daˈhin)rollen, ‚(daˈhin)gondeln' (*Wagen*); **5.** *Kricket*: den Ball werfen; **~ out** *v/t. Kricket*: *den Schläger* durch Treffen des Dreistabes ‚ausmachen'; *fig. j-n* schlagen, besiegen; **~ o·ver** *v/t.* ˈumwerfen, -schmeißen (*a. fig. außer Fassung bringen*).

ˈ**bow-legged** [ˈbou-] *adj.* säbel-, O-beinig; ˈ**bow-legs** *s. pl.* Säbel-, O-Beine *pl.*

bowl·er [ˈboulə] *s.* **1.** Bowls-Spieler *m*; **2.** *Kricket*: Ballmann *m*, Werfer *m*; **3.** *a. ~ hat Brit.* ‚Meˈlone' *f* (*steifer Filzhut*).

bow·line [ˈboulin] *s.* ⚓ Buˈlin *f*.

bowl·ing [ˈbouliŋ] *s.* **1.** Bowling (-spiel) *n*; **2.** *Am.* Kegeln *n*; **3.** *Kricket*: Werfen *n* des Balles; ˈ**~-al·ley** *s.* Bowlingbahn *f*; ˈ**~-green** *s.* Rasenplatz *m* zum Bowls-Spiel.

bowls [boulz] *s. pl. sg. konstr.* Bowls (-Spiel) *n*; *Am. a.* Kegeln *n*.

bow|·man [ˈboumən] *s.* [*irr.*] Bogenschütze *m*; ˈ**~·shot** *s.* Bogenschußweite *f*; ˈ**~·sprit** *s.* ⚓ Bugspriet *m*; ˈ2**-street** *npr. Straße in London mit dem Polizeigericht*; ˈ**~-string I.** *s.* **1.** Bogensehne *f*; **2.** *Türkei*: Schnur *f* zum Erdrosseln; **II.** *v/t.* **3.** erdrosseln; **~ tie** *s.* Schleife *f*, Querbinder *m*; **~ win·dow** *s.* ⚠ Erkerfenster *n*.

bow-wow I. *int.* [ˈbauˈwau] wauˈwau!; **II.** *s.* [ˈbauwau] *Kindersprache*: Wauˈwau *m* (*Hund*).

box[1] [bɔks] **I.** *s.* **1.** Kasten *m*, Kiste *f*; *Brit. a.* Koffer *m*; **2.** Büchse *f*, Schachtel *f*, Etuˈi *n*, Dose *f*, Kästchen *n*; **3.** Behälter *m*, Kasˈsette *f*, Hülse *f*, Gehäuse *n*, Kapsel *f*; **4.** Häus-chen *n*; Abˈteil *n*, Abˈteilung *f*, Loge *f* (*Theater etc.*); ⚖ Zeugenstand *m*, (Geschworenen-) Bank *f*; **5.** Box *f*, Stand *m* (*für größere Tiere*); **6.** Fach *n* (*a. für Briefe etc.*); Ruˈbrik *f*, Feld *n*, Umˈrandung *f*; **7.** Kutschbock *m*; **8.** *Am.* Wagenkasten *m*; **9.** *Baseball*: Standplatz *m* (*e-s Spielers, bsd. des Schlägers*); **II.** *v/t.* **10.** in Schachteln, Kasten *etc.* legen, packen, einschließen; **11.** *to ~ the compass* **a)** ⚓ alle Kompaßpunkte aufzählen, **b)** *fig.* alle Gesichtspunkte vorbringen u. schließlich zum Ausgangspunkt zurückkehren, e-e völlige Wendung machen; **~ in** *v/t.* → *box 10*; **~ up** *v/t.* einschließen, einpferchen.

box[2] [bɔks] **I.** *s.* Schlag *m* mit der Hand: *~ on the ear* Ohrfeige, Backpfeife; **II.** *v/t.*: *to ~ s.o.'s ears* j-n ohrfeigen; **III.** *v/i.* (sich) boxen.

box[3] [bɔks] *s.* ♀ *a. boxwood* Buchsbaum(holz *n*) *m*.

box| bar·rage *s.* ⚔ Abriegelungsfeuer *n*; ˈ**~·calf** *s.* ˈBoxkalf *n* (*Leder*); **~ cam·er·a** *s. phot.* ˈBox(ˌkamera) *f*; ˈ**~·car** *s.* 🚂 *Am.* geschlossener Güterwagen; ˈ**~-drain** *s.* bedeckter (*vierkantiger*) ˈAbzugskaˌnal.

boxed [bɔkst] *adj.* ge-, verpackt.
box·er ['bɔksə] *s.* **1.** *sport* Boxer *m*; **2.** *zo.* Boxer *m* (*Hunderasse*); **3.** ♀ Boxer *m* (*Anhänger e-s chinesischen Geheimbundes um 1900*).
box·ing ['bɔksiŋ] *s. sport* Boxen *n*; ♀ **Day** *s. Brit.* der zweite Weihnachtsfeiertag; '**~-gloves** *s. pl. sport* Boxhandschuhe *pl.*; **~ match** *s. sport* Boxkampf *m.*
'**box|-i·ron** *s.* Bolzen(bügel)eisen *n*; **~ junc·tion** *s. Brit. markierte Kreuzung, in die bei stehendem Verkehr nicht eingefahren werden darf*; '**~-keep·er** *s. thea.* 'Logenschließer (-in); '**~-num·ber** *s.* 'Chiffre(nummer) *f* (*in Zeitungsanzeigen*); '**~-of·fice** *s.* (The'ater- *etc.*)Kasse *f*; *fig. a.* ~ *success* Kassenschlager *m*: ~ *life* Laufzeit; '**~-pleat** *s.* Kellerfalte *f* (*an Kleidern*); '**~-room** *s.* Koffer-, Rumpelkammer *f*; '**~-wag·(g)on** *s.* 🚂 *Brit.* geschlossener Güterwagen; '**~-wal·lah** *s. Brit.-Ind.* **1.** F indischer Hausierer; **2.** *sl. contp.* Handlungsreisende(r) *m*; '**~-wood** → *box*³.
boy [bɔi] *s.* **1.** Knabe *m*, Junge *m*, Bube *m*, Bursche *m*, ‚Mann' *m*: *the* (*od. our*) ~*s* unsere Jung(en)s (*z. B. Soldaten*); *old* ~ **a)** ‚alter Knabe', **b)** → *old 4*; *funny old* ~ komischer alter Kauz; *a* ~ *child* ein Kind männlichen Geschlechts, ein Junge; ~*-friend* Freund (*e-s Mädchens*), Bekannte(r); ~ *singer* Sängerknabe; **2.** Laufbursche *m*; **3.** eingeborene(r) Bediente(r).
boy·cott ['bɔikət] **I.** *v/t.* boykottieren, kaltstellen; **II.** *s.* Boy'kott *m.*
boy·hood ['bɔihud] *s.* Knabenalter *n.*
boy·ish ['bɔiiʃ] *adj.* □ knaben-, jungenhaft, Knaben...; *fig.* kindisch, läppisch.
boy scout *s.* Pfadfinder *m.*
B pow·er sup·ply *s.* ⚡ Ener'gieversorgung *f* des An'odenkreises.
bra [brɑ:] *s.* F B'H *m.*
brace [breis] **I.** *s.* **1.** ⊕ Stütze *f*, Strebe *f*, (*a.* ⚕ Zahn)Klammer *f*, Anker *m*, Versteifung *f*; (Trag-)Band *n*, Gurt *m*; **2.** ⊕ Griff *m* der Bohrkurbel: ~ *and bit* Bohrkurbel; **3.** △, ♪, ✎, *typ.* Klammer *f*; **4.** ⚓ Brasse *f*; **5.** (*a pair of*) ~*s pl. Brit.* Hosenträger *m od. pl.*; **6.** (*pl. brace*) ein Paar, zwei (*bsd. Hunde, Kleinwild, Pistolen*; *contp. Personen*); **II.** *v/t.* **7.** ⊕ versteifen, -streben, stützen, verankern, befestigen; **8.** ⊕, ♪, *typ.* klammern; **9.** ⚓ brassen; **10.** *fig.* stärken, erfrischen; *Kräfte* anspannen; **11.** ~ *o.s.*, *a.* ~ *o.s. up* sich aufraffen, -schwingen; *to* ~ *o.s. for* s-e Kräfte zs.-nehmen für.
brace·let ['breislit] *s.* **1.** Armband *n*, -reif *m*, -spange *f*; **2.** *pl. humor.* Handschellen *pl.*
bra·chi·al ['breikjəl] *adj.* Arm...; '**bra·chi·ate** [-kieit] *adj.* ♀ paarweise gegenständig.
brach·y·ce·phal·ic [brækike'fælik] *adj.* kurzköpfig.
brac·ing ['breisiŋ] *adj.* stärkend, kräftigend, erfrischend (*bsd. Klima*).
brack·en ['brækən] *s.* ♀ **1.** Farnkraut *n*; **2.** farnbewachsene Gegend.
brack·et ['brækit] **I.** *s.* **1.** ⊕ Träger *m*, Halter *m*; **2.** Kon'sole *f*, Krag-, Tragstein *m*, Stützbalken *m*, Winkelstütze *f*; **3.** Wandarm *m*; **4.** ⚔ Gabel *f* (*Einschießen*); **5.** ✎, *typ.* (*Am. mst* eckige) Klammer: *in* ~*s*; *square* ~*s* eckige Klammern; **6.** Gruppe *f*, Klasse *f*: *lower income* ~ niedrige Einkommensstufe; **II.** *v/t.* **7.** einklammern; **8.** *a.* ~ *together* in dieselbe Gruppe einordnen; auf gleiche Stufe stellen; **9.** ⚔ eingabeln.
brack·ish ['brækiʃ] *adj.* brackig, leicht salzig.
bract [brækt] *s.* ♀ Trag-, Deckblatt *n* (*e-r Blüte*).
brad [bræd] *s.* ⊕ Nagel *m* ohne Kopf; (Schuh)Zwecke *f.*
Brad·shaw ['brædʃɔ:] *s. Brit.* (Eisenbahn)Kursbuch *n* (*1839-1961*).
brae [brei] *s. Scot.* Abhang *m*, Böschung *f.*
brag [bræg] **I.** *s.* **1.** Prahle'rei *f*, 'übermäßiger Stolz; **2.** Prahler *m*; **II.** *v/i.* **3.** (*about, of*) prahlen (mit), sich rühmen (*gen.*).
brag·ga·do·ci·o [brægə'doutʃiou] *s.* Prahle'rei *f*, Aufschneide'rei *f.*
brag·gart ['brægət] **I.** *s.* Prahler *m*, Aufschneider *m*; **II.** *adj.* prahlerisch.
brah·ma ['brɑ:mə] → *brahmapootra.*
Brah·man ['brɑ:mən] *s.* Brah'mane *m.*
brah·ma·poo·tra [brɑ:mə'pu:trə] *s. orn.* Brahma'putra-Huhn *n.*
Brah·min ['brɑ:min] *s.* **1.** → *Brahman*; **2.** gebildete, kultivierte Per'son; **3.** *Am. iro.* dünkelhafte(r) Intellektu'elle(r); **Brah·mi·nee** [brɑ:mi'ni:] *s.* Brah'manin *f*; '**Brah·mi·nee** [-ni:] *adj.* brah'manisch: ~ *bull* heiliges Zebu.
braid [breid] **I.** *v/t.* **1.** *bsd. Haar, Bänder* flechten; **2.** mit Litze, Band, Borte besetzen, schmücken; **3.** ⊕ um'spinnen; **II.** *s.* **4.** (*Haar-*)Flechte *f*; **5.** Borte *f*, Litze *f*, Tresse *f* (*bsd.* ⚔): *gold* ~ goldene Tresse(n); '**braid·ed** [-did] *adj.* geflochten; mit Litze *etc.* besetzt; um'sponnen; '**braid·ing** [-diŋ] *s.* Litzen *pl.*, Borten *pl.*, Tressen *pl.*, Besatz *m.*
brail [breil] *s.* ⚓ Geitau *n.*
braille [breil] *s.* Blindenschrift *f.*
brain [brein] *s.* **1.** Gehirn *n*; → *blow out 5*; **2.** *fig.* (*oft pl.*) ‚Köpfchen' *n*, Verstand *m*, Geist *m*, Kopf *m*: *a clear* ~ ein klarer Kopf; *who is the* ~ *behind it?* wessen Idee ist das?; *to have* ~*s* intelligent sein, ‚Köpfchen' haben; *to have od. get s.th. on the* ~ et. dauernd im Kopf haben; *to cudgel* (*od. rack*) *one's* ~*s* sich den Kopf zerbrechen, sich das Hirn zermartern; *to pick s.o.'s* ~*s* **a)** geistigen Diebstahl an j-m begehen, **b)** ‚j-m die Würmer aus der Nase ziehen'; *to turn s.o.'s* ~ j-m den Kopf verdrehen; **~ child** *s.* 'Geistespro,dukt *n* (*Idee, Kunstwerk etc.*); **~ drain** *s.* Abwanderung *f* von Wissenschaftlern.
brained [breind] *adj., nur in Zssgn* ...köpfig, mit e-m ... Gehirn: *feeble-*~ schwachköpfig.
'**brain|-fag** *s.* geistige Erschöpfung; '**~-fe·ver** *s.* ⚕ Gehirnentzündung *f.*
brain·less ['breinlis] *adj.* hirnlos, dumm.
'**brain|-pan** *s. anat.* Hirnschale *f*, Schädeldecke *f*; '**~-storm** *s.* **1.** geistige Verwirrung; **2.** verrückter Einfall; **3.** *Am.* F Geistesblitz *m.*
Brains Trust [breinz] *s.* **1.** *Brit.* Brain Trust *m* (*Fachleute, die im brit. Rundfunk Hörerfragen beantworten*); **2.** → *brain trust.*
brain| trust *s. Am.* F po'litische *od.* wirtschaftliche Beratergruppe; **~ trust·er** *s. Am.* F Mitglied *n* e-s *brain trust*; **~ twist·er** *s. Am.* ‚(harte) Nuß', schwierige Aufgabe; '**~-wash** *v/t. pol.* j-n e-r Gehirnwäsche unterziehen; '**~-wash·ing** *s. pol.* Gehirnwäsche *f*; **~ wave** *s.* F Geistesblitz *m*, guter Einfall; '**~-work·er** *s.* Kopf-, Geistesarbeiter *m.*
brain·y ['breini] *adj.* geistreich, gescheit.
braise [breiz] *v/t. Küche*: schmoren: ~*d beef* Schmorbraten.
brake¹ [breik] **I.** *s.* ⊕ Bremse *f*, Hemmschuh *m* (*a. fig.*): *to put on* (*od. apply*) *the* ~ **a)** bremsen, **b)** *fig. e-r Sache* Einhalt gebieten; **II.** *v/t.* bremsen.
brake² [breik] ⊕ **I.** *s.* (*Flachs- etc.*) Breche *f*; **II.** *v/t. Flachs etc.* brechen.
brake³ → *break 10.*
brake| block → *brake-shoe*; **~ horse-pow·er** *s.* ⊕ (*abbr. B.H.P.*) Bremsleistung *f*; '**~-man** *Am.* → *brakesman*; **~ par·a·chute** *s.* ✈ Bremsfallschirm *m*; '**~-shoe** *s.* ⊕ Bremsbacke *f*, -klotz *m.*
brakes·man ['breiksmən] *s.* [*irr.*] 🚂 *Brit.* Bremser *m.*
'**brake-van** *s.* 🚂 *Brit.* 'Bremswagen *m*, -ab,teil *n.*
brak·ing dis·tance ['breikiŋ] *s. mot.* Bremsweg *m.*
bram·ble ['bræmbl] *s.* **1.** ♀ Brombeerstrauch *m*: ~ *jelly* Brombeergelee; **2.** Dornenstrauch *m*, -gestrüpp *n*; **~ rose** *s.* ♀ Hundsrose *f.*
bram·bly ['bræmbli] *adj.* dornig.
bran [bræn] *s.* Kleie *f.*
branch [brɑ:ntʃ] **I.** *s.* **1.** ♀ Zweig *m*; **2.** *fig.* Zweig *m*, Abzweigung *f*; Teil *m*, Ab'teilung *f*; Ortsgruppe *f*; **3.** Zweig *m*, 'Linie *f* (*Familie*); **4.** (Berufs)Zweig *m*, Gebiet *n*, Fach *n*, ✝ *a.* Branche *f*; **5.** ⚔ (Truppen)Gattung *f*; **6.** ✝ (Be'triebs-)Ab,teilung *f*, Zweiggeschäft *n*, -stelle *f*, Fili'ale *f*, Niederlassung *f*; **7.** 🚂 Zweigbahn *f*; 'Neben,linie *f*; **8.** *geogr.* **a)** Arm *m* (*Gewässer*), **b)** Ausläufer *m* (*Gebirge*), **c)** *Am.* Nebenfluß *m*, Flüßchen *n*; **II.** *adj.* **9.** Zweig..., Tochter..., Filial..., Neben...; **III.** *v/i.* **10.** Zweige treiben; **11.** *oft* ~ *off* (*od. out*) sich verzweigen, sich ausbreiten; abzweigen: *here the road* ~*es* hier gabelt sich die Straße; **~ out** *v/i.* s-e Unter'nehmungen ausdehnen, sich vergrößern; → *branch 11.*
bran·chi·a ['bræŋkiə] *pl.* **-chi·ae** [-kii:] *s. zo.* Kieme *f*; '**bran·chi·ate** [-kieit] *adj. zo.* kiementragend.
branch| line *s.* **1.** 🚂 'Zweig-, 'Neben,linie *f*; **2.** 'Seiten,linie *f* (*Familie*); **~ man·ag·er** *s.* Fili'al-, Zweigstellenleiter *m*; **~ of·fice** *s.* Fili'ale *f*; **~ post of·fice** *s.* Zweigpostamt *n.*

brand [brænd] **I.** *s.* **1.** Feuerbrand *m*; *fig.* Fackel *f*; **2.** Brandmal *n* (*auf Tieren, Waren etc.*); **3.** *fig.* Schandmal *n*, -fleck *m*: ~ *of Cain* Kainszeichen, Blutschuld; **4.** Brand-, Brenneisen *n*; **5. a)** ✝ (Fa'brik-, Schutz)Marke *f*, Markenbezeichnung *f*, Sorte *f*, Klasse *f*: *best* ~ *of tea* beste Sorte Tee, **b)** *fig.* ‚Sorte' *f*, Art *f*: *his* ~ *of humour*; **6.** ⚘ Brand *m* (*Getreidekrankheit*); **II.** *v/t.* **7.** mit e-m Brandmal *od.* -zeichen *od.* ✝ mit e-r Schutzmarke *etc.* versehen: ~*ed goods* Markenartikel; **8.** *fig.* brandmarken; **9.** einprägen (*on dat.*).

bran·died ['brændid] *adj.* **1.** mit Weinbrand versetzt; **2.** in Weinbrand eingemacht.

brand·ing i·ron ['brændiŋ] → *brand 4*.

bran·dish ['brændiʃ] *v/t.* (*bsd.* drohend) schwingen.

brand·ling ['brændliŋ] *s. ichth.* Lachs *m* im ersten Jahr.

brand-new ['brænd'nju:] *adj.* (funkel)nagelneu.

bran·dy ['brændi] *s.* Weinbrand *m*, Kognak *m*; '~**-ball** *s. Brit.* Weinbrandbohne *f*; '~**-snap** *s.* kleiner Pfefferkuchen.

brank-ur·sine ['bræŋk'ə:sain] *s.* ⚘ Stachelbärenklau *f*, *m*.

bran-new ['bræn'nju:] → *brand-new*.

brant [brænt] *s. orn.* e-e Wildgans *f*.

brash [bræʃ] **I.** *s.* **1.** → *stone-brash*; **II.** *adj. Am.* **2.** brüchig, bröckelig; **3.** F keck, frech.

brass [brɑ:s] **I.** *s.* **1.** Messing *n*; **2.** *Brit.* ziselierte Gedenktafel (*aus Messing od. Bronze, bsd. in Kirchen*); **3.** Messingzierat *m*; **4.** ♪ *the* ~ die 'Blechinstru,mente *pl.* (*e-s Orchesters*), Blechbläser *pl.*; **5.** *Am. sl. coll.* hohe Offi'ziere *pl.*: *top* ~ die höchsten Offiziere; **6.** *Brit. sl.* ‚Moos' *n*, ‚Kies' *m* (*Geld*); **7.** F Unverschämtheit *f*, Frechheit *f*; → *bold 2*; **II.** *adj.* **8.** Messing...; **III.** *v/t.* **9.** mit Messing über'ziehen.

bras·sard ['bræsɑ:d] *s.* Armbinde *f* (*als Abzeichen*).

brass band *s.* ♪ 'Blaska,pelle *f*; 'Blechmu,sik *f*; Mili'tärka,pelle *f*.

bras·se·rie [brɑ:sə'ri] (*Fr.*) *s.* 'Bierstube *f*, -lo,kal *n*; Restau'rant *n*.

brass| far·thing *s.* F ‚roter Heller': *I don't care a* ~ das kümmert mich e-n Dreck; ~ **hat** *s.* ⚔ *sl.* ‚hohes Tier', hoher Offi'zier.

bras·sière ['bræsiɛə] (*Fr.*) *s.* Büstenhalter *m*.

brass| knuck·les *s. pl. Am.* Schlagring *m*; ~ **plate** *s.* Messingschild *n* (*mit Namen*), Türschild *n*; ~ **tacks** *s. pl. sl.* Hauptsache *f*: *to get down to* ~ zur Sache kommen; '~**·ware** *s.* Messinggeschirr *n*, -gegenstände *pl.*; ~ **winds** *bsd. Am.* → *brass 4*.

brass·y ['brɑ:si] *adj.* □ **1.** messingartig, -farbig; **2.** blechern (*Klang*); **3.** *fig.* unverschämt, frech.

brat [bræt] *s.* Balg *m*, *n*, Range *f* (*contp. für Kind*).

bra·va·do [brə'vɑ:dou] *s.* gespielte Tapferkeit, her'ausforderndes Benehmen.

brave [breiv] **I.** *adj.* □ **1.** tapfer, mutig, unerschrocken: *as* ~ *as a lion* mutig wie ein Löwe; **2.** *obs.* stattlich, ansehnlich; **II.** *s.* **3.** *poet.* Tapfere(r) *m*: *the* ~ *coll.* die Tapferen; **III.** *v/t.* **4.** mutig begegnen, trotzen, die Stirn bieten (*dat.*): *to* ~ *death*; *to* ~ *it out* sich herausfordernd *od.* trotzig benehmen; **5.** her'ausfordern; '**brav·er·y** [-vəri] *s.* **1.** Tapferkeit *f*, Mut *m*; **2.** Pracht *f*, Putz *m*, Staat *m*.

bra·vo ['brɑ:'vou] **I.** *int.* 'bravo!; **II.** *pl.* **-vos** *s.* 'Bravo(ruf *m*) *n*.

bra·vu·ra [brə'vuərə] *s.* ♪ *od. fig.* Bra'vour(stück *n*) *f*; Meisterschaft *f*.

brawl [brɔ:l] **I.** *s.* **1.** Gezänk *n*, Kra'keel *m*; Lärm *m*, Ruhestörung *f*; **2.** Raufe'rei *f*, Kra'wall *m*; **II.** *v/i.* **3.** kra'keelen, zanken, keifen, lärmen; **4.** rauschen (*Fluß*); '**brawl·er** [-lə] *s.* Zänker(in), Kra'keeler (-in); '**brawl·ing** [-liŋ] *s.* **1.** Gezänk *n*, Lärm *m*; **2.** ⚖ *Brit.* Ruhestörung *f bsd. in Kirchen*.

brawn [brɔ:n] *s.* **1.** Muskeln *pl.*; **2.** *fig.* Muskelkraft *f*, Stärke *f*; **3.** Preßkopf *m*, (Schweine)Sülze *f*; '**brawn·y** [-ni] *adj.* musku'lös; *fig.* kräftig, stämmig.

bray¹ [brei] **I.** *s.* **1.** Eselsschrei *m*; **2.** Schmettern *n* (*Trompete*); gellender *od.* 'durchdringender Ton; **II.** *v/i.* **3.** schreien (*bsd. Esel*); **4.** schmettern; kreischen, gellen.

bray² [brei] *v/t.* zerstoßen, -reiben, -stampfen (*im Mörser*).

braze [breiz] *v/t.* ⊕ (hart)löten.

bra·zen ['breizn] **I.** *adj.* □ **1.** ehern, bronzen, Messing...; **2.** *fig.* me'tallisch, grell (*Ton*); **3.** *fig.* unverschämt, schamlos; **II.** *v/t.* **4.** *to* ~ *it out* die Sache ‚frech wie Oskar' durchstehen; '~**-faced** *adj.* unverschämt, frech.

bra·zen·ness ['breiznnis] *s.* Unverschämtheit *f*.

bra·zier ['breizjə] *s.* **1.** Kupferschmied *m*, Gelbgießer *m*; **2.** große Kohlenpfanne.

Bra·zil [brə'zil] → *Brazil-wood*; **Bra'zil·ian** [-ljən] **I.** *adj.* brasili'anisch; **II.** *s.* Brasili'aner(in).

Bra'zil|-'nut *s.* ⚘ 'Paranuß *f*; ~**-'wood** *s.* ✝ Bra'sil-, Rotholz *n*.

breach [bri:tʃ] **I.** *s.* **1.** *fig.* Bruch *m*, Über'tretung *f*, Verletzung *f*, Verstoß *m*: ~ *of contract* Vertragsbruch; ~ *of duty* Pflichtverletzung; ~ *of faith* Vertrauensbruch, Verrat; ~ *of the law* Übertretung des Gesetzes; ~ *of the peace* öffentliche Ruhestörung, Aufruhr, *oft* grober Unfug; ~ *of promise* ⚖ Bruch des Eheversprechens; **2.** *fig.* Bruch *m*, Riß *m*, Zwist *m*; **3.** ⚔ *u. fig.* Bresche *f*, Lücke *f*: *to stand in* (*od. to step into*) *the* ~ in die Bresche springen, (aus-) helfen; **4.** ⚓ Einbruch *m* der Wellen; **5.** ⊕ 'Durchbruch *m*; **II.** *v/t.* **6.** ⚔ e-e Bresche schlagen in (*acc.*), durch'brechen; **7.** *Vertrag etc.* brechen.

bread [bred] **I.** *s.* **1.** Brot *n*; **2.** *fig.*, *a. daily* ~ (tägliches) Brot, 'Lebens,unterhalt *m*: *to earn one's* ~ sein Brot verdienen; ~ *and butter* **a)** Butterbrot, **b)** Lebensunterhalt; *to quarrel with one's* ~ *and butter* **a)** mit s-m Los unzufrieden sein, **b)** sich ins eigene Fleisch schneiden; ~ *buttered both sides* großes Glück, Wohlstand; *to know which side one's* ~ *is buttered* s-n Vorteil (er)kennen; *to take the* ~ *out of s.o.'s mouth* j-m sein Brot nehmen; ~ *and water* Wasser u. Brot; ~ *and wine eccl.* Abendmahl; **3.** *sl.* Zaster *m*, ‚Kohlen' *pl.* (*Geld*); **II.** *v/t.* **4.** *Am. Küche*: panieren.

'**bread|-and-'but·ter** *adj.* F **1.** jugendlich, unreif; **2.** materia'listisch, pro'saisch (gesinnt): ~*-minded* nur aufs Geldverdienen bedacht; ~ *letter* Dankbrief für erwiesene Gastfreundschaft; '~**-bas·ket** *s.* **1.** Brotkorb *m*; **2.** *sl.* Magen *m*; '~**-bin** *s.* Brotkasten *m*; '~**-board** *s. Brit.* Brotschneidebrett *n*; '~**-crumb I.** *s.* **1.** Brotkrume *f*; **2.** *das* Weiche des Brotes (*ohne Rinde*); **II.** *v/t.* **3.** *Küche*: panieren; '~**-fruit** *s.* ⚘ **1.** Brotfrucht *f*; **2.** → *bread-tree*; '~**-grains** → *bread-stuffs*; '~**-line** *s.* Schlange *f* von Bedürftigen (*an die Nahrungsmittel verteilt werden*); ~ **sauce** *s.* Brottunke *f*; '~**-stuffs** *s. pl.* Brotgetreide *n*.

breadth [bredθ] *s.* **1.** Breite *f*, Weite *f*; **2.** ⊕ Bahn *f*, Breite *f* (*Stoff*); **3.** *fig.* Ausdehnung *f*, Größe *f*; **4.** *fig.* Großzügigkeit *f*.

'**bread|-tree** *s.* ⚘ Brotfruchtbaum *m*; '~**-win·ner** *s.* Ernährer *m*, Geldverdiener *m* (*e-r Familie*).

break [breik] **I.** *s.* **1.** (Ab-, Zer-, 'Durch)Brechen *n*, Bruch *m* (*a. fig.*), Abbruch *m* (*a. fig.*), Bruchstelle *f*: ~ *in the voice* Umschlagen der Stimme; ~ *of day* Tagesanbruch; **2.** Lücke *f* (*a. fig.*), Zwischenraum *m*; Lichtung *f*; **3.** Pause *f*, 'Ferien *pl.*; Unter'brechung *f* (*a.* ⚔), Aufhören *n*: *without a* ~ ununterbrochen; *tea* ~ Teepause; **4.** Wechsel *m*, Abwechslung *f*; 'Umschwung *m*; Sturz *m* (*Wetter, Preis*); **5.** *typ.* Absatz *m*; **6.** *Billard*: 'Serie *f*; **7.** *Krikket*: Abweichen *n* des Balles von s-r Richtung; **8.** *Am. sl.* 'Chance *f*, Gelegenheit *f*: *bad* ~ ‚Pech'; *to give s.o. a* ~ j-m e-e Chance geben; **9.** *Am. sl.* Schnitzer *m*, Faux'pas *m*: *a bad* ~; **10. a)** Kremser *m*, **b)** Wagen *m* zum Einfahren von Pferden; **11.** ⊕ → *brake*¹; **II.** *v/t.* [*irr.*] **12. a)** brechen (*a. fig.*), auf-, 'durch-, zerbrechen, ent'zweibrechen: *to* ~ *one's arm* (sich) den Arm brechen; *to* ~ *the heart* das Herz brechen; *to* ~ *gaol* aus dem Gefängnis ausbrechen; *to* ~ *a seal* ein Siegel erbrechen; *to* ~ *s.o.'s resistance* j-s Widerstand brechen, **b)** *Geldschein* kleinmachen, wechseln; **13.** zerreißen, -schlagen, -trümmern, ka'puttmachen: *I have broken my watch* m-e Uhr ist kaputt; **14.** unter'brechen (*a.* ⚡), aufheben, -geben: *to* ~ *a journey* e-e Reise unterbrechen; *to* ~ *the circuit* ⚡ den Stromkreis unterbrechen; *to* ~ *silence* das Schweigen brechen; *to* ~ *a custom* e-e Gewohnheit aufgeben; **15.** *Vorrat etc.* anbrechen; **16.** *fig.* brechen, verletzen, verstoßen gegen, nicht (ein)halten: *to* ~ *a contract* e-n Vertrag brechen; *to* ~ *the law* das Gesetz übertreten; → *peace 2*; **17.** *fig.* zu'grunde richten, ruinieren, vernichten: *to* ~ *the bank* die Bank sprengen; **18.** vermindern, abschwächen; **19.** *Tier*

zähmen, abrichten; gewöhnen (*to* an *acc.*): *to ~ a horse to harness* ein Pferd einfahren *od.* zureiten; **20.** *Nachricht* eröffnen: *~ that news gently to her* bring ihr diese (*schlechte*) Nachricht schonend bei; **21.** ⚒ pflügen, urbar machen; → *ground*[1] *1*; **22.** *Flagge* aufziehen; **III.** *v/i.* [*irr.*] **23.** brechen, zerbrechen, -springen, -reißen, platzen, ent'zwei-, ka'puttgehen: *glass ~s easily* Glas bricht leicht; *the rope broke* das Seil zerriß; **24.** *fig.* brechen (*Herz, Kraft*); **25.** sich brechen (*Wellen*); **26.** unter'brochen werden; **27.** sich (zer)teilen (*Wolken*); sich auflösen (*Heer*); **28.** nachlassen (*Gesundheit*); zu'grunde gehen (*Geschäft*); vergehen, aufhören; **29.** anbrechen (*Tag*); aufbrechen (*Wunde*); aus-, losbrechen (*Sturm, Gelächter*); **30.** brechen (*Stimme*): *his voice broke* er befand sich im Stimmwechsel, er mutierte; **31.** sich verändern, 'umschlagen (*Wetter*); **32.** ✝ im Preise fallen; **33.** *Baseball, Kricket*: abweichen (*Ball*); **34.** eröffnet werden (*Nachricht*);
Zssgn mit adv.:
break| a·way *v/i.* **1.** ab-, losbrechen; **2.** sich losreißen, ausreißen; **3.** sich trennen, sich lossagen, absplittern; **~ down I.** *v/t.* **1.** niederreißen, abbrechen; **2.** *fig.* brechen, über'winden; **3.** zerlegen, ein-, zerteilen; auflösen; **II.** *v/i.* **4.** zs.-brechen (*a. fig.*); zu Ende gehen; **5.** versagen, scheitern; steckenbleiben; *mot.* e-e Panne haben; **~ e·ven** *v/i.* ✝ ohne Gewinn *od.* Verlust abschließen; **~ forth** *v/i.* **1.** her'vorbrechen; **2.** sich erheben (*Geschrei etc.*); **~ in I.** *v/t.* **1.** einschlagen; **2.** *Tier* abrichten; *Pferd* zureiten; *Auto etc.* einfahren; *Person* einarbeiten; *j-n* gewöhnen (*to* an *acc.*); **II.** *v/i.* **3.** einbrechen: *to ~ on* hereinplatzen bei, *Unterhaltung etc.* unterbrechen; **~ in·to I.** *v/i.* **1.** einbrechen *od.* -dringen in (*acc.*); **2.** *fig.* in *Gelächter etc.* ausbrechen; **II.** *v/t.* **3.** anbrechen; **~ off** *v/t. u. v/i.* abbrechen (*a. fig.*); **~ out** *v/i.* ausbrechen (*a. fig.*): *to ~ in a rash* ⚕ e-n Ausschlag bekommen; **~ through I.** *v/t.* (durch)'brechen, über'winden; **II.** *v/i.* 'durchbrechen, erscheinen; **~ up I.** *v/t.* **1.** zer-, aufbrechen; zerstören; **2.** *fig.* zerstreuen, -legen, zer-, einteilen; **3.** *fig.* abbrechen, auflösen, beendigen; **II.** *v/i.* **4.** zerbrechen (*a. fig. Ehe*); **5.** *fig.* nachlassen; verfallen; zu Ende gehen; aufhören; sich auflösen (*a.* ⛈); **6.** schließen, in die 'Ferien gehen; **7.** 'umschlagen (*Wetter*); **~ with** *v/i.* brechen mit (*e-m Freund, e-r Gewohnheit*).

break·a·ble ['breikəbl] *adj.* zerbrechlich; **'break·age** [-kidʒ] *s.* **1.** Bruch(stelle *f*) *m*; **2.** Bruchschaden *m*; **'break·a·way** *s. pol.* Absplitterung *f*, Lossagung *f*.

'break-down *s.* **1.** Zs.-bruch *m*, Versagen *n*, Scheitern *n*: *nervous ~* Nervenzusammenbruch; *~ of marriage* ⚖ Zerrüttung der Ehe; **2.** Panne *f*, Ma'schinenschaden *m*, Betriebsstörung *f*; **3.** Zerlegung *f*, *bsd. statistische* Aufgliederung, Aufschlüsselung *f*, Ana'lyse *f* (*a.* ⛈); **~ firm** *s.* Abbruchsgeschäft *n*; **~ gang** *s.* 'Unfallko,lonne *f*; **~ lor·ry** *s.* Abschleppwagen *m*.

break·er ['breikə] *s.* **1.** Brecher *m* (*bsd. in Zssgn Person od. Gerät*); 'Abbruchsunter,nehmer *m*, Verschrotter *m*; **2.** Abrichter *m*, Dres'seur *m*; **3.** Brecher *m*, Sturzwelle *f*: *~s* Brandung; *~s ahead!* ⚓ Gefahr (*durch Wellengang*) im Anzuge!

'break-'e·ven point *s.* ✝ Rentabili'tätsgrenze *f*.

break·fast ['brekfəst] **I.** *s.* Frühstück *n*: *to have ~* → *II*; **II.** *v/i.* frühstücken.

break·ing ['breikiŋ] *s.* Bruch *m*: *~ of the voice* ⚕ Stimmbruch, -wechsel; *~ and entering* ⚖ Einbruch; **~ point** *s.* ⊕, *phys.* Bruch-, Festigkeitsgrenze *f*: *to ~* bis zum Ende der Kräfte; **~ strength** *s.* ⊕, *phys.* Bruch-, Reißfestigkeit *f*.

'break|·neck *adj.* halsbrecherisch; **'~through** *s. bsd.* ⚔ 'Durchbruch *m* (*a. fig. Erfolg*); **'~-up,** *Am.* **'~·up** *s.* **1.** Zerbrechen *n*, -kleinern *n*; **2.** Verfall *m*, Ru'in *m*, Auflösung *f*; **3.** (*Schul- etc.*)Schluß *m*; **4.** 'Wetter,umschlag *m*; **'~·wa·ter** *s.* Wellenbrecher *m*.

bream[1] [bri:m] *s. ichth.* Brassen *m*.

bream[2] [bri:m] *v/t.* ⚓ den Schiffsboden reinkratzen u. -brennen.

breast [brest] **I.** *s.* **1.** Brust *f* (*Mensch u. kleinere Tiere*), (*weibliche*) Brust, Busen *m*; **2.** *fig.* Brust *f*, Herz *n*, Busen *m*, Gemüt *n*: *to make a clean ~ of s.th.* et. offen gestehen; **3.** Brust(-stück *n*) *f e-s Kleides etc.*; **4.** Wölbung *f e-s Berges*; **II.** *v/t.* **5.** mutig auf *et.* losgehen; gegen *et.* ankämpfen, mühsam bewältigen: *to ~ the waves* gegen die Wellen ankämpfen; **~ band** *s.* Brustblatt *n* (*Pferdegeschirr*); **'~·bone** ['brest-] *s. anat.* Brustbein *n*; **'~-'deep** *adj.* brusthoch, -tief; **'~-drill** *s.* ⊕ Brustbohrer *m*.

breast·ed ['brestid] *adj. in Zssgn* ...brüstig.

'breast|-fed *adj.* mit Muttermilch genährt: *~ child* Brustkind; **'~-harness** *s.* Sielengeschirr *n* (*Zugtiere*); **'~-pin** ['brest-] *s.* Busen-, Kra'wattennadel *f*; **'~·plate** ['brest-] *s.* **1.** Brustharnisch *m*; **2.** Brustgurt *m* (*Pferdegeschirr*); **~ pock·et** *s.* Brusttasche *f*; **~ stroke** *s. sport* Brustschwimmen *n*; **'~·work** *s.* ⚔, ⛫ Brustwehr *f*.

breath [breθ] *s.* **1.** Atem(zug) *m*: *to draw one's first ~* geboren werden; *to draw one's last ~* den letzten Atemzug tun (*sterben*); *it took my ~ away fig.* es benahm mir den Atem; *to take ~* Atem schöpfen (*a. fig.*); *to catch one's ~* den Atem anhalten; *to save one's ~* schweigen; *to waste one's ~ fig.* in den Wind reden; *out of ~* außer Atem; *under one's ~* im Flüsterton; *with his last ~* mit s-m letzten Atemzug, als letztes; *in the same ~* im gleichen Atemzug; *under one's ~* leise *fluchen etc.*; **2.** *fig.* Spur *f*, Anflug *m*; **3.** Hauch *m*, Lüftchen *n*: *a ~ of air*; **4.** Duft *m*.

breath·a·lyz·er ['breθəlaizə] *s. mot.* (Plastik)Tüte *f* für Alkoholtest.

breathe [bri:ð] **I.** *v/i.* **1.** atmen; *fig.* leben; **2.** Atem holen; *fig.* sich verschnaufen: *to ~ again* (*od. freely*) (erleichtert) aufatmen; **3.** *~ upon* anhauchen; *fig.* besudeln; **4.** duften (*of* nach); **II.** *v/t.* **5.** (ein- u. aus-) atmen; *fig.* ausströmen: *to ~ a sigh* seufzen; **6.** hauchen, flüstern: *not to ~ a word* kein Sterbenswörtchen sagen; **'breath·er** [-ðə] *s.* **1.** Atem-, Verschnaufpause *f*: *to take a ~* sich verschnaufen; **2.** Stra'paze *f*; **'breath·ing** [-ðiŋ] *s.* **1.** Atmen *n*, Atmung *f*: *~ apparatus* Sauerstoffgerät; **2.** (Luft)Hauch *m*: *~-space* Atempause.

breath·less ['breθlis] *adj.* □ **1.** außer Atem; atemlos (*a. fig.*); **2.** *fig.* atemberaubend; **3.** windstill.

'breath-tak·ing *adj.* atemberaubend.

breath test *s. mot.* Atemtest *m* (*zur Feststellung des Trunkenheitsgrades bei Verkehrsteilnehmern*).

bred [bred] *pret. u. p.p. von breed.*

breech [bri:tʃ] *s.* **1.** ⚔ Verschluß *m* (*Hinterlader, Geschütz*); **2.** *pl.* → *breeches*; **'~-block** *s.* ⚔ Verschlußstück *n*.

breech·es ['britʃiz] *s. pl.* Knie-, Reithose(n *pl.*) *f*; *fig.* Hose(n *pl.*) *f*; → *wear 1*; **'~-buoy** *s.* ⚓ Hosenboje *f*.

'breech-load·er *s.* ⚔ 'Hinterlader *m*.

breed [bri:d] **I.** *v/t.* [*irr.*] **1.** her'vorbringen, gebären; **2.** *Tiere* züchten; *Pflanzen* züchten, ziehen: *French-bred* in Frankreich gezüchtet; **3.** *fig.* her'vorrufen, verursachen, erzeugen: *war ~s misery* Krieg zieht Elend nach sich; **4.** auf-, erziehen; ausbilden: *to ~ s.o. a scholar* j-n zum Gelehrten erziehen; **II.** *v/i.* [*irr.*] **5.** zeugen, brüten, sich paaren, sich fortpflanzen, sich vermehren; **6.** entstehen; **III.** *s.* **7.** Rasse *f*, Zucht *f*, Stamm *m*; **8.** Art *f*, Schlag *m*, Herkunft *f*; **'breed·er** [-də] *s.* **1.** Züchter(in); **2.** Zuchttier *n*; **3.** *a. ~ reactor phys.* 'Brutre,aktor *m*; **'breed·ing** [-diŋ] *s.* **1.** Fortpflanzung *f*; Züchtung *f*, Zucht *f*: *~ place fig.* Brutstätte; **2.** Erziehung *f*, Ausbildung *f*; **3.** Benehmen *n*; Bildung *f*, (gute) Lebensart *od.* ‚Kinderstube'.

breeze[1] [bri:z] *s.* **1.** Brise *f*, leichter Wind; **2.** *sl.* Zwist *m*, (Wort)Streit *m*, ‚Szene' *f*; **3.** *Am.* Gerücht *n*.

breeze[2] [bri:z] *s.* ⊕ Kohlenlösche *f*.

breez·y ['bri:zi] *adj.* □ **1.** luftig, windig; **2.** F frisch, flott, lebhaft, keß.

Bren gun [bren] *s.* leichtes Ma'schinengewehr.

brent goose [brent] → *brant*.

breth·ren ['breðrin] *pl. von brother 2.*

Bret·on ['bretən] **I.** *adj.* bre'tonisch; **II.** *s.* Bre'tone *m*, Bre'tonin *f*.

breve [bri:v] *s. typ.* Kürzezeichen *n*.

bre·vet ['brevit] ⚔ **I.** *s.* Bre'vet *n* (*Offizierspatent, das nur e-n höheren Rang, aber keine höhere Besoldung mit sich bringt*): *~ major* Hauptmann im Range e-s Majors; **II.** *adj.* Brevet...: *~ rank* Titularrang.

bre·vi·ar·y ['bri:vjəri] *s.* Bre'vier *n*.

bre·vier [brə'viə] *s. typ.* Pe'titschrift *f*.

brev·i·ty ['breviti] *s.* Kürze *f*.

brew [bru:] **I.** *v/t.* **1.** *Bier* brauen;

2. *Getränke* (*a. Tee*) (zu)bereiten; 3. *fig.* anzetteln, -stiften; II. *v/i.* 4. brauen, Brauer sein; 5. sich zs.-brauen, in der Luft liegen, im Anzuge sein (*Gewitter, Unheil*); III. *s.* 6. Gebräu *n* (*a. fig.*); **brew·age** ['bru:idʒ] *s.* Gebräu *n* (*a. fig.*); **brew·er** ['bru:ə] *s.* Brauer *m*: *~'s grains* Brauereitreber; **brew·er·y** ['bruəri] *s.* Braue'rei *f.*

bri·ar → *brier* 1, 2.

brib·a·ble ['braibəbl] *adj.* bestechlich, käuflich; **bribe** [braib] I. *v/t.* 1. bestechen; 2. *fig.* verlocken; II. *s.* 3. Bestechung *f*; 4. Bestechungsgeld *n*, -geschenk *n*: *taking (of) ~s* ⚖ Bestechlichkeit, passive Bestechung; '**brib·er** [-bə] *s.* Bestecher *m*; '**brib·er·y** *s.* 1. Bestechung *f*; 2. Bestechlichkeit *f.*

bric-à-brac ['brikəbræk] *s.* 1. Antiqui'täten *pl.*; 2. Nippsachen *pl.*

brick [brik] I. *s.* 1. Ziegel-, Backstein *m*: *to swim like a ~* wie e-e bleierne Ente schwimmen; 2. (Bau)Klotz *m* (*Spielzeug*): *a box of ~s* Baukasten; 3. *sl.* fa'moser Kerl; 4. *Brit.* F Taktlosigkeit *f*: *to drop a ~* ins Fettnäpfchen treten; II. *adj.* 5. Ziegel..., Backstein...: *red-~ university Brit.* moderne Universität (*ohne jahrhundertealte Tradition*); III. *v/t.* 6. mit Ziegelsteinen belegen *od.* pflastern: *to ~ in (od. up)* zumauern; '**~-bat** *s.* Ziegelbrocken *m* (*bsd. als Wurfgeschoß*); '**~-'dust** *s.* ⊕ Ziegelmehl *n*; '**~-field** *s.* Ziege'lei *f*; '**~-kiln** *s.* Ziegelofen *m*, Ziegelei *f*; '**~-lay·er** *s.* Maurer *m*; '**~-lay·ing** *s.* Maure'rei *f*; '**~-mak·er** *s.* Ziegelbrenner *m*; '**~-tea** *s.* (*chinesischer*) Ziegeltee; **~ wall** *s.* Backsteinmauer *f*: *to see through a ~* das Gras wachsen hören; '**~-work** *s.* 1. Mauerwerk *n*; 2. *pl. sg. konstr.* Ziegelei *f.*

brid·al ['braidl] I. *adj.* □ bräutlich, Braut...; Hochzeits...; II. *s. poet.* Hochzeit *f.*

bride [braid] *s.* Braut *f* (*am u. kurz vor u. nach dem Hochzeitstage*), Neuvermählte *f*: *to give away the ~* Brautvater sein.

bride·groom ['braidgrum] *s.* Bräutigam *m*; **brides·maid** ['braidzmeid] *s.* Brautjungfer *f.*

bride·well ['braidwəl] *s.* Gefängnis *n*, Besserungsanstalt *f.*

bridge1 [bridʒ] I. *s.* 1. Brücke *f*; 2. ⚓ Kom'mandobrücke *f*; 3. ♪ Steg *m* (*Streichinstrument*); ⚕ (Zahn-)Brücke *f*; Steg *m* (*Brille*); 4. *a. ~ of the nose* Nasenrücken *m*; 5. ('Straßen)Über,führung *f*; II. *v/t.* 6. e-e Brücke schlagen über (*acc.*); 7. über'brücken (*a. fig.*): *to ~ over a difficulty.*

bridge2 [bridʒ] *s.* Bridge *n* (*Kartenspiel*).

'**bridge|-head** *s.* ⚔ Brückenkopf *m*; **~ of boats** *s.* Pon'tonbrücke *f*; **~ toll** *s.* Brückengeld *n*, -zoll *m*; '**~-work** *s.* ⚕ (Zahn)Brücke *f.*

bri·dle ['braidl] I. *s.* 1. Zaum *m*, Zaumzeug *n*; 2. Zügel *m*: *to give a horse the ~* e-m Pferd die Zügel schießen lassen; II. *v/t.* 3. *Pferd* (auf)zäumen; 4. *Pferd* (*a. fig. Leidenschaft etc.*) zügeln, im Zaum halten; III. *v/i.* 5. *a. ~ up* (*verächtlich od. stolz*) den Kopf zu'rückwerfen; 6. Anstoß nehmen (*at* an *dat.*); '**~-hand** *s.* Zügelhand *f* (*Linke des Reiters*); '**~-path** *s.* schmaler Reitweg, Saumpfad *m*; '**~-rein** *s.* Zügel *m.*

brief [bri:f] I. *adj.* □ 1. kurz: *be ~!* fasse dich kurz!; 2. kurz, gedrängt: *in ~* kurz (gesagt); 3. kurz angebunden, schroff; II. *s.* 4. (päpstliches) Breve; 5. ⚖ Schriftsatz *m*, Zs.-fassung *f* des Standpunkts e-r Par'tei als Informati'on für den Rechtsvertreter vor Gericht; *weitS.* Man'dat *n*: *to abandon (od. give up) one's ~* sein Mandat niederlegen; *to hold a ~ for s.o.* a) ⚖ j-s Sache vertreten, b) *fig.* für j-n e-e Lanze brechen; 6. → *briefing*; III. *v/t.* 7. *j-n* instruieren, *j-m* genaue Anweisungen geben; 8. ⚖ *e-m Anwalt* e-e Darstellung des Sachverhalts geben, *e-n Anwalt* mit s-r Vertretung beauftragen; '**~-bag**, '**~-case** *s.* Aktentasche *f.*

brief·ing ['bri:fiŋ] *s.* 1. *a.* ⚔ (genaue) Anweisung, Instrukti'on *f*; 2. ⚔ Einsatzbesprechung *f*, Befehlsausgabe *f*; '**brief·less** [-lis] *adj.* ohne 'Praxis (*Anwalt*); '**brief·ness** [-nis] *s.* Kürze *f.*

briefs [bri:fs] *s. pl.* kurzer Damenschlüpfer, Slip *m.*

bri·er1 ['braiə] *s.* ⚘ 1. Dornstrauch *m*; 2. wilde Rose: *sweet ~* Weinrose.

bri·er2 ['braiə] *s.* ⚘ 1. Bruy'èreholz *n*; 2. *a. ~ pipe* Bruy'èrepfeife *f.*

brig [brig] *s.* ⚓ Brigg *f.*

bri·gade [bri'geid] I. *s.* 1. ⚔ Bri'gade *f*; 2. uniformierte Vereinigung, Korps *n*; II. *v/t.* 3. zu e-r Gruppe vereinigen; **brig·a·dier** [brigə'diə] *s.* ⚔ a) *Brit.* Bri'gadekomman,deur *m*, -gene,ral *m*, b) *Am. a. ~ general* Brigadegeneral *m.*

brig·and ['brigənd] *s.* Bri'gant *m*; (Straßen)Räuber *m*; '**brig·and·age** [-didʒ] *s.* Räuberunwesen *n.*

bright [brait] *adj.* □ 1. hell, glänzend, blank, leuchtend; strahlend (*Wetter, Augen*): *~ red* leuchtend rot; 2. klar, 'durchsichtig; heiter (*Wetter*); 3. *fig.* aufgeweckt, gescheit, intelli'gent; fröhlich; 4. glänzend, berühmt; 5. günstig; '**bright·en** [-tn] I. *v/t.* 1. glänzend machen, putzen; 2. auf-, erhellen; beleben; 3. erfreuen, aufheitern; II. *v/i.* 4. aufleuchten (*Gesicht*); 5. *a. ~ up* sich aufhellen (*Wetter*); '**bright·ness** [-nis] *s.* 1. Glanz *m*, Helle *f*, Klarheit *f*: *~ control Fernsehen*: Helligkeitsregler; 2. Aufgewecktheit *f*, Schärfe *f* (*Verstand*).

Bright's dis·ease [braits] *s.* ⚕ Brightsche Krankheit *f*, Nierenschrumpfung *f.*

brill [bril] *s. ichth.* Glattbutt *m.*

bril·liance ['briljəns], '**bril·lian·cy** [-si] *s.* 1. Leuchten *n*, Funkeln *n*, Glanz *m*; Helligkeit *f*; *phys.* Lichtstärke *f*; 2. Scharfsinn *m*; '**bril·liant** [-nt] I. *adj.* □ 1. leuchtend, glänzend; 2. *fig.* glänzend, ausgezeichnet; 3. geistreich; hochbegabt; II. *s.* 4. Bril'lant *m.*

bril·lian·tine [briljən'ti:n] *s.* 1. Brillan'tine *f*, 'Haarpo,made *f*; 2. *Am.* al'pakaartiger Webstoff.

brim [brim] I. *s.* 1. Rand *m* (*bsd. Gefäß*); 2. (Hut)Krempe *f*; II. *v/i.* 3. voll sein (*with* von; *a. fig.*): *to ~ over* übervoll sein, überfließen, -sprudeln; '**brim'ful** [-'ful] *adj.* 'übervoll (*a. fig.*); **brimmed** [-md] *adj.* mit Rand, mit Krempe.

brim·stone ['brimstən] *s. obs.* Schwefel *m*; **~ but·ter·fly** *s. zo.* Zi'tronenfalter *m.*

brin·dled ['brindld] *adj.* gestreift, scheckig.

brine [brain] *s.* 1. Sole *f*, (Salz)Lake *f*; 2. *poet.* Meer(wasser) *n*; '**~-pan** *s.* Salzpfanne *f.*

bring [briŋ] *v/t.* [*irr.*] 1. bringen, 'mit-, 'herbringen, her'beischaffen: *~ him (it) with you* bring ihn (es) mit; *to ~ before the judge* vor den Richter bringen; *to ~ good luck* Glück bringen; *to ~ to bear Einfluß etc.* zur Anwendung bringen, geltend machen, *Druck etc.* ausüben; 2. *Gründe, Beschuldigung etc.* vorbringen; 3. her'vorbringen; *Gewinn* einbringen; mit sich bringen, her'beiführen: *to ~ into being* ins Leben rufen, entstehen lassen; *to ~ to pass* zustande bringen; 4. *j-n* veranlassen, bewegen, dazu bringen (*to inf.* zu *inf.*); 5. ⚖ → *action 8*;

Zssgn mit adv.:

bring| a·bout *v/t.* zu'stande bringen; **~ back** *v/t. an et.* erinnern, *Erinnerungen* wachrufen; **~ down** *v/t.* 1. ab-, her'unterschießen; 2. her'unterbringen, schwächen; ruinieren; stürzen; 3. *Preis, Wert* her'absetzen, ermäßigen; 4. *e-e Strafe* her'aufbeschwören; 5. *to ~ the house* stürmischen Beifall auslösen; **~ forth** *v/t.* 1. her'vorbringen, gebären; 2. verursachen, zeitigen; **~ for·ward** *v/t.* 1. *Wunsch etc.* vorbringen; *Entschuldigung* anführen; 2. ✝ *Betrag* über'tragen: *(amount) brought forward* Übertrag; **~ in** *v/t.* 1. einführen; 2. *Geld, Gesetz* einbringen; 3. *to ~ guilty* ⚖ *j-n* schuldig sprechen; **~ off** *v/t.* 1. *j-n* von *et.* abbringen; 2. retten; 3. ,schaffen', zu'stande bringen, 'durchführen; **~ on** *v/t.* 1. her'beiführen, verursachen; 2. in Gang bringen; 3. zur Sprache bringen; **~ out** *v/t.* 1. ans Licht bringen, zum Ausdruck bringen, erkennen lassen; 2. a) *Buch, Theaterstück* her'ausbringen, b) ✝ *Waren* auf den Markt bringen; 3. *j-n* in die Gesellschaft einführen; **~ o·ver** *v/t.* 'umstimmen, bekehren; **~ round** *v/t.* 1. *Ohnmächtigen* wieder zu sich bringen, *Patienten* 'durchbringen; 2. *j-n* umstimmen; **~ through** *v/t. Kranken od. Prüfling* 'durchbringen; **~ to** *v/t.* 1. *Ohnmächtigen* wieder zu sich bringen; 2. ⚓ beidrehen; **~ up** *v/t.* 1. *Kind* auf-, erziehen; 2. zur Sprache bringen; 3. ⚔ *Truppen* her'anführen; 4. zum Stillstand bringen; 5. *to ~ food* sich erbrechen; 6. *to ~ short* zum Halten bringen; 7. → *date*2 5, *rear*2 3.

brink [briŋk] *s.* Rand *m* (*mst fig.*): *on the ~ of* am Rande *od.* Vorabend (*gen.*); '**~-man·ship** [-mənʃip] *s. pol.* Poli'tik *f* des äußersten 'Risikos.

brin·y ['braini] I. *adj.* salzig, solehaltig; II. *s. Brit. sl*: *the ~* die See.

bri·oche ['bri(:)ouʃ] (*Fr.*) *s.* Bri'oche *f*, süßes Brötchen.
bri·quet(te) [bri'ket] (*Fr.*) *s.* Bri'kett *n*, Preßkohle *f*.
brisk [brisk] **I.** *adj.* □ **1.** lebhaft, flott, flink; **2.** frisch (*Wind*), lustig (*Feuer*); schäumend (*Wein*); **3.** lebhaft, frisch, munter (*Wesen*); **4.** ✝ lebhaft, flott; **II.** *v/t.* **5.** *mst* ~ *up* anfeuern, beleben; '**brisk·en** [-kən] → *brisk 5*.
bris·ket ['briskit] *s. Küche*: Brust (-stück *n*) *f* (*Rind*).
brisk·ness ['brisknis] *s.* Lebhaftigkeit *f*, Frische *f*.
bris·ling ['brisliŋ] *s. ichth.* Brisling *m*, Sprotte *f*.
bris·tle ['brisl] **I.** *s.* **1.** Borste *f*; **II.** *v/i.* **2.** sich sträuben; **3.** hochfahren, zornig werden: *to* ~ *with anger*; **4.** (*with*) dicht besetzt sein (mit), strotzen, starren, voll sein (von).
bris·tling → *brisling*.
bris·tly ['brisli] *adj.* stachelig, rauh; struppig.
Bris·tol| board ['bristl] *s.* 'Bristolkar,ton *m*, feiner 'Zeichenkar,ton; ~ **cream**, ~ **milk** *s. Art* 'Sherry *m*.
Bri·tan·ni·a met·al [bri'tænjə] *s.* ⊕ Bri'tanniame,tall *n*.
Bri·tan·nic [bri'tænik] *adj.* bri'tannisch.
Brit·i·cism ['britisizəm] *s.* Angli'zismus *m*; '**Brit·ish** [-tiʃ] **I.** *adj.* britisch: ~ *subject* britischer Staatsangehöriger; **II.** *s.*: *the* ~ die Briten *pl.*; '**Brit·ish·er** [-tiʃə] *s.* Brite *m*; '**Brit·on** [-tn] *s.* **1.** Brite *m*, Britin *f*; **2.** *hist.* Bri'tannier(in).
brit·tle ['britl] *adj.* **1.** spröde, zerbrechlich; bröckelig; brüchig (*Metall etc.*; *a. fig.*); **2.** reizbar.
broach [broutʃ] **I.** *s.* **1.** Stecheisen *n*; Räumnadel *f*; **2.** Bratspieß *m*; **3.** Turmspitze *f*; **II.** *v/t.* **4.** *Faß* anstechen; **5.** ⊕ räumen; **6.** *fig. Thema* anschneiden, zur Sprache bringen.
broad [brɔ:d] *adj.* □ → *broadly*; **1.** breit: *it is as* ~ *as it is long fig.* es ist gehüpft wie gesprungen; **2.** weit, ausgedehnt; weitreichend, um'fassend, voll: *in the* ~*est sense* im weitesten Sinne; *in* ~ *daylight* am hellichten Tage; **3.** deutlich, ausgeprägt: ~ *Scots* ausgeprägt schottischer Akzent; → *hint 1*; **4.** ungeschminkt, offen, derb: *a* ~ *joke* ein anstößiger Witz; **5.** allgemein, einfach: *the* ~ *facts* die allgemeinen Tatsachen; *in* ~ *outline* in groben Umrissen, in großen Zügen; **6.** großzügig: *a* ~ *outlook* e-e tolerante Auffassung; **7.** *Radio*: unscharf; ~ **arrow** *s.* breitköpfiger Pfeil (*amtliches Zeichen auf brit. Regierungsgut u. auf Sträflingskleidung*); '~-**ax(e)** *s.* **1.** Breitbeil *n*; **2.** *hist.* Streitaxt *f*; ~ **beam** *s.* ⚡ Breitstrahler *m*; ~ **bean** *s.* ⚘ Saubohne *f*.
broad·cast ['brɔ:dkɑ:st] **I.** *v/t.* [*irr.* → *cast*; *pret. u. p.p. a.* ~*ed*] **1.** breitwürfig säen; **2.** *fig. Nachricht* verbreiten, *iro.* 'auspo,saunen; **3.** durch Rundfunk *od.* Fernsehen verbreiten, über'tragen, senden; **II.** *v/i.* **4.** im Rundfunk *od.* Fernsehen auftreten; **5.** senden; **III.** *s.* **6.** Rundfunk-, Fernsehsendung *f*; **IV.** *adj.* **7.** Rundfunk..., Fernseh...; '**broad·cast·er** [-tə] *s.* Rundfunk-, Fernsehsprecher(in).
broad·cast·ing ['brɔ:dkɑ:stiŋ] **I.** *s.* 'Rundfunk-, 'Fernsehüber,tragung *f*; **II.** *adj.* Rundfunk..., Fernseh...; ~ **sta·tion** *s.* 'Rundfunk-, 'Fernsehstati,on *f*, Sender *m*; ~ **stu·di·o** *s.* Senderaum *m*, 'Studio *n*.
Broad| Church *s.* libe'rale Richtung in der angli'kanischen Kirche; '♀**·cloth** *s.* feiner Wollstoff.
broad·en ['brɔ:dn] *v/t. u. v/i.* (sich) verbreitern, (sich) erweitern: *to* ~ *one's mind fig.* sich bilden, s-n Horizont erweitern.
'**broad-ga(u)ge** *adj.* 🚂 Breitspur...: ~ *railway* Breitspurbahn.
broad·ly ['brɔ:dli] *adv.* allgemein gesagt, in großen Zügen.
'**broad'mind·ed** *adj.* großzügig, weitherzig, tole'rant.
broad·ness ['brɔ:dnis] *s.* Derbheit *f*, Anstößigkeit *f*.
'**broad|·sheet** *s. typ.* einseitig bedrucktes Blatt; Flugblatt *n*; '~**·side** *s.* **1.** ⚓ Breitseite *f*: **a**) *alle Geschütze auf e-r Schiffsseite*, **b**) *Abfeuern e-r Breitseite*: *to fire a* ~ e-e Breitseite abgeben; **2.** F 'Schimpfkano,nade *f*; **3.** → *broadsheet*; '~**·sword** *s.* breites Schwert; 'Pallasch *m*; '~**·tail** *s. zo.* Breitschwanzschaf *n*.
bro·cade [brə'keid] *s.* ✝ **1.** Bro'kat *m*; **2.** Stoff *m* mit plastisch wirkender Musterung; **bro'cad·ed** [-did] *adj.* wie Brokat gemustert.
broc·co·li ['brɔkəli] *s.* ⚘ 'Brokkoli *pl.*, Spargelkohl *m*.
bro·chure ['brouʃjuə] *s.* Bro'schüre *f*.
brock·et ['brɔkit] *s. hunt.* Spießer *m*, zweijähriger Hirsch.
brogue [broug] *s.* **1. a**) *irischer* Ak'zent des Englischen, **b**) dia'lektisch gefärbte Aussprache; **2.** derber Schuh, Haferlschuh *m*.
broil[1] [brɔil] **I.** *v/t.* auf dem Rost braten, grillen; **II.** *v/i.* schmoren, braten, kochen (*a. fig.*).
broil[2] [brɔil] *s.* Zank *m*, Krach *m*.
broil·er[1] ['brɔilə] *s.* **1.** Bratrost *m*; *Am.* Bratofen *m* mit Grillvorrichtung; **2.** Brathühnchen *n* (*bratfertig*); **3.** F glühend heißer Tag.
broil·er[2] ['brɔilə] *s.* Zänker(in).
broil·ing ['brɔiliŋ] *adj. a.* ~ *hot* glühend heiß.
broke[1] [brouk] *pret. von break*.
broke[2] [brouk] *adj. sl.* bank'rott, ruiniert, ‚abgebrannt', ‚pleite': *to go* ~ pleite gehen.
bro·ken ['broukən] **I.** *p.p. von break*; **II.** *adj.* □ → *brokenly*; **1.** ge-, zerbrochen, zerrissen; verletzt; **2.** ent'zwei, ka'putt; ruiniert; **3.** unter'brochen (*Schlaf*); angebrochen, unvollständig: ~ *line* gestrichelte *od.* punktierte Linie; **4.** *fig.* (seelisch *od.* körperlich) gebrochen: *a* ~ *man*; **5.** zerrüttet (*Ehe, Gesundheit*): ~ *home* zerrüttete Familienverhältnisse; **6.** uneben, holperig (*Boden*); zerklüftet (*Gelände*); bewegt (*Meer*); **7.** *ling.* gebrochen: ~ *German*; '~-'**down** *adj.* **1.** ruiniert, unbrauchbar; **2.** erschöpft, geschwächt, zerrüttet; verbraucht; **3.** zs.-gebrochen (*a. fig.*); '~-'**heart·ed** *adj.* niedergeschlagen, un'tröstlich.
bro·ken·ly ['broukənli] *adv.* krampfhaft; stoßweise, mit Unter'brechungen; (seelisch) gebrochen.
bro·ken| mon·ey *s.* Kleingeld *n*; '~-'**spir·it·ed** *adj.* entmutigt, gebrochen; ~ **stone** *s.* Steinschlag *m*, Schotter *m*; ~ **time** *s.* Verdienstausfall *m*; '~-'**wind·ed** *adj.* dämpfig, kurzatmig (*Pferd*).
bro·ker ['broukə] *s.* **1.** Makler *m*, Mittelsmann *m*: *honest* ~ *pol., fig.* ehrlicher Makler; **2.** *Börse*: Broker *m* (*der im Kundenauftrag Geschäfte tätigt*); **3.** ⚖ Gerichtsvollzieher *m*; '**bro·ker·age** [-əridʒ] *s.* **1.** Maklergebühr *f*, Cour'tage *f*; **2.** Maklerberuf *m*.
brol·ly ['brɔli] *s. Brit. sl.* Schirm *m*.
bro·mide ['broumaid] *s.* **1.** ⚗ Bro'mid *n*: ~ *paper phot.* Bromsilberpapier; **2.** *fig.* **a**) Beruhigungsmittel *n*, Dämpfer *m*, **b**) langweiliger Mensch, **c**) Gemeinplatz *m*; '**bro·mine** [-mi:n] *s.* ⚗ Brom *n*.
bron·chi ['brɔŋkai], '**bron·chi·a** [-kiə] *s. pl. anat.* 'Bronchien *pl.*; '**bron·chi·al** [-kjəl] *adj.* Bronchial...; **bron·chi·tis** [brɔŋ'kaitis] *s.* ⚕ Bron'chitis *f*, Bronchi'alka,tarrh *m*.
bron·co ['brɔŋkou] *pl.* **-cos** *s.* kleines, halbwildes Pferd (*Kalifornien*): ~ *buster* Cowboy, der solche Pferde zureitet.
Bronx cheer [brɔŋks] *s. Am. sl. verächtliches* Zischen *od.* Pfeifen.
bronze [brɔnz] **I.** *s.* **1.** Bronze *f*: ~ *age* Bronzezeit; **2.** ('Statue *f etc.* aus) Bronze *f*; **II.** *v/t.* **3.** bronzieren; **III.** *adj.* **4.** bronzefarben, Bronze...; **bronzed** [-zd] *adj.* (sonnen)gebräunt.
brooch [broutʃ] *s.* Brosche *f*, Spange *f*.
brood [bru:d] **I.** *s.* **1.** Brut *f*; **2.** Nachkommenschaft *f*; **3.** *contp.* Brut *f*, Horde *f*; **II.** *v/i.* **4.** brüten; **5.** *fig.* (*on, over*) brüten (über *dat.*), grübeln (über *acc.*); **6.** her'aufziehen (*Unwetter*); lasten (*Hitze*); **7.** schweben (*over* über *dat.*); **III.** *adj.* **8.** Brut..., Zucht...: ~ *mare* Zuchtstute; '**brood·er** [-də] *s.* **1.** Bruthenne *f*; **2.** Brutkasten *m*; '**brood·y** [-di] *adj.* brütend (*a. fig.*).
brook[1] [bruk] *s.* Bach *m*.
brook[2] [bruk] *v/t.* erdulden: *it* ~*s no delay* es duldet keinen Aufschub.
broom[1] [bru:m] *s.* ⚘ (Besen)Ginster *m*.
broom[2] [brum] *s.* Besen *m*: *a new* ~ *sweeps clean* neue Besen kehren gut; '~**·stick** *s.* Besenstiel *m*.
broth [brɔθ] *s.* (Fleisch)Brühe *f*, Suppe *f*: ~ *of a boy Ir.* F Prachtkerl.
broth·el ['brɔθl] *s.* Bor'dell *n*.
broth·er ['brʌðə] *s.* **1.** Bruder *m*: ~*s and sisters* Geschwister; *Smith* ♀*s* ✝ Gebrüder Smith; **2.** *eccl. pl. brethren* Bruder *m*, Nächste(r) *m*, Mitglied *n* e-r (religi'ösen) Gemeinschaft; **3.** Amtsbruder *m*, Kol'lege *m*: ~ *in arms* Waffenbruder; ~ *student* Kommilitone, Studienkollege; ~ *officer* Regimentskamerad; '**broth·er·hood** [-hud] *s.* **1.** Bruderschaft *f*; **2.** Brüderlichkeit *f*.
broth·er|-in-law ['brʌðərinlɔ:] *s.* Schwager *m*; ♀ **Jon·athan** ['dʒɔnəθən] *s. Am. humor.* Bruder Jonathan (*Amerikaner*).

broth·er·ly ['brʌðəli] *adj.* brüderlich.

brougham ['bru(:)əm] *s.* **1.** Brougham *m* (*geschlossener, vierrädriger, zweisitziger Wagen*); **2.** *mot.* Limou'sine *f* mit offenem Fahrersitz.

brought [brɔ:t] *pret. u. p.p. von bring.*

brou·ha·ha [bru:'hɑ:hɑ:] *s.* Getue *n*, Wirbel *m*, Lärm *m*.

brow [brau] *s.* **1.** (Augen)Braue *f*: *to knit* (*od. gather*) *one's* ~*s* die Stirn runzeln; **2.** Stirn *f*; **3.** Vorsprung *m*, Abhang *m*, (Berg)Kuppe *f*; '~**beat** *v/t.* [*irr.* → *beat*] einschüchtern, tyrannisieren.

brown [braun] **I.** *adj.* braun: ~ *as a berry* braun wie e-e Kastanie; *to do* (*up*) ~ *sl. j-n* ‚anschmieren', ‚reinlegen'; **II.** *s.* Braun *n*; **III.** *v/t.* (an-)bräunen (*durch Feuer od. Sonne*); ⊕ brünieren: ~*ed off sl.* ‚restlos bedient' (*e-r Sache überdrüssig*); **IV.** *v/i.* braun werden; ~ **bear** *s. zo.* brauner Bär; ♀ **Bet·ty** *s. Am.* Auflauf *m* aus Äpfeln u. Brotkrumen; ~ **bread** *s.* Schwarz-, Schrotbrot *n*; ~ **but·ter** *s.* braune Butter; ~ **coal** *s.* Braunkohle *f*.

brown·ie ['brauni] *s.* **1.** Heinzelmännchen *n*; **2.** *Am.* kleiner Schoko'ladenkuchen mit Nüssen; **3.** *phot. e-e* 'Kamera; **4.** ‚Wichtel' *m*, junge Pfadfinderin.

Brown·ing ['brauniŋ] *s.* Browning *m* (*Repetierpistole*).

brown| pa·per *s.* 'Packpa,pier *n*; ~ **shirt** *s. hist.* Braunhemd *n*: **a)** *Mitglied von Hitlers SA*, **b)** Natio'nalsozia,list *m*; '~**stone** *Am.* **I.** *s.* brauner Sandstein; **II.** *adj.* F wohlhabend, vornehm; ~ **sug·ar** *s.* brauner Zucker.

browse [brauz] *v/i.* **1.** grasen, weiden; *fig.* naschen (*on* von); **2.** *in Büchern* blättern *od.* schmökern.

bru·in ['bru(:)in] *s. poet.* Braun *m*, Bär *m*.

bruise [bru:z] **I.** *v/t.* **1.** *Körperteil* quetschen; *Früchte* anstoßen; **2.** zerstampfen, schroten; **3.** *j-n* grün u. blau schlagen; **II.** *v/i.* **4.** e-e Quetschung *od.* e-n blauen Fleck bekommen; **III.** *s.* **5.** ⚕ Quetschung *f*, Bluterguß *m*; blauer Fleck; '**bruis·er** [-zə] *s.* **1.** F Boxer *m*; **2.** ‚Schläger' *m*.

bruit [bru:t] *v/t. Gerücht* verbreiten: *to* ~ *abroad* (*od. about*).

Brum·ma·gem ['brʌmədʒəm] **I.** *s.* **1.** *npr. dial. sl.* Birmingham (*Stadt*); **2.** ♀ *sl.* 'Talmi *n*, 'Tinnef *m*, *n*, Schund *m* (*bsd. in Birmingham hergestellt*); **II.** *adj.* **3.** *sl.* billig, wertlos, unecht.

brunch [brʌntʃ] *s.* F (*aus breakfast u. lunch*) Gabelfrühstück *n*.

bru·nette [bru:'net] **I.** *adj.* brü'nett, dunkelbraun; **II.** *s.* Brü'nette *f*.

brunt [brʌnt] *s.* Hauptstoß *m*, volle Wucht *des Angriffs*: *to bear the* ~ die Hauptlast tragen.

brush [brʌʃ] **I.** *s.* **1.** Bürste *f*; Besen *m*: *tooth-*~ Zahnbürste; **2.** Pinsel *m*: *shaving-*~; **3.** **a)** Pinselstrich *m* (*Maler*), **b)** Maler *m*, **c)** *the* ~ die Malkunst; **4.** Bürsten *n*: *to give a* ~ (*to*) *et.* abbürsten; **5.** buschiger Schwanz (*bsd. Fuchs*); **6.** ⚡ (Kon'takt)Bürste *f*; **7.** *phys.* Strahlenbündel *n*; **8.** ⚔ Feindberührung *f*; Schar'mützel *n* (*a. fig.*): *to have a* ~ *with s.o.* mit j-m aneinandergeraten; **9.** → *brushwood*; **II.** *v/t.* **10.** bürsten; **11.** fegen: *to* ~ *away* (*od. off*) abwischen, -streifen (*a. mit der Hand*); *to* ~ *off fig. j-n* abwimmeln, loswerden; *to* ~ *aside fig.* beiseite schieben, abtun; **12.** ~ *up fig.* auffrischen; **13.** streifen, leicht berühren; **III.** *v/i.* **14.** ~ *against* streifen (*acc.*); **15.** da'hinrasen: *to* ~ *past* vorbeisausen; '**brush·ing** [-ʃiŋ] *s. mst pl.* Kehricht *m*, *n*; '**brush·less** [-lis] *adj.* **1.** ohne Bürste; **2.** ohne Schwanz (*Fuchs*); '**brush·wood** *s.* **1.** 'Unterholz *n*, Gestrüpp *n*; Busch *m* (*USA u. Australien*); **2.** Reisig *n*.

brusque [brusk] *adj.* □ brüsk, barsch, schroff; '**brusque·ness** [-nis] *s.* Schroffheit *f*.

Brus·sels ['brʌslz] *npr.* Brüssel *n*; ~ **lace** *s.* Brüsseler Spitzen *pl.*; ~ **sprouts** ['brʌsl'sprauts] *s. pl.* Rosenkohl *m*.

bru·tal ['bru:tl] *adj.* □ **1.** viehisch; bru'tal, roh, unmenschlich; **2.** scheußlich; **bru·tal·i·ty** [bru:'tæliti] *s.* Brutali'tät *f*, Roheit *f*; '**bru·tal·ize** [-təlaiz] *v/t.* **1.** zum Tier machen; **2.** brutal behandeln.

brute [bru:t] **I.** *s.* **1.** (*unvernünftiges*) Tier, Vieh *n* (*a. fig. brutaler Mensch*); **2.** *fig.* Untier *n*, Scheusal *n*; **II.** *adj.* **3.** tierisch (*a.* = *triebhaft*), viehisch, roh; unvernünftig, dumm; gefühllos: ~ *force* rohe Gewalt; '**brut·ish** [-tiʃ] *adj.* □ → *brute 3*.

Bry·thon·ic [bri'θɔnik] *s.* Ursprache *f* der Kelten in Wales, 'Cornwall u. der Bre'tagne.

bub·ble ['bʌbl] **I.** *s.* **1.** (*Luft-, Seifen-*) Blase *f*; **2.** *fig.* Seifenblase *f*, leerer Schein, Schwindel(geschäft *n*) *m*: *to prick the* ~ den Schwindel aufdecken; ~ *company* Schwindelfirma; **3.** Sprudeln *n*, Brodeln *n*, Rauschen *n*; **II.** *v/i.* **4.** sprudeln, brodeln, rauschen: *to* ~ *over* übersprudeln (*a. fig.*); ~**-and-squeak** ['bʌblən'skwi:k] *s. Brit.* mit Gemüse zu'sammen aufgebratenes Rindfleisch; ~ **bath** *s.* Schaumbad *n*; ~ **car** *s.* 'Kleinst,auto *n*, Ka'binenroller *m*; ~ **gum** *s.* Bal'lon-, 'Knall,gummi *m*.

bub·bler ['bʌblə] *s. Am.* Trinkwasserbrunnen *m*; '**bub·bly** [-li] **I.** *adj.* sprudelnd; **II.** *s.* F ‚Schampus' *m* (*Sekt*).

bu·bo ['bju:bou] *pl.* **-boes** *s.* ⚕ 'Bubo *m* (*Drüsenschwellung*); Beule *f*; **bu·bon·ic** [bju(:)'bɔnik] *adj.*: ~ *plague* ⚕ Beulenpest.

buc·ca·neer [bʌkə'niə] **I.** *s.* Seeräuber *m*, Freibeuter *m*; **II.** *v/i.* Seeräube'rei betreiben.

buck[1] [bʌk] **I.** *s.* **1.** *zo.* Bock *m* (*Hirsch, Reh, Ziege etc.*); Rammler *m* (*Hase, Kaninchen*); *engS.* Rehbock *m*; **2.** Stutzer *m*, Geck *m*; Lebemann *m*; **3.** *Am.* F **a)** Indi'aner *m*, **b)** Neger *m*; **4.** *Am. Poker*: *Spielmarke, die e-n Spieler daran erinnern soll, daß er am Geben ist*: *to pass the* ~ *to* F *j-m* ‚den Schwarzen Peter zuschieben' (*Verantwortung abschieben*); **II.** *v/i.* **5.** bocken (*Pferd, Esel etc.*); **6.** *Am.* F ‚meutern', sich sträuben (*at* bei, gegen); **7.** ~ *up* F **a)** sich beeilen, **b)** sich zs.-reißen: ~ *up!* Kopf hoch!, **c)** prahlen; **III.** *v/t.* **8.** *Reiter* durch Bocken abwerfen; **9.** *Am.* wütend angreifen; angehen gegen; **10.** *a.* ~ *up* F aufmuntern: *greatly* ~*ed* hocherfreut; **IV.** *adj.* **11.** männlich; **12.** ~ *private* ⚔ *Am. sl.* einfacher Soldat.

buck[2] [bʌk] *s. Am. sl.* Dollar *m*.

buck·et ['bʌkit] **I.** *s.* **1.** Eimer *m*, Kübel *m*: *champagne* ~ Sektkühler; *to kick the* ~ *sl.* ‚draufgehen', ‚abkratzen' (*sterben*); **2.** ⊕ **a)** Schaufel *f* e-s Schaufelrades, **b)** Eimer *m od.* Löffel *m* e-s Baggers, **c)** (Pumpen-) Kolben *m*; **II.** *v/t.* **3.** (aus)schöpfen; **4.** *Pferd* zu'schanden reiten; **III.** *v/i.* **5.** *Brit.* F (da'hin)rasen, schnell reiten *od.* rudern; '**buck·et·ful** [-ful] *pl.* **-fuls** *s. ein* Eimer(voll) *m*.

buck·et| seat *s.* **1.** *mot.*, ✈ Klapp-, Notsitz *m*; **2.** *mot.* Schalensitz *m*; '~**-shop** *s.* Winkelbankgeschäft *n*, 'unre,elle Maklerfirma; ~ **wheel** *s.* ⊕ Schöpfrad *n*.

'**buck|·eye** *s. Am.* **1.** ♀ *e-e* 'Roßka,stanie *f*; **2.** ♀ F Bewohner(in) von Ohio; '~**-horn** *s.* Hirschhorn *n*; '~**-hound** *s. zo.* Jagdhund *m* (*für Hochwild*).

buck·ish ['bʌkiʃ] *adj.* □ gecken-, stutzerhaft.

'**buck·jump·er** *s.* störrisches Pferd.

buck·le ['bʌkl] **I.** *s.* **1.** Schnalle *f*, Spange *f*; **II.** *v/t.* **2.** *a.* ~ *on*, ~ *up* an-, 'um-, zuschnallen; **3.** ⊕ (ver-)biegen, krümmen; **III.** *v/i.* **4.** ⊕ sich (ver)biegen *od.* verziehen, sich wölben; sich krümmen, nachgeben *unter e-r Last*; **5.** (*to*) mit Eifer (an *die Arbeit*) her'angehen: *to* ~ *down to a task* sich (begeistert) auf e-e Aufgabe stürzen.

buck·ler ['bʌklə] *s.* **1.** runder Schild; **2.** *fig.* Schutz *m*, Beschützer *m*.

buck·ling[1] ['bʌkliŋ] *s.* ⊕ Knickung *f*, Krümmung *f*, Wölbung *f*.

buck·ling[2] ['bʌkliŋ] (*Ger.*) *s.* Bückling *m* (*geräucherter Hering*).

buck·ram ['bʌkrəm] *s.* **1.** Steifleinen *n*; **2.** *fig.* Steifheit *f*, Förmlichkeit *f*.

buck·shee ['bʌkʃi:] *adj.* ⚔ *Brit. sl.* 'gratis, um'sonst, 'extra.

'**buck|·shot** *s. hunt.* grober Schrot, Rehposten *m*; '~**·skin** *s.* **1. a)** Wildleder *n*, **b)** *pl.* Lederhose *f*; **2.** Buckskin *m* (*Wollstoff*); '~**·thorn** *s.* ♀ Kreuzdorn *m*; '~**·tooth** *s.* [*irr.*] vorstehender Zahn; '~**·wheat** *s.* ♀ Buchweizen *m*.

bu·col·ic [bju(:)'kɔlik] **I.** *adj.* (□ ~*ally*) bu'kolisch, hirtenmäßig; ländlich, i'dyllisch; **II.** *s.* I'dylle *f*, Hirtengedicht *n*.

bud [bʌd] **I.** *s.* **1.** ♀ Knospe *f*; Auge *n* (*Blätterknospe*): *to be in* ~ knospen; **2.** Keim *m*; **3.** *fig.* Keim *m*, Ursprung *m*; → *nip*[1] 2; **4.** unentwickeltes Wesen; **5.** *Am. sl.* Debü'tantin *f*; **II.** *v/i.* **6.** knospen, sprossen; **7.** sich entwickeln *od.* entfalten: *a* ~*ding lawyer* ein angehender Jurist; **III.** *v/t.* **8.** okulieren.

Bud·dha ['budə] *s.* 'Buddha *m*; '**Bud·dhism** [-dizəm] *s.* Bud'dhismus *m*; '**Bud·dhist** [-dist] *s.* Bud'dhist *m*; **Bud·dhis·tic** [bu'distik] *adj.* bud'dhistisch.

bud·dy [ˈbʌdi] *s.* F **1.** ‚Kumpel' *m*, Kameˈrad *m*: ~ *system* Vetternwirtschaft; **2.** mein Lieber, Freundchen *n* (*Anrede*).
budge [bʌdʒ] *mst neg.* **I.** *v/i.* sich (von der Stelle) rühren, sich (im geringsten) bewegen; **II.** *v/t.* (vom Fleck) bewegen.
budg·er·i·gar [ˈbʌdʒəriɡɑː] *s. orn.* Wellensittich *m*.
budg·et [ˈbʌdʒit] **I.** *s.* **1.** *bsd. pol.* Budˈget *n*, Staatshaushalt *m*, (*a.* priˈvater) Haushaltsplan: *to open the* ~ das Budget vorlegen; **2.** *fig.* Vorrat *m*: *a* ~ *of news* ein Sack voll Neuigkeiten; **II.** *v/i.* **3.** planen, ein Budget machen: *to* ~ *for s.th.* et. im Haushaltsplan vorsehen, die Kosten für et. veranschlagen; ˈ**budg·et·ar·y** [-təri] *adj.* Budget..., Haushalts...: ~ *deficit*; ˈ**budg·et-priced** *adj.* preisgünstig.
bud·gie [ˈbʌdʒi] *s.* F → *budgerigar*.
buff[1] [bʌf] *s.* **1.** starkes Ochsen- *od.* Büffelleder; **2.** F bloße Haut: *in* ~ im Adamskostüm (*nackt*); **3.** Lederfarbe *f*; **II.** *adj.* **4.** lederfarben.
buff[2] [bʌf] *v/t.* ⊕ schwabbeln (*auf Hochglanz polieren*).
buf·fa·lo [ˈbʌfəlou] *pl.* **-loes**, *Am. a.* **-los I.** *s.* **1.** *zo.* Büffel *m*; nordamer. ˈBison *m*; **2.** ⚔ amˈphibischer Panzerwagen; **II.** *v/t.* **3.** *Am. sl.* *j-n* täuschen, einschüchtern; ~ **chips** *s. pl.* getrockneter Büffelmist (*als Brennstoff*); ~ **robe** *s.* Büffelfell *n* (*als Reisedecke*).
buf·fer [ˈbʌfə] *s.* ⊕ Stoßdämpfer *m*, -kissen *n*, Puffer *m*, Prellbock *m*; ~ **state** *s.* Pufferstaat *m*.
buf·fet[1] [ˈbʌfit] **I.** *s.* **1.** Puff *m*, Stoß *m*; Schlag *m* (*a. fig.*); **II.** *v/t.* **2.** (herˈum)stoßen; **3.** ankämpfen gegen: *to* ~ *the waves* gegen die Wellen kämpfen; **III.** *v/i.* **4.** kämpfen.
buf·fet[2] [ˈbʌfit] *s.* Büˈfett *n*; Anrichte *f*.
buf·fet[3] [ˈbufei] *s.* Büˈfett *n*: **a)** Theke *f*, **b)** Tisch *m* mit Speisen u. Getränken: ~ *dinner* kaltes Büfett (*bei Gesellschaften*), **c)** Imbiß-, Erfrischungsraum *m*; ~ **car** *s.* 🚃 Büˈfettwagen *m*.
buf·fet·ing [ˈbʌfitiŋ] *s.* Stöße *pl.*, Schläge *pl.*, Hin- u. Herschaukeln *n*.
buf·foon [bʌˈfuːn] *s.* **1.** Possenreißer *m*, Hansˈwurst *m*; **2.** derber Witzbold; **bufˈfoon·er·y** [-nəri] *s.* Possen(reißen *n*) *pl.*
bug [bʌɡ] **I.** *s.* **1.** *zo. Brit.* (Bett-) Wanze *f*; **2.** *zo. Am. allgemein* Inˈsekt *n* (*Ameise, Fliege, Spinne, Käfer*); **3.** *Am.* F Baˈzillus *m*; **4.** ⊕ *Am. sl.* Deˈfekt *m*, *mst pl.* ‚Mucken' *pl.*; **5.** *big* ~ F ‚großes' *od.* ‚hohes Tier' (*wichtige Persönlichkeit*); **6.** *sl.* ‚Wanze' *f* (*Abhörgerät*); **II.** *v/t. sl.* **7.** ‚Wanzen' anbringen in *e-m Raum etc.*; **8.** *Am. j-n* nerven: *what's* ~*-ging you?* was hast du denn?; ˈ~**-bear** *s.* Schreckgespenst *n*, ˈPopanz *m*.
bug·ger [ˈbʌɡə] **I.** *s.* **1. a)** Sodoˈmit *m*, **b)** ˌHomosexuˈelle(r) *m*; **2.** V *oft humor.* (Sau)Kerl *m*; **II.** *v/t.* **3.** Sodoˈmie treiben mit; **4.** ~ (*up*) *sl. et.* versauen *od.* vermasseln; **III.** *v/i.* **5.** ~ *off Brit. sl.* ‚verduften', ‚Leine ziehen'; ˈ**bug·ger·y** [-əri] *s.* **1.** Sodomie *f*, ˈwidernaˌtürliche Unzucht; **2.** ˌHomosexualiˈtät *f*.
bug·gy[1] [ˈbʌɡi] *s.* **1.** leichter Wagen (*zweirädrig in England, vierrädrig in USA*); **2.** *Am.* Kinderwagen *m*.
bug·gy[2] [ˈbʌɡi] *adj.* **1.** verwanzt; **2.** *Am. sl.* ‚meˈschugge', verrückt.
ˈ**bug|·house** *Am. sl.* **I.** *s.* Irrenanstalt *f*; **II.** *adj.* verrückt; ˈ~**-hunt·er** *s. sl.* Inˈsektensammler *m*.
bu·gle [ˈbjuːɡl] *s.* **1.** Wald-, Jagdhorn *n*; **2.** ⚔ Siˈgnalhorn *n*: *to sound the* ~ ein Hornsignal blasen; ˈ**bu·gle-call** *s.* ˈHornsiˌgnal *n*; ˈ**bu·gler** [-lə] *s.* Horˈnist *m*.
buhl [buːl] *s.* Einlege-, Boulearbeit *f* (*Metall, Schildpatt etc. in Holz*).
build [bild] **I.** *v/t.* [*irr.*] **1.** (er)bauen, errichten: *to* ~ *a fire* (ein) Feuer machen; *to* ~ *in* einbauen; **2.** *mst* ~ *up* aufbauen; gestalten, zs.-setzen, -stellen: *to* ~ *up a business* ein Geschäft aufbauen; *to* ~ *up one's health* s-e Gesundheit festigen; *to* ~ *up a reputation* sich e-n Namen machen; *to* ~ *up a case bsd.* ⚖ (Beweis)Material zs.-tragen; **3.** ~ *up* **a)** zubauen, vermauern: *to* ~ *up a window*, **b)** *Gelände* aus-, bebauen; **4.** ~ *up fig.* Reˈklame machen für, *j-n* groß herˈausstellen, *j-n* ‚aufbauen'; **5.** *fig.* gründen, setzen: *to* ~ *one's hopes on s.th.*; **II.** *v/i.* [*irr.*] **6.** bauen, Baumeister sein: *the house is* ~*ing* das Haus ist im Bau; **7.** *fig.* bauen, sich verlassen (*on* auf *acc.*); **8.** ~ *up* sich entwickeln; **III.** *s.* **9.** Bauart *f*, Gestalt *f*; **10.** Körperbau *m*, Fiˈgur *f*; **11.** Schnitt *m* (*Kleid*); ˈ**build·er** [-də] *s.* **1.** Erbauer *m*; **2.** Baumeister *m*; **3.** ˈBauunterˌnehmer *m*, Bauhandwerker *m*: ~*'s merchant* Baustoffhändler.
build·ing [ˈbildiŋ] *s.* **1.** Bauen *n*, Bauwesen *n*; **2.** Gebäude *n*, Bau *m*, Bauwerk *n*; ~ **block** *s. fig.* Baustein *m*; ~ **con·trac·tor** *s.* ˈBauunterˌnehmer *m*; ˈ~**-lease** *s.* ⚖ *Brit.* Baupacht(vertrag *m*) *f*; ~ **line** *s.* ⊕ ˈBauflucht(ˌlinie) *f*; ~ **lot**, ~ **plot**, ~ **site** *s.* ˈBauparˌzelle *f*, Baugelände *n*; ˈ~**-so·ci·e·ty** *s. Brit.* Baugenossenschaft *f*.
ˈ**build-up** *s.* **1.** Aufbau *m*, Zs.-stellung *f*; **2.** Reˈklame *f*, Propaˈganda *f*.
built [bilt] **I.** *pret. u. p.p. von build I u. II*; **II.** *adj.* gebaut, geformt: *he is* ~ *that way* F so ist er eben; ˈ~**-ˈin** *adj.* eingebaut, Einbau...; ˈ~**-ˈup a·re·a** *s.* bebautes Gebiet.
bulb [bʌlb] **I.** *s.* **1.** ⚘ Knolle *f*, Zwiebel *f* (*e-r Pflanze*); **2.** Zwiebelgewächs *n*; **3.** (*Glas- etc.*)Balˈlon *m od.* Kolben *m*; Kugel *f* (*Thermometer*); **4.** ⚡ Glühbirne *f*, -lampe *f*; **II.** *v/i.* **5.** rundlich anschwellen; Knollen bilden; **bulbed** [-bd] *adj.* knollenförmig; ˈ**bulb·ous** [-bəs] *adj.* knollig, Knollen...: ~ *nose*.
bul·bul [ˈbulbul] *s. orn.* ˈBülbül *m* (*persische Nachtigall od. Singdrossel*).
Bul·gar [ˈbʌlɡɑː] *s.* Bulˈgare *m*, Bulˈgarin *f*; **Bul·gar·i·an** [bʌlˈɡɛəriən] **I.** *adj.* bulˈgarisch; **II.** *s.* → *Bulgar*.
bulge [bʌldʒ] **I.** *s.* **1.** (Aus)Bauchung *f*, (*a.* ⚔ Front)Ausbuchtung *f*; Anschwellung *f*, Beule *f*; Vorsprung *m*, Buckel *m*; Rundung *f*, Bauch *m*, Wulst *m*: *Battle of the* ♀ Ardennenschlacht (*1944*); **2.** ⚓ → *bilge*; **3.** Anschwellen *n*, Zunahme *f*; **4.** *a.* ~ *age-group* geburtenstarker Jahrgang; **5.** *sl.* Vorteil *m*: *to have a* ~ *on s.o.* j-m gegenüber im Vorteil sein; **II.** *v/i.* **6.** sich (aus)bauchen, herˈvortreten, -ragen, -quellen, sich blähen *od.* bauschen; ˈ**bulg·ing** [-dʒiŋ] *adj.* (zum Bersten) voll (*with* von): *a* ~ *larder*.
bulk [bʌlk] **I.** *s.* **1.** ˈUmfang *m*, Größe *f*, Masse *f*; **2.** große *od.* massige Gestalt; ˈKörperˌumfang *m*, -fülle *f*; **3.** Hauptteil *m*, -masse *f*, Großteil *m*; **4.** unverpackte Schiffsladung: *in* ~ **a)** unverpackt, lose, **b)** im ganzen, in Bausch u. Bogen; *to break* ~ ⚓ zu löschen anfangen; ~ *cargo*, ~ *goods* ✝ Schütt-, Sturzgut, Massengüter; **II.** *v/i.* **5.** ˈumfangreich *od.* sperrig sein; **6.** *fig.* wichtig sein: *to* ~ *large* e-e große Rolle spielen; **III.** *v/t.* **7.** *bsd. Am.* aufstapeln; ˈ~**head** *s.* ⚓ Schott *n* (*Trennwand im Schiff*); ✈ Spant *m*.
bulk·y [ˈbʌlki] *adj.* **1.** (sehr) ˈumfangreich, massig; **2.** sperrig: ~ *goods* ✝ Sperrgut.
bull[1] [bul] **I.** *s.* **1.** *zo.* Bulle *m*, Stier *m*: *like a* ~ *in a china shop* wie ein Elefant im Porzellanladen; *to take the* ~ *by the horns* den Stier bei den Hörnern packen; **2.** *zo.* (*Elefanten-, Elch, Wal- etc.*)Bulle *m*; **3.** ✝ Haussiˈer *m*, ˈHaussespekuˌlant *m*: ~ *market* Haussemarkt; **4.** *Am. sl.* ‚Bulle' *m* (*Polizist*); **5.** *ast.* Stier *m*; **6.** → *bull's-eye 3 u. 4*; **II.** *v/t.* **7.** ✝ Preise in die Höhe treiben für *et.*; **III.** *v/i.* **8.** ✝ auf Hausse spekulieren; **IV.** *adj.* **9.** männlich; **10.** ✝ steigend.
bull[2] [bul] *s.* (päpstliche) Bulle.
bull[3] [bul] *s. sl. a. Irish* ~ **1.** ungereimtes Zeug, ˈwidersprüchliche Behauptung; **2.** (gesellschaftliche) Entgleisung.
ˈ**bull|-bait·ing** *s.* Stierhetze *f*; ˈ~**-dog I.** *s.* **1.** *zo.* Bulldogge *f*; **2.** *Brit. univ.* Begleiter *m* des ˈProctors; **3.** *e-e* Piˈstole *f*; **II.** *adj.* **4.** mutig, zäh, hartnäckig; ˈ~**-doze** *v/t. sl.* ‚überˈfahren', einschüchtern, terrorisieren; zwingen (*into* zu); ˈ~**-doz·er** [-douzə] *s.* ⊕ Großräumpflug *m*, Planierraupe *f*.
bul·let [ˈbulit] *s.* (Gewehr- *etc.*) Kugel *f*, Geschoß *n*; ˈ~**-head** *s.* **1.** Rundkopf *m*; **2.** *Am.* F Dickkopf *m*.
bul·le·tin [ˈbulitin] *s.* **1.** Bulleˈtin *n*: **a)** Tagesbericht *m* (*a.* ⚔), **b)** Krankenbericht *m*: ~ *board Am.* schwarzes Brett (*für Anschläge*); **2.** *kleines* Nachrichtenblatt.
ˈ**bul·let-proof** *adj.* kugelsicher.
ˈ**bull|·fight** *s.* Stierkampf *m*; ˈ~**-fight·er** *s.* Stierkämpfer *m*; ˈ~**-finch** *s.* **1.** *orn.* Dompfaff *m*; **2.** hohe Hecke, Grenzhecke *f*; ˈ~**-frog** *s. zo.* Ochsenfrosch *m*; ˈ~**-ˈhead·ed** *adj.* starrköpfig.
bul·lion [ˈbuljən] *s.* **1.** ungemünztes Gold *od.* Silber; **2.** Gold *n od.* Silber *n* in Barren; **3.** Gold-, Silberlitze *f*, -schnur *f*, -troddel *f*.
bull·ish [ˈbuliʃ] *adj.* **1.** dickköpfig; **2.** ✝ steigend (*Preise, Kurse*).

bull neck *s.* Stiernacken *m* (*a. fig.*).
bull·ock ['bulək] *s. zo.* Ochse *m.*
bull| pen *s. Am.* **1.** *sl.* Ba'racke *f* für Holzfäller; **2.** *sl.* ‚Kittchen' *n*, Gefängnis *n*; **3.** *Baseball*: Übungsplatz *m* für Re'servewerfer; **'~-punch·er** *s. Austral.* Ochsentreiber *m*; **'~·ring** *s.* 'Stierkampfa,rena *f.*
bull's-eye ['bulzai] *s.* **1.** ⚓, △ Bullauge *n*, rundes Fensterchen; **2.** *a.* ~ *pane* Ochsenauge *n*, Butzenscheibe *f*; **3.** Zentrum *n od. das* Schwarze (*Zielscheibe*); **4.** Schuß *m* ins Schwarze (*a. fig.*); **5.** 'Blendla,terne *f*; **6.** schwarzweißer 'Pfefferminzbon,bon.
'bull-ter·ri·er *s. zo.* 'Bull,terrier *m.*
bul·ly[1] ['buli] *s. a.* ~ *beef* Rinderpökelfleisch *n* (in Büchsen).
bul·ly[2] ['buli] **I.** *s.* **1.** bru'taler Kerl, Maulheld *m*, Ty'rann *m*; **2.** Zuhälter *m*; **3.** *Brit. sport* Handgemenge *n* beim Rugby; **II.** *v/t.* **4.** tyrannisieren, schikanieren, einschüchtern, piesacken; **III.** *adj.* **5.** *Am.* F ‚prima' (*a. int.*); **IV.** *int.* **6.** *Am.* F bravo!
bul·ly| beef → *bully*[1]; **'~·rag** → *ballyrag.*
bul·rush ['bulrʌʃ] *s.* ⚘ *große* Binse.
bul·wark ['bulwək] *s.* **1.** Bollwerk *n*, Wall *m* (*beide a. fig.*); **2.** ⚓ Schanzkleid *n.*
bum [bʌm] **I.** *s.* **1.** F Hintern *m*; **2.** *Am. sl.* ‚Stromer' *m*, Faulpelz *m*, Schnorrer *m*: *to go on the* ~ **a)** trampen, **b)** kaputtgehen; **3.** *Brit.* → *bum-bailiff*; **II.** *v/i.* **4.** *Am. sl.* her'umlungern; **5.** *Am. sl.* schnorren; **III.** *adj.* **6.** *Am. sl.* schlecht, wertlos; **~-'bail·iff** *s. Brit.* Gerichtsdiener *m.*
bum·ble-bee ['bʌmblbi:] *s. zo.* Hummel *f.*
bum·ble·dom ['bʌmbldəm] *s.* Wichtigtue'rei *f* der kleinen Beamten.
'bum-boat *s.* ⚓ Provi'antboot *n.*
bumf [bʌmf] *s. Brit. sl.* **1.** *coll. contp.* ‚Pa'pierkram' *m* (*Akten, Formulare etc.*); **2.** ‚'Klopa,pier' *n*, Toi'lettenpa,pier *n.*
bum·mer ['bʌmə] *s. Am. sl.* ‚Stromer' *m*, ‚Penner' *m*, Faulpelz *m.*
bump [bʌmp] **I.** *v/t.* **1.** (heftig) stoßen, (an)prallen: *to* ~ *one's head* sich den Kopf anstoßen; *I* ~*ed my head against* (*od. on*) *the door* ich stieß *od.* rannte mit dem Kopf gegen die Tür; *to* ~ *a car* auf ein Auto auffahren; **2.** *Rudern*: *Boot* über'holen u. anstoßen; **3.** ~ *off sl.* ‚'umlegen', ‚kaltmachen'; **II.** *v/i.* **4.** (*against, into*) stoßen, prallen, bumsen (gegen), zs.-stoßen (mit); **5.** rütteln, holpern (*Wagen*); **III.** *s.* **6.** heftiger Stoß, Bums *m*; **7.** ⚕ Beule *f*, Höcker *m*; **8.** holperige Stelle (*Straße*); **9.** Sinn *m* (*für et.*): ~ *of locality* Ortssinn; **10.** ✈ (Steig-)Bö *f*; **IV.** *adv.* **11.** bums!
bump·er ['bʌmpə] *s.* **1.** volles Glas (*Wein etc.*); **2.** F *et.* Riesiges: ~ *crop* Rekordernte; ~ *house thea.* volles Haus; **3.** 🚂 *Am.* Puffer *m*; **4.** *mot.* Stoßstange *f.*
bump·kin ['bʌmpkin] *s.* Bauernlümmel *m.*
bump·tious ['bʌmpʃəs] *adj.* □ aufgeblasen, anmaßend, dünkelhaft.
bump·y ['bʌmpi] *adj.* **1.** holperig, uneben; **2.** ✈ ‚bockig', böig.
bun[1] [bʌn] *s.* **1.** Kuchen-, Ko'rinthenbrötchen *n*: *to take the* ~ *Brit. sl.* den Vogel abschießen; **2.** Haarknoten *m.*
bun[2] [bʌn] *s. Brit.* Ka'ninchen *n.*
bu·na ['bu:nə] *s.* 'Buna *m, n* (*synthetischer Kautschuk*).
bunch [bʌntʃ] **I.** *s.* **1.** Bündel *n*, Bund *n*, Büschel *n*: ~ *of flowers* Blumenstrauß; ~ *of grapes* Weintraube; ~ *of keys* Schlüsselbund; **2.** F Anzahl *f*, Gruppe *f*, Haufen *m*: *the best of the* ~ der Beste von allen; **II.** *v/t.* **3.** bündeln (*a.* ⚡), zs.-fassen, -binden; falten: ~*ed circuit* ⚡ Leitungsbündel; **III.** *v/i.* **4.** sich zs.-legen, -schließen; **5.** sich bauschen; **'bunch·y** [-tʃi] *adj.* büschelig, bauschig, in Bündeln.
bun·co ['bʌŋkou] *v/t. Am. sl.* beschwindeln (*bsd. beim Kartenspiel*).
bun·combe → *bunkum.*
bund [bʌnd] *s.* Uferstraße *f* (*in China, Japan*).
bun·dle ['bʌndl] **I.** *s.* **1.** Bündel *n*, Bund *n*; Pa'ket *n*; Ballen *m*; **2.** *fig.* Menge *f*, Haufen *m*; **II.** *v/t.* **3.** in Bündel zs.-binden, -packen; **4.** *mst* ~ *off* (*od. out*) *j-n* abschieben, (eilig) fortschaffen: *he was* ~*d into a taxi* er wurde in ein Taxi verfrachtet *od.* gepackt; **III.** *v/i.* **5.** ~ *off* (*od. out*) sich packen *od.* da'vonmachen.
bung [bʌŋ] **I.** *s.* **1.** Spund(zapfen) *m*, Stöpsel *m*; **2.** ⚔ Mündungspfropfen *m* (*Geschütz*); **II.** *v/t.* **3.** verspunden, verstopfen; zupfropfen; **4.** *sl.* werfen, schleudern; **5.** ~ *up Röhre, Öffnung* verstopfen (*mst pass.*): ~*ed-up* **a)** verstopft, **b)** verschwollen (*Augen*); **III.** *adv.* **6.** *sl.* völlig.
bun·ga·low ['bʌŋgəlou] *s.* 'Bungalow *m.*
'bung-hole *s.* Spund-, Zapfloch *n.*
bun·gle ['bʌŋgl] **I.** *v/i.* **1.** stümpern, pfuschen; **II.** *v/t.* **2.** verpfuschen; **III.** *s.* **3.** Stümpe'rei *f*; **4.** Fehler *m*, ‚Schnitzer' *m*; **'bun·gler** [-lə] *s.* Stümper *m*, Pfuscher *m*; **'bun·gling** [-liŋ] *adj.* □ ungeschickt, stümperhaft.
bun·ion ['bʌnjən] *s.* ⚕ entzündeter Fußballen.
bunk[1] [bʌŋk] **I.** *s.* ⚓ (Schlaf)Koje *f*; *weitS.* Schlafstelle *f*, Bett *n*, ‚Falle' *f*: ~ *bed* Etagenbett; **II.** *v/i.* in e-r Koje schlafen; F ‚sich aufs Ohr legen' (*zu Bett gehen*).
bunk[2] [bʌŋk] *abbr. für bunkum.*
bunk[3] [bʌŋk] *Brit. sl.* **I.** *s.*: *to do a* ~ ‚abhauen', ‚verduften'; **II.** *v/i.* ‚ausreißen', ‚türmen'.
bunk·er ['bʌŋkə] *s.* **1.** ⚓ (Kohlen-)Bunker *m*; **2.** ⚔ Bunker *m*, bombensicherer 'Unterstand; **3.** *Golf*: Bunker *m* (*Hindernis*); **'bunk·ered** [-əd] *adj.* F in der Klemme.
'bunk·house *s. Am.* 'Arbeiterba,racke *f.*
bun·kum ['bʌŋkəm] *s.* ‚Blech' *n*, Blödsinn *m*, Quatsch *m*, Gewäsch *n.*
bun·ny ['bʌni] *s. Kosename für* Ka'ninchen *n*; *Am. a.* Eichhörnchen *n.*
Bun·sen burn·er ['bunsn] *s.* Bunsenbrenner *m.*
bun·ting[1] ['bʌntiŋ] *s.* **1.** Flaggentuch *n*; **2.** *coll.* Flaggen *pl.*
bun·ting[2] ['bʌntiŋ] *s. orn.* Ammer *f.*
buoy [bɔi] **I.** *s.* **1.** ⚓ Boje *f*, Bake *f*, Seezeichen *n*: *whistling* ~ Heulboje, -tonne; **II.** *v/t.* **2.** *a.* ~ *out Fahrrinne* durch Bojen bezeichnen; **3.** *mst* ~ *up* flott erhalten; **4.** *fig.* Auftrieb geben (*dat.*), aufrechterhalten, beleben: ~*ed up* hoffnungsvoll; **buoy·an·cy** ['bɔiənsi] *s.* **1.** *phys.* Schwimm-, Tragkraft *f*; **2.** ✈ Auftrieb *m* (*a. fig.*); **3.** *fig.* Schwung *m*, Spann-, Lebenskraft *f*; **buoy·ant** ['bɔiənt] *adj.* □ **1.** schwimmend, tragend (*Wasser etc.*); **2.** *fig.* schwungvoll, lebhaft, heiter; **3.** † steigend; lebhaft.
bur [bə:] *s.* ⚘ Klette *f* (*a. fig.*): *to cling like a* ~ *fig.* wie e-e Klette anhängen.
Bur·ber·ry ['bə:bəri] *s.* wasserdichter Stoff *od.* Mantel (*Name der Hersteller*).
bur·ble ['bə:bl] **I.** *v/i.* **1.** brodeln, sprudeln; **2.** plappern; **II.** *s.* **3.** ⊕, ✈ Wirbel *m.*
bur·bot ['bə:bət] *s. ichth.* Quappe *f.*
bur·den[1] ['bə:dn] *s.* **1.** Re'frain *m*, Kehrreim *m*; **2.** Hauptgedanke *m*, Kern *m.*
bur·den[2] ['bə:dn] **I.** *s.* **1.** Last *f*, Ladung *f*; **2.** *fig.* Last *f*, Bürde *f*, (finanzi'elle) Belastung, Druck *m*: ~ *of proof* ⚖ Beweislast; ~ *of years* Last der Jahre; *he is a* ~ *on me* er fällt mir zur Last; **3.** ⊕ Traglast *f*; **4.** ⚓ Tragfähigkeit *f*; Ladung *f*; **II.** *v/t.* **5.** belasten: *to* ~ *s.o. with s.th.* j-m et. aufbürden; **'bur·den·some** [-səm] *adj.* lästig, drückend.
bur·dock ['bə:dɔk] *s.* ⚘ Große Klette.
bu·reau [bjuə'rou] *pl.* **-reaus, -reaux** [-'rouz] *s.* **1.** Bü'ro *n*; Geschäfts-, Amtszimmer *n*; **2.** Behörde *f*; **3.** *Brit.* Schreibpult *n*; **4.** *Am.* ('Spiegel)Kom,mode *f*; **bu·reauc·ra·cy** [bjuə'rɔkrəsi] *s.* **1.** Bürokra'tie *f*; **2.** *coll.* Beamtenschaft *f*; **bu·reau·crat** ['bjuərouкræt] *s.* Büro'krat *m*; **bu·reau·crat·ic** [bjuərou'krætik] *adj.* (□ ~*ally*) büro'kratisch.
bu·rette [bjuə'ret] *s.* ⚗ Bü'rette *f*, Meßröhre *f.*
burg [bə:g] *s. Am.* F Stadt *f.*
bur·gee ['bə:dʒi:] *s.* ⚓ Doppelstander *m.*
bur·geon ['bə:dʒən] **I.** *s.* ⚘ Knospe *f*; **II.** *v/i.* knospen, sprießen (*a. fig.*).
bur·gess ['bə:dʒis] *s. Brit.* **1.** (wahlberechtigter) Bürger; **2.** *hist.* Abgeordnete(r) *m.*
burgh ['bʌrə] *s. Scot.* Stadt *f* (= *Brit. borough*); **burgh·er** ['bə:gə] *s.* Bürger *m* (*nicht für brit. od. USA-Bürger gebraucht*).
bur·glar ['bə:glə] *s.* (nächtlicher) Einbrecher: *we had* ~*s last night* bei uns wurde letzte Nacht eingebrochen; ~ **a·larm** *s.* A'larmglocke *f* (*als Sicherung gegen Einbruch*).
bur·glar·i·ous [bə'glɛəriəs] *adj.* □ Einbruchs..., einbrecherisch; **bur·glar·ize** ['bə:gləraiz] *v/t.* einbrechen in (*acc.*).
'bur·glar-proof *adj.* einbruchsicher.
bur·gla·ry ['bə:gləri] *s.* (nächtlicher) Einbruch; Einbruchdiebstahl *m*; **bur·gle** ['bə:gl] → *burglarize.*
bur·go·mas·ter ['bə:gəmɑ:stə] *s.*

Bürgermeister *m* (*in Deutschland u. Holland*).
bur·gun·dy ['bɜːgəndi] *s.* Bur'gunder *m* (*Wein*).
bur·i·al ['beriəl] *s.* **1.** Begräbnis *n*, Beerdigung *f*; **2.** Leichenfeier *f*; **3.** Ein-, Vergraben *n*; '**~-ground** *s.* Begräbnisplatz *m*, Friedhof *m*; '**~-mound** *s.* Grabhügel *m*; '**~-place** *s.* Grabstätte *f*; '**~-serv·ice** *s.* Trauerfeier *f*.
burke [bɜːk] *v/t. fig. et.* unter'drücken, vertuschen.
bur·lap ['bɜːlæp] *s.* Sackleinwand *f*, Rupfen *m*.
bur·lesque [bɜː'lesk] **I.** *adj.* **1.** bur'lesk, possenhaft; **II.** *s.* **2.** Bur'leske *f*, Posse *f*; **3.** *Am.* Varie'té *n*.
bur·ly ['bɜːli] *adj.* dick, stämmig.
Bur·man ['bɜːmən] *s.* Bir'mane *m*, Bir'manin *f*; **Bur·mese** [bɜː'miːz] **I.** *adj.* bir'manisch; **II.** *s.* **a)** → *Burman*, **b)** Bir'manen *pl.*
burn[1] [bɜːn] **I.** *s.* **1.** verbrannte Stelle; **2.** Brandwunde *f*, -mal *n*; **II.** *v/i.* [*irr.*] **3.** (ver)brennen, in Flammen stehen, in Brand geraten: *the house is ~ing* das Haus brennt; *the stove ~s well* der Ofen brennt gut; *all the lights were ~ing* alle Lichter brannten; **4.** *fig.* (ent)brennen, dar'auf brennen (*to inf.* zu *inf.*): *~ing with anger* wutentbrannt; *~ing with love* von Liebe entflammt; **5.** an-, verbrennen, versengen: *the meat is ~t* das Fleisch ist angebrannt; **6.** brennen, Hitze fühlen: *his face ~t in the wind* sein Gesicht brannte von dem Wind; **7.** verbrannt werden, in den Flammen 'umkommen; → *9*; **III.** *v/t.* [*irr.*] **8.** (ver)brennen: *our boiler ~s coke*; *his house was ~t* sein Haus brannte ab; **9.** ver-, anbrennen, versengen, durch Feuer *od.* Hitze verletzen: *to ~ a hole* ein Loch brennen; *the soup is ~t* die Suppe ist angebrannt; *I have ~t my fingers* ich habe mir die Finger verbrannt (*a. fig.*); *to ~ to death* verbrennen; → *7*; **10.** ⊕ *Porzellan*, (*Holz*)*Kohle*, *Ziegel* brennen; **~ down** *v/t. u. v/i.* ab-, niederbrennen; **~ out I.** *v/i.* ausbrennen; ⚡ 'durchbrennen; **II.** *v/t.* ausbrennen, -räuchern; **~ up I.** *v/t.* **1.** ganz verbrennen; **2.** *Am. sl.* wütend machen; **II.** *v/i.* **3.** stark brennen; ab-, aus-, verbrennen; **4.** *Raumfahrt*: verglühen (*Rakete etc.*); **5.** *Am. sl.* wütend werden.
burn[2] [bɜːn] *s. Scot.* Bach *m*.
burn·er ['bɜːnə] *s.* Brenner *m* (*Person u. Gerät*): *gas-~*.
burn·ing ['bɜːniŋ] *adj.* brennend, heiß, glühend (*a. fig.*): *a ~ question* e-e brennende Frage; *it is a ~ shame* es ist e-e Sünde u. Schande; '**~-glass** *s.* Brennglas *n*.
bur·nish ['bɜːniʃ] **I.** *v/t.* **1.** polieren, blank machen; **2.** ⊕ brünieren; **II.** *v/i.* **3.** blank *od.* glatt werden; '**bur·nish·er** [-ʃə] *s.* **1.** Polierer *m*, Brünierer *m*; **2.** ⊕ Polierstahl *m*.
bur·nouse [bɜː'nuːz] *s.* 'Burnus *m* (*arabischer Mantel mit Kapuze*).
burnt [bɜːnt] **I.** *pret. u. p.p. von burn*[1] *II u. III*; **II.** *adj.* ge-, verbrannt; **~ al·monds** *s. pl.* gebrannte Mandeln *pl.*; **~ gas** *s. mot.* Auspuffgas *n*; **~ lime** *s.* ⊕ gebrannter Kalk; **~ of·fer·ing** *s. bibl.* Brandopfer *n*.
burp [bɜːp] **I.** rülpsen, aufstoßen, ein ‚Bäuerchen' machen (*Baby*); **II.** *v/t. Baby* ein ‚Bäuerchen' machen lassen.
burr[1] [bɜː] *s.* **1.** ⊕ Grat *m* (*rauhe Kante*); **2.** ⊕ Schleif-, Mühlstein *m*; **3.** ⚕ (Zahn)Bohrer *m*.
burr[2] [bɜː] **I.** *s.* **1.** Zäpfchenaussprache *f* des R; **II.** *v/t. u. v/i.* **2.** das R schnarren; **3.** undeutlich sprechen.
burr[3] [bɜː] → *bur*.
'**burr-drill** *s.* ⊕, ⚕ Drillbohrer *m*.
bur·row ['bʌrou] **I.** *s.* **1.** (*Fuchs- etc.*) Bau *m*, Höhle *f*; **II.** *v/i.* **2.** sich eingraben; **3.** *fig.* sich verkriechen *od.* verbergen; sich vertiefen (*into* in *acc.*); **III.** *v/t.* **4.** *Bau* graben.
bur·sar ['bɜːsə] *s. univ.* **1.** Schatzmeister *m*, 'Quästor *m*; **2.** *Scot.* Stipendi'at *m*; '**bur·sa·ry** [-əri] *s. univ.* **1.** Schatzamt *n*, Quä'stur *f*; **2.** *Scot.* Sti'pendium *n*.
bur·si·tis [bɜː'saitis] *s.* ⚕ Schleimbeutelentzündung *f*.
burst [bɜːst] **I.** *v/i.* [*irr.*] **1.** bersten, (zer)platzen, (auf-, zer)springen; explodieren; sich entladen (*Gewitter*); aufspringen (*Knospe*); aufgehen (*Geschwür*): *to ~ open* aufplatzen; **2.** her'einstürmen: *to ~ into the room* ins Zimmer stürzen; **3.** *fig.* ausbrechen, her'ausplatzen: *to ~ into tears* in Tränen ausbrechen; *to ~ into laughter od. to ~ out laughing* in Gelächter ausbrechen; **4.** platzen, bersten; gespannt sein, brennen: *to ~ with envy* vor Neid platzen; *I am ~ing to tell you* ich brenne darauf, es dir zu sagen; **5.** zum Bersten voll sein (*with* von): *a larder ~ing with food*; *to ~ with health* (*energy*) vor Gesundheit (Kraft) strotzen; **6.** *a. ~ up* zs.-brechen, bank'rott gehen; **7.** plötzlich sichtbar werden: *to ~ into view*; *to ~ forth* hervorbrechen, -sprudeln; *to ~ upon s.o.* j-m plötzlich klarwerden; **II.** *v/t.* [*irr.*] **8.** sprengen, auf-, zerbrechen, zum Platzen bringen (*a. fig.*): *to ~ open* sprengen, aufbrechen; *I have ~ a blood-vessel* mir ist e-e Ader geplatzt; *the river ~ its banks* **a)** der Fluß trat über die Ufer, **b)** der Fluß durchbrach die Dämme; *the car ~ a tyre* ein Reifen am Wagen platzte; *to ~ one's sides with laughter* sich vor Lachen ausschütten; **9.** *fig.* zum Scheitern bringen, auffliegen lassen, ruinieren; **III.** *s.* **10.** Bersten *n*, Platzen *n*, Explosi'on *f*; ⚔ Feuerstoß *m* (*Maschinengewehr*); Auffliegen *n*, Ausbruch *m*: *~ of laughter* Lachsalve; *~ of applause* Beifallssturm; **11.** Bruch *m*, Riß *m*, Sprung *m* (*a. fig.*); **12.** plötzliches Erscheinen; **13.** *sport* Spurt *m*; **14.** *sl.* Saufe'rei *f*.
'**burst-up** *s. sl.* **1.** Bank'rott *m*, Zs.-bruch *m*, Ru'in *m*; **2.** Krach *m*; **3.** 'Saufpar,tie *f*, Bummel *m*.
bur·then ['bɜːðən] *s. obs. für burden.*
bur·y ['beri] *v/t.* **1.** begraben, beerdigen; **2.** ein-, vergraben, verschütten, versenken (*a. fig.*): *buried cable* ⊕ Erdkabel; **3.** verbergen; **4.** *fig.* begraben, vergessen; **5.** *~ o.s.* sich verkriechen; *fig.* sich vertiefen.
bus [bʌs] **I.** *pl.* '**bus·es** [-siz] *s.* **1.** 'Omnibus *m*, ('Auto)Bus *m*: *to miss the ~* F den Anschluß (*Gelegenheit*) verpassen; **2.** *sl.* ‚Kiste' *f*: **a)** 'Auto *n*, **b)** Flugzeug *n*; **II.** *v/i.* **3.** *a. ~ it* mit dem Omnibus fahren; '**~-bar** *s.* ⚡ Sammel-, Stromschiene *f*; **~ boy** *s. Am.* Kellnerlehrling *m*, 'Pikkolo *m*.
bus·by ['bʌzbi] *s.* ⚔ Bärenmütze *f*.
bush[1] [buʃ] *s.* **1.** Busch *m*, Strauch *m*: *to beat about the ~ fig.* wie die Katze um den heißen Brei herumgehen, um die Sache herumreden; **2.** Gebüsch *n*, Dickicht *n*; **3.** Busch *m*, Urwald *m*; **4.** (Haar)Schopf *m*.
bush[2] [buʃ] *s.* ⊕ Lagerfutter *n*.
bush·el[1] ['buʃl] *s.* Scheffel *m* (*36,37 l*); → *light*[1] *1 d*.
bush·el[2] ['buʃl] *v/t. Am. Kleidung* ausbessern, flicken, ändern.
'**bush|-fight·er** *s.* Gue'rillakämpfer *m*; **~ league** *s. sport Am. sl.* kleinerer Baseball-Verband; '**~·man** [-mən] *s.* [*irr.*] **1.** Buschmann *m*; **2.** 'Hinterwäldler *m*; '**~-rang·er** *s.* Buschklepper *m*, Strauchdieb *m*; '**~·whack·er** *s. Am.* **1.** Buschmesser *n*; **2.** → *bush-fighter*; **3.** → *bushman 2*.
bush·y ['buʃi] *adj.* buschig.
busi·ness ['biznis] *s.* **1.** Geschäft *n*, Tätigkeit *f*, Arbeit *f*, Beruf *m*, Gewerbe *n*: *what is his ~?* was ist er von Beruf?; → *a. 5*; *on ~* beruflich, geschäftlich; *~ of the day* Tagesordnung; **2. a)** Handel *m*, Kaufmannsberuf *m*, Geschäftsleben *n*, **b)** Ge'schäftsvo,lumen *n*, 'Umsatz *m*: *to go into ~* Kaufmann werden; *to be in ~* Kaufmann sein; *to go out of ~* das Geschäft *od.* den Beruf aufgeben; *to do good ~* (*with*) gute Geschäfte machen (mit); *~ hours* Geschäftszeit; → *big 1*; **3.** Geschäft *n*, Firma *f*; Laden *m*, Ge'schäftslo,kal *n*; **4.** Aufgabe *f*, Pflicht *f*; Recht *n*: *to make it one's ~* (*to inf.*) es sich zur Aufgabe machen (zu *inf.*); *to have no ~* (*to inf.*) kein Recht haben (zu *inf.*); *what ~ had you* (*to inf.*)? wie kamst du dazu (zu *inf.*)?; *to send s.o. about his ~* j-m heimleuchten; *he means ~* er meint es ernst; **5.** Sache *f*, Angelegenheit *f*: *that is none of your ~* das geht dich nichts an; *mind your own ~* kümmere dich um d-e eigenen Angelegenheiten; *what is your ~?* was ist dein Anliegen?; → *a. 1*; *what a ~ it is!* das ist ja e-e schreckliche Geschichte!; *I am sick of the whole ~* die Sache hängt mir zum Hals heraus; *to get down to ~* zur Sache kommen; **6.** F ‚Geschäft' *n*: *to do one's little ~* sein kleines Geschäft machen; **~ ad·dress** *s.* Ge'schäftsa,dresse *f*; **~ cap·i·tal** *s.* Be'triebskapi,tal *n*; **~ card** *s.* Geschäftskarte *f*; **~ college** *s. Am.* Handelsschule *f*; **~ end** *s.* F wesentlicher Teil, *z.B.* Spitze *f e-s Bohrers od. Dolches*, Mündung *f e-s Gewehres*; **~ let·ter** *s.* Geschäftsbrief *m*; '**~-like** *adj.* **1.** geschäftsmäßig, sachlich, nüchtern; **2.** (geschäfts)tüchtig; **~ lunch** *s.* Arbeitsessen *n*; **~ man** *s.* [*irr.*] Geschäfts-, Kaufmann *m*; **~ prac-**

tic·es *s. pl.* Geschäftsgebaren *n*; ~ **prem·is·es** *s. pl.* Geschäftsräume *pl.*; ~ **re·la·tions** *s. pl.* Geschäftsbeziehungen *pl.*, -verbindungen *pl.*; ~ **re·search** *s.* Konjunk'turforschung *f*; ~ **suit** *Am.* → *lounge suit*; ~ **trip** *s.* Geschäfts-, Dienstreise *f*; ~ **wom·an** *s.* [*irr.*] Geschäftsfrau *f*, berufstätige Frau; ~ **year** *s.* Geschäftsjahr *n*.

busk [bʌsk] *s.* Kor'settstäbchen *n*.

busk·er ['bʌskə] *s. sl.* **1.** 'Straßenmusi,kant *m*; **2.** 'Schmierenkomödi,ant *m*.

bus·kin ['bʌskin] *s.* **1.** Halbstiefel *m*; **2.** Ko'thurn *m*; **3.** *fig.* Tra'gödie *f*.

'bus·man [-mən] *s.* [*irr.*] 'Omnibusfahrer *m*: ~*'s holiday* mit der üblichen Berufsarbeit verbrachter Urlaub.

buss [bʌs] *s. obs.* Kuß *m*.

bus stop *s.* Bushaltestelle *f*.

bust¹ [bʌst] *s.* Büste *f*: **a)** Brustbild *n* (*aus Marmor, Bronze etc.*), **b)** *anat.* Busen *m*.

bust² [bʌst] *sl.* **I.** *v/i.* **1.** *oft* ~ *up* ,ka'puttgehen', ,eingehen' (*a.* ✝ *bankrott gehen*); **II.** *v/t.* **2.** ,ka'puttmachen': **a)** sprengen, **b)** ruinieren; **3.** ⚔ degradieren; **III.** *s.* **4.** Sauftour *f*: *to go on the* ~ e-e Sauftour machen; **IV.** *adv.* **5.** *to go* ~ → *1.*

bus·tard ['bʌstəd] *s. orn.* Trappe *f*.

bust·er ['bʌstə] *s.* **1.** *sl.* ,Mordsding' *n*, ,-kerl' *m*; **2.** (Zer)Sprenger *m* (*a. fig.*): *safe* ~ Geldschrankknacker; **3.** *Am. sl.* Ra'daubruder *m*; **4.** *sl.* ,Besäufnis' *n* (*Trinkgelage*).

bus·tle¹ ['bʌsl] *s.* Tur'nüre *f* (*Gesäßpolster im Kleid*).

bus·tle² ['bʌsl] **I.** *v/i. a.* ~ *about* Betrieb machen, geschäftig tun, ,her'umfuhrwerken', hasten, sich tummeln; **II.** *v/t.* ~ *up* hetzen; **III.** *s.* Geschäftigkeit *f*, geschäftiges Treiben, Getriebe *n*; Hast *f*; Getue *n*; **bus·tler** ['bʌslə] *s.* (geschäftiger) Wichtigtuer; **bus·tling** ['bʌsliŋ] *adj.* ('über)eifrig; rührig, geschäftig (*a. Stadt etc.*).

'bust-up *sl.* → *burst-up*.

bus·y ['bizi] **I.** *adj.* □ **1.** beschäftigt, tätig: *to be* ~ *packing* mit Packen beschäftigt sein; **2.** geschäftig, rührig, fleißig: *as* ~ *as a bee* bienenfleißig; **3.** belebt (*Straße etc.*); ereignis-, arbeitsreich (*Zeit*); **4.** auf-, zudringlich; **5.** *teleph.* besetzt (*Leitung*); **II.** *v/t.* **6.** (*o.s.* sich) beschäftigen (*with, in, at, about ger.* mit); **'~-bod·y** *s.* ,Gschaftlhuber' *m*, 'Übereifrige(r) *m*, Wichtigtuer *m*.

bus·y·ness ['bizinis] *s.* Geschäftigkeit *f*, Beschäftigtsein *n*.

but [bʌt; bət] **I.** *cj.* **1.** aber, je'doch, sondern: *small* ~ *select* klein, aber fein; *I wished to go* ~ *I couldn't* ich wollte gehen, aber ich konnte nicht; *not only ...* ~ *also* nicht nur ..., sondern auch; **2.** außer, als: *what could I do* ~ *refuse* was blieb mir übrig, als abzulehnen; *he cannot* ~ *laugh* er kann nicht umhin, zu lachen; **3.** ohne daß: *justice was never done* ~ *someone complained*; **4.** ~ *that* **a)** wenn nicht: *I would do it* ~ *that I am busy*, **b)** daß: *you cannot deny* ~ *that it was you*, **c)** daß nicht: *I am not so stupid* ~ *that I can learn it* ich bin nicht so dumm, daß ich es nicht lernen könnte; **5.** ~ *then* andererseits, immer'hin; **6.** ~ *yet*, ~ *for all that* (aber) trotzdem; **II.** *prp.* **7.** außer: ~ *that* außer daß; *all* ~ *me* alle außer mir; → *13*; *anything* ~ *clever* alles andere als klug; *the last* ~ *one* der vorletzte; *the last* ~ *two* der drittletzte; **8.** ~ *for* ohne, wenn nicht: ~ *for the war* ohne den Krieg, wenn der Krieg nicht (gewesen *od.* gekommen) wäre; **III.** *adv.* **9.** nur, bloß: ~ *a child*; *I did* ~ *glance* ich blickte nur flüchtig hin; ~ *once* nur 'einmal; **10.** erst, gerade: *he left* ~ *an hour ago*; **11.** immerhin, wenigstens: *you can* ~ *try*; **12.** *nothing* ~, *none* ~ nur; **13.** *all* ~ fast: *he all* ~ *died* er wäre fast gestorben; → *7*; **IV.** *neg. rel. pron.* **14.** *few of them* ~ *rejoiced* es gab wenige, die sich nicht freuten; **V.** *s.* **15.** Aber *n*.

butch·er ['butʃə] **I.** *s.* **1.** Fleischer *m*, Schlächter *m*, Metzger *m*: ~*'s meat* Schlachtfleisch (*Ggs. Geflügel u. Fisch*); **2.** *fig.* Mörder *m*, Schlächter *m*, blutdürstiger Mensch; **3.** 🚂 *Am.* Verkäufer *m* in Zügen; **II.** *v/t.* **4.** schlachten; **5.** *fig.* morden, abschlachten; **'butch·er-bird** *s. orn.* Würger *m*; **'butch·er·ly** [-li] *adj.* blutdürstig; **'butch·er·y** [-əri] *s.* **1.** Schlächterhandwerk *n*; **2.** Schlachtbank *f*; **3.** *fig.* Metze'lei *f*, Gemetzel *n*.

but·ler ['bʌtlə] *s.* **1.** Butler *m*, erster Diener (*im Privathaushalt*); **2.** Kellermeister *m*.

butt [bʌt] **I.** *s.* **1.** (dickes) Ende (*bsd. Werkzeug*); **2.** (*Gewehr*)Kolben *m*; **3.** (*Zigaretten- etc.*)Stummel *m*; **4.** unteres Ende (*Baumstamm*); Baumstumpf *m*; Balkenende *n*; **5.** ⚔ Kugelfang *m*; *pl.* Schießstand *m*; **6.** Zielscheibe *f* (*a. fig. des Spottes etc.*); **7.** Stoß *m* (*mit Kopf od. Hörnern*); **8.** *fig.* (End)Ziel *n*; **II.** *v/t.* **9.** (*bsd.* mit dem Kopf) stoßen; **10.** ⊕ anein'anderfügen; **III.** *v/i.* **11.** rennen (*against* gegen), zs.-stoßen (*into* mit); **12.** ⊕ anein'anderstoßen; **13.** ~ *in(to) sl.* sich einmischen in (*acc.*); ~ **end** *s.* **1.** (Gewehr)Kolben *m*; **2.** dickes Endstück; Ende *n*.

but·ter ['bʌtə] **I.** *s.* **1.** Butter *f*: *melted* ~ zerlassene Butter; *he looks as if* ~ *would not melt in his mouth* er sieht aus, als könnte er nicht bis drei zählen; **2.** butterähnliche Masse: *cocoa* ~ Kakaobutter; *peanut* ~ Erdnußbutter; **3.** F ,Schmalz' *n*, Schmeiche'lei *f*; **II.** *v/t.* **4.** mit Butter bestreichen *od.* zubereiten; **5.** *a.* ~ *up* F *j-m* schmeicheln; **'~-bean** *s.* ⚘ Wachsbohne *f*; ~ **churn** *s.* Butterfaß *n* (*zum Buttern*); **'~-cup** *s.* ⚘ Butterblume *f*, Hahnenfuß *m*; **'~-dish** *s.* Butterdose *f*; **'~-fin·gers** *s. pl. sg. konstr.* F (manu'ell) ungeschickte Per'son, Tapps *m*.

but·ter·fly ['bʌtəflai] *s. zo.* Schmetterling *m* (*a. fig. flatterhafter Mensch*); **'~-nut** *s.* ⊕ Flügelmutter *f*; ~ **stroke** *s. Schwimmen*: Schmetterlingsstil *m*; ~ **valve** *s.* ⊕ Drosselklappe *f*.

but·ter·ine ['bʌtəri:n] *s.* Kunstbutter *f*, Marga'rine *f*.

'but·ter|·milk *s.* Buttermilch *f*; ~ **mus·lin** *s.* lose gewebter Musse'lin; **'~-print** *s.* hölzerner Buttermodel; **'~-scotch** *s.* Buttertoffee *n*, Ka'ramelle *f*; ~ **tub** → *butter churn*.

but·ter·y ['bʌtəri] **I.** *adj.* **1.** butterartig, Butter...; **2.** F schmeichlerisch; **II.** *s.* **3.** Speisekammer *f*; **4.** *Brit. univ.* Kan'tine *f*; **'~-'hatch** *s.* 'Durchreiche *f*.

but·tock ['bʌtək] *s.* **1.** *anat.* 'Hinterbacke *f*; *mst pl.* 'Hinterteil *n*, Gesäß *n*; **2.** *Ringen*: Hüftschwung *m*.

but·ton ['bʌtn] **I.** *s.* **1.** (Kleider-)Knopf *m*: *not worth a* ~ keinen Pfifferling wert; *not to care a* ~ (*about*) F sich nichts machen (aus); *a* ~ *short* F nicht ganz richtig im Oberstübchen; (*boy in*) ~*s* (Hotel)Page; *to take by the* ~ **a)** *j-n* fest-, aufhalten, **b)** sich *j-n* vorknöpfen; **2.** (*Klingel-, Licht- etc.*)Knopf *m*; → *press 2*; **3.** knopfähnlicher Gegenstand; **4.** ⚘ Knospe *f*, Auge *n*; **II.** *v/t.* **5.** *a.* ~ *up* (zu)knöpfen: *to* ~ *one's mouth* den Mund halten; ~*ed up fig.* zugeknöpft, zurückhaltend; **III.** *v/i.* **6.** sich knöpfen lassen, geknöpft werden; **'~-boot** *s. Brit.* Knopfstiefel *m*; **'~-hole I.** *s.* **1.** Knopfloch *n*; **2.** *Brit.* Knopflochsträußchen *n*; **II.** *v/t.* **3.** *j-n* am Knopf festhalten u. zum Zuhören zwingen; **4.** mit Knopflöchern versehen; **'~-hole stitch** *s.* Knopflochstich *m*; **'~-hook** *s.* Stiefelknöpfer *m*; **'~-stick** *s.* ⚔ Knopf(putz)gabel *f*.

but·tress ['bʌtris] **I.** *s.* **1.** △ Strebepfeiler *m*, -bogen *m*; **2.** Stütze *f* (*a. fig.*); **II.** *v/t. a.* ~ *up* **3.** (durch Strebepfeiler) stützen; **4.** *fig.* stützen, stärken.

bu·tyl rub·ber ['bju:til] *s.* ⚗ Bu'tyl,kautschuk *m* (*Kunstkautschuk*).

bu·tyr·ic [bju:'tirik] *adj.* ⚗ Butter...

bux·om ['bʌksəm] *adj.* drall, stramm, rosig (*Frau*).

buy [bai] **I.** *s.* **1.** F Kauf *m*; *das* Gekaufte: *a good* ~ ein guter Kauf; **II.** *v/t.* [*irr.*] **2.** (an-, ein)kaufen (*of, from* von, *at* bei): *money cannot* ~ *it* es ist für Geld nicht zu haben; **3.** *fig.* erkaufen: *dearly bought* teuer erkauft; **4.** *j-n* kaufen, bestechen; **5.** loskaufen, auslösen; **6.** *Am. sl. et.* ,abnehmen', glauben;

Zssgn mit adv.:

buy| in *v/t.* **1.** sich eindecken mit; **2.** (*auf Auktionen*) zu'rückkaufen; ~ **off** *v/t.* **1.** *j-n* loskaufen, abfinden; **2.** → *buy 4*; ~ **out** *v/t. Teilhaber etc.* auszahlen, abfinden; ~ **o·ver** *v/t.* bestechen; ~ **up** *v/t.* aufkaufen.

buy·er ['baiə] *s.* **1.** Käufer(in), Abnehmer(in): ~*'s market* ✝ Käufermarkt, vom Käufer beherrschter Markt; ~*'s strike* Käuferstreik; **2.** ✝ Einkäufer(in).

buzz [bʌz] **I.** *v/i.* **1.** summen, brummen, surren, schwirren: *to* ~ *about* (*od. around*) herumschwirren (*a. fig.*); ~*ing with excitement* in wilder Erregung; *to* ~ *off sl.* ,abschwirren', ,abhauen', sich davonmachen; **2.** säuseln, sausen; **II.** *v/t.* **3.** murmeln, durchein'anderreden; **4.** schleudern; **5.** geräuschvoll u. schnell bewegen; **6.** ✈ in geringer Höhe über'fliegen; **III.** *s.* **7.** Summen *n*, Brummen *n*; **8.** Stimmengewirr *n*; **9.** Gerücht *n*.

buz·zard ['bʌzəd] *s. orn.* Bussard *m.*

buzz·er ['bʌzə] *s.* **1.** Summer *m*, *bsd.* summendes In'sekt; **2.** Summer *m*, Summpfeife *f*; **3.** ⚡ Summer *m (am Telephon)*; **4.** ⚔ **a)** 'Feldtele,graph *m*, **b)** *sl.* Telegra'phist *m.*

buzz saw *s. Am.* Kreissäge *f.*

by [bai] **I.** *prp.* **1.** (*Raum*) (nahe) bei *od.* an (*dat.*), neben (*dat.*): ~ *the window* beim *od.* am Fenster; *to have a thing* ~ *one* et. bei sich haben; **2.** durch (*acc.*), über (*acc.*), via, an (*dat.*) ... entlang *od.* vor'bei: *he came* ~ *Park Road* er kam über *od.* durch die Parkstraße; *we drove* ~ *the park* wir fuhren am Park entlang; ~ *land* zu Lande; **3.** (*Zeit*) während, bei: ~ *day* bei Tage; *day* ~ *day* Tag für Tag; ~ *lamplight* bei Lampenlicht; **4.** bis (zu *od.* um *od.* spätestens): *be here* ~ *4.30* sei um 4 Uhr 30 hier; ~ *the allotted time* bis zum festgesetzten Zeitpunkt; ~ *now* nunmehr, inzwischen, schon; **5.** (*Urheber*) von, durch: *a book* ~ *Shaw* ein Buch von Shaw; *settled* ~ *him* durch ihn *od.* von ihm geregelt; ~ *nature* von Natur (aus); ~ *oneself* aus eigener Kraft, selbst, allein; **6.** (*Mittel*) durch, mit, vermittels: ~ *listening* durch Zuhören; *driven* ~ *steam* mit Dampf betrieben; ~ *rail* per Bahn; ~ *letter* brieflich; ~ *the 10.30* mit dem Zug um 10 Uhr 30; **7.** gemäß, nach: ~ *my watch it is now ten* nach m-r Uhr ist es jetzt zehn; **8.** (*Menge*) um, nach: *too short* ~ *an inch* um einen Zoll zu kurz; *sold* ~ *the metre* meterweise verkauft; **9.** ♈ **a)** mal: *3 (multiplied)* ~ *4*; *the size is 9 feet* ~ *6* die Größe ist 9 mal 6 Fuß, **b)** durch: *6 (divided)* ~ *2*; **10.** ~ *the way od.* ~ *the* ~(e) übrigens; **II.** *adv.* **11.** da'bei: *close* ~, *hard* ~ dicht dabei; **12.** ~ *and large* im großen u. ganzen; ~ *and* ~ demnächst, nach u. nach; **13.** vor'bei, -'über: *to pass* ~ vorübergehen; **14.** bei'seite: *to put* ~.

by- [bai] *Vorsilbe* **1.** Neben..., Seiten-...; **2.** geheim.

bye [bai] **I.** *s. sport* **a)** *Kricket*: durch einen vor'beigelassenen Ball ausgelöster Lauf, **b)** Freilos *n*: *to draw a* ~ ein Freilos ziehen; **II.** *adj.* 'untergeordnet, Neben...

bye- → *by-*.

bye-bye I. *s.* ['baibai] *Kindersprache*: ‚Heia' *f*, Bett *n*, Schlaf *m*; **II.** *int.* ['bai'bai] F Wiedersehen!, Tschüs!

bye-law → *by-law.*

'by|-e·lec·tion *s.* Ersatz-, Nachwahl *f*; **'~-gone I.** *adj.* vergangen; **II.** *s. das* Vergangene: *let* ~*s be* ~*s* laß(t) das Vergangene vergangen sein; **'~-law** *s.* **1.** 'Ortssta,tut *n*; **2.** *pl. Am.* Sta'tuten *pl.*, Satzung *f*; **3.** 'Durchführungsverordnung *f*; **'~-line** *s. Am.* **1.** 🚃 'Neben,linie *f*; **2.** Verfasserangabe *f* (*unter der Überschrift e-s Zeitungsartikels*); **'~-name** *s.* **1.** Beiname *m*; **2.** Spitzname *m*; **'~-pass I.** *s.* **1.** 'Umleitung *f*, Um'gehungsstraße *f*; **2.** Nebenleitung *f*; **3.** *Gasbrenner*: Zündflamme *f*; **II.** *v/t.* **4.** 'umleiten; **5.** um'gehen (*a. fig.*); **6.** vermeiden, über'gehen; **'~-path** *s.* Seitenweg *m* (*a. fig.*); **'~-play** *s. thea.* Nebenhandlung *f*, stummes Spiel; **'~-prod·uct** *s.* 'Nebenpro,dukt *n*; *fig.* Nebenerscheinung *f*; **'~-pro·gram(me)** *s.* 'Beipro,gramm *n.*

byre ['baiə] *s.* Kuhstall *m.*

'by|-road *s.* Seiten-, Nebenstraße *f*; **'~-stand·er** *s.* Zuschauer(in); **'~-street** → *by-road*; **'~-way** *s.* Seiten-, Nebenweg *m* (*a. fig.*), Abkürzungsweg *m*; **'~-word** *s.* **1.** *obs.* Sprichwort *n*; **2.** *mst contp.* Inbegriff *m*, Musterbeispiel *n.*

By·zan·tine [bi'zæntain] *adj.* byzan'tinisch.

C

C, c [si:] *s.* **1.** C *n*, c *n* (*Buchstabe*); **2.** ♪ C, c *n* (*Note*); **3.** *ped. Am.* Drei *f*, Befriedigend *n* (*Note*).

cab [kæb] **I.** *s.* **1.** Droschke *f*, Mietwagen *m*; → *taxi-cab*; **2. a)** 🚂 Führerstand *m*, **b)** Führersitz *m* (*Lastauto*), **c)** Lenkerhäus-chen *n* (*Kran*); **II.** *v/i.* **3.** mit e-r Droschke *od.* e-m Taxi fahren.

ca·bal [kəˈbæl] **I.** *s.* **1.** Kaˈbale *f*, Inˈtrige *f*; **2.** Clique *f*, Klüngel *m*; **II.** *v/i.* **3.** intrigieren, Ränke schmieden.

cab·a·ret [ˈkæbərei] *s.* **1.** Kabaˈrett *n*, Kleinkunstbühne *f*; **2.** ˈTrinkloˌkal *n* mit Vorführungen.

cab·bage [ˈkæbidʒ] *s.* ⚘ **1.** Kohl (-pflanze *f*) *m*; **2.** Kohlkopf *m*; ~ **but·ter·fly** *s. zo.* Kohlweißling *m*; ˈ~**-rose** *s.* ⚘ Zentiˈfolie *f* (*Rose*); ˈ~**-tree** *s.* ⚘ Kohlpalme *f*; ˈ~**-white** → *cabbage butterfly*.

ca(b)·ba·la [kəˈbɑ:lə] *s.* ˈKabbala *f*, Geheimlehre *f* (*a. fig.*).

cab·by [ˈkæbi] F → *cab driver*.

cab driv·er *s.* **1.** Droschkenkutscher *m*; **2.** Taxifahrer *m*.

ca·ber [ˈkeibə] *s. Scot.* Baumstamm *m*: *tossing the* ~ Baumstammwerfen.

cab·in [ˈkæbin] **I.** *s.* **1.** Häus-chen *n*, Hütte *f*; **2.** ⚓ Kaˈbine *f* (*a.* ✈), Kaˈjüte *f*; **3.** ✈ Kanzel *f*; **4.** *Brit.* 🚂 Stellwerk(haus) *n*; **II.** *v/t.* **5.** einpferchen; ˈ~**-boy** *s.* ⚓ Kaˈbinenˌsteward *m*; ~ **class** *s.* ⚓ zweite Klasse.

cab·i·net [ˈkæbinit] *s.* **1.** *oft* ♀ *pol.* Kabiˈnett *n*, Miˈnisterrat *m*: ~ *council*, ~ *meeting* Kabinettssitzung; ~ *crisis* Regierungskrise; **2.** (Schau-, Sammlungs)Schrank *m*, (Wand)Schränkchen *n*, Viˈtrine *f*: *music* ~ Notenschrank; **3.** *Radio*: Gehäuse *n*; **4.** *phot.* Kabiˈnettforˌmat *n*; ˈ~**-mak·er** *s.* **1.** Kunsttischler *m*; **2.** *humor.* Miˈnisterpräsiˌdent *m* bei der Regierungsbildung; ˈ~**-mak·ing** *s.* ˈKunsttischleˌrei *f*; ♀ **Min·is·ter** *s. pol.* Kabiˈnettsmiˌnister *m*; ~ **pud·ding** *s.* Kabiˈnettˌpudding *m* (*aus Biskuitteig u. Rosinen*); ~ **size** → *cabinet 4*; ˈ~**-work** *s.* Kunsttischlerarbeit *f*.

cab·in| scoot·er *s. mot.* Kaˈbinenroller *m*; ~ **trunk** *s.* Kaˈbinenkoffer *m*.

ca·ble [ˈkeibl] **I.** *s.* **1.** ˈKabel *n*, Tau *n*, (Draht)Seil *n*; **2.** ⚓ Trosse *f*, Ankertau *n*, -kette *f*; **3.** ⚡ (ˈLeitungs)ˌKabel *n*: *lead-covered* ~ Bleikabel; **4.** → *cablegram*; **II.** *v/t. u. v/i.* **5.** kabeln, telegraphieren; ~ **car** *s.* **a)** Kaˈbine *f od.* Gondel *f od.* Wagen *m* e-r Drahtseilbahn, **b)** *Am.* Wagen *m* e-r Drahtseil-Straßenbahn.

ca·ble·gram [ˈkeiblgræm] *s.* ˈKabel *n*, (ˈÜbersee)Teleˌgramm *n*.

ˈ**ca·ble|-rail·way** *s.* **1.** Drahtseilbahn *f*; **2.** *Am.* Drahtseil-Straßenbahn *f*; ˈ~**'s-length** [ˈkeiblz] *s.* ⚓ Kabellänge *f* (*100 Faden*); ~ **tel·e·vi·sion** *s.* Kabelfernsehen *n*.

ˈ**cab·man** [-mən] *s.* [*irr.*] → *cab driver*.

ca·boo·dle [kəˈbu:dl] *s. sl.*: *the whole* ~ **a)** der ganze Klimbim, **b)** die ganze Bande.

ca·boose [kəˈbu:s] *s.* **1.** ⚓ Komˈbüse *f*, Schiffsküche *f*; **2.** 🚂 *Am.* Persoˈnal-, Bremswagen *m am Güterzug*.

ˈ**cab-rank** *s. Brit.* Taxi-, Droschkenstand *m*.

cab·ri·ole [ˈkæbrioul] *s.* verziertes Stuhlbein mit Pfotenende.

cab·ri·o·let [kæbriəˈlei] *s.* Kabrioˈlett *n*: **a)** *zweirädriger Einspänner mit Klappverdeck*, **b)** *Auto mit Klappverdeck*.

ˈ**cab·stand** → *cab-rank*.

ca' can·ny [kɑ:ˈkæni] **I.** *v/i. Scot.* ‚langsamtreten' (*a. sl. Arbeiter*); **II.** *s. sl.* ‚Langsamtreten' *n*, bewußte Produktiˈonsverlangsamung (*als Sabotage*).

ca·ca·o [kəˈkɑ:ou] *s.* **1.** ⚘ *a.* ~*-tree* Kaˈkaobaum *m*; **2.** Kaˈkaobohnen *pl.*; ~ **bean** *s.* Kaˈkaobohne *f*; ~ **but·ter** *s.* Kaˈkaobutter *f*.

cache [kæʃ] **I.** *s.* geheimes (Waffen-*od.* Proviˈant)Lager, Versteck *n*; **II.** *v/t.* verstecken.

ca·chet [ˈkæʃei] *s.* **1.** Stempel *m*, Merkmal *n*, Gepräge *n*; **2.** ⚕ Kapsel *f*.

cach·in·nate [ˈkækineit] *v/i.* laut *od.* wiehernd lachen.

ca·chou [kəˈʃu:] *s.* **1.** → *catechu*; **2.** Caˈchou *n* (*Raucherpille*).

cack·le [ˈkækl] **I.** *v/i.* gackern (*a. fig. kichern*), schnattern (*a. fig. schwatzen*); **II.** *s.* (*a. fig.*) Gegacker *n*, Geschnatter *n*; ˈ**cack·ler** [-lə] *s.* **1.** gackerndes Huhn; **2.** Schwätzer *m*.

caco- [kækou] *in Zssgn* schlecht, schädlich.

cac·o·d(a)e·mon [kækəˈdi:mən] *s.* böser Geist.

ca·coph·o·nous [kæˈkɔfənəs] *adj.* ˈmißtönend; **caˈcoph·o·ny** [-ni] *s.* Kakophoˈnie *f* (*Mißklang*).

cac·tus [ˈkæktəs] *pl.* **-ti** [-tai], **-tus·es** *s.* ⚘ ˈKaktus *m*.

cad [kæd] *s.* ordiˈnärer Kerl, Proˈlet *m*.

ca·das·tral [kəˈdæstrəl] *adj.* Kataster...: ~ *survey* Katasteraufnahme.

ca·dav·er·ous [kəˈdævərəs] *adj.* **1.** leichenhaft; **2.** leichenblaß.

cad·die [ˈkædi] *s. sport* ˈCaddie *m*.

cad·dish [ˈkædiʃ] *adj.* **1.** proˈletenhaft; **2.** niederträchtig.

cad·dy[1] → *caddie*.

cad·dy[2] [ˈkædi] *s.* Teedose *f*, -büchse *f*.

ca·dence [ˈkeidəns] *s.* **1.** (ˈVers-, ˈSprech)ˌRhythmus *m*; **2.** ♪ Kaˈdenz *f*; **3.** Tonfall *m* (*am Satzende*); ˈ**ca·denced** [-st] *adj.* ˈrhythmisch.

ca·det [kəˈdet] *s.* **1.** ⚔ Kaˈdett *m*: ~ *corps* Jugendkompanie *e-r Schule*; **2.** jüngerer Sohn; **3.** *in Zssgn a.* Nachwuchs...: ~ *researcher*; ~ *nurse* Lernschwester; **4.** *Am. sl.* Zuhälter *m*; **caˈdet·ship** [-ʃip] *s.* Kaˈdettenstellung *f*; **ca·det ship** *s.* ⚓ Schulschiff *n*.

cadge [kædʒ] *v/i.* ‚schnorren', betteln (*for* um); ˈ**cadg·er** [-dʒə] *s.* ‚Schnorrer' *m*, Schmaˈrotzer *m*, ‚Nassauer' *m*.

ca·di [ˈkɑ:di] *s.* Kadi *m*, Bezirksrichter *m* (*im Orient*).

cad·mi·um [ˈkædmiəm] *s.* ⚗ ˈKadmium *n*.

ca·dre [ˈkɑ:dr] *s.* **1.** ⚔ Kader *m*, Stamm *m* e-r Truppe; **2.** ˈRahmenorganisatiˌon *f*; **3.** *fig.* Grundstock *m*, Gerippe *n*.

ca·du·ce·us [kəˈdju:sjəs] *pl.* **-ce·i** [-sjai] *s.* Merˈkurstab *m* (⚔ *Am. Abzeichen e-s Militärarztes*).

ca·du·cous [kəˈdju:kəs] *adj.* **1.** hinfällig, vergänglich; **2.** ⚘ frühzeitig abfallend.

cae·cum [ˈsi:kəm] *s. anat.* Blinddarm *m*.

Cae·sar [ˈsi:zə] *s.* **1.** ˈCäsar *m* (*Titel römischer Kaiser*); **2.** Autoˈkrat *m*.

Cae·sar·e·an, Cae·sar·i·an [si(:)ˈzɛəriən] *adj.* cäˈsarisch; ~ **op·er·a·tion** *s.* ⚕ Kaiserschnitt *m*.

Cae·sar·ism [ˈsi:zərizəm] *s.* Diktaˈtur *f*; Herrschsucht *f*.

cae·su·ra [si(:)ˈzjuərə] *s.* Zäˈsur *f*: **a)** Verseinschnitt *m*, **b)** ♪ Ruhepunkt *m*.

ca·fé [ˈkæfei] *s.* **1.** *Brit.* **a)** Caˈfé *n*, **b)** Restauˈrant *n*; **2.** *Am.* Bar *f*.

caf·e·te·ri·a [kæfiˈtiəriə] *s.* Restauˈrant *n* mit Selbstbedienung.

caf·fe·ine [ˈkæfii:n] *s.* ⚗ Koffeˈin *n*; ˈ~**-free** *adj.* koffeˈinfrei.

caf·tan [ˈkæftən] *s.* ˈKaftan *m*.

cage [keidʒ] **I.** *s.* **1.** Käfig *m* (*a. fig.*); (Vogel)Bauer *n*; **2.** Gefängnis *n* (*a. fig.*); **3.** Kriegsgefangenenlager *n*; **4.** Kaˈbine *f e-s Aufzuges*; **5.** ⚒ Förderkorb *m*; **6.** *Baseball*: abgegrenztes Trainingsfeld; **7.** *Eishockey*: Tor *n*; **II.** *v/t.* **8.** (in e-n

Käfig) einsperren; ~ **a·e·ri·al** *s. Brit.*, ~ **an·ten·na** *s. Am.* ⚡ 'Käfigan,tenne *f*.

ca·gey ['keidʒi] *adj.* F **1.** verschlossen; **2.** vorsichtig, berechnend; **3.** *Am.* ‚gerissen', schlau.

ca·hoot [kə'hu:t] *s. Am. sl.* Teilhaberschaft *f*: *to go ~s* ‚fifty-fifty' machen; *to be in ~s (with)* unter e-r Decke stecken (mit).

cairn [kɛən] *s.* **1.** Steinhaufen *m* (*als Grenz- od. Grabmal*); **2.** *mount.* Steinmann *m*; **3.** *a.* ~ *terrier zo.* 'Cairn-,Terrier *m* (*kleiner zottiger Terrier*).

cais·son [kə'su:n] *s.* **1.** ⊕ Cais'son *m*, Senkkasten *m* (*bei Wasserbauten*); **2.** ⚔ Muniti'onswagen *m*; ~ **dis·ease** *s.* ⚕ Cais'sonkrankheit *f* (*von Tauchern etc.*).

ca·jole [kə'dʒoul] *v/t. j-m* schmeicheln *od.* schöntun; *j-n* beschwatzen, verleiten (*into* zu): *to ~ s.th. out of s.o.* j-m et. abbetteln; **ca'jol·er·y** [-ləri] *s.* Schmeiche'lei *f*, gutes Zureden, Liebediene'rei *f*.

cake [keik] **I.** *s.* **1.** Kuchen *m*: *to take the ~* den Preis davontragen, *fig.* den Vogel abschießen; *that takes the ~!* das ist die Höhe!; *to be selling like hot ~s* weggehen wie warme Semmeln; *you can't eat your ~ and have it* du kannst nur eines von beiden tun *od.* haben, entweder — oder!; *~s and ale* Lustbarkeit(en); **2.** kuchenartig geformte Masse; Tafel *f Schokolade*, Riegel *m Seife etc.*; **II.** *v/i.* **3.** zs.-backen, verkrusten: *~d with filth* mit e-r Schmutzkruste (überzogen *od.* bedeckt); '**cake·walk** *s.* 'Cakewalk *m* (*Tanz*); '**cak·y** [-ki] *adj.* kuchenartig, klumpig.

cal·a·bash ['kæləbæʃ] *s.* ⚘ Kale'basse *f*: **a)** Flaschenkürbis *m*, **b)** *daraus gemachtes Trinkgefäß*.

cal·a·mine ['kæləmain] *s. min.* Gal'mei *m* (*Zinkerz*).

cal·a·mint ['kæləmint], *a.* ~ **balm** *s.* ⚘ Bergminze *f*.

ca·lam·i·tous [kə'læmitəs] *adj.* □ **1.** katastro'phal, unheilvoll, Unglücks...; **2.** elend.

ca·lam·i·ty [kə'læmiti] *s.* **1.** Unglück *n*, Unheil *n*, Kata'strophe *f*; **2.** Elend *n*, Mi'sere *f*; ~**-howl·er** *s. bsd. Am.* Schwarzseher *m*, 'Panikmacher *m*; ~**-howl·ing** *s. bsd. Am.* Schwarzsehe'rei *f*.

cal·a·mus ['kæləməs] *pl.* **-mi** [-mai] *s.* **1.** ⚘ 'Kalmus *m* (*Schilf*); **2.** *antiq.* Schreibfeder *f* aus Schilfrohr.

cal·car·e·ous [kæl'kɛəriəs] *adj.* ⚗ kalkartig, Kalk...; kalkhaltig.

cal·ce·o·la·ri·a [kælsiə'lɛəriə] *s.* ⚘ Pan'toffelblume *f*.

cal·cif·er·ous [kæl'sifərəs] *adj.* ⚗ kalkhaltig; **cal·ci·fi·ca·tion** [kælsifi'keiʃən] *s.* **1.** ⚕ Verkalkung *f*; **2.** *geol.* Kalkablagerung *f*; **cal·ci·fy** ['kælsifai] *v/t. u. v/i.* verkalken; **cal·ci·na·tion** [kælsi'neiʃən] *s.* ⊕ Kalzinierung *f*, Glühen *n*; **cal·cine** ['kælsain] *v/t.* ⊕ kalzinieren, (aus-)glühen, zu Asche verbrennen.

cal·ci·um ['kælsiəm] *s.* ⚗ 'Kalzium *n*; ~ **car·bide** *s.* ⚗ ('Kalzium)Kar,bid *n*; ~ **chlo·ride** *s.* ⚗ Chlor'kalzium *n*; ~ **light** *s.* Kalklicht *n*.

cal·cu·la·ble ['kælkjuləbl] *adj.* **1.** berechenbar, kalkulierbar (*Risiko*); **2.** verläßlich.

cal·cu·late ['kælkjuleit] **I.** *v/t.* **1.** aus-, er-, berechnen; **2.** *mst pass.* berechnen, planen: *~d to deceive* darauf angelegt zu täuschen; *not ~d for* nicht geeignet *od.* bestimmt für; **3.** *Am.* F vermuten, glauben; **4.** ✝ kalkulieren; **II.** *v/i.* **5.** aus-, berechnen; **6.** über'legen; **7.** (*upon*) rechnen (mit, auf *acc.*), sich verlassen (auf *acc.*); '**cal·cu·lat·ed** [-tid] *adj.* berechnet, gewollt, beabsichtigt: ~ *risk* kalkuliertes Risiko; '**cal·cu·lat·ing** [-tiŋ] *adj.* **1.** (schlau) berechnend, (kühl) über'legend; **2.** Rechen...: ~ *machine*; **cal·cu·la·tion** [kælkju'leiʃən] *s.* **1.** Kalkulati'on *f*, Berechnung *f*; **2.** Voranschlag *m*; **3.** Über'legung *f*; '**cal·cu·la·tor** [-tə] *s.* **1.** Kalku'lator *m*; **2.** 'Rechenta,belle *f*; **3.** 'Rechenma,schine *f*.

cal·cu·lus ['kælkjuləs] *pl.* **-li** [-lai] *s.* **1.** ⚕ (*Blasen-, Gallen-, Nieren- etc.*) Stein *m*; **2.** ⚔ (*bsd. Differential-, Integral-*)Rechnung *f*, Rechnungsart *f*: ~ *of probabilities* Wahrscheinlichkeitsrechnung.

cal·dron → *cauldron*.

Cal·e·do·ni·an [kæli'dounjən] *poet.* **I.** *adj.* kale'donisch (*schottisch*); **II.** *s.* Kale'donier *m* (*Schotte*).

cal·e·fac·tion [kæli'fækʃən] *s.* Erwärmung *f*, Erhitzung *f*.

cal·en·dar ['kælində] **I.** *s.* **1.** Ka'lender *m*; **2.** *fig.* Zeitrechnung *f*; **3.** Jahrbuch *n*; **4.** Liste *f*, Re'gister *n*; **5.** *Brit. univ.* Vorlesungsverzeichnis *n*; **6.** *Am.* ⚖ Ter'minka,lender *m*; **II.** *v/t.* **7.** registrieren; ~ **month** *s.* Ka'lendermonat *m*.

cal·en·der ['kælində] ⊕ **I.** *s.* Ka'lander *m*; **II.** *v/t.* ka'landern.

cal·ends ['kælindz] *s. pl. antiq.* Ka'lenden *pl.*: *on the Greek ~* am St. Nimmerleinstag.

calf[1] [kɑ:f] *pl.* **calves** [-vz] *s.* **1.** Kalb *n*: *with (od. in) ~* trächtig (*Kuh*); **2.** *das* Junge *von Elefant, Wal, Hirsch etc.*; **3.** Kalbleder *n*; *Buchbinderei*: *~-bound* in Kalbleder gebunden; **4.** F ‚Kalb' *n*, ‚Schaf' *n*; **5.** treibende Eisscholle.

calf[2] [kɑ:f] *pl.* **calves** [-vz] *s.* Wade *f* (*Bein, Strumpf etc.*).

'**calf|·love** *s.* F Jugendliebe *f*; '**~'s-foot jel·ly** [kɑ:vz] *s.* Kalbsfußsülze *f*; '**~·skin** *s.* Kalbleder *n*.

cal·i·ber *Am.* → *calibre*; '**cal·i·bered** *Am.* → *calibred*; **cal·i·brate** ['kælibreit] *v/t.* ⊕ kalibrieren: **a)** auf genaues Maß bringen, **b)** eichen; **cal·i·bra·tion** [kæli'breiʃən] *s.* ⊕ Kalibrierung *f*, Eichung *f*; **cal·i·bre** ['kælibə] *s.* **1.** ⚔ Ka'liber *n*; **2.** *fig.* Kaliber *n*, For'mat *n*, Wert *m e-s Menschen*; '**cal·i·bred** [-bəd] *adj.* ...kalibrig.

cal·i·ces ['kælisi:z] *pl. von calix.*

cal·i·co ['kælikou] *pl.* **-coes,** *Am. a.* **-cos I.** *s.* **1.** 'Kaliko *m*, (bedruckter) Kat'tun; **2.** *Brit.* gebleichter *od.* ungebleichter Baumwollstoff; **II.** *adj.* **3.** Kattun...; **4.** F bunt.

ca·lif, cal·if·ate → *caliph, caliphate*.

Cal·i·for·ni·an [kæli'fɔ:njən] **I.** *adj.* kali'fornisch; **II.** *s.* Kali'fornier(in).

cal·i·pers ['kælipəz] *s. pl.* Greif-, Tastzirkel *m*; ⊕ Tast(er)lehre *f*.

ca·liph ['kælif] *s.* Ka'lif *m*; '**cal·iph·ate** [-feit] *s.* Kali'fat *n*.

cal·is·then·ics → *callisthenics*.

ca·lix ['kæliks; 'keil-] *pl.* **cal·i·ces** ['kælisi:z] *s. anat., zo., eccl.* Kelch *m*; → *calyx*.

calk[1] [kɔ:k] **I.** *s.* **1.** Stollen *m* (*am Hufeisen*); **2.** Gleitschutzbeschlag *m* (*an der Schuhsohle*); **II.** *v/t.* **3.** mit Stollen *od.* Griffeisen versehen.

calk[2] [kɔ:k] *v/t.* ('durch)pausen.

calk[3] → *caulk*.

cal·kin ['kælkin] *Brit.* → *calk*[1] *I*.

call [kɔ:l] **I.** *s.* **1.** Ruf *m* (*a. fig.*); Schrei *m*: *within ~* in Rufweite; *the ~ of duty*; **2.** *teleph.* Anruf *m*, Gespräch *n*; → *local 1, personal 1*; **3.** *thea.* Her'vorruf *m*; **4.** Lockruf *m* (*Tier*); *fig.* Ruf *m*, Lockung *f*: *the ~ of the East*; **5.** Namensaufruf *m*; **6.** Ruf *m*, Berufung *f* (*to* in *ein Amt etc.*, auf *e-n Lehrstuhl*); **7.** (innere) Berufung, Drang *m*; **8.** Si'gnal *n*; **9.** (Auf)Ruf *m*; (✝ Zahlungs)Aufforderung *f*; ✝ Abruf *m*, Kündigung *f von Geldern*; 'Kaufopti,on *f*; *pl.* Vorprämiengeschäfte *pl.*: *at ~, on ~* auf Abruf *od.* sofort bereit(stehend), ✝ *a.* jederzeit kündbar; *money at ~* ✝ Tagesgeld; **10.** Anspruch *m*, Forderung *f*, Bedarf *m*, Notwendigkeit *f*; Anlaß *m*: *no ~ to worry* kein Grund *od.* Anlaß, sich aufzuregen; *many ~s on my time* starke Beanspruchung m-r Zeit; *to have the first ~* den ersten Anspruch haben; **11.** ✝ Nachfrage *f* (*for* nach); **12.** kurzer Besuch (*at* in *e-m Ort*, *on* bei *j-m*); ⚓ Anlaufen *n*: *port of ~* Anlaufhafen; **II.** *v/t.* **13.** *j-n* (her'bei)rufen; *et.* (*a. weitS. Streik*) ausrufen; *Versammlung* einberufen; *teleph.* anrufen; *thea. Schauspieler* her'vorrufen: *to ~ into being fig.* ins Leben rufen; **14.** berufen (*to* in *ein Amt*); **15.** auffordern: *to ~ to (od. as a) witness* als Zeugen vorladen; **16.** *Arzt, Auto* kommen lassen; **17.** nennen, bezeichnen als; **18.** *pass.* heißen (*after* nach): *he is ~ed Max*; *what is it ~ed in English?* wie heißt es auf englisch?; **19.** nennen, heißen (*lit.*), halten für: *I ~ that a blunder*; *we'll ~ it a pound* wir wollen es bei einem Pfund bewenden lassen; **20.** wekken: *~ me at 6 o'clock*; **21.** *Kartenspiel*: *Farbe* ansagen; **III.** *v/i.* **22.** rufen: *you must come when I ~*; *duty ~s*; *he ~ed for help* er rief um Hilfe; → *call for*; **23.** *teleph.* anrufen: *who is ~ing?* wer ist dort?; **24.** kurz besuchen, vorsprechen: *the gas-man has ~ed* der Gasmann war da; → *call at, call on*;

Zssgn mit prp. u. adv.:

call| at *v/i.* **1.** besuchen (*acc.*), vorsprechen bei, in (*dat.*): *I must ~ the bank* ich muß zur Bank gehen; **2.** ⚓ *Hafen* anlaufen; anlegen in (*dat.*); 🚂 halten in (*dat.*); ~ **a·way** *v/t.* ab-, wegrufen; *fig.* ablenken; ~ **back I.** *v/t.* **1.** zu'rückrufen; **2.** wider'rufen; **II.** *v/i.* **3.** *teleph.* zurückrufen; ~ **down** *v/t.* **1.** *Segen etc.* her'abrufen, -flehen; *Zorn etc.* auf sich ziehen; **2.** *Am.* F ausschimpfen, anpfeifen; ~ **for** *v/i.* **1.** nach *j-m* rufen; *Waren* abrufen; *thea.* her'ausrufen; **2.** *et.* erfordern, verlangen:

to ~ courage; to ~ an ice-cream ein Eis bestellen; *your remark was not called for* Ihre Bemerkung war unnötig; **3.** *j-n od. et.* abholen: *to be called for* abzuholen(d), ✉ postlagernd; **~ forth** *v/t.* **1.** her'vorrufen, auslösen; **2.** *Kraft* aufbieten; **~ in I.** *v/t.* **1.** her'ein-, her'beirufen; hin'zu-, zu Rate ziehen; **2.** zu'rückfordern; *Geld* kündigen; *Schulden* einfordern; *Banknoten etc.* einziehen; **II.** *v/i.* **3.** vorsprechen (*on* bei *j-m*; *at* in *dat.*); **~ off** *v/t.* **1.** ab(be)rufen: *to ~ goods* Waren abrufen; **2.** *fig. et.* abbrechen, absagen, abblasen: *to ~ a strike*; **3.** *Aufmerksamkeit, Gedanken* ablenken, **~ on** *od.* **up·on** *v/i.* **1.** *j-n* besuchen; bei *j-m* vorsprechen; **2.** *j-n* auffordern; **3.** *~ s.o. for s.th.* et. von j-m fordern, sich an j-n um et. wenden; *I am (od. I feel) called upon* ich bin *od.* fühle mich genötigt (*to inf.* zu *inf.*); **~ out I.** *v/t.* **1.** her'ausrufen; **2.** *Polizei, Militär* aufbieten; **3.** *zum Kampf* her'ausfordern; *zum Streik* auffordern; **II.** *v/i.* **4.** aufschreien; laut rufen; **~ o·ver** *v/t.* **1.** *Namen* verlesen; **2.** *Zahlen, Text* kollationieren; **~ to** *v/i. j-m* zurufen, *j-n* anrufen; **~ up** *v/t.* **1.** auf-, her'beirufen; *teleph.* anrufen; **2.** ⚔ einberufen; **3.** *fig.* her'vorrufen, wachrufen, her'aufbeschwören; **4.** sich ins Gedächtnis zu'rückrufen; **~ up·on** → *call on.*

cal·la ['kælə] → *calla-lily.*

call·a·ble ['kɔːləbl] *adj.* † kündbar (*Geld*).

'cal·la-'lil·y *s.* ⚘ Kalla *f.*

'call|-box *s. Brit.* Fernsprechzelle *f*; **'~-boy** *s.* **1.** Ho'telpage *m*; **2.** *thea.* Inspizi'entengehilfe *m*; **~ but·ton** *s.* Klingelknopf *m*; **'~-day** *s.* ⚖ *Brit.* Tag *m* der Ernennung zum Anwalt.

called [kɔːld] *adj.* genannt, namens.

call·er ['kɔːlə] *s.* **1.** *teleph.* Anrufer (-in); **2.** Besucher(in); **3.** Abholende(r *m*) *f.*

call girl *s.* Callgirl *n* (*Prostituierte*): *~ ring* Callgirlring.

cal·li ['kælai] *pl. von callus.*

cal·lig·ra·phy [kə'ligrəfi] *s.* Kalligra'phie *f*, Schönschreibkunst *f.*

call·ing ['kɔːliŋ] *s.* **1.** Beruf *m*, Geschäft *n*, Gewerbe *n*; **2.** *eccl.* Berufung *f*; **~ card** *s. Am.* Vi'sitenkarte *f.*

cal·li·pers → *calipers.*

cal·lis·then·ics [kælis'θeniks] *s. pl. mst sg. konstr.* Freiübungen *pl.*

'call|-loan *s.* † täglich kündbares Darlehen; **'~-mon·ey** *s.* † Tagesgeld *n*; **'~-of·fice** *s.* Fernsprechstelle *f*, -zelle *f.*

cal·los·i·ty [kæ'lɔsiti] *s.* Schwiele *f*, Hornhautbildung *f*; **cal·lous** ['kæləs] **I.** *adj.* □ schwielig; *fig.* abgebrüht, gefühllos, gleichgültig; **II.** *v/i.* sich verhärten, schwielig werden; *fig.* abstumpfen; **cal·lous·ness** ['kæləsnis] *s.* Schwieligkeit *f*; *fig.* Gleichgültigkeit *f*, Gefühllosigkeit *f.*

cal·low ['kælou] *adj.* **1.** ungefiedert, nackt; **2.** *fig.* noch nicht flügge, ‚grün', unreif.

'call|-sign, '~-sig·nal *s. teleph., Radio*: Rufzeichen *n*; **'~-up** *s.* ⚔ Einberufung *f.*

cal·lus ['kæləs] *pl.* **-li** [-lai] *s.* ⚕ **1.** Knochennarbe *f*; **2.** Schwiele *f.*

calm [kɑːm] **I.** *s.* **1.** Stille *f*, Ruhe *f* (*a. fig.*); **2.** Windstille *f*, Flaute *f*; **II.** *adj.* □ **3.** still, ruhig; friedlich; **4.** windstill; **5.** *fig.* ruhig, gelassen: *~ and collected* ruhig u. gefaßt; **6.** F unverfroren; **III.** *v/t.* **7.** beruhigen, besänftigen; **IV.** *v/i.* **8.** *a. ~ down* sich beruhigen; **'calm·ness** [-nis] *s.* **1.** Ruhe *f*, Stille *f*; **2.** Gemütsruhe *f.*

cal·o·mel ['kæləmel] *s.* ⚗, ⚕ 'Kalomel *n.*

ca·lor·ic [kə'lɔrik] *phys.* **I.** *s.* Wärme *f*; **II.** *adj.* ka'lorisch, Wärme...: *~ engine* Heißluftmaschine; **cal·o·rie** ['kæləri] *s.* Kalo'rie *f*, Wärmeeinheit *f*; **cal·o·rif·ic** [kælə'rifik] *adj.* (□ *~ally*) Wärme erzeugend; Wärme..., Heiz...; **cal·o·rif·ics** [kælə'rifiks] *s. pl. sg. konstr.* Wärmelehre *f*; **cal·o·rim·e·ter** [kælə'rimitə] *s.* Wärmemesser *m*; **cal·o·ry** *Am.* → *calorie.*

cal·trop ['kæltrəp] *s.* **1.** *hist.* ⚔ Fußangel *f*; **2.** ⚘ Stern-, Wegedistel *f.*

cal·u·met ['kæljumet] *s.* Kalu'met *n*, (indi'anische) Friedenspfeife.

ca·lum·ni·ate [kə'lʌmnieit] *v/t.* verleumden; **ca·lum·ni·a·tion** [kəlʌmni'eiʃən] *s.* Verleumdung *f*; **ca'lum·ni·a·tor** [-tə] *s.* Verleumder(in); **ca'lum·ni·ous** [-iəs] *adj.* □ verleumderisch; **cal·um·ny** ['kæləmni] *s.* Verleumdung *f*, falsche Anschuldigung.

Cal·va·ry ['kælvəri] *s.* **1.** *bibl.* 'Golgatha *n*; **2.** *eccl.* Kal'varienberg *m.*

calve [kɑːv] *v/i.* **1.** *zo.* kalben; **2.** kalben, Eisstücke abstoßen (*Eisberg, Gletscher*).

calves [kɑːvz] *pl. von calf*; **'~-foot jel·ly** → *calf's-foot jelly.*

Cal·vin·ism ['kælvinizəm] *s. eccl.* Kalvi'nismus *m*; **'Cal·vin·ist** [-ist] *s.* Kalvi'nist(in).

ca·lyp·so [kə'lipsou] *s.* Ka'lypso *m* (*Gesang u. Tanz aus Trinidad*).

ca·lyx ['keiliks; 'kæl-] *pl.* **'ca·lyx·es** [-iksis], **'ca·ly·ces** [-isiːz] *s.* ⚘ (*Blüten*)Kelch *m*; → *calix.*

cam [kæm] *s.* ⊕ Nocken *m*, Daumen *m*, Mitnehmer *m*: *~ gear* Nockensteuerung, Kurvengetriebe; *~shaft* Nocken-, Steuerwelle.

cam·a·ril·la [kæmə'rilə] *s.* Kama'rilla *f*; 'Hofka͵bale *f.*

cam·ber ['kæmbə] **I.** *v/t. u. v/i.* (sich) wölben; **II.** *s.* leichte Wölbung, Krümmung *f*; *mot.* (Rad)Sturz *m*; **'cam·ber-beam** *s.* ▲ Krummbalken *m*; **'cam·bered** [-əd] *adj.* gewölbt, geschweift.

Cam·bri·an ['kæmbriən] **I.** *s.* **1.** Wa'liser(in); **2.** *geol.* 'Kambrium *n*; **II.** *adj.* **3.** wa'lisisch; **4.** *geol.* 'kambrisch.

cam·bric ['keimbrik] *s.* Ba'tist *m.*

came [keim] *pret. von come.*

cam·el ['kæməl] *s.* **1.** *zo.* Ka'mel *n*: *Arabian ~* Dromedar; *Bactrian ~* Trampeltier; **2.** ⚓, ⊕ Kamel *n*, Hebeleichter *m*; **cam·el·eer** [kæmi'liə] *s.* Ka'meltreiber *m*; **cam·el hair** → *camel's hair.*

ca·mel·li·a [kə'miːljə] *s.* ⚘ Ka'melie *f.*

cam·el·ry ['kæməlri] *s.* ⚔ Ka'meltruppe *f.*

cam·el's| hair ['kæməlz] *s.* Ka'melhaar(stoff *m*) *n*; **'~-hair** *adj.* Kamelhaar...

Cam·em·bert ['kæməmbɛə], **cheese** *s.* 'Camembert(käse) *m.*

cam·e·o ['kæmiou] *s.* Ka'mee *f.*

cam·er·a ['kæmərə] *s.* **1.** 'Kamera *f*, 'Photoappa͵rat *m*; **2.** *in ~* ⚖ unter Ausschluß der Öffentlichkeit; **'~-man** [-mæn] *s.* [*irr.*] **1.** 'Pressephoto͵graph *m*; **2.** *Film*: 'Kameramann *m*; **~ ob·scu·ra** [ɔb'skjuərə] *s. opt.* 'Loch͵kamera *f*, 'Camera *f* ob'scura.

Cam·er·o·ni·ans [kæmə'rounjənz] *s. pl.* erstes schottisches 'Schützenbatail͵lon.

cam·i·knick·ers [kæmi'nikəz] *s. pl. Brit.* (Damen)Hemdhose *f.*

ca·mion ['kæmiən] *s.* ⚔ 'Last͵auto *n* (*für Geschütztransport*).

cam·i·sole ['kæmisoul] *s.* 'Unter͵taille *f.*

cam·let ['kæmlit] *s.* leichter Wollstoff.

cam·o·mile ['kæməmail] *s.* ⚘ Ka'mille *f*: *~ tea* Kamillentee.

cam·ou·flage ['kæmuflɑːʒ] **I.** *s.* **1.** ⚔ Tarnung *f* (*a. fig.*): *~ paint* Schutz-, Tarnanstrich; **II.** *v/t.* **2.** tarnen; **3.** *fig.* tarnen, verschleiern.

camp [kæmp] **I.** *s.* **1.** (Zelt-, Ferien-) Lager *n*, Lagerplatz *m*: *to break ~* das Lager abbrechen, aufbrechen; **2.** ⚔ Feld-, Heerlager *n*; **3.** Lagerleben *n* (*bsd.* ⚔); **4.** *fig.* Lager *n*, Anhänger *pl. e-r Richtung*; **II.** *v/i.* **5.** lagern, kampieren; **6.** *a. ~ out* in e-m (Zelt)Lager wohnen, zelten.

cam·paign [kæm'pein] **I.** *s.* **1.** ⚔ Feldzug *m*; **2.** *pol. u. fig.* Schlacht *f*, Kam'pagne *f*, (Werbe)Feldzug *m*: *election ~* Wahlkampf; **3.** Bemühungen *pl.*; **4.** 'Umtriebe *pl.*; **II.** *v/i.* **5.** zu Felde ziehen, e-n Feldzug mitmachen *od.* unter'nehmen; **6.** *fig.* werben, sich einsetzen, agitieren (*for* für); **cam'paign·er** [-nə] *s.* alter Kämpfer; Wahlmacher *m*; Agi'tator *m*: *old ~* **a)** Veteran, **b)** alter Praktikus.

cam·pa·ni·le [kæmpə'niːli] *s.* (einzeln stehender) Glockenturm.

cam·pan·u·la [kəm'pænjulə] *s.* ⚘ Glockenblume *f.*

'camp|-bed *s.* Feldbett *n*; **'~-chair** *s.* Feld-, Klappstuhl *m.*

cam·pea·chy wood [kæm'piːtʃi] *s.* Cam'peche-, Blauholz *n.*

camp·er ['kæmpə] *s.* Lager-, Zeltbewohner *m.*

'camp|-fe·ver *s.* ⚕ 'Typhus *m*; **'~-fol·low·er** *s.* **1.** Schlachtenbummler *m*; *engS.* Marke'tender (-in); **2.** dem Heer folgende Prostituierte; **3.** *pol.* Mitläufer *m.*

cam·phor ['kæmfə] *s.* ⚗ Kampfer *m*; **'cam·phor·at·ed** [-əreitid] mit Kampfer behandelt, Kampfer...

cam·phor| ball *s.* Mottenkugel *f*; **'~-wood** *s.* Kampferholz *m.*

camp·ing ['kæmpiŋ] *s.* Camping *n*, Zelten *n*; Kampieren *n*; **'~-ground** *s.* Zelt-, Campingplatz *m.*

cam·pi·on ['kæmpjən] *s.* ⚘ Lichtnelke *f.*

'camp|-meet·ing *s. Am.* Gottesdienst *m* im Freien *od.* im Zelt; **'~-stool** → *camp-chair.*

cam·pus ['kæmpəs] *s.* Campus *m* (*Gesamtanlage e-r Universität od. Schule*).

'**cam·wood** *s.* Kam-, Rotholz *n.*

can[1] [kæn; kən] *v/aux.* [*irr.*], *pres. neg.* **can·not 1.** können, fähig sein zu: ~ *you do it?*; *he cannot read*; *we could do it now* wir könnten es jetzt tun; *how could you?* wie konntest du nur (so etwas tun)?; **2.** dürfen, können: *you* ~ *go away now.*

can[2] [kæn] **I.** *s.* **1.** (Blech)Kanne *f*; (*Öl*)Kännchen *n*; **2.** (Kon'serven)Dose *f*, (-)Büchse *f*: ~ *opener* Büchsenöffner; **3.** (Blech)Trinkgefäß *n*; **4.** Ka'nister *m*; **5.** *Am. sl.* ‚Kittchen' *n* (*Gefängnis*); **6.** *Am. sl.* 'Hinterteil *n*; **II.** *v/t.* **7.** in Büchsen konservieren, eindosen; **8.** *Am. sl.* **a)** ‚rausschmeißen', entlassen, **b)** ‚einlochen', **c)** aufhören mit.

Ca·naan·ite ['keinənait] *bibl.* **I.** *s.* Kanaa'niter(in); **II.** *adj.* kanaa'näisch.

Ca·na·di·an [kə'neidjən] **I.** *adj.* ka'nadisch; **II.** *s.* Ka'nadier(in).

ca·naille [kə'nɑːiː; kə'neil] (*Fr.*) *s.* Pöbel *m.*

ca·nal [kə'næl] *s.* **1.** Ka'nal *m* (*für Schiffahrt etc.*): ~*s of Mars* Marskanäle; **2.** *anat.*, *zo.* Ka'nal *m*, Gang *m*, Röhre *f*; **ca·nal·i·za·tion** [kænəlai'zeiʃən] *s.* Kanalisierung *f*; Ka'nalnetz *n*; **ca·nal·ize** ['kænəlaiz] *v/t.* **1.** kanalisieren, schiffbar machen; **2.** *fig.* in bestimmte Bahnen lenken, dirigieren.

can·a·pé ['kænəpei] (*Fr.*) *s.* Appe'titbrot *n*, offenes belegtes Brot.

ca·nard [kæ'nɑːd; kanaːr] (*Fr.*) *s.* (Zeitungs)Ente *f*, Falschmeldung *f.*

ca·nar·y [kə'nɛəri] **I.** *s.* **1.** *a.* ~*-bird orn.* Ka'narienvogel *m*; **2.** *a.* 2*-wine* Ka'narienwein *m*; **II.** *adj.* **3.** hellgelb; '~**-seed** *s.* ⚘ Ka'nariensamen *m.*

can·can ['kænkæn; kɑ̃kɑ̃] (*Fr.*) *s.* Can'can *m* (*Tanz*).

can·cel ['kænsəl] **I.** *v/t.* **1.** (durch-, aus)streichen; **2.** wider'rufen, aufheben (*a.* ♪), annullieren (*a.* ✝), rückgängig machen, absagen; ✝ stornieren; **3.** ungültig machen, tilgen; erlassen; *Briefmarke etc.* entwerten; **4.** A heben, streichen; **II.** *v/i.* **5.** *mst* ~ *out* sich aufheben *od.* ausgleichen; **III.** *s.* **6.** Streichung *f*; **can·cel·la·tion** [kænse'leiʃən] *s.* **1.** Streichung *f*; Aufhebung *f*; Absage *f*; **2.** ✝ Annullierung *f*, Stornierung *f*: ~ *clause* Rücktrittsklausel; **3.** Entwertung *f* (*Briefmarke etc.*).

can·cer ['kænsə] *s.* **1.** ⚕ Krebs *m*; Karzi'nom *n*; **2.** *fig.* Krebsschaden *m*, Übel *n*; **3.** 2 *ast.* Krebs *m*; '**can·cer·ous** [-sərəs] *adj.* krebsartig.

can·de·la·bra [kændi'lɑːbrə] *pl.* **-bras, can·de'la·brum** [-brəm] *pl.* **-bra,** *Am. a.* **-brums** *s.* Kande'laber *m*; (Arm-, Kron)Leuchter *m.*

can·des·cence [kæn'desns] *s.* Weißglut *f.*

can·did ['kændid] *adj.* □ **1.** offen (u. ehrlich), freimütig; **2.** aufrichtig, unvoreingenommen, objek'tiv; **3.** *phot.* unbemerkt aufgenommen: ~ *camera* Detektiv-, Kleinkamera; ~ *shot* Schnappschuß.

can·di·da·cy ['kændidəsi] *s.* Kandida'tur *f*, Bewerbung *f*, Anwartschaft *f*; **can·di·date** ['kændidit] *s.* (*for*) Kandi'dat *m* (für), Bewerber *m* (um), Anwärter (auf *acc.*); '**can·di·da·ture** [-ditʃə] → *candidacy.*

can·died ['kændid] *adj.* kandiert, über'zuckert: ~ *peel* Zitronat.

can·dle ['kændl] *s.* **1.** (Wachs- *etc.*) Kerze *f*, Licht *n*: *to burn the* ~ *at both ends fig.* Raubbau mit s-r Gesundheit treiben; *not to be fit to hold a* ~ *to* das Wasser nicht reichen können (*dat.*); → *game*[1] *4*; **2.** ⚡, *phys.* Lichteinheit *f*, (Nor'mal)Kerze *f*; '~**·ber·ry** [-bəri] *s.* ⚘ Wachsmyrtenbeere *f*; '~**-end** *s.* **1.** Kerzenstummel *m*; **2.** *pl. fig.* Abfälle *pl.*, Krimskrams *m*; '~**·light** *s.* **1.** Kerzenlicht *n*: *by* ~ bei Kerzenlicht; **2.** künstliches Licht; **3.** Abenddämmerung *f.*

Can·dle·mas ['kændlməs] *s. R.C.* (Ma'riä) Lichtmeß *f.*

'**can·dle|-pow·er** *s. phys.* (Nor'mal-) Kerze *f*, Lichtstärke *f*, Lichteinheit *f*; '~**·stick** *s.* (Kerzen)Leuchter *m*; '~**·wick** *s.* Kerzendocht *m.*

can·do(u)r ['kændə] *s.* **1.** Offenheit *f*, Aufrichtigkeit *f*; **2.** 'Unpar,teilichkeit *f*, Objektivi'tät *f.*

can·dy ['kændi] **I.** *s.* **1.** Kandis(zukker) *m*; **2.** *Am.* **a)** Süßigkeiten *pl.*, Kon'fekt *n*, **b)** Bon'bon *m*, *n*; **II.** *v/t.* **3.** kandieren, glacieren; mit Zucker einmachen; **4.** *Zucker* kristallisieren lassen; **III.** *v/i.* **5.** kristallisieren (*Zucker*); ~ **store** *s. Am.* Süßwarengeschäft *n*; '~**·tuft** *s.* ⚘ Schleifenblume *f.*

cane [kein] **I.** *s.* **1.** ⚘ (*Bambus-, Zukker-, Schilf*)Rohr *n*; **2.** spanisches Rohr, Peddigrohr *n*; **3.** Rohrstock *m*; **4.** Spazierstock *m*; **II.** *v/t.* **5.** (ver)prügeln; *fig.* einhämmern (*into dat.*); **6.** *Stuhl* mit Rohrgeflecht versehen: ~*-bottomed* mit Sitz aus Rohr; ~ **chair** *s.* Rohrstuhl *m*; '~**·sug·ar** *s.* Rohrzucker *m*; '~**·work** *s.* Rohrgeflecht *n.*

ca·nine I. *adj.* ['keinain] Hunde...; **II.** *s.* ['kænain] *anat. a.* ~ *tooth* Eckzahn *m.*

can·ing ['keiniŋ] *s.* Tracht *f* Prügel.

can·is·ter ['kænistə] *s.* **1.** Ka'nister *m*, Blechdose *f*; **2.** ⚔ *a.* ~ *shot* Kar'tätsche *f.*

can·ker ['kæŋkə] **I.** *s.* **1.** ⚕ Mund- *od.* Lippengeschwür *n*; **2.** *vet.* Strahlfäule *f*; **3.** ⚘ Rost *m*, Brand *m*; **4.** *fig.* Krebsschaden *m*, Übel *n*, schädlicher Einfluß, (nagender) Wurm; **II.** *v/t.* **5.** *fig.* an-, zerfressen, verderben; **III.** *v/i.* **6.** angefressen werden, verderben; '**can·kered** [-əd] *adj.* **1.** ⚘ **a)** brandig, **b)** (von Raupen) zerfressen; **2.** *fig.* giftig, boshaft; '**can·ker·ous** [-ərəs] *adj.* **1.** → *cankered 1*; **2.** fressend, schädlich.

'**can·ker|-rash** *s.* ⚕ 'Scharlachausschlag *m*; '~**-worm** *s.* **1.** *zo.* schädliche Raupe; **2.** → *canker 4.*

can·na ['kænə] *s.* ⚘ Canna *f.*

can·na·bis ['kænəbis] *s.* **1.** ⚘ Hanf *m*; **2.** *pharm.* 'Haschisch *n.*

canned [kænd] *adj.* **1.** konserviert, Dosen..., Büchsen...: ~ *food* Konserven; ~ *meat* Büchsenfleisch; **2.** *sl.* me'chanisch reproduziert: ~ *music* Musik aus der Konserve; **3.** *Am. sl.* betrunken; **4.** 'serienmäßig *od.* scha'blonenhaft hergestellt.

can·nel ['kænl], ~ **coal** *s.* Kännelkohle *f* (*Pechkohle*).

can·ner ['kænə] *s.* **1.** Kon'servenfabri,kant *m*; **2.** Kon'servenarbeiter *m*; '**can·ner·y** [-əri] *s.* Kon'servenfa,brik *f.*

can·ni·bal ['kænibəl] **I.** *s.* Kanni'bale *m*, Menschenfresser *m*; **II.** *adj.* kanni'balisch (*a. fig.*); '**can·ni·bal·ism** [-bəlizəm] *s.* Kanniba'lismus *m*; *fig.* Unmenschlichkeit *f*; **can·ni·bal·is·tic** [kænibə'listik] *adj.* (□ ~*ally*) kanni'balisch (*a. fig.*); '**can·ni·bal·ize** [-bəlaiz] *v/t. sl. Maschine etc.* ‚ausschlachten'.

can·ning ['kæniŋ] *s.* Kon'servenfabrikati,on *f*: ~ *factory* Konservenfabrik.

can·non ['kænən] **I.** *s.* **1.** ⚔ **a)** Ka'none *f*, Geschütz *n*, **b)** *coll.* Ka'nonen *pl.*, Artille'rie *f*; **2.** ⊕ Zy'linder *m* um e-e Welle; **3.** *Billard*: *Brit.* Karambo'lage *f*; **II.** *v/i.* **4.** *Billard*: *Brit.* karambolieren; **5.** (*against, into, with*) rennen, prallen (gegen), karambolieren (mit); **can·non·ade** [kænə'neid] **I.** *s.* **1.** Kano'nade *f*; **2.** *fig.* Dröhnen *n*; **II.** *v/t.* **3.** bombardieren.

'**can·non|-ball** *s.* Ka'nonenkugel *f*; '~**-bit** *s. ein* Gebiß *n* (*Pferd*); '~**-bone** *s. zo.* Ka'nonenbein *n* (*Pferd*); '~**-fod·der** *s.* Ka'nonenfutter *n.*

can·not ['kænɔt] → *can*[1] *1.*

can·nu·la ['kænjulə] *s.* ⚕ Ka'nüle *f.*

can·ny ['kæni] *adj.* □ *Scot.* **1.** 'umsichtig, vorsichtig; **2.** (sehr) sparsam; **3.** schlau, erfahren.

ca·noe [kə'nuː] **I.** *s.* 'Kanu *n*, Paddelboot *n*: *to paddle one's own* ~ auf eigenen Füßen stehen, nach eigenem Gutdünken handeln; **II.** *v/i.* Kanu fahren, paddeln; **ca'noe·ist** [-uːist] *s.* Ka'nute *m*, 'Kanufahrer *m.*

can·on[1] ['kænən] *s.* **1.** Regel *f*, Richtschnur *f*, Maßstab *m*, Grundsatz *m*; **2.** *eccl.* 'Kanon *m*: **a)** ka'nonische Bücher *pl.*, **b)** 'Meß,kanon *m*, **c)** Ordensregeln *pl.*, **d)** → *canon law*; **3.** ♪ Kanon *m*; **4.** *typ.* Kanon (-schrift) *f.*

can·on[2] ['kænən] *s. eccl.* Ka'noniker *m*, Dom-, Stiftsherr *m.*

ca·ñon → *canyon.*

can·on·ess ['kænənis] *s. eccl.* Kano'nissin *f*, Stiftsdame *f.*

ca·non·i·cal [kə'nɔnikəl] **I.** *adj.* □ ka'nonisch, vorschriftsmäßig; anerkannt; **II.** *s. pl. eccl.* kirchliche Amtstracht; ~ **books** → *canon*[1] *2 a*); ~ **hours** *s. pl.* **a)** regelmäßige Gebetszeiten *pl.*, **b)** *Brit.* Zeiten *pl.* für die Trauung.

can·on·ist ['kænənist] *s.* Kirchenrechtslehrer *m*; **can·on·i·za·tion** [kænənai'zeiʃən] *s. eccl.* Heiligsprechung *f*; '**can·on·ize** [-naiz] *v/t. eccl.* heiligsprechen; **can·on law** *s.* ka'nonisches Recht, Kirchenrecht *n*; '**can·on·ry** [-nri] *s.* Kanoni'kat *n.*

ca·noo·dle [kə'nuːdl] *v/t. u. v/i. sl.* ‚knudeln', ‚knutschen', liebkosen.

can·o·py ['kænəpi] **I.** *s.* **1.** 'Baldachin *m*, (Bett-, Thron-, Trag)Himmel *m*: ~ *of heaven* Himmelszelt; **2.** Schutzdach *n*, Verdeck *n*; **3.** ⚠

Über'dachung *f*; **II.** *v/t.* **4.** über'dachen; *fig.* bedecken.

canst [kænst; kənst] *obs. 2. sg. pres. von can*[1].

cant[1] [kænt] **I.** *s.* **1.** Fach-, Zunftsprache *f*; Jar'gon *m*; **2.** Gaunersprache *f*; **3.** Gewäsch *n*; **4.** Heuche'lei *f*, scheinheiliges Gerede; **5.** stehende Redensart; **II.** *v/i.* **6.** heucheln, scheinheilig reden; **7.** Phrasen dreschen.

cant[2] [kænt] **I.** *s.* **1.** (Ab)Schrägung *f*, schräge Lage; **2.** Ruck *m*, Stoß *m*; plötzliche Wendung; **II.** *v/t.* **3.** (ver-)kanten, kippen; **4.** ⊕ abschrägen; **III.** *v/i.* **5.** *a. to* ~ *over* sich neigen, sich auf die Seite legen; 'umkippen.

can't [kɑ:nt] F *für cannot*; → *can*[1].

Can·tab ['kæntæb] *abbr. für Cantabrigian.*

can·ta·bi·le [kæn'tɑ:bili] (*Ital.*) *adv.* (wie) singend.

Can·ta·brig·i·an [kæntə'bridʒiən] *s.* Stu'dent(in) der Universi'tät Cambridge (*England*).

can·ta·loup(e) ['kæntəlu:p] *s.* ♀ Kanta'lupe *f*, 'Warzenme,lone *f*.

can·tan·ker·ous [kən'tæŋkərəs] *adj.* □ mürrisch, zänkisch, ‚eklig', rechthaberisch.

can·ta·ta [kæn'tɑ:tə] *s.* ♪ Kan'tate *f*.

can·teen [kæn'ti:n] *s.* **1.** (Mili'tär-, Be'triebs- *etc.*)Kan,tine *f*; **2.** ⚔ **a)** Feldflasche *f*, **b)** Kochgeschirr *n*; **3.** Besteck-, Silberkasten *m*.

can·ter ['kæntə] **I.** *s.* 'Kanter *m*, kurzer Ga'lopp: *to win in a* ~ mühelos siegen; **II.** *v/i.* im kurzen Galopp reiten.

Can·ter·bur·y| bell ['kæntəbəri] *s.* ♀ Glockenblume *f*; ~ **lamb** *s. Brit.* Hammelfleisch *n* (*aus Neuseeland*).

can·thar·i·des [kæn'θæridi:z] *s. pl.* ⚕ Kantha'riden *pl.* (*Spanische Fliegen*).

'cant-hook *s.* ⊕ Kanthaken *m*.

can·ti·cle ['kæntikl] *s. eccl.* Lobgesang *m*: ♀*s bibl. das* Hohelied (Salo'monis).

can·ti·le·ver ['kæntili:və] **I.** *s.* **1.** ⚠ Kon'sole *f*; **2.** ⊕ freitragender Arm, vorspringender Träger, Ausleger *m*; **II.** *adj.* **3.** freitragend; ~ **bridge** *s.* Auslegerbrücke *f*; ~ **wing** *s.* ✈ unverspreizte Tragfläche.

can·to ['kæntou] *pl.* **-tos** *s.* Gesang *m* (*Teil e-r größeren Dichtung*).

can·ton[1] ['kæntɔn] **I.** *s.* Kan'ton *m*, (Verwaltungs)Bezirk *m*; **II.** *v/t.* in Kantone *od.* Bezirke einteilen.

can·ton[2] ['kæntən] **I.** *s.* **1.** *her.* Feld *n*; **2.** Gösch *f* (*Obereck an Flaggen*); **II.** *v/t.* **3.** *her.* in Felder einteilen.

can·ton[3] [kən'tu:n] *v/t.* ⚔ einquartieren.

can·ton·al ['kæntənl] *adj.* kanto'nal.

Can·ton·ese [kæntə'ni:z] **I.** *adj.* kanto'nesisch; **II.** *s.* Bewohner(in) 'Kantons.

can·ton·ment [kən'tu:nmənt] *s.* ⚔ *oft pl.* Quar'tier *n*, 'Orts,unterkunft *f*.

Ca·nuck [kə'nʌk] *s. Am. u. Canad. sl.* Ka'nadier(in) (*französischer Abstammung*).

can·vas ['kænvəs] *s.* **1. a)** Segeltuch *n*: ~ *shoes* Segeltuchschuhe, **b)** *coll.* (*alle*) Segel *pl.*: *under* ~ unter Segel; **2.** Pack-, Zeltleinwand *f*: *under* ~ in Zelten; **3.** 'Kanevas *m*, Stra'min *m* (*zum Sticken*); **4. a)** (Maler)Leinwand *f*, **b)** (Öl)Gemälde *n*.

can·vass ['kænvəs] **I.** *v/t.* **1.** gründlich erörtern *od.* prüfen; **2. a)** *pol. Stimmen* werben, **b)** ✝ *Aufträge* her'einholen, *Abonnenten, Inserate* sammeln; **3.** *Wahlkreis od. Geschäftsbezirk* bereisen, bearbeiten; **4.** um *et.* werben, *j-n od. et.* anpreisen; **II.** *v/i.* **5.** e-n Wahlfeldzug veranstalten; **6.** *Am.* 'Wahlresul,tate prüfen; **7.** werben (*for* um); **III.** *s.* **8.** *pol.* Stimmenwerbung *f*, Wahlfeldzug *m*; **9.** ✝ Werbefeldzug *m*; **10.** *Am. pol.* Wahlnachprüfung *f*; **'can·vass·er** [-sə] *s.* **1. a)** Wahleinpeitscher *m*, **b)** Kundenwerber *m*; **2.** *Am.* Wahlstimmenprüfer *m*; **'can·vass·ing** [-siŋ] *s.* **1.** 'Wahlpropa,ganda *f*; **2.** ✝ Kundenwerbung *f*.

can·yon ['kænjən] *s.* 'Cañon *m*, Felsschlucht *f*.

caou·tchouc ['kautʃuk] *s.* 'Kautschuk *m*, 'Gummi *n*, *m*.

cap[1] [kæp] **I.** *s.* **1.** Mütze *f*, Kappe *f*, Haube *f*: ~ *and bells* Schellen-, Narrenkappe; ~ *in hand* mit der Mütze in der Hand, demütig; *if the* ~ *fits wear it fig.* wen's juckt, der kratze sich; *she sets her* ~ *at him* F sie angelt ihn sich; **2.** *univ.* Ba'rett *n*: ~ *and gown univ.* Barett u. Talar; **3.** (Sport-, Stu'denten-, Klub-, Dienst)Mütze *f*: *to get one's* ~ *sport* in die offizielle Mannschaft aufgenommen werden; **4.** (Schutz-, Verschluß)Kappe *f od.* (-)Kapsel *f*, Deckel *m*, Aufsatz *m*; ⚔ Zündkapsel *f*; **5.** Spitze *f*, Gipfel *m*; **6.** *geol.* Deckschicht *f*; **II.** *v/t.* **7.** (mit *od.* wie mit e-r Kappe) bedecken; **8.** mit (Schutz)Kappe, Kapsel, Deckel, Aufsatz *etc.* versehen; **9.** *Brit. univ. j-m* e-n aka'demischen Grad verleihen; **10.** oben liegen auf (*dat.*), krönen (*a. fig. abschließen*); **11.** *fig.* über'treffen, -'trumpfen; **III.** *v/i.* **12.** die Mütze abnehmen (*to s.o.* vor j-m).

cap[2] [kæp] *abbr. für capital*[1] 2.

ca·pa·bil·i·ty [keipə'biliti] *s.* **1.** Fähigkeit *f* (*of* zu); **2.** Tauglichkeit *f* (*for* zu); **3.** *a. pl.* Ta'lent *n*, Begabung *f*; **ca·pa·ble** ['keipəbl] *adj.* □ **1.** (*Personen*) **a)** fähig, tüchtig, **b)** (*of*) fähig (zu *od. gen.*), im'stande (zu *inf.*) (*mst b.s.*); **2.** (*Sachen*) **a)** geeignet, tauglich (*for* zu), **b)** (*of*) (et.) zulassend, (zu et.) fähig: ~ *of being divided* teilbar.

ca·pa·cious [kə'peiʃəs] *adj.* □ geräumig, weit; um'fassend (*a. fig.*).

ca·pac·i·tate [kə'pæsiteit] *v/t.* befähigen, ermächtigen (*a.* ⚖); **ca'pac·i·tor** [-tə] *s.* ⚡ Konden'sator *m*; **ca'pac·i·ty** [-ti] *s.* **1.** (Raum)Inhalt *m*, Fassungsvermögen *n*; Kapazi'tät *f* (*a.* ⚡, *phys.*): *measure of* ~ Hohlmaß; *seating* ~ Sitzgelegenheit (*of* für); **2.** (*a.* ⊕ Leistungs)Fähigkeit *f*, (Nutz)Leistung *f*; **3.** Höchstmaß *n*: *filled to* ~ ganz voll *od.* (*thea.*) besetzt; *working to* ~ mit Höchstleistung arbeitend; ~ *business* Rekordgeschäft; ~ *house thea.* ausverkauftes Haus; **4.** *fig.* Auffassungsgabe *f*, *geistige* Fähigkeit; **5.** ⚖ Geschäftsfähigkeit *f*: ~ *to sue* Prozeßfähigkeit; **6.** Eigenschaft *f*, Stellung *f*: *in my* ~ *as* in m-r Eigenschaft als.

cap-à-pie [kæpə'pi:] *adv.* von Kopf bis Fuß; gänzlich.

ca·par·i·son [kə'pærisn] *s.* **1.** Scha'bracke *f*; **2.** *fig.* Aufputz *m*.

cape[1] [keip] *s.* Cape *n*, 'Umhang *m*; Schulterkragen *m*.

cape[2] [keip] *s.* Kap *n*, Vorgebirge *n*: *the* ♀ das Kap der Guten Hoffnung; ♀ *wine* Kapwein.

ca·per[1] ['keipə] **I.** *s.* **a)** Freuden-, Luftsprung *m*, **b)** *pl.* Streiche *pl.*, Dummheiten *pl.*: *to cut* ~*s* Luftsprünge *od.* Kapriolen (*a. fig. dumme Streiche*) machen; **II.** *v/i.* Kapri'olen machen.

ca·per[2] ['keipə] *s.* ♀ **1.** Kapernstrauch *m*; **2.** Kaper *f*.

cap·er·cail·lie [kæpə'keilji], **cap·er'cail·zie** [-lji] *s. orn.* Auerhahn *m*.

cap·ful ['kæpful] *pl.* **-fuls** *s.* *e-e* Mütze(voll): *a* ~ *of wind* ein Windstoß.

ca·pi·as ['keipiæs] *s.* ⚖ Haftbefehl *m* (*bsd. im Vollstreckungsverfahren*).

cap·il·lar·i·ty [kæpi'læriti] *s. phys.* Kapillari'tät *f*; **cap·il·lar·y** [kə'piləri] **I.** *adj.* haarförmig, -fein, kapil'lar: ~ *attraction* Kapillaranziehung; ~ *tube* → *II*; **II.** *s. anat.* Kapil'largefäß *n*.

cap·i·tal[1] ['kæpitl] **I.** *s.* **1.** Hauptstadt *f*; **2.** großer Buchstabe, Ma'juskel *f*; **3.** ✝ Kapi'tal *n*, Vermögen *n*: ♀ *and Labo(u)r* Unternehmertum u. Arbeiterschaft; **4.** Vorteil *m*, Nutzen *m*: *to make* ~ *out of* aus *et.* Kapital schlagen *od.* Nutzen ziehen; **II.** *adj.* **5.** ⚖ **a)** kapi'tal, todeswürdig: ~ *crime* Kapitalverbrechen, **b)** Todes...: ~ *punishment* Todesstrafe; **6.** größt, wichtigst, Haupt...: ~ *city* Hauptstadt; ~ *ship* Großkampfschiff; **7.** verhängnisvoll: *a* ~ *error* ein Kapitalfehler; **8.** großartig, ausgezeichnet: *a* ~ *fellow* ein famoser Kerl; **9.** ✝ ~ *fund* Stamm-, Grundkapital; **10.** ~ *letter* → 2; ~ *B* großes B.

cap·i·tal[2] ['kæpitl] *s.* Kapi'tell *n*, Säulenknauf *m*.

cap·i·tal| ac·count *s.* ✝ Kapi'tal,konto *n*; ~ **as·sets** *s. pl.* ✝ Anlagevermögen *n*; ~ **ex·pend·i·ture** *s.* ✝ Kapi'talaufwand *m*; ~ **gains tax** *s.* Kapi'talertragssteuer *f*; ~ **goods** *s. pl.* ✝ Kapi'tal-, Investiti'onsgüter *pl.*; **'~-in·ten·sive** *adj.* ✝ kapi'talinten,siv; ~ **in·vest·ment** *s.* ✝ Kapi'talanlage *f*.

cap·i·tal·ism ['kæpitəlizəm] *s.* Kapita'lismus *m*; **'cap·i·tal·ist** [-ist] *s.* Kapita'list *m*; **cap·i·tal·is·tic** *adj.*, **cap·i·tal·is·ti·cal** [kæpitə'listik(əl)] *adj.* □ kapita'listisch; **cap·i·tal·i·za·tion** [kæpitəlai'zeiʃən] *s.* **1.** Kapitalisierung *f*; **2.** Großschreibung *f* (*Buchstabe*); **cap·i·tal·ize** [kə'pitəlaiz] **I.** *v/t.* **1.** kapitalisieren; **2.** *fig.* sich *et.* zu'nutze machen; **3.** *Buchstaben* groß schreiben; **II.** *v/i.* **4.** Kapi'tal anhäufen; **5.** e-n Kapi'talwert haben (*at* von); **6.** *fig.* Kapital schlagen, Nutzen ziehen (*on* aus).

cap·i·tal| lev·y *s.* ✝ Vermögensabgabe *f*; ~ **mar·ket** *s.* Kapi'talmarkt *m*; ~ **stock** *s.* ✝ 'Aktien-, 'Stammkapi,tal *n*.

cap·i·ta·tion [kæpi'teiʃən] *s.* **1.** *a.* ~

tax Kopfsteuer *f*; **2.** Zahlung *f* pro Kopf: ~ *grant* Zuschuß pro Kopf.

Cap·i·tol ['kæpitl] *s.* Kapi'tol *n*: **a)** *im alten Rom*, **b)** *in Washington*; **Cap·i·to·line** [kə'pitəlain] *adj. u. s.* kapito'linisch(er Hügel).

ca·pit·u·lar [kə'pitjulə] *eccl.* **I.** *adj.* zum Ka'pitel gehörig; **II.** *s.* Kapitu'lar *m*, Domherr *m*.

ca·pit·u·late [kə'pitjuleit] *v/i.* ⚔ *u. fig.* kapitulieren (*to* vor *dat.*); **ca·pit·u·la·tion** [kəpitju'leiʃən] *s.* **1.** ⚔ **a)** Kapitulati'on *f*, 'Übergabe *f*, **b)** Kapitulati'onsurkunde *f*; **2.** *hist.* Kapitulation *f* (*Vertrag über Exterritorialitätsvorrechte*).

ca·pon ['keipən] *s.* Ka'paun *m*; '**ca·pon·ize** [-naiz] *v/t. Hahn* kastrieren.

capped [kæpt] *adj.* mit e-r Kappe *od.* Mütze bedeckt: ~ *and gowned* in vollem Ornat; *black-*~ e-e schwarze Kappe tragend.

ca·price [kə'pri:s] *s.* Laune *f*, Grille *f*; Launenhaftigkeit *f*; **ca'pri·cious** [-iʃəs] *adj.* □ launenhaft, launisch; kaprizi'ös; **ca'pri·cious·ness** [-iʃəsnis] *s.* Launenhaftigkeit *f*.

Cap·ri·corn ['kæprikɔ:n] *s. ast.* Steinbock *m*.

cap·ri·ole ['kæprioul] **I.** *s.* Kapri'ole *f*, Bock-, Luftsprung *m*; **II.** *v/i.* Kapri'olen machen.

cap·si·cum ['kæpsikəm] *s.* ⚘ 'Paprika *m*, Spanischer Pfeffer.

cap·size [kæp'saiz] **I.** *v/i.* **1.** ⚓ kentern; **2.** *fig.* 'umschlagen; **II.** *v/t.* **3.** ⚓ zum Kentern bringen.

cap·stan ['kæpstən] *s.* ⚓ Gangspill *n*, Ankerwinde *f*; ~ **lathe** *s.* ⊕ Re'volverdrehbank *f*.

cap·su·lar ['kæpsjulə] *adj.* kapselförmig, Kapsel...; **cap·sule** ['kæpsju:l] *s.* **1.** *zo.* 'Kapsel *f*, Hülle *f*, Schale *f*; **2.** ⚕ (Arz'nei)Kapsel *f*; **3.** ⚘ (Samen)Kapsel *f*; **4.** (Me'tall-)Kapsel *f*, Hülse *f*; **5.** ⚗ Abdampfschale *f*, -tiegel *m*; **6.** *fig.* gedrängte 'Übersicht.

cap·tain ['kæptin] **I.** *s.* **1.** Führer *m*, Oberhaupt *n*; Obmann *m*: ~ *of industry* Industriekapitän; **2.** ⚔ **a)** Hauptmann *m*, **b)** *Kavallerie*: Rittmeister *m*; **3.** ⚓ **a)** Kapi'tän *m*, Komman'dant *m*, **b)** *Kriegsmarine*: Kapitän *m* zur See; **4.** *sport* 'Mannschaftskapi,tän *m*; **5.** *ped.* 'Primus *m*; **6.** Vorarbeiter *m*; ⚒ Obersteiger *m*; **II.** *v/t.* **7.** anführen; '**cap·tain·cy** [-si], '**cap·tain·ship** [-ʃip] *s.* **1.** ⚔ Hauptmanns-, Kapi'tänsposten *m*, -rang *m*; **2.** Führerschaft *f*.

cap·tion ['kæpʃən] **I.** *s.* **1.** 'Überschrift *f*, Titel *m*; ('Bild),Unterschrift *f*; **2.** *Film*: 'Unter,titel *m*; **3.** Ru'brik *f*; Kopf *m* e-r Urkunde; **II.** *v/t.* **4.** mit e-r Überschrift *etc.* versehen.

cap·tious ['kæpʃəs] *adj.* □ **1.** spitzfindig; **2.** krittelig, nörglerisch; **3.** heikel, verfänglich; '**cap·tious·ness** [-nis] *s.* **1.** Spitzfindigkeit *f*; **2.** Verfänglichkeit *f*.

cap·ti·vate ['kæptiveit] *v/t. fig.* gefangennehmen, fesseln, bestrikken, bezaubern; '**cap·ti·vat·ing** [-tiŋ] *adj. fig.* fesselnd, bezaubernd; **cap·ti·va·tion** [kæpti'veiʃən] *s. fig.* Bestrickung *f*, Fesselung *f*.

cap·tive ['kæptiv] **I.** *adj.* (kriegs)gefangen: ~ *bird* Stubenvogel; ~ *balloon* ✈ Fesselballon; *to be held* ~ gefangengehalten werden; **II.** *s.* Gefangene(r) *m*; Sklave *m* (*a. fig.*); **cap·tiv·i·ty** [kæp'tiviti] *s.* **1.** Gefangenschaft *f*; **2.** *fig.* Knechtschaft *f*.

cap·tor ['kæptə] *s.* **1.** Fänger *m*; Erbeuter *m*: *his* ~ der ihn gefangennahm; **2.** ⚓ Kaper *m*; '**cap·ture** [-tʃə] **I.** *v/t.* **1.** fangen; gefangennehmen; **2.** ⚔ erobern; erbeuten; **3.** ⚓ kapern, aufbringen; **4.** *fig.* (*a. Stimmung etc.*) einfangen; erobern, für sich einnehmen, gewinnen, erlangen; an sich reißen; **II.** *s.* **5.** Gefangennahme *f*, Fang *m*; **6.** ⚔ Eroberung *f* (*a. fig.*); Erbeutung *f*; Beute *f*; **7.** ⚓ Kapern *n*, Aufbringung *f*; Prise *f*.

Cap·u·chin ['kæpjuʃin] *s.* **1.** *eccl.* Kapu'ziner(mönch) *m*; **2.** ♀ 'Umhang *m* mit Ka'puze; ~ **mon·key** *s. zo.* Kapu'zineraffe *m*.

car [kɑ:] *s.* **1.** Auto(mo'bil) *n*, (Kraft)Wagen *m*; **2.** (Eisenbahn-)Wagen *m*, Wag'gon *m*; **3.** Wagen *m*, Karren *m*; **4.** (*Luftschiff- etc.*) Gondel *f*; **5.** Ka'bine *f e-s Aufzuges*; **6.** *poet.* Kriegs-, Tri'umphwagen *m*.

car·a·bi·neer [kærəbi'niə] *s.* ⚔ Karabini'er *m*.

car·a·col(e) ['kærəkoul] *Reitkunst*: **I.** *s.* (halbe) Schwenkung; **II.** *v/i.* schwenken, im Zickzack reiten.

ca·rafe [kə'rɑ:f] *s.* Ka'raffe *f*, Glasflasche *f* mit Stöpsel.

car·a·mel ['kærəmel] **I.** *s.* **1.** Kara'mel *m*, gebrannter Zucker; **2.** Kara'melle *f* (*Bonbon*).

car·a·pace ['kærəpeis] *s. zo.* Rückenschild *m* (*Schildkröte, Krebs*).

car·at ['kærət] *s.* Ka'rat *n*: **a)** *Juwelengewicht*, **b)** *Goldfeingehalt*.

car·a·van [kærə'væn] **I.** *s.* **1.** Kara'wane *f* (*a. fig.*); **2.** Trans'port- *od.* Reisewagen *m* (*Zigeuner, Zirkus*); **3. a)** Wohnwagen *m*, **b)** *Brit.* Wohnanhänger *m*; **II.** *v/i.* **4.** im Wohnwagen reisen; **car·a·van·ner** ['kærəvænə] *s.* im Wohnwagen Reisende(r); **car·a'van·sa·ry** [-səri], **car·a'van·se·rai** [-sərai] *s.* Karawanse'rei *f*; *fig.* großes Gasthaus.

car·a·vel ['kærəvel] *s.* ⚓ Kara'velle *f* (*leichtes Segelschiff*).

car·a·way ['kærəwei] *s.* ⚘ Kümmel *m*; '~**-seeds** *s. pl.* Kümmelkörner *pl.*

car·bide ['kɑ:baid] *s.* ⚗ Kar'bid *n*.

car·bine ['kɑ:bain] *s.* ⚔ Kara'biner *m*; **car·bi·neer** [kɑ:bi'niə] → *carabineer*.

carbo- [kɑ:bou] *in Zssgn* Kohlenstoff...

car bod·y *s.* ⊕ Karosse'rie *f*.

car·bo·hy·drate ['kɑ:bou'haidreit] *s.* ⚗ 'Kohle(n)hy,drat *n*.

car·bol·ic ac·id [kɑ:'bɔlik] *s.* ⚗ Kar'bol(säure *f*) *n*, Phe'nol *n*.

car·bo·lize ['kɑ:bəlaiz] *v/t.* ⚗ mit Kar'bolsäure behandeln.

car·bon ['kɑ:bən] *s.* **1.** ⚗ Kohlenstoff *m*; **2.** ⚡ Kohle(stift *m*) *f*; **3.** → *carbon-paper*; **car·bo·na·ceous** [kɑ:bə'neiʃəs] *adj.* kohlenstoff-, kohleartig; Kohlen...; '**car·bon·ate** ⚗ **I.** *s.* [-nit] **1.** kohlensaures Salz: ~ *of lime* Kalziumkarbonat, Kreide; ~ *of soda* Natriumkarbonat, kohlensaures Natrium, Soda; **II.** *v/t.* [-neit] **2.** mit Kohlensäure *od.* Kohlen'dio,xyd behandeln: ~*d water* kohlensäurehaltiges Wasser, Sodawasser; **3.** karbonisieren, verkohlen.

car·bon| brush *s.* ⚡ Kohlebürste *f*; ~ **cop·y** *s.* 'Durchschlag *m*, 'Durchschrift *f*, Ko'pie *f*; ~ **di·ox·ide** *s.* ⚗ Kohlen'dio,xyd *n*; ~ **fil·a·ment** *s.* ⚡ Kohlefaden *m*.

car·bon·ic [kɑ:'bɔnik] *adj.* ⚗ kohlenstoffhaltig; Kohlen...; ~ **ac·id** *s.* ⚗ Kohlensäure *f*; ~**-'ac·id gas** *s.* ⚗ Kohlen'dio,xyd *n*, Kohlensäuregas *n*; ~ **ox·ide** *s.* ⚗ Kohlen('mon-)o,xyd *n*.

car·bon·if·er·ous [kɑ:bə'nifərəs] *adj.* kohlehaltig, kohleführend: ♀ *Period geol.* Karbon, Steinkohlenzeit; **car·bon·i·za·tion** [kɑ:bənai'zeiʃən] *s.* **1.** Verkohlung *f*; **2.** Verkokung *f*: ~ *plant* Kokerei; '**car·bon·ize** [-naiz] *v/t.* **1.** verkohlen; **2.** verkoken.

'**car·bon|-pa·per** *s.* 'Kohlepa,pier *n* (*a. phot.*); ~ **print** *s. typ.* Kohle-, Pig'mentdruck *m*; ~ **steel** *s.* Kohlenstoff-, Flußstahl *m*.

car·bo·run·dum [kɑ:bə'rʌndəm] *s.* ⊕ Karbo'rundum *n* (*Schleifmittel*).

car·boy ['kɑ:bɔi] *s.* Korbflasche *f*, ('Glas)Bal,lon *m* (*bsd. für Säuren*).

car·bun·cle ['kɑ:bʌŋkl] *s.* **1.** ⚕ Kar'bunkel *m*; **2.** Kar'funkel *m*, geschliffener Gra'nat.

car·bu·ret ['kɑ:bjuret] *v/t.* ⊕ karburieren; *mot.* vergasen; '**car·bu·ret·(t)ed** [-tid] *adj.* karburiert; '**car·bu·ret·ter, -ret·tor** [-tə], *Am. mst* **-ret·or** [-reitə] *s.* ⊕, *mot.* Vergaser *m*.

car·cass, car·case ['kɑ:kəs] *s.* **1.** Ka'daver *m*, (Tier-, Menschen-)Leiche *f*; **2.** Rumpf *m* (*e-s geschlachteten Tieres*): ~ *meat* frisches Fleisch (*Ggs. konserviertes*); **3.** Gerippe *n*, Ske'lett *n* (*fig. a. von Haus od. Schiff*); **4.** *fig.* Trümmer *pl.*

car cem·e·ter·y *s.* 'Autofriedhof *m*.

car·cin·o·gen·ic [kɑ:sinə'dʒenik] *adj.* karzino'gen, krebserzeugend; **car·ci·no·ma** [kɑ:si'noumə] *s.* ⚕ Karzi'nom *n*, Krebsgeschwür *n*.

card[1] [kɑ:d] *s.* **1.** (*Spiel*)Karte *f*: *to play (at)* ~*s* Karten spielen; *game of* ~*s* Kartenspiel; *a pack of* ~*s* ein Spiel Karten; *house of* ~*s fig.* Kartenhaus; *a safe* ~ *fig.* ein sicheres Mittel; *to put one's* ~*s on the table fig.* s-e Karten auf den Tisch legen; *to show one's* ~*s fig.* s-e Karten aufdecken; *on the* ~*s* (durchaus) möglich, ‚drin'; **2.** (*Post-, Glückwunsch- etc., Geschäfts-, Visiten-, Eintritts-, Einladungs*)Karte *f*; **3.** *sport* Pro'gramm *n*; **4.** Windrose *f* (*Kompaß*); **5.** F Kerl *m*: *a queer* ~ ein komischer Kauz.

card[2] [kɑ:d] ⊕ **I.** *s.* Wollkratze *f*, Krempel *f*; **II.** *v/t. Wolle* krempeln, kämmen: ~*ed yarn* Streichgarn.

car·da·mom, car·da·mum ['kɑ:dəməm] *s.* Karda'mom *m*, *n* (*Gewürz*).

car·dan| joint ['kɑ:dən] *s.* ⊕ Kar'dangelenk *n*; ~ **shaft** *s.* ⊕ Kar'dan-, Gelenkwelle *f*.

'**card|-bas·ket** *s.* Vi'sitenkartenschale *f*; '~**-board** *s.* Kar'tonpa,pier *n*, Pappe *f*: ~ *box* Pappschachtel; '~**-case** *s*. Vi'sitenkartentäschchen *n*; ~ **cat·a·logue** → *card index*.

card·er ['kɑːdə] *s*. ⊕ **1.** Krempler *m*, Wollkämmer *m*; **2.** 'Krempelma,schine *f*.

car·di·ac ['kɑːdiæk] **I.** *adj*. Herz...; **II.** *s*. Herzmittel *n*.

car·di·gan ['kɑːdigən] *s*. wollene Strickjacke *od*. -weste.

car·di·nal ['kɑːdinl] **I.** *adj*. **1.** grundsätzlich, grundlegend, hauptsächlich, Haupt..., Kardinal...: ~ *points die* vier (Haupt)Himmelsrichtungen; ~ *principles* Grundprinzipien; ~ *number* Kardinalzahl; **2.** *eccl*. Kardinals...; **3.** scharlachrot, hochrot: ~*-flower* ⚘ hochrote Lobelie; **II.** *s*. **4.** *eccl*. Kardi'nal *m*; **5.** *orn*. *a*. ~*-bird* Kardinal *m*; '**car·di·nal·ship** [-ʃip] *s*. Kardi'nalswürde *f*.

card in·dex *s*. Karto'thek *f*, Kar'tei *f*; '**card-'in·dex** *v/t*. e-e Kartei anlegen von, verzetteln; in e-e Kartei eintragen.

card·ing ['kɑːdiŋ] *s*. ⊕ Krempeln *n*, Kratzen *n* (*Wolle*): ~ *machine* Krempel-, Kratzmaschine.

cardio- [kɑːdiou] *in Zssgn* Herz...

car·di·o·gram ['kɑːdiəgræm] *s*. ⚕ Kardio'gramm *n*; **car·di·ol·o·gy** [kɑːdi'ɔlədʒi] *s*. ⚕ Herzheilkunde *f*.

'**card|-room** *s*. (*Karten*)Spielzimmer *n*; '~**-sharp(·er)** *s*. Falschspieler *m*; ~ **ta·ble** *s*. Spieltisch *m*; ~ **trick** *s*. Kartenkunststück *n*; ~ **this·tle** *s*. ⚘ Karde *f*; ~ **vote** *s*. *pol*. Abstimmung *f* durch Wahlmänner (*nach Zahl der Mitgliedskarten*).

care [kɛə] **I.** *s*. **1.** Kummer *m*, Sorge *f*: *to be free from* ~*(s)* keine Sorgen haben; **2.** Sorgfalt *f* (*a*. ⚖), Aufmerksamkeit *f*, Vorsicht *f*: *with* ~! Vorsicht!; *have a* ~! *Brit*. sei vorsichtig!; *to take* ~ **a)** vorsichtig sein, **b)** sich Mühe geben, darauf achten, nicht vergessen (*that* daß, *to inf*. zu *inf*.); *to take* ~ *not to inf*. sich hüten zu *inf*.; *to take* ~ *of o.s.* auf sich aufpassen, sich schonen; **3.** Sorge *f*, Pflicht *f*, Mühe *f*: *that will be my* ~ dafür werde ich (selber) sorgen; **4.** Fürsorge *f*, Obhut *f*, Pflege *f*, Aufsicht *f*, ⚕ Behandlung *f*: ~ *of the mouth* Mundpflege; *in od. under my* ~ unter m-r Aufsicht *od*. Obhut; ~ *of* (*abbr. c/o*) per Adresse, bei...; ~ *and custody* ⚖ (*Personen*, *Vermögens*)Sorge (-recht *n*) *f*; *to take* ~ *of s.o.* achtgeben *od*. achtgeben auf j-n, sich kümmern um j-n, sorgen für j-n; *to take* ~ *of s.th.* für et. sorgen, et. besorgen *od*. erledigen; → *child care*; **II.** *v/i*. **5.** sich et. aus *e-r Sache* machen: *I don't think she really* ~*s* ich glaube, in Wirklichkeit liegt ihr nichts daran; *I don't* ~ (*a pin*) *od*. *I couldn't* ~ *less* F das ist mir (völlig) gleich; *who* ~*s?* wem macht das was aus?; *I don't* ~ *if I do* F ich habe nichts dagegen; *for all I* ~ meinetwegen; **6.** (*for od. about*) gern haben (*acc*.): *the one thing he* ~*s about* das einzige, woran ihm et. liegt; *I don't* ~ *for claret* ich mache mir nichts aus Rotwein; *he doesn't* ~ *for her* er macht sich nichts aus ihr; **7.** (*to inf*.) Lust haben (zu *inf*.), mögen: *I don't* ~ *to be seen with you*; *would you* ~ *to see our garden?*; **8.** *neg*. nichts da'gegen haben: *I don't* ~ *if you stay a little longer*; **9.** (*for*) sorgen (für), sich kümmern (um), betreuen (*acc*.): *to* ~ *for invalids*; *well* ~*d-for* gepflegt; *easy to* ~ *for* pflegeleicht.

ca·reen [kə'riːn] **I.** *v/t*. ⚓ kielholen (*ein Schiff auf die Seite legen*); **II.** *v/i*. ⚓ krängen, sich auf die Seite legen.

ca·reer [kə'riə] **I.** *s*. **1.** Karri'ere *f*, Laufbahn *f*, Beruf *m*: *to have* (*od. make*) *a successful* ~ Karriere machen; ~ *diplomat* Berufsdiplomat; ~ *girl od. woman* Karrierefrau (*die im Beruf aufgeht*); **2.** Karriere *f*, voller Ga'lopp: *in full* ~; **II.** *v/i*. **3.** rennen, rasen: *to* ~ *about* umherjagen; **ca'reer·ist** [-ərist] *s*. Karri'eremacher *m*; Streber *m*.

ca·reers| guid·ance *s*. *Brit*. Berufsberatung *f*; ~ **mas·ter** *s*. *Brit*. Berufsberater *m*.

'**care-free** *adj*. sorgenfrei.

care·ful ['kɛəful] *adj*. □ **1.** vorsichtig, achtsam: *be* ~! nimm dich in acht!; *to be* ~ *to inf*. darauf bedacht sein zu *inf*., nicht vergessen zu *inf*.; *be* ~ *not to do it!* tu das ja nicht!, hüte dich, es zu tun!; *be* ~ *of your clothes!* gib acht auf deine Kleidung!; **2.** bedacht, sorgsam, 'umsichtig; sparsam: *a* ~ *housewife*; **3.** sorgfältig, genau, gründlich: *a* ~ *study*; '**care·ful·ness** [-nis] *s*. Vorsicht *f*, Sorgfalt *f*; Gründlichkeit *f*; 'Umsicht *f*.

care·less ['kɛəlis] *adj*. □ **1.** nachlässig, unvorsichtig, unachtsam; leichtsinnig: *a* ~ *driver*; **2.** (*of, about*) unbekümmert (um), unbesorgt (um), gleichgültig (gegen-'über): ~ *of danger*; **3.** unbedacht, unbesonnen: *a* ~ *remark*; *a* ~ *mistake* ein Flüchtigkeitsfehler; **4.** sorgenfrei, froh: ~ *youth*; '**care·less·ness** [-nis] *s*. Nachlässigkeit *f*; Unbedachtheit *f*; Sorglosigkeit *f*, Unachtsamkeit *f*.

ca·ress [kə'res] **I.** *s*. Liebkosung *f*; *pl*. *a*. Zärtlichkeiten *pl*.; **II.** *v/t*. liebkosen; streicheln; *fig*. schmeicheln; **ca'ress·ing** [-siŋ] *adj*. □ zärtlich; schmeichelnd.

car·et ['kærət] *s*. Einschaltungszeichen *n* (*∧ für Auslassung im Text*).

'**care|-tak·er** *s*. **1.** Verwalter *m*, Aufseher *m*; **2.** Hauswart *m*; **3.** ~ *government* geschäftsführende Regierung; '~**-worn** *adj*. gramerfüllt, abgehärmt.

'**car-fare** *s*. *Am*. Fahrgeld *n* (*Straßen-*, *Eisenbahn*).

car·go ['kɑːgou] *pl*. **-goes**, *Am*. *a*. **-gos** *s*. Ladung *f*, Fracht(gut *n*) *f* (*Schiff od. Flugzeug*); ~ **boat** *s*. ⚓ Frachtschiff *n*; ~ **plane** *s*. ✈ Trans'portflugzeug *n*.

Car·ib·be·an [kæri'bi(ː)ən] **I.** *adj*. ka'ribisch; **II.** *s*. *geogr*. Karibisches Meer.

car·i·bou, car·i·boo ['kæribuː] *s*. *zo*. 'Karibu *m*.

car·i·ca·ture [kærikə'tjuə] **I.** *s*. Karika'tur *f*, Spott-, Zerrbild *n*; **II.** *v/t*. karikieren; lächerlich darstellen *od*. machen; **car·i·ca'tur·ist** [-ərist] *s*. Karikatu'rist *m*, Karika'turenzeichner *m*.

car·i·es ['kɛəriiːz] *s*. ⚕ 'Karies *f*: **a)** Knochenfraß *m*, **b)** Zahnfäule *f*.

car·il·lon [kə'riljən] *s*. (Turm)Glokkenspiel *n*, Glockenspielmusik *f*.

Ca·rin·thi·an [kə'rinθiən] **I.** *adj*. kärntnerisch; **II.** *s*. Kärntner(in).

car·i·ous ['kɛəriəs] *adj*. ⚕ kari'ös, angefressen, faul.

car jack *s*. ⊕ Wagenheber *m*, -winde *f*.

cark·ing ['kɑːkiŋ] *adj*. bedrückend: ~ *care* quälende Sorge.

'**car|·load** *s*. **1.** Wagenladung *f*; **2.** *Am*. **a)** Güterwagenladung *f*, **b)** Mindestladung *f* (*für Frachtermäßigung*); '~**·man** [-mən] *s*. [*irr*.] Fuhrmann *m*; Fahrer *m*.

car·min·a·tive ['kɑːminətiv] ⚕ **I.** *s*. Mittel *n* gegen Blähungen; **II.** *adj*. windtreibend.

car·mine ['kɑːmain] **I.** *s*. Kar'minrot *n*; **II.** *adj*. kar'minrot.

car·nage ['kɑːnidʒ] *s*. Blutbad *n*, Gemetzel *n*.

car·nal ['kɑːnl] *adj*. □ fleischlich, sinnlich; geschlechtlich: ~ *knowledge* Geschlechtsverkehr (of mit); **car·nal·i·ty** [kɑː'næliti] *s*. Fleischeslust *f*, Sinnlichkeit *f*.

car·na·tion [kɑː'neiʃən] *s*. **1.** ⚘ (Garten)Nelke *f*; **2.** Blaßrot *n*, Rosa *n*.

car·ni·val ['kɑːnivəl] *s*. **1.** 'Karneval *m*, Fasching *m*; **2.** Lustbarkeit *f*.

car·niv·o·ra [kɑː'nivərə] *s*. *pl*. *zo*. Fleischfresser *pl*.; **car·ni·vore** ['kɑːnivɔː] *s*. *zo*. Fleischfresser *m*, *bsd*. Raubtier *n*; **car'niv·o·rous** [-rəs] *adj*. *zo*. fleischfressend.

car·ob ['kærəb] *s*. ⚘ Jo'hannisbrot (-baum *m*) *n*.

car·ol ['kærəl] **I.** *s*. **1.** Freudenlied *n*, *bsd*. Weihnachtslied *n*; **II.** *v/i*. **2.** Weihnachtslieder singen; **3.** jubilieren.

Car·o·le·an [kærə'liːən] *adj*. (die Zeit von) König Karl I. *od*. II. (*von England*) betreffend; **Car·o·line** ['kærəlain] *adj*. **1.** → *Carolean*; **2.** Karl den Großen *od*. **s-e** Zeit betreffend; **Car·o·lin·gi·an** [-'lindʒiən] *hist*. **I.** *adj*. 'karolingisch; **II.** *s*. 'Karolinger *m*.

car·ol·ler ['kærələ] *s*. Weihnachtsliedersänger *m*.

car·om ['kærəm] *s*. *bsd*. *Am*. *Billard*: Karambo'lage *f*.

ca·rot·id [kə'rɔtid] *s*. *u*. *adj*. *anat*. (die) Halsschlagader (betreffend).

ca·rous·al [kə'rauzəl] *s*. Trinkgelage *n*, Zeche'rei *f*; **ca·rouse** [kə'rauz] **I.** *v/i*. trinken, zechen; **II.** *s*. → *carousal*.

carp[1] [kɑːp] *v/i*. (*at*) nörgeln (an *dat*.), kritteln (über *acc*.): ~*ing criticism* bissige Kritik.

carp[2] [kɑːp] *s*. *ichth*. Karpfen *m*.

car·pal ['kɑːpl] *anat*. **I.** *adj*. Handwurzel...; **II.** *s*. Handwurzelknochen *m*.

car park *s*. Parkfläche *f*, -platz *m*: *underground* ~ Tiefgarage.

car·pel ['kɑːpel] *s*. ⚘ Fruchtblatt *n*.

car·pen·ter ['kɑːpintə] **I.** *s*. Zimmermann *m*, Tischler *m*; **II.** *v/t*. *u*. *v/i*. zimmern; '~**-ant** *s*. *zo*. Holzameise *f*; '~**-bee** *s*. *zo*. Holzbiene *f*.

car·pen·ter's bench *s*. Hobelbank *f*.

'**car·pen·ter-scene** *s. thea.* Szene *f* auf der Vorbühne.
car·pen·ter's| lev·el *s.* ⊕ Setzwaage *f*; ~ **shop** *s.* Zimmermannswerkstatt *f.*
car·pen·try ['kɑ:pintri] *s.* Zimmerhandwerk *n*; Zimmerarbeit *f.*
car·pet ['kɑ:pit] **I.** *s.* **1.** Teppich *m*, (*Treppen- etc.*)Läufer *m*: ~ *of moss* Moosteppich; *on the* ~ *fig.* **a)** zur Erörterung, auf dem *od.* aufs Tapet, **b)** F zurechtgewiesen, heruntergeputzt; **II.** *v/t.* **2.** mit (*od.* wie mit) e-m Teppich belegen; **3.** *Brit.* F zur Rede stellen; '~**-bag** *s.* Reisetasche *f*; '~**-bag·ger** *s. Am.* F **1.** (po'litischer) Abenteurer (*ursprünglich nach dem Bürgerkrieg*); **2.** *allg.* Schwindler *m*; '~**-beat·er** *s.* Teppichklopfer *m*; '~**-bed** *s.* Teppichbeet *n*; ~ **bomb·ing** *s.* ⚔ Bombenteppichwurf *m*; '~**-dance** *s.* zwangloses Tänzchen.
car·pet·ing ['kɑ:pitiŋ] *s.* Teppichstoff *m.*
'**car·pet|-knight** *s. Brit.* Sa'lonlöwe *m*; '~**-rod** *s.* (Treppen)Läuferstange *f*; '~**-sweep·er** *s.* 'Teppichkehrma,schine *f.*
car·pus ['kɑ:pəs] *pl.* **-pi** [-pai] *s. anat.* Handgelenk *n*, -wurzel *f.*
car·riage ['kæridʒ] *s.* **1.** Wagen *m*, Kutsche *f*: ~ *and pair* Zweispänner; **2.** *Brit.* Eisenbahnwagen *m*; **3.** Beförderung *f*, Trans'port *m*; **4.** ✝ Trans'portkosten *pl.*, Fracht(gebühr) *f*; **Fuhrlohn** *m*, **Rollgeld** *n*; **5.** ⚔ La'fette *f*; **6.** ✈ Fahrgestell *n*; **7. a)** Karren *m*, Laufbrett *n* (*e-r Druckerpresse*), **b)** Wagen *m* (*e-r Schreibmaschine etc.*), **c)** Schlitten *m* (*e-r Werkzeugmaschine*); **8.** (Körper)Haltung *f*, Gang *m*: *a graceful* ~; **9.** *pol.* 'Durchbringen *n*, Annahme *f* (*Gesetz etc.*); '**car·riage-a·ble** [-dʒəbl] *adj.* befahrbar.
car·riage| bod·y *s.* Wagenkasten *m*, Karosse'rie *f*; ~ **build·er** *s.* Wagenbauer *m*; '~**-drive** *s.* Fahrweg *m* (*zu e-m Privathaus od. in e-m Park*); '~-'**for·ward** *adv. Brit.* Fracht gegen Nachnahme; '~-'**free**, '~-'**paid** *adv.* frachtfrei, franko; '~**-road**, '~**-way** *s.* Fahrweg *m*, -damm *m.*
car·ri·er ['kæriə] *s.* **1.** Über'bringer *m*, Bote *m*; **2.** Fuhrmann *m*; Spedi'teur *m*: *common* ~ ✝ Frachtführer, Transportunternehmer (*a.* 🚂, ⚓ *etc.*); **3.** ⚕ ('Krankheits)Über,träger *m*; Ba'zillenträger *m*; **4.** ⚗ (Über-)'Träger *m*, Kataly'sator *m*; **5.** ⚡ Träger(strom *m*, -welle *f*) *m*; **6.** Träger *m*, Tragbehälter *m*, -netz *n*, -kiste *f*, -gestell *n*; Gepäckhalter *m am Fahrrad*; **7.** *abbr. für aircraft carrier*; '~**-bag** *s.* Tragtasche *f*, -tüte *f*; '~**-pi·geon** *s.* Brieftaube *f.*
car·ri·on ['kæriən] **I.** *s.* **1.** Aas *n*; verdorbenes Fleisch; **2.** *fig.* Unrat *m*, Schmutz *m*; **II.** *adj.* **3.** widerlich; '~-'**bee·tle** *s. zo.* Aaskäfer *m*; '~-'**crow** *s. orn.* Aas-, Rabenkrähe *f.*
car·rot ['kærət] *s.* **1.** ⚘ Ka'rotte *f*, Mohrrübe *f*: ~ *or stick fig.* Belohnung od. Strafe; **2.** F **a)** *pl.* rotes Haar, **b)** Rotkopf *m*; '**car·rot·y** [-ti] *adj.* **1.** gelbrot; **2.** rothaarig.
car·rou·sel [kæru'zel] *s. Am.* Karus'sell *n.*
car·ry ['kæri] **I.** *s.* **1.** Trag-, Schußweite *f*; **2.** Flugstrecke *f* (*Golfball*); **3.** → *portage* 2; **II.** *v/t.* **4.** tragen: *to* ~ *arms*; *to* ~ *a burden* (*a. fig.*); *he carried his jacket* er trug s-e Jacke (*über dem Arm*); *to* ~ *o.s.* (*od. one's body*) *well* e-e gute (Körper-)Haltung haben; **5.** bei sich haben, (an sich) haben: *to* ~ *money about one* Geld bei sich haben; *to* ~ *in one's head* im Kopf haben *od.* behalten; *to* ~ *authority* großen Einfluß ausüben; **6.** befördern, bringen; mit sich bringen *od.* führen; (ein-)bringen: *railways* ~ *goods* die Eisenbahnen befördern Waren; *to* ~ *a message* e-e Nachricht überbringen; *to* ~ *interest* Zinsen tragen *od.* bringen; *to* ~ *insurance* versichert sein; *to* ~ *consequences* Folgen haben; **7.** (hin'durch-, her'um-)führen; fortsetzen, ausdehnen: *to* ~ *a wall around the park* e-e Mauer um den Park ziehen; *to* ~ *to excess* übertreiben; *you* ~ *things too far* du treibst die Dinge zu weit; **8.** erlangen, gewinnen; erobern (*a.* ⚔): *to* ~ *all before one* auf der ganzen Linie siegen, vollen Erfolg haben; *to* ~ *the audience with one* die Zuhörer mitreißen; **9.** 'durchbringen, -setzen: *to* ~ *a motion* e-n Antrag durchbringen; *carried unanimously* einstimmig angenommen; *to* ~ *one's point* s-e Ansicht durchsetzen, sein Ziel erreichen; **10.** *Waren* führen; *Zeitungsmeldung* bringen; **11.** *Rechnen*: über'tragen, ‚sich merken': ~ *two* gemerkt zwei; *to* ~ *to a new account* ✝ auf neue Rechnung vortragen; **III.** *v/i.* **12.** *weit* tragen, reichen (*Stimme, Schall; Schußwaffen*): *his voice carries well* s-e Stimme trägt gut;
Zssgn mit adv.:
car·ry| a·way *v/t.* wegtragen; fortreißen (*a. fig.*); *fig.* hinreißen: **a)** begeistern, **b)** verleiten; ~ **for·ward** *v/t.* **1.** fortsetzen, vor'anbringen; **2.** ✝ *Summe od. Saldo* vortragen: *amount carried forward* Vor-, Übertrag; *Rechnen*: Transport; ~ **off** *v/t.* forttragen, -schaffen; ab-, entführen, verschleppen; wegraffen (*Krankheit*); *Preis, Sieg* da'vontragen, gewinnen; ~ **on I.** *v/t.* **1.** *fig.* fortführen, -setzen; *Plan* verfolgen; *Geschäft* betreiben; *Gespräch* führen; **II.** *v/i.* **2.** fortfahren; weitermachen; **3.** fortbestehen; **4.** F **a)** ein Getue *od.* e-e Szene machen, sich schlecht aufführen, es wild *od.* wüst treiben, **b)** ‚es (*ein Verhältnis*) haben' (*with* mit); ~ **out** *v/t.* aus-, 'durchführen, erfüllen; ~ **o·ver** *v/t.* ✝ **1.** → *carry forward* 2; **2.** *Waren* übrigbehalten; **3.** *Börse*: prolongieren; ~ **through** *v/t.* 'durchführen; 'durchhelfen (*dat.*), -bringen.
'**car·ry|-all** *s. Am.* Per'sonen,auto *n* mit Längssitzen; '~**-cot** *s.* (Baby-)Tragbettchen *n*; '~-'**for·ward** *s.* ✝ *Brit.* ('Saldo)Vortrag *m*, 'Übertrag *m.*
car·ry·ing ['kæriiŋ] *s.* Beförderung *f*; Trans'port *m*; ~ **a·gent** *s.* Spedi'teur *m*; ~ **ca·pac·i·ty** *s.* Lade-, Tragfähigkeit *f*; '~-'**on** *pl.* '~**s-'on** *s.* F Getue *n*, schlechtes Benehmen; ~ **trade** *s.* Trans'port-, Spediti'onsgewerbe *n.*
'**car·ry-o·ver** *s.* ✝ **1.** Rest *m*, unverkauft Gebliebenes; **2.** 'Übertrag *m*, Vortrag *m.*
'**car-sick** *adj.* eisenbahn- *od.* 'autokrank.
cart [kɑ:t] **I.** *s.* (Fracht)Karren *m*, Lieferwagen *m*; Handwagen *m*: *to put the* ~ *before the horse fig.* das Pferd beim Schwanz aufzäumen; *in the* ~ *Brit. sl.* in der Klemme; **II.** *v/t.* karren, fördern, fahren: *to* ~ *about* umherschleppen; '**cart·age** [-tidʒ] *s.* Fuhrlohn *m*, Rollgeld *n.*
carte blanche ['kɑ:t'blɑ̃:nʃ; kartblɑ̃:ʃ] *s.* **1.** Blan'kett *n*; **2.** *fig.* unbeschränkte Vollmacht.
car·tel [kɑ:'tel] *s.* **1.** ✝ Kar'tell *n*, Zweckverband *m*; **2.** ⚔ Auslieferungsvertrag *m über Kriegsgefangene*; **car·tel·i·za·tion** [kɑ:təlai'zeiʃən] *s.* ✝ Kartellierung *f*; **car·tel·ize** ['kɑ:təlaiz] *v/i.* ✝ ein Kar'tell bilden.
cart·er ['kɑ:tə] *s.* Fuhrmann *m.*
Car·te·sian [kɑ:'ti:zjən] **I.** *adj.* kartesi'anisch; **II.** *s.* Kartesi'aner *m*, Anhänger *m* der Lehre Des'cartes'.
'**cart-horse** *s.* Zugpferd *n.*
Car·thu·sian [kɑ:'θju:zjən] *s.* **1.** Kar'täuser(mönch) *m*; **2.** Schüler *m* der Charterhouse-Schule (*in England*).
car·ti·lage ['kɑ:tilidʒ] *s. anat., zo.* Knorpel *m*; **car·ti·lag·i·nous** [kɑ:ti'lædʒinəs] *adj.* knorpelig, knorpelartig.
'**cart-load** *s.* Fuhre *f*; *fig.* Haufen *m*: *to come down on s.o. like a* ~ *of bricks* F j-n zs.-stauchen, j-m gehörig Bescheid stoßen.
car·tog·ra·pher [kɑ:'tɔgrəfə] *s.* Karto'graph *m*, Kartenzeichner *m*; **car'tog·ra·phy** [-fi] *s.* Kartogra'phie *f.*
car·ton ['kɑ:tən] *s.* **1.** (Papp)Schachtel *f*, Kar'ton *m*: *a* ~ *of cigarettes* e-e Stange Zigaretten; **2.** *das* weiße 'Zentrum der Schießscheibe.
car·toon [kɑ:'tu:n] *s.* **1.** Karika'tur *f*: ~ (*film*) Zeichentrickfilm; **2.** *Am.* Karika'turenreihe *f* in Fortsetzungen; **3.** *paint.* Kar'ton *m*, Entwurf *m* (*in natürlicher Größe*); **car'toon·ist** [-nist] *s.* Karikatu'rist *m.*
car·touch(e) [kɑ:'tu:ʃ] *s.* ⚠ Kar'tusche *f* (*medaillonartiges Zierwerk*).
car·tridge ['kɑ:tridʒ] *s.* **1.** ⚔ Pa'trone *f*: *ball* ~ scharfe Patrone; *blank* ~ Platzpatrone; **2.** *phot.* ('Film)Pa,trone *f* (*Kleinbildkamera*), (-)Kas,sette *f* (*Filmkamera, Kassettenkamera*); '~**-belt** *s.* ⚔ Pa'tronengurt *m*; ~ **case** *s.* Pa'tronenhülse *f*; ~ **clip** *s.* ⚔ Ladestreifen *m*; '~**-pa·per** *s.* 'Zeichenpa,pier *n.*
'**cart|-wheel** *s.* **1.** Wagenrad *n*; **2.** *to turn a* ~ *sport* radschlagen; **3.** *humor.* amer. Silberdollar *m od.* brit. Kronenstück *n*; '~**-wright** *s.* Stellmacher *m*, Wagenbauer *m.*
carve [kɑ:v] **I.** *v/t.* **1.** (*in*) *Holz* schnitzen, (*in*) *Stein* meißeln: *to* ~ *out of stone* aus Stein meißeln *od.* hauen; *to* ~ *one's name on a tree* s-n Namen in e-n Baum einritzen *od.* -schneiden; **2.** mit Schnitze'reien *etc.* verzieren: *to* ~ *the leg of a table*; **3.** *Fleisch* vorschneiden, zer-

legen, tranchieren; **4.** *fig. oft* ~ *out* formen, gestalten; sich *e-n Weg* bahnen *od. e-e Karriere* aufbauen *od. ein Vermögen* erarbeiten; **5.** ~ *up* zerteilen, zerstückeln; **II.** *v/i.* **6.** schnitzen, ˈmeißeln; **7.** Fleisch vorschneiden.

car·vel [ˈkɑːvəl] → *caravel*; ˈ**~-built** *adj.* ⚓ kraˈweelgebaut (*Ggs. klinkergebaut*).

carv·er [ˈkɑːvə] *s.* **1.** (Holz)Schnitzer *m*, Bildhauer *m*; **2.** Tranchierer *m*; **3.** Tranchiermesser *n*; *pl.* Tranchierbesteck *n*.

carv·ing [ˈkɑːviŋ] *s.* Schnitzeˈrei *f*, Schnitzwerk *n*; ˈ**~-knife** → *carver 3*.

ˈ**car·wash** *s.* **1.** ˈAutowäsche *f*; **2.** ˌAutowäscheˈrei *f*.

Car·y·at·id [kæriˈætid] *s.* △ Karyaˈtide *f*.

cas·cade [kæsˈkeid] **I.** *s.* **1.** Kasˈkade *f*, Wasserfall *m*; **2.** et. kasˈkadenartig Fallendes, *z.B.* Feuerregen *m* (*Feuerwerk*), Faltenbesatz *m*, Faltenwurf *m* (*Kleidung*); **II.** *adj.* **3.** ⚡ Kaskaden...(*-motor*, *-verstärker etc.*); **III.** *v/i.* **4.** kasˈkadenartig herˈabstürzen; wellig fallen.

cas·car·a sa·gra·da [kæsˈkɑːrə səˈgrɑːdə] *s. pharm.* (Abführmittel *n* aus) amer. Faulbaumrinde *f*.

case[1] [keis] *s.* **1.** Fall *m*, ˈUmstand *m*, Vorfall *m*, Sache *f*, Frage *f*: *a* ~ *in point* ein typischer Fall, ein treffendes Beispiel; *a* ~ *of fraud* ein Fall von Betrug; *a* ~ *of conscience* e-e Gewissensfrage; *a hard* ~ ein schwieriger Fall; *that alters the* ~ das ändert die Sache *od.* Lage; *in* ~ im Falle, falls; *in* ~ *of* im Falle von (*od. gen.*); *in* ~ *of need* im Notfall; *in any* ~ auf jeden Fall, jedenfalls; *in that* ~ in dem Falle; *if that is the* ~ wenn das der Fall ist, wenn das zutrifft; *as the* ~ *may be* je nachdem; *it is a* ~ *of* es handelt sich um; *the* ~ *is this* die Sache liegt so; *to state one's* ~ s-e Sache *od.* s-n Standpunkt vortragen *od.* vertreten (*a.* ⚖); → *3*; **2.** ⚖ (Rechts)Fall *m*, Proˈzeß *m*: *leading* ~ Präzedenzfall; **3.** ⚖ Sachverhalt *m*; Begründung *f*, Beˈweismateriˌal *n*; (*a.* begründeter) Standpunkt *e-r Partei*: ~ *for the Crown* Anklage; ~ *for the defence* Verteidigung; *to make out a* (*od. one's*) ~ *for* (*against*) alle Rechtsgründe *od.* Argumente vorbringen für (gegen); *he has a strong* ~ er hat schlüssige Beweise, s-e Sache steht günstig; *he has no* ~ s-e Sache ist unbegründet; *there is a* ~ *for s.th.* et. ist begründet *od.* berechtigt, es gibt triftige Gründe für et.; **4.** *ling.* ˈKasus *m*, Fall *m*; **5.** ⚕ (Krankheits)Fall *m*; Patiˈent(in): *two* ~*s of typhoid* zwei Typhusfälle *od.* Typhuskranke; *a mental* ~ F ein Geisteskranker; **6.** *Am.* F komischer Kauz.

case[2] [keis] **I.** *s.* **1.** Kiste *f*, Kasten *m*; Koffer *m*; (*Schmuck*)Kästchen *n*; Schachtel *f*; Behälter *m*; **2.** (*Bücher-, Glas*)Schrank *m*; (*Uhr*)Gehäuse *n*; (*Patronen*)Hülse *f*; (*Samen*)Kapsel *f*; (*Zigaretten*)Eˈtui *n*; (*Brillen-, Messer*)Futteˈral *n*; (Schutz)Hülle *f* (*für Bücher, Messer etc.*); (*Akten-*)Tasche *f*; (*Schreib*)Mappe *f*; (*Kissen*)Bezug *m*, ˈÜberzug *m*: *pencil* ~ Federmäppchen, -tasche; **3.** ⊕ Verkleidung *f*, Einfassung *f*, Mantel *m*, Rahmen *m*; Scheide *f*: *lower* (*upper*) ~ *typ.* (Setzkasten *m* für) kleine (große) Buchstaben; **II.** *v/t.* **4.** in ein Gehäuse *od.* Futteral *etc.* stecken; **5.** ver-, umˈkleiden, umˈgeben (*in*, *with* mit); **6.** *Buchbinderei*: *Buch* einhängen.

ˈ**case|-book** *s.* ⚕ Patiˈentenbuch *n* (*Arzt*); ~ **end·ing** *s. ling.* ˈKasusendung *f*; ˈ**~-hard·ened** *adj.* **1.** *metall.* schalenhart, im Einsatz gehärtet; **2.** *fig.* abgehärtet, hartgesotten; ~ **his·to·ry** *s.* **1.** Vorgeschichte *f* (*e-s Falles*); Bericht *m*; **2.** ⚕ Krankengeschichte *f*.

ca·se·in [ˈkeisiin] *s.* Kaseˈin *n*.

ˈ**case|-law** *s.* ⚖ engl. ‚Fallrecht' *n* (*auf Präzedenzfällen beruhend*).

case·mate [ˈkeismeit] *s.* ⚔ Kaseˈmatte *f*.

case·ment [ˈkeismənt] *s.* **a)** Fensterflügel *m*, **b)** *a.* ~*-window* Flügelfenster *n*.

ca·se·ous [ˈkeisiəs] *adj.* käsig, käseartig.

ˈ**case|-shot** *s.* ⚔ Schrapˈnell *n*, Kartätsche *f*; ~ **stud·y** *s.* (ˈEinzel-)ˌFallˌstudie *f*; ˈ**~-work** *s. sociol.* Individuˈalfürsorge *f* (*samt Studium der Vorgeschichte*); ˈ**~-work·er** *s.* Individuˈalfürsorger(in).

cash[1] [kæʃ] **I.** *s.* **1.** (Bar)Geld *n*; **2.** ☤ Barzahlung *f*, Kasse *f*: ~ *down*, *for* ~ gegen bar; ~ *in advance* gegen Vorauszahlung; ~ *and carry* gegen Barzahlung u. bei eigenem Transport; ~ *at bank* Bankguthaben; ~ *in hand* Bar-, Kassenbestand; ~ *on delivery* per Nachnahme, zahlbar bei Lieferung; ~ *with order* zahlbar bei Bestellung; *to be in* (*out of*) ~ bei (nicht bei) Kasse sein; *he is rolling in* ~ er hat Geld wie Heu; **II.** *v/t.* **3.** *Scheck etc.* einlösen, -kassieren; ~ **in** **I.** *v/t.* **1.** *Poker etc.*: *s-e Spielmarken* einlösen; **II.** *v/i.* **2.** F ‚abtreten', sterben; **3.** F ~ *on* Nutzen ziehen *od.* Kapital schlagen aus.

cash[2] [kæʃ] *s. sg. u. pl.* Käsch *n* (*kleine Münze in Indien u. China*).

ˈ**cash|-ac·count** *s.* ☤ ˈKassenˌkonto *n*; ~ **bal·ance** *s.* ☤ Kassenbestand *m*, Barguthaben *n*; ˈ**~-book** *s.* ☤ Kassabuch *n*; ˈ**~-box** *s.* ☤ ˈGeldkasˌsette *f*; ~ **busi·ness** *s.* ☤ Barzahlungsgeschäft *n*; ~ **crop** *s.* zum Verkauf (*nicht zum Eigenverbrauch*) bestimmte Ernte; ~ **desk** *s.* Kasse *f* (*Zahlstelle*); ~ **dis·count** *s.* ☤ ˈKassaˌskonto *m*, *n*.

ca·shew [kæˈʃuː] *s.* ✿ Kaˈschu-, Nieren-, Acaˈjoubaum *m*.

cash·ier[1] [kæˈʃiə] *s.* Kassierer(in): ~*'s office* Kasse (*Zahlstelle*); ~*'s check* ☤ *Am.* Bankscheck.

cash·ier[2] [kəˈʃiə] *v/t.* **1.** ⚔ kassieren, ausstoßen; **2.** verwerfen.

cash·less [ˈkæʃlis] *adj.* ☤ bargeldlos.

cash·mere [kæʃˈmiə] *s.* **1.** ˈKaschmir *m* (*feiner Wollstoff*); **2.** ˈKaschmirschal *m*.

cash| pay·ment *s.* Barzahlung *f*; ~ **price** *s.* Bar(zahlungs)-, Kassapreis *m*; ~ **reg·is·ter** *s.* Registrierkasse *f*; ~ **sale** *s.* Barverkauf *m*, Kassageschäft *n*; ~ **sur·ren·der val·ue** *s.* Rückkaufswert *m* (*e-r Police*); ~ **vouch·er** *s.* Kassenbeleg *m*.

cas·ing [ˈkeisiŋ] *s.* **1.** Be-, Umˈkleidung *f*, Umˈhüllung *f*; **2.** (Fenster-)Futter *n*; (Tür)Verkleidung *f*; **3.** Gehäuse *n*, Futteˈral *n*; *mot.* Mantel *m e-s Reifens*; **4.** (Tier)Darm *m* (*als Wursthülle*).

ca·si·no [kəˈsiːnou] *pl.* **-nos** *s.* (ˈSpiel-, Unterˈhaltungs)Kaˌsino *n*.

cask [kɑːsk] *s.* Faß *n*; (hölzerne) Tonne: *a* ~ *of wine* ein Faß Wein.

cas·ket [ˈkɑːskit] *s.* **1.** (Schmuck-)Kästchen *n*; **2.** Urne *f* (für Leichenasche); **3.** *Am.* Sarg *m*.

Cas·pi·an [ˈkæspiən] *adj.* kaspisch: ~ *Sea* Kaspisches Meer.

Cas·san·dra [kəˈsændrə] *s. fig.* Kasˈsandra *f* (*Unglücksprophetin*).

cas·sa·tion [kæˈseiʃən] *s.* ⚖ Kassatiˈon *f*: *Court of* ♀ Kassationshof.

cas·sa·va [kəˈsɑːvə] *s.* ✿ Maniˈokstrauch *m*, Maniˈoka *f*.

cas·se·role [ˈkæsəroul] *s.* Kasseˈrolle *f*, Schmortopf *m* (mit Griff).

cas·sette [kəˈset] *s.* ˈFilm-, ˈTonband-, ˈFernsehkasˌsette *f*; ~ **re·cord·er** *s.* Kasˈsettenreˌcorder *m*.

cas·si·a [ˈkæsiə] *s.* ✿ ˈKassia *f*; ~ **bark** *s.* ˈKassiarinde *f*, Kaˈneel *m*.

cas·sock [ˈkæsək] *s. eccl.* Souˈtane *f*.

cast [kɑːst] **I.** *s.* **1.** Wurf *m* (*a. mit Würfeln*); **2. a)** Auswerfen *n* (*Angel, Netz, Lot*), **b)** Angelhaken *m*; **3. a)** Auswurf *m* (*gewisser Tiere*), *bsd.* Gewölle *n* (*von Raubvögeln*), **b)** abgestoßene Haut (*Schlange, Insekt*); **4.** ~ *in the eye* Schielen; **5.** Aufrechnung *f*, Additiˈon *f*; **6.** ⊕ Gußform *f*, Abguß *m*, -druck *m*; ⚕ Gipsverband *m*; *fig.* Zuschnitt *m*, Anordnung *f*; **7.** *thea.* (Rollen)Besetzung *f*; Mitwirkende *pl.*; Truppe *f*; **8.** Farbton *m*; *fig.* Anflug *m*; **9.** Typ *m*, Art *f*, Schlag *m*: ~ *of mind* Geistesart; ~ *of features* Gesichtsausdruck; **II.** *v/t.* [*irr.*] **10.** werfen: *the die is* ~ die Würfel sind gefallen; *to* ~ *s.th. in s.o.'s teeth* j-m et. vorwerfen; **11.** *Angel, Netz, Anker, Lot* (aus)werfen; **12.** *zo.* **a)** *Haut, Geweih* abwerfen, **b)** *Junge* vorzeitig werfen; **13.** *fig. Blick, Licht, Schatten* werfen; *Horoskop* stellen: *to* ~ *the blame* die Schuld zuschieben (*on dat.*); *to* ~ *a slur* (*on*) verunglimpfen (*acc.*); *to* ~ *one's vote* s-e Stimme abgeben; *to* ~ *lots* losen; **14.** *thea.* **a)** *Stück* besetzen: *the play is well* ~, **b)** *Rollen* besetzen, verteilen: *he was badly* ~ er war e-e Fehlbesetzung; **15.** *Metall, Statue etc.* gießen; *fig.* formen, bilden, anordnen; **16.** ⚖ *pass. to be* ~ *in costs* zu den Kosten verurteilt werden; **17.** *a.* ~ *up* aus-, zs.-rechnen: *to* ~ *accounts* Abrechnung machen; **III.** *v/i.* [*irr.*] **18.** sich werfen, sich (ver)ziehen; **19.** die Angel auswerfen;

Zssgn mit adv.:

cast| a·bout *v/i.* **1.** suchen (*for* nach, *to inf.* zu *inf.*), sinnen (*for* auf *acc.*); **2.** ⚓ umˈherlavieren; ~ **a·side** *v/t.* beiˈseiteschieben, verwerfen; ~ **a·way** *v/t.* **1.** weg-, verwerfen; sich entledigen (*gen.*); verschwenden; **2.** *to be* ~ scheitern (*a. fig.*); ~ **down** *v/t.* **1.** nieder-, ˈumwerfen; **2.** *fig.* entmutigen, bedrücken:

to be ~ niedergeschlagen sein; **3.** *Augen* niederschlagen; ~ **in** *v/t. to* ~ *one's lot with s.o.* sein Los mit j-m teilen, sich j-m anschließen; ~ **off I.** *v/t.* **1.** ab-, wegwerfen; aufgeben; *Kleider etc.* ablegen, ausrangieren; **2.** sich befreien von, sich entledigen (*gen.*); **3.** *Sohn etc.* verstoßen; **4.** *Stricken*: *Maschen* abnehmen; **5.** *typ.* 'Umfangsberechnung machen; **II.** *v/i.* **6.** ⚓ *vom Land* abstoßen; ~ **on** *v/t. u. v/i. Stricken*: *Maschen* aufnehmen, anschlagen; ~ **out** *v/t.* hin'auswerfen; vertreiben; ~ **round** *v/t.* suchen (*for* nach); ~ **up** *v/t.* **1.** aufwerfen; **2.** *Augen* erheben; **3.** aus-, zs.-rechnen; **4.** erbrechen, auswerfen.

cas·ta·net [kæstə'net] *s.* Kasta'gnette *f.*

'cast·a·way I. *s.* **1.** Verworfene(r *m*) *f*, Verstoßene(r *m*) *f*; **2.** ⚓ Schiffbrüchige(r *m*) *f* (*a. fig.*); **II.** *adj.* **3.** verstoßen, unnütz; **4.** ⚓ schiffbrüchig, gestrandet (*a. fig.*).

caste [kɑːst] *s.* **1.** (*indische*) Kaste: ~ *feeling* Kastengeist; **2.** Kaste *f*, Gesellschaftsklasse *f*; **3.** Rang *m*, Stellung *f*, Ansehen *n*: *to lose* ~ (sein) gesellschaftliches Ansehen verlieren.

cas·tel·lan ['kæstələn] *s.* Kastel'lan *m*; **'cas·tel·lat·ed** [-teleitid] *adj.* **1.** mit Türmen u. Zinnen (versehen); **2.** burgenreich.

cast·er ['kɑːstə] *s.* **1.** ⊕ Gießer *m*; 'Gießmaˌschine *f*; **2.** → *castor*³.

cas·ti·gate ['kæstigeit] *v/t.* **1.** züchtigen; **2.** *fig.* geißeln; **3.** *fig. Text* verbessern; **cas·ti·ga·tion** [kæsti'geiʃən] *s.* **1.** Züchtigung *f*; **2.** Geißelung *f*; scharfe Kri'tik; **3.** Textverbesserung *f.*

Cas·tile [kæs'tiːl] **I.** *s. a.* ~ *soap* O'livenölseife *f*; **II.** *adj.* ka'stilisch.

cast·ing ['kɑːstiŋ] *s.* **1.** ⊕ **a)** Guß *m*, Gießen *n*, **b)** Gußstück *n*; *pl.* Gußwaren *pl.*; **2.** *Maurerei*: (roher) Bewurf; **3.** *thea.* Rollenverteilung *f*; **4.** *a.* ~*-up* Additi'on *f*; **5.** Fischen *n* (*mit dem Netz*); **'~-net** *s.* Wurfnetz *n*; **'~-'vote** *s.* entscheidende Stimme.

cast| **i·ron** *s.* Gußeisen *n*; **'~-'i·ron** *adj.* gußeisern; *fig.* hart, fest, 'unumˌstößlich, unbeugsam: ~ *constitution* eiserne Gesundheit.

cas·tle ['kɑːsl] **I.** *s.* **1.** Burg *f*, Schloß *n*: ~ *in the air* (*od. in Spain*) *fig.* Luftschloß; **2.** *Schach*: Turm *m*; **3.** *hist. Brit. the* ♀ die engl. Regierung in Irland; **II.** *v/i.* **4.** *Schach*: rochieren; **'~-build·er** *s.* Pro'jektemacher *m*, Phan'tast *m.*

'cast-'off I. *s.* **1.** Verstoßene(r *m*) *f*; **2.** *et.* Abgelegtes *od.* Weggeworfenes; **3.** Umfangsberechnung *f*; **II.** *adj.* **4.** abgelegt, ausrangiert: ~ *clothes.*

Cas·tor¹ ['kɑːstə] *s. ast.* 'Kastor *m* (*Stern*).

cas·tor² ['kɑːstə] *s.* Spat *m* (*am Sprunggelenk des Pferdes*).

cas·tor³ ['kɑːstə] *s.* **1.** Streuer *m* (*Pfeffer- etc.*); *pl.* Me'nage *f*, Gewürzständer *m*: ~ *sugar* Streuzucker; **2.** Laufrolle *f*, Gleiter *m* (*unter Möbeln*).

cas·tor oil ['kɑːstər'ɔil] *s.* ⚕ 'Rizinus-, 'Kastoröl *n.*

cas·trate [kæs'treit] *v/t.* ⚕, *vet.* kastrieren, entmannen, verschneiden; **cas'tra·tion** [-eiʃən] *s.* Kastrierung *f*, Verschneidung *f.*

cast steel *s.* Gußstahl *m.*

cas·u·al ['kæʒjuəl] **I.** *adj.* ☐ **1.** zufällig, unerwartet; **2.** gelegentlich, unregelmäßig: ~ *labo(u)r(er)* Gelegenheitsarbeit(er); **3.** unbestimmt, ungenau; **4.** ungezwungen, zwanglos, beliebig: ~ *wear* → *8a*; ~ *glance* flüchtiger Blick; ~ *remark* beiläufige Bemerkung; **5.** nachlässig, gleichgültig; **6.** *Brit.* **a)** ~ *poor* gelegentlicher Almosenempfänger, **b)** ~ *ward* Obdachlosenasyl; **II.** *s.* **7.** *Brit.* → *6a*; **8.** *pl.* **a)** (sa'loppe) Freizeitkleidung, **b)** Slipper *pl.* (*flache Schuhe*); **'cas·u·al·ism** [-lizəm] *s. philos.* Kasua'lismus *m*; **'cas·u·al·ness** [-nis] *s.* Gleichgültigkeit *f.*

cas·u·al·ty ['kæʒjuəlti] *s.* **1.** Unfall *m* (*e-r Person*); **2.** Verunglückte(r *m*) *f*, Verwundete(r *m*) *f*, *im Kriege* Gefallene(r) *m*; Opfer *n* e-s Unfalls; **3.** *pl.* **a)** Verluste *pl.*, **b)** Opfer *pl. e-r Katastrophe*; ~ **in·sur·ance** *s. Am.* Schadensversicherung *f*; ~ **list** *s.* Verlustliste *f.*

cas·u·ist ['kæzjuist] *s.* Kasu'ist *m*; **cas·u·is·tic** *adj.*; **cas·u·is·ti·cal** [kæzju'istik(əl)] *adj.* ☐ **1.** kasu'istisch; **2.** spitzfindig; **'cas·u·ist·ry** [-tri] *s.* **1.** Kasu'istik *f*; **2.** Spitzfindigkeit *f.*

ca·sus bel·li ['kɑːsus'beliː] (*Lat.*) *s.* Casus *m* belli.

cat [kæt] **I.** *s.* **1.** *zo.* Katze *f*: *old* ~ *fig.* falsche Katze (*Frau*); *to let the* ~ *out of the bag* die Katze aus dem Sack lassen; *it's raining* ~*s and dogs* F es gießt wie mit Kannen; *to wait for the* ~ *to jump od. to see which way the* ~ *jumps fig.* sehen, wie der Hase läuft; *not room to swing a* ~ *sl.* kaum Platz zum Umdrehen; *they lead a* ~*-and-dog life* sie leben wie Hund u. Katze; *it's enough to make a* ~ *laugh* F da lachen ja die Hühner; **2.** *zo. bsd. pl.* (Fa'milie *f* der) Katzen *pl.*: **3.** → *cat-o'-nine-tails*; **4.** *Am. sl.* 'Jazzfaˌnatiker *m*; **5.** ⚓ Katt-anker *m*; **II.** *v/t.* **6.** (aus)peitschen; **7.** ⚓ katten; **III.** *v/i.* **8.** *Brit. sl.* ‚kotzen', (sich er)brechen.

cat·a·clysm ['kætəklizəm] *s.* **1.** Über'schwemmung *f*, Sintflut *f*; **2.** *geol.* verheerende 'Umwälzung; **3.** *fig.* (völliger) 'Umsturz *od.* Zs.-bruch, Kata'strophe *f.*

cat·a·comb ['kætəkoum] *s.* Kata'kombe *f*, Gruftgewölbe *n.*

cat·a·falque ['kætəfælk] *s.* **1.** Kata'falk *m*; **2.** offener Leichenwagen.

Cat·a·lan ['kætələn] **I.** *adj.* kata'lanisch; **II.** *s.* Kata'lane *m*, Kata'lanin *f.*

cat·a·lep·sis [kætə'lepsis], **cat·a·lep·sy** ['kætəlepsi] *s.* ⚕ Starrkrampf *m.*

cat·a·logue, *Am. a.* **cat·a·log** ['kætəlɔg] **I.** *s.* **1.** Kata'log *m*, Verzeichnis *n*, (Preis- *etc.*)Liste *f*; Aufzählung *f*; **2.** *Am. univ.* Vorlesungsverzeichnis *n*; **II.** *v/t.* **3.** katalogisieren.

ca·tal·pa [kə'tælpə] *s.* ⚘ Trom'petenbaum *m.*

ca·tal·y·sis [kə'tælisis] *s.* ⚗ Kata'lyse *f*; **cat·a·lyst** ['kætəlist] *s.* **1.** ⚗ Kataly'sator *m*; **2.** *fig.* Förderer *m*, Beschleuniger *m*; **cat·a·lyt·ic** [kætə'litik] **I.** *adj.* ⚗ kata'lytisch; ~ *converter* Kataly'sator *m* (*am Auto*); **II.** *s.* → *catalyst*; **cat·a·lyze** ['kætəlaiz] *v/t.* **1.** katalysieren (*a. fig.*); **2.** *fig.* beeinflussen, beschleunigen; **cat·a·lyz·er** ['kætəlaizə] → *catalyst.*

cat·a·ma·ran [kætəmə'ræn] *s.* **1.** ⚓ **a)** Floß *n*, **b)** Auslegerboot *n*; **2.** F ‚Kratzbürste' *f*, zänkische Frau.

cat·a·me·ni·a [kætə'miːniə] *s.* ⚕ Menstruati'on *f*, Peri'ode *f.*

cat·a·mite ['kætəmait] *s.* Lustknabe *m.*

cat·a·plasm ['kætəplæzəm] *s.* ⚕ 'Breiˌumschlag *m.*

cat·a·pult ['kætəpʌlt] **I.** *s.* **1.** Kata'pult *m, n*: **a)** *hist.* 'Wurfmaˌschine *f*, **b)** (Spiel)Schleuder *f*, Zwille *f*, **c)** ✈ Startschleuder *f*; **II.** *adj.* **2.** ✈ Schleuder...(*-sitz, -start*); **III.** *v/t.* **3.** ⚔ *hist.* mit e-m Katapult beschießen; **4.** ✈ mit e-m Katapult starten, katapultieren, (ab)schleudern.

cat·a·ract ['kætərækt] *s.* **1.** Kata'rakt *m*, Wasserfall *m*; **2.** *fig.* Wolkenbruch *m*; **3.** ⚕ grauer Star.

ca·tarrh [kə'tɑː] *s.* ⚕ Ka'tarrh *m*; Schnupfen *m*; **ca'tarrh·al** [-ɑːrəl] *adj.* katar'rhalisch: ~ *syringe* Nasenspritze.

ca·tas·tro·phe [kə'tæstrəfi] *s.* Kata'strophe *f* (*a. im Drama*); Verhängnis *n*, trauriger Ausgang, Schicksalsschlag *m* (*a. fig.*); **cat·a·stroph·ic** *adj.*; **cat·a·stroph·i·cal** [kætə'strɔfik(əl)] *adj.* katastro'phal.

Ca·taw·ba [kə'tɔːbə], ~ **grape** *s. Am.* Catawba-Rebe *f* (*amer. Traubenart*).

'cat|**·bird** *s. orn.* amer. Spottdrossel *f*; **~·boat** *s.* ⚓ kleines Segelboot (*mit einem Mast*); ~ **bur·glar** *s.* Fas'sadenkletterer *m*, Einsteigdieb *m*; **'~·call I.** *s.* schrilles Pfeifen; *engS. thea.* Auspfeifen *n*; **II.** *v/i. u. v/t.* (aus)pfeifen, (aus)zischen.

catch [kætʃ] **I.** *s.* **1.** Fangen *n*, Fang *m*; *fig.* Fang *m*, Beute *f*, Vorteil *m*: *a good* ~ **a)** ein guter Fang *od.* Zug (*Fische*), **b)** e-e gute Partie (*Heirat*); *no* ~ kein gutes Geschäft; **2.** *Kricket, Baseball*: **a)** Fang *m*, **b)** Fänger *m*; **3.** Halter *m*, Griff *m*, Klinke *f*; Haken *m*; **4.** Sperr-, Schließhaken *m*, Schnäpper *m*; Sicherung *f*; Verschluß *m*; **5.** Stocken *n*, Anhalten *n*; **6.** *fig.* Haken *m*, Schwierigkeit *f*; Falle *f*, Kniff *m*: *there is a* ~ *in it* die Sache hat e-n Haken; **II.** *v/t.* [*irr.*] **7.** *Ball, Tier etc.* fangen; *Dieb etc.* fassen, ‚schnappen', *a. Blick* erhaschen; *Tropfendes* auffangen; *allg.* erwischen, ‚kriegen': *to* ~ *a train* e-n Zug erreichen *od.* kriegen; ~ *me (doing that)!* F das sollte mir gerade einfallen!; → *glimpse 1, sight 3*; **8.** ertappen, über'raschen (*s.o. at* j-n bei): *caught in a storm* vom Unwetter überrascht; **9.** ergreifen, packen, *Gewohnheit, Aussprache* annehmen: *to* ~ *hold of* festhalten (*acc.*); **10.** *fig.* fesseln, packen, gewinnen; einfangen; → *eye 2, fancy 4*; **11.** *fig.* ‚mitkriegen', verstehen: *I didn't* ~ *what you said* ich habe nicht verstanden, was du sagtest; **12.** einholen: *I soon caught him*; → *catch up 2*; **13.** sich

holen *od.* zuziehen, angesteckt werden von (*Krankheit etc.*); → *cold 6, fire 1*; **14.** sich zuziehen, (*Strafe, Tadel*) bekommen: *to ~ it* F ‚sein Fett bekommen'; **15.** streifen, *mit et.* hängenbleiben: *a nail caught my dress* mein Kleid blieb an e-m Nagel hängen; *to ~ one's finger in the door* sich den Finger in der Tür klemmen; **16. a)** schlagen: *to ~ s.o. a blow* j-m e-n Schlag versetzen, **b)** *mit e-m Schlag* treffen: *the blow caught him on the chin*; **III.** *v/i.* [*irr.*] **17.** ⊕ fassen, halten; einschnappen (*Schloß*); **18.** sich verfangen, hängenbleiben: *the plane caught in the trees*; **19.** klemmen;
Zssgn mit adv. u. prp.:
catch| at *v/i.* **1.** greifen *od.* schnappen nach (*acc.*); → *straw 1*; **2.** *fig.* gern ergreifen, freudig aufgreifen; **~ on** *v/i.* F **1.** *bsd. Am.* ‚kapieren' (*to s.th.* et.); begrüßen (*acc.*): *to ~ to an idea*; **2.** Anklang finden, einschlagen; **~ out** *v/t.* **1.** *Brit.* ertappen; **2.** *Kricket*: abtun, durch Fangen des Balles den Schläger ‚ausmachen'; **~ up** *v/t.* **1.** *j-n* unter'brechen; **2.** *j-n* einholen: *to ~ with s.o.* mit j-m Schritt halten, j-n einholen; *to ~ on et.* nachholen; **3.** *et.* schnell ergreifen; *Kleid* aufraffen; **4.** *Gedanken* aufgreifen, *Gewohnheit* annehmen.
catch|·all *s. Am.* Tasche *f od.* Behälter *m* für alles mögliche (*a. fig.*); **'~-as-'catch-'can** *s. sport* Catchen *n*: *~ wrestler* Catcher; **'~-crop** *s.* Zwischenfrucht *f*; **'~-drain** *s.* ⚒ Abzugsgraben *m*.
catch·er ['kætʃə] *s.* Fänger *m* (*a. Baseball*); **'catch·ing** [-tʃiŋ] *adj.* **1.** ⚕ ansteckend (*a. fig.*); **2.** *fig.* anziehend, fesselnd; gefällig, leicht zu behalten(d) (*Melodie*); **3.** verfänglich.
catch·ment ['kætʃmənt] *s.* **1.** Auffangen *n von Wasser etc.*; **2.** Reservo'ir *n*; **'~-a·re·a, '~-ba·sin** *s.* Einzugs-, Abflußgebiet *n* (*e-s Flusses*).
'catch|·pen·ny I. *adj.* Schund...; auf Kundenfang berechnet, Lock..., Schleuder...: *a ~ title* ein reißerischer Titel; **II.** *s.* Schundware *f*, 'Ramschar͵tikel *m*; **'~-phrase** *s.* Schlagwort *n*, (hohle) Phrase; **'~-pole, '~-poll** *s.* Gerichtsdiener *m*; **'~-up** → *ketchup*; **'~-weight** *s. sport* nicht durch Regeln beschränktes Gewicht e-s Wettkampfteilnehmers; **'~-word** *s.* **1.** *thea. u. typ.* Stichwort *n*; **2.** Schlagwort *n*; **3.** *typ.* **a)** *hist.* 'Kustos *m*, **b)** Ko'lumnentitel *m*.
catch·y ['kætʃi] *adj.* F **1.** → *catching 2*; **2.** verfänglich; **3.** schwierig.
cat·e·chism ['kætikizəm] *s.* **1.** ♀ *eccl.* Kate'chismus *m*; **2.** *fig.* Reihe *f od.* Folge *f* von Fragen; **'cat·e·chist** [-kist] *s.* Kate'chet *m*, Religi'onslehrer *m*; **'cat·e·chize** [-kaiz] *v/t.* **1.** *eccl.* katechisieren; **2.** gründlich ausfragen, examinieren.
cat·e·chu ['kætitʃu:] *s.*, *a. Bengal ~* ⚗ 'Katechu *n*.
cat·e·chu·men [kæti'kju:men] *s.* **1.** *eccl.* Konfir'mand(in); **2.** *fig.* Neuling *m*.
cat·e·gor·i·cal [kæti'gɔrikəl] *adj.* □ kate'gorisch, bestimmt, unbedingt;
cat·e·go·ry ['kætigəri] *s.* Katego'rie *f*, Klasse *f*, Gruppe *f*.
ca·te·na [kə'ti:nə] (*Lat.*) *s.* Kette *f*, Reihe *f*; **cat·e·nar·i·an** [kæti'nɛəriən] *adj.* ⚒ zu e-r Kette *od.* Kettenlinie gehörig.
ca·ter ['keitə] *v/i.* **1.** Lebensmittel liefern: *~ing industry* Gaststättengewerbe; **2.** sorgen (*for* für); **3.** *fig.* befriedigen (*for, to acc.*); **4.** *fig.* (*to, for*) schmeicheln (*dat.*), werben (um); **'ca·ter·er** [-ərə] *s.* ('Lebensmittel *od.* 'Speise)Liefe͵rant *m*, Trai'teur *m*; Gastwirt *m*; Provi'antmeister *m*.
cat·er·pil·lar ['kætəpilə] *s.* **1.** *zo.* Raupe *f*; **2.** *fig.* **a)** Er'presser *m*, **b)** Schma'rotzer *m*.
cat·er·waul ['kætəwɔ:l] **I.** *v/i.* **1.** mi'auen; **2.** kreischen; **II.** *s.* **3.** Mi'auen *n*.
'cat|-eyed *adj.* im Dunkeln sehend; **'~-fish** *s. ichth.* Katzenfisch *m*, Wels *m*; **'~-gut** *s.* **1.** Darmsaite *f*; **2.** ⚕ 'Katgut *n*; **3.** F Geige *f*.
ca·thar·sis [kə'θɑ:sis] *s.* **1.** seelische Läuterung *od.* Entspannung; **2.** ⚕ Reinigung *f*, Abführen *n*; **ca'thar·tic** [-ɑ:tik] **I.** *adj.* reinigend, läuternd, erlösend; **II.** *s.* ⚕ Abführ-, Reinigungsmittel *n*.
'cat·head *s.* ⚓ Kran-, Ankerbalken *m*.
ca·the·dral [kə'θi:drəl] **I.** *s.* Kathe'drale *f*, Dom *m*; **II.** *adj.* Dom...: *~ church* → *I*; *~ town* → *city 2*.
Cath·er·ine-wheel ['kæθərinwi:l] *s.* **1.** ⚠ Fensterrose *f*; **2.** *Feuerwerk*: Feuerrad *n*; **3.** *sport to turn ~s* radschlagen.
cath·e·ter ['kæθitə] *s.* ⚕ Ka'theter *m*.
cath·ode ['kæθoud] *s.* ⚡ Ka'thode *f*; **~ ray** *s.* Ka'thodenstrahl *m*; **'~-ray tube** *s.* Ka'thodenstrahlröhre *f*.
cath·o·lic ['kæθəlik] **I.** *adj.* (□ *~ally*) **1.** ('all)um͵fassend, univer'sal; **2.** großzügig, tole'rant; **3.** ♀ ka'tholisch, rechtgläubig; **II.** *s.* **4.** ♀ Katho'lik(in); **Ca·thol·i·cism** [kə'θɔlisizəm] *s.* Katholi'zismus *m*; **cath·o·lic·i·ty** [kæθə'lisiti] *s.* **1.** Allge'meingültigkeit *f*; **2.** Großzügigkeit *f*, Tole'ranz *f*.
'cat-ice *s.* dünne Eisschicht.
cat·kin ['kætkin] *s.* ♀ (Blüten)Kätzchen *n* (*an Weiden etc.*).
'cat-lap *s. Brit. sl.* (zu) schwacher Tee.
cat·ling ['kætliŋ] *s.* **1.** (feines) Amputati'onsmesser; **2.** dünne Darmsaite.
'cat|-mint *s.* ♀ Katzenminze *f*; **'~-nap** *s.* ‚Nickerchen' *n*, kurzes Schläfchen.
cat-o'-nine-tails ['kætə'nainteilz] *s.* neunschwänzige Katze (*Peitsche*).
'cat's|-cra·dle *s.* Abnehmespiel *n*, Schnurspiel *n*; **'~-eye** *s.* **1.** *min.* Katzenauge *n*; **2.** Katzenauge *n*, Rückstrahler *m*; **'~-lick** *s.* F Katzenwäsche *f*: *to have a ~* Katzenwäsche machen; **'~-meat** *s. Brit.* Pferdefleisch *n* (*als Katzenfutter*); **'~-paw** *s.* **1.** *fig.* Handlanger *m*, *j-s* Werkzeug *n*: *to make a ~ of s.o.* j-n die Kastanien aus dem Feuer holen lassen; **2.** ⚓ leichte Brise.
cat·sup ['kætsʌp] → *ketchup*.
cat·tish ['kætiʃ] *adj.* katzenhaft; *fig.* falsch, boshaft, gehässig.
cat·tle ['kætl] *s. coll.* (*mst pl. konstr.*) **1.** (Rind)Vieh *n*, Rinder *pl.*; **2.** *contp.* Viehzeug *n* (*Menschen*); **~ car** *s.* 🚃 *Am.* Viehwagen *m*; **'~-feed·er** *s.* ⚒ 'Futterma͵schine *f*; **'~-lead·er** *s.* Nasenring *m*; **'~-lift·er** *s.* Viehdieb *m*; **'~-pen** *s.* Viehgehege *n*; **'~-plague** *s. vet.* Rinderpest *f*; **~ ranch, ~ range** *s.* Viehweide(land *n*) *f*; **~ shed** *s.* Viehstall *m*.
cat·ty[1] ['kæti] → *cattish*.
cat·ty[2] ['kæti] *s.* Kätti *n* (*ostasiatisches Gewicht, etwa 600 Gramm*).
'cat|-walk *s.* ⊕ Laufplanke *f*, schmaler Steg; **'~-whisk·er** *s.* ⚡ Kon'taktdrähtchen *n*.
Cau·ca·sian [kɔ:'keizjən] **I.** *adj.* kau'kasisch; **II.** *s.* Kau'kasier(in).
cau·cus ['kɔ:kəs] *s. pol.* **1.** *Am.* Par'teiausschuß *m* zur Wahlvorbereitung; Frakti'onssitzung *f*; **2.** Klüngel(wirtschaft *f*) *m*.
cau·dal ['kɔ:dl] *adj. zo.* Schwanz...; **'cau·date** [-deit] *adj. zo.* geschwänzt.
cau·dil·lo [kɔ:'di:ljou] *pl.* **-los** (*Span.*) *s.* ⚔, *pol.* Führer *m*.
cau·dle ['kɔ:dl] *s.* Warmbier *n*, Glühwein *m* (*mit Gewürzen u. anderen Zutaten*).
caught [kɔ:t] *pret. u. p.p. von catch*.
caul [kɔ:l] *s.* **1.** Haarnetz *n*; **2.** Glückshaube *f* (*e-s Neugeborenen*).
caul·dron ['kɔ:ldrən] *s.* großer Kessel (*a. fig.*).
cau·li·flow·er ['kɔliflauə] *s.* ♀ Blumenkohl *m*.
caulk [kɔ:k] *v/t.* ⚓ kal'fatern, *Ritzen* abdichten; **'caulk·er** [-kə] *s.* **1.** ⚓, ⊕ Kal'faterer *m*, Abdichter *m*; **2.** → *calk*[1].
caus·al ['kɔ:zəl] *adj.* □ ursächlich, kau'sal; **cau·sal·i·ty** [kɔ:'zæliti] *s.* Ursächlichkeit *f*; Kau'salzs.-hang *m*; **cau·sa·tion** [kɔ:'zeiʃən] *s.* Ursächlichkeit *f*; Kau'salprin͵zip *n*; **'caus·a·tive** [-zətiv] *adj.* □ **1.** kausal, begründend, verursachend; **2.** *ling.* 'kausativ.
cause [kɔ:z] **I.** *s.* **1.** Ursache *f*: *~ of the fire* Ursache des Brandes; **2.** Grund *m*; Veranlassung *f*, Anlaß *m*: *~ for complaint* Grund *od.* Anlaß zur Klage; *~ to be thankful* Grund zur Dankbarkeit; **3.** (gute) Sache: *to fight for one's ~* für s-e Sache kämpfen; *to make common ~ with* gemeinsame Sache machen mit; **4.** ⚖ **a)** (Streit)Sache *f*, Rechtsstreit *m*, Pro'zeß *m*, **b)** Gegenstand *m*; Rechtsgründe *pl.*: *~-list* Termin-, Sitzungsliste; *to show ~* s-e Gründe darlegen; *~ of action* Klagegrund; **5.** Sache *f*, Angelegenheit *f*, Gegenstand *m*, 'Thema *n*, Frage *f*, Pro'blem *n*: *lost ~* verlorene *od.* aussichtslose Sache; *in the ~ of* um ... (*gen.*) willen, für; **II.** *v/t.* **6.** veranlassen, lassen: *I ~ed him to sit down* ich ließ ihn sich setzen; *he ~ed the man to be arrested* er ließ den Mann verhaften, er veranlaßte, daß der Mann verhaftet wurde; **7.** verursachen, bewirken, her'vorrufen, her'beiführen: *to ~ a fire* e-n Brand verursachen; **8.** bereiten, zufügen: *to ~ s.o. a loss* j-m e-n Verlust zufügen; *to ~ s.o. trouble* j-m Schwierigkeiten bereiten.

cause cé·lè·bre [kouz se'lebr] (*Fr.*) *s.* Cause *f* célèbre.
cause·less ['kɔ:zlis] *adj.* □ grundlos, unbegründet.
cau·se·rie ['kouzəri(:)] (*Fr.*) *s.* Plauderei *f.*
cause·way ['kɔ:zwei], *Brit. a.* '**cau·sey** [-zei] *s.* erhöhter Fußweg, Damm *m* (*durch e-n See od. Sumpf*).
caus·tic ['kɔ:stik] **I.** *adj.* (□ ~**ally**) **1.** ⚗ kaustisch, ätzend, beizend, brennend: ~ *potash* Ätzkali; ~ *soda* Ätznatron; ~*-soda solution* Ätzlauge; **2.** *fig.* ätzend, beißend, sar'kastisch (*Worte etc.*); **II.** *s.* **3.** ⚗ Beiz-, Ätzmittel *n*: *lunar* ~ ⚕ Höllenstein; **caus·tic·i·ty** [kɔ:s'tisiti] *s.* **1.** Ätz-, Beizkraft *f*; **2.** *fig.* Sar'kasmus *m*, Schärfe *f.*
cau·ter·i·za·tion [kɔ:tərai'zeiʃən] *s.* ⚕, ⊕ (Aus)Brennen *n*; Ätzen *n*; **cau·ter·ize** ['kɔ:təraiz] *v/t.* **1.** ⚕,⊕ (aus)brennen, ätzen; **2.** *fig. Gefühl etc.* abtöten, abstumpfen; **cau·ter·y** ['kɔ:təri] *s.* Brenneisen *n*; Ätzmittel *n.*
cau·tion ['kɔ:ʃən] **I.** *s.* **1.** Vorsicht *f*, Behutsamkeit *f*: ~ *money* Kaution, (hinterlegte) Bürgschaft; **2.** Warnung *f*; *tadelnde* Verwarnung: *he was let off with a* ~ er kam mit e-r Verwarnung davon; **3.** ⚔ 'Ankündigungskom,mando *n*; **4.** F *et. od. j-d* Origi'nelles; ulkige ‚Nummer'; unheimlicher Kerl; **II.** *v/t.* **5.** warnen (*against* vor *dat.*); **6.** *tadelnd* verwarnen; '**cau·tion·ary** [-ʃnəri] *adj.* warnend, Warnungs...: ~ *command* → *caution 3.*
cau·tious ['kɔ:ʃəs] *adj.* □ vorsichtig, behutsam, auf der Hut; '**cau·tious·ness** [-nis] *s.* Vorsicht *f*, Behutsamkeit *f.*
cav·al·cade [kævəl'keid] *s.* Kaval'kade *f*, 'Reiterzug *m*, -,umzug *m.*
cav·a·lier [kævə'liə] **I.** *s.* **1.** Reiter *m*; **2.** Ritter *m*; **3.** Kava'lier *m*, ritterlicher Mann; **4.** ♀ *hist.* Roya'list *m* (*Anhänger Karls I. von England*); **II.** *adj.* □ **5.** anmaßend, rücksichtslos; **6.** ungezwungen, ungeniert.
cav·al·ry ['kævəlri] *s.* ⚔ Kavalle'rie *f*, Reite'rei *f*; '~**-man** [-mən] *s.* [*irr.*] ⚔ Kavalle'rist *m.*
cave[1] [keiv] **I.** *s.* **1.** Höhle *f*; **2.** *pol. Brit.* **a)** Par'teispaltung *f*, **b)** *die* Abtrünnigen; **II.** *v/t.* **3.** *mst* ~ *in* eindrücken, zum Einsturz bringen; **III.** *v/i.* **4.** *mst* ~ *in* einstürzen, -sinken; **5.** *mst* ~ *in* F **a)** nachgeben, klein beigeben, **b)** zs.-brechen, ‚zs.-klappen'; **6.** *pol. Brit.* abtrünnig werden.
ca·ve[2] ['keivi] (*Lat.*) *int. Schul-sl.* Vorsicht!, Achtung!: *to keep* ~ aufpassen (*ob der Lehrer kommt*), ‚Schmiere stehen'.
ca·ve·at ['keiviæt] *s.* **1.** ⚖ Einspruch *m*, Verwahrung *f*: *to enter a* ~ Verwahrung einlegen; **2.** Warnung *f.*
'**cave|-bear** *s. zo.* Höhlenbär *m*; '~**-dwell·er** *s.* Höhlenbewohner (-in); '~**-man** [-mæn] *s.* [*irr.*] Höhlenbewohner *m*, -mensch *m*; *humor.* (*triebhafter*) Na'turbursche.
cav·ern ['kævən] *s.* **1.** Höhle *f*; **2.** ⚕ Ka'verne *f*; '**cav·ern·ous** [-nəs] *adj.* **1.** voller Höhlen; **2.** po'rös; **3.** tiefliegend, hohl (*Augen*); eingefallen (*Wangen*); tief (*Dunkelheit*); **4.** ⚕ kaver'nös.
cav·i·ar(e) ['kævia:] *s.* 'Kaviar *m*: ~ *to the general* Kaviar fürs Volk.
cav·il ['kævil] **I.** *v/i.* nörgeln, kritteln (*at* an *dat.*); **II.** *s.* Nörge'lei *f*; '**cav·il·(l)er** [-lə] *s.* Nörgler(in).
cav·i·ty ['kæviti] *s.* **1.** (Aus)Höhlung *f*, Hohlraum *m*; **2.** *anat.* Höhle *f*, Raum *m*, Grube *f*: *abdominal* ~ Bauchhöhle; *mouth* ~ Mundhöhle; **3.** ⚕ Loch *n* (*im Zahn*).
ca·vort [kə'vɔ:t] *v/i.* F Kapri'olen machen, um'herspringen.
ca·vy ['keivi] *s. zo.* amer. Meerschweinchen *n.*
caw [kɔ:] **I.** *s.* Krächzen *n* (*Raben, Krähen etc.*); **II.** *v/i.* krächzen.
Cax·ton ['kækstən] *s.* **1.** Caxton *m* (*von William Caxton gedrucktes Buch*); **2.** *typ.* Caxton *f* (*altgotische Schrift*).
cay·enne [kei'en], *a.* ~ **pep·per** ['keiən] *s.* Cay'ennepfeffer *m.*
cay·man ['keimən] *pl.* **-mans** *s. zo.* 'Kaiman *m.*
C clef *s.* ♪ C-Schlüssel *m.*
cease [si:s] **I.** *v/i.* **1.** aufhören, enden: *the noise* ~*d*; **2.** (*from*) ablassen (von), aufhören (mit); **II.** *v/t.* **3.** aufhören (*doing od. to do* mit *et. od. et.* zu tun); **4.** einstellen: *to* ~ *fire* ⚔ das Feuer einstellen; *to* ~ *payment* ✝ die Zahlungen einstellen; '**cease-fire** *s.* ⚔ Feuereinstellung *f*, Waffenruhe *f*; '**cease·less** [-lis] *adj.* □ unaufhörlich; '**cease·less·ness** [-lisnis] *s.* Endlosigkeit *f.*
ce·dar ['si:də] *s.* **1.** ♀ Zeder *f*: ~ *of Lebanon* Libanonzeder; **2.** Zedernholz *n.*
cede [si:d] **I.** *v/t.* (*to*) abtreten (*dat. od.* an *acc.*), über'lassen (*dat.*); **II.** *v/i.* zu-, nachgeben.
ce·dil·la [si'dilə] *s.* Ce'dille *f.*
cee [si:] *s.* C *n*, c *n* (*Buchstabe*): ~ *spring* C-Feder (*Wagenfeder*).
ceil [si:l] *v/t.* **1.** *Zimmerdecke* täfeln *od.* verputzen; **2.** e-e Decke in *e-n Raum* einziehen; **ceil·ing** ['si:liŋ] *s.* **1.** Decke *f e-s Raumes*; **2.** ⚓ Innenbeplankung *f*; **3.** Höchstmaß *n*, -grenze *f*, ✝ *a.* Pla'fond *m*: ~ *price* ✝ Höchstpreis; **4.** ✈ **a)** Gipfelhöhe *f*, **b)** Wolkenhöhe *f.*
cel·an·dine ['seləndain] *s.* ♀ **1.** Schöllkraut *n*; **2.** Feigwurz *f.*
cel·a·nese [selə'ni:z] *s.* Cela'nese *f* (*Kunstseidenstoff*).
cel·e·brant ['selibrənt] *s.* **1.** *eccl.* Zele'brant *m*; **2.** Feiernde(r *m*) *f*; **cel·e·brate** ['selibreit] **I.** *v/t.* **1.** *Fest etc.* feiern, begehen; **2.** *j-n* feiern (*preisen*); **3.** *R. C. Messe* zelebrieren, lesen; **II.** *v/i.* **4.** feiern; *R. C.* zelebrieren; '**cel·e·brat·ed** [-breitid] *adj.* gefeiert, berühmt (*for* für, wegen); **cel·e·bra·tion** [seli'breiʃən] *s.* **1.** Feier *f*; Feiern *n*: *in* ~ *of* zur Feier (*gen.*); **2.** *R. C.* Zelebrieren *n*, Lesen *n* (*Messe*); **ce·leb·ri·ty** [si'lebriti] *s.* **1.** Berühmtheit *f*, Ruhm *m*; **2.** Berühmtheit *f*, berühmte Per'son.
ce·ler·i·ac [si'leriæk] *s.* ♀ Knollensellerie *m, f.*
ce·ler·i·ty [si'leriti] *s.* Geschwindigkeit *f.*
cel·er·y ['seləri] *s.* ♀ (Stengel)Sellerie *m, f.*
ce·les·tial [si'lestjəl] **I.** *adj.* □ **1.** himmlisch, Himmels..., göttlich; selig; **2.** *ast.* Himmels...: ~ *body* Himmelskörper; ~ *map* Himmelskarte; **3.** ♀ chi'nesisch: ♀ *Empire* China (*alter Name*); **II.** *s.* **4.** Himmelsbewohner(in), Selige(r *m*) *f*; **5.** ♀ F Chi'nese *m*, Chi'nesin *f*; ♀ **Cit·y** *s. das* Himmlische Je'rusalem.
cel·i·ba·cy ['selibəsi] *s.* Zöli'bat *n, m*, Ehelosigkeit *f*; '**cel·i·bate** [-bit] **I.** *s.* Unverheiratete(r *m*) *f* (*bsd. aus religiösen Gründen*); **II.** *adj.* unverheiratet.
cell [sel] *s.* **1.** (*Kloster-, Gefängnis- etc.*)Zelle *f*: *condemned* ~ Todeszelle; **2.** *a. biol., phys., pol.* Zelle *f*, *a.* Kammer *f*, Fach *n*; **3.** ⚡ Zelle *f*, Ele'ment *n.*
cel·lar ['selə] *s.* **1.** Keller *m*; **2.** Weinkeller *m*: *he keeps a good* ~ er hat e-n guten Keller; '**cel·lar·age** [-əridʒ] *s.* **1.** Kellerraum *m*; **2.** Einkellerung *f*; **3.** Kellermiete *f*; '**cel·lar·er** [-ərə] *s.* Kellermeister *m.*
-celled [seld] *adj. in Zssgn* ...zellig.
cel·list ['tʃelist] *s.* ♪ Cel'list(in); **cel·lo** ['tʃelou] *pl.* **-los** *s.* (,Violon-)'Cello *n.*
cel·lo·phane ['seləfein] *s.* ⊕ Zello'phan *n*, Zellglas *n.*
cel·lu·lar ['seljulə] *adj.* **1.** zellig, Zell(en)...: ~ *tissue* Zellgewebe; ~ *therapy* ⚕ Zelltherapie; **2.** netzartig: ~ *shirt* Netzhemd; '**cel·lule** [-ju:l] *s.* kleine Zelle.
cel·lu·loid ['seljulɔid] *s.* ⊕ Zellu'loid *n.*
cel·lu·lose ['seljulous] *s.* Zellu'lose *f*, Zellstoff *m.*
Cel·si·us ['selsjəs], ~ **ther·mom·e·ter** *s. phys.* 'Celsiusthermo,meter *n.*
Celt [kelt] *s.* Kelte *m*, Keltin *f*; '**Celt·ic** [-tik] **I.** *adj.* keltisch; **II.** *s. ling. das* Keltische; '**Celt·i·cism** [-tisizəm] *s.* Kelti'zismus *m* (*Brauch od. Spracheigentümlichkeit*).
ce·ment [si'ment] **I.** *s.* **1.** Ze'ment *m*, (Kalk)Mörtel *m*; **2.** Klebstoff *m*, Kitt *m*; Bindemittel *n*; **3. a)** *biol.* 'Zahnze,ment *m*, **b)** ⚕ Zement *m* zur Zahnfüllung; **4.** *fig.* Band *n*, Bande *pl.*; **II.** *v/t.* **5. a)** zementieren, **b)** kitten; **6.** *fig.* (be)festigen: *to* ~ *a friendship*; **ce·men·ta·tion** [si:men'teiʃən] *s.* **1.** Zementierung *f*; **2.** Kitten *n*; **3.** *metall.* Einsatzhärtung *f*; **4.** *fig.* Bindung *f.*
cem·e·ter·y ['semitri] *s.* Friedhof *m*, Begräbnisstätte *f.*
cen·o·bite ['si:noubait] *s. eccl.* Zöno'bit *m*, Klostermönch *m.*
cen·o·taph ['senəta:f] *s.* (leeres) Ehrengrabmal: *the* ♀ *das brit. Ehrenmal in London für die Gefallenen beider Weltkriege.*
cense [sens] *v/t.* (mit Weihrauch) beräuchern; '**cen·ser** [-sə] *s.* (Weih-)Rauchfaß *n.*
cen·sor ['sensə] **I.** *s.* **1.** ('Kunst-, 'Schrifttums),Zensor *m*; **2.** 'Brief-,zensor *m*; **3.** *ein* Aufsichtsbeamter *m* (*an brit. Universitäten*); **4.** *antiq.* 'Zensor *m*, Sittenrichter *m*; **II.** *v/t.* **5.** zensieren, über'prüfen; **cen·so·ri·ous** [sen'sɔ:riəs] *adj.* □ **1.** 'kritisch; **2.** tadelsüchtig, krittelig; '**cen·sor·ship** [-ʃip] *s.* **1.** Zen'sur *f*; **2.** 'Zensoramt *n*; **cen·sur·a·ble** ['senʃərəbl] *adj.* tadelnswert, sträflich; **cen·sure** ['senʃə] **I.** *s.* Tadel *m*, Verweis *m*; Kri'tik *f*, 'Mißbilli-

gung *f*; → *vote 1*; **II.** *v/t.* tadeln, miß'billigen, kritisieren.
cen·sus ['sensəs] *s.* Volkszählung *f*, 'Zensus *m*: *~-paper* Zählbogen; *livestock ~* Viehzählung.
cent [sent] *s.* **1.** Hundert *n* (*nur noch in*): *per ~* Prozent, vom Hundert; **2.** *Am.* Cent *m* ($^1/_{100}$ *Dollar*): *not worth a ~* keinen (roten) Heller wert.
cen·taur ['sentɔ:] *s.* **1.** *myth.* Zen'taur *m*; **2.** *fig.* Zwitterwesen *n*; **3.** vor'züglicher Reiter; **Cen·tau·rus** [sen'tɔ:rəs] *s. ast.* Zentaur *m*.
cen·tau·ry ['sentɔ:ri] *s.* ⚘ **1.** Flokkenblume *f*; **2.** Tausend'güldenkraut *n*.
cen·te·nar·i·an [senti'nɛəriən] **I.** *adj.* hundertjährig; **II.** *s.* Hundertjährige(r *m*) *f*; **cen·te·nar·y** [sen'ti:nəri] **I.** *adj.* **1.** hundertjährig; **2.** hundert betragend; **II.** *s.* **3.** Jahr'hundert *n*; **4.** Hundert'jahrfeier *f*.
cen·ten·ni·al [sen'tenjəl] **I.** *adj.* hundertjährig; **II.** *s. bsd. Am.* Hundert'jahrfeier *f*.
cen·ter *etc. Am.* → *centre etc.*
cen·tes·i·mal [sen'tesiməl] *adj.* □ zentesi'mal, hundertteilig.
centi- [senti] *in Zssgn* hundert (-stel).
cen·ti·grade ['sentigreid] *adj.* hundertteilig, -gradig: *~ thermometer* Celsiusthermometer; *degree(s) ~* Grad Celsius (*abbr.* °C); **'cen·ti·gram(me)** [-græm] *s.* Zenti'gramm *n*.
cen·time ['sɑ̃:nti:m] (*Fr.*) *s.* Cen'time *m* ($^1/_{100}$ *Franc*).
cen·ti·me·tre, *Am.* **cen·ti·me·ter** ['sentimi:tə] *s.* Zenti'meter *m*, *n*; **'cen·ti·pede** [-pi:d] *s. zo.* Hundertfüßer *m*.
cen·tral ['sentrəl] **I.** *adj.* □ **1.** zen'tral (gelegen); **2.** Haupt..., Zentral-...: *~ office* Hauptbüro, Zentrale; *~ idea* Hauptgedanke; **II.** *s.* **3.** *Am.* **a)** (Tele'phon)Zen,trale *f*, **b)** Telepho'nist(in) (*in e-r Zentrale*); **♀ A·mer·i·can** *adj.* 'mittelameri,kanisch; **♀ Eu·ro·pe·an time** *s.* 'mitteleuro,päische Zeit (*abbr. MEZ*); **~ heat·ing** *s.* Zen'tralheizung *f*.
cen·tral·ism ['sentrəlizəm] *s.* (Sy'stem *n* der) Zentralisierung *f*; **'cen·tral·ist** [-ist] *s.* Verfechter *m* der Zentralisierung; **cen·tral·i·za·tion** [sentrəlai'zeiʃən] *s.* Zentralisierung *f*; **'cen·tral·ize** [-laiz] *v/t.* zentralisieren.
cen·tral| nerv·ous sys·tem *s. anat.* Zen'tral,nervensy,stem *n*; **♀ Pow·ers** *s. pl. pol. hist.* Mittelmächte *pl.*; **~ sta·tion** *s.* **1.** ⚓ ('Bord)Zen,trale *f*, Kom'mandostand *m*; **2.** Haupt-, Zen'tralbahnhof *m*; **3.** ⚡ Zen'trale *f*.
cen·tre ['sentə] **I.** *s.* **1.** 'Zentrum *n* (*a.* ⚔, *pol.*), Mittelpunkt *m* (*a. fig.*): *~ of trade* Handelszentrum; **2.** Hauptstelle *f*, -gebiet *n*, Sitz *m*, Herd *m*: *shopping ~* Einkaufszentrum; *amusement ~* Vergnügungszentrum; *training ~* Ausbildungsstelle, -lager; *~ of interest* Hauptinteresse; **3.** ⊕ Spitze *f*: *~ lathe* Spitzendrehbank; **4.** *Fußball*: Flanke *f*; **II.** *v/t.* **5.** in den Mittelpunkt stellen (*a. fig.*); konzentrieren, vereinigen (*on, in* auf *acc.*); ⊕ einmitten, zentrieren; **III.** *v/i.* **6.** im Mittelpunkt stehen (*a. fig.*); *fig.* sich drehen (*round* um); **7.** (*in, on*) sich konzentrieren, sich gründen (auf *acc.*); **8.** *Fußball*: flanken; **'~-bit** *s.* ⊕ 'Zentrumsbohrer *m*; Bohrerspitze *f*; **'~-board** *s.* ⚓ Schwert *n*; **~ cir·cle** *s. Fußball*: Anstoßkreis *m*; **~ court** *s. Tennis*: 'Centre Court *m*; **~ for·ward** *s. Fußball*: Mittelstürmer *m*; **~ half** *s. Fußball*: **a)** *obs.* Mittelläufer *m*, **b)** 'Vor,stopper *m*.
cen·tre·ing ['sentəriŋ] → *centring*.
cen·tre| of at·trac·tion *s. fig.* (Haupt)Anziehungspunkt *m*; **~ of grav·i·ty** *s. phys.* Schwerpunkt *m*; **~ of mo·tion** *s. phys.* Drehpunkt *m*; **~ par·ty** *s. pol.* 'Mittelpar,tei *f*, 'Zentrum *n*; **'~-piece** *s.* **1.** Mittelstück *n*; **2. a)** Tafelaufsatz *m*, **b)** Zierdeckchen *n* (*für Tischmitte*); **'~-rail** *s.* Mittelschiene *f* (*bei Zahnradbahnen*); **'~-sec·ond(s)** *s.* Zen'tralse,kunden,zeiger *m*.
cen·tric *adj.*; **cen·tri·cal** ['sentrik(əl)] *adj.* □ zen'tral, zentrisch.
cen·trif·u·gal [sen'trifjugəl] *adj. phys.* zentrifu'gal; *a.* Schleuder..., Schwung...: *~ force* Zentrifugal-, Fliehkraft; *~ governor* Fliehkraftregler; **cen·tri·fuge** ['sentrifju:dʒ] *s.* Zentri'fuge *f*, Trennschleuder *f*.
cen·tring ['sentriŋ] *s.* ⊕ Wölbgerüst *n*.
cen·trip·e·tal [sen'tripitl] *adj.* zentripe'tal: *~ force* Zentripetalkraft.
cen·tu·ple ['sentjupl], **cen·tu·pli·cate** [sen'tju:plikit] *adj.* hundertfach.
cen·tu·ri·on [sen'tjuəriən] *s. antiq.* (*Rom*) ⚔ Zen'turio *m*.
cen·tu·ry ['sentʃuri] *s.* **1.** Jahr'hundert *n*; **2.** Satz *m od.* Gruppe *f* von hundert; *bsd. Kricket*: 100 Läufe *pl.*; **3.** *antiq.* (*Rom*) Zen'turie *f*, Hundertschaft *f*.
ce·phal·ic [ke'fælik] *adj. anat.*, *zo.* Schädel..., Kopf..., den Schädel betreffend; **ceph·a·lo·pod** ['sefəlopɔd] *s. zo.* Kopffüßer *m*; **ceph·a·lous** ['sefələs] *adj. zo.* mit e-m Kopf, ...köpfig.
ce·ram·ic [si'ræmik] *adj.* ke'ramisch; **ce'ram·ics** [-ks] *s. pl.* **1.** *sg. konstr.* Ke'ramik *f*, Töpferkunst *f*; **2.** *pl. konstr.* Töpferwaren *pl.*, Ke'ramikgegenstände *pl.*; **cer·a·mist** ['serəmist] *s.* Ke'ramiker *m*.
Cer·ber·us ['sə:bərəs] *s. fig.* 'Zerberus *m*, grimmiger Wächter: *sop to ~* Beschwichtigungsmittel.
cere [siə] *s. orn.* Wachshaut *f* (*am Schnabel gewisser Vögel*).
ce·re·al ['siəriəl] **I.** *adj.* Getreide...; **II.** *s. mst pl.* Zere'alien *pl.*, Getreidepflanzen *pl.*, -früchte *pl.*; *engS. sg. Am.* Frühstückskost *f aus Weizen, Hafer etc.*
cer·e·bel·lum [seri'beləm] *s. anat.* Kleinhirn *n*; **cer·e·bral** ['seribrəl] *adj.* **1.** *anat.* Gehirn...; **2.** *ling.* alveo'lar; **cer·e'bra·tion** [-'breiʃən] *s.* Gehirntätigkeit *f*; Denken *n*; **cer·e·brum** ['seribrəm] *s. anat.* Großhirn *n*.
'cere·cloth *s.* Wachsleinwand *f*, *bsd. als* Leichentuch *n*.
cere·ment ['siəmənt] *s. mst pl.* Leichengewand *n*, Totenhemd *n*.
cer·e·mo·ni·al [seri'mounjəl] **I.** *adj.* □ **1.** feierlich, förmlich; **2.** ritu'ell; **II.** *s.* **3.** Zeremoni'ell *n*; **cer·e'mo·ni·ous** [-jəs] *adj.* □ **1.** → *ceremonial 1 u. 2*; **2.** 'umständlich, steif; **cer·e·mo·ny** ['seriməni] *s.* **1.** Zeremo'nie *f*, Feierlichkeit *f*, feierlicher Brauch; Feier *f*; → *master 12*; **2.** Förmlichkeit(en *pl.*) *f*: *without ~* ohne Umstände; *to stand on ~* sehr förmlich sein; **3.** Höflichkeit *f*.
ce·rise [sə'ri:z] *adj.* kirschrot, ce'rise.
cert [sə:t] *s. Brit. sl.* ‚todsichere Sache'.
cer·tain ['sə:tn] *adj.* □ **1.** (*von Sachen*) sicher, gewiß, bestimmt: *it is ~ to happen* es wird gewiß geschehen; *I know for ~* ich weiß ganz bestimmt; **2.** (*von Personen*) über'zeugt, sicher, gewiß: *to make ~ of s.th.* sich e-r Sache vergewissern; **3.** bestimmt, zuverlässig, sicher: *a ~ cure* e-e sichere Kur; *a ~ day* ein (ganz) bestimmter Tag; **4.** gewiß: *a ~ Mr. Brown* ein gewisser Herr Brown; *for ~ reasons* aus bestimmten Gründen; **'cer·tain·ly** [-li] *adv.* **1.** sicher, zweifellos, bestimmt; **2.** sicherlich, (aber) na'türlich; **'cer·tain·ty** [-ti] *s.* **1.** Sicherheit *f*, Bestimmtheit *f*, Gewißheit *f*: *to know for a ~* mit Sicherheit wissen; **2.** Über'zeugung *f*.
cer·ti·fi·a·ble ['sə:tifaiəbl] *adj.* □ **1.** sicher feststellbar; **2.** ⚕ *Brit.* anmeldepflichtig (*bsd. von Geisteskranken*); *weitS.* geisteskrank.
cer·tif·i·cate I. *s.* [sə'tifikit] Bescheinigung *f*, At'test *n*, Zeugnis *n*, Schein *m*, Urkunde *f*: *death ~* Sterbeurkunde; *master's ~* ⚓ Kapitänspatent; *medical ~* ärztliches Attest; *school ~* Schul(abgangs)-zeugnis; *~ of baptism* Taufschein; *~ of origin* ✝ Ursprungszeugnis; → *health 1*; **II.** *v/t.* [-keit] *j-m* e-e Bescheinigung *od.* ein Zeugnis geben; *et.* attestieren; **cer'tif·i·cat·ed** [-keitid] *adj.* amtlich anerkannt *od.* zugelassen: *~ engineer* Diplomingenieur; *~ teacher* diplomierter Lehrer; **cer·ti·fi·ca·tion** [sə:tifi'keiʃən] *s.* **1.** Bescheinigung *f*; Bestätigung *f*; **2.** (amtliche) Beglaubigung *od.* Zulassung; ⚖ *Brit.* Entmündigung *f wegen Geisteskrankheit.*
cer·ti·fied ['sə:tifaid] *adj.* **1.** bescheinigt, beglaubigt, garantiert: *~ copy* beglaubigte Abschrift; **2.** ⚕ *Brit.* für geistesgestört *u.* anstaltsreif erklärt; **~ cheque**, *Am.* **check** *s.* (*als gedeckt*) bestätigter Scheck; **~ milk** *s. Am. den sanitären Bestimmungen entsprechende Milch*; **~ pub·lic ac·count·ant** *s.* ✝ *Am.* amtlich zugelassener 'Bücherre,visor *od.* Wirtschaftsprüfer.
cer·ti·fy ['sə:tifai] **I.** *v/t.* **1.** bescheinigen: *this is to ~* hiermit wird bescheinigt; **2.** beglaubigen; **3.** *Scheck* (als gedeckt) bestätigen (*Bank*); **4.** ⚕, ⚖ *Brit.* für geistesgestört erklären; **5.** ⚖ *Sache* verweisen (*to an ein anderes Gericht*); **II.** *v/i.* **6.** (*to*) bezeugen (*acc.*).
cer·ti·tude ['sə:titju:d] *s.* (innere) Gewißheit, Über'zeugung *f*.
ce·ru·le·an [si'ru:ljən] *adj. poet.* himmel-, tiefblau.

ce·ru·men [si'ru:men] *s.* Ohrenschmalz *n.*

ce·ruse ['siəru:s] *s.* ⚗ Bleiweiß *n* (*als Schminke*).

cer·vi·cal ['sə:vikəl] *adj. anat.* Hals-..., Nacken...: ~ *vertebrae* Halswirbel.

cer·vine ['sə:vain] *adj. zo.* Hirsch...

Ce·sar·e·vitch *s.* **1.** *hist.* [si'zɑ:rəvitʃ] Za'rewitsch *m*; **2.** [si'zærəwitʃ] *Pferderennen in Newmarket, England.*

ces·sa·tion [se'seiʃən] *s.* Aufhören *n*, Ende *n*; Stillstand *m*, Einstellung *f*;

cess·er ['sesə] *s.* ⚖ Aufhören *n*, Einstellung *f*.

ces·sion ['seʃən] *s.* Abtretung *f*, Zessi'on *f*.

cess·pit ['sespit], **'cess·pool** [-pu:l] *s.* **1.** Abort-, Jauche(n)-, Senkgrube *f*; **2.** *fig.* (Sünden)Pfuhl *m*.

ce·ta·cean [si'teiʃjən] *zo.* **I.** *s.* Wal (-fisch) *m*; **II.** *adj.* Wal(fisch)...; **ce'ta·ceous** [-jəs] *adj. zo.* Wal (-fisch)...

chafe [tʃeif] **I.** *v/t.* **1.** warmreiben, frottieren; **2.** ('durch)reiben, wund reiben, scheuern; **3.** *fig.* ärgern, reizen; **II.** *v/i.* **4.** sich ('durch)reiben, sich wund reiben, scheuern (*against* an *dat.*); **5.** ⊕ verschleißen; **6.** wüten, sich ärgern; **7.** ungeduldig sein; toben.

chaf·er ['tʃeifə] *s. zo.* Käfer *m*.

chaff [tʃɑ:f] **I.** *s.* **1.** Spreu *f*: *to separate the ~ from the wheat* die Spreu vom Weizen scheiden; *as ~ before the wind* wie Spreu im Winde; **2.** Häcksel *m, n*; **3.** ⚔ 'Stör,folie *f* (*Radar*); **4.** *fig.* wertloses Zeug; **5.** Necke'rei *f*; **II.** *v/t.* **6.** zu Häcksel schneiden; **7.** *fig.* necken, aufziehen; '~-**cut·ter** *s.* ✓ Häckselbank *f*.

chaf·fer ['tʃæfə] **I.** *s.* Feilschen *n*; **II.** *v/i.* feilschen, schachern.

chaf·finch ['tʃæfintʃ] *s. orn.* Buchfink *m*.

'chaf·ing|-dish ['tʃeifiŋ] *s.* Wärmepfanne *f*, -schüssel *f*; '~-**gear** *s.* ⚓ Um'kleidung *f* der Taue.

cha·grin ['ʃægrin] **I.** *s.* **1.** Ärger *m*, Verdruß *m*; **2.** Kränkung *f*; Enttäuschung *f*; **II.** *v/t.* **3.** ärgern, verdrießen; **'cha·grined** [-nd] *adj.* ärgerlich, gekränkt.

chain [tʃein] **I.** *s.* **1.** Kette *f* (*a.* ⚗, ⚡, ⊕, *phys.*): ~ *of office* Amtskette; **2.** *fig.* Kette *f*, Fessel *f*: *in ~s* in Gefangenschaft; **3.** *fig.* Kette *f*, Reihe *f*: ~ *of mountains* Gebirgskette; ~ *of events* Reihe von Ereignissen; **4.** ✝ 'Kettenunter,nehmen *n*; **5.** ⊕ Meßkette *f* (*66 engl. Fuß*); **6.** *pl.* Wanten *pl.*; **II.** *v/t.* **7.** (an-) ketten, mit e-r Kette befestigen: *to ~ (up) a dog* e-n Hund an die Kette legen; *to ~ a prisoner* e-n Gefangenen in Ketten legen; *to ~ a door* e-e Tür durch e-e Kette sichern; **8.** *fig.* (*to*) verketten (mit), ketten *od.* fesseln (an *acc.*); **9.** *Land* mit der Meßkette messen; ~ **ar·mo(u)r** *s.* Kettenpanzer *m*; ~ **belt** *s.* ⊕ endlose Kette, 'Kettentransmissi,on *f*; ~ **bridge** *s.* Hängebrücke *f*; ~ **cou·pling** *s.* ⊕ Kettenkupplung *f*; ~ **drive** *s.* ⊕ Kettenantrieb *m*; '~-**gang** *s.* Trupp *m* anein'andergeketteter Sträflinge.

chain·less ['tʃeinlis] *adj.* kettenlos.

'chain|-let·ter *s.* Kettenbrief *m*; ~ **lock·er** *s.* ⚓ Kettenkasten *m*; ~ **mail** → *chain armo(u)r*; ~ **pump** *s.* Pater'nosterwerk *n*; ~ **re·ac·tion** *s. phys.* 'Kettenreakti,on *f* (*a. fig.*); '~-**smok·er** *s.* Kettenraucher *m*; '~-**stitch** *s. Nähen*: Kettenstich *m*; '~-**store** *s.* ✝ **1.** Ketten-, Fili'alladen; **2.** *pl.* Ladenkette *f*.

chair [tʃɛə] **I.** *s.* **1.** Stuhl *m*, Sessel *m*: *to take a ~* sich setzen; **2.** *fig.* Vorsitz *m*: *to be in (to take) the ~* den Vorsitz führen (übernehmen); *to address the ~* sich an den Vorsitzenden wenden; *chair! chair!* *Brit.* zur Geschäftsordnung!; **3.** Lehrstuhl *m*, Profes'sur *f*: ~ *of German* Lehrstuhl *od.* (*in England*) Professur für Deutsch; **4.** *Am.* e'lektrischer Stuhl; **5.** 🚃 Schienenstuhl *m*; **6.** Sänfte *f*; **II.** *v/t.* **7.** in ein Amt einsetzen; **8.** *to ~ s.o. off* j-n (im Tri'umph) auf den Schultern (da'von)tragen; ~ **back** *s.* Stuhllehne *f*; ~ **bot·tom** *s.* Stuhlsitz *m*; ~ **car** *s.* 🚃 *Am.* Sa'lonwagen *m*; ~ **lift** *s.* Sesselbahn *f*, -lift *m*.

chair·man ['tʃɛəmən] *s.* [*irr.*] **1.** Vorsitzende(r) *m*; **2.** j-d der e-n Rollstuhl schiebt; **3.** Sänftenträger *m*; **'chair·man·ship** [-ʃip] *s.* Vorsitz *m*; **'chair·wom·an** *s.* [*irr.*] Vorsitzende *f*.

chaise [ʃeiz] *s.* Chaise *f*, Halbkutsche *f*; ~ **longue** [lɔ̃g; lɔ:ŋ] *s.* Chaise'longue *f*, Liegesofa *n*.

chal·cog·ra·pher [kæl'kɔgrəfə] *s.* Kupferstecher *m*.

Chal·de·an [kæl'di(:)ən], **Chal'dee** [-'di:] **I.** *s.* Chal'däer *m*; **II.** *adj.* chal'däisch.

cha·let ['ʃælei] *s.* **1.** Sennhütte *f*; **2.** Schweizerhaus *n*; **3.** kleines Landhaus.

chal·ice ['tʃælis] *s.* **1.** *poet.* (Trink-) Becher *m*; **2.** *eccl.* (Abendmahls-) Kelch *m*; **3.** ♀ Blütenkelch *m*.

chalk [tʃɔ:k] **I.** *s.* **1.** *min.* Kreide *f*; **2.** Zeichenkreide *f*, Kreidestift *m*: *colo(u)red ~* Buntstift; *red ~* **a)** Rötel, **b)** Rotstift; *as like as ~ and cheese* verschieden wie Tag u. Nacht; **3.** Kreidestrich *m*: **a)** (Gewinn)Punkt *m* (*bei Spielen*), **b)** *Brit.* (angekreidete) Schuld: *by a long ~* bei weitem; **II.** *v/t.* **4.** mit Kreide (be)zeichnen; **5.** ~ *out* entwerfen; *fig.* *Weg* vorzeichnen; **6.** ~ *up* anschreiben; ankreiden, auf die Rechnung setzen: *to ~ up against s.o.* j-m *et.* ankreiden; '~-**bed** *s. geol.* Kreideschicht *f*; ~ **mark** *s.* Kreidestrich *m*; '~-**pit** *s.* Kreidegrube *f*; '~-**stone** *s.* ⚕ Gichtknoten *m*.

chalk·y ['tʃɔ:ki] *adj.* kreidig; kreidehaltig.

chal·lenge ['tʃælindʒ] **I.** *s.* **1.** Her'ausforderung *f*; (Auf-, An)Forderung *f*; Aufruf *m*; **2.** ⚔ Anruf *m* (*Wachtposten*); **3.** *hunt.* Anschlagen *n* (*Hund*); **4.** *bsd.* ⚖ Ablehnung *f* (*e-s Geschworenen od. Richters*); Anfechtung *f* (*e-s Beweismittels*); **5.** 'Widerspruch *m*, Kri'tik *f*, Bestreitung *f*, Kampfansage *f*; Angriff *m*; Streitfrage *f*; **6.** Wettstreit *m*, Wettbewerb *m*; Prüfstein *m*, Probe *f*; **7.** Bedrohung *f*, kritische Lage; Schwierigkeit *f*, Pro'blem *n*, (schwierige *od.* lockende) Aufgabe; **II.** *v/t.* **8.** her'aus-, auffordern; zur Rede stellen; aufrufen; ⚔ anrufen; **9.** Anforderungen an *j-n* stellen; auf die Probe stellen; **10.** bestreiten, anzweifeln; *bsd.* ⚖ anfechten, *Geschworenen etc.* ablehnen; **11.** trotzen (*dat.*); angreifen; **12.** *j-n* reizen (*Aufgabe*); **13.** *j-m Bewunderung etc.* abnötigen; **'chal·lenge·a·ble** [-dʒəbl] *adj.* her'auszufordern(d); anfechtbar.

chal·lenge cup *s. sport* 'Wanderpo,kal *m*.

chal·leng·er ['tʃælindʒə] *s.* Auf-, Her'ausforderer *m* (*a. Boxen*); Anwärter *m*; Gegner *m*, Konkur'rent *m*.

chal·lenge tro·phy *s. sport* Wanderpreis *m*.

chal·leng·ing ['tʃælindʒiŋ] *adj.* □ **1.** her'ausfordernd; **2.** *fig.* **a)** lockend (*Aufgabe*), **b)** schwierig, **c)** an-, erregend.

cha·lyb·e·ate [kə'libiit] *adj. min.* stahl-, eisenhaltig: ~ *spring* Stahlquelle.

cham·ber ['tʃeimbə] *s.* **1.** *obs.* Zimmer *n*, Kammer *f*, Gemach *n*; **2.** *pl. Brit.* **a)** (*zu vermietende*) Zimmer *pl.*, Junggesellenwohnungen *pl.*, **b)** Geschäftsräume *pl.*; **3.** (*Empfangs-*) Zimmer *n* (*im Palast etc.*); **4.** *parl.* Sitzungssaal *m*, Kammer *f*; **5.** *pl. Brit.* **a)** 'Anwaltsbü,ro *n*, **b)** Amtszimmer *n* des Richters: *in ~s* in nichtöffentlicher Sitzung, **c)** Amtszimmer *n* des Mi'nisters; **6.** ⊕ Kammer *f*; Raum *m*; (Gewehr)Kammer *f*; **7.** F → *chamber-pot*; ~ **con·cert** *s.* 'Kammerkon,zert *n*.

cham·ber·lain ['tʃeimbəlin] *s.* Kammerherr *m*.

'cham·ber|-maid *s.* Stubenmädchen *n* (*in Hotels*); ~ **mu·sic** *s.* 'Kammermu,sik *f*; ♀ **of Commerce** *s.* Handelskammer *f*; '~-**pot** *s.* Nachtgeschirr *n*.

cha·me·le·on [kə'mi:ljən] *s. zo.* Cha'mäleon *n* (*a. fig.*).

cham·fer ['tʃæmfə] **I.** *s.* **1.** △ Auskehlung *f*, Hohlrinne *f*; **2.** ⊕ Schrägkante *f*; **II.** *v/t.* **3.** △ auskehlen; **4.** ⊕ abfasen, abschrägen.

cham·ois ['ʃæmwɑ:] *pl.* ~ [-ɑ:z] *s.* **1.** *zo.* Gemse *f*; **2.** *a.* ~ *leather* [*mst* 'ʃæmi] Sämischleder *n*; ⊕ Polierleder *n*.

champ[1] [tʃæmp] *v/i.* **1.** (*a. v/t.*) (heftig *od.* geräuschvoll) kauen: *to ~ the bit* am Gebiß kauen (*Pferd*); **2.** *fig.* **a)** mit den Zähnen knirschen, **b)** ungeduldig sein.

champ[2] [tʃæmp] *sl.* → *champion 3.*

cham·pagne [ʃæm'pein] *s.* Cham'pagner *m*, Sekt *m*, Schaumwein *m*: ~-*cup* Sektkelch, -schale.

cham·pi·on ['tʃæmpjən] **I.** *s.* **1.** Kämpe *m*, (Tur'nier)Kämpfer *m*; **2.** Vorkämpfer *m*, Verfechter *m*, Fürsprecher *m*; **3.** *sport od. Wettbewerb*: Meister *m*; Sieger *m*, Beste(r) *m*; **II.** *v/t.* **4.** verfechten, eintreten für, verteidigen; **III.** *adj.* **5.** Meister..., best, preisgekrönt; **'cham·pi·on·ship** [-ʃip] *s.* **1.** Meisterschaft *f*, -titel *m*; **2.** *pl.* Meisterschaftskämpfe *pl.*, Meisterschaften *pl.*; **3.** Verfechten *n*, Eintreten *n für etwas.*

chance [tʃɑ:ns] **I.** *s.* **1.** Zufall *m*: *by ~* zufällig; **2.** Glück *n*; Schicksal *n*; 'Risiko *n*: *game of* ~ Glücksspiel; *to take one's* ~ sein Glück versuchen; *to take a* (*od. one's*) ~ es darauf ankommen lassen; *to take no* ~*s* nichts riskieren (wollen); **3.** Chance *f*: **a)** Glücksfall *m*, (günstige) Gelegenheit: *the* ~ *of his lifetime* die Chance s-s Lebens, e-e einmalige Gelegenheit; *give him a* ~*!* gib ihm e-e Chance!, versuch's mal mit ihm!; → *main chance*, **b)** Aussicht *f* (*of* auf *acc.*): *to stand a* ~ Aussichten haben, **c)** Möglichkeit *f*, Wahrscheinlichkeit *f*: *the* ~*s are that* aller Wahrscheinlichkeit nach; *the* ~*s are against you* die Umstände sind gegen dich; *on the* (*off*) ~ auf die (geringe) Möglichkeit hin, auf gut Glück, für den Fall (*daß*); **II.** *v/t.* **4.** riskieren: *to* ~ *it* es darauf ankommen lassen, es wagen; **III.** *v/i* **5.** (unerwartet) geschehen: *I* ~*ed to meet her* zufällig traf ich sie; **6.** *to* ~ *upon* auf *j-n od. et.* stoßen; **IV.** *adj.* **7.** zufällig, Zufalls..., gelegentlich, ✝ *a.* Gelegenheits...; unerwartet: ~ *customers* Laufkundschaft.

chan·cel ['tʃɑ:nsəl] *s.* △ Al'tarraum *m*, hoher Chor.

chan·cel·ler·y ['tʃɑ:nsələri] *s.* 'Botschafts- *od.* Konsu'latskanz₁lei *f.*

chan·cel·lor ['tʃɑ:nsələ] *s.* **1.** Kanzler *m* (*a. univ.*); **2.** Kanz'leivorstand *m*; ♀ **of the Ex·cheq·uer** *s. Brit.* Schatzkanzler *m*, Fi'nanzmi₁nister *m.*

chan·cel·lor·ship ['tʃɑ:nsələʃip] *s.* Kanzleramt *n*, -würde *f.*

chan·cer·y ['tʃɑ:nsəri] *s.* Kanz'leigericht *n* (*Brit. Gerichtshof des Lordkanzlers*; *Am. Billigkeitsgericht*): *in* ~ **a)** unter gerichtlicher Verwaltung, **b)** 𝔉 in der Klemme; *ward in* ~ Mündel unter Amtsvormundschaft; ♀ **Di·vi·sion** *s.* ⚖ *Brit.* Kammer *f* für Billigkeitsrechtsprechung des *High Court of Justice.*

chan·cre ['ʃæŋkə] *s.* ⚕ Schanker *m.*

chan·de·lier [ʃændi'liə] *s.* Arm-, Kronleuchter *m*, Lüster *m.*

chan·dler ['tʃɑ:ndlə] *s.* Krämer *m*, Händler *m.*

change [tʃeindʒ] **I.** *v/t.* **1.** (ver-) ändern, 'umändern, verwandeln (*into* in *acc.*): *to* ~ *one's lodgings* umziehen; *to* ~ *the subject* von et. anderem reden; *to* ~ *one's position* die Stellung wechseln, sich beruflich verändern; → *mind 4, colour 3*; **2.** ('um-, ver)tauschen (*for* gegen), wechseln: *to* ~ *one's coat* e-n anderen Rock anziehen; *to* ~ *hands* den Besitzer wechseln; *to* ~ *places with s.o.* den Platz mit j-m tauschen; *to* ~ *trains* umsteigen; → *side 9*; **3.** *Geld, Banknoten* (ein)wechseln; *Scheck* einlösen; **4.** *j-m* andere Kleider anziehen; *Säugling* trockenlegen; *Bett* frisch über'ziehen *od.* beziehen; **5.** ⊕ ('um)schalten: *to* ~ *gear*; *to* ~ *over Maschinen etc.* umstellen (*a. Industrie*), umschalten; **II.** *v/i.* **6.** sich (ver)ändern, wechseln; **7.** sich verwandeln (*to od. into* in *acc.*); **8.** 🚂 *etc.* 'umsteigen: *all* ~*!* alles umsteigen *od.* aussteigen!; **9.** sich 'umziehen: *to* ~ *into evening dress* sich für den Abend umziehen; **10.** 'übergehen (*to* zu); **III.** *s.* **11.** (Ver)Änderung *f*, Wechsel *m*; Wandlung *f*, Wendung *f*, 'Umschwung *m*: *no* ~ unverändert; ~ *for the better* (Ver)Besserung; ~ *of heart* Sinnesänderung; ~ *of life* Wechseljahre; ~ *of moon* Mondwechsel; ~ *of voice* Stimmwechsel; ~ *in the weather* Witterungsumschlag; **12.** Abwechs(e)lung *f*, *et.* Neues; Tausch *m*: *for a* ~ zur Abwechs(e)lung; *a* ~ *of clothes* Wäsche zum Wechseln; *you need a* ~ Sie brauchen e-e Ausspannung; **13.** Wechselgeld *n*: (*small*) ~ Kleingeld; *can you give me* ~ *for a pound?* **a)** können Sie mir auf ein Pfund herausgeben?, **b)** können Sie mir ein Pfund wechseln?; *to get no* ~ *out of s.o. fig.* nichts (*keine Auskunft od. keinen Vorteil*) aus j-m herausholen können; **14.** ♀ *Brit.* Börse *f*; **change·a·bil·i·ty** [tʃeindʒə'biliti] *s.* Veränderlichkeit *f*; *fig.* Wankelmut *m*; '**change·a·ble** [-dʒəbl] *adj.* □ **1.** veränderlich; **2.** wankelmütig; '**change·ful** [-ful] *adj.* □ veränderlich, wechselvoll; **change gear** *s.* ⊕ Wechselgetriebe *n*; '**change·less** [-lis] *adj.* unveränderlich, beständig; '**change·ling** [-liŋ] *s.* Wechselbalg *m*; 'untergeschobenes Kind; '**change-'o·ver** *s.* **1.** 'Übergang *m*, Wechsel *m*; 'Umstellung *f* (*a.* ⊕ *von Maschinen, e-r Industrie etc.*); **2.** ⊕ 'Umschaltung *f*; '**chang·er** [-dʒə] *s. in Zssgn* Wechsler *m* (*Person od. Gerät*); '**chang·ing** [-dʒiŋ] *s.* Wechsel *m*, Veränderung *f*: ~ *of the guard* ⚔ Wachablösung; ~ *room* Umkleidezimmer; ~ *cubicle* Umkleidekabine.

chan·nel[1] ['tʃænl] **I.** *s.* **1.** Flußbett *n*; **2.** Fahrrinne *f*, Ka'nal *m*; **3.** Rinne *f*; 'Durchlaßröhre *f*; **4.** breite Wasserstraße: *the* (*English*) ♀ *geogr.* der (Ärmel)Kanal; **5.** Rille *f*, Riefe *f*; △ Auskehlung *f*; **6.** *fig.* Weg *m*, Kanal *m*: ~*s of trade* Handelswege; *official* ~*s* Dienstweg; *through the usual* ~*s* auf dem üblichen Wege; **7.** *Radio, Fernsehen*: Pro'gramm *n*, Ka'nal *m*; **II.** *v/t.* **8.** (hin'durch)leiten, lenken; **9.** furchen, riefeln; △ kannelieren, auskehlen.

chan·nel[2] ['tʃænl] *s.* ⚓ Rüste *f.*

chant [tʃɑ:nt] **I.** *s.* **1.** *eccl.* Kirchengesang *m*, -lied *n*; **2.** Singsang *m*, eintöniger Gesang *od.* Tonfall; **II.** *v/t.* **3.** *Kirchenlied* singen; **4.** absingen, 'herleiern.

chan·te·relle [tʃæntə'rel] *s.* ⚘ Pfifferling *m.*

chan·ti·cleer [tʃænti'kliə] *s. poet.* Hahn *m.*

chan·try ['tʃɑ:ntri] *s. eccl.* **1.** Stiftung *f* von Seelenmessen; **2.** Ka'pelle *f* für Seelenmessen.

chant·y ['tʃɑ:nti] *s.* Ma'trosenlied *n*, Shanty *n.*

cha·os ['keiɔs] *s.* 'Chaos *n*, Wirrwarr *m*, Durchein'ander *n*; **cha·ot·ic** [kei'ɔtik] *adj.* (□ ~*ally*) cha'otisch, wirr.

chap[1] [tʃæp] *s.* 𝔉 Bursche *m*, Junge *m*: *a nice* ~ ein netter Kerl; *old* ~ ‚alter Knabe'.

chap[2] [tʃæp] *s.* Kinnbacken *m* (*bsd. Tier*), *pl.* Maul *n*; → *Bath chap.*

chap[3] [tʃæp] **I.** *v/t. u. v/i.* rissig machen *od.* werden: ~*ped hands* aufgesprungene Hände; **II.** *s.* Riß *m*, Sprung *m.*

'**chap-book** *s.* kleines Unter'haltungsbuch.

chap·el ['tʃæpəl] *s.* **1.** Ka'pelle *f*; Gotteshaus *n* (der Dis'senters): *I am* ~ 𝔉 ich bin ein Dissenter; **2.** ('Seiten)Ka₁pelle *f* in e-r Kathe'drale; **3.** Gottesdienst *m*; **4.** *typ.* betriebliche Ge'werkschaftsorganisati₁on der Drucker; '**chap·el·ry** [-ri] *s. eccl.* Sprengel *m.*

chap·er·on ['ʃæpəroun] **I.** *s.* Anstandsdame *f*; **II.** *v/t.* (als Anstandsdame) begleiten.

'**chap-fall·en** *adj.* entmutigt, niedergeschlagen.

chap·lain ['tʃæplin] *s.* **1.** Ka'plan *m*, Geistliche(r) *m* (*an e-r Kapelle*); **2.** Hof-, Haus-, Anstalts-, Mili'tär-, Ma'rinegeistliche(r) *m*; '**chap·lain·cy** [-si] *s.* Ka'plans-amt *n*, -pfründe *f.*

chap·let ['tʃæplit] *s.* **1.** Kranz *m*; **2.** *eccl.* Rosenkranz *m.*

chap·man ['tʃæpmən] *s.* [*irr.*] *Brit.* Hausierer *m.*

chap·py ['tʃæpi] *adj.* rissig, aufgesprungen.

chap·ter ['tʃæptə] *s.* **1.** Ka'pitel *n* (*Buch u. fig.*): ~ *and verse* **a)** Kapitel u. Vers, **b)** genaue Belege; *to the end of the* ~ bis ans Ende; **2.** *eccl.* 'Dom-, 'Ordenska₁pitel *n*; **3.** *Am.* Orts-, 'Untergruppe *f e-r Vereinigung*; '~**-house** *s.* **1.** *eccl.* 'Domka₁pitel *n*, Stiftshaus *n*; **2.** *Am.* Verbindungshaus *n* (*Studenten*).

char[1] [tʃɑ:] *v/t. u. v/i.* verkohlen.

char[2] [tʃɑ:] *s. ichth.* 'Rotfo₁relle *f.*

char[3] [tʃɑ:] *Brit.* **I.** *v/t.* **1.** *Haus* rein(e)machen; **II.** *v/i.* **2.** als Raumpflegerin arbeiten; **III.** *s. pl.* **3.** Haushaltsarbeiten *pl.*

char-à-banc ['ʃærəbæŋ] *pl.* **-bancs** [-z] *s.* Kremser *m*; 'Ausflugs₁autobus *m.*

char·ac·ter ['kæriktə] *s.* **1.** Cha'rakter *m*, Wesen *n*, Na'tur *f* (*e-s Menschen*): *of noble* ~; *a bad* ~ **a)** ein schlechter Charakter, **b)** ein schlechter Kerl; *a strange* ~ ein eigenartiger Mensch; *quite a* ~ ein Original; **2.** (ausgeprägte) Per'sönlichkeit; Cha'rakterstärke *f*: *a man of* ~; *a public* ~ e-e bekannte Persönlichkeit; ~ *actor thea.* Charakterdarsteller; ~ *part thea.* Charakterrolle; **3.** Charakter *m*, Gepräge *n*, Eigenart *f*; Merkmal *n*, Kennzeichen *n*; **4.** Stellung *f*, Rang *m*, Eigenschaft *f*: *he came in the* ~ *of a friend* er kam (in s-r Eigenschaft) als Freund; **5.** Leumund *m*, Ruf *m*, Name *m*: *to have a good* ~ in gutem Ruf stehen; **6.** Zeugnis *n* (*für Personal*): *to give s.o. a good* ~ **a)** j-m ein gutes Zeugnis geben, **b)** gut von j-m sprechen; **7.** *thea.* Per'son *f*, Rolle *f*: *in* ~ **a)** der Rolle gemäß, **b)** zusammenpassend; *it is out of* ~ es paßt nicht (zu ihm *etc.*); **8.** *Roman*: Fi'gur *f*, Gestalt *f*; **9.** Schriftzeichen *n*, Schrift *f*; Handschrift *f.*

char·ac·ter·is·tic [kæriktə'ristik] **I.** *adj.* □ → *characteristically*; charakte'ristisch, bezeichnend, typisch (*of* für); **II.** *s.* charakteristisches Merkmal, Eigentümlichkeit *f*, Kennzeichen *n*, Eigenschaft *f*; **char·ac·ter'is·ti·cal** [-kəl] → *characteristic I*; **char·ac·ter'is·ti·cal·ly** [-kəli] *adv.* bezeichnenderweise; **char·ac·ter·i·za·tion** [kæriktərai'zeiʃən] *s.* Charakterisierung *f*, Kennzeichnung *f*; **char·ac·ter·ize** ['kæriktəraiz] *v/t.* **1.** charakterisieren, beschreiben; **2.** kennzeichnen, charakteristisch sein für; **char·ac·ter·less** ['kæriktəlis] *adj.* **1.** ohne Besonderheit; **2.** ohne Zeugnis.

cha·rade [ʃə'rɑːd] *s.* Scha'rade *f*, Silbenrätsel *n*.

char·coal ['tʃɑːkoul] *s.* **1.** Holzkohle *f*; **2.** Zeichenkohle *f*, Kohlestift *m*; **'~-burn·er** *s.* Köhler *m*, Kohlenbrenner *m*; **~ draw·ing** *s.* Kohlezeichnung *f*; **~ pen·cil** *s.* Kohlestift *m* (*a.* ⚡).

chard [tʃɑːd] *s.* ⚘ Mangold(gemüse *n*) *m*.

chare [tʃɛə] → *char³ 1 u. 2.*

charge [tʃɑːdʒ] **I.** *v/t.* **1.** belasten, beladen, beschweren (*with* mit) (*mst fig.*); **2.** *Batterie, Gewehr etc.* laden; **3.** (an)füllen; ⊕, ⚒ beschicken; ⚗ sättigen; **4.** beauftragen (*with* mit); ermahnen; einschärfen (*dat.*): *he was ~d with a delicate mission* ihm war e-e heikle Aufgabe übertragen *od.* anvertraut; *I ~d him not to forget* ich schärfte ihm ein, es nicht zu vergessen; **5.** Weisungen geben (*dat.*); belehren: *to ~ the jury* den Geschworenen Rechtsbelehrung geben; **6.** zur Last legen, vorwerfen (*on dat.*): *he ~d the fault on me* er schrieb mir die Schuld zu; **7.** beschuldigen, anklagen (*with gen.*): *to ~ s.o. with murder*; **8.** angreifen, anfallen; anstürmen gegen: *to ~ the enemy*; **9.** *Preis etc.* fordern, berechnen: *he ~d (me) a dollar for it* er berechnete (mir) e-n Dollar dafür; **10.** ✝ *j-n für od. mit et.* belasten, *j-m et.* in Rechnung stellen: *~ these goods to me* (*od. to my account*); **II.** *v/i.* **11.** angreifen; stürmen: *the lion ~d at me* der Löwe fiel mich an; **12.** (e-n Preis) fordern, (Kosten) berechnen: *to ~ too much* zuviel berechnen; *I shall not ~ for it* ich werde es nicht berechnen; **III.** *s.* **13.** ⚔, ⚡, *mot.* Ladung *f*; ⊕ (Spreng)Ladung *f*; Füllung *f*, Beschickung *f*; *metall.* Einsatz *m*; **14.** Belastung *f*, Forderung *f* (*beide a.* ✝), Last *f*, Bürde *f*; Anforderung *f*, Beanspruchung *f*: *to be a ~ on s.o.* j-m zur Last fallen; *a first ~ on s.th.* e-e erste Forderung an et. (*acc.*); **15.** (*a. pl.*) Preis *m*, Kosten *pl.*, Unkosten *pl.*; Gebühr *f*: *no ~, free of ~* kostenlos, gratis; *to make a ~ for s.th.* et. an-, berechnen; **16.** Aufgabe *f*, Amt *n*, Pflicht *f*, Verantwortung *f*; **17.** Aufsicht *f*, Obhut *f*, Pflege *f*, Sorge *f*; Verwahrung *f*; Verwaltung *f*: *person in ~* Leiter, Verantwortliche(r); *to put s.o. in ~* j-m die Leitung übertragen; *to be in ~ of* vorstehen (*dat.*), verwalten (*acc.*), verantwortlich sein für, versorgen (*acc.*), betreuen (*acc.*); *under (od. in) the ~* in der Obhut *od.* Pflege, unter der Aufsicht (*of gen.*); *to take ~ (of)* die Verwaltung (*gen.*) *od.* Aufsicht (über *acc.*) *od.* Sorge (für *j-n od. et.*) übernehmen; **18.** Gewahrsam *m*: *to give s.o. in ~* j-n der Polizei übergeben; *to take s.o. in ~* j-n festnehmen; **19.** Mündel *m*; Pflegebefohlene(r *m*) *f*, Schützling *m*; **20.** Befehl *m*, Anweisung *f*, Mahnung *f*; ⚖ Rechtsbelehrung *f*; **21.** Vorwurf *m*, Beschuldigung *f*; ⚖ (Punkt *m* der) Anklage *f*: *on a ~ of murder* wegen Mord; *to return to the ~ fig.* auf das alte Thema zurückkommen; **22.** Angriff *m*, (An)Sturm *m*.

char·gé ['ʃɑːʒei] *abbr. für chargé d'affaires.*

charge·a·ble ['tʃɑːdʒəbl] *adj.* ☐ **1.** anzurechnen(d), zu Lasten gehen(d) (*to* von); zu berechnen(d) (*on dat.*); zu belasten(d) (*with* mit); *teleph.* gebührenpflichtig; **2.** zahlbar; **3.** strafbar.

char·gé d'af·faires ['ʃɑːʒeidæ'fɛə] *pl.* **char·gés d'af·faires** [-ʒei-] (*Fr.*) *s. pol.* Geschäftsträger *m*.

charge nurse *s.* ⚕ Oberschwester *f*.

charg·er ['tʃɑːdʒə] *s.* **1.** ⚔ Dienstpferd *n* (*e-s Offiziers*); **2.** *poet.* Schlachtroß *n*.

'charge-sheet *s. Brit.* Poli'zeiliste *f* (*der Verhafteten und der gegen sie erhobenen Beschuldigungen*); ⚔ Tatbericht *m*.

char·i·ness ['tʃɛərinis] *s.* **1.** Behutsamkeit *f*; **2.** Sparsamkeit *f*.

char·i·ot ['tʃæriət] *s. antiq.* zweirädriger Streit- *od.* Tri'umphwagen; **char·i·ot·eer** [tʃæriə'tiə] *s. poet.* Wagen-, Rosselenker *m*.

cha·ris·ma [kə'rizmə] *pl.* **-ma·ta** [-mətə] *s.* 'Charisma *n* (*a. fig. Ausstrahlung*).

char·i·ta·ble ['tʃæritəbl] *adj.* ☐ **1.** mild-, wohltätig; Wohltätigkeits...; **2.** mild, nachsichtig; **'char·i·ta·ble·ness** [-nis] *s.* Wohltätigkeit *f*; Güte *f*, Milde *f*, Nachsicht *f*; **char·i·ty** ['tʃæriti] *s.* **1.** Nächstenliebe *f*; Barm'herzigkeit *f*; **2.** Wohltätigkeit *f*; Freigebigkeit *f*: *~ begins at home* jeder ist sich selbst der Nächste; → *cold 3*; **3.** Güte *f*; Milde *f*, Nachsicht *f*; **4.** Almosen *n*, milde Gabe; Wohltat *f*, gutes Werk; **5.** Wohlfahrtseinrichtung *f*: *~ school* Armen-, Freischule.

cha·ri·va·ri ['ʃɑːri'vɑːri] *s.* 'Katzenmu'sik *f*.

char·la·dy ['tʃɑːleidi] *s. Brit.* F Raumpflegerin *f*.

char·la·tan ['ʃɑːlətən] *s.* 'Scharlatan *m*, Quacksalber *m*, Marktschreier *m*; **'char·la·tan·ry** [-tənri] *s.* Scharlatane'rie *f*, Quacksalbe'rei *f*, Marktschreie'rei *f*.

Charles's Wain ['tʃɑːlziz'wein] *s. ast.* Großer Bär.

Char·ley horse ['tʃɑːli] *s. Am.* Muskelkater *m*.

char·lock ['tʃɑːlɔk] *s.* ⚘ Hederich *m*.

char·lotte russe ['ʃɑːlət ruːs; ʃarlɔt rys] (*Fr.*) *s.* Char'lotte *f* russe (*Obstdessert*).

charm [tʃɑːm] **I.** *s.* **1.** Anmut *f*, Charme *m*, (Lieb)Reiz *m*, Zauber *m*: *~ of style* reizvoller Stil; **2.** Zauber *m*, Bann *m*; Zauberformel *f*; **3.** Amu'lett *n*; **4.** Ber'locke *f*; **II.** *v/t.* **5.** bezaubern, reizen, entzücken: *to be ~ed to meet s.o.* entzückt *od.* erfreut sein, j-n zu treffen; *~ed with* entzückt von; **6.** be-, verzaubern: *~ed against* gefeit gegen; *to ~ away* wegzaubern; **III.** *v/i.* **7.** bezaubern(d wirken), entzücken; **'charm·er** [-mə] *s.* **1.** *fig.* Zauberer *m*, Zauberin *f*; **2.** reizende Frau, Circe *f*; **3.** Char'meur *m*; **'charm·ing** [-miŋ] *adj.* ☐ bezaubernd, entzückend, reizend, char'mant.

char·nel-house ['tʃɑːnlhaus] *s.* Leichen-, Beinhaus *n*.

chart [tʃɑːt] **I.** *s.* **1.** ⚓ Seekarte *f*: *~room* Kartenhaus; **2.** Ta'belle *f*, Dia'gramm *n*, Kurve(nblatt *n*) *f*; (Wetter)Karte *f*; ('Farben)ˌSkala *f*; **II.** *v/t.* **3.** auf e-r (See)Karte einzeichnen; **4.** skizzieren, entwerfen.

char·ta ['tʃɑːtə] → *Magna C(h)arta.*

char·ter ['tʃɑːtə] **I.** *s.* **1.** Urkunde *f*; Freibrief *m*; Privi'legium *n*; Konzessi'on *f*; **2.** Gründungs-, Stiftungsurkunde *f*, Pa'tent *n*; **3.** Verfassung *f*, Satzung *f*; **4.** ⚓ *mst ~-party* 'Charterparˌtie *f*, Befrachtungsvertrag *m*; **II.** *v/t.* **5.** privilegieren: *~ed accountant Brit.* beeidigter Bücherrevisor *od.* Wirtschaftsprüfer; *~ed company* privilegierte Gesellschaft; **6.** ⚓ chartern, befrachten; *weitS. Schiff, Flugzeug* chartern, mieten; **'char·ter·er** [-ərə] *s.* ⚓ Befrachter *m*.

char·ter flight *s.* Charterflug *m*.

chart·ism ['tʃɑːtizəm] *s. hist. Brit.* Char'tismus *m*; **'chart·ist** [-ist] *s.* Mitglied *n* der Char'tisten-Bewegung.

char·wom·an ['tʃɑːwumən] *s.* [*irr.*] Raumpflegerin *f*.

char·y ['tʃɛəri] *adj.* ☐ **1.** vorsichtig, behutsam (*in, of* in *dat.*, bei); **2.** sparsam, zu'rückhaltend (*of* mit).

chase¹ [tʃeis] **I.** *v/t.* **1.** jagen, nachjagen (*dat.*), verfolgen; **2.** *hunt.* hetzen, jagen; **3.** *fig.* verjagen, vertreiben; **II.** *v/i.* **4.** nachjagen (*after dat.*); F eilen; **III.** *s.* **5.** Verfolgung *f*: *to give ~* die Verfolgung aufnehmen; *to give ~ to* nachjagen (*dat.*), verfolgen (*acc.*); **6.** *hunt.* *the ~* die Jagd; **7.** *Brit.* 'Jagdreˌvier *n*; **8.** gejagtes Wild (*a. fig.*) *od.* Schiff.

chase² [tʃeis] **I.** *s.* **1.** *typ.* Setzrahmen *m*; **2.** Rinne *f*, Furche *f*; **II.** *v/t.* **3.** ziselieren, ausmeißeln, punzen: *~d work* getriebene Arbeit; **4.** ⊕ *Gewinde* strehlen, schneiden.

chas·er¹ ['tʃeisə] *s.* **1.** Jäger *m*; Verfolger *m*; **2.** ⚓ **a)** Verfolgungsschiff *n*, (*bsd.* U-Boot-)Jäger *m*, **b)** Jagdgeschütz *n*; **3.** ✈ Jagdflugzeug *n*; **4.** F ‚Schluck *m* zum Nachspülen' (*nach scharfem Getränk*); **5.** *sl.* **a)** mannstolles Weibsbild, **b)** Schürzenjäger *m*.

chas·er² ['tʃeisə] *s.* ⊕ Zise'leur *m*.

chasm ['kæzəm] *s.* **1.** Spalte *f*; Kluft *f*, Abgrund *m* (*beide a. fig.*); **2.** Lücke *f*.

chas·sis ['ʃæsi] *pl.* **'chas·sis** [-siz] *s.* Chas'sis *n*: **a)** ✈, *mot.* Fahrgestell *n*, **b)** *Radio*: Grundplatte *f*.

chaste [tʃeist] *adj.* ☐ **1.** keusch (*a. fig. schamhaft*; *anständig*); rein, unschuldig; **2.** rein, von edler Schlichtheit: *~ style*.

chas·ten [ˈtʃeisn] *v/t.* **1.** züchtigen, strafen; **2.** reinigen, läutern; **3.** mäßigen, dämpfen; ernüchtern.
chaste·ness [ˈtʃeistnis] *s.* Schlichtheit *f*, Reinheit *f*.
chas·tise [tʃæsˈtaiz] *v/t.* züchtigen, strafen; **chas·tise·ment** [ˈtʃæstizmənt] *s.* Züchtigung *f*, Strafe *f*.
chas·ti·ty [ˈtʃæstiti] *s.* **1.** Keuschheit *f*; **2.** Reinheit *f*; **3.** Schlichtheit *f*.
chas·u·ble [ˈtʃæzjubl] *s. eccl.* Meßgewand *n*.
chat [tʃæt] **I.** *v/i.* plaudern, schwatzen; **II.** *s.* Plaudeˈrei *f*: *to have a* ~ plaudern.
chat·e·laine [ˈʃætəlein] *s.* (Gürtel-) Kette *f* (*für Schlüssel etc.*).
chat·tel [ˈtʃætl] *s.* **1.** *mst pl.* bewegliches Eigentum, Habe *f*; → *good 19*; **2.** *mst* ~ *slave* Leibeigene(r).
chat·ter [ˈtʃætə] **I.** *v/i.* **1.** plappern, schwatzen; **2.** schnattern; **3.** klappern (*a. Zähne*), rattern; **4.** plätschern; **II.** *s.* **5.** Geplapper *n*, Geschnatter *n*; Klappern *n*; ˈ**chat·ter·box** *s.* Plappermaul *n*; ˈ**chat·ter·er** [-ərə] *s.* Schwätzer(in).
chat·ty [ˈtʃæti] *adj.* **1.** gesprächig; **2.** plaudernd, unterˈhaltsam (*Person, Brief*).
chauf·feur [ˈʃoufə] (*Fr.*) *s.* Chaufˈfeur *m*, Fahrer *m*; **chauf·feuse** [ʃouˈfə:z] *s.* Fahrerin *f*.
chau·vin·ism [ˈʃouvinizəm] *s.* Chauviˈnismus *m*; ˈ**chau·vin·ist** [-ist] *s.* Chauviˈnist *m*; **chau·vin·is·tic** [ʃouviˈnistik] *adj.* (□ ~*ally*) chauviˈnistisch.
chaw [tʃɔ:] *v/t.* V **1.** kauen; **2.** ~ *up Am. j-n* ‚fix und fertig machen'.
cheap [tʃi:p] *adj.* □ **1.** billig, wohlfeil: *to get off* ~ mit e-m blauen Auge davonkommen; *to hold* ~ gering bewerten; *to feel* ~ **a)** sich elend fühlen, **b)** sich ärmlich vorkommen; ~ *as dirt* spottbillig; *on the* ~ sehr billig; **2.** billig, minderwertig; schlecht, kitschig: ~ *and nasty* billig u. schlecht; **3.** verbilligt: ~ *fare* ermäßigter Fahrpreis; **4.** *fig.* billig, mühelos; **5.** *fig.* ‚billig', schäbig, gemein; ˈ**cheap·en** [-pən] *v/t.* (*v/i.* sich) verbilligen; herˈabsetzen (*a. fig.*); **Cheap Jack** *s.* billiger Jakob; **cheap mon·ey** *s.* ✝ billiges Geld; ˈ**cheap·ness** [-nis] *s.* Billigkeit *f*; ˈ**cheap·skate** *s. Am. sl.* ‚Knicker' *m*, Geizhals *m*.
cheat [tʃi:t] **I.** *s.* **1.** Betrüger(in), Schwindler(in); **2.** Betrug *m*, Schwindel *m*; **II.** *v/t.* **3.** betrügen (*of, out of* um); **4.** durch List bewegen (*into* zu); **5.** sich entziehen (*dat.*), ein Schnippchen schlagen (*dat.*); nicht beachten; **III.** *v/i.* **6.** betrügen, schwindeln, mogeln.
check [tʃek] **I.** *s.* **1.** Schach(stellung *f*) *n*: *to give* ~ Schach bieten; **2.** Hemmnis *n*, Hindernis *n* (*on* für); Dämpfer *m*, Einhalt *m*: *to act as a* ~ (*on*) hindern, hemmen, abschwächen (*acc.*); *to keep in* ~ im Zaum *od.* in Schach halten; **3.** Unterˈbrechung *f*, Aufschub *m*; Rückschlag *m*: *to give a* ~ *to* unterbrechen, aufhalten; **4.** Konˈtrolle *f*, Überˈwachung *f* (*on gen.*): *to keep a* ~ *on* ... unter Kontrolle halten, zügeln; **5.** (Nach)Prüfung *f*; Probe *f*; **6.** Konˈtroll-, Gardeˈrobenmarke *f*; (Gepäck)Schein *m*; Konˈtrollzeichen *n* (*Häkchen*); **7.** Kassenzettel *m*; *Am.* Rechnung *f im Restaurant*; Gutschein *m*; *Am.* Spielmarke *f*; **8.** Würfel-, ˈKaromuster *n*; ˈKaro *n*, karierter Stoff; **9.** *Am.* → *cheque*: *to pass* (*od. hand in*) *one's* ~*s* F ‚abkratzen' (*sterben*); **II.** *v/t.* **10.** Schach bieten (*dat.*); **11.** hemmen, hindern, auf-, zuˈrückhalten; Einhalt gebieten (*dat.*), eindämmen; zügeln, dämpfen; **12.** ⊕ drosseln, bremsen, sperren; **13.** ermahnen; rügen; **14.** *a.* ~ *on et.* kontrollieren, (nach)prüfen; nachrechnen; **15.** *als richtig* ankreuzen; **16.** *bsd. Am. Mantel etc.* in der Gardeˈrobe abgeben; *Gepäck* aufgeben; **III.** *v/i.* **17.** an-, innehalten, stocken; **18.** (überˈein-) stimmen; **19.** *Am.* e-n Scheck ausschreiben (*for* über *e-e Summe*); ~ **in** *v/i.* **1.** (im Hoˈtel *etc.*) ankommen; **2.** einstempeln; **3.** ✈ einchecken; ~ **off** *v/t.* (nach)zählen; → *15*; ~ **out** *v/i.* **1.** (nach Bezahlung) das Hoˈtel verlassen; **2.** ausstempeln; ~ **up** *v/i.* ~ *on et.* nachprüfen.
check| ac·count *s.* ✝ Gegenrechnung *f*, Konˈtrollˌkonto *n*; ˈ~**·book** *Am.* → *cheque-book*.
checked [tʃekt] *adj.* kariert.
check·er¹ [ˈtʃekə] *s.* Prüfer *m*; Aufseher *m*.
check·er² [ˈtʃekə] *bsd. Am.* → [*chequer*.]
check·ing| ac·count *s.* ✝ *Am.* ˈGiroˌkonto *n*; ~ **slip** *s.* Konˈtrollabschnitt *m*.
ˈ**check|·list** *s.* Prüfliste *f*; ˈ~ˈ**mate** **I.** *s.* Schachmatt *n*; *fig.* Niederlage *f*; **II.** *v/t.* matt setzen (*a. fig.*); ˈ~**-nut** *s.* ⊕ Gegenmutter *f*; ˈ~**-point** *s.* Überˈwachungsstelle *f*, Konˈtrollpunkt *m*; ˈ~**-ˈtest** *s.* Konˈtrollversuch *m*; ˈ~**-up** *s.* **1.** (Nach-) Prüfung *f*; scharfe Konˈtrolle; **2.** (ärztliche) Unterˈsuchung; ˈ~**-valve** *s.* ⊕ ˈAbsperrvenˌtil *n*.
Ched·dar (cheese) [ˈtʃedə] *s.* ˈCheddarkäse *m*.
cheek [tʃi:k] **I.** *s.* **1.** Backe *f*, Wange *f*: ~ *by jowl* dicht *od.* vertraulich beisammen; **2.** ⊕ Backe *f*, Seitenteil *m*, *n*; **3.** F Frechheit *f*, Unverfrorenheit *f*: *to have the* ~ die Frechheit *od.* Stirn haben (*to inf.* zu *inf.*); **II.** *v/t.* **4.** frech sein gegen *j-n*; ˈ**cheek-bone** *s.* Backenknochen *m*; **cheeked** [-kt] *adj.* ...wangig, ...bäckig; ˈ**cheek·i·ness** [-kinis] *s.* F Frechheit *f*; ˈ**cheek·y** [-ki] *adj.* □ frech, dreist.
cheep [tʃi:p] *v/i.* piep(s)en.
cheer [tʃiə] **I.** *s.* **1.** Stimmung *f*: *of good* ~ froh, guter Dinge; **2.** gute Laune, Frohsinn *m*; **3.** Beifalls-, Freudenruf *m*; Hoch(ruf *m*) *n*; Hurˈra *n*: *three* ~*s* (*for*) ein dreifaches Hoch (auf *acc.*)!; **4.** Ermunterung *f*, Aufheiterung *f*; **5.** Speise *f* und Trank *m*: *to make good* ~ gut essen; **II.** *v/t.* **6.** mit Beifall begrüßen; zujubeln (*dat.*); **7.** *a.* ~ *up* ermuntern, aufheitern; anregen: *to* ~ *on j-n* anspornen; **III.** *v/i.* **8.** jauchzen, hoch *od.* hurra rufen; **9.** ~ *up* froh werden, Mut fassen: ~ *up!* Kopf hoch!
cheer·ful [ˈtʃiəful] *adj.* □ **1.** heiter, fröhlich; (*iro.* quietsch)vergnügt; **2.** erfreulich, freundlich; **3.** willig, gern; ˈ**cheer·ful·ness** [-nis], **cheer·i·ness** [ˈtʃiərinis] *s.* Heiterkeit *f*, Frohsinn *m*; **cheer·i·o** [ˈtʃiəriˈou] *int.* F *bsd. Brit.* **a)** mach's gut!, Tschüs!, **b)** ˈprosit!; ˈ**cheer-lead·er** *s. sport Am.* Anführer *m* beim Beifallrufen; **cheer·less** [ˈtʃiəlis] *adj.* □ freudlos, trüb; **cheer·y** [ˈtʃiəri] *adj.* □ froh, heiter.
cheese¹ [tʃi:z] *s.* **1.** Käse *m*; → *chalk 2*; **2.** käseartige Masse; Geˈlee *n*, *m*.
cheese² [tʃi:z] *s. sl. das* Richtige *od.* einzig Wahre: *that's the* ~! so ist es richtig!; *hard* ~! schöne Pleite!
cheese³ [tʃi:z] *v/t. sl.*: ~ *it!* hör auf!, Vorsicht!
ˈ**cheese|-cake** *s.* **1.** Käsekuchen *m*, -törtchen *n*; **2.** *Am.* Pin-up-Girl *n*, Sexbombe *f* (*Bild*); ˈ~**-cloth** *s.* Seihtuch *n*; ˈ~**-mon·ger** *s.* Käsehändler *m*; ˈ~**-par·ing** **I.** *s.* **1.** wertlose Sache; **2.** Knauseˈrei *f*; **II.** *adj.* **3.** knauserig; ˈ~**-ren·net** *s.* ⚘ Labkraut *n*; ˈ~**-straws** *s. pl.* Käsestangen *pl.*
chee·tah [ˈtʃi:tə] *s. zo.* ˈGepard *m*.
chef [ʃef] (*Fr.*) *s.* Küchenchef *m*.
Che·ka [ˈtʃeikɑ:] *s. hist.* ˈTscheka *f*, soˈwjetrussische Geˈheimpoliˌzei.
chem·i·cal [ˈkemikəl] **I.** *adj.* □ ˈchemisch: ~ *engineer* Chemotechniker; ~ *works* chemische Fabrik; **II.** *s.* chemisches Präpaˈrat, *pl.* Chemiˈkalien *pl.*; ~ **war·fare** *s.* chemische Kriegführung.
che·mise [ʃiˈmi:z] (*Fr.*) *s.* Frauenhemd *n*.
chem·ist [ˈkemist] *s.* **1.** *a. analytical* ~ ˈChemiker *m*; **2.** *Brit. a. dispensing* ~ Apoˈtheker *m*: ~*'s shop Brit.* Apotheke, Drogerie; ˈ**chem·is·try** [-tri] *s.* **1.** Cheˈmie *f*; **2.** ˈchemische Zs.-setzung.
che·nille [ʃəˈni:l] (*Fr.*) *s.* Cheˈnille *f*.
cheque [tʃek] *s.* ✝ *Brit.* Scheck *m* (*for* über *e-e Summe*): *blank* ~ Blankoscheck, *fig.* unbeschränkte Vollmacht; *crossed* ~ Verrechnungsscheck; ~ **ac·count** *s.* ✝ *Brit.* ˈGiroˌkonto *n*; ˈ~**-book** *s.* *Brit.* Scheckbuch *n*.
cheq·uer [ˈtʃekə] *Brit.* **I.** *s.* **1.** Schach-, ˈKaromuster *n*; **2.** *pl. sg. konstr.* Damespiel *n*; **II.** *v/t.* **3.** karieren; **4.** bunt *od.* unregelmäßig gestalten; ˈ**cheq·uer·board** *s. Brit.* Damebrett *n*; ˈ**cheq·uered** [-əd] *adj. Brit.* kariert; *fig.* bunt; wechselvoll.
cher·ish [ˈtʃeriʃ] *v/t.* **1.** schätzen, hochhalten; **2.** sorgen für, pflegen; **3.** *Gefühle etc.* hegen; bewahren; **4.** *fig.* festhalten an (*dat.*).
che·root [ʃəˈru:t] *s.* Stumpen *m* (*Zigarre*).
cher·ry [ˈtʃeri] **I.** *s.* ⚘ Kirsche *f* (*Frucht od. Baum*); **II.** *adj.* kirschrot; ˈ~**-blos·som** *s.* Kirschblüte *f*; ~ **bran·dy** *s.* Cherry Brandy *m*, ˈKirschliˌkör *m*; ˈ~**-breech·es** *s. pl. Brit.* Elftes Huˈsarenregiˌment; ˈ~-ˈ**pie** *s.* **1.** Kirschspeise *f* mit Teigauflage; **2.** ⚘ Helioˈtrop *n*; ˈ~**-stone** *s.* Kirschkern *m*; ˈ~**-wood** *s.* Kirschbaumholz *n*.
cher·ub [ˈtʃerəb] *pl.* **-ubs, -u·bim** [-əbim] *s.* **1.** *bibl.* ˈCherub *m*, Engel *m*; **2.** geflügelter Engelskopf; **3.**

pausbäckiges Kind; **4.** *fig.* Engel (-chen *n*) *m* (*Kind*).

cher·vil ['tʃə:vil] *s.* ⚘ Kerbel *m.*

Chesh·ire| cat ['tʃeʃə] *s.*: *to grin like a ~* (ständig) übers ganze Gesicht grinsen; **~ cheese** *s.* 'Chesterkäse *m.*

chess [tʃes] *s.* Schach(spiel) *n*: *a game of ~* e-e Partie Schach; **'~-board** *s.* Schachbrett *n*; **'~-man** [-mæn] *s.* [*irr.*] 'Schachfiˌgur *f*; **~ prob·lem** *s.* Schachaufgabe *f.*

chest [tʃest] *s.* **1.** Kiste *f*, Kasten *m*, Truhe *f*: *~ of drawers* Kommode; **2.** kastenartiger Behälter; **3.** Brust (-kasten *m*) *f*: *to have a weak ~* schwach auf der Brust sein; *~-expander* Expander; *~-note* Brustton; *~-trouble* Lungenleiden; *to get s.th. off one's ~* F sich et. von der Seele schaffen; **4.** Kasse *f*, Kassenverwaltung *f*; **'chest·ed** [-tid] *adj. in Zssgn* ...brüstig.

ches·ter·field ['tʃestəfi:ld] *s.* **1.** Mantel *m*; **2.** 'Polsterˌsofa *n.*

chest·nut ['tʃesnʌt] **I.** *s.* **1.** ⚘ Ka'stanie *f* (*Frucht, Baum od. Holz*); **2.** dunkler Fuchs (*Pferd*); **3.** alter Witz, ‚alte Ka'melle'; **II.** *adj.* **4.** ka'stanienbraun.

chest·y ['tʃesti] *adj.* **1.** F tief (*Stimme*); **2.** F schwach auf der Brust; **3.** *sl.* eingebildet.

che·val|-de-frise [ʃə'vældə'fri:z] *mst pl.* **che·vaux-de-frise** [ʃə'vou] (*Fr.*) *s.* ⚔ spanischer Reiter; **~-glass** *s.* großer Drehspiegel.

chev·a·lier [ʃevə'liə] *s.* (Ordens-) Ritter *m.*

chev·i·ot ['tʃeviət] *s.* 'Cheviot(stoff) [*m.*]

chev·ron ['ʃevrən] *s.* **1.** *her.* Sparren *m*; **2.** ⚔ Winkel *m* (*Rangabzeichen*); **3.** △ Zickzackleiste *f.*

chev·y ['tʃevi] → *chiv(v)y.*

chew [tʃu:] **I.** *v/t.* **1.** kauen; → *cud*; **2.** *fig.* sinnen auf (*acc.*), über'legen, brüten; **II.** *v/i.* **3.** kauen; **4.** F 'Tabak kauen; **5.** nachsinnen, grübeln (*on, over* über *acc.*); **III.** *s.* **6.** Kauen *n*; Priem *m*; **'chew·ing-gum** ['tʃu(:)iŋ] *s.* 'Kauˌgummi *m.*

chi·a·ro·scu·ro [kiɑ:rəs'kuərou] *pl.* **-ros** (*Ital.*) *s. paint.* Helldunkel *n.*

chic [ʃi:k] **I.** *s.* Schick *m*, Geschmack *m*; **II.** *adj.* schick, ele'gant.

chi·cane [ʃi'kein] **I.** *s.* **1.** Schi'kane *f*; **2.** *Bridge*: Blatt *n* ohne Trümpfe; **II.** *v/t. u. v/i.* **3.** schikanieren; **4.** betrügen (*out of* um); **chi'can·er·y** [-nəri] *s.* Schi'kane *f*; (*bsd.* Rechts-) Kniff *m.*

chick [tʃik] *s.* **1.** Küken *n* (*a. fig. Kind*), Küchlein *n*; junger Vogel; **2.** *sl.* ‚Biene' *f*, ‚Puppe' *f.*

chick·en ['tʃikin] *s.* **1.** Küken *n*; Hühnchen *n*, Hähnchen *n*: *to count one's ~s before they are hatched* das Fell des Bären verkaufen, ehe man ihn hat; **2.** Huhn *n*; **3.** Hühnerfleisch *n*; **4.** F ‚Küken' *n*: *no ~* nicht mehr so jung; **5.** *fig.* Hasenfuß *m*; **'~-breast·ed** *adj.* mit e-r Hühnerbrust; **~ broth** *s.* Hühnerbrühe *f*; **~ farm** *s.* Hühnerfarm *f*; **'~-feed** *s.* **1.** Hühnerfutter *n*; **2.** *sl.* Lap'palie *f*; **'~-heart·ed, '~-liv·ered** *adj.* furchtsam, feige; **'~-pox** *s.* ⚕ Windpocken *pl.*; **~ run** *s.* Hühnerauslauf *m.*

'chick|-pea *s.* ⚘ Kichererbse *f*; **'~-weed** *s.* ⚘ Vogelmiere *f.*

chic·le ['tʃikl], *a.* **~ gum** *s.* (Rohstoff *m* von) 'Kauˌgummi *m.*

chic·o·ry ['tʃikəri] *s.* ⚘ Zi'chorie *f.*

chid [tʃid] *pret. u. p.p. von chide*; **'chid·den** [-dn] *p.p. von chide*;

chide [tʃaid] *v/t. u. v/i.* [*irr.*] schelten, tadeln.

chief [tʃi:f] **I.** *s.* **1.** Haupt *n*, Oberhaupt *n*, Anführer *m*; Chef *m*, Vorgesetzte(r) *m*; Leiter *m*: *in ~* hauptsächlich; **2.** Häuptling *m*; **3.** *her.* Schildhaupt *n*; **II.** *adj.* □ → *chiefly*; **4.** erst, oberst, höchst; bedeutendst, Ober..., Höchst..., Haupt...: *~ mourner* Hauptleidtragende(r); *~ part* Hauptrolle; **~ clerk** *s.* **1.** Bü'rovorsteher *m*; **2.** *Am.* erster Verkäufer; **⁓ Con·sta·ble** *s.* Poli'zeipräsiˌdent *m*; **~ en·gi·neer** *s.* **1.** 'Chefingeniˌeur *m*; **2.** ⚓ erster Maschi'nist; **⁓ Ex·ec·u·tive** *s. Am.* Leiter *m* der Verwaltung, *bsd.* Präsi'dent *m* der U.S.A.; **⁓ Jus·tice** *s.* Oberrichter *m.*

chief·ly ['tʃi:fli] *adv.* hauptsächlich.

Chief of Staff *s.* ⚔ (Gene'ral-) Stabsˌchef *m.*

chief·tain ['tʃi:ftən] *s.* Häuptling *m* (*Stamm*); Anführer *m* (*Bande*); **'chief·tain·cy** [-si] *s.* Stellung *f* e-s Häuptlings.

chif·fon ['ʃifɔn; ʃifɔ̃] Chif'fon *m*; **chif·fo·nier** [ʃifə'niə] *s.* Chiffoni'ère *f*, Schränkchen *n* mit Schubfächern.

chil·blain ['tʃilblein] *s.* Frostbeule *f.*

child [tʃaild] *pl.* **chil·dren** ['tʃildrən] *s.* **1.** Kind *n*: *with ~* schwanger; *from a ~* von Kindheit an; *be a good ~!* sei artig!; **2.** *fig.* Kind *n*, kindische *od.* kindliche Per'son; **3.** Kind *n*, Nachkomme *m*: *the children of Israel*; **4.** *fig.* Kind *n*, Pro'dukt *n*; **5.** Jünger *m*; **'~-bear·ing** → *childbirth*; **'~-bed** *s.* Kind-, Wochenbett *n*; **'~-birth** *s.* Geburt *f*, Entbindung *f*, Niederkunft *f*; **~ care** *s.* Kinderpflege *f*, -fürsorge *f*; **~ guid·ance** *s.* 'heilpädaˌgogische Führung (des Kindes).

child·hood ['tʃaildhud] *s.* Kindheit *f*: *second ~* zweite Kindheit (*Kindischwerden im Alter*); **'child·ish** [-diʃ] *adj.* □ **1.** kindlich; **2.** kindisch; **'child·ish·ness** [-diʃnis] *s.* **1.** Kindlichkeit *f*; **2.** kindisches Wesen; **child la·bo(u)r** *s.* Kinderarbeit *f*; **'child·less** [-lis] *adj.* kinderlos; **'child·like** *adj.* kindlich.

chil·dren ['tʃildrən] *pl. von child*: *~'s allowance* Kindergeld; *~'s hour* Kinderstunde (*Radio*).

child's play *s. fig.* Kinderspiel *n.*

child| wel·fare *s.* Jugendfürsorge *f*: *~ worker* Kinderfürsorger(in), Jugendpfleger(in); **~ wife** *s.* allzu junge Ehefrau.

chil·e → *chilli.*

Chil·e·an ['tʃiliən] **I.** *s.* Chi'lene *m*, Chi'lenin *f*; **II.** *adj.* chi'lenisch.

Chil·e| pine ['tʃili] *s.* ⚘ Chiletanne *f*, Arau'karie *f*; **~ salt·pe·tre,** *Am.* **salt·pe·ter** *s.* ⚗ 'Chilesalˌpeter *m.*

chil·i *Am.* → *chilli.*

chill [tʃil] **I.** *s.* **1.** Kältegefühl *n*, Frösteln *n*; Fieberfrost *m*; **2.** Kälte *f*: *to take the ~ off* leicht an-, erwärmen; **3.** Erkältung *f*: *to catch a ~* sich erkälten; **4.** *fig.* Kälte *f*, Lieblosigkeit *f*, Entmutigung *f*: *to cast a ~ upon* → 9; **5.** ⊕ Ko'kille *f*, Gußform *f*; **II.** *adj.* **6.** kalt, frostig, kühl (*a. fig.*); entmutigend; **III.** *v/i.* **7.** abkühlen; **IV.** *v/t.* **8.** (ab-) kühlen; erstarren lassen: *~ed meat* Kühlfleisch; **9.** *fig.* abkühlen, dämpfen, entmutigen; **10.** ⊕ abschrecken, härten: *~ed (cast) iron* Hartguß.

chil·li ['tʃili] *s.* ⚘ 'Paprika(schote *f*) *m*, Spanischer Pfeffer.

chill·i·ness ['tʃilinis] *s.* Kälte *f* (*a. fig.*); **chill·ing** ['tʃiliŋ] *adj.* kalt, frostig; *fig.* niederdrückend; **chill·y** ['tʃili] *adj.* kalt, fröstelnd; frostig, kühl (*a. fig.*): *to feel ~* frösteln.

Chil·tern Hun·dreds ['tʃiltə(:)n] *s. Brit. parl.*: *to apply for the ~* s-n Sitz im Unterhaus aufgeben.

chi·mae·ra → *chimera.*

chime [tʃaim] **I.** *s.* **1.** *oft pl.* Glockenspiel *n*, Geläut(e) *n*; **2.** *fig.* Einklang *m*, Harmo'nie *f*; **II.** *v/i.* **3.** läuten; ertönen; schlagen (*Uhr*); **4.** *fig.* über'einstimmen, harmonieren: *to ~ in* einfallen, -stimmen; *to ~ in with* beipflichten (*dat.*); **III.** *v/t.* **5.** läuten, ertönen lassen; *die Stunde* schlagen.

chi·me·ra [kai'miərə] *s.* **1.** *myth.* Chi'mära *f*; **2.** Schi'märe *f*, Schreckbild *n*, Hirngespinst *n*; **chi'mer·i·cal** [-'merikəl] *adj.* □ schi'märisch, phan'tastisch.

chim·ney ['tʃimni] *s.* **1.** Schornstein *m*, Schlot *m*, Ka'min *m*; Rauchfang *m*: *to smoke like a ~* F rauchen wie ein Schlot; **2.** (*Lampen*)Zy'linder *m*; **3. a)** *geol.* Vul'kanschlot *m*, **b)** *mount.* Kamin *m*; **'~-cor·ner** *s.* Sitzecke *f* am Ka'min; **'~-piece** *s.* Ka'minsims *m, n*; **'~-pot** *s.* Schornsteinaufsatz *m*; **'~-pot hat** *s. Brit. sl.* ‚Angströhre' *f* (*Zylinderhut*); **'~-stack** *s.* Schornstein *m* (*aus mehreren Röhren bestehend*); Fa'brikschornstein *m*; **'~-sweep(·er)** *s.* Schornsteinfeger *m.*

chim·pan·zee [tʃimpən'zi:] *s. zo.* [Schim'panse *m.*]

chin [tʃin] **I.** *s.* Kinn *n*: *up to the ~ fig.* bis über die Ohren; *to keep one's ~ up* die Ohren steifhalten; *to take it on the ~ fig.* schwer einstecken müssen, es standhaft ertragen; **II.** *v/i. Am. sl.* ‚quasseln', ‚quatschen'; **III.** *v/t. ~ o.s.* (*up*) *Am.* e-n Klimmzug *od.* Klimmzüge machen.

chi·na ['tʃainə] **I.** *s.* **1.** Porzel'lan *n*; **2.** (Porzel'lan)Geschirr *n*; **II.** *adj.* **3.** aus Porzellan; **⁓ bark** *s.* ⚘ 'Chinarinde *f*; **'~-clay** *s. min.* Kao'lin *n*, Porzel'lanerde *f*; **'⁓-man** [-mən] *s.* [*irr.*] Chi'nese *m*; **⁓ tea** *s.* chi'nesischer Tee; **'⁓-town** *s.* Chi'nesenviertel *n*; **'~-ware** *s.* Porzel'lan(waren *pl.*) *n.*

chinch [tʃintʃ] *s. zo. Am.* (Bett-) Wanze *f.*

chin·chil·la [tʃin'tʃilə] *s.* **1.** *zo.* Chin'chilla *f*; **2.** Chin'chillapelz *m.*

chin-chin ['tʃin'tʃin] (*Pidgin-English*) *int.* **1.** guten Tag!, auf Wiedersehen!; **2.** 'prosit!

'chin-'deep *adj.* tief versunken (*a. fig.*).

chine[1] [tʃain] *s. Brit. dial.* tiefe und enge Schlucht.

chine[2] [tʃain] *s.* **1.** Rückgrat *n*,

Kreuz *n* (*Tier*); **2.** *Küche*: Kammstück *n*; **3.** (Berg)Grat *m*, Kamm *m*.
Chi·nese [ˈtʃaiˈni:z] **I.** *adj.* **1.** chiˈnesisch; **II.** *s.* **2.** Chiˈnese *m*, Chiˈnesin *f*, Chiˈnesen *pl.*; **3.** *ling.* Chinesisch *n*; **~ lan·tern** *s.* **1.** Lampiˈon *m*, *n*; **2.** ⚘ Lampiˈonpflanze *f*; **~ puz·zle** *s.* **1.** Veˈxier-, Geduldspiel *n*; **2.** *fig.* schwierige Sache.
Chink¹ [tʃiŋk] *s. sl. contp.* Chiˈnese *m*.
chink² [tʃiŋk] *s.* Riß *m*, Ritz *m*, Ritze *f*, Spalt *m*, Spalte *f*.
chink³ [tʃiŋk] **I.** *v/i. u. v/t.* klingen *od.* klirren (lassen), klimpern (mit) (*Geld etc.*); **II.** *s.* Klirren *n*, Klang *m*.
chinned [tʃind] *adj. in Zssgn* mit e-m ... Kinn.
chin strap *s.* Kinnriemen *m*.
chintz [tʃints] *s.* Chintz *m*, buntbedruckter ˈMöbelkat͵tun.
chip [tʃip] **I.** *s.* **1.** (*Holz- od. Metall-*) Splitter *m*, Span *m*, Schnitzel *n*, *m*; Scheibchen *n*; abgebrochenes Stückchen; *pl.* Abfall *m*: *dry as a* ~ **a)** ganz trocken, **b)** fade; *a ~ of the old block* ganz (wie) der Vater; *to have a ~ on one's shoulder Am.* F ‚geladen sein' *vor Zorn*; **2.** angeschlagene Stelle; **3.** *pl. Brit.* Pommes ˈfrites *pl.*: *fish and ~s*; **4.** Spielmarke *f*; *pl. sl.* ‚Zaster' *m* (*Geld*); **II.** *v/t.* **5.** (ab-) schnitzeln; abraspeln; **6.** *Kante von Geschirr etc.* ab-, anschlagen; *Stückchen* ausbrechen; **7.** F hänseln; **III.** *v/i.* **8.** (leicht) abbrechen; **~ in** *v/i.* **1.** in ein Gespräch fallen; **2.** F beisteuern, sein Scherflein beitragen; **~ off** *v/i.* abblättern, abbröckeln.
chip| bas·ket *s.* Spankorb *m*; **~ hat** *s.* Basthut *m*.
chip·muck [ˈtʃipmʌk], ˈ**chip·munk** [-mʌŋk] *s. zo.* amer. gestreiftes Eichhörnchen.
chipped [tʃipt] *adj.* **1.** angeschlagen (*Geschirr*); **2.** abgebröckelt.
Chip·pen·dale [ˈtʃipəndeil] *s.* Chippendalestil *m* (*Möbelstil*).
chip·per [ˈtʃipə] *Am.* **I.** *v/i.* zwitschern; schwatzen; **II.** *adj.* F munter, fröhlich.
chip·ping [ˈtʃipiŋ] *s.* Schnitzel *n*, *m*, abgeschlagenes Stück, angestoßene Ecke; **~ spar·row** *s. orn.* amer. Sperling *m*.
chip·py [ˈtʃipi] *adj.* **1.** angeschlagen (*Geschirr*); schartig; **2.** *fig.* trocken, fade; **3.** gereizt; **4.** verkatert.
chi·ro·man·cer [ˈkaiərəmænsə] *s.* Handleser *m* (*Wahrsager*).
chi·rop·o·dist [kiˈrɔpədist] *s.* Fußpfleger(in); **chiˈrop·o·dy** [-di] *s.* Fußpflege *f*.
chirp [tʃə:p] **I.** *v/i. u. v/t.* zirpen, zwitschern; schilpen (*Spatz*); **II.** *s.* Gezirp *n*, Zwitschern *n*; ˈ**chirp·y** [-pi] *adj.* F munter.
chirr [tʃə:] *v/i.* zirpen (*Heuschrecke*).
chir·rup [ˈtʃirəp] *v/i.* **1.** zwitschern; schnalzen; **2.** *sl.* Beifall klatschen (*Claqueur*).
chis·el [ˈtʃizl] **I.** *s.* **1.** Meißel *m*; **2.** ⊕ Beitel *m*, Grabstichel *m*; **II.** *v/t.* **3.** meißeln; **4.** *fig.* stiˈlistisch ausfeilen; **5.** *sl.* betrügen, ‚bemogeln'; **chis·el(l)ed** [-ld] *adj.* wohlgeformt, ausgeprägt; **chis·el·(l)er** [-lə] *s.* F Gauner *m*; ‚Nassauer' *m*.
chit¹ [tʃit] *s.* Kindchen *n*: *~ of a girl* junges Ding (*Mädchen*); *~ of a fellow* Bürschchen.
chit² [tʃit] *s.* **1.** kurzer Brief; Zettel *m*; **2.** vom Gast abgezeichnete Getränkerechnung.
chit-chat [ˈtʃittʃæt] *s.* Geplauder *n*.
chit·ter·ling [ˈtʃitəliŋ] *s. mst pl.* Gekröse *n*, Kutteln *pl.* (*bsd. Schwein*).
chiv·al·rous [ˈʃivəlrəs] *adj.* □ ritterlich, gaˈlant; ˈ**chiv·al·ry** [-ri] *s.* **1.** Ritterlichkeit *f*; **2.** Tapferkeit *f*; **3.** Rittertum *n*; **4.** Ritterdienst *m*.
chive [tʃaiv] *s.* ⚘ Schnittlauch *m*.
chiv·(v)y [ˈtʃivi] **I.** *s.* **1.** (Hetz)Jagd *f*; **2.** Barlaufspiel *n*; **II.** *v/t.* **3.** *j-n* herˈumjagen, hetzen; **4.** schikanieren.
chlo·ral [ˈklɔ:rəl] *s.* ⚗ Chloˈral *n*: *~ hydrate* Chloralhydrat; ˈ**chlo·rate** [-rit] *s.* ⚗ chlorsaures Salz; ˈ**chlo·ric** [-rik] *adj.* ⚗ Chlor...: *~ acid* Chlorsäure; ˈ**chlo·ride** [-raid] *s.* ⚗ Chloˈrid *n*, Chlorverbindung *f*: *~ of lime* Chlorkalk; ˈ**chlo·rin·ate** [-rineit] *v/t.* chloren, chlorieren; **chlo·rin·a·tion** [klɔ:riˈneiʃən] *s.* Chloren *n*; ˈ**chlo·rine** [-ri:n] *s.* ⚗ Chlor *n*.
chlo·ro·form [ˈklɔrəfɔ:m] **I.** *s.* ⚗, ⚕ Chloroˈform *n*; **II.** *v/t.* chloroformieren; ˈ**chlo·ro·phyll** [-fil] *s.* ⚘ Chloroˈphyll *n*, Blattgrün *n*.
chlo·ro·sis [klɔˈrousis] *s.* ⚕, ⚘ Bleichsucht *f*; **chlo·rous** [ˈklɔ:rəs] *adj.* chlorig.
choc [tʃɔk] *s.* F *abbr. für chocolate*: *~ ice* Schokoladeneis.
chock [tʃɔk] **I.** *s.* **1.** (Brems-, Hemm-) Keil *m*; **2.** ⚓ Klampe *f*; **II.** *v/t.* **3.** festkeilen; **4.** *fig.* vollpfropfen; **III.** *adv.* **5.** dicht; **~-a-block** [ˈtʃɔkəˈblɔk] *adv.* vollgepfropft; **~-ˈfull** *adj.* zum Bersten voll.
choc·o·late [ˈtʃɔkəlit] **I.** *s.* **1.** Schokoˈlade *f* (*a. als Getränk*); **2.** Praˈline *f*: *~s* Pralinen, Konfekt; *a box of ~s* e-e Bonbonniere, e-e Schachtel Konfekt; **II.** *adj.* **3.** schokoˈladenbraun; **~ cream** *s.* ˈPraliné *n*; ˈKremschoko͵lade *f*.
choice [tʃɔis] **I.** *s.* **1.** Wahl *f*: *to make a ~* wählen, e-e Wahl treffen; *to take one's ~* s-e Wahl treffen; *this is my ~* dies habe ich gewählt; **2.** freie Wahl: *at ~* nach Belieben; *by* (*od. for*) *~* vorzugsweise; *from ~* aus Vorliebe; **3.** (große) Auswahl; Sortiˈment *n*: *a ~ of colours*; **4.** Wahl *f*, Möglichkeit *f*: *I have no ~* **a)** ich habe keine (andere) Wahl, **b)** es ist mir gleichgültig; **5.** Auslese *f*, *das* Beste; **II.** *adj.* □ **6.** auserlesen, vorˈzüglich; ✝ Qualitäts...: *~ fruit* feinstes Obst; *~ language* gewählte Sprache; *~ quality* ✝ ausgesuchte Qualität; ˈ**choice·ness** [-nis] *s.* Erlesenheit *f*.
choir [ˈkwaiə] **I.** *s.* **1.** (Kirchen-, Sänger)Chor *m*; **2.** Chor *m*, (ˈChor-) Em͵pore *f*; **II.** *v/i. u. v/t.* **3.** im Chor singen.
choke [tʃouk] **I.** *s.* **1.** Würgen *n*; **2.** *mot.* Luftklappe *f*, Choke *m*: *to pull out the ~* den Choke ziehen; **3.** → *choke coil*; **4.** → *choke-bore*; **II.** *v/i.* **5.** würgen; ersticken (*a. fig.*); **III.** *v/t.* **6.** ersticken (*a. fig.*); erwürgen; würgen (*a. weitS. Kragen etc.*); **7.** hindern; dämpfen, drosseln (*a.* ⚡, ⊕); **8.** *fig.* erdrücken, zuˈrückdrängen; **9.** *a. ~ up* verstopfen; **~ down** *v/t.* hinˈunterwürgen (*a. fig.*); **~ off** *v/t. fig.* abschrecken; abschütteln; **~ up** → *choke 9*.
ˈ**choke|-bore** *s.* ⊕ Chokebohrung *f*; **~ coil** *s.* ⚡ Drosselspule *f*; ˈ**~-damp** *s.* ⚒ Schwaden *m*, Grubengas *n*.
chok·er [ˈtʃoukə] *s.* F enger Kragen *od.* Schal; enge Halskette; ˈ**chok·y** [-ki] *adj.* erstickend (*a. fig.*).
chol·er [ˈkɔlə] *s.* **1.** *obs.* Galle *f*; **2.** *fig.* Zorn *m*; Reizbarkeit *f*.
chol·er·a [ˈkɔlərə] *s.* ⚕ ˈCholera *f*.
chol·er·ic [ˈkɔlərik] *adj.* choˈlerisch (*jähzornig*).
cho·les·ter·ol [kɔˈlestərɔl] *s. physiol.* Cholesteˈrin *n*.
choose [tʃu:z] **I.** *v/t.* [*irr.*] **1.** (aus-) wählen, aussuchen: *to ~ a hat*; *he was chosen king* er wurde zum König gewählt; *the chosen people bibl.* das auserwählte Volk; **2.** belieben (*a. iro.*), (es) vorziehen, lieber wollen; beschließen: *he chose to go* er zog es vor *od.* er beschloß fortzugehen; *do as you ~* tu, wie *od.* was du willst; **II.** *v/i.* [*irr.*] **3.** wählen: *not much to ~* kaum ein Unterschied; *cannot ~ but* keine andere Wahl haben als, müssen; ˈ**choos·er** [-zə] *s.* (Aus)Wählende(r *m*) *f*; → *beggar 1*; ˈ**choos·y** [-zi] *adj.* F wählerisch.
chop¹ [tʃɔp] **I.** *s.* **1.** Hieb *m*, Schlag *m* (*at* nach); **2.** *Küche*: Koteˈlett *n*; **3.** *pl.* Kiefer *pl.*; *fig.* Maul *n*, Rachen *m*: *to lick one's ~s* sich die Lippen lecken; **II.** *v/t.* **4.** (zer)hacken, hauen, spalten: *to ~ wood* Holz hacken; *to ~ one's words* abgehackt sprechen; **5.** *Tennis, Kricket*: *den Ball* ‚schneiden'; **~ a·way** *v/t.* abhacken; **~ down** *v/t.* fällen; **~ in** *v/i.* sich einmischen; **~ off** *v/t.* abhauen; **~ up** *v/t.* zer-, kleinhacken.
chop² [tʃɔp] **I.** *v/i. a. ~ about*, *~ round* sich drehen, ˈumschlagen (*Wind*): *to ~ and change* sich dauernd ändern *od.* wenden, schwanken; **II.** *v/t.* *Worte* wechseln; **III.** *s. pl.* *~s and changes* Schwankungen, ewiger Wechsel.
chop³ [tʃɔp] *s* (*Indien u. China*) **1.** Stempel *m*, Siegel *n*; **2.** Urkunde *f*; **3.** (Handels)Marke *f*; **4.** Qualiˈtät *f*: *first-~* erste Sorte, erstklassig.
ˈ**chop-house** *s.* Speisehaus *n*.
chop·per [ˈtʃɔpə] *s.* **1.** Hackmesser *n*, -beil *n*; **2.** ⚡ Zerhacker *m*.
chop·ping¹ [ˈtʃɔpiŋ] *adj.* stramm (*Kind*).
chop·ping² [ˈtʃɔpiŋ] *s.* Wechsel *m*: *~ and changing* ewiger Wechsel.
ˈ**chop·ping|-block** [ˈtʃɔpiŋ] *s.* Hackblock *m*, -klotz *m*; ˈ**~-board** *s.* Hackbrett *n*; ˈ**~-knife** *s.* [*irr.*] Hackmesser *n*.
chop·py [ˈtʃɔpi] *adj.* **1.** bewegt (*Meer*); **2.** böig (*Wind*); **3.** *fig.* wechselnd; abgehackt.
ˈ**chop|·stick** *s.* Eßstäbchen *n* (*China etc.*); **~-ˈsu·ey** [-ˈsu:i] *s.* chiˈnesisches Mischgericht.
cho·ral [ˈkɔ:rəl] *adj.* □ Chor..., im Chor gesungen: *~ service* Gottesdienst mit Chorgesang; *~ society* Chor; **cho·ral(e)** [kɔˈrɑ:l] *s.* Choˈral *m*.
chord [kɔ:d] *s.* **1.** ♪, *poet.*, *fig.* Saite *f*; **2.** ♪ Akˈkord *m*; *fig.* Ton *m*: *to strike the right ~ bei j-m* die richtige Saite anschlagen; *does that strike a ~?* erinnert *dich* das an etwas?; **3.** ⩓

Sehne *f*; **4.** *anat.* Band *n*, Strang *m*; **5.** ✈ Pro'filsehne *f*; **6.** ⊕ Gurt *m*.
chore [tʃɔ:] *s. Am. mst pl.* Hausarbeit *f*.
cho·re·a [kɔ'riə] *s.* ⚕ Veitstanz *m*.
cho·re·og·ra·pher [kɔri'ɔgrəfə] *s.* Choreo'graph *m*; **cho·re'og·ra·phy** [-fi] *s.* **1.** Tanzkunst *f*; **2.** Choreogra'phie *f*.
chor·is·ter ['kɔristə] *s.* **1.** Chorsänger(in); *engS.* Chorknabe *m*; **2.** *Am.* Diri'gent *m* e-s Kirchenchors.
chor·tle ['tʃɔ:tl] **I.** *v/i.* glucksen, tief lachen; **II.** *s.* Glucksen *n*.
cho·rus ['kɔ:rəs] **I.** *s.* **1.** Chor *m* (*a. antiq.*), Sängergruppe *f*; **2.** Tanzgruppe *f* (*e-r Revue*); **3.** *a. thea.* Chor *m*, gemeinsames Singen: ~ *of protest* Protestgeschrei; *in* ~ im Chor (*a. fig.*); **4.** Chorsprecher *m* (*im elisabethanischen Theater*); **5.** (im Chor gesungener) Kehrreim; **6.** Chorwerk *n*; **II.** *v/i. u. v/t.* **7.** im Chor singen *od.* sprechen *od.* rufen; ~ **girl** *s.* (Re'vue)Tänzerin *f*.
chose [tʃouz] *pret. von choose*.
cho·sen ['tʃouzn] *p.p. von choose*.
chough [tʃʌf] *s. orn.* Dohle *f*.
chouse [tʃaus] **I.** *v/t.* betrügen, prellen; **II.** *s.* Betrug *m*.
chow [tʃau] *s.* **1.** *zo.* Chow-'Chow *m* (*chinesischer Spitz*); **2.** *sl.* ‚Futter' *n*, Essen *n*.
chow-chow ['tʃau'tʃau] (*Pidgin-Englisch*) *s.* **1.** chi'nesische Mixed Pickles *pl. od.* 'Fruchtkonfi'türe *f*; **2.** → *chow* 2.
chow·der ['tʃaudə] *s. Am. Mischgericht aus Fischen, Muscheln etc.*
chrism ['krizəm] *s. eccl.* 'Chrisam *m, n*, Salböl *n*.
chris·om ['krizəm] *s.* Taufkleid *n*.
Christ [kraist] *s. bibl.* **1.** der Gesalbte; **2.** 'Christus *m*: *before* ~ (*B.C.*) vor Christi Geburt (*v. Chr.*); '~**child** *s.* Christkind *n*.
chris·ten ['krisn] *v/t. eccl.*, ⚓ *u. fig.* taufen; '**Chris·ten·dom** [-dəm] *s.* Christenheit *f*; '**chris·ten·ing** [-niŋ] **I.** *s.* Taufe *f*; **II.** *adj.* Tauf...
Chris·tian ['kristjən] **I.** *adj.* □ **1.** christlich; **2.** F anständig, menschenfreundlich; **II.** *s.* **3.** Christ(in); **4.** guter Mensch; **5.** Mensch *m* (*Ggs. Tier*); ~ **e·ra** *s.* christliche Zeitrechnung.
Chris·ti·an·i·a (turn) [kristi'ɑ:njə] *s. Skilaufen*: Kristi'ania *m*, Querschwung *m*.
Chris·ti·an·i·ty [kristi'æniti] *s.* Christentum *n*; **Chris·tian·ize** ['kristjənaiz] *v/t.* zum Christentum bekehren, christianisieren.
Chris·tian| name *s.* Tauf-, Vorname *m*; ~ **Sci·ence** *s.* Christliche Wissenschaft (*Sekte*); ~ **Sci·en·tist** *s.* Anhänger(in) der Christlichen Wissenschaft.
Christ·mas ['krisməs] *s.* Weihnachten *n u. pl.*: *at* ~ zu Weihnachten; *merry* ~! frohe Weihnachten!; '~**-box** *s. Brit.* Geldgeschenk *n* zu Weihnachten *für Briefträger etc.*; ~ **card** *s.* Weihnachtskarte *f*; ~ **car·ol** *s.* Weihnachtslied *n*; ~ **Day** *s.* der erste Weihnachtsfeiertag; ~ **eve** *s.* der Heilige Abend; ~ **pud·ding** *s. Brit.* Plumpudding *m*; '~**-tide**, '~**-time** *s.* Weihnachtszeit *f*; '~**-tree** *s.* Weihnachts-, Christbaum *m*.
Christ·mas·y ['krisməsi] *adj.* F weihnachtlich.
chro·mate ['kroumit] *s.* ⚗ chromsaures Salz.
chro·mat·ic [krə'mætik] *adj.* (□ ~*ally*) **1.** *phys.* chro'matisch, Farben...; **2.** ♪ chromatisch; **chro'mat·ics** [-ks] *s. pl. sg. konstr.* Farbenlehre *f*.
chrome [kroum] ⚗ **I.** *s.* **1.** Chrom *n*; **2.** Chromgelb *n*; **II.** *v/t.* **3.** *a.* ~-*plate* verchromen; '**chro·mic** [-mik] *adj.* ⚗ Chrom...
chro·mi·um ['kroumjəm] *s.* ⚗ Chrom *n*; '~**-plat·ed** *adj.* verchromt; '~**-plat·ing** *s.* Verchromung *f*; '~**-steel** *s.* Chromstahl *m*.
chro·mo·lith·o·graph ['kroumou'liθəgrɑ:f; -græf] *s.* 'Chromolithogra'phie *f*, Farbensteindruck *m* (*Bild*); '**chro·mo·li'thog·ra·phy** [-li'θɔgrəfi] *s.* Farbensteindruck *m* (*Verfahren*).
chro·mo·some ['krouməsoum] *s. biol.* Chromo'som *n*; '**chro·mo·type** [-moutaip] *s.* Farbendruck *m*.
chron·ic ['krɔnik] *adj.* (□ ~*ally*) **1.** ständig, dauernd; **2.** *mst* ⚕ chronisch, langwierig; **3.** *sl.* scheußlich.
chron·i·cle ['krɔnikl] **I.** *s.* **1.** 'Chronik *f*; **2.** ♀*s pl. bibl.* (*das* Buch der) Chronik *f*; **II.** *v/t.* **3.** aufzeichnen, berichten; '**chron·i·cler** [-lə] *s.* Chro'nist *m*.
chron·o·gram ['krɔnəgræm] *s.* Chrono'gramm *n*; '**chron·o·graph** [-grɑ:f; -græf] *s.* Chrono'graph *m*, Zeitmesser *m*; **chron·o·log·i·cal** [krɔnə'lɔdʒikəl] *adj.* □ chrono'logisch: ~ *order* zeitliche Reihenfolge; **chro·nol·o·gize** [krə'nɔlədʒaiz] *v/t.* nach der Zeitfolge ordnen; **chro·nol·o·gy** [krə'nɔlədʒi] *s.* **1.** Chronolo'gie *f*, Zeitbestimmung *f*; **2.** Zeittafel *f*; **chro·nom·e·ter** [krə'nɔmitə] *s.* Chrono'meter *n*, Präzisi'onsuhr *f*; **chro·nom·e·try** [krə'nɔmitri] *s.* Zeitmessung *f*.
chrys·a·lis ['krisəlis] *pl.* **-lis·es** [-lisiz], **chry·sal·i·des** [kri'sælidi:z] *s. zo.* (*Insekten*)Puppe *f*.
chrys·an·the·mum [kri'sænθəməm] *s.* ♣ Chrys'anthemum *n*, Chrysan'theme *f*.
chrys·o·prase ['krisəpreis] *s. min.* Chryso'pras *m*.
chub [tʃʌb] *s. ichth.* Döbel *m*.
chub·by ['tʃʌbi] *adj.* pausbäckig, rundlich.
chuck[1] [tʃʌk] **I.** *s.* **1.** ruckartiger Wurf; **2.** zärtlicher Griff unters Kinn; **3.** *Brit. sl. the* ~ Hinauswurf, Entlassung; **II.** *v/t.* **4.** schmeißen, werfen; *sl.* ‚hinschmeißen', aufgeben: ~ *it!* laß das!; **5.** unters Kinn fassen; ~ **a·way** *v/t. sl.* ‚wegschmeißen'; verschwenden; ~ **out** *v/t. sl.* ‚rausschmeißen'; ~ **up** *v/t. sl.* ‚hinschmeißen', ‚an den Nagel hängen' (*aufgeben*).
chuck[2] [tʃʌk] **I.** *s.* **1.** Glucken *n* (*Henne*); **2.** F ‚Täubchen' *n*, Liebchen *n*; **II.** *v/i. u. v/t.* **3.** glucken; **III.** *int.* **4.** put, put! (*Lockruf für Hühner*).
chuck[3] [tʃʌk] *s.* ⊕ Spannvorrichtung *f*, (-)Futter *n*.
chuck[4] [tʃʌk] *s. sl.* ‚Futter' *n*, Essen *n*.
chuck·er-out ['tʃʌkər'aut] *s. sl.* ‚Rausschmeißer' *m* (*in Lokalen etc.*).
chuck·le ['tʃʌkl] **I.** *v/i.* **1.** glucksen, in sich hin'einlachen; **2.** sich (insgeheim) freuen (*at, over* über *acc.*); **3.** glucksen (*Henne*); **II.** *s.* **4.** leises Lachen, Glucksen *n*; '~**-head** *s.* Dummkopf *m*; '~**-head·ed** *adj.* dumm, blöde.
chug [tʃʌg], **chug-chug** ['tʃʌg'tʃʌg] *Am.* F **I.** *s.* Puffen *n*, Tuckern *n* (*Motor*); **II.** *v/i.* puffen, tuckern(d fahren).
chuk·ker ['tʃʌkə] *s. Polospiel*: Chukker *m* (*Spielabschnitt*).
chum [tʃʌm] F **I.** *s.* **1.** ‚Kumpel' *m*, Kame'rad *m*: *to be great* ~*s* dicke Freunde sein; **2.** Stubengenosse *m*; **II.** *v/i.* **3.** gemeinsam wohnen (*with* mit); **4.** ~ *up with s.o.* sich mit j-m anfreunden; '**chum·my** [-mi] *adj.* ‚dick' befreundet; gesellig.
chump [tʃʌmp] *s.* **1.** Holzklotz *m*; **2.** dickes Ende (*bsd. Hammelkeule*); **3.** F Dummkopf *m*; **4.** *bsd. Brit. sl.* ‚Kürbis' *m*, ‚Birne' *f* (*Kopf*): *off one's* ~ nicht ganz bei Trost.
chunk [tʃʌŋk] *s.* **1.** (Holz)Klotz *m*; Klumpen *m*, dickes Stück (*Fleisch, Brot etc.*); **2.** *Am.* F **a)** unter'setzter Mensch, **b)** kleines, stämmiges Pferd; '**chunk·y** [-ki] *adj.* **1.** in Klumpen; **2.** *Am.* F unter'setzt, stämmig.
church [tʃə:tʃ] **I.** *s.* **1.** Kirche *f*, Gotteshaus *n*; **2.** Gottesdienst *m*: *at od. in* ~ beim Gottesdienst; ~ *is over* die Kirche ist aus; **3.** Kirche *f*, Religi'onsgemeinschaft *f*; Christenheit *f*; **4.** Geistlichkeit *f*: *to enter the* ~ Geistlicher werden; **II.** *adj.* **5.** Kirch(en)...; kirchlich; **III.** *v/t.* **6.** *to be* ~*ed* zum ersten Mal wieder in die Kirche gehen (*Wöchnerin*); '~**-go·er** *s.* Kirchgänger(in).
church·ing ['tʃə:tʃiŋ] *s.* Dankgottesdienst *m* für e-e Wöchnerin.
'**church|·man** [-mən] *s.* [*irr.*] (männliches) Mitglied der angli'kanischen Kirche; ♀ **of Eng·land** *s.* englische Staatskirche, anglikanische Kirche; '~**-pa·rade** *s.* Kirchgang *m* (*e-r militärischen Formation*); '~**-rate** *s.* Kirchensteuer *f*; '~'**ward·en** *s.* **1.** *Brit.* Kirchenvorsteher *m*: ~ *pipe* lange Tabakspfeife (aus Ton); **2.** *Am.* Verwalter *m* der weltlichen Angelegenheiten e-r Kirche; '~'**yard** *s.* Kirchhof *m*.
churl [tʃə:l] *s.* **1.** Flegel *m*, Grobian *m*; **2.** Geizhals *m*, Knauser *m*; '**churl·ish** [-liʃ] *adj.* □ **1.** *fig.* grob, ungehobelt, flegelhaft; **2.** kleinlich; geizig, knauserig; **3.** mürrisch.
churn [tʃə:n] **I.** *s.* **1.** Butterfaß *n* (*Maschine*); **2.** *Brit.* (große) Milchkanne; **II.** *v/t.* **3.** verbuttern; **4.** ('durch)schütteln, aufwühlen; **5.** *fig.* ~ *out* in schneller Folge herstellen; **III.** *v/i.* **6.** buttern; **7.** schäumen; **8.** sich heftig bewegen; '~**-staff** *s.* Butterstößel *m*.
chute [ʃu:t] *s.* **1.** Stromschnelle *f*, starkes Gefälle; **2.** Rutsch-, Gleitbahn *f*, Rutsche *f* (*als Beförderungsmittel od. für Kinder*); **3.** Schüttröhre *f*, Abwurfschacht *m*; **4.** Rodelbahn *f*; **5.** F → *parachute* **1.**

chut·nee, chut·ney ['tʃʌtni] *s.* Chutney *n* (*indisches Gewürz*).
chyle [kail] *s.* ⚕ 'Chylus *m*, Milchsaft *m*, Darmlymphe *f*.
chyme [kaim] *s.* ⚕ 'Chymus *m*, Speise-, Magenbrei *m*.
ci·bo·ri·um [si'bɔ:riəm] *s. eccl.* **1.** 'Hostienkelch *m*, Zi'borium *n*; **2.** Al'tarˌbaldachin *m*.
ci·ca·da [si'kɑ:də] *s. zo.* Zi'kade *f*, Grille *f*.
ci·ca·la [si'kɑ:lə] → *cicada*.
cic·a·trice ['sikətris] *s.* Narbe *f*; ⚘ Blattnarbe *f*; **'cic·a·triced** [-st] *adj.* ⚕ vernarbt; **'cic·a·trize** [-raiz] *v/i. u. v/t.* vernarben (lassen).
cic·e·ly ['sisili] *s.* ⚘ Myrrhenkerbel *m* (*Gewürz*).
ci·ce·ro·ne [tʃitʃə'rouni] *pl.* **-ni** [-ni:] *s.* Cice'rone *m*, Fremdenführer *m*.
Cic·e·ro·ni·an [sisə'rounjən] *adj.* cice'ronisch, redegewandt.
ci·der ['saidə] *s.* Apfelwein *m*; **'~-cup** *s.* 'Apfelweinˌbowle *f*; **'~-press** *s.* Apfelpresse *f*.
ci·gar [si'gɑ:] *s.* Zi'garre *f*; **'~-box** *s.* Zi'garrenkiste *f*; **'~-case** *s.* Zi'garreneˌtui *m*, -tasche *f*; **'~-cut·ter** *s.* Zi'garrenabschneider *m*.
cig·a·ret(te) [sigə'ret] *s.* Ziga'rette *f*; **'~-case** *s.* Ziga'rettendose *f*, -eˌtui *n*; **'~-end** *s.* Ziga'rettenstummel *m*; **'~-hold·er** *s.* Ziga'rettenspitze *f* (*Halter*).
ci'gar|-hold·er *s.* Zi'garrenspitze *f* (*Halter*); **'~-tip** *s.* Zigarrenspitze *f* (*Ende der Zigarre*).
cil·i·a ['siliə] *s. pl.* **1.** (Augen)Wimpern *pl.*; **2.** ⚘, *zo.* Wimper-, Flimmerhärchen *pl.*; **'cil·i·ar·y** [-əri] *adj.* Wimper...; **'cil·i·at·ed** [-ieitid] *adj.* ⚘, *zo.* bewimpert.
cil·ice ['silis] *s.* härenes Tuch *od.* Hemd.
cinch [sintʃ] *s. Am.* **1.** Sattelgurt *m*; **2.** *sl.* ‚todsichere Sache', ‚klarer Fall'.
cin·cho·na [siŋ'kounə] *s.* **1.** ⚘ 'Chinarindenbaum *m*; **2.** 'Chinarinde *f*.
cinc·ture ['siŋktʃə] **I.** *s.* **1.** Gürtel *m*, Gurt *m*; **2.** (Säulen)Kranz *m*; **II.** *v/t.* **3.** um'gürten; **4.** *fig.* um'zäunen.
cin·der ['sində] *s.* **1.** Schlacke *f*: *burnt to a ~* verkohlt, verbrannt; **2.** *pl.* Asche *f*.
Cin·der·el·la [sində'relə] *s.* Aschenbrödel *n*, -puttel *n* (*a. fig.*).
'cin·der|-path *s.* Weg *m* mit Aschenbelag; **'~-track** *s. sport* Aschenbahn *f*.
cine- [sini] *in Zssgn* Kino..., Film...: *~-camera* (Schmal)Filmkamera; *~-film* Kinofilm; *~-music* Filmmusik; *~-projector* → *cinematograph* 1.
cin·e·ma ['sinimə] *s.* **1.** 'Lichtspieltheˌater *n*, 'Kino *n*; **2.** Film(kunst *f*) *m*; **'~-go·er** *s.* 'Kinobesucher(in).
cin·e·mat·ic [sini'mætik] *adj.* (□ *~ally*) filmisch, Film...; **cin·e'mat·o·graph** [-təgrɑ:f; -græf] **I.** *s.* **1.** 'Filmˌvorführappaˌrat *m*; **2.** 'Filmˌkamera *f*; **II.** *v/t.* **3.** (ver)filmen; **III.** *v/i.* **4.** filmen; **cin·e·ma·tog·ra·pher** [sinimə'tɔgrəfə] *s.* 'Kameramann *m*; **cin·e·mat·o·graph·ic** [sinimætə'græfik] *adj.* (□ *~ally*) kinemato'graphisch; **cin·e·ma·tog·ra·phy** [sinimə'tɔgrəfi] *s.* ˌKinematogra'phie *f*.
cin·e·ra·ri·a [sinə'rɛəriə] *s.* ⚘ Zine'rarie *f*.
cin·e·ra·ri·um [sinə'rɛəriəm] *s.* Urnennische *f*.
cin·er·ar·y ['sinərəri] *adj.* Aschen...; *~* **urn** *s.* Totenurne *f*.
cin·er·a·tor ['sinəreitə] *s.* Feuerbestattungsofen *m*.
cin·na·bar ['sinəbɑ:] *s.* Zin'nober *m*.
cin·na·mon ['sinəmən] **I.** *s.* **1.** Zimt *m*, Ka'neel *m*; **2.** Zimtbaum *m*; **II.** *adj.* **3.** zimtfarbig.
cinque [siŋk] (*Fr.*) *s.* Fünf *f* (*Würfel od. Spielkarten*); **cin·que·cen·to** [tʃiŋkwi'tʃentou] *s.* ˌCinque'cento *n* (*16. Jahrhundert in der italienischen Kunst*).
cinque|·foil ['siŋkfɔil] *s.* **1.** ⚘ Fingerkraut *n*; **2.** △ Fünfpaß *m*; **ℒ Ports** *s. pl. Gruppe von ursprünglich fünf südenglischen Seestädten.*
ci·on *Am.* → *scion*.
ci·pher ['saifə] **I.** *s.* **1.** ⅄ *die Ziffer* Null *f*; **2.** (a'rabische) Ziffer, Zahl *f*; **3.** *fig.* Nichts *n*, Null *f*; **4.** Chiffre *f*, Geheimschrift *f*: *in ~* chiffriert; **5.** *fig.* Schlüssel *m*, Kennwort *n*; **6.** Mono'gramm *n*; **II.** *v/i.* **7.** rechnen; **8.** chiffrieren; **III.** *v/t.* **9.** *a. ~ out* be-, ausrechnen; entziffern; *~* **code** *s.* Tele'gramm-, Chiffrierschlüssel *m*.
cir·ca ['sə:kə] *prp.* um (*vor Jahreszahlen*).
Cir·ce ['sə:si] *npr. myth.* 'Circe *f* (*a. fig. Verführerin*).
cir·cle ['sə:kl] **I.** *s.* **1.** ⅄ Kreis *m*: *full ~* im Kreise herum, volle Wendung, wieder da, wo *man* angefangen hat; *to square the ~* **a)** ⅄ den Kreis quadrieren, **b)** das Unmögliche versuchen; **2.** *ast., geogr.* Kreis *m*; **3.** Kreis *m*, Gruppe *f*: *~ of friends* Freundeskreis; → *upper I*; **4.** Ring *m*, Kranz *m*, Reif *m*; **5.** Kreislauf *m*, 'Umlauf *m*, Runde *f*; Wiederkehr *f*, 'Zyklus *m*; **6.** *thea.* Rang *m*; **7.** Kreis *m*, Gebiet *n*; **8.** *phls. mst vicious ~* **a)** 'Zirkelschluß *m*, **b)** *fig.* Schraube *f* ohne Ende; **9.** *Turnen*: Welle *f*; **II.** *v/t.* **10.** um'kreisen; um'zingeln; **11.** um'winden; **III.** *v/i.* **12.** sich im Kreise bewegen, kreisen; die Runde machen; **13.** ⚔ schwenken; *~* **line** *s. Brit.* 'Ringˌlinie *f*, Rundbahn *f*.
cir·clet ['sə:klit] *s.* **1.** kleiner Kreis, Reif, Ring; **2.** Dia'dem *n*.
cir·cle train *s. Brit.* Zug *m* der Ringlinie.
circs [sə:ks] *s. pl.* F *für circumstances.*
cir·cuit ['sə:kit] **I.** *s.* **1.** 'Kreisˌlinie *f*, 'Um-, Kreislauf *m*; Bahn *f*; **2.** 'Umkreis *m*; **3.** 'Umweg *m*; **4.** Rundgang *m*, -flug *m* (of um); Rennstrecke *f* (*Autos etc.*); **5.** ⚖ **a)** Rundreise *f* der Richter e-s Bezirks (*zur Abhaltung der assizes*), **b)** Anwälte *pl.* e-s Gerichtsbezirks, **c)** Gerichtsbezirk *m*; **6.** ⚡ **a)** Stromkreis *m*: *exciting ~* Erregerkreis; → *short circuit*, **b)** Schaltung *f*, Leitung *f*: *~ diagram* Schaltbild; **7.** The'ater- *od.* 'Kinoring *m*, -gruppe *f*; **II.** *v/t.* **8.** um'kreisen; **III.** *v/i.* **9.** kreisen; **'~-break·er** *s.* ⚡ Ausschalter *m*.
cir·cu·i·tous [sə(:)'kju(:)itəs] *adj.* □ weitschweifig, -läufig: *~ route* Umweg.
cir·cu·lar ['sə:kjulə] **I.** *adj.* □ **1.** (kreis)rund, kreisförmig; **2.** Rund..., Kreis..., Ring...; **II.** *s.* **3.** → *circular letter*; **'cir·cu·lar·ize** [-əraiz] *v/t.* durch Rundschreiben benachrichtigen *od.* bekanntmachen.
cir·cu·lar| let·ter *s.* Zirku'lar *n*, Rundschreiben *n*; *~* **let·ter of cred·it** *s.* † 'Reisekreˌditbrief *m*; *~* **note** *s.* **1.** *pol.* Zirku'larˌnote *f*; **2.** 'Reisekreˌditbrief *m*; *~* **rail·way** *s.* Ringbahn *f*; *~* **saw** *s.* ⊕ Kreissäge *f*; *~* **skirt** *s.* Glockenrock *m*; *~* **tick·et** *s.* Rundreisekarte *f*; *~* **tour,** *~* **trip** *s.* Rundreise *f*, -fahrt *f*.
cir·cu·late ['sə:kjuleit] **I.** *v/i.* **1.** zirkulieren, 'umlaufen, im 'Umlauf sein; **2.** her'umreisen, -gehen; **II.** *v/t.* **3.** in Umlauf setzen, zirkulieren lassen; verbreiten.
cir·cu·lat·ing ['sə:kjuleitiŋ] *adj.* zirkulierend, 'umlaufend; *~* **cap·i·tal** *s.* 'Umlaufskapiˌtal *n*; *~* **dec·i·mal** *s.* ⅄ peri'odischer Dezi'malbruch; *~* **li·brar·y** *s.* 'Leihbiblioˌthek *f*; *~* **me·di·um** *s.* Zahlungsmittel *n*.
cir·cu·la·tion [sə:kju'leiʃən] *s.* **1.** Kreislauf *m*, Zirkulati'on *f*; *engS.* 'Blutzirkulatiˌon *f*; **2.** † **a)** 'Umlauf *m*, Verkehr *m*, **b)** Verbreitung *f*, Absatz *m*, **c)** Auflage *f* (*Zeitung etc.*), **d)** 'Zahlungsmittelˌumlauf *m*: *out of ~* außer Kurs (gesetzt); *to put into ~* in Umlauf setzen; *to withdraw from ~* aus dem Verkehr ziehen; **3.** Strömung *f*, 'Durchzug *m*, -fluß *m*; **cir·cu·la·tor** ['sə:kjuleitə] *s.* Verbreiter(in); **cir·cu·la·to·ry** ['sə:kjulətəri] *adj.* zirkulierend, 'umlaufend: *~ system* Blutgefäß-System.
circum- [sə:kəm] *in Zssgn* um, her'um.
cir·cum·am·bi·ent [sə:kəm'æmbiənt] *adj.* um'gebend, einschließend (*a. fig.*); **cir·cum'am·bu·late** [-bjuleit] **I.** *v/i.* um'hergehen; **II.** *v/t.* her'umgehen um (*a. fig.*).
cir·cum·cise ['sə:kəmsaiz] *v/t.* **1.** ⚕, *eccl.* beschneiden; **2.** *fig.* läutern; **cir·cum·ci·sion** [sə:kəm'siʒən] *s.* **1.** ⚕, *eccl.* Beschneidung *f*; **2.** *fig.* Läuterung *f*; **3.** ℒ Fest *n* der Beschneidung Christi.
cir·cum·fer·ence [sə'kʌmfərəns] *s.* 'Umkreis *m*, 'Umfang *m*, Periphe'rie *f*; **cir·cum·flex** ['sə:kəmfleks] *s. ling. a. ~ accent* Zirkum'flex *m*; **cir·cum·ja·cent** [sə:kəm'dʒeisənt] *adj.* 'umliegend.
cir·cum·lo·cu·tion [sə:kəmlə'kju:ʃən] *s.* Um'schreibung *f*, 'Umschweif *m*; Weitschweifigkeit *f*; **cir·cum·loc·u·to·ry** [sə:kəm'lɔkjutəri] *adj.* weitschweifig.
cir·cum·nav·i·gate [sə:kəm'nævigeit] *v/t.* um'schiffen, um'segeln; **cir·cum·nav·i·ga·tion** ['sə:kəmnævi'geiʃən] *s.* Um'segelung *f*; **cir·cum'nav·i·ga·tor** [-tə] *s.* Um'segler *m*.
cir·cum·po·lar ['sə:kəm'poulə] *adj.* zirkumpo'lar: **a)** *geogr.* um den Pol befindlich, **b)** *ast.* den Pol um'kreisend: *~ star*.

cir·cum·scribe ['sə:kəmskraib] *v/t.* 1. ⩘ um'schreiben; 2. begrenzen, einschränken; 3. definieren; **cir·cum·scrip·tion** [sə:kəm'skripʃən] *s.* 1. ⩘ Um'schreibung *f*; 2. 'Umschrift *f* (*Münze etc.*); 3. Begrenzung *f*, Beschränkung *f*.
cir·cum·spect ['sə:kəmspekt] *adj.* □ 'um-, vorsichtig; **cir·cum·spec·tion** [sə:kəm'spekʃən] *s.* 'Um-, Vorsicht *f*.
cir·cum·stance ['sə:kəmstəns] *s.* 1. 'Umstand *m*, Tatsache *f*; Ereignis *n*; Einzelheit *f*: *a fortunate* ~ ein glücklicher Umstand; 2. *pl.* 'Umstände *pl.*, Lage *f*, Sachverhalt *m*, Verhältnisse *pl.*: *in* (*od. under*) *the* ~*s* unter diesen Umständen; *under no* ~*s* auf keinen Fall; 3. *pl.* Verhältnisse *pl.*, Lebenslage *f*: *in good* ~*s* gut situiert; 4. 'Umständlichkeit *f*, Weitschweifigkeit *f*; 5. Förmlichkeit(en *pl.*) *f*, Umstände *pl.*: *without* ~ ohne (alle) Umstände; '**cir·cum·stanced** [-st] *adj.* in e-r ... Lage, ...situiert: *poorly* ~ in ärmlichen Verhältnissen; *well timed and* ~ zur rechten Zeit u. unter günstigen Umständen; **cir·cum·stan·tial** [sə:kəm'stænʃəl] *adj.* □ 1. 'umständlich; 2. ausführlich, genau: *a* ~ *report*; 3. zufällig; 4. ⚖ 'indirekt: ~ *evidence* Indizienbeweis; **cir·cum·stan·ti·ate** [sə:kəm'stænʃieit] *v/t.* 1. genau beschreiben; 2. ⚖ ausführlich beweisen.
cir·cum·val·la·tion [sə:kəmvə'leiʃən] *s.* Um'wallung *f*.
cir·cum·vent [sə:kəm'vent] *v/t.* 1. über'listen; 2. vereiteln, verhindern; 3. um'gehen; **cir·cum'ven·tion** [-nʃən] *s.* Verhinderung *f*, Vereitelung *f*.
cir·cum·vo·lu·tion [sə:kəmvə'lju:ʃən] *s.* 1. 'Umdrehung *f*; 'Umwälzung *f*; 2. Windung *f*.
cir·cus ['sə:kəs] *s.* 1. **a**) 'Zirkus *m*, **b**) 'Zirkustruppe *f*, **c**) ('Zirkus-)Vorstellung *f*, **d**) A'rena *f*; 2. *Brit. runder Platz mit Straßenkreuzungen*; 3. *Brit. sl.* ⚔ im Kreis fliegende Flugzeugstaffel.
cir·rho·sis [si'rousis] *s.* ⚕ Zir'rhose *f*, (*Leber*)Schrumpfung *f*.
cir·rose [si'rous], **cir·rous** ['sirəs] *adj.* 1. ♀ mit Ranken; 2. *zo.* mit Haaren *od.* Fühlern; 3. federartig.
cir·rus ['sirəs] *pl.* **-ri** [-rai] *s.* 1. ♀ Ranke *f*; 2. *zo.* Rankenfuß *m*; 3. 'Zirrus *m*, Federwolke *f*.
cis- [sis] *Vorsilbe*: diesseits.
cis·al·pine [sis'ælpain] *adj.* diesseits der Alpen; **cis·at·lan·tic** [sisət'læntik] *adj.* diesseits des At'lantischen 'Ozeans.
cis·sy → *sissy*.
Cis·ter·cian [sis'tə:ʃjən] I. *s.* Zisterzi'enser(mönch) *m*; II. *adj.* Zisterzienser...
cis·tern ['sistən] *s.* 1. Zi'sterne *f*; Wasserbehälter *m* (*Brit. unter od. auf dem Dach*); 2. *Am.* ('unterirdischer) Regenwasserspeicher.
cit·a·del ['sitədl] *s.* 1. Zita'delle *f* (*a. fig.*); 2. Burg *f*; *fig.* Zuflucht *f*.
ci·ta·tion [sai'teiʃən] *s.* 1. Anführung *f*; 2. Zi'tat *n*; zitierte Stelle; 3. ⚖ Vorladung *f*; 4. *bsd. Am.* ⚔ ehrenvolle Erwähnung.
cite [sait] *v/t.* 1. zitieren; 2. (als Beispiel *od.* Beweis) anführen; 3. ⚖ vorladen; 4. *bsd. Am.* ⚔ lobend erwähnen.
cith·er ['siθə] *poet.* → *zither*.
cit·i·fy ['sitifai] *v/t. Am.* F verstädtern.
cit·i·zen ['sitizn] *s.* 1. Bürger *m*, Staatsangehörige(r *m*) *f*: ~ *of the world* Weltbürger; 2. Städter(in); 3. Einwohner(in); 4. Zivi'list *m*; '**cit·i·zen·ry** [-ri] *s.* Bürgerschaft *f* (*e-s Staates*); '**cit·i·zen·ship** [-ʃip] *s.* 1. Staatsangehörigkeit *f*; 2. Bürgerrecht *n*.
cit·rate ['sitrit] *s.* ⚗ Zi'trat *n*.
cit·ric ac·id ['sitrik] *s.* ⚗ Zi'tronensäure *f*.
cit·ri·cul·ture ['sitrikʌltʃə] *s.* Anbau *m* von 'Zitrusfrüchten.
cit·ron·el·la oil [sitrə'nelə] *s.* Zitro'nell-Öl *n*.
cit·rus ['sitrəs] *s.* ♀ 'Zitrusgewächs *n*, -frucht *f*.
cit·y ['siti] *s.* 1. (Groß)Stadt *f*; 2. *Brit.* Stadt *f* mit Bischofssitz u. Kathe'drale; 3. *London*: *the* ♀ die Altstadt; das Geschäftsviertel; 4. *Am.* inkorporierte Stadtgemeinde; ♀ **ar·ti·cle** *s.* Börsenbericht *m*; ♀ **Com·pa·ny** *s. Brit.* e-e der großen Londoner Gilden; ~ **ed·i·tor** *s.* 1. *Am.* Lo'kalredakˌteur *m*; 2. *Brit.* Redak'teur *m* des Handelsteiles; ~ **fa·ther** *s.* Stadtrat *m* (*Person*); *pl.* Stadtväter *pl.*; ~ **hall** *s.* Rathaus *n*; ♀ **man** *s. Brit.* Fi'nanz-, Geschäftsmann *m* der City; ~ **man·ag·er** *s. Am. vom Stadtrat ernannter* 'Stadtdiˌrektor; ♀ **of God** *s.* Himmelreich *n*; ~ **state** *s. bsd. antiq.* Stadtstaat *m*.
'**civ·et(-cat)** ['sivit] *s. zo.* 'Zibetkatze *f*.
civ·ic ['sivik] *adj.* (□ ~*ally*) Bürger..., städtisch, Stadt...; ~ **cen·tre**, *Am.* **cen·ter** *s.* Behördenviertel *n*; ~ **rights** *s. pl.* → *civil* 2.
civ·ics ['siviks] *s. pl. sg. konstr.* Staatsbürgerkunde *f*.
civ·ies *bsd. Am.* → *civvies*.
civ·il ['sivl] *adj.* (□ *nur für* 6.) 1. den Staat betreffend, Staats...: ~ *affairs* Verwaltungsangelegenheiten; 2. die Staatsbürger betreffend, bürgerlich, Bürger...: ~ *commotion* Aufruhr; ~ *duties* Bürgerpflichten; ~ *liberties* bürgerliche Freiheiten; ~ *rights* Bürgerrechte, bürgerliche Ehrenrechte; 3. zi'vil (*Ggs. militärisch*): ~ *aviation* Zivilluftfahrt; ~ *defence*, *Am.* ~ *defense* Zivilverteidigung, ziviler Luftschutz; ~ *government* Zivilverwaltung; ~ *life* Zivilleben; 4. zivil (*Ggs. kirchlich*): ~ *marriage* Ziviltrauung; 5. ⚖ zi'vil(rechtlich), bürgerlich: ~ *case od. suit* Zivilprozeß; ~ *code* Bürgerliches Gesetzbuch; ~ *year* bürgerliches Jahr; 6. höflich: ~*-spoken* höflich; ~ **en·gi·neer** *s.* 'Bauingeniˌeur *m* (*für Hoch- u. Tiefbau*); ~ **en·gi·neer·ing** *s.* Tiefbau *m*.
ci·vil·ian [si'viljən] I. *s.* Zivi'list *m*; II. *adj.* bürgerlich, Zivil...: ~ *life* Zivilleben; **ci'vil·i·ty** [-liti] *s.* Höflichkeit *f*, Artigkeit *f*.
civ·i·li·za·tion [sivilai'zeiʃən] *s.* Zivilisati'on *f*, Kul'tur *f*; **civ·i·lize** ['sivilaiz] *v/t.* zivilisieren, gesittet machen; **civ·i·lized** ['sivilaizd] *adj.* 1. zivilisiert: ~ *nations* Kulturvölker; 2. gebildet; wohlerzogen.
civ·il| law *s.* 1. Zi'vilrecht *n*, bürgerliches Recht; 2. römisches Recht; 3. kontinen'tales Recht; ~ **list** *s. Brit.* Zi'villiste *f*; ♀ **Serv·ant** *s.* Staatsbeamte(r) *m*; ♀ **Serv·ice** *s.* Staats-, Verwaltungsdienst *m*; ~ **war** *s.* Bürgerkrieg *m*.
civ·vies ['siviz] *s. pl. sl.* Zi'vil(klaˌmotten *pl.*) *n*; **civ·vy street** ['sivi] *s. sl.* Zi'villeben *n*.
clack [klæk] I. *v/i.* 1. klappern, knallen; 2. plappern; II. *s.* 3. Klappern *n*; 4. Plappern *n*; 5. ⊕ (Ven'til)Klappe *f*.
clad [klæd] *adj.* gekleidet.
claim [kleim] I. *v/t.* 1. fordern, verlangen: *to* ~ *damages* Schadenersatz fordern; 2. **a**) Anspruch erheben auf (*acc.*), beanspruchen: *to* ~ *the crown*, **b**) *fig.* in Anspruch nehmen, erfordern: *to* ~ *attention*; 3. für sich in Anspruch nehmen: *to* ~ *victory*; 4. behaupten (*a. to inf.* zu *inf.*, *that* daß): *to* ~ *accuracy* die Richtigkeit behaupten; *the club* ~*s 200 members* der Klub behauptet, 200 Mitglieder zu haben; 5. zu'rück-, einfordern: *death* ~*ed him* der Tod ereilte ihn; II. *v/i.* 6. ✝ reklamieren; 7. ~ *against s.o.* j-n verklagen; III. *s.* 8. Forderung *f*, (*a.* Pa'tent)Anspruch *m*: *to lay* (*od. make a*) ~ *to* Anspruch erheben auf (*acc.*); *to put in a* ~ *for* e-e Forderung auf *et.* stellen; *a* ~ *on s.o.* e-e Forderung gegen *od.* an j-n; 9. (An)Recht *n* (*to* auf *acc.*); 10. Behauptung *f*; 11. ✝ Reklamati'on *f*; Zahlungsforderung *f*; 12. ⚒ Mutung *f*; *bsd. Am.* zugeteiltes *od.* beanspruchtes Stück Land; '**claim·a·ble** [-məbl] *adj.* zu beanspruchen(d); '**claim·ant** [-mənt] *s.* Antragsteller(in), ⚖ *a.* Kläger(in); *weitS.* (*for*) Anwärter(in) (auf *acc.*), Bewerber(in) (für): *rightful* ~ Anspruchsberechtigte(r).
clair·voy·ance [kleə'vɔiəns] *s.* Hellsehen *n*; **clair'voy·ant** [-nt] I. *adj.* hellseherisch; II. *s.* Hellseher(in).
clam [klæm] *s.* 1. *zo.* 'Venusmuschel *f*: ~ *chowder Am.* Suppe mit Muscheln u. Gemüse; 2. *Am.* ‚zugeknöpfter' Mensch.
cla·mant ['kleimənt] *adj.* 1. lärmend, schreiend (*a. fig.*); 2. dringend.
clam·ber ['klæmbə] *v/i.* (mühsam) klettern, klimmen.
clam·my ['klæmi] *adj.* □ feuchtkalt (u. klebrig), klamm.
clam·or·ous ['klæmərəs] *adj.* □ lärmend, schreiend, laut; tobend; **clam·o(u)r** ['klæmə] I. *s.* 1. Lärm *m*, (zorniges) Geschrei, lautes Schimpfen; 2. Tu'mult *m*; II. *v/i.* 3. (laut) schreien (*for* nach; *a. fig. wütend verlangen*); toben; III. *v/t.* 4. *to* ~ *down* niederbrüllen.
clamp[1] [klæmp] I. *s.* 1. ⊕ Klammer *f*, Krampe *f*, Klemmschraube *f*, Zwinge *f*, ⚡ Erdungsschelle *f*; 2. *sport* Strammer *m* (*Ski*); II. *v/t.* 3. festklammern, -klemmen; befestigen; 4. *fig. a.* ~ *down* als Strafe auferlegen; III. *v/i.* 5. ~ *down fig.*

zuschlagen, scharf vorgehen (on gegen).

clamp² [klæmp] *s.* **1.** Haufen *m*; **2.** Kar'toffelmiete *f*.

clan [klæn] *s.* **1.** *Scot.* Clan *m*, Stamm *m*, Sippe *f*; **2.** Sippschaft *f*, Gruppe *f*, Bund *m*; Clique *f*.

clan·des·tine [klæn'destin] *adj.* □ heimlich, verborgen, verstohlen.

clang [klæŋ] **I.** *v/i.* schallen, klingen, klirren; **II.** *v/t.* laut schallen *od.* erklingen lassen; **III.** *s.* Klang *m*, Schall *m*; Geklirr *n*; **clang·or·ous** ['klæŋgərəs] *adj.* □ schallend, schmetternd; klirrend; **clang·o(u)r** ['klæŋgə] *s.* Schall *m*, Schmettern *n*, Klirren *n*.

clank [klæŋk] **I.** *s.* Gerassel *n*; **II.** *v/i. u. v/t.* rasseln *od.* klirren (mit).

clan·nish ['klæniʃ] *adj.* **1.** Sippen...; **2.** stammesbewußt; **3.** (unter sich) zs.-haltend; '**clan·nish·ness** [-nis] *s.* **1.** Stammesgefühl *n*; **2.** Zs.-halten *n*; **clan·ship** ['klænʃip] *s.* **1.** Vereinigung *f* in e-m Clan; **2.** Stammesverbundenheit *f*; **clans·man** ['klænzmən] *s.* [*irr.*] Mitglied *n* e-s Clans.

clap¹ [klæp] **I.** *s.* **1.** (Hände)Klatschen *n*; **2.** (Beifall)Klatschen *n*; **3.** Klaps *m*; **4.** Knall *m*, Krach *m*: ~ *of thunder* Donnerschlag; **II.** *v/t.* **5. a)** klatschen: *to* ~ *one's hands* in die Hände klatschen, **b)** schlagen: *to* ~ *the wings* mit den Flügeln schlagen; **6.** klopfen; **7.** *j-m* Beifall klatschen; **8.** hastig an-, auflegen *od.* ausführen: *to* ~ *eyes on* erblicken; *to* ~ *a hat on one's head* den Hut auf den Kopf stülpen; **III.** *v/i.* **9.** (Beifall) klatschen.

clap² [klæp] *s.* V ⚕ Tripper *m*.

'**clap|·board I.** *s.* **1.** *Brit.* Faßdaube *f*; **2.** *Am.* Verschalungsbrett *n*; **II.** *v/t.* **3.** *Am.* verschalen; '**~-net** *s.* Fangnetz *n* (*für Vögel etc.*).

clap·per ['klæpə] *s.* **1.** Klöppel *m* (*Glocke*); **2.** Klapper *f*; **3.** Beifallsklatscher *m*; '**~board** *s. Film*: Klappe *f*.

clap·trap ['klæptræp] **I.** *s.* Ef'fekthasche₍rei *f*; Klim'bim *m*; Gewäsch *n*, 'Phrasendresche₍rei *f*; **II.** *adj.* auf Beifall berechnet.

claque [klæk] *s.* Claque *f*, Cla'queure *pl*.

clar·ence ['klærəns] *s.* vierrädrige, geschlossene Kutsche.

clar·en·don ['klærəndən] *s. typ.* halbfette Egypti'enne.

clar·et ['klærət] *s.* **1.** roter Bor'deaux(wein); *weitS.* Rotwein *m*; **2.** Weinrot *n*; **3.** *sl.* Blut *n*; '**~-cup** *s.* Rotweinbowle *f*.

clar·i·fi·ca·tion [klærifi'keiʃən] *s.* **1.** ⊕ (Ab)Klärung *f*, Läuterung *f*; **2.** Aufklärung *f*, Klarstellung *f*; **clar·i·fy** ['klærifai] **I.** *v/t.* **1.** ⊕ (ab)klären, läutern, reinigen; **2.** (auf-, er)klären; **II.** *v/i.* **3.** ⊕ sich (ab)klären; **4.** sich (auf)klären, klar werden.

clar·i·net [klæri'net] *s.* ♪ Klari'nette *f*; **clar·i'net·(t)ist** [-tist] *s.* Klarinet'tist *m*.

clar·i·on ['klæriən] **I.** *s.* **1.** ♪ *hist.* Cla'rino *n* (*hellklingende Trompete*); **2.** Trom'petenschall *m*: ~ *call fig.* Auf-, Weckruf; **II.** *v/t.* **3.** laut verkünden.

clar·i·o·net [klæriə'net] → *clarinet*.

clar·i·ty ['klæriti] *s.* Klarheit *f*, Reinheit *f*.

clark·i·a ['klɑːkjə] *s.* ⚘ 'Clarkie *f*.

clar·y ['klɛəri] *s.* ⚘ Schar'lei *m*.

clash [klæʃ] **I.** *v/i.* **1.** klirren, rasseln; **2.** prallen (*into* gegen), (*a. feindlich*) zs.-prallen, -stoßen (*with* mit); **3.** *fig.* (*with*) kollidieren: **a)** (zeitlich) zs.-fallen (mit), **b)** im 'Widerspruch stehen (zu), wider'streiten, unvereinbar sein (mit); **4.** nicht zs.-passen, nicht harmonieren (*with* mit) (*Farben*); **II.** *v/t.* **5.** klirren *od.* rasseln mit; klirrend zs.-schlagen; **III.** *s.* **6.** Geklirr *n*, Getöse *n*, Krach *m*; **7.** Zs.-prall *m*, Kollisi'on *f*; **8.** (feindlicher) Zs.-stoß; **9.** (zeitliches) Zs.-treffen; **10.** Kon'flikt *m*, 'Widerstreit *m*.

clasp [klɑːsp] **I.** *v/t.* **1.** ein-, zuhaken, zuschnallen; **2.** fest ergreifen, um'klammern, fest um'fassen; um'ranken: *to* ~ *s.o.'s hand* j-m die Hand drücken; *to* ~ *s.o. in one's arms* j-n umarmen; *to* ~ *one's hands* die Hände falten; **II.** *v/i.* **3.** sich die Hand reichen; **III.** *s.* **4.** Klammer *f*, Haken *m*; Schnalle *f*, Spange *f*, Schließe *f*; Schloß *n* (*Buch etc.*); **5.** Um'klammerung *f*, Um'armung *f*; Händedruck *m*; **6.** ⚔ (Ordens-) Spange *f*; '**~-knife** *s.* [*irr.*] Klapp-, Taschenmesser *n*.

class [klɑːs] **I.** *s.* **1.** Klasse *f* (*a.* 🚃 *etc.*, ⚘, *zo.*), Gruppe *f*; **2.** Klasse *f*, Sorte *f*, Güte *f*, Quali'tät *f*; *engS.* Erstklassigkeit *f*: *in the same* ~ *with* gleichwertig mit; *in a* ~ *by itself* e-e Klasse für sich, allen überlegen; *no* ~ F minderwertig; **3.** Stand *m*, Rang *m*, Schicht *f*: *the* ~*es* die oberen (Gesellschafts)Klassen; **4.** *ped., univ.* **a)** Klasse *f*: *top of the* ~ Klassenerste(r); *to take a* ~ e-e Klasse übernehmen, **b)** 'Unterricht *m*, Stunde *f*: *a* ~ *in cookery* Kochstunde, **c)** *pl.* 'Kursus *m*, **d)** Stufe *f* bei der Universi'tätsprüfung: *to take a* ~ e-n ‚honours'-Grad erlangen; **5.** *univ. Am.* Jahrgang *m*; **II.** *v/t.* **6.** in Klassen einteilen; **7.** einordnen, einstufen: *to* ~ *with* gleichstellen mit; '**~-book** *s. ped.* **a)** *Brit.* Lehrbuch *n*, **b)** *Am.* Klassenbuch *n*; '**~-'con·scious** *adj.* klassenbewußt; **~ dis·tinc·tion** *s. sociol.* 'Klassen₍unterschied *m*.

clas·sic ['klæsik] **I.** *adj.* (□ ~*ally*) **1.** erstklassig, ausgezeichnet; **2.** klassisch, althergebracht; anerkannt, mustergültig; von dauerndem Wert; **3.** klassisch: **a)** griechisch-römisch, **b)** schlicht u. würdig: ~ *style*; **II.** *s.* **4.** Klassiker *m*; **5.** klassisches Werk; **6.** Jünger *m* der Klassik; **7.** *pl.* **a)** klassische Litera'tur, **b)** *die* alten Sprachen; '**clas·si·cal** [-kəl] *adj.* □ **1.** → *classic 1,2,3*: ~ *music* klassische Musik; **2. a)** altsprachlich, **b)** huma'nistisch (gebildet): ~ *education* humanistische Bildung; *the* ~ *languages* die alten Sprachen; ~ *scholar* Altphilologe; '**clas·si·cism** [-isizəm] *s.* **1.** Klassi'zismus *m*; **2.** klassische Redewendung; '**clas·si·cist** [-isist] *s.* Kenner *m od.* Anhänger *m* des Klassischen u. der Klassiker.

clas·si·fi·ca·tion [klæsifi'keiʃən] *s.* **1.** Klassifizierung *f*, Einteilung *f*, Anordnung *f*; Ru'brik *f*; **clas·si·fied** ['klæsifaid] *adj.* **1.** klassifiziert, eingeteilt: ~ *advertisements* Kleinanzeigen (*Zeitung*); ~ *directory* Branchenverzeichnis; **2.** *Am.* geheim (*Dokument*); **clas·si·fy** ['klæsifai] *v/t.* klassifizieren, einteilen; einstufen.

class·less ['klɑːslis] *adj.* klassenlos: ~ *society*.

'**class|-list** *s. Brit.* Liste *f* der Stu'denten, die die ‚honours'-Prüfung bestanden haben; '**~-man** [-mæn] *s.* [*irr.*] *Brit.* Stu'dent *m*, der die ‚honours'-Prüfung bestanden hat; '**~-mate** *s.* 'Klassenkame₍rad(in); '**~-room** *s.* Klassenzimmer *n*; '**~-war** *s. pol.* Klassenkampf *m*.

class·y ['klɑːsi] *adj. sl.* 'prima, ‚Klasse'.

clat·ter ['klætə] **I.** *v/i.* **1.** klappern, rasseln; **2.** trappeln, trampeln; **II.** *v/t.* **3.** klappern *od.* rasseln mit; **III.** *s.* **4.** Klappern *n*, Rasseln *n*, Krach *m*; **5.** Getrappel *n*; **6.** Lärm *m*; Stimmengewirr *n*.

clause [klɔːz] *s.* **1.** *ling.* (Neben-) Satz *m*, Satzteil *m*, -glied *n*; **2.** 'Klausel *f*, Bestimmung *f*; *engS.* Absatz *m*, Para'graph *m*.

claus·tral ['klɔːstrəl] *adj.* Kloster...

claus·tro·pho·bi·a [klɔːstrə'foubjə] *s.* Klaustropho'bie *f* (*Furcht vor geschlossenen Räumen*).

clav·i·chord ['klævikɔːd] *s.* ♪ Clavi'chord *n* (*Vorläufer des Klaviers*).

clav·i·cle ['klævikl] *s. anat.* Schlüsselbein *n*.

claw [klɔː] **I.** *s.* **1.** *zo.* **a)** Klaue *f*, Kralle *f* (*beide a. fig.*): *to get one's* ~*s into s.o. fig.* j-n in s-e Klauen bekommen; *to pare s.o.'s* ~*s fig.* j-m die Krallen beschneiden, **b)** Schere *f* (*Krebs etc.*), **c)** Pfote *f* (*a. fig. contp. Hand*); **2.** ⊕ Klaue *f*, (Greif-) Haken *m*; **II.** *v/t.* **3.** (zer)kratzen, zerreißen, zerren; **4.** um'krallen, packen: *to* ~ *hold of* mit Krallen *od.* Händen packen; **III.** *v/i.* **5.** kratzen; **6.** reißen, zerren (*at* an); **7.** packen, greifen (*at* nach); **8.** ⚓ ~ *off* vom Ufer abhalten; '**~-ham·mer** *s.* ⊕ Klauenhammer *m*: ~ *coat* F Frack.

clay [klei] *s.* **1.** Ton *m*, Lehm *m*: ~ *hut* Lehmhütte; → *potter² 1*; **2.** *fig.* Erde *f*, Staub *m* u. Asche *f*; **3.** → *clay pipe*; **~ court** *s. Tennis*: Hartplatz *m*.

clay·ey ['kleii] *adj.* lehmig, Lehm...

clay·more ['kleimɔː] *s. hist.* schottisches Breitschwert.

clay| pi·geon *s. sport* Wurf-, Tontaube *f*: ~ *shooting* Wurf-, Tontaubenschießen; **~ pipe** *s.* Tonpfeife *f*; **~ pit** *s.* Lehmgrube *f*.

clean [kliːn] **I.** *adj.* □ **1.** rein, sauber; **2.** sauber, frisch, neu (*Wäsche*); unbeschrieben (*Papier*); **3.** reinlich; stubenrein; **4.** einwandfrei, makellos (*a. fig.*); astfrei (*Holz*); fast fehlerlos (*Korrekturbogen*); → *copy 1*; **5.** lauter, sauber; anständig, ehrbar; gesittet; schuldlos: ~ *record* tadelloser Ruf; **6.** ebenmäßig, von schöner Form; glatt (*Schnitt, Bruch*); **7.** sauber, geschickt (ausgeführt), tadellos; **II.** *adv.* **8.** rein, sauber: *to sweep* ~ rein ausfegen; *to come* ~ *Am. sl.* alles eingestehen; **9.** rein, glatt, völlig, to'tal: *I ~ forgot* ich vergaß ganz; *~ gone* **a)** spurlos verschwunden, **b)** *sl.* total übergeschnappt; **III.** *v/t.* **10.** reinmachen, reinigen, säubern; *Kleider* ('chemisch) reinigen; **11.** *Fenster, Schuhe, Zähne* putzen; **IV.** *v/i.* **12.** sich reinigen lassen; **~ down** *v/t.* gründlich reinigen; **~ out** *v/t.* **1.** reinigen; **2.** auslesen, -räumen; räumen; **3.** *sl.* *j-n* ‚schröpfen', ausrauben; **~ up** *v/t.* **1.** gründlich reinigen; **2.** aufräumen; in Ordnung bringen, erledigen (*a. fig.*); **3.** *sl.* (*v/i.* schwer) einheimsen.

clean| bill of lad·ing *s.* ✝ reines Konnosse'ment; **'~-bred** *adj.* reinrassig; **'~-'cut** *adj.* **1.** klar um'rissen; klar, deutlich; **2.** regelmäßig; wohlgeformt.

clean·er ['kli:nə] *s.* **1.** Reiniger *m* (*Person, Gerät od. Mittel*); Raumpflegerin *f*; ...putzer *m*; **2.** *pl.* ('chemische) Reinigung.

'clean|-'fin·gered *adj.* ehrlich; **'~-'hand·ed** *adj.* schuldlos; rechtschaffen; **'~-'limbed** *adj.* wohlproportioniert.

clean·li·ness ['klenlinis] *s.* Reinlichkeit *f*; **clean·ly** ['klenli] *adj.* □ reinlich.

clean·ness ['kli:nnis] *s.* Sauberkeit *f*, Reinheit *f*.

cleanse [klenz] *v/t.* **1.** (*a. fig.*) reinigen, säubern, reinwaschen (*from* von); **2.** läutern; **'cleans·er** [-zə] *s.* Reinigungsmittel *n*.

'clean|-'shav·en *adj.* glattrasiert; **'~-'up** *s.* **1.** Reinigung *f*; Aufräumen *n*; **2.** F 'Säuberungsakti,on *f*; Ausrottung *f*; **3.** *Am. sl.* Pro'fit *m*, Gewinn *m*.

clear [kliə] **I.** *adj.* □ → *clearly*; **1.** klar, hell, 'durchsichtig, rein (*a. fig.*): *a ~ day* ein klarer Tag; *a ~ light* ein helles Licht; *a ~ sky* ein heiterer Himmel; *as ~ as day(light)* sonnenklar; *~ as mud* F völlig unklar; *a ~ conscience* ein reines Gewissen; **2.** klar, deutlich; 'übersichtlich; scharf (*Photo, Sprache, Verstand*): *a ~ head* ein klarer Kopf; *~ judgment* gesundes Urteil; *to be ~ in one's mind* sich klar darüber sein; *to make o.s. ~* sich verständlich machen; **3.** klar, offensichtlich; sicher, zweifellos: *I am quite ~ (that)* ich bin ganz sicher (daß); **4.** klar, rein; unvermischt; ✝ netto: *~ profit* Reingewinn; *~ loss* reiner Verlust; *~ skin* reine Haut; *~ soup* klare Suppe; *~ water* (nur) reines Wasser; **5.** klar, hell (*Ton*): *as ~ as a bell* glockenrein; **6.** frei (*of* von), offen; unbehindert; ohne: *to keep the roads ~* die Straßen offenhalten; *~ of debt* schuldenfrei; *to see one's way ~* freie Bahn haben; *to keep ~ of* **a)** (ver)meiden, **b)** sich fernhalten von; *keep ~ of the gates!* Eingang (*Tor*) freihalten!; *to be ~ of s.th.* et. los sein; *to get ~ of* loskommen von; **7.** ganz, voll: *a ~ month* ein voller Monat; **8.** ⊕ licht (*Höhe, Weite*); **II.** *adv.* **9.** hell; klar, deutlich; **10.** frei, los, fort; **11.** völlig, glatt: *~ over the fence* glatt über den Zaun; **III.** *s.* **12. a)** ⊕ lichte Weite, **b)** ⚡ *in (the) ~* im Klartext (*Funkspruch*); **IV.** *v/t.* **13.** *a. ~ up* (auf)klären, erläutern; **14.** säubern, reinigen (*a. fig.*), befreien; losmachen (*of* von): *to ~ the street of snow* die Straße von Schnee reinigen; **15.** *Saal etc.* räumen, leeren; *Waren(lager)* räumen (→22); *Tisch* abräumen, abdecken; *Straße* freimachen; *Land, Wald* roden: *to ~ the way* Platz machen, den Weg bahnen; *to ~ out of the way fig.* beseitigen; **16.** reinigen, säubern: *to ~ the air a. fig.* die Atmosphäre reinigen; *to ~ one's throat* sich räuspern; **17.** frei-, lossprechen; entlasten (*of, from* von): *to ~ one's conscience* sein Gewissen entlasten; *to ~ one's name* s-n Namen reinwaschen; **18.** (knapp *od.* heil) vor'beikommen an (*dat.*): *my car just ~ed the bus*; **19.** *Hindernis* nehmen, glatt springen über (*acc.*): *to ~ the hedge*; *to ~ 6 feet* 6 Fuß hoch springen; **20.** Gewinn erzielen, einheimsen: *to ~ expenses* die Unkosten einbringen; **21.** ⚓ **a)** *Schiff* klarmachen (*for action* zum Gefecht), **b)** *Schiff* ausklarieren, **c)** *Ladung* löschen, **d)** *Hafen* verlassen; **22.** ✝ bereinigen, bezahlen; *Scheck* einlösen; *Ware* verzollen (→15); abfertigen; **V.** *v/i.* **23.** sich aufklären (*Wetter*); **24.** sich klären (*Wein etc.*); **25.** ⚓ **a)** klar kommen, **b)** 'Zollformali,täten erledigen;

Zssgn mit adv.:

clear| a·way I. *v/t.* **1.** wegräumen; beseitigen; **II.** *v/i.* **2.** verschwinden; **3.** (den Tisch) abdecken; **~ off I.** *v/t.* **1.** beseitigen, loswerden; **2.** erledigen; **II.** *v/i.* **3.** → *clear out 3*; **~ out I.** *v/t.* **1.** ausräumen, reinigen; **2.** ✝ ausverkaufen; **II.** *v/i.* **3.** verschwinden; ‚sich verziehen', ‚abhauen'; **~ up I.** *v/t.* **1.** ab-, forträumen; **2.** bereinigen, erledigen; **3.** aufklären, lösen; **II.** *v/i.* **4.** sich aufklären (*Wetter*).

clear·ance ['kliərəns] *s.* **1.** Räumung *f* (*a.* ✝), Beseitigung *f*; Leerung *f*; Freilegung *f*; **2.** Rodung *f*; **3.** Lichtung *f*; **4.** ⊕ lichter Raum, Zwischenraum *m*; Spiel(raum *m*) *n*; **5.** Freigabe *f*, Zulassung *f*; ✈ (Start-) Erlaubnis *f*; **6.** ✝ Einlösung *f*, Verrechnung *f* (*Scheck*); Zollschein *m*; **7.** ⚓ (Aus)Klarierung *f*, Zollabfertigung *f*; **~sale** *s. Brit.* (Räumungs-) Ausverkauf *m*.

'clear|-'cut *adj.* scharf um'rissen; klar, eindeutig; **'~-'head·ed** *adj.* klardenkend, klug.

clear·ing ['kliəriŋ] *s.* **1.** Lichtung *f*, Rodung *f*; **2.** ✝ Clearing *n*, Verrechnungsverkehr *m* (*Bank*); **~ bank** *s.* 'Girobank *f*; **♀ Hos·pi·tal** *s.* ⚔ *Brit.* 'Feldlaza,rett *n* (*als Durchgangsstelle*); **'♀-House** *s.* ✝ Clearinghaus *n*; Ab-, Verrechnungsstelle *f*; **♀ Of·fice** *s.* Ausgleichsamt *n*.

clear·ly ['kliəli] *adv.* **1.** klar, deutlich; **2.** *~, that is wrong* offensichtlich ist das falsch; **3.** zweifellos, ‚klar'; **clear·ness** ['kliənis] *s.* **1.** Klarheit *f*, Deutlichkeit *f*; **2.** *fig.* Reinheit *f*; Schärfe *f*.

'clear|-'sight·ed *adj.* **1.** scharfsichtig; **2.** *fig.* klardenkend, scharfsinnig; **'~-starch** *v/t. Wäsche* stärken.

cleat [kli:t] *s.* **1.** ⚓ Klampe *f*; **2.** Keil *m*, Pflock *m*; **3.** ⚡ Isolierschelle *f*; **4.** ⊕ Querleiste *f*.

cleav·age ['kli:vidʒ] *s.* **1.** Spaltung *f* (*a. fig.*); Spaltbarkeit *f*; **2.** Zwiespalt *m*.

cleave[1] [kli:v] *v/i.* **1.** kleben (*to* an *dat.*); **2.** *fig.* (*to*) festhalten (an *dat.*), **halten (zu *j-m*), treu bleiben (*dat.*)**, anhängen (*dat.*).

cleave[2] [kli:v] **I.** *v/t.* [*irr.*] **1.** (zer-) spalten; **2.** hauen, reißen; *Weg* bahnen; **3.** *Wasser, Luft etc.* durch'schneiden, (zer)teilen; **II.** *v/i.* [*irr.*] **4.** sich spalten, bersten; **'cleav·er** [-və] *s.* Hackmesser *n*, -beil *n*.

cleav·ers ['kli:vəz] *s. sg. u. pl.* ♀ Labkraut *n*.

cleek [kli:k] *s.* langer Golfschläger.

clef [klef] *s.* ♪ (Noten)Schlüssel *m*.

cleft[1] [kleft] *pret. u. p.p. von cleave*[2].

cleft[2] [kleft] **I.** *s.* Spalte *f*, Kluft *f*, Riß *m*; **II.** *adj.* gespalten, geteilt; **~ pal·ate** *s.* Gaumenspalte *f*, Wolfsrachen *m*; **~ stick** *s.* ‚Klemme' *f*, schwierige Lage.

clem [klem] *v/i. u. v/t. Brit.* verhungern *od.* verdursten (lassen).

clem·a·tis ['klemətis] *s.* ♀ Waldrebe *f*, Kle'matis *f*.

clem·en·cy ['klemənsi] **I.** *s.* Milde *f* (*a. Wetter*), Nachsicht *f*; **II.** *adj.* Gnaden... (*-behörde etc.*); **'clem·ent** [-nt] *adj.* □ mild (*a. Wetter*), nachsichtig, gnädig.

clench [klentʃ] **I.** *v/t.* **1.** *bsd. Lippen* zs.-pressen; *Zähne* zs.-beißen; *Faust* ballen: *to ~ one's fist*; **2.** fest anpakken; (an)spannen (*a. fig.*); **3.** → *clinch 1, 2, 3*; **II.** *v/i.* **4.** sich fest zs.-pressen; sich ballen; **'clench·er** [-tʃə] → *clincher*.

clere·sto·ry ['kliəstəri] *s.* **1.** ⚠ Lichtgaden *m* (*Kirche*); **2.** 🚃 Dachaufsatz *m* mit Fenstern.

cler·gy ['klə:dʒi] *s. eccl.* Geistlichkeit *f*, Klerus *m*, *die* Geistlichen *pl.*: *20 ~* 20 Geistliche; **'~·man** [-mən] *s.* [*irr.*] Geistliche(r) *m*.

cler·ic ['klerik] *s.* 'Kleriker *m*; **'cler·i·cal** [-kəl] **I.** *adj.* □ **1.** geistlich: *~ collar* Kragen des Geistlichen; **2.** *pol.* kleri'kal; **3.** Schreib..., Büro...: *~ error* Schreibfehler; *~ work* Büroarbeit; **II.** *s.* **4.** *pol.* Kleri'kale(r) *m*; **'cler·i·cal·ism** [-kəlizəm] *s. pol.* Klerika'lismus *m*, kleri'kale Poli'tik.

clerk [klɑ:k] **I.** *s.* **1.** Sekre'tär *m*; Kanz'list *m*, (Bü'ro)Schreiber *m*: *~ of the court* Protokollführer, *weitS.* Urkundsbeamter; **2.** Konto'rist(in), Bü'roangestellte(r *m*) *f*; (Bank)Beamte(r) *m*, (-)Beamtin *f*: *book-keeping ~* Buchhalter; **3.** *Brit.* Vorsteher *m*, Leiter *m*: *~ of the works* Leiter der öffentlichen Bauten; *~ of the weather fig.* Wettergott, Petrus; **4.** *Am.* Verkäufer(in) *im Laden*; **5.** *~ in holy orders eccl.* Geistliche(r); **II.** *v/i.* **6.** als Schreiber *etc. od. Am.* als Verkäufer(in) tätig sein; **'clerk·ly** [-li] *adj.* e-n Schreiber betreffend: *~ hand* schöne Handschrift; **'clerk·ship** [-ʃip] *s.* Stellung *f* e-s Büroangestellten *etc. od. Am.* Verkäufers.

clev·er ['klevə] *adj.* □ **1.** geschickt, raffiniert (*Person u. Sache*); gewandt; **2.** klug, gescheit; begabt (*at* in); **3.** geistreich (*Worte, Buch*);

'clev·er·ness [-nis] *s.* Geschicklichkeit *f*; Klugheit *f*.
clew [kluː] **I.** *s.* **1.** Knäuel *m, n (Garn)*; **2.** → *clue 1, 2*; **3.** ⚓ Schothorn *n*; **II.** *v/t.* **4.** ~ *up Segel* aufgeien; ~ **gar·net** *s.* ⚓ Geitau *n*.
cli·ché ['kliːʃei] *s.* Kli'schee *n*: **a)** *typ.* Druckstock *m*, **b)** *fig.* Gemeinplatz *m*, abgedroschene Phrase.
click [klik] **I.** *s.* **1.** Klicken *n*, Knipsen *n*, Knacken *n*, Ticken *n*; Einschnappen *n*; **2.** ⊕ Schnapp-, Sperrvorrichtung *f*; Sperrhaken *m*, Klinke *f*; **3.** Schnalzen *n*; **II.** *v/i.* **4.** klicken, knacken, ticken; **5.** schnalzen; **6.** (zu-, ein)schnappen; **7.** *sl.* **a)** tadellos klappen, **b)** sofort Gefallen anein'anderfinden, *engS.* sich inein'ander ‚verknallen' *(verlieben)*; **III.** *v/t.* **8.** klicken *od.* ticken *od.* knacken *od.* einschnappen lassen: *to ~ the door (to)* die Tür zuklinken; *to ~ one's heels (together)* die Hacken zs.-schlagen; **9.** schnalzen mit: *to ~ one's tongue*.
cli·ent ['klaiənt] *s.* **1.** ⚖ Kli'ent(in); **2.** ✝ Kunde *m*, Kundin *f*; **3.** Pati'ent(in) *(Arzt)*; **cli·en·tele** [kliːāːn'teil] *s.* **1.** Klien'tel *f*, Kli'enten *pl.*; **2.** Pa'tienten(kreis *m*) *pl.*; **3.** Kunden(-kreis *m*) *pl.*, Kundschaft *f*.
cli·ent state *s. pol.* abhängiger Staat.
cliff [klif] *s.* Klippe *f*, Felsen *m*: *to go over the ~* F *fig.* ‚eingehen', pleite gehen; **~ dwell·ing** *s.* Felsenwohnung *f*.
cli·mac·ter·ic [klai'mæktərik] **I.** *adj.* **1.** entscheidend, 'kritisch; **2.** ⚕ klimak'terisch; **II.** *s.* **3.** kritische Zeit, kritisches Alter; **4.** ⚕ Klimak'terium *n*, Wechseljahre *pl.*
cli·mate ['klaimit] *s.* **1.** 'Klima *n*; **2.** Himmelsstrich *m*; **3.** *fig.* Atmo'sphäre *f*, Stimmung *f*, 'Umstände *pl.*, Klima *n*; **cli·mat·ic** [klai'mætik] *adj.* (□ *~ally*) kli'matisch; **cli·ma·to·log·ic** *adj.*; **cli·ma·to·log·i·cal** [klaimətə'lɔdʒik(əl)] *adj.* □ klimato'logisch; **cli·ma·tol·o·gy** [klaimə'tɔlədʒi] *s.* Klimatolo'gie *f*, 'Klimakunde *f*.
cli·max ['klaimæks] **I.** *s.* **1.** Steigerung *f*; **2.** Gipfel *m*, Höhepunkt *m*; 'Krisis *f*; **3.** (sexu'eller) Höhepunkt, Or'gasmus *m*; **II.** *v/t.* **4.** auf e-n Höhepunkt bringen; **III.** *v/i.* **5.** e-n Höhepunkt erreichen.
climb [klaim] **I.** *s.* **1.** Aufstieg *m*, Besteigung *f*; 'Kletterpar,tie *f*; **II.** *v/i.* **2.** klettern; **3.** steigen *(Straße, Flugzeug)*; **4.** (auf-, em'por)steigen *(a. fig.)*; **5.** ♀ sich hin'aufranken; **III.** *v/t.* **6.** be-, ersteigen; steigen *od.* kletternauf *(acc.)*, erklettern; **~ down** *v/i.* **1.** hin'untersteigen, -klettern; **2.** nachgeben, klein beigeben; **~ up** *v/t. u. v/i.* hin'aufsteigen, -klettern.
climb·a·ble ['klaiməbl] *adj.* ersteigbar; **'climb-down** *s.* F Nach-, Aufgeben *n*, Rückzieher *m*; **'climb·er** [-mə] *s.* **1.** Kletterer *m*; Bergsteiger(in); **2.** ♀ Schlingpflanze *f*; **3.** *orn.* Klettervogel *m*; **4.** F (gesellschaftlicher) Streber.
climb·ing ['klaimiŋ] *s.* **1.** Klettern *n*; **2.** ✈ Steilflug *m*; **'~-i·rons** *s. pl. mount.* Steigeisen *pl.*
clime [klaim] *s. poet.* Gegend *f*, Landstrich *m*.
clinch [klintʃ] **I.** *v/t.* **1.** entscheiden, zum Abschluß bringen; *Handel* festmachen: *this ~ed it* damit war die Sache entschieden; *to ~ an argument* zwingende Beweisgründe anführen; **2.** ⊕ **a)** sicher befestigen, **b)** vernieten; **3.** *Boxen*: um'klammern; **II.** *s.* **4.** fester Griff *od.* Halt; **5.** *Boxen*: Um'klammerung *f*, Clinch *m*; **6.** ⊕ Vernietung *f*; Niet *m*; **'clinch·er** [-tʃə] *s.* F entscheidendes Argu'ment, Trumpf *m*.
cling [kliŋ] *v/i.* [*irr.*] **1.** *(to)* kleben, haften (an *dat.*); anhaften *(dat.)*: *to ~ together* zs.-halten *(a. fig.)*; **2.** *(to)* hängen (an *dat.*) *(a. fig.)*; festhalten *(acc. od.* an *dat.)*, nicht aufgeben *(acc.)*; **3.** *(to)* sich nahe halten an *(dat.)*; sich klammern *od.* anschmiegen an *(acc.)*; sich anschließen an *(acc.)*; **'cling·ing** [-ŋiŋ] *adj.* **1.** enganliegend *(Kleid)*; **2.** (zu) anhänglich.
cling| peach, '~·stone *s.* Pfirsich *m* mit anhaftendem Kern.
clin·ic ['klinik] **I.** *s.* **1.** 'Klinik *f*, (Universi'täts)Krankenhaus *n*: *closed ~* geschlossene Anstalt; **2.** 'klinisches 'Praktikum; **'clin·i·cal** [-kəl] *adj.* □ klinisch: *~ instruction* Unterricht am Krankenbett; *~ thermometer* Fieberthermometer.
clin·i·car ['klinikɑː] *s.* Notarztwagen *m*.
clink[1] [kliŋk] **I.** *v/i.* klingen, klimpern, klirren; **II.** *v/t.* klingen *od.* klirren lassen: *to ~ glasses* (mit den Gläsern) anstoßen.
clink[2] [kliŋk] *s. sl.* ‚Kittchen' *n*, ‚Loch' *n (Gefängnis)*: *in ~*.
clink·er[1] ['kliŋkə] *s.* **1.** Klinker *m*, Hartziegel *m*; **2.** Schlacke *f*.
clink·er[2] ['kliŋkə] *s. Brit. sl.* Prachtkerl *m*, -stück *n*; Treffer *m*.
clink·er-built *adj.* ⚓ klinkergebaut *(Ggs. kraweelgebaut)*.
clink·ing ['kliŋkiŋ] *adj. u. adv. Brit. sl.* ‚prima', ‚Klasse': *~ good* großartig.
cli·nom·e·ter [klai'nɔmitə] *s.* Neigungs-, Winkelmesser *m*.
clip[1] [klip] **I.** *v/t.* **1.** *(mit der Schere etc.)* abschneiden; beschneiden *(a. fig.)*; *Schwanz, Flügel, Hecke* stutzen: *to ~ s.o.'s wings fig.* j-m die Flügel beschneiden; **2.** *Haare (mit der Maschine)* schneiden; *Tiere* scheren; **3.** *aus der Zeitung* ausschneiden; *Fahrschein* lochen; **4.** *Silben od. Buchstaben* verschlucken; **II.** *s.* **5.** Schnitt *m*, Schur *f*; **6.** Wollertrag *m e-r Schur*; **7.** F Klaps *m*, Hieb *m*; **8.** *Am.* (hohes) Tempo *n*.
clip[2] [klip] **I.** *s.* **1.** (Bü'ro-, Heft-) Klammer *f*, Klemme *f*, Spange *f*, Halter *m*; **2.** ⚔ *(Patronen)*Rahmen *m*, Ladestreifen *m*; **II.** *v/t.* **3.** festhalten; befestigen, (an)klammern.
clip·per ['klipə] *s.* **1.** Klipper *m*: **a)** ⚓ Schnellsegler *m*, **b)** ✈ Verkehrsflugzeug *n*; **2.** Renner *m (schnelles Pferd)*; **3.** *sl.* 'Prachtexem,plar *n*; **4.** *pl.* 'Haarschneide-, 'Scherma,schine *f*.
clip·pie ['klipi] *s.* F *Brit.* 'Omnibus-, Straßenbahnschaffnerin *f*.
clip·ping ['klipiŋ] **I.** *s.* **1.** (Zeitungs-) Ausschnitt *m*; **2.** *mst pl.* Schnitzel *pl.*, Abfälle *pl.*; **II.** *adj.* **3.** schnell; **4.** *sl.* ‚toll'.
clique [kliːk] *s.* 'Clique *f*, Bande *f*, Klüngel *m*; **'cli·quish** [-kiʃ] *adj.* cliquenhaft.
cli·to·ris ['klitəris] *s. anat.* 'Klitoris *f*, Kitzler *m*.
clo·a·ca [klou'eikə] *pl.* -s, **-cae** [-kiː] *s.* **1.** Klo'ake *f (a. zo.; a. fig. Sündenpfuhl)*; **2.** A'bort *m*.
cloak [klouk] **I.** *s.* **1.** (loser) Mantel, 'Umhang *m*; **2.** *fig.* Deckmantel *m*: *under the ~ of night* im Schutz der Nacht; **II.** *v/t.* **3.** (wie) mit e-m Mantel bedecken; **4.** *fig.* bemänteln, verhüllen; **'~-and-'dag·ger** *adj.* **1.** Verschwörung u. In'trige betreffend, ‚Mantel- und-Degen...'; **2.** Spionage...; **'~-room** *s.* **1.** Garde'robe *f*; **2.** 🚂 Handgepäckaufbewahrung *f*; **3.** *Brit.* F Toi'lette *f*.
clob·ber ['klɔbə] *v/t. sl.* **1.** verprügeln, *fig.* ‚fertigmachen'; **2.** *sport* ‚abfertigen', ‚vernaschen'.
cloche [klouʃ] *s.* **1.** Glasglocke *f (für Pflanzen)*; **2.** Glocke *f (Damenhut)*.
clock[1] [klɔk] **I.** *s.* **1.** *(Wand-, Turm-, Stand)*Uhr *f*: *five o'clock* fünf Uhr; *round the ~* den ganzen Tag *(durchschlafen etc.)*; *to put the ~ back fig.* die Uhr zurückdrehen; **2.** F **a)** Kon'troll-, Stoppuhr *f*, **b)** Fahrpreisanzeiger *m (Taxi)*; **3.** F ♀ Pusteblume *f*; **II.** *v/t.* **4.** *bsd. sport (mit der Uhr)* abstoppen; **5.** Zeit *od.* Menge mit e-r ‚Uhr' anzeigen; **6.** *sport Zeit* erreichen; **III.** *v/i.* **7.** *~ in (out)* einstempeln (ausstempeln).
clock[2] [klɔk] *s.* Verzierung *f (an der Seite e-s Strumpfes)*.
'clock|-face *s.* Zifferblatt *n*; **~ ra·di·o** *s.* 'Radiowecker *m*; **'~·wise** *adj. u. adv.* im Uhrzeigersinn; rechtsläufig, Rechts...: *~ rotation*; **'~-work** *s.* Uhrwerk *n*: *like ~* wie am Schnürchen, (pünktlich) wie die Uhr; *~ toy* mechanisches Spielzeug; *~ fuse* ⚔ Uhrwerkzünder.
clod [klɔd] *s.* **1.** Erdklumpen *m*, Scholle *f*; **2.** *fig.* Tölpel *m*, Dummkopf *m*; **'~·hop·per** *s.* Bauerntölpel *m*; **'~-hop·ping** *adj.* grob, ungeschlacht.
clog [klɔg] **I.** *s.* **1.** Holzklotz *m*; **2.** Pan'tine *f*, Holzschuh *m*; **3.** *fig.* Hemmnis *n*, Hindernis *n*; **II.** *v/t.* **4.** (be)hindern, hemmen; **5.** verstopfen, versperren; verschmutzen; **6.** *fig.* belasten, 'vollpfropfen; **III.** *v/i.* **7.** sich verstopfen; stocken; **8.** klumpig werden, sich zs.-ballen; **'~-dance** *s.* Holzschuhtanz *m*.
cloi·son·né (en·am·el) [klwɑːzɔ'nei] *s.* Cloison'né *n*, Zellenschmelz *m*.
clois·ter ['klɔistə] **I.** *s.* **1.** Kloster *n*; **2.** 🏛 **a)** Kreuzgang *m*, **b)** *oft pl.* gedeckter (Säulen)Gang *um e-n Hof*; **II.** *v/t.* **3.** in ein Kloster stecken; **4.** *fig. (a. o.s.* sich) von der Welt abschließen; **'clois·tered** [-əd] *adj.* zu'rückgezogen, abgeschieden; **'clois·tral** [-trəl] *adj.* klösterlich.
close[1] [klous] **I.** *adj.* □ → *closely*; **1.** geschlossen *(a. ling.)*: *~ formation (od. order)* ⚔ (Marsch)Ordnung; **2.** zu'rückgezogen, abgeschlossen; **3.** verschlossen, verschwiegen, zu'rückhaltend; **4.** verborgen, geheim; **5.** geizig; sparsam; **6.** knapp *(Geld; Sieg)*: *~ election* knapper Wahlsieg; *~ price* ✝ scharf kalkulierter Preis;

7. eng, beschränkt (*Raum*); 8. nahe, dicht; *fig.* eng, vertraut: ~ *combat* ⚔ Nahkampf; ~ *proximity* nächste Nähe; ~ *fight* zähes Ringen, Handgemenge; ~ *finish* scharfer Endkampf; ~ *shave* (*od. Am. call*) F knappes Entrinnen; ~ *friend* vertrauter Freund; **9.** dicht, eng; fest; enganliegend (*Kleid*): ~ *texture* dichtes Gewebe; ~ *writing* gedrängte Schrift; **10.** genau, gründlich, streng, eingehend (*Prüfung etc.*); scharf (*Aufmerksamkeit, Bewachung*); stark (*Wettbewerb, Ähnlichkeit*); getreu (*Übersetzung, Abschrift*); **11.** schwül, dumpf; **II.** *adv.* **12.** nahe, eng, dicht, gedrängt: ~ *by* nahe (da)bei; ~ *at hand* nahe bevorstehend; ~ *to the ground* dicht am Boden; ~ *on 40* beinahe 40; *to cut* ~ sehr kurz schneiden; *to keep* ~ in der Nähe bleiben; *to keep o.s.* ~ sich zurückhalten; *to press s.o.* ~ j-n (be-)drängen; *to run s.o.* ~ j-m fast gleichkommen; **III.** *s.* **13.** Einfriedigung *f*, Hof *m* (*um Kirche od. Schule*); **14.** kurze um'baute Sackgasse; **15.** *Scot.* 'Haus,durchgang *m zum Hof.*

close² [klouz] **I.** *s.* **1.** (Ab)Schluß *m*, Ende *n*: *to bring to a* ~ beendigen; **2.** Handgemenge *n*, Kampf *m*; **II.** *v/t.* **3.** schließen, zumachen; *Straße* sperren; *Loch* verstopfen: *to* ~ *the door on fig.* **a**) *j-n* abweisen, **b**) *et.* unmöglich machen; *to* ~ *one's eyes to s.th.* et. absichtlich übersehen; *to* ~ *a shop* **a**) e-n Laden schließen, **b**) ein Geschäft aufgeben; *to* ~ *about s.o.* j-n umschließen *od.* umgeben; **4.** beenden, ab-, beschließen; zum Abschluß bringen, erledigen; → *account 5*; **III.** *v/i.* **5.** schließen, geschlossen werden; sich schließen; **6.** enden, aufhören; **7.** sich nähern, her'anrücken; **8.** ~ *with* **a**) (handels)einig werden mit *j-m*, sich mit *j-m* einigen (*on* über *acc.*), **b**) handgemein mit *j-m* werden; ~ **down I.** *v/t.* schließen; *Geschäft* aufgeben; *Betrieb* stillegen; **II** *v/i.* schließen; stillgelegt werden; ~ **in** *v/i.* (*upon*) her'einbrechen (über *acc.*), sich her'anarbeiten (an *acc.*), einschließen (*acc.*); ~ **up I.** *v/t.* (ver)schließen, verstopfen, ausfüllen; **II.** *v/i.* näher rücken, aufschließen; sich schließen *od.* füllen.

'**close**|-'**bod·ied** ['klous-] *adj.* enganliegend (*Kleider*); '~-'**cropped** *adj.* kurzgeschoren.

closed| **cir·cuit** [klouzd] *s.* ⚡ geschlossener Stromkreis: ~ *current* Ruhestrom; '~-**cir·cuit tel·e·vi·sion** *s.* Kabelfernsehen *n*; ~ **shop** *s.* ✝ Unter'nehmen *n* mit Gewerkschaftszwang.

'**close**|-'**fist·ed** ['klous] *adj.* geizig, knauserig; '~-'**fit·ting** *adj.* enganliegend; '~-'**grained** *adj.* feinkörnig, dichtfaserig (*Holz etc.*); '~-'**hauled** *adj.* ⚓ hart am Winde; '~-'**knit** *adj. fig.* festgefügt.

close·ly ['klousli] *adv.* **1.** dicht, eng, fest; **2.** aus der Nähe; genau; **3.** scharf, streng; **4.** kurz (*geschoren*); '**close·ness** [-snis] *s.* **1.** Nähe *f*; **2.** Enge *f*, Knappheit *f*; **3.** Dichte *f*, Festigkeit *f*; **4.** Genauigkeit *f*, Schärfe *f*, Strenge *f*; **5.** Verschlossenheit *f*; **6.** Schwüle *f*; **7.** Geiz *m.*

clos·et ['klɔzit] *s.* **1.** kleine Kammer; Gelaß *n*, Kabi'nett *n*; Geheimzimmer *n*; **2.** (eingebauter) Vorratsschrank, Wandschrank *m*; **3.** *abbr. für water-closet*; '**clos·et·ed** [-tid] *adj.*: *to be* ~ *with s.o.* e-e vertrauliche Besprechung mit j-m haben.

close| **sea·son**, ~ **time** *s. hunt.* Schonzeit *f*; '~-'**tongued** *adj.* verschwiegen; '~-**up** *s. Film*: Nah-, Großaufnahme *f.*

clos·ing ['klouziŋ] *s.* Schluß *m*; Schließung *f*; → *early closing*; '~-**date** *s.* 'Schlußter,min *m*; '~-**time** *s.* Geschäftsschluß *m*, Feierabend *m*; Poli'zeistunde *f.*

clo·sure ['klouʒə] **I.** *s.* **1.** Verschluß *m* (*a. Vorrichtung*); **2.** Schließung *f e-s Betriebs*, Stillegung *f e-r Zeche*; **3.** *parl.* Schluß *m* der De'batte: *to apply* (*od. move*) *the* ~ Antrag auf Schluß der Debatte stellen; **II.** *v/t.* **4.** *Debatte etc.* schließen.

clot [klɔt] **I.** *s.* Klumpen *m*, Klümpchen *n*: ~ *of blood* Blutgerinnsel; **II.** *v/i.* gerinnen, Klumpen bilden: ~*ted hair* verklebtes Haar.

cloth [klɔθ] *pl.* **cloths** [-θs] **I.** *s.* **1.** Tuch *n*, Stoff *m*; *engS.* Wollstoff *m*: ~ *cap* Tuchmütze; ~ *of gold* Goldbrokat; → *coat 1*; **2.** Tuch *n*, Lappen *m*: *to lay the* ~ den Tisch dekken; **3.** geistliche Amtstracht: *the* ~ die Geistlichkeit; **4.** ⚓ **a**) Segeltuch *n*, **b**) Segel *pl.*; **5.** (Buchbinder-) Leinwand *f*: ~-*binding* Leinenband; ~-*bound* in Leinen gebunden.

clothe [klouð] *v/t.* **1.** (an-, be)kleiden; **2.** einkleiden, mit Kleidung versehen; **3.** *fig. in Worte* kleiden *od.* fassen; **4.** *fig.* einhüllen; um'hüllen.

clothes [klouðz] *s. pl.* **1.** Kleider *pl.*, Kleidung *f*; **2.** (*bsd.* Leib)Wäsche *f*; '~-**bas·ket** *s.* Wäschekorb *m*; '~-**brush** *s.* Kleiderbürste *f*; '~-**hanger** *s.* Kleiderbügel *m*; '~-**horse** *s.* Wäschetrockner *m* (*Gestell*); '~-**line** *s.* Wäscheleine *f*; '~-**peg**, '~-**pin** *s.* Wäscheklammer *f*; '~-**post** *s.* Wäschepfahl *m*; '~-**press** *s.* Wäsche-, Kleiderschrank *m.*

'**cloth-hall** *s. hist.* Tuchbörse *f.*

cloth·ier ['klouðiə] *s.* Tuch-, Kleiderhändler *m*; '**cloth·ing** [-ðiŋ] *s.* Kleidung *f*: *article of* ~ Kleidungsstück; ~ *industry* Bekleidungsindustrie.

clo·ture ['kloutʃə] *Am.* → *closure 3.*

cloud [klaud] **I.** *s.* **1.** Wolke *f* (*a. fig.*); Wolken *pl.*: ~ *of dust* Staubwolke; *to live in the* ~*s fig.* **a**) in höheren Regionen schweben, **b**) geistesabwesend sein; → *silver lining*; **2.** *fig.* Schwarm *m*, Haufen *m*: *a* ~ *of flies*; **3.** dunkler Fleck, Fehlstelle *f*; **4.** *fig.* Schatten *m*: *to cast a* ~ *on s.th.* e-n Schatten auf et. werfen; *under the* ~ *of night* im Schatten der Nacht; *under a* ~ **a**) unter Verdacht, **b**) in Ungnade, **c**) in Verruf; **II.** *v/t.* **5.** be-, um'wölken; **6.** *fig.* verdunkeln, trüben; 'un,durchsichtig *od.* 'un,übersichtlich machen; **7.** ädern, flecken; **8.** ⊕ *Stoff* moirieren; **III.** *v/i.* **9.** *a.* ~ *over* sich be- *od.* um'wölken, sich trüben (*a. fig.*); '~-**burst** *s.* Wolkenbruch *m*; '~-**capped** *adj.* mit e-r Wolkenhaube; '~-**cuck·oo-land** *s.* Wolken'kuckucksheim *n.*

cloud·ed ['klaudid] *adj.* **1.** be-, um'wölkt; *fig.* nebelhaft; **2.** trübe, wolkig (*a. Flüssigkeit etc.*); beschlagen (*Glas*); **3.** gefleckt, geädert; '**cloud·ing** [-diŋ] *s.* **1.** Wolken-, Moirémuster *n*; **2.** Trübung *f*; '**cloud·less** [-lis] *adj.* ☐ **1.** wolkenlos; **2.** klar, ungetrübt; '**cloud·y** [-di] *adj.* ☐ **1.** wolkig, bewölkt; **2.** geädert; moiriert (*Stoff*); **3.** trübe (*Flüssigkeit*); unklar, verschwommen; **4.** düster, betrübt.

clough [klʌf] *s. dial.* Bergschlucht *f.*

clout [klaut] **I.** *s.* **1.** Lappen *m*, Wisch *m*; **2.** F Schlag *m* (*a. Baseball u. Kricket*): ~ *on the head* Kopfnuß; **II.** *v/t.* **3.** F hauen; *j-m* e-e Kopfnuß geben; '~-**nail** *s.* Nagel *m* (*mit flachem Kopf*).

clove¹ [klouv] *s.* ⚘ Gewürznelke *f*: *oil of* ~*s* Nelkenöl.

clove² [klouv] *s.* ⚘ Brut-, Nebenzwiebel *f* (*Knoblauch etc.*).

clove³ [klouv] *pret. von cleave².*

clove hitch *s. ein* Schifferknoten *m.*

clo·ven [klouvn] **I.** *p.p. von cleave²*; **II.** *adj.* gespalten; ~ **foot** → *cloven hoof 1*; ~ **hoof** *s.* **1.** Huf *m* der Paarhufer; **2.** *fig.* ‚Pferdefuß' *m*: *to show the* ~ *fig.* sein wahres Gesicht zeigen; '~-'**hoofed** *adj. zo.* paarzehig, -hufig.

clove pink *s.* ⚘ Gartennelke *f.*

clo·ver ['klouvə] *s.* ⚘ Klee *m*: *to be* (*od. to live*) *in* ~ im Wohlstand leben; '~-**leaf** *s.* Kleeblatt *n*: ~ *intersection* ⊕ Kleeblatt (*Autobahnkreuzung*); ~ **seed** *s.* Kleesaat *f.*

clown [klaun] **I.** *s.* **1.** Clown *m*, Hans'wurst *m*, Kasper *m* (*alle a. fig.*); **2.** Bauernlümmel *m*, 'Grobian *m*; **II.** *v/i.* **3.** *a.* ~ *it* den Clown spielen, kaspern; '**clown·ish** [-niʃ] *adj.* ☐ **1.** bäurisch, tölpelhaft; **2.** närrisch.

cloy [klɔi] *v/t.* **1.** über'sättigen; **2.** anwidern.

club [klʌb] **I.** *s.* **1.** Keule *f*, Knüppel *m*; **2.** *sport* **a**) Schlagholz *n*, Schläger *m*, **b**) *a. Indian* ~ (Schwing-) Keule *f*; **3.** Klub *m*, Verein *m*, Gesellschaft *f*; **4.** Klub *m*, Vereinshaus *n*; **5.** *Spielkarten*: Treff *n*, Kreuz *n*, Eichel *f*; **II.** *v/t.* **6.** mit e-r Keule *od.* mit dem Gewehrkolben schlagen: *to* ~ *a rifle* mit dem Kolben dreinschlagen; **7.** *Geld* zs.-legen, -schießen; sich teilen in (*acc.*); **III.** *v/i.* **8.** *mst* ~ *together* (Geld) zs.-legen, sich zs.-tun; **club·ba·ble** ['klʌbəbl] *adj.* **1.** klub-, gesellschaftsfähig; **2.** gesellig; **clubbed** [klʌbd] *adj.* **1.** keulenförmig; **2.** ⚘ mit Auswüchsen.

club| **car** *s.* 🚃 *Am.* Sa'lonwagen *m*; ~ **chair** *s.* Klubsessel *m*; '~-'**foot** *s.* ⚕ Klumpfuß *m*; '~-'**foot·ed** *adj.* klumpfüßig; '~-'**house** → *club 4*; '~-**land** *s.* Klubviertel *n* (*bsd. in London*); '~-'**law** *s.* Faustrecht *n*; '~-**man** [-mən] *s.* [*irr.*] **1.** Klubmitglied *n*; **2.** Klubmensch *m*; ~ **sandwich** *s. Am.* 'Sandwich *n* (*aus drei Lagen bestehend*); ~ **steak** *s. Am.* kleines (*Lenden*)Steak.

cluck [klʌk] **I.** *v/i.* glucken, locken: ~*ing hen* Glucke; **II.** *s.* Glucken *n.*

clue [klu:] *s.* **1.** Anhaltspunkt *m*, Fingerzeig *m*, Spur *f*, Schlüssel *m*

(*Erzählung etc.*): *I haven't a ~!* keine Ahnung!; **2.** *myth.* Leitfaden *m*; **3.** → *clew 1, 3.*

clump [klʌmp] **I.** *s.* **1.** Klumpen *m* (*Erde*), (*Holz*)Klotz *m*; **2.** (Baum-) Gruppe *f*; **3.** Doppelsohle *f*; **4.** schwerer Tritt; **II.** *v/i.* **5.** trampeln; **III.** *v/t.* **6.** zs.-ballen; gruppieren; **7.** doppelt besohlen.

clum·si·ness ['klʌmzinis] *s.* **1.** Ungeschicklichkeit *f*, Schwerfälligkeit *f*; **2.** Taktlosigkeit *f*; **clum·sy** ['klʌmzi] *adj.* ☐ **1.** ungeschickt, unbeholfen; schwerfällig (*a. Stil*); **2.** plump, unförmig; **3.** taktlos.

clung [klʌŋ] *pret. u. p.p. von cling.*

Clu·ny lace ['klu:ni] *s.* Klöppelspitze *f.*

clus·ter ['klʌstə] **I.** *s.* **1.** ⚘ Büschel *n*, Traube *f*; **2.** Haufen *m* (*a. ast.*), Menge *f*, Schwarm *m*, Gruppe *f*; **3.** ⚔ *Am.* Spange *f* (*am Ordensband*); **II.** *v/i.* **4.** in Büscheln *od.* Trauben wachsen; **5.** sich sammeln *od.* häufen *od.* drängen *od.* ranken (*round* um); in Gruppen stehen.

clutch[1] [klʌtʃ] **I.** *v/t.* **1.** fest (er-) greifen, packen; drücken; **2.** ⊕ kuppeln; **II.** *v/i.* **3.** (gierig) greifen (*at* nach); **III.** *s.* **4.** fester Griff: *to make a ~ at* gierig greifen nach; **5.** *pl., mst fig.* Klauen *pl.*; Gewalt *f*, Macht *f*, Bande *pl.*: *in (out of) s.o.'s ~es* in (aus) j-s Klauen *od.* Gewalt; **6.** ⊕ (Schalt-, Ausrück)Kupplung *f*; Kupplungshebel *m*: *to let in the ~* einkuppeln; *to disengage the ~* auskuppeln; **7.** ⊕ Greifer *m.*

clutch[2] [klʌtʃ] *s.* Gelege *n*; Brut *f.*

clutch| le·ver *s.*, **~ ped·al** *s.* 'Kupplungspe,dal *n*, -hebel *m.*

clut·ter ['klʌtə] **I.** *v/t.* **1.** *a. ~ up* in Unordnung bringen; **2.** 'vollstopfen, anfüllen, über'häufen; **II.** *s.* **3.** Unordnung *f*, Wirrwarr *m.*

Clydes·dale ['klaidzdeil] *s. zo.* kräftiges schottisches Zugpferd; **~ ter·ri·er** *s. zo.* Seidenpinscher *m.*

clys·ter ['klistə] *s.* ⚕ *obs.* Kli'stier *n.*

co- [kou] *Vorsilbe*: mit, gemeinsam, Mit...

coach [koutʃ] **I.** *s.* **1.** Kutsche *f*: *~ and four* Vierspänner; *to drive a ~ and four through s.th. Brit.* et. (*bsd. Gesetz*) wirkungslos machen; **2.** 🚃 *Brit.* (*Personen*)Wagen *m*; **3.** (Fern-, Reise)Omnibus *m*; **4.** Nachhilfe-, Pri'vatlehrer *m*, Einpauker *m*; **5.** *sport* 'Trainer *m*; Sportlehrer *m*; **II.** *v/t.* **6.** 'Nachhilfe,unterricht *od.* Anweisungen geben (*dat.*), einarbeiten, *j-m et.* einpauken; **7.** *sport* trainieren; **III.** *v/i.* **8.** in e-r Kutsche reisen; **9.** Nachhilfeunterricht erteilen; **'~-box** *s.* Kutschbock *m*; **'~-build·er** *s.* Wagenbauer *m*; **'~-horse** *s.* Kutschpferd *n*; **'~-house** *s.* Wagenschuppen *m.*

coach·ing ['koutʃiŋ] *s.* **1.** Reisen *n* in e-r Kutsche; **2.** 'Nachhilfe,unterricht *m.*

'coach-work *s. bsd. mot.* Karosse'rie *f.*

co·ac·tion [kou'ækʃən] *s.* Zs.-wirken *n.*

co·ad·ju·tor [kou'ædʒutə] *s.* **1.** Gehilfe *m*, Assi'stent *m*; **2.** *eccl.* **a)** Koad'jutor *m*, Weihbischof *m*, **b)** Pfarrgehilfe *m.*

co·ag·u·late [kou'ægjuleit] **I.** *v/i.* **1.** gerinnen; **2.** flockig *od.* klumpig werden; **II.** *v/t.* **3.** gerinnen lassen; **co·ag·u·la·tion** [kouægju'leiʃən] *s.* Gerinnen *n*; Flockenbildung *f.*

coal [koul] **I.** *s.* **1.** Kohle *f*; *engS.* Steinkohle *f*; *Brit.* ein Stück Kohle; **2.** *pl. Brit.* Kohle *f*, Kohlen *pl.*, Kohlenvorrat *m*: *to lay in ~s* sich mit Kohlen eindecken; *to carry ~s to Newcastle fig.* Eulen nach Athen tragen; *to call (od. haul) s.o. over the ~s* j-n ‚fertigmachen', j-m die Hölle heiß machen; *to heap ~s of fire on s.o.'s head fig.* feurige Kohlen auf j-s Haupt sammeln; **3.** *Am.* glimmendes Stück Kohle *od.* Holz; **II.** *v/t.* **4.** 🚃, ⚓ bekohlen, mit Kohle versorgen; **III.** *v/i.* **5.** 🚃, ⚓ Kohle einnehmen, bunkern; **'~-bed** *s. geol.* Kohlenflöz *n*; **'~-bin** *s.* Kohlenverschlag *m*, -behälter *m*; **'~-box** *s.* Kohlenkasten *m*; **'~-bunk·er** *s.* Kohlenbunker *m*; **~ car** *s.* 🚃 *Am.* Kohlenwagen *m*; **'~-dust** *s.* Kohlengrus *m.*

coal·er ['koulə] *s.* Kohlenschiff *n*; Kohlenzug *m.*

co·a·lesce [kouə'les] *v/i.* **1.** verschmelzen, sich verbinden *od.* vereinigen; **2.** *fig.* zs.-passen; **co·a'les·cence** [-sns] *s.* Verschmelzung *f*, Vereinigung *f.*

'coal|-face *s.* ⚒ Abbau-, Förderstrecke *f*; **'~-field** *s.* 'Kohlenre,vier *n*; **'~-fish** *s. ichth.* Köhler *m*; **'~-'gas** *s.* Leuchtgas *n*; **'~-heav·er** *s.* Kohlenträger *m*; **~ hod** *s. Am.* Kohlenschütter *m*; **'~-hole** *s. Brit.* Kohlenraum *m.*

coal·ing sta·tion ['kouliŋ] *s.* ⚓ 'Kohlenstati,on *f.*

co·a·li·tion [kouə'liʃən] *s.* Zs.-schluß *m*, Vereinigung *f*; *bsd. pol.* Koaliti'on *f*; **~ part·ner** *s. bsd. pol.* Koaliti'onspartner *m.*

'coal|-mine *s.* Kohlenbergwerk *n*, Kohlengrube *f*; **'~-min·er** *s.* Grubenarbeiter *m*, Bergmann *m*; **'~-min·ing** *s.* Kohlenbergbau *m*; **~ oil** *s. Am.* Pe'troleum *n*; **'~-own·er** *s.* (Kohlen)Grubenbesitzer *m*; **'~-pit** *s.* Kohlengrube *f*; **'~-screen** *s.* Kohlensieb *n*; **'~-scut·tle** *s.* Kohleneimer *m*, -behälter *m*; **'~-seam** *s. geol.* Kohlenflöz *n*; **'~-'tar** *s.* Steinkohlenteer *m*: *~ dyes* Teer-, Anilinfarben; *~ soap* Teerseife; **~ wharf** *s.* ⚓ Bunkerkai *m.*

coarse [kɔ:s] *adj.* ☐ **1.** grob (*Ggs. fein*): *~ texture* grobes Gewebe; **2.** grobkörnig: *~ bread* Schrotbrot; **3.** *fig.* grob, derb; unhöflich, ungeschliffen; anstößig; **4.** einfach, gemein: *~ fare* grobe *od.* einfache Kost; **'~-grained** *adj.* **1.** grobkörnig, -faserig; grob (*Gewebe*); **2.** *fig.* rauh, ungehobelt, derb.

coars·en ['kɔ:sn] **I.** *v/t.* grob machen, vergröbern (*a. fig.*); **II.** *v/i.* grob werden (*bsd. fig.*); **'coarse·ness** [-nis] *s.* **1.** grobe Quali'tät; **2.** *fig.* Grob-, Derbheit *f.*

coast [koust] **I.** *s.* **1.** Küste *f*, Meeresufer *n*: *the ~ is clear fig.* die Luft ist rein, die Bahn ist frei; **2.** Küstenlandstrich *m*; **3.** *Am.* **a)** Rodelbahn *f*, **b)** (Rodel)Abfahrt *f*; **II.** *v/i.* **4.** ⚓ **a)** die Küste entlangfahren, **b)** Küstenschiffahrt treiben; **5.** *Am.* rodeln; **6.** *mit e-m Fahrzeug* (berg'ab) rollen; im Freilauf (*Fahrrad*) *od.* im Leerlauf (*Auto*) fahren; **'coast·al** [-tl] *adj.* Küsten...

coast·er ['koustə] *s.* **1.** ⚓ Küstenfahrer *m* (*bsd. Schiff*); **2.** *Am.* Rodelschlitten *m*; **3.** *Am.* Achterbahn *f* (*Vergnügungspark*); **4.** Ta'blett *n* (*für Karaffen bei Tisch*), 'Untersetzer *m* (*für Gläser*); **~ brake** *s. Am.* Rücktrittbremse *f* (*Fahrrad*).

'coast·guard *s.* **1.** *Brit.*, *a.* ⚔ Küstenwache *f*; **2.** *Am.* ♀ *staatlicher* Küstenwach- u. Rettungsdienst; **3.** Küstenwächter *m.*

coast·ing ['koustiŋ] *s.* **1.** Küstenschiffahrt *f*; **2.** *Am.* Rodeln *n*; **3.** Berg'abfahren *n* (*im Freilauf od. bei abgestelltem Motor*); **~ trade** *s.* Küstenhandel *m.*

'coast|·line *s.* Küstenlinie *f*, -strich *m*; **~ wait·er** *s. Brit.* Zollaufseher *m* für den Küstenhandel; **'~·wise** *adj. u. adv.* längs der Küste; Küsten...

coat [kout] **I.** *s.* **1.** Jac'kett *n*, Jacke *f*: *to wear the king's ~ fig.* des Königs Rock tragen (*Soldat sein*); *~ and skirt* (Schneider)Kostüm; *to cut one's ~ according to one's cloth* sich nach der Decke strecken; **2.** Mantel *m*: *to turn one's ~* sein Mäntelchen nach dem Winde hängen; **3.** Fell *n*, Pelz *m* (*Tier*); **4.** Schicht *f*, Lage *f*; Decke *f*, Hülle *f*, (*a. Farb-, Metall- etc.*) 'Überzug *m*, Belag *m*, Anstrich *m*; Bewurf *m*: *a second ~ of paint* ein zweiter Anstrich; **II.** *v/t.* **5.** anstreichen, über'streichen, -'ziehen; **6.** um'hüllen, -'kleiden, bedecken; auskleiden (*with* mit); **'coat·ed** [-tid] *adj.* **1.** mit e-m (...) Rock *od.* Mantel *od.* Fell (versehen): *black-~* schwarzgekleidet; **2.** mit ... überzogen *od.* gestrichen *od.* bedeckt: *sugar-~* mit Zuckerüberzug; **3.** ⚕ belegt (*Zunge*); **coat·ee** ['kouti:] *s.* enganliegender, kurzer (Waffen-) Rock.

'coat-hang·er *s.* Kleiderbügel *m.*

coat·ing ['koutiŋ] *s.* **1.** Mantelstoff *m*; **2.** ⊕ Anstrich *m*, 'Überzug *m*, Schicht *f*; Bewurf *m*; **3.** ⊕ Auskleidung *f*, Futter *n.*

coat| of arms *s.* Wappen *n*; **~ of mail** *s.* Panzerhemd *n*; **~ stand** *s.* Garde'robenständer *m*; **'~-tail** *s.* Rockschoß *m*: *to trail one's ~s* Streit suchen.

co-au·thor [kou'ɔ:θə] *s.* Mitverfasser *m.*

coax [kouks] **I.** *v/t.* **1.** schmeicheln (*dat.*); gut zureden (*dat.*), beschwatzen (*to do od. into doing* zu tun): *to ~ s.th. out of s.o.* j-m et. abschwatzen; **2.** mit viel Geduld bringen (*to inf.* zu *inf.*); **II.** *v/i.* **3.** schmeicheln; gut zureden.

co·ax·al ['kou'æksəl] *adj.* ⚡, ⊕ koaxi'al, gleichachsig; kon'zentrisch.

coax·er ['kouksə] *s.* Schmeichler(in).

co·ax·i·al ['kou'æksiəl] → *coaxal.*

cob [kɔb] *s.* **1.** *orn.* männlicher Schwan; **2.** *zo.* kleineres Reitpferd; **3.** Klumpen *m*, Stück *n* (*z. B.* Kohle); **4.** Maiskolben *m*; **5.** *Brit.* Strohlehm *m* (*Baumaterial*); **6.** → *cobloaf*; **7.** → *cob-nut.*

co·balt [kə'bɔ:lt] *s. min.* 'Kobalt *m*; **~ blue** *s.* 'Kobaltblau *n.*

cob·ble[1] ['kɔbl] **I.** *s.* **1.** runder

Pflasterstein, Kopfstein *m*; **2.** *pl.* → *cob-coal*; **II.** *v/t.* **3.** mit Kopfsteinen pflastern.

cob·ble² ['kɔbl] *v/t. Schuhe* flicken; schlecht ausbessern; **'cob·bler** [-lə] *s.* **1.** (Flick)Schuster *m*: ~'s *wax* Schusterpech; **2.** *fig.* Stümper *m*; **3.** *Am.* Cobbler *m* (*Weinmischgetränk*).

'cob·ble-stone → *cobble¹ 1.*

'cob-coal *s.* Nuß-, Stückkohle *f.*

Cob·den·ism ['kɔbdənizəm] *s.* † 'Manchestertum *n*, Freihandelslehre *f.*

co·bel·lig·er·ent [koubi'lidʒərənt] *s.* mitkriegführender Staat.

'cob|·loaf *s.* rundes Brot; **'~-nut** *s.* ⚘ Haselnuß *f.*

Co·bol ['koubɔl] *s.* COBOL *n* (*Computersprache*).

co·bra ['koubrə] *s. zo.* Brillenschlange *f*, 'Kobra *f.*

cob·web ['kɔbweb] *s.* **1.** Spinn(en)gewebe *n*; Spinnenfaden *m*; **2.** feines, zartes Gewebe; **3.** *fig.* Nichtigkeit *f*; Hirngespinst *n*: *to blow away the* ~*s* sich e-n klaren Kopf schaffen; **4.** *fig.* Netz *n*, Tücke *f*; **'cob·webbed** [-bd], **'cob·web·by** [-bi] *adj.* (wie) mit Spinn(en)geweben bedeckt.

co·ca ['koukə] *s.* ⚘ 'Koka(blätter *pl.*) *f*; **'co·ca-'co·la** *s.* 'Coca-'Cola *n* (*Getränk*).

co·caine [kə'kein] *s.* ⚗ Koka'in *n*; **co'cain·ism** [-nizəm] *s.* **1.** Koka'invergiftung *f*; **2.** Kokai'nismus *m.*

coc·cus ['kɔkəs] *pl.* **-ci** [-kai] *s.* ⚕ 'Kokkus *m*, 'Kokke *f.*

co·chin ['koutʃin], *a.* **'co·chin-'chi·na** ['kɔtʃin-] *s. orn.* Kotschin'chinahuhn *n.*

coch·i·neal ['kɔtʃini:l] *s.* Koschenille(laus) *f*; Koschenille(rot *n*) *f.*

coch·le·a ['kɔkliə] *s. anat.* Schnecke *f* (*im Ohr*).

cock¹ [kɔk] **I.** *s.* **1.** *orn.* Hahn *m*: *old* ~ F alter Knabe; *that* ~ *won't fight* F **a)** so geht das nicht, **b)** das zieht nicht; **2.** Vogel-Männchen *n*: ~ *sparrow* Sperlingsmännchen; **3.** Wetterhahn *m*; **4.** ⊕ *Absperr*-Hahn *m*; **5.** (*Gewehr- etc.*)Hahn *m*: *full*-~ Hahn gespannt; *half*-~ Hahn in Ruh; **6.** Anführer *m*: ~ *of the roost* (*od. walk*) Hahn im Korbe; ~ *of the school* Anführer unter den Schülern; **7.** Aufrichten *n*: ~ *of the eye* (bedeutsames) Augenzwinkern; *to give one's hat a saucy* ~ s-n Hut keck aufs Ohr setzen; **8.** V ‚Schwanz' *m*; **II.** *v/t.* **9.** *Gewehrhahn* spannen; **10.** aufrichten: *to* ~ *one's ears* die Ohren spitzen; *to* ~ *one's eye at s.o.* j-m bedeutsam zublinzeln; *to* ~ *one's hat* den Hut schief *od.* keck aufsetzen; → *cocked hat.*

cock² [kɔk] *s.* kleiner Heuhaufen.

cock·ade [kɔ'keid] *s.* Ko'karde *f*; **cock'ad·ed** [-did] *adj.* mit e-r Kokarde.

cock-a-doo·dle-doo ['kɔkədu:dl'du:] *s. humor.* **a)** Kikeri'ki *n* (*Hahnenschrei*), **b)** Kikeriki *m* (*Hahn*).

cock-a-hoop ['kɔkə'hu:p] *adj. u. adv.* **1.** triumphierend, froh'lokkend; **2.** arro'gant; anmaßend.

Cock·aigne [kɔ'kein] *s.* **1.** Schla'raffenland *n*; **2.** 'Cockneyland *n* (*London*).

'cock-and-'bull sto·ry *s.* Ammenmärchen *n*, Lügengeschichte *f.*

cock·a·too [kɔkə'tu:] *s. orn.* 'Kakadu *m.*

cock·a·trice ['kɔkətrais] *s.* Basi'lisk *m.*

Cock·ayne → *Cockaigne.*

'cock|·boat *s.* ⚓ Jolle *f*; **'~·chaf·er** *s. zo.* Maikäfer *m*; **'~-crow(·ing)** *s.* Hahnenschrei *m*; *fig.* Tagesanbruch *m.*

cocked hat [kɔkt] *s.* Zwei-, Dreispitz *m* (*Hut*): *to knock into a* ~ zu Brei schlagen.

cock·er¹ ['kɔkə] → *cocker spaniel.*

cock·er² ['kɔkə] *v/t.* verhätscheln, verwöhnen: *to* ~ *up* aufpäppeln.

Cock·er³ ['kɔkə] *npr.*: *according to* ~ nach Adam Riese, genau.

cock·er·el ['kɔkərəl] *s.* Hähnchen *n.*

cock·er span·iel *s.* 'Cocker-'Spaniel *m*, (*langhaariger*) Schnepfenhund.

'cock|-eyed *adj. sl.* **1.** schielend; **2.** schief; **3.** ‚doof'; **4.** *Am.* ‚blau' (*betrunken*); **'~-fight(·ing)** *s.* Hahnenkampf *m*; **'~-'horse I.** *s.* Schaukel-, Steckenpferd *n*; **II.** *adv.* rittlings, zu Pferde.

cock·i·ness ['kɔkinis] *s.* Dünkel *m*, Keckheit *f*, Anmaßung *f.*

cock·le¹ ['kɔkl] **I.** *s.* **1.** *zo.* (eßbare) Herzmuschel: *that warms the* ~*s of my heart* das tut m-m Herzen wohl; **2.** → *cockle-shell*; **II.** *v/i.* **3.** sich bauschen *od.* kräuseln *od.* werfen; **III.** *v/t.* **4.** kräuseln.

cock·le² ['kɔkl] → *corncockle.*

'cock·le|-boat → *cockboat*; **'~-shell** *s.* **1.** Muschelschale *f*; **2.** ‚Nußschale' *f*, kleines Boot; **3.** → *cockboat.*

cock·ney ['kɔkni] **I.** *s. oft* ♀ (*mst contp.*) **1.** Cockney *m*, (echter) Londoner; **2.** 'Cockneydia,lekt *m*, -aussprache *f*; **II.** *adj.* **3.** Cockney-...; **'cock·ney·dom** [-dəm] *s.* **1.** Cockneybezirk *m*; **2.** *coll.* die Cockneys *pl.*; **'cock·ney·ism** [-iizəm] *s.* Cockneyausdruck *m*, -eigenart *f.*

cock| of the north *s. orn.* Bergfink *m*; **~ of the wood** *s. orn.* **a)** *Brit.* Auerhahn *m*, **b)** *Am. ein* Specht *m*; **'~·pit** *s.* **1.** Hahnenkampfplatz *m*; **2.** Kampfgebiet *n*, -platz *m*; **3.** Sitzraum *m* (*im Boot*); Ka'binenvorraum *m* (*Jacht*); **4.** ⚓ Laza'rett *n*; **5.** 'Cockpit *n*: **a)** ✈ Kanzel *f*, **b)** Fahrersitz *m* (*Rennwagen*); **'~·roach** *s. zo.* (Küchen)Schabe *f.*

cocks·comb ['kɔkskoum] *s.* **1.** Kamm *m* des Hahnes; **2.** ⚘ Hahnenkamm *m*; **3.** → *coxcomb 1.*

'cock|-shy *s.* Wurfspiel *n* (*Werfen nach e-r Kokosnuß etc.*); *ein* Wurf *m bei diesem Spiel*; **'~·spur** *s.* **1.** *zo.* Hahnensporn *m*; **2.** ⚘ Hahnen-, Weißdorn *m*; **'~-'sure** *adj.* **1.** todsicher, 'vollkommen über'zeugt; **2.** über'trieben selbstsicher; **'~-'sure·ness** *s.* Siegesbewußtsein *n*, Vermessenheit *f*; **'~·tail** *s.* **1.** Cocktail *m* (*alkoholisches Mischgetränk*; *a. Früchte-, Hummerspeise etc.*): ~ *party*; ~ **dress**; ~ *cabinet Brit.* Hausbar; **2.** *obs.* Halbblut *n* (*Pferd*).

cock·y ['kɔki] *adj.* F eingebildet, selbstbewußt, frech, ‚naßforsch'; 'übermütig.

cock·y·ol·ly bird [kɔki'ɔli] *s.* Piepvögelchen *n* (*Kindersprache*).

co·co ['koukou] *pl.* **-cos I.** *s. mst. in Zssgn* ⚘ 'Kokospalme *f*; **II.** *adj.* Kokos...; aus 'Kokosfasern.

co·coa ['koukou] *s.* **1.** Ka'kao(pulver *n*) *m*; **2.** Ka'kao *m* (*Getränk*); **3.** *fälschlich für* coco; ~ **bean** *s.* Ka'kaobohne *f.*

co·co-nut ['koukənʌt] *s.* **1.** ⚘ 'Kokosnuß *f*: *that accounts for the milk in the* ~ F daher der Name!; **2.** *sl.* ‚Kürbis' *m* (*Kopf*); ~ **but·ter** *s.* 'Kokosbutter *f*; ~ **mat·ting** *s.* 'Kokosmatte *f*; ~ **milk** *s.* 'Kokosmilch *f*; ~ **oil** *s.* 'Kokosöl *n*; ~ **palm**, ~ **tree** *s.* 'Kokospalme *f.*

co·coon [kə'ku:n] **I.** *s. zo.* Ko'kon *m*, Puppe *f der Seidenraupe*; **II.** *v/t. u. v/i.* (sich) einspinnen *od.* (*fig.*) einhüllen; *Gerät etc.* ‚einmotten', außer Betrieb setzen.

'co·co|-palm, **'~-tree** → *coco-nut palm.*

co·cotte [kɔ'kɔt] *s.* Ko'kotte *f.*

cod¹ [kɔd] *s. ichth.* Kabeljau *m*, Dorsch *m*: *dried* ~ Stockfisch; *cured* ~ Klippfisch.

cod² [kɔd] *v/t. j-n* foppen; *j-n* her'einlegen.

co·da ['koudə] *s.* ♪ 'Koda *f.*

cod·dle ['kɔdl] *v/t.* verhätscheln, verzärteln, verwöhnen: *to* ~ *up* aufpäppeln.

code [koud] *s.* **1.** *bsd.* ⚖ 'Kodex *m*, Gesetzbuch *n*; Regelbuch *n*: ~ *of hono(u)r* Ehrenkodex; **2.** *a.* ~ *of signals* ⚓, ⚔ Si'gnalbuch *n*; **3.** Code *m*, Chiffre *f*, Geheimschrift *f*; **4.** Tele'graphenschlüssel *m*: ~ *word* Codewort; **II.** *v/t.* **5.** in Code *od.* Geheimschrift 'umsetzen, chiffrieren, verschlüsseln: ~*d message.*

co·de·ine ['koudi:n] *s. pharm.* Kode'in *n.*

co·de·ter·mi·na·tion ['kouditə:mi'neiʃən] *s.* † Mitbestimmung *f*: *parity* ~ paritätische Mitbestimmung.

co·dex ['koudeks] *pl.* **'co·di·ces** [-disi:z] *s.* 'Kodex *m*, alte Handschrift (*Bibel, Klassiker*).

'cod|-fish → *cod¹*; **'~-fish·er** *s.* Kabeljaufischer *m.*

codg·er ['kɔdʒə] *s.* F (komischer alter) Kauz.

co·di·ces *pl. von* codex.

cod·i·cil ['kɔdisil] *s.* ⚖ Kodi'zill *n.*

cod·i·fi·ca·tion [kɔdifi'keiʃən] *s.* Kodifizierung *f*; **cod·i·fy** ['kɔdifai] *v/t.* **1.** *bsd.* ⚖ kodifizieren; **2.** *Nachricht* verschlüsseln.

cod·ling¹ ['kɔdliŋ] *s. ichth.* junger Dorsch.

cod·ling² ['kɔdliŋ] *s. ein* Kochapfel *m*; ~ **moth** *s. zo.* Obstmade *f*, Apfelwickler *m.*

'cod-liv·er oil *s.* Lebertran *m.*

co-ed ['kou'ed] *s. ped.* Stu'dentin *f od.* Schülerin *f* e-r Lehranstalt (*bsd. Universität*) mit Koedukati'on.

co-ed·u·ca·tion, *Am.* **co·ed·u·ca·tion** ['kouedju(:)'keiʃən] *s. ped.* Koedukati'on *f* (*gemeinsame Erziehung beider Geschlechter*).

co·ef·fi·cient [koui'fiʃənt] **I.** *s.* **1.** ⅍, *phys.* Koeffizi'ent *m*, Verhältniszahl *f*; **2.** mitwirkende Kraft, 'Faktor *m*; **II.** *adj.* **3.** mitwirkend.

coe·la·canth ['si:ləkænθ] *s. ichth.* Quastenflosser *m.*
coe·li·ac ['si:liæk] *adj. anat.* Bauch...
co·e·qual [kou'i:kwəl] *adj.* □ *völlig* gleich(rangig), ebenbürtig.
co·erce [kou'ə:s] *v/t.* **1.** nötigen, zwingen (*into* zu); **2.** erzwingen; **co'er·ci·ble** [-sibl] *adj.* □ zu (er-) zwingen(d); **co'er·cion** [-'ə:ʃən] *s.* **1.** Zwang *m*; Gewalt *f*; **2.** *pol.* Zwangsherrschaft *f*; **co'er·cive** [-siv] *adj.* □ zwingend; Zwangs...
co·es·sen·tial [koui'senʃəl] *adj.* gleichen Wesens, wesensgleich.
co·e·val [kou'i:vəl] *adj.* □ **1.** gleichzeitig; **2.** gleichaltrig; **3.** von gleicher Dauer.
co-ex·ist, *Am.* **co·ex·ist** ['kouig'zist] *v/i.* gleichzeitig bestehen; nebenein'ander leben; **'co-ex'ist·ence** [-təns] *s.* Koexi'stenz *f*; **'co-ex'ist·ent** [-tənt] *adj.* gleichzeitig bestehend *od.* vor'handen.
cof·fee ['kɔfi] *s.* **1.** 'Kaffee *m* (*Getränk, Bohnen od. Baum*): *black* ~ schwarzer Kaffee; *white* ~ Milchkaffee; **2.** 'Kaffeebraun *n*; **'~-bar** *s.* Ca'fé *n*; **'~-'bean** *s.* 'Kaffeebohne *f*; **'~-ber·ry** [-bəri] *s.* Frucht *f* des 'Kaffeebaumes; **~ break** *s. Am.* 'Kaffeepause *f*; **'~-grounds** *s. pl.* 'Kaffeegrund *m*, -satz *m*; **'~-house** *s.* 'Kaffeehaus *n*; **'~-mill** *s.* 'Kaffeemühle *f*; **'~-pot** *s.* 'Kaffeekanne *f*; **'~-room** *s.* **1.** 'Kaffeestube *f*; **2.** Frühstückszimmer *n* (*Hotel*); **~ set** *s.* 'Kaffeeserˌvice *n*; **~ shop** *s.* Kaffeestube *f* (*mit Restaurant*); **'~-stall** *s.* 'Kaffeeausschank *m*, -bude *f*.
cof·fer ['kɔfə] **I.** *s.* **1.** Kasten *m*, Kiste *f*, Truhe *f*, Kas'sette *f* (*für Wertsachen*); **2.** *pl.* **a)** Schatz *m*, Gelder *pl.*, **b)** Schatzkammer *f*, Tre'sor *m*; **3.** △ Deckenfeld *n*, Kassette *f*; **4.** → *coffer-dam*; **II.** *v/t.* **5.** verwahren; **'~-dam** *s.* ⊕ Kastendamm *m*, Senkkasten *m*, Cais'son *m*.
cof·fin ['kɔfin] **I.** *s.* Sarg *m*; ⚓ F seeuntüchtiges Schiff; **II.** *v/t.* einsargen; *fig.* wegschließen; **'~-bone** *s. zo.* Hufbein *n* (*Pferd*); **~ cor·ner** *s. amer. Fußball*: Spielfeldecke *f* zwischen Mal- u. Marklinie; **'~-joint** *s. zo.* Hufgelenk *n* (*Pferd*); **'~-plate** *s.* Namensplatte *f* am Sarg.
cog[1] [kɔg] *s.* **1.** ⊕ (Rad)Zahn *m*; **2.** *fig.* (nur ein) Rädchen *n*.
cog[2] [kɔg] **I.** *v/t.*: ~ *the dice* beim Würfeln mogeln; *~ged dice* beschwerte Würfel; **II.** *v/i.* betrügen.
co·gen·cy ['koudʒənsi] *s.* zwingende Kraft, Triftigkeit *f*; **co·gent** ['koudʒənt] *adj.* □ zwingend, triftig (*Gründe*).
cogged [kɔgd] *adj.* ⊕ **gezahnt, Zahn(rad)...**: ~ *railway* **Zahnradbahn.**
cog·i·tate ['kɔdʒiteit] **I.** *v/i.* **1.** (nach)denken, (nach)sinnen (*upon* über *acc.*); **2.** *phls.* denken; **II.** *v/t.* **3.** ersinnen; **cog·i·ta·tion** [kɔdʒi'teiʃən] *s.* **1.** (Nach)Denken *n*; **2.** Denkfähigkeit *f*; **3.** Gedanken *pl.*
co·gnac ['kounjæk] *s.* 'Kognak *m.*
cog·nate ['kɔgneit] **I.** *adj.* **1.** (*selten*) (bluts)verwandt; **2.** verwandt (*Wörter etc.*); **3.** *ling.* sinnverwandt: ~ *object* (*od. accusative*) inneres Objekt; **II.** *s.* **4.** ⚖ Blutsverwandte(r *m*) *f*; **5.** verwandtes Wort.
cog·ni·tion [kɔg'niʃən] *s. bsd. phls.* Erkennen *n*, Wahrnehmung *f*; Kenntnis *f*.
cog·ni·za·ble ['kɔgnizəbl] *adj.* □ **1.** erkennbar; **2.** ⚖ der Gerichtsbarkeit unter'liegend; **'cog·ni·zance** [-zəns] *s.* **1.** Kenntnis *f*, Erkenntnis *f*: *to take* ~ *of s.th.* et. zur Kenntnis nehmen; **2.** ⚖ Gerichtsbarkeit *f*, Zuständigkeit *f*: *beyond my* ~ außerhalb m-r Befugnis; **3.** *her.* Ab-, Kennzeichen *n*; **'cog·ni·zant** [-zənt] *adj.* **1.** unter'richtet (*of* über *acc. od.* von); **2.** *phls.* erkennend.
cog·no·men [kɔg'noumen] *s.* **1.** Fa'milien-, Zuname *m*; **2.** Bei-, *bsd.* Spitzname *m.*
cog rail *s.* ⊕ Zahnschiene *f*.
'cog-wheel *s.* ⊕ Zahnrad *n*; **~ drive** *s.* ⊕ Zahnradantrieb *m*; **~ rail·way** *s.* Zahnradbahn *f*.
co·hab·it [kou'hæbit] *v/i.* in wilder Ehe leben; **co·hab·i·ta·tion** [kouhæbi'teiʃən] *s.* **1.** wilde Ehe; **2.** Beischlaf *m.*
co·heir ['kou'ɛə] *s.* Miterbe *m*; **co·heir·ess** ['kou'ɛəris] *s.* Miterbin *f*.
co·here [kou'hiə] *v/i.* **1.** zs.-hängen; **2.** in Zs.-hang stehen; vereinbar sein; **3.** *Radio*: fritten; **co'her·ence** [-iərəns], **co'her·en·cy** [-iərənsi] *s.* **1.** Zs.-hang *m*; **2.** Klarheit *f*, Verständlichkeit *f*; **3.** *Radio*: Frittung *f*; **4.** *fig.* Über'einstimmung *f*; **co'her·ent** [-iərənt] *adj.* □ **1.** zs.-hängend (*a. fig.*); **festgefügt; 2.** *phys.* **kohä'rent; 3. einheitlich, verständ**lich, deutlich; **4.** zs.-passend; **co'her·er** [-iərə] *s. Radio*: Fritter (-empfänger) *m*; Ko'härer *m*; **co'he·sion** [-i:ʒən] *s.* **1.** Zs.-halt *m*, -hang *m* (*a. fig.*); **2.** Bindekraft *f*; **3.** *phys.* Kohäsi'on *f*; **co'he·sive** [-i:siv] *adj.* □ **1.** zs.-haltend *od.* -hängend (*a. fig.*); **2.** Kohäsions..., Binde...; bindend; **co'he·sive·ness** [-i:sivnis] *s.* Kohäsi'ons-, Bindekraft *f*.
co·hort ['kouhɔ:t] *s.* **1.** *antiq.* ⚔ Ko'horte *f*; **2. (Krieger)Schar** *f*.
coif [kɔif] *s.* Kappe *f*, Haube *f*, *bsd.* e-s *serjeant-at-law*.
coif·feur [kwɑ:'fə:; kwafœ:r] (*Fr.*) *s.* Fri'seur *m*; **coif·fure** [kwɑ:'fjuə; kwafy:r] (*Fr.*) *s.* Fri'sur *f*.
coil[1] [kɔil] **I.** *v/t.* **1.** *a.* ~ *up* auf-, zs.-rollen, winden; **2.** ⚡ wickeln; **II.** *v/i.* **3.** *a.* ~ *up* sich winden, sich zs.-rollen; **4.** sich schlängeln; **III.** *s.* **5.** Rolle *f*, Spi'rale *f*, Knäuel *m*, *n*; **6.** ⚡ Wicklung *f*; Spule *f*; **7.** Windung *f*; **8.** ⊕ (Rohr)Schlange *f*; **9.** Locke *f*, Wickel *m* (*Haar*).
coil[2] [kɔil] *s. poet.* Lärm *m*, Unruhe *f*; Getue *n*; Plage *f*: *this mortal* ~ des Lebens Wirrwarr.
coil| ig·ni·tion *s.* ⚡ Abreißzündung *f*; **~ spring** *s.* ⊕ Spi'ralfeder *f*.
coin [kɔin] **I.** *s.* **1. a)** Münze *f*, Geldstück *n*: *small* ~ Scheidemünze; *the other side of the* ~ *fig.* die Kehrseite, **b)** Münzgeld *n*, **c)** Geld *n*: *to pay s.o. in his own* ~ *fig.* j-m mit gleicher Münze heimzahlen; **II.** *v/t.* **2. a)** *Metall* münzen, **b)** *Münzen* prägen: *to be ~ing money* F Geld wie Heu verdienen; **3.** *fig.* *Wort* prägen; **'coin·age** [-nidʒ] *s.* **1.** Prägen *n*; **2.** *coll.* Münzgeld *n*; **3.** 'Münzsyˌstem *n*; **4.** *fig.* Prägung *f* (*Wörter*); **'coin-box tel·e·phone** *s.* Münzfernsprecher *m.*
co·in·cide [kouin'said] *v/i.* (*with*) **1.** *örtlich od. zeitlich* zs.-treffen, -fallen (mit); **2.** über'einstimmen, sich decken (mit); genau entsprechen (*dat.*); **co·in·ci·dence** [kou'insidəns] *s.* **1.** Zs.-treffen *n* (*Raum od. Zeit*); **2.** zufälliges Zs.-treffen: *mere* ~ bloßer Zufall; **3.** Über'einstimmung *f*; **co·in·ci·dent** [kou'insidənt] *adj.* □ (*with* mit); **1.** zs.-fallend, -treffend; **2.** über'einstimmend, sich deckend; **co·in·ci·den·tal** [kouinsi'dentl] *adj.* **1.** über'einstimmend; **2.** zufällig; **3.** *bsd.* ⊕ gleichzeitig.
coin·er ['kɔinə] *s.* **1. Münzer** *m*; **2.** *bsd. Brit.* Falschmünzer *m.*
coir ['kɔiə], *a.* **~ fi·bre** *s.* 'Kokosfaser *f*; **~ mat** *s.* 'Kokosmatte *f*.
co·i·tal ['kouitl] *adj.* Geschlechtsverkehr betreffend; **co·i·tion** [kou'iʃən], **'co·i·tus** [-təs] *s.* 'Koitus *m*, Geschlechtsverkehr *m.*
coke[1] [kouk] **I.** *s.* Koks *m*; **II.** *v/t.* verkoken.
coke[2] [kouk] *s. sl.* ‚Koks' *m*, Koka'in *n*.
coke[3] [kouk] *s. Am.* F **a)** ® ‚Coca' *f* (*Coca-Cola*), **b)** *sonstiges Erfrischungsgetränk.*
co·ker ['koukə] *s.* ✝ *Brit.* → *coco*; **'~·nut** *s. sl.* 'Kokosnuß *f*.
col [kɔl] *s.* Gebirgspaß *m*, Joch *n*.
co·la ['koulə] *s.* ♀ 'Kolabaum *m.*
col·an·der ['kʌləndə] *s.* Sieb *n*, 'Durchschlag *m.*
'co·la-nut *s.* 'Kolanuß *f*.
col·chi·cum ['kɔltʃikəm] *s.* **1.** ♀ Herbstzeitlose *f*; **2.** *pharm.* 'Colchicum *n*.
cold [kould] **I.** *adj.* □ **1. kalt**: *as* ~ *as ice* eiskalt; ~ *meat* kalte Platte, Aufschnitt; *I feel* (*od. am*) ~ mir ist kalt, mich friert; **2.** kalt, kühl, ruhig, gelassen; trocken: *that leaves me* ~ das läßt mich kalt; ~ *reason* kalter Verstand; *the* ~ *facts* die nackten Tatsachen; **3.** kalt (*Blick, Herz etc.*; *a. Frau*), kühl, frostig, unfreundlich, gefühllos: *a* ~ *reception* ein kühler Empfang; *to give s.o. the* ~ *shoulder* → *cold-shoulder*; *to have* (*get*) ~ *feet* F kalte Füße (*Angst*) haben (kriegen); *as* ~ *as charity* hart wie Stein, lieblos; **4.** *Am. sl.* **a)** bewußtlos, **b)** (tod-) sicher; **II.** *s.* **5.** Kälte *f*; Frost *m*: *to leave s.o. out in the* ~ *fig.* **a)** j-n übergehen *od.* ignorieren *od.* kaltstellen, **b)** j-n im Stich lassen; **6.** ⚕ Erkältung *f*: *common* ~, ~ *in the head* Schnupfen; ~ *on the chest* Bronchialkatarrh; *to catch* (*a*) ~ sich erkälten.
cold| blood *s. fig.* kaltes Blut, Kaltblütigkeit *f*: *to murder in* ~ kaltblütig *od.* kalten Blutes ermorden; **'~-'blood·ed** *adj.* □ **1.** *zo.* kaltblütig; **2.** kälteempfindlich; **3.** *fig.* kaltblütig (begangen); **~ coil** *s.* ⚕ Kühlschlange *f* (*um entzündete Körperteile*); **~ cream** *s.* Cold Cream *n* (*Salbe*); **'~-'drawn** *adj.* ⊕ kaltgezogen; kaltgepreßt; **~ front** *s. meteor.* Kaltluftfront *f*; **'~-'ham-**

mer *v/t.* ⊕ kalthämmern, -schmieden; **'~'heart·ed** *adj.* □ kalt-, hartherzig.

cold·ish ['kouldiʃ] *adj.* ziemlich kalt.

cold·ness ['kouldnis] *s.* Kälte *f* (*a. fig.*).

cold| pig *s.* kalte Dusche (*um j-n aufzuwecken*); **'~-'shoul·der** *v/t. j-m* die kalte Schulter zeigen, *j-n* kühl behandeln *od.* abweisen; **~ steel** *s.* blanke Waffe (*Bajonett etc.*); **~ stor·age** *s.* Kühllagerung *f*; Kühlraum *m*: *to put in ~ fig.* ‚auf Eis legen' (*aufschieben*); **'~-'stor·age** *adj.* Kühl(haus)...; **~ store** *s.* Kühlhalle *f*; Kühlanlage *f*; **~ war** *s. pol.* kalter Krieg; **'~-wave** *s.* Kältewelle *f.*

cole [koul] *s.* ⚘ **a)** (*Blätter*)Kohl *m*, **b)** Raps *m.*

co·le·op·ter·a [kɔli'ɔptərə] *s. pl. zo.* Käfer *pl.*

'cole|-seed *s.* ⚘ Rübsamen *m*; **'~-slaw** *s. Am.* 'Kohlsa,lat *m*; **'~·wort** → *cole.*

col·ic ['kɔlik] *s.* ⚕ 'Kolik *f*; **'col·ick·y** [-ki] *adj.* ⚕ 'kolikartig.

col·i·se·um [kɔli'siəm] *s.* **1. a)** Sporthalle *f*, **b)** 'Stadion *n*; **2.** ♀ Kolos'seum *n* (*Rom*).

co·li·tis [kɔ'laitis] *s.* ⚕ 'Dickdarmka,tarrh *m.*

col·lab·o·rate [kə'læbəreit] *v/i.* **1.** zs.-, mitarbeiten; **2.** behilflich sein; **3.** *pol.* mit dem Feind zs.-arbeiten, kollaborieren; **col·lab·o·ra·tion** [kəlæbə'reiʃən] *s.* **1.** Zs.-arbeit *f*: *in ~ with* gemeinsam mit; **2.** *pol.* Kollaborati'on *f*, Zs.-arbeit *f* mit dem Feind; **col·lab·o·ra·tion·ist** [kəlæbə'reiʃnist] *s. pol.* Kollabora'teur *m*; **col'lab·o·ra·tor** [-tə] *s.* **1.** 'Mitar,beiter *m*; **2.** *pol.* Kollaborateur *m.*

col·lapse [kə'læps] **I.** *v/i.* **1.** zs.-brechen, einfallen, einstürzen; **2.** *fig.* zs.-brechen, scheitern, versagen; **3.** (körperlich *od.* seelisch) zs.-brechen, ‚zs.-klappen'; **II.** *s.* **4.** Zs.-fallen *n*, Einsturz *m*; **5.** Zs.-bruch *m*, Versagen *n*; Sturz *m*: *~ of a bank* Bankkrach; *~ of prices* Preissturz; **6.** ⚕ Kol'laps *m*, Kräfteverfall *m*, Zs.-bruch *m*; **col'laps·i·ble** [-səbl] *adj.* zs.-klappbar, Klapp..., Falt...: *~ boat* Faltboot; *~ chair* Klappstuhl; *~ hood*, *~ roof* Klappverdeck.

col·lar ['kɔlə] **I.** *s.* **1.** Kragen *m*: *~ attached* mit festem Kragen; *double ~*, *turn-down ~* (Steh)Umlegekragen; *stand-up ~* Stehkragen; *wing ~* Eckenkragen; *to get hot under the ~* F wütend werden; **2.** Halsband *n* (*Tier*); **3.** Kummet *n* (*Pferd etc.*): *against the ~ fig.* angestrengt; **4.** Kolli'er *n*, Halskette *f*; Amts-, Ordenskette *f*; **5.** *zo.* Halsstreifen *m*; **6.** ⊕ Ring *m*, Bund *m*, Man'schette *f*, Muffe *f*; **II.** *v/t.* **7.** *sport den Gegner* aufhalten; **8.** beim Kragen packen; fassen, festnehmen; **9.** F nehmen, sich aneignen, erwischen; **10.** *Fleisch etc.* rollen u. zs.-binden; **'~-beam** *s.* △ Kehlbalken *m*; **'~-bone** *s. anat.* Schlüsselbein *n*; **~ but·ton** *s. Am.* Kragenknopf *m.*

col·lar·et(te) [kɔlə'ret] *s.* kleiner (Spitzen- *etc.*)Kragen (*an Damenkleidung*).

'col·lar-stud *s. Brit.* Kragenknopf *m.*

col·late [kɔ'leit] *v/t.* **1.** *Texte* vergleichen, kollationieren; zs.-stellen (u. vergleichen); **2.** *typ. Fahnen* kollationieren, auf richtige Anzahl prüfen.

col·lat·er·al [kɔ'lætərəl] **I.** *adj.* □ **1.** seitlich, Seiten...; **2.** begleitend, paral'lel, zusätzlich, Neben...: *~ circumstances* Begleitumstände; **3.** 'indirekt; **4.** in der Seitenlinie verwandt; **II.** *s.* **5.** zusätzliche Sicherheit, Nebenbürgschaft *f*; **6.** Seitenverwandte(r *m*) *f*; **~ se·cu·ri·ty** → *collateral 5.*

col·la·tion [kɔ'leiʃən] *s.* **1.** Vergleichung *f von Texten*, Über'prüfung *f*; **2.** leichte (Zwischen)Mahlzeit: *cold ~* kalter Imbiß.

col·league ['kɔli:g] *s.* Kol'lege *m*, Kol'legin *f*; 'Mitar,beiter(in).

col·lect[1] [kə'lekt] **I.** *v/t.* **1.** *Briefmarken, Bilder etc.* sammeln: *~ed work* gesammelte Werke; **2.** versammeln; **3.** einsammeln, auflesen; zs.-bringen, ansammeln; auffangen; **4.** *Sachen od. Personen* (ab-)holen: *we ~ and deliver* ✝ wir holen ab und bringen zurück; **5.** *fig. to ~ one's thoughts* s-e Gedanken sammeln *od.* zs.-nehmen; *to ~ courage* Mut fassen; **6.** *~ o.s.* sich fassen; **7.** *Geld etc.* einziehen, einkassieren; **II.** *v/i.* **8.** sich versammeln; sich ansammeln; **9.** *~ on delivery* ✝ *Am.* per Nachnahme; **III.** *adj.* **10.** *Am.* Nachnahme...: *~ call teleph.* R-Gespräch; **IV.** *adv.* **11.** *Am.* gegen Nachnahme: *telegram sent ~* Nachnahmetelegramm.

col·lect[2] ['kɔlekt] *s. eccl.* Kol'lekte *f, ein* Kirchengebet *n.*

col·lect·ed [kə'lektid] *adj.* □ *fig.* gefaßt; → *calm 5*; **col'lect·ed·ness** [-nis] *s. fig.* Fassung *f.*

col·lect·ing| a·gent [kə'lektiŋ] *s.* ✝ In'kassoa,gent *m*; **~ bar** *s.* ⚡ Sammelschiene *f*; **~ cen·tre** (*Am.* **cen·ter**) *s.* Sammelstelle *f.*

col·lec·tion [kə'lekʃən] *s.* **1.** Sammeln *n*; **2.** Sammlung *f*; **3.** Kol'lekte *f*, (Geld)Sammlung *f*; **4.** *bsd.* ✝ Einziehung *f*, In'kasso *n*: *forcible ~* Zwangsbeitreibung; **5.** ✝ Kollekti'on *f*, Auswahl *f*; **6.** Abholung *f*, Leerung *f* (*Briefkasten*); **7.** Ansammlung *f*, Anhäufung *f*; **8.** *Brit.* Steuerbezirk *m*; **9.** *pl. Brit. univ.* Prüfung *f* am Ende des Tri'mesters.

col·lec·tive [kə'lektiv] **I.** *adj.* □ → *collectively*; **1.** gesammelt, vereint, zs.-gefaßt; gesamt, kollek'tiv, Sammel..., Gemeinschafts...: *~ agreement* Kollektiv-, Tarifvertrag; *~ interests* Gesamtinteressen; *~ order* ✝ Sammelbestellung; *~ ownership* gemeinsamer Besitz; *~ security* kollektive Sicherheit; *~ subscription* Sammelabonnement; **II.** *s.* **2.** *ling. a. ~ noun* Kollek'tivum *n*, Sammelwort *n*; **3.** Gemeinschaft *f*, Gruppe *f*; **4.** *pol.* Kollek'tiv *n*, Produkti'onsgemeinschaft *f*; *engS.* → *collective farm*; **~ bar·gain·ing** *s.* Ta'rifverhandlungen *pl.* (*zwischen Arbeitgeber[n] u. Gewerkschaften*); **~ con·sign·ment** *s.* ✝ Sammelladung *f*; **~ farm** *s.* Kol'chose *f* (*landwirtschaftliche Kollektivwirtschaft in kommunistischen Ländern*).

col·lec·tive·ly [kə'lektivli] *adv.* insgesamt, gemeinschaftlich, zu'sammen.

col·lec·tiv·ism [kə'lektivizəm] *s.* ✝, *pol.* Kollekti'vismus *m*; **col'lec·tiv·ist** [-ist] *s.* Anhänger *m* des Kollektivismus; **col·lec·tiv·i·ty** [kɔlek'tiviti] *s.* **1.** *das* Ganze; **2.** Gesamtheit *f* des Volkes; **col·lec·tiv·i·za·tion** [kəlektivai'zeiʃən] *s.* Kollektivierung *f.*

col·lec·tor [kə'lektə] *s.* **1.** Sammler *m*; **2.** ✝ Einkassierer *m*, Einnehmer *m*: *~ of taxes* Steuereinnehmer; **3.** Einsammler *m*, Abnehmer *m* (*Fahrkarten*); **4.** ⚡ Stromabnehmer *m*, 'Auffangelek,trode *f*; **5.** ⚡ 'Sammelappa,rat *m.*

col·leen ['kɔli:n] *s. Ir.* Mädchen *n.*

col·lege ['kɔlidʒ] *s.* **1.** College *n* (*Wohngemeinschaft von Dozenten u. Studenten innerhalb e-r Universität*): *~ of education Brit.* Pädagogische Hochschule; **2.** höhere Lehranstalt; Akade'mie *f* (*oft für besondere Studienzweige*): *Naval* ♀ Marineakademie; **3.** (*anmaßender*) *Name mancher Schulen*; **4.** Gebäude *n* e-s College; **5.** Kol'legium *n*; Vereinigung *f*: *~ of cardinals* Kardinalskollegium; *electoral ~* Wahlausschuß; **~ pud·ding** *s.* kleiner 'Plumpudding *für e-e Person.*

col·leg·er ['kɔlidʒə] *s. Brit.* Stipendi'at *m* in Eton (*der im College wohnt*).

col·le·gi·an [kə'li:dʒjən] *s.* Mitglied *n od.* Stu'dent *m* e-s College; höherer Schüler.

col·le·gi·ate [kə'li:dʒiit] *adj.* □ College..., Universitäts..., aka'demisch: *~ dictionary* Schulwörterbuch; **~ church** *s.* **1.** *Brit.* Kollegi'at-, Stiftskirche *f*; **2.** *Am.* Vereinigung *f* mehrerer Kirchen (*unter gemeinsamem Pastorat*); **~ school** *s. Brit.* höhere Schule.

col·lide [kə'laid] *v/i.* (*with*) kollidieren (mit): **a)** zs.-stoßen (mit) (*a. fig.*), stoßen (gegen), **b)** *fig.* im 'Widerspruch stehen (mit).

col·lie ['kɔli] *s. zo.* Collie *m*, schottischer Schäferhund.

col·lier ['kɔliə] *s.* **1.** Kohlenarbeiter *m*, Bergmann *m*; **2.** ⚓ **a)** Kohlenschiff *n*, **b)** Ma'trose *m* auf e-m Kohlenschiff; **col·lier·y** ['kɔljəri] *s.* Kohlengrube *f.*

col·li·gate ['kɔligeit] *v/t. phls. Tatsachen* logisch verbinden.

col·li·mate ['kɔlimeit] *v/t. ast., phys.* **1.** *zwei Linien* zs.-fallen lassen; **2.** *Fernrohr* einstellen.

col·li·sion [kə'liʒən] *s.* **1.** Zs.-stoß *m*, Kollisi'on *f*: *to be on (a) ~ course* auf Kollisionskurs sein (*a. fig.*); **2.** *fig.* 'Widerspruch *m*, Gegensatz *m*, Kon'flikt *m.*

col·lo·cate ['kɔləkeit] *v/t.* zs.-stellen, ordnen; **col·lo·ca·tion** [kɔlə'keiʃən] *s.* Zs.-stellung *f*, (An)Ordnung *f.*

col·loc·u·tor ['kɔləkju:tə] *s.* Gesprächspartner(in).

col·lo·di·on [kə'loudjən] *s.* ⚗ Kol'lodium *n.*

col·logue [kə'loug] *v/i.* sich vertraulich besprechen, beraten.
col·loid ['kɔlɔid] ⚗ **I.** *s.* Kollo'id *n*, gallertartiger Stoff; **II.** *adj.* gallertartig.
col·lop ['kɔləp] *s. Scot.* Klops *m.*
col·lo·qui·al [kə'loukwiəl] *adj.* □ 'umgangssprachlich, famili'är: *~ English* Umgangsenglisch; *~ expression* → *colloquialism*; **col'lo·qui·al·ism** [-lizəm] *s.* Ausdruck *m* der 'Umgangssprache; familiäre Ausdrucksweise.
col·lo·quy ['kɔləkwi] *s.* (förmliches) Gespräch; Konfe'renz *f.*
col·lo·type ['kɔloutaip] *s. phot.* Lichtdruckverfahren *n*; Farbenlichtdruck *m.*
col·lude [kə'lu:d] *v/i. obs.* in geheimem Einverständnis stehen; unter 'einer Decke stecken; **col'lu·sion** [-u:ʒən] *s.* ⚖ **1.** Kollusi'on *f*, geheimes *od.* betrügerisches Einverständnis; **2.** Durchsteche'rei *f*, abgekartete Sache; **3.** Verdunkelung *f*; **col'lu·sive** [-u:siv] *adj.* □ geheim *od.* betrügerisch verabredet.
col·ly·wob·bles ['kɔliwɔblz] *s. pl. Brit.* F **1.** Bauchweh *n*; **2.** Magenknurren *n.*
Co·lom·bi·an [kə'lɔmbiən] **I.** *adj.* ko'lumbisch; **II.** *s.* Ko'lumbier(in).
co·lon[1] ['koulən] *s. anat.* Dickdarm *m.*
co·lon[2] ['koulən] *s. ling.* Doppelpunkt *m.*
colo·nel [kə:nl] *s.* ⚔ Oberst *m*; '**colo·nel·cy** [-si] *s.* Stelle *f od.* Rang *m* e-s Obersten; '**colo·nel-in-'chief** *s.* Regi'mentschef *m* (*ehrenhalber*).
co·lo·ni·al [kə'lounjəl] **I.** *adj.* □ **1.** koloni'al, Kolonial...; **2.** *Am. hist.* die ersten 13 Staaten der heutigen USA betreffend; **II.** *s.* **3.** Bewohner(in) e-r Kolo'nie; **co'lo·ni·al·ism** [-lizəm] *s.* **1.** Kolonia'lismus *m*; **2.** kolonialer (Wesens)Zug *od.* Ausdruck; **3.** Koloni'alsyˌstem *n.*
Co·lo·ni·al| Of·fice *s. Brit.* Koloni'alminiˌsterium *n*; *~* **Sec·re·tar·y** *s.* Koloni'alminiˌnister *m.*
col·o·nist ['kɔlənist] *s.* Kolo'nist(in), Ansiedler(in); **col·o·ni·za·tion** [kɔlənai'zeiʃən] *s.* Kolonisati'on *f*, Besiedlung *f*; '**col·o·nize** [-naiz] **I.** *v/t.* **1.** kolonisieren, besiedeln; **2.** ansiedeln; **II.** *v/i.* **3.** sich ansiedeln; **4.** e-e Kolo'nie bilden; '**col·o·niz·er** [-naizə] *s.* Koloni'sator *m*, An-, Besiedler *m.*
col·on·nade [kɔlə'neid] *s.* **1.** △ Kolon'nade *f*, Säulengang *m*; **2.** Al'lee *f.*
col·o·ny ['kɔləni] *s.* **1.** Kolo'nie *f* (*Siedlungsgebiet*): *the Colonies Am.* die ersten 13 Staaten der heutigen USA; **2.** Gruppe *f* von Ansiedlern: *the German ~ in Rome* die deutsche Kolonie in Rom; *a ~ of artists* e-e Künstlerkolonie; **3.** *biol.* (*Pflanzen-, Bakterien-, Zellen*)Kolonie *f.*
col·o·phon ['kɔləfən] *s.* Kolo'phon *m* (*Schlußinschrift alter Bücher*).
co·loph·o·ny [kə'lɔfəni] *s.* Kolo'phonium *n*, Geigenharz *n.*
col·or *etc. Am.* → *colour etc.*
Col·o·ra·do bee·tle [kɔlə'rɑ:dou] *s. zo.* Kar'toffelkäfer *m.*
col·o·ra·tu·ra [kɔlərə'tuərə] *s.* ♪ **1.** Kolora'tur *f*; **2.** Kolora'tursängerin *f*; *~* **so·pran·o** *s.* ♪ Kolora'tursoˌpran *m* (*Stimme u. Sängerin*).
col·or·if·ic [kɔlə'rifik] *adj.* **1.** färbend; **2.** farbenfreudig; **col·or'im·e·ter** [-'rimitə] *s. phys.* Farbmesser *m*, Kolori'meter *n.*
co·los·sal [kə'lɔsl] *adj.* □ **1.** riesig, riesenhaft; **2.** F kolos'sal, e'norm; **col·os·se·um** [kɔlə'siəm] → *coliseum*; **Co'los·sians** [-ɔʃənz] *s. pl. bibl.* (Brief *m* des Paulus an die) Ko'losser *pl.*; **co'los·sus** [-səs] *s.* **1.** Ko'loß *m*, Riese *m*; **2.** *et.* Riesengroßes; **3.** Riesenstandbild *n.*
col·our ['kʌlə] **I.** *s.* **1.** Farbe *f*; Färbung *f*: *what ~ is ...?* welche Farbe hat ...?; **2.** *mst pl. Malerei*: Farbe *f*, Farbstoff *m*: *to lay on the ~s too thickly fig.* die Farben zu dick auftragen; *to paint in bright (dark) ~s fig.* in rosigen (düsteren) Farben schildern; **3.** Gesichtsfarbe *f*: *she has little ~* sie ist blaß; *to change ~* die Farbe wechseln; *off ~* **a)** nicht wohl, elend, **b)** *Am. sl.* schlüpfrig, zweideutig; **4.** Hautfarbe *f*: *~ problem* Rassenfrage; *a gentleman of ~* ein Farbiger; **5.** Anschein *m*, Anstrich *m*, Vorwand *m*: *to give (od. lend) ~ to* den Anstrich der Wahrscheinlichkeit geben (*dat.*); *to give a false ~ to* Tatsache verdrehen; *under ~ of* unter dem Vorwand *od.* Anschein von; **6.** Geist *m*, Wesen *n*, Cha'rakter *m*, Atmo'sphäre *f*, Stimmung *f*, Ausdruck *m*, Eigenart *f*; Kolo'rit *n*: *in one's true ~* in s-m wahren Licht; *local ~* Lokalkolorit; **7.** ♪ Klangfarbe *f*; **8.** *pl.* Farben *pl.* als Abzeichen (*Klub, Schule, Partei, Jockei*): *to show one's ~s* sein wahres Wesen zeigen, Farbe bekennen; *to get one's ~s* sein Mitgliedsband bekommen; **9.** *pl.* bunte Kleider; **10.** *oft pl.* ⚔ *od. fig.* Fahne *f*, Flagge *f*: *to call to the ~s* einberufen; *to join the ~s* Soldat werden; *trooping the ~(s)* Fahnenparade; *to come off with flying ~s* mit fliegenden Fahnen siegen, großen Erfolg haben; *to nail one's ~s to the mast* bei s-r Meinung verharren, standhaft bleiben; *to sail under false ~s* unter falscher Flagge segeln; *to stick to one's ~s* e-r Sache treu bleiben; **II.** *v/t.* **11.** färben, kolorieren; anstreichen; **12.** *fig.* färben, e-n Anstrich geben; **13. a)** schönfärben, **b)** entstellen; **III.** *v/i.* **14.** Farbe bekommen; **15.** erröten.
col·o(u)r·a·ble ['kʌlərəbl] *adj.* □ vor-, angeblich; mutmaßlich; plau'sibel; '**col·o(u)r·ant** [-rənt] *s. bsd. Am.* Farbstoff *m*, Färbemittel *n.*
col·o(u)r·a·tion [kʌlə'reiʃən] *s.* Färben *n*; Färbung *f*; Farbgebung *f.*
col·o(u)r| bar *s. pol.* Rassenschranke *f*; '*~***-blind** *adj.* farbenblind; '*~***-blind·ness** *s.* Farbenblindheit *f*; '*~***-box** *s.* Farb(en)-, Malkasten *m.*
col·o(u)red ['kʌləd] **I.** *adj.* **1.** farbig, bunt, koloriert: *~ pencil* Bunt-, Farbstift; *~ plate* → *colo(u)r plate*; **2.** farbig, *Am. bsd.* Neger...: *a ~ man* ein Farbiger; **3.** *fig.* gefärbt; entstellt; **4.** *in Zssgn* ...farbig; '**col·o(u)r·ful** [-əful] *adj.* **1.** farbenfreudig; **2.** *fig.* auffallend, abwechslungsreich, bunt; '**col·o(u)r·ing** [-əriŋ] **I.** *s.* **1.** Farbe *f*, Farbton *m*; **2.** Farbgebung *f*; **3.** Gesichts- (u. Haar)farbe *f*; **4.** *fig.* Anstrich *m*, Färbung *f*; **II.** *adj.* **5.** Farb...: *~ matter* Farbstoff; '**col·o(u)r·ist** [-ərist] *s.* Farbenkünstler *m*; '**col·o(u)r·less** [-əlis] *adj.* □ farblos (*a. fig.*).
col·o(u)r| line *s. pol. Am.* Rassenschranke *f*; '*~***·man** [-mən] *s.* [*irr.*] *Brit.* Farbenhändler *m*; *~* **pho·tog·ra·phy** *s.* 'Farbphotograˌphie *f*; *~* **plate** *s.* Farben(kunst)druck *m*; *~* **print** *s. ein* Farbendruck *m*; *~* **print·ing** *s.* Bunt-, Farbendruck *m*; *~* **pro·cess** *s.* Farbendruckverfahren *n*; *~* **scheme** *s.* Farbgebung *f*, Farbenanordnung *f*; '*~***-ser·geant** *s.* ⚔ (*etwa*) Hauptfeldwebel *m*; *~* **set** *s.* Farbfernseher *m*; *~* **tel·e·vi·sion** *s.* Farbfernsehen *n*; '*~***-wash** **I.** *s.* farbige Tünche; **II.** *v/t.* farbig tünchen.
colt[1] [koult] **I.** *s.* **1.** Füllen *n*, Fohlen *n*; **2.** *fig.* Neuling *m*, ‚Grünschnabel' *m*; **3.** *sport* F Neuling *m* (*bsd. Kricket*); **4.** ⚓ Tauende *n*; **II.** *v/t.* **5.** mit dem Tauende prügeln.
colt[2] [koult] *s.* Colt *m* (*Revolver*).
col·ter *Am.* → *coulter.*
colt·ish ['koultiʃ] *adj.* **1.** fohlenartig; **2.** ausgelassen, 'übermütig.
'**colts·foot** *s.* ⚘ Huflattich *m.*
'**colt's-tooth** *s.* Milchzahn *m* (*Pferd*).
col·um·ba·ri·um [kɔləm'bɛəriəm] *pl.* **-ri·a** [-riə] *s.* Urnenhalle *f.*
col·um·bine ['kɔləmbain] *s.* **1.** ⚘ Ake'lei *f*; **2.** ♀ *thea.* Kolom'bine *f.*
col·umn ['kɔləm] *s.* **1.** △ Säule *f*, Pfeiler *m*; **2.** (*Rauch-, Wasser-, Luft- etc.*)Säule *f*; **3.** *typ.* (Zeitungs-, Buch)Spalte *f*; Ru'brik *f*: *in double ~s* zweispaltig; **4.** regelmäßig erscheinender 'Zeitungsarˌtikel (*über bestimmte Gebiete*); **5.** ⚔ Ko'lonne *f*; → *fifth column*; **6.** Kolonne *f*, senkrechte Zahlenreihe; **co·lum·nar** [kə'lʌmnə] *adj.* säulenartig, -förmig; Säulen...; '**col·um·nist** [-mnist] *s. Zeitung*: Kolum'nist *m* (*Journalist, dessen Beitrag regelmäßig in e-r bestimmten Spalte erscheint*).
col·za ['kɔlzə] *s.* ⚘ Raps *m*: *~-oil* Rüböl.
co·ma[1] ['koumə] *pl.* **-mae** [-mi:] *s.* **1.** ⚘ Haarbüschel *n* (*an Samen*); **2.** *ast.* Nebelhülle *f e-s Kometen.*
co·ma[2] ['koumə] *s.* ⚕ 'Koma *n*, anhaltende *od.* tiefe Bewußtlosigkeit, Dämmer-, Schlafzustand *m*; '**co·ma·tose** [-ətous] *adj.* im Koma befindlich.
comb [koum] **I.** *s.* **1.** Kamm *m*: *fine-tooth ~* Staubkamm; **2.** ⊕ **a)** (Wollweber)Kamm *m*, **b)** (Flachs-)Hechel *f*; **3.** *zo.* Hahnenkamm *m*; **4.** Kamm *m* (*Berg; Woge*); **5.** → *honeycomb*; **II.** *v/t.* **6.** *Haar* kämmen; **7.** ⊕ **a)** *Wolle* kämmen, krempeln, **b)** *Flachs* hecheln; **8.** *Pferd* striegeln; **9.** *fig.* 'durchkämmen, absuchen; **10.** *fig. a. ~ out* **a)** sieben, aussuchen, **b)** ⚔ ausmustern, **c)** aussondern.
com·bat ['kɔmbət] **I.** *v/t.* bekämpfen, kämpfen gegen; **II.** *v/i.* kämpfen; **III.** *s.* Kampf *m*; Streit *m*; ⚔ *a.* Einsatz *m*: *single ~* Zweikampf; '**com·bat·ant** [-tənt] **I.** *s.* **1.**

Kämpfer *m*; **2.** ⚔ Frontkämpfer *m*; **II.** *adj.* **3.** kämpfend; **4.** ⚔ zur Kampftruppe gehörig; Kampf…

com·bat| car *s.* ⚔ *Am.* Kampfwagen *m*; ~ **fa·tigue** *s.* ⚔ *psych.* 'Kriegsneu,rose *f*.

com·ba·tive ['kɔmbətiv] *adj.* □ **1.** kampfbereit; **2.** streitsüchtig; '**com·ba·tive·ness** [-nis] *s.* Kampf-, Streitlust *f*.

com·bat| plane *s.* ✈ *Am.* Kampfflugzeug *n*; ~ **u·nit** *s.* ⚔ *Am.* Gefechtseinheit *f*.

combe → *coomb(e)*.

comb·er ['koumə] *s.* **1.** ⊕ **a)** 'Krempelma,schine *f*, **b)** 'Hechelma,schine *f*; **2.** Sturzwelle *f*.

comb hon·ey *s.* Scheibenhonig *m*.

com·bi·na·tion [kɔmbi'neiʃən] *s.* **1.** Verbindung *f*, Vereinigung *f*; Zs.-setzung *f*; Kombinati'on *f*; **2.** Zs.-schluß *m*, Bündnis *n*; *b.s.* Kom'plott *n*; **3.** Kar'tell *n*, Ring *m*; **4.** ♞ Kombination *f*; **5.** ⚗ Verbindung *f*; **6.** 'Motorrad *n* mit Beiwagen; **7.** *pl.* Hemdhose *f*; ~ **lock** *s.* ⊕ Kombinati'ons-, Ve'xierschloß *n*; ~-**room** *s. Brit. univ.* Gemeinschaftsraum *m* (*Cambridge*).

com·bine [kəm'bain] **I.** *v/t.* **1.** verbinden (*a.* ⚗), vereinigen, kombinieren; **2.** in sich vereinigen; **II.** *v/i.* **3.** sich verbinden (*a.* ⚗), sich vereinigen; **4.** sich zs.-schließen; **5.** zs.-wirken; **III.** *s.* ['kɔmbain] **6.** Verbindung *f*, Vereinigung *f*; **7.** † Kon'zern *m*, Verband *m*; **8.** po'litische *od.* wirtschaftliche Inter'essengemeinschaft; **9.** ⚒ Mähdrescher *m*.

com·bined [kəm'baind] *adj.* vereinigt, verbunden; vereint, gemeinsam, Gemeinschafts…; kombiniert; ~ **arms** *s. pl.* ⚔ verbundene Waffen *pl.*; ~ **op·er·a·tion** *s.* ⚔ kombinierte Operati'on.

comb·ings ['koumiŋz] *s. pl.* ausgekämmte Haare *pl.*

com·bo ['kɔmbou] *s.* Combo *f*, kleine Jazzband.

'**comb-out** *s.* Auskämmen *n*; *fig.* 'Durchkämmen *n*, Absuchen *n*.

com·bus·ti·bil·i·ty [kəmbʌstə'biliti] *s.* Brennbarkeit *f*, Entzündlichkeit *f*;

com·bus·ti·ble [kəm'bʌstəbl] **I.** *adj.* **1.** brennbar, leichtentzündlich; **2.** *fig.* erregbar; **II.** *s.* **3.** Brenn-, Zündstoff *m*; 'Brennmateri,al *n*.

com·bus·tion [kəm'bʌstʃən] *s.* Verbrennung *f* (*a.* ⚗, *biol.*): *spontaneous* ~ Selbstentzündung; ~ **chamber** *s.* ⊕ Verbrennungsraum *m*; ~ **en·gine,** ~ **mo·tor** *s.* ⊕ Ver'brennungs,motor *m*.

come [kʌm] **I.** *v/i.* [*irr.*] **1.** kommen: *to* ~ *and go* **a)** hin u. her gehen, **b)** zu kurzem Besuch kommen; *to* ~ *to* (*od.* F *and*) *see* besuchen; *that* ~*s on page 4* das kommt auf Seite 4; **2.** ankommen, gelangen: *it came to my knowledge* ich erfuhr; *to* ~ *into sight* sichtbar werden; *to* ~ *to the throne* den Thron besteigen; *ill luck came to him* ihm widerfuhr Unglück; **3.** *oft mit inf.* geschehen, dazu kommen: *to* ~ *to pass* geschehen, sich zutragen; *how did you* ~ *to do that?* wie kam es, daß du das tatest?; *it has* ~ *to be the custom* es ist Sitte geworden; *I have* ~ *to believe* ich bin zu der Überzeugung gekommen; *to* ~ *to know* kennenlernen; ~ *what may* komme, was da wolle; *how did it* ~ *that …?* wie kam es, daß …?; **4.** her'vorkommen, erscheinen, sich einstellen: *love will* ~ *in time* mit der Zeit wird die Liebe sich einstellen; *to* ~ *before the judge* vor dem Richter erscheinen; *French* ~*s easy to me* Französisch fällt mir leicht; **5.** sich entwickeln, werden: *to* ~ *all right* in Ordnung kommen; *to* ~ *true* wahr werden; *to* ~ *to pieces* in Stücke gehen; *to* ~ *undone* auf-, ab-, losgehen; *the butter will not* ~ die Butter bildet sich nicht *od.* ‚wird' nicht; **6.** entspringen, stammen: *that's what* ~*s of your hurry* das kommt von deiner Eile; *nothing came of it* es wurde nichts daraus; *he* ~*s of rich parents* er stammt von reichen Eltern ab; *I* ~ *from Leeds* ich stamme aus Leeds; **7.** erreichen; hin'auslaufen (*to* auf *acc.*): *the bill* ~*s to £ 5* die Rechnung beträgt £ 5; *it* ~*s to this that …* es läuft darauf hinaus, daß …; *it* ~*s to the same thing* es kommt auf dasselbe hinaus; *he will never* ~ *to much* er wird es nie zu etwas bringen; **8.** der Reihe nach kommen: *you* ~ *first* du kommst zuerst (an die Reihe); *what* ~*s next?* was kommt dann?; *for a year to* ~ auf ein weiteres Jahr; *the time to* ~ die Zukunft; **II.** *v/t.* [*irr.*] **9.** F sich aufspielen als: *to* ~ *the swell* auf vornehm machen; **III.** *imperative u. int.* **10.** nun; bitte: ~, *be patient!* nur Geduld!;

Zssgn mit prp.:

come| a·cross *v/t.* stoßen auf (*acc.*), treffen, finden; ~ **aft·er** *v/t.* **1.** *j-m* folgen; **2.** suchen, sich bemühen um *et.*; ~ **at** *v/t.* **1.** erreichen, bekommen; **2.** angreifen; ~ **by** *v/t.* erlangen, zu *et.* kommen; ~ **for** *v/t.* abholen; ~ **in·to** *v/t.* **1.** sich anschließen, beitreten (*dat.*); **2.** *to* ~ *fashion* Mode werden; *to* ~ *flower* aufblühen; *to* ~ *a fortune* ein Vermögen erben; ~ **near** *v/t.* **1.** *fig.* nahe-, gleichkommen (*dat.*); **2.** ~ *doing s.th.* et. beinahe tun; ~ **o·ver** *v/t.* über'kommen, befallen: *what has* ~ *you?* was ist mit dir los?, was fällt dir ein!; ~ **round** *v/t.* *j-n* über'reden *od.* beschwatzen; ~ **to** *v/t.* **1.** *j-m* zufallen (*durch Erbschaft*); **2.** *when it comes to paying* wenn es ans Bezahlen geht; *it came to nothing* es wurde nichts daraus; *what are things coming to!* wohin sind wir (*od.* ist die Welt) geraten!; ~ **un·der** *v/t.* **1.** unter *et.* fallen, zu *et.* gehören; **2.** *e-r Sache* ausgesetzt sein; ~ **up·on** *v/t.* **1.** stoßen auf (*acc.*), begegnen (*dat.*); **2.** *j-n* über'kommen, befallen; **3.** *j-m* zur Last fallen;

Zssgn mit adv.:

come| a·bout *v/i.* **1.** geschehen, entstehen; **2.** sich drehen (*Wind*); ~ **a·cross** *v/i. sl.* die Sache liefern, *bsd.* ‚blechen' (*zahlen*); ~ **a·long** *v/i.* **1.** her('an)kommen; mitgehen, mitkommen: ~! F ‚dalli', mach schnell!; **2.** mitmachen, zustimmen; ~ **a·part** *v/i.* ausein'anderfallen, in Stücke gehen; ~ **a·way** *v/i.* **1.** ab-, losgehen (*Knopf etc.*); **2.** weggehen; ~ **back** *v/i.* **1.** zu'rückkommen; 'wiederkehren: *to* ~ *to s.th.* auf e-e Sache zurückkommen; **2.** wieder einfallen (*to s.o.* j-m); **3.** *Am. sl.* (schlagfertig) antworten; ~ **by** *v/i.* vor'beikommen; ~ **down** *v/i.* **1.** her'unterkommen (*a. fig. aus besseren Verhältnissen*); fallen, (ein-)stürzen; ✈ niedergehen; **2.** *ped., univ.* in die Ferien gehen; **3.** billiger werden; **4.** nachgeben; **5.** über'liefert werden; **6.** ~ *on* **a)** sich stürzen auf (*acc.*), **b)** *j-m* ‚aufs Dach steigen', **c)** ~ *on the side of s.o.* j-n unterstützen; **7.** ~ *with* F he'rausrücken mit (*Geld*); *to* ~ *handsome* freigebig sein; *it comes down to this* hieraus ergibt sich; ~ **for·ward** *v/i.* **1.** (her)'vortreten; sich einstellen; **2.** sich anbieten; ~ **in** *v/i.* **1.** her'einkommen: ~! herein!; **2.** ankommen (*a.* 🚂); ⚓ *u. sport* einlaufen: *to* ~ *third sport* den dritten Platz belegen; **3.** aufkommen, Mode werden; **4.** zur Macht kommen; **5.** reif werden; **6.** *a.* ~ *useful* sich als nützlich erweisen; gelegen kommen; **7.** angehen, betreffen, zu tun haben mit: *but where does the radio* ~? aber was hat das mit dem Radio zu tun?; *where does the joke* ~? was ist daran so witzig?; *where do I* ~? wo bleibe ich?, was nützt mir das?; **8.** ~ *for* erhalten, bekommen: *to* ~ *for praise* gelobt werden; ~ **off** *v/i.* **1.** ab-, losgehen; abfärben; **2.** da'vonkommen: *to* ~ *badly* schlecht abschneiden *od.* wegkommen; → *colour 10*; **3.** zu'stande kommen, stattfinden; **4.** *a.* ~ *duty* den Dienst beenden, frei werden; ~ **on** *v/i.* **1.** her'ankommen; an die Reihe kommen; sich einstellen; **2.** *thea.* auftreten; aufgeführt werden; **3.** vor'ankommen, Fortschritte machen; **4.** beginnen: *it came on to rain* es begann zu regnen; **5.** ~! **a)** komm mit!, komm her!, **b)** los!, vorwärts!, **c)** *sl.* sachte!, na, hör mal!, Unsinn!; ~ **out** *v/i.* **1.** (her-)'auskommen; erscheinen, auftreten; **2.** (her)'ausgehen, verschwinden; **3.** bekannt werden, sich zeigen; **4.** streiken; **5.** in die Gesellschaft eingeführt werden; **6.** ~ *with s.th.* et. ausplaudern; ~ **o·ver** *v/i.* **1.** her'überkommen; **2.** 'übergehen (*to* zu); ~ **round** *v/i.* **1.** her'umkommen, besuchen (*acc.*); **2.** sich erholen; wieder zu sich kommen; **3.** *fig.* einlenken: *to* ~ *to s.o.'s way of thinking* sich j-s Meinung anschließen; ~ **to** *v/i.* ⚕ wieder zu sich kommen; ~ **up** *v/i.* **1.** her'auf-, her'vorkommen: *to* ~ *before the court* vor Gericht kommen; *to* ~ *for discussion* zur Sprache kommen; *to* ~ *to London* nach London kommen; **2.** *Brit.* die Universi'tät beziehen; **3.** ♀ aufgehen, wachsen, keimen; **4.** ~ *to* **a)** reichen bis, her'ankommen an (*acc.*), gleichkommen, entsprechen (*dat.*), **b)** *j-n* ansprechen; **5.** ~ *with j-n* einholen; **6.** aufkommen, Mode werden.

come-at-a·ble [kʌm'ætəbl] *adj.* F erreichbar.

'**come-back** *s.* **1.** 'Wiederkehr *f*, Wieder'hochkommen *n*, *sport, thea.* Come'back *n*: *to stage a* ~ ein

Comeback versuchen; **2.** *sl.* (schlagfertige) Antwort.

co·me·di·an [kəˈmiːdjən] *s.* **1.** Komödiˈant(in), ˈKomiker(in); **2.** Lustspieldichter *m.*

ˈ**come-down** *s.* **1.** *fig.* Abstieg *m*, Niedergang *m*; **2.** Reinfall *m.*

com·e·dy [ˈkɔmidi] *s.* **1.** Koˈmödie *f*, Lustspiel *n*: *light* ~ Schwank; **2.** komischer Vorfall.

come·li·ness [ˈkʌmlinis] *s.* Anmut *f*, Schönheit *f*; ˈ**come·ly** [ˈkʌmli] *adj.* anmutig, hübsch.

ˈ**come-on** *s. Am. sl.* Lockmittel *n.*

com·er [ˈkʌmə] *s.* **1.** Kommende(r *m*) *f*: *first* ~ wer zuerst kommt; *all* ~*s* all und jeder; **2.** *Am. sl.* ‚kommender Mann'.

co·mes·ti·ble [kəˈmestibl] *s. mst pl.* Nahrungs-, Lebensmittel *pl.*

com·et [ˈkɔmit] *s. ast.* Koˈmet *m.*

com·fit [ˈkʌmfit] *s.* Konˈfekt *n*, Zukkerwerk *n*, Süßigkeiten *pl.*

com·fort [ˈkʌmfət] **I.** *v/t.* **1.** trösten; beruhigen; Mut zusprechen (*dat.*); **2.** erquicken, laben; **3.** *obs.* unterˈstützen, *j-m* helfen; **II.** *s.* **4.** Trost *m*; Labsal *n*; Erquickung *f*: *to derive* ~ *from s.th.* Trost aus et. schöpfen; *he was a great* ~ *to her* er war ihr ein großer Trost *od.* Beistand; *cold* ~ schwacher *od.* schlechter Trost; **5.** Behaglichkeit *f*, Wohlergehen *n*: *to live in* ~ ein sorgenfreies Leben führen; **6.** Bequemlichkeit *f*, Komˈfort *m*; **7.** *soldiers'* ~*s* Liebesgaben für Soldaten; **8.** *obs.* Unterˈstützung *f*; ˈ**com·fort·a·ble** [-fətəbl] **I.** *adj.* □ **1.** bequem, behaglich, gemütlich: *to make o.s.* ~ es sich bequem machen; *I am* ~ mir ist behaglich, ich sitze bequem; *to feel* ~ sich wohl fühlen; **2.** recht gut, reichlich: *a* ~ *income*; *in* ~ *circumstances* im Wohlstand; **3.** angenehm, wohltuend, beruhigend; **4.** ohne Beschwerden (*Patient*); **II.** *s.* **5.** → *comforter 4*; ˈ**com·fort·a·bly** [-fətəbli] *adv.* bequem, leicht, angenehm: ~ *off* wohlhabend; ˈ**com·fort·er** [-tə] *s.* **1.** Tröster *m*: → *Job*²; **2.** *the* ♀ *eccl.* der Heilige Geist; **3.** *bsd. Brit.* wollenes Halstuch; **4.** *Am.* Steppdecke *f*; **5.** *bsd. Brit.* Schnuller *m* (*für Baby*); ˈ**comfort·ing** [-tiŋ] *adj.* tröstlich; ˈ**comfort·less** [-lis] *adj.* **1.** trostlos; **2.** unerfreulich, unbehaglich.

com·frey [ˈkʌmfri] *s.* ⚘ Schwarzwurz *f.*

com·fy [ˈkʌmfi] *adj.* F behaglich.

com·ic [ˈkɔmik] **I.** *adj.* □ → *comically*; **1.** komisch, Lustspiel...: ~ *actor* Komiker; ~ *writer* Lustspieldichter; **2.** komisch, humoˈristisch: ~ *paper* Witzblatt; ~ *song* lustiges Lied; **3.** drollig, spaßig; **II.** *s.* **4.** Komiker *m*; **5.** Witzblatt *n*; *pl. Zeitung*: ˈComics *pl.*; ˈ**com·i·cal** [-kəl] *adj.* □ **1.** komisch, ulkig; **2.** F komisch, sonderbar; **com·i·cal·i·ty** [kɔmiˈkæliti] *s.* Spaßigkeit *f*; ˈ**com·i·cal·ly** [-kəli] *adv.* komisch(erweise).

com·ic| op·er·a *s.* ♪ komische Oper; ~ **strips** *s. pl. Zeitung*: ˈComic strips *pl.*

Com·in·form [ˈkɔminfɔːm] *s. pol. hist.* Kominˈform *n*, Kommuˈnistisches Informatiˈonsbüˌro.

com·ing [ˈkʌmiŋ] **I.** *adj.* kommend, (zu)künftig: *the* ~ *man* der kommende Mann; ~ *week* nächste Woche; **II.** *s.* Kommen *n*, Ankunft *f*; Beginn *m*: ~ *of age* Mündigwerden; ˈ~-ˈ**in** *pl.* ˈ**com·ings-ˈin** *s.* **1.** Eintritt *m*, Beginn *m*; **2.** *pl.* Einnahmen *pl.*, Einkünfte *pl.*

Com·in·tern [ˈkɔmintəːn] *s. pol. hist.* Kominˈtern *f*, Kommuˈnistische ˌInternatioˈnale.

com·i·ty [ˈkɔmiti] *s.* Höflichkeit *f*: ~ *of nations* gutes Einvernehmen der Nationen.

com·ma [ˈkɔmə] *s.* Komma *n*; ~ **ba·cil·lus** *s.* ⚕ ˈKommabaˌzillus *m.*

com·mand [kəˈmɑːnd] **I.** *v/t.* **1.** *j-m* befehlen, gebieten; **2.** gebieten, fordern, verlangen: *to* ~ *silence* Ruhe gebieten; **3.** beherrschen, gebieten über (*acc.*): *the hill* ~*s the plain* der Hügel beherrscht die Ebene; **4.** ⚔ kommandieren: **a)** *j-m* befehlen, **b)** *Truppe* befehligen, führen; **5.** *Gefühle, die Lage* beherrschen: *to* ~ *o.s.* sich beherrschen; *to* ~ *one's temper* die Ruhe bewahren; **6.** verfügen über (*acc.*) (*Dienste, Gelder*); **7.** *Vertrauen, Liebe* einflößen: *to* ~ *respect* Achtung gebieten; *to* ~ *admiration* Bewunderung abnötigen *od.* verdienen; **8.** *Aussicht* gewähren, bieten; **9.** ✝ *Preis* erzielen; *Absatz* finden; **II.** *v/i.* **10.** befehlen, herrschen; **11.** ⚔ kommandieren; **III.** *s.* **12.** *allg.* Befehl *m*: *by* ~ auf Befehl; **13.** ⚔ Komˈmando *n*: **a)** Befehl *m*: *word of* ~ Kommando(wort), **b)** (Ober)Befehl *m*, Befehlsgewalt *f*, Führung *f*: *to be in* ~ (*of*) das Kommando führen (über *acc.*); *to take* ~ das Kommando übernehmen; **14.** ⚔ Befehls-, Komˈmandobereich *m*; **15.** Gewalt *f*, Herrschaft *f* (*of* über *acc.*); Beherrschung *f*, Meisterung *f* (*Gefühle*): *to have* ~ *of* (*a. Fremdsprache*) beherrschen; *his* ~ *of English* s-e Englischkenntnisse; **16.** Verfügung *f* (*of* über *acc.*): *at your* ~ zu Ihrer Verfügung; *to be (have) at* ~ zur Verfügung stehen (haben).

com·man·dant [kɔmənˈdænt] *s.* ⚔ Kommanˈdant *m*, Befehlshaber *m.*

com·mand car *s.* ⚔ *Am.* Kübelwagen *m*, Befehlsfahrzeug *n.*

com·man·deer [kɔmənˈdiə] *v/t.* **1.** zum Miliˈtärdienst zwingen; **2.** ⚔ requirieren; **3.** F ‚organisieren', sich aneignen.

com·mand·er [kəˈmɑːndə] *s.* **1.** ⚔ Kommanˈdant *m* (*e-r Festung, e-s Flugzeugs etc.*), Befehlshaber *m*; Kommanˈdeur *m* (*e-r Einheit*), Führer *m*; ⚓ Freˈgattenkapiˌtän *m*: ~-*in-chief* Oberbefehlshaber; **2.** ♀ *of the Faithful* Beherrscher der Gläubigen (*Sultan*); **3.** *Brit.* (*Ordens*)Komˈtur *m*; **comˈmand·ing** [-diŋ] *adj.* □ **1.** herrschend, gebietend; *die Gegend* beherrschend: ~ *point* strategischer Punkt; **2.** ⚔ kommandierend, befehlshabend; **3.** achtunggebietend, eindrucksvoll; **4.** gebieterisch; **comˈmand·ment** [-dmənt] *s.* Gebot *n*, Vorschrift *f*: *the ten* ~*s bibl.* die Zehn Gebote.

com·mand mod·ule *s.* Komˈmandozenˌtrale *f* e-s Raumschiffs.

com·man·do [kəˈmɑːndou] *pl.* **-dos** *s.* ⚔ **1.** Komˈmando(truppe *f*) *n*, Saboˈtagetrupp *m*: ~ *raid* Kommandoüberfall; ~ *squad* Kommandoeinheit; **2.** Expeditiˈon *f.*

com·mand| pa·per *s. pol. Brit.* (*dem Parlament vorgelegter*) königlicher Erlaß; ~ **per·form·ance** *s. thea.* Aufführung *f* auf königlichen Befehl *od.* Wunsch; ~ **post** *s.* ⚔ Befehls-, Gefechtsstand *m.*

com·mem·o·rate [kəˈmeməreit] *v/t.* (ehrend) gedenken (*gen.*), *das Andenken* feiern; erinnern an (*acc.*): *a monument to* ~ *s.th.* ein Denkmal zur Erinnerung an ein Ereignis; **com·mem·o·ra·tion** [kəmeməˈreiʃən] *s.* **1.** Gedenk-, Gedächtnisfeier *f*: *in* ~ *of* zum Gedächtnis an (*acc.*); **2.** *Brit. univ.* Stiftergedenkfest *n* (*Oxford*); **comˈmem·o·ra·tive** [-rətiv] *adj.* Gedächtnis..., Erinnerungs...: ~ *issue* Gedenkausgabe (*Briefmarken etc.*).

com·mence [kəˈmens] *v/t. u. v/i.* **1.** beginnen, anfangen; ⚖ *Klage* anhängig machen; **2.** *Brit. univ.* promovieren; **comˈmence·ment** [-mənt] *s.* **1.** Anfang *m*, Beginn *m*; **2.** (Tag *m* der) Feier *f* der Verleihung akaˈdemischer Grade; **comˈmenc·ing** [-siŋ] *adj.* Anfangs...: ~ *salary.*

com·mend [kəˈmend] *v/t.* **1.** empfehlen, loben: ~ *me to ...* F da lobe ich mir ...; **2.** empfehlen, anvertrauen (*to dat.*); **3.** ~ *o.s.* sich (*als geeignet*) empfehlen; **comˈmend·a·ble** [-dəbl] *adj.* □ empfehlenswert, lobenswert; **com·men·da·tion** [kɔmenˈdeiʃən] *s.* **1.** Empfehlung *f*; **2.** Lob *n*; **comˈmend·a·to·ry** [-dətəri] *adj.* empfehlend, Empfehlungs...

com·men·sal [kəˈmensəl] *s.* **1.** Tischgenosse *m*; **2.** ⚘, *zo.* Schmaˈrotzer *m.*

com·men·su·ra·ble [kəˈmenʃərəbl] *adj.* □ **1.** kommensuˈrabel, vergleichbar (*with, to* mit); **2.** angemessen, im richtigen Verhältnis; **comˈmensu·rate** [-rit] *adj.* □ **1.** gleich groß, von gleicher Dauer (*with* wie); **2.** (*with, to*) im Einklang stehend (mit), angemessen *od.* entsprechend (*dat.*).

com·ment [ˈkɔment] **I.** *s.* **1.** Be-, Anmerkung *f*, Stellungnahme *f*, Kommenˈtar *m* (*on* zu): *no* ~! (ich habe) nichts dazu zu sagen!, *iro.* Kommentar überflüssig!; **2.** Erläuterung *f*, Kommentar *m*, Deutung *f*; Kriˈtik *f*; **3.** Gerede *n*; **II.** *v/i.* **4.** (*on*) Erläuterungen *od.* Anmerkungen machen (zu), kommentieren (*acc.*); **5.** sich (kritisch) äußern (*on* über *acc.*); ˈ**com·men·tar·y** [-təri] *s.* Kommentar *m* (*on* zu): *wireless* (*od. radio*) ~ Rundfunkkommentar; ˈ**com·men·tate** [-teit] *v/i. Radio*: → *comment 4, 5*; ˈ**com·men·ta·tor** [-teitə] *s.* **1.** Kommenˈtator *m*, Erläuterer *m*; **2.** ˈRundfunkkommenˌtator *m.*

com·merce [ˈkɔmə(ː)s] *s.* **1.** Handel *m*, Handelsverkehr *m*; **2.** Verkehr *m*, ˈUmgang *m*; ˈ~-**deˈstroy·er** *s.* ⚓ Handelszerstörer *m.*

com·mer·cial [kəˈməːʃəl] **I.** *adj.* □ **1.** kaufmännisch, geschäftlich, gewerblich, kommerziˈell; Handels..., Geschäfts...; **2.** gewerbsmäßig *od.* im großen hergestellt; **3.** handelsüblich; **4.** Werbe...; **II.** *s.* **5.** *Radio, Fernsehen*: **a)** von e-m Sponsor finanzierte Sendung, **b)** → *spot 11*; **6.** *Brit.* F Handlungsreisende(r) *m*; ~ **a·gen·cy** *s. Am.* 'Handelsauskunf,tei *f*; ~ **al·co·hol** *s.* handelsüblicher 'Alkohol, Sprit *m*; ~ **art** *s.* Ge'brauchs,graphik *f*; ~ **a·vi·a·tion** *s.* Verkehrsluftfahrt *f*; ~ **col·lege** *s.* Handels(hoch)schule *f*; ~ **cor·re·spond·ence** *s.* 'Handelskorrespon,denz *f*; ~ **ed·u·ca·tion** *s.* kaufmännische (Aus)Bildung; ~ **ho·tel** *s.* Ho'tel *n* für Handlungsreisende.

com·mer·cial·ism [kə'mə:ʃəlizəm] *s.* **1.** Kaufmanns-, Handelsgeist *m*; **2.** Handelsgepflogenheit *f*; **com·mer·cial·i·za·tion** [kəmə:ʃəlai'zeiʃən] *s.* Kommerzialisierung *f*, Vermarktung *f*, kaufmännische Verwertung *od.* Ausnutzung; **com'mer·cial·ize** [kə'mə:ʃəlaiz] *v/t.* kommerzialisieren, vermarkten, (nur) kaufmännisch verwerten, ein Geschäft machen aus; in den Handel bringen.

com·mer·cial| let·ter of cred·it *s.* Akkredi'tiv *n*; ~ **loan** *s.* 'Warenkre,dit *m*; ~ **man** *s.* [*irr.*] Geschäftsmann *m*; ~ **pa·pers** *s. pl.* Ge'schäftspa,piere *pl.*; ~ **plane** *s.* Verkehrsflugzeug *n*; ~ **room** *s. Brit. Hotelzimmer, in dem Handlungsreisende Kunden empfangen können*; ~ **school** *s.* Handelsschule *f*; ~ **tel·e·vi·sion** *s.* Werbefernsehen *n*; ~ **trav·el·(l)er** *s.* Handlungsreisende(r) *m*; ~ **trea·ty** *s.* Handelsvertrag *m*; ~ **val·ue** *s.* Handels-, Marktwert.

com·mi·na·tion [kɔmi'neiʃən] *s.* Drohung *f*; *bsd. eccl.* Androhung *f* göttlicher Strafe: ~ *service* Bußgottesdienst (am Aschermittwoch).

com·mi·nute ['kɔminju:t] *v/t.* zerkleinern, zerstückeln; zerreiben: ~*d fracture* ⚕ Splitterbruch; **com·mi·nu·tion** [kɔmi'nju:ʃən] *s.* **1.** Zerkleinerung *f*; Zerreibung *f*; **2.** ⚕ Splitterung *f*; **3.** Abnutzung *f*; Verringerung *f*.

com·mis·er·ate [kə'mizəreit] **I.** *v/t.* *j-n* bemitleiden, bedauern; **II.** *v/i.* Mitleid haben (*with* mit); **com·mis·er·a·tion** [kəmizə'reiʃən] *s.* Mitleid *n*, Erbarmen *n*.

com·mis·sar [kɔmi'sɑ:] *s.* Kommis'sar *m* (*bsd. Rußland*): *People's* ♀ Volkskommissar; **com·mis'sar·i·at** [-'sɛəriət] *s.* **1.** ('Volks)Kommissari,at *n*; **2.** ⚔ Intendan'tur *f*; **com·mis·sar·y** ['kɔmisəri] *s.* **1.** Kommissar *m*, Beauftragte(r) *m*; **2.** *eccl.* bischöflicher Kommissar; **3.** 'Volkskommis,sar *m*; **4.** ⚔ Verpflegungsamt *n*.

com·mis·sion [kə'miʃən] **I.** *s.* **1.** Auftrag *m*, 'Vollmacht *f*; **2.** Bestallung *f*; Bestallungsurkunde *f*; **3.** ⚔ Offi'zierspa,tent *n*: *to hold a* ~ Offizier sein; *to receive one's* ~ Offizier werden; **4.** (An)Weisung *f*, Aufgabe *f*; **5.** Auftrag *m*, Bestellung *f*; **6.** Amt *n*, Dienst *m*, Tätigkeit *f*, Betrieb *m*: *to put into* ~ *Schiff* in Dienst stellen (F *a. Maschine etc.*); *in* ~ im Dienst, in Betrieb; *out of* ~ nicht (mehr) im Dienst, außer Betrieb, nicht funktionierend; **7.** ✝ **a)** Kommissi'on *f*: *to have on* ~ in Kommission *od.* Konsignation haben, **b)** Provisi'on *f*, Vergütung *f*: *to sell on* ~ gegen Provision verkaufen; **8.** Ausführung *f*, Verübung *f*; → *sin 1*; **9.** Kommission *f*, Ausschuß *m*; Vorstand *m* (*Klub*): *Royal* ♀ *Brit.* Untersuchungsausschuß; **II.** *v/t.* **10.** beauftragen, be'vollmächtigen; **11.** *j-m* e-e Bestellung *od.* e-n Auftrag geben; **12.** in Auftrag geben, bestellen: *to* ~ *an opera*; **13.** ⚔ zum Offi'zier ernennen; **14.** *Schiff* in Dienst stellen.

com'mis·sion-a·gent *s.* ✝ Kommissio'när *m*, Provisi'onsvertreter *m*.

com·mis·sion·aire [kəmiʃə'nɛə] *s.* *Brit.* (livrierter) Porti'er.

com·mis·sioned of·fi·cer [kə'miʃənd] *s.* (durch Pa'tent bestallter) Offi'zier.

com·mis·sion·er [kə'miʃnə] *s.* **1.** Be'vollmächtigte(r) *m*, Beauftragte(r) *m*; **2.** (Re'gierungs)Kommis,sar *m*: *High* ♀ Hoch-, Oberkommissar; **3.** Leiter *m* des Amtes: ~ *of police* Polizeichef; ~ *for oaths* (*etwa*) Notar; **4.** Mitglied *n* e-r (Re'gierungs-) Kommissi,on, Kommis'sar *m*; *pl.* Kommissi'on *f*, Behörde *f*.

com·mis·sion| mer·chant *s.* ✝ Kommissio'när *m*; ~ **plan** *s. pol. Am.* Stadtverwaltung *f* durch e-n kleinen gewählten Ausschuß.

com·mis·sure ['kɔmisjuə] *s.* **1.** Naht *f*; Band *n* (*bsd. anat.*); **2.** *anat.* Nervenstrang *m*.

com·mit [kə'mit] *v/t.* **1.** anvertrauen, über'geben, über'tragen: *to* ~ *to the ground* beerdigen; *to* ~ *to memory* auswendig lernen; *to* ~ *to paper* zu Papier bringen; *to* ~ *to gaol* (*Am. jail*) in Untersuchungshaft nehmen; *to* ~ *for trial* dem zuständigen Gericht zur Hauptverhandlung überstellen; **2.** anvertrauen, empfehlen; **3.** *pol.* an e-n Ausschuß über'weisen; **4.** (*to*) verpflichten (zu), binden (an *acc.*); festlegen (auf *acc.*) (*alle a. o.s.* sich); **5.** *Verbrechen etc.* begehen, verüben; **com'mit·ment** [-mənt] *s.* **1.** (*to*) Verpflichtung *f* (zu), Bindung *f* (an *acc.*): *without* ~ unverbindlich; **2.** ✝ Verbindlichkeit *f*; *Am. engS.* Börsengeschäft *n*; **3.** → *committal 3*; **4.** *fig.* Engage'ment *n*; **com'mit·tal** [-tl] *s.* **1.** → *commitment 1*; **2.** 'Übergabe *f*, Über'weisung *f* (*to* an *acc.*): ~ *to gaol* (*Am. jail*) Inhaftierung; ~ *order* Haftbefehl, Einweisungsbeschluß; ~ *service* Bestattung(sfeier); **3.** ⚖ Einweisung *f* (in e-e Heil- u. Pflegeanstalt); **4.** Verübung *f*, Begehung *f* (*von Verbrechen etc.*).

com·mit·tee [kə'miti] *s.* Komi'tee *n*, Ausschuß *m*, Kommissi'on *f*: *to be on the* ~ Mitglied des Ausschusses sein; *the House goes into* (*od. resolves itself into a*) ♀ *parl.* das Haus konstituiert sich als Ausschuß; ~ *stage parl.* Stadium der Ausschußberatung (*zwischen 2. u. 3. Lesung e-s Gesetzentwurfes*); ~*-man* Komiteemitglied.

com·mode [kə'moud] *s.* **1.** Nachtstuhl *m*; **2.** Kom'mode *f*; **com'mo·di·ous** [-djəs] *adj.* □ geräumig; **com'mo·di·ous·ness** [-djəsnis] *s.* Geräumigkeit *f*.

com·mod·i·ty [kə'mɔditi] *s.* ✝ Ware *f*, ('Handels-, *bsd.* Ge'brauchs-) Ar,tikel *m*; *oft pl.* Waren *pl.*: ~ *value* Waren-, Sachwert; ~ **ex·change** *s.* ✝ Warenbörse *f*; ~ **mar·ket** *s.* ✝ **1.** Warenmarkt *m*; **2.** Rohstoffmarkt *m*.

com·mo·dore ['kɔmədɔ:] *s.* ⚓ **1.** Kommo'dore *m*, Flo'tillenadmi,ral *m*; **2.** Präsi'dent *m* e-s Jachtklubs; **3.** Leitschiff *n* (*Geleitzug*).

com·mon ['kɔmən] **I.** *adj.* □ → *commonly*; **1.** gemeinsam (*a.* ⅌), gemeinschaftlich: *to make* ~ *cause* gemeinsame Sache machen; ~ *ground* gleiche Grundlage, gleiche Interessen; ~ *mother tongue* gemeinsame Muttersprache; **2.** allgemein, öffentlich: ~ *knowledge* allgemein bekannt; ~ *rights* Menschenrechte; ~ *talk* Stadtgespräch; ~ *usage* allgemein üblich; **3.** gewöhnlich, üblich, häufig: ~ *coin of the realm* übliche Landesmünze; ~ *event* normales Ereignis; *a very* ~ *name* ein sehr häufiger Name; ~ *as dirt* häufig, gewöhnlich; **4.** einfach, gewöhnlich, alltäglich: ~ *looking* von gewöhnlichem Aussehen; *the* ~ *people* das (einfache) Volk; ~ *salt* Kochsalz; ~ *sight* alltäglicher Anblick; ~ *soldier* gemeiner Soldat; ~ *or garden* ... F Feld-, Wald- u. Wiesen...; **5.** gewöhnlich, gemein, niedrig: ~ *accent* ordinäre Aussprache; *the* ~ *herd* die große Masse; ~ *manners* schlechtes Benehmen; **6.** *ling.* ~ *gender* doppeltes Geschlecht; ~ *noun* Gattungsname; **II.** *s.* **7.** Gemeindeland *n* (*heute oft mit Parkanlage*): *right of* ~ Mitbenutzungsrecht; ~ *of pasturage* Weiderecht; **8.** Gemeinsamkeit *f*: *in* ~ gemeinsam; *in* ~ *with* wie; *out of the* ~ außergewöhnlich, besonders.

com·mon·a·ble ['kɔmənəbl] *adj.* in gemeinsamem Besitz (*Land*); Weiderecht besitzend (*für Vieh*); **'com·mon·al·ty** [-nlti] *s.* *das* gemeine Volk, Allgemeinheit *f*.

com·mon| chord *s.* ♪ Dreiklang *m*; ~ **de·nom·i·na·tor** *s.* ⅌ gemeinsamer Nenner (*a. fig.*).

com·mon·er ['kɔmənə] *s.* **1.** Bürger(licher) *m*; **2.** *Brit.* Stu'dent (*Oxford*), der s-n 'Unterhalt selbst bezahlt; **3.** *Brit.* Mitglied *n* des 'Unterhauses.

com·mon| frac·tion *s.* ⅌ gemeiner Bruch; ~ **law** *s.* (*engl.*) Gewohnheitsrecht *n*.

com·mon·ly ['kɔmənli] *adv.* gewöhnlich, im allgemeinen, normalerweise.

Com·mon Mar·ket *s.* ✝ Gemeinsamer Markt.

com·mon·ness ['kɔmənnis] *s.* **1.** Häufigkeit *f*; **2.** Niedrigkeit *f*, Gemeinheit *f*.

'com·mon|·place I. *s.* Gemeinplatz *m*; et. Alltägliches; **II.** *adj.* alltäglich, 'uninteres,sant; ♀ **Prayer** *s. eccl.* die angli'kanische Litur'gie; **'♀-room** *s.* **1.** *univ.* Gemeinschafts-, Unter'haltungsraum *m*: **a)** *junior* ~ für Studenten, **b)** *senior* ~ für Dozenten; **2.** *Schule*: Lehrerzimmer *n*.

com·mons ['kɔmənz] *s. pl.* **1.** *das* gemeine Volk, *die* Bürgerlichen:

the ♀ *parl. Brit.* das Unterhaus; **2.** *bsd. Brit. univ.* Gemeinschaftskost *f*; tägliche Rati'on: *to be kept on short* ~ auf schmale Kost gesetzt sein.

com·mon| school *s. Am.* Volksschule *f*; ~ **sense** *s.* gesunder Menschenverstand; ~ **ser·geant** *s.* Gerichtsbeamte(r) *m* des Magi'strats der *City of London*; ~ **stock** *s.* † 'Stamm,aktien *pl.*; '~**·weal** *s.* **1.** Gemeinwohl *n*; **2.** → *commonwealth.*

'**com·mon·wealth** *s.* **1.** Gemeinwesen *n*, Staat *m*; **2.** Repu'blik *f*: *the* ♀ *Brit. hist.* die engl. Republik unter Cromwell; **3.** ♀ *of Australia* Australischer Staatenbund; *British* ♀ *of Nations* Britische Völkergemeinschaft, *das* Commonwealth; **4.** *Am. Bezeichnung für einige Staaten der USA.*

com·mo·tion [kə'mouʃən] *s.* **1.** Erschütterung *f*, Aufregung *f*; Aufsehen *n*; **2.** Aufruhr *m*, Tu'mult *m*; **3.** Wirrwarr *m*, ‚Betrieb' *m.*

com·mu·nal ['kɔmjunl] *adj.* **1.** Gemeinde…, Kommunal…: ~ *tax*; **2.** Gemeinschafts…; Volks…: ~ *kitchen* Volksküche; **3.** *Indien*: Volksteile *od.* Religi'onsgruppen betreffend; '**com·mu·nal·ism** [-nəlizəm] *s.* Kommuna'lismus *m* (*Regierungssystem nach Gemeindegruppen*); '**com·mu·nal·ize** [-nəlaiz] *v/t.* in Gemeindebesitz über'führen, kommunalisieren.

com·mu·nard ['kɔmjunəd] *s. sociol.* Kommu'narde *m.*

com·mune[1] [kə'mju:n] *v/i.* **1.** sich vertraulich besprechen: *to* ~ *with o.s.* mit sich zu Rate gehen; **2.** *eccl.* kommunizieren, die (heilige) Kommuni'on *od.* das Abendmahl empfangen.

com·mune[2] ['kɔmju:n] *s.* Gemeinde *f*, Kom'mune *f* (*a. sociol.*).

com·mu·ni·ca·ble [kə'mju:nikəbl] *adj.* □ **1.** mitteilbar, erzählbar; **2.** ⚕ über'tragbar, ansteckend; **com'mu·ni·cant** [-ənt] **I.** *s.* **1.** *eccl.* Kommuni'kant(in); **2.** Mitteilende(r *m*) *f*; **II.** *adj.* **3.** mitteilend; **4.** teilhabend; **com·mu·ni·cate** [kə'mju:nikeit] **I.** *v/t.* **1.** mitteilen (*to dat.*); **2.** (*a.* ⚕) über'tragen (*to* auf *acc.*); **II.** *v/i.* **3.** sich besprechen; sich in Verbindung setzen; verkehren (*with* mit); **4.** in Verbindung stehen, zs.-hängen (*with* mit): *these two rooms* ~ diese beiden Räume haben e-e Verbindungstür; **5.** sich mitteilen (*Erregung etc.*) (*to dat.*); **6.** *eccl.* → *commune*[1] 2.

com·mu·ni·ca·tion [kəmju:ni'keiʃən] *s.* **1.** Mitteilung *f*, Nachricht *f* (*to* an *acc.*); **2.** (*a. phys.*) Über'tragung *f*, Fortpflanzung *f* (*to* auf *acc.*); **3.** Verbindung *f*: *to be in* ~ *with* in Verbindung stehen mit; **4.** Kommunikati'on *f*, Verständigung *f*, Verkehr *m* (*zwischen Personen u. Orten*); Briefverkehr *m*; **5.** Kommunikation *f*, Verkehrsweg *m*, Verbindung *f*, 'Durchgang *m*; **6.** *pl.* **a)** Fernmelde-, Nachrichtenwesen *n* (*a.* ⚔): ~ *net* Fernmeldenetz; ~ *officer* Fernmeldeoffizier, **b)** Verbindungswege *pl.*, Nachschublinien *pl.*; ~ **cen·tre** (*Am.* **cen·ter**) *s.* ⚔ 'Nachrichtenzen,trale *f*; ~ **cord** *s.* 🚂 Notleine *f*, -bremse *f*; ~ **en·gi·neer·ing** *s.* 'Nachrichten,technik *f*; ~ **sat·el·lite** *s.* 'Nachrichtensatel,lit *m*; ~**s gap** *s.* Kommunikati'onslücke *f*; ~ **trench** *s.* ⚔ Verbindungs-, Laufgraben *m.*

com·mu·ni·ca·tive [kə'mju:nikətiv] *adj.* □ mitteilsam, gesprächig; **com'mu·ni·ca·tor** [-keitə] *s.* **1.** Mitteilende(r *m*) *f*; **2.** *tel.* (Zeichen-) Geber *m*; **3.** *Brit.* 🚂 Notleine *f.*

com·mun·ion [kə'mju:njən] *s.* **1.** Gemeinschaft *f*; **2.** enge Verbindung; 'Umgang *m*: ~ *with o.s.* Einkehr bei sich; **3.** Religi'onsgemeinschaft *f*; **4.** *eccl.* ♀, *a. Holy* ♀ (heilige) Kommuni'on, (heiliges) Abendmahl: ~*-cup* Abendmahlskelch; ~*-rail* Altargitter; ~*-table* Abendmahlstisch.

com·mu·ni·qué [kə'mju:nikei; kɔmynike] (*Fr.*) *s.* Kommuni'qué *n*, amtliche Verlautbarung.

com·mu·nism ['kɔmjunizəm] *s.* Kommu'nismus *m*; '**com·mu·nist** [-nist] **I.** *s.* Kommu'nist(in); **II.** *adj.* kommu'nistisch; **com·mu·nis·tic** [kɔmju'nistik] *adj.* kommunistisch.

com·mu·ni·ty [kə'mju:niti] *s.* **1.** Gemeinschaft *f*: ~ *antenna* ⚡ Gemeinschaftsantenne; ~ *spirit* Gemeinschaftsgeist; ~ *singing* Gemeinschaftssingen; **2.** Gemeinde *f*, Körperschaft *f*: *the mercantile* ~ die Kaufmannschaft; **3.** Gemeinwesen *n*: *the* ~ **a)** die Allgemeinheit, das Volk, **b)** der Staat; ~ *ownership* öffentliches Eigentum; **4.** Gemeinschaft *f*, Gemeinsamkeit *f*; Gleichheit *f*: ~ *of goods* Gütergemeinschaft; ~ *of interest* Interessengemeinschaft; ~ *of heirs* ⚖ Erbengemeinschaft; ~ **cen·tre** (*Am.* **center**) → *social centre*; ~ **chest** *s. Am.* öffentlicher Wohlfahrtsfond.

com·mu·ni·za·tion [kɔmjunai'zeiʃən] *s.* Über'führung *f* in Gemeinbesitz, Verstaatlichung *f*; **commu·nize** ['kɔmjunaiz] *v/t.* **1.** zum Gemeingut machen; sozialisieren; **2.** kommu'nistisch machen.

com·mut·a·ble [kə'mju:təbl] *adj.* **1.** vertauschbar, 'umwandelbar; **2.** *durch Geld* ablösbar; **com·mu·tate** ['kɔmju(:)teit] *v/t.* ⚡ *Strom* **a)** wenden, **b)** gleichrichten; **com·mu·ta·tion** [kɔmju(:)'teiʃən] *s.* **1.** 'Um-, Austausch *m*, 'Umwandlung *f*; **2.** Ablösung *f*, Abfindung *f*; **3.** ⚖ 'Straf,umwandlung *f*, -milderung *f*; **4.** ⚡ 'Umschaltung *f*, Stromwendung *f*; **5.** 🚂 *etc.* Pendelverkehr *m*: ~ *ticket* Abonnement, Zeitkarte; **com'mu·ta·tive** [-ətiv] *adj.* □ **1.** auswechselbar, Ersatz…, Tausch…; **2.** wechselseitig; **com·mu·ta·tor** ['kɔmju(:)teitə] *s.* ⚡ Stromwender *m*, 'Umschalter *m*, Gleichrichter *m*; **com·mute** [kə'mju:t] **I.** *v/t.* **1.** ein-, 'umtauschen, auswechseln; **2.** *Zahlung* 'umwandeln (*into* in *acc.*), ablösen (*for, into* durch); **3.** ⚖ *Strafe* umwandeln (*to, into* in *acc.*); **4.** → *commutate*; **II.** *v/i.* **5.** 🚂 *etc.* pendeln; **com'mut·er** [-tə] *s.* **1.** 🚂 *etc.* Zeitkarteninhaber(in), Pendler *m*: ~ *train* Nahverkehrszug; **2.** → *commutator.*

com·pact[1] ['kɔmpækt] *s.* Pakt *m*, Vertrag *m.*

com·pact[2] [kəm'pækt] **I.** *adj.* □ **1.** kom'pakt, fest, dicht (zs.-)gedrängt; mas'siv; **2.** gedrungen; **3.** knapp, gedrängt (*Stil*); **II.** *v/t.* **4.** zs.-drängen, -pressen, fest verbinden; zs.-fügen: ~*ed of* zs.-gesetzt aus; **III.** *s.* ['kɔmpækt] **5.** Kom'paktpuder(dose *f*) *m*; **6.** *a.* ~ *car Am.* Kleinwagen *m.*

com·pact cas·sette *s.* Kom'paktkas,sette *f.*

com·pact·ness [kəm'pæktnis] *s.* **1.** Kom'paktheit *f*, Festigkeit *f*; **2.** *fig.* Knappheit *f*, Gedrängtheit *f* (*Stil*).

com·pan·ion[1] [kəm'pænjən] **I.** *s.* **1.** Begleiter(in), Gesellschafter(in); *engS.* Gesellschafterin *f e-r Dame*; **2.** Kame'rad(in), Genosse *m*, Genossin *f*, Gefährte *m*, Gefährtin *f*: ~*-in-arms* Waffenbruder; ~ *in misfortune* Leidensgefährte; **3.** Gegen-, Seitenstück *n*: ~ *volume* Begleitband; **4.** Handbuch *n*; **5.** Ritter *m*: ♀ *of the Bath* Ritter des Bath-Ordens; **II.** *v/t.* **6.** begleiten; **III.** *v/i.* **7.** verkehren (*with* mit); **IV.** *adj.* **8.** (dazu) passend, da'zugehörig.

com·pan·ion[2] [kəm'pænjən] *s.* ⚓ Deckfenster *n*, Oberlicht *n* für Ka'binen.

com·pan·ion·a·ble [kəm'pænjənəbl] *adj.* □ 'umgänglich, gesellig; **com'pan·ion·a·ble·ness** [-nis] *s.* 'Umgänglichkeit *f*; **com'pan·ion·ate** [-nit] *adj.* kame'radschaftlich: ~ *marriage* Kameradschaftsehe.

com·pan·ion| hatch *s.* ⚓ Ka'jütsklappe *f*, -luke *f*; '~**-lad·der** *s.* ⚓ Niedergangstreppe *f* (*zu den Kabinen*).

com·pan·ion·ship [kəm'pænjənʃip] *s.* **1.** Kame'radschaft *f*; Gesellschaft *f*; **2.** *typ. Brit.* Ko'lonne *f* von Setzern.

com'pan·ion-way → *companion-ladder.*

com·pa·ny ['kʌmpəni] *s.* **1.** Gesellschaft *f*, Begleitung *f*: *for* ~ zur Gesellschaft; *in* ~ *with* in Gesellschaft von, zusammen mit; *he is good* ~ man ist gern mit ihm zusammen; *I am in good* ~ ich bin in guter Gesellschaft (*wenn ich das tue*); *to keep* (*od. bear*) *s.o.* ~ j-m Gesellschaft leisten; *to part* ~ **a)** sich trennen (*with* von), **b)** uneinig werden; **2.** Gesellschaft *f*, Besuch *m*, Gäste *pl.*: *to have* ~ Besuch haben; *to be fond of* ~ die Geselligkeit lieben; *to see much* ~ **a)** viel Besuch haben, **b)** oft in Gesellschaft gehen; **3.** Gesellschaft *f*, 'Umgang *m*: *to avoid bad* ~ schlechte Gesellschaft meiden; *to keep* ~ *with* verkehren mit; **4.** † (Handels-) Gesellschaft *f*: ~*'s water* Leitungswasser; **5.** Innung *f*, Zunft *f*; **6.** *thea.* Truppe *f*; **7.** ⚔ Kompa'nie *f*; **8.** ⚓ Mannschaft *f*; ~ **un·ion** *s. Am.* Betriebsgenossenschaft *f.*

com·pa·ra·ble ['kɔmpərəbl] *adj.* □ (*to, with*) vergleichbar (mit), entsprechend, ähnlich (*dat.*); **com·par·a·tive** [kəm'pærətiv] **I.** *adj.* □ **1.** vergleichend: ~ *anatomy*; **2.** verhältnismäßig, rela'tiv; **3.** beträchtlich, ziemlich: *with* ~ *speed* ziemlich schnell; **4.** *ling.* steigernd; **II.** *s.* **5.** *a.* ~ *degree* 'Komparativ *m*; **com·par·a·tive·ly** [kəm'pærətivli] *adv.* verhältnismäßig, ziemlich.

com·pare [kəm'pɛə] **I.** *v/t.* **1.** vergleichen (*with* mit): *as* ~*d with* im Vergleich zu; → *note* 2; **2.** vergleichen, gleichstellen, -achten: *not to be* ~*d to* (*od. with*) nicht zu vergleichen mit; **3.** *ling.* steigern; **II.** *v/i.* **4.** sich vergleichen (lassen), e-n Vergleich aushalten (*with* mit): *to* ~ *favo(u)rably with* den Vergleich mit ... nicht zu scheuen brauchen, besser sein als; **III.** *s.* **5.** *beyond* ~ unvergleichlich; **com'par·i·son** [-'pærisn] *s.* **1.** Vergleich *m*: *by* ~ vergleichsweise; *in* ~ *with* im Vergleich mit *od.* zu; *to bear* ~ *with* e-n Vergleich aushalten mit; *beyond* (*all*) ~ unvergleichlich; **2.** Ähnlichkeit *f*; **3.** *ling.* Steigerung *f*; **4.** Gleichnis *n*.

com·part·ment [kəm'pɑːtmənt] *s.* **1.** Ab'teilung *f*; Fach *n*, Feld *n*; **2.** 🚃 (Wagen)Abteil *n*; **3.** ⚓ *water-tight* ~ wasserdichtes Schott; *in water-tight* ~*s fig.* getrennt, abgeschnitten; **4.** *parl. Brit.* Punkt *m* der Tagesordnung.

com·pass ['kʌmpəs] **I.** *s.* **1.** *phys.* Kompaß *m*: *mariner's* ~ ⚓ Schiffskompaß; *points of the* ~ *die* Himmelsrichtungen; **2.** *pl. oft pair of* ~*es* Zirkel *m*; **3.** 'Umkreis *m*, 'Umfang *m*, Ausdehnung *f* (*a. fig.*): *within the* ~ *of* innerhalb; *it is beyond my* ~ es geht über m-n Horizont; **4.** Bereich *m*, Gebiet *n*; **5.** ♪ Umfang *m* (*Stimme etc.*); **6.** Grenzen *pl.*, Schranken *pl.*: *to keep within* ~ in Schranken halten; **II.** *v/t.* **7.** erreichen, zu'standebringen; **8.** planen; *b.s.* anzetteln; **9.** → *encompass*; ~ **bear·ing** *s.* ⚓ Kompaßpeilung *f*; ~ **box** *s.* ⚓ Kompaßgehäuse *n*; ~ **card** *s.* ⚓ Kompaßscheibe *f*, Windrose *f*.

com·pas·sion [kəm'pæʃən] *s.* Mitleid *n*, Erbarmen *n* (*for* mit): *to have* (*od. take*) ~ (*on*) Mitleid haben (mit), sich erbarmen (*gen.*); **com'pas·sion·ate** [-ʃənit] *adj.* □ mitleidsvoll: ~ *allowance* gesetzlich nicht verankerte Beihilfe in Härtefällen; ~ *leave* ⚔ *bsd. Brit.* Sonderurlaub aus familiären Gründen.

com·pass| nee·dle *s.* Kompaßnadel *f*; '~**-plane** *s.* ⊕ Rundhobel *m*; ~ **win·dow** *s.* ⚠ Rundbogenfenster *n*.

com·pat·i·bil·i·ty [kəmpætə'biliti] *s.* **1.** Vereinbarkeit *f*; **2.** Verträglichkeit *f*; **com·pat·i·ble** [kəm'pætəbl] *adj.* □ **1.** vereinbar, verträglich, im Einklang (*with* mit); **2.** angemessen (*with dat.*).

com·pa·tri·ot [kəm'pætriət] *s.* Landsmann *m*, -männin *f*.

com·peer [kɔm'piə] *s.* **1.** Standesgenosse *m*; Gleichgestellte(r *m*) *f*: *to have no* ~ nicht seinesgleichen haben; **2.** Kame'rad(in).

com·pel [kəm'pel] *v/t.* **1.** zwingen, nötigen; **2.** *et.* erzwingen; *a. Bewunderung etc.* abnötigen (*from s.o. dat.*); **3.** ~ *s.o. to s.th.* j-m et. aufzwingen; **com'pel·ling** [-liŋ] *adj.* **1.** zwingend, stark; **2.** 'unwiderˌstehlich; verlockend, gewinnend.

com·pen·di·ous [kəm'pendiəs] *adj.* □ kurz(gefaßt), gedrängt; **com'pen·di·um** [-əm] *pl.* **-ums, -a** [-ə] *s.* **1.** Kom'pendium *n*, Handbuch *n*; **2.** Zs.-fassung *f*, Abriß *m*.

com·pen·sate ['kɔmpenseit] **I.** *v/t.* **1.** *j-n* entschädigen (*for* für, *by* durch); **2.** *et.* ersetzen, vergüten (*to s.o. dat.*); **3.** aufwiegen, ausgleichen (*a.* ⊕); *bsd. psych. u.* ⊕ kompensieren; **II.** *v/i.* **4.** (*for*) ersetzen (*acc.*); Ersatz leisten (für); wettmachen (*acc.*); **5.** sich ausgleichen *od.* aufheben; **com·pen·sa·tion** [kɔmpen'seiʃən] *s.* **1.** Entschädigung *f*, (Schaden)Ersatz *m*; **2.** *Am.* Vergütung *f*, Entgelt *n*, *m*; **3.** Belohnung *f*; **4.** *pl.* Vorteile *pl.*; **5.** ⚖ Abfindung *f*; Aufrechnung *f*; **6.** ⚗, ⚡, ⊕, *psych.* Kompensati'on *f*; **com·pen·sa·tive** [kəm'pensətiv] *adj.* **1.** entschädigend, Entschädigungs...; vergütend; **2.** Ersatz...; **3.** ausgleichend; '**com·pen·sa·tor** [-tə] *s.* ⊕ Kompen'sator *m*, Ausgleichsvorrichtung *f*; **com·pen·sa·to·ry** [kəm'pensətəri] → *compensative*.

com·père ['kɔmpɛə] (*Fr.*) *bsd. Brit.* **I.** *s.* Conférenci'er *m*, Ansager(in); **II.** *v/t.* *Veranstaltung* konferieren, ansagen.

com·pete [kəm'piːt] *v/i.* **1.** in Wettbewerb treten, sich (mit)bewerben (*for* um); **2.** konkurrieren, wetteifern, sich messen (*with* mit); sich behaupten; **3.** *sport* am Wettkampf teilnehmen; kämpfen (*for* um).

com·pe·tence ['kɔmpitəns], '**com·pe·ten·cy** [-si] *s.* **1.** (*for*) Befähigung *f* (zu), Tauglichkeit *f* (für); **2.** ⚖ **a)** Kompe'tenz *f*, Zuständigkeit *f*, Befugnis *f*, **b)** Zurechnungsfähigkeit *f*; **3.** Auskommen *n*; '**com·pe·tent** [-nt] *adj.* □ **1.** (leistungs-)fähig, tüchtig; fachkundig, qualifiziert; **2.** ausreichend, angemessen; **3.** ⚖ **a)** zuständig, befugt, **b)** zulässig (*Zeuge*), **c)** zurechnungs-, geschäftsfähig; **4.** statthaft.

com·pe·ti·tion [kɔmpi'tiʃən] *s.* **1.** Wettbewerb *m*, -kampf *m* (*for* um); **2.** ✝ Konkur'renz *f*: *free od. open* ~ freier Wettbewerb; **3.** Preisausschreiben *n*: *shooting* ~ Preis-, Wettschießen; **com·pet·i·tive** [kəm'petitiv] *adj.* □ **1.** konkurrierend, Konkurrenz..., Wettbewerbs...: ~ *capacity* ✝ Konkurrenzfähigkeit; **2.** konkur'renzfähig (*Preise etc.*); **com·pet·i·tor** [kəm'petitə] *s.* **1.** Mitbewerber(in) (*for* um); **2.** ✝ Konkur'rent(in); **3.** *sport* Teilnehmer(in).

com·pi·la·tion [kɔmpi'leiʃən] *s.* **1.** Kompilati'on *f*, Zs.-stellung *f*; **2.** Sammelwerk *n* (*Buch*); **com·pile** [kəm'pail] *v/t.* **1.** *Verzeichnis etc.* zs.-stellen; **2.** *Material* zs.-tragen; **com·pil·er** [kəm'pailə] *s.* Bearbeiter(in), Verfasser(in) *e-s Sammelwerkes.*

com·pla·cence [kəm'pleisns], **com'pla·cen·cy** [-si] *s.* **1.** Wohlbehagen *n*; **2.** 'Selbstzuˌfriedenheit *f*, -gefälligkeit *f*; **3.** Gleichgültigkeit *f*; **com'pla·cent** [-nt] *adj.* □ **1.** 'selbstzuˌfrieden, -gefällig; **2.** gleichgültig, lässig.

com·plain [kəm'plein] *v/i.* **1.** sich beklagen, sich beschweren (*of*, *about* über *acc.*, *to* bei, *that* daß); **2.** klagen, jammern (*of* über *acc.*); **3.** ✝ reklamieren; **com'plain·ant** [-nənt] *s.* ⚖ Kläger(in); Beschwerdeführer *m*; **com'plaint** [-nt] *s.* **1.** Klage *f*, Beschwerde *f*, Beanstandung *f*: *to make a* ~ *about* ... Klage führen über (*acc.*); **2.** ⚖ Klage *f*, *a.* Strafanzeige *f*; **3.** ✝ Reklamati'on *f*; **4.** ⚕ Beschwerde *f*, Leiden *n*.

com·plai·sance [kəm'pleizəns] *s.* Gefälligkeit *f*, Willfährigkeit *f*, Höflichkeit *f*; **com'plai·sant** [-nt] *adj.* □ gefällig, höflich, entgegenkommend.

com·ple·ment I. *v/t.* ['kɔmpliment] **1.** ergänzen, ver'vollständigen; **II.** *s.* [-mənt] **2.** Ergänzung *f*, Ver'vollständigung *f*; **3.** 'Vollständigkeit *f*, -zähligkeit *f*; **4.** *a. full* ~ volle Anzahl *od.* Menge; ⚓ volle Besatzung; **5.** *ling.* Ergänzung *f*; **6.** ∢ Komple'ment *n*; **com·ple·men·tal** [kɔmpli'mentl] *adj.* □, **com·ple·men·ta·ry** [kɔmpli'mentəri] *adj.* Ergänzungs..., Komplementär... (*a.* ∢, *Farben*); (sich) ergänzend.

com·plete [kəm'pliːt] **I.** *adj.* □ 'vollständig, voll'kommen, völlig, ganz: ~ *with* ... samt (*dat.*), ... eingeschlossen; **2.** 'vollzählig, sämtlich; **3.** beendet, fertig; **4.** völlig: *a* ~ *surprise*; **5.** *obs.* per'fekt; **II.** *v/t.* **6.** ver'vollständigen, ergänzen; **7.** beenden, abschließen, fertigstellen, erledigen; **8.** voll'enden, ver'vollkommnen; **9.** *Formular* ausfüllen; **com'plete·ly** [-li] *adv.*: ~ *automatic* vollautomatisch; **com'plete·ness** [-nis] *s.* 'Vollständigkeit *f*, Voll'kommenheit *f*; **com'ple·tion** [-iːʃən] *s.* **1.** Voll'endung *f*, Fertigstellung *f*, Abschluß *m*; **2.** Ver'vollständigung *f*; **3.** Erfüllung *f*.

com·plex ['kɔmpleks] **I.** *adj.* □ **1.** zs.-gesetzt (*a. ling.*); **2.** kompliziert, verwickelt; **II.** *s.* **3.** Kom'plex *m* (*a. psych.*), Gesamtheit *f*, *das* Ganze; **4.** Inbegriff *m*; **com·plex·ion** [kəm'plekʃən] *s.* **1.** Gesichtsfarbe *f*, Teint *m*; **2.** *fig.* Aussehen *n*, Anstrich *m*, Cha'rakter *m*: *that puts a different* ~ *on it* das gibt der Sache ein neues Gesicht; **com·plex·i·ty** [kəm'pleksiti] *s.* Verwicklung *f*, Kompliziertheit *f*, Schwierigkeit *f*; Vielfalt *f*.

com·pli·ance [kəm'plaiəns] *s.* **1.** Einwilligung *f*, Erfüllung *f*; Befolgung *f* (*with gen.*): *in* ~ *with* gemäß; **2.** Willfährigkeit *f*; **com'pli·ant** [-nt] *adj.* □ willfährig, nachgiebig.

com·pli·ca·cy ['kɔmplikəsi] → *complexity*; **com·pli·cate** ['kɔmplikeit] *v/t.* komplizieren, verwickeln, verwickelt machen, erschweren; '**com·pli·cat·ed** [-keitid] *adj.* kompliziert, verwickelt; **com·pli·ca·tion** [kɔmpli'keiʃən] *s.* Komplikati'on *f* (*a.* ⚕), Verwicklung *f*, Erschwerung *f*.

com·plic·i·ty [kəm'plisiti] *s.* Mitschuld *f*, Mittäterschaft *f*.

com·pli·ment I. *s.* ['kɔmplimənt] **1.** Kompli'ment *n*, Artigkeit *f*: *to pay a* ~ ein Kompliment machen;

→ *fish* 7; **2.** Ehrenbezeigung *f*, Lob *n*: *to do s.o. the* ~ j-m die Ehre erweisen (*of* zu *inf. od. gen.*); **3.** Empfehlung *f*, Gruß *m*: *my best* ~*s* m-e Empfehlung; *with the* ~*s of the season* mit den besten Wünschen zum Fest; **II.** *v/t.* [-ment] **4.** (*on*) beglückwünschen (zu); *j-m* Kompli'mente machen (über *acc.*); **com·pli·men·ta·ry** [kɔmpli'mentəri] *adj.* **1.** höflich, Höflichkeits...; schmeichelhaft: ~ *close* Höflichkeits-, Schlußformel (*in Briefen*); **2.** Ehren...: ~ *ticket* Ehren-, Freikarte; ~ *dinner* Festessen; 3. Frei..., Gratis...: ~ *copy* Freiexemplar, Werbenummer; ~ *meals* kostenlose Mahlzeiten.

com·plin(e) ['kɔmplin] *s. oft pl. eccl.* Kom'plet *f* (*Tagesabschlußgebet*).

com·ply [kəm'plai] *v/i.* **1.** (*with*) *e-r Bitte etc.* nachkommen *od.* entsprechen, erfüllen (*acc.*), *Regel etc.* befolgen: *he would not* ~ er wollte nicht einwilligen.

com·po ['kɔmpou] (*abbr. für composition*) *s.* Putz *m*, Gips *m*, Mörtel *m etc.*

com·po·nent [kəm'pounənt] **I.** *adj.* e-n Teil bildend, Teil...: ~ *part* Bestandteil; **II.** *s.* (Bestand-)Teil *m.*

com·port [kəm'pɔ:t] **I.** *v/t.* ~ *o.s.* sich betragen; **II.** *v/i.* passen (*with* zu).

com·pose [kəm'pouz] **I.** *v/t.* **1.** *mst pass.* zs.-setzen: *to be* ~*d of* bestehen aus; **2.** bilden; **3.** entwerfen, ordnen, zurechtlegen; **4.** aufsetzen, verfassen; **5.** ♪ komponieren; **6.** *typ.* setzen; **7.** *Streit* schlichten; *s-e Gedanken* sammeln; **8.** besänftigen: *to* ~ *o.s.* sich beruhigen, sich fassen; **9.** ~ *o.s.* sich anschicken (*to* zu); **II.** *v/i.* **10.** schriftstellern, dichten; **11.** komponieren; **com'posed** [-zd] *adj.*; **com'pos·ed·ly** [-zidli] *adv.* ruhig, gelassen, gesetzt; **com'pos·ed·ness** [-zidnis] *s.* Gelassenheit *f*, Ruhe *f*; **com'pos·er** [-zə] *s.* **1.** ♪ Kompo'nist(in); **2.** Verfasser(in).

com·pos·ing [kəm'pouziŋ] *adj.* beruhigend, Beruhigungs...: ~ *draught* Schlaftrunk; ~ **room** *s. typ.* Setze'rei *f*, Setzersaal *m*; '~**-stick** *s. typ.* Winkelhaken *m.*

com·pos·ite ['kɔmpəzit] **I.** *adj.* □ **1.** zs.-gesetzt (*a.* ⚗), gemischt; vielfältig; Misch...: ~ *construction* △ Gemischtbauweise; **2.** ⚘ Korbblütler...; **II.** *s.* **3.** Zs.-setzung *f*, Mischung *f*; **4.** ⚘ Korbblütler *m*; ~ **car·riage** *s. Brit.* 🚃 Wagen *m* mit mehreren Klassen; ~ **pho·to·graph** *s.* 'Photomon,tage *f.*

com·po·si·tion [kɔmpə'ziʃən] *s.* **1.** Zs.-setzung *f* (*a. ling.*), Bildung *f*; **2.** Abfassung *f*, Entwurf *m*, Anordnung *f*, Gestaltung *f*, Aufbau *m*; **3.** Satzbau *m*; Stilübung *f*, Aufsatz *m*, *a.* Über'setzung *f*: *English* ~; **4.** Schrift(werk *n*) *f*, Dichtung *f*; **5.** ♪ Kompositi'on *f*, Mu'sikstück *n*; **6.** *typ.* Setzen *n*, Satz *m*; **7.** *a.* ⊕, ⚗ Zs.-setzung *f*, Verbindung *f*, 'Mischmateri,al *n*; **8.** Über'einkunft *f*, Abkommen *n*; **9.** ⚖, ✝ Vergleich *m mit Gläubigern*; **10.** Wesen *n*, Na'tur *f*, Anlage *f*; **com·pos·i·tor** [kəm'pɔzitə] *s. typ.* (Schrift)Setzer *m.*

com·post ['kɔmpɔst] **I.** *s.* Mischdünger *m*, Kom'post *m*; **II.** *v/t.* düngen; zu Dünger verarbeiten.

com·po·sure [kəm'pouʒə] *s.* Gemütsruhe *f*, Gelassenheit *f*, Fassung *f.*

com·pote ['kɔmpout] *s.* Kom'pott *n*; eingemachtes Obst.

com·pound[1] ['kɔmpaund] *s.* (*in Indien, China etc.*) um'zäuntes Grundstück; ⚔ *Am.* (Gefangenen-, Truppen)Lager *n.*

com·pound[2] [kəm'paund] **I.** *v/t.* **1.** mischen, mengen; zs.-setzen, vereinigen, verbinden; **2.** (zu)bereiten, herstellen; **3.** in Güte *od.* durch Vergleich beilegen; erledigen; **4.** ⚖, ✝ **a)** in Raten abzahlen, **b)** durch einmalige Zahlung regeln: *to* ~ *creditors* Gläubiger befriedigen; **5.** gegen Schadloshaltung auf Strafverfolgung (*gen.*) verzichten; **II.** *v/i.* **6.** *a.* ⚖, ✝ sich (durch Abfindung) einigen *od.* vergleichen, akkordieren (*with* mit, *for* über *acc.*); **III.** *adj.* ['kɔmpaund] **7.** zs.-gesetzt (*a.* ⚘, ⚗, *ling.*); **8.** ⚡, ⊕ Verbund...; **IV.** *s.* ['kɔmpaund] **9.** Zs.-setzung *f*, Mischung *f*; Masse *f*; Präpa'rat *n*; **10.** ⚗ Verbindung *f*; **11.** *ling.* Kom'positum *n.*

com·pound| en·gine ['kɔmpaund] *s.* ⊕ Ver'bundma,schine *f*; ~ **frac·ture** *s.* ⚕ komplizierter Bruch; ~ **in·ter·est** *s.* ✝ Zinseszinsen *pl.*; ~ **sen·tence** *s. ling.* Satzgefüge *n.*

com·pre·hend [kɔmpri'hend] *v/t.* **1.** um'fassen, einschließen; **2.** begreifen, verstehen; **com·pre'hen·si·ble** [-nsəbl] *adj.* begreiflich, verständlich; **com·pre'hen·sion** [-nʃən] *s.* **1.** 'Umfang *m*; **2.** Einbeziehung *f*; **3.** Begriffsvermögen *n*; Verstand *m*; Verständnis *n*, Einsicht *f*; **4.** *bsd. eccl.* Duldung *f* (*anderer Ansichten*); **com·pre'hen·sive** [-nsiv] *adj.* □ **1.** um'fassend; inhaltsreich: ~ *school* Gesamtschule; **2.** verstehend: ~ *faculty* Begriffsvermögen; **com·pre'hen·sive·ness** [-nsivnis] *s.* 'Umfang *m*, Weite *f*; Reichhaltigkeit *f*; *das* Um'fassende.

com·press **I.** *v/t.* [kəm'pres] zs.-drücken, -pressen, komprimieren; **II.** *s.* ['kɔmpres] ⚕ Kom'presse *f*, 'Umschlag *m*; **com'pressed** [-st] *adj.* **1.** komprimiert, zs.-gepreßt: ~ *air* Preß-, Druckluft; **2.** *fig.* zs.-gefaßt, gedrängt, gekürzt; **com'press·i·ble** [-səbl] *adj.* komprimierbar; **com'pres·sion** [-eʃən] *s.* **1.** Zs.-pressen *n*, -drücken *n*; Verdichtung *f*, Druck *m*; **2.** *fig.* Zs.-drängung *f*; **3.** ⊕ Druck *m*, Kompressi'on *f*: ~ *chamber* Kompressionsraum; **com'pres·sive** [-siv] *adj.* zs.-pressend, Preß..., Druck...; **com'pres·sor** [-sə] *s.* **1.** ⊕ Kom'pressor *m*, Verdichter *m*; ✈ Lader *m*; **2. a)** *anat.* Schließmuskel *m*, **b)** ⚕ Druckverband *m.*

com·prise [kəm'praiz] *v/t.* einschließen, um'fassen, enthalten, beinhalten.

com·pro·mise ['kɔmprəmaiz] **I.** *s.* **1.** Kompro'miß *m, n*, (gütlicher) Vergleich; Über'einkunft *f*; **II.** *v/t.* **2.** durch Kompromiß regeln; **3.** gefährden, aufs Spiel setzen; beeinträchtigen; **4.** (*a. o.s.* sich) bloßstellen, kompromittieren; **III.** *v/i.* **5.** e-n *od.* ein Kompromiß schließen, zu e-r Übereinkunft gelangen (*on* über *acc.*).

comp·trol·ler [kən'troulə] *s.* Rechnungsprüfer *m* (*Beamter*): ♀ *General Am.* Präsident des Rechnungshofes.

com·pul·sion [kəm'pʌlʃən] *s.* Zwang *m*: *under* ~ unter Zwang *od.* Druck, gezwungen; **com'pul·sive** [-lsiv] *adj.* □ zwingend, Zwangs...; **com'pul·so·ry** [-lsəri] *adj.* □ obliga'torisch, zwangsmäßig, Zwangs-...; bindend; Pflicht...: ~ *education* allgemeine Schulpflicht; ~ *subject ped.* Pflichtfach; ~ *military service* allgemeine Wehrpflicht; ~ *auction* ⚖ Zwangsversteigerung; ~ *insurance* Pflichtversicherung; ~ *purchase* ⚖ Enteignung.

com·punc·tion [kəm'pʌŋkʃən] *s.* **a)** Gewissensbisse *pl.* **b)** Reue *f*, c) Bedenken *pl.*: *without* ~.

com·put·a·ble [kəm'pju:təbl] *adj.* berechenbar; **com·pu·ta·tion** [kɔmpju(:)'teiʃən] *s.* Berechnung *f*, 'Überschlag *m*, Schätzung *f*; **compute** [kəm'pju:t] **I.** *v/t.* berechnen, schätzen, veranschlagen (*at* auf *acc.*); **II.** *v/i.* rechnen; **com'put·er** [-tə] *s.* **1.** (Be)Rechner *m*; **2.** ⚡ Com'puter *m*: *electronic* ~ Elektronenrechner; ~ *science* Informatik; **com'put·er·ize** [-təraiz] *v/t.* komputerisieren, auf Com'puter 'umstellen.

com·rade ['kɔmrid] *s.* **1.** Kame'rad *m*, Genosse *m*, Gefährte *m*: ~*-in-arms* Waffenbruder; **2.** *pol.* Genosse *m*; '**com·rade·ship** [-ʃip] *s.* Kame'radschaft *f.*

con[1] [kɔn] *v/t. a.* ~ *over* eifrig studieren, wieder'holt lesen, auswendig lernen.

con[2] → *conn.*

con[3] [kɔn] *adv. abbr. für contra* gegen; → *pro*[1] *I.*

con[4] [kɔn] *sl.* **I.** *adj.* betrügerisch: ~ *game* → *confidence game*; ~ *man* → *confidence man*; **II.** *v/t.* reinlegen: *to* ~ *s.o. out of* j-n betrügen um; *to* ~ *s.o. into doing s.th.* j-n (durch Schwindel) dazu bringen, et. zu tun.

con·cat·e·nate [kɔn'kætineit] *v/t.* verketten, verknüpfen; **con·cat·e·na·tion** [kɔnkæti'neiʃən] *s.* Verkettung *f*; Kette *f*, 'Serie *f.*

con·cave ['kɔn'keiv] **I.** *adj.* □ **1.** kon'kav, hohl, ausgehöhlt; **2.** ⊕ hohlgeschliffen, Hohl...: ~ *lens* Zerstreuungslinse; ~ *mirror* Hohlspiegel; **II.** *s.* **3.** (Aus)Höhlung *f*, Wölbung *f*; **con·cav·i·ty** [kɔn'kæviti] → *concave 3.*

con·ceal [kən'si:l] *v/t.* (*from* vor *dat.*) **1.** verbergen, verstecken; verdecken; **2.** verhehlen, verschweigen, verheimlichen; **con'cealed** [-ld] *adj.* verborgen, 'un,übersichtlich; **con'ceal·ment** [-mənt] *s.* **1.** Verbergung *f*, Verheimlichung *f*, Geheimhaltung *f*; **2.** Verborgenheit *f*; Versteck *n.*

con·cede [kən'si:d] **I.** *v/t.* **1.** zugestehen, einräumen, zugeben, anerkennen (*a. that* daß); **2.** gewähren, einräumen: *to ~ a point* a) in e-m Punkt nachgeben, b) *sport dem Gegner* e-n Punkt vorgeben; II. *v/i.* 3. *sport, pol.* F sich geschlagen geben; **con'ced·ed·ly** [-didli] *adv.* zugestandenermaßen.

con·ceit [kən'si:t] *s.* 1. Eingebildetheit *f*, Einbildung *f*, (Eigen)Dünkel *m*; Eitelkeit *f*: *in my own ~* nach m-r Ansicht; *out of ~ with* überdrüssig (*gen.*); 2. *obs.* guter *od.* seltsamer Einfall; **con'ceit·ed** [-tid] *adj.* □ eingebildet, dünkelhaft, eitel.

con·ceiv·a·ble [kən'si:vəbl] *adj.* □ denkbar, erdenklich, begreiflich, vorstellbar: *the best plan ~* der denkbar beste Plan; **con'ceiv·a·bly** [-bli] *adv.* es ist denkbar, daß; **con·ceive** [kən'si:v] I. *v/t.* 1. *biol. Kind* empfangen; 2. begreifen; sich denken *od.* vorstellen: *to ~ an idea* auf e-n Gedanken kommen; 3. er-, ausdenken, ersinnen; planen; 4. *in Worten* ausdrücken; 5. *Wunsch* hegen, *(Ab)Neigung* fassen, entwickeln; II. *v/i.* 6. (*of*) sich *et.* vorstellen; 7. empfangen (*schwanger werden*); *zo.* aufnehmen (*trächtig werden*).

con·cen·ter *Am.* → *concentre.*

con·cen·trate ['kɔnsentreit] I. *v/t.* 1. konzentrieren: a) zs.-ziehen, -ballen, massieren, b) *Gedanken etc.* richten (*on* auf *acc.*); 2. verstärken; 3. ⚗ verdichten, eindicken, sättigen, konzentrieren; II. *v/i.* 4. sich konzentrieren (*a. fig.*), sein Hauptaugenmerk richten (*on* auf *acc.*); 5. sich (an)sammeln; III. *s.* 6. ⚗ Konzen'trat *n*; **'con·cen·trat·ed** [-tid] *adj.* konzentriert, geballt, stark.

con·cen·tra·tion [kɔnsen'treiʃən] *s.* 1. Zs.-ziehung *f*, -fassung *f*; 2. Zs.-ballung *f*, Ansammlung *f*; 3. *fig.* Konzentrati'on *f*, gespannte Aufmerksamkeit; 4. ⚗ Konzentration *f*; Dichte *f*, Sättigung *f*; **~ camp** *s.* Konzentrati'onslager *n.*

con·cen·tre [kən'sentə] *v/t. u. v/i.* (sich) in 'einem Punkt vereinigen; **con'cen·tric** [-trik] *adj.* (□ *~ally*) kon'zentrisch.

con·cept ['kɔnsept] *s.* Begriff *m*, Gedanke *m*, Auffassung *f*; **con·ception** [kən'sepʃən] *s.* 1. *biol.* Empfängnis *f*; 2. Begriffsvermögen *n*, Verstand *m*; 3. Begriff *m*, Auffassung *f*, Vorstellung *f*: *no ~ of ...* keine Ahnung von ...; 4. Gedanke *m*, I'dee *f*; 5. Plan *m*, Anlage *f*, Kon'zept *n*, Entwurf *m*; Schöpfung *f*; **con·cep·tive** [kən'septiv] *adj.* 1. begreifend, Begriffs...; 2. empfängnisfähig; **con·cep·tu·al** [kən'septjuəl] → *conceptive* 1.

con·cern [kən'sə:n] I. *v/t.* 1. betreffen, angehen; interessieren, von Belang sein für: *it does not ~ me od. I am not ~ed* es geht mich nichts an; *to whom it may ~* an alle, die es angeht; Bescheinigung (*Überschrift auf Urkunden*); *his hono(u)r is ~ed* es geht um s-e Ehre; → *concerned* 1; 2. beunruhigen: *don't let that ~ you* mache dir deswegen keine Sorge!; → *concerned* 4; 3. *~ o.s.* (*with, about*) sich beschäftigen *od.* befassen (mit); sich kümmern (um); II. *s.* 4. Angelegenheit *f*, Sache *f*: *that is no ~ of mine* das ist nicht m-e Sache, das geht mich nichts an; 5. ✝ Geschäft *n*, Unter'nehmen *n*; 6. Beziehung *f*: *to have no ~ with* nichts zu tun haben mit; 7. Inter'esse *n* (*for* für, *in* an *dat.*); 8. Wichtigkeit *f*, Bedeutung *f*; 9. Unruhe *f*, Sorge *f*; Bedenken *n* (*at, about, for* um, wegen); 10. F Ding *n*, Geschichte *f*; **con'cerned** [-nd] *adj.* □ 1. betroffen, berührt; 2. (*in*) beteiligt, interessiert (an *dat.*); verwickelt (in *acc.*): *the parties ~* die Beteiligten; 3. (*with, in*) beschäftigt (mit); handelnd (von); 4. besorgt (*about, at, for* um, *that* daß); 5. betrübt, sorgenvoll; **con'cerning** [-niŋ] *prp.* betreffend, betreffs, hinsichtlich (*gen.*), was ... betrifft, über (*acc.*), wegen.

con·cert I. *s.* ['kɔnsət] 1. ♪ Kon'zert *n*: *~ hall* Konzertsaal; 2. [-sə(:)t] Einvernehmen *n*, Über'einstimmung *f*; Harmo'nie *f*: *in ~ with* im Einvernehmen *od.* gemeinsam mit; II. *v/t.* [kən'sə:t] 3. *et.* verabreden, vereinbaren; *Kräfte etc.* vereinigen; 4. planen; III. *v/i.* [kən'sə:t] 5. zs.-arbeiten; **con·cert·ed** [kən'sə:tid] *adj.* 1. gemeinsam, gemeinschaftlich; 2. ♪ mehrstimmig arrangiert.

'con·cert|-go·er *s.* Kon'zertbesucher *m*; **~ grand** *s.* ♪ Kon'zertflügel *m.*

con·cer·ti·na [kɔnsə'ti:nə] *s.* Konzer'tina *f* (*Ziehharmonika*): *~ door* Falttür; **con·cer·to** [kən'tʃə:tou] *pl.* **-tos** *s.* ♪ ('Solo)Kon,zert *n.*

Con·cert| of Eu·rope *s. pol. hist.* Euro'päisches Kon'zert; **2 pitch** *s.* ♪ Kammerton *m*: *up to (od. at) ~ fig.* auf der Höhe.

con·ces·sion [kən'seʃən] *s.* 1. Entgegenkommen *n*, Zugeständnis *n*; 2. Genehmigung *f*, Erlaubnis *f*, Gewährung *f*; 3. amtliche *od.* staatliche Konzessi'on, Privi'leg *n*: a) Genehmigung *f*: *mining ~* Bergwerkskonzession, b) *Am.* Gewerbeerlaubnis, c) über'lassenes Siedlungs- *od.* Ausbeutungsgebiet; **con·ces·sion·aire** [kənseʃə'nɛə] *s.* ✝ Konzessi'onsinhaber *m*; **con'ces·sion·ar·y** [-ʃnəri] *adj.* Konzessions...; bewilligt; **con'ces·sive** [-esiv] *adj.* 1. einräumend; 2. *ling.* *~ clause* Konzessivsatz.

conch [kɔŋk] *s. zo.* (Schale *f* der) See- *od.* Schneckenmuschel *f*; **concha** ['kɔŋkə] *pl.* **-chae** [-ki:] *s.* 1. *anat.* Ohrmuschel *f*; 2. ⚠ Kuppeldach *n*; **con·chol·o·gy** [kɔŋ'kɔlədʒi] *s.* Muschelkunde *f.*

con·chy ['kɔntʃi] *s. Brit. sl.* Kriegsdienstverweigerer *m* (*von conscientious objecter*).

con·ci·erge [kɔ̃:nsi'ɛəʒ; kɔ̃sjɛrʒ] (*Fr.*) *s.* Porti'er *m*, Pförtner(in), Hausmeister(in).

con·cil·i·ate [kən'silieit] *v/t.* 1. aus-, versöhnen; beschwichtigen; 2. *Gunst etc.* gewinnen; 3. ausgleichen; in Einklang bringen; **con·cil·i·a·tion** [kənsili'eiʃən] *s.* 1. Versöhnung *f*, Schlichtung *f*: *~ board* Schlichtungsausschuß; 2. Ausgleich *m*: *debt ~* Schuldenausgleich; **con'cil·i·a·tor** [-tə] *s.* Vermittler *m*, Schlichter *m*; **con'cil·i·a·to·ry** [-iətəri] *adj.* versöhnlich, vermittelnd, Versöhnungs...

con·cin·ni·ty [kən'siniti] *s.* Feinheit *f*, Ele'ganz *f* (*Stil*).

con·cise [kən'sais] *adj.* □ kurz, bündig, gedrängt, knapp, prä'gnant; **con'cise·ness** [-nis] *s.* Kürze *f*, Prä'gnanz *f.*

con·clave ['kɔnkleiv] *s.* 1. *R.C.* Kon'klave *n*; 2. geheime Sitzung.

con·clude [kən'klu:d] I. *v/t.* 1. beenden, zu Ende führen; (be-, ab-) schließen: *to be ~d* Schluß folgt; *he ~d by saying* zum Schluß sagte er (noch); 2. *Vertrag etc.* (ab)schließen; II. *v/i.* 3. schließen, enden, aufhören (*with* mit); 4. schließen, folgern (*from* aus); 5. beschließen, entscheiden; **con'clud·ing** [-diŋ] *adj.* (ab-) schließend, End..., Schluß...; **con'clu·sion** [-u:ʒən] *s.* 1. (Ab)Schluß *m*, Ende *n*: *to bring to a ~* zum Abschluß bringen; *in ~* zum Schluß, schließlich; 2. Abschluß *m* (*Vertrag etc.*): *~ of peace* Friedensschluß; 3. Schluß *m*, (Schluß)Folgerung *f*: *to come to the ~* zu dem Schluß *od.* der Überzeugung kommen; *to draw a ~* e-n Schluß ziehen; *to jump at (od. to) ~s* voreilige Schlüsse ziehen; 4. Beschluß *m*, Entscheidung *f*; 5. Ausgang *m*, Folge *f*, Ergebnis *n*; 6. *to try ~s with* sich *od.* s-e Kräfte messen mit; **con'clu·sive** [-u:siv] *adj.* □ schlüssig, endgültig, entscheidend, über'zeugend, maßgebend; **con'clu·sive·ness** [-u:sivnis] *s.* Endgültigkeit *f*, Triftigkeit *f*; Schlüssigkeit *f*, Beweiskraft *f.*

con·coct [kən'kɔkt] *v/t.* 1. zs.-brauen (*a. fig.*); 2. *fig.* aushecken, sich ausdenken; **con'coc·tion** [-kʃən] *s.* 1. (Zs.-)Brauen *n*, Bereiten *n*; 2. Mischung *f*, Trank *m*; Gebräu *n*; 3. *fig.* Aushecken *n*, Ausbrüten *n*; 4. *fig.* Gebräu *n*; Erfindung *f*: *~ of lies* Lügengewebe.

con·com·i·tance [kən'kɔmitəns], **con'com·i·tan·cy** [-si] *s.* 1. Zs.-bestehen *n*, Gleichzeitigkeit *f*; 2. *eccl.* Konkomi'tanz *f*; **con'com·i·tant** [-nt] I. *adj.* □ begleitend, Begleit..., gleichzeitig; II. *s.* Begleiterscheinung *f.*

con·cord ['kɔŋkɔ:d] *s.* 1. Eintracht *f*, Einklang *m*; Über'einstimmung *f* (*a. ling.*); 2. ♪ Zs.-klang *m*, Harmo'nie *f*; 3. *Am.* → *Concord grape*; **con·cord·ance** [kən'kɔ:dəns] *s.* 1. Über'einstimmung *f*; 2. Konkor'danz *f*; **con·cord·ant** [kən'kɔ:dənt] *adj.* □ (*with*) über'einstimmend (mit), entsprechend (*dat.*); har'monisch (*a.* ♪); **con·cor·dat** [kən'kɔ:dæt] *s. eccl.* Konkor'dat *n.*

Con·cord grape *s.* ⚘ *große, dunkelblaue amer. Weintraube.*

con·course ['kɔŋkɔ:s] *s.* 1. Zs.-treffen *n*; 2. Ansammlung *f*, Auflauf *m*, Menge *f*; 3. *Am.* a) Fahrweg *m od.* Prome'nadeplatz *m* (*im Park*), b) Bahnhofshalle *f*, c) freier Platz.

con·crete [kən'kri:t] I. *v/t.* 1. zu e-r festen Masse verbinden, zs.-ballen *od.* vereinigen; 2. ['kɔnkri:t] ⊕ betonieren; II. *v/i.* 3. sich zu e-r festen Masse verbinden; III. *adj.* □ ['kɔnkri:t] 4. kon'kret (*a. ling., phls.*), greifbar, wirklich, dinglich; 5. fest, dicht, kom'pakt; 6. ⅍ benannt; 7. ⊕

betoniert, Beton...; **IV.** *s.* ['kɔnkri:t] **8.** konkreter Begriff: *in the* ~ im konkreten Sinne, in Wirklichkeit; **9.** ⊕ Be'ton *m*, Steinmörtel *m*, Ze'ment *m*; **con'cre·tion** [-i:ʃən] *s.* **1.** Zs.-wachsen *n*, Verwachsung *f*; **2.** Festwerden *n*; Verhärtung *f*, feste Masse; **3.** Häufung *f*; **4.** ⚕ Absonderung *f*, Stein *m*, Knoten *m*.

con·cu·bi·nage [kɔn'kju:binidʒ] *s.* Konkubi'nat *n*, wilde Ehe; **con·cu·bine** ['kɔŋkjubain] *s.* **1.** Konku'bine *f*, Mä'tresse *f*; **2.** Nebenfrau *f*.

con·cu·pis·cence [kən'kju:pisəns] *s.* Begehrlichkeit *f*, Lüsternheit *f*, Sinnlichkeit *f*; **con'cu·pis·cent** [-nt] *adj.* lüstern, sinnlich.

con·cur [kən'kə:] *v/i.* **1.** zs.-treffen, -fallen; **2.** mitwirken, beitragen (*to* zu); **3.** (*with s.o., in s.th.*) über'einstimmen (mit j-m, in *dat.*), beipflichten (*dat.*); **con'cur·rence** [-'kʌrəns] *s.* **1.** Zs.-treffen *n*; **2.** Mitwirkung *f*; **3.** Zustimmung *f*, Einverständnis *n*; **4.** ⩘ Schnittpunkt *m*; **con'cur·rent** [-'kʌrənt] **I.** *adj.* □ **1.** gleichzeitig; gemeinschaftlich; **2.** mitwirkend; **3.** über'einstimmend; **4.** ⩘ durch 'einen Punkt laufend; **II.** *s.* **5.** Be'gleit,umstand *m*.

con·cuss [kən'kʌs] *v/t. mst fig.* **1.** erschüttern; **2.** einschüchtern.

con·cus·sion [kən'kʌʃən] *s.* Erschütterung *f* (*a.* ⚕): ~ *of the brain* Gehirnerschütterung; '**~-fuse** *s.* ⚔ Aufschlagzünder *m*; **~ spring** *s.* ⊕ Stoßdämpfer *m*.

con·demn [kən'dem] *v/t.* **1.** verdammen, verurteilen, miß'billigen, tadeln: *his looks* ~ *him* sein Aussehen verrät ihn; **2.** ⚖ verurteilen (*to death* zum Tode); *fig. a.* verdammen (*to* zu); **3.** ⚖ als verfallen erklären, beschlagnahmen; **4.** verwerfen; für unbewohnbar *od.* gesundheitsschädlich *od.* seeuntüchtig erklären; *Schwerkranke* aufgeben; **con'dem·na·ble** [-mnəbl] *adj.* verdammenswert, verwerflich, sträflich; **con·dem·na·tion** [kɔndem'neiʃən] *s.* **1.** Verurteilung *f* (*a.* ⚖), Verdammung *f*, 'Mißbilligung *f*; **2.** Verwerfung *f*; Untauglichkeitserklärung *f*; **con'dem·na·to·ry** [-mnətəri] *adj.* verurteilend; verdammend.

con·den·sa·ble [kən'densəbl] *adj. phys.* kondensierbar; **con·den·sa·tion** [kɔnden'seiʃən] *s.* **1.** *bsd. phys.* Verdichtung *f*, Kondensati'on *f* (*Gase etc.*); Konzentrati'on *f* (*Licht*); **2.** Zs.-drängung *f*, Anhäufung *f*; **3.** *fig.* Zs.-fassung *f*, (Ab)Kürzung *f*; **con·dense** [kən'dens] **I.** *v/t.* **1.** *bsd. phys. Gase etc.* verdichten, kondensieren, niederschlagen; eindicken: ~*d milk* kondensierte Milch; **2.** *fig.* zs.-drängen, -fassen; zs.-streichen, kürzen; **II.** *v/i.* **3.** sich verdichten; flüssig werden; **con·dens·er** [kən'densə] *s.* **1.** ⚡, ⊕, *phys.* Konden'sator *m*; **2.** Kühlrohr *n*.

con·dens·ing| coil [kən'densiŋ] *s.* ⊕ Kühlschlange *f*; **~ lens** *s. opt.* Sammel-, Kondensati'onslinse *f*.

con·de·scend [kɔndi'send] *v/i.* **1.** sich her'ablassen, geruhen (*to* [*mst inf.*] zu [*mst inf.*]); **2.** *b.s.* sich nicht scheuen (*to* vor *dat.*); **3.** leutselig sein (*to* gegen); **con·de'scend·ing** [-diŋ] *adj.* □ her'ablassend, gönnerhaft; **con·de'scen·sion** [-nʃən] *s.* Her'ablassung *f*, gönnerhaftes Wesen.

con·dign [kən'dain] *adj.* □ gebührend, angemessen (*Strafe*).

con·di·ment ['kɔndimənt] *s.* Würze *f*, Zutat *f*.

con·di·tion [kən'diʃən] **I.** *s.* **1.** Bedingung *f*; Vor'aussetzung *f*: *on* ~ *that* unter der Bedingung, daß; vorausgesetzt, daß; *on no* ~ unter keinen Umständen, keinesfalls; *to make it a* ~ es zur Bedingung machen; **2.** ⚖ Vorbehalt *m*, Bestimmung *f*, Klausel *f*; **3.** Zustand *m*, Verfassung *f*, Beschaffenheit *f*; *sport* Konditi'on *f*, Form *f*: *out of* ~ in schlechter Verfassung; *in good* ~ gut in Form (*Person, Pferd etc.*), in gutem Zustande (*Sachen*); **4.** Stand *m*, Stellung *f*, Rang *m*: *to change one's* ~ heiraten; **5.** *pl.* 'Umstände *pl.*, Verhältnisse *pl.*, Lage *f*: *weather* ~*s* Witterung; *working* ~*s* Arbeitsverhältnisse; **6.** *Am. ped.* (Gegenstand *m* der) Nachprüfung *f*; **II.** *v/t.* **7.** bedingen, bestimmen; Bedingung(en) stellen, stipulieren; regeln, abhängig machen: ~*ed by* bedingt durch, abhängig von; **8.** *fig.* formen, gestalten; **9.** gewöhnen (*to* an *acc.*, zu *tun*); **10.** *Tiere* in Form bringen; *Sachen* herrichten, in'stand setzen; ⊕ konditionieren; *fig. j-n* programmieren (*to, for* auf *acc.*); **11.** † (*bsd. Textil*)*Waren* prüfen; **12.** *Am. ped.* e-e Nachprüfung auferlegen (*dat.*); **con'di·tion·al** [-ʃənl] **I.** *adj.* □ **1.** (*on*) bedingt (durch), abhängig (von), eingeschränkt (durch); unverbindlich; † unter Eigentumsvorbehalt (*Verkauf*); **2.** ~ *clause ling.* Bedingungssatz; ~ *mood ling.* Konditionalis; **II.** *s.* **3.** Bedingungssatz *m*, -wort *n*; **con'di·tion·al·ly** [-ʃnəli] *adv.* bedingungsweise; **con'di·tioned** [-nd] *adj.* **1.** bedingt, beschränkt, abhängig; **2.** (so) beschaffen; in ... Verfassung; hergerichtet.

con·do·la·to·ry [kən'doulətəri] *adj.* Beileids..., Kondolenz...; **con·dole** [kən'doul] *v/i.* Beileid bezeigen, kondolieren (*with s.o. on s.th.* j-m zu et.); **con'do·lence** [-əns] *s.* Beileid *n*, Kondo'lenz *f*.

con·dom ['kɔndəm] *s.* Kon'dom *n*, Präserva'tiv *n*.

con·do·min·i·um ['kɔndə'miniəm] *s.* **1.** Kondo'minium *n* (*gemeinsame Herrschaft*); **2.** *Am.* **a)** Eigentumswohnanlage *f*, **b)** Eigentumswohnung *f*.

con·do·na·tion [kɔndou'neiʃən] *s.* Verzeihung *f* (*bsd. ehelicher Untreue*); stillschweigende Duldung; **con·done** [kən'doun] *v/t.* verzeihen; *Fehltritt* entschuldigen.

con·dor ['kɔndɔ:] *s. orn.* 'Kondor *m*.

con·dot·tie·re [kɔndɔ'tjɛəri] *pl.* **-ri** [-ri:] (*Ital.*) *s.* Kondotti'ere *m*.

con·duce [kən'dju:s] *v/i.* (*to*) dienen, führen, beitragen (zu); förderlich sein (*dat.*); **con'du·cive** [-siv] *adj.* dienlich, förderlich (*to dat.*).

con·duct I. *v/t.* [kən'dʌkt] **1.** führen, (ge)leiten; → *tour 1*; **2.** (be)treiben, handhaben; führen, leiten, verwalten; **3.** ♪ dirigieren; **4.** ⚡, *phys.* leiten; **5.** ~ *o.s.* sich betragen *od.* benehmen, sich (auf)führen; **II.** *s.* ['kɔndəkt] **6.** Führung *f*, Leitung *f*, Verwaltung *f*; Handhabung *f*; **7.** *fig.* Führung *f*, Betragen *n*; Verhalten *n*, Haltung *f*; **con'duct·ance** [-təns], **con·duct·i·bil·i·ty** [kəndʌkti'biliti] *s.* ⚡, *phys.* Leitfähigkeit *f*; **con'duct·i·ble** [-tibl] *adj.* ⚡, *phys.* leitfähig; **con'duct·ing** [-tiŋ] *adj.* ⚡, *phys.* Leit..., Leitungs...: ~ *wire* Leitungsdraht; **con'duc·tion** [-kʃən] *s. oft* ⊕, *phys.* Leitung *f*, (Zu-)Führung *f*, Über'tragung *f*; **con'duc·tive** [-tiv] *adj. phys.* leitend, leitfähig; **con·duc·tiv·i·ty** [kɔndʌk'tiviti] *s.* ⚡, *phys.* Leitfähigkeit *f*; **con'duc·tor** [-tə] *s.* **1.** Führer *m*, Leiter *m*; **2.** ♪ Diri'gent *m*; **3.** Schaffner *m* (*Omnibus, Straßenbahn*); **4.** *Am.* 🚂 Zugbegleiter *m*; **5.** ⚡, *phys.* Leiter *m*; Ader *f* (*Kabel*); *Am. a.* Blitzableiter *m*; **con'duc·tress** [-tris] *s.* **1.** Schaffnerin *f*; **2.** Direk'trice *f*.

con·duit ['kɔndit] *s.* **1.** Rohrleitung *f*, Röhre *f*; Ka'nal *m* (*a. fig.*); **2.** Leitung *f* (*a. fig.*); **3.** ⚡ **a)** Rohrkabel *n*, **b)** Isolierrohr *n* (*für Leitungsdrähte*); **~ pipe** *s.* Leitungsrohr *n*.

cone [koun] *s.* **1.** ⩘ Kegel *m*; ⊕ 'Konus *m*; **2.** Bergkegel *m*; **3.** *fig.* Kegel *m*: ~ *of fire* Feuergarbe; ~ *of rays* Strahlenbüschel; ~ *of shade* Schattenkegel; **3.** ⚘ (Tannen- *etc.*) Zapfen *m*; **4.** Waffeltüte *f für Speiseeis*; **coned** [-nd] *adj.* kegelförmig.

co·ney → *cony*.

con·fab ['kɔnfæb] *F abbr. für confabulation u. confabulate*; **con·fab·u·late** [kən'fæbjuleit] *v/i. vertraulich* plaudern; **con·fab·u·la·tion** [kənfæbju'leiʃən] *s.* Plaude'rei *f*.

con·fec·tion [kən'fekʃən] *s.* **1.** Kon'fekt *n*, Zuckerwerk *n*, *mit Zucker* Eingemachtes *n*; **2.** 'Damen,modear,tikel *m* (*Kleid, Hut etc.*); **con'fec·tion·er** [-ʃnə] *s.* Kon'ditor *m*: ~*'s sugar Am.* Puderzucker; **con'fec·tion·er·y** [-ʃnəri] *s.* **1.** Süßigkeiten *pl.*, Kon'ditorwaren *pl.*; **2.** Süßwarengeschäft *n*, Kondito'rei *f*.

con·fed·er·a·cy [kən'fedərəsi] *s.* **1.** Bündnis *n*; **2.** Staatenbund *m*; **3.** ☊ *Am.* Konföderati'on *f* (*der Südstaaten im Bürgerkrieg*); **4.** Kom'plott *n*, Verschwörung *f*; **con'fed·er·ate** [-rit] **I.** *adj.* **1.** verbündet, verbunden, Bundes...: ☊ *Am.* zur Konföderation der Südstaaten gehörig; **2.** mitschuldig; **II.** *s.* **3.** Verbündete(r) *m*, Bundesgenosse *m*: ☊ *Am.* Südstaatler; **4.** Mittäter *m*, Mitschuldige(r) *m*; **III.** *v/t. u. v/i.* [-dəreit] **5.** (sich) verbünden *od.* vereinigen *od.* zs.-schließen; **con·fed·er·a·tion** [kənfedə'reiʃən] *s.* **1.** Bund *m*, Bündnis *n*; Zs.-schluß *m*; **2.** Staatenbund *m*: *Swiss* ☊ (Schweizer) Eidgenossenschaft.

con·fer [kən'fə:] **I.** *v/t.* **1.** *Titel etc.* verleihen, er-, zuteilen, über'tragen, *Gunst* erweisen (*upon dat.*); **2.** *nur noch Imperativ, abbr. cf.* vergleiche; **II.** *v/i.* **3.** sich beraten, Rücksprache nehmen, unter'handeln (*with* mit); **con·fer·ee** [kɔnfə'ri:] *s. Am.* **1.** Konfe'renzteilnehmer *m*; **2.** Empfänger *m e-s Titels etc.*; **con·fer·ence** ['kɔnfərəns] *s.* **1.** Konfe'renz *f*,

Tagung *f*, Sitzung *f*, Zs.-kunft *f*; **2.** Besprechung *f*, Beratung *f*, Verhandlung *f*; **3.** Verband *m*, Vereinigung *f*; **con'fer·ment** [-mənt] *s.* Verleihung *f* (*upon* an *acc.*).

con·fess [kən'fes] **I.** *v/t.* **1.** *Schuld etc.* bekennen, (ein)gestehen; anerkennen, zugeben (*a. that* daß); **2.** *eccl.* **a)** beichten, **b)** *j-m* die Beichte abnehmen; **II.** *v/i.* **3.** (*to*) sich bekennen (zu), (ein)gestehen (*acc.*); **4.** *eccl.* beichten; **con'fessed** [-st] *adj.* □ zugestanden; offenbar: *a ~ Anglophobe* ein erklärter Englandfeind; **con'fess·ed·ly** [-sidli] *adv.* zugestandenermaßen, offenbar; **con'fes·sion** [-eʃən] *s.* **1.** Bekenntnis *n*, Zugeständnis *n*; Anerkennung *f*; **2.** ⚖ Geständnis *n*; **3.** *eccl.* Beichte *f*: *dying ~* Geständnis auf dem Sterbebett; **4.** *eccl. a. ~ of faith* Glaubensbekenntnis *n*; **con'fes·sion·al** [-eʃənl] **I.** *adj.* konfessio'nell, Bekenntnis...; Beicht...; **II.** *s.* Beichtstuhl *m*; **con'fes·sor** [-sə] *s.* **1.** (Glaubens)Bekenner *m*; **2.** *eccl.* Beichtvater *m*.

con·fet·ti [kən'feti(:)] (*Ital.*) *s. pl. sg. konstr.* Kon'fetti *n*.

con·fi·dant [kɔnfi'dænt] *s.* Vertraute(r) *m*, Mitwisser *m*; **con·fi'dante** [-'dænt] *s.* Vertraute *f*, Mitwisserin *f*.

con·fide [kən'faid] **I.** *v/i.* **1.** sich anvertrauen; (ver)trauen (*in dat.*); **II.** *v/t.* (*to*) **2.** vertraulich mitteilen, anvertrauen (*dat.*); **3.** betrauen (mit).

con·fi·dence ['kɔnfidəns] *s.* **1.** (*in*) Vertrauen *n* (auf *acc.*, zu), Zutrauen *n* (zu): *to take s.o. into one's ~* j-n ins Vertrauen ziehen; *to be in s.o.'s ~* j-s Vertrauen genießen; *in ~* vertraulich; **2.** Selbstvertrauen *n*, Zuversicht *f*; Über'zeugung *f*; **3.** vertrauliche Mitteilung, Geheimnis *n*; → *vote 1*; **~ game** *s.* **1.** (*a.* Heirats-)Schwindel *m*; **2.** ˌHochstape'lei *f*; **~ man** *s.* **1.** (*a.* Heirats)Schwindler *m*; *weitS.* Ga'nove *m*; **2.** Hochstapler *m*; **~ trick** *s. Brit.* → *confidence game*; **~ trick·ster** *s. Brit.* → *confidence man*.

con·fi·dent ['kɔnfidənt] *adj.* □ → *confidently*; **1.** (*of, that*) über'zeugt (von, daß), gewiß, sicher (*gen.*, daß); **2.** vertrauensvoll; **3.** selbstsicher, zuversichtlich; **4.** eingebildet, kühn; **con·fi·den·tial** [kɔnfi'denʃəl] *adj.* □ **1.** vertraulich, geheim; **2.** in'tim, vertraut, Vertrauens...: *~ agent* Geheimagent; *~ clerk* ✝ Prokurist; **con·fi·den·tial·ly** [kɔnfi'denʃəli] *adv.* im Vertrauen: *~ speaking* unter uns gesagt; **'con·fi·dent·ly** [-li] *adv.* getrost; **con·fid·ing** [kən'faidiŋ] *adj.* □ vertrauensvoll, zutraulich.

con·fig·u·ra·tion [kənfigju'reiʃən] *s.* **1.** Gestalt(ung) *f*, Bau *m*, Struk'tur *f*; Anordnung *f*, Stellung *f*; **2.** *ast.* Konfigurati'on *f*, A'spekt *m*.

con·fine I. *s.* ['kɔnfain] *mst pl.* **1.** Grenze *f*, Grenzgebiet *n*; *fig.* Rand *m*, Schwelle *f*; **II.** *v/t.* [kən'fain] **2.** begrenzen; be-, einschränken (*to* auf *acc.*): *to ~ o.s. to* sich beschränken auf; **3.** einsperren, einschließen: *~d to bed* bettlägerig; *~d to one's room* ans Zimmer gefesselt; *to be ~d to barracks* Kasernenarrest haben, die Kaserne nicht verlassen dürfen; **4.** *pass.* (*of*) niederkommen (mit), entbunden werden (von); **con'fined** [-nd] *adj.* **1.** beschränkt, beengt; **2.** *fig.* gefesselt; **3.** ⚕ verstopft; **con'fine·ment** [-mənt] *s.* **1.** Beschränkung *f*; Beengtheit *f*; Gebundenheit *f*; **2.** Haft *f*, Gefangenschaft *f*; Ar'rest *m*: *close ~* strenge Haft; *solitary ~* Einzelhaft; **3.** Niederkunft *f*, Wochenbett *n*.

con·firm [kən'fə:m] *v/t.* **1.** *Nachricht, Auftrag, Wahrheit etc.* bestätigen; **2.** *Entschluß* bekräftigen; bestärken (*s.o. in s.th.* j-n in *dat.*); **3.** *Macht etc.* festigen; **4.** *eccl.* konfirmieren; *R.C.* firmen; **con'firm·a·ble** [-məbl] *adj.* zu bestätigen(d); **con·fir·ma·tion** [kɔnfə'meiʃən] *s.* **1.** Bestätigung *f*; Bekräftigung *f*; **2.** Festigung *f*; **3.** *eccl.* Konfirmati'on *f*, Einsegnung *f*; *R.C.* Firmung *f*; **con'firm·a·tive** [-mətiv] *adj.* □, **con'firm·a·to·ry** [-mətəri] *adj.* bestätigend; **con'firmed** [-md] *adj.* fest, hartnäckig, eingewurzelt, unverbesserlich, Gewohnheits...; chronisch: *~ bachelor* eingefleischter Junggeselle.

con·fis·cate ['kɔnfiskeit] *v/t.* beschlagnahmen, einziehen, konfiszieren; **con·fis·ca·tion** [kɔnfis'keiʃən] *s.* Einziehung *f*, Beschlagnahme *f*, Konfiszierung *f*; F Plünderung *f*; **con·fis·ca·to·ry** [kən'fiskətəri] *adj.* konfiszierend, Beschlagnahme...; F räuberisch.

con·fla·gra·tion [kɔnflə'greiʃən] *s.* Feuersbrunst *f*, (großer) Brand.

con·flict I. *s.* ['kɔnflikt] **1.** Zs.-stoß *m*, Kampf *m*; **2.** Kon'flikt *m*, Streit *m*: *wordy ~* Wortstreit; **3.** Konflikt *m*, 'Widerstreit *m*, -spruch *m*, Gegensatz *m*: *~ of interests* Interessenkonflikt; **II.** *v/i.* [kən'flikt] **4.** (*with*) kollidieren, im 'Widerspruch stehen (mit); im Gegensatz stehen (zu); **5.** sich wider'sprechen; **con·flict·ing** [kən'fliktiŋ] *adj.* wider'streitend, gegensätzlich.

con·flu·ence ['kɔnfluəns] *s.* **1.** Zs.-fluß *m*; **2.** Zustrom *m*, Zulauf *m* (*Menschen*); **3.** (Menschen)Menge *f*; **'con·flu·ent** [-nt] **I.** *adj.* zs.-fließend, -laufend; **II.** *s.* Nebenfluß *m*; **con·flux** ['kɔnflʌks] → *confluence*.

con·form [kən'fɔ:m] **I.** *v/t.* **1.** (*a. o.s.* sich) anpassen (*to dat. od.* an *acc.*); **II.** *v/i.* **2.** (*to*) sich anpassen (*dat.*), sich richten (nach); sich fügen (*dat.*); entsprechen (*dat.*); **3.** *eccl. Brit.* sich der engl. Staatskirche unter'werfen; **con'form·a·ble** [-məbl] *adj.* □ (*to*) **1.** kon'form, gleichförmig (mit); entsprechend, gemäß (*dat.*); **2.** vereinbar (mit); **3.** fügsam, nachgiebig; **con'form·ance** [-məns] *s.* Anpassung *f* (*to* an *acc.*); Über'einstimmung *f* (*with* mit): *in ~ with* gemäß (*dat.*); **con·for·ma·tion** [kɔnfɔ:'meiʃən] *s.* **1.** Anpassung *f*, Angleichung *f* (*to* an *acc.*); **2.** Gestalt(ung) *f*, Anordnung *f*, Bau *m*; **con'form·er** [-mə], **con'form·ist** [-mist] *s.* **1.** j-d der sich anpaßt *od.* fügt; **2.** *Brit.* Anhänger *m* der engl. Staatskirche; **con'form·i·ty** [-miti] *s.* **1.** Gleichförmigkeit *f*, Ähnlichkeit *f*, Über'einstimmung *f* (*with* mit): *in ~ with* in Übereinstimmung mit, gemäß (*dat.*); **2.** (*to*) Anpassung *f* (an *acc.*); Befolgung *f* (*gen.*); **3.** *hist.* Zugehörigkeit *f* zur englischen Staatskirche.

con·found [kən'faund] *v/t.* **1.** vermengen, verwechseln (*with* mit); **2.** in Unordnung bringen, verwirren; **3.** bestürzt machen, verblüffen; **4.** vernichten, vereiteln; **5.** [*a.* kɔn-] F *~ him!* zum Teufel mit ihm!; *~ it!* verdammt!; **con'found·ed** [-did] F **I.** *adj.* □ (*a. int.*) verwünscht, verflixt; scheußlich; **II.** *adv.*, *a. ~ly* sehr, ‚furchtbar'.

con·fra·ter·ni·ty [kɔnfrə'tə:niti] *s.* **1.** *bsd. eccl.* Bruderschaft *f*, Gemeinschaft *f*; **2.** Brüderschaft *f*; **con·frère** ['kɔnfrɛə; kɔ̃frɛ:r] (*Fr.*) *s.* Amtsbruder *m*, Kol'lege *m*.

con·front [kən'frʌnt] *v/t.* **1.** (*oft* feindlich) gegen'übertreten, -stehen (*dat.*); **2.** mutig begegnen (*dat.*); **3.** (*with*) konfrontieren (mit), gegen'überstellen (*dat.*), entgegenhalten (*dat.*); **4.** *pass. to be ~ed with* sich gegenübersehen, gegenüberstehen (*dat.*); **con·fron·ta·tion** [kɔnfrən'teiʃən] *s.* Gegen'überstellung *f*, Konfrontati'on *f*.

Con·fu·cian [kən'fju:ʃjən] **I.** *adj.* konfuzi'anisch; **II.** *s.* Konfuzi'aner (-in); **Con'fu·cian·ism** [-nizəm] *s.* Konfuzia'nismus *m*; **Con'fu·cian·ist** [-nist] → *Confucian II*.

con·fuse [kən'fju:z] *v/t.* **1.** vermengen, verwechseln (*with* mit); **2.** verwirren, verlegen machen; **3.** verworren *od.* undeutlich machen; in Unordnung bringen; **con'fused** [-zd] *adj.* □ **1.** kon'fus, verwirrt, verworren; **2.** verlegen, bestürzt; **3.** undeutlich, unklar; **con'fus·ing** [-ziŋ] *adj.* verwirrend, irreführend; **con'fu·sion** [-u:ʒən] *s.* **1.** Verwirrung *f*, Durchein'ander *n*, Unordnung *f*: *~ worse confounded* größter Wirrwarr; **2.** Aufruhr *m*, Lärm *m*; **3.** Bestürzung *f*: *to put s.o. to ~* j-n in Verlegenheit bringen; **4.** Verworrenheit *f*; geistige Verwirrung; **5.** Verwechslung *f*.

con·fut·a·ble [kən'fju:təbl] *adj.* wider'legbar; **con·fu·ta·tion** [kɔnfju:'teiʃən] *s.* Wider'legung *f*; Über'führung *f*; **con·fute** [kən'fju:t] *v/t.* **1.** *et.* wider'legen; **2.** *j-n* widerlegen, e-s Irrtums über'führen.

con·gé ['kɔ̃:nʒei; kɔ̃ʒe] (*Fr.*) *s.* **1.** Abschied *m*; **2.** Entlassung *f*; **3.** (Abschieds)Verbeugung *f*.

con·geal [kən'dʒi:l] **I.** *v/t.* gefrieren *od.* gerinnen *od.* erstarren lassen (*a. fig.*); **II.** *v/i.* gefrieren, gerinnen, erstarren (*a. fig.*); fest werden; **con'geal·ment** [-mənt] → *congelation 1*.

con·gee ['kɔndʒi:] → *congé*.

con·ge·la·tion [kɔndʒi'leiʃən] *s.* **1.** Gefrieren *n*, Gerinnen *n*, Erstarren *n*, Festwerden *n*; **2.** gefrorene *etc.* Masse.

con·ge·ner ['kɔndʒinə] **I.** *s.* gleichartiges *od.* verwandtes Ding *od.* Wesen; **II.** *adj.* (art- *od.* stamm)verwandt (*to* mit); **con·gen·er·ous** [kən'dʒenərəs] *adj.* gleichartig, verwandt.

con·gen·ial [kən'dʒi:njəl] *adj.* □ **1.** (*with*) kongeni'al (*dat.*), geistes-

verwandt (mit *od.* *dat.*); **2.** sym'pathisch, zusagend, angenehm (*to dat.*): *to be* ~ zusagen; **3.** passend, angemessen, entsprechend (*to dat.*);
con·ge·ni·al·i·ty [kəndʒi:ni'æliti] *s.* Geistesverwandtschaft *f*, Gleichartigkeit *f*, Angemessenheit *f*.
con·gen·i·tal [kən'dʒenitl] *adj.* □ angeboren; **con'gen·i·tal·ly** [-təli] *adv.* von Geburt an.
con·ger (eel) ['kɔŋgə] *s. ichth.* Meeraal *m*.
con·ge·ri·es [kɔn'dʒiəri:z] *s. sg. u. pl.* Anhäufung *f*, Masse *f*.
con·gest [kən'dʒest] **I.** *v/t.* **1.** zs.-drängen, über'füllen, anhäufen; **2.** *fig.* über'schwemmen; **3.** verstopfen; **II.** *v/i.* **4.** sich ansammeln, sich stauen, sich verstopfen; **con'gest·ed** [-tid] *adj.* **1.** über'füllt; über'völkert; **2.** ⚕ mit Blut überfüllt; **con'ges·tion** [-tʃən] *s.* **1.** Anhäufung *f*, Andrang *m*, Stauung *f*, Über'füllung *f*: ~ *of population* Übervölkerung; *traffic* ~ Verkehrsstockung; **2.** ⚕ Blutandrang *m*: ~ *of the brain* Blutandrang zum Gehirn.
con·glo·bate ['kɔngloubeit] **I.** *adj.* (zs.-)geballt, kugelig; **II.** *v/t. u. v/i.* (sich) zs.-ballen (*into* zu); **con·glo·ba·tion** [konglou'beiʃən] *s.* Kugelbildung *f*, Zs.-ballung *f*.
con·glom·er·ate [kən'glɔməreit] **I.** *v/t. u. v/i.* (sich) zs.-ballen, verbinden, anhäufen; **II.** *adj.* [-rit] zs.-geballt; *fig.* zs.-gewürfelt; **III.** *s.* [-rit] *fig.* (An)Häufung *f*, Gemisch *n*, zs.-gewürfelte Masse, Konglome'rat *n* (*a. geol.*); **con·glom·er·a·tion** [kənglɔmə'reiʃən] → *conglomerate III.*
con·glu·ti·nate [kən'glu:tineit] **I.** *v/t.* zs.-leimen, -kitten; **II.** *v/i.* zs.-kleben, -haften; **con·glu·ti·na·tion** [kənglu:ti'neiʃən] *s.* Zs.-kleben *n*; Verbindung *f*.
Con·go·lese [kɔŋgou'li:z] **I.** *adj.* Kongo..., kongo'lesisch; **II.** *s.* Kongo'lese *m*, Kongo'lesin *f*.
con·gou ['kɔŋgu:] *s.* chinesischer schwarzer Tee.
con·grat·u·late [kən'grætjuleit] *v/t.* *j-m* gratulieren, Glück wünschen; *j-n* beglückwünschen (*on* zu) (*alle a.* o.s. sich); **con·grat·u·la·tion** [kəngrætju'leiʃən] *s.* Glückwunsch *m*: ~*s!* ich gratuliere!; **con'grat·u·la·tor** [-tə] *s.* Gratu'lant(in); **con'grat·u·la·to·ry** [-lətəri] *adj.* Glückwunsch..., Gratulations...
con·gre·gate ['kɔŋgrigeit] *v/t. u. v/i.* (sich) (ver)sammeln.
con·gre·ga·tion [kɔŋgri'geiʃən] *s.* **1.** (Kirchen)Gemeinde *f*; **2.** Versammlung *f*; **3.** *Brit. univ.* Versammlung *f* des Lehrkörpers *od.* des Se'nats; **con·gre'ga·tion·al** [-ʃənl] *adj. eccl.* **1.** Gemeinde...; **2.** ♀ unabhängig: ♀ *chapel* Kapelle der ‚freien' Gemeinden; **Con·gre'ga·tion·al·ism** [-ʃnəlizəm] *s. eccl.* Selbstverwaltung *f* der ‚freien' Kirchengemeinden, ˌIndependen'tismus *m*; **Con·gre'ga·tion·al·ist** [-ʃnəlist] *s.* Mitglied *n* e-r ‚freien' Kirchengemeinde.
con·gress ['kɔŋgres] *s.* **1.** Kon'greß *m*, Tagung *f*; **2.** *pol. Am.* ♀ Kongreß *m*, gesetzgebende Versammlung; ~ **boot** *s. Am.* Zugstiefel *m*.
con·gres·sion·al [kɔŋ'greʃənl] *adj.* **1.** Kongreß...; **2.** *pol. Am.* ♀ Kongreß...: ♀ *medal* Verdienstmedaille.
'Con·gress·man [-mən] *s.* [*irr.*] *pol.* Mitglied *n* des amer. Repräsen'tantenhauses.
con·gru·ence ['kɔŋgruəns] *s.* **1.** Über'einstimmung *f*; Angemessenheit *f*; **2.** ⩚ Kongru'enz *f*; **'con·gru·ent** [-nt] *adj.* **1.** (*with*) über'einstimmend (mit), entsprechend (*dat.*), passend (zu); **2.** ⩚ kongru'ent, sich deckend; **con·gru·i·ty** [kɔŋ'gru(:)iti] *s.* **1.** Über'einstimmung *f*; Angemessenheit *f*; **2.** Folgerichtigkeit *f*; **3.** ⩚ Kongru'enz *f*; **'con·gru·ous** [-uəs] *adj.* □ **1.** (*to, with*) übereinstimmend (mit), entsprechend (*dat.*); **2.** folgerichtig; passend.
con·ic ['kɔnik] *adj.* (□ ~*ally*) 'konisch, kegelförmig: ~ *section* ⩚ Kegelschnitt; **'con·i·cal** [-kəl] → *conic*; **'con·ics** [-ks] *s. pl. sg. konstr.* ⩚ Lehre *f* von den Kegelschnitten.
co·ni·fer ['kounifə] *s.* ♆ Koni'fere *f*, Nadelbaum *m*; **co·nif·er·ous** [kou'nifərəs] *adj.* ♆ zapfentragend, Nadel(holz)...
con·jec·tur·a·ble [kən'dʒektʃərəbl] *adj.* □ zu vermuten(d); **con'jec·tur·al** [-rəl] *adj.* □ mutmaßlich; **con·jec·ture** [kən'dʒektʃə] **I.** *s.* **1.** Vermutung *f*, Mutmaßung *f*; (vage) I'dee; **II.** *v/t.* **2.** vermuten, mutmaßen; **3.** vorschlagen, nahelegen; **III.** *v/i.* **4.** Mutmaßungen anstellen, mutmaßen.
con·join [kən'dʒɔin] *v/t. u. v/i.* (sich) verbinden *od.* vereinigen; **con·joint** ['kɔndʒɔint] *adj.* □ verbunden, vereinigt, gemeinsam; **con·joint·ly** ['kɔndʒɔintli] *adv.* zu'sammen, gemeinsam.
con·ju·gal ['kɔndʒugəl] *adj.* □ ehelich, Ehe..., Gatten...
con·ju·gate ['kɔndʒugeit] **I.** *v/t.* **1.** *ling.* konjugieren, beugen; **II.** *v/i.* **2.** *biol.* sich paaren; **III.** *adj.* [-git] **3.** verbunden, gepaart; **4.** *ling.* wurzelverwandt; **5.** ⩚ zugeordnet; **6.** ♆ paarig; **IV.** *s.* [-git] **7.** *ling.* wurzelverwandtes Wort; **con·ju·ga·tion** [kɔndʒu'geiʃən] *s.* **1.** *ling.* Konjugati'on *f*, Beugung *f*; **2.** *biol.* Paarung *f*.
con·junct [kən'dʒʌŋkt] *adj.* □ verbunden, vereint, gemeinsam; **con'junc·tion** [-kʃən] *s.* **1.** Verbindung *f*: *in* ~ *with* zusammen mit; **2.** Zs.-treffen *n*; **3.** *ast., ling.* Konjunkti'on *f*; **con·junc·ti·va** [kɔndʒʌŋk'taivə] *s. anat.* Bindehaut *f*; **con'junc·tive** [-tiv] **I.** *adj.* □ **1.** verbindend, Verbindungs...: ~ *tissue anat.* Bindegewebe; **2.** *ling.* 'konjunktivisch: ~ *mood* Konjunktiv; **II.** *s.* **3.** *ling.* 'Konjunktiv *m*; **con'junc·tive·ly** [-tivli] *adv.* gemeinsam; **con·junc·ti·vi·tis** [kəndʒʌŋkti'vaitis] *s.* ⚕ Bindehautentzündung *f*; **con'junc·ture** [-tʃə] *s.* **1.** Zs.-treffen *n* (*von Umständen*); **2.** 'Umstände *pl.*; **3.** Krise *f*; **4.** *ast.* Konjunkti'on *f*.
con·ju·ra·tion [kɔndʒuə'reiʃən] *s.* **1.** feierliche Anrufung; Beschwörung *f*; **2.** Zauberformel *f*; Zaube'rei *f*.
con·jure[1] [kən'dʒuə] *v/t.* beschwören, inständig bitten (*to inf.* zu *inf.*).
con·jure[2] ['kʌndʒə] **I.** *v/t.* **1.** *Geist etc.* beschwören: *to* ~ *up* heraufbeschwören (*a. fig.*), zitieren, hervorzaubern; **2.** behexen, (be)zaubern: *a name to* ~ *with* ein Name, der Wunder wirkt; *to* ~ *away* wegzaubern, bannen; **II.** *v/i.* **3.** zaubern, hexen; **'con·jur·er, 'con·jur·or** [-dʒərə] *s.* **1.** Zauberer *m*, Zauberin *f*; **2.** Zauberkünstler *m*, Taschenspieler *m*; **'con·jur·ing trick** [-dʒəriŋ] *s.* Zauberkunststück *n*.
conk[1] [kɔŋk] *s. sl.* ‚Riecher' *m* (*Nase*); *Am. a.* ‚Birne' *f* (*Kopf*).
conk[2] [kɔŋk] *v/i. sl. mst* ~ *out* **1.** ‚streiken', ‚den Geist aufgeben' (*Fernseher etc.*), ‚absterben' (*Motor*); **2.** ‚umkippen', ohnmächtig werden; **3.** ‚abkratzen', sterben.
conn [kɔn] *v/t.* ⚓ *Schiff* steuern.
con·nate ['kɔneit] *adj.* **1.** angeboren; mitgeboren; **2.** *biol.* verwachsen.
con·nat·u·ral [kə'nætʃrəl] *adj.* □ **1.** (*to*) gleicher Na'tur (wie); verwandt (*dat.*); **2.** angeboren.
con·nect [kə'nekt] **I.** *v/t.* **1.** verbinden, verknüpfen (*mst with* mit): *to be* ~*ed* in Verbindung (*mit*) *od.* in Beziehungen (*zu*) treten *od.* stehen; **2.** ⚡ verbinden (*a. teleph.*), (ein-)schalten, anschließen, koppeln; **3.** ⊕ verbinden, zs.-fügen; koppeln, (an)kuppeln; **II.** *v/i.* **4.** in Verbindung *od.* Zs.-hang treten *od.* stehen; **5.** 🚂 *etc.* Anschluß haben (*with* an *acc.*); **6.** *Boxen*: ‚landen' (*with a blow* e-n Schlag); **con'nect·ed** [-tid] *adj.* □ **1.** zs.-hängend; **2.** verwandt: ~ *by marriage* verschwägert; *to be well* ~ gute Beziehungen *od.* einflußreiche Verwandte haben; **3.** (*with*) beteiligt (an *dat.*, bei), verwickelt (in *acc.*); **con'nect·ed·ly** [-tidli] *adv.* zs.-hängend; 'logisch.
con·nect·ing [kə'nektiŋ] *adj.* Binde..., Verbindungs...; ~ **line** *s.* 🚂 Anschlußgleis *n*; ~ **link** *s.* Bindeglied *n*; ~ **rod** *s.* ⊕ Kurbel-, Pleuelstange *f*; ~ **train** *s.* 🚂 Anschlußzug *m*.
con·nec·tion [kə'nekʃən] *s.* **1.** Verbindung *f*; **2.** ⊕ Verbindung *f*, Bindeglied *n*: *hot-water* ~*s* Heißwasseranlage; **3.** Zs.-hang *m*, Beziehung *f*: *in this* ~ in diesem Zs.-hang; *in* ~ *with* mit Bezug auf; **4.** per'sönliche Beziehung *od.* Verbindung; Verwandtschaft *f*, Verwandte(r *m*) *f*; **5.** *pl.* gute *od.* nützliche Beziehungen, Konnexi'onen *pl.*; Bekannten-, Kundenkreis *m*; **6.** ⚡ Anschluß *m*, Schaltung *f*; **7.** 🚂 *etc.* (*a. teleph.*) Verbindung *f*, Anschluß *m*: *to catch one's* ~ den Anschluß erreichen; *to run in* ~ *with* Anschluß haben an (*acc.*); **8.** (*bsd. religiöse*) Gemeinschaft; **9.** Geschlechtsverkehr *m*: *criminal* ~ Ehebruch; **con'nec·tive** [-ktiv] *adj.* verbindend: ~ *tissue anat.* Binde-, Zellgewebe.
con·nex·ion → *connection.*
con·ning tow·er ['kɔniŋ] *s.* ⚓, ⚔ Kom'mandoturm *m*.
con·niv·ance [kə'naivəns] *s.* stillschweigende Duldung, bewußtes Über'sehen (*at, in gen.*); **con·nive**

[kəˈnaiv] *v/i.* (*at*) stillschweigend dulden (*acc.*), ein Auge zudrücken (bei), Vorschub leisten (*dat.*).

con·nois·seur [kɔniˈsəː] (*Fr.*) *s.* (*Kunst- etc.*)Kenner *m*: *~ of* (*od. in*) *wines* Weinkenner.

con·no·ta·tion [kɔnouˈteiʃən] *s.* **1.** zweite Bezeichnung; (Neben-) Bedeutung *f*; **2.** *phls.* Begriffsinhalt *m*; **con·note** [kɔˈnout] *v/t.* mitbezeichnen, (zuˈgleich) bedeuten.

con·nu·bi·al [kəˈnjuːbjəl] *adj.* □ ehelich, Ehe...; **con·nu·bi·al·i·ty** [kənjuːbiˈæliti] *s.* **1.** Ehestand *m*; **2.** Eheleben *n*.

co·noid [ˈkounɔid] **I.** *adj.* kegelförmig; **II.** *s.* & Konoˈid *n*.

con·quer [ˈkɔŋkə] **I.** *v/t.* **1.** erobern, einnehmen, Besitz ergreifen von; **2.** *fig.* erobern, gewinnen; **3.** besiegen, überˈwinden; unterˈwerfen; **4.** *fig.* überˈwinden, bezwingen, Herr werden über (*acc.*); **II.** *v/i.* **5.** siegen; Eroberungen machen; ˈ**con·quer·ing** [-kəriŋ] *adj.* siegreich; ˈ**con·quer·or** [-kərə] *s.* **1.** Eroberer *m*; Sieger *m*: *the* ♀ *hist.* Wilhelm der Eroberer; **2.** F Entscheidungsspiel *n*.

con·quest [ˈkɔŋkwest] *s.* **1.** Eroberung *f*, Unterˈwerfung *f*; erobertes Gebiet: *the* ♀ *hist.* die normannische Eroberung; **2.** *fig.* ‚Eroberung' *f*: *to make a ~ of s.o.* j-n erobern; **3.** Sieg *m* (*a. fig.*); **4.** Errungenschaft *f*.

con·san·guine [kɔnˈsæŋgwin] *adj.* blutsverwandt; **con·san·guin·i·ty** [kɔnsæŋˈgwiniti] *s.* Blutsverwandtschaft *f*.

con·science [ˈkɔnʃəns] *s.* Gewissen *n*: *guilty ~* schlechtes Gewissen; *for ~ sake* um das Gewissen zu beruhigen; *my ~!* mein Gott!; *in all ~* F wahrhaftig, sicherlich; *to have s.th. on one's ~* et. auf dem Gewissen haben; *~* **clause** *s.* ⚖ Gewissensklausel *f*; *~* **mon·ey** *s.* (*anonyme*) Steuernachzahlung; ˈ**~-proof** *adj.* ohne Gewissensregungen, ‚abgebrüht'; ˈ**~-strick·en** *adj.* reuig, schuldbewußt.

con·sci·en·tious [kɔnʃiˈenʃəs] *adj.* □ gewissenhaft, Gewissens...: *~ objector* Kriegsdienstverweigerer (*aus Gewissensgründen*); **con·sciˈen·tious·ness** [-nis] *s.* Gewissenhaftigkeit *f*.

-conscious [kɔnʃəs] *adj. in Zssgn* ...-bewußt; ...freudig, ...begeistert.

con·scious [ˈkɔnʃəs] *adj.* □ **1.** *pred.* bei Bewußtsein; **2.** bewußt: *to be ~ of* sich bewußt sein (*gen.*), wissen von; *to be ~ that* wissen *od.* überzeugt sein, daß; **3.** wissentlich, bewußt: *a ~ liar* ein bewußter Lügner; **4.** (selbst)bewußt, überˈzeugt: *a ~ artist* ein überzeugter Künstler; **5.** denkend: *man is a ~ being*; ˈ**con·scious·ly** [-li] *adv.* bewußt, wissentlich; gewollt; ˈ**con·scious·ness** [-nis] *s.* **1.** Bewußtsein *n*: *to lose ~* das Bewußtsein verlieren; *to regain ~* wieder zu sich kommen; **2.** (*of*) Bewußtsein *n*, Wissen *n* (um), Kenntnis *f* (von *od. gen.*): *~-expanding* bewußtseinserweiternd; **3.** Denken *n*, Empfinden *n*.

con·script [ˈkɔnskript] **I.** *adj.* zwangsweise eingezogen (*Soldat etc.*) *od.* verpflichtet (*Arbeiter*); **II.** *s.* ⚔ Dienst-, Wehrpflichtige(r) *m*; ausgehobener Reˈkrut; **III.** *v/t.* [kənˈskript] *bsd.* ⚔ (zwangsweise) ausheben, einziehen; **con·scrip·tion** [kənˈskripʃən] *s.* **1.** *bsd.* ⚔ Zwangsaushebung *f*, Wehrpflicht *f*: *industrial ~* Arbeitsverpflichtung; **2.** *a. ~ of wealth* (Herˈanziehung *f* zur) Vermögensabgabe *f*.

con·se·crate [ˈkɔnsikreit] **I.** *v/t.* **1.** *eccl.* weihen, (ein)segnen; **2.** widmen; **3.** heiligen; **II.** *adj.* **4.** geweiht, geheiligt; **con·se·cra·tion** [kɔnsiˈkreiʃən] *s.* **1.** *eccl.* Weihung *f*, Einsegnung *f*; **2.** Heiligung *f*; **3.** Widmung *f*, Hingabe *f* (*to* an *acc.*).

con·se·cu·tion [kɔnsiˈkjuːʃən] *s.* **1.** (Aufeinˈander)Folge *f*, Reihe *f*; logische Folge; **2.** *ling.* Wort-, Zeitfolge *f*; **con·sec·u·tive** [kənˈsekjutiv] *adj.* □ **1.** aufeinˈanderfolgend, fortlaufend: *six ~ days* sechs Tage hintereinander; **2.** *ling.* *~ clause* Konsekutiv-, Folgesatz; **con·sec·u·tive·ly** [kənˈsekjutivli] *adv.* nacheinˈander, fortlaufend.

con·sen·sus [kənˈsensəs] *s.* **1.** Überˈeinstimmung *f* (der Meinungen): *~ of opinion* übereinstimmende Meinung, allseitige Zustimmung; **2.** ⚕ Wechselwirkung *f* (*Organe*).

con·sent [kənˈsent] **I.** *v/i.* **1.** (*to*) zustimmen (*dat.*), einwilligen (in *acc.*); **2.** sich bereit erklären (*to inf.* zu *inf.*); **II.** *s.* **3.** (*to*) Zustimmung *f* (zu), Einwilligung *f* (in *acc.*), Genehmigung *f* (für), Einverständnis *n*: *age of ~* ⚖ Mündigkeitsalter; *with one ~* einstimmig; *by common ~* mit allgemeiner Zustimmung; *silence gives ~* Stillschweigen bedeutet Zustimmung; **conˈsen·tient** [-nʃənt] *adj.* zustimmend.

con·se·quence [ˈkɔnsikwəns] *s.* **1.** Konseˈquenz *f*, Folge *f*, Resulˈtat *n*, Wirkung *f*: *in ~* folglich, daher; *in ~ of* infolge von (*od. gen.*), wegen; *in ~ of which* weswegen; *to take the ~s* die Folgen tragen; *with the ~ that* mit dem Ergebnis, daß; **2.** (Schluß-) Folgerung *f*, Schluß *m*; **3.** Wichtigkeit *f*, Bedeutung *f*, Einfluß *m*: *of no ~* ohne Bedeutung, unwichtig; *a man of ~* ein bedeutender *od.* einflußreicher Mann; ˈ**con·se·quent** [-nt] **I.** *adj.* □ → *consequently*; **1.** (*on*) folgend (auf *acc.*), sich ergebend (aus); **2.** *phls.* logisch (richtig); **II.** *s.* **3.** Folge(erscheinung) *f*, Folgerung *f*, Schluß *m*; **4.** *ling.* Nachsatz *m*; **con·se·quen·tial** [kɔnsiˈkwenʃəl] *adj.* □ **1.** sich ergebend (*on* aus): *~ damage* ⚖ Folgeschaden; **2.** logisch (richtig); **3.** ˈindiˌrekt; **4.** wichtigtuerisch, überˈheblich; ˈ**con·se·quent·ly** [-ntli] *adv.* folglich, deshalb.

con·serv·an·cy [kənˈsəːvənsi] *s.* **1.** Fluß(instandhaltungs)behörde *f*; **2.** Forstbehörde *f*: *nature ~* Naturschutz; **con·ser·va·tion** [kɔnsə(ː)ˈveiʃən] *s.* **1.** Erhaltung *f*, Bewahrung *f*; Instandhaltung *f*, Schutz *m* (*von Forsten, Flüssen, Boden*): *~ of energy phys.* Erhaltung der Energie; **2.** Haltbarmachung *f*, Konservierung *f*.

con·serv·a·tism [kənˈsəːvətizəm] *s.* Konservaˈtismus *m* (*a. pol.*); **con·ˈserv·a·tive** [-vətiv] **I.** *adj.* **1.** erhaltend, konservierend; **2.** konservaˈtiv (*a. pol., mst* ♀); **3.** mäßig, vorsichtig, bescheiden; **II.** *s.* **4.** ♀ *pol.* ˈKonservative(r) *m*.

con·ser·va·toire [kənˈsəːvətwɑː] (*Fr.*) *s. bsd. Brit.* Konservaˈtorium *n*, Hochschule *f* für Muˈsik (*od. andere Künste*).

con·ser·va·tor [kənˈsəːvətə] *s.* **1.** Konserˈvator *m*, Muˈseumsdiˌrektor *m*; **2.** ⚖ *Am.* Vormund *m*; **conˈserv·a·to·ry** [-tri] *s.* **1.** Treib-, Gewächshaus *n*, Wintergarten *m*; **2.** → *conservatoire*; **con·serve** [kənˈsəːv] **I.** *v/t.* **1.** erhalten, bewahren; beibehalten; **2.** schonen, sparsam ˈumgehen mit; **3.** einmachen, konservieren; **II.** *s.* **4.** *mst pl.* Eingemachtes *n*, Konfiˈtüre *f*.

con·sid·er [kənˈsidə] **I.** *v/t.* **1.** nachdenken über (*acc.*), (sich) überˈlegen, erwägen: *to ~ a plan*; **2.** in Betracht ziehen, berücksichtigen, beachten, bedenken: *~ his age!* bedenken Sie sein Alter!; *all things ~ed* wenn man alles in Betracht zieht; **3.** Rücksicht nehmen auf (*acc.*): *he never ~s others*; **4.** betrachten *od.* ansehen als, halten für: *to ~ s.o.* (*to be*) *a fool* j-n für e-n Narren halten; *to be ~ed rich* als reich gelten; *you may ~ yourself lucky* du kannst dich glücklich schätzen; *~ yourself at home* tun Sie, als ob Sie zu Hause wären; **5.** denken, meinen, annehmen, finden (*a. that* daß); **II.** *v/i.* **6.** nachdenken, überlegen; **conˈsid·er·a·ble** [-dərəbl] **I.** *adj.* □ **1.** beträchtlich, ansehnlich, erheblich; **2.** bedeutend (*a. Person*); **II.** *s.* **3.** *bsd. Am.* F e-e Menge, viel.

con·sid·er·ate [kənˈsidərit] *adj.* □ rücksichtsvoll, aufmerksam (*towards, of* gegen): *to be ~ of* Rücksicht nehmen auf (*acc.*); **conˈsid·er·ate·ness** [-nis] *s.* Rücksichtnahme *f*; **con·sid·er·a·tion** [kənsidəˈreiʃən] *s.* **1.** Erwägung *f*, Überˈlegung *f*: *to take into ~* in Betracht *od.* Erwägung ziehen; *the matter is under ~* die Sache wird (noch) erwogen; **2.** Berücksichtigung *f*; Begründung *f*: *in ~ of* in Anbetracht (*gen.*); *on* (*od. under*) *no ~* unter keinen Umständen; *that is a ~* das ist ein triftiger Grund; *money is no ~* Geld spielt keine Rolle; **3.** Rücksicht (-nahme) *f* (*for* auf *acc.*): *lack of ~* Rücksichtslosigkeit; **4.** Entgelt *n*, Entschädigung *f*; (vertragliche) Gegenleistung: *for a ~* gegen Entgelt; **conˈsid·ered** [-dəd] *adj. a. well-~* ˈwohlüberˌlegt; **conˈsid·er·ing** [-riŋ] **I.** *prp.* in Anbetracht (*gen.*); **II.** *adv.* F den ˈUmständen nach.

con·sign [kənˈsain] *v/t.* **1.** überˈgeben, überˈliefern; **2.** anvertrauen; **3.** bestimmen (*for, to* für); **4.** † *Waren* **a)** überˈsenden, verschicken, adressieren (*to* an *acc.*), **b)** in Kommissiˈon *od.* Konsignatiˈon geben; **con·sign·ee** [kɔnsaiˈniː] *s.* † (Waren)Empfänger *m*, Adresˈsat *m*; **conˈsign·ment** [-mənt] *s.* † **1.** Versand *m*: *~ note* Frachtbrief; **2.** Sendung *f*, Lieferung *f*; **3.** Konsignatiˈon *f*; Kommissiˈonsware *f*: *in ~* in Konsignation; *~ sale* Kommissionsverkauf; **conˈsign·or** [-nə] *s.* † **1.** Absender *m*; **2.** Konsiˈgnant *m*.

con·sist [kən'sist] *v/i.* **1.** bestehen, sich zs.-setzen (*of* aus); **2.** bestehen (*in* in *dat.*); **con'sist·ence** [-təns] → *consistency 1 u. 2*; **con'sist·en·cy** [-tənsi] *s.* **1.** Konsi'stenz *f*, Beschaffenheit *f*; **2.** Festigkeit *f*, Dichtigkeit *f*, Dicke *f*; **3.** Konse'quenz *f*, Folgerichtigkeit *f*; **4.** Über'einstimmung *f*, Vereinbarkeit *f*; **con'sist·ent** [-tənt] *adj.* □ **1.** konse'quent, folgerichtig, logisch; **2.** gleichmäßig, stetig; **3.** über'einstimmend, vereinbar, im Einklang (*with* mit); **con'sist·ent·ly** [-təntli] *adv.* **1.** im Einklang; **2.** 'durchweg; **3.** logischerweise.

con·sis·to·ry [kən'sistəri] *s.* Kirchenrat *m*, geistliche Behörde, Konsi'storium *n*.

con·so·la·tion [kɔnsə'leiʃən] *s.* Trost *m*, Tröstung *f*: *poor* ~ schlechter *od.* schwacher Trost; ~ *prize* Trostpreis.

con·sole[1] [kən'soul] *v/t.* *j-n* trösten: *to* ~ *o.s.* sich trösten.

con·sole[2] ['kɔnsoul] *s.* **1.** Kon'sole *f*: **a)** ⚠ Krag-, Tragstein *m*, **b)** Wandgestell *n*: ~*-table* Wandtischchen; **2.** *Radio*: **a)** Gehäuse *n*, **b)** Mu'siktruhe *f*, -schrank *m*; **3.** ⊕ Steuerpult *n*.

con·sol·i·date [kən'sɔlideit] **I.** *v/t.* **1.** (ver)stärken, (be)festigen (*a. fig.*); **2.** vereinigen; zs.-legen, zs.-schließen (*a.* ✝); *Truppen* zs.-ziehen; **3.** ✝ *Schuld* konsolidieren, fundieren; **4.** ⊕ verdichten; **II.** *v/i.* **5.** fest werden; **6.** sich festigen (*a. fig.*).

con·sol·i·dat·ed [kən'sɔlideitid] *adj.* **1.** fest, dicht, kom'pakt; **2.** vereinigt, konsolidiert, Gemeinschafts...; ~ **an·nu·i·ties** → *consols*; 𝔷 **Fund** *s.* ✝ *Brit.* konsolidierter Staatsfonds.

con·sol·i·da·tion [kənsɔli'deiʃən] *s.* **1.** (Be)Festigung *f*; Konsolidierung *f* (*a.* ✝); **2.** Vereinigung *f*, Zs.-schluß *m* (*a.* ✝): ~ *of actions* ⚖ Klagehäufung; **3.** ⊕, *geol.* Festwerden *n*, Verdichtung *f*.

con·sols [kən'sɔlz] *s. pl.* ✝ *Brit.* Kon'sols *pl.*, konsolidierte Staatsanleihen *pl.*

con·som·mé [kən'sɔmei; kõsɔme] (*Fr.*) *s.* Konsom'mee *f*, *n* (*klare Kraftbrühe*).

con·so·nance ['kɔnsənəns] *s.* **1.** Zs.-, Gleichklang *m*; **2.** ♪ Konso'nanz *f*; **3.** *fig.* Über'einstimmung *f*, Harmo'nie *f*; **'con·so·nant** [-nt] **I.** *adj.* □ **1.** ♪ konso'nant; **2.** über'einstimmend, vereinbar (*with* mit); **3.** gemäß (*to dat.*); **II.** *s.* **4.** *ling.* Konso'nant *m*; **con·so·nan·tal** [kɔnsə'næntl] *adj. ling.* konso'nantisch.

con·sort I. *s.* ['kɔnsɔ:t] **1.** Gemahl(in); **2.** ⚓ Geleitschiff *n*; **II.** *v/i.* [kən'sɔ:t] **3.** (*with*) verkehren (mit), sich gesellen (zu); **4.** (*with*) über'einstimmen (mit), passen (zu); **con·sor·ti·um** [kən'sɔ:tjəm] *s.* **1.** Vereinigung *f*, Gruppe *f*, Kon'sortium *n* (*a.* ✝); ✝ Syndi'kat *n*: ~ *of banks* Bankenkonsortium; **2.** ⚖ eheliche Gemeinschaft.

con·spec·tus [kən'spektəs] *s.* 'Übersicht *f*; Zs.-fassung *f*, Abriß *m*.

con·spi·cu·i·ty [kɔnspi'kju:iti] → *conspicuousness*; **con·spic·u·ous** [kən'spikjuəs] *adj.* □ **1.** deutlich sichtbar; **2.** auffallend: *to be* ~ in die Augen fallen; *to be* ~ *by one's absence* durch Abwesenheit glänzen; *to make o.s.* ~ sich auffällig benehmen, sich hervortun; **3.** *fig.* bemerkenswert, her'vorragend; **con·spic·u·ous·ness** [kən'spikjuəsnis] *s.* **1.** Deutlichkeit *f*; **2.** Auffälligkeit *f*.

con·spir·a·cy [kən'spirəsi] *s.* Verschwörung *f*, Kom'plott *n*: ~ *of silence* verabredetes Stillschweigen, *b.s.* Vertuschen; ~ (*to commit a crime*) (*strafbare*) Verabredung zur Verübung e-r Straftat; **con'spir·a·tor** [-ətə] *s.* Verschwörer *m*; **con·spir·a·to·ri·al** [kənspirə'tɔ:riəl] *adj.* Verschwörungs...; **con·spire** [kən'spaiə] **I.** *v/i.* **1.** sich verschwören; sich (heimlich) zs.-tun; **2.** zs.-wirken, (insgeheim) dazu beitragen; **II.** *v/t.* **3.** (heimlich) planen, anzetteln.

con·sta·ble ['kʌnstəbl] *s. bsd. Brit.* Poli'zist *m*, Schutzmann *m*: *special* ~ Hilfspolizist; *to outrun the* ~ Schulden machen; → *Chief Constable*; **con·stab·u·lar·y** [kən'stæbjuləri] **I.** *s.* Poli'zei(truppe) *f*; **II.** *adj.* Polizei...

con·stan·cy ['kɔnstənsi] *s.* **1.** Beständigkeit *f*, Unveränderlichkeit *f*; **2.** Bestand *m*, Dauer *f*; **3.** *fig.* Standhaftigkeit *f*; Treue *f*; **'con·stant** [-nt] **I.** *adj.* □ **1.** (be)ständig, unveränderlich, gleichbleibend; **2.** dauernd, unaufhörlich; stetig; regelmäßig; **3.** standhaft, beharrlich, fest; **4.** unwandelbar; treu; **5.** 𝔄, ⚡, *phys. u. fig.* kon'stant; **II.** *s.* **6.** 𝔄, *phys.* konstante Größe, Kon'stante *f*.

con·stel·la·tion [kɔnstə'leiʃən] *s.* **1.** *ast.* Sternbild *n*; **2.** glänzende Versammlung.

con·ster·na·tion [kɔnstə(:)'neiʃən] *s.* Bestürzung *f*, Konsternierung *f*.

con·sti·pate ['kɔnstipeit] *v/t.* ⚕ verstopfen; **con·sti·pa·tion** [kɔnsti'peiʃən] *s.* ⚕ Verstopfung *f*.

con·stit·u·en·cy [kən'stitjuənsi] *s.* **1.** Wählerschaft *f*; **2.** Wahlkreis *m*; **3.** F Kundenkreis *m*; *Am. a.* Abon'nenten-, Leserkreis *m*; **con'stit·u·ent** [-nt] **I.** *adj.* **1.** e-n (Bestand)Teil bildend, zs.-setzend; wesentlich: ~ *part* Bestandteil; **2.** *pol.* wählend, Wähler..., Wahl...: ~ *body* Wählerschaft; **3.** *pol.* konstituierend, verfassunggebend: ~ *assembly* konstituierende Nationalversammlung; **II.** *s.* **4.** Bestandteil *m*; **5.** Auftrag-, Vollmachtgeber(in); **6.** *pol.* Wähler(in); **7.** 𝔄, *phys.* Kompo'nente *f*.

con·sti·tute ['kɔnstitju:t] *v/t.* **1.** ernennen, einsetzen: *to* ~ *s.o. president* j-n als Präsidenten einsetzen; **2.** *Gesetz* in Kraft setzen; **3.** *oft pol.* gründen, einsetzen, konstituieren: *to* ~ *a committee* e-n Ausschuß einsetzen; *the* ~*d authorities* die verfassungsmäßigen Behörden; **4.** ausmachen, bilden: *to* ~ *a precedent* e-n Präzedenzfall bilden; *to be so* ~*d that* so geartet sein, daß.

con·sti·tu·tion [kɔnsti'tju:ʃən] *s.* **1.** Zs.-setzung *f*, (Auf)Bau *m*, Beschaffenheit *f*; **2.** Einsetzung *f*, Bildung *f*, Gründung *f*; **3.** Konstitu'ti'on *f*, Körperbau *m*, Na'tur *f*: *by* ~ von Natur; *strong* ~ starke Konstitution; **4.** Gemütsart *f*, Wesen *n*, Veranlagung *f*; **5.** *pol.* Verfassung *f*, Grundgesetz *n*, Satzung *f*; **con·sti'tu·tion·al** [-ʃənl] **I.** *adj.* □ **1.** körperlich bedingt, angeboren, veranlagungsgemäß; **2.** *pol.* verfassungs-, gesetzmäßig; Verfassungs...: ~ *monarchy* konstitutionelle Monarchie; **II.** *s.* **3.** F Gesundheitsspaziergang *m*; **con·sti'tu·tion·al·ism** [-ʃnəlizəm] *s. pol.* verfassungsmäßige Regierungsform; **con·sti'tu·tion·al·ist** [-ʃnəlist] *s. pol.* Anhänger *m* der verfassungsmäßigen Regierungsform.

con·strain [kən'strein] *v/t.* **1.** zwingen, nötigen, drängen: *to be* (*od. feel*) ~*ed* sich genötigt sehen; **2.** erzwingen; **3.** einzwängen; einsperren; **con'strained** [-nd] *adj.* □ gezwungen, steif, gehemmt, verlegen, befangen; **con'strain·ed·ly** [-nidli] *adv.* gezwungen; verlegen; **con'straint** [-nt] *s.* **1.** Zwang *m*, Nötigung *f*: *under* ~ unter Zwang, zwangsweise; **2.** Gezwungenheit *f*, Befangenheit *f*, Verlegenheit *f*; **3.** Haft *f*.

con·strict [kən'strikt] *v/t.* zs.-ziehen, -pressen, -schnüren, einengen; **con'strict·ed** [-tid] *adj.* eingeengt; beschränkt; **con'stric·tion** [-kʃən] *s.* Zs.-ziehung *f*, Einschnürung *f*; Beengtheit *f*; **con'stric·tor** [-tə] *s.* **1.** *anat.* Schließmuskel *m*; **2.** *zo.* 'Boa *f*, Riesenschlange *f*.

con·strin·gent [kən'strindʒənt] *adj.* zs.-ziehend.

con·struct [kən'strʌkt] *v/t.* **1.** bauen, errichten; **2.** ⊕, 𝔄, *ling.* konstruieren; **3.** *fig.* aufbauen, gestalten, formen; ausarbeiten, entwerfen, ersinnen; **con'struc·tion** [-kʃən] *s.* **1.** (Er)Bauen *n*, Bau *m*, Errichtung *f*: *under* ~ im Bau; **2.** Bauwerk *n*, Bau *m*, Gebäude *n*; **3.** Bauweise *f*; *fig.* Aufbau *m*, Anlage *f*, Gestaltung *f*, Form *f*; **4.** ⊕, 𝔄 Konstrukti'on *f*; **5.** *ling.* Konstruktion *f*, Satzbau *m*, Wortfügung *f*; **6.** Auslegung *f*, Deutung *f*: *to put a wrong* ~ *on s.th.* et. falsch auslegen *od.* auffassen; **con'struc·tion·al** [-kʃənl] *adj.* Bau..., Konstruktions..., Aufbau..., baulich; **con'struc·tive** [-tiv] *adj.* □ **1.** aufbauend, schaffend, schöpferisch, konstruk'tiv; **2.** konstruktiv, 'positiv: ~ *criticism*; **3.** Bau..., Konstruktions...; **4.** *a.* ⚖ gefolgert, (nur) angenommen, hypo'thetisch; **con'struc·tor** [-tə] *s.* Erbauer *m*, Konstruk'teur *m*.

con·strue [kən'stru:] **I.** *v/t.* **1.** *ling.* **a)** *Satz* zergliedern, konstruieren, **b)** (Wort für Wort) über'setzen; **2.** auslegen; deuten; auffassen; **II.** *v/i.* **3.** *ling.* sich konstruieren *od.* zergliedern lassen.

con·sub·stan·tial [kɔnsəb'stænʃəl] *adj. eccl.* 'eines Wesens: ~ *unity* Wesenseinheit; **con·sub·stan·ti·al·i·ty** [kɔnsəbstænʃi'æliti] *s. eccl.* Wesensgleichheit *f* (*der drei göttlichen Personen*); **con·sub'stan·ti·ate** [-ʃieit] *v/t. u. v/i.* (sich) zu e-m einzigen Wesen vereinigen; **con·sub·stan·ti·a·tion** ['kɔnsəbstænʃi'eiʃən] *s. eccl.* Konsubstantiati'on *f* (*Mitgegenwart des Leibes u. Blutes Christi beim Abendmahl*).

con·sue·tude ['kɔnswitju:d] *s.* Gewohnheit *f*, Brauch *m*; **con·sue·tu·di·nar·y** [kɔnswi'tju:dinəri] *adj.* gewohnheitsmäßig, Gewohnheits...

con·sul ['kɔnsəl] *s.* 'Konsul *m*: ~-*general* Generalkonsul; '**con·su·lar** [-sjulə] Konsulats..., Konsular..., konsu'larisch: ~ *invoice* ✝ Konsulatsfaktura; '**con·su·late** [-sjulit] *s.* Konsu'lat *n* (*a. Gebäude*): ~-*general* Generalkonsulat; '**con·sul·ship** [-ʃip] *s.* Amt *n* e-s Konsuls.

con·sult [kən'sʌlt] **I.** *v/t.* **1.** um Rat fragen, befragen, *Arzt etc.* zu Rate ziehen, konsultieren: *to* ~ *one's watch* nach der Uhr sehen; *to* ~ *the dictionary* im Wörterbuch nachschlagen; **2.** beachten, berücksichtigen: *to* ~ *s.o.'s wishes*; **II.** *v/i.* **3.** sich beraten *od.* besprechen (*with* mit, *about* über *acc.*); **con'sult·ant** [-tənt] *s.* **1.** Gutachter *m* (*a.* ⚕); Berater *m*; **2.** fachärztlicher Berater; Spezia'list *m*; **con·sul·ta·tion** [kɔnsəl'teiʃən] *s.* Beratung *f*, Befragung *f*; Rücksprache *f* (*on* über *acc.*); ⚕ Konsultati'on *f*; Konfe'renz *f*: ~ *hour* ⚕ Sprechstunde; **con'sult·a·tive** [-tətiv] *adj.* beratend; **con'sult·ing** [-tiŋ] *adj.* beratend: ~ *engineer* technischer Berater; ~ *room* Sprechzimmer (*Arzt*).

con·sum·a·ble [kən'sju:məbl] **I.** *adj.* verzehrbar, verbrauchbar, zerstörbar; **II.** *s. mst pl.* Ver'brauchsarˌtikel *m*; **con·sume** [kən'sju:m] **I.** *v/t.* **1.** verzehren (*a. fig.*), verbrauchen: *to be* ~*d with fig.* erfüllt sein von, von *Haß, Verlangen* verzehrt werden, vor *Neid* vergehen; *consuming desire* brennende Begierde; **2.** zerstören: ~*d by fire* ein Raub der Flammen; **3.** (auf)essen, trinken; **4.** verschwenden; *Zeit* rauben *od.* benötigen; **II.** *v/i.* **5.** *a.* ~ *away* sich verzehren (*a. fig.*); sich verbrauchen *od.* abnutzen; **con'sum·er** [-mə] *s.* **1.** Verbraucher *m*, Abnehmer *m*, Konsu'ment *m*: ~(*s'*) *goods* Konsum-, Verbrauchsgüter; ~ *resistance* Kaufunlust; ~ *society* Konsumgesellschaft; *ultimate* ~ Endverbraucher; **2.** Verzehrer *m*, Zerstörer *m*; **con'sum·er·ism** [-mərizəm] *s.* **1.** Verbraucherbewegung *f*; **2.** 'kritische Verbraucherhaltung.

con·sum·mate **I.** *v/t.* ['kɔnsʌmeit] voll'enden; *bsd. Ehe* voll'ziehen; **II.** *adj.* □ [kən'sʌmit] voll'endet, 'vollkommen, völlig: ~ *skill* höchste Geschicklichkeit; **con·sum·ma·tion** [kɔnsʌ'meiʃən] *s.* **1.** Voll'endung *f*, Ziel *n*, Ende *n*; **2.** Erfüllung *f*; **3.** ⚖ Voll'ziehung *f* (*Ehe*).

con·sump·tion [kən'sʌmpʃən] *s.* **1.** Verbrauch *m*, Kon'sum *m* (*of an dat. od.* von); **2.** Verzehrung *f*; Zerstörung *f*; **3.** Verzehr *m*: *unfit for human* ~ für menschlichen Verzehr ungeeignet; **4.** ⚕ Auszehrung *f*, Schwindsucht *f*; **con'sump·tive** [-ptiv] **I.** *adj.* □ **1.** verbrauchend, Verbrauchs...; **2.** (ver)zehrend; **3.** ⚕ schwindsüchtig; **II.** *s.* **4.** ⚕ Schwindsüchtige(r *m*) *f*.

con·tact **I.** *s.* ['kɔntækt] **1.** Berührung *f* (*a.* ⩘), Kon'takt *m*; ⚔ Feindberührung *f*; **2.** Verbindung *f*, Beziehung *f*, Fühlung *f* (*a.* ⚔): *to make* ~*s* Verbindungen anknüpfen; **3.** Bekanntschaft *f*, Verbindungsmann *m*: *business* ~ Geschäftsverbindung; **4.** ⚡ Kontakt *m*, Anschluß *m*: *to make* (*break*) ~ Kontakt herstellen (unterbrechen); **5.** ⚕ Kon'taktperˌson *f*, Ba'zillenträger *m*; **II.** *v/t.* [kən'tækt] **6.** sich in Verbindung setzen mit; Berührung haben mit; Beziehungen aufnehmen zu.

con·tact| box *s.* ⚡ Anschlußdose *f*; '~**-break·er** *s.* ⚡ ('Strom)Unterˌbrecher *m*; ~ **flight** *s.* ✈ Sichtflug *m*; ~ **lens** *s.* Haft-, Kon'taktschale *f* (*Brillenersatz*); ~ **light** *s.* ✈ Lande(bahn)feuer *n*; '~**-mak·er** *s.* ⚡ Einschalter *m*, Stromschließer *m*; ~ **man** *s.* [*irr.*] Vermittler *m*; ~ **mine** *s.* ⚔ Fladder-, Tretmine *f*; ~ **print** *s. phot.* Kon'taktabzug *m*; ~ **rail** *s.* ⚡ Kon'taktschiene *f*.

con·ta·gion [kən'teidʒən] *s.* **1.** ⚕ **a)** Ansteckung *f* (*durch Berührung*), **b)** ansteckende Krankheit; **2.** *fig.* Verseuchung *f*, Vergiftung *f*; **3.** verderblicher Einfluß; **con'ta·gious** [-dʒəs] *adj.* □ **1.** ⚕ **a)** ansteckend (*a. fig. Stimmung etc.*), **b)** infiziert: ~ *matter* Krankheitsstoff; **2.** *fig.* verderblich, schädlich.

con·tain [kən'tein] **I.** *v/t.* **1.** enthalten; **2.** (um)'fassen, be-inhalten, einschließen, Raum haben für; **3.** bestehen aus, messen; **4.** zügeln, im Zaum halten, zu'rückhalten; *to* ~ *one's wrath* s-n Zorn bändigen; **5.** ~ *o.s.* sich beherrschen *od.* mäßigen: *to be unable to* ~ *o.s. for* sich nicht fassen können vor; **6.** *a.* ⚔ fest-, zu'rückhalten; ⚔ *Feindkräfte* fesseln, binden; *a. pol.* eindämmen: *to* ~ *the attack* den Angriff abriegeln; *to* ~ *a fire* e-n Brand unter Kontrolle bringen; **7.** ⩘ teilbar sein durch; ohne Rest aufgehen; **con'tain·er** [-nə] *s.* **1.** Behälter *m*; Gefäß *n*; Ka'nister *m*; **2.** ✝ Con'tainer *m* (*Großbehälter*); **con'tain·er·ize** [-nəraiz] *v/t.* **1.** auf Con'tainerbetrieb 'umstellen; **2.** in Con'tainern transportieren; **con'tain·ment** [-mənt] *s. fig.* Fest-, Zu'rückhalten *n*, In-'Schach-Halten *n*; Eindämmung *f*.

con·tam·i·nate [kən'tæmineit] *v/t.* **1.** verunreinigen, besudeln; **2.** anstecken, infizieren, vergiften, -seuchen: ~*d area* verseuchtes Gelände; **3.** *Sitten* verderben; **con·tam·i·na·tion** [kəntæmi'neiʃən] *s.* **1.** Verunreinigung *f*, Besudelung *f*; (*a.* radioak'tive) Verseuchung: ~ *meter* Geigerzähler; **2.** *sociol.* Verschmelzung *f*; **3.** *ling.* Kontaminati'on *f*.

con·tan·go [kən'tæŋgou] *s.* ✝ *Börse*: Re'port *m*, (Aufgeld *n* für) Verlängerung *f*.

con·temn [kən'tem] *v/t. poet.* verachten, geringschätzen.

con·tem·plate ['kɔntempleit] **I.** *v/t.* **1.** (nachdenklich) betrachten; nachdenken über (*acc.*); über'denken; **2.** ins Auge fassen, erwägen, vorhaben; **3.** erwarten, rechnen mit; **II.** *v/i.* **4.** nachsinnen, -denken; **con·tem·pla·tion** [kɔntem'pleiʃən] *s.* **1.** Betrachtung *f*, Beobachtung *f*; **2.** Nachdenken *n*, -sinnen *n*; **3.** Beschaulichkeit *f*; **4.** Meditati'on *f*, innere Einkehr; **5.** Erwägung *f*; Absicht *f*: *to have in* ~ in Aussicht nehmen, vorhaben; *to be in* ~ geplant werden; **6.** Erwartung *f*; '**con·tem·pla·tive** [-tiv] *adj.* □ **1.** nachdenklich, besinnlich; **2.** [kən'templətiv] beschaulich, kontempla'tiv.

con·tem·po·ra·ne·ous [kəntempə'reinjəs] *adj.* □ gleichzeitig (*with* mit); **con·tem·po'ra·ne·ous·ness** [-nis] *s.* Gleichzeitigkeit *f*; **con·tem·po·rar·y** [kən'tempərəri] **I.** *adj.* **1.** zeitgenössisch, der gleichen Zeit angehörend, gleichzeitig; heutig, damalig; **2.** gleichalt(e)rig; **II.** *s.* **3.** Zeitgenosse *m*, -genossin *f*; **4.** Altersgenosse *m*, -genossin *f*; **5.** gleichzeitig erscheinende Zeitung: *our* ~ unsere ‚Konkurrenz'.

con·tempt [kən'tempt] *s.* **1.** Verachtung *f*, Geringschätzung *f*: *to feel* ~ *for s.o.*, *to hold s.o. in* ~ j-n verachten; *to bring into* ~ verächtlich machen; → *beneath II*; **2.** Schande *f*, Schmach *f*: *to fall into* ~ in Schande geraten; **3.** 'Mißachtung *f*: ~ *of court* ⚖ **a)** Mißachtung des Gerichts, **b)** Nichterscheinen vor Gericht; **con·tempt·i·bil·i·ty** [kəntemptə'biliti] *s.* Verächtlichkeit *f*; **con'tempt·i·ble** [-təbl] *adj.* □ **1.** verächtlich, verachtenswert, nichtswürdig: *Old* ♀*s brit. Expeditionskorps in Frankreich 1914*; **2.** gemein, niederträchtig; **con'temp·tu·ous** [-tjuəs] *adj.* □ verachtungsvoll, geringschätzig: *to be* ~ *of s.th.* et. verachten; **con'temp·tu·ous·ness** [-tjuəsnis] *s.* Verachtung *f*, verächtliches Wesen.

con·tend [kən'tend] **I.** *v/i.* **1.** kämpfen, ringen (*with* mit, *for* um); **2.** *mit Worten* streiten, disputieren (*about* über *acc.*, *against* gegen); **3.** wetteifern, sich bewerben (*for* um); **II.** *v/t.* **4.** behaupten (*that* daß); **con'tend·er** [-də] *s.* Kämpfer(in); Bewerber(in) (*for* um); Konkur'rent(in); **con'tend·ing** [-diŋ] *adj.* **1.** streitend, kämpfend; **2.** wider'streitend; konkurrierend.

con·tent[1] ['kɔntent] *s.* **1.** *mst pl.* (*Raum*)Inhalt *m*, Fassungsvermögen *n*; 'Umfang *m*; **2.** *pl. fig.* Inhalt *m* (*Buch etc.*); **3.** *mst* ⚗ Gehalt *m*: *gold* ~ Goldgehalt.

con·tent[2] [kən'tent] **I.** *pred. adj.* **1.** zu'frieden; **2.** bereit, willens (*to inf.* zu *inf.*); **3.** *parl. Brit.* (*nur House of Lords*) einverstanden: *not* ~ dagegen; **II.** *v/t.* **4.** befriedigen, zu'friedenstellen; **5.** ~ *o.s.* zufrieden sein, sich zufrieden geben *od.* begnügen *od.* abfinden (*with* mit); **III.** *s.* **6.** Zu'friedenheit *f*, Befriedigung *f*: *to one's heart's* ~ nach Herzenslust; **7.** *mst pl. parl. Brit.* Ja-Stimmen *pl.*; **con'tent·ed** [-tid] *adj.* □ zu'frieden (*with* mit); **con'tent·ed·ness** [-tidnis] *s.* Zufriedenheit *f*, Genügsamkeit *f*.

con·ten·tion [kən'tenʃən] *s.* **1.** Streit *m*, Zank *m*; **2.** Wortstreit *m*; **3.** Behauptung *f*; Streitpunkt *m*; **con'ten·tious** [-ʃəs] *adj.* □ **1.** streitsüchtig; **2.** *a.* ⚖ streitig, strittig;

um'stritten; **con'ten·tious·ness** [-ʃəsnis] *s.* Streitsucht *f.*

con·tent·ment [kən'tentmənt] *s.* Zufriedenheit *f.*

con·ter·mi·nal [kɔn'tə:minl], **con-'ter·mi·nous** [-nəs] *adj.* □ **1.** (an-)grenzend (*with, to* an *acc.*); **2.** gleichbedeutend, -zeitig; sich deckend.

con·test I. *s.* ['kɔntest] **1.** Kampf *m*, Streit *m*; **2.** Wettkampf *m*, -streit *m*, -bewerb *m* (*for* um); **II.** *v/t.* [kən'test] **3.** ⚔ *u. fig.* kämpfen um; **4.** konkurrieren *od.* sich bewerben um; **5.** *pol.* ~ *a seat od. an election* für e-e Wahl kandidieren; **6.** bestreiten; *a.* ⚖ *Aussage, Testament etc.* anfechten; **III.** *v/i.* **7.** wetteifern (*with* mit); **con·test·a·ble** [kən'testəbl] *adj.* strittig; anfechtbar; **con·test·ant** [kən'testənt] *s.* **1.** (Wett)Bewerber(in); **2.** Wettkämpfer(in); **3.** Kandi'dat(in); **con·tes·ta·tion** [kɔntes'teiʃən] *s.* Streit *m*; Dis'put *m.*

con·text ['kɔntekst] *s.* **1.** (*inhaltlicher*) Zs.-hang, 'Kontext *m*; **2.** Um'gebung *f*, Mili'eu *n*; **con·tex·tu·al** [kɔn'tekstjuəl] *adj.* □ dem Zs.-hang gemäß; **con·tex·ture** [kɔn'tekstʃə] *s.* **1.** (Auf)Bau *m*, Gefüge *n*; **2.** Gewebe *n.*

con·ti·gu·i·ty [kɔnti'gju(:)iti] *s.* **1.** (*to*) Angrenzen *n* (an *acc.*), Berührung *f* (mit); **2.** Nähe *f*, Nachbarschaft *f*; **con·tig·u·ous** [kən'tigjuəs] *adj.* □ (*to*) **1.** angrenzend (an *acc.*), berührend (*acc.*); **2.** nahe, benachbart (*dat.*).

con·ti·nence ['kɔntinəns] *s.* Mäßigkeit *f*, (*bsd. geschlechtliche*) Enthaltsamkeit; **'con·ti·nent** [-nt] **I.** *adj.* □ **1.** mäßig; enthaltsam, keusch; **II.** *s.* **2.** Konti'nent *m*, Erdteil *m*; **3.** Festland *n*: *the* ♀ *Brit.* das europäische Festland.

con·ti·nen·tal [kɔnti'nentl] **I.** *adj.* □ **1.** kontinen'tal, Kontinental...; **2.** *mst* ♀ *Brit.* kontinental (*das europäische Festland betreffend*); ausländisch: ~ *tour* Europareise; **II.** *s.* **3.** Festländer(in); **4.** ♀ *Brit.* Bewohner(in) des europäischen Festlandes; Ausländer(in); **con·ti'nen·tal·ism** [-təlizəm] *s. Brit.* Ausländertum *n*; **con·ti'nen·tal·ized** [-təlaizd] *adj. Brit.* wer ausländische Sitten angenommen hat, ‚europäisiert'.

con·tin·gen·cy [kən'tindʒənsi] *s.* **1.** Eventuali'tät *f*, Möglichkeit *f*, unvorhergesehener Fall; **2.** Zufälligkeit *f*, Zufall *m*; **3.** *pl.* ✝ unvorhergesehene Ausgaben *pl.*; **con-'tin·gent** [-nt] **I.** *adj.* □ **1.** eventu'ell, möglich; zufällig, ungewiß; gelegentlich; **2.** (*on, upon*) abhängig (von), bedingt (durch), verbunden (mit): ~ *fee* Eventualgebühr, Erfolgshonorar; ~ *reserve* ✝ Sicherheitsrücklage; **II.** *s.* **3.** Anteil *m*, Beitrag *m*, Quote *f*, (⚔ 'Truppen-) Kontin,gent *n*; **con'tin·gent·ly** [-ntli] *adv.* möglicherweise.

con·tin·u·al [kən'tinjuəl] *adj.* □ **1.** immer 'wiederkehrend, (sehr) häufig, oft wieder'holt; **2.** F fortwährend, dauernd; **con'tin·u·al·ly** [-li] *adv.* **1.** immer wieder; **2.** F fortwährend, dauernd; **con'tin·u·ance** [-əns] *s.* **1.** Fortdauer *f*, Fortbestehen *n*; **2.** Dauer *f*, Beständigkeit *f*; **3.** (Ver)Bleiben *n*; **con'tin·u·ant** [-ənt] *s. ling.* Dauerlaut *m* (*Konsonant*).

con·tin·u·a·tion [kəntinju'eiʃən] *s.* **1.** Fortsetzung *f*, Weiterführung *f*; **2.** Fortbestand *m*, -dauer *f*; **3.** Erweiterung *f*, Verlängerung *f*, Ansatzstück *n*; **4.** ✝ Prolongati'on *f*; ~ **school** *s.* Fortbildungsschule *f.*

con·tin·u·a·tive [kən'tinjuətiv] *adj.* fortsetzend, weiterführend; **con·tin·ue** [kən'tinju(:)] **I.** *v/i.* **1.** fortfahren; **2.** fortdauern, (an)dauern, anhalten; **3.** sich fortsetzen, weitergehen; **4.** (fort)bestehen, noch vor-'handen sein; **5.** (ver)bleiben: *to* ~ *in office* im Amte bleiben; **6.** beharren (*in* bei, in *dat.*); **7.** ~ *doing*, ~ *to do* weiter ..., auch weiterhin ... *inf.*; *to* ~ *to be* (*od. to* ~ *adj.*) (immer) noch sein, bleiben; *to* ~ *talking* weiterreden; *to* ~ (*to be*) *obstinate* eigensinnig bleiben; **II.** *v/t.* **8.** fortsetzen, -führen, fortfahren mit: *to be* ~*d* Fortsetzung folgt; **9.** verlängern, weiterführen; **10.** aufrechterhalten; beibehalten, erhalten; belassen; **11.** vertagen; **con-'tin·ued** [-ju(:)d] *adj.* □ unaufhörlich, andauernd, stetig; **con·ti·nu·i·ty** [kɔnti'nju(:)iti] *s.* **1.** Fortbestand *m*, Stetigkeit *f*; **2.** Zs.-hang *m*; enge Verbindung; **3.** 'ununter,brochene Folge; **4.** *fig.* roter Faden; **5.** *Film*: Drehbuch *n*; *Radio*: Manu'skript *n*: ~ *girl* Skriptgirl.

con·tin·u·ous [kən'tinjuəs] *adj.* □ **1.** 'ununter,brochen, (fort)laufend; zs.-hängend; **2.** unaufhörlich, andauernd, fortwährend; **3.** kontinuierlich (*a.* ⊕, *phys.*); **4.** *ling.* progres'siv; ~ **beam** *s.* △ 'Durchlaufbalken *m*; ~ **brake** *s.* 🚃 Sy'stem *n* zen'tral betätigter Zugbremsen; ~ **cur·rent** *s.* ⚡ Gleichstrom *m*; ~ **op·er·a·tion** *s.* ⊕ Dauerbetrieb *m*; ~ **per·form·ance** *s. thea.* ununterbrochene Vorstellung.

con·tort [kən'tɔ:t] *v/t.* **1.** (*a. Worte etc.*) verdrehen; verzerren, verziehen; **2.** winden, krümmen; **con'tor·tion** [-ɔ:ʃən] *s.* **1.** Verzerrung *f*; **2.** Krümmung *f*; **con'tor·tion·ist** [-ɔ:ʃnist] *s.* **1.** Schlangenmensch *m*; **2.** Wortverdreher *m.*

con·tour ['kɔntuə] **I.** *s.* Kon'tur *f*, 'Umriß(,linie *f*) *m*; **II.** *v/t.* um'reißen, den Umriß zeichnen von; *Straße* e-r Höhenlinie folgen lassen; ~ **line** *s. surv.* Höhenschichtlinie *f*; ~ **map** *s.* Höhenlinienkarte *f.*

con·tra ['kɔntrə] **I.** *prp.* gegen, kontra (*acc.*); **II.** *adv.* da'gegen; **III.** *s.* ✝ Gegen-, Kre'ditseite *f*: ~ *account* Gegenrechnung.

contra- [kɔntrə] *in Zssgn* gegen, wider, gegen'über.

'con·tra|·band I. *s.* **1.** 'Konterbande *f*, Bann-, Schmuggelware *f*: ~ *of war* Kriegskonterbande; **2.** Schmuggel *m*, Schleichhandel *m*; **II.** *adj.* **3.** Schmuggel..., gesetzwidrig; '~**bass** [-beis] *s.* ♪ 'Kontrabaß *m*; '~**-bas'soon** *s.* ♪ 'Kontrafa,gott *n.*

con·tra·cep·tion [kɔntrə'sepʃən] *s.* Empfängnisverhütung *f*; **con·tra-'cep·tive** [-ptiv] *adj. u. s.* empfängnisverhütend(es Mittel).

con·tract I. *s.* ['kɔntrækt] **1.** *a.* ⚖ Vertrag *m*, Kon'trakt *m*, Abkommen *n*: *by* ~ vertraglich; **2.** Vertragsurkunde *f*; **3.** ✝ (Liefer-, Werk)Vertrag *m*, (fester) Auftrag: *under* ~ in Auftrag gegeben; ~ *note* Schlußschein, -note; **4.** Ak'kord (-arbeit *f*) *m*, Verdingung *f*; **5.** *a. marriage* ~ Ehevertrag *m*; **6.** *a.* ~ *bridge* Kontrakt-Bridge *n* (*Kartenspiel*); **7.** 🚃 *etc.* Zeitkarte *f*; **II.** *v/t.* [kən'trækt] **8.** *Muskel* zs.-ziehen; *Stirn* runzeln; **9.** *ling.* zs.-ziehen, verkürzen; **10.** ein-, verengen, be-, einschränken; **11.** *Gewohnheit* annehmen; sich *e-e Krankheit* zuziehen; *Vertrag, Ehe, Freundschaft* schließen; *Schulden* machen; **III.** *v/i.* [kən'trækt] **12.** sich zs.-ziehen, (ein)schrumpfen; **13.** enger *od.* kürzer *od.* kleiner werden; **14.** e-n Vertrag schließen, sich vertraglich verpflichten (*to inf.* zu *inf.*, *for* zu): *to* ~ *for s.th.* et. ausbedingen; *the* ~*ing parties* die vertragschließenden Parteien; **15.** ein Geschäft abschließen; ~ **in** *v/i. pol. Brit.* sich zur Bezahlung des Par'teibeitrages (*für die Labour Party*) verpflichten; ~ **out** *v/i.* **1.** sich von e-r Verpflichtung befreien; **2.** *pol. Brit.* Befreiung von der Bezahlung des Par-'teibeitrages (*für die Labour Party*) erlangen.

con·tract·ed [kən'træktid] *adj.* □ **1.** zs.-gezogen; verkürzt; **2.** *fig.* engherzig; beschränkt; **con·tract·i·bil·i·ty** [kəntræktə'biliti] → *contractility*; **con'tract·i·ble** [-təbl], **con'trac·tile** [-tail] *adj.* zs.-ziehbar; **con·trac·til·i·ty** [kɔntræk'tiliti] *s.* Zs.-ziehungsvermögen *n.*

con·trac·tion [kən'trækʃən] *s.* **1.** Zs.-ziehung *f*; **2.** *ling.* Ver-, Abkürzung *f*; Kurzwort *n*; **3.** Verkleinerung *f*, Einschränkung *f*; **4.** **Zuziehung** *f* (*Krankheit*); Eingehen *n* (*Schulden*); Annahme *f* (*Gewohnheit*); **con-'trac·tive** [-ktiv] *adj.* zs.-ziehend; **con'trac·tor** [-ktə] *s.* **1.** (*bsd.* 'Bau-*etc.*)Unter,nehmer *m*; **2.** Unter-'nehmer *m* (*Werkvertrag*), (Ver-'trags)Liefe,rant *m*; **3.** *anat.* Schließmuskel *m*; **con'trac·tu·al** [-ktjuəl] *adj.* vertraglich, Vertrags...

con·tra·dict [kɔntrə'dikt] *v/t.* **1.** (*a. o.s.* sich) wider'sprechen (*dat.*); im 'Widerspruch stehen zu; **2.** *et.* bestreiten, in Abrede stellen; **con·tra'dic·tion** [-kʃən] *s.* **1.** 'Widerspruch *m*, -rede *f*: *spirit of* ~ Widerspruchsgeist; **2.** Widerspruch *m*, Unvereinbarkeit *f*: *in* ~ *to* im Widerspruch zu; ~ *in terms* Widerspruch in sich; **3.** Bestreitung *f*; **con·tra'dic·tious** [-kʃəs] *adj.* □ zum Widerspruch geneigt, streitsüchtig; **con·tra'dic·to·ri·ness** [-tərinis] *s.* **1.** Widerspruch *m*; **2.** 'Widerspruchsgeist *m*; **con·tra-'dic·to·ry** [-təri] **I.** *adj.* □ (sich) wider'sprechend, entgegengesetzt; unvereinbar; **II.** *s.* Widerspruch *m*, Gegensatz *m.*

con·tra·dis·tinc·tion [kɔntrədis-'tiŋkʃən] *s.* Gegensatz *m*: *in* ~ *to* (*od. from*) im Gegensatz zu.

con·trail ['kɔntreil] *s.* ✈ Kon'densstreifen *m.*

con·tral·to [kən'træltou] *pl.* **-tos** *s.* ♪ (tiefer) Alt (*Stimme u. Sängerin*).

con·trap·tion [kənˈtræpʃən] *s.* F (ˈneuˌmodischer) Appaˈrat, (komisches) Ding(s).

con·tra·pun·tal [kɔntrəˈpʌntl] *adj.* ♪ ˈkontrapunktisch.

con·tra·ri·e·ty [kɔntrəˈraiəti] *s.* **1.** Gegensätzlichkeit *f*, Unvereinbarkeit *f*; **2.** ˈWiderspruch *m*, Gegensatz *m* (*to* zu); **con·tra·ri·ly** [ˈkɔntrərili] *adv.* **1.** entgegen (*to dat.*); **2.** andererseits; im Gegenteil; **con·tra·ri·ness** [ˈkɔntrərinis] *s.* **1.** Gegensätzlichkeit *f*, Widerspruch *m*; **2.** Widrigkeit *f*, Ungunst *f*; **3.** F [*a.* kənˈtrɛər-] ˈWiderspenstigkeit *f*, Eigensinn *m*; **con·tra·ri·wise** [ˈkɔntrəriwaiz] *adv.* im Gegenteil; ˈumgekehrt; and(e)rerseits.

con·tra·ry [ˈkɔntrəri] **I.** *adj.* □ → *contrarily*; **1.** entgegengesetzt, gegensätzlich, -teilig; **2.** (*to*) widerˈsprechend (*dat.*), im ˈWiderspruch (zu); **gegen** (*acc.*), entgegen (*dat.*): ~ *to expectations* wider Erwarten; ~ *to law* gegen das Gesetz; **3.** F [*a.* kənˈtrɛəri] ˈwiderspenstig, eigensinnig; **II.** *adv.* **4.** ~ *to* gegen, wider: *to act* ~ *to nature* wider die Natur handeln; **III.** *s.* **5.** Gegenteil *n* (*to* von *od. gen.*): *on the* ~ im Gegenteil; *unless I hear to the* ~ falls ich nichts Gegenteiliges höre.

con·trast I. *s.* [ˈkɔntræst] Konˈtrast *m*, Gegensatz *m*: *by* ~ *with* im Vergleich mit; *in* ~ *to* im Gegensatz zu; *to be a great* ~ *to* grundverschieden sein von; **II.** *v/t.* [kənˈtræst] (*with*) entgegensetzen, gegenˈüberstellen (*dat.*); vergleichen (mit); **III.** *v/i.* [kənˈtræst] (*with*) e-n Gegensatz bilden (zu), sich scharf unterˈscheiden (von); sich abheben, abstechen (von): *~ing colo(u)rs* Kontrastfarben; ~ **con·trol** *s. Fernsehen*: Konˈtrastregler *m*.

con·tra·vene [kɔntrəˈviːn] *v/t.* **1.** zuˈwiderhandeln (*dat.*), verstoßen gegen, überˈtreten, verletzen; **2.** im ˈWiderspruch stehen zu; **3.** bestreiten; **con·traˈven·tion** [-ˈvenʃən] *s.* (*of*) Überˈtretung *f* (von *od. gen.*); Verstoß *m*, Zuˈwiderhandlung *f* (gegen): *in* ~ *of the rules* entgegen den Vorschriften.

con·tre·temps [ˈkɔ̃ːntrətɑ̃ːŋ; kɔ̃trətɑ̃] (*Fr.*) *s.* unglücklicher Zufall, ˈWiderwärtigkeit *f*.

con·trib·ute [kənˈtribju(ː)t] **I.** *v/t.* **1.** beitragen, beisteuern (*to* zu) (*beide a. fig.*); einbringen; **2.** *Zeitungsartikel* beitragen; **II.** *v/i.* **3.** (*to*) beitragen, e-n Beitrag leisten (zu), mitwirken (an *dat.*, bei): *to* ~ *to a newspaper* für e-e Zeitung schreiben; **con·tri·bu·tion** [kɔntriˈbjuːʃən] *s.* **1.** Beitragen *n*; **2.** Beitrag *m* (*a. für Zeitung*), Beisteuer *f*, Beihilfe *f* (*to* zu): *to make a* ~ e-n Beitrag liefern; **3.** Mitwirkung *f* (*to* an *dat.*); **4.** Kriegssteuer *f*, Zwangsauflage *f*; **5.** † Einlage *f* (*Gesellschafter*): ~ *in kind* (*cash*) Sach- (Bar-)einlage; **conˈtrib·u·tive** [-jutiv] *adj.* beisteuernd, mitwirkend; **conˈtrib·u·tor** [-jutə] *s.* **1.** Beitragende(r *m*) *f*; Beisteuernde(r *m*) *f*; **2.** Mitwirkende(r *m*) *f*; Mitarbeiter(in) (*bsd. Zeitung*); **conˈtrib·u·to·ry** [-jutəri] **I.** *adj.* **1.** beisteuernd, beitragend (*to* zu); Beitrags...; **2.** mitwirkend (*to* an *dat.*, bei); **3.** mit..., Mit...: ~ *cause* mitwirkende Ursache; ~ *negligence* Mitverschulden (*seitens e-s Unfallverletzten etc.*); **II.** *s.* **4.** Beitrags- *od.* Nachschußpflichtige(r *m*) *f*.

con·trite [ˈkɔntrait] *adj.* □ zerknirscht, reuevoll; **con·tri·tion** [kənˈtriʃən] *s.* Zerknirschung *f*, Reue *f*.

con·triv·ance [kənˈtraivəns] *s.* **1.** Ein-, Vorrichtung *f*; Appaˈrat *m*; **2.** Kunstgriff *m*, Erfindung *f*, Plan *m*; **3.** Findigkeit *f*, Scharfsinn *m*; **4.** Bewerkstelligung *f*; **con·trive** [kənˈtraiv] **I.** *v/t.* **1.** erfinden, ersinnen, entwerfen: *to* ~ *ways and means* Mittel u. Wege finden; **2.** *Pläne* schmieden, aushecken; **3.** zuˈstande bringen, ermöglichen; **II.** *v/i.* **4.** es fertigbringen, es verstehen, es einrichten (*to inf.* zu *inf.*); **5.** haushalten, auskommen.

con·trol [kənˈtroul] **I.** *v/t.* **1.** beherrschen, Herr sein *od.* gebieten über (*acc.*); maßgebend sein in (*dat.*); bezwingen: *~ling share* (*od. interest*) † maßgebende Beteiligung; **2.** verwalten, beaufsichtigen, überˈwachen; *Preise etc.* kontrollieren, nachprüfen; **3.** lenken, steuern, leiten; regeln, regulieren: *radio-~led* durch Funk gesteuert; *~led ventilation* regulierbare Lüftung; **4.** (*a. o.s.* sich) beherrschen, meistern, im Zaum halten, Einhalt gebieten (*dat.*); zügeln; **5.** be-, einschränken, in Schranken halten, bekämpfen, steuern (*dat.*); **6.** (staatlich) bewirtschaften, planen, binden: *~led economy* Planwirtschaft; *~led prices* gebundene Preise; ~ *rent* preisrechtlich gebundene Miete; **II.** *s.* **7.** Macht *f*, Gewalt *f*, Herrschaft *f*, Konˈtrolle *f* (*of, over* über *acc.*): *foreign* ~ Überfremdung; *to bring under* ~ Herr werden über (*acc.*); *to get* ~ *over* in s-e Gewalt bekommen; *to have* ~ *over* in der Gewalt haben, Herr sein über (*acc.*); *to keep under* ~ im Zaume halten; *to lose* ~ (*over, of*) die Gewalt verlieren, nicht mehr Herr sein (über *acc.*); *circumstances beyond our* ~ unvorhersehbare Umstände; **8.** Machtbereich *m*, *bsd.* ⚖ Verfügungsgewalt *f*, Verantwortung *f*; **9.** Aufsicht *f*, Kontrolle *f* (*of* über *acc.*); Leitung *f*, Überˈwachung *f*, (Nach)Prüfung *f*: *to be in* ~ *of s.th.* et. unter sich haben, et. leiten; *to be under s.o.'s* ~ j-m unterstellt sein *od.* unterstehen; **10.** Einschränkung *f*, Zügelung *f*, Bekämpfung *f*; Konˈtrollmaßnahmen *pl.*; Zwang *m*: *without* ~ uneingeschränkt, frei; *beyond* ~ nicht einzudämmen, nicht zu bändigen; *to be out of* ~ nicht zu halten sein; *to get beyond s.o.'s* ~ j-m über den Kopf wachsen; *to get under* ~ eindämmen, bewältigen; *noise* ~ Lärmbekämpfung; **11.** ⊕ Kontrolle *f*, Steuerung *f*, Führung *f*, Regulierung *f*: *~s* ✈ Steuerung, Ruder, ⚡ Schalttafel; *traffic* ~ Verkehrsregelung; **12.** ⊕ Konˈtrollhebel *m*, Steuervorrichtung *f*, Regler *m*; **13.** † **a)** (*Kapital-, Konsum- etc.*) Lenkung *f*, **b)** (Zwangs)Bewirtschaftung *f*: *foreign-exchange* ~ Devisenkontrolle.

con·trol| board *s.* ⚡ Schalttafel *f*; ~ **col·umn** *s.* **1.** ✈ Steuerknüppel *m*; **2.** ⊕ Lenksäule *f*; ~ **en·gi·neer·ing** *s.* ˈSteuerungs-, ˈRegelˌtechnik *f*; ~ **ex·per·i·ment** *s.* Gegenversuch *m*; ~ **knob** *s. Radio, Fernsehen*: Bedienungsknopf *m*.

con·trol·la·ble [kənˈtrouləbl] *adj.* **1.** kontrollierbar, regulierbar, lenkbar; **2.** zu beaufsichtigen(d); zu beherrschen(d); **conˈtrol·ler** [-lə] *s.* **1.** Kontrolˈleur *m*, Aufseher *m*; Leiter *m*; **2.** Rechnungsprüfer *m*; **3.** ⚡ (Strom)Regler *m*; *mot.* Fahrschalter *m*; **4.** *sport* Konˈtrollposten *m*.

con·trol| le·ver *s. mot.* Schalthebel *m*; ✈ Steuerknüppel *m*; ~ **pan·el** *s.* ⊕ Bedienungsanlage *f*; ~ **post** *s.* ⚔ Konˈtrollposten *m*; ~ **room** *s.* **1.** ⚔ Beˈfehlszenˌtrale *f*; **2.** *Radio*: Reˈgieraum *m*; ~ **stick** *s.* ✈ Steuerknüppel *m*; ~ **sur·face** *s.* Steuerfläche *f*; ~ **tow·er** *s.* **1.** ⚔ Komˈmandoturm *m*; **2.** ✈ Konˈtrollturm *m*, Tower *m*; ~ **valve** *s. Radio*: Steuerröhre *f*.

con·tro·ver·sial [kɔntrəˈvəːʃəl] *adj.* □ **1.** strittig, umˈstritten: ~ *subject* Streitfrage; **2.** poˈlemisch; streitlustig; **con·troˈver·sial·ist** [-ʃəlist] *s.* Poˈlemiker *m*; **con·tro·ver·sy** [ˈkɔntrəvəːsi] *s.* **1.** Controˈverse *f*, Meinungsstreit *m*; Deˈbatte *f*; Aussprache *f*: *beyond* (*od. without*) ~ fraglos, unstreitig; **2.** Streitfrage *f*; **3.** Streit *m*; **con·tro·vert** [ˈkɔntrəvəːt] *v/t.* **1.** bestreiten, anfechten; **2.** widerˈsprechen (*dat.*); **con·tro·vert·i·ble** [ˈkɔntrəvəːtəbl] *adj.* □ strittig; anfechtbar.

con·tu·ma·cious [kɔntju(ː)ˈmeiʃəs] *adj.* □ **1.** ˈwiderspenstig, halsstarrig; **2.** ⚖ ungehorsam; **con·tu·ma·cy** [ˈkɔntjuməsi] *s.* **1.** ˈWiderspenstigkeit *f*, Halsstarrigkeit *f*; **2.** ⚖ absichtliches Nichterscheinen vor Gericht: *to condemn for* ~ *j-n* in Abwesenheit verurteilen.

con·tu·me·li·ous [kɔntju(ː)ˈmiːljəs] *adj.* □ **1.** unverschämt; beleidigend; **2.** schändlich; **con·tu·me·ly** [ˈkɔntju(ː)mli] *s.* **1.** Hohn *m*, Verachtung *f*; **2.** Beschimpfung *f*; **3.** Schande *f*.

con·tuse [kənˈtjuːz] *v/t.* ⚕ quetschen: *~d wound* Quetschwunde; **conˈtu·sion** [-uːʒən] *s.* ⚕ Quetschung *f*, Prellung *f*.

co·nun·drum [kəˈnʌndrəm] *s.* **1.** Scherzfrage *f*, -rätsel *n*; **2.** *fig.* Rätsel *n*, Proˈblem *n*.

con·ur·ba·tion [kɔnəːˈbeiʃən] *s.* Ballungsraum *m*, -gebiet *n*.

con·va·lesce [kɔnvəˈles] *v/i.* gesund werden, genesen; **con·vaˈles·cence** [-sns] *s.* Rekonvalesˈzenz *f*, Genesung *f*; **con·vaˈles·cent** [-snt] **I.** *adj.* genesend, auf dem Wege der Besserung: ~ *home* Genesungsheim; **II.** *s.* Rekonvalesˈzent(in), Genesende(r *m*) *f*.

con·vec·tion [kənˈvekʃən] *s.* ⚡, *phys.* Konvektiˈon *f*; Elektriziˈtäts- *od.* ˈWärmeüberˌtragung *f*; **conˈvec·tor** [-ktə] *s.* ⚡, *phys.* Konvektiˈons(strom)leiter *m*.

con·vene [kənˈviːn] **I.** *v/t.* **1.** zs.-

rufen, (ein)berufen; versammeln; **2.** ⚖ vorladen; **II.** *v/i.* **3.** zs.-kommen, sich versammeln; **con'ven·er** [-nə] *s.* Einberuf(end)er *m* (*zu e-r Versammlung*).

con·ven·ience [kən'vi:njəns] *s.* **1.** Annehmlichkeit *f*, Bequemlichkeit *f*: *all* (*modern*) *~s* alle Bequemlichkeiten *od.* aller Komfort (der Neuzeit); *at your ~* wenn es Ihnen paßt; *at your earliest ~* möglichst bald; *at one's own ~* nach (eigenem) Gutdünken; *suit your own ~* handeln Sie ganz nach Ihrem Belieben; **2.** Vorteil *m*, Nutzen *m*: *it is a great ~* es ist sehr nützlich; *to make a ~ of* ausnützen (*acc.*); → *marriage 2*; **3.** Angemessenheit *f*, Eignung *f*; **4.** *Brit.* Klo'sett *n*: *public ~* öffentliche Bedürfnisanstalt; **con'ven·ient** [-nt] *adj.* □ **1.** bequem, geeignet, günstig, passend: *if it is ~ to you* wenn es Ihnen paßt; *it is not ~ for me* (*to inf.*) es paßt mir schlecht (zu *inf.*); *to make it ~* es (so) einrichten; **2.** (zweck)dienlich, praktisch, brauchbar; **3.** günstig gelegen.

con·vent ['kɔnvənt] *s.* (*bsd.* Nonnen-) Kloster *n*.

con·ven·ti·cle [kən'ventikl] *s. eccl.* Konven'tikel *n*, religi'öse Zs.-kunft (*der Nonkonformisten*).

con·ven·tion [kən'venʃən] *s.* **1.** Versammlung *f*, Tagung *f*; Kon'vent *m*; **2.** Vertrag *m* (*a. pol.*), Abkommen *n*, Über'einkunft *f*, Konventi'on *f* (*a.* ⚔); **3.** *oft pl.* (anerkannter) Brauch, Sitte *f*, Herkommen *n*, Anstandsregel *f*; **4.** Förmlichkeit *f*, Äußerlichkeit *f*; **con'ven·tion·al** [-ʃənl] *adj.* □ **1.** herkömmlich, konventio'nell (*beide a.* ⚔; *Ggs. atomar*), üblich, traditio'nell; **2.** förmlich; for'mell; **3.** üblich, nor'mal; **4.** vereinbart; **con'ven·tion·al·ism** [-ʃnəlizəm] *s.* Festhalten *n* am Hergebrachten; **con·ven·tion·al·i·ty** [kənvenʃə'næliti] *s.* **1.** Herkömmlichkeit *f*, Üblichkeit *f*; **2.** Scha'blonenhaftigkeit *f*; **con'ven·tion·al·ize** [-ʃnəlaiz] *v/t.* konventio'nell machen *od.* darstellen, den Konventi'onen unter'werfen; stilisieren.

con·verge [kən'və:dʒ] *v/i.* zs.-laufen, sich (ein'ander) nähern, konvergieren (*a.* ℞); **con'ver·gence** [-dʒəns], **con'ver·gen·cy** [-dʒənsi] *s.* Zs.-laufen *n*, Annäherung *f*; **con'ver·gent** [-dʒənt] *adj.* zs.-laufend; **con'verg·ing** [-dʒiŋ] *adj.* zs.-laufend: *~ lens* Sammellinse; *~ point* Schnittpunkt.

con·vers·a·ble [kən'və:səbl] *adj.* □ unter'haltend, gesprächig; gesellig; **con'ver·sance** [-səns] *s.* Vertrautheit *f* (*with* mit); **con'ver·sant** [-sənt] *adj.* **1.** bekannt, vertraut (*with* mit); **2.** geübt, bewandert, erfahren (*with*, *in* in *dat.*).

con·ver·sa·tion [kɔnvə'seiʃən] *s.* **1.** Unter'haltung *f*, Gespräch *n*: *to enter into a ~* ein Gespräch anknüpfen; **2.** Gesprächsstoff *m*; **3.** *obs.* 'Umgang *m*, Verkehr *m*; → *criminal conversation*; **4.** *a. ~ piece* Genrebild *n*; **con·ver'sa·tion·al** [-ʃənl] *adj.* □ → *conversationally*; **1.** gesprächig; **2.** Unterhaltungs…, Gesprächs…: *~ grammar* Konversationsgrammatik; **con·ver'sa·tion·al·ist** [-ʃnəlist] *s.* gewandter Unter'halter, guter Gesellschafter; **con·ver'sa·tion·al·ly** [-ʃnəli] *adv.* gesprächsweise.

con·ver·sa·zi·o·ne ['kɔnvəsætsi'ouni] *pl.* **-ni** [-ni:], **-nes** (*Ital.*) *s.* **1.** 'Abendunter,haltung *f*; **2.** lite'rarischer Unter'haltungsabend.

con·verse[1] **I.** *v/i.* [kən'və:s] **1.** sich unter'halten, sprechen (*with* mit, *on*, *about* über *acc.*); **II.** *s.* ['kɔnvə:s] **2.** vertraute Unter'haltung; **3.** 'Umgang *m*.

con·verse[2] ['kɔnvə:s] **I.** *adj.* □ gegenteilig, 'umgekehrt; **II.** *s.* Gegenteil *n*, 'Umkehrung *f*, Gegensatz *m*; **'con·verse·ly** [-li] *adv.* umgekehrt.

con·ver·sion [kən'və:ʃən] *s.* **1.** 'Um-, Verwandlung *f* (*from* von, *into* in *acc.*); **2.** ✝ **a)** 'Umwandlung *f*, 'Umrechnung *f* (*Geld*), **b)** Konvertierung *f*, Zs.-legung *f*, 'Umtausch *m* (*Aktien etc.*), **c)** 'Umstellung *f* (*Währung*, *Geschäft*); **3.** ⊕, ⚡ 'Umformung *f*; **4.** 'Umbau *m* (*Haus*, *Schiff*); **5.** ℞, *phls.* 'Umkehrung *f*; **6.** geistige Wandlung; Meinungsänderung *f*; **7.** 'Übertritt *m*; *bsd. eccl.* Bekehrung *f* (to zu); **8.** ⚖ *a. ~ to one's own use* 'widerrechtliche Aneignung *od.* Verwendung, *a.* Veruntreuung *f*; **~ ta·ble** *s.* 'Umrechnungsta,belle *f*.

con·vert I. *v/t.* [kən'və:t] **1.** 'um-, verwandeln (*a.* ⚗), 'umformen, 'umändern (*into* in *acc.*); **2.** ✝ **a)** *Geld* 'umwandeln, 'umrechnen: *to ~ into cash* zu Geld machen, versilbern, **b)** *Aktien*, *Schulden* konvertieren, 'umwandeln, 'umstellen, **c)** *Geschäft* umstellen; **3.** ⚡ *Strom* 'umformen; **4.** *phls.*, ℞ 'umkehren; **5.** 'umarbeiten, 'umbauen: *to ~ a house into flats* ein Haus zu Einzelwohnungen umbauen; **6.** *bsd. eccl.* bekehren; zum 'Übertritt veranlassen (*to* zu); **7.** ⚖ *a. ~ to one's own use* sich 'widerrechtlich aneignen, veruntreuen; **II.** *s.* ['kɔnvə:t] **8.** *bsd. eccl.* Bekehrte(r *m*) *f*, Konver'tit (-in): *to become a ~ to* sich bekehren zu; **con'vert·ed** [-tid] *adj.* 'umgewandelt *etc.*: *~ cruiser* ⚓ Hilfskreuzer; *~ steel* Zementstahl; **con'vert·er** [-tə] *s.* **1.** ⊕ 'Bessemerbirne *f*; **2.** ⚡ 'Umformer *m*; **3.** *Fernsehen*: Wandler *m*; **4.** ⊕ Bleicher *m*; Ausrüster *m*; **5.** Bekehrer *m*, A'postel *m*; **con·vert·i·bil·i·ty** [kənvə:tə'biliti] *s.* **1.** 'Um-, Verwandelbarkeit *f*; **2.** ✝ Konvertierbar-, 'Umwandelbarkeit *f*; **con'vert·i·ble** [-təbl] **I.** *adj.* □ **1.** 'umverwandelbar; **2.** ✝ konvertierbar, umwandelbar: *~ bond* Wandelobligation; **3.** auswechselbar, gleichbedeutend; **4.** bekehrbar; **5.** *mot.* mit Klappverdeck; **II.** *s.* **6.** *mot.* Kabrio'lett *n*.

con·vex ['kɔn'veks] *adj.* □ kon'vex, erhaben, nach außen gewölbt; **con·vex·i·ty** [kɔn'veksiti] *s.* konvexe Form.

con·vey [kən'vei] *v/t.* **1.** *Waren etc.* befördern, (ver)senden, (fort)schaffen, bringen; **2.** *bsd.* ⊕ (zu)führen, fördern; **3.** über'bringen, -'mitteln, bringen, geben: *to ~ greetings* Grüße übermitteln; **4.** *phys. Schall* fortpflanzen, leiten, über'tragen; **5.** *Nachricht etc.* mitteilen, vermitteln; *Meinung*, *Sinn* ausdrücken; andeuten; (be)sagen: *to ~ an idea* e-n Begriff geben; *this word ~s nothing to me* dieses Wort sagt mir nichts; **6.** über'tragen, abtreten (*to* an *acc.*); **con'vey·ance** [-eiəns] *s.* **1.** Beförderung *f*, Über'sendung *f*, Trans'port *m*, Spediti'on *f*: *means of ~* Transportmittel; **2.** Über'bringung *f*, -'mittlung *f*; Vermittlung *f*, Mitteilung *f*; **3.** *phys.* Fortpflanzung *f*, Über'tragung *f*; **4.** ⊕ (Zu-) Leitung *f*, Zufuhr *f*; **5.** Beförderungs-, Trans'port-, Verkehrsmittel *n*; **6.** ⚖ **a)** Übertragung *f*, Abtretung *f*, **b)** Abtretungsurkunde *f*; **con'vey·anc·er** [-eiənsə] *s.* ⚖ No'tar *m* für Übertragungen von Grundbesitz.

con·vey·er, con·vey·or [kən'veiə] *s.* **1.** Beförderer *m*, (Über)'Bringer(in); **2.** ⊕ Fördergerät *n*, -band *n*, Förderer *m*; **~ band, ~ belt** *s.* ⊕ laufendes Band, Förder-, Fließband *n*; **~ chain** *s.* ⊕ Becher-, Förderkette *f*; **~ spi·ral** *s.* ⊕ Förder-, Trans'portschnecke *f*.

con·vict I. *v/t.* [kən'vikt] **1.** ⚖ über'führen, für schuldig erklären (*of gen.*); **2.** verurteilen; **3.** über'zeugen (*of* von), zum Bewußtsein bringen (*s.o. of s.th.* j-m et. [*Unrechtes*]); **II.** *s.* ['kɔnvikt] **4.** ⚖ Sträfling *m*, Zuchthäusler *m*: *~ colony* Sträflingskolonie; *~ labo(u)r* Sträflingsarbeit; *~ prison* Strafanstalt; **con'vic·tion** [-kʃən] *s.* **1.** ⚖ **a)** Über'führung *f*, Schuldspruch *m*, **b)** Verurteilung *f*: *previous ~* Vorstrafe; *summary ~* Verurteilung im Schnellverfahren; **2.** Über'zeugung *f*: *to carry ~* überzeugend wirken *od.* klingen; *to live up to one's ~s* s-r Überzeugung leben; **3.** Anschauung *f*, Gesinnung *f*; **4.** Bewußtsein *n*: *~ of sin*.

con·vince [kən'vins] *v/t.* **1.** (*a. o.s.* sich) über'zeugen (*of* von, *that* daß); **2.** zum Bewußtsein bringen (*s.o. of s.th.* j-m et.); **con'vinc·ing** [-siŋ] *adj.* □ über'zeugend: *~ proof* schlagender Beweis; *to be ~* überzeugen.

con·viv·i·al [kən'viviəl] *adj.* □ **1.** gastlich, festlich, Fest…; **2.** gesellig; lustig; **con·viv·i·al·i·ty** [kənvivi'æliti] *s.* **1.** Fröhlichkeit *f* (*bei der Tafel*); Lustbarkeit *f*; Geselligkeit *f*; **2.** Schmause'rei *f*.

con·vo·ca·tion [kɔnvə'keiʃən] *s.* **1.** Ein-, Zs.-berufung *f*; **2.** *eccl. Brit.* Provinzi'alsy,node *f*; Kirchenversammlung *f*; **3.** *univ.* **a)** *Brit.* Se'natsversammlung *f*, gesetzgebende Versammlung (*Oxford etc.*), **b)** *Am.* Promoti'ons- *od.* Eröffnungsfeier *f*.

con·voke [kən'vouk] *v/t.* (*bsd. amtlich*) ein-, zs.-berufen.

con·vo·lute ['kɔnvəlu:t] *adj. bsd.* ⚘ zs.-gerollt, ringelförmig; **'con·vo·lut·ed** [-tid] *adj. bsd. zo.* zs.-gerollt, gebogen, gewunden, spi'ralig; **con·vo·lu·tion** [kɔnvə'lu:ʃən] *s.* Zs.-rollung *f*, -wicklung *f*, Windung *f*.

con·volve [kən'vɔlv] *v/t. u. v/i.* (sich) zs.- *od.* aufrollen.

con·vol·vu·lus [kən'vɔlvjuləs] *s.* ⚘ Winde *f.*

con·voy ['kɔnvɔi] **I.** *s.* **1.** Geleit *n*, (Schutz)Begleitung *f*; **2.** ⚔ **a)** Es'korte *f*, Bedeckung *f*, **b)** (bewachter) Trans'port; **3.** ⚓ Geleitzug *m*; **4.** *a.* ⚔ 'Last(kraft)wagenko,lonne *f*; **II.** *v/t.* **5.** geleiten, decken, eskortieren.

con·vulse [kən'vʌls] *v/t.* **1.** erschüttern, in Zuckungen versetzen: *to be* ~*d with laughter (pain)* sich vor Lachen (Schmerzen) krümmen; **2.** krampfhaft zs.-ziehen *od.* verzerren; **3.** *fig.* erschüttern, in Aufruhr versetzen; **con'vul·sion** [-lʃən] *s.* **1.** ⚕ Krampf *m*, Zuckung *f*: *to be seized with* ~*s* Krämpfe bekommen; ~*s of laughter fig.* Lachkrämpfe; **2.** *pol.*, *fig.* Erschütterung *f* (*a. geol.*), Aufruhr *m*; **con'vul·sive** [-siv] *adj.* □ **1.** *a. fig.* krampfhaft, -artig, konvul'siv; **2.** *fig.* erschütternd.

co·ny ['kouni] *s.* **1.** *zo.* Ka'ninchen *n*; **2.** Ka'ninchenfell *n*.

coo [ku:] **I.** *v/i.* gurren (*a. fig.*); **II.** *v/t. fig. et.* gurren, säuseln; **III.** *s.* Gurren *n*.

cook [kuk] **I.** *s.* **1.** Koch *m*, Köchin *f*: *too many* ~*s spoil the broth* viele Köche verderben den Brei; **II.** *v/t.* **2.** *Speisen* kochen, zubereiten, braten, backen: *to be* ~*ed alive* F vor Hitze umkommen; **3.** *a.* ~ *up fig.* zs.-brauen, erdichten; ‚frisieren', verfälschen: ~*ed account* ✝ F frisierte *od.* geschminkte Abrechnung; *to* ~ *up a story* e-e Geschichte erfinden; **III.** *v/i.* **4.** kochen, sich kochen lassen: *to* ~ *well*; **5.** *what's* ~*ing?* F was geht vor?, was ist los?; '~**-book** *Am.* → *cookery-book*.

cook·er ['kukə] *s.* **1.** Kocher *m*, 'Kochgerät *n*; Herd *m*; **2.** Kochgefäß *n*; **3.** *pl.* Kochobst *n*: *these apples are good* ~*s* das sind gute Kochäpfel; **4.** *fig.* Erfinder *m*, Erdichter *m*, Verfälscher *m*.

cook·er·y ['kukəri] *s.* Kochen *n*; Kochkunst *f*; '~**-book** *s. Brit.* Kochbuch *n*.

'**cook|-'gen·er·al** *s. Brit.* Mädchen *n* für alles; '~**-house** *s.* **1.** Küche *f* (*außerhalb e-r Wohnung*), Kochstelle *f*; **2.** ⚓ Schiffsküche *f*; **3.** ⚔ *Brit.* Feldküche *f*.

cook·ie ['kuki] *s. Am.* (süßer) Keks, Plätzchen *n*.

cook·ing ['kukiŋ] **I.** *s.* **1.** Kochen *n*, Kochkunst *f*; **2.** Küche *f*, Kochweise *f*; **II.** *adj.* **3.** Koch...: ~*-apple* Kochapfel; '~**-range** *s.* Kochherd *m*; '~**-so·da** *s.* ⚗ 'Natron *n*.

'**cook|-room** *s.* (Schiffs)Küche *f*; '~**-shop** *s.* Garküche *f*.

cook·y ['kuki] *s.* **1.** → *cookie*; **2.** *Am. sl. contp.* Per'son *f*; **3.** F Köchin *f*.

cool [ku:l] **I.** *adj.* □ **1.** kühl, frisch; **2.** kühl, gelassen, kalt(blütig): *as* ~ *as a cucumber* ‚eiskalt', gelassen, kaltblütig; *keep* ~*!* reg dich nicht auf!; **3.** kühl, gleichgültig, lau; **4.** kühl, kalt, abweisend: *a* ~ *reception* ein kühler Empfang; **5.** unverfroren, frech: ~ *cheek* Frechheit; *a* ~ *customer* ein geriebener Kunde; **6.** *fig.* glatt, rund: *a* ~ *thousand pounds* glatte *od.* die Kleinigkeit von tausend Pfund; **7.** *Am. sl.* ‚Klasse', ‚toll': *a* ~ *actor* ein klasse Schauspieler; **II.** *s.* **8.** Kühle *f*, Frische *f* (*bsd. Luft*): *the* ~ *of the evening* die Abendkühle; **9.** *sl.* (Selbst)Beherrschung *f*: *to blow* (*od. lose*) *one's* ~ hochgehen, die Beherrschung verlieren; *to keep one's* ~ ruhig bleiben, die Nerven behalten; **III.** *v/t.* **10.** (ab)kühlen: *to* ~ *one's heels fig.* warten müssen; **11.** *fig. Leidenschaften etc.* (ab)kühlen, beruhigen; *Zorn etc.* mäßigen; **IV.** *v/i.* **12.** kühl werden, sich abkühlen; **13.** *a.* ~ *down fig.* sich abkühlen, erkalten, nachlassen, sich beruhigen; **14.** ~ *down* F besonnener werden; **15.** ~ *it sl.* ruhig bleiben, die Nerven behalten: ~ *it!* immer mit der Ruhe!, reg dich ab!; '**cool·ant** [-lənt] *s.* ⊕ Kühlmittel *n*; *mot.* Kühlwasser *n*; '**cool·er** [-lə] *s.* **1.** (*Wein- etc.*) Kühler *m*; **2.** Kühlraum *m*; **3.** *sl.* ‚Kittchen' *n*, ‚Bau' *m* (*Gefängnis*); '**cool-'head·ed** *adj.* **1.** besonnen, kaltblütig; **2.** schwererregbar.

coo·lie ['ku:li] *s.* 'Kuli *m*, Tagelöhner *m* (*in China etc.*).

cool·ing ['ku:liŋ] **I.** *adj.* kühlend, erfrischend; Kühl...; **II.** *s.* (Ab)Kühlung *f*; ~ **coil** *s.* Kühlschlange *f*; ~ **plant** *s.* Kühlanlage *f*.

cool·ness ['ku:lnis] *s.* **1.** Kühle *f* (*a. fig.*); **2.** Kaltblütigkeit *f*; **3.** Unfreundlichkeit *f*; **4.** Frechheit *f*.

coomb(e) [ku:m] *s.* Talmulde *f*.

coon [ku:n] *s.* **1.** *zo.* → *raccoon*; **2.** *Am. sl.* **a)** Neger(in): ~ *song* Negerlied, **b)** primi'tiver Bursche.

coop [ku:p] **I.** *s.* **1.** Hühnerkorb *m* (*bsd. zum Brüten*); **2.** Fischreuse *f* (*aus Korbgeflecht*); **II.** *v/t.* **3.** *oft* ~ *up*, ~ *in* einsperren, einpferchen.

co-op [kou'ɔp] *s.* F 'Konsum *m*, Kon'sum(verein, -laden) *m* (*abbr. für co-operative*).

coop·er ['ku:pə] **I.** *s.* **1.** Faßbinder *m*, Küfer *m*, Böttcher *m*; **2.** *Brit. a. wine-*~ **a)** Weinprüfer *m*, **b)** Weinabfüller *m*, -verkäufer *m*; **II.** *v/t.* **3.** *Fässer* machen, ausbessern; '**coop·er·age** [-əridʒ] *s.* Böttche'rei *f*.

co-op·er·ate, *Am. mst* **co·op·er·ate** [kou'ɔpəreit] *v/i.* **1.** zs.-arbeiten (*with* mit, *to* zu *e-m Zweck, in* an *dat.*); **2.** (*to*) mitwirken (an *dat.*), beitragen (zu), helfen (bei); **co-op·er·a·tion** [kouɔpə'reiʃən] *s.* **1.** Zs.-arbeit *f*, Mitwirkung *f*; **2.** ✝ Zs.-schluß *m*, Vereinigung *f* (zu e-r Genossenschaft); **co-'op·er·a·tive** [-pərətiv] **I.** *adj.* □ **1.** zs.-arbeitend, mitwirkend; **2.** behilflich, hilfsbereit; **3.** genossenschaftlich: ~ *movement* Genossenschaftsbewegung; ~ *society* Konsumgenossenschaft; ~ *store* → 4; **II.** *s.* **4.** Verteilungsstelle *f* (*der Konsumgenossenschaften*), Kon'sumladen *m*; **co-'op·er·a·tive·ness** [-pərətivnis] *s.* Hilfsbereitschaft *f*; **co-'op·er·a·tor** [-tə] *s.* **1.** Mitarbeiter(in), Mitwirkende(r *m*) *f*, Helfer(in); **2.** **a)** Mitglied *n* e-s Kon'sumvereins, **b)** Anhänger *m* der Genossenschaftsbewegung.

co-opt, *Am. mst* **co·opt** [kou'ɔpt] *v/t.* kooptieren, hin'zuwählen; **co-op·ta·tion** [kouɔp'teiʃən] *s.* Kooptierung *f*, Zuwahl *f*.

co-or·di·nate, *Am. mst* **co·or·di·nate I.** *v/t.* [kou'ɔ:dineit] **1.** koordinieren, bei-, gleichordnen, gleichschalten; zs.-fassen; **2.** in Einklang bringen, aufein'ander abstimmen; richtig anordnen, anpassen; **II.** *adj.* [-dnit] **3.** koordiniert, bei-, gleichgeordnet; gleichrangig, -wertig, -artig: ~ *clause ling.* beigeordneter Satz; **4.** ⩘ Koordinaten...; **III.** *s.* [-dnit] **5.** Beigeordnetes *n*, Gleichwertiges *n*; **6.** ⩘ Koordi'nate *f*; **co-or·di·na·tion** [kouɔ:di'neiʃən] *s.* **1.** Gleich-, Beiordnung *f*, Gleichstellung *f*, -schaltung *f*; richtige Anordnung; **2.** Zs.-fassung *f*; Zs.-arbeit *f*; **co-'or·di·na·tor** [-tə] *s.* koordinierende Person *od.* Sache, Koordi'nator *m*.

coot [ku:t] *s. orn.* Bläß-, Wasserhuhn *n*; → *bald* 1.

coot·ie ['ku:ti] *s.* ⚔ *sl.* ‚Biene' *f* (*Laus*).

cop¹ [kɔp] *s. Spinnerei:* Kötzer *m*, Garnwickel *m*.

cop² [kɔp] *v/t. sl.* erwischen (*at* bei): *to* ~ *it* s-e Strafe bekommen, ‚sein Fett kriegen'.

cop³ [kɔp] *s. sl.* ‚Po'lyp' *m* (*Polizist*).

co·pal ['koupəl] *s.* Ko'pal(harz *n*) *m*.

co·par·ce·nar·y ['kou'pɑ:sinəri] *s.* ⚖ gemeinsamer Grundbesitz durch Erbschaft; **co·par·ce·ner** ['kou'pɑ:sinə] *s.* ⚖ Miterbe *m*, -erbin *f* (*e-s Grundstücks*).

co·part·ner ['kou'pɑ:tnə] *s.* Teilhaber *m*, Mitinhaber *m*; Teilnehmer *m*; '**co'part·ner·ship** [-ʃip] *s.* ✝ **1.** Teilhaberschaft *f*; **2.** **a)** Gewinnbeteiligung *f*, **b)** Mitbestimmungsrecht *n* (*der Arbeitnehmer*).

cope¹ [koup] *v/i.* (*with*) bewältigen, meistern (*acc.*); fertig werden, es aufnehmen (mit); gewachsen sein (*dat.*).

cope² [koup] **I.** *s.* **1.** *eccl.* Priester-, Chorrock *m*; **2.** *fig.* Mantel *m*, Gewölbe *n*, Decke *f*: ~ *of heaven* Himmelszelt; **3.** → *coping*; **II.** *v/t.* **4.** bedecken; bedachen.

co·peck ['koupek] *s.* Ko'peke *f* (*russische Münze*).

cop·er ['koupə] → *horse-coper*.

Co·per·ni·can [kou'pə:nikən] *adj.* koperni'kanisch: ~ *system ast.* kopernikanisches Weltsystem.

cope-stone → *coping-stone*.

cop·i·er ['kɔpiə] *s.* **1.** Abschreiber (-in); **2.** Plagi'ator *m*, Plagia'torin *f*.

co-pi·lot, *Am.* **co·pi·lot** [kou'pailət] *s.* 'Kopi,lot *m*, zweiter Flugzeugführer.

cop·ing ['koupiŋ] *s.* Mauerkappe *f*, -krönung *f*; '~**-stone** *s.* **1.** Deck-, Kappenstein *m*; **2.** *fig.* Krönung *f*, Schlußstein *m*.

co·pi·ous ['koupjəs] *adj.* □ **1.** reichlich, aus-, ergiebig, reich, um'fassend; **2.** produk'tiv, viel schaffend; **3.** weitschweifig; 'überschwenglich; '**co·pi·ous·ness** [-nis] *s.* **1.** Fülle *f*; 'Überfluß *m*; **2.** Weitläufigkeit *f*.

cop·per¹ ['kɔpə] **I.** *s.* **1.** *min.* Kupfer *n*; **2.** Kupfermünze *f*: ~*s* Kupfer-, Kleingeld; **3.** Kupferbehälter *m*, -gefäß *n*, -kessel *m*; *bsd. Brit.* Waschkessel *m*; **II.** *adj.* **4.** kupfern, Kupfer...; **5.** kupferrot; **III.** *v/t.* **6.** verkupfern; **7.** mit Kupferblech beschlagen.

cop·per² ['kɔpə] → *cop³*.

cop·per·as ['kɔpərəs] *s.* ⚗ Vitri'ol *n*.

cop·per| beech *s.* ⚘ Blutbuche *f*; '**~-bit** *s.* ⊕ Lötkolben(spitze *f*) *m*; '**~-'bot·tomed** *adj.* **1.** ⚓ mit Kupferbeschlag; **2.** seetüchtig; *fig.* kerngesund; **~ en·grav·ing** *s.* **1.** Kupferstich *m*; **2.** Kupferstechkunst *f*; **~ glance** *s. min.* Kupferglanz *m*; '**~·head** *s. zo.* Mokas'sinschlange *f*; **♀ In·di·an** *s.* Indi'aner *m vom Copper River* (*Alaska*); '**~·plate** *s.* ⊕ **1.** Kupferstichplatte *f*; **2.** Kupferstich *m*: *like ~* wie gestochen (*Handschrift*); '**~·plat·ed** *adj.* verkupfert; '**~·smith** *s.* Kupferschmied *m*.

cop·per·y ['kɔpəri] *adj.* kupferartig, -farbig, -haltig.

cop·pice ['kɔpis] *s.* 'Unterholz *n*, Gestrüpp *n*; Gebüsch *n*, niedriges Wäldchen.

cop·ra ['kɔprə] *s.* 'Kopra *f*.

copse [kɔps] → *coppice*.

Copt [kɔpt] *s.* Kopte *m*, Koptin *f*; '**Cop·tic** [-tik] *adj.* koptisch.

cop·u·la ['kɔpjulə] *s.* **1.** *ling. u. phls.* 'Kopula *f*; **2.** *anat.* Bindeglied *n*; '**cop·u·late** [-leit] *v/i.* sich paaren *od.* begatten; **cop·u·la·tion** [kɔpju'leiʃən] *s.* **1.** *ling. u. phls.* Verbindung *f*; **2.** Paarung *f*, Begattung *f*, Beischlaf *m*; '**cop·u·la·tive** [-ətiv] **I.** *adj.* □ **1.** verbindend, Binde...; **2.** *ling.* kopula'tiv; **3.** Paarungs..., Begattungs...; **II.** *s.* **4.** *ling.* Kopula *f*.

cop·y ['kɔpi] **I.** *s.* **1.** Ko'pie *f*, Abschrift *f*: *fair* (*od. clean*) *~* Reinschrift; *rough ~* erster Entwurf, Konzept, Kladde; *true ~* (wort)getreue Abschrift; **2.** 'Durchschlag *m*, -schrift *f*; **3.** Abzug *m* (*a. phot.*), Abdruck *m*, Pause *f*; **4.** Nachahmung *f*, -bildung *f*, Reprodukti'on *f*, Kopie *f*, 'Wiedergabe *f*; **5.** Muster *n*, Mo'dell *n*, Vorlage *f*; Urschrift *f*; **6.** druckfertiges Manu'skript, lite'rarisches Materi'al; (*Zeitungs- etc.*) Stoff *m*, Text *m*; **7.** Ausfertigung *f*, Exem'plar *n*, Nummer *f* (*Zeitung etc.*); **8.** Urkunde *f*; **II.** *v/t.* **9.** abschreiben, -drucken, -zeichnen, e-e Kopie anfertigen von: *to ~ out* ins reine schreiben, abschreiben; **10.** *phot.* e-n Abzug machen von; **11.** nachbilden, reproduzieren, kopieren; **12.** nachahmen, -machen; **13.** 'wiedergeben, *Zeitungstext* wieder'holen; **III.** *v/i.* **14.** kopieren, abschreiben; **15.** (vom Nachbarn) abschreiben (*Schule*); **16.** nachahmen; '**~-book I.** *s.* **1.** Schreib(e)buch *n*; **2.** Schreibheft *n*; **3.** ☤ Kopierbuch *n*; **II.** *adj.* **4.** alltäglich; **5.** nor'mal; '**~-cat** F **I.** *s.* Nachäffer *m*; **II.** *v/t. u. v/i.* nachäffen, -machen; **~ desk** *s.* Redakti'onstisch *m*; **~ ed·i·tor** *s. Am.* 'Zeitungsredak,teur *m*; '**~·hold** *s.* ⚖ *Brit.* Lehnbesitz *m*, Lehngut *n*; '**~·hold·er** *s.* **1.** ⚖ *Brit.* Lehngutsbesitzer *m*; **2.** *typ.* **a)** Manu'skripthalter *m*, **b)** Kor'rektorgehilfe *m*.

'**cop·y·ing|-ink** ['kɔpiiŋ] *s.* Kopiertinte *f*; '**~-pa·per** *s.* 'Durchschlagpa,pier *n*; '**~-pen·cil** *s.* Tintenstift *m*.

cop·y·ist ['kɔpiist] *s.* **1.** Abschreiber *m*, Ko'pist *m*; **2.** Nachahmer *m*.

'**cop·y|·right** ⚖ **I.** *s.* Copyright *n*, Verlags-, Urheberrecht *n* (*in* an *dat.*): *~ reserved* Nachdruck verboten, alle Rechte vorbehalten; **II.** *v/t.* das Urheber- *od.* Verlagsrecht erwerben an (*dat.*); urheberrechtlich schützen; **III.** *adj.* verlags-, urheberrechtlich (geschützt); '**~-writ·er** *s.* (Werbe)Texter *m*.

co·quet [kou'ket] **I.** *v/i.* kokettieren, flirten; *fig.* liebäugeln (*with* mit); **II.** *adj.* → *coquettish*; **co·quet·ry** ['koukitri] *s.* Gefallsucht *f*, Kokette'rie *f*; **co·quette** [kou'ket] *s.* Ko'kette *f*; **co'quet·tish** [-tiʃ] *adj.* □ gefallsüchtig, ko'kett.

cor·a·cle ['kɔrəkl] *s. Brit.* Boot *n* aus über'zogenem Weidengeflecht.

cor·al ['kɔrəl] **I.** *s.* **1.** Ko'ralle *f*; **2.** *zo.* Ko'rallenpo,lyp *m*; **3.** Beißring *m od.* Spielzeug *n* für Babys (*aus Koralle*); **II.** *adj.* **4.** Korallen...; **5.** ko'rallenrot; **~ bead** *s.* Ko'rallenperle *f*; *pl.* Ko'rallenkette *f*; '**~-is·land** *s.* Ko'ralleninsel *f*.

cor·al·lin ['kɔrəlin] *s.* ⚗ Koral'lin *n*; '**cor·al·line** [-lain] **I.** *adj.* ko'rallenartig, -haltig; ko'rallenrot; **II.** *s.* ⚘ Ko'rallenalge *f*; '**cor·al·lite** [-lait] *s.* **1.** Ko'rallenske,lett *n*; **2.** versteinerte Ko'ralle.

'**cor·al|-rag** *s. geol.* Ko'rallenkalkstein *m*; '**~-reef** *s.* Ko'rallenriff *n*; '**~-tree** *s.* ⚘ Ko'rallenbaum *m*.

cor an·glais [kɔ: 'ɑ̃ŋglei] (*Fr.*) *s.* ♪ Englischhorn *n*.

cor·bel ['kɔ:bəl] △ **I.** *s.* Kragstein *m*, Kon'sole *f*, Balkenträger *m*, -kopf *m*: *~ table* auf Kragsteinen ruhender Mauervorsprung; **II.** *v/t.* durch Kragsteine stützen.

cor·bie ['kɔ:bi] *s. Scot.* Rabe *m*; '**~-steps** *s. pl.* △ Giebelstufen *pl*.

cord [kɔ:d] **I.** *s.* **1.** Schnur *f*, Kordel *f*, Strick *m*, Strang *m*; **2.** *anat.* Band *n*, Schnur *f*, Strang *m*; **3.** ⚡ (Leitungs-, Anschluß)Schnur *f*; **4.** Rippe *f* (*e-s Stoffes*); gerippter Stoff, Rips *m*, *bsd.* → *corduroy* 1; **5.** *pl.* → *corduroy* 2; **6.** Klafter *f* (*Holz*); **II.** *v/t.* **7.** (zu)schnüren, (fest)binden, befestigen; **8.** *Bücherrücken* rippen; '**cord·age** [-didʒ] *s.* ⚓ Tauwerk *n*.

cor·date ['kɔ:deit] *adj.* ⚘, *zo.* herzförmig (*Blatt, Muschel etc.*).

cord·ed ['kɔ:did] *adj.* **1.** ge-, verschnürt; **2.** gerippt (*Stoff*).

cor·de·lier [kɔ:di'liə] *s. eccl.* Franzis'kaner(mönch) *m*.

cor·dial ['kɔ:djəl] **I.** *adj.* □ **1.** *fig.* herzlich, freundlich, warm, aufrichtig; **2.** ⚕ belebend, (herz- *od.* magen)stärkend; **II.** *s.* **3.** ⚕ belebendes *od.* (herz)stärkendes Mittel; **4.** (süßer, aro'matischer) Li'kör; **cor·dial·i·ty** [kɔ:di'æliti] *s.* Herzlichkeit *f*, Wärme *f*.

cord·ite ['kɔ:dait] *s.* ⚔ Kor'dit *m*.

cor·don ['kɔ:dn] **I.** *s.* **1.** Kor'don *m*: **a)** ⚔ Postenkette *f*, **b)** Absperrkette *f*: *~ of police*; **2.** Kette *f*, Spa'lier *n* (*Personen*); **3.** Spa'lier(obst)baum *m*; **4.** △ Mauerkranz *m*, -sims *m*, *n*; **5.** [*mst* kɔrdɔ̃] Ordensband *n*; **II.** *v/t.* **6.** *a. ~ off* mit Posten *od.* Seilen absperren; **~ bleu** ['kɔ:dɔ̃ blə:; kɔrdɔ̃ blø] (*Fr.*) *s.* **1.** Cordon *m* bleu; **2.** hohe Per'sönlichkeit; **3.** *humor.* erstklassiger Koch.

cor·do·van ['kɔ:dəvən] *s.* 'Korduan (-leder) *n*.

cor·du·roy ['kɔ:dərɔi] **I.** *s.* **1.** Kord-, Ripssamt *m*; **2.** *pl.* Kordsamthose *f*; **II.** *adj.* **3.** Kordsamt...; **~ road** *s. Am.* Knüppeldamm *m*.

cord·wain·er ['kɔ:dweinə] *s.* Schuhmacher *m*: *♀s' Company* Schuhmachergilde (*London*).

'**cord·wood** *s. bsd. Am.* Klafterholz *n*.

core [kɔ:] **I.** *s.* **1.** ⚘ Kerngehäuse *n*, Kern *m* (*Obst*); **2.** *fig. das* Innerste, Herz *n*, Mark *n*, Kern *m* (*a.* ⊕, ⚡); Seele *f* (*a. Kabel, Seil*): *to the ~* bis ins Mark *od.* Innerste, durch u. durch; → *hard core*; **3.** (Eiter-)Pfropf *m* (*Geschwür*); **II.** *v/t.* **4.** *Äpfel etc.* entkernen.

co-re·la·tion → *correlation*.

co-re·li·gion·ist ['kouri'lidʒənist] *s.* Glaubensgenosse *m*, -genossin *f*.

co·re·op·sis [kɔri'ɔpsis] *s.* ⚘ Mädchenauge *n*.

cor·er ['kɔ:rə] *s.* Fruchtentkerner *m*.

co-re·spond·ent, *Am.* **co·re·spond·ent** ['kourispɔndənt] *s.* ⚖ Mitbeklagte(r *m*) *f* (*im Ehebruchsprozeß*).

core time *s.* Kernzeit *f* (*Ggs. Gleitzeit*).

cor·gi, cor·gy ['kɔ:gi] → *Welsh corgi*.

co·ri·a·ceous [kɔri'eiʃəs] *adj.* **1.** ledern, Leder...; **2.** lederartig, zäh.

co·ri·an·der [kɔri'ændə] *s.* ⚘ Kori'ander *m*.

Co·rin·thi·an [kə'rinθiən] **I.** *adj.* **1.** ko'rinthisch: *~ column* korinthische Säule; **II.** *s.* **2.** Ko'rinther (-in); **3.** *pl. bibl.* (Brief *m* des Paulus an die) Ko'rinther *pl*.

cork [kɔ:k] **I.** *s.* **1.** ⚘ Kork *m*, Korkrinde *f*; Korkeiche *f*; **2.** Kork(en) *m*, Stöpsel *m*, Pfropfen *m*; **3.** Angelkork *m*, Schwimmer *m*; **II.** *adj.* **4.** Kork...; **III.** *v/t.* **5.** ver-, zukorken; **6.** *Gesicht* mit gebranntem Kork schwärzen; '**cork·age** [-kidʒ] *s.* **1.** Verkorken *n*; **2.** Entkorken *n*; **3.** Korkengeld *n*; **corked** [-kt] *adj.* **1.** ver-, zugekorkt, verstöpselt; **2.** korkig, nach dem Kork schmeckend; **3.** mit Korkschwarz gefärbt; '**cork·er** [-kə] *s. sl.* **1. a)** *das* Entscheidende, **b)** faustdicke Lüge; **2.** 'prima Sache, fa'mose Per'son; '**cork·ing** [-kiŋ] *adj. sl.* großartig, ‚prima'.

cork| jack·et *s.* Kork-, Rettungs-, Schwimmweste *f*; '**~-oak** *s.* ⚘ Korkeiche *f*; '**~-screw I.** *s.* Pfropfen-, Kork(en)zieher *m*: *~ curls* Korkzieherlocken; **II.** *v/i.* sich schlängeln *od.* winden; **III.** *v/t.* spi'ralig bewegen, winden; *fig.* mühsam her'ausziehen; **~ sole** *s.* Korkeinlegesohle *f*; '**~-tree** → *cork-oak*; '**~·wood** *s.* **1.** ⚘ Korkholzbaum *m*; **2.** Korkholz *n*.

cork·y ['kɔ:ki] *adj.* **1.** korkartig, Kork...; **2.** → *corked* 2; **3.** F lebhaft, ‚aufgedreht'.

corm [kɔ:m] *s.* ⚘ Knolle *f*.

cor·mo·rant ['kɔ:mərənt] *s.* **1.** *orn.* Kormo'ran *m*, Scharbe *f*, Seerabe *m*; **2.** *fig.* Vielfraß *m*.

corn[1] [kɔ:n] **I.** *s.* **1.** *coll.* Getreide *n*, Korn *n* (*Pflanze od. Frucht*); *engS. England* Weizen *m*, *Scot.*, *Ir.* Hafer *m*, *Am.* Mais *m*; *Pferdefutter*: Hafer *m*: *~ on the cob* Maiskörner am Kolben (*als Gemüse*); **2.** *einzelnes* Getreide- *od.* Samenkorn; **3.** *Am.* → *corn whisky*; **II.** *v/t.* **4.** pökeln, einsalzen: *~ed beef* Corned beef, Büchsenfleisch.

corn² [kɔːn] *s.* ⚕ Hühnerauge *n*: *~-plaster* Hühneraugenpflaster; *to tread on s.o.'s ~s fig.* j-m auf die Hühneraugen treten.

corn| belt *s. Am.* Maisgürtel *m*, -zone *f* (*im Mittleren Westen*); **'~-bind** *s.* ✿ Ackerwinde *f*; **'~-bran·dy** *s.* Korn(branntwein) *m*, Whisky *m*; **'~-bread** *s. Am.* Maisbrot *n*; **'~-cake** *s. Am.* (Pfann)Kuchen *m* aus Maismehl; **'~-chan·dler** *s. Brit.* Korn-, Saathändler *m*; **'~-cob** *s.* Maiskolben *m*; **'~-cock·le** *s.* ✿ Kornrade *f*; **'~-crake** *s. orn.* Wiesenknarre *f*, Wachtelkönig *m*.

cor·ne·a ['kɔːniə] *s. anat.* Hornhaut *f* (*des Auges*).

cor·nel ['kɔːnəl] *s.* ✿ Kor'nelkirsche *f*, Hartriegel *m*.

cor·nel·ian [kɔː'niːljən] *s. min.* Karne'ol *m*.

cor·ne·ous ['kɔːniəs] *adj.* hornig.

cor·ner ['kɔːnə] **I.** *s.* **1.** Ecke *f* (*Vorsprung*): *round the ~* um die Ecke; *blind ~* unübersichtliche (Straßen-)Biegung; *to take a ~* e-e Kurve nehmen (*Auto*); *to cut off a ~* ein Stück (Weges) abschneiden; *to turn the ~* **a)** um die (*Straßen*)Ecke biegen, **b)** *fig.* e-e Krise überstehen; **2.** Winkel *m*, Ecke *f*: *to put a child in the ~* ein Kind in die Ecke stellen; *in a tight ~ fig.* in der Klemme, in Verlegenheit; *to drive s.o. into a ~* j-n in die Enge treiben; *to look at s.o. from the ~ of one's eye* j-n von der Seite ansehen; **3.** verborgener *od.* geheimer Winkel, entlegene Stelle; **4.** Gegend *f*: *the four ~s of the earth* die vier Enden der Erde; **5.** ✝ **a)** spekula'tiver Aufkauf, **b)** (Aufkäufer)Ring *m*, Mono'pol(gruppe *f*) *n*: *~ in wheat* Weizen-Korner; **6.** *Fußball*: Ecke *f*; **II.** *v/t.* **7.** in die Enge treiben; in Verlegenheit bringen; **8.** ✝ *Ware* (spekula'tiv) aufkaufen, *fig.* mit Beschlag belegen: *to ~ the market* den Markt *od.* alles aufkaufen; **III.** *v/i.* **9.** *Am.* e-e Ecke *od.* e-n Winkel bilden; an e-r Ecke gelegen sein; **IV.** *adj.* **10.** Eck...: *~ house*; **'~-boy** → *corner-man* 2; **'~-chis·el** *s.* ⊕ Winkelmeißel *m*, Geißfuß *m*.

cor·nered ['kɔːnəd] *adj.* **1.** *in Zssgn*: ...eckig; **2.** in die Enge getrieben, in der Klemme.

cor·ner| kick *s. Fußball*: Eckball *m*; **'~-man** [-mən] *s.* [*irr.*] *Brit.* **1.** Flügelmann *m* (*e-r Negertruppe*); **2.** Tagedieb *m*, Landstreicher *m*; **~ seat** *s.* Eckplatz *m*; **'~-stone** *s.* **1.** △ Eck-, Grundstein *m*, Eckpfeiler *m* (*a. fig.*); **'~-ways, '~-wise** *adv.* **1.** eckig, e-e Ecke bildend; **2.** diago'nal.

cor·net ['kɔːnit] *s.* **1.** ♪ **a)** (Pi'ston-)Kor'nett *n* (*a. Orgelregister*), **b)** Kornet'tist *m*; **2.** spitze Tüte, Spitztüte *f*; **3.** Schwesternhaube *f*; **4.** ⚔ *hist.* **a)** Fähnlein *n*, **b)** Fähnrich *m*; **'cor·net·(t)ist** [-tist] *s.* ♪ Kornettist *m*.

'corn|-ex·change *s.* ✝ Getreidebörse *f*; **'~-fac·tor** *s. Brit.* Getreidehändler *m*; **~ field** *s.* Getreidefeld *n*; **~ flakes** *s. pl.* Corn-flakes *pl.*; **'~-flour** *s.* **1.** Maismehl *n*; **2.** Reismehl *n*; **'~-flow·er** *s.* ✿ Kornblume *f*.

cor·nice ['kɔːnis] *s.* **1.** △ Gesims *n*, Sims *m*, *n*; **2.** Kranz-, Randleiste *f*; Bilderleiste *f*; **3.** (Schnee)Wächte *f*.

Cor·nish ['kɔːniʃ] **I.** *adj.* aus Cornwall, kornisch; **II.** *s.* kornische Sprache; **'~·man** [-mən] *s.* [*irr.*] Einwohner *m* von Cornwall.

'corn|-laws *s. pl. bsd. Brit. hist.* (*die 1846 aufgehobenen*) Korn(zoll)gesetze *pl.*; **'~·loft** *s.* Getreidespeicher *m*; **~ pop·py, ~ rose** *s.* ✿ Klatschmohn *m*, -rose *f*; **'~-stalk** *s.* **1.** Getreidehalm *m*; **2.** *Am.* Maisstengel *m*; **3.** F Bohnen-, Hopfenstange *f* (*lange dünne Person*); **'~·starch** *s. Am.* Maisstärke *f*.

cor·nu·co·pi·a [kɔːnju'koupjə] *s.* **1.** Füllhorn *n* (*a. fig.*); **2.** *fig.* Fülle *f*, 'Überfluß *m*.

corn whis·ky *s. Am.* Maisschnaps *m*.

corn·y ['kɔːni] *adj.* **1. a)** *Brit.* Korn-..., **b)** *Am.* Mais...; **2.** getreidereich; **3.** körnig; **4.** *Am. sl.* **a)** schmalzig, sentimen'tal (*bsd.* ♪), **b)** kitschig, abgedroschen.

co·rol·la [kə'rɔlə] *s.* ✿ Blumenkrone *f*.

cor·ol·lar·y [kə'rɔləri] *s.* **1.** ∧, *phls.* Folgesatz *m*; **2.** Folge *f*, Begleiterscheinung *f*.

co·ro·na [kə'rounə] *pl.* **-nae** [-niː] *s.* **1.** *ast.* **a)** Krone *f* (*Sternbild*), **b)** Hof *m*, Ko'rona *f*, Strahlenkranz *m*: *~ discharge* ⚡ Glimmentladung; **2.** △ Kranzleiste *f*; **3.** *anat.* Zahnkrone *f*; **4.** ✿ Nebenkrone *f*; **5.** Kronleuchter *m* (*Kirche*).

cor·o·nach ['kɔrənək; -nəx] *s. Scot. u. Ir.* Totenklage *f*.

cor·o·nal ['kɔrənl] *s.* **1.** Stirnreif *m*, Dia'dem *n*; **2.** (Blumen)Kranz *m*.

cor·o·nar·y ['kɔrənəri] *adj.* **1.** kronen-, kranzartig; **2.** ⚕ koro'nar; **~ ar·ter·y** *s. anat.* 'Kranzarˌterie *f*; **~ throm·bo·sis** *s.* ⚕ Koro'narthromˌbose *f*.

cor·o·na·tion [kɔrə'neiʃən] *s.* **1.** Krönung *f*; **2.** Krönungsfeier *f*.

cor·o·ner ['kɔrənə] *s.* ⚖ Leichenbeschauer *m* u. Unter'suchungsrichter *m*; → *inquest*.

cor·o·net ['kɔrənit] *s.* **1.** kleine Krone; Adelskrone *f*; **2.** Dia'dem *n*; **3.** *zo.* Hufkrone *f* (*Pferd*); **'cor·o·net·ed** [-tid] *adj.* **1.** e-e Adelskrone *od.* ein Diadem tragend; **2.** mit Adelswappen (*Briefpapier*).

cor·po·ral¹ ['kɔːpərəl] *s.* ⚔ Obergefreite(r) *m*.

cor·po·ral² ['kɔːpərəl] *adj.* □ **1.** körperlich, leiblich: *~ punishment* körperliche Züchtigung; **2.** per'sönlich; **cor·po·ral·i·ty** [kɔːpə'ræliti] *s.* körperliche Exi'stenz.

cor·po·rate ['kɔːpərit] *adj.* □ **1.** vereinigt, körperschaftlich, korpora'tiv, Körperschafts...; inkorporiert: *~ body* juristische Person, Körperschaft; *~ property* Körperschafts-, Gesellschaftseigentum; *~ town* Stadt mit eigenem Recht; **2.** gemeinsam, gesamt: *~ will* gemeinsamer Wille; **cor·po·ra·tion** [kɔːpə'reiʃən] *s.* **1.** ⚖ Korporati'on *f*, Körperschaft *f*, ju'ristische Per'son: *~ tax* Körperschaftssteuer; **2.** ✝ *Am.* 'Aktiengesellschaft *f*; **3.** Vereinigung *f*; Gilde *f*, Zunft *f*; **4.** Stadtbehörde *f*; inkorporierte Stadtgemeinde; **5.** *sl.* Schmerbauch *m*; **'cor·po·ra·tive** [-rətiv] *adj.* **1.** korpora'tiv, körperschaftlich; **2.** *pol.* korporativ (*Staat*).

cor·po·re·al [kɔː'pɔːriəl] *adj.* □ **1.** körperlich, physisch; **2.** materi'ell, dinglich, greifbar; **cor·po·re·al·i·ty** [kɔːpɔːri'æliti] *s.* Körperlichkeit *f*, körperliche Form *od.* Exi'stenz.

cor·po·sant ['kɔːpəzənt] *s.* ⚡ Elmsfeuer *n*.

corps [kɔː] *pl.* **corps** [kɔːz] *s.* **1.** ⚔ **a)** (Ar'mee)Korps *n*, **b)** Korps *n*, Truppe *f*: *volunteer ~* Freiwilligentruppe; **2.** Körperschaft *f*, Korps *n*: **3.** Korps *n*, Korporati'on *f*, (Stu'denten)Verbindung *f*; **~ de bal·let** [kɔː də 'bælei; kɔː də balɛ] (*Fr.*) *s.* Bal'lettgruppe *f*; **♀ Di·plo·ma·tique** [diːploumɑː'tiːk] (*Fr.*) *s.* Diplo'matisches Korps.

corpse [kɔːps] *s.* Leichnam *m*, Leiche *f*.

cor·pu·lence ['kɔːpjuləns], **'cor·pu·len·cy** [-si] *s.* Korpu'lenz *f*, Beleibtheit *f*; **'cor·pu·lent** [-nt] *adj.* □ korpu'lent, beleibt.

cor·pus ['kɔːpəs] *pl.* **'cor·po·ra** [-pərə] *s.* **1.** ⚕ Körper *m*; **2.** *humor.* 'Korpus *m* (*Körper*); **3.** Korpus *n*, Sammlung *f* (*Werk, Gesetz etc.*); **4.** ✝ ('Stamm)Kapiˌtal *n* (*Ggs. Zinsen etc.*); **♀ Chris·ti** ['kristi] *s. eccl.* Fron'leichnam(sfest *n*) *m*.

cor·pus·cle ['kɔːpʌsl] *s.* **1.** *biol.* (Blut)Körperchen *n*; **2.** *phys.* kleinstes Teilchen, A'tom *n*; **cor·pus·cu·lar** [kɔː'pʌskjulə] *adj. phys.* Korpuskular...; **cor·pus·cule** [kɔː'pʌskjuːl] → *corpuscle*.

cor·pus| de·lic·ti [di'liktai] *s.* ⚖ Tatbestand *m*, 'Corpus *n* de'licti; **~ ju·ris** ['dʒuəris] *s.* ⚖ Corpus *n* juris, Gesetzessammlung *f*.

cor·ral [kɔ'rɑːl] **I.** *s.* **1.** Kor'ral *m*, (Vieh)Hof *m*, Pferch *m*, Einzäunung *f*; **2.** Wagenburg *f*; **II.** *v/t.* **3.** *Wagen* zu e-r Wagenburg zs.-stellen; **4.** in e-n Pferch treiben; **5.** *fig.* einsperren; **6.** *Am.* F sich aneignen, ‚schnappen'.

cor·rect [kə'rekt] **I.** *v/t.* **1.** korrigieren, verbessern, berichtigen, richtigstellen; **2.** regulieren, regeln, ausgleichen; mildern; **3.** *Mängel* abstellen, beheben; **4.** zu'rechtweisen, tadeln: *to stand ~ed* s-n Fehler eingestehen; **5.** *j-n od. et.* bestrafen; **II.** *adj.* □ **6.** richtig, fehlerfrei: *to be ~* **a)** stimmen, **b)** recht haben; **7.** kor'rekt, schicklich, einwandfrei: *it is the ~ thing* es gehört sich; *~ behavio(u)r* korrektes Benehmen; **8.** genau, ordentlich; **cor'rec·tion** [-kʃən] *s.* **1.** Verbesserung *f*, Berichtigung *f*, Richtigstellung *f* (*a.* ⊕, *phys.*): *I speak under ~* ich kann mich irren; **2.** Korrek'tur *f* (*a.* ⚒, *typ.*), Fehlerverbesserung *f*; **3.** Zu'rechtweisung *f*; **4.** Bestrafung *f*: *house of ~* ⚖ *Am.* Arbeitshaus; **5.** Bereinigung *f*, Abstellung *f*; Regulierung *f*; **cor'rec·tion·al** [-kʃənl] *adj.* **1.** Berichtigungs...; **2.** Straf...: *~ labo(u)r* Arbeit in e-r Strafanstalt; **cor'rect·i·tude** [-titjuːd] *s.* Kor'rektheit *f* (*Benehmen*); **cor'rec·tive** [-tiv] **I.** *adj.* □ **1.** verbessernd; regulierend; **2.** mildernd, lindernd; **3.** → *correctional* 2; **II.** *s.* **4.** Korrek'tiv *n*, Abhilfe *f*, Ausgleichs-, Gegenmittel *n*: **cor'rect·ness** [-nis] *s*. Richtigkeit *f*; Kor'rektheit *f*; **cor'rec·tor** [-tə] *s*. **1.** Verbesserer *m*; **2.** 'Kritiker(in); **3.** *mst* ~ *of the press Brit. typ.* Kor'rektor *m*; **4.** Besserungsmittel *n*.

cor·re·late ['kɔrileit] **I.** *v/t.* in Wechselbeziehung bringen (*with* mit), aufein'ander beziehen; in Über'einstimmung bringen (*with* mit); **II.** *v/i.* in Wechselbeziehung stehen (*with* mit), sich aufeinander beziehen; entsprechen (*with dat.*); **III.** *s.* Korre'lat *n*, Gegenstück *n*; **cor·re·la·tion** [kɔri'leiʃən] *s*. Wechselbeziehung *f*, gegenseitige Abhängigkeit, Entsprechung *f*; **cor·rel·a·tive** [kɔ'relətiv] **I.** *adj.* □ korrela'tiv, in Wechselbeziehung stehend, sich ergänzend; entsprechend; **II.** *s.* Korre'lat *n*, Gegenstück *n*, Ergänzung *f*.

cor·re·spond [kɔris'pɔnd] *v/i.* **1.** (*with, to*) entsprechen (*dat.*), über'einstimmen, in Einklang stehen (mit); **2.** (*with, to*) passen (zu), sich eignen (für); **3.** (*to*) entsprechen (*dat.*), das Gegenstück sein (von), ana'log sein (zu); **4.** in Briefwechsel († in Geschäftsverkehr) stehen (*with* mit).

cor·re·spond·ence [kɔris'pɔndəns] *s*. **1.** Über'einstimmung *f* (*with* mit, *between* zwischen *dat.*); **2.** Angemessenheit *f*, Entsprechung *f*; **3.** Korrespon'denz *f*: **a**) Briefwechsel *m*, **b**) Briefe *pl.*; **4.** *Zeitung*: Beiträge *pl.*; ~ **clerk** *s*. † Korrespon'dent(in); ~ **col·umn** *s*. ‚Briefkasten' *m* der Redakti'on (*Zeitung*); ~ **course** *s*. 'Fern(ˌunterrichts)kursus *m*; ~ **school** *s*. 'Fernlehrinstiˌtut *n*.

cor·re·spond·ent [kɔris'pɔndənt] **I.** *s*. Korrespon'dent(in), Briefschreiber(in): **a**) Briefpartner(in), **b**) † Geschäftsfreund *m*, **c**) *Zeitung*: Berichterstatter(in), Mitarbeiter (-in); Einsender(in): *foreign* ~ Auslandskorrespondent; *special* ~ Sonderberichterstatter; **II.** *adj.* → *corresponding*; **cor·re'spond·ing** [-diŋ] *adj.* □ **1.** entsprechend, gemäß (*to dat.*); **2.** in Briefwechsel stehend (*with* mit): ~ *member* korrespondierendes Mitglied; **cor·re'spond·ing·ly** [-diŋli] *adv.* entsprechend, demgemäß.

cor·ri·dor ['kɔridɔ:] *s*. **1.** 'Korridor *m*, Gang *m*, Flur *m*; **2.** 🚃 Korridor *m*, Seitengang *m*: ~ *train* D-Zug, Durchgangszug; **3.** *geogr.*, *pol.* Korridor *m* (*Landstreifen durch fremdes Gebiet*).

cor·ri·gen·dum [kɔri'dʒendəm] *pl.* **-da** [-də] *s*. **1.** zu verbessernder Druckfehler; **2.** *pl.* Druckfehlerverzeichnis *n*; **cor·ri·gi·ble** ['kɔridʒəbl] *adj.* **1.** zu verbessern(d); **2.** lenksam, fügsam.

cor·rob·o·rant [kə'rɔbərənt] *s*. ⚕ 'Tonikum *n*, Stärkungsmittel *n*; **cor·rob·o·rate** [kə'rɔbəreit] *v/t.* bekräftigen, bestätigen, erhärten; **cor·rob·o·ra·tion** [kərɔbə'reiʃən] *s*. Bekräftigung *f*, Bestätigung *f*, Erhärtung *f*; **cor'rob·o·ra·tive** [-rətiv], **cor'rob·o·ra·to·ry** [-rətəri] *adj.* bestärkend, bestätigend.

cor·rode [kə'roud] **I.** *v/t.* **1.** ⚗, ⊕ zer-, anfressen, angreifen, korrodieren; wegätzen, -beizen; **2.** *fig.* zerfressen, zerstören, schädigen: *corroding care* nagende Sorge; **II.** *v/i.* **3.** zerfressen werden; rosten; **4.** sich einfressen; **5.** verderben, verfallen; **cor'ro·dent** [-dənt] *Am.* **I.** *adj.* ätzend; **II.** *s.* Ätzmittel *n*; **cor'ro·sion** [-ouʒən] *s*. **1.** ⚗, ⊕ Korrosi'on *f*, An-, Zerfressen *n*; Rostfraß *m*; Ätzen *n*, Beizen *n*; **2.** *fig.* Zerstörung *f*; **cor'ro·sive** [-ousiv] **I.** *adj.* □ **1.** ⚗, ⊕ zerfressend, ätzend, beizend, angreifend, Korrosions...; **2.** *fig.* nagend, quälend; **II.** *s*. **3.** ⚗, ⊕ Ätz-, Beizmittel *n*; **cor'ro·sive·ness** [-ousivnis] *s*. ätzende Schärfe.

cor·ru·gate ['kɔrugeit] **I.** *v/t.* wellen, riefen; runzeln, furchen; **II.** *v/i.* sich wellen *od.* runzeln, runz(e)lig werden; **'cor·ru·gat·ed** [-tid] *adj.* runz(e)lig, gefurcht; gewellt, gerieft: ~ *iron* (Eisen)Wellblech; ~ *cardboard*, ~ *paper* Wellpappe; **cor·ru·ga·tion** [kɔru'geiʃən] *s*. **1.** Runzeln *n*, Furchen *n*; Wellen *n*, Riefen *n*; **2.** Furche *f*, Falte *f* (*auf der Stirn*).

cor·rupt [kə'rʌpt] **I.** *adj.* □ **1.** (*moralisch*) verdorben, schlecht, verworfen; ehrlos; **2.** unehrlich, unlauter; **3.** kor'rupt, bestechlich, käuflich: ~ *practices* Bestechungsmanöver, Korruption; **4.** faul, verdorben, schlecht; **5.** unrein, unecht, verfälscht, verderbt (*Text*); **II.** *v/t.* **6.** verderben, zu'grunde richten: ~*ing influences* verderbliche Einflüsse; **7.** verleiten, verführen; **8.** korrumpieren, bestechen; **9.** *Texte etc.* verderben, verfälschen, verunstalten; **10.** *fig.* anstecken, infizieren; **III.** *v/i.* **11.** (*moralisch*) verderben, verkommen; **12.** schlecht werden, verderben; **cor'rupt·i·ble** [-təbl] *adj.* □ **1.** zum Schlechten neigend; **2.** bestechlich; **3.** verderblich; vergänglich; **cor'rup·tion** [-pʃən] *s*. **1.** Verdorbenheit *f*, Verfall *m*, Fäulnis *f*; **2.** verderblicher Einfluß; **3.** Korrupti'on *f*, Bestechlichkeit *f*, Bestechung *f*; **4.** Verfälschung *f*, Entstellung *f* (*Text etc.*); **cor'rup·tive** [-tiv] *adj.* **1.** zersetzend, verderblich; **2.** *fig.* ansteckend; **cor'rupt·ness** [-nis] *s*. Verderbtheit *f*, Verdorbenheit *f*; Bestechlichkeit *f*.

cor·sage [kɔ:'sɑ:ʒ] *s*. **1.** Taille *f*, Mieder *n*; **2.** 'Ansteckbuˌkett *n*.

cor·sair ['kɔ:sɛə] *s*. **1.** *hist.* Kor'sar *m*, Seeräuber *m*; **2.** Seeräuberschiff *n*.

corse [kɔ:s] *s*. *poet.* Leichnam *m*.

corse·let ['kɔ:slit] *s*. **1.** *Am. mst* **cor·se·let** [kɔ:sə'let] Korse'lett *n*, Mieder *n*; **2.** *hist.* Harnisch *m*, Panzer *m*.

cor·set ['kɔ:sit] *s*. *oft pl.* Kor'sett *n*; **'cor·set·ed** [-tid] *adj.* (ein)geschnürt; **'cor·set·ry** [-tri] *s*. Miederwaren *pl.*

Cor·si·can ['kɔ:sikən] **I.** *adj.* korsisch; **II.** *s*. Korse *m*, Korsin *f*.

cors·let ['kɔ:slit] → *corselet*.

cor·tège [kɔ:'teiʒ] (*Fr.*) *s*. **1.** Gefolge *n e-s Fürsten*; **2.** Zug *m*, Prozessi'on *f*: *funeral* ~ Leichenzug.

cor·tex ['kɔ:teks] *pl.* **-ti·ces** [-tisi:z] *s*. ⚘, *zo.*, *anat.* Rinde *f*: *cerebral* ~ Großhirnrinde.

co·run·dum [kə'rʌndəm] *s*. *min.* Ko'rund *m*.

cor·us·cate ['kɔrəskeit] *v/i.* (auf-) blitzen, funkeln, glänzen (*a. fig.*); **cor·us·ca·tion** [kɔrəs'keiʃən] *s*. (Auf)Blitzen *n*, Funkeln *n*, Glänzen *n* (*a. fig.*).

cor·vée ['kɔ:vei] (*Fr.*) *s*. Fronarbeit *f*, -dienst *m* (*a. fig.*).

cor·vette [kɔ:'vet] *s*. ⚓ Kor'vette *f*.

cor·vine ['kɔ:vain] *adj.* raben-, krähenartig.

Cor·y·don ['kɔridən] *s*. **1.** *poet.* 'Korydon *m*, Schäfer *m*; **2.** schmachtender Liebhaber.

cor·ymb ['kɔrimb] *s*. ⚘ Doldentraube *f*.

cor·y·phae·us [kɔri'fi:əs] *pl.* **-phae·i** [-'fi:ai] *s*. **1.** *antiq.* Kory'phäe *m* (*Chorführer*); **2.** *fig.* Koryphäe *m*, führender Geist; **co·ry'phée** [-'fei] *s*. Primaballe'rina *f*.

cos [kɔs] *s*. ⚘ *a.* ♀ *lettuce* Römischer Sa'lat.

co·se·cant ['kou'si:kənt] *s*. ⅍ 'Kosekans *m*.

cosh [kɔʃ] *Brit. sl.* **I.** *s*. Totschläger *m*; **II.** *v/t.* mit e-m Totschläger schlagen, *j-m* ‚eins über den Schädel hauen'.

cosh·er ['kɔʃə] *v/t.* verhätscheln.

co·sig·na·to·ry, *Am.* **co·sig·na·to·ry** ['kou'signətəri] *s*. 'Mitunterˌzeichner(in).

co·sine ['kousain] *s*. ⅍ 'Kosinus *m*.

co·si·ness ['kouzinis] *s*. Behaglichkeit *f*, Gemütlichkeit *f*.

cos·met·ic [kɔz'metik] **I.** *adj.* (□ ~*ally*) **1.** kos'metisch: ~ *treatment* Schönheitspflege; **II.** *s*. **2.** Schönheitsmittel *n*; **3.** *a. pl.* Kos'metik *f*.

cos·mic *adj.*; **cos·mi·cal** ['kɔzmik(əl)] *adj.* □ kosmisch: **a**) das Weltall betreffend, Welt..., 'weltumˌspannend, **b**) ganzheitlich geordnet, **c**) riesig; **'cos·mism** [-izəm] *s*. *phls.* Kos'mismus *m* (*kosmische Evolution*).

cos·mog·o·ny [kɔz'mɔgəni] *s*. Kosmogo'nie *f*, Theo'rie *f* der Weltentstehung; **cos'mog·ra·phy** [-grəfi] *s*. Weltbeschreibung *f*; **cos'mol·o·gy** [-ələdʒi] *s*. Lehre *f* vom Weltall; Kosmolo'gie *f*.

cos·mo·naut ['kɔzmənɔ:t] *s*. (Welt-) Raumfahrer *m*, Kosmo'naut *m*.

cos·mo·pol·i·tan [kɔzmə'pɔlitən] **I.** *adj.* ˌkosmopo'litisch; *weitS.* weltoffen; **II.** *s*. ˌKosmopo'lit *m*, Weltbürger(in); **cos·mo'pol·i·tan·ism** [-tənizəm] *s*. Weltbürgertum *n*; *weitS.* Weltoffenheit *f*.

cos·mos ['kɔzmɔs] *s*. **1.** 'Kosmos *m*: **a**) Weltall *n*, **b**) Weltordnung *f*; **2.** geordnetes Sy'stem; **3.** ⚘ Kosmos *m*, Schmuckkörbchen *n* (*Blume*).

Cos·sack ['kɔsæk] *s*. Ko'sak *m*.

cos·set ['kɔsit] *v/t.* verhätscheln: *to* ~ *up* aufpäppeln.

cost [kɔst] **I.** *s*. **1.** *stets sg.* Preis *m*, Kosten *pl.*, Aufwand *m*: ~ *of living* Lebenshaltungskosten; ~ *plus* Gestehungskosten plus Gewinnspanne; *at* ~ zum Selbstkostenpreis; **2.** Kosten *pl.*, Schaden *m*, Nachteil *m*: *at my* ~ auf m-e Kosten; *at a heavy* ~ unter schweren Opfern;

at the ~ *of his health* auf Kosten s-r Gesundheit; *to my* ~ zu m-m Schaden; *I know to my* ~ ich weiß aus eigener Erfahrung; *at all* ~*s*, *at any* ~ a) um jeden Preis, b) auf jeden Fall; 3. *mst sg.* (Un)Kosten *pl.*, Auslagen *pl.*, Spesen *pl.*: ~ *accounting* ✝ Kostenberechnung, Kalkulation; *to bear the* ~ die (Un)Kosten tragen; ~ *of construction* Baukosten; 4. *pl.* ⚖ (Gerichts-) **Kosten** *pl.*, **Gebühren** *pl.*: *to dismiss with* ~*s Klage etc.* kostenpflichtig abweisen; *to allow* ~*s* die Kosten bewilligen; **II.** *v/t.* **5.** ✝ kalkulieren, den Preis berechnen von; **III.** *v/i.* [*irr.*] **6.** *Preis* kosten: *what does it* ~? was kostet es?; *it* ~ *me one pound* es kostete mich ein Pfund; *it* ~ *him dearly fig.* es kam ihm teuer zu stehen; **7.** kosten, bringen um: *it* ~ *him his life* es kostete ihn das Leben; **8.** kosten, verursachen: *it* ~ *me a lot of trouble* es verursachte mir (*od.* kostete mich) große Mühe.

cos·tal ['kɔstl] *adj.* **1.** *anat.* Rippen..., zwischen den Rippen; **2.** ♀, *zo.* gerippt; **'cos·tate** [-teit] *adj.* ♀, *anat.* mit Rippen, gerippt.

'cost-cov·er·ing *adj.* ✝ kostendeckend.

cos·ter·mon·ger ['kɔstəmʌŋgə], *a. abbr.* **cos·ter** ['kɔstə] *s. Brit.* Straßenhändler(in) für Obst u. Gemüse, Höker(in).

cost·ing ['kɔstiŋ] *s.* ✝ *Brit.* Kostenberechnung *f*, Kalkulati'on *f*.

cos·tive ['kɔstiv] *adj.* ☐ **1.** ⚕ verstopft, hartleibig; **2.** *fig.* geizig; **'cos·tive·ness** [-nis] *s.* **1.** ⚕ Verstopfung *f*; **2.** *fig.* Geiz *m*.

cost·li·ness ['kɔstlinis] *s.* **1.** Kostspieligkeit *f*; **2.** Pracht *f*; **cost·ly** ['kɔstli] *adj.* **1.** kostspielig, teuer; **2.** kostbar, wertvoll; prächtig.

cost price *s.* ✝ **Selbstkostenpreis** *m*, **Gestehungskosten** *pl.*

cos·tume ['kɔstju:m] *s.* **1.** Ko'stüm *n*, Kleidung *f*, Tracht *f*: ~ *jewel(le)ry* Modeschmuck; **2.** ('Masken-, 'Bühnen)Koˌstüm *n*: ~ *piece* Theaterstück mit historischen Kostümen; **3.** Ko'stüm(kleid) *n* (*für Damen*);

cos·tum·er [kɔs'tju:mə], **cos·tum·i·er** [kɔs'tju:miə] *s.* **1.** Ko'stümverleiher(in); **2.** *thea.* Kostümi'er *m*, Gewandmeister *m*.

co·sy ['kouzi] **I.** *adj.* ☐ behaglich, gemütlich, traulich; **II.** *s.* → *tea-cosy*.

cot[1] [kɔt] *s.* **1.** *Brit.* Kinderbettchen *n*; **2.** Feldbett *n*; **3.** ⚓ Schwingbett *n*, Koje *f* (*im Schiffslazarett*).

cot[2] [kɔt] *s.* **1.** (Schaf- *etc.*)Stall *m*; **2.** Häus-chen *n*, Hütte *f*.

cot[3] [kɔt] *s. abbr. für cotangent.*

co·tan·gent ['kou'tændʒənt] *s.* ⩘ 'Kotangens *m*.

cote [kout] *s.* Stall *m*, Hütte *f*, Häus-chen *n* (*für Kleinvieh od. Vögel*).

co·te·rie ['koutəri] *s.* **Kote'rie** *f*, **exklu'siver** '**Zirkel, Klüngel** *m*, '**Clique** *f*.

co·ter·mi·nous [kou'tə:minəs] → *conterminous*.

co·thur·nus [kə'θə:nəs] *pl.* **-ni** [-nai] *s.* **1.** *antiq.* Ko'thurn *m*; **2.** erhabener *od.* tragischer Stil.

co-tid·al lines [kou'taidl] *s. pl.* ⚓ Isor'rhachien *pl.* (*Linien gleicher Flutzeiten*).

co·til·lion, co·til·lon [kə'tiljən] *s.* 'Kotillon *m* (*Tanz*).

co-trus·tee, *Am.* **co·trus·tee** ['kou-trʌs'ti:] *s.* Mittreuhänder *m*.

cot·tage ['kɔtidʒ] *s.* **1.** Bauernhaus *n*; **2.** kleines Wohnhaus; **3.** (kleines) Landhaus, Sommerhaus *n*; ~ **cheese** *s.* Hüttenkäse *m*; ~ **in·dus·try** *s.* Heimarbeit *f*; ~ **loaf** *s.* Weißbrot *n* (*kleiner runder Teil auf größerem*); ~ **pi·a·no** *s.* Pia'nino *n*; ~ **pud·ding** *s. ein* mit Soße über'gossener Kuchen.

cot·tag·er ['kɔtidʒə] *s.* **1.** Kleinbauer *m*, Häusler *m*; **2.** *Am.* Besitzer *m* e-s Landhauses.

cot·tar, cot·ter ['kɔtə] *Scot.* → *cottager 1.*

cot·ter ['kɔtə] *s.* ⊕ (Quer)Keil *m*, **Pflock** *m*, **Bolzen** *m*, **Splint** *m*.

cot·ti·er ['kɔtiə] *Ir.* → *cottager 1.*

cot·ton ['kɔtn] **I.** *s.* **1.** Baumwolle *f*: *absorbent* ~ Watte; **2.** Baumwollpflanze *f*; **3.** Baumwollstoff *m*; **4.** *pl.* a) Baumwollwaren *pl.*, b) Baumwollkleidung *f*; **5.** (Näh-, Stick-) Garn *n*; **II.** *adj.* **6.** baumwollen, Baumwoll...; **III.** *v/i.* **7.** F *a.* ~ *on to* sich mit *j-m* anfreunden, sich mit *et.* befreunden; **8.** F gut auskommen (*with* mit); ~ **belt** *s. Am.* Baumwollzone *f*; '~**-cake** *s.* Baumwollkuchen *m* (*Viehfutter*); '~**-gin** *s.* ⊕ Ent'körnungsmaˌschine *f* (*für Baumwolle*); '~**-grass** *s.* ♀ Wollgras *n*; '~**-lord** *s. Brit.* 'Baumwollmaˌgnat *m*; ~ **mill** *s.* 'Baumwollspinneˌrei *f*; '~**-plant** *s.* Baumwollstaude *f*; '~**-press** *s.* Baumwollballenpresse *f*; ~ **print** *s.* bedruckter Kat'tun; ~ **print·er** *s.* Kat'tundrucker *m*; '~**-seed** *s.* ♀ Baumwollsamen *m*: ~ *cake* → *cotton-cake*; ~ *oil* Baumwollsamenöl; '~**-spin·ner** *s.* **1.** ('Baumwoll)Spinneˌreiarˌbeiter(in); **2.** ('Baumwoll)Spinneˌreibesitzer *m*; '~**-tail** *s. zo.* amer. 'Waldkaˌninchen *n*; ~ **waste** *s.* **1.** Baumwollabfall *m*; **2.** ⊕ Putzwolle *f*; '~**-wood** *s.* ♀ *e-e* amer. Pappel; ~ **wool** *s.* **1.** *Brit.* Watte *f*; **2.** *Am.* Rohbaumwolle *f*.

cot·ton·y ['kɔtni] *adj.* **1.** baumwollartig; **2.** flaumig, weich.

cot·y·le·don [kɔti'li:dən] *s.* ♀ **1.** Keimblatt *n*; **2.** ♀ Nabelkraut *n*.

couch[1] [kautʃ] **I.** *s.* **1.** Couch *f*, 'Liegeˌsofa *n*, Chaise'longue *f*, Ruhebett *n*; **2.** Bett *n*; Lager *n* (*a. hunt.*), Lagerstätte *f*; **3.** ⊕ Lage *f*, Schicht *f*, erster Anstrich; **II.** *v/t.* **4.** *Gedanken etc.* in Worte fassen *od.* kleiden, ausdrücken; **5.** *Lanze* einlegen; **6.** ⚕ *Star* stechen; **7.** *to be* ~*ed* liegen; **III.** *v/i.* **8.** liegen, lagern (*Tier*); **9.** (sich) kauern; lauern; sprungbereit sein (*Tier*).

couch[2] [kautʃ] → *couch-grass*.

couch·ant ['kautʃənt] *adj. her.* mit erhobenem Kopf liegend.

'couch-grass *s.* ♀ Quecke *f*.

Cou·é·ism ['ku:eiizəm] *s.* ⚕, *psych.* Coué'ismus *m*.

cou·gar ['ku:gə] *s. zo.* 'Kuguar *m*, 'Puma *m*.

cough [kɔf] **I.** *s.* **1.** Husten *m*: *to give a* ~ (einmal) husten; *churchyard* ~ F ,Kirchhofsjodler' (*schlimmer Husten*); **II.** *v/i.* **2.** husten; **III.** *v/t.* **3.** ~ *out* aushusten; **4.** ~ *up sl.* her'ausrücken mit (*Wahrheit, Geld*); '~**-drop**, '~**-loz·enge** *s.* 'Hustenbonˌbon *m*, *n*.

could [kud] *pret. von can*[1].

cou·loir ['ku:lwɑ:] (*Fr.*) *s.* **1.** Bergschlucht *f*; **2.** ⊕ 'Baggermaˌschine *f*.

cou·lomb ['ku:lɔm] *s.* ⚡ Cou'lomb *n*, Am'pere-Seˌkunde *f*.

coul·ter ['koultə] *s.* ⚒ Kolter *n*, Pflugmesser *n*.

coun·cil ['kaunsl] *s.* **1.** Ratsversammlung *f*, beratende Versammlung, Rat *m*, Beratung *f*: *to be in* ~ zu Rate sitzen; *to meet in* ~ e-e (Rats)Sitzung abhalten; *family* ~ Familienrat; *Queen in* ♀ *Brit.* Königin und Kronrat; ~ *of war* Kriegsrat (*a. fig.*); **2.** Rat *m* (*Körperschaft*); *engS.* Gemeinderat *m*: *municipal* ~ Stadtrat (*Behörde*); ~ *school* Gemeindeschule; **3.** Kirchenrat *m*, Syn'ode *f*, Kon'zil *n*; **4.** Vorstand *m*, Komi'tee *n*; '~**-cham·ber** *s.* Ratszimmer *n*; ~ **es·tate** *s. Brit.* städtische Siedlung; '~**-house** *s. Brit.* stadteigenes Wohnhaus (*mit geringer Miete*).

coun·ci(l)·lor ['kaunsilə] *s.* Ratsmitglied *n*, -herr *m*, Stadtrat *m*, -rätin *f*.

coun·sel ['kaunsəl] **I.** *s.* **1.** Rat (-schlag) *m*: ~ *of perfection* allzu guter Rat; **2.** Beratung *f*, Über'legung *f*: *to take (od. hold)* ~ *with* a) sich beraten mit, b) sich Rat holen bei; *to take* ~ *together* zs. überlegen; **3.** Plan *m*, Absicht *f*; Meinung *f*, Ansicht *f*: *divided* ~*s* geteilte Meinungen; *to keep one's (own)* ~ s-e Absicht für sich behalten; **4.** ⚖ (*ohne Artikel*) Rechtsbeistand *m*, Anwalt *m*: ~ *for the defence* Verteidiger; ~ *for the prosecution* Anklagevertreter, Staatsanwalt; **5.** ⚖ *coll.* Anwälte *pl.*; **II.** *v/t.* **6.** *j-m* raten *od.* e-n Rat geben; **7.** zu *et.* raten: *to* ~ *delay* Aufschub empfehlen; '**coun·se(l)·lor** [-slə] *s.* **1.** Ratgeber *m*; **2.** *Am. u. Ir.* ⚖ Rechtsbeistand *m*, Anwalt *m*.

count[1] [kaunt] **I.** *s.* **1.** Zählen *n*, Zählung *f*, (Be)Rechnung *f*: *to keep* ~ *of s.th.* et. genau zählen (können); *to lose* ~ a) die Übersicht verlieren, b) sich verzählen; *by my* ~ nach m-r Schätzung; *to take the* ~ *Boxen*: ausgezählt werden; **2.** (End-) Zahl *f*, Anzahl *f*, Ergebnis *n*; **3.** Berücksichtigung *f*: *to take (no)* ~ *of* (nicht) zählen *od.* (nicht) berücksichtigen (*acc.*); **4.** ⚖ (An-) Klagepunkt *m*; **II.** *v/t.* **5.** (ab-, auf-) zählen, (be)rechnen: *to* ~ *one's money* sein Geld zählen; *to* ~ *the cost* a) die Kosten berechnen, b) *fig.* die Folgen bedenken; **6.** (mit)zählen, einschließen, berücksichtigen: *I* ~ *him among my friends* ich zähle ihn zu m-n Freunden; ~*ing those present* die Anwesenden eingeschlossen; *not* ~*ing* abgesehen von; **7.** erachten, schätzen, halten für: *to* ~ *o.s. lucky* sich glücklich schätzen; *to* ~ *for (od. as) lost* als verloren ansehen; *to* ~ *s.th. of no importance* et. für unwichtig halten; **III.** *v/i.* **8.** zählen, rechnen: *he ~s among my friends* er zählt zu m-n Freunden; *~ing from today* von heute an (gerechnet); *I ~ on you* ich rechne (*od.* verlasse mich) auf dich; **9.** mitzählen, gelten, von Wert sein: *to ~ for nothing* nichts wert sein, nicht von Belang sein; *every little ~s* auf jede Kleinigkeit kommt es an; *he simply doesn't ~* er zählt überhaupt nicht;

Zssgn mit adv.:

count| in *v/t.* mitzählen, einschließen: *~ me in!* ich bin mit von der Partie!; **~ out** *v/t.* **1.** auszählen (*a. Boxen*): *you can count me out* **a)** rechne nicht auf mich, **b)** F ohne mich!; **2.** als unwichtig ansehen; **3.** *parl. Brit.* wegen Beschlußunfähigkeit vertagen; **~ o·ver** *v/t.* nachzählen; **~ up** *v/t.* zs.-zählen, 'durchrechnen.

count[2] [kaunt] *s.* (nichtbrit.) Graf *m*; → *palatine*[1] *1.*

count·down ['kauntdaun] *s.* Countdown *m, n,* Startzählung *f.*

coun·te·nance ['kauntinəns] **I.** *s.* **1.** Gesichtsausdruck *m*, Miene *f*: *his ~ fell* er machte ein langes Gesicht; *to change one's ~* s-n Gesichtsausdruck ändern, die Farbe wechseln; **2.** Fassung *f*, Haltung *f*, Gemütsruhe *f*: *to keep one's ~* die Fassung bewahren; *to put s.o. out of ~* j-n aus der Fassung bringen; **3.** Ermunterung *f*, Unter'stützung *f*: *to give (od. lend) ~ to j-n* ermutigen, *j-n od. et.* unterstützen, *et.* bekräftigen, Glaubwürdigkeit verleihen (*dat.*); *to keep s.o. in ~* j-n ermuntern, j-n unterstützen; **II.** *v/t.* **4.** *j-n* ermuntern, (unter)'stützen; **5.** *et.* dulden, billigen.

coun·ter[1] ['kauntə] *s.* **1.** Ladentisch *m*, Theke *f*: *to nail to the ~ eine Lüge etc.* festnageln; *under the ~ fig.* unter dem Ladentisch, im Schleichhandel; **2.** Schalter *m*, Zahltisch *m* (*Bank etc.*); **3.** Spielmarke *f*, Zahlpfennig *m*; **4.** Zählperle *f*, -kugel *f* (*Kinder-Rechenmaschine*); **5.** ⊕ Zähler *m.*

coun·ter[2] ['kauntə] **I.** *adv.* **1.** entgegengesetzt; entgegen, zu'wider: *to run (od. go) ~ to* zuwiderlaufen (*dat.*); *~ to all rules* entgegen allen *od.* wider alle Regeln; **II.** *adj.* **2.** Gegen..., entgegengesetzt; → *counter-*; **III.** *s.* **3.** Abwehr *f*; *Boxen*: Gegen-, 'Konterschlag *m*; *fenc.* Pa'rade *f*; *Eislauf*: Gegenwende *f*; **4.** *zo.* Brustgrube *f* (*Pferd*); **IV.** *v/t. u. v/i.* **5.** entgegenwirken, entgegnen; wider'sprechen, zu'widerhandeln (*dat.*); **6.** *Boxen u. fig.*: kontern.

counter- [kauntə] *in Zssgn* Gegen..., gegen..., entgegen...

coun·ter'act [-tə'ræ-] *v/t.* **1.** entgegenwirken (*dat.*); bekämpfen, vereiteln; **2.** kompensieren, neutralisieren; **coun·ter'ac·tion** [-tə'ræ-] *s.* **1.** Gegenwirkung *f*, -maßnahme *f*; **2.** 'Widerstand *m*, Oppositi'on *f*; **coun·ter'ac·tive** [-tə'ræ-] *adj.* □ entgegenwirkend; **coun·ter-'a·gent** [-tə'rei-] *s.* Gegenmittel *n.*

'coun·ter-ap·proach [-tərə-] *s.* ⚔ Gegenlaufgraben *m.*

'coun·ter-at·tack [-tərə] **I.** *s.* Gegenangriff *m* (*a. fig.*); **II.** *v/i. u. v/t.* e-n Gegenangriff machen (gegen).

'coun·ter-at·trac·tion [-tərə-] *s.* **1.** *phys.* entgegengesetzte Anziehungskraft; **2.** *fig.* 'Gegenattrakti͵on *f.*

'coun·ter·bal·ance **I.** *s.* Gegengewicht *n* (*a. fig.*); **II.** *v/t.* [kauntə'bæləns] ein Gegengewicht bilden zu, ausgleichen, aufwiegen; die Waage halten (*dat.*).

'coun·ter·blast *s.* Gegenstoß *m*; *fig.* kräftige Entgegnung.

'coun·ter·blow *s.* Gegenstoß *m.*

'coun·ter·charge **I.** *s.* **1.** ⚖ Gegenklage *f*; **2.** ⚔ Gegenangriff *m*; **II.** *v/t.* **3.** ⚖ e-e Gegenklage erheben gegen; **4.** ⚔ e-n Gegenangriff richten gegen.

'coun·ter·check *s.* **1.** Gegenwirkung *f*; Hindernis *n*; **2.** Gegen-, Nachprüfung *f.*

'coun·ter-claim ✝, ⚖ **I.** *s.* Gegenforderung *f*; **II.** *v/t.* als Gegenforderung verlangen.

'coun·ter-'clock·wise → *anti-clockwise.*

'coun·ter·cy·cli·cal *adj.* □ ✝ konjunk'turdämpfend.

'coun·ter-es·pi·o'nage [-tərə-] *s.* Spio'nageabwehr *f*, Abwehr(dienst *m*) *f.*

'coun·ter·feit [-fit] **I.** *adj.* **1.** nachgemacht, gefälscht, unecht, falsch: *~ coin* Falschgeld; **2.** geheuchelt, verstellt; **II.** *s.* **3.** Fälschung *f*; **4.** Falschgeld *n*; **III.** *v/t.* **5.** nachahmen; **6.** nachmachen, fälschen; **7.** heucheln, vorgeben: *to ~ death* sich totstellen; **'coun·ter·feit·er** [-tə] *s.* **1.** Fälscher *m*, Falschmünzer *m*; **2.** Heuchler(in), Betrüger(in).

'coun·ter·foil *s.* (Kon'troll)Abschnitt *m* (*Scheckbuch etc.*).

'coun·ter·fort *s.* △ Strebepfeiler *m.*

'coun·ter-in·tel·li·gence [-tərin-] → *counter-espionage.*

coun·ter-'ir·ri·tant [-tə'ri-] *s.* ⚕ Gegen(reiz)mittel *n.*

'coun·ter-jump·er *s.* F Ladenschwengel *m* (*Verkäufer*).

'coun·ter·man [-mən] *s.* [*irr.*] Verkäufer *m.*

coun·ter·mand [kauntə'mɑːnd] **I.** *v/t.* **1.** wider'rufen, rückgängig machen: *until ~ed* bis auf Widerruf; **2.** absagen, abbestellen; **II.** *s.* **3.** Gegenbefehl *m*; **4.** Wider'rufung *f*, Annullierung *f.*

'coun·ter·march *s.* **1.** ⚔ Rückmarsch *m*; **2.** *fig.* völlige 'Umkehr.

'coun·ter·mark *s.* Gegen-, Kon'trollzeichen *n* (*bsd. für die Echtheit*).

'coun·ter·meas·ure *s.* Gegenmaßnahme *f.*

'coun·ter·mine **I.** *s.* **1.** ⚔ Gegenmine *f*; **2.** *fig.* Gegenanschlag *m*; **II.** *v/t.* **3.** ⚔ konterminieren; **4.** *fig.* unter'graben.

'coun·ter-mo·tion *s.* **1.** Gegenbewegung *f*; **2.** *pol.* Gegenantrag *m.*

'coun·ter-move *s.* Gegenzug *m.*

'coun·ter-of·fer [-tərɔ-] *s.* ✝ Gegenangebot *n.*

'coun·ter-or·der [-tərɔː-] **1.** ✝ Abbestellung *f*; **2.** ⚔ Gegenbefehl *m.*

'coun·ter·pane *s.* Tagesdecke *f.*

'coun·ter·part *s.* **1.** Gegen-, Seitenstück *n*; **2.** genaue Ergänzung; **3.** Ebenbild *n*; **4.** Dupli'kat *n.*

'coun·ter·plot *s.* Gegenanschlag *m.*

'coun·ter·point *s.* ♪ 'Kontrapunkt *m.*

'coun·ter·poise **I.** *s.* **1.** Gegengewicht *n* (*a. fig.*); Gleichgewicht *n*; **II.** *v/t.* **2.** als Gegengewicht wirken zu, ausgleichen; **3.** *fig.* im Gleichgewicht halten, ausgleichen, aufwiegen.

'coun·ter-ref·or'ma·tion *s.* 'Gegenreformati͵on *f.*

'coun·ter-rev·o'lu·tion *s.* 'Gegenrevoluti͵on *f.*

'coun·ter·scarp *s.* ⚔ äußere Grabenböschung.

'coun·ter·sign **I.** *s.* **1.** ⚔ Losungswort *n*; **2.** Gegenzeichen *n*; **II.** *v/t.* **3.** gegenzeichnen; **4.** *fig.* bestätigen; **'coun·ter-'sig·na·ture** *s.* Gegenzeichnung *f.*

'coun·ter·sink **I.** *s.* **1.** Versenkbohrer *m*; **2.** Senkschraube *f*; **II.** *v/t.* [*irr.* → *sink*] ⊕ **3.** *Loch* ausfräsen; **4.** *Schraubenkopf* versenken.

'coun·ter·stroke *s.* Gegenschlag *m*, -hieb *m*, -stoß *m.*

'coun·ter-'ten·or *s.* ♪ hoher Te'nor (*Stimme u. Sänger*).

coun·ter·vail ['kauntəveil] **I.** *v/t.* aufwiegen, ausgleichen; **II.** *v/i.* stark genug sein, ausreichen (*against* gegen): *~ing duty* Ausgleichszoll.

'coun·ter·weight *s.* Gegengewicht *n* (*a. fig.*).

count·ess ['kauntis] *s.* **1.** Gräfin *f*; **2.** Kom'tesse *f.*

count·ing| glass ['kautiŋ] *s.* ⊕ Zählglas *n*, -lupe *f*; **'~-house** *s. bsd. Brit.* ✝ Bü'ro *n*; *engS.* Buchhaltung *f.*

count·less ['kauntlis] *adj.* zahllos, unzählig.

'count|-out *s. parl. Brit.* Vertagung *f* wegen Beschlußunfähigkeit; **~ out** *s. Boxen*: Auszählen *n.*

coun·tri·fied ['kʌntrifaid] *adj.* **1.** ländlich, bäuerlich; **2.** bäurisch, verbauert.

coun·try ['kʌntri] **I.** *s.* **1.** Land *n*, Staat *m*: *in this ~* hierzulande; *~ of destination* Bestimmungsland; *~ of origin* Ursprungsland; **2.** Nati'on *f*, Volk *n*: *to appeal (od. go) to the ~ pol.* an das Volk appellieren, Neuwahlen ausschreiben; **3.** Vaterland *n*, Heimat(land *n*) *f*: *the old ~* die alte Heimat; *to fight for one's ~* für sein Vaterland kämpfen; **4.** Gelände *n*, Landschaft *f*; Gebiet *n* (*a. fig.*): *flat ~* Flachland; *wooded ~* waldige Gegend; *unknown ~* unbekanntes Gebiet (*a. fig.*); *to go up ~* ins Innere reisen; **5.** Land *n* (*Ggs. Stadt*): *in the ~* auf dem Lande; **6.** Pro'vinz *f* (*Ggs. Stadt*): *to go (down) into the ~* in die Provinz *od.* aufs Land gehen; **II.** *adj.* **7.** Land...; Provinz...; ländlich: *~ bank* Provinzbank; *~ life* Landleben; *~ manners* ländliche *od.* bäurische Sitten; *~ policeman* Gendarm, Landjäger; **'~-bred** *adj.* auf dem Lande (aufgewachsen u.) erzogen; **~ bump·kin** *s.* Bauerntölpel *m*; **~ club** *s. Am.* Klub *m* auf dem Land (*für Städter*); ~ **cous·in** *s.* **1.** Vetter *m od.* Base *f* vom Lande; **2.** ‚Unschuld *f* vom Lande'; ~ **dance** *s.* englischer Volkstanz *m*; '~·**folk** *s.* Bauern *pl.*, Landbevölkerung *f*; ~ **gen·tle·man** *s.* **1.** Landedelmann *m*; **2.** Gutsbesitzer *m*; '~-'**house** *s.* Landhaus *n*, Landsitz *m*; '~·**man** [-mən] *s.* [*irr.*] **1.** Landsmann *m*; **2.** Landmann *m*, Bauer *m*; ~ **par·ty** *s. pol.* A'grarierpar,tei *f*, Landbund *m*; '~-'**seat** → *country-house*; '~'**side** *s.* **1.** ländliche Gegend; Land(schaft *f*) *n*; **2.** (Land-)Bevölkerung *f*; '~-'**wide** *adj.* im ganzen Land (verbreitet); '~·**wom·an** *s.* [*irr.*] **1.** Landsmännin *f*; **2.** Bauersfrau *f*.

coun·ty ['kaunti] *s.* **1.** *Brit.* **a)** Grafschaft *f*; → *palatine*[1] *1*, **b)** Bewohner *pl.* e-r Grafschaft; **2.** *the* ~ *Brit.* die Aristokra'tie e-r Grafschaft; **3.** *Am.* **a)** Kreis *m*, (Verwaltungs-)Bezirk *m*, **b)** Bewohner *pl.* e-s Kreises; ~ **bor·ough**, ~ **cor·po·rate** *s. Brit.* Stadt *f* mit den Rechten e-r Grafschaft; ~ **coun·cil** *s. Brit.* Grafschaftsrat *m* (*Behörde*); ~ **court** *s.* ⚖ **1.** *Brit.* Grafschaftsgericht *n* (*nur für Zivilsachen*); **2.** *Am.* Kreisgericht *n*; ~ **fam·i·ly** *s. Brit.* vornehme Fa'milie mit Ahnensitz in e-r Grafschaft; ~ **hall** *s. Brit.* Rathaus *n* e-r Grafschaft; ~ **seat** *s. Am.* Kreishauptstadt *f*; ~ **town** *s. Brit.* Grafschaftshauptstadt *f*.

coup [ku:] *s.* **1.** Coup *m*, gelungener Streich; **2.** Gewalt-, Staatsstreich *m*, Putsch *m*; ~ **de grâce** ['ku:də'grɑ:s] (*Fr.*) *s.* Gnadenstoß *m* (*a. fig.*); ~ **de main** ['ku:də'mɛ̃] (*Fr.*) *s. bsd.* ⚔ Handstreich *m*; ~ **d'é·tat** ['ku:dei'tɑ:] (*Fr.*) *s.* Staatsstreich *m*.

cou·pé ['ku:pei] *s.* Cou'pé *n*: **a)** *geschlossenes, zweisitziges Auto*, **b)** *geschlossene Kutsche für zwei Personen*, **c)** 🚂 *Brit.* Halbabteil *n*.

cou·ple ['kʌpl] **I.** *s.* **1.** Paar *n*: *in* ~*s* paarweise; *a* ~ *of* zwei oder drei *od.* ein paar *Tage etc.*; **2.** Ehepaar *n*; Brautpaar *n*: *engaged* ~ Brautpaar; *loving* ~ Liebespaar; **3.** Koppel *f* (*Jagdhunde*): *to go* (*od. hunt*) *in* ~*s fig.* et. gemeinsam tun, gemeinsam handeln; **II.** *v/t.* **4.** (zs.-, ver)koppeln, verbinden; **5.** ehelich verbinden; paaren; **6.** *in Gedanken* verbinden, zs.-bringen; **7.** ⊕ (an-, ein-, ver)kuppeln; **8.** ⚡, ♪ koppeln; **III.** *v/i.* **9.** heiraten; sich paaren.

cou·pled| col·umn ['kʌpld] *s.* △ gekoppelte Säule; ~ **en·gine** *s.* ⊕ 'Zwillingsma,schine *f*.

cou·pler ['kʌplə] *s.* **1.** ♪ Kopplung *f* (*Orgel*); **2.** *Radio*: Koppler *m*; **3.** ⊕ Kupplung *f*; ~ **plug** *s.* ⚡ Gerätestecker *m*.

cou·plet ['kʌplit] *s.* Reimpaar *n*.

cou·pling ['kʌpliŋ] *s.* **1.** Verbindung *f*; **2.** Paarung *f*; **3.** ⊕ (*feste*) Kupplung; **4.** ⚡, *Radio*: Kopplung *f*; ~ **box** *s.* ⊕ Kupplungsmuffe *f*; ~ **chain** *s.* ⊕ Kupplungskette *f*; *pl.* 🚂 Kettenkupplung *f*; ~ **coil** *s.* ⚡, *Radio*: Kopplungsspule *f*.

cou·pon ['ku:pɔn] *s.* **1.** † Ku'pon *m*, Zinsschein *m*: *dividend* ~ Dividendenschein; **2.** (Gut)Schein *m*; Ra'battmarke *f*; **3.** Berechtigungs-, Bezugsschein *m*; **4.** Abschnitt *m der Lebensmittelkarte etc.*, Marke *f*.

cour·age ['kʌridʒ] *s.* Mut *m*, Tapferkeit *f*: *to have the* ~ *of one's convictions* Zivilcourage haben; *to pluck up* (*od. take*) ~ Mut fassen; *to screw up* (*od. summon up*) *one's* ~, *to take one's* ~ *in both hands* s-n ganzen Mut zs.-nehmen; → *Dutch courage*; **cou·ra·geous** [kə'reidʒəs] *adj.* □ mutig, beherzt, tapfer.

cour·i·er ['kuriə] *s.* **1.** Eilbote *m*, Ku'rier *m*; **2.** Reiseleiter(in).

course [kɔ:s] **I.** *s.* **1.** Lauf *m*, Bahn *f*, Weg *m*, Gang *m*; Ab-, Verlauf *m*, Fortgang *m*: *the* ~ *of life* der Lauf des Lebens; ~ *of events* Gang der Ereignisse, Lauf der Dinge; *the stars in their* ~*s* die Sterne in ihrer Bahn; *the* ~ *of a disease* der Verlauf e-r Krankheit; *the* ~ *of nature* der natürliche (Ver)Lauf; *a matter of* ~ e-e Selbstverständlichkeit; *of* ~ natürlich, gewiß, bekanntlich; *in the* ~ *of* im (Ver)Lauf (*gen.*), während (*gen.*); *in* ~ *of construction* im Bau (befindlich); *in* ~ *of time* im Laufe der Zeit; *in due* ~ zur gegebenen *od.* rechten Zeit; *in the ordinary* ~ *of things* normalerweise; *to let things take* (*od. run*) *their* ~ den Dingen ihren Lauf lassen; *the disease took its* ~ die Krankheit nahm ihren (natürlichen) Verlauf; **2.** feste Bahn, Strecke *f*: *golf* ~ Golfplatz; *race*~ Rennbahn; *to clear the* ~ die Bahn freimachen; **3.** Fahrt *f*, Weg *m*; Richtung *f*; ⚓ Kurs *m* (*a. fig.*): *to steer a* ~ e-n Kurs steuern (*a. fig.*); *to change one's* ~ s-n Kurs ändern (*a. fig.*); *to keep to one's* ~ beharrlich s-n Weg verfolgen; *to take a new* ~ e-n neuen Weg einschlagen; **4.** Lebensbahn *f*, -weise *f*: *evil* ~*s* üble Gewohnheiten; **5.** Handlungsweise *f*, Verfahren *n*: *a dangerous* ~ ein gefährlicher Weg; → *action 1*; **6.** Gang *m*, Gericht *n* (*Speisen*); **7.** Reihe *f*, (Reihen)Folge *f*; 'Zyklus *m*: ~ *of lectures* Vortragsreihe; ~ *of treatment* ⚕ längere Behandlung, Kur; **8.** *a.* ~ *of instruction* Kurs(us) *m*, Lehrgang *m*: *a German* ~ ein Deutschkursus, ein deutsches Lehrbuch; **9.** △ Schicht *f*, Lage *f* (*Mauerstein etc.*); **10.** ⚓ *ein* Segel *n*: *main-*~ Großsegel; **11.** (*monthly*) ~*s* ⚕ Regel, Periode; **II.** *v/t.* **12.** *bsd. Hasen* mit Hunden hetzen *od.* jagen; **III.** *v/i.* **13.** rennen, eilen, jagen; **14.** an e-r Hetzjagd teilnehmen.

cours·er ['kɔ:sə] *s. poet.* Renner *m*, schnelles Pferd; '**cours·ing** [-siŋ] *s.* Hetzjagd *f* (*bsd. Hasen*) mit Hunden.

court [kɔ:t] **I.** *s.* **1.** (Vor-, 'Hinter-, Innen)Hof *m*; **2.** 'Hintergäßchen *n*; **3.** *bsd. Brit.* stattliches Wohngebäude; **4.** (abgesteckter) Spielplatz: *tennis-*~ Tennisplatz; *grass* ~ Rasentennisplatz; **5.** Hof *m*, Resi'denz *f* (*Fürst etc.*): *to be presented at* ~ bei Hofe vorgestellt werden; **6. a)** fürstlicher Hof *od.* Haushalt, **b)** fürstliche Fa'milie, **c)** Hofstaat *m*; **7.** (Empfang *m* bei) Hof *m*: *to hold a* ~ e-e Cour abhalten; **8.** fürstliche Regierung; **9.** ⚖ **a)** Gericht *n*, Gerichtshof *m*, -saal *m*, **b)** Gerichtshof *m*, *der od. die* Richter, **c)** Gerichtssitzung *f*: *in* ~ vor Gericht; *out of* ~ **a)** außergerichtlich, **b)** nicht zur Sache gehörig, **c)** indiskutabel; ~ *of justice* Gerichtshof; *to bring into* ~, *to take to* ~ vor Gericht bringen; *to go to* ~ klagen; **10.** *fig.* Hof *m*, Cour *f*, Aufwartung *f*: *to pay* (*one's*) ~ *to* **a)** *e-r Dame* den Hof machen, **b)** *j-m* s-e Aufwartung machen; **11.** Rat *m*, Versammlung *f*: ~ *of directors* Direktion, Vorstand; **II.** *v/t.* **12.** den Hof machen, huldigen (*dat.*); **13.** um'werben (*a. fig.*), werben *od.* freien um; ‚poussieren' mit: ~*ing couple* Liebespaar; **14.** *fig.* werben *od.* buhlen *od.* sich bemühen um *et.*; suchen; **15.** *Schicksal* her'ausfordern; *Unheil* her'aufbeschwören.

'**court|-card** *s.* Bildkarte *f* (*beim Kartenspiel*); ~ **cir·cu·lar** *s.* Hofnachrichten *pl.*; '~-'**dress** *s.* Hoftracht *f*.

cour·te·ous ['kɔ:tjəs] *adj.* □ höflich, liebenswürdig; '**cour·te·ous·ness** [-nis] *s.* Höflichkeit *f*, **Artigkeit** *f*.

cour·te·san [kɔ:ti'zæn] *s.* Kurti'sane *f*.

cour·te·sy ['kɔ:tisi] *s.* **1.** Höflichkeit *f*, Verbindlichkeit *f*, Artigkeit *f*; **2.** Gefälligkeit *f*: *by* ~ *of* mit freundlicher Genehmigung von (*od. gen.*); ~ **ti·tle** *s.* Höflichkeits- *od.* Ehrentitel *m*.

cour·te·zan → *courtesan*.

court| guide *s.* 'Hof-, 'Adelska,lender *m* (*Verzeichnis der hoffähigen Personen*); ~ **hand** *s.* gotische Kanz'leischrift; '~-'**house** *s.* Gerichtsgebäude *n*.

cour·ti·er ['kɔ:tjə] *s.* Höfling *m*, Hofmann *m*.

court·ly ['kɔ:tli] *adj.* **1.** vornehm, gepflegt, höflich; **2.** höfisch.

court| mar·tial *pl.* **courts mar·tial** *s.* Kriegsgericht *n*; '~-'**mar·tial** *v/t.* vor ein Kriegsgericht stellen; ~ **mourn·ing** *s.* Hoftrauer *f*; ♀ **of Ap·peal** *s.* Berufungsgericht *n*; ~ **of ar·bi·tra·tion** *s.* Schiedsgericht *n*, Schlichtungskammer *f*; ♀ **of Chan·cer·y** *s.* Kanz'leigericht *n*; ♀ **of Eq·ui·ty** *s.* Billigkeitsgericht *n*; ~ **of in·quir·y** *s.* Unter'suchungsgericht *n*; ♀ **of Pro·bate** *s.* Nachlaßgericht *n*; ♀ **of St. James's** *s.* Hof *m* von St. James (*der brit. Königshof*); ~ **plas·ter** *s.* Heftpflaster *n*; ~ **room** *s.* Gerichtssaal *m*.

court·ship ['kɔ:tʃip] *s.* **1.** Hofmachen *n*; **2.** Werbung *f*, Freien *n*.

court| shoes *s. pl.* Pumps *pl.*; '~'**yard** *s.* Hof(raum) *m*.

cous·in ['kʌzn] *s.* **a)** Vetter *m*, Cou'sin *m*, **b)** Base *f*, Ku'sine *f*: *first* ~, ~ *german* leiblicher Vetter *od.* leibliche Base; *second* ~ Vetter *od.* Base zweiten Grades; '**cous·in·ly** [-li] *adj.* vetterlich; '**cous·in·ship** [-ʃip] *s.* Vetter(n)schaft *f*.

cou·tu·rier [kuty'rje] (*Fr.*) *s.* (Damen)Schneider *m*; **cou·tu'rière** [-jɛ:r] (*Fr.*) *s.* Schneiderin *f*.

cove[1] [kouv] **I.** *s.* **1.** kleine Bucht; **2.** *fig.* Schlupfwinkel *m*; **3.** △ Wölbung *f*; **II.** *v/t.* **4.** △ (über)'wölben.

cove[2] [kouv] *s. sl.* Bursche *m*, Kerl *m*.

cov·en ['kʌvn] *s.* Hexensabbat *m*.

cov·e·nant ['kʌvinənt] **I.** *s.* **1.** Vertrag *m*; feierliches Abkommen; **2.**

Ver'trags,klausel *f*; **3.** *bibl.* **a)** Bund *m*; → *ark* 2, **b)** Verheißung *f*: *the land of the* ~ das Gelobte Land; **II.** *v/i.* **4.** e-n Vertrag schließen, über'einkommen (*with* mit, *for* über *acc.*); **5.** sich feierlich verpflichten, geloben; **III.** *v/t.* **6.** vertraglich zusichern; **'cov·e·nant·ed** [-tid] *adj.* vertragsmäßig; vertraglich gebunden; **'Cov·e·nant·er** [-tə] *s. Scot. hist.* Covenanter *m* (*Anhänger des National Covenant*).

Cov·en·try ['kɔvəntri] *npr. englische Stadt*: *to send s.o. to* ~ *fig.* j-n gesellschaftlich kaltstellen, den Verkehr mit j-m abbrechen.

cov·er ['kʌvə] **I.** *s.* **1.** Decke *f*; Dekkel *m*; **2.** (Buch)Decke *f*, Einband *m*: *from* ~ *to* ~ von Anfang bis Ende; **3.** 'Brief,umschlag *m*: *under (the) same* ~ **beiliegend**; *under separate* ~ **mit getrennter Post**; *under* ~ *of* **unter der (Deck)Adresse von**; **4.** **'Schutz,umschlag** *m*, **Hülle** *f*, **Futte'ral** *n*; **'Über-, Bezug** *m*: *loose* ~ **loser Bezug** (*Stuhl etc.*); **5. Gedeck** *n* (*bei Tisch*): ~ *charge* **Kosten für das Gedeck** (*ohne Essen*); **6.** ⚔ **Deckung** *f*: *to take* ~ **Deckung nehmen**; *air* ~ **Luftsicherung**; **7.** *hunt.* **Dickicht** *n*, Lager *n*: *to break* ~ ins Freie treten; **8.** Ob-, Schutzdach *n*: *to get under* ~ sich unterstellen; **9.** *fig.* Schutz *m*: *under* ~ *of night* im Schutz der Nacht; **10.** *fig.* Deckmantel *m*, Vorwand *m*: *under* ~ *of friendship*; ~ *name* Deckname; **11.** ✝ Deckung *f*, Sicherheit *f*; **12.** ⊕ Decke *f*, Mantel *m* (*Bereifung*); **13.** Einbeziehung *f*, Einschließung *f*; **II.** *v/t.* **14.** be-, zudecken: *to remain* ~*ed* den Hut aufbehalten; **15.** *mst pass.* ~*ed with* voll von; **16.** einhüllen, -wickeln (*with* in *acc.*); **17.** be-, über'ziehen: ~*ed button* bezogener Knopf; ~*ed wire* umsponnener Draht; **18.** ⚔, *a. sport* decken; **19.** *fig.* decken, **schützen, sichern** (*from* vor *dat.*, **gegen**): *to* ~ *o.s.* **sich absichern** (*against* **gegen**); **20. be-, verdecken, verhüllen, verbergen**; **21.** ✝ **decken**: *to* ~ *the cost*; **22.** ✝ **decken, (ver-) sichern**; **23. decken, genügen für**; **24. enthalten, einschließen, um'fassen; erfassen**; **25.** *Gebiet* **bearbeiten, bereisen**; **26. sich erstrecken über** (*acc.*); *Strecke* **zu'rücklegen**; **27.** *mit e-r Waffe* zielen auf (*acc.*), *j-n* in Schach halten; ⚔ beherrschen; **28.** ⚔ *mit Feuer* belegen, bestreichen; **29.** *Stute* beschälen; *Hündin etc.* decken; **30.** *Zeitung etc.*: berichten über (*acc.*); ~ **in** *v/t.* **1.** decken, bedachen; **2.** füllen; ~ **o·ver** *v/t.* **1.** über'decken; **2.** ✝ *Emission* über'zeichnen; ~ **up** *v/t.* **1.** zu-, verdecken; **2.** *fig.* bemänteln, vertuschen.

cov·er ad·dress *s.* 'Decka,dresse *f*.

cov·er·age ['kʌvəridʒ] *s.* **1.** Erfassung *f*, Einschluß *m*; erfaßtes Gebiet, erfaßte Menge; *Werbung*: erfaßter Per'sonenkreis; **2.** 'Umfang *m*; Reichweite *f*; Geltungsbereich *m*; **3.** ✝ Deckung *f*; **4.** *Zeitung etc.*: Berichterstattung *f* (*of* über *acc.*).

cov·er de·sign *s.* Titelbild *n*.

cov·ered ['kʌvəd] *adj.* be-, gedeckt: ~ *court Tennis*: Hallenspielplatz; ~ *wag(g)on* Planwagen; ~ *way* gedeckter Gang.

cov·er girl *s.* 'Covergirl *n*, Titelblattmädchen *n*.

cov·er·ing ['kʌvəriŋ] **I.** *s.* **1.** Bedekkung *f*; Be-, Ver-, Um'kleidung *f*; (*Fußboden*)**Belag** *m*; **2. Hülle** *f*, 'Über-, Bezug *m*; **3.** Schutz *m*, Deckung *f*; **II.** *adj.* **4.** deckend, Deck(ungs)...; ~ **let·ter** *s.* Begleitbrief *m*; ~ **note** *s.* ✝ Deckungszusage *f* (*Versicherung*).

cov·er·let ['kʌvəlit], *a.* **'cov·er·lid** [-lid] *s.* (*Zier*)Bettdecke *f*.

cov·er sto·ry *s.* Titelgeschichte *f*.

cov·ert I. *adj.* □ ['kʌvət] **1.** heimlich, versteckt, verborgen; verschleiert; **II.** *s.* ['kʌvə] **2.** Obdach *n*; Schutz *m*; **3.** Versteck *n*; **4.** *hunt.* Dickicht *n*; Lager *n*; ~ **coat** ['kʌvət] *s.* Covercoat(mantel) *m*.

cov·er·ture ['kʌvətjuə] *s.* ⚖ Ehestand *m der Frau*.

cov·et ['kʌvit] *v/t.* begehren, sich gelüsten lassen (*gen.*), trachten nach; **'cov·et·a·ble** [-təbl] *adj.* begehrenswert; **'cov·et·ous** [-təs] *adj.* □ **1.** begehrlich, lüstern (*of* nach); **2.** habsüchtig; **'cov·et·ous·ness** [-təsnis] *s.* **1.** Begehrlichkeit *f*; **2.** Habsucht *f*.

cov·ey ['kʌvi] *s.* **1.** *orn.* Brut *f*, Hecke *f*; **2.** *hunt.* Volk *n*, Kette *f*; **3.** Schar *f*, Schwarm *m*, Gruppe *f*.

cov·ing ['kouviŋ] *s.* ⚠ **1.** Wölbung *f*; **2.** gerundete Seitenwände *pl.* (*Kamin*).

cow[1] [kau] *s. zo.* **1.** Kuh *f*; **2.** Weibchen *n* (*bsd. Elefant, Wal etc.*).

cow[2] [kau] *v/t.* einschüchtern; bange machen (*dat.*).

cow·ard ['kauəd] **I.** *s.* Feigling *m*; **II.** *adj.* feig(e); **'cow·ard·ice** [-dis] *s.* Feigheit *f*; **'cow·ard·li·ness** [-linis] *s.* **1.** Feigheit *f*; **2.** Erbärmlichkeit *f*; **'cow·ard·ly** [-li] **I.** *adj.* **1.** feig(e); **2.** erbärmlich, gemein (*Lüge*); **II.** *adv.* **3.** feig(e).

'cow|-bane *s.* ⚘ Wasserschierling *m*; **'~-ber·ry** [-bəri] *s.* ⚘ Preiselbeere *f*; **'~-boy** *s.* **1.** *Am.* Cowboy *m* (*berittener Rinderhirt*); **2.** Kuhjunge *m*; **'~-catch·er** *s.* 🚂 *Am.* Schienenräumer *m*; **'~-dung** *s.* Kuhmist *m*.

cow·er ['kauə] *v/i.* **1.** kauern, hocken; **2.** sich ducken (*aus Angst etc.*).

'cow|-heel *s.* Kuhfuß-, Kalbsfußsülze *f*; **'~-herd** *s.* Kuhhirt *m*; **'~-hide** *s.* **1.** Rindsleder *n*; **2.** Ochsenziemer *m*; **'~-house** *s.* Kuhstall *m*.

cowl [kaul] *s.* **1.** Mönchskutte *f* (*mit Kapuze*); **2.** Ka'puze *f*; **3.** ⊕ Schornsteinkappe *f*; **'cowl·ing** [-liŋ] *s.* ✈ 'Motorhaube *f*.

'cow·man [-mən] *s.* [*irr.*] **1.** *Am.* Rinderzüchter *m*; **2.** Kuhknecht *m*.

'co-'work·er *s.* 'Mitar,beiter(in).

cow| pars·ley *s.* ⚘ Wiesenkerbel *m*; ~ **pars·nip** *s.* ⚘ Bärenklau *f*, *m*; **'~-pox** *s.* ⚕ Kuhpocken *pl.*; **'~-punch·er** *Am.* F → *cowboy*.

cow·rie, cow·ry ['kauri] *s.* **1.** *zo.* 'Kaurischnecke *f*; **2.** 'Kauri(muschel *f*) *m*, *f*; Muschelgeld *n*.

'cow|-shed *s.* Kuhstall *m*; **'~-slip** *s.* ⚘ **1.** *Brit.* Schlüsselblume *f*; **2.** *Am.* Sumpfdotterblume *f*.

cox [kɔks] **I.** *s.* F → *coxswain*; **II.** *v/t.* *Rennboot* steuern.

cox·comb ['kɔkskoum] *s.* **1.** Geck *m*, Stutzer *m*; **2.** → *cockscomb* **1**, **2**; **'cox·comb·ry** [-koumri] *s.* Geckenhaftigkeit *f*, Albernheit *f*.

cox·swain ['kɔkswein; ⚓ 'kɔksn] *s.* **1.** Steuermann *m* (*Boot*); **2.** (Renn-) Bootsführer *m*.

cox·y ['kɔksi] → *cocky*.

coy [kɔi] *adj.* □ **1. schüchtern, bescheiden, scheu**; **2.** spröde, zimperlich (*Mädchen*); **'coy·ness** [-nis] *s.* Schüchternheit *f*; Sprödigkeit *f*.

coy·ote ['kɔiout] *s. zo.* **Ko'jote** *m*, **Prä'rie-, Steppenwolf** *m*.

coz·en ['kʌzn] *v/t. u. v/i.* **1.** betrügen, prellen (*out of* um); **2.** betören; (durch Täuschung) verleiten (*into doing* zu tun).

co·zi·ness *etc.* → *cosiness etc.*

crab[1] [kræb] **I.** *s.* **1.** *zo.* Taschenkrebs *m*: *to catch a* ~ *Rudern*: ‚e-n **Krebs fangen'**, **mit dem Ruder im Wasser steckenbleiben**; **2.** ♋ *ast.* Krebs *m*; **3.** ⊕ Winde *f*, Hebezeug *n*, Laufkatze *f*; **4.** *pl. Würfeln*: niedrigster Wurf; **5.** → *crab-louse*; **II.** *v/t.* **6.** ✈ schieben.

crab[2] [kræb] **I.** *s.* **1.** → *crab-apple*; **2.** Nörgler *m*, Miesmacher *m*; **II.** *v/t.* **3.** F bekritteln, (her'um)nörgeln an (*dat.*); **4.** F verderben, hinter'treiben.

'crab-ap·ple *s.* ⚘ Holzapfel(baum) *m*.

crab·bed ['kræbid] *adj.* □ **1.** verdrießlich, mürrisch, kratzbürstig; boshaft, barsch; **2.** verworren; kraus; **3.** kritzelig, unleserlich (*Schrift*); **crab·by** ['kræbi] → *crabbed* 1, 2.

'crab|-louse *s* [*irr.*] *zo.* **Filzlaus** *f*; **'~-pot** *s.* Krebsreuse *f*; **'~-tree** *s.* ⚘ **Holzapfelbaum** *m*.

crack [kræk] **I.** *s.* **1.** Krach *m*, Knall *m* (*Peitsche, Gewehr*): *the* ~ *of doom* die Posaunen des Jüngsten Gerichts; ~ *of dawn* Morgengrauen; **2.** (heftiger) Schlag: *in a* ~ im Nu; **3.** *sl.* Versuch *m*: *to take a* ~ *at s.th.* e-n Versuch mit et. machen; *to have a* ~ *at s.o.* j-n angreifen; **4.** Riß *m*, Sprung *m*; Spalt(e *f*) *m*, Schlitz *m*; **5.** *sl.* **a)** Witz *m*, **b)** Stiche'lei *f*, Seitenhieb *m*, **c)** *sport* ‚Ka'none' *f*; **6.** *Scot.* Plaude'rei *f*; **II.** *adj.* **7.** F erstklassig, großartig: ~ *shot* Meisterschütze; ~ *regiment* feudales Regiment; **III.** *int.* **8.** krach!; **IV.** *v/i.* **9.** krachen, knallen, knacken; brechen (*a. Stimme*); **10.** platzen, bersten, (auf-, zer)springen, Risse bekommen, (auf)reißen: *to get* ~*ing* F loslegen (*anfangen*); ~*ing pace* tolles Tempo; **11.** *fig.* zs.-brechen; **V.** *v/t.* **12.** knallen mit (*Peitsche*); knacken mit (*Fingern*): *to* ~ *jokes* Witze reißen; **13.** zerbrechen, (zer)spalten, ein-, zerschlagen; **14.** *Nuß* (auf)knacken, *Ei* aufschlagen: *to* ~ *a bottle* e-r Flasche den Hals brechen; *to* ~ *a code* e-n Kode entziffern; *to* ~ *a crib sl.* in ein Haus einbrechen; *to* ~ *a safe* e-n Geldschrank knacken; **15.** *fig.* erschüttern, zerrütten, zerstören; **16.** ⊕ *Erdöl* kracken, spalten; ~ **down** *v/i.* F (*on*) scharf vorgehen (gegen); 'Razzia abhalten (bei); ~ **up I.** *v/i.*

1. *fig.* zs.-brechen; 2. ✈ abstürzen; II. *v/t.* 3. F ‚hochjubeln'.
'**crack|-brained** *adj.* verrückt; '~-**down** *s.* F scharfes 'Durchgreifen, Blitzmaßnahme(n *pl.*) *f*; 'Razzia *f.*
cracked [krækt] *adj.* 1. gesprungen, geborsten, rissig: *the cup is* ~ die Tasse hat e-n Sprung; 2. rauh, gebrochen (*Stimme*); 3. F verrückt, 'übergeschnappt.
crack·er ['krækə] *s.* 1. *bsd. Am.* (ungesüßter) Keks; 2. Schwärmer *m*, Frosch *m* (*Feuerwerk*); 3. 'Knallbon,bon *m, n*; 4. → *nutcracker 1*; 5. *sl.* Zs.-bruch *m*; '~-**jack** *Am.* F I. *adj.* 'prima; II. *s.* prima *od.* tolle Sache *od.* Person, Aller'weltskerl *m.*
'**crack-jaw** F I. *adj.* zungenbrecherisch; II. *s.* Zungenbrecher *m* (*Wort*).
crack·le ['krækl] I. *v/i.* 1. knistern, prasseln, knattern; II. *v/t.* 2. ⊕ *Glas od. Glasur* krakelieren; III. *s.* 3. Knistern *n*, Knattern *n*; 4. ⊕ Krakelierung *f*, Krakelee *f, n*; '**crack·ling** [-liŋ] *s.* 1. → *crackle 3*; 2. knusprige Kruste des Schweinebratens.
crack·nel ['kræknl] *s.* Knusperkeks *m, n*, Brezel *f.*
'**crack·pot** *sl.* I. *s.* Verrückte(r *m*) *f*, verdrehte Per'son; II. *adj.* verrückt, verschroben.
cracks·man ['kræksmən] *s.* [*irr.*] *sl.* Einbrecher *m.*
'**crack-up** *s.* 1. Zs.-stoß *m*; 2. Zs.-bruch *m*; 3. ✈ Bruch(landung *f*) *m.*
crack·y ['kræki] → *cracked 1, 3.*
cra·dle ['kreidl] I. *s.* 1. Wiege *f*: ~ *of the deep poet.* Meer; 2. *fig.* Wiege *f*, Kindheit *f*; 'Anfangs,stadium *n*, Ursprung *m*: *from the* ~ von Kindheit an; *in the* ~ in den Kinderschuhen; 3. *wiegenartiges Gerät, bsd.* ⊕ a) Hängegerüst *n* (*Bauarbeiter*), b) Wiegemesser *n* (*Graveur*), c) Räderschlitten *m* (*für Arbeiten unter e-m Auto*), d) Schwingtrog *m* (*Goldwäscher*), e) (Tele'phon)Gabel *f*; 4. ⚒ Sensenkorb *m*; 5. ⚓ Stapelschlitten *m*; 6. ⚕ Schiene *f*, Schutzgestell *n*; II. *v/t.* 7. in die Wiege legen; 8. in (den) Schlaf wiegen; 9. auf-, großziehen; 10. um'fangen, um'geben; bergen, betten.
craft [krɑːft] *s.* 1. (Hand- *od.* Kunst-) Fertigkeit *f*, Kunst *f*, Geschicklichkeit *f*; → *gentle 2*; 2. a) Gewerbe *n*, Handwerk *n*: *film* ~ Filmgewerbe, b) Zunft *f*; 3. *the* ♀ die Königliche Kunst (*Freimaurerei*); 4. List *f*, Verschlagenheit *f*; 5. ⚓ Fahrzeug *n*, Schiff *n*; *coll.* Fahrzeuge *pl.*, Schiffe *pl.*; 6. ✈ Flugzeug *n*, *coll.* Flugzeuge *pl.*; '**craft·i·ness** [-tinis] *s.* List *f*, Schlauheit *f.*
crafts·man ['krɑːftsmən] *s.* [*irr.*] gelernter Handwerker, Kunsthandwerker *m*; '**crafts·man·ship** [-ʃip] *s.* Kunstfertigkeit *f*, handwerkliches Können.
craft·y ['krɑːfti] *adj.* □ listig, schlau, verschlagen.
crag [kræg] *s.* Felsenspitze *f*, Klippe *f*; '**crag·ged** [-gid] *adj.* felsig, schroff; '**crag·gi·ness** [-ginis] *s.* Felsigkeit *f*, Schroffheit *f*; '**crag·gy** [-gi] → *cragged*; **crags·man** ['krægzmən] *s.* [*irr.*] geübter Bergsteiger, Kletterer *m.*
crake [kreik] → *corn-crake.*
cram [kræm] I. *v/t.* 1. 'vollstopfen, anfüllen, über'füllen (*with* mit); 2. über'füttern, über'laden; 3. *Geflügel* stopfen, nudeln, mästen; 4. (hin'ein)stopfen, (-)zwängen (*into* in *acc.*); 5. F a) *j-n* einpauken, b) *mst* ~ *up ein Fach* (ein)pauken; II. *v/i.* 6. sich (gierig) 'vollessen; 7. F ‚pauken'.
cram·bo ['kræmbou] *s.* Reimspiel *n.*
'**cram-'full** *adj.* zum Bersten voll.
cram·mer ['kræmə] *s.* F Einpauker *m.*
cramp[1] [kræmp] I. *s.* 1. ⊕ Krampe *f*, Klammer *f*; Schraubzwinge *f*; 2. *fig.* Fessel *f*; Einengung *f*; II. *v/t.* 3. ver-, anklammern, befestigen; 4. *fig.* einengen, einzwängen; hemmen: *to be* ~*ed for space* (zu) wenig Platz haben; → *style 1 b.*
cramp[2] [kræmp] I. *s.* ⚕ Krampf *m*; II. *v/t.* (ver)krampfen, krampfhaft verziehen (*a. fig.*); **cramped** [-pt] *adj.* 1. verkrampft, krampfhaft; steif: ~ *hand* verkrampfte Hand (-schrift); 2. eng, beengt; 3. verworren.
'**cramp|-fish** *s. ichth.* Zitterrochen *m*; '~-**frame** *s.* ⊕ Schraubzwinge *f*; '~-**i·ron** *s.* 1. eiserne Klammer, Krampe *f*; 2. △ Steinanker *m.*
cram·pon ['kræmpən], *Am. a.* **cram·poon** [kræm'puːn] *s. oft pl.* 1. ⊕ Kanthaken *m*; 2. Steigeisen *n.*
cran·age ['kreinidʒ] *s.* Krangebühr *f.*
cran·ber·ry ['krænbəri] *s.* ⚘ Preisel-, Kronsbeere *f.*
crane [krein] I. *s.* 1. *orn.* Kranich *m*; 2. ⊕ Kran *m*: *hoisting* ~ Hebekran; II. *v/t.* 3. mit e-m Kran heben; 4. *Hals* vorstrecken: *to* ~ *one's neck* sich den Hals verrenken (*for* nach); '~-**fly** *s. zo.* Schnake *f*; ~ **jib** *s.* ⊕ Kranarm *m*; '~'**s-bill** [kreinz] *s.* ⚘ Storchschnabel *m.*
cra·ni·a ['kreinjə] *pl. von cranium*; '**cra·ni·al** [-əl] *adj. anat.* Schädel...; **cra·ni·ol·o·gy** [kreini'ɔlədʒi] *s.* Schädellehre *f*; '**cra·ni·um** [-əm] *pl.* -**ni·a** [-njə] *Am. a.* -**ni·ums** *s. anat.* Schädel *m.*
crank [kræŋk] I. *s.* 1. ⊕ Kurbel *f*, Schwengel *m*: ~ *case* Kurbelgehäuse, -kasten; ~ *handle* Kurbelgriff; ~ *pin* Kurbelzapfen; ~ *shaft* Kurbelwelle; 2. Wortverdrehung *f*, -spiel *n*; 3. Verschrobenheit *f*; fixe I'dee; 4. komischer Kauz; II. *v/t.* 5. ⊕ kröpfen, krümmen; 6. *oft* ~ *up* ankurbeln, *Motor* anlassen; III. *adj.* 7. wack(e)lig, schwach; 8. ⚓ rank; '**crank·i·ness** [-kinis] *s.* Wunderlichkeit *f*, Verschrobenheit *f*; '**crank·y** [-ki] *adj.* □ 1. launenhaft; wunderlich, verschroben; 2. → *crank 7, 8.*
cran·ny ['kræni] *s.* 1. Ritze *f*, Spalte *f*, Riß *m*; 2. Versteck *n.*
crap[1] [kræp] *s. Am.* 1. Fehlwurf *m*; 2. → *craps.*
crap[2] [kræp] I. *s.* 1. V Scheiße *f*: *to have a* ~ → 3; 2. *sl.* ‚Mist' *m*, ‚Käse' *m*; II. *v/i.* 3. V scheißen.
crape [kreip] *s.* 1. Krepp *m*; 2. Trauerflor *m.*
craps [kræps] *s. pl. sg. konstr. Am. ein* Würfelspiel *n*: *to shoot* ~ Würfel spielen.
crap·u·lence ['kræpjuləns] *s.* 1. Unmäßigkeit *f*; 2. Trunkenheit *f*; 3. Katzenjammer *m.*
crash[1] [kræʃ] I. *v/i.* 1. zs.-krachen, zerbrechen; 2. (krachend) ab-, einstürzen; 3. ✈ abstürzen, Bruch machen; *mot.* zs.-stoßen; verunglücken: *to* ~ *into* krachen gegen; 4. poltern, platzen, rasen, stürzen: *to* ~ *in* hereinplatzen; 5. *fig.* zs.-brechen, in die Brüche gehen; II. *v/t.* 6. zertrümmern, zerschmettern; 7. ✈ zum Absturz bringen; 8. *sl.* uneingeladen hin'einplatzen in (*acc.*); III. *s.* 9. Krach(en *n*) *m*; 10. Zs.-stoß *m*; schwerer Unfall; 11. ✈ Absturz *m*; 12. *fig.* Krach *m*, Zs.-bruch *m*, Ru'in *m.*
crash[2] [kræʃ] *s.* grober Leinendrell.
crash| bar·ri·er *s. Brit.* Leitplanke *f*; ~ **course** *s.* (Inten'siv)Schnellkurs *m*; '~-**dive** *v/i.* ⚓ schnelltauchen (*U-Boot*); '~-**hel·met** *s.* Sturzhelm *m*; '~-**land** *v/i.* ✈ e-e Bruchlandung machen; '~-**land·ing** *s.* ✈ Bruchlandung *f*; ~ **test** *s. mot.* 'Crashtest *m.*
crass [kræs] *adj.* □ *fig.* grob, kraß; '**crass·ness** [-nis] *s.* krasse Dummheit.
crate [kreit] I. *s.* 1. Lattenkiste *f*, Verschlag *m*; 2. großer Packkorb; II. *v/t.* 3. in e-n Verschlag *etc.* verpacken.
cra·ter ['kreitə] *s.* 1. *geol.* 'Krater *m*; 2. (Bomben-, Gra'nat)Trichter *m.*
cra·vat [krə'væt] *s.* 1. Kra'watte *f*; 2. Halsbinde *f.*
crave [kreiv] I. *v/t.* 1. flehen *od.* dringend bitten um; II. *v/i.* 2. sich (heftig) sehnen (*for* nach); 3. flehen, inständig bitten (*for* um).
cra·ven ['kreivən] I. *adj.* feige, zaghaft; II. *s.* Feigling *m*, Memme *f.*
crav·ing ['kreiviŋ] *s.* heftiges Verlangen, Sehnsucht *f*, (krankhafte) Begierde (*for* nach).
craw [krɔː] *s. zo.* Kropf *m* (*Vogel*).
craw·fish ['krɔːfiʃ] I. *s. zo.* → *crayfish*; II. *v/i. Am.* F sich drücken, ‚kneifen'.
crawl [krɔːl] I. *v/i.* 1. kriechen; schleichen; 2. sich da'hinschleppen, langsam gehen *od.* fahren; 3. *fig.* (unter'würfig) kriechen; 4. wimmeln (*with* von); 5. kribbeln, prickeln; 6. *Schwimmen*: kraulen; II. *s.* 7. Kriechen *n*, Schleichen *n*: *to go at a* ~ im ‚Schneckentempo' gehen *od.* fahren; 8. *Schwimmen*: Kraulstil *m*, Kraul(en) *n*; '**crawl·er** [-lə] *s.* 1. Kriechtier *n*, Gewürm *n*; 2. *fig.* Kriecher(in), Schmeichler(in); 3. ‚Schnecke' *f*, *bsd.* langsam fahrendes 'Taxi; 4. *pl.* Krabbelanzug *m für Kleinkinder*; 5. ⊕ Raupenschlepper *m*; 6. *Schwimmen*: Krauler *m*; '**crawl·y** [-li] *adj.* F kribbelnd.
cray·fish ['kreifiʃ] *s. zo.* 1. Flußkrebs *m*; 2. Lan'guste *f.*
cray·on 1. ['kreiən] I. *s.* 1. Zeichen-, Bunt-, Pa'stellstift *m*: *blue* ~ Blaustift; 2. Kreide-, Pa'stellzeichnung *f*; II. *v/t.* 3. mit Kreide *etc.* zeichnen; 4. *fig.* skizzieren.
craze [kreiz] I. *v/t.* 1. verrückt machen; 2. *Töpferei*: krakelieren; II. *s.* 3. Ma'nie *f*, fixe I'dee, Verrücktheit *f*; ‚Spleen' *m*, ‚Fimmel' *m*: *to be the* ~ die große Mode sein;

the latest ~ der letzte Schrei; **crazed** [-zd] *adj.* **1.** wahnsinnig (*with* vor *dat.*); **2.** (wild) begeistert, hingerissen (*about* von); **'cra·zi·ness** [-zinis] *s.* Verrücktheit *f*, Tollheit *f*.

cra·zy ['kreizi] *adj.* □ **1.** verrückt, wahnsinnig: ~ *with pain*; **2.** F (*about*) begeistert (für); versessen (auf *acc.*); **3.** baufällig, wackelig; ⚓ seeuntüchtig; **4.** zs.-gestückelt; ~ **bone** *Am.* → *funny-bone*; ~ **pav·ing,** ~ **pave·ment** *s.* Pflaster *n* aus unregelmäßigen Fliesen; ~ **quilt** *s.* Flickendecke *f*.

creak [kri:k] **I.** *v/i.* knarren, kreischen, quietschen, knirschen; **II.** *s.* Knarren *n*, Knirschen *n*; **'creak·y** [-ki] *adj.* □ knarrend, knirschend.

cream [kri:m] **I.** *s.* **1.** Rahm *m*, Sahne *f*; **2.** Krem *f*, Creme (-speise) *f*; **3.** Creme *f* (*Salbe*); **4.** sämige Suppe; **5.** *fig.* Creme *f*, Auslese *f*, E'lite *f*: *the* ~ *of society*; **6.** Kern *m*, Po'inte *f* (*Witz*); **7.** Cremefarbe *f*; **II.** *v/i.* **8.** Sahne bilden; **9.** schäumen; **III.** *v/t.* **10.** absahnen, den Rahm abschöpfen von (*a. fig.*); **11.** Sahne bilden lassen; **12.** schaumig rühren; **13.** (*dem Tee od. Kaffee*) Sahne zugießen: *do you* ~ *your tea?* nehmen Sie Sahne?; **IV.** *adj.* **14.** creme(farben); ~ **cheese** *s.* Rahm-, Vollfettkäse *m*; **'~-col·o(u)red** *adj.* creme(farben).

cream·er·y ['kri:məri] *s.* **1.** Molke'rei *f*; **2.** Milchhandlung *f*.

cream| ice *s. Brit.* Sahneeis *n*, Speiseeis *n*; ~ **jug** *s.* Sahnekännchen *n*, -gießer *m*; **'~-'laid** *adj.* cremefarben und gerippt (*Papier*); ~ **of tar·tar** *s.* ⚗ Weinstein *m*; **'~-'wove** → *cream-laid*.

cream·y ['kri:mi] *adj.* sahnig; *fig.* weich.

crease [kri:s] **I.** *s.* **1.** Falte *f*, Kniff *m*; **2.** Bügelfalte *f*; **3.** Eselsohr *n* (*Buch*); **4.** *Kricket*: Torlinie *f*; **II.** *v/t.* **5.** falten, knicken, kniffen, 'umbiegen; **6.** zerknittern; **III.** *v/i.* **7.** Falten bekommen *od.* werfen; knittern; sich falten lassen; **creased** [-st] *adj.* **1.** in Falten gelegt *od.* gebügelt; **2.** zerknittert.

'crease|-proof, '~-re·sist·ant *adj.* knitterfrei.

cre·ate [kri(:)'eit] *v/t.* **1.** (er)schaffen, her'vorbringen, erzeugen; **2.** her'vorrufen, verursachen; **3.** *thea.*, *Mode*: kre'ieren, gestalten; **4.** gründen, ein-, errichten; **5.** *j-n* erheben *od.* machen *od.* ernennen zu: *to* ~ *s.o. a peer*; **cre'a·tion** [-'eiʃən] *s.* **1.** (Er)Schaffung *f*, Erzeugung *f*, Her'vorbringung *f*; Verursachung *f*; **2.** *the* ♀ *eccl.* die Schöpfung, die Erschaffung; **3.** Geschöpf *n*; *coll.* (alle) Geschöpfe *pl.*; Welt *f*; **4.** (Kunst-, Mode)Schöpfung *f*, Kreati'on *n*; **5.** *thea.* Kre'ierung *f*, Gestaltung *f*; **6.** Errichtung *f*, Gründung *f*, Bildung *f*; **7.** Ernennung *f* (*Rang*); **cre'a·tive** [-tiv] *adj.* □ **1.** schöpferisch, (er)schaffend, *a.* krea'tiv; **2.** (*of s.th.*) *et.* verursachend; **cre'a·tive·ness** [-tivnis] *s.* Schöpfer-, Schaffenskraft *f*; **cre·a·tiv·i·ty** [kri(:)ə'tiviti] *s.* Kreativi'tät *f*; **cre'a·tor** [-tə] *s.* Schöpfer *m*, Erschaffer *m*, Erzeuger *m*, Urheber *m*: *the* ♀ der Schöpfer, Gott.

crea·ture ['kri:tʃə] *s.* **1.** Geschöpf *n*, (Lebe)Wesen *n*, Krea'tur *f*: *fellow* ~ Mitmensch; *dumb* ~ stumme Kreatur; *lovely* ~ süßes Geschöpf (*Frau*); *silly* ~ dummes Ding; **2.** *fig. j-s* Kreatur *f*, Werkzeug *n*; ~ **comforts** *s. pl. die* leiblichen Genüsse, *das* leibliche Wohl.

crèche [kreiʃ] (*Fr.*) *s.* Kinderhort *m*.

cre·dence ['kri:dəns] *s.* **1.** Glaube *m*: *to give* ~ *to* Glauben schenken (*dat.*); **2.** *a.* ~ *table eccl.* Kre'denz *f*.

cre·den·tials [kri'denʃəlz] *s. pl.* **1.** Beglaubigungs-, Empfehlungsschreiben *n*; **2.** (Leumunds)Zeugnis *n*, 'Ausweis(pa,piere *pl.*) *m*.

cred·i·bil·i·ty [kredi'biliti] *s.* Glaubwürdigkeit *f*; **cred·i·ble** ['kredəbl] *adj.* □ glaubwürdig; zuverlässig.

cred·it ['kredit] **I.** *s.* **1.** Glaube(n) *m*, Ver-, Zutrauen *n*: *to give* ~ *to s.th.* e-r Sache Glauben schenken; **2.** Glaubwürdigkeit *f*, Zuverlässigkeit *f*; **3.** Ansehen *n*, Achtung *f*, guter Ruf, Ehre *f*: *to be a* ~ *to s.o.*, *to reflect* ~ *on s.o.*, *to do s.o.* ~, *to be to s.o.'s* ~ j-m Ehre machen *od.* einbringen; *he does me* ~ mit ihm lege ich Ehre ein; *to his* ~ *it must be said* **a)** zu s-r Ehre muß man sagen, **b)** man muß es ihm hoch anrechnen; *to add to s.o.'s* ~ j-s Ansehen erhöhen; *with* ~ ehrenvoll, mit Lob; **4.** Verdienst *n*, Anerkennung *f*, Lob *n*: *to get* ~ *for* Anerkennung finden für; *very much to his* ~ sehr anerkennenswert von ihm; *to give s.o.* (*the*) ~ *for s.th.* **a)** j-m et. hoch anrechnen, **b)** j-m et. zutrauen, **c)** j-m et. verdanken; *to take* (*the*) ~ *for* sich *et.* als Verdienst anrechnen, den Ruhm für *et.* in Anspruch nehmen; **5.** *ped. Am.* Bewertung *f* nach Punkten, Anrechnungspunkt *m*; **6.** † **a)** Kre'dit *m*, **b)** Ziel *n*: *on* ~ auf Kredit *od.* Borg; ~ *sales* Kreditverkäufe; *to give* ~ Kredit geben; *to open a* ~ e-n Kredit eröffnen; *30 days'* ~ 30 Tage Ziel; **7.** † Kre'ditwürdigkeit *f*; **8.** † **a)** 'Kredit(seite *f*) *n*, Haben *n*, **b)** Guthaben *n*, 'Kreditposten *m*, *pl. a.* Ansprüche *pl.*: *book* (*od. enter od. place*) *it to my* ~ schreiben Sie es mir gut; ~ *advice* Gutschriftsanzeige; **II.** *v/t.* **9.** *j-m od. et.* glauben; *j-m* trauen; **10.** zuschreiben, anrechnen, zutrauen, beilegen (*s.o. with s.th.* j-m et.); **11.** † *Betrag* gutschreiben, kreditieren (*to s.o.* j-m); *j-n* erkennen (*with* für); **12.** *ped. Am.* anrechnen (*s.o. with s.th.* j-m et.); **'cred·it·a·ble** [-təbl] *adj.* □ rühmlich, anerkennenswert, ehrenvoll (*to* für): *to be* ~ *to s.o.* j-m Ehre machen.

cred·it| bal·ance *s.* † 'Kredit,saldo *m*, Guthaben *n*; ~ **card** *s.* † Kre'ditkarte *f*; ~ **note** *s.* † Gutschriftsanzeige *f*.

cred·i·tor ['kreditə] *s.* † **1.** Gläubiger(in); **2.** *a.* ~ *side* 'Kreditseite *f e-s Kontobuchs*.

cred·it| squeeze *s.* † Kre'ditzange *f*; **'~·wor·thi·ness** *s.* † Kre'ditwürdigkeit *f*; **'~·wor·thy** *adj.* † kre'ditwürdig.

cre·do ['kri:dou] *pl.* **-dos** [-z] *s.* Glaubensbekenntnis *n*.

cre·du·li·ty [kri'dju:liti] *s.* Leichtgläubigkeit *f*; **cred·u·lous** ['kredjuləs] *adj.* □ leichtgläubig.

creed [kri:d] *s.* Glaubensbekenntnis *n*; Glaube *m*; *fig.* (*a. politische etc.*) Über'zeugung.

creek [kri:k] *s.* **1.** Flüßchen *n*; kleiner Wasserlauf (*nur von der Flut gespeist*); **2.** kleine Bucht.

creel [kri:l] *s.* Fischkorb *m aus Weidengeflecht*.

creep [kri:p] **I.** *v/i.* [*irr.*] **1.** kriechen, schleichen; **2.** ⚘ sich ranken; **3.** sich langsam *od.* leise nähern: *old age is* ~*ing upon me* das Alter naht heran; *to* ~ *in* sich einschleichen (*Fehler*); *to* ~ *up* langsam steigen (*Preise*); **4.** *fig.* kriechen: *to* ~ *into s.o.'s favo(u)r* sich bei j-m einschmeicheln; **5.** kribbeln: *it made my flesh* ~ es überlief mich kalt, ich bekam eine Gänsehaut; **II.** *s.* **6.** → *crawl* 7; **7.** niedriger 'Durchlaß; **8.** *geol.* Bergrutsch *m*; **9.** *pl.* F Gruseln *n*, Gänsehaut *f*: *it gave me the* ~*s* es überlief mich kalt; **'creep·er** [-pə] *s.* **1.** *fig.* Kriecher(in); **2.** Kriechtier *n* (*Insekt, Wurm*); **3.** ⚘ Kletter-, Schlingpflanze *f*; **4.** *orn.* Baumläufer *m*; **5.** Eissporn *m*; Steigeisen *n*; **6.** ⚓ Dragganker *m*; **'creep·ing** [-piŋ] *adj.* □ **1.** kriechend, schleichend (*a. fig.*); **2.** ⚘ kriechend, kletternd; **3.** kribbelnd, schaudernd, gruselig; **4.** → *barrage*[1] 2; **'creep·y** [-pi] *adj.* **1.** kriechend, krabbelnd; **2.** gruselig.

cre·mate [kri'meit] *v/t. bsd. Leichen* verbrennen, einäschern; **cre'ma·tion** [-eiʃən] *s.* Feuerbestattung *f*, Einäscherung *f*; **cre·ma·to·ri·um** [kremə'tɔ:riəm] *pl.* **-ri·ums, -ri·a** [-riə], **cre·ma·to·ry** ['kremətəri] *s.* Krema'torium *n*.

crème [kreim] (*Fr.*) *s.* Creme *f*; ~ **de menthe** [-də'mɑ:nt] *s.* 'Pfefferminzli,kör *m*; ~ **de la** ~ [-dlɑ:-] *s. fig. das* Beste vom Besten; *die* E'lite *der Gesellschaft*.

cre·nate ['kri:neit], **'cre·nat·ed** [-tid] *adj.* ⚘, ⚕ gekerbt, zackig; **cre·na·tion** [kri:'neiʃən] *s.* ⚘, ⚕ Kerbung *f*, Auszackung *f*.

cren·el ['krenl] *s.* Schießscharte *f*; **'cren·el·(l)ate** [-nileit] *v/t.* mit Zinnen *od.* zinnenartigem Orna'ment versehen; krenelieren; **cren·el·(l)a·tion** [kreni'leiʃən] *s.* Krenelierung *f*, Zinnenbildung *f*, Auszackung *f*.

Cre·ole ['kri:oul] **I.** *s.* Kre'ole *m*, Kre'olin *f*; **II.** *adj.* kre'olisch.

cre·o·sote ['kriəsout] ⚗ **I.** *s.* Kreo'sot *n*; **II.** *v/t.* mit Kreosot behandeln.

crêpe [kreip] *s.* **1.** Krepp *m*; **2.** → ~ *rubber*; ~ **de Chine** [-də'ʃi:n] *s.* Crêpe *m* de Chine; ~ **pa·per** *s.* 'Kreppa,pier *n*; ~ **rub·ber** *s.* 'Krepp,gummi *n, m*; ~ **soles** *s. pl.* 'Krepp(,gummi)sohlen *pl.*; ~ **suzette** [-su:'zet] *s.* Crêpe *f* Su'zette.

crep·i·tate ['krepiteit] *v/i.* knarren, knirschen, knacken, rasseln; **crep·i·ta·tion** [krepi'teiʃən] *s.* Knarren *n*, Knirschen *n*, Knacken *n*, Rasseln *n*.

crept [krept] *pret. u. p.p.* von *creep*.

cre·pus·cu·lar [kri'pʌskjulə] *adj.* **1.** Dämmerungs..., dämmerig, dämmernd; **2.** *zo.* im Zwielicht erscheinend.

cre·scen·do [kri'ʃendou] (*Ital.*) ♪ **I.** *pl.* **-dos** *s.* Cre'scendo *n* (*a. fig.*); **II.** *adv.* cre'scendo, stärker werdend.

cres·cent ['kresnt] **I.** *s.* **1.** Halbmond *m*, Mondsichel *f*; **2.** *hist. pol.* Halbmond *m* (*Türkei od. Islam*); **3.** *Brit. halbmondförmige Straße*; **4.** ♪ Schellenbaum *m*; **5.** Hörnchen *n* (*Gebäck*); **II.** *adj.* **6.** halbmondförmig; **7.** zunehmend.

cress [kres] *s.* ⚘ Kresse *f.*

cres·set ['kresit] *s.* Stocklaterne *f*, Kohlen-, Pechpfanne *f*; *fig.* Fackel *f.*

crest [krest] **I.** *s.* **1.** *zo.* Kamm *m* (*Hahn*); **2.** *zo.* **a)** (Feder-, Haar-) Schopf *m*, Haube *f* (*Vögel*), **b)** Mähne *f*; **3.** Helmbusch *m*, -schmuck *m*; **4.** Helm *m*; **5.** Bergrücken *m*, Kamm *m*; **6.** Kamm *m* (*Welle*): *on the ~ of the wave fig.* auf dem Gipfel des Glücks; **7.** Gipfel *m*, Krone *f*, Scheitelpunkt *m*; **8.** Verzierung *f* über dem (Fa'milien)Wappen: *family ~* Familienwappen; **9.** △ Bekrönung *f*; **II.** *v/t.* **10.** erklimmen; **III.** *v/i.* **11.** hoch aufwogen; '**crest·ed** [-tid] *adj.* mit e-m Kamm *od.* Schopf *od.* e-r Haube (versehen): *~ lark* Haubenlerche; '**crest-fall·en** *adj.* zerschmettert, niedergeschlagen.

cre·ta·ceous [kri'teiʃəs] *adj.* kreideartig, -haltig: *~ period* Kreide(zeit).

Cre·tan ['kri:tən] **I.** *adj.* kretisch, aus Kreta; **II.** *s.* Kreter(in).

cre·tin ['kretin] *s.* ⚕ Kre'tin *m*; *fig.* Idi'ot(in); '**cre·tin·ism** [-nizəm] *s.* Kreti'nismus *m*; '**cre·tin·ous** [-nəs] *adj.* kre'tinhaft.

cre·tonne [kre'tɔn] *s.* Kre'tonne *f*, *m* (*Gewebe*).

cre·vasse [kri'væs] *s.* **1.** tiefer Spalt, *engS.* Gletscherspalte *f*; **2.** *Am.* Bruch *m* im Deich.

crev·ice ['krevis] *s.* Riß *m*, (Fels-) Spalte *f.*

crew[1] [kru:] *pret. von crow.*

crew[2] [kru:] *s.* **1.** ⚓, ✈ *etc.* Besatzung *f*; Mannschaft *f* (*a. Ruderboot*); **2.** Perso'nal *n*, Bedienung *f*; **3.** Schar *f*, Gruppe *f*, Ko'lonne *f*; *contp.* Bande *f*; *~* **cut** *s.* Bürste(nschnitt *m*) *f.*

crew·el ['kru:il] *s.* Crewelwolle *f* (*Stickwolle*).

crib [krib] **I.** *s.* **1.** (Futter)Krippe *f*; **2.** Kinderbett *n* (*mit hohen Seiten*); **3.** Hütte *f*, kleiner Raum; **4.** Weidenkorb *m* (*Fischfalle*); **5.** kleiner Diebstahl; **6.** F Plagi'at *n*; **7.** *ped.* F ‚Schlauch' *m*, ‚Klatsche' *f*; **8.** *Am.* Behälter *m* (*für Mais etc.*); **9.** *Cribbage:* abgelegte Karten; **II.** *v/t.* **10.** ein-, zs.-pferchen; **11.** F ‚mausen', ‚klauen' (*a. fig. plagiieren*); abschreiben; **III.** *v/i.* **12.** abschreiben; **13.** *ped.* F mogeln; '**crib·bage** [-bidʒ] *s.* Cribbage *n* (*Kartenspiel*); '**crib-bit·er** *s. vet.* Krippensetzer *m* (*Pferd*).

crick [krik] **I.** *s.* Muskelkrampf *m*: *~ in one's neck* steifer Hals; *~ in one's back* Hexenschuß; **II.** *v/t.* *to ~ one's neck* sich den Hals verrenken.

crick·et[1] ['krikit] *s. zo.* Grille *f*, Heimchen *n*; → *merry 1.*

crick·et[2] ['krikit] *s. sport* Kricket *n*: *~ bat* Kricketschläger; *~ field*, *~ ground* Kricket(spiel)platz; *~ pitch* Feld zwischen den beiden Dreistäben; *not ~* F nicht fair *od.* anständig; '**crick·et·er** [-tə] *s.* Kricketspieler *m.*

cri·er ['kraiə] *s.* **1.** Schreier *m*; **2.** (öffentlicher) Ausrufer.

cri·key ['kraiki] *int. sl.* herr'je!

crime [kraim] **I.** *s.* **1.** ⚖ *u. fig.* Verbrechen *n*; **2.** Frevel *m*, Übeltat *f*, Sünde *f*; **3.** Verbrechertum *n*; **4.** F ‚Verbrechen' *n*, ‚Jammer' *m*, ‚Schande' *f*; **II.** *v/t.* **5.** ⚔ beschuldigen.

Cri·me·an [krai'miən] *adj.* die Krim betreffend: *~ War* Krimkrieg.

crim·i·nal ['kriminl] **I.** *adj.* **1.** verbrecherisch, krimi'nell, strafbar; **2.** ⚖ Straf..., Kriminal...; **II.** *s.* **3.** Verbrecher(in); *~* **ac·tion** *s.* ⚖ 'Strafproˌzeß *m*; *~* **code** *s.* ⚖ Strafgesetzbuch *n*; *~* **con·ver·sa·tion** *s.* ⚖ Ehebruch *m*; *~* **in·ves·ti·ga·tion de·part·ment** *s.* Fahndungsstelle *f der Kriminalpolizei.*

crim·i·nal·i·ty [krimi'næliti] *s.* **1.** Verbrechertum *n*; **2.** Schuld *f*; Strafbarkeit *f.*

crim·i·nal| law *s.* ⚖ Strafrecht *n*; *~* **law·yer** *s.* Strafrechtler *m*; *~* **neg·lect** *s.* ⚖ grobe Fahrlässigkeit; *~* **of·fence**, *Am.* **of·fense** *s.* ⚖ strafbare Handlung; *~* **pro·ceed·ings** *s. pl.* ⚖ Strafverfahren *n.*

crim·i·nate ['krimineit] *v/t.* anklagen, beschuldigen; **crim·i·na·tion** [krimi'neiʃən] *s.* Anklage *f*, Beschuldigung *f*; **crim·i·nol·o·gist** [krimi'nɔlədʒist] *s.* Kriminologe *m*; **crim·i·nol·o·gy** [krimi'nɔlədʒi] *s.* Kriminolo'gie *f.*

crimp[1] [krimp] **I.** *v/t.* **1.** kräuseln, knittern, fälteln, wellen; **2.** *Küche: Fische* schlitzen; **3.** *Am. sl.* hindern, stören; **II.** *s.* **4.** Kräuselung *f*, Welligkeit *f*; **5.** Kräuselstoff *m*; **6.** gekräuselter Stoff; **7.** *Am. sl.* Behinderung *f.*

crimp[2] [krimp] ⚓, ⚔ **I.** *v/t.* gewaltsam anwerben, pressen; **II.** *s.* (verbrecherischer) Werber; '**crimp·ing house** [-piŋ] *s.* 'Preßspeˌlunke *f.*

crim·son ['krimzn] **I.** *s.* Karme'sin-, Hochrot *n*; **II.** *adj.* karme'sin-, hochrot; **III.** *v/t.* hochrot färben; **IV.** *v/i.* (puter)rot werden; *~* **ram·bler** *s.* ⚘ blutrote Kletterrose.

cringe [krindʒ] **I.** *v/i.* **1.** sich ducken, sich krümmen; **2.** *fig.* kriechen, schmeicheln, ‚katzbukkeln' (*to* vor *dat.*); **II.** *s. fig.* Kriече'rei *f*; '**cring·ing** [-dʒiŋ] *adj.* □ kriecherisch, unter'würfig.

crin·gle ['kriŋgl] *s.* ⚓ Legel *m* (*Ring od. Öse am Segel*).

crin·kle ['kriŋkl] **I.** *v/i.* **1.** sich kräuseln *od.* krümmen *od.* biegen; **2.** Falten werfen, knittern; **II.** *v/t.* **3.** kräuseln, krümmen; **4.** faltig machen, zerknittern; '**crin·kly** [-li] *adj.* **1.** kraus, faltig, wellig; **2.** zerknittert.

crin·o·line ['krinəli:n] *s.* **1.** Krino'line *f*, Reifrock *m*; **2.** ⚓ Tor'pedoabwehrnetz *n.*

crip·ple ['kripl] **I.** *s.* **1.** Krüppel *m*; **II.** *v/t.* **2.** zum Krüppel machen, lähmen; **3.** *fig.* lähmen, lahmlegen, schwächen; **4.** ⚔ kampfunfähig machen; **III.** *v/i.* **5.** humpeln; '**crip·pled** [-ld] *adj.* **1.** verkrüppelt; **2.** *fig.* lahmgelegt; '**crip·pling** [-liŋ] *adj. fig.* lähmend.

cri·sis ['kraisis] *pl.* **-ses** [-si:z] *s.* 'Krise *f*, 'Krisis *f* (*a.* ⚕); Wende-, Entscheidungs-, Höhepunkt *m.*

crisp [krisp] **I.** *adj.* □ **1.** knusp(e)rig, mürbe; **2.** kraus, gekräuselt; **3.** frisch, fest (*Gemüse*); steif, unzerknittert (*Papier*); **4.** forsch, flott, entschieden (*Benehmen*); **5.** le'bendig, klar, knapp, treffend (*Stil etc.*); **6.** scharf, frisch (*Luft*); **II.** *s.* **7.** *pl. bsd. Brit.* (Kar'toffel)Chips *pl.*; **III.** *v/t.* **8.** knusp(e)rig machen; **9.** kräuseln; **IV.** *v/i.* **10.** knusp(e)rig werden; **11.** sich kräuseln; '*~*-**bread** *s.* Knäckebrot *n.*

crisp·ness ['krispnis] *s.* **1.** Knusp(e)rigkeit *f*; **2.** Frische *f*, Schärfe *f*, Le'bendigkeit *f*; '**crisp·y** [-pi] → *crisp 1, 2, 4.*

criss-cross ['kriskrɔs] **I.** *adj.* **1.** kreuzweise, kreuz u. quer (laufend), Kreuz...; **II.** *adv.* **2.** kreuz u. quer, durchein'ander; **3.** *fig.* in die Quere, verkehrt; **III.** *s.* **4.** Gewirr *n* von Linien; **5.** Kreuzzeichen *n* (*als Unterschrift*); **IV.** *v/t.* **6.** wieder'holt 'durchkreuzen, kreuz u. quer durch'ziehen.

cri·te·ri·on [krai'tiəriən] *pl.* **-ri·a** [-riə] *s.* **1.** Kri'terium *n*, Maßstab *m*, Richtschnur *f*, Prüfstein *m*: *that is no ~* das ist nicht maßgebend (*for* für); **2.** Merkmal *n*; Gesichtspunkt *m.*

crit·ic ['kritik] *s.* **1.** 'Kritiker(in); **2.** Rezen'sent(in); 'Kunstˌkritiker (-in), -richter(in); **3.** Krittler *m*, Tadler *m*; '**crit·i·cal** [-kəl] *adj.* □ **1.** 'kritisch, tadelsüchtig (*of s.o.* j-m gegen'über): *to be ~ of s.th.* et. kritisieren *od.* beanstanden, Bedenken gegen et. haben; **2.** kritisch, kunstverständig; sorgfältig: *~ edition* kritische Ausgabe; **3.** kritisch, entscheidend: *the ~ moment*; **4.** kritisch, bedenklich, gefährlich: *~ situation*; *~ supplies* Mangelgüter; **5.** *phys.* kritisch: *~ velocity*; *~ load* Belastungsgrenze; '**crit·i·cism** [-isizəm] *s.* Kri'tik *f*: **a)** kritische Beurteilung: *open to ~* anfechtbar; *above ~* über jede Kritik *od.* jeden Tadel erhaben, **b)** Besprechung *f*, Rezensi'on *f*, **c)** kritische Unter'suchung: *textual ~* Textkritik, **d)** Tadel *m*, Vorwurf *m*; '**crit·i·cize** [-isaiz] *v/t.* **1.** kritisieren, beurteilen; **2.** besprechen, rezensieren; **3.** Kritik üben an (*dat.*), tadeln, rügen; **cri·tique** [kri'ti:k] *s.* Kritik *f*, kritische Besprechung *od.* Abhandlung.

croak [krouk] **I.** *v/i.* **1.** quaken (*Frosch*); krächzen (*Rabe*); **2.** unken (*Unglück prophezeien*); **3.** *sl.* ‚abkratzen' (*sterben*); **II.** *v/t.* **4.** *sl.* abmurksen (*töten*); **III.** *s.* **5.** Quaken *n*; Krächzen *n*; '**croak·er** [-kə] *s.* Schwarzseher *m*, Miesmacher *m*; '**croak·y** [-ki] *adj.* □ krächzend, heiser.

Cro·at ['krouət] *s.* Kro'ate *m*, Kro'atin *f*; **Cro·a·tian** [krou'eiʃjən] *adj.* kro'atisch.

cro·chet ['krouʃei] **I.** *s.* Häkelarbeit *f*, Häke'lei *f*; **II.** *v/t. u. v/i. pret. u.*

p.p. ˈ**cro·cheted** [-ʃeid] häkeln; ˈ**~-hook** *s.* Häkelnadel *f*, -haken *m*; ˈ**~-work** *s.* Häkelarbeit *f*.

crock[1] [krɔk] **I.** *s.* **1.** Klepper *m*, alter Gaul; **2.** *sl.* **a)** Krüppel *m*, **b)** Klappergestell *n* (*Mensch od. Sache*); **II.** *v/i.* **3.** *mst ~ up* zs.-brechen, -krachen; **III.** *v/t.* **4.** arbeitsunfähig machen: *~ed* gebrechlich, ‚kaˈputt'.

crock[2] [krɔk] *s.* **1.** irdener Topf, Kruke *f*; **2.** Topfscherbe *f*; ˈ**crock·er·y** [-kəri] *s.* (irdenes) Geschirr, Steingut *n*, Töpferware *f*.

croc·o·dile [ˈkrɔkədail] *s.* **1.** *zo.* Krokoˈdil *n*; **2.** F Zweierreihe *f* von Schulmädchen; **~ tears** *s. pl.* Krokoˈdilstränen *pl.*

cro·cus [ˈkroukəs] *s.* ⚘ ˈKrokus *m*.

Croe·sus [ˈkriːsəs] *s.* ˈKrösus *m*: *as rich as ~* steinreich.

croft [krɔft] *s. Brit.* **1.** kleines Stück Feld (*beim Haus*); **2.** kleiner Bauernhof; ˈ**croft·er** [-tə] *s. Brit.* Kleinbauer *m*.

crom·lech [ˈkrɔmlek] *s.* ˈKromlech *m*, druˈidischer Steinkreis (*Grab*).

crone [kroun] *s.* altes Weib.

cro·ny [ˈkrouni] *s.* alter Freund, Kumˈpan *m*: *old ~* Busenfreund, Intimus.

crook [kruk] **I.** *s.* **1.** Hirtenstab *m*; **2.** *eccl.* Bischofs-, Krummstab *m*; **3.** Krümmung *f*, Biegung *f*; **4.** Haken *m*; **5.** (*Schirm*)Krücke *f*; **6.** F Gauner *m*, Betrüger *m*: *on the ~* unehrlich, hintenherum; **II.** *v/t. u. v/i.* **7.** (sich) krümmen, (sich) biegen; ˈ**~-back** *s.* Buck(e)lige(r *m*) *f*; ˈ**~-backed** *adj.* buck(e)lig.

crooked[1] [krukt] *adj.* mit e-r Krücke (versehen): *~ stick* Krückstock.

crook·ed[2] [ˈkrukid] *adj.* □ **1.** krumm, gekrümmt; gebeugt; **2.** buck(e)lig, verwachsen; **3.** *fig.* unehrlich: *~ ways* ‚krumme' Wege; ˈ**crook·ed·ness** [-nis] *s.* **1.** Krümmung *f*, Biegung *f*; **2.** Buck(e)ligkeit *f*; **3.** Unehrlichkeit *f*; Verworfenheit *f*.

croon [kruːn] *v/i. u. v/t.* (leise u.) schmalzig singen *od.* summen; ˈ**croon·er** [-nə] *s.* Schlager-, Schnulzensänger *m*.

crop [krɔp] **I.** *s.* **1.** Feldfrucht *f*, *bsd.* Getreide *n* auf dem Halm, Saat *f*: *the ~s* **a)** die Saaten, **b)** die Gesamternte; *~ rotation* Fruchtfolge, -wechsel; **2.** Bebauung *f*: *in ~* bebaut; **3.** Ernte *f*, Ertrag *m*: *~ failure* Mißernte; **4.** *fig.* Ertrag *m*, Ausbeute *f* (of an *dat.*); **5.** Menge *f*, Haufen *m* (*Sachen od. Personen*); **6.** *zo.* Kropf *m* (*Vögel*); **7.** Peitschenstock *m*; Reitpeitsche *f*; **8.** kurzer Haarschnitt, kurzgeschnittenes Haar; **II.** *v/t.* **9.** abschneiden; *Haar* kurz scheren; *Ohren, Schwanz* stutzen; **10.** abbeißen, -fressen; **11.** ⚒ bepflanzen, bebauen; **III.** *v/i.* **12.** *Ernte* tragen; **13.** *geol. ~ up, ~ out* zutage treten; **14.** *~ up* auftauchen, erscheinen; ˈ**crop-eared** *adj.* mit gestutzten Ohren; ˈ**crop·per** [-pə] *s.* **1.** *a good ~* e-e gut tragende Pflanze; **2.** F Fall *m*, Sturz *m*: *to come a ~* **a)** vom Pferde *etc.* fallen, **b)** *fig.* Mißerfolg haben, sich blamieren, ‚reinfallen'; **3.** *orn.* Kropftaube *f*.

cro·quet [ˈkroukei] *sport* **I.** *s.* Krocket *n*; **II.** *v/t. u. v/i.* krokkieren.

cro·quette [krouˈket] *s. Küche*: Kroˈkette *f*, Bratklößchen *n*.

crore [krɔː] *s. Brit. Ind.* Kaˈror *m* (*10 Millionen* [*Rupien*]).

cro·sier [ˈkrouʒə] *s. R.C.* Bischofs-, Krummstab *m*.

cross [krɔs] **I.** *s.* **1.** Kreuz *n* (*zur Kreuzigung*); **2.** *the* ≗ **a)** das Kreuz Christi, **b)** das Christentum, **c)** das Kruzˈifix *n*; **3.** Kreuz *n* (*Zeichen od. Gegenstand*): *to make the sign of the ~* sich bekreuzigen; *to sign with a ~* mit e-m Kreuz (*statt Unterschrift*) unterzeichnen; *to mark with a ~* ankreuzen; **4.** Ordenskreuz *n*; **5.** *fig.* Kreuz *n*, Leiden *n*, Not *f*: *to bear one's ~* sein Kreuz tragen; **6.** Querstrich *m* (des Buchstabens t); **7.** Gauneˈrei *f*, ‚krumme Tour': *on the ~* unehrlich; **8.** *biol.* Kreuzung *f*, Mischung *f*; *fig.* Mittelding *n*; **9.** Kreuzungspunkt *m*; **II.** *v/t.* **10.** kreuzen, über Kreuz legen: *to ~ one's legs* die Beine kreuzen *od.* überschlagen; *to ~ swords with s.o.* die Klingen mit j-m kreuzen (*a. fig.*); *to ~ s.o.'s hand with money* j-m (Trink)Geld geben; **11.** e-n Querstrich ziehen durch: *to ~ one's t's* sehr sorgfältig sein; *to ~ a cheque* e-n Scheck ‚kreuzen' (*als Verrechnungsscheck kennzeichnen*); → *cheque*; *to ~ off* (*od. out*) ausstreichen; **12.** durch-, überˈqueren, *Grenze* überˈschreiten, *Zimmer* durchˈschreiten, (hinˈüber)gehen, (-)fahren über (*acc.*): *to ~ the ocean* über den Ozean fahren; *to ~ the street* über die Straße gehen; *it ~ed my mind* es fiel mir ein, es kam mir in den Sinn; *to ~ s.o.'s path* j-m in die Quere kommen; **13.** sich treffen, sich kreuzen mit: *your letter ~ed mine* Ihr Brief kreuzte sich mit meinem; *to ~ each other* sich kreuzen, sich schneiden, sich treffen; **14.** *biol.* kreuzen; **15.** *fig. Plan* durchˈkreuzen, vereiteln; entgegentreten (*dat.*): *to be ~ed in love* Unglück in der Liebe haben; **16.** das Kreuzzeichen machen auf (*acc.*) *od.* über (*dat.*): *to ~ o.s.* sich bekreuzigen; **III.** *v/i.* **17.** *a. ~ over* hinˈübergehen, -fahren; ˈübersetzen; **18.** sich treffen; sich kreuzen (*Briefe*); **IV.** *adj.* □ **19.** quer (liegend, laufend), Quer...; schräg; sich (über)ˈschneidend; **20.** (*to*) entgegengesetzt (*dat.*), im ˈWiderspruch (zu), Gegen...; **21.** F ärgerlich, verdrießlich, mürrisch, böse (*with* mit): *as ~ as two sticks* (ganz) bitterböse; **22.** *sl.* unehrlich.

cross- [krɔs] *in Zssgn* **a)** Kreuz..., **b)** Quer..., **c)** Gegen..., Wider...

cross| ac·tion *s.* ⚖ Gegen-, ˈWiderklage *f*; ˈ**~-bar** *s.* **1.** Querholz *n*, -riegel *m*, -stange *f*, -balken *m*; **2.** ⊕ Traˈverse *f*; **3.** *Fußball*: Querlatte *f*; ˈ**~-beam** *s.* **1.** ⊕ Querträger *m*, -balken *m*; **2.** ⚓ Dwarsbalken *m*; ˈ**~-bear·er** *s.* ⊕, *eccl.* Kreuzträger *m*; **~ bench** *s. parl.* (*brit. Oberhaus*) Querbank *f* der unabhängigen Abgeordneten; ˈ**~-bench** *adj. parl. Brit.* parˈteilos, unabhängig; ˈ**~-bill** *s. orn.* Kreuzschnabel *m*; ˈ**~-bones** *s. pl.* zwei gekreuzte Knochen unter e-m Totenkopf; ˈ**~-bow** [-bou] *s.* Armbrust *f*; ˈ**~-bred** *adj. biol.* durch Kreuzung erzeugt, gekreuzt; ˈ**~-breed I.** *s.* **1.** (Rassen)Kreuzung *f*, Mischrasse *f*; **2.** Mischling *m*; **II.** *v/t.* [*irr.* → *breed*] **3.** kreuzen, durch Kreuzung züchten; ˈ**~-ˈbun** *s.* Kreuzsemmel *f* (*am Karfreitag gegessen*); ˈ**~-ˈChan·nel** *adj.* den (ˈÄrmel)Kaˌnal überˈquerend: *~ steamer* Kanaldampfer; ˈ**~-check** *v/t. u. v/i.* kontrollieren u. gegenkontrollieren; ˈ**~-ˈcoun·try** *adj.* querfeldˈein; Gelände..., *mot. a.* geländegängig: *~ race* Geländefahrt, -lauf; *~ flight* Überlandflug; ˈ**~-cur·rent** *s.* Gegenstrom *m*, -strömung *f* (*a. fig.*); ˈ**~-cut I.** *adj.* **1.** quer schneidend, quergeschnitten: *~ saw* ⊕ Schrotsäge; **II.** *s.* **2.** Querweg *m*; **3.** ⊕ Kreuzhieb *m*.

crosse [krɔs] *s. sport* Laˈcrosse-Schläger *m*.

cross| en·try *s.* ✝ Gegenbuchung *f*; Gegenposten *m*; ˈ**~-ex·am·iˈna·tion** *s.* ⚖ Kreuzverhör *n*; ˈ**~-exˈam·ine** *v/t.* ⚖ ins Kreuzverhör nehmen; ˈ**~-eyed** *adj.* schielend; ˈ**~-fade** *v/t. Film etc.*: überˈblenden; ˈ**~-fire** *s.* ⚔ Kreuzfeuer *n* (*a. fig.*); ˈ**~-grained** *adj.* **1.** quergefasert; **2.** *fig.* ˈwiderspenstig, eigensinnig; ˈ**~-hatch·ing** *s.* Kreuzschraffierung *f*; **~ head, ~ heading** *s. Zeitung*: ˈZwischenˌüberschrift *f*.

cross·ing [ˈkrɔsiŋ] *s.* **1.** Kreuzen *n*, Kreuzung *f*; **2.** Durch-, Überˈquerung *f*; **3.** ˈÜberfahrt *f*, (ˈStraßen-)ˌÜbergang *m*; **4.** (Straßen-, Eisenbahn)Kreuzung *f*: *level* (*Am. grade*) *~* schienengleicher (*oft* unbeschrankter) Bahnübergang; *pedestrian ~* Fußgängerüberweg; **~ place** *s.* Weiche *f*; ˈ**~-sweep·er** *s.* Straßenkehrer *m*.

ˈ**cross|-legged** *adj.* mit ˈübergeschlagenen Beinen; ˈ**~-light** *s.* schrägeinfallendes Licht.

cross·ness [ˈkrɔsnis] *s.* Verdrießlichkeit *f*, schlechte Laune.

ˈ**cross|-patch** *s.* F mürrischer Mensch, Brummbär *m*; ˈ**~-piece** *s.* ⊕ Querstück *n*, -balken *m*, -holz *n*; **~ pur·pos·es** *s. pl.* **1.** ˈWiderspruch *m*: *to be at ~* **a)** einander entgegenarbeiten, **b)** sich mißverstehen; **2.** *ein* Frage- u. Antwort-Spiel *n*; **~ ques·tion** *s.* ⚖ Frage *f* im Kreuzverhör; ˈ**~-ˈques·tion** → *cross-examine*; **~ ref·er·ence** *s.* Kreuz-, Querverweis *m*; ˈ**~-road** *s.* **1.** Querstraße *f*; **2.** *pl. mst sg. konstr.* **a)** Straßenkreuzung *f*: *at a ~s* an e-r Kreuzung, **b)** *fig.* Scheideweg *m*: *at the ~s*; ˈ**~-sec·tion** *s.* **1.** 𝔸, ⊕ Querschnitt *m*; **2.** *fig.* (*of*) Querschnitt *m* (durch), typische Auswahl (aus); ˈ**~-stitch** *s.* Kreuzstich *m*; ˈ**~-town** *adj. Am.* quer durch die Stadt (gehend *od.* fahrend); ˈ**~-tree** *s.* ⚓ Dwars-, Quersaling *f*; **~ vot·ing** *s. Brit. pol.* Abstimmung *f* über Kreuz (*wobei einzelne Abgeordnete mit der Gegenpartei stim-*

men); **'~·ways** → *crosswise*; **~ wind** *s.* ✈, ⚓ Seitenwind *m*; **'~·wise** *adv.* quer, kreuzweise; kreuzförmig; **'~·word (puz·zle)** *s.* Kreuzworträtsel *n.*

crotch [krɔtʃ] *s.* Gabelung *f*, Abzweigung *f.*

crotch·et ['krɔtʃit] *s.* **1.** ♪ Viertelnote *f*; **2.** Schrulle *f*, verrückter Einfall; **'crotch·et·y** [-ti] *adj.* schrullenhaft, verschroben.

cro·ton ['kroutən] *s.* ⚘ 'Kroton *m*: *~ oil* ⚕ Krotonöl; ⚘ **bug** *s. zo. Am.* Küchenschabe *f.*

crouch [krautʃ] **I.** *v/i.* **1.** hocken, sich (nieder)ducken, sich zs.-kauern; **2.** *fig.* kriechen, sich ducken (*to* vor); **II.** *s.* **3.** kauernde Stellung, Hockstellung *f.*

croup[1] [kru:p] *s.* ⚕ Krupp *m*, Halsbräune *f.*

croup[2], **croupe** [kru:p] *s.* Kruppe *f des Pferdes.*

crou·pi·er ['kru:piə] *s.* Croupi'er *m*, Bankhalter *m* (*in Spielbanken*).

croû·ton ['kru:tɔ̃] *s.* Crou'ton *m* (*geröstete Brotbrocken zur Suppe*).

crow[1] [krou] *s. orn.* **1.** Krähe *f*: *as the ~ flies* schnurgerade, in der Luftlinie; *to eat ~ Am.* F zu Kreuze kriechen, ‚klein und häßlich' sein; *to have a ~ to pluck* (*od. pick*) *with s.o.* mit j-m ein Hühnchen zu rupfen haben; *a white ~ fig.* ein weißer Rabe, e-e Seltenheit; **2.** rabenähnlicher Vogel.

crow[2] [krou] **I.** *v/i.* **1.** krähen (*Hahn, a. Kind*); **2.** (vor Freude) quietschen; **3.** froh'locken, triumphieren (*over* über *acc.*); **4.** prahlen; **II.** *s.* **5.** Krähen *n* (*Hahn*); **6.** Schreien *n* (*vor Freude*).

'crow|-bar *s.* ⊕ Brech-, Stemmeisen *n*; **'~·ber·ry** [-bəri] *s.* ⚘ **1.** Krähenbeere *f*; **2.** *Am.* Kronsbeere *f*; **'~-bill** *s.* ⚕ Kugelzange *f.*

crowd [kraud] **I.** *s.* **1.** (Menschen-) Menge *f*, Gedränge *n*: *~s of people* Menschenmassen; *he would pass in a ~* er ist nicht schlechter als andere; **2.** *the ~* das gemeine Volk; der Pöbel: *to follow the ~* der Mehrheit folgen; **3.** F Ver'ein *m*, Bande *f* (*Gesellschaft*): *a jolly ~*; **4.** Ansammlung *f*, Haufen *m*: *a ~ of books*; **II.** *v/i.* **5.** sich drängen, zs.-strömen; vorwärtsdrängen; **III.** *v/t.* **6.** über'füllen, 'vollstopfen (*with* mit): *~ed hours* ereignisreiche Stunden; **7.** hin'einpressen, -stopfen (*into* in *acc.*); **8.** zs.-drängen: *to ~* (*on*) *sail* ⚓ alle Segel beisetzen; *to ~ the windows* sich an den Fenstern drängen; **9.** F *j-n* drängen; **~ in** *v/i.* hin'einströmen, sich hin'eindrängen: *to ~ upon s.o.* j-n bestürmen, auf j-n einstürmen (*Gedanken etc.*); **~ out** *v/t.* verdrängen; ausschalten; (*wegen Platzmangels*) aussperren; **~ up** *v/t. Am. Preise* in die Höhe treiben.

crowd·ed ['kraudid] *adj.* **1.** (*with*) über'füllt, 'vollgestopft (mit), voll, wimmelnd (von): *~ to overflowing* zum Bersten voll; **2.** gedrängt, zs.-gepfercht; **3.** bedrängt, beengt; **4.** voll ausgefüllt, arbeits-, ereignisreich (*Leben*).

'crow·foot *pl.* **-foots** *s.* **1.** ⚘ Hahnenfuß *m*; **2.** → *crow's-foot* 2.

crown [kraun] **I.** *s.* **1.** Siegerkranz *m*, Ehrenkrone *f*; **2. a)** (Königs- *etc.*)Krone *f*, **b)** Herrschermacht *f*, Thron *m*: *to succeed to the ~* den Thron besteigen, **c)** *the* ⚘ die Krone, der König *etc.*, *a.* der Staat *od.* Fiskus; **3.** Krone *f* (*Abzeichen*); **4.** Krone *f* (*Währung*): **a)** *Brit. obs.* Fünfschillingstück *n*: *half a ~* 2 Schilling 6 Pence, **b)** *Währungseinheit von Dänemark, Norwegen, Schweden*; **5. a)** Scheitel *m*, Wirbel *m* (*Kopf*), **b)** Kopf *m*: *to break s.o.'s ~* j-m den Schädel einschlagen; **6.** ⚘ (Baum)Krone *f*; **7. a)** *anat.* (Zahn)Krone *f*, **b)** (künstliche) Krone; **8. a)** Haarkrone *f*, **b)** Schopf *m*, Kamm *m* (*Vogel*); **9.** Kopf *m e-s Hutes*; **10.** △ Krone *f*, Schlußstein *m*; **11.** ⚓ Ankerkreuz *n*; **12.** höchster Punkt, Gipfel *m*; *fig.* Höhepunkt *m*, Krönung *f*; **II.** *v/t.* **13.** krönen: *to be ~ed king* zum König gekrönt werden; *~ed heads* gekrönte Häupter; **14.** *fig.* krönen, ehren, belohnen; zieren, schmücken; **15.** *fig.* krönen, den Gipfel *od.* Höhepunkt bilden von: *~ed with success* von Erfolg gekrönt; **16.** *fig.* die Krone aufsetzen (*dat.*): *to ~ all* **a)** allem die Krone aufsetzen, **b)** zu allem Überfluß *od.* Unglück; **17.** *fig.* glücklich voll'enden; **18.** ⚕ *Zahn* über'kronen; **19.** *Damespiel*: zur Dame machen; **20.** *sl. j-m* ‚eins aufs Dach geben'; ⚘ **Col·o·ny** *s. Brit.* 'Kronkolo,nie *f*; ⚘ **Court** *s.* ⚖ *Brit.* Schwurgericht *n*; **~ es·cape·ment** *s.* ⊕ Spindelhemmung *f* (*Uhr*); **'~-'glass** *s.* **1.** Mondglas *n*, Butzenscheibe *f*; **2.** Kronglas *n.*

crown·ing ['krauniŋ] *adj.* krönend, alles über'bietend, höchst: *~ achievement* Glanzleistung.

'crown|-jew·els *s. pl.* 'Kronju,welen *pl.*, 'Reichsklein,odien *pl.*; **'~-'land** *s.* Kron-, Staatsgut *n*; **~ o·pen·er** *s.* Flaschenöffner *m* (*für Patentverschlüsse*); **~ prince** *s.* Kronprinz *m*; **~ prin·cess** *s.* 'Kronprin,zessin *f*; **'~-wheel** *s.* ⊕ Kronrad *n* (*Uhr*).

'crow-quill *s.* feine Stahlfeder.

'crow's|-bill → *crow-bill*; **'~-foot** *s.* [*irr.*] **1.** *pl.* Krähenfüße *pl.*, Fältchen *pl.*; **2.** ⚔ Fußangel *f*; **'~-nest** *s.* ⚓ Ausguck *m*, Krähennest *n.*

cru·cial ['kru:ʃjəl] *adj.* **1.** 'kritisch, entscheidend: *~ point* springender Punkt; *~ test* Feuerprobe; **2.** schwierig; **3.** ⚕ kreuzförmig: *~ incision* Kreuzschnitt.

cru·ci·ble ['kru:sibl] *s.* **1.** ⊕ (Schmelz)Tiegel *m*: *~ steel* Tiegelgußstahl; **2.** *fig.* Feuerprobe *f.*

cru·ci·fix ['kru:sifiks] *s.* Kruzi'fix *n*; **cru·ci·fix·ion** [kru:si'fikʃən] *s.* Kreuzigung *f*; **'cru·ci·form** [-fɔ:m] *adj.* kreuzförmig; **'cru·ci·fy** [-fai] *v/t.* kreuzigen; *fig. Begierden* abtöten.

crude [kru:d] *adj.* □ **1.** roh, ungekocht; unver-, unbearbeitet: *~ oil* Rohöl; **2.** roh, grob, ungehobelt, unfein; **3.** roh, unfertig, unreif; 'undurch,dacht; **4.** grell, geschmacklos (*Farbe*); **5.** *fig.* ungeschminkt, nackt: *~ facts* nackte Tatsachen;

'crude·ness [-nis] *s.* Roheit *f*, Grobheit *f*, Unfertigkeit *f*, Unreife *f* (*a. fig.*); **'cru·di·ty** [-diti] *s.* **1.** → *crudeness*; **2.** *et.* Unfertiges *od.* Unbearbeitetes *od.* Geschmackloses.

cru·el ['kruəl] **I.** *adj.* □ **1.** grausam (*to* gegen); **2.** hart, unbarmherzig, roh, gefühllos; **3.** entsetzlich, schrecklich; **II.** *adv.* **4.** F furchtbar, scheußlich: *~ hot*; **'cru·el·ty** [-ti] *s.* **1.** Grausamkeit *f* (*to* gegen['über]); **2.** Miß'handlung *f*, Quäle'rei *f*: *~ to animals* Tierquälerei; *Society for the Prevention of* ⚘ *to Animals* Tierschutzverein; **3.** Schwere *f*, Härte *f.*

cru·et ['kru(:)it] *s.* **1.** Essig-, Ölfläschchen *n*; **2.** *R.C.* Meßkännchen *n*; **3.** *a. ~-stand* Me'nage *f*, Gewürzständer *m.*

cruise [kru:z] **I.** *v/i.* **1.** ⚓ kreuzen, e-e Seereise machen; her'umfahren: *cruising taxi* fahrendes Taxi auf Fahrgastsuche; **2.** ✈, *mot.* **a)** e-e Vergnügungsfahrt machen, **b)** mit Reisegeschwindigkeit fliegen *od.* fahren; **II.** *s.* **3.** Seereise *f*, Kreuz-, Vergnügungsfahrt *f*; **'cruis·er** [-zə] *s.* **1.** ⚓ **a)** Kreuzer *m*, **b)** Vergnügungsschiff *n*, **c)** ('Motor-) Jacht *f*, Segler *m*; **2.** *Am.* (Funk-) Streifenwagen *m*; **3.** *Boxen*: *~weight* F Halbschwergewicht; **'cruis·ing** [-ziŋ] *adj.* ✈, *mot.* Reise...: *~ speed*; *~ level* ✈ Reiseflughöhe.

crumb [krʌm] **I.** *s.* **1.** Krume *f*, Krümel *m*, Brösel *m*: *~-brush* Tischbürste; **2.** *fig.* Brocken *m*, *ein* bißchen; **3.** Krume *f* (*weicher Teil des Brotes*); **II.** *v/t.* **4.** *Küche*: panieren; **5.** zerkrümeln; **'crum·ble** [-mbl] **I.** *v/t.* **1.** zerkrümeln, -bröckeln; **II.** *v/i.* **2.** zerbröckeln, -fallen; **3.** *fig.* zer-, verfallen, zu'grunde gehen; **4.** ✝ abbröckeln (*Kurse*); **III.** *s.* **5.** *apple ~* Apfelspeise mit Krümelauflage; **'crum·bling** [-mbliŋ], **'crum·bly** [-mbli] *adj.* **1.** krüm(e)lig, bröck(e)lig; **2.** zerbröckelnd, -fallend; **crumb·y** ['krʌmi] *adj.* **1.** voller Krumen; **2.** weich, krüm(e)lig.

crump [krʌmp] *s.* ⚔ *Brit. sl.* ‚dicker Brocken' (*schwere Granate*).

crum·pet ['krʌmpit] *s.* **1.** *ein* weicher Teekuchen; **2.** *sl.* ‚Birne' *f* (*Kopf*).

crum·ple ['krʌmpl] **I.** *v/t.* **1.** *a. ~ up* zerknittern, zer-, zs.-knüllen; *fig.* vernichten; **II.** *v/i.* **2.** sich (zer-) drücken, faltig werden, verschrumpeln; **3.** *oft ~ up* zerdrückt werden, zs.-brechen (*a. fig.*), einstürzen.

crunch [krʌntʃ] **I.** *v/t.* **1.** knirschend (zer)kauen; **2.** zermalmen; **II.** *v/i.* **3.** knirschend kauen; **4.** knirschen; **III.** *s. sl.* **5.** Druck(ausübung *f*) *m*; **6.** ‚Klemme' *f*, böse Situati'on; **7.** 'kritischer Mo'ment, 'Krise *f*; **'crunch·y** [-tʃi] *adj.* F knusp(e)rig.

crup·per ['krʌpə] *s.* **1.** Schwanzriemen *m* (*Pferdegeschirr*); **2.** Kruppe *f* (*Pferd*).

cru·ral ['kruərəl] *adj. anat.* Schenkel..., Bein...

cru·sade [kru:'seid] **I.** *s.* Kreuzzug *m* (*a. fig.*); **II.** *v/i.* e-n Kreuzzug unter'nehmen; *fig.* zu Felde ziehen, kämpfen; **cru'sad·er** [-də] *s.* Kreuzfahrer *m*; *fig.* Kämpfer *m.*

cruse [kru:z] *s. bibl.* irdener Krug:

widow's ~ nie versiegender Vorrat.
crush [krʌʃ] **I.** *s.* **1.** Gedränge *n*, Menschenmenge *f*; **2.** F über'füllte gesellschaftliche Veranstaltung; **3.** *sl.* Schwarm *m*: *to have a ~ on s.o.* in j-n verliebt *od.* ‚verschossen' sein; **II.** *v/t.* **4.** zerquetschen, -drücken, -malmen; **5.** zerstoßen, -kleinern, mahlen; **6.** zerknittern; **7.** drücken, drängen; **8.** ausquetschen, -drükken; **9.** *fig.* er-, unter'drücken, über'wältigen, zerschmettern, vernichten; **III.** *v/i.* **10.** zerknittern, sich zerdrücken; **11.** zerbrechen; **12.** sich drängen; **~ down** *v/t.* **1.** zerdrücken, -malmen; **2.** niederschmettern, über'wältigen; **~ out** *v/t.* ausdrükken, -pressen; *fig.* zertreten; **~ up** *v/t.* **1.** zerquetschen; **2.** zerknüllen.
crush·a·ble ['krʌʃəbl] *adj.*: *~ zone mot.* Knautschzone.
crush·er ['krʌʃə] *s.* **1.** ⊕ 'Brechmaˌschine *f*; **2.** F *et.* Über'wältigendes.
'crush|-hat *s.* Klapphut *m*; **'~-hour** → *rush-hour.*
crush·ing ['krʌʃiŋ] *adj.* □ *fig.* über'wältigend.
'crush-room *s. thea.* Foy'er *n*, Wandelhalle *f*.
crust [krʌst] **I.** *s.* **1.** Kruste *f*, Rinde *f* (*Brot, Pastete*); **2.** Knust *m*, Stück *n* hartes Brot; **3.** Erdkruste *f*; **4.** ⚕ Schorf *m*; **5.** ⚘, *zo.* Schale *f*; **6.** Niederschlag *m* (*in Weinflaschen*), Ablagerung *f*; **7.** *sl.* Frechheit *f*; **8.** Harsch *m*; **II.** *v/t.* **9.** mit e-r Kruste über'ziehen; **III.** *v/i.* **10.** e-e Kruste bilden; verharschen (*Schnee*); → *crusted.*
crus·ta·cea [krʌs'teiʃjə] *s. pl. zo.* Krusten-, Krebstiere *pl.*; **crus'ta·cean** [-ʃjən] **I.** *adj.* zu den Krusten- *od.* Krebstieren gehörig, Krebs...; **II.** *s.* Krusten-, Krebstier *n*; **crus'ta·ceous** [-ʃjəs] → *crustacean I.*
crust·ed ['krʌstid] *adj.* **1.** mit e-r Kruste über'zogen: *~ snow* Harsch (-schnee); **2.** abgelagert (*Wein*); **3.** *fig.* alt'hergebracht; eingefleischt; **'crust·y** [-ti] *adj.* □ **1.** krustig; **2.** mit e-r Kruste (versehen); **3.** *fig.* mürrisch, reizbar, bärbeißig.
crutch [krʌtʃ] *s.* **1.** Krücke *f*: *to go on ~es* auf *od.* an Krücken gehen; **2.** *fig.* Stütze *f*, Hilfe *f*; **'Crutch·ed Fri·ars** [-tʃid] *s. pl. eccl.* Kreuzbrüder *pl.* (*katholischer Orden in England*).
crux [krʌks] *s.* **1.** springender Punkt; **2.** Schwierigkeit *f*, ‚Haken' *m*, harte Nuß; **3.** ♀ *ast.* Kreuz *n* des Südens.
cry [krai] **I.** *s.* **1.** Schrei *m* (*a. Tier*), Ruf *m* (*for* nach): *within ~ (of)* in Rufweite (von); *a far ~ from fig.* **a)** weit entfernt von, **b)** et. ganz anderes als; **2.** Geschrei *n*, Ausrufen *n*: *much ~ and little wool* viel Geschrei u. wenig Wolle; *the popular ~* die Stimme des Volkes; **3.** Weinen *n*, Klagen *n*: *to have a good ~* sich (ordentlich) ausweinen; **4.** Bitten *n*, Flehen *n*; **5.** Schlag-, Losungswort *n*; **6.** *hunt.* Anschlagen *n*, Gebell *n* (*Meute*): *in full ~* mit lautem Gebell, *fig.* in voller Jagd *od.* Verfolgung; **7.** *hunt.* Meute *f*; *fig.* Herde *f*, Menge *f*: *to follow in the ~* mit den Wölfen heulen; **II.** *v/i.* **8.** schreien, laut (aus)rufen: *to ~ for help* um Hilfe rufen; *to ~ for vengeance* nach Rache schreien; **9.** weinen, heulen, jammern; **10.** *hunt.* anschlagen, bellen; **III.** *v/t.* **11.** schreien, (aus)rufen: *to ~ one's wares* s-e Waren ausrufen, -bieten; **12.** *obs.* flehen um; **13.** weinen: *to ~ one's eyes out* sich die Augen ausweinen; *to ~ o.s. to sleep* sich in den Schlaf weinen; **~ down** *v/t.* her'absetzen, schmälern; **~ off** *v/t.* (plötzlich) absagen, zu'rücktreten von; **~ out I.** *v/t.* ausrufen; **II.** *v/i.* aufschreien: *to ~ against fig.* mißbilligen, verurteilen; **~ up** *v/t.* laut rühmen.
'cry-ba·by *s.* kleiner Schreihals; *fig.* Heulsuse *f*.
cry·ing ['kraiiŋ] *adj. fig.* (himmel-) schreiend, schlimm; dringend.
crypt [kript] *s.* ⚠ 'Krypta *f*, 'unterirdisches Gewölbe, Gruft *f*; **'cryp·tic** [-tik] *adj.* geheim, verborgen; rätselhaft, dunkel: *~ colo(u)ring zo.* Schutzfärbung; **'cryp·ti·cal** [-tikəl] *adj.* → *cryptic.*
crypto- [kriptou] *in Zssgn* geheim, verborgen: *~-communist* verkappter Kommunist; **'cryp·to·gam** [-gæm] *s.* ⚘ Krypto'game *f*, Sporenpflanze *f*; **cryp·to·gam·ic** [kriptou'gæmik], **cryp·tog·a·mous** [krip'tɔgəməs] *adj.* ⚘ krypto'gamisch; **'cryp·to·gram** [-græm] *s.* Text *m* in Geheimschrift, chiffrierter Text; **'cryp·to·graph** [-grɑ:f; -græf] *s.* (Text *m* in) Geheimschrift *f*; **cryp·tog·ra·phy** [krip'tɔgrəfi] *s.* Geheimschrift *f*; **cryp·tol·o·gist** [krip'tɔlədʒist] *s.* Kenner *m od.* Erforscher *m* ar'chaischer *od.* geheimer Schriften; **cryp·to·me·ri·a** [kriptou'miəriə] *s.* ⚘ Krypto'merie *f*, Ja'panische Zeder.
crys·tal ['kristl] **I.** *s.* **1.** Kri'stall *m* (*a.* ⚗, *min., phys.*): *as clear as ~ od. ~ clear* **a)** kristallklar, **b)** *fig.* sonnenklar; **2.** *a. ~ glass* **a)** Kri'stall (-glas) *n*, **b)** *coll.* Kristall *n*, Glaswaren *pl.*; **3.** Uhrglas *n*; **II.** *adj.* **4.** Kristall..., kri'stallen; **5.** kri'stallklar; **~ de·tec·tor** *s.* ⚡ (Kri'stall)Deˌtektor *m*; **'~-gaz·er** *s.* Hellseher *m* (*der in e-m Kristall die Zukunft sieht*); **'~-gaz·ing** *s.* Kri'stallsehen *n*.
crys·tal·line ['kristəlain] *adj. a.* ⚗, *min.* kristal'linisch, kri'stallen, kri'stallartig, Kristall...: *~ lens anat.* (Augen)Linse; **'crys·tal·liz·a·ble** [-aizəbl] *adj.* kristallisierbar; **crys·tal·li·za·tion** [kristəlai'zeiʃən] *s.* Kristallisati'on *f*, Kristallisierung *f*, Kri'stallbildung *f*; **'crys·tal·lize** [-aiz] **I.** *v/t.* **1.** kristallisieren; **2.** *fig.* feste Form geben (*dat.*), klären; **3.** *Früchte* kandieren; **II.** *v/i.* **4.** kristallisieren; **5.** *fig.* kon'krete *od.* feste Form annehmen; **crys·tal·log·ra·pher** [kristə'lɔgrəfə] *s.* Kristallo'graph *m*; **crys·tal·log·ra·phy** [kristə'lɔgrəfi] *s.* Kristallogra'phie *f*.
crys·tal set *s. Radio*: Kri'stall(deˌtektor)empfänger *m*.
'C-spring *s.* ⊕ C-Feder *f*.
cte·noid ['ti:nɔid] *ichth.* **I.** *adj.* kammschuppig; **II.** *s.* Kammschupper *m*.
cub [kʌb] **I.** *s.* **1.** *zo. das* Junge (*des Fuchses, Bären etc.*); **2.** ‚Küken' *n*, Tolpatsch *m*: *unlicked ~* Flegel; *~ reporter* unerfahrener junger Reporter; **3.** *a. wolf-~* Wölfling *m*, Jungpfadfinder *m*; **II.** *v/i.* **4.** Junge werfen (*Füchse etc.*); **5.** junge Füchse jagen.
cub·age ['kju:bidʒ] → *cubature.*
Cu·ban ['kju:bən] **I.** *adj.* ku'banisch; **II.** *s.* Ku'baner(in).
cu·ba·ture ['kju:bətʃə] *s.* ⚹ **1.** Raum(inhalts)berechnung *f*; **2.** Rauminhalt *m*.
cub·by-hole ['kʌbihoul] *s.* gemütliches Plätzchen; Kämmerchen *n*, ‚Ka'buff' *n*.
cube [kju:b] **I.** *s.* **1.** ⚹ Würfel *m*, 'Kubus *m*; **2.** Würfel *m*: *~ sugar* Würfelzucker; **3.** ⚹ Ku'bikzahl *f*, dritte Po'tenz: *~ root* Kubikwurzel; **4.** Pflasterstein *m* (*in Würfelform*); **II.** *v/t.* **5.** ⚹ zur dritten Potenz erheben: *two ~d* zwei hoch drei (2^3); **6.** den Rauminhalt messen von; **7.** in Würfel schneiden.
cu·beb ['kju:beb] *s.* ⚘ Ku'bebe *f*.
cu·bic ['kju:bik] *adj.* (□ *~ally*) **1.** Kubik..., Raum...: *~ content* Rauminhalt, Volumen; *~ metre, Am. meter* Kubik-, Raum-, Festmeter; **2.** 'kubisch, würfelförmig, Würfel...; **3.** ⚹ kubisch: *~ equation* kubische Gleichung, Gleichung dritten Grades; **'cu·bi·cal** [-kəl] *adj.* □ → *cubic.*
cu·bi·cle ['kju:bikl] *s.* kleiner abgeteilter (Schlaf)Raum; Zelle *f*, Nische *f*, Ka'bine *f*.
cub·ism ['kju:bizəm] *s.* Ku'bismus *m*; **'cub·ist** [-ist] **I.** *s.* Ku'bist *m*; **II.** *adj.* ku'bistisch.
cu·bit ['kju:bit] *s.* Elle *f* (*Längenmaß*); **'cu·bi·tal** [-tl] *adj. anat.* Unterarm...; **'cu·bi·tus** [-təs] *s. anat.* 'Unterarm *m*.
cu·boid ['kju:bɔid] *adj.* (annähernd) würfelförmig: *~ bone anat.* Würfelbein.
cuck·old ['kʌkəld] **I.** *s.* Hahnrei *m*; **II.** *v/t.* zum Hahnrei machen, *j-m* Hörner aufsetzen.
cuck·oo ['kuku:] **I.** *s.* **1.** *orn.* Kuckuck *m*; **2.** Kuckucksruf *m*; **3.** *sl.* Tropf *m*; **II.** *v/i.* **4.** ‚kuckuck' rufen; **III.** *adj.* **5.** *sl.* verrückt, ‚plem'plem'; **~ clock** *s.* Kuckucksuhr *f*; **'~-flow·er** *s.* ⚘ Wiesenschaumkraut *n*; **'~-pint** [-pint] *s.* ⚘ gefleckter 'Aronsstab; **'~-spit** *s. zo.* **1.** Kuckucksspeichel *m*; **2.** 'Schaumziˌkade *f*.
cu·cum·ber ['kju:kʌmbə] *s.* Gurke *f*; → *cool 2*; **'~-tree** *s.* ⚘ amer. Ma'gnolie *f*.
cu·cur·bit [kju'kə:bit] *s.* ⚘ Kürbis (-gewächs *n*) *m*.
cud [kʌd] *s.* 'wiedergekäutes Futter: *to chew the ~* **a)** wiederkäuen, **b)** *fig.* überlegen, nachsinnen.
cud·dle ['kʌdl] **I.** *v/t.* herzen, hätscheln, ‚knuddeln'; **II.** *v/i.* sich kuscheln, warm *od.* behaglich liegen: *to ~ up* sich zs.-kuscheln, sich warm einmummeln (*im Bett*); **III.** *s.* Um'armung *f*, Liebkosung *f*; **'cud·dle·some** [-səm], **'cud·dly** [-li] *adj.* anschmiegsam; ‚knuddelig'.
cudg·el ['kʌdʒəl] **I.** *s.* Knüttel *m*, Keule *f*: *to take up the ~s for s.o.* für j-n eintreten, für j-n e-e Lanze brechen; **II.** *v/t.* prügeln: *to ~ one's*

brains fig. sich den Kopf zerbrechen (*for* wegen, *about* über *acc.*).
cue[1] [kju:] *s.* **1.** *bsd. thea.* Stichwort *n*; **2.** Wink *m*, Fingerzeig *m*: *to give s.o. his* ~ j-m die Worte in den Mund legen; *to take the* ~ *from s.o.* sich nach j-m richten.
cue[2] [kju:] *s.* **1.** Queue *n*, 'Billardstock *m*; **2.** → *queue* 2.
cuff[1] [kʌf] *s.* Man'schette *f* (*a.* ⊕), Stulpe *f*; Ärmel- (*Am. a.* Hosen-)aufschlag *m*; *mst pl.* Handschellen *pl.*: *off the* ~ *Am.* F aus dem Handgelenk, improvisiert; *to put on the* ~ *Am.* F **a)** (zur Abzahlung) anschreiben, **b)** sich *et.* notieren.
cuff[2] [kʌf] **I.** *v/t.* knuffen, ohrfeigen; **II.** *s.* Schlag *m*, Knuff *m*.
'**cuff-link** *s.* Man'schettenknopf *m*.
cui·rass [kwi'ræs] *s.* 'Küraß *m*, Brustharnisch *m*; **cui·ras·sier** [kwirə'siə] *s.* ⚔ Küras'sier *m*.
cui·sine [kwi(:)'zi:n] *s.* Küche *f*, Kochkunst *f*: *French* ~.
cul-de-sac ['kuldə'sæk; kydsak] *pl.* **-sacs** (*Fr.*) *s.* Sackgasse *f* (*a. fig.*).
cu·li·nar·y ['kʌlinəri] *adj.* Koch..., Küchen...: ~ *art* Kochkunst; ~ *herbs* Küchenkräuter.
cull [kʌl] **I.** *v/t.* **1.** pflücken; **2.** *fig.* auslesen, -suchen; **II.** *s.* **3.** *et.* (als minderwertig) Aussortiertes.
cul·len·der ['kʌlində] → *colander*.
cul·let ['kʌlit] *s.* Bruchglas *n*.
culm[1] [kʌlm] *s.* **1.** Kohlenstaub *m*, -grus *m*; **2.** *geol.* Kulm *m*, *n*.
culm[2] [kʌlm] *s.* ⚘ Halm *m*, Stengel *m* (*von Gräsern*).
cul·mi·nate ['kʌlmineit] *v/i.* **1.** *ast.* kulminieren; **2.** *fig.* den Höhepunkt erreichen; gipfeln (*in* in *dat.*); **cul·mi·na·tion** [kʌlmi'neiʃən] *s.* **1.** *ast.* Kulminati'on *f*; **2.** *bsd. fig.* Gipfel *m*, Höhepunkt *m*, höchster Stand.
cul·pa·bil·i·ty [kʌlpə'biliti] *s.* Sträflichkeit *f*, Schuld *f*; **cul·pa·ble** ['kʌlpəbl] *adj.* □ sträflich, schuldhaft; strafbar: ~ *negligence* ⚖ (grobe) Fahrlässigkeit.
cul·prit ['kʌlprit] *s.* **1.** Schuldige(r *m*) *f*, Missetäter(in); **2.** ⚖ Angeklagte(r *m*) *f*.
cult [kʌlt] *s.* **1.** *eccl.* Kult(us) *m*; **2.** *fig.* Kult *m*, Verehrung *f*; **3.** (dumme) Mode.
cul·ti·va·ble ['kʌltivəbl] *adj.* kultivierbar, bebaubar (*Boden*); anbaufähig (*Pflanze*).
cul·ti·vate ['kʌltiveit] *v/t.* **1.** *Boden* bebauen, bestellen; **2.** *Pflanzen* züchten, ziehen, (an)bauen; **3.** entwickeln, fort-, ausbilden, fördern; **4.** verfeinern, veredeln; **5.** *Freundschaft etc.* pflegen, hegen; **6.** betreiben, üben; sich widmen (*dat.*), Wert legen auf (*acc.*); '**cul·ti·vat·ed** [-tid] *adj.* **1.** bebaut, bestellt (*Land*); **2.** ⚒ gezüchtet (*Ggs. wildgewachsen*); **3.** kultiviert, gebildet; **cul·ti·va·tion** [kʌlti'veiʃən] *s.* **1.** Bearbeitung *f*, Bestellung *f*, Bebauung *f*: *under* ~ bebaut; **2.** Anbau *m*, Züchtung *f*; Ackerbau *m*; **3.** (Aus)Bildung *f*, Pflege *f*, Übung *f*; Förderung *f*; **4.** Kul'tur *f*, Bildung *f*; '**cul·ti·va·tor** [-tə] *s.* **1.** Landwirt *m*; **2.** Züchter *m*; **3.** ⚒ Kulti'vator *m* (*Gerät*).
cul·tur·al ['kʌltʃərəl] *adj.* □ **1.** Kultur..., kultu'rell; **2.** → *cultivated* 2; **cul·ture** ['kʌltʃə] *s.* **1.** Bebauung *f* (*Boden*); **2.** ⚒ Anbau *m*, Zucht *f*, Kul'tur *f* (*Pflanzen*); **3.** ⚒ Züchtung *f*, Zucht *f* (*Tiere*): ~ *pearl* Zuchtperle; **4.** *biol.* Züchtung *f*; Kultur *f* (*Bakterien, Gewebe*): ~ *medium* künstlicher Nährboden; **5.** Pflege *f*, Aus-, Fortbildung *f*: *physical* ~ Leibesübungen; **6.** Kultur *f*, (geistige) Bildung; '**cul·tured** [-tʃəd] *adj.* **1.** kultiviert, gepflegt, gebildet; **2.** gezüchtet: ~ *pearl* Zuchtperle.
cul·ver ['kʌlvə] *s. orn.* Ringeltaube *f*.
cul·vert ['kʌlvət] *s.* ⊕ (über'wölbter) 'Abzugska,nal; 'unterirdische (Wasser)Leitung.
cum [kʌm] (*Lat.*) *prp.* **1.** mit, samt; **2.** *Brit. humor.* und gleichzeitig, plus: *garage-~-workshop*.
cum·ber ['kʌmbə] **I.** *v/t. mst fig.* belasten, beschweren; behindern; **II.** *s. fig.* Last *f*, Bürde *f*; '**cum·ber·some** [-səm] *adj.* □ **1.** lästig, beschwerlich; unbequem; **2.** schwerfällig.
Cum·bri·an ['kʌmbriən] **I.** *adj.* Cumberland betreffend; **II.** *s.* Bewohner(in) von Cumberland.
cum·brous ['kʌmbrəs] → *cumbersome*.
cum·in ['kʌmin] *s.* ⚘ Kreuzkümmel *m*.
cum·mer·bund ['kʌməbʌnd] *s.* Kummerbund *m* (*schärpenartiger Rundbundgürtel*).
cum·min → *cumin*.
cum·quat → *kumquat*.
cu·mu·la·tive ['kju:mjulətiv] *adj.* □ **1.** *a.* ✝ kumula'tiv, Sammel...; **2.** sich (an)häufend *od.* steigernd *od.* summierend; anwachsend; **3.** zusätzlich, verstärkend; ~ **ev·i·dence** *s.* ⚖ zusätzlicher Beweis; ~ **vot·ing** *s.* Kumu'lieren *n* (*bei Wahlen*).
cu·mu·lus ['kju:mjuləs] *pl.* **-li** [-lai] *s.* 'Kumulus *m*, Haufenwolke *f*.
cu·ne·ate ['kju:nieit] *adj. bsd.* ⚘ keilförmig; '**cu·ne·i·form** [-iifɔ:m] **I.** *adj.* **1.** keilförmig; **2.** keilschriftlich: ~ *characters* Keilschrift; **II.** *s.* **3.** Keilschrift *f*; '**cu·ni·form** [-ifɔ:m] → *cuneiform*.
cun·ning ['kʌniŋ] **I.** *adj.* □ **1.** listig, schlau, verschmitzt; **2.** geschickt, klug; **3.** *Am.* F niedlich, reizend; **II.** *s.* **4.** Schlauheit *f*, Verschlagenheit *f*, List *f*; **5.** Geschicklichkeit *f*.
cunt [kʌnt] *s.* V Fotze *f*, Möse *f*, ‚Loch' *n*.
cup [kʌp] **I.** *s.* **1.** Tasse *f*, Schale *f*: ~ *and saucer* Ober- und Untertasse; *that's not my* ~ *of tea Brit.* F das ist nicht nach m-m Geschmack; **2.** Kelch *m* (*a. eccl.*), Becher *m*; **3.** *sport* Po'kal *m*: ~ *final* Pokalendspiel; ~*-tie* Pokalspiel, Pokalpaarung; **4.** Weinbecher *m*: *to be fond of the* ~ gern (einen) trinken; *to be in one's* ~*s* zu tief ins Glas geschaut haben (*betrunken sein*); **5.** Bowle *f* (*Getränk*); **6.** *et.* Schalenförmiges (*vertieft od. erhaben*); **7.** *fig.* Kelch *m*, Schicksal *n*: ~ *of happiness* Kelch *od.* Becher der Freude; *to drain the* ~ *of sorrow to the dregs* den Kelch des Leidens bis auf die Neige leeren; *his* ~ *is full* das Maß s-r Leiden (*od.* Freuden) ist voll; **8.** → *cupful* 2; **II.** *v/t.* **9.** ‚hohl machen': *cupped hand* hohle Hand; **10.** ⚕ schröpfen; '~**-bear·er** *s.* Mundschenk *m*.
cup·board ['kʌbəd] *s.* Schrank *m*; Speise-, Geschirrschrank *m*; ~ **love** *s.* eigennützige Liebe.
cu·pel ['kju:pəl] *s.* ⚗, ⊕ Ku'pelle *f*.
cup·ful ['kʌpful] *pl.* **-fuls** *s.* **1.** *e-e* Tasse(voll); **2.** *Am. Küche*: ½ Pinte *f* (*0,235 l*).
Cu·pid ['kju:pid] *s.* **1.** *antiq.* 'Kupido *m*, 'Amor *m*; **2.** ♀ Amo'rette *f*; **3.** *fig.* Liebe *f*.
cu·pid·i·ty [kju(:)'piditi] *s.* Habgier *f*, Begehrlichkeit *f*.
cu·po·la ['kju:pələ] *s.* **1.** Kuppel (-dach *n*) *f*; **2.** *a.* ~*-furnace* ⊕ Ku'polofen *m*; **3.** ⚔, ⚓ Panzerturm *m*.
cup·ping ['kʌpiŋ] *s.* ⚕ Schröpfen *n*: ~*-glass* Schröpfglas, -kopf.
cu·pre·ous ['kju:priəs] *adj.* kupfern; kupferartig, -haltig; '**cu·pric** [-ik] *adj.* ⚗ Kupfer...; '**cu·pro-'nick·el** ['kju:prou-] *s.* Kupfernickel *n*, Nickelkupfer *n*; '**cu·prous** [-rəs] → *cupric*.
cur [kə:] *s.* **1.** Köter *m*; **2.** *fig.* Schuft *m*, Ha'lunke *m*.
cur·a·bil·i·ty [kjuərə'biliti] *s.* Heilbarkeit *f*; **cur·a·ble** ['kjuərəbl] *adj.* heilbar.
cu·ra·çao, cu·ra·çoa [kjuərə'sou] *s.* Cura'çao *m* (*Likör*).
cu·ra·cy ['kjuərəsi] *s. eccl.* Hilfspfarramt *n*; '**cu·rate** [-rit] *s. eccl.* Hilfsgeistliche(r) *m*, -pfarrer *m*.
cur·a·tive ['kjuərətiv] **I.** *adj.* heilend, Heil...; **II.** *s.* Heilmittel *n*.
cu·ra·tor [kjuə'reitə] *s.* **1.** 'Kustos *m*, Mu'seumsdi,rektor *m*; **2.** *Brit. univ.* (*Oxford*) Mitglied *n* des Kura'toriums; **3.** ⚖ *Scot.* Vormund *m*; **4.** ⚖ Verwalter *m*, Pfleger *m*; **cu'ra·tor·ship** [-ʃip] *s.* Amt *n od.* Amtszeit *f* e-s Kustos *etc.*
curb [kə:b] **I.** *s.* **1.** Kan'dare *f*, Kinnkette *f*; **2.** *fig.* Zaum *m*, Zügel(ung *f*) *m*: *to put a* ~ *on s.th.* e-r Sache Zügel anlegen, et. zügeln; **3.** *Am.* → *kerb 1, 2, 3*; **4.** *vet.* Spat *m*, Hasenfuß *m*; **II.** *v/t.* **5.** an die Kandare nehmen; **6.** *fig.* zügeln, im Zaum halten; drosseln, einschränken; '~**-bit** → *curb 1*; ~ **mar·ket** *Am.* → *kerb 3*; '~**-stone** *Am.* → *kerb-stone*.
curd [kə:d] *s. oft pl.* geronnene *od.* dicke Milch, Quark *m*: ~ *cheese* Quark-, Weißkäse; ~ *soap* (Talg-)Kernseife; ~*s and whey* (gesüßte) dicke Milch; **cur·dle** ['kə:dl] **I.** *v/t. Milch* gerinnen lassen: *to* ~ *one's blood* einem das Blut erstarren lassen; **II.** *v/i.* gerinnen, dick werden (*Milch*): *it made my blood* ~ das Blut erstarrte mir in den Adern; '**curd·y** [-di] *adj.* geronnen; dick, flockig.
cure [kjuə] **I.** *s.* **1.** ⚕ Heilmittel *n*; *fig.* Mittel *n* (*for* für, gegen); **2.** ⚕ Kur *f*, Heilverfahren *n*, Behandlung *f*: *to take a milk-*~ e-e Milchkur machen; **3.** ⚕ Heilung *f*: *to effect a* ~ heilen; *past* ~ unheilbar; **4.** *eccl.* **a)** *a.* ~ *of souls* Seelsorge *f*, **b)** Pfarre *f*; **II.** *v/t.* **5.** ⚕ *j-n* (*of* von) *od. Krankheit od. fig. Übel, a.* ⚖ *Formfehler etc.* heilen, kurieren: *to* ~ *s.o. of lying* j-m das Lügen abge-

wöhnen; **6.** haltbar machen: **a)** räuchern, **b)** einpökeln, -salzen, **c)** trocknen, **d)** beizen; **7.** ⊕ vulkanisieren; '**~-all** *s.* All'heilmittel *n.*

cur·few ['kə:fju:] *s.* **1.** *hist.* Abendläuten *n*; Abendglocke *f*; **2.** Sperr-, Poli'zeistunde *f*; ⚔ Ausgehverbot *n.*

cu·ri·a ['kjuəriə] (*Lat.*) *s. R.C.* 'Kurie *f.*

cu·rie ['kjuəri:] *s. phys.* Cu'rie *n* (*Maßeinheit der Radioaktivität*).

cu·ri·o ['kjuəriou] *pl.* **-os** *s.* Kurio'si'tät *f*, Rari'tät *f*; *pl.* Antiqui'täten *pl.*

cu·ri·os·i·ty [kjuəri'ɔsiti] *s.* **1.** Neugier *f*; Wißbegierde *f*; **2.** → *curio*; **3.** Merkwürdigkeit *f*, Wunderlichkeit *f*; **~ shop** *s.* Antiqui'tätenladen *m.*

cu·ri·ous ['kjuəriəs] *adj.* □ **1.** neugierig; wißbegierig: *I am ~ to know if* ich möchte gern wissen, ob; **2.** kuri'os, seltsam, merkwürdig; **3.** F komisch, wunderlich; '**cu·ri·ous·ly** [-li] *adv.*: *~ ugly* besonders häßlich; *~ enough* merkwürdigerweise.

curl [kə:l] **I.** *v/t.* **1.** *Haar* locken, kräuseln, ringeln; **2.** *Wasser* kräuseln; *Lippen* (verächtlich) schürzen; **3.** *~ up* zs.-rollen; *sl.* 'umwerfen (*fig.*); **II.** *v/i.* **4.** sich locken *od.* kräuseln *od.* ringeln (*Haar*); **5.** wogen, sich wellen *od.* winden; **6.** *~ up* sich hochringeln (*Rauch*); sich zs.-rollen; *sl.* zs.-brechen; **7.** *sport* Curling spielen; **III.** *s.* **8.** Locke *f*, Ringel *m*: *in ~s* gekräuselt; **9.** (Rauch)Ring *m*; Windung *f*; Kräuseln *n* (*Lippen*); **10.** ♣ Kräuselkrankheit *f*; **curled** [-ld] *adj.* lockig, gekräuselt, gewellt; '**curl·er** [-lə] *s.* **1.** Lokkenwickel *m*; **2.** *sport* Curlingspieler *m.*

cur·lew ['kə:lju:] *s. orn.* Brachvogel *m.*

curl·i·cue ['kə:likju:] *s.* Schnörkel *m.*

curl·ing ['kə:liŋ] *s.* **1.** Kräuseln *n*, Ringeln *n*; **2.** *sport* Curling *n*: *~-stone* Curlingstein; '**~-i·rons,** '**~-tongs** *s. pl.* (Locken)Brennschere *f.*

'**curl-pa·per** *s.* Pa'pierhaarwickel *m.*

curl·y ['kə:li] *adj.* **1.** lockig, kraus, gekräuselt (*bsd. Haar*); **2.** wellig; gewunden; '**~-head·ed** *adj.* lockenköpfig; **~ kale** → *kale 1*; '**~-pate** *s.* F Lockenkopf *m* (*Person*).

cur·mudg·eon [kə:'mʌdʒən] *s.* **1.** Geizhals *m*, Knicker *m*; **2.** Griesgram *m*, Brummbär *m.*

cur·rant ['kʌrənt] *s.* **1.** Ko'rinthe *f*; **2.** *red* (*white, black*) *~* rote (weiße, schwarze) Johannisbeere.

cur·ren·cy ['kʌrənsi] *s.* **1.** 'Umlauf *m*, Zirkulati'on *f*: *to give ~ to s.th.* et. in Umlauf bringen; **2.** (allgemeine) Geltung, Gültigkeit *f*, Gebräuchlichkeit *f*, Geläufigkeit *f*, Verbreitung *f*; **3.** ✝ **a)** Währung *f*, Va'luta *f*; → *foreign currency, hard currency*, **b)** Zahlungsmittel *n od. pl.*, **c)** 'Geld,umlauf *m*, **d)** Laufzeit *f* (*Wechsel*); **~ ac·count** *s.* ✝ 'Währungs-, Va'luten-, De'visen,konto *n*; **~ bill** *s.* ✝ De'visenwechsel *m*; **~ note** *s. Brit.* Schatzanweisung *f*; **~ re·form** *s.* 'Währungsre,form *f.*

cur·rent ['kʌrənt] **I.** *adj.* □ → *currently*; **1.** laufend, gegenwärtig, jetzig, aktu'ell: *~ events* Tagesereignisse; *~ price* Tagespreis; *~ issue* neueste Ausgabe; *~ month* laufender Monat; *~ hand* → *cursive*; *~ account* → *account 5*; **2.** 'umlaufend, verbreitet: *~ opinion* allgemeine Ansicht; **3.** geläufig, allgemein bekannt *od.* anerkannt: *~ word* übliches Wort; *in ~ use* gebräuchlich; **4.** ✝ gangbar, ku'rant; kursierend, umlaufend; gültig: *~ coin* Landesmünze; **II.** *s.* **5.** Strömung *f*: *against the ~* gegen den Strom; *~ of air* Luftzug, -strom; **6.** ⚡ Strom *m*; **7.** Strömung *f*, (Ver)Lauf *m*, Gang *m*, Richtung *f*, Ten'denz *f*; **~ col·lec·tor** *s.* ⚡ **a)** Stromsammelschiene *f*, **b)** Stromabnehmer *m*; **~ den·si·ty** *s.* ⚡ Stromdichte *f.*

cur·rent·ly ['kʌrəntli] *adv.* jetzt, zur Zeit.

cur·rent| me·ter *s.* ⚡ Stromzähler *m*; **~ sup·ply** *s.* ⚡ Stromversorgung *f.*

cur·ric·u·lum [kə'rikjuləm] *pl.* **-lums, -la** [-lə] *s.* Lehr-, Studienplan *m*; **~ vi·tae** ['vaiti:] *s.* Lebenslauf *m.*

cur·ri·er ['kʌriə] *s.* Lederzurichter *m*, Gerber *m.*

cur·rish ['kə:riʃ] *adj.* □ *fig.* bissig, mürrisch, bösartig.

cur·ry[1] ['kʌri] **I.** *s.* Curry(gericht *n*) *m, n*: *~-powder* Currypulver (*Gewürz*); **II.** *v/t.* mit Currysoße zubereiten: *curried chicken* Curryhuhn.

cur·ry[2] ['kʌri] *v/t.* **1.** *Pferd* striegeln; **2.** *Leder* zurichten; **3.** verprügeln; **4.** *~ favo(u)r with s.o.* sich bei j-m lieb Kind machen (wollen); '**~-comb** *s.* Striegel *m.*

curse [kə:s] **I.** *s.* **1.** Fluch(wort *n*) *m*; Verwünschung *f*; **2.** *eccl.* Bann (-fluch) *m*; Verdammnis *f*; **3.** Fluch *m*, Unglück *n* (*to* für); **II.** *v/t.* **4.** verfluchen, verwünschen, verdammen: *~ him* hol ihn der Teufel *od.* der Kuckuck; **5.** fluchen auf (*acc.*), beschimpfen; **6.** *pass. to be ~d with s.th.* mit et. gestraft *od.* geplagt sein; **III.** *v/i.* **7.** fluchen, lästern; **8.** schimpfen; '**curs·ed** [-sid] *adj.* □ **1.** verflucht, verdammt; **2.** F verflixt, verteufelt; '**curs·ed·ness** [-sidnis] *s.* **1.** Verfluchtheit *f*; **2.** Scheußlichkeit *f*, Bosheit *f.*

cur·sive ['kə:siv] *s. a. ~ hand* Schreibschrift *f.*

cur·sor ['kə:sə] *s.* 𝔄, ⊕ Schieber *m.*

cur·so·ri·ness ['kə:sərinis] *s.* Flüchtigkeit *f*, Oberflächlichkeit *f*; **cur·so·ry** ['kə:səri] *adj.* □ flüchtig, oberflächlich.

curst [kə:st] *obs. pret. u. p.p. von curse.*

curt [kə:t] *adj.* □ **1.** kurz(gefaßt), knapp; **2.** barsch, schroff (*with* gegen).

cur·tail [kə:'teil] *v/t.* **1.** (ab-, ver-) kürzen; **2.** *Ausgaben etc.* kürzen; *a. Rechte* be-, einschränken, beschneiden; *Preise etc.* her'absetzen; **cur·'tail·ment** [-mənt] *s.* **1.** (Ab-, Ver)Kürzung *f*; **2.** Beschneidung *f*, Verminderung *f*; Beschränkung *f.*

cur·tain ['kə:tn] **I.** *s.* **1.** Vorhang *m* (*a. fig.*), Gar'dine *f*: *to draw the ~(s)* den Vorhang (die Gardinen) zuziehen; *to draw the ~ over s.th. fig.* et. begraben; *to lift the ~ fig.* den Schleier lüften; *behind the ~* hinter den Kulissen; *~ of fire* ⚔ Feuervorhang; *~ of rain* Regenwand; **2.** *thea.* **a)** Vorhang *m*: *the ~ rises* der Vorhang geht auf; *the ~ falls* der Vorhang fällt (*a. fig.*), **b)** Aktschluß *m*; **3.** *thea.* Her'vorruf *m*: *to take ten ~s* zehn Vorhänge haben; **II.** *v/t.* **4.** mit Vorhängen versehen: *to ~ off* mit Vorhängen abschließen; '**~-call** → *curtain 3*; **~ fall** *s. thea.* Fallen *n* des Vorhanges; '**~-lec·ture** *s.* Gar'dinenpredigt *f*; '**~-rais·er** *s. thea.* kurzes Vorspiel; **~ rod** *s.* Gar'dinenstange *f*; '**~-wall** *s.* △ **1.** (nichttragende) Blendwand; Zwischenwand *f*; **2.** Außenwand *f* an 'Stahlske,lettbauten.

curt·s(e)y ['kə:tsi] **I.** *s.* Knicks *m*: *to drop a ~* → *II*; **II.** *v/i.* e-n Knicks machen, knicksen (*to* vor *dat.*).

cur·va·ceous [kə:'veiʃəs] *adj.* F ‚kurvenreich', üppig (*Frau*); **cur·va·ture** ['kə:vətʃə] *s.* Krümmung *f* (*a.* 𝔄): *~ of the spine* ⚕ Rückgratverkrümmung.

curve [kə:v] **I.** *s.* **1.** Kurve *f* (*a.* 𝔄), Krümmung *f*, Biegung *f*, Bogen *m*; **2.** *Am. Baseball*: Ef'fetball *m*; **II.** *v/t.* **3.** biegen, krümmen; **III.** *v/i.* **4.** sich biegen *od.* wölben *od.* krümmen; **curved** [-vd] *adj.* gekrümmt, gebogen; krumm.

cur·vet [kə:'vet] **I.** *s.* **1.** *Reitkunst*: Kur'bette *f*, Bogensprung *m*; **2.** Luftsprung *m*; **II.** *v/i.* **3.** kurbettieren; **4.** Luftsprünge machen.

cur·vi·lin·e·ar [kə:vi'liniə] *adj.* krummlinig (begrenzt).

cush·ion ['kuʃən] **I.** *s.* **1.** Kissen *n*, Polster *n*; **2.** Wulst *m* (*für die Frisur*); **3.** Bande *f* (*Billard*); **4.** *vet.* Strahl *m* (*Pferdehuf*); **5.** ⊕ Puffer *m*, Dämpfer *m*; **II.** *v/t.* **6.** durch Kissen schützen, polstern (*a. fig.*); **7.** *Stoß, Fall* dämpfen *od.* auffangen; **8.** *fig.* weich betten; **9.** ⊕ abfedern; '**~-craft** *s.* Luftkissenfahrzeug *n*; *coll.* Luftkissenfahrzeuge *pl.*

cush·ioned ['kuʃənd] *adj.* gepolstert, Polster...: *~ retirement fig.* behaglicher Ruhestand.

'**cush·ion-tire** *s.* ⊕ Halbluftreifen *m.*

cush·y ['kuʃi] *adj. Brit. sl.* leicht, bequem.

cusp [kʌsp] *s.* **1.** Spitze *f*; **2.** 𝔄 Scheitelpunkt *m* (*Kurve*); **3.** *ast.* Horn *n* (*Halbmond*); **4.** △ Nase *f* (*gotisches Maßwerk*); **cusped** [-pt], '**cus·pi·dal** [-pidəl] *adj.* spitz (zulaufend).

cus·pi·dor ['kʌspidɔ:] *s. Am.* **1.** Spucknapf *m*; **2.** ✈ Speitüte *f.*

cuss [kʌs] *s.* F **1.** Fluch *m*: *~ word* Fluch, Schimpfwort; → *tinker 1*; **2.** Kerl *m*; '**cuss·ed** [-sid] *adj.* F **1.** verflucht, -flixt; **2.** boshaft, gemein; '**cuss·ed·ness** [-sidnis] *s.* F Bosheit *f*, Gemeinheit *f.*

cus·tard ['kʌstəd] *s.* Eierkrem *f*: (*running*) *~* Vanillesoße; '**~-ap·ple** *s.* ♣ Zimtapfel *m*; **~ pow·der** *s. ein* 'Pudding,pulver *n.*

cus·to·di·an [kʌs'toudjən] *s.* **1.** Aufseher *m*, Hüter *m*; **2.** 'Kustos *m* (*Museum*); **3.** Verwalter *m*, Pfleger *m*, Treuhänder *m*; **cus·to·dy** ['kʌstədi] *s.* **1.** Aufsicht *f* (*of* über *acc.*), (Ob)Hut *f*, Schutz *m*; **2.** Verwahrung *f*; Verwaltung *f*; **3.** ⚖ **a)** Gewahrsam *m*, Haft *f*: *protective ~*

Schutzhaft; *to take into* ~ verhaften, in Gewahrsam nehmen, **b)** Gewahrsam *m* (*tatsächlicher Besitz*), **c)** Sorgerecht *n*, Erziehungsgewalt *f*.

cus·tom ['kʌstəm] **I.** *s.* **1.** Brauch *m*, Gewohnheit *f*, Sitte *f*; Sitten u. Gebräuche *pl.*; **2.** ⚖ Gewohnheitsrecht *n*; **3.** † Kundschaft *f*: *to withdraw one's* ~ s-e Kundschaft entziehen (*from dat.*); **4.** *pl.* Zoll (-behörde *f*) *m*, Zollamt *n*: *to pay* ~*s* Zoll bezahlen; **II.** *adj.* **5.** *Am.* auf Bestellung *od.* nach Maß gemacht *od.* arbeitend: ~*-built* auf besondere Bestellung gebaut; ~ *shoes* Maßschuhe; ~ *tailor* Maßschneider; **'cus·tom·a·ble** [-məbl] *adj.* zollpflichtig; **'cus·tom·ar·i·ly** [-mərili] *adv.* üblicherweise, herkömmlicherweise; **'cus·tom·ar·y** [-məri] *adj.* □ **1.** gebräuchlich, herkömmlich, üblich, Gewohnheits...; **2.** ⚖ gewohnheitsrechtlich.

cus·tom·er ['kʌstəmə] *s.* **1.** Kunde *m*, Kundin *f*, Abnehmer(in), Käufer(in): *regular* ~ Stammkunde, -gast; **2.** F Bursche *m*, ‚Kunde' *m*: *queer* ~ komischer Kauz; *ugly* ~ übler Kunde; **3.** Freier *m* (*e-r Prostituierten*).

'cus·tom|-house *s.* Zollamt *n*; **'~-made** *adj. Am.* nach Maß angefertigt, Maß...

cus·toms| clear·ance *s.* Zollabfertigung *f*; ~ **dec·la·ra·tion** *s.* 'Zolldeklarati₁on *f*, -erklärung *f*; ~ **ex·am·i·na·tion** *s.* 'Zollrevisi₁on *f*, -kon₁trolle *f*; ~ **of·fi·cer** *s.* Zollbeamte(r) *m*; ~ **un·ion** *s.* 'Zollverein *m*, -uni₁on *f*.

cut [kʌt] **I.** *s.* **1.** Schnitt *m*: *a* ~ *above* e-e Stufe besser als; → *haircut*; **2.** Schnittwunde *f*; **3.** Hieb *m*, Schlag *m*: ~ *and thrust* **a)** *Fechten*: Hieb u. Stoß (*od.* Stich), **b)** *fig.* Widerstreit; **4.** Schnitte *f*, Stück *n* (*bsd. Fleisch*); Ab-, Anschnitt *m*; Schur *f* (*Wolle*); Schlag *m* (*Holzfällen*); ⚒ Mahd *f* (*Gras*); **5.** *Am.* F (An)Teil *m*: *my* ~ *is* 10%; **6.** (Zu)Schnitt *m*, Fas'son *f* (*bsd. Kleidung*); *fig.* Art *f*, Schlag *m*; **7.** *typ.* **a)** Druckplatte *f*, **b)** Holzschnitt *m*, Kupferstich *m*, Abbildung *f*; **8.** Beschneidung *f*, Kürzung *f*, Streichung *f*, Abzug *m*, Abstrich *m* (*Preis, Lohn, a. Text etc.*): *power* ~ ⚡ Stromsperre; *short* ~ Abkürzungsweg; **9.** ⊕, 🚂 *etc.* Einschnitt *m*, Kerbe *f*, Graben *m*; **10. a)** Stich *m*, Bosheit *f*, **b)** Grußverweigerung *f*: *to give s.o. the* ~ *direct* j-n schneiden; **11.** *Kartenspiel*: Abheben *n*; **12.** *Tennis*: geschnittener Ball; **II.** *adj.* **13.** ge-, beschnitten, behauen: ~ *flowers* Schnittblumen; ~ *glass* geschliffenes Glas, Kristall; ~ *prices* herabgesetzte Preise; *well-*~ *features* feingeschnittene Züge; ~ *and dried* fix u. fertig, schablonenhaft; *badly* ~ *about* arg zugerichtet; **III.** *v/t.* [*irr.*] **14.** (ab-, be-, 'durch-, zer)schneiden: *to* ~ *one's finger* sich in den Finger schneiden; *to* ~ *one's nails* sich die Nägel schneiden; *to* ~ *a book* ein Buch aufschneiden; *to* ~ *a joint* e-n Braten vorschneiden, zerlegen; *to* ~ *to pieces* zerstückeln; **15.** *Hecke* beschneiden, stutzen; **16.** *Gras, Korn* mähen; *Baum* fällen; **17.** schlagen; *Kohlen* hauen; *Weg* aushauen, -graben; *Holz* hacken; *Graben* stechen; *Tunnel* bohren: *to* ~ *one's way* sich e-n Weg bahnen (*a. fig.*); **18.** *Tier* verschneiden, kastrieren: ~ *horse* Wallach; **19.** *Kleid* zuschneiden; *et.* zu'rechtschneiden; *Stein* behauen; *Glas, Edelstein* schleifen: *to* ~ *it fine fig.* es (zu) knapp bemessen, es gerade noch schaffen; **20.** einschneiden, -ritzen, schnitzen; **21.** *Tennis*: *Ball* schneiden; **22.** *Text etc., a. Betrag* beschneiden, kürzen, zs.-streichen; *Film* schneiden; *sport Rekord* schlagen; **23.** verdünnen, verwässern; **24.** *fig.* schneiden, nicht grüßen: *to* ~ *s.o. dead* j-n völlig ignorieren; **25.** *fig.* schneiden (*Wind*); verletzen, kränken (*Worte*); **26.** *Verbindung* abbrechen, aufgeben; fernbleiben von, *Vorlesung* ‚schwänzen'; **27.** *Zahn* bekommen; **28.** *Schlüssel* anfertigen; **29.** *Spielkarten* abheben; **IV.** *v/i.* [*irr.*] **30.** schneiden (*a. fig.*), hauen: *it* ~*s both ways* es ist ein zweischneidiges Schwert; ~ *and come again* greifen Sie tüchtig zu! (*beim Essen*); *it* ~*s into his time* es kostet ihn Zeit; *to* ~ *into a conversation* in e-e Unterhaltung eingreifen; **31.** sich schneiden lassen; **32. a.** ~ *across* (auf dem kürzesten Wege) hin'durchgehen; **33.** F ‚abhauen': ~ *and run* ausreißen, fliehen; **34.** (*in der Schule etc.*) ‚schwänzen'; **35.** *Kartenspiel*: abheben; **36.** *sport* (den Ball) schneiden;

Zssgn mit adv.:

cut| a·way I. *v/t.* ab-, aus-, wegschneiden, -hauen; **II.** *v/i.* F weglaufen; ~ **back** *v/t.* **1.** beschneiden, stutzen; **2.** *fig.* verringern, kürzen; **3.** zu'rückblenden (*Film, Roman*); ~ **down I.** *v/t.* **1.** zerschneiden; **2.** fällen; **3.** niederschlagen; da'hinraffen; **4.** *fig.* kürzen, her'absetzen, beschneiden, verringern, drosseln; **II.** *v/i.* **5.** ~ *on s.th.* et. einschränken; ~ **in I.** *v/t.* **1.** ⊕ einschalten; *j-n* beteiligen; **II.** *v/i.* **2.** unter'brechen, sich einmengen; **3.** einspringen; **4.** *teleph.* sich einschalten; *mot.* sich (nach dem Über'holen) einreihen; **5.** F (*beim Tanzen*) abklatschen; ~ **loose I.** *v/t.* **1.** trennen, losmachen; **2.** *cut o.s. loose* sich trennen *od.* lossagen; **II.** *v/i.* **3.** sich gehenlassen; **4.** sich lossagen; ~ **off** *v/t.* **1.** abschneiden, -schlagen, -hauen: *to* ~ *s.o.'s head* j-n köpfen; **2.** unter'brechen, trennen; **3.** abschneiden, -sperren; entziehen, verschließen (*from dat.*); **4.** *Debatte* beenden; **5.** niederschlagen, da'hinraffen; vernichten; **6.** *to* ~ *s.o. off with a shilling* j-n enterben; ~ **out I.** *v/t.* **1.** aus-, zuschneiden: ~ *for a job* wie geschaffen für e-n Posten; → *work 1*; **2.** *j-n* ausstechen; verdrängen; **3.** *Am. sl.* unter'lassen, auslassen: *cut it out!* hör auf (damit)!; **4.** aufgeben; entfernen; *Am. Tier* von der Herde absondern; **5.** ⊕ ausschalten; **II.** *v/i.* **6.** ⊕ sich ausschalten, aussetzen; **7.** plötzlich abbiegen (*Fahrzeug*); **8.** *Kartenspiel*: ausscheiden; ~ **short** *v/t.* **1.** unter'brechen; *j-m* ins Wort fallen; **2.** plötzlich beenden, kürzen; *es* kurz machen; ~ **un·der** *v/t.* † *j-n* unter'bieten; ~ **up I.** *v/t.* **1.** in Stücke schneiden, zerhauen; zerlegen; **2.** vernichten; **3.** scharf kritisieren, her'untermachen; **4.** tief betrüben, aufregen; **II.** *v/i.* **5.** *Brit.* F *to* ~ *well* reich sterben; *to* ~ *rough* ‚massiv' werden.

cu·ta·ne·ous [kju(:)'teinjəs] *adj.* ⚕ Haut...: ~ *eruption* Hautausschlag.

'cut-a·way I. *s.* Cut(away) *m*; **II.** *adj.* ⊕ Schnitt...(*-modell etc.*): ~ *view of the engine* der Motor im Schnitt.

'cut-back, *Am.* **'cut·back** *s.* **1.** *Film*: Rückblende *f*; **2.** Kürzung *f*, Verringerung *f*, Abstrich *m*.

cute [kju:t] *adj.* □ F **1.** klug, schlau; **2.** *Am.* nett, niedlich, reizend.

cu·ti·cle ['kju:tikl] *s.* ♣, *anat.* Oberhaut *f*, Epi'dermis *f*; Nagelhaut *f*: ~ *scissors* Hautschere.

cu·tie ['kju:ti] *s. Am. sl.* ‚flotte Biene' (*fesches Mädchen*).

'cut-in, *Am.* **'cut·in** *s. Film*: Zwischentitel *m*.

cu·tis ['kju:tis] *s. anat.* 'Kutis *f*, Lederhaut *f*.

cut·lass ['kʌtləs] *s.* **1.** ⚓ Entermesser *n*; **2.** kurzer Säbel.

cut·ler ['kʌtlə] *s.* **1.** 'Messerschmied *m*, -fabri₁kant *m*; **'cut·ler·y** [-əri] *s.* **1.** Messerwaren *pl.*; **2.** *coll.* Eßbestecke *pl.*

cut·let ['kʌtlit] *s.* Schnitzel *n*.

'cut|-off, *Am.* **'cut·off** *s.* **1.** ⊕ Absperrvorrichtung *f*; **2.** ⚡ Ausschaltvorrichtung *f*; **3.** *Am.* Abkürzung *f* (*Straße, Weg*); **'~-out,** *Am.* **'~·out** *s.* **1.** ⚡ Ausschalter *m*, Sicherung *f*; **2.** ⊕, *mot.* Auspuffklappe *f*; **'~·purse** *s.* Taschendieb(in); **~-rate** *adj.* † Vorzugs...: ~ *price*.

cut·ter ['kʌtə] *s.* **1.** Schneidende(r) *m*; (Blech-, Holz)Schneider *m*, (Stein-)Hauer *m*; (Glas-, Dia'mant)Schleifer *m*; **2.** Zuschneider *m*; **3.** ⊕ Schneidewerkzeug *n*; **4.** *Film*: Cutter(in), Schnittmeister(in); **5.** *Küche*: Ausstechform *f*; **6.** ⚓ **a)** Kutter *m*, **b)** Beiboot *n*, **c)** *Am.* Küstenwachfahrzeug *n*.

'cut|-throat I. *s.* **1.** Mörder *m*; **2.** *fig.* Halsabschneider *m*, Schuft *m*; **II.** *adj.* **3.** *fig.* mörderisch, halsabschneiderisch: ~ *competition* Konkurrenz(kampf) bis aufs Messer.

cut·ting ['kʌtiŋ] **I.** *s.* **1.** Schneiden *n*; Zuschneiden *n*; **2.** ⊕, 🚂 Einschnitt *m*, 'Durchstich *m*; **3.** (Zeitungs)Ausschnitt *m*; **4.** *pl.* Schnitzel *pl.*, Abfälle *pl.*; **5.** ♣ Ableger *m*, Steckling *m*; **6.** *Film*: Schnitt *m*; **II.** *adj.* □ **7.** schneidend, Schneid(e)...; **8.** *fig.* schneidend (*Wind*), scharf (*Worte*), beißend (*Hohn*); ~ **edge** *s.* Schneide *f*; ~ **nip·pers** *s. pl.* Kneifzange *f*; ~ **torch** *s.* ⊕ Schneidbrenner *m*.

cut·tle ['kʌtl] → *cuttle-fish*; **'~-bone** *s.* Schulp *m*, 'Sepiaschale *f*; **'~-fish** *s. zo.* 'Sepia *f*, Tintenfisch *m*.

'cut·wa·ter *s.* **1.** ⚓ Gali'on *n*; **2.** Pfeilerkopf *m* (*Brücke*).

cy·a·nate ['saiəneit] *s.* ⚗ Zya'nat *n*; **cy·an·ic** [sai'ænik] *adj.* ⚗ Zyan...: ~ *acid* Zyansäure; **'cy·a·nide** [-naid] *s.* ⚗ Zya'nid *n*: ~ *of potas-*

sium (*od. potash*) Zyankali; **cy·an·o·gen** [sai'ænədʒin] *s.* ⚗ Zy'an *n.*
cy·ber·net·ics [saibəː'netiks] *s.* (*sg. od. pl. konstr.*) Kyber'netik *f*; **cy·ber'net·ist** [-tist] *s.* Kyber'netiker *m.*
cyc·la·men ['sikləmən] *s.* ⚘ Alpenveilchen *n.*
cy·cle ['saikl] **I.** *s.* **1.** 'Zyklus *m*, Kreis(lauf) *m*, 'Umlauf *m*: *lunar* ~ Mondzyklus; *business* ~ Konjunkturzyklus; *to come full* ~ **a)** e-n ganzen Kreislauf beschreiben, **b)** *fig.* zum Anfangspunkt zurückkehren; **2.** *a.* ⚡, *phys.* Peri'ode *f*: *in* ~*s* periodisch wiederkehrend; ~*s per second* (*abbr. cps*) Hertz; **3.** (Gedicht-, Sagen)Kreis *m*; **4.** Folge *f*, Reihe *f*, 'Serie *f*, Zyklus *m*; **5.** ⊕ 'Kreisproˌzeß *m*; Arbeitsgang *m*; **6.** *mot.* Takt *m*: *four-stroke* ~ Viertakt; *four-*~ *engine* Viertaktmotor; **7.** F Fahrrad *n*: ~ *path* Radfahrweg; **II.** *v/i.* **8.** radfahren, radeln; '**cy·clic** *adj.*; '**cy·cli·cal** [-lik(əl)] *adj.* □ **1.** zyklisch, peri'odisch, kreisläufig; **2.** ✝ konjunk'turbedingt, -poˌlitisch, Konjunk'tur...; **cy·cling** [-liŋ] *s.* Radfahren *n*: ~ *race* Radrennen; ~ *track* Radrennbahn; '**cy·clist** [-list] *s.* Radfahrer(in).
cy·clom·e·ter [sai'klɔmitə] *s.* ⊕ Wegmesser *m*; Um'drehungszähler *m.*
cy·clone ['saikloun] *s. meteor.* **1.** Zy'klon *m*, Wirbelsturm *m*; **2.** Zy'klone *f*, Tief(druckgebiet) *n.*
cy·clo·p(a)e·di·a [saiklə'piːdjə] *s.* Enzyklopä'die *f*; **cy·clo'p(a)e·dic** [-dik] *adj.* univer'sal, um'fassend.
Cy·clo·pe·an [sai'kloupjən] *adj.* zy'klopisch, riesig; **Cy·clops** ['saiklɔps] *pl.* **Cy·clo·pes** [sai'kloupiːz] *s.* Zy'klop *m.*
cy·clo·style ['saikləstail] **I.** *s.* Zyklo'styl *m* (*Vervielfältigungsgerät*); **II.** *v/t.* durch Zyklostyl vervielfältigen; '**cy·clo·tron** [-ətrɔn] *s. phys.* 'Zyklotron *n* (*zur Atomumwandlung*).
cy·der → *cider.*
cyg·net ['signit] *s. orn.* junger Schwan.
cyl·in·der ['silində] *s.* **1.** ⩓, ⊕, *typ.* Zy'linder *m*, Walze *f*: *six-*~ *car mot.* Sechszylinderwagen; **2.** ⊕ Trommel *f*, Rolle *f*; 'Dampfzyˌlinder *m*; Gas-, Stahlflasche *f*; Stiefel *m* (*Pumpe*); ~ **bar·rel** *s.* Zy'lindermantel *m*; ~ **es·cape·ment** *s.* Zy'linderhemmung *f* (*Uhr*); ~ **head** *s.* ⊕ Zy'linderkopf *m*; ~ **jack·et** → *cylinder barrel*; ~ **print·ing** *s. typ.* Walzendruck *m.*
cy·lin·dri·cal [si'lindrikəl] *adj.* zy'lindrisch; walzenförmig.
cy·ma ['saimə] *s.* **1.** ⩓ 'Kyma *n* (*Schmuckleiste*); **2.** ⚘ → *cyme.*
cym·bal ['simbəl] *s.* ♪ Becken *n*, 'Zimbel *f*; '**cym·bal·ist** [-bəlist] *s.* Beckenschläger *m*; '**cym·ba·lo** [-bəlou] *pl.* **-los** *s.* ♪ Hackbrett *n.*
cyme [saim] *s.* ⚘ Trugdolde *f.*
Cym·ric ['kimrik] **I.** *adj.* kymrisch, wa'lisisch; **II.** *s. ling.* Kymrisch *n.*
cyn·ic ['sinik] *s.* **1.** 'Zyniker *m*, bissiger Spötter; **2.** ♀ *antiq. phls.* 'Kyniker *m*; '**cyn·i·cal** [-kəl] *adj.* □ 'zynisch; '**cyn·i·cism** [-isizəm] *s.* **1.** Zy'nismus *m*; **2.** zynische Bemerkung.
cy·no·sure ['sinəzjuə] *s.* **1.** *fig.* Anziehungspunkt *m*, Gegenstand *m* der Bewunderung; **2.** *fig.* Leitstern *m*; **3.** ♀ *ast.* **a)** Kleiner Bär, **b)** Po'larstern *m.*
cy·pher → *cipher.*
cy·press ['saipris] *s.* ⚘ Zy'presse *f.*
Cyp·ri·ote ['sipriout], '**Cyp·ri·ot** [-iɔt] **I.** *s.* Zypri'ot(in), Zyprer(in); **II.** *adj.* zyprisch.
Cy·ril·lic [si'rilik] *adj.* ky'rillisch.
cyst [sist] *s.* **1.** ⚕ Zyste *f*, Sackgeschwulst *f*; **2.** Kapsel *f*, Hülle *f*; '**cyst·ic** [-tik] *adj.* ⚕ Blasen...; **cys·ti·tis** [sis'taitis] *s.* ⚕ 'Blasenkaˌtarrh *m*; '**cys·to·scope** [-təskoup] *s.* ⚕ Blasenspiegel *m*; **cys·tos·co·py** [sis'tɔskəpi] *s.* ⚕ Blasenspiegelung *f.*
cy·tol·o·gy [sai'tɔlədʒi] *s. biol.* Zellenlehre *f.*
czar [zɑː] *s.* Zar *m.*
czar·das ['tʃɑːdæʃ] *s.* 'Csárdás *m* (*ungarischer Tanz*).
czar·e·vitch ['zɑːrivitʃ] *s.* Za'rewitsch *m*; **cza·ri·na** [zɑː'riːnə] *s.* Zarin *f*; '**czar·ism** [-izəm] *s.* Zarentum *n*; '**czar·ist** [-ist], **czar·is·tic** [zɑː'ristik] *adj.* za'ristisch, Zaren...; **cza·rit·za** [zɑː'ritsə] → *czarina.*
Czech [tʃek] **I.** *s.* **1.** Tscheche *m*, Tschechin *f*; **2.** *ling.* Tschechisch *n*; **II.** *adj.* **3.** tschechisch.
Czech·o·slo·vak, Czech·o-Slo·vak ['tʃekou'slouvæk], *a.* **Czech·o·slo·vak·i·an, Czech·o-Slo·vak·i·an** ['tʃekouslou'vækiən] **I.** *s.* Tschechoslo'wake *m*, Tschechoslo'wakin *f*; **II.** *adj.* tschechoslo'wakisch.

D

D, d [di:] *s.* **1.** D *n*, d *n* (*Buchstabe*); **2.** ♪ D *n*, d *n* (*Note*); **3.** *ped. Am.* Vier *f*, Ausreichend *n* (*Note*).

'd [-d] F *für had, would: you'd.*

dab¹ [dæb] **I.** *v/t.* **1.** leicht klopfen, antippen; **2.** be-, abtupfen; bestreichen; *typ.* abklatschen, klischieren; **3.** *a.* ~ *on Farbe etc.* auftragen; **II.** *v/i.* **4.** *to* ~ *at s.th.* et. betupfen; **III.** *s.* **5.** (leichter) Klaps, Tupfer *m*; **6.** Klecks *m*, Spritzer *m*.

dab² [dæb] *s.* F Könner *m*, Kenner *m*: *to be a* ~ *at s.th.* sich auf et. verstehen.

dab·ber ['dæbə] *s.* (Watte)Bausch *m*, weicher Ballen, Tupfer *m*.

dab·ble ['dæbl] **I.** *v/t.* **1.** bespritzen, mit *et.* plätschern (*in* in *dat.*); **II.** *v/i.* **2.** planschen, plätschern; **3.** *fig.* stümpern: *to* ~ *in s.th.* sich aus Liebhaberei *od.* oberflächlich mit et. befassen, ein bißchen *malen etc.*; **'dab·bler** [-lə] *s.* Dilet'tant(in), Stümper(in).

dab·chick ['dæbtʃik] *s. orn.* (Zwerg-)Steißfuß *m*.

dab·ster ['dæbstə] *s.* **1.** → *dab²*; **2.** F *Am.* → *dabbler.*

da ca·po [dɑː'kɑːpou] (*Ital.*) *adv.* ♪ da capo, noch einmal.

dace [deis] *s. ichth. ein* Weißfisch *m*.

dachs·hund ['dækshund] *s. zo.* Dachshund *m*, Dackel *m*.

da·coit [də'kɔit] *s.* Räuber *m*, Ban'dit *m* (*in Indien u. Birma*); **da'coit·y** [-ti] *s.* Räube'rei *f*, Räuberunwesen *n*.

dac·tyl ['dæktil] *s.* 'Daktylus *m* (*Versfuß*); **dac·tyl·ic** [dæk'tilik] *adj. u. s.* dak'tylisch(er Vers).

dad [dæd] *s.* F Pa'pa *m*, Vati *m*.

Da·da·ism ['dɑːdɑːizəm] *s.* Dada'ismus *m*; **'Da·da·ist** [-ist] *s.* Dada'ist *m*.

dad·dy ['dædi] → *dad*; **~-long·legs** ['dædi'lɔŋlegz] *s. zo.* **a)** *Brit.* Schnake *f*, **b)** *Am.* Weberknecht *m*.

da·do ['deidou] *pl.* **-dos** *s.* △ **1.** Posta'mentwürfel *m*, Sockel *m*; **2.** untere Wand(bekleidung *od.* -bemalung).

dae·dal ['diːdəl] *adj.* kunstvoll gearbeitet, reichgestaltet, kompliziert.

dae·mon → *demon.*

daf·fo·dil ['dæfədil] *s.* ⚘ gelbe Nar'zisse, Osterblume *f*, -glocke *f*.

daft [dɑːft] *adj.* □ verrückt, blöde, ‚doof'.

dag·ger ['dægə] *s.* **1.** Dolch *m*: *at* ~*s drawn fig.* auf (dem) Kriegsfuß, verfeindet; *to look* ~*s at s.o.* j-n mit Blicken durchbohren; **2.** *typ.* Kreuz(zeichen) *n* (†).

Da·go ['deigou] *pl.* **-gos** *s. sl. contp.* = *Spanier, Portugiese od. Italiener.*

da·guerre·o·type [də'geroutaip] *s. phot.* **a)** Daguerreoty'pie *f*, **b)** Daguerreo'typ *n* (*Bild*).

dahl·ia ['deiljə] *s.* ⚘ 'Dahlie *f*.

Dail Eir·eann [dail'ɛərən] *a.* **Dail** *s.* Abgeordnetenhaus *n von Eire.*

dai·ly ['deili] **I.** *adj.* **1.** täglich, Tage(s)...: *our* ~ *bread* unser täglich(es) Brot; ~ *wages* Tagelohn; ~ *newspaper* Tageszeitung; **2.** alltäglich, häufig, ständig; **II.** *adv.* **3.** täglich; **4.** immer, ständig; **III.** *s.* **5.** Tageszeitung *f*; **6.** *Brit. a.* ~ *help* Tag(es)-mädchen *n*, -frau *f*.

dain·ti·ness ['deintinis] *s.* **1.** Zierlichkeit *f*, Niedlichkeit *f*; **2.** wählerisches Wesen, Verwöhntheit *f*; **3.** Schmackhaftigkeit *f*; **dain·ty** ['deinti] **I.** *adj.* □ **1.** zierlich, niedlich, fein, reizend, köstlich; **2.** wählerisch, verwöhnt (*bsd. im Essen*); **3.** lecker, schmackhaft; **II.** *s.* **4.** Leckerbissen *m*, Delika'tesse *f*.

dair·y ['dɛəri] *s.* **1.** Molke'rei *f*, Milchwirtschaft *f*; **2.** Milchhandlung *f*; **~ cat·tle** *s. pl.* Milchvieh *n*; **'~-farm** *s.* Meie'rei *f*, Molke'rei *f*; **'~-maid** *s.* Milchmädchen *n*; **'~-man** [-mən] *s.* [*irr.*] **1.** Milchmann *m*, -händler *m*; **2.** Melker *m*, Schweizer *m*; **~ prod·uce** *s.* Molke'reipro₁dukte *pl.*

da·is ['deiis] *pl.* **-is·es** *s.* **1.** 'Podium *n*; **2.** erhöhter Platz *od.* Sitz, E'strade *f*.

dai·sy ['deizi] **I.** *s.* **1.** (*Am. English* ~) ⚘ Gänseblümchen *n*: *double* ~ Tausendschön(chen); → *fresh 4*; *to be under* (*od. to push up*) *the daisies sl.* ‚sich die Radies·chen von unten besehen' (*tot sein*); **2.** *sl.* **a)** 'Prachtexem₁plar *n*, **b)** Prachtkerl *m*, ‚Perle' *f*; **II.** *adj.* **3.** *sl.* erstklassig, 'prima; **'~-chain** *s.* Gänseblumenkränzchen *n*; **'~-cut·ter** *s. sl.* **1.** Pferd *n* mit schleppendem Gang; **2.** *sport* Flachschuß *m*.

dale [deil] *s. poet.* Tal *n*; **dales·man** ['deilzmən] *s.* [*irr.*] Talbewohner *m*.

dalles [dælz] *s. pl. Am.* **1.** Steilwände *pl.* (*Schlucht*); **2.** Stromschnellen *pl.*

dal·li·ance ['dæliəns] *s.* **1.** Tröde'lei *f*, Verzögerung *f*; **2.** Spiele'rei *f*; **3.** Schäke'rei *f*, Liebe'lei *f*; **dal·ly** ['dæli] **I.** *v/i.* **1.** trödeln, Zeit verschwenden; **2.** tändeln, spielen, liebäugeln (*with* mit); **3.** scherzen, schäkern; **II.** *v/t.* **4.** ~ *away Zeit* vertrödeln, *Gelegenheit* verpassen.

Dal·ma·tian [dæl'meiʃjən] **I.** *adj.* **1.** dalma'tinisch; **II.** *s.* **2.** Dalma'tiner(in); **3.** Dalma'tiner *m* (*Hund*).

dal·ton·ism ['dɔːltənizəm] *s.* ⚕ Farbenblindheit *f*.

dam¹ [dæm] **I.** *s.* **1.** (Stau)Damm *m*, Wehr *n*, Talsperre *f*; **2.** Stausee *m*; **II.** *v/t.* **3.** *a.* ~ *up* **a)** stauen, (ab-, ein-, zu'rück)dämmen (*a. fig.*), **b)** (ab)sperren, hemmen (*a. fig.*).

dam² [dæm] *s. zo.* Muttertier *n*.

dam·age ['dæmidʒ] **I.** *s.* **1.** (*to*) Schaden *m* (an *dat.*), (Be)Schädigung *f* (*gen.*): *to do* ~ Schaden anrichten; *to do* ~ *to* Schaden zufügen (*dat.*), beschädigen (*acc.*), schaden (*dat.*); ~ *to ship* (*od. by sea*) ⚓ Havarie; **2.** Nachteil *m*, Verlust *m*; **3.** *pl.* ⚖ Schadensersatz *m*: *for* ~*s* auf Schadensersatz *klagen*; **4.** *sl.* Kosten *pl.*: *what's the* ~? was kostet es?; **II.** *v/t.* **5.** beschädigen; **6.** *j-n* schädigen, *j-m* schaden; **7.** beeinträchtigen, belasten; **'dam·age·a·ble** [-dʒəbl] *adj.* leicht zu beschädigen(d); **'dam·aged** [-dʒd] *adj.* beschädigt, schadhaft; verdorben; verletzt; **'dam·ag·ing** [-dʒiŋ] *adj.* □ schädlich, nachteilig; belastend.

dam·a·scene(d) ['dæməsiːn(d)] *adj.* Damaszener..., damasziert.

dam·ask ['dæməsk] **I.** *s.* **1.** Da'mast *m* (*Stoff*); **2.** *a.* ~ *steel* Damas'zenerstahl *m*; **3.** *a.* ~ *rose* ⚘ Damas'zenerrose *f*; **II.** *adj.* **4.** Damast...; Damaszener...; **5.** rosarot; **III.** *v/t.* **6.** *Stahl* damaszieren; **7.** da'mastartig weben; **8.** *fig.* verzieren.

dame [deim] *s.* **1.** Dame *f* (*bsd. Brit.* ♀ *Ordens- od. Adelstitel*): ♀ *Nature* Mutter Natur; **2.** *Am. sl.* Weibsbild *n*; **3.** Schulleiterin *f*.

damn [dæm] **I.** *v/t.* **1.** verdammen (*a. eccl.*); verwünschen, verfluchen: (*oh*) ~!, ~ *it* (*all*)! *sl.* verflucht!; ~ *you! sl.* hol dich der Kuckuck!; ~ *your cheek! sl.* zum Teufel mit deiner Frechheit!; *well, I'll be* ~*ed!* nicht zu glauben!, das ist die Höhe!; *I'll be* ~*ed if I know!* ich habe keinen blassen Dunst; **2.** verurteilen, verwerfen, ablehnen; tadeln; *thea.* auspfeifen; **3.** vernichten, ruinieren; **II.** *s.* **4.** Fluch *m*; **5.** *I don't care a* ~ *sl.* das kümmert mich einen Dreck; *not worth a* ~ keinen Pfifferling wert; **III.** *adj. u. adv.* **6.** → *damned 2, 3*; **'dam·na·ble** [-nəbl] *adj.* □ **1.** verdammenswert; **2.** F abscheulich; **dam·na·tion** [dæm'neiʃən] **I.** *s.* **1.** Verdammung *f*; **2.** Ru'in *m*; **II.** *int.* **3.** verflucht!, verflixt!; **damned** [dæmd] *adj.* **1.** verdammt: *the* ~ *eccl.* die Verdammten; **2.** *sl.* verflucht: ~ *fool* Idiot, ‚Esel'; *to do one's* ~*est* sein möglichstes tun; **3.** *a. adv. Bekräfti-*

gung sl.: *a ~ sight better* viel besser; *every ~ one* jeder einzelne; *~ funny* urkomisch; *he ~ well ought to know* das müßte er wahrhaftig wissen; **damn·ing** ['dæmiŋ] *adj. fig.* erdrückend, vernichtend: *~ evidence.*

Dam·o·cles ['dæməkli:z] *npr.* 'Damokles: *sword of ~* Damoklesschwert.

damp [dæmp] **I.** *adj.* □ **1.** feucht; dunstig; **II.** *s.* **2.** Feuchtigkeit *f*; **3.** Dunst *m*; **4.** → *fire-damp*; **5.** *fig.* Dämpfer *m*, Entmutigung *f*, Hemmnis *n*: *to cast a ~ over s.th.* et. dämpfen *od.* lähmen; **III.** *v/t.* **6.** an-, befeuchten, benetzen; **7.** *a. ~ down fig. Eifer etc.* dämpfen (*a.* ♪, ⚡, *phys.*); (ab)schwächen, drosseln (*a.* ⊕); ersticken; *~* **course** *s.* ⚠ Sperrbahn *f* (*gegen Nässe*).

damp·en ['dæmpən] **I.** *v/t.* **1.** an-, befeuchten; **2.** *fig.* dämpfen, 'niederdrücken; entmutigen; **II.** *v/i.* **3.** feucht werden; '**damp·er** [-pə] *s.* **1.** Dämpfer *m* (*bsd. fig.*): *to cast a ~ on* entmutigen, lähmend wirken auf (*acc.*); **2.** ⊕ Ofen-, Zugklappe *f*, Schieber *m*; **3.** ♪ Dämpfer *m*; **4.** ⚡ Dämpfung *f*; **5.** *Brit.* Anfeuchter *m*; '**damp·ish** [-piʃ] *adj.* etwas feucht, dumpfig; '**damp·ness** [-nis] *s.* Feuchtigkeit *f*; '**damp-proof** *adj.* feuchtigkeitsbeständig.

dam·sel ['dæmzəl] *s. obs.* junges Mädchen, Maid *f*.

dam·son ['dæmzən] *s.* ⚘ Damas'zenerpflaume *f*; *~* **cheese** *s.* steifes Pflaumenmus.

dance [dɑ:ns] **I.** *v/i.* **1.** tanzen: *to ~ to s.o.'s pipe* (*od. tune*) *fig.* nach j-s Pfeife tanzen; **2.** hüpfen, um'herspringen; flattern, schaukeln: *to ~ with rage* vor Wut hochgehen; **II.** *v/t.* **3.** *e-n Tanz* tanzen: *to ~ attendance on s.o. fig.* j-m den Hof machen, um j-n scharwenzeln; **4.** *Tier* tanzen lassen; *Kind* schaukeln; **III.** *s.* **5.** Tanz *m*: *to give a ~* e-n Ball geben; *to lead s.o. a ~* **a)** j-n zum Narren halten, **b)** j-m Scherereien machen; ♀ *of Death* Totentanz; *~* **hall** *s.* 'Tanzloˌkal *n*.

danc·er ['dɑ:nsə] *s.* Tänzer(in).

danc·ing ['dɑ:nsiŋ] *s.* Tanzen *n*, Tanzkunst *f*; '**~-girl** *s.* (Tempel-) Tänzerin *f* (*in Asien*); '**~-les·son** *s.* Tanzstunde *f*; '**~-mas·ter** *s.* Tanzlehrer *m*.

dan·de·li·on ['dændilaiən] *s.* ⚘ Löwenzahn *m*.

dan·der ['dændə] *s.* F Ärger *m*, Zorn *m*: *to get s.o.'s ~ up* j-n in Harnisch bringen.

dan·di·fied ['dændifaid] *adj.* stutzer-, geckenhaft, geschniegelt.

dan·dle ['dændl] *v/t. Kind* auf den Armen wiegen, auf den Knien schaukeln.

dan·druff ['dændrəf] *a.* '**dan·driff** [-rif] *s.* (Kopf-, Haar)Schuppen *pl.*

dan·dy ['dændi] **I.** *s.* **1.** Dandy *m*, Stutzer *m*; **2.** *Am.* F *et.* Großartiges: *the ~* das Richtige; **3.** ⚓ Scha'luppe *f*; **4.** *a. ~-cart Brit.* zweirädriger Milchwagen; **II.** *adj.* **5.** stutzerhaft; **6.** F erstklassig, 'prima, ‚bestens'; '**~-brush** *s.* Kar'dätsche *f*.

dan·dy·ish ['dændiiʃ] → *dandy* 5; '**dan·dy·ism** [-izəm] stutzerhaftes Wesen.

Dane [dein] *s.* **1.** Däne *m*, Dänin *f*; **2.** → *Great Dane*.

dan·ger ['deindʒə] *s.* **1.** Gefahr *f* (*to* für): *in ~ of one's life* in Lebensgefahr; *to be in ~ of falling* Gefahr laufen zu fallen; *to be on the ~ list* F in Lebensgefahr sein; *the signal is at ~* 🚂 das Signal steht auf Halt; **2.** Bedrohung *f*, Gefährdung *f* (*to gen.*); *~* **a·re·a** *s.* Gefahrenzone *f*; Sperrgebiet *n*; *~* **mon·ey** *s.* Gefahrenzulage *f*.

dan·ger·ous ['deindʒrəs] *adj.* □ **1.** gefährlich, gefahrvoll (*to* für); **2.** bedenklich.

'**dan·ger|-point** *s.* Gefahrenpunkt *m*; '**~-sig·nal** *s.* 🚂 *etc.*, *a. fig.* 'Not-, 'Halte-, 'Warnsiˌgnal *n*.

dan·gle ['dæŋgl] **I.** *v/i.* **1.** baumeln, (her'ab)hängen; **2.** *~ after* (*od. about od. round*) *s.o.* sich j-m anhängen, j-m nachlaufen: *to ~ after girls*; **II.** *v/t.* **3.** schlenkern, baumeln lassen: *to ~ s.th. before s.o. fig.* j-m et. verlockend in Aussicht stellen.

Dan·iel ['dænjəl] *s. bibl.* (das Buch) 'Daniel *m*.

Dan·ish ['deiniʃ] **I.** *adj.* dänisch; **II.** *s. ling.* Dänisch *n*; *~* **pas·try** *s. ein* Blätterteiggebäck *n*.

dank [dæŋk] *adj.* (*unangenehm*) feucht, naßkalt, dumpfig.

Da·nu·bi·an [dæ'nju:bjən] *adj.* Donau...

daph·ne ['dæfni] *s.* ⚘ Seidelbast *m*.

dap·per ['dæpə] *adj.* **1.** a'drett, ele'gant, schmuck; **2.** flink, gewandt.

dap·ple ['dæpl] *v/t.* tüpfeln, sprenkeln; '**dap·pled** [-ld] *adj.* **1.** gesprenkelt, gefleckt, scheckig; **2.** bunt.

'**dap·ple-'grey (horse)** *s.* Apfelschimmel *m*.

dar·bies ['dɑ:biz] *s. pl. sl.* Handschellen *pl.*, Fesseln *pl.*

Dar·by and Joan ['dɑ:bi ən(d) 'dʒoun] glückliches altes Ehepaar.

dare [dɛə] **I.** *v/i.* [*irr.*] **1.** es wagen, sich (ge)trauen; sich erdreisten, sich unter'stehen: *he ~n't do it* er wagt es nicht (zu tun); *how ~ you say that?* wie können Sie es wagen, das zu sagen?; *don't (you) ~ to touch me!* untersteh dich nicht, mich anzurühren!; *how ~ you!* **a)** untersteh dich!, **b)** was fällt dir ein!; *I ~ say* ich wage zu behaupten, (ich glaube) wohl, allerdings (*a. iro.*); **II.** *v/t.* [*irr.*] **2.** *et.* wagen, riskieren; **3.** mutig begegnen (*dat.*), trotzen (*dat.*); **4.** *j-n* her'ausfordern: *I ~ you!* du traust dich ja nicht!; *I ~ you to deny it* wage nicht, es abzustreiten; '**~-dev·il I.** *s.* Wag(e)hals *m*, Draufgänger *m*, Teufelskerl *m*; **II.** *adj.* tollkühn, waghalsig.

dar·ing ['dɛəriŋ] **I.** *adj.* □ **1.** wagemutig, kühn, verwegen; **2.** unverschämt, dreist; **3.** *fig.* gewagt; **II.** *s.* **4.** Wagemut *m*, Kühnheit *f*.

dark [dɑ:k] **I.** *adj.* □ → *darkly*; **1.** dunkel, finster: *it is getting ~* es wird dunkel; **2.** dunkel (*Farbe*): *~ blue* dunkelblau; *~ hair* braunes *od.* dunkles Haar; → *horse* 1; **3.** geheim(nisvoll), verborgen, dunkel, unklar: *a ~ secret* ein tiefes Geheimnis; *to keep s.th. ~* et. geheimhalten; **4.** böse, finster, schwarz: *~ thoughts*; **5.** düster, trübe, freudlos: *a ~ future*; *the ~ side of things* die Schattenseite der Dinge; **6.** dunkel, unerforscht; kul'turlos; **II.** *s.* **7.** Dunkel(heit *f*) *n*, Finsternis *f*: *in the ~* im Dunkel(n); *after ~* nach Einbruch der Dunkelheit; **8.** *pl. paint.* Schatten *m*; **9.** *fig.* Dunkel *n*, Ungewißheit *f*, *das* Geheime, Unwissenheit *f*: *to keep s.o. in the ~* j-n im ungewissen lassen; *I am in the ~* ich tappe im dunkeln; ♀ **A·ges** *s. pl. das* frühe Mittelalter; ♀ **Con·ti·nent** *s. hist. der* dunkle Erdteil, 'Afrika *n*.

dark·en ['dɑ:kən] **I.** *v/t.* **1.** verdunkeln (*a. fig.*), verfinstern; abblenden: *don't ~ my door again!* komm mir nie wieder ins Haus!; **2.** dunkel *od.* dunkler färben; **3.** *fig.* verdüstern, trüben; **II.** *v/i.* **4.** dunkel werden, sich verdunkeln, sich verfinstern; '**dark·ish** [-kiʃ] *adj.* **1.** et. dunkel, schwärzlich; **2.** trübe; **3.** dämmerig.

dark lan·tern *s.* 'Blendlaˌterne *f*.

dark·ling ['dɑ:kliŋ] *adj.* dunkel werdend; '**dark·ly** [-li] *adv.* **1.** *fig.* finster, böse; **2.** *fig.* dunkel, geheimnisvoll; '**dark·ness** [-knis] *s.* **1.** *a. fig.* Dunkelheit *f*, Finsternis *f*, Nacht *f*; **2.** dunkle Färbung; **3.** *das* Böse: *the powers of ~* die Mächte der Finsternis; **4.** Unwissenheit *f*; **5.** Undeutlichkeit *f*; Heimlichkeit *f*.

dark| room *s. phot.* Dunkelkammer *f*; '**~-skinned** *adj.* dunkelhäutig; '**~-slide** *s. phot.* Kas'sette *f*.

dark·y ['dɑ:ki] *s.* F Neger(in).

dar·ling ['dɑ:liŋ] **I.** *s.* **1.** Liebling *m*, Schatz *m*: *~ of fortune* Glückskind; *aren't you a ~* du bist doch ein Engel; **II.** *adj.* **2.** lieb, geliebt; Herzens...; **3.** reizend, allerliebst, süß.

darn[1] [dɑ:n] **I.** *v/t. Strümpfe etc.* stopfen; ausbessern; **II.** *s. das* Gestopfte.

darn[2] [dɑ:n] *v/t. sl. für damn 1*; **darned** [-nd] *adj. u. adv. sl. für damned 2, 3.*

dar·nel ['dɑ:nl] *s.* ⚘ Lolch *m*.

darn·er ['dɑ:nə] *s.* **1.** Stopfer(in); **2.** Stopf-ei *n*, -pilz *m*.

darn·ing ['dɑ:niŋ] *s.* Stopfen *n*; '**~-egg** *s.* Stopf-ei *n*; '**~-nee·dle** *s.* Stopfnadel *f*; '**~-yarn** *s.* Stopfgarn *n*.

dart [dɑ:t] **I.** *s.* **1.** Wurfspeer *m*, -spieß *m*; **2.** (Wurf)Pfeil *m*; **3.** Satz *m*, Sprung *m*: *to make a ~ for* losstürzen auf (*acc.*); **4.** *pl. sg. konstr. Brit.* Pfeilwerfen *n* (*Spiel*): *~-board* Zielscheibe; **5.** Abnäher *m* (*in Kleidern*); **II.** *v/t.* **6.** schleudern, schießen; *Blicke* zuwerfen; **III.** *v/i.* **7.** schießen, fliegen, (los)stürzen (*at, on* auf *acc.*): *to ~ off* davonstürzen; '**dart·er** [-tə] *s.* **1.** *orn.* Schlangenhalsvogel *m*; **2.** *ichth.* Spritzfisch *m*.

Dart·moor ['dɑ:tmuə] *a. ~* **pris·on** *s. englisches Zuchthaus.*

Dar·win·ism ['dɑ:winizəm] *s.* Darwi'nismus *m*.

dash [dæʃ] **I.** *v/t.* **1.** schleudern, (heftig) stoßen *od.* schlagen, schmettern: *to ~ to pieces* zerschmettern; *to ~ out s.o.'s brains* j-m den Schädel einschlagen; **2.** (be)spritzen; (über)'schütten, über'gießen (*a. fig.*): *to ~ off Schriftliches* hinwerfen, -hauen; **3.** *Hoffnung etc.* zunichte machen, vereiteln; **4.** *fig.* niederschlagen; aus der Fassung bringen, verwirren; **5.** (ver)mischen (*a. fig.*); **6.** F → *damn 1*: ~ *it (all)!* verflixt!; **II.** *v/i.* **7.** (sich) stürzen, stürmen; *sport* spurten: *to* ~ *off* davonjagen; *to* ~ *out* hinaus-, fortstürzen; **8.** heftig (auf)schlagen, prallen, klatschen; **III.** *s.* **9.** Sprung *m*, (Vor)Stoß *m*; Anlauf *m*, Ansturm *m*: *at a* (*od.* one) ~ mit 'einem Zuge *od.* Schlage, im Nu; *to make a* ~ (*for, at*) (los)stürmen, (sich) stürzen (auf *acc.*); **10.** (Auf-) Schlagen *n*, Prallen *n*, Klatschen *n*; **11.** Zusatz *m*; Schuß *m Rum etc.*; Prise *f Salz etc.*; Anflug *m*, Stich *m* (*of red* ins Rote); Klecks *m* (*Farbe*); **12.** Federstrich *m*; *typ.* Gedankenstrich *m*; ♪, ⅍, *tel.* Strich *m*; **13.** Schneid *m*, Schwung *m*, Schmiß *m*; Ele'ganz *f*: *to cut a* ~ Aufsehen erregen, e-e gute Figur abgeben; **14.** *sport* Kurzstreckenlauf *m*; **15.** ⊕ → *dashboard*; '**~·board** *s.* **1.** ✈, *mot.* Arma'turen-, Instru'mentenbrett *n*; **2.** Spritzbrett *n*.

dashed [dæʃt] *adj. u. adv.* F verflixt; '**dash·er** [-ʃə] *s.* **1.** Butterstößel *m*; **2.** *Am.* → *dashboard* 2; **3.** F ele'gante Erscheinung (*Person*); '**dash·ing** [-ʃiŋ] *adj.* □ **1.** schneidig, forsch, kühn; **2.** ele'gant, flott, fesch.

das·tard ['dæstəd] *s.* (gemeiner) Feigling, Memme *f*; '**das·tard·li·ness** [-linis] *s.* **1.** Feigheit *f*; **2.** Heimtücke *f*; '**das·tard·ly** [-li] *adj.* **1.** feig(e); **2.** heimtückisch, gemein.

da·ta ['deitə] *s. pl. von datum* (*oft* [*fälschlich*] *sg. konstr.*) (*a. technische*) 'Daten *pl. od.* Angaben *pl. od.* Einzelheiten *pl. od.* 'Unterlagen *pl.*; Tatsachen *pl.*; ⊕ (Meß)Werte *pl.*: *personal* ~ Personalangaben, *bsd.* ⚖ Angaben zur Person; (*electronic*) ~ *processing* (elektronische) Datenverarbeitung; ~ *typist* Datentypist(in).

da·tal·ler → *daytaller*.

date[1] [deit] *s.* ♆ **1.** Dattel *f*; **2.** *a.* ~*-tree* Dattelpalme *f*.

date[2] [deit] **I.** *s.* **1.** 'Datum *n*, Zeitangabe *f*, (Monats)Tag *m*: *what's the* ~ *today?* der wievielte ist heute?; **2.** Zeitpunkt *m*, Ter'min *m*: *at an early* ~ (recht) bald; *of recent* ~ neu(eren Datums), modern; *to fix a* ~ e-n Termin festsetzen; **3.** Zeit(-raum *m*) *f*, Peri'ode *f*: *of Roman* ~ aus der Römerzeit; **4.** ✝ a) Ausstellungstag *m* (*Wechsel*), b) Frist *f*, Ziel *n*: *three months after* ~ drei Monate (ab) dato; **5.** heutiger Tag: *of this* (*od. today's*) ~ heutig; *to* ~ bis heute; *down to* ~ a) bis auf den heutigen Tag, b) zeitgemäß, modern; *out of* ~ a) veraltet, überholt, b) ✝ verfallen; *up to* ~ zeitgemäß, modern, auf der Höhe, auf dem laufenden; *to bring up to* ~ auf den neuesten Stand bringen, modernisieren; → *up-to-date*; **6.** F Verabredung *f*, Rendez'vous *n*: *to have a* ~ *with s.o.* mit j-m verabredet sein; *to make a* ~ sich verabreden; **7.** F (Verabredungs-) Partner(in): *who is your* ~*?* mit wem bist du verabredet?; **II.** *v/t.* **8.** *Brief etc.* datieren: *to* ~ *ahead* voraus-, vordatieren; **9.** e-e Zeit bestimmen *od.* angeben für; **10.** herleiten (*from* aus); **11.** als über'holt *od.* veraltet kennzeichnen; **12.** *a.* ~ *up* F sich (regelmäßig) verabreden mit, ‚gehen' mit: *to* ~ *a girl*; **III.** *v/i.* **13.** datieren, datiert sein (*from* von); **14.** ~ *from* (*od. back to*) stammen, sich herleiten aus; **15.** ~ *back to* zu'rückreichen bis, zu'rückgehen auf (*acc.*); **16.** rechnen (*from* von).

date block *s.* ('Abreiß)Ka‚lender *m*.

dat·ed ['deitid] *adj.* **1.** veraltet, über'holt; **2.** ~ *up* F (*mit Verabredungen*) völlig besetzt; **date·less** ['deitlis] *adj.* **1.** undatiert; **2.** endlos; **3.** zeitlos, unsterblich.

'**date|-line** *s.* **1.** 'Datumszeile *f* (*bsd. Zeitung*): ~ *London* aus London datiert; **2.** 'Datumsgrenze *f* (*180. Längengrad*); '**~-palm** → *date*[1] 2; '**~-stamp** *s.* 'Datums-, Poststempel *m*.

da·ti·val [də'taivəl] *adj. ling.* Dativ...

da·tive ['deitiv] **I.** *s. a.* ~ *case ling.* 'Dativ *m*, dritter Fall; **II.** *adj.* Dativ...

da·tum ['deitəm] *pl.* **-ta** [-tə] *s.* **1.** *et.* Gegebenes *od.* Bekanntes; **2.** Vor'aussetzung *f*, Grundlage *f*; **3.** ⅍ gegebene Größe; '**~-line** *s. surv.* Be'zugs-, 'Grund‚linie *f*; **~ point** *s.* **1.** ⅍, *phys.* Bezugspunkt *m*; **2.** *surv.* Nor'malfixpunkt *m*.

daub [dɔ:b] **I.** *v/t.* **1.** be-, verschmieren, bestreichen; **2.** (*on*) schmieren, streichen (auf *acc.*); **3.** *Wand* bewerfen, verputzen; **4.** *fig.* besudeln; **II.** *v/i.* **5.** *paint.* klecksen, schmieren; **III.** *s.* **6.** (Lehm)Bewurf *m*; **7.** *paint.* Schmiere'rei *f*, Farbenkleckse'rei *f*; '**daub·(st)er** [-b(st)ə] *s.* Schmierer(in); Farbenkleckser (-in).

daugh·ter ['dɔ:tə] *s.* **1.** Tochter *f* (*a. fig.*): ~*-language* Tochtersprache; → *Eve*[1]; **2.** → *daughter company*; **~ com·pa·ny** *s.* ✝ Tochter(gesellschaft) *f*; **~-in-law** ['dɔ:tərinlɔ:] *pl.* **~s-in-law** [-təz-] *s.* Schwiegertochter *f*.

daugh·ter·ly ['dɔ:təli] *adj.* töchterlich.

daunt [dɔ:nt] *v/t.* einschüchtern, (er)schrecken, entmutigen: *nothing* ~*ed* unverzagt; *a* ~*ing task* e-e beängstigende Aufgabe; '**daunt·less** [-lis] *adj.* □ unerschrocken, furchtlos.

dav·en·port ['dævnpɔ:t] *s.* **1.** kleiner Schreibtisch; **2.** *Am.* Bett-, Schlafcouch *f*.

dav·it ['dævit] *s.* ⚓ 'Davit *m*, Bootskran *m*.

da·vy ['deivi] *s. sl. abbr. für affidavit.*

Da·vy Jones's lock·er ['deivi'dʒounziz] ⚓ *s.* Meeresgrund *m*, nasses Grab: *to go to* ~ ertrinken.

daw [dɔ:] *s. orn.* Dohle *f*.

daw·dle ['dɔ:dl] **I.** *v/i.* trödeln, bummeln; **II.** *v/t. a.* ~ *away Zeit* vertrödeln; '**daw·dler** [-lə] *s.* Trödler(in), Tagedieb *m*, Schlafmütze *f*.

dawn [dɔ:n] **I.** *v/i.* **1.** tagen, dämmern, anbrechen (*Morgen, Tag*); **2.** *fig.* (her'auf)dämmern, erwachen, entstehen; **3.** ~ (*up*)*on fig.* j-m dämmern, klarwerden, zum Bewußtsein kommen; **II.** *s.* **4.** Morgendämmerung *f*, -grauen *n*, Tagesanbruch *m*; **5.** (An)Beginn *m*, Erwachen *n*, Anbruch *m*.

day [dei] *s.* **1.** Tag *m* (*Ggs. Nacht*): *by* ~ bei Tage; *before* ~ vor Tagesanbruch; ~ *and night* Tag u. Nacht, immer; **2.** Tag *m* (*Zeitraum*): ~*'s work* Tagesleistung; *three* ~*s from London* drei Tage(reisen) von London; *she is 30 if a* ~ sie ist mindestens 30 Jahre alt; *eight-hour* ~ Achtstundentag; **3.** *bestimmter* Tag: *New Year's* ♀ Neujahrstag; **4.** festgesetzter Tag: ~ *of payment* ✝ Zahlungstermin; **5.** *pl.* (Lebens-) Zeit *f*, Zeit(en *pl.*) *f*, Tage *pl.*: *in my young* ~*s* in m-r Jugend; *student* ~*s* Studentenzeit; ~ *after* ~ Tag für Tag; *the* ~ *after* tags darauf; *the* ~ *after tomorrow* übermorgen; *all* ~ *long* den ganzen Tag, den lieben langen Tag; *the* ~ *before yesterday* vorgestern; ~ *by* ~ (tag-) täglich, Tag für Tag; *to call it a* ~ F *für heute* Schluß machen; *to carry* (*od. win*) *the* ~ siegen, Sieger bleiben; *to end one's* ~*s* s-e Tage beschließen; *every other* ~ alle zwei Tage, e-n Tag um den andern; *to fall on evil* ~*s* ins Unglück geraten; *he* (*od. it*) *has had his* (*od. its*) ~ s-e beste Zeit ist vorüber; ~ *in*, ~ *out* tagaus, tagein; *in his* ~ zu s-r Zeit, einst; *late in the* ~ reichlich spät; *that's all in the* ~*'s work fig.* das gehört alles mit dazu; *what's the time of* ~*?* wieviel Uhr ist es?; *to know the time of* ~ *fig.* wissen, was die Glocke geschlagen hat; *to pass the time of* ~ *with s.o.* j-n grüßen; *one* ~ eines Tages, einmal; *the other* ~ neulich; *to save the* ~ die Lage retten; *some* ~ (*or other*) e-s Tages, nächstens einmal; *it will take me* ~*s* ich werde lange brauchen; (*in*) *these* ~*s* heutzutage; *this* ~ heute; *this* ~ *week* heute in e-r Woche; *this* ~ *last week* heute vor e-r Woche; *in those* ~*s* damals; *those were the* ~*s!* das waren noch Zeiten!; *to a* ~ auf den Tag genau; *what* ~ *of the month is it?* den wievielten haben wir heute?; '**~-bed** *s.* Ruhebett *n*; '**~-board·er** *s. Brit.* Tagesschüler(in) *e-s Internats*; '**~-book** *s.* **1.** Tagebuch *n*; **2.** ✝ Jour'nal *n*, Memori'al *n*, Kladde *f*; '**~-boy** *s. Brit.* Tagesschüler *m* (*ißt u. wohnt zu Hause*); '**~-break** *s.* Tagesanbruch *m*; '**~-care cen·ter** *s. Am.* Kindertagesstätte *f*; **~ coach,** *a.* **~ car** *s.* 🚃 *Am.* Per'sonenwagen *m*; '**~-dream I.** *s.* Wach-traum *m*, Träume'rei *f*; *pl.* Luftschlösser *pl.*; **II.** *v/i.* (mit offenen Augen) träumen; '**~-dream·er** *s.* Träumer(in); '**~-fly** *s. zo.* Eintagsfliege *f*; '**~-la·bo(u)r·er** *s.* Tagelöhner *m*; **~ let·ter** *s. Am.* 'Brieftele‚gramm *n*.

'**day·light** *s.* **1.** Tageslicht *n*: *by* ~ am *od.* bei Tage; → *broad* 2; *to let* ~ *into s.th. fig.* et. der Öffentlichkeit zugänglich machen; *he saw* ~ *fig.* ihm ging ein Licht auf; **2.** Tagesanbruch *m*; **3.** (lichter) Zwischen-

raum; ˈ**~-sav·ing** (**time** *Am.*) *s.* Sommerzeit *f.*
ˈ**day|-long** *adj. u. adv.* den ganzen Tag (dauernd); **~ nurs·er·y** *s.* **1.** Kindergarten *m*, -krippe *f*; **2.** (Kinder)Spielzimmer *n*; **~ re·lease** *s.* zur beruflichen Fortbildung freigegebene Zeit; ˈ**~-room** *s.* Tagesraum *m* (*bsd. in e-m Internat*); ˈ**~-schol·ar** → *day-boy*; ˈ**~-school** *s.* **1.** Exterˈnat *n*, Schule *f* ohne Pensioˈnat; **2.** Tagesschule *f*; **~ shift** *s.* Tagschicht *f*: *to be on ~* Tagschicht haben; ˈ**~-stu·dent** → *day-boy*; **~-tal·ler** [ˈdeitələ] *s.* *Brit.* Tagelöhner *m*; ˈ**~-tick·et** *s.* 🚋 Tagesrückfahrkarte *f*; ˈ**~-time** *s.* Tageszeit *f*, *heller* Tag: *in the ~* bei Tage; ˈ**~-to-**ˈ**~** *adj.* täglich, dauernd: *~ money* ✝ Tagesgeld.
daze [deiz] **I.** *v/t.* betäuben, verwirren; *fig.* lähmen; **II.** *s.* Betäubung *f*, Benommenheit *f*: *to be in a ~* benommen *od.* betäubt sein; ˈ**daz·ed·ly** [-zidli] *adv.* wirr, verwirrt, benommen.
daz·zle [ˈdæzl] **I.** *v/t.* **1.** blenden (*a. fig.*); **2.** *fig.* verwirren, verblüffen; **3.** ⚔ *durch Anstrich* tarnen; **II.** *s.* **4.** Blenden *n*; Glanz *m*; **5.** ⚔ Tarnanstrich *m*; ˈ**daz·zling** [-liŋ] *adj.* □ **1.** blendend, glänzend (*a. fig.*); *fig.* strahlend (schön); **2.** verwirrend.
D-Day [ˈdi:dei] *s. Tag der alliierten Landung in der Normandie, 6. Juni 1944.*
de- [di; di:] *in Zssgn* ent-, ver-, aus- *etc.*
dea·con [ˈdi:kən] *eccl.* **I.** *s.* Diaˈkon *m*; **II.** *v/t. Am.* (*die Strophen vor dem Singen*) laut vorlesen; ˈ**dea·con·ess** [-kənis] *s. eccl.* Diakoˈnisse *f*; ˈ**dea·con·ry** [-ri] *s. eccl.* Diakoˈnat *n.*
dead [ded] **I.** *adj.* **1.** tot, gestorben: *as ~ as a doornail* (*od. as mutton*) mausetot; *~ body* Leiche, Leichnam; *you are a ~ man fig.* du bist ein Kind des Todes; *~ and gone* tot u. begraben (*a. fig.*); **2.** ausgestorben, tot (*Sprache*); veraltet (*Sitte, Gesetz*); ungültig; **3.** abgestorben, erstarrt, unempfindlich (*Finger etc.*); **4.** (*to*) taub (gegen), unempfänglich (für); **5.** leb-, wesenlos: *~ matter* **a)** tote Materie, **b)** *typ.* Ablegesatz; **6.** erloschen (*Feuer, Vulkan*); **7.** abgestorben, verwelkt, dürr (*Pflanze*); **8.** matt, stumpf (*Farbe*); gedämpft, dumpf (*Klang*); glanzlos (*Augen*); schal (*Getränk*); **9.** farb-, gefühllos, nichtssagend; **10.** leer, tot, ausdruckslos, steif; **11.** langweilig, geistlos; **12.** öde, verlassen; **13.** kraft-, wirkungslos; **14.** ⚡ stromlos: *~ track* 🚋 totes Gleis; **15.** bewegungslos, untätig, träge; still (*Jahreszeit, Geschäft*); tief (*Schlaf*); **16.** blind (*Fenster, Wand*); **17.** ✝ tot (*Kapital*), unverkäuflich; ˈunproduk͵tiv; flau (*Markt*), geschäftslos; **18.** genau; völlig, äußerst: *~ bargain* spottbillige Ware; *~ bargain price* Spottpreis; *~ calm* Windstille, Flaute; *~ certainty* völlige Gewißheit; *in ~ earnest* in vollem Ernst; *~ failure* **a)** völliges Versagen, **b)** völliger Versager; *~ faint* schwere Ohnmacht; *~ loss* reiner Verlust, Gesamtverlust; *~ secret* tiefes Geheimnis; *~ shot* todsicherer Schütze; *~ silence* Totenstille; *to come to a ~ stop* schlagartig stehenbleiben *od.* aufhören; **II.** *s.* **19.** *the ~* die Toten; **20.** Totenstille *f*: *at ~ of night* mitten in der Nacht; *the ~ of winter* der tiefste Winter; **III.** *adv.* **21.** völlig, gänzlich; genau; plötzlich; tief: *~ against* **a)** genau entgegen *od.* gegenüber, **b)** völlig gegen (*acc.*); *~ drunk* sinnlos betrunken; *~ slow!* Schritt fahren! (*Verkehrszeichen*); *to stop ~* plötzlich stehenbleiben; *~ tired* todmüde.
dead| ac·count *s.* ✝ totes Konto; ˈ**~-(and-)a**ˈ**live** *adj. fig.* **a)** langweilig, **b)** halbtot; **~ beat** *s. Am. sl.* **1.** Schnorrer *m*; **2.** Taugenichts *m*; ˈ**~-**ˈ**beat** *adj.* F todmüde, völlig erschöpft; **~ cen·ter** *Am.*, **~ cen·tre** *Brit. s.* ⊕ **1.** toter Punkt; **2.** genaue Mitte; **3.** tote Spitze (*Reitstock*).
dead·en [ˈdedn] *v/t.* **1.** *Gefühl etc.* (ab)töten, abstumpfen (*to* gegen); betäuben; **2.** *Geräusch, Schlag etc.* dämpfen, (ab)schwächen; **3.** ⊕ mattieren.
dead| end *s.* **1.** Sackgasse *f* (*a. fig.*); **2.** ⊕ blindes Ende; **3.** 🚋 Ende *n* e-r Zweiglinie; ˈ**~-end** *adj.* blind, ohne Ausgang *od.* Ausweg (*a. fig.*): *~ kid Am.* (verwahrlostes) Straßenkind; *~ street* Sackgasse; **~ file** *s.* abgelegte Akte; ˈ**~-fire** *s.* Elmsfeuer *n*; **~ hand** → *mortmain*; ˈ**~·head** *s.* F **a)** Freikarteninhaber(in), **b)** Schwarzfahrer(in), **c)** Nassauer *m*; **~ heat** *s. sport* totes Rennen; **~ let·ter** *s.* **1.** toter Buchstabe; **2.** nicht mehr gültiges Gesetz; **3.** unzustellbarer Brief; **~ lev·el** *s.* Eintönigkeit *f*; **~ lift** *s.* (zu) schwere Last *od.* Anstrengung; ˈ**~·light** *s. mst* ⚓ Fensterblende *f*; ˈ**~-line** *s.* **1.** *Am.* ˈSperr͵linie *f im Gefängnis*; **2.** Grenze *f*; äußerster Terˈmin, Frist(ablauf *m*) *f*: *~ pressure* Termindruck; **3.** Stichtag *m.*
dead·li·ness [ˈdedlinis] *s.* Tödlichkeit *f.*
dead| load *s.* ⊕ totes Gewicht, tote Last, Eigengewicht *n*; ˈ**~·lock** *s.* *fig.* Stillstand *m*, ˈPatt(situati͵on *f*) *n*, toter Punkt: *to break the ~* den toten Punkt überwinden; *to come to a ~* sich festfahren, steckenbleiben; **~ lock** *s.* ⊕ Einriegelschloß *n.*
dead·ly [ˈdedli] **I.** *adj.* **1.** tödlich, todbringend; giftig: *~ sin* Todsünde; *~ combat* Kampf auf Leben u. Tod; **2.** *fig.* unversöhnlich, grausam: *~ enemy* Todfeind; **3.** totenähnlich: *~ pallor* Leichenblässe; **4.** F schrecklich, groß: *~ haste*; **II.** *adv.* **5.** totenähnlich: *~ pale* leichenblaß; **6.** F äußerst, tod...: *~ dull* sterbenslangweilig.
dead| march *s.* ♪ Trauermarsch *m*; **~ ma·rine** *s. sl.* leere Flasche.
dead·ness [ˈdednis] *s.* **1.** Leblosigkeit *f* (*bsd. fig.*), Erstarrung *f*; **2.** Gefühllosigkeit *f*, Gleichgültigkeit *f*, Kälte *f*; **3.** *bsd.* ✝ Unbelebtheit *f*, Flaute *f*; **4.** Glanzlosigkeit *f.*
ˈ**dead|-net·tle** *s.* ♧ Taubnessel *f*; **~ pan** *s. sl.* **1.** ausdrucksloses Gesicht; **2.** Perˈson *f* mit ˈundurch͵dringlichem Gesicht; **~ point** *s.* ⊕ toter Punkt; **~ pull** → *dead lift*; **~ reck·on·ing** *s.* **1.** ⚓ gegißtes Besteck, Koppeln *n*; **2.** *fig.* ungefähre Berechnung; **~ set** *s.* **1.** *hunt.* Stehen *n des Hundes*; **2.** entschlossener Angriff; **3.** hartnäckiges Bemühen *od.* Werben; ˈ**~-wa·ter** *s.* **1.** stehendes Wasser; **2.** ⚓ Kielwasser *n*, Sog *m*; **~ weight** *s.* **1.** totes Gewicht, Eigengewicht *n*; **2.** *bsd. fig.* schwere Last; ˈ**~-weight ca·pac·i·ty** *s.* Tragfähigkeit *f*; ˈ**~-wood** *s.* **1.** Reisig *n*; **2.** *fig.* Plunder *m*; ✝ Ladenhüter *m*; **3.** *fig. et.* Veraltetes *od.* Überˈholtes; (nutzloser) ˈBallast; nutzlose (Mit)Glieder *pl.*
deaf [def] *adj.* □ **1.** ⚕ taub: *~ and dumb* taubstumm; *~-and-dumb language* Taubstummensprache; *~ in one ear* auf einem Ohr taub; *~ as an adder* (*od. a post*) stocktaub; **2.** schwerhörig; **3.** *fig.* (*to*) taub (gegen), unzugänglich (für); → *ear*[1] *1*; ˈ**deaf·en** [-fn] *v/t.* **1.** taub machen; betäuben; **2.** *Schall* dämpfen; **3.** *Wände* schalldicht machen; ˈ**deaf·en·ing** [-fniŋ] *adj.* ohrenbetäubend; ˈ**deaf-**ˈ**mute** **I.** *adj.* taubstumm; **II.** *s.* Taubstumme(r *m*) *f.*
deaf·ness [ˈdefnis] *s.* **1.** ⚕ Taubheit *f* (*a. fig. to* gegen); **2.** Schwerhörigkeit *f.*
deal[1] [di:l] **I.** *v/i.* [*irr.*] **1.** (*with*) sich befassen *od.* beschäftigen *od.* abgeben (mit); **2.** (*with*) handeln (von), behandeln (*acc.*); **3.** *~ with et.* in Angriff nehmen, erledigen, abfertigen; bekämpfen; **4.** (*with, by*) (*j-n*) behandeln, sich verhalten (gegen), ˈumgehen (mit), fertig werden (mit): *to ~ fairly with* (*od. by*) *j-n* anständig behandeln; **5.** ✝ (*with*) Geschäfte machen (mit), kaufen (bei); **6.** ✝ handeln, Handel treiben (*in* mit): *to ~ in paper* Papier führen; **7.** *Kartenspiel*: geben; **II.** *v/t.* [*irr.*] **8.** *oft ~ out et.* ver-, aus-, zuteilen; zufügen: *to ~ s.o. a blow* j-m e-n Schlag versetzen; **9.** *Karten* geben; **III.** *s.* F **10.** Handlungsweise *f*, Verfahren *n*, Syˈstem *n*; **11.** Behandlung *f*; → *raw 7*; *square 37*; **12.** Geschäft *n*, Handel *m*; *b.s.* zweifelhaftes Geschäft: *it's a ~!* abgemacht!; **13.** Abkommen *n*, Überˈeinkunft *f*: *to make* (*od. do*) *a ~* ein Abkommen treffen, sich einigen; **14.** *Kartenspiel*: *it is my ~* ich muß geben.
deal[2] [di:l] *s.* **1.** Menge *f*, Teil *m*: *a great ~* (*of money*) sehr viel (Geld); *a good ~* ziemlich viel, ein gut Teil; *to think a great ~ of s.o.* sehr viel von j-m halten; **2.** e-e ganze Menge: *a ~ worse* F viel schlechter.
deal[3] [di:l] *s.* **1.** Diele *f*, Brett *n*, Planke *f* (*aus Tannen- od. Kiefernholz*); **2.** Tannen- *od.* Kiefernholz *n.*
deal·er [ˈdi:lə] *s.* **1.** ✝ Händler(in), Kaufmann *m*; **2.** *Brit. Börse*: Dealer *m* (*der auf eigene Rechnung Geschäfte tätigt*); **3.** *Kartenspiel*: Geber(in); **4.** Dealer *m*, Rauschgifthändler *m*; ˈ**deal·ing** [-liŋ] *s.* **1.** *mst pl.* ˈUmgang *m*, Verkehr *m*, Beziehungen *pl.*: *to have ~s with*

s.o. mit j-m zu tun haben; **2.** † **a)** Handel *m*, Geschäft *n* (*in* in *dat.*, mit), **b)** Geschäftsgebaren *n*; **3.** Austeilen *n*, Geben *n* (*Karten*).

dealt [delt] *pret. u. p.p. von deal*[1].

dean [di:n] *s.* **1.** *Brit. univ.* De'kan *m* (*Vorstand e-r Fakultät*); **2.** *Am. univ.* **a)** Vorstand *m* e-r Fakul'tät, **b)** Hauptberater(in), Vorsteher(in) (*der Studenten*); **3.** *eccl.* Dekan *m*, De'chant *m*, 'Superinten,dent *m*; **4.** ♀ *of the Diplomatic Corps* Doyen; **'dean·er·y** [-nəri] *s.* Deka'nat *n*.

dear [diə] **I.** *adj.* □ → *dearly*; **1.** teuer, lieb (*to dat.*): ~ *mother* liebe Mutter; ♀ *Sir*, (*in Briefen*) Sehr geehrter Herr (*Name*)!; *my* ~*est wish* mein Herzenswunsch; *for* ~ *life* als ob es ums Leben ginge; *to hold* ~ (wert)schätzen; **2.** teuer, kostspielig; **II.** *adv.* **3.** teuer: *it cost him* ~ es kam ihm teuer zu stehen; → *dearly* 2; **III.** *s.* **4.** Liebling *m*, Schatz *m*, Teure(r *m*) *f*: *isn't she a* ~? ist sie nicht ein Engel?; *there's a* ~! sei doch so lieb!; **IV.** *int.* **5.** *oh* ~!, ~, ~!, ~ *me!* du liebe Zeit!, ach je!; **dear·ie** → *deary*; **'dear·ly** [-li] *adv.* **1.** innig, herzlich; **2.** teuer; → *buy* 3; **'dear·ness** [-nis] *s.* **1.** Kostspieligkeit *f*, teurer Preis; **2.** (*to*) Wertschätzung *f* (für), Liebe *f* (zu).

dearth [də:θ] *s.* **1.** Mangel *m* (*of* an *dat.*); **2.** Teuerung *f*, Hungersnot *f*.

dear·y ['diəri] *s.* F Liebling *m*, Schätzchen *n*.

death [deθ] *s.* **1.** Tod *m*: ~*s* Todesfälle; *to (the)* ~ zu Tode, bis zum äußersten; *at* ~*'s door* an der Schwelle des Todes; *to bleed to* ~ (sich) verbluten; *burnt to* ~ verbrannt, durch Feuer umgekommen; *to do to* ~ töten; *done to* ~ F *Küche*: totgekocht; *frozen to* ~ erfroren; *sure as* ~ tod-, bombensicher; *tired to* ~ todmüde; *to catch one's* ~ sich den Tod holen (*engS. durch Erkältung*); *to be in at the* ~ *fig.* das Ende miterleben; *that will be his* ~ das wird ihm das Leben kosten; *you'll be the* ~ *of me* du bringst mich noch ins Grab; *to hold on like grim* ~ verbissen festhalten; *to put to* ~ hinrichten; **2.** Tod *m*, (Ab)Sterben *n*, Ende *n*, Vernichtung *f*: *united in* ~ im Tode vereint; **'~-ag·o·ny** *s.* Todeskampf *m*; **'~-bed** *s.* Sterbebett *n*; **~ ben·e·fit** *s.* Auszahlungssumme *f* beim Tod e-s Versicherten, Sterbegeld *n*; **'~-blow** *s.* Todesstreich *m*; *fig.* Todesstoß *m* (*to* für); **~ cell** *s.* ⚖ Todeszelle *f*; **'~-du·ty** *s. obs.* Erbschaftssteuer *f*; **~ house** *s. bsd. Am.* → *death cell*; **~ knell** *s.* Totengeläut *n*, -glocke *f* (*a. fig.*).

death·less ['deθlis] *adj.* □ unsterblich (*a. fig.*); **'death·like** *adj.* totenähnlich, Toten..., Leichen...; **'death·ly** [-li] *adj. u. adv.* totenähnlich, Todes..., Leichen..., Toten...: ~ *pale* leichenblaß.

'death|-mask *s.* Totenmaske *f*; **~ pen·al·ty** *s.* Todesstrafe *f*; **'~-rate** *s.* Sterblichkeitsziffer *f*; **'~-rat·tle** *s.* Todesröcheln *n*; **'~-ray** *s.* Todesstrahl *m*; **'~-roll** *s.* Zahl *f* der Todesopfer; ⚔ Gefallenen-, Verlustliste *f*; **'~'s-head** *s.* **1.** Totenkopf *m* (*bsd. als Symbol*); **2.** *zo.* Totenkopf *m* (*Falter*); **~ throes** *s. pl.* Todeskampf *m*; **'~-trap** *s.* lebensgefährlicher Ort, ‚Mausefalle' *f*; **'~-war·rant** *s.* **1.** ⚖ Hinrichtungsbefehl *m*; **2.** *fig.* Todesurteil *n*; **'~-watch** *s. Brit. a.* ~ *beetle zo.* Totenuhr *f*, Klopfkäfer *m*.

deb [deb] *s.* F *abbr. für débutante*.

dé·bâ·cle [dei'bɑ:kl] (*Fr.*) *s.* **1.** De'bakel *n*, Zs.-bruch *m*, Kata'strophe *f*; **2.** Massenflucht *f*, wildes Durchein'ander; **3.** *geol.* Eisgang *m*.

de·bar [di'bɑ:] *v/t.* **1.** (*from*) *j-n* ausschließen (von), hindern (an *dat. od.* zu *inf.*); **2.** ~ *s.o. s.th.* j-m et. versagen: *he was* ~*red the crown*.

de·bark [di'bɑ:k] → *disembark*.

de·base [di'beis] *v/t.* **1.** verderben, verschlechtern; **2.** ent-, her'abwürdigen; entwerten; *Wert* mindern; **3.** *bsd. Münzen* verfälschen; **de'based** [-st] *adj.* **1.** minderwertig (*Geld*); **2.** abgegriffen (*Wort*); **de'base·ment** [-mənt] *s.* **1.** Verschlechterung *f*, Entwertung *f*; **2.** Erniedrigung *f*; **3.** Verfälschung *f*.

de·bat·a·ble [di'beitəbl] *adj.* **1.** strittig, fraglich, um'stritten; **2.** bestreitbar, anfechtbar; **de·bate** [di'beit] **I.** *v/i.* **1.** debattieren; sich beraten; **2.** über'legen (*with o.s.* bei sich); **II.** *v/t.* **3.** debattieren, erörtern, beraten; **4.** erwägen, überlegen; **III.** *s.* **5.** De'batte *f*, Erörterung *f*; Wortstreit *m*; **de·bat·er** [di'beitə] *s. geschickter* Dispu'tant; **de'bat·ing** [-tiŋ] *adj.*: ~ *society* Debattierklub.

de·bauch [di'bɔ:tʃ] **I.** *v/t.* **1.** *sittlich* verderben; **2.** verführen, verleiten; **II.** *s.* **3.** Ausschweifung *f*; **4.** Schwelge'rei *f*; **de'bauched** [-tʃt] *adj.* ausschweifend, liederlich, verkommen; **deb·au·chee** [debɔ:'tʃi:] *s.* Wüstling *m*; **de'bauch·er** [-tʃə] *s.* Verführer *m*; **de'bauch·er·y** [-tʃəri] *s.* Ausschweifung(en *pl.*) *f*, Liederlichkeit *f*.

de·ben·ture [di'bentʃə] *s.* **1.** Schuldschein *m*; **2.** † **a)** Obligati'on *f*, Schuldverschreibung *f*: ~ *holder* Obligationär, Obligationsinhaber, **b)** *Brit.* Pfandbrief *m*; **3.** † Rückzollschein *m*.

de·bil·i·tate [di'biliteit] *v/t.* schwächen, entkräften; **de·bil·i·ta·tion** [dibili'teiʃən] *s.* Schwächung *f*, Entkräftung *f*; **de·bil·i·ty** [di'biliti] *s.* Schwäche *f*, Kraftlosigkeit *f*, Erschöpfung *f*.

deb·it ['debit] **I.** *s.* **1.** 'Debet *n*, Soll *n*, Schuldposten *m*; **2.** Belastung *f*: *to the* ~ *of* zu Lasten von; **3.** *a.* ~*-side* 'Debetseite *f*: *to charge (od. carry) a sum to s.o.'s* ~ j-s Konto mit e-r Summe belasten; **II.** *v/t.* **4.** debitieren, belasten (*with* mit); **~ and cred·it** *s.* † Soll *n* u. Haben *n*; **~ bal·ance** *s.* † 'Debet,saldo *m*; **~ en·try** *s.* † Lastschrift *f*, 'Debetposten *m*.

de·block [di:'blɔk] *v/t.* † *eingefrorene Konten* freigeben.

deb·o·nair(e) [debə'nɛə] *adj.* **1.** höflich, gefällig; **2.** heiter, fröhlich.

de·bouch [di'bautʃ] *v/i.* **1.** ⚔ her'vorbrechen, -kommen; ausschwärmen; **2.** einmünden (*Fluß, Straße*); sich ergießen; **de'bouch·ment** [-mənt] *s.* **1.** ⚔ Her'vorbrechen *n*; **2.** Mündung *f*.

De·brett [də'bret] *npr.*: ~*'s peerage engliches Adelsregister*.

de·bris ['debri:] *s.* Trümmer *pl.*, (Gesteins)Schutt *m* (*a. geol.*).

debt [det] *s.* Schuld *f* (*Geld od. fig.*); Verpflichtung *f*: ~*-collector* Schuldeneintreiber; *collection of* ~*s* Inkasso; *bad* ~*s* zweifelhafte Forderungen *od.* Außenstände; *heavy* ~*s* Schuldenlast; *National* ♀ Staatsschuld; ~ *of gratitude* Dankesschuld; ~ *of hono(u)r* Ehrenschuld; *to pay one's* ~ *to nature* der Natur s-n Tribut entrichten, sterben; *to run into* ~ in Schulden geraten; *to run up* ~*s* Schulden machen; *to be in* ~ verschuldet sein, Schulden haben; *to be in s.o.'s* ~ *fig.* j-m verpflichtet sein, in j-s Schuld stehen; **'debt·or** [-tə] *s.* Schuldner (-in), † 'Debitor *m*: *common* ~ Gemeinschuldner.

de·bunk ['di:'bʌŋk] *v/t.* F entlarven, den Nimbus nehmen (*dat.*).

de·bu·reauc·ra·tize ['di:bjuə'rɔkrətaiz] *v/t.* entbürokratisieren.

de·bus [di:'bʌs] *v/i.* aus e-m Bus aussteigen.

dé·but, *Am.* **de·but** ['deibu:] (*Fr.*) *s.* **1.** De'büt *n*, erstes Auftreten (*thea. od. in der Gesellschaft*); **2.** *fig.* Beginn *m*, Erscheinen *n*; **déb·u·tant**, *Am.* **deb·u·tant** ['debju(:)tɑ̃:ŋ] (*Fr.*) *s.* Debü'tant *m*; **déb·u·tante**, *Am.* **deb·u·tante** ['debju(:)tɑ̃:nt] (*Fr.*) *s.* Debü'tantin *f* (*Brit. engS.* bei Hofe).

deca- [dekə] *in Zssgn* zehn(mal).

dec·ade ['dekeid] *s.* De'kade *f*: **a)** Jahrzehnt *n*, **b)** Zehnergruppe *f*.

de·ca·dence ['dekədəns] *s.* Deka'denz *f*, Verfall *m*, Niedergang *m*; **'de·ca·dent** [-nt] **I.** *adj.* deka'dent, entartet, verfallend; **II.** *s.* dekadenter Mensch.

dec·a·gon ['dekəgən] *s.* ⩕ Zehneck *n*; **dec·a·gram(me)** ['dekəgræm] *s.* Deka'gramm *n*.

de·cal·ci·fy [di:'kælsifai] *v/t.* entkalken.

dec·a·li·ter *Am.*, **dec·a·li·tre** *Brit.* ['dekəli:tə] *s.* Deka'liter *m*, *n*; **dec·a·log(ue)**, ♀ ['dekəlɔg] *s. bibl.* Deka'log *m*, *die* Zehn Gebote *pl.*; **dec·a·me·ter** *Am.*, **dec·a·me·tre** *Brit.* ['dekəmi:tə] *s.* Deka'meter *m*, *n*.

de·camp [di'kæmp] *v/i.* **1.** ⚔ das Lager abbrechen; abmarschieren; **2.** sich aus dem Staube machen, ausrücken; **de'camp·ment** [-mənt] *s.* ⚔ Aufbruch *m*, Abmarsch *m*.

de·cant [di'kænt] *v/t.* **1.** ab-, 'umfüllen; **2.** dekantieren, vorsichtig abgießen; **de·can·ta·tion** [di:kæn'teiʃən] *s.* 'Umfüllung *f*; **de'cant·er** [-tə] *s.* Ka'raffe *f*.

de·cap·i·tate [di'kæpiteit] *v/t.* **1.** enthaupten, köpfen; **2.** *Am.* F entlassen, ‚absägen'; **de·cap·i·ta·tion** [dikæpi'teiʃən] *s.* **1.** Enthauptung *f*; **2.** *Am.* F Entlassung *f*.

dec·a·pod ['dekəpɔd] *s. zo.* Zehnfüßler *m*.

de·car·bon·ize [di:'kɑ:bənaiz] *v/t.* dekarbonisieren.

de·car·bu·rize [di:ˈkɑ:bjuəraiz] → *decarbonize.*

de·car·tel·i·za·tion [di:kɑ:təlaiˈzeiʃən] *s.* Auflösung *f od.* Entflechtung *f* e-s Karˈtells; **de·car·tel·ize** [di:ˈkɑ:təlaiz] *v/t.* entflechten.

de·cas·u·al·i·za·tion [di:kæʒjuəlaiˈzeiʃən] *s. Brit.* Ausmerzung *f* der Gelegenheitsarbeit; **de·cas·u·al·ize** [di:ˈkæʒjuəlaiz] *v/t. Brit.* Gelegenheitsarbeiter entfernen aus (*e-m Betrieb*).

de·cath·lete [diˈkæθli:t] *s. sport* Zehnkämpfer *m*; **de·cath·lon** [diˈkæθlɔn] *s. sport* Zehnkampf *m.*

de·cay [diˈkei] **I.** *v/t.* **1.** verfallen, zerfallen (*a. phys.*), zuˈgrunde gehen; **2.** verderben, verkümmern, verblühen; **3.** (ver)faulen, (ver)modern, verwesen; schlecht werden (*Zahn*); **4.** schwinden, abnehmen, schwach werden, (herˈab)sinken: *~ed with age* altersschwach; **II.** *s.* **5.** Verfall *m*, Zerfall *m* (*a. phys.*): *to fall into ~* in Verfall geraten, zugrunde gehen; **6.** Nieder-, Rückgang *m*, Verblühen *n*; Ruˈin *m*; **7.** ⚕ ˈKaries *f*, (Zahn)Fäule *f*; Schwund *m*; **8.** Fäulnis *f*, Vermodern *n*; **deˈcayed** [-eid] *adj.* **1.** ver-, zerfallen; kraftlos; zerrüttet; **2.** herˈuntergekommen; **3.** verblüht; **4.** verfault, morsch; *geol.* verwittert; **5.** ⚕ kariˈös, schlecht (*Zahn*).

Dec·ca [ˈdekə] *s.* ˈDecca-Navigatiˈonssyˌstem *n.*

de·cease [diˈsi:s] **I.** *v/i.* sterben, verscheiden; **II.** *s.* Tod *m*, Ableben *n*; **deˈceased** [-st] **I.** *adj.* verstorben; **II.** *s. the ~* der *od.* die Verstorbene.

de·ce·dent [diˈsi:dənt] *s.* ⚖ *Am.* **1.** → *deceased II*; **2.** ˈErblasser(in).

de·ceit [diˈsi:t] *s.* **1.** Betrug *m*, (bewußte) Täuschung; Betrügeˈrei *f*; **2.** Falschheit *f*, Tücke *f*; **deˈceit·ful** [-ful] *adj.* □ (be)trügerisch; falsch, ˈhinterlistig; **deˈceit·ful·ness** [-fulnis] *s.* Falschheit *f*, ˈHinterlist *f*, Arglist *f.*

de·ceiv·a·ble [diˈsi:vəbl] *adj.* leicht zu betrügen(d) *od.* täuschen(d); **de·ceive** [diˈsi:v] *v/t.* **1.** täuschen, irreführen: *to be ~d* sich täuschen lassen, sich irren (*in* in *dat.*); *to ~ o.s.* sich täuschen *od.* e-r Täuschung hingeben; **2.** *mst pass. Hoffnung* enttäuschen; **3.** *a. v/i.* betrügen, täuschen.

de·cel·er·ate [di:ˈseləreit] **I.** *v/t.* verlangsamen, die Geschwindigkeit verringern von (*od. gen.*); **II.** *v/i.* s-e Geschwindigkeit verringern, langsamer fahren; **de·cel·er·a·tion** [ˈdi:seləˈreiʃən] *s.* Geschwindigkeitsabnahme *f*, Verlangsamung *f.*

De·cem·ber [diˈsembə] *s.* Deˈzember *m*: *in ~* im Dezember.

de·cen·cy [ˈdi:snsi] *s.* **1.** Anstand *m*, Schicklichkeit *f*: *for ~'s sake* anstandshalber; *sense of ~* Anstandsgefühl; **2.** Sittsam-, Ehrbarkeit *f*; **3.** *pl.* Anstandsformen *pl.*

de·cen·ni·al [diˈsenjəl] **I.** *adj.* □ **1.** zehnjährig; **2.** alle zehn Jahre ˈwiederkehrend; **II.** *s.* **3.** *Am.* Zehnˈjahrfeier *f*; **deˈcen·ni·al·ly** [-li] *adv.* alle zehn Jahre; **de·cen·ni·um** [diˈsenjəm] *pl.* **-ni·ums, -ni·a** [-jə] *s.* Jahrˈzehnt *n*, Deˈkade *f.*

de·cent [ˈdi:snt] *adj.* □ **1.** anständig, schicklich; **2.** ehrbar, sittsam; **3.** deˈzent, unaufdringlich; **4.** F ‚anständig', freundlich, nett; **5.** F (ganz) anständig, annehmbar: *a ~ meal.*

de·cen·tral·i·za·tion [di:sentrəlaiˈzeiʃən] *s.* Dezentralisierung *f*; **de·cen·tral·ize** [di:ˈsentrəlaiz] *v/t.* dezentralisieren.

de·cep·tion [diˈsepʃən] *s.* **1.** Täuschung *f*, Irreführung *f*; **2.** Betrug *m*; **3.** Trugbild *n*; **deˈcep·tive** [-ptiv] *adj.* □ täuschend, irreführend, trügerisch: *appearances are ~* der Schein trügt.

deci- [desi] *in Zssgn* Dezi…

dec·i·bel [ˈdesibel] *s. phys.* Deziˈbel *n.*

de·cide [diˈsaid] **I.** *v/t.* **1.** *et.* entscheiden; **2.** *j-n* bestimmen, veranlassen; *et.* bestimmen, festsetzen: *to ~ the right moment*; *that ~ed me* das bestimmte mich, das bestärkte mich in m-m Entschluß; **II.** *v/i.* **3.** entscheiden, bestimmen, den Ausschlag geben; **4.** beschließen; sich entscheiden *od.* entschließen (*in favo[u]r of* für; *against doing* nicht zu tun; *to do* zu tun); **5.** zu dem Schluß *od.* der Überˈzeugung kommen: *I ~d that it was worth trying*; **6.** feststellen, finden: *we ~d that the weather was too bad*; **7.** *~ (up)on* sich entscheiden für *od.* über (*acc.*); festsetzen, -legen, bestimmen (*acc.*); **deˈcid·ed** [-did] *adj.* □ **1.** entschieden, unzweifelhaft, deutlich; **2.** entschieden, entschlossen, fest, bestimmt; **deˈcid·ed·ly** [-didli] *adv.* entschieden, fraglos, bestimmt; **deˈcid·er** [-də] *s. sport* Entscheidungskampf *m.*

de·cid·u·ous [diˈsidjuəs] *adj.* **1.** ♀ jedes Jahr abfallend (*Blätter*): *~ tree* Laubbaum; **2.** *zo.* abfallend (*Geweih etc.*).

dec·i·gram(me) [ˈdesigræm] *s.* Deziˈgramm *n*; **dec·i·li·ter** *Am.*, **dec·i·li·tre** *Brit.* [ˈdesili:tə] *s.* Deziˈliter *m, n.*

dec·i·mal [ˈdesiməl] ⅍ **I.** *adj.* □ → *decimally*; deziˈmal, Dezimal…: *to go ~* das Dezimalsystem einführen; **II.** *s.* Deziˈmalzahl *f*: *circulating (recurring) ~* periodische (unendliche) Dezimalzahl; *three places of ~s* drei Dezimalstellen; *~* **a·rith·me·tic** *s.* ⅍ Deziˈmalrechnung *f*; *~* **frac·tion** *s.* ⅍ Deziˈmalbruch *m.*

dec·i·mal·ly [ˈdesiməli] *adv.* nach dem Deziˈmalsyˌstem.

dec·i·mal| place *s.* Deziˈmalstelle *f*; *~* **point** *s.* ˈKomma *n* (*im Englischen ein Punkt*) vor der ersten Deziˈmalstelle: *floating ~* Fließkomma (*Taschenrechner etc.*); *~* **sys·tem** *s.* Deziˈmalsyˌstem *n.*

dec·i·mate [ˈdesimeit] *v/t.* dezimieren, vernichten; Verheerung(en) anrichten unter (*dat.*); **dec·i·ma·tion** [desiˈmeiʃən] *s.* Dezimierung *f.*

dec·i·me·ter *Am.*, **dec·i·me·tre** *Brit.* [ˈdesimi:tə] *s.* Deziˈmeter *m, n.*

de·ci·pher [diˈsaifə] *v/t.* entziffern, entschlüsseln, dechiffrieren; überˈsetzen; *fig.* enträtseln; **deˈci·pher·a·ble** [-fərəbl] *adj.* entzifferbar; *fig.* enträtselbar; **deˈci·pher·ment** [-mənt] *s.* Entzifferung *f*, Überˈsetzung *f*; *fig.* Enträtselung *f.*

de·ci·sion [diˈsiʒən] *s.* **1.** Entscheidung *f* (*a.* ⚖); Entscheid *m*, Urteil *n*, Beschluß *m*: *to make (od. take) a ~* e-e Entscheidung treffen; **2.** Entschluß *m*: *to arrive at a ~, to come to a ~, to take a ~* zu e-m Entschluß kommen; **3.** Entschlußkraft *f*, Entschlossenheit *f*: *~ of character* Charakterstärke; *a man of ~* ein entschlossener Mensch.

de·ci·sive [diˈsaisiv] *adj.* □ **1.** entscheidend, ausschlag-, maßgebend; endgültig, schlüssig: *to be ~ in* entscheidend beitragen zu; *to be ~ of* entscheiden (*acc.*); *~ battle* Entscheidungsschlacht; **2.** entschlossen, entschieden (*Person*); **deˈci·sive·ly** [-li] *adv.* in entscheidender Weise; **deˈci·sive·ness** [-nis] *s.* **1.** Maßgeblichkeit *f*; **2.** Endgültigkeit *f*; **3.** Entschlossenheit *f.*

deck [dek] **I.** *s.* **1.** ⚓ Deck *n*: *on ~* **a)** auf Deck, **b)** *Am.* F bereit, zur Hand; *all hands on ~!* alle Mann an Deck!; *below ~* unter Deck; *to clear the ~s (for action)* **a)** das Schiff klar zum Gefecht machen, **b)** *fig.* sich bereitmachen; **2.** ✈ Tragdeck *n*, -fläche *f*; **3.** 🚂 *Am. etc.* Dach *n*, Verdeck *n*; **4.** *bsd. Am.* Spiel *n*, Pack *m* (Spiel)Karten; **II.** *v/t.* **5.** *oft ~ out* (aus)schmücken, ausstaffieren, kostbar bekleiden; **6.** ⚓ mit e-m Deck versehen; **ˈ~-ˈcab·in** *s.* ⚓ ˈDeckkaˌbine *f*; **ˈ~-ˈcar·go** *s.* ⚓ Deckladung *f*; **ˈ~-ˈchair** *s.* Liegestuhl *m.*

-deck·er [dekə] *s. in Zssgn*: *three~* Dreidecker, Schiff *etc.* mit drei Decks.

ˈdeck|-games *s. pl.* Bordspiele *pl.*; **ˈ~-hand** *s.* ⚓ Maˈtrose *m*; **ˈ~-house** *s.* ⚓ Deckshaus *n.*

deck·le-edged [ˈdeklˈedʒd] *adj.* **1.** mit Büttenrand; **2.** unbeschnitten (*Buch*).

de·claim [diˈkleim] **I.** *v/i.* **1.** *öffentlich od. feierlich* reden; **2.** *~ against* eifern *od.* wettern gegen; **3.** Phrasen dreschen; **II.** *v/t.* **4.** deklamieren, vortragen.

dec·la·ma·tion [dekləˈmeiʃən] *s.* **1.** Deklamatiˈon *f* (*a.* ♪); öffentliche Rede, Ansprache *f*; **2.** schwungvolle Rede; **3.** leeres Gerede, Tiˈrade *f*; **de·clam·a·to·ry** [diˈklæmətəri] *adj.* □ **1.** rheˈtorisch; **2.** paˈthetisch, bomˈbastisch.

de·clar·a·ble [diˈkleərəbl] *adj.* zoll-, steuerpflichtig; **deˈclar·ant** [-rənt] *s. Am.* Einbürgerungsanwärter(in).

dec·la·ra·tion [dekləˈreiʃən] *s.* **1.** Erklärung *f*, Aussage *f*: *to make a ~* eine Erklärung abgeben; *~ of war* Kriegserklärung; **2.** Maniˈfest *n*, Proklamatiˈon *f*; **3.** ⚖ Klageschrift *f*; **4.** Anmeldung *f*, Angabe *f*: *~ of bankruptcy* ✝ Konkursanmeldung; *customs ~* Zolldeklaration, -erklärung; **de·clar·a·tive** [diˈklærətiv] *adj.*: *~ sentence ling.* Aussagesatz; **de·clar·a·to·ry** [diˈklærətəri] *adj.* erklärend: *to be ~ of* erklären, erläutern, feststellen; *~ judgement* ⚖ Feststellungsurteil.

de·clare [diˈkleə] **I.** *v/t.* **1.** erklären, aussagen, verkünden, bekanntmachen, proklamieren: *to ~ war* den Krieg erklären, *fig.* den Kampf ansagen (*on dat.*); *he was ~d winner* er wurde zum Sieger erklärt; **2.** erklären, behaupten; **3.** angeben, anmelden; erklären, deklarieren (*Zoll*); **4.** *Kartenspiel*: ansagen; **5.** ~ *o.s.* **a)** sich erklären *od.* offenbaren, s-e Meinung kundtun, **b)** sich zeigen *od.* her'ausstellen; **6.** ~ *off* absagen, rückgängig machen; **II.** *v/i.* **7.** erklären, bestätigen: *well, I ~!* ich muß schon sagen!, nanu!; **8.** sich erklären *od.* entscheiden (*for* für; *against* gegen); **9.** *Kricket*: ein Spiel vorzeitig abbrechen; **de'clared** [-εəd] *adj.* □ erklärt, ausgesprochen; **de'clar·ed·ly** [-εəridli] *adv.* erklärtermaßen, ausgesprochen.

de·clen·sion [di'klenʃən] *s.* **1.** Abweichung *f*, Abfall *m* (*from* von); **2.** Verfall *m*, Niedergang *m*; **3.** *ling.* Deklinati'on *f*, Beugung *f*; **de'clen·sion·al** [-ʃənl] *adj. ling.* Deklinations...

de·clin·a·ble [di'klainəbl] *adj. ling.* deklinierbar; **dec·li·na·tion** [dekli'neiʃən] *s.* **1.** Neigung *f*, Abschüssigkeit *f*; **2.** Abweichung *f*; **3.** *ast., phys.* Deklinati'on *f*: ~ *compass* ⚓ Deklinationsbussole; *compass* ~ Mißweisung.

de·cline [di'klain] **I.** *v/i.* **1.** sich neigen, sich senken; **2.** sich neigen, zur Neige *od.* zu Ende gehen: *declining years* Lebensabend; **3.** abnehmen, nachlassen, zu'rückgehen; sich verschlechtern, schwächer werden; verfallen; **4.** sinken, fallen (*Preise*); **5.** sich weigern, (es) ablehnen; **II.** *v/t.* **6.** neigen, senken; **7.** ablehnen, nicht annehmen, ausschlagen; **8.** *ling.* deklinieren, beugen; **III.** *s.* **9.** Neige *f*, Ende *n*: ~ *of life* Lebensabend; **10.** Nieder-, Rückgang *m*, Abnahme *f*; Verschlechterung *f*: *to be on the ~* **a)** zur Neige gehen, **b)** im Niedergang begriffen sein, sinken; ~ *of strength* Kräfteverfall; ~ *of* (*od. in*) *prices* Preisrückgang; ~ *in value* Wertminderung; **11.** ⚕ körperlicher Verfall: *to fall into a ~* **a)** dahinsiechen, **b)** die Schwindsucht bekommen.

de·cliv·i·tous [di'klivitəs] *adj.* abschüssig, (ziemlich) steil; **de'cliv·i·ty** [-ti] *s.* **1.** Abschüssigkeit *f*; **2.** Abhang *m*.

de·clutch ['di:'klʌtʃ] *v/i. mot.* auskuppeln.

de·coct [di'kɔkt] *v/t.* auskochen, absieden; **de'coc·tion** [-kʃən] *s.* **1.** Auskochen *n*, Absieden *n*; **2.** Absud *m*; *pharm.* De'kokt *n*.

de·code ['di:'koud] *v/t.* decodieren (*a. ling., Computer*), dechiffrieren, entschlüsseln, über'setzen; **de'cod·er** [-də] *s. Radio, Computer*: De'coder *m*.

dé·col·le·té(e) [dei'kɔltei] (*Fr.*) *adj.* **1.** (tief) ausgeschnitten (*Kleid*); **2.** dekolletiert (*Dame*).

de·col·or·ant [di:'kʌlərənt] **I.** *adj.* entfärbend, bleichend; **II.** *s.* Bleichmittel *n*; **de'col·o(u)r·ize** [-raiz] *v/t.* entfärben, bleichen.

de·com·pose [di:kəm'pouz] **I.** *v/t.* **1.** zerlegen, spalten; **2.** zersetzen; **3.** ⚗, *phys.* scheiden, abbauen; **II.** *v/i.* **4.** sich auflösen, zerfallen; **5.** sich zersetzen, verwesen, verfaulen; **de·com'posed** [-zd] *adj.* verfault, verdorben; **de·com·po·si·tion** [di:kɔmpə'ziʃən] *s.* **1.** ⚗, *phys.* Zerlegung *f*, Aufspaltung *f*, Scheidung *f*, Auflösung *f*, Abbau *m*; **2.** Zersetzung *f*, Zerfall *m*; **3.** Verwesung *f*, Fäulnis *f*.

de·com·press [di:kəm'pres] *v/t.* ⊕ dekomprimieren, den Druck vermindern in (*dat.*); **de·com'pres·sion** [-eʃən] *s.* ⊕ Druckverminderung *f*.

de·con·tam·i·nate ['di:kən'tæmineit] *v/t.* entgiften, -seuchen, -strahlen; **de·con·tam·i·na·tion** ['di:kəntæmi'neiʃən] *s.* Entgiftung *f*, -seuchung *f*, -gasung *f*.

de·con·trol ['di:kən'troul] **I.** *v/t.* die Zwangsbewirtschaftung aufheben von *od.* für; *Waren, Handel* freigeben; **II.** *s.* Aufhebung *f* der Zwangsbewirtschaftung, Freigabe *f*.

dé·cor ['deikɔ:] (*Fr.*) *s.* **1.** De'kor *m*, Ausschmückung *f*; **2.** *thea.* Dekor *m*, Ausstattung *f*.

dec·o·rate ['dekəreit] *v/t.* **1.** (aus-)schmücken, (ver)zieren; **2.** *Zimmer* (neu) tapezieren *od.* streichen; **3.** *mit e-m Orden* dekorieren, auszeichnen; **dec·o·ra·tion** [dekə'reiʃən] *s.* **1.** Ausschmückung *f*, Verzierung *f*; **2.** Schmuck *m*, Zierat *m*, Dekorati'on *f*; **3.** Orden *m*, Ehrenzeichen *n*; **4.** *a. interior ~* Innenausstattung *f*; 'Innenarchitekˌtur *f*.

Dec·o·ra·tion Day → *Memorial Day*.

dec·o·ra·tive ['dekərətiv] *adj.* □ dekora'tiv, schmückend, Zier..., Schmuck...; **dec·o·ra·tor** ['dekəreitə] *s.* **1.** *a. interior ~* Dekora'teur *m*, 'Innenarchiˌtekt *m*; **2.** Dekorati'onsmaler *m*; **3.** Tapezierer *m* und Anstreicher *m*.

dec·o·rous ['dekərəs] *adj.* □ schicklich, (wohl)anständig.

de·cor·ti·cate [di:'kɔ:tikeit] *v/t.* **1.** entrinden; schälen; **2.** enthülsen.

de·co·rum [di'kɔ:rəm] *s.* **1.** Anstand *m*; **2.** Eti'kette *f*, Anstandsformen *pl.*

de·coy [di'kɔi] **I.** *s.* **1.** Köder *m*, Lockspeise *f*; **2.** *a.* ~-*bird*, ~-*duck* Lockvogel *m* (*a. fig.*); **3.** *hunt.* Entenfang *m*, -falle *f*; **4.** ⚔ Scheinanlage *f*; **II.** *v/t.* **5.** ködern, locken; **6.** *fig.* (ver)locken, verleiten; ~ **ship** *s.* ⚓, ⚔ U-Boot-Falle *f*.

de·crease [di:'kri:s] **I.** *v/i.* abnehmen, sich vermindern, kleiner werden: *to ~ in length* kürzer werden; **II.** *v/t.* vermindern, verringern, reduzieren, her'absetzen; **III.** *s.* ['di:kri:s] Abnahme *f*, Verminderung *f*, Verringerung *f*; Rückgang *m*: ~ *in prices* Preisrückgang; *to be on the ~* abnehmen; **de'creas·ing·ly** [-siŋli] *adv.* immer weniger: ~ *rare*.

de·cree [di'kri:] **I.** *s.* **1.** De'kret *n*, Erlaß *m*, Verfügung *f*, Verordnung *f*: *to issue a ~* e-e Verfügung erlassen; *by ~* auf dem Verordnungswege; **2.** ⚖ Entscheid *m*, Urteil *n*: ~ *absolute* rechtskräftiges (Scheidungs)Urteil; → *nisi*; **3.** *fig.* Ratschluß *m Gottes*, Fügung *f des Schicksals*; **II.** *v/t.* **4.** verfügen, an-, verordnen.

dec·re·ment ['dekrimənt] *s.* Abnahme *f*, Verminderung *f*.

de·crep·it [di'krepit] *adj.* hinfällig, altersschwach; klapp(e)rig, verfallen, verbraucht; **de'crep·i·tude** [-tju:d] *s.* Altersschwäche *f*, Hinfälligkeit *f*.

de·cre·scen·do ['di:kri'ʃendou] (*Ital.*) ♪ **I.** *pl.* **-dos** *s.* Decre'scendo *n*; **II.** *adv.* decre'scendo, abnehmend.

de·cres·cent [di'kresnt] *adj.* abnehmend (*bsd. Mond*).

de·cre·tal [di'kri:tl] *eccl.* **I.** *adj.* Dekretal...; **II.** *s.* **a)** Dekre'tale *n*, **b)** *pl.* Dekretalien *pl.*

de·cry [di'krai] *v/t.* her'untermachen, her'absetzen, in Verruf bringen.

de·cu·bi·tus [di'kju:bitəs] *s.* ⚕ Wundliegen *n*.

dec·u·ple ['dekjupl] **I.** *adj.* zehnfach; **II.** *s. das* Zehnfache; **III.** *v/t.* verzehnfachen.

de·cus·sate [di'kʌsit] *adj.* **1.** sich kreuzend *od.* schneidend; **2.** ⚘ kreuzgegenständig.

ded·i·cate ['dedikeit] **I.** *v/t.* (*to dat.*) **1.** weihen, widmen; feierlich (ein-)weihen; **2.** *Zeit* widmen; **3.** ~ *o.s.* sich widmen *od.* hingeben; sich zuwenden; **4.** widmen, zueignen; **'ded·i·cat·ed** [-tid] *adj.* **1.** pflichtbewußt, hingebungsvoll; **2.** engagiert; **ded·i·ca·tion** [dedi'keiʃən] *s.* **1.** Weihung *f*, Widmung *f*; feierliche Einweihung; **2.** Hingabe *f* (*to* an *acc.*); **3.** Widmung *f*, Zueignung *f*; **'ded·i·ca·tor** [-tə] *s.* Widmende(r *m*) *f*; **'ded·i·ca·to·ry** [-kətəri] *adj.* (Ein)Weihungs...; Widmungs..., Zueignungs...

de·duce [di'dju:s] *v/t.* **1.** folgern, schließen (*from* aus); **2.** ab-, herleiten (*from* von); **de'duc·i·ble** [-səbl] *adj.* zu folgern(d); herzuleiten(d).

de·duct [di'dʌkt] *v/t. e-n Betrag* abziehen (*from* von), einbehalten: *after ~ing* nach Abzug von; *~ing expenses* abzüglich der Unkosten; **de'duct·i·ble** [-tibl] *adj.* abziehbar, abzugsfähig; **de'duc·tion** [-kʃən] *s.* **1.** Abzug *m*, Abziehen *n*; **2.** † Abzug *m*, Ra'batt *m*, Nachlaß *m*; **3.** (Schluß)Folgerung *f*, Schluß *m*; **4.** Herleitung *f*; **de'duc·tive** [-tiv] *adj.* □ deduk'tiv, folgernd, schließend; herleitend.

deed [di:d] **I.** *s.* **1.** Tat *f*, Handlung *f*: *in word and ~* in Wort u. Tat; **2.** Helden-, Großtat *f*; **3.** Tat(sache) *f*; **4.** ⚖ (Über'tragungs)Urkunde *f*, Doku'ment *n*: ~ *of donation* Schenkungsurkunde; **II.** *v/t.* **5.** *Am.* urkundlich über'tragen (*to* auf *j-n*); ~ **box** *s.* Kas'sette *f für Urkunden*; **'~-poll** *s.* ⚖ Urkunde *f* e-s einseitigen Rechtsgeschäfts.

deem [di:m] **I.** *v/i.* denken, meinen; **II.** *v/t.* halten für, erachten für, betrachten als: *I ~ it advisable*; *I ~ it my duty*.

de·e·mo·tion·al·ize ['di:i'mouʃnəlaiz] *v/t. Diskussion etc.* versachlichen.

deem·ster ['di:mstə] *s.* Richter *m* (*auf der Insel Man*).

deep [di:p] **I.** *adj.* □ → *deeply*; **1.** tief (*vertikal*): ~ *hole*; ~ *snow*; ~ *sea* Tiefsee; *in* ~ *water(s) fig.* in Schwierigkeiten; *to go off the* ~ *end* **a)** *Brit.* in Rage kommen, **b)** *Am.* et. unüberlegt riskieren; **2.** tief (*horizontal*): ~ *cupboard*; ~ *forests*; ~ *border* breiter Rand; *they marched four* ~ sie marschierten in Viererreihen; *three men* ~ drei Mann hoch (*zu dritt*); **3.** tief, vertieft, versunken (*in* in *acc.*): ~ *in thought*; **4.** tief, gründlich, scharfsinnig: ~ *learning* gründliches Wissen; ~ *intellect* scharfer Verstand; *a* ~ *thinker* ein tiefer Denker; **5.** tief, heftig, stark, fest, schwer: ~ *sleep* tiefer *od.* fester Schlaf; ~ *mourning* tiefe Trauer; ~ *interest* großes Interesse; ~ *grief* schweres Leid; ~ *in debt* stark *od.* tief verschuldet; **6.** tief, innig, aufrichtig: ~ *love*; ~ *gratitude*; **7.** tief, dunkel; verborgen, geheim: ~ *night* tiefe Nacht; ~ *silence* tiefes *od.* völliges Schweigen; ~ *secret* tiefes Geheimnis; ~ *designs* versteckte Pläne; *he is a* ~ *one sl.* er hat es faustdick hinter den Ohren; **8.** schwierig: ~ *problem*; *that is too* ~ *for me* das ist mir zu hoch; **9.** tief, dunkel (*Farbe, Klang*); **II.** *adv.* **10.** tief (*a. fig.*): ~ *into the flesh* tief ins Fleisch; *still waters run* ~ stille Wasser sind tief; ~ *into the night* (bis) tief in die Nacht (hinein); *to drink* ~ unmäßig trinken; **III.** *s.* **11.** Tiefe *f* (*a. fig.*); Abgrund *m*: *in the* ~ *of night* in tiefster Nacht; **12.** *the* ~ *poet.* das Meer.

deep| breath·ing *s.* Atemübungen *pl.*; **'~-'chest·ed** *adj.* **1.** mit gewölbter Brust; **2.** mit Brustton; **'~-'drawn** *adj.*: ~ *sigh* tiefer Seufzer.

deep·en ['di:pən] **I.** *v/t.* **1.** tiefer machen, vertiefen; verbreitern; **2.** *fig.* vertiefen (*a. Farben*), verstärken, steigern; **II.** *v/i.* **3.** tiefer werden, sich vertiefen; **4.** *fig.* sich vertiefen *od.* steigern, stärker werden; **5.** dunkler werden.

'deep|-felt *adj.* tiefempfunden; **'~-'freeze I.** *s.* **1.** Tiefkühlung *f*; **2.** Tiefkühltruhe *f*; **II.** *v/t.* **3.** tiefkühlen, einfrieren; **'~-'fry** *v/t.* in schwimmendem Fett braten; **'~-'fry·ing pan** *s.* Fri'teuse *f*; ~ **hit** *s. Boxen*: Tiefschlag *m*; **'~-'laid** *adj.* schlau, listig, finster (*Plan*).

deep·ly ['di:pli] *adv.* tief (*a. fig.*): ~ *indebted* äußerst dankbar; ~ *hurt* tief *od.* schwer gekränkt; ~ *interested* höchst interessiert; ~ *read* sehr belesen; *to drink* ~ unmäßig trinken; *to go* ~ *into s.th.* e-r Sache auf den Grund gehen.

'deep-'mouthed *adj.* **1.** tieftönend; **2.** mit tiefer Stimme (bellend).

deep·ness ['di:pnis] *s.* **1.** Tiefe *f* (*a. fig.*); **2.** Dunkelheit *f*; **3.** Gründlichkeit *f*; **4.** Scharfsinn *m.*

'deep|-'read *adj.* sehr belesen; **'~-'root·ed** *adj.* tief eingewurzelt; *fig. a.* eingefleischt; **'~-'sea** *adj.* Tiefsee..., Hochsee...: ~ *fish* Tiefseefisch; ~ *fishing* Hochseefischerei; **'~-'seat·ed** *adj.* tief-, festsitzend; **'~-set** *adj.* tiefliegend (*Augen*); **the** ♀ **South** *s. Am.* der tiefe Süden (*südlichste Staaten der USA*); **'~-'throat·ed** *adj.* mit tiefer Stimme.

deer [diə] *pl.* **deer** *s.* **1.** *zo.* **a)** Hirsch *m*, **b)** Reh *n*: *red* ~ Rot-, Edelhirsch; **2.** Hoch-, Rotwild *n*; **'~-for·est** *s.* Hochwildgehege *n*; **'~-hound** *s.* schottischer Jagdhund; **'~-lick** *s.* Salzlecke *f*; **'~-park** *s.* Wildpark *m*; **'~-skin** *s.* Hirsch-, Rehleder *n*; **'~-stalk·er** *s.* **1.** Pirscher *m*; **2.** Jagdmütze *f*; **'~-stalk·ing** *s.* (Rotwild)Pirsch *f.*

de-es·ca·la·tion ['di:eskə'leiʃən] *s. pol.* Deeskalati'on *f* (*a. fig.*).

de·face [di'feis] *v/t.* **1.** entstellen, verunstalten, beschädigen; **2.** ausstreichen, unleserlich machen; **de'face·ment** [-mənt] *s.* Entstellung *f*, Verunstaltung *f*, Beschädigung *f.*

de fac·to [di:'fæktou] (*Lat.*) **I.** *adj.* tatsächlich, De-facto-...; **II.** *adv.* de 'facto, tatsächlich.

de·fal·ca·tion [di:fæl'keiʃən] *s.* **1.** Veruntreuung *f*, Unter'schlagung *f*; **2.** unter'schlagenes Geld.

def·a·ma·tion [defə'meiʃən] *s.* Verleumdung *f*, Schmähung *f*; **de·fam·a·to·ry** [di'fæmətəri] *adj.* □ verleumderisch, Schmäh...: *to be* ~ *of s.o.* j-n verleumden; **de·fame** [di'feim] *v/t.* verleumden; **de·fam·er** [di'feimə] *s.* Verleumder(in).

de·fat·ted [di:'fætid] *adj.* entfettet.

de·fault [di'fɔ:lt] **I.** *s.* **1.** (Pflicht-)Versäumnis *n*, Unter'lassung *f*; **2.** *bsd.* † Nichterfüllung *f*, Verzug *m*, Versäumnis *n*, Zahlungseinstellung *f*; *engS.* Zahlungsverzug *m*: *to be in* ~ im Verzug sein; **3.** ⚖ Nichterscheinen *n* vor Gericht: *judg(e)ment by* ~ Versäumnisurteil; **4.** *sport* Nichtantreten *n*; **5.** Fehlen *n*, Mangel *m*: *in* ~ *of* mangels, in Ermangelung (*gen.*); *in* ~ *of which* widrigenfalls; *to go by* ~ unterbleiben; **II.** *v/i.* **6.** s-n Verpflichtungen nicht nachkommen: *to* ~ *on s.th.* et. vernachlässigen, mit et. im Rückstand sein; **7.** † s-n Verbindlichkeiten nicht nachkommen, im (Zahlungs)Verzug sein: *to* ~ *on a debt* s-e Schuld nicht bezahlen; **8.** ⚖ nicht vor Gericht erscheinen; **9.** *sport* nicht antreten; **III.** *v/t.* **10.** *e-r Verpflichtung* nicht nachkommen, in Verzug geraten mit; **de'fault·er** [-tə] *s.* **1.** Säumige(r *m*) *f*; ‚Drückeberger' *m*; **2.** † **a)** säumiger Zahler *od.* Schuldner, **b)** Zahlungsunfähige(r *m*) *f*; **3.** ⚖ vor Gericht nicht Erscheinende(r *m*) *f*; **4.** ⚔ *Brit.* Delin'quent *m.*

de·fea·sance [di'fi:zəns] *s.* ⚖ **1.** Aufhebung *f*, Annullierung *f*, Nichtigkeitserklärung *f*; **2.** 'Nichtigkeits‚klausel *f*; **de'fea·si·ble** [-zəbl] *adj.* anfecht-, annullierbar.

de·feat [di'fi:t] **I.** *v/t.* **1.** besiegen, schlagen: *it* ~*s me to inf.* es geht über m-e Kraft zu *inf.*; **2.** *Angriff etc.* zu'rückschlagen, abwehren; **3.** *parl. Antrag* zu Fall bringen, ablehnen; **4.** vereiteln, zu'nichte machen: *that* ~*s the purpose* das verfehlt den Zweck; **II.** *s.* **5.** Niederwerfung *f*, Besiegung *f*; **6.** Niederlage *f*: *to admit* ~ sich geschlagen geben; **7.** *parl.* Ablehnung *f*; **8.** Vereitelung *f*, Vernichtung *f*; **9.** 'Mißerfolg *m*, Fehlschlag *m*; **de'feat·ism** [-tizəm] *s.* Defä'tismus *m*, Miesmache'rei *f*; **de'feat·ist** [-tist] **I.** *s.* Defä'tist *m*, Miesmacher *m*; **II.** *adj.* defä'tistisch.

def·e·cate ['defikeit] **I.** *v/t.* reinigen; *fig.* läutern; **II.** *v/i.* ⚕ Stuhlgang haben; **def·e·ca·tion** [defi'keiʃən] *s.* ⚕ Stuhlgang *m.*

de·fect [di'fekt] **I.** *s.* **1.** De'fekt *m*, Fehler *m* (*in* an *dat.*, in *dat.*); **2.** Mangel *m*, Unvollkommenheit *f*, Schwäche *f*; **3.** Gebrechen *n*; **II.** *v/i.* **4.** abtrünnig werden; **5.** *zum Feind* 'übergehen; **de'fec·tion** [-kʃən] *s.* **1.** Abfall *m*, Lossagung *f* (*from* von); **2.** Treubruch *m*; **3.** 'Übertritt *m* (*to* zu); **de'fec·tive** [-tiv] *adj.* □ **1.** mangelhaft, unvollkommen, unvollständig: *mentally* ~ schwachsinnig; *he is* ~ *in* es mangelt ihm an (*dat.*); **2.** schadhaft, de'fekt; **II.** *s.* **3.** *mental* ~ Schwachsinnige(r); **de'fec·tive·ness** [-tivnis] *s.* **1.** Mangelhaftigkeit *f*; **2.** Schadhaftigkeit *f*; **de'fec·tor** [-tə] *s.* Abtrünnige(r *m*) *f.*

de·fence, *Am.* **de·fense** [di'fens] *s.* **1.** Verteidigung *f*, Schutz *m*, Abwehr *f*: *to come to s.o.'s* ~ j-n verteidigen; **2.** ⚖ Verteidigung *f*: *in his* ~ zu s-r Entlastung; *to conduct one's own* ~ sich selbst verteidigen; → *counsel 4*; *witness 1*; **3.** Verteidigung *f*, Rechtfertigung *f*: *in his* ~ zu s-r Rechtfertigung; **4.** ⚔ Verteidigung *f*, *sport a.* Abwehr *f*; *pl.* Verteidigungsanlagen *pl.*: *to make a good* ~ sich tapfer verteidigen; **de'fence·less** [-lis] *adj.* □ **1.** schutz-, wehr-, hilflos; **2.** ⚔ unbefestigt; **de'fence·less·ness** [-lisnis] *s.* Schutz-, Wehrlosigkeit *f.*

de·fend [di'fend] *v/t.* **1.** (*from, against*) verteidigen (gegen), schützen (vor *dat.*, gegen); **2.** *Meinung etc.* verteidigen, rechtfertigen; **3.** *Rechte* schützen, wahren; **4.** ⚖ **a)** *j-n* verteidigen, **b)** sich auf *e-e Klage* einlassen: *to* ~ *the suit* den Klageanspruch bestreiten; **de'fend·a·ble** [-dəbl] *adj.* zu verteidigen(d); **de'fend·ant** [-dənt] *s.* ⚖ **a)** *Zivilrecht*: Beklagte(r *m*) *f*, **b)** *Strafrecht*: Angeklagte(r *m*) *f*; **de'fend·er** [-də] *s.* **1.** Verteidiger *m*, *sport a.* Abwehrspieler *m*; **2.** Beschützer *m.*

de·fense *etc. Am.* → *defence etc.*

de·fen·si·ble [di'fensəbl] *adj.* □ **1.** zu verteidigen(d), haltbar; **2.** zu rechtfertigen(d), vertretbar; **de'fen·sive** [-siv] **I.** *adj.* □ **1.** defen'siv, verteidigend, schützend, abwehrend; **2.** Verteidigungs..., Schutz..., Abwehr... (*a.* ⚔ *u. biol.*); **II.** *s.* **3.** Defen'sive *f*, Verteidigung *f*: *on the* ~ in der Defensive.

de·fer[1] [di'fə:] *v/t.* **1.** auf-, verschieben; **2.** hin'ausschieben; zu'rückstellen (*Am. a.* ⚔).

de·fer[2] [di'fə:] *v/i.* (*to*) sich fügen, nachgeben (*dat.*), sich beugen (vor *dat.*); sich *j-s* Wunsche fügen; **def·er·ence** ['defərəns] *s.* **1.** Ehrerbietung *f*, Achtung *f*: *with all due* ~ *to* bei aller Hochachtung vor (*dat.*); **2.** Nachgiebigkeit *f*, Rücksicht(-nahme) *f*: *in* ~ *to your wishes* wunschgemäß; **def·er·en·tial** [defə'renʃəl] *adj.* □ **1.** ehrerbietig; **2.** rücksichtsvoll.

de·fer·ment [di'fə:mənt] *s.* **1.** Aufschub *m*; **2.** ⚔ *Am.* Zu'rückstellung *f*; **de'fer·ra·ble** [-ə:rəbl] *adj.* **1.** aufschiebbar; **2.** ⚔ *Am.* zu'rückstellbar.

de·ferred| an·nu·i·ty [di'fə:d] *s.* Anwartschaftsrente *f* (*wird erst nach gewisser Frist fällig*); **~ pay** *s.* zu'rückbehaltener Lohn; **~ pay·ment** *s.* **1.** Zahlungsaufschub *m*; **2.** Ratenzahlung *f*; **~ shares** *s. pl.* † Nachzugsaktien *pl.*; **~ terms** *s. pl.* 'Abzahlungssy,stem *n*: *on* ~ auf Abzahlung *od.* Raten.

de·fi·ance [di'faiəns] *s.* **1.** Trotz *m*, 'Widerspenstigkeit *f*; 'Widerstand *m*, 'Mißachtung *f*, Hohn *m*: *in* ~ *of* ungeachtet (*gen.*), trotz (*gen. od. dat.*), *e-m Gebot etc.* zuwider, *j-m* zum Trotz; *to bid* ~ Trotz bieten, hohnsprechen (*to dat.*); *to set at* ~ zuwiderhandeln (*dat.*); **2.** Her'ausforderung *f*; **de'fi·ant** [-nt] *adj.* □ trotzig, her'ausfordernd, keck.

de·fi·cien·cy [di'fiʃənsi] *s.* **1.** (*of*) Mangel *m* (an *dat.*), Fehlen *n* (von); **2.** Fehlbetrag *m*, 'Manko *n*, Ausfall *m*, 'Defizit *n*: *to make good a* ~ das Fehlende ergänzen; **3.** Mangelhaftigkeit *f*, Schwäche *f*, Lücke *f*, Unzulänglichkeit *f*: ~ *disease* ⚕ Mangelkrankheit; **de'fi·cient** [-nt] *adj.* □ unzureichend, mangelhaft, ungenügend: *to be* ~ *in* Mangel haben an (*dat.*); *he is* ~ *in courage* ihm fehlt es an Mut; *mentally* ~ geistig behindert.

def·i·cit ['defisit] *s.* † 'Defizit *n*, Fehlbetrag *m*, 'Unterbi,lanz *f*; **~ spend·ing** *s.* † 'Deficit-spending *n*, 'Defizitfinanzierung *f*.

def·i·lade [defi'leid] ⚔ **I.** *v/t.* gegen Feuer sichern *od.* decken; **II.** *s.* Sicherung *f*, Deckung *f*.

de·file[1] **I.** *s.* ['di:fail] **1.** Engpaß *m*, Hohlweg *m*; **2.** ⚔ Vor'beimarsch *m*; **II.** *v/i.* [di'fail] **3.** defilieren, vor'beimarschieren.

de·file[2] [di'fail] *v/t.* **1.** beschmutzen, verunreinigen; **2.** *fig.* besudeln, beflecken, verunglimpfen; **3.** schänden, entweihen; **de'file·ment** [-mənt] *s.* **1.** Verunreinigung *f*; **2.** *fig.* Besudelung *f*; **3.** Schändung *f*.

de·fin·a·ble [di'fainəbl] *adj.* □ definier-, erklär-, bestimmbar; **de·fine** [di'fain] *v/t.* **1.** *Wort etc.* definieren, (genau) erklären; **2.** (genau) bezeichnen *od.* bestimmen; kennzeichnen, festlegen; klarmachen; **3.** scharf abzeichnen, (klar) um'reißen, be-, um'grenzen.

def·i·nite ['definit] *adj.* □ **1.** bestimmt (*a. ling.*), fest; **2.** klar, deutlich; eindeutig, genau; **3.** defini'tiv, endgültig; **'def·i·nite·ly** [-li] *adv.* F gewiß, zweifellos; entschieden; **'def·i·nite·ness** [-nis] *s.* Bestimmtheit *f*; **def·i·ni·tion** [defi'niʃən] *s.* **1.** Definiti'on *f*, (genaue) Erklärung; (Begriffs)Bestimmung *f*; **2.** Genauigkeit *f*, Deutlichkeit *f*; **3.** (*a.* Bild-, Ton)Schärfe *f*, Präzisi'on *f*; *Fernsehen*: Auflösung *f*; **de·fin·i·tive** [di'finitiv] *adj.* □ **1.** defini'tiv, endgültig; **2.** bestimmt, entschieden, ausdrücklich, genau.

def·la·grate ['defləgreit] *v/t. u. v/i.* ⚗ rasch ver- *od.* abbrennen; **def·la·gra·tion** [deflə'greiʃən] *s.* ⚗ rasches Abbrennen, Verpuffen *n*.

de·flate [di'fleit] *v/t.* **1.** Luft ablassen aus, entleeren; **2.** † **a)** *Preise* her'absetzen, senken, **b)** die Inflati'on *der Währung* beseitigen; **3.** *j-n* ‚klein u. häßlich machen'; **de'fla·tion** [-eiʃən] *s.* **1.** Ablassen *n* von Luft; **2.** † Deflati'on *f*; **de'fla·tion·ar·y** [-eiʃnəri] *adj.* † deflatio'nistisch.

de·flect [di'flekt] **I.** *v/t.* ablenken, abbiegen (*from* von); **II.** *v/i.* abweichen (*from* von); **de'flec·tion,** *Brit. a.* **de'flex·ion** [-kʃən] *s.* **1.** Ablenkung *f*, Abbiegung *f* (*a. phys.*); **2.** Abweichung *f* (*a. fig.*); **3.** Ausschlag *m* (*Zeiger etc.*); **de'flec·tor coil** [-tə] *s.* ⚡ Ablenkspule *f*.

def·lo·ra·tion [di:flɔ:'reiʃən] *s.* Deflorati'on *f*, Entjungferung *f*.

de·flow·er [di:'flauə] *v/t.* **1.** deflorieren, entjungfern; **2.** schänden, entehren.

de·fo·li·ate [di:'foulieit] *v/t.* entblättern; **de·fo·li·a·tion** [difouli'eiʃən] *s.* Entblätterung *f*, Laubfall *m*.

de·for·est [di'fɔrist] *v/t.* abforsten, -holzen; **de·for·est·a·tion** [difɔris'teiʃən] *s.* Abforstung *f*, -holzung *f*.

de·form [di'fɔ:m] *v/t.* verunstalten, entstellen; verzerren (*a. fig.*, ⚕, *phys.*); **de·for·ma·tion** [di:fɔ:'meiʃən] *s.* **1.** Verunstaltung *f*, Entstellung *f*; 'Mißbildung *f*; **2.** ⚕ Verzerrung *f*; **de'formed** [-md] *adj.* entstellt, 'mißgestaltet, verwachsen; **de'form·i·ty** [-miti] *s.* **1.** 'Mißgestalt *f*, -bildung *f*; Auswuchs *m*; **2.** Häßlichkeit *f*; **3.** Verderbtheit *f*.

de·fraud [di'frɔ:d] *v/t.* betrügen (*of* um): *to* ~ *the revenue* Steuern hinterziehen; *with intent to* ~ in betrügerischer Absicht, arglistig; **de·frau·da·tion** [difrɔ:'deiʃən] *s.* Betrug *m*; Hinter'ziehung *f*, Unter'schlagung *f*; **de'fraud·er** [-də] *s.* 'Steuerhinter,zieher *m*.

de·fray [di'frei] *v/t. Kosten* tragen, bestreiten, bezahlen.

de·frock ['di:'frɔk] → *unfrock.*

de·frost ['di:'frɔst] *v/t.* von Eis befreien, *Windschutzscheibe etc.* entfrosten, *Kühlschrank etc.* abtauen, *Tiefkühlkost etc.* auftauen.

deft [deft] *adj.* □ geschickt, gewandt; **'deft·ness** [-nis] *s.* Geschicktheit *f*, Gewandtheit *f*.

de·funct [di'fʌŋkt] **I.** *adj.* **1.** verstorben; **2.** erloschen, nicht mehr existierend, ehemalig; **II.** *s.* **3.** *the* ~ der *od.* die Verstorbene.

de·fuse [di'fju:z] *v/t. Bombe, fig. a. Lage* entschärfen.

de·fy [di'fai] *v/t.* **1.** trotzen, Trotz *od.* die Stirn bieten (*dat.*), es aufnehmen mit: *~ing all attempts* trotz aller Versuche; **2.** sich wider'setzen (*dat.*), sich hin'wegsetzen über (*acc.*), verstoßen gegen; **3.** standhalten, Schwierigkeiten machen (*dat.*): *to* ~ *description* jeder Beschreibung spotten; *to* ~ *translation* (fast) unübersetzbar sein; **4.** her'ausfordern: *I* ~ *you to do it* ich weiß genau, daß du es nicht (tun) kannst; *I* ~ *you not to enjoy it* ich wette, daß es dir gefällt.

de·gas [di:'gæs] *v/t.* ⚔, ⊕ entgasen.

de·gauss ['di:'gaus] *v/t. Schiff etc.* entmagnetisieren.

de·gen·er·a·cy [di'dʒenərəsi] *s.* Degenerati'on *f*, Entartung *f*, Verderbtheit *f*; **de·gen·er·ate I.** *v/i.* [di'dʒenəreit] degenerieren, entarten, her'absinken (*into* zu); **II.** *adj.* [di'dʒenərit] degeneriert, entartet; verderbt, verkommen; **de·gen·er·a·tion** [didʒenə'reiʃən] *s.* Degenerati'on *f*, Entartung *f*.

de·germ [di:'dʒə:m] *v/t.* entkeimen.

deg·ra·da·tion [degrə'deiʃən] *s.* **1.** Degradierung *f* (*a.* ⚔), Ab-, Entsetzung *f*; **2.** Verminderung *f*, Schwächung *f*, Verschlechterung *f*; Entartung *f*, Degenerati'on *f*; **3.** Entwürdigung *f*, Erniedrigung *f*, Her'absetzung *f*; **4.** ⚗ Abbau *m*; **5.** *geol.* Verwitterung *f*; **de·grade** [di'greid] **I.** *v/t.* **1.** degradieren (*a.* ⚔), (her)'absetzen; **2.** vermindern, her'untersetzen, verschlechtern; **3.** erniedrigen, entwürdigen; **4.** ⚗ abbauen; **II.** *v/i.* **5.** (ab)sinken, her'unterkommen; **6.** entarten; **de·grad·ing** [di'greidiŋ] *adj.* erniedrigend, entwürdigend; her'absetzend.

de·gree [di'gri:] *s.* **1.** Grad *m*, Stufe *f*, Maß *n*: *by* ~*s* allmählich; *by slow* ~*s* ganz allmählich; *in some* ~ einigermaßen; *in no* ~ keineswegs; *in the highest* ~ im höchsten Maße, aufs höchste; *to what* ~ in welchem Maße, wie weit *od.* sehr; *to a certain* ~ bis zu e-m gewissen Grade, ziemlich; *hot to a* ~ F glühend heiß; **2.** ⚕, *geogr.*, *phys.* Grad *m*: ~ *of latitude* Breitengrad; *32* ~*s centigrade* 32 Grad Celsius; ~ *of hardness* Härtegrad; *of high* ~ hochgradig; **3.** *univ.* Grad *m*, Würde *f*: *doctor's* ~ Doktorwürde; *to take one's* ~ e-n akademischen Grad erwerben, (*zum Doktor*) promovieren; ~ *day* Promotionstag; **4.** (Verwandtschafts-) Grad *m*; **5.** Rang *m*, Stand *m*: *of high* ~ von hohem Rang; **6.** *ling.* ~ *of comparison* Steigerungsstufe; **7.** ♪ Tonstufe *f*, Inter'vall *n*.

de·gres·sion [di'greʃən] *s.* † Degressi'on *f*; **de'gres·sive** [-siv] *adj.* † degres'siv: ~ *depreciation* degressive Abschreibung.

de·his·cent [di'hisnt] *adj.* ♀ aufspringend, -platzend.

de·hu·man·ize [di:'hju:mənaiz] *v/t.* entmenschlichen, verhärten.

de·hy·drate [di:'haidreit] *v/t.* ⚗ das Wasser entziehen (*dat.*), dörren, trocknen: *~d vegetables* Trokken-, Dörrgemüse; **de·hy·dra·tion** [di:hai'dreiʃən] *s.* Wasserentzug *m*, Dörren *n*, Trocknen *n*.

de·hyp·no·tize ['di:'hipnətaiz] *v/t.* aus der Hyp'nose erwecken.

de-ice ['di:'ais] *v/t.* ✈ enteisen; **'de-'ic·er** [-sə] *s.* ✈ Enteisungsmittel *n*, -anlage *f*.

de·i·fi·ca·tion [di:ifi'keiʃən] *s.* **1.** Apothe'ose *f*, Vergötterung *f*; **2.** Vergöttlichung *f*; **de·i·fy** ['di:ifai] *v/t.* **1.** zum Gott erheben; **2.** als Gott verehren.

deign [dein] **I.** *v/i.* sich her'ablassen, geruhen, belieben (*to do* zu tun);

II. *v/t.* sich herablassen zu: *he ~ed no answer.*
de·ism ['di:izəm] *s.* De'ismus *m*; **de·ist** ['di:ist] *s.* De'ist(in); **de·is·tic** *adj.*; **de·is·ti·cal** [di:'istik(əl)] *adj.* □ de'istisch; **de·i·ty** ['di:iti] *s.* **1.** Gottheit *f*; **2.** *the* ♀ *eccl.* die Gottheit, Gott *m*.
de·ject·ed [di'dʒektid] *adj.* □ niedergeschlagen, deprimiert; **de'jec·tion** [-kʃən] *s.* **1.** Niedergeschlagenheit *f*, Trübsinn *m*; **2.** ⚕ **a)** Stuhlgang *m*, Kotentleerung *f*, **b)** Kot *m*.
de ju·re [di:'dʒuəri] (*Lat.*) **I.** *adj.* De-jure-..., rechtmäßig; **II.** *adv.* de 'jure, von Rechts wegen.
dek·ko ['dekou] *s. sl.* kurzer Blick.
de·laine [də'lein] *s.* Musse'lin *m* aus Wolle *od.* Halbwolle.
de·late [di'leit] *v/t. Scot. j-n* anzeigen, denunzieren; **de'la·tion** [-eiʃən] *s.* Anzeige *f*, Denunziati'on *f*.
de·lay [di'lei] **I.** *v/t.* **1.** ver-, auf-, hin'ausschieben, verzögern: *to ~ payment* mit der Zahlung im Rückstand sein; **2.** auf-, hinhalten, hindern, hemmen; **II.** *v/i.* **3.** zögern, säumen; Zeit verlieren, sich verspäten; **III.** *s.* **4.** Aufschub *m*, Verzögerung *f*, Verzug *m*: *without ~* unverzüglich; *~ of payment* ✝ Zahlungsaufschub.
de·layed [di'leid] *adj.* verzögert, verspätet, nachträglich: *~ firing* ⊕ Spätzündung; '~-'**ac·tion** *adj.* verzögert, Verzögerungs...: *~ bomb* Bombe mit Verzögerungszünder; *~ fuse* ⊕ Verzögerungszünder.
de·lay·ing [di'leiiŋ] *adj.* aufschiebend, verzögernd; hinhaltend: *~ action* Verzögerung, Hinhaltung, Verzögerungsaktion; ⚔ hinhaltendes Gefecht; *~ tactics* Hinhaltetaktik.
del cred·er·e [del'kredəri] *s.* ✝ Del'kredere *n*, Bürgschaft *f*.
de·le ['di:li(:)] (*Lat.*) *typ.* **I.** *v/t.* tilgen; **II.** *s.* Dele'atur *n* (*Tilgungszeichen*).
de·lec·ta·ble [di'lektəbl] *adj.* □ *oft iro.* köstlich, ergötzlich; **de·lec·ta·tion** [di:lek'teiʃən] *s.* Ergötzen *n*, Vergnügen *n*.
del·e·ga·cy ['deligəsi] *s.* Abordnung *f*, Delegati'on *f*; '**del·e·gate I.** *s.* [-git] **1.** Delegierte(r) *m*, Vertreter *m*, Abgeordnete(r) *m* (*Am. a. pol.*); **II.** *v/t.* [-geit] **2.** abordnen, delegieren; bevollmächtigen; **3.** *Vollmacht etc.* über'tragen, anvertrauen (*to dat.*); **del·e·ga·tion** [deli'geiʃən] *s.* **1.** Abordnung *f*, Ernennung *f*; **2.** Über'tragung *f* (*Vollmacht etc.*); Über'weisung *f*; **3.** Delegati'on *f*, Abordnung *f*; **4.** *pl. parl. Am. die* (Kon'greß)Abgeordneten *pl. e-s Gliedstaates.*
de·lete [di'li:t] *v/t.* tilgen, (aus-) streichen, ausradieren.
del·e·te·ri·ous [deli'tiəriəs] *adj.* □ schädlich, verderblich, nachteilig.
de·le·tion [di'li:ʃən] *s.* Streichung *f*: **a)** Tilgung *f*, **b)** *das* Ausgestrichene.
delft [delft] *a.* **delf** [delf] *s.* **1.** Delfter Fay'encen *pl.*; **2.** glasiertes Steingut.
de·lib·er·ate I. *adj.* □ [di'libərit] **1.** über'legt, wohlerwogen, bewußt, absichtlich, vorsätzlich: *a ~ lie* e-e bewußte Lüge; **2.** bedächtig, besonnen, vorsichtig; **3.** gemächlich, langsam: *~ fire* ⚔ langsames Feuer; **II.** *v/t.* [-bəreit] **4.** über'legen, erwägen; **III.** *v/i.* [-bəreit] **5.** nachdenken, über'legen; **6.** beratschlagen, sich beraten (*on* über *acc.*); **de'lib·er·ate·ness** [-nis] *s.* Bedächtigkeit *f*; Besonnenheit *f*; **de·lib·er·a·tion** [dilibə'reiʃən] *s.* **1.** Über'legung *f*; **2.** Beratung *f*; **3.** Bedachtsam-, Behutsamkeit *f*, Vorsicht *f*; **de'lib·er·a·tive** [-rətiv] *adj.* beratend: *~ assembly* beratende Versammlung.
del·i·ca·cy ['delikəsi] *s.* **1.** Zartheit *f*, Feinheit *f*; Zierlichkeit *f*; **2.** Zartheit *f*, Schwächlichkeit *f*; Empfindlichkeit *f*, Anfälligkeit *f*; **3.** Anstand *m*, Zartgefühl *n*, Takt *m*: *~ of feeling* Feinfühligkeit; **4.** Feinheit *f*, Genauigkeit *f*; **5.** *fig.* Kitzligkeit *f*: *negotiations of great ~* sehr heikle Besprechungen; **6.** Leckerbissen *m*, Delika'tesse *f*; **del·i·cate** ['delikit] *adj.* □ **1.** zart, fein, zierlich; **2.** zart (*a. Gesundheit, Farbe*), empfindlich, zerbrechlich, schwächlich: *she was in a ~ condition* sie war in anderen Umständen; **3.** fein, leicht, dünn; **4.** sanft, leise: *~ hint* zarter Wink; **5.** fein, genau; **6.** fein, anständig; **7.** vornehm; verwöhnt; **8.** heikel, kitzlig, schwierig; **9.** zartfühlend, feinfühlig, taktvoll; **10.** lecker, schmackhaft, deli'kat; **del·i·ca·tes·sen** [delikə'tesn] *s. pl.* **1.** Delika'tessen *pl.*, Feinkost *f*; **2.** *sg. konstr.* Feinkostgeschäft *n*.
de·li·cious [di'liʃəs] *adj.* □ köstlich, wohlschmeckend; herrlich; **de'li·cious·ness** [-nis] *s.* Köstlichkeit *f*.
de·lict ['di:likt] *s.* ⚖ De'likt *n*.
de·light [di'lait] **I.** *s.* Vergnügen *n*, Freude *f*, Wonne *f*, Entzücken *n*: *to my ~* zu m-r Freude; *to take ~ in* Freude an *e-r Sache* haben, sich ein Vergnügen aus *et.* machen; **II.** *v/t.* erfreuen, entzücken; **III.** *v/i.* *~ in* (große) Freude haben an (*dat.*), Vergnügen finden an (*dat.*); sich ein Vergnügen machen aus; **de'light·ed** [-tid] *adj.* □ entzückt, (hoch)erfreut (*with* über *acc.*): *I am* (*od. shall be*) *~ to come* ich komme mit dem größten Vergnügen; **de'light·ful** [-ful] *adj.* □ entzückend, reizend; herrlich, wunderbar.
de·lim·it [di:'limit], **de·lim·i·tate** [di'limiteit] *v/t.* abgrenzen, die Grenze(n) festsetzen von (*od. gen.*); **de·lim·i·ta·tion** [dilimi'teiʃən] *s.* Abgrenzung *f*.
de·lin·e·ate [di'linieit] *v/t.* **1.** skizzieren, entwerfen, zeichnen; **2.** beschreiben, schildern; **de·lin·e·a·tion** [dilini'eiʃən] *s.* **1.** Skizze *f*, Entwurf *m*, Zeichnung *f*; **2.** Beschreibung *f*, Schilderung *f*.
de·lin·quen·cy [di'liŋkwənsi] *s.* **1.** Vergehen *n*; **2.** Pflichtvergessenheit *f*; **3.** ⚖ Kriminali'tät *f*: *juvenile ~* Jugendkriminalität; **de'lin·quent** [-nt] **I.** *adj.* **1.** straffällig, krimi'nell; **2.** pflichtvergessen: *~ taxes Am.* Steuerrückstände; **II.** *s.* **3.** Delin'quent *m*, Straftäter *m*: *juvenile ~* jugendlicher Täter; **4.** Pflichtvergessene(r *m*) *f*.
del·i·quesce [deli'kwes] *v/i. bsd.* ⚗ zergehen, -fließen; wegschmelzen.
de·lir·i·ous [di'liriəs] *adj.* □ **1.** ⚕ irreredend, phantasierend: *to be ~* irrereden, phantasieren; **2.** *fig.* rasend, wahnsinnig (*with* vor *dat.*).
de·lir·i·um [di'liriəm] *s.* **1.** ⚕ De'lirium *n*, Fieberwahn *m*, Irrereden *n*; **2.** *fig.* Rase'rei *f*, Verzückung *f*, Taumel *m*; *~* **tre·mens** ['tri:menz] *s.* ⚕ De'lirium *n* 'tremens, Säuferwahnsinn *m*.
de·liv·er [di'livə] *v/t.* **1.** befreien, erlösen, retten (*from* von, aus); **2.** *Frau* entbinden (*of* von), *Kind* ‚holen' (*Arzt*): *to be ~ed of* das Leben schenken (*dat.*), *Kind* zur Welt bringen; **3.** *Meinung* äußern; *Urteil* aussprechen; *Rede etc.* halten; **4.** *~ o.s.* äußern (*of acc.*), sich äußern (*on* über *acc.*); **5.** *Waren* liefern: *to ~* (*the goods*) *sl.* Wort halten, die Sache ‚schaukeln'; **6.** ab-, ausliefern; über'geben, -'bringen, -'liefern; über'senden, (hin)befördern; **7.** *Briefe* zustellen; *Nachricht* bestellen; ⚖ zustellen; **8.** *~ up* abgeben, -treten, über'geben, -'liefern; ⚖ her'ausgeben: *to ~ o.s. up* sich ergeben; **9.** *Schlag* versetzen; ⚔ (ab)feuern; **de'liv·er·a·ble** [-vərəbl] *adj.* ✝ lieferbar, zu liefern(d); **de'liv·er·ance** [-vərəns] *s.* **1.** Befreiung *f*, Erlösung *f*, (Er)Rettung *f* (*from* aus, von); **2.** Äußerung *f*, Verkündung *f*; **de'liv·er·er** [-vərə] *s.* **1.** Befreier *m*, Erlöser *m*, (Er-) Retter *m*; **2.** Über'bringer *m*.
de·liv·er·y [di'livəri] *s.* **1.** Lieferung *f*: *on ~* bei Lieferung, bei Empfang; *to take ~* (*of*) abnehmen (*acc.*); **2.** 📯 Zustellung *f*; **3.** Ab-, Auslieferung *f*; Aus-, 'Übergabe *f*; **4.** Über'bringung *f*, -'sendung *f*, Beförderung *f*; **5.** ⊕ (Zu)Leitung *f*, Zuführung *f*; Förderung *f*; Leistung *f*; **6.** *rhet.* Vortragsweise *f*; **7.** *Baseball, Kricket*: 'Wurf(ˌtechnik *f*) *m*; **8.** ⚔ Abfeuern *n*; **9.** ⚕ Entbindung *f*; *~* **charge** *s.* 📯 Zustellgebühr *f*; '~**man** *s.* [*irr.*] Ausfahrer *m*; Verkaufsfahrer *m*; *~* **note** *s.* ✝ Lieferschein *m*; *~* **or·der** *s.* ✝ Auslieferungsschein *m*, Lieferschein *m*; *~* **pipe** *s.* ⊕ Leitungsröhre *f*; *~* **serv·ice** *s.* 📯 Zustelldienst *m*; *~* **truck** *s. mot. Am.*, *~* **van** *s. mot. Brit.* Lieferwagen *m*.
dell [del] *s.* kleines, enges Tal.
de·louse ['di:'laus] *v/t.* entlausen.
Del·phic ['delfik] *adj.* **1.** delphisch; **2.** *fig.* dunkel, zweideutig.
del·phin·i·um [del'finiəm] *s.* ♀ Rittersporn *m*.
del·ta ['deltə] *s. geogr.* ('Fluß)ˌDelta *n*; *~* **con·nec·tion** *s.* ⚡ Dreieckschaltung *f*; *~* **rays** *s. pl. phys.* 'Deltastrahlen *pl.*; *~* **wing** *s.* ✈ 'Deltaflügel *m*.
del·toid ['deltɔid] **I.** *adj.* 'deltaförmig; **II.** *s. anat.* 'Deltamuskel *m*.
de·lude [di'lu:d] *v/t.* **1.** täuschen, irreführen; (be)trügen: *to ~ o.s.* sich Illusionen hingeben, sich et. vormachen; **2.** verleiten (*into* zu).
del·uge ['delju:dʒ] **I.** *s.* **1.** (große) Über'schwemmung: *the* ♀ *bibl.* die Sintflut; **2.** *fig.* Flut *f*, (Un)Menge *f*; **II.** *v/t.* **3.** *a. fig.* über'schwemmen, -'fluten, -'schütten.
de·lu·sion [di'lu:ʒən] *s.* **1.** (Selbst-) Täuschung *f*, Verblendung *f*, Wahn

m; **2.** Trug *m*, Wahnvorstellung *f*: *to be* (*od. to labo[u]r*) *under the ~ that* in dem Wahn leben, daß; **de'lu·sive** [-u:siv] *adj.* □ irreführend, trügerisch.
de luxe [də'luks] *adj.* Luxus...: *~ edition.*
delve [delv] *v/i.* **1.** *obs.* graben; **2.** *fig.* (*into*) sich vertiefen (in *acc.*), erforschen, ergründen (*acc.*): *to ~ among* stöbern in (*dat.*).
de·mag·net·ize ['di:'mægnitaiz] *v/t.* entmagnetisieren.
dem·a·gog·ic *adj.*; **dem·a·gog·i·cal** [demə'gɔgik(əl)] *adj.* □ dema'gogisch, aufwieglerisch; **dem·a·gogue** ['deməgɔg] *s.* Dema'goge *m*; **dem·a·gog·y** ['deməgɔgi] *s.* Demago'gie *f.*
de·mand [di'mɑ:nd] **I.** *v/t.* **1.** (*von Personen*) *et.* verlangen, fordern, begehren (*of, from* von, *a. that* daß, *to do* zu tun): *I ~ payment*; **2.** (*von Sachen*) erfordern, verlangen (*acc., that* daß); bedürfen (*gen.*): *the matter ~s great care* die Sache erfordert große Sorgfalt; **3.** *oft* ⚖ beanspruchen; **4.** (dringend) fragen nach: *the police ~ed his name*; **II.** *s.* **5.** Verlangen *n*, Forderung *f*, Ersuchen *n*: *on ~* **a)** auf Verlangen, **b)** ✝ bei Vorlage, bei Sicht; **6.** ✝ (*for*) Nachfrage *f* (nach), Bedarf *m* (an *dat.*) (*Ggs. supply*): *in ~* gefragt, begehrt, gesucht; **7.** (*on*) Anspruch *m*, Anforderung *f* (an *acc.*); Beanspruchung *f* (*gen.*): *to make great ~s on* sehr in Anspruch nehmen (*acc.*), große Anforderungen stellen an (*acc.*); **8.** ⚖ (Rechts)Anspruch *m*, Forderung *f*; *~* **bill** *s.* ✝ *Am.* Sichtwechsel *m*; *~* **de·pos·it** *s.* ✝ Sichteinlage *f*; *~* **draft** → *demand bill.*
de·mand·ing [di'mɑ:ndiŋ] *adj.* **1.** anspruchsvoll (*a. fig. Musik etc.*); **2.** genau, streng.
de·mand note *s.* **1.** *Brit.* Mahnschreiben *n*; **2.** *Am.* → *demand bill.*
de·mar·cate ['di:mɑ:keit] *v/t. a. fig.* abgrenzen (*from* gegen, von); **de·mar·ca·tion** [di:mɑ:'keiʃən] *s.* Abgrenzung *f*, Grenzziehung *f*: *line of ~* **a)** *pol.* Demarkations-, Grenzlinie, **b)** *fig.* Grenze, Scheidelinie.
dé·marche ['deimɑ:ʃ] (*Fr.*) *s.* De'marche *f*, diplo'matischer Schritt.
de·mean¹ [di'mi:n] *v/t.*: *~ o.s.* sich benehmen, sich verhalten.
de·mean² [di'mi:n] *v/t.*: *~ o.s.* sich erniedrigen; **de'mean·ing** [-niŋ] *adj.* erniedrigend.
de·mean·o(u)r [di'mi:nə] *s.* Benehmen *n*, Verhalten *n*, Haltung *f.*
de·ment·ed [di'mentid] *adj.* □ wahnsinnig, verrückt (F *a. fig.*); **de'men·ti·a** [-nʃiə] *s.* ⚕ **1.** Schwachsinn *m*; **2.** Wahn-, Irrsinn *m.*
de·mer·it [di:'merit] *s.* **1.** Schuld (-haftigkeit) *f*, Fehler *m*, Mangel *m*; **2.** Unwürdigkeit *f*; **3.** Nachteil *m*, schlechte Seite; **4.** *mst ~ mark ped.* Minuspunkt *m*, schlechte Note.
de·mesne [di'mein] *s.* **1.** ⚖ (selbstbewohnter) freier Grundbesitz; Landgut *n*, Do'mäne *f*: *Royal ~* Krongut; **2.** *fig.* (Fach)Gebiet *n*, Domäne *f.*
demi- [demi] *in Zssgn* halb.
'dem·i|·god *s.* Halbgott *m*; **'~·john** *s.* große Korbflasche, 'Glasbal,lon *m.*
de·mil·i·ta·ri·za·tion ['di:militərai'zeiʃən] *s.* Entmilitarisierung *f*; **de·mil·i·ta·rize** ['di:'militəraiz] *v/t.* entmilitarisieren.
dem·i|-monde ['demi'mɔ̃:nd] *s.* Halbwelt *f*; **'~-'rep** *s.* Frau *f* von zweifelhaftem Ruf.
de·mise [di'maiz] ⚖ **I.** *s.* **1.** Be'sitzüber,tragung *f od.* -verpachtung *f*: *~ of the Crown* Übergehen der Krone *an den Nachfolger*; **2.** Tod *m*; **II.** *v/t.* **3.** *Besitz* über'tragen, verpachten, vermachen.
dem·i·sem·i·qua·ver ['demisemikweivə] *s.* ♪ Zweiunddreißigstel (-note *f*) *n.*
de·mis·sion [di'miʃən] *s.* Rücktritt *m*, Abdankung *f*, Demissi'on *f.*
de·mob ['di:'mɔb] *v/t. Brit.* F → *demobilize* 2.
de·mo·bi·li·za·tion ['di:moubilai'zeiʃən] *s.* **1.** Demobilisierung *f*, Abrüstung *f*; **2.** Entlassung *f* aus dem Mili'tärdienst; **de·mo·bi·lize** [di:'moubilaiz] *v/t.* **1.** demobilisieren, abrüsten; **2.** *Truppen* entlassen, *Heer* auflösen; **3.** *Kriegsschiff* außer Dienst stellen.
de·moc·ra·cy [di'mɔkrəsi] *s.* **1.** Demokra'tie *f*; **2.** ♀ *pol. Am.* die Demo'kratische Par'tei (*od.* deren Grundsätze); **dem·o·crat** ['deməkræt] *s.* **1.** Demo'krat(in); **2.** ♀ *Am. pol.* Demokrat(in), Mitglied *n* der Demokratischen Partei; **dem·o·crat·ic** [demə'krætik] *adj.* (□ *~ally*) **1.** demo'kratisch; **2.** ♀ *pol. Am.* demokratisch (*die Demokratische Partei betreffend*); **de·moc·ra·ti·za·tion** [dimɔkrətai'zeiʃən] *s.* Demokratisierung *f*; **de·moc·ra·tize** [di'mɔkrətaiz] *v/t.* demokratisieren.
dé·mo·dé [dei'moudei] (*Fr.*), **de·mod·ed** [di:'moudid] *adj.* altmodisch.
de·mog·ra·pher [di:'mɔgrəfə] *s.* Demo'graph *m*; **de'mog·ra·phy** [-fi] *s.* Demogra'phie *f.*
de·mol·ish [di'mɔliʃ] *v/t.* **1.** ab-, niederreißen; **2.** *Festung* schleifen; **3.** ⚔ sprengen; **4.** *fig.* vernichten, 'umstoßen, ('um)stürzen; **dem·o·li·tion** [demə'liʃən] *s.* **1.** Abbruch *m*, Niederreißen *n*; **2.** Schleifen *n* (*Festung*); **3.** ⚔ Spreng...: *~ bomb* Sprengbombe; *~ squad* Sprengkommando; **4.** Vernichtung *f.*
de·mon (*myth. oft daemon*) ['di:mən] **I.** *s.* **1.** 'Dämon *m*, böser Geist, 'Satan *m* (*a. fig.*); **2.** *fig.* Teufelskerl *m*: *a ~ for work* ein unermüdlicher Arbeiter; **II.** *adj.* **3.** dä'monisch; *fig. a.* wild, rasend.
de·mon·e·ti·za·tion [di:mʌnitai'zeiʃən] *s.* Außer'kurssetzung *f*, Entwertung *f*; **de·mon·e·tize** [di:'mʌnitaiz] *v/t.* außer Kurs setzen, entwerten.
de·mo·ni·ac [di'mouniæk] **I.** *adj.* **1.** dä'monisch, teuflisch; **2.** besessen, rasend, tobend; **II.** *s.* **3.** Besessene(r *m*) *f*; **de·mo·ni·a·cal** [di:mə'naiəkəl] *adj.* □ → *demoniac* 1, 2; **de·mon·ic** [di:'mɔnik] *adj.* (□ *~ally*) dämonisch, teuflisch; **de·mon·ism** ['di:mənizəm] *s.* Dä'monenglaube *m*; **de·mon·ol·o·gy** [di:mə'nɔlədʒi] *s.* Dä'monenlehre *f.*
de·mon·stra·ble ['demənstrəbl] *adj.* □ beweisbar, nachweislich; **dem·on·strate** ['demənstreit] **I.** *v/t.* **1.** demonstrieren: **a)** be-, nachweisen, **b)** veranschaulichen, darlegen; **2.** vorführen; **II.** *v/i.* **3.** demonstrieren, e-e Kundgebung veranstalten; **dem·on·stra·tion** [demәns'treiʃən] *s.* **1.** Darstellung *f*; **2.** Beweis *m* (*of* für); Beweisführung *f*; **3.** Vorführung *f*: *~ car* Vorführwagen; **4.** Äußerung *f von Gefühlen*; **5.** Demonstrati'on *f* (*a. pol. u.* ⚔), öffentliche Kundgebung; **6.** ⚔ 'Täuschungsma,növer *n*; **de·mon·stra·tive** [di'mɔnstrətiv] **I.** *adj.* □ **1.** anschaulich (zeigend); über'zeugend, beweiskräftig: *to be ~ of* beweisen (*acc.*); **2.** auffällig, 'überschwenglich, betont; **3.** ausdrucks-, gefühlvoll; **4.** *ling.* Demonstrativ..., hinweisend: *~ pronoun*; **II.** *s.* **5.** *ling.* Demonstra'tivum *n*; **dem·on·stra·tive·ness** [di'mɔnstrətivnis] *s.* 'Überschwenglichkeit *f*, Betontheit *f*; **dem·on·stra·tor** ['demənstreitə] *s.* **1.** Beweisführer *m*, Erklärer *m*; **2.** ✝ Vorführer(in); **3.** *pol.* Demon'strant *m*; **4.** *univ.* **a)** Assi'stent *m*, **b)** ⚕ 'Prosektor *m.*
de·mor·al·i·za·tion [dimɔrəlai'zeiʃən] *s.* **1.** Demoralisati'on *f*, Sittenverfall *m*, Zuchtlosigkeit *f*; **2.** Entmutigung *f*; **de·mor·al·ize** [di'mɔrəlaiz] *v/t.* demoralisieren: **a)** (sittlich) verderben, **b)** die ('Kampf)Mo,ral *od.* die Diszi'plin *der Truppe* unter'graben; **de·mor·al·iz·ing** [di'mɔrəlaiziŋ] *adj.* **1.** demoralisierend, zersetzend; **2.** verderblich.
de·mote [di'mout] *v/t.* **1.** degradieren; **2.** *ped. Am.* zu'rückversetzen; **de·mo·tion** [di'mouʃən] *s.* **1.** Degradierung *f*; **2.** *ped. Am.* Zu'rückversetzung *f.*
de·mount [di:'maunt] *v/t.* abmontieren, abnehmen; **de'mount·a·ble** [-təbl] *adj.* abmontierbar.
de·mur [di'mə:] **I.** *v/i.* **1.** Einwendungen machen, Bedenken äußern (*to* gegen); zögern; **2.** ⚖ Rechtseinwände erheben; **II.** *s.* **3.** Einwand *m*, Bedenken *n*, Zögern *n*: *without ~* anstandslos, ohne Zögern.
de·mure [di'mjuə] *adj.* □ **1.** zimperlich, spröde; **2.** sittsam, prüde; **3.** zu'rückhaltend; **4.** gesetzt, ernst, nüchtern; **de'mure·ness** [-nis] *s.* **1.** Zimperlichkeit *f*; **2.** Zu'rückhaltung *f*; **3.** Gesetztheit *f.*
de·mur·rage [di'mʌridʒ] *s.* ✝ **1. a)** ⚓ 'Überliegezeit *f*, **b)** 🚃 zu langes Stehen (*bei der Entladung*); **2. a)** ⚓ ('Über)Liegegeld *n*, **b)** 🚃 Wagenstandgeld *n*, **c)** Lagergeld *n.*
de·mur·rer [di'mʌrə] *s.* ⚖ Rechtseinwand *m.*
de·my [di'mai] *pl.* -'**mies** [-aiz] *s.* **1.** Stipendi'at *m* (*Magdalen College, Oxford*); **2.** *ein Papierformat.*
den [den] *s.* **1.** Lager *n*, Bau *m*, Höhle *f wilder Tiere*: *lion's ~* Löwengrube, *fig.* Höhle des Löwen; **2.** *fig.* Höhle *f*, Hütte *f*, Loch *n*: *robber's ~* Räubernest; *~ of vice* Lasterhöhle; **3.** (gemütliches) Zimmer, ‚Bude' *f.*
de·na·tion·al·ize [di:'næʃnəlaiz] *v/t.*

1. entnationalisieren, den natio'nalen Cha'rakter nehmen (*dat.*); 2. ausbürgern; 3. ✝ entstaatlichen, reprivatisieren.
de·nat·u·ral·ize [di:'nætʃrəlaiz] *v/t.* 1. s-r wahren Na'tur entfremden; 2. ausbürgern.
de·na·ture [di:'neitʃə] *v/t.* ⚗ vergällen, denaturieren.
de·na·zi·fi·ca·tion ['di:nɑ:tsifi'keiʃən] *s. pol.* Entnazifizierung *f*; **de·na·zi·fy** [di:'nɑ:tsifai] *v/t.* entnazifizieren.
den·dri·form ['dendrifɔ:m] *adj.* baumförmig; **den·droid** ['dendrɔid] *adj.* baumähnlich; **den·dro·lite** ['dendrəlait] *s.* Baumversteinerung *f*; **den·drol·o·gy** [den'drɔlədʒi] *s.* Dendrolo'gie *f*, Baumkunde *f*.
dene[1] [di:n] *s. Brit.* (Sand)Düne *f*.
dene[2] [di:n] *s.* kleines Tal.
de·ni·a·ble [di'naiəbl] *adj.* abzuleugnen(d), zu verneinen(d); **de·ni·al** [di'naiəl] *s.* 1. Ablehnung *f*, Verweigerung *f*, -sagung *f*; Absage *f*, abschlägige Antwort: *to take no* ~ sich nicht abweisen lassen; 2. Verneinung *f*, Leugnen *n*: *official* ~ Dementi.
de·ni·er[1] [di'naiə] *s.* 1. Leugner(in); 2. Verweigerer *m*.
de·nier[2] ['deniei] *s.* ✝ Deni'er *m* (*Einheit für die Fadenstärke bei Seidengarn etc.*).
de·nier[3] [di'niə] *s. hist.* Deni'er *m* (*Münze*).
den·i·grate ['denigreit] *v/t.* anschwärzen, verunglimpfen; **den·i·gra·tion** [deni'greiʃən] *s.* Anschwärzung *f*, Verunglimpfung *f*.
den·im ['denim] *s.* (grober) Baumwolldrillich.
den·i·zen ['denizn] *s.* 1. Bewohner *m* (*a. Tier*); 2. *hist. Brit.* eingebürgerter Ausländer; 3. *et.* Eingebürgertes (*Tier, Pflanze, Wort*).
de·nom·i·nate [di'nɔmineit] *v/t.* (be)nennen, bezeichnen; **de·nom·i·na·tion** [dinɔmi'neiʃən] *s.* 1. Benennung *f*, Bezeichnung *f*; Name *m*; 2. Gruppe *f*, Klasse *f*; 3. (Maß- *etc.*)Einheit *f*; Nennwert *m* (*Banknoten*): *shares in small* ~*s* Aktien kleiner Stückelung; 4. a) Konfessi'on *f*, Bekenntnis *n*, b) Sekte *f*; **de·nom·i·na·tion·al** [dinɔmi'neiʃənl] *adj.* konfessio'nell, Konfessions...: ~ *school* Konfessions-, Bekenntnisschule; **de·nom·i·na·tion·al·ism** [dinɔmi'neiʃnəlizəm] *s.* Prin'zip *n* des konfessio'nellen 'Unterrichts; **de·nom·i·na·tor** [di'nɔmineitə] *s.* ℞ Nenner *m*: *common* ~ gemeinsamer Nenner (*a. fig.*); → *reduce 11*.
de·no·ta·tion [di:nou'teiʃən] *s.* 1. Bezeichnung *f*; 2. Bedeutung *f*; 3. Be'griffs,umfang *m*; **de·no·ta·tive** [di'noutətiv] *adj.* □ an-, bedeutend, bezeichnend (*of acc.*); **de·note** [di'nout] *v/t.* 1. be-, kennzeichnen, anzeigen, andeuten; 2. bedeuten.
dé·noue·ment [dei'nu:mɑ̃:ŋ] (*Fr.*) *s.* 1. Lösung *f* (des Knotens *im Drama etc.*); 2. Ausgang *m*.
de·nounce [di'nauns] *v/t.* 1. öffentlich rügen *od.* anprangern, brandmarken, verurteilen; 2. denunzieren, anzeigen (*to* bei); 3. *Vertrag* kündigen; **de'nounce·ment** [-mənt] *s.* 1. Anklage *f*, Verurteilung *f*; 2. Denunziati'on *f*, Anzeige *f*; 3. Kündigung *f*.
dense [dens] *adj.* □ 1. dicht (*a. phys.*), dick (*Nebel etc.*); 2. gedrängt, eng; 3. *fig.* beschränkt, schwer von Begriff; 4. *phot.* dicht, gutbelichtet, kräftig (*Negativ*); **'dense·ness** [-nis] *s.* 1. Dichtheit *f*, Dichte *f*; 2. *fig.* Beschränktheit *f*, Schwerfälligkeit *f*; **'den·si·ty** [-siti] *s.* 1. Dichte *f* (*a.* ⚗, *phys.*), Dichtheit *f*: ~ *of fire* Feuerstärke, -dichte; 2. Gedrängtheit *f*, Enge *f*; 3. *fig.* Beschränktheit *f*, Dummheit *f*; 4. *phot.* Dichte *f*, Schwärzung *f*.
dent [dent] I. *s.* 1. Beule *f*, Einbeulung *f*: *to make a* ~ *in Am.* F *et.* ,anknabbern', ein Loch reißen in (*acc.*); 2. Scharte *f*, Kerbe *f*; II. *v/t.* 3. einbeulen, -drücken.
den·tal ['dentl] I. *adj.* 1. ⚕ Zahn...; zahnärztlich: ~ *plate* Platte, Zahnersatz; ~ *surgeon* Zahnarzt; ~ *technician* a) Zahntechniker, b) Dentist; 2. *ling.* Dental..., Zahn...: ~ *sound* → 3; II. *s.* 3. *ling.* Den'tal(laut) *m*; **den·tate** ['denteit] *adj.* ♀, *zo.* gezähnt; **den·ta·tion** [den'teiʃən] *s.* ♀, *zo.* Zähnung *f*; **den·ti·cle** ['dentikl] *s.* Zähnchen *n*; **den·tic·u·lat·ed** [den'tikjuleitid] *adj.* 1. gezähnt; 2. gezackt; **den·tic·u·la·tion** [dentikju'leiʃən] *s.* 1. Zähnelung *f*; 2. Auszackung *f*; **den·ti·form** ['dentifɔ:m] *adj.* zahnförmig; **den·ti·frice** ['dentifris] *s.* Zahnputzmittel *n*; **den·tils** ['dentilz] *s. pl.* △ Zahnschnitt *m*; **den·tine** ['denti:n] *s.* ⚕ Den'tin *n*, Zahnbein *n*; **dentist** ['dentist] *s.* Zahnarzt *m*, -ärztin *f*; **den·tist·ry** ['dentistri] *s.* Zahnheilkunde *f*; **den·ti·tion** [den'tiʃən] *s.* ⚕ 1. Zahnen *n* (*der Kinder*); 2. 'Zahnformel *f*, -sy,stem *n*; **den·ture** ['dentʃə] *s.* künstliches Gebiß.
den·u·da·tion [di:nju(:)'deiʃən] *s.* 1. Entblößung *f*; 2. *geol.* Abtragung *f*; **de·nude** [di'nju:d] *v/t.* 1. (*of*) entblößen (von), berauben (*gen.*) (*a. fig.*); 2. *geol.* bloßlegen.
de·nun·ci·a·tion [dinʌnsi'eiʃən] *s.* 1. Brandmarkung *f*, öffentliche Verurteilung; 2. Denunziati'on *f*, Anzeige *f*; 3. (*of*) Kündigung *f* (*gen.*), Rücktritt *m* (von) (*Vertrag*); **de·nun·ci·a·tor** [di'nʌnsieitə] *s.* Denunzi'ant(in); **de·nun·ci·a·to·ry** [di'nʌnsiətəri] *adj.* 1. denunzierend, anzeigend; 2. brandmarkend.
de·ny [di'nai] *v/t.* 1. ab-, bestreiten, zu'rückweisen, dementieren; (ab-) leugnen, verneinen: *it cannot be denied that ..., there is no* ~*ing (the fact) that ...* es läßt sich nicht *od.* es ist nicht zu leugnen *od.* bestreiten, daß; *I* ~ *having said so* ich bestreite, daß ich das gesagt habe; *I* ~ *that he did it* ich bestreite, daß er es getan hat; *to* ~ *a charge* e-e Beschuldigung zurückweisen; 2. *Glauben, Freund* verleugnen; *Unterschrift* nicht anerkennen; 3. *Bitte etc.* ablehnen; ⚖ *Antrag* abweisen; *j-m et.* abschlagen, verweigern, versagen: *to* ~ *o.s. the pleasure* sich das Vergnügen versagen; *he was denied the privilege* das Vorrecht wurde ihm versagt; *he was hard to* ~ es war schwer, ihn abzuweisen; *she denied herself to him* sie versagte sich ihm; 4. ~ *o.s. to s.o.* sich vor j-m verleugnen lassen.
de·o·dor·ant [di:'oudərənt] *adj. u. s.* desodorierend(es Mittel); **de·o·dor·i·za·tion** [di:oudərai'zeiʃən] *s.* Desodorierung *f*; **de·o·dor·ize** [di:'oudəraiz] *v/t.* desodorieren; **de'o·dor·iz·er** [-raizə] *s.* desodorierendes Mittel.
de·ox·i·dize [di:'ɔksidaiz] *v/t.* ⚗ den Sauerstoff entziehen (*dat.*).
de·part [di'pɑ:t] *v/i.* 1. (*for* nach) abreisen, abfahren (*a.* 🚂 *etc.*); *poet.* fortgehen; 2. entschlafen, sterben: ~*ed (from) this life*; 3. (*from*) abweichen (von *e-r Regel, der Wahrheit etc.*), *Plan etc.* ändern, aufgeben: *to* ~ *from one's word* sein Wort brechen; **de'part·ed** [-tid] *adj.* 1. vergangen; 2. verstorben: *the* ~ der *od.* die Verstorbene, *coll.* die Verstorbenen; **de'part·ment** [-mənt] *s.* 1. Ab'teilung *f*; Fach *n*, Gebiet *n*; Res'sort *n*, Geschäftsbereich *m*: ~ *of German univ.* germanistische Abteilung; 2. ✝ a) Abteilung *f*, b) *weitS.* Geschäftszweig *m*, Branche *f*: *export* ~ Exportabteilung; *hosiery* ~ Strumpfwarenabteilung, -lager; 3. *pol.* Departe'ment *n* (*in Frankreich*); 4. Dienststelle *f*, Amt *n*, *bsd. Am.* Mini'sterium *n*: *health* ~ Gesundheitsamt; ♀ *of Defense Am.* Verteidigungsministerium; 5. ⚔ Bereich *m*, Zone *f*; **de·part·men·tal** [di:pɑ:t'mentl] *adj.* 1. Abteilungs..., Bezirks...; Fach...; 2. Ministerial...; **de·part·men·tal·ize** [dipɑ:t'mentəlaiz] *v/t.* in Abteilungen gliedern.
de·part·ment store *s.* Kauf-, Warenhaus *n*.
de·par·ture [di'pɑ:tʃə] *s.* 1. Weggang *m*; Abgang *m*, Abzug *m*: *to take one's* ~ a) fortgehen, verschwinden, b) sich verabschieden; 2. Abreise *f*; Abfahrt *f* (*a.* 🚂, ⚓); ✈ Abflug *m*: ~ *platform* 🚂 Abfahrtsbahnsteig; 3. (*from*) Abweichen *n* (von), Änderung *f* (*gen.*); Ablassen *n* (von), Aufgeben *n* (*gen.*); 4. Anfang *m*: *point of* ~ Ausgangspunkt, (neuer) Anfang; *a new* ~ e-e Neuerung, ein neues Verfahren.
de·pend [di'pend] *v/i.* 1. (*on, upon*) abhängen (von), ankommen (auf *acc.*): *it* ~*s on the weather*; *it* ~*s on you*; ~*ing on the quantity to be used* je nach (der zu verwendenden) Menge; *that* ~*s* F es kommt darauf an, je nachdem; 2. (*on, upon*) a) abhängig sein (von), b) angewiesen sein (auf *acc.*): *he* ~*s on my help*; 3. sich verlassen (*on, upon* auf *acc.*): *you may* ~ *on that man*; ~ *upon it!* ganz gewiß; 4. ⚖ (noch) schweben;
de·pend·a·bil·i·ty [dipendə'biliti] *s.* Zuverlässigkeit *f*; **de'pend·a·ble** [-dəbl] *adj.* □ verläßlich, zuverlässig; **de·pend·ant** → *dependent II*; **de'pend·ence** [-dəns] *s.* 1. (*on, upon*) Abhängigkeit *f* (von), Angewiesensein *n* (auf *acc.*); Bedingtsein *n* (durch); 2. Vertrauen *n*, Verlaß *m* (*on, upon* auf *acc.*); 3. *in* ~ ⚖ in der Schwebe; 4. Nebengebäude *n*;

de'pend·en·cy [-dənsi] *s.* Schutzgebiet *n*, Kolo'nie *f*; **de'pend·ent** [-dənt] **I.** *adj.* **1.** (*on, upon*) abhängig (von); bedingt (durch); **2.** angewiesen (*on, upon* auf *acc.*); **3.** (*on*) 'untergeordnet (*dat.*), abhängig (von), unselbständig: *~ clause ling.* Nebensatz; **II.** *s.* **4.** abhängige Per'son, (Fa'milien)Angehörige(r *m*) *f*; **5.** 'Unterhaltsberechtigte(r *m*) *f*; **6.** Unter'gebene(r *m*) *f*, Va'sall *m*; **7.** Anhänger(in).

de·per·son·al·ize ['di:'pə:snəlaiz] *v/t.* entper'sönlichen.

de·pict [di'pikt] *v/t.* **1.** (ab)malen, zeichnen, darstellen; **2.** schildern, beschreiben.

dep·i·late ['depileit] *v/t.* enthaaren; **dep·i·la·tion** [depi'leiʃən] *s.* Enthaarung *f*; **de·pil·a·to·ry** [di'pilətəri] **I.** *adj.* enthaarend; **II.** *s.* Enthaarungsmittel *n*.

de·plane [di:'plein] *v/t. u. v/i.* aus dem Flugzeug ausladen (aussteigen).

de·plen·ish [di'pleniʃ] *v/t.* entleeren.

de·plete [di'pli:t] *v/t.* Raubbau treiben mit; *Vorräte, Kräfte etc.* erschöpfen; *Bestand etc.* dezimieren: *to ~ a lake of fish* e-n See abfischen; **de·ple·tion** [di'pli:ʃən] *s.* Raubbau *m*; Erschöpfung *f*; ⚕ *a.* Erschöpfungszustand *m*; ✝ *a.* Sub'stanzverlust *m*.

de·plor·a·ble [di'plɔ:rəbl] *adj.* □ **1.** bedauerns-, beklagenswert; **2.** erbärmlich, kläglich; **de·plore** [di'plɔ:] *v/t.* **1.** bedauern, beklagen; betrauern; **2.** bereuen; **3.** miß'billigen.

de·ploy [di'plɔi] ⚔ **I.** *v/t.* aufmarschieren lassen, entwickeln, entfalten; verteilen; **II.** *v/i.* sich entwickeln, sich entfalten, ausschwärmen, Ge'fechtsformati,on annehmen; **de'ploy·ment** [-mənt] *s.* ⚔ Entfaltung *f*, -wicklung *f*, Aufmarsch *m*; Gliederung *f*.

de·po·lar·i·za·tion ['di:pouləraizeiʃən] *s.* ⚡, *phys.* Depolarisierung *f*; **de·po·lar·ize** [di:'pouləraiz] *v/t.* **1.** ⚡, *phys.* depolarisieren; **2.** *fig.* *Überzeugung etc.* erschüttern.

de·pone [di'poun] → *depose II*; **de'po·nent** [-nənt] **I.** *adj.* **1.** *~ verb ling.* → 2; **II.** *s.* **2.** *ling.* De'ponens *n*; **3.** ⚖ vereidigter Zeuge.

de·pop·u·late [di:'pɔpjuleit] *v/t.* entvölkern; **de·pop·u·la·tion** [di:pɔpju'leiʃən] *s.* Entvölkerung *f*.

de·port [di'pɔ:t] *v/t.* **1.** fortjagen, verbannen; deportieren, ausweisen, abschieben; **2.** *~ o.s.* sich *wie* betragen, sich *wie* benehmen; **de·portation** [di:pɔ:'teiʃən] *s.* Verbannung *f*; Deportati'on *f*, Ausweisung *f*, Zwangsverschickung *f*; **de·portee** [di:pɔ:'ti:] *s.* Deportierte(r *m*) *f*; **de'port·ment** [-mənt] *s.* **1.** Benehmen *n*, Betragen *n*, Verhalten *n*; **2.** (Körper)Haltung *f*.

de·pos·a·ble [di'pouzəbl] *adj.* absetzbar; **de·pose** [di'pouz] **I.** *v/t.* absetzen, entheben (*from gen.*); entthronen; **II.** *v/i.* (*bsd.* in Form e-r schriftlichen, beeideten Erklärung) aussagen *od.* bezeugen (*to s.th.* et., *that* daß).

de·pos·it [di'pɔzit] **I.** *v/t.* **1.** ab-, niedersetzen, niederlegen; *Eier* legen; **2.** ⚗, ⊕, *geol.* ablagern, -setzen, anschwemmen; **3.** *bsd.* *Geld* einzahlen, hinter'legen, deponieren; über'geben; **4.** ✝ *Geld* anzahlen; **II.** *v/i.* **5.** ⚗ sich absetzen *od.* ablagern *od.* niederschlagen; **III.** *s.* **6.** ⚗, ⊕ Ablagerung *f*, (Boden)Satz *m*, Niederschlag *m*; Schicht *f*, Belag *m*; **7.** ⚒, *geol.* Ablagerung *f*, Lager *n*, Flöz *n*; **8.** ✝ **a)** De'pot *n*: *to place on ~* einzahlen, hinterlegen, **b)** Einzahlung *f*, Einlage *f*, Guthaben *n*: *~s* Depositen; *~ account* Depositenkonto, **c)** Anzahlung *f*, **d)** Pfand *n*; **de'pos·i·tar·y** [-təri] *s.* **1.** Deposi'tar *m*, Verwahrer *m*; **2.** → *depository 1*.

dep·o·si·tion [depə'ziʃən] *s.* **1.** Amtsenthebung *f*; Absetzung *f* (*from* von); **2.** ⚗, ⊕, *geol.* Ablagerung *f*, Niederschlag *m*; **3.** ⚖ eidliche Aussage (*bsd. schriftlich*); **4.** (Bild *n* der) Kreuzabnahme *f Christi*; **de·pos·i·tor** [di'pɔzitə] *s.* ✝ **a)** Hinter'leger(in), **b)** Einzahler (-in), **c)** 'Kontoinhaber(in); **de·pos·i·to·ry** [di'pɔzitəri] *s.* **1.** Aufbewahrungsort *m*; Niederlage *f*, Lagerhaus *n*, Maga'zin *n*; **2.** *fig.* Fülle *f*, Fundgrube *f*.

de·pot ['depou] *s.* **1.** De'pot *n*, Lagerhaus *n*, -platz *m*, Niederlage *f*; **2.** *Am.* Bahnhof *m*; **3.** ⚔ **a)** Depot *n*, Gerätepark *m*, (Nachschub-)Lager *n*, **b)** Sammelplatz *m*, **c)** *Brit.* Ersatztruppenteil *m*.

dep·ra·va·tion [deprə'veiʃən] → *depravity*; **de·prave** [di'preiv] *v/t.* *moralisch* verderben; **de·praved** [di'preivd] *adj.* verderbt, verkommen, verworfen, entartet; **de·prav·i·ty** [di'præviti] *s.* **1.** Verderbtheit *f*, Verworfenheit *f*; **2.** böse Tat.

dep·re·cate ['deprikeit] *v/t.* miß'billigen, verurteilen, verwerfen; **'dep·re·cat·ing** [-tiŋ] *adj.* □ miß'billigend, ablehnend; **dep·re·ca·tion** [depri'keiʃən] *s.* 'Mißbilligung *f*, Ablehnung *f*; **'dep·re·ca·tor** [-tə] *s.* Gegner(in); **'dep·re·ca·to·ry** [-kətəri] *adj.* mißbilligend, ablehnend.

de·pre·ci·ate [di'pri:ʃieit] **I.** *v/t.* **1.** **a)** geringschätzen, **b)** her'absetzen, -würdigen; **2.** **a)** *im Preis od. Wert* her'absetzen, **b)** abschreiben, Abschreibungen machen von; **3.** ✝ ent-, abwerten; **II.** *v/i.* **4.** im Preis *od.* Wert sinken; **de'pre·ci·at·ing·ly** [-tiŋli] *adv.* geringschätzig, abwertend; **de·pre·ci·a·tion** [dipri:ʃi'eiʃən] *s.* **1.** **a)** Geringschätzung *f*, **b)** Her'absetzung *f*, -würdigung *f*; **2.** ✝ **a)** Wertminderung *f*, Kursverlust *m*, **b)** Abschreibung *f*, **c)** Ent-, Abwertung *f*; **de'pre·ci·a·to·ry** [-ʃjətəri] *adj.* geringschätzig, verächtlich.

dep·re·da·tion [depri'deiʃən] *s.* *oft pl.* **1.** Plünderung *f*, Verheerung *f*, Verwüstung *f*; **2.** 'Raubzug *m*, -,überfall *m*; **dep·re·da·tor** ['deprideitə] *s.* Plünderer *m*.

de·press [di'pres] *v/t.* **1.** deprimieren, entmutigen, bedrücken; **2.** *Tätigkeit, Handel* ungünstig beeinflussen, niederdrücken, hemmen; **3.** schwächen, einschränken, vermindern, her'absetzen; **4.** her'unterdrücken; **de'pres·sant** [-sənt] ⚕ **I.** *adj.* dämpfend, beruhigend; **II.** *s.* Beruhigungsmittel *n*.

de·pressed [di'prest] *adj.* **1.** deprimiert, niedergeschlagen, gedrückt; **2.** verringert, gemindert, geschwächt (*Tätigkeit*); **3.** ✝ flau (*Markt*), gedrückt (*Preis*); *~* **a·re·a** *s. Brit.* Notstandsgebiet *n*; *~* **class·es** *s. pl. Brit.* 'Parias *pl.* (*Indien*).

de·press·ing [di'presiŋ] *adj.* □ **1.** deprimierend, bedrückend; **2.** erbärmlich; **de'pres·sion** [-eʃən] *s.* **1.** Depressi'on *f*, Niedergeschlagenheit *f*, Gedrücktheit *f*; Melancho'lie *f*; **2.** Senkung *f*, Vertiefung *f*; Tiefland *n*, Landsenke *f*; **3.** ✝ Fallen *n* (*Preise*); 'Wirtschafts-,krise *f*, Depression *f*, Flaute *f*, Tiefstand *m*; **4.** *ast., surv.* Depression *f*; **5.** *meteor.* Tief(druckgebiet) *n*; **6.** Abnahme *f*, Schwächung *f*; **7.** ⚕ Schwäche *f*, Abspannung *f*.

dep·ri·va·tion [depri'veiʃən] *s.* **1.** Beraubung *f*, Entziehung *f*; **2.** (schmerzlicher) Verlust, Entbehrung *f*; **3.** *eccl.* Amtsenthebung *f*; **de·prive** [di'praiv] *v/t.* **1.** (*of s.th.*) (*j-n od. et.* e-r Sache) berauben, (*j-m* et.) entziehen *od.* rauben *od.* nehmen: *to be ~d of s.th.* et. entbehren (müssen); **2.** (*of s.th.*) *j-n* ausschließen (von et.), (*j-m* et.) vorenthalten; **3.** *eccl. j-n* absetzen.

depth [depθ] *s.* **1.** Tiefe *f* (*vertikal, z.B. Meer, Schnee; horizontal, z.B. Schrank*): *~ of column* ⚔ Marschtiefe; *to get out of one's ~* den (sicheren) Grund unter den Füßen verlieren (*a. fig.*); *to be out of one's ~ fig.* ratlos *od.* unsicher sein, ‚schwimmen'; *it is beyond my ~* es geht über m-n Verstand *od.* m-e Kräfte; **2.** Breite *f* (*Rand*); Dicke *f* (*Kissen*); **3.** *fig.* **a)** Tiefe *f* (*Sinn etc.; a. Ton etc.*), **b)** Tiefgründigkeit *f*, **c)** Dunkelheit *f*, Unergründlichkeit *f*; **4.** Stärke *f*, Fülle *f* (*Gefühl, Farbe*); *phot.* (Tiefen)Schärfe *f*; 'Umfang *m*, Weite *f*; **5.** Gründlichkeit *f*; Scharfsinn *m*; **6.** Tiefe *f*, Mitte *f*, *das* Innerste: *~ of winter* tiefster Winter; **7.** *oft pl.* Meer *n*; Abgrund *m* (*a. fig.*): *~ of misery* tiefstes Elend; **8.** ⚒ Teufe *f*; **'~-charge** *s.* ⚔ Wasserbombe *f*; *~* **psy·chol·o·gy** *s.* 'Tiefenpsycholo,gie *f*.

dep·u·rate ['depjureit] *v/t.* ⚗, ⚕, ⊕ reinigen, läutern.

dep·u·ta·tion [depju(:)'teiʃən] *s.* Deputati'on *f*, Abordnung *f*; **de·pute** [di'pju:t] *v/t.* **1.** abordnen, delegieren, deputieren; **2.** *Aufgabe etc.* über'tragen; **dep·u·tize** ['depjutaiz] **I.** *v/t.* (als Vertreter) ernennen, abordnen; **II.** *v/i.* *~ for s.o.* j-n vertreten; **dep·u·ty** ['depjuti] **I.** *s.* **1.** (Stell)Vertreter(in), Beauftragte(r *m*) *f*; **2.** *pol.* Deputierte(r *m*) *f*, Abgeordnete(r *m*) *f*; **II.** *adj.* **3.** stellvertretend, Vize...: *~ chairman* stellvertretende(r) Vorsitzende(r), Vizepräsident(in).

de·rac·i·nate [di'ræsineit] *v/t.* entwurzeln; ausrotten, vernichten (*a. fig.*).

de·rail [di'reil] *v/i. u. v/t.* entgleisen (lassen); **de'rail·ment** [-mənt] *s.* Entgleisung *f*.

de·range [di'reindʒ] *v/t.* **1.** in Unordnung bringen; verwirren, stören; **2.** ⚕ (geistig) zerrütten; **de'ranged** [-dʒd] *adj.* **1.** in Unordnung, gestört: *a ~ stomach* e-e Magenverstimmung; **2.** ⚕ *a. mentally ~* geistesgestört; **de'rangement** [-mənt] *s.* **1.** Unordnung *f*, Verwirrung *f*; Störung *f*; **2.** ⚕ *a. mental ~* Geistesgestörtheit *f*, Geistesstörung *f*.

de·rate [di:'reit] *v/t. Gemeindesteuern für j-n* her'absetzen.

de·ra·tion ['di:'ræʃən] *v/t.* den Markenzwang für ... *od.* die Rationierung von ... aufheben, *Ware* freigeben.

Der·by ['dɑ:bi] *s.* **1. a)** (*das englische*) Derby, **b)** *Am.* (*das Kentucky-*)Derby; **2.** ♀ *Am.* steifer Hut, ‚Me'lone' *f*.

der·e·lict ['derilikt] **I.** *adj.* **1.** aufgegeben, verlassen, herrenlos; **2.** unbrauchbar; zerfallen, baufällig; **3.** *Am.* nachlässig, säumig; **II.** *s.* **4.** herrenloses Gut; **5.** ⚓ Wrack *n* (*a. fig.*); **6.** Hilflose(r *m*) *f*; **7.** *Am.* Pflichtvergessene(r *m*) *f*; **der·e·lic·tion** [deri'likʃən] *s.* **1.** Aufgeben *n*, Preisgabe *f*; **2.** Verlassenheit *f*; **3.** Vernachlässigung *f*, Versäumnis *n*: *~ of duty* Pflichtversäumnis; **4.** Versagen *n*; **5.** Ver-, Zerfall *m*; **6.** ⚖ Landgewinn *m* in'folge Rückgangs des Wasserspiegels.

de·req·ui·si·tion ['di:rekwi'ziʃən] *v/t. requiriertes Gut* freigeben.

de·re·strict [di:ri'strikt] *v/t.* von Einschränkungen befreien; **de·re'stric·tion** [-kʃən] *s.* Lockerung *f* von Einschränkungsmaßnahmen.

de·ride [di'raid] *v/t.* verlachen, -höhnen, -spotten; **de'rid·er** [-də] *s.* Spötter *m*; **de'rid·ing·ly** [-diŋli] *adv.* spöttisch.

de ri·gueur [dəri'gə:] (*Fr.*) *pred. adj.* streng nach der Eti'kette; unerläßlich.

de·ri·sion [di'riʒən] *s.* Hohn *m*, Spott *m*: *to hold in ~* verspotten; *to bring into ~* zum Gespött machen; *to be the ~ of s.o.* j-s Gespött sein; **de·ri·sive** [di'raisiv] *adj.* □, **de·ri·so·ry** [di'raisəri] *adj.* höhnisch, spöttisch.

de·riv·a·ble [di'raivəbl] *adj.* **1.** ab-, herleitbar (*from* von); **2.** erreichbar, zu gewinnen(d) (*from* aus); **der·i·va·tion** [deri'veiʃən] *s.* **1.** Ab-, Herleitung *f* (*a. ling.*); **2.** Ursprung *m*, Herkunft *f*, Abstammung *f*; **de·riv·a·tive** [di'rivətiv] **I.** *adj.* **1.** abgeleitet; **2.** sekun'där; **II.** *s.* **3.** *et.* Ab- *od.* Hergeleitetes; **4.** *ling.* Ableitung *f*, abgeleitete Form; **5.** ⚗ Deri'vat *n*, Abkömmling *m*; **de·rive** [di'raiv] **I.** *v/t.* **1.** (*from*) herleiten (von), zu'rückführen (auf *acc.*), verdanken (*dat.*): *to be ~d from* herstammen, -rühren von; **2.** bekommen, erlangen, gewinnen: *~d from coffee* aus Kaffee gewonnen; *to ~ profit from* Nutzen ziehen aus; *to ~ pleasure from* Freude haben an (*dat.*); **3.** ⚗, & *ling.* ableiten; **II.** *v/i.* **4.** (ab)stammen, herrühren, abgeleitet sein (*from* von).

derm [də:m], **der·ma** ['də:mə] *s. anat.* Haut *f*; **der·mal** ['də:məl] *adj. anat.* Haut...; **der·ma·ti·tis** [də:mə'taitis] *s.* ⚕ Derma'titis *f*, Hautentzündung *f*; **der·ma·tol·o·gist** [də:mə'tɔlədʒist] *s.* Dermato'loge *m*, Hautarzt *m*; **der·ma·tol·o·gy** [də:mə'tɔlədʒi] *s.* ⚕ Dermatolo'gie *f*, Lehre *f* von den Hautkrankheiten.

der·o·gate ['derəgeit] *v/i.* (*from*) Abbruch tun, schaden (*dat.*), beeinträchtigen, schmälern (*acc.*); **der·o·ga·tion** [derə'geiʃən] *s.* Beeinträchtigung *f*, Schmälerung *f*, Nachteil *m*; Her'absetzung *f*; **de·rog·a·to·ry** [di'rɔgətəri] *adj.* **1.** (*to*) nachteilig (für), abträglich (*dat.*), schädlich (*dat. od.* für): *to be ~* schaden, beeinträchtigen; **2.** abfällig, geringschätzig (*Worte*).

der·rick ['derik] *s.* **1.** ⊕ Drehkran *m*; **2.** ⊕ Bohrturm *m*; **3.** ⚓ Ladebaum *m*.

der·ring-do ['deriŋ'du:] *s.* Verwegenheit *f*, Tollkühnheit *f*.

der·vish ['də:viʃ] *s.* 'Derwisch *m*.

de·sal·i·nate [di'sælineit] *v/t.* entsalzen.

des·cant **I.** *s.* ['deskænt] **1.** *poet.* Lied *n*, Weise *f*; **2.** ♪ **a)** Dis'kant *m*, **b)** variierte Melo'die; **II.** *v/i.* [dis'kænt] **3.** sich auslassen (*on* über *acc.*); **4.** ♪ diskantieren.

de·scend [di'send] **I.** *v/i.* **1.** her'unter-, hin'untersteigen, -gehen, -kommen, -fahren, -fallen, -sinken; ab-, aussteigen; ⚒ einfahren; ✈ niedergehen, landen; **2.** sinken, fallen; sich senken (*Straße*), abfallen (*Gebirge*); **3.** *mst to be ~ed* abstammen, herkommen (*from* von, aus); **4.** (*to*) zufallen (*dat.*), 'übergehen, sich vererben (auf *acc.*); **5.** (*to*) sich hergeben, sich erniedrigen (zu); **6.** (*to*) übergehen zu, eingehen auf (*ein Thema etc.*); **7.** (*on, upon*) sich stürzen (auf *acc.*), herfallen (über *acc.*), einfallen (in *acc.*); her'einbrechen (über *acc.*); *fig.* ‚über'fallen', über'raschen (*acc.*); **8.** ♪, *ast.* fallen, absteigen; **II.** *v/t.* **9.** *Treppe etc.* her'unter-, hin'untersteigen, -gehen *etc.*; **de'scend·ant** [-dənt] *s.* Nachkomme *m*, Abkömmling *m*.

de·scent [di'sent] *s.* **1.** Her'unter-, Hin'untersteigen *n*, Abstieg *m*; Talfahrt *f*; ⚒ Einfahrt *f*; ✈ Landung *f*; (*Fallschirm*)Absprung *m*; **2.** Abhang *m*, Abfall *m*, Senkung *f*, Gefälle *n*; **3.** *fig.* Abstieg *m*, Niedergang *m*, Fallen *n*, Sinken *n*; **4.** Abstammung *f*, Herkunft *f*, Geburt *f*; **5.** Vererbung *f*, 'Übergang *m*, Über'tragung *f*; **6.** (*on, upon*) 'Überfall *m* (auf *acc.*), Einfall *m* (in *acc.*), Angriff *m* (auf *acc.*); **7.** *bibl.* Ausgießung *f* (*des Heiligen Geistes*); **8.** *~ from the cross paint.* Kreuzabnahme *f*.

de·scrib·a·ble [dis'kraibəbl] *adj.* zu beschreiben(d); **de·scribe** [dis'kraib] *v/t.* **1.** beschreiben, schildern; **2.** (*as*) bezeichnen (als), nennen (*acc.*); **3.** *bsd.* & *Kreis, Kurve* beschreiben; **de·scrip·tion** [dis'kripʃən] *s.* **1.** Beschreibung *f*, Darstellung *f*, Schilderung *f*: *beautiful beyond ~* unbeschreiblich *od.* unsagbar schön; **2.** Bezeichnung *f*; **3.** Art *f*, Sorte *f*: *of the worst ~* schlimmster Art; **de·scrip·tive** [dis'kriptiv] *adj.* □ **1.** beschreibend, schildernd: *~ geometry* darstellende Geometrie; *to be ~ of* beschreiben, bezeichnen; **2.** anschaulich (schreibend).

de·scry [dis'krai] *v/t.* gewahren, erspähen, wahrnehmen; entdecken.

des·e·crate ['desikreit] *v/t.* entweihen, -heiligen, schänden; **des·e·cra·tion** [desi'kreiʃən] *s.* Entweihung *f*, -heiligung *f*, Schändung *f*.

de·seg·re·gate ['di:'segrigeit] *v/t.* die Rassenschranken aufheben in (*dat.*); **de·seg·re·ga·tion** ['di:segri'geiʃən] *s.* Aufhebung *f* der Rassentrennung.

de·sen·si·tize ['di:'sensitaiz] *v/t.* **1.** ⚕ unempfindlich machen; **2.** *phot.* lichtunempfindlich machen.

de·sert[1] [di'zə:t] *s. oft pl.* **1.** Verdienst *n*; **2.** verdienter Lohn (*a. iro.*), Strafe *f*: *to get one's ~s* s-n wohlverdienten Lohn empfangen.

des·ert[2] ['dezət] **I.** *s.* **1.** Wüste *f*; Einöde *f*; **2.** *fig.* Öde *f*, Fadheit *f*; **II.** *adj.* **3.** öde, wüst; verlassen, unbewohnt; einsam; **4.** Wüsten...

de·sert[3] [di'zə:t] **I.** *v/t.* **1.** verlassen; im Stich lassen; ⚖ *Ehegatten* böswillig verlassen; **2.** untreu *od.* abtrünnig werden (*dat.*): *to ~ the colo(u)rs* ⚔ fahnenflüchtig werden; **II.** *v/i.* **3.** ⚔ desertieren, fahnenflüchtig werden; 'überlaufen, -gehen (*to* zu); **de'sert·ed** [-tid] *adj.* **1.** verlassen, ausgestorben, menschenleer; **2.** verlassen, einsam; **de'sert·er** [-tə] *s.* **1.** ⚔ **a)** Fahnenflüchtige(r) *m*, Deser'teur *m*, **b)** 'Überläufer *m*; **2.** *fig.* Abtrünnige(r *m*) *f*; **de'ser·tion** [-ə:ʃən] *s.* **1.** Verlassen *n*, Im'stichlassen *n*; **2.** Abtrünnigwerden *n*, Abfall *m* (*from* von); **3.** ⚖ böswilliges Verlassen; **4.** ⚔ Fahnenflucht *f*.

de·serve [di'zə:v] **I.** *v/t.* verdienen, verdient haben (*acc.*), würdig sein (*gen.*): *to ~ praise* Lob verdienen; **II.** *v/i. to ~ well of* sich verdient gemacht haben um; *to ~ ill of* e-n schlechten Dienst erwiesen haben (*dat.*); **de'serv·ed·ly** [-vidli] *adv.* verdientermaßen, mit Recht; **de'serv·ing** [-viŋ] *adj.* **1.** verdienstvoll, verdient (*Person*); **2.** verdienstlich, -voll (*Tat*); **3.** *to be ~ of* verdienen (*acc.*), wert *od.* würdig sein (*gen.*).

des·ha·bille ['dezæbi:l] → *dishabille*.

des·ic·cate ['desikeit] *v/t. u. v/i.* (aus)trocknen, ausdörren: *~d milk* Trockenmilch; *~d fruit* Dörrobst; **des·ic·ca·tion** [desi'keiʃən] *s.* (Aus)Trocknung *f*, Trockenwerden *n*; **'des·ic·ca·tor** [-tə] *s.* ⊕ 'Trokkenappa,rat *m*.

de·sid·er·a·tum [dizidə'reitəm] *pl.* **-ta** [-tə] *s. et.* Erwünschtes, Erfordernis *n*, Mangel *m*.

de·sign [di'zain] **I.** *v/t.* **1.** entwerfen, (auf)zeichnen, skizzieren: *to ~ a dress* ein Kleid entwerfen; **2.** gestalten, ausführen, anlegen; **3.** *fig.* entwerfen, ausdenken, ersinnen; **4.** planen, beabsichtigen: *to ~ doing* (*od. to do*) beabsichtigen zu tun; **5.** bestimmen, vorsehen (*for* für, *as* als); **6.** bestimmen, ausersehen: *~ed to be a soldier* zum Soldaten bestimmt; **II.** *v/i.* **7.** Zeichner *od.* Konstruk'teur sein; **III.** *s.* **8.** Entwurf *m*, Zeichnung *f*, Plan *m*, Skizze *f*; **9.** Muster *n*, Zeichnung *f*, Fi'gur *f*, Des'sin *n*: *floral* ~ Blumenmuster; *registered* ~ ⚖ Gebrauchsmuster; *protection of* ~*s* ⚖ Musterschutz; **10. a)** Gestaltung *f*, Formgebung *f*, **b)** Bauart *f*, Konstrukti'on *f*, Ausführung *f*, Mo'dell *n*; **11.** Anlage *f*, Anordnung *f*; **12.** Absicht *f*, Plan *m*; Zweck *m*, Ziel *n*: *by* ~ mit Absicht; **13.** böse Absicht, Anschlag *m*: *to have* ~*s on* (*od. against*) et. (Böses) im Schilde führen gegen.

des·ig·nate I. *v/t.* ['dezigneit] **1.** bezeichnen, (be)nennen; **2.** kennzeichnen; **3.** berufen, ausersehen, bestimmen, ernennen (*for* zu); **II.** *adj.* [-nit] **4.** designiert, einstweilig ernannt: *bishop* ~; **des·ig·na·tion** [dezig'neiʃən] *s.* **1.** Bezeichnung *f*, Name *m*; **2.** Kennzeichnung *f*; **3.** Bestimmung *f*; **4.** einstweilige Ernennung *od.* Berufung.

de·signed [di'zaind] *adj.* □ **1.** geplant, erdacht; **2.** (*for*) bestimmt (für), zugeschnitten (auf *acc.*); **3.** absichtlich; **de'sign·ed·ly** [-nidli] *adv.* mit Absicht, vorsätzlich; **de'sign·er** [-nə] *s.* **1.** (Muster-)Zeichner(in): *fashion* ~ Modezeichner(in); **2.** Entwerfer *m*, (Form)Gestalter *m*, Konstruk'teur *m*; **3.** Ränkeschmied *m*, Intri'gant (-in); **de'sign·ing** [-niŋ] *adj.* □ ränkevoll, intri'gant; berechnend.

de·sil·ver·ize [di:'silvəraiz] *v/t.* entsilbern.

de·sir·a·bil·i·ty [dizaiərə'biliti] *s.* Erwünschtheit *f*; **de·sir·a·ble** [di'zaiərəbl] *adj.* □ **1.** wünschenswert, erwünscht; **2.** begehrenswert, reizvoll; **de·sire** [di'zaiə] **I.** *v/t.* **1.** wünschen, begehren, verlangen, wollen: *if* ~*d* auf Wunsch; *leaves much to be* ~*d* läßt viel zu wünschen übrig; **2.** *j-n* bitten, ersuchen; **II.** *s.* **3.** Wunsch *m*, Verlangen *n*, Begehren *n* (*for* nach); **4.** Wunsch *m*, Bitte *f*: *at* (*od. by*) *s.o.'s* ~ auf (j-s) Wunsch; **5.** Lust *f*, Begierde *f*; **6.** *das* Gewünschte; **de·sir·ous** [di'zaiərəs] *adj.* □ (*of*) begierig, verlangend (nach), wünschend (*acc.*): *I am* ~ *to know* ich möchte (sehr) gern wissen; *the parties are* ~ *to ...* (*in Verträgen*) die Parteien beabsichtigen, zu ...

de·sist [di'zist] *v/i.* abstehen, ablassen, Abstand nehmen (*from* von): *to* ~ *from asking* aufhören zu fragen.

desk [desk] *s.* **1.** Schreibtisch *m*; **2.** (Lese-, Schreib-, Noten-, Kassen-, Kirchen)Pult *n*: *pay at the* ~*!* zahlen Sie an der Kasse!; *first* ~ ♪ erstes Pult (*Orchester*); **3.** *eccl. bsd. Am.* Kanzel *f*; **4.** *Am.* Redakti'on *f*: *city* ~ Lokalredaktion; ~ **job** *s.* Schreibtisch-, Bü'roposten *m*; ~ **work** *s.* Schreibtischarbeit *f*.

des·o·late I. *adj.* □ ['desəlit] **1.** wüst, unwirtlich, öde; verwüstet; **2.** verlassen, einsam; **3.** betrübt, elend, trostlos; **II.** *v/t.* [-leit] **4.** verwüsten; **5.** einsam zu'rücklassen; **6.** betrüben, elend machen; **'des·o·late·ness** [-nis] → *desolation 2, 3*; **des·o·la·tion** [desə'leiʃən] *s.* **1.** Verwüstung *f*, -ödung *f*; **2.** Verlassenheit *f*, Einsamkeit *f*; **3.** Trostlosigkeit *f*, Elend *n*.

de·spair [dis'pɛə] **I.** *v/i.* (*of*) verzweifeln (an *dat.*), ohne Hoffnung sein, die Hoffnung aufgeben (auf *acc.*): *the patient's life is* ~*ed of* man bangt um das Leben des Kranken; **II.** *s.* Verzweiflung *f* (*at* über *acc.*), Hoffnungslosigkeit *f*: *to drive s.o. to* ~, *to be s.o.'s* ~ j-n zur Verzweiflung bringen; **de'spair·ing** [-'pɛəriŋ] *adj.* □ verzweifelt.

des·patch → *dispatch*.

des·per·a·do [despə'rɑ:dou] *pl.* **-does**, *Am. a.* **-dos** *s.* Despe'rado *m*, *engS.* Gewaltverbrecher *m*, Ban'dit *m*.

des·per·ate ['despərit] *adj.* □ **1.** verzweifelt, hoffnungslos; äußerst gefährlich; **2.** verzweifelt, rasend, verwegen, zu allem fähig: ~ *deed* Verzweiflungstat; ~ *remedy* äußerstes Mittel; **3.** F schlimm, schrecklich: ~ *fool* kompletter Narr; **des·per·a·tion** [despə'reiʃən] *s.* **1.** (höchste) Verzweiflung, Hoffnungslosigkeit *f*; **2.** Rase'rei *f*, Verzweiflung *f*: *to drive to* ~ rasend machen, zur Verzweiflung bringen.

des·pi·ca·ble ['despikəbl] *adj.* □ verächtlich, jämmerlich.

de·spise [dis'paiz] *v/t.* verachten, -schmähen, geringschätzen.

de·spite [dis'pait] **I.** *prp.* trotz (*gen.*), ungeachtet (*gen.*); **II.** *s.* Bosheit *f*, Tücke *f*; Trotz *m*, Verachtung *f*: *in* ~ *of* → *I.*

de·spoil [dis'pɔil] *v/t.* plündern; berauben (*of gen.*); **de'spoil·ment** [-mənt], **de·spo·li·a·tion** [dispouli'eiʃən] *s.* Plünderung *f*, Beraubung *f*.

de·spond [dis'pɔnd] **I.** *v/i.* verzagen; verzweifeln (*of* an *dat.*); **II.** *s. obs.* Verzweiflung *f*; **de'spond·en·cy** [-dənsi] *s.* Verzagtheit *f*, Mutlosigkeit *f*; **de'spond·ent** [-dənt] *adj.* □, **de'spond·ing** [-diŋ] *adj.* □ verzagt, mutlos, kleinmütig.

des·pot ['despɔt] *s.* Des'pot *m*, Gewaltherrscher *m*; *fig.* Ty'rann *m*; **des·pot·ic** *adj.*; **des·pot·i·cal** [des'pɔtik(əl)] *adj.* □ des'potisch, herrisch, ty'rannisch; **des·pot·ism** ['despətizəm] *s.* Despo'tismus *m*, Tyran'nei *f*, Gewaltherrschaft *f*.

des·qua·mate ['deskwəmeit] *v/i.* **1.** ⚕ sich abschuppen; **2.** sich häuten.

des·sert [di'zə:t] *s.* Des'sert *n*, Nachtisch *m*: ~*-spoon* Dessertlöffel.

des·ti·na·tion [desti'neiʃən] *s.* **1.** Bestimmungsort *m*; Reiseziel *n*; **2.** Bestimmung *f*, Zweck *m*, Ziel *n*.

des·tine ['destin] *v/t.* bestimmen, vorsehen (*for* für, *to do* zu tun); **'des·tined** [-nd] *adj.* bestimmt: ~ *for* unterwegs nach (*Schiff etc.*); *he was* ~ (*to inf.*) es war ihm beschieden (zu *inf.*), er sollte (*inf.*); **'des·ti·ny** [-ni] *s.* **1.** Schicksal *n*, Geschick *n*, Los *n*; Vorsehung *f*; **2.** Verhängnis *n*, zwingende Notwendigkeit; **3.** *the Destinies* → *fate 3.*

des·ti·tute ['destitju:t] **I.** *adj.* **1.** verarmt, mittellos, notleidend; **2.** (*of*) ermangelnd, entblößt (*gen.*), ohne (*acc.*), bar (*gen.*); **II.** *s.* **3.** *the* ~ die Armen; **des·ti·tu·tion** [desti'tju:ʃən] *s.* **1.** Armut *f*, (bittere) Not, Elend *n*; **2.** (völliger) Mangel (*of* an *dat.*).

de·stroy [dis'trɔi] *v/t.* **1.** zerstören, zertrümmern; niederreißen; ⚔ *Truppen* aufreiben; **2.** vernichten, vertilgen; unbrauchbar *od.* unschädlich machen; **3.** töten; **4.** *fig.* zerstören, zerrütten, vernichten; **de'stroy·er** [-ɔiə] *s.* Zerstörer *m* (*a.* ⚓, ⚔).

de·struct·i·bil·i·ty [distrʌkti'biliti] *s.* Zerstörbarkeit *f*.

de·struct·i·ble [dis'trʌktəbl] *adj.* zerstörbar; **de'struc·tion** [-kʃən] *s.* **1.** Zerstörung *f*, Zertrümmerung *f*; Verwüstung *f*; **2.** Vernichtung *f*, Vertilgung *f*; Tötung *f*; **3.** Verderben *n*, 'Untergang *m*; **de'struc·tive** [-tiv] *adj.* □ **1.** zerstörend, vernichtend (*a. fig.*); zerrüttend, unter'grabend (*of, to acc.*): *to be* ~ *of* zerstören *etc.*; **2.** zerstörerisch, destruk'tiv; **3.** schädlich, verderblich, gefährlich: ~ *to health* gesundheitsschädlich; **4.** rein 'negativ, destruktiv (*Kritik*); **de'struc·tive·ness** [-tivnis] *s.* **1.** Zerstörungswut *f*; **2.** zerstörende Wirkung; **3.** destruktive Eigenschaft; Schädlichkeit *f*; **de'struc·tor** [-tə] *s.* ⊕ (Müll)Verbrennungsofen *m*.

des·ue·tude [di'sju(:)itju:d] *s.* Ungebräuchlichkeit *f*: *to fall into* ~ außer Gebrauch kommen.

de·sul·fu·rize *Am.*, **de·sul·phu·rize** [di:'sʌlfəraiz] *v/t.* ⚗ entschwefeln.

des·ul·to·ri·ness ['desəltərinis] *s.* **1.** Zs.-hangs-, Plan-, Ziellosigkeit *f*; **2.** Flüchtigkeit *f*, Unbeständigkeit *f*; Sprunghaftigkeit *f*; **des·ul·to·ry** ['desəltəri] *adj.* **1.** 'unzu͵sammenhängend, vereinzelt, spo'radisch; **2.** planlos, ziellos, oberflächlich, unstet; **3.** abschweifend, flatterhaft, sprunghaft.

de·tach [di'tætʃ] *v/t.* **1.** ab-, loslösen, losmachen, abnehmen, -trennen; **2.** absondern; befreien; **3.** ⚔ detachieren, abkommandieren; **de'tach·a·ble** [-tʃəbl] *adj.* abnehmbar (*a.* ⊕); abtrennbar; lose; **de'tached** [-tʃt] *adj.*, **de'tach·ed·ly** [-tʃtli] *adv.* **1.** getrennt, gesondert; **2.** einzeln, frei-, al'leinstehend (*Haus*); **3.** *fig.* selbständig; unvoreingenommen, objek'tiv, uninteressiert, distanziert; **4.** *fig.* losgelöst, entrückt; **de'tach·ment** [-mənt] *s.* **1.** Absonderung *f*, Abtrennung *f*, Loslösung *f*; **2.** *fig.* Abstand *m*, Losgelöstsein *n*, (innere) Freiheit; **3.** *fig.* Objektivi'tät *f*, Unvoreingenommenheit *f*; **4.** Gleichgültigkeit *f* (*from* gegen); **5.** ⚔ Ab'teilung *f*, 'Sonderkom͵mando *n*.

de·tail ['di:teil] **I.** *s.* **1.** De'tail *n*: **a)** Einzelheit *f*, **b)** *a. pl. coll.* (nähere) Einzelheiten *pl.*: *in* ~ im einzelnen, ausführlich; *to go into* ~*(s)* ins einzelne gehen, es ausführlich behandeln; **2.** Einzelteil *m, n*; **3.** 'Nebensache *f*, -͵umstand *m*, Kleinigkeit *f*; **4.** *Kunst etc.*: **a)** De'tail (-darstellung *f*) *n*, **b)** Ausschnitt *m*; **5.** ⚔ **a)** Abteilung *f*, Trupp *m*, **b)** Sonderauftrag *m*; **II.** *v/t.* **6.** ausführlich berichten über (*acc.*), genau schildern; einzeln aufzählen *od.*

-führen; **7.** ⚔ abkommandieren; **'de·tailed** [-ld; *a.* di'teild] *adj.* ausführlich, genau.

de·tain [di'tein] *v/t.* **1.** *j-n* auf-, abhalten, zu'rück(be)halten, hindern; **2.** ⚖ *j-n* in Haft behalten; **3.** *et.* vorenthalten, einbehalten; **4.** *ped.* nachsitzen lassen; **de·tain·ee** [di:tei'ni:] *s.* ⚖ Häftling *m*; **de'tain·er** [-nə] *s.* ⚖ **1.** 'widerrechtliche Vorenthaltung; **2.** Anordnung *f* der Haftfortdauer.

de·tect [di'tekt] *v/t.* **1.** entdecken; (her'aus)finden, ermitteln; **2.** feststellen, wahrnehmen; **3.** aufdecken, enthüllen; **4.** ertappen (*in* bei); **5.** *Radio*: gleichrichten; **de'tect·a·ble** [-təbl] *adj.* feststellbar; **de'tec·ta·phone** [-təfoun] *s.* ⚡ Abhörgerät *n* (*am Telephon*); **de'tec·tion** [-kʃən] *s.* **1.** Ent-, Aufdeckung *f*; Feststellung *f*; **2.** *Radio*: Gleichrichtung *f*; **3.** *coll.* Krimi'nalro,mane *pl.*; **de'tec·tive** [-tiv] **I.** *adj.* Detektiv..., Kriminal...: ~ *force* Kriminalpolizei; ~ *story* Kriminalroman; **II.** *s.* Detek'tiv *m*, Krimi'nalbeamte(r) *m*, Ge'heimpoli,zist *m*; **de'tec·tor** [-tə] *s.* **1.** Auf-, Entdecker *m*; **2.** ⊕ **a)** Sucher *m*, **b)** Anzeigevorrichtung *f*; **3.** ⚡ **a)** De'tektor *m*, **b)** Gleichrichter *m*.

de·tent [di'tent] *s.* ⊕ Sperrhaken *m*, -klinke *f*, Sperre *f*; Auslösung *f*.

dé·tente [de'tɑ̃:t] (*Fr.*) *s. bsd. pol.* Entspannung *f*.

de·ten·tion [di'tenʃən] *s.* **1.** Festnahme *f*; **2.** Haft *f*, Gewahrsam *m*, Ar'rest *m*: ~ *barracks* Militärgefängnis; ~ *colony* Strafkolonie; **3.** *ped.* Nachsitzen *n*, Arrest *m*; **4.** Ab-, Zu'rückhaltung *f*; **5.** Einbehaltung *f*, Vorenthaltung *f*.

de·ter [di'tə:] *v/t.* abschrecken, abhalten (*from* von).

de·ter·gent [di'tə:dʒənt] **I.** *adj.* reinigend; **II.** *s.* Reinigungs-, Waschmittel *n*.

de·te·ri·o·rate [di'tiəriəreit] **I.** *v/i.* **1.** sich verschlechtern *od.* verschlimmern, schlecht(er) werden, verderben; **2.** an Wert verlieren; **II.** *v/t.* **3.** verschlechtern; **4.** beeinträchtigen; im Wert mindern; **de·te·ri·o·ra·tion** [ditiəriə'reiʃən] *s.* **1.** Verschlechterung *f*; Verfall *m*; **2.** Wertminderung *f*.

de·ter·ment [di'tə:mənt] *s.* **1.** Abschreckung *f*; **2.** → *deterrent II.*

de·ter·mi·na·ble [di'tə:minəbl] *adj.* bestimmbar; **de'ter·mi·nant** [-minənt] **I.** *adj.* **1.** bestimmend, entscheidend; **II.** *s.* **2.** entscheidender 'Faktor; **3.** ⚘, *biol.* Determi'nante *f*; **de'ter·mi·nate** [-nit] *adj.* □ bestimmt, fest(gesetzt), entschieden; **de·ter·mi·na·tion** [ditə:mi'neiʃən] *s.* **1.** Ent-, Beschluß *m*; **2.** Entscheidung *f*; Bestimmung *f*, Festsetzung *f*; **3.** Ermittlung *f*, Feststellung *f*; **4.** Bestimmtheit *f*, Entschlossenheit *f*, Zielstrebigkeit *f*; feste Absicht; **5.** Ziel *n*, Begrenzung *f*; Ablauf *m*, Ende *n*; **6.** Richtung *f*, Neigung *f*, Drang *m*; **de'ter·mi·na·tive** [-minətiv] **I.** *adj.* □ **1.** (näher) bestimmend, einschränkend; **2.** entscheidend; **II.** *s.* **3.** *et.* Entscheidendes *od.* Charakte'ristisches; **4.** *ling.* Determina'tivpro,nomen *n*; **de·ter·mine** [di'tə:min] **I.** *v/t.* **1.** entscheiden; regeln; **2.** *et.* bestimmen, festsetzen; beschließen (*a. to do* zu tun, *that* daß); **3.** feststellen, ermitteln, her'ausfinden; **4.** *j-n* bestimmen, veranlassen (*to do* zu tun); **5.** *bsd.* ⚖ beendigen, aufheben; **II.** *v/i.* **6.** (*on*) sich entscheiden (für), sich entschließen (zu); beschließen (*on doing* zu tun); **7.** *bsd.* ⚖ enden, ablaufen; **de'ter·mined** [-mind] *adj.* □ (fest) entschlossen, fest, entschieden, bestimmt; **de'ter·min·ism** [-minizəm] *s. phls.* Determi'nismus *m*.

de·ter·rence [di'terəns] *s.* Abschreckung *f*; **de'ter·rent** [-nt] **I.** *adj.* abschreckend; **II.** *s.* Abschreckungsmittel *n*.

de·test [di'test] *v/t.* verabscheuen, hassen; **de'test·a·ble** [-təbl] *adj.* □ ab'scheulich, hassenswert; **de·tes·ta·tion** [di:tes'teiʃən] *s.* (*of*) Verabscheuung *f* (*gen.*), Abscheu *m* (vor *dat.*): *to hold in* ~ verabscheuen.

de·throne [di'θroun] *v/t.* entthronen (*a. fig.*); **de'throne·ment** [-mənt] *s.* Entthronung *f*.

det·o·nate ['detouneit] **I.** *v/t.* explodieren lassen, zur Explosi'on bringen; **II.** *v/i.* explodieren; *mot.* klopfen; **'det·o·nat·ing** [-tiŋ] *adj.* ⊕ Spreng..., Zünd..., Knall...; **det·o·na·tion** [detou'neiʃən] *s.* Detonati'on *f*, Knall *m*; **'det·o·na·tor** [-tə] *s.* **1.** ⊕ **a)** Bri'sanzsprengstoff *m*, **b)** Zünd-, Sprengkapsel *f*; **2.** 🚂 'Knallsi,gnal *n*.

de·tour ['di:tuə], **dé·tour** [detu:r] **I.** *s.* **1.** 'Umweg *m*; Abstecher *m*; **2.** 'Umleitung *f*; Um'gehungsstraße *f*; **3.** *fig.* 'Umschweife *pl.*; **II.** *v/i.* **4.** e-n Umweg machen; **III.** *v/t.* **5.** e-n Umweg machen um; **6.** *Verkehr* 'umleiten.

de·tract [di'trækt] **I.** *v/t.* entziehen, wegnehmen; **II.** *v/i.* (*from*) her'absetzen, beeinträchtigen, schmälern (*acc.*), Abbruch tun (*dat.*); **de'trac·tion** [-kʃən] *s.* **1.** Her'absetzung *f*, Schmälerung *f*; **2.** Schmähung *f*, Verleumdung *f*; **de'trac·tor** [-tə] *s.* Verleumder(in), Lästerer *m*.

de·train [di:'trein] 🚂, ⚔ **I.** *v/i.* aussteigen; **II.** *v/t.* ausladen; **de'train·ment** [-mənt] *s.* **1.** Aussteigen *n*; **2.** Ausladen *n*.

det·ri·ment ['detrimənt] *s.* Schaden *m*, Nachteil *m*: *to the* ~ *of* zum Schaden *od.* Nachteil (*gen.*); *without* ~ *to* ohne Schaden für; **det·ri·men·tal** [detri'mentl] *adj.* □ (*to*) schädlich, nachteilig (für), abträglich (*dat.*).

de·tri·tal [di'traitl] *adj. geol.* Geröll..., Schutt...; **de'trit·ed** [-tid] *adj.* **1.** abgenützt; abgegriffen (*Münze*); *fig.* abgedroschen; **2.** *geol.* zerrieben, verwittert; **de·tri·tion** [di'triʃən] *s. geol.* Ab-, Zerreibung *f*; **de'tri·tus** [-təs] *s. geol.* Geröll *n*, Schutt *m*.

de trop [də'trou] (*Fr.*) *pred. adj.* unerwünscht, 'überflüssig.

deuce [dju:s] *s.* **1.** *Würfeln, Kartenspiel*: Zwei *f*; **2.** *Tennis*: Einstand *m*; **3.** F Teufel *m*: *who (what) the* ~? wer (was) zum Teufel?; *a* ~ *of a row* ein Mordskrach (*Lärm od. Streit*); *there's the* ~ *to pay* F das dicke Ende kommt noch; *to play the* ~ *with* Schindluder treiben mit *j-m*; **deuced** [-st] *adj.* □ F verteufelt, verflixt; **'deu·ced·ly** [-sidli] *adv.* F äußerst, ‚verdammt': ~ *uncomfortable*.

deu·te·ri·um [dju(:)'tiəriəm] *s.* ⚗ Deu'terium *n*, schwerer Wasserstoff.

Deu·ter·on·o·my [dju:tə'rɔnəmi] *s. bibl.* Deutero'nomium *n*, Fünftes Buch Mose.

de·val·u·ate [di:'væljueit] *Am.* → *devalue*; **de·val·u·a·tion** [di:vælju'eiʃən] *s.* ✝ Abwertung *f*; **de·val·ue** ['di:'vælju:] *v/t.* ✝ abwerten.

dev·as·tate ['devəsteit] *v/t.* verwüsten, vernichten (*beide a. fig.*); **'dev·as·tat·ing** [-tiŋ] *adj.* □ **1.** F *fig.* verheerend, niederschmetternd, vernichtend (*a. Kritik etc.*); **2.** *sl.* e'norm, phan'tastisch; **dev·as·ta·tion** [devəs'teiʃən] *s.* Verwüstung *f*; **'dev·as·ta·tor** [-tə] *s.* Verwüster *m*.

de·vel·op [di'veləp] **I.** *v/t.* **1.** *Theorie, Kräfte etc.* entwickeln (*a. phot.*); erweitern, ausdehnen; **2.** her'vorbringen, schaffen; entfalten; ⚔ *Angriff* eröffnen; **3.** *Bauland* erschließen, nutzbar machen; ausbauen, baulich 'umgestalten; **4.** her'ausbringen, darlegen; enthüllen, zeigen; **5.** sich *e-e Krankheit* zuziehen *od.* ‚holen'; **II.** *v/i.* **6.** sich entwickeln; entstehen; **7.** ~ *into* sich entwickeln zu, zu *et.* werden; **8.** sich entfalten; **9.** *Am.* sich zeigen, bekanntwerden; **10.** bekommen, erlangen; **de'vel·op·er** [-pə] *s.* **1.** *phot.* Entwickler *m*; **2.** *late* ~ *bsd. ped.* Spätentwickler; **3.** (Stadt-)Planer *m*; **de'vel·op·ing** [-piŋ] *adj.*: ~ *bath phot.* Entwicklungsbad; ~ *country pol.* Entwicklungsland.

de·vel·op·ment [di'veləpmənt] *s.* **1.** Entwicklung *f* (*a. phot.*); **2.** Entfaltung *f*, Entstehen *n*, Bildung *f*, Wachstum *n*; Schaffung *f*; **3.** Erschließung *f*, Ausbau *m*, 'Umgestaltung *f*: *ripe for* ~ baureif; **4.** Darlegung *f*; 'Durchführung *f* (*a.* ♪); ~ **a·re·a** *s.* Notstandsgebiet *n*; ~ **coun·try** *s. pol.* Entwicklungsland *n*.

dé·vi·ate ['di:vieit] **I.** *v/i.* abweichen, abgehen, abkommen (*from* von); **II.** *v/t.* ablenken.

de·vi·a·tion [di:vi'eiʃən] *s.* **1.** Abweichung *f*, Abweichen *n* (*from* von); **2.** *bsd. phys., opt.* Ablenkung *f*; **3.** ✈, ⚓ Abweichung *f*, Ablenkung *f*, Abtrieb *m*; **4.** *teleph.* 'Umleitung *f*; **de·vi'a·tion·ism** [-ʃənizəm] *s. pol.* Abweichen *n* von der Par'tei,linie; **de·vi'a·tion·ist** [-ʃənist], **de·vi·a·tor** ['di:vieitə] *s. pol.* nicht 'linientreues Mitglied e-r Par'tei.

de·vice [di'vais] *s.* **1.** Plan *m*, Einfall *m*, Erfindung *f*: *left to one's own* ~*s* sich selbst überlassen; **2.** Anschlag *m*, böse Absicht, Kniff *m*; **3.** ⊕ Vor-, Einrichtung *f*, Gerät *n*; *fig.* Behelf *m*, Kunstgriff *m*; **4.** Wahlspruch *m*, De'vise *f*; **5.** *her.* Sinn-, Wappenbild *n*; **6.** Muster *n*, Zeichnung *f*.

dev·il ['devl] **I.** *s.* **1.** *the* ~, *a. the* ♀ der Teufel: *between the* ~ *and the deep sea fig.* zwischen zwei Feuern, in auswegloser Lage; *like the* ~ F wie der Teufel, wie wahnsinnig;

to go to the ~ *sl.* zum Teufel *od.* vor die Hunde gehen; *go to the* ~*!* scher dich zum Teufel!; *the* ~ *take the hindmost* den Letzten beißen die Hunde; *there's the* ~ *to pay* F das dicke Ende kommt noch; *the* ~*!* F **a)** (*verärgert*) zum Teufel!, zum Henker!, **b)** (*erstaunt*) Donnerwetter!; **2.** Teufel *m*, böser Geist, 'Satan *m* (*a. fig.*); → *due 9*; **3.** *fig.* Laster *n*, Übel *n*; **4.** *poor* ~ armer Teufel *od.* Schlucker; **5.** Teufelskerl *m*, Draufgänger *m*; **6.** *a* (*od. the*) ~ F e-e verflixte Sache: ~ *of a job* Heiden-, Mordsarbeit; *who* (*what, how*) *the* ~ ... wer (was, wie) zum Teufel ...; ~ *a one* kein einziger; **7.** Handlanger *m*, Laufbursche *m*; **8.** ⚖ *meist unbezahlter* Referen'dar (*bei e-m barrister*); **9.** scharf gewürztes Gericht; **10.** ⊕ Reißwolf *m*; **II.** *v/t.* **11.** *Am.* F schikanieren, piesacken; **12.** scharf gewürzt braten; **13.** ⊕ zerfasern, wolfen; **III.** *v/i.* **14.** als Referendar (*bei e-m barrister*) arbeiten; '~-**dodg·er** *s.* F **1.** Prediger *m*; **2.** Betbruder *m*, -schwester *f*; '~-**fish** *s. ichth.* Seeteufel *m*.

dev·il·ish ['devliʃ] **I.** *adj.* □ **1.** teuflisch; **2.** F fürchterlich, verteufelt; **II.** *adv.* **3.** F verteufelt, schrecklich.

'**dev·il-may-'care** *adj.* **1.** leichtsinnig, ‚wurstig'; **2.** verwegen.

dev·il·ment ['devlmənt] *s.* **1.** Unfug *m*; **2.** Schurkenstreich *m*; **dev·il·ry** ['devlri] *s.* **1.** Teufe'lei *f*, Grausamkeit *f*, Schurke'rei *f*; **2.** 'Übermut *m*; **3.** Teufelsbande *f*.

dev·il's| ad·vo·cate ['devlz] *s. R.C.* Advo'catus *m* Di'aboli (*a. fig.*), Teufelsanwalt *m*; ~ **bones** *s. pl.* Würfel(spiel *n*) *pl.*; ~ **books** *s. pl.* Spielkarten *pl.*; '~-'**darn·ing-nee·dle** *s. zo.* Li'belle *f*.

'**dev·il-wor·ship** *s.* Teufelsdienst *m*, -anbetung *f*.

de·vi·ous ['di:vjəs] *adj.* □ **1.** abwegig, irrig, gewunden: ~ *path* Ab-, Umweg; **2.** verschlagen, unredlich: *by* ~ *means* auf krummen Wegen, ‚hintenherum'; ~ *step* Fehltritt; '**de·vi·ous·ness** [-nis] *s.* **1.** Abwegigkeit *f*, Abweichung *f*; **2.** Unaufrichtigkeit *f*; Verschlagenheit *f*.

de·vis·a·ble [di'vaizəbl] *adj.* **1.** erdenkbar, -lich; **2.** ⚖ vererbbar; **de·vise** [di'vaiz] **I.** *v/t.* **1.** ausdenken, ersinnen, erfinden, konstruieren; **2.** ⚖ *Grundbesitz* vermachen, hinter'lassen (*to dat.*); **II.** *s.* **3.** ⚖ Vermächtnis *n*; **dev·i·see** [devi'zi:] *s.* ⚖ Vermächtnisnehmer(in); **de·vis·er** [di'vaizə] *s.* Erfinder(in); Planer(in); **de·vi·sor** [devi'zɔ:] *s.* ⚖ 'Erb-lasser(in).

de·vi·tal·i·za·tion [di:vaitəlai'zeiʃən] *s.* Schwächung *f* der Lebenskraft; **de·vi·tal·ize** [di:'vaitəlaiz] *v/t.* entkräften, schwächen.

de·void [di'vɔid] *adj.*: ~ *of* ohne (*acc.*), leer an (*dat.*), frei von, bar (*gen.*), ...los: ~ *of feeling* gefühllos.

de·voir [de'vwɑ:] (*Fr.*) *s. obs.* **1.** Pflicht *f*; **2.** *pl.* Höflichkeitsbezeigungen *pl.*, Artigkeiten *pl.*

dev·o·lu·tion [di:və'lu:ʃən] *s.* **1.** Ab-, Verlauf *m*; **2.** *bsd.* ⚖ 'Übergang *m*, Über'tragung *f*; Heimfall *m*; *parl.* Über'weisung *f*; **3.** ˌDezentralisa'ti'on *f*; **4.** *biol.* Entartung *f*.

de·volve [di'vɔlv] **I.** *v/t.* **1.** (*upon*) über'tragen (*dat.*), abwälzen (auf *acc.*); **II.** *v/i.* **2.** (*on, upon*) 'übergehen (auf *acc.*), zufallen (*dat.*); sich vererben auf (*acc.*); **3.** *j-m* obliegen.

De·vo·ni·an [de'vounjən] **I.** *adj.* **1.** Devonshire betreffend; **2.** *geol.* de'vonisch; **II.** *s.* **3.** Bewohner(in) von Devonshire; **4.** *geol.* De'von *n*.

de·vote [di'vout] *v/t.* (*to dat.*) **1.** widmen, opfern, weihen, hingeben; **2.** ~ *o.s.* sich widmen *od.* hingeben; sich verschreiben; **de'vot·ed** [-tid] *adj.* □ **1.** hingebungsvoll, ergeben; eifrig; **2.** anhänglich, liebevoll, zärtlich; **3.** gläubig; **4.** ~ *head* todgeweihtes Haupt; **dev·o·tee** [devou'ti:] *s.* **1.** (eifriger) Anhänger; **2.** Verehrer *m*; Verfechter *m*; **3.** Frömmler *m*; **4.** Ze'lot *m*; **de'vo·tion** [-ouʃən] *s.* **1.** Widmung *f*, Hingabe *f*, Ergebenheit *f*, (Auf)Opferung *f*; **2.** (Pflicht)Eifer *m*; **3.** Anhänglichkeit *f*, Liebe *f*; Verehrung *f*; **4.** Andacht *f*, Frömmigkeit *f*; **5.** *pl.* Gebet(e *pl.*) *n*; **de'vo·tion·al** [-ouʃənl] *adj.* **1.** andächtig, fromm; **2.** Andachts...: ~ *book* Erbauungsbuch.

de·vour [di'vauə] *v/t.* **1.** verschlingen, fressen; **2.** wegraffen; verzehren, vernichten; **3.** *fig. Buch* verschlingen; *mit Blicken* verschlingen *od.* verzehren; **4.** *pass.* to be ~*ed by* sich verzehren vor (*Gram etc.*); **de'vour·ing** [-əriŋ] *adj.* □ **1.** gierig; **2.** *fig.* verzehrend, vernichtend; brennend.

de·vout [di'vaut] *adj.* □ **1.** fromm; andächtig; **2.** innig, herzlich; **3.** sehnlich, eifrig; **de'vout·ness** [-nis] *s.* **1.** Frömmigkeit *f*; **2.** Andacht *f*, Hingabe *f*; **3.** Innigkeit *f*, Inbrunst *f*.

dew [dju:] *s.* **1.** Tau *m*; **2.** *fig.* Tau *m*: **a)** Frische *f*, **b)** Feuchtigkeit *f*, Tränen *pl.*; '~-**ber·ry** *s.* ⚘ *e-e* Brombeere; '~-**drop** *s.* Tautropfen *m*.

dew·i·ness ['dju:inis] *s.* Tauigkeit *f*, (Tau)Feuchtigkeit *f*.

'**dew|·lap** *s.* **1.** *zo.* Wamme *f*; **2.** F Doppelkinn *n*; '~-**point** *s. phys.* Taupunkt *m*; '~-**worm** *s. zo.* großer Regenwurm.

dew·y ['dju:i] *adj.* □ **1.** taufeucht; **2.** feucht; *poet.* um'flort (*Augen*); **3.** frisch, erfrischend.

dex·ter ['dekstə] *adj.* **1.** recht, rechts(seitig); **2.** *her.* rechts (*vom Beschauer aus links*); **dex·ter·i·ty** [deks'teriti] *s.* **1.** Handfertigkeit *f*, Geschicklichkeit *f*; **2.** Gewandtheit *f*; **3.** Rechtshändigkeit *f*; '**dex·ter·ous** [-tərəs] *adj.* □ **1.** gewandt, geschickt, be'hend, flink; **2.** rechtshändig; '**dex·tral** [-trəl] *adj.* □ **1.** rechtsseitig; **2.** rechtshändig.

dex·trin ['dekstrin] *s.* ⚗ Dex'trin *n*.

dextro- [dekstro] *in Zssgn* (nach) rechts.

dex·trose ['dekstrous] *s.* ⚗ Dex'trose *f*, Traubenzucker *m*.

dex·trous ['dekstrəs] → *dexterous*.

dhar·ma ['dɑ:mə; 'də:-] *s.* 'Dharma *n* (*in Indien: Tugend, Pflicht, Gesetz, Lehre*).

dhoo·ti ['du:ti], **dho·ti** ['douti] *pl.* **-tis** [-tiz] *s.* (*Indien*) Lendentuch *n* (*der Männer*).

di- [dai] *in Zssgn* zwei, doppelt.

di·a·be·tes [daiə'bi:ti:z] *s.* ⚕ Dia'betes *m*, Zuckerkrankheit *f*; **di·a·bet·ic** [daiə'betik] **I.** *adj.* dia'betisch, zuckerkrank; **II.** *s.* Dia'betiker(in), Zuckerkranke(r *m*) *f*.

di·a·ble·rie [di'ɑ:bləri:] *s.* Zaube'rei *f*, Hexe'rei *f*.

di·a·bol·ic *adj.*; **di·a·bol·i·cal** [daiə'bɔlik(əl)] *adj.* □ dia'bolisch, teuflisch; **di·ab·o·lism** [dai'æbəlizəm] *s.* **1.** Teufe'lei *f*; **2.** Teufelskult *m*; **di·ab·o·lo** [di'ɑ:bəlou] *s.* Di'abolo (-spiel) *n*.

di·ac·id [dai'æsid] *adj.* ⚗ zweisäurig.

di·ac·o·nal [dai'ækənl] *adj. eccl.* Diakons...; **di'ac·o·nate** [-nit] *s. eccl.* Diako'nat *n*.

di·a·crit·ic [daiə'kritik] **I.** *adj.* dia'kritisch, unter'scheidend; **II.** *s. ling.* diakritisches Zeichen; **di·a'crit·i·cal** [-kəl] → *diacritic I*.

di·ac·tin·ic [daiæk'tinik] *adj. phys.* die ak'tinischen Strahlen 'durchlassend.

di·a·dem ['daiədem] *s.* **1.** Dia'dem *n*, Stirnband *n*; **2.** Hoheit *f*, Herrscherwürde *f*, -gewalt *f*.

di·aer·e·sis [dai'iərisis] *s. ling.* **a)** Diä'rese *f*, **b)** 'Trema *n*.

di·ag·nose ['daiəgnouz] *v/t.* **1.** ⚕ diagnostizieren; **2.** bestimmen, feststellen; **di·ag·no·sis** [daiəg'nousis] *pl.* **-ses** [-si:z] *s.* **1.** ⚕ Dia'gnose *f*; **2.** Beurteilung *f*, Bestimmung *f*, Befund *m*; **di·ag·nos·tic** [daiəg'nɔstik] ⚕ **I.** *adj.* (□ ~*ally*) dia'gnostisch; **II.** *s.* **a)** Sym'ptom *n*, **b)** *pl.* Dia'gnostik *f*; **di·ag·nos·ti·cian** [daiəgnɔs'tiʃən] *s.* ⚕ Dia'gnostiker(in).

di·ag·o·nal [dai'ægənl] **I.** *adj.* □ **1.** diago'nal; schräg(laufend), über Kreuz; **II.** *s.* **2.** *a.* ~ *line* ∡ Diago'nale *f*; **3.** *a.* ~ *cloth* Diago'nal *m*, schräggeripptes Gewebe.

di·a·gram ['daiəgræm] *s.* Dia'gramm *n*, 'graphische Darstellung, Schaubild *n*, Plan *m*, 'Schema *n*; **di·a·gram·mat·ic** [daiəgrə'mætik] *adj.* (□ ~*ally*) diagram'matisch, graphisch, sche'matisch; '**di·a·graph** [-grɑ:f; -græf] *s.* ⊕ Dia'graph *m*.

di·al ['daiəl] **I.** *s.* **1.** Zifferblatt *n* (*Uhr*); **2.** *a.* ~-*plate* ⊕ 'Skala *f*, 'Skalen-, Ziffernscheibe *f*; **3.** *teleph.* Wähler-, Nummernscheibe *f*: ~ *telephone* Selbstanschlußtelephon; ~ (*od.* ~[*l*]*ing*) *tone* Amtszeichen; **4.** *Radio*: Skalenscheibe *f*, (*runde*) Skala: ~ *light* Skalenbeleuchtung; **5.** → *sun-dial*; **6.** *sl.* Vi'sage *f* (*Gesicht*); **II.** *v/t.* **7.** *teleph.* wählen: ~(*l*)*ing code* Vorwählnummer.

di·a·lect ['daiəlekt] *s.* Dia'lekt *m*, Mundart *f*; **di·a·lec·tal** [daiə'lektl] *adj.* □ dia'lektisch, mundartlich; **di·a·lec·tic** [daiə'lektik] **I.** *adj.* **1.** *phls.* dia'lektisch; **2.** spitzfindig; **3.** *ling.* → *dialectal*; **II.** *s.* **4.** *oft pl. phls.* Dia'lektik *f*; **5.** Spitzfindigkeit *f*; **di·a·lec·ti·cal** [daiə'lektikəl] *adj.* □ **1.** → *dialectal*; **2.** → *dialectic 1, 2, 3*; **di·a·lec·ti·cian** [daiəlek'tiʃən] *s. phls.* Dia'lektiker *m*.

di·a·logue, *Am. a.* **di·a·log** ['daiəlɔg] *s.* Dia'log *m*, (Zwie)Gespräch *n*; ~ **track** *s. Film*: Sprechband *n*.

di·am·e·ter [dai'æmitə] *s.* **1.** ∡ Dia-

'meter *m*, 'Durchmesser *m*; **2.** Durchmesser *m*, Dicke *f*, Stärke *f*: *inner* ~ lichte Weite; **di·a·met·ri·cal** [daiə'metrikəl] *adj.* □ **1.** dia'metrisch; **2.** *fig.* diame'tral, genau entgegengesetzt.

di·a·mond ['daiəmənd] **I.** *s.* **1.** *min.* Dia'mant *m*: *black* ~ **a)** schwarzer Diamant, **b)** *fig.* (Stein)Kohle; *rough* ~ **a)** ungeschliffener Diamant, **b)** *fig.* Mensch mit gutem Kern u. rauher Schale; ~ *cut* ~ Wurst wider Wurst, List gegen List; **2.** *a. cutting* ~ ⊕ 'Glaserdia,mant *m*; **3.** ⩕ **a)** Raute *f*, 'Rhombus *m*, **b)** spitzgestelltes Viereck; **4.** *Kartenspiel*: 'Karo *n*; **5.** *Baseball*: **a)** *rautenförmiges* Spielfeld, **b)** 'Malqua,drat *n*; **6.** ✝ Raute *f*, Karo *n* (*als Kistenmarke etc.*); **7.** *typ.* Dia'mant (-schrift) *f*; **II.** *v/t.* **8.** (wie) mit Diamanten schmücken; **III.** *adj.* **9.** dia'manten, Diamant...; ~ **cut·ter** *s.* Dia'mantschleifer *m*; '~**-drill** *s.* ⊕ Dia'mantbohrer *m*; '~**-field** *s.* Dia'mantenfeld *n*; '~-'**ju·bi·lee** *s.* dia'mantenes Jubi'läum; '~**-mine** *s.* Dia'mantengrube *f*; ~ **pane** *s.* rautenförmige Fensterscheibe; ~ **set·ter** *s.* Dia'mantenfasser *m*; '~**-shaped** *adj.* rautenförmig; ~ **wedding** *s.* dia'mantene Hochzeit.

di·an·thus [dai'ænθəs] *s.* ♀ Nelke *f*.

di·a·pa·son [daiə'peisn] *s.* **1.** *antiq.* ♪ Ok'tave *f*; **2.** ♪ 'Ton-, 'Stimm-,umfang *m*; **3.** ♪ Men'sur *f* (*Orgel*); **4.** Zs.-klang *m*; har'monisches Ganzes; **5.** *fig.* 'Umfang *m*, Bereich *m*.

di·a·per ['daiəpə] **I.** *s.* **1.** karierte *od.* rautenförmig gemusterte Leinwand; **2.** *a.* ~ *pattern* Rauten-, 'Karomuster *n*; **3.** *Am.* Windel *f*; **4.** Monatsbinde *f*; **II.** *v/t.* **5.** mit Rautenmuster verzieren; ~ **rash** *s.* ⚕ Wundsein *n beim Säugling*.

di·aph·a·nous [dai'æfənəs] *adj.* 'durchsichtig, -scheinend.

di·a·pho·ret·ic [daiəfə'retik] *adj. u. s.* ⚕ schweißtreibend(es Mittel).

di·a·phragm ['daiəfræm] *s.* **1.** *anat.* Scheidewand *f*, *bsd.* Zwerchfell *n*; **2.** ⚕ Pes'sar *n*; **3.** *teleph. etc.* Mem'bran(e) *f*; **4.** *opt.*, *phot.* Blende *f*; ~ **pump** *s.* ⊕ Mem'branpumpe *f*; ~ **shut·ter** *s.* *phot.* Zen'tralverschluß *m*.

di·arch·y ['daiɑːki] *s.* Diar'chie *f*, Doppelherrschaft *f*.

di·a·rist ['daiərist] *s.* Tagebuchschreiber(in); **di·a·rize** ['daiəraiz] **I.** *v/i.* Tagebuch führen; **II.** *v/t.* ins Tagebuch eintragen.

di·ar·rh(o)e·a [daiə'riə] *s.* ⚕ Diar'rhöe *f*, 'Durchfall *m*.

di·a·ry ['daiəri] *s.* **1.** Tagebuch *n*: *to keep a* ~ ein Tagebuch führen; **2.** 'Taschenka,lender *m*, (Vor)Merkbuch *n*.

Di·as·po·ra [dai'æspərə] *s.* Di'aspora *f*: **a)** *die in der Zerstreuung lebenden Juden*, **b)** *die unter Heiden lebenden Judenchristen*.

di·a·ther·my ['daiəθəːmi] *s.* ⚕ Diather'mie *f*.

di·ath·e·sis [dai'æθisis] *pl.* **-ses** [-siːz] *s.* ⚕ Veranlagung *f*, Krankheitsneigung *f*.

di·a·tom ['daiətəm] *s.* ♀ Diato'mee *f*, Kieselalge *f*.

di·a·to·ma·ceous [daiətə'meiʃəs] *adj.* Diatomeen...; ~ **earth** *s.* *geol.* Kieselgur *f*.

di·a·ton·ic [daiə'tɔnik] *adj.* ♪ dia'tonisch.

di·a·tribe ['daiətraib] *s.* gehässiger Angriff, Hetze *f*, Hetzrede *f od.* -schrift *f*.

dib [dib] *s.* **1.** *pl. sg. konstr. Brit.* (*Kinder*)Spiel *n* mit Knöchelchen; **2.** Spielmarke *f*; **3.** *pl. sl.* Mo'neten *pl.* (*Geld*).

dib·ber ['dibə] → *dibble I.*

dib·ble ['dibl] **I.** *s.* Dibbelstock *m*, Pflanz-, Setzholz *n*; **II.** *v/t. a.* ~ *in* mit e-m Setzholz pflanzen; **III.** *v/i.* mit e-m Setzholz Löcher machen, dibbeln.

dice [dais] **I.** *s. pl. von die*[1] *1* Würfel *pl.*, Würfelspiel *n*: *to play (at)* ~ → *II*; → *load 8*; **II.** *v/i.* würfeln, knobeln; **III.** *v/t.* *Küche*: in Würfel schneiden; '~**-box** *s.* Würfel-, Knobelbecher *m*.

dic·er ['daisə] *s.* Würfelspieler(in).

di·chot·o·my [di'kɔtəmi] *s.* **1.** *Logik*: Zweiteilung *f e-s Begriffs*; **2.** ♀, *zo.* wieder'holte Gabelung; **3.** *fig.* Zwiespalt *m*.

di·chro·mat·ic [daikrou'mætik] *adj.* *bsd. biol.* dichro'matisch, zweifarbig.

dick[1] [dik] *s. Am. sl.* ‚Krimi'naler' *m*, Schnüffler *m*: *private* ~ Privatdetektiv.

Dick[2] [dik] *npr. abbr. für Richard*; → *Tom 3*.

dick·ens ['dikinz] *s. sl.* Teufel *m*: *what the* ~! was zum Teufel!; ~ *of a mess* Schlamassel.

dick·er[1] ['dikə] *v/i.* feilschen, schachern (*with* mit *j-m*, *for* um *et.*).

dick·er[2] ['dikə] *s.* ✝ zehn Stück.

dick·(e)y ['diki] *s.* F **1.** Hemdbrust *f*, Vorhemd *n*; Bluseneinsatz *m*; **2.** Kinderlätzchen *n*, Schürzchen *n*; **3.** *a.* ~*-bird* Vögelchen *n*, Piepmatz *m*; **4.** Rück-, Not-, Klappsitz *m*; **5.** Dienersitz *m* (*Wagen*); **6.** Esel *m*.

dick·y ['diki] *adj. sl.* kränklich, schwächlich; jämmerlich; wackelig (*a. fig. u.* ✝).

di·cot·y·le·don ['daikɔti'liːdən] *s.* ♀ Diko'tyle *f*, zweikeimblättrige Pflanze; **di·cot·y·le·don·ous** [daikɔti'liːdənəs] *adj.* ♀ zweikeimblättrig.

dic·ta ['diktə] *pl. von dictum*.

dic·tate [dik'teit] **I.** *v/t.* (*to dat.*) **1.** *Brief etc.* diktieren; **2.** diktieren, vorschreiben, gebieten; **3.** auferlegen; **4.** eingeben; **II.** *v/i.* **5.** diktieren, ein Dik'tat geben; **6.** diktieren, befehlen: *he will not be* ~*d to* er läßt sich keine Vorschriften machen; **III.** *s.* ['dikteit] **7.** Gebot *n*, Befehl *m*, Diktat *n*; Eingebung *f*, Mahnung *f*: *the* ~*s of reason* das Gebot der Vernunft; **dic'ta·tion** [-eiʃən] *s.* **1.** Dik'tat *n*: **a)** Diktieren *n*, **b)** Dik'tatschreiben *n*, **c)** diktierter Text; **2.** Gebot *n*, Geheiß *n*; **dic'ta·tor** [-tə] *s.* Dik'tator *m*, Gewalthaber *m*; **dic·ta·to·ri·al** [diktə'tɔːriəl] *adj.* □ dikta'torisch: **a)** gebieterisch, **b)** 'unum,schränkt (*Macht etc.*); **dic'ta·tor·ship** [-təʃip] *s.* Dikta'tur *f*; **dic'ta·tress** [-tris] *s.* Dikta'torin *f*.

dic·tion ['dikʃən] *s.* Dikti'on *f*, Ausdrucksweise *f*, Stil *m*; Sprache *f*, Vortrag *m*.

dic·tion·ar·y ['dikʃənri] *s.* **1.** Wörterbuch *n*; **2.** (einsprachiges) enzyklo'pädisches Wörterbuch; **3.** Lexikon *n*, Enzyklopä'die *f*: *a walking (od. living)* ~ *fig.* ein wandelndes Lexikon.

dic·to·graph ['diktəgrɑːf; -græf] *s.* Abhörgerät *n* (*beim Telefon*).

dic·tum ['diktəm] *pl.* **-ta** [-tə] **-tums** *s.* **1.** Machtspruch *m*; **2.** ⚖ nicht rechtsverbindlicher Ausspruch des Richters; **3.** Spruch *m*, geflügeltes Wort.

did [did] *pret. von do*[1].

di·dac·tic [di'dæktik] *adj.* (□ ~*ally*) **1.** di'daktisch, lehrhaft, belehrend; **2.** schulmeisterlich.

did·dle[1] ['didl] *v/t. sl.* beschwindeln, betrügen, übers Ohr hauen.

did·dle[2] ['didl] *v/i. Am. sl.* zappeln.

did·n't ['didnt] F *für did not*.

didst [didst] *2. sg. obs. pret. von do*[1].

die[1] [dai] *v/i. p.pr.* **dy·ing** ['daiiŋ] **1.** sterben: *to* ~ *of cholera* an (der) Cholera sterben; *to* ~ *of old age* an Altersschwäche sterben; *to* ~ *of hunger* Hungers sterben, verhungern; *to* ~ *from a wound* an e-r Verwundung sterben; *to* ~ *a violent death* e-s gewaltsamen Todes sterben; *to* ~ *of laughing (od. with laughter) fig.* sich totlachen; *dying with sleep fig.* todmüde; *to* ~ *of boredom fig.* vor Lange(r)weile umkommen; *to* ~ *a beggar* als Bettler sterben; *to* ~ *game* kämpfend sterben (*a. fig.*); *to* ~ *hard* **a)** ein zähes Leben haben, ‚nicht tot zu kriegen sein', **b)** nicht nachgeben; *never say* ~! nur nicht verzweifeln!, Kopf hoch!; → *bed 1*, *boot*[1] *1*, *ditch 1*, *harness 1*; **2.** eingehen (*Pflanze*, *Tier*), verenden (*Tier*); **3.** *fig.* ver-, 'untergehen, schwinden, aufhören, sich verlieren, verhallen, erlöschen, vergessen werden; **4.** *mst to be dying* (*for*; *to inf.*) sich sehnen (nach; danach, zu *inf.*), brennen (auf *acc.*; darauf, zu *inf.*): *I am dying to* ... ich würde schrecklich gern *wissen etc.*;

Zssgn mit adv.:

die| a·way *v/i.* **1.** schwächer werden, nachlassen, sich verlieren, schwinden; **2.** ohnmächtig werden; ~ **back** *v/i.* ♀ (bis auf die Wurzeln) absterben; ~ **down** *v/i.* **1.** → *die away 1*; **2.** → *die back*; ~ **off** *v/i.* hin-, wegsterben; ~ **out** *v/i.* aussterben (*a. fig.*).

die[2] [dai] *s.* **1.** *pl. dice* Würfel *m*: *the* ~ *is cast* die Würfel sind gefallen; → *dice*, *straight 4*; **2.** *pl. dies* ⚠ Würfel *m* e-s Sockels; **3.** *pl. dies* ⊕ **a)** (Preß-, Spritz)Form *f*, Gesenk *n*: *lower* ~ Matrize; *upper* ~ Patrize, **b)** (*Münz*)Prägestempel *m*, **c)** Schneideisen *n*, Stanze *f*, **d)** Gußform *f*.

'**die|-a·way** *adj.* schmachtend; ~ **cast·ing** *s.* ⊕ Spritzguß *m*; '~**-hard** **I.** *s.* **1.** unnachgiebiger Mensch, Unentwegte(r *m*) *f*; **2.** *pol.* hartnäckiger Reaktio'när; **II.** *adj.* **3.** hartnäckig, verstockt, zäh, nicht 'umzubringen(d); ~ **head** *s.* ⊕ Schneidkopf *m*.

di·e·lec·tric [daii'lektrik] ⚡ **I.** *s.* Die'lektrikum *n*; **II.** *adj.* (□ ~*ally*) die'lektrisch: ~ *strength* Spannungs-, Durchschlagfestigkeit.

di·er·e·sis *Am.* → *diaeresis.*

Die·sel en·gine ['di:zəl] *s.* ⊕ 'Diesel-ˌmotor *m.*

die·sel·i·za·tion [di:zəlai'zeiʃən] *s.* ⊕ Verdieselung *f*; **die·sel·ize** ['di:zəlaiz] *v/t.* ⊕ verdieseln; **diesel oil** *s.* Dieselöl *n.*

'**die-sink·er** *s.* ⊕ Stempelschneider *m*, Werkzeugmacher *m.*

di·es non ['daii:z'nɔn] *s.* **1.** ⚖ gerichtsfreier Tag; **2.** *fig.* Tag, der nicht zählt.

'**die-stock** *s.* ⊕ Schneidkluppe *f.*

di·et[1] ['daiət] *s.* **1.** Parla'ment *n* (*nicht brit. od. amer.*), Landtag *m*, Reichstag *m*; **2.** Tagung *f.*

di·et[2] ['daiət] **I.** *s.* **1.** Nahrung *f*, Ernährung *f*, Kost *f*: *vegetable* ~ vegetarische Kost; *full* (*low*) ~ reichliche (magere) Kost; **2.** ⚕ Di'ät *f*, Krankenkost *f*: *to be* (*put*) *on a* ~ auf Diät gesetzt sein, diät leben (müssen) **II.** *v/t.* **3.** *j-n* auf Diät setzen: *to* ~ *o.s.* Diät halten, sich kasteien; **III.** *v/i.* **4.** Diät halten; '**di·e·tar·y** [-təri] ⚕ **I.** *adj.* **1.** diä'tetisch, Diät...; **II.** *s.* **2.** Di'ätvorschrift *f*; **3.** 'Speise(ratiˌon) *f.*

di·e·tet·ic [daii'tetik] *adj.* (□ ~*ally*) → *dietary 1*; **di·e'tet·ics** [-ks] *s. pl. sg. od. pl. konstr.* ⚕ Diä'tetik *f*, Di'ätkunde *f*; **di·e'ti·tian, di·e'ti·cian** [-'tiʃən] *s.* ⚕ Di'ätspeziaˌlist (-in).

dif·fer ['difə] *v/i.* **1.** sich unter'scheiden, verschieden sein, abweichen (*from* von); **2.** (*mst with, a. from*) nicht über'einstimmen (mit), anderer Meinung sein (als): *I beg to* ~ ich bin (leider) anderer Meinung; **3.** uneinig sein (*on* über *acc.*); → *agree* 2; **dif·fer·ence** ['difrəns] *s.* **1.** 'Unterschied *m*, Verschiedenheit *f*: ~ *in price* Preisunterschied; ~ *of opinion* Meinungsverschiedenheit; *that makes a* ~ das ändert die Sache; *that makes all the* ~ darin liegt der ganze Unterschied; *it makes no* ~ (*to me*) es ist (mir) gleich(gültig); *what's the* ~? was macht es schon aus?; **2.** 'Unterschied *m*, unter'scheidendes Merkmal: *the* ~ *between him and his brother*; **3.** Unterschied *m* (*in Menge*), Diffe'renz *f* (*a.* ✝, ⩕): *to split the* ~ **a**) sich in die Differenz teilen, **b**) sich auf halbem Wege treffen; **4.** Besonderheit *f*: *a cake with a* ~ ein Kuchen von ganz besonderer Art; **5.** Meinungsverschiedenheit *f*, Differenz *f*: *to settle a* ~ e-n Streit beilegen; **dif·fer·ent** ['difrənt] *adj.* □ **1.** (*from, a. to*) verschieden (von), abweichend (von); anders (*pred.* als), ander (*attr.* als): *in two* ~ *countries* in zwei verschiedenen Ländern; *that's a* ~ *matter* das ist etwas anderes; *at* ~ *times* verschiedentlich, mehrmals; **2.** außergewöhnlich, besonder.

dif·fer·en·tial [difə'renʃəl] **I.** *adj.* □ **1.** 'unterschiedlich, charakte'ristisch, Unterscheidungs...; **2.** ⊕, ⚡, ⩕, *phys.* Differential...; **3.** ✝ abgestuft, gestaffelt; Sonder...; **II.** *s.* **4.** ⊕, *mot.* Differenti'al-, Ausgleichsgetriebe *n*; **5.** ⩕ Differenti'al *n*; **6.** ✝ ('Preis-, 'Lohn)Diffeˌrenz *f*, (-)Gefälle *n*, Lohnstufe *f*; ~ **cal·cu·lus** *s.* ⩕ Differenti'alrechnung *f*; ~ **du·ty** *s.* ✝ Differenti'alzoll *m*; ~ **gear** *s.* ⊕ Differential-, Ausgleichsgetriebe *n*; ~ **rate** *s.* ✝ 'Ausnahmetaˌrif *m.*

dif·fer·en·ti·ate [difə'renʃieit] **I.** *v/t.* **1.** (*between*) einen 'Unterschied machen, unter'scheiden (zwischen *dat.*); **2.** (*from*) unterscheiden, trennen (von): *to be* ~*d* sich verschieden entwickeln; **II.** *v/i.* **3.** sich unterscheiden *od.* entfernen; sich verschieden entwickeln; **dif·fer·en·ti·a·tion** [difərenʃi'eiʃən] *s.* Unter'scheidung *f*; Differenzierung *f*; 'unterschiedliche Behandlung *od.* Entwicklung; Teilung *f.*

dif·fi·cult ['difikəlt] *adj.* **1.** schwierig, schwer; **2.** beschwerlich, mühsam; **3.** schwierig, schwer zu behandeln(d); '**dif·fi·cul·ty** [-ti] *s.* **1.** Schwierigkeit *f*: **a**) Mühe *f*: *with* ~ schwer, mühsam; *to have* (*od. find*) ~ *in doing s.th.* et. schwierig (zu tun) finden, **b**) schwierige Sache, **c**) Hindernis *n*, 'Widerstand *m*: *to come up against a* ~ auf Widerstand stoßen; *to make difficulties* Schwierigkeiten bereiten; **2.** *oft pl.* (*a.* Geld)Schwierigkeiten *pl.*, (-)Verlegenheit *f.*

dif·fi·dence ['difidəns] *s.* Schüchternheit *f*, mangelndes Selbstvertrauen; '**dif·fi·dent** [-nt] *adj.* □ schüchtern, ohne Selbstvertrauen, scheu: *to be* ~ *in doing* sich scheuen zu tun.

dif·fract [di'frækt] *v/t. phys.* beugen; **dif'frac·tion** [-kʃən] *s. phys.* Beugung *f*, Diffrakti'on *f.*

dif·fuse [di'fju:z] **I.** *v/t.* **1.** ausgießen, -schütten; **2.** *bsd. fig.* aus-, zerstreuen, verbreiten; **3.** ⚗, *phys.*, *opt.* diffundieren: **a**) zerstreuen, **b**) vermischen, **c**) durch'dringen; **II.** *v/i.* **4.** sich zerstreuen, sich verbreiten; **5.** ⚗, *phys.* **a**) sich vermischen, **b**) diffundieren, eindringen; **III.** *adj.* [di'fju:s] □ **6.** weitschweifig, langatmig; **7.** zerstreut, verbreitet; **dif'fused** [-zd] *adj.*, **dif'fus·ed·ly** [-zidli] *adv.* zerstreut (*Licht*), verbreitet; **dif·fus·i·bil·i·ty** [difju:zə'biliti] *s. phys.* Diffusi'onsvermögen *n*; **dif'fus·i·ble** [-zəbl] *adj. phys.* diffusi'onsfähig; **dif·fu·sion** [di'fju:ʒən] *s.* **1.** Aus-, Verbreitung *f*, Aus-, Zerstreuung *f*; **2.** Weitschweifigkeit *f*; **3.** ⚗, *phys.* Diffusi'on *f*; **dif·fu·sive** [di'fju:siv] *adj.* □ **1.** sich verbreitend; **2.** *fig.* weitschweifig; **3.** *phys.* Diffusions...; **dif·fu·sive·ness** [di'fju:sivnis] *s.* **1.** Verbreitung *f*, Ausdehnung *f*; **2.** Weitschweifigkeit *f.*

dig [dig] **I.** *s.* **1.** Grabung *f*, Ausgrabungsstelle *f*; **2.** F Puff *m*, Stoß *m*: ~ *in the ribs* Rippenstoß; **3.** F *fig.* (*at*) (Seiten)Hieb *m* (auf *j-n*), Ausfall *m* (gegen); **4.** *Am. sl.* ‚Büffler' *m* (*fleißiger Student*); **5.** *pl. Brit. sl.* ‚Bude' *f*, (*bsd. Studenten-*) Zimmer *n*, Quar'tier *n*; **II.** *v/t.* [*irr.*] **6.** *Loch etc.* graben; *Boden* 'umgraben; *Bodenfrüchte* ausgraben: *to* ~ *one's way* (*out*) sich e-n Weg bahnen; **7.** *fig.* ans Tageslicht bringen, her'ausfinden; **8.** F *j-m* e-n Stoß geben: *to* ~ *spurs into a horse* e-m Pferde die Sporen geben; **9.** *Am. sl.* **a**) ‚kapieren', **b**) ‚büffeln', lernen, **c**) auftreiben, finden; **III.** *v/i.* [*irr.*] **10.** graben (*for* nach); **11.** *fig.* forschen (*for* nach); gründlich eindringen (*into* in *acc.*), studieren (*into acc.*); **12.** *Brit. sl.* wohnen, hausen; **13.** *Am. sl.* ‚büffeln' (*Student*);

Zssgn mit adv.:

dig| in I. *v/t.* **1.** eingraben (*a. fig.*); **2.** *to dig o.s. in* sich eingraben; *fig.* sich verschanzen, sich festsetzen; **II.** *v/i.* **3.** ⚔ sich eingraben, sich verschanzen; **4.** *sl.* schuften; ~ **out** *v/t.* **1.** ausgraben; **2.** → *dig 7*; ~ **up** *v/t.* **1.** 'um-, ausgraben; **2.** → *dig 7.*

di·gest [di'dʒest; dai-] **I.** *v/t.* **1.** *Speisen* verdauen; **2.** *fig.* verdauen: **a**) (innerlich) verarbeiten, über'denken, in sich aufnehmen, **b**) ertragen, verwinden; **3.** ordnen, einteilen; **4.** ⚗ digerieren, ausziehen, auflösen; **II.** *v/i.* **5.** sich verdauen lassen: *to* ~ *well* leicht verdaulich sein; **6.** ⚗ sich auflösen; **III.** *s.* ['daidʒest] **7.** (*of*) **a**) Auslese *f* (*a. Zeitschrift*), Auswahl *f* (aus), **b**) Abriß *m* (*gen.*), 'Überblick *m* (über *acc.*); **8.** ⚖ systematisierte Sammlung von Gerichtsentscheidungen; **di'gest·i·ble** [-təbl] *adj.* □ verdaulich, bekömmlich; **di'ges·tion** [-tʃən] *s.* **1.** Verdauung *f*: *easy of* ~ leichtverdaulich; **2.** *fig.* (innerliche) Verarbeitung; **di'ges·tive** [-tiv] **I.** *adj.* □ **1.** verdauungsfördernd; **2.** bekömmlich; **3.** Verdauungs...; **II.** *s.* **4.** Verdauungsmittel *n.*

dig·ger ['digə] *s.* **1.** Gräber(in); **2.** → *gold-digger*; **3.** 'Grabgerät *n*, -maˌschine *f*; **4.** Erdarbeiter *m*; **5.** ♀*s pl. primitiver Indianerstamm*; **6.** *a.* ~-*wasp* Grabwespe *f*; '**dig·gings** [-giŋz] *s. pl.* **1.** *sg. od. pl. konstr.* Goldbergwerk *n*; **2.** → *dig 5.*

dig·it ['didʒit] *s.* **1.** *anat.*, *zo.* Finger *m od.* Zehe *f*; **2.** Fingerbreite *f* (*Maß*); **3.** *ast.* 1/12 des 'Sonnen- *od.* 'Mondˌdurchmessers (*bei Finsternissen*); **4.** ⩕ **a**) eine der Ziffern von 0 bis 9, Einer *m*, **b**) Stelle *f*: *three-*~ *number* dreistellige Zahl; '**dig·it·al** [-tl] **I.** *adj.* **1.** Finger...; **2.** Digital...: ~ *clock*; **II.** *s.* **3.** ♪ Taste *f*; **dig·i·tal·is** [didʒi'teilis] *s.* **1.** ♀ Fingerhut *m*; **2.** ⚕ Digi'talis (-präpaˌrat *n*) *f*; '**dig·i·tate,** '**dig·i·tat·ed** [-teit(id)] *adj.* **1.** ♀ gefingert, handförmig; **2.** *zo.* gefingert; '**dig·i·ti·grade** [-tigreid] *zo.* **I.** *adj.* auf den Zehen gehend; **II.** *s.* Zehengänger *m.*

dig·ni·fied ['dignifaid] *adj.* würdevoll, würdig; **dig·ni·fy** ['dignifai] *v/t.* **1.** ehren, auszeichnen; Würde verleihen (*dat.*); **2.** hochtrabend benennen; **3.** *fig.* adeln.

dig·ni·tar·y ['dignitəri] *s.* **1.** Würdenträger *m*; **2.** *eccl.* Prä'lat *m*; **dig·ni·ty** ['digniti] *s.* **1.** Würde *f* (*a. fig.*); Hoheit *f*, Erhabenheit *f*; **2.** Würde *f*, (hoher) Rang; Ansehen *n*: *beneath my* ~ unter m-r Würde; **3.** *fig.* Größe *f*: ~ *of soul* Seelengröße, -adel.

di·graph ['daigrɑːf; -græf] *s. ling.* Di'graph *m* (*Verbindung von zwei Buchstaben zu einem Laut*).
di·gress [dai'gres] *v/i.* abschweifen; **di'gres·sion** [-eʃən] *s.* Abschweifung *f*; **di'gres·sive** [-siv] *adj.* □ 1. abschweifend; 2. abwegig.
digs [digz] → *dig 5.*
di·he·dral [dai'hiːdrəl] **I.** *adj.* **1.** di'edrisch, zweiflächig: ~ *angle* ⩓ Flächenwinkel; **2.** ✈ V-förmig; **II.** *s.* **3.** ⩓ Di'eder *m*, Zweiflächner *m*; **4.** ✈ V-Form *f*, V-Stellung *f* (*Tragflächen*).
dike [daik] **I.** *s.* **1.** Deich *m*, Damm *m*; **2.** Erdwall *m*, erhöhter Fahrdamm; **3.** *a. fig.* Schutzwall *m*, Bollwerk *n*; **4.** *obs.* Graben *m*, Wasserlauf *m*; **5.** *a.* ~ *rock geol.* Gangstock *m*; **II.** *v/t.* **6.** eindämmen, -deichen; '**~-reeve** *s. Brit.* Deichaufseher *m*.
dik·tat [dik'tɑːt] *s.* (*Ger.*) *pol.* Dik'tat *n*.
di·lap·i·date [di'læpideit] **I.** *v/t.* zu'grunde richten, zerstören, ver- *od.* zerfallen lassen, ruinieren; **II.** *v/i.* ver-, zerfallen, in Verfall geraten; **di'lap·i·dat·ed** [-tid] *adj.* **1.** ver-, zerfallen, baufällig; **2.** schäbig, verwahrlost; **di·lap·i·da·tion** [dilæpi'deiʃən] *s.* **1.** Verfallenlassen *n*, Zerstörung *f*; **2.** Ver-, Zerfall *m*, Baufälligkeit *f*.
di·lat·a·bil·i·ty [daileitə'biliti] *s. phys.* Dehnbarkeit *f*, (Aus)Dehnungsvermögen *n*; **di·lat·a·ble** [dai'leitəbl] *adj. phys.* (aus)dehnbar.
dil·a·ta·tion [dailei'teiʃən] *s.* **1.** *phys.* Ausdehnung *f*; **2.** ⚕ Erweiterung *f*.
di·late [dai'leit] **I.** *v/t.* **1.** (aus)dehnen, (aus)weiten, erweitern: *with* ~*d* eyes mit aufgerissenen Augen; **II.** *v/i.* **2.** sich (aus)dehnen *od.* (aus)weiten *od.* erweitern; **3.** *fig.* sich (ausführlich) verbreiten *od.* auslassen ([*up*]*on* über *acc.*); **di'la·tion** [-eiʃən] → *dilatation*; **di'la·tor** [-tə] *s. anat.* Dehnmuskel *m*.
dil·a·to·ri·ness ['dilətərinis] *s.* Zaudern *n*, Saumseligkeit *f*, Verschleppung *f*; **dil·a·to·ry** ['dilətəri] *adj.* □ **1.** aufschiebend, verzögernd, hinhaltend, Verschleppungs...; **2.** zaudernd, saumselig, säumig.
di·lem·ma [di'lemə] *s.* Di'lemma *n*, Verlegenheit *f*, Klemme *f*: *on the horns of a* ~ in e-r Zwickmühle.
dil·et·tan·te [dili'tænti] **I.** *pl.* **-ti** [-tiː], **-tes** [-tiz] *s.* Dilet'tant(in): **a**) Nichtfachmann *m*, Ama'teur(in), **b**) Stümper(in); **II.** *adj.* dilet'tantisch, laien-, stümperhaft, oberflächlich; **dil·et'tant·ish** [-tiʃ] → *dilettante II*; **dil·et'tant·ism** [-tizəm] *s.* Dilettan'tismus *m*.
dil·i·gence[1] ['diliʒɑ̃ːns] (*Fr.*) *s. bsd. französische* Postkutsche.
dil·i·gence[2] ['dilidʒəns] *s.* Fleiß *m*, Eifer *m*; Sorgfalt *f* (*a.* ⚖); '**dil·i·gent** [-nt] *adj.* □ **1.** fleißig, emsig; **2.** sorgfältig, gewissenhaft.
dill [dil] *s.* ⚘ Dill *m*, Gurkenkraut *n*.
dil·ly-dal·ly ['dilidæli] *v/i.* F **1.** die Zeit vertrödeln, (her'um)trödeln; **2.** zaudern, schwanken.
dil·u·ent ['diljuənt] **I.** *adj.* ⚗ verdünnend; **II.** *s.* ⚕ Verdünnungsmittel *n*.
di·lute [dai'ljuːt] **I.** *v/t.* **1.** verdünnen, *bsd.* wässern; **2.** *fig.* (ab)schwächen, verwässern: *to* ~ *labo(u)r Facharbeit in Arbeitsgänge zerlegen, deren Ausführung nur geringe Fachkenntnisse erfordert*; **II.** *adj.* **3.** verdünnt; **4.** *fig.* (ab)geschwächt, verwässert; **di'lut·ed** [-tid] *adj.* → *dilute II*; **dil·u·tee** [dailjuː'tiː] *s. zwischen dem angelernten u. dem Facharbeiter stehender Beschäftigter*; **di·lu·tion** [dai'luːʃən] *s.* **1.** Verdünnung *f*, Verwässerung *f*; **2.** verdünnte Lösung; **3.** *fig.* Abschwächung *f*, Verwässerung *f*: ~ *of labo(u)r Zerlegung von Facharbeit in Arbeitsgänge, deren Ausführung nur geringe Fachkenntnisse erfordert.*
di·lu·vi·al [dai'luːvjəl], **di'lu·vi·an** [-ən] *adj.* **1.** *geol.* diluvi'al, Eiszeit...; **2.** Überschwemmungs...; **3.** (Sint)Flut...; **di·lu·vi·um** [dai'luːvjəm] *s. geol.* Di'luvium *n*.
dim [dim] **I.** *adj.* □ **1.** (halb)dunkel, düster, trübe; **2.** undeutlich, verschwommen, schwach; **3.** blaß, matt (*Farbe*); **4.** F schwer von Begriff; **II.** *v/t.* **5.** verdunkeln, verdüstern; trüben; **6.** *a.* ~ *out Licht* abblenden, dämpfen; **7.** mattieren; **III.** *v/i.* **8.** sich verdunkeln; **9.** matt *od.* trübe werden; **10.** undeutlich werden; verblassen (*a. fig.*).
dime [daim] *s. Am.* Zehn'centstück *n*: *a* ~ *a dozen* spottbillig; ~ *novel* Groschenroman; ~ *store* billiges Warenhaus.
di·men·sion [di'menʃən] **I.** *s.* **1.** ⩓ Dimensi'on *f*; **2.** Maß *n*, Abmessung *f*, Ausdehnung *f*; **3.** *pl. oft fig.* Ausmaß *n*, Größe *f*, 'Umfang *m*: *of vast* ~*s* riesengroß; **II.** *v/t.* **4.** bemessen, dimensionieren: *amply* ~*ed*; **5.** mit Maßangaben versehen: ~*ed sketch* Maßskizze; **di'men·sion·al** [-ʃənl] *adj. in Zssgn*: three-~ dreidimensional.
dim·e·ter ['dimitə] *s.* 'Dimeter *m* (*Vers*).
di·min·ish [di'miniʃ] **I.** *v/t.* **1.** vermindern (*a.* ♪), verringern; **2.** verkleinern, her'absetzen (*a. fig.*); **3.** (ab)schwächen; **4.** ⩓ verjüngen; **II.** *v/i.* **5.** sich vermindern, abnehmen; **6.** ⩓ sich verjüngen; **di'min·ished** [-ʃt] *adj.* **1.** vermindert (*a.* ♪); **2.** *fig.* ‚klein', demütig; **di'min·ish·ing** [-ʃiŋ] *adj.* □ kleiner werdend, (ver)schwindend.
di·min·u·en·do [diminju'endou] *adv.* ♪ diminu'endo, abnehmend.
dim·i·nu·tion [dimi'njuːʃən] *s.* **1.** Verminderung *f*, Verringerung *f*; Verkleinerung *f* (*a.* ♪); **2.** Abnahme *f*, Nachlassen *n*; **3.** ⩓ Verjüngung *f*; **di·min·u·ti·val** [diminjuː'taivəl] *adj.* □ → *diminutive* 2; **di·min·u·tive** [di'minjutiv] **I.** *adj.* □ **1.** klein, winzig; **2.** *ling.* Diminutiv..., Verkleinerungs...; **II.** *s.* **3.** *ling.* Diminu'tiv(um) *n*, Verkleinerungsform *f*; **di·min·u·tive·ness** [di'minjutivnis] *s.* Winzigkeit *f*.
dim·is·so·ry ['dimisəri] *adj. eccl.*: *letter* ~, ~ *letter* Dimissoriale, Entlassungsschreiben.
dim·i·ty ['dimiti] *s.* geköperter 'Barchent.
dim·mer ['dimə] *s.* Verdunkelungs-, Abblendungsvorrichtung *f*, (*Licht-*)Dämpfer *m*: ~ *switch* Abblendschalter; **dim·ness** ['dimnis] *s.* **1.** Dunkelheit *f*, Düsterkeit *f*; **2.** Mattheit *f*; **3.** Undeutlichkeit *f*.
di·mor·phic [dai'mɔːfik], **di'morphous** [-fəs] *adj.* di'morph, zweigestaltig.
'**dim-out** *s.* **1.** Abblendung *f*; **2.** ⚔ (mäßige) Verdunkelung.
dim·ple ['dimpl] **I.** *s.* **1.** Grübchen *n* (*Wange*); **2.** Vertiefung *f*; **3.** Kräuselung *f* (*Wasser*); **II.** *v/t.* **4.** Grübchen machen in (*acc.*); **5.** *Wasser* kräuseln; **III.** *v/i.* **6.** Grübchen bekommen; **7.** sich kräuseln (*Wasser*); '**dim·pled** [-ld], '**dimp·ly** [-li] *adj.* **1.** mit Grübchen; **2.** gekräuselt (*Wasser*).
'**dim-wit·ted** *adj. sl.* ‚dusselig', ‚dämlich'.
din [din] **I.** *s.* **1.** Lärm *m*, Getöse *n*; **2.** Geklirr *n* (*Waffen*), Gerassel *n*; **II.** *v/t.* **3.** schreien, grölen; **4.** *et.* dauernd vorpredigen: *to* ~ *s.th. into s.o.('s ears)* j-m et. einhämmern; **III.** *v/i.* **5.** lärmen; **6.** dröhnen (*with* von).
di·nar ['diːnɑː] *s.* Di'nar *m*.
dine [dain] **I.** *v/i.* **1.** speisen, *die Hauptmahlzeit* essen: *to* ~ *out* zum Essen ausgehen; *to* ~ *off* (*od. on*) *roast beef zur Mahlzeit* Rostbraten essen; *to* ~ *with s.o.* bei j-m speisen; *to* ~ *with Duke Humphrey* nichts zu essen haben; **II.** *v/t.* **2.** *j-n* bei sich zu Gaste haben, bewirten; **3.** für ... *Personen* Platz zum Essen haben, fassen (*Zimmer, Tisch*); '**din·er** [-nə] *s.* **1.** Tischgast *m*; **2.** 🚃 Speisewagen *m*; **3.** *Am.* Restau'rant *n* in Form e-s Speisewagens; '**din·er-'out** *s.* **1.** häufig zum Essen Eingeladene(r), Tischgast *m*; **2.** j-d, der oft außer Hause ißt.
di·nette [dai'net] *s.* Eßecke *f*.
ding [diŋ] **I.** *v/t.* **1.** läuten; **2.** → *din 4*; **II.** *v/i.* **3.** läuten.
ding-dong ['diŋ'dɔŋ] **I.** *s.* Bimbam *n*; **II.** *adj.* heiß, heftig (u. wechselvoll) (*Kampf etc.*).
din·ghy ['diŋgi] *s.* **1.** ⚓ **a**) 'Dingi *n*, **b**) Beiboot *n*; **2.** Schlauchboot *n e-s Flugzeugs.*
din·gi·ness ['dindʒinis] *s.* **1.** dunkle Farbe, Schmutzfarbe *f*; **2.** Schäbigkeit *f* (*a. fig.*); **3.** *fig.* Anrüchigkeit *f*.
din·gle ['diŋgl] *s.* Waldschlucht *f*.
din·go ['diŋgou] *pl.* **-goes** *s. zo.* Dingo *m* (*Wildhund Australiens*).
din·gy ['dindʒi] *adj.* □ **1.** schmutzig, schmuddelig; **2.** schäbig; **3.** anrüchig.
'**din·ing|-car** ['dainiŋ] *s.* 🚃 Speisewagen *m*; '**~-room** *s.* Speise-, Eßzimmer *n*; '**~-ta·ble** *s.* Eßtisch *m*.
dink·ey ['diŋki] *s. Am.* F **1.** *et.* Kleines; **2.** kleine Ran'gierlokomo,tive.
din·kum ['diŋkəm] *Austral. sl.* **I.** *adj.* ehrlich, echt: ~ *oil* die volle Wahrheit; **II.** *s.* schwere Arbeit.
dink·y ['diŋki] *adj.* F **1.** *Brit.* zierlich, niedlich, nett; **2.** *Am.* klein.
din·ner ['dinə] *s.* **1.** Hauptmahlzeit *f*, Mittag-, Abendessen *n*: *after* ~ nach dem Essen, nach Tisch; *to be at* ~ bei Tisch sein; *to stay for* (*od. to*) ~ zum Essen bleiben; ~ *is ready* es (*od.* das Essen) ist angerichtet; *what are we having for* ~? was gibt es zum Essen?; **2.** Di'ner *n*, Fest-

essen *n*; '~-**bell** *s.* Essensglocke *f*; ~ **car·ri·er** *s.* Essenträger *m* (*Gerät*); '~-**clar·et** *s.* roter Tischwein; '~-**coat** *bsd. Am.* → *dinner-jacket*; '~-**dance** *s.* Abendgesellschaft *f* mit Tanz; '~-**jack·et** *s. bsd. Brit.* Smoking *m*; '~-**pail** *Am.* → *dinner carrier*; '~-**par·ty** *s.* Tisch-, Abendgesellschaft *f*; '~-**serv·ice**, '~-**set** *s.* Tafelgeschirr *n*; '~-**ta·ble** *s.* Eßtisch *m*; '~-**time** *s.* Tischzeit *f*; '~-**wag·on** *s.* Servierwagen *m*.

di·no·saur ['dainəsɔ:] *s. zo.* Dino'saurier *m*.

dint [dint] **I.** *s.* **1.** Beule *f*, Vertiefung *f*; Strieme *f*; **2.** *by* ~ *of* kraft, vermöge, mittels (*alle gen.*); **II.** *v/t.* **3.** einbeulen, -drücken.

di·oc·e·san [dai'ɔsisən] **I.** *adj.* Diözesan...; **II.** *s.* (Diöze'san)Bischof *m*; **di·o·cese** ['daiəsis] *s.* Diö'zese *f*, Sprengel *m*.

di·ode ['daioud] *s.* ⚡ *Radio*: Di'ode *f*, Zweipolröhre *f*: *light-emitting* ~ Leuchtdiode.

Di·o·nys·i·ac [daiə'niziæk], **Di·o'ny·sian** [-ziən] *adj.* dio'nysisch.

di·op·ter [dai'ɔptə] *s. phys.* Diop'trie *f*; **di'op·tric** [-trik] *phys.* **I.** *adj.* **1.** di'optrisch, lichtbrechend; **II.** *s.* **2.** → *diopter*; **3.** *pl. sg. konstr.* Di'optrik *f*, (Licht)Brechungslehre *f*.

di·o·ra·ma [daiə'ra:mə] *s.* Dio'rama *n* (*plastisch wirkendes Bild*).

Di·os·cu·ri [daiəs'kjuərai] *s. pl.* Dios'kuren *pl.* (*Castor u. Pollux*).

di·ox·ide [dai'ɔksaid] *s.* ⚗ 'Dio,xyd *n*.

dip [dip] **I.** *v/t.* **1.** (ein)tauchen (*in, into* in *acc.*): *to* ~ *one's hand into one's pocket* in die Tasche greifen (*a. fig. Geld ausgeben*); *to be* ~*ped* F in Schulden *od.* Schwierigkeiten geraten; **2.** färben; **3.** *Schafe durch ein Tauchbad* waschen, dippen; **4.** *Kerzen* ziehen; **5.** ⚓ *Flagge* dippen (*zum Gruß niederholen u. wieder aufziehen*); **6.** *a.* ~ *up* schöpfen (*from, out of* aus); **7.** *mot. Scheinwerfer* abblenden; **II.** *v/i.* **8.** 'unter-, eintauchen; **9.** sich senken *od.* neigen (*Gelände, Waage, Magnetnadel*); **10.** ⚒ ab-, einfallen; **11.** nieder- u. wieder auffliegen; **12.** ✈ vor dem Steigen tiefer gehen; **13.** *fig.* hin'eingreifen: *to* ~ *into* **a)** e-n Blick werfen in (*acc.*), sich flüchtig befassen mit, **b)** *Reserven* angreifen; *to* ~ *into one's purse* in die Tasche *od.* in den Geldbeutel greifen; *to* ~ *deep into the past* die Vergangenheit erforschen; **III.** *s.* **14.** Eintauchen *n*; **15.** kurzes Bad(en); **16.** ⊕ Farbbad *n*; Tauchbad *n*; **17.** Desinfekti'onsbad *n* (*Schafe*); **18.** geschöpfte Flüssigkeit; **19.** *Am.* F Tunke *f*, Soße *f*; **20.** (gezogene) Kerze; **21.** Neigung *f*, Senkung *f*, Gefälle *n*; Neigungswinkel *m*; **22.** *geol.* Abdachung *f*; Einfallen *n*, Versinken *n*; **23.** schnelles Hin'ab(- u. Hin'auf)Fliegen; **24.** ✈ plötzliches Tiefergehen vor dem Steigen; **25.** ⚓ Dippen *n* (*kurzes Niederholen der Flagge*); **26.** flüchtiger Blick; **27.** Angreifen *n* (*into e-s Vorrats etc.*); **28.** → *lucky-dip*.

diph·the·ri·a [dif'θiəriə] *s.* ⚕ Diphthe'rie *f*; **diph'ther·ic** [-'θerik], **diph·the·rit·ic** [difθə'ritik] *adj.* diph'therisch.

diph·thong ['difθɔŋ] *s. ling.* **1.** Diph'thong *m*, 'Doppelvo,kal *m*; **2.** *die Ligatur* æ *od.* œ; **diph·thon·gal** [dif'θɔŋgəl] *adj. ling.* diph'thongisch; **diph·thong·i·za·tion** [difθɔŋgai'zeiʃən] *s. ling.* Diphthongierung *f*.

di·plo·ma [di'ploumə] *s.* Di'plom *n*, Urkunde *f*; **di'plo·ma·cy** [-əsi] *s. pol., a. fig.* Diploma'tie *f*; **di'plo·maed** [-məd] *adj.* diplomiert, Diplom...; **dip·lo·mat** ['dipləmæt] *s. pol., a. fig.* Diplo'mat *m*; **dip·lo·mat·ic** [diplə'mætik] *adj.* (☐ ~*ally*) **1.** *pol.* diplo'matisch: ~ *body* (*od. corps*) diplomatisches Korps; ~ *service* diplomatischer Dienst; **2.** *fig.* diplomatisch: **a)** taktvoll, **b)** schlau, berechnend; **3.** urkundlich; **dip·lo·mat·ics** [diplə'mætiks] *s. pl. sg. konstr.* Diplo'matik *f*, Urkundenlehre *f*; **di'plo·ma·tist** [-ətist] → *diplomat*.

'dip|-nee·dle → *dipping-needle*; '~-**net** *s. Fischerei*: Streichnetz *n*.

di·po·lar [dai'poulə] *adj.* ⚡ zweipolig; **di·pole** ['daipoul] *s.* ⚡ 'Dipol *m*.

dip·per ['dipə] *s.* **1.** *orn.* Taucher *m*; **2.** Schöpflöffel *m*; **3.** ⊕ **a)** Baggereimer *m*, **b)** Bagger *m*; **4.** *ast.* ♎, *Big* ♎ *Am.* Großer Bär; *Little* ♎ *Am.* Kleiner Bär; **5.** *s. eccl.* 'Wiedertäufer *m*; ~ **dredg·er** *s.* ⊕ Schaufel- *od.* Löffelbagger *m*.

dip·ping ['dipiŋ] *s.* **1.** Tauchbad *n*; **2.** *in Zssgn* Tauch...; '~-**nee·dle** *s.* ⚓ Inklinati'onsnadel *f*.

dip·py ['dipi] *adj. sl.* ‚plem'plem', verrückt, verdreht.

dip·so·ma·ni·a [dipsou'meinjə] *s.* Trunksucht *f*; **dip·so'ma·ni·ac** [-niæk] *s.* Trunksüchtige(r *m*) *f*.

'dip|·stick *s. mot.* Meßstab *m* (*Öl etc.*); ~ **switch** *s. mot.* Abblendschalter *m*.

dip·ter·a ['diptərə] *s. pl. zo.* Zweiflügler *pl.* (*Insekten*); '**dip·ter·al** [-rəl], '**dip·ter·ous** [-rəs] *adj.* ♀, *zo.* zweiflügelig.

dip·tych ['diptik] *s.* 'Diptychon *n*: **a)** *antiq. zs.-klappbare Schreibtafel*, **b)** *eccl. zweiflügeliges Altarbild*.

dire ['daiə] *adj.* **1.** gräßlich, entsetzlich, schrecklich; **2.** schlimm, unheilvoll; **3.** äußerst, höchst: *to be in* ~ *need of et.* dringend brauchen.

di·rect [di'rekt] **I.** *v/t.* **1.** lenken, leiten, führen; beaufsichtigen; ♪ dirigieren; *Film, Fernsehen*: Re'gie führen bei: ~*ed by* unter der Regie von; **2.** *Aufmerksamkeit, Blicke* richten, lenken (*to, towards* auf *acc.*); **3.** *Worte etc.* richten, *Brief* richten, adressieren (*to* an *acc.*); **4.** anweisen, beauftragen; (An-)Weisung geben (*dat.*): *to* ~ *the jury as to the law* ⚖ den Geschworenen Rechtsbelehrung geben; **5.** anordnen, verfügen, bestimmen: *to* ~ *s.th. to be done* anordnen, daß et. geschieht; *as* ~*ed* nach Vorschrift, laut Anordnung; **6.** befehlen; **7.** (*to*) den Weg zeigen (nach, zu), verweisen (an *acc.*); **II.** *v/i.* **8.** befehlen, bestimmen; **9.** ♪ dirigieren; *Film, Fernsehen*: Regie führen; **III.** *adj.* ☐ → *directly*; **10.** di'rekt, gerade; **11.** direkt, unmittelbar (*a.* ⊕, ✝, *phys., pol.*): ~ *action pol.* direkte Aktion, eigenmächtige Handlungsweise; ~ *current* ⚡ Gleichstrom; ~ *evidence* ⚖ Zeugenbeweis; ~ *hit* Volltreffer; ~ *line* direkte (Abstammungs)Linie; ~ *method* direkte Methode (*Sprachunterricht*); *the* ~ *opposite* das genaue Gegenteil; ~ *responsibility* persönliche Verantwortung; ~ *taxes* direkte Steuern; ~ *train* direkter *od.* durchgehender Zug; **12.** gerade, offen, deutlich: ~ *answer*; ~ *question*; **13.** *ling.* ~ *object* direktes Objekt; ~ *speech* direkte Rede; **14.** *ast.* rechtläufig; **IV.** *adv.* **15.** direkt, unmittelbar (*to* zu, an *acc.*).

di·rec·tion [di'rekʃən] *s.* **1.** Richtung *f* (*a.* ⊕, *phys., fig.*): *sense of* ~ Orts-, Orientierungssinn; *in the* ~ *of* in (der) Richtung nach *od.* auf (*acc.*); *in all* ~*s* nach allen Richtungen *od.* Seiten; *in many* ~*s* in vieler Hinsicht; **2.** Leitung *f*, Führung *f*, Lenkung *f*: *under his* ~ unter s-r Leitung; **3.** Leitung *f*, Direkti'on *f*, Direk'torium *n*; **4.** *Film, Fernsehen*: Re'gie *f*; **5.** *mst pl.* (An-)Weisung *f*, Anleitung *f*, Belehrung *f*, Anordnung *f*, Vorschrift *f*, 'Richt,linie *f*: *by* ~ *of* auf Anordnung von; *to give* ~*s* Anweisungen *od.* Vorschriften geben; ~*s for use* Gebrauchsanweisung; *full* ~*s inside* genaue Anweisung(en) anbei; **6.** Anschrift *f*, A'dresse *f* (*Brief*).

di·rec·tion·al [di'rekʃənl] *adj.* **1.** Richtungs...; **2.** ⚡ **a)** Richt..., **b)** Peil...; ~ **a·e·ri·al**, ~ **an·ten·na** *s.* ⚡ 'Richtan,tenne *f*, -strahler *m*; ~ **beam** *s.* ⚡ Richtstrahl *m*; ~ **ra·di·o** *s.* ⚡ **1.** Richtfunk *m*: ~ *beacon* ⚓ Richtfunkfeuer; **2.** Peilfunk *m*; ~ **trans·mit·ter** *s.* ⚡ **1.** Richtfunksender *m*; **2.** Peilsender *m*.

di'rec·tion-find·er *s.* ⚡ (Funk-)Peiler *m*, Peilempfänger *m*.

di'rec·tion-find·ing *s.* ⚡ **a)** (Funk-)Peilung *f*, Richtungsbestimmung *f*, **b)** Peilwesen *n*: ~ *set* Peilgerät.

di·rec·tion| in·di·ca·tor *s.* **1.** *mot.* (Fahrt)Richtungsanzeiger *m*, Blinker *m*; **2.** ✈ Kursweiser *m*; ~ **post** *s.* Wegweiser *m*.

di·rec·tive [di'rektiv] **I.** *adj.* lenkend, leitend, richtungweisend; **II.** *s.* Direk'tive *f*, (An)Weisung *f*, Vorschrift *f*; **di·rect·ly** [di'rektli] **I.** *adv.* **1.** gerade, di'rekt; **2.** unmittelbar, direkt (*a.* ⊕): ~ *proportional* direkt proportional; ~ *opposed* genau entgegengesetzt; **3.** *bsd. Brit.* [F *a.* 'drekli] so'fort, gleich, bald; **II.** *cj.* **4.** *bsd. Brit.* [F *a.* 'drekli] so'bald (als): ~ *he entered* sobald er eintrat; **di'rect·ness** [-tnis] *s.* **1.** Geradheit *f*, gerade Richtung; **2.** Unmittelbarkeit *f*; **3.** Offenheit *f*; **4.** Deutlichkeit *f*.

di·rec·tor [di'rektə] *s.* **1.** Di'rektor *m*, Leiter *m*, Vorsteher *m*; **2.** ✝ **a)** Direktor *m*: ~*-general* Generaldirektor, **b)** Mitglied *n* des Verwaltungsrats; → *board 8*; **3.** *Film*: Regis'seur *m*; **4.** ⊕ Richtgerät *n*; **5.** ⚔ Kom'mandogerät *n*; **di'rec·to·rate** [-tərit] *s.* **1.** Di'rektorstelle *f*; **2.** Direk'torium *n*, Leitung *f*;

di'rec·tor·ship [-ʃip] *s.* Direk'torenamt *n*, -stelle *f*.
di·rec·to·ry [di'rektəri] *s.* **1. a)** A'dreßbuch *n*, **b)** *a. telephone* ~ Tele'phonbuch *n*; **2.** *bsd. eccl.* Regelverzeichnis *n*, Leitfaden *m*; **3.** ♀ *hist.* Direk'torium *n* (*französische Revolution*).
di·rec·tress [di'rektris] *s.* Direk'torin *f*, Vorsteherin *f*, Leiterin *f*.
dire·ful ['daiəful] → *dire*.
dirge [dəːdʒ] *s.* Klagelied *n*, Grabgesang *m*, Totenklage *f*.
dir·i·gi·ble ['diridʒəbl] **I.** *adj.* lenkbar; **II.** *s.* lenkbares Luftschiff.
dirk [dəːk] **I.** *s.* Dolch *m*; **II.** *v/t.* erdolchen.
dirn·dl ['dəːndl] (*Ger.*) *s.* Dirndl[(-kleid) *n*.]
dirt [dəːt] *s.* **1.** Schmutz *m* (*a. fig.*), Kot *m*, Dreck *m*; **2.** Staub *m*, Boden *m*, (lockere) Erde; **3.** *fig.* Plunder *m*, Schund *m*; **4.** *fig.* unflätige Reden *pl.*; Gemeinheit(en *pl.*) *f*: *to eat* ~ sich demütigen müssen; *to fling* (*od. throw*) ~ *at s.o.* j-n in den Schmutz ziehen; *to treat s.o. like* ~ j-n wie (den letzten) Dreck behandeln; **'~-'cheap** *adj. u. adv.* spottbillig.
dirt·i·ness ['dəːtinis] *s.* **1.** Schmutz *m*, Schmutzigkeit *f* (*a. fig.*); **2.** Gemeinheit *f*, Niedertracht *f*.
'dirt|-road *s. Am.* Erdstraße *f*, unbefestigte Straße; **~ track** *s.* Sandbahn *f* (*für Motorradrennen*).
dirt·y ['dəːti] **I.** *adj.* □ **1.** schmutzig, dreckig, Schmutz...: ~ *hands* schmutzige Hände; ~ *brown* schmutzigbraun; ~ *work* **a)** Schmutzarbeit, niedere Arbeit, **b)** *fig.* unsauberes Geschäft, Schurkerei; **2.** *fig.* gemein, niederträchtig: *a* ~ *lot* ein Lumpenpack; ~ *trick* Gemeinheit; *to do the* ~ *on s.o. Brit. sl.* j-n gemein behandeln, j-m übel mitspielen; **3.** *fig.* schmutzig, unflätig, unanständig: *a* ~ *mind* schmutzige Gedanken; **4.** schlecht, *bsd.* ⚓ stürmisch (*Wetter*); **II.** *v/t.* **5.** beschmutzen, besudeln (*a. fig.*); **III.** *v/i.* **6.** schmutzig werden.
dis·a·bil·i·ty [disə'biliti] *s.* **1.** Unvermögen *n*, Unfähigkeit *f*; **2.** ⚖ Geschäfts-, Rechtsunfähigkeit *f*; **3.** Körperbeschädigung *f*, -behinderung *f*; ⚔ Dienstuntauglichkeit *f*; Erwerbsunfähigkeit *f*; Invalidi'tät *f*; **4.** Unzulänglichkeit *f*; **5.** Benachteiligung *f*, Nachteil *m*; ~ **ben·e·fit** *s.* Inva'lidenrente *f*; ~ **in·sur·ance** *s.* Inva'lidenversicherung *f*; ~ **pen·sion** *s.* (Kriegs)Versehrtenrente *f*.
dis·a·ble [dis'eibl] *v/t.* **1.** unfähig machen, außer'stand setzen (*from doing s.th.* et. zu tun); **2.** unbrauchbar *od.* untauglich machen (*for* für, zu); **3.** ⚔ dienstuntauglich *od.* kampfunfähig machen; **4.** ⚖ rechtsunfähig machen; **5.** entkräften, lähmen; **6.** verkrüppeln; **dis'a·bled** [-ld] *adj.* **1.** dienst-, arbeitsunfähig; körperbehindert, inva'lid(e); ⚔ untauglich; **2.** ⚔ kampfunfähig; abgeschossen (*Panzer etc.*); **3.** kriegsversehrt: ~ *soldier* Kriegsversehrte(r); **4.** unbrauchbar, untauglich; **dis'a·ble·ment** [-mənt] *s.* **1.** (Dienst-, Arbeits-, Erwerbs)Unfähigkeit *f*; Invalidi'tät *f*: *degree of* ~ Invaliditätsgrad; **2.** ⚔ (Dienst)Untauglichkeit *f*, Kampfunfähigkeit *f*.
dis·a·buse [disə'bjuːz] *v/t.* aus dem Irrtum befreien, e-s Besseren belehren, aufklären (*of s.th.* über *acc.*): *to* ~ *o.s.* (*od. one's mind*) *of s.th.* sich von et. *Irrtümlichem* befreien, sich et. aus dem Kopf schlagen.
dis·ac·cord [disə'kɔːd] **I.** *v/i.* nicht über'einstimmen; **II.** *s.* Uneinigkeit *f*; 'Widerspruch *m*.
dis·ac·cus·tom ['disə'kʌstəm] *v/t.* abgewöhnen (*s.o. to s.th.* j-m et.).
dis·ad·van·tage [disəd'vɑːntidʒ] *s.* Nachteil *m*, Schaden *m*: *to be at a* ~, *to labo(u)r under a* ~ im Nachteil sein; *to s.o.'s* ~ zu j-s Nachteil *od.* Schaden; *to take s.o. at a* ~ j-s ungünstige Lage ausnutzen; *to sell to* (*od. at a*) ~ mit Verlust verkaufen; **dis·ad·van·ta·geous** [disædvɑːn'teidʒəs] *adj.* □ nachteilig, ungünstig, schädlich (*to* für).
dis·af·fect·ed [disə'fektid] *adj.* □ **1.** (*to, towards*) unzufrieden (mit), abgeneigt (*dat.*); **2.** *pol.* unzuverlässig, untreu; **dis·af'fec·tion** [-kʃən] *s.* **1.** Unzufriedenheit *f* (*for* mit); **2.** *pol.* Unzuverlässigkeit *f*, Untreue *f*.
dis·af·fil·i·ate [disə'filieit] *v/t.* (von der Mitgliedschaft) ausschließen.
dis·af·firm [disə'fəːm] *v/t.* ⚖ *Entscheidung* aufheben, 'umstoßen.
dis·af·for·est [disə'fɔrist] *v/t.* **1.** ⚖ *e-m Wald* den Schutz durch das Forstrecht nehmen; **2.** abholzen.
dis·a·gree [disə'griː] *v/i.* **1.** (*with*) nicht über'einstimmen (mit), im 'Widerspruch stehen (zu, mit); sich wider'sprechen; **2.** (*with*) anderer Meinung sein (als), nicht zustimmen (*dat.*); **3.** (*with*) nicht einverstanden sein (mit), gegen *et.* sein, ablehnen (*acc.*); **4.** (sich) streiten (*on* über *acc.*); **5.** (*with j-m*) schlecht bekommen, nicht zuträglich sein (*Essen etc.*); **dis·a'gree·a·ble** [-'griəbl] *adj.* □ **1.** unangenehm, widerlich, lästig; **2.** unliebenswürdig, eklig; **dis·a'gree·a·ble·ness** [-'griəblnis] *s.* **1.** Unannehmlichkeit *f*, Lästigkeit *f*; **2.** Unliebenswürdigkeit *f*; **dis·a'gree·ment** [-mənt] *s.* **1.** Unstimmigkeit *f*, Verschiedenheit *f*, 'Widerspruch *m*; **2.** Meinungsverschiedenheit *f*, 'Mißhelligkeit *f*, Streit *m*.
dis·al·low ['disə'lau] *v/t.* **1.** nicht zulassen (*a.* ⚖) *od.* erlauben, verweigern; **2.** nicht anerkennen (*a. sport*), nicht gelten lassen, ablehnen; **dis·al·low·ance** [disə'lauəns] *s.* Nichtanerkennung *f* (*a. sport*), Ablehnung *f*.
dis·ap·pear [disə'piə] *v/i.* **1.** verschwinden (*from* von, aus); **2.** verlorengehen, aufhören; **dis·ap'pear·ance** [-'piərəns] *s.* **1.** Verschwinden *n*; **2.** ⊕ Schwindung *f*, Schwund *m*; **dis·ap'pear·ing** [-'piəriŋ] *adj.* **1.** verschwindend; **2.** versenkbar.
dis·ap·point [disə'pɔint] *v/t.* **1.** enttäuschen: *to be* ~*ed* enttäuscht werden *od.* sein (*at od. with* über *acc.*, *in* in *dat.*); *to be* ~*ed of s.th.* um et. betrogen *od.* gebracht werden; **2.** *Hoffnung* (ent)täuschen; *Plan* vereiteln; **3.** F im Stich lassen, versetzen; **dis·ap'point·ed** [-tid] *adj.* □ enttäuscht; **dis·ap'point·ing** [-tiŋ] *adj.* □ enttäuschend; **dis·ap'point·ment** [-mənt] *s.* **1.** Enttäuschung *f*; **2.** Vereitelung *f*; **3.** Fehlschlag *m*.
dis·ap·pro·ba·tion [disæprou'beiʃən] *s.* 'Mißbilligung *f*.
dis·ap·prov·al [disə'pruːvəl] *s.* **1.** (*of*) 'Mißbilligung *f* (*gen.*), 'Mißfallen *n* (über *acc.*); **2.** Tadel *m*; **dis·ap·prove** ['disə'pruːv] **I.** *v/t.* miß'billigen, verurteilen; **II.** *v/i.* (*of*) sein Mißfallen äußern (über *acc.*), mißbilligen (*acc.*); **dis·ap·prov·ing·ly** ['disə'pruːviŋli] *adv.* miß'billigend.
dis·arm [dis'ɑːm] **I.** *v/t.* **1.** entwaffnen (*a. fig.*); **2.** unschädlich machen; *Bomben etc.* entschärfen; **II.** *v/i.* **3.** ⚔ abrüsten; **dis'ar·ma·ment** [-məmənt] *s.* **1.** Entwaffnung *f*; **2.** ⚔, *pol.* Abrüstung *f*; **dis'arm·ing** [-miŋ] *adj.* □ *fig.* entwaffnend, gewinnend: ~ *smile*.
dis·ar·range ['disə'reindʒ] *v/t.* in Unordnung bringen; **dis·ar·range·ment** [disə'reindʒmənt] *s.* Verwirrung *f*, Unordnung *f*.
dis·ar·ray ['disə'rei] **I.** *v/t.* **1.** in Unordnung *od.* Verwirrung bringen; **2.** *obs.* entkleiden; **II.** *s.* **3.** Unordnung *f*, Verwirrung *f*.
dis·as·sem·ble [disə'sembl] *v/t.* ausein'andernehmen, -montieren, zerlegen; **dis·as'sem·bly** [-bli] *s.* Zerlegung *f*.
dis·as·ter [di'zɑːstə] *s.* Unglück *n* (*to* für), Unheil *n*, Kata'strophe *f*; 'Mißgeschick *n*: ~ *area* Katastrophengebiet; **dis'as·trous** [-trəs] *adj.* □ unglückselig, verhängnisvoll, katastro'phal, verheerend.
dis·a·vow ['disə'vau] *v/t.* **1.** nicht anerkennen, abrücken *od.* sich lossagen von; **2.** in Abrede stellen, ableugnen; **dis·a·vow·al** [disə'vauəl] *s.* **1.** Nichtanerkennung *f*; **2.** Bestreitung *f*.
dis·band [dis'bænd] **I.** *v/t.* ⚔ *Truppen etc.* entlassen, auflösen; **II.** *v/i.* sich auflösen, ausein'andergehen; **dis'band·ment** [-mənt] *s.* ⚔ Auflösung *f*.
dis·bar [dis'bɑː] *v/t.* ⚖ aus dem Anwaltstand ausschließen.
dis·be·lief ['disbi'liːf] *s.* Unglaube *m*, Zweifel *m* (*in* an *dat.*); **'dis·be'lieve** [-iːv] **I.** *v/t. et.* nicht glauben, bezweifeln; *j-m* nicht glauben; **II.** *v/i.* nicht glauben (*in* an *acc.*); **'dis·be'liev·er** [-iːvə] *s.* Ungläubige(r *m*) *f*, Zweifler(in).
dis·bench [dis'bentʃ] *v/t.* ⚖ *Brit.* aus dem Vorstand e-s der *Inns of Court* ausstoßen.
dis·bud [dis'bʌd] *v/t.* 'überschüssige Knospen entfernen von.
dis·bur·den [dis'bəːdn] *v/t. mst fig.* von e-r Bürde befreien, entlasten (*of, from* von): *to* ~ *one's mind* sein Herz erleichtern.
dis·burse [dis'bəːs] *v/t.* **1.** be-, auszahlen; **2.** ausgeben, -legen; **dis'burse·ment** [-mənt] *s.* **1.** Auszahlung *f*; **2.** Ausgabe *f*; Auslage *f*, Verauslagung *f*.
disc → *disk*.
dis·card [dis'kɑːd] **I.** *v/t.* **1.** *Kleider, Gewohnheit, Vorurteil etc.* ablegen; aufgeben; **2.** ausscheiden, -schalten, ausrangieren; **3.** *j-n* verabschieden, entlassen; **4.** *Karten* ablegen, ab-

werfen; **II.** *v/i.* **5.** *Kartenspiel*: Karten ablegen *od.* abwerfen; **III.** *s.* ['diskɑ:d] **6.** *Kartenspiel*: **a)** Ablegen *n*, Abwerfen *n*, **b)** abgeworfene Karte(n *pl.*).

dis·cern [di'sə:n] *v/t.* **1.** wahrnehmen, erkennen; **2.** feststellen; **3.** unter'scheiden (können); **dis'cern·i·ble** [-nəbl] *adj.* □ erkennbar, sichtbar; **dis'cern·ing** [-niŋ] *adj.* scharf(sichtig), 'kritisch (urteilend), klug; **dis'cern·ment** [-mənt] *s.* Scharfblick *m*, Urteilskraft *f*, Einsicht *f*.

dis·charge [dis'tʃɑ:dʒ] **I.** *v/t.* **1.** *Waren, Wagen* ab-, ausladen; *Schiff* aus-, entladen; *Personen* ausladen, absetzen; *(Schiffs)Ladung* löschen; **2.** ⚡ entladen; **3.** ausströmen (lassen), aussenden, -stoßen, ergießen; absondern: *to ~ matter* ⚕ eitern; **4.** ⚔ *Geschütz etc.* abfeuern, abschießen; **5.** entlassen, verabschieden, fortschicken; **6.** *Gefangene* ent-, freilassen; *Patienten* entlassen; **7.** *Zorn* auslassen (*on* an *dat.*); *Flüche* ausstoßen; **8.** freisprechen, entlasten (*of* von); **9.** befreien, entbinden (*of, from* von); **10.** *Schulden* bezahlen, tilgen; *Wechsel* einlösen; *Verpflichtungen, Aufgabe* erfüllen; *s-n Verbindlichkeiten* nachkommen; *Gläubiger* befriedigen; **11.** *Amt* ausüben, versehen; *Rolle* spielen; **12.** *~ o.s.* sich ergießen, münden; **II.** *v/i.* **13.** ⚡ sich entladen (*a. Gewehr*); **14.** sich ergießen, abfließen; **15.** ⚕ eitern; **III.** *s.* **16.** Ent-, Ausladung *f*, Löschen *n* (*Schiff, Waren*); **17.** ⚡ Entladung *f*: *~ current* Entladestrom; **18.** Ausfließen *n*, -strömen *n*, Abfluß *m*; Ausstoßen *n* (*Rauch*); **19.** Absonderung *f* (*Eiter*), Ausfluß *m*; **20.** Abfeuern *n* (*Geschütz etc.*); **21.** **a)** (Dienst)Entlassung *f*, **b)** (Entlassungs)Zeugnis *n*; **22.** Ent-, Freilassung *f*; **23.** ✝, ⚖ Befreiung *f*, Entlastung *f*; ˌRehabilitati'on *f*: *~ of a bankrupt* Aufhebung des Konkursverfahrens; **24.** Erfüllung *f* (*Aufgabe*), Ausübung *f*, Ausführung *f*; **25.** Bezahlung *f*, Einlösung *f*; **26.** Quittung *f*: *~ in full* vollständige Quittung; **dis·charge cock** *s.* ⊕ Abflußhahn *m*; **dis'charged bankrupt** [-dʒd] *s.* ✝, ⚖ entlasteter Gemeinschuldner (*nach Aufhebung des Konkursverfahrens*); **dis'charg·er** [-dʒə] *s.* ⚡ Entlader *m*.

dis·ci·ple [di'saipl] *s.* Jünger *m* (*bsd. bibl.*; *a. fig.*), Schüler *m*; **dis'ci·ple·ship** [-ʃip] *s.* Jünger-, Anhängerschaft *f*.

dis·ci·pli·nar·i·an [disipli'nɛəriən] *s.* Zuchtmeister *m*, strenger Lehrer *od.* Vorgesetzter; **dis·ci·pli·nar·y** ['disiplinəri] *adj.* **1.** erzieherisch, Zucht...; **2.** diszipli'narisch: *~ action* Disziplinarverfahren; *~ punishment* Disziplinarstrafe; *~ transfer* Strafversetzung; **dis·ci·pline** ['disiplin] **I.** *s.* **1.** Schulung *f*, Erziehung *f*; **2.** Diszi'plin *f* (*a. eccl.*), Zucht *f*; 'Selbstdisziˌplin *f*; **3.** Bestrafung *f*, Züchtigung *f*; **4.** Disziplin *f*, Wissenszweig *m*; **II.** *v/t.* **5.** schulen, erziehen; **6.** an Disziplin gewöhnen, zur (Selbst)Zucht erziehen: *well-~d* wohldiszipliniert; **7.** bestrafen.

dis·claim [dis'kleim] *v/t.* **1.** abstreiten, dementieren; nicht anerkennen, (ab-, ver)leugnen; **2.** verzichten auf (*acc.*), nicht für sich beanspruchen; ⚖ *Erbschaft* ausschlagen; **dis'claim·er** [-mə] *s.* **1.** Verzicht (-leistung *f*) *m*; ⚖ Ausschlagung *f* (*Erbschaft*); **2.** (öffentlicher) 'Widerruf, De'menti *n*.

dis·close [dis'klouz] *v/t.* **1.** aufdecken, ans Licht bringen; **2.** bekanntgeben; enthüllen, offen'baren; *Geheimnis* verraten; **dis'clo·sure** [-ouʒə] *s.* **1.** Aufdeckung *f*, Enthüllung *f*, Offen'barung *f*; **2.** Bekanntgabe *f*, Mitteilung *f*.

dis·co ['diskou] *pl.* **-cos** *s.* F → *discotheque*.

dis·cog·ra·phy [dis'kɔgrəfi] *s.* Schallplattenverzeichnis *n*.

dis·col·o(u)r [dis'kʌlə] **I.** *v/t.* **1.** verfärben; entfärben; **2.** *fig.* entstellen; **II.** *v/i.* **3.** sich verfärben; **4.** verschießen; **dis·col·o(u)r·a·tion** [diskʌlə'reiʃən] *s.* **1.** Verfärbung *f*; Entfärbung *f*; **2.** verschossene Stelle; **3.** Fleck *m*; **dis'col·o(u)red** [-əd] *adj.* verfärbt, verschossen.

dis·com·fit [dis'kʌmfit] *v/t.* **1.** schlagen, besiegen; **2.** *j-s* Pläne durch'kreuzen; **3.** aus der Fassung bringen, verwirren; **dis'com·fi·ture** [-tʃə] *s.* **1.** Niederlage *f*; **2.** Enttäuschung *f*; **3.** Verwirrung *f*.

dis·com·fort [dis'kʌmfət] *s.* Unbehagen *n*, *körperliche* Beschwerde.

dis·com·mode [diskə'moud] *v/t.* belästigen, *j-m* zur Last fallen.

dis·com·pose [diskəm'pouz] *v/t.* verwirren, beunruhigen, aufregen; **dis·com'pos·ed·ly** [-zidli] *adj.* verwirrt, beunruhigt; **dis·com'po·sure** [-ouʒə] *s.* Verwirrung *f*, Aufregung *f*.

dis·con·cert [diskən'sə:t] *v/t.* **1.** aus der Fassung bringen, verwirren; **2.** beunruhigen; **3.** verstimmen; **4.** *Pläne etc.* zu'nichte machen, über den Haufen werfen; **dis·con'cert·ed** [-tid] *adj.* bestürzt, verlegen; beunruhigt; **dis·con'cert·ing** [-tiŋ] *adj.* beunruhigend, peinlich.

dis·con·nect ['diskə'nekt] *v/t.* **1.** trennen (*with, from* von); **2.** ⊕ auskuppeln, ausrücken; **3.** ⚡ trennen, ab-, ausschalten; **'dis·con'nect·ed** [-tid] *adj.* □ **1.** getrennt, losgelöst; **2.** zs.-hanglos; **'dis·con'nect·ing** [-tiŋ] *adj.* ⚡ Trenn..., Ausschalt...; **dis·con·nec·tion, dis·con·nex·ion** [diskə'nekʃən] *s.* **1.** Trennung *f*; **2.** ⚡ Abschaltung *f*, Trennung *f*.

dis·con·so·late [dis'kɔnsəlit] *adj.* □ untröstlich; trostlos (*a. fig. freudlos*).

dis·con·tent ['diskən'tent] *s.* **1.** (*at, with*) Unzufriedenheit *f* (mit), 'Mißvergnügen *n* (über *acc.*); **2.** Unzufriedene(r *m*) *f*; **'dis·con'tent·ed** [-tid] *adj.* □ (*with*) unzufrieden (mit), 'mißvergnügt (über *acc.*); **'dis·con'tent·ed·ness** [-tidnis], **'dis·con'tent·ment** [-mənt] → *discontent 1*.

dis·con·tin·u·ance [diskən'tinjuəns], **dis·con·tin·u·a·tion** ['diskəntinju'eiʃən] *s.* **1.** Unter'brechung *f*; **2.** Einstellung *f* (*a.* ⚖ *des Verfahrens*); **3.** Aufgeben *n*; **dis·con·tin·ue** ['diskən'tinju(:)] **I.** *v/t.* **1.** unter'brechen, aussetzen; **2.** einstellen (*a.* ⚖), aufgeben; **3.** *Zeitung* abbestellen; **4.** aufhören (*doing* zu tun); **II.** *v/i.* **5.** aufhören; **dis·con·ti·nu·i·ty** ['diskɔnti'nju(:)iti] *s.* **1.** Unter'brechung *f*; **2.** Zs.-hanglosigkeit *f*; **dis·con·tin·u·ous** ['diskən'tinjuəs] *adj.* □ **1.** unter'brochen, mit Unter'brechungen; **2.** 'unzuˌsammenhängend; **3.** sprunghaft.

dis·cord ['diskɔ:d] *s.* **1.** Uneinigkeit *f*, Zwietracht *f*, Streit *m*; → *apple*; **2.** ♪ Disso'nanz *f*, 'Mißklang *m*; **3.** Lärm *m*; **dis·cord·ance** [dis'kɔ:dəns] *s.* **1.** Uneinigkeit *f*; **2.** Mißklang *m*, Dissonanz *f*; **dis·cord·ant** [dis'kɔ:dənt] *adj.* □ **1.** uneinig, sich wider'sprechend; **2.** 'unharˌmonisch; **3.** ♪ disso'nantisch, 'mißtönend.

dis·co·theque ['diskoutek] *s.* Disko'thek *f*.

dis·count ['diskaunt] **I.** *s.* **1.** ✝ Preisnachlaß *m*, Abschlag *m*, Ra'batt *m*, 'Skonto *m*, *n*: *to allow a ~* (e-n) Rabatt gewähren; **2.** ✝ Dis'kont *m*, Wechselzins *m*: *to raise the ~* den Diskontsatz erhöhen; **3.** ✝ Abzug *m* (*vom Nominalwert*): *at a ~* **a)** unter Pari, **b)** *fig.* unbeliebt, nicht geschätzt *od.* gefragt; *to sell at a ~* mit Verlust verkaufen; **4.** *fig.* Abzug *m*, Vorbehalt *m*, Einschränkung *f*; **II.** *v/t.* [*a.* dis'kaunt] **5.** ✝ e-n Abzug gewähren auf (*acc.*); **6.** *Wechsel* diskontieren; **7.** im Wert vermindern, beeinträchtigen; **8.** unberücksichtigt lassen; **9.** gering(er)en Wert beimessen (*dat.*), mit Vorsicht aufnehmen, nur teilweise glauben; **dis·count·a·ble** [dis'kauntəbl] *adj.* ✝ diskontierbar, dis'kontfähig.

dis·count| bank *s.* ✝ Dis'kontbank *f*; *~* **bills** *s. pl.* ✝ Dis'konten(wechsel) *pl.*; *~* **bro·ker** *s.* ✝ Dis'kont-, Wechselmakler *m*.

dis·coun·te·nance [dis'kauntinəns] *v/t.* (offen) miß'billigen, verurteilen; zu hindern suchen; **dis'coun·te·nanced** [-st] *adj.* entmutigt.

dis·count| house *s.* ✝ **1.** *Am.* Discount-, Dis'kontgeschäft *n*; **2.** *Brit.* Dis'kontbank *f*; *~* **rate** *s.* ✝ Dis'kontsatz *m*, 'Bankdisˌkont *m*; *~* **shop** *s.* ✝ Dis'kontladen *m*, -geschäft *n*.

dis·cour·age [dis'kʌridʒ] *v/t.* **1.** entmutigen; **2.** abschrecken, abhalten, *j-m* abraten (*from* von); **3.** miß'billigen, nicht begünstigen; **4.** verhindern; **dis'cour·age·ment** [-mənt] *s.* **1.** Entmutigung *f*, Mutlosigkeit *f*; **2.** Abschreckungsmittel *n*; **3.** Hindernis *n*, Schwierigkeit *f* (*to* für); **dis'cour·ag·ing** [-dʒiŋ] *adj.* □ entmutigend.

dis·course [dis'kɔ:s] **I.** *s.* **1.** Rede *f*, Vortrag *m*; Predigt *f*; **2.** Unter'haltung *f*; **3.** Abhandlung *f*; **II.** *v/i.* **4.** e-n Vortrag *od.* e-e Ansprache halten (*on* über *acc.*); predigen (*mst fig.*); **5.** sich unter'halten (*on* über *acc.*).

dis·cour·te·ous [dis'kə:tjəs] *adj.* □ unhöflich, unartig, ungezogen; **dis'cour·te·sy** [-tisi] *s.* Unhöflichkeit *f*.

dis·cov·er [dis'kʌvə] *v/t.* **1.** entdecken (*a. fig.*); **2.** ausfindig machen, ermitteln; **3.** erkennen, einsehen, (her'aus)finden; **4.** aufdecken, enthüllen; **dis'cov·er·a·ble** [-vərəbl] *adj.* **1.** zu entdecken(d); **2.** ersichtlich, wahrnehmbar; **3.** feststellbar; **dis'cov·er·er** [-vərə] *s.* Entdecker (-in); **dis'cov·er·y** [-vəri] *s.* **1.** Entdeckung *f* (*a. fig.*); **2.** Fund *m*; **3.** Enthüllung *f*, Ermittlung *f*; **4.** ~ *of documents* ⚖ Offenlegung prozeßwichtiger Urkunden.

dis·cred·it [dis'kredit] **I.** *v/t.* **1.** in Verruf *od.* 'Mißkreˌdit bringen (*with* bei); ein schlechtes Licht werfen auf (*acc.*); Unehre machen (*dat.*), diskreditieren; **2.** anzweifeln; keinen Glauben schenken (*dat.*); **II.** *s.* **3.** schlechter Ruf; Unehre *f*, Schande *f*: *to bring s.o. into* ~, *to bring* ~ *on s.o.* → *1*; **4.** Zweifel *m*, 'Mißtrauen *n*: *to throw* ~ *on* mißtrauen (*dat.*), zweifelhaft erscheinen lassen; **dis'cred·it·a·ble** [-təbl] *adj.* □ entehrend, schimpflich; **dis'cred·it·ed** [-tid] *adj.* **1.** verrufen; **2.** unglaubwürdig.

dis·creet [dis'kri:t] *adj.* □ **1.** 'um-, vorsichtig, besonnen, verständig; **2.** dis'kret, taktvoll, verschwiegen; **3.** zu'rückhaltend.

dis·crep·an·cy [dis'krepənsi] *s.* **1.** Diskre'panz *f*, Unstimmigkeit *f*, Verschiedenheit *f*; **2.** 'Widerspruch *m*, Zwiespalt *m*.

dis·crete [dis'kri:t] *adj.* □ **1.** getrennt, einzeln; **2.** unstet, unbeständig; **3.** 𝔄 unstetig, dis'kret.

dis·cre·tion [dis'kreʃən] *s.* **1.** 'Um-, Vorsicht *f*, Besonnenheit *f*, Klugheit *f*: *to act with* ~ vorsichtig handeln; **2.** Verfügungsfreiheit *f*, Machtbefugnis *f*: *age* (*od. years*) *of* ~ Alter der freien Willensbestimmung, Strafmündigkeit (*14 Jahre*); **3.** Gutdünken *n*, Belieben *n*; (⚖ freies) Ermessen: *at* (*your*) ~ nach (Ihrem) Belieben; *it is within your* ~ es steht Ihnen frei; *use your own* ~ handle nach eigenem Gutdünken *od.* Ermessen; *to surrender at* ~ bedingungslos kapitulieren; **4.** Diskreti'on *f*, Takt(gefühl *n*) *m*, Verschwiegenheit *f*; **5.** Nachsicht *f*: *to ask for* ~; **dis'cre·tion·ar·y** [-ʃnəri] *adj.* □ dem eigenen Gutdünken über'lassen, ins freie Ermessen gestellt, wahlfrei: ~ *clause* ⚖ Kannvorschrift; ~ *powers* unumschränkte Vollmacht, Handlungsfreiheit.

dis·crim·i·nate [dis'krimineit] **I.** *v/i.* (scharf) unter'scheiden, e-n 'Unterschied machen: *to* ~ *between* unterschiedlich behandeln (*acc.*); *to* ~ *against s.o.* j-n benachteiligen *od.* diskriminieren; *to* ~ *in favo(u)r of s.o.* j-n begünstigen *od.* bevorzugen; **II.** *v/t.* (scharf) unter'scheiden; abheben, absondern (*from* von); **dis'crim·i·nat·ing** [-tiŋ] *adj.* □ **1.** unter'scheidend, charakte'ristisch; **2.** scharfsinnig, klug, urteilsfähig; anspruchsvoll; **3.** ✝ Differential..., Sonder...: ~ *duty* Differentialzoll; **4.** ⚡ Rückstrom...; Selektiv...; **dis·crim·i·na·tion** [diskrimi'neiʃən] *s.* **1.** 'unterschiedliche Behandlung, Diskriminierung *f*: ~ *against* (*in favo[u]r of*) *s.o.* Benachteiligung (Begünstigung) e-r Person; **2.** Scharfblick *m*, Urteilsfähigkeit *f*, Unter'scheidungsvermögen *n*; **dis'crim·i·na·tive** [-nətiv] *adj.* □, **dis'crim·i·na·to·ry** [-nətəri] *adj.* **1.** charakte'ristisch unter'scheidend; **2.** 'unterschiedlich (behandelnd); Sonder..., Ausnahme...

dis·cur·sive [dis'kə:siv] *adj.* □ **1.** abschweifend, unbeständig; sprunghaft; **2.** weitschweifig, allgemein gehalten; **3.** *phls.* folgernd, diskur'siv.

dis·cus ['diskəs] *s. sport* 'Diskus *m*.

dis·cuss [dis'kʌs] *v/t.* **1.** diskutieren, besprechen, erörtern; beraten über (*acc.*); **2.** behandeln, unter'suchen; **3.** F sich *e-e Flasche Wein etc.* zu Gemüte führen; **dis'cus·sion** [-ʌʃən] *s.* **1.** Diskussi'on *f*, Erörterung *f*, Aussprache *f*, Besprechung *f*: *to be under* ~ zur Debatte stehen, erörtert werden; *matter for* ~ Diskussionsthema; ~ *group* Diskussionsgruppe; **2.** Beratung *f*, Verhandlung *f*.

dis·cus| throw *s. sport* 'Diskuswerfen *n*; ~ **throw·er** *s. sport* 'Diskuswerfer(in).

dis·dain [dis'dein] **I.** *v/t.* **1.** verachten; *a. Essen etc.* verschmähen; **2.** es für unter s-r Würde halten (*doing, to do* zu tun); **II.** *s.* **3.** Verachtung *f*, Geringschätzung *f*; **4.** Hochmut *m*; **dis'dain·ful** [-ful] *adj.* □ **1.** verachtungsvoll, geringschätzig: *to be* ~ *of s.th.* et. verachten; **2.** hochmütig.

dis·ease [di'zi:z] *s.* ⚕, *biol.* Krankheit *f* (*a. fig.*), Leiden *n*; **dis'eased** [-zd] *adj.* **1.** krank, erkrankt; **2.** krankhaft.

dis·em·bark ['disim'bɑ:k] **I.** *v/t.* ausschiffen, -laden, landen; **II.** *v/i.* landen, aussteigen, von Bord *od.* an Land gehen; **dis·em·bar·ka·tion** [disembɑ:'keiʃən] *s.* Ausschiffung *f*, Landung *f*.

dis·em·bar·rass ['disim'bærəs] *v/t.* befreien, erlösen (*of* von): *to* ~ *o.s. of* sich freimachen von, ablegen.

dis·em·bod·i·ment [disim'bɔdimənt] *s.* **1.** Entkörperlichung *f*; **2.** ⚔ Auflösung *f*; **dis·em·bod·y** ['disim'bɔdi] *v/t.* **1.** entkörperlichen: *disembodied voice* geisterhafte Stimme; **2.** ⚔ auflösen.

dis·em·bogue [disim'boug] **I.** *v/i.* sich ergießen, münden; sich entladen; **II.** *v/t.* ergießen; entladen.

dis·em·bow·el [disim'bauəl] *v/t.* **1.** ausweiden, Eingeweide her'ausnehmen (*dat.*); **2.** *j-m* den Bauch aufschlitzen.

dis·en·chant ['disin'tʃɑ:nt] *v/t.* desillusionieren, entzaubern, ernüchtern; **dis·en·chant·ment** [disin'tʃɑ:ntmənt] *s.* Ernüchterung *f*, Enttäuschung *f*.

dis·en·cum·ber ['disin'kʌmbə] *v/t.* **1.** befreien (*of* von *e-r Last etc.*) (*a. fig.*); **2.** ⚖ *Grundstück etc.* hypo'thekenfrei machen.

dis·en·dow ['disin'dau] *v/t. e-r Kirche* die Pfründe *od.* die Schenkung entziehen.

dis·en·fran·chise ['disin'fræntʃaiz] → *disfranchise*.

dis·en·gage ['disin'geidʒ] **I.** *v/t.* **1.** los-, freimachen, (los)lösen, befreien (*from* von); **2.** befreien, entbinden (*from* von); **3.** ⊕ loskuppeln, ausrücken, ausschalten; **4.** ⚗ abscheiden, entbinden; **II.** *v/i.* **5.** sich freimachen, loskommen (*from* von); **6.** ⚔ sich absetzen (*vom Feind*); **'dis·en'gaged** [-dʒd] *adj.* frei, nicht besetzt; abkömmlich; **dis·en·gage·ment** [disin'geidʒmənt] *s.* **1.** Befreiung *f*; Loslösung *f* (*a.* ⚔), Entbindung *f* (*a.* ⚗); **2.** ⚔ Absetzen *n*; *pol.* Disengagement *n*; **'dis·en'gag·ing gear** [-dʒiŋ] *s.* ⊕ Ausrück-, Auskuppelungsvorrichtung *f*.

dis·en·tan·gle ['disin'tæŋgl] **I.** *v/t.* entwirren, lösen; *fig.* befreien; **II.** *v/i.* sich loslösen; *fig.* sich befreien; **dis·en·tan·gle·ment** [disin'tæŋglmənt] *s.* Loslösung *f*, Entwirrung *f*; Befreiung *f*.

dis·en·thral(l) ['disin'θrɔ:l] *v/t. aus der Knechtschaft* befreien.

dis·en·ti·tle ['disin'taitl] *v/t. j-m* e-n Rechtsanspruch nehmen: *to be* ~*d to* keinen Anspruch haben auf (*acc.*).

dis·en·tomb ['disin'tu:m] *v/t.* exhumieren; ausgraben (*a. fig.*).

dis·e·qui·lib·ri·um [disekwi'libriəm] *s.* mangelndes *od.* gestörtes Gleichgewicht, 'Übergewicht *n*; Unausgeglichenheit *f*.

dis·es·tab·lish ['disis'tæbliʃ] *v/t.* **1.** abschaffen, aufheben; **2.** *e-s Amtes* entheben; **3.** *Kirche* entstaatlichen; **dis·es·tab·lish·ment** [disis'tæbliʃmənt] *s.*: ~ *of the Church* Trennung von Kirche u. Staat.

dis·fa·vo(u)r ['dis'feivə] **I.** *s.* 'Mißbilligung *f*, -fallen *n*, Ungunst *f*; Ungnade *f*: *to regard with* ~ mit Mißfallen betrachten; *to be in* (*fall into*) ~ in Ungnade gefallen sein (fallen); **II.** *v/t.* miß'billigen; ungnädig behandeln.

dis·fig·u·ra·tion [disfigjuə'reiʃən] → *disfigurement*; **dis·fig·ure** [dis'figə] *v/t.* **1.** entstellen, verunstalten; **2.** beeinträchtigen; Abbruch tun (*dat.*); **dis·fig·ure·ment** [dis'figəmənt] *s.* Entstellung *f*, Verunstaltung *f*.

dis·fran·chise ['dis'fræntʃaiz] *v/t. j-m* die Bürgerrechte *od.* das Wahlrecht entziehen; **dis·fran·chise·ment** [dis'fræntʃizmənt] *s.* Entziehung *f* der Bürgerrechte *od.* des Wahlrechts.

dis·gorge [dis'gɔ:dʒ] **I.** *v/t.* **1.** ausspeien, -werfen, -stoßen, ergießen; **2.** *widerwillig* wieder her'ausgeben; **II.** *v/i.* **3.** sich ergießen, sich entladen.

dis·grace [dis'greis] **I.** *s.* **1.** Schande *f*, Schmach *f*: *to bring* ~ *on s.o.* j-m Schande machen; **2.** Schande *f*, Schandfleck *m* (*to* für): *he is a* ~ *to the party*; **3.** Ungnade *f*: *to be in* ~ *with* in Ungnade gefallen sein bei; **II.** *v/t.* **4.** Schande bringen über (*acc.*), entehren, schänden; **5.** *j-m* s-e Gunst entziehen; mit Schimpf entlassen: *to be* ~*d* in Ungnade fallen; **6.** ~ *o.s.* **a)** sich blamieren, **b)** sich schändlich benehmen; **dis'grace·ful** [-ful] *adj.* □ schändlich, schimpflich, schmachvoll.

dis·grun·tle [dis'grʌntl] *v/t. Am.* verärgern, verstimmen; **dis'grun·tled** [-ld] *adj.* verärgert, verstimmt, ungehalten (*at* über *acc.*).

dis·guise [dis'gaiz] **I.** *v/t.* **1.** verkleiden, maskieren; tarnen; **2.** *Handschrift, Stimme* verstellen; **3.** *Gefühle, Wahrheit* verhüllen, verbergen, verhehlen; **II.** *s.* **4.** Verkleidung *f*, Maske *f*: *in* ~ maskiert, verkleidet; → *blessing*; **5.** Verstellung *f*; **6.** Vorwand *m*, Schein *m*; **dis'guised** [-zd] *adj.* verkleidet, verkappt.

dis·gust [dis'gʌst] **I.** *s.* **1.** (*at, for*) Ekel *m* (vor *dat.*), 'Widerwille *m* (gegen): *in* ~ mit Abscheu; **II.** *v/t.* **2.** anekeln, anwidern; **3.** entrüsten, verärgern, empören; **dis'gust·ed** [-tid] *adj.* □ (*with, at*) **1.** angeekelt, angewidert (von): ~ *with life* lebensüberdrüssig; **2.** em'pört, entrüstet (über *acc.*); **dis'gust·ing** [-tiŋ] *adj.* □ **1.** ekelhaft, widerlich, ab'scheulich; **2.** F entsetzlich, schrecklich.

dish [diʃ] **I.** *s.* **1.** Schüssel *f*, Platte *f*: *meat* ~ Fleischschüssel; **2.** Gericht *n*, Speise *f*: *cold* ~ kaltes Gericht; **3.** *pl.* Geschirr *n*; → *wash 16*; **II.** *v/t.* **4.** *mst* ~ *up Speisen* anrichten, auftragen; **5.** ~ *up fig.* auftischen; **6.** ~ *out* **a)** austeilen, **b)** *sl.* erzählen; **7.** *sl.* ‚anschmieren', her'einlegen; **8.** *sl.* **a)** *j-n* ‚erledigen', ‚fertigmachen', **b)** *et.* restlos vermasseln; **9.** ⊕ wölben.

dis·ha·bille [disæ'bi:l] *s.* Negli'gé *n*, Morgenrock *m*: *in* ~ **a)** nachlässig gekleidet, **b)** im Negligé.

dis·har·mo·ni·ous ['dishɑ:'mounjəs] *adj.* □ 'dis-, 'unharˌmonisch; **dis·har·mo·ny** ['dis'hɑ:məni] *s.* 'Mißklang *m*; 'Mißhelligkeit *f*.

'dish|-cloth *s.* Geschirr-, Abwaschtuch *n*; '**~-cov·er** *s.* Cloche *f*, (Platten)Haube *f* (*zum Warmhalten*).

dis·heart·en [dis'hɑ:tn] *v/t.* entmutigen, deprimieren; **dis'heart·en·ing** [-niŋ] *adj.* □ entmutigend, bedrückend.

dished [diʃt] *adj.* **1.** kon'kav gewölbt; **2.** *sl.* ‚erledigt', ‚fertig', ‚ka'putt'.

di·shev·el(l)ed [di'ʃevəld] *adj.* **1.** zerzaust, wirr, aufgelöst (*Haar*); **2.** unordentlich, ungepflegt, schlampig.

dis·hon·est [dis'ɔnist] *adj.* □ unehrlich, unredlich; unlauter, betrügerisch; **dis'hon·es·ty** [-ti] *s.* Unehrlichkeit *f*, Unredlichkeit *f*; Betrug *m*.

dis·hon·o(u)r [dis'ɔnə] **I.** *s.* **1.** Unehre *f*, Schmach *f*, Schande *f*; Schandfleck *m* (*to* für); **2.** Beschimpfung *f*; **II.** *v/t.* **3.** entehren, Schande bringen über (*acc.*); **4.** *Frau* schänden; **5.** schimpflich behandeln; **6.** *sein Wort* nicht einlösen; **7.** ✝ *Scheck etc.* nicht honorieren, nicht einlösen: ~*ed* notleidend; **dis'hon·o(u)r·a·ble** [-nərəbl] *adj.* □ **1.** schimpflich, unehrenhaft: ~ *discharge* ⚔ unehrenhafte Entlassung; **2.** ehrlos, verachtet; **dis'hon·o(u)r·a·ble·ness** [-nərəblnis] *s.* **1.** Schändlichkeit *f*, Gemeinheit *f*; **2.** Ehrlosigkeit *f*.

'dish|-rack *s.* Abtropf-, Abstellbrett *n* (*für Geschirr*); '**~-wash** → *dish-water*; '**~-wash·er** *s.* **1.** Tellerwäscher(in); **2.** Ge'schirrˌspülmaˌschine *f*; **3.** → *water wagtail*; '**~-wa·ter** *s.* Abwasch-, Spülwasser *n*.

dish·y ['diʃi] *adj. sl.* schick, ‚toll': ~ *girl*.

dis·il·lu·sion [disi'lu:ʒən] **I.** *s.* Ernüchterung *f*, Enttäuschung *f*; **II.** *v/t.* ernüchtern, desillusionieren, von Illusi'onen befreien; **dis·il'lu·sion·ment** [-mənt] → *disillusion I*.

dis·in·cen·tive [disin'sentiv] *s.* Abhaltung *f*, Entmutigung *f*; ✝ leistungshemmender 'Faktor.

dis·in·cli·na·tion [disinkli'neiʃən] *s.* Abneigung *f* (*for, to* gegen, *to do* zu tun): ~ *to buy* Kaufunlust; **dis·in·cline** ['disin'klain] *v/t.* abgeneigt machen; **dis·in·clined** ['disin'klaind] *adj.* abgeneigt (*to dat.*, *to do* zu tun).

dis·in·fect [disin'fekt] *v/t.* desinfizieren, keimfrei machen, entseuchen; **dis·in'fect·ant** [-tənt] **I.** *s.* Desinfekti'onsmittel *n*; **II.** *adj.* desinfizierend, keimtötend; **dis·in'fec·tion** [-kʃən] *s.* Desinfekti'on *f*; **dis·in'fec·tor** [-tə] *s.* Desinfekti'onsgerät *n*.

dis·in·fest ['disin'fest] *v/t.* von Ungeziefer *etc.* befreien, entlausen, entwesen; **dis·in·fes·ta·tion** ['disinfes'teiʃən] *s.* Säuberung *f* von Ungeziefer, Entlausung *f*.

dis·in·fla·tion [disin'fleiʃən] → *deflation 2*; **dis·in'fla·tion·ar·y** [-ʃnəri] → *deflationary*.

dis·in·gen·u·ous [disin'dʒenjuəs] *adj.* □ **1.** unaufrichtig; 'hinterhältig; arglistig; **2.** schlau, verschlagen; **dis·in'gen·u·ous·ness** [-nis] *s.* **1.** Unredlichkeit *f*, Unaufrichtigkeit *f*; **2.** Schläue *f*, Verschlagenheit *f*.

dis·in·her·it ['disin'herit] *v/t.* enterben; **dis·in·her·it·ance** [disin'heritəns] *s.* Enterbung *f*.

dis·in·te·grate [dis'intigreit] **I.** *v/t.* **1.** (*a. phys.*) auflösen, aufspalten, zerkleinern, aufschließen, zersetzen; **2.** *fig.* auflösen, zersetzen, zerrütten; **II.** *v/i.* **3.** sich aufspalten, sich auflösen, zerrinnen, sich zersetzen; **4.** ver-, zerfallen (*a. fig.*); **5.** *geol.* verwittern; **dis·in·te·gra·tion** [disinti'greiʃən] *s.* **1.** (*a. phys.*) Auflösung *f*, Aufspaltung *f*, Zerstückelung *f*, Zertrümmerung *f*, Zersetzung *f*; **2.** Zerfall *m* (*a. fig.*); **3.** *geol.* Verwitterung *f*.

dis·in·ter ['disin'tə:] *v/t.* *Leiche* exhumieren, ausgraben (*a. fig.*).

dis·in·ter·est·ed [dis'intristid] *adj.* □ **1.** uneigennützig, selbstlos; **2.** 'unparˌteiisch; **3.** unbeteiligt; **dis'in·ter·est·ed·ness** [-nis] *s.* **1.** Uneigennützigkeit *f*, Selbstlosigkeit *f*; **2.** 'Unparˌteilichkeit *f*.

dis·in·ter·ment [disin'tə:mənt] *s.* Ausgrabung *f* (*a. fig.*).

dis·joint [dis'dʒɔint] *v/t.* **1.** ausein'andernehmen, zerlegen, zerstückeln; **2.** ⚕ ver-, ausrenken; **3.** (ab)trennen; **4.** *fig.* in Unordnung *od.* aus den Fugen bringen; **dis'joint·ed** [-tid] *adj.* □ *fig.* 'unzuˌsammenhängend (*a. Rede*), zerˌabgerissen; **dis'joint·ed·ness** [-tidnis] *s.* Zs.-hanglosigkeit *f*.

dis·junc·tion [dis'dʒʌŋkʃən] *s.* Trennung *f*; **dis'junc·tive** [-ktiv] *adj.* □ **1.** (ab)trennend, ausschließend; **2.** *ling.*, *phls.* disjunk'tiv.

disk [disk] *s.* **1.** (*a. Sonnen- etc.*) Scheibe *f*; runde Platte, Teller *m*; **2.** ⊕ Scheibe *f*, La'melle *f*; Si'gnalscheibe *f*; **3.** ♀, *anat.*, *zo.* Scheibe *f*; **4.** *teleph.* Wähl(er)scheibe *f*; **5.** *sport* 'Diskus *m*; **6.** (Schall)Platte *f*; ~ **brake** *s.* ⊕ Scheibenbremse *f*; ~ **clutch** *s. mot.* Scheibenkupplung *f*; '**~-jock·ey** *s.* Diskjockey *m*, Ansager *m* e-r Schallplattensendung *etc.*; ~ **valve** *s.* ⊕ 'Tellervenˌtil *n*; ~ **wheel** *s.* ⊕ (Voll)Scheibenrad *n*.

dis·like [dis'laik] **I.** *v/t.* nicht leiden können, nicht mögen, nicht lieben, e-e Abneigung haben gegen; **II.** *s.* Abneigung *f*, 'Widerwille *m* (*to, of, for* gegen): *to take a* ~ *to* e-e Abneigung fassen gegen; **dis'liked** [-kt] *adj.* unbeliebt: *to get o.s.* ~ sich unbeliebt machen.

dis·lo·cate ['disləkeit] *v/t.* **1.** verrücken; *a. Industrie, Truppen etc.* verlagern; **2.** ⚕ ver-, ausrenken: *to* ~ *one's arm* sich den Arm verrenken; **3.** *fig.* erschüttern, zerrütten; stören, in Verwirrung bringen; **4.** *geol.* verwerfen; **dis·lo·ca·tion** [dislə'keiʃən] *s.* **1.** Verrückung *f*; Verlagerung *f* (*a.* ⚔); **2.** ⚕ Verrenkung *f*; **3.** *fig.* Verwirrung *f*, Erschütterung *f*, Störung *f*; **4.** *geol.* Verwerfung *f*.

dis·lodge [dis'lɔdʒ] *v/t.* **1.** entfernen, her'ausnehmen, losreißen; **2.** vertreiben, verjagen, verdrängen; **3.** ⚔ *Feind* aus der Stellung werfen; **4.** 'umquartieren.

dis·loy·al ['dis'lɔiəl] *adj.* □ untreu, treulos, verräterisch; **dis'loy·al·ty** [-ti] *s.* Untreue *f*, Treulosigkeit *f*.

dis·mal ['dizməl] **I.** *adj.* □ **1.** düster, trübe, bedrückend, trostlos, elend; **2.** schaurig, furchtbar, gräßlich; **II.** *s.* **3.**: *the* ~*s* der Trübsinn; '**dis·mal·ly** [-məli] *adv.* düster *etc.*; schmählich.

dis·man·tle [dis'mæntl] *v/t.* **1.** de-, abmontieren; *Bau* abbrechen, niederreißen; **2.** ausein'andernehmen, zerlegen; **3.** ⚓ **a)** abtakeln, **b)** abwracken; **4.** *Festung* schleifen; **5.** *Haus* (aus)räumen; **6.** unbrauchbar machen; **dis'man·tle·ment** [-mənt] *s.* **1.** Abbruch *m*, Demon'tage *f*; **2.** ⚓ Abtakelung *f*; **3.** ⚔ Schleifung *f*.

dis·may [dis'mei] **I.** *v/t.* erschrecken, in Schrecken versetzen, bestürzen, entsetzen: *not* ~*ed* unbeirrt; **II.** *s.* Schreck(en) *m*, Entsetzen *n*, Bestürzung *f*.

dis·mem·ber [dis'membə] *v/t.* zergliedern, zerstückeln, verstümmeln (*a. fig.*); **dis'mem·ber·ment** [-mənt] *s.* Zerstückelung *f*, Verstümmelung *f*.

dis·miss [dis'mis] *v/t.* **1.** entlassen, gehen lassen, verabschieden: ~! ⚔ weg(ge)treten!; **2.** entlassen (*from* aus *dem Dienst*), absetzen, abbauen; wegschicken: *to be* ~*ed* (*from*) *the service* ⚔ aus dem Heere *etc.* entlassen *od.* ausgestoßen werden; **3.** *Thema etc.* fallenlassen, aufgeben, hin'weggehen über (*acc.*), *Vorschlag* ab-, zu'rückweisen, *Gedanken* verbannen, von sich weisen; ⚖ *Klage* abweisen: *to* ~ *from one's mind et.* aus s-n Gedanken verbannen; *to* ~ *as* ... als ... abtun, kurzerhand als ... betrachten; **dis'miss·al** [-səl] *s.* **1.** Entlassung *f* (*from* aus); **2.** Aufgabe *f*, Abtun *n*; **3.** ⚖ Abweisung *f*.

dis·mount ['dis'maunt] **I.** *v/i.* **1.** absteigen, absitzen (*from* von);

II. *v/t.* **2.** aus dem Sattel heben; abwerfen (*Pferd*); **3.** (ab)steigen von; **4.** abmontieren, ausbauen, ausein'andernehmen.

dis·o·be·di·ence [disə'bi:djəns] *s.* **1.** Ungehorsam *m* (*to* gegen), Gehorsamsverweigerung *f*: *civil* ~ bürgerlicher Ungehorsam (*als politisches Druckmittel*); **2.** Nichtbefolgung *f*; **dis·o'be·di·ent** [-nt] *adj.* □ ungehorsam (*to* gegen); **dis·o·bey** ['disə'bei] *v/t.* **1.** *j-m* nicht gehorchen, ungehorsam sein gegen *j-n*; **2.** *Befehl etc.* nicht befolgen, miß'achten: *I will not be* ~*ed* ich dulde keinen Ungehorsam.

dis·o·blige ['disə'blaidʒ] *v/t.* **1.** ungefällig sein gegen *j-n*; **2.** kränken, verletzen; **'dis·o'blig·ing** [-dʒiŋ] *adj.* □ ungefällig, unfreundlich; **'dis·o'blig·ing·ness** [-dʒiŋnis] *s.* Ungefälligkeit *f*, Unfreundlichkeit *f*.

dis·or·der [dis'ɔ:də] **I.** *s.* **1.** Unordnung *f*, Verwirrung *f*: *to flee in* ~ in wilder Flucht davoneilen; **2.** Störung *f*, Ruhestörung *f*; Aufruhr *m*, Unruhe(n *pl.*) *f*; **3.** ungebührliches Betragen; **4.** ⚕ Störung *f*, Erkrankung *f*: *mental* ~ Geistesstörung; **II.** *v/t.* **5.** in Unordnung bringen, verwirren, stören; **6.** zerrütten, verderben; **dis'or·dered** [-əd] *adj.* **1.** unordentlich; **2.** zerrüttet; gestört, erkrankt: *my stomach is* ~ ich habe mir den Magen verdorben; **dis'or·der·li·ness** [-linis] *s.* **1.** Unordnung *f*, Verwirrung *f*; **2.** Unbotmäßigkeit *f*; **3.** Liederlichkeit *f*; **dis'or·der·ly** [-li] *adj.* **1.** verwirrt, unordentlich, schlampig; **2.** ordnungs-, gesetzwidrig, aufrührerisch; **3.** Ärgernis erregend: ~ *conduct* ⚖ ungebührliches Benehmen, grober Unfug; ~ *person* Ruhestörer; ~ *house mst* Bordell; *a.* Spielhölle.

dis·or·gan·i·za·tion [disɔ:gənai'zeiʃən] *s.* Auflösung *f*, Zerrüttung *f*, Unordnung *f*, ˌDesorganisati'on *f*; **dis·or·gan·ize** [dis'ɔ:gənaiz] *v/t.* auflösen, zerrütten, in Unordnung bringen, desorganisieren; **dis·or·gan·ized** [dis'ɔ:gənaizd] *adj.* in Unordnung, desorganisiert.

dis·o·ri·ent·ed [dis'ɔ:rientid] *adj.* *psych.* ‚gestört', la'bil.

dis·own [dis'oun] *v/t.* **1.** nicht (als sein eigen) anerkennen, nichts zu tun haben wollen mit; **2.** ver-, ableugnen; *Kind* verstoßen, -leugnen.

dis·par·age [dis'pæridʒ] *v/t.* in Verruf bringen, her'absetzen, verächtlich machen; schmälern; **dis'par·age·ment** [-mənt] *s.* Her'absetzung *f*, Verunglimpfung *f*; Schande *f*: *no* ~ (*intended*) ohne Ihnen nahetreten zu wollen; **dis'par·ag·ing** [-dʒiŋ] *adj.* □ geringschätzig, verächtlich.

dis·pa·rate ['dispərit] **I.** *adj.* □ unvereinbar, ungleichartig; (völlig) verschieden; **II.** *s. pl.* unvergleichbare Dinge *pl.*; **dis·par·i·ty** [dis'pæriti] *s.* Verschiedenheit *f*: ~ *in age* (*zu großer*) Altersunterschied.

dis·pas·sion·ate [dis'pæʃnit] *adj.* □ **1.** leidenschaftslos, ruhig, gelassen; **2.** 'unparˌteiisch, objek'tiv; **3.** sachlich.

dis·patch [dis'pætʃ] **I.** *v/t.* **1.** *j-n od. et.* (ab)senden, befördern; **2.** abfertigen (*a.* 🚂); **3.** schnell erledigen *od.* ausführen; **4.** ins Jenseits befördern, töten; **5.** F rasch aufessen, ‚wegputzen'; **II.** *s.* **6.** Absendung *f*, Versand *m*, Abfertigung *f*, Beförderung *f*; **7.** (schnelle) Erledigung; **8.** Eile *f*, Schnelligkeit *f*: *with* ~ eilends, prompt; **9.** (*bsd.* amtlicher) Bericht, Meldung *f*, De'pesche *f*: *mentioned in* ~*es* ⚔ im Kriegsbericht rühmend erwähnt; **10.** Tod *m*, Tötung *f*: *happy* ~ Harakiri.

dis'patch-boat *s.* A'viso *m*, De'peschenboot *n*.

dis'patch-box *s.* Kas'sette *f* mit amtlichen Pa'pieren.

dis'patch-case *s.* Aktenmappe *f*.

dis·patch| goods *s. pl.* Eilgut *n*; ~ **note** *s.* Pa'ketkarte *f* für 'Auslandspaˌket.

dis'patch-rid·er *s.* ⚔ Meldereiter *m*, -fahrer *m*.

dis·pel [dis'pel] *v/t.* *bsd. fig.* zerstreuen, verbannen, vertreiben, verjagen.

dis·pen·sa·ble [dis'pensəbl] *adj.* □ entbehrlich; unwesentlich; erläßlich; **dis'pen·sa·ry** [-səri] *s.* **1.** ('Armen)Apoˌtheke *f*; **2.** La'bor *n e-r Apotheke*; **3.** ⚕ **a)** Ambu'lanz *f* für Unbemittelte, **b)** ⚔ ('Kranken-)Reˌvier *n*; **dis·pen·sa·tion** [dispen'seiʃən] *s.* **1.** Aus-, Verteilung *f*; **2.** Gabe *f*; **3.** göttliche Fügung; Fügung *f* (*des Schicksals*); **4.** religi'öses Sy'stem; **5.** Regelung *f*, System *n*; **6.** ⚖, *eccl.* (*with, from*) Dis'pens *m*, Befreiung *f* (von), Erlaß *m* (*gen.*); **dis·pense** [dis'pens] **I.** *v/t.* **1.** aus-, verteilen; *Sakrament* spenden: *to* ~ *justice* Recht sprechen; **2.** *Arzneien* (nach Re'zept) zubereiten u. abgeben; *Rezept* ausführen; **3.** entheben, befreien, entbinden (*from* von); **II.** *v/i.* **4.** Dis'pens erteilen; **5.** ~ *with* **a)** verzichten auf (*acc.*), **b)** 'überflüssig machen, auskommen ohne: *it can be* ~*d with* man kann darauf verzichten, es ist entbehrlich; **dis·pens·er** [dis'pensə] *s.* **1.** Austeiler *m*, Spender *m* (*a. Gerät*); **2.** Apo'theker(gehilfe) *m*; **dis'pens·ing chem·ist** [-siŋ] *s.* Apotheker *m*.

dis·per·sal [dis'pə:səl] *s.* **1.** (Zer-)Streuung *f*; Verbreitung *f*; Zersplitterung *f*; **2.** ⚔ Auflockerung *f*, Auflösung *f*; ~ **a·pron** *s.* ✈ (ausein'andergezogener) Abstellplatz; ~ **a·re·a** *s.* **1.** ✈ → *dispersal apron*; **2.** ⚔ Auflockerungsgebiet *n*.

dis·perse [dis'pə:s] **I.** *v/t.* **1.** (*a. phys.*) zerstreuen; **2.** (*a.* [illegible]) verteilen; **3.** *opt.* zerlegen, streuen; **4.** ver-, ausbreiten; **5.** ⚔ auflokkern; **6.** ⚔ versprengen; **II.** *v/i.* **7.** sich zerstreuen (*Menge*); **8.** sich verteilen *od.* zersplittern; **dis'pers·ed·ly** [-sidli] *adv.* verstreut, hier u. dort; **dis'per·sion** [-ə:ʃən] *s.* **1.** Zerstreuung *f* (*a.* ⚔, *phys.*); **2.** ⚔, *phys.* Streuung *f*; **3.** Verteilung *f*, Auflösung *f*, Zerstäubung *f*; **4.** Ver-, Ausbreitung *f*; **5.** ⚔ → *dispersal* 2; **6.** ♀ Zerstreuung *f*, Di'aspora *f der Juden*.

dis·pir·it [di'spirit] *v/t.* entmutigen, niederdrücken, deprimieren; **dis'pir·it·ed** [-tid] *adj.* □ niedergeschlagen, mutlos, deprimiert.

dis·place [dis'pleis] *v/t.* **1.** versetzen, -rücken, -lagern, -schieben; **2.** verdrängen (*a.* ⚓); **3.** *j-n* absetzen, entlassen; **4.** ersetzen; **5.** verschleppen: ~*d person* (*abbr. D. P.*) Verschleppte(r); **dis'place·ment** [-mənt] *s.* **1.** Verlagerung *f*, Verschiebung *f*; Verdrängung *f*; **2.** ⚓ Wasserverdrängung *f*; **3.** Ersetzung *f*; anderweitige Verwendung.

dis·play [dis'plei] **I.** *v/t.* **1.** entfalten, ausbreiten; **2.** zeigen, offenbaren; **3.** zur Schau stellen, her'vorkehren, an den Tag legen; **4.** ✝ ausstellen, -legen; **5.** *typ.* her'vorheben; **II.** *s.* **6.** Entfaltung *f* (*a.* ⚔), Vorführung *f*, (Zur)'Schaustellung *f*, (Waren)Auslage *f*: ~ *of energy fig.* Entfaltung von Tatkraft; **7.** Aufwand *m*, Pomp *m*, Prunk *m*: *to make a great* ~ *of* prunken mit; **8.** *typ.* Her'vorhebung *f*; ~ **case** *s.* Schaukasten *m*, Vi'trine *f*.

dis·please [dis'pli:z] *v/t.* **1.** miß'fallen (*dat.*); **2.** kränken, ärgern, verletzen; *Auge* beleidigen; **dis'pleased** [-zd] *adj.* (*at, with*) unzufrieden (mit), ungehalten (über *acc.*); **dis'pleas·ing** [-ziŋ] *adj.* □ unangenehm, leidig; **dis·pleas·ure** [dis'pleʒə] *s.* 'Mißfallen *n*, Ärger *m*, Verdruß *m*, Unwille *m* (*at, over* über *acc.*): *to incur s.o.'s* ~ j-s Unwillen erregen.

dis·port [dis'pɔ:t] *v/t.*: ~ *o.s.* **a)** sich vergnügen *od.* belustigen, **b)** her'umtollen, sich tummeln.

dis·pos·a·ble [dis'pousəbl] *adj.* **1.** (frei) verfügbar, verwendbar: ~ *income* Nettoeinkommen; **2.** Einweg..., Wegwerf...: ~ *package*; **3.** verkäuflich; **dis·pos·al** [dis'pouzəl] *s.* **1.** Anordnung *f*, Aufstellung *f* (*a.* ⚔); Verwendung *f*; **2.** Erledigung *f*; **3.** Verfügung(srecht *n*) *f*, Macht *f* (*of* über *acc.*): *to be at s.o.'s* ~ j-m zur Verfügung stehen; *to place s.th. at s.o.'s* ~ j-m et. zur Verfügung stellen; *to have the* ~ *of* verfügen (können) über (*acc.*); **4.** 'Übergabe *f*, Über'tragung *f*; **5.** Verfügung *f*, Beseitigung *f*; **6.** Veräußerung *f*, Verkauf *m*: *for* ~ zum Verkauf; **dis·pose** [dis'pouz] **I.** *v/t.* **1.** anordnen, aufstellen (*a.* ⚔); zu'rechtlegen, einrichten; ein-, verteilen; **2.** *j-n* bewegen, bestimmen, veranlassen; **II.** *v/i.* **3.** ordnen, verfügen; → *propose* 6; **4.** *frei* verfügen, gebieten, entscheiden (*of* über *acc.*): *to* ~ *of by will* testamentarisch vermachen; **5.** ~ *of* verwenden, 'unterbringen: *to* ~ *of in marriage* verheiraten; **6.** ~ *of* erledigen, abfertigen; beseitigen, loswerden, weg-, abschaffen; **7.** (*of*) sich entledigen (*gen.*), sich trennen (von); **8.** ~ *of* veräußern, verkaufen; **9.** ~ *of* unschädlich machen; 'umbringen; ⚔ entschärfen; **10.** ~ *of* verzehren, trinken; **dis·posed** [dis'pouzd] *adj.* **1.** geneigt, bereit (*to* zu, *to do* zu tun); **2.** gelaunt, gesinnt: *well-~* wohlgesinnt, *ill-~* übelgesinnt (*towards dat.*); **dis·po·si·tion** [dispə'ziʃən] *s.* **1.** Anordnung *f*, Verteilung *f*, Aufstellung *f* (*a.* ⚔); **2.** *freie* Verfügung, Bestimmung *f*, Macht *f* (*of* über *acc.*); *göttliche* Lenkung; **3.** Über'tragung *f*, Verleihung *f*; **4.** Dispositi'on *f*, Neigung *f*, Veranlagung *f*, Bereitschaft *f* (*to* zu); **5.** Wesen *n*, Gemütsart *f*, Stimmung *f*; **6.** *mst pl.* Plan *m*, Vorbereitungen *pl.*: *to make ~s* Vorkehrungen treffen, disponieren.

dis·pos·sess ['dispə'zes] *v/t.* **1.** enteignen; vertreiben, verjagen (*of* von); **2.** berauben (*of gen.*); **3.** *fig.* befreien (*of* von); **'dis·pos'ses·sion** [-eʃən] *s.* Enteignung *f etc.*

dis·praise [dis'preiz] **I.** *v/t.* tadeln, her'absetzen; **II.** *s.* Her'absetzung *f*, Geringschätzung *f*: *in ~* geringschätzig.

dis·proof ['dis'pru:f] *s.* Wider'legung *f*.

dis·pro·por·tion ['disprə'pɔ:ʃən] *s.* 'Mißverhältnis *n*; **dis·pro·por·tion·ate** [disprə'pɔ:ʃnit] *adj.* □ **1.** unverhältnismäßig (groß *od.* klein), in keinem Verhältnis stehend (*to* zu); **2.** über'trieben (*Erwartung etc.*).

dis·prove ['dis'pru:v] *v/t.* wider'legen.

dis·pu·ta·ble [dis'pju:təbl] *adj.* □ bestreitbar, strittig, fraglich; **dis'pu·tant** [-tənt] *s.* Dispu'tant *m*, Gegner *m* (*im Wortstreit*).

dis·pu·ta·tion [dispju(:)'teiʃən] *s.* Disputati'on *f*: **a)** Wortstreit *m*, **b)** Streitgespräch *n*; **dis·pu'ta·tious** [-ʃəs] *adj.* □ streitsüchtig; rechthaberisch; **dis·pu'ta·tious·ness** [-ʃəsnis] *s.* Streitsucht *f*; Rechthabe'rei *f*; **dis·pute** [dis'pju:t] **I.** *v/i.* **1.** disputieren, debattieren, streiten (*on, about* über *acc.*); **2.** (sich) streiten, zanken; **II.** *v/t.* **3.** diskutieren, erörtern; **4.** bestreiten, anzweifeln, anfechten; **5.** kämpfen um, *j-m et.* streitig machen; **III.** *s.* **6.** Wortstreit *m*, De'batte *f*: *in ~* umstritten, fraglich; *beyond* (*od. without*) *~* unstreitig, fraglos; **7.** Zank *m*, Streit(igkeit *f*) *m*, Kontro'verse *f*.

dis·qual·i·fi·ca·tion [diskwɔlifi'keiʃən] *s.* **1.** ˌDisqualifikati'on *f*, Untauglichkeit *f*, Ungeeignetheit *f*; **2.** disqualifizierender 'Umstand; **3.** *sport* Disqualifikation *f*, Ausschluß *m*; **dis·qual·i·fied** [dis'kwɔlifaid] *adj.* **1.** untauglich, ungeeignet (*for* für); **2.** ⚖ unfähig (*from* zu); **dis·qual·i·fy** [dis'kwɔlifai] *v/t.* **1.** ungeeignet machen (*for* für); **2.** für ungeeignet *od.* unfähig erklären; **3.** *sport* disqualifizieren, ausschließen.

dis·qui·et [dis'kwaiət] **I.** *v/t.* beunruhigen; **II.** *s.* Unruhe *f*, Sorge *f*, Angst *f*; **dis'qui·et·ing** [-tiŋ] *adj.* beunruhigend; **dis'qui·e·tude** [-aiitju:d] → *disquiet II.*

dis·qui·si·tion [diskwi'ziʃən] *s.* **1.** *ausführliche* Abhandlung *od.* Rede; **2.** *obs.* Unter'suchung *f*.

dis·rate [dis'reit] *v/t.* ⚓ degradieren.

dis·re·gard ['disri'gɑ:d] **I.** *v/t.* **1. a)** nicht beachten, ignorieren, außer acht lassen, **b)** absehen von, ausklammern; **2.** nicht befolgen, miß'achten; **II.** *s.* **3.** Nichtbeachtung *f*, Vernachlässigung *f* (*of, for gen.*); **4.** (*of, for*) 'Mißachtung *f* (*gen.*), Gleichgültigkeit *f* (gegen-'über); **dis·re·gard·ful** [disri'gɑ:dful] *adj.* □: *to be ~ of* → *disregard 1 a.*

dis·rel·ish ['dis'reliʃ] **I.** *s.* Abneigung *f*, 'Widerwille *m* (*for* gegen); **II.** *v/t.* e-n Widerwillen haben gegen.

dis·re·pair ['disri'pɛə] *s.* Verfall *m*; Baufälligkeit *f*, schlechter Zustand: *in* (*a state of*) *~* baufällig; *to fall into ~* verfallen.

dis·rep·u·ta·ble [dis'repjutəbl] *adj.* □ **1.** verrufen; **2.** schändlich, gemein; **dis·re·pute** ['disri'pju:t] *s.* Verruf *m*, schlechter Ruf, Schande *f*: *to bring into ~* in Verruf bringen.

dis·re·spect ['disris'pekt] **I.** *s.* **1.** (*to*) Re'spektlosigkeit *f*, Unehrerbietigkeit *f* (gegen), 'Mißachtung *f* (*gen.*); **2.** Unhöflichkeit *f* (*to* gegen); **II.** *v/t.* **3.** nicht achten; **4.** unhöflich behandeln.

dis·re·spect·ful [disris'pektful] *adj.* □ unehrerbietig, re'spektlos (*to* gegen); **dis·re'spect·ful·ness** [-nis] *s.* Unehrerbietigkeit *f*.

dis·robe ['dis'roub] **I.** *v/t.* entkleiden (*a. fig.*); **II.** *v/i.* s-e Kleidung *od.* Amtstracht ablegen.

dis·root ['dis'ru:t] *v/t.* **1.** entwurzeln, ausreißen; **2.** vertreiben.

dis·rupt [dis'rʌpt] **I.** *v/t.* **1.** zerbrechen, zerschlagen, zertrümmern; **2.** zerreißen; spalten; unter'brechen; **3.** zerrütten; **II.** *v/i.* **4.** ⚡ 'durchschlagen; **dis'rup·tion** [-pʃən] *s.* **1.** Zerreißung *f*, Zerschlagung *f*; Unter'brechung *f*; **2.** Zerrissenheit *f*, Spaltung *f*; Bruch *m*; **3.** Zerrüttung *f*, Zerfall *m*; **dis'rup·tive** [-tiv] *adj.* **1.** zertrümmernd, zerreißend; **2.** auflösend, zersetzend; **3.** ⚡ Durchschlags...(*-festigkeit etc.*): *~ strength.*

dis·sat·is·fac·tion ['disætis'fækʃən] *s.* **1.** Unzufriedenheit *f* (*at, with* mit); **2.** *et.* Unbefriedigendes; **'dis·sat·is'fac·to·ry** [-ktəri] *adj.* unbefriedigend; **dis·sat·is·fied** ['di'sætisfaid] *adj.* **1.** unzufrieden (*with, at* mit); **2.** *pred.* unzufrieden, verdrießlich; **dis·sat·is·fy** ['di'sætisfai] *v/t.* nicht befriedigen; *j-m* miß'fallen.

dis·sect [di'sekt] *v/t.* **1.** zergliedern, zerlegen; **2.** ⚕ sezieren; **3.** *fig.* zer-, aufgliedern, analysieren; **dis'sec·tion** [-kʃən] *s.* **1.** Zergliederung *f* (*a. fig.*); **2.** ⚕ Sekti'on *f*; **3.** ⚘, *anat., zo.* Präpa'rat *n*; **4.** genaue Unter'suchung; **dis'sec·tor** [-tə] *s.* ⚕ Sezierer *m*.

dis·seise, dis·seize ['dis'si:z] *v/t.* ⚖ 'widerrechtlich enteignen; **'dis'sei·sin, dis'sei·zin** [-zin] *s.* ⚖ widerrechtliche Enteignung.

dis·sem·ble [di'sembl] **I.** *v/t.* **1.** verhehlen, verbergen, sich *et.* nicht anmerken lassen; **2.** unbeachtet lassen; **II.** *v/i.* **3.** sich verstellen, dissimulieren; **4.** heucheln; **dis'sem·bler** [-lə] *s.* **1.** Heuchler(in); **2.** Dissimu'lant(in).

dis·sem·i·nate [di'semineit] *v/t.* **1.** *Saat* ausstreuen (*a. fig.*); **2.** *fig.* verbreiten; **dis·sem·i·na·tion** [disemi'neiʃən] *s.* Ausstreuung *f*; *fig.* Ver-, Ausbreitung *f*.

dis·sen·sion [di'senʃən] *s.* Zwietracht *f*, Meinungsverschiedenheit *f*, Streit *m*.

dis·sent [di'sent] **I.** *v/i.* **1.** (*from*) anderer Meinung sein (als), nicht über'einstimmen (mit); **2.** *eccl.* von der Staatskirche abweichen; **II.** *s.* **3.** abweichende *od.* andere Meinung; **4.** *eccl.* Abweichen *n* von der Staatskirche; **dis'sent·er** [-tə] *s.* **1.** Andersdenkende(r *m*) *f*; **2.** *eccl.* Dissi'dent *m*; Dis'senter *m*, Nonkonfor'mist(in); **dis'sen·tient** [-nʃiənt] **I.** *adj.* andersdenkend, abweichend: *without a ~ vote* ohne Gegenstimme; **II.** *s.* Andersdenkende(r *m*) *f*, Gegenstimme *f*: *with no ~* ohne Gegenstimme.

dis·ser·ta·tion [disə(:)'teiʃən] *s.* gelehrte Abhandlung, Dissertati'on *f* (*on* über *acc.*).

dis·serv·ice ['dis'sə:vis] *s.* (*to*) schlechter Dienst (an *dat.*), Schaden *m* (für): *to do a ~ j-m* e-n schlechten Dienst erweisen.

dis·sev·er [dis'sevə] *v/t.* trennen, absondern, spalten.

dis·si·dence ['disidəns] *s.* **1.** Meinungsverschiedenheit *f*, Uneinigkeit *f*, Diffe'renz *f*; **2.** *eccl.* Abfall *m* von der Staatskirche; **'dis·si·dent** [-nt] **I.** *adj.* **1.** andersdenkend, nicht über'einstimmend, abweichend; **II.** *s.* **2.** Andersdenkende(r *m*) *f*; **3.** *eccl.* Abtrünnige(r *m*) *f*, Dissi'dent(in).

dis·sim·i·lar ['di'similə] *adj.* □ (*to*) verschieden (von), unähnlich (*dat.*); **dis·sim·i·lar·i·ty** [disimi'læriti] *s.* Verschiedenartigkeit *f*, Unähnlichkeit *f*; 'Unterschied *m*.

dis·sim·u·late [di'simjuleit] **I.** *v/t.* verheimlichen, verbergen, verhehlen; **II.** *v/i.* sich verstellen; dissimulieren; heucheln; **dis·sim·u·la·tion** [disimju'leiʃən] *s.* **1.** Verheimlichung *f*; **2.** Verstellung *f*, Heuche'lei *f*.

dis·si·pate ['disipeit] **I.** *v/t.* **1.** zerteilen; zerstreuen (*a. fig. u. phys.*); **2.** verschwenden, verzetteln; **3.** *fig.* verscheuchen, vertreiben; **4.** auflösen; **II.** *v/i.* **5.** sich zerstreuen *od.* auflösen *od.* verflüchtigen; **6.** sich zersplittern; **7.** ein zügelloses Leben führen; **'dis·si·pat·ed** [-tid] *adj.* ausschweifend, liederlich; **dis·si·pa·tion** [disi'peiʃən] *s.* **1.** Zerstreuung *f* (*a. fig. u. phys.*); **2.** Auflösung *f*; Zersplitterung *f*; **3.** *fig.* Vertreibung *f*, Verscheuchung *f*; **4.** Verschwendung *f*; **5.** Zeitvertreib *m*; **6.** Ausschweifung *f*; Liederlichkeit *f*, ausschweifendes Leben.

dis·so·ci·ate [di'souʃieit] **I.** *v/t.* **1.** trennen (*a.* ⚗), zersetzen, absondern (*from* von); **2.** ⚗, *psych.* dissoziieren; **3.** *~ o.s.* sich lossagen *od.* distanzieren, abrücken (*from* von); **II.** *v/i.* **4.** ⚗ sich spalten, zerfallen; **dis·so·ci·a·tion** [disousi'eiʃən] *s.* **1.** Trennung *f*, Absonderung *f*, Auflösung *f*; **2.** ⚗ Spaltung *f*, Zerfall *m*; **3.** *psych.* Bewußtseinsspaltung *f*, Doppelbewußtsein *n*.

dis·sol·u·bil·i·ty [disɔlju'biliti] *s.* **1.** Löslichkeit *f*; **2.** (Auf)Lösbarkeit *f*, Trennbarkeit *f*; **dis·sol·u·ble**

[di'sɔljubl] *adj.* 1. (auf)lösbar; 2. dem Zerfall ausgesetzt; 3. löslich; 4. trennbar (*Ehe etc.*).

dis·so·lute ['disəlu:t] *adj.* □ ausschweifend, liederlich; '**dis·so·lute·ness** [-nis] *s.* Liederlichkeit *f*, Ausschweifung *f*, Zügellosigkeit *f*.

dis·so·lu·tion [disə'lu:ʃən] *s.* 1. Auflösung *f* (*a. Ehe, Parlament, Firma*); 2. ⚗ (Auf)Lösung *f*, Zersetzung *f*; 3. Ver-, Zerfall *m*, Vernichtung *f*; Tod *m*.

dis·solv·a·ble [di'zɔlvəbl] *adj.* 1. auflösbar; 2. löslich; **dis·solve** [di'zɔlv] I. *v/t.* 1. auflösen (*a. fig., Ehe, Parlament, Firma etc.*); *Ehe a.* scheiden; lösen (*a.* ⚗): *~d in tears* in Tränen aufgelöst; 2. trennen, aufheben; 3. *Film*: über'blenden; II. *v/i.* 4. sich auflösen, schmelzen, zerfallen; 5. vergehen, hin-, verschwinden; 6. *fig.* sich auflösen (*Parlament etc.*), ausein'andergehen; 7. *Film*: über'blenden, inein'ander 'übergehen; **dis'sol·vent** [-vənt] I. *adj.* (auf-)lösend; zersetzend; II. *s.* ⚗ (Auf-)Lösungsmittel *n* (*a. fig.*).

dis·so·nance ['disənəns] *s.* 1. ♪ Disso'nanz *f*, 'Mißklang *m* (*a. fig.*); 2. *fig.* Uneinigkeit *f*, 'Mißhelligkeit *f*; '**dis·so·nant** [-nt] *adj.* □ 1. ♪ 'mißtönend, disso'nant; 2. *fig.* unvereinbar, abweichend, gegensätzlich.

dis·suade [di'sweid] *v/t.* 1. *j-m* abraten (*from* von); 2. *j-n* abbringen (*from* von); **dis'sua·sion** [-eiʒən] *s.* Abraten *n*, Abmahnung *f*; Abbringen *n*; **dis'sua·sive** [-eisiv] *adj.* □ abratend, abmahnend.

dis·syl·lab·ic, dis·syl·la·ble → *disyllabic, disyllable*.

dis·sym·met·ri·cal ['disi'metrikəl] *adj.* □ 'unsym,metrisch; **dis·sym·met·ry** ['di'simitri] *s.* Asymme'trie *f*.

dis·taff ['distɑ:f] *s.* Spinnrocken *m*: *~ side* weibliche Linie *e-r Familie*.

dis·tance ['distəns] I. *s.* 1. Entfernung *f*; Ferne *f*, Weite *f*: *at a ~* a) in einiger Entfernung, b) von weitem; *in the ~* in der Ferne; *from a ~* aus einiger Entfernung; *at an equal ~* gleich weit (entfernt); *a good ~ off* ziemlich weit entfernt; *braking ~ mot.* Bremsweg; *hailing ~* Rufweite; *stopping ~ mot.* Anhalteweg; *within walking ~* zu Fuß erreichbar; *within striking ~* handgreiflich nahe, in erreichbarer Nähe; 2. *bsd.* ℞, *phys., a. ~ apart* Zwischenraum *m*, Abstand *m*; 3. a) Entfernung *f*, Strecke *f* (*a. sport*): *~ covered* zurückgelegte Strecke, b) *sport* Langstrecke *f*; 4. *zeitlicher* Zwischenraum, (Zeit-)Abstand *m*; 5. *fig.* Abstand *m*, Entfernung *f*, 'Unterschied *m*; 6. *fig.* Di'stanz *f*, Abstand *m*, Re'serve *f*, Zu'rückhaltung *f*: *to keep s.o. at a ~* j-m gegenüber reserviert sein; *to keep one's ~* den Abstand wahren, Distanz halten; 7. *paint.* 'Hintergrund *m*: *middle ~* Mittelgrund; II. *v/t.* 8. über'holen, hinter sich lassen; 9. *fig.* über'treffen, -'flügeln.

dis·tant ['distənt] *adj.* □ 1. entfernt (*a. fig.*), weit (*from* von); fern (*Ort od. Zeit*): *~ relation* entfernte(r) *od.* weitläufige(r) Verwandte(r); *~ resemblance* entfernte *od.* schwache Ähnlichkeit; *~ dream* schwache Aussicht; 2. zu'rückhaltend, kühl: *~ attitude* Zurückhaltung; *~ control s.* ⊕ Fernsteuerung *f*; *~ signal s.* 🚂 'Vorsi,gnal *n*.

dis·taste ['dis'teist] *s.* (*for*) 'Widerwille *m*, Abneigung *f* (gegen), Ekel *m*, Abscheu *m* (vor *dat.*); **dis·taste·ful** [dis'teistful] *adj.* □ unangenehm, widerlich, zu'wider (*to dat.*); ekelhaft, geschmacklos; **dis·taste·ful·ness** [dis'teistfulnis] *s.* Widerlichkeit *f*.

dis·tem·per[1] [dis'tempə] I. *s.* 1. 'Tempera- *od.* Leimfarbe *f*; 2. 'Temperamale,rei *f*; II. *v/t.* 3. mit Temperafarbe(n) (an)malen.

dis·tem·per[2] [dis'tempə] *s.* 1. *vet.* Staupe *f*; 2. po'litische Unruhe; 3. *obs.* Krankheit *f*; **dis'tem·pered** [-əd] *adj.* 1. krank; 2. (geistes)gestört; 3. 'mißgestimmt.

dis·tend [dis'tend] I. *v/t.* (aus-)dehnen, weiten, aufblasen, -blähen; II. *v/i.* sich (aus)dehnen, (an-)schwellen; **dis'ten·si·ble** [-nsəbl] *adj.* (aus)dehnbar; **dis'ten·sion** [-nʃən] *s.* Dehnung *f*; Streckung *f*; Aufblähung *f*, (An)Schwellen *n*.

dis·tich ['distik] *s.* 'Distichon *n*, Zweizeiler *m*; '**dis·tich·ous** [-kəs] *adj.* ♀ zweireihig, -zeilig.

dis·til, *Am.* **dis·till** [dis'til] I. *v/t.* 1. ⚗ a) destillieren, abziehen, b) abdestillieren (*from* aus); 2. *Branntwein* brennen (*from* aus); 3. her'abtropfen lassen: *to be ~led* sich niederschlagen; 4. *fig. das Wesentliche* entnehmen, (her'aus-)ziehen, gewinnen (*from* aus); II. *v/i.* 5. ⚗ destillieren; 6. (her'ab-)tropfen, her'ausfließen; **dis·til·late** ['distilit] *s.* ⚗ Destil'lat *n*; **dis·til·la·tion** [disti'leiʃən] *s.* 1. ⚗ Destillati'on *f*; 2. Brennen *n* (*von Branntwein*); 3. Destillat *n*, Auszug *m*; 4. *fig.* Wesen *n*, Kern *m*; **dis'til·ler** [-lə] *s.* Branntweinbrenner *m*; **dis'til·ler·y** [-ləri] *s.* ('Branntwein)Brenne,rei *f*; **dis'til·ling flask** [-liŋ] *s.* ⚗ Destillierkolben *m*.

dis·tinct [dis'tiŋkt] *adj.* □ → *distinctly*; 1. ver-, unter'schieden, getrennt, abgesondert; 2. eigen, selbständig; 3. ausgeprägt, entschieden; 4. klar, deutlich; 5. merklich, unverkennbar; vernehmlich; **dis'tinc·tion** [-kʃən] *s.* 1. Unter'scheidung *f*: *a ~ without a difference* e-e spitzfindige Unterscheidung, Haarspalterei; 2. 'Unterschied *m*: *in ~ from* (*od. to*) zum Unterschied von; *to draw* (*od. make*) *a ~ between* e-n Unterschied machen zwischen (*dat.*); 3. Unter'scheidungsmerkmal *n*, Kennzeichen *n*; *weitS.* her'vorragende Eigenschaft; 4. Auszeichnung *f*, Ehrung *f*; 5. Rang *m*, Würde *f*; Vornehmheit *f*; 6. Ruf *m*, Berühmtheit *f*; **dis'tinc·tive** [-tiv] *adj.* □ 1. unter'scheidend, besonder; 2. kenn-, bezeichnend, charakte'ristisch (*of* für); 3. deutlich, ausgesprochen; **dis'tinc·tive·ness** [-tivnis] *s.* 1. Besonderheit *f*; 2. Deutlichkeit *f*; **dis'tinct·ly** [-li] *adv.* deutlich, *fig. a.* ausdrücklich; **dis'tinct·ness** [-nis] *s.* 1. Deutlichkeit *f*; 2. Verschiedenheit *f*, deutlicher 'Unterschied (*from* von).

dis·tin·gué [distæŋ'gei; distɛ̃ge] (*Fr.*) *adj.* distingu'iert, vornehm.

dis·tin·guish [dis'tiŋgwiʃ] I. *v/t.* 1. unter'scheiden: *as ~ed from* zum Unterschied von; *to be ~ed by* sich durch *et.* unterscheiden *od.* auszeichnen; 2. wahrnehmen, erkennen; 3. kennzeichnen, charakterisieren: *~ing mark* Merkmal, Kennzeichen; 4. auszeichnen, rühmend her'vorheben: *to ~ o.s.* sich auszeichnen (*a. iro.*); II. *v/i.* 5. unter'scheiden, e-n 'Unterschied machen; **dis'tin·guish·a·ble** [-ʃəbl] *adj.* □ 1. zu unter'scheiden(d); 2. erkennbar, kenntlich; **dis'tin·guished** [-ʃt] *adj.* 1. kenntlich (*by* an *dat.*, durch); 2. bemerkenswert, berühmt (*for* wegen, *by* durch); 3. vornehm; 4. her'vorragend, ausgezeichnet: ♀ *Service Order* ⚔ *Brit.* Kriegsverdienstorden.

dis·tort [dis'tɔ:t] *v/t.* 1. verdrehen (*a. fig.*); *a. Gesicht* verziehen, verzerren (*a.* ⊕, ⚡); verrenken; ⊕ verformen: *to be ~ed* sich verziehen; 2. *fig. Tatsachen etc.* entstellen; **dis'tort·ed·ly** [-tidli] *adv.* verdreht; entstellt; **dis'tort·ing mir·ror** [-tiŋ] *s.* Ve'xierspiegel *m*; **dis'tor·tion** [-ɔ:ʃən] *s.* 1. Verdrehung *f* (*a. fig.*), Verrenkung *f*; Verzerrung *f* (*a.* ⚡, *phot.*); Verziehung *f*, Verwindung *f* (*a.* ⊕); 2. *fig.* Entstellung *f*; **dis'tor·tion·ist** [-ɔ:ʃənist] → *contortionist* 1.

dis·tract [dis'trækt] *v/t.* 1. *Aufmerksamkeit, Person etc.* ablenken; 2. verwirren, aufwühlen; 3. beunruhigen, stören, quälen; 4. zur Verzweiflung bringen; **dis'tract·ed** [-tid] *adj.* □ verwirrt, gequält; außer sich, von Sinnen: *~ with* (*od. by*) *pain* wahnsinnig vor Schmerzen; *to drive ~* verrückt machen; **dis'tract·ing** [-tiŋ] *adj.* □ verwirrend, quälend; **dis'trac·tion** [-kʃən] *s.* 1. Ablenkung *f*, Zerstreuung *f*; 2. Zerstreutheit *f*; 3. Verwirrung *f*, Bestürzung *f*; 4. Wahnsinn *m*, Rase'rei *f*: *to drive s.o. to ~* j-n zur Raserei bringen; *to love to ~* bis zum Wahnsinn lieben; 5. *oft pl.* Ablenkung *f*, Zerstreuung *f*, Unter'haltung *f*.

dis·train [dis'trein] ⚖ *v/i.*: *~ (up)on* a) *j-n* pfänden, b) *et.* pfänden *od.* beschlagnahmen (*for* wegen); **dis'train·a·ble** [-nəbl] *adj.* pfändbar; **dis·train·ee** [distrei'ni:] *s.* ⚖ Gepfändete(r *m*) *f*, Pfandschuldner (-in); **dis'train·er** [-nə], **dis·train·or** [distrei'nɔ:] *s.* ⚖ Pfänder(in), Pfandgläubiger(in); **dis'traint** [-nt] *s.* ⚖ Pfändung *f*, 'Zwangsvoll,streckung *f*, Beschlagnahme *f*.

dis·traught [dis'trɔ:t] *adj.* 1. verwirrt, bestürzt, durchein'ander; 2. wahnsinnig, rasend (*with* vor *dat.*).

dis·tress [dis'tres] I. *s.* 1. Qual *f*, Pein *f*, Schmerz *m*; Erschöpfung *f*; 2. Leid *n*, Kummer *m*, Sorge *f*; 3. Elend *n*; Not(lage) *f*; 4. ⚓ Seenot *f*: *~ signal* Notsignal; *~-rocket* Alarmrakete; 5. ⚖ a) Pfändung *f*,

'Zwangsvoll,streckung *f*: *to levy a ~ on s.th.* et. pfänden *od.* beschlagnahmen; *~-warrant* Pfändungsbefehl, **b)** gepfändeter Gegenstand; **II.** *v/t.* **6.** quälen, peinigen, bedrükken; erschöpfen; **7.** beunruhigen; betrüben, unglücklich machen: *to ~ o.s.* sich sorgen (*about* um); **dis'tressed** [-st] *adj.* **1.** gequält, gepeinigt; **2.** bekümmert, besorgt (*about* um); **3.** unglücklich, bedrängt, in Not, notleidend: *~ area Brit.* Elends-, Notstandsgebiet; **4.** erschöpft; **dis'tress·ful** [-ful] *adj.* □ qualvoll; unglücklich, jämmerlich, notleidend; **dis'tress·ing** [-siŋ] *adj.* □ qual-, kummervoll, peinlich, betrüblich; erschütternd.

dis·trib·ut·a·ble [dis'tribjutəbl] *adj.* verteilbar, zu verteilen(d); **dis·trib·ute** [dis'tribju(:)t] *v/t.* **1.** ver-, austeilen (*among* unter *acc.*, *to* an *acc.*); **2.** spenden, zuteilen (*to dat.*); **3.** † *Waren* vertreiben, absetzen; *Dividende* ausschütten; **4.** austeilen, abausgeben; *Post* zustellen; **5.** ausstreuen, verbreiten; *Farbe etc.* auftragen; **6.** auf-, einteilen; ⚔ gliedern; **7.** *typ. Satz* ablegen; **dis·trib·u·tee** [distribju'ti:] *s.* ⚖ gesetzlicher Erbe, gesetzliche Erbin; **dis·trib·ut·er** → *distributor*.

dis·trib·ut·ing| a·gent [dis'tribjutiŋ] *s.* † (Großhandels)Vertreter *m*; **~ cen·tre,** *Am.* **cen·ter** *s.* † 'Absatz-, Ver'teilungs,zentrum *n*; **~ sys·tem** *s.* ⚡ Verteilernetz *n*.

dis·tri·bu·tion [distri'bju:ʃən] *s.* **1.** Ver-, Austeilung *f*; **2.** ⊕, ⚡ Verteilung *f*, Verzweigung *f*; **3.** Ver-, Ausbreitung *f*; **4.** Einteilung *f*, Gliederung *f*; **5.** Zuteilung *f*, Gabe *f*, Spende *f*; **6.** † Verteilung *f*, Vertrieb *m*, Absatz *m*; *Film*: Verleih *m*; **7.** † Zwischenhandel *m*; **8.** † Verteilung *f* (*Gewinn, Vermögen*); Ausschüttung *f* (*Dividende*); **9.** Ausstreuen *n* (*Samen*); Auftragen *n* (*Farbe*); **10.** *typ.* Ablegen *n* (*Satz*); **dis·trib·u·tive** [dis'tribjutiv] **I.** *adj.* □ **1.** aus-, zu-, verteilend, Verteilungs...: *~ share* ⚖ gesetzlicher Erbteil; **2.** jeden einzelnen betreffend; **3.** *ling.* distribu'tiv; **II.** *s.* **4.** *ling.* Distribu'tivum *n*; **dis·trib·u·tor** [dis'tribjutə] *s.* **1.** Verteiler *m* (*a.* ⊕, ⚡); **2.** † Verteiler *m*; Groß-, Zwischenhändler *m*; *pl.* (Film)Verleih *m* (*Gesellschaft*).

dis·trict ['distrikt] *s.* **1.** Di'strikt *m*, (Verwaltungs)Bezirk *m*, Kreis *m*; **2.** Gegend *f*, Gebiet *n*, Landstrich *m*; **~ at·tor·ney** *s. Am.* (Bezirks-) Staatsanwalt *m*; ♀ **Coun·cil** *s. Brit.* Bezirksamt *n*; ♀ **Court** *s.* ⚖ *Am.* Bezirksgericht *n*, *bsd.* (Bundes)Gericht *n* erster In'stanz; **~ heat·ing** *s.* Fernheizung *f*; **~ nurse** *s. Brit. amtliche* Bezirkskrankenschwester; ♀ **Rail·way** *s. e-e Londoner Vorortbahn.*

dis·trust [dis'trʌst] **I.** *s.* 'Mißtrauen *n*, Argwohn *m* (of gegen): *to hold s.o. in ~* j-m mißtrauen; **II.** *v/t.* miß'trauen (*dat.*); **dis'trust·ful** [-ful] *adj.* □ 'mißtrauisch, argwöhnisch (of gegen): *~ of o.s.* gehemmt, ohne Selbstvertrauen.

dis·turb [dis'tə:b] *v/t.* **1.** stören (*a.* ⊕, ⚡, ⚓, *meteor.*); belästigen, behindern: *to ~ the peace* **a)** Unruhe stiften, **b)** ⚖ die öffentliche Ruhe stören; **2.** beunruhigen, auf-, erregen; **3.** aufrühren, aufscheuchen; **4.** in Unordnung bringen, verwirren; **dis'turb·ance** [-bəns] *s.* **1.** Störung *f* (*a.* ⊕, ⚡, ⚕, ⚕); **2.** Belästigung *f*; Beunruhigung *f*; Aufregung *f*; **3.** Unruhe *f*, Tu'mult *m*, Aufruhr *m*: *~ of the peace* ⚖ öffentliche Ruhestörung; *to cause* (*od. create*) *a ~* ⚖ die öffentliche Ruhe stören; **4.** Verwirrung *f*; **5.** ⚖ Behinderung *f*, Beeinträchtigung *f*, Besitzstörung *f*; **dis'turb·er** [-bə] *s.* Störenfried *m*, Unruhestifter *m*: *~ of the peace* Verletzer der öffentlichen Ordnung, Ruhestörer; **dis'turb·ing** [-biŋ] *adj.* □ beunruhigend; peinlich (*to* für).

dis·un·ion ['dis'ju:njən] *s.* **1.** Trennung *f*, Spaltung *f*; **2.** Uneinigkeit *f*, Zwietracht *f*; **dis·u·nite** ['disju:'nait] *v/i. u. v/t.* (sich) trennen; *fig.* (sich) entzweien; **dis·u·nit·ed** ['disju:'naitid] *adj.* entzweit, in Unfrieden lebend, verfeindet; **dis·u·ni·ty** [dis'ju:niti] *s.* Uneinigkeit *f*.

dis·use I. *s.* ['dis'ju:s] Nichtgebrauch *m*; Aufhören *n e-s Brauchs*: *to fall into ~* ungebräuchlich werden; **II.** *v/t.* ['dis'ju:z] nicht mehr gebrauchen; **'dis'used** [-'ju:zd] *adj.* **1.** ausrangiert, ausgedient; **2.** stillgelegt (*Bergwerk*).

dis·syl·lab·ic ['disi'læbik] *adj.* (□ *~ally*) zweisilbig; **di·syl·la·ble** [di'siləbl] *s.* zweisilbiges Wort.

ditch [ditʃ] **I.** *s.* **1.** (Straßen)Graben *m*: *last ~* verzweifelter Kampf, Not (-lage); *to die in the last ~* bis zum letzten Blutstropfen (*od.* bis zum äußersten) kämpfen (*a. fig.*); **2.** Abzugsgraben *m*; **3.** Bewässerungs-, Wassergraben *m*, Ka'nal *m*; **4.** *the* ♀ *Brit. sl.* **a)** der ('Ärmel)Ka,nal, **b)** die Nordsee; **II.** *v/t.* **5.** mit e-m Graben versehen, Gräben ziehen durch; entwässern; **6.** *to be ~ed* in e-m Graben landen (*Fahrzeug*); *Am.* entgleisen (*Zug*); **7.** ✈ notlanden, notwassern; **8.** *Am. sl.* **a)** ‚wegschmeißen', loswerden, **b)** im Stich lassen; **III.** *v/i.* **9.** Gräben ziehen *od.* ausbessern; **10.** ✈ *sl.* notlanden, notwassern; **'ditch·er** [-tʃə] *s.* **1.** Grabenbauer *m*; **2.** Grabbagger *m*; **'ditch·ing** [-tʃiŋ] *s.* Ziehen *n od.* Ausbessern *n* von Gräben; **'ditch-wa·ter** *s.* abgestandenes, fauliges Wasser; → *dull* 4.

dith·er ['diðə] **I.** *v/i.* F bibbern, zittern; zaudern, schwanken; **II.** *s.* F Zittern *n*: *all of a ~* ganz verdattert *od.* aus dem Häus-chen.

dith·y·ramb ['diθiræmb] *s.* **1.** Dithy'rambus *m*; **2.** Lobeshymne *f*; **dith·y·ram·bic** [diθi'ræmbik] *adj.* dithy'rambisch; enthusi'astisch.

dit·to ['ditou] (*abbr.* **do.**) **I.** *adv.* 'dito, des'gleichen, ebenfalls: *~ marks* Ditozeichen; *to say ~ to s.o.* j-m beipflichten; **II.** *s.* (*suit of*) *~s pl.* (zs.-gehörende) Kleidungsstücke *pl.* aus dem gleichen Stoff.

dit·ty ['diti] *s.* ♪ Liedchen *n*.

'dit·ty|-bag, '~-box *s.* ⚓ **1.** Nähzeug *n*; **2.** Uten'silienkasten *m*.

di·u·ret·ic [daijuə'retik] ⚕ **I.** *adj.* diu'retisch, harntreibend; **II.** *s.* harntreibendes Mittel, Diu'retikum *m*.

di·ur·nal [dai'ə:nl] *adj.* □ **1.** täglich ('wiederkehrend), Tag(es)...; **2.** nur bei Tag auftretend.

di·va ['di:və] *s.* 'Diva *f*.

di·va·gate ['daivəgeit] *v/i.* abschweifen, nicht bei der Sache bleiben; **di·va·ga·tion** [daivə'geiʃən] *s.* Abschweifung *f*; Ex'kurs *m*.

di·va·lent ['daiveilənt] *adj.* ⚗ zweiwertig.

di·van [di'væn] *s.* **1. a)** 'Diwan *m*, (Liege)Sofa *n*, **b)** *a. ~-bed* Liege *f* (*Art Bettcouch*); **2.** Diwan *m* (*orientalischer Staatsrat*); **3.** Diwan *m*, Gedichtsammlung *f*.

di·var·i·cate [dai'værikeit] *v/i.* sich gabeln, sich spalten; abzweigen; **di·var·i·ca·tion** [daiværi'keiʃən] *s.* **1.** Gabelung *f*; **2.** *fig.* Meinungsverschiedenheit *f*, Diffe'renz *f*.

dive [daiv] **I.** *v/i.* **1.** tauchen (*for* nach, *into* in *acc.*); **2.** 'untertauchen; F *fig.* sich ducken; **3.** e-n Kopfsprung machen; **4.** ✈ e-n Sturzflug machen; **5.** (hastig) hin'eingreifen (*into* in *acc.*); **6.** sich stürzen, fahren, verschwinden (*into* in *acc.*); **7.** (*into*) sich vertiefen (in *acc.*); durch'stöbern (*acc.*); **II.** *s.* **8.** ('Unter)Tauchen *n*; ⚓ Tauchfahrt *f*; **9.** Kopfsprung *m*; **10.** ✈ Sturzflug *m*; **11.** hastiger Griff: *to make a ~ at* greifen *od.* langen nach; **12.** Eindringen *n*: *to make a ~ for* sich stürzen auf (*acc.*); *to take a ~ into* sich vertiefen in (*acc.*); **13.** *Brit.* 'Kellerlo,kal *n*: *oyster ~* Austernkeller; **14.** F Spe'lunke *f*, Kneipe *f*; **'~-bomb** *v/t. u. v/i.* im Sturzflug mit Bomben angreifen; **'~-bomb·er** *s.* Sturzkampfflugzeug *n*, Sturzbomber *m*, Stuka *m*: *~ pilot* Sturzkampfflieger.

div·er ['daivə] *s.* **1.** Taucher(in); *sport* Wasserspringer(in); **2.** *orn. ein* Tauchvogel *m*.

di·verge [dai'və:dʒ] *v/i.* **1.** divergieren (*a.* ⚕, *phys.*), ausein'andergehen, -laufen, sich trennen; abweichen; **2.** abzweigen (*from* von); **3.** verschiedener Meinung sein; **di'ver·gence** [-dʒəns], **di'ver·gen·cy** [-dʒənsi] *s.* **1.** Diver'genz *f*, Ausein'anderlaufen *n*; **2.** Abzweigung *f*; **3.** Abweichung *f*; **4.** ⚔, *opt.* Streuung *f*; **di'ver·gent** [-dʒənt] *adj.* □ **1.** divergierend (*a.* ⚕, *phys.*, *opt.*); **2.** ausein'anderlaufend; streuend; **3.** abweichend.

di·vers ['daivə(:)z] *adj. obs.* mehrere *pl.*

di·verse [dai'və:s] *adj.* □ **1.** verschieden, ungleich; **2.** mannigfaltig; **di·ver·si·fi·ca·tion** [daivə:sifi'keiʃən] *s.* **1.** Ab-, Veränderung *f*; **2.** abwechslungsreiche Gestaltung; Mannigfaltigkeit *f*; **3.** † Diversifizierung *f*; **di'ver·si·fied** [-sifaid] *adj.* verschieden(artig), mannigfaltig, abwechslungsreich; **di'ver·si·fy** [-sifai] *v/t.* **1.** (ver)ändern; **2.** abwechslungsreich gestalten, beleben, variieren; **3.** † diversifizieren.

di·ver·sion [dai'və:ʃən] *s.* **1.** Ablenkung *f*; **2.** ⚔ 'Ablenkungsma,növer *n* (*a. fig.*); **3.** *Brit.* 'Umleitung *f* (*Verkehr*); **4.** *fig.* Zerstreuung *f*, Erholung *f*, Zeitvertreib *m*; **di'ver-**

sion·ar·y [-ʃnəri] *adj.* ⚔ Ablenkungs...

di·ver·si·ty [daiˈvə:siti] *s.* **1.** Verschiedenheit *f*, Ungleichheit *f*; **2.** Mannigfaltigkeit *f*, Vielgestaltigkeit *f*, Abwechslung *f*.

di·vert [daiˈvə:t] *v/t.* **1.** ablenken, ableiten, abwenden (*from* von, *to* nach), lenken (*to* auf *acc.*); **2.** abbringen (*from* von); **3.** *Geld etc.* abzweigen (*to* für); **4.** *Brit. Verkehr* ˈumleiten; **5.** zerstreuen, unterˈhalten; **diˈvert·ing** [-tiŋ] *adj.* □ unterˈhaltend, amüˈsant.

di·vest [daiˈvest] *v/t.* **1.** entkleiden (*of gen.*); **2.** *fig.* entblößen, berauben (*of gen.*): *to ~ s.o. of s.th.* j-m et. entziehen *od.* nehmen; *to ~ o.s. of s.th.* et. ablegen, et. ab- *od.* aufgeben, sich *e-s Rechts etc.* entäußern; **diˈvest·i·ture** [-titʃə], **diˈvest·ment** [-mənt] *s.* Entblößung *f*, Beraubung *f*.

ˈdive-un·der *s. Brit.* (ˈStraßen-) Unterˌführung *f*.

di·vide [diˈvaid] **I.** *v/t.* **1.** (ein)teilen (*in, into* in *acc.*): *to be ~d into* zerfallen in (*acc.*); **2.** 𝔄 teilen, dividieren (*by* durch); **3.** verteilen (*between, among* unter *acc. od. dat.*): *to ~ s.th. with s.o.* et. mit j-m teilen; **4.** *a. ~ up* zerteilen, zerlegen; zerstückeln; spalten; **5.** entzweien, auseinˈanderbringen; **6.** trennen, absondern, scheiden (*from* von); *Haar* scheiteln; **7.** *Brit. parl.* (durch Hammelsprung) abstimmen lassen; **II.** *v/i.* **8.** sich teilen; zerfallen (*in, into* in *acc.*); **9.** 𝔄 aufgehen (*into* in *dat.*); **10.** sich trennen *od.* auflösen; **11.** *parl.* durch Hammelsprung abstimmen; **III.** *s.* **12.** *Am.* Wasserscheide *f*; **13.** *fig.* Scheidung *f*, Trennlinie *f*: *the Great* ≈ der Tod; **diˈvid·ed** [-did] *adj.* geteilt; uneinig: *~ opinions* geteilte Meinungen; *~ counsel* Uneinigkeit; *my mind is ~* ich bin noch nicht entschlossen; *~ against themselves* unter sich uneins.

div·i·dend [ˈdividend] *s.* **1.** 𝔄 Diviˈdend *m*; **2.** ✝ Diviˈdende *f*, Gewinnanteil *m*: *Brit.* cum *~*, *Am. ~ on* mit Dividende; *Brit.* ex *~*, *Am. ~ off* ohne Dividende; **3.** ⚖ Rate *f*, (Konˈkurs)quote *f*; **4.** *to pay a ~ fig.* sich bezahlt machen; **ˈ~-cou·pon, ˈ~-war·rant** *s.* ✝ Diviˈdendenschein *m*.

di·vid·er [diˈvaidə] *s.* **1.** Teiler(in); **2.** *pl.* Stechzirkel *m*; **diˈvid·ing** [-diŋ] *adj.* Trennungs..., Scheide...; ⊕ Teil...

div·i·na·tion [diviˈneiʃən] *s.* **1.** Weissagung *f*, Wahrsagung *f*; **2.** (Vor-) Ahnung *f*.

di·vine [diˈvain] **I.** *adj.* □ **1.** Gottes..., göttlich, heilig: *~ service* Gottesdienst; *~ right of kings* Königtum von Gottes Gnaden, Gottesgnadentum; **2.** *fig.* F göttlich, himmlisch, herrlich; **II.** *s.* **3.** Geistliche(r) *m*; **4.** Theoˈloge *m*; **III.** *v/t.* **5.** (vorˈaus)ahnen; erraten; **6.** wahrsagen, propheˈzeien; **diˈvin·er** [-nə] *s.* **1.** Wahrsager *m*; **2.** Errater *m*; **3.** (Wünschel)Rutengänger *m*.

div·ing [ˈdaiviŋ] *s.* **1.** Tauchen *n*; **2.** *sport* Wasserspringen *n*; **ˈ~-bell** *s.* Taucherglocke *f*; **ˈ~-board** *s.* Sprungbrett *n*; **ˈ~-dress** → *diving-suit*; **~ hel·met** *s.* Taucherhelm *m*; **ˈ~-suit** *s.* Taucheranzug *m*; **~ tow·er** *s.* Sprungturm *m*.

diˈvin·ing-rod [diˈvainiŋ] *s.* Wünschelrute *f*.

di·vin·i·ty [diˈviniti] *s.* **1.** Göttlichkeit *f*, göttliches Wesen; **2.** Gottheit *f*: *the* ≈ die Gottheit, Gott; **3.** Theoloˈgie *f*; **div·i·nize** [ˈdivinaiz] *v/t.* vergöttlichen.

di·vis·i·bil·i·ty [diviziˈbiliti] *s.* Teilbarkeit *f*; **di·vis·i·ble** [diˈvizəbl] *adj.* □ teilbar; **di·vi·sion** [diˈviʒən] *s.* **1.** (Ein)Teilung *f* (*into* in *acc.*); Verteilung *f*, Gliederung *f*: *~ of labo(u)r* Arbeitsteilung; *~ into shares* ✝ Stückelung; **2.** Trennung *f*, Grenze *f*, Scheidelinie *f*, -wand *f*; **3.** Teil *m*, Abˈteilung *f* (*a. e-s Amtes*), Abschnitt *m*; **4.** Gruppe *f*, Klasse *f*; **5.** ⚔ Divisiˈon *f*; *sport* ˈLiga *f*; **6.** *pol.* Bezirk *m*, **7.** *parl.* (Abstimmung *f* durch) Hammelsprung *m*: *to go into ~* zur Abstimmung schreiten; *upon a ~* nach Abstimmung; **8.** *fig.* Spaltung *f*, Kluft *f*; Uneinigkeit *f*, Diffeˈrenz *f*; **9.** 𝔄 Division *f*, Dividieren *n*; **10.** *Brit. Gefängnis*: *first (second, third) ~* milde (strenge, sehr strenge) Behandlung; **di·vi·sion·al** [diˈviʒənl] *adj.* □ **1.** Teilungs..., Trennungs...; **2.** Abteilungs...; **3.** ⚔ Divisions...; **di·vi·sive** [diˈvaisiv] *adj.* **1.** teilend; scheidend; **2.** entzweiend; trennend; **di·vi·sor** [diˈvaizə] *s.* 𝔄 Diˈvisor *m*, Teiler *m*.

di·vorce [diˈvɔ:s] **I.** *s.* **1.** ⚖ (Ehe-) Scheidung *f*: *to obtain a ~* geschieden werden; *to seek a ~* die Scheidung begehren; **2.** *fig.* Scheidung *f*, Trennung *f* (*from* von, *between* zwischen *dat.*); **II.** *v/t.* **3.** ⚖ *Ehegatten* scheiden; **4.** *to ~ one's husband (wife)* ⚖ sich von s-m Manne (s-r Frau) scheiden lassen; **5.** *fig. völlig* trennen, scheiden, (los)lösen; **di·vor·cee** [divɔ:ˈsi:] *s.* Geschiedene(r *m*) *f*; **diˈvorce·ment** [-mənt] → *divorce I*.

div·ot [ˈdivət] *s. Scot.* Sode *f*, Rasenstück *n*; *Golf*: ˈDivot *n*, Koteˈlett *n*, ausgehacktes Rasenstück.

di·vul·ga·tion [daivʌlˈgeiʃən] *s.* Enthüllung *f*, Verbreitung *f*.

di·vulge [daiˈvʌldʒ] *v/t.* ausplaudern, bekanntmachen, enthüllen, preisgeben; **diˈvulge·ment** [-mənt], **diˈvul·gence** [-dʒəns] → *divulgation*.

dix·ie[1] [ˈdiksi] *s.* ⚔ *sl.* **1.** Kochgeschirr *n*; **2.** Feldkessel *m*, ‚ˈGulaschkaˌnone' *f*.

Dix·ie[2] [ˈdiksi], **~ Land** *s.* Südstaaten *pl.* der U.S.A.; **ˈDix·ie·crat** [-kræt] *s. pol. Mitglied der Demokratischen Partei in den Südstaaten*; **ˈDix·ie·land** *s.* ♪ Dixieland *m* (*Jazzstil*).

dix·y → *dixie*[1].

diz·zi·ness [ˈdizinis] *s.* Schwindel (-anfall) *m*; Benommenheit *f*; **diz·zy** [ˈdizi] **I.** *adj.* □ **1.** schwindlig; **2.** schwindelnd, schwindelerregend: *~ heights*; **3.** verwirrt, benommen; **4.** unbesonnen; **II.** *v/t.* **5.** schwindlig machen; **6.** verwirren.

D-mark [ˈdi:mɑ:k] *s.* Deutsche Mark, *abbr.* DM.

do[1] [du:; du] **I.** *v/t.* [*irr.*] **1.** tun, machen: *what can I ~ for you?* womit kann ich dienen?; *what does he ~ for a living?* womit verdient er sein Brot?; *to ~ right* recht tun; → *done 1*; **2.** tun, ausführen, sich beschäftigen mit, verrichten, vollˈbringen, erledigen: *to ~ business* Geschäfte machen; *to ~ one's duty* s-e Pflicht tun; *to ~ French* Französisch lernen *od.* treiben; *to ~ Shakespeare* Shakespeare durchnehmen *od.* behandeln; *to ~ it into German* es ins Deutsche übersetzen; *to ~ lecturing* Vorlesungen halten; *my work is done* m-e Arbeit ist getan *od.* fertig; *he had done working* er war mit der Arbeit fertig; *to ~ 60 miles per hour* 60 Meilen die Stunde fahren; *he is ~ing six months for theft* er ‚sitzt' wegen Diebstahls sechs Monate (im Gefängnis); *he did all the talking* er führte das große Wort; *it can't be done* es geht nicht; *to ~ one's best* sein Bestes tun, sich alle Mühe geben; *to ~ better* **a)** (et.) Besseres tun *od.* leisten, **b)** sich verbessern; → *done*; **3.** herstellen, anfertigen: *to ~ a translation* e-e Übersetzung machen; *to ~ a portrait* ein Porträt malen; **4.** *j-m et.* tun, zufügen, erweisen, gewähren: *to ~ s.o. harm* j-m schaden; *to ~ s.o. a favo(u)r* j-m e-n Gefallen tun; *to ~ s.o. an injustice* j-m ein Unrecht zufügen, j-m Unrecht tun; *these pills ~ me (no) good* diese Pillen helfen mir (nicht); **5.** bewirken, erreichen: *I did it* ich habe es erreicht *od.* geschafft; *now you've done it! b.s.* nun hast du es glücklich geschafft!; **6.** herrichten, in Ordnung bringen, (zuˈrecht)machen, *Speisen* zubereiten: *to ~ a room* ein Zimmer aufräumen *od.* ‚machen'; *to ~ one's hair* sich das Haar machen, sich frisieren; *to ~ one's teeth* sich die Zähne putzen; *I'll ~ the flowers* ich werde die Blumen gießen; *she does the vegetables* sie kocht das Gemüse; **7.** *Rolle etc.* spielen: *to ~ Hamlet* den Hamlet spielen; *to ~ the host* den Wirt spielen; *to ~ the polite* den höflichen Mann markieren; **8.** genügen, passen, recht sein (*dat.*): *will this glass ~ you?* genügt Ihnen dieses Glas?; **9.** F erschöpfen, ermüden: *he was pretty well done* er war ‚erledigt' (*am Ende s-r Kräfte*); **10.** F erledigen, abfertigen, ab-, fertigmachen: *I'll ~ you next* ich nehme Sie als nächsten dran; *to ~ a town* e-e Stadt besichtigen *od.* ‚erledigen'; *I'll ~ him in three rounds* ich werde ihn in drei Runden erledigen; *that has done me* das hat mich fertiggemacht *od.* ruiniert; **11.** F betrügen, ‚reinlegen', ‚übers Ohr hauen', ‚einseifen': *to ~ s.o. out of s.th.* j-n um et. betrügen *od.* bringen; *you have been done (od. done brown)* du bist schön angeschmiert worden; **12.** F behandeln, versorgen, bewirten: *to ~ s.o. well* j-n gut versorgen; *to ~ o.s. well* es sich gutgehen lassen, sich gütlich tun; **II.** *v/i.* [*irr.*] **13.** handeln, vorgehen, tun, sich verhalten: *he did well to come* er tat gut daran zu kommen; *nothing ~ing!* **a)** es ist nichts los, **b)** F nichts zu machen!, ausgeschlossen!; *it's ~ or die now!* jetzt geht's ums Ganze!; *have done!* hör auf!, genug davon!; → *Rome*; **14.** vor'ankommen, Leistungen voll'bringen: *to ~ well* **a)** es gut machen, Erfolg haben, **b)** gedeihen, gut verdienen; *to ~ badly* schlecht daran sein, schlecht *mit et.* fahren; *he did brilliantly at his examination* er hat ein glänzendes Examen gemacht; **15.** sich befinden: *to ~ well* **a)** gesund sein, **b)** in guten Verhältnissen leben, **c)** sich gut erholen; *how ~ you ~?* **a)** guten Tag!, **b)** *obs.* wie geht es Ihnen?, **c)** es freut mich (,Sie kennenzulernen); **16.** genügen, ausreichen, passen, recht sein: *will this quality ~?* reicht diese Qualität aus?; *that will ~* **a)** das genügt, **b)** genug davon!; *it will ~ tomorrow* es hat Zeit bis morgen; *that won't ~* **a)** das genügt nicht, **b)** das geht nicht (an); *that won't ~ with me* das verfängt bei mir nicht; *it won't ~ to be rude* mit Grobheit kommt man nicht weit(er), man darf nicht unhöflich sein; *I'll make it ~* ich werde damit (schon) auskommen *od.* reichen; **III.** *Hilfsverb* **17.** *Verstärkung*: *I ~ like it* es gefällt mir sehr; *~ be quiet! od. be quiet, ~!* sei doch still!; *he did come* er ist tatsächlich gekommen; *they did go, but* sie sind zwar *od.* wohl gegangen, aber; **18.** *Umschreibung*: **a)** *in Fragesätzen*: *~ you know him? No, I don't* kennst du ihn? Nein (, ich kenne ihn nicht), **b)** *in mit not verneinten Sätzen*: *he did not (od. didn't) come* er ist nicht gekommen; **19.** *bei Umstellung nach hardly, rarely, little etc.*: *rarely does one see such things* solche Dinge sieht man selten; **20.** *statt Wiederholung des Verbs*: *you know as well as I ~* Sie wissen so gut wie ich; *did you buy it? — I did!* hast du es gekauft? — jawohl!; *I take a bath — so ~ I* ich nehme ein Bad — ich auch; **21.** *you learn German, don't you?* du lernst Deutsch, nicht wahr?; *he doesn't work too hard, does he?* er arbeitet sich nicht tot, nicht wahr?;

Zssgn mit prp.:

do| by *v/t.* behandeln, handeln an (*dat.*): *to do well by s.o.* j-n gut *od.* anständig behandeln; *do ([un]to others) as you would be done by* was du nicht willst, daß man dir tu', das füg auch keinem andern zu; *~* **for** *v/t.* **1.** passen *od.* sich eignen für *od.* als; ausreichen für; **2.** F *j-m* den Haushalt führen; **3.** sorgen für: *how shall we ~ food?* wie werden wir zu essen bekommen?; **4.** F zu'grunde richten: *he is done for* er ist ,erledigt' *od.* ,geliefert'; *my shoes are done for* m-e Schuhe sind ,hin'; *~* **to** → *do by*; *~* **with** *v/t.* **1.**: *I can't do anything with him (it)* ich kann nichts mit ihm (damit) anfangen; *I have nothing to ~ it* ich habe nichts damit zu schaffen, es geht mich nichts an, es betrifft mich nicht; *I won't have anything to ~ you* ich will mit dir nichts zu schaffen haben; **2.** auskommen *od.* sich begnügen mit: *he does with very little bread* er kommt mit ganz wenig Brot aus; *can you ~ bread and cheese for supper?* genügen dir Brot und Käse zum Abendbrot?; **3.** er-, vertragen: *I can't ~ him and his cheek* ich kann ihn mit s-r Frechheit nicht ertragen; **4.** *mst could ~* (gut) gebrauchen können: *I could ~ the money*; *he could ~ a haircut* er müßte sich mal (wieder) die Haare schneiden lassen; *~* **with·out** *v/t.* auskommen ohne, *et.* entbehren, verzichten auf (*acc.*): *we shall have to ~* wir müssen ohne (es) auskommen;

Zssgn mit adv.:

do| a·way with *v/t.* **1.** beseitigen, abschaffen, aufheben; **2.** *Geld* 'durchbringen; **3.** 'umbringen, töten; *~* **down** *v/t.* F her'einlegen, ,übers Ohr hauen'; *~* **in** *v/t. sl.* **1.** um die Ecke bringen, 'umbringen; **2.** her'einlegen, ,anschmieren', ,bescheißen'; *~* **out** *v/t. Zimmer etc.* säubern; *~* **up** *v/t.* **1.** zu'rechtmachen, in'stand setzen, neu herrichten, renovieren; **2.** einpacken; **3.** zuknöpfen, schließen; **4.** ermüden, erschöpfen.

do[2] [du:] *pl.* **dos, do's** [-z] *s.* **1.** *sl.* Schwindel *m*, ,Beschiß' *m*, fauler Zauber; **2.** *Brit.* F Fest *n*, ,Festivi'tät' *f*, ,große Sache'.

do[3] [dou] *s.* ♪ do *n* (*Solmisationssilbe*).

do·a·ble ['du:əbl] *adj.* aus-, 'durchführbar; **'do-all** *s.* Fak'totum *n.*

doat → *dote.*

doc [dɔk] F *abbr. für doctor.*

do·cent [dou'sent] *s. Am.* Pri'vatdo,zent *m.*

doc·ile ['dousail] *adj.* □ **1.** fügsam, gefügig; **2.** gelehrig; **3.** fromm (*Pferd*); **do·cil·i·ty** [dou'siliti] *s.* **1.** Fügsamkeit *f*; **2.** Gelehrigkeit *f.*

dock[1] [dɔk] **I.** *s.* **1.** Dock *n*: *dry ~, graving ~* Trockendock; *floating ~* Schwimmdock; *wet ~* Dockhafen; *to put a ship in ~* ein Schiff (ein-)docken; **2.** Hafenbecken *n*, Anlegeplatz *m*: *~ authorities* Hafenbehörde; *~-dues* → *dockage*[1]; **3.** *pl.* Hafen *m*, Hafenanlagen *pl.*; **4.** *Am.* Kai *m*; **5.** 🚂 *Am.* Laderampe *f*; **II.** *v/t.* **6.** *Schiff* (ein)docken; **III.** *v/i.* **7.** ins Dock gehen; im Dock liegen; **8.** landen (*Schiff*); **9.** andocken (*Raumschiffe*).

dock[2] [dɔk] **I.** *s.* **1.** Fleischteil *m* des Schwanzes; **2.** Schwanzstummel *m*, Stutzschwanz *m*; **3.** Schwanzriemen *m*; **4.** (Lohn- *etc.*)Kürzung *f*; **II.** *v/t.* **5.** stutzen; **6.** *fig.* beschneiden, kürzen.

dock[3] [dɔk] *s.* ⚖ Anklagebank *f*: *to be in the ~* auf der Anklagebank sitzen; *to put in the ~ fig.* anklagen.

dock[4] [dɔk] *s.* ♀ Ampfer *m.*

dock·age[1] ['dɔkidʒ] *s.* ⚓ Dock-, Hafengebühren *pl.*, Kaigebühr *f.*

dock·age[2] ['dɔkidʒ] *s.* Kürzung *f.*

dock·er ['dɔkə] *s. Brit.* Dock-, Hafenarbeiter *m.*

dock·et ['dɔkit] **I.** *s.* **1.** ⚖ Ge'richtska,lender *m*, Pro'zeßliste *f*; Liste *f* der Urteile; **2.** Inhaltsangabe *f*, -vermerk *m*; *engS.* Aktenschwanz *m*; **3.** *Am.* Tagesordnung *f*; **4.** ✝ **a)** A'dreßzettel *m*, Eti'kett *n*, **b)** *Brit.* Zollquittung *f*, **c)** *Brit.* Bestell-, Lieferschein *m*; **II.** *v/t.* **5.** in e-e Liste eintragen; **6.** mit Inhaltsangabe *od.* Etikett versehen.

'dock|·land *s.* Hafenviertel *n*; **'~-mas·ter** *s.* 'Hafenkapi,tän *m*, -meister *m*; **'~-war·rant** *s.* ✝ Kailagerschein *m*; *~* **work·er** → *docker*; **'~-yard** *s.* ⚓ **1.** Werft *f*; **2.** *engS. Brit.* Ma'rinewerft *f.*

doc·tor ['dɔktə] **I.** *s.* **1.** 'Doktor *m*, Arzt *m*: *~'s stuff* F Medizin; **2.** Doktor *m* (*akademischer Grad*): *♀ of Divinity (Laws)* Doktor der Theologie (Rechte); *to take one's ~'s degree* (zum Doktor) promovieren; *Dear ~* Sehr geehrter Herr Doktor!; *Dr. and Mrs. X* Herr Dr. X u. Frau; **3.** *♀ of the Church* Kirchenvater *m*; **4.** ⚓ *sl.* Smutje *m*, Schiffskoch *m*; **5.** ⊕ Schaber *m*, Abstreichmesser *n*; **6.** *Angeln*: künstliche Fliege; **II.** *v/t.* **7.** ,verarzten', ärztlich behandeln; ,her'umdoktern' an (*dat.*), ,ausbessern', ,zu'rechtflicken'; **8.** *a. ~ up Getränke* vermischen, verfälschen; **9.** *Abrechnungen etc.* ,frisieren', zu'rechtdoktern; **III.** *v/i.* **10.** F (als Arzt) praktizieren; **'doc·tor·al** [-tərəl] *adj.* Doktor(s)...; **'doc·tor·ate** [-tərit] *s.* Dokto'rat *n*, Doktorwürde *f.*

doc·tri·naire [dɔktri'nɛə] **I.** *s.* Doktri'när *m*, Prin'zipienreiter *m*; **II.** *adj.* doktri'när, schulmeisterlich.

doc·tri·nal [dɔk'trainl] *adj.* □ lehrmäßig, Lehr...; dog'matisch: *~ proposition* Lehrsatz; *~ theology* Dogmatik; **doc·trine** ['dɔktrin] *s.* **1.** Dok'trin *f*, Lehre *f*, Lehrmeinung *f*; **2.** *bsd. pol.* Doktrin *f*, Grundsatz *m*, Satzung *f*, Pro'gramm *n.*

doc·u·ment ['dɔkjumənt] **I.** *s.* **1.** Doku'ment *n*, Urkunde *f*, Schrift-, Aktenstück *n*; *pl.* Akten *pl.*; **2.** Beweisstück *n*; **3.** (*shipping*) *~s pl.* ✝ Ver'lade-, 'Schiffspa,piere *pl.*: *~s against acceptance (payment)* Dokumente gegen Akzept (Bezahlung); **II.** *v/t.* [-ment] **4.** dokumentieren, urkundlich belegen; **5.** *Buch etc.* mit Belegstellen ausstatten; **6.** ✝ mit den notwendigen Pa'pieren versehen; **doc·u·men·ta·ry** [dɔkju'mentəri] **I.** *adj.* dokumen'tarisch, urkundlich: *~ bill* ✝ Dokumententratte; *~ evidence* Urkundenbeweis, schriftliches Beweisstück; *~ film* → *II*; **II.** *s.* Lehr-, Kul'tur-, Dokumen'tar-, Tatsachenfilm *m*; **doc·u·men·ta·tion** [dɔkjumen'teiʃən] *s.* **1.** Urkunden-, Quellenbenutzung *f*; **2.** Dokumentati'on *f*, dokumen'tarischer Nachweis *od.* Beleg.

dod·der[1] ['dɔdə] *s.* ♀ Teufelszwirn *m*, Flachsseide *f.*

dod·der[2] ['dɔdə] *v/i.* **1.** schlottern, wackeln, schwanken, zittern (*vor Schwäche*); **2.** blöde reden, quasseln; **3.** vertrotteln; **'dod·dered** [-əd] *adj.* **1.** astlos, ohne Krone (*Baum*); **2.** altersschwach, tatterig; **'dod·der·ing** [-əriŋ], **'dod·der·y** [-əri] *adj.* **1.** schwankend, zittrig; **2.** se'nil, tatterig, vertrottelt.

do·dec·a·gon [dou'dekəgən] *s.* ⩓ Zwölfeck *n.*

do·dec·a·he·dron ['doudikə'hedrən] *pl.* **-drons, -dra** [-drə] *s.* ⩓ Dodeka'eder *n*, Zwölfflächner *m*; **'do·dec·a'syl·la·ble** [-'siləbl] *s.* zwölfsilbiger Vers.

dodge [dɔdʒ] **I.** *v/i.* **1.** (rasch) zur Seite springen, ausweichen, schlüpfen; **2.** Ausflüchte *od.* Winkelzüge machen, sich drücken; **II.** *v/t.* **3.** ausweichen (*dat.*); **4.** sich drücken vor, um'gehen, aus dem Weg gehen (*dat.*), vermeiden; **5.** zum besten haben, irreführen, blenden; **III.** *s.* **6.** Sprung *m* zur Seite, rasches Ausweichen; **7.** Schlich *m*, Kniff *m*, Trick *m*: *to be up to all the* ~*s* mit allen Wassern gewaschen sein; **8.** F sinnreicher Mecha'nismus, Pa'tent *n*, Hilfsmittel *n*; **'dodg·er** [-dʒə] *s.* **1.** verschlagener Mensch, Schwindler *m*; **2.** Drückeberger *m*; **3.** *Am.* Hand-, Re'klamezettel *m*, Flugblatt *n*; **4.** ⚓ F Wetterschutz *m* auf der Brücke; **5.** *Am.* Maiskuchen *m*, -brot *n*.

do·do ['doudou] *pl.* **-does, -dos** *s. orn.* Do'do *m*, Dronte *f* (*ausgestorben*): *as dead as the* ~ völlig veraltet.

doe [dou] *s. zo.* **1.** a) Damhirschkuh *f*, b) Rehgeiß *f*; **2.** *Weibchen der Hasen, Kaninchen etc.*

do·er ['du(:)ə] *s.* **1.** Handelnde(r *m*) *f*, Täter(in); **2.** *sl.* Gauner *m*.

does [dʌz; dəz] *3. pres. sg. von do*[1].

'doe·skin *s.* **1.** a) Rehfell *n*, b) Rehleder *n*; **2.** Doeskin *n* (*ein Wollstoff*).

does·n't ['dʌznt] F *für does not.*

doest [dʌst] *obs. od. poet. 2. pres. sg. von do*[1].

doff [dɔf] *v/t.* **1.** *Kleider* ablegen, ausziehen; *Hut* abnehmen; **2.** *fig. Gewohnheit* ablegen.

dog [dɔg] **I.** *s.* **1.** *zo.* Hund *m*; **2.** *engS.* Rüde *m* (*männlicher Hund, Wolf* [*a. dog-wolf*], *Fuchs* [*a. dog-fox*] *etc.*); **3.** Hund *m*, Schurke *m*: *dirty* ~ gemeiner Schuft; **4.** F Bursche *m*, Kerl *m*: *gay* ~ lustiger Vogel, Lebemann; *lucky* ~ Glückspilz; *sly* ~ schlauer Fuchs; **5.** *ast.* a) *Greater* (*Lesser*) ♀ Großer (Kleiner) Hund, b) → *dog-star*; **6.** *the* ~*s Brit.* F das Windhundrennen; **7.** ⊕ a) Klaue *f*, Knagge *f*, Anschlag(bolzen) *m*, b) Bock *m*, Gestell *n*; **8.** ⚒ Hund *m*, Förderwagen *m*; **9.** → *fire-dog*; *Besondere Redewendungen*: *not a* ~*'s chance* keinerlei Aussicht; ~ *in the manger* Neidhammel; ~*s of war* Kriegsfurien; ~ *does not eat* ~ eine Krähe hackt der anderen kein Auge aus; *to go to the* ~*s* vor die Hunde *od.* zugrunde gehen; *every* ~ *has his day* jeder hat einmal Glück im Leben; *to help a lame* ~ *over a stile* j-m in der Not helfen; *to lead a* ~*'s life* ein Hundeleben führen; *to lead s.o. a* ~*'s life* j-m das Leben zur Hölle machen; *let sleeping* ~*s lie* schlafende Hunde soll man nicht aufwecken, rühre nicht an alte Geschichten; *to put on* ~ F ‚angeben', vornehm tun; *to throw to the* ~*s* zum Fenster hinauswerfen, wegwerfen, vergeuden; **II.** *v/t.* **10.** *j-m* auf dem Fuße folgen, *j-n* verfolgen, jagen, *j-m* nachspüren: *to* ~ *s.o.'s steps* j-m auf den Fersen bleiben; **11.** *fig.* verfolgen; **12.** *fig.* Abbruch tun (*dat.*), schädigen.

'dog|·ber·ry *s.* ♀ Hundsbeere *f*; **'~-bis·cuit** *s.* Hundekuchen *m*; **'~-box** *s.* 🚃 *Brit.* Hundeabteil *n*; **'~-cart** *s.* Dogcart *m* (*Wagen*); **'~-col·lar** *s.* **1.** Hundehalsband *n*; **2.** F Kol'lar *n*, steifer Kragen e-s Geistlichen; **'~-days** *s. pl.* Hundstage *pl.*

doge [doudʒ] *s.* Doge *m* (*Oberhaupt der Republiken Venedig od. Genua*).

'dog|-ear *s.* Eselsohr *n*; **'~-eared** *adj.* mit Eselsohren (*Buch*); **'~-fight** *s.* Handgemenge *n*; ⚔ Nahkampf *m*; ✈ Kurven-, Luftkampf *m*; **'~-fish** *s. ichth.* Hundshai *m*.

dog·ged ['dɔgid] *adj.* □ verbissen, hartnäckig, zäh: *it's* ~ (*as*) *does it* Beharrlichkeit führt zum Ziel; **'dog·ged·ness** [-nis] *s.* Verbissenheit *f*, Zähigkeit *f*, Beharrlichkeit *f*.

dog·ger ['dɔgə] *s.* ⚓ Dogger *m* (*holländisches Fischerboot*).

dog·ger·el ['dɔgərəl] **I.** *s.* Knittelvers *m*; **II.** *adj.* holperig (*Vers etc.*).

dog·gie → *doggy 1.*

dog·gish ['dɔgiʃ] *adj.* □ **1.** hundeartig, hündisch; **2.** bissig, mürrisch.

dog·go ['dɔgou] *adv. sl.* mäus·chenstill: *to lie* ~ sich nicht mucksen.

'dog-grass *s.* ♀ Hundequecke *f*.

dog·gy ['dɔgi] **I.** *s.* **1.** Hündchen *n*, Wauwau *m*; **II.** *adj.* **2.** hundeartig; **3.** hundeliebend; **4.** *Am.* F ‚supervornehm', schick.

'dog|-house *s.* Hundehütte *f*: *in the* ~ *Am.* F in Ungnade; ~ **lat·in** *s.* 'Küchenla,tein *n*; **'~-'lead** ['li:d] *s.* Hundeleine *f*.

dog·ma ['dɔgmə] *pl.* **-mas**, *selten* **-ma·ta** [-mətə] *s.* **1.** *eccl.* 'Dogma *n* (*a. fig.*), Glaubenssatz *m*, -lehre *f*; **2.** Lehrsatz *m*; **3.** Grundsatz *m*, Über'zeugung *f*; **4.** dreiste Behauptung; **dog·mat·ic** [dɔg'mætik] *adj.* (□ ~*ally*) **1.** *eccl.* dog'matisch; **2.** entschieden, bestimmt; **3.** gebieterisch, anmaßend, rechthaberisch, dogmatisch; **dog·mat·ics** [dɔg'mætiks] *s. pl. sg. konstr.* Dog'matik *f*; **'dog·ma·tism** [-ətizəm] *s.* **1.** Dogma'tismus *m*; **2.** Bestimmtheit *f*, Selbstherrlichkeit *f*, Rechthabe'rei *f*; **'dog·ma·tist** [-ətist] *s.* **1.** Dog'matiker *m*; **2.** dreister Behaupter; **'dog·ma·tize** [-ətaiz] **I.** *v/i.* dreiste Behauptungen aufstellen (*on* über *acc.*), s-e Meinung als maßgeblich hinstellen; **II.** *v/t.* mit Bestimmtheit behaupten; *bsd. eccl.* zum 'Dogma erheben.

'do-'good·er *s.* F Weltverbesserer *m*, Humani'tätsa,postel *m*.

dog| rac·ing *s.* Hunderennen *n*; **'~-rose** *s.* ♀ Hecken-, Hundsrose *f*.

'dog's-ear *etc.* → *dog-ear etc.*

'dog|-show *s.* Hundeausstellung *f*; **'~-skin** *s.* Hundsleder *n*; **'~-sleep** *s.* leichter *od.* unruhiger Schlaf.

'dog|-star *s. ast.* 'Sirius *m*, Hundsstern *m*; ~ **tag** *s.* ⚔ *Am. sl.* Erkennungsmarke *f*; ~ **tax** *s.* Hundesteuer *f*; **'~-'tired** *adj.* F hundemüde; **'~-tooth** *s.* [*irr.*] △ 'Zahnorna,ment *n*; **'~-'track** *s.* Hunderennbahn *f*; **'~-'vi·o·let** *s.* ♀ Hundsveilchen *n*; **'~-watch** *s.* ⚓ Hundewache *f*; **'~-wood** *s.* ♀ Hartriegel *m*.

doi·ly ['dɔili] *s.* Deckchen *n*, 'Tassen-, 'Teller,unterlage *f*.

do·ing ['du(:)iŋ] *s.* **1.** Tun *n*: *that was your* ~ a) das haben Sie getan, b) es war Ihre Schuld; **2.** *pl.* Taten *pl.*, Tätigkeit *f*; **3.** Treiben *n*, Betragen *n*; **4.** *pl.* Ereignisse *pl.*; **5.** F ‚Geschichten' *pl.*, ‚Bescherung' *f*; **6.** *pl. sl.* notwendiges Zubehör.

doit [dɔit] *s.* Deut *m*, Pfifferling *m*: *not worth a* ~ keinen Pfifferling wert.

'do-it-your'self **I.** *s.* Selbstmachen *n*, -anfertigen *n*; **II.** *adj.* Selbstanfertigungs..., Bastel...; **'do-it-your'self·er** [-fə] *s.* F Heimwerker *m*, Bastler *m*.

dol·drums ['dɔldrəmz] *s. pl.* **1.** Flaute *f*, (Gegend *f* der) Windstillen *pl.*, 'Kalmen,zone *f*; **2.** Niedergeschlagenheit *f*, Trübsinn *m*: *in the* ~ a) deprimiert, b) darniederliegend (*Geschäft*).

dole [doul] **I.** *s.* **1.** milde Gabe, Almosen *n*; **2.** *bsd. Brit.* F 'Arbeitslosenunter,stützung *f*: *to be* (*od. go*) *on the* ~ stempeln gehen; **II.** *v/t.* **3.** *mst* ~ *out* sparsam aus-, verteilen.

dole·ful ['doulful] *adj.* □ traurig; klagend; trübselig; **'dole·ful·ness** [-nis] *s.* Trauer *f*, Kummer *m*.

dol·i·cho·ce·phal·ic ['dɔlikouke'fælik] *adj.* langköpfig, -schädelig.

'do-lit·tle *s.* F Faulenzer(in), Faulpelz *m*.

doll [dɔl] **I.** *s.* Puppe *f* (*a. fig. hübsches Mädchen*): ~*'s house* Puppenstube, -haus; ~*'s pram bsd. Brit.* Puppenwagen; **II.** *v/t. u. v/i.* ~ *up sl.* (sich) aufputzen *od.* -donnern.

dol·lar ['dɔlə] *s.* Dollar *m*: *the almighty* ~ das Geld, der Mammon; ~ *diplomacy* Dollardiplomatie.

doll·ish ['dɔliʃ] *adj.* □ puppenhaft.

dol·lop ['dɔləp] *s.* F Klumpen *m*, Brocken *m*, Happen *m*.

doll·y ['dɔli] **I.** *s.* **1.** Püppchen *n* (*Kinderwort*); **2.** ⊕ a) niedriger Trans'portkarren, b) *Film*: 'Kamerawagen *m*, c) 'Schmalspurlokomo,tive *f* (*an Baustellen*); **3.** ⊕ Nietkolben *m*; **4.** Wäschestampfer *m*, -stößel *m*; **II.** *adj.* **5.** puppenhaft, -artig; ~ **shot** *s. Film*: Fahraufnahme *f*; **'~-tub** *s.* Waschfaß *n*.

dol·man ['dɔlmən] *pl.* **-mans** *s.* **1.** Damenmantel *m* mit capeartigen Ärmeln: ~ *sleeve* capeartiger Ärmel; **2.** 'Dolman *m* (*Husarenjacke*).

dol·men ['dɔlmen] *s.* 'Dolmen *m* (*vorgeschichtliches Steingrabmal*).

dol·o·mite ['dɔləmait] *s. min.* Dolo'mit(gestein *n*) *m*: *the* ♀*s* die Dolomiten.

do·lor *Am.* → *dolour*; **dol·or·ous** ['dɔlərəs] *adj.* □ traurig, schmerzlich; **do·lour** ['doulə] *s.* Leid *n*, Pein *f*, Qual *f*, Schmerz *m*.

dol·phin ['dɔlfin] *s.* **1.** *zo.* a) Del'phin *m*, b) Tümmler *m*; **2.** ⚓ a) Ankerboje *f*, b) Dalbe *f*, Anlegepfahl *m*.

dolt [doult] *s.* Strohkopf *m*, Tölpel *m*; **'dolt·ish** [-tiʃ] *adj.* □ tölpelhaft; **'dolt·ish·ness** [-tiʃnis] *s.* Tölpelhaftigkeit *f*.

do·main [də'mein] *s.* **1.** Do'mäne *f*, Staatsgut *n*; **2.** Grundbesitz *m*, Herrengut *n*; **3.** *power of eminent* ~ Enteignungsrecht *des Staates* (zu öffentlichen Zwecken); *to take by eminent* ~ *Land* enteignen; **4.** *fig.* Gebiet *n*, Bereich *m*, Sphäre *f*, Reich *n*, Domäne *f*.

dome [doum] *s.* **1.** Kuppel *f*; **2.** Wölbung *f*; **3.** *poet.* stolzer Bau; **4.** ⊕ Haube *f*, Deckel *m*; **5.** *Am. sl.* ‚Birne' *f* (*Kopf*); **domed** [-md] *adj.* gewölbt.

Domes·day (**Book**) ['du:mzdei] *s. hist. Reichsgrundbuch Englands* (*1086*).

'**dome-shaped** *adj.* kuppelförmig.

do·mes·tic [də'mestik] *adj.* (□ *~ally*) **1.** häuslich, Haus..., Haushalts..., Familien..., Privat...: *~ affairs* häusliche Angelegenheiten; *~ coal* Hausbrandkohle; *~ life* Familienleben; *~ relations* (*law*) ⚖ *Am.* Familienrecht; *~ servant* Hausangestellte(r); *~ science* Hauswirtschaftskunde; **2.** häuslich (veranlagt); **3.** inländisch, Inland(s)..., einheimisch, Landes...; Innen..., Binnen...: *~ bill* ✝ Inlandswechsel; *~ goods* Inlandswaren; *~ mail Am.* Inlandspost; *~ trade* Binnenhandel; **4.** *pol.* inner, Innen...: *~ policy* Innenpolitik; **5.** bürgerlich (*Drama*); **6.** zahm, Haus...: *~ animal* Haustier; **do'mes·ti·cate** [-keit] *v/t.* **1.** an häusliches Leben gewöhnen: *not ~d* **a)** nichts vom Haushalt verstehend, **b)** nicht am Familienleben hängend; **2.** *Tiere* zähmen; **3.** *Wilde* zivilisieren; **4.** ⚘ heimisch machen; **do·mes·ti·ca·tion** [dəmesti'keiʃən] *s.* **1.** (Gewöhnung *f* an) häusliches Leben; **2.** Eingewöhnung *f*; **3.** Zähmung *f* (*Tiere*); **4.** ⚘ Kultivierung *f*; **do·mes·tic·i·ty** [doumes'tisiti] *s.* **1.** (Neigung *f* zur) Häuslichkeit *f*; häusliches Leben; **2.** *pl.* häusliche Angelegenheiten *pl.*

dom·i·cile ['dɔmisail], *Am. a.* '**dom·i·cil** [-sil] **I.** *s.* **1. a)** (ständiger) Wohnsitz (*mit vollem Bürgerrecht*), **b)** Wohnort *m*, **c)** Wohnung *f*; **2.** ✝ Zahlungsort *m*; **3.** *a. legal ~* ⚖ Gerichtsstand *m*; **II.** *v/t.* **4.** ansässig *od.* wohnhaft machen, ansiedeln; **5.** ✝ *Wechsel* domizilieren; '**dom·i·ciled** [-ld] *adj.* **1.** ansässig, wohnhaft; **2.** *~ bill* ✝ Domizilwechsel; **dom·i·cil·i·ar·y** [dɔmi'siljəri] *adj.* Haus..., Wohnungs...: *~ arrest* Hausarrest; *~ visit* Haussuchung; **dom·i·cil·i·ate** [dɔmi'siljeit] *v/t.* ✝ *Wechsel* domizilieren.

dom·i·nance ['dɔminəns] *s.* (Vor-)Herrschaft *f*, (Vor)Herrschen *n*; '**dom·i·nant** [-nt] **I.** *adj.* □ **1.** herrschend, be-, vorherrschend; **2.** entscheidend; **3.** em'porragend, weithin sichtbar; **4.** *biol.* domi'nant, über'deckend; **5.** ♪ Dominant...; **II.** *s.* **6.** *biol.* vorherrschendes Merkmal; **7.** ♪ Domi'nante *f*; '**dom·i·nate** [-neit] **I.** *v/t.* beherrschen (*a. fig.*); herrschen *od.* em'porragen über (*acc.*); **II.** *v/i.* dominieren, (vor)herrschen: *to ~ over* herrschen über (*acc.*).

dom·i·na·tion [dɔmi'neiʃən] *s.* (Vor)Herrschaft *f*; **dom·i'neer** [-'niə] *v/i.* **1.** den Herrn spielen; über'heblich sein; **2.** (*over*) des'potisch herrschen (über *acc.*), tyrannisieren, gängeln (*acc.*); **dom·i'neer·ing** [-'niəriŋ] *adj.* □ **1.** ty'rannisch, herrisch, gebieterisch; **2.** anmaßend, überheblich.

do·min·i·cal [də'minikəl] *adj. eccl.* des Herrn (Jesus): *~ day* Tag des Herrn (*Sonntag*); *~ prayer das* Gebet des Herrn (*Vaterunser*); *~ year* Jahr des Herrn.

Do·min·i·can [də'minikən] *eccl.* **I.** *adj.* Dominikaner..., domini'kanisch; **II.** *s. a. ~ friar* Domini'kaner(mönch) *m.*

dom·i·nie ['dɔmini] *s.* **1.** *Scot.* Schulmeister *m*; **2.** *Am.* F Pastor *m.*

do·min·ion [də'minjən] *s.* **1.** (Ober-)Herrschaft *f*, (Regierungs)Gewalt *f*; **2.** ⚖ **a)** Besitzrecht *n*, **b)** (tatsächliche) Gewalt (*over* über *e-e Sache*); **3.** (Herrschafts)Gebiet *n*; **4. a)** ♀ Do'minion *n* (*im Brit. Commonwealth*), **b)** *the* ♀ *Am.* 'Kanada *n.*

dom·i·no ['dɔminou] *pl.* **-noes** *s.* **1.** *pl. sg. konstr.* 'Domino(spiel) *n*; **2.** 'Dominostein *m*; **3.** 'Domino *m* (*Maskenkostüm od. Person*); '**dom·i·noed** [-oud] *adj.* mit e-m Domino bekleidet.

don[1] [dɔn] *s.* **1.** ♀ *span. Titel*; *weitS.* Spanier *m*; **2.** *Brit.* Würdenträger *m* e-r Universi'tät (*Fellow od. Tutor*); **3.** Fachmann *m* (*at* in *dat.*, für).

don[2] [dɔn] *v/t. et.* anziehen, *Hut* aufsetzen.

do·nate [dou'neit] *v/t.* schenken, spenden, stiften; **do'na·tion** [-eiʃən] *s.* Schenkung *f* (*a.* ⚖), Stiftung *f*, Gabe *f*, Geschenk *n*; **don·a·tive** ['dounətiv] **I.** *s.* **1.** Schenkung *f*; **2.** *eccl.* durch Schenkung über'tragene Pfründe; **II.** *adj.* **3.** Schenkungs...; **4.** *eccl.* durch bloße Schenkung übertragen (*Pfründe*).

done [dʌn] **I.** *p.p. von do*[1]; **II.** *adj.* **1.** getan: *well ~!* gut gemacht!, bravo!; *it isn't ~* so et. tut man nicht, das gehört sich nicht; *what is to be ~?* was ist zu tun?, was soll geschehen?; *~ at ... in Urkunden*: gegeben in *der Stadt New York etc.*; **2.** erledigt (*a. fig.*): *to get s.th. ~* et. erledigen (lassen); **3.** gar: *is the meat ~ yet?*; **4.** F fertig: *to have ~ with* **a)** fertig sein mit (*a. fig.*), **b)** nicht mehr brauchen, **c)** nichts mehr zu tun haben wollen mit; **5.** *a. ~ up* erschöpft, ‚erledigt', ‚fertig'; **6.** *~!* abgemacht!

do·nee [dou'ni:] *s.* ⚖ Beschenkte(r *m*) *f.*

don·jon ['dɔndʒən] *s.* **1.** Burgverlies *n*; **2.** Bergfried *m*, Burgturm *m.*

Don Ju·an [dɔn'dʒu(:)ən] *s.* Don Ju'an *m* (*Frauenheld*).

don·key ['dɔŋki] *s.* Esel *m* (*a. fig.*): *~'s years Brit.* F lange Zeit, Ewigkeit; '*~*-**boil·er** *s.* ⚓, ⊕ Hilfskessel *m*; '*~*-**en·gine** *s.* ⚓ kleine (*transportable*) 'Hilfsmaˌschine; '*~*·**man** [-mən] *s.* [*irr.*] **1.** Eseltreiber *m*; **2.** ⚓ Bediener *m* der Hilfsmaschine; '*~*-**work** *s.* F Placke'rei *f.*

don·nish ['dɔniʃ] *adj.* steif, pe'dantisch, gravi'tätisch; '**don·nish·ness** [-nis] *s.* Steifheit *f*, Pedante'rie *f.*

do·nor ['dounə] *s.* Geber *m*; Schenker *m* (*a.* ⚖); Spender *m* (*a.* ⚕), Stifter *m.*

'**do-noth·ing** **I.** *s.* Faulenzer(in); **II.** *adj.* faul.

Don Quix·ote [dɔn'kwiksət] *s.* Don Qui'chotte *m* (*weltfremder Idealist*).

don't [dount] **I. a)** F *für do not*, **b)** *sl. für* does not; **II.** *s.* F Verbot *n*: *dos and ~s* Weisungen und Verbote.

doo·dle ['du:dl] **I.** *s.* gedankenlos hingezeichnete Fi'gur, Gekritzel *n*; **II.** *v/i.* (gedankenlos) kritzeln *od.* zeichnen, ‚Männchen malen'.

doo·dle-bug ['du:dlbʌg] *s.* **1.** *Am.* Wünschelrute *f*; **2.** *Brit.* F (*2. Weltkrieg*) Ra'kete *f*, V 1 *f.*

doom [du:m] **I.** *s.* **1.** Schicksal *n*; (*bsd.* böses) Geschick, Verhängnis *n*: *he met his ~* das Schicksal ereilte ihn; **2.** Verderben *n*, 'Untergang *m*, schlimmes Ende; *fig.* Todesurteil *n*; **3.** *obs.* Urteilsspruch *m*, Verdammung *f*; **4.** *the day of ~* das Jüngste Gericht; → *crack* **1**; **II.** *v/t.* **5.** verurteilen: *to ~ to death*; **doomed** [-md] *adj.* verloren, dem 'Untergang geweiht; verdammt (*to* zu, *to do* zu tun): *~ to failure* zum Scheitern verurteilt; *the ~ train* der Unglückszug; **dooms·day** ['du:mzdei] *s. das* Jüngste Gericht: *till ~* bis zum Jüngsten Tag; **Dooms·day Book** → *Domesday* (*Book*).

door [dɔ:] *s.* **1.** Tür *f*: *out of ~s* außer dem Hause, draußen, im Freien; *within ~s* im Hause, drinnen; *from ~ to ~* von Haus zu Haus; *delivered to your ~* (Ihnen) frei ins Haus geliefert; *two ~s away* (*od. off*) zwei Häuser weiter; → *next* **1**; **2.** Ein-, Zugang *m*, Tor *n*, Pforte *f* (*alle a. fig.*): *at death's ~* am Rande des Grabes; *to lay s.th. at s.o.'s ~* j-m et. zur Last legen; *to lay the blame at s.o.'s ~* j-m die Schuld zuschieben; *the fault lies at my ~* ich bin schuld; *to close the ~ against s.o.* j-m die Tür verschließen; *to close* (*od. bang*) *the ~ on s.th.* et. unmöglich machen; *to open a ~ to s.th.* et. ermöglichen, *b.s.* e-r Sache Tür u. Tor öffnen; *packed to the ~s* voll (besetzt); *to see* (*od. show*) *s.o. to the ~* j-n zur Tür begleiten; *to show s.o. the ~* j-m die Tür weisen; *to turn out of ~s* j-n hinauswerfen; → *darken* **1**; '*~*-**bell** *s.* Türklingel *f*; '*~*-**case** → *door-frame*; '*~*-**check** → *door-stop*; '*~*-**frame** *s.* Türrahmen *m*; *~* **handle** *s.* Türgriff *m*, -klinke *f*; '*~*-**keeper** *s.* Pförtner *m*; '*~*-**knob** *s.* Türgriff *m*; '*~*·**man** [-mən] *s.* [*irr.*] (livrierter) Porti'er; '*~*·**mat** *s.* Türmatte *f*, Abtreter *m*; '*~*-**nail** *s.* Türnagel *m*; → *dead* **1**; '*~*-**plate** *s.* Türschild *n*; '*~*-**post** *s.* Türpfosten *m*; '*~*-**step** *s.* (Haus)Türstufe *f*: *on s.o.'s ~* vor j-s Tür (*a. fig.*); '*~*-**stop** *s.* Türpuffer *m*; '*~*-**to-**'*~* *adj.*: *~ selling* Hausieren; '*~*·**way** *s.* **1.** Torweg *m*; **2.** Türöffnung *f*; **3.** *fig.* Zugang *m*; '*~*-**yard** *s. Am.* Vorhof *m*, -garten *m.*

dope [doup] **I.** *s.* **1.** dicke Flüssigkeit, Schmiere *f*; **2.** ✈ (Spann-)Lack *m*, Firnis *m*; **3.** ⊕ Ben'zinzusatz *m*; **4.** *sl.* Rauschgift *n*, *bsd.* 'Opium *n*; **5.** *sl.* Reiz-, Aufputschmittel *n*; **6.** *sl.* Geheimtip *m*, Informati'on *f*; **7.** *sl.* Trottel *m*, Depp *m*; **II.** *v/t.* **8.** ✈ lackieren, firnissen; **9.** ⊕ Ben'zin mit e-m Zusatzmittel versehen; **10.** *sl.* Rauschgift geben (*dat.*); **11.** *sport sl.* dopen; **12.** *sl.* betäuben; **13.** *sl.* übers Ohr hauen, bescheißen; **14.** *mst ~ out sl.* **a)** ausknobeln, ausfindig machen, **b)** ausarbeiten, errechnen; **'~-fiend** *s. sl.* Rauschgiftsüchtige(r *m*) *f*.

dope·y ['doupi] *adj. sl.* doof, bekloppt, dämlich.

dor [dɔ:] → *dor-beetle.*

Do·ra ['dɔ:rə] *s. Brit.* F *abbr. für Defence of the Realm Act.*

dor-bee·tle ['dɔ:bi:tl] *s. zo.* **1.** Mist-, Roßkäfer *m*; **2.** Maikäfer *m*.

Do·ri·an ['dɔ:riən] **I.** *adj.* dorisch; **II.** *s.* Dorier *m*; **Dor·ic** ['dɔrik] **I.** *adj.* **1.** dorisch: ~ *capital* △ dorisches Kapitell; ~ *order* △ dorische (Säulen)Ordnung; **2.** bäurisch, breit, grob (*Mundart*); **II.** *s.* **3.** Dorisch *n*, dorischer Dia'lekt; **4.** breiter *od.* grober Dialekt.

dorm [dɔ:m] *s.* F *für dormitory.*

dor·man·cy ['dɔ:mənsi] *s.* Schlafzustand *m*, Ruhe(zustand *m*) *f* (*a.* ⚘); **'dor·mant** [-nt] *adj.* **1.** schlafend (*a. her.*), ruhend (*a.* ⚘), untätig; **2.** *zo.* Winterschlaf haltend; **3.** *fig.* schlummernd, la'tent, verborgen; **4.** unbenutzt, brachliegend: ~ *capital* ✝ totes Kapital; ~ *partner* ✝ stiller Teilhaber (mit unbeschränkter Haftung).

'dor·mer(-'win·dow) ['dɔ:mə] *s.* △ Dach-, Boden-, Man'sardenfenster *n*.

dor·mi·to·ry ['dɔ:mitri] *s.* **1.** Schlafsaal *m*; **2.** *Am.* Gebäude *n* mit Schlafräumen, *engS.* Stu'denten(wohn)heim *n*; ~ **sub·urb** *s.* Schlafstadt *f* (*außerhalb gelegenes Wohnviertel e-r Großstadt*).

dor·mouse ['dɔ:maus] *pl.* **-mice** [-mais] *s. zo.* Haselmaus *f*; → *sleep 1.*

dor·my ['dɔ:mi] *adj. Golf*: mit so viel Löchern führend, wie noch zu spielen sind: *to be* ~ *two.*

dor·sal ['dɔ:səl] *adj.* □ dor'sal (⚘, *zo., anat., ling.*), Rücken...; **'dor·sal·ly** [-səli] *adv.* am Rücken.

do·ry[1] ['dɔ:ri] *s.* ⚓ Dory *n* (*kleines Boot*).

do·ry[2] ['dɔ:ri] → *John Dory.*

dos·age ['dousidʒ] *s.* **1.** Dosierung *f*; **2.** 'Dosis *f*; **dose** [dous] **I.** *s.* **1.** ⚕ Dosis *f*; **2.** *fig.* Dosis *f*, Menge *f*, Porti'on *f*; **II.** *v/t.* **3.** *Arznei* dosieren; **4.** *j-m* Arz'nei geben; **5.** *Wein* verfälschen, panschen.

doss [dɔs] *Brit. sl.* **I.** *s.* ‚Falle' *f*, ‚Klappe' *f*, ‚Flohkiste' *f* (*Bett*); **II.** *v/i.* ‚pennen'; **'~-house** *s. Brit. sl.* ‚Penne' *f* (*primitive Herberge*).

dos·si·er ['dɔsiei] *s.* Dossi'er *m*, Akten(heft *n*, -bündel *n*) *pl.*, Vorgang *m*.

dost [dʌst; dəst] *obs. od. poet. 2. pres. sg. von do*[1].

dot[1] [dɔt] *s.* ⚖ Mitgift *f*.

dot[2] [dɔt] **I.** *s.* **1.** Punkt *m* (*a.* ♪), Tüpfelchen *n*: ~*s and dashes* Punkte u. Striche, *tel.* Morsezeichen; *to come on the* ~ F auf den Glockenschlag pünktlich kommen; **2.** Tupfen *m*, Fleck *m*; **3.** *et.* Winziges, Knirps *m*; **II.** *v/t.* **4.** punktieren (*a.* ♪): ~*ted line* (*note*); **5.** mit dem i-Punkt versehen: *to* ~ *the* (*od. one's*) *i's* [*and cross the* (*od. one's*) *t's*] *fig.* **a)** peinlich genau sein, **b)** alles genau klarmachen; **6.** tüpfeln, sprenkeln; **7.** verstreuen: ~*ted with houses* mit Häusern übersät; **8.** *sl. to* ~ *him one* ihm eine ‚runterhauen'.

dot·age ['doutidʒ] *s.* **1.** (*bsd.* geistige) Altersschwäche, Senili'tät *f*: *he is in his* ~ er ist kindisch *od.* senil geworden; **2.** *fig.* Affenliebe *f*, Vernarrtheit *f*; **'do·tard** [-təd] *s.* se'niler Mensch, kindischer Greis; **dote** [dout] *v/i.* **1.** kindisch *od.* senil sein *od.* werden; sabbeln, faseln; **2.** (*on*) vernarrt sein (in *acc.*), zärtlich lieben (*acc.*).

doth [dʌθ; dəθ] *obs. od. poet. 3. pres. sg. von do*[1].

dot·ing ['doutiŋ] *adj.* □ **1.** vernarrt, verliebt; **2.** se'nil, kindisch.

dot·ter·el, dot·trel ['dɔtrəl] *s. orn.* Regenpfeifer *m*.

dot·ty ['dɔti] *adj.* **1.** punktiert, getüpfelt; **2.** verstreut; **3.** F wakkelig; **4.** F 'übergeschnappt, verrückt.

dou·ble ['dʌbl] **I.** *adj.* □ **1.** doppelt, Doppel..., zweifach, gepaart: ~ *the amount* der doppelte *od.* zweifache Betrag; ~ *bottom* doppelter Boden (*Schiff, Koffer*); ~ *doors* Doppeltür; ~ *taxation* Doppelbesteuerung; ~ *width* doppelte Breite, doppelt breit; ~ (*of*) *what it was* doppelt *od.* zweimal soviel wie vorher; **2.** Doppel..., verdoppelt, verstärkt: ~ *ale* Starkbier; ~ *cream* Sahne zum Schlagen; **3.** Doppel..., für zwei bestimmt: ~ *bed* Doppelbett; ~ *room* Doppel-, Zweibettzimmer; **4.** ⚘ gefüllt (*Blume*); **5.** ♪ eine Ok'tave tiefer, Kontra...; **6.** zwiespältig, zweideutig, doppelsinnig; **7.** unaufrichtig, falsch: ~ *character*; **8.** gekrümmt, gebeugt; **II.** *adv.* **9.** doppelt, noch einmal: ~ *as long*; **10.** doppelt, zweifach: *to see* ~ doppelt sehen; *to play* (*at*) ~ *or quit*(*s*) alles aufs Spiel setzen; **11.** paarweise, zu zweit: *to sleep* ~; **III.** *s.* **12.** *das* Doppelte *od.* Zweifache; **13.** Doppel *n*, Dupli'kat *n*; **14.** Seitenstück *n*, Ebenbild *n*, Doppelgänger *m*; **15.** Windung *f*, Falte *f*; **16.** Haken *m* (*bsd. Hase, a. Person*); 'Umkehr *f*; **17.** ⚔ Laufschritt *m*: *at the* ~ im Laufschritt; **18.** *pl. sg. konstr. sport* Doppel *n*: *to play a* ~*s*; *men's* ~*s* Herrendoppel; **19.** *Film*: Double *n*; *thea.* zweite Besetzung; **IV.** *v/t.* **20.** verdoppeln (*a.* ♪); **21.** *oft* ~ *up* ('um-, zs.-)falten, 'um-, zs.-legen, 'umschlagen; **22.** *Beine* 'überschlagen; *Faust* ballen; **23.** ⚓ um'segeln, -'schiffen, um *ein Kap* fahren; **24.** zwirnen; **25.** *fig. j-n* 'umwerfen; **26.** *mst thea.* als Double einspringen für: *to* ~ *parts* e-e Doppelrolle spielen, *a.* zwei Tätigkeiten ausüben; **27.** *Karten*: *Gebot* doppeln; **28.** *a.* ~ *up* F einquartieren (*with* zs. mit); **V.** *v/i.* **29.** sich verdoppeln; **30.** sich biegen *od.* krümmen *od.* falten; **31.** plötzlich kehrtmachen, *bsd.* e-n Haken schlagen; **32.** ⚔ im Laufschritt marschieren; F Tempo vorlegen; **33.** den Einsatz verdoppeln; **34.** *thea. etc.* als Double spielen;

Zssgn mit adv.:

dou·ble| back **I.** *v/t.* zs.-falten, 'umbiegen, -schlagen, zu'rückschlagen; **II.** *v/i.* kehrtmachen u. zu'rücklaufen; ~ **down** *v/t.* 'umbiegen, 'umfalten; ~ **in** *v/t.* nach innen falten, einbiegen, -schlagen; ~ **up** **I.** *v/t.* **1.** zs.-falten, -legen, -rollen; **2.** krümmen, biegen (*a. fig.*); **II.** *v/i.* **3.** sich falten *od.* zs.-rollen (lassen); **4.** sich krümmen *od.* biegen (*a. fig. with vor Schmerz, Lachen*); **5.** zs.-brechen; **6.** ein Zimmer teilen.

'dou·ble|-'act·ing, '~-'ac·tion *adj.* ⊕ doppeltwirkend; **'~-bar·rel(l)ed** *adj.* **1.** doppelläufig: ~ *gun* Doppelflinte; **2.** zweideutig, zweischneidig: ~ *policy*; ~ *compliment* zweifelhaftes Kompliment; **3.** ~ *name* F Doppelname; **'~-'bass** → *contrabass*; **'~-bed·ded** *adj.*: ~ *room* **a)** Zweibettzimmer, **b)** Zimmer mit Doppelbett; **'~-'breast·ed** *adj.* zweireihig (*Anzug*); ~ **chin** *s.* Doppelkinn *n*; ~ **col·umn** *s.* Doppelspalte *f* (*Zeitung etc.*): *in* ~*s* zweispaltig; **'~-cross** *s. sl.* Schwindel *m*, Betrug *m*; **'~-'cross** *v/t. sl. bsd. Partner* hinter'gehen, beschummeln; ~ **date** *s.* 'Doppelrendez,vous *n* (*zweier Paare*); **'~-'deal·er** *s.* Achselträger *m*, Heuchler *m*, Betrüger *m*; **'~-'deal·ing** **I.** *adj.* unaufrichtig, falsch; **II.** *s.* Doppelzüngigkeit *f*, Falschheit *f*; **'~-'deck·er** *s.* **1.** Doppeldecker *m* (*Schiff, Flugzeug, Omnibus*); **2.** *Am.* F Doppelsandwich *n* (*3 Brotscheiben u. 2 Einlagen*); ~ **Dutch** *s.* F Kauderwelsch *n*; **'~-'dyed** *adj.* **1.** zweimal gefärbt; **2.** *fig.* eingefleischt, Erz...: ~ *villain* Erzgauner; ~ **ea·gle** *s.* **1.** *her.* Doppeladler *m*; **2.** *Am.* goldenes 20-Dollar-Stück; **'~-'edged** *adj.* zweischneidig (*a. fig.*); ~ **en·ten·dre** ['du:blɑ̃:n'tɑ̃:ndr] (*Fr.*) *s.* zweideutiger Ausdruck; ~ **en·try** *s.* ✝ *a.* ~ *book-keeping* doppelte Buchführung; ~ **ex·po·sure** *s. phot.* Doppelbelichtung *f*; **'~-faced** *adj.* heuchlerisch, scheinheilig, unaufrichtig; ~ **fault** *s. Tennis*: Doppelfehler *m*; ~ **fea·ture** *s. Film*: 'Doppelpro,gramm *n* (*zwei Spielfilme in jeder Vorstellung*); ~ **first** *s. univ. Brit.* mit Auszeichnung erworbener Honours-Grad in zwei Fächern; **'~-'flow·ered** *adj.* ⚘ gefüllt; **'~-'flu·id** *adj.* ⚡ mit zwei Flüssigkeiten (*Batterie*); **'~gang·er** *s.* Doppelgänger *m*; ~ **har·ness** *s. fig.* Ehestand *m*, -joch *n*; **'~-'lead·ed** ['ledid] *adj. typ.* doppelt durch'schossen; ~ **line** *s.* 🚂 zweigleisige Strecke; **'~-'lock** *v/t.* doppelt verschließen; ~ **mean·ing** *s.* Doppelbedeutung *f*; *b.s.* Zweideutigkeit *f*; **'~-'mean·ing** *adj.* zweideutig, doppelsinnig; **'~-'mind·ed** *adj.* wankelmütig, unentschlossen.

dou·ble·ness ['dʌblnis] *s.* **1.** *das* Doppelte; **2.** Doppelzüngigkeit *f*, Falschheit *f*.

'dou·ble|-'park *v/t. u. v/i. mot.* in zweiter Reihe parken; **'~-'quick** ⚔ **I.** *s.* → *double time*; **II.** *adj. u. adv.* im Laufschritt; ~ **star** *s. ast.* Doppelstern *m*; **'~-'stop** ♪ **I.** *s.* Doppelgriff *m* (*Streichinstrument*); **II.** *v/t.* Doppelgriffe spielen auf (*dat.*).

dou·blet ['dʌblit] *s.* **1.** *hist.* Wams *n*; **2.** Paar *n* (*Dinge*); **3.** Du'blette *f* (*a. typ.*), Dupli'kat *n*; **4.** *pl.* Pasch *m* (*beim Würfeln*).

'dou·ble|-take *s. sl.* ‚Spätzündung' *f*; **~ talk** *s.* F doppelzüngiges Gerede; **'~-think** *s. humor.* ‚Zwiedenken' *n*; **~ time** *s.* ⚔ Laufschritt *m*: *in* ~ F schnell, fix; **'~-'tongued** *adj.* doppelzüngig, falsch; **'~-'tracked** *adj.* 🚂 zweigleisig.

dou·bling ['dʌbliŋ] *s.* **1.** Verdoppelung *f*; **2.** Faltung *f*; **3.** Windung *f*, Ausweichen *n*, Seitensprung *m*; **4.** ⚓ Um'segelung *f*; **dou·bly** ['dʌbli] *adv.* doppelt.

doubt [daut] **I.** *v/i.* **1.** zweifeln; schwanken, Bedenken haben; **2.** zweifeln (*of, about* an *e-r Sache*); (dar'an) zweifeln, (es) bezweifeln (*whether, if* ob; *that* daß; *neg. u. interrog. that, but that, but* daß): *I ~ whether he will come* ich zweifle, ob er kommen wird; *I ~ that he can come* ich bezweifle es, daß er kommen kann; **II.** *v/t.* **3.** *et.* bezweifeln: *I ~ his honesty*; *I ~ it*; **4.** miß'trauen (*dat.*), keinen Glauben schenken (*dat.*): *to ~ s.o.*; *to ~ s.o.'s words*; **III.** *s.* **5.** Zweifel *m* (*of* an *dat.*, *about* hinsichtlich *gen.*; *that* daß): *no ~*, *without ~*, *beyond ~* zweifellos, fraglos, gewiß; *I have no ~* ich zweifle nicht (daran), ich bezweifle es nicht; *to leave s.o. in no ~ about s.th.* j-n nicht im Zweifel *od.* im ungewissen über et. lassen; → *benefit 1*; **6.** Bedenken *n*, Besorgnis *f*, Befürchtung *f* (*about* wegen, in *dat.*); **7.** Ungewißheit *f*: *to be in ~* unschlüssig sein; **'doubt·er** [-tə] *s.* Zweifler(in): **'doubt·ful** [-ful] *adj.* □ **1.** zweifelnd, im Zweifel, unschlüssig: *to be ~ of* (*od. about*) *s.th.* an e-r Sache zweifeln, im Zweifel über et. sein; **2.** zweifelhaft, fraglich, unentschieden, unklar; **3.** fragwürdig, bedenklich, verdächtig; **'doubt·ful·ness** [-fulnis] *s.* **1.** Zweifelhaftigkeit *f*, Ungewißheit *f*; **2.** Fragwürdigkeit *f*; **'doubt·ing** [-tiŋ] *adj.* □ **1.** zweifelnd, schwankend, unschlüssig; **2.** 'mißtrauisch: ᵒ *Thomas* ungläubiger Thomas; **'doubt·less** [-lis] *adv.* **1.** zweifellos, sicherlich; **2.** gewiß, wohl, ich gebe zu; **3.** (höchst)wahrscheinlich.

dou·ceur [du'sœːr] (*Fr.*) *s.* **1.** (Geld-)Geschenk *n*, Trinkgeld *n*; **2.** Bestechungsgeld *n*.

douche [duːʃ] **I.** *s.* **1.** Dusche *f* (*a.* ⚕), Brause *f*: *cold ~ a. fig.* kalte Dusche; **2.** ⚕ Irri'gator *m*; **II.** *v/t. u. v/i.* **3.** (sich) (ab)duschen; **4.** ⚕ spülen.

dough [dou] *s.* **1.** Teig *m*; **2.** *sl.* ‚Pinke' *f*, ‚Zaster' *m* (*Geld*); **'~·boy** *s.* **1.** Mehlkloß *m*; **2.** *Am. sl.* Landser *m* (*Infanterist*); **'~·nut** *s.* Krapfen *m*, (Ber'liner) Pfannkuchen *m*.

dough·ty ['dauti] *adj.* □ *obs. od. humor.* beherzt, mannhaft, tapfer.

dough·y ['doui] *adj.* **1.** teigig (*a. fig.*); **2.** klitschig, nicht 'durchgebacken.

Doug·las| fir ['dʌgləs], *a.* **~ pine**, **~ spruce** *s.* ♀ 'Douglastanne *f*, -fichte *f*.

dou·ma → *duma*.

dour ['duə] *adj.* □ *Scot.* **1.** mürrisch, streng, herb; **2.** hartnäckig, stur.

douse [daus] *v/t.* **1.** ins Wasser tauchen, begießen; **2.** F *Licht* auslöschen; **3.** ⚓ **a)** *Segel* laufen lassen, **b)** *Tau* loswerfen.

dove [dʌv] *s.* **1.** *orn.* Taube *f*: *~ of peace* Friedenstaube; **2.** Täubchen *n*, Herzchen *n*; **3.** *eccl.* Taube *f* (*Symbol des Heiligen Geistes*); **4.** *pol.* ‚Taube' *f*: *~s and hawks* Tauben u. Falken; **'~-col·o(u)r** *s.* Taubengrau *n*; **'~-cot(e)** *s.* Taubenschlag *m*; **'~-eyed** *adj.* sanftäugig; **'~-like** *adj.* sanft.

'dove's-foot ['dʌvz] *s.* ♀ Storchschnabel *m*; **'dove·tail I.** *s.* **1.** ⊕ Schwalbenschwanz *m*, Zinke *f*; **II.** *v/t.* **2.** verschwalben, verzinken; **3.** *fig.* fest zs.-fügen, verzahnen, verquicken; **4.** einfügen, -passen, -gliedern (*into* in *acc.*); **5.** passend zs.-setzen; einpassen (*into* in *acc.*); **III.** *v/i.* **6.** genau passen (*into* in *acc.*, zu; *with* mit); angepaßt sein (*with dat.*); genau inein'andergreifen.

dow·a·ger ['dauədʒə] *s.* **1.** Witwe *f* (von Stande): *queen* ᵒ Königinwitwe; *~ duchess* Herzoginwitwe; **2.** F Ma'trone *f*, würdevolle ältere Dame.

dow·di·ness ['daudinis] *s.* Schäbigkeit *f*; Schlampigkeit *f*; **dow·dy** ['daudi] **I.** *adj.* □ schlechtgekleidet, nachlässig gekleidet, 'unmo,dern, 'unele,gant, schäbig, schlampig; **II.** *s.* nachlässig gekleidete Frau, Schlampe *f*.

dow·el ['dauəl] ⊕ **I.** *s.* Dübel *m*, Holzpflock *m*; **II.** *v/t.* (ver)dübeln.

dow·er ['dauə] **I.** *s.* **1.** ⚖ Wittum *n* (*Witwenerbteil*); **2.** *bsd. fig.* Mitgift *f*; **3.** Begabung *f*; **II.** *v/t.* **4.** ausstatten.

dow·las ['dauləs] *s.* Dowlas *n*, Daulas *n* (*grobes Baumwollgewebe*).

down[1] [daun] *s.* **1. a)** Daunen *pl.* (*a.* ♀), flaumiges Gefieder, **b)** Daune *f*, Flaumfeder *f*: *~ quilt* Daunendecke; **2.** Flaum *m* (*a.* ♀), feine Härchen.

down[2] [daun] *s.* **1.** *pl.* waldloses, *bsd.* grasbewachsenes Hügelland; **2.** → *dune*.

down[3] [daun] **I.** *adv.* **1.** (*Richtung*) nach unten, her-, hin'unter, her-, hin'ab, abwärts, zum Boden, nieder...: *~ from* von ... herab, von ... an, fort von; *~ to* bis (hinunter) zu; *~ to the last man* bis zum letzten Mann; *~ to our times* bis auf unsere Zeit; *to burn ~* niederbrennen; **2.** *bsd. Brit.* von London *od.* der Großstadt fort: *~ to the country* aufs Land, in die Provinz; **3.** *Am.* ins Geschäftsviertel; **4.** südwärts; **5.** angesetzt: *~ for Friday* für Freitag angesetzt; *~ for second reading parl.* zur zweiten Lesung angesetzt; **6.** (in) bar, so'fort: *to pay ~* bar bezahlen; *one pound ~* ein Pfund sofort *od.* als Anzahlung; **7.** *to be ~ on s.o.* F **a)** j-n ‚auf dem Kieker' haben, **b)** über j-n herfallen; **8.** (*Lage, Zustand*) unten; unten im Hause: *~ below* unten; *~ there* dort unten; *~ under* **a)** dort unten, **b)** in Australien; *~ in the country* auf dem Lande; *~ south* (unten) im Süden; *he is not ~ yet* er ist noch nicht unten *od.* (*morgens*) noch nicht aufgestanden; **9.** 'untergegangen (*Gestirne*); **10.** her'abgelassen (*Haare, Vorhänge*); **11.** gefallen (*Preise, Temperatur etc.*); billiger (*Ware*); **12.** *two points ~ sport* zwei Punkte zurück; *he is £10 ~ fig.* er hat 10 £ verloren; **13.** 'umgefallen, nieder-, hingestreckt, am Boden (liegend): *~ and out* kampfunfähig, *fig.* erledigt, ruiniert; *~ with flu* mit Grippe im Bett; **14.** niedergeschlagen, unglücklich; **15.** erschöpft, geschwächt; geringer (geworden); **16.** her'untergekommen, mittellos: *~ at heels* abgerissen; **17.** *~ on paper* schriftlich, schwarz auf weiß; **II.** *adj.* **18.** abwärts gerichtet, nach unten: *~ trend* fallende Tendenz; **19.** *Brit.* von London (fort): *the ~ train*; *~ platform* Abfahrtsbahnsteig (*London*); **20.** *~ payment* Bar-, Anzahlung; **III.** *prp.* **21.** her-, hin'unter, her-, hin'ab, entlang: *~ the hill* den Hügel hinunter; *~ the river* flußabwärts; *further ~ the river* weiter unten am Fluß; *~ the road* die Straße entlang; *~ the middle* durch die Mitte; *to fall ~ a precipice* in e-n Abgrund stürzen; *~ (the) wind* ⚓ mit dem Wind; *~ town* in die Stadt(mitte); **22.** (*Zeit*) durch: *~ the ages* durch alle Zeiten; **IV.** *s.* **23.** *fig.* Niedergang *m*, Tiefstand *m*; → *up 32*; **24.** Groll *m*: *to have a ~ on s.o.* F e-n Pik auf j-n haben; **V.** *v/t.* **25.** niederwerfen, -schlagen, bezwingen; ruinieren; **26.** *to ~ tools* die Arbeit einstellen *od.* niederlegen, streiken; **27.** ✈ zum Absturz bringen, abschießen; **28.** *Brit.* F *Getränk* hinter die Binde gießen; **VI.** *int.* **29.** *~ (with)!* nieder (mit)!; **30.** (*zum Hund*) leg dich!, kusch (dich)!

'down|·cast I. *adj.* **1.** niedergeschlagen (*a. Augen*), deprimiert; **2.** ⊕ einziehend (*Schacht*); **II.** *s.* **3.** ⊕ Wetterschacht *m*; **'~-'draft**, **'~-'draught** *s.* ⊕ Fallstrom *m*, Abwind *m*; **~ East** *s. Am.* die Neu'england-Staaten; **~-'East·er** *s. Am.* Bewohner(in) der Neuengland-Staaten; **'~·fall** *s.* **1.** Fall *m*, Sturz *m* (*a. fig.*); **2.** starker Regen- *od.* Schneefall; **3.** *fig.* Nieder-, 'Untergang *m*; **~ grade** *s.* **1.** Gefälle *n*, Neigung *f*; **2.** *fig.* Niedergang *m*: *on the ~* auf dem absteigenden Ast; **'~-'grade** *v/t.* **1.** im Rang her'absetzen, degradieren; **2.** in der Quali'tät herabsetzen, im Wert mindern; **'~-'heart·ed** *adj.* niedergeschlagen, verzagt; **'~'hill I.** *adv.* abwärts, berg'ab (*a. fig.*): *he is going ~ fig.* es geht bergab mit ihm; **II.** *adj.* abschüssig, Abwärts...: *~ race Schisport*: Abfahrtslauf.

Down·ing Street ['dauniŋ] *s.* Downing Street *f* (*brit. Regierung*).

'down|-lead [-liːd] *s.* ⚡ Niederführung *f*; **'~·most** *adj. u. adv.* zu'unterst; **'~-pipe** *s.* ⊕ Abflußrohr *n*; **'~·pour** *s.* Regenguß *m*, Platzregen *m*; **'~·right I.** *adj.* **1.** völlig, abso'lut, ausgesprochen: *a ~ lie* e-e glatte Lüge; *a ~ rogue* ein Erzschurke; **2.** gerade(her'aus), offen, ehrlich, unverhohlen, unverblümt, unzweideutig; **II.** *adv.* **3.** völlig, gänzlich, ausgesprochen, wirklich; **'~·right·ness** *s.* Geradheit *f*, Offenheit *f*; **'~'stairs** *adv.* **1.** (die Treppe) hin'unter; **2.** unten (im Haus); **'~·stairs** *adj.*: *a ~ room* ein unteres Zimmer (*bsd. im Erdgeschoß*); '~'**stream** *adv.* fluß'ab(wärts); '~-**stroke** *s.* **1.** Grundstrich *m beim Schreiben*; **2.** ⊕ (Kolben)Niedergang *m*; '~-**to-'earth** *adj.* rein sachlich, nüchtern; '~'**town** *adv. Am.* im *od.* zum Geschäftsviertel (*der Stadt*); '~-**town** *Am.* **I.** *adj.* im Geschäftsviertel (gelegen *od.* tätig); das Geschäftsviertel betreffend; **II.** *s. a.* *down town* **a)** Geschäftsviertel *n*, **b)** Innenstadt *f*, City *f*; '~-**trod·den** *adj.* unter'drückt.

down·ward ['daunwəd] **I.** *adj.* **1.** Abwärts..., sich neigend; **2.** sinkend (*Preise*); **3.** *fig.* im Niedergang, zu'grunde gehend; **II.** *adv. a.* '**down-wards** [-wədz] **4.** abwärts, berg'ab (*a. fig.*); **5.** (*zeitlich*) her'ab.

down·y[1] ['dauni] *adj.* **1.** mit Daunen *od.* Flaum bedeckt; **2.** flaumig, weich; **3.** *sl.* gerieben, ausgekocht.

down·y[2] ['dauni] *adj.* wellig, hügelig.

dow·ry ['dauəri] *s.* **1.** Mitgift *f*, Aussteuer *f*, -stattung *f*; **2.** Gabe *f*, Ta'lent *n*.

dowse[1] → *douse*.

dowse[2] [dauz] *v/i.* mit der Wünschelrute suchen; '**dows·er** [-zə] *s.* Rutengänger *m*; '**dows·ing-rod** [-ziŋ] *s.* Wünschelrute *f*.

dox·ol·o·gy [dɔk'sɔlədʒi] *s. eccl.* Lobgesang *m*; *engS. das* Gloria.

dox·y ['dɔksi] *s. sl.* Flittchen *n*, Nutte *f*, Dirne *f*.

doy·en ['dɔiən] *s.* (*Fr.*) Rangälteste(r) *m*; *engS.* Doy'en *m eines diplomatischen Korps*.

doy·ley → *doily*.

doze [douz] **I.** *v/i.* dösen, (halb) schlummern: *to ~ off* einnicken; **II.** *s.* Schläfchen *n*, Nickerchen *n*.

doz·en ['dʌzn] *s.* Dutzend *n*: **a)** *pl.* *~ nach Zahl- u. vor Hauptwörtern*: *two ~*; *two ~* eggs 2 Dutzend Eier; *by the ~* dutzendweise, im Dutzend, **b)** *pl. ~s*: *~s of birds* Dutzende von Vögeln; *~s of people* F ein Haufen Leute; *to do one's daily ~* Frühsport treiben; *to talk nineteen to the ~* *Brit.* das Blaue vom Himmel herunterschwatzen; → *baker 1*.

doz·i·ness ['douzinis] *s.* Schläfrigkeit *f*; **doz·y** ['douzi] *adj.* □ schläfrig.

drab[1] [dræb] **I.** *adj.* gelbgrau, graubraun; *fig.* düster, grau, eintönig; **II.** *s.* Gelbgrau *n*, Graubraun *n*.

drab[2] [dræb] *s.* Schlampe *f*; Dirne *f*, Hure *f*.

drab·ble ['dræbl] *v/t.* beschmutzen.

drachm [dræm] *s.* **1.** → *drachma 1*; **2.** → *dram 1*.

drach·ma ['drækmə] *pl.* **-mas**, **-mae** [-mi:] *s.* **1.** 'Drachme *f*; **2.** → *dram 1*.

Dra·co ['dreikou] *s. ast.* Drache *m*; **Dra·co·ni·an** [drei'kounjən], **Dra·con·ic** [drei'kɔnik] *adj.* dra'konisch, äußerst streng.

draff [dræf] *s.* **1.** Bodensatz *m*; *engS.* Treber *m*; **2.** Schweinetrank *m*.

draft [drɑ:ft] **I.** *s.* **1.** Skizze *f*, Entwurf *m*, Kon'zept *n*, Abriß *m*: *~ agreement* Vertragsentwurf; **2.** ⚔ **a)** ('Sonder)Kom,mando *n*, Ab'teilung *f*, **b)** Ersatz(truppe *f*) *m*; **3.** ⚔ Aushebung *f*, Einberufung *f*, Einziehung *f*; **4.** † Tratte *f*, Wechsel *m*; **5.** † Abhebung *f*, Entnahme *f*: *to make a ~ on Geld* abheben von; **6.** *fig.* (starke) Beanspruchung: *to make a ~ on* in Anspruch nehmen (*acc.*); **7.** → *draught*; *bsd. Am.* → *draught 1, 7, 8*; **II.** *v/t.* **8.** skizzieren, entwerfen; **9.** *Schriftstück* aufsetzen, abfassen; **10.** ⚔ auswählen, abkommandieren; **11.** ⚔ einziehen, -berufen (*into* zu); **draft·ee** [drɑ:f'ti:] *s.* ⚔ *Am.* Einberufene(r) *m*, Eingezogene(r) *m*; '**draft·er** [-tə] *s.* **1.** Urheber *m*, Verfasser *m*, Planer *m*; **2.** → *draftsman 2*.

draft·ing| board ['drɑ:ftiŋ] → *drawing-board*; **~ room** → *drawing office*.

drafts·man ['drɑ:ftsmən] *s.* [*irr.*] **1.** (Konstrukti'ons-, Muster)Zeichner *m*; **2.** Entwerfer *m*, Verfasser *m* (*Schriftstücke etc.*); **3.** → *draughtsman 1*; '**drafts·man·ship** [-ʃip] *s.* Zeichenkunst *f*, zeichnerische Begabung.

draft·y *Am.* → *draughty*.

drag [dræg] **I.** *s.* **1.** ⚓ Schleppnetz *n*; **2.** ⚒ **a)** schwere Egge, **b)** Mistharke *f*; **3.** ⊕ Baggerschaufel *f*; **4.** ⊕ **a)** Rollwagen *m*, **b)** Lastschlitten *m*, Schleife *f*; **5.** vierspännige Kutsche; **6.** Hemmschuh *m* (*a. fig. on* für); **7.** **a)** *et.* Schleppendes *od.* Langweiliges, **b)** fader Kerl; **8.** ⊕, ✈, *phys.* 'Widerstand *m*; **9.** *hunt.* **a)** (künstliche) Spur, Schleppe *f*, **b)** Schleppjagd *f*; **10.** *Am. sl.* Einfluß *m*, Protekti'on *f*; **II.** *v/t.* **11.** schleppen, schleifen, zerren, ziehen: *to ~ one's feet* schlurfen; *to ~ the anchor* ⚓ vor Anker treiben; **12.** mit e-m Schleppnetz absuchen (*for* nach); **13.** ausbaggern; **14.** ⚒ eggen; **15.** *fig.* da'hinschleppen, in die Länge ziehen; **III.** *v/i.* **16.** geschleppt werden; **17.** schleppen, schleifen, zerren; schlurfen (*Füße*): *the anchor ~s* ⚓ der Anker findet keinen Halt; **18.** *fig.* zerren, ziehen, nagen (*at* an *dat.*); **19.** mit e-m Schleppnetz suchen (*for* nach); **20.** *fig.* sich hinschleppen, ermüden; **21.** zu'rückbleiben, nachklappen, -hinken; **22.** langweilig *od.* (*a.* ♪) langsam werden; † flau sein: *time ~s on his hands* die Zeit wird ihm lang; **~ in** *v/t. mst fig.* hin'einziehen, (an den Haaren) her'beiziehen; **~ on** *v/t. u. v/i.* (sich) hinziehen; **~ out** *v/t. fig.* hin-, hin'ausziehen; **~ up** *v/t.* F *Kind* lieblos aufziehen.

'**drag|-an·chor** *s.* ⚓ Treib-, Schleppanker *m*; '~-**bar** *s.* 🚂 Kuppelstange *f*; '~-**chain** *s.* ⊕ **1.** Hemmkette *f*; **2.** *fig.* Hemmschuh *m*.

drag·gle ['drægl] **I.** *v/t.* durch den Schmutz schleifen, beschmutzen; **II.** *v/i.* nachschleifen; '**drag·gled** [-ld] *adj.* schmutzig; schlampig; '**drag·gle-tail** *s.* Schlampe *f*.

'**drag|-hound** *s. hunt.* Jagdhund *m* für Schleppjagden; '~-**hunt** *s.* Schleppjagd *f*; '~-**lift** *s.* Schlepplift *m*; '~-**net** *s.* **1.** → *drag 1*; **2.** *fig.* Netz *n* (*der Polizei*).

drag·o·man ['drægoumən] *pl.* **-mans** *od.* **-men** *s.* 'Dragoman *m*, Dolmetscher *m*.

drag·on ['drægən] *s.* **1.** Drache *m*; **2.** Lindwurm *m*, Schlange *f*: *the old ♀* Satan; **3.** ‚Drachen' *m*, böses Weib; **4.** Anstandsdame *f*; '~-**fly** *s. zo.* Li'belle *f*, Wasserjungfer *f*; '~'**s-blood** *s.* ✿ Drachenblut *n* (*Färbemittel*); **~'s teeth** *s. pl.* **1.** ⚔ Hökkerhindernis *n*, Panzerhöcker *pl.*; **2.** *fig.* Drachensaat *f*: *to sow ~* Zwietracht säen; '~-**tree** *s.* ✿ Drachenbaum *m*.

dra·goon [drə'gu:n] **I.** *s.* **1.** ⚔ Dra'goner *m*; **2.** *fig.* Schläger *m*, Rohling *m*; **II.** *v/t.* **3.** peinigen, schinden; **4.** *fig.* zwingen (*into* zu).

'**drag|·rope** *s.* **1.** Schlepp-, Zugseil *n*; **2.** ✈ **a)** Leitseil *n*, **b)** Vertauungsleine *f*; **~ sail**, **~ sheet** *s.* ⚓ Treibanker *m*.

drain [drein] **I.** *v/t.* **1.** *Land* entwässern, dränieren, trockenlegen; **2.** ⚕ *Wunde von Eiter* säubern; **3.** ⚕ *Eiter* abziehen; **4.** *a. ~ off*, *~ away* (*Ab-*) *Wasser etc.* ableiten, -führen, -ziehen; **5.** austrinken, leeren; → *dreg 1*; **6.** *Gebäude od. Ort* mit 'Abwässerka,nälen *od.* Abflußröhren versehen, kanalisieren; **7.** *fig.* aufzehren, verschlucken; *Vorräte etc.* aufbrauchen, erschöpfen; **8.** (*of*) berauben (*gen.*), arm machen (an *dat.*); **II.** *v/i.* **9.** *a. ~ off*, *~ away* (langsam) abfließen, -tropfen; versickern; **10.** *a. ~ away fig.* da'hin-, verschwinden; **11.** (langsam) austrocknen; **12.** sich entwässern; **III.** *s.* **13.** Ableitung *f*, Abfluß *m* (*a. fig.*): *foreign ~* † Kapitalabwanderung; **14.** Abflußrohr *n*, 'Abzugska,nal *m*, -rinne *f*, Entwässerungsgraben *m*; Gosse *f*: *to pour down the ~* zum Fenster hinauswerfen, vergeuden; **15.** *pl.* Kanalisati'on *f*; **16.** ⚕ Drän *m*, Ka'nüle *f*; **17.** *fig.* (*on*) Beanspruchung *f* (*gen.*), Anforderung *f* (an *acc.*): *a great ~ on the purse* e-e schwere finanzielle Belastung; **18.** F ‚Tropfen' *m*, Schlückchen *n*.

drain·age ['dreinidʒ] *s.* **1.** Ableitung *f*, Abfluß *m*; Entleerung *f*; **2.** Entwässerung *f*, Trockenlegung *f*; **3.** Entwässerungsanlage *f*; **4.** Kanalisati'on *f*; **5.** Abwasser *n*; '~-**ba·sin**, *a.* **~ a·re·a** *s. geogr.* Einzugsgebiet *n e-s Flusses*; '~-**tube** *s.* ⚕ 'Abflußka,nüle *f*.

drain cock *s.* ⊕ Abflußhahn *m*.

drain·er ['dreinə] *s.* **1.** Abtropfgefäß *n*, Seiher *m*; **2.** Schöpfkelle *f*.

drain·ing| board ['dreiniŋ] Tropfplatte *f*, Abtropfbrett *n*; **~ rack** *s.* Abtropf-, Trockengestell *n*; **~ well** *s.* Abzugs-, Senkgrube *f*.

'**drain-pipe** *s.* ⊕ Abfluß-, Abzugsrohr *n*: *~ trousers* F Röhrenhose(n).

drake [dreik] *s. orn.* Enterich *m*.

dram [dræm] *s.* **1.** 'Drachme *f* (*Gewicht*); **2.** Schluck *m* (*Alkohol*): *~-drinker* Zechbruder; *~-shop* Kneipe; *fond of a ~* trinkfreudig, für e-n Schluck zu haben.

dra·ma ['drɑ:mə] *s.* **1.** 'Drama *n*, Schauspiel *n*; **2.** Dra'matik *f*, dra'matische Litera'tur; **3.** Schauspielkunst *f*; **4.** *fig.* Drama *n*, erregendes Geschehen.

dra·mat·ic [drə'mætik] *adj.* (□ *~ally*) **1.** dra'matisch, Schauspiel..., Theater...: *~ rights* Aufführungsrechte; *~ school* Schauspielschule; **2.** *fig.* dramatisch, spannend, aufregend, erregend; **dra'mat·ics**

[-ks] *s. pl. sg. od. pl. konstr.* **1.** Darstellungskunst *f*; **2.** The'aterwissenschaft *f*; **3.** thea'tralisches Benehmen.

dram·a·tis per·so·nae ['drɑːmətis pəː'sounai] *s. pl.* **1.** Per'sonen *pl.* der Handlung; **2.** Rollenverzeichnis *n.*

dram·a·tist ['dræmətist] *s.* Dra'matiker *m*, Schauspieldichter *m*; **dram·a·ti·za·tion** [dræmətai'zeiʃən] *s.* Dramatisierung *f* (*a. fig.*); Bühnenbearbeitung *f*; **dram·a·tize** ['dræmətaiz] *v/t.* dramatisieren: **a)** für die Bühne bearbeiten *od.* einrichten, **b)** *fig.* aufbauschen, (als) aufregend darstellen; **dram·a·tur·gic** [dræmə'təːdʒik] *adj.* drama'turgisch; '**dram·a·tur·gist** [-təːdʒist] *s.* Drama'turg *m*; '**dram·a·tur·gy** [-təːdʒi] *s.* Dramatur'gie *f.*

drank [dræŋk] *pret. von drink.*

drape [dreip] **I.** *v/t.* **1.** drapieren, (mit Stoff) behängen *od.* (aus-)schmücken; **2.** drapieren, in (schöne) Falten legen; **II.** *v/i.* **3.** in (schönen) Falten her'abfallen, schön fallen; '**drap·er** [-pə] *s.* Tuch-, Schnittwarenhändler *m*: *~'s (shop)* Textilgeschäft; '**dra·per·y** [-pəri] *s.* **1.** dekora'tiver Behang, Drapierung *f*; **2.** Faltenwurf *m*; **3.** *coll.* Tex'til-, Webwaren *pl.*, Stoffe *pl.*; **4.** ✝ Tex'tilhandel *m*; **5.** *Am.* Vorhangstoffe *pl.*, Vorhänge *pl.*

dras·tic ['dræstik] *adj.* (□ *~ally*) drastisch, 'durchgreifend, gründlich.

drat [dræt] *int.* F: *~ it (you)* zum Teufel damit (mit dir); '**drat·ted** [-tid] *adj.* F verflixt, verflucht.

draught [drɑːft] **I.** *s.* **1.** Ziehen *n*, Zug *m*: *~ animal* Zugtier; **2.** Fischzug *m* (*Fischen od. Fang*); **3.** Abziehen *n* (aus dem Faß): *beer on ~* Bier vom Faß; *~ beer Brit.* Faßbier; **4.** Zug *m*, Schluck *m*: *a ~ of beer* ein Schluck Bier; *at a (od. one) ~* auf 'einen Zug, mit 'einem Male; **5.** ⚕ Arz'neitrank *m*: *black ~ ein* Abführmittel; **6.** ⚓ Tiefgang *m*; **7.** (Luft)Zug *m*, Zugluft *f*: *there is a ~* es zieht; *~ excluder* Dichtungsstreifen (*für Türen etc.*); *to feel the ~ sl.* die üblen Folgen spüren, in Bedrängnis sein; **8.** ⊕ Zug *m* (*Schornstein etc.*); **9.** *pl. sg. konstr. Brit.* Damespiel *n*; **10.** → *draft I*; **II.** *v/t.* **11.** → *draft II*; '**~-board** *s. Brit.* Damebrett *n.*

draught·i·ness ['drɑːftinis] *s.* Zugigkeit *f.*

'**draught-net** *s. Fischerei*: Zugnetz *n.*

draughts·man *s.* [*irr.*] **1.** ['drɑːftsmæn] *Brit.* Damestein *m*; **2.** [-mən] → *draftsman 1, 2*; '**draughts·man·ship** [-mənʃip] → *draftsmanship.*

draught·y ['drɑːfti] *adj.* zugig, windig.

draw [drɔː] **I.** *s.* **1.** *a.* ⊕ Ziehen *n*, Zug *m*: *quick on the ~* F schnell mit dem Revolver bei der Hand; **2.** Ziehung *f*, Verlosung *f*; **3.** *fig.* Zugkraft *f*; **4.** *fig.* Attrakti'on *f*, Glanznummer *f* (*Person od. Sache*); **5.** *thea.* Zugstück *n*, Schlager *m*: *box-office ~* Kassenschlager; **6.** *Am.* Aufzug *m e-r Zugbrücke*; **7.** F Fangfrage *f*, Fühler *m* (*Frage*); **8.** unentschiedenes Spiel, Unentschieden *n*, Re'mis *n*: *to end in a ~* unentschieden ausgehen; **II.** *v/t.* [*irr.*] **9.** *Wagen, Pistole, Schwert, Los, (Spiel)Karte, Zahn etc.* ziehen; *Gardine* zuziehen, *a.* aufziehen; *Bier, Wein* abziehen, -zapfen; *Bogen (-sehne)* spannen: *to ~ s.o. into talk* j-n ins Gespräch ziehen; → *conclusion 3, bow² 1, parallel 3*; **10.** *fig.* anziehen, -locken, fesseln; her'vorrufen; *j-n zu et.* bewegen; *sich et.* zuziehen: *to feel ~n to s.o.* sich zu j-m hingezogen fühlen; *to ~ attention* die Aufmerksamkeit lenken (*to* auf *acc.*); *to ~ an audience* Zuhörer anlocken; *to ~ a full house thea.* das Haus füllen; *~ing power* Anziehungs-, Zugkraft; *to ~ ruin upon o.s.* sich selbst sein Grab graben; *to ~ tears from s.o.* j-n zu Tränen rühren; **11.** *Gesicht* verziehen, -zerren; → *drawn 3*; **12.** holen, sich verschaffen; entnehmen: *to ~ water* Wasser holen *od.* schöpfen; *to ~ (a) breath* Atem holen, *fig.* aufatmen; *to ~ a sigh* seufzen; *to ~ consolation* Trost schöpfen; *to ~ inspiration* sich Anregung holen (*from* von, bei, durch); **13.** *Mahlzeiten,* ⚔ *Rationen* in Empfang nehmen, *a. Gehalt, Lohn* beziehen; *Geld* holen, abheben, entnehmen; **14.** ziehen, auslosen: *to ~ a prize* e-n Preis gewinnen, *fig.* Erfolg haben; *to ~ bonds* ✝ Obligationen auslosen; **15.** *fig.* her'ausziehen, -bringen, her'aus-, entlocken: *to ~ applause* Beifall entlocken (*from dat.*); *to ~ information from s.o.* j-n aushorchen; *to ~ a reply from s.o.* e-e Antwort aus j-m herausholen; **16.** ausfragen, -horchen (*s.o. on s.th.* j-n über et.): *he declined to be ~n* er ließ sich nicht aushorchen; **17.** zeichnen: *to ~ a portrait*; *to ~ a line* e-e Linie ziehen; *to ~ it fine fig.* es *zeitlich etc.* gerade noch schaffen; → *line¹ 7*; **18.** gestalten, darstellen, schildern; **19.** *a. ~ up Schriftstück* entwerfen, aufsetzen, ausschreiben: *to ~ a deed* e-e Urkunde aufsetzen; *to ~ a cheque* (*Am. check*) e-n Scheck ausstellen; *to ~ a bill* e-n Wechsel ziehen (*on* auf *j-n*); **20.** ⚓ e-n Tiefgang von ... haben; **21.** *Tee* ziehen lassen; **22.** *Geflügel* ausnehmen; **23.** *hunt. Wald, Gelände* durch'stöbern, abpirschen; *Teich* ausfischen; **24.** ⊕ *Draht* ziehen; strecken, dehnen; **III.** *v/i.* [*irr.*] **25.** ziehen (*a. Tee, Schornstein*); **26.** das Schwert *etc.* ziehen, zur Waffe greifen; **27.** sich (*leicht etc.*) ziehen lassen; **28.** zeichnen, malen; **29.** Lose ziehen, losen (*for* um); **30.** unentschieden spielen; **31.** sich (hin)begeben; sich nähern: *to ~ close to s.o.* j-m näherrücken; *to ~ level* einholen (*with acc.*); *to ~ round the table* sich um den Tisch versammeln; *to ~ into the station* 🚃 in den Bahnhof einfahren; **32.** *Leute* anziehen, -locken; **33.** ✝ (e-n Wechsel) ziehen (*on* auf *acc.*); **34.** (*on*) in Anspruch nehmen (*acc.*), her'anziehen (*acc.*), Gebrauch machen (von), zu'rückgreifen (auf *acc.*); *Kapital, Vorräte* angreifen: *to ~ on one's imagination* sich et. ausdenken, sich et. einfallen lassen; *Zssgn mit adv.*:

draw| a·side *v/t. j-n* **bei'seite nehmen,** *a. et.* **zur Seite ziehen; ~ a·way I.** *v/t.* **1.** zu'rückziehen; **2.** ablenken; **II.** *v/i.* **3.** (*from*) sich entfernen (von); Vorsprung gewinnen (vor *dat.*); **~ back I.** *v/t.* **1.** *Truppen, Vorhang etc.* zu'rückziehen; **2.** ✝ *Zoll* zu'rückerhalten; **II.** *v/i.* **3.** sich zu'rückziehen; **~ down** *v/t.* **1.** her'abziehen; **2.** her'aufbeschwören, sich *et.* zuziehen; **3.** verursachen, her'vorrufen; **~ forth** *v/t. fig.* her'auslocken; **~ in I.** *v/t.* **1.** ein-, zs.-ziehen; **2.** zu'rückfordern; **3.** verlocken, verleiten; **4.** *Ausgaben etc.* be-, einschränken; **II.** *v/i.* **5.** abnehmen, kürzer werden (*Tage*); **6.** sich einschränken; **~ near** *v/i.* sich nähern (*to dat.*), her'anrücken; **~ off I.** *v/t.* **1.** zu'rückziehen; **2.** ableiten, -ziehen; **3.** *fig.* ablenken; **II.** *v/i.* **4.** abziehen, sich zurückziehen; **~ on I.** *v/t.* **1.** *fig.* anziehen, anlocken; **2.** → *draw down*; **II.** *v/i.* **3.** sich nähern; **~ out I.** *v/t.* **1.** her'ausziehen, -holen; **2.** *fig.* **a)** *Aussage* her'ausholen, -locken, **b)** *j-n* ausholen, -horchen; **3.** ⚔ *Truppen* **a)** detachieren, **b)** aufstellen; **4.** (*a. fig.*) ausdehnen, hin'ausziehen; **II.** *v/i.* **5.** länger werden; sich hinziehen; **~ up I.** *v/t.* **1.** her'aufziehen, aufrichten: *to draw o.s. up* sich aufrichten; **2.** *Truppen etc.* aufstellen; **3.** *Schriftstück* aufsetzen, abfassen; entwerfen; ✝ *Bilanz* aufstellen; **II.** *v/i.* **4.** halten, stehenbleiben; **5.** vorfahren (*Wagen*); **6.** aufmarschieren; **7.** (*with, to*) her'ankommen (an *acc.*), einholen (*acc.*).

'**draw|·back** *s.* **1.** Nachteil *m*, Hindernis *n*, Haken *m* (an der Sache); **2.** Schatten-, Kehrseite *f*; **3.** ✝ Zollrückvergütung *f*, Rückzoll *m*; '**~-bar** *s.* 🚃 Zugstange *f*; '**~-bridge** *s.* Zugbrücke *f.*

draw·ee [drɔː'iː] *s.* ✝ Bezogene(r) *m.*

draw·er ['drɔːə] *s.* **1.** Zieher *m*: *~ of water* Wasserschöpfer; **2.** Zeichner *m*; **3.** ✝ Aussteller *m e-s Wechsels*; **4.** [drɔː] Schublade *f*, -fach *n*; *pl.* → *chest 1.*

draw·ers [drɔːz] *s. pl.*, *a. pair of ~* **a)** ('Herren)ˌUnterhose *f*, **b)** Schlüpfer *m*: *bathing-~* Badehose.

draw·ing ['drɔːiŋ] *s.* **1.** Zeichnen *n*, Zeichenkunst *f*: *out of ~* verzeichnet; **2.** Zeichnung *f*, Skizze *f*; **3.** Ziehung *f*; **4.** *pl.* ✝ Bezüge *pl.*, Einnahmen *pl.*; **5.** ✝ Abhebung *f*, Entnahme *f*; **6.** ✝ Trassierung *f*, Ziehung *f* (*Wechsel*); **~ ac·count** *s.* ✝ **1.** laufende Rechnung; **2.** offenes 'Konto, 'Giroˌkonto *n*; '**~-block** *s.* Zeichenblock *m*; '**~-board** *s.* Reiß-, Zeichenbrett *n*; **~ card** *s. thea. Am.* Zugnummer *f* (*Stück od. Person*); '**~-com·pass·es** *s. pl.* (Reiß-, Zeichen)Zirkel *m*; **~ ink** *s.* (Auszieh-)Tusche *f*; '**~-mas·ter** *s.* Zeichenlehrer *m*; **~ of·fice** *s. surv. etc. Brit.* 'Zeichenbüˌro *n*; '**~-pa·per** *s.* 'Zeichenpaˌpier *n*; '**~-pen** *s.* Reißfeder *f*; '**~-pen·cil** *s.* Zeichenstift *m*; '**~-pin** *s. Brit.* Reiß-, Heftzwecke *f*; '**~-room** *s.* **1.** Gesellschaftszimmer *n*, Sa'lon *m*: *not fit for a ~* nicht ‚salonfähig'; **2.** *Brit.* Empfang *m* bei Hof; **3.** 🚃 *Am.* Pri'vatabteil *n*: *~ car* Salonwagen; **~ set** *s.* Reißzeug *n.*

drawl [drɔːl] **I.** *v/t. u. v/i.* gedehnt

od. schleppend sprechen; **II.** *s.* gedehntes *od.* affektiertes Sprechen; **'drawl·ing** [-liŋ] *adj.* □ schleppend, gedehnt, affektiert.

drawn [drɔːn] **I.** *p.p. von draw*; **II.** *adj.* **1.** gezogen (*a.* ⊕): *horse-~* von Pferden gezogen, mit Pferden bespannt; *long-~ pain* endlose Pein; **2.** *~ from the wood* vom Faß (*Bier*); **3.** verzogen, -zerrt: *~ with pain* schmerzverzerrt (*Gesicht*); **4.** unentschieden (*Spiel*); **~ but·ter (sauce)** *s. Am.* Buttersoße *f*; **'~-work** *s.* Hohlsaumarbeit *f.*

'draw|-plate *s.* (*Draht*)Zieheisen *n*, Lochplatte *f*; **'~-sheet** *s.* 'Bettıunterlage *f* (*für Kranke*); **'~-string** *s.* Zug-, Vorhangschnur *f*; **'~-well** *s.* Ziehbrunnen *m.*

dray [drei] *a.* **~ cart** *s.* Roll-, *bsd.* Bierwagen *m*; **'~-horse** *s.* schwerer Karrengaul, Lastpferd *n*; **'~·man** [-mən] *s.* [*irr.*] Roll-, *bsd.* Bierkutscher *m.*

dread [dred] **I.** *v/t.* (sehr) fürchten, (große) Angst haben *od.* sich fürchten vor (*dat.*); **II.** *s.* Furcht *f*, große Angst, Grauen *n*, Schrecken *m* (*of* vor *dat.*); **III.** *adj. poet.* → *dreadful 1*; **'dread·ed** [-did] *adj.* gefürchtet, furchtbar; **'dread·ful** [-ful] *adj.* □ **1.** furchtbar, schrecklich; → *penny dreadful*; **2.** F scheußlich, fürchterlich; kolos'sal; **'dread·nought** *s.* **1.** ⚔ Dreadnought *m*, Schlachtschiff *n*; **2.** dikker, wetterfester Stoff *od.* Mantel.

dream [driːm] **I.** *s.* **1.** Traum *m*; **2.** Traum(zustand) *m*, Träume'rei *f*; **3.** Wunschtraum *m*, Sehnsucht *f*; **4.** *fig.* Ide'al *n*: *a ~ of a hat* ein Gedicht von e-m Hut, ein traumhaft schöner Hut; *a perfect ~* traumhaft schön; *it is a ~ to wash* es wäscht sich ideal; **5.** *wet ~* ⚕ V ‚Abgänger' *m* (*Pollution*); **II.** *v/i.* [*a. irr.*] **6.** träumen (of von) (*a. fig.*); **7.** träumerisch *od.* verträumt sein; **8.** *mst neg.* ahnen: *I shouldn't ~ of such a thing* das würde mir nicht einmal im Traume einfallen; *I shouldn't ~ of doing that* ich würde nie daran denken, das zu tun; *he little dreamt that* er ahnte kaum, daß; **III.** *v/t.* [*a. irr.*] **9.** träumen (*a. fig.*); **10.** *~ away* verträumen; **'dream·er** [-mə] *s.* Träumer(in) (*a. fig.*); **'dream·i·ness** [-minis] *s.* **1.** Verträumtheit *f*; **2.** Traumhaftigkeit *f*, Verschwommenheit *f*; **'dream·ing** [-miŋ] *adj.* □ verträumt.

'dream|-land *s.* Traumwelt *f*, Märchenland *n*; **'~·like** *adj.* traumhaft; **'~-read·er** *s.* Traumdeuter(in).

dreamt [dremt] *pret. u. p.p. von dream.*

'dream-world → *dream-land.*

dream·y ['driːmi] *adj.* □ verträumt, träumerisch.

drear [driə] *adj. poet.* → *dreary*; **drear·i·ness** ['driərinis] *s.* **1.** Düsterkeit *f*, Trostlosigkeit *f*; **2.** Langweiligkeit *f*, Öde *f*; **drear·y** ['driəri] *adj.* □ **1.** düster, trostlos; **2.** öde, langweilig; **3.** langwierig; **4.** F ‚mies'.

dredge¹ [dredʒ] **I.** *s.* **1.** ⊕ Bagger *m*; **2.** Schleppnetz *n*; **II.** *v/t.* **3.** ⊕ ausbaggern; **4.** *oft ~ up* mit dem Schleppnetz fangen *od.* her'aufholen; **III.** *v/i.* **5.** mit dem Schleppnetz fischen (*for* nach).

dredge² [dredʒ] *v/t.* **1.** (mit Mehl *etc.*) bestreuen; **2.** *Mehl etc.* streuen.

dredg·er¹ ['dredʒə] *s.* **1.** ⊕ Bagger *m*; **2.** Baggerschiff *n*; **3.** Schleppnetzfischer *m.*

dredg·er² ['dredʒə] *s.* (Mehl- *etc.*) Streubüchse *f*, (-)Streuer *m.*

dreg [dreg] *s.* **1.** *mst pl.* (Boden-) Satz *m*, Hefe *f*: *to drain* (*od. drink*) *a cup to the ~s* e-n Becher bis zur Neige leeren; *not a ~* gar nichts; **2.** *mst pl. fig.* Abschaum *m*, Hefe *f*: *the ~s of mankind* der Abschaum der Menschheit.

drench [drentʃ] **I.** *v/t.* **1.** durch'nässen: *~ed with rain* vom Regen (völlig) durchnäßt; *~ed in tears* in Tränen gebadet; *sun-~ed* sonnengebadet; **2.** *vet. Tieren* Arz'nei eingeben; **II.** *s.* **3.** (Regen)Guß *m*; **4.** *vet.* Arz'neitrank *m*; **'drench·er** [-tʃə] *s.* **1.** Regenguß *m*; **2.** *vet.* Gerät *n* zum Eingeben von Arzneitränken.

Dres·den chi·na ['drezdən] *s.* Meißner Porzel'lan *n.*

dress [dres] **I.** *s.* **1.** Kleidung *f*, Anzug *m*; **2.** (Damen)Kleid *n*: *~ designer* Modezeichner(in); **3.** Abend-, Gesellschaftskleidung *f*: *full ~* Gesellschaftsanzug, Gala; **4.** *fig.* Gewand *n*, Kleid *n*, Gestalt *f*, äußere Form; **II.** *v/t.* **5.** be-, ankleiden, anziehen: *to ~ o.s.* sich anziehen; **6.** (ein)kleiden, mit Kleidung versehen; **7.** *thea.* mit Ko'stümen versorgen: *to ~ it* Kostümprobe abhalten; **8.** schmücken, putzen: *to ~ a shop-window* ein Schaufenster dekorieren; *to ~ ship* ⚓ über die Toppen flaggen; **9.** zu'rechtmachen, herrichten, zubereiten, behandeln, bearbeiten; *Salat* anmachen; *Huhn etc.* koch- *od.* bratfertig machen; *Haare* frisieren; *Leder* zurichten; *Tuch* glätten, appretieren; *Erz* aufbereiten; *Stein* behauen; *Flachs* hecheln; *Boden* düngen; ⚕ *Wunde* behandeln, verbinden; **10.** ⚔ (aus-) richten; **III.** *v/i.* **11.** sich ankleiden *od.* anziehen; **12.** Abend- *od.* Festkleidung anziehen; **13.** sich (*geschmackvoll etc.*) kleiden; **14.** ⚔ sich (aus)richten; **~ down** *v/t.* **1.** *Pferd* striegeln, abreiben; **2.** (aus)schimpfen; **3.** 'durchprügeln; **~ out** *v/t.* (aus)schmücken, (auf)putzen; **~ up I.** *v/t.* **1.** fein anziehen, her'ausputzen; **II.** *v/i.* **2.** sich fein machen, sich auftakeln; **3.** sich kostümieren *od.* verkleiden.

dres·sage ['dresɑːʒ] *s. sport* Dres'sur(reiten *n*) *f.*

dress| cir·cle *s. thea.* erster Rang; **~ clothes** *s. pl.* Gesellschaftskleidung *f*; **~ coat** *s.* Frack *m.*

dress·er¹ ['dresə] *s.* **1.** Ankleider(in); **2.** *thea.* Kostümi'er *m*; **3.** ⚕ chir'urgischer Assi'stent; **4.** 'Schaufensterdekoıteur *m*; **5.** ⊕ Zurichter *m.*

dress·er² ['dresə] *s.* **1. a)** Küchen-, Geschirrschrank *m*, **b)** Anrichte *f*; **2.** *Am.* → *dressing-table.*

'dress|-guard *s.* Kleiderschutz *m* (*am Damenfahrrad*); **'~-im·prov·er** *s.* Tur'nüre *f.*

dress·ing ['dresiŋ] *s.* **1.** Ankleiden *n*; **2.** Ordnen *n*; **3.** Bearbeitung *f*, Zubereitung *f*; **4. a)** Soße *f*: *salad ~*, **b)** Füllung *f*; **5.** ⚕ **a)** Verbinden *n* (*Wunde*), **b)** Verband *m*; **6.** ⚘ Dünger *m*; **7.** ⊕ Appre'tur *f*; **8.** F → *dressing-down*; **'~-case** *s.* Toi'lettenkästchen *n*, 'Reisenecesısaire *n*; **'~-'down** *s.* F **1.** Standpauke *f*, Rüffel *m*; **2.** Haue *f*, Prügel *pl.*; **'~-gown** *s.* Schlaf-, Morgenrock *m*; **'~-jack·et** *s. Brit.* Fri'siermantel *m*; **'~-room** *s.* Ankleidezimmer *n*; *engS.* 'Künstlergardeırobe *f*; *sport* ('Umkleide)Kaıbine *f*; **'~-sack** → *dressing-jacket*; **'~-sta·tion** *s.* ⚕, ⚔ Verband(s)platz *m*; **'~-ta·ble** *s.* Fri'sierkomımode *f.*

'dress|·mak·er *s.* Damenschneiderin *f*; **'~·mak·ing** *s.* 'Damenschneideırei *f*; **~ pat·tern** *s.* Schnittmuster *n*; **'~-pre·serv·er** → *dress-shield*; **~ re·hears·al** *s. thea.* Haupt-, Gene'ralprobe *f*; **'~-shield** *s.* Schweißblatt *n*; **'~-shirt** *s.* Frackhemd *n*; **'~-suit** *s.* Frackanzug *m*; **~ u·ni·form** *s.* ⚔ Pa'rade-, 'Ausgehuniıform *f.*

dress·y ['dresi] *adj.* **1.** ele'gant *od.* auffällig gekleidet; **2.** geschniegelt; (her'aus)geputzt; **3.** F elegant, schick, fesch (*Kleid*).

drew [druː] *pret. von draw.*

drib·ble ['dribl] **I.** *v/i.* **1.** tröpfeln (*a. fig.*); **2.** sabbern, geifern; **3.** *Fußball*: dribbeln; **II.** *v/t.* **4.** (her'ab)tröpfeln lassen, träufeln; **5.** *Fußball*: *Ball* vor sich hertreiben.

drib·(b)let ['driblit] *s. ein* bißchen: *by ~s* in kleinen Mengen, tropfenweise.

dried [draid] *adj.* Dörr…, getrocknet: *~ cod* Stockfisch; *~ fruit* Dörrobst; *~ milk* Trockenmilch.

dri·er¹ ['draiə] *s.* **1.** Trockenmittel *n*, Sikka'tiv *n*; **2.** 'Trockenappaırat *m*, Trockner *m*: *hair-~* Fön; *these towels are good ~s* diese Handtücher trocknen gut.

dri·er² ['draiə] *comp. von dry.*

dri·est ['draiist] *sup. von dry.*

drift [drift] **I.** *s.* **1.** Treiben *n*, Getriebenwerden *n*; *fig.* Abwanderung *f*: *~ from the land* Landflucht; **2.** ⚓, ✈ Abtrift *f*, -trieb *m*; **3.** Seitenabweichung *f* (*Geschoß*); (Wind-) Versetzung *f*; **4.** Trift *f*, Strömung *f*; **5.** *fig.* Richtung *f*, Lauf *m*, Ten'denz *f*; Gedankengang *m*, Absicht *f*; **6.** *fig.* Einfluß *m*, treibende Kraft; **7.** Schneetreiben *n*; Treibeis *n*, -holz *n*, -gut *n*; Schnee-, Sandwehe *f*; **8.** (Schnee)Verwehung *f*; Haufen *m*; **9.** (Sich)'Treibenlassen *n*, Ziellosigkeit *f*: *policy of ~*; **10.** ⚒ Stollen *m*; **11.** *geol.* Geschiebe *n*; **II.** *v/i.* **12.** treiben (*a. fig. into e-n Krieg etc.*), getrieben werden; ziehen, strömen: *to let things ~* den Dingen ihren Lauf lassen; *to ~ away* abwandern; *to ~ apart fig.* sich auseinanderleben; **13.** sich (willenlos) treiben lassen; **14.** zutreiben, gezogen werden, geraten; **15.** sich häufen (*Sand, Schnee*); **III.** *v/t.* **16.** (da'hin)treiben, forttragen; **17.** aufhäufen, zs.-tragen; **'~-an·chor** *s.* ⚓ Treibanker *m.*

drift·er ['driftə] *s.* **1.** zielloser

Mensch; **2.** Treibnetzfischer(boot *n*) *m*.

'drift|-ice *s.* Treibeis *n*; **'~-net** *s.* Treibnetz *n*; **'~-sand** *s.* Flugsand *m*; **'~-way** *s.* **1.** Trift *f* (*Viehweg*); **2.** ⚒ Abbaustrecke *f*; **'~-wood** *s.* Treibholz *n*.

drill¹ [dril] **I.** *s.* **1.** ⊕ Bohrgerät *n*, Bohrer *m*: *~ chuck* Bohrfutter; **2.** Drill *m*: **a)** ⚔ Exerzieren *n*, **b)** *fig.* strenge Schulung; **3.** Leibesübungen *pl.*, Turnen *n*; **II.** *v/t.* **4.** *Loch* bohren; **5.** ⚔ drillen, einexerzieren (*beide a. fig.*): *to ~ him in Latin* ihm Lateinisch einpauken; **III.** *v/i.* **6.** ⊕ (*ins Volle*) bohren (*Ggs. bore*); **7.** exerzieren; gedrillt *od.* ausgebildet werden.

drill² [dril] ✓ **I.** *s.* **1.** (Saat)Rille *f*, Furche *f*; **2.** *a. ~-plough Brit.*, *~ plow Am.* 'Drill-, 'Säma₁schine *f*; **II.** *v/t.* **3.** *Saat* in Reihen säen; **4.** *Land* in Reihen besäen.

drill³ [dril] *s.* Drill(ich) *m*, Drell *m*.

drill| book *s.* ⚔ Exer'zierregle₁ment *n*; **~ ground** *s.* ⚔ Exerzierplatz *m*; **~ hall** *s.* ⚔ Exerzierhalle *f*; **'~-sergeant** *s.* ⚔ 'Ausbildungs₁unteroffi₁zier *m*.

dri·ly ['draili] *adv. von dry* (*mst fig.*).

drink [driŋk] **I.** *s.* **1.** Getränk(e *pl.*) *n*: *food and ~* Speise u. Trank; **2.** Trunk *m*, Schluck *m*: *a ~ of water* ein Schluck Wasser; *to have* (*od. take*) *a ~* etwas trinken; → *3*; **3.** *a. strong ~* Drink *m*, geistiges Getränk: *in ~* betrunken; *to be fond of ~* gern trinken; *have a ~ with me!* trinken Sie ein Glas mit mir!; **4.** F *das* ‚große Wasser' (*Meer*); **II.** *v/t.* [*irr.*] **5.** *Tee etc.* trinken; *Suppe* essen; **6.** trinken, saufen (*Tier*); **7.** *Alkohol* trinken: *to ~ s.o. under the table* → *drink down*; *to ~ o.s. to death* sich zu Tode trinken; → *health 3*; **8.** (aus)trinken, leeren: *to ~ the cup of joy fig.* den Becher der Freude leeren; **9.** *fig.* → *drink in*; **10.** *Flüssigkeit* aufsaugen; **III.** *v/i.* [*irr.*] **11.** trinken; **12.** saufen (*Tier*); **13.** trinken, zechen: *to ~ hard* (*od. deep*) **a)** viel trinken, **b)** ein (starker) Trinker sein; **14.** trinken *od.* anstoßen (*to* auf *acc.*); **~ a·way** *v/t.* vertrinken; *fig. Sorgen etc.* ersäufen; **~ down** *v/t. j-n* unter den Tisch trinken; **~ in** *v/t. fig.* **1.** trinken, einatmen; **2.** auf-, einsaugen, in sich aufnehmen, verschlingen; **~ off, ~ up** *v/t.* austrinken.

drink·a·ble ['driŋkəbl] *adj.* trinkbar; **drink·er** ['driŋkə] *s.* **1.** Trinkende(r *m*) *f*: *beer-~* Biertrinker; **2.** Trinker *m*, Zecher *m*, Säufer *m*.

drink·ing ['driŋkiŋ] *s.* Trinken *n*; Zechen *n*: *given to ~* dem Trunk ergeben; **'~-bout** *s.* Trinkgelage *n*; **'~-cup** *s.* Trinkbecher *m*; **'~-foun·tain** *s.* Trinkbrunnen *m*; **'~-song** *s.* Trinklied *n*; **'~-straw** *s.* Trinkhalm *m*; **'~-wa·ter** *s.* Trinkwasser *n*.

'drink-of·fer·ing *s. eccl.* Trankopfer *n*.

drip [drip] **I.** *v/i.* **1.** (her'ab)tropfen, (-)tröpfeln; **2.** triefen (*with* von); *fig.* schwitzen; **II.** *v/t.* **3.** (her'ab-)tröpfeln *od.* (herab)tropfen lassen; **III.** *s.* **4.** Tröpfeln *n*; **5.** herabtröpfelnde Flüssigkeit; **6.** △ Traufe *f*; **7.** ⊕ Tropfrohr *n*; **8.** *sl.* **a)** Quatsch *m*, **b)** ‚Nulpe' *f*, Idi'ot *m*; **~ cof·fee** *s. Am.* 'Filter₁kaffee *m*; **'~-'dry** *adj.*: *~ shirts* bügelfreie Hemden.

drip·ping ['dripiŋ] **I.** *s.* **1.** (Her'ab-)Tröpfeln *n*; **2.** *a. pl.* her'abtröpfelnde Flüssigkeit; **3.** Bratenfett *n*, -schmalz *n*: *~ pan* Bratpfanne; **II.** *adj.* **4.** triefend (*with* von): *~ wet*.

'drip|-proof *adj.* ⊕ tropfwassergeschützt; **'~-stone** *s.* △ Traufe *f*, Sims *m*, *n*.

drive [draiv] **I.** *s.* **1.** Fahrt *f*, Aus-, Spa'zierfahrt *f*: *to take* (*od. go for*) *a ~* ausfahren; **2.** Auf-, Einfahrt *f*; Fahrweg *m*; **3.** (Zs.-)Treiben *n* (*Vieh etc.*); **4.** Treibjagd *f*; **5.** ⊕ Antrieb *m*, Triebkraft *f*, -werk *n*, Steuerung *f*: *rear(-wheel) ~* Hinterradantrieb; *left-hand ~* Linkssteuerung; **6.** ⚔ **a)** Vorstoß *m*, **b)** Großangriff *m*; **7.** *sport* Stoß *m*, (Treib-)Schlag *m*; **8.** Tatkraft *f*, Schwung *m*, E'lan *m*, Stoßkraft *f*; **9.** Trieb *m*, Drang *m*: *sexual ~*; **10.** ('Sammel- *etc.*)Akti₁on *f*, Kam'pagne *f*, Feldzug *m*: *production ~* Erzeugungsschlacht; **11.** ✝ *sl.* Schleuderverkauf *m*; **II.** *v/t.* [*irr.*] **12.** *Vieh, Wild, Keil, etc.* treiben; *Ball* treiben, weit schlagen; *Nagel* einschlagen, treiben (*into* in *acc.*); *Pfahl* einrammen; *Schwert* stoßen; *Tunnel* bohren, treiben; *Lektion* einhämmern: *to ~ all before one* alles *od.* alle Hindernisse überwinden; **13.** vertreiben, -jagen; **14.** *hunt.* jagen, treiben; **15.** über'anstrengen, hetzen: *to ~ s.o. hard* **a)** j-n schinden, **b)** j-n in die Enge treiben; **16.** *Wagen* fahren, lenken, steuern; **17.** *j-n od. et.* fahren, befördern; **18.** ⊕ (an-, be)treiben (*mst pass.*): *driven by steam* mit Dampf betrieben; **19.** *j-n* (an)treiben, drängen; dazu bringen, nötigen: *driven by hunger* vom Hunger getrieben; *to ~ to despair* zur Verzweiflung treiben; *to ~ mad* verrückt machen; **20.** *Geschäft* betreiben, machen; *Handel* abschließen: *he ~s a hard bargain* er geht mächtig ran (*beim Handeln*); **III.** *v/i.* [*irr.*] **21.** (da'hin)treiben; getrieben werden; fahren: *to ~ before the wind* ⚓ vor dem Winde treiben; **22.** eilen, stürmen, jagen; stoßen, schlagen; **23.** (*at*) sich anstrengen (mit), schwer arbeiten (an *dat.*); **24.** (e-n *od.* in e-m Wagen) fahren: *can you ~?* können Sie Auto fahren?; *will you walk or ~?*; **25.** *sport* e-n Treibschlag ausführen; **26.** (ab)zielen: *what is he driving at?* was will *od.* meint er eigentlich?, worauf will er hinaus?; → *let¹ Redew.*;

Zssgn mit adv.:

drive| a·way *v/t.* vertreiben, verjagen (*a. fig.*); **~ in I.** *v/t.* **1.** *Pfahl* einrammen, *Nagel* einschlagen; **2.** *Vieh* eintreiben; **II.** *v/i.* **3.** (*mit e-m Fahrzeug*) hin'einfahren; **~ on** *v/t.* **1.** an-, vorwärtstreiben; **2.** *fig.* eifrig betreiben; **~ out I.** *v/t.* aus-, vertreiben; **II.** *v/i.* spazieren-, ausfahren; **~ up I.** *v/t.* *Preise* in die Höhe treiben; **II.** *v/i.* vorfahren.

'drive-in I. *adj.* Auto..., Vorfahr..., Sitz-im-Auto-...: *~ cinema* Autokino; **II.** *s.* 'Auto₁kino *n*, -restau₁rant *n etc.*

driv·el ['drivl] **I.** *v/i.* **1.** sabbern, geifern; **2.** dummes Zeug schwatzen, sabbeln; **II.** *s.* **3.** Unsinn *m*; Fase'lei *f*; **'driv·el·(l)er** [-lə] *s.* Faselhans *m*.

driv·en ['drivn] *p.p. von drive*.

driv·er ['draivə] *s.* **1.** (Vieh)Treiber *m*; **2.** *mst* Fahrer *m*, Chauf'feur *m*; 🚂 Führer *m*; *obs.* Kutscher *m*; **3.** *Golf*: Holz *n* 1 (*Schläger*); **4.** (Leute)Schinder *m*; **5.** ⊕ Triebrad *n*; Rammblock *m*; Mitnehmer *m*; **~'s cab** *s.* ⊕ Führerhaus *n*, -stand *m*; **~'s li·cense** *s. mot. Am.* Führerschein *m*.

'drive·way *s. Am.* **1.** Fahrweg *m*; **2.** Einfahrt *f*.

driv·ing ['draiviŋ] **I.** *adj.* **1.** (an-)treibend: *~ force* treibende Kraft; *~ rain* stürmischer Regen; **2. a)** ⊕ Antriebs..., Treib..., Trieb..., **b)** *Fernsehen*: Treiber...(*-impulse etc.*); **3.** *mot.* Fahr...: *~ instructor* Fahrlehrer; *~ lessons* Fahrstunden; *~ licence Brit.* Führerschein; *~ mirror* Rück(blick)spiegel; *~ school* Fahrschule; *~ test* Fahrprüfung; **II.** *s.* **4.** Treiben *n*; **5.** Fahren *n*; **'~-belt** *s.* ⊕ Treibriemen *m*; **'~-gear** *s.* ⊕ Triebwerk *n*, Getriebe *n*; **'~-i·ron** *s. Golf*: Eisen *n* 1 (*Schläger*); **~ pow·er** *s.* ⊕ Antriebskraft *f*, -leistung *f*; **'~-shaft** *s.* **1.** ⊕ Antriebswelle *f*; **2.** *mot.* Kar'danwelle *f*; **'~-wheel** *s.* ⊕ Triebrad *n*.

driz·zle ['drizl] **I.** *v/i.* nieseln, sprühen; **II.** *s.* Sprühregen *m*.

droll [droul] *adj.* □ drollig, spaßig; komisch; **droll·er·y** ['drouləri] *s.* **1.** Posse *f*, Schwank *m*, Spaß *m*; **2.** 'Komik *f*, Spaßigkeit *f*.

drome [droum] *sl. abbr.* → *aerodrome, airdrome*.

drom·e·dar·y ['drʌmədəri] *s. zo.* Drome'dar *n*.

drone¹ [droun] **I.** *s.* **1.** *zo.* Drohne *f*; **2.** *fig.* Drohne *f*, Nichtstuer *m*, Schma'rotzer *m*; **3.** ⚔ Fernlenkflugzeug *n*, 'Fernlenkra₁kete *f*; **II.** *v/i.* **4.** faulenzen; **III.** *v/t.* **5.** *~ away* müßig verbringen, vertrödeln.

drone² [droun] **I.** *v/i.* **1.** brummen, summen, dröhnen; **2.** *fig.* leiern, eintönig reden; **II.** *v/t.* **3.** herleiern; **III.** *s.* **4.** ♪ Baßpfeife *f* des Dudelsacks; **5.** Brummen *n*, Summen *n*; **6.** *fig.* Geleier *n*.

droop [dru:p] **I.** *v/i.* **1.** (schlaff) her'abhängen *od.* -sinken; **2.** schmachten, (ver)welken; **3.** ermatten, zs.-sinken; **4.** *fig.* den Kopf hängenlassen; **II.** *v/t.* **5.** (schlaff) her'abhängen lassen; **III.** *s.* **6.** Her'abhängen *n*, Senken *n*; **7.** Erschlaffen *n*; **'droop·ing** [-piŋ] *adj.* □ schlaff, hängend.

drop [drɔp] **I.** *s.* **1.** Tropfen *m*: *in ~s* tropfenweise (*a. fig.*); *a ~ in the bucket* (*od. ocean*) *fig.* ein Tropfen auf e-n heißen Stein; **2.** ⚕ *mst pl.* Tropfen *pl.*; **3.** Tropfen *m*, Tröpfchen *n*, Schluck *m*, ‚Gläs-chen' *n*: *to take a ~ too much* e-n über den Durst trinken; **4.** *fig. ein* bißchen; **5.** ('Frucht)Bon₁bon *m*, *n*; **6.** Fall

(-tiefe *f*) *m*: *a* ~ *of 10 feet* ein Fall aus 10 Fuß Höhe; **7.** Fallvorrichtung *f*, -tür *f*; **8.** ⊕ Klappe *f* (*über Schlüsselloch etc., a. teleph.*); **9.** Senkung *f*, Abfall *m*; (*Bomben- etc.*) Abwurf *m*; **10.** Fallen *n*, Sinken *n*, Sturz *m*; Rückgang *m* (*Preise etc.*): ~ *in prices* Preisrückgang; *at the* ~ *of a hat fig.* beim geringsten Anlaß, sofort; **11.** *Am.* Briefeinwurf *m*; **12.** → *drop-curtain*; **II.** *v/i.* **13.** (her'ab)tropfen, -tröpfeln; **14.** (her'unter-, ab)fallen: *to let s.th.* ~ et. fallen lassen; → *18*; **15.** nieder-, 'umfallen, zu Boden sinken: *to* ~ *dead* tot umfallen; *ready* (*od. fit*) *to* ~ zum Umfallen müde; **16.** sich her'unterlassen, sich senken, sinken, fallen: *to* ~ *on one's knees* in die Knie sinken; *to* ~ *into a habit* in e-e Gewohnheit verfallen; *to* ~ *asleep* einschlafen; **17.** *fig.* her'untergehen, sinken (*Preis*), geringer *od.* schwächer werden (*Stimme, Wind*); **18.** *fig.* aufhören, eingehen: *to let s.th.* ~ et. fallenlassen *od.* aufgeben; → *14*; **19.** zufällig kommen: *to* ~ *across s.o.* j-n zufällig treffen; *to* ~ *into the room* unerwartet ins Zimmer treten; *to* ~ *on s.th.* zufällig auf et. stoßen; **III.** *v/t.* **20.** tropfen *od.* tröpfeln lassen; **21.** fallen lassen: *to* ~ *a book*; *to* ~ *money sl.* Geld verlieren (*on* bei); **22.** auslassen: *to* ~ *one's h's* das „h" nicht aussprechen; **23.** *Passagier, Last* absetzen; **24.** *Sachen* abwerfen; *Paket* abgeben: *to* ~ *a letter into the letter-box* (*Am. mailbox*) e-n Brief einwerfen; **25.** abschießen, zu Fall bringen, zu Boden schlagen; **26.** *et.* von sich geben: ~ *me a line!* schreib mir ein paar Zeilen!; *to* ~ *a remark* e-e Bemerkung fallenlassen; **27.** *j-n* fallenlassen, sich von *j-m* trennen; **28.** *Gewohnheit etc.* aufgeben, aufhören mit: *to* ~ *a subject* ein Thema fallenlassen; ~ *it!* hör auf (damit)!, laß das!; **29.** *Stimme, Augen* senken; **30.** *Junge* werfen;
Zssgn mit adv.:
drop| a·way *v/i.* **1.** all'mählich außer Sicht kommen *od.* sich entfernen; **2.** → *drop off 2*; ~ **be·hind** *v/i.* zu'rückbleiben, -fallen, ins 'Hintertreffen geraten; ~ **down** *v/i.* niedersinken; ~ **in** *v/i.* **1.** her'einkommen; **2.** e-n kurzen Besuch machen (*on* bei); ~ **off** *v/i.* **1.** abfallen; **2.** *fig.* nachlassen, zu'rückgehen, geringer werden; **3.** einschlafen; ~ **out** *v/i.* **1.** vorzeitig von der Schule *od.* Universi'tät abgehen; **2.** aus der (bürgerlichen) Gesellschaft ausbrechen; **3.** *bsd. sport* aufgeben, ‚aussteigen'.
'drop|-cur·tain *s. thea.* bemalter Zwischenaktvorhang; **'~-forge** *v/t. u. v/i.* ⊕ im Gesenk schmieden; **'~-forg·ing** *s.* ⊕ Gesenkschmieden *n*; **'~-ham·mer** *s.* ⊕ Fallhammer *m*; **'~-head** *s.* **1.** Versenkvorrichtung *f*; **2.** Klappverdeck *n*; **'~-kick** *s. Fußball*: **a)** Fallabstoß *m*, **b)** 'Halb,volleyball *m*.
drop·let ['drɔplit] *s.* Tröpfchen *n*.
'drop-let·ter *s. Am.* Brief *m* im Ortsverkehr.
'drop-out *s.* 'Drop-out *m*: **a)** j-d, der vorzeitig von der Schule *od.* Universi'tät abgeht, **b)** j-d, der aus der (bürgerlichen) Gesellschaft ausbricht.
drop·per ['drɔpə] *s.* Tropfglas *n*, Tropfenzähler *m*: *eye* ~ Augentropfer; **'drop·pings** [-piŋz] *s. pl.* Mist *m*, tierischer Kot.
'drop|-scene *s.* **1.** → *drop-curtain*; **2.** *fig.* Fi'nale *n*, 'Schluß,szene *f*; **'~-shot** *s.* (*Tisch*)*Tennis*: Stoppball *m*; **'~-shut·ter** *s.* **1.** *phot.* Fallverschluß *m*; **2.** ⊕ Fallklappe *f*.
drop·si·cal ['drɔpsikəl] *adj.* □ ⚕ wassersüchtig, Wassersucht...
'drop-stitch *s.* Fallmasche *f*.
drop·sy ['drɔpsi] *s.* ⚕ Wassersucht *f*.
drosh·ky ['drɔʃki] *s.* Droschke *f*.
dross [drɔs] *s.* **1.** ⊕ Schlacke *f*; **2.** Abfall *m*, Unrat *m*; Auswurf *m* (*a. fig.*), wertloses Zeug.
drought [draut] *s.* Dürre *f*, (Zeit *f* der) Trockenheit *f*; **'drought·y** [-ti] *adj.* **1.** trocken, dürr; **2.** von e-r Dürre befallen (*Gebiet*).
drove[1] [drouv] *pret. von drive*.
drove[2] [drouv] *s.* (Vieh)Herde *f* (*a. fig.*); **'dro·ver** [-və] *s.* Viehtreiber *m*, -händler *m*.
drown [draun] **I.** *v/i.* **1.** ertrinken; **II.** *v/t.* **2.** ertränken, ersäufen: *to be* ~*ed* ertrinken, ersaufen; **3.** über'schwemmen (*a. fig.*): ~*ed in tears* tränenüberströmt; **4.** über'tönen; **5.** *fig.* ersticken, ertränken.
drowse [drauz] **I.** *v/i.* **1.** schläfrig sein, dösen, schlummern; **II.** *v/t.* **2.** einschläfern, schläfrig machen; **3.** *Zeit* verschlafen, verträumen; **'drow·si·ness** [-zinis] *s.* Schläfrigkeit *f*; **'drow·sy** [-zi] *adj.* □ **1.** schläfrig, schlaftrunken; **2.** einschläfernd; **3.** schwerfällig, träge.
drub [drʌb] *v/t.* **1.** (ver)prügeln, schlagen: *to* ~ *s.th. into s.o.* j-m et. einbleuen; **2.** besiegen; **'drub·bing** [-biŋ] *s.* **1.** Tracht *f* Prügel; **2.** Niederlage *f*: *to take a* ~ geschlagen werden.
drudge [drʌdʒ] **I.** *s. fig.* Packesel *m*, Arbeitstier *n*, Kuli *m*; Aschenbrödel *n*; **II.** *v/i.* sich (ab)placken, sich abschinden, schuften; **'drudg·er·y** [-dʒəri] *s.* Placke'rei *f*, Schinde'rei *f*; **'drudg·ing·ly** [-dʒiŋli] *adv.* mühsam.
drug [drʌg] **I.** *s.* **1.** Droge *f*, Arz'nei(mittel *n*) *f*, Medika'ment *n*; **2.** Nar'kotikum *n*; Rauschgift *n*: ~ *habit* Rauschgiftsucht; *to be on* ~*s* rauschgiftsüchtig sein; **3.** ~ *on* (*od. in*) *the market* ✝ Ladenhüter (*unverkäuflicher Artikel*); **II.** *v/t.* **4.** mit chemischen Zusatzmitteln versetzen; **5.** unter Drogen setzen, betäuben: ~*ged with sleep* schlaftrunken; **6.** viel Medika'mente eingeben (*dat.*); **III.** *v/i.* **7.** rauschgiftsüchtig sein; ~ **a·buse** *s.* 'Drogen,mißbrauch *m*; **'~-ad·dict·ed** *adj.* drogenabhängig, -süchtig; ~ **de·pend·ence** *s.* Drogenabhängigkeit *f*.
drug·get ['drʌgit] *s.* grober Wollstoff (*als Bodenbelag etc.*).
drug·gist ['drʌgist] *s.* **1.** Dro'gist *m*; **2.** *bsd. Am. u. Scot.* Apo'theker *m*.
drug scene *s.* 'Drogen,szene *f*.
drug·ster ['drʌgstə] *s.* Fixer(in), Rauschgiftsüchtige(r *m*) *f*.
'drug·store *s.* 'Drugstore *m*.
Dru·id ['dru(:)id] *s.* Dru'ide *m*; **'Dru·id·ess** [-dis] *s.* Dru'idin *f*.
drum [drʌm] **I.** *s.* **1.** ♪ Trommel *f*: *to beat the* ~ die Trommel schlagen *od.* rühren, trommeln; *with* ~*s beating* mit klingendem Spiel; **2.** *pl.* Schlagzeug *n* (*Orchesterabteilung*); **3.** Pauken-, Trommelschlag *m* (*a. fig.*); **4.** ⊕ Trommel *f*, Walze *f*, Zy'linder *m*; **5.** ⚔ Trommel *f* (*am Maschinengewehr*); **6.** Trommel *f*, trommelförmiger Behälter; **7.** *anat.* **a)** Mittelohr *n*, **b)** Trommelfell *n*; **8.** ⚠ Säulentrommel *f*; **II.** *v/i.* **9.** *a. weitS.* trommeln (*on* auf *acc.*, *at* an *acc.*); **10.** summen, dröhnen; **III.** *v/t.* **11.** *Rhythmus* trommeln: *to* ~ *s.th. into s.o.* j-m et. einpauken; **12.** trommeln auf (*acc.*); ~ **out** *v/t.* schimpflich ausstoßen; ~ **up** *v/t.* zs.-trommeln; werben.
drum| brake *s.* ⊕ Trommelbremse *f*; **'~-fire** *s.* ⚔ Trommelfeuer *n*; **'~-fish** *s. ichth.* Trommelfisch *m*; **'~-head** *s.* **1.** ♪, *anat.* Trommelfell *n*; **2.** ~ *court martial* ⚔ Standgericht; **3.** ~ *service* ⚔ Feldgottesdienst; ~ **ma·jor** *s.* ⚔ 'Tambour-ma,jor *m*.
drum·mer ['drʌmə] *s.* **1.** Trommler *m*; Tambour *m*; ♪ Schlagzeuger *m*; **2.** ✝ *Am.* Vertreter *m*, Handlungsreisende(r) *m*.
'drum·stick *s.* **1.** Trommelstock *m*, -schlegel *m*; **2.** 'Unterschenkel *m* (*von zubereitetem Geflügel*).
drunk [drʌŋk] **I.** *pred. adj.* **1.** betrunken: *to get* ~ sich betrinken; ~ *as a lord* (*od. a fish*) total blau; ~ *and incapable* sinnlos betrunken; **2.** *fig.* trunken, berauscht (*with* vor, von): ~ *with joy* freudetrunken; **II.** *s.* **3.** Betrunkene(r *m*) *f*; **4.** *sl.* Saufgelage *n*, Besäufnis *n*; **III.** *p.p. von drink*; **'drunk·ard** [-kəd] *s.* Säufer *m*, Trunkenbold *m*; **'drunk·en** [-kən] *adj.* □ betrunken, trunksüchtig: *a* ~ *man* ein Betrunkener; *a* ~ *brawl* ein im Rausch angefangener Streit; **'drunk·en·ness** [-kənnis] *s.* Trunkenheit *f*, Rausch *m* (*a. fig.*).
drupe [dru:p] *s.* ⚘ Steinfrucht *f*, -obst *n*.
dry [drai] **I.** *adj.* □ **1.** trocken: *not* ~ *behind the ears* noch nicht trocken hinter den Ohren; ~ *cough* trockener Husten; *with* ~ *eyes* trockenen Auges, *fig.* ungerührt; *to run* ~ austrocknen, versiegen; → *dock*[1] *1*; **2.** regenarm, -los; dürr, ausgetrocknet; **3.** F durstig; **4.** durstig machend: ~ *work*; **5.** trockenstehend (*Kuh*); **6.** *Am.* F ‚trocken', mit Alkoholverbot: *to go* ~ das Alkoholverbot einführen; **7.** herb, trocken (*Wein*); **8.** *fig.* trocken, langweilig; nüchtern: ~ *as dust* sterbenslangweilig; ~ *facts* nüchterne *od.* nackte Tatsachen; **9.** *fig.* trocken, kühl, gelassen: ~ *humo(u)r* trockener Humor; **II.** *v/t.* **10.** (ab)trocknen: *to* ~ *one's hands* sich die Hände abtrocknen; **11.** *Obst* dörren; **12.** *a.* ~ *up* austrocknen, trockenlegen; **III.** *v/i.* **13.** trocknen, trocken werden; **14.** ~ *up* **a)** ein-,

ver-, austrocknen, b) versiegen (*a. fig.*), c) aufhören, sich erschöpfen, d) F die ‚Klappe' halten: ~ *up!*; **IV.** *s.* **15.** Trockenheit *f.*
dry·ad ['draiəd] *s.* Dry'ade *f.*
Dry·as·dust ['draiəzdʌst] **I.** *s.* Stubengelehrte(r) *m*; **II.** *adj.* ♀ langweilig.
dry| bat·ter·y *s.* ⚡ 'Trockenbatte‚rie *f*; ~ **cell** *s.* ⚡ 'Trockenele‚ment *n*; '~-'**clean** *v/t.* chemisch reinigen; '~-'**clean·er** *s.* chemische Reinigung(sanstalt); '~-'**clean·ing** *s.* chemische Reinigung; '~-**cure** *v/t.* *Lebensmittel* dörren *od.* einsalzen.
dry·er → *drier*[1].
'**dry|-fly** *s.* *Angeln*: künstliche Fliege; ~ **goods** *s. pl.* ✝ *Am.* Tex'tilien *pl.*, Meterware *f.*
dry·ing ['draiiŋ] *adj.* Trocken...
dry·ly → *drily.*
dry meas·ure *s.* Trocken(hohl)maß *n.*
dry·ness ['drainis] *s.* **1.** Trockenheit *f* (*a. fig.*), Dürre *f*; **2.** *fig.* Nüchternheit *f*; Kühle *f*; Langweiligkeit *f.*
'**dry|-nurse** **I.** *s.* Kinderfrau *f*, -schwester *f*; **II.** *v/t.* bemuttern (*a. fig.*); '~-'**plate** *s. phot.* Trockenplatte *f*; '~-'**rot** *s.* **1.** Trockenfäule *f*; **2.** ♀ Hausschwamm *m*; **3.** *fig.* Verfall *m*; '~-'**salt** *v/t.* dörren u. einsalzen; '~-**salt·er** *s. Brit.* Drogen-, Farben-, Öl- u. Kon'servenhändler *m*; '~-'**shod** *adv.* trockenen Fußes.
du·al ['dju(:)əl] **I.** *adj.* □ doppelt, Doppel..., Zwei...: ~ *carriage-way mot.* doppelte Fahrbahn; ~ *tyres* (*od. tires*) *mot.* Zwillingsbereifung; **II.** *s. ling. a.* ~ *number* 'Dual *m*, Du'alis *m*; '**du·al·ism** [-lizəm] *s.* Dua'lismus *m*; **du·al·i·ty** [dju(:)'æliti] *s.* Zweiheit *f*; '**du·al-'pur·pose** *adj.* Doppel..., Mehrzweck...
dub [dʌb] *v/t.* **1.** *to* ~ *s.o. a knight* j-n zum Ritter schlagen; **2.** *fig.* titulieren, nennen: *to* ~ *s.o. an idiot*; **3.** ⊕ zurichten; **4.** *Leder* einfetten; **5.** *Film* synchronisieren.
dub·bin ['dʌbin], '**dub·bing** [-biŋ] *s.* Lederfett *n*, -schmiere *f.*
du·bi·e·ty [dju(:)'baiəti] *s.* Zweifelhaftigkeit *f*, Fragwürdigkeit *f*; Ungewißheit *f.*
du·bi·ous ['dju:bjəs] *adj.* □ **1.** zweifelhaft; **2.** fragwürdig, unzuverlässig; **3.** im Zweifel, unschlüssig, unsicher; **4.** unbestimmt; '**du·bi·ous·ness** [-nis] → *dubiety*; '**du·bi·ta·tive** [-bitətiv] *adj.* □ zweifelnd, zögernd: *to be* ~ im Zweifel sein (*on, over, about* über *acc.*).
du·cal ['dju:kəl] *adj.* herzoglich, Herzogs...
duc·at ['dʌkət] *s.* **1.** *hist.* Du'katen *m*; **2.** *pl. obs. sl.* ‚Mo'neten' *pl.*; **3.** *Am. sl. für ticket.*
du·ce ['du:tʃi] (*Ital.*) *s. pol. hist.* 'Duce *m*, Führer *m.*
duch·ess ['dʌtʃis] *s.* Herzogin *f*;
duch·y ['dʌtʃi] *s.* Herzogtum *n.*
duck[1] [dʌk] *s.* **1.** *pl.* **ducks**, *coll.* **duck** *orn.* Ente *f*: *like a* ~ *in a thunderstorm* bestürzt; *like a* ~ *takes to water fig.* mit der größten Selbstverständlichkeit, sofort; *like water off a* ~*'s back* ohne den geringsten Eindruck zu machen; *a fine day for* ~*s* ein regnerischer Tag; *to play* ~*s and drakes* a) Hüpfsteine werfen, b) *fig.* (*with*) vergeuden (*acc.*), aasen (mit); **2.** Ente *f*, Entenfleisch *n*; **3.** F Schätzchen *n*, Liebling *m*: *a* ~ *of a girl* ein süßes Mädel; **4.** *Kricket*: Null *f.*
duck[2] [dʌk] **I.** *v/i.* **1.** (rasch) 'untertauchen; **2.** (*a. fig.*) sich ducken (*to* vor *dat.*); **3.** *a.* ~ *out Am. sl.* ‚auskneifen', ‚Leine ziehen'; **II.** *v/t.* **4.** ('unter)tauchen; **5.** *den Kopf* ducken; **6.** *Am.* F sich drücken vor, ausweichen (*dat.*), um'gehen.
duck[3] [dʌk] *s.* **1.** grobe Leinwand; **2.** *pl.* F Leinenhose *f*, -anzug *m.*
'**duck|·bill** *s.* **1.** *zo.* Schnabeltier *n*; **2.** ♀ *Brit.* roter Weizen; '~-**billed plat·y·pus** → *duckbill 1*; '~-**boards** *s. pl.* Lattenrost *m*; '~-**egg** *s.* **1.** Entenei *n*; **2.** → *duck*[1] *4*; '~-**hawk** *s. orn.* **1.** *Brit.* Rohrweihe *f*; **2.** Amer. Wanderfalke *m.*
duck·ing ['dʌkiŋ] *s.* ('Unter)Tauchen *n*: *to give s.o. a* ~ j-n untertauchen; *to get a* ~ *fig.* völlig durchnäßt werden.
duck·ling ['dʌkliŋ] *s.* Entchen *n.*
'**duck|'s-egg** → *duck-egg*; '~-**shot** *s.* Entenschrot *m, n*; '~-**weed** *s.* ♀ Wasserlinse *f.*
duck·y ['dʌki] F **I.** *s.* Liebling *m* (*Kosename*); **II.** *adj.* lieb, ‚goldig'.
duct [dʌkt] **I.** *s.* **1.** ⊕ Röhre *f*, Leitung *f*; Ka'nal *m* (*als Kabelführung etc.*); **2.** ♀, *anat.*, *zo.* Gang *m*, Kanal *m*, Weg(e *pl.*) *m*; **II.** *v/t.* **3.** leiten, zuführen; '**duc·tile** [-tail] *adj.* **1.** ⊕ dehnbar, streckbar, schmiedbar; **2.** biegsam, fügsam, geschmeidig; **duc·til·i·ty** [dʌk'tiliti] *s.* **1.** ⊕ Dehn-, Streckbarkeit *f*; **2.** Fügsamkeit *f*; '**duct·less** [-lis] *adj.*: ~ *gland anat.* endokrine Drüse, Hormondrüse.
dud [dʌd] *sl.* **I.** *s.* **1.** ⚔ Blindgänger *m* (*a. fig.*); **2.** Versager *m*; **3.** Niete *f*, Reinfall *m*; **4.** *pl.* ‚Kla'motten' *pl.* (*Kleider*); **5.** ungedeckter Scheck; **II.** *adj.* **6.** wertlos, falsch; **7.** mise'rabel.
dude [dju:d] *s. Am.* Geck *m*, Gigerl *m*: ~ *ranch* Vergnügungsfarm *für Feriengäste aus der Großstadt.*
dudg·eon ['dʌdʒən] *s.* Unwille *m*, Groll *m*: *in high* ~ kochend vor Wut.
due [dju:] **I.** *adj.* □ → *duly*; **1.** ✝ fällig, so'fort zahlbar: *to fall* (*od. become*) ~ fällig werden; *when* ~ bei Verfall *od.* Fälligkeit; ~ *date* Fälligkeitstag; *the balance* ~ *to us from A.* der uns von A. geschuldete Saldo; **2.** *zeitlich* fällig, erwartet: *the train is* ~ (*in*) *at* ... der Zug ist um ... fällig *od.* soll um ... ankommen; *he is* ~ *to return today* er wird heute zurückerwartet; **3.** gebührend, angemessen, gehörig: *hono(u)r to whom hono(u)r is* ~ Ehre, wem Ehre gebührt; *with all* ~ *respect to you* bei aller dir schuldigen Achtung; *after* ~ *consideration* nach reiflicher Überlegung; *in* ~ *time* zur rechten *od.* gegebenen Zeit; **4.** verpflichtet: *to be* ~ *to go* gehen müssen *od.* sollen; *flats* ~ *to be let* zu vermietende Wohnungen; **5.** zuzuschreiben(d) (*dat.*), verursacht durch: ~ *to an accident* auf einen Unfall *od.* Zufall zurückzuführen; *death was* ~ *to cancer* Krebs war die Todesursache; *it is* ~ *to him* es ist ihm zu verdanken; **6.** ~ *to* (*fälschlich statt owing to*) wegen, in'folge (*gen.*): ~ *to his poverty*; **7.** *Am.* im Begriff *sein*; **II.** *adv.* **8.** genau, gerade: ~ *east* genau östlich; **III.** *s.* **9.** *das* Gebührende, (An)Recht *n*, Anspruch *m*: *it is my* ~ es gebührt mir; *to give you your* ~ um dir nicht unrecht zu tun; *to give the devil his* ~ *fig.* selbst dem Teufel *od.* s-m Feind Gerechtigkeit widerfahren lassen; *give him his* ~*!* das muß man ihm lassen!; **10.** *pl.* Gebühren *pl.*, Abgaben *pl.*, Beitrag *m.*
du·el ['dju(:)əl] **I.** *s.* **1.** Du'ell *n*, Zweikampf *m*: *to fight a* ~ → *3*; *students'* ~ Mensur; **2.** *fig.* Kampf *m*; **II.** *v/i.* **3.** sich duellieren; '**du·el·(l)ist** [-list] *s.* Duel'lant *m.*
du·en·na [dju(:)'enə] *s.* Anstandsdame *f.*
du·et [dju(:)'et] *s.* **1.** ♪ Du'ett *n*: *to play a* ~ vierhändig spielen (*Klavier*); **2.** Wortgefecht *n.*
duf·fel ['dʌfəl] *s.* **1.** Düffel *m* (*Wollstoff*): ~ *coat* Dufflecoat; **2.** F Ausrüstung *f.*
duff·er ['dʌfə] *s.* Dummkopf *m*, ‚Dussel' *m.*
duf·fle → *duffel.*
dug[1] [dʌg] *pret. u. p.p. von dig.*
dug[2] [dʌg] *s.* **1.** Zitze *f*; **2.** Euter *n.*
du·gong ['du:gɔŋ] *s. zo.* Seekuh *f.*
'**dug-out** *s.* **1.** ⚔ 'Unterstand *m*, Bunker *m*; **2.** Einbaum *m*, Kanu *n.*
duke [dju:k] *s.* Herzog *m*; → *dine 1*; '**duke·dom** [-dəm] *s.* **1.** Herzogswürde *f*; **2.** Herzogtum *n.*
dul·cet ['dʌlsit] *adj.* **1.** wohlklingend, einschmeichelnd; **2.** lieblich, köstlich; '**dul·ci·fy** [-sifai] *v/t.* **1.** (ver)süßen; **2.** *fig.* besänftigen; '**dul·ci·mer** [-simə] *s.* ♪ Hackbrett *n*, 'Zimbel *f.*
dull [dʌl] **I.** *adj.* □ **1.** stumpfsinnig, dumm, schwer von Begriff; geistlos; **2.** langsam, behäbig, schwerfällig, träge; **3.** unempfindlich, teilnahmslos; **4.** langweilig, fade: ~ *as ditch-water* F stinklangweilig; *to feel* ~ sich langweilen; **5.** schwach (*Licht etc.*; *Sehkraft*, *Gehör*); **6.** matt, trübe (*Farbe*, *Augen*); dumpf (*Klang*, *Schmerz*); glanz-, leblos; **7.** stumpf (*Klinge*); **8.** trübe (*Wetter*); blind (*Spiegel*); **9.** ge-, betrübt; **10.** ⚓ windstill; ✝ flau, still; *Börse*: lustlos; **II.** *v/t.* **11.** *Klinge* stumpf machen; **12.** mattieren, glanzlos machen; trüben; **13.** *fig.* a) abstumpfen, b) dämpfen, schwächen, mildern; **III.** *v/i.* **14.** abstumpfen (*a. fig.*); **15.** sich trüben; **15.** abflauen; '**dull·ard** [-ləd] *s.* Dummkopf *m*; '**dull·ish** [-liʃ] *adj.* leicht *od.* et. dumm *etc.*; '**dul(l)·ness** [-nis] *s.* **1.** Dummheit *f*, Stumpfsinn *m*; **2.** Langweiligkeit *f*, Trägheit *f*; **3.** Schwäche *f*; **4.** Mattheit *f*; Trübheit *f*; **5.** ✝ Stille *f*, Flaute *f.*
du·ly ['dju:li] *adv.* **1.** ordnungsgemäß, gehörig, richtig; **2.** rechtzeitig, pünktlich.
du·ma ['du:mə] *s. hist.* Duma *f* (*russisches Parlament*).
dumb [dʌm] *adj.* □ **1.** stumm (*a. fig.*): *struck* ~ *with horror* sprachlos

vor Entsetzen; → *deaf 1*; **2.** schweigsam, still: *the ~ masses* die urteilslosen (Volks)Massen; **3.** *Am.* F doof, blöd; '**~-bell** *s.* **1.** *sport* Hantel *f*; **2.** *Am. sl.* Trottel *m*, ‚Dussel' *m*; **~'found** *v/t.* verblüffen; **~'found·ed** *adj.* verblüfft, sprachlos.

dumb·ness ['dʌmnis] *s.* Stummheit *f*; Stillschweigen *n*.

dumb| show *s.* Gebärdenspiel *n*, stummes Spiel, Panto'mime *f*; '**~-'wait·er** *s.* **1.** stummer Diener (*Drehtisch für Speisen*); **2.** *Am.* Speisenaufzug *m*.

dum·dum ['dʌmdʌm], *a.* **~ bul·let** *s.* Dum'dum(geschoß) *n*.

dum·my ['dʌmi] **I.** *s.* **1.** *allg.* At'trappe *f*, ✝ *a.* Schau-, Leerpackung *f*; **2.** Kleider-, Schaufensterpuppe *f*; **3.** Fi'gur *f* (*als Zielscheibe*); **4.** ✝ *etc.* Strohmann *m* (*a. Kartenspiel*); *fig.* Sta'tist *m*; **5.** Schnuller *m*; **II.** *adj.* **6.** falsch, Schein...: *~ cartridge* Übungspatrone; *~ coil* ⚡ Hilfsspule.

dump [dʌmp] **I.** *v/t.* **1.** hinplumpsen lassen, heftig 'hinwerfen; wegwerfen; **2.** abladen, schütten, auskippen; **3.** *Personen* abschieben; **4.** ⚔ lagern, stapeln, verstauen; **5.** ✝ zu Schleuderpreisen verkaufen, verschleudern; **II.** *s.* **6.** Plumps *m*, dumpfer Schlag; **7.** Schutt-, Müllhaufen *m*, -abladeplatz *m*; **8.** ⚒ Halde *f*; **9.** ⚔ Stapelplatz *m*, (Nachschub)Lager *n*: *ammunition ~* Munitionsdepot; **10.** *sl.* ‚Loch' *n* (*Wohnung*); Bruchbude *f* (*Haus*); verwahrlostes Kaff; '**~-cart** *s.* Kippkarren *m*, -wagen *m*.

dump·ing ['dʌmpiŋ] *s.* **1.** Schuttabladen *n*; **2.** ✝ 'Schleuderexˌport *m*, Dumping *n*; '**~-ground** *s.* (Schutt)Abladeplatz *m*.

dump·ling ['dʌmpliŋ] *s.* **1.** (Mehl-)Kloß *m*, Knödel *m*; **2.** F ‚Dickerchen' *n* (*Person*).

dumps [dʌmps] *s. pl.* F trübe Stimmung, Trübsinn *m*: (*down*) *in the ~* niedergeschlagen.

dump truck *s. Am.* Kipp-Lastwagen *m*.

dump·y ['dʌmpi] *adj.* plump, unter'setzt.

dun[1] [dʌn] **I.** *v/t.* **1.** *Schuldner* dringend mahnen: *~ning letter* → 5; **2.** drängen, plagen, ‚treten'; **II.** *s.* **3.** drängender Gläubiger; **4.** Schuldeneintreiber *m*; **5.** Mahnbrief *m*.

dun[2] [dʌn] **I.** *adj.* grau-, schwärzlichbraun; *fig.* dunkel; **II.** *s.* Braune(r) *m* (*Pferd*).

dunce [dʌns] *s.* Dummkopf *m*: *~'s cap* Narrenkappe (*für dumme Schüler*).

dun·der·head ['dʌndəhed] *s.* Dumm-, Schwachkopf *m*; '**dun·der·head·ed** [-did] *adj.* dumm, schwachköpfig.

dune [dju:n] *s.* Düne *f*.

dung [dʌŋ] **I.** *s.* Mist *m*, Dung *m*, Dünger *m*; (Tier)Kot *m*; **II.** *v/t.* düngen.

dun·ga·ree [dʌŋgə'ri:] *s.* **1.** grober Kat'tun; **2.** *pl.* grober Arbeitsanzug *od.* -kittel.

'**dung|-bee·tle** *s. zo.* Mistkäfer *m*; '**~-cart** *s.* Mistkarren *m*.

dun·geon ['dʌndʒən] *s.* Burgverlies *n*; Kerker *m*.

'**dung|-fork** *s.* Mistgabel *f*; **~** '**~-heap**, '**~-hill** *s.* Dünger-, Misthaufen *m*; '**~-hill fowl** *s.* Hausgeflügel *n*.

dunk [dʌŋk] *v/i. u. v/t. Am.* (Brot *etc.* beim Essen) eintunken.

dun·lin ['dʌnlin] *s. orn.* Strandläufer *m*.

dun·nage ['dʌnidʒ] *s.* ⚓ Stauholz *n*.

dun·no [də'nou] F *für do not know*.

du·o ['dju(:)ou] *pl.* **-os** *s.* **1.** ♪ 'Duo *n*, Du'ett *n*; **2.** Duo *n* (*Künstlerpaar*).

duo- [dju(:)ou] *in Zssgn* zwei.

du·o·dec·i·mal [dju(:)ou'desiməl] *adj.* ⅌ duodezi'mal; **du·o'dec·i·mo** [-mou] *pl.* **-mos** *s.* (Buch *n* im) Duo'dezforˌmat *n*.

du·o·de·nal [dju(:)ou'di:nl] *adj.*: *~ ulcer* ⚕ Zwölffingerdarm-Geschwür; **du·o'de·num** [-nəm] *s. anat.* Zwölf'fingerdarm *m*.

du·o·logue ['djuəlɔg] *s.* **1.** Zwiegespräch *n*; **2.** Duo'drama *n*.

dupe [dju:p] **I.** *s.* **1.** Gefoppte(r *m*) *f*, Betrogene(r *m*) *f*, ‚Lackierte(r' *m*)*f*: *to be the ~ of* sich anführen lassen von, hereinfallen auf *j-n*; **2.** Leichtgläubige(r *m*) *f*; **II.** *v/t.* **3.** *j-n* über'tölpeln, anführen, anschmieren, hinter'gehen: *to be ~d* sich an der Nase herumführen lassen.

du·ple ['dju:pl] *adj.* zweifach: *~ ratio* ⅌ doppeltes Verhältnis; *~ time* ♪ Zweiertakt; '**du·plex** [-leks] *adj. mst* ⊕ doppelt, Doppel..., Duplex...: *~ apartment Am.* Maisonette; *~ burner* Doppelbrenner; *~ house Am.* Zweifamilien-, Doppelhaus; *~ telegraphy* Gegensprech-, Duplextelegraphie.

du·pli·cate ['dju:plikit] **I.** *adj.* **1.** doppelt: *~ proportion* ⅌ doppeltes Verhältnis; **2.** genau gleich *od.* entsprechend, Duplikat...: *~ parts* Ersatzteile; *~ production* Serienfertigung, Massenproduktion; *~ train* 🚂 Vor- *od.* Nachzug; **II.** *s.* **3.** Dupli'kat *n*, Doppel *n*, Zweitschrift *f*; **4.** doppelte Ausfertigung: *in ~*; **5.** Seitenstück *n*, Ko'pie *f*; **III.** *v/t.* [-keit] **6.** verdoppeln; **7.** kopieren, abschreiben; **8.** vervielfältigen, 'umdrucken; **9.** wieder'holen; **du·pli·ca·tion** [dju:pli'keiʃən] *s.* **1.** Verdoppelung *f*; Vervielfältigung *f*; 'Umdruck *m*; **2.** Wieder'holung *f*; '**du·pli·ca·tor** [-keitə] *s.* Ver'vielfältigungsappaˌrat *m*; **du·plic·i·ty** [dju(:)'plisiti] *s.* **1.** Doppelzüngigkeit *f*, Falschheit *f*; **2.** Duplizi'tät *f*.

du·ra·bil·i·ty [djuərə'biliti] *s.* Beständigkeit *f*, Dauerhaftigkeit *f*, Haltbarkeit *f*, Lebensdauer *f*; **du·ra·ble** ['djuərəbl] **I.** *adj.* □ dauerhaft, haltbar, beständig: *~ goods* → *II*; **II.** *s. pl.* ✝ Gebrauchsgüter *pl*.

du·ral·u·min [djuə'ræljumin] *s.* Du'ral *n*, 'Duraluˌmin *n*.

dur·ance ['djuərəns] *s.* Haft *f*: *in ~ vile* hinter Schloß u. Riegel.

du·ra·tion [djuə'reiʃən] *s.* Dauer *f*: *for the ~* **a)** für unbestimmte Zeit, **b)** F bis Kriegsende.

dur·bar ['də:bɑ:] *s.* 'Durbar *m*, *n*, feierlicher Staatsempfang (*Indien*).

du·ress(e) [djuə'res] *s.* ⚖ **1.** Zwang *m* (*a. fig.*), Nötigung *f*: *to act under ~* unter Zwang handeln; **2.** *~ (of imprisonment)* Freiheitsberaubung *f*.

du·ri·an ['duəriən] *s.* ⚘ **1.** 'Durian *m*, 'Zibetbaum *m*; **2.** 'Zibetfrucht *f*.

dur·ing ['djuəriŋ] *prp.* während: *~ the night* während (*od.* in *od.* im Laufe) der Nacht; *~ life* auf Lebenszeit.

durst [də:st] *pret. von dare*.

dusk [dʌsk] **I.** *s.* (Abend)Dämmerung *f*, Halbdunkel *n*: *at ~* bei Einbruch der Dunkelheit; **II.** *adj. poet.* dunkel, düster, dämmerig; '**dusk·i·ness** [-kinis] *s.* dunkle Farbe; '**dusk·y** [-ki] *adj.* □ düster; dunkel (*a. Hautfarbe*).

dust [dʌst] **I.** *s.* **1.** Staub *m*: *to bite the ~ fig.* ins Gras beißen; *to shake the ~ off one's feet fig.* **a)** den Staub von seinen Füßen schütteln, **b)** entrüstet weggehen; *to throw ~ in s.o.'s eyes fig.* j-m Sand in die Augen streuen; *in the ~ fig.* im Staube, gedemütigt; *to lick the ~ fig.* im Staube kriechen; **2.** Staub *m*, Asche *f*, sterbliche 'Überreste *pl.*: *to turn to ~ and ashes* zerfallen, zerstieben; **3.** *fig.* Staub *m*, Aufsehen *n*: *to raise* (*od. make*) *a ~ bsd. fig.* Staub aufwirbeln; *the ~ has settled* die Aufregung hat sich gelegt; **4.** *Brit.* Müll *m*, Kehricht *m*, *n*; **5.** Goldstaub *m*; *sl.* ‚Kies' *m*, ‚Moos' *n* (*Geld*); **II.** *v/t.* **6.** abstauben; ausbürsten, -klopfen: *to ~ s.o.'s jacket* F j-n vermöbeln; **7.** bestreuen; (ein-)pudern; '**~-bin** *s. Brit.* Müllkasten *m*, -eimer *m*; '**~-bowl** *s. Am. geogr.* Sandsturm- u. Dürregebiet *n*; '**~-cart** *s. Brit.* Müll(abfuhr)wagen *m*; '**~-cloth** *s.* Staubdecke *f* (*für Möbel*); '**~-coat** *s.* Staubmantel *m*; '**~-cov·er** *s.* **1.** 'Schutzˌumschlag *m* (*um Bücher*); **2.** → *dust-cloth*.

dust·er ['dʌstə] *s.* **1.** Staubtuch *n*, Wischlappen *m*; **2.** Streudose *f*; **3.** *Am.* → *dust-coat*.

'**dust-hole** *s.* Müll-, Abfallgrube *f*.

dust·ing ['dʌstiŋ] *s.* **1.** Abstauben *n*; **2.** (Ein)Pudern *n*: *~ powder* Körperpuder; **3.** *sl.* Abreibung *f*, Dresche *f*, Senge *f* (*Prügel*).

'**dust|-jack·et** → *dust-cover 1*; '**~·man** [-mən] *s.* [*irr.*] **1.** *Brit.* Müllkutscher *m*, -abfuhrmann *m*; **2.** *fig.* → *sandman*; '**~·pan** *s.* Müllschaufel *f*; '**~·proof** *adj.* staubdicht; '**~-sheet** → *dust-cloth*; '**~-'up** *s. sl.* Krach *m*, (laute) Auseinandersetzung.

dust·y ['dʌsti] *adj.* □ **1.** staubig; **2.** *fig.* verstaubt, fade: *not so ~* F gar nicht so übel; **3.** vage, unklar, verschwommen: *a ~ answer*.

Dutch [dʌtʃ] **I.** *adj.* **1.** holländisch; *Am. a.* deutsch; **II.** *s.* **2.** *ling.* Holländisch *n*; → *double Dutch*; **3.** *the* ♀ die Holländer *pl.*; **4.** *my old ~ sl.* meine ‚Alte' (*Ehefrau*); **~ cour·age** *s.* F angetrunkener Mut; **~ hoe** *s.* ⚒ Häufelhacke *f*, Wegeisen *n*.

'**Dutch|·man** [-mən] *s.* [*irr.*] Holländer *m*, Niederländer *m*: *I'm a ~ if* F ich laß' mich hängen, wenn; **~ ov·en** *s.* Röstblech *n* (*vor offenem Feuer*); **~ stove** *s.* Kachelofen *m*; **~ tile** *s.* Delfter Kachel *f*; **~ treat** *s.* F getrennte Kasse (*bei gemeinsamen Vergnügungen*); **~ un·cle** *s.*: *to talk to s.o. like a ~* **a)** *Brit.* j-n väterlich ermahnen, **b)** *Am.* j-m e-e Standpauke halten; '**~·wom·an** *s.* [*irr.*] Holländerin *f*, Niederländerin *f*.

du·te·ous ['dju:tjəs] *adj.* □ → *dutiful*; '**du·ti·a·ble** [-əbl] *adj.* zoll-, steuerpflichtig; '**du·ti·ful** [-tiful] *adj.* □ **1.** pflichtgetreu; **2.** gehorsam; ehrerbietig; **3.** pflichtgemäß.

du·ty ['dju:ti] *s.* **1.** Pflicht *f*, Schuldigkeit *f* (*to, towards* gegen['über]): *to do one's* ~ s-e Pflicht tun (*by s.o.* an j-m); *in* ~ *bound* pflichtgemäß, verpflichtet; ~ *call* Pflichtbesuch; **2.** Aufgabe *f*, Amt *n*, Dienst *m*: *on* ~ **a)** diensthabend, -tuend, im Dienst, **b)** dienstbereit (*Apotheke etc.*); *to be on* ~ Dienst haben; *off* ~ dienstfrei; ~ *chemist* dienstbereite Apotheke; ~ *doctor* ⚕ Bereitschaftsarzt; ~ *officer* ⚔ Offizier vom Dienst; *to do* ~ *for* **a)** *j-n* vertreten, **b)** *fig.* dienen *od.* benutzt werden als; **3.** Ehrerbietung *f*; **4.** ⊕ Nutzleistung *f*; **5.** ✝ Zoll *m*, Steuer *f*, Abgabe *f*: ~*-free* zollfrei; ~*-free shop* Duty-free-Shop; ~*-paid* verzollt; *to pay* ~ *on et.* verzollen *od.* versteuern.

du·um·vir [dju(:)'ʌmvə] *pl.* **-virs** *u.* **-vi·ri** [du:'umviri:] *s. antiq.* Du'umvir *m*; **du'um·vi·rate** [-virit] *s.* Duumvi'rat *n*.

dwarf [dwɔ:f] **I.** *s.* **1.** Zwerg(in) (*a. fig.*); **II.** *adj.* **2.** *bsd.* ♀, *zo.* Zwerg...; **III.** *v/t.* **3.** verkümmern lassen, in der Entwicklung hindern *od.* hemmen (*beide a. fig.*); **4.** klein erscheinen lassen; **5.** *fig.* in den Schatten stellen; '**dwarf·ish** [-fiʃ] *adj.* □ zwergenhaft, winzig.

dwell [dwel] *v/i.* [*irr.*] **1.** wohnen; sich aufhalten; **2.** *fig.* (*on*) verweilen (bei), näher eingehen (auf *acc.*), Nachdruck legen (auf *acc.*), nachdenken (über *acc.*); **3.** ~ *on* ♪ *Ton etc.* halten, dehnen; **4.** zögern, stutzen; '**dwell·er** [-lə] *s. mst in Zssgn* Bewohner(in); '**dwell·ing** [-liŋ] *s.* Wohnung *f*, Wohnsitz *m*; Aufenthalt *m*: ~*-house* Wohnhaus; ~*-place* Wohnsitz, Wohnung; ~ *unit* Wohneinheit.

dwelt [dwelt] *pret. u. p.p.* von *dwell*.

dwin·dle ['dwindl] *v/i.* **1.** abnehmen, schwinden, (ein)schrumpfen: *to* ~ *away* dahinschwinden; **2.** verfallen, entarten (*into* zu).

dye [dai] **I.** *s.* **1.** Farbstoff *m*, Farbe *f*; **2.** Färbung *f* (*a. fig.*): *of the deepest* ~ übelster Sorte; **II.** *v/t.* **3.** färben: ~*d-in-the-wool fig.* waschecht, *Politiker etc.* durch und durch; **III.** *v/i.* **4.** sich färben (lassen); '**dye-house** *s.* Färbe'rei *f*; **dye·ing** ['daiiŋ] *s.* **1.** Färben *n*; **2.** Färbe'reigewerbe *n*.

dy·er ['daiə] *s.* Färber *m*; **~'s broom** *s.* ♀ Färberginster *m*; **~'s oak** *s.* ♀ Färbereiche *f*.

'**dye|-stuff** *s.* Färbstoff *m*; '**~-wood** *s.* Farbholz *n*; '**~-works** *s. pl. oft sg. konstr.* Färbe'rei *f*.

dy·ing ['daiiŋ] *adj.* **1.** sterbend: *to be* ~ im Sterben liegen; ~ *wish* letzter Wunsch; ~ *words* letzte Worte; *to one's* ~ *day* bis zum Tode; **2.** *fig. a.* ~ *away* zu Ende gehend, erlöschend; zu'grunde gehend; ersterbend, verhallend; **3.** schmachtend (*Blick*).

dyke [daik] *s.* **1.** → *dike*; **2.** *sl.* Lesbierin *f*.

dy·nam·ic [dai'næmik] *adj.* (□ ~*ally*) dy'namisch (*a. fig.*); **dy'nam·ics** [-ks] *s. pl. sg. konstr.* **1.** Dy'namik *f*; Bewegungslehre *f*; **2.** *fig.* Kräftespiel *n*; **3.** Trieb-, Schwungkraft *f*; **dy·na·mism** ['dainəmizəm] *s.* **1.** *phls.* Dyna'mismus *m*; **2.** → *dynamics* 2.

dy·na·mite ['dainəmait] **I.** *s.* Dyna'mit *n*; **II.** *v/t.* (mit Dynamit) sprengen; '**dy·na·mit·er** [-tə] *s.* 'Sprengstoffattenˌtäter *m*.

dy·na·mo ['dainəmou] *s.* ⚡ Dy'namo(maˌschine *f*) *m*, 'Gleichstrom-, 'Lichtmaˌschine *f*; '**~-e·lec·tric** *adj.* (□ ~*ally*) *phys.* dy'namoeˌlektrisch, e'lektrodyˌnamisch.

dy·na·mom·e·ter [dainə'mɔmitə] *s.* ⊕ Dynamo'meter *n*, Kraftmesser *m*.

dy·nast ['dinəst] *s.* Dy'nast *m*, Herrscher *m*; **dy·nas·tic** [di'næstik] *adj.* (□ ~*ally*) dy'nastisch; '**dy·nas·ty** [-ti] *s.* Dyna'stie *f*, Herrscherhaus *n*.

dyne [dain] *s. phys.* Dyn *n* (*Krafteinheit*).

dys·en·ter·ic [disn'terik] *adj.* ⚕ Ruhr..., ruhrartig; ruhrkrank; **dys·en·ter·y** ['disntri] *s.* Dysente'rie *f*, Ruhr *f*.

dys·pep·si·a [dis'pepsiə] *s.* ⚕ Verdauungsstörung *f*, -schwäche *f*; **dys'pep·tic** [-ptik] **I.** *adj.* **1.** ⚕ magenkrank; **2.** *fig.* schwermütig, deprimiert; **II.** *s.* **3.** Magenkranke(r *m*) *f*.

dysp·noe·a [dis'pni(:)ə] *s.* ⚕ Atemnot *f*, Kurzatmigkeit *f*.

E

E, e [i:] *s.* **1.** E *n*, e *n* (*Buchstabe*); **2.** ♪ E *n*, e *n* (*Note*); **3.** *ped. Am.* Fünf *f*, Mangelhaft *n* (*Note*).

each [i:tʃ] **I.** *adj.* jeder, jede, jedes: ~ *man* jeder (Mann); ~*one* jede(r) einzelne; ~ *and every one* all u. jeder; **II.** *pron.* (ein) jeder, (e-e) jede, (ein) jedes: ~ *of us* jede(r) von uns; ~ *has a pound* jede(r) hat ein Pfund; ~ *other* einander, sich (gegenseitig); **III.** *adv.* je, pro Per'son *od.* Stück: *a penny* ~ je e-n Penny.

ea·ger ['i:gə] *adj.* □ **1.** eifrig: ~ *beaver* F Streber, Übereifrige(r); **2.** (*for, after, to inf.*) begierig (auf *acc.*, nach, zu *inf.*), erpicht, gespannt (auf *acc.*); **3.** heftig (*Begierde etc.*); **'ea·ger·ness** [-nis] *s.* Eifer *m*, Begierde *f*, Ungeduld *f*.

ea·gle ['i:gl] *s.* **1.** *orn.* Adler *m*; **2.** *Am.* goldenes Zehn'dollarstück; **'~-'eyed** *adj.* adleräugig, scharfsichtig; **'~-'owl** *s. orn.* Uhu *m*, Adlereule *f*.

ea·glet ['i:glit] *s. orn.* junger Adler.

ea·gre ['eigə] *s.* Flutwelle *f*.

ear[1] [iə] *s.* **1.** *anat.* Ohr *n*: *about one's* ~*s* um die Ohren, rings um sich; *up to the* ~*s* bis über die Ohren; *a word in your* ~ ein Wort im Vertrauen; *not to believe one's* ~*s* s-n Ohren nicht trauen; *his* ~*s were burning* ihm klangen die Ohren; *to have one's* ~ *to the ground* F aufpassen, was vorgeht; *to set by the* ~*s* gegeneinander aufhetzen; *to turn a deaf* ~ *to* taub sein gegen; *it came to my* ~*s* es kam mir zu Ohren; **2.** *fig.* Gehör *n*, Ohr *n*: *by* ~ nach dem Gehör; *to have a good* ~ ein feines Gehör haben; *an* ~ *for music* musikalisches Gehör, *weitS.* Sinn für Musik; **3.** *fig.* Gehör *n*, Aufmerksamkeit *f*: *to fall on deaf* ~*s* auf taube Ohren stoßen, kein Gehör finden; *to give* (*od. lend*) *one's* ~ *to s.o.* j-m Gehör schenken; *to have s.o.'s* ~ j-s Vertrauen genießen; → *all 6*; **4.** Henkel *m*; Öse *f*, Öhr *n*.

ear[2] [iə] *s.* (Getreide)Ähre *f*.

ear|-ache ['iəreik] *s.* ⚕ Ohrenschmerzen *pl.*, -reißen *n*; **'~-drops** *s. pl.* Ohrgehänge *n*; **'~-drum** *s. anat.* Trommelfell *n*.

earl [ə:l] *s.* (brit.) Graf *m*: ♀ *Marshal* Großzeremonienmeister; **'earl·dom** [-dəm] *s.* Grafenwürde *f*.

ear·li·er ['ə:liə] *comp. von early* **I.** *adv.* früher, 'vorher; **II.** *adj.* früher, vergangen; **'ear·li·est** [-iist] *sup. von early* **I.** *adv.* am frühesten, frühestens; **II.** *adj.* frühest: *at the* ~ frühestens; → *convenience 1*; **'ear·li·ness** [-inis] *s.* Frühe *f*, Frühzeitigkeit *f*.

ear·ly ['ə:li] **I.** *adv.* **1.** früh(zeitig): ~ *in the day* früh am Tag; *as* ~ *as May* schon im Mai; **2.** bald: *as* ~ *as possible* so bald wie möglich; **3.** am Anfang: ~ *on* schon früh(zeitig); ~ *in the list* am Anfang der Liste; **4.** zu früh: *he arrived five minutes* ~; **5.** früher: *he left five minutes* ~; **II.** *adj.* **6.** früh(zeitig): *at an* ~ *hour* zu früher Stunde; *in his* ~ *days* in s-r Jugend; ~ *fruit* Frühobst; ~ *riser* (F *bird*) Frühaufsteher; **7.** anfänglich, Früh...: *the* ~ *Christians* die ersten Christen; **8.** vorzeitig, zu früh: *an* ~ *death*; *you are* ~ *today* du bist heute (et.) zu früh gekommen; **9.** baldig, schnell: *an* ~ *reply*; **~ clos·ing** *s.* † früher Geschäftsschluß; **~ morn·ing tea** *s.* e-e Tasse Tee(, die morgens ans Bett gebracht wird); **~ warn·ing sys·tem** *s.* ⚔ 'Frühwarnsys,tem *n*.

'ear|·mark **I.** *s.* **1.** Ohrmarke *f* (*Vieh*); **2.** *fig.* Kennzeichen *n*, Merkmal *n*; **3.** Eselsohr *n*; **II.** *v/t.* **4.** kenn-, bezeichnen; **5.** *Geld etc.* bestimmen, vorsehen, zu'rücklegen (*for* für): ~*d* zweckgebunden (*Mittel etc.*); **'~-muffs** *s. pl. Am.* Ohrenschützer *pl.*

earn [ə:n] *v/t.* **1.** *Geld etc.* verdienen, erwerben: ~*ed income* Arbeitseinkommen; ~*ing capacity* Ertragsfähigkeit; ~*ing power* Erwerbsfähigkeit; **2.** *fig.* verdienen: *a well-*~*ed rest* e-e wohlverdiente Ruhepause; **3.** *j-m et.* einbringen; *Lob etc.* ernten.

ear·nest[1] ['ə:nist] *s.* **1.** *a.* ~*-money* Drauf-, Handgeld *n*, Anzahlung *f* (*of* auf *acc.*): *in* ~ als Anzahlung; **2.** ('Unter)Pfand *n*, Zusicherung *f*; **3.** *fig.* Vorgeschmack *m*, Probe *f*.

ear·nest[2] ['ə:nist] **I.** *adj.* □ **1.** ernst(-gemeint), gewissenhaft; **2.** eifrig; **3.** ernstlich, dringend; **4.** ehrlich, aufrichtig; **II.** *s.* **5.** Ernst *m*: *in good* ~ in vollem Ernst; *are you in* ~? ist das Ihr Ernst?; **'ear·nest·ness** [-nis] *s.* Ernst *m*; Eifer *m*.

earn·ings ['ə:niŋz] *s. pl.* Verdienst *m*, Lohn *m*, Einkommen *n*, Einnahmen *pl.*

'ear|-phone → *head-phone*; **'~-piece** *s. teleph.* Hörer *m*; **'~-pierc·ing** *adj.* ohrenzerreißend; **'~-ring** *s.* Ohrring *m*; **'~-shot** *s.* Hörweite *f*: *within* (*out of*) ~ in (außer) Hörweite; **'~-split·ting** *adj.* ohrenzerreißend.

earth [ə:θ] **I.** *s.* **1.** Erde *f*, Erdball *m*, Welt *f*: *on* ~ auf Erden, auf der Erde; *why on* ~? F warum in aller Welt?; **2.** *das* (trockene) Land; Erde *f*, (Erd)Boden *m*: *down to* ~ *fig.* nüchtern, prosaisch; *to come down* (*od. back*) *to* ~ auf den Boden der Wirklichkeit zurückkehren; **3.** ⚗ Erde *f*: *rare* ~*s* seltene Erden; **4.** (*Fuchs- etc.*)Bau *m*: *to run to* ~ **a)** *hunt. Fuchs etc.* bis in s-n Bau verfolgen (*Hund, Frettchen*), **b)** *oft fig.* erjagen, aufstöbern, herausfinden; **5.** ⚡ *Brit.* Erdung *f*, Erdschluß *m*, Erde *f*; **II.** *v/t.* **6.** *mst* ~ *up* ✓ mit Erde bedecken, häufeln; **7.** ⚡ *Brit.* erden; **'~-born** *adj.* staubgeboren, irdisch, sterblich; **'~-bound** *adj.* erdgebunden.

earth·en ['ə:θən] *adj.* irden, tönern; **'~·ware** *s.* Steingut(geschirr) *n*, Töpferware *f*.

earth·i·ness ['ə:θinis] *s.* materi'elle *od.* weltliche Gesinnung, nüchterne Denkart.

earth·li·ness ['ə:θlinis] *s. das* Irdische, Weltlichkeit *f*; **earth·ly** ['ə:θli] *adj.* **1.** irdisch, weltlich: ~ *joys*; **2.** F denkbar, begreiflich: *no* ~ *reason* kein erfindlicher Grund; *of no* ~ *use* völlig unnütz; *you haven't an* ~ *sl.* du hast nicht die geringste Aussicht; **'earth·ly-'mind·ed** *adj.* weltlich gesinnt.

'earth|·quake *s.* **1.** Erdbeben *n*; **2.** *fig.* 'Umwälzung *f*, Erschütterung *f*; **'~-shak·ing** *adj.* welterschütternd; **'~·ward**(s) [-wəd(z)] *adv.* erdwärts; **'~·work** *s.* Erdwall *m*; ⚔ Schanze *f*; **'~-worm** *s. zo.* Regenwurm *m*.

earth·y ['ə:θi] *adj.* **1.** erdig, Erd...; **2.** irdisch, weltlich *od.* materi'ell (gesinnt); **3.** roh, gemein, sinnlich; ro'bust, erdhaft: ~ *humo(u)r* derber Humor.

'ear|-trum·pet *s.* ⚕ Hörrohr *n*; **'~-wax** *s.* ⚕ Ohrenschmalz *n*; **'~-wig** *s. zo.* Ohrwurm *m*; **'~-'wit·ness** *s.* Ohrenzeuge *m*.

ease [i:z] **I.** *s.* **1.** Bequemlichkeit *f*, Behagen *n*, Wohlgefühl *n*: *at* (*one's*) ~ **a)** behaglich, bequem, **b)** gemächlich, ruhig, **c)** ungeniert, ungezwungen, zwanglos, wie zu Hause; *to take one's* ~ es sich bequem machen; *to be* (*od. feel*) *at* ~ sich wohl *od.* wie zu Hause fühlen; **2.** Gemächlichkeit *f*, *innere* Ruhe, Sorglosigkeit *f*, Entspannung *f*: *ill at* ~ unbehaglich, unruhig; *to put* (*od. set*) *s.o. at* ~ **a)** j-n beruhigen, **b)** j-m die Befangenheit nehmen; **3.** Ungezwungenheit *f*, Na'türlichkeit *f*, Zwanglosigkeit *f*, Freiheit *f*: *to live at* ~ in guten Verhältnissen leben; *at* ~! ⚔ rührt euch!; **4.** Linderung *f*, Erleichterung *f*; **5.** Spielraum *m*, Weite *f*; **6.** Leichtigkeit *f*: *with* ~ bequem, mühelos; **7.** † **a)** Nachgeben *n*

(*Preise*), **b)** Flüssigkeit *f* (*Kapital*); **II.** *v/t.* **8.** erleichtern, beruhigen, lindern: *to ~ one's mind* sich beruhigen; **9.** lockern, weiten; bequem(er) *od.* leichter machen; (ab)helfen (*dat.*); *Saum* auslassen; **10.** lösen; entlasten, befreien (*of* von); → *nature* 7; **11.** *a.* ~ *down*, ~ *off* mäßigen, verlangsamen: ~ *her!* ⚓ langsam!; **III.** *v/i.* **12.** *a.* ~ *down*, ~ *off* schwächer werden, nachlassen, -geben (*a.* ✝); sich entspannen (*Lage*).

ea·sel [ˈi:zl] *s. paint.* Staffeˈlei *f.*

ease·ment [ˈi:zmənt] *s.* **1.** Erleichterung *f*; **2.** ⚖ Grunddienstbarkeit *f.*

eas·i·ly [ˈi:zili] *adv.* **1.** leicht, mühelos, bequem, glatt; **2.** sicher, bei weitem; ˈ**eas·i·ness** [-inis] *s.* **1.** Leichtigkeit *f*; **2.** Ungezwungenheit *f*, Zwanglosigkeit *f*; **3.** Bequemlichkeit *f.*

east [i:st] **I.** *s.* **1.** Osten *m*: (*to the*) ~ *of* östlich von; ~ *by north* ⚓ Ost zu Nord; **2.** ♀ Osten *m* (*a. pol.*), ˈOrient *m*; **3.** *the* ♀ *Am.* die Oststaaten *der USA*; **II.** *adj.* **4.** Ost..., östlich: ~ *gate* Osttor; ~ *wind* Ostwind; **III.** *adv.* **5.** nach Osten, ostwärts; ˈ~**·bound** *adj.* nach Osten gehend *od.* reisend; ♀ **End** *s. Ostteil von London*; ˈ♀-ˈ**End·er** *s. Bewohner(in) des Ostteils von London.*

East·er [ˈi:stə] *s.* Ostern *n od. pl.*, Osterfest *n*: *at* ~ zu Ostern; ~ *bonnet der* neue Frühjahrshut; ~ *day* Oster(sonn)tag; ~ egg Osterei.

east·er·ly [ˈi:stəli] *adj.* östlich, Ost...; nach Osten.

east·ern [ˈi:stən] *adj.* **1.** östlich; **2.** ♀ orienˈtalisch; ♀ **Church** *s.* griechisch-orthoˈdoxe Kirche; ♀ **Em·pire** *s. hist.* Oströmisches Reich.

east·ern·er [ˈi:stənə] *s.* **1. a)** Ostländer(in), **b)** Orienˈtale *m*; **2.** ♀ *Am.* Oststaatler(in); ˈ**east·ern·most** [-nmoust] *adj.* am weitesten östlich gelegen.

East In·di·a·man *s.* [*irr.*] *hist.* Ostˈindienfahrer *m* (*Schiff*).

east·ing [ˈi:stiŋ] *s.* **1.** ⚓ zuˈrückgelegter Ostkurs; **2.** Ostrichtung *f.*

East Side *s. Am. Ostteil von Manhattan.*

east|·ward [ˈi:stwəd] *adj.*, ˈ~**·ward(s)** [-wəd(z)] *adv.* ostwärts (gerichtet).

eas·y [ˈi:zi] **I.** *adj.* □ → *easily*; **1.** leicht, mühelos, einfach: ~ *of access* leicht zugänglich (*a. fig.*); *it is* ~ *for him to talk* er hat gut reden; **2.** bequem, gemächlich, behaglich; lose (*Kleidung etc.*); erleichtert: *in* ~ *circumstances*, *on* ~ *street* wohlhabend; **3.** frei von Schmerzen: *to feel easier* sich besser fühlen; **4.** ✝ schwach, flau (*Markt*); nicht gefragt *od.* gesucht (*Ware*); **5.** erträglich, günstig, mäßig: *on* ~ *terms* ✝ zu günstigen Bedingungen; **6.** ruhig, unbesorgt (*about* um): ~ *in one's mind* guten Mutes; **7.** leichtfertig, frei, locker (*Sitten*); **8.** frei, naˈtürlich, ungezwungen, zwanglos: ~ *style* flüssiger Stil; **9.** (bereit)willig, nachgiebig; **II.** *adv.* **10.** leicht, bequem: *to take it* ~, *to go* ~ es sich leicht machen, sich Zeit lassen; *to take it* ~ **a)** sich Zeit lassen, **b)** es sich gemütlich machen, **c)** sich nicht aufregen; *take it* ~*!* **a)** nur keine Bange!, **b)** immer mit der Ruhe!; *stand* ~*!* ⚔ rührt euch!; ˈ~**-care** *adj.* pflegeleicht; ~ **chair** *s.* Lehnstuhl *m*, Sessel *m*; ˈ~**-go·ing** *adj.* **1.** bequem, träge; lässig; **2.** unbekümmert, leichtlebig.

eat [i:t] **I.** *s.* **1.** *pl. sl.* Eßwaren *pl.*, Essen *n*, ‚Futter' *n*; **II.** *v/t.* [*irr.*] **2.** essen (*Mensch*), fressen (*Tier*): *fit to* ~ genießbar; *to* ~ *o.s. sick* sich krank essen; *to* ~ *s.o. out of house and home* **a)** j-n arm (fr)essen, **b)** j-n ruinieren; *don't* ~ *me! humor.* friß mich nur nicht gleich (auf)!; *what's* ~*ing him? sl.* was für e-e Laus ist ihm über die Leber gelaufen?; **3.** zerfressen, nagen an (*dat.*); **4.** *ein Loch* fressen; **5.** → *eat up*; **III.** *v/i.* [*irr.*] **6.** essen: *to* ~ *well* e-n guten Appetit haben; *to* ~ *out* auswärts speisen; **7.** sich essen (lassen); **8.** fressen, nagen: *to* ~ *into s.th.* et. anfressen, in et. eindringen; *to* ~ *into one's capital* vom Kapital zehren;

Zssgn mit adv.:

eat| a·way *v/t. langsam* verzehren; aushöhlen; angreifen; vernichten; ~ **up** *v/t.* **1.** aufessen; **2.** *fig.* verzehren, verschlingen, überˈwältigen: *to be eaten up with* vergehen *od.* sich verzehren vor (*dat.*).

eat·a·ble [ˈi:təbl] **I.** *adj.* eß-, genießbar; **II.** *s. mst pl.* Eßwaren *pl.*; **eat·en** [ˈi:tn] *p.p. von eat*; **eat·er** [ˈi:tə] *s.* Esser(in): *to be a great* (*poor*) ~ ein starker (schwacher) Esser sein.

eat·ing [ˈi:tiŋ] **I.** *s.* **1.** Essen *n*, Speise *f*; **II.** *adj.* **2.** Eß...: ~ *apple*; **3.** *fig.* nagend; zehrend; ˈ~**-house** *s.* Gast-, Speisehaus *n.*

eau-de-Co·logne [ˈoudəkəˈloun] (*Fr.*) *s.* Kölnischwasser *n.*

eaves [i:vz] *s. pl.* **1.** ˈüberhängende Dachkante; **2.** Dachrinne *f*, Traufe *f*; ˈ~**·drop** *v/i.* (heimlich) lauschen *od.* horchen; ˈ~**·drop·per** *s.* Horcher(in), Lauscher(in).

ebb [eb] **I.** *s.* **1.** Ebbe *f*: ~ *and flow* Ebbe u. Flut; **2.** *fig.* Ebbe *f*, Tiefstand *m*, Abnahme *f*: *at a low* ~ heruntergekommen, zurückgegangen, schlecht, auf e-m Tiefstand; **II.** *v/i.* **3.** ebben, fallen; **4.** *fig.* verebben, -siegen; abnehmen, (daˈhin)schwinden; ˈ~-ˈ**tide** *s.* Ebbe *f* (*a. fig.*).

ˈ**E-boat** *s.* ⚓ *Brit.* Schnellboot *n.*

eb·on [ˈebən] *adj. poet.* **1.** aus Ebenholz; **2.** schwarz; ˈ**eb·on·ite** [-nait] *s.* Eboˈnit *n* (*Hartkautschuk*); ˈ**eb·on·ize** [-naiz] *v/t.* schwarz beizen; ˈ**eb·on·y** [-ni] **I.** *s.* Ebenholz *n*; **II.** *adj.* → *ebon.*

e·bri·e·ty [i(:)ˈbraiəti] → *inebriety.*

e·bul·li·ence [iˈbʌljəns], **eˈbul·li·en·cy** [-si] *s. fig.* ˈÜberschäumen *n*, -schwenglichkeit *f*; **eˈbul·li·ent** [-nt] *adj. fig.* sprudelnd, ˈüberschäumend, -schwenglich; **eb·ul·li·tion** [ebəˈliʃən] *s.* **1.** Aufwallen *n* (*a. fig.*); **2.** *fig.* ˈÜberschäumen *n*, Aufbrausen *n*, Ausbruch *m.*

ec·cen·tric [ikˈsentrik] **I.** *adj.* (□ ~*ally*) **1.** ⊕, ⩕ exˈzentrisch; nicht rund (*bsd. ast.*); **2.** *fig.* exzentrisch, wunderlich, überˈspannt, verschroben; ausgefallen; **II.** *s.* **3.** Sonderling *m*, wunderlicher Kauz; **4.** ⊕ Exˈzenter *m*: ~ *rod* Exzenterstange; ~ *wheel* Exzenterscheibe; **ec·cen·tric·i·ty** [eksenˈtrisiti] *s.* **1.** ⊕, ⩕ Exzentriziˈtät *f* (*a. fig.*); **2.** *fig.* Überˈspanntheit *f*, Verschrobenheit *f.*

Ec·cle·si·as·tes [ikli:ziˈæsti:z] *s. bibl.* Ekklesiˈastes *m*, der Prediger ˈSalomo; **ec·cle·siˈas·ti·cal** [-tikəl] *adj.* □ kirchlich, geistlich: ~ *law* Kirchenrecht; **ec·cle·siˈas·ti·cism** [-tisizəm] *s.* Kirchentum *n*; Kirchlichkeit *f*; **Ec·cle·siˈas·ti·cus** [-tikəs] *s. bibl.* Ekklesiˈastikus *m*, (das Buch) Jesus Sirach *m.*

ec·dy·sis [ˈekdisis] *pl.* **-ses** [-si:z] *s. zo.* Häutung *f.*

ech·e·lon [ˈeʃəlɔn] **I.** *s.* **1.** ⚔ Staffel(ung) *f*, (Angriffs)Welle *f*: *in* ~ staffelförmig; **2.** ✈ ˈStaffelflug *m*, -formatiˌon *f*; **3.** ⚔ (Befehls)Ebene *f*; **4.** *fig.* Rang *m*, Stufe *f*; **II.** *v/t.* **5.** staffeln, (staffelförmig) gliedern.

e·chid·na [eˈkidnə] *s. zo.* Ameisenigel *m*; **ech·i·nite** [ˈekinait] *s. zo.* versteinerter Seeigel.

e·chi·no·derm [eˈkainədə:m] *s. zo.* Stachelhäuter *m*; **eˈchi·nus** [-nəs] *s.* **1.** *zo.* Seeigel *m*; **2.** △ Eˈchinus *m* (*Säulenwulst*).

ech·o [ˈekou] **I.** *pl.* **-oes** *s.* **1.** ˈEcho *n* (*a. fig. Person*), ˈWiderhall *m*: *to the* ~ laut, schallend; **2.** *fig.* Echo *n*, Widerhall *m*, Anklang *m*; **3.** ♪ Wiederˈholung *f*; **4.** ⚡ **a)** Echo *n* (*Radio*), **b)** Echo *n*, Schattenbild *n* (*Radar*); **5.** Nachahmung *f*; **II.** *v/i.* **6.** ˈwiderhallen (*with* von); **7.** hallen; **III.** *v/t.* **8.** *Ton* zuˈrückwerfen, widerhallen lassen; **9.** *fig.* Widerhall erwecken; **10.** *Worte* echoen, (meˈchanisch) nachsprechen, *j-m et.* nachbeten; **11.** echoen, nachahmen; ˈ~**-sound·er** *s.* ⚓ ˈEcholot *n*; ˈ~**-sound·ing** *s.* ⚓ ˈEcholotung *f.*

é·clair [ˈeikleə] (*Fr.*) *s.* Eˈclair *n.*

é·clat [ˈeiklɑ:] (*Fr.*) *s.* **1.** Eˈklat *m*, glänzender Erfolg, allgemeiner Beifall, Aufsehen *n*; **2.** *fig.* Auszeichnung *f*, Geltung *f.*

ec·lec·tic [ekˈlektik] **I.** *adj.* (□ ~*ally*) ekˈlektisch: **a)** auswählend, **b)** aus verschiedenen Quellen zs.-gestellt; **II.** *s.* Ekˈlektiker *m*; **ecˈlec·ti·cism** [-isizəm] *s. phls.* Eklektiˈzismus *m.*

e·clipse [iˈklips] **I.** *s.* **1.** *ast.* Verfinsterung *f*, Finsternis *f*: ~ *of the moon* Mondfinsternis; *partial* ~ partielle Finsternis; **2.** *fig.* Verdunkelung *f*, (Ver)Schwinden *n*, Nieder-, ˈUntergang *m*: *in* ~ verdunkelt, im Schwinden, entschwunden; **II.** *v/t.* **3.** *ast.* verfinstern; **4.** *fig.* verdunkeln; **5.** *fig.* in den Schatten stellen, überˈragen; **eˈclip·tic** [-ptik] *s. ast.* Ekˈliptik *f*, scheinbare Sonnenbahn.

ec·logue [ˈeklɔg] *s.* Ekˈloge *f*, Hirtengedicht *n.*

eco- [i:kou; -ə] *in Zssgn* Umwelt..., Öko...

ec·o·log·i·cal [ekəˈlɔdʒikəl] *adj.* □ *biol.* ökoˈlogisch, Umwelt...; **ec·oˈlog·i·cal·ly** [-kəli] *adv.*: ~ *harmful* (*od. noxious*) umweltfeindlich; ~ *beneficial* umweltfreundlich; **e·col·o·gist** [i(:)ˈkɔlədʒist] *s. biol.* Öko-

ˈloge *m*, ˈUmweltforscher *m*; **e·col·o·gy** [i(:)ˈkɔlədʒi] *s. biol.* Ökoloˈgie *f*, ˈUmweltforschung *f*.

e·co·nom·ic [i:kəˈnɔmik] **I.** *adj.* (□ *~ally*) natioˈnalökoˌnomisch, (volks-)wirtschaftlich, Wirtschafts...: *~ geography* Wirtschaftsgeographie; *~ growth* Wirtschaftswachstum; *~ miracle* Wirtschaftswunder; *~ policy* Wirtschaftspolitik; *~ recovery* Konjunkturanstieg, -belebung; *~ stability* Wirtschaftsstabilität; **II.** *s. pl. sg. konstr.* Natioˈnalökonoˌmie *f*, Volkswirtschaft(slehre) *f*; **e·coˈnom·i·cal** [-kəl] *adj.* □ wirtschaftlich, haushälterisch, sparsam (of mit).

e·con·o·mist [i(:)ˈkɔnəmist] *s.* **1.** *a. political ~* Natioˈnalökoˌnom *m*, Volkswirt(schaftler) *m*; **2.** sparsamer Wirtschafter, guter Haushälter; **eˈcon·o·mize** [-maiz] **I.** *v/t.* **1.** sparsam ˈumgehen mit; **2.** ausnützen; **II.** *v/i.* **3.** (*in, on*) sparen (an *dat.*); sparsam sein *od.* umgehen (mit); **eˈcon·o·miz·er** [-maizə] *s.* ⊕ Sparanlage *f*; *engS.* Vorwärmer *m*; **e·con·o·my** [i(:)ˈkɔnəmi] *s.* **1.** Wirtschaft *f*, Haushaltung *f*; **2.** (Volks-)Wirtschaft *f*: *free enterprise ~* freie Marktwirtschaft; *planned ~* Planwirtschaft; *political ~* → *economic II*; **3.** Sparsamkeit *f*; **4.** Ausnützung *f*; **5.** *pl.* Einsparung *f*, Sparmaßnahmen *pl.*; **6.** Syˈstem *n*, (An)Ordnung *f*, Bau *m*; **7.** Handhabung *f*.

e·co·sphere [ˈi:kosfiə] *s. biol.* Ökoˈsphäre *f*.

ec·ru [ˈeikru:] *adj.* eˈkrü, naˈturfarben, ungebleicht (*Stoff*).

ec·sta·sy [ˈekstəsi] *s.* **1.** Ekˈstase *f*, (Taumel *m* der) Begeisterung *f*, Verzückung *f*: *to go into ecstasies over* in Verzückung geraten über (*acc.*), hingerissen sein von; **2.** Aufregung *f*; **3.** ⚕ Ekstase *f*, krankhafte Erregung; **ec·stat·ic** [eksˈtætik] *adj.* (□ *~ally*) **1.** ekˈstatisch, ent-, verzückt, begeistert, hingerissen; **2.** entzückend, hinreißend.

ec·to·blast [ˈektoublɑ:st], **ˈec·to·derm** [-də:m] *s. biol.* äußeres Keimblatt; **ˈec·to·plasm** [-plæzəm] *s. biol.* äußere Protoˈplasmaschicht.

ec·u·men·i·cal → *oecumenical*.

ec·ze·ma [ˈeksimə] *s.* ⚕ Ekˈzem *n*; **ec·zem·a·tous** [ekˈsemətəs] *adj.* ⚕ ekˈzemartig.

e·da·cious [iˈdeiʃəs] *adj.* gefräßig, gierig.

E·dam (cheese) [ˈi:dæm] *s.* Edamer (Käse) *m*.

Ed·da [ˈedə] *s.* Edda *f*.

ed·dy [ˈedi] **I.** *s.* (*Wasser-, Luft-*) Wirbel *m*, Strudel *m*; **II.** *v/i.* (umˈher)wirbeln; **~ cur·rent** *s.* ⚡ Wirbelstrom *m*.

e·del·weiss [ˈeidlvais] *s.* ⚘ Edelweiß *n*.

e·de·ma *Am.* → *oedema*.

E·den [ˈi:dn] *s. bibl.* (der Garten) Eden *n*; das Paraˈdies (*a. fig.*).

e·den·tate [i(:)ˈdenteit] *zo.* **I.** *adj.* zahnlos, -arm; **II.** *s.* zahnarmes Tier.

edge [edʒ] **I.** *s.* **1.** Schneide *f*, Schärfe *f* (*Klinge*): *cutting ~* Schneide; *the knife has no ~* das Messer schneidet nicht; *to put an ~ on s.th.* et. schärfen *od.* schleifen; *to take the ~ off* **a)** *Messer etc.* stumpf machen, **b)** *fig. e-r Sache* die Spitze abbrechen, die Schärfe nehmen; **2.** *fig.* Schärfe *f*, Spitze *f*, Heftigkeit *f*: *to give an ~ to s.th.* et. (ver)schärfen *od.* verstärken *od.* anregen; *not to put too fine an ~ on it* kein Blatt vor den Mund nehmen; *he is* (*od. his nerves are*) *on ~* er ist gereizt *od.* nervös; **3.** Ecke *f*, Zacke *f*, (scharfe) Kante; Grat *m*: *to set* (*up*) *on ~* hochkant stellen; *~ of a chair* Stuhlkante; **4.** Rand *m*, Kante *f*, Saum *m*, Grenze *f*: *the ~ of the lake* der Rand *od.* das Ufer des Sees; *~ of a page* Rand e-r (Buch)Seite; *on the ~ of* **a)** am Rande, an der Schwelle (*gen.*), kurz vor (*dat.*), **b)** im Begriff zu; **5.** Schnitt *m* (*Buch*); → *gilt-edged 1*; **6.** *sport u.* F Vorteil *m*: *to have the ~ on* (*od. over*) *s.o.* e-n Vorteil gegenüber j-m haben, j-m ‚über' sein; **II.** *v/t.* **7.** schärfen, schleifen; **8.** umˈsäumen, umˈranden; begrenzen, einfassen; **9.** ⊕ beschneiden, abkanten; **10.** *langsam* schieben, rücken, drängen: *to ~ o.s. into s.th.* sich in et. (hinein)drängen; **III.** *v/i.* **11.** sich *wohin* schieben *od.* drängen;

Zssgn mit adv.:

edge| a·way *v/i.* (langsam) wegrücken, wegschleichen; **~ in** **I.** *v/t.* einschieben, -fügen; **II.** *v/i.* sich hinˈeindrängen *od.* -schieben; **~ off** → *edge away*; **~ out** *v/t. u. v/i.* (sich) langsam hinˈausdrängen.

edged [edʒd] *adj.* **1.** schneidend, scharf; **2.** *in Zssgn* ...schneidig; **3.** eingefaßt, gesäumt; **4.** *in Zssgn* ...randig; **~ tool** *s.* **1.** → *edge-tool*; **2.** *to play with edged tools fig.* mit dem Feuer spielen.

ˈedge|-tool *s.* Schneidewerkzeug *n*; **ˈ~·ways, ˈ~·wise** *adv.* seitlich, mit der Kante nach oben *od.* vorn; hochkant: *I couldn't get a word in ~ fig.* ich konnte nicht zu Worte kommen.

edg·ing [ˈedʒiŋ] *s.* Rand *m*; Besatz *m*, Einfassung *f*, Borte *f*; **edg·y** [ˈedʒi] *adj.* **1.** kantig, scharf; **2.** *fig.* bissig, reizbar, gereizt; **3.** *paint.* mit scharfen Konˈturen.

ed·i·bil·i·ty [ediˈbiliti] *s.* Eß-, Genießbarkeit *f*; **ed·i·ble** [ˈedibl] **I.** *adj.* eß-, genießbar: *~ oil* Speiseöl; **II.** *s. pl.* Eßwaren *pl.*

e·dict [ˈi:dikt] *s.* Eˈdikt *n*, Erlaß *m*.

ed·i·fi·ca·tion [edifiˈkeiʃən] *s. fig.* Erbauung *f*.

ed·i·fice [ˈedifis] *s.* **1.** Gebäude *n*, Bau *m* (*a. fig.*); **2.** *fig.* Gefüge *n*; **ˈed·i·fy** [-fai] *v/t. fig.* erbauen, aufrichten; **ˈed·i·fy·ing** [-faiiŋ] *adj.* □ erbauend, erbaulich, belehrend.

ed·it [ˈedit] *v/t.* **1.** *Texte etc.* **a)** herˈausgeben, edieren, **b)** redigieren, druckfertig machen; **2.** *Zeitung* als Herˈausgeber leiten; **3.** bearbeiten, zur Veröffentlichung fertigmachen; **e·di·tion** [iˈdiʃən] *s.* **1.** Ausgabe *f* (*a. fig.*): *pocket ~* Taschen(buch)-ausgabe; *morning ~* Morgenausgabe (*Zeitung*); **2.** Auflage *f*: *first ~* erste Auflage, Erstdruck, -ausgabe (*Buch*); **ˈed·i·tor** [-tə] *s.* **1.** Herˈausgeber *m* (*Buch*); **2.** Redakˈteur *m* (*Zeitung, Fernsehen*): *letter to the ~* Leserbrief, -zuschrift; **ed·i·to·ri·al** [ediˈtɔ:riəl] **I.** *adj.* □ **1.** Herausgeber...; **2.** redaktioˈnell, Redaktions...: *~ staff* Schriftleitung, Redaktion; **II.** *s.* **3.** ˈLeitarˌtikel *m*; **ˈed·i·tor·ship** [-təʃip] *s.* Amt *n* e-s Herˈausgebers *od.* Schriftleiters; **ˈed·i·tress** [-tris] *s.* Herˈausgeberin *f*; Schriftleiterin *f*, Redakˈteurin *f*.

ed·u·cate [ˈedju(:)keit] *v/t.* **1.** erziehen, unterˈrichten, (aus)bilden: *he was ~d at ...* er besuchte die (Hoch-)Schule in ...; **2.** ausbilden lassen; **ˈed·u·cat·ed** [-tid] *adj.* gebildet, kultiviert.

ed·u·ca·tion [edju(:)ˈkeiʃən] *s.* **1.** Erziehung *f*, Ausbildung *f*; **2.** Bildung *f*; **3.** Erziehungs-, Schulwesen *n*; **4.** (Aus)Bildungsgang *m*; **5.** Pädaˈgogik *f*; **ed·uˈca·tion·al** [-ʃənl] *adj.* □ erzieherisch, belehrend, Erziehungs..., Unterrichts..., Bildungs-..., pädaˈgogisch: *~ film* Lehrfilm; *~ leave* Bildungsurlaub; *~ publisher* Verleger von Lehrbüchern; **ed·uˈca·tion·al·ist** [-ʃnəlist], **ed·uˈca·tion·ist** [-ʃnist] *s.* Pädaˈgoge *m*, Pädaˈgogin *f*; **ed·u·ca·tive** [ˈedju(:)kətiv] *adj.* erzieherisch, pädagogisch; **ed·u·ca·tor** [ˈedju(:)keitə] *s.* Erzieher(in), Lehrer(in).

e·duce [i(:)ˈdju:s] *v/t.* **1.** herˈausholen, entwickeln; **2.** *Begriff* ableiten; **3.** ⚒ ausziehen, darstellen.

e·duct [ˈi(:)dʌkt] *s.* ⚒ Auszug *m*; **e·duc·tion** [i(:)ˈdʌkʃən] *s.* **1.** *fig.* Herˈausholen *n*, Entwicklung *f*; **2.** Ableitung *f*, Folgerung *f*; **3.** ⚒ Ausziehen *n*; Auszug *m*; **4.** ⊕ Abzug *m*.

Ed·war·di·an [edˈwɔ:djən] *adj.* aus der Zeit König Eduards (*bsd.* Eduards VII.).

eel [i:l] *s. ichth.* Aal *m*; **ˈ~-buck, ˈ~-pot** *s.* Aalreuse *f*; **ˈ~-pout** *s. ichth.* Aalraupe *f*; **ˈ~-spear** *s.* Aalgabel *f*; **ˈ~-worm** *s. zo.* Älchen *n*, Fadenwurm *m*.

e'en [i:n] *poet.* → *even*[1], [3].

e'er [ɛə] *poet.* → *ever*.

ee·rie, ee·ry [ˈiəri] *adj.* □ **1.** unheimlich, furchterregend; **2.** furchtsam; **ˈee·ri·ness** [-nis] *s.* **1.** Unheimlichkeit *f*; **2.** Furchtsamkeit *f*.

ef·face [iˈfeis] *v/t.* **1.** ausstreichen; **2.** *bsd. fig.* auslöschen, tilgen, verwischen; **3.** in den Schatten stellen: *to ~ o.s.* (bescheiden) in den Hintergrund treten, sich zurückhalten; **efˈface·a·ble** [-səbl] *adj.* auslöschbar; **efˈface·ment** [-mənt] *s.* Auslöschung *f*, Tilgung *f*.

ef·fect [iˈfekt] **I.** *s.* **1.** Wirkung *f* (*on* auf *acc.*): *to take ~* wirken; → *4*; **2.** (Ein)Wirkung *f*, Einfluß *m*, Erfolg *m*, Folge *f*: *of no ~* nutzlos, vergeblich; **3.** (gesuchte) Wirkung, Eindruck *m*, Efˈfekt *m*: *general ~* Gesamteindruck; *to have an ~ on* wirken auf (*acc.*); *meant for ~* auf Effekt berechnet; *straining after ~* Effekthascherei; **4.** Wirklichkeit *f*; ⚖ (Rechts)Wirksamkeit *f*, (-)Kraft *f*, Gültigkeit *f*: *in ~* **a)** tatsächlich, eigentlich, im wesentlichen, **b)** ⚖ *etc.* in Kraft; *with ~ from* mit Wirkung von; *to come into* (*od. take*) *~* wirksam werden, in Kraft treten; *to carry into ~* ausführen, verwirklichen; **5.** Inhalt *m*, Sinn *m*, Absicht *f*; Nutzen *m*: *to the* ~ des Inhalts; *to this* ~ diesbezüglich, in diesem Sinn; *words to this* ~ derartige Worte; **6.** ⊕ Leistung *f*, 'Nutzef͵fekt *m*; **7.** *pl. a. personal* ~*s* (Pri'vat)Ef͵fekten *pl.*, Habe *f*; **8.** *pl.* ✝ Guthaben *n*: *no* ~*s* ohne Deckung (*Scheck*); **II.** *v/t.* **9.** be-, erwirken, verursachen; **10.** ausführen, erledigen, voll'ziehen: *to* ~ *an insurance* ✝ e-e Versicherung abschließen; *to* ~ *payment* ✝ Zahlung leisten; **ef'fec·tive** [-tiv] **I.** *adj.* □ **1.** wirksam, erfolgreich, wirkungsvoll, kräftig: ~ *range* ⚔ wirksame Schußweite; **2.** eindrucks-, ef'fektvoll; **3.** (rechts)wirksam, gültig, in Kraft: ~ *immediately* mit sofortiger Wirkung; ~ *date* Tag des Inkrafttretens; *to become* ~ in Kraft treten; **4.** tatsächlich, effek'tiv, wirklich; **5.** ⚔ dienstfähig, kampffähig; einsatzbereit: ~ *strength* Ist-Stärke; **6.** ⊕ wirksam, nutzbar, Nutz...: ~ *capacity* Nutzleistung; **II.** *s. pl.* **7. a)** ⚔ einsatzfähige Sol'daten *pl.*, **b)** ✝ Effek'tiv-, Ist-Bestand *m*; **ef'fec·tive·ness** [-tivnis] *s.* Wirksamkeit *f*; **ef'fec·tu·al** [-tjuəl] *adj.* □ **1.** wirksam; **2.** (rechts)gültig, in Kraft; **3.** genügend; **ef'fec·tu·ate** [-tjueit] *v/t.* ausführen, bewirken, bewerkstelligen.

ef·fem·i·na·cy [i'feminəsi] *s.* **1.** Weichlichkeit *f*, Verweichlichung *f*; **2.** unmännliches Wesen; **ef'fem·i·nate** [-nit] *adj.* □ **1.** weichlich, verweichlicht; **2.** unmännlich, weibisch.

ef·fer·vesce [efə'ves] *v/i.* **1.** (auf-) brausen, moussieren, sprudeln, schäumen; **2.** *fig.* ('über)sprudeln, 'überschäumen; **ef·fer'ves·cence** [-sns] *s.* **1.** (Auf)brausen *n*, Moussieren *n*; **2.** *fig.* ('Über)Sprudeln *n*, 'Überschäumen *n*; **ef·fer'ves·cent** [-snt] *adj.* **1.** sprudelnd, schäumend; moussierend: ~ *powder* Brausepulver; **2.** *fig.* ('über)sprudelnd, 'überschäumend.

ef·fete [e'fi:t] *adj.* **1.** erschöpft, entkräftet, verbraucht; **2.** unfruchtbar, ste'ril.

ef·fi·ca·cious [efi'keiʃəs] *adj.* □ wirksam; **ef·fi·ca·cy** ['efikəsi] *s.* Wirksamkeit *f*.

ef·fi·cien·cy [i'fiʃənsi] *s.* **1.** Tüchtigkeit *f*; Leistungsfähigkeit *f* (*a. e-s Betriebs etc.*): ~ *engineer*, ~ *expert* ✝ Rationalisierungsfachmann; *principle of* ~ Leistungsprinzip; **2.** Tauglichkeit *f*; **3.** ⊕, *phys.* Wirkungsgrad *m*, (Nutz)Leistung *f*; **ef'fi·cient** [-nt] *adj.* □ **1.** tüchtig, (*a.* ⊕ leistungs)fähig; **2.** wirksam, gründlich; zügig, rasch; ratio'nell; **3.** tauglich, gut funktionierend; **4.** ~ *cause phls.* wirkende Ursache.

ef·fi·gy ['efidʒi] *s.* Abbild *n*, Bild(nis) *n*: *to burn s.o. in* ~ j-s Bild verbrennen.

ef·flo·resce [eflɔ:'res] *v/i.* **1.** *bsd. fig.* aufblühen, sich entfalten; **2.** ⚗ ausblühen, -wittern; **ef·flo'res·cence** [-sns] *s.* **1.** *bsd. fig.* (Auf)Blühen *n*; **2.** ⚗ Ausblühen *n*, Beschlag *m*; **3.** ⚕ Ausschlag *m*; **ef·flo'res·cent** [-snt] *adj.* **1.** *bsd. fig.* (auf)blühend; **2.** ⚗ ausblühend.

ef·flu·ence ['efluəns] *s.* Ausfließen *n*, -strömen *n*; Ausfluß *m*; **'ef·flu·ent** [-nt] **I.** *adj.* **1.** ausfließend, -strömend; **II.** *s.* **2.** Ausfluß *m*; **3.** Abwasser *n*.

ef·flu·vi·um [e'flu:vjəm] *pl.* **-vi·a** [-vjə] *s.* Ausdünstung *f*.

ef·flux ['eflʌks] *s.* **1.** Ausfluß *m*, Ausströmen *n*; **2.** *fig.* Ablauf *m*, Ende *n*.

ef·fort ['efət] *s.* **1.** Anstrengung *f*, Bemühung *f*, Mühe *f*, Versuch *m*, Bestreben *n*: *to make an* ~ sich bemühen, sich anstrengen; *to make every* ~ alle Kräfte anspannen; *to spare no* ~ keine Mühe scheuen; *with an* ~ mühsam; **2.** F Leistung *f*; **'ef·fort·less** [-lis] *adj.* mühelos, leicht.

ef·fron·ter·y [e'frʌntəri] *s.* Frechheit *f*, Zumutung *f*, Unverfrorenheit *f*.

ef·ful·gence [e'fʌldʒəns] *s.* Glanz *m*; **ef'ful·gent** [-nt] *adj.* □ strahlend, glänzend.

ef·fuse [e'fju:z] **I.** *v/t.* **1.** ausgießen (*a. fig.*); **2.** *Licht* verbreiten; **II.** *v/i.* **3.** ausströmen; **III.** *adj.* [-s] **4.** ⚘ ausgebreitet; **ef·fu·sion** [i'fju:ʒən] *s.* **1.** Ausströmen *n*; Ausgießung *f*; Erguß *m* (*a. fig.*): ~ *of blood* ⚕ Bluterguß; **2.** 'Überschwenglichkeit *f*; **ef·fu·sive** [i'fju:siv] *adj.* □ 'überschwenglich, über'trieben; **ef·fu·sive·ness** [i'fju:sivnis] → *effusion* 2.

e·gad [i'gæd] *int.* F wahr'haftig!, bei Gott!

e·gal·i·tar·i·an [igæli'tɛəriən] **I.** *s.* Gleichmacher *m*; **II.** *adj.* gleichmacherisch; **e·gal·i'tar·i·an·ism** [-nizəm] *s.* Lehre *f* von der Gleichheit aller.

egg[1] [eg] *s.* **1.** Ei *n*: *in the* ~ *fig.* im Anfangsstadium; *a bad* ~ *fig.* F ein übler Kerl, ein ‚Früchtchen'; *as sure as* ~*s is* (*a. are*) ~*s sl.* todsicher; *to have* (*od. put*) *all one's* ~*s in one basket* alles auf 'eine Karte setzen; → *grandmother*; **2.** *biol.* Eizelle *f*; **3.** ⚔ *sl.* Bombe *f*, Gra'nate *f*.

egg[2] [eg] *v/t. mst* ~ *on* auf-, anreizen, anstacheln, aufhetzen (*to* zu).

egg| and dart *s.* ⚠ Eierstab *m*; **'~-beat·er** *s.* **1.** *Küche*: Schneeschläger *m*; **2.** ✈ *sl.* Hubschrauber *m*; **~ coal** *s.* Nußkohle *f*; **'~-co·sy** *s. Brit.* Eierwärmer *m*; **'~-cup** *s.* Eierbecher *m*; **'~-flip** *s.* Eierflip *m*; **'~-head** *s. sl.* ‚Eierkopf' *m* (*Intellektueller*) (*oft contp.*); **'~-nog** → *egg-flip*; **'~-plant** *s.* ⚘ Eierfrucht *f*, Auber'gine *f*; **'~-shaped** *adj.* eiförmig; **'~-shell I.** *s.* Eierschale *f*: ~ *china* Eierschalenporzellan; **II.** *adj.* zerbrechlich; **'~-spoon** *s.* Eierlöffel *m*; **'~-tim·er** *s.* Eieruhr *f*; **'~-whisk** *s. Küche*: Schneebesen *m*.

eg·lan·tine ['egləntain] *s.* ⚘ Weinrose *f*.

e·go ['egou] *pl.* **-os** *s.* Ich *n*.

e·go·cen·tric [egou'sentrik] *adj.* ego'zentrisch, ichbezogen; **e·go·ism** ['egouizəm] *s.* Ego'ismus *m* (*a. phls.*), Selbstsucht *f*; **e·go·ist** ['egouist] *s.* Ego'ist(in); **e·go·is·tic** *adj.*; **e·go·is·ti·cal** [egou'istik(əl)] *adj.* □ ego'istisch; **e·go·ma·ni·a** [egou'meinjə] *s.* krankhafte Selbstsucht; **e·go·tism** ['egoutizəm] *s.* Eigendünkel *m*; Geltungsbedürfnis *n*; Ego'tismus *m*; **e·go·tist** ['egoutist] *s.* geltungsbedürftiger *od.* selbstgefälliger Mensch, Ego'tist(in); **e·go·tis·tic** *adj.*; **e·go·tis·ti·cal** [egou'tistik(əl)] *adj.* □ selbstgefällig, ego'tistisch, geltungsbedürftig.

e·gre·gious [i'gri:dʒəs] *adj.* □ unerhört, ungeheuer(lich), kraß, Erz...

e·gress ['i:gres] *s.* **1.** Ausgang *m*; **2.** Ausgangsrecht *n*; **3.** *fig.* Ausweg *m*; **4.** *ast.* Austritt *m*; **e·gres·sion** [i(:)'greʃən] *s.* Ausgang *m*, -tritt *m*.

e·gret ['i:gret] *s.* **1.** *orn.* Silberreiher *m*; **2.** Reiherfeder *f*; **3.** ⚘ Federkrone *f*.

E·gyp·tian [i'dʒipʃən] **I.** *adj.* **1.** ä'gyptisch: ~ *cotton* Mako; **II.** *s.* **2.** Ä'gypter(in); **3.** *ling.* Ä'gyptisch *n*.

E·gyp·tol·o·gist [i:dʒip'tɔlədʒist] *s.* Ägypto'loge *m*, Ägypto'login *f*; **E·gyp'tol·o·gy** [-dʒi] *s.* Ägyptolo'gie *f*.

eh [ei] *int.* **1. a)** wie?, wie bitte?, **b)** nicht wahr?; **2.** ei!, sieh da!

ei·der ['aidə] *s. orn. a.* ~*-duck* Eiderente *f*; **'~-down** *s.* **1.** *coll.* Eiderdaunen *pl.*; **2.** Daunendecke *f*.

eight [eit] **I.** *adj.* **1.** acht: ~*-hour day* Achtstundentag; **II.** *s.* **2.** Acht *f*: *to have one over the* ~ *sl.* e-n über den Durst trinken; **3.** *sport* **a)** Achter(mannschaft *f*) *m*, **b)** Achter *m* (*Boot*); **eight·een** ['ei'ti:n] **I.** *adj.* achtzehn; **II.** *s.* Achtzehn *f*; **eight·eenth** ['ei'ti:nθ] **I.** *adj.* achtzehnt; **II.** *s.* Achtzehntel *n*; **'eight·fold** *adj. u. adv.* achtfach; **eighth** [eitθ] **I.** *adj.* □ acht(er, e, es); **II.** *s.* Achtel *n* (*a.* ♪); **eighth·ly** ['eitθli] *adv.* achtens; **'eight·i·eth** [-tiiθ] **I.** *adj.* achtzigst; **II.** *s.* Achtzigstel *n*; **'eight·some** [-səm] *s. Scot. mst* ~ *reel schottischer Tanz für 8 Tänzer*; **'eight·y** [-ti] **I.** *adj.* achtzig; **II.** *s.* Achtzig *f*: *the eighties* **a)** die achtziger Jahre (*eines Jahrhunderts*), **b)** die Achtziger(jahre) (*Lebensalter*).

eis·tedd·fod [ais'teðvɔd] *s.* Eis'teddfod *n* (*walisisches Sänger- u. Dichterfest*).

ei·ther ['aiðə] **I.** *adj.* **1.** jeder, jede, jedes (*von zweien*), beide: *on* ~ *side* auf beiden Seiten; *there is nothing in* ~ *bottle* beide Flaschen sind leer; **2.** (irgend)ein (*von zweien*): ~ *way* auf die e-e od. andere Art; ~ *half of the cake* (irgend)eine Hälfte des Kuchens; **II.** *pron.* **3.** (irgend)ein (*von zweien*): ~ *of you can come* (irgend)einer von euch (beiden) kann kommen; *I didn't see* ~ ich sah keinen (von beiden); **4.** beides: ~ *is possible*; **III.** *cj.* **5.** ~ ... *or* entweder ... oder: ~ *be quiet or go!* entweder sei still oder geh!; **6.** *neg.*: ~ ... *or* weder ... noch: *it isn't good* ~ *for parent or child* es ist weder für Eltern noch Kinder gut; **IV.** *adv.* **7.** *neg.*: *nor* ... ~ (und) auch nicht, noch: *he could not hear nor speak* ~ er konnte nicht hören u. auch nicht sprechen, er konnte weder hören noch sprechen; *I shall not go* ~ ich werde auch nicht gehen; *she sings, and not badly* ~ sie singt, und gar nicht schlecht; **8.** *without* ~ *good or bad intentions* ohne gute oder schlechte Absichten.

e·jac·u·late [i'dʒækjuleit] **I.** *v/t.* **1.** ⚕ *bsd. Samen* ejakulieren, ausstoßen; **2.** *Worte* ausstoßen; **II.** *v/i.* **3.** Worte ausstoßen; **e·jac·u·la·tion** [idʒækju'leiʃən] *s.* **1.** ⚕ Ejakulati'on *f*, Samenerguß *m*; **2.** Ausruf *m*, Stoßseufzer *m*, -gebet *n*; **e'jac·u·la·to·ry** [-lətəri] *adj.* **1.** ⚕ ausstoßend, Ausstoß...; **2.** hastig (ausgestoßen), Stoß...: ~ *prayer.*

e·ject [i(:)'dʒekt] *v/t.* **1.** (*from*) *j-n* hin'auswerfen (aus), vertreiben (aus, von); entlassen (aus), *e-s Amtes* entsetzen; **2.** ⚖ exmittieren, ausweisen; **3.** ⊕ ausstoßen, -werfen; **e'jec·tion** [-kʃən] *s.* **1.** Vertreibung *f*, Entfernung *f*; Entlassung *f*, Absetzung *f*; **2.** ⚖ **a)** Exmissi'on *f*, Ausweisung *f*, **b)** Klage *f* auf Her'ausgabe *von unbeweglichem Gut*; **3.** ⊕ Ausstoßung *f*, Auswerfen *n*; **e'ject·ment** [-mənt] *s.* **1.** Vertreibung *f*; **2.** ⚖ Exmissi'on *f*; **e'jec·tor** [-tə] *s.* **1.** Vertreiber *m*; **2.** ⊕ **a)** Auswerfer *m*, **b)** ⚔ Pa'tronenauswerfer *m*: ~ *seat* ✈ Katapult-, Schleudersitz.

eke [i:k] *v/t.* ~ *out* ergänzen, verlängern; *Flüssigkeit, Vorrat etc., a. Einkommen* strecken: *to* ~ *out a miserable existence* sich kümmerlich durchschlagen.

el [el] *s. Am.* F *abbr. für elevated railroad.*

e·lab·o·rate I. *adj.* [i'læbərit] □ → *elaborately*; **1.** sorgfältig ausgeführt *od.* (aus)gearbeitet; **2.** reichhaltig, ausführlich; **3.** kunstvoll; **4.** kompliziert, 'umständlich; **II.** *v/t.* [-bəreit] **5.** sorgfältig aus- *od.* her'ausarbeiten, ver'vollkommnen; **6.** *Theorie* entwickeln; **7.** genau darlegen; **e'lab·o·rate·ly** [-li] *adv.* **1.** sorgfältig, genau; **2.** ausführlich; **e'lab·o·rate·ness** [-nis] *s.* sorgfältige *od.* kunstvolle Ausführung; Genauigkeit *f*; **e·lab·o·ra·tion** [ilæbə'reiʃən] *s.* **1.** Ausarbeitung *f*; **2.** (Weiter-) Entwicklung *f*, Ver'vollkommnung *f*; **3.** genaue Darlegung.

é·lan [ei'lɑ̃; elɑ̃] (*Fr.*) *s.* E'lan *m*, Schwung *m*, Feuer *n*, Begeisterung *f*.

e·land ['i:lənd] *s. zo.* 'Elenanti,lope *f*.

e·lapse [i'læps] *v/i.* vergehen, verstreichen (*Zeit*), ablaufen (*Frist*).

e·las·tic [i'læstik] **I.** *adj.* (□ ~*ally*) **1.** e'lastisch, federnd, dehnbar (*a. fig.*): ~ *force phys.* Elastizität, Federkraft; **2.** biegsam, geschmeidig (*a. fig.*); **3.** *fig.* anpassungsfähig: ~ *conscience* weites Gewissen; **4.** lebhaft, spannkräftig; **5.** Gummi...: ~ *band* Gummiband; ~*-side boots* Zugstiefel; **II.** *s.* **6.** 'Gummiband *n*, -zug *m*; **e'las·ti·cat·ed** [-keitid] *adj.* mit Gummizug; **e·las·tic·i·ty** [elæs'tisiti] *s.* Elastizi'tät *f*, Feder-, Spannkraft *f* (*a. fig.*); **e'las·ti·cize** [-isaiz] *v/t.* mit Gummizug versehen.

e·late [i'leit] *v/t.* **1.** ermutigen, erheben, freudig erregen; **2.** aufblähen, stolz machen; **e'lat·ed** [-tid] *adj.* □ **1.** in gehobener Stimmung, freudig erregt (*at* über *acc.*, *with* durch); **2.** hochmütig, stolz; **e'la·tion** [-eiʃən] *s.* **1.** gehobene Stimmung; **2.** Stolz *m*.

el·bow ['elbou] **I.** *s.* **1.** Ell(en)bogen *m*: *at one's* ~ bei der Hand, nahe; *out at* ~*s* **a)** schäbig (*Kleidung*), **b)** heruntergekommen (*Person*); *up to the* ~*s in work* bis über die Ohren in der Arbeit; **2.** Biegung *f*, Krümmung *f*, Ecke *f*, Knie *n*; **3.** ⊕ Kniestück *n*, Krümmer *m*, Winkel (-stück *n*) *m*; **II.** *v/t.* **4.** *mit dem Ellbogen* stoßen, drängen (*a. fig.*): *to* ~ *s.o. out* j-n hinausdrängen, j-n beiseite schieben; *to* ~ *one's way through* sich durchdrängeln; '~**-chair** → *arm-chair*; '~**-grease** *s. humor.* **1.** ‚Arm-, Knochenschmalz' *n* (*Kraft*); **2.** schwere Arbeit; '~**-room** *s.* Bewegungsfreiheit *f*, Spielraum *m* (*a. fig.*).

eld [eld] *s. poet.* **1.** Alter *n*; **2.** alte Zeiten *pl.*

eld·er[1] ['eldə] **I.** *adj.* **1.** älter: *my* ~ *brother* mein älterer Bruder; **II.** *s.* **2.** (der, die) Ältere: *my* ~ *by two years* zwei Jahre älter als ich; *my* ~*s* ältere Leute als ich; **3.** Re'spektsper,son *f*; **4.** *oft pl.* (Kirchen-, Gemeinde- *etc.*)Älteste(r) *m*.

el·der[2] ['eldə] *s.* ⚘ Ho'lunder *m*; **'el·der·ber·ry** *s.* ⚘ Ho'lunderbeere *f*.

eld·er·ly ['eldəli] *adj.* ältlich.

Eld·er States·man *s.* [*irr.*] erfahrener (u. geachteter) Staatsmann (*als Berater*).

eld·est ['eldist] *adj.* ältest: *my* ~ *brother* mein ältester Bruder; ~ *born* erstgeboren.

El Do·ra·do [eldɔ'rɑ:dou] *pl.* **-dos** *s.* (El)Do'rado *n*.

e·lect [i'lekt] **I.** *v/t.* **1.** *j-n zu e-m Amt* (er)wählen: *he was* ~*ed president* er wurde zum Präsidenten gewählt; **2.** *eccl.* auserwählen; **II.** *v/i.* **3. a)** sich entschließen, es vorziehen (*to inf.* zu *inf.*), **b)** wählen; **III.** *adj.* **4.** *eccl.* auserwählt, -erlesen; **5.** (*nachgestellt*) designiert, zukünftig: *bride* ~ Zukünftige, Braut; *president* ~ zukünftiger (*noch nicht amtierender*) Präsident; **IV.** *s.* **6.** *eccl. u. fig. the* ~ *coll.* die Auserwählten *pl.*; **e'lec·tion** [-kʃən] *s. mst pol.* Wahl *f*: ~ *campaign* Wahlkampf; ~ *returns* Wahlergebnisse; **e·lec·tion·eer** [ilekʃə'niə] *v/i. pol.* 'Wahlpropa,ganda machen, Stimmen werben; **e·lec·tion·eer·ing** [ilekʃə'niəriŋ] *s. pol.* 'Wahlagitati,on *f*; **e'lec·tive** [-tiv] **I.** *adj.* □ → *electively*; **1.** gewählt, durch Wahl, Wahl...; **2.** wahlberechtigt, wählend; **3.** *ped. Am.* wahlfrei, fakulta'tiv; **II.** *s.* **4.** *ped. Am.* Wahlfach *n*; **e'lec·tive·ly** [-tivli] *adv.* durch Wahl; **e'lec·tor** [-tə] *s.* **1.** *pol.* **a)** Wähler(in), **b)** *Am.* Wahlmann *m*; **2.** ♀ *hist.* Kurfürst *m*; **e'lec·tor·al** [-tərəl] *adj.* Wahl..., Wähler...: ~ *college Am.* Wahlkomitee, Wahlmänner; ~ *rally* Wahlversammlung; ~ *roll* Wählerliste; **e'lec·tor·ate** [-tərit] *s.* **1.** *pol.* Wähler(schaft *f*) *pl.*; **2.** *hist.* **a)** Kurwürde *f*, **b)** Kurfürstentum *n*; **e'lec·tress** [-tris] *s.* **1.** Wählerin *f*; **2.** ♀ *hist.* Kurfürstin *f*.

e·lec·tric *adj.*; **e·lec·tri·cal** [i'lektrik(əl)] *adj.* □ **1.** e'lektrisch, Elektro...; e,lektro'technisch; **2.** *fig.* elektrisierend.

e·lec·tri·cal| en·gi·neer *s.* E'lektroingeni,eur *m*, E,lektro'techniker *m*; ~ **en·gi·neer·ing** *s.* E,lektro'technik *f*; ~ **in·dus·try** *s.* E'lektroindu,strie *f*.

e·lec·tric| blan·ket *s.* Heizdecke *f*; ~ **blue** *s.* Stahlblau *n*; ~ **chair** *s.* e'lektrischer Stuhl (*für Hinrichtungen*); ~ **charge** *s.* e'lektrische Ladung; ~ **cir·cuit** *s.* **1.** Stromkreis *m*; **2.** e'lektrische Leitung; ~ **cur·rent** *s.* e'lektrischer Strom; ~ **cush·ion** *s.* Heizkissen *n*; ~ **eel** *s. ichth.* Zitteraal *m*; ~ **fan** *s.* e'lektrischer Venti'lator; ~ **fence** *s.* e'lektrisch geladener Drahtzaun.

e·lec·tri·cian [ilek'triʃən] *s.* E,lektro'techniker *m*, E'lektriker *m*.

e·lec·tric i·ron *s.* e'lektrisches Bügeleisen.

e·lec·tric·i·ty [ilek'trisiti] *s.* Elektrizi'tät *f*.

e·lec·tric| plant *s.* e'lektrische Anlage; ~ **rail·way**, *Am.* ~ **rail·road** *s.* e'lektrische Eisenbahn; ~ **ray** *s. ichth.* Zitterrochen *m*; ~ **seal** *s.* 'Seale,lectric *n*, -ka,nin *n* (*Pelzimitation*); ~ **shock** *s.* e'lektrischer Schlag; ~ **steel** *s.* ⊕ E'lektrostahl *m*; ~ **storm** *s.* Gewittersturm *m*; ~ **torch** *s.* (e'lektrische) Taschenlampe.

e·lec·tri·fi·ca·tion [ilektrifi'keiʃən] *s.* **1.** Elektrisierung *f* (*a. fig.*); **2.** Elektrifizierung *f*; **e·lec·tri·fy** [i'lektrifai] *v/t.* **1.** elektrisieren (*a. fig.*), e'lektrisch laden; **2.** elektrifizieren; **3.** *fig.* anfeuern, erregen, begeistern.

e·lec·tro [i'lektrou] *pl.* **-tros** *s. typ.* F Gal'vano *n*, Kli'schee *n*.

electro- [ilektrou; -ə] *in Zssgn* Elektro..., elektro..., e'lektrisch.

e'lec·tro|·a'nal·y·sis *s.* ⚗ E,lektroana'lyse *f*; ~'**car·di·o·gram** *s.* ⚕ E,lektrokardio'gramm *n*, EK'G *n*; ~'**chem·is·try** *s.* E,lektroche'mie *f*.

e·lec·tro·cute [i'lektrəkju:t] *v/t.* **1.** auf dem e'lektrischen Stuhl hinrichten; **2.** durch elektrischen Strom töten; **e·lec·tro·cu·tion** [ilektrə'kju:ʃən] *s.* Hinrichtung *f* *od.* Tod *m* durch elektrischen Strom.

e·lec·trode [i'lektroud] *s.* ⚡ Elek'trode *f*.

e'lec·tro|·dy'nam·ics *s. pl. sg. konstr.* E,lektrody'namik *f*; ~**·ki'net·ics** *s. pl. sg. konstr.* E,lektroki'netik *f*.

e·lec·trol·y·sis [ilek'trɔlisis] *s.* Elektro'lyse *f*; **e·lec·tro·lyte** [i'lektroulait] *s.* Elektro'lyt *m*; **e·lec·tro·lyt·ic** [ilektrou'litik] *adj.* (□ ~*ally*) elektro'lytisch, Elektrolyt...

e'lec·tro|'mag·net *s.* E,lektroma'gnet *m*; ~**·mag'net·ic** *adj.* (□ ~*ally*) e,lektroma'gnetisch.

e·lec·trom·e·ter [ilek'trɔmitə] *s.* E,lektro'meter *n*.

e'lec·tro|'mo·tive *adj.* e,lektromo'torisch; ~'**mo·tor** *s.* E,lektro'motor *m*.

e·lec·tron [i'lektrɔn] *phys.* **I.** *s.* 'Elektron *n*; **II.** *adj.* Elektronen...: ~ *microscope*; **e·lec·tron·ic** [ilek'trɔnik] *adj.* (□ ~*ally*) elek'tronisch, Elektronen...: ~ *flash phot.* Elektronenblitz; ~ *music* elektronische Musik; **e·lec·tron·ics** [ilek'trɔniks] *s. pl. sg. konstr.* Elek'tronik *f*.

e'lec·tro|·plate I. *v/t.* elektroplattieren, galvanisieren; II. s. elektroplattierte Ware; ~·scope [i'lektrəskoup] s. phys. E₍lektro'skop n; ~·scop·ic [ilektrə'skɔpik] adj. (□ ~ally) e₍lektro'skopisch; ~'ther·a·py s. ⚕ E₍lektrothera'pie f; ~·type I. s. 1. Gal'vano n; 2. gal₍vano'plastischer Druck; II. v/t. 3. galvanoplastisch vervielfältigen.

e·lec·tu·ar·y [i'lektjuəri] s. ⚕ Lat'werge f.

el·ee·mos·y·nar·y [elii:'mɔsinəri] adj. 1. Almosen..., Wohltätigkeits..., wohltätig; 2. Almosen empfangend.

el·e·gance ['eligəns] s. Ele'ganz f, Vornehmheit f, Gepflegtheit f, Anmut f, feiner Geschmack; Gewähltheit f, Schönheit f; **'el·e·gant** [-nt] adj. □ 1. ele'gant, fein, geschmackvoll, vornehm, anmutig, gewählt, gepflegt; 2. Am. sl. erstklassig, ‚'prima'.

el·e·gi·ac [eli'dʒaiək] I. adj. e'legisch, klagend, Klage...; II. s. elegischer Vers; pl. elegisches Gedicht; **el·e·gize** ['elidʒaiz] v/i. e-e Ele'gie schreiben (upon auf acc.); **el·e·gy** ['elidʒi] s. Ele'gie f, Klagelied n.

el·e·ment ['elimənt] s. 1. Ele'ment n (a. ⚗, ⚡), Grundbestandteil m, Grund-, Urstoff m; 2. Grundzug m, -lage f; 3. wesentlicher 'Umstand od. 'Faktor; ⚖ Tatbestandsmerkmal n; 4. pl. Anfangsgründe pl., Anfänge pl.; 5. pl. Na'turkräfte pl., Elemente pl.; 6. ('Lebens)Ele₍ment n, gewohnte Um'gebung: to be in one's ~ in s-m Element sein; to be out of one's ~ sich fehl am Platze fühlen; 7. fig. Körnchen n, Fünkchen n: an ~ of truth ein Körnchen Wahrheit; 8. a) ⚔ Truppenteil m, b) ✈ Rotte f; **el·e·men·tal** [eli'mentl] adj. 1. elemen'tar: a) ursprünglich, na'türlich, b) urgewaltig, c) wesentlich; 2. Elementar..., Ur...

el·e·men·ta·ry [eli'mentəri] adj. □ 1. elemen'tar (a. ⚗, phys.), einfach, grundlegend; Elementar..., Anfangs...; 2. unentwickelt; ~ **ed·u·ca·tion** s. 1. Grundschul-, Volksschulbildung f; 2. Volksschulwesen n; ~ **school** s. Grundschule f, Volksschule f.

e·len·chus [i'leŋkəs] pl. **-chi** [-kai] (Lat.) s. Gegenbeweis m, Wider'legung f.

el·e·phant ['elifənt] s. 1. zo. Ele'fant m: white ~ fig. lästiger od. kostspieliger Besitz; 2. ein Papierformat (28×23 Zoll); **el·e·phan·ti·a·sis** [elifən'taiəsis] s. ⚕ Elefan'tiasis f; **el·e·phan·tine** [eli'fæntain] adj. 1. ele'fantenartig, Elefanten...; 2. fig. riesenhaft; 3. grobschlächtig, plump, schwerfällig.

'el·e·phant-seal s. zo. 'See-Ele₍fant m.

'el·e·phant's-ear s. ⚘ Be'gonie f.

El·eu·sin·i·an [elju(:)'siniən] adj. antiq. eleu'sinisch.

el·e·vate ['eliveit] v/t. 1. hoch-, em'porheben; aufrichten; 2. Blick erheben; Stimme heben; 3. j-n erheben, befördern (to zu); 4. fig. besser machen, heben, veredeln; 5. beleben, erheitern; 6. ⚔ Geschützrohr erhöhen.

el·e·vat·ed ['eliveitid] I. adj. 1. erhaben, gehoben, edel, vornehm; 2. hoch, Hoch...; 3. F angeheitert; II. s. 4. Am. F Hochbahn f; ~ **rail·way**, Am. ~ **rail·road** s. Hochbahn f.

el·e·vat·ing ['eliveitiŋ] adj. 1. bsd. ⊕ hebend, Hebe..., Höhen...; 2. fig. erhebend, belebend; **el·e·va·tion** [eli'veiʃən] s. 1. Hoch-, Em'porheben n; 2. Erhebung f, Erhöhung f, (An)Höhe f; 3. fig. Erhebung f, Beförderung f (to zu); 4. Erhabenheit f, Vornehmheit f; 5. Würde f, hoher Rang; 6. △ Aufriß m: front ~ Vorderansicht; 7. ast. Höhe f; 8. ⊕, ⚔ Richthöhe f; **'el·e·va·tor** [-tə] s. 1. ⊕ Hebe-, Förderwerk n, Aufzug m: bucket ~ Becherwerk; 2. Am. Fahrstuhl m; 3. Am. Getreidesilo m (mit Aufzug); 4. ✈ Höhensteuer n, -ruder n; 5. anat. Hebemuskel m.

e·lev·en [i'levn] I. adj. 1. elf; II. s. 2. Elf f; 3. sport Elf f; ~-'**plus (ex·am·i·na·tion)** s. ped. Brit. im Alter von ungefähr 11 Jahren abzulegende Prüfung, die über die schulische Weiterbildung entscheidet.

e·lev·en·ses [i'levnziz] s. pl. F Imbiß m um 11 Uhr morgens; **e'lev·enth** [-nθ] I. adj. □ elft; → hour 2; II. s. Elftel n; **e'lev·enth·ly** [-nθli] adv. elftens.

elf [elf] pl. **elves** [elvz] s. 1. Elf m, Elfe f; 2. 'Kobold m; 3. Zwerg m, Knirps m; **elf·in** ['elfin] I. adj. Elfen..., Zwergen...; II. s. → elf; **elf·ish** ['elfiʃ] adj. 1. elfenartig; 2. boshaft, 'koboldhaft.

'elf|-lock s. Weichselzopf m, verfilztes Haar; '~-**struck** adj. be-, verhext.

e·lic·it [i'lisit] v/t. 1. (from) et. (aus j-m) her'auslocken, -holen, (j-m) et. entlocken; 2. her'ausbekommen, ans Licht bringen.

e·lide [i'laid] v/t. ling. Vokal od. Silbe elidieren, auslassen.

el·i·gi·bil·i·ty [elidʒə'biliti] s. 1. Eignung f, Würdigkeit f, Befähigung f: his eligibilities s-e Vorzüge; 2. Erwünschtheit f; 3. Teilnahmeberechtigung f, sport a. Startberechtigung f; **el·i·gi·ble** ['elidʒəbl] adj. □ 1. geeignet; annehmbar, akzep'tabel (a. als Ehemann); 2. erwünscht, begehrenswert; 3. (for) befähigt, berechtigt (zu), in Frage kommend (für); 4. teilnahmeberechtigt, sport a. startberechtigt.

e·lim·i·nate [i'limineit] v/t. 1. tilgen, beseitigen, entfernen, ausmerzen, ausschließen; a. Gegner ausschalten; bsd. Algebra: eliminieren: to be ~d sport ausscheiden; 2. Geschriebenes streichen; 3. ⚕, ⚗ ausscheiden; **e·lim·i·na·tion** [ilimi'neiʃən] s. 1. Tilgung f, Beseitigung f, Entfernung f, Ausmerzung f, -schaltung f, -lassung f; 2. Streichung f; 3. ⚕, ⚗, sport Ausscheidung f: ~ contest Ausscheidungs-, Qualifikationswettbewerb; **e'lim·i·na·tor** [-tə] s. Radio: Sieb-, Sperrkreis m.

e·li·sion [i'liʒən] s. ling. Elisi'on f, Auslassung f (bsd. e-s Vokals).

é·lite [ei'li:t] (Fr.) s. 1. E'lite f, Auslese f; Oberschicht f; 2. ⚔ E'lite-, Kerntruppe f; **é'lit·ist** [-tist] adj. eli'tär: ~ thinking.

e·lix·ir [i'liksə] s. 1. Eli'xier n, Zauber-, Heiltrank m; 2. All'heilmittel n.

E·liz·a·be·than [ilizə'bi:θən] I. adj. elisabe'thanisch; II. s. Zeitgenosse m E'lisabeths I. von England.

elk [elk] s. zo. 1. Elch m, Elen m, n; 2. Am. Elk m, Wa'piti m.

ell [el] s. Elle f (Längenmaß); → inch 2.

el·lipse [i'lips] s. 1. ∢ El'lipse f; 2. → ellipsis; **el'lip·sis** [-sis] pl. -ses [-si:z] s. ling. El'lipse f, Auslassung f; **el'lips·oid** [-sɔid] s. ∢ Ellipso'id n; **el'lip·tic** adj.; **el'lip·ti·cal** [-ptik(əl)] adj. □ 1. ∢ el'liptisch, Ellipsen...; 2. ling. elliptisch, unvollständig.

elm [elm] s. ⚘ Ulme f, Rüster f.

el·o·cu·tion [elə'kju:ʃən] s. Vortrag m, Dikti'on f; Vortragskunst f; **el·o'cu·tion·ist** [-ʃnist] s. 1. Vortragskünstler(in); 2. Vortragslehrer(in), Sprecherzieher(in).

e·lon·gate ['i:lɔŋgeit] I. v/t. 1. verlängern, strecken, ausdehnen; II. v/i. 2. sich verlängern; 3. ⚘ spitz zulaufen; III. adj. 4. lang u. dünn, länglich; **'e·lon·gat·ed** [-tid] adj. → elongate 4; **e·lon·ga·tion** [i:lɔŋ'geiʃən] s. 1. Verlängerung f, Streckung f, Ausdehnung f; 2. ast. Winkelabstand m (e-s Planeten von der Sonne).

e·lope [i'loup] v/i. (mit s-m od. s-r Geliebten) entlaufen, 'durchgehen: to ~ with a. die Geliebte entführen; **e'lope·ment** [-mənt] s. Entlaufen n, Flucht f; Entführung f; **e'lop·er** [-pə] s. Ausreißer(in).

el·o·quence ['eləkwəns] s. Beredsamkeit f, Redegabe f, -gewandtheit f; **'el·o·quent** [-nt] adj. □ 1. beredt, redegewandt; 2. über'zeugend; 3. fig. deutlich, sprechend, ausdrucksvoll; vielsagend (Blick etc.).

else [els] adv. 1. (neg. u. interrog.) sonst, weiter, außerdem: anything ~? sonst noch etwas?; what ~ can we do? was können wir sonst noch tun?; no one ~ sonst od. weiter niemand; where ~? wo anders?, wo sonst (noch)?; 2. anderer, andere, anderes: that's something ~ das ist et. anderes; everybody ~ alle anderen od. übrigen; somebody ~'s dog der Hund e-s (od. e-r) anderen; 3. oft or ~ oder, sonst, wenn nicht: hurry, (or) ~ you will be late beeile dich, oder du kommst zu spät od. sonst kommst du zu spät; or ~! (drohend) sonst passiert was!; '~'**where** adv. 1. sonst-, anderswo; 2. 'anderswo'hin.

e·lu·ci·date [i'lu:sideit] v/t. aufhellen, auf-, erklären, erläutern; **e·lu·ci·da·tion** [ilu:si'deiʃən] s. 1. Erläuterung f, Er-, Aufklärung f, Aufhellung f; 2. Aufschluß m (of über acc.); **e'lu·ci·da·to·ry** [-təri] adj. erklärend, erläuternd.

e·lude [i'lu:d] v/t. 1. ausweichen, entgehen, -wischen, sich entziehen (dat.); Gesetz um'gehen; 2. fig. j-m entgehen, der Aufmerksamkeit entgehen (gen.); 3. sich nicht (er-)fassen lassen von, sich entziehen (*dat.*): *it ~s definition* es läßt sich nicht definieren; *points that ~ agreement* Punkte, über die man sich nicht einigen kann; **e'lu·sion** [-u:ʒən] *s.* **1.** (*of*) Ausweichen *n*, Entkommen *n* (vor *dat.*); Um'gehung *f* (*gen.*); **2.** Ausflucht *f*, List *f*; **e'lu·sive** [-u:siv] *adj.* □ **1.** ausweichend (*of dat.*, vor *dat.*); **2.** schwer(er)faßbar, schwer zu definieren(d); **3.** um'gehend; **4.** unzuverlässig; **e'lu·sive·ness** [-u:sivnis] *s.* **1.** Ausweichen *n* (*of* vor *dat.*); **2.** Undefinierbarkeit *f*; **e'lu·so·ry** [-u:səri] *adj.* **1.** trügerisch; **2.** → *elusive*.

el·ver ['elvə] *s. ichth.* junger Aal.

elves [elvz] *pl. von elf*; **'elv·ish** [-viʃ] → *elfish*.

E·ly·sian [i'liziən] *adj.* e'lysisch, himmlisch; **E'ly·si·um** [-əm] *s.* E'lysium *n* (*a. fig.*).

em [em] *s.* **1.** M *n*, m *n* (*Buchstabe*); **2.** *typ.* Geviert *n*.

'em [əm] F *für them*: *let 'em*.

e·ma·ci·ate [i'meiʃieit] *v/t.* **1.** abzehren, ausmergeln; **2.** *Boden* auslaugen; **e'ma·ci·at·ed** [-tid] *adj.* **1.** abgemagert, abgezehrt, ausgemergelt; **2.** ausgelaugt (*Boden*); **e·ma·ci·a·tion** [imeisi'eiʃən] *s.* **1.** Abzehrung *f*, Abmagerung *f*; **2.** Auslaugung *f*.

em·a·nate ['eməneit] *v/i.* **1.** (*from*) ausfließen (aus), ausströmen, ausstrahlen (von); **2.** *fig.* herrühren, ausgehen (*from* von); **em·a·na·tion** [emə'neiʃən] *s.* **1.** Ausströmen *n*; **2.** Ausströmung *f*, Ausstrahlung *f* (*a. fig.*); **3.** Ausdünstung *f*; **4.** *phls.*, ⚗ Emanati'on *f*.

e·man·ci·pate [i'mænsipeit] *v/t.* **1.** freigeben, -lassen, befreien; **2.** emanzipieren, gleichstellen; **3.** ⚖ für volljährig erklären; **e'man·ci·pat·ed** [-tid] *adj.* emanzipiert: **a)** frei, **b)** gleichberechtigt, **c)** vorurteilslos, **d)** ungebunden; **e·man·ci·pa·tion** [imænsi'peiʃən] *s.* **1.** Freilassung *f*, Befreiung *f* (*a. fig.*); **2.** Gleichstellung *f*, Emanzipati'on *f*; **3.** ⚖ Volljährigkeitserklärung *f*; **e·man·ci·pa·tion·ist** [imænsi'peiʃnist] *s.* Fürsprecher (-in) der Sklavenbefreiung *od.* der Gleichberechtigung; **e'man·ci·pa·tor** [-tə] *s.* Befreier *m*.

e·mas·cu·late I. *v/t.* [i'mæskjuleit] **1.** entmannen, kastrieren; **2.** *fig.* verweichlichen; entkräften, (ab-)schwächen; **3.** *Sprache* farb- *od.* kraftlos machen; **4.** *Text* verstümmeln; **II.** *adj.* [-lit] **5.** entmannt; **6.** verweichlicht; **7.** kraftlos; **e·mas·cu·la·tion** [imæskju'leiʃən] *s.* **1.** Entmannung *f*; **2.** Verweichlichung *f*; **3.** Schwächung *f*; **4.** *fig.* Verstümmelung *f* (*Text etc.*).

em·balm [im'bɑ:m] *v/t.* **1.** einbalsamieren; **2.** *fig.* *j-s Andenken* sorgsam bewahren *od.* pflegen: *to be ~ed in* fortleben in (*dat.*); **em'balm·ment** [-mənt] *s.* Einbalsamierung *f*.

em·bank [im'bæŋk] *v/t.* eindämmen, -deichen; **em'bank·ment** [-mənt] *s.* **1.** Eindämmung *f*, -deichung *f*; **2.** Deich *m*, Damm *m*; Böschung *f*; **3.** 🚂 Bahndamm *m*; **4.** gemauerte Uferstraße, Kai *m*.

em·bar·go [em'bɑ:gou] **I.** *s.* **1.** ⚓ Em'bargo *n*: **a)** Beschlagnahme *f* (*e-s Schiffes durch den Staat*), **b)** Hafensperre *f*; **2.** ✝ **a)** Handelssperre *f*, **b)** Sperre *f*, Verbot *n*: *~ on imports* Einfuhrsperre; **II.** *v/t.* **3.** *Handel, Hafen* sperren; **4.** beschlagnahmen.

em·bark [im'bɑ:k] **I.** *v/t.* **1.** ⚓ einschiffen, verladen (*for* nach); **2.** *Geld* investieren; **II.** *v/i.* **3.** ⚓ sich einschiffen (*for* nach); die Reise antreten; **4.** *fig.* (*on*) (*et.*) anfangen *od.* unter'nehmen, sich einlassen (in *od.* auf *acc.*), hin'einsteigen (in *acc.*); **em·bar·ka·tion** [embɑ:'keiʃən] *s.* ⚓ Einschiffung *f*, Verladung *f*.

em·bar·rass [im'bærəs] *v/t.* **1.** *j-n* in Verlegenheit *od.* e-e peinliche Lage bringen, verwirren; **2.** *et.* behindern, erschweren, komplizieren; **3.** ✝ in Geldverlegenheit bringen; **em'bar·rassed** [-st] *adj.* **1.** verlegen, befangen; verwirrt, betreten; **2.** ✝ in Geldverlegenheit; **em'bar·rass·ing** [-siŋ] *adj.* □ unangenehm, peinlich; unbequem; **em'bar·rass·ment** [-mənt] *s.* **1.** Verlegenheit *f*, Verwirrung *f*; **2.** Verwicklung *f*, Behinderung *f*, Schwierigkeit *f*, Störung *f*; **3.** ✝ Geldverlegenheit *f*.

em·bas·sy ['embəsi] *s.* **1.** Botschaft *f*: **a)** Botschaftsgebäude *n*, **b)** 'Botschaftsperso,nal *n*; **2.** diplo'matische Missi'on.

em·bat·tle [im'bætl] *v/t.* **1.** ⚔ in Schlachtordnung aufstellen; **2.** ⚠ mit Zinnen versehen.

em·bed [im'bed] *v/t.* **1.** (ein)betten, (ein)lagern, eingraben, -schließen; **2.** *fig. im Gedächtnis* verankern.

em·bel·lish [im'beliʃ] *v/t.* **1.** verschöne(r)n, schmücken, verzieren; **2.** *fig. Erzählung etc.* ausschmücken; **em'bel·lish·ment** [-mənt] *s.* **1.** Verschönerung *f*, Schmuck *m*; **2.** *fig.* Ausschmückung *f*.

em·ber[1] ['embə] *s.* **1.** *mst pl.* glühende Kohle *od.* Asche; **2.** *pl. fig.* (letzte) Funken *pl.*

em·ber[2] ['embə] *adj.*: *~ days eccl.* die Quatembertage.

em·ber[3] ['embə] *s. orn. a. ~-goose* 'Imbergans *f*, Eistaucher *m*.

em·bez·zle [im'bezl] *v/t.* veruntreuen, unter'schlagen; **em'bez·zle·ment** [-mənt] *s.* Veruntreuung *f*, Unter'schlagung *f*; **em'bez·zler** [-lə] *s.* Veruntreuer(in).

em·bit·ter [im'bitə] *v/t.* **1.** verbittern (*a. fig.*); **2.** erschweren, verschlimmern; **3.** *fig.* *j-n* erbittern; **em'bit·ter·ment** [-mənt] *s.* **1.** Verbitterung *f* (*a. fig.*); **2.** Erschwerung *f*; **3.** *fig.* Erbitterung *f*.

em·bla·zon [im'bleizən] *v/t.* **1.** mit e-m Wappenbild bemalen; **2.** schmücken; **3.** *fig.* feiern, verherrlichen; **4.** 'auspo,saunen; **em'bla·zon·ment** [-mənt] *s.* Wappenschmuck *m*; **em'bla·zon·ry** [-ri] *s.* **1.** Wappenmale'rei *f*; **2.** Wappenschmuck *m*.

em·blem ['embləm] *s.* **1.** Em'blem *n*, Sinnbild *n*; **2.** Wahr-, Abzeichen *n*; **3.** *fig.* Verkörperung *f*; Sym'bol *n*; **em·blem·at·ic** *adj.*; **em·blem·at·i·cal** [embli'mætik(əl)] *adj.* □ sym'bolisch, sinnbildlich.

em·bod·i·ment [im'bɔdimənt] *s.* **1.** Verkörperung *f*, Darstellung *f*; ⊕ Anwendungsform *f*, Verwirklichung *f*; **2.** Einverleibung *f*; **em·bod·y** [im'bɔdi] *v/t.* **1.** kon'krete Form geben (*dat.*); **2.** verkörpern, darstellen; **3.** einverleiben, aufnehmen; **4.** um'fassen, (in sich) vereinigen.

em·bold·en [im'bouldən] *v/t.* ermutigen, Mut einflößen (*dat.*).

em·bo·lism ['embəlizəm] *s.* ⚕ Embo'lie *f*.

em·bon·point [ɔ̃:mbɔ̃:m'pwɛ̃:ŋ; ɑ̃bɔ̃pwɛ̃] (*Fr.*) *s.* Beleibtheit *f*, Körperfülle *f*, Korpu'lenz *f*.

em·bos·om [im'buzəm] *v/t.* **1.** um'armen, ans Herz drücken; **2.** *fig.* ins Herz schließen; **3.** *fig.* einschließen, um'geben.

em·boss [im'bɔs] *v/t.* ⊕ **1. a)** bosseln, erhaben *od.* in Reli'ef ausarbeiten, prägen, **b)** (mit dem Hammer) treiben; **2.** mit erhabener Arbeit schmücken; **3.** *Stoffe* gaufrieren; **em'bossed** [-st] *adj.* ⊕ **a)** erhaben gearbeitet, Relief..., getrieben, **b)** geprägt, gepreßt, **c)** gaufriert; **em'boss·ment** [-mənt] *s.* Reli'efarbeit *f*.

em·bou·chure [ɔmbu'ʃuə; ɑ̃buʃy:r] (*Fr.*) *s.* **1.** Mündung *f* (*Fluß*); **2.** ♪ **a)** Mundstück *n* (*Blasinstrument*), **b)** Ansatz *m*.

em·bow·el [im'bauəl] → *disembowel*.

em·brace [im'breis] **I.** *v/t.* **1.** um'armen, in die Arme schließen; **2.** um'schließen, um'geben, um'klammern; einschließen, um'fassen (*beide a. fig.*); **3.** erfassen, (in sich) aufnehmen; **4.** *Religion, Angebot* annehmen; *Beruf, Gelegenheit* ergreifen; *Hoffnung* hegen; **II.** *v/i.* **5.** sich umarmen; **III.** *s.* **6.** Um'armung *f*.

em·bra·sure [im'breiʒə] *s.* **1.** ⚠ Laibung *f*; **2.** ⚔ Schießscharte *f*.

em·bro·ca·tion [embrou'keiʃən] *s.* ⚕ **1.** Einreibemittel *n*; **2.** Einreibung *f*.

em·broi·der [im'brɔidə] *v/t.* **1.** *Muster* sticken; **2.** *Stoff* besticken, mit Sticke'rei verzieren; **3.** *fig. Bericht* ausschmücken.

em·broi·der·y [im'brɔidəri] *s.* **1.** Sticke'rei *f*: *to do ~* sticken; **2.** *fig.* Ausschmückung *f*; **~ cot·ton** *s.* Stickgarn *n*; **~ frame** *s.* Stickrahmen *m*.

em·broil [im'brɔil] *v/t.* **1.** *j-n* verwickeln, hin'einziehen (*in* in *acc.*); **2.** *j-n* in e-n Streit verwickeln (*with* mit); **3.** durchein'anderbringen, verwirren; **em'broil·ment** [-mənt] *s.* **1.** Verwicklung *f*, Streit *m*; **2.** Verwirrung *f*.

em·bry·o ['embriou] *pl.* **-os** *s. biol.* **a)** 'Embryo *m*, **b)** Fruchtkeim *m*: *in ~ fig.* im Keim, im Entstehen, im Werden; **em·bry·on·ic** [embri'ɔnik] *adj.* **1.** Embryo..., embryo'nal; **2.** (noch) unentwickelt (*a. fig.*).

em·bus [im'bʌs] ⚔ *Brit.* **I.** *v/t.* auf Kraftfahrzeuge verladen; **II.** *v/i.* aufsitzen.

em·cee [em'si:] **I.** *s.* Conférenci'er

m; **II.** *v/t. u. v/i.* als Conférencier leiten (auftreten).

e·mend [i(:)ˈmend] *v/t. Text* verbessern, emendieren; **e·men·da·tion** [iːmenˈdeiʃən] *s.* Verbesserung *f*, Emendatiˈon *f*, Berichtigung *f*; **e·men·da·tor** [ˈiːmendeitə] *s.* (Text)Verbesserer *m*; **eˈmend·a·to·ry** [-dətəri] *adj.* emendaˈtorisch, verbessernd.

em·er·ald [ˈemərəld] **I.** *s.* **1.** Smaˈragd *m*; **2.** Smaˈragdgrün *n*; **3.** *typ. e-e* $6^1/_2$*-Punkt-Schrift*; **II.** *adj.* **4.** smaˈragdgrün; **5.** mit Smaragden besetzt; ♀ **Isle** *s.* Grüne Insel (*Irland*).

e·merge [iˈməːdʒ] *v/i.* **1.** *allg.* auftauchen (*a. fig. Frage etc.*) (*from* aus *dem Wasser, e-m Versteck etc.*); **2.** herˈauskommen, -ragen, herˈvortreten; zum Vorschein kommen, sich zeigen, in Erscheinung treten, auftreten (*alle a. fig.*); **3.** emˈporkommen (*a. fig.*); **4.** *fig.* (*a. als Sieger*) herˈvorgehen, sich ergeben *od.* herˈausstellen (*Tatsache*) (*from* aus *dat.*); **5.** *fig.* sich erheben, entstehen, sich entwikkeln; **eˈmer·gence** [-dʒəns] *s.* **1.** Herˈaus-, Herˈvorkommen *n*; **2.** Auftreten *n*, Erscheinen *n*, Auftauchen *n*; **3.** Entstehen *n*.

e·mer·gen·cy [iˈməːdʒənsi] **I.** *s. plötzliche* Not(lage), unvorhergesehenes Ereignis, dringender Fall: *in an* ~, *in case of* ~ im Notfall, notfalls; *state of* ~ Notstand, *pol. a.* Ausnahmezustand; **II.** *adj.* Not..., Behelfs..., (Aus)Hilfs...; ~ **brake** *s.* Notbremse *f*; ~ **call** *s. teleph.* Notruf *m*; ~ **de·cree** *s.* Notverordnung *f*; ~ **door,** ~ **ex·it** *s.* Notausgang *m*; ~ **house** *s.* Behelfsheim *n*; ~ **land·ing** *s.* ✈ Notlandung *f*; ~ **pow·ers** *s. pl. pol.* Vollmachten *pl.* auf Grund e-s Notstandsgesetzes; ~ **ra·tion** *s.* ⚔ eiserne Ratiˈon; ~ **ward** *s.* ˈUnfallstatiˌon *f* (*Krankenhaus*).

e·mer·gent [iˈməːdʒənt] **I.** *adj.* □ **1.** auftauchend, emˈporkommend (*a. fig.*); **2.** *fig.* (neu) entstehend, herˈvorgehend: ~ *countries* Entwicklungsländer; **II.** *s.* **3.** Neubildung *f* (*im Verlauf e-r Entwicklung*).

e·mer·i·tus [i(:)ˈmeritəs] *adj.* emeritiert.

e·mer·sion [i(:)ˈməːʃən] *s.* **1.** Auftauchen *n*; **2.** *ast.* Austritt *m*.

em·er·y [ˈeməri] *s. min.* Schmirgel *m*; ˈ~**-cloth** *s.* Schmirgelleinen *n*; ˈ~**-pa·per** *s.* ˈSchmirgelpaˌpier *n*; ˈ~**-wheel** *s.* ⊕ Schmirgelscheibe *f*.

e·met·ic [iˈmetik] ⚕ **I.** *adj.* eˈmetisch, Brechreiz erregend; **II.** *s.* Eˈmetikum *n*, Brechmittel *n* (*a. fig.*).

em·i·grant [ˈemigrənt] **I.** *s.* Auswanderer *m*, Emiˈgrant(in); **II.** *adj.* auswandernd, Auswanderungs...; ˈ**em·i·grate** [-reit] *v/i.* emigrieren, auswandern; **em·i·gra·tion** [emiˈgreiʃən] *s.* Auswanderung *f*, Emigratiˈon *f* (*a. fig.*).

em·i·nence [ˈeminəns] *s.* **1.** Erhöhung *f*, (An)Höhe *f*; **2.** hohe Stellung, (hoher) Rang, Würde *f*; **3.** Ansehen *n*, Berühmtheit *f*, Bedeutung *f*; **4.** ♀ *eccl.* Emiˈnenz *f* (*Titel*); ˈ**em·i·nent** [-nt] *adj.* □ **1.** herˈvorragend, ausgezeichnet, berühmt; **2.** emiˈnent, bedeutend, außergewöhnlich; **3.** → *domain 3*; ˈ**em·i·nent·ly** [-ntli] *adv.* ganz besonders, in hohem Maße.

e·mir [eˈmiə] *s.* ˈEmir *m*; eˈ**mir·ate** [-ərit] *s.* Emiˈrat *n* (*Würde od. Land e-s Emirs*).

em·is·sar·y [ˈemisəri] *s.* (Send-) Bote *m*, Abgesandte(r) *m*; Emisˈsär *m*.

e·mis·sion [iˈmiʃən] *s.* **1.** Ausstrahlung *f*, Ausströmung *f*, -sendung *f*; **2.** *biol.* Erguß *m*, Ausfluß *m*; **3.** ✝ Emissiˈon *f*, Ausgabe *f*; eˈ**mis·sive** [-isiv] *adj.* ausstrahlend;

e·mit [iˈmit] *v/t.* **1.** aussenden, -strahlen, -strömen; **2.** ausstoßen, -werfen, -scheiden, von sich geben; **3.** ✝ ausgeben, in ˈUmlauf setzen.

em·mesh [iˈmeʃ] → *enmesh*.

e·mol·li·ent [iˈmɔliənt] **I.** *adj.* erweichend (*a. fig.*); **II.** *s.* ⚕ erweichendes Mittel.

e·mol·u·ment [iˈmɔljumənt] *s.* **1.** Vergütung *f*, Gebühr *f*; **2.** *pl.* Einkünfte *pl.*, Bezüge *pl.*

e·mo·tion [iˈmouʃən] *s.* Emotiˈon *f*: **a)** Gemütsbewegung *f*, (Gefühls-) Regung *f*, Gefühl *n*, **b)** Erregung *f*, Leidenschaft *f*; **eˈmo·tion·al** [-ʃənl] *adj.* □ → *emotionally*; **1.** gefühlsmäßig, -bedingt, Gefühls..., Gemüts...; **2.** emotioˈnal, gefühlsbetont; gefühlvoll, rührselig; **3.** rührend, ergreifend; **eˈmo·tion·al·ism** [-ʃnəlizəm] *s.* Empfindsamkeit *f*; Gefühlsduseˈlei *f*, -seligkeit *f*; **eˈmo·tion·al·ist** [-ʃnəlist] *s.* Gefühlsmensch *m*; **e·mo·tion·al·i·ty** [imouʃəˈnæliti] *s.* **1.** Empfindsamkeit *f*; **2.** Erregbarkeit *f*; **eˈmo·tion·al·ize** [-ʃnəlaiz] *v/t.* **1.** Emotionen wecken in (*dat.*); **2.** emotionalisieren; eˈ**mo·tion·al·ly** [-ʃnəli] *adv.* gefühlsmäßig, emotioˈnell; eˈ**mo·tion·less** [-lis] *adj.* ungerührt, gefühllos, kühl; **eˈmo·tive** [-outiv] *adj.* □ emotional, gefühlsmäßig, Gefühls..., Emotions...

em·pale → *impale*.

em·pan·el [imˈpænl] *v/t.* in die Liste (*bsd.* der Geschworenen) eintragen; *Am. die Geschworenen für ein bestimmtes Verfahren* auswählen.

em·pa·thize [ˈempəθaiz] *v/i.* Einfühlungsvermögen haben *od.* zeigen; sich einfühlen können (*with* in *acc.*); ˈ**em·pa·thy** [-θi] *s.* Einfühlung(svermögen *n*) *f*.

em·pen·nage [imˈpenidʒ; ɑ̃pɛnaːʒ] (*Fr.*) *s.* ✈ Leitwerk *n*.

em·per·or [ˈempərə] *s.* Kaiser *m*; ~ **moth** *s. zo.* kleines Nachtpfauenauge.

em·pha·sis [ˈemfəsis] *s.* **1.** *ling.* Betonung *f*, Ton *m*, Akˈzent *m*; **2.** *fig.* Betonung *f*, Gewicht *n*, Schwerpunkt *m*: *to lay* ~ *on s.th.* Gewicht *od.* Wert auf e-e Sache legen, et. hervorheben *od.* betonen; **3.** Bestimmtheit *f*, Nachdruck *m*, Deutlichkeit *f*; ˈ**em·pha·size** [-saiz] *v/t.* (nachdrücklich) betonen (*a. ling.*), herˈvorheben, unterˈstreichen; **em·phat·ic** [imˈfætik] *adj.* (□ ~*ally*) **1.** nachdrücklich, betont: *to be* ~ *about et.* betonen; **2.** ausdrücklich, ausgesprochen, deutlich; **3.** bestimmt, (ganz) entschieden.

em·pire [ˈempaiə] **I.** *s.* **1.** (Kaiser-) Reich *n*: *British* ♀ brit. Weltreich; ♀ *Day brit. Staatsfeiertag* (*am 24. Mai, dem Geburtstag Königin Victorias*); ~ *produce Brit.* Erzeugnis aus dem brit. Weltreich; **2.** ✝ ˈGroßkonˌzern *m*, Imˈperium *n*: *tobacco* ~; **3.** Herrschaft *f* (*over* über *acc.*); **II.** *adj.* **4.** Reichs...; **5.** Emˈpire... (*Stil*): ~ *furniture*.

em·pir·ic [emˈpirik] **I.** *s.* **1.** Emˈpiriker *m*; **2.** Kurpfuscher *m*; **II.** *adj.* **3.** → *empirical*; **emˈpir·i·cal** [-kəl] *adj.* □ **1.** emˈpirisch, erfahrungsmäßig; **2.** nicht wissenschaftlich; **emˈpir·i·cism** [-isizəm] *s.* **1.** Empiˈrismus *m*; **2.** Quacksalbeˈrei *f*; **emˈpir·i·cist** [-isist] → *empiric 1*.

em·place [imˈpleis] *v/t.* ⚔ *Geschütz* in Stellung bringen; **emˈplace·ment** [-mənt] *s.* **1.** Stellung *f*, Lage *f*; **2.** ⚔ **a)** Inˈstellungbringen *n*, **b)** Geschützstellung *f*, -stand *m*, **c)** Bettung *f*.

em·plane [imˈplein] ✈ **I.** *v/t.* in ein Flugzeug (ver)laden; **II.** *v/i.* an Bord e-s Flugzeugs gehen.

em·ploy [imˈplɔi] **I.** *v/t.* **1.** *j-n* beschäftigen, an-, einstellen, einsetzen: *to* ~ *o.s.* sich beschäftigen; **2.** an-, verwenden, gebrauchen, benutzen; **II.** *s.* **3.** Dienst(e *pl.*) *m*, Beschäftigung *f*: *in s.o.'s* ~ in j-s Dienst(en), bei j-m angestellt; **emˈploy·a·ble** [-ɔiəbl] *adj.* **1.** zu beschäftigen(d); **2.** arbeitsfähig; **3.** verwendbar; **em·ploy·é** *m*, **em·ploy·ée** *f* [ɔmˈplɔiei], **em·ploy·ee** [emplɔiˈiː] *s.* Arbeitnehmer(in), (*engS. salaried* ~) Angestellte(r *m*) *f*; *pl.* Belegschaft *f e-s Betriebs*; **emˈploy·er** [-ɔiə] *s.* **1.** Arbeitgeber(in), Unterˈnehmer(in), Chef (-in), Dienstherr(in): ~*'s liability* Unternehmerhaftpflicht; ~*s' association* Arbeitgeberverband; **2.** ✝ Auftraggeber(in).

em·ploy·ment [imˈplɔimənt] *s.* **1.** Beschäftigung *f*, Arbeit *f*, (An-) Stellung *f*, Arbeitsverhältnis *n*: *in* ~ beschäftigt; *out of* ~ stellungs-, arbeitslos; *full* ~ Vollbeschäftigung; **2.** Ein-, Anstellung *f*, Einsatz *m*; **3.** Beruf *m*, Tätigkeit *f*, Geschäft *n*; **4.** Gebrauch *m*, Ver-, Anwendung *f*; ~ **a·gen·cy,** ~ **bu·reau** *s.* ˈStellenvermittlungsbüˌro *n*, Arbeitsnachweis *m*; ~ **ex·change** *s. Brit.* Arbeitsamt *n*, -nachweis *m*; ~ **market** *s.* Arbeitsmarkt *m*.

em·po·ri·um [emˈpɔːriəm] *s.* **1.** Handelsplatz *m*, -zentrum *n*; Stapelplatz *m*; **2.** F Kauf-, Warenhaus *n*, ‚Laden' *m*.

em·pow·er [imˈpauə] *v/t.* **1.** bevollmächtigen, ermächtigen (*to* zu): *to be* ~*ed to* befugt sein zu; **2.** befähigen (*for* zu).

em·press [ˈempris] *s.* Kaiserin *f*.

emp·ti·ness [ˈemptinis] *s.* **1.** Leerheit *f*, Leere *f*; **2.** *fig.* Hohlheit *f*; **3.** Nichtigkeit *f*.

emp·ty [ˈempti] **I.** *adj.* **1.** leer: ~ *of* bar (*gen.*), ohne; **2.** leer(stehend), unbewohnt; **3.** unbeladen; **4.** *fig.* leer, eitel, hohl, nichtig; **5.** F hungrig: *on an* ~ *stomach* auf nüchternen Magen; **II.** *v/t.* **6.** (aus-, ent-) leeren; **7.** *Glas* austrinken; **8.** *Haus etc.* räumen; **9.** (aus)gießen, abfüllen, -lassen; **10.** berauben (*of gen.*); **11.** ~ *itself* → *13*; **III.** *v/i.* **12.** sich leeren; **13.** sich ergießen, münden; **IV.** *s.* **14.** *pl.* ♆ Leergut *n*; '~-'**hand·ed** *adj.* mit leeren Händen; '~-'**head·ed** *adj. fig.* hohlköpfig; ~ **weight** *s.* Eigen-, Leergewicht *n.*

em·py·e·ma [empai'i:mə] *s.* ⚕ Empy'em *n*, Eiteransammlung *f.*

em·pyr·e·al [empai'ri(:)əl] *adj.* empy'reisch, himmlisch; **em·py're·an** [-ən] **I.** *s. antiq. phls.* Feuer-, Lichthimmel *m*; **II.** *adj.* → *empyreal.*

e·mu ['i:mju:] *s. orn.* 'Emu *m.*

em·u·late ['emjuleit] *v/t.* nacheifern (*dat.*); nachahmen (*acc.*), es gleichtun (*dat.*); **em·u·la·tion** [emju'leiʃən] *s.* Wetteifer *m*, Nacheifern *n*; '**em·u·lous** [-ləs] *adj.* □ (*of*) **1.** wetteifernd (mit), nacheifernd (*dat.*); **2.** eifrig strebend, (be)gierig (nach).

e·mul·si·fy [i'mʌlsifai] *v/t.* emulgieren; e'**mul·sion** [-lʃən] *s.* ⚗, ⚕, *phot.* Emulsi'on *f.*

e·munc·to·ry [i'mʌŋktəri] *anat.* **I.** *s.* 'Ausscheidungsor,gan *n*; **II.** *adj.* Ausscheidungs...

en·a·ble [i'neibl] *v/t.* **1.** *j-n* befähigen, in den Stand setzen, es *j-m* ermöglichen: *to be* ~*d* imstande sein; **2.** ermächtigen: *Enabling Act* Ermächtigungsgesetz; **3.** *et.* möglich machen, ermöglichen.

en·act [i'nækt] *v/t.* **1.** ⚖ **a)** *Gesetz* erlassen: ~*ing clause* Einführungsklausel, **b)** verfügen, verordnen, **c)** Gesetzeskraft verleihen (*dat.*); **2.** *thea.* **a)** *Stück* aufführen, **b)** *Person, Rolle* darstellen, spielen; **3.** *to be* ~*ed fig.* stattfinden, über die Bühne *od.* vor sich gehen; **en'action** [-kʃən], **en'act·ment** [-mənt] *s.* ⚖ **a)** Erlassen *n* (*Gesetz*), **b)** Erhebung *f* zum Gesetz, **c)** Verfügung *f*, Verordnung *f*, Erlaß *m.*

en·am·el [i'næməl] **I.** *s.* **1.** E'mail(le *f*) *n*, Schmelz *m*; **2.** Gla'sur *f*; Lack *m*; **3.** E'mailmale,rei *f*; **4.** *anat.* Zahnschmelz *m*; **II.** *v/t.* **5.** emaillieren: ~(*l*)*ing furnace* Emaillierofen; **6.** glasieren, lackieren; **7.** in Email malen; **en'am·el(l)ed** [-ld] *adj.* emailliert, Email...; **en'am·el·(l)er** [-mlə] *s.* Email'leur *m*, Schmelzarbeiter *m.*

en·am·el ware *s.* E'mailwaren *pl.*, -geschirr *n.*

en·am·o(u)r [i'næmə] *v/t. mst pass.* verliebt machen: *to be* ~*ed of* **a)** verliebt sein in (*acc.*), **b)** *fig.* sehr gern haben, versessen sein auf (*acc.*).

en bloc [ɑ̃'blɔk; en-] (*Fr.*) en bloc, im ganzen, als Ganzes.

en·cae·ni·a [en'si:njə] *s.* **1.** Gründungs-, Stiftungsfest *n*; **2.** *Brit. engS. jährliches Gründungsfest der Universität Oxford.*

en·cage [in'keidʒ] *v/t.* (in e-n Käfig) einsperren, ein-, abschließen.

en·camp [in'kæmp] **I.** *v/i.* (sich) lagern, ein Lager aufschlagen; **II.** *v/t. bsd.* ⚔ lagern lassen: *to be* ~*ed* lagern; **en'camp·ment** [-mənt] *s.* **1.** ⚔ (Feld)Lager *n*; **2.** Park *m* von Wohnwagen, Zeltlager *n*; **3.** Lagern *n.*

en·case [in'keis] *v/t.* **1.** einschließen, um'hüllen; **2.** ⊕ verschalen, -kleiden, um'manteln; mit e-m Gehäuse versehen; **en'case·ment** [-mənt] *s.* **1.** Um'hüllung *f*; **2.** ⊕ Verkleidung *f*, Gehäuse *n.*

en·cash [in'kæʃ] *v/t.* ♆ einkassieren, in bar einlösen; **en'cash·ment** [-mənt] *s.* ♆ In'kasso *n*, Einkassierung *f.*

en·caus·tic [en'kɔ:stik] *paint.* **I.** *adj.* en'kaustisch, eingebrannt; **II.** *s.* En'kaustik *f*; ~ **tile** *s.* buntglasierte Kachel.

en·ceinte [ɑ̃:ŋ'sɛ̃:nt; ɑ̃sɛ̃:t] (*Fr.*) **I.** *adj.* schwanger; **II.** *s.* ⚔ Um'wallung *f.*

en·ce·phal·ic [enke'fælik] *adj.* ⚕ Gehirn...; **en·ceph·a·li·tis** [enkefə'laitis] *s.* ⚕ Gehirnentzündung *f*, Encepha'litis *f.*

en·chain [in'tʃein] *v/t.* **1.** ver-, anketten; **2.** *fig.* fesseln, festhalten.

en·chant [in'tʃɑ:nt] *v/t.* **1.** be-, verzaubern, behexen; **2.** *fig.* bezaubern, entzücken, hinreißen; **en'chant·er** [-tə] *s.* Zauberer *m*; **en'chant·ing** [-tiŋ] *adj.* □ bezaubernd, entzückend; **en'chant·ment** [-mənt] *s.* **1.** Zauber *m*, Zaube'rei *f*; Ver-, Bezauberung *f*; **2.** *fig.* Zauber *m*, Entzücken *n*; **en'chant·ress** [-tris] *s.* **1.** Zauberin *f*; **2.** *fig.* bezaubernde Frau.

en·chase [in'tʃeis] *v/t.* **1.** *Edelstein* fassen; **2.** ziselieren: ~*d work* getriebene Arbeit; **3.** (ein)gravieren; **4.** *fig.* schmücken.

en·ci·pher [in'saifə] *v/t.* chiffrieren, verschlüsseln.

en·cir·cle [in'sə:kl] *v/t.* **1.** um'geben, -'fassen, -'ringen; **2.** einkreisen, um'zingeln; ⚔ *a.* einkesseln; **en'cir·cle·ment** [-mənt] *s.* **1.** Um'fassung *f*; **2.** Einkreisung *f*; ⚔ *a.* Einkesselung *f.*

en·clasp [in'klɑ:sp] *v/t.* um'fassen, -'schließen.

en·clave **I.** *s.* ['enkleiv] En'klave *f*; **II.** *v/t.* [en'kleiv] *Gebiet* einschließen, um'geben.

en·clit·ic [in'klitik] *ling.* **I.** *adj.* (□ ~*ally*) en'klitisch; **II.** *s.* enklitisches Wort.

en·close [in'klouz] *v/t.* **1.** (*in*) einschließen (in *acc.*), um'geben (mit); ⊕ einkapseln; **2.** um'ringen; **3.** *Land* einfried(ig)en, um'zäunen; **4.** beilegen, -fügen; **5.** enthalten; **en'closed** [-zd] *adj.* **1.** *a. adv.* an'bei, beiliegend, in der Anlage: ~ *please find* in der Anlage erhalten Sie; **2.** ⊕ geschlossen, gekapselt: ~ *motor*; **en'clo·sure** [-ouʒə] *s.* **1.** Einschließung *f*; **2.** Einfried(ig)ung *f*, Um'zäunung *f*; **3.** eingehegtes Grundstück; **4.** Zaun *m*, Mauer *f*; **5.** Anlage *f* (*in e-m Brief*).

en·code [in'koud] → *encipher.*

en·co·mi·ast [en'koumiæst] *s.* Lobredner *m*, Schmeichler *m*; **en'co·mi·um** [-mjəm] *s.* Lobrede *f*, -lied *n*, -preisung *f.*

en·com·pass [in'kʌmpəs] *v/t.* um'fassen, -'geben, -'ringen, einschließen (*a. fig.*).

en·core [ɔŋ'kɔ:] (*Fr.*) **I.** *int.* **1.** da 'capo!, noch einmal!; **II.** *s.* **2.** Da'kapo(ruf *m*) *n*; **3. a)** Wieder'holung *f*, **b)** Zugabe *f*; **III.** *v/t.* **4.** da capo rufen, Wiederholung *od.* e-e Zugabe verlangen.

en·coun·ter [in'kauntə] **I.** *v/t.* **1.** *j-m od. e-r Sache* begegnen, *j-n od. et.* treffen, auf *j-n*, *a.* auf *Fehler, Widerstand, Schwierigkeiten etc.* stoßen; **2.** mit *j-m* (feindlich) zs.-stoßen *od.* anein'andergeraten; **3.** entgegentreten (*dat.*); **II.** *v/i.* **4.** sich begegnen; **III.** *s.* **5.** Begegnung *f*; **6.** Zs.-stoß *m* (*a. fig.*), Gefecht *n.*

en·cour·age [in'kʌridʒ] *v/t.* **1.** ermutigen, auf-, ermuntern; **2.** anfeuern, -reizen; anspornen; **3.** *j-m* zureden; **4.** *j-n* unter'stützen, bestärken (*in* in *dat.*); **5.** *et.* fördern, anregen, beleben; *b.s. et.* verstärken, verschlimmern; **en'cour·age·ment** [-mənt] *s.* **1.** Ermutigung *f*, Auf-, Ermunterung *f*, Ansporn *m* (*to* für); **2.** Förderung *f*, Unter'stützung *f*, Begünstigung *f*, Gunst *f*; **en'cour·ag·ing** [-dʒiŋ] *adj.* □ **1.** ermutigend; entgegenkommend; **2.** hoffnungsvoll, vielversprechend, erfreulich.

en·croach [in'kroutʃ] *v/i.* **1.** (*on, upon*) unbefugt eindringen *od.* -greifen (in *acc.*), sich 'Übergriffe leisten (in, auf *acc.*); **2.** (*on, upon*) 'übermäßig beanspruchen, miß'brauchen; zu weit gehen; **3.** (*on, upon acc.*) beeinträchtigen, schmälern; (ver)mindern; **4.** *fig.* (*on, upon*) **a)** berauben (*gen.*), **b)** sich *et.* anmaßen; **en'croach·ment** [-mənt] *s.* **1.** (*on, upon*) Eingriff *m* (in *acc.*), 'Übergriff *m* (in, auf *acc.*); **2.** Beeinträchtigung *f*, Anmaßung *f*; **3.** 'Übergreifen *n*, Vordringen *n.*

en·crust [in'krʌst] **I.** *v/t.* **1.** über'krusten, -'ziehen; **2.** ⊕ inkrustieren; **3.** bedecken, belegen, verkleiden; **II.** *v/i.* **4.** sich über-, verkrusten; e-e Kruste bilden.

en·cum·ber [in'kʌmbə] *v/t.* **1.** beschweren, belasten (*a. mit Schulden*); **2.** (be)hindern; **3.** voll-, verstopfen; versperren; **en'cum·brance** [-brəns] *s.* **1.** Last *f*, Belastung *f*; **2.** Hindernis *n*, Behinderung *f*; **3.** ♆ (Grundstücks)Belastung *f*, Schuldenlast *f*, Hypo'thek *f*; **4.** (Fa'milien)Anhang *m*, *bsd.* Kinder *pl.*: *without* ~(*s*); **en'cum·branc·er** [-brənsə] *s.* ⚖ Pfand-, Hypo'thekengläubiger(in).

en·cy·clic *adj. u. s.*; **en·cy·cli·cal** [en'siklik(əl)] **I.** *adj.* □ en'zyklisch; **II.** *s. eccl.* (päpstliche) En'zyklika.

en·cy·clo·p(a)e·di·a [ensaiklou'pi:djə] *s.* Enzyklopä'die *f*, Konversati'ons,lexikon *n*; **en·cy·clo'p(a)e·dic** *adj.*; **en·cy·clo'p(a)e·di·cal** [-dik(əl)] *adj.* enzyklo'pädisch.

en·cyst [en'sist] *v/t.* ⚕, *zo.* ein-, verkapseln; **en'cyst·ment** [-mənt] *s.* ⚕, *zo.* Ein-, Verkapselung *f.*

end [end] **I.** *s.* **1.** (*örtlich*) Ende *n*: *to begin at the wrong* ~ falsch herum anfangen; *from one* ~ *to another, from* ~ *to* ~ von Anfang bis (zum) Ende; *at the* ~ *of the letter* am Ende *od.* Schluß des Briefes; *no* ~ **a)** unendlich, unzählig, **b)** sehr viel(e); *no* ~ *of trouble* endlose Mühe *od.* Scherereien; *no* ~ *of a fool* Vollidiot; *no* ~ *disappointed* F maßlos enttäuscht; *he thinks no* ~ *of him-*

self er ist grenzenlos eingebildet; *on* ~ a) ununterbrochen, b) aufrecht, hochkant; *for hours on* ~ stundenlang; *to stand on* ~ hochkant stellen; *my hair stood on* ~ mir standen die Haare zu Berge; *at our* (*od. this*) ~ bei uns, hier; *to be at an* ~ a) am Ende sein, b) mit s-n Mitteln *od.* Kräften am Ende sein; *at a loose* ~ a) müßig, b) ohne feste Bindung, c) verwirrt; *there's an* ~ *of it!* Schluß damit!, basta!; *there's an* ~ *to everything* alles hat mal ein Ende; *you'll be the* ~ *of me* du bringst mich noch ins Grab; *to come to an* ~ ein Ende nehmen, zu Ende gehen; *to come to a bad* ~ ein schlimmes Ende nehmen; *to keep one's* ~ *up* a) gut abschneiden, b) s-n Mann stehen, c) nicht nachgeben; *to make both* ~*s meet* mit s-m Einkommen reichen, sich nach der Decke strecken; *to make an* ~ *of* (*od. put an* ~ *to*) *s.th.* a) mit et. aufhören, b) et. abschaffen *od.* zerstören; **2.** (äußerstes) Ende, *mst* entfernte Gegend: *the other* ~ *of the street* das andere Ende der Straße; *the east* ~ der Osten *e-r Stadt*; *to the* ~*s of the earth* bis ans Ende der Welt; *the* ~ *house* das letzte Haus *e-r Reihe*; **3.** ⊕ Spitze *f*, Kopf(ende *n*) *m*, Stirnseite *f*: ~ *to* ~ der Länge nach; ~ *on* mit dem Ende *od.* der Spitze voran; **4.** (*zeitlich*) Ende *n*, Schluß *m*: *in the* ~ am Ende, schließlich; *at the* ~ *of May* Ende Mai; *to the bitter* ~ bis zum bitteren Ende; *to the* ~ *of time* bis in alle Ewigkeit; *without* ~ unaufhörlich; **5.** Tod *m*, Vernichtung *f*, Nieder-, 'Untergang *m*: *near one's* ~ dem Tode nahe; *the* ~ *of the world* das Ende der Welt; **6.** (*Menge*) Ende *n*, Erschöpfung *f*; **7.** Rest *m*, Endchen *n*, Stück(chen) *n*; Stummel *m*, Stumpf *m*; **8.** Folge *f*, Ergebnis *n*: *the* ~ *of the matter was that* die Folge (davon) war, daß; *to foresee the* ~ die Folgen absehen; **9.** Ziel *n*, (End-) Zweck *m*, Absicht *f*: *to this* ~ zu diesem Zweck; *to no* ~ vergebens; *to gain one's* ~*s* s-n Zweck erreichen; *for one's own* ~ zum eigenen Nutzen; *private* ~*s* Privatinteressen; *the* ~ *justifies the means* der Zweck heiligt die Mittel; **II.** *v/t.* **10.** *a.* ~ *off* beend(ig)en, zu Ende führen; *e-r Sache* ein Ende machen *od.* bereiten; **11.** a) *et.* ab-, beschließen, b) *Rest der Tage* verbringen; **III.** *v/i.* **12.** *a.* ~ *off* end(ig)en, aufhören, schließen: *all's well that* ~*s well* Ende gut, alles gut; **13.** *a.* ~ *up* end(ig)en, ausgehen (*by, in, with* damit, daß): *he* ~*ed by boring me* schließlich langweilte er mich; *to* ~ *in disaster* mit e-m Fiasko enden; **14.** ~ *up* enden: *to* ~ *up with* zum *od.* als Schluß.

'end-all *s.* **1.** Abschluß *m*; **2.** → *be-all.*

en·dan·ger [in'deindʒə] *v/t.* gefährden, in Gefahr bringen.

en·dear [in'diə] *v/t.* *j-m* teuer *od.* lieb *od.* wert machen: *to* ~ *o.s. to s.o.* a) j-s Zuneigung gewinnen, b) sich bei j-m einschmeicheln *od.* lieb Kind machen; **en'dear·ing** [-iəriŋ] *adj.* □ zärtlich, lockend, reizend; gefällig; **en'dear·ment** [-mənt] *s.* **1.** Beliebtheit *f*; **2.** Liebkosung *f*, Zärtlichkeit *f*: (*term of*) ~ Kosewort, -name.

en·deav·o(u)r [in'devə] **I.** *v/i.* **1.** (*after*) sich bemühen (um), streben (nach); **II.** *v/t.* **2.** (ver)suchen (*to do s.th.* et. zu tun); **III.** *s.* **3.** Bemühung *f*, Bestreben *n*; **4.** Anstrengung *f*.

en·dem·ic [en'demik] **I.** *adj.* (□ ~*ally*) **1.** ⚕ en'demisch, örtlich (auftretend); **2.** ♀, *zo.* einheimisch; **II.** *s.* **3.** ⚕ endemische Krankheit.

en·der·mic [en'də:mik] *adj.* ⚕ ender'matisch, auf die Haut wirkend.

end·ing ['endiŋ] *s.* **1.** Ende *n*, (Ab-) Schluß *m*: *a happy* ~ ein glückliches Ende, ein Happy-End; **2.** *ling.* Endung *f*; **3.** *fig.* Ende *n*, Tod *m*.

en·dive ['endiv] *s.* ♀ En'divie *f*.

end·less ['endlis] *adj.* □ **1.** endlos, ohne Ende, un'endlich; **2.** ewig, unauf'hörlich; **3.** unendlich lang; **4.** ⊕ endlos: ~ *band* endloses Band; ~ *chain* endlose Kette, Raupenkette, Paternosterwerk; ~ *paper* Endlos-, Rollenpapier; ~ *screw* Schraube ohne Ende, Schnecke; **'end·less·ness** [-nis] *s.* Un'endlichkeit *f*, Endlosigkeit *f*.

end line *s. sport* 'End₁linie *f*.

endo- [endou] *in Zssgn* Innen...

en·do·car·di·tis [endouka:'daitis] *s.* ⚕ Herzinnenhautentzündung *f*, Endokar'ditis *f*; **en·do·car·di·um** [endou'ka:diəm] *s. anat.* innere Herzhaut, Endo'kard *n*; **en·do·carp** ['endouka:p] *s.* ♀ Endo'karp *n* (*innere Fruchthaut*); **en·do·crane** ['endoukrein] *s. anat.* Schädelinnenfläche *f*, Endo'kranium *n*; **en·do·crine** ['endoukrain] *adj.* mit innerer Sekreti'on: ~ *glands*; **en·dog·a·my** [en'dɔgəmi] *s. biol.* Inzucht *f*; **en·do·gen** ['endoudʒen] *s.* ♀ ₁Monokotyle'done *f*; **en·dog·e·nous** [en'dɔdʒinəs] *adj. bsd.* ♀ endo'gen, von innen her'auswachsend; **en·do·par·a·site** [endou'pærəsait] *s. zo.* 'Innenschma₁rotzer *m*; **en·do·plasm** ['endouplæzəm] *s. biol.* innere 'Plasmaschicht.

en·dorse [in'dɔ:s] *v/t.* **1.** a) *Dokument* auf der Rückseite beschreiben, b) e-n Vermerk *od.* Zusatz machen: *to* ~ *a licence* e-e Strafe auf e-m Führerschein *etc.* vermerken; **2.** ✝ a) *Scheck etc.* indossieren, girieren, b) *a.* ~ *over* über'tragen, -'weisen; **3.** *Ansicht etc.* bekräftigen, unter'stützen, bestätigen, billigen, gutheißen; **en·dor·see** [endɔ:'si:] *s.* ✝ Indos'sat *m*, Indossa'tar *m*; Gi'rat *m*; **en'dorse·ment** [-mənt] *s.* **1.** Vermerk *m od.* Zusatz *m* (*mst auf der Rückseite von Dokumenten*); **2.** ✝ a) Indossa'ment *n*, 'Giro *n*, b) Über'tragung *f*; **3.** Bekräftigung *f*, Bestätigung *f*; Unter'stützung *f*, Beistand *m*; **en'dors·er** [-sə] *s.* ✝ Indos'sant *m*, Gi'rant *m*: *preceding* ~ Vordermann; **en'dors·ing ink** [-siŋ] *s.* Stempelfarbe *f*.

en·do·sperm ['endouspə:m] *s.* ♀ Endo'sperm *n*, Nährgewebe *n des Samens.*

en·dow [in'dau] *v/t.* **1.** dotieren, ausstatten (*with* mit); **2.** stiften, gründen, subventionieren; **3.** *fig.* ausstatten, begaben; **en'dowed** [-aud] *adj.* **1.** ausgestattet, dotiert: *well-*~ wohlhabend; ~ *school* durch e-e Stiftung erhaltene Schule; **2.** *fig.* begabt (*with* mit); **en'dow·ment** [-mənt] *s.* **1.** Ausstattung *f*, Aussteuer *f*: ~ *insurance* (*od. assurance*) ✝ Lebensversicherung auf den Erlebensfall; **2.** Dotati'on *f*, Stiftung *f*; 'Stiftungskapi₁tal *n*; **3.** *mst pl.* Begabung *f*, Ta'lent *n*.

'end|-pa·per *s.* 'Vorsatz(pa₁pier) *n*; ~ **plate** *s.* ⊕ Endplatte *f*, -scheibe *f*; ~ **rhyme** *s.* Endreim *m*.

en·due [in'dju:] *v/t. mst fig.* bekleiden, versehen, ausstatten (*with* mit).

en·dur·a·ble [in'djuərəbl] *adj.* □ erträglich, leidlich.

en·dur·ance [in'djuərəns] **I.** *s.* **1.** Ausdauer *f*, Geduld *f*; Aushalten *n*, Ertragen *n*: *beyond* (*od. past*) ~ unerträglich, nicht auszuhalten; **2.** ⊕ Dauerleistung *f*; Lebensdauer *f*; **II.** *adj.* **3.** Dauer...; ~ **flight** *s.* ✈ Dauerflug *m*; ~ **limit** *s.* ⊕ Belastungsgrenze *f*; ~ **run** *s.* Dauerlauf *m*; ~ **test** *s.* ⊕ Belastungs-, Ermüdungsprobe *f*.

en·dure [in'djuə] **I.** *v/i.* **1.** (aus-, fort)dauern; **2.** ausharren, aus-, 'durchhalten; **II.** *v/t.* **3.** aushalten, ertragen, erdulden, 'durchmachen: *not to be* ~*d* unerträglich; **4.** *fig.* (*nur neg.*) ausstehen, leiden: *I cannot* ~ *him*; **en'dur·ing** [-əriŋ] *adj.* □ (an-, fort)dauernd, bleibend.

'end·ways, 'end·wise *adv.* **1.** mit dem Ende nach vorn *od.* oben; **2.** aufrecht; **3.** der Länge nach.

en·e·ma ['enimə] *s.* ⚕ **1.** Kli'stier *n*, Einlauf *m*; **2.** Kli'stierspritze *f*.

en·e·my ['enimi] **I.** *s.* **1.** ⚔ Feind *m*; **2.** Gegner *m*, Feind *m*: *the Old* ~ *bibl.* der Teufel, der böse Feind; *to be one's own* ~ sich selbst schaden *od.* im Wege stehen; *she made no enemies* sie schaffte sich keine Feinde; *how goes the* ~? F wie spät ist es?; **II.** *adj.* **3.** feindlich, Feind...: ~ *action* Feind-, Kriegseinwirkung; ~ *alien* feindlicher Ausländer; ~ *country* Feindesland; ~ *property* ✝ Feindvermögen.

en·er·get·ic [enə'dʒetik] *adj.* (□ ~*ally*) **1.** e'nergisch, tatkräftig, tätig, unter'nehmend, voll Tatendrang; **2.** (sehr) wirksam; **en·er·gize** ['enədʒaiz] **I.** *v/t.* **1.** *et.* kräftigen, antreiben; *j-n* anspornen; **2.** ⚡, ⊕, *phys.* erregen; **3.** Nachdruck verleihen (*dat.*); **II.** *v/i.* **4.** energisch handeln.

en·er·gu·men [enə:'gju:men] *s.* Enthusi'ast(in), Fa'natiker(in), Eiferer *m*.

en·er·gy ['enədʒi] *s.* **1.** Ener'gie *f*, Tat-, Schaffenskraft *f*, Kraft *f*; **2.** Kraft(aufwand *m*) *f*, Nachdruck *m*; **3.** Wirksamkeit *f*, Tätigkeit *f*, Rührigkeit *f*; **4.** ⚗, ⊕, *phys.* Energie *f*, Kraft *f*, Leistung *f*.

en·er·vate ['enə:veit] *v/t.* entnerven, -kräften, ermüden, schwächen (*alle a. fig.*); **en·er·va·tion** [enə:'veiʃən] *s.* **1.** Schwächung *f*; **2.** Schwäche *f*, Abgespanntheit *f*.

en·fee·ble [in'fi:bl] *v/t.* entkräften, schwächen.

en·feoff [in'fef] *v/t.* **1.** belehnen (*with* mit); **2.** *j-m et.* über'geben, ausliefern; **en'feoff·ment** [-mənt] *s.* **1.** Belehnung *f*; **2.** Lehnsbrief *m*; **3.** Lehen *n*.

en·fi·lade [enfi'leid] ⚔ **I.** *s.* Flanken-, Längsfeuer *n*; **II.** *v/t.* bestreichen, der Länge nach beschießen.

en·fold [in'fould] *v/t.* **1.** einhüllen (*in* in *acc.*), um'hüllen (*with* mit); **2.** *fig.* um'fassen, -'armen; **3.** falten.

en·force [in'fɔ:s] *v/t.* **1.** Geltung verschaffen (*dat.*), 'durchführen, wirksam machen; einschärfen; **2.** (*upon*) *et.* 'durchsetzen (bei *j-m*); *Gehorsam etc.* erzwingen (von *j-m*); **3.** (*upon dat.*) aufzwingen, auferlegen; **4.** nachdrücklich betonen; **5.** *Forderungen etc.* (gerichtlich) geltend machen; **en'force·a·ble** [-səbl] *adj.* 'durchsetz-, erzwingbar; ⚖ voll'streckbar, beitreibbar; **en'forced** [-st] *adj.* □ erzwungen, aufgezwungen; Zwangs...; **en'for·ced·ly** [-sidli] *adv.* **1.** notgedrungen; **2.** zwangsweise, gezwungenermaßen; **en'force·ment** [-mənt] *s.* **1.** Erzwingung *f*; 'Durchsetzung *f*, -führung *f*, Voll'zug *m*; **2.** Zwang *m*.

en·frame [in'freim] *v/t.* einrahmen, um'rahmen, einfassen.

en·fran·chise [in'fræntʃaiz] *v/t.* **1.** *j-m* das Wahlrecht verleihen: *to be* ~*d* das Wahlrecht erhalten; **2.** *e-r Stadt* po'litische Rechte gewähren; **3.** *Brit. e-m Ort* Vertretung im 'Unterhaus verleihen; **4.** *Sklaven* freilassen; **en'fran·chise·ment** [-tʃizmənt] *s.* **1.** Verleihung *f* des Wahlrechts; **2.** Gewährung *f* von 'Stadtprivi,legien; **3.** Freilassung *f*, Befreiung *f* (*Sklaven*).

en·gage [in'geidʒ] **I.** *v/t.* **1.** (*a. o.s.* sich) verpflichten, binden (*to inf.* zu *inf.*); **2.** *mst pass. od. o.s.* sich verloben (*to* mit): *to become* (*od. get*) ~*d* sich verloben; **3.** *j-n* an-, einstellen, in Dienst nehmen, engagieren; **4. a)** *Zimmer etc.* mieten, nehmen, **b)** *Platz etc.* bestellen, belegen; **5.** *mst pass.* beschäftigen: *to be* ~*d in* (*od. on*) *s.th.* mit et. beschäftigt sein, an et. arbeiten; **6.** in Anspruch nehmen, verwickeln; interessieren, fesseln: *to be* ~*d* et. vorhaben, verabredet sein; *to* ~ *s.o. in conversation* j-n ins Gespräch ziehen; *to* ~ *s.o.'s attention* j-s Aufmerksamkeit auf sich lenken *od.* in Anspruch nehmen (*Sache*); *my time is fully* ~*d* m-e Zeit ist voll besetzt; **7.** ⚔ **a)** *Truppen* einsetzen, **b)** *Feind* angreifen; **8.** ⊕ einrasten lassen; *Kupplung* einrücken; *Motor* einschalten: *to* ~ *the clutch* (ein-)kuppeln; **II.** *v/i.* **9.** sich verpflichten, es über'nehmen (*to inf.* zu *inf.*); **10.** für *et.* einstehen, die Garan'tie über'nehmen, sich verbürgen (*that* daß); **11.** ⚔ angreifen, den Kampf beginnen; **12.** ~ *in et.* betreiben, sich beschäftigen *od.* befassen mit; **13.** ~ *in* sich beteiligen an (*dat.*), sich einlassen in *od.* auf (*acc.*); **14.** ⊕ inein'andergreifen, einrasten; **en'gaged** [-dʒd] *adj.* **1.** verpflichtet; **2.** besetzt, beschäftigt, vergeben, nicht abkömmlich: *are you* ~? sind Sie frei?; **3.** ~ (*to be married*) verlobt; **4.** (vor)bestellt (*Zimmer, Tisch etc.*); besetzt (*Telephon*): ~ *signal* Besetztzeichen;

en'gage·ment [-mənt] *s.* **1.** Verpflichtung *f*, Verbindlichkeit *f*: *without* ~ unverbindlich, † freibleibend; *to be under an* ~ *to s.o.* j-m vertraglich verpflichtet sein; ~*s* † Zahlungsverpflichtungen; **2.** Verabredung *f*, Einladung *f*: ~ *book* Merkbuch für Verabredungen; ~ *calendar* Terminkalender; **3.** Verlobung *f* (*to* mit): *to break off an* ~ e-e Verlobung lösen, sich entloben; ~-*ring* Verlobungsring; **4.** (An)Stellung *f*, Posten *m*; **5.** *thea.* Engage'ment *n*; **6.** ⚔ Kampf *m*, Gefecht *n*; **en'gag·ing** [-dʒiŋ] *adj.* □ einnehmend, gewinnend, reizend; verbindlich (*Lächeln*).

en·gen·der [in'dʒendə] *v/t.* *fig.* erzeugen, her'vorbringen, -rufen.

en·gine ['endʒin] **I.** *s.* **1.** Ma'schine *f*, me'chanisches Werkzeug; **2.** 'Motor *m*; **3.** 🚂 Lokomo'tive *f*: *seat facing the* ~ Sitz in Fahrtrichtung; *seat back to the* ~ Sitz gegen die Fahrtrichtung; **4.** *fig.* Mittel *n*, Werkzeug *n*; **II.** *v/t.* **5.** mit Maschinen *od.* Mo'toren versehen: *twin-*~*d* zweimotorig; ~ **beam** *s.* ⊕ Balanci'er *m* (*Dampfmaschine*); ~ **bed** *s.* ⊕ Ma'schinenfunda,ment *n*; ~ **build·er** *s.* Ma'schinenbauer *m*; '~-**driv·er** *s.* Lokomo'tivführer *m*.

en·gi·neer [endʒi'niə] **I.** *s.* **1. a)** Ingeni'eur *m*, **b)** 'Techniker *m*, **c)** Me'chaniker *m*; **2.** *a. mechanical* ~ Ma'schinenbauer *m*, -ingeni,eur *m*; **3.** *a.* ⚓ Maschi'nist *m*; **4.** *Am.* Lokomo'tivführer *m*; **5.** ⚔ Pio'nier *m*; **II.** *v/t.* **6.** *Straßen, Brücken etc.* bauen, anlegen, konstruieren, errichten; **7.** F *geschickt* in die Wege leiten, bewerkstelligen, ‚organisieren', ‚einfädeln', ‚deichseln'; **III.** *v/i.* **8.** Ingeni'eur sein; **en·gi'neer·ing** [-iəriŋ] *s.* **1.** 'Technik *f*, *engS.* Ingeni'eurwesen *n*; (*a. mechanical* ~) Ma'schinenbau *m*: *railway* ~ Eisenbahnbau; ~ *department* technische Abteilung, Konstruktionsbüro; ~ *sciences* technische Wissenschaften; ~ *standards committee* Fachnormenausschuß; ~ *works* Maschinenfabrik; **2.** *social* ~ angewandte Sozialwissenschaft; **3.** *fig.* F ‚Ma'növer' *n*, Manipulati'on *f*.

'en·gine|-fit·ter *s.* Ma'schinenschlosser *m*, Mon'teur *m*; '~-**house** *s.* Ma'schinenhaus *n*, Lokomo'tivschuppen *m*; '~-**lathe** *s.* ⊕ Leitspindeldrehbank *f*; '~-**man** [-mən] *s.* [*irr.*] **1.** Ma'schinenwärter *m*; **2.** Lokomo'tivführer *m*; '~-**room** *s.* Ma'schinenraum *m*, -halle *f*; '~-**shed** → *engine-house*; ~ **trou·ble** *s.* ⊕ Ma'schinenschaden *m*, 'Motorpanne *f*.

en·gird [in'gə:d], **en'gir·dle** [-dl] *v/t.* um'gürten, -'geben, -'schließen.

Eng·land·er ['iŋgləndə] *s.*: *Little* ~ Gegner der imperialistischen Politik.

Eng·lish ['iŋgliʃ] **I.** *adj.* **1.** englisch; **II.** *s.* **2.** *the* ~ die Engländer; **3.** *ling.* Englisch *n*: *in* ~ auf englisch, im Englischen; *into* ~ ins Englische; *the King's* (*od. Queen's*) ~ gutes, reines Englisch; *in plain* ~ *fig.* unverblümt; **4.** *typ.* Mittel *f* (*Schriftgrad*); **'Eng·lish·man** [-mən] *s.* [*irr.*] Engländer *m*; **'Eng·lish·wom·an** *s.* [*irr.*] Engländerin *f*.

en·gorge [in'gɔ:dʒ] *v/t.* **1.** gierig verschlingen; **2.** ⚕ verstopfen: ~*d kidney* Stauungsniere.

en·graft [in'grɑ:ft] *v/t.* **1.** (auf-)pfropfen (*into* in *acc.*, *upon* auf *acc.*); **2.** *fig.* einprägen (*in dat.*).

en·grailed [in'greild] *adj.* ausgezackt (*Wappen*), gerändelt (*Münze*).

en·grain [in'grein] *v/t.* in der Wolle *od.* tief *od.* echt färben (*a. fig.*); **en'grained** [-nd] *adj. fig.* **1.** eingefleischt, unverbesserlich; **2.** eingewurzelt, tiefsitzend.

en·grave [in'greiv] *v/t.* **1.** gravieren, stechen, einschneiden, -graben (*on* in, auf *acc.*); **2.** *fig.* ~ *on s.o.'s memory* (*od. in s.o.'s mind*) j-m tief einprägen; **en'grav·er** [-və] *s.* Gra'veur *m*, (Kunst)Stecher *m*: ~ *of music* Notenstecher; ~ *on copper* Kupferstecher; **en'grav·ing** [-viŋ] *s.* **1.** Gravieren *n*, Gravierkunst *f*; **2.** (*Kupfer-, Stahl*)Stich *m*, Holzschnitt *m*.

en·gross [in'grous] *v/t.* **1.** ⚖ **a)** *Urkunde* in großer *od.* deutlicher Schrift *od.* ins reine schreiben, **b)** in gesetzlicher Form ausdrücken *od.* ausfertigen; **2.** *fig.* beschlagnahmen, an sich reißen; ganz (für sich) in Beschlag *od.* Anspruch nehmen; **en'grossed** [-st] *adj.* vertieft, versunken (*in* in *acc.*); **en'gross·ing** [-siŋ] *adj.* **1.** fesselnd, spannend; **2.** ~ *hand* Kanzleischrift; **en'gross·ment** [-mənt] *s.* ⚖ Ausfertigung *f*, Reinschrift *f e-r Urkunde* in großer Schrift.

en·gulf [in'gʌlf] *v/t.* **1.** versenken; **2.** verschlingen; **3.** *fig.* einhüllen, über'wältigen: *to be* ~*ed* versinken, ertrinken.

en·hance [in'hɑ:ns] *v/t.* **1.** erhöhen, vergrößern, steigern; heben; **2.** über'treiben; **en'hance·ment** [-mənt] *s.* **1.** Steigerung *f*, Erhöhung *f*, Vergrößerung *f*; **2.** Über'treibung *f*.

e·nig·ma [i'nigmə] *s.* Rätsel *n* (*a. Sache od. Person*); **e·nig·mat·ic** *adj.*; **e·nig·mat·i·cal** [enig'mætik(ə)l] *adj.* □ rätselhaft, dunkel, zweideutig; **e'nig·ma·tize** [-ətaiz] **I.** *v/i.* in Rätseln sprechen; **II.** *v/t.* *et.* in Dunkel hüllen, verschleiern.

en·join [in'dʒɔin] *v/t.* **1.** *j-m et.* auferlegen, vorschreiben; **2.** *j-m* (an-)befehlen, einschärfen (*to inf.* zu *inf.*); *j-m* unter'sagen (*from doing* zu tun); **3.** bestimmen, Anweisung(en) erteilen (*that* daß).

en·joy [in'dʒɔi] *v/t.* **1.** Vergnügen *od.* Gefallen finden *od.* Freude haben an (*dat.*), sich erfreuen an (*dat.*): *I* ~ *walking* ich gehe gern spazieren; *did you* ~ *the play?* hat dir das (Theater)Stück gefallen?; *to* ~ *o.s.* sich amüsieren *od.* gut unterhalten; **2.** genießen, sich *et.* schmecken lassen: *I* ~ *my food* das Essen schmeckt mir; **3.** sich *e-s Besitzes* erfreuen; haben, besitzen; erleben: *to* ~ *good health* sich e-r guten Gesundheit erfreuen; *to* ~ *a modest income* ein bescheidenes Einkommen haben; **en'joy·a·ble** [-ɔiəbl] *adj.* □ **1.** brauch-, genießbar; **2.** genußreich, erfreulich; **en'joy·ment**

[-mənt] *s.* **1.** Genuß *m*, Vergnügen *n*, Gefallen *n*, Freude *f*; **2.** Genuß *m* (*e-s Besitzes od. Rechtes*), Besitz *m*.
en·kin·dle [in'kindl] *v/t. fig.* entflammen, entzünden, erregen, entfachen.
en·lace [in'leis] *v/t.* **1.** um'schlingen, verstricken; **2.** *fig.* um'geben.
en·large [in'lɑ:dʒ] **I.** *v/t.* **1.** erweitern, ausdehnen, vergrößern (*a. phot.*): *~d and revised edition* vermehrte u. verbesserte Auflage; *to ~ the mind* den Gesichtskreis erweitern; **II.** *v/i.* **2.** sich ausdehnen *od.* erweitern *od.* vergrößern; **3.** *phot.* sich zur Vergrößerung eignen; **4.** *fig.* sich verbreiten *od.* weitläufig auslassen (*upon* über *acc.*); **en'large·ment** [-mənt] *s.* **1.** Erweiterung *f* (*a. fig.*); Ausdehnung *f*, Vergrößerung *f* (*a. phot.*); **2.** Zusatz *m*, Anhang *m*; **3.** Erweiterungs-, Anbau *m*; **en'larg·er** [-dʒə] *s.* Vergrößerungsgerät *n*.
en·light·en [in'laitn] *v/t. fig.* erleuchten, aufklären; belehren, unter'richten (*on, as to* über *acc.*); **en'light·ened** [-nd] *adj.* **1.** erleuchtet, aufgeklärt; **2.** vorurteilsfrei; **en'light·en·ing** [-niŋ] *adj.* aufschlußreich; **en'light·en·ment** [-mənt] *s.* Aufklärung *f*, Erleuchtung *f*: (*Age of*) ♀ *phls.* (Zeitalter der) Aufklärung.
en·list [in'list] **I.** *v/t.* **1.** *Soldaten* anwerben, *Rekruten* einstellen: *~ed men Am.* Unteroffiziere und Mannschaften; **2.** *fig. j-n* her'anziehen, gewinnen, engagieren (*in* für): *to ~ s.o.'s services* j-s Dienste in Anspruch nehmen; **II.** *v/i.* **3.** ⚔ sich anwerben lassen, Sol'dat werden, sich (freiwillig) melden; **4.** (*in*) eintreten (für), mitwirken (bei), sich beteiligen (an *dat.*); **en'list·ment** [-mənt] *s.* **1.** ⚔ (An)Werbung *f*, Einstellung *f*; **2.** *Am.* Mili'tärdienstzeit *f*; **3.** *fig.* Gewinnung *f*, Her'an-, Hin'zuziehung *f* (*von Helfern, Mitarbeitern*).
en·liv·en [in'laivn] *v/t.* beleben, anfeuern, ermuntern, erheitern.
en masse [ɑ̃:ŋ'mæs; ɑ̃mas] (*Fr.*) *adv.* **1.** in Massen, im großen; **2.** zu'sammen, als Ganzes.
en·mesh [in'meʃ] *v/t.* **1.** (wie) mit e-m Netz um'geben; um'spannen; **2.** *fig.* um'garnen, verstricken.
en·mi·ty ['enmiti] *s.* Feindschaft *f*, -seligkeit *f*, Haß *m*: *at ~ with* verfeindet *od.* in Feindschaft mit; *to bear no ~* nichts nachtragen.
en·no·ble [i'noubl] *v/t.* **1.** adeln (*a. fig.*), in den Adelsstand erheben; **2.** *fig.* veredeln, erhöhen; **en'no·ble·ment** [-mənt] *s.* **1.** Erhebung *f* in den Adelsstand; **2.** *fig.* Veredelung *f*.
en·nui [ɑ̃:'nwi:; ɑ̃nɥi] (*Fr.*) *s.* Langeweile *f*.
e·nor·mi·ty [i'nɔ:miti] *s.* **1.** Ungeheuerlichkeit *f* (*a. = Untat*); **2.** Frevel *m*, (ab'scheuliches) Verbrechen, Greuel *m*; **e'nor·mous** [-məs] *adj.* □ e'norm, ungeheuer(lich), gewaltig, riesig, ‚kolos'sal'; **e'nor·mous·ness** [-məsnis] *s.* Riesengröße *f*.
e·nough [i'nʌf] **I.** *adj.* genug, ausreichend: *~ bread, bread ~* genug Brot, Brot genug; *not ~ sense* nicht genug Verstand; *this is ~ (for us)* das genügt (uns); *he was not man ~* (*od. ~ of a man*) (*to inf.*) er war nicht Manns genug (zu *inf.*); *that's ~ to drive me mad* das macht mich (noch) ganz verrückt; **II.** *s.* Genüge *f*, genügende Menge: *to have (quite) ~* (völlig) genug haben; *I've had ~, thank you* danke, ich bin satt; *I have ~ of it* ich bin (*od.* habe) es satt, ‚ich bin bedient'; *~ of that!, ~ said!* genug davon!, Schluß damit!; *~ and to spare* mehr als genug; *~ is as good as a feast* allzuviel ist ungesund; **III.** *adv.* genug, genügend; ganz, recht, ziemlich: *it's a good ~ story* die Geschichte ist nicht übel; *he does not sleep ~* er schläft nicht genug; *be kind ~ to help me* sei so gut und hilf mir; *oddly ~* sonderbarerweise; *safe ~* durchaus sicher; *sure ~* tatsächlich, gewiß; *true ~* nur zu wahr; *well ~* recht *od.* ziemlich *od.* ganz gut; *he could do it well ~ (but ...)* er könnte es (zwar) recht gut(, aber ...); *you know well ~* du weißt es (ganz) genau; *that's not good ~* das lasse ich nicht gelten.
en pas·sant [ɑ̃:m'pæsɑ̃:ŋ; ɑ̃pasɑ̃] (*Fr.*) *adv.* beiläufig, neben'her, -'bei.
en·plane [in'plein] → *emplane*.
en·quire, en·quir·y → *inquire etc.*
en·rage [in'reidʒ] *v/t.* wütend machen, aufbringen; **en'raged** [-dʒd] *adj.* wütend, aufgebracht, böse: *~ at s.th.* wütend über et.; *~ with s.o.* wütend auf j-n.
en·rank [in'ræŋk] *v/t.* ordnen, in Reihen aufstellen.
en·rapt [in'ræpt] *adj.* hingerissen, entzückt; **en'rap·ture** [-tʃə] *v/t.* entzücken: *~d with* hingerissen von.
en·rich [in'ritʃ] *v/t.* **1.** (*a. o.s.* sich) bereichern (*a. fig.*); wertvoll(er) machen; **2.** anreichern: **a)** ⊕, ⚗ veredeln, **b)** ✔ ertragreich(er) machen; **3.** ausschmücken, verzieren; **4.** *fig.* **a)** *Geist* befruchten, **b)** *Wert* steigern; **en'rich·ment** [-mənt] *s.* **1.** Bereicherung *f*; **2.** ⊕, ⚗ Anreicherung *f*; **3.** *fig.* Befruchtung *f*; **4.** Ausschmückung *f*.
en·rol(l) [in'roul] **I.** *v/t.* **1.** *j-s Namen* eintragen, -schreiben (*in* in *acc.*); **2. a)** *mst* ⚔ anwerben, **b)** ⚓ anmustern, anheuern, **c)** *Arbeiter* einstellen: *to be enrolled* eingestellt werden, *in e-e Firma* eintreten; **3.** als Mitglied aufnehmen: *to ~ o.s. in a society* e-r Gesellschaft beitreten; **4.** registrieren, protokollieren; **5.** *fig.* aufzeichnen, verewigen; **II.** *v/i.* **6.** sich einschreiben *od.* (*ped. Am.*) immatrikulieren (lassen); **7.** ⚔ sich anwerben lassen; **en'rol·ment,** *bsd. Am.* **en'roll·ment** [-mənt] *s.* **1.** Eintragung *f*, -schreibung *f*; **2.** *bsd.* ⚔ Anwerbung *f*, Einstellung *f*; **3.** Aufnahme *f*; **4.** Beitrittserklärung *f*.
en route [ɑ̃:n'ru:t] (*Fr.*) *adv.* unter'wegs.
en·sconce [in'skɔns] *v/t.* **1.** (*mst ~ o.s.* sich) verstecken, verbergen; **2.** *~ o.s.* sich behaglich niederlassen, es sich bequem machen.
en·sem·ble [ɑ̃:n'sɑ̃:mbl; ɑ̃sɑ̃:bl] (*Fr.*) *s.* **1.** *das* Ganze, Gesamteindruck *m*; **2.** ♪, *thea.* En'semble(spiel) *n*; **3.** *Kleider*: Kom'plet *n*.
en·shrine [in'ʃrain] *v/t.* **1.** *in e-n Schrein* einschließen; **2.** (als Heiligtum) verwahren *od.* verehren; **3.** als Schrein dienen für (*acc.*).
en·shroud [in'ʃraud] *v/t.* ein-, verhüllen (*a. fig.*).
en·sign ['ensain; *bsd.* ⚔ *u.* ⚓ 'ensn] *s.* **1.** Fahne *f*, (Natio'nal)Flagge *f*: *white (red) ~* Flagge der brit. Kriegs- (Handels)marine; *blue ~* Flagge der brit. Flottenreserve; **2.** ['ensain] *hist. Brit.* Fähnrich *m*; **3.** ['ensn] ⚓ *Am.* Leutnant *m* zur See; **4.** (Rang)Abzeichen *n*.
en·si·lage ['ensilidʒ] ✔ **I.** *s.* **1.** 'Silospeicherung *f*; **2.** 'Silo-, Grün-, Süßpreßfutter *n*; **II.** *v/t.* **3.** → *ensile*; **en·sile** [in'sail] *v/t.* ✔ *Grünfutter* in 'Silos speichern.
en·slave [in'sleiv] *v/t.* **1.** versklaven, knechten, unter'jochen (*a. fig.*); **2.** *fig.* fesseln, be-, verstricken; **en'slave·ment** [-mənt] *s.* Unter'jochung *f*, Knechtschaft *f*, Knechtung *f* (*a. fig.*); **en'slav·er** [-və] *s.* **1.** Unter'jocher *m*; **2.** Verführerin *f*, ‚Vamp' *m*.
en·snare [in'snɛə] *v/t.* **1.** *in e-r Schlinge* fangen; **2.** *fig.* berücken, um'garnen, verführen.
en·sue [in'sju:] *v/i.* **1.** 'darauf folgen, (nach)folgen; **2.** folgen, sich ergeben (*from* aus); **en'su·ing** [-iŋ] *adj.* (nach)folgend.
en·sure [in'ʃuə] *v/t.* **1.** (*against, from*) (*a. o.s.* sich) sichern, sicherstellen (gegen), schützen (vor); **2.** Gewähr bieten für; garantieren (*et., that* daß, *s.o. being* daß j-d ist); **3.** für *et.* sorgen.
en·tab·la·ture [en'tæblətʃə] *s.* △ Säulengebälk *n*.
en·tail [in'teil] **I.** *v/t.* **1.** ⚖ als Fideikom'miß *od.* unveräußerliches Gut vererben (*on* auf *acc.*): *~ed estate* Erb-, Familiengut; **2.** *fig.* mit sich bringen, zur Folge haben, nach sich ziehen, erfordern; **3.** *fig.* aufbürden, auferlegen (*on dat.*); **II.** *s.* **4.** ⚖ (Über'tragung *f* als) unveräußerliches Erbgut; Fideikommiß *n*.
en·tan·gle [in'tæŋgl] *v/t.* **1.** *Haare, Garn etc.* verwirren, ‚verfitzen': *to get ~d* hängenbleiben, sich verwirren; **2.** *fig.* (in Schwierigkeiten) verwickeln *od.* verstricken *od.* verheddern; in Verlegenheit bringen: *to ~ o.s. in s.th.* sich in e-e Sache verwickeln; *to become ~d (with)* sich kompromittieren (mit); **en'tan·gle·ment** [-mənt] *s.* **1.** Verwicklung *f*, Verwirrung *f*, Verstrickung *f* (*a. fig.*); **2.** *fig.* Verlegenheit *f*, Fallstrick *m*; Komplikati'onen *pl.*; **3.** ‚Techtelmechtel' *n*, Liai'son *f*; **4.** ⚔ Drahtverhau *m*.
en·tente [ɑ̃:n'tɑ̃:nt; ɑ̃tɑ̃:t] (*Fr.*) *s.* Bündnis *n*, En'tente *f*.
en·ter ['entə] **I.** *v/t.* **1.** eintreten, -fahren, -steigen, (hin'ein)gehen, (-)kommen in (*acc.*), *Haus etc.* betreten; ⚔ einrücken in (*acc.*); ⚓, 🚂 einlaufen in (*acc.*): *to ~ the skull* in den Schädel eindringen; *the idea ~ed my head* (*od. mind*) mir kam der Gedanke, ich hatte die Idee; **2.** sich in *et.* begeben: *to ~ a hospital* ein Krankenhaus auf-

suchen; **3.** eintreten in (*acc.*), beitreten (*dat.*), Mitglied werden (*gen.*): *to ~ s.o.'s service* in j-s Dienst treten; *to ~ a club* e-m Klub beitreten; *to ~ the university* mit dem Studium an der Universität beginnen; *to ~ the army (the Church)* Soldat (Geistlicher) werden; *to ~ a profession* e-n Beruf ergreifen; **4.** eintragen, -schreiben; hin'einbringen; *j-n* aufnehmen, zulassen: *to ~ one's name* sich einschreiben *od.* anmelden; *to ~ s.o. at a school* j-n zur Schule anmelden; *to be ~ed univ.* immatrikuliert werden; **5.** ✝ (ver)buchen, eintragen: *to ~ to s.o.'s credit* j-m *et.* gutschreiben; *to ~ to s.o.'s debit* j-m *et.* in Rechnung stellen; **6.** *sport* (an)melden, nennen; **7.** ⚓, ✝ *Schiff* einklarieren; *Waren beim Zollamt* deklarieren; **8.** einreichen, -bringen, geltend machen: *to ~ an action* ⚖ e-e Klage einreichen; *to ~ a protest* Protest erheben; **II.** *v/i.* **9.** (ein-)treten, her'ein-, hin'einkommen, -gehen; ⚔ einrücken; eindringen: *~!* herein!; **10.** *sport* sich (an)melden, nennen (*for* zu); **11.** *thea.* auftreten: ♀ *Hamlet* Hamlet tritt auf;

Zssgn mit prp.:

en·ter| in·to *v/i.* **1.** *Vertrag, Bündnis* eingehen, schließen: *to ~ an engagement* e-e Verpflichtung eingehen; *to ~ a partnership* sich assoziieren; **2.** *et.* beginnen, sich beteiligen an (*dat.*), eingehen auf (*acc.*), sich einlassen auf *od.* in (*acc.*): *to ~ correspondence* in Briefwechsel treten; *to ~ details* ins einzelne gehen; *to ~ a joke* auf e-n Scherz eingehen; **3.** sich hin'einversetzen in (*acc.*): *to ~ s.o.'s feelings* j-s Gefühle verstehen, mit j-m sympathisieren; *to ~ the spirit* sich in den Geist einfühlen *od.* hineinversetzen; *to ~ the spirit of the game* mitmachen; **~ on** *v/i.* **1.** Besitz ergreifen von; **2. a)** *Thema* anschneiden, **b)** sich in *ein Gespräch* einlassen; **3. a)** beginnen, in *ein (neues) Stadium od. ein neues Lebensjahr* eintreten, **b)** *Amt* antreten, *Laufbahn* einschlagen; **~ up·on** → *enter on*.

en·ter·ic [en'terik] *adj.* ⚕ Darm...: *~ fever* (Unterleibs)Typhus; **en·ter·i·tis** [entə'raitis] *s.* ⚕ 'Darmka,tarrh *m*, Ente'ritis *f*; **en·ter·o·lith** ['entərouliθ] *s.* ⚕ Darmstein *m*, Entero'lith *m*; **en·ter·os·to·my** [entə'rɔstəmi] *s.* ⚕ Enterosto'mie *f*, Anlegen *n* e-s künstlichen Afters.

en·ter·prise ['entəpraiz] *s.* **1.** Unter'nehmen *n*, -'nehmung *f*; **2.** ✝ Unternehmen *n*, Betrieb *m*: *private ~* freie Wirtschaft, freies Unternehmertum; **3.** Initia'tive *f*, Unter'nehmungsgeist *m*, -lust *f*; **4.** Wagnis *n*, Spekulati'on *f*; **'en·ter·pris·ing** [-ziŋ] *adj.* ☐ **1.** unter'nehmend, unter'nehmungslustig; **2.** kühn, wagemutig.

en·ter·tain [entə'tein] **I.** *v/t.* **1.** (angenehm) unter'halten, amüsieren; **2.** gastlich aufnehmen, bewirten: *to ~ s.o. at (Brit. a. to) supper* j-n zum Abendbrot einladen; **3.** *Furcht, Hoffnung etc.* hegen; **4.** *Forderung, Vorschlag etc.* in Erwägung ziehen, eingehen auf (*acc.*), nähertreten (*dat.*): *to ~ an idea* sich mit e-m Gedanken tragen; **II.** *v/i.* **5.** Gäste empfangen, Gesellschaften geben; **en·ter'tain·er** [-nə] *s.* **1.** Gastgeber(in); **2.** Unter'haltungskünstler(in); **en·ter'tain·ing** [-niŋ] *adj.* ☐ unter'haltend, ergötzlich, amü'sant; **en·ter'tain·ment** [-mənt] *s.* **1.** Unter'haltung *f*, Ablenkung *f*, Belustigung *f*: *place of ~* Vergnügungsstätte; *~ tax* Lustbarkeits-, Vergnügungssteuer; **2.** *thea. etc.* Aufführung *f*, Veranstaltung *f*; **3.** Gastfreundschaft *f*, Bewirtung *f*: *~ allowance* ✝ Aufwandsentschädigung; **4.** Fest *n*, Gesellschaft *f*.

en·thral(l) [in'θrɔ:l] *v/t.* **1.** *fig.* bezaubern, fesseln, in Bann schlagen; **2.** *obs.* unter'jochen; **en'thrall·ing** [-liŋ] *adj.* fesselnd, entzückend; **en'thral(l)·ment** [-mənt] *s.* Bezauberung *f*, Entzücken *n*.

en·throne [in'θroun] *v/t.* **1.** auf den Thron setzen; **2.** *eccl. Bischof* einsetzen, inthronisieren; **3.** *fig.* erhöhen: *to be ~d* thronen; **en'throne·ment** [-mənt] *s.* Einsetzung *f* e-s Herrschers *od.* Bischofs.

en·thuse [in'θju:z] *v/i.* F (*about*) begeistert sein (von), schwärmen (für, von); **en'thu·si·asm** [-ziæzəm] *s.* **1.** Enthusi'asmus *m*, Begeisterung *f* (*for* für, *about* über *acc.*); **2.** Entzücken *n*, Schwärme'rei *f*; **en'thu·si·ast** [-ziæst] *s.* Enthusi'ast(in), Schwärmer(in); **en·thu·si·as·tic** [inθju:zi'æstik] *adj.* (☐ *~ally*) enthusi'astisch, begeistert (*about* über *acc.*).

en·tice [in'tais] *v/t.* **1.** (ver-, an)locken: *to ~ away* abspenstig machen, ✝ abwerben; **2.** reizen, verleiten, -führen (*into s.th.* zu et., *to do od. into doing* zu tun); **en'tice·ment** [-mənt] *s.* **1.** (Ver)Lockung *f*, (An)Reiz *m*; **2.** Verführung *f*, -leitung *f*; **en'tic·ing** [-siŋ] *adj.* ☐ verlockend, verführerisch.

en·tire [in'taiə] **I.** *adj.* ☐ → *entirely*; **1.** ganz, völlig, vollständig, vollzählig, ungeteilt; Gesamt...; **2.** unversehrt, ungeschmälert, unvermindert, uneingeschränkt; **3.** nicht kastriert: *~ horse* Hengst; **II.** *s.* **4.** *das* Ganze; **5.** nicht kastriertes Pferd; **6.** *Am.* Ganzsache *f* (*Postkarte od. Umschlag mit eingeprägter Marke*); **en'tire·ly** [-li] *adv.* **1.** völlig, gänzlich, durch'aus; **2.** lediglich, bloß; **en'tire·ty** [-ti] *s. das* Ganze, Ganzheit *f*, Gesamtheit *f*: *in its ~* in s-r Gesamtheit, als Ganzes.

en·ti·tle [in'taitl] *v/t.* **1.** *Buch etc.* betiteln; **2.** *j-n* titulieren; **3.** *j-n* berechtigen; *j-m* ein Anrecht geben (*to* auf *acc.*): *to be ~d to* berechtigt sein zu, Anspruch *od.* Anrecht haben auf (*acc.*); *~d to vote* stimm-, wahlberechtigt; **en'ti·tle·ment** [-mənt] *s.* Anspruch *m*.

en·ti·ty ['entiti] *s.* **1.** Dasein *n*; **2.** Wesen *n*, Ding *n*; **3.** ⚖ 'Rechtsper,sönlichkeit *f*: *legal ~* juristische Person.

en·tomb [in'tu:m] *v/t.* **1.** begraben, beerdigen; **2.** verschütten; vergraben, einschließen; **en'tomb·ment** [-mənt] *s.* Begräbnis *n*, Beerdigung *f*.

en·to·mo·log·i·cal [entəmə'lɔdʒikəl] *adj.* ☐ entomo'logisch, Insekten...; **en·to·mol·o·gist** [entə'mɔlədʒist] *s.* Entomo'loge *m*; **en·to·mol·o·gy** [entə'mɔlədʒi] *s.* Entomolo'gie *f*, In'sektenkunde *f*.

en·tou·rage [ɔntu'rɑ:ʒ; ãtura:ʒ] (*Fr.*) *s.* **1.** Um'gebung *f*; **2.** Begleitung *f*.

en·to·zo·a [entə'zouə] *s. pl. zo.* Ento'zoa *pl.*, Eingeweidewürmer *pl.*

entr'acte ['ɔntrækt; ãtrakt] (*Fr.*) *s. thea.* 'Zwischen,akt *m*, -spiel *n*.

en·trails ['entreilz] *s. pl.* **1.** *anat.* Eingeweide *pl.*; **2.** *fig. das* Innere.

en·train [in'trein] *v/t. u. v/i.* in e-n Eisenbahnzug verladen (einsteigen).

en·tram·mel [in'træməl] *v/t. fig.* verwickeln, hemmen.

en·trance[1] ['entrəns] *s.* **1.** Eintritt *m*, -zug *m*, -fahrt *f*, -stieg *m*, -flug *m*; **2.** Ein-, Zugang *m*, Tür *f*, Torweg *m*, (*a.* Hafen)Einfahrt *f*: *~ hall* (Eingangs-, Vor)Halle, Hausflur; **3.** Einlaß *m*, Zutritt *m*: *~ fee* **a)** Eintrittsgeld, **b)** Beitrittsgebühr; *~ examination* Aufnahmeprüfung; **4.** *thea.* Auftritt *m*; **5.** (*into, upon*) Antritt *m* (*e-s Amtes etc.*); **6.** *fig.* Beginn *m* (*to gen.*).

en·trance[2] [in'trɑ:ns] *v/t.* in Entzücken versetzen, hinreißen: *~d* begeistert, hingerissen, gebannt; *~d with joy* freudetrunken; **en'trance·ment** [-mənt] *s.* Verzückung *f*; **en'tranc·ing** [-siŋ] *adj.* hinreißend, bezaubernd; über'wältigend.

en·trant ['entrənt] *s.* **1.** Eintretende(r *m*) *f*, Besucher(in); **2.** neues Mitglied; **3.** *bsd. sport* (Wett)Bewerber(in), Teilnehmer(in), Konkur'rent(in).

en·trap [in'træp] *v/t.* **1.** (in e-r Falle) fangen; **2.** verführen, verleiten (*into doing* zu tun).

en·treat [in'tri:t] *v/t.* **1.** *j-n* dringend bitten *od.* ersuchen, anflehen; **2.** *obs. od. bibl. j-n* behandeln; **en'treat·ing·ly** [-tiŋli] *adv.* flehentlich; **en'treat·y** [-ti] *s.* dringende Bitte, Begehren *n*.

en·trée ['ɔntrei; ãtre] (*Fr.*) *s.* **1.** Ein-, Zutritt *m* (*of* zu); **2.** *Küche*: **a)** Zwischengericht *n*, **b)** Fleischgericht *n* (*außer Braten*).

en·tre·mets ['ɔntrəmei; ãtrəmɛ; *pl.* 'ɔntrəmeiz; ãtrəmɛ] (*Fr.*) *s.* Zwischengericht *n*, Beilage *f*.

en·trench [in'trentʃ] *v/t.* **1.** ⚔ mit Schützengräben durch'ziehen, befestigen; (*a. o.s.* sich) eingraben *od.* verschanzen; **2.** *~ o.s. fig.* sich festsetzen; **en'trenched** [-tʃt] *adj. fig.* feststehend, eingewurzelt; **en'trench·ment** [-mənt] *s.* ⚔ **1.** Verschanzung *f*; **2.** *pl.* Schützengräben *pl.*

en·tre·pôt ['ɔntrəpou; ãtrəpo] (*Fr.*) *s.* **1.** Niederlage *f*, Speicher *m*; Stapel-, 'Umschlagplatz *m*; **2.** ✝ 'Transitlager *n*.

en·tre·pre·neur [ɔntrəprə'nə:; ãtrəprənœ:r] (*Fr.*) *s.* **1.** ✝ Unter'nehmer *m*; **2.** Veranstalter *m*, The'aterunter,nehmer *m*; **en·tre·pre'neur·i·al** [-ə:riəl] *adj.* ✝ unter'nehmerisch, Unternehmer...

en·tre·sol ['ɔntrəsɔl; ɑ̃trəsɔl] (*Fr.*) *s.* Zwischenstock *m.*

en·trust [in'trʌst] *v/t.* **1.** anvertrauen (*to dat.*); **2.** *j-n* betrauen (*with s.th.* mit et.).

en·try ['entri] *s.* **1.** Zugang *m*, Zutritt *m*, Einreise *f*; *fig.* Beitritt *m*: ~ *permit* Einreisegenehmigung; ~ *visa* Einreisevisum; *no* ~ Zutritt verboten!; **2.** Eintritt *m*, -gang *m*, -fahrt *f*, -zug *m*, -rücken *n*; **3.** *thea.* Auftritt *m*; **4.** ⚖ Besitzantritt *m*, -ergreifung *f* (*upon gen.*); **5.** ✝, ⚓ Einklarierung *f*: ~ *inwards* Einfuhrdeklaration; **6.** Eintragung *f*, Vermerk *m*; Stichwort *n*; **7.** ✝ **a)** Buchung *f*: *credit* ~ Gutschrift; *debit* ~ Lastschrift; *to make an* ~ (*of*) (*et.*) buchen, **b)** Posten *m*; **8.** *bsd. sport* **a)** (An)Meldung *f*, Nennung *f*, Teilnahme *f*: ~ *form* (An)Meldeformular, **b)** → *entrant 3.*

en·twine [in'twain] *v/t.* **1.** um'schlingen, um'winden, (ver)flechten (*a. fig.*): ~*d letters* verschlungene Buchstaben; **2.** um'armen.

en·twist [in'twist] *v/t.* (ver)flechten, um'winden, verknüpfen.

e·nu·cle·ate [i'nju:klieit] *v/t.* **1.** ⚕ *Geschwulst* her'ausschälen; **2.** *fig.* aufklären, erläutern.

e·nu·mer·ate [i'nju:məreit] *v/t.* **1.** aufzählen; **2.** spezifizieren; **e·nu·mer·a·tion** [inju:mə'reiʃən] *s.* **1.** Aufzählung *f*; **2.** Liste *f*, Verzeichnis *n*; **e'nu·mer·a·tor** [-tə] *s.* Zähler *m* (*bei Volkszählungen*).

e·nun·ci·ate [i'nʌnsieit] *v/t.* **1.** ausdrücken, *deutlich* aussprechen; **2.** behaupten, *Grundsatz* aufstellen; **3.** verkünden; **e·nun·ci·a·tion** [inʌnsi'eiʃən] *s.* **1.** Ausdruck *m*; Ausdrucks-, Vortragsweise *f*; **2.** Aufstellung *f* (*e-s Grundsatzes*); **3.** Verkündung *f*, Kundgebung *f*; **e'nun·ci·a·tive** [-nʃiətiv] *adj.* ausdrückend, Ausdrucks...: *to be* ~ *of* ausdrücken; **e'nun·ci·a·tor** [-tə] *s.* Verkünder *m.*

en·ure → *inure.*

en·vel·op [in'veləp] **I.** *v/t.* **1.** einwickeln, -schlagen, (ein)hüllen (*in* in *acc.*); **2.** *oft fig.* um-, ver'hüllen, um'geben; **3.** ⚔ um'fassen, um'klammern; **II.** *s.* **4.** *Am.* → *envelope*; **en·ve·lope** ['enviloup] *s.* **1.** Decke *f*, Hülle *f*, 'Umschlag *m*; **2.** 'Brief,umschlag *m*; **3.** ✈ (Bal'lon)Hülle *f*; **4.** ⚘ Kelch *m*; **en'vel·op·ment** [-mənt] *s.* **1.** Um'hüllung *f*, Hülle *f*; **2.** ⚔ Um'fassung *f*, Um'klammerung *f.*

en·ven·om [in'venəm] *v/t.* **1.** vergiften (*a. fig.*); **2.** *fig.* ver-, erbittern, verschärfen.

en·vi·a·ble ['enviəbl] *adj.* □ beneidenswert, zu beneiden(d); **en·vi·er** ['enviə] *s.* Neider(in); **'en·vi·ous** [-əs] *adj.* □ (*of*) neidisch (auf *acc.*), 'mißgünstig (gegen): *to be* ~ *of s.o. because of* j-n beneiden um.

en·vi·ron [in'vaiərən] *v/t.* um'geben, um'ringen (*with* mit) (*a. fig.*); **en'vi·ron·ment** [-mənt] *s.* **1.** *a.* ~*s pl.* Um'gebung *f e-s Ortes*; **2.** *biol.*, *psych.* Umgebung *f*, 'Umwelt *f*, Mili'eu *n*: ~ *policy* Umweltpolitik; **en·vi·ron·men·tal** [invaiərən'mentl] *adj.* □ *biol.*, *psych.* Milieu..., Umwelt(s)...: ~ *pollution* Umweltverschmutzung; ~ *protection* Umweltschutz; **en·vi·ron·men·tal·ism** [invaiərən'mentəlizəm] *s.* Umweltschutz(bewegung *f*) *m*; **en·vi·ron·men·tal·ist** [invaiərən'mentəlist] *s.* 'Umweltschützer *m*, -ex,perte *m*; **en·vi·ron·men·tal·ly** [invaiərən'mentəli] *adv.* in bezug auf die Umwelt; **en·vi·rons** ['envirənz] *s. pl.* Um'gebung *f*, 'Umgegend *f*, Vororte *pl.*

en·vis·age [in'vizidʒ] *v/t.* **1.** *e-r Gefahr etc.* ins Auge sehen; **2.** in Aussicht nehmen, ins Auge fassen (*doing et.* zu tun); **3.** im Geiste betrachten.

en·voy[1] ['envɔi] *s.* 'Schluß,strophe *f*; Nachwort *n.*

en·voy[2] ['envɔi] *s.* **1.** *pol.* Gesandte(r) *m*; **2.** Abgesandte(r) *m*, Be'vollmächtigte(r) *m.*

en·vy ['envi] **I.** *s.* **1.** (*of*) Neid *m* (auf *acc.*), 'Mißgunst *f* (gegen): *to be eaten up with* ~ vor Neid platzen; **2.** Gegenstand *m* des Neides: *his car is the* ~ *of his friends* s-e Freunde beneiden ihn um sein Auto; **II.** *v/t.* **3.** *j-n* (um *et.*) beneiden: *I* ~ *him his car* ich beneide ihn um sein Auto; **4.** *j-m et.* miß'gönnen.

en·wrap [in'ræp] *v/t.* einhüllen, -wickeln (*a. fig.*): ~*ped in thought* in Gedanken versunken.

en·zyme ['enzaim] *s.* ⚗ En'zym *n*, Fer'ment *n.*

e·o·cene ['i(:)ousi:n] *s. geol.* Eo'zän *n*; **e·o·lith·ic** [i(:)ou'liθik] *adj.* frühsteinzeitlich, eo'lithisch.

e·on → *aeon.*

e·o·sin ['i(:)ousin] *s.* ⚗ Eo'sin *n.*

ep·au·let(te) ['epoulet] *s.* ⚔ Epau'lette *f*, Achselschnur *f*, -stück *n.*

ep·en·the·sis [e'penθisis] *s. ling.* Epen'these *f*, Lauteinfügung *f.*

e·pergne [i'pə:n] (*Fr.*) *s.* Tafelaufsatz *m.*

e·phed·rin(e) [i'fedrin; ⚗ 'efidri:n] *s.* ⚗ Ephe'drin *n.*

e·phem·er·a [i'femərə] *s. zo.* Eintagsfliege *f* (*a. fig. kurzlebige Erscheinung*); **e'phem·er·al** [-rəl] *adj.* ephe'mer: **a)** eintägig, **b)** *fig.* flüchtig, kurzlebig, vergänglich; **e'phem·er·on** [-rɔn] *pl.* **-a** [-ə], **-ons** → *ephemera.*

E·phe·sian [i'fi:ʒjən] *s.* **1.** 'Epheser (-in); **2.** *pl. bibl.* (Brief *m* des Paulus an die) Epheser *pl.*

ep·i·blast ['epiblæst] *s. biol.* äußeres Keimblatt.

ep·ic ['epik] **I.** *adj.* (□ ~*ally*) **1.** 'episch; **2.** *fig.* heldenhaft, Helden...; **II.** *s.* **3.** 'Epos *n*, Heldengedicht *n*; **'ep·i·cal** [-kəl] *adj.* □ episch.

ep·i·cene ['episi:n] *adj. ling. u. fig.* beiderlei Geschlechts.

ep·i·cen·ter *Am.*, **ep·i·cen·tre** ['episentə] *Brit.*, **ep·i·cen·trum** [epi'sentrəm] *s.* **1.** (Gebiet *n* über dem) Erdbebenherd *m*; **2.** *fig.* Mittelpunkt *m.*

ep·i·cure ['epikjuə] *s.* Genießer *m*, Genußmensch *m*; Feinschmecker *m*; **ep·i·cu·re·an** [epikjuə'ri(:)ən] **I.** *adj.* genußsüchtig, schwelgerisch; feinschmeckerisch; **II.** *s.* Genußmensch *m*; Feinschmecker *m*; **'ep·i·cur·ism** [-arizəm] *s.* Genußsucht *f.*

ep·i·cy·cle ['episaikl] *s.* ⩘, *ast.* Epi'zykel *m*, Nebenkreis *m*; **ep·i·cy·clic** [epi'saiklik] *adj.* epi'zyklisch: ~ *gear* ⊕ Planetengetriebe; **ep·i·cy·cloid** ['epi'saiklɔid] *s.* ⩘ 'Rad,linie *f.*

ep·i·dem·ic [epi'demik] **I.** *adj.* (□ ~*ally*) **1.** ⚕ epi'demisch, seuchenartig; **2.** *fig.* grassierend, weitverbreitet; **II.** *s.* **3.** ⚕ Epide'mie *f*, Seuche *f* (*a. fig.*); **ep·i'dem·i·cal** [-kəl] → *epidemic 1, 2*; **ep·i·de·mi·ol·o·gy** [epidi:mi'ɔlədʒi] *s.* ⚕ Epidemiolo'gie *f*, Seuchenlehre *f.*

ep·i·der·mis [epi'də:mis] *s. anat.* Epi'dermis *f*, Oberhaut *f.*

ep·i·gas·tri·um [epi'gæstriəm] *s. anat.* Epi'gastrium *n*, Oberbauchgegend *f.*

ep·i·glot·tis [epi'glɔtis] *s. anat.* Epi'glottis *f*, Kehldeckel *m.*

ep·i·gram ['epigræm] *s.* Epi'gramm *n*, Sinngedicht *n*, -spruch *m*; **ep·i·gram·mat·ic** [epigrə'mætik] *adj.* (□ ~*ally*) **1.** epigram'matisch; **2.** kurz u. treffend, scharf pointiert; **ep·i·gram·ma·tist** [epi'græmətist] *s.* Epi'grammdichter *m.*

ep·i·graph ['epigrɑ:f; -græf] *s.* Epi'graph *n*: **a)** (*Grab*)Inschrift *f*, **b)** Auf-, 'Umschrift *f* (*Münze*), **c)** Sinnspruch *m*, 'Motto *n*; **ep·i·graph·ic** [epi'græfik] *adj.* epi'graphisch; **e·pig·ra·phist** [e'pigrəfist] *s.* Inschriftenkenner *m*, -forscher *m*; **e·pig·ra·phy** [e'pigrəfi] *s.* Inschriftenkunde *f.*

ep·i·lep·sy ['epilepsi] *s.* ⚕ Epilep'sie *f*, Fallsucht *f*; **ep·i·lep·tic** [epi'leptik] **I.** *adj.* epi'leptisch, fallsüchtig; **II.** *s.* Epi'leptiker(in).

ep·i·logue, *Am. a.* **ep·i·log** ['epilɔg] *s.* Epi'log *m*: **a)** Nachwort *n*, **b)** *thea.* Schlußrede *f.*

E·piph·a·ny [i'pifəni] *s. eccl.* **1.** Epi'phaniasfest *n*, Drei'königsfest *n*; **2.** ♀ Epipha'nie *f*, göttliche Erscheinung.

e·pis·co·pa·cy [i'piskəpəsi] *s. eccl.* Episko'pat *m*, *n*: **a)** bischöfliche Verfassung, **b)** Gesamtheit *f* der Bischöfe; **e'pis·co·pal** [-pəl] *adj.* □ *eccl.* bischöflich, Bischofs...: ♀ *Church* Episkopalkirche; **e·pis·co·pa·li·an** [ipiskə'peiljən] **I.** *adj.* **1.** bischöflich; **2.** zu e-r Episko'palkirche gehörig; **II.** *s.* **3.** Mitglied *n* e-r Episkopalkirche; **e'pis·co·pate** [-pit] *s. eccl.* Episko'pat *m*, *n*: **a)** Bischofswürde *f*, **b)** Bistum *n*, **c)** Gesamtheit *f* der Bischöfe.

ep·i·sode ['episoud] *s.* Epi'sode *f*: **a)** Neben-, Zwischenhandlung *f* (*im Drama etc.*), **b)** (Neben)Ereignis *n*, Vorfall *m*; **ep·i·sod·ic** *adj.*; **ep·i·sod·i·cal** [epi'sɔdik(əl)] *adj.* □ epi'sodisch.

e·pis·te·mol·o·gy [ipisti:'mɔlədʒi] *s. phls.* Er'kenntnistheo,rie *f.*

e·pis·tle [i'pisl] *s.* **1.** E'pistel *f*, Sendschreiben *n*; **2.** ♀ *bibl.* Brief *m*: ♀ *to the Romans* Römerbrief; **3.** ♀ *eccl.* Epistel *f* (*Lesung od. Abschnitt aus den neutestamentlichen Briefen*); **e'pis·to·lar·y** [-stələri] *adj.* brieflich, Brief...

ep·i·style ['epistail] *s.* ⌂ Archi'trav *m*, Hauptbalken *m.*

ep·i·taph ['epitɑ:f] *s.* **1.** Grabschrift *f*; **2.** Totengedicht *n.*

ep·i·the·li·um [epi'θi:ljəm] *pl.* **-ums** *od.* **-a** [-ə] *s. anat.* Epi'thel *n.*
ep·i·thet ['epiθet] *s.* **1.** E'pitheton *n,* Beiwort *n,* Attri'but *n*; **2.** Beiname *m.*
e·pit·o·me [i'pitəmi] *s.* **1.** Auszug *m,* Abriß *m,* Inhaltsangabe *f*: *in* ~ **a)** auszugsweise, **b)** in gedrängter Form; **2.** *fig.* (*of*) kleines Gegenstück (zu), Minia'tur *f* (*gen.*); **e'pit·o·mize** [-maiz] *v/t.* e-n Auszug machen aus, *et.* kurz darstellen *od.* ausdrücken.
ep·i·zo·on [epi'zouən] *pl.* **-a** [-ə] *s. zo.* 'Außen-, 'Hautschmaˌrotzer *m*; **ep·i·zo·ot·ic** [epizou'ɔtik] *vet.* **I.** *adj.* seuchenartig; **II.** *s.* Viehseuche *f.*
ep·och ['i:pɔk] *s.* **1.** E'poche *f* (*a. geol.*), Zeitabschnitt *m,* -alter *n*; **2.** Wendepunkt *m,* Markstein *m*: *to mark an* ~ Epoche machen, ein Wendepunkt *od.* Markstein sein; **ep·och·al** ['epɔkəl] *adj.* **1.** Epochen...; **2.** e'pochemachend.
'ep·och·mak·ing → *epochal* 2.
ep·ode ['epoud] *s. poet.* E'pode *f*: **a)** Schlußgesang *m* e-r Ode, **b)** *lyrisches Gedicht aus abwechselnden Lang- u. Kurzversen.*
ep·o·nym ['epounim] *s.* Epo'nym *m*: **a)** Stammvater *m,* **b)** Per'son *f,* nach der et. benannt ist; **ep·on·y·mous** [i'pɔniməs] *adj.* namengebend.
ep·o·pee ['epoupi:] *s.* **1.** 'Epos *n,* Heldengedicht *n*; **2.** 'Epik *f,* 'epische Dichtung.
ep·os ['epɔs] *s.* **1.** 'Epos *n*; **2.** (*mündlich überlieferte*) 'epische Dichtung.
Ep·som salt ['epsəm] *s., oft pl. sg. konstr.* ⚕ 'Epsomer Bittersalz *n.*
eq·ua·bil·i·ty [ekwə'biliti] *s.* **1.** Gleichmäßigkeit *f*; **2.** Gleichmut *m*; **eq·ua·ble** ['ekwəbl] *adj.* □ **1.** gleichförmig, -mäßig; **2.** gleichmütig, gelassen.
e·qual ['i:kwəl] **I.** *adj.* □ → *equally*; **1.** gleich: *to be* ~ *to* gleich sein, gleichen (*dat.*); → 2; *of* ~ *size,* ~ *in size* gleich groß; *with* ~ *courage* mit demselben Mut; *not* ~ *to* geringer als; *other things being* ~ unter sonst gleichen Umständen; **2.** entsprechend: ~ *to the demand*; *to be* ~ *to* gleichkommen (*dat.*); → *1*; ~ *to new* wie neu; **3.** fähig, im'stande, gewachsen: ~ *to do* fähig zu tun; ~ *to a task* e-r Aufgabe gewachsen; **4.** aufgelegt, geneigt (*to dat. od.* zu): ~ *to a cup of tea* e-r Tasse Tee nicht abgeneigt; **5.** gleichmäßig; **6.** gleichberechtigt, -wertig, ebenbürtig: *on* ~ *terms* **a)** unter gleichen Bedingungen, **b)** auf gleichem Fuße; ~ *rights for women* Gleichberechtigung der Frau; ♀ *Opportunities Commission Brit.* Kommission *f* für Chancengleichheit (der Frauen); 7. gleichmütig, gelassen: ~ *mind* Gleichmut; **II.** *s.* **8.** Gleichgestellte(r *m*) *f*: *your* ~*s* deinesgleichen; ~*s in age* Altersgenossen; *he has no* ~, *he is without* ~ er hat nicht seinesgleichen; *to be the* ~ *of s.o.* j-m ebenbürtig sein; **III.** *v/t.* **9.** gleichen (*dat.*), gleichkommen (*in* an *dat.*): *not to be* ~*(l)ed* ohnegleichen.
e·qual·i·tar·i·an [i:kwɔli'tɛriən] → *egalitarian*; **e·qual·i'tar·i·an·ism** [-nizəm] → *egalitarianism.*
e·qual·i·ty [i(:)'kwɔliti] *s.* Gleichheit *f,* -berechtigung *f*: *to be on an* ~ *with* **a)** auf gleicher Stufe stehen mit (*j-m*), **b)** gleichbedeutend sein mit (*et.*); *sign of* ~ ⅍ Gleichheitszeichen; *political* ~ politische Gleichberechtigung; ~ *of votes* Stimmengleichheit; ~ *of opportunity* Chancengleichheit; **e·qual·i·za·tion** [i:kwəlai'zeiʃən] *s.* **1.** Gleichstellung *f,* -machung *f*; **2.** *a.* ⊕ Ausgleich *m*; **3.** ⚡, *phot.* Entzerrung *f.*
e·qual·ize ['i:kwəlaiz] **I.** *v/t.* **1.** gleichmachen, -stellen, -setzen; **2.** *a.* ⊕ ausgleichen, kompensieren; *Uhr* abgleichen; **3.** ♏ egalisieren; **4.** ⚡, *phot.* entzerren; **II.** *v/i.* **5.** *sport* ausgleichen; **'e·qual·iz·er** [-zə] *s.* **1.** *a.* ⊕ Ausgleicher *m*; **2.** ⊕, ✈ Stabili'sator *m*; **3.** ⚡ Entzerrer *m*; **4.** *sport Brit.* Ausgleichspunkt *m,* -tor *n*; **'e·qual·ly** [-əli] *adv.* ebenso, gleichermaßen, in gleicher Weise.
e·qua·nim·i·ty [i:kwə'nimiti] *s.* Gleichmut *m.*
e·quate [i'kweit] *v/t.* **1.** gleichstellen, -setzen (*to, with dat.*); **2.** ⅍ in die Form e-r Gleichung bringen; **3.** als gleichwertig ansehen *od.* behandeln; **e'qua·tion** [-eiʃən] *s.* **1.** Ausgleich *m*; Gleichheit *f*; **2.** ⅍, *ast.* Gleichung *f*; **e'qua·tor** [-tə] *s.* Ä'quator *m*; **e·qua·to·ri·al** [ekwə'tɔ:riəl] **I.** *adj.* □ äquatori'al; **II.** *s. ast. a.* ~ *telescope* Äquatore'al *n.*
eq·uer·ry [i'kweri] *s.* königlicher (Ober)Stallmeister.
e·ques·tri·an [i'kwestriən] **I.** *adj.* Reit(er)...: ~ *sports* Reitsport; ~ *statue* Reiterstandbild; **II.** *s.* (*bsd.* Kunst)Reiter(in).
equi- [i:kwi] *in Zssgn* gleich.
e·qui|'an·gu·lar *adj.* ⅍ gleichwink(e)lig; '~**'dis·tant** *adj.* □ gleich weit entfernt, in gleichem Abstand; '~**'lat·er·al** *bsd.* ⅍ **I.** *adj.* gleichseitig; **II.** *s.* gleichseitige Fi'gur.
e·quil·i·brate [i:kwi'laibreit] *v/t.* **1.** ins Gleichgewicht bringen; ausbalancieren; **2.** ⊕ auswuchten; **e·quil·i·bra·tion** [i:kwilai'breiʃən] *s.* Gleichgewicht *n*; **e·quil·i·brist** [i(:)'kwilibrist] *s.* Seiltänzer(in), Akro'bat(in); **e·qui'lib·ri·um** [-'libriəm] *s. phys. u. fig.* Gleichgewicht *n,* Ba'lance *f.*
e·quine ['i:kwain] *adj.* Pferde...
e·qui·noc·tial [i:kwi'nɔkʃəl] **I.** *adj.* **1.** Äquinoktial..., die Tagund'nachtgleiche betreffend; **II.** *s.* **2.** 'Himmelsäˌquator *m*; **3.** *pl.* → *equinoctial gale*; ~ **gale** *s.* Äquinokti'alsturm *m.*
e·qui·nox ['i:kwinɔks] *s.* Äqui'noktium *n,* Tagund'nachtgleiche *f*: *vernal* ~ Frühlingsäquinoktium.
e·quip [i'kwip] *v/t.* **1.** ausrüsten (*a.* ⊕, ⚔, ⚓); ausstatten, versehen; **2.** einkleiden, ausstaffieren; **3.** *fig. j-m* das geistige Rüstzeug geben; **eq·ui·page** ['ekwipidʒ] *s.* **1.** Ausrüstung *f* (*a.* ⚔, ⚓); **2.** Gebrauchsgegenstände *pl.*; **3.** Equi'page *f,* Wagen *m,* Kutsche *f*; **e'quip·ment** [-mənt] *s.* **1.** Ausrüstung *f* (*a.* ⊕, ⚔, ⚓), Ausstattung *f* (*a.* ⊕); **2.** *oft pl.* Ausrüstungsgegenstände *pl.,* Materi'al *n*; **3.** ⊕ Ma'schine(n *pl.*) *f*; (Betriebs)Anlage *f*; Appara'tur *f*; Gerät(schaften *pl.*) *n*; **4.** 🚂 *Am.* rollendes Material; **5.** *fig.* (geistiges) Rüstzeug.
e·qui·poise ['ekwipɔiz] **I.** *s.* **1.** Gleichgewicht *n* (*a. fig.*); **2.** *fig.* Gegengewicht *n*; **II.** *v/t.* **3.** aufwiegen.
eq·ui·ta·ble ['ekwitəbl] *adj.* □ **1.** gerecht, (recht u.) billig; **2.** 'unparˌteiisch; **3.** ⚖ auf dem Billigkeitsrecht beruhend: ~ *mortgage* ✝ Billigkeitspfand; **'eq·ui·ta·ble·ness** [-nis] → *equity 1*; **'eq·ui·ty** [-ti] *s.* **1.** Billigkeit *f,* Gerechtigkeit *f,* 'Unparˌteilichkeit *f*: *in* ~ billiger-, gerechterweise; **2.** ⚖ **a)** (*ungeschriebenes*) Billigkeitsrecht: *Court of* ♀ Billigkeitsgericht, **b)** billiger Anspruch; **3.** *Am.* die hypothe'karische Belastung über'steigender Wert, reiner Wert; **4.** *pl.* ✝ 'Aktien *pl.,* Divi'dendenpaˌpiere *pl.*: ~ *prices* Aktienkurse; **5.** ♀ Berufsgenossenschaft *f* der Schauspieler.
e·quiv·a·lence [i'kwivələns] *s.* Gleichwertigkeit *f* (*a.* ♏); **e'quiv·a·lent** [-nt] **I.** *adj.* □ **1.** gleichwertig, -bedeutend, entsprechend: *to be* ~ *to* gleichkommen, entsprechen (*dat.*), den gleichen Wert haben wie; **2.** ♏, ⅍ gleichwertig, äquiva'lent; **II.** *s.* **3.** Gegenwert *m* (*of* von *od. gen.*); gleiche Menge; **4.** Gegen-, Seitenstück *n* (*of, to* zu); **5.** *genaue* Entsprechung, Äquiva'lent *n* (*a.* ♏, *phys.*).
e·quiv·o·cal [i'kwivəkəl] *adj.* □ **1.** zweideutig, doppelsinnig; **2.** ungewiß, zweifelhaft; **3.** fragwürdig, verdächtig; **e'quiv·o·cal·ness** [-nis] *s.* Zweideutigkeit *f*; **e'quiv·o·cate** [-keit] *v/i.* zweideutig reden, Worte verdrehen; Ausflüchte machen; **e·quiv·o·ca·tion** [ikwivə'keiʃən] *s.* Zweideutigkeit *f*; Ausflucht *f*; Wortverdrehung *f*; **e'quiv·o·ca·tor** [-keitə] *s.* Wortverdreher(in).
e·ra ['iərə] *s.* 'Ära *f*: **a)** Zeitrechnung *f,* E'poche *f,* Zeitalter *n*: *Christian* (*od. Common od. Vulgar*) ~ christliche Zeitrechnung, **b)** (neuer) Zeitabschnitt.
e·rad·i·ca·ble [i'rædikəbl] *adj.* ausrottbar, auszurotten(d); **e'rad·i·cate** [-keit] *v/t.* ausrotten; entwurzeln (*mst fig.*); **e·rad·i·ca·tion** [irædi'keiʃən] *s.* Ausrottung *f*; Entwurzelung *f.*
e·rase [i'reiz] *v/t.* **1. a)** *Farbe etc.* ab-, auskratzen, **b)** *Schrift etc.* ausstreichen, -radieren; **2.** *fig.* auslöschen, (aus)tilgen (*from* aus): *to* ~ *from one's memory*; **3.** *sl.* ‚kaltmachen', ‚abmurksen' (*töten*); **e'ras·er** [-zə] *s.* **1.** Radiermesser *n*; **2.** Radiergummi *m*: *ink-*~ Tinten(radier)gummi; **e·ra·sion** [i'reiʒən] *s.* **1.** → *erasure*; **2.** ⚕ Auskratzung *f.*
E·ras·mi·an [i'ræzmiən] *adj.* e'rasmisch (*Erasmus von Rotterdam betreffend*): ~ *pronunciation* erasmische Aussprache (*des Griechischen*).
e·ra·sure [i'reiʒə] *s.* **1.** Ausradieren *n,* Tilgung *f*; **2.** ausradierte Stelle, Ra'sur *f.*
ere [ɛə] *poet.* **I.** *cj.* ehe, bevor; **II.**

prp. vor: ~ *long* bald; ~ *this* schon vorher.

Er·e·bus ['eribəs] *s. myth.* 'Unterwelt *f.*

e·rect [i'rekt] **I.** *v/t.* **1.** aufrichten, -stellen; **2.** errichten, bauen; **3.** ⊕ aufstellen, montieren; **4.** *fig. Theorie* aufstellen; **5.** ⚖ einrichten, gründen; **II.** *adj.* □ **6.** aufgerichtet, aufrecht: *with head* ~ erhobenen Hauptes; *to stand* ~*(ly)* geradestehen; **7.** zu Berge stehend, sich sträubend (*Haare*); **e'rec·tile** [-tail] *adj.* **1.** aufrichtbar; **2.** aufgerichtet; **3.** *biol.* erek'til, Schwell...: ~ *tissue*; **e'rect·ing** [-tiŋ] *s.* **1.** ⊕ Aufbau *m*, Mon'tage *f*; **2.** *opt.* Bildaufrichtung *f*; **e'rec·tion** [-kʃən] *s.* **1.** Auf-, Errichtung *f*, Aufführung *f*; **2.** Bau *m*, Gebäude *n*; **3.** ⊕ Mon'tage *f*; **4.** *biol.* Erekti'on *f*; **e'rect·ness** [-nis] *s.* **1.** aufrechte Haltung (*a. fig.*); **2.** *fig.* Geradheit *f*; **e'rec·tor** [-tə] *s.* **1.** Erbauer *m*; **2.** *anat.* E'rektor *m*, Aufrichtmuskel *m.*

er·e·mite ['erimait] *s.* Ere'mit *m*, Einsiedler *m.*

erg [ə:g], **er·gon** ['ə:gɔn] *s. phys.* Erg *n* (*Arbeitseinheit*).

er·go·nom·ics [ə:gə'nɔmiks] *s. pl. sg.konstr. sociol.* Ergo'nomik *f* (*Lehre von den Leistungsmöglichkeiten des Menschen*).

er·got ['ə:gət] *s.* **1.** ♀ Mutterkorn *n*, Brand *m*; **2.** → *ergotin*; **'er·got·in** [-tin] *s. pharm.* Ergo'tin *n*; **'er·got·ism** [-tizəm] *s.* ⚕ Kornstaupe *f*, Ergo'tismus *m.*

er·i·ca ['erikə] *s.* ♀ Erika *f*, Heidekraut *n.*

Er·in ['iərin] *npr. poet.* 'Erin *n*, Irland *n.*

er·mine ['ə:min] *s.* **1.** *zo.* Herme'lin *n* (*a. her.*); **2.** Herme'lin(pelz) *m*; **3.** *fig.* richterliche Würde.

erne, *Am. a.* **ern** [ə:n] *s. orn.* Seeadler *m.*

e·rode [i'roud] *v/t.* **1.** an-, zer-, wegfressen; **2.** *geol.* erodieren, auswaschen.

e·rog·e·nous [i'rɔdʒənəs] *adj.* ⚕ ero'gen: ~ *zone.*

e·ro·sion [i'rouʒən] *s.* **1.** Zerfressen *n*; **2.** *geol.* Erosi'on *f*, Auswaschung *f*; Verwitterung *f*; **3.** ⊕ Verschleiß *m*, Abnützung *f*, Schwund *m*; **e'ro·sive** [-ousiv] *adj.* ätzend, zerfressend.

e·rot·ic [i'rɔtik] **I.** *adj.* (□ ~*ally*) e'rotisch, sinnlich; Liebes...; **II.** *s.* erotisches Gedicht; **e·rot·i·cism** [e'rɔtisizəm] *s.* E'rotik *f.*

err [ə:] *v/i.* **1.** (sich) irren: *to* ~ *on the safe side* übervorsichtig sein; *to* ~ *is human* Irren ist menschlich; **2.** falsch *od.* unrichtig sein (*Urteil*); **3.** sündigen, fehlen, (mo'ralisch) auf Abwege geraten.

er·rand ['erənd] *s.* Botengang *m*, Auftrag *m*: *to go* (*od. run*) (*on*) ~*s* Botengänge *od.* Besorgungen machen; '~**-boy** *s.* Laufbursche *m.*

er·rant ['erənt] *adj.* **1.** um'herziehend, wandernd, fahrend; → *knight-errant*; **2.** abweichend, abschweifend, fehlgehend; **'er·rant·ry** [-tri] **1.** → *knight-errantry*; **2.** Irrfahrt *f.*

er·ra·ta [e'rɑ:tə] → *erratum.*

er·rat·ic [i'rætik] *adj.* (□ ~*ally*) **1.** wandernd, hin u. her ziehend (*a.* ⚕); **2.** *geol.* er'ratisch: ~ *block*, ~ *boulder* erratischer Block, Findling(sblock); **3.** ungleich-, unregelmäßig, regel-, ziellos; **4.** unstet, unberechenbar, sprunghaft.

er·ra·tum [e'rɑ:təm] *pl.* **-ta** [-tə] *s.* **1.** Druckfehler *m*; **2.** *pl.* Druckfehlerverzeichnis *n.*

err·ing ['ə:riŋ] *adj.* □ **1.** irrig; **2.** sündig.

er·ro·ne·ous [i'rounjəs] *adj.* □ irrig, irrtümlich, unrichtig, falsch; **er'ro·ne·ous·ly** [-li] *adv.* irrtümlicherweise, zu Unrecht; aus Versehen.

er·ror ['erə] *s.* **1.** Irrtum *m*, Fehler *m*, Versehen *n*: *in* ~ irrtümlicherweise; *to be in* ~ sich irren; ~*s* (*and omissions*) *excepted* ✝ Irrtümer (u. Auslassungen) vorbehalten; ~ *of omission* Unterlassungssünde; ~ *of judg(e)ment* Trugschluß, irrige Ansicht, falsche Beurteilung; **2.** ✗, *ast.* Fehler *m*, Abweichung *f*: ~ *in range a.* ⚔ Längenabweichung; **3.** ⚖ Formfehler *m*, Verfahrensmangel *m*: *writ of* ~ Revisionsbefehl; **4.** Fehltritt *m*, Vergehen *n.*

er·satz ['ɛəzæts] (*Ger.*) **I.** *s.* Ersatz (-stoff) *m*; **II.** *adj.* Ersatz...

Erse [ə:s] *ling.* **I.** *adj.* **1.** gälisch; **2.** irisch; **II.** *s.* **3.** Gälisch *n*; **4.** Irisch *n.*

erst·while ['ə:stwail] **I.** *adv.* ehedem, früher; **II.** *adj.* ehemalig, früher.

e·ruc·tate [i'rʌkteit] *v/i.* aufstoßen, rülpsen; **e·ruc·ta·tion** [i:rʌk'teiʃən] *s.* Aufstoßen *n*, Rülpsen *n.*

er·u·dite ['eru(:)dait] *adj.* □ gelehrt, belesen; **er·u·di·tion** [eru(:)'diʃən] *s.* Gelehrsamkeit *f*, Belesenheit *f.*

e·rupt [i'rʌpt] *v/i.* **1.** ausbrechen (*Vulkan*); **2.** 'durchbrechen (*Zähne*); **3.** *fig.* her'vorbrechen, plötzlich auftauchen; **e'rup·tion** [-pʃən] *s.* **1.** Ausbruch *m* (*Vulkan*); **2.** 'Durchbruch *m* (*Zähne*); **3.** ⚕ Hautausschlag *m*; **4.** *fig.* Her'vorbrechen *n*, (Wut- *etc.*)Ausbruch *m*; **e'rup·tive** [-tiv] *adj.* □ **1.** *geol.* erup'tiv: ~ *rock* Eruptivgestein; **2.** ⚕ ausschlagartig, von Ausschlag begleitet; **3.** *fig.* losbrechend, stürmisch, explo'siv.

e·ryn·go [e'riŋgou] *s.* ♀ Männertreu *f.*

er·y·sip·e·las [eri'sipiləs] *s.* ⚕ (Wund)Rose *f*, Rotlauf *m.*

es·ca·lade [eskə'leid] ⚔ *hist.* **I.** *s.* Eska'lade *f*, Mauerersteigung *f* (*mit Leitern*), Erstürmung *f*; **II.** *v/t.* mit Sturmleitern ersteigen.

es·ca·late ['eskəleit] *v/t. u. v/i.* ⚔, *pol.* eskalieren ([*sich*] *stufenweise verschärfen*) (*a. fig.*); **es·ca·la·tion** [eskə'leiʃən] *s.* ⚔, *pol.* Eskalati'on *f* (*stufenweise Verschärfung*) (*a. fig.*).

es·ca·la·tor ['eskəleitə] *s.* **1.** Rolltreppe *f*; **2.** ✝ 'Indexlohn *m*; ~ **clause** *s.* ✝ (Preis- *etc.*) Gleitklausel *f.*

es·cal·(l)op, *Brit.* **es·cal·lop** [is'kɔləp] → *scallop.*

es·ca·pade [eskə'peid] *s.* Eska'pade *f*: **a)** toller Streich, **b)** ‚Seitensprung' *m.*

es·cape [is'keip] **I.** *v/t.* **1.** *e-r Sache* entgehen, -rinnen, ausweichen; *et.* vermeiden, um'gehen: *he just* ~*d being killed* er entging knapp dem Tode; **2.** *oft neg.* sich entziehen (*dat.*): *I cannot* ~ *the impression* ich kann mich des Eindrucks nicht erwehren; **3.** *fig. j-m* entgehen, über'sehen *od.* nicht verstanden werden von *j-m*: *that fact* ~*d me* diese Tatsache entging mir; *the opportunity* ~*d him* er versäumte die Gelegenheit; *the sense* ~*s me* der Sinn leuchtet mir nicht ein; *it* ~*d my notice* ich bemerkte es nicht; **4.** (*dem Gedächtnis*) entfallen: *his name* ~*d me* (*od. my memory*) sein Name ist mir (*od.* m-m Gedächtnis) entfallen; **5.** entfahren, -schlüpfen: *an oath* ~*d him* ein Fluch entfuhr ihm; **II.** *v/i.* **6.** (*from*) entkommen, -gehen, -rinnen (*dat.*), ausbrechen (aus); entschlüpfen, -wischen, -fliehen (*dat. od.* aus); flüchten; entlaufen, -fliegen; **7.** (*oft from*) sich retten (vor *dat.*), (ungestraft *od.* mit dem Leben) da'vonkommen: *he* ~*d with a fright* er kam mit dem Schrecken davon; **8.** sich freimachen (*from* von); **9.** aus-, abfließen, auslaufen (*Flüssigkeit*); **10.** entweichen, ausströmen (*Gas*); **III.** *s.* **11.** Entrinnen *n*, -weichen *n*, -kommen *n*, Flucht *f* (*from* aus, von): *to have a narrow* ~ mit genauer *od.* knapper Not entkommen; *I had a narrow* ~ *from falling* beinahe wäre ich gestürzt; *to make* (*good*) *one's* ~ entkommen, ausrücken; **12.** Rettung *f*, Befreiung *f* (*from* von, aus): (*way of*) ~ Ausweg; *my* ~ *from infection is a miracle* daß ich nicht angesteckt wurde, ist ein wahres Wunder; **13.** *Mittel zum Entkommen*: ~ *apparatus* ⚓ Tauchretter; *fire-*~ Feuerleiter; **14.** Ausströmen *n*, Entweichen *n*; **15.** *bsd. attr.* Ab-, Ausfluß *m*; **16.** *fig.* (Mittel *n* der) Entspannung *f*, Zerstreuung *f*: ~ *reading* Unterhaltungslektüre; ~ **clause** *s.* Befreiungsklausel *f.*

es·ca·pee [eskei'pi:] *s.* Flüchtling *m*, Ausreißer *m*, -brecher *m*, entwichener Häftling *od.* (Kriegs)Gefangener.

es·cape| hatch *s.* **1.** ⚓ Sicherheits-, Notluke *f*; **2.** ✈ Notausstieg *m*; ~ **hole** *s.* Schlupfloch *n.*

es·cape·ment [is'keipmənt] *s.* ⊕ Hemmung *f* (*Uhr*); ~ **wheel** *s.* Hemmungsrad *n* (*Uhr*).

es'cape|-pipe *s.* ⊕ Abfluß-, Abzugsrohr *n*; ~ **route** *s.* Fluchtweg *m*; ~**-shaft** *s.* Rettungsschacht *m*; ~**-valve** *s.* ⊕ 'Abfluß-, 'Auslaß-, 'Sicherheitsven,til *n*; ~ **wheel** → *escapement wheel.*

es·cap·ism [is'keipizəm] *s.* Eska'pismus *m*, Flucht *f* vor der Reali'tät; **es'cap·ist** [-pist] **I.** *s.* j-d der vor der Realität flieht; **II.** *adj.* Zerstreuungs..., Unterhaltungs...: ~ *literature.*

es·carp [is'kɑ:p] ⚔ **I.** *s.* **1.** Böschung *f*, Abdachung *f*; **2.** vordere Grabenwand; **II.** *v/t.* **3.** mit e-r Böschung versehen; **es'carp·ment** [-mənt] *s.* → *escarp 1.*

es·cha·tol·o·gy [eskə'tɔlədʒi] *s. eccl.* Es-chatolo'gie *f.*

es·cheat [is'tʃi:t] ⚖ **I.** *s.* **1.** Heimfallsrecht *n des Staates*; **2.** Heimfall *m*; **3.** heimgefallenes Gut; **II.** *v/i.* **4.** heimfallen; **III.** *v/t.* **5.** konfiszieren, einziehen.

es·chew [is'tʃu:] *v/t.* scheuen, (ver-)meiden, sich fernhalten von.

es·cort I. *s.* ['eskɔːt] **1.** ⚔ Es'korte *f*, Bedeckung *f*, Begleitmannschaft *f*; **2.** ✈, ⚓ Geleitschutz *m*; ⚓ Geleitschiff *n*: ~ *fighter* ✈ Begleitjäger; **3.** *fig.* Begleitung *f*, Geleit *n*, Schutz *m*; Begleiter(in); **II.** *v/t.* [is'kɔːt] **4.** *j-n* eskortieren, geleiten; **5.** *fig.* begleiten.

es·cri·toire [eskri(ː)'twɑː] (*Fr.*) *s.* Schreibtisch *m*, -pult *n*.

es·crow [es'krou] *s.* ⚖ (bei e-m Treuhänder) *bis zur Erfüllung e-r Bedingung* hinter'legtes Doku'ment.

es·cu·lent ['eskjulənt] **I.** *adj.* eßbar, genießbar; **II.** *s.* Nahrungsmittel *n*.

es·cutch·eon [is'kʌtʃən] *s.* **1.** Wappen(schild *m*) *n*: *a blot on his* ~ *fig.* ein Fleck auf s-r Ehre; **2.** ⊕ Schlüsselloch-, Namensschild *n*.

Es·dras ['ezdræs] → *Ezra*.

Es·ki·mo ['eskimou] *pl.* **-mos** *s.* **1.** 'Eskimo *m*; **2.** 'Eskimosprache *f*.

e·soph·a·gus → *oesophagus*.

es·o·ter·ic [esou'terik] *adj.* (□ ~*ally*) **1.** *phls.* eso'terisch, nur für Eingeweihte bestimmt; **2.** geheim.

es·pal·ier [is'pæljə] *s.* Spa'lier(baum *m*) *n*.

es·par·to [es'pɑːtou] *s.* ♀ Es'parto-, Spart-, 'Alfagras *n*.

es·pe·cial [is'peʃəl] *adj.* □ besonder, her'vorragend, Haupt..., hauptsächlich; **es'pe·cial·ly** [-li] *adv.* besonders, hauptsächlich: *more* ~ ganz besonders.

Es·pe·ran·tist [espə'ræntist] *s.* Esperan'tist(in); **Es·pe·ran·to** [espə'ræntou] *s.* Espe'ranto *n*.

es·pi·al [is'paiəl] *s.* (Er)Spähen *n*.

es·pi·o·nage [espiə'nɑːʒ] *s.* Spio'nage *f*, (Aus)Spionieren *n*: *industrial* ~ Werkspionage.

es·pla·nade [esplə'neid] *s.* Espla'nade *f* (*a.* ⚔); Prome'nade *f*, freier Platz.

es·pous·al [is'pauzəl] *s.* **1.** (*of*) Eintreten *n*, Par'teinahme *f* (für); Annahme *f* (*gen.*), Anschluß *m* (an *acc.*); **2.** *pl. obs.* **a)** Vermählung *f*, **b)** Verlobung *f*; **es·pouse** [is'pauz] *v/t.* **1.** heiraten (*vom Mann*); **2.** unter'stützen; eintreten für; annehmen.

es·pres·so [es'presou] (*Ital.*) *s.* Es'presso *m* (*Getränk*); ~ **bar,** ~ **ca·fé** *s.* Espresso *n*.

es·prit ['espriː] (*Fr.*) *s.* Es'prit *m*, Geist *m*, Witz *m*; ~ **de corps** [də'kɔː] (*Fr.*) *s.* Korpsgeist *m*.

es·py [is'pai] *v/t.* erspähen, entdecken.

Es·qui·mau ['eskimou] *pl.* **-maux** [-mouz] → *Eskimo*.

es·quire [is'kwaiə] *s.* **1.** *Brit. obs.* → *squire*[1]; **2.** *abbr.* Esq. (*ohne Mr., auf Briefen dem Namen nachgestellt*) Wohlgeboren.

ess [es] *s.* **1.** *das* S; **2.** S-Form *f*.

es·say I. *s.* ['esei] **1.** Versuch *m*; **2.** 'Essay *n*, *m*, Abhandlung *f*, Aufsatz *m*; **II.** *v/t. u. v/i.* [e'sei] **3.** versuchen, probieren; **'es·say·ist** [-ist] *s.* Essay'ist(in), Verfasser(in) von Essays.

es·sence ['esns] *s.* **1.** *phls.* Sub'stanz *f*, (Da)Sein *n*; **2.** Wesen *n*, Geist *m*; **3.** *das* Wesentliche, Kern *m*: *of the* ~ von entscheidender Bedeutung; **4.** Es'senz *f*, Auszug *m*, Ex'trakt *m*.

es·sen·tial [i'senʃəl] **I.** *adj.* □ → *essentially*; **1.** wesentlich; **2.** wichtig, unentbehrlich, erforderlich; lebenswichtig: ~ *industry*; **3.** ⚗ ä'therisch: ~ *oil*; **II.** *s. mst pl.* **4.** *das* Wesentliche, Hauptsache *f*; wesentliche Punkte *pl.*; **es·sen·ti·al·i·ty** [isenʃi'æliti] → *essential 4*; **es'sen·tial·ly** [-li] *adv.* im wesentlichen, eigentlich, in der Hauptsache.

es·tab·lish [is'tæbliʃ] *v/t.* **1.** ein-, errichten, gründen; einführen; *Regierung* bilden; *Gesetz* erlassen; *Rekord, Theorie* aufstellen; ✝ *Konto* eröffnen; **2.** *j-n* einsetzen, 'unterbringen; ✝ etablieren: *to* ~ *o.s.* **a)** sich niederlassen *od.* einrichten, **b)** ✝ sich etablieren, **c)** sich eingewöhnen; **3.** *Kirche* verstaatlichen; **4.** feststellen, festsetzen, nachweisen; Geltung verschaffen (*dat.*); **5.** *Forderung, Ansicht* 'durchsetzen; *Ordnung* schaffen; **6.** *Verbindung* herstellen; **7.** begründen: *to* ~ *one's reputation* sich e-n Namen machen; **es'tab·lished** [-ʃt] *adj.* **1.** bestehend; **2.** feststehend, festbegründet, unzweifelhaft; **3.** planmäßig (*Beamter*), zum festen Perso'nal gehörend: *the* ~ *staff* das Stammpersonal; **4.** 𝔰 *Church* Staatskirche; **es'tab·lish·ment** [-mənt] *s.* **1.** Er-, Einrichtung *f*, Einsetzung *f*, Gründung *f*, Einführung *f*, Schaffung *f*; **2.** Feststellung *f*, -setzung *f*; **3.** (*großer*) Haushalt; ✝ Unter'nehmen *n*, Firma *f*: *to keep a large* ~ **a)** ein großes Haus führen, **b)** ein bedeutendes Unternehmen leiten; **4.** Anstalt *f*, Insti'tut *n*; **5.** organisierte Körperschaft: *civil* ~ Beamtenschaft; *military* ~ stehendes Heer; *naval* ~ Flotte; **6.** festes Perso'nal, Perso'nal- *od.* ⚔ Mannschaftsbestand *m*; Sollstärke *f*: *peace* ~ Friedensstärke; *war* ~ Kriegsstärke; **7.** Staatskirche *f*; **8.** *the* 𝔰 das Establishment (*Machtgefüge, konventionelle Gesellschaft*).

es·tate [is'teit] *s.* **1.** Stand *m*, Klasse *f*, Rang *m*: *the Three* 𝔰*s* (*of the Realm*) *Brit.* die drei (*gesetzgebenden*) Stände; *third* ~ *Fr. hist.* dritter Stand, Bürgertum; *fourth* ~ *humor.* Presse; **2.** *obs.* (Zu)Stand *m*: *man's* ~ *bibl.* Mannesalter; **3.** ⚖ **a)** Besitz *m*, Vermögen *n*; → *personal 1, real 3 b*, **b)** (Kon'kurs- *etc.*)Masse *f*, Nachlaß *m*; **4.** ⚖ Besitzrecht *n*, Nutznießung *f*; **5.** Grundbesitz *m*, Besitzung *f*, Gut *n*; **6.** (Wohn)Siedlung *f*; ~ **a·gent** *s. Brit.* **1.** Grundstücks-, Häusermakler *m*; **2.** Häuser-, Grundstücksverwalter *m*; ~ **car** *s. Brit.* 'Kombiwagen *m*; ~ **du·ty** *s. bsd. Brit.*, ~ **tax** *s. Am.* Erbschaftssteuer *f*.

es·teem [is'tiːm] **I.** *v/t.* **1.** achten, (hoch)schätzen; **2.** erachten *od.* ansehen als, halten für; **II.** *s.* **3.** Wertschätzung *f*, Achtung *f*: *to hold in* (*high*) ~ achten.

es·ter ['estə] *s.* ⚗ Ester *m*.

Es·ther ['estə] *npr. u. s. bibl.* (das Buch) 'Esther *f*.

Es·tho·ni·an [es'tounjən] **I.** *s.* **1.** Este *m*, Estin *f*; **2.** *ling.* Estnisch *n*; **II.** *adj.* **3.** estnisch, estländisch.

es·ti·ma·ble ['estiməbl] *adj.* □ achtens-, schätzenswert; **es·ti·mate I.** *v/t.* ['estimeit] **1.** (ab-, ein)schätzen, taxieren, veranschlagen (*at* auf *acc.*): *an* ~*d 200 buyers* schätzungsweise 200 Käufer; **2.** bewerten, beurteilen; **II.** *s.* ['estimit] **3.** (Ab-, Ein)Schätzung *f*, Veranschlagung *f*, (Kosten)Anschlag *m*: *rough* ~ grober Überschlag; **4.** 𝔰*s pl. Brit.* Staatshaushaltsplan *m*, Bud'get *n*; **5.** Bewertung *f*, Beurteilung *f*: *to form an* ~ *of et.* beurteilen; **es·ti·ma·tion** [esti'meiʃən] *s.* **1.** Urteil *n*, Meinung *f*: *in my* ~ nach m-r Ansicht; **2.** Bewertung *f*, Schätzung *f*; **3.** Achtung *f*: *to hold in* (*high*) ~ hochschätzen.

es·ti·val → *aestival*.

Es·to·ni·an → *Esthonian*.

es·top [is'tɔp] *v/t.* ⚖ hindern (*from* an *dat.*, *from doing* zu tun); **es'top·pel** [-pəl] *s.* ⚖ Ausschluß *m* e-r Klage *od.* Einrede.

es·trange [is'treindʒ] *v/t.* **1.** entfremden (*from dat.*); **2.** zweckentfremden; **es'tranged** [-dʒd] *adj.* ⚖ getrennt lebend: *his* ~ *wife* s-e von ihm getrennt lebende Frau; *she is* ~ *from her husband* sie lebt von ihrem Mann getrennt; **es'trange·ment** [-mənt] *s.* **1.** Entfremdung *f*; **2.** Zweckentfremdung *f*; **3.** ⚖ Getrenntleben *n*.

es·treat [is'triːt] *v/t.* ⚖ **a)** *j-m* e-e Geldstrafe auferlegen, **b)** *et.* eintreiben.

es·tu·ar·y ['estjuəri] *s.* (den Gezeiten ausgesetzte) weite Flußmündung, Meeresarm *m*.

et cet·er·a, et·cet·er·a [it'setrə] *abbr.* etc., &c. (*Lat.*) und so weiter; **et'cet·er·as** [-əz] *s. pl.* Kleinigkeiten *pl.*, 'Extraausgaben *pl.*

etch [etʃ] *v/t. u. v/i.* ätzen; kupferstechen; radieren; **etch·er** ['etʃə] *s.* Kupferstecher *m*, Radierer *m*.

etch·ing ['etʃiŋ] *s.* Kupferstich *m*, Radierung *f*: ~ *needle* Radiernadel.

e·ter·nal [i(ː)'təːnl] **I.** *adj.* □ **1.** ewig, immerwährend: *the* 𝔰 *City* die Ewige Stadt (*Rom*); **2.** unveränderlich, unabänderlich; **3.** F ewig, unaufhörlich; **II.** *s.* **4.** *the* 𝔰 Gott *m*; **5.** *pl.* ewige Dinge *pl.*; **e'ter·nal·ize** [-nəlaiz] *v/t.* verewigen; **e'ter·ni·ty** [-niti] *s.* **1.** Ewigkeit *f*; **2.** *eccl. das* Jenseits; **3.** F Ewigkeit *f*, sehr lange Zeit; **e'ter·nize** [-naiz] → *eternalize*.

eth·ane ['eθein] *s.* ⚗ Ä'than *n*.

e·ther ['iːθə] *s.* **1.** ⚗, *phys.* 'Äther *m*; **2.** *poet.* Äther *m*, Himmel *m*; **e·the·re·al** [i(ː)'θiəriəl] *adj.* □ **1.** ⚗ 'ätherartig; **2.** ä'therisch, himmlisch, zart, vergeistigt; **e·the·re·al·ize** [i(ː)'θiəriəlaiz] *v/t.* **1.** ⚗ äthe-risieren; **2.** vergeistigen, verklären; **'e·ther·ize** [-əraiz] *v/t.* □ **1.** ⚗ in Äther verwandeln; **2.** ⚕ mit Äther narkotisieren.

eth·ic ['eθik] **I.** *adj.* **1.** *selten für ethical*; **II.** *s.* **2.** *pl. sg. konstr.* Sittenlehre *f*, 'Ethik *f*; **3.** *pl.* Sittlichkeit *f*, Mo'ral *f*: *professional* ~*s* Standesehre, Berufsethos; **'eth·i·cal** [-kəl] *adj.* □ 'ethisch, mo'ralisch, sittlich; **'eth·i·cist** [-isist] *s.* 'Ethiker *m*.

E·thi·o·pi·an [iːθi'oupjən] **I.** *adj.* äthi'opisch; **II.** *s.* Äthi'opier(in).

eth·nic *adj.*; **eth·ni·cal** ['eθnik(əl)] *adj.* □ **1.** 'ethnisch, rassisch, völkisch, Volks...; **2.** heidnisch; **eth·nog·ra·pher** [eθ'nɔgrəfə] *s.* Ethno'graph *m*; **eth·no·graph·ic** *adj.*; **eth·no·graph·i·cal** [eθnou'græfik(əl)] *adj.* □ ethno'graphisch, völkerkundlich; **eth·nog·ra·phy** [eθ'nɔgrəfi] *s.* Ethnogra'phie *f*, (beschreibende) Völkerkunde; **eth·no·log·ic** *adj.*; **eth·no·log·i·cal** [eθnou'lɔdʒik(əl)] *adj.* □ ethno'logisch; **eth·nol·o·gist** [eθ'nɔlədʒist] *s.* Ethno'loge *m*, Völkerkundler *m*; **eth·nol·o·gy** [eθ'nɔlədʒi] *s.* Ethnolo'gie *f*, (vergleichende) Völkerkunde.

e·thol·o·gist [i(:)'θɔlədʒist] *s.* Etho'loge *m*; **e'thol·o·gy** [-dʒi] *s.* **1.** Per'sönlichkeits-, Wesensforschung *f*; **2.** Etholo'gie *f*, Erforschung *f* des Tierlebens.

e·thos ['i:θɔs] *s.* **1.** 'Ethos *n*, Cha'rakter *m*, Wesensart *f*; **2.** sittlicher Gehalt (*Kultur*); 'ethischer Wert.

eth·yl ['eθil; ⚗ 'i:θail] *s.* **1.** ⚗ Ä'thyl *n*; **2.** *mot.* ♀ *Name e-s Antiklopfmittels*; ~ **al·co·hol** *s.* ⚗ Ä'thylˌalkohol *m*.

eth·yl·ene ['eθili:n] *s.* Äthy'len *n*, Kohlenwasserstoffgas *n*.

e·ti·o·late ['i:tiouleit] *v/t.* **1.** etiolieren, (*durch Ausschluß von Licht*) bleichen; **2.** *fig.* verkümmern lassen, schwächen.

et·i·quette [eti'ket] *s.* Eti'kette *f*: **a)** Zeremoni'ell *n*, **b)** Anstandsregeln *pl.*, gute 'Umgangsformen *pl.*

E·ton| col·lar ['i:tn] *s.* breiter, steifer 'Umlegekragen; ~ **Col·lege** *s.* *berühmte englische Public School*; ~ **crop** *s.* kurzgeschnittenes Haar (*bei Damen*), Herrenschnitt *m*.

E·to·ni·an [i(:)'tounjən] *s.* Schüler *m* des *Eton College*.

E·ton jack·et *s.* schwarze, kurze Jacke *der Etonschüler*.

E·trus·can [i'trʌskən] **I.** *adj.* **1.** e'truskisch; **II.** *s.* **2.** E'trusker(in); **3.** *ling.* Etruskisch *n*.

et·y·mo·log·ic *adj.*; **et·y·mo·log·i·cal** [etimə'lɔdʒik(əl)] *adj.* □ etymo'logisch; **et·y·mol·o·gist** [eti'mɔlədʒist] *s.* Etymo'loge *m*; **et·y·mol·o·gy** [eti'mɔlədʒi] *s.* Etymolo'gie *f*, Wortableitung *f*: *popular* ~ Volksetymologie; **et·y·mon** ['etimɔn] *s.* 'Etymon *n*, Stammwort *n*.

eu- [ju:] *in Zssgn* gut, wohl.

eu·ca·lyp·tus [ju:kə'liptəs] *s.* ♀ Euka'lyptus *m*.

Eu·cha·rist ['ju:kərist] *s. eccl.* Euchari'stie *f*: **a)** das heilige Abendmahl, **b)** Al'tarssakraˌment *n*.

eu·chre ['ju:kə] **I.** *s. ein amer. Kartenspiel*; **II.** *v/t. sl.* über'tölpeln.

Eu·clid ['ju:klid] *s.* (*die euklidische*) Geome'trie.

eu·gen·ic [ju:'dʒenik] **I.** *adj.* (□ ~*ally*) eu'genisch, 'rassenhygiˌenisch, -veredelnd; **II.** *s. pl. sg. konstr.* Eu'genik *f*, 'Rassenhygiˌene *f*; **eu·ge·nist** ['ju:dʒinist] *s.* 'Rassenhygiˌeniker *m*.

eu·lo·gist ['ju:lədʒist] *s.* Lobredner(in); **eu·lo·gis·tic** [ju:lə'dʒistik] *adj.* (□ ~*ally*) preisend, lobend; **'eu·lo·gize** [-dʒaiz] *v/t.* loben, preisen, in den Himmel heben; **'eu·lo·gy** [-dʒi] *s.* E'loge *f*, Lob(rede *f*) *n*.

eu·nuch ['ju:nək] *s.* Eu'nuch *m*.

eu·pep·sia [ju:'pepsiə] *s.* ⚕ nor'male Verdauung; **eu'pep·tic** [-ptik] *adj.* ⚕ **1.** verdauungsfördernd; **2.** gut verdauend.

eu·phe·mism ['ju:fimizəm] *s.* Euphe'mismus *m*, beschönigender Ausdruck, sprachliche Verhüllung; **eu·phe·mis·tic** *adj.*; **eu·phe·mis·ti·cal** [ju:fi'mistik(əl)] *adj.* □ euphe'mistisch, beschönigend, mildernd.

eu·phon·ic *adj.*; **eu·phon·i·cal** [ju:'fɔnik(əl)] *adj.* □ eu'phonisch, wohlklingend; **eu·pho·ny** ['ju:fəni] *s.* Eupho'nie *f*, Wohlklang *m*.

eu·phor·bi·a [ju:'fɔ:bjə] *s.* ♀ Wolfsmilch *f*.

eu·pho·ri·a [ju:'fɔ:riə] *s.* Eupho'rie *f*, subjek'tives Wohlbefinden (*bsd. von Schwerkranken*); **eu'phor·ic** [-'fɔrik] *adj. u. s.* ⚕ euphorisch(es Mittel); **eu·pho·ry** ['ju:fəri] → *euphoria*.

eu·phu·ism ['ju:fju(:)izəm] *s.* Euphu'ismus *m* (*verstiegener Stil*); **eu·phu·is·tic** [ju:fju(:)'istik] *adj.* (□ ~*ally*) euphu'istisch, geziert, schwülstig.

Eur·a·sian [juə'reiʒjən] **I.** *s.* Eu'rasier(in); **II.** *adj.* eu'rasisch.

Euro- [juərə] *in Zssgn* Euro...: ~*dollar*.

Eu·ro·pe·an [juərə'pi(:)ən] **I.** *adj.* euro'päisch: ~ *Community pol.* Europäische Gemeinschaft (*abbr.* EG); ~ *Parliament pol.* Europäisches Parlament; ~ *plan Am.* Hotelzimmer-Vermietung ohne Verpflegung; **II.** *s.* Euro'päer(in); **Eu·ro'pe·an·ism** [-nizəm] *s.* Euro'päertum *n*; **Eu·ro'pe·an·ize** [-naiz] *v/t.* europäisieren.

Eu·ro·vi·sion ['juərəviʒən] **I.** *s.* *Fernsehen*: Eurovisi'on *f*; **II.** *adj.* *Fernsehen*: Eurovisions...: ~ *transmission*.

Eu·sta·chi·an tube [ju:s'teiʃjən] *s. anat.* Eu'stachische Röhre, 'Ohrtromˌpete *f*.

eu·tha·na·si·a [ju:θə'neizjə] *s.* **1.** sanfter *od.* leichter Tod; **2.** Euthana'sie *f*, Sterbehilfe *f*: *active* (*passive*) ~ aktive (passive) Sterbehilfe.

e·vac·u·ant [i'vækjuənt] **I.** *adj.* abführend; **II.** *s.* Abführmittel *n*; **e·vac·u·ate** [i'vækjueit] *v/t.* **1.** ent-, ausleeren; ⊕ luftleer pumpen; **2.** ⚕ entleeren, ausscheiden: *to* ~ *the bowels* den Darm entleeren, abführen; **3.** ⚔ fortschaffen, verlagern; *Gebiet* räumen; *Truppen etc.* verlegen, abtransportieren; **4.** *Personen* evakuieren, aussiedeln, verschicken; **e·vac·u·a·tion** [ivækju'eiʃən] *s.* **1.** Aus-, Entleerung *f*; **2.** ⚕ **a)** Stuhlgang *m*, **b)** Kot *m*; **3.** *bsd.* ⚔ Evakuierung *f*, 'Um-, Aussiedlung *f*, Abschub *m*; Verlegung *f* (*Truppen*), 'Abtransˌport *m*; Räumung *f*; **e·vac·u·ee** [ivækju(:)'i:] *s.* Evakuierte(r *m*) *f*, 'Um-, Aussiedler(in).

e·vade [i'veid] *v/t.* *e-r Sache* sich entziehen, entgehen, -rinnen, ausweichen; *et.* um'gehen, vermeiden; sich von *e-r Pflicht etc. od.* um *e-e Antwort etc.* drücken; *Steuern* hinter'ziehen; **e'vad·er** [-də] *s.* Flüchtige(r *m*) *f*: *tax* ~ Steuerhinterzieher.

e·val·u·ate [i'væljueit] *v/t.* **1.** abschätzen, berechnen; **2.** beurteilen, bewerten; **3.** auswerten; **e·val·u·a·tion** [ivælju'eiʃən] *s.* **1.** Abschätzung *f*, Bewertung *f*; **2.** Beurteilung *f*; **3.** Auswertung *f*.

ev·a·nesce [i:və'nes] *v/i.* (ver-) schwinden; **ev·a'nes·cence** [-sns] *s.* (Da'hin)Schwinden *n*; Vergänglichkeit *f*; **ev·a'nes·cent** [-snt] *adj.* □ **1.** (ver-, da'hin)schwindend, flüchtig; **2.** 𝒜 unendlich klein (*a. fig.*).

e·van·gel·ic [i:væn'dʒelik] *adj.* (□ ~*ally*) **1.** die Evan'gelien betreffend, Evangelien...; **2.** evan'gelisch; **e·van'gel·i·cal** [-kəl] **I.** *adj.* □ → *evangelic*; **II.** *s.* Evan'gelische(r *m*) *f*; **e·van'gel·i·cal·ism** [-kəlizəm] *s.* evan'gelischer Glaube.

e·van·ge·lism [i'vændʒilizəm] *s.* Verkündigung *f* des Evan'geliums; **e'van·ge·list** [-list] *s.* **1.** Evange'list *m*; **2.** Erweckungs-, Wanderprediger *m*; **e'van·ge·lize** [-laiz] **I.** *v/i.* das Evangelium predigen; **II.** *v/t.* zum Christentum bekehren.

e·vap·o·rate [i'væpəreit] **I.** *v/i.* **1.** verdampfen; (*a. fig.*) verfliegen, sich verflüchtigen, verschwinden; **II.** *v/t.* **2.** verdampfen *od.* verdunsten lassen; **3.** ⊕ ab-, eindampfen, einkochen, kondensieren: ~*d milk* Kondensmilch; **e·vap·o·ra·tion** [ivæpə'reiʃən] *s.* **1.** Verdampfung *f*, Verdunstung *f*, Verflüchtigung *f*; **2.** ⊕ Ab-, Eindampfen *n*, Einkochen *n*; **3.** *fig.* Verfliegen *n*; **e'vap·o·ra·tor** [-tə] *s.* ⊕ Abdampfvorrichtung *f*, Verdampfer *m*.

e·va·sion [i'veiʒən] *s.* **1.** Entkommen *n*, -rinnen *n*; **2.** Ausweichen *n*, Um'gehung *f* (*Gesetz*), Vernachlässigung *f* (*Pflicht*), Hinter'ziehung *f* (*Steuern*); **3.** Ausflucht *f*, Ausrede *f*.

e·va·sive [i'veisiv] *adj.* □ **1.** ausweichend: *to be* ~ *fig.* ausweichen; **2.** schwerfaßbar, -verständlich; **e'va·sive·ness** [-nis] *s.* ausweichendes Verhalten.

Eve[1] [i:v] *npr. bibl.* 'Eva *f*: *daughter of* ~ Evastochter, typische Frau.

eve[2] [i:v] *s.* **1.** *poet.* Abend *m*; **2.** *mst* ♀ Vorabend *m*, -tag *m* (*e-s Festes*); **3.** *fig.* Vorabend *m*: *on the* ~ *of* am Vorabend von (*od. gen.*); *to be on the* ~ *of* kurz vor *et.* stehen.

e·ven[1] ['i:vən] *adv.* **1.** so'gar, selbst, auch: ~ *the king* sogar der König; ~ *in winter* selbst im Winter; *he* ~ *kissed her* er küßte sie sogar; ~ *if*, ~ *though* selbst wenn, wenn auch; ~ *now* **a)** selbst jetzt, noch jetzt, **b)** eben *od.* gerade jetzt; *or* ~ oder auch (nur), oder gar; *if* ~ *so much* wenn überhaupt (*od.* auch nur) soviel; *without* ~ *looking* ohne auch nur hinzusehen; **2.** *vor comp.* noch: ~ *better* (sogar) noch besser; **3.** *nach neg.*: *not* ~ nicht einmal; *not* ~ *now* nicht einmal jetzt, sogar *od.* selbst *od.* auch jetzt noch nicht; *I never* ~ *saw it* ich habe es nicht einmal gesehen; **4.** gerade: ~ *as I expected* gerade *od.* genau wie ich erwartete; ~ *as he spoke* gerade als er sprach; ~ *so* dennoch, trotzdem, immerhin, wenn schon.

e·ven[2] ['i:vən] **I.** *adj.* □ **1.** eben, flach, gerade, waag(e)recht, in gleicher Höhe: ~ *with the ground* dem (Erd-)

Boden gleich; *on an ~ keel* **a)** ⚓ gleichmäßig beladen, **b)** *fig.* im Gleichgewicht, ruhig; **2.** gleich: *~ chances* gleiche Chancen; *~ money* gleicher Einsatz (*Wette*); *~ bet* Wette mit gleichem Einsatz; *of ~ date* † gleichen Datums; *on ~ terms* in gutem Einvernehmen; **3.** † ausgeglichen, glatt, quitt: *to be ~ with s.o.* mit j-m quitt sein; *to get ~ with s.o.* mit j-m abrechnen *od.* quitt werden, es j-m heimzahlen; **4.** gleich-, regelmäßig; im Gleichgewicht (*a. fig.*); **5.** ausgeglichen, ruhig (*Gemüt*); **6.** gerecht, 'unpar‚teiisch; **7.** gerade (*Zahl*); geradzahlig (*Schwingungen etc.*): *~ page* (Buch)Seite mit gerader Zahl; *to end ~ typ.* mit voller Zeile schließen; **8.** genau, prä'zise: *an ~ dozen* genau ein Dutzend; **II.** *v/t.* **9.** (ein)ebnen, glätten; **10.** *~ up* † ausgleichen.

e·ven[3] ['i:vən] *s. poet.* Abend *m.*

'e·ven|-'hand·ed *adj.* 'unpar‚teiisch, objek'tiv; **'~-'hand·ed·ness** *s.* 'Unpar‚teilichkeit *f*, Objektivi'tät *f.*

eve·ning ['i:vniŋ] *s.* **1.** Abend *m*: *in the ~* abends, am Abend; *on the ~ of* am Abend (*gen.*); *this (tomorrow) ~* heute (morgen) abend; *to make an ~ of it* den ganzen Abend damit verbringen; **2.** *fig.* Ende *n*, *bsd.* Lebensabend *m*; **~ dress** *s.* **1.** Abend-, Gesellschaftskleid *n*; **2. a)** Frack *m*, **b)** 'Smoking *m*; **~ pa·per** *s.* Abendzeitung *f*; **~ school** → *night-school*; **~ serv·ice** *s.* Abendgottesdienst *m*; **~ shirt** *s.* Frackhemd *n*; **~ star** *s. ast.* Abendstern *m.*

e·ven·ness ['i:vənnis] *s.* **1.** Ebenheit *f*, gerade Richtung; **2.** Gleichmäßigkeit *f*; **3.** Gleichheit *f*; **4.** Gleichmut *m*, Seelenruhe *f.*

'e·ven·song *s.* Abendandacht *f.*

e·vent [i'vent] *s.* **1.** Ereignis *n*, Vorfall *m*, Begebenheit *f*: *quite an ~* ein großes Ereignis; *after (before) the ~* nachher (vorher); **2.** Ergebnis *n*, Ausgang *m*: *in the ~* schließlich; **3.** Fall *m*, 'Umstand *m*: *in either ~* in jedem Fall; *in any ~* auf jeden Fall; *at all ~s* auf alle Fälle, jedenfalls; *in the ~ of* im Falle (*gen. od.* daß); **4.** *bsd. sport* Veranstaltung *f*; (Pro'gramm)Nummer *f*; Sportart *f*, Diszi'plin *f*: *athletic ~s* Leichtathletikwettkämpfe; *table of ~s* (Fest- *etc.*)Programm; **e'vent·ful** [-ful] *adj.* **1.** ereignisreich; **2.** denkwürdig, bedeutsam.

'e·ven·tide *s. poet.* **1.** Abend *m*; **2.** Lebensabend *m.*

e·ven·tu·al [i'ventjuəl] *adj.* □ → *eventually*; **1.** sich (als Folge) ergebend; **2.** schließlich; **e·ven·tu·al·i·ty** [iventju'æliti] *s.* Möglichkeit *f*; **e'ven·tu·al·ly** [-li] *adv.* schließlich, endlich; **e'ven·tu·ate** [-jueit] *v/i.* **1.** ausgehen, -laufen (*in* in *dat.*); **2.** *Am.* sich ereignen, eintreten.

ev·er ['evə] *adv.* **1.** immer, ständig, unaufhörlich: *for ~, for ~ and a day* für immer (u. ewig); *~ and anon (od. again)* immer wieder; *~ since, ~ after* von der Zeit an, seitdem; *yours ~* stets Dein (*Briefschluß*); **2.** *vor comp.* immer: *~ larger* immer größer; *~ increasing* stets zunehmend; **3.** *neg.*, *interrog.*, *konditional*: je(mals): *do you ~ see him?* siehst du ihn jemals?; *if I ~ meet him* falls ich ihn je treffe; *did you ~?* F hast du Töne?; na, so was!; *the fastest ~ sl.* schneller als je zuvor; **4.** nur, irgend, über'haupt: *as soon as ~ I can* sobald ich nur kann; *what ~ do you mean?* was (in aller Welt) meinst du denn (eigentlich)?; *how ~ did he manage?* wie hat er es nur fertiggebracht?; *seldom if ~* fast niemals; **5.** *~ so* F sehr, noch so: *~ so simple* ganz einfach; *~ so long* e-e Ewigkeit; *~ so many* sehr viele; *thank you ~ so much* tausend Dank!; *if I were ~ so rich* wenn ich noch so reich wäre; *~ such a nice man* wirklich ein netter Mann.

'ev·er|·glade *s. Am.* sumpfiges Grasland; **'~·green I.** *adj.* **1.** immergrün; **2.** unverwüstlich; nie veraltend; **II.** *s.* **3.** ⚘ **a)** immergrüne Pflanze, **b)** Immergrün *n*; **~'last·ing I.** *adj.* □ **1.** immerwährend, perma'nent, ewig: *~ flower* ⚘ Strohblume; **2.** *fig.* F unaufhörlich, endlos; **3.** dauerhaft, unbegrenzt dauernd *od.* haltend, unverwüstlich; **II.** *s.* **4.** Ewigkeit *f*; **'~'more** *adv.* immerfort: *for ~* in Ewigkeit.

ev·er·y ['evri] *adj.* **1.** jeder, jede, jedes, all: *he has read ~ book on this subject* er hat alle Bücher über dieses Thema gelesen; *~ other* **a)** jeder andere, **b)** → *other 6*; *~ day* jeden Tag, alle Tage, täglich; *~ four days* alle vier Tage; *~ fourth day* jeden vierten Tag; *~ now and then (od. again)*, *~ so often* F gelegentlich, hin u. wieder; *~ bit (of it)* ganz, völlig; *~ bit as good* genauso gut; *~ time* **a)** jedesmal(, wenn), sooft, **b)** jederzeit, stets; **2.** jeder, jede, jedes (einzelne *od.* erdenkliche), all: *her ~ wish* jeder ihrer Wünsche, alle ihre Wünsche; *with ~ good wish* mit allen guten Wünschen; *to have ~ reason* allen Grund haben; *their ~ liberty* ihre ganze Freiheit; **'~·bod·y** *pron.* jeder(mann); **'~·day** *adj.* **1.** (all)täglich; **2.** Alltags...; **3.** (mittel)mäßig; **'~·one** *pron.* jeder(mann): *in ~'s mouth* in aller Munde; **~ one** → *everyone*; **'~·thing** *pron.* **1.** alles: *~ new* alles Neue; **2.** F die Hauptsache, das A u. O: *speed is ~*; **'~·where** *adv.* 'überall, allenthalben.

e·vict [i(:)'vikt] *v/t.* ⚖ *j-n* aus dem Besitz *od.* der Wohnung vertreiben, exmittieren; **e'vic·tion** [-kʃən] *s.* ⚖ Vertreibung *f* aus dem Besitz *od.* der Wohnung, Exmissi'on *f*: *~ order* Räumungsbefehl.

ev·i·dence ['evidəns] **I.** *s.* **1.** ⚖ Zeugenaussage *f*, Zeugnis *n*: *to give ~* (als Zeuge) aussagen, bezeugen; *to hear ~* Zeugen vernehmen; *medical ~* Aussage *od.* Gutachten des medizinischen Sachverständigen; **2.** Zeuge *m*, Zeugin *f*: *to call s.o. in ~* j-n als Zeugen anrufen; **3.** ⚖ Be'weis(mittel *n*, -stück *n*, -materi‚al *n*) *m*; Ergebnis *n* der Beweisaufnahme; 'Unterlage *f*, Beleg *m*: *to be (od. furnish) ~ of et.* beweisen; *a piece of ~* ein Beweisstück *od.* Beleg; *in ~* als Beweis *zulassen etc.*; → *4*; *in ~ of* zum Beweis (*gen.*); *for lack of ~* aus Mangel an Beweisen; *to turn King's (od. Queen's, Am. State's) ~* als Kronzeuge auftreten; **4.** Augenscheinlichkeit *f*, Klarheit *f*: *in ~* sichtbar, er-, offensichtlich; → *3*; *to be much in ~* stark in Erscheinung treten, stark vertreten sein; **5.** (An)Zeichen *n*, Spur *f*: *there is no ~* es ist nicht ersichtlich *od.* feststellbar, nichts deutet darauf hin; *to give (od. bear) ~ of* zeugen von, beweisen; **II.** *v/t.* **6.** zeigen, beweisen; **'ev·i·dent** [-nt] *adj.* □ → *evidently*; augenscheinlich, einleuchtend, offensichtlich, klar; **ev·i·den·tial** [evi'denʃəl] *adj.* □ → *evidentially*; **1.** über'zeugend: *to be ~ of et.* beweisen; **2.** → *evidentiary 1*; **ev·i·den·tial·ly** [evi'denʃəli] *adv.* erwiesenermaßen; **ev·i·den·ti·ar·y** [evi'denʃəri] *adj.* **1.** ⚖ beweiserheblich; Beweis...(*-kraft, -wert*); **2.** → *evidential 1*; **'ev·i·dent·ly** [-ntli] *adv.* offensichtlich, zweifellos.

e·vil ['i:vl] **I.** *adj.* □ **1.** übel, böse, schlimm: *~ eye* **a)** böser Blick, **b)** *fig.* schlechter Einfluß; *the ≈ One* der Teufel; *~ repute* schlechter Ruf; *~ spirit* böser Geist; **2.** gottlos, boshaft, schlecht: *~ tongue* Lästerzunge; *to look with an ~ eye upon s.o.* j-n scheel ansehen; **3.** unglücklich: *~ day* Unglückstag; *to fall on ~ days* ins Unglück geraten; **II.** *s.* **4.** Übel *n*, Unglück *n*; **5.** *das* Böse, Sünde *f*, Verderbtheit *f*: *to do ~* sündigen; *the powers of ~* die Mächte der Finsternis; *the social ~* die Prostitution; **'~-dis'posed** → *evil-minded*; **'~-'do·er** *s.* Übeltäter(in); **'~-'mind·ed** *adj.* übelgesinnt, boshaft; **'~-'speak·ing** *adj.* verleumderisch.

e·vince [i'vins] *v/t.* dartun, be-, erweisen, bekunden, zeigen.

e·vis·cer·ate [i'visəreit] *v/t.* **1.** *Tiere* ausweiden; **2.** *fig. et.* inhalts- *od.* bedeutungslos machen; **e·vis·cer·a·tion** [ivisə'reiʃən] *s.* **1.** Ausweidung *f*; **2.** *fig.* Verstümmelung *f.*

ev·i·ta·ble ['evitəbl] *adj.* vermeidbar.

ev·o·ca·tion [evou'keiʃən] *s.* **1.** Her'beirufen *n*; (Geister)Beschwörung *f*; **2.** *fig.* Erzeugung *f*, Her'vorrufen *n*; **3.** Erinnerung *f* (*of* an *acc.*); **e·voc·a·tive** [i'vɔkətiv] *adj.* **1.** wachrufend: *to be ~ of* erinnern an (*acc.*); **2.** sinnträchtig, beziehungsreich.

e·voke [i'vouk] *v/t.* **1.** *Geister* her'beirufen, beschwören; **2.** *Gefühl* her'vor-, wachrufen.

ev·o·lu·tion [i:və'lu:ʃən] *s.* **1.** Entfaltung *f*, Entwicklung *f*, (Her'aus-)Bildung *f*, Werdegang *m*; **2.** *biol.* Evoluti'on *f*, Abstammung *f*: *theory of ~* Evolutionstheorie; **3.** Folge *f*, (Handlungs)Ablauf *m*; **4.** ⚔, ⚓ Entfaltung *f* e-r Formati'on; **5.** ⚗ Entwicklung *f* (*Gas, Hitze*); **6.** ⚘ Wurzelziehen *n*; **ev·o·'lu·tion·ar·y** [-ʃnəri] *adj.* **1.** Entwicklungs..., Evolutions...; **2.** ⚔, ⚓ Entfaltungs..., Schwenkungs...; **ev·o'lu·tion·ist** [-ʃənist] **I.** *s.* Anhänger(in) der (*biologischen*) Entwicklungslehre; **II.** *adj.* die Entwicklungslehre betreffend.

e·volve [i'vɔlv] **I.** *v/t.* **1.** entwickeln, entfalten, her'ausbilden, ausarbeiten; **2.** her'vorrufen, erzeugen; **3.** ⚗, ⊕ abgeben, ausscheiden; **II.** *v/i.* **4.** sich entwickeln *od.* entfalten, entstehen.

ewe [ju:] *s. zo.* Mutterschaf *n*; ~ **lamb** *s. zo.* Schaflamm *n*; *fig.* kostbarster Besitz.

ew·er ['ju(:)ə] *s.* Wasserkanne *f*, -krug *m*.

ex [eks] *prp.* † **1.** aus, ab, von: ~ *factory* ab Fabrik; ~ *works* ab Werk; → *ex officio*; **2.** ohne, exklu'sive: ~ *dividend* ohne Dividende.

ex- [eks] *in Zssgn* Ex..., ehemalig; Alt...

ex·ac·er·bate [eks'æsə(:)beit] *v/t.* **1.** *j-n* er-, verbittern, reizen; **2.** *et.* verschlimmern; **ex·ac·er·ba·tion** [eksæsə(:)'beiʃən] *s.* **1.** Erbitterung *f*; **2.** ⚕ Verschlimmerung *f*.

ex·act [ig'zækt] **I.** *adj.* □ → *exactly*; **1.** ex'akt, genau, (genau) richtig; **2.** tatsächlich, eigentlich; **3.** me'thodisch, gewissenhaft, sorgfältig, pünktlich (*Person*); **4.** strikt, streng (*Regel*); **II.** *v/t.* **5.** fordern, verlangen, erzwingen; **6.** *Zahlung* eintreiben; *Geld* erpressen; **7.** erfordern; **ex'act·ing** [-tiŋ] *adj.* **1.** streng, genau; **2.** anspruchsvoll: *to be* ~ hohe Anforderungen stellen; *an* ~ *customer*; **3.** hart, aufreibend (*Aufgabe etc.*); **ex'ac·tion** [-kʃən] *s.* **1.** 'übermäßige (An)Forderung; **2.** erpreßte Abgabe; **3.** Eintreibung *f*, Erpressung *f*; **ex'act·i·tude** [-titju:d] → *exactness*; **ex'act·ly** [-li] *adv.* **1.** genau; **2.** sorgfältig; **3.** *als Antwort*: genau, ganz recht; **4.** *wo, wann etc.* eigentlich: *not* ~ nicht gerade *od.* eigentlich; **ex'act·ness** [-nis] *s.* **1.** Ex'aktheit *f*, Genauigkeit *f*, Richtigkeit *f*; **2.** Sorgfalt *f*, Pünktlichkeit *f*.

ex·ag·ger·ate [ig'zædʒəreit] **I.** *v/t.* **1.** über'treiben; aufbauschen; **2.** über'schätzen, 'überbewerten; **3.** *ling.* zu stark betonen *od.* her'vorheben; **4.** verstärken, verschlimmern, vergrößern; **II.** *v/i.* **5.** übertreiben; **ex'ag·ger·at·ed** [-tid] *adj.* □ über'trieben; exaltiert; **ex·ag·ger·a·tion** [igzædʒə'reiʃən] *s.* Über'treibung *f*.

ex·alt [ig'zɔ:lt] *v/t.* **1.** *im Rang* erheben, erhöhen; **2.** erheben, loben, verherrlichen: *to* ~ *to the skies* in den Himmel heben; **3.** verstärken (*a. fig.*); **ex·al·ta·tion** [egzɔ:l'teiʃən] *s.* **1.** Erhebung *f*; **2.** Begeisterung *f*, Ek'stase *f*, Erregung *f*; **ex'alt·ed** [-tid] *adj.* **1.** gehoben; **2.** erhaben; **3.** begeistert, ek'statisch.

ex·am [ig'zæm] F *abbr. für examination* 2.

ex·am·i·na·tion [igzæmi'neiʃən] *s.* **1.** Unter'suchung *f* (*a.* ⚕), Prüfung *f*; Besichtigung *f*, 'Durchsicht *f*: *upon* ~ bei näherer Untersuchung; *Customs* ~ Zollrevision; *to be under* ~ erwogen werden; → *3*; *to make an* ~ *of s.th.* et. besichtigen *od.* untersuchen; **2.** *ped.* Prüfung *f*, Ex'amen *n*: ~*-paper* Liste der Prüfungsfragen *od.* -aufgaben; *to take an* ~ sich e-r Prüfung unterziehen; **3.** ⚖ Verhör *n*, Vernehmung *f*: *to be under* ~ vernommen werden; → *1*.

ex·am·ine [ig'zæmin] **I.** *v/t.* **1.** unter'suchen (*a.* ⚕), prüfen (*a. ped.*), besichtigen, 'durchsehen, revidieren: *to* ~ *one's conscience* sein Gewissen erforschen; **2.** ⚖ vernehmen, verhören; **II.** *v/i.* **3.** untersuchen (*into s.th.* et.); **ex·am·i·nee** [igzæmi'ni:] *s.* Prüfling *m*, Kandi'dat(in): *to be a bad* ~ e-e Examenspsychose haben; **ex'am·in·er** [-nə] *s.* Prüfer(in), Unter'sucher *m*, Exami'nator *m*.

ex·am·ple [ig'zɑ:mpl] *s.* **1.** Beispiel *n* (*of* für): *for* ~ zum Beispiel; *without* ~ beispiellos, ohnegleichen; **2.** Vorbild *n*, Beispiel *n*: *to hold up as an* ~ als Beispiel hinstellen; *to give* (*od. set*) *a good* ~ ein gutes Beispiel geben; *take him as an* ~ nimm ihn dir zum Vorbild; **3.** warnendes Beispiel, Warnung *f*: *let this be an* ~ *to you* laß dir dies zur Warnung dienen; *to make an* ~ *of s.o.* an j-m ein Exempel statuieren.

ex·as·per·ate [ig'zɑ:spəreit] *v/t.* **1.** ärgern, in Rage bringen, erzürnen, erbittern, reizen; **2.** *fig.* verschlimmern; vergrößern; **ex'as·per·at·ed** [-tid] *adj.* erbost; **ex'as·per·at·ing** [-tiŋ] *adj.* □ ärgerlich, zum Verzweifeln; aufreizend; **ex·as·per·a·tion** [igzɑ:spə'reiʃən] *s.* Erbitterung *f*.

ex ca·the·dra [kə'θi:drə] **I.** *adj.* maßgeblich, verbindlich; **II.** *adv.* ex 'cathedra; maßgebend.

ex·ca·vate ['ekskəveit] *v/t.* ausgraben (*a. fig.*), ausschachten, -höhlen; **ex·ca·va·tion** [ekskə'veiʃən] *s.* **1.** Ausschachtung *f*, Aushöhlung *f*; Aushub *m*; **2.** 🚂 'Durchstich *m*; **3.** *geol.* Ausgrabung *f*; **'ex·ca·va·tor** [-tə] *s.* **1.** Ausgräber *m*; **2.** Erdarbeiter *m*; **3.** ⊕ Trocken-, Greifbagger *m*.

ex·ceed [ik'si:d] **I.** *v/t.* **1.** über'schreiten, -'steigen (*a. fig.*); **2.** *fig.* über'treffen, hin'ausgehen über (*acc.*); **II.** *v/i.* **3.** zu weit gehen, das Maß über'schreiten; **4.** sich auszeichnen; **ex'ceed·ing** [-diŋ] *adj.* □ → *exceedingly*; **1.** außer'ordentlich, äußerst; **2.** mehr als, über; **ex'ceed·ing·ly** [-diŋli] *adv.* 'überaus, äußerst, aufs äußerste.

ex·cel [ik'sel] **I.** *v/t.* über'treffen; **II.** *v/i.* sich auszeichnen, her'vorragen (*in od. at* in *dat.*).

ex·cel·lence ['eksələns] *s.* **1.** Vor'trefflichkeit *f*; **2.** hohe Leistung; **'Ex·cel·len·cy** [-si] *s.* Exzel'lenz *f* (*Titel*): *Your* ~ Eure Exzellenz; **'ex·cel·lent** [-nt] *adj.* □ vor'züglich, ausgezeichnet.

ex·cel·si·or [ek'selsiɔ:] **I.** *adj.* höher hin'auf, noch besser; **II.** *s.* † *Am.* Holzwolle *f*.

ex·cept [ik'sept] **I.** *v/t.* **1.** ausnehmen, -schließen (*from* von, aus); **2.** vorbehalten; → *error 1*; **II.** *v/i.* **3.** Einwendungen machen, Einspruch erheben (*against* gegen); **III.** *prp.* **4.** ausgenommen, außer, mit Ausnahme von (*od. gen.*): ~ *for* abgesehen von, bis auf (*acc.*); **IV.** *cj.* **5.** *obs.* es sei denn, daß; außer wenn: ~ *that* außer *od.* nur daß; **ex'cept·ing** [-tiŋ] *prp.* (*nach always od. neg.*) ausgenommen, außer; **ex'cep·tion** [-pʃən] *s.* **1.** Ausnahme *f*: *by way of* ~ ausnahmsweise; *with the* ~ *of* mit Ausnahme von (*od. gen.*), außer, bis auf (*acc.*); *without* ~ ohne Ausnahme, ausnahmslos; *to make no* ~*(s)* keine Ausnahme machen; *an* ~ *to the rule* e-e Ausnahme von der Regel; **2.** Einwendung *f*, Einwand *m*, Einspruch *m* (*a.* ⚖ *Rechtsmittelvorbehalt*): *to take* ~ *to* Einwendungen machen *od.* protestieren gegen, Anstoß nehmen an (*dat.*); **ex'cep·tion·a·ble** [-pʃnəbl] *adj.* □ **1.** anfechtbar; **2.** anstößig; **ex'cep·tion·al** [-pʃənl] *adj.* □ → *exceptionally*; **1.** außergewöhnlich, Ausnahme..., Sonder...: ~ *case* Ausnahmefall; ~ *circumstances* außergewöhnliche Umstände; **2.** ungewöhnlich (gut); **ex'cep·tion·al·ly** [-pʃnəli] *adv.* **1.** ausnahmsweise; **2.** außergewöhnlich.

ex·cerpt I. *v/t.* [ek'sə:pt] **1.** *Schriftstelle* exzerpieren, ausziehen; **II.** *s.* ['eksə:pt] **2.** Ex'zerpt *n*, Auszug *m*; **3.** Sonder(ab)druck *m*.

ex·cess [ik'ses] *s.* **1.** 'Übermaß *n*, -fluß *m* (*of an dat.*): ~ *of* ... zuviel ...; *to carry to* ~ übertreiben; **2.** Ex'zeß *m*, Unmäßigkeit *f*, Ausschweifung *f*; *mst pl.* Ausschreitungen *pl.*: *to drink to* ~ übermäßig trinken; **3.** 'Überschuß *m* (*a.* ✠, ⚗), Mehrsumme *f*: *in* ~ *of* mehr als, über ...; *to be in* ~ *of* überschreiten, -steigen; ~ *of exports* Ausfuhrüberschuß; ~ **cost** *s.* Mehrkosten *pl.*; ~ **cur·rent** *s.* ⚡ 'Überstrom *m*; ~ **fare** *s.* Zuschlag *m* (*zum Fahrpreis*); ~ **freight** *s.* 'Überfracht *f*.

ex·ces·sive [ik'sesiv] *adj.* □ 'übermäßig, über'trieben; unangemessen hoch (*Strafe etc.*).

ex·cess| lug·gage *s.* 'Übergewicht *n* (*Gepäck*); ~ **post·age** *s.* 'Nachporto *n*, -gebühr *f*; ~ **prof·its tax** *s.* Mehrgewinnsteuer *f*; ~ **volt·age** *s.* ⚡ 'Überspannung *f*; ~ **weight** *s.* Mehr-, 'Übergewicht *n*.

ex·change [iks'tʃeindʒ] **I.** *v/t.* **1.** (*for*) aus-, 'umtauschen (gegen), vertauschen (mit); **2.** *Geld* eintauschen, ('um)wechseln (*for* gegen); **3.** (*gegenseitig*) *Blicke, Küsse, Plätze* tauschen; *Grüße, Gedanken, Gefangene* austauschen; *Worte, Schüsse* wechseln: *to* ~ *blows* sich prügeln; **4.** ersetzen (*for* durch); **5.** ⊕ auswechseln; **II.** *v/i.* **6.** wert sein: *2.50 D-marks* ~ *for one dollar*; **7.** ⚔ sich versetzen lassen (*into* in *acc.*); **III.** *s.* **8.** (Aus-, 'Um)Tausch *m*, Auswechselung *f*, Tauschhandel *m*: *in* ~ als Ersatz, dafür; *in* ~ *for* gegen, als Entgelt für; ~ *of letters* Schriftwechsel; ~ *of shots* Schußwechsel; ~ *of views* Meinungsaustausch; **9.** † **a)** ('Um)Wechseln *n*, Wechselverkehr *m*: *money* ~ Geldwechsel, **b)** → *bill² 3*, **c)** → *rate¹ 2*, **d)** *foreign* ~ Devisen, Valuta; **10.** † Börse *f*; **11.** (Fernsprech)Amt *n*, Vermittlung *f*, Zen'trale *f*; **ex'change·a·ble** [-dʒəbl] *adj.* (aus-)tausch-, auswechselbar (*for* gegen); Tausch...

ex·change| bro·ker *s.* Wechselmakler *m*; ~ **con·trol** *s.* † **1.** De'visenbewirtschaftung *f*; **2.** De'visenstelle *f*; ~ **line** *s. teleph.* Amtsleitung *f*; ~ **list** *s.* † Kurszettel *m*; ~ **rate** *s.* † 'Umrechnungs-, Wechselkurs *m*; ~ **reg·u·la·tions** *s. pl.* † De'visenbestimmungen *pl.*; ~ **re·stric·tions** *s. pl.* † De'visenbeschränkungen *pl.*; ~ **stu·dent** *s.* 'Austauschstuˌdent(in).

ex·cheq·uer [iks'tʃekə] *s.* **1.** *Brit.* Schatzamt *n*, Staatskasse *f*, 'Fiskus *m*: *the* ♀ das Finanzministerium; ~ *bill* Schatzwechsel; ~ *bond* Schatzanweisung; **2.** † (Geschäfts)Kasse *f*.

ex·cis·a·ble [ek'saizəbl] *adj.* (verbrauchs)steuerpflichtig.

ex·cise[1] [ek'saiz] **I.** *v/t.* besteuern; **II.** *s. a.* ~ *duty* 'indiˌrekte Steuer, Waren-, Verbrauchssteuer *f*: ~*man* Steuereinnehmer; *Commissioners of Customs and* ♀ Finanzabteilung für indirekte Steuern.

ex·cise[2] [ek'saiz] *v/t.* ⚕ exzidieren, her'ausschneiden; **ex·ci·sion** [ek'siʒən] *s.* **1.** ⚕ Ausschneidung *f*; **2.** Ausrottung *f*.

ex·cit·a·bil·i·ty [iksaitə'biliti] *s.* Reizbar-, Erregbarkeit *f*, Nervosi'tät *f*; **ex·cit·a·ble** [ik'saitəbl] *adj.* reiz-, erregbar, ner'vös; **ex·cit·ant** ['eksitənt] *s.* ⚕ Reizmittel *n*, 'Stimulans *n*; **ex·ci·ta·tion** [eksi'teiʃən] *s.* **1.** *a.* ⚡, ☎ Erregung *f*; **2.** ⚕ Reiz *m*, 'Stimulus *m*.

ex·cite [ik'sait] *v/t.* **1.** *j-n* er-, aufregen: *to get* ~*d (over)* sich aufregen (über *acc.*); **2.** *j-n* an-, aufreizen, aufstacheln; **3.** *Interesse etc.* erregen, erwecken, her'vorrufen; **4.** ⚕ *Nerv* reizen; **5.** ⚡ erregen; **6.** *phot.* lichtempfindlich machen; **ex'cit·ed** [-tid] *adj.* □ auf-, angeregt, bewegt; **ex'cite·ment** [-mənt] *s.* **1.** Er-, Aufregung *f*; **2.** Reizung *f*; **ex'cit·er** [-tə] *s.* ⚡ Erreger *m*; **ex'cit·ing** [-tiŋ] *adj.* **1.** an-, erregend; **2.** aufreizend, aufregend, spannend, interes'sant; **3.** erstaunlich, wunderbar; **4.** ⚡ Erreger...

ex·claim [iks'kleim] **I.** *v/i.* **1.** ausrufen, (auf)schreien; **2.** eifern, wettern (*against* gegen); **II.** *v/t.* **3.** ausrufen.

ex·cla·ma·tion [eksklə'meiʃən] *s.* **1.** Ausruf *m*, (Auf)Schrei *m*; **2.** *a.* ~ *mark, note of* ~, *Am. point of* ~ Ausrufe-, Ausrufungszeichen *n*; **3.** heftiger Pro'test; **ex·clam·a·to·ry** [eks'klæmətəri] *adj.* **1.** ausrufend; schreierisch; **2.** Ausrufungs...

ex·clave ['ekskleiv] *s.* Ex'klave *f*.

ex·clude [iks'klu:d] *v/t.* **1.** ausschließen; **2.** ausstoßen; **3.** ausweisen; **4.** ⊕ absperren; **ex'clud·er** [-də] *s.* ⊕ Sperrer *m*: *draught* ~ Abdichtungsstreifen (*für Fenster etc.*); **ex'clu·sion** [-u:ʒən] *s.* **1.** Ausschließung *f*, Ausschluß *m* (*from* von): *to the* ~ *of* unter Ausschluß von; **2.** ⊕ Abschluß *m*, -sperrung *f*.

ex·clu·sive [iks'klu:siv] *adj.* □ → *exclusively*; **1.** ausschließend: ~ *of* abgesehen von, ohne; *to be* ~ *of* außer Betracht lassen, nicht einschließen; **2.** ausschließlich, einzig, Allein..., Sonder...: ~ *right* Monopol; ~ *report* Sonderbericht; ~ *to* † nur *zu haben* bei; **3.** exklu'siv, sich abschließend, unnahbar, wählerisch, vornehm; **ex'clu·sive·ly** [-li] *adv.* nur, ausschließlich; **ex'clu·sive·ness** [-nis] *s.* Exklusivi'tät *f*.

ex·cog·i·tate [eks'kɔdʒiteit] *v/t.* ausdenken, -hecken, ersinnen.

ex·com·mu·ni·cate [ekskə'mju:nikeit] *v/t. eccl.* exkommunizieren, in den Bann tun; **ex·com·mu·ni·ca·tion** ['ekskəmju:ni'keiʃən] *s. eccl.* (Kirchen)Bann *m*, ˌExkommunikati'on *f*.

ex·co·ri·ate [eks'kɔ:rieit] *v/t.* **1.** *Haut* abziehen; *Rinde* abschälen; **2.** *Haut* wund reiben, abschürfen; **3.** heftig angreifen, vernichtend kritisieren; **ex·co·ri·a·tion** [ekskɔ:ri'eiʃən] *s.* **1.** Abschälen *n*; Abziehen *n*; **2.** (Haut)Abschürfung *f*; Wundreiben *n*.

ex·cre·ment ['ekskrimənt] *s. oft pl.* Auswurf *m*, Kot *m*, Exkre'mente *pl.*

ex·cres·cence [iks'kresns] *s.* **1.** Auswuchs *m* (*a. fig.*); **2.** Vorsprung *m*; **3.** ⚕ Wucherung *f*; **ex'cres·cent** [-nt] *adj.* **1.** auswachsend; ⚕ wuchernd; **2.** *fig.* 'überflüssig.

ex·cre·ta [eks'kri:tə] *s. pl.* → *excrement*; **ex·crete** [eks'kri:t] *v/t.* absondern, ausscheiden; entleeren; **ex'cre·tion** [-i:ʃən] *s.* Ausscheidung *f*, Absonderung *f*, Auswurf *m*.

ex·cru·ci·ate [iks'kru:ʃieit] *v/t.* foltern, quälen; **ex'cru·ci·at·ing** [-tiŋ] *adj.* □ **1.** qualvoll; heftig; **2.** F schauderhaft; unerträglich.

ex·cul·pate ['ekskʌlpeit] *v/t.* reinwaschen, rechtfertigen; freisprechen (*from* von); **ex·cul·pa·tion** [ekskʌl'peiʃən] *s.* Entschuldigung *f*, Rechtfertigung *f*, Entlastung *f*.

ex·curse [iks'kə:s] *v/i.* abschweifen; **ex'cur·sion** [-ə:ʃən] *s.* **1.** Exkursi'on *f*, Ausflug *m*, Abstecher *m*, Streifzug *m*: ~ *ticket* (Sonntags-) Ausflugskarte; ~ *train* Sonder-, Ferienzug; **2.** Abschweifung *f*; **3.** Abweichung *f* (*a. ast.*); **ex'cur·sion·ist** [-ə:ʃnist] *s.* Ausflügler(in); **ex'cur·sive** [-siv] *adj.* □ **1.** abschweifend, weitschweifig; **2.** ziellos, sprunghaft; **ex'cur·sus** [-səs] *pl.* **-sus·es** *s.* Ex'kurs *m*, ausführliche Erörterung (*im Anhang*).

ex·cus·a·ble [iks'kju:zəbl] *adj.* □ entschuldbar, verzeihlich.

ex·cuse I. *v/t.* [iks'kju:z] **1.** *j-n od. et.* entschuldigen, *j-m et.* verzeihen: ~ *me* **a)** entschuldigen Sie!, **b)** aber erlauben Sie mal!; ~ *me for being late*, ~ *my being late* verzeih, daß ich zu spät komme; *please* ~ *my error* bitte entschuldige m-n Irrtum; ~ *my* (*od.* F *me*) *not coming* entschuldige, wenn ich nicht komme; *to* ~ *o.s.* sich entschuldigen *od.* rechtfertigen; **2.** Nachsicht mit *j-m* haben; **3.** *et.* entschuldigen, über'sehen; **4.** *et.* entschuldigen, e-e Entschuldigung für *et.* sein, rechtfertigen: *that does not* ~ *your conduct* das entschuldigt Ihr Benehmen nicht; **5.** (*from*) *j-n* befreien (von), *j-m et.* erlassen: *to* ~ *s.o. from attendance*; ~*d from duty* vom Dienst befreit; *he begs to be* ~*d* er läßt sich entschuldigen; *I must be* ~*d* (*od. I must* ~ *myself*) *from speaking* ich muß leider davon absehen zu sprechen; *please* ~ *more for the present* bitte erlaß mir einstweilen Weiteres; **6.** *j-m et.* erlassen: *he was* ~*d payment* man erließ ihm die Zahlung; **II.** *s.* [-'kju:s] **7.** Entschuldigung *f*: *to offer* (*od. make*) *an* ~ sich entschuldigen; *please make my* ~*s to her* bitte entschuldige mich bei ihr; **8.** Rechtfertigung *f*, Milderungsgrund *m*: *there is no* ~ *for his conduct* sein Benehmen ist nicht zu entschuldigen; **9.** Vorwand *m*, Ausrede *f*, Ausflucht *f*; **10.** dürftiger Ersatz; schwache Andeutung.

ex·e·at ['eksiæt] (*Lat.*) *s. Brit.* (kurzer) Urlaub (*für Studenten*).

ex·e·cra·ble ['eksikrəbl] *adj.* □ ab'scheulich, widerlich, scheußlich; **ex·e·crate** ['eksikreit] **I.** *v/t.* verfluchen, verwünschen; verabscheuen; **II.** *v/i.* fluchen; **ex·e·cra·tion** [eksi'kreiʃən] *s.* **1.** Verwünschung *f*, Fluch *m*; **2.** Abscheu *m*: *to hold in* ~ verabscheuen.

ex·ec·u·tant [ig'zekjutənt] *s.* Ausführende(r *m*) *f*, *bsd.* ♪ Vortragende(r *m*) *f*; **ex·e·cute** ['eksikju:t] *v/t.* **1.** aus-, 'durchführen, verrichten, tätigen; verfertigen; **2.** ♪, *thea.* vortragen, spielen; **3.** ⚖ **a)** *Urkunde* (rechtsgültig) ausfertigen, durch 'Unterschrift, Siegel *etc.* voll'ziehen, **b)** *Urteil* voll'strecken, *bsd. j-n* hinrichten, **c)** *j-n* pfänden; **ex·e·cu·tion** [eksi'kju:ʃən] *s.* **1.** Aus-, 'Durchführung *f*, Verrichtung *f*: *to carry into* ~ ausführen; **2.** ♪ Vortrag *m*, Spiel *n*, 'Technik *f*; **3.** ⚖ **a)** Ausfertigung *f*, **b)** Voll'ziehung *f*, ('Urteils-, *a.* 'Zwangs)Vollˌstreckung *f*, **c)** Pfändung *f*, **d)** Hinrichtung *f*; **4.** *to do great* ~ **a)** Verheerung(en) anrichten, **b)** *fig.* Eroberungen machen; **ex·e·cu·tion·er** [eksi'kju:ʃnə] *s.* Henker *m*, Scharfrichter *m*; **ex'ec·u·tive** [-tiv] **I.** *adj.* □ **1.** ausübend, voll'ziehend, Exekutiv...: ~ *officer* Verwaltungsbeamter; ~ *power* Exekutive, vollziehende Gewalt; **2.** † geschäftsführend, leitend: ~ *committee* Exekutivausschuß; ~ *functions* Führungsaufgaben; ~ *post* leitender Posten; ~ *staff* leitende Angestellte; **II.** *s.* **3.** Exeku'tive *f*, Voll'ziehungsgewalt *f*, Verwaltung *f*; **4.** *Am.* Verwaltungsbeamte(r) *m*; **5.** *Am.* ('Staats)Präsiˌdent *m*, Gouver'neur *m*; **6.** *a. senior* ~ † leitender Angestellter; **ex'ec·u·tor** [-tə] *s.* ⚖ Testa'mentsvollˌstrecker *m*; **ex'ec·u·to·ry** [-təri] *adj.* ⚖ bedingt, erfüllungsbedürftig; **ex'ec·u·trix** [-triks] *s.* ⚖ Testa'mentsvollˌstreckerin *f*.

ex·e·ge·sis [eksi'dʒi:sis] *s.* Exe'gese *f*, (Bibel)Auslegung *f*; **ex·e·gete** ['eksidʒi:t] *s.* Exe'get *m*; **ex·e'get·ic** [-'dʒetik] *adj.*; **ex·e'get·i·cal** [-'dʒetikəl] *adj.* □ exe'getisch, auslegend; **ex·e'get·ics** [-'dʒetiks] *s. pl. sg. konstr.* Exe'getik *f*.

ex·em·plar [ig'zemplə] *s.* Muster(-beispiel) *n*, Vorbild *n*; **ex'em·pla·ry** [-əri] *adj.* □ **1.** musterhaft, -gültig, vorbildlich; **2.** exem'plarisch, abschreckend, dra'konisch (*Strafe etc.*).

ex·em·pli·fi·ca·tion [igzemplifi'keiʃən] *s.* **1.** Erläuterung *f* durch Beispiele; Veranschaulichung *f*; **2.** Beleg *m*, Beispiel *n*, Muster *n*; **3.** ⚖ beglaubigte Abschrift, Aus-

fertigung *f*; **ex·em·pli·fy** [ig'zemplifai] *v/t.* **1.** veranschaulichen: **a)** durch Beispiele erläutern, **b)** als Beispiel dienen für; **2.** ⚖ e-e beglaubigte Abschrift machen von.
ex·empt [ig'zempt] **I.** *v/t. j-n* befreien, ausnehmen (*from* von *Steuern, Verpflichtungen etc.*); **II.** *adj.* befreit, ausgenommen, frei (*from* von): ~ *from taxes* steuerfrei; **ex'emp·tion** [-pʃən] *s.* **1.** Befreiung *f*, Freisein *n* (*from* von): ~ *from taxes* Steuerfreiheit; ~ *from liability* ⚖ Haftungsausschluß; **2.** ⚖ unpfändbare Gegenstände *pl. od.* Beträge *pl.*; **3.** Sonderstellung *f*, Vorrechte *pl.*
ex·e·qua·tur [eksi'kweitə] *s.* Exe'quatur *n* (*Anerkennung e-s ausländischen Konsuls od. e-s Bischofs*).
ex·er·cise ['eksəsaiz] **I.** *s.* **1.** Ausübung *f* (*der Pflicht, e-r Kunst*), Gebrauch *m*, Anwendung *f*; **2.** *oft pl.* (*körperliche od. geistige*) Übung, (*körperliche*) Bewegung: *to take* ~ sich Bewegung machen; *physical* ~ Leibesübungen; *military* ~ **a)** Exerzieren, **b)** Manöver; *religious* ~ Gottesdienst, Andacht; **3.** Übungsarbeit *f*, Schulaufgabe *f*: ~*-book* Schul-, Schreibheft; **4.** ♪ Übungsstück *n*; E'tüde *f*; **5.** *pl. Am.* Feier (-lichkeiten *pl.*) *f*; **II.** *v/t.* **6.** gebrauchen, anwenden; *Einfluß, Recht(e)* geltend machen; *Macht* ausüben; *Geduld* üben; **7.** *Körper, Geist* üben; **8.** *j-n* üben, ausbilden; **9.** *s-e Glieder, Tiere* bewegen; **10.** *j-n, j-s Geist* stark beschäftigen, plagen; *pass.* beunruhigt sein (*about* über *acc.*); **III.** *v/i.* **11.** sich Bewegung machen; **12.** *sport* trainieren; **13.** ⚔ exerzieren.
ex·ert [ig'zə:t] *v/t.* gebrauchen, anwenden; *Druck, Einfluß etc.* ausüben: *to* ~ *o.s.* sich anstrengen; **ex'er·tion** [-ə:ʃən] *s.* **1.** Anwendung *f*, Ausübung *f*; **2.** Anstrengung *f*.
ex·e·unt ['eksiʌnt] (*Lat.*) *thea.* (sie gehen) ab: ~ *omnes* alle ab.
ex·fo·li·ate [eks'foulieit] *v/i. mst* ⚕ abblättern, sich abschälen; **ex·fo·li·a·tion** [eksfouli'eiʃən] *s.* Abblätterung *f*.
ex·ha·la·tion [ekshə'leiʃən] *s.* **1.** Ausatmung *f*; **2.** Ausdünstung *f*; **3.** Dunst *m*, Dampf *m*; **4.** *fig.* Ausbruch *m* (*Zorn*); **ex·hale** [eks'heil] **I.** *v/t.* **1.** *a. fig. Leben etc.* aushauchen; **2.** verdunsten lassen: *to* ~ *one's anger fig.* s-r Wut Luft machen; **II.** *v/i.* **3.** verdampfen; ausströmen.
ex·haust [ig'zɔ:st] **I.** *v/t.* **1.** *mst* ⊕, *phys.* ausschöpfen, auspumpen (*a. fig.*), absaugen (*a.* ⛏), entleeren; *Gas* auspuffen; **2.** erschöpfen, aufbrauchen; **3.** *fig.* ermüden, entkräften, schwächen; **4.** *Thema* erschöpfend behandeln; **II.** *v/i.* **5.** ausströmen, sich entleeren; **III.** *s.* **6.** ⊕ Abgas *n*, -dampf *m*; **7.** *mot.* Auspuff *m*: ~ *box* Auspufftopf; **ex'haust·ed** [-tid] *adj.* **1.** aufgebraucht, zu Ende, erschöpft (*Vorräte*), vergriffen (*Auflage*), abgelaufen (*Frist*); **2.** *fig.* erschöpft, ermattet, kraftlos, am Ende; **ex'haust·er** [-tə] *s.* ⊕ (Ent)Lüfter *m*, Ex'haustor *m*; **ex'haust·ing** [-tiŋ] *adj.* mühsam, ermüdend, anstrengend; **ex'haus·tion** [-tʃən] *s.* **1.** ⊕ Ausschöpfung *f*, Aufsaugung *f*, Entleerung *f*; **2.** *fig.* Erschöpfung *f*, (völliger) Verbrauch; **3.** *fig.* Erschöpfung *f*, Ermüdung *f*, Entkräftung *f*; **4.** ⊕ Ausströmen *n*; **ex'haus·tive** [-tiv] *adj.* □ **1.** *fig.* erschöpfend; **2.** → *exhausting*.
ex'haust|-pipe *s.* ⊕ Auspuffrohr *n*; ~**-steam** *s.* ⊕ Abdampf *m*; ~**-valve** *s.* ⊕ 'Auslaß-, 'Auspuffven,til *n*.
ex·hib·it [ig'zibit] **I.** *v/t.* **1.** ausstellen, *Waren* auslegen; **2.** zeigen, an den Tag legen, aufweisen, entfalten; **3.** ⚖ vorlegen, -bringen; **II.** *v/i.* **4.** ausstellen; **III.** *s.* **5.** Ausstellungsstück *n*; **6.** ⚖ **a)** Eingabe *f*, **b)** Beweisstück *n*, Beleg *m*.
ex·hi·bi·tion [eksi'biʃən] *s.* **1.** Ausstellung *f*, Schau *f*; Auslage *f* (*Waren*): *on* ~ **a)** ausgestellt, **b)** zu sehen(d) (*Filme*); *to make an* ~ *of o.s.* sich lächerlich *od.* zum Gespött machen; **2.** Vorführung *f*, Schauspiel *n*; **3.** Zeigen *n*, Bekundung *f*, Entfaltung *f*; **4.** ⚖ Einreichung *f*, Vorlage *f*; **5.** *Brit. univ.* Sti'pendium *n*; **ex·hi'bi·tion·er** [-ʃnə] *s. Brit. univ.* Stipendi'at *m*; **ex·hi'bi·tion·ism** [-ʃnizəm] *s. psych.* Exhibitio'nismus *m* (*a. fig.*); **ex·hi'bi·tion·ist** [-ʃnist] *s. psych.* Exhibitio'nist *m* (*a. fig.*); **ex·hib·i·tor** [ig'zibitə] *s.* Aussteller *m*.
ex·hil·a·rate [ig'ziləreit] *v/t.* er-, aufheitern; **ex'hil·a·rat·ed** [-tid] *adj.* **1.** heiter, angeregt; **2.** angeheitert; **ex'hil·a·rat·ing** [-tiŋ] *adj.* □ erheiternd, amü'sant; **ex·hil·a·ra·tion** [igzilə'reiʃən] *s.* **1.** Erheiterung *f*; **2.** Heiterkeit *f*.
ex·hort [ig'zɔ:t] *v/t.* **1.** ermahnen; **2.** ermuntern, zureden; **ex·hor·ta·tion** [egzɔ:'teiʃən] *s.* **1.** Ermahnung *f*; **2.** Ermunterung *f*, Zureden *n*.
ex·hu·ma·tion [ekshju:'meiʃən] *s.* Exhumierung *f*; **ex·hume** [eks'hju:m] *v/t.* **1.** *Leiche* exhumieren; **2.** *fig.* ans Tageslicht bringen.
ex·i·gence ['eksidʒəns], **ex·i·gen·cy** ['eksidʒənsi; ig'zi-] *s.* **1.** Dringlichkeit *f*, dringender Fall; **2.** (dringendes) Erfordernis; **3.** Not(lage) *f*, 'kritische Lage; **'ex·i·gent** [-nt] *adj.* **1.** dringend, 'kritisch: *to be* ~ *of s.th.* et. dringend erfordern; **2.** anspruchsvoll.
ex·i·gu·i·ty [eksi'gju(:)iti] *s.* Kleinheit *f*, Winzigkeit *f*, Geringfügigkeit *f*; Knappheit *f*; **ex·ig·u·ous** [eg'zigjuəs] *adj.* klein, dürftig, knapp, geringfügig.
ex·ile ['eksail] **I.** *s.* **1.** Ex'il *n*, Verbannung *f* (*a. fig.*); **2.** *fig.* lange Abwesenheit; **3.** im Exil Lebende(r *m*) *f*; Verbannte(r *m*) *f*; **II.** *v/t.* **4.** verbannen (*a. fig.*).
ex·ist [ig'zist] *v/i.* **1.** existieren, vor'handen sein, dasein: *do such things* ~? gibt es so etwas?; **2.** sich finden, vorkommen; **3.** leben, bestehen, vegetieren: *to* ~ *on* auskommen mit; **ex'ist·ence** [-təns] *s.* **1.** Da-, Vor'handensein *n*, Leben *n*, Bestehen *n*, Exi'stenz *f*: *in* ~ bestehend, vorhanden; *the biggest in* ~ die größten der Welt; *to come into* ~ entstehen; *a wretched* ~ ein kümmerliches Dasein; **2.** Dauer *f*, (Fort)Bestand *m*; **ex'ist·ent** [-tənt] *adj.* **1.** existierend, bestehend, vor'handen, lebend; **2.** gegenwärtig.
ex·is·ten·tial [egzis'tenʃəl] *adj.* **1.** Existenz...; **2.** *phls.* Existential...; **ex·is'ten·tial·ism** [-ʃəlizəm] *s.* Existentia'lismus *m*, Exi'stenzphiloso,phie *f*; **ex·is'ten·tial·ist** [-ʃəlist] *s.* Existentia'list(in).
ex·ist·ing [ig'zistiŋ] → *existent*.
ex·it ['eksit] **I.** *s.* **1.** Ausgang *m*; **2.** *thea.* Abgang *m* (*a. fig. Tod*): *to make one's* ~ **a)** weggehen, abtreten, **b)** *fig.* sterben; **3.** ⊕ Abzug *m*, -fluß *m*, Austritt *m*; **4.** Ausreise *f*: ~ *permit* Ausreisegenehmigung; **5.** ('Autobahn)Ausfahrt *f*; **II.** *v/i.* **6.** *thea.* (*er, sie* geht) ab: ~ *Romeo*.
ex li·bris [eks'laibris] (*Lat.*) *s.* Ex'libris *n*, Buchzeichen *n*.
ex·o·dus ['eksədəs] *s.* **1.** Auszug *m* (*der Juden aus Ägypten*); **2.** *fig.* Ab-, Auswanderung *f*, Aufbruch *m*; Massenflucht *f*: ~ *of capital* ✝ Kapitalabwanderung; *rural* ~ *sociol.* Landflucht; **3.** ♀ *bibl.* 'Exodus *m*, Zweites Buch Mose.
ex of·fi·ci·o [eksə'fiʃiou] (*Lat.*) **I.** *adv.* von Amts wegen; **II.** *adj.* Amts..., amtlich.
ex·og·a·mous [ek'sɔgəməs] *adj. biol.* exo'gamisch; **ex'og·a·my** [-mi] *s.* Exoga'mie *f*, Fremdheirat *f*.
ex·og·e·nous [ek'sɔdʒinəs] *adj.* exo'gen, (von) außen erzeugt.
ex·on·er·ate [ig'zɔnəreit] *v/t.* **1.** *Angeklagten etc., a. Schuldner* entlasten (*from* von); **2.** *j-n von e-r Pflicht* entbinden; **ex·on·er·a·tion** [igzɔnə'reiʃən] *s.* Entlastung *f*.
ex·or·bi·tance [ig'zɔ:bitəns] *s.* 'Übermaß *n*, Maßlosigkeit *f*; **ex'or·bi·tant** [-nt] *adj.* □ 'übermäßig, maßlos; über'trieben, ungeheuer: ~ *price* Phantasiepreis.
ex·or·cism ['eksɔ:sizəm] *s.* Exor'zismus *m*, Geisterbeschwörung *f*, Teufelsaustreibung *f*; **'ex·or·cist** [-ist] *s.* Geisterbeschwörer *m*, Teufelsaustreiber *m*; **'ex·or·cize** [-saiz] *v/t. Geister* beschwören, bannen.
ex·or·di·um [ek'sɔ:djəm] *s.* Einleitung *f*, Anfang *m* (*e-r Rede*).
ex·o·ter·ic [eksou'terik] *adj.* (□ ~*ally*) exo'terisch, für Außenstehende bestimmt, gemeinverständlich.
ex·ot·ic [eg'zɔtik] *adj.* (□ ~*ally*) ex'otisch, aus-, fremdländisch.
ex·pand [iks'pænd] **I.** *v/t.* **1.** ausbreiten, -spannen, entfalten; **2.** (aus-) dehnen, strecken, erweitern (*a. fig.*); **3.** *Abkürzung* ausschreiben; **II.** *v/i.* **4.** sich ausbreiten *od.* -dehnen; sich erweitern (*a. fig.*): *his heart* ~*ed with joy* sein Herz schwoll vor Freude; **5.** sich entfalten; sich entwickeln (*into* zu); größer werden; **ex'pand·er** [-də] *s. sport* Ex'pander *m*; **ex'pand·ing** [-diŋ] *adj.* sich (aus)dehnend, dehnbar; **ex'panse** [-ns] *s.* weiter Raum, weite Fläche, Weite *f*, Ausdehnung *f*; *orn.* Spannweite *f*; **ex'pan·sion** [-nʃən] *s.* **1.** Ausbreitung *f*, Erweiterung *f*, Zunahme *f*; (✝ *Industrie-, Produktions-, a. Kredit*)Ausweitung *f*; *pol.* Expansi'on *f*; **2.** *a.* ⊕, *phys.* (Aus-) Dehnung *f*, Expansi'on *f*: ~ *stroke mot.* Arbeitstakt, Expansionshub; **3.** 'Umfang *m*, Raum *m*, Weite *f*.

ex·pan·sion| en·gine *s.* ⊕ Expansi'onsmaˌschine *f*; ~ **gear** *s.* ⊕ Spannungshebel *m*, -steuerung *f*.

ex·pan·sion·ism [iks'pænʃənizəm] *s.* Expansi'onspoliˌtik *f*; **ex'pan·sion·ist** [-nist] **I.** *s.* Anhänger(in) der Expansionspolitik; **II.** *adj.* Expansions...; **ex'pan·sive** [-nsiv] *adj.* □ **1.** ausdehnungsfähig, ausdehnend, (Aus)Dehnungs...; **2.** ausgedehnt, weit, um'fassend; **3.** *fig.* mitteilsam, offen; **4.** *fig.* 'überschwenglich; **ex'pan·sive·ness** [-nsivnis] *s.* **1.** Ausdehnungsvermögen *n*; **2.** *fig.* Mitteilsamkeit *f*, Offenheit *f*; **3.** *fig.* 'Überschwenglichkeit *f*.

ex par·te ['eks'pɑːti] (*Lat.*) *adj. u. adv.* ⚖ einseitig (*Prozeßhandlung*).

ex·pa·ti·ate [eks'peiʃieit] *v/i.* sich weitläufig auslassen *od.* verbreiten (*on* über *acc.*); **ex·pa·ti·a·tion** [ekspeiʃi'eiʃən] *s.* weitläufige Erörterung, Erguß *m*, ‚Salm' *m*.

ex·pa·tri·ate [eks'pætrieit] **I.** *v/t.* **1.** ausbürgern, *j-m* die Staatsangehörigkeit aberkennen: *to ~ o.s.* auswandern, s-e Staatsangehörigkeit aufgeben; **II.** *adj.* **2.** verbannt, ausgebürgert; **III.** *s.* **3.** Verbannte(r *m*) *f*, Ausgebürgerte(r *m*) *f*; **4.** im Ex'il *od.* dauernd im Ausland Lebende(r *m*) *f*; j-d der s-e Nationali'tät aufgegeben hat; **ex·pa·tri·a·tion** [ekspætri'eiʃən] *s.* **1.** Verbannung *f*, Ausbürgerung *f*; Aberkennung *f* der Staatsangehörigkeit; **2.** Auswanderung *f*; Aufgeben *n* s-r Staatsangehörigkeit.

ex·pect [iks'pekt] *v/t.* **1.** *j-n* erwarten: *I ~ him to dinner* ich erwarte ihn zum Essen; **2.** *et.* erwarten *od.* vor'hersehen; entgegensehen (*dat.*): *I did not ~ that question* auf diese Frage war ich nicht gefaßt *od.* vorbereitet; **3.** erwarten, hoffen, rechnen auf (*acc.*): *I ~ you to come* ich erwarte, daß du kommst; *I ~ (that) he will come* ich erwarte, daß er kommt; *I ~ to be successful* ich hoffe, Erfolg zu haben; **4.** *et. von j-m* erwarten, verlangen: *you ~ too much from him; that is not ~ed of you* das mutet man dir nicht zu; **5.** F annehmen, denken, vermuten: *that is hardly to be ~ed* das ist kaum anzunehmen; *I ~ so* ich denke ja (*od.* wohl); **ex'pect·ance** [-təns], **ex'pect·an·cy** [-tənsi] *s.* (*of*) **1.** Erwartung *f* (*gen.*); Hoffnung *f*, Aussicht *f* (auf *acc.*); **2.** Anwartschaft *f* (auf *acc.*); **ex'pect·ant** [-tənt] **I.** *adj.* □ **1.** erwartungsvoll; **2.** *~ heir* Thronanwärter; **3.** *~ mother* werdende Mutter; **II.** *s.* **4.** ⚖ Anwärter(in) (*of* auf *acc.*); **ex·pec·ta·tion** [ekspek'teiʃən] *s.* **1.** Erwartung *f*, Erwarten *n*: *beyond (contrary to) ~* über (wider) Erwarten; *according to ~* erwartungsgemäß; **2.** Gegenstand *m* der Erwartung; **3.** *oft pl.* Hoffnung *f*, Aussicht *f*: *~ of life* Lebenserwartung, mutmaßliche Lebensdauer; **ex'pect·ing** [-tiŋ] *adj.*: *she is ~* F sie ist in anderen Umständen.

ex·pec·to·rant [eks'pektərənt] *s.* schleimlösendes Mittel; **ex·pec·to·rate** [eks'pektəreit] **I.** *v/t.* ausspucken, -husten; **II.** *v/i.* **a)** (aus-)spucken, **b)** Blut spucken; **ex·pec·to·ra·tion** [ekspektə'reiʃən] *s.* **1.** Auswerfen *n*, (Aus)Spucken *n*; **2.** Auswurf *m*.

ex·pe·di·ence [iks'piːdjəns], **ex'pe·di·en·cy** [-si] *s.* **1.** Tunlichkeit *f*, Ratsamkeit *f*, Zweckmäßigkeit *f*; **2.** Anstand *m*, Angemessenheit *f*; **3.** Nützlichkeit *f*; **ex'pe·di·ent** [-nt] **I.** *adj.* □ **1.** tunlich, ratsam, zweckmäßig, praktisch; **2.** angemessen, angebracht; **3.** nützlich, vorteilhaft; **II.** *s.* **4.** (Hilfs)Mittel *n*, (Not)Behelf *m*, Ausweg *m*.

ex·pe·dite ['ekspidait] *v/t.* **1.** beschleunigen, fördern; **2.** expedieren.

ex·pe·di·tion [ekspi'diʃən] *s.* **1.** Eile *f*, Schnelligkeit *f*; **2.** (Forschungs-)Reise *f*, Expediti'on *f*; **3.** ⚔ Feldzug *m*; **ex·pe'di·tion·ar·y** [-ʃnəri] *adj.* Expeditions...: *~ force* Expeditionskorps; **ex·pe'di·tious** [-ʃəs] *adj.* □ schnell, rasch, prompt.

ex·pel [iks'pel] *v/t.* **1.** vertreiben, hin'auswerfen (*from* aus); **2.** ausstoßen, -schließen (*from* aus); **3.** aus-, verweisen, verbannen (*from* aus); **ex·pel·lee** [ekspe'liː] *s.* (Heimat)Vertriebene(r *m*) *f*.

ex·pend [iks'pend] *v/t.* **1.** *Geld* ausgeben; **2.** *Mühe, Zeit etc.* ver-, aufwenden (*on* für); **3.** verbrauchen; **ex'pend·a·ble** [-dəbl] **I.** *adj.* **1.** entbehrlich: *~ stores Brit., ~ supplies Am.* ⚔ Verbrauchsmaterial; **2.** ⚔ (*im Notfall*) zu opfern(d); **II.** *s.* **3.** *mst pl. et.* Entbehrliches *od.* Aufzugebendes; **4.** ⚔ verlorener Haufe; **ex'pend·i·ture** [-ditʃə] *s.* **1.** Ausgabe *f*, Verausgabung *f*; **2.** Aufwand *m*, Verbrauch *m* (*of* an *dat.*); **3.** Kosten *pl.*, Ausgaben *pl.*: *public ~* Staatsausgaben.

ex·pense [iks'pens] *s.* **1.** (Geld-)Ausgabe *f*, Auslage *f*; Aufwand *m*: *~ account* ✝ Spesenkonto; *~ allowance* ✝ Aufwandsentschädigung, Spesenvergütung; *at an ~ of* mit e-m Aufwand von; *at great ~* mit großen Kosten; *at my ~* auf m-e Kosten, für m-e Rechnung; → *3*; *to go to the ~ of* (viel) Geld ausgeben für; *to go to great ~* sich in (große) (Un)Kosten stürzen; *to put to great ~ j-n* in große (Un)Kosten stürzen; *to spare no ~* keine Kosten scheuen; **2.** *pl.* Unkosten *pl.*, Spesen *pl.*: *travel(l)ing ~s* Reisespesen; *and all ~s paid* und alle Unkosten *od.* Spesen (werden) vergütet; **3.** *fig.* Kosten *pl.*: *they laughed at my ~*; → *1*; *at the ~ of his health* auf Kosten s-r Gesundheit; **ex'pen·sive** [-siv] *adj.* □ teuer, kostspielig.

ex·pe·ri·ence [iks'piəriəns] **I.** *s.* **1.** Erfahrung *f*, 'Praxis *f*, praktische Kenntnisse *pl.*, Fach-, Sachkenntnis *f*: *a man of ~* ein erfahrener Mann; *to know by (od. from) ~* aus Erfahrung wissen; *~ in cooking* Kochkenntnisse; *business ~* Geschäftserfahrung, -routine; *previous ~* Vorkenntnisse; **2.** Erlebnis *n*: *I had a strange ~*; **3.** Vorkommnis *n*, Geschehnis *n*; **II.** *v/t.* **4.** erfahren, aus Erfahrung wissen; **5.** erleben, 'durchmachen; empfinden: *to ~ kindness* Freundlichkeit erfahren; *to ~ difficulties* auf Schwierigkeiten stoßen; **ex'pe·ri·enced** [-st] *adj.* routiniert, erfahren, bewandert, (fach-, sach)kundig.

ex·pe·ri·en·tial·ism [ikspiəri'enʃəlizəm] *s. phls.* Empi'rismus *m*.

ex·per·i·ment **I.** *s.* [iks'perimənt] Versuch *m*, Probe *f*, Experi'ment *n*; **II.** *v/i.* [-ment] experimentieren, Versuche anstellen (*on, upon* an *dat.*; *with* mit): *to ~ with s.th.* et. erproben.

ex·per·i·men·tal [eksperi'mentl] *adj.* □ → *experimentally*; **1.** *phys.* Versuchs..., experimen'tell, Experimental...: *~ physics* Experimentalphysik; *~ station* Versuchsanstalt; **2.** Erfahrungs...: *~ philosophy*; **ex·per·i'men·tal·ist** [-təlist] *s.* Experimen'tator *m*; **ex·per·i'men·tal·ly** [-təli] *adv.* auf experimentellem Wege; **ex·per·i·men·ta·tion** [eksperimen'teiʃən] *s.* Experimentieren *n*.

ex·pert ['ekspəːt] **I.** *adj.* [*pred. a.* iks'pəːt] □ **1.** erfahren, kundig; **2.** geschickt, gewandt (*at, in* in *dat.*); **3.** fachmännisch, fach-, sachkundig; Fach...(*-ingenieur etc.*); **II.** *s.* **4.** Fachmann *m*, Kenner *m*; Sachverständige(r) *m*, Gutachter *m*, Sachbearbeiter *m*, Ex'perte *m* (*at, in* in *dat.*; *on s.th.* [auf dem Gebiet] e-r Sache): *~ opinion* ⚖ (Sachverständigen)Gutachten; *~ knowledge* Sach-, Fachkenntnis; *~ witness* ⚖ Sachverständiger; **ex·per·tise** [ekspəː'tiːz] *s.* **1.** Exper'tise *f*, (Sachverständigen)Gutachten *n*; **2.** Sach-, Fachkenntnis *f*; **'ex·pert·ness** [-nis] *s.* Erfahrenheit *f*; Geschicklichkeit *f*.

ex·pi·a·ble ['ekspiəbl] *adj.* sühnbar; **'ex·pi·ate** [-ieit] *v/t.* sühnen, wieder'gutmachen, (ab)büßen; **ex·pi·a·tion** [ekspi'eiʃən] *s.* Sühne *f*, Buße *f*, Tilgung *f*; **'ex·pi·a·to·ry** [-iətəri] *adj.* sühnend, Sühn(e)..., Buß...: *to be ~ of et.* sühnen.

ex·pi·ra·tion [ekspaiə'reiʃən] *s.* **1.** Ausatmen *n*, Ausatmung *f*; **2.** *fig.* Ablauf *m*, Ende *n*; **3.** ✝ Verfall *m* (*Wechsel*); **ex·pir·a·to·ry** [iks'paiərətəri] *adj.* ausatmend, Atmungs...

ex·pire [iks'paiə] *v/i.* **1.** ausatmen, -hauchen; **2.** sterben, verscheiden; **3.** enden, ablaufen (*Frist, Vertrag*); ungültig werden, verfallen, erlöschen; ✝ fällig werden; **ex'pired** [-əd] *adj.* ungültig, verfallen, erloschen; **ex'pi·ry** [-əri] *s.* Ablauf *m*.

ex·plain [iks'plein] **I.** *v/t.* **1.** erklären, erläutern, ausein'andersetzen: *to ~ away* **a)** (durch Erklärungen) beseitigen, **b)** vertuschen; **2.** begründen, rechtfertigen: *to ~ o.s.* sich rechtfertigen; **II.** *v/i.* **3.** Erklärungen geben; **ex'plain·a·ble** [-nəbl] *adj.* **1.** zu erklären(d); **2.** zu rechtfertigen(d); **ex·pla·na·tion** [eksplə'neiʃən] *s.* **1.** Erklärung *f*, Erläuterung *f*, Begründung *f*: *to make some ~* e-e Erklärung abgeben; **2.** Auslegung *f*, Aufklärung *f*; **3.** Verständigung *f*; **ex·plan·a·to·ry** [iks'plænətəri] *adj.* □ erklärend, erläuternd.

ex·ple·tive [eks'pliːtiv] **I.** *adj.* **1.** ausfüllend; **II.** *s.* **2.** *ling.* Füll-, Flickwort *n*; **3.** Lückenbüßer *m*; **4.** Fluch (-wort *n*) *m*.

ex·pli·ca·ble ['eksplikəbl] *adj.* erklärbar, erklärlich; **ex·pli·cate** ['ekspIikeit] *v/t.* erklären, *Begriff etc.* entwickeln; **ex·pli·ca·tion**

[ekspli'keiʃən] *s.* Erklärung *f*, Erläuterung *f*.
ex·plic·it [iks'plisit] *adj.* □ **1.** deutlich, klar, ausdrücklich; **2.** offen, deutlich (*Person*) (*on* in bezug auf *acc.*).
ex·plode [iks'ploud] **I.** *v/t.* **1.** (in die Luft) sprengen, explodieren lassen; **2.** *fig. Plan, Theorie etc.* 'umwerfen, über den Haufen werfen, zum Platzen bringen, zu'nichte machen: *to ~ a myth* e-e Illusion zerstören; **3.** wider'legen, entlarven; **II.** *v/i.* **4.** explodieren, in die Luft fliegen, (zer)platzen, sich entladen; ⚔ krepieren (*Granate*); **5.** *fig.* ausbrechen, ‚platzen': *to ~ with rage* (vor Wut) ‚explodieren'; **ex'plod·ed** [-did] *adj.* **1.** geplatzt: *~ view* ⊕ Darstellung *e-r Maschine etc.* in zerlegter Anordnung; **2.** *fig.* über'lebt, veraltet, pas'sé.
ex·ploit **I.** *v/t.* [iks'plɔit] **1.** *et.* auswerten; *kommerziell* verwerten; ⚒ *etc.* ausbeuten, abbauen; **2.** *fig. b.s. et. od. j-n* ausbeuten, -nutzen; *et.* ausschlachten; **II.** *s.* ['eksplɔit] **3.** (Helden)Tat *f*; **ex·ploi·ta·tion** [eksplɔi'teiʃən] *s.* **1.** † (*Patent- etc.*) Verwertung *f*; ⊕ Ausnutzung *f*, -beutung *f*; ⚒ Abbau *m*, Gewinnung *f*; **2.** *fig. b.s.* Ausnutzung *f*, Ausbeutung *f*; **ex'ploi·ter** [-tə] *s.* Ausbeuter *m* (*a. fig.*).
ex·plo·ra·tion [eksplɔ:'reiʃən] *s.* **1.** Erforschung *f* (*e-s Landes*); **2.** Unter'suchung *f*.
ex·plor·a·tive [eks'plɔ:rətiv], **ex'plor·a·to·ry** [-təri] *adj.* **1.** (er-)forschend, unter'suchend; **2.** erkundend, sondierend, Probe...: *~ talks* Sondierungsgespräche; **3.** informa'torisch; **ex·plore** [iks'plɔ:] *v/t.* **1.** *Land* erforschen; **2.** unter'suchen, erkunden, sondieren (*a.* ⚕); **ex·plor·er** [iks'plɔ:rə] *s.* **1.** Forscher *m*, Forschungsreisende(r) *m*; **2.** ⚕ Sonde *f*.
ex·plo·sion [iks'plouʒən] *s.* **1.** Explosi'on *f*, Entladung *f*; Knall *m*; **2.** *fig.* Explosion *f*: *education ~*; *population ~*; **3.** *fig.* (*Wut- etc.*)Ausbruch *m*.
ex·plo·sive [iks'plousiv] **I.** *adj.* □ **1.** explo'siv, Knall..., Spreng..., Explosions...; **2.** *fig.* jähzornig, aufbrausend; **II.** *s.* **3.** Explo'siv-, Sprengstoff *m*; **~ charge** *s.* ⚔, ⊕ Sprengladung *f*; **~ cot·ton** *s.* ⊕ Schießbaumwolle *f*; **~ flame** *s.* ⊕ Stichflamme *f*.
ex·po·nent [eks'pounənt] *s.* **1.** Expo'nent *m*: **a)** Typ *m*, Repräsen'tant *m*, **b)** ⅍ Hochzahl *f*, **c)** *fig.* Vertreter(in), Verfechter(in); **2.** *fig.* Erläuterer *m*.
ex·port [eks'pɔ:t] **I.** *v/t.* **1.** exportieren, ausführen; **II.** *v/i.* **2.** sich exportieren lassen; **III.** *s.* ['ekspɔ:t] **3.** Ex'port *m*, Ausfuhr(handel *m*) *f*; **4.** 'Ausfuhrar,tikel *m*; **5.** *pl.* **a)** Gesamtausfuhr *f*, **b)** Ex'portgüter *pl.*; **IV.** *adj.* **6.** Ausfuhr..., Export...: *~ duty* Ausfuhrzoll; **ex'port·a·ble** [-təbl] *adj.* ex'portfähig, zur Ausfuhr geeignet; **ex·por·ta·tion** [ekspɔ:'teiʃən] *s.* Ausfuhr *f*, Export *m*; **ex'port·er** [-tə] *s.* Expor'teur *m*.
ex·port| li·cense, ~ per·mit ['ekspɔ:t] *s.* † Ausfuhrgenehmigung *f*; **~ trade** *s.* Ex'port-, Ausfuhr-, Außenhandel *m*.
ex·pose [iks'pouz] *v/t.* **1.** *Kind* aussetzen; **2.** *Waren* auslegen, -stellen; **3.** *fig. e-r Gefahr, e-m Übel* aussetzen, preisgeben: *to ~ o.s. to ridicule* sich lächerlich machen; **4.** aufdecken, enthüllen, zeigen, darlegen; **5.** entblößen (*a.* ⚔), bloßlegen; **6. a)** *j-n* bloßstellen, **b)** *j-n* entlarven; **7.** *phot.* belichten.
ex·po·sé [eks'pouzei] (*Fr.*) *s.* **1.** Expo'sé *n*, Denkschrift *f*; **2.** Enthüllung *f*, Entlarvung *f*.
ex·posed [iks'pouzd] *adj.* **1.** unbedeckt, offen, frei; **2.** exponiert, gefährdet; **3.** *phot.* belichtet.
ex·po·si·tion [ekspə'ziʃən] *s.* **1.** Ausstellung *f*, Schau *f*; **2.** Erklärung *f*, Kommen'tar *m*; Ausführung(en *pl.*) *f*; Auslegung *f*; **3.** Expositi'on *f* (*Drama*); **ex·pos·i·tor** [eks'pɔzitə] *s.* Ausleger *m*, Erklärer *m*; **ex·pos·i·to·ry** [eks'pɔzitəri] *adj.* erklärend.
ex·pos·tu·late [iks'pɔstjuleit] *v/i.* **1.** protestieren; **2.** *~ with j-m* ernste Vorhaltungen machen, *j-n* zu'rechtweisen; **ex·pos·tu·la·tion** [ikspɔstju'leiʃən] *s.* **1.** Pro'test *m*; **2.** ernste Vorhaltung, Verweis *m*.
ex·po·sure [iks'pouʒə] *s.* **1.** (Kindes-)Aussetzung *f*; **2.** Aussetzen *n*, Darbieten *n*; **3.** Ausgesetztsein *n*, Preisgabe *f*: *death from ~* Tod durch Erfrieren *od.* vor Entkräftung; **4.** Entblößung *f*: *indecent ~* unsittliche (Selbst)Entblößung; **5.** Enthüllung *f*, Aufdeckung *f*, Entlarvung *f*; **6.** *phot.* Belichtung *f*: *~ meter* Belichtungsmesser; *time ~* Zeitaufnahme; *~ value* Lichtwert (*e-s Films*); **7.** Lage *f*: *southern ~* Südlage.
ex·pound [iks'paund] *v/t.* **1.** erklären, erläutern; *Theorie* entwickeln; **2.** auslegen.
ex·press [iks'pres] **I.** *v/t.* **1.** *obs. Saft* auspressen, ausdrücken; **2.** ausdrücken, äußern, zum Ausdruck bringen: *to ~ o.s.* sich äußern, sich erklären; *to be ~ed* zum Ausdruck kommen; **3.** bezeichnen, bedeuten, darstellen; **4.** zeigen, bekunden; **5.** ✆ durch Eilboten *od.* als Eilgut schicken; **II.** *adj.* □ → *expressly*; **6.** ausdrücklich, bestimmt, eindeutig; genau; **7.** eigen, besonder: *for the ~ purpose* eigens zu dem Zweck; **8.** Expreß..., Schnell..., Eil...; **III.** *adv.* **9.** ex'preß, eigens; **10.** ✆ *Brit.* durch Eilboten, per Ex'preß, als Eilgut; **IV.** *s.* **11.** ✆ **a)** Eilbote *m*, **b)** Eilbeförderung *f*, **c)** Eilbrief *m*, -gut *n*; **12.** 🚂 D-Zug *m*; **13.** *Am.* → *express company*; **ex'press·age** [-sidʒ] *s. Am.* **1.** Beförderung *f* als Eilgut *etc.*; **2.** Eilfracht(gebühr) *f*.
ex·press| com·pa·ny *s. Am.* Eilgut- *od.* Pa'ketbeförderungsgesellschaft *f*; **~ de·liv·er·y** *s. Brit.* Zustellung *f* durch Eilboten (*Brief*); **~ goods** *s. pl.* Eilfracht *f*, -gut *n*.
ex·pres·sion [iks'preʃən] *s.* **1.** Ausdruck *m*, Äußerung *f*: *to give ~ to* Ausdruck verleihen (*dat.*); *beyond ~* unsagbar; **2.** Redensart *f*; **3.** Ausdrucksweise *f*, Dikti'on *f*; Tonfall *m*; **4.** Ausdruck *m*, Gefühl *n*; **5.** (Gesichts)Ausdruck *m*; **6.** ⅍ Formel *f*; **ex'pres·sion·ism** [-ʃnizəm] *s.* Expressio'nismus *m*; **ex'pres·sion·ist** [-ʃnist] **I.** *s.* Expressio'nist(in); **II.** *adj.* expressio'nistisch; **ex'pres·sion·less** [-lis] *adj.* ausdruckslos.
ex·pres·sive [iks'presiv] *adj.* □ **1.** ausdrückend, bezeichnend: *to be ~ of et.* ausdrücken; **2.** ausdrucksvoll, nachdrücklich; **ex'pres·sive·ness** [-nis] *s.* Ausdruckskraft *f*; Nachdruck *m*; **ex'press·ly** [-sli] *adv.* **1.** ausdrücklich; **2.** eigens.
ex'press|·man [-mæn] *s.* [*irr.*] *Am.* Angestellte(r) *m* e-r Pa'ketpostgesellschaft; **~ train** *s.* D-Zug *m*; **~·way** *s. Am.* Autobahn *f*, Schnellstraße *f*.
ex·pro·pri·ate [eks'prouprieit] *v/t.* ⚖ *j-n* enteignen; **ex·pro·pri·a·tion** [eksproupri'eiʃən] *s.* ⚖ Enteignung *f*.
ex·pul·sion [iks'pʌlʃən] *s.* (*from*) **1.** Aus-, Vertreibung *f* (aus), Entfernung *f* (von), Abschiebung *f* (aus); **2.** Ausstoßung *f*, Ausweisung *f* (aus); **ex'pul·sive** [-lsiv] *adj.* aus-, vertreibend.
ex·punge [eks'pʌndʒ] *v/t.* **1.** (aus-)streichen; **2.** *fig.* ausmerzen, tilgen.
ex·pur·gate ['ekspə:geit] *v/t. Buch* säubern, reinigen (*from* von); **ex·pur·ga·tion** [ekspə:'geiʃən] *s.* Reinigung *f*, Säuberung *f*.
ex·qui·site ['ekskwizit] *adj.* □ **1.** köstlich, vor'züglich, ausgezeichnet, (aus)erlesen; **2.** äußerst fein (*Gehör*); **3.** äußerst, höchst; **4.** heftig; **'ex·qui·site·ly** [-li] *adv.* ausnehmend, ungemein, höchst; genau.
ex-serv·ice·man ['eks'sə:vismən] *s.* [*irr.*] ehemaliger 'Frontsol,dat, Vete'ran *m*.
ex·tant [eks'tænt] *adj.* (noch) vor'handen *od.* bestehend.
ex·tem·po·ra·ne·ous [ekstempə'reinjəs] *adj.* □, **ex·tem·po·rar·y** [iks'tempərəri] *adj.* □ improvisiert, extemporiert, unvorbereitet, aus dem Stegreif; **ex·tem·po·re** [eks'tempəri] *adj. u. adv.* → *extemporaneous*; **ex·tem·po·rize** [iks'tempəraiz] *v/t. u. v/i.* aus dem Stegreif *od.* unvorbereitet reden *od.* dichten *od.* spielen, improvisieren; **ex·tem·po·riz·er** [iks'tempəraizə] *s.* Improvi'sator *m*, Stegreifdichter *m*.
ex·tend [iks'tend] **I.** *v/t.* **1.** ausdehnen (*a. fig.*); *Hand etc.* ausstrecken; ausbreiten; **2.** *Seil etc.* spannen, ziehen; strecken, dehnen (*a.* ⊕); **3.** vergrößern, erweitern, ausbauen; **4.** *Paß, Frist etc.* verlängern; fortsetzen; **5.** † prolongieren; **6.** ✈ *Fahrgestell* ausfahren; **7.** ⚔ ausschwärmen lassen; **8.** *Abkürzungen* ausschreiben; *Kurzschrift* in Nor'malschrift über'tragen; **9.** *Hilfe* gewähren; *Gutes* erweisen; *Einladung* aussprechen; *Willkommen* bieten; **II.** *v/i.* **10.** sich ausdehnen *od.* erstrecken, reichen (*to* bis zu); hin'ausgehen (*beyond* über *acc.*); **11.** ⚔ ausschwärmen; **ex'tend·ed** [-did] *adj.* **1.** ausgedehnt (*a. Zeitraum*); **2.** ausgestreckt; **3.** verlängert; **4.** ausgebreitet: *~ formation* ⚔ auseinandergezogene Formation; *~ order* ⚔ geöffnete Ordnung.
ex·ten·si·bil·i·ty [ikstensə'biliti] *s.* (Aus)Dehnbarkeit *f*; **ex·ten·si·ble**

[iks'tensəbl] *adj.* (aus)dehnbar, (aus)streckbar; ausziehbar (*Tisch*): ~ *table* Ausziehtisch.
ex·ten·sion [iks'tenʃən] *s.* **1.** Ausdehnung *f* (*a. fig.*), Ausbreitung *f*; (*Frist- etc.*)Verlängerung *f*: ~ *of leave* Nachurlaub; **2.** ⊕ Dehnung *f*, Streckung *f* (*a.* ⚕); **3.** *fig.* Vergrößerung *f*, Erweiterung *f*, Ausbau *m*; → *university II*; **4.** † Prolongati'on *f*; **5.** Ausdehnung *f*, 'Umfang *m*; **6.** Anbau *m*; **7.** *teleph.* Nebenanschluß *m*; **8.** *phot.* ('Kamera)Auszug *m*; **9.** ⚔ Ausschwärmen *n*; ~ **board** *s.* *teleph.* 'Hauszen,trale *f*; ~ **class·es** *s. pl.* Fortbildungskurse *pl.*; ~ **cord** *s.* ⚡ Verlängerungskabel *n*; ~ **flex** → *extension cord*; ~ **lad·der** *s.* Ausziehleiter *f*; ~ **line** *s. teleph.* Nebenanschluß *m*; ~ **ta·ble** *s.* Ausziehtisch *m*; ~ **tel·e·phone** *s.* *teleph.* 'Nebenstellenappa,rat *m*.
ex·ten·sive [iks'tensiv] *adj.* □ ausgedehnt, um'fassend; exten'siv (*a.* ⚒); **ex'ten·sive·ness** [-nis] *s.* Ausdehnung *f*, 'Umfang *m*; **ex'ten·sor** [-nsə] *s. anat.* Ex'tensor *m*, Streckmuskel *m*.
ex·tent [iks'tent] *s.* **1.** Ausdehnung *f*, Länge *f*, Weite *f*, Höhe *f*, Größe *f*; **2.** Raum *m*, Bereich *m*, Strecke *f*; **3.** *fig.* 'Umfang *m*, (Aus)Maß *n*, Grad *m*: *to the* ~ *of* bis zum Betrag *od.* zur Höhe von; *to a certain* ~ gewissermaßen, bis zu e-m gewissen Grade; *to the full* ~ in vollem Umfang, völlig.
ex·ten·u·ate [eks'tenjueit] *v/t.* **1.** (ab-) schwächen, mildern: *extenuating circumstances* ⚖ mildernde Umstände; **2.** beschönigen, bemänteln; **ex·ten·u·a·tion** [ekstenju'eiʃən] *s.* **1.** Abschwächung *f*, Milderung *f*; **2.** Beschönigung *f*.
ex·te·ri·or [eks'tiəriə] **I.** *adj.* **1.** äußer, Außen...: ~ *angle* Außenwinkel; ~ *to* abseits von, außerhalb (*gen.*); **2.** *pol.* auswärtig: ~ *possessions*; ~ *policy* Außenpolitik; **II.** *s.* **3.** *das* Äußere: **a)** Außenseite *f* (*Sache*), **b)** Erscheinung *f* (*Person*), **c)** *pol.* auswärtige Angelegenheiten *pl.*; **4.** *Film*: Außenaufnahme *f*.
ex·ter·mi·nate [eks'tə:mineit] *v/t.* ausrotten, vertilgen; **ex·ter·mi·na·tion** [ekstə:mi'neiʃən] *s.* Ausrottung *f*, Vertilgung *f*; **ex'ter·mi·na·tor** [-tə] *s.* **1.** Vertilger *m*; **2.** Kammerjäger *m*; **3.** Schädlingsbekämpfungsmittel *n*.
ex·tern [eks'tə:n] *s.* **1.** → *day-boy*; **2.** ex'terner 'Krankenhausassi,stent; **ex'ter·nal** [-nl] **I.** *adj.* □ → *externally*; **1.** äußer, äußerlich, Außen...: ~ *ear* äußeres Ohr; ~ *evidence* ⚖ äußere Beweise; *for* ~ *use* ⚕ zum äußerlichen Gebrauch, äußerlich; ~ *to* außerhalb (*gen.*); ~ *world* Außenwelt; **2.** †, *pol.* auswärtig, Außen..., Auslands...: ~ *affairs* auswärtige Angelegenheiten; ~ *loan* Auslandsanleihe; ~ *trade* Außenhandel; **3.** † außerbetrieblich, Fremd...; **II.** *s.* **4.** *mst pl. das* Äußere; **5.** *pl.* Äußerlichkeiten *pl.*, Nebensächlichkeiten *pl.*; **ex'ter·nal·ly** [-nəli] *adv.* äußerlich, von außen.
ex·ter·ri·to·ri·al ['eksteri'tɔ:riəl] → *extraterritorial*; **ex·ter·ri·to·ri·al·i·ty** ['eksteritɔ:ri'æliti] → *extraterritoriality*.
ex·tinct [iks'tiŋkt] *adj.* **1.** erloschen (*a. fig.*); **2.** ausgestorben (*Tiergattung*); 'untergegangen (*Rasse*); **3.** abgeschafft, aufgehoben; **ex'tinc·tion** [-kʃən] *s.* **1.** Erlöschen *n*; **2.** Aussterben *n*, 'Untergang *m*; **3.** Vernichtung *f*, Tilgung *f*.
ex·tin·guish [iks'tiŋgwiʃ] *v/t.* **1.** *Feuer* (aus)löschen; **2.** *fig. Leben, Gefühl* auslöschen; ersticken, töten; **3.** *fig.* in den Schatten stellen; **4.** *fig. Gegner* zum Schweigen bringen; **5.** (*a.* ⚖) abschaffen, aufheben; *Schuld* tilgen; **ex'tin·guish·er** [-ʃə] *s.* **1.** Löschgerät *n*; **2.** Löschhütchen *n* (*für Kerzen*); **3.** Gluttöter *m*.
ex·tir·pate ['ekstə:peit] *v/t.* **1.** ausrotten, vernichten; **2.** ⚕ (her)'ausschneiden, entfernen; **ex·tir·pa·tion** [ekstə:'peiʃən] *s.* **1.** Ausrottung *f*; **2.** ⚕ Exstirpati'on *f*.
ex·tol(l) [iks'tɔl] *v/t.* erheben, (lob-) preisen, rühmen: *to* ~ *to the skies* in den Himmel heben.
ex·tort [iks'tɔ:t] *v/t.* (*from*) **a)** *et.* erpressen, erzwingen (von), **b)** abringen, abnötigen (*dat.*).
ex·tor·tion [iks'tɔ:ʃən] *s.* **1.** Erpressung *f*; **2.** Wucher *m*; **ex'tor·tion·ate** [-ʃnit] *adj.* **1.** erpresserisch; **2.** unmäßig, über'höht (*Preis*); **ex'tor·tion·er** [-ʃnə] *s.* **1.** Erpresser *m*; **2.** Wucherer *m*.
ex·tra ['ekstrə] **I.** *adj.* **1.** zusätzlich, Reserve..., Extra..., Sonder..., Neben...: ~ *charges* Nebenkosten; ~ *pay* Zulage; ~ *freight* Mehr-, Überfracht; ~ *time sport* (Spiel-) Verlängerung; *if you pay an* ~ *two pounds* wenn Sie noch zwei Pfund zulegen; **2.** besonder, außergewöhnlich; besonders gut: *it is nothing* ~ es ist nichts Besonderes; **II.** *adv.* **3.** 'extra, besonders: ~ *high*; *to work* ~ Überstunden machen; **III.** *s.* **4.** *et.* Außergewöhnliches, Sonderarbeit *f*, -leistung *f*; Sonderberechnung *f*, Zuschlag *m*: *heating and light are* ~*s* Heizung u. Licht werden extra berechnet; **5.** *pl.* Nebenkosten *pl.*; **6.** *Brit.* 'Extrablatt *n* (*Zeitung*); **7.** *thea.* Sta'tist(in).
extra- [ekstrə] *in Zssgn* außen, außerhalb, jenseits.
ex·tract I. *v/t.* [iks'trækt] **1.** extrahieren: **a)** ⚕ *Zahn*(*wurzel*) ziehen, **b)** ⚗ ausscheiden, -ziehen, gewinnen, **c)** ⚡ *Wurzel* ziehen; **2.** *Beispiele etc.* ausziehen, e-n Auszug machen aus; **3.** *fig.* (*from*) *et.* her'ausholen (aus), entlocken (*dat.*); **4.** *fig.* ab-, herleiten; **II.** *s.* ['ekstrækt] **5.** Ex'trakt *m* (*a.* ⚗): ~ *of beef* Fleischextrakt; **6.** Auszug *m*, Zi'tat *n*; **ex'trac·tion** [-kʃən] *s.* **1.** Extrakti'on *f*: **a)** ⚕ (Her'aus)Ziehen *n* (*Zahn*), **b)** ⚗ Ausziehen *n*, Ausscheidung *f*, Gewinnung *f*, **c)** ⚡ Ziehen *n* (*Wurzel*); **2.** *fig.* Entlokkung *f*; **3.** Abstammung *f*, Herkunft *f*; **ex'trac·tive** [-tiv] *adj.*: ~ *industry* Industrie zur Gewinnung von Naturprodukten; **ex'trac·tor** [-tə] *s.* **1.** ⊕ Auszieher *m*, -werfer *m*; **2.** ⚕ (Zahn-, Wurzel)Zange *f*.
ex·tra·dit·a·ble ['ekstrədaitəbl] *adj.* auszuliefern(d); **ex·tra·dite** ['ekstrədait] *v/t.* *ausländischen Verbrecher* ausliefern; **ex·tra·di·tion** [ekstrə'diʃən] *s.* Auslieferung *f*: *request for* ~ Auslieferungsantrag.
'ex·tra|·ju'di·cial *adj.* ⚖ außergerichtlich; **'~'mu·ral** *adj.* außerhalb der Mauern (*e-r Stadt od. Universität*): ~ *courses* Hochschulkurse außerhalb der Universität; ~ *student* Gasthörer.
ex·tra·ne·ous [eks'treinjəs] *adj.* □ **1.** fremd (*to dat.*); **2.** unwesentlich, nicht zu *et.* gehörig: *to be* ~ *to* nicht gehören zu.
ex·traor·di·nar·i·ly [iks'trɔ:dnrili] *adv.* außerordentlich, besonders; **ex·traor·di·nar·y** [iks'trɔ:dnri] *adj.* □ → *extraordinarily*; **1.** außerordentlich (*a. von Beamten*): *ambassador* ~ Sonderbotschafter; **2.** ungewöhnlich, seltsam, merkwürdig.
'ex·tra|-'sen·so·ry *adj. psych.* außersinnlich: ~ *perception* außersinnliche Wahrnehmung; **'~-'spe·cial I.** *adj.* **1.** Extra..., Sonder...; **2.** ganz besonders (gut); **II.** *s.* **3.** → *extra 6*; **'~·ter·ri'to·ri·al** *adj.* ,exterritori'al; **'~·ter·ri·to·ri'al·i·ty** *s.* ,Exterritoriali'tät *f*.
ex·trav·a·gance [iks'trævigəns] *s.* **1.** Verschwendung *f*; **2.** Ausschweifung *f*, Zügellosigkeit *f*; 'Übermut *m*; **3.** Extrava'ganz *f*, 'Übermaß *n*, Über'spanntheit *f*; **ex'trav·a·gant** [-nt] *adj.* □ **1.** verschwenderisch, üppig; **2.** ausschweifend, zügellos; **3.** extrava'gant, über'trieben, -'spannt; **ex·trav·a·gan·za** [ekstrævə'gænzə] *s.* **1.** phan'tastisches Werk (*Musik od. Literatur*); **2.** Ausstattungsstück *n*; (Zauber)Posse *f*.
ex·treme [iks'tri:m] **I.** *adj.* □ → *extremely*; **1.** äußerst, weitest, letzt: ~ *border* äußerster Rand; → *unction 3c*; **2.** äußerst, höchst; außergewöhnlich, über'trieben: ~ *case* äußerster (Not)Fall; ~ *measure* radikale Maßnahme; ~ *necessity* zwingende Notwendigkeit; ~ *old age* hohes Greisenalter; ~ *penalty* höchste Strafe, *a.* Todesstrafe; **3.** *pol.* ex'trem, radi'kal: ~ *Left* äußerste Linke; ~ *views*; **II.** *s.* **4.** äußerstes Ende: *at the other* ~ am entgegengesetzten Ende; **5.** *das* Äußerste, höchster Grad, Ex'trem *n*: *awkward in the* ~ höchst peinlich; *to go to* ~*s* vor nichts zurückschrecken; *to go to the other* ~ ins andere Extrem fallen; **6.** 'Übermaß *n*, Über'triebenheit *f*: *to carry s.th. to an* ~ et. zu weit treiben; **7.** Gegensatz *m*: ~*s meet* Extreme berühren sich; **8.** *pl.* äußerste Not; **ex'treme·ly** [-li] *adv.* äußerst, sehr, höchst; **ex'trem·ism** [-mizəm] *s.* Radika'lismus *m*; **ex'trem·ist** [-mist] *s.* Extre'mist(in), Fa'natiker(in), Radi'kale(r *m*) *f*; **ex'trem·i·ty** [-remiti] *s.* **1.** *das* Äußerste, äußerstes Ende, äußerste Grenze, Spitze *f*: *to the last* ~ bis zum Äußersten; *to go to extremities* die äußersten Maßnahmen ergreifen; **2.** *fig.* **a)** höchster Grad: ~ *of joy* Übermaß der Freude, **b)** höchste Verlegenheit *od.* Not: *reduced to extremities* in bitterster Not; **3.** *pl.* Gliedmaßen *pl.*, Extremi'täten *pl.*
ex·tri·cate ['ekstrikeit] *v/t.* **1.** (*from*)

her'auswinden, -ziehen (aus), befreien (aus, von): *to ~ o.s.* sich befreien; **2.** ⌂ entwickeln; **ex·tri·ca·tion** [ekstri'keiʃən] *s.* **1.** Befreiung *f*; **2.** ⌂ Entwicklung *f*.

ex·trin·sic [eks'trinsik] *adj.* (□ *~ally*) **1.** äußer, außen gelegen; **2.** *to be ~ to s.th.* nicht zu et. gehören, außerhalb e-r Sache liegen.

ex·tro·ver·sion [ekstrou'vəːʃən] *s. psych.* nach außen gerichtetes Inter'esse, Extraversi'on *f*; **ex·tro·vert** ['ekstrouvəːt] *psych.* **I.** *s.* Extraver'tierte(r *m*) *f*; **II.** *adj.* extraver'tiert.

ex·trude [eks'truːd] *v/t.* **1.** ausstoßen, verdrängen; **2.** ⊕ strangpressen; **ex'tru·sion** [-uːʒən] *s.* **1.** Verdrängung *f*, Vertreibung *f*; **2.** ⊕ Strangpressen *n*: *~ press* Strangpresse.

ex·u·ber·ance [ig'zjuːbərəns] *s.* **1.** Üppigkeit *f*, 'Überfluß *m*, Fülle *f*; **2.** 'Überschwang *m*; Ausgelassenheit *f*; **3.** (Wort)Schwall *m*; **ex'u·ber·ant** [-nt] *adj.* □ **1.** üppig, ('über)reichlich; **2.** *fig.* 'überschwenglich; 'übermütig.

ex·u·da·tion [eksjuː'deiʃən] *s.* Ausschwitzen *n*; (Schweiß)Absonderung *f*; **ex·ude** [ig'zjuːd] **I.** *v/t.* **1.** ausschwitzen, absondern; **2.** *fig.* ausstrahlen; **II.** *v/i.* **3.** ausströmen.

ex·ult [ig'zʌlt] *v/i.* froh'locken, jubeln, triumphieren (*at, over, in* über *acc.*); **ex'ult·ant** [-tənt] *adj.* □ froh'lockend, triumphierend; **ex·ul·ta·tion** [egzʌl'teiʃən] *s.* Jubel *m*, Froh'locken *n*, Tri'umph *m*.

eye [ai] **I.** *s.* **1.** Auge *n*: *~s like saucers* Glotzaugen; *~s right (front, left)!* ⚔ Augen rechts (geradeaus, die Augen links)!; *an ~ for an ~ bibl.* Auge um Auge; *under my ~s* vor m-n Augen; *up to the ~s in work* bis über die Ohren in Arbeit; *with one's ~s shut* mit geschlossenen Augen (*a. fig.*); *to be all ~s* ganz Auge sein; *to cry one's ~s out* sich die Augen ausweinen; **2.** *fig.* Blick *m*, Gesichtssinn *m*, Auge(nmerk) *n*: *with an ~ to* **a)** im Hinblick auf (*acc.*), **b)** mit der Absicht zu (*inf.*); *to cast an ~ over* e-n Blick·werfen auf (*acc.*); *to catch* (*od. strike*) *the ~* ins Auge fallen; *she caught his ~* sie fiel ihm auf; *to catch the Speaker's ~ parl.* das Wort erhalten; *to do s.o. in the ~* F j-n ‚reinlegen' *od.* ‚übers Ohr hauen'; *to give an ~ to s.th.* et. anblicken, ein Auge auf et. haben; *to have an ~ for* e-n Sinn *od.* Blick *od.* ein (offenes) Auge haben für; *he has an ~ for beauty* er hat Sinn für Schönheit; *he has the ~ of a painter* er hat ein Malerauge; *to have an ~ to s.th.* ein Auge auf et. haben, auf et. achten; *to keep an ~ on* ein (wachsames) Auge haben auf (*acc.*); *to make ~s at j-m* verliebte Blicke zuwerfen; → *meet 9*; *you can see that with half an ~* das sieht doch ein Blinder!; *to set* (*od. clap*) *~s on* zu Gesicht bekommen; *to shut one's ~s to* die Augen verschließen vor (*dat.*); *mind your ~!* Vorsicht!; *oh my ~!* o je!; *all my ~ (and Betty Martin)! sl.* Unsinn!, Quatsch!, Mumpitz!; **3.** Ansicht *f*: *in the ~s of* nach Ansicht von; *to open s.o.'s ~s (to s.th.)* j-m die Augen öffnen (für et.); *that made him open his ~s* das verschlug ihm die Sprache; *to see ~ to ~ with s.o.* mit j-m übereinstimmen; **4.** Öhr *n* (*Nadel*); Öse *f*; **5.** ♀ Auge *n*, Knospe *f*; **6.** *zo.* Auge *n* (*Schmetterling, Pfauenschweif*); **7.** ⌂ rundes Fenster; **II.** *v/t.* **8.** ansehen, betrachten, (scharf) beobachten, ins Auge fassen: *to ~ s.o. from top to toe* j-n von oben bis unten mustern.

'eye|·ball *s.* Augapfel *m*; **'~·brow** *s.* Augenbraue *f*: *to raise one's ~s fig.* die Stirne runzeln; **'~-catch·er** *s.* Blickfang *m*.

eyed [aid] *adj. in Zssgn* ...äugig.

'eye|-glass *s.* **1.** Augenglas *n*, Mon'okel *n*; *opt.* Oku'lar *n*; **2.** *pl.* **a)** Zwicker *m*, Kneifer *m*, **b)** Brille *f*; **'~·hole** *s.* **1.** Augenhöhle *f*; **2.** Guckloch *n*; **~ hos·pi·tal** *s.* 'Augenˌklinik *f*; **'~·lash** *s. mst pl.* Augenwimper *f*: *without batting an ~* F ohne mit der Wimper zu zucken.

eye·let ['ailit] *s.* **1.** Öse *f*; **2.** Loch *n*.

'eye|·lid *s.* Augenlid *n*; **~ lo·tion** *s. pharm.* Augenwasser *n*; **'~-o·pen·er** *s. fig.* Über'raschung *f*, Entdeckung *f*: *that was an ~ to me* das öffnete mir die Augen; **'~·piece** *s. opt.* Oku'lar *n*; **'~·shot** *s.* Sicht-, Sehweite *f*: *(with)in (beyond od. out of) ~* in (außer) Sichtweite; **'~·sight** *s.* Augenlicht *n*, Sehkraft *f*: *poor ~* schwache Augen; **~ sock·et** *s. anat.* Augenhöhle *f*; **'~·sore** *s. fig.* Dorn *m* im Auge, Schandfleck *m*; **'~-tooth** *s.* [*irr.*] *anat.* Augen-, Eckzahn *m*; **'~·wash** *s.* **1.** *pharm.* Augenwasser *n*; **2.** *fig. sl.* Schwindel *m*, fauler Zauber; **'~·wit·ness** **I.** *s.* Augenzeuge *m*; **II.** *v/t.* Augenzeuge sein von (*od. gen.*).

E·zek·iel, E·ze·chi·el [i'ziːkjəl] *npr. u. s. bibl.* (das Buch) He'sekiel *m od.* E'zechiel *m*; **Ez·ra** ['ezrə] *npr. u. s. bibl.* (das Buch) 'Esra *m od.* 'Esdras *m*.

F

F, f [ef] *s.* **1.** F *n*, f *n* (*Buchstabe*); **2.** ♪ F *n*, f *n* (*Note*); **3.** *ped. Am.* Sechs *f*, Ungenügend *n* (*Note*).

fa [fɑː] *s.* ♪ fa *n* (*Solmisationssilbe*).

fab [fæb] *adj. sl.* → *fabulous* 2.

Fa·bi·an ['feibjən] **I.** *adj.* **1.** zögernd: ~ *policy* Verzögerungspolitik; **2.** die *Fabian Society* betreffend; **II.** *s.* **3.** 'Fabier *m*; **'Fa·bi·an·ism** [-nizəm] *s.* Poli'tik *f* der *Fabian Society*; **Fa·bi·an So·ci·e·ty** *s.* (*sozialistische*) Gesellschaft der 'Fabier.

fa·ble ['feibl] **I.** *s.* **1.** Fabel *f*; Märchen *n*; **2.** *coll.* Mythen *pl.*, Le'genden *pl.*; **3.** *fig.* ‚Märchen' *n* (*Lüge*); **II.** *v/i. u. v/t.* **4.** *obs. od. poet.* erdichten, fabeln; **'fa·bled** [-ld] *adj.* erdichtet.

fab·ric ['fæbrik] *s.* **1.** Bau *m* (*a. fig.*); Gebilde *n*; **2.** *fig.* Gefüge *n*, Struk'tur *f*, Sy'stem *n*; **3.** Stoff *m*, Gewebe *n*: *silk* ~*s* Seidenstoffe; ~ *gloves* Stoffhandschuhe; **'fab·ri·cate** [-keit] *v/t.* **1.** fabrizieren, herstellen, anfertigen; **2.** *fig.* ‚fabrizieren': **a)** erfinden, **b)** fälschen; **fab·ri·ca·tion** [fæbri'keiʃən] *s.* **1.** Herstellung *f*, Fabrikati'on *f*; **2.** *fig.* Erfindung *f*, ‚Märchen' *n*, Lüge *f*; **3.** Fälschung *f*; **'fab·ri·ca·tor** [-keitə] *s.* **1.** Hersteller *m*; **2.** *fig. b.s.* Erfinder *m*, Urheber *m e-r Lüge etc.*, Lügner *m*; Fälscher *m*.

fab·u·list ['fæbjulist] *s.* **1.** Fabeldichter *m*; **2.** Schwindler *m*, Lügner *m*; **'fab·u·lous** [-ləs] *adj.* □ **1.** legen'där, sagenhaft, Fabel...; **2.** *fig.* fabel-, sagenhaft, ungeheuer, unglaublich.

fa·çade [fə'sɑːd] (*Fr.*) *s.* ⚠ Fas'sade *f* (*a. fig.*), Vorderseite *f*.

face [feis] **I.** *s.* **1.** Gesicht *n*, Angesicht *n*, Antlitz *n* (*a. fig.*): *before his* ~ vor s-n Augen, in s-r Gegenwart; *in (the)* ~ *of* **a)** angesichts (*gen.*), gegenüber (*dat.*), **b)** trotz (*gen. od. dat.*); *in the* ~ *of danger* angesichts der Gefahr; *to s.o.'s* ~ j-m ins Gesicht *sagen etc.*; ~ *to* ~ von Angesicht zu Angesicht; ~ *to* ~ *with* Auge in Auge mit, gegenüber, vor (*dat.*); *to fly in the* ~ *of j-m* ins Gesicht fahren, *fig.* sich offen widersetzen (*dat.*), trotzen (*dat.*); *to look s.o. in the* ~ j-m ins Gesicht sehen; *I couldn't look him in the* ~ ich konnte ihm (vor Scham) nicht in die Augen sehen; *to set one's* ~ *against s.th.* sich widersetzen (*dat.*), sich gegen et. wenden; *to show one's* ~ sich blicken lassen; *to shut the door in s.o.'s* ~ j-m die Tür vor der Nase zuschlagen; **2.** (Gesichts)Ausdruck *m*, Aussehen *n*, Miene *f*: *to make* (*od. pull*) *a* ~ (*od.* ~*s*) ein Gesicht (*od.* Fratzen) machen *od.* schneiden; *to make* (*od. pull*) *a long* ~ *fig.* ein langes Gesicht machen; *to put a bold* ~ *on* **a)** *e-r Sache* gelassen entgegensehen, **b)** nicht zurückschrecken vor (*dat.*); *to put a good* (*od. brave*) ~ *on a matter* gute Miene zum bösen Spiel machen; **3.** *fig.* Stirn *f*, Unverfrorenheit *f*, Frechheit *f*: *to have the* ~ *to inf.* die Stirn haben *od.* so unverfroren sein zu *inf.*; **4.** Ansehen *n*: *to save (one's)* ~ das Gesicht wahren; *to lose* ~ das Gesicht verlieren; *loss of* ~ Prestigeverlust; **5.** *das* Äußere, Gestalt *f*, Erscheinung *f*, Anschein *m*: *on the* ~ *of it* auf den ersten Blick, äußerlich *od.* oberflächlich betrachtet, augenscheinlich; *to put a new* ~ *on s.th.* et. in neuem *od.* anderem Lichte erscheinen lassen; **6.** Ober-, Außenfläche *f*, Fläche *f* (*a.* ⚠), Seite *f*; ⊕ Stirnfläche *f*; ⊕ (Amboß-, Hammer)Bahn *f*: *the* ~ *of the earth* die Erdoberfläche, die Welt; **7.** Oberseite *f*; rechte Seite (*Stoff etc.*): *lying on its* ~ nach unten gekehrt liegend; **8.** Fas'sade *f*, Vorderseite *f*; **9.** Bildseite *f* (*Spielkarte*); *typ.* Bild *n* (*Type*); Zifferblatt *n* (*Uhr*); **10.** Wand *f* (*Berg etc.*, ⚒ *Kohlenflöz*): *at the* ~ ⚒ am (Abbau-)Stoß, vor Ort; **II.** *v/t.* **11.** ansehen, j-m ins Gesicht sehen; **12.** gegen'überstehen, -liegen, -sitzen, -sein; nach *Osten etc.* blicken, liegen (*Raum*): *the man facing me* der Mann mir gegenüber; *the house* ~*s the sea* das Haus liegt nach dem Meere zu; *the window* ~*s the street* das Fenster geht auf die Straße; *the room* ~*s east* das Zimmer liegt nach Osten; **13.** *a.* ~ *up to* (mutig) entgegentreten *od.* begegnen (*dat.*), ins Auge sehen (*dat.*), die Stirn bieten (*dat.*): *to* ~ *the enemy*; *to* ~ *death* dem Tod ins Auge blicken; *to* ~ *it out* die Sache (dreist *od.* kühl) durchstehen; → *music* 1; **14.** *oft to be* ~*d with* sich *e-r Gefahr etc.* gegen'übersehen, gegen'überstehen (*dat.*): *he was* ~*d with ruin* er stand vor dem Nichts; **15.** *a.* ~ *up to et.* hinnehmen: *to* ~ *the facts*; **16.** 'umkehren, -wenden; *Spielkarten* aufdecken; **17.** *Schneiderei*: besetzen, einfassen, mit Aufschlägen versehen; **18.** ⊕ verkleiden, verblenden, über'ziehen; **19.** ⊕ *Stirnflächen* bearbeiten, (plan)schleifen, glätten; **III.** *v/i.* **20.** *bsd.* ⚔ *to* ~ *about* kehrtmachen (*a. fig.*): *left* ~! *Am.* links um!; *right about* ~! rechts um kehrt!

'face|-ache *s.* Ge'sichtsschmerz *m*, -neural'gie *f*; ~ **brick** *s.* ⚠ Verblendstein *m*; ~ **card** *s.* *Kartenspiel*: Bildkarte *f*; **'~-cloth** *s.* Waschlappen *m*; ~ **cream** *s.* Gesichtskrem *f*.

-faced [feist] *adj. in Zssgn* mit e-m ... Gesicht.

face| flan·nel → *face-cloth*; ~ **grind·ing** *s.* ⊕ Planschleifen *n*; **'~-guard** *s.* Schutzmaske *f*; **'~-lift(·ing)** *s.* **1.** Gesichtsstraffung *f*, 'Facelifting *n* (*kosmetische Operation*); **2.** *fig.* Verschönerung *f*; Renovierung *f*.

'face-pow·der *s.* (Gesichts)Puder *m*.

fac·er ['feisə] *s.* **1.** Schlag *m* ins Gesicht (*a. fig.*); **2.** *fig.* plötzliche Schwierigkeit.

'face-sav·ing *adj.* ehrenrettend; den Schein wahrend.

fac·et ['fæsit] *s.* **1.** Fa'cette *f*; Schliff-, Kri'stallfläche *f*; **2.** *fig.* Seite *f*, Zug *m*, A'spekt *m*.

fa·ce·tious [fə'siːʃəs] *adj.* □ witzig, drollig, spaßig; schalkhaft; **fa'ce·tious·ness** [-nis] *s.* Scherzhaftigkeit *f*, Schalk *m*.

face| tow·el *s.* (Gesichts)Handtuch *n*; ~ **val·ue** *s.* **1.** ✝ Nenn-, Nomi'nalwert *m*; **2.** *das* Äußere, *der* Schein: *to take s.th. at its* ~ et. für bare Münze nehmen.

fa·ci·a ['feiʃə] *s.* **1.** Firmen-, Ladenschild *n*; **2.** *a.* ~ *board*, ~ *panel mot.* Arma'turenbrett *n*.

fa·cial ['feiʃəl] **I.** *adj.* □ Gesichts...; im Gesicht: ~ *angle Anthropologie*: Gesichtswinkel; **II.** *s.* Ge'sichtsmas'sage *f*.

fac·ile ['fæsail] *adj.* □ **1.** leicht (*getan*), schnell (*erworben*): ~ *style* flüssiger Stil; **2.** gefällig, 'umgänglich; **3.** gewandt, flink, geschickt; **4.** nachgiebig, fügsam.

fa·cil·i·tate [fə'siliteit] *v/t.* erleichtern, fördern; **fa·cil·i·ta·tion** [fəsili'teiʃən] *s.* Erleichterung *f*, Förderung *f*; **fa'cil·i·ty** [-ti] *s.* **1.** Leichtigkeit *f*; **2.** Gewandtheit *f*; **3.** Gefälligkeit *f*; **4.** Gelegenheit *f*, Möglichkeit *f* (*for* für, zu); **5.** *mst pl.* Einrichtung(en *pl.*) *f*, Anlage(n *pl.*) *f*; **6.** *mst pl.* Erleichterung(en *pl.*) *f*, Vorteil(e *pl.*) *m*, Vergünstigung(en *pl.*) *f*, Annehmlichkeit(en *pl.*) *f*.

fac·ing ['feisiŋ] *s.* **1.** ⚔ Wendung *f*, Schwenkung *f*: *to put s.o. through his* ~*s fig.* j-n auf Herz u. Nieren prüfen; **2.** Außen-, Oberschicht *f*, Belag *m*, 'Überzug *m*; **3.** ⊕ Plandrehen *n*: ~ *lathe* Plandrehbank; **4.** ⚠ Verkleidung *f*, -blendung *f*, Bewurf *m*: ~ *brick* Verblendstein; **5.** *Schneiderei*: Aufschlag *m*, Besatz *m*, Einfassung *f*: ~ *ribbon* Besatzband.

fac·sim·i·le [fæk'simili] *s.* **1.** Fak'simile *n*, Reprodukti'on *f*; **2.** *a.* ~ *transmission od. broadcast(ing)* ⚡, *tel.* Bildfunk *m*: ~ *apparatus* Bildfunkgerät.

fact [fækt] *s.* **1.** Tatsache *f*, Wirklichkeit *f*, Wahrheit *f*: ~ *and fancy* Dichtung u. Wahrheit; *hard* ~*s* nackte Tatsachen; *in (point of)* ~ in der Tat, tatsächlich; eigentlich, offen gesagt; *it is not a* ~ es stimmt nicht; *founded on* ~ auf Tatsachen beruhend; *the* ~ *of the matter is* die Wahrheit ist; *to explain the* ~*s of life to a child* ein Kind (sexuell) aufklären; **2.** *mst pl.* (*of the case*) ⚖ 'Tatbestand *m*, -umˌstände *pl.*, Sachverhalt *m*; **3.** (*böse*) Tat: *before (after) the* ~ vor (nach) begangener Tat; → *accessory* 7; **4.** *a. pl.* Tatbericht *m*; '~-**find·ing** *adj.* zur Feststellung des Sachverhalts; Untersuchungs...: ~ *committee*; ~ *tour* Informationsreise.

fac·tion ['fækʃən] *s.* **1.** 'Splitterparˌtei *f*, Klüngel *m*, Clique *f*; **2.** Par'teisucht *f*; **3.** Zwietracht *f*; '**fac·tion·al·ism** [-ʃnəlizəm] *s.* Par'teigeist *m*; '**fac·tion·ist** [-ʃənist] *s.* Par'teigänger *m*; '**fac·tious** [-ʃəs] *adj.* □ **1.** par'teisüchtig; **2.** aufrührerisch; '**fac·tious·ness** [-ʃəsnis] *s.* Par'teigeist *m*.

fac·ti·tious [fæk'tiʃəs] *adj.* □ **1.** künstlich, unecht; **2.** konventio'nell.

fac·ti·tive ['fæktitiv] *adj. ling.* fakti'tiv: ~ *verb*.

fac·tor ['fæktə] *s.* **1.** ✝ A'gent *m*, Vertreter *m*, Kommissio'när *m*; **2.** *fig.* 'Faktor *m* (*a.* ℞, ⚕, *phys.*), (mitwirkender) 'Umstand, Mo'ment *n*, Ele'ment *n*: *safety* ~ Sicherheitsfaktor; **3.** *biol.* 'Erbˌfaktor *m*; **4.** ⚖ *Scot.* (Guts)Verwalter *m*; '**fac·tor·ing** [-təriŋ] *s.* ✝ Finanzierung *f* offener Buchforderungen; '**fac·to·ry** [-təri] *s.* **1.** Fa'brik *f*: ~ *cost* Herstellungskosten; ~ *expenses* Gemeinkosten; ~ *hand* Fabrikarbeiter; ~ *owner* Fabrikbesitzer, Unternehmer; ~ *ship* Fabrikschiff; *spinning* ~ Spinnerei; **2.** ✝ Handelsniederlassung *f*, Fakto'rei *f*.

fac·to·tum [fæk'toutəm] *s.* Fak'totum *n*, ‚Mädchen *n* für alles'.

fac·tu·al ['fæktjuəl] *adj.* □ **1.** Tatsachen...: ~ *report*; **2.** sachlich.

fac·ul·ta·tive ['fækəltətiv] *adj.* fakulta'tiv, wahlfrei; **fac·ul·ty** ['fækəlti] *s.* **1.** Fähigkeit *f*, Vermögen *n*, Kraft *f*: ~ *of hearing* Hörvermögen; **2.** Gabe *f*, Anlage *f*, Ta'lent *n*; **3.** Gewandtheit *f*; **4.** *univ.* **a)** Fakul'tät *f*, Wissenszweig *m*, **b)** Mitglieder *pl.* e-r Fakultät, *Am.* Lehrkörper *m*; **5.** ⚖ Ermächtigung *f*; Befugnis *f*; Vorrecht *n*; **6.** *eccl.* 'Vollmacht *f*; **7.** ℞ Fakultät *f*.

fad [fæd] *s.* **1.** Schrulle *f*, Laune *f*; **2.** Liebhabe'rei *f*, Ma'rotte *f*, Stekkenpferd *n*; '**fad·dish** [-diʃ] *adj.* schrullenhaft; '**fad·dist** [-dist] *s.* Fex *m*; '**fad·dy** [-di] → *faddish*.

fade [feid] **I.** *v/i.* **1.** (ver)welken; **2.** verschießen, -blassen; verschwimmen; **3.** verklingen; **4.** *a.* ~ *away*, ~ *out fig.* da'hin-, verschwinden, vergehen, zerrinnen; **5.** *Radio*: schwinden, unhörbar werden; **II.** *v/t.* **6.** verwelken *od.* verblassen lassen; **7.** über'tönen; ~ **in** *v/t.* ⚡, *phot.* ein-, auf-, 'überblenden; ~ **out** *v/t.* ⚡, *phot.* aus-, abblenden.

fad·ed ['feidid] *adj.* □ **1.** *a. fig.* verwelkt, -blüht, -blaßt; **2.** verblichen, -schossen; '**fade-in** *s.* ⚡, *phot.* Einblenden *n*; Einblendung *f*; '**fade·less** [-lis] *adj.* □ **1.** licht-, farbecht; **2.** *fig.* unvergänglich; '**fade-out** *s.* ⚡, *phot.* Ausblenden *n*; '**fad·ing** [-diŋ] **I.** *adj.* **1.** verblassend; **2.** vergänglich; **3.** lichtunecht; **II.** *s.* **4.** Verblassen *n*; **5.** *Radio*: Schwund *m*, 'Fading *n*.

fae·cal ['fi:kəl] *adj.* fä'kal, kotig: ~ *matter* Kot; **fae·ces** ['fi:si:z] *s. pl.* Kot *m*.

fa·er·ie, fa·er·y ['feiəri] *s. obs.* **1.** → *fairy 1.*; **2.** Märchenland *n*.

fag[1] [fæg] *s. sl.* **1.** ‚Glimmstengel' *m*, Ziga'rette *f*; **2.** → *fag(g)ot 5.*

fag[2] [fæg] **I.** *v/i.* **1.** *Brit.* sich placken *od.* abmühen; **2.** *to* ~ *for s.o. Brit. ped.* j-s ‚Fuchs' sein (*älterem Schüler Dienste leisten*); **II.** *v/t.* **3.** *a.* ~ *out* ermüden, erschöpfen; **4.** *Brit. ped.* sich von *jüngerem Schüler* bedienen lassen; **III.** *s.* **5.** Placke'rei *f*, Schinde'rei *f*; **6.** Erschöpfung *f*; **7.** *Brit. ped.* Fuchs *m*.

'**fag-'end** *s.* **1.** Ende *n*, Schluß *m*; **2.** letzter *od.* schäbiger Rest; **3.** *Brit. sl.* Ziga'rettenstummel *m*, ‚Kippe' *f*.

fag·ging ['fægiŋ] *s.* **1.** Placke'rei *f*; **2.** *Brit. ped. die Sitte, daß jüngere Schüler den älteren Dienste leisten müssen.*

fag·(g)ot ['fægət] *s.* **1.** Reisigbündel *n*; **2.** Fa'schine *f*; **3.** ⊕ Bündel *n* Stahlstangen; **4.** *Brit. Küche*: Frika'delle *f* aus Inne'reien; **5.** *sl.* ‚Warme(r)' *m*.

Fahr·en·heit ['færənhait] *s.*: *10°* ~ zehn Grad Fahrenheit, 10° F.

fa·ience [fai'ɑ̃:ns; fajɑ̃s] (*Fr.*) *s.* Fay'ence *f*.

fail [feil] **I.** *v/i.* **1.** versagen (*Stimme, Motor etc.*); aufhören, zu Ende gehen, nicht (aus)reichen (*Vorrat*); fehlen, stocken; ausbleiben (*Wind etc.*); **2.** miß'raten (*Ernte*), nicht aufgehen (*Saat*); **3.** nachlassen, schwächer werden, schwinden: *his health* ~*ed* s-e Gesundheit ließ nach; **4.** unter'lassen, versäumen, vernachlässigen: *he* ~*ed to come* er kam nicht; *he never* ~*s to come* er kommt immer; *don't* ~ *to come* komm ganz bestimmt!; *he cannot* ~ *to inf.* er muß (einfach) *inf.*; *to* ~ *in one's duty* s-e Pflicht versäumen; *he* ~*s in perseverance* es fehlt ihm an Ausdauer; **5.** s-n Zweck verfehlen, miß'lingen, fehlschlagen: *the plan* ~*ed* der Plan scheiterte; *if everything else* ~*s* wenn alle Stränge reißen; *I* ~ *to see* ich sehe nicht ein; *he* ~*ed in his attempt* der Versuch mißlang ihm; *it* ~*ed in its effect* die erhoffte Wirkung blieb aus; **6.** *ped.* 'durchfallen (*in* in *dat.*); **7.** ✝ Bank'rott machen; **II.** *v/t.* **8.** im Stich lassen, verlassen: *I will never* ~ *you*; *my courage* ~*ed me* mir sank der Mut; *words* ~ *me* mir fehlen die Worte; **9.** *j-m* fehlen; **10.** *ped.* 'durchfallen lassen (*in der Prüfung*); **11.** *ped.* 'durchfallen in (*der Prüfung*); **III.** *s.* **12.** *without* ~ unbedingt, ganz gewiß; '**fail·ing** [-liŋ] **I.** *adj.*: *never* ~ nie versagend, unfehlbar; **II.** *prp.* in Ermangelung (*gen.*), ohne: ~ *this* andernfalls; ~ *which* widrigenfalls; **III.** *s.* Mangel *m*, Schwäche *f*; Fehler *m*, De'fekt *m*.

'**fail|-safe**, '~-**proof** *adj.* pannensicher (*a. fig.*).

fail·ure ['feiljə] *s.* **1.** Ausbleiben *n*, Fehlen *n*, Versagen *n*; **2.** Unter'lassung *f*, Versäumnis *n*: ~ *to pay* Nichtzahlung; **3.** Fehlschlag(en *n*) *m*, Scheitern *n*, Miß'lingen *n*, 'Mißerfolg *m*: *crop* ~ Mißernte; **4.** Versager *m*, ‚Niete' *f* (*Person od. Sache*), ‚Reinfall' *m*, ‚Pleite' *f* (*Sache*); **5.** Verfall *m*, Zs.-bruch *m*; Schwäche *f*, Abnahme *f*; **6.** *ped.* 'Durchfall(en *n*) *m* (*Prüfung*); **7.** ✝ Bank'rott *m*, Kon'kurs *m*; **8.** ⊕ De'fekt *m*, Störung *f*, Panne *f*.

fain [fein] **I.** *adj.*: *to be* ~ *to inf.* genötigt sein zu *inf.*; **II.** *adv.*: (*I*) *would* ~ (ich) würde gern *inf.*

faint [feint] **I.** *adj.* □ **1.** schwach, matt, kraftlos: *to feel* ~ sich matt *od.* der Ohnmacht nahe fühlen; **2.** schwach, matt (*Ton, Farbe, a. fig.*): *ruled* ~ schwach lini(i)ert; *I have not the* ~*est idea* ich habe nicht die leiseste *od.* geringste Ahnung; ~ *hope* schwache Hoffnung; **II.** *s.* **3.** ⚕ Ohnmacht *f*: *dead* ~ tiefe Ohnmacht; **III.** *v/i.* **4.** schwach *od.* matt werden (*with* vor *dat.*); **5.** in Ohnmacht fallen: ~*ing fit* Ohnmachtsanfall; '~-**heart** *s.* Feigling *m*; '~-'**heart·ed** *adj.* □ mutlos, kleinmütig, zaghaft; '~-'**heart·ed·ness** *s.* Mutlosigkeit *f*, Kleinmut *m*, Zaghaftigkeit *f*.

faint·ness ['feintnis] *s.* **1.** Schwäche *f* (*a. fig.*), Mattigkeit *f*; **2.** Ohnmachtsgefühl *n*.

fair[1] [fɛə] **I.** *adj.* □ → *fairly*; **1.** schön, hübsch, lieblich: *the* ~ *sex* das schöne Geschlecht; **2.** rein, sauber, tadel-, makellos, unbescholten: ~ *name* guter Ruf; **3.** *fig.* schön, freundlich, gefällig: *to give s.o.* ~ *words* j-n mit schönen Worten abspeisen; *a* ~ *swindle* ein glatter Betrug; **4.** deutlich, leserlich (*Handschrift*); **5.** schön, trocken (*Wetter*): *set* ~ beständig; **6.** klar, frei, unbehindert: ~ *game* Freiwild (*a. fig.*); **7.** günstig (*Wind*), aussichtsreich, gut: *to be in a* ~ *way to* auf dem besten Wege sein zu; **8.** ehrlich, offen, aufrichtig, gerecht, billig, anständig, 'unparˌteiisch, fair: ~ *dealing* Redlichkeit; ~ *play* **a)** faires Spiel, **b)** *fig.* Anständigkeit, Fairneß; ~ *price* angemessener Preis; ~ *warning* rechtzeitige Warnung; *by* ~ *means or foul* so oder so; ~ *and square* anständig, ehrlich; ~ *is* ~ Gerechtigkeit muß sein!; **9.** leidlich, mittelmäßig, recht gut, nicht übel: ~ *chance* recht gute Chance; *to be a* ~ *judge* ein recht gutes Urteil haben; **10.** ansehnlich, beträchtlich, ganz schön: *a* ~ *sum* e-e nette Summe; ~ *average* guter Durchschnitt; **11. a)** blond (*Haar*), **b)** hell (*Haut*); **II.** *adv.* → *fairly*; **12.** schön, gut, freundlich, höflich: *to speak s.o.* ~ j-m schöne *od.* freundliche Worte sagen; *to bid* (*od.*

promise) ~ Aussicht haben, versprechen (*to inf.* zu *inf.*); **13.** ehrlich, anständig: *to play* ~ ehrlich *od.* fair spielen, *fig.* ehrlich sein, sich an die Spielregeln halten; **14.** genau: ~ *in the face* mitten ins Gesicht.

fair[2] [fɛə] *s.* **1.** Messe *f*: **a)** Jahrmarkt *m*, **b)** Ausstellung *f*: *industrial* ~; ~ *ground(s) od. site* Messegelände; **2.** Ba'sar *m*.

'fair-'haired *adj.* blond.

fair·ing[1] ['fɛəriŋ] *s.* ✈ Verkleidung *f*, Verschalung *f*.

fair·ing[2] ['fɛəriŋ] *s.* Jahrmarkts-, Meßgeschenk *n*.

fair·ish ['fɛəriʃ] *adj.* leidlich, pas'sabel.

fair·ly ['fɛəli] *adv.* **1.** ehrlich, gerecht: ~ *and squarely* → *fair*[1] *8*; **2.** leidlich, ziemlich, ganz schön; **3.** gänzlich, völlig; wirklich, gerade'zu.

'fair-'mind·ed *adj.* aufrichtig, gerecht (denkend).

fair·ness ['fɛənis] *s.* **1.** Schönheit *f*; Reinheit *f*; Frische *f*; **2.** Blondheit *f*; **3.** Gerechtigkeit *f*, 'Unpar,teilichkeit *f*, Fairneß *f*, Ehrlichkeit *f*: *in* ~ gerechterweise; *in* ~ *to him* um ihm Gerechtigkeit widerfahren zu lassen.

'fair|-'spo·ken *adj.* freundlich, höflich; **'~·way** *s.* **1.** ⚓ Fahrwasser *n*, -rinne *f*; **2.** *Golf*: 'Fairway *n*; **'~-weath·er** *adj.* Schönwetter...: ~ *friends fig.* Freunde im Glück.

fair·y ['fɛəri] **I.** *s.* **1.** Fee *f*, Elf(e *f*) *m*; **2.** *sl.* ‚Homo' *m*, Schwule(r) *m*; **II.** *adj.* □ **3.** feenhaft (*a. fig.*); **'~·land** *s.* Feen-, Märchenland *n*; **'~-tale** *s.* Märchen *n* (*a. fig.*).

faith [feiθ] *s.* **1.** (*in*) Glaube(n) *m* (an *acc.*), Vertrauen *n* (auf *acc.*, zu): *to have* ~ *in* Glauben schenken (*dat.*), Vertrauen haben zu; *on the* ~ *of* im Vertrauen auf (*acc.*); **2.** *eccl.* Glaube(n) *m*, Bekenntnis *n*: *the Christian* ~; **3.** Treue *f*, Redlichkeit *f*: *breach of* ~ Treu-, Vertrauensbruch; *in good* ~ in gutem Glauben, auf Treu u. Glauben, gutgläubig (*a.* ⚖), ehrlich; *in bad* ~ in böser Absicht, arglistig; **4.** Versprechen *n*: *to keep one's* ~ (sein) Wort halten; **'~-cure** → *faith-healing*.

faith·ful ['feiθful] **I.** *adj.* □ **1.** treu (*to dat.*), pflichttreu; **2.** ehrlich, gewissenhaft; **3.** (wahrheits)getreu, genau; **4.** glaubwürdig, wahr, zuverlässig; **5.** gläubig; **II.** *s.* **6.** *the* ~ *coll. eccl.* die Gläubigen *pl.*; **7.** *pl.* treue Anhänger *pl.*; **'faith·ful·ly** [-fuli] *adv.* **1.** treu, ergeben: *yours* ~ hochachtungsvoll (*Briefschluß*); **2.** ehrlich, gewissenhaft; getreu (-lich), genau: *to promise* ~ fest versprechen; **'faith·ful·ness** [-nis] *s.* (Pflicht)Treue *f*, Ehrlichkeit *f*, Gewissenhaftigkeit *f*.

'faith|-heal·er *s.* Gesundbeter(in); **'~-heal·ing** *s.* Gesundbeten *n*.

faith·less ['feiθlis] *adj.* □ **1.** ungläubig; **2.** untreu, treulos; unzuverlässig; **'faith·less·ness** [-nis] *s.* **1.** Unglaube *m*; **2.** Treulosigkeit *f*; Unzuverlässigkeit *f*.

fake [feik] F **I.** *v/t.* **1.** nachmachen, fälschen; **2.** zu'rechtmachen, ‚frisieren'; **3.** *Am.* vortäuschen; **II.** *s.* **4.** Schwindel *m*; Fälschung *f*, Nachahmung *f*; **5.** Schwindler *m*, ‚Schauspieler' *m*: *medical* ~ Scharlatan.

fa·kir ['fɑːkiə] *s.* 'Fakir *m*.

fal·con ['fɔːlkən] *s. orn.* Falke *m*; **'fal·con·er** [-nə] *s. hunt.* Falkner *m*; **'fal·con·ry** [-kənri] *s. hunt.* **1.** Falkne'rei *f*; **2.** Falkenbeize *f*, -jagd *f*.

fald·stool ['fɔːldstuːl] *s.* Betstuhl *m*, -pult *n*.

fall [fɔːl] **I.** *s.* **1.** Fall(en *n*) *m*, Sturz *m*: *to have a* ~ hinfallen, stürzen; *to break s.o.'s* ~ j-n auffangen; *to ride for a* ~ **a)** verwegen reiten, **b)** *fig.* das Unheil herausfordern; **2.** (Ab-, Her'ab)Fallen *n* (*Blätter etc.*); Fallen *n* (*Vorhang*); **3.** (*Regen-, Schnee*)Fall *m*; Regen-, Schneemenge *f*; **4.** Zs.-fallen *n*, Einsturz *m* (*Haus*), 'Umstürzen *n* (*Baum etc.*); **5.** Fallen *n*, Sinken *n*, Abnehmen *n* (*Temperatur, Flut, Preis*): *heavy* ~ *in prices* Kurs-, Preissturz; *to speculate on the* ~ auf Baisse spekulieren; **6.** Abfallen *n*, Gefälle *n*, Senkung *f* (*Gelände*); **7.** Fall *m* (*Festung*), Sturz *m*, Niedergang *m*, Abstieg *m*, Verfall *m*, Ende *n*, Vernichtung *f*; **8.** ♀ (*of man*) *bibl.* Sündenfall *m*; **9.** *Am.* Herbst *m*; **10.** *mst pl.* Wasserfall *m*; **11.** Wurf *m* (*Lämmer*); **12.** *Ringen*: **a)** Niederwurf *m*, **b)** Runde *f*: *win by* ~ Schultersieg; *to try a* ~ *with s.o.* sich mit j-m messen; **II.** *v/i.* [*irr.*] **13.** (nieder-, her'unter)fallen, zu Boden fallen; (ab)stürzen; (ab-)fallen (*Blätter*); ausfallen (*Haare*): *the curtain* ~*s* der Vorhang fällt; *he fell to his death* er stürzte tödlich ab; **14.** 'umfallen, -stürzen; einfallen, -stürzen (*Haus*); **15.** (in Falten *od.* Locken) her'abfallen, -hängen; **16.** *fig.* fallen: **a)** (*im Kampf*) getötet werden, **b)** erobert werden, **c)** gestürzt werden (*Regierung*), **d)** (*moralisch*) sinken (*Frau*); **17.** *fig.* fallen (*Preis, Temperatur, Flut*), nachlassen (*Wind*), abnehmen, sinken: *his courage fell* ihm sank der Mut; *his eyes fell* er senkte die Augen; *his face fell* er machte ein langes Gesicht; **18.** abfallen, sich senken (*Land*); **19.** (*in Stücke*) zerfallen; **20.** fallen, sich ereignen; her'einbrechen (*Nacht*); **21.** *fig.* fallen (*Worte etc.*); → *let*[1] *Redew.*;

Zssgn mit prp.:

fall| a·mong *v/t.* unter ... (*acc.*) geraten: *to* ~ *the thieves* unter die Räuber fallen (*a. fig.*); ~ **be·hind** *v/t.* hinter *j-m* zu'rückbleiben; ~ **for** *v/t.* F **1.** auf *et.* reinfallen; **2.** sich ‚verknallen' in (*acc.*); ~ **from** *v/t.* von *et.* abfallen, abtrünnig *od.* untreu werden (*dat.*): *to* ~ *grace* sündigen; ~ **in** *v/t.* in *j-s Bereich* fallen, zu *et.* gehören *od.* gerechnet werden; ~ **in·to** *v/t.* **1.** kommen *od.* geraten *od.* verfallen in (*acc.*): *to* ~ *disuse* außer Gebrauch kommen; *to* ~ *a habit* in e-e Gewohnheit verfallen; → *line*[1] *9*; *to* ~ *a rage* in Wut geraten; **2.** in *Teile* zerfallen: *to* ~ *ruin* zerfallen; **3.** münden in (*acc.*) (*Fluß*); ~ **on** *v/t.* **1.** treffen, fallen auf (*acc.*): *his eye fell on me* sein Blick fiel auf mich; **2.** herfallen über (*acc.*), über'fallen (*acc.*); **3.** in *et.* geraten, auf *et.* stoßen: *to* ~ *evil days* ins Unglück geraten; ~ **o·ver** *v/t.* **1.** → *fall on 2*; **2.** *to* ~ *each other* (*od. o.s.*) *to* (*inf.*) F sich die Beine ausreißen, um zu (*inf.*); ~ **to** *v/t.* **1.** mit *et.* beginnen; **2.** fallen an (*acc.*), *j-m* zufallen *od.* beschieden sein, *j-m* über'lassen bleiben; ~ **un·der** *v/t.* **1.** unter *et.* fallen, zu *et.* gehören; **2.** *e-r Sache* unter'liegen; ~ **with·in** → *fall in*;

Zssgn mit adv.:

fall| a·stern *v/i.* ⚓ zu'rückbleiben; ~ **a·way** *v/i.* **1.** abmagern; schwinden, schwächer werden; **2.** (*from*) abfallen (von), verlassen (*acc.*); ~ **back** *v/i.* **1.** sich zu'rückziehen; **2.** zu'rückbleiben; **3.** (*on*) zu'rückgreifen (auf *acc.*), e-n Rückhalt haben (an *dat.*); ~ **be·hind** *v/i.* zu'rückbleiben (*a. fig.*); ins 'Hintertreffen geraten: *to* ~ *with* in Verzug geraten mit; ~ **down** *v/i.* **1.** 'umfallen, einstürzen; **2.** (*ehrfürchtig*) auf die Knie sinken, niederfallen; **3.** *Am. sl.* (*on*) versagen (bei), Pech haben (mit); ~ **foul** → *foul 11*; ~ **in** *v/i.* **1.** einfallen, -stürzen; **2.** ⚔ antreten; **3.** ☤ ablaufen, fällig werden; **4.** (*with*) **a)** treffen (*acc.*), stoßen auf (*acc.*), **b)** zustimmen (*dat.*), **c)** passen zu, entsprechen (*dat.*), sich anpassen (*dat.*); ~ **off** *v/i.* **1.** nachlassen, fallen, abnehmen; **2.** sich zu'rückziehen; **3.** ⚓ abfallen; **4.** ✈ abrutschen; ~ **out** *v/i.* **1.** her'ausfallen: *to* ~ *of use* nicht mehr verwendet werden; **2.** *fig.* ausfallen; sich erweisen (als); **3.** sich ereignen; **4.** ⚔ wegtreten; **5.** sich entzweien; ~ **o·ver** *v/i.* 'umfallen, -kippen; ~ **short** → *short 3*; ~ **through** *v/i.* **1.** 'durchfallen (*a. fig.*); **2.** *fig.* miß'lingen, ins Wasser fallen; ~ **to** *v/i.* **1.** zufallen (*Tür*); **2.** (tüchtig) zugreifen (*beim Essen*).

fal·la·cious [fə'leiʃəs] *adj.* □ trügerisch: **a)** irreführend, **b)** irrig, falsch.

fal·la·cy ['fæləsi] *s.* Trugschluß *m*, irrige Ansicht, Irrtum *m*, Täuschung *f*: *popular* ~ weitverbreiteter Irrtum.

fall·en ['fɔːlən] **I.** *p.p. von fall*; **II.** *adj.* gefallen: **a)** gestürzt (*a. fig.*), **b)** prostituiert, **c)** (*im Kriege*) getötet, **d)** erobert (*Stadt etc.*); **III.** *s. coll.* the ~ die Gefallenen *pl.*; ~ **arch·es** *s. pl.* Senkfüße *pl.*

fall guy *s. Am. sl. das* (unschuldige) Opfer, *der* ‚Lackierte'.

fal·li·bil·i·ty [fæli'biliti] *s.* Fehlbarkeit *f*; **fal·li·ble** ['fæləbl] *adj.* □ fehlbar.

fall·ing ['fɔːliŋ] **I.** *adj.* fallend, sinkend, abnehmend: ~ *hair* Haarausfall; **II.** *s.* Fall(en *n*) *m*, Sinken *n*; **'~-a'way**, ~ **off** *s.* **1.** Rückgang *m*, Abnahme *f*; **2.** Abmagern *n*; ~ **star** *s.* Sternschnuppe *f*.

Fal·lo·pi·an tubes [fæ'loupjən] *s. pl. anat.* Eileiter *pl.*

'fall-out *s. phys.* radioak'tiver Niederschlag, Fall'out *m*.

fal·low[1] ['fælou] **I.** *adj.* brach(liegend): *to lie* ~ brachliegen; **II.** *s.* Brachfeld *n*.

fal·low[2] ['fælou] *adj.* falb, fahl,

braungelb; **~-deer** ['fæloudiə] *s. zo.* Damhirsch *m*, -wild *n*.

false [fɔːls] **I.** *adj.* □ falsch: **a)** unrichtig, fehlerhaft, irrig, **b)** unwahr, **c)** (*to*) treulos (gegen), untreu (*dat.*), **d)** irreführend, vorgetäuscht, trügerisch, 'hinterhältig, **e)** gefälscht, unecht, künstlich, **f)** Schein..., fälschlich (so genannt), **g)** 'widerrechtlich, rechtswidrig: ~ *acacia* ⚘ Robinie, falsche Akazie; ~ *bottom* doppelter Boden; ~ *ceiling* ⚠ Einschubdecke; ~ *coin* Falschgeld; ~ *hair* falsche Haare; ~ *imprisonment* ⚖ Freiheitsberaubung; ~ *key* Nachschlüssel; ~ *shame* falsche Scham; ~ *start* Fehlstart; ~ *step* Fehltritt; ~ *tears* Krokodilstränen; ~ *teeth* falsche *od.* künstliche Zähne; ~ *verdict* ⚖ Fehlurteil; ~ *window* blindes Fenster; **II.** *adv.*: *to play s.o.* ~ ein falsches Spiel mit j-m treiben; **'false-'heart·ed** *adj.* falsch, treulos; **'false·hood** [-hud] *s.* **1.** Unwahrheit *f*, Lüge *f*; **2.** Falschheit *f*; **'false·ness** [-nis] *s.* Falschheit *f*, Unaufrichtigkeit *f*, 'Hinterhältigkeit *f*, Treulosigkeit *f*.

fal·set·to [fɔːl'setou] *pl.* **-tos** *s.* Fal'sett *n*, Fistelstimme *f*.

fal·si·fi·ca·tion [fɔːlsifi'keiʃən] *s.* (Ver)Fälschung *f*; **fal·si·fi·er** ['fɔːlsifaiə] *s.* Fälscher(in); **fal·si·fy** ['fɔːlsifai] *v/t.* **1.** fälschen; **2.** verfälschen, falsch *od.* irreführend darstellen; **3.** *Hoffnungen* (ent-)täuschen, vereiteln; als falsch erweisen; **fal·si·ty** ['fɔːlsiti] *s.* **1.** Irrtum *m*, Unrichtigkeit *f*; **2.** Lüge *f*, Falschheit *f*.

fal·ter ['fɔːltə] *v/i.* **1.** schwanken: **a)** taumeln, **b)** zögern, zaudern, **c)** stocken (*a. Stimme*); **2.** stammeln; **'fal·ter·ing** [-təriŋ] *adj.* □ zögernd, schwankend, stockend.

fame [feim] *s.* **1.** Ruhm *m*, (guter) Ruf, Berühmtheit *f*: *of ill* ~ berüchtigt; *house of ill* ~ Freudenhaus; **2.** *obs.* Gerücht *n*; **famed** [-md] *adj.* berühmt, bekannt (*for* wegen *gen.*, für).

fa·mil·iar [fə'miljə] **I.** *adj.* □ **1.** vertraut, bekannt, gewohnt, geläufig: *a* ~ *sight* ein gewohnter Anblick; **2.** vertraut, bekannt (*with* mit): *to be* ~ *with et.* gut kennen; *the name is* ~ *to me* der Name ist mir vertraut; **3.** vertraut, freundschaftlich, in'tim: *a* ~ *friend* ein enger Freund; *to be on* ~ *terms* mit *j-m* gut bekannt sein; **4.** ungezwungen (*a. Schreibweise*), (zu) frei, ungeniert, famili'är; **II.** *s.* **5.** Vertraute(r *m*) *f*; **6.** *a.* ~ *spirit* Schutzgeist *m*; **fa·mil·i·ar·i·ty** [fəmili'æriti] *s.* **1.** Vertrautheit *f*, Bekanntschaft *f* (*with* mit); **2.** Freundlichkeit *f*, Herzlichkeit *f*; **3.** *a. pl.* Ungezwungenheit *f*; (*b.s.* plumpe) Vertraulichkeit; **fa·mil·iar·i·za·tion** [fəmiljərai'zeiʃən] *s.* Gewöhnung *f* (*with* an *acc.*); **fa'mil·iar·ize** [-əraiz] *v/t.* (*with*) vertraut *od.* bekannt machen (mit), gewöhnen (an *acc.*).

fam·i·ly ['fæmili] **I.** *s.* **1.** Fa'milie *f*: *to have a (large)* ~ (viele) Kinder haben; *in the* ~ *way* F in anderen Umständen; **2.** Sippe *f*, Verwandtschaft *f*; **3.** Familie *f*, Herkunft *f*: *of (good)* ~ aus gutem *od.* vornehmem Hause; **4.** ⚘, *zo.* **a)** Familie *f*, **b)** Gattung *f*; **5.** ⚗ Gruppe *f*; **II.** *adj.* **6.** Familien..., Haus...; ~ **al·low·ance** *s.* Kinderzulage *f*; ~ **butch·er** *s.* Schlächter *m*, Fleischer *m* (*für Privatkundschaft*); ~ **cir·cle** *s.* Fa'milienkreis *m*; ~ **doc·tor** *s.* Hausarzt *m*; ~ **man** *s.* [*irr.*] häuslicher Mensch; *engS.* Mann *m* mit Fa'milie; '~**-owned en·ter·prise** *s.* ✝ Fa'milienbetrieb *m*; ~ **plan·ning** *s.* Fa'milienplanung *f*; ~ **tree** *s.* Stammbaum *m*; ~ **wel·fare** *s.* Fa'milienfürsorge *f*.

fam·ine ['fæmin] *s.* **1.** Hungersnot *f*; **2.** Not *f*, Mangel *m*, Knappheit *f*: *coal* ~ Kohlenknappheit.

fam·ish ['fæmiʃ] **I.** *v/i.* (ver)hungern, Hungers sterben, darben; verschmachten (*a. fig.*); **II.** *v/t.* aushungern, verhungern lassen; **'fam·ished** [-ʃt], **'fam·ish·ing** [-ʃiŋ] *adj.* F ausgehungert: *to be famishing* vor Hunger vergehen.

fa·mous ['feiməs] *adj.* □ **1.** berühmt (*for* wegen *gen.*, für); **2.** F fa'mos, ausgezeichnet.

fan[1] [fæn] **I.** *s.* **1.** Fächer *m*; **2.** ⊕ **a)** Venti'lator *m*, Lüfter *m*, **b)** Gebläse *n*, **c)** ↗ (Worfel)Schwinge *f*, **d)** ⚓ Flügel *m*, Schraubenblatt *n*; **II.** *v/t.* **3.** fächeln, (an)wedeln; **4.** ↗ worfeln, schwingen; **5.** anfachen, schüren (*a. fig.*); **6.** *fig.* entfachen (*into* zu); **III.** *v/i.* **7.** *oft* ~ *out* sich (fächerförmig) ausbreiten; ⚔ ausschwärmen.

fan[2] [fæn] *s.* F begeisterter Anhänger, Fa'natiker *m*, Schwärmer *m*; *in Zssgn* ...fex *m*, ...narr *m*: ~ *mail* Verehrerpost

fa·nat·ic [fə'nætik] **I.** *s.* Fa'natiker *m*, Eiferer *m*, Schwärmer *m*; **II.** *adj.* fa'natisch; **fa'nat·i·cal** [-kəl] *adj.* □ fanatisch; **fa'nat·i·cism** [-isizəm] *s.* Fana'tismus *m*.

fan| blade *s.* ⊕ Wind-, Venti'latorflügel *m*; ~ **blow·er** *s.* ⊕ Flügelgebläse *n*.

fan·ci·er ['fænsiə] *s.* **1.** (*Tier-, Blumen*)Liebhaber *m od.* Kenner *m od.* Züchter *m*; **2.** Phan'tast *m*; **'fan·ci·ful** [-iful] *adj.* □ **1.** phanta'siereich; **2.** schwärmerisch, launisch; **3.** seltsam, wunderlich, neckisch; **4.** phan'tastisch, wirklichkeitsfremd; **'fan·ci·ful·ness** [-ifulnis] *s.* Phantaste'rei *f*; Wunderlichkeit *f*.

fan·cy ['fænsi] **I.** *s.* **1.** Phanta'sie *f*, (bloße) Einbildung, Wahn(gebilde *n*) *m*; **2.** Einbildungskraft *f*, Phantasie *f*; **3.** I'dee *f*, Einfall *m*, Laune *f*: *I have a* ~ *that* ich habe so e-e Idee, daß; **4.** (*for*) Neigung *f* (zu), Vorliebe *f* (für), Gefallen *n* (an *dat.*): *after my* ~ nach m-m Geschmack; *to have a* ~ *for* gern haben (wollen) (*acc.*); *to take a* ~ *to* Gefallen finden an (*dat.*); *to take (od. catch od. strike) s.o.'s* ~ j-m gefallen; **5.** *coll.* the ~ die (*Sport-, Tier- etc.*)Liebhaberwelt; **II.** *adj.* **6.** Phantasie..., phan'tastisch: ~ *name* Phantasiename; ~ *price* Liebhaberpreis; **7.** Mode..., Luxus..., fein: ~ *goods* Mode-, Galanteriewaren; **8.** verziert, bunt, gemustert; kunstvoll, ausgefallen: ~ *cakes* feines Gebäck; ~ *dog* Hund aus e-r Liebhaberzucht; ~ *paper* Buntpapier; ~ *skating* Eiskunstlauf; **III.** *v/t.* **9.** sich *j-n od. et.* vorstellen, sich *et.* einbilden: ~ *(that)!* stell dir vor!, nicht zu glauben!; ~ *meeting you here!* nanu, du hier?; **10.** meinen; halten für: *I* ~ *he is out* ich glaube (fast), daß er aus ist; *to* ~ *o.s.* (*very important*) sich sehr wichtig vorkommen; **11.** gern haben *od.* mögen: *I don't* ~ *this suit* dieser Anzug gefällt mir nicht; *I could* ~ *an ice-cream* ich hätte Lust auf ein Eis; '~**-'ball** *s.* Ko'stümfest *n*, Maskenball *m*; '~**-'dress** *s.* ('Masken)Ko,stüm *n*: ~ *ball* → *fancy-ball*; ~ **fair** *s. Art* 'Wohltätigkeitsba,sar *m*; ~ **man** *s.* [*irr.*] *sl.* ,Louis' *m*, Zuhälter *m*; '~**-work** *s.* feine Handarbeit, Stikke'rei *f*.

fane [fein] *s. obs.* Tempel *m*, Kirche *f*.

fan·fare ['fænfɛə] *s.* ♪ Fan'fare *f*, Tusch *m*: *with much* ~ *fig.* mit großem Tamtam; **fan·fa·ron·ade** [fænfærə'nɑːd] *s.* Prahle'rei *f*, Großsprecher'rei *f*.

fang [fæŋ] *s.* **1.** *zo.* **a)** Fang(zahn) *m* (*Raubtier*), **b)** Hauer *m* (*Eber*), **c)** Giftzahn *m* (*Schlange*); **2.** *anat.* Zahnwurzel *f*; **3.** ⊕ Dorn *m*, Zapfen *m*, Klaue *f*.

'fan-light *s.* ⚠ (fächerförmiges) Oberlicht (*Fenster über e-r Tür*).

fan·ner ['fænə] *s.* ⊕ Gebläse *n*.

'fan|-palm *s.* ⚘ Fächerpalme *f*; '~**-tail** *s. orn.* Pfau(en)taube *f*.

fan·ta·sia [fæn'teizjə] *s.* ♪ Fanta'sia *f*; **fan'tas·tic** [-'tæstik] *adj.* (□ ~*ally*) phan'tastisch: **a)** wunderlich, gro'tesk, **b)** unbegründet, (nur) eingebildet, **c)** närrisch, über'spannt; **fan·tas·ti·cal·i·ty** [fæntæsti'kæliti] *s.* Phantaste'rei *f*; Wunderlichkeit *f*; **fan·ta·sy** ['fæntəsi] *s.* **1.** Phanta'sie *f*: **a)** Einbildungskraft *f*, **b)** Einbildung *f*, Hirngespinst *n*, Wahnvorstellung *f*; **2.** ♪ Fanta'sia *f*.

fan| trac·er·y, ~ **vault·ing** *s.* ⚠ Fächergewölbe *n*; '~**-wheel** *s.* ⊕ Flügel-, Gebläse-, Windrad *n*.

far [fɑː] **I.** *adj.* **1.** fern, entfernt, weit (*Reise etc.*); **2.** entfernter (*vom Sprecher aus*): *at the* ~ *end* am anderen Ende; **II.** *adv.* **3.** weit, fern: *from* ~ von weit her; ~ *and near* nah u. fern, überall; ~ *and wide* weit und breit; ~ *and away* bei weitem, um vieles; *as* ~ *as* **a)** soweit *od.* soviel (wie), **b)** bis (nach); *as* ~ *as that goes* was das betrifft; *as* ~ *back as last year* schon *od.* noch voriges Jahr; *in as (od. so)* ~ *as* insofern als, falls; *so* ~ bisher, bis jetzt; *so* ~ *so good* so weit, so gut; ~ *from* keineswegs, durchaus nicht, nicht nur, daß *ich etc.* nicht ..., nicht zu reden von; ~ *from rich* alles andere als reich; ~ *from it!* keineswegs!, nicht die Spur!; *I am* ~ *from doing* es liegt mir fern (*od.* ich bin weit entfernt davon) zu tun; ~ *away*, ~ *off* weit weg *od.* entfernt; *not* ~ *off 70* an die *od.* fast 70; ~ *into* bis weit *od.* hoch *od.* tief in (*acc.*); ~ *out* **a)** weit draußen *od.* hinaus, **b)** weit gefehlt; ~ *up* hoch oben; ~ *be it from me* (*to inf.*) es liegt mir fern (zu *inf.*); *to go* ~ **a)** weit *od.* lange (aus)reichen, **b)** es weit bringen; *to go too* ~ *fig.* zu weit gehen; *that* *went* ~ *to convince me* das überzeugte mich beinahe; *I will go so* ~ *as to say* ich will sogar behaupten; **4.** *a. by* ~ weit(aus), bei weitem, sehr viel, ganz: ~ *better* viel besser; (*by*) ~ *the best* weitaus der (die, das) beste, bei weitem am besten.

far·ad [ˈfærəd] *s.* ⚡ Faˈrad *n.*

ˈfar|-a·way *adj.* **1.** weitentfernt; **2.** *fig.* entrückt, verträumt; **ˈ~-beˈtween** *adj.* vereinzelt, sehr selten; → *few 1.*

farce [fɑːs] *s.* **1.** *thea.* Posse *f*, Schwank *m*; **2.** *fig.* Farce *f*, Theˈater *n*; **ˈfar·ci·cal** [-sikəl] *adj.* □ **1.** possenhaft; **2.** *fig.* lächerlich, abˈsurd.

far·del [ˈfɑːdəl] *s. obs.* Bürde *f*, Last *f* (*a. fig.*).

fare [fɛə] **I.** *s.* **1. a)** Fahrpreis *m*, **b)** Flugpreis *m*: *what's the* ~? was kostet die Fahrt?; ~ *stage* Zahlgrenze, Teilstrecke (*Bus etc.*); *any more* ~*s?* noch jemand ohne Fahrschein?; **2.** Fahrgast *m*; **3.** Kost *f*, Verpflegung *f*, Nahrung *f*; **II.** *v/i.* **4.** sich befinden, darˈan sein, (er)gehen: *how did you* ~? wie ist es dir ergangen?; *he* ~*d ill, it* ~*d ill with him* es erging ihm schlecht; *we* ~*d well* es ging uns gut; ~ *thee well poet.* leb wohl; **5.** *poet.* reisen, sich aufmachen.

Far East *s.*: *the* ~ der Ferne Osten.

ˈfareˈwell I. *int.* lebe(n Sie) wohl!; **II.** *s.* Lebeˈwohl *n*, Abschiedsgruß *m*: *to bid s.o.* ~ j-m Lebewohl sagen; *to make one's* ~*s* Abschied nehmen; ~ *to* genug von, nie wieder ...; **III.** *adj.* Abschieds...

ˈfar|-ˈfamed *adj.* ˈweithin berühmt; **ˈ~-ˈfetched** *adj. fig.* weithergeholt, gesucht, an den Haaren herˈbeigezogen; **ˈ~-ˈflung** *adj.* weit (-ausgedehnt); *fig.* weitgespannt; **~ gone** *adj. pred.* schlimm dran: **a)** stark angetrunken, **b)** halb verrückt, **c)** stark verschuldet, **d)** fast tot.

fa·ri·na [fəˈrainə] *s.* **1.** feines Mehl; **2.** ⚗ Stärke *f*; **3.** *Brit.* ✿ Blütenstaub *m*; **4.** *zo.* Staub *m*; **far·i·na·ceous** [færiˈneiʃəs] *adj.* Mehl..., Stärke...: ~ *food* (*od. products*) Teigwaren.

farm [fɑːm] **I.** *s.* **1.** Bauernhof *m*, -gut *n*, Gehöft *n*, Farm *f*; **2.** → *farm-house*; **3.** Farm *f*, Zucht (-stätte) *f*: *chicken* ~ Hühnerfarm; *oyster-*~ Austernzucht; **II.** *v/t.* **4.** *Land* bebauen, bewirtschaften; **5.** pachten; **6.** *oft* ~ *out Gut, Steuer* (*-einkünfte*) *etc.* verpachten, in Pacht geben; **7.** *mst* ~ *out* **a)** in (bezahlte) Pflege geben, ˈunterbringen, **b)** † *Arbeit* vergeben; **III.** *v/i.* **8.** Landwirt sein; **ˈfarm·er** [-mə] *s.* **1.** (Groß)Bauer *m*, Landwirt *m*; **2.** Pächter *m*; **3.** Züchter *m*, Bauer *m*: *cattle* ~ Viehzüchter; *fruit* ~ Obstbauer; **4.** Steuerpächter *m*; **5.** Betreuer(in).

ˈfarm|-hand *s.* Landarbeiter(in); Knecht *m*, Magd *f*; **ˈ~-house** *s.* Bauern-, Gutshaus *n*: ~ *bread* Landbrot; ~ *butter* Landbutter.

farm·ing [ˈfɑːmiŋ] *s.* Landwirtschaft *f*.

ˈfarm|-la·bo(u)r·er → *farm-hand*; **~ land** *s.* Ackerland *n*; **ˈ~·stead** *s.* Bauernhof *m*, Gehöft *n*; **~ work·er** → *farm-hand*; **ˈ~·yard** *s.* Wirtschaftshof *m* e-s Bauerngutes.

far·o [ˈfɛərou] *s.* ˈPhar(a)o *n* (*Kartenglücksspiel*).

fa·rouche [fəˈruːʃ] (*Fr.*) *adj.* **1.** bissig, mürrisch; **2.** scheu.

far·ra·go [fəˈrɑːgou] *pl.* **-gos**, *Am.* **-goes** *s.* Gemisch *n*, Mischmasch *m*.

ˈfar-ˈreach·ing *adj.* **1.** weitreichend (*a. fig.*); **2.** *fig.* folgenschwer.

far·ri·er [ˈfæriə] *s.* Hufschmied *m*; ⚔ Beschlagmeister *m*.

far·row [ˈfærou] **I.** *s.* Wurf *m* Ferkel; **II.** *v/i.* ferkeln; **III.** *v/t. Ferkel* werfen.

ˈfar|-ˈsee·ing *adj. fig.* weitblickend, ˈumsichtig; **ˈ~-ˈsight·ed** *adj.* **1.** *fig.* → *far-seeing*; **2.** ⚕ weitsichtig; **ˈ~ˈsight·ed·ness** *s.* **1.** Scharfsinn *m*, ˈUmsicht *f*; **2.** ⚕ Weitsichtigkeit *f*.

fart [fɑːt] V **I.** *s.* Furz *m*; **II.** *v/i.* furzen.

far·ther [ˈfɑːðə] **I.** *adj.* **1.** *comp. von far*; **2.** → *further 3, 4*; **3.** entfernter (*vom Sprecher aus*): *the* ~ *shore* das gegenüberliegende Ufer; **II.** *adv.* **4.** weiter: *so far and no* ~ bis hierher u. nicht weiter; **5.** → *further 1, 2*; **ˈfar·thest** [-ðist] *adj. u. adv., sup. von far*: ~ *north* **a)** höchster Norden, **b)** am weitesten nördlich.

far·thing [ˈfɑːðiŋ] *s.* Farthing *m* (1/4 *Penny; seit 1. 1. 1961 abgeschafft*): *not worth a* (*brass*) ~ *Brit.* keinen (roten) Heller wert.

far·thin·gale [ˈfɑːðiŋgeil] *s. hist.* Reifrock *m*, Krinoˈline *f*.

Far West *s. Am. Gebiet der Rocky Mountains u. der pazifischen Küste.*

fas·ces [ˈfæsiːz] *s. pl. antiq.* ˈFaszes *pl.*, Likˈtorenbündel *n*.

fas·ci·a [ˈfeiʃə] *pl.* **-ae** [-iː] *s.* **1.** Binde *f*, (Quer)Band *n*; **2.** *zo.* Farbstreifen *m*; **3.** [ˈfæʃiə] *anat.* Muskelbinde *f*; **4.** △ Gurtsims *m*; **5.** → *facia 1, 2*; **fas·ci·at·ed** [ˈfæʃieitid] *adj.* **1.** quergestreift; **2.** ✿ zs.-gewachsen.

fas·ci·cle [ˈfæsikl] *s.* **1.** *a.* ✿ Bündel *n*, Büschel *n*; **2.** Fasˈzikel *m*: **a)** (Teil-) Lieferung *f*, Einzelheft *n* (*Buch*), **b)** Aktenbündel *n*; **fas·cic·u·lar** [fəˈsikjulə], **fas·cic·u·late** [fəˈsikjuleit] *adj.* büschelförmig; **ˈfas·ci·cule** [-kjuːl] → *fascicle*.

fas·ci·nate [ˈfæsineit] *v/t.* **1.** faszinieren, bezaubern, reizen, fesseln, bannen: ~*d* gebannt; **2.** hypnotisieren; **ˈfas·ci·nat·ing** [-tiŋ] *adj.* □ faszinierend, bannend, fesselnd, spannend; **fas·ci·na·tion** [fæsiˈneiʃən] *s.* **1.** Faszinatiˈon *f*, Bezauberung *f*; **2.** Zauber *m*, Reiz *m*.

fas·cine [fæˈsiːn] *s.* **1.** Reisigbündel *n*; **2.** ⚔, ⊕ Faˈschine *f*.

Fas·cism [ˈfæʃizəm] *s. pol.* Faˈschismus *m*; **ˈFas·cist** [-ist] **I.** *s.* Faˈschist *m*; **II.** *adj.* faˈschistisch.

fash [fæʃ] *Scot.* **I.** *v/i.* sich ärgern *od.* aufregen, aufbrausen; **II.** *v/t.* ärgern: *to* ~ *o.s.*

fash·ion [ˈfæʃən] **I.** *s.* **1.** Mode *f*: *to come into* ~ Mode werden; *it is the* ~ es ist Mode *od.* modern (*od.* Sitte, → 2); *in the English* ~ nach englischer Mode (*od.* Art, → 2); *to be all the* ~ hochmodern sein; *out of* ~ unmodern; *to set the* ~ **a)** die Mode vorschreiben, **b)** *fig.* den Ton angeben; ~ *designer* Modezeichner(in); **2.** Sitte *f*, Brauch *m*, Art *f* (u. Weise *f*), Stil *m*, Maˈnier *f*: *to behave in a strange* ~ sich sonderbar benehmen; *after their* ~ nach ihrer Weise; *after* (*od. in*) *a* ~ schlecht u. recht, soso lala; *crab-*~ (nach) Krebsart; **3.** (feine) Lebensart, gute Maˈnieren *pl.*: *a man of* ~; **4.** Machart *f*, Form *f*, (Zu)Schnitt *m*, Fasˈson *f*; **II.** *v/t.* **5.** herstellen, machen; **6.** bilden, formen, gestalten, arbeiten; **7.** anpassen; **fash·ion·a·ble** [ˈfæʃnəbl] **I.** *adj.* □ **1.** moˈdern, modisch; **2.** vornehm, eleˈgant; **3.** Mode...: ~ *complaint* Modekrankheit; **II.** *s.* **4.** *the* ~*s* die elegante Welt; **ˈfash·ioned** [-nd] *adj. in Zssgn* ...geformt, ...ausgeführt.

ˈfash·ion|·mon·ger *s.* Modenarr *m*; **~ pa·rade** → *fashion show*; **ˈ~-plate** *s.* Modebild *n*, -blatt *n*; **~ show** *s.* Mode(n)schau *f*.

fast[1] [fɑːst] **I.** *adj.* **1.** schnell, geschwind: ~ *train* Schnell-, D-Zug; *my watch is* ~ m-e Uhr geht vor; **2.** ‚schnell' (*hohe Geschwindigkeit gestattend*): ~ *road*; ~ *racecourse*; ~ *tennis-court*; **3.** *phot.* lichtstark; **4.** flott, leichtlebig; locker, liederlich; **II.** *adv.* **5.** schnell; **6.** häufig, reichlich, stark; **7.** leichtsinnig.

fast[2] [fɑːst] **I.** *adj.* **1.** fest, befestigt, unbeweglich; fest zs.-haltend: *to make* ~ festmachen, fest schließen; ~ *friend* treuer Freund; **2.** beständig, haltbar: ~ *colo(u)r* (wasch)echte Farbe; ~ *to light* lichtecht; **II.** *adv.* **3.** fest, sicher: *to be* ~ *asleep* fest schlafen; *stuck* ~ festgefahren; *to play* ~ *and loose* Schindluder treiben (*with* mit).

fast[3] [fɑːst] **I.** *v/i.* **1.** fasten; **II.** *s.* **2.** *R.C.* Fasten *n*; **3.** Fastenzeit *f*.

ˈfast|·back *s. mot.* (*a.* Wagen *m* mit) Fließheck *n*; **ˈ~-day** *s.* Fasttag *m*.

fas·ten [ˈfɑːsn] **I.** *v/t.* **1.** befestigen, festmachen, -binden (*to, on* an *dat.*); **2.** *a.* ~ *up* fest zumachen, (ver-, ab)schließen, zuknöpfen, zuschnüren; zs.-fügen, verbinden: *to* ~ *with nails* zunageln; **3.** *Augen* heften, *s-e Aufmerksamkeit* richten (*on* auf *acc.*); **4.** (*on*) **a)** *Namen* anhängen (*dat.*), **b)** *j-m et.* anhängen *od.* in die Schuhe schieben; **II.** *v/i.* **5.** sich schließen lassen, geschlossen werden; **6.** *a. fig.* (*on*) sich heften *od.* klammern an (*acc.*); sich stürzen (auf *acc.*); **7.** (*on*) ausersehen, herˈausgreifen (*acc.*); aufs Korn nehmen (*acc.*); **~ down** *v/t.* befestigen; **~ off** *v/t.* befestigen, verknoten.

fas·ten·er [ˈfɑːsnə] *s.* Verschluß *m*, Halter *m*, Druckknopf *m*: *paper-*~ Musterklammer; **ˈfas·ten·ing** [-niŋ] *s.* Verschluß *m*, Befestigung(svorrichtung) *f*, Sicherung *f*.

fas·tid·i·ous [fæsˈtidiəs] *adj.* □ schwer zu befriedigen(d), eigen, anspruchsvoll, heikel, wählerisch; **fasˈtid·i·ous·ness** [-nis] *s.* Verwöhntheit *f*, anspruchsvolles Wesen.

fast·ing cure [ˈfɑːstiŋ] *s.* Fasten-, Hungerkur *f*.

fast·ness [ˈfɑːstnis] *s.* **1.** Festigkeit *f*, Haltbarkeit *f*; Echtheit *f* (*Farben*); **2.** fester Platz, Feste *f*; Schlupfwinkel *m*; **3.** Schnelligkeit *f*; **4.** *fig.* Leichtlebigkeit *f*.

fat [fæt] **I.** *adj.* □ → *fatly*; **1.** dick, beleibt, fett, feist: ~ *cattle* Mastvieh; ~ *type typ.* Fettdruck; **2.** fett, fetthaltig, fettig, ölig: ~ *coal* Fettkohle; **3.** *fig.* fett, reich(lich), einträglich: ~ *purse* dicker Geldbeutel; ~ *soil* fruchtbarer Boden; *a* ~ *lot* F *iro.* herzlich wenig; **II.** *s.* **4.** *a.* ♂, *biol.* Fett *n*: *to run to* ~ Fett ansetzen; *the* ~ *is in the fire* der Teufel ist los; **5.** *the* ~ das Beste: *to live on the* ~ *of the land* in Saus u. Braus leben; **III.** *v/t.* **6.** mästen: *to kill the* ~*ted calf fig.* das gemästete Kalb schlachten.

fa·tal ['feitl] *adj.* □ **1.** tödlich, todbringend; lebensgefährlich: *a* ~ *accident* ein tödlicher Unfall; **2.** vernichtend, unheilvoll, verhängnisvoll (*to* für): ~ *thread* Lebensfaden; **3.** schicksalhaft, entscheidend; **'fa·tal·ism** [-təlizəm] *s.* Fata'lismus *m*, Schicksalsglaube *m*; **'fa·tal·ist** [-təlist] *s.* Fata'list *m*; **fa·tal·is·tic** [feitə'listik] *adj.* (□ ~*ally*) fata'listisch.

fa·tal·i·ty [fə'tæliti] *s.* **1.** Verhängnis *n*, Schicksalsschlag *m*, Unglück *n*; **2.** Unglücks-, Todesfall *m*; Todesopfer *n*; **3.** tödlicher Ausgang.

fa·ta mor·ga·na ['fɑːtə mɔː'gɑːnə] *s.* 'Fata Mor'gana *f*, Luftspiegelung *f*.

fate [feit] *s.* **1.** Schicksal *n*, Geschick *n*, Los *n*: *he met his* ~ das Schicksal ereilte ihn; *he met his* ~ *calmly* er sah s-m Schicksal ruhig entgegen; *to seal s.o.'s* ~ j-s Schicksal besiegeln; **2.** Verhängnis *n*, Verderben *n*, 'Untergang *m*: *to go to one's* ~ den Tod finden; **3.** Schicksalsgöttin *f*: *the* ♀*s* die Parzen; **'fat·ed** [-tid] *adj.* vom Schicksal bestimmt; **'fate·ful** [-ful] *adj.* □ **1.** schicksalhaft; **2.** verhängnisvoll; **3.** schicksalsschwer.

'fat|-head *s.* Dummkopf *m*, ,Hammel' *m*; **'~-'head·ed** *adj.* dumm, blöde, doof.

fa·ther ['fɑːðə] **I.** *s.* **1.** Vater *m*: *like* ~ *like son* der Apfel fällt nicht weit vom Stamm; ~ *of his country* Landesvater; **2.** ♀ Gott(vater) *m*; **3.** *R.C.* **a)** 'Pater *m*: *the Holy* ♀ der Heilige Vater, **b)** *a.* ~ *confessor* Beichtvater *m*; **4.** *mst pl.* Ahn *m*, Vorfahr *m*: *to be gathered to one's* ~*s* zu s-n Vätern versammelt werden; **5.** *fig.* Vater *m*, Urheber *m*, Älteste(r) *m*: *the* ~ *of chemistry* der Vater der Chemie; ♀*s* (*of the Church*) Kirchenväter; ♀ *of the House Brit.* rangältestes Parlamentsmitglied; *the wish is* ~ *to the thought* der Wunsch ist der Vater des Gedankens; **6.** *fig.* Beschützer *m*; **II.** *v/t.* **7.** *Kind* zeugen; **8.** *et.* ins Leben rufen, her'vorbringen; **9.** väterlich behandeln; sich annehmen (*gen.*); **10.** sich als Vater *od.* Urheber (*gen.*) bekennen; **11.** die Vaterschaft (*a. fig.*) *od.* die Schuld *etc.* für *et.* zuschreiben (*on dat.*); ♀ **Christ·mas** *s. Brit.* Weihnachtsmann *m*; **'~-fig·ure** *s. psych.* 'Vaterfiˌgur *f*, Leitbild *n*.

fa·ther·hood ['fɑːðəhud] *s.* Vaterschaft *f*; **'fa·ther-in-law** *s.* Schwiegervater *m*; **'fa·ther·land** *s.* Vaterland *n*; **'fa·ther·less** [-lis] *adj.* vaterlos; **'fa·ther·li·ness** [-linis] *s.* Väterlichkeit *f*; **'fa·ther·ly** [-li] *adj.* väterlich.

fath·om ['fæðəm] **I.** *s.* **1.** Faden *m*, Klafter *f* (⚓ *Tiefenmaß*); **2.** Klafter *f* (*Holzmaß*); **II.** *v/t.* **3.** loten, sondieren; **4.** *fig.* ergründen, eindringen in (*acc.*), verstehen; **'fath·om·less** [-lis] *adj.* □ unergründlich, bodenlos; **'fath·om-line** *s.* ⚓ Lotleine *f*.

fa·tigue [fə'tiːg] **I.** *s.* **1.** Ermüdung *f* (*a.* ⊕), Müdigkeit *f*, Ermattung *f*; Erschöpfung *f*; **2.** schwere Arbeit, Mühsal *f*, Stra'paze *f*; **3.** ⚔ **a)** Arbeitsdienst *m*, **b)** *pl.* Arbeits-, Drillichanzug *m*; **II.** *v/t.* **4.** *a.* ⊕ ermüden; **5.** ⊕ altern; ~ **de·tail** *s.* ⚔ 'Arbeitskomˌmando *n*; ~**-dress** → *fatigue 3b*; ~**-du·ty** → *fatigue 3a*; ~ **lim·it** *s.* ⊕ Ermüdungsgrenze *f*; ~**-par·ty** → *fatigue detail*; ~ **test** *s.* ⊕ Dauerprüfung *f*.

fa·ti·guing [fə'tiːgiŋ] *adj.* □ ermüdend, anstrengend.

fat·less ['fætlis] *adj.* ohne Fett, mager; **'fat·ling** [-liŋ] *s.* junges Masttier; **'fat·ly** [-li] *adv. fig.* reichlich; **'fat·ness** [-nis] *s.* Fettheit *f*: **a)** Beleibtheit *f*, **b)** Fette *f*, Fettigkeit *f*; **fat stock** *s.* Mastvieh *n*; **'fat·ten** [-tn] **I.** *v/t.* **1.** fett *od.* dick machen; **2.** *Tier* mästen; **3.** *Land* düngen; **II.** *v/i.* **4.** fett *od.* dick werden; **5.** sich mästen (*on* von); **'fat·tish** [-tiʃ] *adj.* etwas fett *od.* dick; **'fat·ty** [-ti] **I.** *adj. a.* ♂, ⚕ fetthaltig, fettig, Fett...: ~ *acid* Fettsäure; ~ *degeneration* Verfettung; ~ *heart* Herzverfettung; ~ *tissue* Fettgewebe; **II.** *s.* F Dickerchen *n*.

fa·tu·i·ty [fə'tju(ː)iti] *s.* Albernheit *f*, Einfältigkeit *f*; **fat·u·ous** ['fætjuəs] *adj.* □ **1.** albern, einfältig, dumm; **2.** sinnlos.

fau·cal ['fɔːkəl] *adj.* Kehl..., Rachen...; **fau·ces** ['fɔːsiːz] *s. pl. mst sg. konstr. anat.* Rachen *m*, Schlund *m*.

fau·cet ['fɔːsit] *s.* ⊕ *bsd. Am.* Hahn *m*, (Faß)Zapfen *m*.

faugh [fɔː] *int.* pfui!

fault [fɔːlt] *s.* **1.** Fehler *m*, Makel *m*, Mangel *m*: *in spite of all his* ~*s* trotz all s-r Fehler; *to find* ~ tadeln, nörgeln, et. auszusetzen haben (*with* an *dat.*); *to a* ~ allzu(sehr); **2.** Schuld *f*, Verschulden *n*; Vergehen *n*, Fehltritt *m*: *it is my* ~ es ist m-e Schuld, ich bin schuld; *at* (*od. in*) ~ schuldig, im Unrecht; → *3 u. 4*; **3.** Irrtum *m*, Versehen *n*: *to be at* ~ sich irren; → *2 u. 4*; **4.** *to be at* ~ **a)** *hunt.* die Spur verlieren, **b)** *fig.* auf falscher Fährte sein; → *2 u. 3*; **5.** ⚡, ⊕ De'fekt *m*, Störung *f*; ⚡ Erdfehler *m*: ~ *current* Fehlstrom; **6.** *geol.* Verwerfung *f*; **7.** *Tennis etc.*: Fehler *m*; **'~·find·er** *s.* Besserwisser *m*, Nörgler *m*, Krittler *m*; **'~·find·ing** **I.** *s.* Kritte'lei *f*, Nörge'lei *f*; **II.** *adj.* krittelnd, nörgelnd.

fault·i·ness ['fɔːltinis] *s.* Fehlerhaftigkeit *f*; **'fault·less** [-tlis] *adj.* □ einwand-, fehlerfrei, tadellos; **'fault·less·ness** [-tlisnis] *s.* Fehler-, Tadellosigkeit *f*; **faults·man** ['fɔːltsmən] *s.* [*irr.*] *tel., teleph.* Störungssucher *m*; **'fault·y** [-ti] *adj.* □ fehler-, schadhaft, schlecht, Fehl...

faun [fɔːn] *s. antiq.* Faun *m*.

fau·na ['fɔːnə] *s.* 'Fauna *f*, (*a.* Abhandlung *f* über e-e) Tierwelt *f*.

fau·teuil ['foutəːi; fotœːj] (*Fr.*) *s.* **1.** Armsessel *m*; **2.** *thea.* Sperrsitz *m*.

faux pas ['fou'pɑː] *pl.* **pas** [pɑːz] *s.* Faux'pas *m*, Fehltritt *m*.

fa·vo(u)r ['feivə] **I.** *s.* **1.** Gunst *f*, Gnade *f*, Wohlwollen *n*: *in* ~ *of* zugunsten von (*od. gen.*); *in my* ~ zu m-n Gunsten; *who is in* ~? wer ist dafür *od.* einverstanden?; *to be in* ~ (*with*) beliebt sein (bei), begehrt sein (von); *to fall from* ~ in Ungnade fallen; *to find* ~ Anklang finden; *to find* ~ *in s.o.'s eyes* Gnade vor j-s Augen finden; *to grant a* ~ e-e Gunst gewähren; **2.** Gefallen *m*, Gefälligkeit *f*: *as a* ~ aus Gefälligkeit; *by* ~ *of* mit gütiger Erlaubnis von, durch gütige Vermittlung von; *do me a* ~ tu mir e-n Gefallen; *to ask s.o. a* ~ j-n um e-n Gefallen bitten; *I request the* ~ *of your company* ich lade Sie höflich ein; **3.** Begünstigung *f*, Bevorzugung *f*, Vorteil *m*, Vorliebe *f*: *to show* ~ *to s.o.* j-n (parteiisch) bevorzugen; *under* ~ *of night* im Schutze der Nacht; **4.** *pl.* Gunstbezeigung *f* (*e-r Frau*): *to grant one's* ~*s to j-m* s-e Liebe schenken; **5.** ✝ *obs.* Schreiben *n*: *your* ~ *of yesterday* Ihr Geehrtes von gestern; **6.** (Band)Schleife *f*, Ro'sette *f*, Abzeichen *n*; **II.** *v/t.* **7.** begünstigen, günstig sein (*dat.*); bevorzugen; **8.** geneigt sein (*dat. od.* zu *inf.*), einverstanden sein mit; für *et.* sprechen; **9.** fördern, unter'stützen, bestätigen; **10.** beehren, erfreuen (*with* mit); **'fa·vo(u)r·a·ble** [-vərəbl] *adj.* □ **1.** günstig, vorteilhaft (*for* für); **2.** gefällig, geneigt (*to dat.*), freundlich; **3.** dienlich, förderlich (*to dat.*); **4.** bejahend; **'fa·vo(u)red** [-vəd] *adj.* begünstigt: *the* ~ *few* die Auserwählten; → *most-favo(u)red-nation clause*; **'fa·vo(u)r·ite** [-vərit] **I.** *s.* **1.** Günstling *m*; Liebling *m* (*a. fig. Schriftsteller, Schallplatte etc.*): *to be s.o.'s (great)* ~ bei j-m (sehr) beliebt sein; *that book is a great* ~ *of mine* dieses Buch liebe ich sehr; **2.** *sport* Favo'rit(in); **II.** *adj.* **3.** Lieblings...: ~ *dish* Leibgericht; **'fa·vo(u)r·it·ism** [-vəritizəm] *s.* Günstlingswirtschaft *f*.

fawn[1] [fɔːn] **I.** *s.* **1.** *zo.* Damkitz *n*, Rehkalb *n*; **2.** Rehbraun *n*; **II.** *adj.* **3.** *a.* ~*-colo(u)red* rehbraun; **III.** *v/t.* **4.** *Kitze* setzen.

fawn[2] [fɔːn] *v/i.* **1.** schwänzeln, wedeln; **2.** *fig.* (*upon*) sich einschmeicheln (bei), kriechen (vor *dat.*); **'fawn·ing** [-niŋ] *adj.* □ *fig.* kriecherisch, schmeichlerisch.

fay [fei] *s. poet.* Fee *f*.

faze [feiz] *v/t. Am.* F *j-n* durchein'anderbringen, beunruhigen.

fe·al·ty ['fiːəlti] *s. hist.* (Lehens-) Treue *f*.

fear [fiə] **I.** *s.* **1.** Furcht *f*, Angst *f* (*of* vor *dat.*, *that od. lest* daß ...): *to be in* ~ *of* fürchten (*acc.*); *in* ~ *of one's life* in Todesangst; *for* ~ *of* **a)** aus Furcht vor (*dat.*) *od.* daß, **b)** um nicht, damit nicht; *for* ~ *of losing it* um es nicht zu verlieren; *without* ~ *or favo(u)r* objektiv, unparteiisch; *in* ~ *and trembling* mit

Furcht u. Zittern; **2.** *pl.* Befürchtung *f*, Bedenken *n*; **3.** Sorge *f*, Besorgnis *f* (*for* um); **4.** Gefahr *f*, 'Risiko *n*: *there is not much ~ of that* das ist kaum zu befürchten; *no ~!* sei unbesorgt, k-e Bange; **5.** Scheu *f*, Ehrfurcht *f* (*of* vor): *~ of God* Gottesfurcht; **II.** *v/t.* **6.** fürchten, sich fürchten vor (*dat.*), Angst haben vor (*dat.*); **7.** *et.* befürchten: *to ~ the worst* das Schlimmste befürchten; **8.** *Gott* fürchten; **III.** *v/i.* **9.** Furcht *od.* Angst haben; **10.** besorgt sein (*for* um): *never ~!* sei unbesorgt!; '**fear·ful** [-ful] *adj.* □ **1.** furchtbar, fürchterlich, schrecklich (*alle a.* F = *kolossal*); **2.** schreckhaft, furchtsam, bange (*of* vor *dat.*); **3.** besorgt (*of* um, *that od. lest* daß); **4.** ehrfürchtig; '**fear·ful·ly** [-fəli] *adv.* F furchtbar, ungemein; '**fear·ful·ness** [-fulnis] *s.* **1.** Furchtbarkeit *f*; **2.** Furchtsamkeit *f*; Schreckhaftigkeit *f*; '**fear·less** [-lis] *adj.* □ furchtlos, unerschrocken; '**fear·less·ness** [-lisnis] *s.* Furchtlosigkeit *f*; '**fear·some** [-səm] *adj.* □ *mst humor.* fürchterlich, gräßlich.

fea·si·bil·i·ty [fi:zə'biliti] *s.* 'Durchführbarkeit *f*, Möglichkeit *f*; **fea·si·ble** ['fi:zəbl] *adj.* □ aus-, 'durchführbar, möglich.

feast [fi:st] **I.** *s.* **1.** Fest(tag *m*) *n*, Feiertag *m*: *(im)movable ~* (un)bewegliches Fest; **2.** Festlichkeit *f*, Festmahl *n*, -essen *n*, Schmaus *m*; → *enough II*; **3.** (Hoch)Genuß *m*: *~ for the eyes* Augenweide; **II.** *v/t.* **4.** (festlich) bewirten; **5.** ergötzen: *to ~ one's eyes on* s-e Augen weiden an (*dat.*); **III.** *v/i.* **6.** (*on*) schmausen (von), sich gütlich tun (an *dat.*); schwelgen (in *acc.*); **7.** sich ergötzen *od.* weiden (*on* an *dat.*).

feat [fi:t] *s.* **1.** Helden-, Großtat *f*: *~ of arms* Waffentat; **2.** *technische etc.* Großtat, große Leistung; Kunst-, Meisterstück *n*.

feath·er ['feðə] **I.** *s.* **1.** Feder *f*, *pl.* Gefieder *n*: *in high ~* in gehobener Stimmung; *in full ~* **a)** ‚aufgedonnert', **b)** in gehobener Stimmung; *to make the ~s fly* sich heftig streiten, Krach machen; *that is a ~ in his cap* darauf kann er stolz sein; *you might have knocked me down with a ~* ich war einfach ‚platt' (*erstaunt*); → *bird 2, fur 4, white feather*; **2.** Schaumkrone *f* (*e-r Welle*); **3.** *Rudern*: Flachhalten *n* der Riemen; **II.** *v/t.* **4.** mit Federn versehen *od.* schmücken; *Pfeil* fiedern; **5.** *Rudern*: *Riemen* flach drehen; **6.** ✈ *Propeller* auf Segelstellung fahren; '**~-bed I.** *s.* (*Feder*)'Unterbett *n*; **II.** *v/t. sl.* verpäppeln, verwöhnen; '**~-brained** *adj.* unbesonnen; dumm; '**~-dust·er** *s.* Staubwedel *m*.

feath·ered ['feðəd] *adj.* **1.** be-, gefiedert; Feder...: *~ tribe(s)* Vogelwelt; **2.** federartig, flaumig.

'**feath·er|-edge** *s.* ⊕ zugeschärfte Kante; '**~-grass** *s.* ♀ Federgras *n*; '**~-head·ed** → *feather-brained*.

feath·er·ing ['feðəriŋ] *s.* **1.** Gefieder *n*; **2.** Befiederung *f*; **3.** ✈ Segelstellung *f* (*Propeller*).

'**feath·er|-stitch** *s.* Hexenstich *m*; '**~-weight** *s. sport* Federgewicht(ler *m*) *n*.

feath·er·y ['feðəri] *adj.* federartig.

fea·ture ['fi:tʃə] **I.** *s.* **1.** (Gesichts-)Zug *m*; *mst pl.* Gesichtsbildung *f*, Züge *pl.*; **2.** Grundzug *m*, Merkmal *n*, Charakte'ristikum *n*, (Haupt-)Eigenschaft *f*; Hauptpunkt *m*, -teil *m*, Besonderheit *f*; **3.** (Gesichts-)Punkt *m*, Seite *f*; **4.** ('Haupt-)Attrakti,on *f*, Darbietung *f*; *Zeitung*: Spezi'alar,tikel *m*; → *feature film, feature program(me)*; **II.** *v/t.* **5.** kennzeichnen, bezeichnend sein für; **6.** (als Besonderheit) haben *od.* aufweisen, sich auszeichnen durch; **7.** (groß her'aus)bringen, her'ausstellen; als Hauptschlager zeigen *od.* bringen; *Film etc.*: in der Hauptrolle zeigen: *a film featuring X* ein Film mit X in der Hauptrolle; **~ film** *s.* Spiel-, Hauptfilm *m*.

fea·ture·less ['fi:tʃəlis] *adj.* nichtssagend.

fea·ture pro·gram(me) *s. Radio, Fernsehen*: 'Feature *n*.

feb·ri·fuge ['febrifju:dʒ] *s.* ⚕ Fiebermittel *n*; **fe·brile** ['fi:brail] *adj.* fiebernd, fe'bril, Fieber...

Feb·ru·ar·y ['februəri] *s.* Februar *m*: *in ~* im Februar.

fe·cal → *faecal*.

feck·less ['feklis] *adj.* □ schwach, unfähig, kraftlos, wertlos.

fec·u·lence ['fekjuləns] *s.* **1.** Schlammigkeit *f*; **2.** Bodensatz *m*; **3.** Schmutz *m*; '**fec·u·lent** [-nt] *adj.* schlammig; schmutzig.

fe·cund ['fi:kənd] *adj.* fruchtbar, produk'tiv (*beide a. fig. schöpferisch*); '**fe·cun·date** [-deit] *v/t.* fruchtbar machen; befruchten (*a. biol.*); **fe·cun·da·tion** [fi:kən'deiʃən] *s.* Befruchtung *f*; **fe·cun·di·ty** [fi'kʌnditi] *s.* Fruchtbarkeit *f*; Schöpferkraft *f*.

fed [fed] *pret. u. p.p. von feed*.

fed·er·al ['fedərəl] **I.** *adj.* □ *pol.* **1.** födera'tiv, Bundes...: *~ council (state)* Bundesrat (-staat); **2.** *USA* Unions..., Zentral..., *mst* Bundes... (*-gericht, -post etc.*); *hist.* födera'listisch; **II.** *s.* **3.** *USA hist.* Födera'list *m*; ♀ **Bu·reau of In·ves·ti·ga·tion** *s.* amer. ,Bundes'sicherheitspoli,zei *f*, amer. ,Bundeskrimi'nalamt *n* (*abbr. FBI*).

fed·er·al·ism ['fedərəlizəm] *s. pol.* Födera'lismus *m*; '**fed·er·al·ist** [-ist] **I.** *adj.* födera'listisch; **II.** *s.* Födera'list *m*; '**fed·er·al·ize** [-laiz] → *federate I*.

Fed·er·al Re·pub·lic *s. pol.* 'Bundesrepu,blik *f* (Deutschland).

fed·er·ate ['fedəreit] **I.** *v/t.* zu e-m Bündnis *od.* Staatenbund vereinigen; **II.** *v/i.* sich vereinigen *od.* verbünden; **III.** *adj.* [-rit] verbündet; **fed·er·a·tion** [fedə'reiʃən] *s.* **1.** po'litischer Zs.-schluß; **2.** Föderati'on *f*, Staatenbund *m*; **3.** † Vereinigung *f*, Verband *m*; '**fed·er·a·tive** [-rətiv] *adj.* □ → *federal 1*.

fe·do·ra [fi'dɔ:rə] *s. Am.* weicher Filzhut.

fee [fi:] **I.** *s.* **1.** *amtliche etc.* Gebühr; (Mitglieds)Beitrag *m*; Vergütung *f*, Hono'rar *n* (*Arzt, Anwalt etc.*); Lohn *m*, Trinkgeld *n*: *entrance ~* Eintrittsgeld; *school ~s* Schulgeld; **2.** *hist.* Lehensgut *n*; **3.** Eigentum *n*, Gut *n*: *~ farm* Erbpacht; *~ simple* volles Eigengut; *~-tail* Gut mit Erbbeschränkung; *to hold in ~* zu eigen haben; **II.** *v/t.* **4.** *j-m* e-e Gebühr bezahlen.

fee·ble ['fi:bl] *adj.* □ **1.** schwach (*a. fig. Lächeln, Versuch etc.*), schwächlich, kraftlos; **2.** unbedeutend, unwirksam; **3.** undeutlich; '**fee·ble-'mind·ed** *adj.* geistesschwach; '**fee·ble·ness** [-nis] *s.* Schwäche *f*.

feed [fi:d] **I.** *v/t.* [*irr.*] **1.** *Tier, Kind* füttern (*on, with* mit); *Säugling* nähren, stillen; *e-m Menschen* zu essen geben, *e-m Tier* zu fressen geben; *Vieh* weiden: *to ~ up* mästen, aufpäppeln; *to be fed up with sl. et.* satt haben, ‚die Nase voll haben' von; *to ~ o.s.* ohne Hilfe essen; *to ~ the fishes* **a)** seekrank sein, **b)** ertrinken; *to ~ a cold* bei Erkältung tüchtig essen; **2.** ernähren (*on* von), erhalten; **3.** versorgen (*with* mit); **4.** ⊕ *Maschine* speisen, beschicken, füllen; *Fluß* speisen; **5.** ⊕ *Material* zuführen; *Werkstück* vorschieben; **6.** *Feuer* unter'halten; *Hoffnung etc.* nähren, Nahrung geben (*dat.*); *s-e Augen* weiden (*on* an *dat.*); **7.** *oft ~ down, ~ close Wiese* abweiden lassen; **II.** *v/i.* [*irr.*] **8. a)** fressen (*Tier*), **b)** F essen (*Mensch*); **9.** sich ernähren, leben (*on* von); **III.** *s.* **10.** Fütterung *f*; F Mahlzeit *f*; **11.** Futter *n*, Nahrung *f*: *off one's ~* ohne Appetit; *out at ~* auf der Weide; **12.** ⊕ Speisung *f*, Beschickung *f*, Zuführung *f*, Vorschub *m*; **13.** Zufuhr *f*, Ladung *f*; '**~-back** *s.* ⚡ 'Feedback *n*, Rückkoppelung *f*; **~ bag** *s. Am.* Futtersack *m*; **~ cock** *s.* Speise-, Füllhahn *m*; **~ con·trol** *s.* ⊕ Vorschubschaltung *f*.

feed·er ['fi:də] *s.* **1.** *a large ~* ein starker Esser (*Mensch*) *od.* Fresser (*Tier*); **2.** ⊕ Zu-, Speiseleitung *f*; **3.** 🚂 *etc.* Zubringerzug *m etc.*; **4.** Bewässerungs-, Zuflußgraben *m*; Nebenfluß *m*; **5.** *Brit.* **a)** Kinderlatz *m*, **b)** Saugflasche *f*; **~ line** *s.* **1.** 🚂, ✈ 'Zubringer,linie *f*; **2.** ⚡ Speiseleitung *f*; **~ road** *s.* Zubringerstraße *f*.

feed·ing ['fi:diŋ] **I.** *s.* **1.** Fütterung *f*; **2.** Ernährung *f*; **3.** ⊕ Speisung *f*, Zuleitung *f*; **II.** *adj.* **4.** Zufuhr...; **5.** zunehmend: *a ~ storm*; '**~-bot·tle** *s.* Saugflasche *f*; **~ cup** *s.* ⚕ Schnabel-, Krankentasse *f*.

'**feed|-pipe** *s.* ⊕ Zuleitungsrohr *n*; '**~-pump** *s.* ⊕ Speisewasserpumpe *f*; '**~-tank** *s.* ⊕ Speisewasserbehälter *m*.

feel [fi:l] **I.** *v/t.* [*irr.*] **1.** fühlen, empfinden: *to ~ pain*; → *draught 7*; **2.** (an-, be)fühlen, betasten: *just ~ my hand* fühl mal m-e Hand (an); *to ~ one's way* sich vortasten (*a. fig.*), *fig.* sondieren; **3.** spüren, merken, (tief) empfinden: *to ~ the earthquake* das Erdbeben spüren; *I felt his loss* ich fühlte s-n Verlust; *a (long-)felt want* ein dringendes Bedürfnis, ein (längst) spürbarer Mangel; *to make o.s. (od. itself) felt* sich fühlbar *od.* geltend machen; **4.** einsehen, verstehen; **5.** glauben, halten für: *I ~ it (to be) my duty* ich halte es für m-e Pflicht; **6.** erkunden; **II.** *v/i.* [*irr.*] **7.** fühlen, tasten; suchen (*for* nach, *if* ob); **8.** sich fühlen, sich befinden, sich vorkommen wie, sein: *to ~ ill* sich krank fühlen; *I ~ cold* mir ist kalt; *to ~ certain* sicher sein; *to ~ quite o.s. again* wieder ‚auf dem Posten' sein; *to ~ like (doing) s.th.* Lust haben zu et. (*od.* et. zu tun); *to ~ up to* sich stark genug fühlen für; → *out 31 g*; **9.** Gefühle haben, empfinden: *to ~ for* (*od. with*) *s.o.* Mitgefühl mit j-m haben; *to ~ strongly* **a)** entschiedene Ansichten haben, **b)** sich erregen (*about* über *acc.*); **10.** sich *weich etc.* anfühlen: *velvet ~s soft*; *it ~s like rain* es sieht nach Regen aus; **11.** finden, glauben: *I ~ that ...* ich finde *od.* es scheint mir, daß; *it is felt in London* in London meint man; **III.** *s.* **12.** Gefühl *n*, Empfindung *f*: *a sticky ~* ein klebriges Gefühl; *soft to the ~* weich anzufühlen; **13.** (Fein)Gefühl *n*: *clutch ~ mot.* Gefühl für richtiges Kuppeln.

feel·er ['fi:lə] *s.* **1.** *zo.* Fühler *m*, Fühlhorn *n*; **2.** *fig.* Fühler *m*, Ver'suchsbal,lon *m*: *to throw out a ~* e-n Fühler ausstrecken; **3.** ⚔ Kundschafter *m*; **'feel·ing** [-liŋ] **I.** *s.* **1.** Gefühl *n*, Gefühlssinn *m*; **2.** Gefühl *n*, Empfindung *f*, Gesinnung *f*, Stimmung *f*: *good ~* Wohlwollen; *ill ~* Unwille, Ressentiment; *to hurt s.o.'s ~s* j-s Gefühle verletzen; **3.** Rührung *f*: *with ~* **a)** mit Gefühl, gefühlvoll, **b)** mit Nachdruck, **c)** erbittert; *strong ~* **a)** feste Meinung, **b)** Erregung; → *high 11*; **4.** Fein-, Mitgefühl *n*; **5.** (Vor)Gefühl *n*; Ahnung *f*; **II.** *adj.* □ **6.** gefühlvoll; mitfühlend.

feet [fi:t] *pl. von foot.*

feign [fein] **I.** *v/t.* **1.** heucheln, so tun als ob, vorgeben, vortäuschen: *to ~ madness, to ~ o.s. mad* sich verrückt stellen; **2.** erfinden, erdichten; **II.** *v/i.* **3.** simulieren, sich verstellen; **feigned** [-nd] *adj.* □ vorgeblich, falsch, Schein...; **'feign·ed·ly** [-nidli] *adv.* zum Schein.

feint[1] [feint] **I.** *s.* **1.** *fenc. etc.* Finte *f* (*a. fig.*); **2.** ⚔ Scheinangriff *m*, 'Täuschungsma,növer *n* (*a. fig.*); **II.** *v/i.* **3.** fintieren.

feint[2] [feint] *adj. u. adv.* **1.** *Brit. für faint I*; **2.** *typ. ruled ~* schwach lini(i)ert.

feld·spar ['feldspɑ:] *s. min.* Feldspat *m.*

fe·lic·i·tate [fi'lisiteit] *v/t.* (*on*) beglückwünschen, gratulieren (zu); **fe·lic·i·ta·tion** [filisi'teiʃən] *s.* Glückwunsch *m*; **fe'lic·i·tous** [-təs] *adj.* □ glücklich (gewählt), treffend (*Ausdruck etc.*); **fe'lic·i·ty** [-ti] *s.* **1.** Glück(seligkeit *f*) *n*; **2.** glückliche Wahl; glücklicher Griff *od.* Einfall; **3.** treffender Ausdruck.

fe·line ['fi:lain] *adj.* **1.** katzenartig, Katzen...; **2.** *fig.* falsch, verschlagen.

fell[1] [fel] *pret. von fall.*

fell[2] [fel] *v/t.* **1.** *Baum* fällen; **2.** *Gegner* niederstrecken; **3.** (ein)säumen.

fell[3] [fel] *adj. poet.* grausam; → *swoop 4 b.*

fell[4] [fel] *s.* **1.** Balg *m*, Tierfell *n*; Vlies *n*; **2.** struppiges Haar.

fell[5] [fel] *s.* kahler *od.* felsiger Berg.

fel·lah ['felə] *pl.* **-lahs, -la·heen** [-ləhi:n] (*Arab.*) *s.* Fel'lache *m.*

fell·er[1] ['felə] *s.* (Holz)Fäller *m.*

fell·er[2] ['felə] F *od. humor.* → *fellow 4.*

'fell·mon·ger *s.* (Schaf)Fellhändler *m.*

fel·loe ['felou] *s.* (Rad)Felge *f*, Radkranz *m.*

fel·low ['felou] **I.** *s.* **1.** Gefährte *m*, Gefährtin *f*, Genosse *m*, Genossin *f*, Kame'rad(in): *~s in misery* Leidensgenossen; **2.** Mitmensch *m*, Zeitgenosse *m*; **3.** Ebenbürtige(r *m*) *f*: *he has not his ~* er hat nicht seinesgleichen; **4.** F Kerl *m*, Geselle *m*, Bursche *m*, Mensch *m*: *my dear ~* mein lieber Freund!; *good ~* guter Kerl, netter Mensch; *old ~!* alter Knabe!; *a ~* man, einer; **5.** Gegenstück *n*, der (die, das) andere *e-s Paares*: *where is the ~ of this shoe?*; *to be ~s* zs.-gehören; **6.** Fellow *m*: **a)** Mitglied *n* e-s College *od.* e-r gelehrten Gesellschaft, **b)** Stipendi'at *m* mit aka'demischem Titel (*für höheres Studium*); **II.** *adj.* **7.** Mit...: *~ being* Mitmensch; *~ citizen* Mitbürger; *~ passenger* Mitreisende(r); *his ~ Slavs* s-e slawischen Brüder; *~ student* Studienkollege, Kommilitone; *~ writer* (Schriftsteller)Kollege; **'~-'coun·try·man** [-mən] *s.* [*irr.*] Landsmann *m*; **'~-'feel·ing** *s.* Zs.-gehörigkeits-, Mitgefühl *n.*

fel·low·ship ['felouʃip] *s.* **1.** Kame'radschaft *f*, Gemeinschaft *f*, Verbundenheit *f*; **2.** Gesellschaft *f*, Körperschaft *f*; **3.** *univ.* **a)** Stellung *f* e-s Fellow, **b)** Sti'pendium *n* für höheres 'Studium.

'fel·low|-trav·el·(l)er *s.* **1.** Mitreisende(r *m*) *f*; **2.** *pol.* Mitläufer *m*, *bsd.* Kommu'nistenfreund *m*; **'~-trav·el·(l)ing** *adj. pol.* sympathisierend, *bsd.* kommu'nistenfreundlich.

fel·ly ['feli] → *felloe.*

fe·lo de se ['fi:loudi:'si:] *s.* ⚖ **a)** Selbstmörder *m*, **b)** Selbstmord *m.*

fel·on[1] ['felən] *s.* ⚕ Nagelgeschwür *n.*

fel·on[2] ['felən] *s.* (Schwer)Verbrecher *m*; **fe·lo·ni·ous** [fi'lounjəs] *adj.* □ ⚖ verbrecherisch; **'fel·o·ny** [-ni] *s.* ⚖ (*mst* schweres) Verbrechen: *~ murder* Mord in Tateinheit mit e-m anderen Verbrechen.

fel·spar ['felspɑ:] → *feldspar.*

felt[1] [felt] *pret. u. p.p. von feel.*

felt[2] [felt] **I.** *s.* Filz *m*; **II.** *adj.* Filz...; **III.** *v/t. u. v/i.* (sich) verfilzen; **'felt·ing** [-tiŋ] *s.* Filzstoff *m.*

'felt-tipped pen *s.* Filzstift *m*, -schreiber *m.*

fe·luc·ca [fe'lʌkə] *s.* ⚓ Fe'luke *f.*

fe·male ['fi:meil] **I.** *adj.* **1.** weiblich (*a.* ⚘): *~ dog* Hündin; *~ slave* Sklavin; **2.** weiblich, Frauen...: *~ dress* Frauenkleidung; *~ labo(u)r* Frauenarbeit; **3.** ⊕ Mutter...(*-gewinde, -schraube etc.*); **II.** *s.* **4.** Frau *f*, Mädchen *n*; **5.** *contp.* Weibsbild *n*, -stück *n*, Weib *n*; **6.** *zo.* Weibchen *n.*

feme| cov·ert [fi:m] *s.* ⚖ verheiratete Frau; *~* **sole** *s.* ⚖ **a)** unverheiratete Frau, **b)** vermögensrechtlich selbständige Ehefrau.

fem·i·nine ['feminin] **I.** *adj.* □ **1.** weiblich (*a. ling.*); **2.** weiblich, Frauen...: *~ voice*; **3.** fraulich, sanft, zart; **4.** unmännlich, femi'nin; **II.** *s.* **5.** *ling.* 'Femininum *n*; *~* **rhyme** *s.* weiblicher Reim.

fem·i·nin·i·ty [femi'niniti] *s.* **1.** Fraulich-, Weiblichkeit *f*; **2.** unmännliche Art; **fem·i·nism** ['feminizəm] *s.* Frauenrechtlertum *n*; **fem·i·nist** ['feminist] *s.* Frauenrechtler(in).

fem·o·ral ['femərəl] *adj. anat.* Oberschenkel(knochen)...; **fe·mur** ['fi:mə] *pl.* **-murs** *od.* **fem·o·ra** ['femərə] *s. anat.* Oberschenkel(knochen) *m.*

fen [fen] *s.* Fenn *n*, Marschland *n*: *the ~s* die Niederungen in *East Anglia*; **'~-ber·ry** [-bəri] *s.* ⚘ Moosbeere *f.*

fence [fens] **I.** *s.* **1.** Zaun *m*, Einzäunung *f*, Einfriedigung *f*; ⊕, ⚖ Schutzvorrichtung *f*: *to sit on the ~* sich abwartend *od.* neutral verhalten, unschlüssig sein; **2.** *sport* Hindernis *n*; **3.** *sport* Fechtkunst *f*; *fig.* Debattierkunst *f*; **4.** *sl.* **a)** Hehler *m*, **b)** Hehlernest *n*; **II.** *v/t.* **5.** *a. ~ in* einzäunen, einfriedigen; **6.** schützen, sichern (*from* vor *dat.*); **7.** *~ off*, *~ out* absperren, -wehren; **III.** *v/i.* **8.** fechten; **9.** *fig.* Spiegelfechte'rei treiben, ausweichen, parieren; **10.** *sl.* Hehle'rei treiben; **'~-month** *s. hunt. Brit.* Schonzeit *f.*

fenc·er ['fensə] *s. sport* Fechter(in).

'fence-sea·son → *fence-month.*

fenc·ing ['fensiŋ] *s.* **1.** *sport* Fechten *n*; **2.** *fig.* Wortgefecht *n*, Ausflüchte *pl.*; **3.** **a)** Zaun *m*, **b)** 'Zaunmateri,al *n*; *~* **foil** *s. sport* Ra'pier *n.*

fend [fend] **I.** *v/t.* **1.** *~ off* abwehren; **II.** *v/i.* **2.** sich wehren; **3.** *~ for* sorgen für: *to ~ for o.s.* sich ganz allein durchs Leben schlagen; **'fend·er** [-də] *s.* **1.** Schutzblech *n*; **2.** *Brit.* Stoßfänger *m*, Puffer *m*; **3.** *mot. Am.* Kotflügel *m*; **4.** ⚓ Fender *m*; **5.** Ka'minvorsetzer *m*, -gitter *n.*

fe·nes·tral [fi'nestrəl] *adj.* Fenster...; **fe'nes·trate** [-reit] *adj.* △, *biol.* mit Fenstern *od.* (kleinen) Löchern (versehen); **fen·es·tra·tion** [fenis'treiʃən] *s.* Fensterwerk *n.*

'fen-fire *s.* Irrlicht *n.*

Fe·ni·an ['fi:njən] **I.** *s. hist.* 'Fenier *m*; **II.** *adj.* 'fenisch; **'Fe·ni·an·ism** [-nizəm] *s.* 'Feniertum *n.*

'fen-man [-mən] *s.* [*irr.*] Fennbewohner *m.*

fen·nel ['fenl] *s.* ⚘ Fenchel *m.*

fen·ny ['feni] *adj.* sumpfig, Moor...

'fen-reeve *s. Brit.* Mooraufseher *m.*

feoff [fef] → *fief*; **feoff·ee** [fe'fi:] *s.* ⚖ Belehnte(r) *m*: *~ in* (*od. of*) *trust* Treuhänder; **feof·fer** ['fefə], **feof·for** [fe'fɔ:] *s.* ⚖ Lehnsherr *m.*

fe·ral ['fiərəl] *adj.* **1.** ⚘, *zo.* wild; **2.** *fig.* wild, bar'barisch.

fer·e·to·ry ['feritəri] *s.* Re'liquienschrein *m.*

fe·ri·al ['fiəriəl] *adj. eccl.* Wochentags...

fer·ment [fə(:)'ment] **I.** *v/t.* **1.** in Gärung bringen; **2.** *fig.* erregen; **II.** *v/i.* **3.** gären (*a. fig.*); **III.** *s.* ['fə:ment] **4.** ⚗ Fer'ment *n*, Gärmittel *n*; **5.** ⚗ Gärung *f* (*a. fig.*); **6.** *fig.* Unruhe *f*, Aufruhr *m*; **fer·men·ta·tion** [fə:men'teiʃən] *s.* **1.** ⚗ Gärung *f* (*a. fig.*); **2.** *fig.* Aufruhr *m*, Aufregung *f.*

fern [fə:n] *s.* ⚘ Farn(kraut *n*) *m*;

'fern·er·y [-nəri] *s.* Farnkrautpflanzung *f*; **'fern·y** [-ni] *adj.* farnartig, voller Farnkraut.

fe·ro·cious [fə'rouʃəs] *adj.* □ **1.** wild, grausam, grimmig; **2.** *Am.* F ‚toll'; **fe·roc·i·ty** [fə'rɔsiti] *s.* Grausamkeit *f*, Wildheit *f*.

fer·re·ous ['feriəs] *adj.* eisenhaltig.

fer·ret ['ferit] **I.** *s.* **1.** *zo.* Frettchen *n*; **2.** *fig.* ‚Spürhund' *m* (*Person*); **II.** *v/i.* **3.** *hunt.* mit Frettchen jagen; **4.** ~ *about* her'umsuchen (for nach); **III.** *v/t.* **5.** ~ *out* **a)** (*mit Frettchen*) her'ausjagen, **b)** *fig.* aufspüren, -stöbern, her'ausfinden.

fer·ric ['ferik] *adj.* ⚗ Eisen...; **fer·rif·er·ous** [fe'rifərəs] *adj.* ⚗ eisenhaltig.

ferro- [ferou] *in Zssgn* Eisen...; '~-'**con·crete** *s.* 'Eisenbeˌton *m*; '~**type** *s. phot.* Ferroty'pie *f*.

fer·rous ['ferəs] *adj.* eisenhaltig; **fer·ru·gi·nous** [fe'ru:dʒinəs] *adj.* **1.** ⚗, *min.* eisenhaltig; **2.** rostbraun.

fer·rule ['feru:l] ⊕ **I.** *s.* Stockzwinge *f*, Ringbeschlag *m*, End-, Hirnring *m*; **II.** *adj.* mit Stockzwinge.

fer·ry ['feri] **I.** *s.* **1.** Fähre *f*, Fährboot *n*; **2.** ⚖ Fährgerechtigkeit *f*; **3.** ✈ Über'führungsdienst *m* (*von der Fabrik zum Benutzer*); **II.** *v/t.* **4.** 'übersetzen; *bsd.* ✈ über'führen; abliefern; befördern; **III.** *v/i.* **5.** 'übersetzen; '~-**boat** → *ferry 1*; '~-**bridge** *s.* Tra'jekt *m, n*, Eisenbahnfähre *f*; ~ **com·mand** *s.* ✈ 'Abhol-, Über'führungskomˌmando *n*; '~**man** [-mən] *s.* [*irr.*] Fährmann *m*.

fer·tile ['fə:tail] *adj.* □ **1.** fruchtbar, produk'tiv (*a. fig.*), reich (*in*, *of* an *dat.*); **2.** *fig.* schöpferisch; **fer·til·i·ty** [fə:'tiliti] *s.* Fruchtbarkeit *f*, Reichtum *m* (*a. fig.*); **fer·ti·li·za·tion** [fə:tilai'zeiʃən] *s.* **1.** Fruchtbarmachen *n*, Befruchtung *f* (*a. biol.*); **2.** ⚒ Düngung *f*; '**fer·ti·lize** [-tilaiz] *v/t.* **1.** fruchtbar machen; **2.** *biol.* befruchten (*a. fig.*); **3.** ⚒ düngen; '**fer·ti·liz·er** [-tilaizə] *s.* (Kunst)Dünger *m*, Düngemittel *n*.

fer·ule ['feru:l] **I.** *s.* (flaches) Line'al (*zur Züchtigung*); Rute *f* (*a. fig.*); **II.** *v/t.* züchtigen.

fer·ven·cy ['fə:vənsi] → *fervo(u)r 1*; '**fer·vent** [-nt] *adj.* □ **1.** glühend, feurig, inbrünstig, leidenschaftlich; **2.** (glühend) heiß; '**fer·vid** [-vid] *adj.* □ *poet.* → *fervent 1*; '**fer·vo(u)r** [-və] *s.* **1.** Glut *f*, Feuer(eifer *m*) *n*, Leidenschaft *f*, Inbrunst *f*; **2.** Hitze *f*.

fes·cue ['feskju:] *s. a.* ~ *grass* ⚘ Schwingelgras *n*.

fess(e) [fes] *s. her.* (Quer)Balken *m*.

fes·tal ['festl] *adj.* □ festlich, Fest...

fes·ter ['festə] **I.** *v/i.* **1.** schwären, eitern: ~*ing sore* Eiterbeule (*a. fig.*); **2.** verwesen, verfaulen; **3.** *fig.* nagen, um sich fressen; **II.** *v/t.* **4.** zum Eitern bringen; **III.** *s.* **5.** Schwäre *f*, Geschwür *n*, Fistel *f*.

fes·ti·val ['festəvəl] **I.** *s.* **1.** Fest(tag *m*) *n*, Feier *f*; **2.** Festspiele *pl.*; **II.** *adj.* **3.** festlich, Fest...: ~ *play* Festspiel; '**fes·tive** [-tiv] *adj.* □ festlich, fröhlich, Fest...; **fes·tiv·i·ty** [fes'tiviti] *s.* **1.** *oft pl.* Fest(lichkeit *f*) *n*; **2.** Fröhlichkeit *f*.

fes·toon [fes'tu:n] **I.** *s.* Gir'lande *f*; **II.** *v/t.* mit Girlanden schmücken.

fetch [fetʃ] **I.** *v/t.* **1.** (her'bei)holen: ~ *it here!* hol *od.* bring es her!; *to* ~ *and carry* (nur) Handlanger sein; **2.** abholen; **3.** her'vorholen, -bringen, *Atem* holen: *to* ~ *a sigh* (auf-)seufzen; *to* ~ *tears* (ein paar) Tränen hervorlocken; **4.** apportieren (*Hund*); **5.** ~ *up* ausspeien, -brechen; **6.** *Preis etc.* (ein)bringen, erzielen; **7.** *fig.* fesseln, anziehen, reizen; **8.** *j-m e-n Schlag* versetzen: *to* ~ *s.o. one* j-m ‚eine langen' *od.* ‚runterhauen'; **9.** ⚓ erreichen; **II.** *s.* **10.** Kniff *m*, Finte *f*; **11.** *bsd.* ⚓ Weg *m*, Strecke *f*; '**fetch·ing** [-tʃiŋ] *adj.* F reizend, bezaubernd.

fête [feit] **I.** *s.* Fest(lichkeit *f*) *n*; **II.** *v/t.* *j-n* feiern *od.* festlich bewirten; '~-**day** *s. R.C.* Namenstag *m*.

fet·id ['fetid] *adj.* □ stinkend.

fe·tish ['fi:tiʃ] *s.* Fetisch *m*; '**fe·tish·ism** [-ʃizəm] *s.* **1.** Fetischverehrung *f*; **2.** *psych.* Feti'schismus *m*.

fet·lock ['fetlɔk] *s.* Fesselgelenk *n* (*Pferd*).

fet·ter ['fetə] **I.** *s.* **1.** (Fuß)Fessel *f*; **2.** *pl. fig.* Fesseln *pl.*, Gefangenschaft *f*; **II.** *v/t.* **3.** fesseln (*a. fig.*); **4.** hemmen, zügeln.

fet·tle ['fetl] *s.* Verfassung *f*, Zustand *m*: *in good* (*od. fine*) ~ (gut) in Form.

fe·tus → *foetus*.

feu [fju:] *s.* ⚖ *Scot.* Lehen *n*.

feud[1] [fju:d] *s.* Fehde *f*: *to be at* ~ *with* befehden (*acc.*).

feud[2] [fju:d] *s.* ⚖ Lehen *n*, Lehnsgut *n*; '**feu·dal** [-dl] *adj.* ⚖ Feudal..., Lehns...; '**feu·dal·ism** [-dəlizəm] *s.* Lehenswesen *n*, Feuda'lismus *m*; **feu·dal·i·ty** [fju:'dæliti] *s.* **1.** Lehnswesen *n*; **2.** Lehnsgut *n*; '**feu·da·to·ry** [-dətəri] *s.* Lehnsmann *m*, Va'sall *m*.

feuil·le·ton ['fə:itɔ̃:ŋ; fœjtɔ̃] (*Fr.*) *s.* Feuille'ton *n*, Unter'haltungsteil *m*.

fe·ver ['fi:və] *s.* **1.** ⚕ Fieber *n*: ~ *heat* **a)** Fieberhitze, **b)** *fig.* fieberhafte Erregung; **2.** *fig.* Auf-, Erregung *f*, Eifer *m*: *in a* ~ *of excitement* in fieberhafter *od.* höchster Aufregung; '**fe·vered** [-əd] *adj.* **1.** fiebernd, fiebrig; **2.** *fig.* erregt, fieberhaft; '**fe·ver·ish** [-vəriʃ] *adj.* □ **1.** fieberkrank, fiebrig, Fieber...; **2.** *fig.* fieberhaft, aufgeregt; '**fe·ver·ish·ness** [-vəriʃnis] *s.* Fieberhaftigkeit *f* (*a. fig.*).

few [fju:] *adj. u. s.* (*pl.*) **1.** (*Ggs. many*) wenige: ~ *persons* wenige Personen; *the* ~ *who came* die wenigen, die kamen; *some* ~ einige wenige; *his friends are* ~ er hat wenige Freunde; ~ *and far-between* (sehr) vereinzelt; **2.** *a* ~ (*Ggs. none*) einige, ein paar: *a* ~ *days* einige Tage; *not a* ~ nicht wenige, viele; *a good* ~ e-e ganze Menge; *only a* ~ nur wenige; *every* ~ *days* alle paar Tage; **few·er** ['fju:ə] *adj. u. s. pl.* weniger: *no* ~ *than* nicht weniger als; '**few·ness** [-nis] *s.* geringe Anzahl.

fey [fei] *adj. Scot.* todgeweiht.

fez [fez] *s.* Fes *m*.

fi·an·cé [fi'ɑ̃:nsei; fjɑ̃se] (*Fr.*) *s.* Verlobte(r) *m*; **fi·an·cée** [fi'ɑ̃:nsei; fjɑ̃se] (*Fr.*) *s.* Verlobte *f*.

Fi·an·na ['fi:ənə] (*Ir.*) *s. pol.* die 'Fenier *pl.*; ~ **Fail** [fɔ:l] *s. pol.* irische Par'tei de Va'leras.

fi·as·co [fi'æskou] *pl.* -**cos** *s.* Fi'asko *n*, 'Mißerfolg *m*; Bla'mage *f*, Reinfall *m*.

fi·at ['faiæt] *s.* **1.** ⚖ *Brit.* Gerichtsbeschluß *m*; **2.** Gebot *n*, Befehl *m*, Machtspruch *m*; **3.** Ermächtigung *f*; ~ **mon·ey** *s. Am.* Pa'piergeld *n* (*ohne Golddeckung*).

fib [fib] **I.** *s.* kleine Lüge, Schwinde'lei *f*, Flunke'rei *f*: *to tell a* ~ flunkern; **II.** *v/i.* schwindeln, flunkern; '**fib·ber** [-bə] *s.* F Flunkerer *m*, Schwindler *m*.

fi·ber *Am.*, **fi·bre** ['faibə] *Brit. s.* **1.** ⊕, *biol.* Faser *f*, Fiber *f*; **2.** Tex'tur *f*: ~ *trunk* (Vulkan)Fiberkoffer; *bulb* ~ Blumentopferde; **3.** *fig.* Schlag *m*, Cha'rakter *m*, Struk'tur *f*: *of coarse* ~ grobschlächtig; '~**board** *s.* ⊕ Holzfaserplatte *f*; '~**glass** *s.* ⊕ Glaswolle *f*.

fi·bril ['faibril] *s.* **1.** Fäserchen *n*; **2.** ⚘ Wurzelfaser *f*; '**fi·brin** [-brin] *s.* **1.** Fi'brin *n*, Blutfaserstoff *m*; **2.** *a. plant* ~ Pflanzenfaserstoff *m*; '**fi·broid** [-brɔid] **I.** *adj.* faserartig, Faser...; **II.** *s.* ⚕ Fasergeschwulst *f*; **fi·bro·ma** [fai'broumə] *pl.* -**ma·ta** [-mətə] *s.* ⚕ Fasergeschwulst *f*; **fi·bro·si·tis** [faibrou'saitis] *s.* ⚕ Bindegewebsentzündung *f*, 'Muskelrheumaˌtismus *m*; '**fi·brous** [-brəs] *adj.* □ **1.** faserig, Faser...; **2.** ⊕ sehnig (*Metall*).

fib·u·la ['fibjulə] *pl.* -**lae** [-li:] *s.* **1.** *anat.* Wadenbein *n*; **2.** *antiq.* Fibel *f*, Spange *f*.

fick·le ['fikl] *adj.* unbeständig, wankelmütig, launenhaft; '**fick·le·ness** [-nis] *s.* Unbeständigkeit *f*, Wankelmut *m*.

fic·tile ['fiktail] *adj.* **1.** formbar, plastisch; **2.** tönern, irden: ~ *art* Töpferkunst; ~ *ware* Steingut.

fic·tion ['fikʃən] *s.* **1.** (freie) Erfindung, Dichtung *f*; **2.** 'Prosa-, Ro'manliteraˌtur *f*: *work of* ~; **3.** *coll.* erzählende Litera'tur, Ro'mane *pl.*; **4.** ⚖ Fikti'on *f*; '**fic·tion·al** [-ʃənl] *adj.* **1.** erdichtet; **2.** Roman...

fic·ti·tious [fik'tiʃəs] *adj.* □ **1.** (frei) erfunden, unecht, falsch; **2.** unwirklich, Phantasie..., Roman..., Schein..., angenommen (*Name*); **3.** ⚖ fingiert, fik'tiv: ~ *bill* ✝ Kellerwechsel; ~ *person* juristische Person; **fic'ti·tious·ness** [-nis] *s.* Unechtheit *f*; **fic·tive** ['fiktiv] *adj.* erdichtet.

fid·dle ['fidl] **I.** *s.* **1.** ♪ Fiedel *f*, Geige *f*: *to play first* (*second*) ~ *fig.* die erste (zweite) Geige spielen; *to have a face as long as a* ~ ein Gesicht machen, als wäre e-m die Petersilie verhagelt; → *fit*[1] *4*; **II.** *v/i.* **2.** ♪ fiedeln, geigen; **3.** ~ *about* trödeln, her'umtändeln; **4.** (*with*) spielen (mit), her'umfingern (an *dat.*); **III.** *v/t.* **5.** ♪ spielen; **6.** *Zeit* vertrödeln; **IV.** *int.* **7.** Unsinn!, Blödsinn!, Quatsch!; '~-**de**-'**dee** [-di'di:] → *fiddle 7*; '~-**fad·dle** [-fædl] **I.** *s.* **1.** Lap'palie *f*; **2.** Unsinn *m*; **II.** *v/i.* **3.** die Zeit vertrödeln.

fid·dler ['fidlə] *s.* ♪ Geiger(in).
'**fid·dle·stick I.** *s.* Geigenbogen *m*; **II.** *int.* ~s → *fiddle 7.*
fid·dling ['fidliŋ] *adj.* läppisch, unnütz, geringfügig.
fi·del·i·ty [fi'deliti] *s.* **1.** Ergebenheit *f*, Treue *f* (*to* gegenüber, zu); **2.** Genauigkeit *f*, genaue Über'einstimmung *od.* 'Wiedergabe: *with* ~ wortgetreu; **3.** ⚡ 'Wiedergabegüte *f*, Klangtreue *f*.
fidg·et ['fidʒit] **I.** *s.* **1.** *oft pl.* ner'vöse Unruhe; **2.** ‚Zappelphilipp' *m*, unruhiger Mensch; **II.** *v/t.* **3.** ner'vös machen; **III.** *v/i.* **4.** (her'um)zappeln, unruhig sein: *to* ~ *with* (herum)spielen *od.* (-)fuchteln mit; '**fidg·et·i·ness** [-tinis] *s.* Unruhe *f*, Zappe'lei *f*, Nervosi'tät *f*; '**fidg·et·y** [-ti] *adj.* unruhig, ner'vös, zappelig: ~ *Philipp* → *fidget 2.*
Fi·do ['faidou] *s.* ✈ *ein Verfahren zur Bodenentnebelung.*
fi·du·cial [fi'dju:ʃjəl] *adj. ast., phys.* Vergleichs...; **fi'du·ci·ar·y** [-jəri] ⚖ **I.** *s.* **1.** Treuhänder *m*; **II.** *adj.* **2.** fiduzi'arisch, Treuhand..., Treuhänder..., Vertrauens...; **3.** ✝ ungedeckt (*Noten*).
fie [fai] *int.* pfui!, (*oft* ~ *upon you!*) schäm dich!
fief [fi:f] *s.* ⚖ Lehen *n*, Lehnsgut *n*.
field [fi:ld] **I.** *s.* **1.** ⚘ Feld *n* (*a. her., opt., phys., a. e-r Flagge*), Acker *m*: *rice-*~ Reisfeld; **2.** ⚒ Feld *n*: *coal-*~; *gold-*~; **3.** Feld *n*, Fläche *f*: *ice-*~ Eisfeld; ~ *of vision* (*od. view*) Gesichts-, Blickfeld, *fig.* Horizont, Gesichtskreis; **4.** Bereich *m*, (Sach-, Arbeits)Gebiet *n*, Fach *n*: *in my* ~ in m-m Fach; *in the* ~ *of art* auf dem Gebiet der Kunst; **5.** ⚔ (Schlacht)Feld *n*, Schlacht *f*: *in the* ~ im Felde, an der Front, *fig.* im Wettbewerb; *to hold the* ~ das Feld behaupten; *to take the* ~ den Kampf eröffnen; *to win the* ~ den Sieg davontragen; ~ *of hono(u)r* Feld der Ehre; **6.** *sport* **a)** Sportfeld *n*, (Spiel)Platz *m*, **b)** Feld *n*, Teilnehmer *pl.*, Besetzung *f*, *fig.* Wettbewerbsteilnehmer *pl.*: *fair* ~ *and no favo(u)r* gleiche Bedingungen für alle, **c)** *Kricket, Baseball*: 'Fängerpar,tei *f*; **7.** *bsd.* ✝, *psych., sociol.* 'Praxis *f*, Wirklichkeit *f* (*Ggs. Theorie*): ~ *service bsd.* ✝ Außendienst; ~ *staff* ✝ Außendienstmitarbeiter; ~ *work* **a)** *Meinungsforschung*: Field-work, Feldarbeit, Meinungsbefragungen (durch Interviewer), **b)** praktische (wissenschaftliche) Arbeit, *archaeol. etc. a.* Arbeit im Gelände; ~ *worker Meinungsforschung*: Befrager, Interviewer; **8.** *paint.* Grund *m*; **9.** ⚡ (Spannungs-, Kraft)Feld *n*: ~ *coil* Feldspule; **10.** *Fernsehen*: Feld *n*, Raster(bild *n*) *m*; **II.** *v/t.* **11.** *Kricket etc.*: *Ball* auffangen u. zu'rückwerfen; **III.** *v/i.* **12.** *Kricket etc.*: als Fänger spielen.
'**field|-al·low·ance** *s.* ⚔ Frontzulage *f*; '~**-ar'til·ler·y** *s.* ⚔ 'Feldartille,rie *f*; '~**-day** *s.* **1.** ⚔ Felddienstübung *f*; Pa'radetag *m*; **2.** *Am.* Sportfest *n*; **3.** *Am.* Exkursi'onstag *m*; **4.** *fig. ein* großer Tag; ~ **dress·ing** *s.* ⚔ Notverband *m*.
field·er ['fi:ldə] *s. Kricket etc.*: Fänger *m*; *pl.* 'Fängerpar,tei *f*.
field| e·vent *s. sport* 'technische Diszi'plin; '~**fare** *s. orn.* Krammetsvogel *m*; '~**-glass(·es** *pl.*) *s.* Fernglas *n*, Feldstecher *m*; '~**-gun** *s.* ⚔ Feldgeschütz *n*; ~ **hos·pi·tal** *s.* ⚔ 'Feldlaza,rett *n*; ~ **kitch·en** *s.* ⚔ Feldküche *f*; ♀ **Mar·shal** *s.* ⚔ Feldmarschall *m*; '~**-mouse** *s.* [*irr.*] *zo.* Feldmaus *f*; '~**-night** *s. pol. Brit.* entscheidende (Nacht)Sitzung; '~**-of·fi·cer** *s.* ⚔ 'Stabsoffi,zier *m*; ~ **of fire** *s.* ⚔ Schußfeld *n*; ~ **of force** *s. phys.* Kraftfeld *n*; ~ **rank** *s.* ⚔ Rang *m* eines 'Stabsoffi,ziers.
fields·man ['fi:ldzmən] *s.* [*irr.*] → *fielder.*
'**field|-sports** *s. pl.* Sport *m* im Freien (*bsd. Jagen, Fischen*); ~ **strength** *s.* ⚡ Feldstärke *f*; ~ **stud·y** *s.* 'Feld,studie *f*; ~ **train·ing** *s.* ⚔ Geländeausbildung *f*; '~**-work** *s.* ⚔ Schanze *f*.
fiend [fi:nd] *s.* **1.** 'Satan *m*, Teufel *m*; **2.** Unhold *m*, Unmensch *m*; **3.** *bsd. in Zssgn*: **a)** Süchtige(r *m*) *f*: *opium* ~, **b)** Fa'natiker(in), Narr *m*; → *fresh-air fiend*; '**fiend·ish** [-diʃ] *adj.* □ teuflisch, unmenschlich; *fig.* F verteufelt; '**fiend·ish·ness** [-diʃnis] *s.* teuflische Bosheit.
fierce [fiəs] *adj.* □ **1.** wild, grimmig, wütend (*a. fig.*); **2.** heftig, hitzig, glühend, verbissen, fa'natisch; **3.** grell; '**fierce·ness** [-nis] *s* Wildheit *f*, Ungestüm *n*, Heftigkeit *f*.
fi·er·i·ness ['faiərinis] *s.* Hitze *f*, Feuer *n*; **fi·er·y** ['faiəri] *adj.* □ **1.** brennend, glühend (*a. fig.*); **2.** *fig.* feurig, hitzig, heftig; **3.** feuergefährlich; **4.** Feuer...
fife [faif] ♪ **I.** *s.* **1.** (Quer)Pfeife *f*; **2.** → *fifer*; **II.** *v/t. u. v/i.* **3.** (*auf der Querpfeife*) pfeifen; '**fif·er** [-fə] *s.* Pfeifer *m*.
fif·teen ['fif'ti:n] **I.** *adj.* **1.** fünfzehn; **II.** *s.* **2.** Fünfzehn *f*; **3.** *sport* Fünfzehn *f*, Rugbymannschaft *f*; '**fif'teenth** [-nθ] **I.** *adj.* fünfzehnt; **II.** *s.* Fünfzehntel *n*.
fifth [fifθ] **I.** *adj.* □ **1.** fünft; **II.** *s.* **2.** Fünftel *n*; **3.** ♪ Quinte *f*; ~ **col·umn** *s. pol.* Fünfte Ko'lonne; ~ **col·umn·ist** *s.* Mitglied *n* der Fünften Ko'lonne.
fifth·ly ['fifθli] *adv.* fünftens.
fifth wheel *s.* **1.** *mot.* Drehschemel *m* (*Sattelschlepper*); **2.** *fig.* fünftes Rad am Wagen.
fif·ti·eth ['fiftiiθ] **I.** *adj.* fünfzigst; **II.** *s.* Fünfzigstel *n*; **fif·ty** ['fifti] **I.** *adj.* fünfzig; **II.** *s.* Fünfzig *f*: *the fifties* **a)** die fünfziger Jahre (*Zeitalter*), **b)** die Fünfziger(jahre) (*Lebensalter*); '**fif·ty-'fif·ty** *adj. u. adv.* F halb u. halb, fifty-fifty.
fig[1] [fig] *s.* ⚘ **1.** Feige *f*: *I don't care a* ~ (*for it*) F ich mache mir nichts daraus, es ist mir Wurst; *a* ~ *for* zum Teufel mit; **2.** Feigenbaum *m*.
fig[2] [fig] **I.** *s.* F **1.** Kleidung *f*, 'Gala *f*: *in full* ~ in vollem Wichs; **2.** Zustand *m*: *in good* ~ gut in Form; **II.** *v/t.* **3.** ~ *out* her'ausputzen.
fight [fait] **I.** *s.* **1.** Kampf *m* (*a. fig.*), Gefecht *n*: *to put up a good* ~ sich tapfer schlagen; **2. a)** Schläge'rei *f*, **b)** *sport* Boxkampf *m*: *to have a* ~ sich schlagen; *to make a* ~ *for* kämpfen um; **3.** Kampflust *f*, -fähigkeit *f*: *to show* ~ sich zur Wehr setzen; *there is no* ~ *left in him* er ist kampfmüde *od.* ‚fertig'; **4.** Streit *m*, Kon'flikt *m*; **II.** *v/t.* [*irr.*] **5.** *j-n od. et.* bekämpfen, bekriegen; kämpfen mit *od.* gegen, sich schlagen mit; **6.** ausfechten: *to* ~ *a battle* e-e Schlacht schlagen; *to* ~ *a duel* sich duellieren; *to* ~ *an election* kandidieren; *to* ~ *it out* es ausfechten; **7.** verteidigen, verfechten, erkämpfen: *to* ~ *one's way* sich durchschlagen; *to* ~ *an action* e-n Prozeß führen; **8.** ⚔ *Truppen od. Schiff* im Kampf führen; **III.** *v/i.* [*irr.*] **9.** kämpfen (*with od. against* mit *od.* gegen, *for* um): *to* ~ *against s.th.* gegen et. ankämpfen; **10.** sich schlagen; ~ **back** *v/i.* sich wehren, zu'rückschlagen; ~ **off** *v/t.* abwehren; ~ **out** *v/t.* ausfechten.
fight·er ['faitə] *s.* **1.** Kämpfer *m*, Streiter *m*; **2.** Schläger *m*; **3.** *sport* Fighter *m*, Offen'sivboxer *m*; **4.** ⚔, ✈ Jagdflugzeug *n*, Jäger *m*: ~*-bomber* Jagdbomber; ~ *group Brit.* Jagdgeschwader, *Am.* Jagdgruppe; ~ *pilot* Jagdflieger.
fight·ing ['faitiŋ] **I.** *s.* Kampf *m*; **II.** *adj.* Kampf...; streitlustig; ~ **chance** *s.* Erfolgschance *f* (bei großer Anstrengung); '~**-cock** *s.* Kampfhahn *m* (*a. fig.*): *to feel like a* ~ in bester Form sein.
'**fig-leaf** *s.* Feigenblatt *n* (*a. fig. Bemäntelung*).
fig·ment ['figmənt] *s.* (pure) Erfindung; reine Einbildung.
'**fig-tree** *s.* Feigenbaum *m*.
fig·u·ra·tion [figju'reiʃən] *s.* **1.** Gestaltung *f*, Darstellung *f*; **2.** Figurati'on *f*, Verzierung *f* (*a.* ♪).
fig·ur·a·tive ['figjurətiv] *adj.* □ **1.** bildlich, über'tragen, fi'gürlich; **2.** bilderreich (*Stil*); **3.** sym'bolisch; '**fig·ur·a·tive·ness** [-nis] *s.* Bildlichkeit *f*, Fi'gürlichkeit *f*; Bilderreichtum *m*.
fig·ure ['figə] **I.** *s.* **1.** Fi'gur *f* (*a.* ♞), (Körper)Form *f*, Gestalt *f*, Aussehen *n*: *to keep one's* ~ schlank bleiben; **2.** *fig.* Per'son *f*, Per'sönlichkeit *f*, Cha'rakter *m*, Erscheinung *f*: *a public* ~ e-e allgemein bekannte Persönlichkeit; ~ *of fun* komische Figur; *to cut a* ~ Eindruck machen; *to cut* (*od. make*) *a poor* ~ e-e traurige Figur abgeben; **3.** Statue *f*; Bild *n*, Abbildung *f*, Zeichnung *f*, Dia'gramm *n*, Fi'gur *f*; (*Web- etc.*) Muster *n*; **4.** Ziffer *f*, Zahl *f*; Summe *f*, Preis *m*: *three-*~ *number* dreistellige Zahl; *to run into three* ~*s* in die Hunderte gehen; *to be good at* ~*s* ein guter Rechner sein; *at a low* ~ billig; **5.** ('Tanz- *etc.*)Fi,gur *f*; **6.** *a.* ~ *of speech* Me'tapher *f*, Redewendung *f*; **7.** ♪ Figur *f*, Phrase *f*; **II.** *v/t.* **8.** gestalten, formen; **9.** darstellen, abbilden; **10.** *a.* ~ *to o.s.* sich *et.* vorstellen; **11.** *a.* ~ *out Problem etc.* lösen; **III.** *v/i.* **12.** e-e Rolle spielen, erscheinen, figurieren (*as* als): *to* ~ *on the list* auf der Liste stehen; **13.** rechnen: *to* ~ *out* **a)** ausrechnen, **b)** rauskriegen, verstehen; **14.** *Am.* F meinen, glauben;

beabsichtigen: *to* ~ *on s.th.* mit et. rechnen; **15.** ~ *out* sich belaufen (*at* auf *acc.*); ˈ**fig·ured** [-əd] *adj.* **1.** gemustert, geblümt; **2.** ♪ beziffert (*Baß*); **3.** bildlich, bilderreich (*Stil*).
ˈ**fig·ure|-dance** *s.* Fiˈgurentanz *m*; ˈ~**-head** *s.* **1.** ⚓ Galiˈonsfiˌgur *f*; **2.** *fig.* (reine) Repräsentatiˈonsfiˌgur; Strohmann *m*, Aushängeschild *n*; ~ **skat·er** *s. sport* (Eis-)Kunstläufer(in); ~ **skat·ing** *s. sport* (Eis)Kunstlauf *m*.
fig·u·rine [ˈfigjuri:n] *s.* Figuˈrine *f*, Fiˈgürchen *n* (*aus Ton etc.*).
fil·a·ment [ˈfiləmənt] *s.* **1.** Faden *m*, Faser *f*; **2.** 🌿 Staubfaden *m*; **3.** ⚡ (Glüh-, Heiz)Faden *m*: ~ *battery* Heizbatterie; **fil·a·men·tous** [filəˈmentəs] *adj.* faserartig, Faden...
fil·a·ture [ˈfilətʃə] *s.* ⊕ **1.** Abhaspeln *n* (*Seide*); **2.** Seidenspinneˈrei *f*.
fil·bert [ˈfilbə(:)t] *s.* 🌿 Haselnußstrauch *m*, Haselnuß *f*.
filch [filtʃ] *v/t.* F ‚mausen', ‚klauen' (*stehlen*).
file[1] [fail] **I.** *s.* **1.** Aufreihdraht *m*, -faden *m*; **2.** Briefordner *m*, Aktenbündel *n*, -mappe *f*, Zeitungshalter *m*; **3. a)** Akte(nstück *n*) *f*: ~ *number* Aktenzeichen, **b)** Akten *pl.*, Ablage *f*, abgelegte Briefe *pl. od.* Paˈpiere *pl.*: *on* ~ bei *od.* zu den Akten; **4.** ⚔ Rotte *f*, Reihe *f*: *in* ~ im Gänsemarsch; **5.** Reihe *f* (*Personen od. Sachen hintereinander*); **II.** *v/t.* **6.** *Briefe etc.* einreihen, -heften, ablegen, zu den Akten legen; **7.** *Gesuch etc.* einreichen; **III.** *v/i.* **8.** hintereinˈander *od.* ⚔ in Reihe marschieren.
file[2] [fail] **I.** *s.* **1.** ⊕ Feile *f*; **II.** *v/t.* **2.** ⊕ feilen; **3.** *Stil* feilen, glätten; ˈ~**-cut·ter** *s.* ⊕ Feilenhauer *m*.
fi·let [ˈfi:lei] (*Fr.*) *s.* **1.** *Am. Küche*: Fiˈlet *n*; **2.** *a.* ~ *lace* Fiˈlet(stickeˌrei *f*) *n*.
fil·i·al [ˈfiljəl] *adj.* □ kindlich, Kindes...; **fil·i·a·tion** [filiˈeiʃən] *s.* **1.** Kindschaft *f*: ~ *proceeding* ⚖ Verfahren zur Feststellung der Vaterschaft; **2.** Abstammung *f*; **3.** Verwandtschaftsverhältnis *n*; **4.** Abzweigung *f*, Zweig *m*.
fil·i·beg [ˈfilibeg] → *kilt 1*.
fil·i·bus·ter [ˈfilibʌstə] **I.** *s.* **1.** *hist.* Freibeuter *m*; **2.** *pol. Am.* **a)** Obstruktiˈon *f*, **b)** Obstruktiˈonspoˌlitiker *m*; **II.** *v/i.* **3.** *pol. Am.* Obstruktiˈon *od.* Verˈschleppungspoliˌtik treiben.
fil·i·gree [ˈfiligri:] *s.* Filiˈgran(arbeit *f*) *n*.
fil·ing| cab·i·net [ˈfailiŋ] *s.* Aktenschrank *m*; ~ **card** *s.* Karˈteikarte *f*.
fil·ings [ˈfailiŋz] *s. pl.* ⊕ Feilspäne *pl.*
Fil·i·pi·no [filiˈpi:nou] *pl.* **-nos** *s.* Philipˈpino *m* (*Bewohner der Philippinen*).
fill [fil] **I.** *s.* **1.** Fülle *f*, Genüge *f*: *to eat one's* ~ sich satt essen; *to have one's* ~ *of s.th.* genug von et. haben; **2.** Füllung *f*; **II.** *v/t.* **3.** (an-, aus-, ein)füllen: *to* ~ *s.o.'s glass* j-m einschenken; **4.** ˈvollfüllen, (be)laden; sättigen; *Loch, Pfeife* stopfen; *Zahn* füllen, plombieren; **5.** erfüllen: *smoke* ~*ed the room*; *grief* ~*ed his heart*; ~*ed with fear* angsterfüllt; **6.** zahlreich sein in (*dat.*), bevölkern; **7.** *Posten* innehaben, ausfüllen: *to* ~ *s.o.'s place* j-s Stelle einnehmen, j-n ersetzen; **8.** *Stelle* besetzen; **9.** *Am. Auftrag* ausführen; **10.** durch Zusätze fälschen; **11.** entsprechen, genügen (*dat.*); → *bill*[2] *4*; **III.** *v/i.* **12.** sich füllen; ~ **in** *v/t.* **1.** *Loch, Zeit, Brit. Formular* ausfüllen; **2.** *Namen etc.* einsetzen; **3.** *fill s.o. in* F (*on* über *acc.*) j-n ins Bild setzen, j-n informieren; ~ **out I.** *v/t.* **1.** ausdehnen, -füllen, rund machen; **2.** *bsd. Am. Formular* ausfüllen; **II.** *v/i.* **3.** sich ausdehnen, schwellen; ~ **up I.** *v/t.* **1.** an-, auf-, ˈvollfüllen; **2.** *Brit. Formular* ausfüllen; **II.** *v/i.* **3.** sich füllen.
fill·er [ˈfilə] *s.* **1.** ˈFüllappaˌrat *m*; Trichter *m*: ~ *cap mot.* Einfüllstutzen; **2.** Füllstoff *m*, Zusatzmittel *n*; **3.** Füllsel *n*, Lückenbüßer *m*.
fil·let [ˈfilit] **I.** *s.* **1.** Haarband *n*, Kopfbinde *f*; **2.** (Gold)Zierstreifen *m* (*Buch*); **3.** △ Leiste *f*, Rippe *f*, Reif *m*, Band *n*; **4.** Lendenstück *n*, Fleischschnitte *f*, Rouˈlade *f*, Fiˈlet *n*, ˈFischfiˌlet *n* (*entgrätet*); **II.** *v/t.* **5.** mit e-r Kopfbinde *od.* e-r Leiste *etc.* schmücken; **6.** *Fleisch etc.* als Filet zubereiten.
fill·ing [ˈfiliŋ] **I.** *s.* **1.** Füllung *f*, Füllmasse *f*, Einlage *f*, (*Brot*)Belag *m*; **2.** (Zahn)Plombe *f*, (-)Füllung *f*; **II.** *adj.* **3.** sättigend; ~ **sta·tion** *s. Am.* Tankstelle *f*.
fil·lip [ˈfilip] **I.** *s.* **1.** Schnippchen *n* (*mit Finger u. Daumen*); **2.** Klaps *m*, Nasenstüber *m* (*a. fig.*); **3.** *fig.* Ansporn *m*, Anregung *f*: *to give a* ~ *to* → *5*; **II.** *v/t.* **4.** e-n Klaps *od.* Nasenstüber geben (*dat.*); **5.** *fig.* antreiben, anspornen.
fil·ly [ˈfili] *s.* **1.** *zo.* weibliches Füllen; **2.** *fig.* wilde Hummel.
film [film] **I.** *s.* **1.** Memˈbran(e) *f*, Häutchen *n*; **2.** *phot. u. thea.* Film *m*: *the* ~*s* die Filmindustrie, der Film; *to take* (*od. shoot*) *a* ~ e-n Film drehen; **3.** dünne Schicht, ˈÜberzug *m*; (*a.* Zahn)Belag *m*; **4.** zartes Gewebe, Schleier *m* (*a. fig.*); **5.** Trübung *f* (*Auge*); **II.** *v/i.* **6.** sich mit e-m Häutchen überˈziehen; **7.** sich zur Verfilmung eignen (*Romane etc.*); **III.** *v/t.* **8.** (ver)filmen; ˈ~**-fan** *s.* F ˈKinonarr *m*; ~ **li·brar·y** *s.* ˈFilmarˌchiv *n*; ~ **star** *s.* Filmstar *m*; ~ **strip** *s.* Bildstreifen *m*; ~ **ver·sion** *s.* Verfilmung *f*.
film·y [ˈfilmi] *adj.* □ **1.** mit e-m Häutchen bedeckt; **2.** duftig, hauchdünn; **3.** trübe, verschleiert.
fil·ter [ˈfiltə] **I.** *s.* **1.** Filter *m*, Seihtuch *n*, Seiher *m*; **2.** ⚗, ⊕, *phot.*, *phys.*, *tel.* Filter *n*, *m*; **II.** *v/t.* **3.** filtern, (ˈdurch)seihen, filtrieren, klären; **III.** *v/i.* **4.** ˈdurchsickern (*a. fig. Nachrichten*); langsam eindringen; ~ **in** *v/i. mot.* sich einordnen.
ˈ**fil·ter|-bed** *s.* Kläranlage *f*; ˈ~**-pa·per** *s.* ˈFilterpaˌpier *n*; ˈ~**-tip** *s.* Filtermundstück *n* (*Zigarette*).
filth [filθ] *s.* **1.** Schmutz *m* (*a. fig.*), Dreck *m*, Unrat *m*; **2.** *fig.* Unflätigkeit *f*, Obszöniˈtät *f*, unflätige Sprache; ˈ**filth·i·ness** [-θinis] *s.* Schmutz *m*, Unflätigkeit *f*; ˈ**filth·y** [-θi] *adj.* □ **1.** schmutzig (*a. fig.*), dreckig; **2.** *fig.* unflätig, obˈszön; **3.** *fig.* ekelhaft, scheußlich (*a. Wetter etc.*).
fil·trate I. *v/t. u. v/i.* [ˈfiltreit] filtrieren; **II.** *s.* [-trit] Filˈtrat *n*; **fil·tra·tion** [filˈtreiʃən] *s.* Filtrierung *f*.
fin[1] [fin] *s.* **1.** *zo.* Flosse *f*, Finne *f*; **2.** ⚓, ✈ Flosse *f*; Steuerschwanz *m* (*Bombe*); **3.** ⊕ Kühlrippe *f*; **4.** *sl.* ‚Flosse' *f* (*Hand*).
Fin[2] → *Finn*.
fi·nal [ˈfainl] **I.** *adj.* □ → *finally*; **1.** letzt, schließlich; **2.** definiˈtiv, endgültig, entscheidend: ~ *cause phls.* Urgrund (u. Endzweck) aller Dinge; **3.** ˈunwiderˌruflich, rechtskräftig: *after* ~ *judg(e)ment* nach Rechtskraft des Urteils; **4.** End..., Schluß... (*a. ling.*): ~ *assembly* ⊕ Endmontage; ~ *clause ling.* Finalsatz; ~ *examination* (Ab)Schlußprüfung; ~ *product* ☤ Endprodukt; ~ *s ling.* Schluß-s; ~ *score sport* Schlußstand; ~ *sound ling.* Auslaut; ~ *velocity* Endgeschwindigkeit; **II.** *s.* **5.** *oft pl. sport* Endspiel *n*, Endrunde *f*, Fiˈnale *n*; **6.** *oft pl.* ˈSchlußexˌamen *n*, -prüfung *f*; **7.** F Spätausgabe *f* (*Zeitung*); **fi·na·le** [fiˈnɑ:li] *s.* Fiˈnale *n*: **a)** ♪ (*mst* schneller) Schlußsatz, **b)** *thea.* Schluß(szene *f*) *m* (*bsd. Oper*); ˈ**fi·nal·ist** [-nəlist] *s.* **1.** *sport* Endspiel-, Endrundenteilnehmer(in); **2.** *univ.* Exˈamenskandiˌdat(in); **fi·nal·i·ty** [faiˈnæliti] *s.* **1.** Endgültigkeit *f*; **2.** Entschiedenheit *f*; ˈ**fi·nal·ize** [-nəlaiz] *v/t.* **1.** be-, vollˈenden, (endgültig) erledigen; **2.** endgültige Form geben (*dat.*); ˈ**fi·nal·ly** [-nəli] *adv.* **1.** endlich, zum Schluß, zuˈletzt; **2.** endgültig, definiˈtiv.
fi·nance [faiˈnæns] **I.** *s.* **1.** Fiˈnanz *f*, Fiˈnanzwesen *n*, -wissenschaft *f*; **2.** *pl.* Fiˈnanzen *pl.*, Einkünfte *pl.*, Vermögenslage *f*; **II.** *v/t.* **3.** finanzieren; ~ **act** *s. pol.* Steuergesetz *n*; ~ **bill** *s.* **1.** *pol.* Steuervorlage *f*; **2.** ☤ Fiˈnanzwechsel *m*; ~ **com·pa·ny** *s.* ☤ Finanzierungsgesellschaft *f*.
fi·nan·cial [faiˈnænʃəl] *adj.* □ finanziˈell, Finanz..., Geld..., Fiskal...: ~ *aid* Finanzhilfe; ~ *backer* Geldgeber; ~ *column* Handelsteil (*Zeitung*); ~ *paper* Börsenblatt; ~ *plan* Finanzierungsplan; ~ *policy* Finanzpolitik; ~ *situation* Vermögenslage; ~ *standing* Kreditwürdigkeit; ~ *statement* ☤ Bilanz; ~ *year* **a)** ☤ Geschäftsjahr, **b)** *pol. Brit.* Rechnungsjahr; **fin·an·cier** [-nsiə] *s.* **1.** Finanziˈer *m*, Geldgeber *m*; **2.** Fiˈnanz(fach)mann *m*.
finch [fintʃ] *s. orn.* Fink *m*.
find [faind] **I.** *v/t.* [*irr.*] **1.** (an-, auf-)finden, entdecken, (an)treffen: *I found him in* ich traf ihn zu Hause an; *to* ~ *one's way* (*to*) sich zurechtfinden (nach), erreichen (*acc.*); **2.** finden, gewahr werden, erkennen; entdecken, feststellen (*that* daß): *I* ~ *it easy* ich finde es leicht; *he was found to be alive* man fand ihn noch am Leben; **3.** *to* ~ *o.s.* **a)** sich *wo od. wie* befinden, **b)** sich sehen: *to* ~ *o.s. surrounded*, **c)** sich finden, s-e Fähigkeiten erkennen, **d)** sich selbst versorgen; **4.** suchen: *to* ~ *a new flat*; **5.** beschaffen, liefern,

Geld, Zeit aufbringen; sich *et.* verschaffen; **6.** versorgen, ausstatten, -rüsten (*in* mit): *to be well-found in clothes; £ 50 and all found* (*Am. and found*) £ 50 (Gehalt) und freie Station; **7.** ⚖ (be)finden für, erklären (für): *he was found guilty; to ~ out et.* herausfinden, -bekommen; *to ~ s.o. out* j-n entlarven *od.* erkennen, j-n ertappen; **II.** *v/i.* [*irr.*] **8.** (be)finden, feststellen, erklären, erkennen (*that* daß): *the court found for him (against him)* das Gericht sprach ihn frei (verurteilte ihn); **9.** *to ~ out about* sich erkundigen nach; **III.** *s.* **10.** Fund *m*, Entdeckung *f*; '**find·er** [-də] *s.* **1.** Finder *m*, Entdecker *m*; **2.** *phot.* Sucher *m*; '**find·ing** [-diŋ] *s.* **1.** Fund *m*, Entdeckung *f*; **2.** *oft pl.* ⚖ Befund *m* (*a.* ⚕), (Wahr-)Spruch *m*, Urteil *n*: *~s of fact* Tatsachenfeststellungen; **3.** *pl. Am.* Werkzeuge *pl.* (*von Handwerkern*).

fine[1] [fain] **I.** *adj.* □ **1.** fein: **a)** dünn, zart, zierlich; feinkörnig, **b)** genau, scharfsinnig, **c)** gut, vor'züglich, großartig: *a ~ scholar*, **d)** vornehm, ele'gant, stattlich, **e)** rein (*Gold etc.*), **f)** schön, hübsch, gepflegt, geschmackvoll, **g)** gutgearbeitet *od.* -gebaut, feingeformt, tadellos, **h)** vornehm, edel, gut, gebildet; **2.** schön, regenfrei (*Wetter*); **3.** geziert, pom'pös, auffällig; **4.** scharf (*a. fig.*), spitz, dünn; **5.** F fein: *that's ~!* das ist schön!; *that's all very ~ but ...* das ist ja alles gut u. schön, aber ...; *you are a ~ fellow iro.* du bist mir ein sauberer Genosse!; *a ~ excuse!* e-e hübsche Ausrede; **II.** *adv.* **6.** *to cut* (*od. run*) *it ~* (mit der Zeit, mit dem Geld) knapp hinkommen; *that will suit me ~* F das paßt mir ausgezeichnet; **III.** *v/t.* **7.** *~ down Wein etc.* klären; **IV.** *s.* **8.** schönes Wetter.

fine[2] [fain] **I.** *s.* Geldstrafe *f*, Bußgeld *n*; **II.** *v/t.* mit e-r Geldstrafe *od.* e-m Bußgeld belegen: *he was ~d £2* er mußte 2 Pfund (Strafe) bezahlen.

fine| arts *s. pl. the ~* die schönen Künste *pl.*; '**~-'draw** *v/t.* [*irr.* → *draw*] **1.** fein zs.-nähen, kunststopfen; **2.** ⊕ *Draht* fein ausziehen; '**~-'drawn** → *fine-spun*.

fine·ness ['fainnis] *s.* **1.** Fein-, Zart-, Schönheit *f*, Ele'ganz *f*; **2.** Feingehalt *m* (*Gold etc.*); **3.** Schärfe *f* (*a. fig.*), Genauigkeit *f*; '**fin·er·y** [-nəri] *s.* **1.** Putz *m*, Staat *m*; **2.** ⊕ Frischofen *m*; '**fine-'spun** *adj.* feingesponnen (*a. fig.*).

fi·nesse [fi'nes] *s.* **1.** Fi'nesse *f*, Schlauheit *f*; Spitzfindigkeit *f*, List *f*; **2.** *Kartenspiel*: Schneiden *n*.

fin·ger ['fiŋgə] **I.** *s.* **1.** Finger *m*: *first, second, third ~* Zeige-, Mittel-, Ringfinger; *fourth ~* kleiner Finger; *to cross one's ~s* den Daumen drükken; *to have one's ~ in the pie* s-e Hand im Spiel haben; *to have at one's ~s' ends Kenntnisse* parat haben, *et.* aus dem Effeff beherrschen; *not to lift* (*od. stir*) *a ~* keinen Finger rühren; *to put one's ~ on s.th. fig.* den Finger auf et. legen; *I can twist him round my (little) ~* ich kann ihn um den (kleinen) Finger wickeln; **2.** Fingerbreit *m*; **3.** Zeiger *m* (*Uhr*); **4.** schmales *od.* winziges Stück: *a ~ of cake*; **II.** *v/t.* **5.** befühlen, berühren, befingern; **6. a)** mit den Fingern spielen, **b)** mit Fingersatz versehen; '**~-board** *s.* ♪ **a)** Griffbrett *n*, **b)** Manu'al *n*; '**~-bowl** *s.* Fingerschale *f*.

-fin·gered [fiŋgəd] *adj. in Zssgn* mit ... Fingern, ...fingerig.

fin·ger·ing[1] ['fiŋgəriŋ] *s.* ♪ Fingersatz *m*.

fin·ger·ing[2] ['fiŋgəriŋ] *s.* Strumpf-, Strickwolle *f*.

'**fin·ger|-mark** *s.* (durch Finger verursachter) Schmutzfleck; '**~-nail** *s.* Fingernagel *m*; '**~-plate** *s.* Türschoner *m*; '**~-post** *s.* Wegweiser *m*; '**~-print** *s.* Fingerabdruck *m*; '**~-stall** *s.* Fingerling *m*; '**~-tip** *s. mst fig.* Fingerspitze *f*: *to have at one's ~s Kenntnisse* parat haben; *to one's ~s* durch u. durch.

fin·i·cal ['finikəl] *adj.* □, '**fin·ick·ing** [-kiŋ], '**fin·ick·y** [-ki], '**fin·i·kin** [-kin] *adj.* **1.** über'trieben genau, pe'dantisch; **2.** affek'tiert, geziert; **3.** knifflig.

fi·nis ['fainis] (*Lat.*) *s.* Ende *n*.

fin·ish ['finiʃ] **I.** *s.* **1.** Ende *n*; **2.** *sport* **a)** Ziel *n*, **b)** Endkampf *m*, Entscheidung *f*: *to be in at the ~* in die Endrunde kommen (*a. fig.*); **3.** Voll'endung *f*, letzter Schliff, (gute) Ausführung; **4.** ⊕ Fertigbearbeitung *f*; äußere Beschaffenheit, Ausführung *f*; Poli'tur *f*; Appre'tur *f* (*Stoff*); **II.** *v/t.* **5.** (be)enden, abschließen, aufhören mit: *to ~ reading* aufhören zu lesen; **6.** voll'enden, fertigstellen, beend(ig)en, erledigen, zu Ende führen: *to ~ a book* ein Buch auslesen; **7.** *Vorräte* erschöpfen, aufbrauchen; aufessen, austrinken; **8.** F ‚fertigmachen', ‚erledigen', den Rest geben (*dat.*) (*a. töten*); **9.** ⊕ **a)** (fertig) bearbeiten, fertigen, **b)** glätten, polieren, **c)** *Stoff* appretieren, zurichten; **III.** *v/i.* **10.** aufhören, enden (*with, in* mit, in *dat.*); zu Ende sein, fertig sein: *he ~ed by saying* zuletzt sagte er; *he ~ed second* **a)** er war als zweiter fertig, **b)** *sport* er belegte den zweiten Platz; *I have ~ed with you* F mit dir bin ich fertig; *~ off v/t.* **1.** beend(ig)en, zu Ende führen; **2.** → *finish* 7, 8; *~ up v/t.* **1.** → *finish off 1*: *to ~ with* (ab)schließen mit; **2.** → *finish* 7, 8.

fin·ished ['finiʃt] *adj.* **1.** beendet, fertig: *half-~ products* Halbfabrikate; *~ goods* Fertigwaren; **2.** *fig.* F ‚erledigt', verloren: *he is ~* es ist aus mit ihm; **3.** voll'endet, voll'kommen; '**fin·ish·er** [-ʃə] *s.* **1.** ⊕ Fertigsteller *m*; Appretierer *m*; **2.** F vernichtender Schlag, ‚K.-'o.-Schlag' *m*.

fin·ish·ing ['finiʃiŋ] **I.** *s.* **1.** Voll'enden *n*, Fertigstellen *n*; **2.** Verzieren *n*; **3.** ⊕ Fertigbearbeiten *n*; Appretieren *n* (*Stoff*); **II.** *adj.* **4.** abschließend; → *touch 3*; **5.** ⊕ veredelnd; *~* **coat** *s.* ⚓ Deckanstrich *m*; *~* **in·dus·try** *s.* Ver'edelungsindu,strie *f*; *~* **line** *s. sport* Ziellinie *f*; *~* **post** *s. sport* Zielpfosten *m*; *~* **school** *s.* 'Mädchenpensio,nat *n*; *~* **stroke** *s.* Gnadenstoß *m*.

fi·nite ['fainait] *adj.* **1.** begrenzt, endlich (*a.* 𝔄); **2.** *~ verb ling.* Verbum finitum.

Finn [fin] *s.* Finne *m*, Finnin *f*.

fin·nan had·dock ['finən] *s.* geräucherter Schellfisch.

finned [find] *adj.* **1.** *ichth.* mit Flossen; **2.** ⊕ gerippt; **fin·ner** ['finə] *s. zo.* Finnwal *m*.

Finn·ish ['finiʃ] **I.** *adj.* finnisch; **II.** *s. ling.* Finnisch *n*.

fin·ny ['fini] *adj. ichth.* Flossen..., Fisch...

fiord [fjɔːd] *s. geogr.* Fjord *m*.

fir [fəː] *s.* **1.** ♀ Tanne *f*, Fichte *f*; **2.** Tannen-, Fichtenholz *n*; '**~-cone** *s.* ♀ Tannenzapfen *m*.

fire ['faiə] **I.** *s.* **1.** Feuer *n* (*a. Edelstein*): *to be on ~* brennen (*a. fig.*); *to catch ~* Feuer fangen, in Brand geraten; *to set ~ to* anzünden, in Brand stecken; *to strike ~* Funken schlagen; → *Thames*; **2.** Brand *m*, Feuer *n*, Feuersbrunst *f*: *to go through ~ and water* durchs Feuer gehen; **3.** Feuer *n* (*Heizung etc.*): *a slow ~* ein kleines *od.* niedriges Feuer; *to lay a ~* Feuer anlegen; **4.** (*Gas- etc.*)Ofen *m*; **5.** *fig.* Feuer *n*, Glut *f*, Leidenschaft *f*, Begeisterung *f*; **6.** ⚔ Feuer *n*: *under ~* unter Beschuß, *fig.* angegriffen; *between two ~s* zwischen zwei Feuern (*a. fig.*); *to hang ~* schwer losgehen (*Schußwaffe*), *fig.* auf sich warten lassen (*Sache*); *to open (cease) ~* das Feuer eröffnen (einstellen); *to miss ~* versagen, *fig.* fehlschlagen; **II.** *v/t.* **7.** anzünden, in Brand stecken; **8.** ⊕ *Ziegel etc.* brennen; *Maschine* heizen: *oil-~d ship* Schiff mit Ölfeuerung; **9.** ⚔ abfeuern: *to ~ s.th. at s.o. fig.* j-n mit et. bombardieren; **10.** *fig.* aufpulvern, anfeuern; **11.** *fig.* F entlassen, rausschmeißen; **III.** *v/i.* **12.** Feuer fangen, (an)brennen; **13.** ⚔ feuern, schießen (*at, on* auf *acc.*): *to ~ blank* mit Platzpatronen schießen; **14.** *a. ~ up* ‚hochgehen', ‚platzen'; *~* **a·way** *v/i. fig.* F anfangen: *~!* schieß los!; *~* **off** *v/t.* abschießen; *fig. Fragen* vom Stapel lassen.

'**fire|-a·larm** [-ərə-] *s.* **1.** 'Feuera,larm *m*; **2.** Feuermelder *m*; '**~-arm** [-ərɑːm] *s.* Feuer-, Schußwaffe *f*: *~ certificate Brit.* Waffenschein; '**~-ball** *s.* **1.** *hist.* ⚔ Feuerkugel *f*; **2.** Mete'or *m*; '**~-box** *s.* ⊕ Feuerbuchse *f*; '**~-brand** *s.* **1.** brennendes Holzscheit; **2.** *fig.* Unruhestifter *m*, Hetzer *m*; '**~-brick** *s.* ⊕ feuerfester Scha'mottestein *m*; '**~-bri·gade** *s. Brit.* Feuerwehr *f*; '**~-bug** *s. sl.* ‚Feuerteufel' *m*; '**~-clay** *s.* feuerfester Ton, Scha'motte *f*; *~* **com·pa·ny** *s.* **1.** *Am.* Feuerwehr *f*; **2.** *Brit.* Feuerversicherungsgesellschaft *f*; '**~-con·trol** *s.* ⚔ Feuerleitung *f*; '**~-crack·er** *s.* Frosch *m* (*Feuerwerkskörper*); '**~-damp** *s.* ⚒ schlagende Wetter *pl.*, Grubengas *n*; *~* **de·part·ment** *s. Am.* Feuerwehr *f*; '**~-dog** *s.* ⊕ Feuerbock *m*; '**~-drill** *s.* Feuerlöschübung *f*; '**~-eat·er** [-əriː-] *s.* **1.** Feuerfresser *m*; **2.** *fig.* **a)** Raufbold *m*, **b)** ‚Kampfhahn' *m*; '**~-en·gine** [-əre-] *s.* ⊕ Löschfahrzeug *n*; Feuerspritze *f*; '**~-es·cape** [-əri-] *s.*

1. Rettungs-, Feuerleiter *f*, Nottreppe *f*; 2. Notausgang *m*; '**~-ex·tin·guish·er** [-əri-] *s.* Feuerlöscher *m*; '**~-fight·er** *s.* Feuerwehrmann *m*; '**~-fight·ing I.** *s.* Brandbekämpfung *f*; **II.** *adj.* Lösch..., Feuerwehr...; '**~-fly** *s. zo.* Leuchtkäfer *m*, Glühwurm *m*; '**~-guard** *s.* **1.** Ka'mingitter *n*; **2.** Brandwache *f*; '**~-hose** *s.* Feuerwehrschlauch *m*; '**~-in·sur·ance** [-əri-] *s.* Feuerversicherung *f*; '**~-i·rons** [-əraɪ-] *s. pl.* Ka'min-, Ofengeräte *pl.*; '**~-light·er** *s. Brit.* Feueranzünder *m*; '**~-man** [-mən] *s.* [*irr.*] **1.** Feuerwehrmann *m*; *pl.* Löschmannschaft *f*; **2.** Heizer *m*; '**~-of·fice** [-ərə-] *s. Brit.* Feuerversicherungsanstalt *f*; '**~-place** *s.* (offener) Ka'min; '**~-plug** *s.* ⊕ Hy'drant *m*; '**~-pol·i·cy** *s. Brit.* 'Feuerversicherungspo,lice *f*; '**~-pow·er** *s.* ⚔ Feuerkraft *f*; '**~-proof I.** *adj.* feuerfest, -sicher, -beständig: *~ curtain thea.* eiserner Vorhang; **II.** *v/t.* feuerfest machen; '**~-rais·er** *s. Brit.* Brandstifter *m*; '**~-rais·ing** *s. Brit.* Brandstiftung *f*; '**~-screen** *s.* Ofenschirm *m*; '**~-ship** *s.* ⚓ Brander *m*; '**~-side** *s.* **1.** Ka'min *m*; **2.** *fig.* häuslicher Herd, Da'heim *n*; **~ sta·tion** *s.* Feuerwehrwache *f*; **~ tongs** *s. pl.* Feuerzange *f*; '**~-trap** *s.* feuergefährdetes Gebäude ohne (genügende) Notausgänge; **~ wall** *s.* Brandmauer *f*; '**~-ward·en** *s. Am.* Brandmeister *m*; '**~-watch·er** *s. Brit.* Brandwache *f*, Luftschutzwart *m*; '**~-wa·ter** *s.* F Feuerwasser *n*, Branntwein *m*; '**~-wood** *s.* Brennholz *n*; '**~-work** *s. mst pl.* Feuerwerk *n* (*a. fig.*); '**~-wor·ship·per** *s.* Feueranbeter *m*.

fir·ing ['faɪərɪŋ] *s.* **1.** ⚔ (Ab)Feuern *n*; **2.** ⊕ Heizung *f*; *mot.* Zündung *f*; Feuerung *f*; **3.** Brennstoff *m*; '**~-line** *s.* ⚔ Feuerstellung *f*; Kampffront *f*; **~ or·der** *s. mot.* Zündfolge *f*; '**~-par·ty** *s.* ⚔ a) 'Ehrensa,lutkom,mando *n*, b) Exekuti'onskom,mando *n*; '**~-squad** → *firing-party*.

fir·kin ['fə:kɪn] *s.* **1.** (Butter- *etc.*) Fäßchen *n*; **2.** Viertelfaß *n* (*Hohlmaß*).

firm[1] [fə:m] **I.** *adj.* □ **1.** fest, stark, hart; **2.** ✝ fest: *~ offer*; *~ market*; **3.** fest, beständig; **4.** sicher; entschlossen, bestimmt; **II.** *adv.* **5.** fest, sicher: *to stand ~*.

firm[2] [fə:m] *s.* Firma *f*: a) Firmenname *m*, b) Unter'nehmen *n*, Geschäft *n*.

fir·ma·ment ['fə:məmənt] *s.* Firma'ment *n*, Himmelsgewölbe *n*.

firm·ness ['fə:mnɪs] *s.* Festigkeit *f*, Beständigkeit *f*, Entschlossenheit *f*.

'**fir-nee·dle** *s.* Tannennadel *f*.

first [fə:st] **I.** *adj.* □ → *firstly*; **1.** erst: *at ~ hand* aus erster Hand, direkt; *in the ~ place* zuerst, an erster Stelle; *~ thing (in the morning)* (morgens) als allererstes; *he doesn't know the ~ thing* er hat keine (blasse) Ahnung; → *cousin*; **2.** erst, best, bedeutendst: *~ officer* ⚓ Erster Offizier; *~ quality* beste *od.* prima Qualität; **II.** *adv.* **3.** (zu)'erst; zum erstenmal; frisch, neu; erstens; in erster 'Linie: *at ~* zuerst, anfangs; *~ of all* zu allererst, vor allen Dingen; **4.** eher, lieber; **III.** *s.* **5.** (*der, die, das*) Erste *od.* (*fig.*) Beste: *from the ~* von Anfang an; *from ~ to last* immerfort, durchweg, völlig; **6.** 🚂 *etc.* F erste(r) Klasse; **7.** *Brit. univ.* beste Note *bei der Schlußprüfung*; **8.** *pl.* ✝ Waren *pl.* erster Quali'tät; **~ aid** *s.* Erste Hilfe; '**~-'aid** *adj.* Verband(s)...: *~ kit* Verbandskasten; *~ post od. station* Verbandsplatz, Unfallstation; '**~-born I.** *adj.* erstgeboren; **II.** *s.* (*der, die, das*) Erstgeborene; **~ cause** *s. phls.* Urgrund *m* aller Dinge, Gott *m*; '**~-'class** *adj. u. adv.* **1.** erstklassig, ausgezeichnet; **2.** 🚂 *etc.* erster Klasse: *~ mail Am.* Briefpost; **3.** F großartig, 'prima; **~ cost** *s.* ✝ Gestehungskosten *pl.*, Einkaufspreis *m*; **~ draft** *s.* erste(r) Entwurf, Kon'zept *n*; **~ floor** *s.* **1.** *Brit.* erste(r) Stock, erste E'tage; **2.** *Am.* Erdgeschoß *n*; **~ form** *s. ped. Brit.* unterste Klasse; '**~-fruits** *s. pl.* **1.** ⚘ Erstlinge *pl.*; **2.** *fig.* Erstlingswerk *n*; erster Erfolg; **~ grade** *Am.* → *first form*; '**~-'hand** *adj. u. adv.* aus erster Hand *od.* Quelle, di'rekt; **~ la·dy** *s.* Gattin *f* e-s Staatsoberhauptes, First Lady *f*; **~ lieu·ten·ant** *s.* ⚔ Oberleutnant *m*.

first·ling ['fə:stlɪŋ] *s.* Erstling *m*;

first·ly ['fə:stlɪ] *adv.* erstens, erstlich, zu'erst.

first| name *s.* Vorname *m*; '**~-'night** *s. thea.* Erst-, Uraufführung *f*, Premi'ere *f*; '**~-'night·er** *s.* Premi'erenbesucher(in); *pl.* Premi'eren,publikum *n*; **~ pa·pers** *s. pl. Am. die ersten Dokumente, die zur Naturalisierung einzureichen sind*; **~ per·son** *s. ling.* erste Per'son; '**~-'rate** → *first-class 1, 3*; **~ ser·geant** *s.* ⚔ *Am.* Ober-, Hauptfeldwebel *m*; **~ vi·o·lin** *s.* ♪ erste Vio'line.

firth [fə:θ] *s.* Meeresarm *m*, (weite) Mündung, Förde *f*.

'**fir-tree** *s.* ⚘ Tanne(nbaum *m*) *f*.

fis·cal ['fɪskəl] *adj.* □ fis'kalisch, Finanz...: *~ policy* Finanzpolitik; *~ year* a) ✝ Geschäfts-, Rechnungsjahr, b) *bsd. Am.* Etats-, Steuerjahr.

fish[1] [fɪʃ] **I.** *pl.* '**fish·es** *od. coll.* **fish** *s.* **1.** a) Fisch *m*, b) *coll.* Fische *pl.*: *fried ~* Bratfisch; *to drink like a ~* saufen wie ein Bürstenbinder; *he is like a ~ out of water* er ist nicht in s-m Element; *I have other ~ to fry* ich habe Wichtigeres zu tun; *all is ~ that comes to his net* er nimmt unbesehen alles (mit); *a pretty kettle of ~* F e-e schöne Bescherung; *neither ~ nor flesh (nor good red herring)* weder Fisch noch Fleisch, nichts Halbes und nichts Ganzes; *loose ~* F lockerer Vogel; *queer ~* F komischer Kauz; → *feed 1*; **2.** *ast.* the ♓(es *pl.*) die Fische *pl.*; **II.** *v/t.* **3.** fischen, *Fische* fangen; **4.** *Fluß etc.* abfischen, absuchen; **5.** *fig.* a. *~ out* her'aus-, her'vorkramen; **6.** *~ up* auffischen, retten; **III.** *v/i.* **7.** (*for*) fischen, angeln (nach) (*a. fig.*): *to ~ for compliments* nach Komplimenten haschen.

fish[2] [fɪʃ] 🚂 **I.** *s.* Lasche *f*; **II.** *v/t.* verbinden, verlaschen.

fish| and chips *s. Brit.* Bratfisch *m* u. Pommes 'frites; '**~-ball** *s. Küche*: 'Fischfrika,delle *f*; **~ bas·ket** *s.* (Fisch)Reuse *f*; '**~-bolt** *s.* ⊕ Laschenbolzen *m*; '**~-bone** *s.* Gräte *f*; '**~-bowl** *s.* Goldfischglas *n*; '**~-cake** → *fish-ball*; '**~-carv·er** *s.* Fischvorlegemesser *n*.

fish·er·man ['fɪʃəmən] *s.* [*irr.*] (Sport)Fischer *m*; **fish·er·y** ['fɪʃərɪ] *s.* **1.** Fische'rei *f*, Fischfang *m*; **2.** Fische'reigebiet *n*, Fischgrund *m*; **3.** Fische'reirecht *n*.

'**fish|-globe** → *fish-bowl*; '**~-glue** *s.* Fischleim *m*; '**~-hawk** *s. orn.* Fischadler *m*; '**~-hook** *s.* Angelhaken *m*.

fish·i·ness ['fɪʃɪnɪs] *s. sl.* Verdächtigkeit *f*, Anrüchigkeit *f*.

fish·ing ['fɪʃɪŋ] *s.* **1.** Fischen *n*, Angeln *n*; **2.** → *fishery 1, 2*; '**~-boat** *s.* Fischerboot *n*; **~ grounds** *s. pl.* → *fishery 2*; **~ in·dus·try** *s.* Fische'rei (-gewerbe *n*) *f*; '**~-line** *s.* Angelschnur *f*; '**~-net** *s.* Fischnetz *n*; '**~-rod** *s.* Angelrute *f*; '**~-tack·le** *s.* Angel-, Fische'reigeräte *pl.*

fish| joint *s.* 🚂 Laschenverbindung *f*, Schienenstoß *m*; '**~-knife** *s.* [*irr.*] Fischmesser *n*; '**~-mon·ger** *s. Brit.* Fischhändler *m*; '**~-oil** *s.* Fischtran *m*; '**~-plate** *s.* 🚂 Lasche *f*; '**~-pond** *s.* Fischteich *m*; '**~-pot** *s.* Fischreuse *f* (*zum Krebsfang*); '**~-slice** *s.* **1.** → *fish-carver*; **2.** *Brit.* Fischheber *m*; '**~-tail I.** *s.* Fischschwanz *m*; **II.** *adj.* fischschwanzähnlich: *~ burner* ⊕ Fischschwanzbrenner; **III.** *v/i.* ✈ F abbremsen; '**~-wife** *s.* [*irr.*] Fischhändlerin *f*, -weib *n*: *to swear like a ~* keifen.

fish·y ['fɪʃɪ] *adj.* □ **1.** fischartig, Fisch...; **2.** fischreich; **3.** trüb, ausdrucks-, glanzlos: *~ eyes* Fischaugen; **4.** *sl.* verdächtig, anrüchig, ‚faul'.

fis·sile ['fɪsaɪl] *adj.* spaltbar; **fis·sion** ['fɪʃən] *s.* **1.** *phys.* Spaltung *f*; **2.** *biol.* (Zell)Teilung *f*; **fis·sion·a·ble** ['fɪʃnəbl] *adj. phys.* spaltbar.

fis·sip·a·rous [fɪ'sɪpərəs] *adj. biol.* sich durch Teilung vermehrend.

fis·sure ['fɪʃə] *s.* Spalt(e *f*) *m*, Riß *m* (*a.* ⚕), Sprung *m*; '**fis·sured** [-əd] *adj.* gespalten, rissig (*a. fig.*).

fist [fɪst] **I.** *s.* **1.** Faust *f*: *~ law* Faustrecht; **2.** *humor.* a) ‚Pfote' *f*, Hand *f*, b) Handschrift *f*, ‚Klaue' *f*; **II.** *v/t.* **3.** mit der Faust schlagen; **4.** *bsd.* ⚓ anpacken.

-fist·ed [fɪstɪd] *adj. in Zssgn* mit e-r ... Faust *od.* Hand (*a. fig.*).

fist·ic *adj.*; **fist·i·cal** ['fɪstɪk(əl)] *adj. sport* F Box...; '**fist·i·cuffs** [-kʌfs] *s. pl.* Faustschläge *pl.*, Schläge'rei *f*.

fis·tu·la ['fɪstjulə] *s.* ⚕ Fistel *f*.

fit[1] [fɪt] **I.** *adj.* □ **1.** passend, geeignet; fähig, tauglich: *~ for wear* zum Tragen geeignet; *~ for service* dienstfähig, -tauglich; *~ to drink* trinkbar; *to laugh ~ to burst* F vor Lachen beinahe platzen; → *drop 15*; **2.** wert, würdig: *not to be ~ to inf.* es nicht verdienen zu *inf.*; *not ~ to be seen* nicht präsentabel; **3.** geziemend, gehörig, angebracht: *it is ~ to do*; *more than ~* über Gebühr; *to see (od. think) ~* es für richtig halten; *he didn't think ~ to* er hielt es nicht für angebracht zu; **4.** in (guter) Form, gut in Schuß, fit: *to keep ~* sich gesund erhalten; *as ~ as a* *fiddle* a) kerngesund, b) quietschvergnügt; II. *s.* 5. Passen *n*, Sitz *m* (*Kleid*): *it is a bad* ~ es sitzt schlecht; *a tight* ~ *fig.* sehr knapp bemessen; 6. ⊕ Passung *f*; III. *v/t.* 7. *j-m* passen, sitzen (*Kleid*); 8. für *od.* zu *od.* auf *e-e Sache* passen (*a. fig.*), angepaßt sein (*dat.*): *the key* ~*s the lock*; *to* ~ *the occasion*; *to* ~ *the facts* (mit den Tatsachen überein)stimmen; 9. geeignet machen, anpassen; vorbereiten, befähigen; 10. *oft* ⊕ *et.* einsetzen, aufstellen, anbringen, montieren; 11. versorgen, ausrüsten, einrichten (*with* mit); 12. anpassen, anprobieren: *to go to be* ~*ted* zur Anprobe gehen; IV. *v/i.* 13. sitzen (*Kleid*): *close-*~*ting* enganliegend; 14. passen; sich eignen; 15. (*into*) sich anpassen (*dat.*), sich einfügen (in *acc.*); ~ **in** I. *v/t.* einfügen, -schieben; II. *v/i.* (*with*) passen (zu), über'einstimmen (mit); ~ **on** *v/t.* anpassen, -probieren, -bringen; ~ **out** ausstatten, einrichten; ~ **up** *v/t.* 1. aufstellen; 2. → *fit out.*

fit² [fit] *s.* 1. ⚕ *u. fig.* Anfall *m*, Ausbruch *m*: ~ *of coughing* Hustenanfall; ~ *of anger* Wutanfall; ~ *of laughter* Lachkrampf; *to give s.o. a* ~ F a) j-m e-n Schrecken einjagen, b) j-n ‚ganz aus dem Häus-chen bringen'; 2. Anwandlung *f*, Laune *f*: *a* ~ *of generosity* e-e Anwandlung von Großzügigkeit, Spendierlaune; *by* ~*s and starts* stoß-, ruckweise, dann u. wann.

fit·ful ['fitful] *adj.* □ unregelmäßig, unbeständig, veränderlich; launenhaft; '**fit·ful·ness** [-nis] *s.* Ungleichmäßigkeit *f*; Launenhaftigkeit *f*; **fit·ment** ['fitmənt] *s.* Einrichtungsgegenstand *m*; *pl.* Ausstattung *f*, Einrichtung *f*; **fit·ness** ['fitnis] *s.* 1. Eignung *f*, Fähig-, Tauglichkeit *f*; 2. Zweckmäßigkeit *f*; 3. Angemessenheit *f*, Schicklichkeit *f*; 4. ‚gute Form', Gesundheit *f*, Fitneß *f*: ~ *test sport* Fitneßtest; '**fit-out** *s.* Ausrüstung *f*; **fitted** ['fitid] *adj.* zugeschnitten, nach Maß: ~ *carpet* Auslegeteppich; ~ *coat* auf Taille gearbeiteter Mantel; **fit·ter** ['fitə] *s.* 1. Ausrüster *m*, Einrichter *m*; 2. Anprobeschneider (-in); 3. ⊕ Mon'teur *m*, Me'chaniker *m*; Installa'teur *m*; (Bau)Schlosser *m*; **fit·ting** ['fitiŋ] I. *adj.* □ 1. a) passend, geeignet, b) angemessen, schicklich; II. *s.* 2. ⊕ Installieren *n*; Aufstellung *f*, Mon'tage *f*; Paßarbeit *f*: ~ *shop* Montagehalle; 3. Anprobe *f*; 4. ⊕ Bau-, Zubehörteil *m, n*; *pl.* Beschläge *pl.*, Arma'turen *pl.*: *light-*~ Beleuchtungskörper; 5. *pl.* Zubehör *n, m*, Ausstattungsgegenstände *pl.*; 6. Einrichtung *f*, Ausrüstung *f*.

five [faiv] I. *adj.* fünf: ~*-day week* Fünftagewoche; ~*-finger exercise* ♪ Fünffingerübung; ~*-year plan* Fünfjahresplan; II. *s.* Fünf *f*; '**five·fold** *adj. u. adv.* fünffach; '**fiv·er** [-və] *s.* F *Brit.* Fünfpfundnote *f*; **fives** [-vz] *s. pl. sg. konstr. sport Brit. ein* Wandballspiel *n*.

fix [fiks] I. *v/t.* 1. befestigen, festmachen, anheften (*to* an *acc.*); ⚔ *Seitengewehr* aufpflanzen; 2. aufstellen, anbringen, einsetzen; *fig.* einprägen (*in dat.*); 3. *fig. Termin etc.* festsetzen, -legen, bestimmen, verabreden; 4. *Blick, Gedanken* richten, heften, *Hoffnung* setzen (*on* auf *acc.*); 5. *Aufmerksamkeit* fesseln; 6. *Schuld etc.* zuschreiben (*on dat.*); 7. *bsd. Am.* a) ein-, herrichten, b) in Ordnung bringen, richten, c) arrangieren, regeln; 8. *a.* ~ *up* F *j-n* 'unterbringen, versorgen; *j-m* e-e Stellung besorgen; 9. ~ *up* festsetzen, arrangieren; *Streit* beilegen; 10. *j-n* anstarren, fixieren; 11. ⊕, *phot.* fixieren; 12. ⚓, ✈ die Positi'on bestimmen von; 13. *sl.* a) *Spiel etc.* (vorher) ‚arrangieren', b) *j-n* bestechen, c) es *j-m* ‚besorgen', es *j-m* ‚geben'; II. *v/i.* 14. fest werden; 15. ~ *on* a) sich entscheiden *od.* entschließen für *od.* zu, wählen, b) *Termin etc.* festsetzen; 16. *sl.* ‚fixen' (*sich bsd. Heroin injizieren*); III. *s.* 17. F heikle Lage, ‚Klemme' *f*; 18. ⚓, ✈ Standort *m*, Positi'on *f*; 19. *sl.* ‚Schuß' *m* (*bsd. Heroininjektion*): *to give o.s. a* ~ sich e-n Schuß verpassen; **fix·a·tion** [fik'seiʃən] *s.* 1. Fi'xierung *f*, Befestigung *f*; 2. Festlegung *f*, -setzung *f*; 3. → *fixed idea*; '**fix·a·tive** [-sətiv] I. *s.* Fixa'tiv *n*, Fi'xiermittel *n*; II. *adj.* Fixier...; '**fix·a·ture** [-sətʃə] *s.* Frisiercreme *f*, Haarfestiger *m*.

fixed [fikst] *adj.* □ → *fixedly*; 1. festgemacht, befestigt, (orts)fest, Fest... (*-antenne etc.*); starr (*Kanone etc.*); 2. fest (*Preis, Grundsatz*), sta'bil (*a. Preis*), bestimmt, unveränderlich, festgesetzt: ~ *assets* ✝ Anlagevermögen; ~ *capital* ✝ Anlagekapital; 3. ständig, laufend (*Ausgaben*): ~ *charge* ✝ ständige Belastung; 4. ortsfest, Stand...; 5. *phys.* nicht flüchtig; gehärtet; starr (*a. Blick*); 6. *Am.* ‚arrangiert', insgeheim verabredet; ~ **de·pos·it** *s.* ✝ feste Einlage; ~ **i·de·a** *s. psych.* fixe I'dee, Kom'plex *m*; '~**-'in·ter·est** *adj.* festverzinslich.

fix·ed·ly ['fiksidli] *adv.* 1. bestimmt, ständig; 2. starr, unverwandt.

fixed| point *s.* 1. fester Platz; 2. ⅍ Fixpunkt *m*; ~ **star** *s. ast.* Fixstern *m*.

fix·er ['fiksə] *s.* 1. *phot.* Fi'xiermittel *n*; 2. *sl.* ‚Fixer' *m* (*j-d der sich bsd. Heroin injiziert*); '**fix·ings** [-siŋz] *s. pl. Am. sl.* Zeug *n* (*Geräte etc.*), Drum und Dran *n*, Verzierungen *pl.*; Zubehör *n, m*; Zutaten *pl.*; '**fix·i·ty** [-siti] *s.* Festigkeit *f*, Beständigkeit *f*: ~ *of purpose* Zielstrebigkeit; '**fix·ture** [-stʃə] *s.* 1. fester Gegenstand, feste Anlage, Installati'onsteil *m*: *lighting* ~ Beleuchtungskörper; 2. Inven'tarstück *n* (*a. fig.* F), festes Zubehör: *to be a* ~ *fig.* F a) zum Inventar gehören (*Angestellter*), b) (zu) lange bleiben; 3. ⊕ (Aufspann-, Halte-) Vorrichtung *f*, Befestigung *f*, Spannzeug *n*; 4. *pl.* (totes) Inven'tar, Einrichtung *f*; 5. *sport Brit.* (festgesetzte) Veranstaltung.

fizz [fiz] I. *v/i.* 1. zischen, moussieren, sprudeln; II. *s.* 2. Zischen *n*, Sprudeln *n*; 3. *Brit. sl.* ‚Schampus' *m* (*Sekt*); 4. *Am.* a) Sodawasser *n*, Sprudel *m*, b) eisgekühltes Getränk; '**fiz·zle** [-zl] I. *s.* 1. Zischen *n*, Summen *n*; 2. F Fi'asko *n*, Pleite *f*; II. *v/i.* 3. zischen, summen; 4. *Am.* (*Brit.* ~ *out*) verpuffen (*a. fig.*); *fig.* miß'glücken, 'durchfallen, im Sande verlaufen; '**fiz·zy** [-zi] *adj.* sprudelnd, moussierend.

fjord → *fiord.*

flab·ber·gast ['flæbəgɑːst] *v/t.* F verblüffen: *I was* ~*ed* ich war ‚platt'.

flab·bi·ness ['flæbinis] *s.* Schlaffheit *f*; **flab·by** ['flæbi] *adj.* □ 1. schlaff; 2. *fig.* schlapp, kraft-, gehaltlos.

flac·cid ['flæksid] *adj.* 1. schlaff, weich; 2. *fig.* ener'gie-, kraftlos, schwach; **flac·cid·i·ty** [flæk'siditi] *s.* 1. Schlaff-, Weichheit *f*; 2. *fig.* Schwäche *f*.

flag¹ [flæg] I. *s.* 1. Fahne *f*, Flagge *f*: *to hoist* (*od. fly*) *one's* ~ a) die Fahne aufziehen, b) den Befehl übernehmen (*Admiral*); *to strike one's* ~ a) die Flagge streichen, *fig.* kapitulieren, b) den Befehl abgeben (*Admiral*); *to keep the* ~ *flying fig.* die Fahne hochhalten; ~ *of convenience* ⚓ billige Flagge; II. *v/t.* 2. beflaggen; 3. mit Flaggen signalisieren.

flag² [flæg] *s.* ⚘ gelbe Schwertlilie.

flag³ [flæg] *v/i.* 1. schlaff her'abhängen; 2. *fig.* nachlassen, erlahmen, erschlaffen.

flag⁴ [flæg] I. *s.* Steinplatte *f*, Fliese *f*; II. *v/t.* mit Fliesen belegen.

'**flag|-'cap·tain** *s.* ⚓ *Brit.* Komman'dant *m* des Flaggschiffs; '~**-day** *s. Brit.* Opfertag *m* (*Straßensammlung für wohltätige Zwecke*); ♀ **Day** *s. Am.* Jahrestag *m* der Natio'nalflagge.

flag·el·lant ['flædʒilənt] I. *s.* Geißler *m*, Flagel'lant *m*; II. *adj.* geißelnd; '**flag·el·late** [-dʒeleit] I. *v/t.* geißeln; II. *s. zo.* Geißeltierchen *n*; **flag·el·la·tion** [flædʒe'leiʃən] *s.* Geißelung *f*.

flag·eo·let [flædʒəʊ'let] *s.* ♪ Flageo'lett *n*.

flag·ging¹ ['flægiŋ] *adj.* erlahmend.

flag·ging² ['flægiŋ] *s.* Fliesenweg *m*.

'**flag|-lieu'ten·ant** [-le'tenənt] *s.* ⚓ *Brit.* Flaggleutnant *m*; '~**·man** [-mən] *s.* [*irr.*] 1. Winker *m*, Si'gnalgeber *m*; 2. *sport* Starter *m*; '~**-of·fi·cer** *s.* ⚓ 'Flaggoffi,zier *m*.

flag·on ['flægən] *s.* 1. *bauchige* (Wein)Flasche (*bsd. in Bocksbeutelform*); 2. (Deckel)Krug *m*.

fla·gran·cy ['fleigrənsi] *s.* (offenkundige) Schamlosigkeit, Ungeheuerlichkeit *f*; '**fla·grant** [-nt] *adj.* □ schamlos, schändlich, ungeheuerlich; schreiend, offenkundig, fla'grant; kraß.

'**flag|·ship** *s.* ⚓ Flaggschiff *n*; '~**-staff** *s.* Fahnenstange *f*, Flaggenstock *m*, -mast *m*; '~**-sta·tion** *s.* 🚂 Bedarfshaltestelle *f*; '~**-stone** → *flag⁴ I*; '~**-wag·ging** *s. sl.* 1. Signalisieren *n*; 2. → *flag-waving 2*; '~**-wav·ing** *s.* 1. Agitati'on *f*; 2. Chauvi'nismus *m*, Hur'rapatrio,tismus *m*.

flail [fleil] ⚒ I. *s.* Dreschflegel *m*; II. *v/t.* dreschen.

flair [flɛə] *s.* Flair *n*, Spürsinn *m*, feine Nase, feiner In'stinkt, ‚Riecher' *m* (*for* für).

flak [flæk] (*Ger.*) *s.* ⚔ Flak *f*: a)

ˈFliegerabwehr(kaˌnone *od.* -truppe) *f*, **b)** Flakfeuer *n*.

flake [fleik] **I.** *s.* **1.** (*Schnee-, Seifen-, Hafer- etc.*)Flocke *f*; **2.** dünne Schicht, Schuppe *f*, Blatt *n*, Fetzen *m*, Splitter *m*; **II.** *v/t.* **3.** abblättern, -spalten; **4.** flockig machen; **III.** *v/i.* **5.** in Flocken fallen; **6.** ~ *off* abblättern, sich abschälen; **flaked** [-kt] *adj.* flockig, schuppig, Blättchen..., Flocken...; ˈ**flak·y** [-ki] *adj.* **1.** flockig, schuppig, Schicht...; **2.** blätterig: ~ *pastry* Blätterteig.

flam·beau [ˈflæmbou] *pl.* **-x** [-z] *od.* **-s** *s.* **1.** Fackel *f*; **2.** Leuchter *m*.

flam·boy·ance [flæmˈbɔiəns] *s.* überˈladener Schmuck; **flamˈboy·ant** [-nt] *adj.* □ **1.** leuchtend, flammend, grell; **2.** auffallend, überˈladen (*a. Stil*); pomˈpös, bomˈbastisch; **3.** ~ *style* ⩓ (welliger) Flammenstil.

flame [fleim] **I.** *s.* **1.** Flamme *f*: *to burst into* ~(*s*) in Flammen aufgehen; *to commit to the* ~*s* einäschern; **2.** *fig.* Feuer *n*, Eifer *m*, Glut *f*, Leidenschaft *f*, Heftigkeit *f*: *to fan the* ~ Öl ins Feuer gießen; **3.** Leuchten *n*, Glanz *m*; **4.** F ‚Flamme' *f*, ‚Angebetete' *f*; **II.** *v/i.* **5.** flammen, lodern; **6.** leuchten; **7.** ~ *up* aufflammen; in Wut geraten; tief erröten; ~ **cut·ter** *s.* ⊕ Schneidbrenner *m*; ˈ~**-throw·er** *s.* ⚔ Flammenwerfer *m*.

flam·ing [ˈfleimiŋ] *adj.* □ flammend, feurig, heiß, lodernd, leuchtend (*alle a. fig.*).

fla·min·go [fləˈmiŋgou] *pl.* **-goes,** *Am. a.* **-gos** *s. orn.* Flaˈmingo *m*.

flam·ma·ble [ˈflæməbl] *Am.* → *inflammable*.

flan [flæn] *s.* Obsttorte *f*.

flange [flændʒ] ⊕ **I.** *s.* **1.** Flansch *m*: ~*-mounted motor* Flanschmotor; **2.** Rad-, Spurkranz *m*; **II.** *v/t.* **3.** (an)flanschen.

flank [flæŋk] **I.** *s.* **1.** Flanke *f*, Weiche *f* (*der Tiere*); **2.** Seite *f* (*Gebäude etc.*); **3.** ⚔ Flanke *f*, Flügel *m*: *to turn the* ~ die Flanke aufrollen; **II.** *v/t.* **4.** flankieren, seitlich stehen von, säumen, umˈgeben; **5.** ⚔ die Flanke decken *od.* angreifen; **6.** seitlich umˈgehen; **III.** *v/i.* **7.** angrenzen, -stoßen; seitlich liegen; ~ **guard** *s.* ⚔ Flankendeckung *f*.

flank·ing [ˈflæŋkiŋ] *adj.* seitlich; angrenzend; ~ **fire** *s.* ⚔ Flankenfeuer *n*; ~ **march** *s.* ⚔ Flankenmarsch *m*.

flan·nel [ˈflænl] **I.** *s.* **1.** Flaˈnell *m*; **2.** Flaˈnell-, Waschlappen *m*; **3.** *pl.* Flaˈnellkleidung *f*, *bsd.* Flaˈnellhose *f*; **II.** *v/t.* **4.** mit Flanell bekleiden; **5.** mit Flanell abreiben.

flan·nel·et(te) [flænlˈet] *s.* ˈBaumwollflaˌnell *m*.

flap [flæp] **I.** *s.* **1.** Schlag *m*, Klaps *m*; **2.** Flügelschlag *m*; **3.** (*Verschluß-*)Klappe *f* (*Tasche, Briefkasten etc.*); **4.** (*Tisch-, Fliegen-,* ✈ *Lande-*)Klappe *f*; Falltür *f*; **5.** Lasche *f* (*Schuh*); **6.** weiche Krempe; **7.** ⚕ Hautlappen *m*; **8.** F Nervosiˈtät *f*, (innere) Unruhe, Aufregung *f*: *to be* (*all*) *in a* ~ (ganz) aufgeregt *od.* nervös sein; **II.** *v/t.* **9.** schlagen, klapsen; **10.** auf u. ab (*od.* hin u. her) bewegen, mit *den Flügeln etc.* schlagen; **III.** *v/i.* **11.** flattern; **12.** lose herˈunterhängen; ˈ~**-doo·dle** *s.* F Unsinn *m*, ‚Blech' *n*, ‚Mumpitz' *m*; ˈ~**-eared** *adj.* schlappohrig; ˈ~**-jack** *s.* **1.** Pfannkuchen *m*; **2.** *Brit.* (flache) Puderdose.

flap·per [ˈflæpə] *s.* **1.** Fliegenklappe *f*; **2.** Klapper *f*; **3.** Flosse *f*; **4.** *sl.* ‚Flosse' *f* (*Hand*); **5.** *orn.* noch nicht flügge Wildente; **6.** *sl.* Göre *f*, junges ‚Ding'.

flare [flɛə] **I.** *s.* **1.** flackerndes Licht; Aufflackern *n*, -leuchten *n*; **2.** ⚓, ⚔, ✈ ˈLeuchtsiˌgnal *n*, -kugel *f*, -bombe *f*; **3.** *fig.* Aufbrausen *n*, Wutausbruch *m*; **4.** Aufbauschen *n*; Ausbauchen *n*; **II.** *v/i.* **5.** flackern: *to* ~ *up* auflodern; **6.** ~ *up* (*od. out*) *fig.* ‚platzen', aufbrausen; **7.** sich (glokkenförmig) bauschen (*Rock*); **8.** ⚓ ˈüberhängen (*Bug*); **III.** *v/t.* **9.** *brennende Kerze* schwenken; **10.** ⚓ mit Licht *od.* Feuer signalisieren; **11.** glockenförmig bauschen: ~*d skirt* Glockenrock; ˈ~**-path** *s.* ✈ Leuchtpfad *m*; ~ **pis·tol** *s.* ⚔ ˈLeuchtpiˌstole *f*; ˈ~-ˈ**up** [-ərˈʌp] *s.* **1.** Aufflackern *n*; **2.** *fig.* Aufbrausen *n*, Wutausbruch *m*; **3.** *fig.* kurzlebiger Erfolg, Strohfeuer *n*.

flar·ing [ˈflɛəriŋ] *adj.* □ *fig.* auffallend, protzig.

flash [flæʃ] **I.** *s.* **1.** Aufblitzen *n*, Blitz *m*: ~ *of lightning* Blitzstrahl; ~ *of fire* Feuergarbe; *a* ~ *in the pan fig.* ein Versager nach blendendem Start, ein Schlag ins Wasser; **2.** ⚔ Mündungsfeuer *n*; **3.** *phot.* Blitzlicht(aufnahme *f*) *n*; **4.** *fig.* Aufflammen *n*: ~ *of hope* Hoffnungsstrahl; ~ *of wit* Geistesblitz; **5.** Augenblick *m*: *in a* ~ im Nu; **6.** auffälliger Glanz, Pracht *f*; **7.** *Zeitung*: Kurzmeldung *f*; *tel.* Blitzmeldung *f*; **II.** *v/i.* **8.** aufleuchten, -blitzen; glänzen, leuchten, funkeln; **9.** ausbrechen, auftauchen; **10.** rasen, flitzen, fliegen; zucken (*Blitz*): *it* ~*ed upon me* (*od. into my mind*) es fuhr mir plötzlich *od.* blitzartig durch den Sinn; **III.** *v/t.* **11.** aufleuchten *od.* aufblitzen lassen; durchˈzucken: *his eyes* ~*ed fire* s-e Augen blitzten *od.* funkelten; **12.** schnell *wohin* richten, *Blick* werfen *od.* schleudern: *he* ~*ed a light in my face* er leuchtete mir plötzlich ins Gesicht; **13.** *Nachricht* ˈdurchsagen, -geben, telegraphieren; **14.** schnell herˈvorziehen; zur Schau tragen; **IV.** *adj.* **15. a)** → *flashy*, **b)** geschniegelt, ‚aufgedonnert' (*Person*), **c)** *sl.* todschick (*Restaurant, Wagen etc.*); **16.** unecht; **17.** Gauner...; ˈ~**-back** *s.* Rückblende *f*, -blick *m* (*Film, Roman etc.*); ~ **bulb** *s. phot.* Blitzlicht(-lampe *f*) *n*.

flash·er [ˈflæʃə] *s. mot.* Lichthupe *f*.

flash·i·ness [ˈflæʃinis] *s.* auffälliger Prunk, oberflächlicher Glanz; ˈ**flashing light** [-iŋ] *s.* ⚓ Blinkfeuer *n*.

ˈ**flash|-lamp** *s.* **1.** Siˈgnallampe *f*; **2.** → *flash bulb*; **3.** Taschenlampe *f*; ˈ~**-light** *s.* **1.** Leucht-, Siˈgnalfeuer *n*; **2.** *phot.* Blitzlicht *n*: ~ *photo* (*-graph*) Blitzlichtaufnahme; **3.** *Am.* Taschenlampe *f*; ˈ~**-o·ver** *s.* ⚡ ˈÜberschlag *m*; ˈ~**-point** *s. phys.* Flammpunkt *m*; ~ **weld·ing** *s.* ⊕ Abschmelzschweißen *n*.

flash·y [ˈflæʃi] *adj.* □ glänzend, protzig, auffällig, ‚knallig'.

flask [flɑːsk] *s.* **1.** Taschen-, Reise-, Feldflasche *f*; **2.** ⊕ Kolben *m*, Flasche *f*.

flat¹ [flæt] **I.** *s.* **1.** Fläche *f*, Ebene *f*; **2.** flache Seite: ~ *of the hand* Handfläche; **3.** Flachland *n*, Niederung *f*; **4.** Untiefe *f*, Sandbank *f*; **5.** ♪ B *n* (*b*); **6.** 🚂 *Am.* → *flatcar*; **7.** *sl.* Schafskopf *m*, Depp *m*; **8.** F ‚Platte(r)' *m*, Reifenpanne *f*; **II.** *adj.* **9.** flach, eben; platt (*a. Reifen*); raˈsant (*Flugbahn*): ~ *feet* Plattfüße; *the* ~ *hand* die flache *od.* offene Hand; ~ *nose* platte Nase; ~ *pan* flache Pfanne; *as* ~ *as a pancake* flach wie ein Brett; **10.** hingestreckt, ˈumgelegt: *to fall* ~ lang hinfallen; → *17*; *to knock* ~ zu Boden strecken; *to lay* ~ dem Erdboden gleichmachen; **11.** entschieden, glatt: *a* ~ *no*; *that's* ~ damit basta!; **12.** fade, schal (*Wein etc.*); **13.** *a.* ✝ lustlos, flau; **14.** langweilig, matt (*a. Farbe*); seicht, geist-, wirkungslos; **15. a)** einheitlich: ~ *price* (*od. rate*) Einheitspreis, **b)** pauˈschal: ~ *fee* Pauschalgebühr; **16.** ♪ erniedrigt: *A* ~ as; *B* ~ b; *D* ~ des; *E* ~ es; **III.** *adv.* **17.** glatt, rundweg; völlig: *to fall* ~ **a)** s-e Wirkung verfehlen, danebengehen, **b)** ‚flachfallen' (*mißglücken*); → *10*; **18.** *to sing* ~ ♪ zu tief singen.

flat² [flæt] *s. Brit.* **1.** (Eˈtagen)Wohnung *f*; *pl.* Eˈtagenhaus *n*; **2.** Stockwerk *n*.

ˈ**flat|-bed trail·er** *s. mot.* Tiefladeanhänger *m*; ˈ~**-boat** *s.* ⚓ Prahm *m*; ˈ~**-car** *s.* 🚂 *Am.* Plattformwagen *m*; ˈ~**-fish** *s. ichth.* Plattfisch *m*; ˈ~**-foot** *s.* [*irr.*] **1.** ⚕ Platt-, Senkfuß *m*; **2.** *Am. sl.* ‚Bulle' *m* (*Polizist*); ˈ~-ˈ**foot·ed** *adj.* **1.** ⚕ plattfüßig: *to be* ~ Plattfüße haben; **2.** *Brit.* F schwerfällig, phantaˈsielos; **3.** *Am. sl.* komproˈmißlos, entschieden; eisern; ˈ~**-i·ron** *s.* Bügel-, Plätteisen *n*.

flat·let [ˈflætlit] *s. Brit.* **1.** Kleinwohnung *f*; **2.** Appartеˈment *n*; ˈ**flat·ness** [-tnis] *s.* **1.** Flachheit *f*; **2.** Plattheit *f*, Eintönigkeit *f*; **3.** Entschiedenheit *f*; **4.** ✝ Flauheit *f*.

ˈ**flat|-nosed pli·ers** *s. pl.* ⊕ Flachzange *f*; ~ **race** *s. sport* Flachrennen *n*.

flat·ten [ˈflætn] **I.** *v/t.* **1.** planieren, (ein)ebnen; **2.** abflachen; **3.** ⊕ hämmern, strecken; *Delle etc.* ausbeulen; **4.** *fig. j-n* be-, niederdrükken; **II.** *v/i.* **5.** flach werden; ~ **out I.** *v/t.* **1.** ⊕ → *flatten 1, 3*; **2.** ✈ *Flugzeug* abfangen, aufrichten; **II.** *v/i.* **3.** ✈ ausschweben.

flat·ter [ˈflætə] *v/t.* **1.** schmeicheln (*dat.*), Kompliˈmente machen (*dat.*): *to* ~ *s.o. into s.th.* j-n durch Schmeicheln zu et. überreden; **2.** (zu) günstig darstellen; **3.** erfreuen; *Eitelkeit* befriedigen; **4.** ~ *o.s.* sich schmeicheln *od.* einbilden (*that* daß); sich beglückwünschen (*on* zu); ˈ**flat·ter·er** [-ərə] *s.* Schmeichler(in); ˈ**flat·ter·ing** [-əriŋ] *adj.* □ schmeichelhaft, schmeichlerisch; geschmeichelt (*Bild etc.*); **'flat·ter·y** [-əri] *s.* Schmeiche'lei *f.*

flat·ting ['flætiŋ] *s.* ⊕ Platthämmern *n*: *~ mill* Walzwerk.

flat·tish ['flætiʃ] *adj.* ziemlich flach.

'flat·top *s.* ⚓ *Am. sl.* Flugzeugträger *m.*

flat·u·lence ['flætjuləns], **'flat·u·len·cy** [-si] *s.* **1.** ⚕ Blähung(en *pl.*) *f*; **2.** *fig.* Nichtigkeit *f*, Schwulst *m*; **'flat·u·lent** [-nt] *adj.* □ **1.** blähend; **2.** *fig.* nichtig, schwülstig; aufgeblasen.

'flat·ware *s. Am.* **1.** flache Teller *pl. od.* Schüsseln *pl. etc.*; **2.** Eßbestecke *pl.*

flaunt [flɔːnt] **I.** *v/t.* **1.** prunken *od.* paradieren mit, frech zur Schau tragen, nicht verbergen, offen zeigen; **II.** *v/i.* **2.** stolzieren, paradieren; **3.** stolz wehen, prangen.

fla·vo(u)r ['fleivə] **I.** *s.* **1.** (Wohl-)Geschmack *m*, A'roma *n*; Blume *f* (*Wein*); **2.** Würze *f* (*a. fig.*), 'Würzstoff *m*, -es͵senz *f*; **3.** *fig.* Beigeschmack *m*, Anflug *m*; **II.** *v/t.* **4.** würzen (*a. fig.*), Geschmack geben (*dat.*); **III.** *v/i.* **5.** *~ of* schmekken nach; *fig.* erinnern an; **'fla·vo(u)red** [-əd] *adj.* würzig; *in Zssgn* mit ... Geschmack; **'fla·vo(u)r·ing** [-vəriŋ] *s.* → *flavo(u)r 2, 3*; **'fla·vo(u)r·less** [-lis] *adj.* ohne Geschmack, fade, schal.

flaw [flɔː] *s.* **1.** Fehler *m*, fehlerhafte Stelle, De'fekt *m* (*alle a. fig.*); **2.** Sprung *m*, Riß *m*, Bruch *m*; **3.** ⊕ Blase *f*, Wolke *f*; **4.** ⚖ **a)** Formfehler *m*, **b)** Fehler *m* im Recht; **5.** *fig.* schwacher Punkt, Mangel *m*; **'flaw·less** [-lis] *adj.* □ fehler-, einwandfrei, tadellos.

flax [flæks] *s.* ♀ **1.** Flachs *m*, Lein *m*; **2.** Flachs(faser *f*) *m*; **'~-comb** *s.* ⊕ Flachshechel *f*; **'~-dress·er** *s.* ⊕ Flachshechler *m.*

flax·en ['flæksən] *adj.* **1.** Flachs...; **2.** flachsartig; **3.** flachsen, flachsfarben: *~-haired* strohblond; **'flax-seed** *s.* ♀ Leinsamen *m.*

flay [flei] *v/t.* **1.** schinden, die Haut abziehen (*dat.*), ausbalgen; **2.** *Rinde* abschälen; **3.** *fig. j-n* her'untermachen, ‚verreißen'; **4.** *fig. j-n* ausrauben, -beuten, schinden.

flea [fliː] *s. zo.* Floh *m*: *to put a ~ in s.o.'s ear* j-m e-n Floh ins Ohr setzen; *to send s.o. away with a ~ in his ear* j-n zs.-stauchen, j-n abfahren lassen; **'~-bag** *s. sl.* ‚Flohkiste' *f* (*Schlafsack*); **'~-bane** *s.* ♀ Flohkraut *n*; **'~-bite** *s.* **1.** Flohstich *m*; **2.** Baga'telle *f*; **'~-bit·ten** *adj.* **1.** von Flöhen zerstochen; **2.** rötlich gesprenkelt (*Pferd*).

fleam [fliːm] *s. vet.* Lan'zette *f.*

fleck [flek] **I.** *s.* **1.** Licht-, Farbfleck *m*, -tupfen *m*; **2.** Sommersprosse *f*; **3.** Teilchen *n*: *~ of dust*; **II.** *v/t.* **4.** sprenkeln; **'fleck·er** [-kə] → *fleck 4.*

flec·tion, flec·tion·al *Am.* → *flexion, flexional.*

fled [fled] *pret. u. p.p. von flee.*

fledge [fledʒ] **I.** *v/t.* befiedern, mit Federn versehen; **II.** *v/i.* flügge werden: *~d* flügge; **'fledg(e)·ling** [-dʒliŋ] *s.* **1.** eben flügge gewordener Vogel; **2.** *fig.* Neuling *m*, Grünschnabel *m.*

flee [fliː] **I.** *v/i.* [*irr.*] **1.** fliehen; **2.** entschwinden; **3.** (*from*) sich fernhalten (von), meiden (*acc.*); **II.** *v/t.* [*irr.*] **4.** fliehen aus: *to ~ the country*; **5.** fliehen, meiden.

fleece [fliːs] **I.** *s.* **1.** Vlies *n*, Schaffell *n*; **2.** *fig.* **a)** Haarmähne *f*, **b)** Schnee- *od.* Wolkendecke *f*; **II.** *v/t.* **3.** *fig.* schröpfen (*of* um), ‚rupfen'; **4.** bedecken; **'fleec·y** [-si] *adj.* wollig, weich: *~ clouds* Schäfchenwolken.

fleer [fliə] *dial.* **I.** *s.* Hohn(gelächter *n*) *m*, Spott *m*; **II.** *v/i.* hämisch lachen, spotten (*at* über *acc.*).

fleet[1] [fliːt] *s.* **1.** (*bsd.* Kriegs)Flotte *f*: *merchant ~* Handelsflotte; **2. a)** ✈ Gruppe *f*, Geschwader *n*, **b)** Ko'lonne *f*, Zug *m* (*Fahrzeuge*): *~ of cars* Wagenpark.

fleet[2] [fliːt] *adj.* □ schnell, flink: *~ of foot* schnellfüßig.

Fleet| Ad·mi·ral *s. Am.* 'Flottenadmi͵ral *m* (*höchster Rang*); **~ Air Arm** *s. Brit.* Ma'rineluftwaffe *f*; **~ Com·mand·er** *s.* Flottenchef *m.*

fleet·ing ['fliːtiŋ] *adj.* □ da'hineilend, flüchtig, vergänglich; **'fleet-ness** [-tnis] *s.* Schnelligkeit *f*; Flüchtigkeit *f.*

Fleet Street *s.* **1.** Londoner Presseviertel *n*; **2.** *fig. Brit.* Presse *f.*

Flem·ing ['flemiŋ] *s.* Flame *m*, Flamländer *m*; **'Flem·ish** [-miʃ] **I.** *s. ling.* Flämisch *n*; **II.** *adj.* flämisch.

flench [flentʃ], **flense** [flenz] *v/t.* **1.** flensen, *dem Walfisch* den Speck abziehen; **2.** *Seehund* häuten.

flesh [fleʃ] **I.** *s.* **1.** Fleisch *n*: *~ diet* Fleischkost; *horseflesh* Pferdefleisch; *~ and blood* menschliche Natur; *my own ~ and blood* mein eigen Fleisch u. Blut; *in ~* korpulent, wohlbeleibt; *to lose ~* abmagern, abnehmen; *to put on ~* Fett ansetzen, zunehmen; → *creep 5*; **2.** Körper *m*, Leib *m*: *in the ~* leibhaftig; *to become one ~* 'ein Leib u. 'eine Seele werden; **3. a)** *sündiges* Fleisch, **b)** Fleischeslust *f*; **4.** Menschheit *f*: *to go the way of all ~* den Weg alles Fleisches gehen; **5.** (Frucht)Fleisch *n*; **II.** *v/t.* **6.** *Jagdhund* Fleisch kosten lassen; *fig.* kampfbegierig machen; **7.** *to ~ one's sword (pen)* (zum ersten Mal) sein Schwert (s-e Feder) üben; **8.** ausfleischen; **III.** *v/i.* **9.** Fleisch ansetzen; **'~-brush** *s.* Frot'tierbürste *f*; **'~-col·o(u)r** *s.* Fleischfarbe *f*; **'~-col·o(u)red** *adj.* fleischfarben; **'~-eat·er** *s.* Fleischesser *m*, -fresser *m.*

flesh·er ['fleʃə] *s. Scot.* Fleischer *m.*

'flesh-fly *s. zo.* Fleischfliege *f.*

flesh·ings ['fleʃiŋz] *s. pl.* fleischfarbenes Tri'kot; **flesh·ly** ['fleʃli] *adj.* **1.** fleischlich, sinnlich; **2.** sterblich; irdisch.

'flesh|-pot *s.*: *the ~s of Egypt fig.* die Fleischtöpfe Ägyptens; **~ tights** → *fleshings*; **~ tints** *s. pl. paint.* Fleischtöne *pl.*; **'~-wound** *s.* Fleischwunde *f.*

flesh·y ['fleʃi] *adj.* **1.** fleischig (*a. Früchte*); feist; **2.** fleischartig.

fleur-de-lis *pl.* **fleurs-de-lis** ['flɔːdə'liː] (*Fr.*) *s.* **1.** *her.* Lilie *f*; **2.** *sg. od. pl. königliches Wappen Frankreichs.*

flew [fluː] *pret. von fly*[1].

flews [fluːz] *s. pl.* Lefzen *pl.* (*Hund*).

flex [fleks] **I.** *v/t. anat.* beugen, biegen; **II.** *s.* ⚡ *bsd. Brit.* (Anschluß-, Verlängerungs)Kabel *n*; **flex·i·bil·i·ty** [fleksə'biliti] *s.* **1.** Biegsamkeit *f*, Schmiegsamkeit *f*; **2.** *fig.* geistige Beweglichkeit, Anpassungsfähigkeit *f*; **flex·i·ble** ['fleksəbl] *adj.* □ **1.** fle'xibel, biegsam, geschmeidig (*alle a.* ⊕ *u. fig.*): *~ metal tube* Metallschlauch; *~ working hours* gleitende Arbeitszeit; **2.** unzerbrechlich (*Schallplatte*); **3.** wendig (*Auto*); **4.** *fig.* fügsam, nachgiebig; **5.** anpassungsfähig, flexibel; **'flex-ile** [-sil] → *flexible 1, 4, 5*; **'flex·ion** [-kʃən] *s.* **1.** *bsd. anat.* Biegen *n*, Beugung *f*; **2.** *ling.* Flexi'on *f*, Beugung *f*; **'flex·ion·al** [-kʃənl] *adj. ling.* flektiert, Flexions...; **'flex·or** [-sə] *s. anat.* Beugemuskel *m*, Beuger *m.*

flex·ure ['flekʃə] *s.* **1.** Biegung *f*, Krümmung *f*; **2.** *geol.* Falte *f.*

flib·ber·ti·gib·bet ['flibəti'dʒibit] *s.* Schwätzer(in); Irrwisch *m*, ‚Windhund' *m* (*Person*).

flick [flik] **I.** *s.* **1.** leichter, schneller Hieb *od.* Schlag; **2.** *pl. Brit. sl.* ‚Kintopp' *m*, *n*, Kino *n*; **II.** *v/t.* **3.** leicht u. schnell schlagen; **4.** (weg)schnellen.

flick·er ['flikə] **I.** *s.* **1.** Flattern *n*, Zucken *n*; **2.** Flackern *n*, Flimmern *n*; **3.** *fig.* Funke *m*; **II.** *v/i.* **4.** flakkern (*a. fig.*), flimmern; flattern.

flight[1] [flait] *s.* Flucht *f*: *to put to ~* in die Flucht schlagen; *to take (to) ~* die Flucht ergreifen; *~ of capital* ✝ Kapitalflucht.

flight[2] [flait] *s.* **1.** *a.* ✈ Flug *m*, Fliegen *n*: *to make (od. take) a ~* fliegen; **2.** Flug(strecke *f*) *m*; **3.** Zug *m*, Schwarm *m*, Schar *f* (*Vögel*): *in the first ~* an der Spitze; **4.** ✈ Kette *f*, Schwarm *m*; **5.** (*Geschoß*)Hagel *m*, (-)Regen *m*; **6.** Verfliegen *n*, Flug *m* (*Zeit*); **7.** *fig.* (*Gedanken- etc.*)Flug *m*, Schwung *m*; **8.** *~ of stairs (od. steps)* Treppe *f*; **'~-deck** *s.* ⚓ Flugdeck *n*; **~ en·gi·neer** *s.* 'Bordme͵chaniker *m*, -wart *m*; **'~-feath·er** *s. orn.* Schwungfeder *f.*

flight·i·ness ['flaitinis] *s.* **1.** Flatterhaftigkeit *f*; **2.** Leichtsinn *m.*

flight| in·struc·tor *s.* ✈ Fluglehrer *m*; **~ lane** *s.* ✈ Flugschneise *f.*

flight·less ['flaitlis] *adj.* flugunfähig (*Vögel*).

'flight|-lieu'ten·ant *s.* ✈ ⚔ *Brit.* Fliegerhauptmann *m*; **~ me·chan·ic** → *flight engineer*; **~ re·cord·er** *s.* ✈ Flugschreiber *m*; **~ tick·et** *s.* Flugticket *n*; **~ tri·al** *s.* ✈ Flugerprobung *f.*

flight·y ['flaiti] *adj.* □ **1.** flatterhaft, flüchtig; fahrig; **2.** leichtsinnig; **3.** schwärmerisch.

flim-flam ['flimflæm] *s.* **1.** Unsinn *m*, ‚Koko'lores' *m*; **2.** Schwindel *m.*

flim·si·ness ['flimzinis] *s.* **1.** Schwach-, Dünnheit *f*; **2.** *fig.* Fadenscheinigkeit *f*, Nichtigkeit *f*; **3.** loses Gefüge; **flim·sy** ['flimzi] **I.** *adj.* □ **1.** schwach, lose, (hauch-)dünn, zart; **2.** *fig.* dürftig, 'durchsichtig, schwach, fadenscheinig; **II.** *s.* **3.** dünnes ˈDurchschlag- *od.* ˈKohlepaˌpier; **4.** *Brit. sl.* **a)** ‚Lappen' *m* (*Geldschein*), **b)** Teleˈgramm *n*; **5.** *pl.* F ‚Reizwäsche' *f*, zarte ˈDamenˌunterwäsche.

flinch¹ [flintʃ] *v/i.* (*from, a. at*) zuˈrückweichen, -schrecken (vor *dat.*); kneifen (vor *dat.*); ausweichen (*dat.*), (zuˈrück)zucken: *without ~ing* ohne mit der Wimper zu zucken.

flinch² [flintʃ] → *flench.*

fling [fliŋ] **I.** *s.* **1.** Wurf *m*, Hieb *m* (*a. fig.*); **2.** Ausschlagen *n* (*Pferd*); **3.** *fig.* Anlauf *m*, Versuch *m*: *to have a ~ at s.th.* et. probieren; *to have a ~ at s.o.* auf j-n losgehen, j-n beschimpfen, gegen j-n sticheln; *to have one's ~* über die Stränge *od.* ‚auf die Pauke' hauen, sich austoben; *to have had one's ~* s-e beste Zeit hinter sich haben; **4.** *Highland ~ ein schottischer Tanz*; **II.** *v/t.* [*irr.*] **5.** schleudern, werfen: *to ~ open Tür* aufreißen; *to ~ to Tür* zuschlagen; *to ~ one's clothes on* schnell in s-e Kleider schlüpfen; *to ~ s.th. in s.o.'s teeth fig.* j-m et. ins Gesicht schleudern; **III.** *v/i.* [*irr.*] **6.** eilen, stürzen: *to ~ o.s.* sich stürzen (*on s.o.* auf j-n, *into s.th.* in e-e Sache);

Zssgn mit adv.:

fling| a·way *v/t.* **1.** wegwerfen; **2.** *fig.* verschleudern; **~ back** *v/t.* heftig erwidern; **~ off** *v/i.* fortstürzen; **~ out I.** *v/t.* **1.** *j-n* hinˈauswerfen; **2.** *Worte* herˈvorstoßen; **3.** *Arme* (plötzlich) ausstrecken; **II.** *v/i.* **4.** hinˈausrennen; **5.** ausschlagen (*Pferd*); **6.** wild werden, toben; **~ up** *v/t. fig.* auf-, preisgeben.

flint [flint] *s. min.* Flint *m*, Kiesel *m*, Feuerstein *m*: *~ and steel* Feuerzeug; *a heart of ~* ein Herz von Stein; *to skin a ~* ein Pfennigfuchser (*geizig*) sein; **ˈ~-ˈglass** *s.* ⊕ Blei-, Flint-, Kriˈstallglas *n*; **ˈ~-lock** *s.* ⚔ *hist.* Steinschloß(gewehr) *n*.

flint·y [ˈflinti] *adj.* □ **1.** aus Feuerstein, Kiesel...; **2.** *fig.* hart(herzig), unerbittlich.

flip¹ [flip] **I.** *v/t.* **1.** klapsen; **2.** schnellen, mit e-m Ruck bewegen; **II.** *v/i.* **3.** schnippen; klapsen; **4.** sich flink bewegen; **5.** *a. ~ out sl.* ‚ausflippen'; **III.** *s.* **6.** Klaps *m*, leichter Schlag; **7.** Ruck *m*; **8.** *Brit.* F **a)** kurzer Rundflug, **b)** Spritztour *f*.

flip² [flip] → *egg-flip*.

ˈflip-flap *s.* **1.** *Turnen*: Salto *m* rückwärts; **2.** *Brit.* Schwärmer *m* (*Feuerwerk*); **3.** Luftschaukel *f*.

ˈflip-flop *s.* ⚡ Flipflopschaltung *f*.

flip·pan·cy [ˈflipənsi] *s.* **1.** Keckheit *f*, vorlaute Art; **2.** Leichtfertigkeit *f*, Frivoliˈtät *f*; **ˈflip·pant** [-nt] *adj.* □ **1.** keck, frech, schnippisch, vorlaut; **2.** friˈvol, leichtfertig.

flip·per [ˈflipə] *s.* **1.** *zo.* (Schwimm-)Flosse *f*; **2.** Tauch-, Schwimmflosse *f der Froschmänner*; **3.** *sl.* ‚Flosse' *f* (*Hand*); **4.** ✈ *sl.* Höhensteuer *n*.

flip·per·ty-flop·per·ty [ˈflipətiˈflɔpəti] *adj.* lose, hängend, baumelnd.

flirt [flɔːt] **I.** *v/t.* **1.** schnell hin u. her bewegen; **II.** *v/i.* **2.** herˈumflattern; **3.** flirten, kokettieren; **4.** *mit e-r Idee* liebäugeln; **III.** *s.* **5.** Ruck *m*; **6.** Koˈkette *f*; **7.** Schwerenöter *m*, Schäker *m*; **flir·ta·tion** [flɔːˈteiʃən] *s.* **1.** Flirt *m*, Liebeˈlei *f*, Techtelmechtel *n*; **2.** Liebäugeln *n*; **flir·ta·tious** [flɔːˈteiʃəs] *adj.* koˈkett; flirtend.

flit [flit] *v/i.* **1.** flitzen, huschen, sausen; **2.** (umˈher)flattern; **3.** *Scot.* ˈum-, wegziehen.

flitch [flitʃ] *s.* **1.** *a. ~ of bacon* gesalzene *od.* geräucherte Speckseite; **2.** Heilbuttschnitte *f*; **3.** Walspeckstück *n*.

flit·ter [ˈflitə] *v/i.* flattern.

fliv·ver [ˈflivə] *s. Am. sl.* **1.** kleine ‚Blechkiste' (*Auto, Flugzeug*); **2.** billiger Plunder, Tinnef *m, n*.

float [flout] **I.** *v/i.* **1.** (obenauf) schwimmen, treiben; **2.** ⚓ flott sein; **3.** schweben, treiben, gleiten; **4.** *fig.* (vor)schweben; **5.** *a.* ☤ ˈumlaufen, in ˈUmlauf sein; **II.** *v/t.* **6.** schwimmen *od.* treiben lassen; zum Schwimmen *od.* Schweben bringen; **7.** ⚓ flottmachen; **8.** schwemmen, tragen (*a. fig.*); **9.** überˈschwemmen (*a. fig.*); **10.** in Gang *od.* in Umlauf bringen; lancieren; **11.** ☤ *Gesellschaft* gründen; *Anleihe* auflegen; **12.** ☤ floaten, den Wechselkurs (*gen.*) freigeben; **III.** *s.* **13.** Floß *n*; **14.** schwimmende Landebrücke; **15.** *Angeln*: (Kork-)Schwimmer *m*; **16.** *ichth.* Schwimmblase *f*; **17.** ⊕, ✈ Schwimmer *m*; **18.** *a. ~-board* (Rad)Schaufel *f*; **19.** niedriger Plattformwagen: **a)** *für Güter*, **b)** *für Personen bei Festzügen*; **20.** ⊕ **a)** Raspel *f*, **b)** Traufel *f* (*der Maurer*); **21.** *a. pl. thea.* Rampenlicht *n*; **ˈfloat·a·ble** [-təbl] *adj.* **1.** schwimmfähig; **2.** flößbar; **ˈfloat·age** [-tidʒ] *s.* **1.** Schwimmen *n*, Schwimmkraft *f*; **2.** *et.* Schwimmendes, Strandgut *n*; **float·a·tion** [flouˈteiʃən] *s.* **1.** Schwimmen *n*, Schweben *n*; **2.** ☤ Gründung *f*; Begebung *f* (*Wechsel*); Auflegung *f* (*Anleihe*).

ˈfloat|-bridge *s.* Floßbrücke *f*; **~ cham·ber** *s.* ⊕ Schwimmergehäuse *n*; **~ chas·sis** *s.* ✈ Schwimmergestell *n*; **~ cock** *s.* ⊕ Schwimmerhahn *m*.

float·er [ˈfloutə] *s.* **1.** ☤ Gründer *m e-r Firma*; **2.** ☤ *Brit.* börsenfähiges Paˈpier; **3.** *Am.* F ‚Zugvogel' *m* (*j-d der ständig Wohnsitz od. Arbeitsplatz wechselt*); **4.** *pol. Am.* Wechselwähler *m*.

float·ing [ˈfloutiŋ] **I.** *adj.* □ **1.** schwimmend, treibend, Schwimm..., Treib...; **2.** schwebend (*a. fig.*); **3.** lose, beweglich; **4.** schwankend, unbestimmt, veränderlich; **5.** ohne festen Wohnsitz; **6.** ☤ **a)** ˈumlaufend (*Geld etc.*), **b)** schwebend (*Schuld*), **c)** flüssig (*Kapital*), **d)** fleˈxibel (*Wechselkurs*); **II.** *s.* **7.** ☤ Floating *n*; **~ an·chor** *s.* ⚓ Treibanker *m*; **~ as·sets** *s. pl.* ☤ flüssige Akˈtiva *pl.*; **~ ax·le** *s.* ⊕ Schwingachse *f*; **~ bridge** *s.* Schwimm-, Floßbrücke *f*; **~ cap·i·tal** *s.* ☤ ˈUmlaufs-, Beˈtriebskapiˌtal *n*; **~ crane** *s.* ⊕ Schwimmkran *m*; **~ dock** *s.* ⚓ Schwimmdock *n*; **~ ice** *s.* Treibeis *n*; **~ kid·ney** *s.* ⚕ Wanderniere *f*; **~ light** *s.* ⚓ Leuchtboje *f*, -schiff *n*; **~ mine** *s.* ⚔ Treibmine *f*; **~ pol·i·cy** *s.* ☤ Geneˈral-, Pauˈschalpoˌlice *f*; **~ ribs** *s. pl. anat.* fliegende *od.* falsche Rippen *pl.*; **~ stock** *Am.* → *floating capital*; **~ sup·ply** *s.* ☤ laufendes Angebot; **~ trade** *s.* ☤ See(fracht)handel *m*; **~ vote** (*od.* **vot·ers** *pl.*) *s. pol.* Wechselwähler *pl*.

ˈfloat|-plane *s.* ✈ Schwimmerflugzeug *n*; **ˈ~-stone** *s. min.* Schwimmstein *m*; **~ un·der·car·riage** *s.* ✈ Schwimmergestell *n*; **~ valve** *s.* ⊕ ˈSchwimmervenˌtil *n*.

floc·cose [ˈflɔkous] *adj.* ✿ flockig, wollig; **ˈfloc·cu·lent** [-kjulənt] *adj.* **1.** → *floccose*; **2.** locker, lose; **ˈfloc·cus** [-kəs] *pl.* **-ci** [-sai] *s.* **1.** Haarbüschel *n*; **2.** Flaum *m*, Flocke *f*.

flock¹ [flɔk] **I.** *s.* **1.** Herde *f* (*bsd. Schafe*): *~s and herds* Schafe u. Rinder; **2.** Flug *m* (*Vögel*); **3.** Menge *f*, Schar *f* (*Personen*); F Herde *f* (*Kinder*); **4.** *eccl.* Herde *f*, Gemeinde *f*; **II.** *v/i.* **5.** sich versammeln *od.* scharen, (zs.-)strömen: *to ~ to s.o.* j-m zuströmen, in Scharen zu j-m kommen.

flock² [flɔk] *s.* **1.** (Woll)Flocke *f*; **2.** *sg. od. pl. coll.* Wollabfall *m*, -flocken *pl.*, Flockwolle *f*; **ˈ~-ˈbed** *s.* ˈWollmaˌtratze *f*; **ˈ~-ˈpa·per** *s.* (unechte) ˈSamttaˌpete.

floe [flou] *s.* (treibende) Eisscholle.

flog [flɔg] *v/t.* **1.** peitschen; schlagen, prügeln: *to ~ along* vorwärtstreiben; **2.** *et.* einbleuen (*into s.o.* j-m); *et.* austreiben (*out of s.o.* j-m); **ˈflog·ging** [-giŋ] *s.* Prügel(strafe *f*) *pl.*, Tracht *f* Prügel.

flood [flʌd] **I.** *s.* **1.** *a. ~-tide* ⚓ Flut *f* (*Ggs. Ebbe*): *to be at the ~* steigen; **2.** Überˈschwemmung *f* (*a. fig.*), Hochwasser *n*: *the* ♀ die Sintflut; **3.** *fig.* Flut *f*, Strom *m*, Schwall *m* (*Worte etc.*): *a ~ of tears* ein Tränenstrom; *~s of ink fig.* Tintenströme; **II.** *v/t.* **4.** überˈschwemmen, -ˈfluten (*a. fig.*); unter Wasser setzen; **5.** mit Wasser füllen, fluten; **6.** *Fluß* anschwellen lassen; **7.** *fig.* strömen in (*acc.*), sich ergießen über (*acc.*); **III.** *v/i.* **8.** ˈüberfließen; **9.** *a. fig.* sich ergießen: *to ~ in upon s.o.* j-n überschwemmen; **~ dis·as·ter** *s.* ˈHochwasserkataˌstrophe *f*; **ˈ~-gate** *s.* **1.** Schleusentor *n*; **2.** *fig.* Schleuse *f*, Tor *n*.

flood·ing [ˈflʌdiŋ] *s.* **1.** Überˈschwemmung *f*; **2.** ⚕ Gebärmutterblutung *f*.

ˈflood|-light I. *s.* Scheinwerfer-, Flutlicht *n*: *~ projector* Scheinwerfer; **II.** *v/t.* [*irr.* → *light¹*] (mit Scheinwerfern) anstrahlen: *flood-lit* in Flutlicht getaucht; *flood-lit match sport* Flutlichtspiel; **ˈ~-mark** *s.* Hochwasserstandszeichen *n*; **ˈ~-tide** → *flood 1*.

floor [flɔː] **I.** *s.* **1.** (Fuß)Boden *m*: *to take the ~* tanzen (→ 2); *to mop (od. wipe) the ~ with s.o.* j-m heimleuchten, mit j-m ‚Schlitten fahren'; **2.** *parl.* (Sitzungs)Saal *m*: *to cross the ~* zur Gegenpartei übergehen; *to give the ~ j-m* das Wort erteilen; *to hold the ~* die Hörer fesseln; *to take the ~* das Wort ergreifen (→ *1*);

~ *of the House Brit.* Sitzungssaal; **3.** Versammlung *f*, *die* Anwesenden *pl.*; **4.** Stock(werk *n*) *m*, Geschoß *n*; → *first floor, ground floor*; **5.** Sohle *f* (*Tal, Fluß,* ⚒ *Stollen*); **6.** 'Minimum *n*: ~ *price* Mindestpreis; **II.** *v/t.* **7.** e-n (Fuß)Boden legen in (*dat.*); **8.** zu Boden strecken, besiegen; **9.** verblüffen: ~*ed* sprachlos, ‚baff'; **10.** *Examens*~*frage* glatt beantworten; '~**-cloth** *s.* **1.** Scheuertuch *n*; **2.** → *floor covering*; ~ **cov·er·ing** *s.* Fußbodenbelag *m.*

floor·er ['flɔːrə] *s.* F **1.** *fig.* ‚Schlag *m* ins Kon'tor' (*böse Überraschung*); **2.** ‚harte Nuß', knifflige Frage.

floor ex·er·cis·es *s. pl. sport* Bodenturnen *n.*

floor·ing ['flɔːriŋ] *s.* **1.** Boden *m*; **2.** Bodenbelag *m.*

'**floor|-lamp** *s.* Stehlampe *f*; ~ **lead·er** *s. pol. Am.* Frakti'onsvorsitzende(r) *m* (*im Kongreß*); ~ **plan** *s.* △ Grundriß *m*; ~ **pol·ish** *s.* Bohnerwachs *n*; ~ **show** *s.* Kaba'rett-, Nachtklubvorstellung *f*; ~ **space** *s.* Bodenfläche *f*; ~ **tile** *s.* Fliese *f*; '~**-walk·er** *s.* (aufsichtsführender) Ab'teilungsleiter (*Kaufhaus*).

flop [flɔp] **I.** *v/i.* **1.** (hin)plumpsen; sich *wohin* plumpsen lassen; **2.** ✝ stürzen, fallen (*Aktien etc.*); **3.** flattern, schlottern; **4.** *sl.* 'durchfallen (*Prüfling, Theaterstück etc.*); *allg.* ‚da'nebengehen', e-e ‚Pleite' sein; **II.** *v/t.* **5.** hinwerfen; her'unterklappen; **6.** *sl. in der Prüfung* 'durchfallen lassen; **III.** *s.* **7.** Plumps *m*; **8.** *sl.* Reinfall *m*, ‚Pleite' *f*; *thea.* 'Durchfall *m*; *Am.* Versager *m*, ‚Niete' *f* (*Person*); **IV.** *adv. u. int.* **9.** plumps; '**flop·house** *s. Am. sl.* ‚Penne' *f* (*Herberge*); '**flop·py** [-pi] *adj.* □ **1.** schlaff, hängend, schlapp, schlotterig; **2.** schlampig, schludrig.

flo·ra ['flɔːrə] *pl.* **-ras**, *a.* **-rae** [-riː] *s.* Flora *f*, (*a.* Abhandlung *f* über e-e) Pflanzenwelt *f*; '**flo·ral** [-rəl] *adj.* □ **1.** Blumen..., Blüten...: ~ *design* Blumenmuster; **2.** Flora..., Floren...: ~ *emblem* Wappenblume.

Flor·en·tine ['flɔrəntain] **I.** *adj.* floren'tinisch, Florentiner...; **II.** *s.* Floren'tiner(in).

flo·res·cence [flɔː'resns] *s.* ⚘ Blüte (-zeit) *f* (*a. fig.*); **flo·ret** ['flɔːrit] *s.* ⚘ Blümchen *n.*

flo·ri·cul·ture ['flɔːrikʌltʃə] *s.* Blumenzucht *f.*

flor·id ['flɔrid] *adj.* □ **1.** blühend, rosig; **2.** blumig (*Stil etc.*); (zu) reich verziert, über'laden; **3.** auffallend, grell.

Flor·i·da wa·ter ['flɔridə] *s. Art* Kölnischwasser *n.*

Flo·rid·i·an [flɔ'ridiən] **I.** *adj.* Florida...; **II.** *s.* Bewohner(in) von 'Florida.

flo·rid·i·ty [flɔː'riditi] *s.* **1.** blühende (Gesichts)Farbe; **2.** *das* Blumenreiche (*Stil*); **3.** Über'ladenheit *f.*

flor·in ['flɔrin] *s.* **1.** *Brit. obs.* Zwei'schillingstück *n*; **2.** (*holl.*) Gulden *m.*

flo·rist ['flɔrist] *s.* Blumenhändler *m*, -züchter *m.*

floss [flɔs] *s.* **1.** Außenfäden *pl.* des 'Seidenkoˌkons, Flo'rettgarn *n*; **2.** Schappe-, Flo'rettseide *f*; **3.** Flaum *m*, seidige Sub'stanz; ~ **silk** → *floss 1, 2.*

floss·y ['flɔsi] *adj.* **1.** flo'rettseiden; **2.** seidig.

flo·tage, flo·ta·tion → *floatage, floatation.*

flo·til·la [flou'tilə] *s.* ⚓ Flot'tille *f.*

flot·sam ['flɔtsəm], *a.* ~ **and jet·sam** *s.* ⚓ Strand-, Treibgut *n.*

flounce[1] [flauns] *v/i.* erregt stürmen *od.* stürzen; sich her'umwerfen.

flounce[2] [flauns] **I.** *s.* Vo'lant *m*, Besatz *m*; Falbel *f*; **II.** *v/t.* mit Volants besetzen; '**flounc·ing** [-siŋ] *s.* (Materi'al *n* für) Volants *pl.*

floun·der[1] ['flaundə] *v/i.* **1.** zappeln, sich abquälen; sich mühen; **2.** taumeln, stolpern, um'hertappen; **3.** *fig.* sich verhaspeln, ins ‚Schwimmen' kommen.

floun·der[2] ['flaundə] *s. ichth.* Flunder *f.*

flour ['flauə] **I.** *s.* **1.** (*bsd.* Weizen-) Mehl *n*; **2.** feines Pulver, Mehl *n*; **II.** *v/t.* **3.** *Am.* (zu Mehl) mahlen; **4.** mit Mehl bestreuen; '~**-bag** *s.* Mehlbeutel *m*, -sack *m.*

flour·ish ['flʌriʃ] **I.** *v/i.* **1.** blühen, gedeihen (*a. fig.*); **2.** auf der Höhe der Macht stehen; **3.** wirken, tätig sein (*Künstler etc.*); **4.** prahlen; **5.** sich geziert *od.* geschraubt ausdrücken; **6.** ♪ **a)** phantasieren, **b)** e-n Tusch spielen; **II.** *v/t.* **7.** schwingen, schwenken; **8.** zur Schau stellen; **III.** *s.* **9.** Schwingen *n*, Schwenken *n*; **10.** Schnörkel *m*, Verzierung *f*; **11.** 'Floskel *f*, Schwulst *m*; **12.** Schwung *m*; **13.** ♪ **a)** bravou'röse Pas'sage, **b)** Tusch *m*: ~ *of trumpets* Fanfare, *fig.* (viel) Trara; '**flour·ish·ing** [-ʃiŋ] *adj.* □ blühend, gedeihend.

'**flour-mill** *s.* (*bsd.* Getreide)Mühle *f.*

flour·y ['flauəri] *adj.* **1.** mehlig; **2.** mit Mehl bestreut.

flout [flaut] **I.** *v/t.* **1.** verspotten, -höhnen; **2.** *Befehl, Ratschlag etc.* miß'achten; **II.** *v/i.* **3.** spotten (*at* über *acc.*), höhnen.

flow [flou] **I.** *v/i.* **1.** fließen, strömen; **2.** *fig.* da'hinfließen, gleiten; **3.** ⚓ steigen (*Flut*); **4.** *oft fig.* fluten, strömen, sich ergießen; **5.** (*from*) entspringen (*dat.*), herrühren (von); **6.** voll sein (*with* von); **7.** lose her'abhängen, wallen; **II.** *s.* **8.** *a. fig.* Strömen *n*, Fließen *n*, Strom *m*, *a.* ⊕, *phys.* Strömung *f*: ~ *characteristics* Strömungsbild; **9.** ⚓ Flut *f* (*a. fig.*); **10.** 'Über-, Zufluß *m*; **11.** *bsd.* ✝ Menge *f*, Leistung *f*; 'Umlauf *m*, Verkehr *m*; **12.** Wallen *n*, Wogen *n*; **13.** *fig.* (Wort- *etc.*) Schwall *m.*

flow·er ['flauə] **I.** *s.* **1.** Blume *f*; Blüte *f* (*a. fig.*): *in* ~ in Blüte, blühend; *say it with* ~*s* laßt Blumen sprechen!; **2.** Blütenpflanze *f*; **3.** Blüte(zeit) *f* (*a. fig.*): *in the* ~ *of his life* in der Blüte der Jahre; **4.** *das* Beste *od.* Feinste; E'lite *f*, Zierde *f*, Blüte *f*: *the* ~ *of his age* die Zierde s-r Zeit; **5.** Blumenverzierung *f*, Ausschmückung *f*: ~*s of speech* Redeblüten, Floskeln; **6.** ~*s of sulphur* ⚗ Schwefelblumen; **II.** *v/i.* **7.** blühen (*a. fig.*); **8.** *fig.* in höchster Blüte stehen; '**flow·er·age** [-əridʒ] *s.* Blütenpracht *f*, Blumenflor *m.*

'**flow·er|-bed** *s.* Blumenbeet *n*; ~ **cup** *s.* ⚘ Blütenkelch *m.*

flow·ered ['flauəd] *adj.* **1.** geblümt; **2.** *in Zssgn* ...blütig.

'**flow·er|-gar·den** *s.* (Blumen)Garten *m*; '~**-girl** *s.* Blumenmädchen *n*, -frau *f.*

flow·er·ing ['flauəriŋ] **I.** *adj.* blühend, Blüten...: ~ *plant* Blütenpflanze; **II.** *s.* Blüte(zeit) *f*; ~ **cur·rant** *s.* ⚘ 'Blut-Joˌhannisbeere *f* (*Zierstrauch*); ~ **fern** *s.* ⚘ Rispenfarn *m*; ~ **rush** *s.* ⚘ Blumenbinse *f*; ~ **to·bac·co** *s.* ⚘ 'Zierˌtabak *m.*

'**flow·er|-piece** *s. paint.* Blumenstück *n*; '~**-pot** *s.* Blumentopf *m*; '~**-show** *s.* Blumenausstellung *f*; '~**-stalk** *s.* ⚘ Blütenstiel *m.*

flow·er·y ['flauəri] *adj.* **1.** blumig, blumenreich (*a. fig.*); **2.** geblümt.

flow·ing ['flouiŋ] *adj.* □ **1.** fließend, strömend; **2.** *fig.* flüssig, glatt (*Stil etc.*); **3.** wehend, wallend, fließend, flatternd.

flown [floun] *p.p. von fly*[1].

flu → *flue*[4].

flub·dub ['flʌbdʌb] *s. Am. sl.* Geschwafel *n*, ‚Quatsch' *m*, ‚Blech' *n.*

fluc·tu·ate ['flʌktjueit] *v/i.* schwanken: **a)** fluktuieren, sich (ständig) verändern, **b)** unschlüssig sein; '**fluc·tu·at·ing** [-tiŋ] *adj.* schwankend, veränderlich; **fluc·tu·a·tion** [flʌktju'eiʃən] *s.* **1.** Schwankung *f* (*a.* ✝, ⚡, *phys.*): *cyclical* ~ ✝ Konjunkturschwankung; **2.** Schwanken *n.*

flue[1] [fluː] *s.* **1.** ⊕ **a)** Rauchfang *m*, Esse *f*, **b)** Abzugsrohr *n*, (Feuerungs)Zug *m*: ~ *gas* Rauch-, Abgas, **c)** Heizröhre *f*, **d)** Flammrohr *n*, 'Feuerkaˌnal *m*; **2.** ♪ Kernspalt *m der Orgelpfeife.*

flue[2] [fluː] *s.* Flaum *m*, Staubflocken *pl.*

flue[3] [fluː] *s.* ⚓ Schleppnetz *n.*

flue[4] [fluː] *s.* ⚕ F Grippe *f.*

flu·en·cy ['flu(ː)ənsi] *s.* Geläufigkeit *f*, Fluß *m* (*Rede etc.*); Zungenfertigkeit *f*; '**flu·ent** [-nt] *adj.* □ **1.** fließend, geläufig: *to speak* ~ *German, to be a* ~ *speaker of German* fließend deutsch sprechen; **2.** flüssig, ele'gant (*Stil*).

fluff [flʌf] **I.** *s.* **1.** Staub-, Federflocke *f*, Fussel(n *pl.*) *f*; **2.** Flaum *m* (*a. fig. erster Bartwuchs*); **3.** *thea. sl.* schlechtgelernte Rolle; **4.** *bit of* ~ *sl.* ‚Betthäs-chen' *n*; **II.** *v/t.* **5.** flokkig machen; **6.** ~ *out*, ~ *up* aufplustern; **7.** *bsd. thea. sl. et.* verpatzen: *to* ~ *one's lines*; **III.** *v/i.* **8.** *bsd. thea. sl.* patzen; '**fluff·y** [-fi] *adj.* **1.** flaumig, flockig; locker, weich; **2.** *bsd. thea. sl.* patzend (*Schauspieler*); **3.** *Brit. sl.* ‚besoffen'.

flu·id ['flu(ː)id] **I.** *s.* **1.** *konkr.* Flüssigkeit *f*; **II.** *adj.* **2.** flüssig; **3.** *fig.* geläufig, fließend; **4.** beweglich, veränderlich; ~ **cou·pling** *s.* ⊕ hy'draulische Kupplung; ~ **drive** *s.* ⊕ Flüssigkeitsgetriebe *n.*

flu·id·i·ty [flu(ː)'iditi] *s.* **1.** *phys.* flüssiger Zustand, Flüssigkeit *f*; **2.** *fig.* Wankelmütigkeit *f.*

flu·id| ounce *s. Hohlmaß*: **a)** *Brit.* = *28,4 ccm*, **b)** *Am.* = *29,6 ccm*;

~ **pres·sure** *s.* ⊕, *phys.* hy'draulischer Druck.
fluke[1] [flu:k] *s.* **1.** ⚓ Ankerflügel *m*, -schaufel *f*; **2.** 'Widerhaken *m*; **3.** Schwanzflosse *f* (*Wal*); **4.** *zo.* Leber-egel *m.*
fluke[2] [flu:k] *s.* **1.** *Billard*: glücklicher Stoß, Fuchs *m*; **2.** *sl.* glücklicher Zufall, ‚Dusel' *m*; '**fluk·(e)y** [-ki] *adj.* □ *sl.* **1.** Glücks..., Zufalls...; **2.** unsicher.
flume [flu:m] *Am.* **I.** *s.* **1.** Klamm *f*; **2.** künstlicher Wasserlauf, Ka'nal *m*; **II.** *v/t.* **3.** durch e-n Kanal flößen.
flum·mer·y ['flʌməri] *s.* **1.** *Küche*: 'Flammeri *m*; **2.** *fig.* leere Schmeiche'lei, Gewäsch *n.*
flum·mox ['flʌməks] *v/t. sl.* verblüffen.
flung [flʌŋ] *pret. u. p.p. von fling.*
flunk [flʌŋk] *ped. Am. sl.* **I.** *v/t.* **1.** ‚'durchrauschen' (*durchfallen*) lassen; **2.** *aus der Schule* entfernen; **II.** *v/i.* **3.** ‚'durchrauschen'; **4.** sich drücken; **III.** *s.* **5.** 'Durchfallen *n*; **6.** Drückeberge'rei *f.*
flunk·(e)y ['flʌŋki] *s.* **1.** livrierter Diener, La'kai *m*; **2.** La'kaienseele *f*, Speichellecker *m*; '**flunk·(e)y·dom** [-dəm] *s. coll.* Dienerschaft *f*; '**flunk·(e)y·ism** [-iizəm] *s.* Speichellecke'rei *f.*
flu·or ['flu(:)ɔ:] → *fluorite.*
flu·o·resce [fluə'res] *v/i.* ⚗, *phys.* fluoreszieren, schillern; **flu·o'res·cence** [-sns] *s.* ⚗, *phys.* Fluores'zenz *f*; **flu·o'res·cent** [-snt] *adj.* fluoreszierend, schillernd: ~ *lamp* Leuchtstofflampe; ~ *screen* Leuchtschirm; ~ *tube* Leucht(stoff)röhre.
flu·or·ic [flu(:)'ɔrik] *adj.* ⚗ Fluor...: ~ *acid* Flußsäure; **flu·o·ri·da·tion** [fluərai'deiʃən] *s.* Fluo'ridbehandlung *f* (*Trinkwasser*); **flu·o·ride** ['fluəraid] *s.* ⚗ Fluo'rid *n*; **flu·o·rine** ['fluəri:n] *s.* ⚗ 'Fluor *n*; **flu·o·rite** ['fluərait] *s.* → *fluor-spar*; **flu·o·ro·scop·ic** [fluərə'skɔpik] *adj.*: ~ *screen* ⚕ Leuchtschirm; '**flu·or-spar** *s. min.* Flußspat *m*, 'Fluor,kalzium *n.*
flur·ry ['flʌri] **I.** *s.* **1. a)** Windstoß *m*, **b)** kurzer Regenguß, **c)** kurzes Schneegestöber, **d)** Hagel *m*, Wirbel *m von Schlägen etc.*; **2.** *fig.* Aufregung *f*, Unruhe *f*, Hast *f*: *in a* ~ aufgeregt; **3.** † kurzes Aufflackern (*Kurse*); **II.** *v/t.* **4.** ner'vös machen, beunruhigen, verwirren.
flush[1] [flʌʃ] **I.** *v/i.* (aufgeregt) auffliegen; **II.** *v/t.* aufscheuchen; **III.** *s.* aufgescheuchter Vogelschwarm.
flush[2] [flʌʃ] **I.** *v/i.* **1.** sich ergießen, ins Gesicht schießen (*Blut*), über'flutet werden; **2.** erröten, glühen; **II.** *v/t.* **3.** über'fluten; (aus)spülen: *to* ~ *down* hinunterspülen; **4.** durch'bluten; erröten lassen; **5.** *fig.* erregen, erhitzen: ~*ed with anger* zornentbrannt; ~*ed with joy* freudetrunken; **III.** *s.* **6.** Wassersturz *m*, Strom *m*, Zufluß *m*; **7.** 'Überfluß *m*, -fülle *f*; **8.** Spülung *f*; **9.** *fig.* Aufblühen *n*, Glanz *m*: ~ *of youth* Jugendblüte; **10.** Erröten *n*, Erregung *f*, Glühen *n*: ~ *of hope* Hoffnungsfreudigkeit; ~ *of victory* Siegesrausch; **11.** ⚕ Fieberanfall *m.*
flush[3] [flʌʃ] **I.** *adj.* **1.** 'übervoll; **2.** ⊕ fluchtrecht, glatt, bündig (abschneidend) (*with* mit); **3.** blühend, frisch; **4.** F üppig, reichlich: ~ (*of money*) gut bei Kasse; ~ *with one's money* verschwenderisch; **II.** *v/t.* **5.** eben machen, glätten.
flush[4] [flʌʃ] *Kartenspiel*: **a)** lange Farbe, Se'quenz *f*, ‚Flöte' *f*, **b)** *Poker*: Flush *m.*
flush·ing box ['flʌʃiŋ] *s.* ⊕ Spülkasten *m.*
flush| screw *s.* ⊕ Senkschraube *f*; ~ **toi·let** *s.* 'Spülklo,sett *n.*
flus·ter ['flʌstə] **I.** *v/t.* durchein'anderbringen, verwirren, ner'vös machen; **II.** *v/i.* ner'vös werden, sich aufregen; **III.** *s.* Aufregung *f*, Tu'mult *m*: *all in a* ~ ganz verwirrt.
flute [flu:t] **I.** *s.* **1.** ♪ **a)** Flöte *f*, **b)** → *flutist*, **c)** 'Flötenre,gister *n* (*Orgel*); **2.** ⚠, ⊕ Rille *f*, Riefe *f*, Hohlkehle *f*; **3.** ⊕ (Span-)Nut *f*; **4.** Rüsche *f*; **II.** *v/i.* **5.** Flöte spielen, flöten (*a. fig.*); **III.** *v/t.* **6.** *et.* auf der Flöte spielen, flöten (*a. fig.*); **7.** ⚠, ⊕ riefen, riffeln, auskehlen, kannelieren; *Stoff* kräuseln; '**flut·ed** [-tid] *adj.* **1.** flötenartig, sanft; **2.** gerieft, gerillt; '**flut·ing** [-tiŋ] *s.* **1.** ⚠ Riffelung *f*; **2.** Falten *pl.*, Rüschen *pl.*; '**flut·ist** [-tist] *s.* Flö'tist(in).
flut·ter ['flʌtə] **I.** *v/i.* **1.** flattern (*a.* ⚕ *Herz*), wehen; **2.** sich unruhig hin u. her bewegen; aufgeregt sein, zittern; **3.** flackern; **II.** *v/t.* **4.** schwenken, flattern lassen; **5.** aufregen, beunruhigen; **III.** *s.* **6.** Flattern *n* (*a.* ⚕ *Puls etc.*), Wehen *n*; **7.** Aufregung *f*, Tu'mult *m*; **8.** Aufsehen *n*, Sensati'on *f*; **9.** *sl.* kleine Spekulati'on.
flu·vi·al ['flu:vjəl] *adj.* Fluß..., in Flüssen vorkommend.
flux [flʌks] *s.* **1.** Fließen *n*, Fluß *m* (*a.* ⚡, *phys.*); **2.** Ausfluß *m* (*a.* ⚕), Strom *m* (*a. fig.*), Strömung *f*; **3.** ~ *and reflux* Flut u. Ebbe (*a. fig.*); ~ *of words* Wortschwall; **4.** Lauf *m*, ständige Bewegung; Wandel *m*: *in* (*a state of*) ~ im Fluß; **5.** ⊕ Fluß-, Schmelzmittel *n*, Zuschlag *m*; '**flux·ion** [-kʃən] *s.* **1.** Fluß *m* (*a.* ⚕); **2.** & Differenti'al *n*: *method of* ~*s* Differentialrechnung; '**flux·ion·al** [-kʃənl] *adj.* **1.** fließend; **2.** & Differential...
fly[1] [flai] **I.** *s.* **1.** Fliegen *n*, Flug *m* (*a.* ✈); **2.** *Brit.* Einspänner *m*, Droschke *f*; **3.** Knopfleiste *f*; Hosenklappe *f*, -schlitz *m*; **4.** Zelttür *f*; **5.** ⊕ → *fly-wheel*; **6.** Unruh *f* (*Uhr*); **7.** *pl. thea.* Sof'fitten *pl.*; **II.** *v/i.* [*irr.*] **8.** fliegen: *to* ~ *blind* (*od. on instruments*) ✈ blindfliegen; *to* ~ *high* (*od. at high game*) *fig.* hoch hinauswollen; → *let*[1] *Redew.*; **9.** flattern, wehen; **10.** verfliegen (*Zeit*), zerrinnen (*Geld*); **11.** eilen, stürzen, springen; stieben (*Funken*): *to* ~ *to arms* zu den Waffen eilen; *he flew to her arms* er flog in ihre Arme; *to* ~ *in pieces* in Stücke gehen; *to send s.o.* ~*ing* j-n fortjagen; *to send things* ~*ing* Sachen umherwerfen; *to* ~ *at s.o.* auf j-n losgehen, über j-n herfallen; → *temper 3*; **12.** (*nur pres., inf. u. p.pr.*) fliehen; **III.** *v/t.* [*irr.*] **13.** fliegen lassen: *to* ~ *hawks hunt.* mit Falken jagen; **14.** ✈ **a)** *Flugzeug* fliegen, führen, **b)** *j-n, et.* (hin)fliegen, im Flugzeug befördern, **c)** *Strecke* fliegen, **d)** *Ozean* über'fliegen; **15.** *Fahne* führen, hissen, wehen lassen; **16.** *Zaun etc.* im Sprung nehmen; **17.** (*nur pres., inf. u. p.pr.*) **a)** fliehen aus, **b)** fliehen vor (*dat.*), meiden; ~ **in** ✈ *v/t. u. v/i.* einfliegen; ~ **off** *v/i.* forteilen; ~ **o·pen** *v/i.* auffliegen (*Tür*); ~ **out I.** *v/i.* **1.** hin'auseilen; **2.** wütend werden: *to* ~ *at s.o.* auf j-n losgehen, gegen j-n ausfallend werden; **II.** *v/t.* **3.** ausfliegen.
fly[2] [flai] *s.* **1.** *zo.* Fliege *f*: *a* ~ *in the ointment* ein Haar in der Suppe; *to break a* ~ *on the wheel* mit Kanonen nach Spatzen schießen; *no flies on him* (*od. it*) *sl.* an ihm (*od.* daran) ist ‚nicht zu tippen'; *they died* (*od. dropped*) *like flies* sie starben wie die Fliegen; **2.** *Angeln*: (künstliche) (Angel)Fliege: *to cast a* ~ e-e Angel auswerfen; **3.** *typ.* (Bogen)Ausleger *m.*
fly[3] [flai] *adj. sl.* mit allen Wassern gewaschen, gerissen, raffiniert.
fly| a·gar·ic *s.* ♀ Fliegenpilz *m*; '~**-a·way** *adj.* **1.** flatternd; **2.** flatterhaft; '~**-bane** *s.* ♀ Leimkraut *n*; '~**-blow I.** *s.* Fliegen-ei *n*, -dreck *m*, -made *f*; **II.** *v/t.* beschmeißen; *fig.* beschmutzen; '~**-blown** *adj.* **1.** von Fliegen beschmutzt; madig; **2.** *fig.* in 'Mißkre,dit, besudelt; '~**-by-night I.** *s.* **1.** Nachtschwärmer *m*; **2.** Schuldner, der in der Nacht 'durchbrennt; **II.** *adj.* **3.** *Am.* † zweifelhaft, anrüchig; '~**-catch·er** *s.* **1.** Fliegenfänger *m*; **2.** *orn.* Fliegenschnäpper *m.*
fly·er ['flaiə] *s.* **1.** Fliegende(r *m*) *f*; **2.** Fliehende(r *m*) *f*; **3.** ✈ Flieger *m*: **a)** Pi'lot *m*, **b)** Flugzeug *n*; **4.** Ex'preß(zug) *m*; **5.** Rennpferd *n*; **6.** *pl.* Freitreppe *f*; **7.** *Am. sl.* Sprung *m* mit Anlauf; **8.** *sl.* gewagte Spekulati'on; **9.** *Am.* Flugblatt *n*; **10.** *Am.* Spezi'alkata,log *m e-s Versandhauses*; **11.** → *fly-wheel.*
'**fly|-fish** *v/i.* mit (künstlichen) Fliegen angeln; '~**-flap** *s.* Fliegenwedel *m.*
fly·ing ['flaiiŋ] **I.** *adj.* **1.** fliegend, Flug...; **2.** flatternd, fliegend, wehend, wallend; **3.** kurz, flüchtig: ~ *visit* Stippvisite; **4.** *sport* **a)** fliegend: ~ *start* fliegender Start, **b)** mit Anlauf: ~ *jump*; **5.** schnell; **6.** ⊕ beweglich; **II.** *s.* **7.** Fliegen *n*, Flug *m*; Flugwesen *n*; ~ **boat** *s.* ✈ Flugboot *n*; ~ **bomb** *s.* ⚔ fliegende Bombe, Ra'ketenbombe *f*; ~ **bridge** *s.* **1.** Rollfähre *f*; **2.** Schiffbrücke *f*; ~ **but·tress** *s.* ⚠ Strebebogen *m*; ~ **col·umn** *s.* ⚔ fliegende *od.* schnelle Ko'lonne; ~ **ex·hi·bi·tion** *s.* Wanderausstellung *f*; ~ **field** *s.* ✈ (*kleiner*) Flugplatz; ~ **fish** *s. ichth.* fliegender Fisch; ~ **fox** *s. zo.* Flughund *m*; ~ **lane** *s.* ✈ Flugschneise *f*; ~ **man** *s.* [*irr.*] Flieger *m*; ~ **mile** *s. sport* fliegende Meile; ♀ **Of·fi·cer** *s.* ✈ *Brit.* Oberleutnant *m der R.A.F.*; ~ **range** *s.* ✈ Akti'ons,radius *m*; ~ **sau·cer** *s.* fliegende 'Untertasse; ~ **scaf·fold** *s.* ⊕ Hängegerüst *n*; ~ **school** *s.* ✈ Fliegerschule *f*; ~ **speed** *s.* Fluggeschwindigkeit *f*; ~ **squad** *s. Brit.* 'Überfallkom,mando *n* (*Polizei*); ~ **squad·ron** *s.* ✈ Staffel *f*; ~ **u·nit** *s.* ✈ fliegender Verband; ~ **weight** *s.* ✈

Fluggewicht *n*; ~ **wing** *s.* ✈ Nurflügelflugzeug *n.*

'**fly|-leaf** *s. typ.* Vorsatz-, Deckblatt *n*; '~**-o·ver** *s. Brit.* ('Straßen-, 'Eisenbahn)Über,führung *f*; '~**-pa·per** *s.* Fliegenfänger *m* (*Klebestreifen*); '~**-past** *s.* ✈ 'Luftpa,rade *f*; '~**-rod** *s.* Angelrute *f* (*für künstliche Fliegen*); '~**-sheet** *s.* Flug-, Re'klameblatt *n*; '~**-trap** *s.* **1.** Fliegenfalle *f*; **2.** ⚘ Fliegenfänger *m*; '~**-un·der** *s. Brit.* ('Straßen-, 'Eisenbahn)Unter,führung *f*; '~**-weight** *s. sport* Fliegengewicht(ler *m*) *n*; '~**-wheel** *s.* ⊕ Schwungrad *n*; '~**-whisk** *s.* Fliegenwedel *m.*

foal [foul] *zo.* **I.** *s.* Fohlen *n*, Füllen *n*: *in* (*od. with*) ~ trächtig (*Stute*); **II.** *v/t. Fohlen* werfen; **III.** *v/i.* fohlen, werfen; '~**-foot** *pl.* '~**-foots** *s.* ⚘ Huflattich *m.*

foam [foum] **I.** *s.* **1.** Schaum *m*; **II.** *v/i.* **2.** schäumen: *he* ~*ed at the mouth* er hatte Schaum vor dem Mund, *fig.* er schäumte vor Wut; **3.** schäumend fließen; ~ **ex·tin·guish·er** *s.* Schaum(feuer)löscher *m*; ~ **rub·ber** *s.* Schaumgummi *n, m.*

foam·y ['foumi] *adj.* schäumend.

fob[1] [fɔb] *s.* **1.** Uhrtasche *f* (*im Hosenbund*); **2.** *a.* ~ *chain* Chate'laine *f* (*Uhrband, -kette*).

fob[2] [fɔb] *v/t.* ~ *off*: **a)** *to* ~ *off s.th. on s.o.* j-m et. ‚andrehen' *od.* ‚aufhängen', **b)** *j-n* abspeisen (*with* mit).

fob[3], **f.o.b** [fɔb] *abbr. für free on board.*

fo·cal ['foukəl] *adj.* ✱, *phys., opt.* im Brennpunkt stehend, fo'kal, Brenn(punkt)...; ~ **dis·tance,** ~ **length** *s. opt.* Brennweite *f*; ~ **plane** *s. phys.* Brennebene *f*; '~**-plane shut·ter** *s. phot.* Schlitzverschluß *m*; ~ **point** *s. phys.* Brennpunkt *m* (*a. fig.*).

fo'c's'le ['fouksl] → *forecastle.*

fo·cus ['foukəs] *pl.* **-cus·es, -ci** [-sai] **I.** *s.* **1. a)** ✱, ⊕, *phys.* Brennpunkt *m*, Brennweite *f*, 'Fokus *m*, **b)** *opt.* Scharfeinstellung *f*: *in* ~ scharf eingestellt, *fig.* klar und richtig; *out of* ~ unscharf, *fig.* verschwommen; *to bring into* ~ in den Brennpunkt rücken (*a. fig.*), scharf einstellen; **2.** *fig.* Brenn-, Mittel-, Schwerpunkt *m*; **3.** *fig.* ⚕ Herd *m* (*a. Erdbeben, Aufruhr*); **II.** *v/t.* **4.** *phys.* (*v/i.* sich) im Brennpunkt vereinigen, (sich) sammeln, fokussieren; scharf einstellen; **5.** *fig.* konzentrieren.

fo·cus·(s)ing| lens ['foukəsiŋ] *s.* Sammellinse *f*; ~ **mag·ni·fi·er** *s. phot.* Einstellupe *f*; ~ **screen** *s. phot.* Mattscheibe *f.*

fod·der ['fɔdə] **I.** *s.* (Trocken)Futter *n*; **II.** *v/t. Vieh* füttern.

foe [fou] *s.* Feind *m* (*a. fig.*); Gegner *m*, 'Widersacher *m* (*to gen.*); '~**-man** [-mən] *s.* [*irr.*] *obs.* Feind *m.*

foe·tus ['fi:təs] *s.* ⚕ 'Fötus *m*, Leibesfrucht *f.*

fog [fɔg] **I.** *s.* **1.** (dichter) Nebel; **2.** Dunst *m*; Dunkelheit *f*; **3.** *fig.* Um'nebelung *f*, Verwirrung *f*; **4.** *phot.* Schleier *m*; **II.** *v/t.* **5.** in Nebel hüllen, einnebeln; **6.** *fig.* verdunkeln, verwirren; **7.** *phot.* verschleiern; **III.** *v/i.* **8.** neb(e)lig werden; beschlagen (*Scheibe etc.*); **9.** 🚂 *Brit.* 'Nebelsi,gnale geben; '~**-bank** *s.* Nebelbank *f*; '~**-bound** *adj.* ⚓ durch Nebel behindert.

fo·gey → *fogy.*

fog·gi·ness ['fɔginis] *s.* **1.** Nebligkeit *f*; **2.** Verschwommenheit *f*, Verworrenheit *f*; '**fog·gy** [-gi] *adj.* ☐ **1.** neb(e)lig; **2.** trüb, dunstig; verschwommen (*a. fig. nebelhaft, unklar*); **3.** *phot.* verschleiert.

'**fog|-horn** *s.* Nebelhorn *n*; '~**-light** *s. mot.* Nebellampe *f*, -scheinwerfer *m*; '~**-sig·nal** *s.* 🚂 'Nebelsi,gnal *n.*

fo·gy ['fougi] *s. mst old* ~ komischer (alter) Kauz; (alter) Spießer; '**fo·gy·ish** [-iiʃ] *adj.* phi'listerhaft, rückständig, altmodisch.

foi·ble ['fɔibl] *s. fig.* Faible *n*, Schwäche *f*, schwache Seite.

foil[1] [fɔil] *v/t.* **1.** vereiteln, durch'kreuzen, zu'nichte machen; **2.** *Spur* verwischen.

foil[2] [fɔil] **I.** *s.* **1.** ⊕ 'Folie *f*, 'Blattme,tall *n*; → *tin foil*; **2.** ⊕ (Spiegel-)Belag *m*; **3.** Folie *f*, 'Unterlage *f* (*für Edelsteine*); **4.** *fig.* Folie *f*, 'Hintergrund *m*: *to serve as a* ~ als Folie dienen (*dat.*); **5.** ⚠ Blattverzierung *f*; **II.** *v/t.* **6.** ⊕ mit Me'tall,folie belegen; **7.** ⚠ mit Blätterwerk verzieren.

foil[3] [fɔil] *s. fenc.* **1.** Flo'rett *n*; **2.** *pl.* Flo'rettfechten *n.*

foils·man ['fɔilzmən] *s.* [*irr.*] *fenc.* Flo'rettfechter *m.*

foist [fɔist] *v/t.* **1.** *to* ~ *s.th. on s.o.* j-m et. anhängen *od.* -drehen *od.* aufhalsen; **2.** einschmuggeln.

fold[1] [fould] **I.** *v/t.* **1.** falten: *to* ~ *one's hands* die Hände falten; *to* ~ *one's arms* die Arme verschränken; **2.** *oft* ~ *up* zs.-falten, -legen, -klappen; **3.** *a.* ~ *down* 'umbiegen, kniffen; her'unterklappen; **4.** ⊕ falzen; **5.** einhüllen, um'schließen: *to* ~ *in one's arms* umarmen, in die Arme schließen; **6.** *Küche*: ~ *in* 'unterziehen; **II.** *v/i.* **7.** sich falten *od.* zs.-legen *od.* zs.-klappen (lassen); **8.** ~ *up* F **a)** zs.-brechen (*a. fig.*), **b)** † ‚zumachen', ‚eingehen' (*Firma etc.*); **III.** *s.* **9.** Falte *f*; Windung *f*; 'Umschlag *m*; **10.** ⊕ Falz *m*, Kniff *m*, Bruch *m*; **11.** *geol.* Bodenfalte *f*, Senkung *f.*

fold[2] [fould] **I.** *s.* **1.** (Schaf)Hürde *f*, Pferch *m*; **2.** Schafherde *f*; **3.** *eccl.* (Schoß *m* der) Kirche *f*; Gemeinde *f*; **4.** *fig.* Schoß *m* der Fa'milie *od.* Par'tei; **II.** *v/t.* **5.** *Schafe* einpferchen.

-fold [-fould] *in Zssgn* ...fach, ...fältig.

fold·er ['fouldə] *s.* **1.** 'Faltpro,spekt *m*, -blatt *n*, Bro'schüre *f*, Heft *n*; **2.** Aktendeckel *m*, 'Umschlag *m*, Mappe *f*, Schnellhefter *m*; **3.** ⊕ 'Falzma,schine *f*, -bein *n*; **4.** Falzer *m* (*Person*).

fold·ing ['fouldiŋ] *adj.* zs.-legbar, zs.-klappbar, aufklappbar, Falt..., Klapp..., Flügel...; ~ **bed** *s.* Klapp-, Feldbett *n*; ~ **boat** *s.* Faltboot *n*; ~ **cam·er·a** *s.* 'Klapp,kamera *f*; ~ **chair** *s.* Klappstuhl *m*; ~ **doors** *s. pl.* Flügeltür *f*; ~ **gate** *s.* zweiflügeliges Tor; ~ **hat** *s.* Klapphut *m*; ~ **lad·der** *s.* Klappleiter *f*; ~ **rule** *s.* zs.-legbares Metermaß, zs.-legbarer Zollstock; ~ **screen** *s.* spanische Wand; ~ **ta·ble** *s.* Klapptisch *m.*

fo·li·a·ceous [fouli'eiʃəs] *adj.* blattartig; blätt(e)rig, Blätter...; **fo·li·age** ['fouliidʒ] *s.* **1.** Laub(werk) *n*, Blätter *pl.*: ~ *plant* Blattpflanze; **2.** ⚠ Blattverzierung *f*; **fo·li·aged** ['fouliidʒd] *adj. in Zssgn* ...blätt(e)rig.

fo·li·ate ['foulieit] **I.** *v/t.* **1.** ⚠ mit Blätterwerk verzieren: ~*d capital* Blätterkapitell; **2.** ⊕ *Spiegel* mit 'Folie belegen; **II.** *v/i.* **3.** ⚘ Blätter treiben; **4.** sich in Blätter spalten; **III.** *adj.* [-iit] **5.** belaubt; **6.** blattartig; **fo·li·a·tion** [fouli'eiʃən] *s.* **1.** ⚘ Blattbildung *f*, -wuchs *m*, Belaubung *f*; **2.** ⚠ Verzierung *f* mit Laubwerk, Blätterschmuck *m*; **3.** ⊕ Belegen *n* mit Folie; **4.** Schieferung *f.*

fo·li·o ['fouliou] *pl.* **-os** *s.* **1.** ('Folio-)Blatt *n*; **2.** 'Folio(for,mat) *n*; **3.** *a.* ~ *volume* Foli'ant *m*; **4.** nur vorderseitig numeriertes Blatt; **5.** Seitenzahl *f* (*Buch*); **6.** † 'Kontobuchseite *f* (*Debet und Kredit*).

folk [fouk] *pl.* **folk, folks** *s.* **1.** *pl.* (*die*) Leute *pl.*: *poor* ~ arme Leute; *town* ~ Städter; ~*s say* die Leute sagen; **2.** *pl.* (*nur* ~*s*) F *m-e etc.* ‚Leute' *pl.*, (*die*) Angehörigen *pl.*; **3.** *obs.* Volk *n*, Nati'on *f*; '~**-dance** *s.* Volkstanz *m*; '~**·lore** [-lɔ:] *s.* Folk'lore *f*: **a)** Volkskunde *f*, **b)** Volkstum *n* (*Bräuche etc.*); '~**·lor·ist** [-lɔ:rist] *s.* Folklo'rist *m*; '~**-song** *s.* Volkslied *n.*

folk·sy ['fouksi] *adj.* F gesellig.

'**folk|-tale** *s.* Volkssage *f*; '~**-weave** *s.* handgewebte Stoffe *pl.*

fol·li·cle ['fɔlikl] *s.* **1.** ⚘ Fruchtbalg *m*; **2.** *anat.* **a)** Fol'likel *n*, Drüsenbalg *m*, **b)** Haarbalg *m.*

fol·low ['fɔlou] **I.** *s.* **1.** *Billard*: Nachläufer *m*; **2.** kleine zweite Porti'on (*im Restaurant*); **II.** *v/t.* **3.** folgen (*dat.*): **a)** nachfolgen (*dat.*), sich anschließen (*dat.*): *to* ~ *s.o. close* j-m auf dem Fuß folgen; *a dinner* ~*ed by a ball* ein Essen mit anschließendem Ball, **b)** verfolgen (*acc.*), entlanggehen, -führen (*acc.*) (*Straße*), **c)** (*zeitlich*) folgen auf (*acc.*), nachfolgen (*dat.*): *to* ~ *one's father as manager* s-m Vater als Direktor (nach)folgen, **d)** nachgehen (*dat.*), verfolgen (*acc.*), sich widmen (*dat.*), betreiben (*acc.*), *Beruf* ausüben: *to* ~ *one's pleasure* s-m Vergnügen nachgehen; *to* ~ *the sea* (*the law*) Seemann (Jurist) sein, **e)** befolgen, beachten, *die Mode* mitmachen; sich richten nach (*Sache*): ~ *my advice*, **f)** *j-m als Führer od. Vorbild* folgen, sich bekennen zu, zustimmen (*dat.*): *I cannot* ~ *your view* Ihren Ansichten kann ich nicht zustimmen, **g)** folgen können (*dat.*), verstehen (*acc.*): *do you* ~ *this explanation?*, **h)** (*mit dem Auge od. geistig*) verfolgen, beobachten (*acc.*): *to* ~ *a tennis match*; *to* ~ *events*; **4.** verfolgen (*acc.*), ⚔ nachstoßen (*dat.*): *to* ~ *the enemy*; **II.** *v/i.* **5.** (*Ort od. Zeit*) (nach)folgen, nachkommen: *I* ~*ed after him* ich folgte ihm nach; *as* ~*s* wie folgt; **6.** *mst impers.* folgen, sich ergeben

(*from* aus): *it* ~*s from this* hieraus folgt; *it does not* ~ *that* dies besagt nicht, daß;
Zssgn mit adv.:
fol·low| a·bout *v/i.* überall('hin) folgen; ~ **on** *v/i.* **1.** (*nach kurzer Pause*) folgen; **2.** nachdrängen; ~ **out** *v/t.* weiter verfolgen, 'durchführen; ~ **through** *v/i. sport* 'durchziehen; ~ **up I.** *v/t.* **1.** eifrig *od.* weiter verfolgen (*a. fig.*); *auf e-e Sache e-e andere* folgen lassen, nachstoßen mit; **2.** *fig.* im Auge behalten; ausnutzen; **II.** *v/i.* **3.** ⚔ nachdrängen, -stoßen; **4.** ✝ nachfassen.
fol·low·er ['fɔləuə] *s.* **1.** Verfolger(in); Nachfolger(in); **2.** Anhänger *m*, Jünger *m*; **3.** Teilnehmer *m*; **4.** Begleiter *m*, Diener *m*; *pl.* Gefolge *n*, Gefolgschaft *f*; **5.** *Brit. obs.* F Verehrer *m* (*e-s Dienstmädchens*); *pl.* Anhang *m*; '**fol·low·ing** [-əuiŋ] **I.** *s.* **1.** *the* ~ **a**) das Folgende, **b**) die Folgenden; **2.** Gefolge *n*, Anhänger-, Gefolgschaft *f*; **II.** *adj.* **3.** folgend, nächst; **4.** ~ *wind* Rückenwind *m*.
'**fol·low|-'through** *s. sport* 'Durchziehen *n* (*Schlag*); '~-'**up** *s.* **1.** Nachstoßen *n*; **2.** Ausnutzung *f*, -wertung *f e-s Erfolgs etc.*; weitere Verfolgung *e-r Sache*; Rück-, Nachfrage *f*: ~ *advertising* Nachfaßwerbung; ~ *file* Wiedervorlagemappe; ~ *letter* Nachfaßschreiben.
fol·ly ['fɔli] *s.* **1.** Torheit *f*; **2.** Unsinn *m*, Narre'tei *f*; **3.** *pl. thea.* Re'vue *f*.
fo·ment [fou'ment] *v/t.* **1.** ⚕ bähen, warm baden; **2.** *fig.* anfachen, erregen, schüren, aufpeitschen; **fo·men·ta·tion** [foumen'teiʃən] *s.* **1.** ⚕ Bähung *f*; heißer 'Umschlag; **2.** *fig.* Anstiftung *f*, Aufwiegelung *f*; **fo'ment·er** [-tə] *s.* Anstifter *m*, Aufwiegler *m*.
fond [fɔnd] *adj.* □ → *fondly*; **1.** zärtlich, liebevoll; **2.** *a.* ~ *and foolish* vernarrt; **3.** töricht, (allzu) kühn: ~ *hope*; *it went beyond my* ~*est dreams* es übertraf m-e kühnsten Träume; **4.** *to be* ~ *of* lieben, mögen, gern haben: *to be* ~ *of smoking* gern rauchen.
fon·dant ['fɔndənt] *s.* Fon'dant *m*: ~ *chocolate* Schmelzschokolade.
fon·dle ['fɔndl] *v/t.* hätscheln, liebkosen, herzen, streicheln; '**fond·ly** [-li] *adv.* **1.** → *fond 1*; **2.** *I* ~ *hoped* (*od. imagined*) *that* ... ich war so töricht zu hoffen *od.* anzunehmen, daß ...; ich schmeichelte mir, daß ...; '**fond·ness** [-dnis] *s.* **1.** Zärtlichkeit *f*, Liebe *f*; **2.** (*for*) Vorliebe *f* (für), Hang *m* (zu); Vernarrtheit *f* (in *acc.*).
font [fɔnt] *s.* **1.** *eccl.* Taufstein *m*: ~ *name* Taufname; **2.** Ölbehälter *m* (*Lampe*); **3.** *bsd. Am.* → *fount*[1].
fon·ta·nel(le) [fɔntə'nel] *s. anat.* Fonta'nelle *f*.
food [fu:d] *s.* **1.** Essen *n*, Kost *f*, Nahrung *f*, Lebensmittel *pl.*, Verpflegung *f*: ~ *and drink* Essen u. Trinken; **2.** Futter *n*; **3.** *fig.* Nahrung *f*, Stoff *m*: ~ *for thought* Stoff zum Nachdenken; ~ **poi·son·ing** *s.* ⚕ Lebensmittelvergiftung *f*; '~**-stuff** *s.* Nahrungsmittel *n*, Nährstoff *m*; ~ **sup·ply** *s.* Lebensmittelversorgung *f*.
fool[1] [fu:l] **I.** *s.* **1.** Narr *m*, Närrin *f*, Tor *m*, Dummkopf *m*: *he is no* ~ er ist nicht auf den Kopf gefallen; *I am a* ~ *to him* ich bin ein Waisenknabe gegen ihn; *to make a* ~ *of s.o.* j-n zum Narren *od.* zum besten haben; *to make a* ~ *of o.s.* sich lächerlich machen, sich blamieren; **2.** (Hof)Narr *m*, Hans'wurst *m*: *to play the* ~ Possen treiben; **II.** *v/t.* **3.** zum Narren haben, hänseln; **4.** betrügen (*out of* um), täuschen; verleiten (*into doing* zu tun); **5.** ~ *away* vergeuden; *Zeit* vertrödeln; **III.** *v/i.* **6.** Possen treiben, spaßen; (her'um)spielen (*with* mit); **7.** ~ *about*, ~ *around* her'umalbern, Unsinn machen, sich her'umtreiben.
fool[2] [fu:l] *s. Brit. mst in Zssgn* Fruchtkrem *f*, -mus *n*.
fool·er·y ['fu:ləri] *s.* Tor-, Dummheit *f*.
'**fool|·har·di·ness** *s.* Tollkühnheit *f*; '~**·har·dy** *adj.* tollkühn, verwegen.
fool·ing ['fu:liŋ] *s.* Dummheit(en *pl.*) *f*, Unfug *m*, Spiele'rei *f*; '**fool·ish** [-liʃ] *adj.* □ dumm, albern, läppisch; '**fool·ish·ness** [-liʃnis] *s.* Tor-, Albernheit *f*; '**fool·proof** *adj.* **1.** kinderleicht, idi'otensicher, ungefährlich; **2.** ⊕ narren-, betriebssicher.
fools·cap ['fu:lskæp] *s.* Kanz'leiformat *n*, -pa,pier *n*; → *fool's-cap*.
'**fool's|-cap** [fu:lz] *s.* Narrenkappe *f*; ~ **er·rand** *s.* **a**) unnützer Gang, **b**) vergebliche Mühe; ~ **par·a·dise** *s.* Wolken'kuckucksheim *n*: *to live in a* ~ sich Illusionen hingeben; ~ **pars·ley** *s.* ♀ 'Hundspeter,silie *f*.
foot [fut] **I.** *pl.* **feet** [fi:t] *s.* **1.** Fuß *m*: *on* ~ **a**) zu Fuß, **b**) *fig.* im Gange; *at a* ~*'s pace* im Fußgängertempo; *on one's feet* auf den Beinen (*a. fig.*); *my feet!* F Quatsch!; *it is wet under* ~ der Boden ist naß; *carried off one's feet* überwältigt; *to fall on one's feet fig.* immer auf die Füße fallen; *to get on* (*od. to*) *one's feet* aufstehen; *to find one's feet* **a**) gehen können, **b**) wissen, was man tun soll *od.* kann, **c**) festen Boden unter den Füßen haben; *to have one* ~ *in the grave* mit einem Fuß im Grabe stehen; *to put one's* ~ *down* energisch werden, ein Machtwort sprechen; *to put one's* ~ *in it* F ins Fettnäpfchen treten, sich danebenbenehmen; *to put one's best* ~ *forward* **a**) sein Bestes tun, **b**) sich von der besten Seite zeigen; *to put s.o.* (*od. s.th.*) *on his* (*its*) *feet fig.* j-n (*od.* et.) wieder auf die Beine bringen; *to set on* ~ in Gang bringen; *to set* ~ *on od. in* betreten; *to tread under* ~ mit Füßen treten (*mst fig.*); → *cold 3*; **2.** Fuß *m* (*0,3048 m*): *3 feet long* 3 Fuß lang; **3.** *fig.* Fuß *m* (*Berg, Glas, Säule, Seite, Strumpf*); **4.** Fußende *n* (*Bett*); **5.** ⚔ Fußvolk *n*: *500* ~ 500 Fußsoldaten; *the 4th* ~ Infanterieregiment Nr. 4; **6.** Versfuß *m*; **7.** Schritt *m*, Tritt *m*: *a heavy* ~; **8.** *pl.* ~*s* Bodensatz *m*; **II.** *v/i.* **9.** *to* ~ *it* **a**) zu Fuß gehen, **b**) tanzen; **10.** ~ *up* sich belaufen (*to* auf *acc.*); **III.** *v/t.* **11.** betreten; **12.** F bezahlen: *to* ~ *the bill* die Zeche bezahlen; *to* ~ *up* zs.-rechnen; **13.** *Strümpfe* anstricken.
foot·age ['futidʒ] *s.* **1.** Gesamtlänge *f*, -maß *n* (*in Fuß*); **2.** Filmmeter *pl.*
'**foot|-and-'mouth dis·ease** *s. vet.* Maul- u. Klauenseuche *f*; '~**·ball** *s. sport* (*a. amer.*) Fußball(spiel *n*) *m*: ~ *ground* (*match, team*) Fußballplatz (-spiel, -mannschaft); '~**·ball·er** *s.* Fußballspieler *m*, Fußballer *m*; '~**·bath** *s.* Fußbad *n*; '~**·board** *s.* **1.** Trittbrett *n*; **2.** 🚂 Laufrahmen *m*; '~**·boy** *s.* **1.** Laufbursche *m*; **2.** Page *m*; ~ **brake** *s.* Fußbremse *f*; '~**-bridge** *s.* Fußgängerbrücke *f*, (Lauf)Steg *m*, ⚔ Laufbrücke *f*; ~ **con·trol** *s.* ⊕ Fußsteuerung *f*, -schaltung *f*.
foot·ed ['futid] *adj. mst in Zssgn* mit ... Füßen, ...füßig; '**foot·er** [-tə] *s.* **1.** *in Zssgn* ... Fuß groß *od.* lang: *a six-*~ ein sechs Fuß großer Mensch; **2.** *Brit. sl.* Fußball(spiel *n*) *m*.
'**foot|·fall** *s.* Schritt *m*, Tritt *m* (*a. Geräusch*); '~**-fault** *s. Tennis*: Fußfehler *m*; '~**-gear** *s.* Schuhwerk *n*, -zeug *n*; ~ **guard** *s.* Fußschutz *m* (*a.* ⊕); ♀ **Guards** *s. pl. Brit.* 'Gardeinfante,rie *f*; '~**-hill** *s.* Vorberg *m*; *pl.* Ausläufer *pl.* e-s Gebirges; '~**-hold** *s.* Raum *m* zum Stehen; *fig.* Halt *m*, Stütze *f*: *to gain a* ~ Fuß fassen.
foot·ing ['futiŋ] *s.* **1.** Setzen *n* der Füße; **2.** Platz *m* zum Stehen; **3.** sichere Stellung (*a. fig.*), Stütze *f*, Grundlage *f*: *to gain a* ~ festen Fuß fassen; *to miss* (*od. lose*) *one's* ~ stolpern, ausgleiten; **4.** *fig.* Stellung *f*, Zustand *m*, Beziehung *f*, Verhältnis *n*: *on a friendly* ~ auf freundschaftlichem Fuße; *on a war* ~ auf dem Kriegsfuß; *to place on the same* ~ gleichstellen (*with dat.*); **5.** Mauerfuß *m*, Sockel *m*.
foo·tle ['fu:tl] *sl.* **I.** *v/i.* ,kälbern', töricht reden; **II.** *s.* Unsinn *m*, ,Gewäsch' *n*, ,Stuß' *m*, Lari'fari *n*.
'**foot·lights** *s. pl. thea.* **1.** Rampenlicht(er *pl.*) *n*; **2.** Bühne *f* (*a. Schauspielerberuf*).
foo·tling ['fu:tliŋ] *adj. sl.* albern, läppisch.
'**foot|·man** [-mən] *s.* [*irr.*] Bediente(r) *m*, La'kai *m*; '~**-mark** *s.* Fußspur *f*; '~**-note** *s.* Fußnote *f*, Anmerkung *f*; '~**-'op·er·at·ed** *adj.* mit Fußantrieb; '~**·pad** *s.* Straßenräuber *m*; '~**-pas·sen·ger** *s.* Fußgänger(in); '~**-path** *s.* (Fuß)Pfad *m*, Gehweg *m*; '~**-plate** *s.* 🚂 Stand *m* des Lokomo'tivführers u. Heizers; '~**-pound** *s.* Fußpfund *n* (*engl. Energie-Einheit*); '~**·print** *s.* Fußspur *f*, -stapfe *f*; '~**-race** *s.* Wettlauf *m*; '~**·rest** *s.* Fußstütze *f*, -raste *f*; '~**-rule** *s.* Zollstock *m*; '~**·sore** *adj.* fußkrank; '~**·step** *s.* **1.** Tritt *m*, Schritt *m*; **2.** Fußstapfe *f*: *to follow in s.o.'s* ~*s* j-s Beispiel folgen; '~**·stool** *s.* Fußbank *f*, Schemel *m*; ~ **switch** *s.* ⊕ Fußschalter *m*; '~**·way** *s.* Fußweg *m*; '~**-wear** → *foot-gear*.
foo·zle ['fu:zl] *sl.* **I.** *v/t.* ,verpatzen', vermasseln; **II.** *v/i.* ,Mist bauen' (*ungeschickt handeln*); **III.** *s.* Murks *m*, Mist *m*.
fop [fɔp] *s.* Stutzer *m*, Geck *m*, ,Fatzke' *m*; '**fop·per·y** [-pəri] *s.*

Ziere'rei *f*, Affe'rei *f*; '**fop·pish** [-piʃ] *adj.* □ geckenhaft, affig.

for [fɔː; fə] **I.** *prp. mst* für: **a)** *Vorteil, zugunsten*: *a gift* ~ *him* ein Geschenk für ihn; *that speaks* ~ *you* das spricht für Sie; *I am* ~ *a price cut* ich bin für e-e Preisermäßigung, **b)** *Zweck, Absicht*: *horses* ~ *riding* Reitpferde; *to come* ~ *dinner* zum Essen kommen; *to go* ~ *a walk* spazierengehen; ~ *fun* aus *od.* zum Spaß; *books* ~ *presents* Bücher als Geschenk, **c)** *Ziel*: *to wait* ~ *an answer* auf Antwort warten; *it is fixed* ~ *2 o'clock* es ist für *od.* auf 2 Uhr festgesetzt; *to start* ~ *Paris* nach Paris abreisen; *the train* ~ *London* der Zug nach London, **d)** *Grund*: ~ *this reason* aus diesem Grunde; *what is all this good* ~? was soll der Unsinn?; ~ *fear of* aus Furcht vor; *to die* ~ *grief* aus *od.* vor Gram sterben; *I can't see* ~ *the fog* wegen des Nebels kann ich nichts sehen, **e)** *Zeitdauer*: *to stay* ~ *a week* eine Woche (lang) bleiben; *you may come* ~ *a week* du kannst für *od.* auf eine Woche kommen; ~ *some time past* seit einiger Zeit, **f)** *Ausdehnung*: *to run* ~ *a mile* eine Meile (weit) laufen, **g)** *Menge, Preis*: *I sold it* ~ *11 pounds* ich habe es für 11 Pfund verkauft, **h)** *Entgelt, Austausch*: *to swop a pencil* ~ *a penknife* e-n Bleistift für *od.* gegen ein Taschenmesser tauschen; *I took him* ~ *a German* ich hielt ihn für e-n Deutschen, **i)** *in Anbetracht*: *rather cold* ~ *July* ziemlich kalt für Juli; *Smith's* ~ *value* Smiths sind am preiswertesten; *there is nothing* ~ *it but* es geht nicht anders als, es bleibt nichts (anderes) übrig als, **j)** *Wunsch etc.*: *oh,* ~ *a horse* ach, hätte ich doch ein Pferd; *an eye* ~ *beauty* ein Blick für das Schöne, **k)** *Pflicht, Betreff*: *it is* ~ *you to decide* es ist an dir zu entscheiden; *I* ~ *one* ich zum Beispiel, ich für mein Teil, **l)** *nach adj. u. vor inf.*: *it is too heavy* ~ *me to lift* es ist zu schwer, als daß ich es heben könnte, **m)** *mit s. od. pron. u. inf.*: *it is wicked* ~ *him to drink* es ist schändlich von ihm, daß er trinkt; *it is usual* ~ *hats to be worn* es ist üblich, Hüte zu tragen; es ist üblich, den Hut aufzubehalten; **II.** *cj.* denn, nämlich.

for·age ['fɔridʒ] **I.** *s.* **1.** (Vieh)Futter *n*; **2.** Futterbeschaffung *f*; **II.** *v/i.* **3.** (nach) Futter suchen; **4.** hamstern; **5.** *fig.* her'umsuchen, -stöbern (*for* nach); **III.** *v/t.* **6.** mit Futter versorgen; **7.** (aus)plündern; '**~-cap** *s.* ⚔ *Brit.* Feldmütze *f.*

for·ag·er ['fɔridʒə] *s.* Fu'rier *m*, Verpflegungsbeamte(r) *m.*

for·as·much [fɔrəz'mʌtʃ] *cj. obs.* ~ *as* insofern (als).

for·ay ['fɔrei] **I.** *s.* feindlicher Einfall, Streif-, Raubzug *m*; Kampf *m*; **II.** *v/i. u. v/t.* plündern.

for·bade [fə'beid], *a.* **for'bad** [-'bæd] *pret. von forbid.*

for·bear[1] ['fɔːbɛə] *s.* Vorfahr *m*, Ahn *m.*

for·bear[2] [fɔː'bɛə] **I.** *v/t.* [*irr.*] unter'lassen, -'drücken, abstehen von, sich enthalten (*gen.*): *I cannot* ~ *laughing* ich muß (einfach) lachen; **II.** *v/i.* [*irr.*] abstehen, -lassen (*from* von); es unterlassen; **for'bear·ance** [-ɛərəns] *s.* **1.** Unter'lassung *f*; **2.** Geduld *f*, Nachsicht *f*; ✝ Stundung *f*; **for'bear·ing** [-ɛəriŋ] *adj.* □ nachsichtig, geduldig.

for·bid [fə'bid] *v/t.* [*irr.*] **1.** verbieten, unter'sagen (*j-m et. od. zu tun*): *I am* ~*den wine* mir ist der Wein verboten; *I* ~ *you my house*; **2.** hindern, unmöglich machen, ausschließen; **for'bid·den** [-dn] *p.p. von forbid u. adj.* verboten: ~ *fruit fig.* verbotene Frucht; ♀ *City hist. die* Verbotene Stadt (*in Peking*); **for'bid·ding** [-diŋ] *adj.* □ **1.** abschreckend, abstoßend, scheußlich; **2.** bedrohlich, gefährlich.

for·bore [fɔː'bɔː] *pret. von forbear*[2]; **for'borne** [-ɔːn] *p.p. von forbear*[2].

force [fɔːs] **I.** *s.* **1.** Kraft *f* (*a. phys.*), Stärke *f* (*a. Geist, Charakter*), Wucht *f*: *to join* ~*s* **a)** sich zs.-tun, **b)** ⚔ Streitkräfte vereinigen; **2.** Gewalt *f*, Macht *f*: *by* ~ gewaltsam; **3.** Zwang *m* (*a.* ⚖), Druck *m*: ~ *of circumstances* Zwang der Verhältnisse; **4.** Einfluß *m*, Wirkung *f*, Wert *m*; Nachdruck *m*, Über'zeugungskraft *f*: *by* ~ *of* vermittels; ~ *of habit* Macht der Gewohnheit; *to lend* ~ *to* bekräftigen (*acc.*); **5.** (Rechts)Gültigkeit *f*, (-)Kraft *f*: *to come* (*put*) *into* ~ in Kraft treten (setzen); **6.** *ling.* Bedeutung *f*, Gehalt *m*; **7.** ⚔ Streit-, Kriegsmacht *f*, Truppe(n *pl.*) *f*, Verband *m*: *the* (*armed*) ~*s* die Streitkräfte; *labo(u)r* ~ Arbeiterschaft; **8.** *the* ♀ *Brit.* die Poli'zei; **9.** Menge *f*: *in* ~ in großer Zahl *od.* Stärke; **II.** *v/t.* **10.** zwingen, nötigen: *to* ~ *s.o.'s hand* j-n zwingen; *to* ~ *one's way* sich durchzwängen; *to* ~ *s.th. from s.o.* j-m et. entreißen; **11.** erzwingen, forcieren, 'durchsetzen; **12.** treiben, drängen; *Preise* hochtreiben: *to* ~ *s.th. on s.o.* j-m et. aufdrängen *od.* -zwingen; **13.** ⚘ treiben, hochzüchten; **14.** forcieren, beschleunigen; **15.** *dem Sinn, a. e-r Frau* Gewalt antun; *Ausdruck* zu Tode hetzen; **16.** *Tür etc.* aufbrechen, (-)sprengen; **17.** ⚔ erstürmen; über'wältigen; **18.** ~ *down* ✈ zur Landung zwingen.

forced [fɔːst] *adj.* □ **1.** erzwungen, forciert, Zwangs...: ~ *draught* ⊕ Druckluftstrom; ~(*-feed*) *lubrication* ⊕ Druckschmierung; ~ *labo(u)r* Zwangsarbeit; ~ *landing* ✈ Notlandung; ~ *loan* ✝ Zwangsanleihe; ~ *march* ⚔ Eil-, Gewaltmarsch; ~ *sale* ⚖ Zwangsverkauf; **2.** gezwungen (*Lächeln etc.*); maniert (*Stil etc.*); '**forc·ed·ly** [-sidli] *adv.* → *forced.*

'**force-feed** *v/t.* [*irr.* → *feed*] *j-n* zwangsernähren.

force·ful ['fɔːsful] *adj.* □ **1.** kräftig, wuchtig (*a. fig.*); **2.** eindringlich, -drucksvoll; '**force·ful·ness** [-nis] *s.* Eindringlichkeit *f*, Ungestüm *n.*

force ma·jeure [fɔrs maʒœːr] (*Fr.*) *s.* ⚖ höhere Gewalt.

'**force-meat** *s. Küche*: Farce *f* (*Füllung*).

for·ceps ['fɔːseps] *s. sg. u. pl., mst a pair of* ~ ⚕ Zange *f*, Pin'zette *f*: ~ *delivery* ⚕ Zangengeburt.

'**force-pump** *s.* ⊕ Druckpumpe *f.*

forc·er ['fɔːsə] *s.* ⊕ Kolben *m* (*Druckpumpe*).

for·ci·ble ['fɔːsəbl] *adj.* □ **1.** gewaltsam: ~ *feeding* Zwangsernährung; **2.** wirksam, über'zeugend, eindringlich, zwingend, nachdrücklich.

'**forc·ing**|**-bed** ['fɔːsiŋ], '**~-frame** *s.* ⚘ Mistbeet *n*; '**~-house** *s.* ⚘ Treibhaus *n.*

ford [fɔːd] **I.** *s.* Furt *f*; **II.** *v/i.* 'durchwaten; **III.** *v/t.* durch'waten; '**ford·a·ble** [-dəbl] *adj.* durch'watbar, seicht.

fore [fɔː] **I.** *adj.* vorder, Vorder..., Vor...; früher; **II.** *adv.* ⚓ vorn; **III.** *s.* Vorderteil *m*, -seite *f*; *fig.* Spitze *f*: *to the* ~ **a)** voran, (nach) vorn, **b)** zur Hand, zur Stelle, **c)** sichtbar, **d)** rührig, **e)** an der Spitze; *to come to the* ~ hervortreten, in den Vordergrund *od.* an die Spitze treten; **IV.** *int. Golf*: Achtung!

'**fore-and-'aft** [-ɔːrə-] *adj.* ⚓ längsschiffs: ~ *sail* Stagsegel.

fore·arm[1] ['fɔːrɑːm] *s.* 'Unterarm *m.*

fore·arm[2] [fɔːr'ɑːm] *v/t.* im vor'aus bewaffnen; wappnen.

'**fore**|**·bear** → *forbear*[1]; **~'bode** [-'boud] *v/t.* **1.** vor'hersagen; deuten auf (*acc.*); **2.** ahnen, vor'aussehen; **~'bod·ing** [-'boudiŋ] *s.* (böses) Vorzeichen *od.* Omen; (böse) Ahnung; Prophe'zeiung *f*; '**~-cab·in** *s.* ⚓ *Brit.* vordere Ka'jüte; '**~-car·riage** *s.* ⊕ Vordergestell *n* (*Wagen*); '**~·cast I.** *v/t.* [*irr.* → *cast*] **1.** vor'aussagen, vor'hersehen; **2.** im vor'aus schätzen *od.* planen; **II.** *s.* **3.** Vor'aussage *f*: *weather* ~ Wetterbericht; **~·cas·tle** ['fouksl] *s.* ⚓ Back *f*, Vorderdeck *n*; **~'close** *v/t.* **1.** ⚖ ausschließen (*of* von *e-m Rechtsanspruch*); **2.** ⚖ *Hypothek* für verfallen erklären; **3.** (ver)hindern; **4.** *Ergebnis* vor'wegnehmen; **~'clo·sure** *s.* ⚖ Rechtsausschließung *f*; Verfallserklärung *f*; '**~-court** *s.* Vorhof *m*; '**~·deck** *s.* ⚓ Vorderdeck *n*; **~'doom** *v/t.* im vor'aus verurteilen (*to* zu): ~*ed to failure fig.* im voraus verfehlt, totgeboren; '**~·fa·ther** *s.* Ahn *m*, Vorfahr *m*; '**~·fin·ger** *s.* Zeigefinger *m*; '**~·foot** *s.* [*irr.*] **1.** *zo.* Vorderfuß *m*; **2.** ⚓ Stevenanlauf *m*; '**~·front** *s.* Vorderseite *f*, vorderste Reihe; *fig.* Vordergrund *m*, Spitze *f*; **~'gath·er** → *forgather*; **~'go** *v/t. u. v/i.* [*irr.*] **1.** vor'her-, vor'angehen (*dat.*): ~*ing* vorhergehend, vorerwähnt, vorig; **2.** → *forgo*; **~'gone** *adj.* vor'herbestimmt, vor'auszusehen(d): ~ *conclusion* Selbstverständlichkeit, ausgemachte Sache; '**~·ground** *s.* Vordergrund *m* (*a. fig.*); '**~·hand I.** *s.* **1.** Vorderhand *f* (*Pferd*); **2.** *sport* Vorhand(schlag *m*) *f*; **II.** *adj.* **3.** *sport* Vorhand...: ~ *stroke* Vorhandschlag; '**~'hand·ed** *adj. Am.* **1.** vorsorglich, 'umsichtig, sparsam; **2.** wohlhabend.

fore·head ['fɔrid] *s.* Stirn *f.*

'**fore·hold** *s.* ⚓ vorderer Laderaum.

for·eign ['fɔrin] *adj.* **1.** fremd, ausländisch, auswärtig, Auslands...,

Außen...: ~ *accent* ausländischer Akzent; ~ *aid* Auslands-, Wirtschaftshilfe; ~*-born* aus dem Ausland stammend; ~ *country*, ~ *countries* Ausland; ~ *department* Auslandsabteilung; ~ *language* Fremdsprache; ~ *loan* Auslandsanleihe; ~ *parts* Ausland; ~ *trade* Außenhandel; ~ *transaction* Auslandsgeschäft; ~ *worker* Gastarbeiter; **2.** (*Ggs. eigen, zugehörig*) fremd (*to dat.*): ~ *to his nature*; ~ *body*, ~ *matter* Fremdkörper; ~ **af·fairs** *s. pl. pol.* auswärtige Angelegenheiten *pl.*; ~ **bill** (**of ex·change**) *s.* Auslandswechsel *m*; ~ **cur·ren·cy** *s.* fremde Währung, (fremde) Va'luta, De'visen *pl.*

for·eign·er ['fɔrinə] *s.* **1.** Ausländer(in), Fremde(r *m*) *f*; **2.** *et.* Ausländisches (*Schiff, Tier,* ✝ *Wechsel etc.*).

for·eign| ex·change *s.* ✝ De'visen *pl.*; ~ **le·gion** *s.* ⚔ 'Fremdenlegi͵on *f*; ~ **mis·sion·ar·y** *s. eccl.* Missio'nar *m* im Ausland.

for·eign·ness ['fɔrinnis] *s.* Fremdheit *f*, -artigkeit *f*.

For·eign| Of·fice *s. pol. Brit.* Auswärtiges Amt, 'Außenmini͵sterium *n*; ♀ **pol·i·cy** *s.* 'Außenpoli͵tik *f*; ~ **Sec·re·tar·y** *s. pol. Brit.* 'Außenmi͵nister *m*.

fore|'judge *v/t.* im vor'aus *od.* voreilig entscheiden *od.* beurteilen; ~**'know** *v/t.* [*irr.* → *know*] vor'herwissen, vor'aussehen; '~**'knowl·edge** *s.* Vor'herwissen *n*; Vor'aussicht *f*; '~**la·dy** *Am.* → *forewoman*; '~**land** [-lənd] *s.* Vorland *n*, Vorgebirge *n*, Landspitze *f*; '~**leg** *s.* Vorderbein *n*; '~**lock** *s.* Stirnlocke *f*, -haar *n*: *to take time by the* ~ die Gelegenheit beim Schopfe fassen; '~**man** [-mən] *s.* [*irr.*] **1.** Werkmeister *m*, Vorarbeiter *m*; Aufseher *m*; **2.** ⚖ Obmann *m der Geschworenen*; '~**mast** [-mɑ:st; ⚓ -məst] *s.* ⚓ Fockmast *m*; '~**most I.** *adj.* vorderst; erst, best, vornehmst: *feet* ~ mit den Füßen zuerst; **II.** *adv.* zu'erst: *first and* ~ zu allererst; '~**name** *s. bsd. Am.* Vorname *m*; '~**noon** *s.* Vormittag *m*.

fo·ren·sic [fə'rensik] *adj.* (□ ~*ally*) gerichtlich, Gerichts...: ~ *medicine*.

'fore|·or'dain *v/t.* vor'herbestimmen; '~**or·di'na·tion** *s. eccl.* Fügung *f*, Vor'herbestimmung *f*; '~**part** *s.* erster Teil; Vorderteil *m*; '~**play** *s.* (sexu'elles) Vorspiel; ~**-'reach** *v/t. u. v/i.* über'holen; '~**run·ner** *s. fig.* **1.** Vorläufer *m*, -gänger *m*; **2.** Vorbote *m*, Anzeichen *n*; '~**sail** [-seil; ⚓ -sl] *s.* ⚓ Focksegel *n*; ~**'see** *v/t.* [*irr.* → **see**[1]] vor'aussehen *od.* -wissen; ~**'see·a·ble** *adj.* vor'auszusehen(d); absehbar: *in the* ~ *future* in absehbarer Zeit; ~**'shad·ow** *v/t.* ahnen lassen, (drohend) ankündigen; (seine) Schatten vor'auswerfen; ~**'shad·ow·ing** *s.* Vorahnung *f*; '~**sheet** *s.* ⚓ **1.** Fockschot *f*; **2.** *pl.* Vorderboot *n*; '~**shore** *s.* Uferland *n*, (Küsten)Vorland *n*; ~**'short·en** *v/t.* *Figuren* in Verkürzung *od.* perspek'tivisch zeichnen; '~**sight** *s.* **1.** Vorsorge *f*, Vorbedacht *m*, (weise) Vor'aussicht; **2.** Vor'aussehen *n*; **3.** ⚔ (Vi'sier)Korn *n*; '~**skin** *s. anat.* Vorhaut *f*.

for·est ['fɔrist] **I.** *s.* Wald *m* (*a. fig. von Masten etc.*), Forst *m*, Waldung *f*; **II.** *v/t.* aufforsten.

fore|'stall *v/t.* **1.** *j-m* (*hindernd*) zu'vorkommen; **2.** *et.* verhindern, vereiteln, vor'wegnehmen; **3.** ✝ (spekula'tiv) aufkaufen; '~**stay** *s.* ⚓ Fockstag *n*.

for·est·ed ['fɔristid] *adj.* bewaldet; **'for·est·er** [-tə] *s.* **1.** Förster *m*; Waldarbeiter *m*; **2.** Waldbewohner *m* (*Mensch od. Tier*).

for·est| fire *s.* Waldbrand *m*; ~ **re·serve** *s. Am.* Waldschutzgebiet *n*.

for·est·ry ['fɔristri] *s.* **1.** Forstwirtschaft *f*, -wesen *n*; **2.** Wälder *pl.*

'fore|·taste *s.* Vorgeschmack *m*; ~**'tell** *v/t.* [*irr.* → *tell*] **1.** vor'her-, vor'aussagen; **2.** andeuten, ahnen lassen; '~**thought** → *foresight 1*; '~**top** [-tɔp; ⚓ -təp] *s.* ⚓ Fock-, Vormars *m*; '~**top-'gal·lant** *s.* ⚓ Vorbramsegel *n*: ~ *mast* Vorbramstenge; '~**top·mast** *s.* ⚓ Fock-, Vormarsstenge *f*; '~**top·sail** [-seil; ⚓ -sl] *s.* ⚓ Vormarssegel *n*.

for ev·er, for'ev·er *adv.* **1.** für immer, ewig; **2.** andauernd, ständig; **for ev·er more, for'ev·er·more** → *evermore*.

fore|'warn *v/t.* vorher warnen (*of* vor *dat.*): ~*ed is forearmed* gewarnt sein heißt gewappnet sein; '~**wom·an** *s.* [*irr.*] **1.** Vorarbeiterin *f*, Werkführerin *f*, Aufseherin *f*; **2.** ⚖ Sprecherin *f* der Geschworenen; '~**word** *s.* Vorwort *n*, Einführung *f* (*zu e-m Buch*); '~**yard** *s.* ⚓ Fockrahe *f*.

for·feit ['fɔ:fit] **I.** *s.* **1.** (Geld)Strafe *f*, Buße *f*; **2.** Verlust *m*, Einbuße *f*, verwirktes Pfand: *to pay a* ~ ein Pfand geben; **3.** Reugeld *n*, Vertragsstrafe *f*; **4.** *pl.* Pfänderspiel *n*; **II.** *v/t.* **5.** verwirken, einbüßen, verlieren, verscherzen: *to be* ~*ed* verfallen, eingezogen werden; **III.** *adj.* **6.** verwirkt, verfallen: *to make* ~ einziehen; **'for·fei·ture** [-tʃə] *s.* Verlust *m*, Verwirkung *f*, Verfall *m*, Ein-, Entziehung *f*.

for·fend [fɔ:'fend] *v/t.* **1.** *obs.* verhüten, abwehren: *God* ~*!* Gott behüte!; **2.** *Am.* schützen, sichern.

for·gath·er [fɔ:'gæðə] *v/i.* zs.-kommen, sich treffen, verkehren.

for·gave [fə'geiv] *pret. von forgive.*

forge[1] [fɔ:dʒ] *v/i.* mühsam vorwärtskommen, sich Bahn brechen: *to* ~ *ahead* vorankommen, sich an die Spitze setzen.

forge[2] [fɔ:dʒ] **I.** *s.* **1.** Schmiede *f* (*a. fig.*); **2.** ⊕ Schmiedefeuer *n*, -esse *f*; Glühofen *m*: ~ *lathe* Schmiededrehbank; **II.** *v/t.* **3.** schmieden (*a. fig.*), hämmern; **4.** formen, erfinden, sich ausdenken; **5.** fälschen; **'forge·a·ble** [-dʒəbl] *adj.* schmiedbar; **'forg·er** [-dʒə] *s.* **1.** Schmied *m*; **2.** Erfinder *m*; **3.** Fälscher *m*; **'for·ger·y** [-dʒəri] *s.* **1.** Fälschen *n*: ~ *of a document* ⚖ Urkundenfälschung; **2.** Fälschung *f*, Falsifi'kat *n*.

for·get [fə'get] **I.** *v/t.* [*irr.*] **1.** vergessen, nicht denken an (*acc.*), nicht bedenken, sich nicht erinnern an (*acc.*): *I* ~ *his name* s-n Namen weiß ich nicht mehr; **2.** verlernen: *I have forgotten my French*; **3.** unter'lassen, über'sehen, vernachlässigen: ~ *it!* F laß gut sein!; *don't you* ~ *it* merk dir das!; **4.** ~ *o.s.* **a**) (nur) an andere denken, **b**) ‚aus der Rolle fallen', sich vergessen; **II.** *v/i.* [*irr.*] **5.** vergessen: ~ *about it!* denk nicht mehr daran!; **for'get·ful** [-ful] *adj.* □ vergeßlich: *to be* ~ *of et.* (*achtlos*) vergessen; **for'get·ful·ness** [-fulnis] *s.* **1.** Vergessenheit *f*; **2.** Vergeßlichkeit *f*; **3.** Achtlosigkeit *f*.

for'get-me-not *s.* ♆ Ver'gißmein-[nicht *n.*]

for·giv·a·ble [fə'givəbl] *adj.* verzeihlich, entschuldbar; **for·give** [fə'giv] *v/t.* [*irr.*] **1.** verzeihen, vergeben: *to* ~ *s.o.* (*for doing*) *s.th.*; **2.** *Schulden etc.* erlassen; **for'giv·en** [-vn] *p.p. von forgive*; **for'give·ness** [-vnis] *s.* **1.** Verzeihung *f*, -gebung *f*; **2.** Versöhnlichkeit *f*; **for'giv·ing** [-viŋ] *adj.* □ versöhnlich, nachsichtig.

for·go [fɔ:'gou] *v/t.* [*irr.* → *go*] verzichten auf (*acc.*), aufgeben, Abstand nehmen von.

for·got [fə'gɔt] *pret.* [*u. p.p. obs.*] *von forget*; **for'got·ten** [-tn] *p.p. von forget.*

fork [fɔ:k] **I.** *s.* **1.** (*Eß- etc.*)Gabel *f* (*a.* ⊕); **2.** ⚒ (*Heu- etc.*)Gabel *f*, Forke *f*; **3.** → *tuning-fork*; **4.** Gabelung *f*, Abzweigung *f*; **5.** *Am.* Nebenfluß *m*; **II.** *v/t.* **6.** mit e-r Gabel heben *od.* graben; **7.** *Schach: zwei Figuren* gleichzeitig angreifen; **III.** *v/i.* **8.** sich gabeln *od.* spalten; ~ **out** *sl.* **I.** *v/t. Geld* her'ausrücken; **II.** *v/i.* ‚blechen', zahlen; **forked** [-kt] *adj.* gabelförmig, gegabelt, gespalten; zickzackförmig (*Blitz*); **'fork-lift truck** *s.* ⊕ Gabelstapler *m*.

for·lorn [fə'lɔ:n] *adj.* **1.** verlassen, einsam; **2.** verzweifelt, hilflos; unglücklich, elend; ~ **hope** *s.* **1.** aussichtsloses Unter'nehmen; **2.** ⚔ verlorener Posten; 'Himmelfahrtskom͵mando *n*.

form [fɔ:m] **I.** *s.* **1.** Form *f*, Gestalt *f*, Fi'gur *f*; **2.** ⊕ Form *f*, Fas'son *f*, Mo'dell *n*, Scha'blone *f*; **3.** Form *f*, Art *f*; Me'thode *f*, (An)Ordnung *f*, 'Schema *n*: *in due* ~ vorschriftsmäßig; **4.** Form *f*, Fassung *f* (*Wort, Text, a. ling.*), Formel *f* (*Gebet etc.*); **5.** *phls.* Wesen *n*, Na'tur *f*; **6.** 'Umgangsform *f*, Ma'nier *f*, Brauch *m*: *good* ~ guter Ton, Takt; *bad* ~ schlechte Manier; *it is good* (*bad*) ~ es gehört *od.* schickt sich (nicht); **7.** Formblatt *n*, Formu'lar *n*: *printed* ~ Vordruck; ~ *letter* Schemabrief; **8.** Formali'tät *f*, Äußerlichkeit *f*: *matter of* ~ Formsache; *mere* ~ bloße Förmlichkeit; **9.** (körperliche *od.* geistige) Verfassung, Zustand *m*: *in* ~ in Form, in guter Verfassung; **10.** *Brit.* **a**) (Schul)Bank *f*, **b**) (Schul)Klasse *f*: ~ *master* (*mistress*) Klassenlehrer (-in); **11.** → *forme*; **II.** *v/t.* **12.** formen, bilden (*a. ling.*), machen, gestalten (*into* zu, *after* nach); *Gesellschaft etc.* gründen; *Bündnis etc.* schließen; *Gewohnheit* annehmen; **13.** schaffen, ausbilden, entwickeln, aufbauen; **14.** einrichten, zs.-stellen, *Plan* entwerfen; **15.** ⚔ formieren, aufstellen; **III.** *v/i.* **16.** sich formen *od.* bilden *od.* gestalten, Form annehmen; **17.** entstehen; **18.** *a.* ~ *up* ⚔ sich aufstellen, antreten: *to* ~ *into line.*

-form [-fɔ:m] *in Zssgn* ...förmig.

for·mal [ˈfɔ:məl] *adj.* □ → *formally*; **1.** förmlich, forˈmell: **a)** (rein) äußerlich, **b)** vorschriftsmäßig, formgerecht, **c)** offiziˈell, **d)** feierlich, **e)** steif, ˈunperˌsönlich, **f)** genau, (die Form) peˈdantisch (beobachtend): ~ *call* Höflichkeitsbesuch; **2.** formell: **a)** herkömmlich, üblich, konventioˈnell, **b)** rein gewohnheitsmäßig, **c)** scheinbar, zum Schein vorgenommen; **3.** forˈmal, Form...: ~ *requirements* Formvorschriften; **4.** *phls.* **a)** forˈmal, **b)** wesentlich.

form·al·de·hyde [fɔ:ˈmældihaid] *s.* ⚗ Formaldeˈhyd *m*; **for·ma·lin** [ˈfɔ:məlin] *s.* ⚗ Formaˈlin *n.*

for·mal·ism [ˈfɔ:məlizəm] *s.* Formaˈlismus *m*, (leeres) Formenwesen; ˈ**for·mal·ist** [-list] *s.* Formaˈlist *m*; Peˈdant *m*; **for·mal·is·tic** [fɔ:məˈlistik] *adj.* formaˈlistisch, nur auf die Form bedacht; **for·mal·i·ty** [fɔ:ˈmæliti] *s.* **1.** Förmlichkeit *f*, Brauch *m*, übliche Form; *pl.* Formaliˈtäten *pl.*: *without formalities* ohne (viel) Umstände; *for* ~*'s sake* aus formellen Gründen; **2.** Steifheit *f*, Pedanteˈrie *f*; ˈUmständlichkeit *f*; **3.** leere Geste; ˈ**for·mal·ize** [-laiz] *v/t.* **1.** zur bloßen Formsache machen, in übliche Formen kleiden; **2.** feste Form geben (*dat.*); ˈ**for·mal·ly** [-əli] *adv.* **1.** ausdrücklich, in aller Form; **2.** in Bezug auf (die) Form.

for·mat [ˈfɔ:mæt] *s.* Forˈmat *n* (*Buch*).

for·ma·tion [fɔ:ˈmeiʃən] *s.* **1.** Formung *f*, Gestaltung *f*, Bildung *f*; **2.** Entstehung *f*, Gründung *f*; **3.** Anordnung *f*, Zs.-setzung *f*, Bau *m*; **4.** ⚔, ✈, *sport* Formatiˈon *f* (*a. geol.*), Aufstellung *f*, Gliederung *f*, Verband *m*: ~ *flying* Fliegen im Verband; ~ *in depth* Tiefengliederung; **form·a·tive** [ˈfɔ:mətiv] *adj.* **1.** formend, gestaltend, bildend: ~ *years* Entwicklungsjahre; **2.** *ling.* formbildend, Ableitungs...: ~ *element* Wortbildungselement; **3.** ⚘, *zo.* morphoˈgen.

form cut·ter *s.* ⊕ Proˈfilfräser *m.*

forme [fɔ:m] *s. typ. Brit.* (Druck-) Form *f.*

form·er¹ [ˈfɔ:mə] *s.* **1.** Former *m*, Gestalter *m*; Urheber(in); **2.** ⊕ Former *m*; **3.** ✈ Spant *m.*

for·mer² [ˈfɔ:mə] *adj.* □ **1.** früher, vorig, ehe-, vormalig, vergangen: *in* ~ *times* vormals, einst; *he is his* ~ *self again* er ist wieder (ganz) der alte; *the* ~ *Mrs. A.* die frühere Frau A.; **2.** *the* ~ *sg. u. pl.* ersterwähnt, -genannt, erster: *the* ~ ..., *the latter* ... der erstere..., der letztere; ˈ**for·mer·ly** [-li] *adv.* früher, vor-, ehemals: *Mrs. A.*, ~ *B.* **a)** Frau A., geborene B., **b)** Frau A., ehemalige Frau B.

for·mic ac·id [ˈfɔ:mik] *s.* ⚗ Ameisensäure *f.*

for·mi·ca·tion [fɔ:miˈkeiʃən] *s.* ⚕ Kribbelgefühl *n.*

for·mi·da·ble [ˈfɔ:midəbl] *adj.* □ **1.** schrecklich, furchtbar; **2.** gewaltig, ungeheuer; **3.** beachtlich, ernstzunehmend: ~ *opponent.*

form·ing [ˈfɔ:miŋ] *s.* ⊕ Formen *n*, Fassonieren *n*; ˈ**form·ing-ˈup** *s.* ⚔ Bereit-, Aufstellung *f*, ✈ Versammlung *f*; **form·less** [ˈfɔ:mlis] *adj.* □ formlos.

for·mu·la [ˈfɔ:mjulə] *pl.* **-las, -lae** [-li:] *s.* **1.** ⚗, ⚕ *etc.*, *a. mot.* Formel *f*; **2.** Formel *f*, fester Wortlaut; *contp.* ‚ˈSchema F'; **3.** *pharm.* Reˈzept *n*; ˈ**for·mu·lar·y** [-əri] *s.* **1.** Formelsammlung *f*, -buch *n* (*bsd. eccl.*); **2.** *pharm.* Reˈzeptbuch *n*; ˈ**for·mu·late** [-leit] *v/t.* formulieren, dar-, klarlegen; **for·mu·la·tion** [fɔ:mjuˈleiʃən] *s.* Formulierung *f*, Fassung *f.*

for·ni·cate [ˈfɔ:nikeit] *v/i.* unerlaubten außerehelichen Geschlechtsverkehr haben; **for·ni·ca·tion** [fɔ:niˈkeiʃən] *s.* ⚖ unerlaubter außerehelicher Geschlechtsverkehr; ˈ**for·ni·ca·tor** [-tə] *s.* j-d, der unerlaubten außerehelichen Geschlechtsverkehr hat.

for·rad·er [ˈfɔrədə] *adj.*: *to get no* ~ F nicht vorwärtskommen.

for·sake [fəˈseik] *v/t.* [*irr.*] **1.** *j-n* verlassen, im Stich lassen; **2.** *et.* aufgeben; **forˈsak·en** [-kən] **I.** *p.p. von forsake*; **II.** *adj.* verlassen, einsam; **forˈsook** [-ˈsuk] *pret. von forsake.*

for·sooth [fəˈsu:θ] *adv. iro.* wahrlich, fürˈwahr.

for·swear [fɔ:ˈswεə] *v/t.* [*irr.*] **1.** eidlich bestreiten; eˈnergisch protestieren gegen; **2.** abschwören (*dat.*), eidlich *od.* feierlich entsagen (*dat.*); **3.** ~ *o.s.* e-n Meineid leisten; **forˈswore** [-ˈswɔ:] *pret. von forswear*; **forˈsworn** [-ˈswɔ:n] **I.** *p.p. von forswear*; **II.** *adj.* meineidig.

for·syth·i·a [fɔ:ˈsaiθjə] *s.* ⚘ Forˈsythie *f.*

fort [fɔ:t] *s.* ⚔ Fort *n*, Feste *f*, Festungswerk *n.*

forte¹ [fɔ:t] *s. j-s* Stärke *f*, starke Seite.

for·te² [ˈfɔ:ti] *adv.* ♪ ˈforte, laut, kräftig.

forth [fɔ:θ] *adv.* **1.** weiter, vorˈan, fort(ˈan): *and so* ~ und so weiter; *from this day* ~ von diesem Tage an; *back and* ~ hin und her; **2.** her..., vor..., hervor...: *to come* ~ hervorkommen; *to bring* ~ hervorbringen; ~ˈ**com·ing** *adj.* **1.** bevorstehend, kommend; **2.** erscheinend, unterˈwegs: *to be* ~ erscheinen, zum Vorschein kommen, erfolgen; **3.** in Kürze erscheinend (*Buch*); **4.** bereit, verfügbar; **5.** entgegenkommend (*Person*); **6.** mitteilsam; ˈ~**right** *adj.* offen, ehrlich, gerade (-herˈaus); ˈ~ˈ**with** [-ˈwiθ] *adv.* soˈfort, (so)ˈgleich, unverzüglich.

for·ti·eth [ˈfɔ:tiiθ] **I.** *adj.* vierzigst; **II.** *s.* Vierzigstel *n.*

for·ti·fi·a·ble [ˈfɔ:tifaiəbl] *adj.* zu befestigen(d); **for·ti·fi·ca·tion** [fɔ:tifiˈkeiʃən] *s.* **1.** Verbesserung *f* durch ˈAlkoholˌzusatz (*Wein etc.*); **2.** (Be)Festigung *f*, Stärkung *f*; **3.** ⚔ **a)** Festungsbauwesen *n*, **b)** Festung *f*, **c)** *mst pl.* Festungswerk *n*; ˈ**for·ti·fi·er** [-faiə] *s.* Stärkungsmittel *n*; **for·ti·fy** [ˈfɔ:tifai] *v/t.* **1.** stärken (*a. geistig*), kräftigen; **2.** ⊕ verstärken; *Nahrungsmittel* anreichern; *Wein etc.* verbessern; **3.** ⚔ befestigen; **4.** bekräftigen, bestätigen; stützen; **5.** bestärken, ermutigen; **6.** ~ *o.s.* sich verschanzen, *fig.* sich wappnen (*against* gegen).

for·tis·si·mo [fɔ:ˈtisimou] *adv.* ♪ sehr stark *od.* laut, forˈtissimo.

for·ti·tude [ˈfɔ:titju:d] *s.* **1.** (seelische) Kraft, Fassung *f*, Seelenruhe *f*; **2.** Mut *m*, Standhaftigkeit *f.*

fort·night [ˈfɔ:tnait] *s. bsd. Brit.* vierzehn Tage: *today* ~ heute in 14 Tagen *od.* über 14 Tage; *in a* ~ in 14 Tagen; *a* ~*'s holiday* ein vierzehntägiger Urlaub; ˈ**fort·night·ly** [-li] *bsd. Brit.* **I.** *adj.* vierzehntägig, halbmonatlich, Halbmonats...; **II.** *adv.* alle 14 Tage; **III.** *s.* Halbmonatsschrift *f.*

For·tran [ˈfɔ:træn] *s.* FORTRAN *n* (*Computersprache*).

for·tress [ˈfɔ:tris] *s.* ⚔ Festung *f.*

for·tu·i·tous [fɔ:ˈtju(:)itəs] *adj.* □ zufällig; **forˈtu·i·tous·ness** [-nis], **forˈtu·i·ty** [-ti] *s.* Zufall *m*, Zufälligkeit *f.*

for·tu·nate [ˈfɔ:tʃnit] *adj.* □ **1.** glücklich: *how* ~! welch ein Glück!; **2.** glückverheißend; günstig; vom Glück begünstigt (*Leben*); ˈ**for·tu·nate·ly** [-li] *adv.* glücklicherweise, zum Glück.

for·tune [ˈfɔ:tʃən] *s.* **1.** Glücksfall *m*, (glücklicher) Zufall: *good* ~ Glück; *ill* ~ Unglück; *to try one's* ~ sein Glück versuchen; **2.** *a.* ♀ *myth.* Forˈtuna *f*, Glücksgöttin *f*; **3.** Schicksal *n*, Geschick *n*, Los *n*: *to tell* (*od. read*) ~*s* wahrsagen; *to have one's* ~ *told* sich wahrsagen lassen; **4.** Wohlstand *m*, Erfolg *m*: *to make one's* ~ sein Glück machen; **5.** Vermögen *n*: *to make a* ~ ein Vermögen verdienen; *to come into a* ~ ein Vermögen erben; *to marry a* ~ e-e gute Partie machen; *a small* ~ F ein kleines Vermögen (*viel Geld*); ˈ~**-hunt·er** *s.* Glücks-, *bsd.* Mitgiftjäger *m*; ˈ~**-tell·er** *s.* Wahrsager(in); ˈ~**-tell·ing** *s.* Wahrsagen *n*, -sageˈrei *f.*

for·ty [ˈfɔ:ti] **I.** *adj.* vierzig: *the* ♀ *Thieves* die 40 Räuber (*1001 Nacht*); → *wink 4*; **II.** *s.* Vierzig *f*: *the forties* **a)** die vierziger Jahre (*Zeitalter*), **b)** die Vierziger(jahre) (*Lebensalter*).

fo·rum [ˈfɔ:rəm] *s.* **1.** *antiq. u. fig.* ˈForum *n*; **2.** Gericht *n*, Tribuˈnal *n* (*a. fig.*); *engS.* ⚖ Gerichtsort *m*, örtliche Zuständigkeit.

for·ward [ˈfɔ:wəd] **I.** *adj.* **1.** vorder, vornliegend; vorwärts gerichtet, vorgerückt, vorspringend: ~ *march* Vormarsch; ~ *motion* Vorwärtsbewegung; ~ *pass sport* Vorlage; ~ *speed mot.* Vorwärtsgang; **2.** vor-, fortgeschritten; **3.** fortschrittlich; **4.** vorzeitig, frühreif (*a.* ⚘); voreilig; **5.** vorlaut, keck; **6.** forsch; **7.** ✝ **a)** für spätere Lieferung, Termin...: ~ *rate* Kurs für Termin- *od.* Zeitgeschäfte; ~ *sale* Terminverkauf, **b)** vom Empfänger zu bezahlen; **8.** schnell bereit, entgegenkommend; **II.** *adv.* *a.* *forwards* **9.** nach vorn, vorwärts, vor'an, vor'aus, weiter; vor..., voran...: *to bring* ~ vor-, voranbringen; *to go* ~ vor(an)gehen; *to help* ~ weiterhelfen; *to send* ~ vorschicken; *to date* ~ vorausdatieren; → *put forward*; **III.** *s.* **10.** Fortschrittler *m*; **11.** *sport* Stürmer *m*; **IV.** *v/t.* **12.** fördern, beschleunigen; **13.** befördern, schicken, verladen; **14.** *Brief* nachsenden, weiterbefördern; **~ a·re·a** *s.* ⚔ Frontgebiet *n*; **~ con·trols** *s. pl.* ✈ Kopfsteuerung *f*; **~ de·fence** (*Am.* **de·fense**) *s.* ⚔ Vorwärtsverteidigung *f*.

for·ward·er ['fɔːwədə] *s.* **1.** Absender *m*; **2.** Spedi'teur *m*; **'for·warding** [-diŋ] *s.* Versand *m*: ~ *agent* Spediteur; ~ *instructions* Versandvorschriften; ~ *note* Frachtbrief; ~ *station* Weiterleitungsstelle; **'forward·ness** [-dnis] *s.* **1.** Frühzeitigkeit *f*, Frühreife *f* (*a.* ⚘); **2.** Bereitwilligkeit *f*; **3.** Dreistigkeit *f*; Voreiligkeit *f*.

for·wards ['fɔːwədz] → *forward* 9.

fosse [fɔs] *s.* **1.** Graben *m*; **2.** *anat.* Grube *f*.

fos·sick ['fɔsik] *v/i.* *austral.* **1.** nach Gold suchen; **2.** her'umstöbern; **'fos·sick·er** [-kə] *s.* Goldgräber *m*.

fos·sil ['fɔsl] **I.** *s.* **1.** *geol.* Fos'sil *n*; Versteinerung *f*; **2.** F **a)** ‚Fossil' *n*, verkalkter *od.* verknöcherter Mensch, **b)** *et.* ‚Vorsintflutliches'; **II.** *adj.* **3.** fos'sil, versteinert; **4.** F **a)** verknöchert, verkalkt (*Person*), **b)** vorsintflutlich (*Sache*); **fos·sil·if·er·ous** [fɔsi'lifərəs] *adj.* fos'silienhaltig; **fos·sil·i·za·tion** [fɔsilai'zeiʃən] *s.* Versteinerung *f*; **'fos·sil·ize** [-silaiz] **I.** *v/t.* *geol.* versteinern; **II.** *v/i.* versteinern; *fig.* verknöchern, verkalken.

fos·so·ri·al [fɔ'sɔːriəl] *adj.* *zo.* grabend.

fos·ter ['fɔstə] *v/t.* **1.** *Kind* aufziehen, nähren, pflegen; **2.** *et.* fördern; begünstigen, protegieren; **3.** *Wunsch etc.* hegen, nähren; **'~-broth·er** *s.* Pflegebruder *m*; **'~-child** *s.* Pflegekind *n*; **'~-fa·ther** *s.* Pflegevater *m*.

fos·ter·ling ['fɔstəliŋ] *s.* Pflegekind *n*; *fig.* Schützling *m*, Protekti'onskind *n*.

'fos·ter|-moth·er *s.* **1.** Pflegemutter *f*; **2.** 'Brutappa,rat *m*; **'~-par·ents** *s. pl.* Pflegeeltern *pl.*; **'~-sis·ter** *s.* Pflegeschwester *f*.

fought [fɔːt] *pret. u. p.p. von fight.*

foul [faul] **I.** *adj.* ☐ **1.** schmutzig (*a. fig. zotig, unflätig, gemein*); verdorben, faul, verpestet; **2.** verschmutzt, verstopft; über'wachsen, über'wuchert; **3.** stürmisch, schlecht (*Wetter*); widrig (*Wind*); **4.** gefährlich, schädlich; **5.** *bsd.* ⚓ in Kollisi'on, unklar, eingeklemmt, im Wege; **6.** widerlich, ekelhaft, übel, schlimm, ruchlos (*Tat*); übelriechend (*Atem*): *the* ~ *fiend* der böse Feind, der Teufel; *fair or* ~ schön od. häßlich; *by fair means or* ~ mit allen Mitteln, skrupellos; ~ *tongue* Lästerzunge, übles Mundwerk; **7.** *sport* unfair, regelwidrig; **8.** betrügerisch; **9.** *typ.* voller Fehler; **10.** F gräßlich, scheußlich; **II.** *adv.* **11.** *to fall* (*od. run*) ~ *of* ⚓ anfahren, zs.-stoßen mit (*a. fig.*); *to hit* ~ *Boxen*: e-n regelwidrigen Schlag führen, *fig.* an *j-m* gemein handeln; *to play* ~ betrügen, gemein handeln; **III.** *s.* **12.** Zs.-stoß *m*; **13.** *sport* **a)** Foul *n*, Regelverstoß *m*, **b)** ungültiger Versuch; **14.** *through fair and* ~ durch dick u. dünn; **IV.** *v/t.* **15.** beschmutzen; beflecken (*a. fig.*); **16.** verschmutzen, -stopfen, versperren; hemmen; **17.** zs.-stoßen mit, sich verwickeln mit; **18.** *sport* regelwidrig behindern *od.* angreifen, foulen; **V.** *v/i.* **19.** schmutzig werden; **20.** sich verwickeln; **21.** e-n Zs.-stoß haben; **22.** *sport* regelwidrig spielen, ein Foul begehen.

fou·lard ['fuːlɑː(d)] (*Fr.*) *s.* Fou'lard *m* (*Seidenstoff*).

foul| ball *s.* *Baseball*: ‚Aus'-Schlag *m*; **~ line** *s.* *Baseball*: Foul-, Fehllinie *f*; **'~-mouthed** *adj.* zotige Reden führend, gemein.

foul·ness ['faulnis] *s.* **1.** Schmutzigkeit *f*, Schmutz *m*; **2.** Gemeinheit *f*, Schändlichkeit *f*.

foul| play *s.* **1.** *sport* unfaires Spiel, Unsportlichkeit *f*; **2. a)** Verbrechen *n*, **b)** Verräte'rei *f*, **c)** Schwindel *m*; **'~-spo·ken** → *foul-mouthed*; **~ tip** *s.* *Baseball*: ‚Aus'-Ball *m*; **'~-tongued** → *foul-mouthed*.

found[1] [faund] *pret. u. p.p. von find.*

found[2] [faund] *v/t.* ⊕ schmelzen; gießen.

found[3] [faund] *v/t.* **1.** gründen; begründen, stiften; er-, einrichten; *Theorie* aufstellen; **2.** den Grund (-stock) zu *et.* legen; **3.** *fig.* gründen, stützen (*on* auf *acc.*): *to be* ~*ed on* sich gründen auf (*acc.*), beruhen auf (*dat.*); *well-*~*ed* wohlbegründet;

foun·da·tion [faun'deiʃən] *s.* **1.** *oft pl.* ▲ Grundmauer *f*, Funda'ment *n*; 'Unterbau *m*, -lage *f*, Bettung *f* (*Straße etc.*); **2.** Grundlage *f*, Stütze *f*, Grund *m*: *without* ~ unbegründet; *shaken to the* ~*s* in den Grundfesten erschüttert; **3.** Gründung *f*, Errichtung *f*; **4.** Stiftung *f*, (*gestiftete*) Anstalt: *to be on the* ~ *of* Stipendiat sein von; ~*-school* gestiftete Schule; ~ *scholar* Freischüler; **5.** Ursprung *m*, Beginn *m*; **6.** steifes (Zwischen)Futter: ~ *garment* Korsett, Mieder; ~*-muslin* Steifleinen; **foun·da·tion·er** [faun'deiʃnə] *s.* *ped. Brit.* Stipendi'at *m*; **foun'da·tion-stone** *s.* Grundstein *m* (*a. fig.*); → *lay*[1] 4.

found·er[1] ['faundə] *s.* Gründer *m*, Stifter *m*: ~*'s shares* † Gründeraktien.

found·er[2] ['faundə] *s.* ⊕ *mst in Zssgn* Gießer *m*.

foun·der[3] ['faundə] **I.** *v/i.* **1.** ⚓ sinken, 'untergehen; **2.** einstürzen, -fallen; **3.** *fig.* scheitern; **4.** (*Pferd*) **a)** lahmen, **b)** steckenbleiben; **II.** *v/t.* **5.** *Golf*: *Ball* in den Boden schlagen.

found·ling ['faundliŋ] *s.* Findling *m*, Findelkind *n*: ~ *hospital* Findelhaus.

found·ress ['faundris] *s.* Gründerin *f*, Stifterin *f*.

found·ry ['faundri] *s.* ⊕ Gieße'rei *f*.

fount[1] [faunt] *s.* *typ.* (Setzkasten *m* mit) Schriftsatz *m*.

fount[2] [faunt] *s.* *poet.* Quell(e *f*) *m* [(*a. fig.*).]

foun·tain ['fauntin] *s.* **1.** Springbrunnen *m*; **2.** Quelle *f* (*bsd. fig.*), Ursprung *m*; **3.** ⊕ (Öl- *etc.*)Behälter *m* (*e-r Lampe etc.*); **4.** *Am.* → *soda-fountain* 2; **'~-'head** *s.* *fig.* Urquell *m*, Quelle *f*; **'~-pen** *s.* Füllfeder (-halter *m*) *f*.

four [fɔː] **I.** *adj.* **1.** vier; **II.** *s.* **2.** Vier *f*: *on all* ~*s* auf allen vieren; *to be on all* ~*s with* übereinstimmen mit, genau entsprechen (*dat.*); **3.** *sport* **a)** Vierer(boot *n*) *m*, **b)** Vierermannschaft *f*; **4.** *pl.* ⚔ Viererreihe *f*; **'~-'bar·rel(l)ed** *adj.* ⚔ Vierlings...; **'~-blade** *adj.*: ~ *propeller* ✈ Vierblattschraube; **'~-'cor·nered** *adj.* viereckig, mit vier Ecken; **'~-cy·cle** *adj.*: ~ engine ⊕ Viertaktmotor; **'~-door** *adj.* viertürig (*Auto*); **'~-en·gined** *adj.* 'viermo,torig; **'~-'flush·er** *s.* *Am. sl.* ‚Hochstapler' *m*, ‚falscher Fuffziger', Angeber *m*; **'~-fold** *adj. u. adv.* vierfach; **'~-'foot·ed** *adj.* vierfüßig; **'~-'hand·ed** *adj.* ♪, *zo.* vierhändig; **~ hun·dred**: *the* ~ *Am.* die Hautevolee, ‚die oberen Zehntausend'; **'~-in-'hand** *s.* **1.** Vierspänner *m*; **2.** Viergespann *n*; **'~-leaf clo·ver** *s.* ⚘ vierblätt(e)riger Klee; **'~-legged** *adj.* vierbeinig; **'~-let·ter word** *s.* unanständiges Wort; **'~-'oar** *s.* Vierer *m* (*Boot*); **'~-part** *adj.* ♪ vierstimmig (*Satz*); **'~pence** [-pəns] *s.* *Brit.* vier Pence (*Geld*); **'~-'post·er** *s.* **1.** Himmelbett *n*; **2.** ⚓ *sl.* Viermastschiff *n*; **'~-'pound·er** *s.* ⚔ Vierpfünder *m*; **'~'score** *adj.* achtzig; **'~-seat·er** *s.* *mot.* Viersitzer *m*; **'~some** [-səm] *s.* *Golf*: Viererspiel *n*; *fig. humor.* Quar'tett *n*; **'~-speed gear** *s.* ⊕ Vierganggetriebe *n*; **'~-'square** *adj. u. adv.* **1.** *obs.* viereckig, qua'dratisch; **2.** *fig.* fest, unerschütterlich; **3.** grob, barsch; **'~-stroke** *adj.*: ~ *engine* ⊕ Viertaktmotor.

four·teen ['fɔː'tiːn] **I.** *adj.* vierzehn; **II.** *s.* Vierzehn *f*; **'four'teenth** [-nθ] **I.** *adj.* vierzehnt; **II.** *s.* Vierzehntel *n*.

fourth [fɔːθ] **I.** *adj.* ☐ **1.** viert; **II.** *s.* **2.** Viertel *n*; **3.** ♪ Quarte *f*; **4.** *the* ♀ (*of July*) *Am.* der Vierte (Juli), der Unabhängigkeitstag; **'fourth·ly** [-li] *adv.* viertens.

'four|-way *adj.*: ~ *switch* ⚡ Vierfach-, Vierwegeschalter; **'~-wheel** *adj.* vierräd(e)rig; Vierrad...(*-antrieb, -bremse*).

fowl [faul] **I.** *pl.* **fowls,** *coll. a.* **fowl** *s.* **1.** Haushuhn *n*; *coll.* Geflügel *n* (*a. Fleisch*); Hühner *pl.*: ~ *house* Hühnerstall; ~*-run* Hühnerhof, Auslauf; **2.** *selten* Vogel *m*, Vögel *pl.*: *the* ~(*s*) *of the air bibl.* die Vögel unter dem Himmel; **II.** *v/i.* **3.** Vögel fangen *od.* schießen; **'fowl·er** [-lə] *s.* Vogelsteller *m*, -fänger *m*; **'fowling** [-liŋ] *s.* Vogelfang *m*, -jagd *f*: ~*-piece* Vogelflinte; ~*-shot* Hühnerschrot.

fowl| pest *s. vet.* Hühner-, Geflügelpest *f*; **~ pox** *s. vet.* Geflügelpocken *pl.*

fox [fɔks] **I.** *s.* **1.** *zo.* Fuchs *m*: *to follow the* ~ auf die Fuchsjagd gehen; *to set the* ~ *to keep the geese* den Bock zum Gärtner machen; ~ *and* geese Wolf u. Schafe (*ein Brettspiel*); **2.** *fig.* (schlauer) Fuchs, Schlaukopf *m*, (arg)listiger Mensch; **3.** Fuchspelz(kragen) *m*; **II.** *v/t.* **4.** *sl.* täuschen, über'listen, her'einlegen; **III.** *v/i.* **5.** stockfleckig werden (*Papier*): ~ed **a)** stockfleckig, **b)** F ‚voll' (*betrunken*); '~-**brush** *s. hunt.* Fuchsschwanz *m*, Rute *f*; '~-**earth** *s.* Fuchsbau *m*; '~-**glove** *s.* ⚘ Fingerhut *m*; '~-**hole** *s.* ⚔ Dekkungs-, Schützenloch *n*; '~-**hound** *s. zo.* Hetzhund *m*; '~-**hunt**(-**ing**) *s.* Fuchsjagd *f*; '~-**tail** *s.* **1.** Fuchsschwanz *m*; **2.** ⚘ Fuchsschwanzgras *n*; '~-'**ter·ri·er** *s. zo.* 'Fox,terrier *m*; '~-**trot** *s.* Foxtrott *m* (*Tanz*).

fox·y ['fɔksi] *adj.* **1.** schlau, listig; **2.** fuchsrot, rotbraun; **3.** stockfleckig (*Papier*).

foy·er ['fɔiei] (*Fr.*) *s. bsd. thea.* Fo'yer *n*, Wandelhalle *f*.

fra·cas ['frækɑ:] *pl.* ~ [-kɑ:z] *s.* Aufruhr *m*, Lärm *m*, Spek'takel *m*.

frac·tion ['frækʃən] *s.* **1.** ✗ Bruch *m*: ~s Bruchrechnung; ~ *bar*, ~ *stroke* Bruchstrich; **2.** Bruchteil *m*, Frag'ment *n*; Stückchen *n*, *ein* bißchen: *not by a* ~ nicht im geringsten; *by a* ~ *of an inch* um ein Haar; **3.** *eccl.* Brechen *n des Brotes*; '**frac·tion·al** [-ʃənl] *adj.* **1.** *a.* ✗ Bruch..., gebrochen: ~ *amount* Teilbetrag, Bruchteil; ~ *currency* **a)** Scheidemünze, **b)** Papiergeld (*kleine Beträge*); **2.** *fig.* unbedeutend, mini'mal; **3.** ⚗ fraktioniert, teilweise; '**frac·tion·ar·y** [-ʃnəri] *adj.* Bruch (-stück)..., Teil...; '**frac·tion·ate** [-ʃəneit] *v/t.* ⚗ fraktionieren.

frac·tious ['frækʃəs] *adj.* □ mürrisch, zänkisch, reizbar; störrisch; '**frac·tious·ness** [-nis] *s.* Reizbarkeit *f*, Zanksucht *f*; 'Widerspenstigkeit *f*.

frac·ture ['fræktʃə] **I.** *s.* **1.** ⚕ Frak'tur *f*, Bruch *m*; **2.** *min.* Bruchfläche *f*; **3.** *ling.* Brechung *f*; **II.** *v/t.* **4.** (zer)brechen: *to* ~ *one's arm* sich den Arm brechen; ~*d skull* Schädelbruch; **III.** *v/i.* **5.** brechen.

frag·ile ['frædʒail] *adj.* **1.** (leicht-) zerbrechlich; **2.** ⊕ brüchig; **3.** *fig.* gebrechlich, schwach, zart; **fra·gil·i·ty** [frə'dʒiliti] *s.* **1.** Zerbrechlich-, Brüchigkeit *f*; **2.** *fig.* Gebrechlichkeit *f*, Schwäche *f*, Zartheit *f*.

frag·ment ['frægmənt] *s.* **1.** Bruchstück *n* (*a.* ⊕), -teil *m*; **2.** Stück *n*, Brocken *m*, Splitter *m* (*a.* ⚔), Fetzen *m*; 'Überrest *m*; **3.** 'unvoll,endetes Werk, Frag'ment *n*; **frag·men·tal** [fræg'mentl] *adj. geol.* Trümmer...; '**frag·men·tar·y** [-təri] *adj.* **1.** zerstückelt, aus Stücken bestehend; **2.** fragmen'tarisch, unvollständig, bruchstückartig; **3.** ⊕ brüchig; **frag·men·ta·tion** [frægmen'teiʃən] *s.* Zerstückelung *f*, -splitterung *f*: ~ *bomb* ⚔ Splitterbombe.

fra·grance ['freigrəns] *s.* Wohlgeruch *m*, Duft *m*, A'roma *n*; '**fra·grant** [-nt] *adj.* □ **1.** wohlriechend, duftend: *to be* ~ *with* duften nach; **2.** *fig.* angenehm, köstlich: ~ *memories*.

frail[1] [freil] *s. Brit.* Binsenkorb *m*.

frail[2] [freil] *adj.* □ **1.** gebrechlich, hinfällig, zart, schwach; **2.** zerbrechlich; **3.** vergänglich; **4.** *fig. moralisch* schwach; '**frail·ty** [-ti] *s.* **1.** Gebrechlichkeit *f*; **2.** Schwachheit *f*, mo'ralische Schwäche; Fehltritt *m*.

fraise [freiz] *s.* **1.** ⚔ Pali'sade *f*; Pfahlwerk *n*; **2.** ⊕ Bohrfräse *f*.

fram·b(o)e·si·a [fræm'bi:ziə] *s.* ⚕ Frambö'sie *f*, Himbeerpocken *pl*.

frame [freim] **I.** *s.* **1.** Rahmen *m* (*a.* ⊕, *mot.*): *picture*-~; *window*-~; *embroidery* ~ Stickrahmen; **2.** Einrahmung *f*, -fassung *f*; **3.** *a.* ⊕ Gerüst *n*; Gestell *n* (*a. Wagen, Schirm, Brille*); Gerippe *n*; Balkenwerk *n* (*Haus*); **4.** ⚓, ✈ Spant *n*, Gerippe *n*; **5.** *typ.* Re'gal *n* (*für Setzkasten*); **6.** ⚘ verglastes Treibbeet; **7.** Körper(bau) *m*, Gestalt *f*, Fi'gur *f*; **8.** Verfassung *f*, Zustand *m*: ~ *of mind* (Gemüts)Verfassung, Stimmung; **9.** Einrichtung *f*, (An)Ordnung *f*, Bau *m*, Sy'stem *n*; **10.** *Fernsehen, Film*: (Teil)Bild *n*, Raster *m*; **11.** → *frame-up*; **II.** *v/t.* **12.** einrahmen, einfassen; *fig.* um'rahmen; **13.** gestalten, aufbauen, verfertigen, machen; einrichten, anpassen; **14.** schmieden, entwerfen, schaffen; planen; ausdrücken, **15.** F **a)** *a.* ~ *up Unschuldigen* ‚reinhängen', intrigieren gegen, **b)** ~ *up Sache* ‚drehen', betrügerisch planen, fälschen; **III.** *v/i.* **16.** sich entwickeln, Form annehmen; ~ **a·e·ri·al** *s.* ⚡ 'Rahmenan,tenne *f*.

framed [freimd] *adj.* **1.** ⚠ Fachwerk...; **2.** ⚓, ✈ in Spanten.

frame| find·er *s. phot.* Rahmensucher *m*; '~-**house** *s.* Holz-, Fachwerkhaus *n*.

fram·er ['freimə] *s.* **1.** (Bilder)Rahmer *m*; **2.** *fig.* Bildner *m*, Gestalter *m*, Schöpfer *m*.

'**frame|-saw** *s.* ⊕ Spannsäge *f*; ~ **tale** *s.* Rahmenerzählung *f*; ~ **tent** *s.* Hauszelt *n*; '~-**up** *s.* F Kom'plott *n*, In'trige *f*; abgekartetes Spiel, Schwindel *m*; '~-**work** *s.* **1.** ⊕ Gerüst *n*, Gerippe *n* (*a.* ✈); 🚂 Gestell *n*; **2.** ⚠ Fachwerk *n*; **3.** *fig.* Rahmen *m*, Gefüge *n*, Sy'stem *n*.

franc [fræŋk] *s.* **1.** Franc *m* (*Währungseinheit Frankreichs u. Belgiens*); **2.** Franken *m* (*Währungseinheit der Schweiz*).

fran·chise ['fræntʃaiz] *s.* **1.** *pol.* **a)** Wahl-, Stimmrecht *n*, **b)** Bürgerrecht *n*; **2.** *Am.* Privi'leg *n*; Gerechtsame *f*, Konzessi'on *f*.

Fran·cis·can [fræn'siskən] **I.** *s.* Franzis'kaner(mönch) *m*; **II.** *adj.* Franziskaner...

Franco- [fræŋkou-] *in Zssgn* französisch.

'**Fran·co-'Ger·man** *adj.*: ~ *War der* Deutsch-Französische Krieg (*1870/71*).

Fran·co·ni·an [fræŋ'kounjən] *adj.* fränkisch.

Fran·co|·phile ['fræŋkoufail], '~-**phil** [-fil] **I.** *s.* Fran'zosenfreund *m*; **II.** *adj.* franko'phil, fran'zosenfreundlich; '~-**phobe** [-foub] **I.** *s.* Fran'zosenhasser *m*, -feind *m*; **II.** *adj.* franko'phob, fran'zosenfeindlich; '~-'**Prus·sian** → *Franco-German*.

franc ti·reur [frɑ̃:ŋ ti:'rə:; frɑ̃ tirœ:r] *pl.* **francs ti·reurs** [frɑ̃:ŋ ti:'rə:z; frɑ̃ tirœ:r] *s.* Freischärler *m*.

fran·gi·bil·i·ty [frændʒi'biliti] *s.* Zerbrechlichkeit *f*; **fran·gi·ble** ['frændʒibl] *adj.* zerbrechlich.

Frank[1] [fræŋk] *s. hist.* Franke *m*.

frank[2] [fræŋk] **I.** *adj.* □ → *frankly*; **1.** offen, aufrichtig, frei(mütig); **II.** *s.* **2.** *hist.* 'Franko-, Freivermerk *m*; 'Portofreiheit *f*; **III.** *v/t.* **3.** *Brief* mit der Ma'schine frankieren: ~*ing machine* Frankiermaschine; **4.** *j-m* (freien) Zutritt gewähren; **5.** *et.* amtlich freigeben.

frank·furt(**·er**) ['fræŋkfət(ə)] *s.* Frankfurter (Würstchen *n*) *f*.

frank·in·cense ['fræŋkinsens] *s.* Weihrauch *m*.

Frank·ish ['fræŋkiʃ] *adj. hist.* fränkisch: ~ *Empire das* Fränkische Reich.

frank·lin ['fræŋklin] *s. hist.* **1.** Freisasse *m*; **2.** kleiner Landbesitzer.

Frank·lin stove *s. Am.* freistehender eiserner Ka'min *od.* Ofen.

frank·ly ['fræŋkli] *adv.* **1.** → *frank*[2] *1*; **2.** offen gestanden; rückhaltlos; '**frank·ness** [-nis] *s.* Offenheit *f*, Freimut *m*, Treuherzigkeit *f*.

fran·tic ['fræntik] *adj.* □ (*mst* ~*ally*) **1.** wild, außer sich, rasend (*with* vor *dat.*); wütend; **2.** krampfhaft: ~ *efforts*; **3.** F wahnsinnig, schrecklich.

frap [fræp] *v/t.* ⚓ zurren.

frap·pé ['fræpei] (*Fr.*) **I.** *adj.* eisgekühlt (*Getränk*); **II.** *s.* eisgekühltes Mischgetränk.

frat [fræt] *sl. abbr.* **I.** *s. Am.* → *fraternity* 4; **II.** *v/i. Brit.* → *fraternize* 2.

fra·ter·nal [frə'tə:nl] *adj.* □ brüderlich: ~ *society Am.* Verein zur Förderung gemeinsamer Interessen; **fra'ter·ni·ty** [-niti] *s.* **1.** Brüderlichkeit *f*; **2.** Bruderschaft *f*, Orden *m*; **3.** Gemeinschaft *f*, Vereinigung *f*, Zunft *f*: *the angling* ~ die Zunft der Angler; *the legal* ~ die Juristen(welt); **4.** *Am.* Stu'dentenverbindung *f*; **frat·er·ni·za·tion** [frætənai'zeiʃən] *s.* Verbrüderung *f*; **frat·er·nize** ['frætənaiz] *v/i.* **1.** fraternisieren, sich verbrüdern; **2.** *bsd. Brit.* liebenswürdig sein; sich anfreunden *od.* anbiedern.

frat·ri·cid·al [freitri'saidl] *adj.* brudermörderisch: ~ *war* Bruderkrieg; **frat·ri·cide** ['freitrisaid] *s.* **1.** Bruder-, Geschwistermord *m*; **2.** Bruder-, Geschwistermörder *m*.

fraud [frɔ:d] *s.* **1.** ⚖ Betrug *m* (*against, on an dat.*): *to obtain by* ~ sich *et.* erschleichen; **2.** Schwindel *m*; Trick *m*; **3.** F Schwindler *m*, Hochstapler *m*, ‚falscher Fuffziger'; '**fraud·u·lence** [-djuləns] *s.* Betrüge'rei *f*; '**fraud·u·lent** [-djulənt] *adj.* □ betrügerisch, arglistig: ~ *bankruptcy* betrügerischer Bankrott; ~ *conversion* Unterschlagung.

fraught [frɔ:t] *adj. mst fig.* (*with*) voll (von), beladen (mit): ~ *with danger* gefahrvoll; ~ *with meaning* bedeutungsvoll, -schwer; ~ *with sorrow* kummerbeladen.

fray[1] [frei] *s.* Schläge'rei *f*, Streit *m*: *eager for the* ~ kampflustig.

fray[2] [frei] **I.** *v/t.* **1.** *a.* ~ *out Stoff etc.*

abtragen, ˈdurchscheuern, ausfransen: ~*ed temper fig.* gereizte Stimmung; **2.** *Geweih* fegen; **II.** *v/i.* **3.** sich ausfransen *od.* ˈdurchscheuern; **4.** *fig.* sich ereifern: *tempers began to* ~ die Gemüter erhitzten sich.

fraz·zle [ˈfræzl] *bsd. Am.* F **I.** *v/t.* **1.** zerfetzen, ausfransen; **2.** ermüden (*a. v/i.*); **II.** *s.* **3.** Fetzen *m* (*a. pl.*); **4.** Ermüdung *f*: *to a* ~ bis zur Erschöpfung, total; *to beat to a* ~ in Fetzen hauen, ‚durch den Wolf drehen'.

freak [fri:k] **I.** *s.* **1.** (verrückter) Einfall, Grille *f*, Laune *f*: ~ *of nature* **a)** Laune der Natur, Phänomen, **b)** → 2; **2.** ˈMißbildung *f*, -geburt *f*, ˈMonstrum *n*; **3.** verrückter Kerl, Exˈzentriker *m*; **4.** *sl.* ‚Fixer' *m*; **5.** *sl.* Ausgeflippte(r) *m*; **II.** *v/i.* **6.** ~ *out sl.* **a)** (toˈtal) ausflippen, **b)** aus der (bürgerlichen) Gesellschaft ausbrechen; ˈ**freak·ish** [-kiʃ] *adj.* □ launisch, unberechenbar; wunderlich, groˈtesk, verrückt.

freck·le [ˈfrekl] **I.** *s.* **1.** Sommersprosse *f*; **2.** Fleck(chen *n*) *m*; **II.** *v/t.* **3.** tüpfeln, sprenkeln; **III.** *v/i.* **4.** Sommersprossen bekommen; ˈ**freck·led** [-ld] *adj.* sommersprossig.

free [fri:] **I.** *adj.* □ → *free* 14, 15 *u. freely*; **1.** frei (*a.* ⚗), unbehindert, unabhängig: *of one's own* ~ *will* aus freien Stücken; *you are* ~ *to go* es steht dir frei zu gehen; *to go* ~ frei ausgehen; *to set* ~ freilassen, -geben; **2.** frei, zwanglos, ungezwungen (*Haltung etc.*); **3.** allzu frei, dreist, unverschämt, zügellos: *to make* (*od. be*) ~ *with s.o.* sich Freiheiten gegen j-n herausnehmen; **4.** frei: **a)** unbeschäftigt: *I am* ~ *after 5 o'clock*, **b)** nicht besetzt: *this room is* ~; **5.** frei, uneingeschränkt, offen: *to be made* ~ *of* freien Zutritt haben zu; *to be made* ~ *of the city* zum Ehrenbürger ernannt werden; **6.** reichlich, großzügig, üppig: ~ *with one's money* freigebig; **7.** freiwillig, bereit(willig); **8.** freimütig, offen; **9.** lose, ungebunden, nach Belieben: ~ *translation* freie Übersetzung; **10.** frei, unentgeltlich, kostenlos: *all seats are* ~; ~ *gift* Geschenk, Zugabe, Gratisprobe; → *charge* 15; **11.** ✝ ˈfranko, frei (verfügbar); **12.** frei, unbeengt, unbelastet: ~ *imports* zoll- *od.* genehmigungsfreie Einfuhrgüter; ~ *of debt* schuldenfrei; ~ *of duty* zollfrei; ~ *and unencumbered* unbelastet (*Grundstück*); *not* ~ *of the harbo(u)r yet* noch nicht aus dem Hafen heraus; **13.** (*from*) frei, befreit (von); ohne (*acc.*): ~ *from error* fehlerfrei; ~ *from pain* ohne Schmerzen; ~ *from wind* windgeschützt; **II.** *adv.* **14.** frei, ˈgratis, kostenlos; **15.** *to run* ~ ⊕ leer laufen; **III.** *v/t.* **16.** befreien (*a. fig.*); freilassen; **17.** entlasten.

free| **a·long·side (ship)** ✝ frei Längsseite (See)Schiff; ~ **and eas·y** *adj.* ungeniert, zwanglos; ˈ~-**board** *s.* ⚓ Freibord *n*; ˈ~-**boot·er** *s.* Freibeuter *m*; ♀ **Church** *s.* Freikirche *f*: ~ *man* Anhänger e-r Freikirche; ˈ~-**cut·ting** *adj.*: ~ *steel* ⊕ Automatenstahl.

freed·man [ˈfri:dmæn] *s.* [*irr.*] Freigelassene(r) *m*.

free·dom [ˈfri:dəm] *s.* **1.** Freiheit *f*, Unabhängigkeit *f*: ~ *of the press* Pressefreiheit; ~ *of the seas* Freiheit der Meere; ~ *of the city* Ehrenbürgerrecht; ~ *from taxation* Steuerfreiheit; **2.** freier Zutritt, Nutznießungsrecht *n*; **3.** Freimütigkeit *f*, Offenheit *f*; **4.** Zwanglosigkeit *f*; **5.** Aufdringlichkeit *f*, (plumpe) Vertraulichkeit; **6.** *phls.* Willensfreiheit *f*, Selbstbestimmung *f*.

free| **en·er·gy** *s. phys.* freie *od.* ungebundene Enerˈgie; ~ **en·ter·prise** *s.* freie Wirtschaft; ~ **fight** *s.* (allgemeine) Raufeˈrei, (ˈMassen)Schlägeˌrei *f*; ˈ~-**for-**ˈ**all** *s.* F **1.** allgemeiner Wettbewerb, offenes Spiel; **2.** → *free fight*; ~ **hand** *s.*: *to give s.o. a* ~ j-m freie Hand lassen; ˈ~-**hand** *adj.* Freihand…, freihändig; ˈ~-ˈ**hand·ed** *adj.* freigebig, großzügig; ˈ~-ˈ**heart·ed** *adj.* **1.** freimütig, offen(herzig); **2.** → *free-handed*; ˈ~-**hold** *s.* freier Grundbesitz: ~ *flat* Eigentumswohnung; ˈ~-**hold·er** *s.* Grund- u. Hauseigentümer *m*; ~ **kick** *s. Fußball*: Freistoß *m*: (*in*)*direct* ~; ~ **la·bo(u)r** *s.* ˈnichtorganiˌsierte Arbeiter(schaft *f*) *pl.*; ~ **lance** *s.* **1.** freier Schriftsteller *od.* Journaˈlist; freischaffender Künstler; freier Mitarbeiter; **2.** *pol.* Unabhängige(r) *m*, Parˈteilose(r) *m*; ˈ~-ˈ**lance I.** *adj.* freiberuflich (tätig), unabhängig; **II.** *v/i.* freiberuflich tätig sein; ~ **li·brar·y** *s.* (*gebührenfreie*) ˈVolksbiblioˌthek; ˈ~-ˈ**list** *s.* **1.** Liste *f* zollfreier Arˈtikel; **2.** Liste *f* der Empfänger von ˈFreikarten *od.* -exemˌplaren; ~ **liv·er** *s.* Schlemmer *m*, Genießer *m*; ~ **liv·ing** *s.* Schlemmeˈrei *f*, Genußsucht *f*; ~ **love** *s.* freie Liebe.

free·ly [ˈfri:li] *adv.* **1.** frei, offen, zwanglos; **2.** reichlich, sehr (viel); **3.** frei, beweglich.

ˈ**free**|·**man** *s.* [*irr.*] **1.** [-mæn] freier Mann; **2.** [-mən] (Ehren)Bürger *m* (*Stadt*); ~ **mar·ket** *s.* ✝ freier *od.* offener Markt; ˈ~·**ma·son** *s.* Freimaurer *m*: ~*s' lodge* Freimaurerloge; ˈ~·**ma·son·ry** *s.* **1.** Freimaureˈrei *f*; **2.** *fig.* Zuˈsammengehörigkeitsgefühl *n*; ~ **on board** ✝ frei an Bord; ~ **on rail** ✝ frei Wagˈgon; ~ **par·don** *s.* Begnadigung *f*; ~ **pass** *s.* Freikarte *f*; ~ **place** *s. ped.* Freistelle *f*; ~ **play** *s.* ⊕ Spielraum *m*; ~ **port** *s.* Freihafen *m*; ~ **school** *s.* Freischule *f*; ~ **scope** *s. fig.* freie Hand.

free·si·a [ˈfri:zjə] *s.* ♀ Freesie *f*.

free| **speech** *s.* Redefreiheit *f*; ˈ~-ˈ**spo·ken** *adj.* gerade, offen, freimütig; ˈ~-**stand·ing ex·er·cis·es** *s. pl.* Freiübungen *pl.*; ~ **state** *s.* Freistaat *m*; ˈ~·**stone** *s.* ⊕ Sandstein *m*, Quader *m*; ˈ~-ˈ**think·er** *s.* Freidenker *m*, Freigeist *m*; ˈ~-ˈ**think·ing** *s.*, ˈ~-**thought** *s.* Freidenkeˈrei *f*, -geisteˈrei *f*; ~ **trade** *s.* Freihandel *m*; ˈ~-**trade a·re·a** *s.* Freihandelszone *f*; ˈ~-ˈ**trad·er** *s.* Anhänger *m* des Freihandels; ~ **verse** *s.* freier Vers; ˈ~-ˈ**wheel** ⊕ **I.** *s.* Freilauf *m*; **II.** *v/i.* mit Freilauf fahren; ~ **will** *s.* freier Wille; Willensfreiheit *f*; ˈ~-ˈ**will** *adj.* freiwillig; aus freien Stücken.

freeze [fri:z] **I.** *v/i.* [*irr.*] → *frozen*; **1.** frieren (*a. impers.*): *I am freezing* mir ist eiskalt; *to* ~ *to death* erfrieren; **2.** *a.* ~ *up* ein-, zufrieren: *to* ~ *up* ✈ vereisen; **3.** festfrieren: *to* ~ *on to sl.* sich wie eine Klette an *j-n* heften; **4.** erkalten, erstarren: *it made my blood* ~ mir erstarrte das Blut in den Adern; **II.** *v/t.* [*irr.*] **5.** zum Gefrieren bringen, erfrieren lassen; **6.** *Fleisch etc.* einfrieren, tiefkühlen; ✈ vereisen; **7.** *fig.* erstarren *od.* schaudern machen; lähmen; **8.** ✝ *Guthaben etc.* einfrieren; *Löhne*, *Preise* stoppen; **9.** ✝ *Am.* lahmlegen; **10.** ~ *out sl. j-n* loswerden, hinˈausekeln; **III.** *s.* **11.** Gefrieren *n*, Frost *m*; **12.** Stopp *m*, Stillstand *m* (*Preise etc.*); ˈ**freez·er** [-zə] *s.* **1.** *a.* ~ *compartment* Tiefkühlfach *n*; **2.** Gefrierkammer *f*; ˈ**freeze-up** *s.* starker Frost; ˈ**freez·ing** [-ziŋ] **I.** *adj.* □ **1.** Gefrier…, Kälte…: ~*-mixture* Kältemischung; ~*-point phys.* Gefrierpunkt; **2.** eisig; **3.** kalt, unnahbar; **II.** *s.* **4.** Einfrieren *n* (*a.* ✝): *below* ~ unter dem Gefrierpunkt.

freight [freit] **I.** *s.* **1.** Fracht *f*, Beförderung *f* (*Schiff*, *Am. a.* 🚃 *etc.*); **2.** *Am.* Frachtgut *n*, Ladung *f*; **3.** Fracht(gebühr) *f*: ~ *forward Am.* Fracht bezahlt Empfänger; **4.** *Am.* → *freight train*; **II.** *v/t.* **5.** *Schiff*, *Am. a. Güterwagen* befrachten, beladen; **6.** *Güter* verfrachten; ˈ**freight·age** [-tidʒ] *s.* **1.** Transˈport *m*; **2.** Frachtgebühr *f*; **3.** Ladung *f*, Fracht *f*.

freight| **bill** *s.* ✝ *Am.* Frachtbrief *m*; ~ **car** *s. Am.* Güterwagen *m*; ~ **en·gine** *s. Am.* ˈGüterzuglokomoˌtive *f*.

freight·er [ˈfreitə] *s.* **1. a)** Frachtschiff *n*, Frachter *m*, **b)** Transˈportflugzeug *n*; **2.** Befrachter *m*, Verlader *m*.

freight| **house** *s. Am.* Lagerhaus *n*; ~ **rate** *s.* ✝ Frachtsatz *m*, -rate *f*; ~ **sta·tion** *s. Am.* Güterbahnhof *m*; ~ **train** *s. Am.* Güterzug *m*.

French [frentʃ] **I.** *adj.* **1.** franˈzösisch: ~ *master* Französischlehrer; **II.** *s.* **2.** *the* ~ die Franzosen *pl.*; **3.** *ling.* Französisch *n*; ~ **beans** *s. pl.* grüne Bohnen *pl.*; ~ **chalk** *s.* Schneiderkreide *f*; ~ **clean·er** *s.*: *to send to the* ~(*s*) in die (chemische) Reinigung geben; ~ **dress·ing** *s.* Saˈlatsauce *f aus Öl, Essig etc.*, French Dressing *n*; ~ **fried po·ta·toes** *s. pl. Am.* Pommes ˈfrites *pl.*; ~ **horn** *s.* ♪ Horn *n*.

French·i·fy [ˈfrentʃifai] *v/t.* französisieren.

French| **kiss** *s.* Zungenkuß *m*; ~ **leave** *s.*: *to take* ~ sich französisch empfehlen; ~ **let·ter** *s. Brit. sl.* ‚Paˈriser' *m* (*Präservativ*); ~ **loaf** *s.* ˈKaviarbrot *n*; ˈ~·**man** [-mən] *s.* [*irr.*] Franˈzose *m*; ~ **mar·i·gold** *s.* ♀ Stuˈdentenblume *f*.

French·ness [ˈfrentʃnis] *s.* franˈzösisches Aussehen *od.* Wesen.

French| **pol·ish** *s.* ˈMöbelpoliˌtur *f*; ˈ~-ˈ**pol·ish** *v/t. Möbel* polieren; ~ **roof** *s.* △ Manˈsardendach *n*; ~

win·dow *s.* Ter'rassen-, Bal'kontür *f*; '~**·wom·an** *s.* [*irr.*] Fran'zösin *f*.
fre·net·ic → *phrenetic*.
fren·zied ['frenzid] *adj.* wahnsinnig, rasend: ~ *applause* frenetischer Beifall; **fren·zy** ['frenzi] *s.* **1.** Wahnsinn *m*, Rase'rei *f*; **2.** wilde Aufregung; **3.** Verzückung *f*, Ek'stase *f*.
fre·quen·cy ['fri:kwənsi] *s.* **1.** Häufigkeit *f* (*a.* ⚕, *biol.*); **2.** *phys.* Fre'quenz *f*, Schwingungszahl *f*: *high* ~ Hochfrequenz; ~ **band** *s.* ⚡ Fre'quenzband *n*; ~ **chang·er**, ~ **con·vert·er** *s.* ⚡, *phys.* Fre'quenzwandler *m*; ~ **curve** *s.* ⚕, *biol.* Häufigkeitskurve *f*; ~ **mod·u·la·tion** *s.* *Radio*: Fre'quenzmodulati,on *f*; ~ **range** *s.* **1.** Tonbereich *m* (*Stimme*); **2.** *Radio*: Fre'quenzbereich *m*.
fre·quent I. *adj.* ['fri:kwənt] □ → *frequently*; **1.** häufig, häufig wieder'holt: *to be* ~ häufig vorkommen; **2.** regelmäßig, beständig (*Person*); **II.** *v/t.* [fri'kwent] **3.** oft *od.* fleißig be-, aufsuchen, frequentieren; **fre·quen·ta·tive** [fri'kwentətiv] *adj. ling.* frequenta'tiv; **fre·quent·er** [fri'kwentə] *s.* (fleißiger) Besucher, Stammgast *m*; '**fre·quent·ly** [-li] *adv.* oft, häufig.
fres·co ['freskou] **I.** *pl.* **-cos, -coes** *s.* **a)** 'Freskomale,rei *f*, **b)** 'Fresko(gemälde) *n*; **II.** *v/t.* in Fresko (be-) malen.
fresh [freʃ] **I.** *adj.* □ → *a. fresh 14*; **1.** frisch (*neu entstanden od. gemacht*): ~ *eggs*; ~ *tea*; ~ *paint!* frisch gestrichen!; **2.** frisch (*nicht eingemacht od. künstlich etc.*): ~ *vegetables*; ~ *herrings* grüne Heringe; **3.** frisch, sauber, guterhalten; **4.** frisch, munter, spannkräftig, lebhaft; gesund, blühend: *as* ~ *as a daisy* quicklebendig; **5.** frisch, erfrischend, kühl (*Luft*); **6.** frisch, kräftig (*Wind*); **7.** neu: *to make a* ~ *start* neu anfangen; ~ *arrival* Neuankömmling; **8.** unerfahren, ‚grün'; **9.** nicht salzig: ~ *water* Süßwasser; **10.** F beschwipst; **11.** *Am. sl.* frech, ‚pampig'; **II.** *s.* **12.** Frische *f*, Kühle *f*; **13.** Flut *f*, Strömung *f* (*Fluß*); **III.** *adv.* **14.** frisch, neu, kürzlich: ~*-killed* frisch geschlachtet.
'**fresh-'air fiend** *s.* 'Frischluftfa,natiker(in), -a,postel *m*.
fresh·en ['freʃn] **I.** *v/t. a.* ~ *up* auf-, erfrischen, beleben; **II.** *v/i. a.* ~ *up* aufleben; auffrischen (*Wind*); '**fresh·er** [-ʃə] *Brit. sl.* → *freshman*; '**fresh·et** [-ʃit] *s.* Hochwasser *n*, Flut *f* (*a. fig.*), Über'schwemmung *f*; '**fresh·man** [-mən] *s.* [*irr.*] Stu'dent *m* im ersten Jahr, Fuchs *m*; '**fresh·ness** [-ʃnis] *s.* Frische *f*, Neuheit *f*, Unerfahrenheit *f*.
'**fresh·wa·ter** *adj.* **1.** Süßwasser...: ~ *fish* Süßwasser-, Flußfisch; **2.** *Am.* Provinz...: ~ *college*.
fret[1] [fret] *s.* ♪ Bund *m*, Griffleiste *f*.
fret[2] [fret] **I.** *s.* △ *etc.* **1.** durch'brochene Verzierung; **2.** Gitterwerk *n*; **II.** *v/t.* **3.** durch'brochen *od.* gitterförmig verzieren.
fret[3] [fret] **I.** *v/t.* **1.** an-, zerfressen, aufreiben; abnutzen; **2.** aushöhlen; **3.** kräuseln (*Wasser*); **4.** *fig.* ärgern, kränken, aufregen; **II.** *v/i.* **5.** sich ärgern *od.* grämen: *to* ~ *and fume* vor Wut schäumen; **III.** *s.* **6.** Ärger *m*, Verdruß *m*; **7.** Ärgernis *n*; '**fret·ful** [-ful] *adj.* □ ärgerlich, mürrisch; '**fret·ful·ness** [-fulnis] *s.* Verdrießlichkeit *f*.
'**fret|-saw** *s.* ⊕ Schweif-, Laubsäge *f*; '~**·work** *s.* **1.** △ *etc.* Gitterwerk *n*; **2.** Laubsägearbeit *f*.
Freud·i·an ['frɔidjən] **I.** *s.* Freudi'aner *m*; **II.** *adj.* die Freudsche Lehre betreffend, Freudsch: ~ *slip* Freudsche Fehlleistung.
fri·a·bil·i·ty [fraiə'biliti] *s.* Zerreibbarkeit *f*, Bröckligkeit *f*; **fri·a·ble** ['fraiəbl] *adj.* zerreibbar; bröcklig, krümelig.
fri·ar ['fraiə] *s. eccl.* (Bettel)Mönch *m*: *Austin* ♀ Augustiner; *Black* ♀ Dominikaner; *Grey* ♀ Franziskaner; *White* ♀ Karmeliter.
fri·ar's| bal·sam *s. pharm. ein* 'Wund,balsam *m*; ~ **cap** *s.* ✿ Blauer Eisenhut; ~ **cowl** *s.* ✿ **1.** 'Kohl,aron *m*; **2.** → *friar's cap*.
fri·ar·y ['fraiəri] *s.* Mönchskloster *n*.
frib·ble ['fribl] **I.** *v/i.* trödeln, tändeln, in den Tag hin'ein leben; **II.** *s.* Tagedieb *m*, Trödler *m*.
fric·as·see [frikə'si:] (*Fr.*) **I.** *s.* Frikas'see *n*; **II.** *v/t.* frikassieren.
fric·a·tive ['frikətiv] *ling.* **I.** *adj.* Reibe...; **II.** *s.* Reibelaut *m*.
fric·tion ['frikʃən] *s.* **1.** ⊕, *phys.* Reibung *f*, Frikti'on *f*; **2.** Abreibung *f*, Frottieren *n*; **3.** *fig.* Reibe'rei *f*, Spannung *f*, 'Mißhelligkeit *f*; '**fric·tion·al** [-ʃənl] *adj.* Schleif..., Reibungs...
fric·tion| brake *s.* ⊕ Reibungsbremse *f*; '~**-clutch** *s.* ⊕ Reibungskupplung *f*; ~ **drive** *s.* ⊕ Reibrad-, Frikti'onsantrieb *m*; '~**-gear(·ing)** *s.* Reib(rad)-, Frikti'onsgetriebe *n*; ~ **match** *s.* Streichholz *m*; ~ **sur·face** *s.* ⊕ Reibungs-, Lauffläche *f*.
Fri·day ['fraidi] *s.* Freitag *m*: *on* ~ am Freitag; *on* ~*s* freitags; → *Good Friday*.
fridge [fridʒ] *s. Brit.* F Kühlschrank *m*.
fried [fraid] *adj.* gebraten; → *fry*[2] *1*; '~**·cake** *s. Am.* in Fett gebackener Krapfen.
friend [frend] *s.* **1.** Freund(in): ~ *at court* ‚Vetter' (*einflußreicher Freund*); *to be* ~*s with s.o.* mit j-m befreundet sein; *to make* ~*s with* mit *j-m* Freundschaft schließen; **2.** Bekannte(r *m*) *f*; **3.** Helfer(in), Förderer *m*; **4.** Hilfe *f*, Freund(in); **5.** *Brit.* **a)** *my honourable* ~ *parl.* mein Herr Kollege *od.* Vorredner (*Anrede*), **b)** *my learned* ~ ⚖ mein Herr Kollege (*Anrede*); **6.** *Society of* ♀*s* Gesellschaft der Freunde, *die* Quäker; '**friend·less** [-lis] *adj.* freundlos; '**friend·less·ness** [-lisnis] *s.* Freundlosigkeit *f*; '**friend·li·ness** [-linis] *s.* Freundlichkeit *f*, freundschaftliche Gesinnung; '**friend·ly** [-li] *adj.* **1.** freundlich; **2.** freundschaftlich, Freundschafts...: *a* ~ *nation* e-e befreundete Nation; *to be on* ~ *terms with s.o.* mit j-m auf freundschaftlichem Fuß stehen; **3.** wohlwollend, -gesinnt, geneigt, hilfsbereit: ♀ *Society* Versicherungsverein auf Gegenseitigkeit; **4.** günstig, gelegen; '**friend·ship** [-ʃip] *s.* **1.** Freundschaft *f*; **2.** freundschaftliche Gesinnung.
fri·er → *fryer*.
Frie·sian ['fri:zjən] *s.* friesisches Vieh; '**Fries·ic** [-zik] → *Friesian*.
frieze[1] [fri:z] **I.** *s.* **1.** △ Fries *m*; **2.** Zierstreifen *m* (*Tapete etc.*); **II.** *v/t.* **3.** mit e-m Fries versehen.
frieze[2] [fri:z] *s.* Fries *m* (*Wollzeug*).
frig·ate ['frigit] *s.* ⚓ Fre'gatte *f*.
frige → *fridge*.
fright [frait] **I.** *s.* **1.** Schreck(en) *m*, Entsetzen *n*: *to get* (*od. have*) *a* ~ erschrecken; *to give s.o. a* ~ j-n erschrecken; *to take* ~ erschrecken, scheuen (*Pferd*); *to get off with a* ~ mit dem Schrecken davonkommen; **2.** *fig.* F Scheusal *n*, Vogelscheuche *f*, Schreckbild *n*: *he looked a* ~ er sah ‚verboten' aus; **II.** *v/t. poet.* **3.** → *frighten*; '**fright·en** [-tn] *v/t.* **1.** erschrecken, in Schrecken versetzen; einschüchtern: *to* ~ *s.o. into doing s.th.* j-n durch Einschüchterung zu et. treiben; *to* ~ *s.o. to death* j-n zu Tode erschrecken; *I was* ~*ed* ich erschrak (*of* vor *dat.*); **2.** ~ *away*, ~ *off* vertreiben, -scheuchen; '**fright·ened** [-tnd] *adj.* erschreckt, erschrocken; ver-, eingeschüchtert; '**fright·en·ing** [-tniŋ] *adj.* □ schreckerregend; '**fright·ful** [-ful] *adj.* □ **1.** furchteinflößend, schrecklich, entsetzlich; **2.** gräßlich, häßlich; **3.** F scheußlich; '**fright·ful·ly** [-fli] *adv.* schrecklich (*a.* F *sehr*); '**fright·ful·ness** [-fulnis] *s.* **1.** Schrecklichkeit *f*; **2.** *bsd.* ⚔ Schreckensherrschaft *f*.
frig·id ['fridʒid] *adj.* □ **1.** kalt, frostig, eisig: ~ *zone geogr.* kalte Zone; **2.** *fig.* kühl, kalt, eisig; **3.** *psych.* fri'gid, gefühlskalt; **fri·gid·i·ty** [fri'dʒiditi] *s.* Kälte *f*, Frostigkeit *f* (*a. fig.*); *psych.* Frigidi'tät *f*.
frill [fril] **I.** *s.* **1.** (Hals-, Hand-) Krause *f*, Rüsche *f*; Pa'pierkrause *f*, Zierband *n*; **2.** *zo.*, *orn.* Kragen *m*; **3.** *mst pl. contp.* ‚Verzierungen' *pl.*: *to put on* ~*s fig.* ‚auf vornehm machen', sich aufplustern; *without* ~*s* ‚ohne Kinkerlitzchen' (*einfach*); **II.** *v/t.* **4.** mit e-r Krause besetzen; **5.** kräuseln; **III.** *v/i.* **6.** *phot.* sich kräuseln; '**frill·ies** [-liz] *s. pl. Brit.* F ‚Reizwäsche' *f*, 'Spitzen,unterwäsche *f*; '**frill·ing** [-liŋ] *s.* Stoff *m* für Krausen.
fringe [frindʒ] **I.** *s.* **1.** Franse *f*, Besatz *m*; **2.** Rand *m*, Einfassung *f*, Um'randung *f*; **3.** 'Ponyfri,sur *f*; **4.** *mst fig.* äußerer Rand, Grenze *f*, Anfänge *pl.*; → *lunatic I*; **II.** *v/t.* **5.** mit Fransen besetzen; **6.** (um-) 'säumen; ~ **ben·e·fits** *s. pl.* zusätzliche Sozi'alleistungen *pl.* des Arbeitgebers.
fringed [frindʒd] *adj.* gefranst.
frip·per·y ['fripəri] *s.* Tand *m*, Putz *m*, Blendwerk *n*, Tinnef *m*, *n*, Kinkerlitzchen *pl.*
Fri·sian ['friziən] **I.** *s.* **1.** Friese *m*, Friesin *f*; **2.** *ling.* Friesisch *n*; **3.** → *Friesian*; **II.** *adj.* **4.** friesisch.
frisk [frisk] **I.** *v/i.* **1.** hüpfen u. springen, her'umtanzen; **II.** *v/t.* **2.** wedeln mit; **3.** *sl.* *j-n* ‚filzen',

durch'suchen; **III.** *s.* **4.** Ausgelassenheit *f*; Freudensprung *m*; **'frisk·i·ness** [-kinis] *s.* Munter-, Lustigkeit *f*, Ausgelassenheit *f*; **'frisk·y** [-ki] *adj.* □ lebhaft, munter, ausgelassen.

frit [frit] ⊕ **I.** *s.* Glas(schmelz)masse *f*, Fritte *f*; **II.** *v/t.* fritten.

frith [friθ] → *firth.*

frit·il·lar·y [fri'tiləri] *s.* **1.** ⚘ Kaiserkrone *f*; **2.** *zo.* Perlmutterfalter *m.*

frit·ter¹ ['fritə] *s.* in Teig gebackene Obstschnitte.

frit·ter² ['fritə] *v/t. mst* ~ *away* verplempern, verzetteln, vertrödeln.

friv·ol ['frivəl] **I.** *v/i.* leichtsinnig sein; **II.** *v/t.* ~ *away* → *fritter²*; **fri·vol·i·ty** [fri'vɔliti] *s.* **1.** Frivoli'tät *f*, Leichtsinn(igkeit *f*) *m*, Oberflächlichkeit *f*; **2.** Nichtigkeit *f*; **'friv·o·lous** [-vələs] *adj.* □ **1.** fri'vol, leichtsinnig, -fertig, oberflächlich; **2.** geringfügig, nichtig.

friz(z)¹ [friz] **I.** *v/t. u. v/i.* (sich) kräuseln; **II.** *s.* gekräuseltes Haar, Locken *pl.*

frizz² [friz] *v/i.* zischen, brutzeln.

friz·zle¹ ['frizl] **I.** *v/i.* zischen, brutzeln; schmoren (*a. fig.*); **II.** *v/t.* braun rösten.

friz·zle² ['frizl] **I.** *v/t. Haar* kräuseln, eindrehen; **II.** *v/i.* sich kräuseln; **'friz·zly** [-li], **'friz·zy** [-zi] *adj.* kraus.

fro [frou] *adv.*: *to and* ~ hin u. her, auf u. ab.

frock [frɔk] **I.** *s.* **1.** Mönchskutte *f*; **2.** (Damen)Kleid *n*: *summer* ~ Sommerkleid; **3.** ⚓ Wolljacke *f*; **4.** Kinderkleid *n*, Kittel *m*; **II.** *v/t.* **5.** mit e-m geistlichen Amt bekleiden; **6.** in e-n Rock kleiden; **'~-'coat** *s.* Gehrock *m.*

frog [frɔg] *s.* **1.** *zo.* Frosch *m*: *to have a* ~ *in the throat* e-n Frosch im Hals haben, heiser sein; **2.** Schnurbesatz *m*, -verschluß *m* (*Rock*); **3.** ⚔ Quaste *f*, Säbeltasche *f*; **4.** 🚂 Herz-, Kreuzungsstück *n*; **5.** ⚡ Oberleitungsweiche *f*; **6.** *zo.* Strahl *m* (*Pferdehuf*); **7.** *Am. sl.* 'Bizeps *m*; **8.** *sl.* Fran'zose *m*; **'~-eat·er** → *frog 8.*

frogged [frɔgd] *adj.* mit Schnurbesatz *od.* -verschluß (*Rock*); **'frog·gy** [-gi] *s.* **1.** Frosch *m* (*Kindersprache*); **2.** → *frog 8.*

'frog|-hop·per *s. zo.* Schaumzirpe *f*; **'~·man** [-mən] *s.* [*irr.*] ⚔ Kampfschwimmer *m*, Froschmann *m*; **~'s legs** *s. pl.* Froschschenkel *pl.* (*als Speise*); **'~-'spawn** *s.* **1.** *zo.* Froschlaich *m*; **2.** ⚘ Froschlaichalge *f.*

frol·ic ['frɔlik] **I.** *s.* **1.** Scherz *m*, lustiger Streich, Ausgelassenheit *f*; **2.** Lustbarkeit *f*; **II.** *v/i. pret. u. p.p.* **'frol·icked** [-kt] **3.** ausgelassen sein, Possen treiben, tollen, spaßen; **'frol·ic·some** [-səm] *adj.* vergnügt, ausgelassen.

from [frɔm; frəm] *prp.* von, von ... her, aus, aus ... her'aus: **a)** *Ort, Herkunft*: *a gift* ~ *his son* ein Geschenk von s-m Sohn; ~ *outside* (*od. without*) von (dr)außen; ~ *the well* aus dem Brunnen; *the train* ~ *X* der Zug von *od.* aus X; *he is* ~ *Kent* er ist *od.* stammt aus Kent; *auf Sendungen*: ~ ... Absender ..., **b)** *Zeit*: ~ *2 to 4 o'clock* von 2 bis 4 Uhr; ~ *now* von jetzt an; ~ *a child* von Kindheit an, **c)** *Entfernung*: *6 miles* ~ *Rome* 6 Meilen von Rom (entfernt); *far* ~ *the truth* weit von der Wahrheit entfernt, **d)** *Fortnehmen*: *stolen* ~ *the shop* (*the table*) aus dem Laden (vom Tisch) gestohlen; *take it* ~ *him!* nimm es ihm weg!, **e)** *Anzahl*: ~ *six to eight boats* sechs bis acht Boote, **f)** *Wandlung*: ~ *bad to worse* immer schlimmer, **g)** *Unterscheidung*: *he does not know black* ~ *white* er kann Schwarz u. Weiß nicht unterscheiden, **h)** *Quelle, Grund*: ~ *my point of view* von meinem Standpunkt (aus); ~ *what he said* nach dem, was er sagte; *painted* ~ *life* nach dem Leben gemalt; *he died* ~ *hunger* er verhungerte; ~ **a·bove** *adv.* von oben; ~ **a·cross** *adv. u. prp.* von jenseits (*gen.*), von der anderen Seite (*gen.*); ~ **a·mong** *prp.* aus ... her'aus; ~ **be·fore** *prp.* aus der Zeit vor (*dat.*); ~ **be·neath** *adv. u. prp.* unter (*dat.*) ... her'vor *od.* her'aus; ~ **be·tween** *prp.* zwischen (*dat.*) ... her'vor; ~ **be·yond** *adv. u. prp.* von jenseits (*gen.*); ~ **in·side** *adv. u. prp.* von innen: ~ *the house* aus dem Inneren des Hauses (heraus); ~ **out of** *prp.* aus (*dat.*) ... her'aus; ~ **o·ver** → *from across*; ~ **un·der** → *from beneath.*

frond [frɔnd] *s.* ⚘ (Farn)Wedel *m*; **'frond·age** [-didʒ] *s.* Farnkrautwedel *pl.*, Laub *n.*

Fronde [frɔ:nd] (*Fr.*) *s. hist.* Fronde *f* (*a. fig. pol. erbitterte Opposition*).

fron·des·cence [frɔn'desns] *s.* ⚘ **1.** Zeit *f* der Blattbildung; **2.** Laub *n*; **fron·dose** ['frɔndous] *adj.* ⚘ farnwedeltragend.

front [frʌnt] **I.** *s.* **1.** Vorder-, Außenseite *f*: *east* ~ Ostseite; **2.** △ Front *f*, Vorderansicht *f*, Fas'sade *f* (*a. fig.*): *to maintain a* ~ den Schein wahren; **3.** ⚔ Front *f*, 'Kampf‚linie *f*, -gebiet *n*; **4.** *fig.* **a)** Front *f*, Organisati'on *f*, **b)** ‚Aushängeschild' *n* (*e-r Organisation etc.*); **5.** Vorderteil *n*, -grund *m*: *in* ~ vorn, an der Spitze; *in* ~ *of* vor, gegenüber; *to the* ~ nach vorn, voran, voraus; *to come to the* ~ hervortreten, in den Vordergrund treten; *eyes* ~! ⚔ Augen geradeaus!; **6.** *the* ~ *Brit.* die 'Strandprome‚nade; **7.** *poet.* Stirn *f*; **8.** *fig.* Kühn-, Frechheit *f*: *to have the* ~ *to* (*inf.*) die Stirn haben zu (*inf.*); *to show a bold* ~ frech auftreten, feste Haltung zeigen (*a.* ✝); **9.** *falsche* Stirnlocken *pl.*; **10.** Hemdbrust *f*, Vorhemd *n*; **11.** *meteor.* Front *f*: *cold* ~ Kalt(luft)front; **12.** *ling.* Gaumenlaut *m*; **II.** *adj.* **13.** Front..., Vorder...: ~ *tooth* Vorderzahn; ~ *row* vorder(st)e Reihe; **14.** *ling.* Gaumen...; **III.** *v/t.* **15.** gegen'überstehen, -liegen (*dat.*), mit der Front nach ... liegen; **16.** *j-m* gegen'über-, entgegentreten; **17.** e-e (neue) Vorderseite geben (*dat.*); **IV.** *v/i.* **18.** ~ *on* (*od. to*[*wards*]) mit der Front nach ... liegen.

front·age ['frʌntidʒ] *s.* **1.** Vorder-, Straßenfront *f*: ~ *line* Baufluchtlinie; **2.** Land *n* an der Straßen- *od.* Wasserfront; **3.** ⚔ Frontbreite *f*, -ausdehnung *f*; **'front·ag·er** [-dʒə] *s.* Vorderhausbewohner *m.*

fron·tal ['frʌntl] **I.** *adj.* **1.** Vorder..., Front..., fron'tal: ~ *attack* ⚔ Frontalangriff; **2.** ⊕, *anat.* Stirn...; **II.** *s.* **3.** *eccl.* Ante'pendium *n*; **4.** △ Ziergiebel *m*; ~ **bone** *s. anat.* Stirnbein *n*; ~ **si·nus** *s. anat.* Stirn(bein)höhle *f.*

front| bench *s. parl.* Vordersitze *pl. für Minister etc.*; **'~-'bench·er** *s. parl.* führendes Frakti'onsmitglied; ~ **con·trol** *s.* ✈ Kopfsteuerung *f*; ~ **door** *s.* Haus-, Vordertür *f*; ~ **el·e·va·tion** *s.* △ Vorderansicht *f*, Aufriß *m*; ~ **en·gine** *s. mot.* 'Front‚motor *m*; ~ **gar·den** *s.* Vorgarten *m.*

fron·tier ['frʌntjə] **I.** *s.* **1.** (*Landes-*) Grenze *f*; **2.** *Am.* Grenzgebiet *n*, Grenze *f* (zum Wilden Westen): *new* ~*s fig.* neue Ziele; **3.** *fig. oft pl.* Grenze *f*, Grenzbereich *m*; **II.** *adj.* **4.** Grenz...: ~ *town*; **'fron·tiers·man** [-jəzmən] *s.* [*irr.*] Grenzbewohner *m.*

fron·tis·piece ['frʌntispi:s] *s.* **1.** Titelbild *n* (*Buch*); **2.** △ Vorderseite *f.*

front·less ['frʌntlis] *adj.* ohne Front *od.* Fas'sade; **'front·let** [-lit] *s.* **1.** *zo.* Stirn *f*; **2.** Stirnband *n.*

front| line *s.* ⚔ Kampffront *f*, Front(linie) *f*; **'~-line** *adj.*: ~ *officer* Frontoffizier; ~ *trench* vorderster Schützengraben; ~ **page** *s.* erste Seite (*Zeitung*); **'~-'page** *adj.*: ~ *news* wichtige *od.* aktuelle Nachricht(en); **'~-run·ner** *s. sport* **1.** Spitzenreiter *m* (*a. fig.*); **2.** Tempoläufer *m*; ~ **seat** *s.* Vordersitz *m*; ~ **sight** *s.* ⚔ Korn *n*; ~ **view** *s.* Vorderansicht *f*; **'~-wheel** *adj.*: ~ *drive* ⊕ Vorderradantrieb.

frosh [frɔʃ] *s. sg. u. pl. Am.* Stu'dent(in) im ersten Studienjahr.

frost [frɔst] **I.** *s.* **1.** Frost *m*: *10 degrees of* ~ *Brit.* 10 Grad Kälte; **2.** Reif *m*; **3.** *fig.* Kühle *f*, Kälte *f*, Frostigkeit *f*; **4.** *sl.* 'Mißerfolg *m*, ‚Pleite' *f*; **II.** *v/t.* **5.** mit Reif *od.* Eis über'ziehen; **6.** ⊕ *Glas* mattieren; **7.** *Küche*: mit Zuckerguß über'ziehen, mit (Puder)Zucker bestreuen; **8.** durch Frost beschädigen; **9.** *j-n* sehr kühl behandeln; **'~-bite** *s.* ⚕ Erfrierung *f*; **'~-bitten** *adj.* ⚕ erfroren; **'~-bound** *adj.* ein-, festgefroren.

frost·ed ['frɔstid] *adj.* **1.** bereift, über'froren; **2.** ⊕ mattiert: ~ *glass* Matt-, Milchglas; **3.** ⚕ erfroren; **4.** *Küche*: mit Zuckerguß, glasiert; **'frost·i·ness** [-tinis] *s.* Frost *m*, eisige Kälte (*a. fig.*); **'frost-work** *s.* Eisblumen *pl.*; **'frost·y** [-ti] *adj.* □ **1.** eisig, frostig (*a. fig.*); **2.** mit Reif *od.* Eis bedeckt; **3.** eisgrau, ergraut (*Haar*).

froth [frɔθ] **I.** *s.* **1.** Schaum *m*; Blume *f* (*Bier*); **2.** ⚕ Schaum *m*, Speichel *m*; **3.** *fig.* Hohl-, Seichtheit *f*, Schaumschläge'rei *f*; **II.** *v/t.* **4.** zum Schäumen bringen, zu Schaum schlagen; **III.** *v/i.* **5.** schäumen (*a. fig. wüten*); **6.** geifern; **'froth·i·ness** [-θinis] *s.* **1.** Schäumen *n*, Schaum *m*; **2.** → *froth 3*; **'froth·y** [-θi] *adj.* □ **1.** schaumig, schäumend; **2.** *fig.* schaumschlägerisch, seicht, leer.

frou-frou ['fru:fru:] (*Fr.*) *s.* Kni-

stern *n*, Rauschen *n*, Rascheln *n* (*Seide*).
fro·ward ['frouəd] *adj.* □ *obs.* eigensinnig, 'widerspenstig, trotzig.
frown [fraun] **I.** *v/i.* **1.** die Stirn runzeln; **2.** finster dreinschauen: *to ~ at* (*od.* [*up*]*on*) stirnrunzelnd *od.* finster betrachten, *fig.* mißbilligen (*acc.*); **II.** *v/t.* **3.** *~ down j-m* e-n drohenden Blick zuwerfen, *j-n* mit drohenden Blicken einschüchtern; **III.** *s.* **4.** Stirnrunzeln *n*; finsterer Blick; '**frown·ing** [-niŋ] *adj.* □ **1.** miß'billigend; finster (*Blick*); **2.** bedrohlich.
frowst [fraust] *bsd. Brit.* **I.** *s.* **1.** ‚Mief' *m*, stickige Luft; **II.** *v/i.* **2.** ein Stubenhocker sein; **3.** her'umlungern; '**frowst·y** [-ti] *adj. bsd. Brit.* muffig.
frowz·i·ness ['frauzinis] *s.* **1.** Schlampigkeit *f*; Unordentlichkeit *f*; **2.** muffiger Geruch; **frowz·y** ['frauzi] *adj.* **1.** schmutzig, schlampig, ungepflegt; **2.** muffig, übelriechend.
froze [frouz] *pret. von freeze*; '**fro·zen** [-zn] **I.** *p.p. von freeze*; **II.** *adj.* **1.** (ein-, zu)gefroren: *~ meat* Gefrierfleisch; **2.** eisig, frostig (*a. fig.*); **3.** kalt, teilnahms-, gefühllos; **4.** ✝ festliegend, eingefroren: *~ capital*; **5.** *~ facts Am.* unumstößliche Tatsachen.
fruc·ti·fi·ca·tion [frʌktifi'keiʃən] *s.* ⚘ **1.** Fruchtbildung *f*; **2.** Befruchtung *f*; **fruc·ti·fy** ['frʌktifai] ⚘ **I.** *v/i.* Früchte tragen (*a. fig.*); **II.** *v/t.* befruchten (*a. fig.*); **fruc·tose** ['frʌktous] *s.* ⚗ Fruchtzucker *m.*
fru·gal ['fru:gəl] *adj.* □ **1.** sparsam, genügsam, bescheiden; **2.** einfach, spärlich, fru'gal; **fru·gal·i·ty** [fru(:)'gæliti] *s.* Genügsamkeit *f*, Einfachheit *f.*
fru·giv·o·rous [fru:'dʒivərəs] *adj. zo.* fruchtfressend.
fruit [fru:t] **I.** *s.* **1.** Frucht *f*; **2.** *coll.* **a)** Früchte *pl.*: *to bear ~* Früchte tragen (*a. fig.*), **b)** Obst *n*: *to grow ~* Obst züchten; *dried ~* Dörr-, Backobst, Rosinen, Korinthen *etc.*; **3.** ⚘ Frucht *f*, Samenkapsel *f*; **4.** *bibl.* Nachkommen *pl.*; **5.** *mst pl. fig.* Frucht *f*, Ergebnis *n*, Erfolg *m*, Gewinn *m*; **II.** *v/i.* **6.** ⚘ (Früchte) tragen; '**fruit·age** [-tidʒ] *s.* **1.** (Frucht)Tragen *n*; **2.** Obsternte *f*; **fruit·ar·i·an** [fru:'tɛəriən] *s.* Rohköstler(in).
'**fruit**|**-cake** *s.* englischer Kuchen (*mit viel Korinthen etc.*); *~* **cock·tail** *s.* Früchtecocktail *m*, gemischtes Obst (*als Vorspeise*).
fruit·ed ['fru:tid] *adj.* mit viel Ko'rinthen *etc.* (*Kuchen*); '**fruit·er** [-tə] *s.* **1.** Obstschiff *n*; **2.** *a good ~* ein guttragender Obstbaum; '**fruit·er·er** [-tərə] *s.* Obsthändler *m*; '**fruit·ful** [-tful] *adj.* □ **1.** fruchtbar (*a. fig.*); **2.** *fig.* ergiebig, ertrag-, erfolgreich; '**fruit·ful·ness** [-tfulnis] *s.* Fruchtbarkeit *f*; Ergiebigkeit *f.*
fru·i·tion [fru(:)'iʃən] *s.* **1.** Erfüllung *f*, Erreichen *n*; **2.** (Voll)Genuß *m.*
fruit| **jar** *s.* Einweckglas *n* (*für Obst*); *~* **juice** *s.* Obstsaft *m*; '*~*-**knife** *s.* [*irr.*] Obstmesser *n.*
fruit·less ['fru:tlis] *adj.* □ **1.** unfruchtbar; **2.** *fig.* fruchtlos, vergeblich; '**fruit·less·ness** [-nis] *s.* Fruchtlosigkeit *f.*
fruit| **pulp** *s.* Fruchtfleisch *n*; *~* **sal·ad** *s.* **1.** 'Obstsa,lat *m*; **2.** *fig. humor.* ‚La'metta' *n*, Ordenspracht *f*; '*~*-**tree** *s.* Obstbaum *m.*
fruit·y ['fru:ti] *adj.* **1.** fruchtartig; **2.** mit Fruchtgeschmack; **3.** würzig; **4.** *Brit. sl.* ‚saftig', ‚gepfeffert', derb (*Witz*); **5.** *Am. sl.* kinderleicht.
fru·men·ta·ceous [fru:mən'teiʃəs] *adj.* getreideartig, Getreide...
frump [frʌmp] *s. a. old ~* alte Schachtel, ‚Spi'natwachtel' *f*, Schlampe *f*; '**frump·ish** [-piʃ], '**frump·y** [-pi] *adj.* **1. a)** altmodisch, **b)** schlampig; **2.** säuerlich (*Miene*).
frus·trate [frʌs'treit] *v/t.* **1.** *et.* vereiteln, durch'kreuzen, zu'nichte machen, hemmen; **2.** *j-n* hemmen, einengen, be-, unter'drücken, zu'rücksetzen; **3.** *j-n* am Fortkommen hindern; **4.** frustrieren: **a)** enttäuschen: *I. was ~d in my efforts* meine Bemühungen wurden vereitelt, **b)** *j-m* die *od.* alle Hoffnung *od.* Aussicht nehmen; **5.** *j-s* Pläne vereiteln; **frus'trat·ed** [-tid] *adj.* **1.** gehemmt, bedrückt; **2.** frustriert, enttäuscht, (in s-n Hoffnungen) betrogen, ohne Hoffnung; voller ('Minderwertigkeits)Kom,plexe; **3.** aussichtslos, gescheitert (*Pläne etc.*); **4.** ‚verhindert': *a ~ painter*; **frus'trat·ing** [-tiŋ] *adj.* frustrierend, enttäuschend, entmutigend; **frus'tra·tion** [-'treiʃən] *s.* **1.** Behinderung *f*; Zu'rücksetzung *f*; **2.** Vereitelung *f*, Durch'kreuzung *f*; **3.** *a. sense of ~* Frustrati'on *f*, Enttäuschung *f*; *das* Gefühl, ein Versager zu sein, ('Minderwertigkeits-) Kom,plexe *pl.*; **4.** Unvermögen *n*, Ohnmacht *f*; **5.** Aussichtslosigkeit *f* (*Pläne etc.*).
frus·tum ['frʌstəm] *pl.* **-tums** *od.* **-ta** [-tə] *s.* ⩘ Stumpf *m*: *~ of a cone* Kegelstumpf.
fru·tex ['fru:teks] *pl.* **-ti·ces** [-tisi:z] *s.* ⚘ Strauch *m.*
fry[1] [frai] *s. sg. u. pl.* **1.** Fischbrut *f*, junge Fische *pl.*; **2.** *small ~* **a)** ‚junges Gemüse', Kinder, **b)** kleine (*unbedeutende*) Leute.
fry[2] [frai] **I.** *v/t.* **1.** braten, *in der Pfanne* backen: *frieds eggs* Spiegel-, Setzeier; *fried potatoes* Bratkartoffeln; **II.** *v/i.* **2.** braten, schmoren; **III.** *s.* **3.** Gebratenes *n*; **4.** *Brit.* Gekröse *n*; **fry·er** ['fraiə] *s.* **1.** j-d der et. brät: *he is a fish-~er* hat ein Fischrestaurant; **2.** *Brit.* (Fisch-) Bratpfanne *f*; **3.** *Am. et.* zum Braten Geeignetes, *engS.* Brat-, Backhühnchen *n*; '**fry·ing-pan** ['fraiiŋ] *s.* Bratpfanne *f*: (*to jump*) *out of the ~ into the fire* vom Regen in die Traufe (kommen).
fub·sy ['fʌbsi] *adj. Brit.* plump, rundlich, pummelig.
fuch·sia ['fju:ʃə] *s.* ⚘ Fuchsie *f.*
fuch·sine ['fu:ksi:n] *s.* ⚗ Fuch'sin *n.*
fuck [fʌk] V **I.** *v/t. u. v/i.* **1.** ficken, vögeln, ‚bumsen': *~ you!* leck(t) mich (doch) am Arsch!; *get ~ed!* der Teufel soll dich holen!; **2.** *~ up et.* ‚zur Sau machen' *od.* ‚versauen': *all ~ed up* total im Arsch; **II.** *s.* **3.** Fick *m*: *to have a ~* → *1*; *~!* Scheiße!
fud·dle ['fʌdl] **I.** *v/t.* **1.** berauschen: *to ~ o.s.* sich betrinken; **2.** verwirren; **II.** *v/i.* **3.** zechen, kneipen; **III.** *s.* **4.** Rausch *m*, Saufe'rei *f*; **5.** Verwirrung *f*; '**fud·dled** [-ld] *adj.* beschwipst, ‚angesäuselt'.
fudge [fʌdʒ] **I.** *v/t.* **1.** *oft ~ up* zu'rechtpfuschen, zs.-stoppeln; ‚frisieren', fälschen; **II.** *s.* **2.** Stuß *m*, Blödsinn *m*; **3.** *Zeitung*: **a)** letzte Meldungen *pl.*, **b)** *Maschine zum Druck letzter Meldungen*; **4.** weiches Zuckerwerk; **5.** *int.* Blödsinn!, Quatsch!
fu·el ['fjuəl] **I.** *s.* Brennstoff *m*: **a)** 'Heizmateri,al *n*, Feuerung *f*, **b)** Betriebs-, Treib-, Kraftstoff *m*: *to add ~ to the flames* (*od. fire*) *fig.* Öl ins Feuer gießen; **II.** *v/i.* Brennstoff nehmen; (auf)tanken, ⚓ bunkern; **III.** *v/t.* mit Brennstoff versehen; betanken; ⚓ *Öl* bunkern; '*~*-**air mix·ture** *s. mot.* Kraftstoff-Luft-Gemisch *n*; *~* **feed** *s.* Brennstoffzuleitung *f*; *~* **gas** *s.* Heizgas *n*; *~* **ga(u)ge** *s. mot.* Kraftstoffmesser *m*, Ben'zinuhr *f*; *~* **in·jec·tion engine** *s.* 'Einspritz,motor *m*; *~* **jet** *s.* Kraftstoffdüse *f.*
fu·el(l)ed ['fjuəld] *adj.*: *~ with* ⊕ getrieben mit.
fu·el| **oil** *s.* Heizöl *n*; *~* **pump** *s. mot.* Kraftstoff-, Ben'zinpumpe *f.*
fug [fʌg] F **I.** *s.* **1.** ‚Mief' *m*, stickige Luft, muffiger Geruch; **2.** Staubflocken *pl.*, Schmutz *m*; **II.** *v/i.* **3.** (gern) im warmen *od.* muffigen Zimmer hocken.
fu·ga·cious [fju(:)'geiʃəs] *adj.* flüchtig, vergänglich.
fug·gy ['fʌgi] *adj.* F stickig, dumpf.
fu·gi·tive ['fju:dʒitiv] **I.** *s.* **1.** Flüchtling *m*, Ausreißer *m*: *a ~ from justice* wer sich der Justiz entzieht; **II.** *adj.* **2.** flüchtig (*a. fig.*); **3.** *fig.* vergänglich, unbeständig, kurzlebig.
fu·gle·man ['fju:glmæn] *s.* [*irr.*] (An-, Wort)Führer *m*, Sprecher *m*, Organi'sator *m.*
fugue [fju:g] *s.* ♪ Fuge *f*; **fugued** [-gd] *adj.* ♪ fugiert.
ful·crum ['fʌlkrəm] *pl.* **-cra** [-krə] *s.* **1.** *phys.* Dreh-, Hebe-, Stützpunkt *m*; **2.** *fig.* Angelpunkt *m*, Hebel *m.*
ful·fil(l) [ful'fil] *v/t.* erfüllen, voll'bringen, -'ziehen, ausführen; **ful'fil(l)·ment** [-mənt] *s.* Erfüllung *f.*
ful·gent ['fʌldʒənt] *adj.* □ *poet.* strahlend, glänzend; **ful·gu·rant** ['fʌlgjuərənt] *adj.* (auf)blitzend.
fu·lig·i·nous [fju:'lidʒinəs] *adj.* □ rußig, rauchig, Ruß...
full[1] [ful] **I.** *adj.* □ → *fully*; **1.** *allg.* voll: *~ of* voll von, voller ..., gefüllt mit; **2.** besetzt: *~ up* (*voll*) besetzt! (*Bus etc.*); *house ~ thea.* ausverkauft; **3.** (*of*) erfüllt (von), beschäftigt (mit): *~ of the news* von der Nachricht (ganz) erfüllt; *~ of o.s.* von sich eingenommen; **4.** *fig.* bewegt, gerührt; **5.** (*of*) reich (an *dat.*), reichlich versehen (mit), voll(er): *~ of fish* voller Fische; *~ of plans* voller Pläne; *a ~ meal* ein reichliches Mahl; **6.** voll (-ständig), ganz: *a ~ hour* e-e volle

Stunde; *in ~ bloom* in voller Blüte; *~ citizen* Vollbürger; **7.** voll, rundlich, dick (*Körper*); **8.** weit, voll, groß (*Kleidung*); **9.** kräftig, voll (*Farbe, Stimme*); **10.** ausführlich, genau: *~ details*; **11.** stark, würzig (*Wein*); **12.** leiblich (*Geschwister*); **13.** F ‚voll': **a)** betrunken, **b)** satt; **II.** *adv.* **14.** völlig, gänzlich, ganz: *~ automatic* vollautomatisch; *~ well poet.* sehr wohl; **15.** gerade, genau, di'rekt: *~ in the face*; **III.** *s.* **16.** *in ~* voll(ständig); *to write in ~ et.* ausschreiben; *to the ~* vollständig, bis ins kleinste, durchaus; *at the ~* auf dem Höhepunkt *od.* Höchststand.

full² [ful] *v/t.* ⊕ *Tuch* walken.

full|age *s.*: *of ~* ⚖ mündig; '**~-back** *s.* **a)** *Fußball*: Verteidiger *m*, **b)** *Rugby*: Schlußmann *m*; '**~-'blood·ed** *adj.* **1.** reinrassig, Vollblut...; **2.** *fig.* vollblütig; kräftig; '**~-'blown** *adj.* **1.** ⚘ ganz aufgeblüht; **2.** voll entwickelt; **3.** F wirklich, richtig (-gehend); **~ board** *s.* 'Vollpensi͵on *f* (*Hotel*); '**~-'bod·ied** *adj.* schwer (*Wein*); '**~-'bot·tomed** *adj.* **1.** breit, mit großem Boden: *~ wig* Allongeperücke; **2.** ⚓ mit großem Laderaum; **~ dress** *s.* **1.** Gesellschaftsanzug *m*; **2.** ⚔ Pa'radeanzug *m*; '**~-dress** *adj.* for'mell, Gala...: *~ debate parl. Brit.* wichtige Debatte; *~ rehearsal thea.* Generalprobe.

full·er ['fulə] *s.* ⊕ Walker *m*; **~'s earth** *s. min.* Fullererde *f*.

'**full|-eyed** *adj.* großäugig; '**~-'face** *s.* **1.** En-'face-Bild *n*, Vorderansicht *f*; **2.** *typ.* Fettdruck *m*; '**~-'faced** *adj.* **1.** mit vollem (*od.* voll zugewandtem) Gesicht; **2.** *typ.* fett; '**~-'fash·ioned** *Am.* → *fully fashioned*; '**~-'fledged** *adj.* **1.** *orn.* flügge (*Vögel*); **2.** ausgewachsen; **3.** fertig, selbständig; **4.** F richtig(gehend); **~ gal·lop** *s.*: *at ~* in gestrecktem Galopp; '**~-'grown** *adj.* **1.** ausgewachsen; **2.** voll entwickelt; '**~-'heart·ed** *adj.* **1.** tiefbewegt; **2.** eifrig, mutig.

'**full·ing-mill** ['fuliŋ] *s.* ⊕ Walkmühle *f*.

'**full|-'length** *adj.* **1.** in Lebensgröße; **2.** abendfüllend (*Film*); '**~-mouthed** *adj.* **1.** *zo.* mit vollem Gebiß (*Vieh*); **2.** laut bellend; **3.** laut.

full·ness ['fulnis] *s.* **1.** Fülle *f*: *in the ~ of time* zur gegebenen Zeit; **2.** *fig.* Fülle *f* (*des Herzens*); **3.** Körperfülle *f*, Dicke *f*; **4.** Sattheit *f* (*a. Farben*); **5.** ♪ Klangfülle *f*; **6.** Weite *f* (*Kleid*); **7.** Ausführlichkeit *f*.

'**full|-'page** *adj.* ganzseitig; **~ pitch** *s. Kricket*: di'rekter Wurf; **~ pro·fes·sor** *s. Am. univ.* Ordi'narius *m*; '**~-'rigged** *adj.* **1.** ⚓ vollgetakelt: *~ vessel* Vollschiff; **2.** voll ausgerüstet; **~ scale** *s.* ⊕ na'türliche Größe; '**~-'scale** *adj.* vollständig, gründlich, regelrecht: *~ attack* ⚔ Großangriff; *~ test* gründliche Prüfung *od.* Probe; '**~-'time** *adj.* ✝ hauptberuflich (tätig): *~ job* Ganztagsstellung; '**~-tim·er** *s.* ganztägig Beschäftigte(r *m*) *f*; **~ toss** → *full pitch*; '**~-'track** *adj.*: *~ vehicle* ⊕ Vollketten-, Raupenfahrzeug; '**~-'view** *adj.* ✈ Vollsicht...

ful·ly ['fuli] *adv.* voll, völlig, gänzlich; ausführlich: *~ ten minutes* volle zehn Minuten; *~ entitled* voll berechtigt; **~ fash·ioned** *adj.* mit (voller) Paßform (*Strümpfe etc.*).

ful·mar ['fulmə] *s. orn.* 'Fulmar *m*, Eissturmvogel *m*.

ful·mi·nant ['fʌlminənt] *adj.* ⚕ plötzlich ausbrechend; **ful·mi·nate** ['fʌlmineit] **I.** *v/i.* **1.** donnern, explodieren (*a. fig.*); **2.** *fig.* losdonnern, wettern; **II.** *v/t.* **3.** zur Explosi'on bringen; **4.** *fig.* *Befehle* her'ausbrüllen; *Bannstrahl* schleudern; **III.** *s.* **5.** *~ of mercury* ⚗ Knallquecksilber *n*; '**ful·mi·nat·ing** [-neitiŋ] *adj.* **1.** ⚗ explodierend, Knall...: *~ powder* Knallpulver; **2.** *fig.* donnernd, wetternd; **3.** → *fulminant*; **ful·mi·na·tion** [fʌlmi'neiʃən] *s.* **1.** Explosi'on *f*, Knall *m*; **2.** *fig.* schwere Drohung, Wettern *n*; **3.** *eccl.* Bannstrahl *m*; '**ful·mi·nous** [-nəs] *adj.* Gewitter...

ful·ness → *fullness*.

ful·some ['fulsəm] *adj.* □ widerlich, ekelhaft, über'trieben: *~ flattery*; '**ful·some·ness** [-nis] *s.* Widerlichkeit *f*.

ful·vous ['fʌlvəs] *adj.* rötlichgelb.

fum·ble ['fʌmbl] **I.** *v/i.* um'hertappen, -tasten (*for* nach), (her'um-) fummeln (*at* an *dat.*); (*with*) sich ungeschickt anstellen (bei), sich zu schaffen machen (mit): *to ~ for* tappen *od.* suchen nach; **II.** *v/t.* ‚verpatzen', verpfuschen; '**fum·bler** [-lə] *s.* Stümper *m*, Tölpel *m*; ‚Dilet'tant' *m*; '**fum·bling** *adj.* □ tappend; täppisch, linkisch.

fume [fju:m] **I.** *s.* **1.** *oft pl.* (*unangenehmer*) Dampf, Dunst *m*, Rauch (-gas *n*) *m*; **2.** *fig.* Koller *m*, Erregung *f*, Wut *f*; **3.** *fig.* Schall *m* u. Rauch *m*; **II.** *v/t.* **4.** *Holz, Film* räuchern, dunkler machen, beizen: *~d oak* dunkles Eichenholz; **III.** *v/i.* **5.** rauchen, dunsten, dampfen; **6.** *fig.* wütend sein, (vor Wut) ‚kochen'.

fu·mi·gant ['fju:migənt] *s.* Ausräucherungs-, Desinfekti'onsmittel *n*; **fu·mi·gate** ['fju:migeit] *v/t.* ausräuchern, desinfizieren; entwesen; **fu·mi·ga·tion** [fju:mi'geiʃən] *s.* (Aus)Räucherung *f*, Desinfekti'on *f*; '**fu·mi·ga·tor** [-geitə] *s.* 'Räucherappa͵rat *m*.

fum·ing ['fju:miŋ] *adj.* wütend, erbost.

fu·mi·to·ry ['fju:mitəri] *s.* ⚘ Erdrauch *m*.

fum·y ['fju:mi] *adj.* rauchig, dun-[stig.]

fun [fʌn] *s.* Scherz *m*, Spaß *m*, Ulk *m*: *for* (*od.* *in*) *~* aus *od.* zum Spaß; *for the ~ of it* spaßeshalber; *it is ~* es macht Spaß, es ist lustig; *he is great ~* F er ist sehr amüsant; *to make ~ of s.o.* j-n zum besten haben, sich über j-n lustig machen; *I don't see the ~ of it* ich finde das (gar) nicht komisch.

func·tion ['fʌŋkʃən] **I.** *s.* **1.** Funkti'on *f* (*a.* ⚗, ⊕, *biol.*), (Amts)Tätigkeit *f*, (-)Pflicht *f*; Dienst *m*, Amt *n*: *out of ~* ⊕ außer Betrieb, kaputt; **2.** Obliegenheit *f*, Aufgabe *f*; Zweck *m*; **3.** Veranstaltung *f*, Feier *f*, Zeremo'nie *f*; **II.** *v/i.* **4.** fungieren, tätig sein; **5.** funktionieren, arbeiten.

func·tion·al ['fʌŋkʃənl] *adj.* □ → *functionally*; **1.** amtlich, dienstlich; **2.** ⚕, ⚗, ⊕ funktio'nell, Funktions...: *~ disorder* ⚕ Funktionsstörung; **3.** praktisch, sachlich; zweckbetont, -mäßig: *~ building* Zweckbau; '**func·tion·al·ism** [-ʃnəlizəm] *s.* Sachlichkeit *f*, Zweckmäßigkeit *f*; '**func·tion·al·ly** [-ʃnəli] *adv.* in funktioneller Hinsicht.

func·tion·ar·y ['fʌŋkʃnəri] *s.* **1.** Beamte(r) *m*; **2.** *bsd. pol.* Funktio'när *m*.

fund [fʌnd] **I.** *s.* **1.** Kapi'tal *n*, Geldsumme *f*, Fonds *m*: *pension* (*od.* *superannuation*) *~* Pensionskasse; *relief ~* Hilfsfonds; → *sinking 6*; **2.** *pl.* (Bar-, Geld)Mittel *pl.*, Gelder *pl.*: *to be in ~s* (gut) bei Kasse sein; *no ~s* ✝ kein Guthaben, keine Deckung; *the necessary ~s* die erforderlichen (Geld)Mittel; *public ~s* öffentliche Gelder; **3.** ~s *pl. Brit.* fundierte 'Staatspa͵piere *pl.*, Kon'sols *pl.*; **4.** *fig.* Vorrat *m*, Schatz *m*, Fülle *f* (*of* von, an *dat.*); Quelle *f*; **II.** *v/t.* **5.** ✝ **a)** in Staatspapieren anlegen, **b)** fundieren, konsolidieren: *~ed debt* fundierte Schuld.

fun·da·ment ['fʌndəmənt] *s.* Gesäß *n*.

fun·da·men·tal [fʌndə'mentl] **I.** *adj.* □ → *fundamentally*; **1.** fundamen'tal, grundlegend, wesentlich (*to* für), Haupt...; **2.** ursprünglich, grundsätzlich, Grund..., elemen'tar: *~ colo(u)r* Grund-, Primärfarbe; *~ tone* ♪, *phys.* Grundton; *~ truth(s)* Grundwahrheit(en); **II.** *s.* **3.** *oft pl.* 'Grundlage *f*, -prin͵zip *n*, -begriff *m*; **4.** ♪ Grundton *m*; **fun·da'men·tal·ism** [-təlizəm] *s. Am. eccl.* Fundamenta'lismus *m*, streng wörtliche Bibelgläubigkeit; **fun·da'men·tal·ly** [-təli] *adv.* im Grunde, im wesentlichen.

fu·ner·al ['fju:nərəl] **I.** *s.* **1.** Begräbnis *n*, Leichenbegängnis *n*, Beerdigung *f*, Bestattung *f*: *it's your ~! Am. sl.* das ist deine Sache!, das geht dich an!; **2.** *a. ~ procession* Leichenzug *m*; **3.** *Am.* Trauerfeier *f*; **II.** *adj.* **4.** Begräbnis..., Leichen..., Trauer..., Grab...: *~ director*, *~ furnisher* Bestattungsunternehmer; *~ march* ♪ Trauermarsch; *~ pile*, *~ pyre* Scheiterhaufen; *~ service* Trauergottesdienst; *~ urn* Totenurne; '**fu·ner·ar·y** [-nərəri] *adj.* Begräbnis...; Bestattungs...; **fu·ne·re·al** [fju(:)'niəriəl] *adj.* □ Trauer..., traurig, düster, feierlich.

'**fun·fair** *s. bsd. Brit.* Vergnügungspark *m*, Rummelplatz *m*.

fun·gal ['fʌŋgəl] ⚘ **I.** *adj.* Pilz...; **II.** *s.* Pilz *m*, Schwamm *m*; **fun·gi** ['fʌŋgai] *pl. von fungus*.

fun·gi·ble ['fʌndʒibl] *adj.* ⚖ vertretbar (*Sache*).

fun·gi·cid·al [fʌndʒi'saidl] *adj.* pilztötend; **fun·gi·cide** ['fʌndʒisaid] *s.* pilztötendes Mittel; **fun·goid** ['fʌŋgɔid] *adj.*, **fun·gous** ['fʌŋgəs] *adj.* pilz-, schwammartig; **fun·gus** ['fʌŋgəs] *pl.* **fun·gi** ['fʌŋgai] *od.* **-gus·es** *s.* ⚘, ⚕ Pilz *m*, Schwamm *m*.

fu·nic·u·lar [fju(:)'nikjulə] **I.** *adj.* Seil..., Ketten..., Strang...; **II.** *s. a. ~ railway* (Draht)Seilbahn *f*.

funk [fʌŋk] *Brit. sl., Am.* F **I.** *s.* **1.** ‚Schiß' *m,* ‚Bammel' *m (Angst)*: *blue ~* Mordsschiß; **2.** Feigling *m,* Schißhase *m*; Drückeberger *m*: *~-hole Brit.* ⚔ **a)** ‚Heldenkeller', Unterstand, **b)** *fig.* Druckposten; **II.** *v/i.* **3.** Schiß haben, ‚kneifen': *to ~ out Am.* sich drücken; **III.** *v/t.* **4.** Angst haben vor *(dat.)*; **5.** sich drücken von *od.* um; '**funk·y** [-ki] *adj.* bange, feige.

fun·nel ['fʌnl] *s.* **1.** Trichter *m*; **2.** ⚓, 🚂 Schornstein *m*; **3.** ⊕ Luftschacht *m*; Rauchabzug *m,* Ka'min *m.*

fun·nies ['fʌniz] *s. pl.* F **1.** → *comic strips*; **2.** Witzseite *f.*

fun·ny ['fʌni] *adj.* ☐ **1.** komisch, drollig, lustig, ulkig; **2.** ‚komisch': **a)** sonderbar, merkwürdig: *the ~ thing is that* das Merkwürdige ist, daß; *funnily enough* merkwürdigerweise, **b)** unbehaglich, unwohl: *to feel ~*, **c)** zweifelhaft, ‚faul': *~ business* F ‚faule Sache', ‚krumme Tour'; '**~-bone** *s.* Musi'kantenknochen *m*; '**~-man** [-mən] *s.* [*irr.*] Clown *m,* Hans'wurst *m*; **~ pa·per** *s. Am.* lustige Kinderzeitung.

fun·ster ['fʌnstə] *s.* F Spaßvogel *m.*

fur [fəː] **I.** *s.* **1.** Pelz *m,* Fell *n*: *to make the ~ fly* Unruhe *od.* Streit stiften; **2.** *pl.* Pelzwerk *n,* -kleidung *f*; **3.** *a. ~ coat* Pelzmantel *m*; **4.** *coll.* Pelztiere *pl.*: *~ and feather* Wild u. Federwild; **5.** ⚕ (Zungen)Belag *m*; **6.** ⊕ Kessel-, Pfannenstein *m*; **II.** *v/t.* **7.** ⊕ mit Kessel- *od.* Pfannenstein über'ziehen; → *furred*; **III.** *v/i.* **8.** ⚕ sich mit Belag bedecken; **9.** ⊕ Kesselstein ansetzen.

fur·be·low ['fəːbilou] *s.* **1.** Falbel *f*; Faltensaum *m*; **2.** *pl. fig.* Putz *m,* Staat *m*; '**fur·be·lowed** [-oud] *adj.* mit Falbeln verziert.

fur·bish ['fəːbiʃ] *v/t. mst ~ up* aufputzen, herrichten *(a. fig.)*; blank putzen, polieren.

fur·cate ['fəːkeit] **I.** *adj.* gabelförmig, gegabelt, gespalten; **II.** *v/i.* sich gabeln *od.* teilen; **fur·ca·tion** [fəː'keiʃən] *s.* Gabelung *f.*

fu·ri·ous ['fjuəriəs] *adj.* ☐ wütend, rasend; wild, ungestüm, heftig; '**fu·ri·ous·ness** [-nis] *s.* Rase'rei *f,* Wut *f,* Ungestüm *n.*

furl [fəːl] *v/t. Fahne, Schirm, Segel* auf-, zs.-rollen; *Vorhang* aufziehen; *fig. Hoffnung* begraben.

fur·long ['fəːlɔŋ] *s.* Achtelmeile *f.*

fur·lough ['fəːlou] *mst* ⚔ **I.** *s.* Urlaub *m*; **II.** *v/t.* beurlauben.

fur·nace ['fəːnis] *s.* **1.** ⊕ (Schmelz-, Brenn-, Hoch)Ofen *m*: *enamel(l)ing ~* Farbenschmelzofen; **2.** ⊕ (Heiz-) Kessel *m,* Feuerung *f*; **3.** *fig.* glühendheißer Raum, ‚Backofen' *m*; **4.** *fig.* Feuerprobe *f,* harte Prüfung: *tried in the ~* gründlich erprobt.

fur·nish ['fəːniʃ] *v/t.* **1.** versehen, ausstatten, -rüsten; **2.** *Wohnung* einrichten, möblieren: *~ed room* möbliertes Zimmer; **3.** *a. Beweise etc.* liefern, beschaffen, bieten; '**fur·nish·er** [-ʃə] *s. (engS.* 'Möbel-) Liefeˌrant *m*; '**fur·nish·ing** [-ʃiŋ] *s.* **1.** Ausrüstung *f,* -stattung *f*; **2.** *pl.* Einrichtung *f,* Mobili'ar *n*: *soft ~s* Möbelstoffe.

fur·ni·ture ['fəːnitʃə] *s.* **1.** Möbel *pl.,* Einrichtung *f,* Hausrat *m*: *piece of ~* Möbel(stück); **2.** Ausrüstung *f,* -stattung *f*; **3.** Inhalt *m,* Bestand *m*; **4.** *geistiges* Rüstzeug, Wissen *n*; **5.** ⊕ Zubehör *m, n*; **~ van** *s.* Möbelwagen *m.*

fu·ror ['fjuːrɔː] *s. Am.,* **fu·ro·re** [fjuə'rɔːri] *s.* **1.** Ek'stase *f,* Begeisterungstaumel *m*; **2.** Fu'rore *n,* Aufsehen *n,* große Mode: *to create a ~* Furore machen.

furred [fəːd] *adj.* **1.** mit Pelz besetzt; **2.** ⚕ belegt *(Zunge)*; **3.** ⊕ mit Kesselstein belegt.

fur·ri·er ['fʌriə] *s.* Kürschner *m,* Pelzhändler *m*; '**fur·ri·er·y** [-əri] *s.* **1.** Pelzwerk *n*; **2.** Kürschne'rei *f.*

fur·row ['fʌrou] **I.** *s.* **1.** ⚒ Furche *f,* Rille *f,* Rinne *f*; Bodenfalte *f*; **2.** ⊕ Nut(e) *f,* Hohlkehle *f*; **3.** Spur *f,* Bahn *f*; **4.** Runzel *f,* Furche *f*; **II.** *v/t.* **5.** pflügen; **6.** ⊕ riefen, auskehlen; **7.** *Wasser* durch'furchen; **8.** runzeln; **III.** *v/i.* **9.** sich furchen *(Stirn etc.)*.

fur·ry ['fəːri] *adj.* pelzartig, Pelz...

fur seal *s. zo.* Seebär *m,* Bärenrobbe *f.*

fur·ther ['fəːðə] **I.** *adv.* **1.** weiter, ferner, entfernter: *no ~* nicht weiter; *I'll see you ~ first* F ich werde dir was husten!, ‚das fällt mir nicht im Traum ein'!; **2.** ferner, mehr; über'dies, außerdem; **II.** *adj.* **3.** weiter, ferner, entfernter: *the ~ end* das andere Ende; **4.** weiter: *~ particulars* weitere Einzelheiten, Näheres; *until ~ notice* bis auf weiteres; *anything ~?* (sonst) noch etwas?; **III.** *v/t.* **5.** fördern, unter'stützen; '**fur·ther·ance** [-ðərəns] *s.* Förderung *f,* Unter'stützung *f*; *b.s., a.* ⚖ Begünstigung *f.*

fur·ther| ed·u·ca·tion *s.* Fortbildung *f*; ♀ **In·di·a** *npr.* 'Hinterˌindien *n*; '**~·more** *adv.* ferner, über'dies, außerdem; '**~·most** *adj.* fernst, weitest.

fur·thest ['fəːðist] *adj. u. adv. sup. von far.*

fur·tive ['fəːtiv] *adj.* ☐ **1.** heimlich, verstohlen; **2.** 'hinterhältig, heimlichtuerisch; '**fur·tive·ness** [-nis] *s.* Heimlichkeit *f,* 'Hinterhältigkeit *f.*

fu·run·cle ['fjuərʌŋkl] *s.* ⚕ Fu'runkel *m*; **fu·run·cu·lo·sis** [fjuərʌŋkju'lousis] *s.* ⚕ Furunku'lose *f.*

fu·ry ['fjuəri] *s.* **1.** Zorn *m,* Wut *f,* Rase'rei *f,* Tollheit *f*; **2.** Heftigkeit *f,* Hitze *f,* Ungestüm *n*: *like ~* wie toll; **3.** ♀ *antiq.* 'Furie *f (a. fig. böses Weib etc.)*.

furze [fəːz] *s.* ⚘ Stechginster *m.*

fuse [fjuːz] **I.** *s.* **1.** ⚔ Zünder *m*: *~ cord* Abreißschnur; → *time-fuse*; **2.** ⚡ (Schmelz)Sicherung *f*: *~ box* Sicherungsdose, -kasten; *~ wire* Sicherungsdraht; **II.** *v/t.* **3.** ⚔ Zünder anbringen an *(dat.)*; **4.** ⊕ (ver)schmelzen; vermischen; **5.** *fig.* verschmelzen, vereinigen; **III.** *v/i.* **6.** ⚡ 'durchbrennen.

fu·see [fjuː'ziː] *s.* **1.** Windstreichholz *n*; **2.** 🚂 *Am.* 'Warnungs-, 'Lichtsiˌgnal *n*; **3.** Schnecke *f (Uhr)*.

fu·se·lage ['fjuːzilɑːʒ] *s.* ✈ (Flugzeug)Rumpf *m.*

fu·sel oil ['fjuːzl] *s.* Fuselöl *n.*

fu·si·bil·i·ty [fjuːzə'biliti] *s.* Schmelzbarkeit *f*; **fu·si·ble** ['fjuːzəbl] *adj.* schmelzbar: *~ cut-out* ⚡ Schmelzsicherung.

fu·sil ['fjuːzil] *s.* ⚔ *hist.* Steinschloßflinte *f*; Mus'kete *f*; **fu·sil·ier,** *Am. a.* **fu·sil·eer** [fjuːzi'liə] *s.* ⚔ Füsi'lier *m*; **fu·sil·lade** [fjuːzi'leid] **I.** *s.* **1.** ⚔ Salve *f*; **2.** Massenerschießung *f*; **3.** *fig.* Hagel *m (Steine),* Flut *f*; **II.** *v/t.* **4.** ⚔ beschießen; **5.** zs.-schießen, füsilieren.

fus·ing ['fjuːziŋ] *s.* ⊕ Schmelzen *n*: *~-point, ~ temperature* Schmelzpunkt; **fu·sion** ['fjuːʒən] *s.* **1.** ⊕ Schmelzen *n*: *~ welding* Schmelzschweißen; **2.** Schmelzmasse *f*; **3.** *phys.* Verschmelzung *f*; **4.** *fig.* Verschmelzung *f,* Vereinigung *f*; Zs.-schluß *m,* Fusi'on *f (a.* ✝, *pol.),* *pol.* Koaliti'on *f*; **fu·sion·ism** ['fjuːʒənizəm] *s. pol.* Fusio'nismus *m (Eintreten für Zs.-schlüsse od. Koalitionen)*; **fu·sion·ist** ['fjuːʒənist] *s.* Fusion'ist *m.*

fuss [fʌs] **I.** *s.* **1.** Aufregung *f*: **a)** Betrieb(samkeit *f*) *m,* Getriebe *n,* ‚Wirbel' *m,* **b)** Getue *n,* ‚The'ater' *n,* ‚Klim'bim' *m*: *to make a ~ about s.th.* um et. viel Aufhebens machen, sich über et. echauffieren; *to make a ~ of s.o.* viel Wesens um j-n machen; **2.** *Am.* → *fuss-pot*; **II.** *v/i.* **3.** viel Aufhebens machen, sich aufregen: *to ~ about* ‚Betrieb machen', herumfuhrwerken; *don't ~!* mach kein Theater!; **III.** *v/t.* **4.** F ner'vös machen; '**fuss·i·ness** [-sinis] *s.* Aufregung *f,* Betriebsamkeit *f,* 'Umständlichkeit *f*; '**fuss-pot** *s.* **1.** Wichtigtuer *m*; **2.** 'Umstandskrämer *m*; '**fuss·y** [-si] *adj.* ☐ **1.** geschäftig, aufgeregt; **2.** kleinlich, 'umständlich: *to be ~* ‚sich anstellen', ‚sich haben', Umstände machen; **3.** affektiert, über'trieben; **4.** heikel, wählerisch *(about* mit).

fus·tian ['fʌstiən] **I.** *s.* **1.** Barchent *m*; **2.** *fig.* Schwadro'nage *f,* hohles 'Pathos; **II.** *adj.* **3.** Barchent...; **4.** *fig.* schwülstig, phrasenhaft.

fus·ti·gate ['fʌstigeit] *v/t.* prügeln; **fus·ti·ga·tion** [fʌsti'geiʃən] *s.* Prügelstrafe *f.*

fust·i·ness ['fʌstinis] *s.* Moder(geruch) *m*; **fust·y** ['fʌsti] *adj.* **1.** mod(e)rig, muffig; **2.** verstaubt, anti'quiert.

fu·tile ['fjuːtail] *adj.* ☐ nutz-, sinn-, zweck-, aussichtslos, vergeblich; **fu·til·i·ty** [fju(ː)'tiliti] *s.* Zweck-, Nutz-, Wert-, Sinnlosigkeit *f,* Nichtigkeit *f.*

fut·tock ['fʌtək] *s.* ⚓ Auflanger *m,* Sitzer *m*; **~ plate** *s.* ⚓ Püttingschiene *f*; **~ shrouds** *s. pl.* ⚓ Püttingswanten *pl.*

fu·ture ['fjuːtʃə] **I.** *s.* **1.** Zukunft *f*: *in (the) ~* in Zukunft, künftig; *in the near ~* bald; *to have no ~* keine Zukunft haben; **2.** *ling.* Fu'tur *n,* Zukunft *f*; **3.** *pl.* ✝ Ter'min-, Lieferungsgeschäfte *pl.*; **II.** *adj.* **4.** (zu)künftig, Zukunfts...; **5.** *~ tense ling.* Futur; **6.** ✝ Termin...; **~ life** *s.* Leben *n* nach dem Tod *od.* im Jenseits.

fu·tur·ism ['fjuːtʃərizəm] *s.* Futu-

ˈrismus *m*; ˈ**fu·tur·ist** [-ist] **I.** *adj.* **1.** futuˈristisch; **II.** *s.* **2.** Futuˈrist *m*; **3.** → *futurologist*; **fu·tu·ri·ty** [fju(:)ˈtjuəriti] *s.* **1.** Zukunft *f*; **2.** zukünftiges Ereignis; **3.** → *future life*.
fu·tur·ol·o·gist [fju:tʃəˈrɔlədʒist] *s.* Futuroˈloge *m*, Zukunftsforscher *m*; **fu·turˈol·o·gy** [-dʒi] *s.* Futuroloˈgie *f*, Zukunftsforschung *f*.
fuze *Am.* → *fuse 1, 2, 4.*
fuzz [fʌz] **I.** *s.* **1.** Flaum *m* (*a. auf Obst*), Fäserchen *n*, ‚Fussel' *f*; **2.** Wuschel-, Krauskopf *m*; **3.** *sl.* **a)** ‚Bulle' *m*, Poliˈzist *m*, **b)** *the* ~ *coll.* die Bullen, die Polizei; **II.** *v/i.* **4.** sich zerfasern; ˈ**fuzz·y** [-zi] *adj.* □ **1.** flaumig, faserig, ‚fusselig'; **2.** kraus, struppig (*Haar*); **3.** undeutlich, verschwommen.
fyl·fot [ˈfilfɔt] *s.* Hakenkreuz *n*.

G

G, g [dʒiː] *s.* **1.** G *n*, g *n* (*Buchstabe*); **2.** ♪ G *n*, g *n* (*Note*).

gab [gæb] F **I.** *s.* Geplapper *n*, Geschwätz *n*: *stop your ~!* halt den Mund!; *the gift of the ~* ein gutes Mundwerk; **II.** *v/i.* plappern.

gab·ar·dine [ˈgæbədiːn] *s.* ˈGabardine *m* (*feiner Wollstoff*).

gab·ble [ˈgæbl] **I.** *v/i.* plappern, (schnell) schwatzen; **II.** *v/t. a. ~ over* herˈunterplappern, -leiern; **III.** *s.* Geplapper *n*; ˈ**gab·bler** [-lə] *s.* Schwätzer(in); ˈ**gab·by** [-bi] *adj.* F geschwätzig.

ga·belle [gəˈbel] *s. hist.* (Salz-) Steuer *f*.

gab·er·dine → *gabardine*.

ga·bi·on [ˈgeibjən] *s.* ⚔, ⊕ Schanzkorb *m*; **ga·bi·on·ade** [geibjəˈneid] *s.* ⚔ Befestigung *f od.* ⊕ Buhne *f* aus Schanzkörben.

ga·ble [ˈgeibl] *s.* △ **1.** Giebel *m*; **2.** *a. ~-end* Giebelwand *f*; ˈ**ga·bled** [-ld] *adj.* giebelig, Giebel...; ˈ**gablet** [-lit] *s.* giebelförmiger Aufsatz (*über Fenstern*), Dachaufbau *m*.

ga·by [ˈgeibi] *s.* F Tropf *m*, Dummkopf *m*, Trottel *m*.

gad¹ [gæd] **I.** *v/i.* **1.** *mst ~ about* sich herˈumtreiben, herˈumstreunen; **2.** ⚘ wuchern; **II.** *s.* **3.** *to be on the ~* sich herumtreiben.

gad² [gæd] *int.*: *by ~* → *begad*.

ˈ**gad|·a·bout** *s.* Herˈumtreiber *m*, Bummler *m*; ˈ**~-fly** *s.* **1.** *zo.* Viehbremse *f*; **2.** *fig.* Störenfried *m*, aufdringlicher Mensch.

gadg·et [ˈgædʒit] *s.* F **1.** Dings(da) *n*, Appaˈrat *m*, ‚Appaˈrätchen' *n*, Vorrichtung *f*; **2.** *fig.* ‚Dreh' *m*, Kniff *m*.

Ga·dhel·ic [gæˈdelik] → *Gaelic*.

ga·droon [gəˈdruːn] *s.* △ verzierte erhabene Arbeit, Zierleiste *f*.

gad·wall [ˈgædwɔːl] *s. orn.* Schnatterente *f*.

Gael [geil] *s.* Gäle *m*, *bsd.* schott. Kelte *m*; ˈ**Gael·ic** [-lik] **I.** *s. ling.* Gälisch *n*, Goiˈdelisch *n*; **II.** *adj.* gälisch.

gaff¹ [gæf] *s.* **1.** *Fischen*: Landungshaken *m*; **2.** Stahlsporn *m*: *to stand the ~ Am. sl.* die Ohren steifhalten, durchhalten; **3.** ⚓ Gaffel *f*: *to blow the ~ sl.* alles verraten, ‚plaudern'.

gaff² [gæf] *s. Brit. sl. a. penny ~* Varieˈté *n*, Schmiere *f*, ˈBums (-loˌkal *n*) *m*.

gaffe [gæf] *s.* Dummheit *f*, taktlose Bemerkung, Fauxˈpas *m*.

gaf·fer [ˈgæfə] *s. Brit.* **1.** Alte(r) *m*, Gevatter *m*, Väterchen *n*; **2.** Vorarbeiter *m*.

gag [gæg] **I.** *v/t.* **1.** knebeln; **2.** *fig.* mundtot machen; **II.** *v/i.* **3.** *thea.* Gags machen; improvisieren; *allg.* witzeln; **III.** *s.* **4.** Knebel *m* (*a. fig.*): *~-bit* Zaumgebiß (für unbändige Pferde); **5.** ⚕ Mundsperre *f*; **6.** *fig.* Knebelung *f*, Hemmung *f*; **7.** *pol.* Schluß *m* der Deˈbatte; **8.** *thea.* Gag *m*, witziger Einfall, ‚Knüller' *m*; Improvisatiˈon *f*: *~-man* Pointenmacher, Verfasser witziger Dialoge *etc.*; **9.** Witz *m*; (amüˈsanter) Trick; **10.** *sl.* Schwindel *m*, ‚blauer Dunst'.

ga·ga [ˈgægɑː] *adj. sl.* verblödet, ‚plemˈplem': *to go ~ over* in Verzückung geraten über (*acc.*).

gage¹ [geidʒ] **I.** *s.* **1.** Herˈausforderung *f*, Fehdehandschuh *m*; **2.** (ˈUnter)Pfand *n*, Bürgschaft *f*; **II.** *v/t.* **3.** *fig.* zum Pfand geben.

gage², **gag·er**, **gag·ing** → *gauge, gauger, gauging*.

gag·gle [ˈgægl] **I.** *v/i.* schnattern, gackern; **II.** *s.* Schnattern *n*, Gakkern *n*.

gai·e·ty [ˈgeiəti] *s.* **1.** Frohsinn *m*, Fröhlich-, Lustigkeit *f*; **2.** *oft pl.* Lustbarkeit *f*, Fest *n*; **3.** *fig.* Pracht *f*, Glanz *m*, Prunk *m*.

gai·ly [ˈgeili] *adv.* **1.** → *gay 1, 2*; **2.** unbekümmert, sorglos.

gain¹ [gein] *s.* Fuge *f*, Kerbe *f*, Einschnitt *m*.

gain² [gein] **I.** *v/t.* **1.** gewinnen, verdienen: *to ~ one's living* s-n Lebensunterhalt verdienen; *to ~ ten pounds* **a)** zehn Pfund verdienen (*Geld*), **b)** zehn Pfund zunehmen (*Gewicht*); *to ~ weight* (an Gewicht) zunehmen; *to ~ strength* (*speed*) kräftiger (schneller) werden; **2.** erlangen, erringen, erreichen, erwirken: *to ~ wealth* Reichtümer erwerben; *to ~ admittance* Einlaß finden; **3.** *~ over j-n* für sich gewinnen; **II.** *v/i.* **4.** gewinnen, Nutzen haben; **5.** (an Wert *od.* Ansehen) gewinnen; **6.** besser *od.* kräftiger werden; **7.** (*on*) näher (an *j-n*) herˈankommen, (*an*) Boden gewinnen (gegenˈüber); **8.** ˈübergreifen (*on* auf *acc.*); **9.** vorgehen (*Uhr*); **III.** *s.* **10.** *a.* † Gewinn *m*, Proˈfit *m*; Einnahme *f*; **11.** Vorteil *m*, Nutzen *m*; **12.** Zunahme *f*, Steigerung *f*, Wertzuwachs *m*: *capital ~* Kapitalzuwachs; **13.** ⚡, *phys.* Verstärkung *f*: *~ control* Lautstärkeregelung; ˈ**gain·er** [-nə] *s.* Gewinner *m*: *to be the ~* gewinnen; ˈ**gain·ful** [-ful] *adj.* □ einträglich; vorteilhaft: *~ occupation* Erwerbstätigkeit; *~ly employed* erwerbstätig; ˈ**gain·ings** [-niŋz] *s. pl.* Gewinn *m*, Verdienst *m*, Einkünfte *pl.*; ˈ**gain·less** [-lis] *adj.* **1.** unvorteilhaft, ohne Gewinn; **2.** nutzlos.

gain·say [geinˈsei] *v/t.* [*irr.* → *say*] **1.** *et.* bestreiten, leugnen; **2.** *j-m* widerˈsprechen.

gainst, 'gainst [geinst] *poet. abbr. für against*.

gait [geit] *s.* Gang(art *f*) *m*, Haltung *f*.

gai·ter [ˈgeitə] *s.* Gaˈmasche *f*.

gal [gæl] *s. sl.* ‚Mädel' *n*.

ga·la [ˈgɑːlə] **I.** *s.* **1.** Fest(lichkeit *f*) *n*; **2.** Festkleidung *f*, ˈGala *f*; **II.** *adj.* **3.** festlich, Gala...

ga·lac·tic [gəˈlæktik] *adj. ast.* Milchstraßen...; **gal·ac·tom·e·ter** [gælækˈtɔmitə] *s.* Galaktoˈmeter *n*, Milchmesser *m*, -waage *f*.

gal·an·tine [ˈgæləntiːn] *s. Gericht aus Huhn, Fleisch, Fisch etc. in Gelee.*

ga·lan·ty show [gəˈlænti] *s.* Schattenspiel *n*.

Ga·la·tians [gəˈleiʃjənz] *s. pl. bibl.* (Brief *m* des Paulus an die) ˈGalater *pl.*

gal·ax·y [ˈgæləksi] *s.* **1.** *ast.* Milchstraße *f*; **2.** *fig.* glänzende Versammlung, strahlende Schar.

gale¹ [geil] *s.* Sturm *m* (*a. fig.*); steife Brise: *~ force* Sturmstärke.

gale² [geil] *s.* ⚘ Heidemyrthe *f*.

ga·le·at·ed [ˈgeilieitid] *adj.* ⚘ gehelmt.

ga·le·na [gəˈliːnə] *s. min.* Galeˈnit *m*, Bleiglanz *m*.

Ga·li·cian [gəˈliʃiən] **I.** *adj.* gaˈlizisch; **II.** *s.* Gaˈlizier(in).

Gal·i·le·an¹ [gæliˈli(ː)ən] **I.** *adj.* **1.** galiˈläisch; **II.** *s.* **2.** Galiˈläer(in); **3.** *the ~* der Galiläer (*Christus*); **4.** Christ(in).

Gal·i·le·an² [gæliˈli(ː)ən] *adj.* galiˈleisch: *~ telescope*.

gal·i·lee [ˈgæliliː] *s.* Vorhalle *f* (*Kirche*).

gal·i·pot [ˈgælipɔt] *s.* Galiˈpot-, Fichtenharz *n*.

gall¹ [gɔːl] *s.* **1.** *anat.* Gallenblase *f*; **2.** ⚕ Galle *f*; **3.** *fig.* Galle *f*, Bitterkeit *f*, Erbitterung *f*, Bosheit *f*; **4.** F Frechheit *f*.

gall² [gɔːl] **I.** *s.* **1.** Wolf *m*, wundgeriebene Stelle; **2.** Pustel *f*, schmerzhafte Schwellung (*Pferd*); **3.** *fig.* Ärger *m*, Qual *f*; Ärgernis *n*; **4.** kahle Stelle; **II.** *v/t.* **5.** wund reiben; **6.** *fig.* ärgern, quälen, reizen.

gall³ [gɔːl] *s.* ⚘ Gallapfel *m*; ˈMißbildung *f*, Wucherung *f*.

gal·lant [ˈgælənt] **I.** *adj.* □ **1.** tapfer, ritterlich; **2.** prächtig, stattlich, schön; **3.** gaˈlant: **a)** höflich, zuˈvorkommend, **b)** Liebes...; **II.** *s.* **4.** Kavaˈlier *m*, vornehmer Mann;

5. Ga'lan *m*, Verehrer *m*; **6.** Geliebte(r) *m*; '**gal·lant·ry** [-tri] *s.* **1.** Tapferkeit *f*, Ritterlichkeit *f*; **2.** Galante'rie *f*, Artigkeit *f* (*gegen Damen*); **3.** Liebe'lei *f*.

'**gall|-blad·der** → *gall*[1] 1; '**~-duct** *s. anat.* Gallengang *m*.

gal·le·on ['gæliən] *s.* ⚓ *hist.* Gale'one *f*.

gal·ler·y ['gæləri] *s.* **1.** ⚠ Gale'rie *f*, Säulenhalle *f*; Laufgang *m*, gedeckter Gang; **2.** Em'pore *f*; **3.** *Am.* Ve'randa *f*; **4.** *thea.* **a)** Galerie *f*, **b)** 'Publikum *n* auf der Galerie: *to play to the ~* den niederen Geschmack ansprechen, nach Effekt haschen; **5.** (Ge'mälde- *etc.*)Gale,rie *f*; **6.** ⚒, ⚔ Stollen *m*; ⚔ *a. abbr. für shooting-gallery*.

gal·ley ['gæli] *s.* **1.** ⚓ **a)** Ga'leere *f*, **b)** Langboot *n*; **2.** ⚓ Kom'büse *f*, Küche *f*; **3.** *typ.* Setzschiff *n*; **4.** *typ.* Bürstenabzug *m*, Fahne *f*; '**~-proof** → *galley 4*; '**~-slave** *s.* **1.** Ga'leerensklave *m*; **2.** *fig.* Sklave *m*.

'**gall-fly** *s. zo.* Gallwespe *f*.

gal·lic[1] ['gælik] *adj.*: *~ acid* ⚗ Gallussäure.

Gal·lic[2] ['gælik] *adj.* **1.** gallisch; **2.** *bsd. humor. od. poet.* fran'zösisch; '**Gal·li·can** [-kən] *adj. eccl.* galli'kanisch, fran'zösisch-ka'tholisch; '**gal·li·can·ism** [-kənizəm] *s. eccl.* Gallika'nismus *m*; '**gal·li·cism** [-isizəm] *s. ling.* Galli'zismus *m*, französische Spracheigenheit; '**gal·li·cize** [-isaiz] *v/t.* französieren.

gal·li·gas·kins [gæli'gæskinz] *s. pl.* **1.** *hist.* Pluderhosen *pl.*; **2.** (sehr) weite Hosen *pl.*

gal·li·mau·fry [gæli'mɔ:fri] *s.* Mischmasch *m*, Durchein'ander *n*.

gal·li·na·ceous [gæli'neiʃəs] *adj. orn.* hühnerartig.

gall·ing ['gɔ:liŋ] *adj.* ärgerlich, peinlich, kränkend: *it is ~* es wurmt (einen).

gal·li·nule ['gælinju:l] *s. orn.* Wasserhuhn *n*.

gal·li·pot[1] → *galipot*.

gal·li·pot[2] ['gælipɔt] *s.* Salbentopf *m*, Medika'mentenbehälter *m*.

gal·li·vant [gæli'vænt] *v/i.* schäkern, flirten; sich her'umtreiben.

'**gall-nut** *s.* ⚘ Gallapfel *m*.

gal·lon ['gælən] *s.* Gal'lone *f* (*Hohlmaß; Brit. 4,5459 l, Am. 3,7853 l*).

gal·loon [gə'lu:n] *s.* Ga'lon *m*, Borte *f*, Tresse *f*.

gal·lop ['gæləp] **I.** *v/i.* **1.** galoppieren, lossprengen; **2.** eilen, jagen: *to ~ through a book* ein Buch durchfliegen; *~ing consumption* ⚕ galoppierende Schwindsucht; **II.** *v/t.* **3.** galoppieren lassen; **III.** *s.* **4.** Ga'lopp *m* (*a. fig.*): *at full ~* in gestrecktem Galopp; **gal·lo·pade** [gælə'peid] *s.* Galop'pade *f* (*Tanz*); '**gal·lop·er** [-pə] *s.* ⚔ *Brit.* **1.** Adju'tant *m*, Meldereiter *m*; **2.** leichtes Feldgeschütz.

Gal·lo·phile ['gæloufail], '**Gal·lo·phil** [-fil] *s.* Fran'zosenfreund *m*; '**Gal·lo·phobe** [-foub] *s.* Fran'zosenhasser *m*.

gal·lows ['gælouz] *s. pl. mst sg. konstr.* **1.** Galgen *m*: *~ look* Galgengesicht; **2.** galgenähnliches Gestell; '**~-bird** *s.* F Galgenvogel *m*; **~ humo(u)r** *s.* 'Galgenhu,mor *m*; '**~-tree** → *gallows 1*.

'**gall-stone** *s.* ⚕ Gallenstein *m*.

Gal·lup poll ['gæləp] *s.* 'Meinungsforschung *f*, -,umfrage *f*.

gal·lus·es ['gæləsiz] *s. pl. Am.* F Hosenträger *pl.*

gal·op ['gæləp] **I.** *s.* Ga'lopp *m* (*Tanz*); **II.** *v/i.* e-n Galopp tanzen.

ga·lore [gə'lɔ:] *adv.* F in Hülle u. Fülle: *whisk(e)y ~* jede Menge Whisky.

ga·losh [gə'lɔʃ] *s. mst pl.* 'Über-, 'Gummischuh *m*, Ga'losche *f*.

gal·van·ic [gæl'vænik] *adj.* (□ *~ally*) ⚡, *phys.* gal'vanisch; *fig.* elektrisierend; **gal·va·nism** ['gælvənizəm] *s.* ⚕, *phys.* Galva'nismus *m*; **gal·va·ni·za·tion** [gælvənai'zeiʃən] *s.* ⚕, ⚗ Galvanisierung *f*; **gal·va·nize** ['gælvənaiz] *v/t.* **1.** ⚕ mit galvanischem Strom behandeln; **2.** *fig.* stimulieren: *to ~ into action j-n* in Schwung bringen; **3.** ⊕ verzinken: *~d iron*; **gal·va·nom·e·ter** [gælvə'nɔmitə] *s. phys.* Galvano'meter *n*; **gal·va·no·plas·tic** [gælvənou'plæstik] *adj.* galvano'plastisch; **gal·va·no·plas·tics** [gælvənou'plæstiks] *s. pl. sg. konstr.*, **gal·va·no·plas·ty** [gælvənou'plæsti] *s.* Galvano'plastik *f*, E,lektroty'pie *f*; **gal·va·no·scope** ['gælvənouskoup] *s. phys.* Galvano'skop *n*; **gal·va·no·scop·ic** [gælvənou'skɔpik] *adj.* galvano'skopisch.

gam·bier ['gæmbiə] *s.* ⚘ 'Gambir *m*, gelbes 'Katechu.

gam·bit ['gæmbit] *s.* **1.** *Schach*: Gam'bit *n*; **2.** *fig.* erster Schritt, Einleitung *f*.

gam·ble ['gæmbl] **I.** *v/i.* **1.** (um Geld) spielen: *to ~ with s.th. fig.* et. aufs Spiel setzen; *you can ~ on that* darauf kannst du wetten; **2.** spekulieren; **II.** *v/t.* **3.** *~ away* verspielen; **III.** *s.* **4.** Glücksspiel *n*; Ha'sardspiel *n* (*a. fig.*); **5.** *fig.* Wagnis *n*, 'Risiko *n*; '**gam·bler** [-lə] *s.* Spieler (-in); *fig.* Hasar'deur *m*; '**gam·bling** [-bliŋ] *s.* Spielen *n*: *~ den* Spielhölle; *~ debt* Spielschuld.

gam·boge [gæm'bu:ʒ] *s.* Gummigutt *n* (*ein Gummiharz*).

gam·bol ['gæmbəl] **I.** *v/i.* her'umtanzen, Luftsprünge machen; **II.** *s.* Freuden-, Luftsprung *m*.

game[1] [geim] **I.** *s.* **1.** Spiel *n*, Zeitvertreib *m*, Sport *m*: *~ of golf* Golfspiel; *~ of skill* Geschicklichkeitsspiel; *to play the ~* sich an die Spielregeln halten (*a. fig. fair sein*); *to play a good ~* gut spielen; *the ~ is yours* du hast gewonnen; **2.** *sport* Runde *f*, Par'tie *f*: *a ~ of chess* e-e Partie Schach; **3.** Spott *m*, Ulk *m*: *to make ~ of* sich lustig machen über (*acc.*); **4.** Spiel *n*, Unter'nehmen *n*, Plan *m*: *the ~ is up* das Spiel ist aus *od.* verloren; *the ~ is not worth the candle* die Sache lohnt nicht; *to give the ~ away* F ‚die Stellung verraten'; *to play a double ~* ein doppeltes Spiel treiben; *to play a waiting ~* e-e abwartende Haltung einnehmen; **5.** geheime Absicht, Schlich *m*: *I know what his ~ is* ich weiß, was er im Schilde führt; *to see through s.o.'s ~* hinter j-s Schliche kommen; *to beat s.o. at his own ~* j-n mit s-n eigenen Waffen schlagen; **6.** Wild(bret) *n*: *big ~* Großwild; *to eat ~* Wild(bret) essen; *~ pie* Wildpastete; *to fly at higher ~* höher hinaus wollen; → *fair*[1] 6; **7.** *Am.* Kampfgeist *m*, Schneid *m*; **II.** *adj.* □ **8.** Jagd..., Wild...; **9.** schneidig, entschlossen, mutig; **10.** bereit (*for* zu, *to do* zu tun): *to be ~* mitmachen, mit von der Partie sein; **III.** *v/i.* **11.** (um Geld) spielen; **IV.** *v/t.* **12.** *~ away* verspielen.

game[2] [geim] *adj.* F lahm: *a ~ leg*.

'**game|-act** *s. mst pl.* ⚖ Wildschutz-, Jagdgesetz *n*; '**~-bag** *s.* Jagdtasche *f*; **~ ball** *s. Tennis*: Spielball *m* (*spielentscheidender Ball*); '**~-bird** *s.* Jagdvogel *m*; '**~-cock** *s.* Kampfhahn *m*; '**~-fowl** *s.* **1.** Federwild *n*; **2.** Kampfhahn *m*; '**~·keep·er** *s. Brit.* Wildhüter *m*, Heger *m*; '**~-law** → *game-act*; '**~-li·cence** (*Am.* **li·cense**) *s.* Jagdschein *m*.

game·ness ['geimnis] *s.* Mut *m*, Schneid *m*.

'**game|-pre·serve** *s.* Wildpark *m*; '**~-pre·serv·er** *s.* Heger *m* e-s Wildstandes.

'**games|-mas·ter** [geimz] *s. ped.* Sportlehrer *m*; '**~-mis·tress** *s. ped.* Sportlehrerin *f*.

game·some ['geimsəm] *adj.* □ lustig, ausgelassen.

game·ster ['geimstə] *s.* Spieler(in) (*um Geld*).

gam·ete [gæ'mi:t] *s.* ⚘, *zo.* Keimzelle *f*, Ga'met *m*.

'**game|-ten·ant** *s.* Jagdpächter *m*; **~ ward·en** *s.* Jagdaufseher *m*.

gam·ing ['geimiŋ] *s.* Spielen *n* (*um Geld*): *~ laws* Gesetze über Glücksspiele u.Wetten; '**~-house** *s.* Spielhölle *f*, 'Spielka,sino *n*; '**~-ta·ble** *s.* Spieltisch *m*.

gam·ma ['gæmə] *s.* **1.** 'Gamma *n* (*griech. Buchstabe*); **2.** *ped. Brit.* Drei *f*, Befriedigend *n*; **~ moth** *s. zo.* 'Gammaeule *f*; **~ rays** *s. pl. phys.* 'Gammastrahlen *pl.*

gam·mer ['gæmə] *s. Brit.* Mütterchen *n*, Gevatterin *f*.

gam·mon[1] ['gæmən] **I.** *s.* geräucherter Schinken; **II** *v/t. Schinken* räuchern.

gam·mon[2] ['gæmən] **I.** *s. Puffspiel*: doppelter Sieg; **II.** *v/t.* doppelt schlagen.

gam·mon[3] ['gæmən] F **I.** *s.* **1.** Humbug *m*, Unsinn *m*, Schwindel *m*; **II.** *v/i.* **2.** ‚quatschen', Unsinn reden; **3.** sich verstellen, so tun als ob; **III.** *v/t.* **4.** beschwindeln.

gamp [gæmp] *s. Brit.* F (großer) Regenschirm.

gam·ut ['gæmət] *s.* **1.** ♪ Tonleiter *f*; **2.** *fig.* 'Skala *f*, Stufenleiter *f*: *to run the whole ~ of emotion* von e-m Gefühl ins andere taumeln.

gam·y ['geimi] *adj.* **1.** wildreich; **2.** nach Wild riechend *od.* schmeckend; **3.** F schneidig, mutig.

gan·der ['gændə] *s.* **1.** Gänserich *m*; → *sauce 1*; **2.** *fig.* Dummkopf *m*, Dussel *m*; **3.** *Am. sl.* Blick *m*: *to take a ~ at* e-n Blick werfen auf (*acc.*).

gang[1] [gæŋ] **I.** *s.* **1.** Gruppe *f*, Schar *f*, Trupp *m*, Ab'teilung *f*; **2.** *contp.* (*engS.* Verbrecher)Bande *f*, Horde *f*; **3.** ('Arbeiter)Ko,lonne *f*:

~ boss *Am.* Vorarbeiter; **4.** ⊕ Satz *m* Werkzeuge; **II.** *v/i.* **5.** *mst* ~ *up* F sich zs.-rotten (*on* gegen); **III.** *v/t.* **6.** *Radio*: abgleichen.

gang² [gæŋ] *v/i. Scot.* gehen.

ˈ**gang|-board** *s.* ⚓ Laufplanke *f*; ~ **cut·ter** *s.* ⊕ Satz-, Mehrfachfräser *m.*

gang·er [ˈgæŋə] *s.* Vorarbeiter *m*, Rottenführer *m.*

gan·gling [ˈgæŋliŋ] *adj.* schlaksig.

gan·gli·on [ˈgæŋgliən] *pl.* **-a** [-ə] *s.* **1.** *anat.* ˈGanglion *n*, Nervenknoten *m*: ~ *cell* Ganglienzelle; **2.** ⚕ ˈÜberbein *n* (*an e-r Sehne*); **3.** *fig.* Knoten-, Mittelpunkt *m*, Kraftquelle *f.*

ˈ**gang-plank** → *gangway 2b.*

gan·grene [ˈgæŋgriːn] **I.** *s.* **1.** ⚕ Brand *m*; **2.** *fig.* Fäulnis *f*, Verfall *m*, Verderbtheit *f*; **II.** *v/t. u. v/i.* **3.** ⚕ brandig machen (werden); ˈ**gan·gre·nous** [-rinəs] *adj.* ⚕ brandig.

gang·ster [ˈgæŋstə] *s.* Gangster *m*, Verbrecher *m.*

ˈ**gang·way** **I.** *s.* **1.** ˈDurchgang *m*; **2. a)** ⚓ Fallreepstreppe *f*, **b)** ⚓ Gangway *f*, Landungsbrücke *f*, **c)** ✈ Gangway *f*; **3.** *Brit. thea. etc.* Gang *m* (zwischen Sitzreihen); **4.** *Brit.* Quergang *m* im *House of Commons*: *the members below the* ~ die ‚Wilden'; **5.** ⚒ Strecke *f*; **6.** ⊕ **a)** Schräge *f*, Rutsche *f*, **b)** Laufbühne *f*; **II.** *int.* **7.** Platz (machen) (, bitte)!

gan·net [ˈgænit] *s. orn.* Tölpel *m.*

gant·let [ˈgæntlit] *Am.* → *gauntlet*¹.

gan·try [ˈgæntri] *s.* **1.** Faßgestell *n*; **2.** ⊕ Gerüst *n*, Stütze *f*, Bock *m*: ~ *crane* Portalkran; **3.** 🚂 Siˈgnalbrücke *f.*

Gan·y·mede [ˈgænimiːd] *s.* **1.** *humor.* Kellner *m*; **2.** *ast.* Ganyˈmed *m.*

gaol [dʒeil] *bsd. Brit.* **I.** *s.* Gefängnis *n* (*a. Haft*); **II.** *v/t.* ins Gefängnis werfen, einsperren; ˈ~-**bird** *s. humor.* ‚Zuchthäusler' *m*, Galgenvogel *m* (*Sträfling, Gewohnheitsverbrecher, Taugenichts*); ˈ~-**break** *s.* Ausbruch *m* aus dem Gefängnis; ˈ~-**break·er** *s.* Ausbrecher *m* (*aus dem Gefängnis*).

gaol·er [ˈdʒeilə] *s. bsd. Brit.* (Gefängnis)Wärter *m*, Kerkermeister *m.*

gap [gæp] *s.* **1.** Lücke *f*, Spalt *m*, Öffnung *f*; **2.** ⚔ Bresche *f*, Gasse *f*; **3.** (Berg)Schlucht *f*; **4.** *fig.* Lücke *f*, Zwischenraum *m*, -zeit *f*, Unterˈbrechung *f*; ˈUnterschied *m*: *to fill* (*od. stop*) *a* ~ e-e Lücke ausfüllen, ein Loch (zu)stopfen (*a. fig.*); *dollar* ~ ✝ Dollarlücke.

gape [geip] **I.** *v/i.* **1.** den Mund aufreißen (*vor Staunen*), staunen: *to stand gaping* Maulaffen feilhalten; **2.** starren, glotzen, gaffen: *to* ~ *at s.o.* j-n anstarren; **3.** gähnen; **4.** *fig.* klaffen, gähnen, sich öffnen *od.* auftun; **II.** *s.* **5.** Gaffen *n*, Glotzen *n*; **6.** Staunen *n*; **7.** Gähnen *n*; **8.** *the* ~*s pl. sg. konstr.* **a)** *vet.* Schnabelsperre *f*, **b)** *humor.* Gähnkrampf *m*; ˈ**gaping** [-piŋ] *adj.* □ klaffend, weit offen.

ga·rage [ˈgærɑːʒ; -ridʒ] **I.** *s.* **1. a)** Gaˈrage *f*, **b)** Reparaˈturwerkstätte *f* u. Tankstelle *f*, ˈAutohof *m*; **2.** ˈAutobox *f*; **3.** Flugzeugschuppen *m*; **II.** *v/t.* **4.** *Auto* einstellen.

garb [gɑːb] **I.** *s.* Tracht *f*, Gewand *n*; **II.** *v/t.* kleiden.

gar·bage [ˈgɑːbidʒ] *s.* **1.** *Am.* Abfall *m*, Müll *m*, *bsd.* Küchenabfälle *pl.*: ~ *can* Mülleimer, -tonne; ~ *chute* Müllschlucker; **2.** *fig.* Schund *m.*

gar·ble [ˈgɑːbl] *v/t. Text etc.* verstümmeln, entstellen, zustutzen, ‚frisieren'.

gar·board [ˈgɑːbəd], *a.* ~ **strake** *s.* ⚓ Kielgang *m*, -beplankung *f.*

gar·den [ˈgɑːdn] **I.** *s.* **1.** Garten *m*: *to lead up the* ~ (*path*) täuschen, an der Nase herumführen; **2.** *fig.* Garten *m*, fruchtbare Gegend: *the* ~ *of England* die Grafschaft Kent; **3.** *mst pl.* Gartenanlagen *pl.*: *botanical* ~(*s*) botanischer Garten; **II.** *v/i.* **4.** gärtnern; Gartenbau treiben; **III.** *adj.* **5.** Garten...: ~ *plants*; ~ *roller* Gartenwalze; → *common 4*; ~ **cit·y** *s.* Gartenstadt *f*; ˈ~-**cress** *s.* ⚘ Gartenkresse *f.*

gar·den·er [ˈgɑːdnə] *s.* Gärtner(in).

ˈ**gar·den|-frame** *s.* Mistbeet *n*; ˈ~-**glass** *s.* Glasglocke *f für Pflanzen*; ~ **hose** *s.* Gartenschlauch *m.*

gar·de·ni·a [gɑːˈdiːnjə] *s.* ⚘ Garˈdenie *f.*

gar·den·ing [ˈgɑːdniŋ] *s.* **1.** Gartenbau *m*; **2.** Gartenarbeit *f.*

gar·den| mo(u)ld *s.* Blumen(topf)erde *f*; ˈ~-**par·ty** *s.* Gartenfest *n*, -gesellschaft *f*; ˈ~-**patch** *s. Am.*, ˈ~-**plot** *s. Brit.* (Stück *n*) Gartenland *n*; ~ **seat** *s.* Gartenbank *f*; ~ **shears** *s. pl.* Heckenschere *f*; ♀ **State** *s. Am.* (*Beiname für*) New Jersey *n*; ˈ~-**stuff** *s.* Gärtneˈreierzeugnisse *pl.*; ~ **sub·urb** *s. Brit.* Villenvorort *m*; ˈ~-**war·bler** *s. orn.* Gartengrasmücke *f*; ˈ~-**white** *s. zo.* Weißling *m.*

gar·gan·tu·an [gɑːˈgæntjuən] *adj.* riesig, gewaltig, ungeheuer.

gar·gle [ˈgɑːgl] **I.** *v/t. Mund* ausspülen; **II.** *v/i.* gurgeln; **III.** *s.* Mundwasser *n*; ⚕ Gurgelmittel *n.*

gar·goyle [ˈgɑːgɔil] *s.* ⚠ Wasserspeier *m*; *fig.* Scheusal *n.*

gar·ish [ˈgɛəriʃ] *adj.* □ grell, schreiend, auffallend, prunkend.

gar·land [ˈgɑːlənd] **I.** *s.* **1.** Girˈlande *f* (*a.* ⚠), Laub-, Blumengewinde *n*; **2.** *fig.* Siegespreis *m*, -palme *f*; **II.** *v/t.* **3.** bekränzen.

gar·lic [ˈgɑːlik] *s.* ⚘ Knoblauch *m.*

gar·ment [ˈgɑːmənt] *s.* **1.** Kleidungsstück *n*, Gewand *n*; *pl.* Kleider *pl.*; **2.** *fig.* Decke *f*, Hülle *f.*

gar·ner [ˈgɑːnə] **I.** *s.* **1.** Getreidespeicher *m*, Kornkammer *f*; **2.** *fig.* Speicher *m*, Vorrat *m*, Sammlung *f*; **II.** *v/t.* **3.** *fig.* (an)sammeln, (auf-)speichern.

gar·net [ˈgɑːnit] **I.** *s. min.* Graˈnat *m*; **II.** *adj.* graˈnatrot.

gar·nish [ˈgɑːniʃ] **I.** *v/t.* **1.** schmükken, verzieren; **2.** *Küche*: garnieren; **3.** ⚖ *Forderung* pfänden; **II.** *s.* **4.** Ornaˈment *n*, Verzierung *f*; **5.** *Küche*: Garnierung *f*; **gar·nish·ee** [gɑːniˈʃiː] *s.* ⚖ Drittschuldner *m*; ˈ**gar·nish·ment** [-mənt] *s.* **1.** → *garnish* 4; **2.** ⚖ (Forderungs)Pfändung *f*: ~ *of wages* Lohnpfändung; ˈ**gar·ni·ture** [-itʃə] *s.* **1.** → *garnish* 4; **2.** Zubehör *n*, *m*, Ausstattung *f.*

ga·rotte → *garrot(t)e.*

gar·ret [ˈgærət] *s.* Dachstube *f*, Manˈsarde *f*, Bodenkammer *f*: *wrong in the* ~ *sl.* nicht richtig im Oberstübchen.

gar·ri·son [ˈgærisn] ⚔ **I.** *s.* **1.** Garniˈson *f*, Besatzung *f*; Standort *m*: ~ *town* Garnisonstadt; **2.** *Am.* befestigte Stadt, Festung *f*; **II.** *v/t.* **3.** mit e-r Garnison belegen, besetzen; **4.** *Truppen* in Garnison legen: *to be* ~*ed* in Garnison stehen; ~ **ar·til·ler·y** *s.* ˈFestungsartilleˌrie *f*; ~ **cap** *s.* Schirmmütze *f*; ~ **com·mand·er** *s.* ˈStandortkommanˌdant *m.*

gar·rot(t)e [gəˈrɔt] **I.** *s.* **1.** (Hinrichtung *f* durch die) Ga(r)ˈrotte *f*; **2.** Erdrosselung *f*; **II.** *v/t.* **3.** ga(r)rottieren; **4.** erdrosseln.

gar·ru·li·ty [gæˈruːliti] *s.* Geschwätzigkeit *f*; **gar·ru·lous** [ˈgærуləs] *adj.* □ **1.** geschwätzig; **2.** plätschernd, murmelnd (*Bach*).

gar·ter [ˈgɑːtə] **I.** *s.* **1.** Strumpfband *n*; *Am.* Sockenhalter *m*: ~ *belt Am.* Strumpfhalter, Sportgürtel; ~ *girdle* Hüfthalter, -gürtel; **2.** (*Order of*) *the* ♀ Hosenbandorden *m*; **3.** ♀ *od.* ♀ *King of Arms* erster Wappenherold Englands; **II.** *v/t.* **4.** mit e-m Strumpfband *etc.* befestigen.

garth [gɑːθ] *s. Brit. obs.* Garten *m*, Hof *m.*

gas [gæs] **I.** *s.* **1.** ⚗ Gas *n*; **2.** (Leucht)Gas *n*, Gaslicht *n*; **3.** ⚒ Grubengas *n*; **4.** *a. poison*-~ ⚔ (Gift)Gas *n*, Kampfstoff *m*; **5.** *bsd. Am.* F (*abbr. für gasoline*) Benˈzin *n*, Sprit *m*: *to step on the* ~ *mot.* Gas geben (*a. fig.*); **6.** *sl.* Gewäsch *n*; **II.** *v/t.* **7.** ⚔ vergasen; **8.** ⊕ mit Gas versorgen *od.* füllen *od.* behandeln; **III.** *v/i.* **9.** *sl.* faseln, schwadronieren; ˈ~-**air mix·ture** *s.* ⊕ Brennstoffluftgemisch *n*; ˈ~-**bag** *s.* **1.** ⊕ Gassack *m*, -zelle *f*; **2.** F Schwätzer *m*, Schwadroˈneur *m*; ˈ~-**bot·tle** *s.* ⊕ Gas-, Stahlflasche *f*; ˈ~-**brack·et** *s.* ⊕ Gasarm *m*; ˈ~-**burn·er** *s.* Gasbrenner *m*; ~ **cham·ber** *s.* **1.** Gas-, Vergasungskammer *f*; **2.** Gasprüfraum *m*; ˈ~-**coal** *s.* Gas-, Fettkohle *f*; ˈ~-**coke** *s.* (Gas)Koks *m.*

Gas·con [ˈgæskən] *s.* **1.** Gasˈkogner *m*; **2.** *fig.* Prahlhans *m*; **gas·con·ade** [gæskəˈneid] **I.** *s.* Prahleˈrei *f*; **II.** *v/i.* prahlen, aufschneiden.

ˈ**gas|-cook·er** *s.* Gasherd *m*; ~ **cyl·in·der** *s.* ⊕ Gasflasche *f*; ˈ~-**en·gine** *s.* ⊕ ˈGasˌmotor *m*, -maˌschine *f.*

gas·e·ous [ˈgeizjəs] *adj.* ⚗ gasartig, -förmig, Gas...

ˈ**gas|-fire** *s.* Gasofen *m*, Gasheizung *f*; ˈ~-ˈ**fired** *adj.* mit Gasfeuerung, gasbeheizt; ˈ~-**fit·ter** *s.* ˈGasinstallaˌteur *m*, Rohrleger *m*; ˈ~-**fit·ting** *s.* **1.** ˈGasinstallatiˌon *f*; **2.** *pl.* ˈGasanlage *f*, -armaˌturen *pl.*; ~ **gen·er·a·tor** *s.* ⊕ ˈGaserzeuger *m*, -geneˌrator *m.*

gash [gæʃ] **I.** *s.* klaffende Wunde, tiefer Schnitt; **II.** *v/t.* *j-m* e-e tiefe (Schnitt)Wunde beibringen.

ˈ**gas|-heat·er** *s.* Gasofen *m*; ~ **heat·ing** *s.* Gasheizung *f*; ˈ~-**hel·met** → *gas-mask*; ˈ~-**hold·er** → *gasometer.*

gas·i·fi·ca·tion [gæsifiˈkeiʃən] *s.*

Vergasung *f* (*Verwandlung in Gas*); **gas·i·fy** [ˈgæsifai] *v/t.* vergasen, in Gas verwandeln.

ˈ**gas-jet** *s.* Gasflamme *f*, -brenner *m.*

gas·ket [ˈgæskit] *s.* **1.** ⊕ ˈDichtungsring *m*, -manˌschette *f*, Packung *f*; **2.** ⚓ Seising *n.*

ˈ**gas**|·**light** *s.* Gaslicht *n*, -lampe *f*: ~ *paper phot.* Gaslichtpapier; ˈ~**-light·er** *s.* **1.** Gasfeuerzeug *n*; **2.** Gasanzünder *m*; ˈ~**-main** *s.* (Haupt)Gasleitung *f*; ˈ~**-man** [-mæn] *s.* [*irr.*] **1.** ˈGasinstallaˌteur *m*; **2.** Gasmann *m*, -ableser *m*; ˈ~**-man·tle** *s.* (Gas)Glühstrumpf *m*; ˈ~**-mask** *s.* ⚔ Gasmaske *f*; ˈ~**-me·ter** *s.* ⊕ Gasuhr *f*, -zähler *m*; ˈ~**-mo·tor** → *gas-engine.*

gas·o·gene [ˈgæsoudʒiːn] → *gazogene.*

gas·o·lene, gas·o·line [ˈgæsəliːn] *s.* **1.** ⚗ Gasoˈlin *n*, ˈGasˌäther *m*; **2.** *Am. mst* Benˈzin *n*: ~ *ga(u)ge* Kraftstoffmesser, Benzinuhr.

gas·om·e·ter [gæˈsɔmitə] *s.* Gasoˈmeter *m*, Gasbehälter *m.*

ˈ**gas-ˈov·en** *s.* Gasbackofen *m.*

gasp [gɑːsp] **I.** *v/i.* schwer atmen, keuchen: *to* ~ *for breath* nach Luft schnappen; *it made me* ~ mir stockte der Atem (*vor Erstaunen*); *to* ~ *for s.th.* nach et. lechzen; **II.** *v/t.* (herˈvor)keuchen: *to* ~ *one's life out* sein Leben aushauchen; **III.** *s.* Keuchen *n*, schweres Atmen: *at one's last* ~ in den letzten Zügen, sterbend; ˈ**gasp·er** [-pə] *s. Brit. obs. sl.* ‚Sargnagel' *m* (*billige Zigarette*).

ˈ**gas**|**-pipe** *s.* Gasrohr *n*; ~ **range** *s. Am.* Gasherd *m*; ˈ~**-ˈring** *s.* Gasbrenner *m*, -ring *m.*

gassed [gæst] *adj.* vergast, gaskrank, -vergiftet.

ˈ**gas**|**-ˈshell** *s.* ⚔ ˈGasgraˌnate *f*; ~ **sta·tion** *s. Am.* Tankstelle *f*; ˈ~**-ˈstove** *s.* **1.** Gasherd *m*; **2.** Gasofen *m.*

gas·sy [ˈgæsi] *adj.* **1.** ⚗ gasartig; **2.** voll Gas; **3.** *fig.* großsprecherisch, schwadronierend; leer (*Gerede*).

ˈ**gas**|**-tank** *s.* Gas-, Benˈzinbehälter *m*; ˈ~**-tar** *s.* Steinkohlenteer *m.*

gas·ter·o·pod [ˈgæstərəpɔd] → *gastropod.*

ˈ**gas·tight** *adj.* gasdicht.

gas·tric [ˈgæstrik] *adj.* ⚕ gastrisch, Magen(gegend)...: ~ *acid* Magensäure; ~ *flu* Darmgrippe; ~ *juice* Magensaft; ~ *ulcer* Magengeschwür; **gas·tri·tis** [gæsˈtraitis] *s.* ⚕ Gaˈstritis *f*, Magenschleimhautentzündung *f*; **gas·tro·en·ter·i·tis** [gæstrouentəˈraitis] *s.* ⚕ Gastroenteˈritis *f*, ˈMagen-ˈDarmkaˌtarrh *m.*

gas·tro·nome [ˈgæstrənoum], **gas·tron·o·mer** [gæsˈtrɔnəmə] *s.* Feinschmecker *m*; **gas·tro·nom·ic** *adj.*; **gas·tro·nom·i·cal** [gæstrəˈnɔmik(əl)] *adj.* □ feinschmeckerisch; **gas·tron·o·mist** [gæsˈtrɔnəmist] → *gastronome*; **gas·tron·o·my** [gæsˈtrɔnəmi] *s.* Gastronoˈmie *f*, Feinschmeckeˈrei *f*, feine Kochkunst.

gas·tro·pod [ˈgæstrəpɔd] *s. zo.* Bauchfüßler *m.*

ˈ**gas-works** *s. pl. mst sg. konstr.* Gasanstalt *f*, -werk *n.*

gat [gæt] *s. Am. sl.* ‚Schießeisen' *n* (*Pistole*).

gate[1] [geit] **I.** *s.* **1.** Tor *n*, Pforte *f*; *pl.* zweiflügeliges Tor; **2. a)** 🚂 Schranke *f*, Sperre *f*, **b)** ✈ Flugsteig *m*; **3.** *fig.* Zugang *m*; **4.** Schleusentor *n*; **5.** *bsd. sport* **a)** Besucherzahl *f*, **b)** gesamtes Eintrittsgeld; **6.** *Fernsehen*: Ausblendstufe *f*; **7.** *Gießerei*: Trichter *m*; Anschnitt *m*; **II.** *v/t.* **8.** *Brit. univ.* (*in Oxford u. Cambridge*) den Ausgang sperren (*dat.*): *he was* ~*d* er erhielt Ausgangsverbot.

gate[2] [geit] *s. dial.* Gasse *f*, Straße *f.*

ˈ**gate**|**-bill** *s. Brit. univ.* **a)** *Protokoll über überschrittene Ausgangszeit*, **b)** *Geldstrafe hierfür*; ˈ~**-crash·er** *s. sl.* Eindringling *m* (*ohne Eintrittskarte*), ungeladener Gast; ˈ~**·house** *s.* Pförtnerhäus-chen *n*; ˈ~**-keep·er** *s.* **1.** Pförtner *m*, Torhüter *m*; **2.** *Am.* 🚂 Bahnwärter *m*; ˈ~**-leg(ged) table** *s.* Klapptisch *m*; ˈ~**-mon·ey** → *gate*[1] *5b*; ˈ~**-post** *s.* Tor-, Türpfosten *m*: *between you and me and the* ~ im Vertrauen *od.* unter uns (gesagt); ˈ~**·way** *s.* **1.** Torweg *m*, Einfahrt *f*, Eingang *m*; **2.** *fig.* (Eingangs)Tor *n*, Zugang *m.*

gath·er [ˈgæðə] **I.** *v/t.* **1.** *Personen* versammeln; → *father 4*; **2.** *Dinge* (an)sammeln, anhäufen: *to* ~ *wealth*; *to* ~ *experience* Erfahrung(en) sammeln; **3.** anziehen (*a. fig.*); gewinnen, erwerben: *to* ~ *s.o. in one's arms* j-n in s-e Arme schließen; *to* ~ *o.s. together* sich aufraffen; *to* ~ *strength* zu Kräften kommen; *to* ~ *dust* verstauben; *to* ~ *speed* Geschwindigkeit aufnehmen, schneller werden; *to* ~ *way* ⚓ in Fahrt kommen (*a. fig.*); **4.** (auf)lesen, sammeln; pflücken, ernten; **5.** *fig.* folgern (*a.* ⚖), schließen (*from* aus); sich zs.-reimen *od.* denken; **6.** (zs.-)raffen, falten, kräuseln; → *brow 1*; **II.** *v/i.* **7.** sich versammeln (*round s.o.* um j-n); **8.** sich zs.-ziehen *od.* -ballen (*Wolken, Gewitter*); **9.** sich entwickeln, zunehmen; **10.** ~ *to a head* ⚕ reifen (*Abszeß etc., a. fig.*), eitern; ~ **up** *v/t.* **1.** zs.-suchen, -legen, auflesen, -nehmen (*a. fig.*); **2.** *Glieder* ein-, zs.-ziehen.

gath·er·er [ˈgæðərə] *s.* **1.** Erntende(r *m*) *f*, Schnitter(in); **2.** Steuer-, Geldeinnehmer *m*; ˈ**gath·er·ing** [-ðəriŋ] *s.* **1.** (Ein-, Ver)Sammeln *n*; **2.** Ernten *n*; **3.** An-, Versammlung *f*; Zs.-kunft *f*; **4.** ⚕ Eiterung *f*; **5.** *Buchbinderei*: Lage *f.*

gauche [gouʃ] *adj.* linkisch; taktlos; **gau·che·rie** [ˈgouʃəri(ː)] *s.* Taktlosigkeit *f.*

Gau·cho [ˈgautʃou] *pl.* **-chos** *s.* Gaucho *m* (*Viehhüter*).

gaud [gɔːd] *s.* Putz *m*, billiger Schmuck, Tand *m*; *pl.* Prunk *m*, Pomp *m*; ˈ**gaud·i·ness** [-dinis] *s.* geschmackloser Prunk, überˈtriebener Putz; ˈ**gaud·y** [-di] **I.** *adj.* □ **1.** prunkhaft, farbenprächtig, geschmacklos; grell: ~ *colo(u)rs*; **2.** überˈladen, aufgeputzt; **II.** *s.* **3.** *Brit. univ.* jährliches Festmahl (*für ehemalige Studenten*).

gauf·fer → *goffer.*

gauge [geidʒ] **I.** *s.* **1.** Norˈmal-, Eichmaß *n*; **2.** ⊕ Meßgerät *n*, Messer *m*, Anzeiger *m*; Pegel *m*, Wasserstandsanzeiger *m*; ⊕ Manoˈmeter *n*; ⊕ Lehre *f*; Maß-, Zollstock *m*; **3.** ⊕ (Blech-, Draht-) Stärke *f*; *Strumpfherstellung*: gg-Zahl *f*; *typ.* Zeilenmaß *n*; ⚔ Kaˈliber *n*; 🚂 Spurweite *f*; ⚓ *oft gage* Abstand *m*, Lage *f*: *to have the lee (weather)* ~ zu Lee (Luv) liegen (*Schiff*); **4.** ˈUmfang *m*, Inhalt *m*, Dicke *f*, Stärke *f*: *to take the* ~ *of fig.* abschätzen; **5.** *fig.* Maßstab *m*, Norm *f*; **II.** *v/t.* **6.** (ab)lehren, (ab-, aus)messen; **7.** eichen, justieren; **8.** *fig.* (ab)schätzen, beurteilen; ~ **cock** *s.* ⊕ Wasserstandshahn *m*; ~ **lathe** *s.* ⊕ Präzisiˈonsdrehbank *f.*

gaug·er [ˈgeidʒə] *s.* Eichmeister *m.*

gaug·ing [ˈgeidʒiŋ] *s.* ⊕ Eichung *f*, Messung *f*: ~ *office* Eichamt; ~*-rod* Eichstab.

Gaul [gɔːl] *s.* ˈGallier *m*; *humor.* Franˈzose *m*; ˈ**Gaul·ish** [-liʃ] **I.** *adj.* gallisch; *humor.* franˈzösisch; **II.** *s. ling.* Gallisch *n.*

gault [gɔːlt] *s. geol.* Flammenmergel *m.*

gaunt [gɔːnt] *adj.* □ **1.** hager, mager, dünn; **2.** schauerlich, finster.

gaunt·let[1] [ˈgɔːntlit] *s.* **1.** Panzerhandschuh *m*; **2.** *fig.* Fehdehandschuh *m*: *to fling* (*od. throw*) *down the* ~ (*to s.o.*) (j-m) den Fehdehandschuh hinwerfen, (j-n) herausfordern; *to pick* (*od. take*) *up the* ~ die Herausforderung annehmen; **3.** Reit-, Fecht-, Stulpenhandschuh *m.*

gaunt·let[2] [ˈgɔːntlit] *s.*: *to run the* ~ Spießruten laufen (*a. fig.*).

gaun·try [ˈgɔːntri] → *gantry.*

gauss [gaus] *s. phys.* Gauß *n.*

gauze [gɔːz] *s.* **1.** Gaze *f*, Mull *m*, Flor *m*: ~ *bandage* Gazebinde; **2.** feines Drahtgeflecht; **3.** *fig.* Dunst *m*, Schleier *m*; ˈ**gauz·y** [-zi] *adj.* gazeartig, hauchdünn.

gave [geiv] *pret. von give.*

gav·el [ˈgævl] *s.* Hammer *m e-s Auktionators od. Vorsitzenden.*

ga·vot(te) [gəˈvɔt] *s.* ♪ Gaˈvotte *f.*

gawk [gɔːk] **I.** *s.* Tölpel *m*, Einfaltspinsel *m*; Schlaks *m*; **II.** *v/i. Am.* F dumm glotzen; ˈ**gawk·y** [-ki] **I.** *adj.* einfältig; schlaksig, unbeholfen; **II.** *s.* Tölpel *m.*

gay [gei] *adj.* □ → *gaily*; **1.** lustig, fröhlich; **2.** bunt, glänzend, prächtig: ~ *with* belebt von, geschmückt mit; **3.** lebenslustig, flott: *a* ~ *bird* F ein lustiger Gesell, ein lockerer Vogel; **4.** liederlich: *a* ~ *life*; **5.** *Am. sl.* kess, frech; **6.** F homoˈphil, ˌhomosexuˈell.

gaze [geiz] **I.** *v/i.* (*at, on, upon*) starren (auf *acc.*), anstarren, lange betrachten, bestaunen (*acc.*); **II.** *s.* (fester *od.* starrer) Blick, Anstaunen *n.*

ga·ze·bo [gəˈziːbou] *s.* ˈAussichtspunkt *m*, -turm *m*, -terˌrasse *f.*

ga·zelle [gəˈzel] *s. zo.* Gaˈzelle *f.*

gaz·er [ˈgeizə] *s.* Gaffer *m.*

ga·zette [gəˈzet] **I.** *s.* **1.** Zeitung *f*; **2.** *Brit.* Amtsblatt *n*, Staatsanzeiger *m*; **II.** *v/t.* **3.** *Brit.* im Amtsblatt bekanntgeben: *he was* ~*d* ... s-e Ernennung zum ... wurde bekanntgegeben; **gaz·et·teer** [gæziˈtiə] *s.* geoˈgraphisches Lexikon *od.* Namensverzeichnis.

gaz·o·gene ['gæzədʒi:n] *s.* ⊕ Appa'rat *m* zur Erzeugung kohlensauren Wassers.

gear [giə] **I.** *s.* **1.** ⊕ **a)** Zahnrad *n*, **b)** *mst pl.* Getriebe *n*, Triebwerk *n*, Gestänge *n*; **2.** ⊕ Transmissi'on *f*, Antrieb *m*; **3.** *mot.* Gang *m*; *Fahrrad:* Über'setzung *f*: *high* ~ **a)** schneller Gang, **b)** große Übersetzung; *low* (*od. bottom*) ~ **a)** erster Gang, **b)** kleine Übersetzung; *second* ~ zweiter Gang; *top* ~ höchste Geschwindigkeit; *in* ~ eingeschaltet, in Betrieb; *out of* ~ ausgeschaltet, *fig.* außer Betrieb, in Unordnung; *to throw out of* ~ ausrücken, -schalten, *fig.* aus dem Gleichgewicht bringen, durcheinanderbringen; *to change* ~ (um)schalten; **4.** ⚓, ✈ *oft in Zssgn* Geschirr *n*, Gerät *n*; **5.** Werkzeug *n*, Gerät *n*; Zubehör *n*, *m*; **6.** *bsd. in Zssgn* Ausrüstung *f*: *foot-*~ Schuhwerk; *fishing-*~ Angel- *od.* Fischereigeräte; **7.** Geschirr *n* der Zugtiere; **II.** *v/t.* **8.** ⊕ mit Getriebe versehen; verzahnen; **9.** ⊕ in Gang setzen (*a. fig.*), über'setzen, einschalten: *to* ~ *up* (*down*) Gang *od.* Geschwindigkeit (*gen.*) herauf- (herab)setzen, über- (unter)setzen; **10.** ausrüsten; **11.** *fig.* (*to, for*) einstellen (auf *acc.*), einrichten (für), anpassen (*dat.*); **12.** ~ *up* beschleunigen, steigern, verstärken; **13.** *Tiere* anschirren; **III.** *v/i.* **14.** ⊕ eingreifen (*into* in *acc.*), inein'andergreifen; **15.** *fig.* (*with*) passen (zu), eingerichtet sein (auf *acc.*).

'**gear|-box**, '**~-case** *s.* ⊕ **1.** Getriebe(gehäuse) *n*; **2.** Zahnrad-, Kettenschützer *m*; **~ change** *s.* ⊕ Gangschaltung *f*; **~ cut·ter** *s.* ⊕ Zahnradfräser *m*; **~ drive** *s.* ⊕ Zahnradantrieb *m*; Triebwerk *n*.

gear·ing ['giəriŋ] *s.* ⊕ **1.** (Zahnrad-) Getriebe *n*; **2.** *oft in Zssgn* Über'setzung *f*, Transmissi'on *f*: *belt* ~ Riementransmission.

gear| le·ver *s.* ⊕ Schalthebel *m*; **~ rim** *s.* ⊕ Zahnkranz *m*; **~ shaft** *s.* ⊕ Getriebe-, Schaltwelle *f*; **~ shift** *s.* ⊕ **1.** → *gear change*; **2.** → *gear lever*; '**~-wheel** *s.* ⊕ Getriebe-, Zahnrad *n*.

geck·o ['gekou] *pl.* **-os, -oes** *s. zo.* Gecko *m* (*Echse*).

gee [dʒi:] **I.** *s.* **1.** *a.* ~-~ *Kindersprache*: ‚Hotte'hü' *n* (*Pferd*); **II.** *int.* **2.** *a.* ~ *up!* hü!, hott! (*Fuhrmannsruf*); **3.** *a.* ~ *whiz!* na so was!, Donnerwetter!

geese [gi:s] *pl. von goose.*

gee·zer ['gi:zə] *s. sl.* **1.** komischer Kauz, alter Knacker; **2.** altes Weib.

Gei·ger count·er ['gaigə] *s. phys.* Geigerzähler *m*.

gei·sha ['geiʃə] *s.* Geisha *f*.

gel·a·tin(e) [dʒelə'ti:n] *s.* **1.** Gela'tine *f*, Knochenleim *m*; **2.** Gal'lerte *f*, 'Gallert *n*; **3.** *a. blasting* ~ 'Sprenggela,tine *f*; **ge·lat·i·nize** [dʒi'lætinaiz] *v/i. u. v/t.* gelatinieren *od.* gelieren (lassen); **ge·lat·i·nous** [dʒi'lætinəs] *adj.* gallertartig.

geld [geld] *v/t. Tier* kastrieren, verschneiden; '**geld·ing** [-diŋ] *s.* kastriertes Tier, *engS.* Wallach *m*.

gel·id ['dʒelid] *adj.* □ kalt, eisig (*a. fig.*).

gel·ig·nite ['dʒelignait] **I.** *s.* ⚗ Gela'tinedyna,mit *n*; **II.** *v/t.* mit Gelatinedynamit sprengen.

gem [dʒem] **I.** *s.* **1.** Edelstein *m*; **2.** Gemme *f*; **3.** *fig.* Perle *f*, Ju'wel *n*, Glanz-, Prachtstück *n*; **4.** *Am.* Brötchen *n*; **II.** *v/t.* **5.** mit Edelsteinen schmücken.

gem·i·nate **I.** *adj.* ['dʒeminit] paarweise, Zwillings...; **II.** *v/t.* [-neit] verdoppeln (*a. ling.*); **gem·i·na·tion** [dʒemi'neiʃən] *s.* Verdoppelung *f* (*a. ling.*).

Gem·i·ni ['dʒemini:] *s. pl. ast.* Zwillinge *pl.*

gem·ma ['dʒemə] *pl.* **-mae** [-mi:] *s.* **1.** ⚘ Blattknospe *f*; **2.** *biol.* Spore *f*, Knospe *f*, Gemme *f*; '**gem·mate** [-meit] *adj. biol.* sich durch Knospung fortpflanzend; **gem·ma·tion** [dʒe'meiʃən] *s.* **1.** ⚘ Knospenbildung *f*; **2.** *biol.* Fortpflanzung *f* durch Knospen; **gem·mif·er·ous** [dʒe'mifərəs] *adj.* **1.** edelsteinhaltig; **2.** *biol.* → *gemmate*; **gem·mip·a·rous** [dʒe'mipərəs] → *gemmate.*

gems·bok ['gemzbɔk] *s. zo.* 'Gemsanti,lope *f*.

gen [dʒen] *s.* ⚔ *Brit. sl.* allgemeine Anweisungen *pl.*

-gen [dʒen; dʒən] *in Zssgn* erzeugend, erzeugt.

gen·darme ['ʒɑ̃:ndɑ:m; ʒɑ̃darm] (*Fr.*) *s.* **1.** Gen'darm *m*, Landjäger *m*; **2.** Felsspitze *f*.

gen·der ['dʒendə] *s. ling.* 'Genus *n*, Geschlecht *n*.

gene [dʒi:n] *s. biol.* Gen *n*, Erbeinheit *f*.

gen·e·a·log·i·cal [dʒi:njə'lɔdʒikəl] *adj.* □ genea'logisch, Abstammungs...: ~ *tree* Stammbaum.

gen·e·al·o·gist [dʒi:ni'ælədʒist] *s.* Genea'loge *m*, Sippenforscher *m*; **gen·e'al·o·gize** [-dʒaiz] *v/i.* Stammbaumforschung treiben.

gen·e·al·o·gy [dʒi:ni'ælədʒi] *s.* Genealo'gie *f*, Stammbaum(forschung *f*) *m*.

gen·er·a ['dʒenərə] *pl. von genus.*

gen·er·al ['dʒenərəl] **I.** *adj.* □ → *generally*; **1.** allgemein, um'fassend: ~ *knowledge* Allgemeinbildung; ~ *outlook* allgemeine Aussichten; *the* ~ *public* die breite Öffentlichkeit; **2.** allgemein (*nicht spezifisch*): ~ *dealer Brit.* Gemischtwarenhändler; ~ *store* Gemischtwarenhandlung; *the* ~ *reader* der Durchschnittsleser; *in* ~ *terms* allgemein (ausgedrückt); **3.** allgemein (üblich), gängig, verbreitet: *in* ~ im allgemeinen; *as a* ~ *rule* meistens; **4.** allgemein gehalten, ungefähr: *a* ~ *idea* e-e ungefähre Vorstellung; ~ *resemblance* vage Ähnlichkeit; *in a* ~ *way* in großen Zügen, in gewisser Weise; **5.** allgemein, General..., Haupt...: ~ *agent* ✝ Generalvertreter; ~ *manager* ✝ Generaldirektor; ~ *meeting* ✝ General-, Hauptversammlung; **6.** (*Amtstiteln nachgestellt*) *mst* General...: *consul* ~ Generalkonsul; **II.** *s.* **7.** ⚔ **a)** Gene'ral *m*, **b)** Heerführer *m*, Feldherr *m*, Stra'tege *m*; **8.** ⚔ *Am.* **a)** (Vier-'Sterne-)Gene,ral *m* (*zweithöchster Offiziersrang*), **b)** ~ *of the Army* Fünf-'Sterne-Gene,ral *m* (*höchster Offiziersrang*); **9.** *the* ~ das Allgemeine; **10.** F → *general servant.*

Gen·er·al As·sem·bly *s.* **1.** Voll-, Gene'ralversammlung *f*; **2.** *pol. Am.* gesetzgebende Körperschaft; **3.** *eccl.* gesetzgebende Jahresversammlung der schottischen Kirche.

gen·er·al| car·go *s.* ✝, ⚓ Stückgutladung *f*; **~ de·liv·er·y** *s.* ✆ *Am.* **1.** (Ausgabestelle *f* für) postlagernde Sendungen *pl.*; **2.** „postlagernd"; **~ e·lec·tion** *s. pol.* allgemeine (*Parlaments*)Wahlen *pl.*; **~ ex·pens·es** *s. pl.* ✝ Handlungsunkosten *pl.*; **~ head·quar·ters** *s. pl. oft sg. konstr.* ⚔ Großes Hauptquartier; **~ hos·pi·tal** *s.* **1.** ⚔ 'Kriegslaza,rett *n*; **2.** allgemeines Krankenhaus.

gen·er·al·is·si·mo [dʒenərə'lisimou] *pl.* **-mos** *s.* ⚔ Genera'lissimus *m*, Oberbefehlshaber *m*.

gen·er·al·i·ty [dʒenə'ræliti] *s.* **1.** *pl.* allgemeine Redensarten *pl.*, Gemeinplätze *pl.*; **2.** Allgemeingültigkeit *f*, allgemeine Regel; **3.** *sg. pl. konstr.* Mehrzahl *f*, große Masse; **gen·er·al·i·za·tion** [dʒenərəlai'zeiʃən] *s.* Verallgemeinerung *f*; **gen·er·al·ize** ['dʒenərəlaiz] **I.** *v/t.* **1.** verallgemeinern; **2.** in großen Zügen darstellen, um'reißen; **II.** *v/i.* **3.** verallgemeinern; allgemeine Schlüsse ziehen *od.* Feststellungen machen; **gen·er·al·ly** ['dʒenərəli] *adv.* allgemein; gewöhnlich, meistens: ~ *speaking* im allgemeinen, im großen u. ganzen.

gen·er·al| of·fi·cer *s.* ⚔ Gene'ral *m*, Offi'zier *m* im Gene'ralsrang; **~ par·don** *s.* Amne'stie *f*; ♀ **Post Of·fice** *s.* Hauptpostamt *n*; **~ prac·ti·tion·er** *s.* praktischer Arzt; '**~-pur·pose** *adj.* ⊕ Mehrzweck..., Universal...; **~ serv·ant** *s.* Mädchen *n* für alles.

gen·er·al·ship ['dʒenərəlʃip] *s.* **1.** ⚔ Gene'ralsrang *m*; **2.** ⚔ Feldherrnkunst *f*, Strate'gie *f* (*a. fig.*); **3.** *fig.* geschickte Leitung *od.* 'Taktik; **4.** *e-m Amtstitel nachgestellt*: *inspector* ~ Amt e-s Generalinspekteurs.

gen·er·al| staff *s.* ⚔ Gene'ralstab *m*: *chief of* ~ Generalstabschef; **~ strike** *s.* ✝ Gene'ralstreik *m*.

gen·er·ate ['dʒenəreit] *v/t.* **1.** *bsd.* ⚗, *phys.* erzeugen (*a.* ⅌); *Gas, Rauch* entwickeln; bilden (*a.* ⅌); **2.** *biol.* zeugen; **3.** *fig.* erzeugen, her'vorrufen, bewirken, verursachen.

gen·er·at·ing plant (*od.* **sta·tion**) ['dʒenəreitiŋ] *s.* ⚡ Elektrizi'täts-, Kraftwerk *n*.

gen·er·a·tion [dʒenə'reiʃən] *s.* **1.** Generati'on *f*: *the rising* ~ die junge Generation; **2.** Menschen-, Zeitalter *n*: ~*s* F e-e Ewigkeit; **3.** *bsd.* ⚗, ⚡, *phys.* Erzeugung *f*, Her'vorbringung *f*, Entwicklung *f*; **4.** ⊕, ✝ Generation *f*: *a new* ~ *of cars*; **gen·er'a·tion·al** [-ʃənl] *adj.* Generations...: ~ *conflict*; **gen·er·a·tive** ['dʒenərətiv] *adj.* **1.** *biol.* Zeugungs..., Fortpflanzungs..., Geschlechts...; **2.** Erzeugungs...; **3.** produk'tiv, fruchtbar; **gen·er·a·tor** ['dʒenəreitə] *s.* **1.** ⚡ Gene'rator *m*, Stromerzeuger *m*, Dy'namoma,schine *f*; **2.** ⊕ **a)** Gaserzeuger *m*: ~ *gas* Generatorgas, **b)** Dampferzeuger *m*, -kessel *m*; **3.** ⊕ Wälzfräser *m*; **4.** 📷 Entwickler *m*; **5.** ♪ Grundton *m*.

ge·ner·ic [dʒi'nerik] *adj.* (□ *~ally*) allgemein, gene'rell: ~ *term* Gattungsname, Oberbegriff.

gen·er·os·i·ty [dʒenə'rɔsiti] *s.* **1.** Freigebigkeit *f*, Großzügigkeit *f*; **2.** Großmut *f*, Edelmut *m*; **3.** Fülle *f*; **gen·er·ous** ['dʒenərəs] *adj.* □ **1.** freigebig, großzügig; **2.** edel, hochherzig; **3.** reichlich, üppig; **4.** stark, gehaltvoll (*Wein*); fruchtbar (*Boden*).

gen·e·sis ['dʒenisis] *s.* **1.** Ursprung *m*, Beginn *m*, Entstehung *f*, Werden *n*; **2.** ♀ *bibl.* 'Genesis *f*, Erstes Buch Mose.

gen·et ['dʒenit] *s.* **1.** *zo.* Ge'nette *f*, Ginsterkatze *f*; **2.** Ge'nettepelz *m*.

ge·net·ic *adj.*; **ge·net·i·cal** [dʒi'netik(əl)] *adj.* □ *biol.* **1.** ge'netisch, Entstehungs..., Entwicklungs...; **2.** Erb...; **ge'net·i·cist** [-isist] *s. biol.* Ge'netiker *m*; **ge'net·ics** [-ks] *s. pl. sg. konstr.* Ge'netik *f*, Vererbungslehre *f*.

ge·nette [dʒi'net] *Am.* → *genet.*

ge·ne·va[1] [dʒi'ni:və] *s.* Ge'never *m*, Wa'cholderschnaps *m*.

Ge·ne·va[2] [dʒi'ni:və] *npr.* Genf *n*; ~ **bands** *s. pl. eccl.* Beffchen *n*; ~ **Con·ven·tion** *s.* ⚔ Genfer Konventi'on *f*; ~ **cross** → *Red Cross*; ~ **drive** *s.* ⊕ Mal'teserkreuzantrieb *m*; ~ **gown** *s. eccl.* Ta'lar *m*, (*schwarzer*) Chorrock.

gen·ial ['dʒi:njəl] *adj.* □ **1.** freundlich (*a. fig. Klima etc.*), jovi'al, herzlich; **2.** belebend, anregend; **ge·ni·al·i·ty** [dʒi:ni'æliti] *s.* **1.** Freundlichkeit *f*, Herzlichkeit *f*; Wärme *f*; **2.** Milde *f* (*Klima*).

ge·nie ['dʒi:ni] *s.* 'Kobold *m*, Geist *m* (*mohammedanische Mythologie*).

ge·ni·i ['dʒi:niai] *pl. von genie u. genius 5.*

ge·nis·ta [dʒi'nistə] *s.* ♀ *ein* Ginster *m*.

gen·i·tal ['dʒenitl] *adj.* Zeugungs..., Geschlechts...; **'gen·i·tals** [-lz] *s. pl.* Geni'talien *pl.*, Geschlechtsteile *pl.*

gen·i·ti·val [dʒeni'taivəl] *adj.* Genitiv..., 'genitivisch; **gen·i·tive** ['dʒenitiv] *s. a.* ~ *case ling.* 'Genitiv *m*, zweiter Fall.

gen·i·to-u·ri·nar·y ['dʒenitou'juərinəri] *adj.* ⚕ die Ge'schlechts- u. 'Harnor,gane betreffend.

gen·ius ['dʒi:njəs] *pl.* **'gen·ius·es** *s.* **1.** Ge'nie *n* (*Mensch*); **2.** (*ohne pl.*) Genie *n*, geni'ale Schöpferkraft; **3.** Begabung *f*, Gabe *f*; **4.** 'Genius *m*, Geist *m*, Seele *f*, Eigenart *f*: ~ *of a period* Zeitgeist; **5.** *pl.* **'ge·ni·i** [-niai] Genius *m*, Schutzgeist *m*: *good* (*evil*) ~ guter (böser) Geist (*a. fig.*); ~ **lo·ci** ['lousai] (*Lat.*) *s.* Schutzgeist *m od.* Atmo'sphäre *f* e-s Ortes.

Gen·o·a cake ['dʒenouə] *s. Brit.* mit Mandeln bestreuter Ro'sinenkuchen.

gen·o·cide ['dʒenousaid] *s.* Völker-, Gruppenmord *m*.

Gen·o·ese [dʒenou'i:z] **I.** *s.* Genu'eser(in); **II.** *adj.* genu'esisch, Genueser...

gen·re [ʒɑ:ŋr] (*Fr.*) *s.* Genre *n*, Stil *m*, (*a.* Litera'tur)Gattung *f*: ~ *painting* Genremalerei.

gent [dʒent] F *abbr. für gentleman.*

gen·teel [dʒen'ti:l] *adj.* □ **1.** *obs.* vornehm, artig, wohlerzogen; **2.** vornehm tuend, geziert, affek'tiert.

gen·tian ['dʒenʃiən] *s.* ♀ 'Enzian *m*; '~-**bit·ter** *s.* **1.** *pharm.* 'Enziantink,tur *f*; **2.** Enzian(schnaps) *m*.

gen·tile ['dʒentail] **I.** *s.* **1.** Nichtjude *m*, *bsd.* Christ *m*; **2.** *selten* Heide *m*; **II.** *adj.* **3.** nichtjüdisch, *bsd.* christlich; **4.** *selten* heidnisch.

gen·til·i·ty [dʒen'tiliti] *s.* **1.** vornehme Herkunft *od.* Lebensart; **2.** Vornehmtue'rei *f*.

gen·tle ['dʒentl] *adj.* □ **1.** freundlich, sanft, gütig, liebenswürdig: ~ *reader* geneigter Leser; **2.** milde, ruhig, mäßig, leicht, sanft, zart: ~ *blow* leichter Schlag; ~ *craft* Angelsport; ~ *hint* zarter Wink; ~ *rebuke* sanfter Tadel; *the* ~ *sex* das zarte Geschlecht; **3.** zahm, fromm (*Tier*); **4.** edel, vornehm: *of* ~ *birth* von vornehmer Geburt; *a* ~ *knight* ein edler Ritter; '~**folk**(**s**) *s. pl.* vornehme Leute *pl.*

gen·tle·man ['dʒentlmən] *s.* [*irr.*] **1.** Gentleman *m*, Ehrenmann *m*, vornehmer Mann, Mann *m* von Bildung u. guter Erziehung, Herr *m*: *gentlemen!* meine Herren!; *he is no* ~ er hat keine Lebensart; *country* ~ Landedelmann; **2.** *Titel von Hofbeamten*: ~-*at-arms* königlicher Leibgardist; ~ *in waiting* Kämmerer; **3.** *hist.* **a)** Mann *m* von Stand, **b)** Edelmann *m*; ~ **driv·er** *s.* Herrenfahrer *m*; ~ **farm·er** *s.* Gutsbesitzer *m*; '~**like** → *gentlemanly.*

gen·tle·man·li·ness ['dʒentlmənlinis] *s.* vornehme Haltung *od.* Lebensart, feines Wesen, Vornehmheit *f*, Bildung *f*; **gen·tle·man·ly** ['dʒentlmənli] *adj.* eines Gentlemans würdig, vornehm, fein, gebildet; ehrenhaft, anständig.

gen·tle·man rid·er *s.* Herrenreiter *m*.

gen·tle·man's| a·gree·ment *s.* Gentleman's Agreement *n*, Kava'liersabkommen *n*, Vereinbarung *f* auf Treu u. Glauben; ~ **man** *s.* [*irr.*] (Kammer)Diener *m*.

gen·tle·ness ['dʒentlnis] *s.* Freundlichkeit *f*, Güte *f*, Milde *f*, Sanftheit *f*.

'gen·tle·wom·an *s.* [*irr.*] Dame *f* (von Stand *od.* Bildung); **'gen·tle·wom·an·like**, **'gen·tle·wom·an·ly** [-li] *adj.* damenhaft, vornehm.

gen·tly ['dʒentli] *adv. von gentle.*

gen·try ['dʒentri] *s.* **1.** gebildete u. besitzende Stände *pl.*; **2.** *Brit.* niederer Adel, Landadel *m*; **3.** *a. pl. konstr. sl.* Leute *pl.*, Pack *n*.

gen·u·flect ['dʒenju(:)flekt] *v/i.* (*bsd. eccl.*) knien, die Knie beugen; **gen·u·flec·tion**, *Brit. a.* **gen·u·flex·ion** [dʒenju(:)'flekʃən] *s.* Kniebeugung *f*, Knien *n*.

gen·u·ine ['dʒenjuin] *adj.* □ echt, unverfälscht; wahr, wirklich; aufrichtig; **'gen·u·ine·ness** [-nis] *s.* Echtheit *f*, Wahrheit *f*.

ge·nus ['dʒi:nəs] *pl.* **gen·er·a** ['dʒenərə] *s.* ♀, *zo.*, *phls.* Gattung *f*; *fig.* Art *f*, Sorte *f*.

ge·o·cen·tric [dʒi(:)ou'sentrik] *adj. ast.* geo'zentrisch; **ge·o'cy·clic** [-'saiklik] *adj. ast.* die Erde um'kreisend.

ge·ode ['dʒi(:)oud] *s. min.* Ge'ode *f*, Druse *f*.

ge·o·des·ic *adj.*; **ge·o·des·i·cal** [dʒi(:)ou'desik(əl)] *adj.* □ geo'dätisch; **ge·od·e·sist** [dʒi(:)'ɔdisist] *s.* Geo'dät *m*, Land-, Feldmesser *m*; **ge·od·e·sy** [dʒi(:)'ɔdisi] *s.* Geodä'sie *f*, (Lehre *f* von der) Erdvermessung *f*; **ge·o'det·ic** [-etik], **ge·o'det·i·cal** [-etikəl] → *geodesic, geodesical*; **ge·od·e·tist** [dʒi(:)'ɔditist] → *geodesist.*

ge·og·ra·pher [dʒi'ɔgrəfə] *s.* Geo'graph(in); **ge·o·graph·ic** *adj.*; **ge·o·graph·i·cal** [dʒiə'græfik(əl)] *adj.* □ geo'graphisch: *geographical mile* geographische Meile; **ge'og·ra·phy** [-fi] *s.* **1.** Geogra'phie *f*, Erdkunde *f*; **2.** Geogra'phiebuch *n*; **3.** geographische Beschaffenheit; **4.** Lageplan *m*.

ge·o·log·ic *adj.*; **ge·o·log·i·cal** [dʒiə'lɔdʒik(əl)] *adj.* □ geo'logisch; **ge·ol·o·gist** [dʒi'ɔlədʒist] *s.* Geo'loge *m*, Geo'login *f*; **ge·ol·o·gize** [dʒi'ɔlədʒaiz] **I.** *v/i.* geologische Studien betreiben; **II.** *v/t.* geologisch unter'suchen; **ge·ol·o·gy** [dʒi'ɔlədʒi] *s.* **1.** Geolo'gie *f*; **2.** Buch *n* über Geologie; **3.** geo'logische Beschaffenheit.

ge·o·mag·net·ism [dʒiou'mægnitizəm] *s. phys.* 'Erdmagne,tismus *m*.

ge·o·man·cer ['dʒi:oumænsə] *s.* Geo'mant(in), Erdwahrsager(in); **'ge·o·man·cy** [-si] *s.* Geoman'tie *f*, Geo'mantik *f*; **ge·o·man·tic** [dʒiə'mæntik] *adj.* geo'mantisch.

ge·om·e·ter [dʒi'ɔmitə] *s.* **1.** *obs.* Geo'meter *m*; **2.** Ex'perte *m* auf dem Gebiet der Geome'trie; **3.** *zo.* Spannerraupe *f*; **ge·o·met·ric** *adj.*; **ge·o·met·ri·cal** [dʒiə'metrik(əl)] *adj.* □ **1.** geo'metrisch; **2.** mit geometrischen Formen, sym'metrisch: *geometrical pattern*; **ge·om·e·tri·cian** [dʒioume'triʃən] → *geometer 1, 2*; **ge'om·e·try** [-tri] *s.* **1.** Geome'trie *f*; **2.** Geome'triebuch *n*.

ge·o·phys·i·cal [dʒi(:)ou'fizikəl] *adj.* geophysi'kalisch; **ge·o·phys·ics** [-ks] *s. pl.*, *oft sg. konstr.* Geophy'sik *f*.

ge·o·po·lit·i·cal [dʒi:əpə'litikəl] *adj.* □ geopo'litisch; **ge·o·pol·i·ti·cian** [dʒi:əpɔli'tiʃən] *s.* Geopo'litiker *m*; **ge·o·pol·i·tics** [dʒiou'pɔlitiks] *s. pl.*, *oft sg. konstr.* Geopoli'tik *f*.

George [dʒɔ:dʒ] *s.* **1.** *St.* ~ der heilige Georg (*Schutzheiliger Englands*): *St.* ~*'s Cross* Georgskreuz; ~ *Cross* ⚔ *Brit.* Georgskreuz (*Orden*); *by* ~*!* Donnerwetter!; **2.** ✈ *sl.* auto'matische Steuerung.

geor·gette [dʒɔ:'dʒet] *Am.* ♀ *s.* Geor'gette *m*, dünner Seidenkrepp.

Geor·gi·an ['dʒɔ:dʒjən] *adj.* georgi'anisch: **a)** *aus der Zeit der Könige Georg I.—IV.*, **b)** *aus der Zeit der Könige Georg V. u. VI.*

ge·ra·ni·um [dʒiˈreinjəm] *s.* ⚘ Storchschnabel *m*, Geˈranie *f*.
ger·fal·con [ˈdʒə:fɔ:lkən] *s. orn.* Gierfalke *m*.
ger·i·a·tri·cian [dʒeriəˈtriʃən] *s.* Facharzt *m* für Alterskrankheiten; **ger·i·at·rics** [dʒeriˈætriks] *s. pl.*, *oft sg. konstr.* Geriaˈtrie *f* (*Lehre von den Alterskrankheiten u. -erscheinungen*).
germ [dʒə:m] **I.** *s.* **1.** ⚘, *biol.* Keim *m* (*a. fig. Ansatz, Ursprung*); **2.** Miˈkrobe *f*; ⚕ Keim *m*, Baˈzillus *m*, Bakˈterie *f*, Krankheitserreger *m*; **II.** *v/i.* **3.** keimen.
ger·man[1] [ˈdʒə:mən] *adj.* leiblich: *brother* ~ leiblicher Bruder; → *cousin*.
Ger·man[2] [ˈdʒə:mən] **I.** *adj.* **1.** deutsch; **II.** *s.* **2.** Deutsche(r *m*) *f*; **3.** *ling.* Deutsch *n*, das Deutsche: *in* ~ **a)** auf deutsch, **b)** im Deutschen; *into* ~ ins Deutsche.
ˈGer·man|-Aˈmer·i·can I. *adj.* deutschameriˈkanisch; **II.** *s.* Deutschameriˈkaner(in); ~ **Con·fed·er·a·tion** *s. hist.* Deutscher Bund.
ger·man·der [dʒə:ˈmændə] *s.* ⚘ Gaˈmander *m*; ~ **speed·well** *s.* ⚘ Gaˈmanderehrenpreis *m*.
ger·mane [dʒə:ˈmein] *adj.* (*to*) gehörig (zu), zs.-hängend (mit), betreffend (*acc.*), passend (zu).
Ger·man·ic[1] [dʒə:ˈmænik] **I.** *adj.* **1.** gerˈmanisch; **2.** deutsch; **II.** *s.* **3.** *ling. das* Gerˈmanische.
ger·man·ic[2] [dʒə:ˈmænik] *adj.* ⚗ Germanium...: ~ *acid*.
Ger·man·ism [ˈdʒə:mənizəm] *s.* **1.** *ling.* Germaˈnismus *m*, deutsche Spracheigenheit; **2.** (typisch) deutsche Art; **3.** Deutschtum *n*; **4.** Deutschfreundlichkeit *f*; **ˈGer·man·ist** [-ist] *s.* Germaˈnist(in); **Ger·man·i·ty** [dʒə:ˈmæniti] → *Germanism* 2.
ger·ma·ni·um [dʒə:ˈmeinjəm] *s.* ⚗ Gerˈmanium *n*.
Ger·man·i·za·tion [dʒə:mənaiˈzeiʃən] *s.* Germanisierung *f*, Eindeutschung *f*; **Ger·man·ize** [ˈdʒə:mənaiz] **I.** *v/t.* eindeutschen; **II.** *v/i.* deutsch werden.
Ger·man| mea·sles *s. pl. sg. konstr.* ⚕ Röteln *pl.*; ~ **O·cean** *s.* Nordsee *f*.
Ger·ma·no·ma·ni·a [dʒə:mənouˈmeinjə] *s.* Germanomaˈnie *f*, überˈtriebene Deutschfreundlichkeit; **Ger·man·o·phil** [dʒə:ˈmænoufil], **Ger·man·o·phile** [dʒə:ˈmænoufail] **I.** *adj.* deutschfreundlich; **II.** *s.* Deutschfreundliche(r *m*) *f*; **Ger·man·o·phobe** [dʒə:ˈmænoufoub] *s.* Deutschenhasser(in); **Ger·ma·no·ˈpho·bi·a** [-ouˈfoubjə] *s.* Deutschenhaß *m*.
Ger·man| sil·ver *s.* Neusilber *n*; ~ **steel** *s.* ⊕ Schmelzstahl *m*; ~ **text,** ~ **type** *s. typ.* Frakˈtur (-schrift) *f*.
ˈgerm|-car·ri·er *s.* ⚕ Keim-, Baˈzillenträger *m*; ~ **cell** *s. biol.* Keimzelle *f*.
ger·men [ˈdʒə:min] *s.* ⚘ Fruchtknoten *m*.
ger·mi·cid·al [dʒə:miˈsaidl] *adj.* keimtötend; **ger·mi·cide** [ˈdʒə:misaid] *adj. u. s.* keimtötend(es Mittel).
ger·mi·nal [ˈdʒə:minl] *adj.* □ **1.** *biol.* Keim..., Bakterien...; **2.** *fig.* Anfangs..., Ur..., unentwickelt; **ˈger·mi·nant** [-nənt] *adj.* keimend, sprossend (*a. fig.*); **ˈger·mi·nate** [-neit] **I.** *v/i.* **1.** keimen, sprossen (*a. fig.*); **2.** *fig.* sich entwickeln; **II.** *v/t.* **3.** zum Keimen bringen; **ger·mi·na·tion** [dʒə:miˈneiʃən] *s.* **1.** ⚘ Keimen *n*, Sprießen *n*, Sprossen *n*; **2.** *fig.* Entwicklung *f*; **ˈger·mi·na·tive** [-nətiv] *adj.* ⚘ **1.** Keim...; **2.** entwicklungsfähig.
ˈgerm|·proof *adj.* keimsicher, -frei; ~ **war·fare** *s.* ⚔ Bakˈterienkrieg *m*, bioˈlogische Kriegführung.
ger·on·tol·o·gist [dʒerɔnˈtɔlədʒist] → *geriatrician*; **ger·on·tol·o·gy** [dʒerɔnˈtɔlədʒi] → *geriatrics*.
ger·ry·man·der [ˈdʒerimændə] **I.** *v/t.* **1.** *pol.* die Wahlbezirksgrenzen in *e-m Gebiet* manipulieren; **2.** *Fakten* manipulieren, verfälschen; **II.** *s.* **3.** *pol.* manipulierte Wahlbezirksabgrenzung.
ger·und [ˈdʒerənd] *s. ling.* Geˈrundium *n*: ~*-grinder* F Lateinpauker; **ge·run·di·al** [dʒiˈrʌndjəl] *adj. ling.* Gerundial...; **ger·un·di·val** [dʒerənˈdaivl] *adj. ling.* Gerundiv...; **ge·run·dive** [dʒiˈrʌndiv] *s. ling.* Gerunˈdiv(um) *n*.
ges·ta·tion [dʒesˈteiʃən] *s.* **1.** ⚕ Schwangerschaft *f*; **2.** Trächtigkeit *f* (*Tier*).
ges·ta·to·ri·al chair [dʒestəˈtɔ:riəl] *s.* Tragsessel *m des Papstes*.
ges·tic·u·late [dʒesˈtikjuleit] *v/i.* gestikulieren, Gebärden machen, (herˈum)fuchteln; **ges·tic·u·la·tion** [dʒestikjuˈleiʃən] *s.* Gebärdenspiel *n*, Gesten *pl.*; **ges·tic·u·la·to·ry** [-lətəri] *adj.* gestikulierend, mimisch.
ges·ture [ˈdʒestʃə] **I.** *s.* **1.** Gebärde *f*, Geste *f*: ~ *of friendship fig.* freundschaftliche Geste; **2.** Gebärdenspiel *n*; **II.** *v/i.* **3.** → *gesticulate*.
get [get] **I.** *v/t.* [*irr.*] **1.** bekommen, erhalten, ‚kriegen': *to* ~ *a letter*; *to* ~ *a cold* sich erkälten; *to* ~ *religion* fromm werden; **2.** (sich [*dat.*]) verschaffen *od.* besorgen, erlangen, erringen, gewinnen, erwerben, (sich [*dat.*]) kaufen; holen, bringen: ~ *me a chair!* bring mir e-n Stuhl!; *to* ~ *a living* s-n Lebensunterhalt verdienen; *to* ~ *singing-lessons* Gesangunterricht nehmen; *you had better* ~ *a new suit* Sie sollten sich (lieber) e-n neuen Anzug kaufen; **3.** (hin)bringen: *to* ~ *s.o. to bed* j-n zu Bett bringen; *that will* ~ *you nowhere* das führt zu nichts; **4.** fassen, packen, erwischen, fangen: *you've got me there!* F da hast du mich drangekriegt!; *that* ~*s me* F **a)** das ist mir zu hoch, **b)** das macht mir zu schaffen; **5.** veranlassen, ˈdazu bringen, bewegen: *to* ~ *s.o. to speak* j-n zum Sprechen bringen; *to* ~ *s.th. done* et. erledigen; → 9; *to* ~ *the door shut* die Tür zubekommen; **6.** F verstehen, ‚kapieren': *I don't* ~ *you* ich verstehe nicht, was du willst; *you got me wrong* du verstehst mich falsch; **7.** *to have got* haben, besitzen: *I have got no money*; *she has got an ugly face*; *I've got it!* ich hab's!; **8.** *to have got to inf.* F müssen: *I've got to go*; **9.** *to* ~ *mit s. u. p.p. od. adj.* lassen, bewirken: *to* ~ *one's hair cut* sich die Haare schneiden lassen; *to* ~ *one's leg broken* sich das Bein brechen; *to* ~ *things done* **a)** Sachen erledigen lassen, **b)** etwas zuwege bringen; → 5; *to* ~ *one's feet wet* nasse Füße bekommen; **II.** *v/i.* [*irr.*] **10.** gelangen, (an)kommen, geraten: *we got to Berlin* wir kamen nach Berlin; *to* ~ *home early* früh nach Hause kommen; *to* ~ *into debt* in Schulden geraten; *to* ~ *into a rage* e-n Wutanfall kriegen; *to* ~ *there* F **a)** sein Ziel erreichen, es durchsetzen, **b)** es verstehen; **11.** *mit adj.* werden: *to* ~ *old*; *to* ~ *better* **a)** besser werden, **b)** sich erholen; *to* ~ *ready* sich fertigmachen; *to* ~ *drunk* sich betrinken; *to* ~ *used to* sich gewöhnen an (*acc.*); **12.** *mit inf.*: *to* ~ *to hear* zu hören bekommen; *to* ~ *to know* kennenlernen; *they got to be friends* sie wurden Freunde; **13.** *mit p.p.* werden: *to* ~ *caught* gefangen *od.* gefaßt werden; *to* ~ *married* (sich ver-) heiraten; *to* ~ *dressed* sich anziehen; *to* ~ *left* **a)** zurückbleiben, **b)** in e-e peinliche Situation geraten; **14.** *mit p.pr.* gelangen, kommen: *to* ~ *going* in Gang kommen; *to* ~ *talking* ins Gespräch kommen, zu reden anfangen;
Zssgn mit prp.:
get| at *v/i.* **1.** (herˈan)kommen an (*acc.*), erreichen: *I can't* ~ *my books*; **2.** *j-m* beikommen, an *j-n* rankommen; **3.** herˈausbekommen, feststellen, erfahren, ermitteln; **4.** *sl.* *j-n* ‚schmieren', bestechen; ~ **off** *v/i.* **1.** absteigen von, aussteigen aus; **2.** freikommen von; ~ **on** *v/i.* *Pferd, Wagen etc.* besteigen; einsteigen in (*acc.*): *to* ~ *to* **a)** F sich *j-n* vorknöpfen, **b)** *teleph.* *j-n* anrufen, **c)** *Am.* F hinter *et. od.* hinter *j-s* Schliche kommen; ~ **out of** *v/i.* **1.** herˈaussteigen, -gelangen: *to* ~ *smoking* sich das Rauchen abgewöhnen; **2.** sich drücken von *od.* um *et.*; ~ **o·ver** *v/i.* **1.** herˈübergelangen *od.* -kommen *od.* -steigen über (*acc.*): *to* ~ *the fence*; **2.** *fig.* hinˈwegkommen *od.* sich hinˈwegsetzen über (*acc.*): *I can't* ~ *this injustice* über diese Ungerechtigkeit komme ich nicht hinweg; ~ **round** *v/i.* **1.** herˈumkommen um; **2.** *et.* überˈwinden; **3.** *j-m* um den Bart gehen; ~ **through** *v/i.* **1.** bewältigen, erledigen; **2.** *Zeit* verbringen, *Geld* ˈdurchbringen; ~ **to** *v/i.* **1.** kommen nach, erreichen; **2.** (*zufällig*) daˈzukommen: *we got to talking about it* wir kamen darauf zu sprechen;
Zssgn mit adv.:
get| a·bout *v/i.* **1.** herˈumgehen, -kommen; s-n Geschäften nachgehen; **2.** sich (wieder) bewegen *od.* regen, wieder auf den Beinen sein; **3.** sich verbreiten, ˈumgehen (*Gerücht*); ~ **a·cross I.** *v/i. fig.* ˈdurchdringen, wirken, Anklang finden: *the play got across* das Stück schlug ein; **II.** *v/t.* Wirkung *od.* Erfolg verschaffen (*dat.*), *et.* an den Mann bringen: *to get an idea across*; ~

a·long *v/i.* **1.** auskommen (*with* mit *j-m*); **2.** auskommen *od.* fertigwerden (*with* mit *et.*); **3.** → *get on 1*; **4.** ~ *with you!* F **a)** verschwinde!, **b)** quatsch doch nicht!; ~ **a·way** *v/i.* **1.** loskommen, sich losmachen: *you can't ~ from that* **a)** darüber kannst du dich nicht hinwegsetzen, **b)** das mußt du doch einsehen; **2.** → *get along 4*; **3.** entgehen, entwischen: *he got away with it this time* **a)** diesmal gelang es ihm, **b)** diesmal kam er ungestraft davon; *he gets away with everything* er kann sich alles erlauben; ~ **be·hind** *v/i.* zu'rückbleiben; in Rückstand kommen; ~ **by** *v/i.* vor'bei-, 'durchkommen; ~ **down I.** *v/i.* **1.** aus-, absteigen; **2.** *to* ~ *to s.th.* sich daran machen, sich mit et. befassen; **II.** *v/t.* **3.** her'unterholen; **4.** aufschreiben; **5.** *Essen etc.* runterkriegen; **6.** *fig. j-n* ‚fertigmachen', deprimieren; ~ **in I.** *v/i.* **1.** einsteigen, -treten; geraten in (*acc.*); **2.** ins Parla'ment gewählt werden; **II.** *v/t.* **3.** her'einholen, -bekommen; einfügen, *Bemerkung etc.* anbringen; ~ **off I.** *v/i.* **1.** ab-, aussteigen: *to tell s.o. where to ~ sl.* j-m ‚Bescheid stoßen'; **2.** ✈ starten; **3.** da'vonkommen, frei ausgehen: *to ~ with a caution* mit e-r Verwarnung davonkommen; *to ~ cheaply* F **a)** billig wegkommen, **b)** mit e-m blauen Auge davonkommen; **II.** *v/t.* **4.** losmachen, freibekommen: *his counsel got him off* sein Verteidiger erwirkte s-n Freispruch; **5.** loswerden; ~ **on I.** *v/i.* **1.** vor'ankommen, Fortschritte machen, Erfolg haben: *get on!* weiter!; *to ~ in years* älter werden; *it is getting on for 5 o'clock* es geht auf 5 Uhr (zu); **2.** gut auskommen, sich vertragen (*with* mit *j-m*); **II.** *v/t.* **3.** *Kleidungsstück* anziehen; ~ **out I.** *v/i.* **1.** aussteigen, her'auskommen (*of* aus): *get out!* raus!; **2.** *fig.* (*of*) sich her'auswinden (aus), sich befreien (aus, von); **II.** *v/t.* **3.** her'ausholen, -bekommen; erhalten, gewinnen: *I got nothing out of it* ich ging leer aus; **4.** *et.* aus *j-m* her'ausholen, -locken: *I could get nothing out of him*; ~ **round I.** *v/t. j-n* ‚her'umkriegen', beschwatzen; **II.** *v/i.* da'zukommen (*to doing* zu tun); ~ **through** *v/i.* **1.** 'durchkommen (*a. fig.*); **2.** *teleph.* Anschluß bekommen; ~ **to·geth·er I.** *v/i.* **1.** zs.-kommen; **2.** *Am.* F sich einigen; **II.** *v/t.* **3.** zs.-bringen; ~ **up I.** *v/i.* **1.** aufstehen, sich erheben; aufsteigen; **II.** *v/t.* **2.** veranstalten, einrichten; **3.** vorbereiten; *Buch etc.* ausstatten; *Waren* (hübsch) aufmachen; auf-, her'ausputzen; **4.** *thea.* einstudieren, inszenieren.

get|-at-a·ble [get'ætəbl] *adj.* erreichbar (*Ort*); zugänglich (*Ort od. Person*); '**~-a·way** *s.* **1.** F Flucht *f*, Entkommen *n*: *to make one's ~* sich verziehen, sich aus dem Staub machen, ‚Leine ziehen'; **2.** ✈, *sport* Start *m*; '**~-off** *s.* ✈ Abheben *n*, Start *m*.

get·ter ['getə] *s.* ⚒ Hauer *m*.

'**get|-to·geth·er** *s.* Zs.-kunft *f*, zwangloses Bei'sammensein; '**~-up** *s.* **1.** Aufbau *m*, Anordnung *f*; **2.** Ausstattung *f*, Aufmachung *f*; **3.** *thea.* Inszenierung *f*; **4.** Anzug *m*, Putz *m*, 'Ausstaf,fierung *f*.

gew·gaw ['gju:gɔ:] *s.* Spielzeug *n*, Tand *m*, Kinkerlitzchen *n*, Kleinigkeit *f*.

gey·ser *s.* **1.** ['gaizə] Geiser *m*, heiße Quelle; **2.** ['gi:zə] *Brit.* Boiler *m*, 'Durchlauferhitzer *m*; *engS.* (Gas-) Badeofen *m*.

ghast·li·ness ['gɑ:stlinis] *s.* **1.** Grausigkeit *f*; schreckliches Aussehen; **2.** Totenblässe *f*; **ghast·ly** ['gɑ:stli] **I.** *adj.* **1.** grausig, gräßlich, entsetzlich; **2.** gespenstisch; **3.** totenbleich; **4.** verkrampft, verzerrt (*Lächeln*); **5.** F schrecklich, schauderhaft, haarsträubend; **II.** *adv.* **6.** gräßlich: ~ *pale* totenblaß.

gher·kin ['gə:kin] *s.* Gewürzgurke *f*.

ghet·to ['getou] *pl.* **-tos** *s.* **1.** 'Getto *n*; **2.** *hist.* Judenviertel *n*.

ghost [goust] **I.** *s.* **1.** Geist *m*, Gespenst *n*: *the ~ walks thea. sl.* es gibt Geld; **2.** *fig.* Ske'lett *n*, abgemagerter Mensch, Schatten *m* (*Person*); **3.** *obs.* Geist *m*, Seele *f*: *to give* (*od. yield*) *up the ~* den Geist aufgeben, sterben; **4.** *fig.* Spur *f*, Schatten *m*: *not the ~ of a chance* F nicht die geringste Aussicht; *a mere ~ of his former self* nur noch ein Schatten seiner selbst; **5.** → *ghost writer*; **II.** *v/t.* **6.** für *j-n* ano'nym schreiben; ~ **dance** *s.* Geistertanz *m*; '**~·like** *adj.* geisterhaft.

ghost·li·ness ['goustlinis] *s.* Geisterhaftigkeit *f*; **ghost·ly** ['goustli] *adj.* geisterhaft, gespenstisch.

'**ghost|-sto·ry** *s.* Geister-, Gespenstergeschichte *f*; ~ **town** *s. Am.* Geisterstadt *f*, verödete Stadt; '**~-word** *s.* falsche Wortbildung; ~ **writ·er** *s.* ‚Neger' *m*, Ghostwriter *m* (*der für e-n anderen anonym schreibt*).

ghoul [gu:l] *s.* **1.** Ghul *m* (*Dämon, der Leichen frißt*); **2.** *fig.* Unhold *m* (*Person mit makabren Gelüsten*), *z.B.* Grabschänder *m*; '**ghoul·ish** [-liʃ] *adj.* □ ghulenhaft; teuflisch, ma'kaber.

G.I. ['dʒi:'ai] (*von Government Issue*) ⚔ *Am.* F **I.** *s. a.* ~ *Joe* ‚Landser' *m*, Sol'dat *m* (*der US-Streitkräfte*); **II.** *adj.* Kommiß...; vorschriftsmäßig; von der Regierung geliefert.

gi·ant ['dʒaiənt] **I.** *s.* Riese *m* (*a. fig.*); **II.** *adj.* riesenhaft, riesig; *a.* ♀, *zo.* Riesen...: ~ *wheel* Riesenrad; '**gi·ant·ess** [-tis] *s.* Riesin *f*.

'**gi·ant('s)-stride** *s.* Rundlauf *m* (*Turngerät*).

gib [gib] *s.* ⊕ Keil *m*, Bolzen *m*.

gib·ber ['dʒibə] *v/i.* Kauderwelsch reden, quatschen; **gib·ber·ish** ['gibəriʃ] *s.* Kauderwelsch *n*; dummes Geschwätz, ‚Geschwafel' *n*.

gib·bet ['dʒibit] **I.** *s.* **1.** Galgen *m*; **2.** ⊕ Kran-, Querbalken *m*; **II.** *v/t.* **3.** hängen, henken; **4.** *fig.* anprangern, bloßstellen.

gib·bon ['gibən] *s. zo.* Gibbon *m*.

gib·bos·i·ty [gi'bɔsiti] *s.* Wölbung *f*, Buckel *m*, Höcker *m*; **gib·bous** ['gibəs] *adj.* gewölbt, buck(e)lig.

gibe [dʒaib] **I.** *v/t.* verhöhnen, verspotten; **II.** *v/i.* spotten (*at* über *acc.*); **III.** *s.* Hohn *m*, Spott *m*, Stiche'lei *f*, Seitenhieb *m*; '**gib·ing** [-biŋ] *adj.* □ spöttisch, höhnisch.

gib·lets ['dʒiblits] *s. pl.* Inne'reien *pl.*, *bsd.* Hühner-, Gänseklein *n*.

gid·di·ness ['gidinis] *s.* **1.** Schwindel(gefühl *n*) *m*; **2.** *fig.* Unbesonnenheit *f*, Leichtsinn *m*; Wankelmütigkeit *f*; **gid·dy** ['gidi] *adj.* □ **1.** schwind(e)lig: *I am* (*od. feel*) ~ mir ist schwind(e)lig; **2.** schwindelerregend, schwindelnd; wirbelnd; **3.** *fig.* leichtsinnig; wankelmütig.

gie [gi:] *Scot. od. dial.* → *give*.

gift [gift] **I.** *s.* **1.** Geschenk *n*, Gabe *f*: *to make a ~ of et.* schenken; *I wouldn't have it as a ~* ich nähme es nicht geschenkt *od.* umsonst; ~ *shop* (*Am. store*) Geschenkartikelladen; **2.** ⚖ Schenkung *f*: *deed of ~* Schenkungsurkunde; **3.** ⚖ Verleihungsrecht *n*: *the office is in his ~* er kann dieses Amt verleihen; **4.** *fig.* Begabung *f*, Gabe *f*, Ta'lent *n* (*for, of* für): ~ *of tongues* Sprachbegabung; → *gab I*; **II.** *v/t.* **5.** (be)schenken; **III.** *adj.* **6.** geschenkt; → *horse 1*; '**gift·ed** [-tid] *adj.* begabt, talen'tiert; '**gift·ie** [-ti] *Scot.* → *gift 4*.

gift| tax *s.* Schenkungssteuer *f*; '**~-wrap** *v/t.* geschenkmäßig verpacken.

gig [gig] *s.* **1.** ⚓ Gig *n*, Komman'dantenboot *n*; **2.** Gig *n* (*Ruderboot*); **3.** Gig *n* (*zweirädriger, offener Einspänner*); **4.** Fischrechen *m*; **5.** ⊕ ('Tuch),Rauhma,schine *f*.

gi·gan·tic [dʒai'gæntik] *adj.* (□ ~*ally*) gi'gantisch, riesenhaft, riesig, ungeheuer (groß).

gig·gle ['gigl] **I.** *v/i.* kichern; **II.** *s.* Gekicher *n*; '**gig·gler** [-lə] *s.* Kichernde(r *m*) *f*.

gig·o·lo ['ʒigəlou] *pl.* **-los** *s.* Gigolo *m*, Eintänzer *m*.

Gil·ber·ti·an [gil'bə:tjən] *adj.* in der Art (*des Humors*) von W. S. 'Gilbert, ope'rettenhaft; *fig.* komisch.

gild[1] [gild] → *guild*.

gild[2] [gild] *v/t.* [*irr.*] **1.** vergolden; **2.** *fig.* verschöne(r)n, schmücken; **3.** *fig.* versüßen, über'tünchen, beschönigen: *to ~ the pill* die bittere Pille versüßen; '**gild·ed** [-did] *adj.* vergoldet, golden (*a. fig.*): ♀ *Chamber* Oberhaus (*des brit. Parlaments*); ~ *youth* Jeunesse dorée; '**gild·er** [-də] *s.* Vergolder *m*; '**gild·ing** [-diŋ] *s.* **1.** Vergoldung *f*; **2.** *fig.* Verschönerung *f*; **3.** *fig.* Beschönigung *f*, Über'tünchung *f*, Versüßung *f*.

gill[1] [gil] *s.* **1.** *ichth.* Kieme *f*; **2.** *pl.* Doppelkinn *n*: *rosy* (*green*) *about the ~s* rosig, frischaussehend (grün im Gesicht); **3.** *orn.* Kehllappen *m*; **4.** ♀ La'melle *f* (*der Pilze*).

gill[2] [gil] *s. Scot.* **1.** waldige Schlucht; **2.** Gebirgsbach *m*.

gill[3] [dʒil] *s.* Viertelpinte *f* (*Brit.* 0,14, *Am.* 0,12 *Liter*).

Gill[4] [dʒil] *s.* Liebste *f*; → *Jack and Gill*.

gil·lie ['gili] *s. Scot.* Diener *m*; Jagdgehilfe *m*.

gil·ly·flow·er ['dʒiliflauə] *s.* ♀ **1.** Gartennelke *f*; **2.** Lev'koje *f*; **3.** Goldlack *m*.

gilt [gilt] **I.** *adj.* **1.** → *gilded*; **II.** *s.* **2.** Vergoldung *f*; **3.** *fig.* Reiz *m*:

to take the ~ off the gingerbread der Sache den Reiz nehmen; **4.** *pl.* → *gilt-edged securities*; '**~-edged** *adj.* **1.** mit Goldschnitt; **2.** ⚚ F erstklassig, 'prima; '**~-edged se·cu·ri·ties** *s. pl.* ⚚ F mündelsichere ('Wert)Paˌpiere *pl.*

gim·bals ['dʒimbəlz] *s. pl.* ⊕ Kar'danringe *pl.*, -aufhängung *f.*

gim·crack ['dʒimkræk] **I.** *s.* Spiele'rei *f*, Kinkerlitzchen *n*, Kram *m*; **II.** *adj.* wertlos, nichtig.

gim·let ['gimlit] *s.* ⊕ Handbohrer *m* (*mit Griff*): ~ *eyes fig.* stechende Augen.

gim·mick ['gimik] *s.* F → *gadget*; '**gim·mick·ry** [-kri] *s.* F ('technische) Mätzchen *pl.*

gimp [gimp] *s.* Gimpe *f*, Kordel *f*, Besatzschnur *f.*

gin[1] [dʒin] *s.* Wa'cholderschnaps *m*, Gin *m*, Ge'never *m.*

gin[2] [dʒin] **I.** *s.* **1.** *a. cotton ~* Ent'körnungsmaˌschine *f* (*für Baumwolle*); **2.** ⊕ Hebezeug *n*, Winde *f*; ⚓ Spill *n*; **3.** ⊕ Göpel *m*, 'Fördermaˌschine *f*; **4.** *a. ~-trap hunt.* Falle *f*, Schlinge *f*; **II.** *v/t.* **5.** *Baumwolle* entkörnen, egrenieren; **6.** mit e-r Schlinge fangen.

gin·ger ['dʒindʒə] **I.** *s.* **1.** ⚘ Ingwer *m*; **2.** Rötlich(gelb) *n*, Ingwerfarbe *f*; **3.** F **a)** ‚Mumm' *m*, Schneid *m* (*e-r Person*), **b)** ‚Pfeffer' *m*, ‚Pfiff' *m* (*e-r Geschichte etc.*); **II.** *adj.* **4.** rötlich(gelb); **5.** F lebhaft, schneidig; **III.** *v/t.* **6.** mit Ingwer würzen; **7.** *a. ~ up fig.* ‚ankurbeln', anfeuern, aufmöbeln; scharfmachen; **~ ale**, **~ beer** *s.* 'Ingwer-Limoˌnade *f*; **~ bran·dy** *s.* 'Ingwerliˌkör *m*; '**~-bread** *s.* Pfefferkuchen *m*; → *gilt 3*; **~ group** *s. pol. Brit.* Gruppe *f* von Scharfmachern.

gin·ger·ly ['dʒindʒəli] *adv. u. adj.* sachte, behutsam, zimperlich.

'**gin·ger|-nut** *s.* Pfeffernuß *f*; **~ pop** *s.* F Ingwersprudel *m*; '**~-race** *s.* Ingwerwurzel *f*; '**~-snap** *s.* Ingwerkeks *m*; **~ wine** *s.* Ingwerwein *m.*

gin·ger·y ['dʒindʒəri] *adj.* **1.** ingwerartig; **2.** gewürzt, scharf.

ging·ham ['giŋəm] *s.* 'Gingham *m*, 'Gingan *m* (*Baumwollstoff*).

gin·gi·vi·tis [dʒindʒi'vaitis] *s.* ⚕ Zahnfleischentzündung *f*, Gingi'vitis *f.*

ging·ko ['giŋkou] *pl.* **-koes** *s.* ⚘ 'Gingko *m* (*Baum*).

gink·go *Am.* → *gingko.*

gin mill *s. Am.* F Kneipe *f.*

gin·ner·y ['dʒinəri] *s.* Egrenierwerk *n* (*zur Baumwollentkörnung*).

'**gin|-pal·ace** *s.* buntdekoriertes *od.* auffällig dekoriertes Wirtshaus; '**~-shop** *s.* Gin-Schenke *f*; **~ sling** *s. Am.* Mischgetränk *n* mit Gin.

gip·sy ['dʒipsi] **I.** *s.* **1.** Zi'geuner(in) (*a. fig.*); **2.** Zi'geunersprache *f*; **II.** *adj.* **3.** zi'geunerhaft, Zigeuner...; **III.** *v/i.* **4.** ein Zi'geunerleben führen; '**gip·sy·dom** [-dəm] *s.* **1.** Zi'geunertum *n*; **2.** *coll.* Zigeuner *pl.*

gip·sy| flow·er → *gipsy rose*; **~ moth** *s. zo.* Schwammspinner *m*; **~ rose** *s.* ⚘ Skabi'ose *f*; **~ ta·ble** *s.* leichter dreibeiniger runder Tisch; **~ van** *s.* Zi'geunerwagen *m.*

gi·raffe [dʒi'rɑ:f] *s. zo.* Gi'raffe *f.*

gird[1] [gə:d] *v/t.* [*irr.*] **1.** *a. ~ about j-n, sich* (um)'gürten (*with* mit); **2.** *Kleid etc.* gürten, mit e-m Gürtel halten; **3.** *a. ~ on Schwert etc.* 'umgürten, an-, 'umlegen: *to ~ s.th. on s.o.* j-m et. umgürten; **4.** *j-m, sich* ein Schwert umgürten: *to ~ o.s.* (*up*), *to ~* (*up*) *one's loins fig.* sich rüsten *od.* wappnen; **5.** binden (*to* an *acc.*); **6.** um'geben, -'schließen: *sea-girt* meerumschlungen; **7.** *fig.* ausstatten, -rüsten.

gird[2] [gə:d] **I.** *v/i.* höhnen, spotten (*at* über *acc.*); **II.** *s.* Spott *m.*

gird·er ['gə:də] *s.* ⊕ Tragbalken *m*, (Längs)Träger *m*: *~ bridge* Balkenbrücke.

gir·dle[1] ['gə:dl] **I.** *s.* **1.** Gürtel *m*, Gurt *m*, Schärpe *f*; **2.** Hüfthalter *m*, -gürtel *m*; **3.** *anat.*, *in Zssgn* (*Knochen*)Gürtel *m*; **4.** *fig.* Gürtel *m*, 'Umkreis *m*, Um'gebung *f*; Einfassung *f*; **II.** *v/t.* **5.** um'gürten; **6.** um'geben, einschließen.

gir·dle[2] ['gə:dl] *dial.* → *griddle.*

girl [gə:l] *s.* **1.** Mädchen *n*, ‚Mädel' *n*: *a German ~* e-e junge Deutsche; *~ friend* Freundin; *~ typist* Maschinenschreiberin; *~'s name* weiblicher Vorname; *my eldest ~* m-e älteste Tochter; **2.** (Dienst)Mädchen *n*; **3.** *oft best ~* Liebste *f*, ‚Kleine' *f*; **~ guide** *s.* Pfadfinderin *f* (*in England*).

girl·hood ['gə:lhud] *s.* Mädchenzeit *f*, -jahre *pl.*; '**girl·ie** [-li] *s.* F kleines Mädchen; '**girl·ish** [-liʃ] *adj.* □ mädchenhaft; '**girl·ish·ness** [-liʃnis] *s.* *das* Mädchenhafte; **girl scout** *s.* Pfadfinderin *f* (*in den USA*).

gi·ro ac·count ['dʒairou] *s.* 📯 'Postscheckˌkonto *n.*

girt[1] [gə:t] *pret. u. p.p. von gird*[1].

girt[2] [gə:t] **I.** *s.* 'Umfang *m*; **II.** *v/t.* den Umfang messen von; **III.** *v/i.* messen (*an Umfang*).

girth [gə:θ] **I.** *s.* **1.** 'Umfang *m*; **2.** 'Körperˌumfang *m*; **3.** (Sattel-, Pack)Gurt *m*; **4.** ⊕ Tragriemen *m*, Gurt *m*; **II.** *v/t.* **5.** *Pferd* gürten; **6.** an-, aufschnallen; **7.** den Umfang messen von.

gist [dʒist] *s.* **1.** *das* Wesentliche, Hauptpunkt *m*, -inhalt *m*, Kern *m der Sache*; **2.** ⚖ Grundlage *f e-r Klage.*

give [giv] **I.** *s.* **1.** Nachgeben *n*, Nachgiebigkeit *f*, Anpassung *f* (*a. fig.*); **2.** Elastizi'tät *f*, Biegsamkeit *f*; → *give and take*; **II.** *v/t.* [*irr.*] **3.** geben, über'reichen; schenken: *he gave me a book* er gab *od.* schenkte mir ein Buch; *to ~ a present* ein Geschenk machen; *I'll ~ it to you!* F dir werd' ich's geben! (*Strafe, Schelte*); *~ me Mozart every time* am liebsten habe (*höre*) ich Mozart; *to ~ as good as one gets* (*od. takes*) mit gleicher Münze heimzahlen; **4.** geben, zahlen: *how much did you ~ for that hat?*; **5.** (ab-, weiter)geben, über'tragen; (zu)erteilen, an-, zuweisen; verleihen: *you have ~n me your cold* du hast mich mit deiner Erkältung angesteckt; *she gave me her bag to carry* sie gab mir ihre Tasche zu tragen; *to ~ s.o. a part in a play* j-m e-e Rolle in e-m Stück geben; *to ~ s.o. a title* j-m e-n Titel verleihen; **6.** hingeben, widmen, schenken: *to ~ one's attention to* s-e Aufmerksamkeit widmen (*dat.*); *to ~ one's mind to s.th.* sich e-r Sache widmen; *to ~ one's life* sein Leben hingeben *od.* opfern; **7.** geben, (dar)bieten, reichen: *he gave me his hand*; *do ~ us a song* singen Sie uns bitte ein Lied; **8.** gewähren, liefern, geben: *cows ~ milk* Kühe geben *od.* liefern Milch; *to ~ no result* kein Ergebnis zeitigen; *it was not ~n me to inf.* es war mir nicht vergönnt, zu *inf.*; **9.** verursachen: *to ~ pleasure* Vergnügen bereiten *od.* machen; *to ~ pain* weh tun; *to ~ effect to et.* in Kraft setzen; **10.** zugeben, -gestehen, erlauben: *just ~ me 24 hours* gib mir nur 24 Stunden Zeit; *I ~ you that point* in diesem Punkt gebe ich dir recht; **11.** ausführen, äußern, vortragen: *to ~ s.o. a blow* j-m e-n Schlag versetzen; *to ~ a start* zs.-fahren; *to ~ a loud laugh* laut auflachen; *to ~ a command* e-n Befehl geben *od.* erteilen; *to ~ a look* anblicken, hinsehen; *to ~ a party* e-e Party geben; *to ~ a play* ein Stück geben *od.* aufführen; *to ~ a lecture* e-n Vortrag halten; *to ~ one's name* s-n Namen nennen *od.* angeben; *to ~ s.o. to understand* j-m zu verstehen geben; **12.** beschreiben, mitteilen, geben: *~ us the facts*; **III.** *v/i.* [*irr.*] **13.** geben, schenken, spenden: *to ~ generously*; **14.** nachgeben (*a.* ⚚ *Preise*), -lassen, weichen, versagen: *to ~ under pressure* unter Druck nachgeben; *his knees gave under him* s-e Knie versagten; **15.** sich lockern, sich biegen (lassen); sich anpassen (*to* an *acc.*); sich senken: *to ~ but not to break* sich biegen, aber nicht brechen; *the chair ~s comfortably* der Stuhl federt angenehm; *the foundations are giving* das Fundament senkt sich; **16.** (hin'aus)gehen (*on to* auf *acc.*, nach) (*Fenster etc.*); führen (*into* in *acc.*, *on* auf *acc.*) (*Straße etc.*);

Zssgn mit adv.:

give| a·way *v/t.* **1.** fortgeben, verschenken; **2.** *Preise* verteilen; **3.** aufgeben, opfern, preisgeben; **4.** verraten: *his accent gives him away*; → *show 14*; **5.** bloßstellen: *to give o.s. away* sich blamieren *od.* verplappern; **6.** → *bride*; **~ back** *v/t.* **1.** zu'rückgeben; **2.** erwidern; **~ forth** *v/t.* **1.** äußern; her'aus-, bekanntgeben; **2.** von sich geben, ausströmen; **~ in I.** *v/t.* **1.** *Gesuch etc.* einreichen; (an)melden: *to ~ one's name* sich eintragen lassen; **II.** *v/i.* **2.** (*to dat.*) nachgeben; sich anschließen; **3.** aufgeben, sich geschlagen geben; **~ off** *v/t. Dampf etc.* abgeben, ausströmen, -strahlen; **~ out I.** *v/t.* **1.** ausgeben, aus-, verteilen; **2.** her'aus-, bekanntgeben; **3.** angeben, nennen: *to give it out that* behaupten, daß; **4.** aussenden, -strömen; **II.** *v/i.* **5.** zu Ende gehen; erschöpft sein (*Kräfte, Vorrat*); versagen (*Maschine etc.*); **~ o·ver I.** *v/t.* **1.** über'geben, -'lassen, -'weisen, abliefern; **2.** aufgeben, ablassen von, aufhören mit; **3.** *give o.s. over* sich ergeben, verfallen (*to dat.*): *to give o.s.*

over to drink; **II.** *v/i.* **4.** aufhören; **~ up I.** *v/t.* **1.** auf-, abgeben; aufhören (*doing* zu tun): *to ~ smoking* das Rauchen aufgeben; **2.** *als aussichtslos* aufgeben: *he was given up by the doctors*; *to ~ a riddle*; **3.** *give o.s. up* a) sich hin- *od.* ergeben, sich widmen (*to dat.*), b) sich (freiwillig) stellen; **II.** *v/i.* **4.** (es) aufgeben, sich geschlagen geben.

give| and take *s.* **1.** (*ein*) Geben u. Nehmen, beiderseitiges Nachgeben, Kompro'miß *m, n*; **2.** Meinungsaustausch *m*, Wortgefecht *n*; **'~-and-'take** *adj.* Kompromiß..., Ausgleichs...; **'~-a·way I.** *s.* **1.** (ungewollter) Verrat, Verplappern *n*; **2.** ☩ Werbegeschenk *n*; **II.** *adj.* **3.** *~ show, Am. ~ program* Preisraten, Quizsendung.

giv·en ['givn] **I.** *p.p. von give*; **II.** *adj.* **1.** gegeben, bestimmt: *at a ~ time* zur angegebenen Zeit; *under the ~ conditions* unter den obwaltenden Umständen; **2.** ergeben, verfallen (*to dat.*): *~ to drinking*; **3.** ⚖, *phls.* gegeben, bekannt; **4.** vor'ausgesetzt; **5.** in Anbetracht (*gen.*): *~ his temperament*; **~ name** *s. Am.* Vor-, Taufname *m.*

giv·er ['givə] *s.* **1.** Geber(in), Spender(in); **2.** ☩ (*Wechsel*)Aussteller *m.*

giz·zard ['gizəd] *s. orn.* Muskelmagen *m*: *that sticks in my ~ fig.* F das ist mir zuwider.

gla·brous ['gleibrəs] *adj.* ♀, *zo.* kahl, unbehaart, glatt.

gla·cé ['glæsei] (*Fr.*) *adj.* **1.** glasiert, mit Zuckerguß; **2.** kandiert; **3.** Glacé..., Glanz... (*Leder, Stoff*).

gla·cial ['gleisjəl] *adj.* **1.** *geol.* Eis..., Gletscher...: *~ epoch od. period* Eiszeit; **2.** ⚗ Eis...: *~ acetic acid* Eisessig; **3.** vereist; **4.** eisig (*a. fig.*); **'gla·ci·ate** [-sieit] *v/t.* vereisen; vergletschern; **gla·ci·a·tion** [glæsi'eiʃən] *s.* Vereisung *f*; Vergletscherung *f.*

gla·cier ['glæsjə] *s.* Gletscher *m*: *~ table* Gletschertisch.

gla·cis ['glæsis; *pl.* -siz] *s.* **1.** flache Abdachung; **2.** ⚔ Gla'cis *n.*

glad [glæd] *adj.* □ → *gladly*; **1.** (*pred.*) froh, erfreut (*of, at* über *acc.*): *I am ~ of it* ich freue mich darüber, es freut mich; *I am ~ to hear* (*to say*) zu m-r Freude höre ich (darf ich sagen), es freut mich zu hören (sagen zu können); *I am ~ to come* ich komme gern; *I should be ~ to know* ich möchte gern wissen; **2.** freudig, froh, fröhlich, erfreulich: *to give s.o. the ~ eye sl.* j-m e-n einladenden Blick zuwerfen, j-m schöne Augen machen; *to give s.o. the ~ hand* j-n herzlich begrüßen; *~ rags sl.* ‚Sonntagsstaat', Abendanzug; *~ tidings* frohe Botschaft; **'glad·den** [-dn] *v/t.* erfreuen.

glade [gleid] *s.* Lichtung *f*, Schneise *f.*

glad·i·a·tor ['glædieitə] *s.* Gladi'ator *m*; *fig.* Po'lemiker *m*, Kämpfer *m*; **glad·i·a·to·ri·al** [glædiə'tɔ:riəl] *adj.* Gladiatoren...

glad·i·o·lus [glædi'ouləs] *pl.* **-li** [-lai] *od.* **-lus·es** *s.* ♀ Gladi'ole *f.*

glad·ly ['glædli] *adv.* mit Freuden, gern(e); **glad·ness** ['glædnis] *s.* Freude *f*, Fröhlichkeit *f*; **glad·some** ['glædsəm] *adj.* □ *poet.* **1.** erfreulich; **2.** freudig, fröhlich.

Glad·stone (bag) ['glædstən] *s.* zweiteilige leichte Reisetasche.

glair [glɛə] **I.** *s.* **1.** Eiweiß *n*; **2.** eiweißartige Masse; **II.** *v/t.* **3.** mit Eiweiß(leim) bestreichen.

glaive [gleiv] *s. poet.* (Breit-)Schwert *n.*

glam·or *Am.* → *glamour.*

glam·or·ize ['glæməraiz] *v/t.* (mit viel Re'klame) verherrlichen; **'glam·or·ous** [-rəs] *adj.* bezaubernd (schön), zauberhaft; **glam·our** ['glæmə] **I.** *s.* **1.** Zauber *m*, Glanz *m*, bezaubernde Schönheit: *~ girl* Reklameschönheit; *to cast a ~ over* bezaubern, *j-n* in s-n Bann schlagen; **2.** falscher Glanz, Blendwerk *n*; **II.** *v/t.* **3.** bezaubern.

glance[1] [glɑ:ns] **I.** *v/i.* **1.** e-n Blick werfen, (schnell *od.* flüchtig) blicken (*at* auf *acc.*): *to ~ over a letter* e-n Brief überfliegen; **2.** (auf-)blitzen, (auf)leuchten; **3.** *oft ~ aside, ~ off* abgleiten, abprallen; **4.** (*at*) *Thema* flüchtig berühren *od.* streifen, anspielen (auf *acc.*); **II.** *v/t.* **5.** *das Auge* werfen *od.* flüchtig richten (*at* auf *acc.*); **III.** *s.* **6.** flüchtiger Blick (*at* auf *acc.*): *at a ~, at first ~* auf den ersten Blick; *to take a ~ at et.* flüchtig ansehen; **7.** (Auf)Blitzen *n*, (Auf-)Leuchten *n*; **8.** Abprallen *n*, Abgleiten *n*; **9.** *Kricket*: Streifschlag *m*; **10.** (*at*) flüchtige Anspielung (auf *acc.*) *od.* Erwähnung (*gen.*).

glance[2] [glɑ:ns] *s. min.* Blende *f*, Glanz *m*: *lead ~* Bleiglanz.

gland[1] [glænd] *s. biol.* Drüse *f.*

gland[2] [glænd] *s.* ⊕ **1.** Flansch *m*; **2.** Stopfbüchse *f.*

glan·dered ['glændəd] *adj. vet.* rotzkrank; **'glan·der·ous** [-ərəs] *adj.* Rotz...; **glan·ders** ['glændəz] *s. pl. sg. konstr.* Rotz(krankheit *f*) *m* (*der Pferde*).

glan·du·lar ['glændjulə] *adj. biol.* drüsig, Drüsen...: *~ fever* Drüsenfieber; **'glan·du·lous** [-əs] → *glandular.*

glans [glænz] *pl.* **'glan·des** [-di:z] *s. anat.* Eichel *f.*

glare[1] [glɛə] **I.** *v/i.* **1.** glänzen, funkeln, strahlen, grell leuchten; **2.** starren, stieren: *to ~ at* (*od. upon*) (wild) anstarren; **3.** auffallen, ins Auge springen; **II.** *s.* **4.** blendendes Licht, greller Glanz (*a. fig.*); **5.** wilder Blick; **6.** *fig.* Brennpunkt *m.*

glare[2] [glɛə] *Am.* **I.** *s.* spiegelglatte Fläche: *a ~ of ice*; **II.** *adj.* spiegelglatt: *~ ice* Glatteis.

glar·ing ['glɛəriŋ] *adj.* □ **1.** grell (*Sonne, Farben etc.*); **2.** *fig.* offenkundig, schamlos, schreiend: *~ error* krasser Fehler.

glass [glɑ:s] *s.* **1.** Glas *n*: *broken ~* Glasscherben *pl.*; **2.** *coll.* Glas (-waren *pl.*) *n*: *~ and china* Glas u. Porzellan; **3.** Glasgefäß *n*; **4.** (Trink)Glas *n*; **5.** Glas(voll) *n*: *a ~ too much* ein Glas über den Durst; **6.** Spiegel *m*; **7.** *opt.* Linse *f*; Lupe *f*, Vergrößerungsglas *n*; Mikro'skop *n*; Fern-, Opernglas *n*; **8.** Thermo'meter *n*, Baro'meter *n*: *the ~ has fallen*; **9.** *pl. a. pair of ~es* Brille *f*; **10.** Stundenglas *n*, Sanduhr *f*; **11.** Glasscheibe *f*; **'~-blow·er** *s.* Glasbläser *m*; **'~-blow·ing** *s.* ⊕ Glasbläse'rei *f*; **~ case** *s.* Glasschrank *m*, Vi'trine *f*; Schaukasten *m*; **~ cloth** *s.* Glas(faser)gewebe *n*; **'~-cloth** *s.* Gläsertuch *n*; **'~-cul·ture** *s.* 'Treibhauskulˌtur *f*; **'~-cut·ter** *s.* **1.** Glasschleifer *m*; **2.** ⊕ Glasschneider *m* (*Werkzeug*); **~ eye** *s.* Glasauge *n*; **~ fi·bre** *s.* Glaswolle *f*, -fiber *f.*

glass·ful ['glɑ:sful] *pl.* **-fuls** *s.* *ein* Glasvoll *n.*

'glass|-house *s.* **1.** ⊕ Glashütte *f*; **2.** Glas-, Treibhaus *n*: *to sit* (*od. live*) *in a ~ fig.* im Glashaus sitzen; **3.** ⚔ *Brit. sl.* ‚Bau' *m* (*Gefängnis*); **'~-pa·per** ⊕ **I.** *s.* 'Glaspaˌpier *n*; **II.** *v/t.* mit Glaspapier abreiben *od.* polieren; **'~-ware** *s.* Glas (-waren *pl.*) *n*, Glasgeschirr *n*, -sachen *pl.*; **'~-wool** *s.* ⊕ Glaswolle *f*; **'~-work** *s.* ⊕ **1.** Glas(waren)erzeugung *f*; **2.** *pl. mst sg. konstr.* 'Glashütte *f*, -faˌbrik *f.*

glass·y ['glɑ:si] *adj.* □ **1.** gläsern, glasartig; **2.** glasig (*Auge*); **3.** 'durchsichtig, klar.

Glas·we·gian [glæs'wi:dʒjən] **I.** *adj.* aus Glasgow; **II.** *s.* Glasgower(in).

Glau·ber's salt(s) ['glɔ:bəz] *s.* Glaubersalz *n.*

glau·co·ma [glɔ:'koumə] *s.* ⚕ Glau'kom *n*, grüner Star; **glau·cous** ['glɔ:kəs] *adj.* graugrün, bläulichgrün.

glaze [gleiz] **I.** *v/t.* **1.** verglasen, mit Glasscheiben versehen: *to ~ in* einglasen; **2.** polieren, glätten; **3.** glasieren, mit Gla'sur über'ziehen (*a. Kuchen etc.*); **4.** *paint.* lasieren; **5.** ⊕ *Papier, Leder* satinieren; **II.** *v/i.* **6.** e-e Gla'sur *od.* Poli'tur annehmen, blank werden; **7.** trübe *od.* glasig werden (*Auge*); **III.** *s.* **8.** Poli'tur *f*, Glätte *f*, Glanz *m*; **9.** Gla'sur *f* (*a. Kuchen etc.*); **10.** Gla'surmasse *f*; **11.** *paint.* La'sur *f*; **12.** ⊕ Satinierung *f*; **13.** Glasigkeit *f*, Schleier *m* (*Auge*); **14.** Eisschicht *f*, Vereisung *f*; *Am.* Glatteis *n*; **glazed** [-zd] *adj.* **1.** verglast: *~ veranda*; **2.** ⊕ glatt, blank, poliert, Glanz...: *~ paper* Glanzpapier; *~ tile* Kachel; **3.** glasiert; lasiert; satiniert; poliert; **4.** glasig (*Auge, Blick*); **5.** vereist: *~ frost Brit.* Glatteis; **'glaz·er** [-zə] *s.* ⊕ **1.** Glasierer *m*; Polierer *m*; Satinierer *m*; **2.** Polier-, Schmirgelscheibe *f*; **'gla·zier** [-zjə] *s.* Glaser *m*; **'glaz·ing** [-ziŋ] *s.* **1.** Verglasen *n*; **2.** *coll.* Fensterscheiben *pl.*; **3.** Gla'sur *f*; Poli'tur *f*; La'sur *f*; Satinieren *n*; Schmirgeln *n*; **'glaz·y** [-zi] *adj.* **1.** glasig, glasiert; **2.** glanzlos, glasig (*Auge*).

gleam [gli:m] **I.** *s.* schwacher Schein, Schimmer *m* (*a. fig.*): *~ of hope* Hoffnungsschimmer; **II.** *v/i.* glänzen, leuchten, schimmern.

glean [gli:n] **I.** *v/t.* **1.** *Ähren* (auf-, nach)lesen, (ein)sammeln; *Feld* sauberlesen; **2.** *fig.* sammeln, auflesen, zs.-tragen: *to ~ from* erfahren von, schließen aus; **II.** *v/i.* **3.** Ähren lesen; **'glean·er** [-nə] *s.* Ährenleser *m*; *fig.* Sammler *m*; **'glean·ings**

[-niŋz] *s. pl.* **1.** Nachlese *f*; **2.** *fig. das* Gesammelte.

glebe [gli:b] *s.* **1.** ⚖, *eccl.* Pfarrland *n*; **2.** *poet.* (Erd)Scholle *f*, Boden *m*.

glede [gli:d] *s. orn.* Gabelweihe *f*.

glee [gli:] *s.* **1.** Fröhlichkeit *f*, Frohsinn *m*; Froh'locken *n*; **2.** ♪ Rundgesang *m*, mehrstimmiges Lied: ~ *club* Gesangverein; '**glee·ful** [-ful] *adj.* □ fröhlich, froh, freudig; froh'lockend; '**glee·man** [-mən] *s.* [*irr.*] *hist.* fahrender Sänger.

glen [glen] *s.* Bergschlucht *f*, Klamm *f*.

glen·gar·ry [glen'gæri] *s.* Mütze *f der Hochlandschotten*.

glib [glib] *adj.* □ **1.** zungen-, schlagfertig; gewandt, schnell bei der Hand: *a ~ tongue* e-e glatte Zunge; **2.** leichtfertig, oberflächlich; '**glib·ness** [-nis] *s.* **1.** Zungenfertigkeit *f*; Gewandtheit *f*; **2.** Leichtfertigkeit *f*, Oberflächlichkeit *f*.

glide [glaid] **I.** *v/i.* **1.** (leicht) gleiten (*a. fig.*): *to ~ along* dahingleiten, -fliegen; *to ~ out* hinausschlüpfen; **2.** ✈ a) gleiten, e-n Gleitflug machen, b) segeln; **II.** *s.* **3.** Gleiten *n*; **4.** ✈ a) Gleitflug *m*, b) Segelflug *m*: ~ *path* Gleitweg; **5.** *ling.* Gleitlaut *m*; '**glid·er** [-də] *s.* ✈ **1.** Segelflugzeug *n*; **2.** *a.* ~ *pilot* Segelflieger(in); '**glid·ing** [-diŋ] *s.* ✈ Segel-, Gleitflug *m*.

glim·mer ['glimə] **I.** *v/i.* **1.** glimmen, schimmern; **2.** flackern, flimmern; **II.** *s.* **3.** (*a. fig.*) Glimmen *n*, Schimmer *m*, Schein *m*: *a ~ of hope* ein Lichtblick *od.* Hoffnungsschimmer; **4.** *min.* Glimmer *m*.

glimpse [glimps] **I.** *s.* **1.** flüchtiger (An)Blick: *to catch a ~ of* e-n flüchtigen Blick erhaschen von; **2.** flüchtiger Eindruck *od.* Einblick; **3.** Schimmer *m* (*a. fig.*); **II.** *v/t.* **4.** flüchtig erblicken; **III.** *v/i.* **5.** flüchtig blicken (*at* auf *acc.*).

glint [glint] **I.** *s.* Schimmer *m*, Schein *m*, Glitzern *n*; **II.** *v/i.* schimmern, glitzern, blinken.

glis·sade [gli'sɑ:d] **I.** *s.* **1.** *mount.* Abfahrt *f*, 'Rutschpar,tie *f*; **2.** *Tanz*: Glis'sade *f*, Gleitschritt *m*; **II.** *v/i.* **3.** *mount.* abfahren, rutschen; **4.** *Tanz*: Gleitschritte machen.

glis·ten ['glisn] **I.** *v/i.* glitzern, glänzen, *rhet.* gleißen; **II.** *s.* Glitzern *n*, Glanz *m*.

glit·ter ['glitə] **I.** *v/i.* **1.** glitzern, funkeln, strahlen, glänzen (*a. fig.*); **II.** *s.* **2.** Glitzern *n*, Funkeln *n*; **3.** *fig.* Pracht *f*, Prunk *m*, Glanz *m*; '**glit·ter·ing** [-təriŋ] *adj.* □ **1.** glitzernd; **2.** glanzvoll, prächtig.

gloam·ing ['gloumiŋ] *s.* (Abend-)Dämmerung *f*.

gloat [glout] *v/i.* ~ *over*: a) sich hämisch freuen über (*acc.*), b) sich weiden an (*dat.*); '**gloat·ing** [-tiŋ] *adj.* □ schadenfroh, hämisch.

glob·al ['gloubəl] *adj.* glo'bal: a) 'weltum,fassend, Welt..., b) um'fassend, pau'schal, Gesamt...; '**glo·bate** [-beit] *adj.* kugelförmig, kugelig.

globe [gloub] **I.** *s.* **1.** Kugel *f*; **2.** Erdkugel *f*, -ball *m*, Erde *f*; **3.** *geogr.* 'Globus *m*; **4.** Lampenglocke *f*, -kuppel *f*; **II.** *v/t. u. v/i.* **5.** kugelförmig machen (werden); ~ **ar·ti·choke** → *artichoke 1*; '~-**fish** *s. ichth.* Kugelfisch *m*; '~-**flow·er** *s.* ⚘ Trollblume *f*; '~-**trot·ter** *s.* Weltenbummler(in), Globetrotter(in); '~-**trot·ting I.** *s.* Weltenbummeln *n*; **II.** *adj.* Weltenbummler..., weltenbummelnd.

glo·bose ['gloubous] → *globular*; **glo·bos·i·ty** [glou'bɔsiti] *s.* Kugelform *f*, -gestalt *f*; **glob·u·lar** ['glɔbjulə] *adj.* □ kugelförmig: ~ *lightning* Kugelblitz; **glob·ule** ['glɔbju:l] *s.* Kügelchen *n*.

glock·en·spiel ['glɔkənspi:l] (*Ger.*) *s.* ♪ Glockenspiel *n*.

glom·er·ate ['glɔmərit] *adj.* zs.-geballt, knäuelförmig; **glom·er·a·tion** [glɔmə'reiʃən] *s.* Zs.-ballung *f*, Knäuel *m*, *n*.

gloom [glu:m] **I.** *s.* **1.** Dunkel(heit *f*) *n*, Düsterkeit *f*; **2.** *fig.* düstere Stimmung, Schwermut *f*, Trübsinn *m*; **II.** *v/i.* **3.** traurig *od.* verdrießlich *od.* düster blicken *od.* aussehen; **4.** düster werden; '**gloom·i·ness** [-minis] *s.* **1.** Dunkel(heit *f*) *n*, Düsternis *f*; **2.** *fig.* Schwermut *f*, Trübsinn *m*; '**gloom·y** [-mi] *adj.* □ **1.** (*a. fig.*) dunkel, finster, düster, trübe; **2.** melan'cholisch, schwermütig, verdrießlich, traurig; **3.** hoffnungslos.

glo·ri·fi·ca·tion [glɔ:rifi'keiʃən] *s.* **1.** Verherrlichung *f*; **2.** *eccl.* Lobpreisung *f*; **3.** F Budenzauber *m*, lautes Fest; **glo·ri·fied** ['glɔ:rifaid] *adj.* F her'ausgeputzt: *merely a ~ barn* nur eine ‚bessere' Scheune; **glo·ri·fy** ['glɔ:rifai] *v/t.* **1.** preisen, verherrlichen; **2.** *eccl.* lobpreisen; verklären; **3.** erstrahlen lassen, e-e Zierde sein (*gen.*); **4.** F her'ausputzen, ‚aufdonnern'.

glo·ri·ole ['glɔ:rioul] *s.* Heiligen-, 'Glorienschein *m*, Strahlenkrone *f*.

glo·ri·ous ['glɔ:riəs] *adj.* □ **1.** ruhmvoll, -reich, glorreich; **2.** herrlich, prächtig; **3.** F wunderbar, großartig: *a ~ mess* ein schönes Chaos.

glo·ry ['glɔ:ri] **I.** *s.* **1.** Ruhm *m*, Ehre *f*; → *Old Glory*; **2.** Stolz *m*, Zierde *f*, Glanz(punkt) *m*; **3.** *eccl.* Verehrung *f*, Lobpreisung *f*; **4.** Herrlichkeit *f*, Glanz *m*, Pracht *f*, 'Glorie *f*; höchste Blüte; **5.** *eccl.* himmlische Herrlichkeit, Himmel *m*: *gone to ~* F in die ewigen Jagdgründe eingegangen (*tot*); *to send to ~* F ins Jenseits befördern; **6.** 'Nimbus *m*, 'Glorienschein *m*; **II.** *v/i.* **7.** sich freuen, triumphieren, froh'locken (*in* über *acc.*); **8.** (*in*) sich sonnen (in *dat.*), sich rühmen (*gen.*); '~-**hole** *s.* F Rumpelkammer *f*, Kramecke *f*.

gloss[1] [glɔs] **I.** *s.* **1.** Glanz *m*; **2.** *fig.* äußerer Schein, Anstrich *m*; **II.** *v/t.* **3.** polieren; **4.** ⊕ glanzpressen; **5.** *mst ~ over fig.* beschönigen, bemänteln, vertuschen.

gloss[2] [glɔs] **I.** *s.* **1.** Glosse *f*, Erläuterung *f*, Anmerkung *f*, Auslegung *f*; **II.** *v/t.* **2.** erklären, deuten; **3.** ~ *over* hin'wegdeuten, bemänteln; '**glos·sa·ry** [-səri] *s.* Glos'sar *n*, (Spezi'al)Wörterbuch *n*.

gloss·i·ness ['glɔsinis] *s.* Glanz *m*, Poli'tur *f*; **gloss·y** ['glɔsi] **I.** *adj.* □ **1.** glatt, glänzend, blank, poliert, Glanz...; Glanzpapier...; **2.** *fig.* raffiniert; **II.** *s.* **3.** F Illustrierte *f*.

glot·tal ['glɔtl] *adj.* Stimmritzen...; ~ **stop** *s. ling.* Kehlkopfverschluß-, Knacklaut *m*.

glot·tis ['glɔtis] *s. anat.* Stimmritze *f*.

glove [glʌv] **I.** *s.* **1.** Handschuh *m*: *to fit like a ~* wie angegossen sitzen; *to take the ~s off* ernst machen, durchgreifen, vom Leder ziehen; *with the ~s off, without ~s* unsanft, rücksichtslos, erbarmungslos; **2.** Fehdehandschuh *m*: *to fling* (*od. throw*) *down the ~* (*to s.o.*) (j-m) den Fehdehandschuh hinwerfen, (j-n) herausfordern; *to pick* (*od. take*) *up the ~* die Herausforderung annehmen; **3.** Reit-, Fecht-, Box-, Stulpenhandschuh *m*; **II.** *v/t.* **4.** mit Handschuhen bekleiden; '**glov·er** [-və] *s.* **1.** Handschuhmacher(in); **2.** Handschuhhändler(in).

glow [glou] **I.** *v/i.* **1.** glühen (*a. fig.*); leuchten, strahlen; **2.** *fig.* (er-)glühen, brennen (*with* vor *dat.*): *to ~ with anger* vor Zorn glühen; **II.** *s.* **3.** Glühen *n*, Glut *f* (*a. fig.*): *in a ~* glühend; **4.** Leuchten *n*, Schein *m*; **5.** *fig.* Hitze *f*, Röte *f*; Brennen *n*.

glow·er ['glauə] *v/i.* finster blicken: *to ~ at* finster anblicken, anfunkeln; *~ing look* finsterer Blick.

glow·ing ['glouiŋ] *adj.* □ glühend, leuchtend (*beide a. fig.*); *fig.* begeistert: *a ~ account*; *in ~ colo(u)rs* in glühenden *od.* leuchtenden Farben *schildern etc.*

'**glow|-lamp** *s.* ⚡ Glühlampe *f*; '~-**worm** *s. zo.* Glühwürmchen *n*.

glox·in·i·a [glɔk'sinjə] *s.* ⚘ Glo'xinie *f*.

gloze [glouz] *v/i.* ~ *over* hin'weggleiten über (*acc.*), beschönigen, bemänteln.

glu·cose ['glu:kous] *s.* ⚗ Glu'kose *f*, Gly'kose *f*, Traubenzucker *m*.

glue [glu:] **I.** *s.* **1.** Leim *m*; **2.** Klebstoff *m*; **II.** *v/t.* **3.** leimen, kleben (*on* auf *acc.*, *to* an *acc.*); **4.** *fig.* (*to*) heften (auf *acc.*), drücken (an *acc.*, gegen): *she remained ~d to her mother* sie ‚klebte' an ihrer Mutter; *~d to his TV set* wie angewachsen vor dem Bildschirm; **glue·y** ['glu(:)i] *adj.* klebrig, leimig; zähflüssig.

glum [glʌm] *adj.* □ verdrießlich, mürrisch, finster.

glu·ma·ceous [glu:'meiʃəs] *adj.* ⚘ spelzblütig; **glume** [glu:m] *s.* ⚘ Spelze *f*.

glum·ness ['glʌmnis] *s.* Verdrießlichkeit *f*, Bärbeißigkeit *f*.

glut [glʌt] **I.** *v/t.* **1.** sättigen, *Hunger* stillen; *Rache* befriedigen; **2.** über'sättigen, -'laden; **3.** ✝ *Markt* über'schwemmen, -'sättigen; **II.** *s.* **4.** Fülle *f*, 'Überfluß *m*; **5.** ✝ 'Überangebot *n*, Schwemme *f*: *~ of eggs*; *a ~ in the market* e-e Übersättigung *od.* Überschwemmung des Marktes.

glu·ten ['glu:tən] *s.* ⚗ Kleber *m*, Glu'ten *n*; '**glu·ti·nous** [-tinəs] *adj.* □ klebrig, leimartig.

glut·ton ['glʌtn] *s.* **1.** Vielfraß *m*,

unersättlicher Esser; **2.** Schlemmer *m*; **3.** *fig. ein* Unersättlicher: *a ~ for books* ein Bücherwurm, e-e Leseratte; *a ~ for work* ein Arbeitstier; **4.** *zo.* Vielfraß *m*; **'glut·ton·ous** [-nəs] *adj.* □ gefräßig, unersättlich; gierig (*a. fig.*) (of nach); **'glut·ton·y** [-ni] *s.* Eßlust *f*, Gefräßigkeit *f*, Völle'rei *f*, Schlemme'rei *f*.

glyc·er·in ['glisərin], **glyc·er·ine** [glisə'ri:n] *s.* ⚗ Glyze'rin *n*.

glyph [glif] *s.* **1.** ⚒ (senkrechte) Furche *od.* Rille; **2.** Skulp'tur *f*, Reli'effi͵gur *f*; **gly·phog·ra·phy** [gli'fɔgrəfi] *s.* Glyphogra'phie *f*.

glyp·tic ['gliptik] **I.** *adj.* Steinschneide...; **II.** *s. pl. sg. konstr.* Steinschneidekunst *f*; **'glyp·to·graph** [-təgrɑ:f; -græf] *s.* geschnittener Stein, Gemme *f*; **glyp·tog·ra·phy** [glip'tɔgrəfi] *s.* **1.** Steinschneidekunst *f*; **2.** Gemmenkunde *f*.

G-man ['dʒi:mæn] *s.* [*irr.*] G-Mann *m* (*Sonderbeamter der amer. Bundeskriminalpolizei*), FB'I-A͵gent *m*.

gnarled [nɑ:ld] *adj.* **1.** knorrig (*Baum, a. Hand etc.*); **2.** *fig.* zänkisch, ruppig.

gnash [næʃ] *v/t.* ~ **one's teeth** mit den Zähnen **knirschen** (*vor Wut etc.*); **'gnash·ing** [-ʃiŋ] *s.* Zähneknirschen *n*; *fig.* Groll *m*, Wut *f*.

gnat [næt] *s. zo.* (Stech)Mücke *f*: *to strain at a ~ fig.* Haarspalterei betreiben.

gnaw [nɔ:] **I.** *v/t.* **1.** zernagen, nagen an (*dat.*) (*a. fig.*); **2.** *fig.* quälen, aufreiben, zermürben; **II.** *v/i.* **3.** nagen (*at* an *dat.*); **4.** *fig.* nagen, zermürben; **gnaw·er** ['nɔ:ə] *s. zo.* Nagetier *n*; **gnaw·ing** ['nɔ:iŋ] **I.** *adj.* nagend (*a. fig.*); **II.** *s.* Nagen *n* (*a. fig.*); *fig.* Qual *f*.

gneiss [nais] *s. geol.* Gneis *m*.

gnome[1] [noum] *s.* **1.** Gnom *m*, Kobold *m*, Berggeist *m*; **2.** *fig.* (komischer) Zwerg (*Person*).

gnome[2] ['noumi:] *s.* Sinnspruch *m*, Apho'rismus *m*; **gno·mic** ['noumik] *adj.* apho'ristisch.

gnom·ish ['noumiʃ] *adj.* kobold-, zwergenhaft.

gno·mon ['noumɔn] *s.* Sonnenuhrzeiger *m*.

gno·sis ['nousis] *s.* 'Gnosis *f*, 'mystisch-religi'öse Erkenntnis; **Gnos·tic** ['nɔstik] **I.** *adj.* 'gnostisch; **II.** *s.* 'Gnostiker *m*; **Gnos·ti·cism** ['nɔstisizəm] *s.* Gnosti'zismus *m*.

gnu [nu:] *s. zo.* Gnu *n*.

go [gou] **I.** *pl.* **goes** [gouz] *s.* **1.** Gehen *n*, Gang *m*: *on the ~* F **a)** in Bewegung, ‚auf Achse', **b)** beim Fortgehen, **c)** im Abflauen; *at one ~* auf 'einen Schlag, auf Anhieb; **2.** F Schwung *m*, ‚Schmiß' *m*: *he is full of ~* er hat Schwung, er ist voller Leben; **3.** F Mode *f*; Erfolg *m*: *to be all the ~* große Mode sein; *to make a ~ of it* es zu e-m Erfolg machen; **4.** F Versuch *m*: *have a ~ at it!* probier's doch mal!; **5.** F Angelegenheit *f*, ‚Sache' *f*, ‚Geschichte' *f*: *here's a pretty ~* 'ne schöne Sache!; *it was a near ~* es ging gerade noch gut (aus); *no ~* unmöglich, zweck-, aussichtslos; **6.** F **a)** Porti'on *f*, Glas *n*: *my fifth ~* mein fünftes Glas, **b)** Anfall *m* (*Krankheit*): *my third ~*; **7.** F Abmachung *f*: *it's a ~* abgemacht!; **II.** *v/i.* [*irr.*] **8.** gehen, fahren, reisen, sich begeben, sich (fort)bewegen; verkehren (*Fahrzeuge*): *to ~ on foot* zu Fuß gehen; *to ~ by train* mit dem Zug fahren; *to ~ by plane* (*od. air*) mit dem Flugzeug reisen, fliegen; *to ~ to Paris* nach Paris reisen; *this train ~es to London* dieser Zug fährt nach London; *who ~es there?* ⚔ wer da?; → *errand*; → *horseback*; → *journey 1*; → *walk 1*; **9.** (fort-) gehen, abfahren: *don't ~ yet* geh noch nicht (fort)!; *the train has just gone* der Zug ist gerade abgefahren; *~!* los!; **10.** da'hin-, vergehen, (ver)schwinden, aufhören, ausfallen, -scheiden, abgeschafft werden, versagen: *how time ~es!* wie die Zeit vergeht!; *my pain has gone* m-e Schmerzen sind weg; *the clouds have gone* die Wolken sind fort; *his money went in beer* sein Geld ist für Bier draufgegangen; *drink must ~!* das Trinken muß aufhören; *a week to ~* noch eine Woche (übrig); **11.** ka'puttgehen, schlecht werden: *the soles are ~ing* die Sohlen gehen kaputt; **12.** gelangen, 'übergehen: *the money ~es to the eldest son* das Geld geht auf den ältesten Sohn über; **13.** ausgehen, aus-, ablaufen, zum Abschluß kommen; **14.** verlaufen, ausfallen, (aus)gehen; sich entwickeln *od.* gestalten; Erfolg haben: *the decision went against him* die Entscheidung fiel gegen ihn aus; *how did the voting ~?* wie ist die Abstimmung ausgegangen?; *how does the play ~?* wie geht *od.* welchen Erfolg hat das Stück?; *things have gone badly with me* es ist mir schlecht ergangen; **15.** gehen, arbeiten, funktionieren (*bsd. Maschine, Uhr etc.*; *a. fig.*): *to make things ~* die Sache in Schwung bringen; *he is ~ing strong* er ist gut in Form; **16.** e-e Bewegung *od.* Geste machen; **17.** (ver)laufen, sich erstrecken, reichen: *this road ~es to York* diese Straße geht *od.* führt nach York; *the belt does not ~ round her waist* der Gürtel geht nicht um ihre Taille; *to ~ a long way* lange reichen *od.* genügen; *so far as it ~es* in gewisser Weise; **18.** abgehen, verkauft werden: *eggs went cheap today*; **19.** gehen, passen, gehören, hingelegt *od.* hingestellt werden: *this book ~es on the top shelf* dieses Buch gehört ins oberste Fach; *where is the carpet to ~?* wohin kommt der Teppich?; *it does not ~ into my pocket* es geht nicht in m-e Tasche; *many eggs ~ into this cake* in diesen Kuchen kommen *od.* gehören viele Eier; *these colo(u)rs ~ well together* diese Farben passen gut zueinander; **20.** losgehen, anfangen: *~ to it!* mach dich daran!; *just ~ and try it!* versuch's doch mal!; *he went and lost it* er war so dumm, es zu verlieren; **21.** werden, *in e-n Zustand* 'übergehen *od.* verfallen: *to ~ cold* kalt werden; *to ~ bad* schlecht werden, verderben; *to ~ blind* erblinden; *to ~ Conservative pol.* zu den Konservativen übergehen; *to ~ to sleep* einschlafen; *to ~ sick* ⚔ sich krank melden; **22.** gewöhnlich *in e-m Zustand* sein, sich befinden: *to ~ hungry* hungern; *to ~ armed* bewaffnet sein; *to ~ in rags* in Lumpen herumlaufen; *to ~ in fear of one's life* um sein Leben bangen; *to ~ unheeded* unbeachtet bleiben; *as men ~* wie die Männer nun einmal sind; *as things ~* wie die Dinge liegen; **23.** bedeuten, gelten *od.* wert sein: *what I decide ~es for all the employees* was ich bestimme, gilt für alle Angestellten; *it ~es without saying* (es ist) selbstverständlich; **24.** lauten (*Worte etc.*): *I forget how the words ~*; *this is how the tune ~es* so geht die Melodie; **25.** läuten, ertönen (*Glocke*); schlagen (*Uhr*): *the bell went* es hat geklingelt; **26.** dienen, beitragen: *this ~es to show* dies zeigt, daran erkennt man; **27.** (*p.pr. mit inf.*) *nahe Zukunft od. Absicht*: im Begriff zu, bald: *is it ~ing to rain?* wird es regnen?; *I am ~ing to tell him* ich werde *od.* will (es) ihm sagen; **28.** (*mit nachfolgendem Gerundium*) *mst* gehen: *to ~ fishing* fischen gehen; *don't ~ telling me lies* erzähl mir doch keine Märchen; *he ~es frightening people* er erschreckt die Leute immer; → *go out 2*; **III.** *v/t.* [*irr.*] **29.** F *~ it* sich daranmachen, energisch auftreten, darauflosgehen: *~ it!* tu dein bestes!, feste!, drauf!; *you've been ~ing it* du hast es ja toll getrieben; *to ~ it alone* es allein tun *od.* schaffen;

Zssgn mit prp.:

go| a·bout *v/i.* in Angriff nehmen, sich machen an (*acc.*), anpacken (*acc*); **~ aft·er** *v/i.* nachlaufen (*dat.*); streben nach; **~ a·gainst** *v/i.* wider'streben (*dat.*); **~ at** *v/i.* **1.** losgehen auf (*acc.*); **2.** → *go about*; **~ be·hind** *v/i.* unter'suchen, nachprüfen; **~ be·tween** *v/i.* vermitteln zwischen (*dat.*); **~ be·yond** *v/i. fig.* über'schreiten; **~ by** *v/i.* sich richten nach, sich halten an (*acc.*); **~ for** *v/i.* **1.** holen; **2.** streben nach, sich bemühen um; **3.** F greifen nach, losgehen auf (*acc.*), angreifen; **4.** *sl.* ‚verknallt' sein in (*acc.*); **5.** → *go 23*; **~ in·to** *v/i.* **1.** sich befassen mit: *to ~ business* Kaufmann werden; **2.** eingehen auf (*acc.*); unter'suchen, prüfen; **3.** geraten in (*acc.*): *to ~ a faint* in Ohnmacht fallen; **~ off** *v/i.*: *to ~ gold* die Goldwährung aufgeben; **~ on** *v/i.* **1.** sich stützen auf (*acc.*); **2.** sich richten nach, sich halten an (*acc.*): *I have nothing to ~* ich habe keine Anhaltspunkte; **~ o·ver** *v/i.* **1.** 'durchgehen, -nehmen, -sehen; **2.** studieren; **3.** unter'suchen, prüfen; **~ through** *v/i.* **1.** 'durchgehen, -sprechen, erörtern; **2.** 'durchsehen, unter'suchen, prüfen; **3.** 'durchmachen, erleiden; erleben; **~ with** *v/i.* **1.** begleiten; **2.** über'einstimmen mit, beipflichten (*dat.*); **3.** es halten mit;

4. passen zu; ~ **with·out** *v/i.* auskommen ohne, entbehren (*acc.*); sich behelfen ohne;
Zssgn mit adv.:
go| a·bout *v/i.* **1.** um'hergehen, -reisen; **2.** kursieren, im 'Umlauf sein (*Gerüchte etc.*); **3.** ⚓ wenden; ~ **a·long** *v/i.* **1.** weitergehen; **2.** *fig.* fortfahren: *to ~ with* begleiten; ~ (*with you*)! **a)** hau ab!, verschwinde!, **b)** red doch kein Blech!; ~ **a·miss** *v/i.* schiefgehen; ~ **a·way** *v/i.* fortgehen; verreisen: *going-away dress* Kleid für die Hochzeitsreise; ~ **back** *v/i.* **1.** zu'rückgehen, -kehren, -weichen; **2.** Rückschritte machen, schlechter werden; **3.** ~ *on j-n* im Stich lassen; **4.** ~ *on* rückgängig machen, *sein Wort etc.* nicht halten, zu'rücknehmen; ~ **by** *v/i.* **1.** vor'beigehen; **2.** vergehen, verfließen: *times gone by* vergangene Zeiten; ~ **down** *v/i.* **1.** hin'untergehen, ‚rutschen' (*Essen*); **2.** 'untergehen, sinken (*Schiff, Sonne etc.*); **3.** zu Boden gehen, fallen, unter'liegen; zu'grunde gehen; **4.** *fig.* zu'rückgehen (*Fieber,* ✝ *Preise*), nachlassen (*Wind*); **5. a)** die Universi'tät verlassen, **b)** in die 'Ferien gehen; **6.** Wirkung haben; Anklang *od.* Glauben finden: *that won't ~ with me* das nehme ich dir nicht ab, das kannst du e-m andern weismachen; **7.** in der Erinnerung bleiben: *to ~ in history* in die Geschichte eingehen; *to ~ to posterity* der Nachwelt überliefert werden; **8.** (zu'rück)reichen: *to ~ to the 19th century*; ~ **in** *v/i.* **1.** hin'eingehen, eintreten: *~ and win!* auf in den Kampf!; **2.** *to ~ for* sich befassen mit, sich widmen (*dat.*): *to ~ for an examination* ein Examen machen; *to ~ for sports* Sport treiben; *not to ~ for tea* sich nichts aus Tee machen; **3.** anfangen; ~ **off** *v/i.* **1.** fort-, abgehen; 'durchbrennen, fortlaufen; **2.** ✝ Absatz finden; **3.** losgehen (*Gewehr, Sprengladung etc.*); **4.** los-, her'ausplatzen; **5.** nachlassen, sich verschlechtern; **6.** von'statten gehen; **7.** bewußtlos werden; einschlafen; ~ **on** *v/i.* **1.** weitergehen, fortdauern, fortfahren: *~!* **a)** fahr fort!, (mach) weiter!, **b)** *iro.* Unsinn!; *don't ~ like that* hör auf damit!; *going on for 5 o'clock* bald 5 Uhr; *to ~ talking* weiterreden; *he went on to say* dann sagte er; **2.** vor sich gehen, passieren; ~ **out** *v/i.* **1.** ausgehen: **a)** spazierengehen, **b)** zu Veranstaltungen gehen, Besuche machen, **c)** erlöschen (*Feuer, Licht*); **2.** *mit Gerundium*: *to ~ fishing* fischen (*od.* zum Fischen) gehen; **3.** zu'rücktreten, sich zu'rückziehen: *to ~ of business* das Geschäft aufgeben; **4.** aus der Mode kommen: *to ~ (of fashion)*; **5.** *to go all out fig.* sich ganz einsetzen, alles daransetzen; ~ **o·ver** *v/i.* 'übergehen, -treten (*to* zu); ~ **round** *v/i.* (ausreichen, genügen (*für alle*): *is there enough wine to ~?*; ~ **slow** *v/i.* Dienst nach Vorschrift tun; ~ **through** *v/i.* **1.** 'durchgehen, angenommen werden; **2.** ~ *with* 'durchführen, -setzen; ~ **un·der** *v/i.* **1.** 'untergehen, sinken; **2.** unter'liegen; zu'grunde gehen; ~ **up** *v/i.* **1.** aufsteigen, hin'aufgehen; *engS.* nach London reisen; **2.** aufgehen (*in Flammen etc.*); **3.** *Brit.* (*nach den Ferien wieder*) zur Universi'tät gehen; **4.** ✝ steigen (*Preise etc.*).

goad [goud] **I.** *s.* **1.** Stachelstock *m des Viehtreibers*; **2.** *fig.* Stachel *m*; Ansporn *m*; **II.** *v/t.* **3.** antreiben; **4.** *fig.* anstacheln; (auf)reizen.

'go-a·head [-ouə-] **I.** *adj.* **1.** rührig, unter'nehmungslustig, zielstrebig; **II.** *s.* **2.** Draufgänger *m*; **3.** E'lan *m*, Schwung *m*; **4.** *fig.* ‚grünes Licht': *to give s.o. the ~* j-m grünes Licht geben.

goal [goul] *s.* **1.** Ziel *n* (*a. fig.*); **2.** *sport* **a)** Ziel *n*, **b)** Zielpfosten *m*, **c)** Tor *n*, **d)** Tor(schuß *m*) *n*: *to score a ~* ein Tor schießen.

goal a·re·a *s. Fußball*: Torraum *m*.

goal·ie ['gouli:] F → *goalkeeper*.

'goal|·keep·er *s. sport* Tormann *m*, -wart *m*, -hüter *m*; ~ **line** *s. sport* Torlinie *f*; ~ **post** *s. sport* Torpfosten *m*.

'go-as-you-'please [-ouə-] *adj.* ungeregelt, ungebunden, ungezwungen.

goat [gout] *s.* **1.** Ziege *f*: *he-~* Ziegenbock; *to play the (giddy) ~ fig.* sich närrisch benehmen, Kapriolen machen; *to get s.o.'s ~ sl.* j-n ‚auf die Palme bringen', j-n fuchsteufelswild machen; **2.** *fig.* Bock *m* (*geiler Mann*); **3.** *Am. sl.* **a)** Sündenbock *m*, **b)** Zielscheibe *f* (*e-s Spaßes*); **4.** ♀ → *Capricorn*; **goat·ee** [gou'ti:] *s.* Spitzbart *m*; **'goat·herd** *s.* Ziegenhirt *m*; **'goat·ish** [-tiʃ] *adj.* □ **1.** bockig; **2.** *fig.* geil.

'goat|'s-beard *s.* ⚘ Bocksbart *m*; Geißbart *m*; Ziegenbart *m*; **'~·skin** *s.* **1.** Ziegenleder *n*; **2.** Ziegenlederflasche *f*; **'~·suck·er** *s. orn.* Ziegenmelker *m*.

gob[1] [gɔb] *s.* V (Schleim)Klumpen *m*, Auswurf *m*.

gob[2] [gɔb] *s.* ⚓ *Am. sl.* ‚Blaujacke' *f*, Ma'trose *m* (*US-Kriegsmarine*).

gob·bet ['gɔbit] *s.* Brocken *m*, Stück *n*.

gob·ble[1] ['gɔbl] *v/t. mst ~ up Getränk* hin'unterstürzen, *Essen* gierig verschlingen, hin'unterschlingen.

gob·ble[2] ['gɔbl] **I.** *v/i.* kollern (*Truthahn*); **II.** *s.* Kollern *n*.

gob·ble·dy·gook ['gɔbldiguk] *s. Am. sl.* (schwülstiger) Amtsstil; (Be'rufs)Jar͵gon *m*; ‚Geschwafel' *n*.

gob·bler[1] ['gɔblə] *s.* gieriger Esser.

gob·bler[2] ['gɔblə] *s.* Truthahn *m*, Puter *m*.

Gob·e·lin ['goubəlin] **I.** *adj.* Gobelin...; **II.** *s.* Gobe'lin *m*.

'go-be·tween *s.* **1.** Mittelsmann *m*, Vermittler(in); **2.** Makler(in); **3.** Kuppler(in).

gob·let ['gɔblit] *s.* **1.** *obs.* Po'kal *m*; **2.** Kelchglas *n*.

gob·lin ['gɔblin] *s.* 'Kobold *m*, Elf *m*.

go·by ['goubi] *s. ichth.* Meergrundel *f*.

go-by ['goubai] *s.*: *to give the ~ (to)* F **a)** *j-n* ‚schneiden' *od.* ignorieren, **b)** *et.* bewußt unterlassen.

'go·cart *s.* **1.** Laufstuhl *m* (*Gehhilfe für Kinder*); **2.** (Falt)Sportwagen *m* (*für Kinder*); **3.** Handwagen *m*.

god [gɔd] *s.* **1.** Gott *m*, Gottheit *f*; Götze *m*, Abgott *m*; Götzenbild *n*: *~ of love* Liebesgott, Amor; *ye ~s!* heiliger Strohsack!; *a sight for the ~s* ein Bild für Götter; **2.** ♀ Gott *m*: *♀'s acre* Gottesacker; *house of ♀* Gotteshaus; *♀ forbid!* Gott bewahre *od.* behüte!; *♀ help him* Gott sei ihm gnädig; *so help me ♀* so wahr mir Gott helfe; *♀ knows* weiß Gott; *thank ♀* Gott sei Dank; *for ♀'s sake* um Gottes willen; *the good ♀* der liebe Gott; *good ♀!, my ♀!* du lieber Gott!, lieber Himmel!; → *act 1*; **3.** *fig.* (Ab)Gott *m*; **4.** *pl. thea.* ('Publikum *n* auf der) Gale'rie *f*, ‚O'lymp' *m*; **'~·child** *s.* [*irr.*] Patenkind *n*.

god·dess ['gɔdis] *s.* Göttin *f* (*a. fig.*).

'god|·fa·ther *s.* Pate *m*, Taufzeuge *m*; **'~·fear·ing** *adj.* gottesfürchtig; **'~·for·sak·en** *adj. contp.* gottverlassen.

god·head ['gɔdhed] *s.* Gottheit *f*; **'god·less** [-lis] *adj.* ohne Gott; *fig.* gottlos; **'god·like** *adj.* **1.** gottähnlich, göttlich; **2.** erhaben; **'god·li·ness** [-linis] *s.* Frömmigkeit *f*; Gottesfurcht *f*; **'god·ly** [-li] **I.** *adj.* fromm; **II.** *s. the ~* die ‚Frömmler' *pl.*; **'god·moth·er** *s.* Patin *f*.

go·down ['goudaun] *s. Brit.* (*Indien, China*) Lagerhaus *n*.

'god|·par·ent *s.* Pate *m*, Patin *f*; **'~·send** *s. fig.* Geschenk *n* des Himmels, Glücksfall *m*, Segen *m*; **'~'speed**, *a.* **'♀'speed** *s.* Erfolg *m*, (viel) Glück, gute Reise: *to bid s.o. ~* j-m Erfolg *od.* glückliche Reise wünschen.

god·wit ['gɔdwit] *s. orn.* Pfuhlschnepfe *f*.

go·er ['gouə] *s.* **1.** Gehende(r *m*) *f*; Geher *m*, Läufer *m*: *he is a good ~* er geht gut (*bsd. Pferd*); **2.** *in Zssgn mst* Besucher(in).

gof·(f)er ['goufə] **I.** *v/t.* kräuseln, gaufrieren, plissieren; **II.** *s.* Plis'see *n*.

'go-'get·ter *s.* F j-d der weiß, was er will; Draufgänger *m*.

gog·gle ['gɔgl] **I.** *v/i.* **1.** stieren, glotzen; **II.** *s.* **2.** stierer Blick; **3.** *pl.* Schutzbrille *f*; **'~·box** *s.* F ‚Glotzkiste' *f* (*Fernseher*).

Goid·el·ic [gɔi'delik] → *Gaelic*.

go·ing ['gouiŋ] **I.** *s.* **1.** (Weg)Gehen *n*, Abreise *f*; **2.** Straßenzustand *m*, Bahn *f*; **3.** Art *f* des Vorwärtskommens (*a. fig.*): *good ~* e-e gute Leistung; *rough (od. heavy) ~* Schinderei; *while the ~ is good* während es noch (an)geht; **II.** *adj.* **4.** im Gange, vor'handen: *a ~ concern* ein bestehendes (*od.* ein gutgehendes) Geschäft; *the best beer ~* das beste Bier, das es gibt; *~, ~, gone!* (*Auktion*) zum ersten, zum zweiten, zum dritten!; **5.** → *go 27*; **'go·ings-'on** *s. pl.* F *mst b.s.* Vorgänge *pl.*, Treiben *n*.

goi·ter *Am.*, **goi·tre** *Brit.* ['gɔitə] *s.* ⚕ Kropf *m*; **'goi·trous** [-trəs] *adj.* **1.** kropfartig; **2.** mit e-m Kropf (behaftet).

gold [gould] **I.** *s.* **1.** Gold *n*: *all is not ~ that glitters* es ist nicht alles Gold, was glänzt; *a heart of ~ fig.* ein goldenes Herz; *worth one's weight in* ~ unbezahlbar, unschätzbar; → *good 8*; **2.** Gold(münzen *pl.*) *n*, Geld *n*, Reichtum *m*; **3.** Goldfarbe *f*; **II.** *adj.* **4.** aus Gold, golden, Gold...: ~ *dollar* Golddollar; ~ *watch* goldene Uhr; ~ **back·ing** *s.* ✝ Golddeckung *f*; ~ **bar** *s.* ✝ Goldbarren *m*; '~**·beat·er** *s.* ⊕ Goldschläger *m*; ~ **brick** *s. Am.* F **1.** falscher Goldbarren; **2.** *fig.* 'Talmi *n*, Schwindel *m*; '~**·brick** *s. Am.* F **1. a)** wertlose Sache, **b)** ‚Beschiß' *m*, Betrug *m*, **c)** Gauner *m*; **2.** *bsd.* ⚔ Drückeberger *m*; **3.** ‚Pfundskerl' *m*; '~**-dig·ger** *s.* **1.** Goldgräber *m*; **2.** *fig. sl.* Vamp *m*, Weibsbild, das nur hinter dem Geld der Männer her ist; '~**-dust** *s.* Goldstaub *m*.

gold·en ['gouldən] *adj.* **1.** *mst fig.* golden: ~ *hours* glückliche Stunden; ~ *opportunity* günstige Gelegenheit; ~ *opinions* hohe Meinung *od.* Anerkennung; **2.** goldgelb, golden (*Haar etc.*); ~ **age** *s. das* Goldene Zeitalter; ~ **balls** *s. pl.* (drei) goldene Kugeln *pl.* (*Zeichen e-s Pfandhauses*); ♀ **Bull** *s. hist.* Goldene Bulle; ~ **calf** *s. bibl.* Goldenes Kalb (*a. fig.*); ~ **ea·gle** *s. orn.* Gold-, Steinadler *m*; ♀ **Fleece** *s. antiq.* Goldenes Vlies; ~ **mean** *s.* goldene Mitte, *der* goldene Mittelweg; ~ **o·ri·ole** *s. orn.* Pi'rol *m*; ~ **pheasant** *s. orn.* 'Goldfa͵san *m*; '~**-'rod** *s.* ⚘ Goldrute *f*; ~ **rule** *s.* **1.** *bibl.* goldene Sittenregel; **2.** ⅄ goldene Regel; ~ **sec·tion** *s.* ⅄, *Kunst*: Goldener Schnitt; ~ **wed·ding** *s.* goldene Hochzeit.

'**gold**|**-'fe·ver** *s.* Goldfieber *n*, -rausch *m*; '~**-field** *s.* Goldfeld *n*; '~**·finch** *s. orn.* Stieglitz *m*, Distelfink *m*; '~**·fish** *s. ichth.* Goldfisch *m*; '~**-foil** *s.* ⊕ 'Gold͵folie *f*, Blattgold *n*; '~**-ham·mer** *s. orn.* Goldammer *f*; '~**-lace** *s.* Goldtresse *f*, -borte *f*; '~**-leaf** *s.* Blattgold *n*; ~ **med·al** *s.* 'Goldme͵daille *f*; '~**-mine** *s.* Goldbergwerk *n*; Goldgrube *f* (*a. fig.*); ~ **plate** *s.* goldenes Tafelgeschirr; '~**-'plat·ed** *adj.* vergoldet; ~ **re·serve** *s.* ✝ 'Goldre͵serve *f*; '~**-rush** → *gold-fever*; ~ **shares** *s. pl.* ✝ 'Aktien *pl.* von Goldbergwerken; '~**·smith** *s.* Goldschmied *m*; ~ **stand·ard** *s.* Goldwährung *f*; ♀ **Stick,** *mst* ♀ **Stick-in-wait·ing** *s. Brit.* Oberst *m* der königlichen Leibgarde; '~**-thread** *s.* **1.** ⚘ Goldfaden *m*; **2.** Golddraht *m*.

golf [gɔlf] *sport* **I.** *s.* Golf(spiel) *n*; **II.** *v/i.* Golf spielen; '**golf-club** *s.* **1.** Golfschläger *m*; **2.** Golfklub *m*; **golf·er** ['gɔlfə] *s.* Golfspieler(in); '**golf-links** *s. pl., a. sg. konstr.* Golfplatz *m*.

Go·li·ath [gə'laiəθ] *s. fig.* Goliath *m*, Riese *m*.

gol·li·wog(g) ['gɔliwɔg] *s.* **1.** Negerpuppe *f*; **2.** *fig.* Vogelscheuche *f* (*Person*); 'Popanz *m*.

gol·ly ['gɔli] *int. a. by* ~! F Menschenskind!, Donnerwetter!

go·lop·tious [gə'lɔpʃəs] *adj. Brit. humor.* herrlich, köstlich, deli'kat.

go·losh → *galosh*.

go·lup·tious [gə'lʌpʃəs] → *goloptious*.

Go·mor·rah, Go·mor·rha [gə'mɔrə] *s. fig.* Go'morr(h)a *n*, Sündenpfuhl *m*.

gon·ad ['gɔnæd] *s.* ⚕ Keim-, Geschlechtsdrüse *f*.

gon·do·la ['gɔndələ] *s.* **1.** Gondel *f* (*a.* ✈); **2.** *Am.* flaches Flußboot; **3.** *a.* ~ *car* 🚃 *Am.* offener Güterwagen; **gon·do·lier** [gɔndə'liə] *s.* Gondoli'ere *m*.

gone [gɔn] **I.** *p.p. von go*: *he has* ~ er ist gegangen; *he is* ~ er ist fort (→ *1*); *be* ~*!* fort mit dir!; *I must be* ~ ich muß weg; **II.** *adj.* **1.** fort, weg, verschwunden, vor'bei, zu Ende, da'hin, verloren, verbraucht, ‚hin', ‚futsch', tot: *a* ~ *case* ein hoffnungsloser Fall; *a* ~ *feeling* ein Schwächegefühl; *a* ~ *man* ein Todeskandidat; *all his money is* ~ sein ganzes Geld ist weg *od.* ‚futsch'; → *far gone*; **2.** F (*on*) verliebt, ‚verknallt' (in *acc.*); ‚weg' (von); **goner** ['gɔnə] *s.*: *he is a* ~ F er ist ruiniert *od.* ‚erledigt', er ist ein Todeskandidat.

gon·fa·lon ['gɔnfələn] *s.* Banner *n*.

gong [gɔŋ] **I.** *s.* Gong *m*; **II.** *v/t. Brit. Auto* durch 'Gongsi͵gnal stoppen.

go·ni·om·e·ter [gouni'ɔmitə] *s.* ⅄ *u. Radio*: Winkelmesser *m*.

gon·o·coc·cus [gɔnou'kɔkəs] *pl.* **-coc·ci** [-'kɔkai] *s.* ⚕ Gono'kokkus *m*.

gon·or·rhoe·a, *Am. mst* **gon·or·rhe·a** [gɔnə'ri:ə] *s.* ⚕ Gonor'rhöe *f*, Tripper *m*.

goo [gu:] *s. sl.* **1.** Schmiere *f*, klebriges Zeug; **2.** *fig.* sentimen'tales Zeug, ‚Schmalz' *n*.

good [gud] **I.** *adj.* **1.** gut, angenehm, erfreulich: ~ *news*; *it is* ~ *to be rich* es ist angenehm, reich zu sein; ~ *morning!* (*evening!*) guten Morgen! (Abend!); ~ *afternoon!* guten Tag! (*nachmittags*); ~ *night!* **a)** gute Nacht!, **b)** guten Abend!; *to have a* ~ *time* sich amüsieren; *it is a* ~ *thing that* es ist gut, daß; *to be* ~ *eating* gut zu essen sein, gut schmecken; **2.** gut, geeignet, nützlich, günstig, zuträglich: *is this* ~ *to eat?* kann man das essen?; *milk is* ~ *for children* Milch ist gut für Kinder; ~ *for gout* gut für *od.* gegen Gicht; *a* ~ *man for the post* ein geeigneter Mann für den Posten; *what is it* ~ *for?* wofür ist es gut?, wozu dient es?; **3.** befriedigend, reichlich, beträchtlich: *a* ~ *hour* e-e gute Stunde; *a* ~ *day's journey* e-e gute Tagereise; *a* ~ *meal* reichlich zu essen; *a* ~ *while* ziemlich lange; *a* ~ *many* ziemlich viele; *a* ~ *threshing* e-e ordentliche Tracht Prügel; ~ *money sl.* hoher Lohn; **4.** (*vor adj.*) *verstärkend*: *a* ~ *long time* sehr lange (Zeit); ~ *old age* hohes Alter; **5.** gut, tugendhaft: *to lead a* ~ *life* ein rechtschaffenes Leben führen; *a* ~ *deed* e-e gute Tat; → *turn 15*; **6.** gut, gewissenhaft: *a* ~ *father and husband* ein guter Vater und Gatte; **7.** gut, gütig, lieb: ~ *to the poor* gut zu den Armen; *it is* ~ *of you to help me* es ist nett (von Ihnen), daß Sie mir helfen; *be* ~ *enough* (*od. so* ~ *as*) *to fetch it* sei so gut und hole es; *be* ~ *enough to hold your tongue!* halt gefälligst deinen Mund!; *my* ~ *man* F mein Lieber!; ~ *old fellow* der liebe alte Kerl; **8.** artig, lieb, brav (*Kind*): *be a* ~ *boy*; *as* ~ *as gold* **a)** kreuzbrav, **b)** goldrichtig; **9.** gut, geschickt, tüchtig: *a* ~ *rider* ein guter Reiter; *he is* ~ *at golf* er spielt gut Golf; **10.** gut, geachtet: *of* ~ *family* aus guter Familie; **11.** gültig (*a.* ✝), echt: *a* ~ *reason* ein triftiger Grund; *to tell false money from* ~ falsches Geld von echtem unterscheiden; *a* ~ *Republican* ein guter *od.* überzeugter Republikaner; *to be as* ~ *as* auf dasselbe hinauslaufen; *as* ~ *as finished* so gut wie fertig; *he has as* ~ *as promised* er hat es so gut wie versprochen; **12.** gut, genießbar, frisch: *a* ~ *egg*; *is this fish still* ~*?*; **13.** gut, gesund, kräftig: *in* ~ *health* bei guter Gesundheit, gesund; *my teeth are still* ~ m-e Zähne sind noch gut; *to be* ~ *for* fähig *od.* geeignet sein zu; *I am* ~ *for another mile* ich kann noch eine Meile weitermarschieren; *I am* ~ *for a walk* ich habe Lust zu e-m Spaziergang; **14.** *bsd.* ✝ gut, sicher, zuverlässig: *a* ~ *firm* e-e gute *od.* zahlungsfähige Firma; ~ *debts* sichere Schulden; *to be* ~ *for any amount* für jeden Betrag gut sein; **II.** *int.* **15.** ~! prima!, gut!, fein!; **III.** *s.* **16.** *das* Gute, Gutes *n*, Wohl *n*: *the common* ~ das Gemeinwohl; *to do s.o.* ~ **a)** j-m Gutes tun, **b)** j-m guttun, wohltun; *he is up to no* ~ er führt nichts Gutes im Schilde; *it comes to no* ~ es führt zu nichts Gutem; **17.** Nutzen *m*, Vorteil *m*: *for his* ~ zu s-m Nutzen; *what is the* ~ *of it?*, *what* ~ *is it?* was nützt es?; *it is no* ~ *trying* es hat keinen Wert *od.* Sinn, es zu versuchen; *much* ~ *may it do you iro.* wohl bekomm's!; *for* ~ (*and all*) für immer, endgültig; *to the* ~ gut, extra, ✝ als Gewinn, Kreditsaldo; **18.** *the* ~ *pl.* die Guten *pl. od.* Rechtschaffenen *pl.*; **19.** *pl.* (bewegliche) Habe: ~*s and chattels* Hab u. Gut; **20.** *pl.* Güter *pl.*, Waren *pl.*, Gegenstände *pl.*: *by* ~*s* ✝ *Brit.* als Frachtgut; → *deliver 5*.

good|**-bye,** *Am. a.* ~**-by I.** *s.* [gud'bai] Lebe'wohl *n*; **II** *int.* ['gud'bai] Auf Wiedersehen!; ~ **fel·low** *s.* guter Kame'rad, netter Kerl; '~**-fel·low·ship** *s.* gute Kame'radschaft, Kame'radschaftlichkeit *f*; ~**-for-noth·ing** ['gudfənʌθiŋ] **I.** *adj.* nichts wert, unbrauchbar, nichtsnutzig; **II.** *s.* Taugenichts *m*, Nichtsnutz *m*; ♀ **Fri·day** *s. eccl.* Kar'freitag *m*; ~ **hu·mo(u)r** *s.* gute Laune; '~**-'hu·mo(u)red** *adj.* □ **1.** bei guter Laune, gutaufgelegt; **2.** gutmütig.

good·ish ['gudiʃ] *adj.* **1.** ziemlich gut, leidlich; **2.** ziemlich (*Menge*);

good·li·ness ['gudlinis] *s.* **1.** Güte *f*, Wert *m*; **2.** Anmut *f*; **3.** Schönheit *f*.

'**good**|**-'look·ing** *adj.* gutaussehend, hübsch, schön; ~ **looks** *s. pl.* gutes Aussehen, Schönheit *f*.

good·ly ['gudli] *adj.* **1.** schön, anmutig; **2.** beträchtlich, ansehnlich; **3.** *oft iro.* glänzend, tüchtig.

'**good**|**·man** [-mæn] *s.* [*irr.*] *obs.* Hausvater *m*, Ehemann *m*: ♀ *Death* Freund Hein; ~ **na·ture** *s.* Gutmütigkeit *f*, Gefälligkeit *f*; ˈ~-ˈ**na·tured** *adj.* □ gutmütig, gefällig; ˈ~-ˈ**neigh·bo(u)r·li·ness** *s.* gutnachbarliches Verhältnis; ♀ **Neigh·bo(u)r pol·i·cy** *s.* Poliˈtik *f* der guten Nachbarschaft.

good·ness [ˈgudnis] *s.* **1.** Tugend *f*, Frömmigkeit *f*; **2.** Güte *f*, Freundlichkeit *f*; **3.** Wert *m*, Güte *f*, Qualiˈtät *f*; *engS. das* Wertvolle *od.* Nahrhafte; **4.** ~ *gracious!*, *my* ~! du meine Güte!, du lieber Gott!; ~ *knows* weiß der Himmel; *for* ~' *sake* um Himmels willen; *thank* ~! Gott sei Dank!; *I wish to* ~ wollte *od.* gebe Gott.

goods| a·gent *s.* ✝ (ˈBahn)Spediˌteur *m*; ~ **en·gine** *s. Brit.* ˈGüterzuglokomoˌtive *f*; ~ **lift** *s. Brit.* Lastenaufzug *m*.

good speed *Am.* → *godspeed*.

goods| sta·tion *s.* 🚂 *Brit.* Güterbahnhof *m*; ~ **train** *s.* 🚂 *Brit.* Güterzug *m*; ~ **van** *s. mot. Brit.* Lieferwagen *m*; ~ **wag·on** *s.* 🚂 *Brit.* Güterwagen *m*; ~ **yard** *s.* 🚂 *Brit.* Güter(bahn)hof *m*.

good| tem·per *s.* Gutmütigkeit *f*, ausgeglichenes Wesen; ˈ~-ˈ**tem·pered** *adj.* □ gutartig, -mütig, ausgeglichen; ˈ~-ˈ**time Char·lie** [ˈtʃɑːli] *s. Am.* F lebenslustiger *od.* vergnügungssüchtiger Mensch; ˈ~-ˈ**will** *s.* **1.** Wohlwollen *n*, Gefälligkeit *f*, Freundlichkeit *f*, guter Wille: ~ *tour pol.* Goodwillreise; ~ *visit* Freundschaftsbesuch; **2.** *mst good will* ✝ **a)** Goodwill *m*, Firmenwert *m*, Firmenansehen *n* u. Kreˈdit *m*, **b)** Kundenkreis *m*, **c)** *Urheberrecht*: Ruf *m e-s Werkes*.

good·y [ˈgudi] F **I.** *s.* **1.** Bonˈbon *m*, *n*; *pl.* Süßigkeiten *pl.*; **2.** *Am.* Betbruder *m*, Mucker *m*; **II.** *adj.* **3.** zimperlich, frömmelnd, scheinheilig; **III.** *int.* **4.** ˈprima!; ˈ~-ˈ**good·y** → *goody 2, 3, 4*.

goo·ey [ˈguːi] *adj. sl.* klebrig, schmierig.

goof [guːf] *sl.* **I.** *s.* ‚Pinsel' *m*, Idiˈot *m*; **II.** *v/i.* **a)** patzen, **b)** ~ (*around*) Blödsinn treiben, ‚herˈumspinnen'; **III.** *v/t.* verpatzen, vermasseln; ˈ**goof·y** [-fi] *adj.* □ *sl.* blöd, ‚dämlich', ‚bekloppt'.

goon [guːn] *s. sl.* **1.** *Am.* gedungener Schläger *bsd. für Streik*; **2.** → *goof*.

goop [guːp] *s. sl.* Tölpel *m*; Flegel *m*, ‚Bauer' *m*.

goose [guːs] *pl.* **geese** [giːs] *s.* **1.** *orn.* Gans *f*: *to cook s.o.'s* ~ es j-m ‚besorgen', j-n ‚fertigmachen'; *all his geese are swans* bei ihm ist immer alles besser als bei andern; → *sauce 1*; **2.** Gans *f*, Gänsebraten *m*; **3.** *fig.* Dummkopf *m*; (dumme) Gans (*Frau*); **4.** (*pl.* **goos·es**) Schneiderbügeleisen *n*.

goose·ber·ry [ˈguzbəri] *s.* **1.** Stachelbeere *f*: *to play* ~ F Anstandswauwau spielen; **2.** *a.* ~ *wine* Stachelbeerwein *m*; ~ **fool** *s.* Stachelbeercreme *f* (*Speise*).

ˈ**goose|-flesh** *s. fig.* Gänsehaut *f*; ˈ~-**foot** *pl.* ˈ~-**foots** *s.* ♀ Gänsefuß *m*; ˈ~-**grass** *s.* ♀ Lab-, Klebkraut *n*; ˈ~-**herd** *s.* Gänsehirt(in); ˈ~-**neck** *s.* ⊕, ⚓ Schwanenhals *m*; ~ **pim·ples** *s. pl. Am.* → *goose-flesh*; ˈ~-**quill** *s.* Gänsekiel *m*; ˈ~-**skin** → *goose-flesh*; ˈ~-**step** *s.* ⚔ Paˈrade-, Stechschritt *m*.

goos·ey [ˈguːsi] *s. fig.* Gäns-chen *n*.

go·pher[1] [ˈgoufə] *s. Am. zo.* **a)** Taschenratte *f*, **b)** Ziesel *m*, **c)** ˈGopherschildkröte *f*, **d)** *a.* ~ *snake* Schildkrötenschlange *f*.

go·pher[2] → *gof(f)er*.

go·pher[3] [ˈgoufə] *s. bibl. Baum, aus dessen Holz Noah die Arche baute*; ˈ~-**wood** *s. Am.* ♀ Gelbholz *n*.

Gor·di·an [ˈgɔːdjən] *adj.*: *to cut the* ~ *knot* den gordischen Knoten zerhauen.

gore[1] [gɔː] *s.* (*bsd.* geronnenes) Blut.

gore[2] [gɔː] **I.** *s.* **1.** (dreieckiger) Zwickel, Keil(stück *n*) *m*; **II.** *v/t.* **2.** keilförmig zuschneiden; **3.** e-n Zwickel einsetzen in (*acc.*).

gore[3] [gɔː] *v/t.* (*mit den Hörnern*) durchˈbohren, aufspießen.

gorge [gɔːdʒ] **I.** *s.* **1.** enge (Fels-)Schlucht; **2.** *rhet.* Kehle *f*, Schlund *m*: *my* ~ *rises at it fig.* mir wird übel davon *od.* dabei; **3.** Völleˈrei *f*, Fresseˈrei *f*; **4.** ⚠ Hohlkehle *f*; **5.** ⚔ Kehle *f* (*Bastion*); **II.** *v/i.* **6.** (sich voll)fressen; **III.** *v/t.* **7.** gierig verschlingen; **8.** vollpfropfen: *to* ~ *o.s.* sich vollfressen.

gor·geous [ˈgɔːdʒəs] *adj.* □ **1.** prächtig, glänzend, prachtvoll; **2.** F großartig, wunderbar; blendend; ˈ**gor·geous·ness** [-nis] *s.* Pracht *f*.

gor·get [ˈgɔːdʒit] *s.* **1.** *hist.* **a)** ⚔ Halsberge *f*, **b)** (Ring)Kragen *m*, **c)** Hals-, Brusttuch *n*; **2.** Kehlfleck *m* (*Vögel*); ~ **patch** *s.* ⚔ Kragenspiegel *m*.

Gor·gon [ˈgɔːgən] *s.* **1.** *myth.* ˈGorgo *f*; **2.** häßliche *od.* abstoßende Frau; **gor·go·ni·an** [gɔːˈgounjən] *adj.* **1.** Gorgonen...; **2.** schauerlich.

Gor·gon·zo·la (cheese) [gɔːgənˈzoulə] *s.* Gorgonˈzola(käse) *m*.

gor·hen [ˈgɔːhen] → *moorhen*.

go·ril·la [gəˈrilə] *s. zo.* Goˈrilla *m*.

gor·mand·ize [ˈgɔːməndaiz] *v/i.* schlemmen, prassen, fressen; ˈ**gor·mand·iz·er** [-zə] *s.* Schlemmer(in), Prasser(in).

gorse [gɔːs] *s.* ♀ *Brit.* Stechginster *m*.

gor·y [ˈgɔːri] *adj.* **1.** blutbefleckt, voll Blut, **2.** *fig.* mörderisch, blutrünstig.

gosh [gɔʃ] *int.* F Mensch!, Donnerwetter!

gos·hawk [ˈgɔshɔːk] *s. orn.* Hühnerhabicht *m*.

gos·ling [ˈgɔzliŋ] *s.* junge Gans, Gäns-chen *n*.

ˈ**go-ˈslow** *s.* Bummelstreik *m*, Dienst *m* nach Vorschrift.

gos·pel [ˈgɔspəl] *s. eccl. a.* ♀ Evanˈgelium *n* (*a. fig.*); christliche Lehre: *to take s.th. as* (*od. for*) ~ et. für bare Münze nehmen; ~ *song* Gospelsong; ~ *truth fig.* absolute Wahrheit; **gos·pel·(l)er** [ˈgɔspələ] *s.* Vorleser *m* des Evangeliums; Wanderprediger *m*: *hot* ~ **a)** religiöser Eiferer, **b)** eifriger Befürworter.

gos·sa·mer [ˈgɔsəmə] **I.** *s.* **1.** Altˈweibersommer *m*, Sommerfäden *pl.*; **2.** feine Gaze; **3.** *et.* sehr Zartes u. Dünnes (*bsd. Gewebe etc.*); **II.** *adj.* **4.** leicht *od.* dünn u. zart.

gos·sip [ˈgɔsip] **I.** *s.* **1.** Klatsch *m*, Geschwätz *n*; **2.** Plaudeˈrei *f*: ~ *column* Plauderecke, *b.s.* Klatschspalte (*Zeitung*); ~ *writer* Klatschspaltenschreiber(in); **3.** Klatschbase *f*; **II.** *v/i.* **4.** klatschen, tratschen; **5.** plaudern; ˈ**gos·sip·y** [-pi] *adj.* **1.** geschwätzig, tratschsüchtig; **2.** flach, seicht; **3.** im Plauderstil.

got [gɔt] *pret. u. p.p. von get*.

Goth [gɔθ] *s.* **1.** Gote *m*; **2.** *fig.* Barˈbar *m*, Wanˈdale *m*; **Goth·ic** [ˈgɔθik] **I.** *adj.* **1.** gotisch; **2.** *fig.* barˈbarisch, roh; **3.** *typ.* **a)** *Brit.* gotisch, **b)** *Am.* Grotesk...; **II.** *s.* **4.** *ling.* Gotisch *n*; **5.** ⚠ ˈGotik *f*, gotischer (Bau)Stil; **6.** *typ.* **a)** *Brit.* Frakˈtur *f*, gotische Schrift, **b)** *Am.* Groˈtesk *f*; **Goth·i·cism** [ˈgɔθisizəm] *s.* **1.** ˈGotik *f*; **2.** *fig.* Barbaˈrei *f*, ˈUnkulˌtur *f*.

ˈ**go-to-ˈmeet·ing** *adj.* F Sonntags..., Ausgeh... (*Kleidung*).

got·ten [ˈgɔtn] *obs. od. Am. p.p. von get*.

gouache [guˈɑːʃ] (*Fr.*) *s.* Gouˈache (-maleˌrei) *f*.

gouge [gaudʒ] **I.** *s.* **1.** ⊕ Hohleisen *n*, -meißel *m*, Gutsche *f*; **2.** *Am.* F Aushöhlung *f*, Vertiefung *f*; **3.** *Am. sl.* **a)** Gauneˈrei *f*, **b)** Gauner(in); **II.** *v/t.* **4.** *a.* ~ *out* ⊕ ausmeißeln, -höhlen, -stechen; **5.** *Auge* (*a. j-m* ein Auge) ausquetschen; **6.** *Am.* F beschummeln, begaunern.

gou·lash [ˈguːlæʃ] *s.* ˈGulasch *n*, *m*.

gourd [guəd] *s.* **1.** ♀ Flaschenkürbis *m*; **2.** Kürbisflasche *f*.

gour·mand [ˈguəmənd; gurmɑ̃] **I.** *s.* **1.** Vielfraß *m*, starker Esser, Schlemmer *m*; **2.** Feinschmecker *m*; **II.** *adj.* **3.** gierig, gefräßig.

gour·met [ˈguəmei] *s.* Feinschmecker *m*.

gout [gaut] *s.* **1.** ⚕ Gicht *f*; **2.** ⚘ Gicht *f* (*Weizenkrankheit*): ~-*fly zo.* gelbe Halmfliege; ˈ**gout·i·ness** [-tinis] *s.* ⚕ Neigung *f* zur Gicht; ˈ**gout·y** [-ti] *adj.* □ ⚕ gichtkrank; zur Gicht neigend; gichtisch, Gicht...: ~ *concretion* Gichtknoten.

gov·ern [ˈgʌvən] **I.** *v/t.* **1.** regieren (*a. ling.*); beherrschen (*a. fig.*); **2.** verwalten, lenken; **3.** *fig.* regeln, bestimmen, maßgebend sein für, leiten: ~*ed by circumstances* durch die Umstände bestimmt; *I was* ~*ed by* ich ließ mich leiten von ...; **4.** beherrschen, zügeln; **5.** ⊕ regeln, steuern; **II.** *v/i.* **6.** regieren, herrschen; ˈ**gov·ern·ance** [-nəns] *s.* **1.** Regierungsgewalt *f*, -form *f*; **2.** *fig.* Herrschaft *f*, Gewalt *f*, Konˈtrolle *f* (*of* über *acc.*); ˈ**gov·ern·ess** [-nis] **I.** *s.* Erzieherin *f*, Hauslehrerin *f*, Gouverˈnante *f*; **II.** *v/i.* Erzieherin sein; ˈ**gov·ern·ing** [-niŋ] *adj.* **1.** leitend, Vorstands...: ~ *body* Vorstand; (*sole*) ~ *director* (alleiniger) Geschäftsführer, Generaldirektor; **2.** *fig.* leitend, bestimmend;

gov·ern·ment [ˈgʌvnmənt] *s.* **1.** Regierung *f*, Herrschaft *f*, Konˈtrolle *f*, Leitung *f*, Verwaltung *f*; **2.** Reˈgierungsform *f*, -syˌstem *n*; **3.** *Brit. mst.* ♀ *als pl. konstr.* Regierung *f*, Kabiˈnett *n*: ~ *bill parl.* Regierungsvorlage; ♀ *Department* Ministerium; ~ *issue Am.* ⚔ von der Regierung gelieferte Ausrüstung; ~

statement Regierungserklärung; **4.** Gouverne'ment *n*, Statthalterschaft *f*, Regierungsbezirk *m*; **5.** Staat *m*: *~ grant* staatliche Unterstützung, Staatsstipendium; *~ official* Staatsbeamter; **gov·ern·men·tal** [gʌvən'mentl] *adj.* □ Regierungs..., Staats...
gov·ern·ment| bonds *s. pl.* 'Staatsanleihen *pl.*, -pa͵piere *pl.*; *~* **control** *s.* staatliche Kon'trolle *od.* Lenkung; *~* **house** *s.* Regierungsgebäude *n*, Resi'denz *f* e-s Gouver'neurs; '**~-in-'ex·ile** *pl.* '**~s-in-'ex·ile** *s. pol.* E'xilregierung *f*; *~* **mo·nop·o·ly** *s.* † 'Staatsmono͵pol *n*; *~* **se·cu·ri·ties** → *government bonds.*
gov·er·nor ['gʌvənə] *s.* **1.** Gouver'neur *m*, Statthalter *m*: *~ general* Generalgouverneur; **2.** ⚔ Komman'dant *m* (*Festung*); **3.** Di'rektor *m*, Präsi'dent *m*, Leiter *m*; *pl.* Vorstand *m*, Direkti'on *f*; **4.** *sl.* **a)** *der* ‚Alte' (*Vater*; *Chef*), **b)** Chef! (*Anrede durch Untergebenen*); **5.** ⊕ Regler *m*: *~ valve* Reglerventil; '**gov·er·nor·ship** [-ʃip] *s.* Statthalterschaft *f*, Gouver'neursamt *n.*
gow·an ['gauən] *Scot.* → *daisy 1.*
gowk [gauk] *s. dial.* **a)** Kuckuck *m*, **b)** *fig.* Einfaltspinsel *m.*
gown [gaun] **I.** *s.* **1.** (Damen)Kleid *n*; **2.** *bsd.* ⚖ *u. univ.* Ta'lar *m*, Robe *f*, Amtstracht *f*: *town and ~* Stadt u. Universität; **II.** *v/t.* **3.** mit e-m Talar *etc.* bekleiden: *her Paris~ed sister* ihre Schwester in e-m Pariser Modell; **gowns·man** ['gaunzmən] *s.* [*irr.*] Robenträger *m* (*Anwalt, Richter, Geistlicher, Professor, Student*).
grab [græb] **I.** *v/t.* **1.** (hastig) ergreifen, an sich reißen, fassen, packen, ‚graps(ch)en', ‚schnappen'; **2.** sich aneignen, einheimsen; **II.** *v/i.* **3.** (hastig) greifen (*at* nach); **III.** *s.* **4.** plötzlicher Griff: *to make a ~ at* hastig *od.* gierig ergreifen, graps(ch)en nach; **5.** ⊕ Greifer *m* (*Bagger, Kran*); '**~-bag** *s. Am.* Glückstopf *m.*
grab·ber ['græbə] *s.* **1.** Graps(ch)er *m*, Habgierige(r *m*) *f*; **2.** Ban'dit *m*, Straßenräuber *m.*
grab·ble ['græbl] *v/i.* tasten, tappen, suchen (*for* nach).
grab| crane *s.* ⊕ Greiferkran *m*; *~* **dredge,** *~* **dredg·er** *s.* ⊕ Greiferbagger *m*; *~* **raid** *s.* 'Raub͵überfall *m*; *~* **rope** *s.* ⚓ Greifleine *f*, -tau *n.*
grace [greis] **I.** *s.* **1.** Anmut *f*, 'Grazie *f*, Würde *f*, Liebreiz *m*: *the three ♀s myth.* die drei Grazien; **2.** Anstand *m*, Takt *m*, Schicklichkeit *f*; Bereitwilligkeit *f*: *to have the ~ to do* den Anstand haben zu tun; *with a good ~* bereitwillig; *with a bad ~* widerwillig, ungern; **3.** *pl.* gute Eigenschaften *pl.*, Reize *pl.*: *social ~s* gute Umgangsformen; **4.** Gunst *f*, Gnade *f*, Wohlwollen *n*, Huld *f*, Güte *f*, Gefälligkeit *f*: *to be in s.o.'s good ~s* in j-s Gunst stehen; *to depend on s.o.'s good ~s* von j-s Gnade abhängen; *by way of ~* ⚖ auf dem Gnadenwege; *act of ~* Gnadenakt; **5.** *eccl.* göttliche Gnade: *by the ~ of God* von Gottes Gnaden; *in the year of ~* im Jahre des Heils; **6.** Tugend *f*: *~ of charity* (Tugend der) Nächstenliebe; **7.** Tischgebet *n*: *to say ~*; **8.** †, ⚖ Aufschub *m*, Nachfrist *f*: *to grant a week's ~* e-e Woche Aufschub gewähren; *days of ~* † Respekttage; **9.** *Brit. Your ♀* **a)** Eure Hoheit (*Herzog*[*in*]), **b)** Eure Exzellenz (*Erzbischof*); **10.** *Brit. univ.* Vergünstigung *f*, Bewilligung *f*, Erlaß *m*: *by ~ of the Senate* durch Senatsbeschluß; **11.** *a. ~-note*(*s*) ♪ Verzierung *f*; **II.** *v/t.* **12.** zieren, schmücken; **13.** (be)ehren, auszeichnen; '**grace·ful** [-ful] *adj.* □ **1.** anmutig, grazi'ös, reizend; **2.** geziemend, takt-, würdevoll; '**grace·ful·ness** [-fulnis] *s.* Anmut *f*, 'Grazie *f*; '**grace·less** [-lis] *adj.* □ **1.** reizlos; 'unele͵gant; 'ungrazi͵ös; **2.** *obs.* gottlos, verworfen, schamlos.
grac·ile ['græsail] *adj.* **1.** schlank, dünn; **2.** zierlich, gra'zil.
gra·cious ['greiʃəs] **I.** *adj.* □ **1.** gütig, wohlwollend, freundlich; **2.** barm'herzig (*Gott*); gnädig, huldreich; **3.** anmutig, reizend: *~ living* angenehmes Leben; **II.** *int.* **4.** *~ me!, ~ goodness!, good ~!* du meine Güte!, lieber Himmel!; '**gra·cious·ness** [-nis] *s.* **1.** Gnade *f*, Güte *f*, Huld *f*, Freundlichkeit *f*; **2.** Barm'herzigkeit *f*; **3.** Anmut *f.*
gra·date [grə'deit] **I.** *v/t. Farben* abstufen, inein'ander 'übergehen lassen, abtönen; **II.** *v/i.* inein'ander 'übergehen; **gra·da·tion** [grə'deiʃən] *s.* **1.** Abstufung *f*, Abtönung *f*; **2.** Stufengang *m*, -folge *f*; **3.** *ling.* Ablaut *m.*
grade [greid] **I.** *s.* **1.** Grad *m*, Stufe *f*, Klasse *f*; **2.** ⚔ Rang *m*, *Am.* Dienstgrad *m*; **3.** Art *f*, Gattung *f*, Sorte *f*; Quali'tät *f*, Güte *f*; **4.** Steigung *f*, Gefälle *n*, Neigung *f*, Ni'veau *n* (*a. fig.*): *at ~ Am.* auf gleicher Höhe; *on the up ~* aufwärts (*a. fig.*); *to be on the up ~* aufsteigen; *to make the ~ Am.* Erfolg haben, ‚es schaffen'; **5.** *ped. Am.* **a)** (Schüler *pl.* e-r) Klasse *f*, **b)** Note *f*, Zen'sur *f*, **c)** *pl.* (Grund)Schule *f*; **II.** *v/t.* **6.** sortieren, einteilen, -reihen, -stufen, staffeln; **7.** *~ up* verbessern, veredeln; *Vieh* aufkreuzen; **8.** *Gelände* planieren, (ein)ebnen; **9.** *ling.* ablauten; *~* **cross·ing** *s. Am.* (schienengleicher) 'Bahn͵übergang.
grad·er ['greidə] *s.* **1. a)** Sortierer (-in), **b)** Sor'tierma͵schine *f*; **2.** ⊕ Pla'nierma͵schine *f*; **3.** *Am. ped. fourth ~* Schüler der 4. Klasse.
grade school *s. Am.* Grundschule *f.*
gra·di·ent ['greidjənt] **I.** *s.* **1.** Neigung *f*, Steigung *f*, Gefälle *n* (*Gelände*; *a.* A, *phys.*); **2.** *meteor.* Gradi'ent *m*; **II.** *adj.* **3.** gehend, schreitend.
grad·u·al ['grædjuəl] **I.** *adj.* □ all'mählich, stufenweise, langsam (fortschreitend); **II.** *s. eccl.* Gradu'ale *n*; '**grad·u·al·ly** [-əli] *adv.* nach u. nach, allmählich; '**grad·u·al·ness** [-nis] *s.* All'mählichkeit *f.*
grad·u·ate ['grædjuit] **I.** *adj.* **1.** *univ.* **a)** graduiert: *~ student Am.* Student (-in) an e-r *graduate school*, **b)** *Am.* für Graduierte: *~ course* (Fach-) Kurs an e-r *graduate school*; **II.** *s.* **2.** *univ.* **a)** Graduierte(r *m*) *f*, **b)** Promovierte(r *m*) *f*; **3.** *Am.* **a)** *ped.* ('Schul)Absol͵vent(in), **b)** *univ.* Stu'dent(in) an e-r *graduate school*; **4.** ⊕ Meßglas *n*: *~ dial* Skalenscheibe, Teilkreis; **III.** *v/t.* [-eit] **5.** *univ.* **a)** *j-m* e-n aka'demischen Grad verleihen, **b)** promovieren; **6.** ein-, abstufen, staffeln; **7.** ⊕ mit Maßeinteilung versehen; **IV.** *v/i.* [-eit] **8.** *univ.* **a)** e-n akademischen Grad erlangen, **b)** promovieren; **9.** *ped. Am.* die Abschlußprüfung bestehen (*from* an *e-r Schule*); **10.** *fig.* aufrücken (*into* zu); **11.** sich abstufen: *to ~ into* allmählich übergehen in (*acc.*); *~* **school** *s. univ. Am.* höhere 'Fachse͵mester *pl.* (*nach der ersten akademischen Prüfung*).
grad·u·a·tion [grædju'eiʃən] *s.* **1.** Abstufung *f*, Staffelung *f*, Einteilung *f*; **2.** ⊕ Grad-, Maßeinteilung *f*; Teilstrich(e *pl.*) *m*, 'Skala *f*; **3.** *univ.* **a)** Erteilung *f od.* Erlangung *f* e-s aka'demischen Grades, **b)** Promoti'on *f*; **4.** *ped. Am.* **a)** Absolvieren *n* (*from e-r Schule*), **b)** Schluß-, Verleihungsfeier *f.*
Grae·cism ['gri:sizəm] *s.* Grä'zismus *m*, griechische Eigenart; '**Grae·cize** [-saiz] *v/t.* gräzisieren.
Graeco- [gri:kou] *in Zssgn* griechisch, gräko-.
graft [grɑ:ft] **I.** *s.* **1.** ⚘ Pfropfreis *n*; **2.** ⚘ Pfropfen *n*, Veredeln *n*, Okulieren *n*; **3.** ⚕ Transplan'tat *n*; **4.** *pol.* F Korrupti'on(sgelder *pl.*) *f*; Bestechung *f*, Schiebung *f*; **II.** *v/t.* **5.** ⚘ pfropfen; okulieren, veredeln; **6.** ⚕ *Gewebe* transplantieren, verpflanzen; **7.** *fig.* auf-, einpfropfen, einimpfen, über'tragen; **III.** *v/i.* **8.** F Korruptionsgelder einstecken; **9.** F ‚schieben'; '**graft·er** [-tə] *s.* F **1.** kor'rupter Beamter; **2.** ‚Schieber' *m.*
grail, *a.* ♀ [greil] *s. eccl.* Gral *m.*
grain [grein] **I.** *s.* **1.** ⚘ (Samen-, *bsd.* Getreide)Korn *n*; **2.** *coll.* Getreide *n*, Korn *n*; **3.** Körnchen *n*, (*Sand- etc.*)Korn *n*: *of fine ~* feinkörnig; **4.** *fig.* Spur *f*, *ein* bißchen: *not a ~ of hope* kein Funke Hoffnung; → *salt 1*; **5.** † Gran *n* (*Gewicht*); **6.** ⊕ Faser *f*, Maserung *f* (*Holz*); Narbe *f* (*Leder*); Gefüge *n* (*Stein*); Korn *n* (*Metall*); Strich *m* (*Tuch*): *~-side* Narbenseite (*Leder*); *against the ~* gegen den Strich (*a. fig.*); **7.** *hist.* Coche'nille *f*: *dyed in ~* **a)** im Rohzustande gefärbt, **b)** waschecht; **8.** *fig.* Wesen *n*, Na'tur *f*; **II.** *v/t.* **9.** körnen, granulieren; **10.** ⊕ *Leder, Papier* narben; *Holz etc.* (*künstlich*) masern, ädern, marmorieren; *~* **bind·er** *s.* ⸙ Garbenbinder *m*; '**~-leath·er** *s.* genarbtes Leder.
grains [greinz] *s. pl. sg. konstr.* [Fischspeer *m.*]
gram¹ [græm] → *chick-pea.*
gram² [græm] *Am.* → *gramme.*
gram·i·na·ceous [greimi'neiʃəs], **gra·min·e·ous** [grei'miniəs] *adj.* ⚘ grasartig, Gras...; **gram·i·niv·o·rous** [græmi'nivərəs] *adj.* grasfressend.
gram·ma·logue ['græmələg] *s. Stenographie*: Kürzel *n.*
gram·mar ['græmə] *s.* **1.** Gram'matik *f*: *bad ~* ungrammatisch;

2. Sprachlehrbuch *n*; **gram·mar·i·an** [grəˈmɛəriən] *s.* Gramˈmatiker (-in); ˈ**gram·mar-school** *s. Brit.* höhere Schule, *etwa* Gymˈnasium *n*; *Am.* Mittelschule *f*; **gram·mat·i·cal** [grəˈmætikəl] *adj.* □ gramˈmatisch, grammatiˈkalisch.
gramme [græm] *s.* Gramm *n.*
gram·o·phone [ˈgræməfoun] *s.* Grammoˈphon *n*, Plattenspieler *m*; ~ **rec·ord** *s.* Schallplatte *f.*
gram·pus [ˈgræmpəs] *s. zo.* Schwertwal *m*: *to blow like a* ~ wie e-e Lokomotive schnaufen.
gran·a·ry [ˈgrænəri] *s.* Kornkammer *f* (*a. fig.*), Kornspeicher *m.*
grand [grænd] **I.** *adj.* □ **1.** großartig, gewaltig, grandiˈos, eindrucksvoll, prächtig: *in* ~ *style* großartig, üppig; **2.** groß, bedeutend, überˈragend: *the* ♀ *Old Man Beiname von* Gladstone *u.* Churchill; **3.** erhaben, hochstehend, vornehm: ~ *air* Vornehmheit, Würde; *to do the* ~ den vornehmen Herrn spielen; ♀ *Cross Brit.* Großkreuz (*höchste Klasse gewisser Orden*); **4.** Haupt...: ~ *question* Hauptfrage; ~ *staircase* Haupttreppe; ~ *total* Gesamtsumme; **5.** F großartig, fabelhaft: *a* ~ *idea*; *to have a* ~ *time* sich glänzend amüsieren; **II.** *s.* **6.** ♪ Flügel *m*; **7.** *Am. sl.* tausend Dollar *pl.*
gran·dad → *grand-dad.*
gran·dam(e) [ˈgrændæm] *s.* Großmutter *f*; alte Dame.
ˈ**grand|-aunt** *s.* Großtante *f*; ˈ~-**child** [-ntʃ-] *s.* [*irr.*] Enkel(in), Enkelkind *n*; ˈ~-**dad** [-ndæd] *s.* ˈGroßpaˌpa *m*, ‚Opa' *m*; ˈ~-**daugh·ter** [-ndɔː-] *s.* Enkelin *f*; ˈ♀-ˈ**du·cal** [-ndˈd-] *adj.* großherzoglich; ♀ **Duch·ess** [-ndd-] *s.* Großherzogin *f*; ♀ **Duch·y** [-ndd-] *s.* Großherzogtum *n*; ♀ **Duke** [-ndd-] *s.* **1.** Großherzog *m*; **2.** *hist.* (*Rußland*) Großfürst *m.*
gran·dee [grænˈdiː] *s.* (*spanischer od. portugiesischer*) ˈGrande.
gran·deur [ˈgrændʒə] *s.* **1.** Größe *f*, Hoheit *f*; Erhabenheit *f*; **2.** Vornehmheit *f*, Würde *f*; **3.** Herrlichkeit *f*, Pracht *f.*
ˈ**grand·fa·ther** [ˈgrændf-] *s.* Großvater *m*: ~(*'s*) *clock* Standuhr; ~(*'s*) *chair* Großvaterstuhl, Ohrensessel; ˈ**grand·fa·ther·ly** [-li] *adj.* **1.** großväterlich; **2.** freundlich.
gran·dil·o·quence [grænˈdiləkwəns] *s.* **1.** Bomˈbast *m*; **2.** Großsprecheˈrei *f*, Prahleˈrei *f*; **granˈdil·o·quent** [-nt] *adj.* □ großsprecherisch, hochtrabend, ‚geschwollen'.
gran·di·ose [ˈgrændious] *adj.* □ **1.** großartig, grandiˈos; prunkvoll; **2.** schwülstig, hochtrabend, bomˈbastisch.
grand| ju·ry *s.* ⚖ Anklagekammer *f* (*Geschworene, die die Eröffnung des Hauptverfahrens beschließen od. ablehnen; in Großbritannien seit 1933 abgeschafft*); ~**·ma** [ˈgrænmɑː] *s.* ‚Oma' *f*; ~**·mam·ma** [ˈgrænməmɑː] *s.* ˈGroßmaˌma *f*; ♀ **Mas·ter** *s.* Großmeister *m* (*vieler Orden*); ˈ~**·moth·er** [-nm-] *s.* Großmutter *f*: *teach your* ~ *to suck eggs!* das Ei will klüger sein als die Henne!; ˈ~**·moth·er·ly** [-li] *adj.* großmütterlich (*a. fig.*); ♀ **Na·tion·al** *s. Pferdesport*: *das größte englische Hindernisrennen*; ˈ~-**neph·ew** [-nn-] *s.* Großneffe *m.*
grand·ness [ˈgrændnis] → *grandeur.*
ˈ**grand|-niece** [-nn-] *s.* Großnichte *f*; ♀ **Old Par·ty**, *abbr.* **G.O.P.** *s. pol. Am.* Republiˈkanische Parˈtei *der USA*; ~ **op·er·a** *s.* ♪ große Oper; ~**·pa** [ˈgrænpɑː] *s.* ‚Opa' *m*; ~**·pa·pa** [ˈgrænpəpɑː] *s.* ˈGroßpaˌpa *m*; ˈ~**·par·ents** *s. pl.* Großeltern *pl.*; ~ **pi·an·o** *s.* ♪ Flügel *m*; ˈ~**·sire** [-ns-] *s.* Ahnherr *m*; ˈ~**·son** [-ns-] *s.* Enkel *m*; ~ **stand** [-nds-] **I.** *s. sport* ˈHaupttriˌbüne *f*: *to play to the* ~ → *II*; **II.** *v/i. Am.* F sich in Szene setzen, ‚e-e Schau abziehen'; ~ **tour** *s. hist.* Bildungs-, Kavaˈliersreise *f*; ˈ~-**un·cle** *s.* Großonkel *m.*
grange [greindʒ] *s.* **1.** Farm *f*; **2.** kleiner Gutshof *od.* Landsitz.
gra·nif·er·ous [grəˈnifərəs] *adj.* ⚘ körnertragend.
gran·ite [ˈgrænit] **I.** *s. min.* Graˈnit *m* (*a. fig.*): *to bite on* ~ *fig.* auf Granit beißen; **II.** *adj.* Granit...; *fig.* hart, eisern, unbeugsam; **gra·nit·ic** [græˈnitik] → *granite II.*
gra·niv·o·rous [grəˈnivərəs] *adj.* körnerfressend.
gran·nie, gran·ny [ˈgræni] *s.* F **1.** ‚Oma' *f*, Großmutter *f* (*a. fig.*); **2.** *a.* ~(*'s*) *knot* ⚓ Altˈweiberknoten *m*, falscher Knoten.
grant [grɑːnt] **I.** *v/t.* **1.** bewilligen, gewähren; vergönnen; *Bitte etc.* erfüllen: *God* ~ *that* gebe Gott, daß; **2.** geben, erteilen, zusprechen; **3.** ⚖ a) *e-r Berufung etc.* stattgeben, b) (forˈmell) überˈlassen, -ˈtragen, verleihen; **4.** zugeben, zugestehen; vorˈaussetzen: *I* ~ *you that* ich gebe zu, daß; ~*ed that* a) zugegeben, daß, b) angenommen, daß; *to take for* ~*ed* a) als erwiesen annehmen, b) als selbstverständlich betrachten *od.* hinnehmen; **II.** *s.* **5.** Bewilligung *f*; Gewährung *f*; **6.** Unterˈstützung *f*, Subventiˈon *f*, Zuschuß *m*; **7.** Stiˈpendium *n*, ˈStudienbeihilfe *f*; **8.** ⚖ (urkundliche) Überˈtragung; Verleihung *f* (*Recht*); **gran·tee** [grɑːnˈtiː] *s.* **1.** Begünstigte(r *m*) *f*; **2.** ⚖ Zessioˈnar(in), Privilegierte(r *m*) *f*; ˈ**grant-in-ˈaid** *pl.* ˈ**grants-in-ˈaid** *s.* Zuschuß *m*, Beihilfe *f*; **grant·or** [grɑːnˈtɔː] *s.* ⚖ Zeˈdent(in), Verleiher(in).
gran·u·lar [ˈgrænjulə] *adj.* gekörnt, körnig, granuliert; ˈ**gran·u·late** [-leit] *v/t.* **1.** körnen, granulieren; **2.** *Leder* rauhen, narben; ˈ**gran·u·lat·ed** [-leitid] *adj.* **1.** gekörnt, körnig; granuliert (*a.* ⚕): ~ *sugar* Kristall-, Streuzucker; **2.** gerauht, genarbt (*Leder*); **gran·u·la·tion** [grænjuˈleiʃən] *s.* **1.** ⊕ Körnen *n*, Granulieren *n*; **2.** Körnigkeit *f*; **3.** ⚕ Granulatiˈon *f*; ˈ**gran·ule** [-juːl] *s.* Körnchen *n*; ˈ**gran·u·lous** [-juləs] → *granular.*
grape [greip] *s.* **1.** Weintraube *f*, -beere *f*: *the* ~*s are sour fig.* die Trauben sind sauer; → *bunch 1*; **2.** *pl. vet.* Mauke *f*; **3.** → *grapeshot*; ˈ~-**cure** *s.* ⚕ Traubenkur *f*; ˈ~-**fruit** *s.* ⚘ Grapefruit *f*, Pampelˈmuse *f*; ˈ~-**hy·a·cinth** *s.* ⚘ ˈTraubenhyaˌzinthe *f*; ˈ~-**juice** *s.* Traubensaft *m*; ˈ~-**louse** *s.* [*irr.*] *zo.* Reblaus *f*; ˈ~-**scis·sors** *s. pl.* Traubenschere *f*; ˈ~-**shot** *s.* ⚔ Karˈtätsche *f*; ˈ~-**stone** *s.* (Wein)Traubenkern *m*; ˈ~-**sug·ar** *s.* Traubenzucker *m*; ˈ~-**vine** *s.* **1.** ⚘ Weinstock *m*; **2.** a) Gerücht *n*, b) *a.* ~ *telegraph* ˈFlüsterpaˌrolen *pl.*: *to hear s.th. on the* ~ et. gerüchteweise hören.
graph [græf] *s.* Schaubild *n*, graphische Darstellung; Kurvenblatt *n*, -bild *n*; *bsd.* ⅍ Kurve *f*: ~ *paper* Millimeterpapier; ˈ**graph·ic** [-fik] **I.** *adj.* **1.** anschaulich, plastisch, lebendig (geschildert *od.* schildernd); **2.** graphisch, zeichnerisch: ~ *arts* Graphik (*als Kunst*); ~ *artist* Graphiker; **3.** Schrift..., Schreib...: **II.** *s. pl. sg. konstr.* **4.** technisches Zeichnen; **5.** graphische Kunst; ˈ**graph·i·cal** [-fikəl] *adj.* □ → *graphic 1, 2, 3.*
graph·ite [ˈgræfait] *s. min.* Graˈphit *m*, Reißblei *n*; **gra·phit·ic** [grəˈfitik] *adj.* graˈphitisch, Graphit...
graph·o·log·ic *adj.*; **graph·o·log·i·cal** [græfəˈlɔdʒik(əl)] *adj.* graphoˈlogisch; **graph·ol·o·gist** [græˈfɔlədʒist] *s.* Graphoˈloge *m*; **graph·ol·o·gy** [græˈfɔlədʒi] *s.* Grapholoˈgie *f*, Handschriftendeutung *f.*
grap·nel [ˈgræpnəl] *s.* **1.** ⚓ a) Enterhaken *m*, b) Dregganker *m*, Dregge *f*; **2.** ⊕ a) Ankereisen *n*, b) Haken *m*, Greifer *m.*
grap·ple [ˈgræpl] **I.** *s.* **1.** → *grapnel 1 a u. 2 b*; **2.** a) fester Griff, b) Handgemenge *n*; **II.** *v/t.* **3.** ⚓ entern; **4.** ⊕ verankern, verklammern; **5.** packen, fassen; **III.** *v/i.* **6.** e-n Enterhaken *od.* Greifer gebrauchen; **7.** raufen, ringen, handgreiflich werden; **8.** ~ *with fig. e-r Sache* zu Leibe gehen, *et.* anpacken *od.* in Angriff nehmen.
ˈ**grap·pling|-i·ron** [ˈgræpliŋ] *s.* ⚓ Enterhaken *m*; ˈ~-**rope** *s.* ⚓ Fangleine *f.*
grasp [grɑːsp] **I.** *v/t.* **1.** packen, fassen, (er)greifen; an sich reißen; → *nettle 1*; **2.** *fig.* verstehen, begreifen, (er)fassen; **II.** *v/i.* **3.** zugreifen, zupacken; **4.** haschen, greifen (*at* nach); → *shadow 2, straw 1*; **5.** *fig.* streben, trachten (*at* nach); **III.** *s.* **6.** Griff *m*; **7.** a) Reichweite *f*, b) *fig.* Macht *f*, Gewalt *f*, Zugriff *m*: *within one's* ~ a) in Reichweite, b) in j-s Gewalt; **8.** *fig.* Verständnis *n*, Auffassungsgabe *f*: *it is within my* ~ ich begreife es; *it is beyond his* ~ es geht über seinen Verstand; *to have a good* ~ *of s.th.* et. gut beherrschen; ˈ**grasp·ing** [-piŋ] *adj.* □ habgierig.
grass [grɑːs] **I.** *s.* **1.** ⚘ Gras *n*: *to hear the* ~ *grow fig.* das Gras wachsen hören; **2.** Rasen *m*: *keep off the* ~ Betreten des Rasens verboten!; *not to let the* ~ *grow under one's feet* nicht lange fackeln, keine Zeit verschwenden; **3.** Grasland *n*, Weide *f*: *out at* ~ a) auf der Weide, b) im Urlaub; *to go to* ~ auf die Weide *od.* in die Ferien gehen; *to put* (*od. turn*) *out to* ~ auf die Weide treiben; **4.** *sl.* Marihuˈana *n*; **II.** *v/t.*

5. mit Gras besäen, mit Rasen bedecken; **6.** weiden lassen; **7.** auf dem Rasen bleichen; **8.** *Vogel* abschießen; **9.** *j-n* niederstrecken; **10.** ~ *over* mit Rasen bedecken, *fig.* Gras wachsen lassen über *(acc.)*; **'~-blade** *s.* Grashalm *m*; **'~-cloth** *s.* Grasleinen *n*; ~ **court** *s. Tennis*: Rasen(spiel)platz *m*; **'~-cut·ter** *s.* Grasschneider *m* (*Person od. Maschine*); **'~-'green** *adj.* grasgrün; **'~-grown** *adj.* mit Gras bewachsen; **'~-hop·per** *s.* **1.** *zo.* Heuschrecke *f*, Grashüpfer *m*; **2.** ✈, ⚔ Leichtflugzeug *n*; **'~-land** *s.* Wiese *f*, Weide(land *n*) *f*; **'~-plot** *s.* Rasenplatz *m*; ~ **roots** *s. pl.* **1.** Graswurzeln *pl.*; **2.** *fig.* Wurzel *f*, Quelle *f*: *down to the* ~ bis zur Wurzel, gründlich; **3.** *pol.* landwirtschaftliche Bezirke *pl.*; Landbevölkerung *f*; **'~-roots** *adj. pol.* **1.** landwirtschaftlich, provinzi'ell; **2.** eingewurzelt, bodenständig: ~ *democracy*; **'~-snake** *s. zo.* Ringelnatter *f*; ~ **wid·ow** *s.* Strohwitwe *f*; ~ **wid·ow·er** *s.* Strohwitwer *m*.

grass·y ['grɑ:si] *adj.* **1.** grasbedeckt, grasig; **2.** Gras...

grate[1] [greit] **I.** *v/t.* **1.** (zer)reiben, (zer)mahlen; **2.** knirschen mit: *to* ~ *the teeth*; **3.** (knirschend) reiben (*on* auf *dat.*, *against* gegen); **II.** *v/i.* **4.** knirschen, kratzen, knarren, schnarren; **5.** *fig.* (*on, upon*) verletzen, schmerzen (*acc.*); weh tun, zu'wider sein (*dat.*): *to* ~ *on the ear* dem Ohr weh tun; *to* ~ *on one's nerves* auf die Nerven gehen.

grate[2] [greit] *s.* **1.** Gitter *n*; **2.** (Feuer)Rost *m*; **3.** Ka'min *m*; **4.** *Wasserbau*: Fangrechen *m*; **'grat·ed** [-tid] *adj.* vergittert.

grate·ful ['greitful] *adj.* □ **1.** dankbar (*to s.o. for s.th.* j-m für et.): *a* ~ *letter* ein Dankbrief; ~ *thanks* aufrichtiger Dank; **2.** dankbar (*Aufgabe etc.*); angenehm, wohltuend, will'kommen; **'grate·ful·ness** [-nis] *s.* **1.** Dankbarkeit *f*; **2.** Annehmlichkeit *f*.

grat·er ['greitə] *s.* Reibe *f*, Reibeisen *n*, Raspel *f*.

grat·i·fi·ca·tion [grætifi'keiʃən] *s.* **1.** Befriedigung *f*, Genugtuung *f* (*at* über *acc.*); **2.** Freude *f*, Vergnügen *n*, Genuß *m*; **3.** Gratifikati'on *f*; **grat·i·fy** ['grætifai] *v/t.* **1.** befriedigen: *to* ~ *one's thirst for knowledge* s-n Wissensdurst stillen; **2.** *j-m* gefällig sein; **3.** erfreuen: *to be gratified* sich freuen; *I am gratified to hear* ich höre mit Genugtuung *od.* Befriedigung; **grat·i·fy·ing** ['grætifaiiŋ] *adj.* □ erfreulich, befriedigend.

gra·tin ['grætɛ̃:ŋ; gratɛ̃] *(Fr.) s.* Gra'tin *m*, Bratkruste *f*: *au* ~ überkrustet, -backen.

grat·ing[1] ['greitiŋ] **I.** *adj.* □ kratzend, knirschend; rauh (*Stimme*); unangenehm; **II.** *s.* Knirschen *n*.

grat·ing[2] ['greitiŋ] *s.* **1.** Gitter *n* (*a. phys.*), Vergitterung *f*; **2.** ⊕ Balkenrost *m*; **3.** ⚓ Gräting *f*.

gra·tis ['greitis] **I.** *adv.* 'gratis, unentgeltlich, um'sonst; **II.** *adj.* unentgeltlich, frei, Gratis...

grat·i·tude ['grætitju:d] *s.* Dankbarkeit *f*: *in* ~ *for* aus Dankbarkeit für.

gra·tu·i·tous [grə'tju(:)itəs] *adj.* □ **1.** unentgeltlich, 'gratis; **2.** ⚖ ohne Gegenleistung; **3.** freiwillig; unverlangt; **4.** grundlos, unberechtigt, unverdient; unnötig, 'überflüssig; **gra'tu·i·ty** [-ti] *s.* **1.** (Geld)Geschenk *n*; Gratifikati'on *f*; Zuwendung *f*; **2.** Trinkgeld *n*.

gra·va·men [grə'veimen] *s.* **1.** ⚖ (Haupt)Beschwerdegrund *m*, *das* Belastende; **2.** *bsd. eccl.* Beschwerde *f*.

grave[1] [greiv] *s.* **1.** Grab *n*: *to turn in one's* ~ sich im Grabe umdrehen; **2.** Grabmal *n*, -hügel *m*; **3.** *fig.* Grab *n*, Tod *m*.

grave[2] [grɑ:v] *ling.* **I.** *s.* 'Gravis *m*; **II.** *adj.*: ~ *accent* → *I*.

grave[3] [greiv] *adj.* □ **1.** ernst, gesetzt; feierlich; **2.** ernst, gewichtig, schwerwiegend; **3.** ernst, bedenklich, kritisch; **4.** schlicht, nüchtern, dunkel (*Kleidung*); **5.** tief (*Gedanken, Ton*).

grave[4] [greiv] *v/t.* [*irr.*] **1.** *Figur* (ein)schnitzen, meißeln; **2.** *fig.* eingraben, -prägen.

grave[5] [greiv] *v/t.* ⚓ *Schiffsboden* ausbessern, kal'fatern.

'grave|-clothes *s. pl.* Totengewand *n*; **'~-dig·ger** *s.* Totengräber *m*.

grav·el ['grævəl] **I.** *s.* **1.** Kies *m*, grober Sand: *~-pit* Kiesgrube; **2.** ⚕ Harngrieß *m*, Nierensand *m*; **II.** *v/t.* **3.** mit Kies bestreuen; **4.** *fig.* verwirren, verblüffen.

grav·en ['greivən] *p.p. von grave*[4] *u. adj.* geschnitzt: ~ *image* Götzenbild.

grav·er ['greivə] → *graving tool*.

Graves' dis·ease [greivz] *s.* ⚕ 'Basedowsche Krankheit.

'grave|·stone *s.* Grabstein *m*; **'~·yard** *s.* Fried-, Kirchhof *m*.

grav·id ['grævid] *adj.* **a)** schwanger, **b)** trächtig (*Tier*).

gra·vim·e·ter [grə'vimitə] *s. phys.* Gravi'meter *n*: **a)** Dichtemesser *m*, **b)** Schweremesser *m*.

grav·ing| dock ['greiviŋ] → *dock*[1] *1*; ~ **tool** *s.* ⊕ Grabstichel *m*.

grav·i·tate ['græviteit] *v/i.* **1.** gravitieren, (hin)streben (*towards* zu, auf *acc.*); **2.** sinken; **3.** *fig.* sich hingezogen fühlen, tendieren, neigen (*to, towards* zu); **grav·i·ta·tion** [grævi'teiʃən] *s.* **1.** *phys.* Gravitati'on *f*, Schwerkraft *f*; **2.** *fig.* Neigung *f*, Hang *m*; **grav·i·ta·tion·al** [grævi'teiʃnəl] *adj. phys.* Gravitations...: ~ *force* Schwerkraft; ~ *field* Schwerefeld; ~ *pull* Anziehungskraft.

grav·i·ty ['græviti] *s.* **1.** Ernst (-haftigkeit *f*) *m*, Feierlichkeit *f*; **2.** Schwere *f*, Ernst *m*, Bedenklichkeit *f*; **3.** ♪ Tiefe *f* (*Ton*); **4.** *phys.* Schwerkraft *f*, Schwere *f*: *centre* (*Am. center*) *of* ~ Schwerpunkt; *force of* ~ Schwerkraft; *law of* ~ Gravitationsgesetz; → *specific 8*; ~ **fault** *s. geol.* Verwerfung *f*; ~ **tank** *s. mot.* Falltank *m*.

gra·vure [grə'vjuə] *s.* Gra'vüre *f*.

gra·vy ['greivi] *s.* **1.** Braten-, Fleischsaft *m*; **2.** (Fleisch-, Braten)Soße *f*; **3.** *sl.* leichter *od.* unehrlicher Gewinn; ~ **beef** *s.* Saftbraten *m*; **'~-boat** *s.* Sauci'ere *f*, Soßenschüssel *f*.

gray *etc. bsd. Am.* → *grey etc.*

graze[1] [greiz] **I.** *v/t.* **1.** *Vieh* weiden (lassen); **2.** *Gras etc.* fressen; **3.** abweiden, -grasen; **II.** *v/i.* **4.** weiden, grasen (*Vieh*).

graze[2] [greiz] **I.** *v/t.* **1.** streifen, leicht berühren; **2.** streifen, schrammen; ⚕ (ab)schürfen; **II.** *v/i.* **3.** streifen; **III.** *s.* **4.** Streifen *n*; **5.** ⚕ Abschürfung *f*, Schramme *f*; **6.** *a. grazing shot* ⚔ Streifschuß *m*.

gra·zier ['greizjə] *s.* Viehzüchter *m*.

grease I. *s.* [gri:s] **1.** (*zerlassenes*) Fett, Schmalz *n*; **2.** ⊕ Schmierfett *n*, Schmiere *f*; **3. a)** Wollfett *n*, **b)** Schweißwolle *f*; **4.** *vet.* (Flechten)Mauke *f* (*Pferd*); **II.** *v/t.* [gri:z] **5.** ⊕ (ein)fetten, (ab)schmieren, ölen; **6.** beschmieren; **'~-box**, **'~-cup** *s.* ⊕ Schmierbüchse *f*; **'~-gun** *s.* ⊕ Schmierpresse *f*, -spritze *f*; ~ **mon·key** *s. Am. sl.* ‚Schmiermax' *m* (*Auto-, Flugzeugmechaniker*); **'~-paint** *s. thea.* (Fett)Schminke *f*; **'~·proof** *adj.* fettabstoßend.

greas·er ['gri:zə] *s.* **1.** Schmierer *m*, Öler *m*; **2.** ⊕ 'Schmierappa͵rat *m*; **3.** ⚓ Schmierer *m* (*Dienstgrad*); **4.** *Am. sl.* Mexi'kaner *m* (*Schimpfwort*).

greas·i·ness ['gri:zinis] *s.* **1.** Fettig-, Öligkeit *f*; **2.** Schlüpfrigkeit *f*; **3.** *fig.* Aalglätte *f*; Krieche'rei *f*;

greas·y ['gri:zi] *adj.* □ **1.** fettig, schmierig, ölig: ~ *pole sport* eingefettete Kletterstange; **2.** beschmiert; **3.** glitschig, schlüpfrig; **4.** ungewaschen (*Wolle*); **5.** *fig.* aalglatt, ölig, schmierig.

great [greit] **I.** *adj.* □ → *greatly*; **1.** groß, beträchtlich: *a* ~ *number* e-e große Anzahl; *a* ~ *many* sehr viele; *the* ~ *majority* die große Mehrheit; *in* ~ *favo(u)r* in hoher Gunst; *a* ~ *big boy* ein riesiger Junge; *to reach a* ~ *age* ein hohes Alter erreichen; **2.** groß (*in hohem Maße*), Haupt...: *to a* ~ *extent* in hohem Maße; *a* ~ *rogue* ein Erzschuft; ~ *friends* dicke Freunde; *the* ~ *attraction* die Hauptattraktion; *the* ~ *thing is* die Hauptsache ist; **3.** groß, bedeutend, wichtig, berühmt: *a* ~ *poet* ein großer Dichter; *a* ~ *city* e-e bedeutende Stadt; ~ *issues* wichtige Probleme; **4.** hochstehend, vornehm, berühmt: *a* ~ *family*; *the* ~ *world* die gute Gesellschaft; **5.** großartig, vor'züglich, wertvoll: *a* ~ *opportunity* e-e vorzügliche Gelegenheit; *it is a* ~ *thing to be healthy* es ist viel wert, gesund zu sein; **6.** erhaben, hoch: ~ *thoughts*; **7.** eifrig: *a* ~ *reader*; **8.** groß(geschrieben); **9.** *nur pred.* **a)** geübt: *he is* ~ *at golf* er spielt (sehr) gut Golf, er ist ‚ganz groß' im Golfspielen, **b)** interessiert: *he is* ~ *on dogs* er ist ein großer Hundeliebhaber; **10.** F herrlich, fa'mos, wunderbar: *we had a* ~ *time* wir haben uns herrlich amüsiert; *that's* ~*!* wunderbar!; **11.** *in Verwandtschaftsbezeichnungen*: **a)** Groß..., **b)** (*vor grand...*)

Ur...; **12.** *als Beiname*: *the* ≈ *Elector* der Große Kurfürst; *Frederick the* ≈ Friedrich der Große; **II.** *s.* **13.** *the* ~ *pl.* die Großen *pl.*, die Promi'nenten *pl.*; **14.** *pl. Brit. univ.* 'Schlußexˌamen *n* für den Grad des B.A. (*Oxford*).

'great|-'aunt *s.* Großtante *f*; ≈ **Brit·ain** *s.* Großbri'tannien *n*; ≈ **Char·ter** → *Magna C(h)arta*; ~ **cir·cle** *s.* ⌖ Großkreis *m* (*e-r Kugel*); '~'**coat** *s.* (Herren)Mantel *m*; ≈ **Dane** *s. zo.* Dänische Dogge; ≈ **Di·vide** *s.* **1.** *geogr.* Hauptwasserscheide *f* (*Rocky Mountains, USA*); **2.** *fig.* Krise *f*; **3.** *fig.* Tod *m*.

Great·er Lon·don ['greitə] *s.* Groß-London *n*.

great| go *s. Brit. univ. sl.* 'Schlußexˌamen *n* für den Grad des B.A. (*Cambridge*); '~-'**grand·child** *s.* Urenkel(in); '~-'**grand·daugh·ter** *s.* Urenkelin *f*; '~-'**grand·fa·ther** *s.* Urgroßvater *m*; '~-'**grand·moth·er** *s.* Urgroßmutter *f*; '~-'**grand-par·ents** *s. pl.* Urgroßeltern *pl.*; '~-'**grand·son** *s.* Urenkel *m*; '~-'~-'**grand·fa·ther** *s.* Ururgroßvater *m*; ~ **gross** *s.* zwölf Gros *pl.*; '~-'**heart·ed** *adj.* **1.** beherzt; **2.** hochherzig; ≈ **Lakes** *s. pl. die* Großen Seen *pl.* (*USA*).

great·ly ['greitli] *adv.* sehr, höchst, außerordentlich, ‚mächtig'; bei weitem.

Great| Mo·gul *s.* 'Großˌmogul *m*; '≈-'**neph·ew** *s.* Großneffe *m*.

great·ness ['greitnis] *s.* **1.** Größe *f*, Erhabenheit *f*: ~ *of mind* Großmütigkeit; **2.** Bedeutung *f*, Wichtigkeit *f*; Macht *f*, Rang *m*.

'great|-'niece *s.* Großnichte *f*; ≈ **Plains** *s. pl. Am. Präriegebiete im Westen der USA*; ≈ **Pow·ers** *s. pl. pol.* Großmächte *pl.*; ≈ **Seal** *s. Brit. hist.* Großsiegel *n*; ~ **tit·mouse** *s.* [*irr.*] *orn.* Kohlmeise *f*; '~-'**un·cle** *s.* Großonkel *m*; ≈ **Wall** (**of Chi·na**) *s.* chi'nesische Mauer; ≈ **War** *s. der* Erste Weltkrieg.

greave [gri:v] *s. hist.* Beinschiene *f*.

greaves [gri:vz] *s. pl.* (Fett-, Talg-) Grieben *pl.*

grebe [gri:b] *s. orn.* (See)Taucher *m*.

Gre·cian ['gri:ʃən] **I.** *adj.* **1.** (*bsd.* klassisch) griechisch; **II.** *s.* **2.** Grieche *m*, Griechin *f*; **3.** Helle'nist *m*, Grä'zist *m*.

Gre·cism *etc.* → *Graecism etc.*

greed [gri:d] *s.* Gier *f*, Habgier *f*, -sucht *f*; Geiz *m*; '**greed·i·ness** [-dinis] *s.* **1.** → *greed*; **2.** Gefräßigkeit *f*, Gierigkeit *f*; '**greed·y** [-di] *adj.* □ **1.** gefräßig, gierig, unbescheiden (*im Essen*); **2.** habgierig; **3.** (*of*) (be)gierig (auf *acc.*), lechzend (nach), lüstern (nach).

Greek [gri:k] **I.** *s.* **1.** Grieche *m*, Griechin *f*; **2.** *ling.* Griechisch *n*: *that's* ~ *to me* das sind mir böhmische Dörfer; **II.** *adj.* **3.** griechisch; → *calends*; ~ **Church** *s.* ˌGriechisch-ortho'doxe Kirche; ~ **cross** *s.* griechisches Kreuz; ~ **fire** *s.* ⚔ *hist.* griechisches Feuer; ~ **gift** *s. fig.* 'Danaergeschenk *n*; ~ **Or·tho·dox Church** → *Greek Church*.

green [gri:n] **I.** *adj.* □ **1.** grün (*a. fig. schneefrei*); **2.** grün(end), grün(bewachsen): ~ *food* Gemüsekost; ~ *vegetables* Grüngemüse; **3.** grün, unreif (*Obst*); **4.** zu frisch, nicht fertig verarbeitet; (⊕ fa'brik-) neu: ~ *assembly* Erstmontage; **5.** neu, frisch, lebendig: ~ *in one's memory*; **6.** *fig.* grün, unerfahren, unreif, na'iv: *a* ~ *youth*; **7.** jung: ~ *in years* jung an Jahren; ~ *old age* rüstiges Alter; **8.** blaß: ~ *with envy* gelb vor Neid; ~ *with fear* schreckensbleich; **II.** *s.* **9.** Grün *n*, grüne Farbe; **10.** Grünfläche *f*, Rasenplatz *m*: *village* ~ Dorfanger; **11.** *pl.* grünes Gemüse, *engS.* Kohl *m*; **12.** *fig.* Jugendfrische *f*, Lebenskraft *f*.

'green|·back *s.* **1.** Banknote *f* (*der USA*); **2.** *zo.* Laubfrosch *m*; ~ **belt** *s.* Grüngürtel *m* (*um e-e Stadt*); '~-'**blind** *adj.* ⚕ grünblind; ~ **cheese** *s.* **1.** unreifer Käse; **2.** Kräuterkäse *m*; ~ **corn** *s. Am.* grüner Mais; ~ **crop** *s.* ⚒ Grünfutter *n*.

green·er·y ['gri:nəri] *s.* Grün *n*, Laub *n*.

'green|-eyed *adj. fig.* eifersüchtig, neidisch: *the* ~ *monster* die Eifersucht; '~**finch** *s. orn.* Grünfink *m*; ~ **fin·gers** *s. pl.* F gärtnerische Begabung: *he has* ~ bei ihm gedeihen alle Pflanzen; ~ **fly** *s. zo. Brit.* grüne Blattlaus; '~**gage** *s.* Reine'claude *f*; '~**gro·cer** *s.* Obst- u. Gemüsehändler *m*; '~**gro·cer·y** *s.* **1.** Obst- u. Gemüsehandlung *f*; **2.** *pl.* Grünkram *m*; '~**horn** *s.* F **1.** Grünschnabel *m*, Neuling *m*; *pl.* junges Gemüse; **2.** Strohkopf *m*, Gimpel *m*; '~**house** *s.* **1.** Treib-, Gewächshaus *n*; **2.** ✈ *sl.* Vollsichtkanzel *f*.

green·ish ['gri:niʃ] *adj.* grünlich.

green| light *s.* grünes Licht (*Verkehrsampel*; *a. fig. Genehmigung*): *to give s.o. the* ~ *fig.* j-m grünes Licht geben; '~**man** [-mən] *s.* [*irr.*] Platzmeister *m* (*Golfplatz*); ~ **ma·nure** *s.* frischer Stalldünger.

green·ness ['gri:nnis] *s.* **1.** Grün *n*, *das* Grüne; **2.** *fig.* Frische *f*, Munterkeit *f*, Kraft *f*; **3.** *fig.* Unreife *f*, Unerfahrenheit *f*.

'green|-room *s. thea.* 'Künstlerzimmer *n*, -gardeˌrobe *f*; '~**sick·ness** *s.* ⚕ Bleichsucht *f*; '~**stick** (**frac·ture**) *s.* ⚕ Grünholzbruch *m*; '~**stone** *s.* Grünstein(tuff) *m*; '~**stuff** *s.* grünes Gemüse; '~**sward** *s.* Rasen *m*; ~ **ta·ble** *s.* Spieltisch *m*; ~ **tea** *s.* grüner Tee.

Green·wich time ['grinidʒ] *s.* Greenwicher (mittlere Sonnen-) Zeit.

greet [gri:t] *v/t.* **1.** (be)grüßen; **2.** begrüßen, empfangen, aufnehmen; **3.** *fig. dem Auge* begegnen, *ans Ohr* treffen; '**greet·ing** [-tiŋ] *s.* Gruß *m*, Begrüßung *f*; Empfehlung *f*: ~*s telegram* Glückwunschtelegramm.

gre·gar·i·ous [gre'gɛəriəs] *adj.* □ **1.** gesellig; in Herden *od.* Scharen lebend, Herden...; **2.** ⚘ traubenartig wachsend; **gre'gar·i·ous·ness** [-nis] *s.* **1.** Zs.-leben *n* in Herden; **2.** Geselligkeit *f*.

Gre·go·ri·an [gre'gɔ:riən] *adj.* grego'rianisch: ~ *calendar* Gregorianischer Kalender; ~ *chant* ♪ Gregorianischer Gesang.

'Greg·o·ry-pow·der ['gregəri] *s. pharm. ein* Abführmittel *n*.

grem·lin ['gremlin] *s. sl.* böser Geist, Kobold *m* (*bsd. gegen Maschinen gerichtet*).

gre·nade [gri'neid] *s.* **1.** ⚔ Ge'wehr-, 'Handgraˌnate *f*; **2.** gläserne Feuerlöschflasche; **gren·a·dier** [grenə'diə] *s.* ⚔ Grena'dier *m*.

gren·a·dine [grenə'di:n] *s.* **1.** Grena'dine *f*: **a)** Gra'natapfelsaft *m*, **b)** *Gewebe*; **2.** Grena'din *m* (*gebratene Fleischschnitte*).

gres·so·ri·al [gre'sɔ:riəl] *adj. orn., zo.* Schreit..., Stelz...

Gret·na Green mar·riage ['gretnə] *s.* Heirat *f* in Gretna Green (*Schottland*).

grew [gru:] *pret. von grow*.

grey [grei] **I.** *adj.* □ **1.** grau; **2.** grau (-haarig), ergraut; **3.** farblos, blaß; **4.** trübe, düster: *a* ~ *day*; ~ *prospects* trübe Aussichten; **5.** ⊕ ungebleicht, na'turfarben: ~ *cloth* ungebleichter Baumwollstoff; **II.** *s.* **6.** Grau *n*, graue Farbe: *dressed in* ~ in Grau gekleidet; **7.** Grauschimmel *m*: *the* (*Scots*) ≈*s* das 2. (schottische) Dragonerregiment; **III.** *v/i.* **8.** grau werden, ergrauen: ~*ing* angegraut (*Haare*); ~ **a·re·a** *s. Statistik*: Grauzone *f*; '~**back** *s.* **1.** *zo.* Grauwal *m*; **2.** → *grey crow*; **3.** *Am.* F ‚Graurock' *m* (*Soldat der Südstaaten im Bürgerkrieg*); '~**beard** *s.* **1.** Graubart *m*, alter Mann; **2.** irdener Krug; **3.** → *clematis*; ~ **crow** *s. orn.* Nebelkrähe *f*; ~ **goose** → *greylag*; '~-'**haired** *adj.* grauhaarig; '~-'**head·ed** *adj.* grauköpfig; '~**hen** *s. orn.* Schwarzes Schottisches Moorhuhn; '~**hound** *s. zo.* Windhund *m*, -spiel *n*: ~-*racing* Windhundrennen; *ocean* ~ schneller Ozeandampfer.

grey·ish ['greiiʃ] *adj.* gräulich, Grau...

grey·lag ['greilæg] *s. orn.* Grau-, Wildgans *f*.

grey| mat·ter *s.* **1.** ⚕ graue ('Hirnrinden)Subˌstanz; **2.** ‚Grips' *m*, ‚Grütze' *f* (*Verstand*); ~ **mul·let** *s. ichth.* Meeräsche *f*.

grey·ness ['greinis] *s.* **1.** Grau *n*; **2.** *fig.* Trübheit *f*, Düsterkeit *f*.

grey squir·rel *s. zo.* Grauhörnchen *n*.

grid [grid] *s.* **1.** Gitter *n*, Rost *m*; **2.** ⚡ Bleiplatte *f* (*Akkumulator*); **3.** *Radio*: Gitter *n*; **4.** *Brit.* ⚡ Über'landleitungsnetz *n*; **5.** Gitternetz *n auf Landkarten*: ~*ded map* Gitternetzkarte; **6.** (Straßen- *etc.*)Netz *n*; ~ **bi·as** *s.* ⚡ Gittervorspannung *f*; ~ **cir·cuit** *s.* ⚡ Gitterkreis *m*.

grid·dle ['gridl] *s.* **1.** Kuchen-, Backblech *n*: ~-*cake* Pfannkuchen; **2.** ⊕ Drahtsieb *n*.

'grid|·i·ron *s.* **1.** Bratrost *m*; **2.** ⊕ Gitterrost *m*; **3.** Netz(werk) *n* (*Leitungen, Bahnlinien etc.*); **4.** ⚓ Balkenrost *m*; **5.** *thea.* Schnürboden *m*; **6.** *Am.* F Spielfeld *n* (*amer. Fußball*); ~ **leak** *s.* 'Gitter(ableit)ˌwiderstand *m*; ~ **plate** *s.* ⚡ Gitterplatte *f*; ~ **square** *s.* 'Planquaˌdrat *n*.

grief [gri:f] *s.* Gram *m*, Kummer *m*,

Schmerz *m*: *to bring to* ~ zu Fall bringen, zugrunde richten; *to come to* ~ **a)** Schaden nehmen, verunglücken, **b)** in Schwierigkeiten geraten, **c)** fehlschlagen, scheitern, zu Fall kommen.

griev·ance ['gri:vəns] *s.* **1.** Beschwerde *f*, Grund *m* zur Klage; **2.** 'Miß-, Übelstand *m*; **3.** Groll *m*; Unzufriedenheit *f*; **grieve** [gri:v] **I.** *v/t.* betrüben, bekümmern, kränken, *j-m* weh tun; **II.** *v/i.* bekümmert sein, sich grämen *od.* härmen (*at, about* über *acc.*, wegen; *for* um); '**griev·ous** [-vəs] *adj.* □ **1.** schmerzlich, bedauerlich, bitter, drückend; **2.** schwer, kläglich, schlimm: ~ *error*; ~ *bodily harm* schwere Körperverletzung; '**griev·ous·ness** [-vəsnis] *s.* Schmerzlichkeit *f*.

grif·fin[1] ['grifin] *s.* **1.** *myth., her.* Greif *m*; **2.** → *griffon*[1].

grif·fin[2] ['grifin] *s. Brit. Ind. etc.* Neuling *m*, Neuankömmling *m*.

grif·fon[1] ['grifən], *a.* '**~-vul·ture** *s. orn.* Weißköpfiger Geier.

grif·fon[2] ['grifən] *s.* **1.** → *griffin*[1] *1*; **2.** Grif'fon *m* (*Hunderasse*).

grift·er ['griftə] *s. Am. sl.* **1.** (Schau-)Budenbesitzer *m*; **2.** Gauner *m*.

grill[1] [gril] **I.** *s.* **1.** (Brat)Rost *m*, Grill *m*; **2.** Grillen *n*, Rösten *n*; **3.** Röstfleisch *n*; **4.** → *grillroom*; **5.** Waffelung *f*, Gau'frage *f* (*Briefmarken*); **II.** *v/t.* **6.** *Fleisch etc.* grillen, auf dem Rost braten; **7.** *fig.* sengen, plagen, quälen; **8.** *fig.* e-m strengen Verhör unter'ziehen; **9.** *Briefmarken* waffeln, gaufrieren; **III.** *v/i.* **10.** rösten, schmoren, gegrillt werden.

grill[2] → *grille*.

gril·lage ['grilidʒ] *s.* △ Pfahlrost *m*.

grille [gril] *s.* **1.** Tür-, Fenster-, Schaltergitter *n*; **2.** Gitterfenster *n*, Sprechgitter *n*; **grilled** [-ld] *adj.* vergittert.

grill·er ['grilə] *s.* Bratrost *m*, Grillvorrichtung *f*.

'**grill·room** *s.* Grillroom *m*, Rostbratstube *f*.

grilse [grils] *s. ichth.* junger Lachs.

grim [grim] *adj.* □ grimmig: **a)** schrecklich, schlimm, **b)** erbarmungslos, grausam, hart: ~ *humo(u)r* Galgenhumor, **c)** wütend, **d)** unbeugsam, eisern, verbissen; → *death 1*.

gri·mace [gri'meis] **I.** *s.* Gri'masse *f*, Fratze *f*: *to make* ~*s* → *II*; **II.** *v/i.* Gri'massen schneiden.

gri·mal·kin [gri'mælkin] *s.* **1.** (alte) Katze; **2.** böses altes Weib, Hexe *f*.

grime [graim] **I.** *s.* (zäher) Schmutz *od.* Ruß; **II.** *v/t.* beschmutzen; '**grim·i·ness** [-minis] *s.* Schmutzigkeit *f*.

Grimm's law [grimz] *s. ling.* (Gesetz *n* der) Lautverschiebung *f*.

grim·ness ['grimnis] *s.* Grimmigkeit *f*, Schrecklichkeit *f*; Grausamkeit *f*, Härte *f*, Unnachgiebigkeit *f*.

grim·y ['graimi] *adj.* □ schmutzig, rußig.

grin [grin] **I.** *v/i.* grinsen, (verschmitzt) lächeln: *to* ~ *at s.o.* j-n angrinsen; *to* ~ *and bear it* gute Miene zum bösen Spiel machen; → *Cheshire cat*; **II.** *s.* Grinsen *n*, Lächeln *n*: *broad* ~ breites Grinsen.

grind [graind] **I.** *v/t.* [*irr.*] **1.** *Messer etc.* schleifen, wetzen, schärfen; *Glas* matt schleifen: *to* ~ *in Ventile* einschleifen; → *ax 1*; **2.** *a.* (zer-)mahlen, zerreiben, -kleinern; zermalmen; schroten; **3.** *Korn etc., Mehl* mahlen; **4.** ⊕ schmirgeln, glätten, polieren; **5.** ~ *down* abwetzen; → *10*; **6.** ~ *one's teeth* mit den Zähnen knirschen; **7.** knirschend (*hinein*)bohren; **8.** *Leierkasten etc.* drehen; **9.** ~ *out* mühsam her'vor-, her'ausbringen; **10.** *a.* ~ *down fig.* (unter)'drücken, schinden, quälen; zermürben; **11.** F ‚pauken', ‚büffeln' (*eifrig lernen*): *to* ~ *Latin*; **12.** F *j-m et.* einpauken: *to* ~ *s.o. in Latin*; **II.** *v/i.* [*irr.*] **13.** mahlen, reiben; **14.** knirschen(d reiben), kratzen; **15.** F sich plagen *od.* abschinden; **16.** F ‚pauken', ‚ochsen', ‚büffeln'; **III.** *s.* **17.** F Schinde'rei *f*, Placke'rei *f*; ‚Pauken' *n*, ‚Büffeln' *n*; **18.** *Am. sl.* Streber(in), ‚Büffler (-in)'; **19.** *Brit. sl.* **a)** Hindernisrennen *n*, **b)** Marsch *m* (aus Gesundheitsgründen); '**grind·er** [-də] *s.* **1.** (*Messer-, Glas*)Schleifer *m*; **2.** 'Schleifstein *m*, -walze *f*, -ma'schine *f*; **3.** oberer Mühlstein; **4.** Mahl-, Quetschwerk *n*: *meat* ~ Fleischwolf; **5.** *anat.* Backenzahn *m*; *pl.* F Zähne *pl.*; **6.** F **a)** ‚Pauker' *m* (*Lehrer*), **b)** ‚Büffler' *m* (*Schüler*).

grind·ing ['graindiŋ] *adj. fig.* **1.** mühsam, schwer (*Arbeit etc.*); **2.** (be)drückend; **3.** zermürbend, quälend; ~ **mill** *s.* ⊕ Mahl-, Walzwerk *n*; Schleif-, Reibmühle *f*; ~ **powder** *s.* ⊕ Schleifpulver *n*.

'**grind·stone** [-nds-] *s.* Schleifstein *m*: *to keep s.o.'s nose to the* ~ *fig.* j-n schwer arbeiten lassen, j-n schinden; *to keep one's nose to the* ~ sich abschinden, schuften.

grin·go ['griŋgou] *pl.* **-gos** *s.* 'Gringo *m* (*lateinamer. Spottname für Ausländer, bsd. Angelsachsen*).

grip [grip] **I.** *s.* **1.** Griff *m*, (An-)Packen *n*, (Er)Greifen *n*; Händedruck *m* (*z. B. von Freimaurern*): *to come to* ~*s with* handgemein werden mit, *fig.* sich auseinandersetzen mit, in Angriff nehmen; *at* ~*s with* im Kampf mit; **2.** *fig.* Griff *m*, Halt *m*; Herrschaft *f*, Gewalt *f*; *weitS.* Verständnis *n*: *in the* ~ *of* in den Klauen *od.* im Bann (*gen.*); *to have a* ~ *on* in der Gewalt haben, *Zuhörer etc.* fesseln, packen; *to have a good* ~ *on Lage, Materie etc.* (sicher) beherrschen, *Situation etc.* klar erfassen; *to lose one's* ~ **a)** die Herrschaft verlieren (*of* über *acc.*), **b)** *geistig* nachlassen; **3.** Griffigkeit *f* (*a. Autoreifen*); **4.** (Hand-)Griff *m* (*Koffer etc.*); **5.** Haarspange *f*; **6.** ⊕ Greifer *m*; **7.** *Am.* → *gripsack*; **II.** *v/t.* **8.** packen, ergreifen; (fest)halten; **9.** ⊕ festklemmen, -machen; **10.** *fig.* *j-n* packen (*Furcht, Spannung*); *Leser, Zuhörer etc.* fesseln; **11.** *fig.* begreifen, verstehen; **III.** *v/i.* **12.** Halt finden, halten, fassen; ~ **brake** *s.* ⊕ Handbremse *f*.

gripe [graip] **I.** *v/t.* **1.** *obs.* ergreifen, packen; **2.** drücken, zwicken: *to be* ~*d* Bauchschmerzen *od.* e-e Kolik haben; **3.** ⚓ *Boot* festmachen, zurren; **II.** *v/i.* **4.** *sl.* nörgeln, murren, ‚meckern'; **III.** *s.* **5.** *pl.* ⚕ 'Kolik *f*, Leibweh *n*; **6.** *pl.* ⚓ Seile *pl.* zum Festmachen; **7.** ⊕ Bremse *f*.

grip·per ['gripə] *s.* ⊕ Greifer *m*, Halter *m*; '**grip·ping** [-piŋ] *adj.* **1.** *fig.* fesselnd, packend, spannend; **2.** ⊕ greifend: ~ *lever* Spannhebel; ~ *tool* Spannwerkzeug.

'**grip·sack** *s. Am.* Reisetasche *f*.

gris·kin ['griskin] *s. Brit. Küche*: Schweinsrücken *m*.

gris·ly ['grizli] *adj.* gräßlich.

grist [grist] *s.* **1.** Mahlgut *n*, -korn *n*: *that's* ~ *to his mill* das ist Wasser auf s-e Mühle; *to bring* ~ *to the mill* Gewinn bringen; **2.** Malzschrot *n*; **3.** Stärke *f*, Dicke *f* (*Garn od. Tau*).

gris·tle ['grisl] *s.* Knorpel *m*: *in the* ~ unentwickelt; '**gris·tly** [-li] *adj.* knorpelig.

grit [grit] **I.** *s.* **1.** *geol.* **a)** grober Sand, Kies *m*, **b)** *a.* ~*stone* grober Sandstein; **2.** *fig.* Mut *m*, Entschlossenheit *f*, ‚Mumm' *m*; **3.** *pl.* Haferschrot *m, n*, -grütze *f*; **II.** *v/i.* **4.** knirschen, mahlen; **III.** *v/t.* **5.** *to* ~ *the teeth* mit den Zähnen knirschen; '**grit·ti·ness** [-tinis] *s.* Sandigkeit *f*, Kiesigkeit *f*; '**grit·ty** [-ti] *adj.* **1.** sandig, kiesig; **2.** *fig.* F mutig, forsch.

griz·zle[1] ['grizl] *v/i. Brit.* F nörgeln, quengeln, schmollen; wimmern.

griz·zle[2] ['grizl] *s.* graue Farbe (*bsd. Haar*); '**griz·zled** [-ld] *adj.* grau (-haarig); '**griz·zly** [-li] **I.** *adj.* → *grizzled*; **II.** *s. a.* ~ *bear* Graubär *m*.

groan [groun] **I.** *v/i.* **1.** stöhnen, ächzen (*with* vor); **2.** knarren (*Tür etc.*): *a* ~*ing board* (*od. table*) ein überladener Tisch; **3.** seufzen; leiden; **II.** *v/t.* **4.** ächzen, unter Stöhnen äußern; **5.** ~ *down* durch Knurren zum Schweigen bringen; **III.** *s.* **6.** Stöhnen *n*; **7.** Knarren *n*; **8.** Murren *n*.

groat [grout] *s. hist.* Groschen *m*.

groats [grouts] *s. pl.* Hafergrütze *f*.

gro·cer ['grousə] *s.* Lebensmittel-, Koloni'alwarenhändler *m*; Krämer *m*; '**gro·cer·y** [-səri] *s.* **1.** *Am.* Lebensmittelgeschäft *n*; **2.** *mst pl.* Lebensmittel *pl.*, Koloni'alwaren *pl.*; **3.** Koloni'alwarenhandel *m*.

grog [grɔg] **I.** *s.* Grog *m*: ~*-blossom* F Säufernase; **II.** *v/i.* Grog trinken; '**grog·ger·y** [-gəri] *s. Am.* Kneipe *f*; '**grog·gi·ness** [-ginis] *s.* **1.** *obs.* Trunkenheit *f*, ‚Schwips' *m*; **2.** Wack(e)ligkeit *f*; **3.** *a. Boxen*: Benommenheit *f*, (halbe) Betäubung; '**grog·gy** [-gi] *adj.* **1.** *obs.* betrunken; **2.** F taumelig, wack(e)lig (*a. Sachen*); **3.** F kränklich; schwach auf den Beinen; **4.** steif (*Pferd*); **5.** *Boxen*: groggy, angeschlagen, halb betäubt.

groin [grɔin] *s.* **1.** *anat.* Leiste *f*, Leistengegend *f*; **2.** △ Grat(bogen) *m*, Rippe *f*; **3.** *Am.* → *groyne*; **groined** [-nd] *adj.* gerippt: ~ *vault* Kreuzgewölbe.

grom·met ['grɔmit] *Am.* → *grummet*.

groom [grum] **I.** *s.* **1.** Pferde-, Reit-, Stallknecht *m*; **2.** Bräutigam *m*; **3.** Diener *m*; → *bedchamber*; **II.** *v/t.* **4.** *Pferd* striegeln, pflegen; **5.** *Per-*

son, *Kleidung* pflegen: *well-~ed* gepflegt; **6.** aufputzen; **7.** *Am. bsd. pol. Kandidaten für ein Amt* vorbereiten; lancieren; *weitS. a. Brit. j-n* einarbeiten, ‚her'anziehen'; **grooms·man** ['grumzmən] *s.* [*irr.*] Brautführer *m*.

groove [gru:v] **I.** *s.* **1.** Rinne *f*, Furche *f*: *in the ~ fig.* **a)** im richtigen Fahrwasser, **b)** in bester Form; **2.** ⊕ Rinne *f*, Furche *f*, Nut *f*, Vertiefung *f*, Hohlkehle *f*, Rille *f*, Aushöhlung *f*, Falz *m*, Kerbe *f*; **3.** ⊕ Zug *m* (*in Gewehren etc.*); **4.** *fig.* gewohntes Geleise, Gewohnheit *f*, Scha'blone *f*, Rou'tine *f*: *to get into a ~* in e-e Gewohnheit verfallen; *to run* (*od. work*) *in a ~* im selben Geleise bleiben, stagnieren; **5.** *sl.* ‚klasse Sache': *it's a ~!* das ist klasse!; **II.** *v/t.* **6.** ⊕ furchen, riefeln, nuten, auskehlen; **III.** *v/i. sl.* **7.** Spaß haben (*with* bei *od.* mit); **8.** ‚(große) Klasse sein'; **grooved** [-vd] *adj.* gerillt, gerieft; '**groov·y** [-vi] *adj.* **1.** F scha'blonenhaft, nach Schema F; **2.** *sl.* toll, ‚klasse'.

grope [group] **I.** *v/i.* tasten (*for* nach): *to ~ about* herumtasten, -tappen, -suchen; *to ~ in the dark bsd. fig.* im dunkeln tappen; **II.** *v/t.* tastend suchen: *to ~ one's way* sich vorwärtstasten; '**grop·ing·ly** [-piŋli] *adv.* tastend; *fig.* vorsichtig, unsicher.

gros·beak ['grousbi:k] *s. orn.* Kernbeißer *m*.

gros·grain ['grougrein] *adj. u. s.* grob gerippt(es Seidentuch *od.* -band).

gross [grous] **I.** *adj.* □ → *grossly*; **1.** dick, feist, plump; **2.** grob(körnig); **3.** roh, grob, derb; **4.** schwer, grob (*Fehler*): *~ negligence* ⚖ grobe Fahrlässigkeit; **5.** stumpf, schwerfällig (*Sinne*); **6.** dicht, stark, üppig; **7.** anstößig, unanständig, unfein; **8.** 'brutto, Brutto..., Roh..., Gesamt...: *~ amount* Gesamtbetrag; *~ profit* Rohgewinn; *~ weight* Bruttogewicht; **II.** *s.* **9.** *das* Ganze, Masse *f*: *in* (*the*) *~* im ganzen, in Bausch u. Bogen; **10.** *pl.* gross Gros *n* (*12 Dutzend*); '**gross·ly** [-li] *adv.* sehr, höchst; ungeheuerlich; ⚖ *etc.* grob: *~ negligent*; '**gross·ness** [-nis] *s.* **1.** Stärke *f*, Schwere *f*, Ungeheuerlichkeit *f*; **2.** Roheit *f*, Derbheit *f*, Grobheit *f*; **3.** Anstößigkeit *f*, Unanständigkeit *f*.

gross| reg·is·ter(ed) ton *s.* 'Bruttore͵gistertonne *f*; *~* **ton·nage** *s.* ✝ 'Bruttotonnengehalt *m*.

gro·tesque [grou'tesk] **I.** *adj.* □ **1.** gro'tesk (*a. Kunst*); **II.** *s.* **2.** *das* Gro'teske; **3.** *Kunst*: Groteske *f*, groteske Fi'gur; **gro'tesque·ness** [-nis] *s. das* Groteske.

grot·to ['grɔtou] *pl.* **-toes** *od.* **-tos** *s.* Höhle *f*, Grotte *f*.

grouch [grautʃ] F **I.** *v/i.* **1.** nörgeln, schmollen, quengeln; **II.** *s.* **2.** schlechte Laune, Verdrießlichkeit *f*; **3.** Griesgram *m*, ‚Miesepeter' *m*; '**grouch·y** [-tʃi] *adj.* □ F griesgrämig, ‚miesepet(e)rig', ‚grantig'.

ground[1] [graund] **I.** *s.* **1.** (Erd-)Boden *m*, Erde *f*: *fertile ~*; *above ~* **a)** oberirdisch, ⚒ über Tage, **b)** lebend; *below ~* **a)** ⚒ unter Tage, **b)** begraben, tot; *down to the ~ fig.* völlig, durchaus; *to break ~ fig.* Vorbereitungen treffen; *to break new* (*od. fresh*) *~* Land urbar machen, *a. fig.* neue Gebiete erschließen; *to fall to the ~* zu Boden fallen, *fig.* scheitern, ins Wasser fallen; **2.** Meeresboden *m*: *to take ~* ⚓ stranden, auflaufen; **3.** Boden *m*, Strecke *f*, Gebiet *n* (*a. fig.*), Gelände *n*: *high ~* Anhöhe; *on German ~* auf deutschem Boden; *to cover much ~* e-e große Strecke zurücklegen, *fig.* viel umfassen, weit reichen; *to gain ~* (an) Boden gewinnen (*a. fig.*), *fig.* um sich greifen; *to give* (*od. lose*) *~* (an) Boden verlieren (*a. fig.*); *to go over the ~* et. besprechen *od.* überlegen; *to hold* (*od. stand*) *one's ~* standhalten, nicht weichen, sich *od.* s-n Standpunkt behaupten, s-n Mann stehen; *to cut the ~ from under s.o.'s feet* j-m den Boden unter den Füßen wegziehen; *to shift one's ~* seinen Standpunkt ändern; **4.** ⚖ Grundbesitz *m*, Grund *m* u. Boden *m*; **5.** Fläche *f*, Gebiet *n*, Platz *m*: *cricket-~* Krikketplatz; *hunting-~* Jagd(gebiet); **6.** *pl.* (Garten)Anlagen *pl.*: *standing in its own ~s* von Anlagen umgeben (*Haus*); **7.** *pl.* Bodensatz *m* (*Kaffee etc.*); **8.** Grundierung *f*, Grundfarbe *f*, Grund(fläche *f*) *m*: *on a black ~* auf schwarzem Grunde; *~ coat* erster Anstrich; **9.** Grundlage *f*; **10.** *fig.* Mo'tiv *n*, (Beweg-)Grund *m*: *on the ~ of* auf Grund (*gen.*), wegen (*gen.*); *on the ~(s) that* mit der Begründung, daß; *to have no ~(s) for* keinen Grund haben für (*od.* zu *inf.*); **11.** ⚡ Erde *f*, Erdschluß *m*; **II.** *v/t.* **12.** niederlegen, -setzen; → *arm*[2] *3*; **13.** ⚓ auf Strand setzen; **14.** ⚡ erden; **15.** ⊕, *paint.* grundieren; **16.** ✈ aus dem Verkehr ziehen, stillegen; Startverbot erteilen (*dat.*): *~ed* am Abflug gehindert; **17.** (*on, in*) gründen, stützen (auf *acc.*); begründen (in *dat.*): *~ed in fact* auf Tatsachen beruhend; **18.** die Anfangsgründe beibringen (*dat.*): *well ~ed in* mit guten (Vor)Kenntnissen in (*od. gen.*); **III.** *v/i.* **19.** ⚓ stranden, auflaufen.

ground[2] [graund] **I.** *pret. u. p.p. von grind*; **II.** *adj.* **1.** gemahlen: *~ coffee*; **2.** matt(geschliffen) (*Glas*): *~ glass* Mattglas; *~-glass screen phot.* Mattscheibe.

ground·age ['graundidʒ] *s.* ⚓ *Brit.* Hafengebühr *f*, Ankergeld *n*.

ground| a·lert *s.* ✈, ⚔ A'larm-, Startbereitschaft *f*; '*~*-**an·gling** *s.* Grundangeln *n*; *~* **at·tack** *s.* ✈ Angriff *m* auf Erdziele; '*~*-**bait** *s.* *Angeln*: Grundköder *m*; *~* **bass** [-ndbeis] *s.* ♪ Grundbaß *m*; *~* **beam** *s.* ⊕ Grundbalken *m*, Bodenschwelle *f*; '*~*-**box** *s.* ♀ Zwergbuchsbaum *m*; '*~*-**cher·ry** *s.* Zwergkirsche *f*; *~* **clamp** *s.* ⚡ Erd(ungs)schelle *f*; *~* **clear·ance** *s. mot.* Bodenabstand *m*; '*~*-**col·o(u)r** *s.* *paint. etc.* Grundfarbe *f*, Grundierung *f*; *~* **con·nec·tion** *s.* ⚡ Erdung *f*, Erd(an)schluß *m*; '*~*-**con·trolled ap·proach** *s.* ✈ vom Boden geleiteter Anflug; *~* **crew** *s.* ✈ 'Bodenperso͵nal *n*; *~* **de·tec·tor** *s.* ⚡ Erdschlußprüfer *m*; '*~*-**fish** *s.* *ichth.* Grundfisch *m*; '*~*-**fish·ing** *s.* Grundangeln *n*; *~* **floor** [-ndf-] *s.* *Brit.* Erdgeschoß *n*: *to get in on the ~* F **a)** ✝ Aktien zum Kurs der Gründeraktien erwerben, **b)** von Anfang an mit dabeisein; *~* **fog** *s.* Bodennebel *m*; *~* **forc·es** *s. pl.* ⚔ Bodentruppen *pl.*, Landstreitkräfte *pl.*; *~* **frost** *s.* Bodenfrost *m*; *~* **game** *s. hunt. Brit.* Niederwild *n*; '*~*-'**hog** *s. zo.* Amer. Murmeltier *n*; *~* **host·ess** *s.* ✈ 'Groundho͵steß *f*; '*~*-**ice** *s. geol.* Grundeis *n*.

ground·ing ['graundiŋ] *s.* **1.** Funda'ment *n*; 'Unterbau *m*; **2.** Grundierung *f*, Grundfarbe *f*; **3.** ⚓ Stranden *n*; **4.** 'Anfangs͵unterricht *m*; **5.** (Vor)Kenntnisse *pl.*

ground| i·vy *s.* ♀ Gundelrebe *f*; *~* **keep·er** *s. sport Am.* Platzwart *m*; *~* **land·lord** *s. Brit.* Grundeigentümer *m*.

ground·less ['graundlis] *adj.* □ grundlos, unbegründet.

ground| lev·el *s. phys.* Bodennähe *f*; *~* **line** *s.* ⩘ Grundlinie *f*; '*~*-**man** [-ndmæn] *s.* [*irr.*] *sport* Platzwart *m*; *~* **map** *s.* Geländekarte *f*; '*~*-**note** *s.* ♪ Grundton *m*; '*~*-**nut** [-ndn-] *s.* ♀ Erdnuß *f*; *~* **pan·el** *s.* ✈ Fliegertuch *n*; *~* **per·son·nel** → *ground crew*; '*~*-'**plan** [-nd'p-] *s.* **1.** △ Grundriß *m*; **2.** Lageplan *m*; **3.** *fig.* Entwurf *m*; *~* **plane** *s.* ⊕ Horizon'talebene *f*; *~* **plate** *s.* **1.** △ Schwelle *f*, Grundplatte *f*; **2.** ⚡ Erdplatte *f*; '*~*-**rent** *s.* Grundpacht *f*, Bodenzins *m*.

ground·sel ['graunsl] *s.* ♀ Kreuzkraut *n*.

'**ground|·sheet** *s. Brit.* ⚔ Zeltbahn *f*, 'Unterlegeplane *f*; *~*'**s·man** [-ndzmən] → *ground-man*; *~* **speed** *s.* ✈ Geschwindigkeit *f* über Grund; *~* **staff** → *ground crew*; *~* **sta·tion** *s.* 'Bodenstati͵on *f*; *~* **swell** *s.* Dünung *f*; *~* **track** *s.* ✈ Kurs *m* über Grund; *~* **troops** *s. pl.* ⚔ Bodentruppen *pl.*; *~* **wa·ter** *s.* Grundwasser *n*; '*~*-**wa·ter lev·el** *s. geol.* Grundwasserspiegel *m*; *~* **wire** *s.* ⚡ Erdleitung *f*; '*~*-**work** *s.* **1.** △ 'Unterbau *m*, Funda'ment *n*; **2.** *fig.* Grundlage(n *pl.*) *f*; **3.** *paint. etc.* Grund *m*.

group [gru:p] **I.** *s.* **1.** Gruppe *f*; **2.** *fig.* Anzahl *f*, Kreis *m*; **3.** ✝ Kon'zern *m*; **4.** ⚔ Kampfgruppe *f*; **5.** ✈ **a)** *Brit.* Geschwader *n*: *~ captain* Oberst (*der R.A.F.*), **b)** *Am.* Gruppe *f*; **II.** *v/t.* **6.** gruppieren, anordnen, klassifizieren; **III.** *v/i.* **7.** sich gruppieren; *~* **drive** *s.* ⊕ Gruppenantrieb *m*; *~* **dy·nam·ics** *s. pl. sg. konstr. sociol.* 'Gruppendy͵namik *f*; *~* **in·sur·ance** *s.* Gruppen-, Kollek'tivversicherung *f*; *~* **sex** *s.* Gruppensex *m*; *~* **ther·a·py** *s. psych.* 'Gruppenthera͵pie *f*; *~* **work** *s. sociol.* Gruppenarbeit *f*.

grouse[1] [graus] *s. sg. u. pl. orn.* Schottisches Moorhuhn.

grouse[2] [graus] **I.** *v/i.* meckern, nörgeln; **II.** *s.* Nörge'lei *f*, Beschwerde *f*; Gemecker *n*; '**grous·er**

[-sə] *s.* Queru'lant(in); ‚Meckerfritze' *m.*

grout[1] [graut] **I.** *s.* dünner Mörtel; **II.** *v/t. Risse* mit Mörtel ausfüllen.

grout[2] [graut] *s. mst pl.* grobes Mehl, Grütze *f*, Schrot *m, n.*

grout[3] [graut] *Brit.* **I.** *v/i.* (in der Erde) wühlen (*Schwein*); **II.** *v/t.* aufwühlen.

grove [grouv] *s.* Hain *m*, Gehölz *n.*

grov·el ['grɔvl] *v/i.* **1.** am Boden kriechen; **2.** *fig.* kriechen (*before, to* vor *dat.*); **3.** *fig.* im Dreck wühlen; '**grov·el·(l)er** [-lə] *s. fig.* Kriecher *m*, Speichellecker *m*; '**grov·el(l)ing** [-liŋ] *adj.* □ *fig.* **1.** kriecherisch, unter'würfig; **2.** gemein, niedrig.

grow [grou] **I.** *v/i.* [*irr.*] **1.** wachsen; **2.** ♀ wachsen, vorkommen; **3.** (an-)wachsen, größer *od.* stärker werden, sich entwickeln; zunehmen (*in* an *dat.*); **4.** (*from, out of*) erwachsen, entstehen (aus), e-e Folge sein (von); **5.** (all'mählich) werden: *to ~ rich*; *to ~ less* sich vermindern; *to ~ light* hell(er) werden, sich aufklären; *to ~ into s.th.* zu et. werden; *one ~s to like it* man gewinnt es allmählich lieb; **II.** *v/t.* [*irr.*] **6.** (an-)bauen, züchten, ziehen: *to ~ apples*; **7.** (sich) wachsen lassen: *to ~ a beard* sich e-n Bart stehenlassen;

Zssgn mit adv. u. prp.:

grow| down *v/i. Brit.* abnehmen, kleiner werden; **~ on** *v/i.* Macht gewinnen über (*acc.*); *j-m* lieb werden *od.* ans Herz wachsen: *the habit grows on one* man gewöhnt sich immer mehr daran; **~ out** *v/i.* auswachsen, keimen (*Kartoffeln etc.*); **~ out of** *v/i.* **1.** her'auswachsen aus (*Kleidung*); **2.** *fig.* entwachsen (*dat.*), über'winden (*acc.*): *to ~ use* außer Gebrauch kommen; **3.** → *grow 4*; **~ up** *v/i.* **1.** auf-, her'anwachsen: *to ~ (into) a beauty* sich zu e-r Schönheit entwickeln; **2.** sich einbürgern; **3.** entstehen; **~ up·on** → *grow on.*

grow·er ['grouə] *s.* **1.** (*schnell etc.*) wachsende Pflanze: *a fast ~*; **2.** Züchter *m*, Pflanzer *m*, Erzeuger *m*, *in Zssgn* ...bauer *m*; **grow·ing** ['grouiŋ] **I.** *adj.* □ **1.** wachsend, zunehmend; **II.** *s.* **2.** Zucht *f*, Anbau *m*; **3.** Wachstum *n*: *~ pains* **a)** Wachstumsschmerzen, **b)** *fig.* ‚Kinderkrankheiten'; *~ weather* Saatwetter.

growl [graul] **I.** *v/i.* **1.** knurren (*Hund*), brummen (*Bär*); (g)rollen (*Donner*); **2.** *fig.* brummen, knurren, grollen; **II.** *v/t.* **3.** *Worte* knurren; **III.** *s.* **4.** Knurren *n*, Brummen *n*, Rollen *n*; **5.** *fig.* Knurren *n*, Brummen *n*; '**growl·er** [-lə] *s.* **1.** knurriger Hund; **2.** *fig.* Brummbär *m*; **3.** *ichth.* Knurrfisch *m*; **4.** *Brit. sl.* ‚Klapperkasten' *m* (*Droschke*); **5.** *Am. sl.* Bierkrug *m*; **6.** ⚡ Prüfspule *f.*

grown [groun] **I.** *p.p. von grow*; **II.** *adj.* **1.** gewachsen: *full-~* ausgewachsen; **2.** erwachsen: *~ man* Erwachsene(r); **3.** *a. ~ over* be-, über'wachsen; '**~-up I.** *adj.* erwachsen; **II.** *s.* Erwachsene(r *m*) *f.*

growth [grouθ] *s.* **1.** Wachsen *n*, Wachstum *n* (*a.* ✝); **2.** Wuchs *m*, Größe *f*; **3.** Anwachsen *n*, Zunahme *f*; **4.** Entwicklung *f*; **5.** Zucht *f*, Anbau *m*; Pro'dukt *n*, Erzeugnis *n*: *of one's own ~* selbstgezogen; **6.** ♀ Schößling *m*, Trieb *m*; **7.** ⚕ 'Tumor *m*, Wucherung *f*; **~ in·dus·try** *s.* ✝ 'Wachstumsindu,strie *f*; **~ rate** *s.* Wachstumsrate *f.*

groyne [grɔin] *s. Brit.* ⊕ Buhne *f.*

grub [grʌb] **I.** *v/i.* **1.** graben, jäten; roden; **2.** sich abmühen, schwer arbeiten; **3.** *fig.* stöbern, wühlen, eifrig forschen; **4.** *sl.* essen, ‚futtern'; **II.** *v/t.* **5.** *mst ~ up* (aus)roden, (-)jäten; **6.** *fig. mst ~ up* aufstöbern, ausgraben; **III.** *s.* **7.** *zo.* Made *f*, Larve *f*; **8.** Schlampe *f*; Pro'let *m*; **9.** *sl.* Essen *n*, ‚Futter' *n*; **10.** *Kricket*: Bodenball *m*; '**~-ax(e)** → *grubber.*

grub·ber ['grʌbə] *s.* ⚒ Rodehacke *f*, -werkzeug *n*; '**grub·by** [-bi] *adj.* **1.** schmuddelig, verwahrlost, schlampig; **2.** madig.

'**grub|-stake** *s. Am.* ⚒ *e-m Schürfer gegen Gewinnbeteiligung gegebene* Ausrüstung u. Verpflegung; '**♀-street I.** *s. fig.* armselige Lite'raten *pl.*; **II.** *adj.* (lite'rarisch) minderwertig, ‚dritter Garni'tur'.

grudge [grʌdʒ] **I.** *v/t.* **1.** (*s.o. s.th. od. s.th. to s.o.*) neiden, miß'gönnen (j-m et.), beneiden (j-n um et.); **2.** ungern tun *od.* geben: *to ~ no pains* keine Mühe scheuen; *to ~ the time* sich die Zeit nicht gönnen; *not to ~ doing* nicht ungern tun; **II.** *s.* **3.** Groll *m*, 'Mißgunst *f*: *to bear s.o. a ~, to have a ~ against s.o.* e-n Groll gegen j-n hegen; '**grudg·er** [-dʒə] *s.* Neider *m*; '**grudg·ing** [-dʒiŋ] *adj.* □ **1.** neidisch, 'mißgünstig; **2.** 'widerwillig; '**grudg·ing·ly** [-dʒiŋli] *adv.* 'widerwillig, ungern.

gru·el ['gruəl] *s.* Haferschleim *m*; Schleimsuppe *f*: *to get one's ~* sein ‚Fett' (*Strafe*) bekommen; '**gru·el(l)ing** [-liŋ] **I.** *adj. fig.* mörderisch, tödlich, zermürbend; **II.** *s.* harte Strafe *od.* Behandlung.

grue·some ['gru:səm] *adj.* □ grausig, grauenhaft, schauerlich.

gruff [grʌf] *adj.* □ **1.** schroff, barsch, rauh (*a. Stimme*); **2.** mürrisch; '**gruff·ness** [-nis] *s.* **1.** Schroffheit *f*, Rauheit *f*, Grobheit *f*; **2.** Verdrießlichkeit *f.*

grum·ble ['grʌmbl] **I.** *v/i.* **1.** brummen, murren, schimpfen, quengeln (*at, about, over* über *acc.*, wegen); **2.** (g)rollen (*Donner*); **II.** *s.* **3.** Murren *n*, Nörgeln *n*; '**grum·bler** [-lə] *s.* Nörgler *m*, Queru'lant *m*, Brummbär *m*; '**grum·bling** [-liŋ] *adj.* □ brummig, nörglerisch, ruppig.

grume [gru:m] *s.* ⚕ Blutklümpchen *n.*

grum·met ['grʌmit] *s. Brit.* **1.** ⚓ Seilschlinge *f*; **2.** ⊕ (Me'tall)Öse *f.*

gru·mous ['gru:məs] *adj.* geronnen, dick, klumpig (*Blut etc.*).

grump·y ['grʌmpi] *adj.* □ mürrisch, verdrießlich; reizbar, bärbeißig.

Grun·dy ['grʌndi] *s.*: *Mrs. ~* ‚die Leute' *pl.* (*die gefürchtete öffentliche Meinung*): *what will Mrs. ~ say?*

grunt [grʌnt] **I.** *v/i.* **1.** grunzen; **2.** *fig.* murren, brummen; **II.** *s.* **3.** Grunzen *n*; **4.** → *growler 3*; '**grunt·er** [-tə] *s.* Grunzer *m*, *bsd.* Schwein *n.*

gru·yère ['gru:jɛə], *a.* ♀, **~ cheese** *s.* Schweizer *od.* Emmentaler Käse *m.*

gryph·on ['grifən] → *griffin*[1].

G string *s.* **1.** ♪ G-Saite *f*; **2. a)** Lendenschurz *m* (*der Wilden*), **b)** ‚letzte Hülle' (*e-r Stripteasetänzerin*).

gua·na ['gwɑ:nɑ:] *s.* **1.** → *iguana*; **2.** F große Eidechse.

gua·no ['gwɑ:nou] *s.* Gu'ano *m.*

guar·an·tee [gærən'ti:] **I.** *s.* **1.** Bürgschaft *f*, Garan'tie *f*, Gewähr *f*: *conditional ~* Ausfallbürgschaft; **2.** Kauti'on *f*, Sicherheit *f*; **3.** Pfand (-summe *f*) *n*; **4.** Bürge *m*, Bürgin *f*; **5.** Sicherheitsempfänger(in) (*Ggs. guarantor*); **II.** *v/t.* **6.** (sich ver)bürgen für, Garan'tie leisten für; **7.** garantieren, gewährleisten, sicherstellen, sichern, verbürgen; **8.** schützen, sichern; **guar·an'tor** [-'tɔ:] *s. bsd.* ⚖ Bürge *m*, Ga'rant *m*, Gewährsmann *m*; **guar·an·ty** ['gærənti] **I** *s.* **1.** Bürgschaft *f*, Sicherheit *f*, Garan'tie *f* (*a. fig.*); **2.** Gewähr *f*; **3.** Kauti'on *f*, Sicherheit *f.*

guard [gɑ:d] **I.** *v/t.* **1.** (be)hüten, (be)schützen, bewahren, sichern (*against, from* gegen, vor *dat.*); **2.** bewachen, beaufsichtigen; **3.** *fig. ~ your tongue!* hüte deine Zunge!; **4.** *Schach*: *Figur* decken; **II.** *v/i.* **5.** (*against*) auf der Hut sein, sich hüten *od.* schützen *od.* in acht nehmen (vor *dat.*), vorbeugen (*dat.*); **III.** *s.* **6.** Wache *f*, (Wach-)Posten *m*; Aufseher *m*, Wärter *m*, Wächter *m*: *frontier ~* Grenzposten, -wächter; **7.** Bewachung *f*, Aufsicht *f*: *to keep under close ~* scharf bewachen; **8.** ⚔ Wache *f*, Wachmannschaft *f*, Posten *m*: *to be on ~* auf Wache sein; *to stand (mount, relieve, keep) ~* Wache stehen (beziehen, ablösen, halten); *to mount the ~* die Wache aufführen; **9.** *fenc.*, *Boxen etc.*, *a. Schach*: Deckung *f*; *fig.* Wachsamkeit *f*: *on one's ~* auf der Hut, vorsichtig; *off one's ~* unachtsam; *to lower one's ~ sport* s-e Deckung vernachlässigen, *fig.* sich e-e Blöße geben, nicht aufpassen; *to put s.o. on his ~* j-n warnen; *to throw s.o. off his ~* j-n (unliebsam) überraschen; **10.** Garde *f*, Leibwache *f*: *~ of hono(u)r* Ehrenwache; **11.** ♀ *pl. Brit.* 'Garde (-korps *n*, -regi,ment *n*) *f*; **12.** 🚂 **a)** *Brit.* Zugbegleiter *m*, **b)** *Am.* Bahnwärter *m*; **13.** ⊕ Schutzvorrichtung *f*, -gitter *n*, -blech *n*; '**~-boat** *s.* ⚓ Wachboot *n*; '**~-book** *s.* **1.** Sammelbuch *n* mit Falzen; **2.** ⚔ Wachbuch *n*; '**~-chain** *s.* Sicherheitskette *f*; **~ com·mand·er** *s.* ⚔ *der* Wachhabende; **~ du·ty** *s.* ⚔ Wachdienst *m.*

guard·ed ['gɑ:did] *adj.* □ vorsichtig; zu'rückhaltend: *~ hope* gewisse Hoffnung; '**guard·ed·ness** [-nis] *s.* Vorsicht *f.*

'**guard·house** *s.* ⚔ **1.** 'Wachlo,kal *n*, -stube *f*; **2.** Ar'restlo,kal *n.*

guard·i·an ['gɑ:djən] *s.* **1.** Hüter *m*, Wächter *m*: *~ angel* Schutzengel; *~s of order* Hüter der Ordnung

(*Polizei*); **2.** ⚖ Vormund *m*: ~ *of the poor* Armenpfleger; *Board of* ♀*s* Armenamt; ˈ**guard·i·an·ship** [-ʃip] *s.* **1.** ⚖ Vormundschaft *f*: *to be (place) under* ~ unter Vormundschaft stehen (stellen); **2.** *fig.* Schutz *m*, Obhut *f*.

ˈ**guard|-rail** *s.* **1.** ⊕ Schutzgeländer *n*; **2.** 🚂 Radlenker *m*, Leitschiene *f*; ˈ**~-room** → *guardhouse*; ˈ**~-ship** *s.* ⚓ Wachtschiff *n*; ˈ**~s·man** [-dzmən] *s.* [*irr.*] ⚔ **1.** Garˈdist *m*; **2.** ˈGardeoffiˌzier *m*.

gua·va [ˈgwɑːvə] *s.* ⚘ Guaˈjave *f* (*Baum od. Frucht*).

gu·ber·na·to·ri·al [gjuːbənəˈtɔːriəl] *adj.* Regierungs..., Gouverneurs...

gudg·eon[1] [ˈgʌdʒən] *s.* **1.** *ichth.* Gründling *m*; **2.** *fig.* Gimpel *m*, Leichtgläubige(r *m*) *f*.

gudg·eon[2] [ˈgʌdʒən] *s.* **1.** ⊕ Zapfen *m*, Bolzen *m*: ~-*pin* Kolbenbolzen; **2.** ⚓ Ruderöse *f*.

guel·der rose [ˈgeldə] *s.* ⚘ Schneeball *m*.

Guelph, Guelf [gwelf] *s.* Welfe *m*, Welfin *f*; ˈ**Guelph·ic**, ˈ**Guelf·ic** [-fik] *adj.* welfisch.

guer·don [ˈgəːdən] *poet.* **I.** *s.* Sold *m*, Belohnung *f*; **II.** *v/t.* belohnen.

gue·ril·la → *guerrilla*.

Guern·sey [ˈgəːnzi] *s.* **1.** Guernsey (-rind) *n*; **2.** ♀, *a.* ♀ *coat*, ♀ *shirt* gestrickte Wolljacke.

guer·ril·la [gəˈrilə] *s.* ⚔ **1.** Gueˈrilla-, Bandenkämpfer *m*, Partiˈsan *m*, Freischärler *m*; **2.** *mst* ~ *war* Gueˈrilla-, Bandenkrieg *m*.

guess [ges] **I.** *v/t.* **1.** (er)raten: *to* ~ *a riddle*; *to* ~ *s.o.'s thoughts* j-s Gedanken erraten; **2.** vermuten, ahnen; **3.** (ab)schätzen (*at* auf *acc.*); **4.** *Am.* meinen, denken, glauben, annehmen; **II.** *v/i.* **5.** raten: *to keep s.o.* ~*ing* j-n im unklaren lassen; **6.** schätzen, ahnen (*at acc.*); **III.** *s.* **7.** Schätzung *f*, Vermutung *f*: *anybody's* ~ reine Vermutung; *a good* ~ gut geraten; *by* ~ schätzungsweise; *to make a* ~ schätzen; *to miss one's* ~ ‚danebenhauen', falsch raten; ˈ**~-rope**, ˈ**~-warp** → *guest-rope*; ˈ**~-work** *s.* Vermutung(en *pl.*) *f*, Mutmaßung *f*; *contp.* (bloße) Rateˈrei.

guest [gest] *s.* **1.** Gast *m*: *paying* ~ (Pensions)Gast; ~ *of hono(u)r* Ehrengast; **2.** ⚘, *zo.* Paraˈsit *m*; ~ **con·duc·tor** *s.* ♪ ˈGastdiriˌgent *m*; ˈ**~-house** *s.* Fremdenheim *n*, Pensiˈon *f*; ˈ**~-room** *s.* Gäste-, Fremdenzimmer *n*; ˈ**~-rope**, ˈ**~-warp** [ˈges-] *s.* ⚓ **1.** Schlepptrosse *f*; **2.** Bootstau *n*; **3.** Vertäuleine *f*.

guf·faw [gʌˈfɔː] **I.** *s.* schallendes Gelächter; **II.** *v/i.* laut lachen.

gug·gle [ˈgʌgl] *v/i.* glucksen.

gui·chet [ˈgiːʃei] (*Fr.*) *s.* Schalterfensterchen *n*.

guid·a·ble [ˈgaidəbl] *adj.* lenksam, lenkbar; ˈ**guid·ance** [-dəns] *s.* **1.** Leitung *f*, Führung *f*; **2.** Anleitung *f*, Belehrung *f*; Richtschnur *f*: *for your* ~ zu Ihrer Orientierung; **3.** Beratung *f*, Empfehlung *f*: *marriage* ~ Eheberatung.

guide [gaid] **I.** *v/t.* **1.** *j-n* führen, (ge)leiten, *j-m* den Weg zeigen; **2.** lenken, leiten, führen, steuern; **3.** *fig.* anleiten, belehren; beraten, behilflich sein (*dat.*); **4.** bestimmen: *to be* ~*d by* sich leiten lassen von, folgen (*dat.*); **II.** *s.* **5.** (Reise-, Berg- *etc.*)Führer *m*; **6. a)** Wegweiser *m* (*a. fig.*), **b)** ˈWeg(marˌkierungs)zeichen *n*; **7.** (Reise- *etc.*)Führer *m* (*Buch*); *allg.* Leitfaden *m*, Einführung *f*, Handbuch *n*; **8.** Führer *m*, Leiter *m*; **9.** *fig.* Berater(in); **10.** *fig.* Richtschnur *f*, Anhaltspunkt *m*; **11.** ⚔ Richtungsmann *m*; **12.** Spitzenschiff *n*; **13.** → *girl guide*; **14.** ⚕ Leitungssonde *f*; **15.** ⊕ Führung *f*, *bsd.* **a)** Leitschaufel *f*, -rohr *n*, **b)** Führungsloch *n*, **c)** Fadenführer *m*; ~ **beam** *s.* ✈ (Funk-) Leitstrahl *m*; ~ **blade** *s.* ⊕ Leitschaufel *f* (*Turbine*); ~ **block** *s.* ⊕ Gleitklotz *m*, Führungsschlitten *m*; ˈ**~-book** *s.* Reiseführer *m*.

guid·ed [ˈgaidid] *adj.* **1.** (fern)gelenkt: ~ *missile* ⚔ Fernlenkgeschoß, Fernlenkkörper; **2.** ~ *tour* **a)** Gesellschaftsreise, **b)** Führung (*of* durch *ein Schloß etc.*).

ˈ**guide|-line** *s.* **1.** ✈ Schleppseil *n*; **2.** *pl.* (*on gen.*) Richtlinien *pl.*; ˈ**~-post** *s.* Wegweiser *m*; ~ **pul·ley** *s.* ⊕ Leit-, ˈUmlenkrolle *f*; ˈ**~-rail** *s.* ⊕ Führungsschiene *f*; ~ **rod** *s.* ⊕ Führungsstange *f*, Lenkhebel *m*; ˈ**~-rope** *s.* ✈ Schlepptau *n*, Leitseil *n*; ˈ**~·way** *s.* ⊕ Leit-, Führungs-, Laufschiene *f*; Führungsbahn *f*.

guid·ing [ˈgaidiŋ] *adj.* führend, leitend, Lenk...; ~ **rule** *s.* Richtlinie *f*; ~ **star** *s.* Leitstern *m*; ˈ**~-stick** *s. paint.* Mal(er)stock *m*.

gui·don [ˈgaidən] *s.* **1.** Wimpel *m*, Fähnchen *n*; Stanˈdarte *f* (*Kavallerie*); **2.** Stanˈdartenträger *m*.

guild [gild] *s.* **1.** Gilde *f*, Zunft *f*, Innung *f*; **2.** Vereinigung *f*.

guil·der [ˈgildə] *s.* Gulden *m*.

ˈ**guildˈhall** *s.* **1.** *hist.* Innungshaus *n*; **2.** Rathaus *n*: *the* ♀ *das Rathaus der City von London*.

guile [gail] *s.* (Arg)List *f*, Tücke *f*; ˈ**guile·ful** [-ful] *adj.* □ (arg)listig, (be)trügerisch; ˈ**guile·less** [-lis] *adj.* □ arglos, offen, ohne Falsch, treuherzig, harmlos; ˈ**guile·less·ness** [-lisnis] *s.* Arglosigkeit *f*, Aufrichtigkeit *f*.

guil·lo·tine [giləˈtiːn] **I.** *s.* **1.** Guilloˈtine *f*, Fallbeil *n*; **2.** ⊕ Paˈpierˌschneidemaˌschine *f*; **3.** *Brit. parl.* Befristung *f* der Deˈbatte; **II.** *v/t.* **4.** (mit dem Fallbeil) hinrichten, guillotinieren.

guilt [gilt] *s.* **1.** Schuld *f*: ~ *complex* Schuldkomplex; **2.** Strafbarkeit *f*; ˈ**guilt·i·ness** [-tinis] *s.* **1.** Schuld *f*; **2.** Schuldbewußtsein *n*; ˈ**guilt·less** [-lis] *adj.* □ **1.** schuldlos, unschuldig (*of* an *dat.*); **2.** *fig.* (*of*) unkundig (*gen.*), unerfahren (in *dat.*); **3.** *fig.* nichts wissend *od.* unberührt (*of* von): *to be* ~ *of s.th.* et. nicht kennen (*a. fig.*); ˈ**guilt·y** [-ti] *adj.* □ **1.** schuldig (*of gen.*): *to find (not)* ~ für (un)schuldig erklären (*on a charge* e-r Anklage); → *plead 3*; **2.** strafbar, verbrecherisch: ~ *intent*; **3.** schuldbewußt: *a* ~ *conscience* ein schlechtes Gewissen.

guimp → *gimp*.

guin·ea [ˈgini] *s. Brit.* Guiˈnee *f* (*£1.05*); ˈ**~-fowl** *s. orn.* Perlhuhn *n*; ˈ**~-hen** *s. orn.* Perlhuhn *n*; ˈ**~-pig** *s.* **1.** *zo.* Meerschweinchen *n*; **2.** *fig.* Verˈsuchskaˌninchen *n*.

guise [gaiz] *s.* **1.** Gestalt *f*, Erscheinung *f*; Aufmachung *f*: *in the* ~ *of* als ... (verkleidet); **2.** *fig.* Vorwand *m*, Maske *f*, ‚Mäntelchen' *n*: *under the* ~ *of* in der Maske (*gen.*).

gui·tar [giˈtɑː] *s.* ♪ Giˈtarre *f*; **guiˈtar·ist** [-rist] *s.* Gitarˈrist(in), Giˈtarrenspieler(in).

gulch [gʌlʃ] *s. Am.* (Berg)Schlucht *f*.

gulf [gʌlf] **I.** *s.* **1.** Golf *m*, Meerbusen *m*, Bucht *f*; **2.** (*a. fig.*) Abgrund *m*, Kluft *f*; **3.** Strudel *m*; **II.** *v/t.* **4.** *fig.* verschlingen.

gull[1] [gʌl] *s. orn.* Möwe *f*.

gull[2] [gʌl] **I.** *v/t.* überˈtölpeln, hinters Licht führen; **II.** *s.* Gimpel *m*, Trottel *m*.

gul·let [ˈgʌlit] *s.* **1.** *anat.* Schlund *m*, Gurgel *f*, Speiseröhre *f*; **2.** Wasserrinne *f*; **3.** ⊕ ˈDurchstich *m*, Fördergraben *m*.

gul·li·bil·i·ty [gʌliˈbiliti] *s.* Leichtgläubigkeit *f*, Einfalt *f*; **gul·li·ble** [ˈgʌləbl] *adj.* leichtgläubig, naˈiv.

gul·ly [ˈgʌli] *s.* **1.** (Wasser)Rinne *f*; **2.** ⊕ Gully *m*, Sinkkasten *m*, Senkloch *n*; Absturzschacht *m*, ˈAbzugskaˌnal *m*: ~-*drain* Abzugskanal; ~-*hole* Abflußloch.

gulp [gʌlp] **I.** *v/t. mst* ~ *down* **1.** hinˈunterschlingen, -stürzen; **2.** *fig.* verschlingen; **3.** *fig. Tränen etc.* hinˈunterschlucken, unterˈdrücken; **II.** *v/i.* **4.** schlucken, würgen; **III.** *s.* **5.** (großer) Schluck: *at one* ~ auf ˈeinen Zug.

gum[1] [gʌm] *s. mst pl. anat.* Zahnfleisch *n*.

gum[2] [gʌm] **I.** *s.* **1.** ˈGummi *n*, *m*, ˈKautschuk *m*; **2.** Klebstoff *m*, *bsd.* ˈGummilösung *f*; **3.** *abbr. für* **a)** *chewing-gum*, **b)** *gum arabic*, **c)** *gum elastic*, **d)** *gum-tree*; **4.** ⚘ ˈGummifluß *m* (*Baumkrankheit*); **5.** ˈGummi(bonˌbon) *m*, *n*; **6.** *pl. Am.* ˈGummischuhe *pl.*; **II.** *v/t.* **7.** gummieren, (an-, ver)kleben; **8.** ~ *up Am. sl. et.* ‚vermasseln'; **III.** *v/i.* **9.** ⚘ Gummi ausscheiden (*Baum*).

gum[3] [gʌm] *s.* (*in Flüchen*): *my* ~!, *by* ~! Herrschaft!

gum| am·mo·ni·ac *s.* ⚗, ⚕ Ammoniˈakgummi *n*, *m*; ~ **ar·a·bic** *s.* ˌGummiaˈrabikum *n*; ˈ**~-boil** *s.* ⚕ Zahngeschwür *n*; ˈ**~-drop** → *gum*[2] *5*; ~ **e·las·tic** *s.* ˌGummieˈlastikum *n*, ˈKautschuk *m*.

gum·my [ˈgʌmi] *adj.* **1.** ˈgummiartig, klebrig, Gummi...; **2.** gummiert.

gump·tion [ˈgʌmpʃən] *s.* F **1.** ‚Köpfchen' *n*, ‚Grütze' *f*, ‚Grips' *m*; **2.** ‚Mumm' *m*, Schneid *m*.

gum| res·in *s.* ⚘ Schleim-, ˈGummiharz *n*; ˈ**~-shoe** *s. Am.* **1.** F **a)** ˈGummiˌüberschuh *m*, **b)** ˈTennis-, Turnschuh *m*; **2.** *sl.* **a)** ‚Schnüffler' *m* (*Detektiv*), **b)** Spitzel *m*; ˈ**~-tree** *s.* ⚘ **1.** ˈGummibaum *m*: *up a* ~ *sl.* in der Klemme, am Ende s-r Weisheit; **2.** Eukaˈlyptusbaum *m*; **3.** Tuˈpelobaum *m*; **4.** Amberbaum *m*; ˈ**~-wood** *s.* Holz *n* des ˈGummi- *od.* Eukaˈlyptus- *od.* Amberbaums.

gun [gʌn] **I.** *s.* **1.** ⚔ Geschütz *n*,

Ka'none *f* (*a. fig.*): *to bring up one's big* ∼*s* schweres Geschütz auffahren (*a. fig.*); *to stick to one's* ∼*s fig.* festbleiben, nicht weichen *od.* nachgeben; *a great* (*od. big*) ∼ *sl.* ‚e-e große Kanone', ‚ein großes Tier' (*wichtige Person*); *to blow great* ∼*s* ⚓ heulen (*Sturm*); **2.** ⚔ Gewehr *n*, Flinte *f*, *engS.* Jagdgewehr *n*; **3.** ‚Kanone' *f*, Pi'stole *f*, Re'volver *m*; **4.** Ka'nonen-, Sa'lutschuß *m*; **5.** Schütze *m*, Jäger *m*; **6.** ✈, ⊕ **a**) Drosselklappe *f*, **b**) Drosselhebel *m*; **II.** *v/i.* **7.** auf die Jagd gehen; schießen; **8.** *fig.* verfolgen (*for acc.*); **9.** *Am. fig.* sich bemühen (*for* um); **III.** *v/t.* **10.** F ‚'umlegen' (*erschießen*); **11.** *mot. etc. sl.* ‚aufdrehen', auf Touren bringen.

'gun|-bar·rel *s.* ⚔ **1.** Geschützrohr *n*; **2.** Gewehrlauf *m*; **'∼-boat** *s.* Ka'nonenboot *n*; ∼ **cam·er·a** *s.* ✈, ⚔ Photo-MG *n*; **'∼-car·riage** *s.* ⚔ La'fette *f*; **'∼-case** *s. hunt.* Ge'wehrfutte,ral *n*; **'∼-cot·ton** *s.* Schießbaumwolle *f*; ∼ **crew** *s.* ⚔ Geschützbedienung *f*; ∼ **di·rec·tion** *s.* ⚔ Feuerleitung *f*; **'∼-dog** *s.* Jagdhund *m*; **'∼-fire** *s.* ⚔ Geschützfeuer *n*; **'∼-har'poon** *s.* ⚓ Ge'schützhar,pune *f*; **'∼-house** *s.* ⚓ Geschützturm *m*; **'∼-lay·er** *s.* ⚔ 'Richtkano,nier *m*; ∼ **li·cence**, *Am.* ∼ **li·cense** *s.* Waffenschein *m*; **'∼-lock** *s.* Gewehrschloß *n*; **'∼·man** [-mən] *s.* [*irr.*] bewaffneter Räuber; **'∼-met·al** *s.* Ka'nonenme,tall *n*, Rotguß *m*; ∼ **mount** *s.* ⚔ La'fette *f*.

gun·nel ['gʌnl] → *gunwale*.

gun·ner ['gʌnə] *s.* **1.** ⚔ **a**) Kano'nier *m*, Artille'rist *m*, **b**) Ma'schinengewehrschütze *m*; **2.** ✈ Bordschütze *m*.

gun·ner·y ['gʌnəri] *s.* ⚔ Schieß-, Geschützwesen *n*: ∼ *officer* Artillerieoffizier.

gun·ny ['gʌni] *s.* grobes Sacktuch, Juteleinwand *f*: ∼ (*bag*) Jutesack.

'gun|-pit *s.* ⚔ **1.** Geschützstand *m*; **2.** ✈ Kanzel *f*; **'∼·pow·der** *s.* Schießpulver *n*: 2 *Plot* Pulververschwörung (*in London 1605*); **'∼·room** *s. Brit.* ⚓, ⚔ Ka'dettenmesse *f*; **'∼-run·ner** *s.* Waffenschmuggler *m*; **'∼-run·ning** *s.* Waffenschmuggel *m*; **'∼·shot** *s.* **1.** (Ka'nonen-, Gewehr)Schuß *m*: ∼ *wound* Schußwunde; **2.** Schußweite *f*: *within* (*out of*) ∼ in (außer) Schußweite (*a. fig.*); **'∼-shy** *adj. hunt.* schußscheu (*Hund*); **'∼-smith** *s.* Büchsenmacher *m*; ∼ **tur·ret** *s.* ⚔ **1.** Geschützturm *m*; **2.** ✈ Waffendrehstand *m*.

gun·wale ['gʌnl] *s.* **1.** ⚓ Schandeckel *m*; **2.** Dollbord *n* (*am Ruderboot*).

gur·gi·ta·tion [gə:dʒi'teiʃən] *s.* Aufwallen *n*, Wirbeln *n*.

gur·gle ['gə:gl] *v/i.* gurgeln: **a**) kluckern (*Wasser*), **b**) glucksen (*Stimme, Person, Wasser etc.*).

gur·goyle ['gə:gɔil] → *gargoyle*.

Gur·kha ['guəkə] *s.* Gurkha *m*, *f* (*Mitglied e-s indischen Volksstamms*).

gush [gʌʃ] **I.** *v/i.* **1.** her'vorströmen, -quellen, sich ergießen; entströmen (*from dat.*); **2.** 'überfließen (*with* von); **3.** *fig.* F schwärmen, sich 'überschwenglich *od.* über'spannt ausdrücken *od.* benehmen; **II.** *s.* **4.** Strom *m*, Guß *m*; **5.** *fig.* Erguß *m*, Flut *f*; **6.** F Schwärme'rei *f*, 'Überschwenglichkeit *f*; **'gush·er** [-ʃə] *s.* **1.** Springquelle *f*, sprudelnde Ölquelle; **2.** Schwärmer(in); **'gush·ing** [-ʃiŋ] *adj.* □ **1.** ('über)strömend; **2.** F überschwenglich, über'spannt; **'gush·y** [-ʃi] → *gushing* 2.

gus·set ['gʌsit] **I.** *s.* **1.** *Näherei etc.*: Zwickel *m*, Keil *m*; eingesetztes Stück; **2.** ⊕ Winkelstück *n*, Eckblech *n*, Einsatz *m*; **II.** *v/t.* **3.** e-n Zwickel *od.* Keil einsetzen in (*acc.*).

gust [gʌst] *s.* **1.** Windstoß *m*, Bö *f*; **2.** *fig.* Ausbruch *m*; Sturm *m der Leidenschaft etc.*

gus·ta·tion [gʌs'teiʃən] *s.* **1.** Geschmack *m*, Geschmackssinn *m*; **2.** Schmecken *n*; **gus·ta·to·ry** ['gʌstətəri] *adj.* Geschmacks...

gus·to ['gʌstou] *s.* Gusto *m*, Vorliebe *f*, Genuß *m*, Vergnügen *n*, Lust *f*.

gust·y ['gʌsti] *adj.* □ **1.** böig, stürmisch; **2.** *fig.* ungestüm.

gut [gʌt] **I.** *s.* **1.** *pl.* Eingeweide *pl.*, Gedärme *pl.*; **2.** ⚕ *bsd. in Zssgn* Darm *m*; **3.** V Bauch *m*; **4.** enge Strecke; **5.** *pl.* F *das* Innere, Gehalt *m*, innerer Wert; **6.** *pl. sl.* Schneid *m*, Cou'rage *f*, ‚Mumm' *m*; **II.** *v/t.* **7.** ausweiden, -nehmen; **8.** *fig. Haus* **a**) ausrauben, **b**) ausbrennen: ∼*ted by fire* völlig ausgebrannt.

gut·ta-per·cha ['gʌtə'pə:tʃə] *s.* ⊕, ♀ Gutta'percha *f*.

gut·ter ['gʌtə] **I.** *s.* **1.** Dachrinne *f*; **2.** Gosse *f*, Rinnstein *m*; **3.** *fig.* Gosse *f*, Verkommenheit *f*, Schmutz *m*: *to take s.o. out of the* ∼ j-n aus der Gosse auflesen; *language of the* ∼ vulgäre Ausdrucksweise; **4.** (Abfluß-, Wasser-) Rinne *f*; **5.** ⊕ Rille *f*, Hohlkehlfuge *f*, Furche *f*; **II.** *v/t.* **6.** furchen, riefen, aushöhlen; **III.** *v/i.* **7.** rinnen, strömen; **8.** tropfen (*Kerze*); **IV.** *adj.* **9.** schmutzig, Schmutz..., vul'gär; **'∼-child** *s.* [*irr.*] Gassenkind *n*; ∼ **press** *s.* Schmutzpresse *f*; **'∼-snipe** *s.* Straßenjunge *m*; ∼ **tile** *s.* ⊕ Hohl-, Kehlziegel *m*.

gut·tur·al ['gʌtərəl] **I.** *adj.* □ **1.** Kehl... (*a. ling.*), kehlig, guttu'ral; **2.** rauh, heiser; **II.** *s.* **3.** *ling.* Kehllaut *m*, Guttural *m*.

gut·ty ['gʌti] *s. sl. Golf*: Gutta'perchaball *m*.

guy[1] [gai] **I.** *s.* **1.** *Am. sl.* Bursche *m*, Kerl *m*, ‚Knülch' *m*, ‚Kumpel' *m*; **2.** 'Popanz *m*, Vogelscheuche *f* (*Person*); **3.** *Brit. Spottfigur des Guy Fawkes*; **4.** *Brit. sl.* Ausreißen *n*, ‚Verduften' *n*: *to do a* ∼ ‚türmen', sich dünnmachen; *to give the* ∼ *to s.o.* j-m entwischen; **II.** *v/t.* **5.** F lächerlich machen, verulken; **III.** *v/i.* **6.** *Brit. sl.* ‚verduften'.

guy[2] [gai] **I.** *s.* **1.** *a.* ∼*-rope* Halteseil *n*, -tau *n*; **2.** ⚓ **a**) (Ab)Spannseil *n*, **b**) Gei(tau *n*) *f*, **c**) Backstag *m*; **3.** Verspannung *f*, Verankerung *f* (*Mast*): ∼ *wire* Spanndraht; **4.** Spannschnur *f* (*Zelt*); **II.** *v/t.* **5.** mit e-m Tau sichern; verspannen.

Guy Fawkes Day ['gai'fɔ:ks] *s. Brit. der Jahrestag des Gunpowder Plot* (*5. November*).

guz·zle ['gʌzl] *v/t.* **1.** *a. v/i.* unmäßig trinken, ‚saufen'; **2.** *a. v/i.* gierig essen, ‚fressen'; **3.** *fig.* verprassen, verjuxen.

gybe [dʒaib] *v/t. u. v/i.* ⚓ *Brit.* (sich) 'umlegen (*Segel beim Kreuzen*).

gym [dʒim] *sl. abbr. für gymnasium u. gymnastics*: ∼ *shoes* Turnschuhe.

gym·na·si·um [dʒim'neizjəm] *pl.* **-si·ums, -si·a** [-zjə] *s.* Turnhalle *f*, -platz *m*; **gym·nast** ['dʒimnæst] *s.* **1.** Sportlehrer *m*; **2.** Turner(in); **gym'nas·tic** [-'næstik] **I.** *adj.* (□ ∼*ally*) gym'nastisch, turnerisch, Turn...; **II.** *s. pl. mst sg. konstr.* Turnen *n*, Gym'nastik *f*, Leibesübungen *pl.*: *mental* ∼*s fig.* Denksport.

gyn·ae·co·log·ic *adj.*; **gyn·ae·co·log·i·cal** [gainikə'lɔdʒik(əl)] *adj.* ⚕ gynäko'logisch; **gyn·ae·col·o·gist** [gaini'kɔlədʒist] *s.* ⚕ Gynäko'loge *m*, Frauenarzt *m*, Frauenärztin *f*; **gyn·ae·col·o·gy** [gaini'kɔlədʒi] *s.* ⚕ Gynäkolo'gie *f*, Frauenheilkunde *f*.

gyn·e·co·log·ic *etc. bsd. Am.* → *gynaecologic etc.*

gyp[1] [dʒip] *s. univ. Brit.* Hausdiener *m* e-s College (*in Cambridge*).

gyp[2] [dʒip] *sl.* **I.** *v/i. u. v/t.* **1.** ‚bescheißen', (be)schwindeln; **II.** *s.* **2.** ‚Beschiß' *m*, Schwindel *m*; **3.** Gauner *m*, Schwindler *m*; **4.** *to give s.o.* ∼ j-m ‚Saures' geben.

gyp·se·ous ['dʒipsiəs] *adj. min.* gipsartig; **gyp·sum** ['dʒipsəm] *s. min.* Gips *m*.

gyp·sy *etc. bsd. Am.* → *gipsy etc.*

gy·rate **I.** *v/i.* [dʒaiə'reit] kreisen, sich drehen, wirbeln; **II.** *adj.* ['dʒaiərit] gewunden; **gy'ra·tion** [-eiʃən] *s.* **1.** Kreisbewegung *f*, Drehung *f*; **2.** Windung *f*; **gy·ra·to·ry** ['dʒaiərətəri] *adj.* **1.** sich drehend: ∼ *traffic Brit.* Kreisverkehr; **2.** sich spi'ralig windend;

gyre ['dʒaiə] *s. poet.* **1.** Kreis *m*; **2.** 'Umdrehung *f*.

gyr·fal·con → *gerfalcon*.

gy·ro-com·pass ['dʒaiəroukʌmpəs] *s.* ⚓, *phys.* 'Kreisel,kompaß *m*; **'gy·ro·graph** [-ougrɑ:f; -græf] *s.* ⊕ Um'drehungszähler *m*; **'gy·ro·pi·lot** [-oupailət] *s.* ✈ Selbststeuergerät *n*; **'gy·ro·plane** [-rəplein] *s.* ✈ Tragschrauber *m*; **gy·ro·scope** ['gaiərəskoup] *s.* **1.** *phys.* Gyro'skop *n*, Kreisel *m*; **2.** ⚓, ⚔ Ge'radlaufappa,rat *m* (*Torpedo*); **gy·ro·scop·ic** [gaiərəs'kɔpik] *adj.* (□ ∼*ally*) Kreisel..., gyro'skopisch; **gy·ro·sta·bi·liz·er** [dʒaiərou'steibilaizə] *s.* ⚓, ✈ Stabilisier-, Schiffskreisel *m*.

gyve [dʒaiv] **I.** *s. mst pl.* Fessel *f*; **II.** *v/t.* fesseln.

H

H, h [eitʃ] *s.* H *n*, h *n* (*Buchstabe*).
ha [hɑː] *int.* ha!, ah!
Hab·ak·kuk [ˈhæbəkək] *npr. u. s. bibl.* (das Buch) Habakuk *m.*
ha·be·as cor·pus [ˈheibjəsˈkɔːpəs] (*Lat.*) *s. a. writ of* ~ ⚖ Vorführungsbefehl *m* (*Haftprüfung*).
hab·er·dash·er [ˈhæbədæʃə] *s.* **1.** Kurzwarenhändler(in); **2.** *Am.* Inhaber *m* e-s Herrenmodengeschäfts; **ˈhab·er·dash·er·y** [-əri] *s.* **1.** Kurzwaren *pl.*; **2.** *Am.* **a)** ˈHerrenˌmodearˌtikel *pl.*, **b)** Herrenmodengeschäft *n.*
ha·bil·i·ments [həˈbilimənts] *s. pl.* (Amts)Kleidung *f*, Kleider *pl.*
hab·it [ˈhæbit] **I.** *s.* **1.** (An)Gewohnheit *f*: *from* ~ aus Gewohnheit; *to get into a* ~ e-e Gewohnheit annehmen; *to get into the* ~ *of smoking* sich das Rauchen angewöhnen; *to fall into bad* ~*s* in schlechte Gewohnheiten verfallen; *to break off a* ~ sich et. abgewöhnen; *to make a* ~ *of it* es zur Gewohnheit werden lassen; **2. a)** (Geistes)Verfassung *f*, **b)** (körperliche) Konstitutiˈon, **c)** ⚘ Wachstumsart *f*, **d)** *zo.* Lebensweise *f*; **3.** (Amts)Tracht *f*; **4.** → *riding-habit*; **II.** *v/t.* **5.** kleiden.
hab·it·a·bil·i·ty [hæbitəˈbiliti] *s.* Bewohnbarkeit *f*; **hab·it·a·ble** [ˈhæbitəbl] *adj.* □ bewohnbar; **hab·i·tant** *s.* **1.** [ˈhæbitənt] Einwohner(in); **2.** [ˈhæbitɔ̃ːŋ] Franˈzösisch-Kaˈnadier *m*; **hab·i·tat** [ˈhæbitæt] *s.* ⚘, *zo.* Heimat *f*, Stand-, Fundort *m*; **hab·i·ta·tion** [hæbiˈteiʃən] *s.* Wohnen *n*; Wohnung *f*, Aufenthalt *m*: *unfit for human* ~ für Wohnzwecke ungeeignet.
ˈhab·it-form·ing *adj. bsd.* ⚕ suchterzeugend.
ha·bit·u·al [həˈbitjuəl] *adj.* □ **1.** gewohnt, üblich; ständig: *his* ~ *smile*; **2.** gewohnheitsmäßig, Gewohnheits...: ~ *criminal* Gewohnheitsverbrecher; **haˈbit·u·ate** [-jueit] *v/t.* **1.** gewöhnen (*to* an *acc.*); **2.** F frequentieren, häufig besuchen; **ha·bit·u·é** [həˈbitjuei] *s.* ständiger Besucher, Stammgast *m.*
ha·chures [hæˈʃjuə] *s. pl.* Schraffierung *f.*
hack[1] [hæk] **I.** *v/t.* **1.** (zer)hacken; einkerben: *to* ~ *to pieces* in Stücke hacken; **2.** ⚒ *Boden* auf-, loshacken: *to* ~ *in Samen* unterhacken; **3.** ⊕ *Steine* behauen; aufrauhen; **II.** *v/i.* **4.** *Fußball*: treten, ‚holzen'; **5.** (*at*) hacken (nach), einhauen (auf *acc.*); **6.** trocken u. stoßweise husten: ~*ing cough* → *10*; **III.** *s.* **7.** Hieb *m*; **8.** Einkerbung *f*; **9.** *Fußball*: **a)** Tritt *m*, **b)** Trittwunde *f*; **10.** trockener Husten.
hack[2] [hæk] **I.** *s.* **1. a)** Mietpferd *n*, **b)** Gebrauchspferd *n*, **c)** Gaul *m*, Klepper *m*; **2.** *Am.* (Miets)Droschke *f*; F ˈTaxi *n*; **3.** *a.* ~ *writer oft contp.* **a)** liteˈrarischer Lohnschreiber, **b)** Schreiberling *m*; **II.** *adj.* **4. a)** Miet(s)..., **b)** Lohn...: ~ *lawyer contp.* Winkeladvokat; **5.** → *hackneyed*; **III.** *v/t.* **6.** *Pferd etc.* mieten; **7.** als Lohnschreiber benutzen; **8.** abnutzen; schinden; **IV.** *v/i.* **9.** daˈhintrotten; **10.** als Lohnschreiber *etc.* arbeiten.
hack·le [ˈhækl] **I.** *s.* **1.** ⊕ Hechel *f*; **2.** lange Nackenfedern *pl.* des Hahns: *with one's* ~*s up fig.* gereizt, angriffslustig; **II.** *v/t.* **3.** ⊕ hecheln; **4.** (zer)hacken, zerkleinern.
hack·ney [ˈhækni] *s.* **1.** → *hack*[2] *1*; **2.** Lohnarbeiter *m*; **ˈ~-car·riage, ˈ~-coach** *s.* (Miets)Droschke *f.*
hack·neyed [ˈhæknid] *adj.* abgenutzt, abgedroschen, baˈnal.
ˈhack|-saw *s.* ⊕ Bügel-, Meˈtallsäge *f*; **ˈ~-stand** *s. Am.* Droschkenstand *m*; **ˈ~-work** *s.* eintönige (Lohn)Arbeit; (ˌLohn)Schreibeˈrei *f.*
had [hæd; həd] *pret. u. p.p. von* [*have.*]
had·dock [ˈhædək] *s. ichth.* Schellfisch *m.*
Ha·des [ˈheidiːz] *s.* **1.** *antiq.* ˈHades *m*, ˈUnterwelt *f*; **2.** F Hölle *f.*
hae·mal [ˈhiːməl] *adj.* Blut...; **hae·mat·ic** [hiːˈmætik] **I.** *adj.* bluthaltig, Blut...; **II.** *s.* auf das Blut wirkendes Mittel; **haem·a·tite** [ˈhemətait] *s. a.* ~ *ore min.* Roteisenerz *n*: ~ *iron* Hämatiteisen; **hae·mo·glo·bin** [hiːmouˈgloubin] *s.* Hämogloˈbin *n*, roter Blutfarbstoff; **hae·mo·phil·i·a** [hiːmouˈfiliə] *s.* ⚕ Bluterkrankheit *f*; **haem·or·rhage** [ˈhemoridʒ] *s.* Blutung *f*; Blutsturz *m*; **haem·or·rhoids** [ˈhemərɔidz] *s. pl.* ⚕ Hämorrhoˈiden *pl.*
haft [hɑːft] *s.* Griff *m*, Heft *n*, Stiel *m.*
hag [hæg] *s.* häßliches altes Weib, Hexe *f.*
Hag·ga·i [ˈhægeiai] *npr. u. s. bibl.* (das Buch) Hagˈgai *m od.* Agˈgäus *m.*
hag·gard [ˈhægəd] **I.** *adj.* □ **1.** wild, verstört, entstellt; **2.** abgehärmt, abgezehrt; hager; **3.** ungezähmt (*Falke*); **II.** *s.* **4.** ungezähmter Falke.
hag·gle [ˈhægl] *v/i.* **1.** (*about, over*) schachern, feilschen, handeln (um); **2.** streiten; **ˈhag·gler** [-lə] *s.* **1.** Feilscher(in); **2.** Zänker(in).
hag·i·og·ra·pher [hægiˈɔgrəfə] *s.* Verfasser *m* von Heiligenleben; **hag·iˈog·ra·phy** [-fi] *s.* Heiligenleben *n*, -geschichte *f*; **hag·iˈol·a·ter** [-ˈɔlətə] *s.* Heiligenverehrer *m*; **hag·iˈol·a·try** [-ˈɔlətri] *s.* Heiligenverehrung *f*; **hag·iˈol·o·gy** [-ˈɔlədʒi] *s.* (Literaˈtur *f* über) ˈHeiligenleben *pl. u.* -leˌgenden *pl.*
ˈhag·rid·den *adj.* vom Alpdruck gequält: ~ *fear* Todesangst.
hah [hɑː], **ha ha** [hɑːˈhɑː] *int.* haˈha!
ha-ha [ˈhɑ(ː)hɑː] *s.* (in e-m Graben) versenkter Grenzzaun.
hail[1] [heil] **I.** *s.* **1.** Hagel *m* (*a. fig. von Geschossen, Flüchen etc.*); **II.** *v/i.* **2.** *impers.* hageln: *it is* ~*ing* es hagelt; **3.** *a.* ~ *down fig.* (*on* auf *acc.*) (nieder)hageln, (nieder)prasseln; **III.** *v/t.* **4.** *a.* ~ *down fig.* (nieder)hageln lassen (*on* auf *acc.*).
hail[2] [heil] **I.** *v/t.* **1.** *mit Rufen* (be-)grüßen, zujubeln (*dat.*): *to* ~ *him king* ihn als König grüßen; **2.** an-, herˈbeirufen; **3.** *fig.* begrüßen, begeistert aufnehmen; **II.** *v/i.* **4.** *bsd.* ⚓ rufen, sich melden; **5.** (her)stammen, -kommen (*from* von *od.* aus); **III.** *int.* **6.** heil!; **IV.** *s.* **7.** Heil *n*, Gruß *m*, Zuruf *m*: *within* ~ (*od.* ~*ing distance*) in Ruf- *od.* Hörweite.
ˈhail|-fel·low(-ˈwell-ˈmet) **I.** *s.* **a)** vertrauter Freund, **b)** aufdringlicher Mensch; **II.** *adj.* (sehr) vertraut (*with* mit); **ˈ~-stone** *s.* Hagelkorn *n*, -schloße *f*; **ˈ~-storm** *s.* Hagelschauer *m.*
hair [hɛə] *s.* **1.** *ein* Haar *n*: *to a* ~ haargenau; *it turned on a* ~ es hing an e-m Faden; *without turning a* ~ ohne mit der Wimper zu zucken, kaltblütig; *to split* ~*s* Haarspalterei treiben; *not to harm* (*od. hurt*) *a* ~ *on his head* ihm kein Haar krümmen; **2.** *coll.* Haar *n*, Haare *pl.*: *to do one's* ~ sich die Haare machen; *to get in s.o.'s* ~ F j-n nervös machen; *to have one's* ~ *cut* sich die Haare schneiden lassen; *she put her* ~ *up* sie steckte sich die Haare auf *od.* hoch; *to let one's* ~ *down* **a)** die Haare herunterlassen, **b)** sich ungeniert benehmen, **c)** sein Herz ausschütten; *my* ~ *stood on end* mir sträubten sich die Haare; *keep your* ~ *on! sl.* ruhig Blut!; **3.** ⚘ Haar *n*; **4.** Härchen *n*, Fäserchen *n*; **ˈ~-breadth** *s.*: *by a* ~ um Haaresbreite; *to have a* ~ *escape* mit knapper Not entkommen; **ˈ~-brush** *s.* **1.** Haarbürste *f*; **2.** Haarpinsel *m*; **~ clip·pers** *s. pl.* ˈHaarschneidemaˌschine *f*; **ˈ~-cloth**

s. Haartuch *n*; '~·**com·pass·es** *s. pl.* Haar(strich)zirkel *m*; '~-**cut** *s.* Haarschnitt *m*: *to have a* ~ sich die Haare schneiden lassen; '~-**cut·ting** *s.* Haarschneiden *n*; '~-**do** *pl.* '~-**dos** *s.* Fri'sur *f*; '~·**dress·er** *s.* Fri'seur *m*, Fri'seuse *f*; '~·**dress·ing** *s.* Frisieren *n*; '~-**dri·er** *s.* Haartrockner *m*, Fön *m*; '~-**dye** *s.* Haarfärbemittel *n*.

haired [hɛəd] *adj.* **1.** behaart; **2.** *in Zssgn* ...haarig.

'**hair**|-**grass** *s.* ⚘ Schmiele *f*; ~ **grip** *s.* Haarklammer *f*.

hair·i·ness ['hɛərinis] *s.* Behaartheit *f*; **hair·less** ['hɛəlis] *adj.* unbehaart, ohne Haar, kahl.

'**hair**|-**line** *s.* **1.** Haarstrich *m*; **2.** Haarseil *n*; '~-**mat·tress** *s.* 'Roßhaarma,tratze *f*; '~-**net** *s.* Haarnetz *n*; '~-**oil** *s.* Haaröl *n*; '~·**pin** *s.* Haarnadel *f*: ~ *bend* Haarnadelkurve; '~-**rais·ing** *adj.* F haarsträubend, aufregend; '~-**re·stor·er** *s.* Haarwuchsmittel *n*.

hair's breadth → *hairbreadth*.

hair| **shirt** *s.* härenes Hemd; ~ **sieve** *s.* Haarsieb *n*; '~-**slide** *s.* Haarspange *f*; '~-**space** *s. typ.* 'Haar,spatium *n*; '~-**split·ter** *s. fig.* Haarspalter(in); '~-**split·ting I.** *s.* ,Haarspalte'rei *f*; **II.** *adj.* haarspalterisch; '~·**spring** *s.* ⊕ Haar-, Unruhfeder *f*; '~-**stroke** *s.* Haarstrich *m* (*Schrift*); ~ **styl·ist** *s.* 'Damenfri,seur *m*; ~ **trig·ger** *s.* ⊕ Stecher *m* (*am Gewehr*).

hair·y ['hɛəri] *adj.* haarig, behaart, Haar...

hake [heik] *s. ichth.* Seehecht *m*, Hechtdorsch *m*.

ha·la·tion [hə'leiʃən] *s. phot.* Lichthofbildung *f*.

hal·berd ['hælbə(:)d] *s.* ⚔ *hist.* Helle'barde *f*; **hal·berd·ier** [hælbə(:)'diə] *s.* Hellebar'dier *m*.

hal·cy·on ['hælsiən] **I.** *s. orn.* Eisvogel *m*; **II.** *adj.* ruhig, friedlich: ~ *days* **a)** Schönwettertage, **b)** *fig.* glückliche Zeit.

hale [heil] *adj.* gesund, kräftig, rüstig: ~ *and hearty* gesund u. munter.

half [hɑ:f] **I.** *pl.* **halves** *s.* **1.** Hälfte *f*: *an hour and a* ~ anderthalb Stunden; ~ *(of) the girls* die Hälfte der Mädchen; *to cut in halves* (*od. half*) in zwei Hälften *od.* Teile schneiden; *to cut in* ~ F entzweischneiden; *to waste* ~ *(of) one's time* die halbe Zeit verschwenden; *to go halves with s.o.* (gleichmäßig) mit j-m teilen, mit j-m halbpart machen; *to do things by halves* et. nur halb *od.* nicht gründlich tun; *too clever by* ~ *iro.* überschlau; *not good enough by* ~ lange nicht gut genug; *torn in* ~ *fig.* hin- u. hergerissen; → *better*¹ *1*; **2.** *ped.* Halbjahr *n*: *the summer* ~; **3.** *sport* Halbzeit *f*; **4.** ⚖ Seite *f*, Par'tei *f*; **II.** *adj.* **5.** halb: *a* ~ *mile*, *mst* ~ *a mile* e-e halbe Meile; *every* ~ *hour* jede *od.* alle halbe Stunde; *a* ~ *share* ein halber Anteil; *at* ~ *the price* zum halben Preise; *that's* ~ *the battle* damit ist es halb gewonnen *od.* getan; → *mind 5*, *eye 2*; **III.** *adv.* **6.** halb, zur Hälfte: ~ *full*; *my work is* ~ *done*; ~ *as long* halb so lang; ~ *as much again* anderthalbmal soviel; ~ *past ten* halb elf (Uhr); **7.** beinahe, nahezu, fast: ~ *dead* halbtot; *not* ~ *bad* F gar nicht übel; *to be* ~ *inclined* beinahe geneigt sein; *I* ~ *suspect* ich vermute fast; *he didn't* ~ *swear sl.* er fluchte nicht schlecht.

'**half**|-**and**-'**half** [-fənd'h-] **I.** *s.* Halb-u.-halb-Mischung *f*, *bsd.* Mischung *f* aus Ale u. Porter; **II.** *adj.* halb-u.-'halb; **III.** *adv.* halb u. halb; '~-'**back** *s. Fußball*: Läufer *m*; '~-'**baked** *adj. fig.* **1.** unreif, unerfahren, ‚grün'; **2.** unfertig, nicht durch'dacht (*Plan etc.*); **3.** einfältig, blöd; ~ **bind·ing** *s.* Halbfranz-, Halblederband *m*; '~-**blood** *s.* **1.** Halbbruder *m od.* -schwester *f*; **2.** → *half-breed 1*; '~-**blood·ed** → *half-bred I*; ~ **board** *s.* 'Halbpensi,on *f* (*Hotel*); '~-'**bound** *adj.* in Halbfranz gebunden; '~-**bred I.** *adj.* halbblütig, Halbblut...; **II.** *s.* Halbblut(tier) *n*; '~-**breed** *s.* **1.** Mischling *m*, Halbblut *n* (*a. Tier*); **2.** *Am.* Me'stize *m*; '~-**broth·er** *s.* Halbbruder *m*; '~-**calf** → *half binding*; '~-**caste I.** *s.* Mischling *m*, Halbblut *n*; **II.** → *half-bred I*; '~-**cloth** *adj.* in Halbleinen gebunden; '~-'**crown** *s. Brit. obs.* Halbkronenstück *n* (*Wert*: *2s.6d.*); '~-**deck** *s.* ⚓ Halbdeck *n*; '~-**face** *s.* Pro'fil *n* (*Porträt*); '~-'**har·dy** *adj.* ziemlich winterhart (*Pflanze*); '~-**heart·ed** *adj.* ☐ **1.** lustlos, mit halbem Herzen; **2.** zaghaft; lau, gleichgültig; '~-'**heart·ed·ness** *s.* **1.** Verzagtheit *f*; **2.** Gleichgültigkeit *f*; ~ **hol·i·day** *s.* freier Nachmittag; '~-'**hose** *s. coll.*, *pl. konstr.* Socken *pl.*; Kniestrümpfe *pl.*; '~-'**hour·ly** *adv.* jede *od.* alle halbe Stunde, halbstündlich; '~-'**length** *s.* Brustbild *n*; '~-**life pe·ri·od** *s.* ⚗, *phys.* Halbwertzeit *f*; '~-'**mast** *s.* Halbmast *m*: *at* ~ **a)** halbmast, **b)** ⚓ halbstocks; *to lower to* ~ auf Halbmast setzen; ~ **meas·ure** *s.* Halbheit *f*; halbe Sache, Kompro'miß *m*, *n*; ~ **moon** *s.* Halbmond *m*; '~-'**moon** *adj.* halbmondförmig; ~ **mourn·ing** *s.* Halbtrauer *f*; '~-**nel·son** *s. Ringen*: 'Halb,nelson *m*; '~-**or·phan** *s.* Halbwaise *f*; ~ **pay** *s.* **1.** halbes Gehalt; **2.** ⚔ Halbsold *m*; Ruhegeld *n*.

half·pen·ny ['heipni] *s.* **1.** *pl.* **half·pence** ['heipəns] halber Penny: *three halfpence, a penny* ~ eineinhalb Pennies; *to turn up again like a bad* ~ immer wieder auftauchen; **2.** *pl.* **half·pen·nies** ['heipniz] Halbpennystück *n*; '~·**worth** [*oft* 'heipəθ] *s.* Wert *m* von e-m halben Penny: *a* ~ *of sweets* für e-n halben Penny Bonbons.

'**half**|-**seas**-'**o·ver** *adj.* F ‚angesäuselt'; '~-**sis·ter** *s.* Halbschwester *f*; '~-'**sov·er·eign** *s. Brit. hist.* goldenes Zehn'schillingstück; ~ **step** *s.* ⚔ *Am.* Kurzschritt *m*; '~-'**tide** *s.* ⚓ Gezeitenmitte *f*; '~-'**tim·bered** *adj.* ⚠ Fachwerk...; '~-'**time I.** *s. sport* Halbzeit *f*; **II.** *adj.* Halbzeit...: ~ *job* Halbtagsstellung; '~-'**tim·er** *s.* **1.** Halbtagsarbeiter *m*; **2.** *Brit.* Werkschüler *m*; '~-'**ti·tle** *s.* Schmutztitel *m* (*Buch*); '~-**tone** *s.* ♪, *paint.*, *typ.* Halbton *m*: ~ *etching* Autotypie; ~ *process* Halbtonverfahren; '~-**track I.** *s.* **1.** ⊕ Halbkettenantrieb *m*; **2.** Halbkettenfahrzeug *n*; **II.** *adj.* **3.** Halbketten...; '~-**truth** *s.* Halbwahrheit *f*; '~-'**vol·ley** *s. sport* Halbflugball *m*; '~-'**way I.** *adj.* **1.** auf halbem Weg *od.* in der Mitte (liegend): ~ *measures* halbe Maßnahmen; **II.** *adv.* **2.** auf halbem Weg, in der Mitte; → *meet 3*; **3.** teilweise, halb (-wegs); '~-**way house** *s.* **1.** auf halbem Weg gelegenes Gasthaus; **2.** *fig.* 'Zwischenstufe *f*, -stati,on *f*; **3.** *fig.* Kompro'miß *m*, *n*; '~-**wit** *s.* Dumm-, Schwachkopf *m*; '~-'**wit·ted** *adj.* dumm, blöd; '~-'**year·ly** *adv.* halbjährlich.

hal·i·but ['hælibət] *s. ichth.* Heilbutt *m*.

hal·ide ['hælaid] *s.* ⚗ Haloge'nid *n*.

hal·i·to·sis [hæli'tousis] *s.* (übler) Mundgeruch.

hall [hɔ:l] *s.* **1.** Halle *f*, Saal *m*, Festsaal *m*; **2.** Diele *f*, Flur *m*, Vorhalle *f*; **3.** *mst in Zssgn* (Versammlungs-) Halle *f*: ♀ *of Fame* Ruhmeshalle; **4.** *Brit. univ.* **a)** Speisesaal *m* im College, **b)** Mahlzeit *f dort*; **5.** *univ.* 'Studien- *od.* Wohngebäude *n*: ~ *of residence* Studentenheim; **6.** *mst in Zssgn* großes (öffentliches) Gebäude, Gildenhaus *n*, Insti'tut *n*: *Drapers'* ♀ Haus der Tuchhändler; *Science* ♀ Naturwissenschaftliches Institut; **7.** *Brit.* Herrenhaus *n* (*e-s Gutes*); **8.** → *servant 1*.

hal·le·lu·jah, hal·le·lu·iah [hæli'lu:jə] **I.** *s.* Halle'luja *n*; **II.** *int.* halle'luja!

hal·liard → *halyard*.

'**hall**'**mark I.** *s.* **1.** Feingehaltsstempel *m* (*der Londoner Goldschmiedeinnung*); **2.** *fig.* Stempel *m* (der Echtheit), (Kenn)Zeichen *n*; **II.** *v/t.* **3.** *Gold od. Silber* stempeln; **4.** *fig.* kennzeichnen, stempeln.

hal·lo(a) [hə'lou] **I.** *int.* hal'lo!, he!; **II.** *s.* Hal'loruf *m*; **III.** *v/i.* hallo rufen.

hal·loo [hə'lu:] *hunt.* **I.** → *hallo(a) I u. II*; **II.** *v/t. Hund* durch (Hal'lo-) Ruf anhetzen; **III.** *v/i.* schreien, rufen: *don't* ~ *till you are out of the wood!* freu dich nicht zu früh!

hal·low¹ ['hælou] *v/t.* **1.** heiligen, weihen; **2.** anbeten, verehren.

hal·low² ['hælou] → *halloo*.

Hal·low·e'en ['hælou'i:n] *s.* Abend *m* vor Aller'heiligen; **Hal·low·mas** ['hæloumæs] *s.* Aller'heiligen (-fest) *n*.

hall| **por·ter** *s. bsd. Brit.* Ho'teldiener *m*; ~ **stand** *s.* Garde'robenständer *m* (*in der Diele*), 'Flurgarde,robe *f*.

hal·lu·ci·na·tion [həlu:si'neiʃən] *s.* Halluzinati'on *f*, Sinnestäuschung *f*, Wahnvorstellung *f*.

halm [hɑ:m] → *haulm*.

hal·ma ['hælmə] *s.* Halma(spiel) *n*.

ha·lo ['heilou] *pl.* **ha·loes** *s.* **1.** Heiligen-, 'Glorienschein *m*, 'Nimbus *m* (*a. fig.*); **2.** *ast.* 'Halo *m*, Ring *m*, Hof *m*; **3.** *phot.* Lichthof *m*; '**ha·loed** [-oud] *adj.* mit e-m Heiligen- *od.* Lichtschein um'geben.

hal·o·gen ['hælədʒin] *s.* ⚗ Halo'gen *n*, Salzbildner *m*.

halt[1] [hɔːlt] **I.** *s.* **1.** Halt *m*, Pause *f*, Rast *f*, Aufenthalt *m*, Stillstand *m*: *to call a* ~ (Ein)Halt gebieten; *to come to a* ~ zum Stillstand kommen, (an)halten; **2.** 🚂 *Brit.* (Bedarfs-) Haltestelle *f*, Halt *m*; **II.** *v/i.* **3.** haltmachen, Pause machen, halten; **III.** *v/t.* **4.** haltmachen lassen, anhalten.

halt[2] [hɔːlt] **I.** *v/i.* **1.** *obs.* hinken; **2.** *fig.* nicht ganz stimmen, hinken (*Vers, Vergleich etc.*); **3.** zögern, schwanken, stocken; **II.** *adj.* **4.** *obs.* hinkend, lahm.

hal·ter [ˈhɔːltə] **I.** *s.* **1.** Halfter *f*, *m*, *n*; **2.** Strick *m* (*zum Hängen*); **II.** *v/t.* **3.** *Pferd* (an)halftern; **4.** *j-n* erhängen.

halt·ing [ˈhɔːltiŋ] *adj.* □ **1.** hinkend, lahm; **2.** *fig.* zögernd, schwankend, stockend.

halve [hɑːv] *v/t.* **1. a)** halbieren, **b)** zu gleichen Hälften teilen, **c)** auf die Hälfte reduzieren *od.* verringern; **2.** ⊕ verblatten.

halves [hɑːvz] *pl. von half.*

hal·yard [ˈhæljəd] *s.* ⚓ Fall *n.*

ham [hæm] **I.** *s.* **1.** Schinken *m*: ~ *and eggs* Schinken mit (Spiegel)Ei; **2.** *anat.* **a)** Gesäßbacke *f*, *pl.* Gesäß *n*, **b)** ˈHinterschenkel *m*; **3.** *sl.* **a)** *a.* ~ *actor* überˈtrieben spielender *od.* nach Efˈfekt haschender Schauspieler, **b)** *fig. contp.* ‚Schauspieler(in)', vornehmtuende Perˈson, **c)** (*bsd.* ˈRadio)Amaˌteur *m*, **d)** Stümper *m*; **II.** *v/i. sl.* **4.** *thea.* überˈtrieben *od.* miseˈrabel spielen; **5.** sich aufspielen, vornehm tun.

ham·burg·er [ˈhæmbəːgə] *s.* **1.** deutsches Beefsteak, Frikaˈdelle *f*; **2.** mit deutschem Beefsteak belegtes Brötchen; **3.** Hackfleisch *n.*

Ham·burg steak [ˈhæmbəːg] → *hamburger 1.*

hames [heimz] *s. pl.* Kummet *n.*

ˈham|-fist·ed, ˈ~-hand·ed *adj.* ungeschickt, täppisch.

ha·mite[1] [ˈheimait] *s. zo.* Ammonshorn *n.*

Ham·ite[2] [ˈhæmait] *s.* Haˈmit(in); **Ham·it·ic** [hæˈmitik] *adj.* haˈmitisch.

ham·let [ˈhæmlit] *s.* Weiler *m*, Flecken *m*, Dörfchen *n.*

ham·mer [ˈhæmə] **I.** *s.* **1.** Hammer *m* (*a. anat.*): *to come* (*od. go*) *under the* ~ unter den Hammer kommen, versteigert werden; ~ *and tongs* F mit aller Kraft *od.* Gewalt; ~ *and divider pol.* Hammer u. Zirkel (*Symbol der DDR*); ~ *and sickle pol.* Hammer u. Sichel (*Symbol der UdSSR*); **2. a)** ♪ Hammer *m* (*Klavier etc.*), **b)** Klöppel *m*; **3.** *sport* (Wurf)Hammer *m*; **4.** ⊕ **a)** Hammer(werk *n*) *m*, **b)** Hahn *m* (*Gewehr*); **II.** *v/t.* **5.** (ein)hämmern, (ein)schlagen; **6.** *a.* ~ *out Metall* hämmern, bearbeiten, formen; *fig.* ausarbeiten, -denken; **7.** zs.-hämmern, -zimmern; **8.** *fig.* einhämmern, -bleuen (*s.th. into s.o.* j-m et.); **9.** *fig.* **a)** schlagen, verdreschen, **b)** besiegen; **10.** *Brit.* für zahlungsunfähig erklären (*Börse*); **III.** *v/i.* **11.** hämmern: *to* ~ *away* drauflоshämmern, -arbeiten; **12.** eifrig arbeiten (*at* an *dat.*); **ˈ~-beam** *s.* ⚠ Stichbalken *m*; **ˈ~-blow** *s.* Hammerschlag *m.*

ham·mered [ˈhæməd] *adj.* ⊕ gehämmert, getrieben, Treib...

ˈham·mer-head *s.* **1.** *ichth.* Hammerhai *m*; **2.** ⊕ (Hammer)Kopf *m.*

ham·mer·less [ˈhæməlis] *adj.* mit verdecktem Schlaghammer (*Gewehr*).

ˈham·mer|-lock *s. Ringen*: Hammerlock *m*; **~ scale** *s.* ⊕ (Eisen-) Hammerschlag *m*, Zunder *m*; **ˈ~-smith** *s.* ⊕ Hammerschmied *m*; **~ throw** *s. sport* Hammerwerfen *n*; **~ throw·er** *s. sport* Hammerwerfer *m*; **ˈ~-toe** *s.* ⚕ Hammerzehe *f.*

ham·mock [ˈhæmək] *s.* Hängematte *f*; **~ chair** *s.* Liegestuhl *m.*

ham·per[1] [ˈhæmpə] *v/t.* **1.** (be)hindern, hemmen; **2.** verstricken, verwickeln.

ham·per[2] [ˈhæmpə] *s.* **1.** Geschenkkorb *m* mit Eßwaren, ‚Freßkorb' *m*; **2.** Packkorb *m.*

ham·ster [ˈhæmstə] *s. zo.* Hamster *m.*

ˈham·string **I.** *s.* **1.** *anat.* Kniesehne *f*; **2.** *zo.* Aˈchillessehne *f*; **II.** *v/t.* [*irr.* → *string*] **3.** (durch Zerschneiden der Kniesehnen) lähmen; **4.** *fig.* lähmen.

hand [hænd] **I.** *s.* **1.** Hand *f*: ~*s off!* Hände weg!; ~*s up!* Hände hoch!; *made by* ~ Handarbeit; *to have one's* ~*s full* alle Hände voll zu tun haben; *he asked for her* ~ er hielt um ihre Hand an; **2.** *zo.* Hand *f*; Vorderfuß *m*; **3.** Hand *f*, Urheber *m*, Künstler *m*: *a picture by a skilled* ~; **4.** *oft pl.* Hand *f*, Macht *f*, Gewalt *f*: *to fall into s.o.'s* ~*s* j-m in die Hände fallen; *I have his fate in my* ~*s* sein Schicksal liegt in m-r Hand; *I am entirely in your* ~*s* ich bin ganz in Ihrer Hand; *a high* ~ Anmaßung, Willkür; **5.** *pl.* Hände *pl.*, Obhut *f*: *the child is in good* ~*s*; **6.** *pl.* Hände *pl.*, Besitz *m*: *the papers are in my lawyer's* ~*s*; **7.** Hand *f*, Quelle *f*: *at first* ~ aus erster Quelle; **8.** Einfluß *m*, Wirken *n*: *the* ~ *of God* die Hand Gottes; *a master's* ~ die Hand e-s Meisters; **9.** Ausführung *f*, Geschick *n*: *he has a* ~ *for horses* er versteht es, mit Pferden umzugehen; *a light* ~ *at pastry* geschickt im Kuchenbacken; **10.** *oft in Zssgn* Arbeiter(in), Mann *m* (*a. pl.*), *pl.* Leute *pl.*: *the factory employs 50* ~*s* die Fabrik beschäftigt 50 Arbeiter; *farm-*~ Landarbeiter; *counter-*~ Ladenangestellte(r); *all* ~*s* alle Mann; **11.** Fachmann *m*, Routiniˈer *m*: *a poor* ~ *at golf* ein schlechter Golfspieler; *an old* ~ ein alter Fachmann *od.* Praktikus *od.* ‚Hase'; **12.** Handschrift *f*: *a legible* ~; **13.** ˈUnterschrift *f*: *to set one's* ~ *to a document*; **14.** Handbreit *f* (*4 engl. Zoll*) (*nur für die Größe e-s Pferdes*); **15. a)** Spieler *m*, **b)** Blatt *n*, Karten *pl.*: *to show one's* ~ *bsd. fig.* s-e Karten aufdecken, **c)** Runde *f*, Spiel *n*; **16.** (Uhr)Zeiger *m*; **17.** Seite *f* (*a. fig.*): *on the right* ~ rechter Hand, rechts; *on every* ~ überall, ringsum; *on the one* ~, *on the other* (*hand*) einerseits ... andererseits; **18.** Büschel *m*, *n*, Bündel *n* (*Früchte*); Hand *f* (*Bananen*); **19.** *sl.* Beifall *m*: *to get a big* ~ stürmischen Beifall hervorrufen;

Besondere Redewendungen:

~ *and foot fig.* eifrig, ergeben; ~ *in* ~ Hand in Hand (*a. fig.*); *to be* ~ *in glove* (*with*) **a)** sehr vertraut sein (mit *j-m*), **b)** unter einer Decke stecken (mit); ~ *over fist* in rascher Folge, schnell; ~*s down* mühelos, spielend; ~*-knitted* handgestrickt; *at* ~ nahe (*Ort od. Zeit*), bei der Hand, verfügbar; *at the* ~ *of* von seiten (*gen.*), durch; *by* ~ **a)** mit der Hand, **b)** durch Boten, persönlich, **c)** mit der Flasche (*Kind ernähren*); *from* ~ *to mouth* von der Hand in den Mund; *in* ~ **a)** im Gange, in Bearbeitung, **b)** in der Hand *od.* Gewalt, unter Kontrolle; *to take in* ~ in Angriff nehmen; *to play into each other's* ~*s* einander in die Hände spielen; *to get s.th. off one's* ~*s* et. loswerden; *to take s.th. off s.o.'s* ~*s* j-m et. abnehmen *od.* vom Halse schaffen; *on* ~ vorrätig, verfügbar; *to be on s.o.'s* ~*s* j-m zur Last fallen; *on the one* (*other*) ~ auf der einen (anderen) Seite; *out of* ~ **a)** kurzerhand, **b)** außer Kontrolle, nicht mehr zu bändigen; *to* ~ zur Hand; *to come to* ~ ankommen; *to have clean* ~*s* schuldlos sein; *to keep a firm* ~ *on* unter strenger Zucht halten; *with a heavy* ~ streng, hart; *to change* ~*s* in andere Hände übergehen, den Besitzer wechseln; *to give* (*od. lend*) *a* ~ helfen, mit zugreifen; *to have a* ~ *in s.th.* beteiligt sein bei et., s-e Hand (bei et.) im Spiele haben; *to hold* ~*s* Händchen halten (*wie Liebende*); *to hold one's* ~ sich zurückhalten, davon absehen; *to join* ~*s* sich verbinden *od.* zs.-tun; *to lay* (*one's*) ~*s on* **a)** anfassen, ergreifen, habhaft werden (*gen.*), **b)** *gewaltsam* Hand an *j-n* legen, **c)** *eccl.* ordinieren; *I can't lay my* ~*s on it* ich kann es nicht finden; *to shake* ~*s with s.o.* j-m die Hand geben; *to try one's* ~ *at et.* versuchen; *to wash one's* ~*s of it* s-e Hände in Unschuld waschen, nichts mit der Sache zu tun haben wollen; → *off hand*;

II. *v/t.* **20.** ein-, aushändigen, (über)ˈgeben, (-)ˈreichen: *to* ~ *it to s.o. Am. sl.* es j-m sagen; *you must* ~ *it to him sl.* das muß man ihm lassen (*anerkennend*); **21.** *j-n* geleiten, *j-m* helfen: *to* ~ *s.o. into the car* j-m ins Auto helfen;

Zssgn mit adv.:

hand| down *v/t.* **1.** *et.* herˈunterreichen; **2.** *j-n* hinˈuntergeleiten; **3.** hinterˈlassen, vererben, *fig.* überˈliefern (*to dat.*); **~ in** *v/t.* **1.** (hin-) ˈeinreichen, einhändigen; **2.** *Sendung* einliefern, abgeben; **~ on** *v/t.* **1.** weiterreichen, -geben; **2.** überˈliefern (*to dat.*); **~ out** *v/t.* **1.** ausgeben, -teilen (*to* an *acc.*); **2.** *j-m* herˈaushelfen; **~ o·ver** *v/t.* (*to*) **1.** überˈgeben, -ˈtragen (*dat.*); **2.** überˈlassen, aushändigen (*dat.*); **3.** *der Polizei etc.* übergeben; **~ up** *v/t.* hinˈaufreichen (*to dat.*).

ˈhand|·bag *s.* **1.** (Damen)Handtasche *f*; **2.** Handtasche *f*, -koffer *m*; **ˈ~·ball** *s. sport* Handball(spiel *n*) *m*; **ˈ~-bar·row** *s.* **1.** → *handcart*;

2. Trage *f*; '~·**bell** *s.* Tisch-, Handglocke *f*; '~·**bill** *s.* Re'klamezettel *m*, Flugblatt *n*; '~·**book** *s.* **1.** Handbuch *n*; **2.** Reiseführer *m* (*to* für); '~-**brake** *s.* ⊕ Handbremse *f*; '~·**breadth** *s.* Handbreit *f*; '~-**can·ter** *s.* 'Handgaˌlopp *m*; '~·**car** *s.* ⊕ *Am.* Drai'sine *f* mit Handantrieb; '~·**cart** *s.* Handkarre(n *m*) *f*; '~·**cuff I.** *s. mst pl.* Handschellen *pl.*; **II.** *v/t. j-m* Handschellen anlegen; ~ **drive** *s.* ⊕ Handantrieb *m.*

-**handed** [hændid] *in Zssgn* ...händig, mit ... Händen.

'**hand**|·**ful** [-ndful] *s.* **1.** Handvoll *f* (*a. fig. Personen*); **2.** F Plage *f* (*Person od. Sache*), ‚Nervensäge' *f*: *he is a* ~ er macht einem zu schaffen; '~-**gal·lop** *s.* 'Handgaˌlopp *m*; ~ **gear** *s.* ⊕ Handantrieb *m*; '~·**glass** *s.* **1.** Handspiegel *m*; **2.** (Lese)Lupe *f*; '~-**gre·nade** *s.* ⚔ 'Handgraˌnate *f*; '~·**grip** *s.* **1.** Händedruck *m*; **2.** (Hand)Griff *m*; **3.** *pl.* Handgemenge *n*; '~·**hold** *s.* Halt *m*, Griff *m.*

hand·i·cap ['hændikæp] **I.** *s.* **1.** *sport* Handikap *n* (*a. fig.*), Vorgaberennen *n*, -spiel *n*; **2.** *fig.* Behinderung *f*, Hindernis *n*, Nachteil *m*, Erschwerung *f*; **II.** *v/t.* **3.** *sport Pferd* 'extra belasten; **4.** (*a.* körperlich *od.* geistig) (be)hindern, benachteiligen, belasten.

hand·i·craft ['hændikrɑːft] *s.* **1.** Handfertigkeit *f*; **2.** (Kunst)Handwerk *n.*

hand·i·ness ['hændinis] *s.* **1.** Gewandtheit *f*, Geschicklichkeit *f*; **2.** Handlichkeit *f*; Nützlichkeit *f*;

hand·i·work ['hændiwəːk] *s.* **1.** Handarbeit *f*; **2.** (per'sönliches) Werk.

hand·ker·chief ['hæŋkətʃif] *s. a.* *pocket-*~ Taschentuch *n.*

han·dle ['hændl] **I.** *s.* **1.** Griff *m*, Stiel *m*; Henkel *m* (*Topf*); Klinke *f* (*Tür*); Schwengel *m* (*Pumpe*); ⊕ Kurbel *f*: *a* ~ *to one's name* ein Titel; *to fly off the* ~ ‚hochgehen', wütend werden; **2.** *fig.* Handhabe *f*, Gelegenheit *f*; Vorwand *m*; **II.** *v/t.* **3.** anfassen, berühren; **4.** handhaben, hantieren mit; **5.** 'umgehen *od.* sich beschäftigen mit; erledigen, abwickeln; **6.** *j-n od. et.* behandeln; **7.** führen, leiten; **8.** ✝ *mit Waren* handeln; **III.** *v/i.* **9.** sich handhaben lassen; **10.** sich anfühlen; '~-**bar** *s.* Lenkstange *f* (*Fahrrad etc.*).

han·dling ['hændliŋ] *s.* **1.** Handhabung *f*; Führung *f*; **2.** Behandlung *f*; ~ **charg·es** *s. pl.* ✝ 'Umschlagspesen *pl.*

'**hand**|·**loom** *s.* ⊕ Handwebstuhl *m*; '~·**made** [-ndm-] *adj.* von Hand gemacht, Hand...; handgeschöpft (*Papier*): ~ *paper* Büttenpapier; '~·**maid(·en)** [-ndm-] *s.* **1.** *obs. u. fig.* Dienerin *f*, Magd *f*; **2.** *fig.* Gehilfe *m*, Handlanger *m*; '~-**me-down** *adj.* **1.** fertig *od.* von der Stange gekauft, Konfektions...; **2.** billig; 'uneleˌgant; **3.** alt, getragen; '~-**op·er·at·ed** *adj.* ⊕ mit Handantrieb, handbedient, Hand...; '~-**or·gan** *s.* ♪ Drehorgel *f*; '~-**out** *s.* **1.** Almosen *n*; **2.** Zuteilung *f*, (milde) Gabe; **3.** Pro'spekt *m*, Hand-, Werbezettel *m*; **4.** (*zur Veröffentlichung*) freigegebenes Materi'al, Presseerklärung *f*; '~-**pick** *v/t.* **1.** mit der Hand pflücken; **2.** sorgsam auswählen; '~-**post** *s.* Wegweiser *m*; '~·**rail** *s.* Geländer *n*; Handleiste *f*; '~·**saw** *s.* ⊕ Handsäge *f*, Fuchsschwanz *m*; ~'**s breadth** *s.* Handbreit *f.*

hand·sel ['hænsəl] *s.* **1.** Neujahrs-, Begrüßungsgeschenk *n*; **2.** Hand-, Angeld *n*; **3.** *fig.* Vorgeschmack *m.*

'**hand**|-**set** *s. teleph.* Hörer *m*; '~-**shake** *s.* Händedruck *m.*

hand·some ['hænsəm] *adj.* □ **1.** hübsch (*a. fig.*), schön, stattlich; **2.** beträchtlich, ansehnlich; **3.** großzügig, nobel, ‚anständig': ~ *is that* ~ *does* edel ist, wer edel handelt; **4.** reichlich; '**hand·some·ness** [-nis] *s.* Schönheit *f*, Stattlichkeit *f.*

'**hand**|·**spike** *s.* ⚓, ⊕ Handspake *f*, Hebestange *f*; '~·**stand** *s. sport* Handstand *m*; '~-**to-**'**hand** *adj.* Mann gegen Mann: ~ *combat* Nahkampf; '~·**wheel** *s.* ⊕ Hand-, Stellrad *n*; '~·**writ·ing** *s.* (Hand-)Schrift *f.*

hand·y ['hændi] *adj.* □ **1.** zur Hand, greifbar; in der Nähe (befindlich), leichterreichbar; **2.** geschickt, gewandt; **3.** handlich, praktisch; bequem, nützlich: *to come in* ~ gelegen kommen; ~ **man** *s.* [*irr.*] Mädchen *n* für alles, Fak'totum *n.*

hang [hæŋ] **I.** *s.* **1.** Hängen *n*, Fall *m*, Sitz *m* (*Kleid etc.*); **2.** Gebrauch *m*, Bauart *f*, Gang *m*; **3.** Zs.-hang *m*, Sinn *m*, Bedeutung *f*: *to get the* ~ *of s.th.* et. begreifen, den ‚Dreh' rauskriegen; **4.** *I don't care a* ~ F das ist mir völlig egal *od.* ‚schnuppe'; **II.** *v/t. pret. u. p.p.* **hung** [hʌŋ] *nur 9 mst* **hanged**; **5.** (*from, on*) aufhängen (an *dat.*), hängen (an *acc.*): *to* ~ *on a hook* an e-n Haken hängen; *to* ~ *the head* den Kopf hängenlassen *od.* senken; *well-hung* gutabgehangen (*Fleisch*); **6.** *Tür* einhängen; *Tapete* ankleben; **7.** behängen: *hung with flags*; **8.** in der Schwebe lassen, verzögern; → *fire 6*; **9.** (auf-) hängen: ~*ed for murder* wegen Mordes gehängt; *I'll be* ~*ed first* F lieber ließe ich mich hängen!; ~ *it (all)!* F zum Henker damit!; ~ *you!* F hol dich der Teufel!; **III.** *v/i.* **10.** hängen, baumeln; **11.** hängen, fallen, sitzen (*Kleid etc.*); **12.** hängen, schweben: *to* ~ *in the air* (*mst fig.*); **13.** gehängt werden: *he deserves to* ~; *to let it go* ~ F sich den Teufel darum scheren; *let it go* ~! zum Henker damit!; **14.** (*on*) hängen (an *dat.*), sich klammern (an *acc.*): *to* ~ *on s.o.'s lips (words) fig.* an j-s Lippen (Worten) hängen; **15.** (*on*) hängen (an *dat.*), abhängen (von); **16.** sich senken *od.* neigen;

Zssgn mit adv.:

hang| **a·bout** *v/i.* **1.** her'umlungern, sich her'umtreiben: *to* ~ *the town*; **2.** bevorstehen; ~ **back** *v/i.* zögern, sich sperren; ~ **behind** *v/i.* zu'rückbleiben; ~ **down** *v/i.* her'unterhängen; ~ **on** *v/i.* **1.** (*to*) sich klammern (an *acc.*), festhalten (*acc.*), sich nicht trennen (von); **2.** ausharren, warten; *teleph.* am Appa'rat bleiben; **3.** nicht nachlassen; ~ **out I.** *v/t.* **1.** (her)'aushängen; **II.** *v/i.* **2.** her'aushängen; **3.** *sl.* hausen, sich aufhalten; ~ **together** *v/i.* **1.** zs.-halten (*Personen*); **2.** zs.-hängen, verknüpft sein; **3.** zs.-passen; ~ **up I.** *v/t.* **1.** aufhängen; **2.** aufschieben, hin'ausziehen: *to be hung up* aufgehalten werden; **3.** *to be hung up on sl.* **a)** e-n Komplex haben wegen, ‚es haben' mit, **b)** besessen sein von; **II.** *v/i.* **4.** *teleph.* (den Hörer) auflegen, ab-, einhängen.

hang·ar ['hæŋə] *s.* Flugzeughalle *f.*

'**hang·dog I.** *s.* Galgenvogel *m*, -strick *m*; **II.** *adj.* gemein; kriecherisch: ~ *look* Armesündermiene.

hang·er[1] ['hæŋə] *s.* **1.** *mst in Zssgn* Auf-, Anhänger *m*, Ankleber *m*; **2.** Aufhänger *m*, Schlaufe *f* (*Rock etc.*); *engS.* Kleiderbügel *m*; **3.** Gehenk *n* (*Degen*).

hang·er[2] ['hæŋə] *s.* bewaldeter Abhang.

'**hang·er-'on** [-ər'ɔn] *pl.* '**hang·ers-'on** *s.* **1.** Anhänger *m*, Mitläufer *m*; **2.** ‚Klette' *f*, Schma'rotzer *m.*

'**hang-glid·er** *s. sport* Drachenflieger(in).

hang·ing ['hæŋiŋ] **I.** *s.* **1.** (Auf)Hängen *n*; **2.** (Er)Hängen *n*: *execution by* ~ Hinrichtung durch den Strang; **3.** *mst pl.* Wandbehang *m*, -bekleidung *f*; **II.** *adj.* **4. a)** (her'ab)hängend, Hänge..., **b)** hängend, abschüssig, ter'rassenförmig: ~ *gardens*; **5.** *a* ~ *matter* e-e Sache, die j-n an den Galgen bringt; ~ **bearing** *s.* ⊕ Hängelager *n*; ~ **clock** *s.* Wanduhr *f*; ~ **com·mit·tee** *s.* Hängeausschuß *m* (*bei Gemäldeausstellungen*); ~ **lamp** *s.* **1.** Hängelampe *f*; **2.** Ampel *f.*

'**hang**|·**man** [-mən] *s.* [*irr.*] Henker *m*; '~·**nail** *s.* ⚕ Niednagel *m*; '~·**out** *s. Am. sl.* **1.** ‚Bude' *f*, Wohnung *f*; **2.** Treffpunkt *m*; '~-**o·ver** *s.* **1.** 'Überbleibsel *n*; **2.** ‚Katzenjammer' *m*, ‚Kater' *m.*

hank [hæŋk] *s.* **1.** Strähne *f*, Strang *m*, Knäuel *m*, *n*, Docke *f* (*Garn etc.*); **2.** ⚓ Legel *m.*

han·ker ['hæŋkə] *v/i.* sich sehnen, verlangen (*after, for* nach); '**han·ker·ing** [-əriŋ] *s.* Verlangen *n* (*after, for* nach).

han·ky ['hæŋki] F → *handkerchief.*

han·ky-pan·ky ['hæŋki'pæŋki] *s. sl.* **1.** Hokus'pokus *m*; **2.** Schwindel *m*, Trick *m.*

Han·o·ve·ri·an [hænou'viəriən] **I.** *adj.* han'nover(i)sch; **II.** *s.* Hanno've'raner(in).

Han·sard ['hænsəd] *s. parl. Brit.* Parla'mentsprotoˌkoll *n*; '**Hansard·ize** [-daiz] *v/t. parl. Brit. j-m* e-e frühere Äußerung entgegenhalten.

Hanse [hæns] *s. hist.* **1.** Kaufmannsgilde *f*; **2.** Hanse *f*, Hansa *f*; **Han·se·at·ic** [hænsi'ætik] *adj.* hanse'atisch, Hanse...: *the* ~ *League* die Hanse.

han·sel → *handsel.*

han·som (cab) ['hænsəm] *s.* 'Hansom *m* (*zweirädrige Droschke*).

hap [hæp] *obs.* **I.** *s.* **a)** Zufall *m*, **b)** Glücksfall *m*; **II.** *v/i.* sich ereig-

nen; ˈ**hapˈhaz·ard** [-ˈhæzəd] **I.** *adj. u. adv.* zufällig, wahllos; **II.** *s.* Zufall *m*: *at* ~ aufs Geratewohl; ˈ**hap·less** [-lis] *adj.* □ unglücklich.
ha'p'orth [ˈheipəθ] *Brit.* F → *halfpennyworth.*
hap·pen [ˈhæpən] *v/i.* **1.** geschehen, sich ereignen, vorkommen, passieren, stattfinden, vor sich gehen: *what has* ~*ed?* was ist geschehen?; ... *and nothing* ~*ed* ... u. nichts erfolgte; **2.** *impers.* zufällig geschehen, sich (gerade) treffen: *it* ~*ed that* es traf *od.* ergab sich, daß; *as it* ~*s* **a)** wie es sich gerade trifft, **b)** wie es nun einmal so ist; **3.** ~ *to inf.*: *we* ~*ed to hear it* wir hörten es zufällig; *it* ~*ed to be hot* zufällig war es heiß; **4.** (*to*) geschehen (*dat. od.* mit), passieren (*dat.*): *what is going to* ~ *to his plan?* was wird aus s-m Plan?; *if anything should* ~ *to me* sollte mir et. zustoßen; **5.** (*upon*) zufällig begegnen (*dat.*) *od.* treffen (*acc.*) *od.* stoßen (auf *acc.*) *od.* finden (*acc.*); **6.** F zufällig erscheinen *od.* dasein, herˈeinschneien; **hap·pen·ing** [ˈhæpniŋ] *s.* Ereignis *n.*
hap·pi·ly [ˈhæpili] *adv.* **1.** glücklich; **2.** glücklicherweise; ˈ**hap·pi·ness** [-inis] *s.* **1.** Glück *n* (*Gefühl*); **2.** glückliche Wahl, Gewandtheit *f* (*Ausdruck etc.*); **hap·py** [ˈhæpi] *adj.* □ → *happily*; **1.** *allg.* glücklich: **a)** Glück empfindend, **b)** glückverheißend, **c)** beglückt, erfreut (*at, about* über *acc.*): *I am* ~ *to see you* es freut mich, Sie zu sehen, **d)** froh, zufrieden: ~ *as a king* kreuzfidel, **e)** treffend, passend, geglückt (*Ausdruck etc.*); **2.** gut, trefflich, erfreulich: *a* ~ *event* ein freudiges Ereignis; **3.** F leichtbeschwipst, ‚angesäuselt'; **4.** *in Zssgn* eifrig, begeistert; -freudig, -lustig: *trigger-*~ schießwütig.
hap·py| dis·patch *s. euphem.* Haraˈkiri *n*; ˈ**~-go-luck·y** *adj.* unbekümmert, sorglos, leichtfertig.
har·a·kir·i [ˈhærəˈkiri] *s.* Haraˈkiri *n.*
ha·rangue [həˈræŋ] **I.** *s.* **1.** (Massen)Ansprache *f*; flammende Rede; **2.** Tiˈrade *f*; **II.** *v/i.* **3.** e-e Ansprache halten, ‚e-e Rede schwingen'; **III.** *v/t.* **4.** eine (bomˈbastische) Rede halten vor (*dat.*).
har·ass [ˈhærəs] *v/t.* **1.** ständig belästigen, beunruhigen, quälen; aufreiben; **2.** ⚔ stören: ~*ing fire* Störfeuer.
har·bin·ger [ˈhɑːbindʒə] **I.** *s.* Vorläufer *m*, Vorbote *m* (*a. fig.*); **II.** *v/t.* ankünd(ig)en.
har·bo(u)r [ˈhɑːbə] **I.** *s.* **1.** Hafen *m*; **2.** *fig.* Zufluchtsort *m*, ˈUnterschlupf *m*; **II.** *v/t.* **3.** beherbergen, Schutz *od.* Zuflucht bieten *od.* gewähren (*dat.*); **4.** verbergen, verstecken; **5.** *Gedanken, Groll etc.* hegen: *to* ~ *ill designs* Böses sinnen; **III.** *v/i.* **6.** ⚓ im Hafen ankern; ˈ**har·bo(u)r·age** [-əridʒ] *s.* Zuflucht *f* (im Hafen); Hafen *m*, Schutz *m*, ˈUnterkunft *f.*
ˈ**har·bo(u)r|-bar** *s.* Sandbank *f* vor dem Hafen; ˈ**~-dues** *s. pl.* Hafengebühren *pl.*; ˈ**~-mas·ter** *s.* Hafenmeister *m*; ˈ**~-seal** *s. zo.* Gemeiner Seehund.

hard [hɑːd] **I.** *adj.* **1.** hart; ⊕ Hart...; fest (*a. fig.*); **2.** schwer, schwierig (*a. Sprache, Problem*): ~ *to please* schwer zufriedenzustellen(d), schwierig (*Kunde etc.*); ~ *to believe* kaum zu glauben(d); ~ *to imagine* schwer vorstellbar; **3.** hart, kräftig, zäh, ausdauernd: *in* ~ *condition sport* konditionsstark; ~*-wearing* sehr haltbar; strapazierfähig; → *nail Redew.*; **4.** hart, schwer, mühsam, anstrengend: ~ *work* schwere Arbeit; ~ *times* schwere Zeiten; *to learn the* ~ *way* Lehrgeld bezahlen müssen; → *line*[1] *15, luck 1*; **5.** fleißig: *a* ~ *worker*; ~ *study*; *to try one's* ~*est* sich ins Zeug legen; **6.** streng, stark, heftig, schwer, drückend: ~ *frost* starker Frost, strenge Kälte; ~ *fight* heftiger *od.* schwerer Kampf; ~ *master* strenger Lehrmeister; *a* ~ *drinker* ein starker Trinker; *a* ~ *blow* ein schwerer Schlag (*a. fig.*); **7.** hart, gefühllos, unbeugsam, unbillig: ~ *words* harte Worte; *to be* ~ *on s.o.* j-n streng *od.* ungerecht behandeln, j-m zusetzen; *it is* ~ *on me* es trifft mich schwer; **8.** hart(herzig), gefühllos; nüchtern: *the* ~ *facts* die nackten Tatsachen; **9.** hart (*Farbe, Stimme*); **10.** hart (*Wasser*); **11.** (stark) alkoˈholisch (*Getränke*); **12.** ~ *up* in (Geld)Schwierigkeiten, schlecht bei Kasse: ~ *up for* verlegen um; **13.** *ling.* **a)** hart, **b)** stimmlos; **II.** *adv.* **14.** hart, fest; **15.** (tat)kräftig, stark: *to work* ~ schwer *od.* fleißig arbeiten; *to try* ~ sich alle Mühe geben; *to bite* ~ fest (zu)beißen; *to look* ~ *at* anstarren; **16.** schwer, peinlich, heftig: *to bear* ~ *upon j-n* bedrücken; *it will go* ~ *with him* es wird unangenehm für ihn sein; ~*-earned* sauer verdient; ~ *hit* **a)** schwer betroffen, **b)** in Geldnot; ~ *pressed* in schwerer Bedrängnis; *I was* ~ *put to it* es wurde mir schwer; → *die*[1] *1*; **17.** sehr, äußerst: *to drink* ~ stark trinken; ~ *aport* ⚓ hart Backbord; **18.** dicht, nahe: ~ *on* (*od. after*) gleich nach; ~ *by* ganz nahe.
ˈ**hard|-and-ˈfast** *adj.* fest, bindend, starr: *a* ~ *rule*; ˈ**~-ˈbit·ten** *adj.* verbissen, hartnäckig; ˈ**~·board** *s.* Hartfaserplatte *f*; Preßpappe *f*; ˈ**~-ˈboiled** *adj.* **1.** hart(gekocht): *a* ~ *egg*; **2.** F hartgesotten, stur, starrköpfig; **3.** F nüchtern, kühl berechnend, gerissen, ‚ausgekocht'; **4.** F grob; **~ cash** *s.* ✝ **1.** Bargeld *n*: *to pay in* ~ (in) bar (be)zahlen; **2.** klingende Münze; **3.** Hartgeld *n*; **~ coal** *s.* Anthraˈzit *m*; **~ core** *s.* **1.** ⊕ Schotter *m*; **2.** *fig.* harter Kern (*e-r Bande etc.*); ˈ**~-core** *adj.* zum harten Kern gehörend; **~ court** *s. Tennis*: Hartplatz *m*; **~ cur·ren·cy** *s.* ✝ harte Währung.
hard·en [ˈhɑːdn] **I.** *v/t.* **1.** härten (*a.* ⊕), hart machen; **2.** *fig.* hart *od.* gefühllos machen, verhärten: ~*ed* verstockt, ‚abgebrüht'; *a* ~*ed sinner* ein verstockter Sünder; **3.** bestärken; **4.** abhärten; **II.** *v/i.* **5.** hart werden, erhärten; **6.** *fig.* gefühllos werden, sich verhärten; **7.** *fig.* sich abhärten; **8.** *fig.* sich (be)festigen, fest werden (*a.* ✝); **9.** anziehen

(*Preise*); ˈ**hard·en·er** [-nə] *s.* Härtemittel *n*; ˈ**hard·en·ing** [-niŋ] **I.** *s.* **1.** Härten *n*, Härtung *f* (*a.* ⊕); **2.** → *hardener*; **II.** *adj.* **3.** Härte...
ˈ**hard|-ˈfea·tured** *adj.* mit harten *od.* groben Gesichtszügen; ˈ**~-ˈfist·ed** *adj.* geizig; ˈ**~-ˈhead·ed** *adj.* praktisch, nüchtern, reaˈlistisch; ˈunsentimenˌtal; ˈ**~-ˈheart·ed** *adj.* □ hart(herzig), herz-, gefühllos.
har·di·hood [ˈhɑːdihud] *s.* **1.** Kühnheit *f*, Tapferkeit *f*; **2.** Dreistigkeit *f*; ˈ**har·di·ness** [-inis] *s.* **1.** Ausdauer *f*, Zähigkeit *f*; **2.** Kühnheit *f*, Mut *m*; **3.** Dreistigkeit *f.*
hard| la·bo(u)r *s.* ⚖ Zwangsarbeit *f*; ~ **line** *s. bsd. pol.* harte Linie, harter Kurs: *to follow od. adopt a* ~ e-n harten Kurs einschlagen; ˈ**~-line** *adj. bsd. pol.* hart, komproˈmißlos; ˈ**~-lin·er** *s. bsd. pol.* j-d der e-n harten Kurs einschlägt.
hard·ly [ˈhɑːdli] *adv.* **1.** kaum, fast nicht: ~ *ever* fast nie; *I* ~ *know her* ich kenne sie kaum; **2.** schwerlich, kaum, wohl nicht: *it will* ~ *be possible* es wird kaum möglich sein; **3.** mühsam, schwer: *victory was* ~ *won*; **4.** hart, streng: ~ *contested* hartumstritten.
hard| mon·ey → *hard cash*; ˈ**~-ˈmouthed** *adj.* **1.** hartmäulig (*Pferd*); **2.** *fig.* hartnäckig, ˈwiderspenstig.
hard·ness [ˈhɑːdnis] *s.* **1.** Härte *f* (*a. fig., phys.*), Festigkeit *f*; **2.** Zähigkeit *f*, Ausdauer *f*; **3.** Strenge *f*; **4.** Not *f*; **5.** Hartherzigkeit *f.*
hard| rub·ber *s.* Hartgummi *m*; ~ **sauce** *s. Küche*: *e-e* steife Creme; ˈ**~-set** *adj.* **1.** gehärtet, starr; **2.** bedrängt; **3.** hungrig; ˈ**~·shell** *adj.* **1.** *zo.* hartschalig; **2.** F unnachgiebig, eisern, komproˈmißlos.
hard·ship [ˈhɑːdʃip] *s.* **1.** Härte *f*, Not *f*; **2.** Mühsal *f*; **3.** ⚖ Härte *f*, Unbilligkeit *f*: *to work* ~ *on s.o.* e-e Härte bedeuten für j-n; ~ *case* Härtefall.
hard| tack *s.* Schiffszwieback *m*; ˈ**~·top** *s. mot.* Limouˈsine *f* mit festem Dach; ˈ**~·ware** *s.* **1.** Meˈtall-, Eisenwaren *pl.*; **2.** *Computer*: Hardware *f*, ˈBausteine *pl.*, -eleˌmente *pl.*; ˈ**~·wood** *s.* Hartholz *n*; *engS.* Laubbaumholz *n*; ˈ**~-ˈwork·ing** *adj.* fleißig.
har·dy [ˈhɑːdi] *adj.* □ **1.** abgehärtet, kräftig, ausdauernd; **2.** kühn, verwegen; **3.** winterfest (*Pflanze*): ~ *annual* **a)** winterfeste Pflanze, **b)** *humor.* Frage, die jedes Jahr wieder akut wird.
hare [hɛə] *s. zo.* Hase *m*: *to run with the* ~ *and hunt with the hounds fig.* es mit beiden Seiten halten; ~ *and hounds* Schnitzeljagd; ˈ**~·bell** *s.* ⚘ Glockenblume *f*; ˈ**~-brained** *adj.* zerfahren, gedankenlos; flatterhaft; ˈ**~-foot** *s.* [*irr.*] ⚘ **1.** Balsabaum *m*; **2.** Ackerklee *m*; ˈ**~ˈlip** *s.* ⚕ Hasenscharte *f.*
ha·rem [ˈhɛərem] *s.* ˈHarem *m.*
ˈ**hare's-foot** → *hare-foot.*
har·i·cot [ˈhærikou] *s.* **1.** *mst* ~ *bean* ⚘ weiße Bohne; **2.** ˈHammelraˌgout *n.*
hark [hɑːk] *v/i.* **1.** *obs. u. poet.* horchen; **2.** ~ *back* **a)** *hunt.* auf der Fährte zuˈrückgehen (*Hund*), **b)**

fig. zu'rückgreifen, -kommen (*to* auf *acc.*).
har·le·quin ['hɑːlikwin] **I.** *s.* 'Harlekin *m*, Hans'wurst *m*; **II.** *adj.* bunt, scheckig; **har·le·quin·ade** [hɑːlikwi'neid] *s.* Possenspiel *n.*
Har·ley Street ['hɑːli] *s. Londoner Ärzteviertel*; *fig.* ärztliche Fachwelt.
har·lot ['hɑːlət] *s.* Dirne *f*, Hure *f*; '**har·lot·ry** [-ri] *s.* Hure'rei *f.*
harm [hɑːm] **I.** *s.* Schaden *m*, Unrecht *n*, Leid *n*: *bodily* ~ körperlicher Schaden, ⚖ Körperverletzung; *to do* ~ *to s.o.* j-m schaden, j-m et. antun; *there is no* ~ *in doing (s.th.)* es schadet nicht, (et.) zu tun; *to mean no* ~ es nicht böse meinen; *to keep out of* ~*'s way* die Gefahr meiden; *out of* ~*'s way* in Sicherheit; **II.** *v/t.* schaden (*dat.*), schädigen; verletzen; '**harm·ful** [-ful] *adj.* □ nachteilig, schädlich; '**harm·ful·ness** [-fulnis] *s.* Schädlichkeit *f*; '**harm·less** [-lis] *adj.* □ **1.** harmlos: **a)** unschädlich, **b)** unschuldig, arglos; **2.** *to keep (od. save) s.o.* ~ ⚖ j-n schadlos halten; '**harm·less·ness** [-lisnis] *s.* Harmlosigkeit *f*, Unschädlichkeit *f.*
har·mon·ic [hɑː'mɔnik] **I.** *adj.* (□ ~*ally*) **1.** ♪, 𝒜 har'monisch (*a. fig.*); **II.** *s.* **2.** ♪, *phys.* Oberton *m*; **3.** ⚡ Oberwelle *f*; **4.** *pl. oft sg. konstr.* ♪ Harmo'nielehre *f*; **har'mon·i·ca** [-kə] *s.* **1.** 'Glashar,monika *f*; **2.** 'Mundhar,monika *f*; **har'mo·ni·ous** [-'mounjəs] *adj.* □ har'monisch (*a. fig.*), wohlklingend, konso'nant; **har'mo·ni·ous·ness** [-'mounjəsnis] *s.* Harmo'nie *f*: **a)** Ebenmäßigkeit *f*, Über'einstimmung *f*, **b)** Wohlklang *m*; **har'mo·ni·um** [-'mounjəm] *s.* ♪ Har'monium *n*; **har·mo·nize** ['hɑːmənaiz] **I.** *v/i.* **1.** harmo'nieren, zs.-passen, in Einklang sein; **II.** *v/t.* **2.** har'monisch machen, in Einklang bringen, abstimmen; **3.** ♪ *Melodie* harmonisieren, setzen; **har·mo·ny** ['hɑːməni] *s.* **1.** Harmo'nie *f*: **a)** Wohlklang *m*, **b)** Eben-, Gleichmaß *n*, **c)** Einklang *m*, Eintracht *f*; **2.** ♪ Harmonie *f.*
har·ness ['hɑːnis] **I.** *s.* **1.** (Pferde- *etc.*)Geschirr *n*: *in* ~ *fig.* in der (täglichen) Arbeit; *to die in* ~ in den Sielen sterben; **2.** (Anschnall)Gurt *m*; Gurtwerk *n* (*Fallschirm*); **3.** (Kopfhörer)Bügel *m*; **II.** *v/t.* **4.** anschirren; **5.** an-, vorspannen; **6.** *fig. Naturkräfte etc.* nutzbar machen.
harp [hɑːp] **I.** *s.* **1.** ♪ Harfe *f*; **II.** *v/i.* **2.** Harfe spielen; **3.** *fig.* (*on, upon*) her'umreiten (auf *dat.*), dauernd reden (von); → *string 5*; '**harp·er** [-pə], '**harp·ist** [-pist] *s.* Harfner (-in), Harfe'nist(in).
har·poon [hɑː'puːn] **I.** *s.* Har'pune *f*; **II.** *v/t.* harpunieren.
harp·si·chord ['hɑːpsikɔːd] *s.* ♪ 'Cembalo *n.*
har·py ['hɑːpi] *s.* **1.** *antiq.* Har'pyie *f*; **2.** raubgieriger Mensch.
har·que·bus ['hɑːkwibəs] *s.* ⚔ *hist.* Hakenbüchse *f*, Arke'buse *f.*
har·ri·dan ['hæridən] *s.* alte Vettel.
har·ri·er¹ ['hæriə] *s.* **1.** Verwüster *m*; Plünderer *m*; **2.** *orn.* Weihe *f.*
har·ri·er² ['hæriə] *s.* **1.** *hunt.* Hasenhund *m*; **2.** *sport* Wald-, Geländeläufer *m.*
Har·ro·vi·an [hə'rouvjən] *s.* Schüler *m* von Harrow.
har·row ['hærou] **I.** *s.* **1.** ⚒ Egge *f*: *under the* ~ *fig.* in großer Not; **II.** *v/t.* **2.** ⚒ eggen; **3.** *fig.* quälen, martern, *Gefühl* verletzen; '**har·row·ing** [-ouiŋ] *adj.* □ qualvoll, herzzerreißend, schrecklich.
har·ry¹ ['hæri] *v/t.* **1.** verwüsten; **2.** plündern, aus-, berauben; **3.** quälen.
Har·ry² ['hæri] *s. old* ~ der Teufel; *to play old* ~ *with* Schindluder treiben mit, durcheinanderbringen, zugrunde richten.
harsh [hɑːʃ] *adj.* □ **1.** hart, rauh (*Stoff, Stimme; a. fig. Strafe etc.*); **2.** rauh, 'mißtönend (*Ton*); **3.** schroff, streng, grausam; grob; **4.** grell (*Farbe*); '**harsh·ness** [-nis] *s.* Härte *f*, Strenge *f.*
hart [hɑːt] *s.* Hirsch *m* (*nach dem 5. Jahr*): ~ *of ten* Zehnender.
hart·beest ['hɑːtbiːst], '**har·te·beest** [-tibiːst] *s. zo.* 'Kuhanti,lope *f*, *bsd.* 'Kama *f.*
'**harts·horn** *s.* ⚗ Hirschhorn *n*: *salt of* ~ Hirschhornsalz.
'**hart's-tongue** *s.* ⚘ Hirschzunge *f* (*Farn*).
har·um-scar·um ['hɛərəm'skɛərəm] *adj.* F **1.** wild, unbändig, über'stürzt; **2.** fahrig, gedankenlos, flatterhaft, leichtsinnig.
har·vest ['hɑːvist] **I.** *s.* **1.** Ernte *f*: **a)** Ernten *n*, Erntezeit *f*, **b)** *fig.* Ertrag *m*, Gewinn *m*; **II.** *v/t.* **2.** ernten (*a. fig.*); *Ernte* einbringen; **3.** einheimsen; **4.** aufspeichern; '~**-bug** *s. zo.* e-e Milbe.
har·vest·er ['hɑːvistə] *s.* **1.** Schnitter(in); **2.** Mähbinder *m*: *combined* ~ Mähdrescher; **3.** → *harvest-bug.*
har·vest| fes·ti·val *s.* Ernte'dankfest *n*; ~ **home** *s.* **1.** Erntefest *n*; **2.** Erntelied *n*; '~**-mite** → *harvest-bug*; ~ **moon** *s.* Erntemond *m*; '~**-tick** → *harvest-bug.*
has [hæz; həz] *3. sg. pres von have*; '~**-been** *s.* F *et.* Über'holtes; ausrangierte Per'son, Gestrige(r *m*) *f.*
hash [hæʃ] **I.** *v/t.* **1.** *Fleisch* (zer-) hacken; **2.** *a.* ~ *up fig.* verpfuschen, verpatzen; **II.** *s.* **3.** *Küche*: Ha'schee *n*, Gehackte(s) *n*; **4.** *fig. et.* Wieder'aufgewärmtes, ‚alter Kohl'; **5.** *fig.* Mischmasch *m*: *to make* ~ *of s.th.* F et. vermasseln; *to settle s.o.'s* ~ F es j-m ‚besorgen' *od.* ‚geben'; **6.** F Hasch *n.*
hash·eesh, hash·ish ['hæʃiːʃ] *s.* 'Haschisch *n.*
has·let ['heizlit] *s.* (Schweins-) Geschlinge *n*, Inne'reien *pl.*
has·n't ['hæznt] F *für has not.*
hasp [hɑːsp] **I.** *s.* **1.** ⊕ Haspe *f*, Spange *f*; Haken *m*, Schließband *n*; **2.** Haspel *f*, Spule *f*; **3.** Docke *f* (*Garn*); **II.** *v/t.* **4.** mit e-r Haspe *etc.* verschließen, zuhaken.
has·sock ['hæsək] *s.* **1.** Knie-, Betkissen *n*; **2.** Grasbüschel *n.*
hast [hæst] *obs. 2. sg. pres. von have.*
has·tate ['hæsteit] *adj.* ⚘ spießförmig.
haste [heist] **I.** *s.* **1.** Eile *f*, Schnelligkeit *f*; **2.** Hast *f*, Über'eilung *f*: *to make* ~ sich beeilen; *in* ~ in Eile; *more* ~, *less speed* Eile mit Weile; **II.** *v/i.* **3.** eilen; '**has·ten** [-sn] **I.** *v/t.* (*zur Eile*) antreiben, beschleunigen; **II.** *v/i.* sich beeilen, eilen; '**hast·i·ness** [-tinis] *s.* **1.** Eile *f*, Hastigkeit *f*, Über'eilung *f*, Voreiligkeit *f*; **2.** Heftigkeit *f*, Hitze *f*, Eifer *m*; '**hast·y** [-ti] *adj.* □ **1.** eilig, hastig; **2.** voreilig, -schnell, über'eilt; **3.** heftig, hitzig; **4.** ⚔ Behelfs..., Schnell...
hat [hæt] *s.* Hut *m*: *my* ~*! sl.* na, ich danke!; *a bad* ~ *Brit. sl.* ein übler Kunde; ~ *in hand* demütig, respektvoll; *keep it under your* ~*!* behalte es für dich!, sprich nicht darüber!; *to send round the* ~ Beiträge sammeln; *to take one's* ~ *off to s.o.* s-n Hut vor j-m ziehen (*a. fig.*); *I'll eat my* ~ *if* F ich freß' e-n Besen, wenn; *to produce out of a* ~ hervorzaubern; *to talk through one's* ~ F **a)** übertreiben, ‚aufschneiden', **b)** faseln, ‚Kohl reden'; *to hang up one's* ~ sich häuslich niederlassen; → *drop 10.*
hat·a·ble ['heitəbl] *adj.* hassenswert, ab'scheulich.
'**hat|·band** *s.* Hutband *n*; '~**-block** *s.* ⊕ Hutform *f*; '~**-box** *s.* Hutschachtel *f.*
hatch¹ [hætʃ] *s.* **1.** ⚓, ✈ Luke *f*; **2.** Falltür *f*, Bodenluke *f*; **3.** Halbtür *f*; **4.** 'Durchreiche *f.*
hatch² [hætʃ] **I.** *v/t.* **1.** *Eier, Junge* ausbrüten; **2.** *fig.* aushecken, -brüten, -denken; **II.** *v/i.* **3.** Junge ausbrüten; **4.** *aus dem Ei* ausschlüpfen; **5.** *fig.* sich entwickeln; **III.** *s.* **6.** Brut *f* (*junger Tiere*).
hatch³ [hætʃ] **I.** *v/t.* schraffieren, schattieren; **II.** *s.* Schraf'fur *f.*
hatch·el ['hætʃl] **I.** *s.* **1.** (Flachs- *etc.*)Hechel *f*; **II.** *v/t.* **2.** hecheln; **3.** *fig.* quälen, piesacken.
hatch·er ['hætʃə] *s.* **1.** Bruthenne *f*; **2.** 'Brutappa,rat *m*; **3.** *fig.* Planer *m*, Urheber *m*; '**hatch·er·y** [-əri] *s.* Brutplatz *m.*
hatch·et ['hætʃit] *s.* Beil *n*: *to bury the* ~ *fig.* das Kriegsbeil begraben; '~**-face** *s.* scharfgeschnittenes Gesicht.
hatch·ing ['hætʃiŋ] *s.* Schraffierung *f.*
hatch·ment ['hætʃmənt] *s. her.* Totenschild *n* (*Wappenschild*).
'**hatch·way** *s. bsd.* ⚓ Luke *f.*
hate [heit] **I.** *v/t.* **1.** hassen, verabscheuen; nicht leiden können; **2.** F nicht mögen, sehr ungern tun, bedauern: *I* ~ *troubling (od. to trouble) you* ich bemühe Sie (nur) sehr ungern; **II.** *s.* **3.** → *hatred*; **4.** *et.* Verhaßtes; **5.** (starke) Abneigung; **6.** ⚔ *Brit. sl.* 'Feuer,überfall *m*, ‚Zunder' *m*; '**hate·ful** [-ful] *adj.* □ hassenswert, verhaßt; '**hate·ful·ness** [-fulnis] *s.* Verhaßtheit *f.*
hath [hæθ] *obs. 3. sg. pres. von have.*
hat·less ['hætlis] *adj.* ohne Hut, barhäuptig.
'**hat|-peg** *s.* Huthaken *m*; '~**-pin** *s.* Hutnadel *f*; '~**-rack** *s.* Hutablage *f.*
ha·tred ['heitrid] *s.* (*of, for, against*) Haß *m* (gegen, auf *acc.*), Abscheu *m* (vor *dat.*).

ˈ**hat·stand** *s.* Hutständer *m.*
hat·ted [ˈhætid] *adj. in Zssgn* mit e-m ... Hut; **hat·ter** [ˈhætə] *s.* Hutmacher *m*, -händler *m*: *as mad as a* ~ **a**) fuchsteufelswild, **b**) total übergeschnappt, ‚meschugge'.
hat| tree *s. Am.* Hutständer *m*; ~ **trick** *s. sport* Hat-Trick *m*, Hattrick *m*: *to score a* ~ e-n Hat-Trick erzielen.
haugh·ti·ness [ˈhɔːtinis] *s.* Hochmut *m*, Über'heblichkeit *f*, Stolz *m*, Arro'ganz *f*; **haugh·ty** [ˈhɔːti] *adj.* □ hochmütig, über'heblich, stolz, arro'gant.
haul [hɔːl] **I.** *s.* **1.** Ziehen *n*, Schleppen *n*; Zerren *n*, kräftiger Zug; **2.** Fischzug *m*; **3.** *fig.* Fang *m*, Beute *f*; **4. a**) (Trans'port)Strecke *f*, **b**) → *haulage* 2; **5.** Ladung *f*, Trans'port *m*; **II.** *v/t.* **6.** ziehen, schleppen, zerren; → *coal* 2; **7.** befördern; **8.** ⚒ fördern; **9.** ⚓ **a**) *Brassen* anholen, **b**) her'umholen, anluven: *to* ~ *the wind* **a**) an den Wind gehen, **b**) *fig.* sich zurückziehen; **III.** *v/i.* **10.** ziehen, zerren (*on, at* an *dat.*); **11.** ˈumspringen (*Wind*); ~ **down** *v/t. Flagge* niederholen *od.* streichen (*a. fig.*); ~ **in** *v/t.* ⚓ *Tau* einholen; ~ **off** *v/i.* ⚓ abdrehen; ~ **round** → *haul 11*; ~ **up** *v/t. fig.* zur Rechenschaft ziehen, sich *j-n* ‚vorknöpfen', abkanzeln.
haul·age [ˈhɔːlidʒ] *s.* **1.** Ziehen *n*, Schleppen *n*; **2.** Trans'port *m*, Beförderung *f*, Spediti'on *f*: ~ *contractor* → *hauler* 2; **3.** ⚒ Förderung *f*: ~ *rope* Förderseil; **4.** Trans'portkosten *pl.*; ˈ**haul·er** [-lə], *Brit.* ˈ**haul·ier** [-ljə] *s.* **1.** ⚒ Schlepper *m*; **2.** Trans'portunterˌnehmer *m*, Frachtführer *m.*
haulm [hɔːm] *s.* Halm *m*, Stengel *m*; *pl. Brit. coll.* (*Bohnen- etc.*) Stroh *n.*
haunch [hɔːntʃ] *s.* **1.** Lende *f*; *pl.* Gesäß *n*; **2.** Keule *f* (*Tier*); **3.** *Küche*: Lendenstück *n*, Keule *f.*
haunt [hɔːnt] **I.** *v/t.* **1.** ˈumgehen *od.* spuken in (*dat.*): *this place is* ~*ed* hier spukt es; **2.** verfolgen, quälen, heimsuchen; **3.** frequentieren, häufig besuchen; **II.** *v/i.* **4.** ständig verkehren (*with* mit); **III.** *s.* **5.** häufig besuchter Ort; *bsd.* Lieblingsplatz *m*: *holiday* ~ beliebter Ferienort; **6.** Schlupfwinkel *m*; **7.** Lager *n*, Futterplatz *m* (*Tier*); ˈ**haunt·ed** [-tid] *adj.*: *a* ~ *house* ein Haus, in dem es spukt; *he was a* ~ *man* er fand keine Ruhe mehr; ˈ**haunt·ing** [-tiŋ] *adj.* □ quälend: *a* ~ *melody* ein ‚Ohrwurm'.
haut·boy [ˈoubɔi] → *oboe.*
hau·teur [ouˈtəː; otœːr] *s.* Hochmut *m*, Arro'ganz *f.*
Ha·van·a [həˈvænə] *s.* Ha'vanna (-ziˌgarre) *f.*
have [hæv; həv] **I.** *v/t.* [*irr.*] **1.** *allg.* haben, besitzen: *I* ~ *a house* (*a friend*); *he has blue eyes* (*a good memory, no time*) er hat blaue Augen (ein gutes Gedächtnis, keine Zeit); *May has 31 days* der Mai hat 31 Tage; *to* ~ *the kindness to inf.* so freundlich sein zu *inf.*; **2.** haben, erleben, erleiden: *to* ~ *the flu*(*e*) (die) Grippe haben; *to* ~ *a nice time* sich amüsieren; **3.** behalten: *may I* ~ *it?*; **4.** erhalten, bekommen: *I had many presents*; *we had no news* wir bekamen keine Nachricht; *not to be had* nicht zu haben, nicht erhältlich; *you* ~ *my word for it* ich gebe dir mein Wort darauf; *you* ~ *my apologies* entschuldigen Sie bitte!; **5.** *Junge* werfen (*Tier*); *ein Kind* bekommen: *she had a baby in March*; **6.** (haben) mögen, essen, trinken, nehmen: *what will you* ~*?*; *to* ~ *breakfast* frühstücken; *to* ~ *lunch* (*supper*) zu Mittag (Abend) essen; *I had a cup of tea* ich habe e-e Tasse Tee getrunken; ~ *a smoke?* willst du rauchen?; **7.** ausführen, machen: *to* ~ *a walk* e-n Spaziergang machen; *go and* ~ *a wash!* geh und wasch dich!; *to* ~ *a look at* (*sich*) ansehen; **8.** leiden, dulden, zulassen: *I won't* ~ *such conduct* solches Benehmen dulde ich nicht; *I won't* ~ *it mentioned* ich wünsche nicht, daß es erwähnt wird; *I will* ~ *none of it* das erlaube ich nicht; *he wasn't having any* F er ließ sich nicht darauf (*od.* auf nichts) ein; **9.** erfahren (haben): *I had it from Mr X.*; **10.** wissen, können: *he has no Latin* er kann kein Latein; *to* ~ *by heart* auswendig können; **11.** (be)sagen, behaupten: *as Mr A. has it* wie Herr A. sagt; *he will* ~ *it that* er behauptet, daß; *rumo*(*u*)*r has it that* man sagt *od.* munkelt, daß; **12.** F ‚beschummeln', ‚bemogeln', ‚reinlegen': *you* ~ *been had* man hat dich ‚übers Ohr gehauen' *od.* ‚reingelegt'; *there I had you* da habe ich dich erwischt; *he has had it sl.* **a**) er ist reingefallen, **b**) er ist ‚erledigt' (*a. tot*), **c**) er hat sein ‚Fett' (*s-e Strafe*) weg; **13.** *vor inf.* müssen: *I* ~ *to go now*; *it has to be done* es muß getan werden; **14.** *mit Objekt u. inf.* lassen, veranlassen: ~ *the boy come here!* hol den Jungen her!; *I had him sit down* ich ließ ihn Platz nehmen; **15.** *mit Objekt u. p.p. mst* lassen: *to* ~ *a house built* ein Haus bauen (lassen); *he had his arm broken* er hat sich den Arm gebrochen; **16.** *mit adv.*: *you'll* ~ *the boss down on you* du wirst es mit dem Chef zu tun kriegen; *to* ~ *s.o. in to tea* j-n zum Tee einladen; *to* ~ *it in for s.o.* F j-n ‚auf dem Kieker' haben, es auf j-n abgesehen haben; *I* ~ *my hat on* ich habe den Hut auf; *I* ~ *nothing on tonight* ich habe heute abend nichts vor; *to* ~ *a tooth out* sich e-n Zahn ziehen lassen; *to* ~ *it out with s.o.* die Sache mit j-m endgültig bereinigen; *to* ~ *s.o. up* sich j-n ‚vorknöpfen', j-n ‚rankriegen' (*for* wegen); **17.** *mit to let*: *let me* ~ *a sample* gib *od.* schicke *od.* besorge mir ein Muster; *to let s.o.* ~ *it* F ‚es j-m geben', j-n ‚fertigmachen'; **18.** *to* ~ *got* → *get 7, 8*; **II.** *v/aux.* [*irr.*] **19.** haben (*bei v/t.*); sein (*bei vielen v/i.*): *I* ~ *done it* ich habe es getan; *I* ~ *come* ich bin gekommen; **III.** *s.* **20.** *mst pl.*: *the* ~*s and the* ~*-nots* die Besitzenden u. die Habenichtse.
have·lock [ˈhævlɔk] *s. Am.* über den Nacken herˈabhängender ˈMützenˌüberzug (*Sonnenschutz*).
ha·ven [ˈheivn] *s.* **1.** *mst fig.* (sicherer) Hafen; **2.** Zufluchtsort *m*, A'syl *n.*
ˈ**have-not** *s.* F Habenichts *m.*
have·n't [ˈhævnt] F *für have not.*
ha·ver [ˈheivə] *v/i. dial.* schwatzen.
hav·er·sack [ˈhævəsæk] *s. bsd.* ⚔ Brotbeutel *m*, Proviˈanttasche *f.*
hav·ing [ˈhæviŋ] *s. mst pl.* Habe *f.*
hav·oc [ˈhævək] *s.* Verwüstung *f*, Zerstörung *f*: *to cause* ~ große Zerstörungen anrichten; *to play* ~ *with, to make* ~ *of et.* verwüsten *od.* vernichten, *fig.* verheerend wirken auf (*acc.*), übel zurichten.
haw[1] [hɔː] *s.* ♀ **1.** Mehlbeere *f* (*Weißdornfrucht*); **2.** → *hawthorn.*
haw[2] [hɔː] **I.** *int.* hm!, hem!; **II.** *v/i.* hm machen, sich räuspern; stockend sprechen; → *hum 2, 6.*
Ha·wai·ian [hɑːˈwaiiən] **I.** *adj.* haˈwaiisch; **II.** *s.* Haˈwaiier(in).
ˈ**haw·finch** *s. orn.* Kernbeißer *m.*
haw-haw[1] **I.** *int.* [ˈhɔːˈhɔː] haˈha!; **II.** *s.* [ˈhɔːhɔː] Haˈha *n*, lautes Lachen.
haw-haw[2] [ˈhɔːhɔː] → *ha-ha.*
hawk[1] [hɔːk] **I.** *s.* **1.** *orn.* Falke *m*, Habicht *m*; **2.** *fig.* Gauner *m*, Wucherer *m*; **3.** *pol.* ‚Falke' *m*; → *dove 4*; **II.** *v/i.* **4.** (*mit Falken*) Jagd machen (*at* auf *acc.*); **III.** *v/t.* **5.** jagen.
hawk[2] [hɔːk] *v/t.* feilbieten, hausieren (gehen) mit (*a. fig.*).
hawk[3] [hɔːk] **I.** *v/i.* sich räuspern; **II.** *v/t. oft* ~ *up* aushusten; **III.** *s.* Räuspern *n.*
hawk[4] [hɔːk] *s.* Mörtelbrett *n.*
hawk·er[1] [ˈhɔːkə] → *falconer.*
hawk·er[2] [ˈhɔːkə] *s.* Hausierer(in); Straßenhändler(in), Höker(in).
ˈ**hawk-eyed** *adj.* mit Falkenaugen, scharfsichtig.
hawk·ing [ˈhɔːkiŋ] → *falconry.*
ˈ**hawk|-moth** *s. zo.* Schwärmer *m*; ˈ~**-nose** *s.* Adlernase *f*: ˈ~**'s-bill** *s. zo.* Kaˈrettschildkröte *f*; ˈ~**-weed** *s.* ♀ Habichtskraut *n.*
hawse [hɔːz] *s.* ⚓ *a.* ~*-hole* (Anker-) Klüse *f*; ~*-pipe* Klüsenrohr; ˈ**hawser** [-zə] *s.* ⚓ Trosse *f.*
ˈ**haw·thorn** *s.* ♀ Weiß-, Rot-, Hagedorn *m.*
hay[1] [hei] *s.* (ländlicher) Reigen.
hay[2] [hei] **I.** *s.* **1.** Heu *n*: *to make* ~ Heu machen; *to make* ~ *of s.th. fig.* et. durcheinanderbringen *od.* zunichte machen; *to make* ~ *while the sun shines fig.* das Eisen schmieden, solange es heiß ist; **2.** *sl.* Mariˈhuˈana *n*; **II.** *v/i.* **3.** heuen, Heu machen; ˈ~**·box** *s.* Kochkiste *f*; ˈ~**·cock** *s.* Heuhaufen *m*; ~ **fe·ver** *s.* ⚕ Heufieber *n*, -schnupfen *m*; ˈ~**-field** *s.* Wiese *f* (*zum Mähen*); ˈ~**-fork** *s.* Heugabel *f*; ˈ~**-loft** *s.* Heuboden *m*; ˈ~**·mak·er** *s.* **1.** Heumacher *m*; **2.** ⚒, ⊕ Heuwender *m*; **3.** *sl. Boxen*: wilder Schwinger; ˈ~**·rick** *s.* Heuschober *m*; ˈ~**·seed** *s.* **1.** Grassamen *m*; **2.** *sl.* Bauer *m*, Tölpel *m*; ˈ~**·stack** → *hayrick*; ˈ~**·wire** *adj. sl.* in Unordnung; baufällig; verrückt (*Person*): *to go* ~ **a**) durcheinandergeraten, kaputtgehen, **b**) überschnappen, *a.* wild *od.* wütend werden.

haz·ard ['hæzəd] **I.** *s.* **1.** Gefahr *f*, Wagnis *n*, 'Risiko *n*: *at all* ~*s* unter allen Umständen; *at the* ~ *of one's life* unter Lebensgefahr; **2.** Zufall *m*; *pl.* Launen *pl.* (*Wetter*); **3.** Glücks-, Ha'sardspiel *n*; **4.** *Golf*: Hindernis *n*; **5.** *Brit. Billard*: *losing* ~ Verläufer; *winning* ~ Treffer; **II.** *v/t.* **6.** riskieren, wagen, aufs Spiel setzen; **7.** sich aussetzen (*dat.*); '**haz·ard·ous** [-dəs] *adj.* □ gewagt, ris'kant, gefährlich.

haze¹ [heiz] *s.* **1.** Dunst *m*, Schleier *m*, leichter Nebel; **2.** *fig.* Unklarheit *f*, Verwirrtheit *f*.

haze² [heiz] *v/t.* **1.** *Am.* piesacken, schikanieren; **2.** *bsd.* ⚓ schinden.

ha·zel ['heizl] **I.** *s.* ♀ Hasel(nuß)-strauch *m*; **II.** *adj.* nußbraun; '~**-nut** *s.* ♀ Haselnuß *f*.

ha·zi·ness ['heizinis] *s.* **1.** Dunstigkeit *f*; **2.** *fig.* Unklarheit *f*; **ha·zy** ['heizi] *adj.* □ **1.** dunstig, diesig, leicht nebelig; **2.** *fig.* verschwommen, nebelhaft; **3.** ‚angeheitert'.

H-bomb ['eitʃbɔm] *s.* ⚔ H-Bombe *f* (*Wasserstoffbombe*).

he [hi:; hi] **I.** *pron.* **1.** er; **2.** ~ *who* derjenige, welcher; wer; **II.** *s.* **3.** Mann *m*, männliches Wesen; **4.** Männchen *n* (*Tier*); **III.** *adj.* **5.** *in Zssgn* männlich, **...männchen**: ~*-goat* Ziegenbock.

head [hed] **I.** *v/t.* **1.** *Fußball*: köpfen; **2.** *a. fig.* an der Spitze *od.* an erster Stelle stehen von; die Spitze bilden von; **3.** vor'an-, vor-'ausgehen (*dat.*); **4.** *a. fig.* führen, leiten; **5.** entgegentreten (*dat.*): *to* ~ *off* abdrängen, -wehren, ab-, umlenken, *fig.* verhindern, ‚abbiegen'; **II.** *v/i.* **6.** zu-, losgehen, -steuern (*for* auf *acc.*): *to* ~ *for trouble* (*od. a fall*) ins Unglück rennen; **7.** ⚓ Kurs halten, zusteuern (*for* auf *acc.*); **8.** sich entwickeln: *to* ~ *up* e-n Kopf ansetzen (*Kohl etc.*); **9.** *Am.* entspringen (*Fluß*); **III.** *s.* **10.** Kopf *m*: *back of the* ~ Hinterkopf; ~ *of hair* Haarwuchs; **11.** *poet.* Haupt *n* (*a. fig.*): *crowned* ~*s* gekrönte Häupter; **12.** Kopf *m*, Verstand *m*; Begabung *f*, Ta'lent *n* (*for* für): *two* ~*s are better than one* zwei Köpfe wissen mehr als einer; **13.** Spitze *f*, führende Stellung: *at the* ~ *of* an der Spitze (*gen.*); **14.** Haupt *n* (*Familie*), Oberhaupt *n* (*Staat*); **15.** Führer *m*, Leiter *m*, Chef *m*, Vorsteher *m*; Vorstand *m*; Di'rektor *m* (*Schule*); **16.** Spitze *f*, Vorderteil *n*, -seite *f*; oberes Ende (*bei Tisch*; *e-s Sees*); oberer Absatz (*Treppe*); **17.** Schaum *m*, ‚Blume' *f* (*Bier*); Sahne *f* (*Milch*); **18.** Kopf *m* (*Brücke, Mole, Nagel, Stecknadel, Hammer, Golfschläger, Kohl, Salat*): ~*s or tails?* Zahl oder Wappen? (*Münze*); **19.** ⊕ Kopf-, Deckplatte *f*; **20.** Kopf *m*, (einzelne) Per'son: *a pound a* ~ ein Pfund pro Person *od.* pro Kopf; **21. a)** (*pl.* ~) Stück *n* (*Vieh*): *50* ~ *of cattle*, **b)** *Brit.* Menge *f*, Herde *f*; **22.** Wipfel *m*, Krone *f* (*Baum*); **23.** *Pferderennen*: *by a* ~ um eine Kopflänge; *by a short* ~ um e-n kurzen Kopf; **24.** Quelle *f* (*Fluß*); **25.** Kopfende *n* (*Bett*); **26.** Vorgebirge *n*, Landspitze *f*, Kap *n*; **27.** ⚓ **a)** Bug *m*, Vorderteil *m*, *n*, **b)** Pis'soir *n* im Bug; **28.** Hauptpunkt *m*, -teil *m*; **29.** Abschnitt *m*, Ka'pitel *n*, Ru'brik *f*; **30.** Posten *m* (*in Rechnungen*); **31.** 'Titelkopf *m*, 'Überschrift *f*; **32.** ⚕ 'Durchbruchstelle *f* (*Geschwür*); **33.** Höhepunkt *m*, Krise *f*; **34.** Druck-, Fallhöhe *f* (*Wasser*): ~ *of water* Wassersäule; **35.** Druck *m* (*Dampf*); **36.** Stauwasser *n*, Stauung *f*; **IV.** *adj.* **37.** Kopf..., Spitzen..., Haupt..., Ober..., erst;

Besondere Redewendungen:

~ *first* (*od. foremost*) kopfüber (*a. fig.*); ~ *and shoulders above* haushoch überlegen (*dat.*); ~ *over ears* bis über die Ohren, völlig; ~ *over heels* **a)** kopfüber, **b)** Hals über Kopf; *from* ~ *to foot* von Kopf bis Fuß, von oben bis unten; *off one's* ~ verrückt, ‚übergeschnappt'; *on this* ~ in diesem Punkt; *over my* ~ **a)** über m-m *od.* dem Kopf, über m-m Haupt (*Gefahr*), **b)** über m-n Verstand; *over s.o.'s* ~ über j-s Kopf hinweg; *to bring to a* ~ zum Ausbruch *od.* zur Entscheidung *od.* ‚zum Klappen' bringen; *to come to a* ~ **a)** ⚕ aufbrechen, eitern, **b)** sich zuspitzen, zur Entscheidung *od.* ‚zum Klappen' kommen; *it will cost him his* ~ es wird ihm Kopf u. Kragen kosten; *I can do it on my* ~ das kann ich im Schlaf (machen); *to eat one's* ~ *off* sein Futter *od.* s-n Lohn nicht wert sein; *it entered* (*od. came into*) *my* ~ es fiel mir ein; *to gather* ~ immer stärker werden; *to give a horse his* ~ e-m Pferd die Zügel schießen lassen; *to give s.o.* (*od. let s.o. have*) *his* ~ j-m s-n Willen lassen, j-n gewähren lassen; *to go to the* ~ zu Kopfe steigen; *to have a* ~ e-n Brummschädel *od.* ‚Kater' haben; *to keep one's* ~ die Ruhe bewahren; *to keep one's* ~ *above water* sich über Wasser halten; *to lose one's* ~ den Kopf verlieren; *I cannot make* ~ *or tail of it* ich kann daraus nicht schlau werden; *to put s.th. into s.o.'s* ~ j-m et. in den Kopf setzen; *put that out of your* ~ schlag dir das aus dem Kopf *od.* Sinn; *they put their* ~*s together* sie steckten ihre Köpfe zusammen; *to take s.th. into one's* ~ sich et. in den Kopf setzen; *to talk one's* ~ *off* reden wie ein Wasserfall, schwafeln; *to talk s.o.'s* ~ *off* ‚j-m ein Loch in den Bauch reden'; *to turn s.o.'s* ~ j-m den Kopf verdrehen.

'**head**|**·ache** *s.* **1.** Kopfschmerzen *pl.*, -weh *n*; **2.** F Kopfzerbrechen *n*, (schwieriges) Pro'blem; '~**·ach·y** *adj.* F **1.** an Kopfschmerzen leidend; **2.** Kopfschmerzen verursachend; '~**·band** *s.* Kopf-, Stirnband *n*; '~**·board** *s.* Kopfbrett *n* (*Bett etc.*); '~**-boy** *s. ped.* 'Primus *m*; '~**-cheese** *s. Am.* Preßkopf *m* (*Sülzwurst*); ~ **clerk** *s.* Bü'rovorsteher *m*; '~**-dress** *s.* **1.** Kopfputz *m*; **2.** Fri'sur *f*.

-headed [hedid] *in Zssgn* ...köpfig.

head·ed ['hedid] *adj.* **1.** mit e-m Kopf *etc.* (versehen); **2.** mit e-r 'Überschrift *od.* e-m Aufdruck (versehen).

head·er ['hedə] *s.* **1.** ⚠, ⊕ Schlußstein *m*; Binder *m*; **2.** *to take a* ~ *sport* e-n Kopfsprung machen; **3.** *Fußball*: Kopfball *m*.

'**head**|**·fast** *s.* ⚓ Bugleine *f*; ~ **gate** *s.* oberes Schleusentor; '~**·gear** *s.* **1.** Kopfbedeckung *f*; **2.** Kopfgestell *n*, Zaumzeug *n*; **3.** ⚒ Kopfgestell *n*, Fördergerüst *n*; '~**-hunt·er** *s.* Kopfjäger *m*.

head·i·ness ['hedinis] *s.* **1.** Unbesonnenheit *f*, Ungestüm *n*; Starrsinn *m*; **2.** berauschende Eigenschaft, Stärke *f* (*Alkohol*).

head·ing ['hediŋ] *s.* **1.** Kopfstück *n*, -ende *n*; Vorderende *n*, -teil *m*, *n*; **2.** 'Überschrift *f*, Titel(zeile *f*) *m*; Briefkopf *m*; **3.** 'Thema *n*, Punkt *m*; Ru'brik *f*; **4.** ⚒ Stollen *m*; **5.** ⚓, ✈ Richtung *f*, Steuerkurs *m*; **6.** *Fußball*: Kopfball(spiel *n*) *m*; ~ **stone** *s.* ⚠ Schlußstein *m*.

'**head**|**-lamp** → *headlight*; '~**-lamp flash·er** *s. mot.* Lichthupe *f*; '~**-land** *s.* **1.** [-lənd] Landspitze *f*, -zunge *f*; **2.** [-lænd] ⸸ Rain *m*.

head·less ['hedlis] *adj.* **1.** kopflos (*a. fig.*), ohne Kopf; **2.** *fig.* führerlos.

'**head**|**·light** *s.* **1.** *mot. etc.* Scheinwerfer *m*; **2.** ⚓ Mast-, Topplicht *n*; '~**·line** *s.* **1. a)** 'Überschrift *f*, **b)** Schlag-, Kopfzeile *f*: *he makes* (*the*) ~*s* er liefert Schlagzeilen, er macht viel von sich reden; ~ *news* → 2; **2.** *pl. Radio*: das Wichtigste in Schlagzeilen; '~**·lin·er** *s.* **1.** Schlagzeilenverfasser(in); **2.** *thea.* Hauptdarsteller(in); '~**·long I.** *adv.* **1.** kopf'über, mit dem Kopf vor'an; **2.** *fig.* Hals über Kopf, blindlings; **II.** *adj.* **3.** mit dem Kopf voran: *a* ~ *fall*; **4.** *fig.* über'stürzt, unbesonnen, ungestüm; '~**·man** *s.* [*irr.*] **1.** [-mæn] Führer *m*, Häuptling *m*; **2.** [-'mæn] Vorarbeiter *m*; '~**·master** *s.* Di'rektor *m* (*Schule*); '~**·mis·tress** *s.* Direk'torin *f*, Vorsteherin *f* (*Schule*); '~**-mon·ey** *s.* Kopfgeld *n*: **a)** Kopfsteuer *f*, **b)** *ausgesetzte Belohnung*; ~ **of·fice** *s.* 'Hauptbü͵ro *n*, Zen'trale *f*; '~**-'on** *adj. u. adv.* di'rekt von vorn, fron'tal, Frontal...: ~ *collision*; '~**·phone** *s. mst pl. tel.* Kopfhörer *m*; '~**·piece** *s.* **1.** Kopfbedeckung *f*; **2.** F Kopf *m*, ‚Grips' *m*; **3.** Türsturz *m*; **4.** Kopfbrett *n* (*Bett*); **5.** *typ.* 'Titelvi͵gnette *f*; '~**-quar·ter** *v/i.* sein ('Haupt)Quar͵tier aufschlagen; '~**'quar·ters** *s. pl. oft sg. konstr.* **1.** ⚔ 'Hauptquar͵tier *n*; **2.** Hauptsitz *m*, -(geschäfts-)stelle *f*, Zen'trale *f*; **3.** Standort *m*; '~**·race** *s.* ⊕ Obergerinne *n*; ~ **re·sist·ance** *s.* ✈ 'Stirn͵widerstand *m*; '~**-rest** *s.* Kopflehne *f*, -stütze *f*, -polster *n*; '~**·room** *s.* lichte Höhe; '~**·sail** *s.* ⚓ Fockmastsegel *n*; '~**·sea** *s.* Gegensee *f*; '~**·set** *s.* ⊕ Kopfhörer *m*.

head·ship ['hedʃip] *s.* oberste Leitung, leitende Stellung.

'**head·shrink·er** [-ʃriŋkə] *s.* F ͵Psychoana'lytiker(in).

heads·man ['hedzmən] *s.* [*irr.*] **1.** Scharfrichter *m*; **2.** ⚒ *Brit.* Schlepper *m*.

'**head**|**·spring** *s.* **1.** Hauptquelle *f* (*oft fig.*); **2.** *sport* 'Kopfstand͵überschlag *m*; '~**·stall** → *headgear* 2; '~**·stock** *s.* ⊕ **1.** Spindelstock *m*;

2. Triebwerkgestell *n*; ~ **stone** *s.* ⚠ Eck-, Grundstein *m* (*a. fig.*); ˈ~**stone** *s.* Grabstein *m*; ˈ~**strong** *adj.* eigensinnig, halsstarrig; ~ **tax** *s.* Kopf-, *bsd.* Einwanderungssteuer *f* (*USA*); ˈ~**-voice** *s.* Kopfstimme *f*; ˈ~**-wait·er** *s.* Oberkellner *m*; ˈ~**wa·ter** *s. mst pl.* Oberlauf *m*, Quellgebiet *n* (*Fluß*); ˈ~**way** *s.* **1.** ⚓ Fahrt *f* (*voraus*); Geschwindigkeit *f*; **2.** *fig.* Fortschritt(e *pl.*) *m*: *to make* ~ vorankommen, Fortschritte machen; **3.** ⚠ lichte Höhe; **4.** ⚒ *Brit.* Hauptstollen *m*; **5.** 🚂 Zugfolge *f*, -abstand *m*; ~ **wind** *s.* Gegenwind *m*; ˈ~**-work** *s.* geistige Arbeit; ˈ~**work·er** *s.* Geistes-, Kopfarbeiter *m*.

head·y [ˈhedi] *adj.* □ **1.** ungestüm, hitzig, starrsinnig; **2.** berauschend (*Getränk*; *a. fig.*).

heal [hiːl] **I.** *v/t.* **1.** heilen, kurieren (*of* von); **2.** *fig.* heilen; versöhnen, *Streit etc.* beilegen; **II.** *v/i.* **3.** *oft* ~ *up*, ~ *over* (zu)heilen; ˈ**heal·er** [-lə] *s.* **1.** Heil(end)er *m*, *bsd.* Gesundbeter(in); **2.** Heilmittel *n*: *time is a great* ~ die Zeit heilt alle Wunden; ˈ**heal·ing** [-liŋ] **I.** *s.* Heilung *f*; **II.** *adj.* □ heilsam, heilend, Heil(ungs)...

health [helθ] *s.* **1.** Gesundheit *f*, Wohlergehen *n*: ~ *service* Gesundheitsdienst, Krankenversicherung; ~ *certificate* ärztliches Attest; **2.** Gesundheitszustand *m*: *in good* ~ gesund; *in poor* ~ kränklich; *ill* ~ Kränklichkeit; *state of* ~ Befinden; **3.** Gesundheit *f*, Wohl *n*: *to drink s.o.'s* ~ auf j-s Wohl trinken; *your* ~! auf Ihr Wohl!; *here's to the* ~ *of* ein Prosit (*dat.*), ... soll leben!; **4.** Heilkraft *f*.

health| foods *s. pl.* Reˈformwaren *pl.*, -kost *f*; ~ **food shop** *s.* Reˈformhaus *n*.

health·ful [ˈhelθful] *adj.* □ gesund, heilsam, bekömmlich (*to* für); ˈ**health·ful·ness** [-fulnis] *s.* Gesundheit *f*, Heilsamkeit *f*; ˈ**health·i·ness** [-θinis] *s.* Gesundheit *f*.

health| in·sur·ance *s.* Krankenversicherung *f*; ˈ~**-of·fi·cer** *s.* **1.** Amtsarzt *m*; **2.** ⚓ Hafen-, Quaranˈtänearzt *m*; ˈ~**-re·sort** *s.* Kurort *m*.

health·y [ˈhelθi] *adj.* □ **1.** *allg.* gesund (*a. fig.*): ~ *boy*; ~ *competition*; **2.** heilsam; **3.** förderlich.

heap [hiːp] **I.** *s.* **1.** Haufe(n) *m*: *in* ~*s* haufenweise; **2.** F Haufen *m*, Menge *f*: ~*s of time* e-e Menge Zeit; ~*s of times* sehr oft; ~*s better* sehr viel besser; *struck all of a* ~ sprachlos, ‚ganz platt'; **3.** *sl.* ‚Karre' *f* (*Auto*); **II.** *v/t.* **4.** häufen: *a* ~*ed spoonful* ein gehäufter Löffel(voll); *to* ~ *up* an-, aufhäufen; **5.** beladen, bedekken; **6.** *fig. j-n* überˈhäufen, -ˈschütten (*with* mit); **7.** *to* ~ *upon fig. et.* laden, häufen auf: *to* ~ *insults upon j-n* mit Schmähungen überschütten.

hear [hiə] [*irr.*] **I.** *v/t.* **1.** hören: *I* ~ *him laugh(ing)* ich höre ihn lachen; *to make o.s.* ~*d* sich Gehör verschaffen; **2.** (an)hören: *to* ~ *an opera*; **3.** *j-m* zuhören, *j-n* anhören: *to* ~ *s.o. out* j-n ausreden lassen; **4.** hören *od.* achten auf (*acc.*), *j-s* Rat folgen; **5.** *Bitte etc.* erhören; **6.** *ped. Aufgabe od. Schüler* abhören; **7.** *et.* hören, erfahren (*about*, *of* über *acc.*); **8.** ⚖ **a)** verhören, vernehmen, **b)** *Fall* verhandeln; **II.** *v/i.* **9.** hören: ~! ~! *parl.* **a)** bravo!, sehr richtig!, **b)** *iron.* hört! hört!; **10.** hören, erfahren, Nachricht erhalten (*from* von; *of*, *about* von, über [*acc.*]; *that* daß): *you'll* ~ *of this* das wirst du mir büßen; *I won't* ~ *of it* ich erlaube *od.* dulde es nicht; *let me* ~ laß mich wissen; **heard** [həːd] *pret. u. p.p. von hear*; ˈ**hear·er** [-ərə] *s.* (Zu-)Hörer(in); ˈ**hear·ing** [-əriŋ] *s.* **1.** Hören *n*; Gehör(sinn *m*) *n*: ~*-aid* Hörhilfe, -gerät; *hard of* ~ ⚕ schwerhörig; **2.** Gehör *n*, Anhören *n*; Audiˈenz *f*: *to gain a* ~ sich Gehör verschaffen; *to give s.o. a* ~ j-n anhören; **3.** Hörweite *f*: *in my* ~ in m-r Gegenwart; *within* (*out of*) ~ in (außer) Hörweite; **4.** ⚖ **a)** Verhör *n*, Vernehmung *f*, **b)** *a. preliminary* ~ ˈVorunterˌsuchung *f*, **c)** Verhandlung *f*; **5.** *bsd. pol.* Hearing *n*, Anhörung *f*.

heark·en [ˈhɑːkən] *v/i. poet.* (*to*) horchen (auf *acc.*); Beachtung schenken (*dat.*).

ˈ**hear·say** *s.* **1.** Hörensagen *n*: *by* ~ vom Hörensagen; **2.** Gerücht *n*, Gerede *n*; ~ **ev·i·dence** *s.* ⚖ Zeugnis *n* vom Hörensagen.

hearse [həːs] *s.* Leichenwagen *m*; ˈ~**-cloth** *s.* Leichentuch *n*.

heart [hɑːt] *s.* **1.** Herz *n* (*a. fig.*); **2.** Zuneigung *f*, Mitgefühl *n*: *affair of the* ~ (Liebes)Romanze; **3.** Gefühl(e *pl.*) *n*, Seele *f*, Gemüt *n*, Inner(st)es *n*: *change of* ~ Gesinnungswechsel; **4.** Eifer *m*, Mut *m*, Tatkraft *f*; **5.** Inneres *n*, Kern *m*, Mitte *f*: *in the* ~ *of* inmitten (*gen.*), mitten in (*dat.*); **6.** Wesentliche *n*, Kern *m* (*e-r Frage etc.*): *to go to the* ~ *of s.th.* zum Kern e-r Sache vorstoßen, e-r Sache auf den Grund gehen; ~ *of the matter* Kern der Sache, des Pudels Kern; **7.** Liebling *m*, *mein* Herz(chen) *n*; **8.** *pl. Kartenspiel*: Herz *n*, Cœur *n*: *king of* ~*s* Herzkönig; **9.** ⚘ Herz *n* (*Salat, Kohl*): ~ *of oak* **a)** Kernholz der Eiche, **b)** *fig.* Standhaftigkeit; **10.** Fruchtbarkeit *f* (*Boden*): *in good* (*poor*) ~ in gutem (schlechtem) Zustand;

Besondere Redewendungen:

~ *and soul* mit Leib u. Seele; ~*'s desire* Herzenswunsch; *after my* (*own*) ~ ganz nach m-m Herzen *od.* Wunsch; *at* ~ im Innersten, im Grunde; *by* ~ auswendig; *from one's* ~ von Herzen; *in one's* ~ (*of* ~*s*) **a)** im Grunde s-s Herzens, **b)** insgeheim; *to one's* (*dear*) ~*'s content* nach Herzenslust; *with all my* ~ von ganzem Herzen; *with a heavy* ~ schweren Herzens; *bless my* ~! du meine Güte!; *it breaks my* ~ es bricht mir das Herz; *to eat one's* ~ *out* sich vor Gram verzehren; *I could not find it in my* ~ ich brachte es nicht über mich; *my* ~ *goes out to* ich empfinde tiefes Mitleid mit; *have a* ~! hab Erbarmen!; *to have no* ~ kein Mitgefühl haben; *I have s.th. at* ~ et. liegt mir am Herzen; *not to have the* ~ *to inf.* es nicht übers Herz bringen zu *inf.*, nicht den Mut haben zu *inf.*; *I had my* ~ *in my mouth* das Herz schlug mir bis zum Halse, ich war zu Tode erschrocken; *to lay one's* ~ *open* s-e Gefühle offenbaren, offen reden; *to lose* ~ den Mut verlieren; *to lose one's* ~ *to* sein Herz verlieren an (*acc.*); *to open one's* ~ **a)** (*to s.o.* j-m) sein Herz eröffnen *od.* ausschütten, **b)** großmütig sein; *to press* (*od. clasp*) *to one's* ~ ans Herz *od.* an die Brust drücken; *to put one's* ~ *into s.th.* mit Leib u. Seele bei et. sein; *to set one's* ~ *on* sein Herz hängen an (*acc.*); *my* ~ *sank into my boots* das Herz fiel mir in die Hose(n); *to take* ~ Mut fassen; *to take s.th. to* ~ sich et. zu Herzen nehmen; *to wear one's* ~ *on one's sleeve* das Herz auf der Zunge tragen.

ˈ**heart|·ache** *s.* Kummer *m*, Gram *m*; ~ **at·tack** *s.* ⚕ Herzanfall *m*; ˈ~**-beat** *s.* ⚕ Herzschlag *m* (*Pulsieren*); ˈ~**-blood** *s. fig.* **a)** Herzblut *n*, **b)** Leben *n*; ˈ~**-break** *s.* Herzeleid *n*; ˈ~**-break·ing** *adj.* herzzerbrechend; ˈ~**-bro·ken** *adj.* (ganz) gebrochen, untröstlich; ˈ~**-burn** *s.* ⚕ Sodbrennen *n*; ˈ~**-burn·ing** *s.* **1.** Groll *m*, Eifersucht *f*, Neid *m*; **2.** Kummer *m*; ~ **con·di·tion**, ˈ~**-dis·ease** *s.* Herzleiden *n*.

-heart·ed [hɑːtid] *in Zssgn* ...herzig, ...mütig.

heart·en [ˈhɑːtn] *v/t.* ermutigen, aufmuntern; ˈ**heart·en·ing** [-niŋ] *adj.* ermutigend.

heart| fail·ure *s.* ⚕ Herzversagen *n*; ˈ~**-felt** *adj.* tiefempfunden, aufrichtig, innig.

hearth [hɑːθ] *s.* **1.** Kaˈmin(platte *f*, -sohle *f*) *m*, Feuerstelle *f*; **2.** ⊕ Schmiedefeuer *n*, Esse *f*; **3.** *fig. a.* ~ *and home* häuslicher Herd, Heim *n*; ˈ~**-rug** *s.* Kaˈminvorleger *m*; ˈ~**-stone** *s.* **1.** Kaˈminplatte *f*; **2.** *weicher* Scheuerstein; **3.** → *hearth 3.*

heart·i·ly [ˈhɑːtili] *adv.* **1.** herzlich, von Herzen, innig; **2.** herzhaft, kräftig; **3.** herzlich, völlig, sehr; ˈ**heart·i·ness** [-inis] *s.* **1.** Herzlichkeit *f*, Innigkeit *f*; **2.** Herzhaftigkeit *f*, Stärke *f*.

ˈ**heart·land** *s.* Herz-, Kernland *n*.

heart·less [ˈhɑːtlis] *adj.* □ herzlos, kalt, grausam, gefühllos; ˈ**heart·less·ness** [-nis] *s.* Herzlosigkeit *f*.

ˈ**heart|-ˈlung ma·chine** *s.* ⚕ ˈHerz-ˈLungen-MaˌschineC *f*: *to put on the* ~ an die Herz-Lungen-Maschine anschließen; ˈ~**-rend·ing** *adj.* herzzerreißend; ˈ~**-rot** *s.* Kernfäule *f* (*Baum*); ˈ~*'s*-**blood** → *heart-blood*; ˈ~**-search·ing I.** *adj.* beklemmend, schmerzlich; **II.** *s. oft pl.* Zweifel *pl.*, ˈSkrupel *m*; Gewissenserforschung *f*; ˈ~**s·ease** *s.* ⚘ wildes Stiefmütterchen; ˈ~**-shaped** *adj.* herzförmig; ˈ~**-sick**, ˈ~**-sore** *adj.* tiefbetrübt; ˈ~**-strings** *s. pl. fig.* Herz *n*, innerste Gefühle *pl.*: *to pull at s.o.'s* ~ j-m das Herz zerreißen, j-n tief rühren; ˈ~**-throb** *s.* **1.** Herzschlag *m*; **2.** F Schatz *m*, Schwarm *m*; ˈ~**-to-ˈ**~ *adj.* offen, aufrichtig: ~ *talk*; ~ **trans·plant** *s.* ⚕ Herzverpflanzung *f*; ˈ~**-whole** *adj.* **1.** von Liebe unberührt, (noch) ungebunden; **2.** aufrichtig, rückhaltlos.

heart·y [ˈhɑːti] **I.** *adj.* □ → *heartily*; **1.** herzlich, warm, aufrichtig; **2.**

herzhaft, kräftig, tüchtig; **3.** gesund, kräftig; **4.** fruchtbar (*Boden*); **II.** *s.* **5.** *Brit. sl. univ.* Sportler *m*; **6.** *my hearties* meine tapferen Jungs (*Matrosen*).

heat [hi:t] **I.** *s.* **1.** Hitze *f*; *phys.* Wärme *f*: *~-engine* Wärmekraftmaschine; *degree of ~* Wärmegrad; **2.** heißes Wetter; **3.** Fieberhitze *f*; **4.** Erhitzung *f*; Glut *f*; **5.** Schärfe *f* (*Geschmack*); **6.** *fig.* Eifer *m*, Feuer *n*, Hitze *f*: *in the ~ of the moment* im Eifer des Gefechts; *in the ~ of passion* ⚖ im Affekt; **7.** Leidenschaft *f*, Erregung *f*, Zorn *m*; **8.** *zo.* Brunst *f*, Läufigkeit *f*: *on* (*od. in*) *~* brünstig, läufig; **9.** *sport* ˈDurchgang *m*, Runde *f*; Lauf *m*, Einzelrennen *n*: *trial ~* Vorlauf, Ausscheidungsrennen; *final ~* Endrunde, Entscheidungskampf; **10.** *Am. sl.* Druck *m*, Gewalt *f*: *to turn on the ~* Dampf dahintermachen; *to turn the ~ on s.o.* j-n unter Druck setzen, j-m die Hölle heiß machen; **II.** *v/t.* **11.** erhitzen (*a. fig.*), heiß machen: *to ~ up* aufwärmen; **12.** *Haus etc.* heizen; **III.** *v/i.* **13.** sich erhitzen (*a. fig.*), heiß werden; **ˈ~-ap·o·plex·y** → *heat-stroke*; **~ bar·ri·er** *s.* ✈ Hitzemauer *f*, -grenze *f*.

heat·ed [ˈhi:tid] *adj.* □ erhitzt: **a)** heiß geworden, **b)** *fig.* erregt (*with* von).

heat·er [ˈhi:tə] *s.* **1.** Heizgerät *n*, -körper *m*, (Heiz)Ofen *m*; **2.** *Radio*: Heizfaden *m*, -draht *m*; **3.** (*Plätt-*)Bolzen *m*; **4.** *Am. sl.* ‚Kaˈnone' *f* (*Pistole etc.*).

heath [hi:θ] *s.* **1.** *bsd. Brit.* Heide (-land *n*) *f*; **2.** ⚘ Heidekraut *n*; **ˈ~-bell** *s.* ⚘ Heide(blüte) *f*.

hea·then [ˈhi:ðən] **I.** *s.* **1.** Heide *m*, Heidin *f*; **2.** *fig.* Barˈbar *m*; **II.** *adj.* **3.** heidnisch, Heiden...; **4.** unzivilisiert; **ˈhea·then·dom** [-dəm] *s. die* Heiden *pl.*; **ˈhea·then·ish** [-ðəniʃ] *adj.* □ **1.** heidnisch; **2.** *fig.* unzivilisiert; **ˈhea·then·ism** [-ðənizəm] *s.* **1.** Heidentum *n*; **2.** Barbaˈrei *f*.

heath·er [ˈheðə] *s.* ⚘ Heidekraut *n*, Erika *f*; **ˈ~-bell** *s.* ⚘ Glockenheide *f*; **~ mix·ture** *s.* gesprenkelter Wollstoff.

heat·ing [ˈhi:tiŋ] **I.** *s.* **1.** Heizung *f*; **2.** Erhitzung *f* (*a. fig.*), Erwärmung *f*; **II.** *adj.* **3.** heizend, erwärmend; **4.** Heiz...; **~ jack·et** *s.* ⊕ Heizmantel *m*; **~ pad** *s.* Heizkissen *n*; **~ surface** *s.* ⊕ Heizfläche *f*.

ˈheat|·proof *adj.* hitzebeständig; **~ ray** *s. phys.* Wärmestrahl *m*; **ˈ~-re·sist·ing** → *heatproof*; **~ shield** *s. Raumfahrt*: Hitzeschild *m*; **ˈ~-spot** *s.* ⚕ Hitzebläs-chen *n*; **ˈ~-stroke** *s.* ⚕ Hitzschlag *m*; **ˈ~-treat** *v/t.* ⊕ *Stahl* vergüten; **ˈ~-u·nit** *s. phys.* Wärmeeinheit *f*; **ˈ~-wave** *s.* Hitzewelle *f*.

heave [hi:v] **I.** *v/t.* (⚓ [*irr.*] *pret. u. p.p.* **hove**) **1.** *et. Schweres* auf-, hochheben, hochziehen, -winden; ⚓ hieven; *Anker* lichten: *to ~ the lead* (*log*) loten (loggen); *to ~ taut* straffziehen; *to ~ ahead Schiff* vorwärts winden; *to ~ down Schiff* kielholen; *to ~ out Segel* losmachen; *to ~ to Schiff* stoppen, beidrehen; **2.** (heben u.) werfen: *to ~ a brick* e-n Ziegelstein schleudern; *to ~ coal* Kohlen schleppen; *to ~ a sigh* e-n Seufzer ausstoßen; **3.** heben u. senken, aufschwellen; *Brust* weiten, dehnen; **4.** *geol.* verschieben; **II.** *v/i.* (⚓ [*irr.*] *pret. u. p.p.* **hove**) **5.** sich heben u. senken, wogen, (an)schwellen; **6.** ⚓ treiben, fahren: *to ~ alongside* längsseit gehen; *to ~ to* stoppen, beidrehen; *to ~ in sight* in Sicht kommen, F *fig.* aufkreuzen; **7.** ⚓ ziehen: *~ ho!* holt auf!; **8.** keuchen; Brechreiz haben; **9.** sich werfen *od.* verschieben; **III.** *s.* **10.** Heben *n*, Hub *m*; **11.** Aufwinden *n*, -ziehen *n*; **12.** Schwellen *n*, Wogen *n*; **13.** *geol.* Verwerfung *f*, Verschiebung *f*.

heav·en [ˈhevn] *s.* **1.** Himmel(reich *n*) *m*: *to go to ~* in den Himmel kommen; *to move ~ and earth fig.* Himmel u. Hölle in Bewegung setzen; **2.** Himmel *m*, Paraˈdies *n*, himmlisches Glück, Seligkeit *f*; **3.** ♀ Himmel *m*, Gott *m*, Vorsehung *f*: *the ♀s* die himmlischen Mächte; **4.** *by ~!*, (*good*) *~s!* du lieber Himmel!; *for ~'s sake* um Himmels willen!; *~ forbid!* Gott behüte!; *thank ~!* Gott sei Dank!; *~ knows* weiß Gott; **5.** *mst pl.* Himmel *m*, Firmaˈment *n*: *the northern ~s* der nördliche (Sternen)Himmel; **6.** ˈKlima *n*, Zone *f*; **ˈ~-born** *adj.* vom Himmel stammend, himmlisch.

heav·en·ly [ˈhevnli] *adj.* **1.** Himmels...: *~ body* Himmelskörper; **2.** himmlisch, göttlich, erhaben: *~ hosts* himmlische Heerscharen; **3.** F himmlisch, wunderbar.

ˈheav·en|-sent *adj.* (wie) vom Himmel gesandt; **ˈ~ward** [-wəd] *adj.* gen Himmel gerichtet; **ˈ~ward(s)** [-wəd(z)] *adv.* himmelwärts.

heav·er [ˈhi:və] *s.* **1.** *coal-~* Kohlentrimmer *m*; **2.** ⊕ Hebebaum *m*.

heav·i·ly [ˈhevili] *adv.* schwer (*a. fig.*): *to suffer ~* schwere (finanzielle) Verluste erleiden; **ˈheav·i·ness** [-inis] *s.* **1.** Schwere *f* (*a. fig.*); **2.** Gewicht *n*, Druck *m*; **3.** Bedrückung *f*, Schwermut *f*; **4.** Schwerfälligkeit *f*; **5.** Schläfrigkeit *f*; Trägheit *f*.

heav·y [ˈhevi] **I.** *adj.* □ → *heavily*; **1.** schwer (*a.* ⚗, *phys.*); **2.** ⚔ schwer: *~ guns* schwere Geschütze, *fig.* schweres Geschütz (*drastische Mittel*); **3.** reich (*Ernte etc.*), beladen, voll; *fig.* überˈladen; **4.** wuchtig: *~ blow* schwerer Schlag (*a. fig.*); **5.** schwer, stark, heftig, groß, ˈumfangreich: *~ beer* Starkbier; *~ eater* starker Esser; *~ fall* schwerer Sturz; *~ loss* schwerer Verlust; *~ rain* heftiger *od.* starker Regen; *~ orders* ⚚ große Aufträge; *~ sea* ⚓ schwere See; *~ traffic* starker Verkehr; **6.** schwer, schwierig, mühsam (*Arbeit etc.*): *~ worker* Schwerarbeiter; **7.** drückend, lästig; **8.** bedrückt, betrübt, traurig; **9.** ernst, betrüblich; **10.** trübe, finster (*Himmel*); **11.** schwerfällig, unbeholfen; **12.** träge, langsam, schläfrig; **13.** schwer(verständlich), langweilig (*Buch etc.*); **14.** grob, dick: *~ features* grobe Züge; **15.** unwegsam (*Straße*); **16.** pappig, klitschig (*Gebäck*); **17.** schwerverdaulich; **II.** *adv.* **18.** *to lie ~ on s.o.* auf j-m lasten; *time hangs ~ on my hands* die Zeit wird mir lang; **19.** *in Zssgn* schwer...; **III.** *s.* **20.** *thea.* **a)** Schurke *m*, **b)** würdiger älterer Herr; **21.** *sport* F Schwergewichtler *m*; **22.** *Am. sl.* ‚schwerer Junge' (*Verbrecher*); **ˈ~-ˈarmed** *adj.* ⚔ schwerbewaffnet; **~ chem·i·cals** *s. pl.* ˈSchwerchemiˌkalien *pl.*; **~ cur·rent** *s.* ⚡ Starkstrom *m*; **ˈ~-ˈdu·ty** *adj.* ⊕ Hochleistungs..., Schwer(last)...; **ˈ~-ˈhand·ed** *adj.* **1.** plump, ungeschickt; **2.** drückend; **ˈ~-ˈheart·ed** *adj.* niedergeschlagen, bedrückt; **~ hy·dro·gen** *s.* ⚗ schwerer Wasserstoff; **ˈ~-ˈlad·en** *adj.* **1.** schwerbeladen; **2.** *fig.* belastet; **~ oil** *s.* ⊕ Schweröl *n*; **~ spar** *s. min.* Schwerspat *m*; **~ type** *s. typ.* Fettdruck *m*; **~ wa·ter** *s.* ⚗ schweres Wasser; **ˈ~-weight** **I.** *s.* **1.** *sport* Schwergewicht(ler *m*) *n*; **2.** *Am.* F einflußreiche Perˈsönlichkeit; **II.** *adj.* **3.** *sport* Schwergewichts...; **4.** schwer (*a. fig.*).

heb·dom·a·dal [hebˈdɔmədl] *adj.* wöchentlich: ♀ *Council höchste Behörde der Universität Oxford.*

He·bra·ic [hi(:)ˈbreiik] *adj.* (□ *~ally*) heˈbräisch; **He·bra·ism** [ˈhi:breiizəm] *s.* hebräische Eigenart; **He·bra·ize** [ˈhi:breiaiz] *v/t. u. v/i.* heˈbräisch machen (werden).

He·brew [ˈhi:bru:] **I.** *s.* **1.** Heˈbräer (-in), Jude *m*, Jüdin *f*; **2.** *ling.* Heˈbräisch *n*; **3.** F Kauderwelsch *n*; **4.** *pl. sg. konstr. bibl.* (Brief *m* an die) Hebräer *pl.*; **II.** *adj.* **5.** heˈbräisch.

Heb·ri·de·an [hebriˈdi:ən] **I.** *adj.* heˈbridisch; **II.** *s.* Bewohner(in) der Heˈbriden.

hec·a·tomb [ˈhekətoum] *s.* Hekaˈtombe *f* (*a. fig. gewaltige Menschenverluste*).

heck [hek] *s. Brit.* F Hölle *f*: *a ~ of a row* ein Höllenlärm; *what the ~* was zum Teufel.

heck·le [ˈhekl] *v/t.* **1.** *Flachs* hecheln; **2.** *Redner* durch Zwischenfragen belästigen, ‚in die Zange nehmen'; **ˈheck·ler** [-lə] *s.* Zwischenrufer *m*.

hec·tare [ˈhektɑ:] *s.* Hektar *n*, *m*.

hec·tic [ˈhektik] *adj.* **1.** hektisch, schwindsüchtig: *~ fever* Schwindsucht; *~ flush* hektische Röte; **2.** F fieberhaft, hektisch: *to have a ~ time* keinen Augenblick Ruhe haben.

hecto- [hektou-] *in Zssgn* hundert.

hec·to·gram(me) [ˈhektougræm] *s.* Hektoˈgramm *n*; **ˈhec·to·graph** [-grɑ:f; -græf] **I.** *s.* Hektoˈgraph *m*; **II.** *v/t.* hektographieren, vervielfältigen; **ˈhec·to·li·ter** *Am.*, **ˈhec·to·li·tre** *Brit.* [-li:tə] *s.* ˈHektoliter *m*, *n*.

hec·tor [ˈhektə] **I.** *s.* **1.** Braˈmarbas *m*, Prahler *m*; **2.** Tyˈrann *m*; **II.** *v/t.* **3.** einschüchtern, tyrannisieren, einhacken auf (*acc.*); **III.** *v/i.* **4.** bramarbasieren, renommieren; **5.** herˈumkommandieren.

he'd [hi:d] F *für* **a)** *he would*, **b)** *he had.*

hed·dle [ˈhedl] **I.** *s. Weberei*: Litze *f*, Helfe *f*: *~ hook* Einziehhaken; **II.** *v/t. Kettfäden* einziehen.

hedge [hedʒ] **I.** *s.* **1.** Hecke *f*, *bsd.* Heckenzaun *m*; **2.** *fig.* Mauer *f*, Kette *f*, Absperrung *f*: *a* ~ *of police* e-e Polizeikette; **3.** Behinderung *f*; **4.** † Sicherungsgeschäft *n*; **II.** *adj.* **5.** minderwertig, zweifelhaft: ~ *lawyer* Winkeladvokat; **III.** *v/t.* **6.** *a.* ~ *in* einhegen, -zäunen; um'geben (*a. fig.*); **7.** *a.* ~ *off* abzäunen, absperren; *fig.* einengen, behindern; **8.** schützen, hegen; **9.** † sichern, decken; **IV.** *v/i.* **10.** sich sichern *od.* decken; **11.** *fig.* sich nicht festlegen, sich winden, sich vorsichtig ausdrücken; '**~-bill** *s.* Heckenmesser *n*, -sichel *f*; **~·hog** ['hedʒhɔg] *s.* **1.** *zo.* **a)** Igel *m*, **b)** *Am.* Stachelschwein *n*; **2.** ⚘ stachelige Samenkapsel; **3.** ⚔ **a)** Igelstellung *f*, **b)** Drahtigel *m*; **4.** *fig.* Kratzbürste *f* (*Person*); '**~-hop** *v/i.* ✈ *sl.* ‚heckenhüpfen' (*dicht über dem Boden fliegen*); '**~-hop·per** *s.* ✈ *sl.* Tiefflieger *m*.

hedg·er ['hedʒə] *s.* **1.** *a.* ~ *and ditcher* Heckengärtner *m*; **2.** Drückeberger(in); wer e-r Frage ausweicht.

'**hedge|·row** *s.* Hecke *f*; '**~-school** *s. Brit.* minderwertige Schule; '**~-spar·row** *s. orn.* 'Heckenbrau‚nelle *f*; '**~-writ·er** *s.* Schreiberling *m*.

hedg·ing ['hedʒiŋ] *s.* **1.** ~ *and ditching* Ausbessern *n* von Hecken u. Gräben; **2.** *fig.* Ausweichen *n*.

he·don·ic [hi:'dɔnik] *adj.* Lust...; **he·don·ism** ['hi:dənizəm] *s. phls.* Hedo'nismus *m*; **he·don·ist** ['hi:dənist] *s. phls.* Hedo'nist *m*; **he·do·nis·tic** [hi:də'nistik] *adj.* hedo'nistisch.

heed [hi:d] **I.** *v/t.* beachten, achtgeben auf (*acc.*); **II.** *v/i.* achtgeben; **III.** *s.* Beachtung *f*: *to give* (*od. pay*) ~ *to*, *to take* ~ *of* beachten, achtgeben auf (*acc.*); '**heed·ful** [-ful] *adj.* □ achtsam, aufmerksam (*of* auf *acc.*); vorsichtig; '**heed·ful·ness** [-fulnis] *s.* Achtsamkeit *f*, Vorsicht *f*; '**heed·less** [-lis] *adj.* □ achtlos, unachtsam; unbekümmert (*of* um); '**heed·less·ness** [-lisnis] *s.* Unachtsamkeit *f*.

hee-haw ['hi:'hɔ:] **I.** *s.* **1.** 'I'ah *n* (*Eselschrei*); **2.** *fig.* wieherndes Gelächter; **II.** *v/i.* **3.** 'i'ahen; **4.** *fig.* wiehern, laut lachen.

heel[1] [hi:l] **I.** *v/t.* **1.** *Schuhe* mit Absätzen versehen; Fersen anstricken an *Strümpfe*; **2.** *Fußball*: *Ball* mit dem Absatz kicken; **II.** *s.* **3.** Ferse *f*; **4.** Absatz *m*, Hacken *m* (*Schuh*); **5.** Ferse *f* (*Strumpf*, *Golfschläger*); **6.** Fuß *m*, Ende *n*, Rest *m*; Kanten *m* (*Brot*); **7.** vorspringender Teil, Sporn *m*; **8.** *Am. sl.* ‚Scheißkerl' *m*; Lump *m*;

Besondere Redewendungen:

~ *of Achilles* Achillesferse; *at* (*od. on*) *s.o.'s* ~*s* j-m auf den Fersen, dicht hinter j-m; *on the* ~*s of s.th. fig.* gleich nach et.; *down at* ~*(s)* **a)** mit schiefen Absätzen, **b)** abgerissen, schäbig; *out at* ~*(s)* **a)** mit Löchern in den Strümpfen, **b)** ärmlich; *under the* ~ *of fig.* unter *j-s* Knute; *to bring to* ~ *j-n* gefügig *od.* kirre machen; *to come to* ~ **a)** bei Fuß gehen (*Hund*), **b)** gefügig werden, gehorchen; *to cool* (*od. kick*) *one's* ~*s* ungeduldig warten; *to lay by the* ~*s* erwischen, einsperren, zur Strecke bringen; *to show a clean pair of* ~*s*, *to take to one's* ~*s* Fersengeld geben, die Beine in die Hand nehmen; *to tread on s.o.'s* ~*s* j-m auf die Hacken treten; *to turn on one's* ~*s* (auf dem Absatz) kehrtmachen.

heel[2] [hi:l] *v/t. u. v/i. a.* ~ *over* (sich) auf die Seite legen (*Schiff*), krängen.

'**heel·ball** *s.* Polierwachs *n*.

heeled [hi:ld] *adj. Am.* F **a)** gut bei Kasse, mit dicker Brieftasche, **b)** bewaffnet; '**heel·er** [-lə] *s. pol. Am.* Handlanger *m*.

'**heel|·piece** *s.* Absatzfleck *m*; '**~·tap** *s.* Neige *f* (*im Glas*): *no* ~*s!* ausgetrunken!, ex!

heft [heft] **I.** *s.* **1.** *Am.* Gewicht *n*; *fig.* Einfluß *m*, Bedeutung *f*; **2.** *Am.* F Hauptteil *m*; **II.** *v/t.* **3.** *Am.* F hochheben (u. abwägen); '**heft·y** [-ti] *adj.* F **1.** kräftig, stämmig; **2.** stattlich (*Summe etc.*).

He·ge·li·an [hei'gi:ljən] *s. phls.* Hegeli'aner *m*.

he·gem·o·ny [hi(:)'geməni] *s.* Hegemo'nie *f*, Vor-, Oberherrschaft *f*.

he·gi·ra ['hedʒirə] *s.* **1.** *hist.* 'Hedschra *f*; **2.** *fig.* Flucht *f*.

heif·er ['hefə] *s.* Färse *f*, junge Kuh.

heigh [hei] *int.* hei!; he(da)!; '**heigh-'ho** [-'hou] *int.* ach jeh!; oh!

height [hait] *s.* **1.** Höhe *f* (*a. ast.*): *10 feet in* ~ 10 Fuß hoch; **2.** (Körper)Größe *f*; **3.** Anhöhe *f*; Erhebung *f*; **4.** *fig.* Höhe(punkt *m*) *f*, Gipfel *m*, höchste Stufe: *at the* ~ *of summer* im Hochsommer; ~ *of folly* Gipfel der Torheit; *in the* ~ *of fashion* nach der neuesten Mode; '**height·en** [-tn] *v/t.* **1.** erhöhen (*a. fig.*); **2.** *fig.* vergrößern, -stärken, steigern; **3.** her'vorheben; **4.** über'treiben.

height| find·er, ~ **ga(u)ge** *s.* ✈ Höhenmesser *m*.

hei·nous ['heinəs] *adj.* □ ruchlos, ab'scheulich, schändlich; '**hei·nous·ness** [-nis] *s.* Ab'scheulichkeit *f*.

heir [ɛə] *s.* Erbe *m*: *to be* ~ *to* (*od. of*) *s.th.* et. erben; ~ *to the throne* Thronfolger; ~*-at-law* gesetzlicher Erbe; ~ *apparent* gesetzlicher (Thron)Erbe; ~ *presumptive* mutmaßlicher Erbe; **heir·dom** ['ɛədəm] *s.* **1.** Erbe *n*, Erbschaft *f*; **2.** Erbfolge *f*; **heir·ess** ['ɛəris] *s.* (*bsd.* reiche) Erbin; **heir·less** ['ɛəlis] *adj.* ohne Erben; **heir·loom** ['ɛəlu:m] *s.* (altes) Erbstück.

he·ji·ra → *hegira*.

held [held] *pret. u. p.p. von hold*[2].

he·li·a·cal [hi(:)'laiəkəl] *adj. ast.* heli'akisch, Sonnen...

he·li·an·thus [hi:li'ænθəs] *s.* ⚘ Sonnenblume *f*.

hel·i·bus ['helibʌs] *s.* ✈ Hubschrauber *m* für Per'sonenbeförderung.

hel·i·cal ['helikl] *adj.* □ spi'ralen-, schrauben-, schneckenförmig; ~ **blow·er** *s.* ⊕ Pro'pellergebläse *n*; ~ **gear** *s.* ⊕ Schrägstirnrad *n*.

hel·i·ces ['helisi:z] *pl. von helix*.

hel·i·cop·ter ['helikɔptə] *s.* ✈ Hubschrauber *m*: ~ *carrier* Hubschrauberträger; '**hel·i·drome** [-idroum] *s.* Hubschrauber-Landeplatz *m*.

helio- [hi:liou-] *in Zssgn* Sonnen...

he·li·o·cen·tric [hi:liou'sentrik] *adj. ast.* helio'zentrisch; **he·li·o'cen·tri·cism** [-isizəm] *s.* heliozentrische Lehre; **he·li·o·chrome** ['hi:lioukroum] *s. phot.* farbiges Lichtbild; **he·li·o·chro·my** ['hi:lioukroumi] *s.* 'Farbphotogra‚phie *f*; **he·li·o·gram** ['hi:liougræm] *s.* Helio'gramm *n*; **he·li·o·graph** ['hi:liougrɑ:f; -græf] **I.** *s.* Helio'graph *m*; 'Spiegeltele‚graph *m*; **II.** *v/t.* heliographieren; **he·li·og·ra·phy** [hi:li'ɔgrəfi] *s.* Heliogra'phie *f*; **he·li·o·gra·vure** ['hi:liougrə'vjuə] *s. phot.* Helio-, Photogra'vüre *f*.

he·li·o·trope ['heljətroup] *s.* **1. a)** ⚘ Helio'trop *n*, **b)** Helio'tropduft *m*; **2. a)** *min.* Helio'trop *m*, **b)** Helio'tropfarbe *f*.

he·li·o·type ['hi:liətaip] *phot.* **I.** *s.* Helioty'pie *f*, Lichtdruck *m* (*Bild*); **II.** *v/t.* heliotypieren.

hel·i·pi·lot ['helipailət] *s.* ✈ 'Hubschrauberpi‚lot *m*; **hel·i·port** ['helipɔ:t] → *helidrome*.

he·li·um ['hi:ljəm] *s.* ⚗ 'Helium *n*.

he·lix ['hi:liks] *pl. mst* **hel·i·ces** ['helisi:z] *s.* **1.** Spi'rale *f*; **2.** 'Schnecken‚linie *f*; **3.** *anat.* Ohrleiste *f*; **4.** △ Schnecke *f*.

hell [hel] *s.* **1.** Hölle *f*: *oh* ~*!* F verflucht!; *like* ~ wie wild, verdammt, sehr; *go to* ~*!* scher dich zum Teufel!; *a* ~ *of a noise* ein Höllenlärm; *what the* ~ ... was zum Teufel ...; ~ *for leather* wie der Teufel, wie toll, Hals über Kopf; *to suffer* ~ Höllenqualen leiden; *to raise* ~ e-n Mordskrach schlagen; **2.** Spielhölle *f*; **3.** *a.* ~*-box typ.* De'fektenkasten *m*.

he'll [hi:l] F *für he will*.

'**hell|·bend·er** *s. zo.* Schlammteufel *m* (*großer Salamander*); '**~-bent** *adj. Am. sl.* erpicht, ‚scharf' (*on* auf *acc.*): ~ *for* wie wild auf *e-e Sache* los; '**~-broth** *s.* Hexen-, Zaubertrank *m*; '**~-cat** *s.* (wilde) Hexe (*Frau*).

hel·le·bore ['helibɔ:] *s.* ⚘ Nieswurz *f*.

Hel·lene ['heli:n] *s.* Hel'lene *m*, Grieche *m*; **Hel·len·ic** [he'li:nik] *adj.* hel'lenisch, griechisch; **Hel·len·ism** ['helinizəm] *s.* Helle'nismus *m*; Hel'lenentum *n*; **Hel·len·ist** ['helinist] *s.* Helle'nist *m*; **Hel·len·is·tic** [heli'nistik] *adj.* helle'nistisch; **Hel·len·ize** ['helinaiz] *v/t. u. v/i.* (sich) hellenisieren.

'**hell|-'fire** *s.* Höllenfeuer *n*, -qualen *pl.*; '**~-hound** *s.* **1.** Höllenhund *m*; **2.** Teufel *m*.

hel·lion ['heljən] *s.* F Range *m*, *f*, Bengel *m*.

hell·ish ['heliʃ] *adj.* □ höllisch, teuflisch, ab'scheulich.

'**hell-kite** *s.* Unmensch *m*, Teufel *m*.

hel·lo ['he'lou] → *hallo*.

helm[1] [helm] *s.* **1.** ⚓ **a)** Ruder *n*, Steuer *n*: *the ship answers the* ~ das Schiff gehorcht dem Ruder, **b)** Ruderpinne *f*; **2.** *fig.* Ruder *n*, Führung *f*: ~ *of State* Ruder des Staates; *to be at the* ~ am Ruder sein, herrschen.

helm² [helm] *s. obs.* Helm *m*; **helmed** [-md] *adj. obs.* behelmt.

hel·met ['helmit] *s.* **1.** ⚔ Helm *m*; **2.** (Schutz-, Sturz-, Tropen-, Taucher)Helm *m*; **3.** ⚘ Kelch *m*; **'hel·met·ed** [-tid] *adj.* behelmt.

hel·minth ['helminθ] *s. zo.* Eingeweidewurm *m.*

helms·man ['helmzmən] *s.* [*irr.*] ⚓ Steuermann *m*, Rudergänger *m.*

Hel·ot ['helət] *s.* **1.** *hist.* He'lot *m*; **2.** ♀ *fig.* Sklave *m*; **'hel·ot·ry** [-tri] *s.* **1.** He'lotentum *n*, Sklave'rei *f*; **2.** *coll.* He'loten *pl.*

help [help] **I.** *s.* **1.** Hilfe *f*, Beihilfe *f*, -stand *m*, Unter'stützung *f*, Mitwirkung *f*: *he came to my* ~ er kam mir zu Hilfe; **2.** Abhilfe *f*; Hilfsmittel *n*: *there is no* ~ *for it* da kann man nichts machen *od.* ändern; **3.** (Aus)Hilfe *f*, Stütze *f*, Gehilfe *m*, Gehilfin *f*: *domestic* ~ Hausgehilfin; **4.** *Am.* **a)** Dienstbote *m*, Knecht *m*, Magd *f*, **b)** ('Dienst-)Perso,nal *n*; **II.** *v/t.* **5.** helfen (*dat.*), behilflich sein (*dat.*), unter'stützen, beistehen (*dat.*): *so* ~ *me God* so wahr mir Gott helfe; *to* ~ *s.o. in* (*od. with*) *s.th.* j-m bei e-r Sache helfen; *to* ~ *s.o. on* (*off*) *with his coat* j-m in s-n (aus s-m) Mantel helfen; **6.** nützlich sein für, lindern; abhelfen (*dat.*); **7.** beitragen zu; **8.** (*to*) *j-m* verhelfen (zu); (*bsd. bei Tisch*) *j-n* bedienen (mit), *j-m* reichen *od.* geben (*acc.*): *to* ~ *o.s. to* **a)** sich bedienen mit, sich nehmen (*acc.*), **b)** sich aneignen (*acc.*); *can I* ~ *you?* **a)** werden Sie schon bedient?, **b)** kann ich et. für Sie tun?; **9.** *mit can*: abhelfen (*dat.*); verhindern, vermeiden: *if I can* ~ *it* wenn ich es vermeiden kann; *how could I* ~ *it?* **a)** was konnte ich dagegen tun?, **b)** was konnte ich dafür?; *I can't* ~ *it* **a)** ich kann es nicht ändern, **b)** ich kann nichts dafür; *she can't* ~ *her freckles* für ihre Sommersprossen kann sie nichts; *it can't be* ~*ed* es läßt sich nichts machen *od.* ändern; *don't be late if you can* ~ *it* komme möglichst nicht zu spät!; *I cannot* ~ *laughing* ich muß (einfach) lachen; *I can't* ~ *myself* ich kann nicht anders; **III.** *v/i.* **10.** helfen: *every little* ~*s* jede Kleinigkeit hilft;

Zssgn mit adv.:

help| down *v/t.* **1.** her'unter-, hin'unterhelfen (*dat.*); **2.** *fig.* zum 'Untergang beitragen von; ~ **in** *v/t.* hin'einhelfen (*dat.*); ~ **off** *v/t.* **1.** weiter-, forthelfen (*dat.*); **2.** *Zeit* vertreiben; ~ **on** *v/t.* weiter-, forthelfen (*dat.*); ~ **out** *v/t.* **1.** her'aushelfen (*dat.*), aus der Not helfen (*dat.*); **2.** aushelfen (*dat.*), unter'stützen (*acc.*); ~ **through** *v/t.* (hin)'durch-, hin'weghelfen (*dat.*); ~ **up** *v/t.* her'auf-, hin'aufhelfen (*dat.*).

help·er ['helpə] *s.* **1.** Helfer(in); **2.** Gehilfe *m*, Gehilfin *f*; **help·ful** ['helpful] *adj.* □ **1.** hilfreich, hilfsbereit, behilflich; **2.** nützlich; **help·ful·ness** ['helpfulnis] *s.* **1.** Hilfsbereitschaft *f*; **2.** Nützlichkeit *f*; **help·ing** ['helpiŋ] **I.** *adj.* hilfreich: *to lend a* ~ *hand j-m* helfen *od.* behilflich sein; **II.** *s.* Porti'on *f* (*e-r Speise*): *do you want a second* ~*?*; **help·less** ['helplis] *adj.* □ hilflos; ratlos; **help·less·ness** ['helplisnis] *s.* Hilflosigkeit *f.*

'help·mate, 'help·meet *s.* Gehilfe *m*, Gehilfin *f*; (Ehe)Gefährte *m*, (Ehe)Gefährtin *f*, Gattin *f.*

hel·ter-skel·ter ['heltə'skeltə] **I.** *adv.* 'holterdie'polter, Hals über Kopf; **II.** *adj.* wirr, ungestüm, hastig; **III.** *s.* Durchein'ander *n*, wilde Hast.

helve [helv] *s.* Griff *m*, Stiel *m*: *to throw the* ~ *after the hatchet fig.* **a)** aufs Ganze gehen, **b)** das Kind mit dem Bade ausschütten.

Hel·ve·tian [hel'vi:ʃjən] **I.** *adj.* hel'vetisch, schweizerisch; **II.** *s.* Hel'vetier(in), Schweizer(in).

hem¹ [hem] **I.** *s.* **1.** (*Kleider*)Saum *m*; (*Hosen*)'Umschlag *m*; **2.** Rand *m*, Kante *f*; Einfassung *f*; **II.** *v/t.* **3.** *Kleid etc.* säumen; **4.** ~ *in*, ~ *about*, ~ *round* einschließen, um'geben, um'zingeln; **5.** einengen.

hem² [hm] **I.** *int.* hm!, hem!; **II.** *s.* H(e)m *n*, Räuspern *n*; **III.** *v/i.* ‚hm' machen, sich räuspern; stocken (*im Reden*).

he·mal → *haemal.*

'he-'man *s.* [*irr.*] F ‚richtiger' *od.* männlicher Mann, Kerl *m.*

he·mat·ic *etc.* → *haematic etc.*

hemi- [hemi] *in Zssgn* halb.

hem·i·cy·cle ['hemisaikl] *s.* Halbkreis *m*; **hem·i·dem·i·sem·i·qua·ver** [hemidemisemi'kweivə] *s.* ♪ Vierundsechzigstel(note *f*) *n.*

hem·i·ple·gi·a [hemi'pli:dʒjə] *s.* ⚕ einseitige Lähmung, Hemiple'gie *f.*

hem·i·sphere ['hemisfiə] *s.* **1.** *bsd. geogr.* Halbkugel *f*, Hemi'sphäre *f*; **2.** *anat.* Großhirnhälfte *f*; **hem·i·spher·i·cal** [hemi'sferikəl], *a.* **hem·i·spher·ic** [hemi'sferik] *adj.* hemi'sphärisch, halbkugelig.

hem·lock ['hemlɔk] *s.* **1.** ⚘ Schierling *m*; **2.** *fig.* Schierlings-, Giftbecher *m*; ~ **fir,** ~ **spruce** *s.* ⚘ Hemlock-, Schierlingstanne *f.*

he·mo·glo·bin, he·mo·phil·i·a, hem·or·rhage, hem·or·rhoids → *haemo...*

hemp [hemp] *s.* **1.** ⚘ Hanf *m*: ~*-seed* Hanfsame; **2.** Hanf(faser *f*) *m*: ~ *comb* Hanfhechel; **3.** *sl.* Henkerseil *n*; **'hemp·en** [-pən] *adj.* hanfen, Hanf...

'hem-stitch I. *s.* Hohlsaum(stich) *m*; **II.** *v/t.* mit Hohlsaum nähen.

hen [hen] *s.* **1.** *orn.* Henne *f*, Huhn *n*: ~*'s egg* Hühnerei; **2.** (*Vogel*-)Weibchen *n*; **3.** Weibchen *n* (*von Krebs u. Hummer*); **'~·bane** *s.* **1.** ⚘ Bilsenkraut *n*; **2.** *pharm.* 'Bilsenkrautex,trakt *m.*

hence [hens] *adv.* **1.** *a. from* ~ (*Raum*) von hier, von hinnen, fort: ~ *with it!* weg damit!; *to go* ~ sterben; **2.** (*Zeit*) von jetzt an, binnen: *a week* ~ in *od.* nach einer Woche; **3.** (*Ursprung*) folglich, daher, deshalb; hieraus, daraus: ~ *it follows that* daraus folgt, daß; **'~'forth, '~'for·ward** *adv.* von nun an, fort'an, künftig.

hench·man ['hentʃmən] *s.* [*irr.*] **1.** Anhänger *m*; **2.** *pol.* Handlanger *m*, Helfershelfer *m*, *j-s* ‚Krea'tur' *f.*

'hen|-coop *s.* Hühnerstall *m*; **'~-har·ri·er** *s. orn.* Kornweihe *f*; ~ **hawk** *s. orn. Am.* Hühnerbussard *m*; **'~-'heart·ed** *adj.* kleinmütig, verzagt; **'~-house** *s.* Hühnerhaus *n*, -stall *m.*

hen·na ['henə] *s.* **1.** ⚘ 'Hennastrauch *m*; **2.** Henna *f* (*Färbemittel*).

'hen|-par·ty *s.* F Damengesellschaft *f*, Kaffeekränzchen *n*; **'~·pecked** [-pekt] *adj.* F unter dem Pan'toffel stehend: ~ *husband* Pantoffelheld; **'~-roost** *s.* Hühnerstange *f*, -stall *m.*

hen·ry ['henri] *pl.* **-rys, -ries** *s.* ⚡ *phys.* Henry *n* (*Induktionseinheit*).

hep [hep] *adj. sl.* **1.** (*to*) eingeweiht (in *acc.*), im Bilde (über *acc.*); **2.** gewitzt, ‚auf Draht'.

he·pat·ic [hi'pætik] *adj.* **1.** ⚕ he'patisch, Leber...; **2.** bräunlich; **hep·a·ti·tis** [hepə'taitis] *s.* ⚕ Leberentzündung *f*, Hepa'titis *f.*

'hep·cat *s. sl.* **1.** ♪ **a)** 'Jazz,musiker *m*, **b)** 'Jazzfa,natiker(in); **2.** j-d der ‚auf Draht' ist, gewitzter Bursche.

hep·ta·gon ['heptəgən] *s.* ⩓ Siebeneck *n*; **hep·tag·o·nal** [hep'tægənl] *adj.* ⩓ siebeneckig; **'hep·ta'he·dron** [-ə'hedrən] *pl.* **-drons** *od.* **-dra** [-drə] *s.* ⩓ Hepta'eder *n.*

hep·tarch·y ['heptɑ:ki] *s.* Heptar'chie *f*, Siebenherrschaft *f.*

her [hə:; hə] **I.** *pron.* **1.** sie (*acc. von she*); ihr (*dat. von she*); **2.** sie (*nom.*): *it's* ~ sie ist es; **II.** *poss. adj.* **3.** ihr, ihre; **III.** *refl. pron.* **4.** sich: *she looked about* ~ sie sah um sich.

her·ald ['herəld] **I.** *s.* **1.** Herold *m*: *College of* ♀*s* Heroldsamt; **2.** *fig.* Verkünder *m*, (Vor)Bote *m*, Vorläufer *m*; **II.** *v/t.* **3.** verkünden; **4.** einführen, -leiten.

he·ral·dic [he'rældik] *adj.* he'raldisch, Wappen...; **her·ald·ry** ['herəldri] *s.* **1.** He'raldik *f*, Wappenkunde *f*; **2.** Wappen *n.*

herb [hə:b] *s.* ⚘ **a)** Kraut *n*, **b)** Heilkraut *n*, **c)** Küchenkraut *n*; **her·ba·ceous** [hə:'beiʃəs] *adj.* ⚘ krautartig, Kraut...: ~ *border* (Stauden-)Rabatte; **'herb·age** [-bidʒ] *s.* **1.** *coll.* Kräuter *pl.*, Gras *n*, Laub *n*; **2.** Weide *f*; **3.** ⚖ Weiderecht *n*; **'herb·al** [-bəl] **I.** *adj.* Kräuter..., Pflanzen...; **II.** *s.* Pflanzenbuch *n*; **'herb·al·ist** [-bəlist] *s.* **1.** Kräuterkenner(in); **2.** Kräutersammler(in), -händler(in); **her·bar·i·um** [hə:'bɛəriəm] *s.* Her'barium *n.*

herb| ben·net *s.* ⚘ Nelkenwurz *f*; **'~-grace** *s.* ⚘ Raute *f.*

her·biv·o·rous [hə:'bivərəs] *adj. zo.* pflanzenfressend.

'herb| Rob·ert ['rɔbət] *s.* ⚘ Ruprechtskraut *n*; **'~-tea** *s.* Kräutertee *m.*

Her·cu·le·an [hə:kju'li(:)ən] *adj.* her'kulisch, Herkules...; **Her·cu·les** ['hə:kjuli:z] *s. antiq., ast. u. fig.* 'Herkules *m.*

herd [hə:d] **I.** *s.* **1.** Herde *f*, Rudel *n* (*großer Tiere*); Flug *m*, Kette *f* (*Vögel*); **2.** *contp.* Herde *f*, Masse *f* (*Menschen*): *the common* (*od. vulgar*) ~ die Masse (Mensch), der Pöbel; **3.** *in Zssgn* Hirt(in); **II.** *v/t.* **4.** *Vieh* hüten; **5.** zs.-treiben; **III.** *v/i.* **6.** *a.* ~ *together* in Herden gehen; zu'sammen leben; **7.** sich

zs.-gesellen *od.* vereinigen; **'~-book** *s.* Herdbuch *n.*
herd·er ['hə:də] *s.* Hirt *m.*
herd| in·stinct *s.* 'Herdentrieb *m*, -in,stinkt *m*; **'~s·man** [-zmən] *s.* [*irr.*] **1.** *Brit.* Hirt *m*; **2.** Herdenbesitzer *m.*
here [hiə] *adv.* **a)** hier, **b)** hierher, her: *I am ~* ich bin hier, ich bin da (*anwesend*); *come ~* komm her; *~ and there* **a)** hier u. da, hierhin u. dorthin, **b)** ab u. zu, hin u. wieder; *that's neither ~ nor there* **a)** das gehört nicht zur Sache, **b)** das besagt nichts; *this belongs ~* dies gehört hierher; *we are leaving ~ today* wir reisen heute von hier ab; *near ~* nicht weit von hier; *in ~* hier drinnen; *~ goes* F also los!; *~'s to you!* auf dein Wohl!; *this ~ man sl.* dieser Mann hier; *~ today and gone tomorrow* vergänglich; *~ you are!* hier (bitte)! (*da hast du es*); **'~·a·bout(s)** [-ərə-] *adv.* hier her'um, in dieser Gegend; **'~'aft·er** [-ər'ɑ:-] **I.** *adv.* **1.** her'nach, nachher; **2.** in Zukunft; **II.** *s.* **3.** Zukunft *f*; **4.** Jenseits *n*; **'~'by** *adv.* 'hierdurch, hiermit.
he·red·i·ta·ble [hi'reditəbl] *adj.* erblich, vererbbar; **her·e·dit·a·ment** [heri'ditəmənt] *s.* ⚖ Erbgut *n*, vererblicher Grundbesitz; **he'red·i·tar·y** [-təri] *adj.* □ **1.** erblich, er-, vererbt, Erb...: *~ disease* ⚕ Erbkrankheit; *~ portion* ⚖ Pflichtteil; *~ succession* Erbfolge; *to be ~* sich vererben; **2.** *fig.* Erb...., alt'hergebracht: *~ enemy* Erbfeind; **he'red·i·ty** [-ti] *s. biol.* **1.** Vererbung *f*; **2.** Erblichkeit *f.*
here|·in ['hiər'in] *adv.* hierin; **'~·in'aft·er** ['hiərin-] *adv.* nachstehend, im folgenden; **~·of** [hiər'ɔv] *adv.* hiervon, dessen.
her·e·sy ['herəsi] *s.* Ketze'rei *f*, Irrlehre *f*, Häre'sie *f*; **'her·e·tic** [-ətik] **I.** *s.* Ketzer(in); **II.** *adj.* → *heretical*; **he·ret·i·cal** [hi'retikəl] *adj.* □ ketzerisch.
'here|'to *adv.* **1.** hierzu; **2.** bis'her; **'~·to'fore** *adv.* vordem, ehemals; **'~'un·der** [-ər'ʌ-] → *hereinafter*; **'~·un'to** → *hereto*; **'~·up'on** [-ərə-] *adv.* hierauf, darauf('hin); **'~'with** → *hereby.*
her·i·ot ['heriət] *s.* ⚖ *hist.* Hauptfall *m*; **'her·it·a·ble** [-itəbl] *adj.* □ **1.** erblich, vererbbar; **2.** erbfähig; **'her·it·age** [-itidʒ] *s.* **1.** Erbe *n*, Erbschaft *f*, Erbgut *n*; **2.** *fig.* Besitz *m*, Gut *n*; **3.** *bibl.* Volk *n* Israel; **'her·i·tor** [-itə] *s.* ⚖ Erbe *m.*
her·maph·ro·dite [hə:'mæfrədait] *s. biol.* Hermaphro'dit *m*, Zwitter *m*; **her'maph·ro·dit·ism** [-ditizəm] *s. biol.* Hermaphrodi'tismus *m*: **a)** Zwittertum *n*, **b)** Zwitterbildung *f.*
her·met·ic [hə:'metik] *adj.* (□ *~ally*) her'metisch, luftdicht: *~ally sealed* luftdicht verschlossen.
her·mit ['hə:mit] *s.* Einsiedler *m* (*a. fig.*), Ere'mit *m*; **'her·mit·age** [-tidʒ] *s.* Einsiede'lei *f*, Klause *f.*
'her·mit-'crab *s. zo.* Einsiedlerkrebs *m.*
her·ni·a ['hə:njə] *s.* ⚕ Bruch *m*, Hernie *f*; **'her·ni·al** [-jəl] *adj.*: *~ truss* ⚕ Bruchband.

he·ro ['hiərou] *pl.* **-roes** *s.* **1.** Held *m*: *~-worship* Heldenverehrung; **2.** *thea. etc.* Held *m*, 'Hauptper,son *f.*
he·ro·ic [hi'rouik] **I.** *adj.* (□ *~ally*) **1.** he'roisch, heldenmütig, -haft, Helden...: *~ age* Heldenzeitalter; *~ tenor* ♪ Heldentenor; **2. a)** erhaben, **b)** hochtrabend (*Stil*); **3.** ⚕ he'roisch, drastisch; **II.** *s.* **4.** → *heroic verse*; **5.** *pl.* 'Überschweng-lichkeiten *pl.*, hohles Pathos; *~* **cou·plet** *s.* heroisches Reimpaar; *~* **me·tre,** *~* **verse** *s.* heroisches *od.* episches Versmaß.
her·o·in ['herouin] *s. pharm.* Hero'in *n.*
her·o·ine ['herouin] *s.* Heldin *f* (*a. thea. etc.*); **'her·o·ism** [-izəm] *s.* Heldentum *n*, Hero'ismus *m.*
her·on ['herən] *s. orn.* Reiher *m*; **'her·on·ry** [-ri] *s.* Reiherstand *m*, -horst *m.*
her·pes ['hə:pi:z] *s.* ⚕ Bläs-chenausschlag *m.*
her·pe·tol·o·gist [hə:pi'tɔlədʒist] *s.* Herpeto'loge *m*, Rep'tilienkenner *m*; **her·pe'tol·o·gy** [-dʒi] *s.* Herpetolo'gie *f*, Rep'tilienkunde *f.*
her·ring ['heriŋ] *s. ichth.* Hering *m*; → *red 1*; **'~-bone I.** *s.* **1.** *a.* *~ design* Fischgrätenmuster *n*: *~ stitch* Grätenstich; **2.** fischgrätenartige Anordnung; Zickzackmuster *n*; **3.** *Skilauf*: Grätenschritt *m*; **II.** *v/t.* **4.** mit e-m Fischgrätenmuster nähen; **III.** *v/i.* **5.** *Skilauf*: im Grätenschritt steigen; **'~-gull** *s. orn.* Silbermöwe *f*; **'~-pond** *s. humor.* (*bsd.* At'lantischer) 'Ozean.
hers [hə:z] *possessive pron.* ihrer (ihre, ihres), der (die, das) ihre *od.* ihrige: *my mother and ~* meine u. ihre Mutter; *it is ~* es gehört ihr; *a friend of ~* e-e Freundin von ihr.
her·self [hə:'self] *pron.* **1.** *refl.* sich: *she hurt ~*; **2.** sich (selbst): *she wants it for ~*; **3.** *verstärkend*: sie (*nom. od. acc.*) *od.* ihr (*dat.*) selbst: *she ~ did it, she did it ~* sie selbst hat es getan, sie hat es selbst getan; *by ~* allein, ohne Hilfe, von selbst; **4.** ihr nor'males Selbst: *she is not quite ~* **a)** sie ist nicht ganz normal, **b)** sie ist nicht auf der Höhe; *she is ~ again* sie ist wieder (ganz) die alte.
Hertz·i·an ['hə:tsiən] *adj. phys.* Hertzsch: *~ waves* Hertzsche Wellen.
he's [hi:z; hiz] F *für* **a)** *he is*, **b)** *he has.*
hes·i·tance ['hezitəns], **'hes·i·tan·cy** [-si] *s.* Unschlüssigkeit *f*, Zögern *n*; **'hes·i·tant** [-nt] *adj.* **1.** zögernd, unschlüssig; **2.** stockend (*Sprechen*); **'hes·i·tate** [-teit] *v/i.* zögern, zaudern, stocken (*a. Sprache*), unschlüssig sein; Bedenken tragen, sich genieren (*to inf.* zu *inf.*): *not to ~ at* nicht zurückschrekken vor (*dat.*); **'hes·i·tat·ing·ly** [-teitiŋli] *adv.* zögernd; **hes·i·ta·tion** [hezi'teiʃən] *s.* **1.** Zögern *n*, Schwanken *n*, Bedenken *n*: *without any ~* ohne (auch nur) zu zögern, bedenkenlos, sogleich; **2.** Stocken *n* (*Sprache*).
Hes·sian ['hesiən] **I.** *adj.* **1.** hessisch; **II.** *s.* **2.** Hesse *m*, Hessin *f*; **3.** ♀ grobes Sackzeug (*aus Hanf od. Jute*); *~* **boots** *s. pl.* Schaftstiefel *pl.*
he·tae·ra [hi'tiərə] *pl.* **-rae** [-ri:], **he'tai·ra** [-'taiərə] *pl.* **-rai** [-rai] *s. antiq.* He'täre *f.*
hetero- [hetərou; -rə] *in Zssgn* anders, verschieden, fremd.
het·er·o·clite ['hetərouklait] **I.** *adj. bsd. ling.* unregelmäßig; **II.** *s.* unregelmäßiges Wort; **het·er·o·dox** ['hetərədɔks] *adj.* hetero'dox, anders-, irrgläubig, anderer Meinung; **het·er·o·dox·y** ['hetərədɔksi] *s.* Andersgläubigkeit *f*, Irrglaube *m*; **het·er·o·dyne** ['hetərədain] *adj.* *Radio*: *~ receiver* Überlagerungsempfänger, Super(het); **het·er·o·ge·ne·i·ty** [hetəroudʒi'ni:iti] *s.* Uneinheitlichkeit *f*, Verschiedenartigkeit *f*; **'het·er·o'ge·ne·ous** [-rou'dʒi:njəs] *adj.* □ hetero'gen, ungleichartig, verschiedenartig: *~ number* ⩘ gemischte Zahl; **het·er·on·o·mous** [hetə'rɔnəməs] *adj.* e-m fremden Gesetz unter'worfen; *biol.* andersgegliedert; **het·er·on·o·my** [hetə'rɔnəmi] *s. biol.* andersartige Gliederung; **'het·er·o'sex·u·al** [-rou'seksjuəl] *adj.* 'heterosexu,ell; geschlechtlich nor'mal empfindend.
het·man ['hetmən] *pl.* **-mans** *s.* Hetman *m* (*hist. Befehlshaber od. Führer bei Polen u. Kosaken*).
het-up [het'ʌp] *adj.* F aufgeregt, ‚fuchtig'.
he·ve·a ['hi:viə] *s.* ♀ 'Gummibaum *m.*
hew [hju:] *v/t.* [*irr.*] hauen, hacken; *Steine* behauen; *Bäume* fällen; *~* **down** *v/t.* 'um-, niederhauen; *~* **out** *v/t.* **1.** aushauen; **2.** *fig.* schaffen: *to ~ a path for o.s.* sich s-n Weg bahnen, sich emporarbeiten.
hew·er ['hju:ə] *s.* **1.** (Holz-, Stein-) Hauer *m*: *~s of wood and drawers of water* **a)** *bibl.* Holzhauer u. Wasserträger, **b)** Arbeitssklaven; **2.** ⚒ Häuer *m*; **hewn** [hju:n] *p.p. von hew.*
hexa- [heksə] *in Zssgn* sechs; **'hex·a·gon** [-gən] *s.* ⩘ Sechseck *n*: *~ voltage* ⚡ Sechseckspannung; **hex·ag·o·nal** [hek'sægənl] *adj.* sechseckig; **'hex·a·gram** [-græm] *s.* Hexa'gramm *n*, Sechsstern *m*; **'hex·a'he·dral** [-'hedrəl] *adj.* ⩘ sechsflächig; **'hex·a'he·dron** [-'hedrən] *pl.* **-drons** *od.* **-dra** [-drə] *s.* ⩘ Hexa'eder *n*; **hex·am·e·ter** [hek'sæmitə] **I.** *s.* He'xameter *m*; **II.** *adj.* hexa'metrisch.
hey [hei] *int.* hei!, ei!, heda!: *~ presto* und plötzlich ..., siehe da!
hey·day ['heidei] *s.* Höhepunkt *m*, Vollkraft *f*, Blüte *f*; Hochgefühl *n*, 'Überschwang *m.*
H-hour ['eitʃauə] *s.* ⚔ *Am.* X-Zeit *f*, Zeitpunkt *m* für den Beginn des Angriffs.
hi [hai] *int.* he!, heda!, ei!, hal'lo!
hi·a·tus [hai'eitəs] *s.* **1.** Lücke *f*, Spalt *m*, Kluft *f*; **2.** *ling.* Hi'atus *m.*
hi·ber·nate ['haibə:neit] *v/i.* über'wintern, Winterschlaf halten (*a. fig.*); **hi·ber·na·tion** [haibə:'neiʃən]

s. Winterschlaf *m*, Über'winterung *f*.

Hi·ber·ni·an [hai'bəːnjən] **I.** *adj.* irisch; **II.** *s.* Irländer(in).

hi·bis·cus [hi'biskəs] *s.* ♀ Eibisch *m*.

hic·cough, hic·cup ['hikʌp] **I.** *s.* Schlucken *m*, Schluckauf *m*; **II.** *v/i.* den Schluckauf haben.

hick [hik] *s. sl.* ‚Bauer' *m*, Tölpel *m*, Pro'vinzler *m*: ~ *town* Provinzstadt, ‚Nest', ‚Kaff'.

hick·o·ry ['hikəri] *s.* ♀ **1.** Hickory(nuß)baum *m*; **2.** Hickoryholz *n*, -stock *m*.

hid [hid] *pret. u. p.p. von hide*[1]; **hid·den** [hidn] **I.** *p.p. von hide*[1]; **II.** *adj.* □ verborgen, geheim.

hide[1] [haid] **I.** *v/t.* [*irr.*] **1.** (*from* vor *dat.*) verbergen, verstecken; **2.** verhüllen, ver-, bedecken: *to* ~ *from view* den Blicken entziehen; **3.** verheimlichen (*from* vor *dat.*); **II.** *v/i.* [*irr.*] **4.** sich verbergen *od.* verstekken.

hide[2] [haid] **I.** *s.* **1.** Haut *f*, Fell *n*; **2.** *fig.* ‚Fell' *n*, Haut *f*: *to save one's* ~ die eigene Haut retten; *to tan s.o.'s* ~ j-m das Fell gerben; **II.** *v/t.* **3.** F verdreschen.

hide[3] [haid] *s.* Hufe *f* (*altes engl. Feldmaß, 80-120 acres*).

'hide|-and-'seek *s.* Versteckspiel *n*: *to play* ~ Versteck spielen (*a. fig.*); **'~·bound** *adj. fig.* engherzig, -stirnig, beschränkt, starr.

hid·e·ous ['hidiəs] *adj.* □ ab'scheulich, scheußlich, schrecklich; **'hid·e·ous·ness** [-nis] *s.* Scheußlichkeit *f*.

'hide-out *s.* Versteck *n*.

hid·ing[1] ['haidiŋ] *s.* Versteck *n*: *to be in* ~ sich versteckt halten.

hid·ing[2] ['haidiŋ] *s.* F Tracht *f* Prügel, ‚Dresche' *f*.

hie [hai] *v/i. poet.* eilen.

hi·er·arch ['haiərɑːk] *s. eccl.* Hier'arch *m*, Oberpriester *m*; **hi·er·ar·chic** *adj.*; **hi·er·ar·chi·cal** [haiə'rɑːkik(əl)] *adj.* □ hier'archisch; **'hi·er·arch·y** [-ki] *s.* Hierar'chie *f*: **a)** Priesterherrschaft *f*, **b)** Priesterschaft *f*, **c)** Rangordnung *f*; **hi·er·at·ic** [haiə'rætik] *adj.* **1.** hie'ratisch (*Schrift etc.*); **2.** priesterlich; **hi·er·oc·ra·cy** [haiə'rɔkrəsi] *s.* Priesterherrschaft *f*.

hi·er·o·glyph ['haiərəglif] *s.* **1.** Hiero'glyphe *f*; **2.** *pl.* Geheimschrift *f*; **3.** *pl. humor.* Hieroglyphen *pl.*, unleserliche Schrift; **hi·er·o·glyph·ic** [haiərə'glifik] **I.** *adj.* **1.** hiero'glyphisch; **2.** rätselhaft; **3.** unleserlich; **II.** *s.* **4.** → *hieroglyph 1-3*; **hi·er·o·glyph·i·cal** [haiərə'glifikəl] *adj.* □ → *hieroglyphic 1-3*.

hi-fi ['hai'fai] *abbr. für high-fidelity.*

hig·gle ['higl] *v/i.* feilschen (*over* um).

hig·gle·dy-pig·gle·dy ['higldi'pigldi] **I.** *adv.* drunter u. drüber, durchein'ander; **II.** *s.* Durchein'ander *n*, ˌTohuwa'bohu *n*.

high [hai] **I.** *adj.* → *higher, highest*; □ → *11 u. 12, highly*; **1.** hoch (-gelegen): *a* ~ *tower*; *~est floor* oberstes Stockwerk; *with a* ~ *neck* → *high-necked*; **2.** *fig.* hoch, erhaben, angesehen, vornehm: *of* ~ *birth* von edler Geburt; *of* ~ *standing* von gutem Ruf; ~ *festival* hoher Feiertag; *the Most* ♀ der Höchste, Gott; ~ *and mighty* **a)** erhaben, **b)** arrogant, hochmütig; ~ *and low* hoch (*vornehm*) u. niedrig; **3.** bedeutend, Haupt…, Hoch…, Ober…: ♀ *Commissioner* Hoher Kommissar; **4.** hoch, gut, erstklassig: ~ *quality*; ~ *favo(u)r* hohe Gunst; ~ *praise* großes Lob; ~ *aims* hohe Ziele; *to have a* ~ *opinion of s.o.* e-e hohe Meinung von j-m haben; **5.** anmaßend; hochtrabend, über'trieben; **6.** stark, kräftig, heftig: ~ *colo(u)r* **a)** lebhafte Farbe, **b)** rosiger Teint; ~ *polish* Hochglanz; ~ *temperature* hohe Temperatur; ~ *wind* starker Wind; ~ *words* zornige Worte; **7.** hoch, teuer; **8.** voll(ständig), äußerst, ex'trem: ~ *summer* Hochsommer; ~ *latitude geogr.* hohe Breite; ~ *antiquity* fernstes Altertum; **9.** hoch, hell; laut, schrill (*Ton etc.*); **10.** angegangen, mit Haut'gout (*Fleisch*); **11.** *sl.* ‚high' (*im Drogenrausch*; *a. fig.*); **II.** *adv.* **12.** hoch (*a. fig.*): *to fly* ~ hoch fliegen; *to run* ~ **a)** hoch gehen (*Wellen*), **b)** toben (*Wind, Gefühle*); *feeling ran* ~ die Gemüter erhitzten sich; *to pay* ~ teuer bezahlen; *to play* ~ hoch *od.* mit hohem Einsatz spielen; *to search* ~ *and low* überall suchen; **13.** extrava'gant, luxuri'ös: *to live* ~ üppig leben; **III.** *s.* **14.** Höhe *f* (*a. fig.*): *on* ~ **a)** hoch oben, droben, **b)** im Himmel; *from on* ~ **a)** von oben, von höchster Stelle, **b)** vom Himmel; **15.** *meteor.* Hoch(druckgebiet) *n*; **16.** ⊕, *mot.* höchster Gang: *to shift into* ~; **17.** Höchststand *m*.

high| al·tar *s. eccl.* 'Hochalˌtar *m*; **'~-'al·ti·tude** *adj.* ✈ Höhen…: ~ *flight*; ~ *nausea* Höhenkrankheit; ~ **and dry** *adj.* auf dem trockenen, gestrandet (*beide a. fig.*): *to leave s.o.* ~ *fig.* j-n im Stich lassen; **'~-an·gle fire** *s.* ⚔ Steilfeuer *n*; **'~-an·gle gun** *s.* ⚔ Steilfeuergeschütz *n*; **'~-backed** *adj.* mit hoher Lehne; **'~·ball** *s. Am.* **1.** Whisky *m* mit Soda (*Getränk*); **2.** 🚂 **a)** Freie-'Fahrt-Siˌgnal *n*, **b)** Schnellzug *m*; **'~-blown** *adj. fig.* großspurig, aufgeblasen; **'~-born** *adj.* hochgeboren; **'~·boy** *s. Am.* hohe Kom'mode; **'~-bred** *adj.* vornehm, wohlerzogen; **'~·brow** F **I.** *s.* Intellektu'elle(r *m*) *f*; **II.** *adj. a.* **'~-browed** (betont) intellektu'ell; *contp.* ‚hochgestochen'; ♀ **Church I.** *s.* (*anglikanische*) Hochkirche; **II.** *adj.* hochkirchlich; **'♀-'Church·man** [-mən] *s.* [*irr.*] Hochkirchler *m*; **'~-class** *adj.* hochwertig, 'prima (*a. iro.*); **'~-colo(u)red** *adj.* **1.** von lebhafter Farbe; **2.** lebhaft; **~com·mand** *s.* ⚔ 'Oberkomˌmando *n*; ♀ **Court** (**of Justice**) *s.* ⚖ *Brit.* Hoher Gerichtshof; **~ day** *s. bibl.* Feier-, Freudentag *m*; **~ div·ing** *s. sport* Turmspringen *n*; **'~-du·ty** *adj.* ⊕ Hochleistungs…: ~ *machine*.

high·er ['haiə] **I.** *comp. von high*; **II.** *adj.* höher (*a. fig.*), Ober…: *the* ~ *mammals* die höheren Säugetiere; ~ *mathematics* höhere Mathematik; **'high·est** [-ist] **I.** *sup. von high*; **II.** *adj.* höchst (*a. fig.*): ~ *bidder* Meistbietender; **III.** *s.*: *at its* ~ auf dem Höhepunkt.

high| ex·plo·sive *s.* 'hochexploˌsiver *od.* 'hochbriˌsanter Sprengstoff; **'~-ex'plo·sive** *adj.* 'hochexploˌsiv: ~ *bomb* Sprengbombe; **'~-fa'lu·tin** [-fə'luːtin], **'~-fa'lu·ting** [-tiŋ] *adj.* F hochtrabend, ‚hochgestochen'; **~ farm·ing** *s.* ✓ inten'sive Bodenbewirtschaftung; **'~-fed** *adj.* wohlgenährt; **'~-fi'del·i·ty** *adj. Radio*: Hi-Fi, mit höchster 'Wiedergabetreue; **'~-'fli·er** → *highflyer*; **'~-flown** *adj. fig.* **1.** erhaben, stolz; **2.** aufgeblasen, hochtrabend, über'spannt; **'~'fly·er** *s.* über'spannte Per'son; **'~-fly·ing** *adj.* über'trieben, -'spannt; **~ fre·quen·cy** *s.* ⚡ 'Hochfreˌquenz *f*; **'~-'fre·quen·cy** *adj.* Hochfrequenz…; ♀ **Ger·man** *s. ling.* Hochdeutsch *n*; **'~-grade** *adj.* erstklassig, hochwertig; **~ hand** *s.*: *with a* ~ → *high-handed*; **'~-'hand·ed** *adj.* anmaßend, willkürlich, eigenmächtig; **~ hat** *s.* Zy'linder *m* (*Hut*); **'~-'hat I.** *s.* Snob *m*, hochnäsiger Mensch; **II.** *v/t. j-n* von oben her'ab behandeln; **'~-'heeled** *adj.* hochhackig, mit hohen Absätzen (*Schuhe*); **'~·land** [-lənd] **I.** *s.* Hoch-, Bergland *n*: *the ♀s of Scotland* das schottische Hochland; **II.** *adj.* hochländisch, Hochland…: ♀ *fling lebhafter schottischer Tanz*; **'♀·land·er** [-ləndə] *s.* (*bsd. schottische*[*r*]) Hochländer(in); **'~-'lev·el** *adj.*: ~ *railway* Hochbahn; **~ life** *s.* **1.** ele'gantes Leben; **2.** die vornehme Welt; **~ light** *s. paint., phot.* hellste Stelle, Schlaglicht *n*; **'~-light** *fig.* **I.** *s.* **1.** Schlaglicht *n*, Höhepunkt *m*; **2.** *pl.* (*Opern- etc.*) Querschnitt *m* (*Schallplatte etc.*); **II.** *v/t. pret. u. p.p.* **'~-light·ed 3.** her'vorheben, betonen, her'ausstreichen; **~ liv·ing** *s.* Wohlleben *n*.

high·ly ['haili] *adv.* **1.** hoch, höchst, sehr: ~ *gifted* hochbegabt; ~ *placed fig.* hochgestellt; ~ *strung* → *highstrung*; ~ *paid* **a)** hochbezahlt, **b)** teuer bezahlt; **2.** lobend, günstig: *to think* ~ *of* viel halten von.

High| Mass *s. eccl.* Hochamt *n*; **'♀-'mind·ed** *adj.* hochherzig, -gesinnt; **'♀-'mind·ed·ness** *s.* Hochherzigkeit *f*; **'♀-'necked** *adj.* hochgeschlossen (*Kleid*).

high·ness ['hainis] *s.* **1.** *mst fig.* Höhe *f*; **2.** ♀ Hoheit *f* (*in Titeln*); **3.** Stich *m*, Haut'gout *m*.

'high|-'pitched *adj.* **1.** hoch (*Ton etc.*); **2.** steil; **3.** hochgesinnt; **'~-'pow·er** *adj.* ⊕ Hochleistungs…, Groß…, stark: ~ *radio station* Großsender, -funkstation; **'~-'pow·ered** *adj.* ⊕ (besonders) stark; **'~-'pres·sure I.** *adj.* **1.** ⊕ *u. meteor.* Hochdruck…: ~ *area* Hoch(druckgebiet); ~ *engine* Hochdruckmaschine; **2.** *fig.* e'nergisch, wuchtig, mit Hochdruck arbeitend *etc.*: ~ *salesman*; **II.** *v/t.* **3.** *j-n* ‚beknien', ‚bearbeiten'; **'~-'priced** *adj.* kostspielig, teuer; **~ priest** *s.* Hohe'priester *m*; **'~-'prin·ci·pled** *adj.* von hohen Grundsätzen, durch u. durch anständig; **'~-rank·ing** *adj.*: ~ *officer* hoher Offizier; **~ re·lief** *s.* 'Hochreliˌef *n*; **'~·rise** *s.* (Bü'ro-, Wohn)Hochhaus *n*; **~ road** *s.*

Hauptstraße *f*: *the ~ to success fig.* der (sichere) Weg zum Erfolg; **~ school** *s.* weiterführende Schule; **~ seas** *s. pl.* Hochsee *f*, offenes Meer; **'~-'sea·soned** *adj.* scharf (gewürzt); **'~-sound·ing** *adj.* hochtönend, -trabend; **'~-'speed** *adj. bsd.* ⊕ schnellaufend (*Lager, Motor etc.*), Schnell...: *~ flight* ✈ Schnellflug; *~ steel* Schnell(dreh)stahl; **'~-'spir·it·ed** *adj.* lebhaft, schneidig, kühn, feurig; **~ spir·its** *s. pl.* fröhliche Laune, gehobene Stimmung; **'~-'step·per** *s.* **1.** hochtrabendes Pferd; **2.** *fig.* Laffe *m*; **'~-'step·ping** *adj.* hochtrabend (*a. fig.*); **~ street** *s.* Hauptstraße *f*; **'~-'strung** *adj.* reizbar, ('über)empfindlich; **~ ta·ble** *s. Brit. univ.* (erhöhter) Do'zententisch; **'~-tail** *v/i. a. ~ it Am. sl.* (da'hin-, da'von)rasen, (-)flitzen; **~ tea** *s. bsd. Brit.* Tee *m* (*Mahlzeit*), bei dem Fleisch serviert wird; **~ ten·sion** *s.* ⚡ Hochspannung *f*; **'~-'ten·sion** *adj.* ⚡ Hochspannungs...: *~ current* hochgespannter Strom; **~ tide** *s.* **1.** Hochwasser *n* (*höchster Flutwasserstand*); **2.** *fig* Höhepunkt *m*; **~ time** *s.* **1.** höchste Zeit: *it was ~*; **2.** *sl. a. high old time* **a)** großes Vergnügen, **b)** Gelage *n*; **'~-'toned** *adj.* **1.** *fig.* erhaben; **2.** vornehm; **~ trea·son** *s.* Hochverrat *m*; **~ volt·age** → *high tension*; **~ wa·ter** → *high tide 1*; **'~-'wa·ter mark** *s.* **a)** Hochwasserstandszeichen *n*, **b)** *fig.* Höchststand *m*; **'~·way** *s.* **1.** Landstraße *f*: (*the*) *King's ~* öffentliche Landstraße; *~ code* Straßenverkehrsordnung; **2.** Ver'kehrs,linie *f*; **3.** *fig.* Bahn *f*, bester Weg: *~s and byways* alle Wege (*a. fig.*); **'~·way·man** [-mən] *s.* [*irr.*] Straßenräuber *m*.

hi·jack ['haidʒæk] **I.** *v/t.* **1.** *Flugzeug* entführen; **2.** *Geldtransport etc.* über'fallen; **II.** *s.* **3.** Flugzeugentführung *f*; **4.** 'Überfall *m* (*Geldtransport etc.*); **'hi·jack·er** [-kə] *s.* Flugzeugentführer *m*; **'hi·jack·ing** [-kiŋ] *s.* → *hijack II.*

hike [haik] **I.** *v/i.* **1.** wandern; **2.** → *hitch-hike*; **II.** *v/t.* **3.** *Preise* hochtreiben, *Mieten etc.* (kräftig) erhöhen; **III.** *s.* **4.** Wanderung *f*; **5.** sprunghaftes Ansteigen (*Löhne, Mieten etc.*): *~ in prices* ✝ Preisauftrieb; **'hik·er** [-kə] *s.* Wanderer *m*.

hi·lar·i·ous [hi'lɛəriəs] *adj.* □ vergnügt, 'übermütig, ausgelassen; **hi·lar·i·ty** [hi'læriti] *s.* Heiterkeit *f*, Fröhlichkeit *f*.

Hil·a·ry term ['hiləri] *s. Brit.* **1.** ⚖ *obs. im Januar beginnender Gerichtstermin*; **2.** *univ.* 'Frühjahrsse,mester *n*.

hill [hil] **I.** *s.* **1.** Hügel *m*, Anhöhe *f*, kleiner Berg: *up ~ and down dale* bergauf u. bergab, überall; → *old 3*; **2.** (Erd)Haufen *m*: *ant-~* Ameisenhaufen; **II.** *v/t.* **3.** *a. ~ up* ✿ *Pflanzen* häufeln; **'~·bil·ly** *s. Am.* F *contp.* Hinterwäldler *m*; **~ climb** *s. mot., Radsport*: Bergrennen *n*; **'~-climb·ing a·bil·i·ty** *s. mot.* Steigfähigkeit *f*, Bergfreudigkeit *f*.

hill·i·ness ['hilinis] *s.* Hügeligkeit *f*.

hill·ock ['hilək] *s.* kleiner Hügel.

'hill|'side *s.* Hang *m*, (Berg)Abhang *m*; **'~'top** *s.* Bergspitze *f*.

hill·y ['hili] *adj.* hügelig.

hilt [hilt] *s.* Heft *n*, Griff *m* (*Schwert etc.*): *up to the ~* ganz u. gar; *proved up to the ~* unwiderleglich bewiesen.

him [him] *pron.* **1.** ihn (*acc.*); ihm (*dat.*); **2.** F er (*nom.*): *it's ~* er ist es; **3.** den(jenigen): *I saw ~ who did it*; **4.** *refl.* sich: *he looked about ~* er sah um sich.

Hi·ma·la·yan [himə'leiən] *adj.* hima'lajisch.

him·self *pron.* **1.** *refl.* sich: *he cut ~*; **2.** sich (selbst): *he needs it for ~*; **3.** *verstärkend*: (er *od.* ihn *od.* ihm) selbst: *he ~ said it, he said it ~* er selbst sagte es, er sagte es selbst; *by ~* allein, ohne Hilfe, von selbst; **4.** sein nor'males Selbst: *he is not quite ~* **a)** er ist nicht ganz normal, **b)** er ist nicht auf der Höhe; *he is ~ again* er ist wieder der alte.

hind¹ [haind] *s. zo.* Hindin *f*, Hirschkuh *f*.

hind² [haind] *s. Brit.* **1.** Bauer *m*; **2.** Landarbeiter *m*.

hind³ [haind] *adj.* hinter, Hinter...: *~ leg* Hinterbein; *~ wheel* Hinterrad.

hind·er¹ ['haində] *comp. von hind³*.

hin·der² ['hində] **I.** *v/t.* **1.** aufhalten; **2.** (*from*) (ver)hindern (an *dat.*), abhalten (von): *~ed in one's work* bei der Arbeit behindert *od.* gestört; **II.** *v/i.* **3.** im Wege sein, hindern.

Hin·di ['hin'di:] *s. ling.* 'Hindi *n*.

'hind·most [-ndm-] *sup.* von *hind³*.

hind quar·ter *s.* **1.** 'Hinterviertel *n* (*Schlachttier*); **2.** *pl.* 'Hinterteil *n*, Gesäß *n*, 'Hinterhand *f* (*Pferd*).

hin·drance ['hindrəns] *s.* **1.** (Be-) Hinderung *f*; **2.** Hindernis *n*.

'hind·sight *s.* **1.** ⚔ Vi'sier *n*; **2.** *fig.* späte Einsicht: *foresight is better than ~* Vorsicht ist besser als Nachsicht.

Hin·du ['hin'du:] **I.** *s.* **1.** 'Hindu *m*; **2.** Inder *m*; **II.** *adj.* **3.** Hindu...; **Hin·du·ism** ['hindu(:)izəm] *s.* Hindu'ismus *m*; **Hin·du·sta·ni** [hindu'sta:ni] **I.** *s. ling.* Hindo'stani *n*; **II.** *adj.* hindo'stanisch.

hinge [hindʒ] **I.** *s.* **1.** ⊕ Schar'nier *n*, Gelenk *n*, Angel *f* (*Tür*): *off the ~s fig.* aus den Angeln *od.* Fugen; **2.** *fig.* Angel-, Wendepunkt *m*, Hauptsache *f*; **II.** *v/t.* **3.** mit Scharnieren *od.* Angeln versehen; **4.** *Tür* einhängen; **III.** *v/i.* **5.** *fig.* (*on*) sich drehen (um), abhängen (von), ankommen auf (*acc.*); **hinged** [-dʒd] *adj.* um ein Gelenk drehbar, auf-, her'unter-, zs.-klappbar; **hinge joint** *s.* **1.** ⊕ Schar'nier *n*, Gelenk *n*; **2.** *anat.* Schar'niergelenk *n*.

hin·ny ['hini] *s. zo.* Maulesel *m*.

hint [hint] **I.** *s.* **1.** Wink *m*, Andeutung *f*, Fingerzeig *m*: *broad ~* Wink mit dem Zaunpfahl; *to take a ~* e-n Wink verstehen, es sich gesagt sein lassen; *to drop a ~* e-e Andeutung machen, e-e Bemerkung fallenlassen; **2.** Anspielung *f* (*at* auf *acc.*); **3.** Anflug *m*, Spur *f* (*of* von); **4.** Anleitung *f*; Hinweis *m*, ,Tip' *m* (*on* für); **II.** *v/i.* **5.** andeuten (*at s. th.* et.); **6.** anspielen (*at* auf *acc.*).

hin·ter·land ['hintəlænd] *s.* 'Hinterland *n*.

hip¹ [hip] **I.** *s.* **1.** *anat.* Hüfte *f*: *I had him on the ~* ich hatte ihn in der Gewalt; *to smite s.o. ~ and thigh* j-n erbarmungslos vernichten; **2.** ⚠ **a)** Walm *m*, **b)** Walmsparren *m*: *~ rafter* Gratsparren; *~-roof* Walmdach; **II.** *v/t.* **3.** ⚠ walmen.

hip² [hip] *s.* ✿ Hagebutte *f*.

hip³ [hip] *int.* hipp!: *~, ~, hurrah!* hipp, hipp, hurra!

hip⁴ [hip] *adj. sl.* **1.** → *hep*; **2.** → *beat 10.*

'hip|-bath *s.* Sitzbad *n*; **'~-bone** *s. anat.* Hüftbein *n*; **'~-joint** *s. anat.* Hüftgelenk *n*.

hipped¹ [hipt] *adj.* **1.** *in Zssgn* mit ... Hüften; **2.** ⚠ Walm...: *~ roof.*

hipped² [hipt] *adj.* **1.** *Brit.* F trübsinnig; **2.** ärgerlich; **3.** *Am. sl.* versessen (*on* auf *acc.*).

hip·pie ['hipi] *s.* Hippie *m*.

hip·pish ['hipiʃ] → *hipped² 1.*

hip·po ['hipou] *pl.* **-pos** *s.* F *für hippopotamus.*

hip·po·cam·pus [hipou'kæmpəs] *pl.* **-pi** [-pai] *s.* **1.** *myth.* Hippo'kamp *m*; **2.** *ichth.* Seepferdchen *n*; **3.** *anat.* 'Ammonshorn *n* (*des Gehirns*).

'hip-pock·et *s.* Gesäßtasche *f*.

Hip·po·crat·ic oath [hipou'krætik] *s.* hippo'kratischer Eid (*der Ärzte*).

hip·po·drome ['hipədroum] *s.* **1.** Reit-, Rennbahn *f*; **2.** 'Zirkus *m*; **3.** ♀ *Brit.* The'ater *n* (*für Varieté etc.*); **hip·po·griff, hip·po·gryph** ['hipəgrif] *s.* Flügelroß *n*.

hip·po·pot·a·mus [hipə'pɔtəməs] *pl.* **-mus·es, -mi** [-mai] *s. zo.* Fluß-, Nilpferd *n*.

hip·py ['hipi] → *hippie.*

'hip-shot *adj.* **1.** mit verrenkter Hüfte; **2.** *fig.* (lenden)lahm.

hip·ster ['hipstə] *s. sl.* **1.** → *hepcat*; **2.** → *beatnik.*

hir·a·ble ['haiərəbl] *adj.* mietbar.

hir·cine ['hə:sain] *adj.* **1.** ziegenbockartig; **2.** übelriechend.

hire ['haiə] **I.** *v/t.* **1.** *et.* mieten; **2.** *j-n* anstellen: *~d man* Lohnarbeiter; **3.** ⚓ anheuern; **4.** *bsd. b.s. j-n* dingen: *~d assassin* gedungener Mörder; **5.** *mst ~ out* vermieten; **6.** *~ o.s. out* sich verdingen; **II.** *s.* **7.** Miete *f*: *on ~* **a)** mietweise, **b)** zu vermieten(d); *to let out on ~* vermieten; *for ~* frei (*Taxi*); **8.** Entgelt *m*, *n*, Lohn *m*; **~ car** *s.* Mietwagen *m*.

hire·ling ['haiəliŋ] *mst contp.* **I.** *s.* Mietling *m*; **II.** *adj.* **a)** käuflich, feil, **b)** gedungen.

'hire-'pur·chase *s. bsd. Brit.* ✝ Abzahlungs-, Teilzahlungs-, Ratenkauf *m*: *to buy on ~* (*od. the ~ system*) auf Abzahlung kaufen; *~ agreement* Teilzahlungsvertrag.

hir·sute ['hə:sju:t] *adj.* **1.** haarig, zottig, struppig; **2.** ✿, *zo.* rauhhaarig; **3.** rauh.

his [hiz] **I.** *poss. adj.* sein, seine; **II.** *poss. pron.* seiner (seine, seines), der (die, das) seine *od.* seinige: *my father and ~* mein u. sein Vater; *this hat is ~* dieser Hut gehört ihm; *a book of ~* eines seiner Bücher, ein Buch von ihm.

his·pid ['hispid] *adj.* ✿, *zo.* borstig, rauh.

hiss [his] **I.** *v/i.* **1.** zischen; **II.** *v/t.* **2.** auszischen, -pfeifen; **3.** zischeln; **III.** *s.* **4.** Zischen *n.*
hist [s:t; hist] *int.* sch!, pst!, still!
his·tol·o·gist [his'tɔlədʒist] *s.* ⚕ Histo'loge *m*; **his'tol·o·gy** [-dʒi] *s.* ⚕ Histolo'gie *f*, Gewebelehre *f*; **his'tol·y·sis** [-lisis] *s.* ⚕, *biol.* Gewebszerfall *m*, Histo'lyse *f.*
his·to·ri·an [his'tɔ:riən] *s.* Hi'storiker(in), Geschichtsschreiber *m*; **his'tor·ic** [-'tɔrik] *adj.* (□ *~ally*) **1.** hi'storisch (berühmt *od.* bedeutsam): *~ buildings*; *a ~ speech*; **2.** *ling.* historisch: *~ present* historisches Präsens; **his'tor·i·cal** [-'tɔrikəl] *adj.* □ hi'storisch, geschichtlich (belegt), Geschichts...: *a(n) ~ event*; *~ science* Geschichtswissenschaft; **his·to·ric·i·ty** [histə'risiti] *s.* Geschichtlichkeit *f*; **his·to·ri·og·ra·pher** [histɔ:ri'ɔgrəfə] *s.* Historio'graph *m*, Geschichtsschreiber *m*; **his·to·ri·og·ra·phy** [histɔ:ri'ɔgrəfi] *s.* Geschichtsschreibung *f.*
his·to·ry ['histəri] *s.* **1.** Geschichte *f*, Geschichtswissenschaft *f*: *~ book* Geschichtsbuch; *ancient (modern) ~* alte (neuere) Geschichte; *~ of art* Kunstgeschichte; *to make ~* Geschichte machen; → *natural history*; **2.** Entwicklung *f*, (Entwicklungs)Geschichte *f*, Werdegang *m*; **3.** F (Vor)Geschichte *f*, Vergangenheit *f*: *to have a ~*; **4.** Beschreibung *f*, Darstellung *f*; *~* **piece** *s.* hi'storisches Gemälde.
his·tri·on·ic [histri'ɔnik] **I.** *adj.* (□ *~ally*) **1.** Schauspiel(er)..., schauspielerisch; **2.** thea'tralisch; **II.** *s.* **3.** *pl. a. sg. konstr.* **a)** Schauspielkunst *f*, **b)** Schauspielern *n*, Ef'fekthasche,rei *f*, Mätzchen *pl.*
hit [hit] **I.** *s.* **1.** Schlag *m*, Stoß *m*, Hieb *m* (*a. fig.*); **2.** *a. sport u. fig.* Treffer *m*: *to make a ~* e-n Treffer erzielen, Erfolg haben; **3.** Glücksfall *m*, Erfolg *m*; **4.** *thea., Buch etc.*: Schlager *m*, ‚Knüller' *m*: *song ~* Schlager, Hit; *stage ~* Bühnenschlager; **5.** treffende, *bsd.* sar'kastische Bemerkung, guter Einfall, Spitze *f*: *that is a ~ at you* dieser Hieb gilt dir; **II.** *v/t.* [*irr.*] **6.** schlagen, stoßen: *to ~ one's head against s.th.* mit dem Kopf gegen et. stoßen; *to ~ s.o. a blow* j-m e-n Schlag versetzen; **7.** treffen, verletzen: *~ by a bullet*; **8.** *fig.* treffen; zusagen (*dat.*), passen (*dat.*): *it ~s my fancy* es sagt m-m Geschmack zu; *you've ~ it* du hast es getroffen (*ganz recht*); **9.** (*seelisch*) treffen, verletzen: *to be hard* (*od. badly*) *~* schwer getroffen sein (*by* durch); **10.** stoßen *od.* kommen auf (*acc.*), treffen, finden: *to ~ the right road*; *to ~ a mine* ⚓, ⚔ auf e-e Mine laufen; **11.** erreichen: *to ~ the town*; **III.** *v/i.* [*irr.*] **12.** (drein-, zu)schlagen; **13.** stoßen (*against* gegen); **14.** *~ (up)on s.th.* auf et. stoßen, et. treffen *od.* finden; *~* **back** *v/i.* **1.** zu'rückschlagen (*a. fig.*); **2.** sich verteidigen *od.* rächen; *~* **off** *v/t.* **1.** treffend *od.* über'zeugend darstellen *od.* schildern; *die Ähnlichkeit* genau treffen; **2.** *to hit it off with s.o.* sich vertragen *od.* glänzend auskommen mit j-m; *~* **out** *v/i.* *mit der Faust* zuschlagen.
'hit-and-'run *adj.* flüchtig: *~ driver* flüchtiger Fahrer; *~ driving* Fahrerflucht; *~ raid* ⚔ Stippangriff.
hitch [hitʃ] **I.** *s.* **1.** Ruck *m*, Zug *m*; **2.** ⚓ Stich *m*, Knoten *m*; **3.** Stokkung *f*, Störung *f*, Hindernis *n*; ‚Haken' *m*: *there is a ~* die Sache hat e-n Haken; *without a ~* reibungslos, glatt; **II.** *v/t.* **4.** rücken, ziehen; **5.** *~ up* hochziehen, -reißen; **6.** befestigen, festbinden, -haken, koppeln; *Pferd* anspannen; **III.** *v/i.* **7.** rücken, sich ruckweise fortbewegen; **8.** hinken; stocken; **9.** sich festhaken, hängenbleiben (*on* an *dat.*); **10.** *to get ~ed sl.* heiraten.
'hitch|-hike *v/i.* F ‚per Anhalter' fahren, trampen; **'~-hik·er** *s.* F Anhalter(in), Tramper(in).
hith·er ['hiðə] **I.** *adv.* hierher: *~ and thither* hin und her; **II.** *adj.* diesseitig: *the ~ side* die nähere Seite; *♀ India* Vorderindien; **'~'to** *adv.* bis'her, bis jetzt.
Hit·ler·ism ['hitlərizəm] *s.* Hitle'rismus *m*, Na'zismus *m*; **'Hit·ler·ite** [-rait] **I.** *s.* Hitle'rist(in), Nazi *m*; **II.** *adj.* hitle'ristisch, na'zistisch.
hit| or miss *adv.* aufs Geratewohl; **'~-or-'miss** *adj.* leichtsinnig, sorglos, unbekümmert; **'~-pa·rade** *s.* 'Schlager-, 'Hitpa,rade *f.*
Hit·tite ['hitait] *s. hist.* He'thiter *m.*
hive [haiv] **I.** *s.* **1.** Bienenkorb *m*, -stock *m*; **2.** Bienenvolk *n*, Bienenschwarm *m*; **3.** *fig.* **a)** Bienenhaus *n*, Sammelpunkt *m*, **b)** Schwarm *m* (*Menschen*); **II.** *v/t.* **4.** *Bienen* in e-n Stock bringen; **5.** *fig.* aufspeichern; **6.** *~ off* abzweigen; (ab)schwenken; **III.** *v/i.* **7.** in den Stock fliegen (*Bienen*); **8.** zu'sammen wohnen.
hives [haivz] *s. pl. sg. od. pl. konstr.* ⚕ **1.** Nesselausschlag *m*; **2.** *Brit.* Halsbräune *f.*
ho [hou] *int.* **1.** halt!, holla!, heda!; **2.** na'nu!; **3.** *contp.* ha'ha!; **4.** *westward ~!* auf nach Westen!
hoar [hɔ:] *adj. poet.* **1.** weiß(grau); **2.** altersgrau; **3.** ehrwürdig; **4.** (*vom Frost*) bereift.
hoard [hɔ:d] **I.** *s.* Hort *m*, Schatz *m*, Vorrat *m*; **II.** *v/t. u. v/i.* horten, sammeln, aufhäufen, hamstern; **'hoard·er** [-də] *s.* Hamsterer *m.*
hoard·ing ['hɔ:diŋ] *s.* **1.** Bau-, Bretterzaun *m*; **2.** *Brit.* Re'klamewand *f.*
'hoar'frost *s.* (Rauh)Reif *m.*
hoarse [hɔ:s] *adj.* □ heiser, rauh, krächzend; **'hoarse·ness** [-nis] *s.* Heiserkeit *f.*
hoar·y ['hɔ:ri] *adj.* □ **1.** weißlich; **2.** altersgrau (*a. fig.*), ergraut; **3.** (ur)alt, ehrwürdig.
hoax [houks] **I.** *s.* **1.** Falschmeldung *f*, (Zeitungs)Ente *f*; **2.** Schabernack *m*, Streich *m*; **II.** *v/t.* **3.** foppen, anführen, zum besten haben, *j-m* e-n Bären aufbinden.
hob [hɔb] **I.** *s.* **1.** Ka'mineinsatz *m*, -vorsprung *m* (*für Kessel etc.*); **2.** Pflock *m* (*Merkzeichen beim Spiel*); **3.** ⊕ (Ab)Wälzfräser *m*; **II.** *v/t. u. v/i.* **4.** ⊕ abwälzen, verzahnen.
hob·ble ['hɔbl] **I.** *v/i.* **1.** humpeln, hoppeln, hinken (*a. fig.*), holpern; **II.** *v/t.* **2.** *e-m Pferd etc.* die Vorderbeine fesseln; **3.** hindern; **III.** *s.* **4.** Humpeln *n*; **5.** F Klemme *f*, ‚Patsche' *f.*
hob·ble·de·hoy ['hɔbldi'hɔi] *s.* F Tolpatsch *m*, ‚Taps' *m.*
hob·by ['hɔbi] *s. fig.* Steckenpferd *n*, Liebhabe'rei *f*, Hobby *n*; **'~-horse** *s.* **1.** Steckenpferd *n*; **2.** Schaukelpferd *n*; **3.** Karus'sellpferd *n.*
'hob·gob·lin *s.* Kobold *m* (*a. fig.*).
'hob·nail *s.* grober Schuhnagel; **'hob·nailed** *adj.* **1.** genagelt, mit groben Nägeln beschlagen; **2.** *fig.* bäurisch, täppisch.
'hob-nob *v/i.* **1.** in'tim sein; freundschaftlich verkehren; **2.** zu'sammen eins trinken.
ho·bo ['houbou] *pl.* **-bos, -boes** *s. Am.* **1.** Wanderarbeiter *m*; **2.** Landstreicher *m*, Tippelbruder *m.*
Hob·son's choice ['hɔbsnz] *s.*: *to take ~* keine andere Wahl haben.
hock[1] [hɔk] **I.** *s.* **1.** *zo.* Sprung-, Fesselgelenk *n* (*Huftiere*); **2.** Hachse *f* (*Schlachttiere*); **II.** *v/t.* **3.** → *hamstring 3.*
hock[2] [hɔk] *s.* weißer Rheinwein.
hock[3] [hɔk] *sl.* **I.** *s.* Pfand *n*: *in ~* **a)** verschuldet, **b)** versetzt, verpfändet, **c)** *Am.* im ‚Kittchen' (*Gefängnis*); **II.** *v/t.* versetzen, verpfänden.
hock·ey ['hɔki] *s. sport* Hockey *n.*
'hock·shop *s. sl.* Pfandleihe *f*, Leihhaus *n.*
ho·cus ['houkəs] *v/t.* **1.** betrügen; **2.** berauschen, betäuben; **3.** *Getränk* mischen, *Wein etc.* verschneiden; **'~-'po·cus** [-'poukəs] *s.* Hokus'pokus *m*: **a)** *Zauberformel*, **b)** Gauke'lei *f*, Schwindel *m*, fauler Zauber.
hod [hɔd] *s.* **1.** △ Mörteltrog *m*; Steinbrett *n* (*zum Tragen*); **2.** → *coal hod.*
hodge·podge ['hɔdʒpɔdʒ] → *hotchpotch.*
'hod·man [-mən] *s.* [*irr.*] **1.** △ Handlanger *m* (*a. fig.*); **2.** Tagelöhner *m*; Lohnschreiber *m.*
ho·dom·e·ter [hɔ'dɔmitə] *s.* Hodo'meter *n*, Wegmesser *m*, Schrittzähler *m.*
hoe [hou] ⚘ **I.** *s.* Hacke *f*; **II.** *v/t.* *Boden* hacken; *Unkraut* aushacken: *a long row to ~* e-e schwere Aufgabe.
hog [hɔg] **I.** *s.* **1.** (Haus)Schwein *n*; Schlachtschwein *n*: *to go the whole ~ sl.* **a)** aufs Ganze gehen, reinen Tisch machen, **b)** alles nehmen; **2.** *fig.* **a)** Vielfraß *m*, **b)** Flegel *m*, **c)** Schmutzfink *m*; **3.** ⚓ Scheuerbesen *m*; **4.** → *hogget*; **II.** *v/t.* **5.** *den Rücken* krümmen; **6.** kurz scheren, stutzen; **7.** (gierig) an sich reißen, mit Beschlag belegen; **III.** *v/i.* **8.** den Rücken krümmen; **9.** F rücksichtslos fahren; **'~-back** *s.* langer u. scharfer Gebirgskamm; **'~-chol·er·a** *s. vet.* Schweinerotlauf *m*, -pest *f.*
hogged [hɔgd] *adj.* hochgekrümmt; nach beiden Seiten steil abfallend.
hog·get ['hɔgit] *s. bsd. Brit.* Jährling *m*, einjähriges Schaf.

hog·gish ['hɔgiʃ] *adj.* □ **1.** schweinisch, schmutzig; **2.** gierig, gefräßig; **3.** gemein, zotig.

hog·ma·nay ['hɔgmənei] *s. Scot.* Sil'vester *m, n.*

hog| mane *s.* gestutzte Pferdemähne; '**~'s-back** → *hogback.*

hogs·head ['hɔgzhed] *s.* **1.** Oxhoft *n* (*Flüssigkeitsmaß, etwa 240 l*); **2.** großes Faß.

'**hog|-skin** *s.* Schweinsleder *n*; **~'s pud·ding** *s. etwa* Preßkopf *m*; '**~·sty** *s.* Schweinestall *m*; '**~-tie** *v/t.* **1.** alle vier Füße zs.-binden; **2.** *fig.* fesseln, lähmen; '**~-wash** *s.* **1.** Schweinetrank *m*, Spülicht *n*; **2.** *fig.* Gewäsch *n*, Quatsch *m.*

hoi(c)k[1] [hɔik] *v/t.* ✈ hochreißen.

hoick[2] [hɔik], **hoicks** [hɔiks] *int. hunt.* hussa!, heda! (*Hetzruf an Hunde*).

hoi pol·loi [hɔi'pɔlɔi] (*Greek*) *s. pl.* die große Masse, der Pöbel.

hoist[1] [hɔist] *obs. p.p.*: *~ with one's own petard* **a)** von der selbstgelegten Bombe zerrissen, **b)** *fig.* in der eigenen Falle gefangen.

hoist[2] [hɔist] **I.** *v/t.* **1.** hochziehen, -winden, hieven, heben; **2.** *Flagge, Segel* hissen *od.* heißen; **II.** *s.* **3.** (Lasten)Aufzug *m*; Hebezeug *n*, Flaschenzug *m*, Kran *m*, Winde *f.*

hoist·ing| cage ['hɔistiŋ] *s.* ⚒ Förderkorb *m*; **~ en·gine** *s.* **1.** ⊕ Hebewerk *n*, Aufzug *m*; **2.** ⚒ 'Förderma,schine *f.*

'**hoist·way** *s.* ⊕ Aufzugsschacht *m.*

hoi·ty-toi·ty ['hɔiti'tɔiti] **I.** *int.* **1.** alle Wetter!; **II.** *adj.* **2.** arro'gant, hochnäsig; **3.** leichtgekränkt, etepe'tete: *don't be so ~!* hab dich mal nicht so!; **4.** ausgelassen.

ho·k(e)y-po·k(e)y ['houki'pouki] *s. sl.* **1.** → *hocus-pocus*; **2.** billiges Speiseeis.

ho·kum ['houkəm] *s. sl.* **1.** Kitsch *m*; **2.** Unsinn *m*, Mätzchen *pl*; **3.** *thea., bsd. Film*: ,Schnulze' *f.*

hold[1] [hould] *s.* ⚓, ✈ Lade-, Frachtraum *m.*

hold[2] [hould] **I.** *s.* **1.** Halt *m*, Griff *m* (*a. Ringkampf*): *to catch* (*od. get, lay, seize, take*) *~ of s.th.* et. (er-) greifen, bekommen, fassen, zu fassen kriegen; *to get ~ of s.o.* j-n erwischen; *to keep ~ of* festhalten; *to let go one's ~ of s.th.* et. loslassen; *to miss one's ~* fehlgreifen; **2.** Halt *m*, Stütze *f*: *to afford no ~* keinen Halt bieten; **3.** (*on, over, of*) Gewalt *f*, Macht *f* (über *acc.*), Einfluß *m* (auf *acc.*): *to get a ~ on s.o.* j-n unter s-n Einfluß bekommen; *to have a (firm) ~ on* in s-r Gewalt haben, beherrschen; **II.** *v/t.* [*irr.*] **4.** halten: *to ~ a book in one's hands*; *to ~ o.s. ready* sich bereit halten; *to ~ o.s. upright* sich geradehalten; **5.** (aus)halten, tragen; **6.** besitzen: *to ~ land*; *to ~ shares*; **7.** innehaben, bekleiden: *to ~ an office*; **8.** (beibe)halten: *to ~ a position* ⚔ e-e Stellung halten *od.* behaupten; *to ~ the course* ⚓ den Kurs (beibe)halten; **9.** enthalten, fassen, Platz haben für; in sich schließen: *this jug ~s one pint* dieser Krug faßt eine Pinte; *what the future ~s (in store)* was die Zukunft bringt; **10.** *Ansicht etc.* haben, vertreten; **11.** *j-n od. et.* halten (für): *I ~ him to be a fool* ich halte ihn für e-n Narren; *it is held to be true* man hält es für wahr; *to ~ in contempt* verachten; **12.** meinen, der Ansicht sein; ⚖ entscheiden: *I ~ that* ich bin der Ansicht, daß; **13.** fest-, zu'rückhalten: *to ~ one's breath* den Atem anhalten; *to ~ the enemy* den Feind aufhalten; *to ~ the shipment* die Sendung zurückhalten; **14.** im Zaume halten, zügeln: *to ~ one's hand* sich (*von Tätlichkeiten*) zurückhalten; *there's no ~ing him* er ist nicht zu halten *od.* bändigen; **15.** *fig.* fesseln: *to ~ s.o.'s attention*; *to ~ the audience* die Zuhörer in Spannung halten; **16.** *Stellung* halten, behaupten: *to ~ one's own* sich behaupten, standhalten; *to ~ the stage* **a)** im Mittelpunkt stehen (*Person*), **b)** sich halten (*Theaterstück*); **17.** abhalten, veranstalten: *to ~ a meeting* e-e Versammlung abhalten; *to ~ counsel* sich beraten; **18.** *Unterhaltung* führen; **19.** festnehmen: *12 persons were held*; *to ~ prisoner* gefangenhalten; **III.** *v/i.* [*irr.*] **20.** (stand)halten; nicht brechen *od.* reißen: *will the anchor ~?* wird der Anker halten?; *to ~ tight* sich festhalten; *~ hard!* halt!, warte mal!; **21.** *oft ~ good* gelten, gültig sein *od.* bleiben; sich bewähren: *the promise still ~s (good)* das Versprechen gilt noch; **22.** fortdauern, anhalten: *if the fine weather ~s* wenn das Wetter schön bleibt;

Zssgn mit adv. u. prp.:

hold| a·gainst *v/t.*: *~ s.o.* j-m *et.* nachtragen *od.* verübeln *od.* vorwerfen; **~ back I.** *v/t.* **1.** zu'rück-, abhalten; **2.** zurückhalten mit, verbergen, geheimhalten; **II.** *v/i.* **3.** sich zurückhalten, zögern; **4.** zu'rückbleiben; **~ by** *v/i.* sich halten an (*acc.*), sich richten nach; **~ down** *v/t.* niederhalten, unter'drücken; **~ forth I.** *v/t.* bieten, in Aussicht stellen; **II.** *v/i.* Reden halten, sich auslassen (*on* über *acc.*); **~ in** *v/t.* **1.** zügeln, Einhalt gebieten (*dat.*); **2.** *hold o.s. in* sich beherrschen *od.* zu'rückhalten; **~ off I.** *v/t.* **1.** fern-, zu'rückhalten; **II.** *v/i.* **2.** sich zurückhalten, zögern; **3.** ausbleiben; **~ on** *v/i.* **1.** festhalten, behalten (*to acc.*): *~ (a bit)!* immer langsam!; **2.** ausharren, -halten; **3.** an-, fortdauern, fortfahren: *to ~ one's way* s-n Weg fortsetzen; **4.** *teleph.* am Appa'rat bleiben; **~ out I.** *v/t.* **1.** *Hand etc.* ausstrecken, hinhalten: *to ~ a hand to s.o.* j-m helfen; **2.** (dar)bieten, in Aussicht stellen; **II.** *v/i.* **3.** aus-, 'durchhalten, sich halten, standhalten; andauern; **4.** *~ for* hoffen *od.* bestehen auf (*acc.*); **~ o·ver** *v/t.* zu'rückhalten, -stellen, aufschieben; **~ to I.** *v/i.* festhalten an (*dat.*), bleiben bei: *I ~ my opinion*; **II.** *v/t.*: *to hold s.o. to his promise* j-n beim Wort nehmen; **~ to·geth·er** *v/t. u. v/i.* zs.-halten; **~ up I.** *v/t.* **1.** halten, stützen; **2.** hochheben: *to ~ to the light* **a)** gegen das Licht halten, **b)** *fig.* enthüllen; **3.** aufrechterhalten; **4.** zeigen, hinstellen: *to ~ as a model* als Vorbild hinstellen; *to ~ to ridicule* lächerlich machen; *to ~ to view* den Blicken darbieten; **5.** aufhalten, hindern: *held up by the fog*; **6.** über'fallen; **II.** *v/i.* **7.** sich halten (*Preise, Wetter*); **8.** nicht zu'rückbleiben.

'**hold|·all** *s.* Reisetasche *f*; '**~·back** *s.* Hindernis *n.*

hold·er ['houldə] *s.* **1.** *oft in Zssgn* Halter *m*, Behälter *m*; **2.** ⊕ Zwinge *f*, Halter(ung *f*) *m*; **3.** ⚡ (Lampen-) Fassung *f*; **4.** Pächter *m*; **5.** ✝ Inhaber(in), Besitzer(in): *previous ~* Vorbesitzer; **6.** *sport* (Titel-) Inhaber(in).

'**hold·fast** *s.* **1.** ⊕ Klammer *f*, Zwinge *f*, Haken *m*, Kluppe *f*; **2.** ⚘ Haftscheibe *f.*

hold·ing ['houldiŋ] *s.* **1.** ⚖ **a)** Pachtgut *n*, **b)** Pacht *f*, **c)** Grundbesitz *m*; **2.** *oft pl.* Besitz *m*, Bestand *m* (*Effekten*): *large steel ~s* ✝ großer Besitz von Stahl(werks)aktien; **3.** ✝ **a)** Vorrat *m*, **b)** Guthaben *n*; **~ at·tack** *s.* ⚔ Fesselungsangriff *m*; **~ ca·pac·i·ty** *s.* Fassungsvermögen *n*; **~ com·pa·ny** *s.* ✝ Dachgesellschaft *f*, Holdinggesellschaft *f.*

'**hold|·o·ver** *s.* **1.** 'Überbleibsel *n*, Rest *m*; **2.** *ped.* Repe'tent *m*; '**~-up** *s.* **1.** Stockung *f*, Störung *f*; **2.** (bewaffneter) 'Überfall *m*: *bank ~.*

hole [houl] **I.** *s.* **1.** Loch *n*, Riß *m*: *to go into ~s* Löcher bekommen; *to be in a ~ fig.* in der Klemme sitzen; *to make a ~ in fig.* ein Loch reißen in (*acc.*; *Vorräte*); *to pick ~s in fig.* an *et.* herumkritteln, *Argument etc.* zerpflücken, *j-m* am Zeug flicken; **2.** Loch *n*, Grube *f*; **3.** Höhle *f*, Bau *m* (*Tier*); **4.** *fig.* ,Loch' *n*, ,Bude' *f*; **5.** *Golf*: **a)** Loch *n*, **b)** Punkt *m*; **II.** *v/t.* **6.** durch'löchern, aushöhlen; **7.** ⚒ schrämen; **8.** *Tunnel* bohren; **9.** *Golf*: *Ball* einlochen; **10.** *Tier* in die Höhle treiben; **III.** *v/i.* **11.** sich in die Höhle verkriechen (*Tier*); **12.** *~ up Am. sl.* sich verstecken *od.* -kriechen; **13.** *a. ~ out Golf*: einlochen.

'**hole-and-'cor·ner** *adj.* **1.** heimlich, versteckt; **2.** zweifelhaft, anrüchig.

hol·i·day ['hɔlədi] **I.** *s.* **1.** Feiertag *m*: *public ~* gesetzlicher Feiertag; **2.** freier Tag, Ruhetag *m*: *to have a ~* **a)** e-n freien Tag haben, **b)** Ferien haben; *to have a ~ from* befreit sein von; **3.** *mst pl. bsd. Brit.* Ferien *pl.*, Urlaub *m*: *the Easter ~s* die Osterferien; *on ~* in den Ferien, auf Urlaub, verreist; *to go on ~* (*od. on one's ~s*) in die Ferien gehen; *~s with pay* bezahlter Urlaub; **II.** *adj.* **4.** Ferien..., Fest (-tags)...: *~ camp* Ferienlager; *~ mood* Ferienstimmung; *~ clothes* Festkleider; *~ course* Ferienkurs; **III.** *v/i.* **5.** *bsd. Brit.* Ferien *od.* Urlaub machen; '**~-mak·er** *s. bsd. Brit.* Ferienreisende(r *m*) *f*, Ferien-, Kurgast *m*, Urlauber(in), Sommerfrischler(in).

ho·li·ness ['houlinis] *s.* Heiligkeit *f*: *His* ♀ Seine Heiligkeit (*Papst*).

ho·lism ['houlizəm] *s. phls.* Ho'lismus *m* (*Ganzheitstheorie*); **ho·lis·tic** [hou'listik] *adj.* ho'listisch, ganzheitlich.

hol·la ['hɔlə] → *hallo.*

hol·land ['hɔlənd] *s.* grobe, ungebleichte Leinwand.

Hol·lands (gin) ['hɔləndz] *s.* Wa'cholderschnaps *m*, Ge'never *m*.

hol·ler ['hɔlə] *v/i. u. v/t.* F schreien, brüllen.

hol·lo ['hɔlou] → *hallo.*

hol·low ['hɔlou] **I.** *s.* **1.** Höhle *f*, (Aus)Höhlung *f*, Hohlraum *m*: ~ *of the hand* hohle Hand; *to have s.o. in the ~ of one's hand* j-n völlig in der Hand haben; ~ *of the knee* Kniekehle; **2.** Loch *n*, Grube *f*; **3.** Vertiefung *f*, Mulde *f*, Tal *n*; Hohlweg *m*; **4.** ⊕ Rinne *f*, Hohlkehle *f*; **II.** *adj.* □ → *a. III*; **5.** hohl, Hohl...; **6.** hohl, dumpf (*Ton, Stimme*); **7.** *fig.* hohl, leer, nichtssagend, nichtig; **8.** hohl: **a)** eingefallen (*Wangen*), **b)** tiefliegend (*Augen*); **III.** *adv.* **9.** hohl; **10.** *to beat s.o.* ~ j-n völlig besiegen, j-n weit hinter sich lassen; **IV.** *v/t.* **11.** *oft* ~ *out* aushöhlen, -kehlen; **'~-'cheeked** *adj.* hohlwangig; **'~-eyed** [-ouaid] *adj.* hohläugig; **'~-'ground** *adj.* ⊕ hohlgeschliffen; **'~-'heart·ed** *adj. fig.* falsch, treulos.

hol·low·ness ['hɔlounis] *s.* **1.** Hohlheit *f*; **2.** Dumpfheit *f*; **3.** Leerheit *f*; Falschheit *f*.

'hol·low-ware *s.* tiefes (Küchen-)Geschirr (*Töpfe, Schüsseln etc*).

hol·ly ['hɔli] *s.* **1.** ♀ Stechpalme *f*; **2.** Stechpalmenzweige *pl.*

'hol·ly·hock *s.* ♀ Stockrose *f*, Malve *f*.

holm [houm] *s.* Holm *m*, Werder *m*; **'~-'oak** *s.* ♀ Steineiche *f*.

holo- [hɔlə-] *in Zssgn* ganz.

hol·o|·caust ['hɔləkɔːst] *s.* **1.** Massenvernichtung *f*, -tod *m*, (*bsd.* 'Brand-)Kata,strophe *f*; **2.** Brandopfer *n*; **'~·cene** [-əsiːn] *s. geol.* Holo'zän *n*, Al'luvium *n*; **'~·graph** [-əgrɑːf; -əgræf] **I.** *adj.* (ganz) eigenhändig geschrieben: ~ *will*; **II.** *s.* eigenhändig geschriebene Urkunde; **~·thu·ri·an** [hɔlə'θuəriən] *s. zo.* Seewalze *f*.

Hol·stein ['hɔlstain] (*Ger.*) *s.* ✓ Holsteiner *m* (*Rind*).

hol·ster ['houlstə] *s.* **Pi'stolenhalfter** *f*, *n*.

holt [hoult] *s. poet.* Gehölz *n*, Hain *m*.

ho·lus-bo·lus ['houləs'bouləs] *adv.* F alle(s) auf einmal; holterdie'polter.

ho·ly ['houli] **I.** *adj.* □ heilig, geweiht; → *order 20*; **II.** *s.*: *the ~ of holies bibl.* das Allerheiligste; ♀ **Al·li·ance** *s. hist.* Heilige Alli'anz; ♀ **Cit·y** *s. die* Heilige Stadt; **~ day** *s.* kirchlicher Feiertag; ♀ **Fa·ther** *s. der* Heilige Vater; ♀ **Ghost** *s. der* Heilige Geist; ♀ **Land** *s. das* Heilige Land; ♀ **Of·fice** *s. R.C.* **a)** *hist.* Inquisiti'on *f*, **b)** *das* Heilige Of'fizium; ♀ **Ro·man Empire** *s. hist. das* Heilige Römische Reich; ♀ **Sat·ur·day** *s.* Kar'samstag *m*; ♀ **Scrip·ture** *s. die* Heilige Schrift; ♀ **See** *s. der* Heilige Stuhl; ♀ **Spir·it** → *Holy Ghost*; **'~·stone** ⚓ **I.** *s.* Scheuerstein *m*; **II.** *v/t.* scheuern; **~ ter·ror** *s.* F Quälgeist *m*, (kleines) Scheusal; ♀ **Thurs·day** *s.* **1.** *R.C.* Grün'donnerstag *m*; **2.** (*anglikanische Kirche*) Himmelfahrtstag *m*; ♀ **Trin·i·ty** *s. die* Heilige Drei'einigkeit *od.* Drei'faltigkeit; **~ wa·ter** *s. R.C.* Weihwasser *n*; ♀ **Week** *s.* Karwoche *f*; ♀ **Writ** → *Holy Scripture.*

hom·age ['hɔmidʒ] *s.* **1.** Huldigung *f*: *to do* (*od. pay*) ~ huldigen (*to dat.*); **2.** Reve'renz *f*.

Hom·burg (hat) ['hɔmbəːg] *s.* Homburg *m* (*Herrenfilzhut*).

home [houm] **I.** *s.* **1.** Heim *n*, Elternhaus *n*; **2.** Heim *n*, (*eigene*) Wohnung; (*jetziger*) Wohnort, Heimatort *m*: *away from ~* abwesend, auswärts, verreist; *I leave ~ at 9* ich gehe um 9 Uhr von (zu) Hause fort; *Paris is my second ~* Paris ist m-e zweite Heimat; *he made his ~ in* er schlug s-n Wohnsitz auf in (*dat.*); *last ~* letzte Ruhestätte; **3.** *at ~* **a)** zu Hause, **b)** Empfangstag habend; → *at-home*; *at ~ in fig.* bewandert in (*dat.*), vertraut mit; *not at ~* (*to*) nicht zu sprechen (für); *to feel at ~* sich wie zu Hause fühlen; *make yourself at ~* mach es dir bequem; **4.** Heim *n*, Haushalt *m*, Fa'milie *f*; Zu'hause *n*, Da'heim *n*: ~ *help* Haushaltshilfe, Hausgehilfin; ~ *life* Familienleben; *the pleasures of ~* die häuslichen Freuden; *there is no place like ~* eigener Herd ist Goldes wert; **5.** Heimat *f*, Geburts-, Vaterland *n*: *a letter from ~* ein Brief aus der Heimat *od.* von der Familie; ~ *freight* ✝ Rückfracht; ~ *port* ⚓ Heimathafen; **6.** Ursprungsort *m*; Heimat *f* (*fig. a. von Tieren*); **7.** Heim *n*, (Heil- u. Pflege)Anstalt *f*: ~ *for the aged* Altenheim; ~ *for the blind* Blindenheim; **8.** *sport* Ziel *n*, Mal *n*: ~ *stretch* Zielgerade; **II.** *adj.* **9.** häuslich, Familien..., Heim..., zu Hause ausgeübt; *sport* Heim...: ~ *address* Heimat-, Privatadresse; ~ *circle* Familienkreis; ~ *match sport* Heimspiel; **10.** einheimisch, inländisch, Inland(s)..., Binnen...: ~ *affairs pol.* innere Angelegenheiten; ~ *demand* ✝ Inlandsnachfrage; **11.** Haupt..., Stamm...: ~ *office* ✝ *bsd. Am.* Stammhaus; ~ *farm* selbstbewirtschaftetes Gut; → *Home Office*; **12.** treffend, deutlich, ungezwungen, derb: *to tell s.o. a few ~ truths* j-m gründlich die Meinung sagen; **III.** *adv.* **13.** nach Hause: *the way ~* der Heimweg; *to go ~* **a)** nach Hause gehen, **b)** *a. to get ~* s-e Wirkung tun, ‚sitzen', ‚treffen'; *to get ~ on s.o.* j-n (an der wunden Stelle) treffen; → *write 10*; **14.** zu Hause: *I shall be ~ by ten* ich werde um 10 Uhr (wieder) zu Hause *od.* zurück sein; **15.** am Ziel, bis ans Ziel, bis zum Ausgangspunkt: *to drive a nail ~* e-n Nagel fest einschlagen; *to drive* (*od. bring*) *s.th. ~ to s.o.* **a)** j-m et. klarmachen *od.* beibringen, **b)** j-n e-r Sache überführen; *to press s.th. ~* et. durchsetzen *od.* gründlich durchführen; *to strike ~* s-e Wirkung tun, ‚sitzen'; *this comes ~ to me* **a)** das sehe ich ein, **b)** das geht mir nahe; *the thrust went ~ fig.* der Hieb saß.

'home|-'bred *adj.* **1.** schlicht, einfach; **2.** einheimisch; **'~-'brew** *s.* selbstgebrautes Bier; **'~-com·er** *s.* Heimkehrer *m*; **'~-com·ing** *s.* Heimkehr *f*; ♀ **Coun·ties** *s. pl. die um London liegenden Grafschaften*; **~ e·co·nom·ics** *s. pl. sg. konstr.* Hauswirtschaftslehre *f*; ♀ **Guard** *s.* Bürgerwehr *f*; **'~-keep·ing** *adj.* häuslich; stubenhockerisch; **'~·land** *s.* Heimat-, Vater-, Mutterland *n*; **~ leave** *s.* Heimaturlaub *m*.

home·less ['houmlis] *adj.* **1.** heimatlos; **2.** obdachlos; **'home·like** *adj.* wie zu Hause, heimisch, gemütlich;

home·li·ness ['houmlinis] *s.* **1.** Einfachheit *f*, Schlichtheit *f*; **2.** *Am.* Reizlosigkeit *f*; **home·ly** ['houmli] *adj.* **1.** anheimelnd, häuslich; **2.** schlicht, hausbacken, reizlos; anspruchslos; **3.** behaglich, gemütlich; **4.** einfach, alltäglich; **5.** *Am.* reizlos.

'home|-'made *adj.* **1.** selbstgemacht, selbstgebacken, Hausmacher...; **2.** ✝ **a)** einheimisch, im Inland hergestellt: ~ *goods* einheimische Erzeugnisse, **b)** hausgemacht: ~ *inflation*; **'~·mak·ing** *s.* Haushaltsführung *f*; **~ mar·ket** *s.* ✝ Inlandsmarkt *m*.

homeo- *etc.* → *homoeo- etc.*

Home| Of·fice *s. Brit.* 'Innenmini,sterium *n*; ♀ **perm** *s.* F Heim-Dauerwelle *f*.

hom·er ['houmə] *s.* **1.** F → *home run*; **2.** Brieftaube *f*.

Ho·mer·ic [hou'merik] *adj.* ho'merisch: ~ *laughter* homerisches Gelächter.

Home| Rule *s. pol.* 'Selbstre,gierung *f*, Autono'mie *f*; **'♀·rul·er** *s.* Vorkämpfer *m* e-r Autonomie; ♀ **run** *s. Baseball: Lauf um sämtliche Male auf einen Schlag*; ~ **Sec·re·tar·y** *s. Brit.* 'Innenmi,nister *m*; **'♀·sick** *adj.*: *to be ~* Heimweh haben; **'♀·sick·ness** *s.* Heimweh *n*; ♀ **sig·nal** *s.* 🚂 'Hauptsi,gnal *n*; **'♀·spun I.** *adj.* **1.** zu Hause gesponnen; **2.** *fig.* schlicht, einfach; grob; **II.** *s.* **3.** *ein rauher Wollstoff*; **'♀·stead** *s.* **1.** Heimstätte *f*, Eigenheim *n* mit Grundstück; **2.** ⚖ *Am. gegen Zugriff von Gläubigern geschützte Heimstätte*: ~ *law* Heimstättengesetz; ♀ **trade** *s.* ✝ Binnen-, Inlandshandel *m*; ♀ **treat·ment** *s.* ⚕ Hausbehandlung *f*, -kur *f*; **'♀·ward** [-wəd] *adj. u. adv.* Heim..., Rück...; → *bound²*; **'♀·wards** [-wədz] *adv.* heimwärts; **'♀·work** *s.* **1.** *ped.* Hausaufgabe(n *pl.*) *f*, Schularbeiten *pl.*: *to do one's ~* s-e Hausaufgaben machen (*a. fig. sich gründlich vorbereiten*); **2.** ✝ Heimarbeit *f*; **'♀·work·er** *s.* ✝ Heimarbeiter(in).

hom·i·cid·al [hɔmi'saidl] *adj.* mörderisch; Mord...; mordlustig; **hom·i·cide** ['hɔmisaid] *s.* **1.** *allg.* Tötung *f*; *engS.* **a)** Mord *m*, **b)** Totschlag *m*; **2.** Mörder(in), Totschläger(in).

hom·i·let·ic [hɔmi'letik] *adj.* homi'letisch, Predigt...; **hom·i'let·ics**

[-ks] *s. pl. oft sg. konstr.* Homi'letik *f*, Predigtlehre *f*; **hom·i·list** ['hɔmilist] *s.* **1.** Prediger *m*; **2.** Verfasser *m* von Predigten; **hom·i·ly** ['hɔmili] *s.* **1.** Predigt *f*; **2.** *fig.* Gar'dinen-, Mo'ralpredigt *f.*

hom·ing ['houmiŋ] **I.** *adj.* **1.** heimkehrend: ~ *pigeon* Brieftaube; ~ *instinct zo.* Heimkehrvermögen; **2.** ⚔ zielansteuernd (*Torpedo, Rakete*); **II.** *s.* ✈ **3. a)** Zielflug *m*, Senderanflug *m*, **b)** Zielpeilung *f*: ~ *beacon* Anflugfunkfeuer; ~ *device* Zielfluggerät.

hom·i·nid ['hɔminid] *zo.* **I.** *adj.* menschenartig; **II.** *s.* Homi'nid *m*, (*vorgeschichtliches*) menschenartiges Wesen.

hom·i·ny ['hɔmini] *s.* **1.** Maismehl *n*; **2.** Maisbrei *m.*

homo- [houmou-; hɔmou-; hɔmə-], **homoeo-** [houmjə-] *in Zssgn* gleichartig.

ho·moe·o·path ['houmjəpæθ] *s.* ⚕ Homöo'path(in); **ho·moe·o·path·ic** [houmjə'pæθik] *adj.* (□ ~*ally*) ⚕ homöo'pathisch; **ho·moe·op·a·thist** [houmi'ɔpəθist] → *homoeopath*; **ho·moe·op·a·thy** [houmi'ɔpəθi] *s.* ⚕ Homöopa'thie *f.*

ho·mo·ge·ne·i·ty [hɔmoudʒe'ni:iti] *s.* Homogeni'tät *f*, Gleichartigkeit *f*; **ho·mo·ge·ne·ous** [hɔmə'dʒi:njəs] *adj.* □ homo'gen, gleichartig; **ho·mo·gen·e·sis** [hɔmə'dʒenisis] *s. biol.* Homoge'nese *f.*

ho·mol·o·gate [hɔ'mɔləgeit] *v/t.* ⚖ **a)** genehmigen, **b)** beglaubigen, bestätigen, **c)** amtlich anerkennen; **ho'mol·o·gous** [-gəs] *adj.* homo'log, entsprechend, über'einstimmend; gleichwertig, artverwandt, ähnlich; **hom·o·logue** ['hɔmələg] *s.* homo'loger Teil; **ho·mol·o·gy** [hɔ'mɔlədʒi] *s.* Entsprechung *f*, Über'einstimmung *f*, Gleichwertigkeit *f*, Ähnlichkeit *f.*

hom·o·nym ['hɔmənim] *s. ling.* Homo'nym *n*, gleichlautendes Wort; **ho·mo·nym·ic** [hɔmə'nimik], **ho·mon·y·mous** [hɔ'mɔniməs] *adj.* gleichlautend, -namig;

ho·mo·phile ['houmoufail] **I.** *s.* Homo'phile(r *m*) *f*; **II.** *adj.* homo'phil; **hom·o·phone** ['hɔməfoun] *s. ling.* **1.** Schriftzeichen *n* mit gleichem Laut; **2.** gleichlautendes Wort; **hom·o·phon·ic** [hɔmə'fɔnik] *adj.* ♪ homo'phon.

ho·mop·ter·a [hɔ'mɔptərə] *s. pl. zo.* Gleichflügler *pl.* (*Insekten*).

ho·mo·sex·u·al ['houmou'seksjuəl] **I.** *s.* ˌHomosexu'elle(r *m*) *f*; **II.** *adj.* ˌhomosexu'ell; **ho·mo·sex·u·al·i·ty** ['houmouseksju'æliti] *s.* ˌHomosexuali'tät *f.*

ho·mun·cle [hou'mʌŋkl] → *homuncule*; **ho'mun·cu·lar** [-kjulə] *adj.* ho'munkulusähnlich; **ho'mun·cule** [-kju:l], **ho'mun·cu·lus** [-kjuləs] *pl.* **-li** [-lai] *s.* Ho'munkulus *m*; Menschlein *n*, Knirps *m.*

hon. ['ɔnərəbl] *abbr. für hono(u)rable.*

hone [houn] **I.** *s.* (feiner) Schleifstein; **II.** *v/t.* honen, fein-, ziehschleifen: *honing tool* Honwerkzeug.

hon·est ['ɔnist] *adj.* □ **1.** ehrlich, redlich, aufrecht, rechtschaffen, anständig; gewissenhaft; **2.** offen, aufrichtig; **3.** *obs.* ehrbar (*Frau*); **'hon·est·ly** [-li] **I.** *adv.* → *honest*; **II.** *int.* F offen gesagt, wirklich, auf mein Wort!; **'hon·est-to-'good·ness** *adj.* F echt, wahr, ‚richtig'; **'hon·es·ty** [-ti] *s.* **1.** Ehrlichkeit *f*, Rechtschaffenheit *f*; **2.** Aufrichtigkeit *f*; **3.** ♀ 'Mondviˌole *f.*

hon·ey ['hʌni] **I.** *s.* **1.** Honig *m*; **2.** *fig.* Süßigkeit *f*, Lieblichkeit *f*; Freude *f*; **3.** *fig.* Liebling *m*, Süße(r *m*) *f*; **'~-bag** *s. zo.* Honigmagen *m der Bienen*; **'~-bee** *s. zo.* Honigbiene *f.*

'hon·ey·comb [-koum] *s.* **1.** Honigwabe *f*; **2.** Waffelmuster *n* (*Gewebe*): ~ *quilt* Waffeldecke; ~ *towel* Handtuch aus Waffelgewebe; **3.** ⊕ Gußblase *f*; **4.** *in Zssgn* ⊕ Waben... (*-kühler, -spule etc.*); **'hon·ey·combed** [-koumd] *adj.* **1.** durch'löchert, löcherig, zellig; **2.** ⊕ blasig; **3.** *fig.* (*with*) durch'setzt (mit), unter'graben (durch).

hon·ey| dew *s.* **1.** ♀ Honigtau *m*, Blatthonig *m*: ~ *melon* sehr süße Melone; **2.** gesüßter 'Tabak; **'~-eat·er** *s. orn.* Honigfresser *m.*

hon·eyed ['hʌnid] *adj.* honigsüß (*a. fig.*).

hon·ey| ex·trac·tor → *honey separator*; **'~-moon I.** *s.* **1.** Flitterwochen *pl.*; **2.** Hochzeitsreise *f*; **II.** *v/i.* **3.** die Flitterwochen verbringen; s-e Hochzeitsreise machen; **'~-moon·er** *s.* Hochzeitsreisende(r *m*) *f*; **~ sep·a·ra·tor** *s.* ⊕ Honigschleuder *f*; **'~-suck·le** *s.* ♀ Geißblatt *n*, Je'längerje'lieber *n.*

hon·ied → *honeyed.*

honk [hɔŋk] **I.** *s.* **1.** Schrei *m* der Wildgans; **2.** 'Hupensiˌgnal *n*; **II.** *v/i.* **3.** schreien (*Wildgans*); **4.** hupen.

hon·or *etc. Am.* → *honour etc.*

hon·o·rar·i·um [ɔnə'rɛəriəm] *pl.* **-rar·i·a** [-'rɛəriə], **-rar·i·ums** *s.* (freiwilliges) Hono'rar, Gratifikati'on *f*; **hon·or·ar·y** ['ɔnərəri] *adj.* ehrend, Ehren..., ehrenamtlich: ~ *debt* Ehrenschuld; ~ *degree univ.* (Doktor)Grad *od.* Titel ehrenhalber; ~ *member* Ehrenmitglied; ~ *secretary* (*abbr. hon. sec.*) ehrenamtlicher Schriftführer; **hon·or'if·ic** [-'rifik] **I.** *adj.* (□ ~*ally*) **1.** ehrend, Ehren...; **2.** ehrenwert; **II.** *s.* **3.** Ehrung *f*, Ehrentitel *m.*

hon·our ['ɔnə] **I.** *s.* **1.** Ehre *f*: (*up*)*on my* ~ bei m-r Ehre, (auf mein) Ehrenwort!; *man of* ~ Ehrenmann; *point of* ~ Ehrensache; *it does him* ~ er kann stolz darauf sein; *he is an* ~ *to his school* er ist e-e Zierde s-r Schule; *to do s.o. the* ~ j-m die Ehre erweisen; *I have the* ~ *to inf.* ich habe die Ehre zu *inf.*; *to put s.o. on his* ~ j-n bei s-r Ehre packen; **2.** Ansehen *n*, guter Ruf: *bound in* ~ moralisch verpflichtet; *to his* ~ *it must be said* zu s-r Ehre muß gesagt werden; **3.** Ehrerbietung *f*, Hochachtung *f*: *in s.o.'s* ~ zu j-s *od.* j-m zu Ehren; *to hold in* ~ in Ehren halten; *to give* (*od. pay*) ~ *to j-m* Ehrerbietung zollen; **4.** *pl.* Ehrung *f*, Auszeichnung *f*, Ehrenbezeigung *f*: *last* (*od. funeral*) ~*s* letzte Ehre; *military* ~*s* militärische Ehren; *with* ~*s even* von gleichem Rang; **5.** *pl.* Ehrenzeichen *pl.*, Orden *pl.*; **6.** Ehrung *f*, Ehrentitel *m*, hoher Rang: ~*s list Brit.* Liste der Titelverleihungen (*zum Geburtstage des Herrschers etc.*); → 7; **7.** *pl. univ.* 'Studium *n* höherer Ordnung (*als Hauptfach*): ~*s degree* Honours-Grad; ~*s list* Liste der Absolventen mit Honours-Grad; → 6; ~*s man Brit.*, ~*s student Am.* wer e-n Honours-Grad anstrebt *od.* besitzt; **8.** *pl.* Hon'neurs *pl.*: *to do the* ~*s* die Honneurs machen; **9.** *Kartenspiel*: Bild *n*; **10.** *Golf*: *it is his* ~ er hat die Ehre; **11.** † Honorierung *f*, Einlösung *f*; **II.** *v/t.* **12.** ehren, auszeichnen, verherrlichen; **13.** ehren, Ehre erweisen (*dat.*); **14.** beehren (*with* mit); **15.** † *Scheck etc.* honorieren, einlösen; *Schuld* begleichen; *Vertrag* erfüllen; **hon·our·a·ble** ['ɔnərəbl] *adj.* □ **1.** ehrenwert, rechtschaffen: *an* ~ *man* ein Ehrenmann; **2.** ehrenhaft, ehrlich (*Absicht etc.*); **3.** ehrenvoll, rühmlich; **4.** ♀ (*abbr. Hon.*) *bsd. Brit. Titel* (*a. Frauen*) Ehrenwert: *the* ♀ *Adam Smith*; *the* ♀ *gentleman, my* ♀ *friend parl.* der Herr Kollege *od.* Vorredner.

hood [hud] **I.** *s.* **1.** Ka'puze *f* (*a. univ. am Talar*); **2.** ♀ Helm *m*; **3.** *orn., zo.* Haube *f*, Schopf *m*; Brillenzeichnung *f* der 'Kobra; **4.** *mot.* **a)** *Brit.* Verdeck *n*, **b)** *Am.* ('Motor)Haube *f*; **5.** ⊕ **a)** Kappe *f*, (Schutz)Haube *f*, **b)** Abzug *m* (*für Gase*); **6.** → *hoodlum* 2; **II.** *v/t.* **7.** mit e-r Ka'puze *od.* Haube bekleiden; **8.** be-, verdecken.

hood·ed ['hudid] *adj.* **1.** mit e-r Ka'puze bekleidet; **2.** *fig.* verhüllt; vermummt; **3.** *orn.* mit Schopf; ~ **crow** *s. orn.* Nebelkrähe *f*; ~ **seal** *s. zo.* Mützenrobbe *f*; ~ **snake** → *cobra.*

hood·lum ['hu:dləm] *s. sl.* **1.** (jugendlicher) Strolch, Rowdy *m*; **2.** Ga'nove *m*, Gangster *m.*

hoo·doo ['hu:du:] *s. bsd. Am.* **1.** → *voodoo 1–3*; **2. a)** Unglücksbringer *m*, **b)** Unglück *n.*

'hood·wink *v/t.* **1.** *obs.* die Augen verbinden (*dat.*); **2.** *mst fig.* täuschen, hinter'gehen, reinlegen.

hoo·ey ['hu:i] *Am. sl.* **I.** *int.* Unsinn!, dummes Zeug!; **II.** *s.* Unsinn *m*, Humbug *m.*

hoof [hu:f] *pl.* **hoofs, hooves** [hu:vz] **I.** *s.* **1.** *zo.* Huf *m*: *on the* ~ lebend (*Schlachtvieh*); → *cloven hoof*; **2.** *humor.* (*Menschen*)Fuß *m*: *to pad the* ~ → 4; *under the* ~ unterdrückt; **II.** *v/t.* **3.** *a.* ~ *out sl.* rausschmeißen; **III.** *v/i.* **4.** *mst* ~ *it sl.* zu Fuß gehen; **5.** *Am. sl.* tanzen; **'~-bound** *adj. vet.* hufzwängig.

hoofed [hu:ft] *adj.* gehuft, Huf...; **'hoof·er** [-fə] *s. Am. sl.* Berufstänzer(in), *bsd.* Steptänzer(in).

hook [huk] **I.** *s.* **1.** Haken *m*: *clothes-*~ Kleiderhaken; ~*s and eyes* Haken u. Ösen; *by* ~ *or by crook* unter allen Umständen, so oder so; *on one's own* ~ *sl.* auf eigene Faust, auf eigene Rechnung; *to* *sling (od. take) one's ~ sl.* abhauen, ‚türmen'; **2.** ⊕ **a)** Haken *m*, **b)** (Tür)Angel *f*, Haspe *f*; **3.** Angelhaken *m*: *~, line, and sinker fig.* vollständig; **4.** ✓ Sichel *f*; **5.** scharfe Biegung; Landspitze *f*; **6.** ♪ Notenfähnchen *n*; **7. a)** *Baseball, Golf*: Hook *m*, **b)** *Boxen*: Haken *m*; **II.** *v/t.* **8.** an-, ein-, fest-, zuhaken; **9.** fangen, angeln (*a. fig.*): *to ~ s.o.* (sich) j-n angeln; **10.** F ‚klauen' (*stehlen*); **11.** biegen, krümmen; **12.** *Boxen*: *j-m* e-n Haken versetzen; **13.** *Baseball, Golf*: *Ball* mit (e-m) Hook spielen; **14.** *~ up* anhaken; *mit Haken* aufhängen; zs.-stellen; anschließen; **III.** *v/i.* **15.** sich (zu)haken lassen; sich festhaken; **16.** *~ on* 'untergehakt gehen; **17.** *to ~ it sl.* sich dünnmachen, ‚türmen': *~ it!* hau ab!

hook·a(h) ['hukə] *s.* 'Huka *f* (*orientalische Wasserpfeife*).

hooked [hukt] *adj.* **1.** krumm, hakenförmig, Haken...; **2.** mit (e-m) Haken (versehen).

hook·er ['hukə] *s.* **1.** Huker *m* (*Fischerboot*); **2.** ⊕ Aufhänger *m*, Kar'dangelenk *n*; **3.** *Am. sl.* ‚Nutte' *f*.

hook·ey → *hooky²*.

'hook|-'nosed *adj.* mit e-r Hakennase; **'~-pin** *s.* ⊕ Hakenbolzen *m*, -stift *m*; **~ span·ner** *s.* ⊕ Hakenschlüssel *m*; **~ tile** *s.* Hakenziegel *m*; **~ tool** *s.* ⊕ Hakenstahl *m*, Drehhaken *m*; **'~-up** *s.* **1.** *Radio*: **a)** Zs.-, Gemeinschaftsschaltung *f* (*mehrerer Sender*), Ringsendung *f*, **b)** 'Schaltbild *n*, -ˌschema *n*; **2.** Zs.-schluß *m*, Bündnis *n*; **'~-worm** *s. zo.* Hakenwurm *m*.

hook·y¹ ['huki] *adj.* hakenartig, gekrümmt.

hook·y² ['huki] *s.*: *to play ~ Am.* **a)** (die Schule) schwänzen, **b)** sich drücken.

hoo·li·gan ['hu:ligən] *s.* Rowdy *m*, ‚Schläger' *m*; **'hoo·li·gan·ism** [-nizəm] *s.* Rowdytum *n*.

hoop¹ [hu:p] **I.** *s.* **1.** Reif(en) *m* (*a.* ⊕, *Faß, Kinderspiel, Zirkus, Reifrock*): *to go through the ~(s)* Schlimmes durchmachen; **2.** *a.* ⊕ Band *n*, Ring *m*: *~-iron* Bandeisen; **3.** *a. ~ skirt* Reifrock *m*; **4.** *Krocket*: Tor *n*; **II.** *v/t.* **5.** *Faß* binden, bereifen; **6.** um'geben, -'ringen.

hoop² [hu:p] → *whoop*.

hoop·er¹ ['hu:pə] *s.* Böttcher *m*, Küfer *m*, Faßbinder *m*.

hoop·er² ['hu:pə], **~ swan** *s. orn.* Singschwan *m*.

'hoop·ing|-cough ['hu:piŋ] *s.* ⚕ Keuchhusten *m*; **~ swan** → *hooper²*.

hoop·la ['hu:plɑ:] *s.* Ringwerfen *n* (*auf Jahrmärkten etc.*).

hoo·poe ['hu:pu:] *s. orn.* Wiedehopf *m*.

hoo·ray [hu'rei] → *hurrah*.

hoos(e)·gow, hoose-gaw ['hu:sgau] *s. Am. sl.* ‚Kittchen' *n* (*Gefängnis*).

hoot [hu:t] **I.** *v/i.* **1.** heulen, (höhnisch) johlen: *to ~ at s.o.* j-n verhöhnen; **2.** schreien (*Eule*); **3.** *Brit.* **a)** hupen, tuten (*Auto*), **b)** pfeifen, heulen (*Dampfpfeife*); **II.** *v/t.* **4.** *a. ~ down* niederschreien, auspfeifen; **5.** *~ out, ~ off* durch Gejohle vertreiben; **III.** *s.* **6.** (*johlender*) Schrei (*a. Eule*): *it's not worth a ~* F es ist keinen Pfifferling wert; *I don't care two ~s* F das ist mir schnuppe; **7.** Hupen *n* (*Auto*); Heulen *n* (*Sirene*); **'hoot·er** [-tə] *s.* **1.** Hupe *f* (*Auto*); **2.** Si'rene *f*, Dampfpfeife *f*.

Hoo·ver ['hu:və] *Brit.* (*Fabrikmarke*) **I.** *s.* Staubsauger *m*; **II.** *v/t.* mit dem Staubsauger reinigen, (ab)saugen.

hooves [hu:vz] *pl. von hoof*.

hop¹ [hɔp] **I.** *v/i.* **1.** hüpfen, hopsen; **2.** F tanzen; **3.** *~ off* ✈ starten; **4.** *mst ~ it sl.* sich verziehen, ‚verduften'; **II.** *v/t.* **5.** hüpfen *od.* springen über (*acc.*); **6.** F (auf)springen auf (*acc.*): *to ~ a train*; **7.** *sl.* über'fliegen, -'queren; **8.** *Ball* hüpfen lassen; **9.** *Am. sl.* **a)** mit Rauschgift aufputschen, **b)** *mot. Auto* ‚frisieren'; **III.** *s.* **10.** Hopser *m*, Sprung *m*: *to be on the ~* F hin u. her rennen; *to catch on the ~* F erwischen; **11.** F Tänzchen *n*; **12.** ✈ F kurzer Flug, Teilstrecke *f*; **13.** *Am. sl.* Rauschgift *n*, *engS.* 'Opium *n*.

hop² [hɔp] **I.** *s.* **1.** ♀ Hopfen *m*; **2.** *pl.* Hopfen(blüten *pl.*) *m*: *to pick ~s* Hopfen zupfen; **II.** *v/t.* **3.** *Bier* hopfen; **III.** *v/i.* **4.** Hopfen zupfen; **~ back** *s. Brauerei*: Hopfenseiher *m*; **'~-bind, '~-bine** *s.* Hopfenranke *f*; **~ dri·er** *s.* Hopfendarre *f*.

hope [houp] **I.** *s.* **1.** Hoffnung *f* (*of* auf *acc.*): *in ~s* in der Erwartung, hoffend; *in the ~ of ger.* in der Hoffnung zu *inf.*; *past ~* hoffnungs-, aussichtslos; **2.** Aussicht *f*, Zuversicht *f*: *no ~ of success* keine Aussicht auf Erfolg; **3.** Hoffnung *f* (*Person od. Sache*): *she is our only ~*; **4.** → *forlorn hope*; **II.** *v/i.* **5.** hoffen (*for* auf *acc.*): *to ~ against ~* hoffen, wo nichts mehr zu hoffen ist, verzweifelt hoffen; *to ~ for the best* das Beste hoffen; *I ~* so hoffentlich, ich hoffe (es); *the ~d-for result* das erhoffte Ergebnis; **~ chest** *s. Am.* F Hamsterkiste *f*.

hope·ful ['houpful] **I.** *adj.* □ **1.** hoffnungs-, erwartungsvoll: *I am (od. feel) ~* ich hoffe; **2.** (*a. iro.*) vielversprechend; **II.** *s.* **3.** *mst iro. od. humor.* vielversprechender junger Mensch; **'hope·ful·ness** [-nis] *s.* Hoffnungsfreudigkeit *f*.

hope·less ['houplis] *adj.* □ **1.** hoffnungslos, verzweifelt; **2.** hoffnungs-, aussichtslos; **3.** F unverbesserlich: *a ~ drunkard*; **'hope·less·ly** [-li] *adv.* **1.** → *hopeless*; **2.** F heillos, völlig: *~ drunk* sinnlos betrunken; **'hope·less·ness** [-nis] *s.* Hoffnungslosigkeit *f*.

'hop|-fly *s. zo.* Hopfenblattlaus *f*; **'~-gar·den** *s. Brit.* Hopfengarten *m*; **~ kiln** → *hop drier*.

hop-o'-my-thumb ['hɔpəmi'θʌm] *s.* Knirps *m*, Zwerg *m*.

hopped-up ['hɔptʌp] *adj. Am. sl.* **1.** (von Rauschgift) aufgeputscht; **2.** (ganz) ‚aus dem Häus-chen' (*aufgeregt*).

hop·per¹ ['hɔpə] *s.* **1.** Hüpfende(r *m*) *f*; **2.** Tänzer(in); **3.** *zo.* hüpfendes In'sekt, *bsd.* Käsemade *f*; **4.** ⊕ Spülkasten *m*; **5.** ⊕ **a)** Fülltrichter *m*, **b)** (Schüttgut-, Vorrats)Behälter *m*, **c)** Fahrzeug *n* für Schnellentladung: *~ bottom* 🚃 Bodentrichter, Fallboden; *~ car* 🚃 Fallboden-, Selbstentladewagen.

hop·per² ['hɔpə] → *hop-picker*.

'hop|-pick·er *s.* Hopfenpflücker *m* (*a. Maschine*); **'~-pil·low** *s.* mit Hopfenblüten gestopftes Kissen (*zum Einschlafen*).

hop·ping mad ['hɔpiŋ] *adj.* F bebend vor Zorn, wütend.

'hop|-pock·et *s.* Hopfenballen *m* ($1^1/_2$ *Zentner*); **'~-pole** *s.* ✓ Hopfenstange *f*; **'~-sack** *s.* **1.** Hopfensack *m*; **2.** → *hop-sacking*; **'~-sack·ing** *s.* **1.** grobe Sackleinwand; **2.** *ein* wollener Kleiderstoff; **'~-scotch** *s.* Himmel-und-Hölle-Spiel *n* (*Hüpfspiel*); **'~-vine** → *hop-bind*; **'~-yard** → *hop-garden*.

Ho·rae ['hɔ:ri:] *s. pl. myth.* Horen *pl.*

ho·ra·ry ['hɔ:rəri] *adj.* **1.** Stunden...; **2.** (all)stündlich. [zisch: *~ ode.*]

Ho·ra·tian [hə'reiʃjən] *adj.* ho'ra-

horde [hɔ:d] **I.** *s.* Horde *f*, wilder Haufen; **II.** *v/i.* e-e Horde bilden; in Horden (zu'sammen) leben.

hore·hound ['hɔ:haund] *s.* **1.** ♀ Weißer Andorn; **2.** 'Hustenbonˌbon *m*, *n*.

ho·ri·zon [hə'raizn] *s.* Hori'zont *m*, Gesichtskreis *m* (*a. fig.*): *apparent (od. sensible, visible) ~* scheinbarer Horizont; *celestial (od. rational, true) ~* wahrer Horizont.

hor·i·zon·tal [hɔri'zɔntl] **I.** *adj.* □ horizon'tal, waag(e)recht; ⊕ *a.* liegend (*Motor, Ventil etc.*): *~ line* ⅍ Waag(e)rechte; **II.** *s.* ⅍ Horizon'tale *f*, Waag(e)rechte *f*; **~ bar** *s. Turnen*: Reck *n*; **~ plane** *s.* ⅍ Horizon'talebene *f*; **~ pro·jec·tion** *s.* **1.** ⅍ Horizon'talprojektiˌon *f*; **2.** Grundriß *m*; **~ rud·der** *s.* ⚓ Horizon'tal(steuer)ruder *n*, Tiefenruder *n*.

hor·mone ['hɔ:moun] *s. biol.* Hor'mon *n*.

horn [hɔ:n] **I.** *s.* **1.** *zo.* **a)** Horn *n*, **b)** *pl.* Geweih *n*; → *dilemma*; **2.** *zo.* Horn *n* (*Nashorn*); Fühler *m* (*Insekt*); Fühlhorn *n* (*Schnecke*): *to draw (od. pull) in one's ~s fig.* die Hörner einziehen; **3.** *pl. fig.* Hörner *pl.* (*des betrogenen Ehemanns*); **4.** (Pulver-, Trink)Horn *n*: *~ of plenty* Füllhorn; **5.** ♪ Horn *n*; ⊕ Si'gnalhorn *n*, Hupe *f*; **6.** Schalltrichter *m*; **7.** 'Horn(subˌstanz *f*) *n*: *~ handle* Horngriff; *~ spectacles* Hornbrille; **8.** ⊕ Arm *m*, Vorsprung *m*, Nase *f*; **9.** Landspitze *f*: *the* ♀ *das* Kap Horn; **10.** *e-e* Spitze der Mondsichel; **11.** ⚔ Bleikappe *f e-r Mine*; **12.** V ‚Ständer' *m*; **II.** *v/t.* **13.** mit den Hörnern stoßen; **III.** *v/i.* **14.** *~ in Am. sl.* sich einmischen *od.* -drängen (*on* in *acc.*); **'~-beam** *s.* ♀ Hain-, Weißbuche *f*; **'~-bill** *s. orn.* Nashornvogel *m*; **'~-blende** *s. min.* Hornblende *f*.

horned [*mst poet.* 'hɔ:nid; *in Zssgn* hɔ:nd] *adj.* gehörnt, Horn...: *~ cattle* Hornvieh; **~ owl** *s. orn.* Ohreule *f*; **~ pheas·ant** *s. orn.* 'Ohrfaˌsan *m*; **~ pop·py** *s.* ♀ Gelber Hornmohn; **~ toad** *s. zo.* Krötenechse *f*.

hor·net ['hɔ:nit] *s. zo.* Hor'nisse *f*: *to bring a ~s' nest about one's ears fig.* in ein Wespennest stechen.

'horn|-fly *s. zo.* Hornfliege *f*; **'~-less** *adj.* ohne Hörner; **'~-pipe** *s.* ♪ **1.** Hornpfeife *f*; **2.** *alter engl. Matro-*

sentanz; '**~-plate** *s.* 🚗 Achsenhalter *m*; '**~-rimmed** *adj.* mit Hornfassung: ~ *spectacles* Hornbrille; '**~-shav·ings** *s. pl.* Hornspäne *pl.* (*Dünger*); '**~-stone** *s. min.* Hornstein *m.*

horn·y ['hɔːni] *adj.* **1.** hornig, schwielig: ~*-handed* mit Schwielen an den Händen; **2.** aus Horn; **3.** V geil.

hor·o·loge ['hɔrəlɔdʒ] *s.* Zeitmesser *m*, (Sonnen- *etc.*)Uhr *f.*

hor·o·scope ['hɔrəskoup] *s.* Horo'skop *n*: *to cast a* ~ ein Horoskop stellen.

hor·ri·ble ['hɔrəbl] *adj.* □ schrecklich, fürchterlich, entsetzlich, ab'scheulich; '**hor·ri·ble·ness** [-nis] *s.* Schrecklichkeit *f*; **hor·rid** ['hɔrid] *adj.* □ schrecklich, scheußlich, ab'scheulich, häßlich; **hor·rid·ness** ['hɔridnis] *s.* Scheußlichkeit *f.*

hor·rif·ic [hɔ'rifik] *adj.* schreckenerregend, entsetzlich; **hor·ri·fy** ['hɔrifai] *v/t.* erschrecken, entsetzen; em'pören.

hor·ror ['hɔrə] *s.* **1.** Grau(s)en *n*, Gruseln *n*, Schauder *m*, Entsetzen *n*: *it gave me the* ~*s* mich packte das *od.* ein Grausen; **2.** (*of*) 'Widerwille *m* (gegen), Abscheu *m* (vor *dat.*); **3.** Schrecken *m*, Greuel *m*; Greueltat *f*: *the* ~*s of war*; *Chamber of* ℒ*s* Schreckenskammer; **4.** F Greuel *m* (*Person od. Sache*); ~ **film** *s.* Horrorfilm *m*; '**~-strick·en**, '**~-struck** *adj.* von Schrecken *od.* Grauen gepackt.

hors d'œu·vre [ɔː'dəːvr; ɔrdœːvr] *pl.* **hors d'œu·vres** [ɔː'dəːvrz] *s.* Hors d'œuvre *n*, Vorspeise *f.*

horse [hɔːs] **I.** *s.* **1.** *zo.* Pferd *n*, Roß *n*, Gaul *m*: *to* ~! ⚔ aufgesessen!; *a dark* ~ *fig.* ein unbeschriebenes Blatt; *a* ~ *of another colo(u)r* et. ganz anderes; *straight from the* ~*'s mouth* aus erster Hand *od.* Quelle; *to back the wrong* ~ aufs falsche Pferd setzen; *wild* ~*s will not drag it from me* keine zehn Pferde werden es aus mir herausbringen; *to flog a dead* ~ **a)** offene Türen einrennen, **b)** sich unnötig mühen; *to give the* ~ *its head* die Zügel schießen lassen; *hold your* ~*s* F immer mit der Ruhe!; *do not look a gift* ~ *in the mouth* e-m geschenkten Gaul sieht man nicht ins Maul; *to ride the high* ~ sich aufs hohe Roß setzen; *to spur a willing* ~ j-n unnötig anspornen; *to work like a* ~ wie ein Pferd arbeiten *od.* schuften; **2.** Hengst *m*; Wallach *m*; **3.** *coll.* ⚔ Kavalle'rie *f*, Reite'rei *f*: *1000* ~ 1000 Reiter; ~ *and foot* Kavallerie u. Infanterie, die ganze Armee; **4.** ⊕ (Säge- *etc.*)Bock *m*, Ständer *m*, Gestell *n*; **5.** *ped. sl.* **a)** *Am.* Schabernack *m*, Streich *m*, **b)** ‚Klatsche' *f*, ‚Schlauch' *m*; **II.** *v/t.* **6.** mit Pferden versehen; *Truppen* beritten machen; *Wagen* bespannen; **7.** *Stute* beschälen; **8.** *Am. sl.* ‚veräppeln'; **III.** *v/i.* **9.** aufsitzen, aufs Pferd steigen; ~ **ar·til·ler·y** *s.* ⚔ berittene Artille'rie; '**~-back** *s.*: *on* ~ zu Pferd; *to go on* ~ reiten; '**~-bean** *s.* ⚘ Pferdebohne *f*; '**~-block** *s.* Aufsteigeblock *m*; '**~-box** *s.* **1.** Pferdebox *f*, -stand *m*; **2.** Trans'portkiste *f od.* -wagen *m* für Pferde; '**~-boy** *s.* Pferdejunge *m*; '**~-break·er** *s.* Zureiter *m*; '**~-car** *s. Am.* **1.** *obs.* Pferdebahnwagen *m*; **2.** 'Pferdetrans,portwagen *m*; '**~-chest·nut** *s.* ⚘ 'Roßka,stanie *f*; '**~-cloth** *s.* Pferdedecke *f*, Scha'bracke *f*; '**~-col·lar** *s.* Kum(me)t *n*; '**~-cop·er** → *horse-dealer.*

horsed [hɔːst] *adj.* **1.** beritten (*Person*); **2.** mit Pferden bespannt.

'**horse|-deal·er** *s.* Pferdehändler *m*; '**~-doc·tor** *s.* F ‚Viehdoktor' *m*; '**~-drawn** *adj.* von Pferden gezogen, Pferde...; '**~-flesh** *s.* **1.** Pferdefleisch *n*; **2.** *coll.* F Pferde *pl.*; '**~-fly** *s. zo.* (Pferde)Bremse *f*; ℒ **Guards** *s. pl. Brit.* **1.** 'Gardekavalle,rie *f*; **2.** *Kaserne der Horse Guards in Whitehall*; '**~-hair** *s.* Roß-, Pferdehaar *n*; ~ **lat·i·tudes** *s. pl. geogr.* Roßbreiten *pl.* (*windstille Zonen im Atlantik*); '**~-laugh** *s.* wieherndes Gelächter; '**~-leech** *s.* **1.** *zo.* Pferdeegel *m*; **2.** *fig.* **a)** Wucherer *m*, **b)** Vielfraß *m.*

horse·less ['hɔːslis] *adj.* ohne Pferd(e).

'**horse|-lit·ter** *s.* Pferdesänfte *f*; '**~-mack·er·el** *s. ichth.* Thunfisch *m*; 'Roßma,krele *f*; '**~·man** [-mən] *s.* [*irr.*] Reiter *m*; '**~·man·ship** [-mənʃip] *s.* Reitkunst *f*; '**~-ma·rines** *s. pl. humor.* ‚reitende Ge'birgsma,rine': *tell that to the* ~! mach das e-m anderen weis!; '**~-mush·room** *s.* ⚘ Schaf-Egerling *m*; ~ **op·er·a** *s. Am.* F Wild'westfilm *m*; '**~-play** *s.* derber Spaß, (grober) Unfug; '**~-pond** *s.* Pferdeschwemme *f*; '**~-pow·er** *s. pl.* (*abbr. h.p.*) *phys.* Pferdestärke *f* (*abbr. PS*); '**~-race** *s. sport* Pferderennen *n*; '**~-rac·ing** *s. sport* Pferderennen *n od. pl.*, Turf *m*; '**~-rad·ish** *s.* ⚘ Meerrettich *m*; ~ **sense** *s.* F gesunder Menschenverstand; **~·shoe** ['hɔːʃʃuː] **I.** *s.* Hufeisen *n*; **II.** *adj.* Hufeisen...; hufeisenförmig: ~ *arch* △ maurischer Bogen; ~ *magnet* Hufeisenmagnet; ~ *table* Tisch(e) in Hufeisenform *aufgestellt*; ~ **show** *s.* Reit- u. Springturnier *n*; '**~-tail** *s.* **1.** Pferdeschwanz *m*, Roßschweif *m* (*a. als türkisches Rangabzeichen*); **2.** ⚘ Schachtelhalm *m*; '**~trad·ing** *s.* ‚Kuhhandel' *m*; '**~-tram** *s.* Pferdebahn(wagen *m*) *f*; '**~·whip I.** *s.* Reitpeitsche *f*; **II.** *v/t.* peitschen; '**~·wom·an** *s.* [*irr.*] Reiterin *f.*

hors·i·ness ['hɔːsinis] *s.* 'Pferdeliebhabe,rei *f*; **hors·y** ['hɔːsi] *adj.* □ **1.** pferdenärrisch; **2.** Pferde..., Reit...

hor·ta·tive ['hɔːtətiv], '**hor·ta·to·ry** [-təri] *adj.* (er)mahnend.

hor·ti·cul·tur·al [hɔːti'kʌltʃərəl] *adj.* Gartenbau...; **hor·ti·cul·ture** ['hɔːtikʌltʃə] *s.* Gartenbau(kunst *f*) *m*; **hor·ti'cul·tur·ist** [-ərist] *s.* Garten(bau)künstler(in).

ho·san·na [hou'zænə] **I.** *int.* hosi'anna!; **II.** *s.* Hosi'anna *n*, Loblied *n.*

hose [houz] **I.** *s.* **1.** *coll., pl. konstr.* Strümpfe *pl.*; **2.** *hist.* (Knie)Hose *f*; **3.** *pl. a.* hoses Schlauch *m*: *garden* ~ Gartenschlauch; **II.** *v/t.* **4.** (mit e-m Schlauch) sprengen.

Ho·se·a [hou'ziə] *npr. u. s. bibl.* (das Buch) Ho'sea *m od.* O'see *m.*

hose| cart *s.* Schlauchwagen *m*; '**~-pipe** *s.* Schlauch(leitung *f*) *m*; '**~-proof** *adj.* ⊕ schwallwassergeschützt.

ho·sier ['houʒə] *s.* Wirkwaren-, *bsd.* Strumpfhändler(in); '**ho·sier·y** [-ri] *s.* **1.** *coll.* Wirk-, *bsd.* Strumpfwaren *pl.*; **2.** Strumpfwarenhandlung *f*; **3.** 'Strumpffa,brik *f.*

hos·pice ['hɔspis] *s.* Ho'spiz *n*, Herberge *f.*

hos·pi·ta·ble ['hɔspitəbl] *adj.* □ **1.** gast(freund)lich, gastfrei; **2.** empfänglich, aufgeschlossen (*to* für).

hos·pi·tal ['hɔspitl] *s.* **1.** Krankenhaus *n*, 'Klinik *f*, Hospi'tal *n*: *eye* ~ Augenklinik; ~ *nurse* Krankenschwester; ~ *social worker* Krankenhausfürsorgerin; *to walk the* ~ s-e klinischen Semester machen (*Mediziner*); **2.** 'Tier,klinik *f*; **3.** ⚔ Laza'rett *n*; **4.** *hist.* **a)** Spi'tal *n*, Alters-, Fürsorgeheim *n*, **b)** Herberge *f*, Ho'spiz *n*; **5.** *humor.* Repara'turwerkstätte *f*: *dolls* ~ Puppenklinik; ~ **fe·ver** *s.* ⚕ 'Fleck,typhus *m.*

hos·pi·tal·i·ty [hɔspi'tæliti] *s.* Gastfreundschaft *f*, Gastlichkeit *f.*

hos·pi·tal·i·za·tion [hɔspitəlai'zeiʃən] *s. Am.* Aufnahme *f od.* Einweisung *f* in ein Krankenhaus; **hos·pi·tal·ize** ['hɔspitəlaiz] *v/t.* ins Krankenhaus einliefern, im Krankenhaus behandeln.

Hos·pi·tal·(l)er ['hɔspitlə] *s. hist.*, *mst Knights* ~*s pl.* Hospita'liter *pl.*, Johan'niter *pl.*

hos·pi·tal| ship *s.* ⚔ Laza'rettschiff *n*; ℒ **Sun·day** *s. Sonntag, an dem für die Krankenhäuser gesammelt wird*; ~ **train** *s.* ⚔ Laza'rettzug *m.*

host¹ [houst] *s.* **1.** (Un)Menge *f*, Masse *f*, große Anzahl: ~*s of* Horden von; *a* ~ *of questions* e-e Menge Fragen; *to be a* ~ *in o.s.* e-e ganze Schar ersetzen; **2.** *poet.* (Kriegs)Heer *n*: *the* ~ *of heaven* **a)** die Gestirne, **b)** die himmlischen Heerscharen; *the Lord of* ℒ*s bibl.* der Herr der Heerscharen.

host² [houst] *s.* **1.** Gastgeber *m*, Wirt *m*, Hausherr *m*: ~ *country* Gastland; **2.** Gastwirt *m*: *to reckon without one's* ~ *fig.* die Rechnung ohne den Wirt machen; **3.** *Fernsehen*: Talk-, Showmaster *m*: *your* ~ *was ... Radio*: durch die Sendung führte (Sie) ...; **4.** *biol.* Wirt *m* (*Tier od. Pflanze*).

host³, *oft* ℒ [houst] *s. eccl.* 'Hostie *f.*

hos·tage ['hɔstidʒ] *s.* **1.** Geisel *m, f*: *to hold s.o.* ~ j-n als Geisel behalten; **2.** *fig.* 'Unterpfand *n*: ~ *to fortune* et. Verlierbares; ~*s to fortune* Ehefrau u. Kinder.

hos·tel ['hɔstəl] *s.* **1.** Herberge *f*; **2.** → *youth 4*; **3.** *Brit.* Stu'dentenheim *n*; '**hos·tel·(l)er** [-tələ] *s.* im Studentenheim Wohnende(r *m*) *f*; '**hos·tel·ry** [-ri] *s. obs.* Wirtshaus *n.*

host·ess ['houstis] *s.* **1.** Gastgeberin *f*, Hausfrau *f*; **2.** Gastwirtin *f*; **3.** Empfangsdame *f* (*im Restaurant etc.*); **4,** Taxigirl *n*; **5.** ✈ Ho'steß *f*, Stewar'deß *f.*

hos·tile ['hɔstail] *adj.* □ **1.** feindlich, Feindes...; **2.** (*to*) feindselig (gegen), feindlich gesinnt (*dat.*); stark abgeneigt (*dat.*); **hos·til·i·ty** [hɔs'tiliti] *s.* **1.** Feindschaft *f*, Feindseligkeit *f*,

Gegnerschaft *f* (*to, towards, against* gegen); **2.** *pl.* ⚔ Feindseligkeiten *pl.*, Krieg(shandlungen *pl.*) *m*.
hos·tler [ˈɔslə] → *ostler*.
hot [hɔt] **I.** *adj.* ☐ **1.** heiß (*a. fig.*): ~ *climate*; ~ *tears*; *I am* ~ mir ist heiß, ich bin erhitzt; *to get* ~ sich erhitzen (*a. fig. u.* ⊕); *I went* ~ *and cold* es überlief mich heiß u. kalt; ~ *scent hunt.* warme Fährte; ~ *favo(u)rite sport* heißer *od.* hoher Favorit; ~ *work* schwere *od.* anstrengende Arbeit; **2.** warm: ~ *meal* warme Mahlzeit, warmes Essen; **3.** ⊕ Heiß..., Warm..., Glüh...: ~*water tap* Warmwasserhahn; **4.** feurig, hitzig, erregt; leidenschaftlich, begeistert; **5.** erbost, wütend; **6.** ‚scharf', ‚wild', erpicht (*on, for* auf *acc.*); **7.** heiß, heftig, erbittert: *a* ~ *fight*; *in* ~ *pursuit*, ~ *on the track* dicht auf den Fersen *od.* auf der Spur (*of dat.*); ~ *and strong* F heftig, ‚tüchtig', ‚gehörig'; **8.** grell (*Farbe*); **9.** scharf, beißend (*Gewürz*); **10.** frisch, neu, ‚noch warm': ~ *from the press* gerade erschienen (*Buch etc.*); **11.** verfänglich, gefährlich: *the place was too* ~ *to hold him* (*od. was getting too* ~ *for him*) ihm wurde der Boden zu heiß (unter den Füßen); *to make it too* ~ *for him* es ihm unerträglich machen; *to get into* ~ *water* in des Teufels Küche geraten; **12.** *sl.* geil, ‚heiß'; **13.** *sl.* ‚toll' (*großartig*): *it (he) is not so* ~; ~ *stuff* **a)** toller Bursche, **b)** tolle Sache; **14.** ‚heiß' (*Jazz*): ~ *music*; **15.** *sl.* ‚heiß': **a)** gestohlen, geschmuggelt, **b)** poliˈzeilich verfolgt, **c)** radioakˈtiv; **II.** *adv.* **16.** heiß: *the sun shone* ~; → *blow*¹ *4*; **17.** *to give it s.o.* ~ F j-n anschnauzen, j-m ‚einheizen'; *to get it* ~ F sein Fett bekommen; **III.** *v/t.* **18.** *mst* ~ *up* F **a)** heiß machen, **b)** *Motor* ‚frisieren'.
hot| air *s.* **1.** ⊕ Heißluft *f*; **2.** *sl.* (leeres) Geschwätz, Schaumschläˈgerei *f*; ˈ~-ˈ**air** *adj.* ⊕ Heißluft...; ˈ~**bed** *s.* **1.** ✂ Mist-, Frühbeet *n*; **2.** *fig.* Brutstätte *f*; ˈ~-ˈ**blood·ed** *adj.* heißblütig, temperaˈmentvoll, hitzig; ˈ~-ˈ**brained** → *hot-headed*; ~ **cath·ode** *s.* ⚡ ˈGlühkaˌthode *f*.
hotch·pot(ch) [ˈhɔtʃpɔt(ʃ)] *s.* **1.** Eintopf(gericht *n*) *m*, *bsd.* Gemüse(-suppe *f*) *n* mit Hammelfleisch; **2.** *fig.* Mischmasch *m*.
hot| cross-bun → *cross-bun*; ~ **dog** *s.* Hot dog *n*.
ho·tel [houˈtel] *s.* Hoˈtel *n*, Gasthof *m*: ~ *register* Fremdenbuch; **ho·tel·ier** [houtəˈliə], **hoˈtel-keep·er** *s.* Hoteliˈer *m*, Hoˈtelbesitzer *m*, -diˌrektor *m*.
ˈ**hot|·foot I.** *adv.* schleunigst, eilends; **II.** *v/i. a.* ~ *it* rennen, flitzen; ˈ~-**gal·va·nize** *v/t.* ⊕ feuerverzinken; ˈ~**head** *s.* Hitzkopf *m*, Heißsporn *m*; ˈ~-ˈ**head·ed** *adj.* hitzköpfig, ungestüm; ˈ~**house** *s.* Treib-, Gewächshaus *n*; ~ **line** *s. bsd. pol.* ‚heißer Draht'; ~ **mon·ey** *s.* ✝ Hot money *n*.
hot·ness [ˈhɔtnis] *s.* Hitze *f* (*a. fig.*).
ˈ**hot|-plate** *s.* **1.** Koch-, Heizplatte *f*; **2.** Wärmeplatte *f*; ˈ~-**pot** *s.* ˈFleischraˌgout *n* mit Karˈtoffeln; ˈ~-**press** ⊕ **I.** *s.* **1.** Heiß-, Dekatierpresse *f*; **II.** *v/t.* **2.** heiß pressen; **3.** *Tuch* dekatieren; **4.** *Papier* satinieren; ~ **rod** *s. Am. sl.* **1.** Bastel-Rennwagen *m* (*altes Auto mit frisiertem Motor*); **2.** jugendlicher ‚Rennfahrer' (*auf e-m hot rod*); **3.** *b.s.* Halbstarke(r) *m*; ~ **seat** *s. sl.* **1.** ✈ Schleudersitz *m*; **2.** *Am.* eˈlektrischer Stuhl; ˈ~-ˈ**short** *adj.* ⊕ rotbrüchig; ~ **shot** *s. Am. sl.* **1.** ‚großes Tier'; **2.** Teufelskerl *m*, ‚toller Bursche'; ~ **spring** *s.* heiße Quelle, Therˈmalquelle *f*; ˈ~**spur** **I.** *s.* Heißsporn *m*, Hitzkopf *m*; **II.** *adj.* hitzig, ungestüm.
Hot·ten·tot [ˈhɔtntɔt] *s.* Hottenˈtotte *m*, Hottenˈtottin *f*.
hot| tube *s.* ⊕ Heiz-, Glührohr *n*; ~ **war** *s.* heißer Krieg; ~-ˈ**wa·ter bot·tle** *s.* Wärmflasche *f*; ~-ˈ**wa·ter heat·er** *s.* ⊕ Heißwasserspender *m*; ~ **wire** *s.* **1.** ⚡ Hitzdraht *m*; **2.** *bsd. pol.* ‚heißer Draht'.
hough [hɔk] *Brit.* **I.** *s.* → *hock*¹ *I*; **II.** *v/t.* → *hamstring 3.*
hound¹ [haund] **I.** *s.* **1.** Jagdhund *m*: *to ride to* (*od. to follow the*) ~*s* an e-r Parforcejagd (*bsd. Fuchsjagd*) teilnehmen; **2.** *sl.* ‚Hund' *m*, Schurke *m*; **3.** *Am. sl.* Faˈnatiker(in): *movie* ~ Kinonarr; **4.** Verfolger *m* (*Schnitzeljagd*); **II.** *v/t.* **5.** *mst fig.* jagen, hetzen, drängen, verfolgen; **6.** *a.* ~ *on* (auf)hetzen, antreiben.
hound² [haund] *s.* **1.** ⚓ Mastbacke *f*; **2.** *pl.* ⊕ Seiten-, Diagoˈnalstreben *pl.* (*an Fahrzeugen*).
hour [ˈauə] *s.* **1.** Stunde *f*: *for* ~*s* (*and* ~*s*) stundenlang; *an* ~*'s work* e-e Stunde Arbeit; *trains leave on the* ~ Züge fahren zur vollen Stunde *od.* ‚um voll'; *10 minutes past the* ~ 10 Minuten nach voll; *an* ~ *from here* e-e Stunde (Wegs) von hier; **2.** (Tages)Zeit *f*: *at 14.20* ~*s* um 14 Uhr 20; *at an early* ~ zu früher Stunde; *at the eleventh* ~ *fig.* in letzter Minute, fünf Minuten vor zwölf; *to keep early* ~*s* früh schlafen gehen (u. früh aufstehen); *I don't like late* ~*s* ich liebe es nicht, spät zu Bett zu gehen *od.* heimzukommen *od.* zu arbeiten; *the small* ~*s* die frühen Morgenstunden; **3.** Zeitpunkt *m*, Stunde *f*: ~ *of death* Todesstunde; *his* ~ *has come* (*od. struck*) s-e Stunde *od.* sein Stündlein ist gekommen *od.* hat geschlagen; *question of the* ~ aktuelle Frage; **4.** *pl.* Arbeitszeit *f*, -stunden *pl.*: *consulting* ~*s* Sprechstunde(n) (*Arzt*); *after* ~*s* nach Geschäftsschluß; **5.** *pl. eccl.* **a)** Stundenbuch *n*, **b)** *R.C.* Stundengebete *pl.*; **6.** ♀*s pl. antiq.* Horen *pl.*; ˈ~-**cir·cle** *s. ast.* Stundenkreis *m*; ˈ~-**glass** *s.* Stundenglas *n*, *bsd.* Sanduhr *f*; ˈ~-**hand** *s.* Stundenzeiger *m*.
hou·ri [ˈhuəri] *s.* **1.** ˈHuri *f* (*mohammedanische Paradiesjungfrau*); **2.** *fig.* verführerisch schöne Frau.
hour·ly [ˈauəli] *adv. u. adj.* **1.** stündlich: ~ *wage* Stundenlohn; **2.** ständig, dauernd: *in* ~ *fear*.
house [haus] **I.** *pl.* **hous·es** [ˈhauziz] *s.* **1.** Haus *n* (*Gebäude*): *country-*~ Landhaus; *hen-*~ Hühnerhaus; *like a* ~ *on fire* blitzschnell, wie toll; → *safe 3*; **2.** Wohnhaus *n*, Wohnung *f*, Heim *n*; Haushalt *m*; *die* Hausbewohner *pl.*: ~ *and home* Haus u. Hof; *to keep* ~ **a)** e-n Haushalt haben, **b)** (*for s.o.* j-m) den Haushalt führen; *to keep* ~ *with* zusammen leben mit; *to put* (*od. set*) *one's* ~ *in order* s-e Angelegenheiten ordnen; → *open 10*; **3.** Faˈmilie *f*, Geschlecht *n*, (*bsd. Fürsten*)Haus *n*: *an ancient* ~; **4.** *univ. Brit.* College *n*; **5.** *ped.* **a)** Wohngebäude *n* e-s Interˈnats, **b)** *die darin wohnenden Schüler*; **6.** *thea.* **a)** (Schauspiel)Haus *n*: *full* ~ volles Haus; *scant* ~ schwachbesetztes Haus, **b)** Zuhörer *pl.*; → *bring down 5*, **c)** Vorstellung *f*: *the second* ~ die zweite Vorstellung *am gleichen Tage*; **7.** *mst* ♀ Parlaˈment *n*, Kammer *f*: *the* ♀ *Brit.* **a)** das Parlament, **b)** die Abgeordneten *pl.*; *to enter the* ♀ Parlamentsmitglied werden; → *lower*³ *2*, *upper I*; **8.** ✝ (Handels)Haus *n*, ˈFirma *f*; **9.** Wirtshaus *n*: *on the* ~ auf Kosten des Wirts *od.* Gastgebers, umsonst; **10.** ✝ (Londoner) Börse *f*; **11.** F Armenhaus *n*; **II.** *v/t.* [hauz] **12.** ˈunterbringen (*a.* ⊕); **13.** aufnehmen, beherbergen; *Waren etc.* verstauen; **14.** Platz haben für; **15.** ⚓ bergen; befestigen; **16.** ⊕ verzapfen; **III.** *v/i.* [hauz] **17.** hausen, wohnen.
ˈ**house|-a·gent** *s. Brit.* Häusermakler *m*; ~ **ar·rest** *s.* ˈHausarˌrest *m*; ˈ~-**boat** *s.* Haus-, Wohnboot *n*; ˈ~-**break·er** *s.* **1.** Einbrecher *m* (*bei Tage*); **2.** ˈAbbruchunterˌnehmer *m*; ˈ~**break·ing** *s.* **1.** Einbruch *m* (*bei Tage*); **2.** Abbruch *m*; ˈ~**coat** *s.* Hauskleid *n*, Morgenrock *m*; ~ **de·tec·tive** *s.* ˈHausdetekˌtiv *m* (*Hotel etc.*); ˈ~-**dog** *s.* Haushund *m*; ˈ~-**flag** *s.* ⚓ Haus-, Reedeˈreiflagge *f*; ˈ~-**fly** *s. zo.* Stubenfliege *f*.
house·hold [ˈhaushould] **I.** *s.* **1.** Haushalt *m*; **2.** *the* ♀ *Brit.* die königliche Hofhaltung: ♀ *Brigade*, ♀ *troops* Gardetruppen; **II.** *adj.* **3.** Haushalts..., häuslich; **4.** einfach, gewöhnlich: ~ *soap*; **5.** allˈtäglich: ~ *word* Alltagswort, fester *od.* geläufiger Begriff; **6.** ~ *remedy* Hausmittel; ˈ**house·hold·er** [-də] *s.* **1.** Haushaltsvorstand *m*; **2.** Haus- *od.* Wohnungsinhaber *m*.
house·hold gods *s. pl.* **1.** *antiq.* Hausgötter *pl.*; **2.** *fig.* liebgewordene Dinge *pl.*
ˈ**house|-hunt·ing** *s.* F Wohnungssuche *f*; ˈ~**keep·er** *s.* **1.** Haushälterin *f*, Wirtschafterin *f*; **2.** Hausmeister(in), -wart *m*; ˈ~**keep·ing** *s.* Haushaltung *f*, -wirtschaft *f*: ~ *money* Wirtschaftsgeld; ˈ~**maid** *s.* Hausgehilfin *f*, Dienstmädchen *n*; ˈ~**maid's knee** *s.* ⚕ Knieschleimbeutelentzündung *f*; ˈ~**mas·ter** *s.* **1.** *Brit.* Hausaufseher *m* (*Internat*); **2.** Hausvater *m*, Heimleiter *m*; ˈ~-**mate** *s.* Hausgenosse *m*, -genossin *f*; ˈ~**mis·tress** *s. Brit.* Hausaufseherin *f* (*Internat etc.*); ♀ **of Com·mons** *s. pol. Brit.* ˈUnterhaus *n*; ♀ **of Keys** *s. pol.* ˈUnterhaus *n* der Insel Man; ♀ **of Lords** *s. pol. Brit.* Oberhaus *n*; ♀ **of Rep·re·sent·a·tives** *s. pol. Am.* Repräsenˈtantenhaus *n*; ~ **paint·er** *s.* Maler *m*, Anstreicher *m*; ~ **par·ty** *s.* Logierbesuch *m* über mehrere Tage (*bsd. in*

e-m Landhaus); '**~-phy·si·cian** *s.* Krankenhaus-, Anstaltsarzt *m*; '**~-plant** *s.* ⚘ Zimmerpflanze *f*; '**~-proud** *adj.* über'trieben sorgfältig, pe'nibel (*Hausfrau*); '**~-room** *s.*: *to give s.o.* ~ j-n in sein Haus aufnehmen; *he wouldn't give it* ~ *fig.* er nähme es nicht geschenkt; ~ **sparrow** *s. orn.* Haussperling *m*; '**~-surgeon** *s.* 'Haus-, 'Anstaltschir,urg *m*; '**~-to-'house** *adj.* von Haus zu Haus: ~ *advertising* ✝ Werbung von Haus zu Haus; ~ *collection* Haussammlung; '**~-top** *s.* Dach *n*: *to proclaim from the* ~*s* öffentlich verkünden; '**~-trained** *adj.* stubenrein (*Hund*); '**~-warm·ing** *s.* Einzugsparty *f* (*im neuen Haus*).

'**house·wife** *s.* [*irr.*] **1.** Hausfrau *f*; **2.** ['hʌzif] *Brit.* Nähkasten *m*, -zeug *n*; '**house·wife·ly** [-waifli] *adj.* hausfraulich; '**house·wif·er·y** [-wifəri] *s.* Haushaltsführung *f*, Hausfrauenpflichten *pl.*; '**house·work** *s.* Haus(halts)arbeit(en *pl.*) *f*.

hous·ing[1] ['hauziŋ] *s.* **1.** 'Unterbringung *f*, 'Unterkunft *f*, Wohnung *f*: ~ *conditions* Wohnverhältnisse; ~ *problem* Wohnungsproblem; ~ *project* Wohnungsbauprojekt; ~ *shortage* Wohnungsnot; ~ *subsidy* Wohngeld; **2.** *coll.* Häuser *pl.*: ~ *estate* (Wohn)Siedlung; **3.** ⊕ **a**) Gehäuse *n*, **b**) Gerüst *n*, **c**) Nut *f*.

hous·ing[2] ['hauziŋ] *s.* Satteldecke *f*.

hove [houv] *pret. u. p.p. von heave*.

hov·el ['hɔvəl] *s.* Schuppen *m*; elende Hütte, ‚Loch' *n*.

hov·el·(l)er ['hɔvlə] *s.* ⚓ **1.** Bergungsboot *n*, Küstenfahrzeug *n*; **2.** Berger *m*.

hov·er ['hɔvə] *v/i.* **1.** schweben; **2.** sich *in der Nähe etc.* her'umtreiben; **3.** zögern, schwanken; '**~-craft** *s.* Schwebeschiff *n*, Luftkissenfahrzeug *n*.

how [hau] **I.** *adv.* **1.** (*fragend*) wie: ~ *are you?* wie geht es Ihnen?; ~ *do you do?* (*bei der Vorstellung*) guten Tag!; ~ *is the franc today?* wie steht der Franken heute?; ~ *about* ...? wie steht's mit ...?; ~ *about a cup of tea?* wie wäre es mit e-r Tasse Tee?; ~ *is it* (*od. comes it*) *that* ...? wie kommt es, daß ...?; ~ *now?* was soll das bedeuten?; ~ *much?* wieviel?; ~ *many?* wieviel?, wie viele?; ~ *much is it?* was kostet *od.* wie teuer ist es?; ~ *do you know?* woher wissen Sie das?; ~ *ever do you do it?* wie machen Sie das nur?; **2.** (*ausrufend*) wie: ~ *absurd!* wie albern *od.* verrückt!; ~ *sad a fate!* welch trauriges Geschick!; *and* ~*! sl.* und wie!; *here's* ~*!* F auf Ihr Wohl!; **3.** (*relativ*) wie: *I know* ~ *far it is* ich weiß, wie weit es ist; *he knows* ~ *to ride* er kann reiten; **II.** *s.* **4.** Wie *n*: *the* ~ *and the why* das Wie u. Warum.

how·be·it ['hau'bi:it] *obs.* **I.** *adv.* 'nichtsdesto,weniger; **II.** *cj.* ob'gleich, ob'schon.

how·dah ['haudə] *s.* (*mst gedeckter*) Sitz auf dem Rücken e-s Ele'fanten.

how-do-you-do ['haudju'du:], '**how-d'ye-'do** [-djə'du:] *s.* F: *a nice* ~ e-e schöne ‚Bescherung'.

how·ev·er [hau'evə] *adv.* **1.** wie auch (immer), wenn auch noch so: ~ *good*; ~ *it* (*may*) *be* wie dem auch sei; ~ *you do it* wie du es auch machst; **2.** *cj.* je'doch, dennoch, doch, aber; ‚immerhin'.

how·itz·er ['hauitsə] *s.* ⚔ Hau'bitze *f*.

howl [haul] **I.** *v/i.* **1.** heulen (*a. Wind*), schreien; **2.** lamentieren, wehklagen; F ‚heulen', weinen; **3.** pfeifen (*Wind, Radio*); **II.** *v/t.* **4.** ~ *down j-n* niederschreien; **III.** *s.* **5.** Heulen *n* (*Hund etc.*); **6.** Pfeifen *n* (*Wind, Radio*); **7.** Geheul *n*, Gebrüll *n*; '**howl·er** [-lə] *s.* **1.** Heuler (-in); **2.** Klageweib *n*; **3.** *zo.* Brüllaffe *m*; **4.** *sl.* grober Schnitzer; '**howl·ing** [-liŋ] *adj.* **1.** heulend, brüllend: ~ *monkey* → *howler 3*; **2.** schaurig, wüst; **3.** *sl.* schrecklich, riesig, gewaltig, ‚toll'.

how·so·ev·er [hausou'evə] *adv.* wie (sehr) auch immer.

how-to-'do-it book *s.* technisches Bastelbuch.

hoy[1] [hɔi] *s.* ⚓ Leichter *m*, Prahm *m*.

hoy[2] [hɔi] **I.** *int.* **1.** hoi!, holla!; **2.** ⚓ a'hoi!; **II.** *s.* **3.** Hoi(ruf *m*) *n*.

hoy·den ['hɔidn] *s.* Wildfang *m*, Range *f* (*Mädchen*).

hub[1] [hʌb] *s.* **1.** (Rad)Nabe *f*; **2.** *fig.* Mittel-, Angelpunkt *m*: ~ *of the universe* Mittelpunkt der Welt (*bsd. fig.*); **3.** *the* ♀ *Am.* (*Spitzname für*) Boston *n*.

hub[2] [hʌb] → *hubby*.

hub·ba·hub·ba ['hʌbə'hʌbə] *int. Am. sl.* bravo!, 'prima!, hur'ra!

hub·bub ['hʌbʌb] *s.* **1.** Stimmengewirr *n*; **2.** Lärm *m*, Tu'mult *m*, Wirrwarr *m*.

hub·by ['hʌbi] *s.* F (Ehe)Mann *m*, ‚Männchen' *n*.

hu·bris ['hju:bris] (*Greek*) *s.* Hybris *f*, freche 'Selbstüber,hebung.

huck·a·back ['hʌkəbæk] *s.* Gerstenkornleinen *n*, grober Drell.

huck·le ['hʌkl] *s.* **1.** Hüfte *f*; **2.** Buckel *m*; '**~·ber·ry** *s.* ⚘ Heidelbeere *f*; '**~-bone** *s. anat.* **1.** Hüftknochen *m*; **2.** Fußknöchel *m*.

huck·ster ['hʌkstə] **I.** *s.* **1.** → *hawker*[2]; **2.** *contp.* Krämer(seele *f*) *m*, Feilscher *m*; **3.** *Am. sl.* ‚Re'klamefritze' *m* (*Werbefachmann*); **II.** *v/i.* **4.** hökern; hausieren; **5.** feilschen (*over* um).

hud·dle ['hʌdl] **I.** *v/t.* **1.** *oft* ~ *together*, ~ *up* unordentlich zs.-werfen *od.* -drängen; **2.** (hin'aus-) drängen (*out of* aus); **3.** *oft* ~ *up*, ~ *through* zs.-pfuschen, ‚hinhauen', flüchtig erledigen; **4.** ~ *on Kleid* schnell 'überstreifen; **5.** ~*d-up* zs.-gekauert; **II.** *v/i.* **6.** sich zs.-drängen, kauern; **7.** sich schmiegen (*to* an *acc.*); **III.** *s.* **8.** Gewirr *n*; **9.** *to go into a* ~ *sl.* die Köpfe zs.-stecken, sich beraten (*with* mit).

hue[1] [hju:] *s. nur*: ~ *and cry* (*a. fig.* Zeter)Geschrei *n*, Gezeter *n*; *fig.* Hetze *f*: *to raise a* ~ *and cry* **a**) ein Zetergeschrei erheben, **b**) (*against s.o.* j-n) mit Zetergeschrei verfolgen, **c**) *obs.* e-n Steckbrief erlassen.

hue[2] [hju:] *s.* Farbe *f*, Farbton *m*; Färbung *f* (*a. fig.*); **hued** [hju:d] *adj. in Zssgn* ...farbig.

huff [hʌf] **I.** *v/t.* **1.** ärgern, quälen, ‚piesacken': *to* ~ *s.o. out of the room* j-n hinausekeln; *to* ~ *s.o. into s.th.* j-n zu et. zwingen; **2.** kränken: *easily* ~*ed* übelnehmerisch; **3.** *Damespiel*: *Stein* pusten, wegnehmen; **II.** *v/i.* **4.** schmollen, sich gekränkt fühlen; **III.** *s.* **5.** Ärger *m*, Verstimmung *f*: *in a* ~ ärgerlich, wütend, gekränkt; **huff·i·ness** ['hʌfinis] *s.* Übelnehmen *n*, Gereiztheit *f*; **huff·ish** ['hʌfiʃ] *adj.* □ übelnehmerisch; **huff·ish·ness** ['hʌfiʃnis] → *huffiness*; **huff·y** ['hʌfi] *adj.* □ → *huffish*.

hug [hʌg] **I.** *v/t.* **1.** um'armen, herzen, liebkosen; **2.** an sich drükken; **3.** (gern *od.* zäh) festhalten an (*dat.*); **4.** ~ *o.s.* sich beglückwünschen (*on* zu, *for* wegen); **5.** sich halten an (*acc.*), sich anschmiegen (*dat. od.* an *acc.*): *to* ~ *the coast* (*the side of the road*) sich dicht unter der Küste (an den Straßenrand) halten; **II.** *s.* **6.** Um'armung *f*; **7.** *Ringen*: fester Griff.

huge [hju:dʒ] *adj.* □ sehr groß, riesig, ungeheuer, e'norm; '**huge·ly** [-li] *adv.* gewaltig, ungeheuer, sehr; '**huge·ness** [-nis] *s.* ungeheure Größe.

hug·ger-mug·ger ['hʌgəmʌgə] **I.** *s.* Unordnung *f*, ‚Kuddelmuddel' *m*, *n*; **II.** *adj. u. adv.* unordentlich; **III.** *v/t.* vertuschen, verbergen.

Hu·gue·not ['hju:gənɔt] *s.* Huge'notte *m*, Huge'nottin *f*.

hu·la ['hu:lə], '**hu·la-'hu·la** *s.* 'Hula *m*, 'Hula-'Hula *m* (*hawaiischer Mädchentanz*).

hulk [hʌlk] *s.* **1.** ⚓ Hulk *m* (*Schiffsrumpf, abgetakelt*); **2.** unhandliche Masse; **3.** ungeschlachter Kerl, schwerfällige Per'son, Ko'loß *m*; '**hulk·ing** [-kiŋ] *adj.* ungeschlacht.

hull[1] [hʌl] **I.** *s.* ⚘ Hülse *f*, Schale *f*; **II.** *v/t.* schälen, enthülsen: ~*ed barley* Graupen.

hull[2] [hʌl] **I.** *s.* ⚓, ✈ Rumpf *m*: ~ *down* weit entfernt (*Schiff*); **II.** *v/t.* ⚓ den Rumpf *e-s Schiffes* durch'schießen.

hul·la·ba·loo [hʌləbə'lu:] *s.* Lärm *m*, Tu'mult *m*, Trubel *m*.

hull·er ['hʌlə] *s.* ⚒ 'Schälma,schine *f*.

hul·lo ['hʌ'lou] *int.* **1.** hal'lo!; **2.** (*überrascht*) he!, na'nu!

hum [hʌm] **I.** *v/i.* **1.** summen, brummen; murmeln; **2.** stocken, zögern: *to* ~ *and ha(w)* **a**) verlegen ‚hm' machen, ‚herumdrucksen', **b**) unschlüssig sein; **3.** sich lebhaft bewegen, schwirren (*a. fig.*): *to make things* ~ die Sache in Schwung bringen; **II.** *v/t.* **4.** *Lied* summen; **III.** *s.* **5.** Summen *n*, Brummen *n*, Gemurmel *n*; **6.** [*a.* mm] Hm *n*: ~*s and ha(w)s* verlegenes Geräusper.

hu·man ['hju:mən] **I.** *adj.* □ → *humanly*; menschlich, Menschen...: ~ *nature* menschliche Natur; *the* ~ *race* das Menschengeschlecht; ~ *sacrifice* Menschenopfer; *to err is* ~ Irren ist menschlich; *more than* ~ übermenschlich; *I am only* ~ *iro.* ich bin auch nur ein Mensch; **II.** *s.* F Mensch *m*; **hu·mane** [hju(:)'mein] *adj.* □ **1.** hu'man, menschlich, menschenfreundlich: ~ *killer* Schlachtmaske (*zum schmerzlosen Töten von Schlachtvieh*); ♀ *Society*

Gesellschaft zur Rettung Ertrinkender; **2.** huma'nistisch: ~ *learning* humanistische Bildung; **hu·mane·ness** [hju(:)'meinnis] *s.* Humani'tät *f*, Menschenfreundlichkeit *f*, Menschlichkeit *f*.

hu·man·ism ['hju:mənizəm] *s.* **1.** Huma'nismus *m*, wahre Bildung; **2.** Beschäftigung *f* mit rein menschlichen Dingen; '**hu·man·ist** [-ist] *s.* Huma'nist(in); **hu·man·is·tic** [hju:mə'nistik] *adj.* huma'nistisch; **hu·man·i·tar·i·an** [hju(:)mæni'tɛəriən] **I.** *adj.* humani'tär, menschenfreundlich, Humanitäts...; **II.** *s.* Menschenfreund *m*; **hu·man·i·tar·i·an·ism** [hju(:)mæni'tɛəriənizəm] *s.* Menschenfreundlichkeit *f*, humani'täre Einstellung; **hu·man·i·ty** [hju(:)'mæniti] *s.* **1.** Menschheit *f*; **2.** Menschsein *n*, menschliche Na'tur; **3.** Menschlichkeit *f*, Menschenliebe *f*; **4.** *pl.* **a)** klassische Litera'tur, 'Altphilolo,gie *f*, *weitS.* Geisteswissenschaften *pl.*, **b)** huma'nistische Bildung; **5.** ♀ *Scot. univ.* La'tein,studium *n*.

hu·man·i·za·tion [hju:mənai'zeiʃən] *s.* Humanisierung *f*, Vermenschlichung *f*; **hu·man·ize** ['hju:mənaiz] *v/t.* **1.** zivilisieren, gesittet machen; **2.** vermenschlichen, menschliche Eigenart verleihen (*dat.*).

'**hu·man'kind** *s.* Menschheit *f*, Menschengeschlecht *n*; '**hu·man·ly** [-li] *adv.* **1.** nach menschlichen Begriffen: ~ *possible* menschenmöglich; ~ *speaking* menschlich gesehen; **2.** menschenfreundlich.

hum·ble ['hʌmbl] **I.** *adj.* □ **1.** bescheiden, demütig; anspruchslos: *in my* ~ *opinion* nach m-r unmaßgeblichen Meinung; *my* ~ *self* meine Wenigkeit; *your* ~ *servant* Ihr ergebener (Diener); *to eat* ~ *pie fig.* sich demütigen, Abbitte tun, zu Kreuze kriechen; **2.** niedrig, gering, dürftig, ärmlich: ~ *birth* niedrige Geburt; ~ *circumstances* ärmliche Verhältnisse; **II.** *v/t.* **3.** demütigen, erniedrigen; '**humble-bee** → *bumble-bee*; '**hum·ble·ness** [-nis] *s.* Demut *f*, Bescheidenheit *f*.

hum·bug ['hʌmbʌg] **I.** *s.* **1.** Schwindel *m*, Täuschung *f*, Betrug *m*; **2.** Humbug *m*, Unsinn *m*, Quatsch *m*, ‚Mumpitz' *m*; **3.** Schwindler *m*, Windbeutel *m*, Aufschneider *m*; **4.** *a. mint* ~ *Brit.* ('Pfefferminz-)Bon,bon *m*, *n*; **II.** *v/t.* **5.** beschwindeln, täuschen, foppen, dumm machen; **6.** erschwindeln.

hum·ding·er [hʌm'diŋgə] *s. Am. sl.* **1.** ‚Mordskerl' *m*; **2.** ‚tolles Ding'.

hum·drum ['hʌmdrʌm] **I.** *adj.* alltäglich, eintönig, langweilig, fade; **II.** *s.* Eintönigkeit *f*, Langweiligkeit *f*.

hu·mer·al ['hju:mərəl] *adj. anat.* **1.** Oberarmknochen...; **2.** Schulter...; **hu·mer·us** ['hju:mərəs] *pl.* **-i** [-ai] *s. anat.* Oberarm(knochen) *m*.

hu·mid ['hju:mid] *adj.* feucht; **hu·mid·i·fi·er** [hju(:)'midifaiə] *s.* Be'feuchtungsma,schine *f*, Verdunster *m*; **hu·mid·i·fy** [hju(:)'midifai] *v/t.* befeuchten, feucht machen; **hu·mid·i·ty** [hju(:)'miditi] *s.* Feuchtigkeit *f*, Feuchtigkeitsgehalt *m*.

hu·mil·i·ate [hju(:)'milieit] *v/t.* erniedrigen, demütigen: *he was* ~*d to hear* er hörte zu s-r Schande; **hu'mil·i·at·ing** [-tiŋ] *adj.* demütigend, kränkend, peinlich; **hu·mil·i·a·tion** [hju(:)mili'eiʃən] *s.* Erniedrigung *f*, Demütigung *f*; **hu'mil·i·ty** [-iti] *s.* Demut *f*, Bescheidenheit *f*.

hum·mer ['hʌmə] *s.* **1.** Summer *m*, Brummer *m*; **2.** *sl.* Betriebmacher(in); **3.** → *humming-bird*.

hum·ming ['hʌmiŋ] *adj.* **1.** summend, brummend; **2.** F **a)** lebhaft, schwungvoll, **b)** kräftig, stark; '**~-bird** *s. orn.* 'Kolibri *m*; '**~-top** *s.* Brummkreisel *m*.

hum·mock ['hʌmək] *s.* kleiner Hügel, *bsd.* Eishügel *m*.

hu·mor *Am.* → *humour*.

hu·mor·esque [hju:mə'resk] *s.* ♪ Humo'reske *f*; **hu·mor·ist** ['hju:mərist] *s.* **1.** Humo'rist(in); **2.** Spaßvogel *m*; **hu·mor'is·tic** [-'ristik] *adj.* humo'ristisch; **hu·mor·ous** ['hju:mərəs] *adj.* □ humo'ristisch; hu'morvoll, spaßhaft, lustig, heiter, 'komisch; **hu·mor·ous·ness** ['hju:mərəsnis] *s.* Spaßhaftigkeit *f*, 'Komik *f*.

hu·mour ['hju:mə] **I.** *s.* **1.** Gemütsart *f*, Stimmung *f*, Laune *f*; Tempera'ment *n*: *in the* ~ *for* aufgelegt zu; *in a good* (*bad*) ~ guter (schlechter) Laune; *out of* ~ schlecht gelaunt, verstimmt; **2.** Hu'mor *m*, Spaß *m*, Scherz *m*; 'Komik *f*: *sense of* ~ (Sinn für) Humor; **3.** ⚕ *obs.* Körpersaft *m*, -flüssigkeit *f*; **II.** *v/t.* **4.** *j-m* s-n Willen tun *od.* lassen, *j-m* nachgeben; **5.** *j-m* gut zureden; **6.** *et.* hinnehmen, mit Geduld ertragen, sich anpassen (*dat. od.* an *acc.*) *od.* fügen in (*acc.*).

hump [hʌmp] **I.** *s.* **1.** Buckel *m*, Höcker *m*; **2.** kleiner Hügel: *to be over the* ~ *fig.* über den Berg sein; *the* ♀ *humor.* **a)** das Himalajagebirge, **b)** die Alpen; **3.** *Brit. sl.* Stinklaune *f*, -wut *f*: *to give s.o. the* ~ j-m ‚auf den Wecker fallen'; **II.** *v/t.* **4.** *oft* ~ *up* (zu e-m Buckel) krümmen: *to* ~ *one's back* e-n Buckel machen; **5.** auf dem Rücken tragen, ‚aufbuckeln'; **6.** ~ *o.s. Am. sl.* sich ‚am Riemen reißen' (*anstrengen*); **7.** *Brit. sl.* **a)** ärgern, **b)** deprimieren; '**~-back** *s.* **1.** Buckel *m*, Höcker *m*; **2.** Bucklige(r *m*) *f*; **3.** *zo.* Buckelwal *m*; '**~-backed** *adj.* bucklig.

humped [hʌmpt] *adj.* **1.** bucklig, höckerig; **2.** holp(e)rig.

humph [mm; hʌmf] *int.* hm!

hump·ty-dump·ty ['hʌmpti'dʌmpti] *s.* ‚Pummelchen' *n* (*kleine u. dicke Person*).

hump·y ['hʌmpi] → *humped*.

hu·mus ['hju:məs] *s.* 'Humus *m*.

Hun [hʌn] *s.* **1.** Hunne *m*, Hunnin *f*; **2.** *fig.* Wan'dale *m*, Bar'bar *m*; **3.** (*Schimpfwort, obs.*) Deutsche(r) *m*.

hunch [hʌntʃ] **I.** *s.* **1.** → *hump 1*; **2.** Klumpen *m*; **3.** F (Vor)Ahnung *f*; **II.** *v/t.* **4.** *a.* ~ *up* → *hump 4*; '**~·back** → *humpback 1 u. 2*; '**~·backed** → *humpbacked*.

hun·dred ['hʌndrəd] **I.** *adj.* **1.** hundert: *a* (*od. one*) ~ (ein)hundert; *a bare* ~ knappe hundert; *two* ~ *men* zweihundert Mann; *a* ~ *and one* hundert(erlei), zahllose; **II.** *s.* **2.** Hundert *n*: *by the* ~ hundertweise; *several* ~ mehrere Hundert; ~*s of times* hundertmal; ~*s of thousands* Hunderttausende; ~*s and* ~*s* Hunderte u. aber Hunderte; ~*s and thousands* kleine Zucker- *od.* Schokoladenkügelchen (*zur Tortenverzierung*); **3.** ~*s pl.* Hunderter *pl. e-r mehrstelligen Zahl*; **4.** *hist. Brit.* Bezirk *m*, Hundertschaft *f*; '**~fold** *adj. u. adv.* hundertfach, -fältig.

hun·dredth ['hʌndrədθ] **I.** *adj.* **1.** hundertst; **II.** *s.* **2.** Hundertste(r *m*) *f*; **3.** Hundertstel *n*.

'**hun·dred·weight** *s. etwa* Zentner *m* (*in England 112 lb., in USA 100 lb.*): *metric* ~ Zentner (*50 kg*).

hung [hʌŋ] *pret. u. p.p. von hang.*

Hun·gar·i·an [hʌŋ'gɛəriən] **I.** *adj.* **1.** 'ungarisch; **II.** *s.* **2.** 'Ungar(in); **3.** *ling.* Ungarisch *n*.

hun·ger ['hʌŋgə] **I.** *s.* **1.** Hunger *m*: ~ *is the best sauce* Hunger ist der beste Koch; **2.** *fig.* Hunger *m*, Verlangen *n*, Durst *m* (*for, after* nach); **II.** *v/i.* **3.** hungern, Hunger haben; **4.** *fig.* dürsten, hungern (*for, after* nach); **III.** *v/t.* **5.** durch Hunger zwingen; '**~-march** *s.* Hungermarsch *m*; '**~-strike** *s.* Hungerstreik *m*.

hun·gry ['hʌŋgri] *adj.* □ **1.** hungrig: *to be* (*od. feel*) ~ hungrig sein, Hunger haben; ~ *as a hunter* hungrig wie ein Wolf; *the* ♀ *Forties hist. Brit.* die Hungerjahre (*1840–49*); **2.** *fig.* hungrig, (be-)gierig, lechzend (*for* nach); **3.** ⚒ unfruchtbar, mager (*Boden*).

hunk [hʌŋk] *s.* F großes *od.* dickes Stück; Runke *m* (*Brot*); '**hun·kers** [-kəz] *s. pl.* 'Hinterbacken *pl.*

hunks [hʌŋks] *s.* **1.** Geizhals *m*; **2.** ‚Ekel' *n* (*Person*).

Hun·nish ['hʌniʃ] *adj.* **1.** hunnisch; **2.** *fig.* bar'barisch.

hunt [hʌnt] **I.** *s.* **1.** Jagd *f*, Jagen *n*: *the* ~ *is up* die Jagd hat begonnen; **2.** 'Jagd(re,vier *n*) *f*; **3.** Jagd(-gesellschaft) *f*; **4.** *fig.* Verfolgung *f*; **5.** *fig.* (eifrige) Suche (*for* nach); **II.** *v/t.* **6.** *Wild* jagen, Jagd machen auf (*acc.*), hetzen; **7.** durch'jagen; **8.** *Pferd, Hunde* zur Jagd gebrauchen; **9.** *a.* ~ *away* (weg)jagen, vertreiben; **10.** *j-n od. e-e Spur* verfolgen; **11.** *fig.* durch'suchen; **12.** *Radar etc.*: abtasten; **III.** *v/i.* **13.** jagen, pirschen; **14.** *fig.* (*for* nach) **a)** eifrig suchen, **b)** streben; **15.** *Glockenläuten*: die Reihenfolge ändern; **16.** ⊕ pendeln, oszillieren; ~ **down** *v/t.* **a)** erjagen, (*a. fig. Verbrecher etc.*) zur Strecke bringen, **b)** *j-n* erbittert verfolgen, stellen; ~ **out,** ~ **up** *v/t.* **a)** forschen nach, **b)** aufstöbern, -spüren, -treiben.

hunt·er ['hʌntə] *s.* **1.** Jäger *m* (*a.* [*Raub*]*Tier*); **2.** *fig.* Jäger *m*: *autograph* ~; **3.** Jagdhund *m*, -pferd *n*; **4.** Sprungdeckeluhr *f*.

hunt·ing ['hʌntiŋ] **I.** *s.* **1.** (Hetz-) Jagd *f*, Jagen *n*; **2.** Verfolgung *f*; **3.** Suche *f*; **4.** ⊕ Pendeln *n*; **5.** *Radar etc.*: Abtastvorrichtung *f*; **II.** *adj.* **6.** Jagd...; '**~-box** → *hunting-lodge*; '**~-cat** → *cheetah*; '**~-crop** *s.* Jagdpeitsche *f*; '**~-ground** *s.* 'Jagdreˌvier *n*, -gebiet *n* (*a. fig.*): *happy ~s die* ewigen Jagdgründe; '**~-horn** *s.* Hift-, Jagdhorn *n*; **~ leop·ard** → *cheetah*; '**~-lodge** *s.* Jagdhütte *f*; '**~-sea·son** *s.* Jagdzeit *f*.

hunt·ress ['hʌntris] *s.* Jägerin *f*.

hunts·man ['hʌntsmən] *s.* [*irr.*] **1.** Jäger *m*, Weidmann *m*; **2.** Rüdemann *m* (*Aufseher der Jagdhunde*); '**hunts·man·ship** [-ʃip] *s.* Jäge'rei *f*, Weidwerk *n*.

'**hunt-the-'slip·per** *s.* Pan'toffeljagd *f* (*Kinderspiel*).

hur·dle ['hə:dl] **I.** *s.* **1.** *sport* Hürde *f*: *the ~s* → *hurdle-race*; **2.** Hürde *f* (*Zaun*, *a. fig. Hindernis, Schwierigkeit*); **3.** ⊕ Fa'schine *f*, Gitter *n*; **II.** *v/t.* **4.** mit Hürden um'geben, um'zäunen; **5.** über *e-e Hürde* springen, *Hürde* nehmen; **6.** *fig. Schwierigkeit* über'winden; **III.** *v/i.* **7.** e-e Hürde *od.* ein Hindernis nehmen (*a. fig.*); '**hur·dler** [-lə] *s.* **1.** Hürdenmacher *m*; **2.** *sport* Hürdenläufer(in); '**hur·dle-race** *s. sport* **a)** Hürdenlauf *m*, **b)** Hürden-, Hindernisrennen *n*.

hur·dy-gur·dy ['hə:digə:di] *s.* ♪ **a)** Drehleier *f*, **b)** Leierkasten *m*, Drehorgel *f*.

hurl [hə:l] **I.** *v/t.* **1.** schleudern (*a. fig.*), werfen: *to ~ abuse at s.o.* j-m e-e Beleidigung ins Gesicht schleudern; **2.** *~ o.s.* sich stürzen (*on* auf *acc.*); **II.** *v/i.* **3.** *sport* Hurling spielen; **III.** *s.* **4.** Schleudern *n*; '**hurl·er** [-lə] *s. sport* Hurlingspieler *m*; '**hurl·ey** [-li] *s. sport* **1.** → *hurling*; **2.** Hurlingstock *m*; '**hurl·ing** [-liŋ] *s. sport* Hurling(spiel) *n* (*Art Hockey*).

hurl·y-burl·y ['hə:libə:li] *s.* Tu'mult *m*, Aufruhr *m*; Wirrwarr *m*.

hur·rah [hu'rɑ:] **I.** *int.* hur'ra!: *~ for ...!* hoch *od.* es lebe ...!; → *hip*³; **II.** *s.* Hur'ra(ruf *m*) *n*.

hur·ray [hu'rei] → *hurrah*.

hur·ri·cane ['hʌrikən] *s.* **1.** Hurrikan *m*, Or'kan *m*, Wirbelsturm *m*; **2.** *fig.* Orkan *m*, Sturm *m*; **~ deck** *s.* ⚓ Sturmdeck *n*; **~ lamp** *s.* 'Sturmlaˌterne *f*.

hur·ried ['hʌrid] *adj.* □ eilig, hastig, schnell, über'eilt; '**hur·ri·er** [-iə] *s. Brit.* ⚒ Fördermann *m*, Schlepper *m*.

hur·ry ['hʌri] **I.** *s.* **1.** Hast *f*, Eile *f*: *in a ~* in Eile, eilig; *to be in a ~* Eile *od.* es eilig haben, in Eile sein; *there is no ~* es eilt nicht, es hat keine Eile; *you will not beat that in a ~* das machst du nicht so bald *od.* leicht nach; *in the ~ of business* im Drang der Geschäfte; **2.** ⊕ Rutsche *f*, Gleitbahn *f*; **II.** *v/t.* **3.** *a. ~ away* (*od. off*) schnell *od.* eilig befördern *od.* bringen: *to ~ through fig. Gesetzesvorlage etc.* durchpeitschen; **4.** *oft ~ up* (*od. on*) treiben, drängen, beschleunigen; *et.* über'eilen; **5.** ⚒ schleppen; **III.** *v/i.* **6.** (sich be)eilen, sich über'eilen: *~ up!* beeile dich!, mach schnell!; *~ along!* weitergehen!; *to ~ away* (*od. off*) wegeilen; *to ~ over s.th.* et. ‚hinhauen' *od.* flüchtig erledigen; '**~-'scur·ry** [-'skʌri] **I.** *s.* Hast *f*, Über'stürzung *f*; **II.** *adv.* über'stürzt; **III.** *v/i.* überstürzt handeln.

hurst [hə:st] *s.* (*in Ortsnamen*) Hain *m*, Forst *m*.

hurt [hə:t] **I.** *v/t.* [*irr.*] *a. impers.* **1.** verletzen, verwunden; **2.** schmerzen, weh tun (*dat.*) (*beide a. fig.*); drücken (*Schuh*); **3.** *fig.* verletzen, kränken: *to feel ~* gekränkt sein; **4.** *j-m* schaden, *j-n* schädigen; **5.** *et.* beschädigen; **II.** *v/i.* [*irr.*] *a. impers.* **6.** schmerzen, weh tun; **7.** schaden: *that won't ~* das schadet nichts; **8.** F Schmerzen *od.* Schaden erleiden; **III.** *s.* **9.** *a. fig.* Verletzung *f*, Schmerz *m*; **10.** Schaden *m*, Nachteil *m*; '**hurt·er** [-tə] *s.* ⊕ **1.** Achsring *m*, -stoß *m*; **2.** Stoßbalken *m*; '**hurt·ful** [-ful] *adj.* □ schädlich, nachteilig (*to* für).

hur·tle ['hə:tl] *v/i.* **1.** (*against*) zs.-prallen (mit), prallen, stoßen (gegen); **2.** sausen, stürzen, rasen; **3.** rasseln, poltern.

'**hur·tle·ber·ry** *s.* ♆ Heidelbeere *f*.

hus·band ['hʌzbənd] **I.** *s.* (Ehe-) Mann *m*, Gatte *m*, Gemahl *m*; **II.** *v/t.* haushälterisch *od.* sparsam 'umgehen mit, haushalten mit; '**hus·band·ly** [-li] *adj.* Gatten..., Ehemanns...; '**hus·band·man** [-ndmən] *s.* [*irr.*] Bauer *m*; '**hus·band·ry** [-ri] *s.* Ackerbau *m*, Landwirtschaft *f*.

hush [hʌʃ] **I.** *int.* **1.** still!, pst!; **II.** *v/t.* **2.** zum Schweigen *od.* zur Ruhe bringen; **3.** *fig.* besänftigen, beruhigen; **4.** *mst ~ up* vertuschen; **III.** *v/i.* **5.** still sein; **IV.** *s.* **6.** Stille *f*, Ruhe *f*; '**hush·a·by** [-ʃəbai] *int.* eiapo'peia! (*ein Kind einschläfernd*); **hushed** [-ʃt] *adj.* lautlos, still.

'**hush**|-'**hush** *adj.* (streng) geheim, Geheim...; '**~-mon·ey** *s.* Schweigegeld *n*.

husk [hʌsk] **I.** *s.* **1.** ♆ (trockene) Hülse; *Am. mst* Maishülse *f*; Schale *f*, Schote *f*; **2.** *fig.* Schale *f* (*wertlose Hülle*); *pl. oft fig.* Abfall *m*; **II.** *v/t.* **3.** enthülsen, schälen; '**husk·er** [-kə] *s.* **1.** Enthülser(in); **2.** 'Schälmaˌschine *f*; '**husk·i·ness** [-kinis] *s.* Heiserkeit *f*, Rauhheit *f* (*Stimme*); '**husk·ing** [-kiŋ] *s.* **1.** Enthülsen *n*, Schälen *n*; **2.** *a. ~ bee Am.* geselliges Maisschälen.

husk·y¹ ['hʌski] *adj.* □ **1.** hülsig; **2.** ausgedörrt; **3.** heiser, belegt (*Stimme*).

hus·ky² ['hʌski] F **I.** *adj.* □ stämmig, ro'bust; **II.** *s.* stämmiger Kerl.

Hus·ky³ ['hʌski] *s.* **1.** 'Eskimo *m*; **2.** ♀ 'Eskimohund *m*; **3.** ♀ 'Eskimosprache *f*.

hus·sar [hu'zɑ:] *s.* ⚔ Hu'sar *m*.

Huss·ite ['hʌsait] *s. hist.* Hus'sit *m*.

hus·sy ['hʌsi] *s.* **1.** keckes Mädchen, Range *f*, ‚Fratz' *m*; **2.** ‚leichtes Mädchen', ‚Flittchen' *n*.

hus·tings ['hʌstiŋz] *s. pl. mst sg. konstr. pol.* **1.** Redner-, Wahlbühne *f*; **2.** Wahl(kampf *m*) *f*.

hus·tle ['hʌsl] **I.** *v/t.* **1.** stoßen, drängen; (an)rempeln; **2.** hetzen, antreiben; **3.** F vor'antreiben, schnell erledigen; **II.** *v/i.* **4.** sich drängen, hasten; **5.** sich 'durchdrängen; **6.** *Am.* F **a)** mit Hochdruck arbeiten, **b)** ‚rangehen', Dampf da'hinter machen; **7.** *Am. sl.* **a)** betteln, **b)** stehlen; **III.** *s.* **8.** Getriebe *n*: *~ and bustle* Gehetze; **9.** F ‚Betrieb' *m*; '**hus·tler** [-lə] *s.* rühriger Mensch, ‚Wühler' *m*.

hut [hʌt] **I.** *s.* **1.** Hütte *f*; **2.** ⚔ Ba'racke *f*; **II.** *v/t. u. v/i.* **3.** in Ba'racken *od.* Hütten 'unterbringen (wohnen): *~ted camp* Barackenlager.

hutch [hʌtʃ] *s.* **1.** Kiste *f*, Kasten *m*; Trog *m*; **2.** (kleiner) Stall, Käfig *m*, Verschlag *m*; **3.** ⚒ Hund *m*; **4.** F Hütte *f*.

hut·ment ['hʌtmənt] *s.* ⚔ **1.** 'Unterbringung *f* in Ba'racken; **2.** Hütten-, Ba'rackenlager *n*.

huz·za [hu'zɑ:] **I.** *int.* 'hussa!, juch'he!, hur'ra!; **II.** *s.* Hur'ra(ruf *m*) *n*; **III.** *v/i.* jauchzen; **IV.** *v/t.* *j-m* zujauchzen.

hy·a·cinth ['haiəsinθ] *s.* **1.** ♆ Hya'zinthe *f*; **2.** *min.* Hya'zinth *m*, roter Zir'kon.

hy·ae·na → *hyena*.

hy·a·line ['haiəlin] **I.** *adj.* glasklar, 'durchsichtig; **II.** *s. poet.* **a)** Meer *n*, **b)** klarer Himmel; '**hy·a·lite** [-lait] *s. min.* Hya'lit *m*, 'Glasoˌpal *m*; '**hy·a·loid** [-lɔid] → *hyaline I*.

hy·brid ['haibrid] **I.** *s.* **1.** *biol.* Mischling *m*, 'Bastard *m*, Zwitter *m*, Kreuzung *f*; **2.** *ling.* Mischwort *n*; **II.** *adj.* **3.** *biol.* Misch..., Bastard..., Zwitter...; **4.** ungleichartig, gemischt; **hy·brid·ism** ['haibridizəm], **hy·brid·i·ty** [hai'briditi] *s. biol.* Mischbildung *f*, Kreuzung *f*; **hy·brid·i·za·tion** [haibridai'zeiʃən] *s.* Kreuzung *f*; '**hy·brid·ize** [-daiz] *v/t.* kreuzen.

hy·bris ['haibris] → *hubris*.

hy·dra ['haidrə] *s.* **1.** *myth.* 'Hydra *f* (*a. fig. kaum auszurottendes Übel*); **2.** *ast.* Wasserschlange *f*; **3.** *zo.* 'Süßwasserpoˌlyp *m*.

hy·dran·ge·a [hai'dreindʒə] *s.* ♆ Hor'tensie *f*.

hy·drant ['haidrənt] *s.* ⊕ Hy'drant [*m*.]

hy·drate ['haidreit] ⚗ **I.** *s.* Hy'drat *n*; **II.** *v/t.* hydratisieren; '**hy·drat·ed** [-tid] *adj.* ⚗, *min.* wasserhaltig; **hy·dra·tion** [hai'dreiʃən] *s.* ⚗ Hydratisati'on *f*.

hy·drau·lic [hai'drɔ:lik] *adj.* (□ *~ally*) ⊕, *phys.* hy'draulisch: **a)** (Druck)Wasser...: *~ clutch* (*jack, press*) hydraulische Kupplung (Winde, Presse); *~ power* (*pressure*) Wasserkraft (-druck), **b)** unter Wasser erhärtend: *~ cement* hydraulischer Mörtel, Wassermörtel; **~ brake** *s. mot.* hy'draulische Bremse, Flüssigkeitsbremse *f*; **~ en·gine** *s.* ⊕ 'Wasserkraftmaˌschine *f*; **~ en·gi·neer** *s.* 'Wasserbauingeniˌeur *m*; **~ en·gi·neer·ing** *s.* Wasserbau *m*; **~ gear** *s. mot.* Flüssigkeitsgetriebe *n*.

hy·drau·lics [hai'drɔ:liks] *s. pl. sg. konstr. phys.* Hy'draulik *f*.

hy·dric ['haidrik] *adj.* ⚗ Wasserstoff...: *~ oxide* Wasser; '**hy·dride** [-raid] *s.* ⚗ Hy'drid *n*.

hy·dro ['haidrou] *pl.* **-dros** *s.* F

1. ✈ → *hydroplane* 1; **2.** ⚕ *Brit.* F Wasserheilanstalt *f.*
hydro- [haidrou; -ə] *in Zssgn* **a)** Wasser, **b)** Wasserstoff.
ˈ**hy·dro|·bomb** [-ou-] *s.* ⚔ ˈLuft-, ˈFlugzeugtorˌpedo *m*; ˈ**~ˈbro·mide** [-ou-] *s.* ⚗ hydroˈbromsaures Salz; ˈ**~ˈcar·bon** [-ou-] *s.* ⚗ Kohlenwasserstoff *m*; ˈ**~ˈcel·lu·lose** [-ou-] *s.* ⚗ ˈHydrozelluˌlose *f*; ˈ**~ceˈphal·ic** [-ouseˈfælik], ˈ**~ˈceph·a·lous** [-ouˈsefələs] *adj.* ⚕ mit e-m Wasserkopf; ˈ**~ˈceph·a·lus** [-ouˈsefələs] *s.* ⚕ Wasserkopf *m*; ˈ**~ˈchlo·ric** [-ɔ-] *adj.* ⚗ salzsauer: *~ acid* Salzsäure, Chlorwasserstoff; ˈ**~ˈchlo·ride** [-ɔ-] *s.* ⚗ ˈChlorhyˌdrat *n*; ˈ**~·cyˈan·ic ac·id** [-ou-] *s.* ⚗ Blausäure *f*, Zyˈanwasserstoffsäure *f*; ˈ**~·dyˈnam·ic** [-ou-] *adj.* *phys.* hydrodyˈnamisch; ˈ**~·dyˈnam·ics** [-ou-] *s. pl. mst sg. konstr. phys.* Hydrodyˈnamik *f*; ˈ**~·eˈlec·tric** [-ou-] *adj.* ⊕ hydroeˈlektrisch: *~ power-station* (*od.* *-plant*) Wasserkraftwerk; ˈ**~·ex·tract** [-ou-] *v/t.* ⊕ zentrifugieren, entwässern; ˈ**~fluˈor·ic ac·id** [-ou-] *s.* ⚗ Flußsäure *f.*
hy·dro·gen [ˈhaidridʒən] *s.* ⚗ Wasserstoff *m*: *~ bomb* Wasserstoffbombe; *~ cylinder* Wasserstoffflasche; *~ peroxide* Wasserstoffsuperoxyd; *~ sulphide* Schwefelwasserstoff; **hy·dro·gen·ate** [haiˈdrɔdʒineit] *v/t.* ⚗ **1.** hydrieren; **2.** *Öl* härten; **hy·dro·gen·a·tion** [haidrɔdʒiˈneiʃən] *s.* ⚗ **1.** Hydrierung *f*; **2.** Härtung *f* (*Öl*); **hy·dro·gen·ize** [haiˈdrɔdʒənaiz] → *hydrogenate*; **hy·drog·e·nous** [haiˈdrɔdʒinəs] *adj.* ⚗ wasserstoffhaltig, Wasserstoff...
hy·dro·graph·ic [haidrouˈgræfik] *adj.* (□ *~ally*) hydroˈgraphisch: *~ map* ⚓ Seekarte; *~ office* (*od.* *department*) ⚓ Seewarte; **hy·drog·ra·phy** [haiˈdrɔgrəfi] *s.* **1.** Hydrograˈphie *f*, Gewässerkunde *f*; **2.** Gewässer *pl.* (*e-r Landkarte*).
hy·dro·log·ic *adj.*; **hy·dro·log·i·cal** [haidrouˈlɔdʒik(əl)] *adj.* hydroˈlogisch; **hy·drol·o·gy** [haiˈdrɔlədʒi] *s.* Hydroloˈgie *f*, Gewässerkunde *f.*
hy·drol·y·sis [haiˈdrɔlisis] *s.* ⚗ Hydroˈlyse *f*; **hy·dro·lyt·ic** [haidrəˈlitik] *adj.* ⚗ hydroˈlytisch; **hy·dro·lyze** [ˈhaidrəlaiz] *v/t.* ⚗ hydrolysieren.
hy·drom·e·ter [haiˈdrɔmitə] *s. phys.* Hydroˈmeter *n*; **hy·dro·met·ric** *adj.*; **hy·dro·met·ri·cal** [haidrouˈmetrik(əl)] *adj.* *phys.* hydroˈmetrisch.
hy·dro·path·ic [haidrəˈpæθik] ⚕ **I.** *adj.* hydroˈpathisch; Wasserkur...: *~ establishment* → *hydro* 2; **II.** *s. Brit.* → *hydro* 2; **hy·drop·a·thist** [haiˈdrɔpəθist] *s.* ⚕ Hydroˈpath *m*; **hy·drop·a·thy** [haiˈdrɔpəθi] *s.* ⚕ **1.** Hydrotheraˈpie *f*, Wasserheilkunde *f*; **2.** Kneipp-, Wasserkur *f.*
hy·dro|·pho·bi·a [haidrəˈfoubjə] *s.* ⚕ **1.** Wasserscheu *f*; **2.** Tollwut *f*; **~·phone** [ˈhaidrəfoun] *s.* ⊕ Unterˈwasserˌhorchgerät *n*; **~·phyte** [ˈhaidrəfait] *s.* ⚘ Wasserpflanze *f*; **~·plane** [ˈhaidrouplein] *s.* **1.** ✈ Wasserflugzeug *n*; **2.** ✈ Gleitfläche *f* (*e-s Wasserflugzeugs*); **3.** ⚓ Gleitboot *n*; **4.** ⚓ Tiefenruder *n* (*e-s U-Boots*); **~·pon·ics** [haidrəˈpɔniks] *s. pl. sg. konstr.* ˈWasserkulˌtur *f* (*Anbau ohne Erde*); **~·qui·none** [ˈhaidroukwiˈnoun] *s. phot.* Hydrochiˈnon *n*; **~·scope** [ˈhaidrəskoup] *s.* ⊕ Unterˈwasserˌsichtgerät *n*, -ˌsuchgerät *n*; ˈ**~·sphere** [ˈhaidrəsfiə] *s.* Wasserhülle *f* der Erde; **~·stat·ic** [haidrouˈstætik] *adj.* hydroˈstatisch: *~ press* hydraulische Presse; *~ pressure* Wasserdruck; **~·stat·ics** [haidrouˈstætiks] *s. pl. sg. konstr.* Hydroˈstatik *f*; **~·ther·a·py** [haidrouˈθerəpi] *s.* ⚕ Hydrotheraˈpie *f*, Wasserbehandlung *f.*
hy·drous [ˈhaidrəs] *adj.* ⚗ wasserhaltig.
hy·drox·ide [haiˈdrɔksaid] *s.* ⚗ Hydroˈxyd *n*: *~ of sodium* Ätznatron.
hy·e·na [haiˈi:nə] *s. zo.* Hyˈäne *f.*
hy·giene [ˈhaidʒi:n] *s.* Hygiˈene *f*, Gesundheitspflege *f*, -lehre *f*: *personal ~* Körperpflege; **hy·gi·en·ic** [haiˈdʒi:nik] **I.** *adj.* (□ *~ally*) hygiˈenisch; **II.** *s. pl. sg. konstr.* Hygiˈene *f*, Gesundheitslehre *f*; ˈ**hy·gi·en·ist** [-nist] *s.* Hygiˈeniker (-in).
hygro- [haigrou; -ə] *in Zssgn* feucht, Feuchtigkeit.
hy·gro·graph [ˈhaigrougrɑ:f; -græf] *s. phys.* Hygroˈgraph *m*, selbstregistrierender Luftfeuchtigkeitsmesser; **hy·grom·e·ter** [haiˈgrɔmitə] *s. phys.* Hygroˈmeter *n*, Luftfeuchtigkeitsmesser *m*; **hy·gro·met·ric** [haigrouˈmetrik] *adj. phys.* hygroˈmetrisch; **hy·grom·e·try** [haiˈgrɔmitri] *s. phys.* Hygromeˈtrie *f*, Luftfeuchtigkeitsmessung *f*; **hy·gro·scope** [ˈhaigrəskoup] *s. phys.* Hygroˈskop *n*, Feuchtigkeitsanzeiger *m*; **hy·gro·scop·ic** [haigrəˈskɔpik] *adj.* hygroˈskopisch: **a)** Feuchtigkeit anzeigend, **b)** Feuchtigkeit anziehend.
hy·ing [ˈhaiiŋ] *p.pr. von hie.*
hy·men [ˈhaimen] *s.* **1.** *anat.* ˈHymen *n*, Jungfernhäutchen *n*; **2.** *poet.* Ehe *f*, Hochzeit *f*; **3.** ♀ *myth.* ˈHymen *m*, Gott *m* der Ehe; **hy·me·ne·al** [haimeˈni(:)əl] *adj.* Hochzeits..., hochzeitlich.
hy·me·nop·ter·a [haimiˈnɔptərə] *s. pl. zo.* Hautflügler *pl.*; **hy·meˈnop·ter·ous** [-rəs] *adj.* Hautflügler...
hymn [him] **I.** *s.* Hymne *f*, Kirchenlied *n*; **II.** *v/t.* (lob)preisen; **III.** *v/i.* Hymnen singen; ˈ**hym·nal** [-nəl] **I.** *adj.* hymnisch, Hymnen...; **II.** *s.* Gesangbuch *n*; ˈ**hymn-book** → *hymnal II*; ˈ**hym·nic** [-nik] *adj.* hymnenartig; ˈ**hym·no·dy** [-nədi] *s.* **1.** Hymnensingen *n*; **2.** Hymnendichtung *f*; **3.** *coll.* Hymnen *pl.*; **hym·nol·o·gy** [himˈnɔlədʒi] *s.* **1.** Hymnoloˈgie *f*, Hymnenkunde *f*; **2.** → *hymnody 2 u. 3.*
hy·oid bone [ˈhaiɔid] *s. anat.* Zungenbein *n.*
hyper- [haipə(:)] *in Zssgn* hyper..., super..., über..., ˈübermäßig.
hy·per·bo·la [haiˈpə:bələ] *s.* ⩓ Hyˈperbel *f* (*Kegelschnitt*); **hyˈper·bo·le** [-li] *s. rhet.* Hyˈperbel *f*, Überˈtreibung *f*; **hy·per·bol·ic** *adj.*; **hy·per·bol·i·cal** [haipə(:)ˈbɔlik(əl)] *adj.* □ **1.** ⩓ Hyperbel...; **2.** überˈtreibend.
hy·per|·bo·re·an [haipə(:)bɔ:ˈri(:)ən] **I.** *s.* Hyperboˈreer *m*; **II.** hyperboˈreisch, arktisch, nördlich; ˈ**~ˈcrit·ic** *s.* überˈtriebener ˈKritiker; ˈ**~ˈcrit·i·cal** *adj.* □ **1.** allzu kritisch; **2.** ˈübergenau; ˈ**~ˈcrit·i·cize** *v/t. u. v/i.* allzu streng kritisieren; ˈ**~mar·ket** *s.* Verbrauchermarkt *m*; ˈ**~ˈmet·ri·cal** *adj.* **1.** um eine Silbe zu lang (*Vers*); **2.** ˈüberzählig (*Silbe*); ˈ**~·meˈtro·pi·a** [-meˈtroupjə], **~·o·pi·a** [ˈhaipərˈoupjə] *s.* ⚕ ˈÜbersichtigkeit *f*; ˈ**~ˈsen·si·tive** *adj.* ˈüberempfindlich; ˈ**~ˈson·ic** [-ˈsɔnik] *adj. phys.* erheblich über Schallgeschwindigkeit; ˈ**~ˈten·sion** *s.* ⚕ zu hoher Blutdruck, Hypertoˈnie *f.*
hy·per·troph·ic [ˈhaipə(:)ˈtrɔfik], **hy·per·tro·phied** [haiˈpə:trəfid] *adj.* ⚕, *biol.* **1.** hyperˈtrophisch, ˈüberentwickelt; **2.** *fig.* krankhaft, ˈübermäßig; **hy·per·tro·phy** [haiˈpə:trəfi] ⚕, *biol.* **I.** *s.* Hypertroˈphie *f*, ˈÜberentwicklung *f*, ˈübermäßige Vergrößerung (*a. fig.*); **II.** *v/i. u. v/t.* ˈübermäßig wachsen (vergrößern).
hy·phen [ˈhaifən] **I.** *s.* **1.** Bindestrich *m*; **2.** Trennungszeichen *n*; **II.** *v/t.* **3.** mit Bindestrich schreiben; ˈ**hy·phen·ate** [-fəneit] *v/t.* mit Bindestrich schreiben: *~d American oft contp.* ‚Bindestrichamerikaner'; **hy·phen·a·tion** [haifəˈneiʃən] *s.* Schreibung *f* mit Bindestrich.
hyp·noid [ˈhipnɔid] *adj.* schlafähnlich.
hyp·no·sis [hipˈnousis] *pl.* **-ses** [-si:z] *s.* ⚕ Hypˈnose *f*; **hypˈnot·ic** [-ˈnɔtik] **I.** *adj.* (□ *~ally*) **1.** hypˈnotisch; **2.** einschläfernd; **II.** *s.* **3.** Einschläferungsmittel *n*; **4.** Hypnotisierte(r *m*) *f*; **hyp·no·tism** [ˈhipnətizəm] *s.* ⚕ **1.** Hypnoˈtismus *m*; **2.** Hypˈnose *f*; **3.** *fig.* Suggestiˈonskraft *f*; **hyp·no·tist** [ˈhipnətist] *s.* Hypnotiˈseur *m*; **hyp·no·ti·za·tion** [hipnətaiˈzeiʃən] *s.* Hypnotisierung *f*; **hyp·no·tize** [ˈhipnətaiz] *v/t.* ⚕ hypnotisieren (*a. fig. fesseln, faszinieren*).
hy·po[1] [ˈhaipou] *s.* ⚗, *phot.* Fiˈxiersalz *n*, ˈunterschwefligsaures ˈNatron (*abbr. für hyposulphite*).
hy·po[2] [ˈhaipou] *pl.* **-pos** *s.* F → **a)** *hypodermic injection*, **b)** *hypodermic syringe.*
hypo- [haipou; -pə] *in Zssgn* unter, geringer, sub...
hy·po·caust [ˈhaipoukɔ:st] *s. antiq.* ⚠ Heizgewölbe *n* (*zur Fußbodenbeheizung*); **hy·poˈchlo·rous** *adj.* ˈunterchlorig; **hy·po·chon·dri·a** [haipouˈkɔndriə] *s.* ⚕ Hypochonˈdrie *f*; **hy·po·chon·dri·ac** [haipouˈkɔndriæk] ⚕ **I.** *adj.* (□ *~ally*) hypoˈchondrisch; **II.** *s.* Hypoˈchonder *m.*
hy·poc·ri·sy [hiˈpɔkrəsi] *s.* Heucheˈlei *f*, Scheinheiligkeit *f*; **hyp·o·crite** [ˈhipəkrit] *s.* Hypoˈkrit *m*, Heuchler(in), Scheinheilige(r *m*) *f*;

hyp·o·crit·i·cal [hipəˈkritikəl] *adj.* □ heuchlerisch, scheinheilig.

hy·po·der·mic [haipəˈdə:mik] ⚕ **I.** *adj.* (□ *~ally*) **1.** subkuˈtan, hypoderˈmatisch, unter der *od.* die Haut; **II.** *s.* **2.** → *hypodermic injection*; **3.** → *hypodermic syringe*; **4.** subkutan angewandtes Mittel; **~ in·jec·tion** *s.* ⚕ Einspritzung *f* unter die Haut; **~ nee·dle** *s.* ⚕ Nadel *f* für e-e subkuˈtane Spritze; **~ syr·inge** *s.* ⚕ Spritze *f* für e-e subkuˈtane Injektiˈon.

hy·po|·gas·tri·um [haipouˈgæstriəm] *s. anat.* ˈUnterbauch(gegend *f*) *m*; **~ˈge·al** [-ˈdʒi:əl], **~ˈge·an** [-ˈdʒi:ən] *adj.* ˈunterirdisch.

hy·po|·phos·phate [haipouˈfɔsfeit] *s.* ⚗ ˈHypoˌphosphat *n*; **~·phos·phor·ic ac·id** [haipoufɔsˈfɔrik] *s.* ⚗ ˈUnterˌphosphorsäure *f.*

hy·poph·y·sis [haiˈpɔfisis] *s. anat.* Hirnanhang *m*, Hypoˈphyse *f.*

hy·pos·ta·sis [haiˈpɔstəsis] *pl.* **-ses** [-si:z] *s.* Hypoˈstase *f*: **a)** *phls.* Grundlage *f*, Subˈstanz *f*, wahre Wesenheit, **b)** ⚕ Senkungsblutfülle *f*; **hy·po·stat·ic** *adj.*; **hy·po·stat·i·cal** [haipouˈstætik(əl)] *adj.* □ **1.** zuˈgrunde liegend, wesentlich; **2.** ⚕, *phls., eccl.* hypoˈstatisch; **hyˈpos·ta·tize** [-ətaiz] *v/t.* vergegenständlichen, als gesonderte Perˈson *od.* Subˈstanz betrachten.

hy·po|·sul·phite [haipouˈsʌlfait] *s.* ⚗ Hyposulˈfit *n*, ˈunterschwefligsaures Salz; **~ˈsul·phu·rous** *adj.* ⚗ ˈunterschweflig; **~·tac·tic** [haipouˈtæktik] *adj. ling.* hypoˈtaktisch, ˈunterordnend; **ˈ~ˈten·sion** *s.* ⚕ zu niedriger Blutdruck, Hypotoˈnie *f.*

hy·pot·e·nuse [haiˈpɔtinju:z] *s.* △ Hypoteˈnuse *f.*

hy·poth·ec [ˈhaipəθik] *s.* ⚖ *Scot.* Hypoˈthek *f*; **hy·poth·e·car·y** [haiˈpɔθikəri] *adj.* ⚖ hypotheˈkarisch: *~ debts* Hypothekenschulden; *~ value* Beleihungswert; **hy·poth·e·cate** [haiˈpɔθikeit] *v/t.* ⚖ *Grundstück etc.* hypotheˈkarisch belasten; *Schiff* verbodmen; ✝ *Effekten* lombardieren; **hy·poth·e·ca·tion** [haipɔθiˈkeiʃən] *s.* ⚖ hypotheˈkarische Belastung (*Grundstück etc.*); Verbodmung *f* (*Schiff*); ✝ Lombardierung *f* (*Effekten*).

hy·poth·e·sis [haiˈpɔθisis] *pl.* **-ses** [-si:z] *s.* **1.** Hypoˈthese *f*, Annahme *f*, Vorˈaussetzung *f*: *working ~* Arbeitshypothese; **2.** (bloße) Vermutung; **hy·po·thet·ic** *adj.*; **hy·po·thet·i·cal** [haipouˈθetik(əl)] *adj.* □ hypoˈthetisch, angenommen, mutmaßlich; bedingt.

hypso- [hipsou] *in Zssgn* Höhe.

hyp·som·e·ter [hipˈsɔmitə] *s. geogr.* Höhenmesser *m*; **hypˈsom·e·try** [-tri] *s. geogr.* Höhenmessung *f.*

hy·son [ˈhaisn] *s.* ✝ Hyson *m*, Haisan *m* (*grüner chinesischer Tee*).

hys·sop [ˈhisəp] *s.* **1.** ⚘ ˈYsop *m*; **2.** *R.C.* Weihwedel *m.*

hys·ter·e·sis [histəˈri:sis] *s. phys.* Hyˈsteresis *f*, Hysteˈrese *f.*

hys·te·ri·a [hisˈtiəriə] *s.* ⚕ Hysteˈrie *f* (*a. fig.*); **hysˈter·ic** [-ˈterik] ⚕ **I.** *s.* **1.** Hyˈsteriker(in); **2.** *pl. mst sg. konstr.* Hysterie *f*, hyˈsterischer Anfall: *to go (off) into ~s* e-n hysterischen Anfall bekommen, hysterisch werden; **II.** *adj.* (□ *~ally*) **3.** → *hysterical*; **hysˈter·i·cal** [-ˈterikəl] *adj.* □ ⚕ hysterisch (*a. fig.*).

hystero- [histərou] *in Zssgn* **a)** Gebärmutter..., **b)** Hysterie...

hys·ter·ot·o·my [histəˈrɔtəmi] *s.* ⚕ **a)** Hysterotoˈmie *f*, Gebärmutterschnitt *m*, **b)** Kaiserschnitt *m.*

I

I¹, i [ai] *s.* I *n*, i *n* (*Buchstabe*).

I² [ai] **I.** *pron.* ich; **II.** *pl.* **I's** *s. das* Ich.

i·am·bic [ai'æmbik] **I.** *adj.* 'jambisch; **II.** *s.* **a)** 'Jambus *m* (*Versfuß*), **b)** jambischer Vers; **i'am·bus** [-bəs] *pl.* **-bi** [-bai], **-bus·es** *s.* Jambus *m.*

'I-beam *s.* ⊕ Doppel-T-Träger *m*; I-Formstahl *m.*

I·be·ri·an [ai'biəriən] **I.** *s.* **1.** I'berer(in); **2.** *ling.* I'berisch *n*; **II.** *adj.* **3.** iberisch; **4.** die iberische Halbinsel betreffend; **Ibero-** [-rou] *in Zssgn* Ibero...: *~-America* Lateinamerika.

i·bex ['aibeks] *s. zo.* Steinbock *m.*

i·bi·dem [i'baidem] (*Lat.*) *adv.* ebenda.

i·bis ['aibis] *s. zo.* 'Ibis *m.*

ice [ais] **I.** *s.* **1.** Eis *n*: *broken ~* Eisstücke; *to break the ~ fig.* das Eis brechen; *to skate on* (*od. over*) *thin ~ fig.* **a)** sich in e-e gefährliche Lage begeben, **b)** ein heikles Thema berühren; *to cut no ~ sl.* keinen Eindruck machen, ‚nicht ziehen'; *that cuts no ~ with me* das zieht bei mir nicht; *to keep* (*od. put*) *on ~ et. od. j-n* ‚auf Eis legen'; **2.** Gefrorenes *n* aus Fruchtsaft u. Zuckerwasser; **3.** *Brit.* (Speise)Eis *n*; **4.** → *icing* 2; **5.** *Am. sl.* ‚Klunkern' *pl.*; **II.** *v/t.* **6.** mit Eis bedecken; **7.** in Eis verwandeln, gefrieren lassen, vereisen; **8.** mit *od.* in Eis kühlen; **9.** über'zuckern, glasieren; **III.** *v/i.* **10.** gefrieren: *~d-up* zugefroren, vereist, überfroren.

'ice| age *s. geol.* Eiszeit *f*; **'~-a·pron** *s.* ⚠ Eisbrecher *m*, -bock *m* (*an Brücken*); **'~-ax(e)** *s.* Eispickel *m*; **'~-bag** *s.* ⚕ Eisbeutel *m*; **'~·berg** *s.* Eisberg *m* (*a. fig. Person*): *the tip of the ~* die Spitze des Eisbergs (*a. fig.*); **'~·blink** *s.* Eisblink *m*, -blick *m*; **'~-boat** *s.* **1.** Segelschlitten *m*; **2.** Eisbrecher *m*; **'~-bound** *adj.* eingefroren (*Schiff*); zugefroren (*Hafen*); **'~-box** *s. Am.* Kühlschrank *m*; **'~-break·er** *s.* **1.** ⚓ Eisbrecher *m*; **2.** → *ice-apron*; **3.** ⊕ Eiszerkleinerer *m*; **'~-cap** *s.* (*bsd. arktische*) Eisdecke; **'~-chest** *s.* Eisschrank *m.*

'ice-'cream *s.* (Speise)Eis *n*, Gefrorene(s) *n*: *vanilla ~* Vanilleeis; **~ bar** *s.* Eisdiele *f*; **~ cone** *s.* Eistüte *f*; **~ freez·er** *s.* 'Eisma,schine *f*; **~ par·lo(u)r** *s.* Eisdiele *f*; **~ so·da** *s. Am.* Sodawasser *n* mit Speiseeis.

iced [aist] *adj.* **1.** mit Eis bedeckt; **2.** eisgekühlt; **3.** gefroren; **4.** über'zuckert, mit 'Zuckergla,sur.

'ice|-fall *s.* Eisfall *m*; **'~-fern** *s.* Eisblume(n *pl.*) *f*; **'~-field** *s.* Eisfeld *n*; **'~-floe** *s.* Eisscholle *f*; **'~-foot** *s.* [*irr.*] (arktischer) Eisgürtel; **~ fox** *s. zo.* Po'larfuchs *m*; **'~-'free** *adj.* eis-, vereisungsfrei; **~ hock·ey** *s. sport* Eishockey *n.*

Ice·land·er ['aisləndə] *s.* Isländer(in); **Ice·lan·dic** [ais'lændik] **I.** *adj.* isländisch; **II.** *s. ling.* Isländisch *n.*

Ice·land| moss ['aislənd] *s.* ⚘ Isländisch(es) Moos *n*; **~ spar** *s. min.* Isländischer Doppelspat.

ice| ma·chine *s.* 'Eis-, 'Kältema,schine *f*; **'~·man** [-mæn] *s.* [*irr.*] **1.** Eisverkäufer *m*; **2.** erfahrener Eisgänger; **'~-pack** *s.* **1.** Packeis *n*; **2.** ⚕ 'Eis,umschlag *m*; **'~-plant** *s.* ⚘ Eiskraut *n*; **'~-rink** *s.* (Kunst)Eisbahn *f*; **'~-show** *s.* 'Eisre,vue *f*; **'~-'spar** *s. min.* Eisspat *m*, glasiger Feldspat; **'~-wa·ter** *s.* **1.** Eiswasser *n*; **2.** Schmelzwasser *n.*

ich·neu·mon [ik'nju:mən] *s. zo.* **1.** Ich'neumon *m, n*; **2.** *a.* *~ fly* Schlupfwespe *f.*

i·chor ['aikɔ:] *s.* I'chor *m*: **a)** *antiq.* Götterblut *n*, **b)** ⚕ Wundjauche *f*, eitriges Se'kret.

ichthy(o)- [ikθi(ou); -(ə)] *in Zssgn* Fisch...

ich·thy·o·log·ic *adj.*; **ich·thy·o·log·i·cal** [ikθiə'lɔdʒik(əl)] *adj.* ichthyo'logisch; **ich·thy·ol·o·gy** [ikθi'ɔlədʒi] *s. zo.* Ichthyolo'gie *f*, Fischkunde *f*; **ich·thy·oph·a·gous** [ikθi'ɔfəgəs] *adj.* fisch(fr)essend; **ich·thy·o'sau·rus** [-'sɔ:rəs] *pl.* **-ri** [-rai] *s. zo.* Ichthyo'saurier *m.*

i·ci·cle ['aisikl] *s.* Eiszapfen *m.*

i·ci·ly ['aisili] *adv.* → *icy*; **'i·ci·ness** [-nis] *s.* **1.** Eisigkeit *f*; eisige Kälte; **2.** *fig.* Kälte *f* (*im Benehmen*).

ic·ing ['aisiŋ] *s.* **1.** Eisschicht *f*; Vereisung *f*; **2.** Zuckerguß *m*: *~ sugar* Puder-, Staubzucker; **3.** *Eishockey*: unerlaubter Weitschuß.

i·con ['aikɔn] *s.* **1.** (Ab)Bild *n*, 'Statue *f*; **2.** I'kone *f*, Heiligenbild *n*; **i·con·o·clasm** [ai'kɔnəklæzəm] *s.* Bilderstürme'rei *f* (*a. fig.*); **i·con·o·clast** [ai'kɔnəklæst] *s.* Bilderstürmer *m* (*a. fig.*); **i·con·o·clas·tic** [aikɔnə'klæstik] *adj.* bilderstürmend; **i·co·nog·ra·phy** [aikɔ'nɔgrəfi] *s.* 'Bildniskunde *f*, -,studium *n*; **i·co·nol·a·try** [aikɔ'nɔlətri] *s.* Bilderverehrung *f*; **i·co·nol·o·gy** [aikɔ'nɔlədʒi] → *iconography*; **i·co·nom·a·chy** [aikɔ'nɔməki] *s.* Bekämpfung *f* der Bilderverehrung.

ic·tus ['iktəs] *s.* 'Vers-ak,zent *m*, -ton *m.*

i·cy ['aisi] *adj.* □ **1.** eisig: *~ cold* eiskalt; **2.** *fig.* eisig, kalt, frostig.

id [id] *s. psych.* Es *n.*

I'd [aid] F *für* **a)** *I would, I should*, **b)** *I had.*

i·de·a [ai'diə] *s.* **1.** I'dee *f* (*a. phls.*); Vorstellung *f*, Begriff *m*, Ahnung *f*: *a general ~* e-e allgemeine Vorstellung; *to form an ~ of* sich *et.* vorstellen, sich e-n Begriff machen von; *I have an ~ that* es kommt mir vor, als ob; *he has no ~* er hat keine Ahnung; *the ~ of such a thing!*, *the* (*very*) *~!* so ein Unsinn!, man stelle sich vor!, so was!; **2.** Gedanke *m*, Meinung *f*: *it is my ~ that* ich bin der Ansicht, daß; *the ~ entered my mind* mir kam der Gedanke; **3.** Absicht *f*, Plan *m*, Zweck *m*, Gedanke *m*, Idee *f*, Einfall *m*: *that's not a bad ~* das ist gar nicht schlecht; *the ~ is* man beabsichtigt *od.* bezweckt; *that's the ~* darum dreht sich's (ja), das stimmt; *what's the* (*big*) *~?* was soll das (heißen)?; *to put ~s into s.o.'s head* ‚j-m e-n Floh ins Ohr setzen'; *full of ~s* voller (guter) Ideen; **i'de·aed, i'de·a'd** [-əd] *adj.* voller I'deen.

i·de·al [ai'diəl] **I.** *adj.* □ → *ideally*; **1.** ide'al (*a. phls.*), voll'endet, vorbildlich, Muster..., vor'züglich; **2.** ide'ell, nicht wirklich, (nur) eingebildet: *~ happiness*; **II.** *s.* **3.** Ide'al *n*, Vorbild *n*; **4.** *das* Ide'elle (*Ggs. das Wirkliche*); **i'de·al·ism** [-lizəm] *s.* Idea'lismus *m*; **i'de·al·ist** [-list] *s.* Idea'list(in); **i·de·al·is·tic** [aidiə'listik] *adj.* (□ *~ally*) idea'listisch; **i·de·al·i·za·tion** [aidiəlai'zeiʃən] *s.* Idealisierung *f*; **i'de·al·ize** [-laiz] *v/t. u. v/i.* idealisieren; **i'de·al·ly** [-li] *adv.* **1.** ide'al(erweise); **2.** im Geiste (*Ggs. in Wirklichkeit*).

i·de·a·tion [aidi'eiʃən] *s.* I'deenbildung *f*; Vorstellungsvermögen *n.*

i·dem ['aidem] **I.** *s.* der'selbe (Verfasser), das'selbe (Buch *etc.*); **II.** *adv.* beim selben Verfasser.

i·den·tic [ai'dentik] *adj.*: *~ note pol.* gleichlautende Note; → *identical*; **i'den·ti·cal** [-kəl] **1.** *adj.* □ i'dentisch, (genau) gleich: *~ twins biol.* eineiige Zwillinge; **2.** (der-, die-, das)'selbe; **3.** gleichbedeutend, -lautend.

i·den·ti·fi·a·ble [ai'dentifaiəbl] *adj.* identifizier-, feststell-, erkennbar; **i·den·ti·fi·ca·tion** [aidentifi'keiʃən] *s.* **1.** Identifizierung *f*, Feststellung *f*, Erkennung *f*: *~ mark* Kennzeichen; **2.** Gleichsetzung *f*; **3.** Ausweis *m*, Legitimati'on *f*: *~ papers*; *~ card* → *identity card*; *~ disk*, *Am.* *~ tag* ⚔ Erkennungsmarke; **4.** *Funk*, *Radar*: Kennung *f*; **i·den-**

ti·fy [ai'dentifai] *v/t.* **1.** gleichsetzen, als i'dentisch betrachten (*with* mit): *to ~ o.s. with* **a**) sich identifizieren *od.* solidarisch erklären mit, **b**) sich *et.* zu eigen machen; **2.** identifizieren, erkennen, die Identi'tät feststellen von (*od. gen.*); **3.** *biol.* die Art feststellen von; **4.** ausweisen, legitimieren.

i·den·ti·kit [ai'dentikit] *s.* ⚖ Phan'tombild *n.*

i·den·ti·ty [ai'dentiti] *s.* Identi'tät *f*: **a**) Gleichheit *f*, **b**) Per'sönlichkeit *f*: *to prove one's ~* sich ausweisen; *to reveal one's ~* sein Inkognito lüften; **~ card** *s.* (Perso'nal)Ausweis *m*, Kenn-, Ausweiskarte *f.*

id·e·o·gram ['idiougræm], '**id·e·o·graph** [-grɑ:f; -græf] *s.* Begriffs-, Schriftzeichen *n.*

id·e·o·log·ic *adj.*; **id·e·o·log·i·cal** [aidiə'lɔdʒik(əl)] *adj.* ideo'logisch; **id·e·ol·o·gist** [aidi'ɔlədʒist] *s.* **1.** Ideo'loge *m*; **2.** Theo'retiker *m*; **id·e·ol·o·gy** [aidi'ɔlədʒi] *s.* **1.** Ideolo'gie *f*, Denkweise *f*; **2.** Begriffslehre *f*; **3.** reine Theo'rie.

ides [aidz] *s. pl. antiq.* Iden *pl.*

id·i·o·cy ['idiəsi] *s.* **1.** ⚕ Schwachsinn *m*; **2.** F Dummheit *f*, Blödsinn *m.*

id·i·om ['idiəm] *s. ling.* **1.** Idi'om *n*, Sondersprache *f*, Mundart *f*; **2.** Ausdrucksweise *f*, Sprache *f*; **3.** Sprachgebrauch *m*, -eigentümlichkeit *f*; **4.** idio'matische Wendung, Redewendung *f*; **id·i·o·mat·ic** [idiə'mætik] *adj.* (□ *~ally*) *ling.* **1.** idio'matisch, spracheigentümlich; **2.** sprachrichtig, -üblich.

id·i·o·plasm ['idiəplæzəm] *s. biol.* Idio'plasma *n*, Erbmasse *f.*

id·i·o·syn·cra·sy [idiə'siŋkrəsi] *s.* **1.** per'sönliche Eigenart *od.* Veranlagung *od.* Neigung; **2.** ⚕ Idiosynkra'sie *f*, 'Überempfindlichkeit *f*; **id·i·o·syn·crat·ic** [idiəsiŋ'krætik] *adj.* charakte'ristisch, *j-m* eigentümlich.

id·i·ot ['idiət] *s.* **1.** Idi'ot *m*, Dummkopf *m*; **2.** ⚕ Schwachsinnige(r *m*) *f*; **id·i·ot·ic** [idi'ɔtik] *adj.* (□ *~ally*) **1.** idi'otisch, dumm, blödsinnig; **2.** ⚕ geistesschwach, schwachsinnig.

i·dle ['aidl] **I.** *adj.* □ **1.** untätig, müßig: *the ~ rich* die reichen Müßiggänger; **2.** unbeschäftigt, arbeitslos; **3.** ⊕ **a**) außer Betrieb, stillstehend, **b**) im Leerlauf, Leerlauf...: *to lie ~* stilliegen; *to run ~* → *10*; **4.** ✝ 'unproduk,tiv, brachliegend (*a.* ✓), tot (*Kapital*); **5.** ruhig, still, ungenutzt: *~ hours* Mußestunden; **6.** faul, träge: *~ fellow* Faulenzer; **7.** nutzlos, vergeblich, eitel: *an ~ attempt* ein vergeblicher Versuch; **8.** leer, hohl, seicht, nichtig: *~ talk* leeres Gerede, Gewäsch; **II.** *v/i.* **9.** faulenzen: *to ~ about* herumtrödeln; **10.** ⊕ leer laufen; **III.** *v/t.* **11.** *mst ~ away* vertrödeln, müßig zubringen; **~ cur·rent** *s.* ⚡ Blindstrom *m*; **~ mo·tion** *s.* ⊕ Leerlauf *m.*

i·dle·ness ['aidlnis] *s.* **1.** Untätigkeit *f*, Muße *f*; **2.** Faulheit *f*, Müßiggang *m*; **3.** Hohl-, Seichtheit *f.*

i·dle pul·ley *s.* ⊕ Leerlaufrolle *f.*

i·dler ['aidlə] *s.* **1.** Faulenzer(in), Müßiggänger(in); **2.** → **a**) *idle wheel*, **b**) *idle pulley.*

i·dle wheel *s.* ⊕ Zwischenrad *n.*

i·dling ['aidliŋ] *s.* **1.** Nichtstun *n*, Müßiggang *m*; **2.** ⊕ Leerlauf *m*; '**i·dly** [-li] *adv.* → *idle.*

i·dol ['aidl] *s.* I'dol *n*, Abgott *m* (*beide a. fig.*); Götze *m*, Götzenbild *n*: *to make an ~ of* → *idolize.*

i·dol·a·ter [ai'dɔlətə] *s.* **1.** Götzendiener *m*; **2.** *fig.* Anbeter *m*, Verehrer *m*; **i'dol·a·tress** [-tris] *s.* Götzendienerin *f*; **i'dol·a·trous** [-trəs] *adj.* □ **1.** abgöttisch; **2.** Götzen...; **i'dol·a·try** [-tri] *s.* **1.** Abgötte'rei *f*, Götzendienst *m*; **2.** *fig.* Vergötterung *f*; **i·dol·i·za·tion** [aidəlai'zeiʃən] *s.* **1.** Abgötte'rei *f*; **2.** *fig.* Vergötterung *f*; **i·dol·ize** ['aidəlaiz] *v/t. fig.* abgöttisch verehren, vergöttern.

i·dyl(l) ['idil] *s.* **1.** I'dylle *f*, Schäfer-, Hirtengedicht *n*; **2.** *fig.* I'dyll *n*; **i·dyl·lic** [ai'dilik] *adj.* (□ *~ally*) i'dyllisch.

if [if] **I.** *cj.* **1.** wenn, falls: *~ I were you* wenn ich du *od.* an d-r Stelle wäre; *even ~* wenn auch, selbst wenn; *~ any* wenn überhaupt (einer *od.* eine *od.* eines *od.* et.), falls etwa; *~ not* wenn *od.* wo nicht; *~ so* gegebenenfalls, in diesem Fall; → *as if*; **2.** wenn auch, wie'wohl, ob'schon: *he has learnt much ~ not enough* er hat viel gelernt, wenn auch nicht genug; *~ he be ever so rich* mag er noch so reich sein; **3.** *indirekt fragend*: ob: *try ~ you can do it!*; **4.** *ausrufend*: *~ I had only known!* hätte ich (es) nur gewußt!; **II.** *s.* **5.** Wenn *n*: *without ~s or ans* (*od. buts*) ohne Wenn u. Aber.

ig·loo, *a.* **ig·lu** ['iglu:] *s.* 'Iglu *m*, Schneehütte *f.*

ig·ne·ous ['igniəs] *adj.* feurig, glühend: *~ rock geol.* Erstarrungsgestein, magmatisches Gestein.

ig·nis fat·u·us ['ignis'fætjuəs] (*Lat.*) *s.* **1.** Irrlicht *n*; **2.** *fig.* Illusi'on *f*, Blendwerk *n.*

ig·nite [ig'nait] **I.** *v/t.* **1.** an-, entzünden; **2.** ⚗ bis zur Verbrennung erhitzen; **II.** *v/i.* **3.** sich entzünden, Feuer fangen; **4.** ⚡ zünden; **ig'nit·er** [-tə] *s.* Zündvorrichtung *f*, Zünder *m.*

ig·ni·tion [ig'niʃən] *s.* **1.** An-, Entzünden *n*; **2.** ⚡, *mot.* Zündung *f*; **3.** ⚗ Erhitzung *f*; **~ bat·ter·y** *s.* ⚡ 'Zündbatte,rie *f*; **~ charge** *s.* ⊕ Zündladung *f*; **~ coil** *s.* ⚡ Zündspule *f*; **~ de·lay** *s.* ⊕ Zündverzögerung *f*; **~ key** *s. mot.* Zündschlüssel *m*; **~ lock** *s.* ⊕ Zündschloß *n*; **~ spark** *s.* ⚡ Zündfunke *m*; **~ tim·ing** *s.* Zündeinstellung *f*; **~ tube** *s.* ⚗ Glührohr *n.*

ig·no·ble [ig'noubl] *adj.* □ **1.** gemein, unedel, niedrig; **2.** unwürdig, schändlich; **3.** von niedriger Geburt; **ig'no·ble·ness** [-nis] *s.* Niedrigkeit *f*, Gemeinheit *f.*

ig·no·min·i·ous [ignə'miniəs] *adj.* □ schändlich, schmählich, unehrenhaft; **ig·no·min·y** ['ignəmini] *s.* **1.** Schmach *f*, Schande *f*; **2.** Schändlichkeit *f.*

ig·no·ra·mus [ignə'reiməs] *pl.* **-mus·es** *s.* Igno'rant(in), Nichtskönner(in).

ig·no·rance ['ignərəns] *s.* Unwissenheit *f*, Beschränktheit *f*; Unkenntnis *f* (*of gen.*); '**ig·no·rant** [-nt] *adj.* □ **1.** unkundig, nicht kennend *od.* wissend: *to be ~ of et.* nicht wissen *od.* kennen, nichts wissen von; **2.** unwissend, ungebildet; '**ig·no·rant·ly** [-ntli] *adv.* **1.** unwissentlich; **2.** fälschlich.

ig·nore [ig'nɔ:] *v/t.* **1.** ignorieren, nicht beachten *od.* berücksichtigen, keine No'tiz nehmen von; **2.** ⚖ *Klage* verwerfen, abweisen.

i·gua·na [i'gwɑ:nə] *s. zo.* Legu'an *m*; **i'guan·o·don** [-nədɔn] *s. zo.* Igu'anodon *n.*

'**I-i·ron** → *I-beam.*

il·e·um ['iliəm] *s. anat.* Krummdarm *m*; '**il·e·us** [-əs] *s.* ⚕ Darmverschluß *m.*

i·lex ['aileks] *s.* ⚘ Stechpalme *f*, -eiche *f.*

il·i·ac ['iliæk] *adj. anat.* Darmbein...

Il·i·ad ['iliəd] *s.* 'Ilias *f*, Ili'ade *f*: *an ~ of woes fig.* e-e endlose Leidensgeschichte.

il·i·um ['iliəm] *pl.* '**il·i·a** [-ə] *s. anat.* **a**) Darmbein *n*, **b**) Hüfte *f.*

ilk [ilk] *s. nur*: *of that ~* **a**) *Scot.* gleichnamigen Ortes: *Kinloch of that ~ = Kinloch of Kinloch*, **b**) *fälschlich*: derselben Art, seinesgleichen.

ill [il] **I.** *adj.* **1.** (*nur pred.*) krank: *to be taken ~, to fall ~* erkranken (*with, of* an *dat.*); *to be away ~* wegen Krankheit fehlen; **2.** (*moralisch*) schlecht, böse, übel; → *fame 1*; **3.** böse, unfreundlich, feindlich: *~ blood* böses Blut, Feindschaft; *with an ~ grace* widerwillig, ungern; *~ humo(u)r* üble Laune, Reizbarkeit; *~ nature* **a**) Unfreundlichkeit, **b**) Bösartigkeit; *~ temper* schlechte Laune; *~ treatment* Grausamkeit; *~ will* Feindschaft, Groll, Abneigung; → *feeling 2*; **4.** nachteilig; ungünstig, schlecht, übel: *~ effect* üble Folge *od.* Wirkung; *it's an ~ wind that blows nobody good* et. Gutes ist an allem; → *health 2, luck 1, omen I, weed 1*; **5.** schlecht, unbefriedigend, fehlerhaft: *~ breeding* **a**) Unerzogenheit, schlechte Erziehung, **b**) Ungezogenheit; *~ management* Mißwirtschaft; *~ success* Mißerfolg, Fehlschlag; **II.** *adv.* **6.** schlecht, übel: *~ at ease* unruhig, unbehaglich, verlegen, befangen; *to behave ~* sich schlecht *od.* ungezogen benehmen; **7.** böse, feindlich; *to take s.th. ~* et. übelnehmen; *to think ~ of s.o.* schlecht von j-m denken; **8.** ungünstig: *it went ~ with him* es erging ihm schlecht; *it ~ becomes you* es steht dir schlecht an; **9.** ungenügend, schlecht: *~-equipped*; **10.** schwerlich, kaum: *I can ~ afford it* ich kann es mir kaum leisten; **III.** *s.* **11.** Unglück *n*, 'Mißgeschick *n*, Ungemach *n*, Leiden *n* (*a. Krankheit*); **12.** *das* Böse, Übel *n.*

I'll [ail] F *für I shall, I will.*

'**ill|-ad'vised** *adj.* □ **1.** schlechtberaten; **2.** unbesonnen, unklug; '**~-af'fect·ed** *adj.* übelgesinnt; '**~-as'sort·ed** *adj.* zs.-gewürfelt; '**~-'bred** *adj.* schlechterzogen; unhöflich;

'~-con'di·tioned *adj.* **1.** in schlechtem Zustand; **2.** boshaft, bösartig; '~-dis'posed *adj.* **1.** (*towards*) **a)** übelgesinnt (*dat.*), **b)** voreingenommen (gegen); **2.** bösartig.

il·le·gal [i'li:gəl] *adj.* □ 'illegal, ungesetzlich, gesetzwidrig; unerlaubt, verboten; **il·le·gal·i·ty** [ili(:)'gæliti] *s.* **1.** Ungesetzlichkeit *f*; **2.** gesetzwidrige Handlung.

il·leg·i·bil·i·ty [iledʒi'biliti] *s.* Unleserlichkeit *f*; **il·leg·i·ble** [i'ledʒəbl] *adj.* □ unleserlich.

il·le·git·i·ma·cy [ili'dʒitiməsi] *s.* **1.** Unrechtmäßigkeit *f*; **2.** uneheliche Geburt(en *pl.*); **il·le'git·i·mate** [-mit] *adj.* □ **1.** unrechtmäßig, rechtswidrig; **2.** nicht-, unehelich, illegi'tim; **3.** unlogisch (*Folgerung*).

'ill|-'fat·ed *adj.* **1.** unglücklich, unselig; **2.** ungünstig; **'~-'fa·vo(u)red** *adj.* □ unschön, häßlich; **'~-'got·ten** *adj.* unrechtmäßig erworben; **'~-'hu·mo(u)red** *adj.* übelgelaunt, verärgert.

il·lib·er·al [i'libərəl] *adj.* □ **1.** knauserig; **2.** engherzig, -stirnig; **3.** *pol.* 'illibe,ral; **il'lib·er·al·ism** [-rəlizəm] *s. pol.* illiberaler Standpunkt; **il·lib·er·al·i·ty** [ilibə'ræliti] *s.* **1.** Knause'rei *f*; **2.** Engherzigkeit *f*.

il·lic·it [i'lisit] *adj.* □ unerlaubt, unzulässig, verboten, gesetzwidrig: ~ *trade* Schleich-, Schwarzhandel; ~ *work* Schwarzarbeit.

il·lim·it·a·ble [i'limitəbl] *adj.* □ grenzenlos, unermeßlich.

il·lit·er·a·cy [i'litərəsi] *s.* **1.** Unbildung *f*; **2.** Analpha'betentum *n*; **il'lit·er·ate** [-rit] **I.** *adj.* **1.** ungebildet; **2.** analpha'betisch; **II.** *s.* **3.** Ungebildete(r *m*) *f*; **4.** Analpha'bet(in).

'ill|-'judged *adj.* unbedacht, unklug; **'~-'man·nered** *adj.* ungehobelt, von schlechten 'Umgangsformen; **'~-'matched** *adj.* schlecht (zs.-)passend; **'~-'na·tured** *adj.* □ **1.** unfreundlich, boshaft; **2.** verärgert.

ill·ness ['ilnis] *s.* Krankheit *f*.

il·log·i·cal [i'lɔdʒikəl] *adj.* □ unlogisch; **il·log·i·cal·i·ty** [ilɔdʒi'kæliti] *s.* Unlogik *f*.

'ill|-'o·mened *adj.* von schlechter Vorbedeutung, Unglücks..., omi'nös; **'~-'starred** *adj.* unglücklich, vom Unglück verfolgt; **'~-'tem·pered** *adj.* schlechtgelaunt, mürrisch, reizbar; **'~-'timed** *adj.* ungelegen, unpassend, 'inoppor,tun; **'~-'treat** *v/t.* miß'handeln; schlecht behandeln.

il·lume [i'lju:m] *v/t. poet. u. fig.* erleuchten, aufhellen; **il'lu·mi·nant** [-minənt] **I.** *adj.* (er)leuchtend, aufhellend; **II.** *s.* Beleuchtungskörper *m*.

il·lu·mi·nate [i'lju:mineit] **I.** *v/t.* **1.** be-, erleuchten, erhellen; **2.** illuminieren, festlich beleuchten; **3.** *fig.* erläutern, deuten, erklären, aufhellen; **4.** *Schrift(stück)* ausmalen, illuminieren; **5.** *fig.* Glanz verleihen (*dat.*); **II.** *v/i.* **6.** sich erhellen; **il'lu·mi·nat·ed** [-tid] *adj.* beleuchtet, leuchtend, Leucht..., Licht...: ~ *advertising* Lichtreklame; **il'lu·mi·nat·ing** [-tiŋ] *adj.* **1.** leuchtend, Leucht..., Beleuchtungs...: ~ *gas* Leuchtgas; ~ *power* Leuchtkraft; **2.** *fig.* aufschluß-, lehrreich; **il·lu·mi·na·tion** [ilju:mi'neiʃən] *s.* **1.** Be-, Erleuchtung *f*; **2.** *oft pl.* Illuminati'on *f*, Festbeleuchtung *f*; **3.** *fig.* Erleuchtung *f*, Aufklärung *f*; **4.** *a. fig.* Licht *n* u. Glanz *m*; **5.** Kolorierung *f*, Verzierung *f* (*Schrift etc.*); **il'lu·mi·na·tive** [-nətiv] *adj.* **1.** erleuchtend; **2.** aufklärend; **3.** verzierend.

il·lu·mine [i'lju:min] *v/t.* **1.** beleuchten; **2.** aufklären, erleuchten; **3.** aufheitern.

'ill-'use [-'ju:z] → *ill-treat*.

il·lu·sion [i'lu:ʒən] *s.* Illusi'on *f*: **a)** (Sinnes)Täuschung *f*; → *optical*, **b)** Wahn *m*, Einbildung *f*, Trugbild *n*, falsche Vorstellung, Blendwerk *n*; **il'lu·sion·ism** [-ʒənizəm] *s. bsd. phls.* Illusio'nismus *m*; **il'lu·sion·ist** [-ʒənist] *s.* Illusio'nist *m* (*a. phls.*): **a)** Schwärmer(in), Träumer (-in), **b)** Zauberkünstler *m*.

il·lu·sive [i'lu:siv] *adj.* □ illu'sorisch, täuschend, trügerisch: *to be* ~ trügen; **il'lu·sive·ness** [-nis] *s.* Täuschung *f*, Schein *m*; **il'lu·so·ry** [-səri] *adj.* □ → *illusive*.

il·lus·trate ['iləstreit] *v/t.* **1.** erläutern, erklären, veranschaulichen; **2.** illustrieren, bebildern; **il·lus·tra·tion** [iləs'treiʃən] *s.* **1.** Erläuterung *f*, Erklärung *f*, Veranschaulichung *f*; **2.** Beispiel *n*; **3.** Abbildung *f*, Illustrati'on *f*; **'il·lus·tra·tive** [-tiv] *adj.* □ erläuternd, erklärend; Anschauungs..., Beispiel...: *to be* ~ *of* erläutern, veranschaulichen; **'il·lus·tra·tor** [-tə] *s.* **1.** Illu'strator *m*; **2.** Erläuterer *m*, Erklärer *m*.

il·lus·tri·ous [i'lʌstriəs] *adj.* □ berühmt, ausgezeichnet, erhaben; **il'lus·tri·ous·ness** [-nis] *s.* Berühmtheit *f*, Erlauchtheit *f*.

I'm [aim] F *für I am*.

im·age ['imidʒ] **I.** *s.* **1.** Standbild *n*, Bildsäule *f*; **2.** Götzenbild *n*: ~-*worship* **a)** Bilderanbetung, **b)** Götzendienst; → *graven*; **3.** Bild *n* (*a. opt.*), Bildnis *n*: ~ *converter tube Fernsehen*: Bildwandlerröhre; **4.** Ab-, Ebenbild *n*: *the* (*very*) ~ *of his father* ganz der Vater; **5.** bildlicher Ausdruck, Vergleich *m*, Me'tapher *f*: *to speak in* ~*s* in Bildern reden; **6.** Vorstellung *f*, I'dee *f*; *psych.* 'Image *n*; **7.** Verkörperung *f*; **II.** *v/t.* **8.** abbilden, bildlich *od.* anschaulich darstellen; **9.** 'widerspiegeln; **10.** sich *et.* vorstellen; **'im·age·ry** [-dʒəri] *s.* **1.** Bilder *pl.*, Bildwerk(e *pl.*) *n*; **2.** Bilder(sprache *f*) *pl.*, Sym'bolik *f*, Meta'phorik *f*.

im·ag·i·na·ble [i'mædʒinəbl] *adj.* □ vorstellbar, erdenklich, denkbar: *the finest weather* ~ das denkbar schönste Wetter; **im'ag·i·nar·i·ly** [-dʒinərili] *adv.* in der Einbildung; **im'ag·i·nar·y** [-dʒinəri] *adj.* □ → *imaginarily*; **1.** nur in der Vorstellung vor'handen, eingebildet, scheinbar, *a.* ⩘ imagi'när; **2.** ✝ fingiert.

im·ag·i·na·tion [imædʒi'neiʃən] *s.* **1.** Phanta'sie *f*, Vorstellungs-, Einbildungskraft *f*, Schöpfergabe *f*: *to capture the* ~ das Interesse fesseln; *a man of* ~ ein ideenreicher Mann; *he has no* ~ er ist phantasielos *od.* nicht erfinderisch; **2.** Einfälle *pl.*; **3.** Vorstellung *f*, Einbildung *f*: *in* (*my etc.*) ~ in Gedanken, im Geiste; *pure* ~ reine Einbildung; **im·ag·i·na·tive** [i'mædʒinətiv] *adj.* □ phanta'siereich, erfinderisch, einfallsreich, geistvoll, schöpferisch: ~ *faculty* → *imagination 1*; **im·ag·i·na·tive·ness** [i'mædʒinətivnis] → *imagination 1*; **im·ag·ine** [i'mædʒin] **I.** *v/t.* **1.** sich *j-n od. et.* vorstellen *od.* denken: *I* ~ *him as a tall man*; *you can't* ~ *my joy*; **2.** sich *et.* (*Unwirkliches*) einbilden: *you are imagining things!* du bildest *od.* redest dir (et)was ein!; **3.** F glauben, denken, sich einbilden: *don't* ~ *that I am satisfied*; *to* ~ *to be* halten für; **II.** *v/i.* **4.** sich vorstellen *od.* denken: *just* ~*!* F stell dir vor!, denk (dir) nur!

i·ma·go [i'meigou] *pl.* **-goes** *od.* **i·mag·i·nes** [i'meidʒini:z] *s. zo.* vollentwickeltes In'sekt.

im·bal·ance [im'bæləns] *s.* **1.** Unausgewogenheit *f*; **2.** *bsd. pol.* Ungleichgewicht *n*.

im·be·cile ['imbisi:l] **I.** *adj.* □ **1.** ⚕ geistesschwach; **2.** *contp.* dumm, idi'otisch; **II.** *s.* **3.** ⚕ Schwachsinnige(r *m*) *f*; **4.** Idi'ot *m*, Narr *m*; **im·be·cil·i·ty** [imbi'siliti] *s.* **1.** ⚕ Schwachsinn *m*; **2.** Dummheit *f*.

im·bibe [im'baib] *v/t.* **1.** ein-, aufsaugen; **2.** F trinken, schlürfen; **3.** *fig.* (geistig) aufnehmen, sich zu eigen machen; **4.** (durch)'tränken.

im·bri·cate ['imbrikeit] **I.** *v/t.* dachziegelartig anordnen; **II.** *v/i.* dachziegelartig überein'anderliegen; **III.** *adj.* [-kit] dachziegelartig überein'andergreifend, schuppenartig.

im·bro·glio [im'brouliou] *pl.* **-glios** *s.* Verwicklung *f*, Verwirrung *f*, verwickelte Lage.

im·brue [im'bru:] *v/t. mst fig.* (*with, in*) baden (in *dat.*), tränken, beflecken (mit).

im·bue [im'bju:] *v/t.* **1.** durch'tränken, eintauchen; **2.** tief färben; **3.** *fig.* erfüllen (*with* mit): ~*d with* erfüllt *od.* durchdrungen von.

im·i·ta·ble ['imitəbl] *adj.* nachahmbar; **im·i·tate** ['imiteit] *v/t.* **1.** *j-n od. et.* nachahmen, -machen, imitieren, kopieren; **2.** *j-m* nacheifern; **3.** ähneln (*dat.*); **4.** *bsd. biol.* sich anpassen (*dat.*); **'im·i·tat·ed** [-teitid] *adj.* imitiert, unecht, künstlich; **im·i·ta·tion** [imi'teiʃən] **I.** *s.* **1.** Nachahmung *f*: *in* (*the*) ~ *of* nach dem Muster von; **2.** Nachbildung *f*, -ahmung *f*, *das* Nachgeahmte, Imitati'on *f*, Ko'pie *f*; **3.** Fälschung *f*; **II.** *adj.* **4.** unecht, künstlich, Kunst...: ~ *leather* Kunstleder; ~ *antiques* gefälschte Antiquitäten; **'im·i·ta·tive** [-tətiv] *adj.* □ **1.** nachahmend, -bildend; auf Nachahmung *fremder Vorbilder* beruhend: *to be* ~ *of* nachahmen; **2.** zur Nachahmung geneigt, nachahmend; **3.** *ling.* lautmalend: *an* ~ *word*; **'im·i·ta·tor** [-teitə] *s.* Nachahmer *m*, Imi'tator *m*.

im·mac·u·late [i'mækjulit] *adj.* □

1. *fig.* unbefleckt, makellos, unverdorben, rein, unschuldig: ♀ *Conception R.C.* Unbefleckte Empfängnis; **2.** fehler-, tadellos; sauber; **im'mac·u·late·ness** [-nis] *s.* Unbeflecktheit *f*, Reinheit *f*.

im·ma·nence ['imənəns], **'im·ma·nen·cy** [-si] *s.* **1.** Innewohnen *n*; **2.** *phls.*, *eccl.* Imma'nenz *f*; **'im·ma·nent** [-nt] *adj.* **1.** innewohnend; **2.** *phls.*, *eccl.* imma'nent.

im·ma·te·ri·al [imə'tiəriəl] *adj.* **1.** unkörperlich, unstofflich; **2.** unwesentlich; (*a.* ⚖) unerheblich, belanglos; **im·ma'te·ri·al·ism** [-lizəm] *s. phls.* Immateria'lismus *m*.

im·ma·ture [imə'tjuə] *adj.* □ unreif, unentwickelt (*a. fig.*); **im·ma'tu·ri·ty** [-uəriti] *s.* Unreife *f*.

im·meas·ur·a·ble [i'meʒərəbl] *adj.* □ unermeßlich, grenzenlos, riesig.

im·me·di·a·cy [i'mi:djəsi] *s.* **1.** Unmittelbarkeit *f*, Di'rektheit *f*; **2.** Unverzüglichkeit *f*; **im·me·di·ate** [i'mi:djət] *adj.* □ **1.** *Raum:* unmittelbar, nächst(gelegen): ~ *contact* unmittelbare Berührung; ~ *vicinity* nächste Umgebung; **2.** *Zeit:* unverzüglich, so'fortig, 'umgehend: ~ *answer*; ~ *steps* Sofortmaßnahmen; ~ *objective* Nahziel; ~ *future* nächste Zukunft; **3.** augenblicklich, derzeitig: ~ *plans*; **4.** di'rekt, unmittelbar; **5.** nächst (*Verwandtschaft*): *my* ~ *family* m-e nächsten Angehörigen; **im'me·di·ate·ly** [-jətli] **I.** *adv.* **1.** unmittelbar, direkt; **2.** so'fort, 'umgehend, unverzüglich; **II.** *cj.* **3.** *bsd. Brit.* so'bald (als).

im·me·mo·ri·al [imi'mɔ:riəl] *adj.* □ un(vor)denklich, uralt: *from time* ~ seit unvordenklichen Zeiten.

im·mense [i'mens] *adj.* □ **1.** unermeßlich, ungeheuer, riesig; **2.** *sl.* großartig; **im'men·si·ty** [-siti] *s.* Unermeßlichkeit *f*.

im·merse [i'mə:s] *v/t.* **1.** (ein)tauchen (*a.* ⊕), versenken; **2.** *fig.* (*o.s.* sich) vertiefen, versenken (*in* in *acc.*); **3.** *fig.* verwickeln, verstricken (*in* in *acc.*); **im'mersed** [-st] *adj. fig.* (*in*) versunken, vertieft (in *acc.*), in Anspruch genommen (von); **im·mer·sion** [i'mə:ʃən] *s.* **1.** Ein-, 'Untertauchen *n*: ~ *heater* Tauchsieder; **2.** *fig.* Versunkenheit *f*, Vertiefung *f*; **3.** *eccl.* Immersi'onstaufe *f*; **4.** *ast.* Immersi'on *f*.

im·mi·grant ['imigrənt] **I.** *s.* Einwanderer *m*, Einwanderin *f*; **II.** *adj.* einwandernd; **'im·mi·grate** [-greit] **I.** *v/i.* einwandern (*into* in *acc.*, nach), zuziehen; **II.** *v/t.* ansiedeln (*into* in *dat.*); **im·mi·gra·tion** [imi'greiʃən] *s.* Einwanderung *f*.

im·mi·nence ['iminəns] *s.* **1.** nahes Bevorstehen; **2.** drohende Gefahr, Drohen *n*; **'im·mi·nent** [-nt] *adj.* □ bevorstehend, drohend.

im·mis·ci·ble [i'misibl] *adj.* □ unvermischbar.

im·mit·i·ga·ble [i'mitigəbl] *adj.* □ nicht zu besänftigen(d) *od.* lindern(d), unstillbar; unerbittlich.

im·mo·bile [i'moubail] *adj.* **1.** unbeweglich; **2.** bewegungslos; **im·mo·bil·i·ty** [imou'biliti] *s.* Unbeweglichkeit *f*; **im·mo·bi·li·za·tion** [imoubilai'zeiʃən] *s.* **1.** Unbeweglichmachen *n*; **2.** ✝ Einziehung *f* (*Münzen*); **im'mo·bi·lize** [-bilaiz] *v/t.* **1.** unbeweglich machen: ~*d* bewegungsunfähig (*a. Auto etc.*); **2.** festlegen, -halten; **3.** ✝ *Münzen* aus dem Verkehr ziehen.

im·mod·er·ate [i'mɔdərit] *adj.* □ 'übermäßig, über'trieben, maßlos; **im·mod·er·a·tion** ['imɔdə'reiʃən] *s.* 'Übermaß *n*, Maßlosigkeit *f*.

im·mod·est [i'mɔdist] *adj.* □ **1.** unbescheiden, vorlaut, anmaßend; **2.** unanständig, schamlos, unzüchtig; **im'mod·es·ty** [-ti] *s.* **1.** Unbescheidenheit *f*, Frechheit *f*; **2.** Unanständigkeit *f*, Unzüchtigkeit *f*.

im·mo·late ['imouleit] *v/t.* **1.** opfern, zum Opfer bringen (*a. fig.*); **2.** schlachten (*a. fig.*); **im·mo·la·tion** [imou'leiʃən] *s. a. fig.* Opferung *f*, Opfer *n*.

im·mor·al [i'mɔrəl] *adj.* □ 'unmo͵ralisch, sittenlos, unsittlich; **im·mo·ral·i·ty** [imə'ræliti] *s.* Sittenlosigkeit *f*, Unsittlichkeit *f*, Verderbtheit *f*.

im·mor·tal [i'mɔ:tl] **I.** *adj.* □ **1.** unsterblich (*a. fig.*); **2.** ewig, unvergänglich; **II.** *s.* **3.** Unsterbliche(r *m*) *f* (*a. fig.*); **im·mor·tal·i·ty** [imɔ:'tæliti] *s.* **1.** Unsterblichkeit *f* (*a. fig.*); **2.** Unvergänglichkeit *f*; **im'mor·tal·ize** [-təlaiz] *v/t.* unsterblich machen, verewigen.

im·mor·telle [imɔ:'tel] *s.* ♀ Immor'telle *f*, Strohblume *f*.

im·mov·a·bil·i·ty [imu:və'biliti] *s.* **1.** Unbeweglichkeit *f*; **2.** *fig.* Unerschütterlichkeit *f*; **im·mov·a·ble** [i'mu:vəbl] **I.** *adj.* □ **1.** unbeweglich, ortsfest: ~ *property* → 4; → *feast* 1; **2.** unveränderlich; **3.** *fig.* fest, unerschütterlich; **II.** *s.* **4.** *pl.* ⚖ unbewegliches Eigentum, Immo'bilien *pl.*, Liegenschaften *pl.*

im·mune [i'mju:n] **I.** *adj.* **1.** ⚕ *u. fig.* (*from*) im'mun (gegen), unempfänglich (für); **2.** (*from, against, to*) geschützt, gefeit (gegen), frei (von); **II.** *s.* **3.** immune Per'son; **im'mu·ni·ty** [-niti] *s.* **1.** ⚕ Immuni'tät *f* (*from* gegen); **2.** ⚖ Immuni'tät *f*, Freiheit *f*, Befreiung *f* (*from* von *Strafe, Steuer*); **3.** ⚖ Privi'leg *n*, Vorrecht *n*; **im·mu·ni·za·tion** [imju(:)nai'zeiʃən] *s.* ⚕ Immunisierung *f*; **im·mu·nize** ['imju(:)naiz] *v/t.* **1.** im'mun *od.* unempfänglich machen (*against* gegen); **2.** (*against*) sichern (gegen), schützen (vor *dat.*).

im·mure [i'mjuə] *v/t.* **1.** einsperren, -schließen, -kerkern: *to* ~ *o.s.* sich abschließen; **2.** einmauern.

im·mu·ta·bil·i·ty [imju:tə'biliti] *s. a. biol.* Unveränderlichkeit *f*; **im·mu·ta·ble** [i'mju:təbl] *adj.* □ unveränderlich, unwandelbar.

imp [imp] **I.** *s.* **1.** Teufelchen *n*, Kobold *m*; **2.** *humor.* Knirps *m*, Schlingel *m*, Racker *m*; **II.** *v/t.* **3.** *Falknerei: Flügel* mit neuen Schwungfedern versehen.

im·pact I. *s.* ['impækt] **1.** An-, Zs.-prall *m*, Auftreffen *n*; **2.** *bsd.* ⚔ Auf-, Einschlag *m* (*Geschoß*); **3.** ⊕, *phys.* Stoß *m*, Schlag *m*; Wucht *f*: ~ *strength* ⊕ (Kerb)Schlagfestigkeit; **4.** *fig.* Belastung *f*, Druck *m*; **5.** *fig.* (heftige) (Ein)Wirkung: *to make an* ~ (*on*) ‚einschlagen' (bei); **II.** *v/t.* [im'pækt] **6.** zs.-pressen; einkeilen, -klemmen.

im·pair [im'pεə] *v/t.* **1.** verschlechtern; **2.** schädigen, beeinträchtigen, schwächen; **3.** (ver)mindern, schmälern, Abbruch tun (*dat.*); **im'pair·ment** [-mənt] *s.* Verschlechterung *f*, Verminderung *f*, Schädigung *f*, Beeinträchtigung *f*, Schwächung *f*.

im·pale [im'peil] *v/t.* **1.** *hist.* pfählen; **2.** aufspießen, durch'bohren; **3.** *her. zwei Wappen* durch e-n senkrechten Pfahl verbinden; **im'pale·ment** [-mənt] *s.* **1.** *hist.* Pfählung *f*; **2.** Aufspießung *f*, Durch'bohrung *f*.

im·pal·pa·ble [im'pælpəbl] *adj.* □ **1.** unfühlbar; **2.** äußerst fein; **3.** kaum faßlich, unmerklich.

im·pan·el → *empanel*.

im·par·i·syl·lab·ic ['impærisi'læbik] *adj. u. s. ling.* ungleichsilbig(es Wort).

im·part [im'pɑ:t] *v/t.* (*to dat.*) **1.** geben, gewähren, verleihen, erteilen; **2.** mitteilen (*a. phys.*).

im·par·tial [im'pɑ:ʃəl] *adj.* □ 'unpar͵teiisch, gerecht, unvoreingenommen, unbefangen; **im·par·ti·al·i·ty** ['impɑ:ʃi'æliti] *s.* 'Unpar͵teilichkeit *f*, Unvoreingenommenheit *f*.

im·pass·a·bil·i·ty ['impɑ:sə'biliti] *s.* Unwegsamkeit *f*, Ungangbarkeit *f*; **im·pass·a·ble** [im'pɑ:səbl] *adj.* □ unpassierbar, ungangbar.

im·passe [æm'pɑ:s; ɛ̃pɑ:s] (*Fr.*) *s.* **1.** Sackgasse *f* (*a. fig.*); **2.** *fig.* Stockung *f*, ausweglose Situati'on, toter Punkt.

im·pas·si·bil·i·ty ['impæsi'biliti] *s.* (*to*) Gefühllosigkeit *f* (gegen), Unempfindlichkeit *f* (für); **im·pas·si·ble** [im'pæsibl] *adj.* □ (*to*) gefühllos (gegen), unempfindlich (für).

im·pas·sioned [im'pæʃənd] *adj.* leidenschaftlich.

im·pas·sive [im'pæsiv] *adj.* □ **1.** teilnahms-, leidenschaftslos; unempfindlich; **2.** unbewegt, gelassen.

im·paste [im'peist] *v/t. paint. Farben* dick auftragen, pa'stos malen; **im·pas·to** [im'pɑ:stou] *s. paint.* Im'pasto *n*.

im·pa·tience [im'peiʃəns] *s.* **1.** Ungeduld *f*, (innere) Unruhe; **2.** Unduldsamkeit *f*, Empfindlichkeit *f*, Abneigung *f* (*of, with* gegen['über]); **3.** ungeduldiges Verlangen (*to do* zu tun); **im'pa·tient** [-nt] *adj.* □ **1.** ungeduldig, unruhig, aufgeregt, unwillig; **2.** (*of*) unduldsam (gegen), ungehalten (über *acc.*), unzufrieden (mit): *to be* ~ *of* nicht (v)ertragen *od.* leiden können (*acc.*), nichts übrig haben für, ablehnen (*acc.*); **3.** begierig (*for* nach, *to do* zu tun): *to be* ~ *for et.* nicht erwarten können; *to be* ~ *to do it* darauf brennen, es zu tun.

im·peach [im'pi:tʃ] *v/t.* **1.** *j-n* anklagen, beschuldigen (*of, with gen.*); **2.** *Beamten* (des Hochverrats *etc.*) anklagen; **3.** anzweifeln, anfechten; **4.** her'absetzen, tadeln, bemängeln; **im'peach·a·ble** [-tʃəbl] *adj.* anklag-, anfecht-, bestreitbar; **im'peach·ment** [-mənt] *s.* **1.** Anklage *f*, Beschuldigung *f*; **2.** Anklage *f e-s Beamten wegen Hochverrats etc.*; **3.** Anfechtung *f*, Bestreitung *f*, Anzweiflung *f*; **4.** Vorwurf *m*, Tadel *m*.

im·pec·ca·bil·i·ty [impekə'biliti] *s.* **1.** Unfehlbarkeit *f*; **2.** Fehler-, Tadellosigkeit *f*; **im·pec·ca·ble** [im'pekəbl] *adj.* □ **1.** unfehlbar, sünd(en)los; **2.** untadelig, einwandfrei.

im·pe·cu·ni·os·i·ty [impikju:ni'ɔsiti] *s.* Geldmangel *m*, Armut *f*; **im·pe·cu·ni·ous** [impi'kju:njəs] *adj.* ohne Geld, mittellos, arm.

im·ped·ance [im'pi:dəns] *s.* ⚡ Impe'danz *f*, 'Schein,widerstand *m*.

im·pede [im'pi:d] *v/t.* **1.** *j-n* (be-)hindern; **2.** *et.* verhindern, erschweren; **im·ped·i·ment** [im'pedimənt] *s.* **1.** Be-, Verhinderung *f*; **2.** Hindernis *n* (to für): *~ in one's speech* Sprachfehler; **3.** ⚖ Hinderungsgrund *m*, *bsd.* Ehehindernis *n*; **im·ped·i·men·ta** [impedi'mentə] *s. pl.* **1.** ⚔ Gepäck *n*, Troß *m*; **2.** *fig.* Belastung *f*, Last *f*.

im·pel [im'pel] *v/t.* **1.** (an)treiben, drängen; **2.** zwingen: *I felt ~led* ich sah mich gezwungen, ich fühlte mich genötigt; **im'pel·lent** [-lənt] **I.** *adj.* (an)treibend, Trieb...; **II.** *s.* Triebkraft *f*, Antrieb *m*; **im'pel·ler** [-lə] *s.* ⊕ Flügel-, Laufrad *n*; Windflügel *m*.

im·pend [im'pend] *v/i.* **1.** hängen, schweben (*over* über *dat.*); **2.** *fig.* (nahe) bevorstehen, drohen; **im'pend·ing** [-diŋ] *adj.* nahe bevorstehend, drohend.

im·pen·e·tra·bil·i·ty [impenitrə'biliti] *s.* **1.** 'Undurch,dringlichkeit *f*; **2.** *fig.* Unerforschlichkeit *f*; **im·pen·e·tra·ble** [im'penitrəbl] *adj.* □ **1.** 'undurch,dringlich (*by* für); **2.** *fig.* unergründlich, unerforschlich; **3.** *fig.* (*to*, *by*) unempfänglich (für), unzugänglich (*dat.*).

im·pen·i·tence [im'penitəns], **im'pen·i·ten·cy** [-si] *s.* Unbußfertigkeit *f*, Verstocktheit *f*; **im'pen·i·tent** [-nt] *adj.* □ unbußfertig, verstockt, nicht reumütig.

im·per·a·ti·val [imperə'taivl] *adj.* *ling.* impera'tivisch; **im·per·a·tive** [im'perətiv] **I.** *adj.* □ **1.** befehlend, gebieterisch, herrisch; **2.** 'unum,gänglich, zwingend, dringend (nötig), unbedingt erforderlich; **3.** *ling.* Imperativ..., Befehls...: *~ mood* → 5; **II.** *s.* **4.** Befehl *m*, Gebot *n*; **5.** *ling.* 'Imperativ *m*, Befehlsform *f*.

im·per·cep·ti·bil·i·ty ['impəseptə'biliti] *s.* Unwahrnehmbarkeit *f*; Unmerklichkeit *f*; **im·per·cep·ti·ble** [impə'septəbl] *adj.* □ **1.** nicht wahrnehmbar, unbemerkbar, unmerklich; **2.** verschwindend klein.

im·per·fect [im'pə:fikt] **I.** *adj.* □ **1.** 'unvoll,ständig, 'unvoll,endet; **2.** 'unvoll,kommen (*a.* ♀, ♪): *~ rhyme* unreiner Reim; **3.** mangel-, fehlerhaft; **4.** *ling.* *~ tense* → 5; **II.** *s.* **5.** *ling.* 'Imperfekt *n*, 'unvoll,endete Vergangenheit; **im·perfec·tion** [impə'fekʃən] *s.* **1.** 'Unvoll,kommenheit *f*, Mangelhaftigkeit *f*; **2.** Mangel *m*, Fehler *m*, Schwäche *f*.

im·per·fo·rate [im'pə:fərit] *adj.* **1.** *bsd. anat.* ohne Öffnung; **2.** nicht perforiert, ungezähnt (*Briefmarke*).

im·pe·ri·al [im'piəriəl] **I.** *adj.* □ **1.** kaiserlich, Kaiser...; **2.** Reichs...; **3.** das brit. Weltreich betreffend, Empire...: ♀ *Conference* Empire-Konferenz; **4.** *Brit.* gesetzlich (*Maße u. Gewichte*): *~ gallon* (= *4,55 Liter*); **5.** großartig, herrlich; **II.** *s.* **6.** Kaiserliche(r) *m* (*Soldat, Anhänger*); **7.** Knebelbart *m*; **8.** Imperi'al(pa,pier) *n* (*Format*: *brit. 22 × 30 in.*, *amer. 23 × 31 in.*); **im'pe·ri·al·ism** [-lizəm] *s. pol.* Imperia'lismus *m*, 'Weltmachtpoli,tik *f*; **im'pe·ri·al·ist** [-list] **I.** *s.* **1.** *pol.* Imperia'list *m*; **2.** kaiserlich Gesinnte(r) *m*, Kaiserliche(r) *m*; **II.** *adj.* **3.** imperia'listisch; **4.** kaiserlich, kaisertreu; **im·pe·ri·al·is·tic** [impiəriə'listik] *adj.* (□ *~ally*) → *imperialist 3, 4*.

im·per·il [im'peril] *v/t.* gefährden.

im·pe·ri·ous [im'piəriəs] *adj.* □ **1.** herrisch, anmaßend, gebieterisch; **2.** dringend, zwingend: *an ~ necessity*; **im'pe·ri·ous·ness** [-nis] *s.* **1.** Herrschsucht *f*, Anmaßung *f*, herrisches Wesen; **2.** Dringlichkeit *f*.

im·per·ish·a·ble [im'periʃəbl] *adj.* □ unvergänglich, ewig; **im'per·ish·a·ble·ness** [-nis] *s.* Unvergänglichkeit *f*.

im·per·ma·nence [im'pə:mənəns], **im'per·ma·nen·cy** [-si] *s.* Unbeständigkeit *f*; **im'per·ma·nent** [-nt] *adj.* unbeständig, vor'übergehend, nicht von Dauer.

im·per·me·a·bil·i·ty [impə:mjə'biliti] *s.* 'Undurch,dringlichkeit *f*, 'Un,durchlässigkeit *f*; **im·per·me·a·ble** [im'pə:mjəbl] *adj.* □ **1.** 'undurch,dringlich, 'un,durchlässig (*to* für): *~ to water* wasserdicht; **2.** *phys.* wasserdicht.

im·per·mis·si·ble [impə'misəbl] *adj.* unzulässig, unerlaubt.

im·per·son·al [im'pə:snl] *adj.* □ *a. ling.* 'unper,sönlich: *~ account* † Sachkonto; **im·per·son·al·i·ty** [impə:sə'næliti] *s.* 'Unper,sönlichkeit *f*.

im·per·son·ate [im'pə:səneit] *v/t.* **1.** personifizieren, verkörpern; **2.** *thea.* darstellen; **3.** sich ausgeben als *od.* für; **im·per·son·a·tion** [impə:sə'neiʃən] *s.* **1.** Per,sonifikati'on *f*, Verkörperung *f*; **2.** *thea.* Darstellung *f*; **3.** betrügerisches *od.* scherzhaftes Auftreten (*of* als); **im'per·son·a·tor** [-tə] *s.* **1.** *thea.* Darsteller(in); **2. a)** Betrüger(in), Hochstapler(in): *~ of* falsche(r) ..., **b)** Imi'tator *m*.

im·per·ti·nence [im'pə:tinəns] *s.* **1.** Unverschämtheit *f*, Ungehörigkeit *f*; **2.** Zudringlichkeit *f*; **3.** Unangebrachtheit *f*; **4.** Belanglosigkeit *f*, Nebensache *f*; **im'per·ti·nent** [-nt] *adj.* □ **1.** unverschämt, ungezogen, frech; **2.** ⚖ nicht zur Sache gehörig, unerheblich; **3.** nebensächlich; **4.** unangebracht.

im·per·turb·a·bil·i·ty ['impə(:)tə:bə'biliti] *s.* Unerschütterlichkeit *f*, Gelassenheit *f*, Gleichmut *m*; **im·per·turb·a·ble** [impə(:)'tə:bəbl] *adj.* □ unerschütterlich, gelassen.

im·per·vi·ous [im'pə:vjəs] *adj.* □ **1.** 'undurch,dringlich (*to* für), 'un,durchlässig: *~ to rain* regendicht; **2.** *fig.* (*to*) unzugänglich (für *od. dat.*), unempfindlich (gegen); taub (gegen); **im'per·vi·ous·ness** [-nis] *s.* **1.** 'Undurch,dringlichkeit *f*, 'Un,durchlässigkeit *f*; **2.** *fig.* Unzugänglichkeit *f*, Unempfindlichkeit *f*.

im·pe·tig·i·nous [impi'tidʒinəs] *adj.* ⚕ pustelartig; **im·pe·ti·go** [impi'taigou] *s.* ⚕ Impe'tigo *m* (*Hautausschlag*).

im·pet·u·os·i·ty [impetju'ɔsiti] *s.* **1.** Heftigkeit *f*, Ungestüm *n*; **2.** impul'sive Handlung; **im·pet·u·ous** [im'petjuəs] *adj.* □ heftig, ungestüm; hitzig, über'eilt, impul'siv; **im·pet·u·ous·ness** [im'petjuəsnis] → *impetuosity*.

im·pe·tus ['impitəs] *s.* **1.** *phys.* Stoß-, Triebkraft *f*; **2.** *fig.* Antrieb *m*, Anstoß *m*, Schwung *m*: *to give a fresh ~ to* e-n neuen Aufschwung verleihen (*dat.*).

im·pi·e·ty [im'paiəti] *s.* **1.** Gottlosigkeit *f*; **2.** Pie'tätlosigkeit *f*.

im·pinge [im'pindʒ] *v/i.* **1.** (*on*, *upon*) stoßen (an *acc.*, gegen), anstoßen (an *acc.*), zs.-stoßen (mit), auftreffen (auf *acc.*); **2.** fallen, einwirken (*on* auf *acc.*); **3.** (*on*) ('widerrechtlich) eingreifen (in *acc.*), verstoßen (gegen); **im'pinge·ment** [-mənt] *s.* **1.** (*against*) Zs.-stoß *m* (mit), Stoß *m* (gegen); **2.** Einwirkung *f*, Auftreffen *n* (*on* auf *acc.*); **3.** 'Übergriff *m*.

im·pi·ous ['impiəs] *adj.* □ **1.** gottlos, ruchlos; **2.** pie'tätlos, ohne Ehrfurcht.

imp·ish ['impiʃ] *adj.* □ schelmisch, boshaft; **'imp·ish·ness** [-nis] *s.* Bosheit *f*, ‚lausbübisches' Wesen.

im·pla·ca·bil·i·ty [implækə'biliti] *s.* Unversöhnlichkeit *f*, Unerbittlichkeit *f*; **im·pla·ca·ble** [im'plækəbl] *adj.* □ unversöhnlich, unerbittlich.

im·plant [im'plɑ:nt] *v/t.* **1.** *fig.* einimpfen, einprägen (*in dat.*); **2.** *mst fig. od.* ⚕ einpflanzen; **im·plan·ta·tion** [implɑ:n'teiʃən] *s.* **1.** *fig.* Einimpfung *f*; **2.** *mst fig. od.* ⚕ Einpflanzung *f*.

im·plau·si·ble [im'plɔ:zəbl] *adj.* nicht plau'sibel *od.* einleuchtend, unwahrscheinlich.

im·ple·ment I. *s.* ['implimənt] **1.** Werkzeug *n*, Gerät *n*; **2.** ⚖ *Scot.* Ausführung *f*, Erfüllung *f* (*e-s Vertrages*); **II.** *v/t.* [-ment] **3.** aus-, 'durchführen, voll'enden; **4.** in Kraft setzen; **5.** ergänzen; **6.** ⚖ *Scot. Vertrag* erfüllen; **im·ple·men·tal** [impli'mentl] → *implementary*; **im·ple·men·ta·ry** [impli'mentəri] *adj.* Ausführungs...: *~ orders* Ausführungsbestimmungen; **im·ple·men·ta·tion** [implimen'teiʃən] *s.* Erfüllung *f*, Aus-, 'Durchführung *f*.

im·pli·cate ['implikeit] *v/t.* **1.** *fig.* verwickeln, hin'einziehen (*in* in *acc.*), in Zs.-hang *od.* Verbindung bringen (*with* mit): *~d in* verwickelt in (*acc.*), betroffen von; **2.** *fig.* mit einbegreifen, in sich schließen; **3.** *fig.* zur Folge haben; **im·pli·ca·tion** [impli'keiʃən] *s.* **1.** Verwicklung *f*, Verflechtung *f*, (enge) Verbindung, Zs.-hang *m*; **2.** (eigentliche) Bedeutung; Andeutung *f*; **3.** Konse'quenz *f*, Begleiterscheinung *f*, Folge *f*, Folgerung *f*: *by* ~ als (natürliche) Folgerung *od.* Folge, selbstredend, ohne weiteres.

im·plic·it [im'plisit] *adj.* □ **1.** (mit *od.* stillschweigend) inbegriffen, stillschweigend, unausgesprochen; **2.** abso'lut, vorbehalt-, bedingungslos: ~ *faith* (*obedience*) blinder Glaube (Gehorsam); **im'plic·it·ly** [-li] *adv.* **1.** im'plizite, stillschweigend, ohne weiteres; **2.** unbedingt; **im'plic·it·ness** [-nis] *s.* **1.** Mit'inbegriffensein *n*; Selbstverständlichkeit *f*; **2.** Unbedingtheit *f*.

im·plied [im'plaid] *adj.* **1.** gefolgert, stillschweigend mit inbegriffen, unausgesprochen, selbstverständlich; **2.** angedeutet, 'indi,rekt.

im·plore [im'plɔ:] *v/t.* **1.** *j-n* dringend bitten, anflehen, beschwören; **2.** *et.* erflehen, erbitten; **im'ploring** [-ɔ:riŋ] *adj.* □ flehentlich, inständig.

im·plo·sion [im'plouʒən] *s.* *phys.* Implosi'on *f*.

im·ply [im'plai] *v/t.* **1.** einbeziehen, in sich schließen, (*stillschweigend*) be-inhalten; **2.** mit sich bringen, dar'auf hin'auslaufen: *that implies* daraus ergibt sich, das bedeutet; **3.** besagen, bedeuten; **4.** andeuten, 'durchblicken lassen.

im·po·lite [impə'lait] *adj.* □ unhöflich, grob; **im·po'lite·ness** [-nis] *s.* Unhöflichkeit *f*.

im·pol·i·tic [im'pɔlitik] *adj.* □ 'undiplo,matisch, unklug.

im·pon·der·a·ble [im'pɔndərəbl] **I.** *adj.* *phys.* unwägbar (*a. fig.*), gewichtslos; **II.** *s.* *pl.* Impondera'bilien *pl.*: **a)** Unwägbares *n*, **b)** Gefühlswerte *pl.*

im·port I. *v/t.* [im'pɔ:t] **1.** † importieren, einführen: ~*ing country* Einfuhrland; **2.** *fig.* einführen, hin'einbringen; **3.** bedeuten, besagen; **4.** betreffen, angehen, Bedeutung haben für; **II.** *s.* ['impɔ:t] **5.** † Einfuhr *f*, Im'port *m*; *pl.* 'Einfuhrwaren *pl.*, -ar,tikel *pl.*: ~ *duty* Einfuhrzoll; ~ *licence* (*Am. license*), ~ *permit* Einfuhrgenehmigung; ~ *quota* Einfuhrkontingent; ~ *restrictions* Einfuhrbeschränkungen; ~ *tariff* Einfuhrzoll; **6.** Bedeutung *f*, Sinn *m*; **7.** Wichtigkeit *f*, Bedeutung *f*, Tragweite *f*; **im'port·a·ble** [-təbl] *adj.* † einführbar, importierbar.

im·por·tance [im'pɔ:təns] *s.* **1.** Wichtigkeit *f*, Bedeutung *f*: *to attach* ~ *to* Bedeutung beimessen (*dat.*); *conscious of one's own* ~ eingebildet, wichtigtuerisch; **2.** Einfluß *m*, Ansehen *n*, Gewicht *n*: *a person of* ~ e-e gewichtige Persönlichkeit; **im'por·tant** [-nt] *adj.* □ **1.** wichtig, wesentlich, bedeutend (*to* für); **2.** her'vorragend, bedeutend, angesehen, einflußreich; **3.** wichtigtuerisch, eingebildet.

im·por·ta·tion [impɔ:'teiʃən] *s.* † **1.** Im'port *m*, Einfuhr *f*; **2.** Einfuhrware(n *pl.*) *f*; **im·port·er** [im'pɔ:tə] *s.* † Impor'teur *m*, Einfuhrhändler *m*.

im·por·tu·nate [im'pɔ:tjunit] *adj.* □ lästig, zu-, aufdringlich; **im·portune** [im'pɔ:tju:n] *v/t.* dauernd (mit Bitten) belästigen, behelligen; **im·por·tu·ni·ty** [impɔ:'tju:niti] *s.* beharrliches Bitten, Auf-, Zudringlichkeit *f*.

im·pose [im'pouz] **I.** *v/t.* **1.** *Pflicht, Steuer etc.* auferlegen, aufbürden (*on, upon dat.*): *to* ~ *a tax on s.th.* et. besteuern; **2.** aufdrängen, -schwatzen, ‚andrehen' (*on s.o.* j-m); **3.** *typ.* *Kolumnen* ausschießen; **II.** *v/i.* (*on, upon*) **4.** *j-m* imponieren, *j-n* beeindrucken, Eindruck machen (auf *acc.*); **5.** *j-n* beschwindeln, ‚anschmieren'; **6.** zu sehr beanspruchen, miß'brauchen (*acc.*); **im'pos·ing** [-ziŋ] *adj.* □ eindrucksvoll, imponierend, impo'sant, großartig; **im·po·si·tion** [impə'ziʃən] *s.* **1.** Auferlegung *f*, Aufbürdung *f* (*Steuern, Pflichten etc.*): ~ *of taxes* Besteuerung; **2.** Last *f*, Belastung *f*; Auflage *f*, Pflicht *f*; **3.** Abgabe *f*, Steuer *f*; **4.** *ped. Brit.* Strafarbeit *f*; **5.** (schamlose) Ausnutzung (*on gen.*), Zumutung *f*; **6.** Über'vorteilung *f*, Schwindel *m*, Täuschung *f*; **7.** *eccl.* (*Hand*)Auflegen *n*; **8.** *typ.* **a)** Ausschießen *n*, **b)** For'matmachen *n*.

im·pos·si·bil·i·ty [impɔsə'biliti] *s.* Unmöglichkeit *f*; **im·pos·si·ble** [im'pɔsəbl] *adj.* □ **1.** unmöglich, unausführbar; **2.** unmöglich, ausgeschlossen, unglaublich; **3.** F unmöglich, unerträglich: *an* ~ *fellow*; **im·pos·si·bly** [im'pɔsəbli] *adv.* **1.** unmöglich; **2.** unglaublich: ~ *young*.

im·post ['impoust] **I.** *s.* **1.** † Auflage *f*, Abgabe *f*, Steuer *f*, Einfuhrzoll *m*; **2.** *sl.* *Pferderennen*: 'Handikap-Ausgleichsgewicht *n*; **3.** △ Kämpfer *m*: ~ *mo(u)lding* Kämpfergesims; **II.** *v/t.* **4.** *Am.* *Importwaren* zwecks Zollfestsetzung klassifizieren.

im·pos·tor [im'pɔstə] *s.* Betrüger (-in), Schwindler(in), Hochstapler (-in); **im'pos·ture** [-tʃə] *s.* Betrug *m*, Schwindel *m*, Hochstape'lei *f*.

im·pot ['impɔt] *s.* *ped. Brit.* F Strafarbeit *f*.

im·po·tence ['impətəns], **'im·po·ten·cy** [-si] *s.* **1.** Unvermögen *n*, Unfähigkeit *f*; Hilf-, Machtlosigkeit *f*; **2.** Schwäche *f*, Hinfälligkeit *f*; **3.** ⚕ 'Impotenz *f*; **'im·po·tent** [-nt] *adj.* □ **1.** unfähig; macht-, hilflos, ohnmächtig; **2.** schwach, hinfällig; **3.** ⚕ 'impotent.

im·pound [im'paund] *v/t.* **1.** *Vieh* einpferchen; **2.** einsperren, -schließen; **3.** ⚖ beschlagnahmen.

im·pov·er·ish [im'pɔvəriʃ] *v/t.* **1.** arm *od.* ärmer machen: *to be* ~*ed* verarmen, verarmt sein; **2.** auspowern; *Boden etc.* auslaugen; *Gesundheit* schwächen; **3.** *fig.* *e-r Sache* den Reiz nehmen; **im'pov·er·ish·ment** [-mənt] *s.* Verarmung *f*; Erschöpfung *f*.

im·prac·ti·ca·bil·i·ty [impræktikə'biliti] *s.* **1.** 'Un,durchführbarkeit *f*; **2.** Ungangbarkeit *f* (*Straße*); **3.** Unlenksamkeit *f*, Störrigkeit *f*; **im·prac·ti·ca·ble** [im'præktikəbl] *adj.* □ **1.** unausführbar, unmöglich; **2.** ungangbar, unwegsam, unbefahrbar; **3.** unlenksam, störrisch.

im·prac·ti·cal [im'præktikəl] *adj.* *Am.* 'un,praktisch, theo'retisch; unnütz.

im·pre·cate ['imprikeit] *v/t.* *Schlimmes* her'abwünschen (*on, upon* auf *acc.*): *to* ~ *curses on s.o.* j-n verfluchen; **im·pre·ca·tion** [impri'keiʃən] *s.* Verwünschung *f*, Fluch *m*; **'im·pre·ca·to·ry** [-təri] *adj.* verwünschend, Verwünschungs...

im·preg·na·bil·i·ty [impregnə'biliti] *s.* 'Unüber,windlichkeit *f*, Unbezwinglichkeit *f*; **im·preg·na·ble** [im'pregnəbl] *adj.* □ **1.** unbezwinglich, 'unüber,windlich, uneinnehmbar (*Festung*); **2.** unerschütterlich (*to* gegenüber); **im·preg·nate I.** *v/t.* ['impregneit] **1.** *biol.* **a)** schwängern (*a. fig.*), schwanger machen, **b)** befruchten (*a. fig.*); **2.** sättigen, durch'dringen; ⊕ tränken, imprägnieren; **3.** *fig.* durch'dringen, (durch)'tränken, erfüllen; **4.** *paint.* grundieren; **II.** *adj.* [im'pregnit] **5.** *biol.* **a)** geschwängert, schwanger, **b)** befruchtet; **6.** *fig.* (*with*) voll (von), durch'tränkt (mit); **im·preg·na·tion** [impreg'neiʃən] *s.* **1.** *biol.* **a)** Schwängerung *f*, **b)** Befruchtung *f*; **2.** Imprägnierung *f*, (Durch)'Tränkung *f*, Sättigung *f*; **3.** *fig.* Befruchtung *f*, Durch'dringung *f*, Erfüllung *f*.

im·pre·sa·ri·o [impre'sɑ:riou] *pl.* -os *s.* Impre'sario *m*.

im·pre·scrip·ti·ble [impri'skriptibl] *adj.* ⚖ unveräußerlich, unverlierbar.

im·press[1] **I.** *v/t.* [im'pres] **1.** beeindrucken, Eindruck machen auf (*acc.*): *to be favo(u)rably* ~*ed by* e-n guten Eindruck erhalten *od.* haben von; **2.** *j-n* erfüllen, durch'dringen (*with* mit); **3.** einprägen, -schärfen (*on, upon dat.*): *to* ~ *o.s. on s.o.* j-n beeindrucken; **4.** (auf)drücken (*on* auf *acc.*), eindrücken; **5.** aufprägen, -drucken (*on* auf *acc.*); **6.** *fig.* verleihen, erteilen (*upon dat.*); **7.** ⚡ *Spannung* aufdrücken; **II.** *s.* ['impres] **8.** Prägung *f*; **9.** Ab-, Eindruck *m*, Stempel *m*; **10.** *fig.* Einfluß *m*; Merkmal *n*, Gepräge *n*.

im·press[2] [im'pres] *v/t.* **1.** requirieren, beschlagnahmen; **2.** *bsd.* ⚓ gewaltsam anwerben, (zum Dienst) pressen.

im·press·i·ble [im'presəbl] *adj.* leicht zu beeindrucken(d), beeinflußbar; aufgeschlossen, aufnahmefähig.

im·pres·sion [im'preʃən] *s.* **1.** Eindruck *m*, (Ein)Wirkung *f*, Einfluß *m*: *to give s.o. a wrong* ~ bei j-m e-n falschen Eindruck erwecken; *to leave s.o. with an* ~ bei j-m e-n Eindruck hinterlassen; *the* ~ *of light on the eye* die Einwirkung des Lichtes auf das Auge; **2.** Eindruck *m*, Vermutung *f*, Ahnung *f*: *I have an* ~ (*od. I am under the* ~) *that* ich habe den Eindruck, daß; **3.** Abdruck *m* (*a.* ⚕), Prägung *f*; **4.** Ab-, Aufdruck *m*; **5.** *typ.* **a)** Abzug *m*, **b)** (*bsd.* unveränderte) Auflage (*Buch*): *new* ~ Neudruck, -auflage; **im'pres·sion·a·ble** [-ʃnəbl] → *impressible*; **im'pres·sion·ism** [-ʃnizəm] *s.* Impressio'nismus *m*; **im'pres·sion·ist** [-ʃnist] **I.** *s.* Impressio'nist(in); **II.** *adj.* impressio'nistisch; **im·pres·sion·is·tic** [impreʃə'nistik] *adj.* (□ *~ally*) → *impressionist II.*

im·pres·sive [im'presiv] *adj.* □ eindrucksvoll, impo'sant, wirksam, packend, ergreifend; **im'pres·sive·ness** [-nis] *s. das* Eindrucksvolle *od.* Ergreifende.

im·press·ment [im'presmənt] *s.* **1.** Requirierung *f*; **2.** *bsd.* ⚓ Pressen *n zum Dienst.*

im·prest ['imprest] *s.* öffentlicher Geldvorschuß, Spesenvorschuß *m.*

im·pri·ma·tur [impri'meitə] *s.* **1.** Impri'matur *n*, Druckerlaubnis *f*; **2.** *fig.* Zustimmung *f*, Billigung *f.*

im·print I. *s.* ['imprint] **1.** Ab-, Aufdruck *m*; **2.** *typ.* Im'pressum *n*, Erscheinungs-, Druckvermerk *m*; **3.** *fig.* Eindruck *m*, Stempel *m*; **II.** *v/t.* [im'print] ([*up*]*on*) **4.** *typ.* aufdrucken (auf *acc.*); **5.** *fig.* einprägen (*dat.*); **6.** *Kuß* (auf)drücken (auf *acc.*).

im·pris·on [im'prizn] *v/t.* **1.** ins Gefängnis werfen, einsperren, -kerkern; **2.** *fig.* einsperren, -schließen; beschränken; **im'pris·on·ment** [-mənt] *s.* Einkerkerung *f*, Haft *f*, Gefangenschaft *f*; ⚖ Gefängnisstrafe *f*; → *false I.*

im·prob·a·bil·i·ty [imprɔbə'biliti] *s.* Unwahrscheinlichkeit *f*; **im·prob·a·ble** [im'prɔbəbl] *adj.* □ **1.** unwahrscheinlich; **2.** unglaubwürdig.

im·pro·bi·ty [im'proubiti] *s.* Unredlichkeit *f*, Unehrlichkeit *f.*

im·promp·tu [im'prɔmptju:] **I.** *s.* Impromp'tu *n* (*a.* ♪), Improvisati'on *f*; **II.** *adj. u. adv.* aus dem Stegreif, improvisiert, Stegreif...

im·prop·er [im'prɔpə] *adj.* □ **1.** ungeeignet, unpassend, untauglich (*to* für); **2.** unschicklich, ungehörig (*Benehmen*); **3.** unrichtig, falsch; **4.** 𝔄 unecht (*Bruch*).

im·pro·pri·ate I. *v/t.* [im'prouprieit] *eccl. Kirchengut* (an Laien) über'tragen; **II.** *adj.* [-iit] *eccl.* (e-m Laien) über'tragen; **im·pro·pri·a·tion** [improupri'eiʃən] *s. eccl.* **a)** Über'tragung *f* an Laien, **b)** an Laien über'tragenes Kirchengut; **im'pro·pri·a·tor** [-tə] *s.* weltlicher Besitzer von Kirchengut *od.* e-r Pfründe.

im·pro·pri·e·ty [imprə'praiəti] *s.* **1.** Ungeeignetheit *f*, Untauglichkeit *f*; **2.** Unschicklichkeit *f*, Ungehörigkeit *f*; **3.** Unrichtigkeit *f*, falscher Gebrauch.

im·prov·a·ble [im'pru:vəbl] *adj.* **1.** verbesserungsfähig, bildsam; **2.** ⚒ anbaufähig; kultivierbar; **im·prove** [im'pru:v] **I.** *v/t.* **1.** ver-, aufbessern; **2.** verfeinern, -edeln; vermehren, erhöhen; vor'anbringen, ausbauen; **3.** *Am. Land* bebauen, erschließen, im Wert steigern; **4.** ausnützen; → *occasion 3*; **5.** *~ away* (durch Verbesserungen wieder) verderben; **II.** *v/i.* **6.** sich (ver)bessern, besser werden, Fortschritte machen, sich erholen (*gesundheitlich od.* ✝ *Preise*): *to ~ in strength* kräftiger werden; *to ~ on acquaintance* bei näherer Bekanntschaft gewinnen; **7.** *~ on od. upon* **a)** verbessern, **b)** über'treffen: *not to be ~d upon* nicht zu übertreffen(d); **im'prove·ment** [-vmənt] *s.* **1.** (Ver)Besserung *f*, Ver'vollkommnung *f*, Verschönerung *f*: *~ in health* Besserung der Gesundheit; **2.** Verfeinerung *f*, Veredelung *f*: *~ industry* Veredelungswirtschaft; **3.** Vermehrung *f*, Erhöhung *f*; Steigen *n* (*Preis*); **4.** Meliorati'on *f*: **a)** ⚒ Bodenverbesserung *f*, **b)** Erschließung *f*, **c)** *Am.* Wertverbesserung *f* (*Grundstück etc.*); **5.** Verbesserung *f* (*a. Patent*), Fortschritt *m*, Neuerung *f*, Gewinn *m*: *an ~ on od. upon* e-e Verbesserung gegenüber; **im'prov·er** [-və] *s.* **1.** Verbesserer *m*; **2.** ⊕ Verbesserungsmittel *n*; **3.** ✝ Volon'tär *m.*

im·prov·i·dence [im'prɔvidəns] *s.* **1.** Unbedachtsamkeit *f*; **2.** Unvorsichtigkeit *f*, Leichtsinn *m*; **im'prov·i·dent** [-nt] *adj.* □ **1.** unbedacht; **2.** unvorsichtig, leichtsinnig.

im·prov·ing [im'pru:viŋ] *adj.* □ **1.** (sich) bessernd; **2.** heilsam, förderlich.

im·pro·vi·sa·tion [imprəvai'zeiʃən] *s.* **1.** Improvisati'on *f* (*a.* ♪), unvorbereitete Veranstaltung, Stegreifrede *f etc.*; **2.** behelfsmäßige Vorrichtung; **im·prov·i·sa·tor** [im'prɔvizeitə] *s.* Improvi'sator *m*; **im·pro·vise** ['imprəvaiz] *v/t. u. v/i.* improvisieren: **a)** aus dem Stegreif *od.* unvorbereitet tun, **b)** rasch *od.* behelfsmäßig herstellen; **im·pro·vised** ['imprəvaizd] *adj.* improvisiert: **a)** unvorbereitet, Stegreif..., **b)** behelfsmäßig; **im·pro·vis·er** ['imprəvaizə] *s.* Improvi'sator *m.*

im·pru·dence [im'pru:dəns] *s.* Unklugheit *f*, Unvorsichtigkeit *f*; **im'pru·dent** [-nt] *adj.* □ unklug, 'unüber,legt.

im·pu·dence ['impjudəns] *s.* Unverschämtheit *f*, Frechheit *f*; **'im·pu·dent** [-nt] *adj.* □ unverschämt.

im·pugn [im'pju:n] *v/t.* bestreiten, anfechten, angreifen; **im'pugn·a·ble** [-nəbl] *adj.* bestreit-, anfechtbar; **im'pugn·ment** [-mənt] *s.* Anfechtung *f*, Einwand *m.*

im·pulse ['impʌls] *s.* **1.** Antrieb *m*, Stoß *m*, Triebkraft *f*; **2.** *fig.* (An-)Trieb *m*, Im'puls *m*, Drang *m*; Regung *f*, Eingebung *f*, Anstoß *m*: *on ~* impulsiv; *on the ~ of the moment* e-r plötzlichen Regung folgend; **3.** 𝔄, ⚕, ⚡, *phys.* Im'puls *m.*

im·pul·sion [im'pʌlʃən] *s.* **1.** Stoß *m*, Antrieb *m*; Triebkraft *f*; **2.** *fig.* Im'puls *m*, Anregung *f*, Antrieb *m*; **im'pul·sive** [-lsiv] *adj.* □ **1.** (an-)treibend, Trieb...; **2.** *fig.* impul'siv, leidenschaftlich; **im'pul·sive·ness** [-lsivnis] *s.* impul'sive Art, Leidenschaftlichkeit *f.*

im·pu·ni·ty [im'pju:niti] *s.* Straflosigkeit *f*: *with ~* straflos, ungestraft.

im·pure [im'pjuə] *adj.* □ **1.** unrein (*a. eccl.*); schmutzig, unsauber (*a. fig.*); **2.** nicht rein, gemischt (*Farben*); verfälscht; **3.** 'unmo,ralisch, unanständig; **im·pu·ri·ty** [im'pjuəriti] *s.* **1.** Unreinheit *f*, Unsauberkeit *f*; **2.** Unanständigkeit *f*; **3.** ⊕ Verunreinigung *f*, Fremdkörper *m.*

im·put·a·ble [im'pju:təbl] *adj.* zuzuschreiben(d), beizumessen(d); **im·pu·ta·tion** [impju(:)'teiʃən] *s.* **1.** Zuschreibung *f*, Unter'stellung *f*; **2.** Be-, Anschuldigung *f*, Bezichtigung *f*; **3.** Makel *m*, (Schand-)Fleck *m*; **im'put·a·tive** [-ətiv] *adj.* □ **1.** zuschreibend; **2.** beschuldigend; **3.** unter'stellt; **im·pute** [im'pju:t] *v/t.* (*to*) **1.** zuschreiben, nachsagen, zur Last legen (*dat.*); **2.** *eccl.* stellvertretenderweise zurechnen (*dat.*).

in [in] **I.** *prp.* **1.** *räumlich*: **a)** *auf die Frage wo?* in (*dat.*), an (*dat.*), auf (*dat.*): *~ London* in London; *~ here* hier drinnen; *~ the* (*od. one's*) *head* im Kopf; *~ the dark* im Dunkeln; *~ the sky* am Himmel; *~ the street* auf der Straße; *~ Henry Street* in der Henry Street; *~ the country* (*field*) auf dem Lande (Felde); *~ the Bremen* auf der Bremen (*Schiff*), **b)** *auf die Frage wohin?* in (*acc.*): *put it ~ your pocket!* steck(e) es in deine Tasche!; **2.** *zeitlich*: in (*dat.*), an (*dat.*), unter (*dat.*), bei, während, zu: *~ May* im Mai; *~ the evening* am Abend; *~ the beginning* am *od.* im Anfang; *~ a week* in *od.* nach einer Woche; *~ 1960* (im Jahre) 1960; *~ his sleep* während er schlief, im Schlaf; *~ life* zu Lebzeiten; *~ the reign of* unter der Regierung (*gen.*); *~ between meals* zwischen den Mahlzeiten; **3.** *Zustand, Beschaffenheit, Art u. Weise*: in (*dat.*), auf (*acc.*), mit: *~ a rage* in Wut; *~ trouble* in Not; *~ tears* in Tränen (aufgelöst), unter Tränen; *~ good health* bei guter Gesundheit; *~ (the) rain* im *od.* bei Regen; *~ German* auf Deutsch; *weak ~ Latin* schwach in Latein; *~ cash* in bar; *~ order* der Reihe nach; *~ a word* mit 'einem Wort; *~ this way* in dieser *od.* auf diese Weise; *~ this case* in diesem Falle; **4.** *im Besitz, in der Macht*: in (*dat.*), bei, an (*dat.*): *it is not ~ him* es liegt ihm nicht; *he has* (*not*) *got it ~ him* er hat (nicht) das Zeug dazu; **5.** *Zahl, Maß*: in (*dat.*), aus, von, zu: *~ twos* zu zweien; *~ dozens* zu Dutzenden, dutzendweise; *one ~ ten* eine(r) *od.* ein(e)s von *od.* unter zehn; *a shilling ~ the pound obs.* ein Shilling aufs Pfund, 5%; **6.** *Beteiligung*: in (*dat.*), an (*dat.*), bei: *~ the army* beim Militär; *~ society* in der Gesellschaft; *shares ~ a company* Aktien e-r Gesellschaft; *~ the university* an der Universität; *to be ~ it* beteiligt sein; *he isn't ~ it* er gehört nicht dazu; *there is something* (*nothing*) *~ it* **a)** es ist et. (nichts) daran, **b)** es lohnt sich (nicht); **7.** *Richtung*: in (*acc.*), auf (*acc.*): *to trust ~ s.o.* auf j-n vertrauen; **8.** *Zweck*: in (*dat.*), zu, als: *~ my defence* zu m-r Verteidigung; *~ reply to* in Beantwortung (*gen.*), als Antwort auf (*acc.*); **9.** *Grund*: in (*dat.*), aus, wegen, zu: *~ despair* in *od.* aus Verzweiflung; *~ his hono(u)r* ihm zu Ehren; *to rejoice ~ s.th.* sich über et. freuen; **10.** *Tätigkeit*: in (*dat.*), bei, auf (*dat*): *~ reading* beim Lesen; *~ search of* auf der Suche nach; **11.** *Material, Kleidung*: in (*dat.*), mit, aus, durch: ~ *red shoes* in *od.* mit roten Schuhen; *dressed* ~ *white* in Weiß (gekleidet); ~ *bronze* aus Bronze; *written* ~ *pencil* mit Bleistift geschrieben; **12.** *Hinsicht, Beziehung*: in (*dat.*), an (*dat.*), in bezug auf (*acc.*): ~ *size* an Größe; *a foot* ~ *length* einen Fuß lang; ~ *that* weil, insofern als; **13.** *Bücher etc.*: in (*dat.*), bei: ~ *Shakespeare* bei Shakespeare; **14.** nach, gemäß: ~ *my opinion* m-r Meinung nach; **II.** *adv.* **15.** innen, drinnen: ~ *among* mitten unter; ~ *between* dazwischen, zwischendurch; *to be* ~ *for s.th.* et. zu erwarten *od.* gewärtigen haben; *he is* ~ *for a shock* er wird nicht schlecht *od.* wenig erschrecken; *I am* ~ *for an examination* mir steht e-e Prüfung bevor; *now you're* ~ *for it* jetzt bist du ‚dran', jetzt sitzt du in der ‚Patsche'; *to be well* ~ *with s.o.* mit j-m gut stehen; *to breed* ~ *and* ~ Inzucht treiben; ~*-and-*~ *breeding* Inzucht; ~ *and out* **a)** bald drinnen, bald draußen, **b)** hin u. her; **16.** zu Hause; im Zimmer: *Mr. B. is not* ~ Herr B. ist nicht zu Hause; **17.** da, angekommen: *the post is* ~; *the harvest is* ~ die Ernte ist eingebracht; **18. a)** ‚in', in Mode, **b)** *sport* am Spiel, ‚dran', **c)** *pol.* an der Macht, im Amt, am Ruder; **19.** hin'ein, her'ein, nach innen: *to walk* ~ hineingehen; *come* ~*!* herein!; *the way* ~ der Eingang; ~ *with you!* hinein mit dir!; **20.** da'zu, als Zugabe: *to throw* ~ zusätzlich geben; **III.** *adj.* **21.** Innen...; her'einkommend: ~ *party pol.* Regierungspartei; *an* ~ *restaurant* ein Restaurant, das gerade ‚in' ist; ~ *side Kricket*: Schlägerpartei; **IV.** *s.* **22.** *pl.* Re'gierungspar,tei *f*; **23.** *the* ~*s and outs* **a)** (alle) Winkel u. Ecken, **b)** *fig.* (alle) Einzelheiten *od.* Schwierigkeiten.

in-[1] [in] *in Zssgn* in..., innen, hinein..., Hin..., ein...

in-[2] [in] *in Zssgn* un..., Un..., nicht.

in·a·bil·i·ty [inə'biliti] *s.* Unfähigkeit *f*, Unvermögen *n*: ~ *to pay* ✝ Zahlungsunfähigkeit, Insolvenz.

in·ac·ces·si·bil·i·ty ['inæksesə'biliti] *s.* **1.** Unzugänglichkeit *f*, Unerreichbarkeit *f*; **2.** Un'nahbarkeit *f*; **in·ac·ces·si·ble** [inæk'sesəbl] *adj.* □ **1.** unzugänglich, unerreichbar; **2.** un'nahbar, unzugänglich (*to* für *od. dat.*) (*Person*).

in·ac·cu·ra·cy [in'ækjurəsi] *s.* **1.** Ungenauigkeit *f*; **2.** Fehler *m*, Irrtum *m*; **in'ac·cu·rate** [-rit] *adj.* □ **1.** ungenau; **2.** irrig, falsch.

in·ac·tion [in'ækʃən] *s.* **1.** Untätigkeit *f*; **2.** Trägheit *f*; **3.** Ruhe *f*; **in'ac·tive** [-ktiv] *adj.* □ **1.** untätig; **2.** träge (*a. phys.*), müßig; **3.** ✝ still, flau, unbelebt; **4.** ⚗ unwirksam, neu'tral; **5.** ⚔ nicht ak'tiv, außer Dienst; **in·ac·tiv·i·ty** [inæk'tiviti] *s.* **1.** Untätigkeit *f*; **2.** Trägheit *f* (*a. phys.*); **3.** ✝ Unbelebtheit *f*, Lustlosigkeit *f*; **4.** ⚗ Unwirksamkeit *f*.

in·a·dapt·a·bil·i·ty ['inədæptə'biliti] *s.* **1.** Mangel *m* an Anpassungsfähigkeit; **2.** Unanwendbarkeit *f* (*to* auf *acc.*, für); **in·a·dapt·a·ble** [inə'dæptəbl] *adj.* **1.** nicht anpassungsfähig; **2.** (*to*) unanwendbar (auf *acc.*), untauglich (für).

in·ad·e·qua·cy [in'ædikwəsi] *s.* Unzulänglichkeit *f*, Mangelhaftigkeit *f*; Unangemessenheit *f*; **in'ad·e·quate** [-kwit] *adj.* □ unzulänglich, ungenügend, mangelhaft; unangemessen.

in·ad·mis·si·bil·i·ty ['inədmisə'biliti] *s.* Unzulässigkeit *f*; **in·ad·mis·si·ble** [inəd'misəbl] *adj.* □ unzulässig, nicht statthaft.

in·ad·vert·ence [inəd'və:təns], **in·ad'vert·en·cy** [-si] *s.* **1.** Unachtsamkeit *f*; **2.** Unabsichtlichkeit *f*; Versehen *n*; **in·ad'vert·ent** [-nt] *adj.* □ **1.** unachtsam; nachlässig; **2.** unabsichtlich, versehentlich.

in·ad·vis·a·bil·i·ty ['inədvaizə'biliti] *s.* Unratsamkeit *f*; **in·ad·vis·a·ble** [inəd'vaizəbl] *adj.* nicht ratsam, nicht empfehlenswert.

in·al·ien·a·bil·i·ty [ineiljənə'biliti] *s.* Unveräußerlichkeit *f*; **in·al·ien·a·ble** [in'eiljənəbl] *adj.* □ unveräußerlich.

in·al·ter·a·ble [in'ɔ:ltərəbl] *adj.* □ unveränderlich, unabänderlich.

in·am·o·ra·ta [inæmə'rɑ:tə] *s.* Geliebte *f*; **in·am·o'ra·to** [-tou] *pl.* **-tos** *s.* Geliebte(r) *m*.

in| and in → *in 15*; ~ **and out** → *in 15, 23.*

in·ane [i'nein] *adj.* □ leer, nichtig, fad(e), geistlos, albern.

in·an·i·mate [in'ænimit] *adj.* □ **1.** leblos, unbelebt; **2.** unbeseelt, geistlos; **3.** *fig.* langweilig, fad(e); **4.** ✝ flau, matt; **in·an·i·ma·tion** [inæni'meiʃən] *s.* Leblosigkeit *f*, Unbelebtheit *f*.

in·a·ni·tion [inə'niʃən] *s.* **1.** ⚕ Entkräftung *f*; **2.** Leere *f*.

in·an·i·ty [i'næniti] *s.* **1.** geistige Leere, Hohl-, Seichtheit *f*, Nichtigkeit *f*; **2.** dumme Bemerkung; *pl.* dummes Geschwätz.

in·ap·peas·a·ble [inə'pi:zəbl] *adj.* nicht zu beschwichtigen(d).

in·ap·pli·ca·bil·i·ty ['inæplikə'biliti] *s.* Unanwendbarkeit *f*; **in·ap·pli·ca·ble** [in'æplikəbl] *adj.* □ (*to*) unanwendbar, nicht anwendbar *od.* zutreffend (auf *acc.*); ungeeignet (für).

in·ap·po·site [in'æpəzit] *adj.* □ unangebracht, unpassend.

in·ap·pre·ci·a·ble [inə'pri:ʃəbl] *adj.* □ unmerklich, unbedeutend.

in·ap·pre·hen·si·ble ['inæpri'hensəbl] *adj.* unbegreiflich, unfaßbar.

in·ap·proach·a·ble [inə'proutʃəbl] *adj.* □ **1.** unnahbar, unzugänglich; **2.** unerreichbar, konkur'renzlos.

in·ap·pro·pri·ate [inə'proupriit] *adj.* □ ungeeignet, unpassend; ungehörig, unangebracht; **in·ap'pro·pri·ate·ness** [-nis] *s.* Ungeeignetheit *f*; Ungehörigkeit *f*.

in·apt [in'æpt] *adj.* □ **1.** unpassend, ungeeignet; **2.** ungeschickt, untauglich; unfähig; **in'apt·i·tude** [-titju:d], **in'apt·ness** [-nis] *s.* **1.** Ungeeignetheit *f*; **2.** Ungeschicklichkeit *f*, Untauglichkeit *f*; Unfähigkeit *f*.

in·arch [in'ɑ:tʃ] *v/t.* ⚘ ablaktieren.

in·ar·tic·u·late [inɑ:'tikjulit] *adj.* □ **1.** unartikuliert, undeutlich, schwer zu verstehen(d); **2.** undeutlich sprechend: *he is* ~ **a)** er kann sich nicht deutlich ausdrücken, **b)** er redet nicht gerne; **3.** *fig.* **a)** sprachlos (*with* vor *dat.*), **b)** stumm (*Wut*); **4.** *zo.* ungegliedert; **in·ar'tic·u·late·ness** [-nis] *s.* **1.** Undeutlichkeit *f*; **2.** Unfähigkeit *f*, deutlich zu sprechen.

in·ar·tis·tic [inɑ:'tistik] *adj.* (□ ~*ally*) unkünstlerisch.

in·as·much [inəz'mʌtʃ] *cj.*: ~ *as* **1.** da (ja), weil; **2.** *obs.* in'sofern als.

in·at·ten·tion [inə'tenʃən] *s.* **1.** Unaufmerksamkeit *f*, Unachtsamkeit *f* (*to* gegenüber); **2.** Gleichgültigkeit *f* (*to* gegen); **in·at'ten·tive** [-ntiv] *adj.* □ **1.** unaufmerksam (*to* gegenüber); **2.** gleichgültig (*to* gegen), nachlässig; **in·at'ten·tive·ness** [-ntivnis] *s.* Unaufmerksamkeit *f*.

in·au·di·bil·i·ty [inɔ:də'biliti] *s.* Unhörbarkeit *f*; **in·au·di·ble** [in'ɔ:dəbl] *adj.* □ unhörbar.

in·au·gu·ral [i'nɔ:gjurəl] **I.** *adj.* Einführungs..., Einweihungs..., Antritts..., Eröffnungs...; **II.** *s.* Antrittsrede *f*; **in·au·gu·rate** [i'nɔ:gjureit] *v/t.* **1.** (feierlich) einführen *od.* einsetzen; **2.** einweihen, eröffnen; **3.** beginnen, einleiten: *to* ~ *a new era*; **in·au·gu·ra·tion** [inɔ:gju'reiʃən] *s.* **1.** (feierliche) Amtseinsetzung, -einführung *f*: ♀ *Day Am.* Tag des Amtsantritts des Präsidenten; **2.** Einweihung *f*, Eröffnung *f*; **3.** Beginn *m*; **in'au·gu·ra·tor** [-reitə] *s.* Einführende(r *m*) *f*; **in'au·gu·ra·to·ry** [-reitəri] → *inaugural I.*

in·aus·pi·cious [inɔ:s'piʃəs] *adj.* □ ungünstig, unheilvoll, von übler Vorbedeutung; unglücklich; **in·aus'pi·cious·ness** [-nis] *s.* üble Vorbedeutung, Ungünstigkeit *f*.

in·be'tween I. *s.* **1.** Mittel-, Zwischending *n* (*between ... and* zwischen [*dat.*] ... und); **2.** j-d der e-e Zwischenstellung einnimmt; **II.** *adj.* **3.** unentschieden (*Haltung*): ~ *weather* Übergangswetter.

in·board ['inbɔ:d] *adj. u. adv.* ⚓ **1.** (b)innenbords; **2.** im Schiffsraum.

in·born ['in'bɔ:n] *adj.* angeboren.

in·bred *adj.* **1.** ['inbred] angeboren, ererbt; **2.** ['in'bred] durch Inzucht erzeugt.

in·breed ['in'bri:d] *v/t.* [*irr.* → *breed*] durch Inzucht züchten; **'in'breed·ing** [-diŋ] *s.* Inzucht *f*.

in·cal·cu·la·bil·i·ty [inkælkjulə'biliti] *s.* Unberechenbarkeit *f*; **in·cal·cu·la·ble** [in'kælkjuləbl] *adj.* □ **1.** unberechenbar (*a. fig. Person*); **2.** unermeßlich.

in·can·des·cence [inkæn'desns] *s.* **1.** Weißglühen *n*, -glut *f*; **2.** Erglühen *n* (*a. fig.*); **in·can'des·cent** [-nt] *adj.* **1.** weißglühend; **2.** ⊕ Glüh...: ~ *bulb* ⚡ Glühbirne; ~ *burner phys.* Glühlichtbrenner; ~ *filament* ⚡ Glühfaden; ~ *lamp* ⚡ Glühlampe; ~ *light phys.* Glühlicht; ~ *mantle* (Gas)Glühstrumpf; **3.** *fig.* leuchtend, strahlend.

in·can·ta·tion [inkæn'teiʃən] *s.* **1.**

Beschwörung *f*; **2.** Zauber(spruch) *m*.

in·ca·pa·bil·i·ty [inkeipə'biliti] *s.* Unfähigkeit *f*, Untauglichkeit *f*, Unvermögen *n*; **in·ca·pa·ble** [in'keipəbl] *adj.* □ **1.** unfähig, untüchtig; unbegabt; **2.** (*of*) untauglich (zu), ungeeignet (für); **3.** nicht fähig (*of gen.*, *of doing* zu tun), nicht im'stande (*of doing* zu tun): ~ *of a crime* e-s Verbrechens nicht fähig; ~ *of improvement* nicht verbesserungsfähig; ~ *of proof* nicht beweisbar.

in·ca·pac·i·tate [inkə'pæsiteit] *v/t.* **1.** unfähig *od.* untauglich machen (*for s.th.* für et., *from od. for doing* zu tun); *Gegner* außer Gefecht setzen; (ver)hindern (*from od. for doing* an *dat.*, zu tun); **2.** ⚖ für (geschäfts)unfähig erklären; **in·ca'pac·i·tat·ed** [-tid] *adj.* (arbeits-, ⚖ geschäfts)unfähig; **in·ca·pac·i·ta·tion** ['inkəpæsi'teiʃən] *s.* Unfähigkeit *f*, Untauglichkeit *f*; **in·ca'pac·i·ty** [-ti] *s.* **1.** Unfähigkeit *f*, Untauglichkeit *f* (*for* für, zu; *for doing* zu tun): ~ *for work* **a)** Berufs-, Erwerbsunfähigkeit, **b)** Invalidität; **2.** *a. legal* ~ ⚖ Geschäftsunfähigkeit *f*: ~ *to sue* mangelnde Klagefähigkeit.

in·car·cer·ate [in'kɑ:səreit] *v/t.* **1.** einkerkern, einsperren (*a. fig.*); **2.** ⚕ *Bruch* einklemmen; **in·car·cer·a·tion** [inkɑ:sə'reiʃən] *s.* **1.** Einkerkerung *f*, Einsperrung *f* (*a. fig.*); **2.** ⚕ Einklemmung *f*.

in·car·na·dine [in'kɑ:nədain] *adj. poet.* fleischfarben; **in·car·nate I.** *v/t.* ['inkɑ:neit] **1.** verkörpern, darstellen; **2.** feste Form geben (*dat.*), verwirklichen; **II.** *adj.* [in'kɑ:nit] **3.** *eccl.* fleischgeworden, in Menschengestalt; **4.** *fig.* leib'haftig; personifiziert; **in·car·na·tion** [inkɑ:'neiʃən] *s.* Inkarnati'on *f*: **a)** ♀ *eccl.* Menschwerdung *f*, **b)** Inbegriff *m*, Sinnbild *n*, Verkörperung *f*.

in·case → *encase*.

in·cau·tious [in'kɔ:ʃəs] *adj.* □ unvorsichtig, unbedacht; **in'cau·tious·ness** [-nis] *s.* Unvorsichtigkeit *f*.

in·cen·di·a·rism [in'sendjərizəm] *s.* **1.** Brandstiftung *f*; **2.** *fig.* Aufwiegelung *f*, Aufreizung *f*; **in·cen·di·ar·y** [in'sendjəri] **I.** *adj.* **1.** Feuer..., Brand...: ~ *bomb* → *5 a*; ~ *bullet* → *5 b*; **2.** ⚖ Brandstiftungs...: ~ *action* Brandstiftung; **3.** *fig.* aufwiegelnd, -hetzend; **II.** *s.* **4.** Brandstifter *m*; **5.** ⚔ **a)** Brandbombe *f*, **b)** Brandgeschoß *n*; **6.** *fig.* Unruhestifter *m*, Hetzer *m*.

in·cense[1] [in'sens] *v/t.* erzürnen, erbosen.

in·cense[2] ['insens] **I.** *s.* **1.** Weihrauch *m*: ~*-burner eccl.* Räucherfaß, -vase; **2.** Duft *m*; **3.** *fig.* Lobhude'lei *f*; **II.** *v/t.* **4.** (mit Weihrauch) beräuchern; **5.** durch'duften; **6.** *fig.* beweihräuchern, *j-m* schmeicheln.

in·cen·so·ry ['insensəri] *s. eccl.* Weihrauchfaß *n*.

in·cen·tive [in'sentiv] **I.** *adj.* anspornend, antreibend, anreizend: ~ *bonus* † Leistungsprämie; ~ *pay* höherer Lohn für höhere Leistung; **II.** *s.* Ansporn *m*, Antrieb *m*, († Leistungs)Anreiz *m*.

in·cep·tion [in'sepʃən] *s.* **1.** Beginn *m*, Anfang *m*; **2.** *Brit. univ.* (*Cambridge*) Promoti'on *f*; **in'cep·tive** [-ptiv] *adj.* **1.** beginnend, anfangend, Anfangs...; **2.** *ling.* den Beginn bezeichnend: ~ *verb* inchoatives Verb.

in·cer·ti·tude [in'sə:titju:d] *s.* Ungewißheit *f*, Zweifelhaftigkeit *f*.

in·ces·sant [in'sesnt] *adj.* □ unaufhörlich, unablässig, ständig.

in·cest ['insest] *s.* Blutschande *f*; **in·ces·tu·ous** [in'sestjuəs] *adj.* □ **1.** der Blutschande schuldig; **2.** blutschänderisch.

inch [intʃ] **I.** *s.* **1.** Zoll *m* (= *2,54 cm*): ~ *stick* Zollstock; *every* ~ jeder Zoll, völlig, durch u. durch; *an* ~ *of rain* ein Zoll Regen; *a man of your* ~*es* ein Mann von Ihrer Statur; **2.** Stückchen *n*, *ein* bißchen: *by* ~*es* bruchstückweise, langsam, allmählich; *not to yield an* ~ nicht einen Zoll *od.* nicht im geringsten weichen *od.* nachgeben; *within an* ~ um ein Haar, fast; *flogged within an* ~ *of his life* fast zu Tode geprügelt; *give him an* ~ *and he'll take an ell* gibt man ihm den kleinen Finger, so nimmt er die ganze Hand; **II.** *adj.* **3.** ...zöllig: *a two-*~ *rope*; **III.** *v/t. u. v/i.* **4.** (sich) sehr langsam vorwärtsbewegen: *to* ~ *one's way through* sich langsam durchschlängeln; **inched** [intʃt] *adj. in Zssgn* ...zöllig.

in·cho·ate ['inkoueit] *adj.* **1.** angefangen, anfangend, Anfangs...; **2.** 'unvoll,ständig, rudimen'tär; '**in·cho·a·tive** [-tiv] **I.** *adj.* **1.** → *inchoate 1*; **2.** → *inceptive 2*; **II.** *s.* **3.** inchoa'tives Verb.

in·ci·dence ['insidəns] *s.* **1.** Ein-, Auftreten *n*, Vorkommen *n*; **2.** Auftreffen *n*, *opt.* Einfall *m* (*upon* auf *acc.*); → *angle*[1] *1*; **3.** Verbreitung *f*, -teilung *f*, Ausdehnung *f*, Gebiet *n*: ~ *of taxation* Besteuerung; '**in·ci·dent** [-nt] **I.** *adj.* **1.** (*to*) vorkommend (bei *od.* in *dat.*), verbunden (mit), eigen (*dat.*); **2.** *phys.* ein-, auffallend (*upon* auf *acc.*); **3.** (*to*) zugehörig (*dat.*), zs.-hängend (mit), abhängig (von); **II.** *s.* **4.** Vorfall *m*, 'Umstand *m*, Ereignis *n*: *full of* ~ ereignisreich; **5.** Zwischenfall *m* (*a. pol.*); **6.** *thea. etc.* Zwischenhandlung *f*, Epi'sode *f*; **7.** 'Neben,umstand *m*, -sache *f*; **8.** ⚖ *et.* Zugehöriges (*Verpflichtung od. Anrecht*); **in·ci·den·tal** [insi'dentl] **I.** *adj.* □ **1.** (*to*) gehörig (zu), verbunden (mit); **2.** folgend (*upon* auf *acc.*), Nach...; **3.** beiläufig, zufällig, gelegentlich, Begleit..., nebensächlich, Neben...: ~ *earnings* Nebeneinkommen, -verdienst; ~ *expenses* Nebenausgaben; ~ *music* Schauspiel-, Filmmusik, musikalischer Hintergrund; **II.** *s.* **4.** Zufälligkeit *f*, Nebensächlichkeit *f*; **5.** *pl.* † Nebenausgaben *pl.*; **in·ci·den·tal·ly** [insi'dentli] *adv.* **1.** beiläufig, neben'bei, zufällig; **2.** neben'bei bemerkt, übrigens.

in·cin·er·ate [in'sinəreit] *v/t.* einäschern, (zu Asche) verbrennen; **in·cin·er·a·tion** [insinə'reiʃən] *s.* Einäscherung *f*, Verbrennung *f*; **in'cin·er·a·tor** [-tə] *s.* Verbrennungsofen *m* (*für Abfälle*).

in·cip·i·ence [in'sipiəns], **in'cip·i·en·cy** [-si] *s.* Anfang *m*; 'Anfangs,stadium *n*; **in'cip·i·ent** [-nt] *adj.* □ anfangend, beginnend, einleitend; **in'cip·i·ent·ly** [-ntli] *adv.* anfänglich.

in·cise [in'saiz] *v/t.* **1.** einschneiden in (*acc.*), aufschneiden (*a.* ⚕): ~*d wound* Schnittwunde; **2.** einritzen, einschnitzen; einkerben; **in·ci·sion** [in'siʒən] *s. a.* ⚕ (Ein)Schnitt *m*; Kerbe *f*; **in'ci·sive** [-aisiv] *adj.* □ *fig.* **1.** scharf (*Verstand*); prä'gnant, ausgeprägt (*Stil etc.*); **2.** beißend, spöttisch; **in'ci·sive·ness** [-aisivnis] *s. fig.* Schärfe *f*; **in'ci·sor** [-zə] *s. anat.* Schneidezahn *m*.

in·ci·ta·tion [insai'teiʃən] *s.* **1.** Anregung *f*, Ansporn *m*, Antrieb *m*; **2.** Aufhetzung *f*; Anstiftung *f*; **in·cite** [in'sait] *v/t.* **1.** anregen (*a.* ⚕), anspornen, antreiben; **2.** aufhetzen; anstiften (*to* zu); **in·cite·ment** [in'saitmənt] → *incitation*.

in·ci·vil·i·ty [insi'viliti] *s.* Unhöflichkeit *f*, Grobheit *f*.

in·ci·vism ['insivizəm] *s.* Mangel *m* an Bürgersinn *od.* Patrio'tismus.

'**in-clear·ing** *s.* † *Brit.* Gesamtbetrag *m* der auf e-e Bank laufenden Schecks, Abrechnungsbetrag *m*.

in·clem·en·cy [in'klemənsi] *s.* Rauheit *f*, Unfreundlichkeit *f*: ~ *of the weather* Unbilden der Witterung; **in'clem·ent** [-nt] *adj.* □ rauh, unfreundlich, streng (*Klima*).

in·clin·a·ble [in'klainəbl] *adj.* **1.** geneigt, bereit (*to* zu); **2.** zugetan, günstig (gesinnt) (*to dat.*); **3.** ⊕ schrägstellbar.

in·cli·na·tion [inkli'neiʃən] *s.* **1.** *fig.* Neigung *f*, Vorliebe *f*, Hang *m* (*to*, *for* zu): ~ *to buy* † Kauflust; ~ *to stoutness* Anlage zur Korpulenz; **2.** *fig.* Zuneigung *f*, Liebe *f* (*for* zu); **3.** Neigung *f*, Schrägstellung *f*, Senkung *f*; Abhang *m*; **4.** *ast.*, *phys.* Inklinati'on *f*; **in·cline** [in'klain] **I.** *v/i.* **1.** hinneigen, (dazu) neigen (*to*, *toward* zu; *to do* zu tun): *to* ~ *to an opinion* zu e-r Meinung neigen; **2.** Anlage haben (*to* zu): *to* ~ *to leanness*; *to* ~ *to red* ins Rötliche spielen; **3.** sich (schräg) neigen, abfallen, schief stehen; **4.** (*to*) geneigt sein (*dat.*), begünstigen (*acc.*); **II.** *v/t.* **5.** veranlassen, bewegen (*to* zu; *to do* zu tun): *this* ~*s me to the view* dies bringt mich zu der Ansicht; **6.** neigen, beugen, senken: *to* ~ *one's ear to* sein Ohr leihen (*dat.*); **7.** schräg stellen; **III.** *s.* **8.** Neigung *f*, Abdachung *f*, Abhang *m*: *double* ~ 🚂 Ablaufberg; **in·clined** [in'klaind] *adj.* **1.** geneigt, aufgelegt (*to* zu): *to be* ~ (dazu) aufgelegt sein, Lust haben; **2.** wohlwollend, -gesinnt (*to dat.*); **3.** veranlagt (*to* zu); **4.** schräg, schief, abschüssig: ~ *plane phys.* schiefe Ebene; **in·cli·nom·e·ter** [inkli'nɔmitə] *s.* **1.** Inklinati'ons,kompaß *m*, -nadel *f*; **2.** ✈ Neigungsmesser *m*.

in·close [in'klouz] → *enclose*.

in·clude [in'klu:d] *v/t.* **1.** einschließen, um'fassen, enthalten; **2.** einbeziehen, erfassen, aufnehmen; **3.** einschließen, einrechnen (*in* in *acc.*), rechnen (*among* unter *acc.*, zu); **in'clud·ed** [-did] *adj.* eingeschlossen, inbegriffen: *tax* ~ einschließlich Steuer; **in'clud·ing** [-diŋ] *prp.* einschließlich (*gen.*); **in'clu·sion** [-u:ʒən] *s.* **1.** Einbeziehung *f*, Einschluß *m* (*a.* ⚗, *min.*); **2.** Erfassung *f*, Aufnahme *f*; **3.** Zugehörigkeit *f* (*in* zu); **in'clu·sive** [-u:siv] *adj.* □ **1.** einschließend (*of acc.*): ~ *of* einschließlich (*gen.*); *to be* ~ *of* einschließen; *Friday* ~ einschließlich Freitag; **2.** alles einschließend, um'fassend: ~ *terms* Pauschalpreis.

in·cog [in'kɔg] F *abbr. für incognito.*

in·cog·ni·to [in'kɔgnitou] **I.** *adv.* **1.** in'kognito, unerkannt: *to travel* ~; **2.** ano'nym: *to do good* ~; **II.** *pl.* **-tos** *s.* **3.** In'kognito *n.*

in·co·her·ence [inkou'hiərəns] *s.* **1.** Zs.-hang(s)losigkeit *f*; **2.** Unvereinbarkeit *f*, 'Widerspruch *m*; **in·co'her·ent** [-nt] *adj.* □ **1.** 'unzu,sammenhängend; **2.** nicht über'einstimmend, unlogisch; **3.** 'widerspruchsvoll, 'inkonse,quent.

in·com·bus·ti·ble [inkəm'bʌstəbl] *adj.* □ unverbrennbar.

in·come ['inkəm] *s.* Einkommen *n*, Einkünfte *pl.*, Einnahmen *pl.* (*from* aus).

in·com·er ['inkʌmə] *s.* **1.** Ankömmling *m*; **2.** Einwanderer *m*, Einwanderin *f*; Zugezogene(r *m*) *f*; **3.** ✝ Nachfolger(in); **4.** Eindringling *m.*

in·come| re·turn *s. Am.* (Einkommen)Steuererklärung *f*; '~**-tax** *s.* Einkommensteuer *f*: ~ *return Brit.* → *income return.*

in·com·ing ['inkʌmiŋ] **I.** *adj.* **1.** her'einkommend: *the* ~ *tide*; **2.** ankommend (*Telephongespräch, Verkehr,* ⚡ *Strom etc.*); **3.** nachfolgend, neu eintretend (*Beamter etc.*): ~ *tenant* neuer Pächter *od.* Mieter; **4.** ✝ **a)** erwachsend (*Nutzen*), **b)** eingehend: ~ *orders* Auftragseingänge; ~ *stocks* Warenzugänge, **c)** fällig (*Zahlungen*); **II.** *s.* **5.** Eintritt *m*, Ankunft *f*; **6.** *pl.* ✝ Eingänge *pl.*, Einkünfte *pl.*

in·com·men·su·ra·bil·i·ty ['inkəmenʃərə'biliti] *s.* **1.** ⩕ Unmeßbarkeit *f*; **2.** Unvergleichbarkeit *f*; **in·com·men·su·ra·ble** [inkə'menʃərəbl] **I.** *adj.* □ **1.** ⩕ **a)** inkommensu'rabel, **b)** 'irratio,nal; **2.** nicht vergleichbar; **II.** *s.* **3.** ⩕ inkommensurable Größe; **in·com·men·su·rate** [inkə'menʃərit] *adj.* □ **1.** (*to*) unangemessen (*dat.*), unvereinbar (mit); **2.** → *incommensurable* 1, 2.

in·com·mode [inkə'moud] *v/t.* belästigen, stören; **in·com'mo·di·ous** [-djəs] *adj.* □ unbequem: **a)** lästig, **b)** beengt.

in·com·mu·ni·ca·ble [inkə'mju:nikəbl] *adj.* □ nicht mitteilbar, nicht auszudrücken(d); **in·com·mu·ni·ca·do** [inkəmju:ni'kɑ:dou] *adj. Am.* **1.** vom Verkehr mit der Außenwelt abgeschnitten; **2.** ⚖ in Einzelhaft; **in·com'mu·ni·ca·tive** [-ətiv] *adj.* □ nicht mitteilsam, zu'rückhaltend, reserviert.

in·com·mut·a·ble [inkə'mju:təbl] *adj.* □ unwandelbar: ~ *possession* ⚖ unstörbarer Besitz.

in·com·pa·ra·ble [in'kɔmpərəbl] *adj.* □ **1.** nicht vergleichbar, nicht zu vergleichen(d) (*with, to* mit); **2.** unvergleichlich, einzigartig; **in'com·pa·ra·bly** [-bli] *adv.* unvergleichlich.

in·com·pat·i·bil·i·ty ['inkəmpætə'biliti] *s.* Unver'einbarkeit *f*, Unverträglichkeit *f*, Gegensätzlichkeit *f*, 'Widerspruch *m*; **in·com·pat·i·ble** [inkəm'pætəbl] *adj.* □ **1.** unver'einbar; wider'sprechend: *to be* ~ kollidieren; **2.** unverträglich, nicht zs.-passend.

in·com·pe·tence [in'kɔmpitəns], **in'com·pe·ten·cy** [-si] *s.* **1.** Unfähigkeit *f*, Untüchtigkeit *f*; **2.** *bsd.* ⚖ Unzuständigkeit *f*; Unbefugtheit *f*; **3.** Unzulässigkeit *f*; **4.** Unzulänglichkeit *f*; **in'com·pe·tent** [-nt] *adj.* □ **1.** unfähig, untüchtig; **2.** ungeeignet; **3.** *bsd.* ⚖ unbefugt, unzuständig, 'inkompe,tent; **4.** ⚖ unzurechnungsfähig, geschäftsunfähig; **5.** unzulässig (*a.* ⚖ *Beweis, Zeuge*); mangelhaft.

in·com·plete [inkəm'pli:t] *adj.* □ **1.** 'unvoll,ständig, 'unvoll,endet; **2.** 'unvoll,kommen, lückenhaft, mangelhaft; **in·com'plete·ness** [-nis] *s.* 'Unvoll,ständigkeit *f*, 'Unvoll,kommenheit *f.*

in·com·pre·hen·si·bil·i·ty [inkɔmprihensə'biliti] *s.* Unbegreiflichkeit *f*; **in·com·pre·hen·si·ble** [inkɔmpri'hensəbl] *adj.* □ unbegreiflich, unverständlich.

in·com·press·i·ble [inkəm'presəbl] *adj.* nicht zs.-drückbar.

in·com·put·a·ble [inkəm'pju:təbl] *adj.* unberechenbar, nicht errechenbar.

in·con·ceiv·a·bil·i·ty ['inkənsi:və'biliti] *s.* Unfaßbarkeit *f*, Unbegreiflichkeit *f*; **in·con·ceiv·a·ble** [inkən'si:vəbl] *adj.* □ **1.** unbegreiflich, unfaßbar; **2.** undenkbar.

in·con·clu·sive [inkən'klu:siv] *adj.* □ **1.** nicht über'zeugend *od.* entscheidend, ohne Beweiskraft; **2.** ergebnislos; **in·con'clu·sive·ness** [-nis] *s.* **1.** Mangel *m* an Beweiskraft; **2.** Ergebnislosigkeit *f.*

in·con·gru·i·ty [inkɔŋ'gru(:)iti] *s.* **1.** ,Nichtüber'einstimmung *f*, 'Mißverhältnis *n*, Unver'einbarkeit *f*; **2.** 'Widersinnigkeit *f*; **3.** Ungehörigkeit *f*; **4.** ⩕ 'Inkongru,enz *f*; **in·con·gru·ous** [in'kɔŋgruəs] *adj.* □ **1.** nicht zuein'ander passend, nicht über'einstimmend, unver'einbar; **2.** 'widersinnig, ungereimt; **3.** unangemessen, ungehörig; **4.** ⩕ 'inkongru,ent, nicht deckungsgleich.

in·con·se·quence [in'kɔnsikwəns] *s.* **1.** 'Inkonse,quenz *f*, Folgewidrigkeit *f*; **2.** Belanglosigkeit *f*; **in'con·se·quent** [-nt] *adj.* □ **1.** 'inkonse,quent, folgewidrig, unlogisch; **2.** nicht zur Sache gehörig, 'irrele,vant; **3.** belanglos, unwichtig; **in·con·se·quen·tial** ['inkɔnsi'kwenʃəl] → *inconsequent.*

in·con·sid·er·a·ble [inkən'sidərəbl] *adj.* □ unbedeutend, unerheblich, belanglos, gering(fügig).

in·con·sid·er·ate [inkən'sidərit] *adj.* □ **1.** rücksichtslos, taktlos (*towards* gegen); **2.** unbedacht, 'unüber,legt; **in·con'sid·er·ate·ness** [-nis] *s.* **1.** Rücksichtslosigkeit *f*; **2.** Unbesonnenheit *f.*

in·con·sist·en·cy [inkən'sistənsi] *s.* **1.** (innerer) 'Widerspruch, Unver'einbarkeit *f*; **2.** 'Inkonse,quenz *f*, Folgewidrigkeit *f*; **3.** Unbeständigkeit *f*, Wankelmut *m*; **in·con'sist·ent** [-nt] *adj.* □ **1.** unver'einbar, wider'sprechend, gegensätzlich; **2.** 'inkonse,quent, folgewidrig, ungereimt; **3.** unbeständig.

in·con·sol·a·ble [inkən'souləbl] *adj.* □ untröstlich.

in·con·spic·u·ous [inkən'spikjuəs] *adj.* □ **1.** unauffällig, unscheinbar; **2.** ⚘ klein, grün (*Blüten*); **in·con'spic·u·ous·ness** [-nis] *s.* Unauffälligkeit *f.*

in·con·stan·cy [in'kɔnstənsi] *s.* **1.** Unbeständigkeit *f*, Veränderlichkeit *f*; **2.** Wankelmut *m*, Treulosigkeit *f*; **3.** Ungleichförmigkeit *f*; **in'con·stant** [-nt] *adj.* □ **1.** unbeständig, unstet; **2.** wankelmütig; **3.** ungleichförmig.

in·con·test·a·ble [inkən'testəbl] *adj.* □ **1.** unbestreitbar, unbestritten; **2.** 'unum,stößlich, 'unwider,leglich.

in·con·ti·nence [in'kɔntinəns] *s.* **1.** (*bsd.* sexu'elle) Unmäßigkeit, Unkeuschheit *f*; **2.** Nicht'haltenkönnen *n*: ~ *of speech* Geschwätzigkeit; ~ *of urine* ⚕ Harnfluß.

in·con·ti·nent[1] [in'kɔntinənt] *adj.* □ **1.** ausschweifend, zügellos, unkeusch; **2.** ,unauf'hörlich; **3.** nicht im'stande zu'rückzuhalten *od.* bei sich zu behalten (*a.* ⚕).

in·con·ti·nent[2] [in'kɔntinənt], **in'con·ti·nent·ly** [-li] *adv. obs.* so'fort, unverzüglich.

in·con·tro·vert·i·ble ['inkɔntrə'və:təbl] *adj.* □ unbestreitbar, unbestritten; zweifellos.

in·con·ven·ience [inkən'vi:njəns] **I.** *s.* Unbequemlichkeit *f*, Lästigkeit *f*, Unannehmlichkeit *f*, Schwierigkeit *f*: *to put s.o. to great* ~ j-m große Ungelegenheiten bereiten; **II.** *v/t.* belästigen, stören, *j-m* lästig sein, *j-m* Unannehmlichkeiten bereiten; **in·con'ven·ient** [-nt] *adj.* □ unbequem, ungelegen, lästig, störend.

in·con·vert·i·bil·i·ty ['inkənvə:tə'biliti] *s.* **1.** Unverwandelbarkeit *f*; **2.** ✝ **a)** ,Nichtkonver'tierbarkeit *f*, Nicht'umwandelbarkeit *f* (*Guthaben*), **b)** Nicht'einlösbarkeit *f* (*Papiergeld*), **c)** Nicht'umsetzbarkeit *f* (*Waren*); **in·con·vert·i·ble** [inkən'və:təbl] *adj.* □ **1.** unverwandelbar; **2.** ✝ **a)** nicht 'umwandelbar, nicht konvertierbar, **b)** nicht einlösbar, **c)** nicht 'umsetzbar.

in·con·vin·ci·ble [inkən'vinsəbl] *adj.* nicht zu über'zeugen(d).

in·cor·po·rate [in'kɔ:pəreit] **I.** *v/t.* **1.** vereinigen, verbinden, zs.-schließen; **2.** (*in, into*) einverleiben (*dat.*), einbauen (in *acc.*); **3.** *Stadt* eingemeinden; **4.** (*in, into*) zu *e-r Körperschaft* vereinigen; *als Mitglied* aufnehmen (in *acc.*); **5.** ⚖ als Körperschaft *od. Am.* als 'Aktiengesellschaft (amtlich) eintragen; **6.** aufnehmen, enthalten, einschließen; **7.** ⊕, ⚗ (ver)mischen; **II.** *v/i.* **8.** sich verbinden *od.* vereinigen; **9.** ⚖ e-e Körperschaft bilden; **10.** ⊕, ⚗ sich vermischen; **III.** *adj.* [-pərit] **11.** (*into, in*) verbunden (mit), einverleibt (in *acc.*); **12.** ⚖ **a)** zu *e-r* Körperschaft verbunden, **b)** amtlich eingetragen: ~ *body* Körperschaft; **in'cor·po·rat·ed** [-tid] *adj.* ⚖ (amtlich) eingetragen: ~ *company Am.* Aktiengesellschaft; **in·cor·po·ra·tion** [inkɔːpəˈreiʃən] *s.* **1.** Vereinigung *f*, Verbindung *f*; **2.** Einverleibung *f*, Aufnahme *f* (*into* in *acc.*); **3.** Eingemeindung *f*; **4.** ⚖ **a)** Bildung *f od.* Gründung *f* e-r Körperschaft: *articles of* ~ *Am.* Satzung (*e-r AG*), **b)** amtliche Eintragung.

in·cor·po·re·al [inkɔːˈpɔːriəl] *adj.* □ **1.** unkörperlich, unstofflich, geistig; **2.** ⚖ nicht greifbar: ~ *hereditament* an e-e Erbschaft geknüpftes Recht.

in·cor·rect [inkəˈrekt] *adj.* □ **1.** unrichtig, ungenau, irrig, falsch; **2.** ˈinkorˌrekt, ungehörig (*Betragen*); **in·corˈrect·ness** [-nis] *s.* **1.** Unrichtigkeit *f*, Fehlerhaftigkeit *f*; **2.** Unschicklichkeit *f*.

in·cor·ri·gi·bil·i·ty [inkɔridʒəˈbiliti] *s.* Unverbesserlichkeit *f*; **in·cor·ri·gi·ble** [inˈkɔridʒəbl] *adj.* □ unverbesserlich.

in·cor·rupt·i·bil·i·ty [ˈinkərʌptəˈbiliti] *s.* **1.** Unbestechlichkeit *f*; **2.** Unverderblichkeit *f*; **in·cor·rupt·i·ble** [inkəˈrʌptəbl] *adj.* □ **1.** unbestechlich, redlich; **2.** unverderblich, unvergänglich; **in·cor·rup·tion** [ˈinkərʌpʃən] *s.* **1.** Unbestechlichkeit *f*; **2.** Unverderbtheit *f*; **3.** *bibl.* Unvergänglichkeit *f*.

in·crease [inˈkriːs] **I.** *v/i.* **1.** zunehmen, sich vermehren, größer werden, (an)wachsen: *to* ~ *in size* an Größe zunehmen; ~*d demand* Mehrbedarf; **2.** steigen (*Preise*); sich steigern *od.* vergrößern *od.* verstärken *od.* erhöhen; **II.** *v/t.* **3.** vergrößern, verstärken, vermehren, erhöhen, steigern: *to* ~ *tenfold* verzehnfachen; **III.** *s.* [ˈinkriːs] **4.** Vergrößerung *f*, Vermehrung *f*, Verstärkung *f*, Erhöhung *f*, Zunahme *f*, (An)Wachsen *n*, Zuwachs *m*, Wachstum *n*, Steigen *n*, Steigerung *f*, Erhöhung *f*: *on the* ~ im Zunehmen; *to be on the* ~ zunehmen; ~ *in wages* ✝ Lohnerhöhung, -steigerung; ~ *of trade* Zunahme *od.* Aufschwung des Handels; **5.** Ertrag *m*, Gewinn *m*; **inˈcreas·ing·ly** [-siŋli] *adv.* immer mehr: ~ *clear* immer klarer.

in·cred·i·bil·i·ty [inkrediˈbiliti] *s.* **1.** Unglaubhaftigkeit *f*; **2.** Unˈglaublichkeit *f*; **in·cred·i·ble** [inˈkredəbl] *adj.* □ **1.** unglaubhaft; **2.** unvorˈstellbar, unˈglaublich; **in·cred·i·bly** [inˈkredəbli] *adv.* **1.** unglaublich(erweise); **2.** höchst, äußerst.

in·cre·du·li·ty [inkriˈdjuːliti] *s.* Ungläubigkeit *f*, ˈSkepsis *f*; **in·cred·u·lous** [inˈkredjuləs] *adj.* □ ungläubig, ˈskeptisch.

in·cre·ment [ˈinkrimənt] *s.* **1.** Zuwachs *m*, Zunahme *f*; **2.** ✝ Mehrertrag *m*, -einnahme *f*, Gewinn(zuwachs) *m*, Wertzuwachs *m*; **3.** ⩘ Zuwachs *m*, *bsd.* ˈpositives Differentiˈal.

in·crim·i·nate [inˈkrimineit] *v/t.* beschuldigen, belasten: *to* ~ *o.s.* sich belasten; **inˈcrim·i·nat·ing** [-tiŋ] *adj.* belastend; **in·crim·i·na·tion** [inkrimiˈneiʃən] *s.* Beschuldigung *f*; **inˈcrim·i·na·to·ry** [-nətəri] → *incriminating*.

in·crust [inˈkrʌst] → *encrust*.

in·crus·ta·tion [inkrʌsˈteiʃən] *s.* **1.** ⊕ **a)** Inkrustatiˈon *f*, Kruste *f*, **b)** Kesselstein(bildung *f*) *m*; **2.** Verkleidung *f*, Belag *m* (*Wand*); **3.** Einlegearbeit *f*.

in·cu·bate [ˈinkjubeit] **I.** *v/t.* **1.** *Ei* ausbrüten (*a. künstlich*); **2.** im Brutschrank halten; **3.** *fig.* ausbrüten, aushecken; **II.** *v/i.* **4.** brüten; **in·cu·ba·tion** [inkjuˈbeiʃən] *s.* **1.** Ausbrütung *f*, Brüten *n*; **2.** ⚕ Inkubatiˈon *f*: ~ *period* Inkubationszeit; ˈ**in·cu·ba·tor** [-tə] *s.* ˈBrutschrank *m*, -kasten *m*, -appaˌrat *m*.

in·cu·bus [ˈiŋkjubəs] *s.* **1.** ⚕ Alp(-drücken *n*) *m*; **2.** *fig.* Alpdruck *m*.

in·cul·cate [ˈinkʌlkeit] *v/t.* einprägen, einschärfen, einimpfen (*on, in s.o.* j-m); **in·cul·ca·tion** [inkʌlˈkeiʃən] *s.* Einschärfung *f*.

in·cul·pate [ˈinkʌlpeit] *v/t.* **1.** an-, beschuldigen, anklagen; **2.** belasten, tadeln; **in·cul·pa·tion** [inkʌlˈpeiʃən] *s.* **1.** An-, Beschuldigung *f*; **2.** Vorwurf *m*.

in·cum·ben·cy [inˈkʌmbənsi] *s.* **1.** Innehaben *n* e-s Amtes; Amtszeit *f*; **2.** *eccl. Brit.* (Besitz *m* e-r) Pfründe *f*; **3.** *fig.* Obliegenheit *f*; **inˈcum·bent** [-nt] **I.** *adj.* □ **1.** obliegend: *it is* ~ *upon him* es ist s-e Pflicht; **2.** amtierend; **II.** *s.* **3.** *eccl. Brit.* Pfründeninhaber *m*; **4.** Amtsinhaber *m*.

in·cu·nab·u·la [inkju(ː)ˈnæbjulə] *s. pl.* Inkuˈnabeln *pl.*, Wiegendrucke *pl.*

in·cur [inˈkəː] *v/t.* sich *et.* zuziehen; auf sich laden, geraten in (*acc.*): *to* ~ *displeasure* Mißfallen erregen; *to* ~ *debts* Schulden machen; *to* ~ *losses* Verluste erleiden; *to* ~ *liabilities* Verpflichtungen eingehen.

in·cur·a·bil·i·ty [inkjuərəˈbiliti] *s.* Unheilbarkeit *f*; **in·cur·a·ble** [inˈkjuərəbl] **I.** *adj.* □ unheilbar; **II.** *s.* unheilbar Kranke(r *m*) *f*.

in·cu·ri·ous [inˈkjuəriəs] *adj.* □ **1.** nicht neugierig, gleichgültig, uninteressiert; **2.** ˈuninteresˌsant.

in·cur·sion [inˈkəːʃən] *s.* **1.** (feindlicher) Einfall, Raubzug *m*; **2.** Eindringen *n* (*a. fig.*); **3.** Einbruch *m*, -griff *m*.

in·curve [ˈinˈkəːv] *v/t.* (nach innen) krümmen, (ein)biegen.

in·cuse [inˈkjuːz] **I.** *adj.* eingeprägt, -gehämmert; **II.** *s.* (Auf)Prägung *f* (*bsd. Münze*); **III.** *v/t.* prägen.

in·debt·ed [inˈdetid] *adj.* **1.** verschuldet; **2.** zu Dank verpflichtet: *I am* ~ *to you for* ich habe Ihnen zu danken für; **inˈdebt·ed·ness** [-nis] *s.* **1.** Verschuldung *f*, Schulden *pl.*; **2.** Dankesschuld *f*, Verpflichtung *f*.

in·de·cen·cy [inˈdiːsnsi] *s.* **1.** Unanständigkeit *f*, Anstößigkeit *f*; **2.** Zote *f*; **inˈde·cent** [-nt] *adj.* □ **1.** unanständig, anstößig; *a.* ⚖ unsittlich, unzüchtig; **2.** ungebührlich: ~ *haste* unziemliche Hast.

in·de·ci·pher·a·ble [indiˈsaifərəbl] *adj.* nicht zu entziffern(d).

in·de·ci·sion [indiˈsiʒən] *s.* Unentschlossenheit *f*, Unschlüssigkeit *f*; **in·deˈci·sive** [-ˈsaisiv] *adj.* □ **1.** nicht entscheidend: *an* ~ *battle*; **2.** unentschlossen, unschlüssig, schwankend; **3.** unbestimmt.

in·de·clin·a·ble [indiˈklainəbl] *adj. ling.* undeklinierbar.

in·de·com·pos·a·ble [ˈindiːkəmˈpouzəbl] *adj.* unzerlegbar (*into* in *acc.*).

in·dec·o·rous [inˈdekərəs] *adj.* □ unschicklich, unanständig, ungehörig; **in·de·co·rum** [indiˈkɔːrəm] *s.* Unschicklichkeit *f*, Ungehörigkeit *f*.

in·deed [inˈdiːd] **I.** *adv.* **1.** in der Tat, tatsächlich, wirklich: *very long* ~ wirklich sehr lang; *yes,* ~*!* ja tatsächlich!; *thank you very much* ~*!* vielen herzlichen Dank!; **2.** soˈgar: ~ *I am quite sure* ich bin sogar ganz sicher; *who is she,* ~*!* Sie fragen noch, wer sie ist?; **3.** allerˈdings, freilich: *this is* ~ *an exception* das ist freilich e-e Ausnahme; *if* ~ wenn überhaupt; **II.** *int.* **4.** *a. yes,* ~*!* ach wirklich!, was Sie nicht sagen!, ich muß schon sagen!, nicht möglich!

in·de·fat·i·ga·ble [indiˈfætigəbl] *adj.* □ unermüdlich.

in·de·fea·si·ble [indiˈfiːzəbl] *adj.* □ ⚖ unverletzlich, unantastbar.

in·de·fect·i·ble [indiˈfektəbl] *adj.* **1.** nicht verfallend, unvergänglich; **2.** unfehlbar.

in·de·fen·si·ble [indiˈfensəbl] *adj.* □ unhaltbar: **a)** ⚔ nicht zu verteidigen(d) *od.* zu halten(d), **b)** *fig.* nicht zu rechtfertigen(d), unentschuldbar.

in·de·fin·a·ble [indiˈfainəbl] *adj.* □ undefinierbar: **a)** unbestimmbar, **b)** unbestimmt.

in·def·i·nite [inˈdefinit] *adj.* □ **1.** unbestimmt (*a. ling.*); **2.** unbegrenzt, unbeschränkt; **3.** unklar, undeutlich, ungenau; **inˈdef·i·nite·ly** [-li] *adv.* **1.** auf unbestimmte Zeit; **2.** unbegrenzt; **inˈdef·i·nite·ness** [-nis] *s.* **1.** Unbestimmtheit *f*; **2.** Unbegrenztheit *f*.

in·de·his·cent [indiˈhisnt] *adj.* ⚘ nicht aufspringend.

in·del·i·ble [inˈdelibl] *adj.* □ unauslöschlich (*a. fig.*); untilgbar: ~ *ink* wasserfeste Tinte *od.* Tusche, Zeichentinte; ~ *pencil* Tintenstift.

in·del·i·ca·cy [inˈdelikəsi] *s.* **1.** Unanständigkeit *f*, Unfeinheit *f*; **2.** Taktlosigkeit *f*; **inˈdel·i·cate** [-kit] *adj.* □ **1.** unanständig, unfein, derb; **2.** taktlos.

in·dem·ni·fi·ca·tion [indemnifiˈkeiʃən] *s.* **1.** ✝ Entschädigung *f*, Ersatzleistung *f*; **2.** Sicherstellung *f* (*a.* ⚖), Schadloshaltung *f*; **in·dem·ni·fy** [inˈdemnifai] *v/t.* **1.** entschädigen, schadlos halten (*for* für); **2.** sicherstellen, sichern (*from, against* gegen); **3.** ⚖ der Verantwortlichkeit entbinden, *j-m* Straflosigkeit zusichern, *j-m* Entlastung erteilen; **in·dem·ni·ty** [inˈdemniti] *s.* **1.** ✝ **a)** Schadensersatz *m*, Entschädigung *f*, **b)** Entschädigungsbetrag *m*, Abfindung *f*: *war* ~ Kriegsentschädigung, **c)** Sicherstellung *f*: ~ *bond Am.* Ausfallbürgschaft; **2.** ⚖ Straflosigkeit *f*; **3.** *pol.* nachträgliche Entlastung, Indemniˈtät *f*.

in·dent[1] [inˈdent] **I.** *v/t.* **1.** (ein-, aus)kerben, auszacken: ~*ed coastline* zerklüftete Küste; **2.** ⊕ (ver-)zahnen; **3.** *typ. Zeile* einrücken; **4.**

⚖ *Vertrag* mit Doppel ausfertigen; **5.** † *Waren* bestellen; **II.** *v/i.* **6.** (*upon s.o. for s.th.*) (et. bei j-m) bestellen, (et. von j-m) anfordern; **III.** *s.* ['indent] **7.** Kerbe *f*, Einschnitt *m*, Auszackung *f*; **8.** *typ.* Einzug *m*; **9.** ⚖ Vertragsurkunde *f*; **10.** † (Auslands)Auftrag *m*; **11.** ⚔ *Brit.* Anforderung *f* (*von Vorräten*).

in·dent[2] [in'dent] **I.** *v/t.* eindrücken, einprägen; **II.** *s.* [*a.* 'indent] Delle *f*, Vertiefung *f*.

in·den·ta·tion [inden'teiʃən] *s.* **1.** Einschnitt *m*, Einkerbung *f*; Auszackung *f*, 'Zickzackˌlinie *f*; **2.** ⊕ Zahnung *f*; **3.** Einbuchtung *f*; Bucht *f*; **4.** *typ.* **a)** Einzug *m*, **b)** Absatz *m*; **5.** Vertiefung *f*, Delle *f*; **in·dent·ed** [in'dentid] *adj.* **1.** (aus)gezackt; **2.** † vertraglich verpflichtet; **in·den·tion** [in'denʃən] → *indentation 1, 2, 4*; **in·den·ture** [in'dentʃə] **I.** *s.* **1.** Vertrag *m od.* Urkunde *f* (im Dupli'kat); **2.** †, ⚖ Lehrvertrag *m*, -brief *m*: *to take up one's* ~*s* ausgelernt haben; **3.** amtliche Liste; **4.** → *indentation 1, 2*; **II.** *v/t.* **5.** †, ⚖ durch (*bsd.* Lehr)Vertrag binden, vertraglich verpflichten.

in·de·pend·ence [indi'pendəns] *s.* **1.** Unabhängigkeit *f* (*on, of* von): ♀ *Day Am.* Unabhängigkeitstag (*4. Juli*); **2.** Selbständigkeit *f*; **3.** hinreichendes Einkommen; **in·de·'pend·en·cy** [-si] *s.* **1.** unabhängiger Staat; **2.** ♀ → *Congregationalism*; **in·de'pend·ent** [-nt] **I.** *adj.* □ **1.** unabhängig (*of* von) (*a.* ⚘, *ling.*); selbständig; **2.** finanzi'ell unabhängig: ~ *gentleman* Privatier; *to be* ~ auf eigenen Füßen stehen; **3.** finanzi'ell unabhängig machend: *an* ~ *fortune*; **4.** unbeeinflußt, 'unparˌteiisch; **5.** selbstsicher, -bewußt; eigenmächtig, -ständig; **6.** *pol.* unabhängig, frakti'onslos; **7.** eigen, Einzel...: ~ *suspension mot.* Einzelaufhängung; ~ *fire* ⚔ Einzel-, Schützenfeuer; ~ *axle* ⊕ Schwingachse; **II.** *s.* **8.** ♀ *pol.* Unabhängige(r *m*) *f*, fraktionsloser Abgeordneter, ‚Wilde(r *m*)' *f*; **9.** ♀ → *Congregationalist*.

in-'depth *adj.* tiefschürfend, gründlich: ~ *interview* Tiefeninterview, Intensivbefragung.

in·de·scrib·a·ble [indis'kraibəbl] *adj.* □ **1.** unbeschreiblich; **2.** unbestimmt, undefinierbar.

in·de·struct·i·bil·i·ty ['indistrʌktə'biliti] *s.* Unzerstörbarkeit *f*; **in·de·struct·i·ble** [indis'trʌktəbl] *adj.* □ unzerstörbar; unverwüstlich (*a.* †).

in·de·ter·mi·na·ble [indi'tə:minəbl] *adj.* □ unbestimmbar; undefinierbar; **in·de'ter·mi·nate** [-nit] *adj.* □ unbestimmt (*a.* ⚘), unentschieden, ungewiß, nicht festgelegt; unklar; **in·de'ter·mi·nate·ness** [-nitnis] *s.* Unbestimmtheit *f*; **in·de·ter·mi·na·tion** ['inditə:mi'neiʃən] *s.* Unbestimmtheit *f*; **in·de'ter·min·ism** [-minizəm] *s. phls.* Willensfreiheit *f*.

in·dex ['indeks] **I.** *s. pl.* '**in·dex·es**, **in·di·ces** ['indisi:z] **1.** Inhalts-, Stichwortverzeichnis *n*, Ta'belle *f*, Re'gister *n*, 'Index *m*; **2.** Kar'tei *f*: ~ *file* Kartei; **3.** ⊕ (An)Zeiger *m*; Zunge *f* (*Waage*); **4.** *typ.* Hand(zeichen *n*) *f*; **5.** *fig.* **a)** Zeichen *n* (*of* für, von *od. gen.*), **b)** Fingerzeig *m*, Hinweis *m*; Maß *n*; **6.** Meßzahl *f*, Schlüssel *m*; † Index *m*: *cost of living* ~ Lebenskosten-, Lebenshaltungsindex; **7.** ⚘ **a)** Kennziffer *f*, **b)** Expo'nent *m*; **8.** *bsd. eccl.* Index *m* (*verbotener Bücher*); **9.** → *index finger*; **II.** *v/t.* **10.** mit e-m Inhaltsverzeichnis versehen; **11.** in ein Verzeichnis aufnehmen; **12.** *eccl.* auf den Index setzen; **13.** ⊕ *Revolverkopf* schalten: ~*ing wheel* Schaltrad; '**in·dex·er** [-ksə] *s.* 'Indexverfasser *m*.

in·dex| fin·ger *s.* Zeigefinger *m*; ~ **num·ber** *s. Statistik*: 'Index-, Meß-, Vergleichszahl *f*; ~ **of re·frac·tion** *s. opt.* 'Brechungsˌindex *m*, -expoˌnent *m*.

In·di·a| ink ['indjə] → *Indian ink*; '~**·man** [-mən] *s.* [*irr.*] (Ost)'Indienfahrer *m* (*Schiff*).

In·di·an ['indjən] **I.** *adj.* **1.** (ost)'indisch; **2.** *bsd. Am.* indi'anisch; **3.** *Am.* Mais...; **II.** *s.* **4. a)** Inder(in), **b)** Ost'indier(in); **5.** *bsd. Am.* Indi'aner(in); ~ **club** *s. Turnen*: Keule *f*; ~ **corn** *s.* Mais *m*; ~ **file** *s.*: *in* ~ im Gänsemarsch; ~ **ink** *s.* chi'nesische Tusche; ~ **meal** *s.* Maismehl *n*; ~ **pa·per** → *India paper*; ~ **pud·ding** *s. Am.* Maismehlpudding *m*; ~ **sum·mer** *s.* Alt'weiber-, Nachsommer *m*.

In·di·a Of·fice *s. Brit.* Reichsamt *n* für Indien (*bis 1947*); ~ **pa·per** *s.* 'Dünndruckpaˌpier *n*; '♀-'**rub·ber** *s.* **1.** 'Kautschuk *m*, 'Gummi *n*, *m*: ~ *ball* Gummiball; ~ *tree*; **2.** Ra'dierˌgummi *m*.

In·dic ['indik] *adj. ling.* indisch (*den indischen Zweig der indo-iranischen Sprachen betreffend*).

in·di·cate ['indikeit] *v/t.* **1.** anzeigen, angeben, bezeichnen; **2.** andeuten, zeigen, hinweisen auf (*acc.*); **3.** ⚕ indizieren, erfordern: *to be* ~*d* indiziert sein, *fig.* angezeigt *od.* angebracht sein; **4.** ⊕ indizieren, anzeigen, (*durch Zähler*) nachweisen; **in·di·ca·tion** [indi'keiʃən] *s.* **1.** Anzeige *f*, Angabe *f*: *to give* ~ *of* (an-) zeigen; **2.** (An)Zeichen *n*, Anhaltspunkt *m* (*of* für); **3.** Hinweis *m* (*of* auf *acc.*); Andeutung *f*: *there is every* ~ alles deutet darauf hin; **4.** ⚕ **a)** Indikati'on *f*, **b)** Sym'ptom *n*; **5.** ⊕ Grad *m*, Stand *m*; **in·dic·a·tive** [in'dikətiv] **I.** *adj.* □ **1.** anzeigend, andeutend, hinweisend: *to be* ~ *of s.th.* et anzeigen *od.* verraten, auf et. hindeuten, et. zum Ausdruck bringen; **2.** *ling.* 'indikaˌtivisch: ~ *mood* → *3*; **II.** *s.* **3.** *ling.* 'Indikativ *m*, Wirklichkeitsform *f*; **in·di·ca·tor** [-tə] *s.* **1.** Anzeiger *m*; Anzeigetafel *f*, -gerät *n*; **2.** ⊕ **a)** Zeiger *m*, **b)** Anzeiger *m*, Zähler *m*, (*Leistungs*-) Messer *m*, **c)** Schauzeichen *n*, **d)** *mot.* Richtungsanzeiger *m*: *flashing* ~ Blinker, **e)** *a.* ~ *telegraph* 'Zeigerteleˌgraph *m*; **3.** *fig.* → *index 4*; **in·di·ca·to·ry** [in'dikətəri] *adj.* (*of*) anzeigend (*acc.*), hinweisend (auf *acc.*).

in·di·ces ['indisi:z] *pl. von index.*

in·di·ci·um [in'diʃiəm] *pl.* **-ci·a** [-ə] *s. Am.* (*statt Briefmarke*) aufgedruckter Freimachungsvermerk.

in·dict [in'dait] *v/t.* ⚖ anklagen (*for* wegen); **in'dict·a·ble** [-təbl] *adj.* ⚖ straffällig (*Person*), **b)** strafbar (*Handlung*); **in'dict·ment** [-mənt] *s.* ⚖ **1.** Anklage(beschluß *m*) *f*; **2.** Anklageschrift *f*.

in·dif·fer·ence [in'difrəns] *s.* **1.** (*to*) Gleichgültigkeit *f* (gegen), Inter'esselosigkeit *f* (gegen'über); **2.** Unwichtigkeit *f*: *it is a matter of* ~ es ist belanglos; **3.** Mittelmäßigkeit *f*; **4.** Neutrali'tät *f*; **in'dif·fer·ent** [-nt] *adj.* □ → *indifferently*; **1.** (*to*) gleichgültig (gegen); inter'esselos (gegenüber); **2.** 'unparˌteiisch; **3.** mittelmäßig, leidlich: ~ *quality*; **4.** mäßig, unbedeutend: *a very* ~ *cook*; **5.** unwichtig; **6.** ⚕, 🝪, *phys.* neu'tral, indiffe'rent; **in'dif·fer·ent·ism** [-ntizəm] *s.* (Neigung *f* zur) Gleichgültigkeit *f*; **in'dif·fer·ent·ly** [-ntli] *adv.* □ **1.** inter'esse-, teilnahmslos; **2.** mittelmäßig; **3.** (sehr) mäßig.

in·di·gence ['indidʒəns] *s.* Armut *f*, Mittellosigkeit *f*.

in·di·gene ['indidʒi:n] *s.* **1.** Eingeborene(r *m*) *f*; **2. a)** einheimisches Tier, **b)** einheimische Pflanze; **in·dig·e·nous** [in'didʒinəs] *adj.* □ **1.** *a.* ⚘, *zo.* eingeboren, einheimisch (*to* in *dat.*); **2.** *fig.* angeboren (*to dat.*).

in·di·gent ['indidʒənt] *adj.* □ arm, bedürftig, mittellos.

in·di·gest·ed [indi'dʒestid] *adj. mst fig.* unverdaut; wirr, 'undurchˌdacht; **in·di·gest·i·bil·i·ty** ['indidʒestə'biliti] *s.* Unverdaulichkeit *f*; **in·di'gest·i·ble** [-təbl] *adj.* □ unverdaulich (*a. fig.*); **in·di'ges·tion** [-tʃən] *s.* ⚕ Verdauungsstörung *f*, Magenverstimmung *f*, verdorbener Magen; **in·di'ges·tive** [-tiv] *adj.* schwerverdaulich.

in·dig·nant [in'dignənt] *adj.* □ (*at*) entrüstet, ungehalten, empört (über *acc.*), peinlich berührt (von); **in·dig·na·tion** [indig'neiʃən] *s.* Entrüstung *f*, Unwille *m*, Empörung *f* (*at* über *acc.*): ~ *meeting* Protestkundgebung.

in·dig·ni·ty [in'digniti] *s.* unwürdige Behandlung, Schmach *f*, Demütigung *f*, Kränkung *f*.

in·di·go ['indigou] *pl.* **-gos** *s.* 'Indigo *m*: ~*-blue* indigoblau; **in·di·got·ic** [indi'gɔtik] *adj.* Indigo...

in·di·rect [indi'rekt] *adj.* □ **1.** 'indiˌrekt: ~ *lighting*; ~ *tax*; ~ *cost* † Gemeinkosten; **2.** nicht di'rekt *od.* gerade: ~ *route* Umweg; ~ *means* Umwege, Umschweife; **3.** *fig.* krumm, unredlich; **4.** *ling.* indirekt, abhängig: ~ *object* indirektes Objekt, Dativobjekt; ~ *question* indirekte Frage; ~ *speech* indirekte Rede; **in·di·rec·tion** [indi'rekʃən] *s.* 'Umweg *m* (*a. fig. b.s. unehrliche Weise*) *by* ~ **a)** indirekt, auf Umwegen, **b)** *fig.* hinten herum, unehrlich; **in·di'rect·ness** [-nis] *s.* **1.** *fig.* 'Umweg *m*; **2.** indirekte Weise; **3.** Unredlichkeit *f*; **4.** Anspielung *f*.

in·dis·cern·i·ble [indi'sə:nəbl] *adj.* □ nicht wahrnehmbar, unmerklich.

in·dis·ci·pline [in'disiplin] *s.* Diszi'plin-, Zuchtlosigkeit *f*.

in·dis·cov·er·a·ble [indis'kʌvərəbl] *adj.* □ nicht zu entdecken(d).

in·dis·creet [indis'kri:t] *adj.* □ **1.** unklug, unbedacht; **2.** taktlos, 'indis,kret; **in·dis'cre·tion** [-reʃən] *s.* **1.** Unklugheit *f*, Unvernunft *f*, 'Unüber,legtheit *f*; **2.** Taktlosigkeit *f*; **3.** Indiskreti'on *f*, Vertrauensbruch *m.*

in·dis·crim·i·nate [indis'kriminit] *adj.* □ wahllos, blind; kri'tiklos, 'unterschiedslos; rücksichtslos; **in·dis'crim·i·nate·ly** [-li] *adv.* **1.** → *indiscriminate*; **2.** ohne 'Unterschied, wahllos, auf gut Glück, aufs Gerate'wohl; **in·dis·crim·i·na·tion** ['indiskrimi'neiʃən] *s.* Wahl-, Kri'tiklosigkeit *f*, Mangel *m* an Urteilskraft.

in·dis·pen·sa·bil·i·ty ['indispensə'biliti] *s.* Unerläßlichkeit *f*, Unentbehrlichkeit *f*; **in·dis·pen·sa·ble** [indis'pensəbl] *adj.* □ **1.** unerläßlich, unentbehrlich (*for, to* für); **2.** ⚔ unabkömmlich; **3.** unbedingt einzuhalten(d) *od.* zu erfüllen(d) (*Pflicht etc.*).

in·dis·pose [indis'pouz] *v/t.* **1.** untauglich machen (*for* zu); **2.** *j-m* abraten (*to do* zu tun); einnehmen (*towards* gegen); **in·dis'posed** [-zd] *adj.* **1.** 'indisponiert, unpäßlich; **2.** (*towards, from*) nicht aufgelegt (zu), abgeneigt (*dat.*); **in·dis·po·si·tion** [indispə'ziʃən] *s.* **1.** Unpäßlichkeit *f*, Unwohlsein *n*; **2.** Abneigung *f*, 'Widerwille *m* (*to, towards* gegen).

in·dis·pu·ta·bil·i·ty ['indispju:tə'biliti] *s.* Unbestreitbarkeit *f*; Unstreitigkeit *f*; **in·dis·pu·ta·ble** [indis'pju:təbl] *adj.* □ **1.** unbestreitbar, unstreitig; **2.** unbestritten.

in·dis·sol·u·bil·i·ty ['indisɔlju'biliti] *s.* Unauflösbarkeit *f*; **in·dis·sol·u·ble** [indi'sɔljubl] *adj.* □ **1.** unauflösbar, untrennbar; **2.** unzertrennlich; **3.** unzerstörbar.

in·dis·tinct [indis'tiŋkt] *adj.* □ **1.** undeutlich, unklar; **2.** verworren, dunkel, verschwommen; **in·dis'tinc·tive** [-tiv] *adj.* □ ohne Eigenart, ausdruckslos; **in·dis'tinct·ness** [-nis] *s.* Undeutlichkeit *f*, Unklarheit *f*, Verschwommenheit *f*.

in·dis·tin·guish·a·ble [indis'tiŋgwiʃəbl] *adj.* □ nicht zu unter'scheiden(d), unmerklich.

in·dite [in'dait] *v/t. Text* abfassen, (nieder)schreiben.

in·di·vid·u·al [indi'vidjuəl] **I.** *adj.* □ → *individually*; **1.** einzeln, Einzel…: *each* ~ *word*; ~ *case* Einzelfall; **2.** für 'eine Per'son bestimmt, eigen, per'sönlich: ~ *attention* persönliche Aufmerksamkeit; ~ *credit* Personalkredit; ~ *property* Privatvermögen; **3.** per'sönlich, eigen(tümlich), individu'ell, bestimmt, charakte'ristisch: *an* ~ *style*; **4.** verschieden: *five* ~ *cups*; **II.** *s.* **5.** Einzelwesen *n*, Einzelne(r) *m*; **6.** *a. contp.* Per'son *f*, Indi'viduum *n*; **in·di'vid·u·al·ism** [-lizəm] *s.* **1.** Individua'lismus *m*; **2.** Ego'ismus *m*; **in·di'vid·u·al·ist** [-list] *s.* Individua'list(in); **in·di·vid·u·al·is·tic** [individjuə'listik] *adj.* (□ ~*ally*) individua'listisch; **in·di·vid·u·al·i·ty** [individju'æliti] *s.* **1.** Individuali'tät *f*, Eigenart *f*; **2.** *phls.* individu'elle Exi'stenz; **in·di·vid·u·al·i·za·tion** [individjuəlai'zeiʃən] *s.* Individualisierung *f*, Einzelbetrachtung *f*; **in·di'vid·u·al·ize** [-laiz] *v/t.* **1.** individualisieren, individu'ell behandeln; **2.** einzeln betrachten; **in·di·vid·u·al·ly** [-əli] *adv.* **1.** einzeln (genommen), für sich; **2.** per'sönlich.

in·di·vis·i·bil·i·ty ['indivizi'biliti] *s.* Unteilbarkeit *f*; **in·di·vis·i·ble** [indi'vizəbl] **I.** *adj.* □ unteilbar; **II.** *s.* ⅍ unteilbare Größe.

Indo- [indou] *in Zssgn* indisch, indo…, Indo…

'In·do-Chi'nese *adj.* indochi'nesisch, 'hinterindisch.

in·doc·ile [in'dousail] *adj.* **1.** ungelehrig; **2.** störrisch, unlenksam; **in·do·cil·i·ty** [indou'siliti] *s.* **1.** Ungelehrigkeit *f*; **2.** Unlenksamkeit *f*.

in·doc·tri·nate [in'dɔktrineit] *v/t.* **1.** unter'weisen, schulen (*in* in *dat.*); **2.** *j-m et.* einprägen, -bleuen, -impfen; **3.** erfüllen (*with* mit); **in·doc·tri·na·tion** [indɔktri'neiʃən] *s.* Unter'weisung *f*, Belehrung *f*, Schulung *f*; **in'doc·tri·na·tor** [-tə] *s.* Lehrer *m*, Instruk'teur *m*.

'In·do|-Eu·ro'pe·an *ling.* **I.** *adj.* **1.** 'indoger'manisch; **II.** *s.* **2.** *ling.* 'Indoger'manisch *n*; **3.** 'Indoger'mane *m*, -ger'manin *f*; **'~-Ger'man·ic** → *Indo-European 1 u.* 2; **'~-I'ra·ni·an** *ling.* **I.** *adj.* 'indoi'ranisch, arisch; **II.** *s.* 'Indo-I'ranisch *n*, Arisch *n*.

in·do·lence ['indələns] *s.* Trägheit *f*, Lässigkeit *f*; **'in·do·lent** [-nt] *adj.* □ indo'lent: **a)** träge, lässig, **b)** ⚕ schmerzlos.

in·dom·i·ta·ble [in'dɔmitəbl] *adj.* □ **1.** unbezähmbar, unbezwinglich, nicht 'unterzukriegen(d); **2.** unbeugsam.

In·do·ne·sian [indou'ni:zjən] **I.** *adj.* indo'nesisch; **II.** *s.* Indo'nesier(in).

in·door ['indɔ:] *adj.* im *od.* zu Hause, Haus…, Zimmer…, Innen…; *sport* Hallen…: ~ *aerial* ⚡ Zimmer-, Innenantenne; ~ *game* Zimmer-, Hallenspiel; ~ *swimming-bath* Hallenbad; **in·doors** ['in'dɔ:z] *adv.* im *od.* zu Hause; ins Haus.

in·dorse [in'dɔ:s] *etc.* → *endorse etc.*

in·du·bi·ta·ble [in'dju:bitəbl] *adj.* □ unzweifelhaft, zweifellos.

in·duce [in'dju:s] *v/t.* **1.** veranlassen, bewegen, über'reden; **2.** verursachen, bewirken, her'beiführen, führen zu, fördern; **3.** ⚡, *Kernphysik*: induzieren, auslösen; **4.** *phls.* ableiten, folgern; **in'duced** [-st] *adj.* ⚡ induziert, sekun'där: ~ *current* Induktionsstrom; **in'duce·ment** [-mənt] *s.* **1.** Anlaß *m*, Beweggrund *m*, Veranlassung *f*; **2.** Anreiz *m* (*to* zu).

in·duct [in'dʌkt] *v/t.* **1.** *in ein Amt etc.* einführen, -setzen; **2.** *j-n* einweihen (*to* in *acc.*); **3.** geleiten (*into* in *acc.*, zu); **4.** ⚔ *Am. zum Militär* einberufen; **in'duct·ance** [-təns] *s.* ⚡ Induk'tanz *f*, induk'tiver 'Widerstand: ~ *coil* Drosselspule; **in·duc·tee** [indʌk'ti:] *s.* ⚔ *Am.* Einberufene(r) *m*, Re'krut *m*; **in'duc·tion** [-kʃən] *s.* **1.** Einführung, -setzung *f*; **2.** ⊕ Zuführung *f*, Einlaß *m*: ~ *pipe* Einlaßrohr; **3.** Her'beiführung *f*, Auslösung *f*; **4.** Einleitung *f*, Beginn *m*; **5.** ⚔ *Am.* Einberufung *f*: ~ *order* Gestellungsbefehl; **6.** Anführung *f* (*Beweise etc.*); **7.** ⚡ Indukti'on *f*, sekun'däre Erregung: ~ *coil* Induktionsspule; ~ *current* Induktionsstrom; ~ *motor* Drehstrommotor; **8.** ⅍, *phys.*, *phls.* Indukti'on *f*; **in'duc·tive** [-tiv] *adj.* □ **1.** ⚡, *phys.*, *phls.* induk'tiv, Induktions…; **2.** ⚕ e-e Reakti'on her'vorrufend; **in'duc·tor** [-tə] *s.* ⚡ In'duktor *m*.

in·dulge [in'dʌldʒ] **I.** *v/t.* **1.** *e-r Neigung etc.* nachgeben, sich hingeben, freien Lauf lassen, frönen; **2.** nachsichtig sein gegen: *to* ~ *s.o. in s.th.* j-m et. nachsehen; **3.** *j-m* nachgeben, will'fahren (*in* in *dat.*): *to* ~ *o.s. in s.th.* sich et. erlauben *od.* gönnen; **4.** erfreuen (*with* durch), *j-m* gefällig sein; **5.** verwöhnen; **6.** ⚚ *j-m* Zahlungsaufschub gewähren; **II.** *v/i.* **7.** sich hingeben, frönen (*in dat.*); **8.** (*in*) sich *et.* erlauben *od.* leisten *od.* gönnen; sich gütlich tun (an *dat.*); **9.** (*in*) sich befassen (mit), sich einlassen (auf *acc.*); **10.** F gern trinken, sich (oft) ‚einen genehmigen'; **in'dul·gence** [-dʒəns] *s.* **1.** Nachsicht *f*, Milde *f*; Duldung *f*, Tole'ranz *f*; **2.** Vergünstigung *f*, Gefälligkeit *f*; **3.** Verwöhnung *f*; **4.** Befriedigung *f* (*Begierde*); Schwelgen *n* (*in* in *dat.*); Hingabe *f* (*in* an *acc.*); Wohlleben *n*; **5.** Gunst *f*, Gefälligkeit *f*; **6.** ⚚ Zahlungsaufschub *m*; **7.** *R.C.* Ablaß *m*: *sale of* ~*s* Ablaßhandel; **in'dul·genced** [-dʒənst] *adj.*: ~ *prayer R.C.* Ablaßgebet; **in'dul·gent** [-dʒənt] *adj.* □ (*to*) nachsichtig, mild (gegen); schonend, sanft (mit).

in·du·rate ['indjuəreit] **I.** *v/t.* **1.** (ver)härten, hart machen; **2.** *fig.* abstumpfen, abhärten (*against, to* gegen); **II.** *v/i.* **3.** hart *od.* fest werden, sich verhärten; **4.** *fig.* abstumpfen, abgehärtet werden; **in·du·ra·tion** [indjuə'reiʃən] *s.* **1.** (Ver)Härtung *f*; **2.** *fig.* Abstumpfung *f*; **3.** Verstocktheit *f*.

in·dus·tri·al [in'dʌstriəl] **I.** *adj.* □ **1.** industri'ell, gewerblich, Industrie…, Fabrik…, Gewerbe…, Wirtschafts…, Betriebs…, Werks…: ~ *accident* Betriebsunfall; ~ *alcohol* denaturierter Alkohol, Industriealkohol; ~ *management* Betriebsführung; ~ *pollution* Umweltverschmutzung durch die Industrie; ~ *product* Industrieerzeugnis; **II.** *s.* **2.** Industri'elle(r) *m*; **3.** *pl.* Indu'strie,aktien *pl.*, -pa,piere *pl.*; ~ **a·re·a** *s.* Indu'striegebiet *n*; ~ **art** *s.* Kunstgewerbe *n*; ~ **as·sur·ance** *s.* Arbeiterlebensversicherung *f*; ~ **court** *s.* ⚖ *Brit.* Arbeitsgericht *n*; ~ **de·sign** *s.* industri'elle Formgebung, Indu'strieform *f*; ~ **dis·ease** *s.* Berufskrankheit *f*; ~ **dis·pute** *s.* ⚚ Arbeitskampf *m*; ~ **goods** *s. pl.* Investiti'onsgüter *pl.*; ~ **hy·giene** *s.* Be'triebshygi,ene *f*.

in·dus·tri·al·ism [in'dʌstriəlizəm] *s.* Industria'lismus *m*; **in'dus·tri·al·ist** [-ist] → *industrial* 2; **in'dus·tri·al·i·za·tion** [indʌstriəlai'zeiʃən] *s.* Industrialisierung *f*; **in·dus·tri·al·ize** [-laiz] *v/t.* industrialisieren.

in·dus·tri·al| med·i·cine *s.* Be'triebsmediˌzin *f*; ~ **na·tion** *s.* Indu'striestaat *m*; ~ **part·ner·ship** *s.* ✝ Gewinnbeteiligung *m* der Arbeitnehmer; ~ **re·la·tions** *s. pl.* Beziehungen *pl.* zwischen Arbeitgeber u. Arbeitnehmer; ~ **re·la·tions court** *s.* ⚖ *Am.* Arbeitsgericht *n*; ~ **rev·o·lu·tion** *s. die* industri'elle Revoluti'on (*bsd. in England*); ~ **school** *s.* **1.** Gewerbeschule *f*; **2.** Besserungs-, Erziehungsanstalt *f*; ~ **town** *s.* Indu'striestadt *f*.

in·dus·tri·ous [in'dʌstriəs] *adj.* □ fleißig, arbeitsam, emsig.

in·dus·try ['indəstri] *s.* **1.** Indu'strie *f* (*bsd. Fabrikation*): *heavy* ~ (*od. industries*) Schwerindustrie; **2.** Indu'strie(zweig *m*) *f*, Branche *f* (*bsd. in Zssgn*): *mining* ~ Bergbau; *tourist* ~ Fremdenverkehrswesen; **3.** Fleiß *m*, Arbeitseifer *m*.

in·dwell ['in'dwel] [*irr.* → *dwell*] **I.** *v/t.* **1.** bewohnen; **II.** *v/i.* (*in*) **2.** wohnen (in *dat.*); **3.** *fig.* innewohnen (*dat.*); **in·dwell·er** ['indwelə] *s. poet.* Bewohner(in).

in·e·bri·ate I. *v/t.* [i'ni:brieit] **1.** betrunken machen; **2.** *fig.* berauschen, trunken machen: ~*d by success* vom Erfolg berauscht; **II.** *s.* [-iit] **3.** Betrunkene(r) *m*; Alko'holiker(in); **III.** *adj.* [-iit] **4.** betrunken, berauscht; **in·e·bri·a·tion** [ini:bri'eiʃən] *s.* Rausch *m*, Trunkenheit *f* (*a. fig.*); **in·e·bri·e·ty** [ini(:)'braiəti] *s.* Trunkenheit *f*; Trunksucht *f*.

in·ed·i·bil·i·ty [inedi'biliti] *s.* Ungenießbarkeit *f*; **in·ed·i·ble** [in'edibl] *adj.* ungenießbar, nicht eßbar.

in·ed·it·ed [in'editid] *adj.* **1.** unveröffentlicht; **2.** ohne Veränderungen her'ausgegeben.

in·ef·fa·ble [in'efəbl] *adj.* □ **1.** unaussprechlich, unbeschreiblich; **2.** (unsagbar) erhaben.

in·ef·face·a·ble [ini'feisəbl] *adj.* □ unauslöschlich.

in·ef·fec·tive [ini'fektiv] *adj.* □ **1.** unwirksam, wirkungs-, fruchtlos; **2.** unfähig, untauglich; **3.** nicht wirkungsvoll; **in·ef'fec·tive·ness** [-nis] *s.* **1.** Wirkungslosigkeit *f*, Erfolglosigkeit *f*; **2.** Untauglichkeit *f*.

in·ef·fec·tu·al [ini'fektjuəl] *adj.* □ **1.** → *ineffective 1 u. 2*; **2.** kraftlos; **in·ef'fec·tu·al·ness** [-nis] *s.* **1.** Wirkungslosigkeit *f*; **2.** Nutzlosigkeit *f*; **3.** Schwäche *f*.

in·ef·fi·ca·cious [inefi'keiʃəs] *adj.* unwirksam; **in·ef·fi·ca·cy** [in'efikəsi] *s.* Unwirksamkeit *f*.

in·ef·fi·cien·cy [ini'fiʃənsi] *s.* **1.** Wirkungs-, Fruchtlosigkeit *f*; **2.** Unfähigkeit *f*, Untauglichkeit *f*; mangelnde Leistungsfähigkeit; schwache Leistung; ✝ 'unratioˌnelles Arbeiten; **3.** Minderwertigkeit *f*; **in·ef'fi·cient** [-nt] *adj.* □ **1.** unwirksam, fruchtlos; **2.** unfähig, untauglich; untüchtig; ✝ 'unratioˌnell; **3.** unbrauchbar, minderwertig.

in·e·las·tic [ini'læstik] *adj.* **1.** 'uneˌlastisch; **2.** *fig.* starr, fest (*Regel etc.*); **3.** *fig.* nicht anpassungsfähig; **in·e·las·tic·i·ty** [inilæs'tisiti] *s.* **1.** Mangel *m* an Eˌlastizi'tät; **2.** *fig.* Starrheit *f*; **3.** *fig.* Mangel *m* an Anpassungsfähigkeit.

in·el·e·gance [in'eligəns] *s.* **1.** 'Uneleˌganz *f*, Unfeinheit *f*; **2.** Form-, Geschmacklosigkeit *f*; **in'el·e·gant** [-nt] *adj.* □ **1.** 'uneleˌgant, unfein; **2.** form-, geschmacklos, roh.

in·el·i·gi·bil·i·ty [inelidʒə'biliti] *s.* **1.** Untauglichkeit *f*, Ungeeignetheit *f*; **2.** Unwählbarkeit *f*, Unwürdigkeit *f*; **in·el·i·gi·ble** [in'elidʒəbl] *adj.* □ **1.** untauglich (*a.* ⚔), ungeeignet; **2.** unwählbar, unwürdig; nicht berechtigt; **3.** unerwünscht: *to be* ~ nicht in Frage kommen.

in·e·luc·ta·ble [ini'lʌktəbl] *adj.* unvermeidlich, unentrinnbar.

in·ept [i'nept] *adj.* □ **1.** unpassend; **2.** albern, dumm; **in'ept·i·tude** [-titju:d] *s.*; **in'ept·ness** [-nis] *s.* **1.** Ungeeignetheit *f*; **2.** Albernheit *f*, Dummheit *f*.

in·e·qual·i·ty [ini(:)'kwɔliti] *s.* **1.** Ungleichheit *f* (*a.* &, *sociol.*), Verschiedenheit *f*; **2.** Ungleichmäßigkeit *f*, Unregelmäßigkeit *f*, Veränderlichkeit *f*; **3.** Unebenheit *f* (*a. fig.*); **4.** *ast.* Abweichung *f*.

in·eq·ui·ta·ble [in'ekwitəbl] *adj.* □ ungerecht, unbillig; **in'eq·ui·ty** [-ti] *s.* Ungerechtigkeit *f*, Unbilligkeit *f*.

in·e·rad·i·ca·ble [ini'rædikəbl] *adj.* □ unausrottbar; tiefsitzend, tief eingewurzelt.

in·e·ras·a·ble [ini'reizəbl] *adj.* □ unauslöschbar, unauslöschlich.

in·er·ra·ble [in'ə:rəbl] *adj.* □ unfehlbar.

in·ert [i'nə:t] *adj.* □ **1.** *phys.* träge: ~ *mass*; **2.** ⚗ 'inakˌtiv: ~ *gas* Inert-, Schutz-, Edelgas; **3.** unwirksam; **4.** *fig.* träge, untätig, schwerfällig, schlaff; **in·er·tia** [i'nə:ʃjə] *s.* **1.** *phys.* (Massen)Trägheit *f*, Beharrungsvermögen *n*: ~ *starter mot.* Schwungkraftanlasser; **2.** *fig.* Faulheit *f*, Untätigkeit *f*; **in·er·tial** [i'nə:ʃjəl] *adj. phys.* Trägheits...; **in'ert·ness** [-nis] *s.* Trägheit *f*, Schlaffheit *f*.

in·es·cap·a·ble [inis'keipəbl] *adj.* □ unvermeidlich: **a)** unentrinnbar, unabwendbar, **b)** zwangsläufig, unweigerlich.

in·es·sen·tial ['ini'senʃəl] **I.** *adj.* unwesentlich, unerheblich, nebensächlich; **II.** *s. et.* Unwesentliches, Nebensache *f*.

in·es·ti·ma·ble [in'estiməbl] *adj.* □ unschätzbar, unbezahlbar.

in·ev·i·ta·bil·i·ty [inevitə'biliti] *s.* Unvermeidlichkeit *f*; **in·ev·i·ta·ble** [in'evitəbl] **I.** *adj.* □ unvermeidlich, 'unumgänglich, unentrinnbar; zwangsläufig; **II.** *s. the* ~ das Unvermeidliche; **in·ev·i·ta·ble·ness** [in'evitəblnis] → *inevitability*.

in·ex·act [inig'zækt] *adj.* □ ungenau; **in·ex'act·i·tude** [-titju:d] *s.*; **in·ex'act·ness** [-nis] *s.* Ungenauigkeit *f*.

in·ex·cus·a·ble [iniks'kju:zəbl] *adj.* □ **1.** unverzeihlich, unentschuldbar; **2.** unverantwortlich; **in·ex'cus·a·bly** [-bli] *adv.* unverzeihlich (-erweise).

in·ex·haust·i·bil·i·ty ['inigzɔ:stə'biliti] *s.* **1.** Unerschöpflichkeit *f*; **2.** Unermüdlichkeit *f*; **in·ex·haust·i·ble** [inig'zɔ:stəbl] *adj.* □ **1.** unerschöpflich; **2.** unermüdlich.

in·ex·o·ra·bil·i·ty [ineksərə'biliti] *s.* Unerbittlichkeit *f*; **in·ex·o·ra·ble** [in'eksərəbl] *adj.* □ unerbittlich.

in·ex·pe·di·en·cy [iniks'pi:djənsi] *s.* **1.** Unzweckmäßigkeit *f*, Untunlichkeit *f*; **2.** Unklugheit *f*; **in·ex'pe·di·ent** [-nt] *adj.* □ **1.** ungeeignet, unzweckmäßig, nicht ratsam; **2.** unklug.

in·ex·pen·sive [iniks'pensiv] *adj.* nicht teuer, preiswert, billig; **in·ex'pen·sive·ness** [-nis] *s.* Billigkeit *f*.

in·ex·pe·ri·ence [iniks'piəriəns] *s.* Unerfahrenheit *f*; **in·ex'pe·ri·enced** [-st] *adj.* unerfahren: ~ *hand* Nichtfachmann.

in·ex·pert [ineks'pə:t] *adj.* □ **1.** ungeübt, unerfahren (*in* in *dat.*); **2.** ungeschickt; **3.** unsachgemäß.

in·ex·pi·a·ble [in'ekspiəbl] *adj.* □ **1.** unsühnbar; **2.** unversöhnlich, unerbittlich.

in·ex·pli·ca·ble [in'eksplikəbl] *adj.* □ unerklärlich, unverständlich; **in'ex·pli·ca·bly** [-bli] *adv.* unerklärlich(erweise).

in·ex·plic·it [iniks'plisit] *adj.* □ nicht deutlich ausgedrückt, nur angedeutet; unklar.

in·ex·plo·sive [iniks'plousiv] *adj.* nicht explo'siv, explosi'onssicher.

in·ex·press·i·ble [iniks'presəbl] **I.** *adj.* □ unaussprechlich, unsäglich; **II.** *s. pl. humor. obs. die* Unaussprechlichen *pl.* (*Hosen*).

in·ex·pres·sive [iniks'presiv] *adj.* □ **1.** ausdruckslos, nichtssagend; **2.** inhaltlos.

in·ex·ten·si·ble [iniks'tensəbl] *adj.* nicht (aus)dehnbar.

in ex·ten·so [in iks'tensou] (*Lat.*) *adv.* vollständig, ungekürzt; ausführlich.

in·ex·tin·guish·a·ble [iniks'tiŋgwiʃəbl] *adj.* □ **1.** un(aus)löschbar; **2.** *fig.* unauslöschlich.

in·ex·tri·ca·ble [in'ekstrikəbl] *adj.* □ **1.** unentwirrbar, un(auf)lösbar; **2.** gänzlich verworren.

in·fal·li·bil·i·ty [infælə'biliti] *s.* Unfehlbarkeit *f* (*a. eccl.*); **in·fal·li·ble** [in'fæləbl] *adj.* □ unfehlbar.

in·fa·mous ['infəməs] *adj.* □ **1.** verrufen, berüchtigt (*for* wegen); **2.** schändlich, niederträchtig, gemein; **3.** F mise'rabel, ‚saumäßig'; **4. a)** ⚖ der bürgerlichen Ehrenrechte verlustig, **b)** entehrend; ehrenrührig: ~ *conduct*; **'in·fa·mous·ness** [-nis] → *infamy* 2; **'in·fa·my** [-mi] *s.* **1.** Ehrlosigkeit *f*, Schande *f*; **2.** Verrufenheit *f*; Schändlichkeit *f*, Niedertracht *f*; **3.** ⚖ Verlust *m* der bürgerlichen Ehrenrechte.

in·fan·cy ['infənsi] *s.* **1.** frühe Kindheit, Säuglingsalter *n*; **2.** ⚖ Minderjährigkeit *f*; **3.** *fig.* 'Anfangsˌstadium *n*: *in its* ~ in den Anfängen *od.* ‚Kinderschuhen' (steckend); **in·fant** ['infənt] **I.** *s.* **1.** Säugling *m*, Baby *n*, kleines Kind; **2.** ⚖ Minderjährige(r *m*) *f*; **II.** *adj.* **3.** Säuglings..., Kleinkinder...: ~ *mortality* Säuglingssterblichkeit; ~*-school Brit. etwa* Vorschule; ~ *welfare* Säuglingsfürsorge; ~ *Jesus* das

Jesuskind; *his* ~ *son* sein kleiner Sohn; **4.** ⚖ minderjährig; **5.** *fig.* jung, in den Anfängen (befindlich).

in·fan·ta [in'fæntə] *s.* In'fantin *f*; **in'fan·te** [-ti] *s.* In'fant *m.*

in·fan·ti·cide [in'fæntisaid] *s.* **1.** Kindesmord *m*; **2.** Kindesmörder (-in).

in·fan·tile ['infəntail] *adj.* **1.** kindlich, Kinder..., Kindes...; **2.** jugendlich; **3.** infan'til, kindisch; ~ **(spi·nal) pa·ral·y·sis** *s.* ⚕ (spi'nale) Kinderlähmung.

in·fan·try ['infəntri] *s.* ⚔ Infante'rie *f*, Fußtruppen *pl.*; '~**man** [-mən] *s.* [*irr.*] ⚔ Infante'rist *m.*

in·farct [in'fɑ:kt] *s.* ⚕ In'farkt *m*: *cardiac* ~ Herzinfarkt.

in·fat·u·ate [in'fætjueit] **I.** *v/t.* betören, verblenden (*with* durch); **in'fat·u·at·ed** [-tid] *adj.* □ **1.** betört, verblendet (*with* durch); **2.** vernarrt (*with* in *acc.*); **in·fat·u·a·tion** [infætju'eiʃən] *s.* **1.** Betörung *f*, Verblendung *f*; **2.** Verliebt-, Vernarrtheit *f.*

in·fect [in'fekt] *v/t.* **1.** ⚕ infizieren, anstecken (*with* mit, *by* durch): *to become* ~*ed* sich anstecken; **2.** *Sitten* verderben; *Luft* verpesten; **3.** *fig.* *j-n* anstecken, beeinflussen; **4.** einflößen (*s.o. with s.th.* j-m et.); **in'fec·tion** [-kʃən] *s.* **1.** ⚕ Infekti'on *f*, Ansteckung *f*: *to catch an* ~ angesteckt werden, sich anstecken; **2.** ⚕ Ansteckungskeim *m*, Gift *n*; **3.** Ansteckung *f*: **a)** Vergiftung *f*, **b)** (*a.* schlechter) Einfluß, Einwirkung *f*; **in'fec·tious** [-kʃəs] *adj.* □ ⚕ ansteckend (*a. fig.*), infekti'ös, über'tragbar; **in'fec·tious·ness** [-kʃəsnis] *s.* das Ansteckende: **a)** ⚕ Über'tragbarkeit *f*, **b)** *fig.* Einfluß *m.*

in·fe·lic·i·tous [infi'lisitəs] *adj.* **1.** unglücklich; **2.** unglücklich (gewählt), ungeschickt (*Worte, Stil*); **in·fe'lic·i·ty** [-ti] *s.* **1.** Unglücklichkeit *f*, Unglück *n*, Elend *n*; **2.** Unangemessenheit *f*; **3.** ungeschickter Ausdruck.

in·fer [in'fə:] **I.** *v/t.* **1.** schließen, folgern, ableiten (*from* aus); **2.** schließen lassen auf (*acc.*), an-, bedeuten; **in'fer·a·ble** [-ə:rəbl] *adj.* zu schließen(d), zu folgern(d), ableitbar (*from* aus); **in·fer·ence** ['infərəns] *s.* (Schluß)Folgerung *f*, (Rück-)Schluß *m*: *to make* ~*s* Schlüsse ziehen; **in·fer·en·tial** [infə'renʃəl] *adj.* □ **1.** zu folgern(d); **2.** folgernd; **3.** gefolgert; **in·fer·en·tial·ly** [infə'renʃəli] *adv.* durch Schlußfolgerung.

in·fe·ri·or [in'fiəriə] **I.** *adj.* **1.** (*to*) 'untergeordnet (*dat.*); niedriger, geringer, geringwertiger (als): *to be* ~ *to s.o.* j-m nachstehen; *he is* ~ *to none* er nimmt es mit jedem auf; **2.** geringer, schwächer (*to* als); **3.** 'untergeordnet, unter, nieder, zweitrangig: *the* ~ *classes* die unteren Stände; ~ *court* ⚖ niederer Gerichtshof; **4.** minderwertig, gering, (mittel)mäßig: ~ *quality*; **5.** unter, tiefer gelegen, Unter...; **6.** *typ.* tiefstehend (*z. B.* H_2); **7.** ~ *planet ast.* unterer Planet (*zwischen Erde u. Sonne*); **II.** *s.* **8.** 'Untergeordnete(r *m*) *f*, Unter'gebene(r *m*) *f*; **9.** Geringere(r *m*) *f*, Schwächere(r *m*) *f.*

in·fe·ri·or·i·ty [infiəri'ɔriti] *s.* **1.** Minderwertigkeit *f*; (*a.* zahlen- *od.* mengenmäßige) Unter'legenheit; **2.** geringerer Stand *od.* Wert; ~ **com·plex** *s. psych.* 'Minderwertigkeitskom,plex *m.*

in·fer·nal [in'fə:nl] *adj.* □ **1.** höllisch, Höllen...: ~ *machine* Höllenmaschine; ~ *regions* Unterwelt; **2.** *fig.* unmenschlich, teuflisch; **3.** F gräßlich, verflucht; **in'fer·no** [-nou] *pl.* **-nos** *s.* In'ferno *n*, Hölle *f.*

in·fer·tile [in'fə:tail] *adj.* unfruchtbar; **in·fer·til·i·ty** [infə:'tiliti] *s.* Unfruchtbarkeit *f.*

in·fest [in'fest] **I.** *v/t.* **1.** heimsuchen, *Ort* unsicher machen; **2.** plagen, verseuchen: ~*ed with* geplagt von, verseucht durch; **3.** *fig.* über'laufen, -'schwemmen, -'fallen: *to be* ~*ed with* wimmeln von; **in·fes·ta·tion** [infes'teiʃən] *s.* **1.** Heimsuchung *f*, (Land)Plage *f*; Belästigung *f*; **2.** *fig.* Über'schwemmung *f.*

in·feu·da·tion [infju(:)'deiʃən] *s.* ⚖, *hist.* **1.** Belehnung *f*; **2.** Zehntverleihung *f* an Laien.

in·fi·del ['infidəl] *eccl.* **I.** *s.* Ungläubige(r *m*) *f*; **II.** *adj.* ungläubig; **in·fi·del·i·ty** [infi'deliti] *s.* **1.** Ungläubigkeit *f*; **2.** (*bsd.* eheliche) Untreue.

in·field ['infi:ld] *s.* **1.** ⚘ **a)** dem Hof nahes Feld, **b)** Ackerland *n*; **2.** *Krikket*: **a)** inneres Spielfeld, **b)** die dort stehenden Fänger; **3.** *Baseball*: **a)** Innenfeld *n*, **b)** Spieler *pl.* im Innenfeld.

in·fight·ing ['infaitiŋ] *s. Boxen*: Nahkampf *m.*

in·fil·trate ['infiltreit] **I.** *v/t.* **1.** (*a.* ⚔) einsickern in (*acc.*), 'durchsickern durch; **2.** durch'setzen, -'tränken; **3.** eindringen lassen, einschmuggeln (*into* in *acc.*); **4.** *pol.* unter'wandern; **II.** *v/i.* **5.** 'durch-, einsickern, eindringen; **6.** *pol.* (*into*) sich einschmuggeln (in *acc.*), unter'wandern (*acc.*); **in·fil·tra·tion** [infil'treiʃən] *s.* **1.** Ein-, Durchsickern *n* (*a.* ⚔); Eindringen *n*; **2.** Durch'tränkung *f*; **3.** *pol.* Unter'wanderung *f*; '**in·fil·tra·tor** [-tə] *s. pol.* Unter'wanderer *m.*

in·fi·nite ['infinit] **I.** *adj.* □ **1.** un'endlich, endlos, unbegrenzt; **2.** ungeheuer, 'allum,fassend; **3.** *mit s. pl.* unzählige *pl.*; **4.** ~ *verb ling.* Verbum infinitum; **II.** *s.* **5.** *das* Unendliche, unendlicher Raum; **6.** *the* ♀ Gott *m*; '**in·fi·nite·ly** [-li] *adv.* **1.** unendlich; ungeheuer; **2.** ~ *variable* ⊕ stufenlos (regelbar).

in·fin·i·tes·i·mal [infini'tesiməl] **I.** *adj.* □ winzig, un'endlich klein; **II.** *s.* unendlich kleine Menge; ~ **cal·cu·lus** *s.* Ⱥ Infinitesi'malrechnung *f.*

in·fin·i·ti·val [infini'taivəl] *adj. ling.* 'infinitivisch, Infinitiv...; **in·fin·i·tive** [in'finitiv] *ling.* **I.** *s.* 'Infinitiv *m*, Nennform *f*; **II.** *adj.* 'infinitivisch: ~ *mood* Infinitiv.

in·fin·i·tude [in'finitju:d] → *infinity 1 u. 2*; **in'fin·i·ty** [-ti] *s.* **1.** Un'endlichkeit *f*, Unbegrenztheit *f*, Unermeßlichkeit *f*; **2.** un'endliche Größe *od.* Zahl; **3.** Ⱥ unendliche Menge *od.* Größe, das Unendliche: *to* ~ bis ins Unendliche, ad infinitum.

in·firm [in'fə:m] *adj.* □ **1.** schwach, gebrechlich; **2.** *a.* ~ *of purpose* wankelmütig, unentschlossen, willensschwach; **in'fir·ma·ry** [-məri] *s.* **1.** Krankenhaus *n*; **2.** Krankenstube *f* (*in Internaten etc.*); ⚔ ('Kranken)Re,vier *n*; **in'fir·mi·ty** [-miti] *s.* **1.** Gebrechlichkeit *f*, (Alters-) Schwäche *f*; Krankheit *f*; **2.** *a.* ~ *of purpose* Cha'rakterschwäche *f*, Unentschlossenheit *f.*

in·fix **I.** *v/t.* [in'fiks] **1.** eintreiben, befestigen; **2.** *fig.* einprägen (*in dat.*); **3.** *ling.* einfügen; **II.** *s.* ['infiks] **4.** *ling.* In'fix *n*, Einfügung *f.*

in·flame [in'fleim] **I.** *v/t.* **1.** *mst* ⚕ entzünden; **2.** *fig.* erregen, entflammen, reizen; ~*d with rage* wutentbrannt; **II.** *v/i.* **3.** sich entzünden (*a.* ⚕), Feuer fangen; **4.** *fig.* entbrennen (*with* vor *dat.*, von); sich erhitzen, in Wut geraten; **in'flamed** [-md] *adj.* entzündet; **in·flam·ma·bil·i·ty** [inflæmə'biliti] *s.* **1.** Brennbarkeit *f*, Entzündlichkeit *f*; **2.** *fig.* Erregbarkeit *f*, Jähzorn *m*; **in·flam·ma·ble** [in'flæməbl] **I.** *adj.* **1.** brennbar, leicht entzündlich; **2.** feuergefährlich; **3.** *fig.* reizbar, jähzornig, hitzig; **II.** *s.* **4.** *pl.* Zündstoffe *pl.*; **in·flam·ma·tion** [inflə'meiʃən] *s.* **1.** ⚕ Entzündung *f*; **2.** Aufflammen *n*; **3.** *fig.* Erregung *f*, Aufregung *f*; **in·flam·ma·to·ry** [in'flæmətəri] *adj.* **1.** ⚕ Entzündungs...; **2.** *fig.* aufrührerisch, Hetz...: ~ *speech.*

in·flat·a·ble [in'fleitəbl] *adj.* aufblasbar, aufzublasen(d): ~ *boat* Schlauchboot; **in·flate** [in'fleit] *v/t.* **1.** aufblasen, aufblähen, mit Luft *etc.* füllen, *Reifen* aufpumpen; **2.** ☤ *Preise* hochtreiben, 'übermäßig steigern; **3.** *fig.* *to be* ~*d* sich aufblähen *od.* wichtig machen; **in'flat·ed** [-tid] *adj.* **1.** aufgebläht, aufgedunsen; **2.** *fig.* aufgeblasen, hochmütig, arro'gant: ~ *with pride* vor Stolz geschwellt; **3.** über'laden (*Stil*); **4.** über'höht (*Preise*); **in'fla·tion** [-eiʃən] *s.* **1.** ☤ Inflati'on *f*: *creeping (galloping)* ~ schleichende (galoppierende) Inflation; *rate of* ~ Inflationsrate; **2.** *fig.* Dünkel *m*, Aufgeblasenheit *f*; **3.** *fig.* Schwülstigkeit *f*; **in'fla·tion·ar·y** [-eiʃnəri] *adj.* ☤ inflatio'när, inflatio'nistisch, Inflations...: ~ *period* Inflationszeit; **in'fla·tion·ism** [-eiʃnizəm] *s.* ☤ Inflatio'nismus *m*; **in'fla·tion·ist** [-eiʃnist] *s.* Anhänger *m* des Inflatio'nismus.

in·flect [in'flekt] *v/t.* **1.** (nach innen) biegen; **2.** *ling.* flektieren, beugen, abwandeln; **in'flec·tion** [-kʃən] *etc.* → *inflexion.*

in·flex·i·bil·i·ty [infleksə'biliti] *s.* **1.** Unbiegsamkeit *f*; **2.** Unbeugsamkeit *f*; **in·flex·i·ble** [in'fleksəbl] *adj.* □ **1.** 'unelastisch, unbiegsam; **2.** *fig.* unbeugsam, starr; **3.** *fig.* unerbittlich.

in·flex·ion [in'flekʃən] *s.* **1.** Biegung *f*, Krümmung *f*; **2.** (me'lodische) Modulati'on; **3.** *ling.* Flexi'on *f*, Beugung *f*, Abwandlung *f*; **in'flex·ion·al** [-ʃənl] *adj. ling.* flektiert; Flexions...

in·flict [in'flikt] *v/t.* **1.** *Leid etc.* zufügen; *Wunde, Niederlage* beibringen, *Schlag* versetzen, *Strafe* auferlegen, zudiktieren (*on, upon dat.*);

2. aufbürden (*on, upon dat.*): *to ~ o.s. on s.o.* sich j-m aufdrängen; **in'flic·tion** [-kʃən] *s.* **1.** Zufügung *f*, Auferlegung *f*; Verhängung *f* (*Strafe*); **2.** Last *f*, Plage *f*; **3.** Heimsuchung *f*, Strafe *f*.

in·flo·res·cence [inflɔː'resns] *s.* **1.** ♀ **a)** Blütenstand *m*, **b)** *coll.* Blüten *pl.*; **2.** *a. fig.* Aufblühen *n*, Blüte *f*.

in·flow ['inflou] → *influx 1*.

in·flu·ence ['influəns] **I.** *s.* **1.** Einfluß *m*, (Ein)Wirkung *f* (*on, upon, over* auf *acc.*, *with* bei); ⚖ Beeinflussung *f*: *to be under s.o.'s ~* unter j-s Einfluß stehen; *under the ~ of drink* unter Alkoholeinfluß; **2.** Einfluß *m*, Macht *f*: *to bring one's ~ to bear* s-n Einfluß geltend machen; **II.** *v/t.* **3.** beeinflussen, (ein)wirken *od.* Einfluß ausüben auf (*acc.*); **4.** bewegen, bestimmen; **in·flu·en·tial** [influ'enʃəl] *adj.* □ **1.** einflußreich; **2.** von (großem) Einfluß (*on* auf *acc.*; *in* in *dat.*).

in·flu·en·za [influ'enzə] *s.* ⚕ Influ'enza *f*, Grippe *f*.

in·flux ['inflʌks] *s.* **1.** Einfließen *n*, Zustrom *m*, Zufluß *m*; **2.** ✝ (*Kapital- etc.*)Zufluß *m*, (Waren)Zufuhr *f*; **3.** Mündung *f* (*Fluß*); **4.** *fig.* Eindringen *n*, -strömen *n*; Zunahme *f*.

in·fold → *enfold*.

in·form [in'fɔːm] **I.** *v/t.* **1.** (*of*) benachrichtigen, in Kenntnis setzen, unter'richten (von), informieren (über *acc*), *j-m* mitteilen (*acc.*): *to keep s.o. ~ed* j-n auf dem laufenden halten; **2.** erfüllen, beseelen (*with* mit); **II.** *v/i.* **3.** *to ~ against s.o.* j-n anzeigen *od.* denunzieren.

in·for·mal [in'fɔːml] *adj.* □ **1.** zwanglos, 'unzeremoni,ell, nicht for'mell *od.* förmlich; ⚖ formlos; **2.** formwidrig, ungehörig; **in·for·mal·i·ty** [infɔː'mæliti] *s.* **1.** Zwanglosigkeit *f*, Ungezwungenheit *f*; **2.** Formfehler *m*.

in·form·ant [in'fɔːmənt] *s.* **1.** Gewährsmann *m*, (Informati'ons-) Quelle *f*; **2.** → *informer*.

in·for·ma·tion [infə'meiʃən] *s.* **1.** Nachricht *f*, Mitteilung *f*, Meldung *f*, Informati'on *f*; **2.** Auskunft *f*, Bescheid *m*, Kenntnis *f*: *to give ~* Auskunft geben; *we have no ~* wir wissen nicht Bescheid; **3.** Erkundigungen *pl.*: *to gather ~* sich erkundigen, Auskünfte einholen; **4.** Unter'weisung *f*: *for your ~* zu Ihrer Kenntnisnahme; **5.** Einzelheiten *pl.*, Angaben *pl.*; **6.** ⚖ Anklage *f*, Anzeige *f*: *to lodge ~ against s.o.* Anklage erheben gegen j-n, j-n anzeigen; *~* **bu·reau** → *information office*; *~* **desk** *s.* Auskunftsschalter *m*; *~* **of·fice** *s.* Auskunftsstelle *f*; Auskunf'tei *f*.

in·form·a·tive [in'fɔːmətiv] *adj.* **1.** belehrend, lehr-, aufschlußreich; **2.** mitteilsam; **in'formed** [-md] *adj.* **1.** unter'richtet, (sach)kundig, erfahren, klug: *~ quarters* unterrichtete Kreise; **2.** erfüllt, beseelt (*with* von); **in'form·er** [-mə] *s.* **1.** Angeber(in), Denunzi'ant(in); **2.** *a. common ~* Spitzel *m*.

in·fra [infrə] *adv.* unten: *vide* (*od.* see) *~* siehe unten (*in Büchern*).

infra- ['infrə] *in Zssgn* unter(halb).

in·frac·tion [in'frækʃən] → *infringement*.

in·fra dig ['infrə'dig] (*Lat. abbr.*) *adv. u. adj.* unter der Würde, unwürdig.

in·fran·gi·ble [in'frændʒibl] *adj.* unzerbrechlich; *fig.* unverletzlich.

'in·fra-'red *adj. phys.* 'infrarot.

in·fra·struc·ture ['infrəstrʌktʃə] *s.* ✝, ⚔ 'Infrastruk,tur *f*, *fig. a.* 'Unterbau *m*.

in·fre·quen·cy [in'friːkwənsi] *s.* **1.** Seltenheit *f*; **2.** Spärlichkeit *f*; **in'fre·quent** [-nt] *adj.* □ **1.** selten; **2.** spärlich.

in·fringe [in'frindʒ] **I.** *v/t.* *Gesetz, Eid etc.* brechen, verletzen, verstoßen gegen; **II.** *v/i.* (*on, upon*) *Rechte etc.* verletzen, eingreifen (in *acc.*); **in'fringe·ment** [-mənt] *s.* (*on, upon*) (*Rechts- etc., a. Patent-*) Verletzung *f*, (*Rechts-, Vertrags-*) Bruch *m*, Über'tretung *f* (*gen.*); Verstoß *m* (gegen).

in·fu·ri·ate [in'fjuərieit] *v/t.* erbosen, wütend machen; **in'fu·ri·at·ing** [-tiŋ] *adj.* ärgerlich, aufreizend.

in·fuse [in'fjuːz] *v/t.* **1.** eingießen; **2.** aufgießen, einweichen, ziehen lassen: *to ~ tea* Tee aufgießen; **3.** *fig.* einflößen (*into dat.*); erfüllen (*with* mit); **in'fus·er** [-zə] *s.*: *tea ~* Tee-Ei; **in'fu·si·ble** [-zəbl] *adj.* ⚗ unschmelzbar; **in'fu·sion** [-ʃən] *s.* **1.** Eingießen *n*, -weichen *n*; **2.** Aufguß *m*; **3.** Zufluß *m*; **4.** *fig.* Einflößung *f*; **5.** Beimischung *f*.

in·fu·so·ri·a [infjuː'zɔːriə] *s. pl. zo.* Infu'sorien *pl.*, Wimpertierchen *pl.*; **in·fu'so·ri·al** [-əl] *adj. zo.* Infusorien...: *~ earth min.* Infusorienerde, Kieselgur; **in·fu'so·ri·an** [-ən] *zo.* **I.** *s.* Wimpertierchen *n*, Infu'sorium *n*; **II.** *adj.* → *infusorial*.

in·gem·i·nate [in'dʒemineit] *v/t.* wieder'holen.

in·gen·ious [in'dʒiːnjəs] *adj.* □ geni'al: **a)** erfinderisch, findig, **b)** geistreich, klug, **c)** sinnreich, kunstvoll, raffiniert: *~ design*; **in'gen·ious·ness** [-nis] → *ingenuity*.

in·gé·nue [ɛ̃ːnʒei'njuː; ɛ̃ʒeny] *s.* **1.** na'ives Mädchen, ‚Unschuld' *f*; **2.** *thea.* Na'ive *f*.

in·ge·nu·i·ty [indʒi'nju(ː)iti] *s.* **1.** Erfindungsgabe *f*, Findigkeit *f*, Geschicklichkeit *f*, Geniali'tät *f*; **2.** sinn- *od.* kunstvolle Ausführung.

in·gen·u·ous [in'dʒenjuəs] *adj.* □ **1.** offen(herzig), treuherzig, unbefangen, aufrichtig; **2.** schlicht, na'iv, einfältig; **in'gen·u·ous·ness** [-nis] *s.* **1.** Offenheit *f*, Treuherzigkeit *f*; **2.** Schlichtheit *f*, Naivi'tät *f*.

in·gest [in'dʒest] *v/t.* *Nahrung* aufnehmen; **in'ges·tion** [-tʃən] *s.* Nahrungsaufnahme *f*, Einnahme *f*.

in·gle ['iŋgl] *s.* **1.** Ka'minfeuer *n*; **2.** Ka'min *m*; **'~-nook** *s. Brit.* Ka'minecke *f*.

in·glo·ri·ous [in'glɔːriəs] *adj.* □ **1.** unrühmlich, schmählich; **2.** *obs.* ruhmlos.

in·go·ing ['ingouiŋ] **I.** *adj.* **1.** eintretend; **2.** ein Amt antretend; **II.** *s.* **3.** Eintreten *n*.

in·got ['iŋgət] *s.* ⊕ Barren *m*, Stange *f*, Block *m*: *~ of gold* Goldbarren; *~ of steel* Stahlblock; *~* **i·ron** *s.* ⊕ Flußstahl *m*, -eisen *n*.

in·graft [in'grɑːft] → *engraft*.

in·grain I. *v/t.* ['in'grein] **1.** in der Wolle *od.* Faser (*farbecht*) färben; **II.** *adj.* [*attr.* 'ingrein; *pred.* in'grein] *adj.* **2.** tief eingewurzelt; **3.** angeboren; **4.** eingefleischt; **'in'grained** [-nd] → *ingrain 2, 3, 4*.

in·grate [in'greit] *obs.* **I.** *adj.* undankbar; **II.** *s.* Undankbare(r *m*) *f*.

in·gra·ti·ate [in'greiʃieit] *v/t.*: *to ~ o.s. with s.o.* sich bei j-m einschmeicheln *od.* lieb Kind machen; **in'gra·ti·at·ing** [-tiŋ] *adj.* □ einnehmend, gewinnend, liebenswürdig.

in·grat·i·tude [in'grætitjuːd] *s.* Undank(barkeit *f*) *m*.

in·gre·di·ent [in'griːdjənt] *s.* (wesentlicher) Bestandteil; Zutat *f*.

in·gress ['ingres] *s.* **1.** Eintritt *m* (*a. ast.*), Eintreten *n* (*into* in *acc.*); **2.** Zutritt *m*, Zugang (*into* zu).

in·grow·ing ['ingrouiŋ] *adj.* ⚕ eingewachsen: *an ~ nail*.

in·gui·nal ['iŋgwinl] *adj.* ⚕ Leisten...

in·gur·gi·tate [in'gəːdʒiteit] *v/t.* *bsd. fig.* verschlingen, schlucken.

in·hab·it [in'hæbit] *v/t.* **1.** bewohnen, wohnen *od.* leben in (*dat.*); **in'hab·it·a·ble** [-təbl] *adj.* bewohnbar; **in'hab·it·an·cy** [-tənsi] *s.* **1.** (ständiger) Aufenthalt; **2.** Wohnrecht *n*; **in'hab·it·ant** [-tənt] *s.* Bewohner(in) (*Haus*), Einwohner(in) (*Ort, Land*).

in·ha·la·tion [inhə'leiʃən] *s.* **1.** Einatmung *f*; **2.** ⚕ Inhalati'on *f*; **inhale** [in'heil] **I.** *v/t.* ⚕ einatmen, inhalieren; **II.** *v/i.* inhalieren (*bsd. beim Rauchen*); **in·hal·er** [in'heilə] *s.* **1.** ⚕ Inhalati'onsappa,rat *m*; **2.** Luftreiniger *m*.

in·har·mo·ni·ous [inhɑː'mounjəs] *adj.* □ 'unhar,monisch: **a)** 'mißtönend, **b)** *fig.* uneinig.

in·here [in'hiə] *v/i.* (*in*) **1.** innewohnen, anhaften, eigen sein (*dat.*); **2.** zugehören, zustehen (*dat.*) (*Rechte etc.*); **3.** inbegriffen *od.* enthalten sein (in *dat.*); **in'her·ence** [-ərəns] *s.* Innewohnen *n*, Anhaften *n*, Zugehören *n*; **in'her·ent** [-ərənt] *adj.* □ **1.** (*in dat.*) innewohnend, zugehörend, angeboren, eigen; **2.** eingewurzelt; **in'her·ent·ly** [-ərəntli] *adv.* von Na'tur aus, schon an sich.

in·her·it [in'herit] **I.** *v/t.* **1.** ⚖, *biol.*, *fig.* erben; **2.** *biol.*, *fig.* ererben; **II.** *v/i.* **3.** ⚖ erben, Erbe sein; **in'her·it·a·ble** [-təbl] *adj.* **1.** ⚖, *biol.*, *fig.* vererbbar, erblich (*Sache*); **2.** erbfähig, -berechtigt (*Person*); **in'her·it·ance** [-təns] *s.* **1.** ⚖, *fig.* Erbe *n*, Erbschaft *f*, Erbteil *n*: *~ tax Am.* Erbschaftssteuer; **2.** ⚖, *biol.* Vererbung *f*: *by ~* durch Vererbung, erblich; **in'her·it·ed** [-tid] *adj.* ererbt, Erb... (*a. ling.*); **in'her·i·tor** [-tə] *s.* Erbe *m* (*a. fig.*); **in'her·i·tress** [-tris] **in'her·i·trix** [-triks] *s.* Erbin *f*.

in·hib·it [in'hibit] *v/t.* **1.** *et.* hemmen, hindern; **2.** *psych.* *j-n* hemmen; **3.** (*from*) *j-n* zu'rückhalten (von), hindern (an *dat.*); *j-m* unter'sagen; **in·hi·bi·tion** [inhi'biʃən] *s.* **1.** Hemmung *f* (*a.* ⚕ *u. psych.*); **2.** Unter'sagung *f*, Verbot *n*; **3.** ⚖ Unter'sagungsbefehl *m* (*e-e Sache* *weiter zu verfolgen*); **in'hib·i·tor** [-tə] *s.* ⚗, ⊕ Hemmstoff *m*, (*Korrosions- etc.*)Schutzmittel *n*; **in'hib·i·to·ry** [-təri] **1.** hemmend, Hemmungs... (*a.* ⚕ *u. psych.*), hindernd; **2.** unter'sagend.

in·hos·pi·ta·ble [in'hɔspitəbl] *adj.* □ **1.** nicht gastfreundlich, ungastlich; **2.** unwirtlich; **in·hos·pi·tal·i·ty** ['inhɔspi'tæliti] *s.* **1.** Ungast(freund)-lichkeit *f*; **2.** Unwirtlichkeit *f*.

in·hu·man [in'hju:mən] *adj.* □ unmenschlich, grausam; **in·hu·man·i·ty** [inhju(:)'mæniti] *s.* Unmenschlichkeit *f*, Grausamkeit *f*.

in·hu·ma·tion [inhju(:)'meiʃən] *s.* Beerdigung *f*, Bestattung *f*; **in·hume** [in'hju:m] *v/t.* beerdigen, bestatten.

in·im·i·cal [i'nimikəl] *adj.* □ (*to*) **1.** feindlich (gegen); **2.** schädlich, nachteilig (*dat. od.* für).

in·im·i·ta·ble [i'nimitəbl] *adj.* □ unnachahmlich, einzigartig.

in·iq·ui·tous [i'nikwitəs] *adj.* □ **1.** ungerecht; **2.** frevelhaft; **3.** böse, gemein, schändlich; **in'iq·ui·ty** [-ti] *s.* **1.** Ungerechtigkeit *f*; **2.** Niederträchtigkeit *f*; **3.** Schandtat *f*, Frevel *m*, Sünde *f*; Laster *n*.

in·i·tial [i'niʃəl] **I.** *adj.* □ **1.** anfänglich, Anfangs..., Ausgangs..., erst, ursprünglich: ~ *advertising* ✝ Einführungswerbung; ~ *position* ⊕, ⚔ *etc.* Ausgangsstellung; ~ *salary* Anfangsgehalt; ~ *stages* Anfangsstadium; **2.** *ling.* anlautend; **3.** ⊕ Anfangs..., Vor...: ~ *product* Ausgangs-, Vorprodukt; **II.** *s.* **3.** (großer) Anfangsbuchstabe, Initi'ale *f*; **4.** *pl.* Mono'gramm *n*; **5.** *ling.* Anlaut *m*; **III.** *v/t.* **6.** mit Initialen versehen *od.* unter'zeichnen, paraphieren; **7.** mit e-m Monogramm versehen; **in'i·tial·ly** [-ʃəli] *adv.* am *od.* zu Anfang, anfänglich, zu'erst.

in·i·ti·ate I. *v/t.* [i'niʃieit] **1.** beginnen, einleiten, -führen, ins Leben rufen; **2.** *j-n* einweihen, -arbeiten, -führen (*into, in* in *acc.*); **3.** *j-n* einführen, aufnehmen (*into* in *acc.*); **4.** *pol.* als erster beantragen; **II.** *adj.* [-iit] **5.** eingeführt, eingeweiht (*in* in *acc.*); **III.** *s.* [-iit] **6.** Eingeweihte(r *m*) *f*, Kenner(in); **in'i·ti·at·ed** [-tid] *adj.* eingeweiht; **in·i·ti·a·tion** [iniʃi'eiʃən] *s.* **1.** Einleitung *f*, Beginn *m*; **2.** (feierliche) Einführung, -setzung *f*, Aufnahme *f* (*into* in *acc.*); **3.** Einweihung *f*, Weihe *f*.

in·i·ti·a·tive [i'niʃiətiv] **I.** *s.* **1.** Initia'tive *f*: **a)** erster Schritt *od.* Anstoß, Anregung *f*: *to take the* ~ die Initiative ergreifen, den ersten Schritt tun; *on s.o.'s* ~ auf j-s Anregung hin; *on one's own* ~ aus eigenem Antrieb, **b)** Unter'nehmungsgeist *m*; **2.** *pol.* Vorschlags-, Initia'tivrecht *n*; **II.** *adj.* **3.** einleitend; **4.** beginnend.

in·i·ti·a·tor [i'niʃieitə] *s.* Initi'ator *m*, Beginner *m*, Urheber *m*, Anreger *m*; **in'i·ti·a·to·ry** [-iətəri] *adj.* **1.** einleitend; **2.** einweihend, Einweihungs...

in·ject [in'dʒekt] *v/t.* **1.** ⚕ **a)** (*a.* ⊕) einspritzen, **b)** ausspritzen (*with* mit), **c)** e-e Einspritzung machen in (*acc.*); **2.** *fig.* einflößen, einimpfen (*into dat.*); **3.** *Bemerkung* einwerfen.

in·jec·tion [in'dʒekʃən] *s.* **1.** ⚕ Injekti'on *f*: **a)** Einspritzung *f* (*a.* ⊕), Spritze *f*, **b)** *das* Eingespritzte; **2.** ⚕ Ausspritzung *f*; ~ **cock** *s.* ⊕ Einspritzhahn *m*; ~ **mo(u)ld·ing** *s.* ⊕ Spritzguß(verfahren *n*) *m* (*Kunststoff*); ~ **noz·zle** *s.* ⊕ Einspritzdüse *f*.

in·jec·tor [in'dʒektə] *s.* ⊕ Dampfstrahlpumpe *f*.

in·ju·di·cious [indʒu(:)'diʃəs] *adj.* □ unklug, 'unüber,legt, unverständig.

in·junc·tion [in'dʒʌŋkʃən] *s.* **1.** ⚖ gerichtliche Verfügung, *bsd.* gerichtlicher Unter'lassungsbefehl: *interim* ~ einstweilige Verfügung; **2.** ausdrücklicher Befehl.

in·jure ['indʒə] *v/t.* **1.** verletzen, beschädigen, verwunden: *to* ~ *one's leg* sich am Bein verletzen; **2.** *fig.* kränken, verletzen; Unrecht *od.* weh tun (*dat.*); **3.** schaden (*dat.*), schädigen, beeinträchtigen; **'in·jured** [-əd] *adj.* **1.** verletzt: *the* ~ die Verletzten; **2.** geschädigt: *the* ~ *party* der Geschädigte; **3.** gekränkt, verletzt: ~ *innocence* gekränkte Unschuld; **in·ju·ri·ous** [in'dʒuəriəs] *adj.* □ **1.** schädlich, nachteilig (*to* für): *to be* ~ (*to*) schaden (*dat.*); **2.** beleidigend, verletzend (*Worte*); **3.** un(ge)recht; **in·ju·ry** ['indʒəri] *s.* **1.** Verletzung *f*, Wunde *f* (*to* an *dat.*): ~ *to the head* Kopfverletzung, -wunde; **2.** (Be-)Schädigung *f* (*to gen.*), Schaden *m* (*a.* ⚖): ~ *to person* (*property*) Personen- (Sach)schaden; **3.** *fig.* Verletzung *f*, Kränkung *f* (*to gen.*); **4.** Unrecht *n*.

in·jus·tice [in'dʒʌstis] *s.* Unrecht *n*, Ungerechtigkeit *f*: *to do s.o. an* ~ j-m Unrecht tun.

ink [iŋk] **I.** *s.* **1.** Tinte *f*: *copying* ~ Kopiertinte; **2.** Tusche *f*: ~ *drawing* Tuschzeichnung; → *Indian ink*; **3.** *typ.* (Druck)Farbe *f*; → *printer 1*; **4.** *zo.* Tinte *f*, 'Sepia *f*; **II.** *v/t.* **5.** mit Tinte schwärzen *od.* beschmieren; **6.** *typ. Druckwalzen* einfärben; **7.** ~ *in mit Tusche* ausziehen; **8.** ~ *out mit Tinte* unleserlich machen, ausstreichen; **'~-bag** → *ink-sac*; ~ **blot** *s.* Tintenklecks *m*.

ink·er ['iŋkə] → *inking-roller*.

'ink-e·ras·er *s.* 'Tintenra,diergummi *m*.

ink·ing ['iŋkiŋ] *s. typ.* Einfärben *n*; **'~-pad** *s.* Einschwärzballen *m*; **'~-roll·er** *s.* Auftrag-, Farbwalze *f*.

ink·ling ['iŋkliŋ] *s.* **1.** Andeutung *f*, Wink *m*; **2.** dunkle Ahnung: *to get an* ~ *of s.th.* et. merken, ‚Wind von et. bekommen'; *not the least* ~ nicht die leiseste Ahnung.

'ink|-pad *s.* Farb-, Stempelkissen *n*; **'~-pot** *s.* Tintenfaß *n*; **'~-sac** *s. zo.* Tintenbeutel *m* (*der Tintenfische*); **'~stand** *s.* **1.** Tintenfaß *n*; **2.** Schreibzeug *n*; **'~-well** *s.* (eingelassenes) Tintenfaß.

ink·y ['iŋki] *adj.* **1.** tiefschwarz; **2.** mit Tinte beschmiert, voll Tinte, tintig.

in·laid ['in'leid; *attr.* 'inleid] *adj.* eingelegt, Einlege..., Mosaik...: ~ *floor* Parkett(fußboden); ~ *table* Tisch mit Einlegearbeit; ~ *work* Einlegearbeit.

in·land ['inlənd] **I.** *s.* **1.** In-, Binnenland *n*; **II.** *adj.* **2.** binnenländisch, Binnen...: ~ *town* Stadt im Binnenland; **3.** inländisch, einheimisch, Inland..., Landes...; **III.** *adv.* [in'lænd] **4.** im Innern des Landes; **5.** ins Innere des Landes, landeinwärts; ~ **bill (of ex·change)** ['inlənd] *s.* ✝ Inlandwechsel *m*; ~ **du·ty** *s.* ✝ Binnenzoll *m*.

in·land·er ['inləndə] *s.* Binnenländer(in), im Landesinnern Lebende(r *m*) *f*.

'in·land| mail *s. Brit.* Inlandspost *f*; ~ **nav·i·ga·tion** *s.* Binnenschiffahrt *f*; ~ **prod·uce** *s.* ✝ 'Landespro,dukte *pl.*; ~ **rev·e·nue** *s.* ✝ *Brit.* Steueraufkommen *n*: ♀ *Office* Steuerbehörde; ~ **trade** *s.* ✝ Binnenhandel *m*; ~ **wa·ters**, ~ **wa·ter·ways** *s. pl.* Binnengewässer *pl.*

in-laws ['inlɔ:z] *s. pl.* F angeheiratete Verwandte *pl.*

in·lay I. *v/t.* [*irr.* → *lay*] ['in'lei] **1.** einlegen: *to* ~ *with ivory*; **2.** furnieren; **3.** täfeln, parkettieren, auslegen; **II.** *s.* ['inlei] **4.** Einlegearbeit *f*, In'tarsia *f*; **5.** ⚕ (Zahn-)Füllung *f*, Plombe *f*; **'in'lay·ing** [-iŋ] *s.* **1.** Aus-, Einlegen *n*: ~ *of floors* Parkettierung; **2.** Täfelung *f*.

in·let ['inlet] *s.* **1.** Meeresarm *m*, schmale Bucht; **2.** Eingang *m* (*a.* ⚕), Einlaß *m* (*a.* ⊕): ~ *valve* ⊕ Einlaßventil.

'in-line en·gine *s.* 'Reihen,motor *m*.

in·ly ['inli] *adj. u. adv. poet.* innerlich, innig.

in·ly·ing ['inlaiiŋ] *adj.* innen liegend, Innen..., inner.

in·mate ['inmeit] *s.* **1.** Insasse *m*, Insassin *f* (*bsd. Anstalt, Gefängnis etc.*); **2.** Hausgenosse *m*, -genossin *f*; **3.** Bewohner(in) (*a. fig.*).

in·most ['inmoust] *adj.* **1.** (*a. fig.*) innerst; **2.** *fig.* tiefst, geheimst.

inn [in] *s.* **1.** Gasthaus *n*, -hof *m*; **2.** Wirtshaus *n*; **3.** ♀ → *Inns of Court*.

in·nards ['inədz] → *inward 5*.

in·nate ['i'neit] *adj.* □ **1.** angeboren, eigen (*in dat.*); **'in'nate·ly** [-li] *adv.* von Na'tur (aus).

in·nav·i·ga·ble [i'nævigəbl] *adj.* □ nicht schiffbar (*Fluß*).

in·ner ['inə] **I.** *adj.* **1.** inner, inwendig, Innen...: ~ *door* Innentür; **2.** *fig.* inner, vertraut; **3.** verborgen, geheim; **II.** *s.* **4.** (Treffer *m* in das) Schwarze (*e-r Schießscheibe*); ~ **man** *s.* [*irr.*] innerer Mensch: **a)** Seele *f*, Geist *m*, **b)** *humor.* Magen *m*.

in·ner·most → *inmost*.

in·ner| span *s.* ⚠ lichte Weite; ~ **sur·face** *s.* Innenfläche *f*, -seite *f*; ~ **tube** *s.* ⊕ (Luft)Schlauch *m e-s Reifens*.

in·ner·vate ['inə:veit] *v/t.* **1.** ⚕ innervieren, mit Nerven versorgen; **2.** Nervenkraft geben (*dat.*); **3.** anregen, beleben.

in·ning ['iniŋ] *s.* **1.** *Brit.* ~*s pl.*, *sg. konstr.*, *Am.* ~ *sg.*: *to have one's* ~(*s*) **a)** *Kricket, Baseball*: dran *od.* am Spiel *od.* am Schlagen sein, **b)** *fig.* an der Reihe sein, *pol.* an der Macht *od.* am Ruder sein; **2.** *pl. Brit.* Gelegenheit *f*, Glück *n*: *he has had a good* ~*s* er hat sein Leben gelebt.

ˈ**inn·keep·er** *s.* Gastwirt(in).

in·no·cence [ˈinəsns] *s.* **1.** Unschuld *f* (*a. fig.*), Schuldlosigkeit *f* (*of* an *dat.*); **2.** Harmlosigkeit *f*; **3.** Naiviˈtät *f*; **4.** Einfalt *f*, Unwissenheit *f*; ˈ**in·no·cent** [-nt] **I.** *adj.* □ **1.** unschuldig (*a. fig.*), schuldlos (*of* an *dat.*): ~ *air* Unschuldsmiene; **2.** harmlos, unschädlich; **3.** arglos, naˈiv, kindlich; **4.** einfältig, unwissend: *he is* ~ *of such things* er hat noch nichts von solchen Dingen gehört; **5.** (*of*) frei (von), bar (*gen.*), ohne (*acc.*): ~ *of conceit* frei von (jedem) Dünkel; ~ *of reason* bar aller Vernunft; **II.** *s.* **6.** Unschuldige(r *m*) *f*, Arglose(r *m*) *f*: *the slaughter of the* ~*s* **a)** *bibl.* der bethlehemitische Kindermord, **b)** *parl. sl.* Überbordwerfen von Vorlagen am Sessionsende; **7.** Einfältige(r *m*) *f*, Dummkopf *m*, Unwissende(r *m*) *f*.

in·noc·u·ous [iˈnɔkjuəs] *adj.* □ unschädlich, harmlos; **inˈnoc·u·ous·ness** [-nis] *s.* Unschädlichkeit *f*.

in·nom·i·nate [iˈnɔminit] *adj.* unbenannt, namenlos; ~ **bone** *s. anat.* Hüft-, Beckenknochen *m*.

in·no·vate [ˈinouveit] *v/i.* Neuerungen einführen *od.* vornehmen; **in·no·va·tion** [inouˈveiʃən] *s.* Neuerung *f*; ˈ**in·no·va·tor** [-tə] *s.* Neuerer *m*.

in·nox·ious [iˈnɔkʃəs] *adj.* □ unschädlich.

Inns of Court [inz] *s. pl.* ⚖ *die* (Gebäude *pl.* der) vier Rechtsschulen in London.

in·nu·en·do [inju(:)ˈendou] **I.** *pl.* **-does** *s.* **1.** (versteckte) Andeutung, (boshafte) Anspielung, Anzüglichkeit *f*, Sticheˈlei *f*; **2.** Unterˈstellung *f*; **3.** ⚖ ˈuntergelegte Bedeutung; **II.** *v/i.* Anspielungen machen, anzüglich werden.

in·nu·mer·a·ble [iˈnju:mərəbl] *adj.* □ unzählig, zahllos.

in·ob·serv·ance [inəbˈzə:vəns] *s.* **1.** Unaufmerksamkeit *f*, Unachtsamkeit *f* (*of* auf *acc.*); **2.** Nichteinhaltung *f*, -beachtung *f* (*of gen.*).

in·oc·cu·pa·tion [ˈinɔkjuˈpeiʃən] *s.* Beschäftigungslosigkeit *f*.

in·oc·u·late [iˈnɔkjuleit] *v/t.* **1.** ⚕ *Krankheit, Serum etc.* einimpfen (*on, into s.o.* j-m); **2.** ⚕ *j-n* impfen (*for* gegen); **3.** *fig. j-m* einimpfen, *j-n* erfüllen (*with acc.*); **4.** *fig.* imˈmun *od.* unempfänglich machen; **5.** ⚘ okulieren; **in·oc·u·la·tion** [inɔkjuˈleiʃən] *s.* **1.** ⚕ Impfung *f*: ~ *gun* Impfpistole; *preventive* ~ Schutzimpfung; **2.** Einimpfung *f* (*a. fig.*); **3.** ⚘ Okulierung *f*.

in·o·dor·ous [inˈoudərəs] *adj.* □ geruchlos.

in·of·fen·sive [inəˈfensiv] *adj.* □ harmlos, gutartig, unschädlich; **in·ofˈfen·sive·ness** [-nis] *s.* Harmlosigkeit *f*.

in·of·fi·cious [inəˈfiʃəs] *adj.* ⚖ gegen die (Gesetzes)Pflicht verstoßend, unwirksam.

in·op·er·a·ble [inˈɔpərəbl] *adj.* ⚕ inopeˈrabel.

in·op·er·a·tive [inˈɔpərətiv] *adj.* **1.** unwirksam, ungültig, nicht in Kraft; **2.** außer Betrieb; **3.** stillgelegt (*Bergwerk etc.*).

in·op·por·tune [inˈɔpətju:n] *adj.* □ ˈinopporˌtun, unangebracht, zur Unzeit (geschehen *etc.*), ungelegen.

in·or·di·nate [iˈnɔ:dinit] *adj.* □ **1.** ˈübermäßig, überˈtrieben; **2.** ungeordnet, regellos; **3.** unbeherrscht.

in·or·gan·ic [inɔ:ˈgænik] *adj.* (□ ~*ally*) **1.** ˈunorˌganisch; **2.** ⚗ ˈanorˌganisch.

in·os·cu·late [iˈnɔskjuleit] *mst* ⚕ **I.** *v/t.* verbinden, vereinigen (*with* mit), einfügen, einmünden lassen (*into* in *acc.*); **II.** *v/i.* sich vereinigen, eng verbunden sein, verschmelzen; **in·os·cu·la·tion** [inɔskjuˈleiʃən] *s. mst* ⚕ Vereinigung *f*, Einfügung *f*, Verschmelzung *f*, enge Verbindung.

in-pa·tient [ˈinpeiʃənt] *s.* ˈKrankenhauspatiˌent(in), statioˈnärer Patiˈent: ~ *treatment* stationäre Behandlung.

in·pour·ing [ˈinpɔ:riŋ] **I.** *adj.* (her-) ˈeinströmend; **II.** *s.* (Her)ˈEinströmen *n*.

in·put [ˈinput] *s.* Input *m*: **a)** † eingesetzte Produktiˈonsmittel *pl.*, **b)** ⊕ eingespeiste Menge, **c)** ⚡ zugeführte Spannung *od.* Leistung, (Leistungs)Aufnahme *f*, ˈEingangseneɾˌgie *f*, **d)** *Computer*: Daten-, Proˈgrammeingabe *f*: ~ *amplifier Radio*: Vorverstärker; ~ *circuit* ⚡ Eingangsstromkreis; ~ *impedance* ⚡ Eingangs-, Gitterkreiswiderstand.

in·quest [ˈinkwest] *s.* **1.** ⚖ gerichtliche Unterˈsuchung: *coroner's* ~ Gerichtsverhandlung zur Feststellung der Todesursache (*bei ungeklärten Todesfällen*); **2.** genaue Prüfung, Nachforschung *f*.

in·qui·e·tude [inˈkwaiitju:d] *s.* Unruhe *f*, Besorgnis *f*.

in·quire [inˈkwaiə] **I.** *v/t.* **1.** sich erkundigen nach, fragen nach, erfragen: *to* ~ *the price*; *to* ~ *one's way* sich nach dem Weg erkundigen; **II.** *v/i.* **2.** fragen, sich erkundigen (*of s.o.* bei j-m; *for* nach; *about* über *acc.*, wegen); *to* ~ *after s.o.* sich nach j-m *od.* nach j-s Befinden erkundigen; *much* ~*d after od. for* sehr gefragt *od.* begehrt; ~ *within* Näheres im Hause (zu erfragen); **3.** ~ *into* unterˈsuchen, erforschen; **inˈquir·er** [-ərə] *s.* **1.** Fragesteller (-in), Nachfragende(r *m*) *f*; **2.** Unterˈsuchende(r *m*) *f*; **3.** *bsd.* † Reflekˈtant *m*; **inˈquir·ing** [-əriŋ] *adj.* □ forschend, fragend; neugierig.

in·quir·y [inˈkwaiəri] *s.* **1.** Erkundigung *f*, Nachfrage *f*: *on* ~ auf Nachfrage *od.* Anfrage; *to make inquiries* Erkundigungen einziehen (*of s.o.* bei j-m; *about* über *acc.*, wegen); **2.** Unterˈsuchung *f*, Prüfung *f* (*into gen.*); (Nach)Forschung *f*; **3.** † Nachfrage *f* (*for* nach); ~ **of·fice** *s.* 🚂 *etc.* Auskunft *f*, ˈAuskunftsbüˌro *n*.

in·qui·si·tion [inkwiˈziʃən] *s.* **1.** (gerichtliche *od.* amtliche) Unterˈsuchung; **2.** *R.C. hist.* Inquisitiˈon *f*, Ketzergericht *n*; **in·quiˈsi·tion·al** [-ʃənl] *adj.* **1.** Untersuchungs...; **2.** *R.C.* Inquisitions...

in·quis·i·tive [inˈkwizitiv] *adj.* □ **1.** wißbegierig; **2.** neugierig, naseweis; **inˈquis·i·tive·ness** [-nis] *s.* **1.** Wißbegierde *f*; **2.** Neugier(de) *f*; **inˈquis·i·tor** [-tə] *s.* **1.** Unterˈsuchende(r) *m*; ⚖ Unterˈsuchungsbeamte(r) *m*, -richter *m*; **2.** *R.C.* Inquiˈsitor *m*: *Grand* ~ Großinquisitor; **in·quis·i·to·ri·al** [inkwiziˈtɔ:riəl] *adj.* □ **1.** ⚖ Untersuchungs...; **2.** *R.C.* Inquisitions...; **3.** aufdringlich fragend, neugierig.

in·road [ˈinroud] *s.* **1.** Angriff *m*, ˈÜberfall *m* (*on* auf *acc.*), Einfall *m* (*in, on* in *acc.*); **2.** *fig.* (*on, into*) Eingriff *m* (in *acc.*), ˈÜbergriff *m* (auf *acc.*), ˈübermäßige Inˈanspruchnahme (*gen.*); **3.** *fig.* Eindringen *n*: *to make an* ~ *into* e-n Einbruch erzielen in (*dat.*).

in·rush [ˈinrʌʃ] *s.* (Her)ˈEinströmen *n*, Zustrom *m*.

in·sa·lu·bri·ous [insəˈlu:briəs] *adj.* ungesund; **in·saˈlu·bri·ty** [-iti] *s.* Gesundheitsschädlichkeit *f*.

in·sane [inˈsein] *adj.* □ **1.** ⚕ geisteskrank; → *asylum* 2; **2.** *fig.* verrückt, unsinnig.

in·san·i·tar·y [inˈsænitəri] *adj.* ˈunhygiˌenisch, gesundheitsschädlich.

in·san·i·ty [inˈsæniti] *s.* ⚕ Geisteskrankheit *f*, Wahnsinn *m* (*a. fig.*).

in·sa·ti·a·bil·i·ty [inseiʃjəˈbiliti] *s.* Unersättlichkeit *f*; **in·sa·ti·a·ble** [inˈseiʃjəbl] *adj.* □; **in·sa·ti·ate** [inˈseiʃiit] *adj.* unersättlich (*a. fig.*).

in·scri·be [inˈskraib] *v/t.* **1.** (ein-, auf)schreiben; **2.** beschriften, mit e-r Inschrift versehen; **3.** *bsd.* † eintragen, registrieren; **4.** *Buch etc.* widmen (*to dat.*); **5.** ∡ einbeschreiben; **6.** *fig.* (fest) einprägen (*in dat.*).

in·scrip·tion [inˈskripʃən] *s.* **1.** Beschriftung *f*, In-, Aufschrift *f*; **2. a.** † Eintragung *f*, Registrierung *f* (*bsd. von Aktien*); **3.** Zueignung *f*, Widmung *f* (*Buch etc.*); **4.** Δ Einzeichnung *f*; **inˈscrip·tion·al** [-ʃnəl], **inˈscrip·tive** [-ptiv] *adj.* Inschriften...

in·scru·ta·bil·i·ty [inskru:təˈbiliti] *s.* Unerforschlichkeit *f*; **in·scru·ta·ble** [inˈskru:təbl] *adj.* □ unerforschlich, unergründlich.

in·sect [ˈinsekt] *s.* **1.** *zo.* Inˈsekt *n*, Kerbtier *n*; **2.** *contp.* lästiger Mensch, ‚Giftzwerg' *m*; **in·sec·ti·cide** [inˈsektisaid] *s.* Inˈsektengift *n*, Insektiˈzid *n*; **in·sec·ti·vore** [inˈsektivɔ:] *s. zo.* Inˈsektenfresser *m*; **in·sec·tiv·o·rous** [insekˈtivərəs] *adj. zo.* inˈsektenfressend.

ˈ**in·sect-pow·der** *s.* Inˈsektenpulver *n*.

in·se·cure [insiˈkjuə] *adj.* □ **1.** unsicher, gefährlich; **2.** ungesichert, nicht fest; **3.** ungewiß, zweifelhaft; **in·seˈcu·ri·ty** [-uəriti] *s.* **1.** Unsicherheit *f*; **2.** Ungewißheit *f*.

in·sem·i·nate [inˈsemineit] *v/t.* **1.** (ein-, aus)säen; **2.** *biol.* befruchten; **3.** *fig.* einprägen; **in·sem·i·na·tion** [insemiˈneiʃən] *s.* **1.** (Ein)Säen *n*; **2.** *biol.* Befruchtung *f*: *artificial* ~ künstliche Befruchtung.

in·sen·sate [inˈsenseit] *adj.* □ **1.** empfindungs-, gefühllos; **2.** unsinnig, unvernünftig.

in·sen·si·bil·i·ty [insensəˈbiliti] *s.* (*to*) **1.** (*a. fig.*) Gefühllosigkeit *f* (gegen), Unempfindlichkeit *f* (für); **2.** Bewußtlosigkeit *f*; **3.** Gleichgültigkeit *f* (gegen), Unempfänglichkeit *f* (für); Stumpfheit *f*; **in·sen·si·ble** [in'sensəbl] *adj.* □ **1.** unempfindlich, gefühllos (*to* gegen): *~ from cold* vor Kälte gefühllos; **2.** bewußtlos; **3.** (*of, to*) unempfänglich (für), gleichgültig (gegen); **4.** *to be ~ of* nicht (an)erkennen (*acc.*); **5.** unmerklich; **in·sen·si·bly** [in'sensəbli] *adv.* unmerklich.

in·sen·si·tive [in'sensitiv] *adj.* (*to*) **1.** unempfindlich (gegen); **2.** unempfänglich (für), gefühllos (gegen); **in'sen·si·tive·ness** [-nis] *s.* Unempfindlichkeit *f*, Unempfänglichkeit *f*.

in·sep·a·ra·bil·i·ty [insepərə'biliti] *s.* **1.** Untrennbarkeit *f*; **2.** Unzertrennlichkeit *f*; **in·sep·a·ra·ble** [in'sepərəbl] **I.** *adj.* □ **1.** untrennbar (*a. ling.*); **2.** unzertrennlich; **II.** *s.* **3.** *pl. die* Unzertrennlichen *pl.* (*Freunde*).

in·sert I. *v/t.* [in'sə:t] **1.** einfügen, einsetzen, (hin)'einstecken, einpassen, einreihen, einschalten (*a.* ⚡); **2.** *in e-e Zeitung* einrücken (lassen); **3.** *Münze* einwerfen; **II.** *s.* ['insə:t] **4.** Einsatz(stück *n*) *m*; **5.** *bsd. Am.* Bei-, Einlage *f* (*Buch, Zeitung*); **in'ser·tion** [-ə:ʃən] *s.* **1.** Einfügung *f*, Einsetzung *f*, Einschaltung *f* (*a.* ⚡); Einwurf *m* (*Münze*); **2.** Ein-, Zu-, Ansatz *m*; Beilage *f*; **3.** (Spitzen- *etc.*)Einsatz *m*; **4.** Inse'rat *n*, Anzeige *f*.

in·set I. *s.* ['inset] **1.** Einfügung *f*, Einsatz *m* (*a. im Kleid*); **2.** Eckeinsatz *m*, Nebenbild *n*, -karte *f*; **3.** Bei-, Einlage *f* (*Zeitung*); **4.** Her'einströmen *n*; **II.** *v/t.* [*irr.* → *set*] ['in'set] *pret. u. p.p. Brit. a.* **in·set·ted** ['in'setid] **5.** einsetzen, einlegen.

in·shore ['in'ʃɔ:] **I.** *adj.* an *od.* nahe der Küste: *~ fishing* Küstenfischerei; **II.** *adv. ~ of* näher der Küste als: *~ of a ship* zwischen Schiff und Küste.

in·side ['in'said] **I.** *s.* **1.** Innenseite *f*, -fläche *f*, innere Seite: *the ~ of the pavement* die Häuserseite des Bürgersteigs; **2.** *das* Innere: *from the ~* von innen; *~ out* das Innere nach außen, umgestülpt; *to turn ~ out* (völlig) umkrempeln, durcheinanderbringen; *to know ~ out* in- u. auswendig kennen; **3.** inneres Wesen, *das* Wesentliche, Einzelheiten *pl.*; **4.** F ‚Eingeweide' *pl.*: *pain in one's ~* Leibschmerzen; **5.** F **a)** 'Innenpassa,gier *m*, **b)** Innenplatz *m* (*im Wagen*); **II.** *adj.* **6.** inner, inwendig, Innen...: *~ diameter* lichter Durchmesser, lichte Weite; *~ drive mot.* Innenlenkung; *~ left sport* Halblinke(r); *~ man sport* Halbstürmer; *~ track sport* Innenbahn, *fig.* Vorteil; **7.** im Hause getan; **8.** di'rekt, aus erster Quelle: *~ information*; **III.** *adv.* **9.** im Innern, innen: *~ of a week* innerhalb e-r Woche, in weniger als einer Woche; **10.** nach innen: *walk ~!* geh hinein!, komm herein!; **IV.** *prp.* **11.** innerhalb, im Innern (*gen.*): *~ the house* im Hause; **in·sid·er** ['in'saidə] *s.* **1.** Eingeweihte(r *m*) *f*, Wissende(r *m*) *f*; **2.** Zugehörige(r *m*) *f*, Mitglied *n*.

in·sid·i·ous [in'sidiəs] *adj.* □ **1.** heimtückisch, 'hinterhältig; **2.** ⚕ tückisch, schleichend; **in'sid·i·ous·ness** [-nis] *s.* 'Hinterlist *f*, Tücke *f*.

in·sight ['insait] *s.* **1.** Einblick *m* (*into* in *acc.*); **2.** Einsicht *f*, Verständnis *n*.

in·sig·ni·a [in'signiə] *s. pl.* In'signien *pl.*, Ehrenzeichen *pl.*, Abzeichen *pl.*

in·sig·nif·i·cance [insig'nifikəns] *s.*, **in·sig'nif·i·can·cy** [-si] *s.* Bedeutungslosigkeit *f*, Unwichtigkeit *f*, Belanglosigkeit *f*, Geringfügigkeit *f*; **in·sig'nif·i·cant** [-nt] *adj.* □ **1.** bedeutungs-, belanglos, unwichtig; geringfügig, unbedeutend; nichtssagend; **2.** verächtlich.

in·sin·cere [insin'siə] *adj.* □ unaufrichtig, falsch; **in·sin'cer·i·ty** [-'seriti] *s.* Unaufrichtigkeit *f*, Heuche'lei *f*.

in·sin·u·ate [in'sinjueit] **I.** *v/t.* **1.** andeuten, anspielen auf (*acc.*): *to ~ doubt* Zweifel aufkommen lassen; **2.** *j-m et.* zu verstehen geben, *j-m et.* vorsichtig beibringen; **3.** *~* o.s. (langsam) eindringen; **4.** *~* o.s. sich eindrängen *od.* einschleichen: *to ~ o.s. into s.o.'s favo(u)r* sich bei j-m einschmeicheln; **in'sin·u·at·ing** [-tiŋ] *adj.* □ *fig.* schmeichlerisch, einschmeichelnd; **in·sin·u·a·tion** [insinju'eiʃən] *s.* **1.** Anspielung *f*, (versteckte) Andeutung, leiser Wink; **2.** Schmeiche'leien *pl.*; **3.** Einschleichen *n*, Eindringen *n*.

in·sip·id [in'sipid] *adj.* □ **1.** fade, geschmacklos, schal; **2.** *fig.* fade, abgeschmackt, geistlos, langweilig; **in·si·pid·i·ty** [insi'piditi] *s. a. fig.* Geschmacklosigkeit *f*, Fadheit *f*.

in·sist [in'sist] *v/i.* **1.** (*on*) bestehen (auf *dat.*), dringen (auf *acc.*), verlangen (*acc.*): *I ~ on doing it* ich bestehe darauf, es zu tun; *I ~ that* ich bestehe darauf, daß; *I ~ on obedience* ich verlange Gehorsam; **2.** (*on*) beharren (auf *dat.*, bei), bleiben (bei); **3.** behaupten, beteuern (*on acc.*); **4.** (*on*) Gewicht legen (auf *acc.*), her'vorheben, nachdrücklich betonen (*acc.*); **5.** sich nicht hindern lassen, es sich nicht nehmen lassen (*on doing* zu tun); **6.** (*on*) immer wieder tun: *his tie ~ed on coming out* seine Krawatte rutschte immer wieder heraus; **in'sist·ence** [-təns], **in'sist·en·cy** [-tənsi] *s.* **1.** Bestehen *n*, Beharren *n* (*on, upon* auf *dat.*); **2.** Behauptung *f*, Beteuerung *f* (*on gen.*); **3.** (*on, upon*) Betonung *f* (*gen.*); Nachdruck *m* (auf *dat.*); **4.** Beharrlichkeit *f*, Hartnäckigkeit *f*; **in'sist·ent** [-tənt] *adj.* □ **1.** beharrlich, dauernd, hartnäckig, drängend; **2.** *to be ~ on* **a)** bestehen *od.* beharren auf (*dat.*), **b)** *et.* behaupten, beteuern, **c)** *et.* betonen; **3.** eindringlich, nachdrücklich, dringend; **4.** aufdringlich, grell (*Farbe, Ton*).

in·so·bri·e·ty [insou'braiəti] *s.* Unmäßigkeit *f* (*engS.* im Trinken).

in·so'far → *far 3.*

in·so·la·tion [insou'leiʃən] *s.* Sonnenbestrahlung *f*; Sonnenbad *n*.

in·sole ['insoul] *s.* **1.** Brandsohle *f* (*Schuh*); **2.** Einlegesohle *f*.

in·so·lence ['insələns] *s.* **1.** Über'heblichkeit *f*; **2.** Unverschämtheit *f*, Frechheit *f*; **'in·so·lent** [-nt] *adj.* □ **1.** anmaßend; **2.** unverschämt.

in·sol·u·bil·i·ty [insɔlju'biliti] *s.* **1.** Un(auf)löslichkeit *f*; **2.** *fig.* Unlösbarkeit *f*; **in·sol·u·ble** [in'sɔljubl] *adj.* □ **1.** un(auf)löslich; **2.** unlösbar, unerklärlich.

in·sol·ven·cy [in'sɔlvənsi] *s.* ✝ **1.** Zahlungsunfähigkeit *f*, Insol'venz *f*; **2.** Bank'rott *m*, Kon'kurs *m*; **in'sol·vent** [-nt] **I.** *adj.* ✝ **1.** zahlungsunfähig, insol'vent; **2.** bank'rott; **3.** Bankrott..., Konkurs...: *~ estate* konkursreifer Nachlaß; **II.** *s.* **4.** Zahlungsunfähige(r) *m*.

in·som·ni·a [in'sɔmniə] *s.* ⚕ Schlaflosigkeit *f*; **in'som·ni·ac** [-iæk] *s.* ⚕ an Schlaflosigkeit Leidende(r *m*) *f*.

in·so·much [insou'mʌtʃ] *adv.* **1.** so (sehr), dermaßen (*that* daß); **2.** → *inasmuch*.

in·sou·ci·ance [in'su:sjəns; ɛ̃susjɑ̃:s] *s.* Sorglosigkeit *f*; **in'sou·ci·ant** [in'su:sjənt; ɛ̃susjɑ̃] *adj.* unbekümmert, sorglos, gleichgültig.

in·spect [in'spekt] *v/t.* **1.** unter'suchen, prüfen, nachsehen; **2.** besichtigen, inspizieren; **3.** beaufsichtigen; **in'spec·tion** [-kʃən] *s.* **1.** Besichtigung *f*; An-, 'Durchsicht *f*; Einsicht(nahme) *f* (*von Akten etc.*): *for your ~* zur Ansicht; *free ~* Besichtigung ohne Kaufzwang; **2.** Unter'suchung *f*, Prüfung *f*, Kon'trolle *f*: *~ hole* ⊕ Schauloch; *~ lamp* ⊕ Ableuchtlampe; **3.** Besichtigung *f*, Inspekti'on *f*; **4.** Aufsicht *f*; **5.** ⚔ Ap'pell *m*; **in'spec·tor** [-tə] *s.* **1.** In'spektor *m*; Kontrol'leur *m* (*Bus etc.*), Aufseher *m*, Aufsichtsbeamte(r) *m*: *customs ~* Zollinspektor; *~ of schools* Schulinspektor; *~ of weights and measures* Eichmeister; **2.** Poli'zeiin,spektor *m*, -kommis,sar *m*; **3.** ⚔ Inspek'teur *m*; **in'spec·to·ral** [-tərəl] *adj.* Inspektor(en)...; Aufsichts...; **in'spec·tor·ate** [-tərit] *s.* Inspekto'rat *n*: **a)** Aufsichtsbezirk *m*, **b)** Aufsichtsbehörde *f*, **c)** Aufseheramt *n*; **in·spec·to·ri·al** [inspek'tɔ:riəl] → *inspectoral*; **in'spec·tor·ship** [-təʃip] **1.** In'spektoramt *n*; **2.** Aufsicht *f*.

in·spi·ra·tion [inspə'reiʃən] *s.* **1.** *eccl.* göttliche Eingebung, Erleuchtung *f*; **2.** Inspirati'on *f*, Eingebung *f*, (plötzlicher) Einfall; **3.** Anregung *f*: *at the ~ of* auf *j-s* Veranlassung; **4.** Begeisterung *f*; **5.** Einatmen *n*; **in·spi·ra·tor** ['inspəreitə] *s.* ⚕ Inha'lator *m*; **in·spir·a·to·ry** [in'spaiərətəri] *adj.* (Ein)Atmungs...

in·spire [in'spaiə] *v/t.* **1.** begeistern, anfeuern; **2.** anregen, veranlassen; **3.** (*in s.o.*) *Gefühl etc.* einflößen, eingeben (j-m); erwecken, erregen (in j-m); **4.** *fig.* erleuchten; **5.** beseelen, erfüllen (*with* mit); **6.** inspirieren; **7.** einatmen; **in'spired** [-əd] *adj.* **1.** *bsd. eccl.* erleuchtet; eingegeben; **2.** schöpferisch, einfallsreich; **3.** begeistert; **4.** *pol.* von der Regierung veranlaßt; **in·spir·er** [-ərə] *s.* Anreger(in); **in'spir·ing** [-əriŋ] *adj.* □ anregend, begeisternd, beglückend.

in·spir·it [in'spirit] *v/t.* beleben, beseelen, anfeuern, ermutigen.

in·spis·sate [in'spiseit] *v/t.* eindikken, eindampfen.

inst. ['instənt] *abbr. für instant 3.*

in·sta·bil·i·ty [instə'biliti] *s. mst fig.* Schwanken *n*, Unbeständigkeit *f*, Labili'tät *f*.

in·stall [in'stɔːl] *v/t.* **1.** ⊕ **a)** installieren, montieren, aufstellen, einbauen, **b)** einrichten, (an)legen, anbringen; **2.** *j-n* bestallen; *in ein Amt* einsetzen, -führen; **3.** ~ o.s. F sich niederlassen; **in·stal·la·tion** [instə'leiʃən] *s.* **1.** ⊕ Installierung *f*, Einrichtung *f*, Einbau *m*; **2.** ⊕ (*fertige*) Anlage *od.* Einrichtung; **3.** (Amts)Einsetzung *f*, Bestallung *f*.

in·stall·ment¹ [in'stɔːlmənt] *Am.* → *installation.*

in·stal(l)·ment² [in'stɔːlmənt] *s.* † Rate *f*, Teil-, Ab-, Abschlags-, Ratenzahlung *f*: *by* ~*s* in Raten; *first* ~ Anzahlung; ~ *plan*, ~ *system* Abzahlungs-, Teilzahlungssystem; **2.** (Teil)Lieferung *f* (*Buch etc.*); **3.** Fortsetzung *f* (*Roman etc.*).

in·stance ['instəns] **I.** *s.* **1.** (*einzelner*) Fall, Gelegenheit *f*, Beispiel *n*: *in this* ~ in diesem (*besonderen*) Fall; *for* ~ zum Beispiel: *as an* ~ *of s.th.* als Beispiel für et.; **2.** Bitte *f*, Ersuchen *n*: *at his* ~ auf sein Drängen *od.* Betreiben *od.* s-e Veranlassung; **3.** ⚖ In'stanz *f*: *court of the first* ~ Gericht erster Instanz; *in the last* ~ **a)** in letzter Instanz, **b)** *fig.* letztlich; *in the first* ~ *fig.* in erster Linie, zuerst; **II.** *v/t.* **4.** als Beispiel anführen; '**in·stan·cy** [-si] *s.* Dringlichkeit *f*.

in·stant ['instənt] **I.** *s.* **1.** Augenblick *m*, (genauer) Zeitpunkt: *in an* ~, *on the* ~ sofort, augenblicklich, im Nu; *at this* ~ in diesem Augenblick; *this* ~ sofort, augenblicklich; *the* ~ *I saw her* sobald ich sie sah; **II.** *adj.* □ → *instantly*; **2.** so'fortig, augenblicklich: ~ *camera phot.* Instant-, Sofortbildkamera; ~ *coffee* Pulverkaffee; ~ *meal* Fertig-, Schnellgericht; **3.** *abbr. inst.*: *the 10th* ~ der 10. dieses Monats; **4.** dringend.

in·stan·ta·ne·ous [instən'teinjəs] *adj.* □ **1.** so'fortig, unverzüglich, augenblicklich: ~ *photo(graph)* Momentaufnahme; ~ *shutter phot.* Momentverschluß; *death was* ~ der Tod trat auf der Stelle ein; **2.** gleichzeitig (*Ereignisse*); **3.** *phys.* momen'tan, Augenblicks...; **in·stan'ta·ne·ous·ly** [-li] *adv.* so'fort, unverzüglich; auf der Stelle; **in·stan'ta·ne·ous·ness** [-nis] *s.* Blitzesschnelle *f*.

in·stan·ter [in'stæntə] *adv.* so'fort.

in·stant·ly ['instəntli] *adv.* so'fort, unverzüglich, augenblicklich.

in·state [in'steit] *v/t. in ein Amt* einsetzen.

in·stead [in'sted] *adv.* **1.** ~ *of* (an-) statt (*gen.*), an Stelle von: ~ *of me* statt meiner, an meiner Statt *od.* Stelle; ~ *of going* (an)statt zu gehen; ~ *of at work* statt bei der Arbeit; **2.** statt dessen, da'für: *she sent the boy* ~.

in·step ['instep] *s.* Rist *m*, Spann *m* (*Fuß*): ~ *raiser* Plattfußeinlage; *to be high in the* ~ F die Nase hoch tragen.

in·sti·gate ['instigeit] *v/t.* **1.** an-, aufreizen, aufhetzen, anstiften (*to* zu, *to do* zu tun); **2.** *et.* (*Böses*) anstiften, anfachen; **in·sti·ga·tion** [insti'geiʃən] *s.* Antreiben *n*, Aufhetzung *f*, Anstiftung *f*, Verführung *f*: *at the* ~ *of* auf Betreiben von; '**in·sti·ga·tor** [-tə] *s.* Anstifter(in), (Auf)Hetzer(in).

in·stil(l) [in'stil] *v/t.* **1.** einträufeln, -tröpfeln; **2.** *fig.* einflößen, -impfen, beibringen; **in·stil·la·tion** [insti'leiʃən], **in'stil(l)·ment** [-mənt] *s.* **1.** Einträufelung *f*; **2.** *fig.* Einflößung *f*, Einprägung *f*.

in·stinct I. *s.* ['instiŋkt] **1.** In'stinkt *m*, (Na'tur)Trieb *m*: *by* ~, *on* ~, *from* ~ instinktiv; **2.** instink'tives Gefühl, (sicherer) Instinkt; Begabung *f* (*for* für); **II.** *adj.* [in'stiŋkt]; **3.** belebt, durch'drungen, erfüllt (*with* von); **in·stinc·tive** [in'stiŋktiv] *adj.* □ **1.** instink'tiv, gefühls-, triebmäßig, unwillkürlich; **2.** angeboren, na'türlich; **in'stinc·tive·ly** [in'stiŋktivli] *adv.* instinktiv; von Na'tur.

in·sti·tute ['institjuːt] **I.** *s.* **1.** Insti'tut *n*, Anstalt *f*; **2.** (gelehrte *etc.*) Gesellschaft; **3.** Institut *n* (*Gebäude*); **4.** *pl. bsd.* † Grundgesetze *pl.*, -lehren *pl.*; **II.** *v/t.* **5.** ein-, errichten, gründen; einführen; **6.** einleiten, in Gang setzen: *to* ~ *an inquiry* e-e Untersuchung einleiten, Nachforschungen anstellen; *to* ~ *legal proceedings* Klage erheben, das Verfahren einleiten (*against* gegen); **7.** *bsd. eccl. j-n* einsetzen, einführen; **in·sti·tu·tion** [insti'tjuːʃən] *s.* **1.** Insti'tut *n*, Anstalt *f*, Einrichtung *f*, Stiftung *f*, Gesellschaft *f*; **2.** Institut *n* (*Gebäude*); **3.** Instituti'on *f*, Einrichtung *f*, (über'kommene) Sitte, Brauch *m*; **4.** Ordnung *f*, Recht *n*, Satzung *f*; **5.** F **a)** alte Gewohnheit, **b)** vertraute Sache, feste Einrichtung, **c)** allbekannte Per'son; **6.** Ein-, Errichtung *f*, Gründung *f*; **7.** *eccl.* Einsetzung *f*; **in·sti·tu·tion·al** [insti'tjuːʃənl] *adj.* **1.** Institutions..., Instituts..., Anstalts...; **2.** † *Am.* ~ *advertising* Repräsentationswerbung; **in·sti·tu·tion·al·ize** [insti'tjuːʃnəlaiz] *v/t.* institutionalisieren.

in·struct [in'strʌkt] *v/t.* **1.** (be)lehren, unter'weisen, -'richten, schulen, ausbilden (*in* in *dat.*); **2.** informieren, unter'richten; **3.** instruieren (*a.* ⚖), anweisen, beauftragen; **in'struc·tion** [-kʃən] *s.* **1.** Belehrung *f*, Schulung *f*, Ausbildung *f*, 'Unterricht *m*: *private* ~ Privatunterricht; *medium of* ~ Unterrichtssprache; *course of* ~ Lehrgang, Kursus; **2.** *pl.* Auftrag *m*, Vorschrift(en *pl.*) *f*, (An)Weisung(en *pl.*) *f*, Verhaltungsmaßregeln *pl.*, 'Richtˌlinien *pl.*: *according to* ~*s* auftrags-, weisungsgemäß, vorschriftsmäßig; ~*s for use* Gebrauchsanweisung; **3.** ⚖ *mst pl.* Rechtsbelehrung *f*; **4.** ⚔ *mst pl.* Dienstanweisung *f*, Instrukti'on *f*; **in'struc·tion·al** [-kʃənl] *adj.* Unterrichts..., Erziehungs..., Ausbildungs..., Lehr...: ~ *film* Lehrfilm; ~ *staff* Lehrkörper; **in'struc·tive** [-tiv] *adj.* □ belehrend; lehr-, aufschlußreich; **in'struc·tive·ness** [-tivnis] *s. das* Belehrende; **in'struc·tor** [-tə] *s.* **1.** Lehrer *m*; **2.** Ausbilder *m* (*a.* ⚔); **3.** *univ. Am.* Do'zent *m*; **in'struc·tress** [-tris] *s.* Lehrerin *f*.

in·stru·ment ['instrumənt] **I.** *s.* **1.** Instru'ment *n*, Werkzeug *n*, Gerät *n*, Appa'rat *m*; **2.** *pl.* ⚕ Besteck *n*; **3.** *a. musical* ~ (Mu'sik)Instruˌment *n*; **4.** †, ⚖ **a)** Doku'ment *n*, Urkunde *f*; 'Wertpaˌpier *n*: ~ *payable to bearer* † Inhaberpapier, **b)** *pl.* Instrumen'tarium *n*: *the* ~*s of credit policy*; **5.** *fig.* Mittel *n*, Werkzeug *n*, Or'gan *n*; **6.** *fig.* Handlanger *m*, Werkzeug *n*; **II.** *v/t.* **7.** ♪ instrumentieren; **in·stru·men·tal** [instru'mentl] *adj.* □ → *instrumentally*; **1.** behilflich, dienlich, förderlich: *to be* ~ *in ger. j-m* behilflich sein *od.* dazu verhelfen zu *inf.*; *to be* ~ *to* beitragen zu, mitwirken bei; **2.** ♪ Instrumental...; **3.** durch Instrumente (ausgeführt *od.* bewirkt): ~ *error* ⊕ Instrumentenfehler; **4.** ~ *case ling.* Instrumental(is); **in·stru·men·tal·ist** [instru'mentəlist] *s.* ♪ Instrumenta'list(in); **in·stru·men·tal·i·ty** [instrumen'tæliti] *s.* Vermittlung *f*, Mittel *n*, Mitwirkung *f*, Mithilfe *f*; **in·stru·men·tal·ly** [instru'mentəli] *adv.* durch Instrumente; **in·stru·men·ta·tion** [instrumen'teiʃən] *s.* ♪ Instrumentati'on *f*.

in·stru·ment| board *s.* **1.** ⊕, *mot.* Schaltbrett *n*, -tafel *f*, Arma'turenbrett *n*; **2.** ✈ Instru'mentenbrett *n*; ~ **fly·ing** *s.* ✈ Blindflug *m*; ~ **land·ing** *s.* ✈ Blind-, Instru'mentenlandung *f*; ~ **lamp** *s. mot.* Arma'turenbrettlampe *f*; ~ **mak·er** *s.* 'Feinmeˌchaniker *m*; ~ **pan·el** → *instrument board*; ~ **run·way** *s.* Instru'mentenˌlandebahn *f*.

in·sub·or·di·nate [insə'bɔːdnit] *adj.* **1.** unbotmäßig, wider'setzlich, aufsässig; **in·sub·or·di·na·tion** [insəbɔːdi'neiʃən] *s.* Unbotmäßigkeit *f*, Wider'setzlichkeit *f*, Gehorsamsverweigerung *f*, Auflehnung *f*.

in·sub·stan·tial [insəb'stænʃəl] *adj.* nicht stofflich, unkörperlich; unwirklich; **in·sub·stan·ti·al·i·ty** [insəbstænʃi'æliti] *s.* Unkörperlichkeit *f*; Unwirklichkeit *f*.

in·suf·fer·a·ble [in'sʌfərəbl] *adj.* □ unerträglich, unausstehlich.

in·suf·fi·cien·cy [insə'fiʃənsi] *s.* **1.** Unzulänglichkeit *f*, Mangel(haftigkeit *f*) *m*; Untauglichkeit *f*; **2.** ⚕ Insuffizi'enz *f*; **in·suf'fi·cient** [-nt] *adj.* □ **1.** unzulänglich, unzureichend, ungenügend, nicht ausreichend: ~ *funds* † ungenügende Deckung (*Scheck etc.*); **2.** untauglich, mangelhaft.

in·suf·flate ['insəfleit] *v/t.* **1.** *a.* ⚕, ⊕ (hin)'einblasen; **2.** *R.C.* anhauchen; **in·suf·fla·tion** [insə'fleiʃən] *s.* **1.** Einblasung *f*; **2.** *R.C.* Anhauchen *n*; '**in·suf·fla·tor** [-tə] *s.* ⊕, ⚕ 'Einblaseappaˌrat *m*.

in·su·lar ['insjulə] *adj.* □ **1.** inselartig, insu'lar, Insel...; **2.** *fig.* isoliert, abgeschlossen; **3.** *fig.* engstirnig, beschränkt; **in·su·lar·i·ty** [insju'læriti] *s.* **1.** insulare Lage; **2.** *fig.* Abgeschlossenheit *f*; **3.** *fig.* Engstirnigkeit *f*, Beschränktheit *f*.

in·su·late ['insjuleit] *v/t.* ⚡, ⊕ isolieren (*a. fig. absondern*).

in·su·lat·ing ['insjuleitiŋ] *adj.* isolierend, Isolier...; ~ **com·pound** *s.* ⚡ Isoliermasse *f*; ~ **joint** *s.* ⚡ Isolierkupplung *f*; ~ **paint** *s.* ⊕ Isolieranstrich *m*; ~ **switch** *s.* ⚡ Trennschalter *m*; ~ **tape** *s.* ⚡ Isolierband *m*.

in·su·la·tion [insju'leiʃən] *s.* Isolierung *f*; **in·su·la·tor** ['insjuleitə] *s.* ⚡ Iso'lator *m*, Nichtleiter *m*.

in·su·lin ['insjulin] *s.* ⚕ Insu'lin *n*.

in·sult I. *v/t.* [in'sʌlt] beleidigen, beschimpfen; **II.** *s.* ['insʌlt] (*to*) Beleidigung *f* (für) (*durch Wort od. Tat*), Beschimpfung *f* (*gen.*): *to offer an ~ to s.o.* j-n beleidigen; **in'sult·ing** [-tiŋ] *adj.* □ **1.** beleidigend, beschimpfend: ~ *language* Schimpfworte; **2.** frech.

in·su·per·a·bil·i·ty [insju:pərə'biliti] *s.* 'Unüber,windlichkeit *f*; **in·su·per·a·ble** [in'sju:pərəbl] *adj.* □ 'unüber,windlich.

in·sup·port·a·ble [insə'pɔ:təbl] *adj.* □ unerträglich, unaus'stehlich.

in·sur·a·bil·i·ty [inʃuərə'biliti] *s.* ☤ Versicherungsfähigkeit *f*; **in·sur·a·ble** [in'ʃuərəbl] *adj.* □ ☤ **1.** versicherungsfähig, versicherbar: ~ *value* Versicherungswert; **2.** versicherungspflichtig: *insurably employed* mit Versicherungspflicht angestellt.

in·sur·ance [in'ʃuərəns] *s.* **1.** ☤ Versicherung *f*: *to effect (od. take out) an ~* e-e Versicherung abschließen; **2.** ☤ **a)** Ver'sicherungspo,lice *f*, **b)** Ver'sicherungs,prämie *f*; ~ **a·gent** *s.* Versicherungsvertreter *m*; ~ **ben·e·fit** *s.* Versicherungsleistung *f*; ~ **bro·ker** *s.* Versicherungsmakler *m*; ~ **cer·tif·i·cate** *s.* Versicherungsschein *m*; ~ **claim** *s.* Versicherungsanspruch *m*; ~ **com·pa·ny** *s.* Versicherungsgesellschaft *f*; ~ **cov·er·age** *s.* Versicherungsschutz *m*; ~ **fraud** *s.* Versicherungsbetrug *m*; ~ **of·fice** *s.* Ver'sicherungsbü,ro *n*, -gesellschaft *f*; ~ **pol·i·cy** *s.* Ver'sicherungspo,lice *f*, -schein *m*: *to take out an ~* e-e Versicherung abschließen, sich versichern (lassen); ~ **pre·mi·um** *s.* Ver'sicherungs,prämie *f*; ~ **val·ue** *s.* Versicherungswert *m*.

in·sure [in'ʃuə] *v/t.* **1.** ☤ versichern: *to ~ oneself (one's life, one's house, one's employees)* sich (sein Leben, sein Haus, s-e Angestellten) versichern; **2.** sichern, schützen (*against* gegen); **3.** sicherstellen, garantieren, verbürgen; → *ensure*; **in'sured** [-uəd] ☤ **I.** *adj.*: *the ~ party* → *II*; **II.** *s. the ~* der *od.* die Versicherte; **in'sur·er** [-uərə] *s.* ☤ Versicherer *m*; *pl.* Versicherungsgesellschaft *f*.

in·sur·gent [in'sə:dʒənt] **I.** *adj.* aufrührerisch, aufständisch; re'bellisch (*a. fig.*); **II.** *s.* Aufrührer *m*, Aufständische(r) *m*; Re'bell *m* (*a. pol. gegen die Partei*).

in·sur·mount·a·ble [insə(:)'mauntəbl] *adj.* □ 'unüber,steigbar; *fig.* 'unüber,windlich.

in·sur·rec·tion [insə'rekʃən] *s.* Aufruhr *m*, Aufstand *m*, Erhebung *f*, Empörung *f*; **in·sur'rec·tion·al** [-ʃənl], **in·sur'rec·tion·ar·y** [-ʃnəri] *adj.* aufrührerisch, aufständisch; **in·sur'rec·tion·ist** [-ʃnist] *s.* Aufrührer *m*, Aufständische(r) *m*, Re'bell *m*.

in·sus·cep·ti·bil·i·ty ['insəseptə'biliti] *s.* Unempfänglichkeit *f*, Unzugänglichkeit *f* (*to* für); **in·sus·cep·ti·ble** [insə'septəbl] *adj.* **1.** (*of*) nicht fähig (zu), ungeeignet (für, zu); **2.** (*of, to*) unempfänglich (für), unzugänglich (*dat.*).

in·tact [in'tækt] *adj.* unberührt, unversehrt, in'takt, unangetastet.

in·tagl·io [in'tɑ:liou] *pl.* **-ios** *s.* **1.** In'taglio *n* (*Gemme mit vertieftem Bild*); **2.** eingraviertes Bild; **3.** *typ. Am.* Tiefdruck *m*.

in·take ['inteik] *s.* **1.** ⊕ Einlaß(öffnung *f*) *m*: ~ *valve* Einlaßventil; ~ *stroke mot.* Saughub; **2.** Einnehmen *n*, Ein-, Ansaugen *n*; **3.** (Neu)Aufnahme *f*, Zustrom *m*, aufgenommene Menge: ~ *of food* Nahrungsaufnahme.

in·tan·gi·bil·i·ty [intændʒə'biliti] *s.* Nichtgreifbarkeit *f*, Unkörperlichkeit *f*, Unstofflichkeit *f*; **in·tan·gi·ble** [in'tændʒəbl] *adj.* □ **1.** nicht greifbar, immateri'ell (*a.* ☤), unkörperlich; **2.** *fig.* vage, unklar, unbestimmt; **3.** *fig.* unfaßbar.

in·tar·si·a [in'tɑ:siə] *s. Am.* In'tarsia *f*, Einlegearbeit *f*.

in·te·ger ['intidʒə] *s.* **1.** ℞ ganze Zahl; **2.** *ein* Ganzes; **'in·te·gral** [-igrəl] **I.** *adj.* □ **1.** (*zur Vollständigkeit*) unerläßlich, integrierend, wesentlich, ⊕ eingebaut: *an ~ part*; **2.** ganz, vollständig: *an ~ whole* ein vollständiges *od.* einheitliches Ganzes; **3.** ℞ Integral...: ~ *calculus* Integralrechnung; **II.** *s.* **4.** *ein* (vollständiges) Ganzes; **5.** ℞ Inte'gral *n*; **'in·te·grant** [-igrənt] → *integral 1*.

in·te·grate ['intigreit] *v/t.* **1.** zs.-schließen, vereinigen, vereinheitlichen; **2.** vervollständigen; **3.** eingliedern (*within in acc.*); **4.** ℞ integrieren; **5.** ⚡ zählen (*Meßgerät*); **6.** *Am.* die Rassenschranken aufheben zwischen; **'in·te·grat·ed** [-tid] *adj.* **1.** einheitlich, gleichmäßig; **2.** zs.-hängend: ~ *school Am.* Einheitsschule (*ohne Rassentrennung*); **in·te·gra·tion** [inti'greiʃən] *s.* **1.** Zs.-schluß *m*, Vereinigung *f*, Integrati'on *f*, Vereinheitlichung *f*; **2.** Vervollständigung *f*; **3.** Eingliederung *f*; **4.** ℞ Integrati'on *f*; **5.** *Am.* Aufhebung *f* der Rassenschranken; **in·te·gra·tion·ist** [inti'greiʃnist] *s. Am.* Verfechter(in) rassischer Gleichberechtigung.

in·teg·ri·ty [in'tegriti] *s.* **1.** Rechtschaffenheit *f*, (cha'rakterliche) Sauberkeit, (mo'ralische) Integri'tät; **2.** Vollständigkeit *f*, Unversehrtheit *f*.

in·teg·u·ment [in'tegjumənt] *s.* (na'türliche) Decke *od.* Hülle, Haut *f* (*a. anat.*).

in·tel·lect ['intilekt] *s.* **1.** Verstand *m*, Intel'lekt *m*, Denkvermögen *n*, Urteilskraft *f*; **2.** kluger Kopf; *coll.* große Geister *pl.*, Intelli'genz *f*;

in·tel·lec·tu·al [inti'lektjuəl] **I.** *adj.* □ → *intellectually*; **1.** intellektu'ell, verstandesmäßig, Verstandes..., geistig, Geistes...: ~ *power* Geisteskraft; **2.** (vernunft)begabt, klug, vernünftig, intelli'gent; **3.** intellektu'ell, verstandesbetont; **II.** *s.* **4.** Intellektu'elle(r *m*) *f*; **in·tel·lec·tu·al·ist** [inti'lektjuəlist] *s.* Verstandesmensch *m*; **in·tel·lec·tu·al·i·ty** ['intilektju'æliti] *s.* Verstandes-, Geisteskraft *f*; **in·tel·lec·tu·al·ly** [inti'lektjuəli] *adv.* verstandesmäßig, mit dem Verstand.

in·tel·li·gence [in'telidʒəns] *s.* **1.** Intelli'genz *f*, Klugheit *f*, Verstand *m*; **2.** rasche Auffassungsgabe, Scharfsinn *m*; **3.** Einsicht *f*, Verständnis *n*; **4.** Nachricht *f*, Mitteilung *f*, Auskunft *f*; ⚔ 'Nachrichtenmateri,al *n*; **5.** ⚔ Nachrichtendienst *m*, -wesen *n*; **6.** ~ *with the enemy* (*verräterische*) Beziehungen zum Feinde; ~ **bu·reau** *Am.*, ♀ **De·part·ment** → *intelligence 5*; ~ **of·fice** *s. Am.* **1.** *obs.* Arbeitsnachweis (-stelle *f*) *m*; **2.** → *intelligence 5*; ~ **of·fi·cer** *s.* ⚔ 'Nachrichtenoffi,zier *m*; ~ **quo·tient** *s. psych.* Intelli'genzquoti,ent *m*.

in·tel·li·genc·er [in'telidʒənsə] *s.* **1.** 'Nachrichtenüber,bringer(in); **2.** A'gent(in), Spi'on(in).

in·tel·li·gence| serv·ice → *intelligence 5*; ~ **test** *s.* Intelli'genzprüfung *f*, -test *m*.

in·tel·li·gent [in'telidʒənt] *adj.* □ **1.** intelli'gent, klug, gescheit; **2.** vernünftig, verständig, verständnisvoll; **3.** vernunftbegabt; **in·tel·li·gent·si·a, in·tel·li·gent·zi·a** [inteli'dʒentsiə] *s. pl. konstr. coll.* Intelli'genz *f*, *die* Gebildeten *pl.*; **in·tel·li·gi·bil·i·ty** [intelidʒə'biliti] *s.* Verständlichkeit *f*, Deutlichkeit *f*; **in'tel·li·gi·ble** [-dʒəbl] □ verständlich, klar (*to* für *od. dat.*).

in·tem·per·ance [in'tempərəns] *s.* Unmäßigkeit *f*, Zügellosigkeit *f*, *bsd.* Trunksucht *f*; **in'tem·per·ate** [-rit] *adj.* □ **1.** unmäßig, 'übermäßig; **2.** ausschweifend, zügellos; unbeherrscht; **3.** trunksüchtig.

in·tend [in'tend] *v/t.* **1.** beabsichtigen, vorhaben, planen, bezwecken (*s.th.* et.; *to do od. doing* zu tun): *we ~ no harm* wir haben nichts Böses im Sinne; **2.** bestimmen (*for* für, zu): *our son is ~ed for the navy* unser Sohn soll (einmal) zur Marine gehen; *what is it ~ed for?* was ist der Sinn (*od.* Zweck)?, was soll das?; **3.** sagen wollen, meinen: *what do you ~ by this?* was wollen Sie damit sagen?; **4.** bedeuten, sein sollen: *I ~ed it for a compliment* es sollte ein Kompliment sein; **5.** wollen, wünschen: *I ~ him to go* ich wünsche, daß er geht; **in'tend·ant** [-dənt] *s.* Inten'dant *m*, Verwalter *m* (*e-s nichtenglischen Betriebes*); **in'tend·ed** [-did] **I.** *adj.* □ **1.** beabsichtigt, gewünscht; **2.** absichtlich; **3.** F zukünftig: *my ~ wife*; **II.** *s.* **4.** F Verlobte(r *m*) *f*: *her ~* ihr Zukünftiger; **in'tend·ing** [-diŋ] *adj.* angehend, zukünftig; reflektierend, ...lustig, ...willig: ~ *buyer* ☤ Kauflustiger, -williger, Reflektant; ~ *travel(l)er* Reiselustige(r).

in·tense [in'tens] *adj.* □ **1.** stark, heftig, inten'siv; **2.** tief (*Farbe*); hell (*Licht*); **3.** sehnlich, eifrig, dringend; **4.** angestrengt, angespannt; **5.** exaltiert, über'spannt; **in'tense·ly** [-li] *adv.* äußerst, höchst; **in'tense·ness** [-nis] *s.* **1.** Intensi'tät *f*, Stärke *f*, Heftigkeit *f*; **2.** Anspannung *f*, Anstrengung *f*; **in·ten·si·fi·ca·tion** [intensifi'keiʃən] *s.* Verstärkung *f* (*a. phot.*); **in'ten·si·fi·er** [-sifaiə] *s.* Verstärker *m* (*a.* ⊕, *phot.*); **in'ten·si·fy** [-sifai] **I.** *v/t.* verstärken (*a. phot.*), steigern; **II.** *v/i.* sich verstärken.

in·ten·sion [in'tenʃən] *s.* **1.** Verstärkung *f*; **2.** Stärke *f*, Heftigkeit *f*; **3.** Anstrengung *f*.

in·ten·si·ty [in'tensiti] *s.* **1.** Intensi'tät *f* (*a.* ⊕, *phys.*), (*a.* ⚡, *a. Laut-, Licht*)Stärke *f*, Heftigkeit *f*, hoher Grad, Kraft *f*, Fülle *f*; **2.** *phot.* Dichtigkeit *f*; **in'ten·sive** [-siv] **I.** *adj.* □ **1.** inten'siv, stark, heftig: ~ *course ped.* Intensivkurs; **2.** verstärkend (*a. ling.*), steigernd; **3.** ⚕ **a)** stark wirkend, **b)** ~ *care unit* Intensivstation; **4.** ✝ ertragssteigernd, intensiv; **II.** *s.* **5.** Verstärkungsmittel *n*; **6.** *ling.* verstärkendes Ele'ment.

in·tent [in'tent] **I.** *s.* **1.** Absicht *f*, Vorsatz *m*, Zweck *m*: *criminal* ~ ⚖ Vorsatz, (verbrecherische) Absicht; *with* ~ *to defraud* in betrügerischer Absicht; *to all* ~*s and purposes* **a)** in jeder Hinsicht, durchaus, **b)** im Grunde, eigentlich, **c)** praktisch, sozusagen; *declaration of* ~ Absichtserklärung; **II.** *adj.* □ **2.** erpicht, versessen (*on* auf *acc.*); **3.** (*on*) bedacht (auf *acc.*), eifrig beschäftigt (mit); **4.** aufmerksam, gespannt, eifrig.

in·ten·tion [in'tenʃən] *s.* **1.** Absicht *f*, Vorhaben *n*, Vorsatz *m*, Plan *m* (*to do od. of doing* zu tun): *with the best (of)* ~*s* in bester Absicht; **2.** *pl.* F (Heirats)Absichten *pl.*; **3.** Zweck *m* (*a. eccl.*), Ziel *n*; **4.** Sinn *m*, Bedeutung *f*; **in'ten·tion·al** [-ʃənl] *adj.* □ **1.** absichtlich, vorsätzlich; **2.** beabsichtigt; **in'ten·tioned** [-nd] *adj. in Zssgn* ...gesinnt: *well-*~ gutgesinnt, wohlmeinend.

in·tent·ness [in'tentnis] *s.* gespannte Aufmerksamkeit, Eifer *m*: ~ *of purpose* Zielstrebigkeit.

in·ter [in'tə:] *v/t.* beerdigen, begraben.

inter- [intə(:)] *in Zssgn* zwischen, Zwischen...; unter; gegen-, wechselseitig, ein'ander, Wechsel...

'in·ter·act¹ [-əræ-] *s. thea.* Zwischenakt *m*, -spiel *n*.

in·ter'act² [-ər'æ-] *v/i.* aufein'ander wirken, sich gegenseitig beeinflussen; **in·ter'ac·tion** [-ər'æ-] *s.* Wechselwirkung *f*; **in·ter'ac·tive** [-ər'æ-] *adj.* aufein'ander einwirkend, wechselwirkend.

in·ter'al·lied [-ər'æ-] *adj. pol.* 'interalliiert.

in·ter'blend [*irr.* → *blend*] *v/t. u. v/i.* (sich) (innig) vermischen.

in·ter'breed *biol.* **I.** *v/t.* [*irr.* → *breed*] durch Kreuzung züchten, kreuzen; **II.** *v/i.* [*irr.* → *breed*] sich kreuzen.

in·ter·ca·lar·y [in'tə:kələri] *adj.* eingeschaltet, eingeschoben; Schalt...: ~ *day* Schalttag; **in'ter·ca·late** [-leit] *v/t.* einschieben, einschalten; **in·ter·ca·la·tion** [intə:kə'leiʃən] *s.* **1.** Einschiebung *f*, Einschaltung *f*; **2.** Einlage *f*.

in·ter·cede [intə(:)'si:d] *v/i.* sich verwenden, sich ins Mittel legen, Fürsprache einlegen, intervenieren (*with* bei, *for* für); bitten (*with* bei *j-m*, *for* um *et.*); **in·ter'ced·er** [-də] *s.* Fürsprecher(in).

in·ter·cept I. *v/t.* [intə(:)'sept] **1.** *Brief, Meldung, Flugzeug, Boten etc.* abfangen; **2.** *Meldung* auffangen, mit-, abhören; **3.** unter'brechen, abschneiden; **4.** den Weg abschneiden (*dat.*), *Sicht* versperren; **5.** aufhalten, hemmen, (be)hindern; **6.** ⩚ **a)** abschneiden, **b)** einschließen; **II.** *s.* ['intə(:)sept] **7.** ⩚ Abschnitt *m*; **8.** aufgefangene Meldung; **in·ter·cep·tion** [intə(:)'sepʃən] *s.* **1.** Ab-, Auffangen *n* (*Meldung etc.*); **2.** Ab-, Mithören *n* (*Meldung*): ~ *service* Abhör-, Horchdienst; **3.** Abfangen *n* (*Flugzeug, Boten*): ~ *flight* Sperrflug; ~ *plane* Sperrflugzeug; **4.** Unter'brechung *f*, Abschneiden *n*; **5.** Aufhalten *n*, Hinderung *f*; **in·ter·cep·tor** [intə'septə] *s.* **1.** Auffänger *m*; **2.** *a.* ~ *plane* ✈ ⚔ Abfang-, Verteidigungsjäger *m*.

in·ter·ces·sion [intə'seʃən] *s.* **1.** Fürbitte *f* (*a. eccl.*), Fürsprache *f*: *to make* ~ *to s.o. for* bei j-m Fürsprache einlegen für, sich bei j-m verwenden für; **2.** *a. service of* ~ Bittgottesdienst *m*; **in·ter'ces·sor** [-esə] *s.* Fürsprecher(in), (Ver-)Mittler(in) (*with* bei); **in·ter'ces·so·ry** [-esəri] *adj.* fürsprechend.

in·ter·change [intə(:)'tʃeindʒ] **I.** *v/t.* **1.** unterein'ander austauschen, auswechseln; **2.** vertauschen, abwechseln lassen; **II.** *v/i.* **3.** abwechseln (*with* mit), aufein'anderfolgen; **III.** *s.* ['intə(:)tʃeindʒ] **4.** Austausch *m*, Aus-, Abwechslung *f*; **5.** Wechsel *m*, Aufein'anderfolge *f*; **6.** ✝ Tauschhandel *m*; **in·ter·change·a·bil·i·ty** ['intə(:)tʃeindʒə'biliti] *s.* Auswechselbarkeit *f*; **in·ter'change·a·ble** [-dʒəbl] *adj.* □ **1.** austauschbar, auswechselbar; **2.** (mitein'ander) abwechselnd.

'in·ter·col'le·gi·ate *adj.* zwischen verschiedenen Colleges (bestehend).

in·ter·com ['intə(:)kɔm] *s.* **1.** ✈, ⚓ Eigen-, Bordverständigung *f*; **2.** Gegen-, Wechselsprechanlage *f*, Querverbindung *f*.

in·ter·com'mu·ni·cate *v/i.* mitein'ander verkehren *od.* in Verbindung stehen; **'in·ter·com·mu·ni'ca·tion** *s.* gegenseitige Verbindung, gegenseitiger Verkehr: ~ *system* → *intercom*.

in·ter·com'mun·ion *s. bsd. eccl.* Gemeinschaft *f* unterein'ander.

in·ter'com·pa·ny *adj.* zwischenbetrieblich, Konzern...

'in·ter·con'nect I. *v/t.* mitein'ander verbinden; **II.** *v/i.* miteinander verbunden werden *od.* sein; **'in·ter·con'nec·tion** *s.* gegenseitige Verbindung; ⚡ verkettete Schaltung.

in·ter·con·ti'nen·tal *adj.* ˌinterkontinen'tal, zwischen Konti'nenten.

in·ter'cos·tal *adj.* **1.** zwischen den (Körper-, Blatt-, Schiffs)Rippen (gelegen); **2.** ⊕ zwischenliegend, Zwischen...

'in·ter·course *s.* **1.** 'Umgang *m*, Verkehr *m* (*with* mit), Verbindung *f* (*between* zwischen *dat.*); **2.** ✝ Geschäftsverkehr *m*, -verbindung *f*; **3.** *a. sexual* ~ (Geschlechts)Verkehr *m*.

'in·ter'cross I. *v/t.* **1.** ein'ander kreuzen lassen; **2.** ♀, *zo.* kreuzen; **II.** *v/i.* **3.** sich kreuzen (*a.* ♀, *zo.*).

in·ter'cur·rent *adj.* **1.** da'zwischenkommend; **2.** ⚕ hin'zutretend.

'in·ter·de·nom·i'na·tion·al *adj.* 'interkonfessioˌnell.

in·ter·de'pend *v/i.* vonein'ander abhängen; **in·ter·de'pend·ence, in·ter·de'pend·en·cy** *s.* gegenseitige Abhängigkeit; **in·ter·de'pend·ent** *adj.* □ vonein'ander abhängig, eng zs.-hängend, inein'andergreifend.

in·ter·dict I. *s.* ['intə(:)dikt] **1.** Verbot *n*; **2.** *eccl.* Inter'dikt *n*, Kirchensperre *f*; **II.** *v/t.* [intə(:)'dikt] **3.** (amtlich) unter'sagen, verbieten (*to s.o.* j-m): *to* ~ *s.o. from s.th.* j-n von et. ausschließen, j-m et. entziehen *od.* verbieten; **4.** *eccl.* mit dem Interdikt belegen; **in·ter'dic·tion** → *interdict* 1, 2.

in·ter·dig·i·tal [intə(:)'didʒitl] *adj. anat.* zwischen den Fingern *od.* Zehen (befindlich); **in·ter'dig·i·tate** [-teit] *v/i.* inein'andergreifen, verflochten sein.

in·ter·est ['intrist] **I.** *s.* **1.** (*in*) Inter'esse *n* (an *dat.*, für), (An)Teilnahme *f* (an *dat.*): *to take an* ~ *in s.th.* sich für et. interessieren; **2.** Reiz *m*, Interesse *n*: *to be of* ~ (*to*) reizvoll sein (für), interessieren (*acc.*); **3.** Wichtigkeit *f*, Bedeutung *f*: *to be of little* ~ von geringer Bedeutung sein; *of great* ~ von großem Interesse; **4.** *bsd.* ✝ Beteiligung *f*, Anteil *m* (*in* an *dat.*): *to have an* ~ *in s.th.* an *od.* bei et. beteiligt sein; **5.** ✝ Interes'senten *pl.*, Kreise *pl.*: *the banking* ~ die Bankkreise; *the landed* ~ die Gutsbesitzer; **6.** Interesse *n*, Vorteil *m*, Nutzen *m*, Gewinn *m*: *to be in (od. to) the* ~*(s) of* im Interesse von... liegen; *in your* ~ zu Ihrem Vorteil; *to look after one's* ~*s* s-e Interessen wahren; *to study s.o.'s* ~*(s)* j-s Vorteil im Auge haben; **7.** Einfluß *m*, Macht *f*: *to have* ~ *with* Einfluß haben bei; **8.** (An-)Recht *n*, Anspruch *m* (*in* auf *acc.*); **9.** Gesichtspunkt *m*, Seite *f* (*in e-r Geschichte etc.*): *the human* ~; **10.** (*nie pl.*) ✝ Zins(en *pl.*) *m*: *and (od. plus)* ~ zuzüglich Zinsen; *ex* ~ ohne Zinsen; *free of* ~ zinslos; *to bear (od. yield)* ~ Zinsen tragen, sich verzinsen; ~ *rate* → *11*; **11.** ✝ Zinsfuß *m*, -satz *m*; **12.** *fig.* Zinsen *pl.*: *to return a blow with* ~ e-n Streich mit Zinsen *od.* mit Zins u. Zinseszinsen zurückgeben; **II.** *v/t.* **13.** interessieren (*in* für), *j-s* Inter'esse *od.* Teilnahme erwecken (*in s.th.* an e-r Sache; *for s.o.* für j-n): *to* ~ *o.s. in* sich interessieren für, Anteil nehmen an (*dat.*); **14.** interessieren, anziehen, reizen, fesseln; **15.** angehen, betreffen: *everyone is* ~*ed in this law* dieses Gesetz geht jeden an; **16.** *bsd.* † beteiligen (*in* an *dat.*); **17.** gewinnen (*in* für).

in·ter·est·ed ['intristid] *adj.* □ **1.** interessiert, Anteil nehmend (*in* an *dat.*); aufmerksam: *to be* ~ *in* sich interessieren für; *I was* ~ *to know* es interessierte mich zu wissen; **2.** *bsd.* † beteiligt (*in* an *dat.*, bei): *the parties* ~ die Beteiligten; **3.** voreingenommen, par'teiisch; **4.** eigennützig: ~ *motives*; '**in·ter·est·ed·ly** [-li] *adv.* **1.** mit Inter'esse, aufmerksam; **2.** in interes'santer Weise; '**in·ter·est·ing** [-iŋ] *adj.* □ interes'sant, fesselnd, anziehend: *in an* ~ *condition* F *Brit.* in anderen Umständen (*schwanger*); '**in·ter·est·ing·ly** [-iŋli] *adv.* interes'santerweise.

'**in·ter·face** *s.* ⚡ Schnittstelle *f.*

in·ter·fere [intə'fiə] *v/i.* **1.** sich einmischen, da'zwischentreten, -kommen; dreinreden; sich Freiheiten her'ausnehmen; **2.** eingreifen, -schreiten: *it is time to* ~; **3.** *a.* ⊕ stören, hindern; **4.** zs.-stoßen (*a. fig.*), aufein'anderprallen; **5.** *phys.* aufein'andertreffen, sich kreuzen *od.* über'lagern; **6.** die Füße *od.* Beine gegenein'ander schlagen (*Pferd*); **7.** ~ *with* **a)** *j-n* stören, unter'brechen, (be)hindern, belästigen, **b)** *et.* stören, beeinträchtigen, sich einmischen in (*acc.*), störend einwirken auf (*acc.*); **8.** ~ *in* eingreifen in (*acc.*), sich befassen mit *od.* kümmern um; **in·ter'fer·ence** [-iərəns] *s.* **1.** Einmischung *f* (*in* in *acc.*), Eingreifen *n* (*with* in *acc.*); **2.** Störung *f*, Hinderung *f*, Beeinträchtigung *f* (*with gen.*); **3.** Zs.-stoß(en *n*) *m* (*a. fig.*); **4.** *phys.* Interfe'renz *f* (*a.* ⚡); **5.** ⚡ Beeinflussung *f*, Über'lagerung *f*; **6.** *Radio*: Störung *f*: *reception* ~ Empfangsstörung; ~ *suppression* Entstörung; **in·ter·fe·ren·tial** [intə(:)fə'renʃəl] *adj. phys.* Interferenz...; **in·ter'fer·ing** [-iəriŋ] *adj.* □ störend, lästig: *to be always* ~ F sich ständig einmischen, s-e Nase in alles (hinein)stecken.

in·ter'flow *v/i.* inein'anderfließen, sich vermischen.

in·ter'fuse I. *v/t.* **1.** vermischen; **2.** durch'dringen; **II.** *v/i.* **3.** sich vermischen; **in·ter'fu·sion** *s.* Vermischung *f*; Durch'dringung *f.*

'**in·ter'gla·cial** *adj. geol.* zwischeneiszeitlich, interglazi'al.

in·ter·im ['intərim] **I.** *s.* **1.** Zwischenzeit *f*: *in the* ~ in der Zwischenzeit, einstweilen, vorläufig; **2.** 'Interim *n*, einstweilige Regelung; **3.** ♀ *hist.* Interim *n*; **II.** *adj.* **4.** einstweilig, vorläufig, Übergangs..., Interims..., Zwischen...: ~ *report* Zwischenbericht; → *injunction 1*; ~ **aid** *s.* Über'brükkungshilfe *f*; ~ **bal·ance (sheet)** *s.* † 'Zwischenbi,lanz *f*, -abschluß *m*; ~ **cer·tif·i·cate** *s.* † 'Interimsschein *m*; ~ **cred·it** *s.* † 'Zwischenkre,dit *m*; ~ **div·i·dend** *s.* † 'Interimsdivi,dende *f.*

in·te·ri·or [in'tiəriə] **I.** *adj.* **1.** inner, innengelegen; Innen... (*a.* ⩘): ~ *decorator* Innenarchitekt; **2.** binnenländisch, Binnen...; **3.** inländisch, Inlands...; **4.** innerlich; **II.** *s.* **5.** *das* Innere (*a.* ⩘), Innenraum *m*; **6.** *das* Innere, Binnenland *n*; **7.** *phot.* Innenaufnahme *f*; **8.** *das* Innere, wahres Wesen; **9.** *pol.* innere Angelegenheiten *pl.*: *Department* (*od. Ministry*) *of the* ♀ Innenministerium (*nichtenglisch*).

in·ter·ja·cent [intə(:)'dʒeisənt] *adj.* da'zwischenliegend.

in·ter·ject [intə(:)'dʒekt] *v/t.* **1.** *Bemerkung* da'zwischen-, einwerfen; **2.** einschieben, einschalten; **3.** da'zwischenrufen; **in·ter'jec·tion** [-kʃən] *s.* **1.** Aus-, Zwischenruf *m*; **2.** *ling.* Interjekti'on *f*; **in·ter'jec·tion·al** [-kʃənl] *adj.* □; **in·ter'jec·to·ry** [-təri] *adj.* da'zwischengeworfen, eingeschoben, Zwischen...

in·ter'lace I. *v/t.* **1.** verflechten, verschlingen; **2.** durch'flechten, verweben (*a. fig.*); **3.** (ver)mischen; **II.** *v/i.* **4.** sich verflechten *od.* kreuzen: *interlacing arches* ⩘ verschränkte Bogen; *interlacing boughs* verschlungene Zweige.

'**in·ter·lan·guage** *s.* Verkehrssprache *f.*

in·ter'lard *v/t. fig.* spicken, durch'setzen (*with* mit).

'**in·ter·leaf** *s.* [*irr.*] leeres Zwischenblatt.

in·ter'leave *v/t. Bücher* durch'schießen.

in·ter'line *v/t.* **1.** zwischen die Zeilen schreiben *od.* setzen, einfügen; **2.** *typ. Zeilen* durch'schießen; **3.** *Kleid* mit e-m Zwischenfutter versehen; **in·ter'lin·e·ar** *adj.* **1.** da'zwischengeschrieben, zwischenzeilig, Interlinear...; **2.** ~ *space typ.* Durchschuß; '**in·ter·lin·e'a·tion** *s.* *das* Da'zwischengeschriebene; '**inter·lin·ing** *s.* Zwischenfutter(stoff *m*) *n.*

in·ter·link I. *v/t.* [intə(:)'liŋk] verketten (*a.* ⚡): ~*ed piece* 🚂 (Gleis-) Zwischenstück; **II.** *s.* ['intə(:)liŋk] Zwischenglied *n.*

in·ter'lock I. *v/i.* **1.** inein'andergreifen, -haken; **II.** *v/t.* **2.** zs.-schließen, inein'anderschachteln: ~*ing directorate* † Schachtelaufsichtsrat; **3.** inein'anderhaken, verzahnen; **4.** 🚂 verblocken: ~*ing signals* Blocksignale; ~*ing plant* Stellwerk.

in·ter·lo·cu·tion [intə(:)lou'kju:ʃən] *s.* Gespräch *n*, Unter'redung *f*; **inter·loc·u·tor** [intə(:)'lɔkjutə] *s.* Gesprächspartner(in); **in·ter·loc·u·to·ry** [intə(:)'lɔkjutəri] *adj.* **1.** in Gesprächsform; Gesprächs...; **2.** ⚖ vorläufig, Vor..., Zwischen...: ~ *injunction* einstweilige Verfügung.

in·ter·lope [intə(:)'loup] *v/i.* **1.** sich eindrängen *od.* -mischen; **2.** † wilden Handel treiben; **in·ter·lop·er** ['intə(:)loupə] *s.* **1.** Eindringling *m*; **2.** † Schleichhändler *m.*

in·ter·lude ['intə(:)lu:d] *s.* **1.** Zwischenspiel *n* (*a.* ♪ *u. fig.*); **2.** Pause *f*; **3.** Zwischenzeit *f.*

in·ter'mar·riage *s.* **1.** Mischehe *f* (*zwischen verschiedenen Stämmen, Rassen etc.*); **2.** Heirat *f* zwischen nahen Blutsverwandten; '**in·ter'mar·ry** *v/i.* **1.** unterein'ander heiraten (*Stämme etc.*); **2.** innerhalb der Fa'milie heiraten.

in·ter'med·dle *v/i.* sich einmischen (*with, in* in *acc.*).

in·ter·me·di·ar·y [intə(:)'mi:djəri] **I.** *adj.* **1.** da'zwischenliegend, Zwischen...; **2.** vermittelnd; **II.** *s.* **3.** Vermittler(in); **4.** † Zwischenhändler *m*; **in·ter'me·di·ate** [-jət] **I.** *adj.* □ **1.** da'zwischenliegend, Zwischen..., Mittel...: ~ *between* liegend zwischen; ~ *examination* → 4; ~ *stage* Zwischenstadium; ~ *trade* † Zwischenhandel; **II.** *s.* **2.** Zwischenglied *n*, -form *f*, -stück *n*; **3.** ⚗ 'Zwischenpro,dukt *n*; **4.** Zwischenprüfung *f.*

in·ter·ment [in'tə:mənt] *s.* Beerdigung *f*, Beisetzung *f.*

in·ter·mez·zo [intə(:)'metsou] *pl.* **-mez·zi** [-tsi:] *od.* **-mez·zos** *s.* Inter'mezzo *n*, Zwischenspiel *n.*

in·ter·mi·na·ble [in'tə:minəbl] *adj.* □ **1.** grenzenlos, endlos; **2.** langwierig; **in'ter·mi·na·ble·ness** [-nis] *s.* Endlosigkeit *f.*

in·ter'min·gle *v/t. u. v/i.* (sich) vermischen.

in·ter'mis·sion *s.* Unter'brechung *f*, Aussetzen *n*, Pause *f*: *without* ~ pausenlos, unaufhörlich, ständig.

in·ter·mit [intə(:)'mit] **I.** *v/t.* unter'brechen, aussetzen mit; **II.** *v/i.* aussetzen, nachlassen; **in·ter'mit·tence** [-təns] *s.* Aussetzen *n*, Unter'brechung *f.*

in·ter·mit·tent [intə(:)'mitənt] *adj.* □ → *intermittently*; **1.** mit Unter'brechungen, stoßweise; **2.** (zeitweilig) aussetzend, peri'odisch: *to be* ~ aussetzen; ~ *fever* ⚕ Wechselfieber; ~ *light* ⚓ Blinkfeuer; **in·ter'mit·tent·ly** [-li] *adj.* **1.** → *intermittent 1*; **2.** sprunghaft, ruckweise; **3.** in Zwischenräumen.

in·ter'mix I. *v/t.* ver-, unter'mischen; **II.** *v/i.* sich vermischen; **inter'mix·ture** *s.* **1.** Mischung *f*; **2.** Beimischung *f*, Zusatz *m.*

in·tern[1] **I.** *v/t.* [in'tə:n] internieren; **II.** *s.* ['intə:n] *Am.* Internierte(r *m*) *f.*

in·tern[2] ['intə:n] *Am.* **I.** *s.* im Krankenhaus wohnender Arzt, *bsd.* 'Pflichtassi,stent(in); **II.** *v/i.* als Assi'stenzarzt (*in e-r Klinik*) tätig sein.

in·ter·nal [in'tə:nl] *adj.* □ → *internally*; **1.** inner, inwendig: ~ *injury* ⚕ innere Verletzung; ~ *organs anat.* innere Organe; ~ *diameter* lichte Weite; ~ *evidence* ⚖ innerer Beweis; **2.** ⚕ innerlich anzuwenden(d), einzunehmen(d); **3.** inner(lich), geistig; **4.** einheimisch, in-, binnenländisch, Inlands..., Innen..., Binnen...: ~ *loan* † Inlandsanleihe; ~ *trade* Binnenhandel; **5.** *pol.* inner, Innen...: ~ *affairs* innere Angelegenheiten; **6.** *ped.* in'tern, im College *etc.* wohnend; **7.** † *etc.* in'tern, innerbetrieblich; ~ **an·gle** *s.* ⩘ Innenwinkel *m*; ~**-com'bus·tion en·gine** *s.* ⊕ Ver'brennungs-, Explosi'ons,motor *m.*

in·ter·nal·ly [in'tə:nəli] *adv.* innen, innerlich; in'tern.

in·ter·nal| med·i·cine *s.* ⚕ innere Medi'zin; ~ **rev·e·nue** *s.* † *Am.* Steueraufkommen *n*; ~ **spe·cial·ist** *s.* ⚕ Inter'nist *m*, Facharzt *m* für innere Krankheiten; ~ **thread** *s.* ⊕ Innengewinde *n.*

in·ter'na·tion·al I. *adj.* □ **1.** ,internatio'nal, zwischenstaatlich; **2.**

Welt..., Völker...; **II.** *s.* **3.** *sport* **a)** ˌInternatio'nale(r *m*) *f*; Natio'nalspieler(in), **b)** F internationaler Vergleichskampf; Länderspiel *n*; **4.** *pol.* ˌInternatio'nale *f*; **5.** Internationale *f* (*Kampflied*); **6.** *pl.* ✝ international gehandelte 'Wertpaˌpiere *pl.*; ~ **can·dle** *s. phys.* internationale *od.* Neue Kerze (*Lichtstärke*).

in·ter'na·tion·al·ism *s.* **1.** ˌInternationa'lismus *m*; **2.** ˌinternatio'nale Zs.-arbeit; **in·ter'na·tion·al·ist** *s.* **1.** ˌInternationa'list *m*, Anhänger *m* des Internationalismus; **2.** ⚖ Völkerrechtler *m*; **in·ter·na·tion'al·i·ty** *s.* ˌinternatio'naler Cha'rakter; **'in·ter·na·tion·al·i'za·tion** *s.* Internationalisierung *f*; **in·ter'na·tion·al·ize** *v/t.* international machen, internationalisieren.

in·ter·na·tion·al| law *s.* Völkerrecht *n*; ♀ **Mon·e·tar·y Fund** *s.* ˌInternatio'naler Währungsfonds; ~ **mon·ey or·der** *s.* Auslandspostanweisung *f*; ~ **re·ply cou·pon** *s.* ˌinternatio'naler Antwortschein.

in·terne [in'tə:n] → *intern²* I.

in·ter·ne·cine [intə(:)'ni:sain] *adj.* **1.** sich gegenseitig tötend: ~ *war* gegenseitiger Vernichtungskrieg; **2.** mörderisch, vernichtend.

in·tern·ee [intə:'ni:] *s.* Internierte(r *m*) *f*; **in·tern·ment** [in'tə:nmənt] *s.* Internierung *f*: ~ *camp* Internierungslager.

in·ter'nu·cle·ar *adj. biol.* zwischen (Zell)Kernen gelegen.

'in·ter·o·ce'an·ic [-ə(:)rou-] *adj.* zwischen (zwei) Weltmeeren liegend, (zwei) Weltmeere verbindend.

in·ter·pel·late [in'tə:peleit] *v/t. pol.* interpellieren (*in nichtenglischen Ländern*); **in·ter·pel·la·tion** [intə:pe'leiʃən] *s. pol.* Interpellati'on *f*.

in·ter'pen·e·trate **I.** *v/t.* völlig durch'dringen; **II.** *v/i.* sich gegenseitig durch'dringen; **'in·ter·pene'tra·tion** *s.* gegenseitige Durch'dringung.

in·ter·phone ['intəfoun] *s.* **1.** 'Haustele ˌphon *n*, -sprechanlage *f*; **2.** *bsd.* ⚔ Bordsprechgerät *n*, Eigenverständigungsanlage *f*.

in·ter'plan·e·tar·y *adj.* ˌinterplane'tarisch.

'in·ter'play *s.* Wechselwirkung *f*, [-spiel *n*.]

In·ter·pol ['intəpɔl] *s.* 'Interpol *f* (*Internationale kriminalpolizeiliche Kommission*).

in·ter'po·lar *adj. bsd.* ⚡ die Pole verbindend, zwischen den Polen liegend.

in·ter·po·late [in'tə:pouleit] *v/t.* **1.** (*mst Gefälschtes*) einschalten, einfügen; **2.** (durch Einschiebungen) verfälschen; **3.** ⩘ interpolieren; **in·ter·po·la·tion** [intə:pou'leiʃən] *s.* **1.** Einschaltung *f*, Einschiebung *f* (*in e-n Text*); **2.** ⩘ Interpolati'on *f*.

in·ter'pose **I.** *v/t.* **1.** da'zwischenstellen, -legen, -bringen; **2.** *et.* in den Weg legen; **3.** *Bemerkung* einwerfen, einflechten; *Einwand etc.* vorbringen; **II.** *v/i.* **4.** da'zwischenkommen, -treten; **5.** vermitteln, intervenieren; **6.** (sich) unter'brechen (*im Reden*); **in·ter·po'si·tion** *s.* **1.** Eingreifen *n*; **2.** Vermittlung *f*, Einfügung *f*, Einschaltung *f*.

in·ter·pret [in'tə:prit] **I.** *v/t.* **1.** interpretieren, auslegen, deuten; ansehen (*as* als); *bsd.* ⚔ auswerten; **2.** verdolmetschen; **3.** ♪, *theat. etc.* interpretieren, 'wiedergeben, darstellen; **II.** *v/i.* **4.** dolmetschen, Dolmetscher sein; **in·ter·pre·ta·tion** [intə:pri'teiʃən] *s.* **1.** Erklärung *f*, Auslegung *f*, Deutung *f*; Auswertung *f*; **2.** (mündliche) 'Wiedergabe, Über'setzung *f*; **3.** ♪, *thea. etc.* Darstellung *f*, 'Wiedergabe *f*; Auffassung *f*, ˌInterpretati'on *f*; **in'ter·pret·er** [-tə] *s.* **1.** Erklärer(in), Ausleger(in), Inter'pret(in); **2.** Dolmetscher(in); **in'ter·pret·er·ship** [-təʃip] *s.* Dolmetscherstellung *f*.

in·ter'ra·cial [-ə(:)'rei-] *adj.* verschiedenen Rassen gemeinsam, inter'rassisch.

in·ter·reg·num [intə'regnəm] *pl.* **-na** [-nə], **-nums** *s.* **1.** Inter'regnum *n*; **2.** Zwischenregierung *f*; **3.** Pause *f*, Unter'brechung *f*.

in·ter·re'lat·ed [-ə(:)ri-] *adj.* in Wechselbeziehung stehend, untereinander zs.-hängend; **'in·ter·re'la·tion** [-ə(:)ri-] *s.* gegenseitige Beziehung, Wechselbeziehung *f*.

in·ter·ro·gate [in'terəgeit] *v/t.* **1.** (be)fragen; **2.** interpellieren; **3.** ausfragen, vernehmen, verhören; **in·ter·ro·ga·tion** [interə'geiʃən] *s.* **1.** Frage *f* (*a. ling.*), Befragung *f*: ~ *mark*, *point of* ~ *ling.* Fragezeichen; **2.** Vernehmung *f*, Verhör *n*: ~ *officer* Vernehmungsoffizier, -beamter; **in·ter·rog·a·tive** [intə'rɔgətiv] **I.** *adj.* □ fragend, Frage...: ~ *pronoun* → *II*; **II.** *s. ling.* Fragefürwort *n*; **in'ter·ro·ga·tor** [-tə] *s.* **1.** Fragesteller(in); **2.** Vernehmungsbeamte(r) *m*; **3.** *pol.* Interpel'lant *m*; **in·ter·rog·a·to·ry** [intə'rɔgətəri] **I.** *adj.* **1.** fragend, Frage...; **II.** *s.* **2.** Frage(stellung) *f*; **3.** gerichtliche Frage(n *pl.*) *f*.

in·ter·rupt [intə'rʌpt] *v/t.* **1.** unter'brechen (*a.* ⚡), *j-m* ins Wort fallen: *don't!* ~ unterbrich (mich *etc.*) nicht!; **2.** aufhalten, stören, hindern; **in·ter'rupt·ed** [-tid] *adj.* □ unter'brochen (*a.* ⚡, ⊕, ♀); **in·ter'rupt·ed·ly** [-tidli] *adv.* mit Unter'brechungen; **in·ter'rupt·er** [-tə] *s.* **1.** Unter'brecher *m* (*a.* ⚡, ⊕); **2.** Zwischenrufer(in); Störer(in); **in·ter'rup·tion** [-pʃən] *s.* **1.** Unter'brechung *f* (*a.* ⚡), Stockung *f*: *without* ~ ununterbrochen; **2.** (⊕ Betriebs)Störung *f*.

in·ter·sect [intə(:)'sekt] **I.** *v/t.* (durch)'schneiden; **II.** *v/i.* sich schneiden *od.* kreuzen (*a.* ⩘); **in·ter'sec·tion** [-kʃən] *s.* **1.** Durch'schneiden *n*; **2.** Schnitt-, Kreuzungspunkt *m* (*a.* ⩘); **3.** *a. line of* ~ ⩘ 'Schnittˌlinie *f*; **4.** *Am.* (Straßen-*etc.*)Kreuzung *f*, **5.** ⚠ Vierung *f*.

'in·ter'space **I.** *s.* Zwischenraum *m*; **II.** *v/t.* Raum lassen zwischen (*dat.*).

in·ter·sperse [intə(:)'spə:s] *v/t.* **1.** einstreuen, hier und da einfügen (*among* zwischen *acc.*); **2.** durch'setzen (*with* mit).

'in·ter·state *adj. Am.* zwischenstaatlich, zwischen den Staaten der USA (bestehend *etc.*).

'in·ter'stel·lar *adj.* interstel'lar, zwischen den Sternen (befindlich).

in·ter·stice [in'tə:stis] *s.* **1.** Zwischenraum *m*; **2.** Lücke *f*, Spalte *f*; **in·ter·sti·tial** [intə(:)'stiʃəl] *adj.* in Zwischenräumen (gelegen), Zwischen...

in·ter'trib·al *adj.* zwischen verschiedenen Stämmen (vorkommend).

in·ter'twine *v/t. u. v/i.* (sich) verflechten *od.* verschlingen.

in·ter'ur·ban [-ə(:)r'ə:-] *adj.* zwischen Städten: ~ *bus* Überland(omni)bus.

in·ter·val ['intəvəl] *s.* **1.** Zwischenraum *m*, -zeit *f*, Abstand *m*: *at* ~*s* dann und wann, periodisch; → *lucid 1*; **2.** Pause *f*: ~ *signal Radio*: Pausenzeichen; **3.** *thea.* Pause *f*, Zwischenakt *m*; **4.** ♪ Inter'vall *n*, Tonabstand *m*; ~ **train·ing** *s. sport* Inter'valltraining *n*.

in·ter·vene [intə(:)'vi:n] *v/i.* **1.** da'zwischenliegen, liegen zwischen (*dat.*); **2.** sich (in'zwischen) ereignen, (plötzlich) eintreten; **3.** (*unerwartet*) da'zwischenkommen: *if nothing* ~*s*; **4.** sich einmischen (*in* in *acc.*), einschreiten; **5.** (*helfend*) eingreifen, vermitteln, sich ins Mittel legen; sich verwenden (*with s.o.* bei j-m); **6.** *bsd.* ✝, ⚖ intervenieren; **in·ter'ven·tion** [-'venʃən] *s.* **1.** Da'zwischenliegen *n*, -kommen *n*; **2.** Vermittlung *f*; **3.** Eingreifen *n*, -schreiten *n*, -mischung *f*; **4.** ✝, ⚖, *pol.* Interventi'on *f*; **5.** Einspruch *m*; **in·ter'ven·tion·ist** [-'venʃnist] *s.* *pol.* Befürworter *m* e-r Interventi'on.

in·ter·view ['intəvju:] **I.** *s.* **1.** Inter'view *n*, Unter'redung *f*, Besprechung *f*: *hours for* ~*s* Sprechzeiten, -stunden; **2.** Befragung *f*; **II.** *v/t.* **3.** inter'viewen, ein Interview *od.* e-e Unterredung haben mit; **in·ter·view·ee** [intəvju:'i:] *s.* Inter'viewte(r *m*) *f*, Befragte(r *m*) *f*; **'in·ter·view·er** [-ju:ə] *s.* Inter'viewer(in), Befrager(in).

'in·ter·war *adj.*: *the* ~ *period* die Zeit zwischen den (Welt)Kriegen.

in·ter'weave *v/t.* [*irr.* → *weave*] **1.** verweben, verflechten (*a. fig.*); **2.** vermengen; **3.** durch'weben, -'flechten, -'wirken.

in·ter'zon·al *adj.* Interzonen...

in·tes·ta·cy [in'testəsi] *s.* ⚖ Fehlen *n* e-s Testa'ments; **in'tes·tate** [-tit] **I.** *adj.* **1.** ohne Hinter'lassung e-s Testa'ments: *to die* ~; **2.** nicht testamen'tarisch geregelt: ~ *estate*; ~ *succession* gesetzliche Erbfolge; **II.** *s.* **3.** Erb-lasser(in), der (*od.* die) kein Testa'ment hinter'lassen hat.

in·tes·ti·nal [in'testinl] *adj.* ⚕ Darm..., Eingeweide...: ~ *flora* Darmflora; **in·tes·tine** [in'testin] **I.** *s. anat.* Darm *m*; *pl.* Gedärme *pl.*, Eingeweide *pl.*: *large* ~ Dickdarm; *small* ~ Dünndarm; **II.** *adj.* inner, einheimisch: ~ *war* Bürgerkrieg.

in·thral(l) [in'θrɔ:l] *Am.* → *enthrall*.

in·throne [in'θroun] *Am.* → *enthrone*.

in·ti·ma·cy ['intiməsi] *s.* **1.** Intimi'tät *f*, Vertrautheit *f*, vertrauter 'Umgang; **2.** in'time (*sexuelle*) Beziehungen *pl.*

in·ti·mate¹ ['intimit] **I.** *adj.* □ **1.** vertraut, innig, in'tim: *on* ~ *terms* auf vertrautem Fuß; **2.** eng, nah; **3.** per'sönlich; **4.** intim, in geschlechtlichen Beziehungen (stehend) (*with* mit); **5.** gründlich: ~ *knowledge*; **6.** ⊕, ⚒ innig: ~ *contact*; ~ *mixture*; **II.** *s.* **7.** Vertraute(r *m*) *f*, ˈIntimus *m*.

in·ti·mate² [ˈintimeit] *v/t.* **1.** andeuten, zu verstehen geben; **2.** nahelegen; **3.** ankündigen, mitteilen; **in·ti·ma·tion** [intiˈmeiʃən] *s.* **1.** Andeutung *f*, Wink *m*; **2.** Mitteilung *f*; **3.** (An)Zeichen *n*.

in·tim·i·date [inˈtimideit] *v/t.* einschüchtern, abschrecken, bange machen; **in·tim·i·da·tion** [intimiˈdeiʃən] *s.* Einschüchterung *f*.

in·ti·tle [inˈtaitl] *Am.* → *entitle*.

in·tit·uled [inˈtitju:ld] *adj.* betitelt.

in·to [ˈintu; ˈintə] *prp.* **1.** in (*acc.*), in (*acc.*) ... hinˈein: *to go* ~ *the house*; *to get* ~ *debt* in Schulden geraten; *to flog* ~ *obedience* durch Prügel zum Gehorsam bringen; *far* ~ *the night* tief in die Nacht; **2.** *Zustandsänderung*: zu: *to make water* ~ *ice* Wasser zu Eis machen; *to turn* ~ *cash* zu Geld machen; *to grow* ~ *a man* ein Mann werden; **3.** Ⓜ in: *to divide* ~ *10 parts* in 10 Teile teilen; *4* ~ *20 goes five times* 4 geht in 20 fünfmal.

in·tol·er·a·ble [inˈtɔlərəbl] *adj.* □ unerträglich; **inˈtol·er·a·ble·ness** [-nis] *s.* Unerträglichkeit *f*; **inˈtol·er·ance** [-lərəns] *s.* ˈIntoleranz *f*, Unduldsamkeit *f* (*of* gegen); **inˈtol·er·ant** [-lərənt] *adj.* □ **1.** unduldsam, ˈintolerant (*of* gegen); **2.** *to be* ~ *of* nicht (v)ertragen können.

in·tomb [inˈtu:m] *Am.* → *entomb*.

in·to·nate [ˈintouneit] *v/t.* → *intone*; **in·to·na·tion** [intouˈneiʃən] *s.* **1.** *ling.* Intonatiˈon *f*, Tonfall *m*; **2.** ♪ **a)** Anstimmen *n*, **b)** Psalmodieren *n*, **c)** Tonansatz *m*; **in·tone** [inˈtoun] *v/t.* **1.** ♪ anstimmen, intonieren; **2.** ♪ psalmodieren; **3.** den Tonfall geben (*dat.*).

in to·to [in ˈtoutou] (*Lat.*) *adv.* im ganzen, vollständig.

in·tox·i·cant [inˈtɔksikənt] **I.** *adj.* berauschend; **II.** *s.* berauschendes Getränk; **inˈtox·i·cate** [-keit] *v/t.* (*a. fig.*) berauschen, (be)trunken machen: ~*d with* trunken von *Wein*, *Liebe od.* vor *Freude*; **in·tox·i·ca·tion** [intɔksiˈkeiʃən] *s.* Rausch *m*, Berauschung *f*, Trunkenheit *f* (*a. fig.*).

intra- [intrə] *in Zssgn* innerhalb.

in·traˈcar·di·ac *adj.* ⚕ im Herzˈinnern, intrakardiˈal.

in·trac·ta·bil·i·ty [intræktəˈbiliti] *s.* Unlenksamkeit *f*, ˈWiderspenstigkeit *f*; **in·trac·ta·ble** [inˈtræktəbl] *adj.* □ **1.** unlenksam, störrisch, halsstarrig, eigensinnig; **2.** schwer zu bearbeiten(d) *od.* zu handhaben(d), ˌˈwiderspenstigˈ.

in·tra·dos [inˈtreidɔs] *s.* △ Laibung *f*, innere Wölbfläche.

in·tra·mu·ral [ˈintrəˈmjuərəl] *adj.* **1.** innerhalb der Mauern (*e-r Stadt*, *e-s Hauses etc.*) befindlich; **2.** innerhalb der Universiˈtät.

in·traˈmus·cu·lar *adj.* ⚕ intramuskuˈlär.

in·tran·si·gence [inˈtrænsidʒəns] *s.* Unnachgiebigkeit *f*, Komproˈmißlosigkeit *f*; **inˈtran·si·gent** [-nt] *bsd. pol.* **I.** *adj.* unnachgiebig, starr, komproˈmißlos; **II.** *s.* Unnachgiebige(r *m*) *f*, Starrkopf *m*, Radiˈkale(r *m*) *f*.

in·tran·si·tive [inˈtrænsitiv] **I.** *adj.* □ *ling.* ˈintransitiv, nichtzielend; **II.** *s. ling.* ˈIntransitivum *n*.

in·trant [ˈintrənt] *s.* Neueintretende(r *m*) *f*, (*ein Amt*) Antretende(r *m*) *f*.

in·traˈve·nous *adj.* ⚕ intraveˈnös.

in·treat [inˈtri:t] *Am.* → *entreat*.

in·trench [inˈtrentʃ] → *entrench*.

in·trep·id [inˈtrepid] *adj.* □ unerschrocken, furchtlos; **in·tre·pid·i·ty** [intriˈpiditi] *s.* Unerschrockenheit *f*.

in·tri·ca·cy [ˈintrikəsi] *s.* **1.** Kompliˈziertheit *f*, Kniffligkeit *f*; **2.** Komplikatiˈon *f*, Schwierigkeit *f*; **ˈin·tri·cate** [-kit] *adj.* □ verwickelt, ˈumständlich, kompliˈziert, knifflig, schwierig.

in·trigue [inˈtri:g] **I.** *v/i.* **1.** intrigieren, Ränke schmieden; **2.** ein Verhältnis haben (*with* mit); **II.** *v/t.* **3.** fesseln, interessieren; **4.** verblüffen, erstaunen, befremden; **III.** *s.* **5.** Inˈtrige *f*, Ränkespiel *n*; *pl.* Ränke *pl.*, Machenschaften *pl.*; **inˈtri·guer** [-gə] *s.* Intriˈgant(in); **inˈtri·guing** [-giŋ] *adj.* □ **1.** fesselnd, interesˈsant; **2.** verblüffend.

in·trin·sic [inˈtrinsik] *adj.* (□ ~*ally*) inner, wahr, eigentlich, wirklich, wesentlich: ~ *value* innerer Wert; **inˈtrin·si·cal·ly** [-kəli] *adv.* wirklich, eigentlich; an sich.

in·tro·duce [intrəˈdju:s] *v/t.* **1.** einführen: *to* ~ *a new method*; **2.** einleiten, eröffnen, anfangen; **3.** (*into* in *acc.*) *et.* (herˈein)bringen; *Instrument etc.* einführen, -setzen; *Seuche* einschleppen; *Gesetz* einbringen; **4.** *Thema*, *Frage* anschneiden, aufwerfen; **5.** *j-n* (hinˈein)führen, (-)geleiten (*into* in *acc.*); **6.** (*to*) *j-n* einführen (in *acc.*), bekanntmachen (mit *et.*); **7.** (*to*) *j-n* bekanntmachen (mit *j-m*), vorstellen (*dat.*); **in·tro·ducˈtion** [-ˈdʌkʃən] *s.* **1.** Einführung *f*; **2.** Einleitung *f*, Anbahnung *f*; **3.** Vorrede *f*, -wort *n*; **4.** Leitfaden *m*, Anleitung *f*; **5.** Einführung *f* (*Instrument*); Einschleppung *f* (*Seuche*); Einbringung *f* (*Gesetz*); **6.** Vorstellung *f*: *letter of* ~ Empfehlungsbrief; **in·troˈduc·to·ry** [-ˈdʌktəri] *adj.* einleitend, Einleitungs..., Vor...

in·tro·it [ˈintrɔit] *s. eccl.* Inˈtroitus *m*, Eingangslied *n*.

in·tro·mis·sion [introuˈmiʃən] *s.* **1.** Einführung *f*; **2.** Zulassung *f*.

in·tro·spect [introuˈspekt] *v/t.* sich (innerlich) prüfen; **in·troˈspec·tion** [-kʃən] *s.* Selbstprüfung *f*, innere Einkehr; **in·troˈspec·tive** [-tiv] *adj.* □ selbstprüfend; nach innen gekehrt, beschaulich.

in·tro·ver·sion [introuˈvəːʃən] *s.* **1.** Einwärtskehren *n*; **2.** *psych.* Introversiˈon *f*, Wendung *f* nach innen; **in·tro·vert** **I.** *s.* [ˈintrouvəːt] *psych.* introvertierter *od.* nach innen gerichteter Mensch; **II.** *v/t.* [introuˈvəːt] nach innen richten (*a. psych.*), einwärtskehren.

in·trude [inˈtru:d] **I.** *v/t.* **1.** hinˈeindrängen, -zwängen (*into* in *acc.*); **2.** herˈvorkehren, (unangenehm) fühlbar machen; **3.** aufdrängen: *to* ~ *s.th. upon s.o.* j-m et. aufdrängen; *to* ~ *o.s. upon s.o.* sich j-m aufdrängen; **II.** *v/i.* **4.** sich eindrängen *od.* einmischen (*into* in *acc.*), sich aufdrängen (*upon dat.*); **5.** (*upon*) *j-n* stören, belästigen: *am I intruding?* störe ich?; **inˈtrud·er** [-də] *s.* **1.** Eindringling *m*; **2.** Zudringliche(r *m*) *f*, Störenfried *m*; **3.** ✈ Störflugzeug *n*; **inˈtru·sion** [-u:ʒən] *s.* **1.** Eindrängen *n*, Eindringen *n*; **2.** Einmischung *f*; **3.** Zu-, Aufdringlichkeit *f*; **4.** Belästigung *f* (*upon gen.*); **5.** ⚖ Besitzentziehung *f*; **inˈtru·sive** [-u:siv] *adj.* □ **1.** auf-, zudringlich, lästig; **2.** *geol.* eingedrungen; **3.** *ling.* ˈunetymoˌlogisch (eingedrungen); **inˈtru·sive·ness** [-u:sivnis] → *intrusion 3*.

in·trust [inˈtrʌst] *Am.* → *entrust*.

in·tu·i·tion [intju(:)ˈiʃən] *s.* Intuitiˈon *f*: **a)** unmittelbare Erkenntnis, **b)** Eingebung *f*, Ahnung *f*; **in·tu·itive** [inˈtju(:)itiv] *adj.* □ intuiˈtiv.

in·tu·mes·cence [intju(:)ˈmesns] *s.* **1.** ⚕ Anschwellung *f*, Geschwulst *f*; **2.** *fig.* Schwulst *m*; **in·tuˈmes·cent** [-nt] *adj.* (an)schwellend.

in·twine *Am.* → *entwine*.

in·twist *Am.* → *entwist*.

in·un·date [ˈinʌndeit] *v/t.* überˈschwemmen (*a. fig.*); **in·un·da·tion** [inʌnˈdeiʃən] *s.* Überˈschwemmung *f*, Flut *f* (*a. fig.*).

in·ure [iˈnjuə] **I.** *v/t. mst pass.* (*to*) abhärten (gegen), gewöhnen (an *acc.*); **II.** *v/i. bsd.* ⚖ wirksam *od.* gültig *od.* angewendet werden.

in·u·til·i·ty [inju(:)ˈtiliti] *s.* Nutz-, Zwecklosigkeit *f*.

in·vade [inˈveid] *v/t.* **1.** einfallen *od.* eindringen *od.* einbrechen in (*acc.*); **2.** überˈfallen, angreifen; **3.** *fig.* überˈlaufen, sich ausbreiten über (*acc.*); **4.** eindringen in (*acc.*), ˈübergreifen auf (*acc.*); **5.** *fig.* erfüllen, ergreifen, befallen: *fear* ~*d all*; **6.** *fig.* verstoßen gegen, verletzen, antasten, eingreifen in (*acc.*); **inˈvad·er** [-də] *s.* Eindringling *m*, Angreifer(in).

in·va·lid¹ [ˈinvəli:d] **I.** *adj.* **1.** (dauernd) kränklich, krank, leidend; **2.** Kranken...: ~ *chair* Rollstuhl; ~ *diet* Krankenkost; **3.** ⚔ dienstunfähig; **II.** *s.* **4.** Kranke(r *m*) *f*, Gebrechliche(r *m*) *f*; **5.** Invaˈlide *m*; **III.** *v/t.* [invəˈli:d] **6.** zum Invaliden machen; **7.** dienstuntauglich erklären: *to be* ~*ed out of the army* als Invalide aus dem Heer entlassen werden.

in·val·id² [inˈvælid] *adj.* □ **1.** (rechts)ungültig, null u. nichtig; **2.** nichtig, nicht überˈzeugend (*Argumente*); **inˈval·i·date** [-deit] *v/t.* **1.** (für) ungültig erklären, ˈumstoßen; **2.** entkräften; **in·val·i·da·tion** [invæliˈdeiʃən] *s.* **1.** Ungültigkeitserklärung *f*; **2.** Entkräftung *f*.

in·va·lid·ism [ˈinvəli:dizəm] *s.* ⚕ Invalidiˈtät *f*.

in·va·lid·i·ty [invəˈliditi] *s.* **1.** *bsd.* ⚖ Ungültigkeit *f*, Nichtigkeit *f*; **2.** ⚕ *Am.* Invalidiˈtät *f*.

in·val·u·a·ble [inˈvæljuəbl] *adj.* □ unschätzbar, unbezahlbar.
in·var·i·a·bil·i·ty [invɛəriəˈbiliti] *s.* Unveränderlichkeit *f*; **in·var·i·a·ble** [inˈvɛəriəbl] **I.** *adj.* □ unveränderlich, gleichbleibend; konˈstant (*a.* ⚗); **II.** *s.* Konˈstante *f*; **in·var·i·a·bly** [inˈvɛəriəbli] *adv.* beständig, ausnahmslos.
in·va·sion [inˈveiʒən] *s.* **1.** ⚔ (*of*) Invasiˈon *f* (*gen.*), Einfall *m* (in *acc.*), ˈÜberfall *m*, Angriff *m* (auf *acc.*); **2.** Eindringen *n*, Einbruch *m* (*of* in *acc.*); **3.** Andrang *m* (*of* zu); **4.** *fig.* (*of*) Eingriff *m* (in *acc.*), Verstoß *m* (gegen); **5.** ⚕ Anfall *m*; **inˈva·sive** [-eisiv] *adj.* **1.** ⚔ Invasions…, Angriffs…, angreifend; **2.** eingreifend (*of* in *acc.*); **3.** zudringlich.
in·vec·tive [inˈvektiv] *s.* Schmähung(en *pl.*) *f*, Beschimpfung *f*; *pl.* Schimpfworte *pl.*
in·veigh [inˈvei] *v/i.* (*against*) schimpfen (über, auf *acc.*), herziehen (über *acc.*).
in·vei·gle [inˈvi:gl] *v/t.* **1.** verlocken, verleiten, verführen (*into* zu); **2.** locken (*into* in *acc.*); **inˈvei·gle·ment** [-mənt] *s.* Verleitung *f*, Verführung *f*.
in·vent [inˈvent] *v/t.* **1.** erfinden (*a. fig.*); ersinnen; **2.** fingieren, erdichten; **inˈven·tion** [-nʃən] *s.* **1.** Erfindung *f* (*a. fig.*); **2.** (Gegenstand *m etc.* der) Erfindung *f*; **3.** Erfindungsgabe *f*; **4.** Erdichtung *f*, Märchen *n*; **inˈven·tive** [-tiv] *adj.* □ **1.** erfinderisch (*of* in *dat.*); Erfindungs…; **2.** schöpferisch, einfallsreich, origiˈnell; **inˈven·tive·ness** [-tivnis] → *invention 3*; **inˈven·tor** [-tə] *s.* Erfinder(in).
in·ven·to·ry [ˈinvəntri] *a.* † **I.** *s.* **1.** Invenˈtar-, Bestandsverzeichnis *n*, -aufnahme *f*; (Stück)Liste *f*; **2.** Invenˈtar *n*, Lagerbestand *m*, Vorräte *pl.*: *to draw up an* ~ Inventur machen; **II.** *v/t.* **3.** den Bestand aufnehmen von, inventarisieren.
in·verse [ˈinˈvə:s] **I.** *adj.* □ ˈumgekehrt, entgegengesetzt (*a.* ⚗); **II.** *s.* ˈUmkehrung *f*, Gegenteil *n*; **in·ver·sion** [inˈvə:ʃən] *s.* **1.** ˈUmkehrung *f* (*a.* ⚗, ♪); **2.** *ling.* Inversiˈon *f*; **3.** ˌHomosexualiˈtät *f*.
in·vert **I.** *v/t.* [inˈvə:t] **1.** ˈumkehren (*a.* ♪), ˈumdrehen, ˈumwenden (*a.* ⚡); **2.** *ling.* ˈumstellen; **3.** ⚗ invertieren; **II.** *s.* [ˈinvə:t] **4.** △ ˈumgekehrter Bogen; **5.** ⊕ Sohle *f* (*Schleuse etc.*); **6.** ˌHomosexuˈelle(r) *m*; ˈLesbierin *f*.
in·ver·te·brate [inˈvə:tibrit] **I.** *adj.* **1.** *zo.* wirbellos; **2.** *fig.* rückgratlos; **II.** *s.* **3.** *zo.* wirbelloses Tier: *the* ~*s* die Wirbellosen; **4.** *fig.* Mensch *m* ‚ohne Rückgrat', haltloser Mensch.
in·vert·ed [inˈvə:tid] *adj.* **1.** ˈumgekehrt; ˈumgestellt; **2.** invertiert, perˈvers, ˌhomosexuˈell; **3.** ⊕ hängend; ~ **com·mas** *s. pl.* Anführungszeichen *pl.*, ‚Gänsefüßchen' *pl.*; ~ **flight** *s.* ✈ Rückenflug *m*; ~ **im·age** *s. phys.* Kehrbild *n*.
in·vest [inˈvest] **I.** *v/t.* **1.** † investieren, anlegen (*in* in *dat.*); **2.** (*with, in* mit) bekleiden (*a. fig.*); bedecken, umˈhüllen; **3.** (*with*) kleiden (in *acc.*), ausstatten (mit *Befugnissen etc.*); umˈgeben (mit); **4.** (in Amt u. Würden) einsetzen; **5.** ⚔ einschließen, belagern; **II.** *v/i.* **6.** ~ *in* F sich *et.* zulegen *od.* kaufen.
in·ves·ti·gate [inˈvestigeit] **I.** *v/t.* unterˈsuchen, erforschen; ermitteln; **II.** *v/i.* (*into*) nachforschen (nach), Ermittlungen anstellen (über *acc.*); **in·ves·ti·ga·tion** [investiˈgeiʃən] *s.* **1.** Unterˈsuchung *f*, Nachforschung *f*; *pl.* Ermittlungen *pl.*; **2.** *wissenschaftliche* Forschung; **inˈves·ti·ga·tor** [-tə] *s.* **1.** Unterˈsuchende(r) *m*, Unterˈsuchungsbeamte(r) *m*; **2.** Prüfer(in), (Nach-)Forscher(in).
in·ves·ti·ture [inˈvestitʃə] *s.* **1.** Investiˈtur *f*, Amtseinsetzung *f*; Belehnung *f*; **2.** *fig.* Ausstattung *f*, Einkleidung *f*.
in·vest·ment [inˈvesmənt] *s.* **1.** † Investierung *f*, (Kapiˈtals)Anlage *f* (*a. fig.*); **2.** † ˈAnlage(kapiˌtal *n*) *f*; *pl.* Anlagewerte *pl.*, Investitiˈonen *pl.*; **3.** † Einlage *f*, Beteiligung *f*; **4.** Ausstattung *f*; **5.** ⚔ Belagerung *f*, Blocˈkade *f*; ~ **ad·vis·er** *s.* Anlageberater *m*; ~ **goods** *s. pl.* † Investitiˈonsgüter *pl.*; ~ **trust** *s.* † Kapiˈtalanlagegesellschaft *f*, Inˈvestment-Trust *m*: ~ *certificate* Investmentzertifikat.
in·ves·tor [inˈvestə] *s.* † Geld-, Kapiˈtalanleger *m*.
in·vet·er·a·cy [inˈvetərəsi] *s.* **1.** Unausrottbarkeit *f*; **2.** ⚕ Hartnäckigkeit *f*; **inˈvet·er·ate** [-rit] *adj.* □ **1.** eingewurzelt; **2.** ⚕ hartnäckig; **3.** eingefleischt, unverbesserlich.
in·vid·i·ous [inˈvidiəs] *adj.* □ **1.** Ärgernis erregend, verhaßt; **2.** gehässig, boshaft; **3.** peinlich, ärgerlich; **inˈvid·i·ous·ness** [-nis] *s.* **1.** *das* Ärgerliche *od.* Peinliche; **2.** Gehässigkeit *f*, Bosheit *f*.
in·vig·i·late [inˈvidʒileit] *v/i. ped. Brit.* die Aufsicht führen; **in·vig·i·la·tion** [invidʒiˈleiʃən] *s. Brit.* Aufsicht *f*.
in·vig·or·ate [inˈvigəreit] *v/t.* stärken, kräftigen, beleben; **in·vig·or·a·tion** [invigəˈreiʃən] *s.* Kräftigung *f*, Belebung *f*.
in·vin·ci·bil·i·ty [invinsiˈbiliti] *s.* Unbesiegbarkeit *f*; ˈUnüberˌwindlichkeit *f*; **in·vin·ci·ble** [inˈvinsəbl] *adj.* □ unbesiegbar; ˈunüberˌwindlich.
in·vi·o·la·bil·i·ty [invaiələˈbiliti] *s.* Unverletzlichkeit *f*, Unantastbarkeit *f*; **in·vi·o·la·ble** [inˈvaiələbl] *adj.* □ unverletzlich, unantastbar, unverbrüchlich, heilig; **in·vi·o·late** [inˈvaiəlit] *adj.* □ **1.** unverletzt, nicht gebrochen (*Gesetz etc.*); **2.** nicht entweiht, unberührt.
in·vis·i·bil·i·ty [invizəˈbiliti] *s.* Unsichtbarkeit *f*; **in·vis·i·ble** [inˈvizəbl] *adj.* □ unsichtbar (*to* für): *he was* ~ er ließ sich nicht sehen; ~ *exports* † unsichtbare Exporte; ~ *ink* Geheimtinte.
in·vi·ta·tion [inviˈteiʃən] *s.* **1.** Einladung *f* (*to s.o.* an j-n): ~ *to tea* Einladung zum Tee; **2.** Aufforderung *f*, Ersuchen *n*; **3.** † Ausschreibung *f*: ~ *to bid*; **in·vite** [inˈvait] *v/t.* **1.** einladen: *to* ~ *s.o. in* j-n hereinbitten; **2.** *j-n* auffordern, bitten (*to do* zu tun); **3.** *et.* erbitten, ersuchen um, auffordern zu *et.*; **4.** *et.* herˈausfordern, herˈvorrufen; sich aussetzen (*dat.*); **5.** ermutigen zu, anlocken; **in·vit·ing** [inˈvaitiŋ] *adj.* □ einladend, (ver)lockend.
in·vo·ca·tion [invouˈkeiʃən] *s.* **1.** Anrufung *f*; **2.** *eccl.* Bittgebet *n*.
in·voice [ˈinvɔis] † **I.** *s.* Fakˈtura *f*, (Waren)Rechnung *f*: *as per* ~ laut Rechnung; ~ *clerk* Fakturist(in); ~ *number* Rechnungsnummer; **II.** *v/t.* fakturieren, in Rechnung stellen.
in·voke [inˈvouk] *v/t.* **1.** anrufen, anflehen, flehen zu; **2.** flehen um, herˈab-, erflehen; **3.** zu Hilfe rufen, sich berufen auf (*acc.*), (*als Zeugen*) anführen; **4.** *Geist* beschwören.
in·vol·un·tar·i·ness [inˈvɔləntərinis] *s.* **1.** Unfreiwilligkeit *f*; **2.** ˈUnwillˌkürlichkeit *f*; **in·vol·un·tar·y** [inˈvɔləntəri] *adj.* □ **1.** unfreiwillig; **2.** ˈunwillˌkürlich; **3.** unabsichtlich.
in·vo·lute [ˈinvəlu:t] *adj.* **1.** ⚘ eingerollt; **2.** *zo.* mit engen Windungen; **3.** *fig.* verwickelt; **in·vo·lu·tion** [invəˈlu:ʃən] *s.* **1.** ⚘ Einrollung *f*; **2.** *biol.* Einschrumpfung *f*, Rückbildung *f*; **3.** Potenzierung *f*; **4.** Verwicklung *f*, Verwirrung *f*.
in·volve [inˈvɔlv] *v/t.* **1.** *mst fig.* verwickeln, -stricken, hinˈeinziehen (*in* in *acc.*): *he* ~*d me in the quarrel* er zog mich in den Streit hinein; **2.** verwirren, komplizieren; **3.** in Schwierigkeiten bringen (*with* mit); **4.** (*in, with*) verknüpfen (mit), beteiligen (an *dat.*); **5.** angehen, betreffen, berühren; **6.** einschließen, -beziehen, umˈfassen; **7.** mit sich bringen, zur Folge haben, nötig machen: *this* ~*s great expense*; **inˈvolved** [-vd] *adj.* **1.** verwickelt, kompliziert, verworren (*Stil etc.*); **2.** (*in*) verwickelt (in *acc.*), betroffen (von): ~ *in debt* verschuldet; ~ *in a car accident* an e-m Autounfall beteiligt; **3.** (*in s.th., with s.o.*) stark beschäftigt (mit), beteiligt *od.* interessiert (an *dat.*); **4.** einbegriffen: *the persons* ~ die Betreffenden *od.* Betroffenen; **5.** *to be* ~ **a)** in Frage kommen, **b)** auf dem Spiel stehen: *about £ 100 was* ~.
in·vul·ner·a·bil·i·ty [invʌlnərəˈbiliti] *s.* **1.** Unverwundbarkeit *f*; **2.** *fig.* Unanfechtbarkeit *f*; **in·vul·ner·a·ble** [inˈvʌlnərəbl] *adj.* □ **1.** unverwundbar, ungefährdet; **2.** *fig.* unanfechtbar, hieb- und stichfest; **3.** gefeit (*to* gegen).
in·ward [ˈinwəd] **I.** *adj.* □ **1.** inner(lich), Innen…; nach innen gehend: ~ *parts anat.* innere Organe; *the* ~ *nature* der Kern, das eigentliche Wesen; **2.** *fig.* seelisch, geistig, inner; **3.** † nach der Heimat gehend: ~ *journey* ⚓ Heimfahrt, -reise; ~ *mail* eingehende *od.* eingegangene Post; **II.** *s.* **4.** *das* Innere (*a. fig.*); **5.** *pl.* [ˈinədz] F **a)** innere Orˈgane *pl.*, Eingeweide *pl.* **b)** *Küche:* Inneˈreien *pl.*; **III.** *adv.* **6.** nach innen; **7.** im Innern (*a. fig.*); **ˈin·ward·ly** [-li] *adv.* **1.** innerlich, im Innern (*a. fig.*); nach innen; **2.** leise, im stillen, für sich; **ˈin·ward·ness** [-nis] *s.* **1.** Innerlichkeit *f*; **2.** innere Naˈtur, wahre Bedeutung; **ˈin·wards** [-dz] → *inward 6, 7.*
in·weave [ˈinˈwi:v] *v/t.* [*irr.* →

weave] **1.** einweben (*into* in *acc.*); **2.** *fig.* ein-, verflechten.

in·wrought ['in'rɔ:t] *adj.* **1.** eingewoben, eingearbeitet; **2.** verziert; **3.** *fig.* (eng) verflochten.

i·o·date ['aiədeit] *s.* ⚗ Jo'dat *n*; **i·od·ic** [ai'ɔdik] *adj.* ⚗ jodhaltig, Jod...; '**i·o·dide** [-daid] *s.* ⚗ Jo'did *n*; '**i·o·dine** [-di:n] *s.* Jod *n*: *tincture of* ~ Jodtinktur; '**i·o·dize** [-daiz] *v/t.* mit Jod behandeln; **i·o·do·form** [ai'ɔdəfɔ:m] *s.* ⚗, ⚕ Jodo'form *n*.

i·on ['aiən] *s. phys.* I'on *n*.

I·o·ni·an [ai'ounjən] **I.** *adj.* i'onisch; **II.** *s.* I'onier(in).

I·on·ic[1] [ai'ɔnik] *adj.* i'onisch: ~ *order* ionische Säulenordnung.

i·on·ic[2] [ai'ɔnik] *adj. phys.* i'onisch: ~ *migration* Ionenwanderung.

i·o·ni·um [ai'ouniəm] *s.* ⚗ I'onium *n*.

i·on·i·za·tion [aiənai'zeiʃən] *s. phys.* Ionisierung *f*; **i·on·ize** ['aiənaiz] *phys.* **I.** *v/t.* ionisieren; **II.** *v/i.* in I'onen zerfallen; **i·on·o·sphere** [ai'ɔnəsfiə] *s. phys.* Iono'sphäre *f*.

i·o·ta [ai'outə] *s.* J'ota *n*: **a)** *griech. Buchstabe*, **b)** *fig.* Tüttelchen *n*: *not an* ~ kein Jota, nicht das geringste.

I O U ['aiou'ju:] *s.* Schuldschein *m* (= *I owe you*).

ip·e·cac ['ipikæk] *s.* ⚘, ⚕ Brechwurz(el) *f*.

ip·so fac·to ['ipsou'fæktou] (*Lat.*) gerade (*od.* al'lein) durch diese Tatsache.

I·ra·ni·an [i'reinjən] **I.** *adj.* **1.** i'ranisch, persisch; **II.** *s.* **2.** I'ranier(in), Perser(in); **3.** *ling.* I'ranisch *n*, Persisch *n*.

I·ra·qi [i'rɑ:ki] **I.** *s.* **1.** I'raker(in); **2.** *ling.* I'rakisch *n*; **II.** *adj.* **3.** i'rakisch.

i·ras·ci·bil·i·ty [iræsi'biliti] *s.* Jähzorn *m*, Reizbarkeit *f*; **i·ras·ci·ble** [i'ræsibl] *adj.* □ jähzornig, reizbar.

i·rate [ai'reit] *adj.* zornig, wütend.

ire ['aiə] *s. poet.* Zorn *m*, Wut *f*; '**ire·ful** [-ful] *adj.* □ *poet.* zornig.

ir·i·des·cence [iri'desns] *s.* Schillern *n*; **ir·i'des·cent** [-nt] *adj.* schillernd, irisierend.

i·rid·i·um [ai'ridiəm] *s.* ⚗ I'ridium *n*.

i·ris ['aiəris] *s.* **1.** *anat.* Regenbogenhaut *f*, 'Iris *f*; **2.** ⚘ Schwertlilie *f*; ~ **di·a·phragm** *s. phot.* 'Irisblende *f*.

I·rish ['aiəriʃ] **I.** *adj.* **1.** irisch, irländisch: *the* ~ *Free State* der Irische Freistaat; → *bull*[3]; **II.** *s.* **2.** *ling.* Irisch *n*; **3.** *the* ~ *pl.* die Iren *pl.*, die Irländer *pl.*; '**I·rish·ism** [-ʃizəm] *s.* irische (Sprach)Eigentümlichkeit.

'**I·rish|·man** [-mən] *s.* [*irr.*] Ire *m*, Irländer *m*; ~ **stew** *s. Küche*: Irish-Stew *n*; ~ **ter·ri·er** *s.* Irischer 'Terrier; '~**·wom·an** *s.* [*irr.*] Irin *f*, Irländerin *f*.

irk [ə:k] *v/t.* ärgern, verdrießen, langweilen: *it* ~*s me*; '**irk·some** [-səm] *adj.* □ ärgerlich, verdrießlich; lästig, beschwerlich.

i·ron ['aiən] **I.** *s.* **1.** Eisen *n*: *as hard as* ~ hart wie Eisen; *to have* (*too*) *many* ~*s in the fire* (zu) viele Eisen im Feuer haben; *to rule with a rod of* ~ mit eiserner Faust regieren; *to strike while the* ~ *is hot* das Eisen schmieden, solange es heiß ist; *man of* ~ hartherziger *od.* unnachgiebiger Mann; *he is made of* ~ er hat e-e eiserne Gesundheit; **2.** Brandeisen *n*, -stempel *m*; **3.** (Bügel-, Plätt-) Eisen *n*; **4.** Steigbügel *m*; **5.** *Golf*: Eisen *n* (*Schläger*); **6.** ⚕ 'Eisen (-präpa,rat) *n*: *to take* ~ Eisen einnehmen; **7.** *pl.* Hand-, Fußschellen *pl.*, Eisen *pl.*: *to put in* ~*s* → *14*; **8.** *pl.* ⚕ Beinschiene *f* (*Stützapparat*): *to put s.o.'s leg in* ~*s* j-m das Bein schienen; **II.** *adj.* **9.** eisern, Eisen...: ~ *bar* Eisenstange; **10.** *fig.* eisern: **a)** hart, kräftig: ~ *constitution* eiserne Gesundheit; ~ *frame* kräftiger Körper(bau), **b)** ehern, hart, grausam: ~ *fist* eiserne Faust, **c)** unbeugsam, unerschütterlich: ~ *discipline* eiserne Zucht; ~ *will* eiserner Wille; **III.** *v/t.* **11.** bügeln, plätten; **12.** ~ *out* **a)** glätten, einebnen, glattwalzen, **b)** *fig.* ‚ausbügeln', ausgleichen, gutmachen; **13.** ⊕ mit Eisen beschlagen; **14.** fesseln, in Eisen legen.

i·ron| age *s.* Eisenzeit *f*; '~**-bound** *adj.* **1.** eisenbeschlagen; **2.** *fig.* zerklüftet, felsig; **3.** unnachgiebig, starr; ♀ **Chan·cel·lor** *s.*: *the* ~ der Eiserne Kanzler (*Bismarck*); '~**·clad** **I.** *adj.* **1.** gepanzert (*Schiff*), eisenverkleidet, -bewehrt, mit Eisenmantel; **2.** *fig. bsd. Am.* eisern, starr, streng; **II.** *s.* **3.** ⚓, ⚔ Panzerschiff *n*; ~ **con·crete** *s.* ⊕ 'Eisenbe,ton *m*; ♀ **Cross** *s.* ⚔ Eisernes Kreuz (*Auszeichnung*); ~ **cur·tain** *s. pol.* ‚eiserner Vorhang'; ♀ **Duke** *s.*: *the* ~ der Eiserne Herzog (*Wellington*).

i·ron·er ['aiənə] *s.* Plätter(in), Bügler(in).

'**i·ron|-found·ry** *s.* ,Eisengieße'rei *f*; ~ **horse** *s.* F **1.** ‚Dampfroß' *n* (*Lokomotive*); **2.** ‚Stahlroß' *n* (*Fahrrad*).

i·ron·ic *adj.*; **i·ron·i·cal** [ai'rɔnik(əl)] *adj.* □ i'ronisch, spöttelnd.

'**i·ron·ing-board** ['aiəniŋ] *s.* Bügel-, Plättbrett *n*.

i·ron| lung *s.* ⚕ eiserne Lunge; '~**·mas·ter** *s. bsd. Brit.* Eisenhüttenbesitzer *m*, 'Eisenfabri,kant *m*; '~**·mon·ger** *s. bsd. Brit.* Eisenwaren-, Me'tallwarenhändler(in); '~**·mon·ger·y** *s. bsd. Brit.* **1.** Eisen-, Me'tallwaren *pl.*; **2.** Eisenwaren-, Me'tallwarenhandlung *f*; '~**-ore** *s. metall.* Eisenerz *n*; ~ **ox·ide** *s.* ⚗ 'Eiseno,xyd *n*; ~ **ra·tion** *s.* ⚔ eiserne Rati'on; '~**·sides** *s.* **1.** *sg.* Mann *m* von großer Tapferkeit; **2.** ♀ *sg. hist. Beiname von* **a)** Oliver Cromwell, **b)** Edmund II. von England; **3.** ♀ *pl. hist.* Cromwells Reite'rei *f*; '~**-stone** *s. min.* Eisenstein *m*; '~**·ware** *s.* Eisen-, Me'tallwaren *pl.*; '~**·work** *s.* ⊕ 'Eisenbeschlag *m*, -konstrukti,on *f*; '~**·works** *s. pl. sg. konstr.* Eisenhütte *f*.

i·ron·y[1] ['aiəni] *adj.* **1.** eisern; **2.** eisenhaltig (*Erde*); **3.** eisenartig.

i·ro·ny[2] ['aiərəni] *s.* **1.** Iro'nie *f*, Spötte'lei *f*: ~ *of fate fig.* Ironie des Schicksals; *tragic* ~ tragische Ironie; **2.** i'ronische Bemerkung.

Ir·o·quois ['irəkwɔi] *s.* **1.** Iro'kese *m*, Iro'kesin *f*; **2.** *pl.* ~ [-kwɔiz] Iro'kesen *pl.*

ir·ra·di·ance [i'reidjəns] *s.* Ausstrahlen *n*, Strahlenglanz *m*; **ir'ra·di·ant** [-nt] *adj. a. fig.* strahlend (*with* vor *dat.*); **ir'ra·di·ate** [-dieit] *v/t.* **1.** bestrahlen (*a.* ⚕), belichten, erleuchten; **2.** ausstrahlen, verbreiten; **3.** *fig. Gesicht etc.* aufheitern, verklären; **4.** *fig.* **a)** *j-n* erleuchten, aufklären, **b)** *et.* erhellen, Licht werfen auf (*acc.*); **ir·ra·di·a·tion** [ireidi'eiʃən] *s.* **1.** (Aus)Strahlen *n*, Leuchten *n*; **2.** ⚕ Bestrahlung *f*; Durch'leuchtung *f*; **3.** *fig.* Erleuchtung *f*, Aufklärung *f*.

ir·ra·tion·al [i'ræʃənl] **I.** *adj.* □ **1.** unvernünftig: **a)** vernunftlos: ~ *animal*, **b)** vernunftwidrig, unlogisch; **2.** ⅍, *phls.* 'irratio,nal; **II.** *s.* **3.** ⅍ 'Irratio,nalzahl *f*; **ir·ra·tion·al·i·ty** [iræʃə'næliti] *s.* **1.** Unvernunft *f*; Vernunftwidrigkeit *f*; **2.** ⅍, *phls.* Irrationali'tät *f*.

ir·re·claim·a·ble [iri'kleiməbl] *adj.* □ **1.** unverbesserlich; **2.** unbebaubar; **3.** 'unwieder,bringlich.

ir·rec·og·niz·a·ble [i'rekəgnaizəbl] *adj.* □ nicht erkennbar, nicht 'wiederzuer,kennen(d), unkenntlich.

ir·rec·on·cil·a·bil·i·ty [irekənsailə'biliti] *s.* **1.** Unvereinbarkeit *f* (*to*, *with* mit); **2.** Unversöhnlichkeit *f*; **ir·rec·on·cil·a·ble** [i'rekənsailəbl] **I.** *adj.* □ **1.** unvereinbar (*to*, *with* mit); **2.** unversöhnlich; **II.** *s.* **3.** *pol.* unversöhnlicher Gegner.

ir·re·cov·er·a·ble [iri'kʌvərəbl] *adj.* □ **1.** unrettbar (verloren), 'unwieder,bringlich; **2.** ✝ uneinbringlich (*Schulden*); **3.** unheilbar, nicht wieder'gutzumachen(d).

ir·re·deem·a·ble [iri'di:məbl] *adj.* □ **1.** nicht rückkaufbar; **2.** ✝ nicht (in Gold) einlösbar (*Papiergeld*); **3.** ✝ untilgbar, unkündbar (*Anleihen etc.*); **4.** unrettbar, unverbesserlich, hoffnungslos.

ir·re·den·tism [iri'dentizəm] *s. pol.* Irreden'tismus *m*; **ir·re'den·tist** [-ist] *pol.* **I.** *s.* Irreden'tist *m*; **II.** *adj.* irreden'tistisch.

ir·re·duc·i·ble [iri'dju:səbl] *adj.* □ **1.** nicht zu'rückführbar (*to* auf *acc.*), nicht zu vereinfachen(d), nicht zu verwandeln(d); **2.** nicht reduzierbar, nicht zu vermindern(d): *the* ~ *minimum* das äußerste Mindestmaß.

ir·ref·ra·ga·bil·i·ty [irefrəgə'biliti] *s.* 'Unwider,legbarkeit *f*; **ir·ref·ra·ga·ble** [i'refrəgəbl] *adj.* □ 'unwider,legbar, 'unum,stößlich.

ir·re·fran·gi·ble [iri'frændʒibl] *adj.* **1.** unverletzlich, nicht zu über'treten(d); **2.** *opt.* unbrechbar.

ir·ref·u·ta·bil·i·ty [irefjutə'biliti] *s.* 'Unwider,legbarkeit *f*; **ir·ref·u·ta·ble** [i'refjutəbl] *adj.* □ 'unwider,legbar, nicht zu wider'legen(d).

ir·re·gard·less [iri'gɑ:dlis] *adj. Am.* F ~ *of* ohne sich zu kümmern um.

ir·reg·u·lar [i'regjulə] **I.** *adj.* □ **1.** unregelmäßig (*a.* ⚘, *ling.*), ungleichmäßig, uneinheitlich, schwankend; **2.** ungeordnet, regellos; regelwidrig; **3.** ungehörig, ungebührlich; **4.** ungesetzlich, ungültig; **5.** uneben; 'unsyste,matisch; **6.** ⚔ 'irregu,lär; **II.** *s.* **7.** *pl.* Parti'sanen *pl.*, Freischärler *pl.*; **ir·reg·u·lar·i·ty** [iregju'læriti] *s.* **1.** Unregelmäßigkeit *f* (*a. ling.*), Ungleichmäßigkeit *f*; **2.** Regelwidrigkeit *f*; ⚖ Formfehler *m*, Verfahrensmangel *m*; **3.** Ungehörigkeit *f*; **4.** Unebenheit *f*; Unordnung *f*; **5.** Vergehen *n*, Verstoß *m*; **6.** Liederlichkeit *f*.

ir·rel·a·tive [i'relətiv] *adj.* □ ohne Beziehung (*to* auf *acc.*).

ir·rel·e·vance [i'relivəns], **ir'rel·e·van·cy** [-si] *s.* **1.** Unerheblichkeit *f*, Belanglosigkeit *f*; **2.** Unanwendbarkeit *f* (*to* auf *acc.*); **ir'rel·e·vant** [-nt] *adj.* □ **1.** 'irrele,vant, nicht zur Sache gehörig, ohne Beziehung (*to* zu); **2.** belanglos, unerheblich (*to* für); **3.** unanwendbar (*to* auf *acc.*).

ir·re·li·gion [iri'lidʒən] *s.* Religi'onslosigkeit *f*, Unglaube *m*; Gottlosigkeit *f*; **ir·re'li·gious** [-dʒəs] *adj.* □ **1.** 'irreligi,ös, ungläubig, gottlos; **2.** religi'onsfeindlich.

ir·re·me·di·a·ble [iri'mi:djəbl] *adj.* □ **1.** unheilbar, nicht wieder'gutzumachen(d); **2.** 'unab,änderlich.

ir·re·mis·si·ble [iri'misəbl] *adj.* □ **1.** unverzeihlich; **2.** unerläßlich.

ir·re·mov·a·ble [iri'mu:vəbl] *adj.* □ **1.** nicht zu entfernen(d); unbeweglich (*a. fig.*); **2.** unabsetzbar.

ir·rep·a·ra·ble [i'repərəbl] *adj.* □ nicht wieder'gutzumachen(d), unersetzlich; unheilbar (*a.* ⚕).

ir·re·place·a·ble [iri'pleisəbl] *adj.* unersetzlich, unersetzbar.

ir·re·press·i·ble [iri'presəbl] *adj.* □ nicht zu unter'drücken(d); unbezähmbar, unbändig.

ir·re·proach·a·ble [iri'proutʃəbl] *adj.* □ untadelig, einwandfrei, tadellos; **ir·re'proach·a·ble·ness** [-nis] *s.* Untadeligkeit *f*; einwandfreies Benehmen *od.* Verhalten.

ir·re·sist·i·bil·i·ty ['irizistə'biliti] *s.* 'Unwider,stehlichkeit *f*; **ir·re·sist·i·ble** [iri'zistəbl] *adj.* □ 'unwider,stehlich.

ir·res·o·lute [i'rezəlu:t] *adj.* □ unentschlossen, schwankend; **ir'res·o·lute·ness** [-nis], **ir·res·o·lu·tion** ['irezə'lu:ʃən] *s.* Unentschlossenheit *f*.

ir·re·solv·a·ble [iri'zɔlvəbl] *adj.* **1.** unlöslich, unauflösbar; **2.** unlösbar (*Problem*).

ir·re·spec·tive [iris'pektiv] *adj.* □: *~ of* ohne Rücksicht auf (*acc.*), ungeachtet (*gen.*), abgesehen von.

ir·re·spon·si·bil·i·ty ['irispɔnsə'biliti] *s.* **1.** Unverantwortlichkeit *f*; **2.** Verantwortungslosigkeit *f*; **ir·re·spon·si·ble** [iris'pɔnsəbl] *adj.* □ **1.** nicht verantwortlich (*for* für); **2.** unverantwortlich (*Handlung*); **3.** verantwortungslos, leichtsinnig (*Person*); **4.** ⚖ unzurechnungsfähig.

ir·re·spon·sive [iris'pɔnsiv] *adj.* **1.** teilnahms-, verständnislos, gleichgültig (*to* gegenüber); **2.** unempfänglich (*to* für): *to be ~ to* nicht reagieren auf (*acc.*).

ir·re·ten·tive [iri'tentiv] *adj.* unfähig zu behalten; gedächtnisschwach; schwach (*Gedächtnis*).

ir·re·triev·a·ble [iri'tri:vəbl] *adj.* □ **1.** 'unwieder,bringlich, unrettbar (verloren): *~ break-down of marriage* ⚖ unheilbare Zerrüttung der Ehe; **2.** unersetzlich; nicht wieder'gutzumachen(d); **ir·re'triev·a·bly** [-əbli] *adv.*: *~ broken down* ⚖ unheilbar zerrüttet (*Ehe*).

ir·rev·er·ence [i'revərəns] *s.* **1.** Geringschätzigkeit *f*, Unehrerbietigkeit *f*; **2.** 'Mißachtung *f*; **ir'rev·er·ent** [-nt] *adj.* □ unehrerbietig, re'spektlos, ehrfurchtslos.

ir·re·vers·i·bil·i·ty ['irivə:sə'biliti] *s.* **1.** ,Nicht'umkehrbarkeit *f*; **2.** 'Unwider,ruflichkeit *f*; **ir·re·vers·i·ble** [iri'və:səbl] *adj.* □ **1.** nicht 'umkehrbar; nur in 'einer Richtung (laufend); **2.** 'unwider,ruflich, 'unab,änderlich.

ir·rev·o·ca·bil·i·ty [irevəkə'biliti] *s.* 'Unwider,ruflichkeit *f*; **ir·rev·o·ca·ble** [i'revəkəbl] *adj.* □ 'unwider,ruflich (*a.* ✝ *Akkreditiv*), endgültig.

ir·ri·ga·ble ['irigəbl] *adj.* ⚒ bewässerungsfähig; **ir·ri·gate** ['irigeit] *v/t.* **1.** ⚒ bewässern, berieseln; **2.** ⚕ spülen; **ir·ri·ga·tion** [iri'geiʃən] *s.* **1.** ⚒ Bewässerung *f*, Berieselung *f*; **2.** ⚕ Spülung *f*.

ir·ri·ta·bil·i·ty [iritə'biliti] *s.* Reizbarkeit *f* (*a.* ⚕); **ir·ri·ta·ble** ['iritəbl] *adj.* □ **1.** reizbar; **2.** ⚕ **a)** gereizt, ner'vös, **b)** empfindlich.

ir·ri·tan·cy¹ ['iritənsi] *s.* Ärgernis *n*.

ir·ri·tan·cy² ['iritənsi] *s.* ⚖ Annullierung *f*.

ir·ri·tant¹ ['iritənt] **I.** *adj.* aufreizend, Reiz...; **II.** *s.* Reizmittel *n*.

ir·ri·tant² ['iritənt] *adj.*: *~ clause* ⚖ Nichtigkeitsklausel.

ir·ri·tate¹ ['iriteit] *v/t.* reizen (*a.* ⚕), (ver)ärgern, irritieren: *~d at* (*od. by od. with*) ärgerlich über (*acc.*).

ir·ri·tate² ['iriteit] *v/t.* ⚖ für nichtig erklären.

ir·ri·tat·ing ['iriteitiŋ] *adj.* □ irritierend, aufreizend; ärgerlich, lästig; **ir·ri·ta·tion** [iri'teiʃən] *s.* **1.** Reizung *f*, Ärger *m*; **2.** ⚕ Reizung *f*, Reizzustand *m*.

ir·rupt [i'rʌpt] *v/i.* eindringen, her'einbrechen; **ir'rup·tion** [-pʃən] *s.* **1.** Eindringen *n*, Einbruch *m*; **2.** Ein-, 'Überfall *m*; **ir'rup·tive** [-tiv] *adj.* her'einbrechend.

is [iz] *3. sg. pres. von be.*

I·sa·iah [ai'zaiə], *a.* **I'sa·ias** [-əs] *npr. u. s. bibl.* (das Buch) Je'saja *m od.* I'saias *m*.

is·chi·ad·ic [iski'ædik] *mst* **is·chi·'at·ic** [-'ætik] *adj.* **1.** *anat.* Hüft-, Sitzbein...; **2.** ⚕ ischi'atisch.

Ish·ma·el ['iʃmeiəl], **'Ish·ma·el·ite** [-miəlait] *s. fig.* Verstoßene(r *m*) *f*, Geächtete(r *m*) *f*, 'Paria *m*.

i·sin·glass ['aiziŋglɑ:s] *s.* Hausenblase *f*, Fischleim *m*.

Is·lam ['izlɑ:m] *s.* Is'lam *m*; **Is·lam·ic** [iz'læmik] *adj.* is'lamisch.

is·land ['ailənd] **I.** *s.* **1.** Insel *f* (*a. fig.*); **2.** Verkehrsinsel *f*; **II.** *v/t.* **3.** zur Insel machen, isolieren, (völlig) abschneiden, -schließen; **'is·land·er** [-də] *s.* Inselbewohner(in), Insu'laner(in).

isle [ail] *s. poet. u. in npr.* (kleine) Insel, Eiland *n*.

ism ['izəm] *s.* 'Ismus *m* (*bloße Theorie*), Sy'stem *n*.

is·n't ['iznt] F *für is not.*

iso- [aisou] *in Zssgn* gleich, iso-, Iso-.

i·so·bar ['aisoubɑ:] *s.* **1.** *meteor.* Iso'bare *f*; **2.** *phys.* Iso'bar *n*.

i·so·chro·mat·ic [aisoukrou'mætik] *adj. phys.* isochro'matisch, gleichfarbig.

i·so·late ['aisəleit] *v/t.* **1.** *a.* ⚕, ⚡, *phys.* isolieren, absondern (*from* von); **2.** ⚗ isolieren, rein darstellen; **3.** *fig.* abschließen, abdichten; **'i·so·lat·ed** [-tid] *adj.* **1.** (ab)gesondert, al'leinstehend, vereinzelt: *~ case* Einzelfall; **2.** einsam, abgeschieden; **i·so·la·tion** [aisə'leiʃən] *s.* Isolierung *f*, Absonderung *f*, Abschließung *f* (*a. pol.*): *~ ward* Isolierstation; **i·so·la·tion·ism** [aisə'leiʃnizəm] *s. pol.* Isolatio'nismus *m*; **i·so·la·tion·ist** [aisə'leiʃnist] *s. pol.* Isolatio'nist *m*.

i·so·mer ['aisoumə:] *s.* ⚗ Iso'mer *n*; **i·so·mer·ic** [aisou'merik] *adj.* ⚗ iso'mer.

i·so·met·ric [aisou'metrik] **I.** *adj.* iso'metrisch; **II.** *s. pl. sg. konstr.* Isome'trie *f* (*Muskeltraining*).

i·sos·ce·les [ai'sɔsili:z] *adj.* A gleichschenk(e)lig (*Dreieck*).

i·so·therm ['aisouθə:m] *s.* Iso'therme *f*; **i·so·ther·mal** [aisou'θə:məl] *adj.* iso'thermisch, gleich warm: *~ line* → *isotherm.*

i·so·tope ['aisoutoup] *s.* ⚗, *phys.* Iso'top *n*.

Is·ra·el ['izreiəl] *s. bibl.* (das Volk) 'Israel *n*; **Is·rae·li** [iz'reili] **I.** *adj.* den Staat Israel betreffend, isra'elisch; **II.** *s.* Isra'eli *m*; **Is·ra·el·ite** ['izriəlait] **I.** *s.* Israe'lit(in), Jude *m*, Jüdin *f*; **II.** *adj.* israe'litisch, jüdisch.

is·su·a·ble ['isju(:)əbl; *bsd. Am.* 'iʃu(:)əbl] *adj.* **1.** auszugeben(d); **2.** ✝ emittierbar; **3.** ⚖ zu veröffentlichen(d); **'is·su·ance** [-əns] *s.* (Her)'Ausgabe *f*; Ver-, Erteilung *f*.

is·sue ['isju:; *bsd. Am.* 'iʃu:] **I.** *s.* **1.** Ausgeben *n*, Aus-, Erteilen *n*; **2.** Aus-, Her'ausgabe *f*; **3.** ✝ **a)** Emissi'on *f*, Ausgabe *f* (*Aktien*), Auflegen *n* (*Anleihe*), Ausstellung *f* (*Dokument*): *date of ~* Ausstellungsdatum, Ausgabetag, **b)** 'Wertpa,piere *pl.* der'selben Emission; **4.** *bsd.* ⚔ Lieferung *f*, Ausgabe *f*, Zu-, Verteilung *f*: *~ mufti* von der Armee gestellte Zivilkleidung; **5.** Veröffentlichung *f*, Auflage *f*, Ausgabe *f* (*Buch*), Nummer *f* (*Zeitung*); **6.** Streitfall *m*, (Streit)Frage *f*, Pro'blem *n*: *at ~* **a)** strittig, **b)** uneinig; *point at ~* strittige Frage; *to evade the ~* ausweichen; *to join ~ with s.o.* j-s Ansicht bestreiten; *to take ~ with s.o.* anderer Meinung sein als j-d, j-n kritisieren; **7.** (Kern)Punkt *m*, Fall *m*, Sachverhalt *m*: *~ of fact* (*law*) Tatsachen- (Rechts)frage; *side ~* Nebenpunkt; *the whole ~* F das Ganze; *to raise an ~* e-n Fall anschneiden; **8.** Ergebnis *n*, Ausgang *m*, (Ab)Schluß *m*: *in the ~* schließlich; *to bring to an ~* entscheiden; *to force an ~* e-e Entscheidung erzwingen; **9.** Abkömmlinge *pl.*, leibliche Nachkommenschaft: *to die without ~* ohne direkte Nachkommen sterben; **10.** *bsd.* ⚕ Ab-, Ausfluß *m*; **11.** Öffnung *f*, Mündung *f*; *fig.* Ausweg *m*; **II.** *v/t.* **12.** *Befehle etc.* ausgeben, erteilen; **13.** ✝ *Banknoten* ausgeben, in 'Umlauf setzen; *Anleihe* auflegen; *Dokumente* ausstellen: *~d capital* effektiv ausgegebenes (Aktien)Kapital; **14.**

Bücher her'ausgeben, publizieren; **15.** ⚔ **a)** ausgeben, liefern, ver-, zuteilen, **b)** ausrüsten, beliefern (*with* mit); **III.** *v/i.* **16.** her'auskommen, -strömen; her'vorbrechen; **17.** ausgehen, herrühren, entspringen; **18.** endigen (*in* in *dat.*).

is·sue·less ['isju:lis; *bsd. Am.* 'iʃu:-] *adj.* ohne Nachkommen.

isth·mus ['isməs] *s.* **1.** *geogr.* 'Isthmus *m*, Landenge *f*; **2.** ⚕ Verengung *f*.

it[1] [it] **I.** *pron.* **1.** es (*nom. od. acc.*): *what is it?* was ist es?; *do you believe it?* glaubst du es?; **2.** *auf deutsches s. bezogen* (*nom., dat., acc.*) *m* er, ihm, ihn; *f* sie, ihr, sie; *n* es, ihm, es; *refl.* (*dat., acc.*) sich; **3.** *unpersönliches od. grammatisches Subjekt*: *it rains* es regnet; *what time is it?* wieviel Uhr ist es?; *it is clear that* es ist klar, daß; *it says in the Bible* in der Bibel heißt es; *it is I* (F *me*) ich bin es; *who was it?* wer war es?; *it was my parents* es waren m-e Eltern; **4.** *unbestimmtes Objekt* (*oft unübersetzt*): *to foot it* zu Fuß gehen; *hook it!* scher dich weg!; *I take it that* ich nehme an, daß; **5.** *verstärkend*: *it is for this reason that* gerade aus diesem Grunde...; **6.** *nach prp.*: *at it* daran; *with it* damit *etc.*; *please see to it that* bitte sorge dafür, daß; **II.** *s.* **7.** F ‚das Nonplus'ultra', das Ide'al: *he thinks he's 'it*; **8.** *sl.* das gewisse Etwas, *bsd.* 'Sex-Ap'peal *m*.

it[2] [it], *a.* ♀ *abbr. für Italian*: *gin and it* Gin mit italienischem Wermut.

I·tal·ian [i'tæljən] **I.** *adj.* **1.** itali'enisch: ~ *cloth* Baumwollsatin (*als Futterstoff*); ~ *handwriting* lateinische Schreibschrift; **II.** *s.* **2.** Itali'ener(in); **3.** *ling.* Itali'enisch *n*; **I'tal·ian·ate** [-neit] *adj.* italianisiert, nach italienischer Art; **I'tal·ian·ism** [-nizəm] *s.* italienische (Sprach- *etc.*)Eigenheit.

i·tal·ic [i'tælik] **I.** *adj.* **1.** *typ.* kur'siv; **2.** ♀ *ling.* i'talisch; **II.** *s. pl.* **3.** *typ.* Kur'sivschrift *f*: *my* ~*s* Kursivschrift von mir; **i'tal·i·cize** [-isaiz] *typ. v/t.* **1.** in Kursiv drukken; **2.** durch Kursivschrift her'vorheben.

itch [itʃ] **I.** *s.* **1.** Jucken *n*; **2.** ⚕ Krätze *f*; **3.** *fig.* brennendes Verlangen, Gelüst *n*: ~ *for gain* Gewinnsucht; **II.** *v/i.* **4.** jucken; **5.** *fig.* (*for*) dürsten (nach), brennen (auf *acc.*): *my fingers* ~ *to do it* es juckt mir (*od.* mich) in den Fingern, es zu tun; **itch·ing** ['itʃiŋ] → *itch 1, 3*; **itch·y** ['itʃi] *adj.* **1.** juckend; **2.** ⚕ krätzig.

i·tem ['aitem] **I.** *s.* **1.** Punkt *m* (*der Tagesordnung etc.*), (Einzel)Gegenstand *m*, Stück *n*; (Buchungs-, Rechnungs)Posten *m*, Ar'tikel *m*; **2.** ('Presse-, 'Zeitungs)No'tiz *f*, kurzer Ar'tikel; **II.** *adv. obs.* **3.** gleichermaßen, ferner; **'i·tem·ize** [-maiz] *v/t. bsd. Am.* (einzeln) verzeichnen, spezifizieren.

it·er·ance ['itərəns] → *iteration*; **it·er·ate** ['itəreit] *v/t.* wieder'holen; **it·er·a·tion** [itə'reiʃən] *s.* Wieder'holung *f*; **it·er·a·tive** ['itərətiv] *adj.* **1.** (sich) wieder'holend; **2.** *ling.* itera'tiv.

i·tin·er·a·cy [i'tinərəsi], **i'tin·er·an·cy** [-ənsi] *s.* Um'herreisen *n*, -ziehen *n*, Wandern *n*; **i'tin·er·ant** [-ənt] *adj.* □ (beruflich) reisend *od.* um'herziehend, Reise..., Wander...; **i'tin·er·ar·y** [ai'tinərəri] **I.** *s.* **1.** 'Reise,route *f*, -plan *m*; **2.** Reisebericht *m*; **3.** Reiseführer *m* (*Buch*); **II.** *adj.* **4.** Reise...; **i'tin·er·ate** [-nəreit] *v/i.* (um'her)reisen.

-itis [aitis] ⚕ *in Zssgn* Entzündung.

its [its] *pron.* sein, ihr, dessen, deren: *the house and* ~ *roof* das Haus u. sein (*od.* dessen) Dach.

it's [its] F *für* **a)** *it is*, **b)** *it has*.

it·self [it'self] *pron.* **1.** *refl.* sich: *the dog hides* ~ der Hund versteckt sich; **2.** sich (selbst): *the kitten wants it for* ~; **3.** *verstärkend*: selbst: *like innocence* ~ wie die Unschuld selbst; *by* ~ (für sich) allein, von selbst; *in* ~ an sich (betrachtet).

I've [aiv] F *für I have*.

i·vied ['aivid] *adj.* 'efeuum,rankt, mit Efeu bewachsen.

i·vo·ry ['aivəri] **I.** *s.* **1.** Elfenbein *n*: *black* ~ *sl.* ‚schwarzes Elfenbein' (*Negersklaven*); **2.** *pl. sl.* **a)** Zähne *pl.*, Gebiß *n*, **b)** ‚Knöchel' *pl.* (*Würfel*), **c)** 'Billardkugeln *pl.*, **d)** Kla'viertasten *pl.*: *to tickle the ivories* (auf dem Klavier) klimpern; **II.** *adj.* **3.** elfenbeinern, Elfenbein...; '**~-nut** *s.* ♆ Steinnuß *f*; **~ tow·er** *s. fig.* Elfenbeinturm *m*: *to live in an* ~ im Elfenbeinturm sitzen.

i·vy ['aivi] *s.* ♆ Efeu *m*.

iz·ard ['izəd] *s. zo.* (Pyre'näen)Gemse *f*.

J

J, j [dʒei] *s.* **J** *n*, **j** *n*, **Jot** *n (Buchstabe)*.
jab [dʒæb] **I.** *v/t.* **1.** (hin'ein)stechen, (-)stoßen; **II.** *s.* **2.** Stich *m*, Stoß *m*; **3.** *Boxen*: Jab *m*; **4.** F Spritze *f*, Injekti'on *f*.
jab·ber ['dʒæbə] **I.** *v/t. u. v/i.* **1.** plappern, faseln, schwatzen; **2.** nuscheln, undeutlich sprechen; **II.** *s.* **3.** Geplapper *n*, Geschnatter *n*.
ja·bot ['ʒæbou] *s.* Ja'bot *n*, Brustkrause *f*.
ja·cinth ['dʒæsinθ] *s. min.* Hya'zinth *m*.
jack [dʒæk] **I.** *s.* **1.** 2 *npr.* F *für* John: *before you could say* 2 *Robinson* im Nu, ehe man sich's versah; **2.** (einfacher) Mann: *every man* 2 jedermann, Hinz u. Kunz; **3.** *Brit.* **a)** Gelegenheitsarbeiter *m*, Handlanger *m*, **b)** Diener *m*; **4.** → *jack tar*; **5.** *Kartenspiel*: Bube *m*; **6.** ⊕ Hebevorrichtung *f*, Bock *m*, Gestell *n*, Winde *f*, Flaschenzug *m*: *car* ~ Wagenheber, -winde; **7.** *Brit. Bowls-Spiel*: Malkugel *f*; **8.** *zo.* Männchen *n einiger Tiere*; *Am.* Esel *m*; **9.** *ichth.* junger Hecht; **10.** → *bootjack*; **11.** ⚓ Gösch *f*, kleine Flagge: *pilot's* ~ Lotsenflagge; **12.** ⚡ **a)** Klinke *f*, **b)** Steckdose *f*; **13.** *sl.* ‚Zaster' *m (Geld)*; **II.** *v/t.* **14.** *mst* ~ *up* hochheben, -winden; *Auto* aufbocken; **15.** *sl. et.* aufgeben, ‚hinschmeißen'; **16.** *mst* ~ *up Am.* F *Preise* hochtreiben.
jack·al ['dʒækɔ:l] *s.* **1.** *zo.* Scha'kal *m*; **2.** *contp.* Handlanger *m*.
jack·a·napes ['dʒækəneips] *s.* **1.** Geck *m*, Laffe *m*; **2.** Naseweis *m*, Schlingel *m (Kind)*.
Jack and Gill (*od.* **Jill**) *npr.* Hänsel u. Gretel, Junge u. Mädel.
jack·ass ['dʒækæs] *s.* **1.** (männlicher) Esel; **2.** [*Brit. a.* -kɑ:s] *fig.* Esel *m*, Dummkopf *m*.
'jack|·boot *s.* **1.** Reiter-, Ka'nonenstiefel *m*; **2.** hoher Wasserstiefel; **~ cur·lew** *s. orn.* Regenbrachvogel *m*; **'~·daw** *s. orn.* Dohle *f*.
jack·et ['dʒækit] **I.** *s.* **1.** Jacke *f*, Ja'kett *n*; → *dust 6*; **2.** ⊕ Mantel *m*, Um'mantelung *f*, Hülle *f*, Um'wicklung *f*; **3.** ⚔ (Geschoß-, *a.* Rohr-) Mantel *m*; **4.** Buchhülle *f*, 'Schutzˌumschlag *m*; **5.** *Am.* 'Umschlag *m (e-r amtlichen Urkunde)*; **6.** Haut *f*, Schale *f*: *potatoes (boiled) in their* ~*s* Pellkartoffeln; **II.** *v/t.* **7.** ⊕ um'manteln, verkleiden, verschalen; **8.** F verprügeln; **~ crown** *s.* ⚕ 'Jacketkrone *f*.
jack·et·ing ['dʒækitiŋ] *s.* F ‚Dresche' *f*, ‚Haue' *f*.
jack| frame *s.* ⊕ 'Feinspulmaˌschine *f*, Spindelbank *f*; 2 **Frost** *s.* der Winter *(personifiziert)*; 2 **in office** *s.* wichtigtuerischer Beamter; **'~-in-the-box** *pl.* **'~-in-the-boxes** *s.* Schachtelmännchen *n (Kinderspielzeug)*; 2 **Ketch** [ketʃ] *s. Brit.* der Henker; **'~-knife I.** *s.* [*irr.*] **1.** Klappmesser *n*; **2.** *a.* ~ *dive sport* Hechtbeuge *f (Kopfsprung)*; **II.** *v/t. u. v/i.* **3.** wie ein Taschenmesser zs.-klappen; **4.** *sport* (an-) hechten; 2 **of all trades** *s.* Aller'weltskerl *m*, Hans'dampf *m* in allen Gassen; Fak'totum *n*; **'~-o'-lan·tern** *pl.* **'~-o'-lan·terns** *s.* **1.** Irrlicht *n (a. fig.)*; **2.** *Am.* ('Kürbis- *etc.*)Laˌterne *f*; **'~-plane** *s.* ⊕ Schrupphobel *m*; **'~·pot** *s. Poker*: Jackpot *m*; *fig.* Haupttreffer *m*: *to hit the* ~ F *fig.* **a)** großen Erfolg haben, den Vogel abschießen, **b)** mühelos viel Geld verdienen; **'~-raft·er** *s.* △ kurzer Dachsparren; **'~-snipe** *s. orn.* Zwergschnepfe *f*; **'~-staff** *s.* ⚓ Göschstock *m*; **'~-straw** *s.* **1.** Strohpuppe *f (a. fig.)*; **2. a)** Mi'kadostäbchen *n*, **b)** *pl.* Mi'kadospiel *n*; **~ tar** *s.* ⚓ F Teerjacke *f*, Ma'trose *m*; **'~-tow·el** *s.* Rollhandtuch *n*.
Jac·o·be·an [dʒækə'bi(:)ən] *adj.* aus der Zeit Jakobs I.: ~ *furniture*.
Jac·o·bin ['dʒækəbin] *s.* **1.** *hist.* Jako'biner *m (Französische Revolution)*; **2.** *pol.* radi'kaler 'Umstürzler, Revolutio'när *m*; **3.** *orn.* Jako'binertaube *f*; **'Jac·o·bite** [-bait] *s. hist.* Jako'bit *m (Anhänger Jakobs II. od. s-r Nachkommen)*.
Ja·cob's lad·der ['dʒeikəbz] *s.* **1.** *bibl.* 'Jakobs-, Himmelsleiter *f*; **2.** ⚓ Jakobsleiter *f*, Lotsentreppe *f*; **3.** ✿ Himmels-, Jakobsleiter *f*.
jac·o·net ['dʒækənit] *s.* Jaco(n)'net *m*, Jako'nett *m (Baumwollfutterstoff)*.
Jac·quard loom ['dʒækɑ:d] *s.* ⊕ Jac'quardwebstuhl *m*.
jac·ta·tion [dʒæk'teiʃən] *s.* **1.** Prahlen *n*; **2.** ⚕ Sichˌhinund'herwerfen *n (e-s Kranken)*.
jac·ti·ta·tion [dʒækti'teiʃən] *s.* **1.** → *jactation 2*; **2.** ⚖ fälschliche Behauptung (*of marriage* verheiratet zu sein).
jade[1] [dʒeid] *s. min.* Jade *m*, Ne'phrit *m (Schmuckstein)*.
jade[2] [dʒeid] *s.* **1.** Schindmähre *f*, Klepper *m*; **2.** Weibsstück *n*; **3.** Wildfang *m (Mädchen)*; **'jad·ed** [-did] *adj.* erschöpft, ermattet.
Jae·ger ['jeigə] *s.* Jägerwollware *f*: ~ *underclothes* Jäger(unter)wäsche.
Jaf·fa (or·ange) ['dʒæfə] *s.* 'Jaffa-Apfelˌsine *f*.
jag [dʒæg] **I.** *s.* **1.** Zacke *f*, Kerbe *f*; Zahn *m*; Auszackung *f*; **2.** Schlitz *m*, Riß *m*; **3.** *Am. sl.* Schwips *m*: *to have a* ~ *on* ‚e-n in der Krone haben'; *crying* ~ ‚heulendes Elend'; **4.** *sl.* Sauftour *f*, Saufe'rei *f*; **II.** *v/t.* **5.** auszacken, einkerben; **6.** zackig schneiden *od.* reißen; **'jag·ged** [-gid] *adj.* □ **1.** zackig; schartig; **2.** schroff, zerklüftet; **3.** rauh, grob *(a. fig.)*; **4.** *Am. sl.* ‚blau', besoffen.
jag·uar ['dʒægjuə] *s. zo.* 'Jaguar *m*.
Jah [dʒɑ:], **Jah·ve(h)** ['jɑ:vei] *s.* Je'hova *m*.
jail, jail·er → *gaol, gaoler.*
jake [dʒeik] *Am.* F **I.** *s.* **1.** Bauernlackel *m*; **2.** ‚Pinke' *f (Geld)*; **II.** *adj.* **3.** ‚prima', erstklassig; **4.** in Ordnung: *everything's* ~.
ja·lop·(p)y [dʒə'lɔpi] *s. Am. sl.* ‚alte Kiste' *(Auto, Flugzeug)*.
jal·ou·sie ['ʒælu(:)zi:] *s.* Jalou'sie *f*.
jam[1] [dʒæm] **I.** *v/t.* **1.** (ein)zwängen, (-)klemmen, (-)keilen, zs.-drücken; **2.** quetschen, heftig drücken, pressen: *to* ~ *on the brakes* heftig auf die Bremse treten; **3.** verstopfen, -sperren, hemmen, blockieren; **4.** *Radio*: stören; **II.** *v/i.* **5.** festsitzen, klemmen, stocken; **6.** ⚔ Ladehemmung haben; **7.** *Jazz*: improvisieren; **III.** *s.* **8.** Pressen *n*, Einklemmen *n*, Quetschen *n*; **9.** Gedränge *n*; **10.** Verstopfung *f*, Stauung *f*, (Verkehrs)Stockung *f*; **11.** ⊕ (⚔ Lade-) Hemmung *f*; **12.** F Klemme *f*: *to be in a* ~ in der Klemme sitzen.
jam[2] [dʒæm] **I.** *s.* **1.** Marme'lade *f*: ~ *jar* Marmeladeglas; **2.** *Brit. sl.* et. Gutes, et. extra: *real* ~ ‚wahre Gaudi' *(Freude)*; *that's* ~ *for him* das ist ein Kinderspiel für ihn; **II.** *v/t.* **3.** zu Marmelade verarbeiten.
Ja·mai·can [dʒə'meikən] **I.** *adj.* ja'maikisch; **II.** *s.* Ja'maiker(in); **Jamai·ca rum** [dʒə'meikə] *s.* Ja'maika-Rum *m*.
jamb [dʒæm] *s.* (Tür-, Fenster-) Pfosten *m*.
jam·bo·ree [dʒæmbə'ri:] *s.* **1.** Pfadfindertreffen *n*; **2.** *sl.* **a)** ‚rauschendes Fest', ‚Gaudi' *n*, **b)** Saufe'rei *f*.
James [dʒeimz] *npr. u. s. bibl.* 'Jakob *m*, Ja'kobus *m*: (*the Epistle of*) ~ der Jakobusbrief.
jam·mer ['dʒæmə] *s.* **1.** Marme'ladehersteller *m*; **2.** *Radio*: Störsender *m*; **'jam·ming** [-miŋ] *s.* **1.** ⊕ Klemmung *f*; Hemmung *f*; **2.** *Radio*: Störung *f*: ~ *station* Störsender; **'jam·my** [-mi] *adj.* **1.** klebrig; **2.** *sl.* 'prima, ‚Klasse'.
'jam|-'packed *adj.* vollgestopft; **~ ses·sion** *s.* Jam Session *f (Jazzimprovisation)*; **'~-stroke** *s.* Pendelschlag *m*.
Jane [dʒein] **I.** *npr.* Hanne *f (Mäd-*

chenname); **II.** *s. a.* ♀ *sl.* Weibsbild *n.*

jan·gle [ˈdʒæŋgl] **I.** *v/i.* **1.** ˈmißtönend klingen, schrillen; **2.** poltern, keifen; **II.** *v/t.* **3.** schrill *od.* ˈmißtönend erklingen lassen; **4.** *Worte* kreischen; **III.** *s.* **5.** Schrillen *n*, ˈMißklang *m*; **6.** Gekeife *n*, Lärm *m*.

jan·is·sar·y [ˈdʒænisəri] → *janizary.*

jan·i·tor [ˈdʒænitə] *s.* **1.** Pförtner *m*; **2.** *Am.* Hausmeister *m*.

jan·i·zar·y [ˈdʒænizəri] *s.* **1.** Janiˈtschar *m*; **2.** *fig.* Handlanger *m* der Tyranˈnei.

Jan·u·ar·y [ˈdʒænjuəri] *s.* ˈJanuar *m*: *in* ~ im Januar.

Ja·nus [ˈdʒeinəs] *s. myth.* ˈJanus *m*; ˈ**~-ˈfaced** *adj.* ˈjanusköpfig, doppelgesichtig.

Jap [dʒæp] F *contp.* **I.** *s.* ‚Japs' *m* (*Japaner*); **II.** *adj.* jaˈpanisch.

ja·pan [dʒəˈpæn] **I.** *s.* **1.** ˈJapanlack *m*; **2.** lackierte Arbeit (*in japanischer Art*); **II.** *v/t.* **3.** (*auf japanische Weise*) lackieren.

Jap·a·nese [dʒæpəˈni:z] **I.** *adj.* **1.** jaˈpanisch; **II.** *s.* **2.** Jaˈpaner(in); **3.** *the* ~ *pl.* die Japaner *pl.*; **4.** *ling.* Japanisch *n.*

ja·pan·ner [dʒəˈpænə] *s.* Lackierer [*m.*]

jape [dʒeip] **I.** *v/i.* spaßen, spotten; **II.** *s.* Spaß *m*, Scherz *m*, Spott *m*.

jar[1] [dʒɑ:] *s.* (*irdenes od. gläsernes*) Gefäß, Topf *m*, Kruke *f*, (Einmach-)Glas *n*.

jar[2] [dʒɑ:] **I.** *v/i.* **1.** kreischen, knarren, kratzen, rasseln; **2.** schwirren, beben, zittern; **3.** dissonieren, nicht harmonieren (*a. Farben*); **4.** *fig.* (on) beleidigen (*acc.*), weh tun (*dat.*): *to* ~ *on the ear*; *to* ~ *on the nerves* auf die Nerven gehen; **5.** im ˈWiderspruch stehen (*with* zu); **6.** streiten; **II.** *v/t.* **7.** erschüttern, rütteln (*a. fig.*); **III.** *s.* **8.** Knarren *n*, Kratzen *n*, Kreischen *n*, Klirren *n*, Rasseln *n*; **9.** Rütteln *n*; Erschütterung *f*, Stoß *m* (*a. fig.*); **10.** ˈMißton *m* (*a. fig.*); **11.** (ˈWider)Streit *m*; **12.** Stoß *m*, Schlag *m*, Schock *m*.

jar·di·nière [ʒɑ:diˈnjɛə] (*Fr.*) *s.* Jardiniˈere *f*: **a)** Blumenständer *m*, **b)** Blumenschale *f*.

jar·gon [ˈdʒɑ:gən] *s.* Jarˈgon *m*: **a)** Kauderwelsch *n*, **b)** Fach-, Zunft-, Berufssprache *f*, **c)** Mischsprache *f*.

jar·ring [ˈdʒɑ:riŋ] *adj.* □ **1.** ˈmißtönend; unangenehm: *a* ~ *note* ein Mißton (*a. fig.*); **2.** kreischend, quietschend; **3.** widerˈstreitend.

jas·min(e) [ˈdʒæsmin] *s.* ⚘ Jasˈmin *m*: *winter* ~ Winterjasmin.

jas·per [ˈdʒæspə] *s. min.* ˈJaspis *m*.

jaun·dice [ˈdʒɔ:ndis] *s.* **1.** ⚕ Gelbsucht *f*; **2.** *fig.* Vorurteil *n*; Neid *m*; ˈ**jaun·diced** [-st] *adj.* **1.** ⚕ gelbsüchtig; **2.** *fig.* voreingenommen; neidisch, scheel.

jaunt [dʒɔ:nt] **I.** *v/i.* e-e Spritztour *od.* e-n Ausflug machen; **II.** *s.* Ausflug *m*, Spritztour *f*; ˈ**jaun·ti·ness** [-tinis] *s.* Eleˈganz *f*, flottes Wesen, Munterkeit *f*; ˈ**jaunt·ing-car** [-tiŋ] *s. leichter, zweirädriger Wagen*; ˈ**jaun·ty** [-ti] *adj.* □ fesch, flott, lebhaft, munter, unbeschwert.

Ja·va [ˈdʒɑ:və] *s. Am. sl.* ˈKaffee *m*; **Jav·a·nese** [dʒɑ:vəˈni:z] **I.** *adj.* **1.** jaˈvanisch; **II.** *s.* **2.** Jaˈvaner(in): *the* ~ die Javaner; **3.** *ling.* Javanisch *n*.

jave·lin [ˈdʒævlin] *s.* Wurfspieß *m*, Speer *m*; ~ **throw** *s. sport* Speerwerfen *n*; ~ **throw·er** *s. sport* Speerwerfer(in).

jaw [dʒɔ:] **I.** *s.* **1.** *anat., zo.* Kiefer *m*, Kinnbacken *m*: *lower* ~ Unterkiefer; *upper* ~ Oberkiefer; **2.** *mst pl.* Mund *m*, Maul *n*; Mundhöhle *f*: *hold your* ~ F halt's Maul!; **3.** *mst pl.* Schlund *m*, Rachen *m* (*a. fig.*): ~*s of death der* Rachen des Todes; **4.** ⊕ (Klemm)Backe *f*, Backen *m*; Klaue *f*: ~ *clutch* Klauenkupplung; **5.** *sl.* Geschwätz *n*, Tratsch *m*: *none of your* ~ halt den Mund!; **6.** *sl.* Standpauke *f*, Garˈdinenpredigt *f*; **II.** *v/i.* **7.** *sl.* schimpfen; **8.** *sl.* tratschen; **III.** *v/t.* **9.** *sl.* anschnauzen; ˈ**~-bone** *s.* **1.** *anat., zo.* Kiefer(knochen) *m*, Kinnlade *f*; **2.** *Am. sl.* Kreˈdit *m*; Darlehen *n*; ˈ**~-break·er** *s.* **1.** ⊕ Zerˈkleinerungsmaˌschine *f*; **2.** F Zungenbrecher *m* (*Wort*); ˈ**~-break·ing** *adj.* F zungenbrecherisch; ~ **chuck** *s.* ⊕ Backenfutter *n*; ~ **crush·er** → *jaw-breaker 1.*

jay [dʒei] *s.* **1.** *orn.* Eichelhäher *m*; **2.** *fig.* Klatschtante *f*; **3.** Tölpel *m*; ˈ**~-walk** *v/i.* unachtsam auf der Straße gehen; ˈ**~-walk·er** *s.* unachtsamer Fußgänger.

jazz [dʒæz] **I.** *s.* ˈJazz(muˌsik *f*) *m*: ~ *band* Jazzkapelle; **II.** *adj.* grell, schreiend; **III.** *v/t. mst* ~ *up* F **a)** verjazzen, **b)** *fig.* Schwung bringen in (*acc.*); **IV.** *v/i.* jazzen, Jazz spielen; ˈ**jazz·er** [-zə] *s. sl.* **1.** ˈJazzkompoˌnist *m*; **2.** ˈJazzˌmusiker *m*; ˈ**jazz·y** [-zi] *adj.* □ *sl.* **1.** jazzartig, Jazz...; **2.** ‚wild', ‚toll'.

jeal·ous [ˈdʒeləs] *adj.* □ **1.** eifersüchtig (of auf *acc.*): *a* ~ *wife*; **2.** (of) neidisch (auf *acc.*), ˈmißgünstig (gegen): *she is* ~ *of his fortune* sie mißgönnt ihm s-n Reichtum; **3.** ˈmißtrauisch (of gegen); **4.** (of) besorgt (um), bedacht (auf *acc.*); **5.** eifrig, streng, sorgfältig: ~ *guardian* strenger Hüter; **6.** *bibl.* eifernd (*Gott*); ˈ**jeal·ous·y** [-si] *s.* **1.** (of) Eifersucht *f* (auf *acc.*); Argwohn *m* (gegen); *pl.* Eifersüchteˈleien *pl.*; **2.** (of) Neid *m* (auf *acc.*), ˈMißgunst *f* (gegen); **3.** Achtsamkeit *f* (of auf *acc.*).

jean *s.* **1.** [dʒein] *Art* Baumwollköper *m*; **2.** [dʒi:nz] *pl.* **Jeans** *pl.*, **Niethose** *f*; Arbeitsanzug *m*.

jeer[1] [dʒiə] *s. mst pl.* ⚓ Rahtakel *n*.

jeer[2] [dʒiə] **I.** *v/i.* spotten, höhnen (*at* über *acc.*); **II.** *s.* Hohn *m*, Sticheˈlei *f*; ˈ**jeer·ing** [-iəriŋ] **I.** *s.* Verhöhnung *f*; **II.** *adj.* □ höhnisch, spöttisch.

Je·ho·vah [dʒiˈhouvə] *s. bibl.* Jeˈhovah *m*; ~**'s Wit·ness·es** *s. pl.* Zeugen *pl.* Jehovas (*religiöse Gemeinschaft*).

Je·hu [ˈdʒi:hju:] *s. humor.* **1.** ‚Rennfahrer' *m*, Raser *m*; **2.** Kutscher *m*.

je·june [dʒiˈdʒu:n] *adj.* □ trocken: **a)** dürr (*Boden*), **b)** *fig.* fade, nüchtern; **jeˈjune·ness** [-nis] *s. fig.* Fadheit *f*, Nüchternheit *f*.

jell [dʒel] *Am.* F **I.** → *jelly*; **II.** *v/i. u. v/t.* ‚zum Klappen' kommen (bringen).

jel·lied [ˈdʒelid] *adj.* **1.** gallertartig, eingedickt; **2.** in Geˈlee: ~ *eel*.

jel·ly [ˈdʒeli] **I.** *s.* Galˈlerte *f*, ˈGallert *n*, Sülze *f*, Geˈlee *n*: *to beat s.o. into a* ~ F j-n zu Brei hauen; **II.** *v/i.* gelieren, Gelee bilden; **III.** *v/t.* zum Gelieren bringen; ˈ**~-bag** *s.* Seihtuch *n* (*für Gelee*); ˈ**~-fish** *s. zo.* **1.** Qualle *f*; **2.** *fig.* enerˈgieloser Mensch, ‚Waschlappen' *m*.

jem·my [ˈdʒemi] *s.* Brecheisen *n*.

jen·ny [ˈdʒeni] *s.* **1.** → *spinning-jenny*; **2.** ⊕ Laufkran *m*; ~ **ass** *s.* Eselin *f*; ~ **wren** *s. orn.* (weiblicher) Zaunkönig.

jeop·ard·ize [ˈdʒepədaiz] *v/t.* gefährden, aufs Spiel setzen; ˈ**jeop·ard·y** [-di] *s.* Gefahr *f*, Gefährdung *f*, ˈRisiko *n*: *no one shall be put twice in* ~ *for the same offence* ⚖ niemand darf wegen derselben Straftat zweimal vor Gericht gestellt werden.

jer·bo·a [dʒə:ˈbouə] *s. zo.* Jerˈboa *m*, Wüstenspringmaus *f*.

jer·e·mi·ad [dʒeriˈmaiəd] *s.* Jeremiˈade *f*, Klagelied *n*; **Jer·e·mi·ah** [dʒeriˈmaiə] *npr. u. s.* **1.** *bibl.* (das Buch) Jereˈmia(s) *m*; **2.** *fig.* ˈUnglücksproˌphet *m*; **Jer·eˈmi·as** [-əs] → *Jeremiah 1.*

Jer·i·cho [ˈdʒerikou] *npr. bibl.* ˈJericho *n*: *go to* ~! F scher dich zum Teufel!; *to wish s.o. to* ~ j-n dahin wünschen, wo der Pfeffer wächst.

jerk[1] [dʒə:k] **I.** *s.* **1.** Ruck *m*, plötzlicher Stoß *od.* Schlag *od.* Zug; Sprung *m*, Auffahren *n*: *by* ~*s* ruck-, sprung-, stoßweise; *with a* ~ plötzlich, mit e-m Ruck; *to put a* ~ *in it sl.* tüchtig rangehen; **2.** ⚕ Zuckung *f*, Krampf *m*; (*bsd.* ˈKnie)Reˌflex *m*; **3.** *pl. Brit., mst physical* ~*s sl.* Leibesübungen *pl.*, Gymˈnastik *f*, Turnen *n*; **4.** *Am. sl.* übler Kerl, ‚Knülch' *m*; **II.** *v/t.* **5.** schnellen, ruckweise *od.* plötzlich ziehen *od.* stoßen *od.* rücken: *to* ~ *o.s. free* sich losreißen; **III.** *v/i.* **6.** (zs.-)zucken; **7.** (hoch)schnellen.

jerk[2] [dʒə:k] *v/t. Fleisch* in Streifen schneiden u. dörren.

jer·kin [ˈdʒə:kin] *s.* (Leder)Wams *n*.

ˈ**jerk·wa·ter** *Am.* F **I.** *s.* 🚂 Nebenbahn *f*; **II.** *adj.* klein, unbedeutend.

jerk·y [ˈdʒə:ki] *adj.* □ ruckartig, sprunghaft; stoß-, ruckweise.

jer·o·bo·am [dʒerəˈbouəm] *s. Brit.* Riesenweinflasche *f*, -glas *n*.

jer·ry [ˈdʒeri] *s. Brit. sl.* **1.** *a.* ~*-shop* ‚Speˈlunke' *f*, Kneipe *f*; **2.** Nachttopf *m*; **3.** ♀ Deutsche(r) *m*, deutscher Solˈdat; die Deutschen *pl.*; ˈ**~-build·er** *s.* F Erbauer *m* minderwertiger Häuser, Bauschwindler *m*; ˈ**~-build·ing** *s.* F ˈunsoˌlide Bauart; ˈ**~-built** *adj.* F unsolide gebaut: ~ *house* ‚Bruchbude'; ~ **can** *s. Brit.* F Benˈzinkaˌnister *m*.

jer·sey [ˈdʒə:zi] *s.* **1.** wollene Strickjacke; **2.** ˈUnterjacke *f*; **3.** ♀ *zo.* Jerseyrind *n*.

Je·ru·sa·lem ar·ti·choke [dʒəˈru:sələm] → *artichoke* 2.

jes·sa·mine [ˈdʒesəmin] → *jasmin(e)*.

jest [dʒest] **I.** *s.* **1.** Scherz *m*, Spaß *m*, Witz *m*: *in* ~ im Spaß; *to make a* ~ *of* witzeln über (*acc.*); **2.** Zielscheibe *f* des Witzes: *standing* ~ Zielscheibe ständigen Gelächters; **II.** *v/i.* **3.** scherzen, spaßen, ulken; ˈ**jest·er** [-tə] *s.* **1.** Spaßmacher *m*, -vogel *m*; Possenreißer *m*; **2.** (Hof)Narr *m*;

ˈ**jest·ing** [-tiŋ] *adj.* □ scherzend, spaßhaft: *no ~ matter* nicht zum Spaßen.

Jes·u·it [ˈdʒezjuit] *s. eccl.* Jesuˈit *m*; **Jes·u·it·i·cal** [dʒezjuˈitikəl] *adj.* □ *eccl.* jesuˈitisch, Jesuiten...

jet[1] [dʒet] **I.** *s. min.* Gaˈgat *m*, Pechkohle *f*, Jett *m, n*; **II.** *adj. a. ~-black* tief-, pech-, kohlschwarz.

jet[2] [dʒet] **I.** *s.* **1.** (*Feuer-, Wasser- etc.*)Strahl *m*, Strom *m*: *~ of flame* Stichflamme; **2.** ⊕ Strahlrohr *n*, Düse *f*; **3.** → **a**) *jet engine*, **b**) *jet plane*; **II.** *v/t.* **4.** ausspritzen, -strahlen, herˈvorstoßen; **III.** *v/i.* **5.** herˈvorschießen, ausströmen; *~* **bomb·er** *s.* ✈ Düsenbomber *m*; *~* **en·gine** *s.* ⊕ ˈDüsenˌmotor *m*; *~* **fight·er** *s.* ✈ Düsenjäger *m*; *~* **lag** *s.* ✈ *Anpassungsschwierigkeiten bei langen Flügen in andere Zeitzonen*; *~* **lin·er** *s.* ✈ Düsenverkehrsflugzeug *n*; *~* **plane** *s.* ✈ Düsenflugzeug *n*; ˈ*~*-**pro·pelled,** *abbr.* ˈ*~*-ˈ**prop** *adj.* ✈ mit Düsenantrieb; *~* **pro·pul·sion** *s.* ⊕, ✈ Düsen-, Strahlantrieb *m*.

jet·sam [ˈdʒetsəm] *s.* ⚓ **1.** über Bord geworfene Ladung; **2.** Strandgut *n*; → *flotsam*.

jet·ti·son [ˈdʒetisn] **I.** *s.* **1.** ⚓ Überˈbordwerfen *n von Ladung*, Not-, Seewurf *m*; **II.** *v/t.* **2.** ⚓, ✈ im Notwurf abwerfen; über Bord werfen (*a. fig.*); **3.** *ausgebrannte Raketenstufe* absprengen; ˈ**jet·ti·son·a·ble** [-nəbl] *adj.* ✈ abwerfbar, Abwurf...(*-behälter etc.*): *~ seat* Schleuder-, Katapultsitz.

jet tur·bine *s.* ⊕ ˈRückstoß-, ˈStrahlturˌbine *f*.

jet·ty [ˈdʒeti] *s.* ⚓ **1.** Landungsbrücke *f*, -steg *m*; **2.** Hafendamm *m*, Mole *f*.

Jew [dʒu:] **I.** *s.* Jude *m*, Jüdin *f*; **II.** *v/t. a.* ♀ F betrügen: *to* ♀ *down* herunterhandeln (*to* auf *acc.*); ˈ*~*-**bait·er** *s.* Judenhetzer *m*; ˈ*~*-**bait·ing** *s.* Judenverfolgung *f*, -hetze *f*, Antisemiˈtismus *m*.

jew·el [ˈdʒu:əl] **I.** *s.* **1.** Juˈwel *n* (*a. fig.*); Edelstein *m*; **2.** *fig.* Schatz *m*, Kleinod *n*, Perle *f*; **3.** ⊕ Stein *m* (*e-r Uhr*); **II.** *v/t.* **4.** mit Juwelen schmücken *od.* versehen; **5.** ⊕ *Uhr* mit Steinen versehen; ˈ*~*-**box,** ˈ*~*-**case** *s.* Schmuckkasten *m*, Eˈtui *n*.

jew·el·(l)er [ˈdʒu:ələ] *s.* Juweˈlier *m*; ˈ**jew·el·ler·y,** *bsd. Am.* ˈ**jew·el·ry** [-lri] *s.* **1.** Juˈwelen *pl.*; **2.** Schmuck (-gegenstände *pl.*) *m*.

Jew·ess [ˈdʒu(:)is] *s.* Jüdin *f*; ˈ**Jew·ish** [-iʃ] *adj.* □ jüdisch, Juden...; **Jew·ry** [ˈdʒuəri] *s.* **1.** *die* Juden *pl.*, *das* Judentum: *world ~* das Weltjudentum; **2.** *hist.* Judenviertel *n*, G(h)etto *n*.

ˈ**Jew's**|-ˈ**ear** *s.* ♀ ˈJudasohr *n*; ˈ*~*-ˈ**harp** *s.* ♪ Maultrommel *f*.

jib[1] [dʒib] **I.** *s.* ⚓ Klüver *m*: *the cut of his ~* F s-e äußere Erscheinung; **II.** *v/i. u. v/t.* → *gybe*.

jib[2] [dʒib] *v/i.* **1.** scheuen, bocken (*at* vor *dat.*) (*Pferd*); **2.** *Brit. fig.* (*at*) **a**) scheuen, zuˈrückweichen (vor *dat.*), **b**) widerˈstreben (*dat.*), störrisch *od.* bockig sein; ˈ**jib·ber** [-bə] *s.* bockiges Pferd.

ˈ**jib**|-ˈ**boom** *s.* **1.** ⚓ Klüverbaum *m*; **2.** ⊕ Ausleger *m e-s Krans etc.*; *~* **door** *s.* Taˈpetentür *f*.

jibe[1] [dʒaib] *Am.* → *gybe*.

jibe[2] [dʒaib] → *gibe*.

jibe[3] [dʒaib] *v/i. Am.* F überˈeinstimmen, sich entsprechen.

jif·fy [dʒifi], *a.* **jiff** [dʒif] *s.* F Augenblick *m*: *in a ~* im Nu.

jig[1] [dʒig] **I.** *s.* **1.** ⊕ (Auf-, Ein-) Spannvorrichtung *f*; **2.** ⚒ **a**) Kohlenwippe *f*, **b**) ˈSetzmaˌschine *f*; **II.** *v/t.* **3.** ⊕ mit e-r Einstellvorrichtung herstellen; **4.** ⚒ *Erze* setzen, scheiden.

jig[2] [dʒig] **I.** *s.* **1.** ♪ ˈGigue *f*; **2.** *Am. sl.* ‚Schwof' *m*, Tanzparty *f*: *the ~ is up fig.* das Spiel ist aus; **II.** *v/t.* **3.** *e-e Gigue* tanzen; **4.** schütteln; **III.** *v/i.* **5.** hüpfen, tanzen.

jig·ger [ˈdʒigə] *s.* **1.** ˈGiguetänzer *m*; **2.** ⚓ **a**) Beˈsan *m*, **b**) Handtalje *f*; **3.** ⊕ Erzscheider *m*; **4.** ⚒ ˈSiebˌsetzmaˌschine *f*; **5.** *Golf*: ˈJigger *m* (*Schläger*); **6.** *Am. sl.* **a**) Schnapsglas *n*, **b**) ‚Schnäps-chen' *n*, **c**) ‚Dingsbums' *n*.

jig·gered [ˈdʒigəd] *adj.*: *well, I'm ~ (if)* hol mich der Teufel(, wenn).

jig·gle [ˈdʒigl] **I.** *v/t.* (leicht) rütteln; **II.** *v/i.* wackeln, schaukeln, hüpfen.

ˈ**jig·saw** *s.* ⊕ ˈLaubsäge(maˌschine) *f*, Schweifsäge *f*; *~* **puz·zle** *s.* Zs.-setzspiel *n*, Geduldspiel *n* (*a. fig.*).

Jill [dʒil] → *Gill*[4].

jilt [dʒilt] *v/t.* **a**) *e-m Liebhaber* den Laufpaß geben, **b**) *ein Mädchen* sitzenlassen.

Jim Crow [dʒim ˈkrou] *s. Am. sl.* **1.** *contp.* ‚Nigger' *m*; **2.** Rassentrennung *f*; *~* **car** *s.* 🚃 Wagen *m* für Farbige.

jim-jams [ˈdʒimdʒæmz] *s. pl. sl.* **1.** Deˈlirium *n*; **2.** Gruseln *n*, Gänsehaut *f*.

jim·my [ˈdʒimi] → *jemmy*.

jin·gle [ˈdziŋgl] **I.** *v/i.* **1.** klimpern, klirren, klingeln; **II.** *v/t.* **2.** klingeln lassen, klimpern (mit); **III.** *s.* **3.** Geklingel *n*, Klimpern *n*; **4.** Reim-, Wortgeklingel *n*.

jin·go [ˈdʒiŋgou] **I.** *pl.* **-goes** *s.* Chauviˈnist(in); Säbelraßler *m*; **II.** *int.*: *by ~!* alle Wetter!; ˈ**jin·go·ism** [-ouizəm] *s. pol.* Chauviˈnismus *m*, Hurˈrapatrioˌtismus *m*; **jin·go·is·tic** [dʒiŋgouˈistik] *adj.* chauviˈnistisch.

jink [dʒiŋk] *s.*: *high ~s* übermütige Laune, Ausgelassenheit.

jin·rik·i·sha, *a.* **jin·rick·sha** [dʒinˈrikʃə] *s.* Rikscha *f*.

jinx [dʒiŋks] *sl.* **I.** *s.* **1.** Unheilbringer *m*; *weitS.* Unglück *n* (*for* für): *to put a ~ on* → *3*; **2.** Unheil *n*; **II.** *v/t.* **3.** ‚verhexen'.

jit·ney [ˈdʒitni] *s. Am. sl.* **1.** billiger Autobus; **2.** Fünfˈcentstück *n*.

jit·ter [ˈdʒitə] *sl.* **I.** *v/i.* nerˈvös sein, ‚Bammel' haben, ‚bibbern'; **II.** *s.*: *the ~s pl.* ‚Bammel' *m* (*Angst*), ‚Zustände' *pl.*, ‚Tatterich' *m* (*Nervosität*); ˈ**jit·ter·bug** [-bʌg] *s.* **1.** ˈSwingtänzer(in), -enthusiˌast(in); **2.** *fig.* Angsthase *m*, Nervenbündel *n*; ˈ**jit·ter·y** [-əri] *adj. sl.* nervös, ˈdurchgedreht.

jiu-jit·su [dʒu:ˈdʒitsu:] → *ju-jitsu*.

jive [dʒaiv] **I.** *s.* **1. a**) ♪ ˈSwingmuˌsik *f*, **b**) Swingschritt *m*; **2.** *Am.* ˈSwing-, ˈJazzjarˌgon *m*; **II.** *v/i.* **3.** Swing tanzen *od.* spielen.

job[1] [dʒɔb] **I.** *s.* **1.** *ein Stück* Arbeit *f*: *a ~ of work* e-e Arbeit; *odd ~s* Gelegenheitsarbeiten; *to make a good ~ of it* ganze Arbeit leisten, es ordentlich erledigen; *it was quite a ~* es war e-e Mordsarbeit; *I had a ~ to do it* es fiel mir recht schwer; *on the ~* **a**) in Aktion, **b**) ‚auf Draht'; **2.** Stück-, Akˈkordarbeit *f*: *by the ~* im Akkord; **3.** Stellung *f*, Tätigkeit *f*, Arbeit *f*, Job *m*: *a ~ as a typist*; *out of a ~* stellungslos; *this is not everybody's ~* dies liegt nicht jedem; **4.** Aufgabe *f*, Pflicht *f*, Sache *f*: *it is your ~ to do it* es ist deine Sache; **5.** F Sache *f*, Angelegenheit *f*, Lage *f*: *a good ~ (too)!* ein (wahres) Glück!; *to make the best of a bad ~* **a**) retten, was zu retten ist, **b**) gute Miene zum bösen Spiel machen; *I gave it up as a bad ~* ich steckte es (*als aussichtslos*) auf; **6.** *sl.* **a**) Proˈfitgeschäft *n*, ‚krumme Tour', **b**) ‚Ding' *n* (*Verbrechen*): *to do his ~ for him* ihn ruinieren; **7.** *bsd. Am.* F **a**) ‚Dings' *n*, ‚Appaˈrat' *m* (*a. Auto etc.*), **b**) ‚Nummer' *f*, Perˈson *f*: *she's a tough ~*; **II.** *v/i.* **8.** Gelegenheitsarbeiten machen; **9.** im Akˈkord arbeiten; **10.** Zwischenhandel treiben; **11.** mit ˈAktien handeln; **12.** ‚schieben', in die eigene Tasche arbeiten; **III.** *v/t.* **13.** (ver)mieten; **14.** ✝ *Auftrag* (weiter-) vergeben; **15.** als Zwischenhändler verkaufen; **16.** veruntreuen; *Amt* mißˈbrauchen; *j-n* durch ‚Schiebung' in *e-e Stellung* befördern; **17.** *Am. sl. j-n* übers Ohr hauen.

Job[2] [dʒoub] *npr. bibl.* ˈHiob *m*, Job *m*: (*the Book of*) *~* (das Buch) Hiob *od.* Job; *patience of ~* e-e Engelsgeduld; *that would try the patience of ~* das würde selbst e-n Engel zur Verzweiflung treiben; *~'s comforter* schlechter Tröster (*der die Lage noch verschlimmert*); *~'s news, ~'s post* Hiobsbotschaft, -post.

job a·nal·y·sis *s.* ˈArbeitsanaˌlyse *f*, -ˌstudie *f*.

job·ber [ˈdʒɔbə] *s.* **1.** Gelegenheits-, Akˈkordarbeiter *m*; **2.** ✝ Zwischen-, Großhändler *m*; **3.** *Brit. Börse*: Jobber *m* (*der auf eigene Rechnung Geschäfte tätigt*); **4.** *Am.* ˈBörsenspekuˌlant *m*; **5.** Geschäftemacher *m*, ‚Schieber' *m*; ˈ**job·ber·y** [-əri] *s.* **1.** Korruptiˈon *f*, ˈMißwirtschaft *f*, ‚Schiebung' *f*; **2.** ˈAmtsˌmißbrauch *m*; ˈ**job·bing** [-biŋ] **I.** *adj.* **1.** im Akˈkord arbeitend; **2.** Gelegenheitsarbeiten verrichtend: *~ man* Gelegenheitsarbeiter; *~ tailor* Flickschneider; *~ work typ.* Akzidenzarbeit; **II.** *s.* **3.** Akˈkordarbeit *f*; **4.** ✝ Zwischen-, Großhandel *m*; **5.** ‚Schiebung' *f*, Spekulatiˈonsgeschäfte *pl.*

job| **cre·a·tion** *s.* Schaffung *f* von Arbeitsplätzen; *~* **de·scrip·tion** *s.* Tätigkeitsbeschreibung *f*; *~* **hunt·er** *s.* Stellungssuchende(r *m*) *f*; *~* **line,** *~* **lot** *s.* ✝ Gelegenheitskauf *m*, Restposten *m*, Ramschware *f*; ˈ*~*-**mas·ter** *s. Brit.* Wagen- u. Pferdeverleiher *m*; *~* **print·er** *s.*

typ. Akzi'denzdrucker *m*; ~ **print·ing** *s.* Akzi'denzdruck *m*; ~ **se·cu·ri·ty** *s.* Sicherheit *f* des Arbeitsplatzes; '~-**work** *s.* **1.** Ak'kordarbeit *f*; **2.** → *job printing.*

jock·ey ['dʒɔki] **I.** *s.* Jockei *m*; **II.** *v/t.* betrügen (*out of* um): *to* ~ *into s.th.* in et. hineinmanövrieren, zu et. verleiten; *to* ~ *s.o. into a position* j-m durch Protektion e-e Stellung verschaffen, ‚j-n lancieren'.

jo·cose [dʒə'kous] *adj.* □ **1.** scherzhaft, komisch, drollig; **2.** heiter, ausgelassen; **jo'cose·ness** [-nis] *s.* **1.** Scherzhaftigkeit *f*; **2.** Heiterkeit *f*, Ausgelassenheit *f*.

joc·u·lar ['dʒɔkjulə] *adj.* □ **1.** scherzhaft, witzig; **2.** lustig, heiter; **joc·u·lar·i·ty** [dʒɔkju'læriti] *s.* **1.** Scherzhaftigkeit *f*; **2.** Heiterkeit *f*, Lustigkeit *f*.

joc·und ['dʒɔkənd] *adj.* □ lustig, lebhaft, heiter; **jo·cun·di·ty** [dʒou'kʌnditi] *s.* Lustigkeit *f*.

jodh·pur breech·es ['dʒɔdpuə], '**jodh·purs** [-uəz] *s. pl.* Reithose *f*.

Jo·el ['dʒouel] *npr. u. s. bibl.* (das Buch) Joel *m*.

jo·ey ['dʒoui] *s. zo.* junges 'Känguruh.

jog [dʒɔg] **I.** *v/t.* **1.** (an)stoßen, rütteln, ‚stupsen'; **2.** *fig.* aufrütteln: *to* ~ *s.o.'s memory* j-s Gedächtnis nachhelfen; **II.** *v/i.* **3.** *a.* ~ *on*, ~ *along* da'hintrotten, zuckeln, sich fortschleppen; **4.** sich auf den Weg machen, ‚loszuckeln'; **5.** *fig. a.* ~ *on* fortfahren, weiterwursteln; s-n Lauf nehmen; **III.** *s.* **6.** (leichter) Stoß; **7.** Rütteln *n*; **8.** → *jogtrot 1.*

jog·gle ['dʒɔgl] **I.** *v/t.* **1.** leicht schütteln *od.* rütteln; **2.** ⊕ verschränken, verzahnen, federn u. nuten; **II.** *v/i.* **3.** sich schütteln, wackeln; **III.** *s.* **4.** Stoß *m*, Rütteln *n*; **5.** ⊕ Verzahnung *f*, Nut *f* u. Feder *f*.

'**jog'trot** *s.* **1.** leichter Trab, Trott *m*; **2.** *fig.* 'Schlendrian *m*; **3.** Eintönigkeit *f*.

Jo·han·nine [dʒou'hænain] *adj.* johan'neisch, den A'postel Jo'hannes betreffend.

john[1] [dʒɔn] *s. Am. sl.* Klo *n*.

John[2] [dʒɔn] *npr. u. s. bibl.* Jo'hannes (-evan,gelium *n*) *m*: ~ *the Baptist* Johannes der Täufer; (*the Epistles of*) ~ die Johannesbriefe; ~ **Bull** *s.* John Bull: **a)** *England*, **b)** *der (typische) Engländer*; ~ **Doe** [dou] *s.*: ~ *and Richard Roe* ⚖ A. und B. (*fiktive Parteien*); ~ **Do·ry** ['dɔːri] *s. ichth.* Heringskönig *m*; ~ **Han·cock** ['hænkɔk] *s. Am.* F ‚Friedrich Wilhelm' *m* (*eigenhändige Unterschrift*).

john·ny ['dʒɔni] *s. Brit.* **1.** Stutzer *m*, Bummler *m*; **2.** Kerl *m*, ‚Knülch' *m*, ‚Heini' *m*; '~-**cake** *s. Am. ein* Maiskuchen *m*; '**2-come-'late·ly** *s. Am.* F **1.** Neuankömmling *m*, Neuling *m*; **2.** *fig.* ‚Nachzügler' *m*, ‚Spätzünder' *m*; **2 on the spot** *s. Am.* F j-d der ‚auf Draht' ist; j-d der immer (zur rechten Zeit) ‚da' ist.

'**John-o'-'Groat's(-House)** ['dʒɔnə'grouts] *s.* (*Ort an der*) Nordspitze *f* Schottlands: *from Land's End to John-o'-Groat's* (quer) durch ganz England (u. Schottland).

John·son·ese [dʒɔnsə'niːz] *s.* **1.** Stil *m* von Samuel Johnson; **2.** pom'pöser Stil; **John·so·ni·an** [dʒɔn'sounjən] *adj.* Johnsonsch (*Samuel Johnson od. s-n Stil betreffend*).

join [dʒɔin] **I.** *s.* **1.** Verbindungsstelle *f*, -linie *f*, Fuge *f*, Naht *f*; **II.** *v/t.* **2.** verbinden (*a. fig. u.* ⚕), vereinigen, zs.-fügen (*to, on to* mit); zs.-bringen: *to* ~ *hands* **a)** die Hände falten, **b)** sich die Hand *od.* die Hände reichen, **c)** *fig.* sich zs.-tun, zs.-arbeiten; *to* ~ *prayers* gemeinsam beten; *to* ~ *in marriage* verheiraten; → *battle 2*; *force 1*; **3.** sich anschließen an (*acc.*), stoßen *od.* sich gesellen zu: *wait here till I* ~ *you*; **4.** *et.* zu'sammen mit *j-m* tun: *to* ~ *s.o. in a walk* mit j-m spazierengehen; *I was* ~*ed by Mary* Mary schloß sich mir an; → *majority 1*; **5.** eintreten in (*acc.*), beitreten (*dat.*): *to* ~ *the army* Soldat werden; *to* ~ *one's regiment* zu s-m Regiment stoßen; *to* ~ *one's ship* an Bord s-s Schiffes gehen; *to* ~ *a party* **a)** e-r Partei beitreten, **b)** e-e Gesellschaft mitmachen; **6.** sich vereinigen *od.* zs.-kommen mit; vereinigt *od.* verbunden werden mit; **7.** (an)grenzen an (*acc.*), (ein)münden in (*acc.*) (*Straße, Fluß*); **III.** *v/i.* **8.** sich vereinigen *od.* verbinden (*with* mit); **9.** in Verbindung stehen, anein'andergrenzen, sich berühren; **10.** (*with s.o. in s.th.*) sich anschließen (j-m bei et.), gemeinsam tun (et. mit j-m): *to* ~ *in his praise* in sein Lob einstimmen; **11.** (*in*) teilnehmen (an *dat.*), mitmachen (bei *od. acc.*); Mitglied werden; ~ **in** → *join 11*; ~ **up I.** *v/t. a.* ⊕ verbinden, zs.-fügen; **II.** *v/i.* ⚔ Sol'dat werden.

join·der ['dʒɔində] *s.* ⚖ Streitgenossenschaft *f*, Vereinigung *f*: ~ *of actions* Klagenhäufung.

join·er ['dʒɔinə] *s.* Tischler *m*, Schreiner *m*: ~*'s bench* Hobelbank; '**join·er·y** [-əri] *s.* **1.** Tischlerhandwerk *n*; **2.** Tischlerarbeit *f*.

joint [dʒɔint] **I.** *s.* **1.** *bsd.* ⊕ Verbindungsstelle *f*, Verband *m*; Fuge *f*, Stoß(stelle *f*) *m*, Naht *f*; **2.** ⊕, *anat.* Gelenk *n*: *out of* ~ verrenkt, *bsd. fig.* aus den Fugen; **3.** ⚘ Blattansatz *m*, Glied *n*, Gelenk *n*, Knoten *m*; **4.** Braten(stück *n*) *m*, Keule *f*; **5.** *sl.* **a)** Lo'kal *n*, *contp.* Spe'lunke *f*, ‚Bude' *f*, ‚'Bumslo,kal' *n*, **b)** Gebäude *n*, ‚Laden' *m*; **II.** *v/t.* *bsd.* ⊕ **6.** zs.-fügen, fugen, verlaschen; **7.** *Fugen* ausfüllen, (ab-)dichten; **8.** *Brettkanten* zu'rechthobeln; **9.** zerlegen, zergliedern; **III.** *adj.* □ → *jointly*; **10.** gemeinsam, gemeinschaftlich: ~ *action* gemeinsames Vorgehen; **11.** vereint, verbunden: *during their* ~ *lives* solange sie beide *od.* alle leben; **12.** Mit..., Neben...: ~ *heir* Miterbe; ~ *plaintiff* Mitkläger; **13.** ⚖ gemeinschaftlich: ~ *and several* solidarisch, zur gesamten Hand, gesamtschuldnerisch; ~ *liability* Gesamthaftung; → *jointly*; ~ **ac·count** *s.* ✝ Gemeinschaftskonto *n*: *on* (*od. for*) ~ auf *od.* für gemeinsame Rechnung; ~ **cap·i·tal** *s.* ✝ Ge'samt-, Ge'sellschaftskapi,tal *n*; ~ **com·mit·tee** *s. pol.* gemischter Ausschuß.

joint·ed ['dʒɔintid] *adj.* gegliedert, mit Gelenken (versehen): ~ *doll* Gliederpuppe; '**joint·er** [-tə] *s.* ⊕ **1.** Schlichthobel *m*; **2.** Fugkelle *f*.

joint·ly ['dʒɔintli] *adv.* gemeinschaftlich: ~ *and severally* **a)** gemeinsam u. jeder für sich, **b)** solidarisch, zur gesamten Hand.

joint| own·er *s.* Miteigentümer *m*; ~ **own·er·ship** *s.* Miteigentum *n*; ~ **res·o·lu·tion** *s. pol.* gemeinsame Entschließung; ~ **stock** *s.* ✝ Ge'sellschafts-, 'Aktienkapi,tal *n*; '~-'**stock com·pa·ny** *s.* ✝ **1.** *Brit.* **a)** Kapi'talgesellschaft *f*, **b)** 'Aktiengesellschaft *f*; **2.** *Am.* Offene Handelsgesellschaft auf 'Aktien; ~ **ten·ant** *s.* Mitpächter *m*, -besitzer *m*.

join·ture ['dʒɔintʃə] ⚖ **I.** *s.* Leibgedinge *n*; **II.** *v/t.* ein Leibgedinge aussetzen (*dat.*).

joint ven·ture *s.* ✝ Gelegenheitsgesellschaft *f*.

joist [dʒɔist] △ **I.** *s.* (Quer)Balken *m*; (Quer-, Pro'fil)Träger *m*; **II.** *v/t.* mit Profilträgern belegen.

joke [dʒouk] **I.** *s.* **1.** Witz *m*: *practical* ~ Schabernack, Streich; *to crack* ~*s* Witze reißen; *to play a practical* ~ *on s.o.* j-m e-n Streich spielen; **2.** Scherz *m*, Spaß *m*: *in* ~ zum Scherz; *he cannot take* (*od.* see) *a* ~ er versteht keinen Spaß; *no* ~ **a)** kein Witz, **b)** keine Kleinigkeit; **II.** *v/i.* **3.** scherzen, Witze machen; **III.** *v/t.* **4.** necken, sich lustig machen über (*acc.*); '**jok·er** [-kə] *s.* **1.** Spaßvogel *m*, Witzbold *m*; **2.** *sl.* Kerl *m*, Bursche *m*; **3.** Joker *m* (*Spielkarte*); **4.** *Am. sl. mst pol.* ‚'Hintertürklausel' *f* (*die mehrere Auslegungen zuläßt*); '**jok·ing** *s.* Scherzen *n*: ~ *apart!* Scherz beiseite!; '**jok·ing·ly** *adv.* zum Spaß.

jol·li·fi·ca·tion [dʒɔlifi'keiʃən] *s.* F (feucht)fröhliches Fest, Festivi'tät *f*; '**jol·li·ness** [-inis], *mst* '**jol·li·ty** [-iti] *s.* **1.** Fröhlichkeit *f*; **2.** Fest *n*.

jol·ly[1] ['dʒɔli] **I.** *adj.* □ **1.** lustig, fi'del, vergnügt, froh; **2.** angeheitert, beschwipst; **3.** *Brit.* F **a)** nett, hübsch: *a* ~ *room*, **b)** *iro.* schön, groß: *he must be a* ~ *fool* er muß (ja) ganz schön blöd sein, **c)** angenehm, herrlich: ~ *weather*; **II.** *adv.* **4.** *Brit.* F sehr, ‚riesig', ‚mächtig': ~ *late*; *a* ~ *good fellow* ein ‚prima' Kerl; *you'll* ~ *well have to do it* es hilft nichts, du mußt (es tun); **III.** *v/t.* F **5.** *mst* ~ *along j-m* schmeicheln; **6.** necken; **IV.** *s.* **7.** *Brit. sl.* → *jollification.*

jol·ly[2] ['dʒɔli], '~-**boat** *s.* ⚓ Jolle *f*.

Jol·ly Rog·er ['rɔdʒə] *s.* Totenkopf-, Seeräuberflagge *f*.

jolt [dʒoult] **I.** *v/t.* **1.** (auf)rütteln, stoßen; **2.** *Am. Boxen*: empfindlich treffen; **II.** *v/i.* **3.** rütteln, holpern (*Fahrzeug*); **III.** *s.* **4.** Ruck *m*, Stoß *m*, Rütteln *n*; **5.** (aufrüttelnder) Schock; *Am.* F Wirkung *f e-r Injektion etc.*; *Boxen*: harter Schlag; '**jolt·y** [-ti] *adj.* F holperig.

Jo·nah ['dʒounə] *npr. u. s.* **1.** *bibl.*

(das Buch) 'Jonas *m*; **2.** *fig.* Unheilbringer *m*; **'Jo·nas** [-əs] → *Jonah 1.*
Jon·a·than ['dʒɔnəθən] *s.* **1.** ⚘ 'Jonathan *m* (*ein Tafelapfel*); **2.** → *Brother Jonathan.*
jon·quil ['dʒɔŋkwil] *s.* ⚘ Jon'quille *f* [(*Narzisse*).]
jo·rum ['dʒɔ:rəm] *s.* **1.** großer Humpen, Trinkkrug *m*; **2.** Bowle *f* (*Getränk*).
josh [dʒɔʃ] *sl.* **I.** *v/t.* ‚aufziehen', hänseln; **II.** *s.* Hänse'lei *f.*
Josh·u·a ['dʒɔʃwə] *npr. u. s. bibl.* (das Buch) 'Josua *m od.* 'Josue *m.*
joss·er ['dʒɔsə] *s. Brit. sl.* Kerl *m*; ‚Dussel' *m.*
'joss|-house [dʒɔs] *s.* chi'nesischer Tempel; **'~-stick** *s.* Räucherstab *m* (*im chinesischen Tempel*).
jos·tle ['dʒɔsl] **I.** *v/t. u. v/i.* (an)rempeln, (an)stoßen, puffen; dränge(l)n; **II.** *s.* (Zs.-)Stoß *m*, Puff *m*; Gedränge *n.*
Jos·u·e ['dʒɔzjui:] → *Joshua.*
jot [dʒɔt] **I.** *s.* Pünktchen *n*, Deut *m*: *not a* ~ nicht ein bißchen; **II.** *v/t. mst* ~ *down* schnell hinschreiben *od.* notieren *od.* hinwerfen; **'jot·ter** [-tə] *s.* **1.** No'tizbuch *n*; **2.** Kugelschreiber *m*; **'jot·ting** [-tiŋ] *s.* (kurze) No'tiz.
joule [dʒu:l] *s. phys.* Joule *n.*
jour·nal ['dʒə:nl] *s.* **1.** Tagebuch *n*; **2.** † Jour'nal *n*, Memori'al *n*; **3.** ♀s *pl. parl. Brit.* Proto'kollbuch *n*; **4.** Journal *n*, Zeitschrift *f*, Zeitung *f*; **5.** ⚓ Logbuch *n*; **6.** ⊕ (Dreh-, Lager-, Wellen)Zapfen *m*: ~ *bearing* Achs-, Zapfenlager; ~ *box* Lagerbüchse; **jour·nal'ese** [-nə'li:z] *s.* F Zeitungsstil *m*; **'jour·nal·ism** [-nəlizəm] *s.* Journa'lismus *m*, Zeitungswesen *n*; **'jour·nal·ist** [-nəlist] *s.* Journa'list(in), Zeitungsschreiber(in); **jour·nal·is·tic** [dʒə:nə'listik] *adj.* journa'listisch; **'jour·nal·ize** [-nəlaiz] *v/t.* † in das Journal eintragen.
jour·ney ['dʒə:ni] **I.** *s.* **1.** Reise *f*: *to go on a* ~ verreisen; **2.** Reise *f*, Strecke *f*, Route *f*, Weg *m*, Fahrt *f*, Gang *m*: *a day's* ~ *from here* e-e Tagereise von hier; **II.** *v/i.* **3.** reisen; wandern; **'~·man** [-mən] *s.* [*irr.*] (Handwerks)Geselle *m*: ~ *baker* Bäckergeselle; **'~-work** *s.* Tagelöhnerarbeit *f* (*a. fig.*).
joust [dʒaust] *hist.* **I.** *s.* Turnier *n*; **II.** *v/i.* turnieren.
Jove [dʒouv] *npr.* Jupiter *m*: *by* ~*!* Donnerwetter!
jo·vi·al ['dʒouvjəl] *adj.* □ **1.** jovi'al, heiter, vergnügt, lustig; **2.** gemütlich; **jo·vi·al·i·ty** [dʒouvi'æliti] *s.* Heiterkeit *f*, Frohsinn *m*, Lustigkeit *f.*
jowl [dʒaul] *s.* **1.** ('Unter)Kiefer *m*; **2.** Wange *f*, Backe *f*; → *cheek 1*; **3.** *zo.* Wamme *f*; **4.** Kopfstück *n* (*e-s Fisches*).
joy [dʒɔi] **I.** *s.* **1.** Freude *f* (*at* über *acc., in, of* an *dat.*): *to leap for* ~ vor Freude hüpfen; *tears of* ~ Freudentränen; *it gives me great* ~ es macht mir große Freude; *to wish s.o.* ~ (*of*) j-m Glück wünschen (zu); *I wish you* ~*! iro.* viel Spaß!; **2.** Entzücken *n*, Wonne *f*; **II.** *v/i.* **3.** *poet.* sich freuen; **'joy·ful** [-ful] *adj.* □ **1.** freudig, erfreut: *to be* ~ sich freuen; **2.** erfreulich, froh; **'joy·ful·ness** [-fulnis] *s.* Freude *f*, Fröhlichkeit *f*; **'joy·less** [-lis] *adj.* □ **1.** freudlos; **2.** unerfreulich; **'joy·less·ness** [-lisnis] *s.* Freudlosigkeit *f*; **joy·ous** ['dʒɔiəs] *adj.* □ → *joyful*; **joy·ous·ness** ['dʒɔiəsnis] → *joyfulness.*
'joy|-ride *s.* F *mot.* **1.** Vergnügungsfahrt *f*; **2.** Schwarzfahrt *f*; **'~-stick** *s.* ✈ F Steuerknüppel *m.*
ju·bi·lant ['dʒu:bilənt] *adj.* □ jubelnd, froh'lockend; **ju·bi·late I.** *v/i.* ['dʒu:bileit] **1.** jubeln, jubilieren, jauchzen; **II.** ♀ [dʒu:bi'lɑ:ti] (*Lat.*) *s. eccl.* **2.** (Sonntag *m*) Jubi'late *m* (*3. Sonntag nach Ostern*); **3.** Jubi'latepsalm *m*; **ju·bi·la·tion** [dʒu:bi'leiʃən] *s.* Jubel *m*, Froh'locken *n.*
ju·bi·lee ['dʒu:bili:] *s.* **1.** (fünfzigjähriges) Jubi'läum: *silver* ~ fünfundzwanzigjähriges Jubiläum; **2.** *R.C.* Jubel-, Ablaßjahr *n*; **3.** Jubel-, Freudenfest *n.*
Ju·da·ic [dʒu(:)'deiik] *adj.* jüdisch; **Ju·da·ism** ['dʒu:deiizəm] *s.* Judentum *n*; **Ju·da·ize** ['dʒu:deiaiz] *v/t.* zum Judentum bekehren, jüdisch machen.
Ju·das ['dʒu:dəs] **I.** *npr. bibl.* 'Judas *m* (*a. fig. Verräter*); **II.** *s.* Guckloch *n*, Spi'on *m*; **~ kiss** *s.* 'Judaskuß *m*; **'~-tree** *s.* ⚘ 'Judasbaum *m.*
Jude [dʒu:d] *npr. u. s. bibl.* 'Judas *m*: (*the Epistle of*) ~ der Judasbrief.
Ju·de·an [dʒu:'diən] **I.** *adj.* **1.** ju'däisch; **2.** jüdisch; **II.** *s.* **3.** Ju'däer *m*; **4.** Jude *m.*
judge [dʒʌdʒ] **I.** *s.* **1.** ⚖ Richter *m*: *associate* ~ Beisitzer; *chief* ~ Gerichtspräsident; *as God's my* ~*!* so wahr mir Gott helfe!; **2.** *mst sport* Preis-, Schiedsrichter *m*; **3.** Sachkundige(r) *m*, Kenner *m*: ~ *of wine* Weinkenner; *I am no* ~ *of it* ich kann es nicht beurteilen; **4.** *bibl.* **a)** Richter *m*, **b)** ♀s *pl. sg. konstr.* (*das* Buch der) Richter *pl.*; **II.** *v/t.* **5.** ⚖ richten, aburteilen; ein Urteil fällen *od.* Recht sprechen über (*acc.*); **6.** entscheiden; **7.** beurteilen, einschätzen (*by* nach); **8.** betrachten als, halten für; **III.** *v/i.* **9.** ⚖ Recht sprechen; **10.** *fig.* zu Gericht sitzen; **11.** (*by, from*) urteilen (nach; *of* über *acc.*); schließen (aus); **12.** (sich *dat.*) denken *od.* vorstellen (*of acc.*); **~ ad·vo·cate** *s.* ⚔ 'Rechtsoffi,zier *m*; **'~-made law** *s.* auf richterlicher Entscheidung beruhendes Recht.
judg(e)·ment ['dʒʌdʒmənt] *s.* **1.** ⚖ Urteil *n*, gerichtliche Entscheidung, Schiedsspruch *m*: ~ *by default* Versäumnisurteil; *to give* (*od. pronounce*) ~ ein Urteil sprechen (*on* über *acc.*); *to pass* ~ ein Urteil fällen (*on* über *acc.*); *to sit in* ~ zu Gericht sitzen (*on* über *acc.*); → *error 1*; **2.** Beurteilung *f*, Urteil *n*; **3.** Urteilsvermögen *n*, Verständnis *n*, Einsicht *f*: *man of* ~ einsichtsvoller Mann; *to act with* ~ mit Verständnis handeln; **4.** Urteil *n*, Ansicht *f*, Ermessen *n*: *to form a* ~ sich ein Urteil bilden; *in my* ~ meines Erachtens; **5.** göttliches (Straf)Gericht, Strafe *f* (Gottes): *the last* ~, *the day of* ~, ~*-day* das Jüngste Gericht; **~ debt** *s.* ⚖ voll'streckbare Forderung, Urteilsschuld *f*; **'~-proof** *adj.* ⚖ unpfändbar; **'~-seat** *s.* **1.** Richterstuhl *m*; **2.** Gerichtshof *m.*
judge·ship ['dʒʌdʒʃip] *s.* Richteramt *n.*
ju·di·ca·ture ['dʒu:dikətʃə] *s.* ⚖ **1.** Rechtsprechung *f*, Rechtspflege *f*; **2.** Gerichtswesen *n*; Gerichtshof *m*; → *supreme 1*; **3.** *coll.* Richter *pl.*; **4.** Amt *n od.* Amtszeit *f* e-s Richters; **ju·di·cial** [dʒu(:)'diʃəl] *adj.* □ **1.** ⚖ gerichtlich, Justiz..., Gerichts...: ~ *error* Justizirrtum; ~ *murder* Justizmord; ~ *proceedings* Gerichtsverfahren; ~ *system* Gerichtswesen; **2.** ⚖ Richter..., richterlich; **3.** scharf urteilend, kritisch; **4.** 'unpar,teiisch; **ju·di·ci·ar·y** [dʒu(:)'diʃiəri] ⚖ **I.** *adj.* **1.** gerichtlich, richterlich; **II.** *s.* **2.** Ju'stizgewalt *f*, Gerichtswesen *n*; **3.** *coll.* Richter(schaft *f*) *pl.*
ju·di·cious [dʒu(:)'diʃəs] *adj.* □ **1.** vernünftig, klug; **2.** 'wohlüber,legt, verständnisvoll; **ju'di·cious·ness** [-nis] *s.* Klugheit *f*, Einsicht *f.*
Ju·dith ['dʒu:diθ] *npr. u. s. bibl.* (das Buch) 'Judith *f.*
ju·do ['dʒu:dou] *s. sport* 'Judo *n*; **'ju·do·ka** [-kɑ:] *s. sport* Ju'doka *m.*
Ju·dy ['dʒu:di] → *Punch*[4].
jug[1] [dʒʌg] **I.** *s.* **1.** Krug *m*, Kanne *f*; **2.** *Am.* große Kruke; **3.** *sl.* ‚Kittchen' *n*, ‚Loch' *n* (*Gefängnis*); **II.** *v/t.* **4.** schmoren *od.* dämpfen: ~*ged hare* Hasenpfeffer; **5.** *sl.* ‚einlochen'.
jug[2] [dʒʌg] **I.** *v/i.* schlagen (*Nachtigall*); **II.** *s.* Nachtigallenschlag *m.*
'jug·ful [-ful] *pl.* **-fuls** *s. ein* Krug (-voll) *m.*
Jug·ger·naut ['dʒʌgənɔ:t] *s.* Moloch *m*, (blutrünstiger) Götze.
jug·gins ['dʒʌginz] *s. sl.* Trottel *m*, ‚Blödmann' *m.*
jug·gle ['dʒʌgl] **I.** *v/i.* **1.** jonglieren, Kunststücke machen, gaukeln; **2.** ~ *with fig. et.* ‚jonglieren', verdrehen, (ver)fälschen, ‚frisieren'; *j-n* täuschen; **3.** falsches (*od.* sein) Spiel treiben (*with* mit): *to* ~ *with words* mit Worten spielen; **II.** *v/t.* **4.** betrügen (*out of* um); **III.** *s.* **5.** Trick *m*, ‚Taschenspiele'rei' *f*; **6.** Schwindel *m*; **'jug·gler** [-lə] *s.* **1.** Jon'gleur *m*; **2.** Zauberkünstler *m*; **3.** Schwindler *m*; **'jug·gler·y** [-ləri] *s.* **1.** Jonglieren *n*; **2.** → *juggle 5, 6.*
Ju·go·slav ['ju:gou'slɑ:v] **I.** *s.* Jugo'slawe *m*, Jugo'slawin *f*; **II.** *adj.* jugo'slawisch.
jug·u·lar ['dʒʌgjulə] *anat.* **I.** *adj.* Kehl..., Gurgel...; **II.** *s. a.* ~ *vein* Hals-, Drosselader *f*; **'jug·u·late** [-leit] *v/t. mst fig.* erdrosseln; unter'drücken, aufhalten.
juice [dʒu:s] *s.* **1.** Saft *m* (*a. fig.*): *orange* (*lemon, tomato*) ~; *to stew in one's own* ~ F im eigenen Saft schmoren; **2.** *sl.* **a)** ⚡ ‚Saft' *m*, Strom *m*, **b)** *mot.* Sprit *m*, **c)** *Am.* ‚Zeug' *n*, Whisky *m*; **3.** *fig.* Kraft *f*, Kern *m*, Wesen *n*, Inhalt *m*; **'juic·i·ness** [-sinis] *s.* Saftigkeit *f*; **'juic·y** [-si] *adj.* **1.** saftig (*a. fig.*);

2. F interes'sant, spannend; 3. F pi'kant, würzig.

ju·jit·su [dʒu:'dʒitsu:] *s. sport* [Jiu-Jitsu *n.*]

ju·jube ['dʒu:dʒu(:)b] *s.* 1. ⚘ Ju'jube *f*, Brustbeere *f*; 2. *pharm.* 'Brust(beer)taˌblette *f*, 'Brustbonˌbon *m, n.*

ju·jut·su [dʒu:'dʒutsu:] → *ju-jitsu.*

'juke|-box [dʒu:k] *s.* Jukebox *f* (*Musikautomat*); **'~-joint** *s. Am. sl.* ,'BumsloˌkaI' *n* (*Tanzlokal mit Jukebox*).

ju·lep ['dʒu:lep] *s.* 1. süßliches (Arz'nei)Getränk; 2. *kühlendes Getränk.*

Jul·ian ['dʒu:ljən] *adj.* juli'anisch: *the ~ calendar* der Julianische Kalender.

Ju·ly [dʒu(:)'lai] *s.* 'Juli *m*: *in ~* im Juli.

jum·ble ['dʒʌmbl] **I.** *v/t.* **1.** *a. ~ together, ~ up* zs.-werfen, in Unordnung bringen, (wahllos) vermischen, durchein'anderwürfeln; **II.** *v/i.* **2.** *a. ~ together, ~ up* durchein'andergeraten, -gerüttelt werden; **III.** *s.* **3.** Durchein'ander *n*, Wirrwarr *m*; **4.** Ramsch *m*: *~-sale Brit.* Wohltätigkeitsbasar; *~-shop* Ramschladen.

jum·bo jet ['dʒʌmbou] *s.* ✈ Jumbo-Jet *m* (*Großraumdüsenflugzeug*).

jump [dʒʌmp] **I.** *s.* **1.** Sprung *m* (*a. fig.*), Satz *m*; Absprung *m*: *high ~ sport* Hochsprung; *long ~ Brit., broad ~ Am. sport* Weitsprung; *triple ~ sport* Dreisprung; *to take* (*od. make*) *a ~* e-n Sprung machen; **2.** Aufschrecken *n*: *to give a ~* auf-, zs.-fahren, hochschrecken; *to give s.o. a ~* j-n erschrecken; *to keep s.o. on the ~* j-n in Atem halten; **3.** plötzlicher Anstieg, Em'porschnellen *n* (*a. Preise*): *to give a ~* emporschnellen; **4.** *the ~s pl. sl.* **a)** ,Veitstanz' *m*, Zuckungen *pl.*, **b)** Säuferwahnsinn *m*; **5.** *fig.* Über'springen *n*, -'schlagen *n*, Unter'brechung *f*; **6.** *Am.* F Vorsprung *m*, Vorgabe *f*; **II.** *v/i.* **7.** springen, hüpfen: *to ~ clear of s.th.* von et. wegspringen; *to ~ (to the roof) for joy* vor Freude (an die Decke) springen; *to ~ off the deep end Am.* F sich zu et. hinreißen lassen; *to ~ all over s.o. Am.* F j-n ,zur Schnecke machen'; **8.** em'porschnellen (*a. Preise*); auf-, hochfahren; zs.-zucken: *the news made me ~* die Nachricht jagte mir e-n Schrecken ein; **9.** pulsieren, pochen, beben; **10.** rütteln, stoßen, schaukeln, wackeln; **11.** schnell 'übergehen, 'überspringen: *to ~ from one topic to another*; **III.** *v/t.* **12.** (hin'weg)springen über (*acc.*): *to ~ a gate*; *to ~ the rails* 🚂 entgleisen; *to ~ a train Am.* F **a)** vom fahrenden Zuge abspringen, **b)** auf den Zug aufspringen; **13.** *Am.* F *j-n* über'fallen; **14.** springen lassen: *to ~ a horse over a fence*; **15.** schaukeln: *to ~ a baby on one's knee*; **16.** über'springen, -'schlagen, auslassen: *to ~ the next chapter*; *to ~ the channels Am.* den Instanzenweg nicht einhalten; *to ~ the queue* sich (*beim Schlangestehen*) vordrängen, aus der Reihe tanzen (*a. fig.*); *to ~ bail* ⚖ die Kaution verfallen lassen u. verschwinden; *to ~ the gun* **a)** *sport* e-n Frühstart verursachen, **b)** *fig.* sich e-n unfairen Vorteil verschaffen, **c)** voreilig handeln; **17.** 'widerrechtlich Besitz ergreifen von (*bsd. Grundbesitz etc.*), sich einnisten in (*acc.*); **18.** verleiten (*into* zu);
Zssgn mit adv. u. prp.:

jump| a·bout *v/i.* her'umhüpfen; **~ at** *v/t. fig.* sich stürzen auf (*acc.*): *to ~ the chance* die Gelegenheit ergreifen, mit beiden Händen zugreifen; *to ~ the idea* den Gedanken schnell aufgreifen; → *conclusion 3*; **~ down** *v/i.*: *~ s.o.'s throat* F j-n ,anfahren' *od.* ,anschnauzen'; auf j-n losgehen; **~ on** *v/i.*: *~ s.o.* **a)** sich auf j-n stürzen, **b)** j-m ,aufs Dach steigen'; **~ out of** *v/i.*: *~ one's skin* ,aus der Haut fahren'; **~ to** *v/i.*: *~ it sl.* die Sache schnell in Angriff nehmen, zupacken; → *conclusion 3*; **~ up** *v/i.* aufspringen (*a. fig.*).

'jumped-'up [dʒʌmpt] *adj.* F **1.** (parve'nühaft) hochnäsig; **2.** improvisiert.

jump·er¹ ['dʒʌmpə] *s.* **1.** Springer (-in): *high ~ sport* Hochspringer (-in); *long ~ Brit., broad ~ Am. sport* Weitspringer(in); *triple ~ sport* Dreispringer; **2.** ⊕ Steinbohrer *m*; Bohrmeißel *m*; **3.** ⚡ Kurzschlußbrücke *f*; **4.** *zo.* **a)** Floh *m*, **b)** Käsemade *f*.

jump·er² ['dʒʌmpə] *s.* **1.** Jumper *m*, Schlupfbluse *f*; **2.** Ma'trosenbluse *f*; **3.** Trägerrock *m*, -kleid *n*.

jump·i·ness ['dʒʌmpinis] *s.* Nervosi'tät *f*, Unruhe *f*, Zerfahrenheit *f*.

jump·ing ['dʒʌmpiŋ] *s.* **1.** Springen *n*: *~-pole* → *vaulting-pole*; *~ test Reitsport*: Springen; **2.** *Skisport*: Sprunglauf *m*, Springen *n*; **'~-jack** *s.* Hampelmann *m*; **'~-'off place** *s.* **1.** Ausgangspunkt *m*; **2.** *Am.* F Ende *n* der Welt.

jump·y ['dʒʌmpi] *adj.* ner'vös, zerfahren.

junc·tion ['dʒʌŋkʃən] *s.* **1.** Verbindung *f*, Vereinigung *f*; Anschluß *m* (*a.* ⊕); Zs.-fluß *m*; (*Straßen*)Gabelung *f*, Kreuzung *f*; **2.** 🚂 **a)** Knotenpunkt *m*, **b)** 'Anschlußstatiˌon *f*; **3.** Verbindungspunkt *m*; **4.** Zs.-treffen *n*, Treffpunkt *m*; **5.** ⩘ Berührung *f*; **~ box** *s.* ⚡ Abzweig-, Anschlußdose *f*; **~ line, ~ rail·way** *s.* 🚂 *Brit.* Verbindungs-, Nebenbahn *f*.

junc·ture ['dʒʌŋktʃə] *s.* **1.** ('kritischer) Augenblick *od.* Zeitpunkt: *at this ~* in diesem Augenblick, an dieser Stelle; **2.** *fig.* Sachlage *f*, Stand *m* der Dinge; **3.** Zs.-treffen *n* (*Ereignisse*); **4.** Verbindungsstelle *f*, Naht *f*.

June [dʒu:n] *s.* 'Juni *m*: *in ~* im Juni.

jun·gle ['dʒʌŋgl] *s.* **1.** Dschungel *m, f, n* (*a. fig.*): *law of the ~* Faustrecht, nackte Gewalt; **2.** *Am. sl.* Landstreicherlager *n*; **'jun·gled** [-ld] *adj.* mit Dschungel(n) über'wachsen.

jun·gle| fe·ver *s.* ⚕ Dschungelfieber *n*; **'~-fowl** *s. orn.* Ban'kivahuhn *n*.

jun·ior ['dʒu:njə] **I.** *adj.* **1.** 'junior; Junioren...: *John Smith ~* (*abbr. jr., jun.*) John Smith jr. *od.* jun.; *Smith ~* Smith II (*von Schülern*); **2.** jünger, 'untergeordnet, zweit: *~ clerk* **a)** jüngerer Kontorist, **b)** zweiter Buchhalter, **c)** ⚖ *Brit.* Anwaltspraktikant; *♀ Counsel* ⚖ *Brit.* → *barrister* (*als Vorstufe zum King's Counsel*); *~ partner* jüngerer Teilhaber; **3.** *ped.* der 'Unterstufe (angehörend): *~ forms Brit. die* Unterklassen, *die* Unterstufe; *~ school Brit.* Grundschule; *~ high school Am.* Oberschule (mit Klassen 7, 8, 9); **II.** *s.* **4.** Jüngere(r *m*) *f*: *he is my ~ by 2 years, he is 2 years my ~* er ist 2 Jahre jünger als ich; *my ~s* Leute, die jünger sind als ich; **5.** 'Untergeordnete(r *m*) *f* (im Amt), Assi'stent(in): *an office ~* ein jüngerer Angestellter; **6.** *ped. the ~s* die jüngeren Schüler; **7.** *Am.* (Ober)Schüler *m od.* Stu'dent *m* im 3. Jahre;

jun·ior·i·ty [dʒu:ni'ɔriti] *s.* geringeres Alter *od.* Dienstalter.

ju·ni·per ['dʒu:nipə] *s.* ⚘ Wa'cholder *m*.

junk¹ [dʒʌŋk] **I.** *s.* **1.** Ausschuß(ware *f*) *m*, Altwaren *pl.*, Trödel *m*, Plunder *m*: *~-dealer* Altwarenhändler; *~-shop* Ramsch-, Trödelladen; *~ yard Am.* Schrottplatz, Autofriedhof; **2.** *contp.* Schund *m*; **3.** ⚓ altes zerkleinertes Tauwerk; **4.** ⚓ zähes Pökelfleisch; **5.** dickes Stück, Klumpen *m*; **6.** *Am. sl.* Rauschgift *n*; **II.** *v/t.* **7.** *Am. sl.* zum alten Eisen werfen, ,wegschmeißen'.

junk² [dʒʌŋk] *s.* Dschunke *f*.

jun·ket ['dʒʌŋkit] **I.** *s.* **1.** Quark (-speise *f* mit Sahne) *m*, dicke Milch; **2.** *a. junketing* Fest *n*, Schmause'rei *f*; Picknick *n*; **3.** *Am.* Vergnügungsreise *f* auf öffentliche Kosten; **II.** *v/i.* **4.** feiern, es sich wohl sein lassen; **5.** picknicken.

jun·ta ['dʒʌntə] (*Span.*) *s.* **1.** Ratsversammlung *f*; **2.** 'Junta *f* (*a. pol.*): *military ~* Militärjunta; **'jun·to** [-tou] *pl.* **-tos** *s.* Clique *f*, Klüngel *m*.

Ju·pi·ter ['dʒu:pitə] *s. ast.* 'Jupiter *m*.

Ju·ras·sic [dʒuə'ræsik] *geol.* **I.** *adj.* Jura..., ju'rassisch: *~ period*; **II.** *s.* 'Juraformatiˌon *f*.

ju·rat ['dʒuəræt] *s. Brit.* **1.** Stadtrat *m* (*Person*) in den *Cinque Ports*; **2.** Richter *m auf den Kanalinseln.*

ju·rid·i·cal [dʒuə'ridikəl] *adj.* ☐ **1.** gerichtlich, Gerichts...; **2.** ju'ristisch, Rechts...: *~ person Am.* juristische Person.

ju·ris·dic·tion [dʒuəris'dikʃən] *s.* **1.** Rechtsprechung *f*; **2.** Gerichtsbarkeit *f*; (*örtliche u. sachliche*) Zuständigkeit (*of, over* für): *to have ~ over* zuständig sein für; **3.** Gerichtsbezirk *m*; Zuständigkeitsbereich *m*; **ju·ris'dic·tion·al** [-ʃənl] *adj.* gerichtlich, Gerichts..., Zuständigkeits...; **ju·ris·pru·dence** ['dʒuərispru:dəns] *s.* **1.** Rechtswissenschaft *f*; **2.** Rechtsgelehrsamkeit *f*; **ju·ris·pru·dent** ['dʒuərispru:dənt] **I.** *s.* Rechtsgelehrte(r) *m*, Ju'rist *m*; **II.** *adj.* rechtskundig; **ju·ris·pru·den·tial** [dʒuərispru(:)'denʃəl] *adj.* rechtswissenschaftlich; **ju·rist** ['dʒuərist] *s.* **1.** → *jurisprudent I*; **2.** *Brit.* Stu'dent *m* der Rechte; **3.** *Am.* Rechtsanwalt *m*; **ju·ris·tic** *adj.*; **ju·ris·ti·cal** [dʒuə'ristik(əl)] *adj.* ☐ ju'ristisch, Rechts...

ju·ror ['dʒuərə] *s.* **1.** ⚖ Geschworene(r *m*) *f*; **2.** (*vereidigter*) Preisrichter; **3.** *hist.* Vereidigte(r *m*) *f*.

ju·ry¹ ['dʒuəri] *s.* **1.** ⚖ *die* Geschworenen *pl.*, Jury *f*: *trial by* ~, ~ *trial* Schwurgerichtsverfahren; *to sit on the* ~ Geschworene(r) sein; **2.** Jury *f*, 'Preisrichter(kol,legium *n*) *pl.*; **3.** Sachverständigenausschuß *m*.

ju·ry² ['dʒuəri] *adj.* ⚓ Ersatz..., Hilfs..., Not...: ~*-mast* Notmast.

'**ju·ry|-box** *s.* ⚖ Geschworenenbank *f*; '**~·man** [-mən] *s.* [*irr.*] ⚖ Geschworene(r) *m*; **~ pan·el** *s.* ⚖ Geschworenenliste *f*.

jus·sive ['dʒʌsiv] *adj. ling.* Befehls..., impera'tivisch.

just¹ [dʒʌst] **I.** *adj.* □ → *justly*; **1.** gerecht (*Person od. Handlung*): *to be* ~ *to s.o.* j-n gerecht behandeln; **2.** gerecht, richtig, angemessen, gehörig: *it was only* ~ es war nur recht u. billig; ~ *reward* wohlverdienter Lohn; **3.** rechtmäßig, wohlbegründet: *a* ~ *claim*; **4.** berechtigt, begründet: ~ *indignation*; **5.** genau, wahr, richtig: *a* ~ *statement* e-e wahre Aussage; **6.** redlich, rechtschaffen, aufrecht; **7.** ♪ rein (*Intervall*); **II.** *adv.* [*a.* dʒəst] **8.** gerade, (so)'eben: *he had* ~ *gone* er war gerade (fort)gegangen; ~ *now* **a**) (gerade) jetzt, **b**) jetzt gleich, **c**) soeben, eben erst; ~ *out* soeben erschienen (*Buch*); *not ready* ~ *yet* noch nicht ganz fertig; **9.** gerade, genau: ~ *one o'clock* genau ein Uhr; *that is* ~ *right* das ist genau *od.* gerade richtig; ~ *too late* gerade zu spät; *it is* ~ *the same* es ist ganz gleich(gültig); ~ *so!* ganz recht!, jawohl!; *that's* ~ *it* das ist es ja gerade *od.* eben; *that is* ~ *like you!* das sieht dir ganz ähnlich!; ~ *as he came in* gerade als er hereinkam; ~ *before he arrived* gerade ehe er ankam; *it is* ~ *as well that* es ist wirklich besser (*od.* nur gut), daß; **10.** gerade noch, um ein Haar, mit knapper Not: *I* ~ *managed it* ich schaffte es gerade noch; ~ *possible* immerhin möglich; ~ *in case* nur für den Fall; *only* ~ *enough* nur eben genug; *he was only* ~ *saved, he was saved but only* ~ er wurde nur eben noch (*od.* mit knapper Not) gerettet; **11.** nur: ~ *for fun* nur zum Spaß; ~ *the two of us* nur wir beide; ~ *a little bit* ein ganz klein wenig; ~ *give her a book* schenk ihr doch einfach ein Buch; **12.** doch, mal: ~ *tell me* sag mir mal *od.* bloß; ~ *sit down, please* setzen Sie sich doch bitte!; ~ *let me see!* **a**) zeig mal (her)!, **b**) laß mich mal sehen *od.* überlegen; **13.** F einfach, wirklich: ~ *wonderful*.

just² [dʒʌst] → *joust*.

jus·tice ['dʒʌstis] *s.* **1.** Gerechtigkeit *f* (*to* gegen); **2.** Rechtmäßigkeit *f*, Berechtigung *f*, Recht *n*: *with* ~ mit *od.* zu Recht; **3.** Gerechtigkeit *f*, gerechter Lohn: *to do* ~ *to* Gerechtigkeit widerfahren lassen, gerecht werden (*dat.*); *to do* ~ *to the wine* dem Wein tüchtig zusprechen; *to do o.s.* ~ **a**) sein wahres Können zeigen, **b**) sich selbst gerecht werden; *in* ~ *to him* um ihm gerecht zu werden; **4.** ⚖ Gerechtigkeit *f*, Recht *n*, Ju'stiz *f*: *to administer* ~ Recht sprechen; *to flee from* ~ sich der verdienten Strafe entziehen; *to bring to* ~ vor Gericht bringen; *in* ~ von Rechts wegen; **5.** Richter *m*: *Mr.* ♀ *X.* (*Anrede in England*); ~ *of the peace* Friedensrichter (*Laienrichter*); '**jus·tice·ship** [-ʃip] *s.* Richteramt *n*.

jus·ti·ci·a·ble [dʒʌs'tiʃiəbl] *adj.* ⚖ gerichtlicher Entscheidung unter'worfen; **jus'ti·ci·ar·y** [-iəri] ⚖ **I.** *s.* **1.** Justiti'ar *m*, Richter *m*; **2.** *Scot.* Rechtsprechung *f*, Gerichtsbarkeit *f*; **II.** *adj.* **3.** gerichtlich.

jus·ti·fi·a·bil·i·ty [dʒʌstifaiə'biliti] *s.* Entschuldbarkeit *f*; **jus·ti·fi·a·ble** ['dʒʌstifaiəbl] *adj.* □ zu rechtfertigen(d), entschuldbar, berechtigt, vertretbar; **jus·ti·fi·a·bly** ['dʒʌstifaiəbli] *adv.* berechtigterweise.

jus·ti·fi·ca·tion [dʒʌstifi'keiʃən] *s.* **1.** Rechtfertigung *f*: *in* ~ *of* zur Rechtfertigung von (*od. gen.*); **2.** Berechtigung *f*: *with* ~ berechtigterweise, mit Recht; **3.** *typ.* Justierung *f*, Ausschluß *m*; **jus·ti·fi·ca·to·ry** ['dʒʌstifikeitəri] *adj.* rechtfertigend, Rechtfertigungs...

jus·ti·fi·er ['dʒʌstifaiə] *s.* **1.** Rechtfertiger *m*; **2.** *typ.* Justierer *m*, Zurichter *m*; **jus·ti·fy** ['dʒʌstifai] *v/t.* **1.** rechtfertigen (*before od. to s.o.* vor j-m): *to be justified in doing s.th.* et. mit gutem Recht tun; berechtigt sein, et. zu tun; **2. a**) gutheißen, **b**) entschuldigen, *j-m* recht geben; **3.** *eccl.* rechtfertigen, von Sündenschuld freisprechen; **4.** ⊕ richtigstellen, richten, justieren; **5.** *typ.* justieren, ausschließen.

just·ly ['dʒʌstli] *adv.* **1.** richtig; **2.** mit Recht; **3.** verdientermaßen; '**just·ness** [-tnis] *s.* **1.** Gerechtigkeit *f*, Billigkeit *f*; **2.** Rechtmäßigkeit *f*; **3.** Richtigkeit *f*.

jut [dʒʌt] **I.** *v/i. a.* ~ *out* vorspringen, her'ausragen: *to* ~ *into s.th.* in et. hineinragen; **II.** *s.* Vorsprung *m*.

jute¹ [dʒu:t] *s.* ⚘ Jute *f*.

Jute² [dʒu:t] *s.* Jüte *m*; **Jut·land** ['dʒʌtlənd] *npr.* Jütland *n*: *the Battle of* ~ die Skagerrakschlacht.

ju·ve·nes·cence [dʒu:vi'nesns] *s.* **1.** Verjüngung *f*: *well of* ~ Jungbrunnen; **2.** Jugend *f*.

ju·ve·nile ['dʒu:vinail] **I.** *adj.* **1.** jugendlich, jung, Jugend...: ~ *books* Jugendbücher; ~ *court* Jugendgericht; ~ *delinquency* Jugendkriminalität; ~ *stage* Entwicklungsstadium; **II.** *s.* **2.** Jugendliche(r *m*) *f*; **3.** Jugendbuch *n*; **ju·ve·nil·i·ty** [dʒu:vi'niliti] *s.* **1.** Jugendlichkeit *f*; **2.** jugendlicher Leichtsinn; **3.** *pl.* Kinde'reien *pl*.

jux·ta·pose ['dʒʌkstəpouz] *v/t.* nebenein'anderstellen: ~*d to* angrenzend an (*acc.*); **jux·ta·po·si·tion** [dʒʌkstəpə'ziʃən] *s.* Nebenein'anderstellung *f*, -liegen *n*.

K

K, k [kei] *s.* K *n*, k *n* (*Buchstabe*).
kaa·ma ['kɑːmə] → *hartebeest.*
kab·(b)a·la [kə'bɑːlə] → *ca(b)bala.*
ka·di → *cadi.*
Kaf·fir ['kæfə] *s.* **1.** Kaffer(in) (*Bantuneger*); **2.** *ling.* Kaffernsprache *f*; **3.** *pl.* ✝ *Brit. sl.* 'südafriˌkanische 'Bergwerksˌaktien *pl.*
kaf·tan → *caftan.*
kail, kail·yard → *kale, kaleyard.*
Kai·ser, kai·ser ['kaizə] *s. hist.* Kaiser *m* (*bsd. von Deutschland*).
ka·ke·mo·no [kæki'mounou] *pl.* **-nos** *s.* Kake'mono *n* (*japanisches Rollbild*).
ka·ki ['kɑːki] *s.* ⚘ 'Kakibaum *m.*
kale [keil] *s.* **1.** ⚘ Kohl *m*, *bsd.* Grün-, Krauskohl *m*; **2.** *Am. sl.* ‚Zaster' *m* (*Geld*).
ka·lei·do·scope [kə'laidəskoup] *s.* Kaleido'skop *n* (*a. fig.*); **ka·lei·do·scop·ic** *adj.*; **ka·lei·do·scop·i·cal** [kəlaidə'skɔpik(əl)] *adj.* □ kaleido'skopisch, ständig wechselnd.
'kale·yard *s. Scot.* Gemüsegarten *m*; **~ school** *s.* schottische 'Heimatliteraˌtur.
kal·i ['kɑːli; 'keilai] *s.* ⚘ Salzkraut *n.*
ka·lif → *caliph.*
Kal·mu(c)k ['kælmʌk], **'Kal·myk** [-mik] *s.* Kal'mück(e) *m.*
kan·ga·roo [kæŋgə'ruː] *pl.* **-roos** *s. zo.* 'Känguruh *n*; **~ court** *s. Am. sl.* **1.** 'illeˌgales Gericht (*z. B. unter Sträflingen*); **2.** kor'ruptes Gericht.
ka·o·lin ['keiəlin] *s. min.* Kao'lin *n*, Porzel'lanerde *f.*
ka·pok ['keipɔk] *s.* 'Kapok *m.*
ka·ra·te [kə'rɑːti] *s.* Ka'rate *n*; **~ chop** *s.* Ka'rateschlag *m.*
kar·ma ['kɑːmə] *s.* **1.** *Buddhismus:* 'Karma *n*; **2.** *allg.* Schicksal *n.*
ka(r)·roo [kə'ruː] *s.* Kar'ru *f* (*Trokkensteppe in Südafrika*).
kar·tell [kɑː'tel] → *cartel.*
Kash·mi·ri [kæʃ'miəri] *s. ling.* Kasch'miri *n*; **Kash'mir·i·an** [-riən] *s.* Einwohner(in) 'Kaschmirs.
ka·thar·sis → *catharsis.*
kath·ode → *cathode.*
kau·ri ['kauri] *s.* ⚘ 'Kauri-, Dam'marafichte *f*: *~-gum*, *~-resin* Dammarharz.
kay·ak ['kaiæk] *s.* 'Kajak *m*, *n*, 'Eskimo-, Paddelboot *n.*
keck [kek] *v/i.* **1.** würgen, (sich) erbrechen (müssen); **2.** *fig.* sich ekeln (*at* vor *dat.*).
kedge [kedʒ] ⚓ **I.** *v/t.* warpen, verholen; **II.** *s. a. ~-anchor* Wurf-, Warpanker *m.*
kedg·er·ee [kedʒə'riː] *s. Brit. Ind.* Kedge'ree *n* (*Reisgericht mit Fisch, Eiern, Zwiebeln etc.*).
keek [kiːk] *Scot.* **I.** *v/i.* gucken, kieken; **II.** *s.* kurzer Blick: *to take a ~ at et.* angucken; **'keek·er** [-kə] *s. Scot.* F **1.** Aufpasser *m*, Schnüffler *m*; **2.** *pl.* Augen *pl.*
keel [kiːl] **I.** *s.* **1.** ⚓ Kiel *m*: *on an even ~* **a)** gleichlastig, im Gleichgewicht, **b)** *fig.* ausgeglichen, gleichmäßig, ruhig; *to lay down the ~* den Kiel legen; **2.** *poet.* Schiff *n*; **3.** Kiel *m*: **a)** ✈ Längsträger *m*, **b)** ⚘ Längsrippe *f*; **II.** *v/t.* **4.** *~ over* kiel'oben legen, kentern lassen; **III.** *v/i.* **5.** *~ over* 'umschlagen (*a. fig.*), kentern; kieloben liegen; **'keel·age** [-lidʒ] *s.* ⚓ Kielgeld *n*, Hafengebühren *pl.*; **keeled** [-ld] *adj.* **1.** mit e-m Kiel; **2.** ⚘ kielförmig; **'keel·haul** *v/t.* **1.** *j-n* kielholen; **2.** *fig.* anbrüllen, abkanzeln; **keel·son** ['kelsn] → *kelson.*
keen[1] [kiːn] *adj.* □ → *keenly*; **1.** scharf (geschliffen): *~ edge* scharfe Schneide; **2.** spitz (*Pfeil*); **3.** scharf (*Wind*), schneidend (*Kälte*); **4.** beißend (*Spott*); **5.** scharf (*Gehör, Sehkraft*): *to be ~-eyed* scharfe Augen haben; **6.** fein (*Gefühl, Sinn*); **7.** scharf, 'durchdringend (*Blick, Geruch*); **8.** grell (*Licht*); schrill (*Ton*); **9.** heftig, stark, groß (*Freude, Gram, Wunsch, Interesse, Hunger, Kampf, Wettbewerb*); **10.** *a. ~-witted* scharfsinnig; **11.** eifrig, begeistert, leidenschaftlich: *a ~ swimmer*; **12.** begierig, erpicht, ‚scharf', versessen (*on, about* auf *acc.*): *not to be ~ on it* wenig Lust dazu haben; *as ~ as mustard (on)* F versessen (auf *acc.*), Feuer u. Flamme (für); *to be ~ on doing (od. to do) s.th.* F erpicht sein *od.* Lust haben, et. zu tun; **13.** *Am. sl.* schick, prächtig, fesch.
keen[2] [kiːn] *Ir.* **I.** *s.* Totenklage *f*; **II.** *v/i.* wehklagen.
'keen-'edged *adj.* scharf geschliffen; *fig.* messerscharf.
keen·er ['kiːnə] *s. Ir.* Wehklagende(r *m*) *f*, Klageweib *n.*
keen·ly ['kiːnli] *adv.* **1.** scharf; **2.** heftig; **3.** sehr; **'keen·ness** [-nnis] *s.* **1.** Schärfe *f* (*a. fig.*); **2.** Heftigkeit *f*; **3.** Eifer *m*; **4.** Scharfsinn *m*; **5.** Feinheit *f*; **6.** *fig.* Bitterkeit *f.*
keep [kiːp] **I.** *s.* **1. a)** Burgverlies *n*, **b)** Bergfried *m*; **2.** 'Unterhalt *m*, 'Unterkunft *f* u. Verpflegung *f*: *to earn one's ~* s-n Lebensunterhalt verdienen; **3.** 'Unterhaltskosten *pl.* (*Mensch, Tier*); **4.** *for ~s sl.* auf *od.* für immer, endgültig; **II.** *v/t.* [*irr.*] **5.** (be)halten, haben: *to ~ apart* getrennt halten; *~ the purse in your hand* behalte das Portemonnaie in der Hand!; *he kept his hands in his pockets* er hatte die Hände in den Taschen; *to ~ s.o. for lunch* j-n zum Mittagessen dabehalten; *to ~ s.th. to o.s.* et. für sich behalten, et. geheimhalten; *to ~ o.s. to o.s.* für sich bleiben; **6.** *im Besitz* behalten: *you may ~ that book* das Buch kannst du behalten; *~ the change* behalten Sie den Rest (des Geldes)!; *~ your seat* bleiben Sie sitzen!; *~ this seat for me, please* bitte halten Sie diesen Platz für mich frei!; **7.** aufbewahren, aufheben: *I ~ all my old letters*; *to ~ for a later date* für später aufbewahren; **8.** (er)halten, bewahren: *to ~ in good repair* instand halten; *to ~ dry* trocken halten, vor Nässe schützen; *a badly kept road* e-e schlechtgehaltene Straße; **9.** *j-n od. et.* lassen, erhalten: *to ~ s.th. going* et. in Gang halten; *to ~ s.o. going* **a)** j-n finanziell unterstützen, **b)** j-n am Leben erhalten; *to ~ the fire burning* das Feuer nicht ausgehen lassen; *to ~ s.o. informed* j-n auf dem laufenden halten; *to ~ s.o. waiting* j-n warten lassen; *to ~ s.o. at work* j-n zur Arbeit anhalten; **10.** erhalten, unter'halten, ernähren: *he has his mother to ~* er muß s-e Mutter ernähren; *to ~ a wife and family* für Frau u. Kinder sorgen; *to ~ s.o. in money* j-n mit Geld versorgen; **11.** sich *j-n od. et.* halten *od.* zulegen: *to ~ a maid* sich ein (Haus)Mädchen halten; *to ~ a mistress* e-e Geliebte haben *od.* aushalten; *a kept woman* e-e Mätresse; *to ~ a car* sich e-n Wagen halten, e-n Wagen haben; *to ~ o.s. in clothes* für s-e Kleidung aufkommen; **12.** auf-, hinhalten: *don't let me ~ you* laß dich nicht aufhalten; **13.** (ein)halten, befolgen: *to ~ one's word* (sein) Wort halten; *to ~ rules* die Regeln befolgen; *to ~ an appointment* e-e Verabredung einhalten; *to ~ s.th. a secret (from)* et. geheimhalten (vor *dat.*); → *silence 1*; *time 2 u. 17b*; **14.** *Fest etc.* begehen, feiern: *to ~ Christmas*; **15.** halten, verteidigen, behaupten: *to ~ (the) goal* das Tor hüten; **16.** (aufrechter)halten, unter'halten: *to ~ good relations (with)* gute Beziehungen unterhalten (zu); *to ~ guard* Wache halten; **17.** bleiben in (*dat.*): *to ~ one's bed (room)* das Bett (Zimmer) hüten; **18.** führen, betreiben: *to ~ a shop* ein (Laden)Geschäft betreiben; **19.** (ab)halten: *to ~ school*; **20.** *Ware* führen, auf Lager haben; **21.** *Buch* führen: *to ~ a diary* ein Tagebuch führen; *to ~ books (accounts)* ✝ Buch *od.* Bücher (Konten) führen; **22.** (fest)halten, be-

wachen: *to ~ s.o. (a) prisoner (od. in prison)* j-n gefangenhalten; **III.** *v/i.* [*irr.*] **23.** sich halten, (*in e-m gewissen Zustand*) bleiben: *to ~ friends* Freunde bleiben; *milk won't ~ in this weather* bei diesem Wetter hält sich die Milch nicht; *the weather ~s fine* das Wetter bleibt schön; *to ~ cool* kühl bleiben (*a. fig.*); *~ quiet!* sei still!; *to ~ to o.s.* sich zurückhalten, für sich bleiben; *that news (matter) will ~* diese Nachricht (Sache) eilt nicht; **24.** sich befinden: *how are you ~ing?* wie geht es dir?; *to ~ well* wohlauf sein; **25.** bleiben: *to ~ straight on* geradeaus weitergehen; *to ~ in sight* in Sicht bleiben; *to ~ (to the) left* sich links halten, links fahren *od.* gehen; → *clear 6*; **26.** *an e-m Ort* bleiben: *to ~ at home*; **27.** *mit ger.* weiter... (*inf.*): *to ~ going* **a)** weitergehen, **b)** fortfahren, weitermachen; *~ smiling!* immer lächeln!, nur nicht den Mut sinken lassen!;

Zssgn mit prp. u. adv.:

keep| at *v/i.* festhalten an (*dat.*), verweilen bei: *~ it!* mach weiter!, nicht aufgeben!; *to ~ s.o.* j-n belästigen *od.* drängen; **~ a·way I.** *v/t.* fernhalten, am Kommen hindern; **II.** *v/i.* weg-, fernbleiben; **~ back I.** *v/t.* **1.** fernhalten; **2.** *fig.* zu'rückhalten, verschweigen; **II.** *v/i.* **3.** zu'rücktreten, im 'Hintergrund bleiben; **~ down I.** *v/t.* **1.** niedrig halten, be-, einschränken; **2.** nicht hochkommen lassen, unter'drükken; **II.** *v/i.* **3.** sich geduckt halten; **~ from I.** *v/t.* **1.** ab-, zu'rück-, fernhalten von, hindern an (*dat.*), bewahren vor (*dat.*): *he kept me from work* er hielt mich von m-r Arbeit ab; *he kept me from danger* er bewahrte mich vor Gefahr; *I kept him from knowing too much* ich verhinderte, daß er zuviel erfuhr; **2.** vorenthalten, verschweigen: *you are keeping s.th. from me* du verschweigst mir et.; **II.** *v/i.* **3.** sich fernhalten von, sich enthalten (*gen.*); **~ in I.** *v/t.* **1.** (dr)innen lassen, im Zimmer halten; *Schüler* nachsitzen lassen; *Atem* anhalten; **2.** (*a. Gefühle etc.*) im Zaume halten; **II.** *v/i.* **3.** (dr)innen bleiben, sich nicht blicken lassen; **4.** *~ with* zs.-halten *od.* gut Freund bleiben mit; **~ off I.** *v/t.* fernhalten von, abweisen; **II.** *v/i.* sich fernhalten von: *~ the grass!* Betreten des Rasens verboten; **~ on I.** *v/t.* **1.** *Kleider* anbehalten; *Hut* aufbehalten; **II.** *v/i.* **2.** leben *od.* sich ernähren von: *to ~ rice*; **3.** mit *et.* fortfahren, weitermachen: *to ~ laughing* immer weiter lachen; *to ~ at s.o.* an j-m herumnörgeln, j-m ‚zusetzen'; **~ out I.** *v/t.* **1.** draußen lassen, nicht her'einlassen; ausschließen; **2.** *~ of* bewahren vor (*dat.*); **II.** *v/i.* **3.** draußen bleiben; **4.** *~ of* sich her'aushalten aus; sich fernhalten von: *to ~ of debt* keine Schulden machen; *to ~ of sight* sich verborgen halten; *~ of mischief!* mach keinen Unfug!; **~ to** *v/i.* festhalten an (*dat.*), bleiben bei *od.* in (*dat.*): *to ~ a rule* an e-r Regel festhalten; *to ~ one's bed* das Bett hüten; *I kept him to his promise* ich ‚nagelte ihn auf sein Versprechen fest'; **~ un·der** *v/t.* unter'drücken, -'jochen: *to keep a fire under* ein Feuer unter Kontrolle halten; **~ up I.** *v/t.* **1.** *fig.* hochhalten, nicht sinken lassen; **2.** aufrechterhalten, beibehalten, bewahren, nicht aufgeben; → *appearance 3*; **3.** *j-n* (abends) lange aufbleiben lassen; **II.** *v/i.* **4.** sich halten, nicht nachlassen: *the rain kept up* es regnete weiter; **5.** *~ with* Schritt halten mit: *to ~ with the Jones's (od. Joneses)* es den Nachbarn *od.* Bekannten (*hinsichtlich des Lebensstandards*) gleichtun (wollen); **6.** *abends* aufbleiben.

keep·er ['ki:pə] *s.* **1.** Wächter *m*, Aufseher *m*, (Gefangenen-, Irren-, Tier-, Park-, Leuchtturm)Wärter *m*; Hüter *m* (*a. fig.*); **2.** Be-, Verwahrer *m*, Verwalter *m*: *Lord ♀ of the Great Seal* Großsiegelbewahrer; *♀ of Manuscripts* Direktor der Handschriftenabteilung; **3.** *mst in Zssgn:* **a)** Inhaber *m*, Besitzer *m*; → *innkeeper, shopkeeper*, **b)** Halter *m*, Züchter *m*: *bee~* Imker, **c)** j-d der et. besorgt *od.* verteidigt: *goal~ sport* Torwart; **4.** ⊕ **a)** Schutzring *m*, **b)** Verschluß *m*, Schieber *m*, **c)** ⚡ Ma'gnetanker *m*; **5.** was sich gut hält *od.* frisch bleibt: *this apple is a good ~* das ist ein Dauerapfel; **6.** *sport abbr. für wicket-~.*

keep-'fresh bag *s.* Frischhaltebeutel *m*.

keep·ing ['ki:piŋ] **I.** *s.* **1.** Verwahrung *f*, Aufsicht *f*, Pflege *f*, (Ob-) Hut *f*: *to have in one's ~* in Verwahrung *od.* unter s-r Aufsicht *od.* Obhut haben; *in safe ~* in guter Obhut, in sicherer Hut; **2.** Einklang *m*, Über'einstimmung *f*: *in ~ with the times* zeitgemäß; **3.** 'Unterhalt *m*; **4.** Gewahrsam *m*, Haft *f*; **II.** *adj.* **5.** haltbar: *~ apples* Daueräpfel.

keep·sake ['ki:pseik] *s.* Andenken *n* (*Geschenk etc.*): *as a ~* zum Andenken.

kef [kef] *s.* **1.** *Art* 'Haschischrausch *m*; **2.** süßes Nichtstun.

kef·ir ['kefiə] *s.* 'Kefir *m* (*Getränk aus gegorener Milch*).

keg [keg] *s.* **1.** kleines Faß; **2.** *Am. Gewichtseinheit für Nägel = 45,3 kg.*

keif [ki:f] → *kef*.

kelp [kelp] *s.* ⚘ **1.** Kelp *n*, Seetangasche *f*; **2.** *ein* Seetang *m*.

kel·pie ['kelpi] *s. Scot.* Nix *m*, Wassergeist *m* in Pferdegestalt.

kel·son ['kelsn] *s.* ⚓ Kielschwein *n*.

Kelt, Kelt·ic → *Celt, Celtic.*

ken [ken] **I.** *s.* **1.** Hori'zont *m*, Gesichtskreis *m* (*a. fig.*); **2.** (Wissens-) Gebiet *n*; **II.** *v/t.* **3.** *bsd. Scot.* kennen, verstehen, wissen.

ken·nel[1] ['kenl] **I.** *s.* **1.** Hundehütte *f*; **2.** *pl. mst sg. konstr., bsd. hunt.* Hundezwinger *m*; **3.** *a. fig.* Meute *f*, Pack *n* (*Hunde*); **4.** *fig.* ‚Loch' *n*, armselige Behausung; **II.** *v/t.* **5.** in e-r Hundehütte halten; **III.** *v/i.* **6.** in e-r Hundehütte liegen; **7.** *fig.* (in e-m ‚Loch') hausen.

ken·nel[2] ['kenl] *s.* Gosse *f*, Rinnstein *m*.

Kent·ish ['kentiʃ] *adj.* aus (*der englischen Grafschaft*) Kent: *~ man* Bewohner von Kent westlich des Medway.

kent·ledge ['kentlidʒ] *s.* ⚓ 'Ballasteisen *n*.

Ken·tuck·y Der·by [ken'tʌki] *s. sport das wichtigste amer. Pferderennen.*

kep·i ['kepi] *s.* Käppi *n* (*Militärmütze*).

kept [kept] *pret. u. p.p. von keep.*

ke·ram·ic [ki'ræmik] → *ceramic.*

kerb [kə:b] *s.* **1.** Bordschwelle *f*, Randstein *m*, Straßenkante *f*: *~ drill* Verkehrserziehung für Fußgänger; **2.** steinerne Einfassung; **3.** ✝ Nachbörse *f*, Freiverkehr *m*; **~ mar·ket** → *kerb 3*; **'~-stone** *s.* Bordschwelle *f*.

ker·chief ['kə:tʃif] *s.* Hals-, Kopftuch *n*.

kerf [kə:f] *s.* Fallkerbe *f*.

ker·mes ['kə:miz] *s.* **1.** *zo.* **a)** Kermes(schildlaus *f*) *m*, **b)** Kermeskörner *pl.*; **2.** Kermesfarbstoff *m*.

ker·mess, ker·mis ['kə:mis] *s.* **1.** Kirmes *f*, Kirchweih *f*; **2.** *Am.* 'Wohltätigkeitsbaˌsar *m*.

ker·nel ['kə:nl] *s.* **1.** (Nuß- *etc.*)Kern *m*; **2.** Samenkorn *n* (*Getreide*); **3.** *fig.* Kern *m* (*a.* ⊕), *das* Innerste, Wesen *n*.

ker·o·sene, ker·o·sine ['kerəsi:n] *s.* ⚗ Kero'sin *n*.

kes·trel ['kestrəl] *s. orn.* Turmfalke *m*.

ketch [ketʃ] *s.* ⚓ Ketsch *f* (*zweimastiger Segler*).

ketch·up ['ketʃəp] *s.* Ketchup *m, n.*

ket·tle ['ketl] *s.* (*Koch*)Kessel *m*: *a pretty (od. nice) ~ of fish* F e-e schöne Bescherung; **'~-drum** *s.* ♪ Pauke *f*; **'~-drum·mer** *s.* ♪ Pauker *m*; **'~-hold·er** *s.* Topflappen *m*.

key [ki:] **I.** *s.* **1.** Schlüssel *m*: *false ~* Nachschlüssel, Dietrich; *to turn the ~* abschließen; **2.** *fig.* Schlüssel *m*, Lösung *f* (*to* zu); **3.** *fig.* **a)** Schlüssel *m* (*Buch mit Lösungen*), **b)** Zeichenerklärung *f*, **c)** Über'setzung *f*, **d)** Kennwort *n*, Chiffre *f*; **4.** ♪ **a)** Taste *f*, **b)** Klappe *f* (*an Blasinstrumenten*); **5.** ♪ Tonart *f*: *major (minor) ~* Dur (Moll); **6.** *fig.* Ton (-art *f*) *m*: *in a high (low) ~* laut (leise); *all in the same ~* alles dasselbe, eintönig; *painted in a low ~* in matten Farben gehalten; *in ~ with* in Einklang mit; **7.** ⊕ **a)** (Uhr-, Schrauben)Schlüssel *m*, **b)** ('Schreibmaˌschinen)Taste *f*, **c)** Keil *m* (*a.* 🚂, *typ.*), Bolzen *m*, Splint *m*; **8.** ⚡ Taste *f*, Druckknopf *m*; *tel.* Taster *m*; **9.** △ Keil *m*, Schlußstein *m*; **10.** ⚔ Schlüsselstellung *f*, beherrschende Stellung, Macht *f*; **11.** *power of the ~s R.C.* Schlüsselgewalt; **II.** *adj.* **12.** maßgebend, Schlüssel...: *~ position* Schlüsselstellung; *~ post* maßgebender Posten; **III.** *v/t.* **13.** *a. ~ in, ~ on* befestigen, festkeilen; **14.** mit e-m Kennwort versehen; **15.** *a. ~ up* ♪ stimmen; **16.** *fig. ~ up* **a)** *j-n* in nervöse Spannung versetzen, **b)** *allg. et.* steigern: *~ed-up* (an)gespannt, überreizt; **17.** *~ up (to), ~ in (with)* anpassen (*dat.*, an *acc.*); **18.** *~ up* erhöhen, (an)heben; **19.** *typ.* füttern, unter'legen; **'~board** *s.* **1.** ♪ **a)** Klavia'tur *f*, Tasta'tur *f* (*Klavier*), **b)** Manu'al *n* (*Orgel*); **2.** Tasten *pl.*, Tasta'tur *f* (*Schreibmaschine etc.*); **'~-bu·gle,** *a.* **~ed**

bu·gle [ki:d] *s.* ♪ Klappenhorn *n*; **'~·hole** *s.* Schlüsselloch *n*; **~ in·dus·try** *s.* 'Schlüsselindu‚strie *f*; **~ man,** *a.* **'~·man** [-mən] *s.* [*irr.*] 'Schlüsselfi‚gur *f*; **~ map** *s.* 'Übersichtskarte *f*; **~ mon·ey** *s.* Abstand *m*, Ablösung *f* (*für e-e Wohnung*); **'~·note** *s.* **1.** ♪ Grundton *m*; **2.** *fig.* Grundton *m*, 'Hauptgedanke *m*, -‚thema *n*; **3.** *pol. Am.* Par'tei‚linie *f*: *~ address* programmatische Rede; **'~·punch op·er·a·tor** *s.* Locherin *f*; **'~·ring** *s.* Schlüsselring *m*; **~ sig·na·ture** *s.* ♪ Vorzeichen *n od. pl.*; **'~·stone** *s.* **1.** ⚠ Schluß-, Keilstein *m*; **2.** *fig.* Stütze *f*, Grundlage *f*, Hauptgedanke *m*; **'~·way** *s.* ⊕ Keilnut *f*.

kha·ki ['kɑ:ki] **I.** *s.* **1.** Khaki *n*; **2. a)** Khakistoff *m*, **b)** 'Khakiuni‚form *f*; **II.** *adj.* **3.** khaki, staubfarben.

khan[1] [kɑ:n] → *caravansary*.

khan[2] [kɑ:n] *s.* Khan *m* (*orientalischer Fürstentitel*); **'khan·ate** [-neit] *s.* Kha'nat *n* (*Land e-s Khans*).

khe·di·val [ki'di:vəl] *adj.* Khediven...; **khe·dive** [ki'di:v] *s.* Khe'dive *m*.

kibe [kaib] *s.* ⚕ offene Frostbeule.

kib·itz·er ['kibitsə] *s.* F **1.** Kiebitz *m* (*Zuschauer, bsd. beim Kartenspiel*); **2.** *fig.* Besserwisser *m*.

ki·bosh ['kaibɔʃ] *s. sl.* Mumpitz *m*, Quatsch *m*: *to put the ~ on* **a)** *j-m* den Garaus machen, **b)** *e-r Sache* ein Ende machen.

kick [kik] **I.** *s.* **1.** (Fuß)Tritt *m* (*a. fig.*), Stoß *m*: *more ~s than halfpence* mehr Prügel als Lob (*keinen Dank*); *to get the ~* ‚(raus)fliegen' (*entlassen werden*); **2.** Rückstoß *m* (*Schußwaffe*); **3.** *Fußball*: **a)** Schuß *m*, **b)** → *kicker 1*; **4.** F (Stoß)Kraft *f*, Ener'gie *f*, E'lan *m*: *to give a ~ to* anfeuern; *he has no ~ left* er hat keinen Schwung mehr; *a novel with a ~* ein Roman mit ‚Pfiff'; **5.** F Nervenkitzel *m*: *to get a ~ out of s.th.* an et. mächtig Spaß haben; **6.** *Am.* F berauschende Wirkung (*Alkohol*), ‚Feuer' *n*; **7.** *Brit. sl. obs.* Sechs'pencestück *n*: *two and a ~* 2 Schilling u. 6 Pence; **8.** *Am.* F **a)** Einwand *m*, **b)** Beschwerde *f*; **II.** *v/t.* **9.** (mit dem Fuß) stoßen *od.* treten, e-n Fußtritt geben (*dat.*): *to ~ s.o.'s bottom* j-m in den Hintern treten; *to ~ s.o. downstairs* j-n die Treppe hinunterwerfen; *to ~ upstairs* durch Beförderung (*bsd. Brit.* ins Oberhaus) kaltstellen; *I felt like ~ing myself* ich hätte mich ohrfeigen können; **10.** *Fußball*: schießen: *to ~ a goal*; **III.** *v/i.* **11.** (mit dem Fuß) stoßen *od.* treten; **12.** ausschlagen (*Pferd*); **13.** zu'rückprallen, stoßen (*Gewehr*); **14.** hochfliegen (*Ball*); **15.** F sich auflehnen, sich mit Händen u. Füßen wehren, bocken, ‚meckern' (*against, at* gegen); **16.** *Am. sl. a. ~ in* → *kick off 3*; **~ a·round** *v/t. Am.* F **1.** *et.* ‚beschwatzen', diskutieren; **2.** *j-n* schikanieren; **~ back** *v/i.* **1.** zu'rückprallen; **2.** zu'rückschlagen, sich rächen; **~ in** *v/i. sl.* **1.** beisteuern; **2.** → *kick off 3*; **~ off** **I.** *v/i.* **1.** *Fußball*: anstoßen, den Anstoß ausführen; **2.** *Am.* F beginnen; **3.** *Am. sl.* ‚abkratzen' (*sterben*); **II.** *v/t.* **4.** wegschleudern; **~ out** *v/t.* **1.** *Fußball*: ins Aus schießen; **2.** *sl.* ‚rausschmeißen'; **~ up** *v/t.* hochschleudern; → *heel*[1] *Redew.*, *row*[3] *I*.

'kick·back *s.* F **1.** scharfe Antwort; **2.** *Am.* Provisi'on *f*, Anteil *m*.

kick·er ['kikə] *s.* **1.** Fußballspieler *m*; **2.** Schläger *m* (*Pferd*); **3.** ‚Meckerer' *m*, Queru'lant(in).

'kick-'off *s.* **1.** *Fußball*: Anstoß *m*; **2.** *Am.* F Start *m*, Anfang *m*.

kick·shaw ['kikʃɔ:] *s.* **1.** Delika'tesse *f*; **2.** Kinkerlitzchen *pl.*

'kick|-start·er *s.* ⊕ Kickstarter *m*, Tretanlasser *m* (*Motorrad*); **'~-'up** *s.* F Krach *m*, Spek'takel *m*.

kid[1] [kid] **I.** *s.* **1.** *zo.* Zicklein *n*, Kitz(e *f*) *n*; **2.** *a. ~ leather* Ziegen-, Gla'céleder *n*; **3.** *sl.* Kind *n*, Junge *m*, Mädel *n*: *my ~ brother* mein kleiner Bruder; *that's ~ stuff!* das ist was für (kleine) Kinder!; **II.** *v/i.* **4.** zickeln.

kid[2] [kid] *sl.* **I.** *v/t.* foppen, ‚verkohlen', ‚anpflaumen'; **II.** *v/i.* albern, Ulk treiben, schwindeln: *he was only ~ding* er machte nur Spaß; *no ~ding!* im Ernst! Scherz beiseite!; **III.** *s.* Ulk *m*, Schwindel *m*, Bluff *m*.

kid·dy ['kidi] → *kid*[1] *3*.

kid| glove *s.* Gla'céhandschuh *m* (*a. fig.*): *to handle with ~s fig.* mit Glacéhandschuhen anfassen; **'~-glove** *adj. fig.* **1.** wählerisch; **2.** zimperlich, etepe'tete; **3.** sanft, zart.

kid·nap ['kidnæp] *v/t. Menschen* kidnappen, entführen; **'kid·nap·(p)er** [-pə] *s.* Kidnapper *m*, Entführer *m*; **'kid·nap·(p)ing** [-piŋ] *s.* Kidnapping *n*, Entführung *f*, Menschenraub *m*.

kid·ney ['kidni] *s.* **1.** *anat., zo.* Niere *f* (*a. als Speise*); **2.** Art *f*, Schlag *m*: *a man of the same ~* ein Mann vom gleichen Schlag; **~ bean** *s.* ♀ Weiße Bohne; **~ ore** *s. min.* nierenförmiger Hämä'tit; **~ po·ta·to** *pl.* **-toes** *s.* 'Nierenkar‚toffel *f*; **'~-shaped** *adj.* nierenförmig; **'~-stone** *s.* **1.** *min.* Ne'phrit *m*; **2.** ⚕ Nierenstein *m*.

kief [ki:f] → *kef*.

kike [kaik] *s. sl.* ‚Itzig' *m* (*Jude*).

kill [kil] **I.** *v/t.* **1.** töten, 'umbringen, erschlagen: *to ~ off* abschlachten, ausrotten, vertilgen, beseitigen; *to be ~ed* tödlich verunglücken, ums Leben kommen, *im Kriege* fallen; **2.** *hunt.* schießen, erlegen; **3.** *Vieh etc.* schlachten; **4.** töten, *j-s* Tod verursachen: *his reckless driving will ~ him one day* sein leichtsinniges Fahren wird ihn eines Tages das Leben kosten; **5. a)** ⚔ zerstören, **b)** ✈ abschießen, **c)** ⚓ versenken; **6.** zum Absterben bringen, vernichten, zerstören: *the frost ~ed the apple-blossom* der Frost vernichtete die Apfelblüte; **7.** *Gefühl etc.* töten, ersticken, unter'drücken; **8.** *fig.* über'wältigen, (fast) 'umbringen: *this job is ~ing me* diese Arbeit bringt mich (noch) um; *to ~ with kindness* vor Liebe fast umbringen; *the funny play nearly ~ed me* das komische Stück war zum Totlachen; **9.** *fig.* zu'grunde richten, ruinieren, durch Kri'tik vernichten, totmachen; *Gesetz* zu Fall bringen; **10.** *Tennis*: *Ball* töten; **11.** *Farben* unwirksam machen, aufheben; **12.** *Geräusch* dämpfen, unhörbar machen, über'tönen; **13.** *fig.* streichen; **14.** ⊕ *Maschine* abstellen, -schalten; *Motor* abwürgen; **15.** *Zeit* totschlagen; **16.** *Am.* F **a)** *Flasche* austrinken, **b)** *Zigarette* ausdrücken; **II.** *v/i.* **17.** töten, den Tod verursachen *od.* her'beiführen; **18.** F unwider'stehlich sein, e-n tollen Eindruck machen: *dressed to ~* todschick gekleidet; **III.** *s.* **19.** *bsd. hunt.* **a)** Tötung *f* (*des Wildes*), **b)** erlegtes Wild, Strecke *f*: *a plentiful ~* reiche (Jagd)Beute; **20. a)** ⚔ Zerstörung *f*, **b)** ✈ Abschuß *m*, **c)** ⚓ Versenkung *f*.

kill·er ['kilə] *s.* **1.** Mörder *m*, Killer *m*; **2.** *bsd. in Zssgn* Vertilgungs-, Vernichtungsmittel *n*; → *weed 1*; **3.** *Am. sl.* **a)** schicke Frau, **b)** ‚toller' Bursche, **c)** ‚tolle' Sache; **~ whale** *s. zo.* Schwertwal *m*.

kill·ing ['kiliŋ] **I.** *s.* **1.** Tötung *f*, Morden *n*; **2.** Schlachten *n*; **3.** ✝ F Spekulati'onserfolg *m*; **II.** *adj.* □ **4.** tödlich, vernichtend, mörderisch (*a. fig.*): *a ~ glance* ein vernichtender Blick; *a ~ pace* ein mörderisches Tempo; **5.** F unwider'stehlich, bezaubernd; **6.** F urkomisch, zum Totlachen.

'kill|·joy *s.* Spielverderber *m*, Störenfried *m*, Miesmacher *m*; **'~·time** **I.** *s.* Zeitvertreib *m*; **II.** *adj.* zum Zeitvertreib *getan etc.*

kiln [kiln] *s.* Brenn-, Trocken-, Röst-, Darrofen *m*, Darre *f*; **'~-dry** *v/t.* (*im Ofen*) dörren, darren, brennen, rösten.

ki·lo ['ki:lou] *s. abbr. für kilogram(me).* [Kilo...]

kilo- [kilou; -ə] *in Zssgn* tausend,

kil·o|·gram(me) ['kiləgræm] *s.* Kilo'gramm *n*, 'Kilo *n*; **~·gram·me·ter** *Am.*, **~·gram·me·tre** *Brit.* ['kiləgræm'mi:tə] *s.* 'Meterkilo‚gramm *n*; **~·hertz** ['kilouhə:ts] *s.* ⚡, *phys.* Kilo'hertz *n*; **~·li·ter** *Am.*, **~·li·tre** *Brit.* ['kilouli:tə] *s.* Kilo'liter *m, n*; **~·me·ter** *Am.*, **~·me·tre** *Brit.* ['kiləmi:tə] *s.* Kilo'meter *m*; **~·met·ric** *adj.*, **~·met·ri·cal** [kilə'metrik(əl)] *adj.* kilo'metrisch; **~·ton** ['kiloutʌn] *s.* **1.** 1000 Tonnen *pl.*; **2.** *phys. Sprengkraft, die 1000 Tonnen TNT entspricht*; **~·volt** ['kiləvolt] *s.* ⚡ Kilo'volt *n*; **~·watt** ['kiləwɔt] *s.* ⚡ Kilo'watt *n*: *~ hour* Kilowattstunde.

kilt [kilt] **I.** *s.* **1.** Kilt *m*, Schottenrock *m*; **II.** *v/t.* **2.** aufschürzen; **3.** fälteln, plissieren; **'kilt·ed** [-tid] *adj.* mit e-m Kilt (bekleidet).

ki·mo·no [ki'mounou] *pl.* **-nos** *s.* Ki'mono *m* (*japanisches Kleidungsstück*).

kin [kin] **I.** *s.* **1.** Sippe *f*, Geschlecht *n*: *of good ~* aus guter Familie; **2.** *coll. pl. konstr.* (Bluts)Verwandtschaft *f*, Verwandte *pl.*; → *next 1*; **3.** *fig.* Art *f*, Na'tur *f*; **II.** *adj.* **4.** (*to*) verwandt (mit), ähnlich (*dat.*).

kind[1] [kaind] *s.* **1.** Art *f*, Sorte *f*: *pears of several ~s* verschiedene Sorten Birnen; *all ~s of* allerlei, alle möglichen; *two of a ~* zwei derselben Sorte; *all of a ~ (with)* von gleicher Art (wie); *what ~ of man is he?* was für ein Mann *od.* Mensch ist er?; *he is the ~ of man* *who* F er gehört zu denjenigen, die; *these* ~ *of people* F diese Art *od.* dergleichen Leute; *this* ~ *of thing* so etwas, etwas derartiges; *nothing of the* ~ **a)** nichts dergleichen, **b)** keineswegs; *a queer* ~ *of person* ein komischer Kauz; **2.** Art *f*, Beschaffenheit *f*: *a* ~ *of compunction* so etwas wie Reue; ~ *of mad* ziemlich verrückt; *coffee of a* ~ *iro.* so etwas wie Kaffee, etwas Kaffeeartiges; *I* ~ *of thought* F ich dachte so ungefähr; **3.** Gattung *f*, Geschlecht *n*: *the human* ~ das Menschengeschlecht; **4.** Wesen *n*, Na'tur *f*; **5.** Natu'ralien *pl.*, Sachwerte *pl.*, Waren *pl.*: *to pay in* ~ **a)** in Naturalien zahlen, **b)** *fig.* mit gleicher Münze heimzahlen.

kind² [kaind] *adj.* □ → *kindly 3 u. 4*; **1.** gütig, freundlich, liebenswürdig, gut (*to s.o.* zu j-m): *it is so* ~ *of you* sehr freundlich von Ihnen!; *be so* ~ *as to* (*inf.*) seien Sie bitte so gut *od.* freundlich zu (*inf.*); → *regard 11*; **2.** gutartig, fromm (*Pferd*).

kin·der·gar·ten ['kindəgɑ:tn] *s.* Kindergarten *m.*

kind-heart·ed ['kaind'hɑ:tid] *adj.* gütig, gutherzig; '**kind-'heart·ed·ness** [-nis] *s.* Herzensgüte *f.*

kin·dle ['kindl] **I.** *v/t.* **1.** an-, entzünden; **2.** *fig.* entflammen, anreizen, wecken; **3.** erleuchten; **II.** *v/i.* **4.** sich entzünden, Feuer fangen (*a. fig.*), aufflammen, erglühen (*a. fig.*); **5.** *fig.* (*at*) entbrennen, sich erregen (über *acc.*), sich begeistern (für); '**kin·dler** [-lə] *s.* **1.** Feueranzünder *m*; **2.** *fig.* Unheilstifter *m.*

kind·li·ness ['kaindlinis] *s.* Güte *f*, Wohlwollen *n*, Freundlichkeit *f.*

kin·dling ['kindliŋ] *s.* 'Anzündmateri,al *n*, Anmach-, Brennholz *n.*

kind·ly ['kaindli] **I.** *adj.* **1.** gütig, freundlich, liebenswürdig; **2.** milde, angenehm, günstig; **II.** *adv.* **3.** gütig, freundlich(erweise), liebenswürdig(erweise); **4.** F gütig(st), freundlich(st): ~ *tell me* sagen Sie mir bitte; *to take* ~ *to* sich befreunden mit, liebgewinnen, gern haben; *will you* ~ *shut up! iro.* willst du gefälligst den Mund halten!; '**kind·ness** [-dnis] *s.* **1.** Güte *f*, Freundlichkeit *f*; **2.** Gefälligkeit *f*, Freundlichkeit *f.*

kin·dred ['kindrid] **I.** *s.* **1.** (Bluts-) Verwandtschaft *f*; **2.** *coll. pl. konstr.* Verwandte *pl.*, Verwandtschaft *f*, Fa'milie *f*; **II.** *adj.* **3.** (bluts)verwandt; **4.** *fig.* verwandt, ähnlich, gleichartig, -gesinnt.

kine [kain] *s. pl. obs.* Kühe *pl.*

kin·e·ma ['kinimə] → *cinema.*

kin·e·mat·ic *adj.*; **kin·e·mat·i·cal** [kaini'mætik(əl)] *adj. phys.* kine'matisch; **kin·e'mat·ics** [-ks] *s. pl. sg. konstr. phys.* Kine'matik *f*, Bewegungslehre *f.*

kin·e·mat·o·graph [kaini'mætəgrɑ:f] *etc.* → *cinematograph etc.*

ki·net·ic [kai'netik] *adj.* **1.** *phys.* ki'netisch: ~ *energy*; **2.** *fig.* e'nergisch, lebhaft; **ki'net·ics** *s. pl. sg. konstr. phys.* Ki'netik *f*, Bewegungslehre *f.*

king [kiŋ] **I.** *s.* **1.** König *m*: ~ *of beasts* König der Tiere (*Löwe*); **2. a)** ♀ *of* ♀*s eccl.* Gott *m*, Christus *m*, **b)** (*Book of*) ♀*s bibl.* (*das* Buch der) Könige *pl.*; **3. a)** *Kartenspiel, Schach*: König *m*, **b)** *Damespiel*: Dame *f*; **4.** *fig.* König *m*, Ma'gnat *m*: *oil* ~; **II.** *v/i.* **5.** ~ *it* König sein, den König spielen (*over* über *acc.*).

king- [kiŋ] *in Zssgn* groß(artig).

'**king|·bird** *s. orn.* Königsvogel *m*; '~**·bolt** *s.* ⊕ Achs(schenkel)bolzen *m*, Achszapfen *m*; '~**-crab** *s. zo.* Teufelskrabbe *f*, Meerspinne *f*; '~**·craft** *s.* Herrscher-, Regierungskunst *f*; '~**·cup** *s.* ♀ **1.** *ein* Hahnenfuß *m*; **2.** *Brit.* Sumpfdotterblume *f.*

king·dom ['kiŋdəm] *s.* **1.** Königreich *n*; **2.** *eccl.* Reich *n*: ~ *of heaven* Himmelreich, Reich Gottes; ~*-come sl.* Jenseits; **3.** *fig.* Reich *n*, (Sach)Gebiet *n*: *animal* (*vegetable, mineral*) ~ Tier- (Pflanzen-, Mineral)reich.

'**king|·fish·er** *s. orn.* Eisvogel *m*; ♀ **James Bi·ble** *od.* **Ver·sion** *s. autorisierte englische Bibelübersetzung.*

king·let ['kiŋlit] *s.* unbedeutender König, Duo'dezfürst *m.*

king·like ['kiŋlaik] *adj.* königlich, fürstlich, maje'stätisch; '**king·li·ness** [-linis] *s.* königliches Wesen, *das* Maje'stätische; '**king·ly** [-li] *adj. u. adv.* königlich, majestätisch.

King| of Arms → *garter 3*; '♀**·pin** *s.* **1.** ⊕ → *kingbolt*; **2.** *fig.* F **a)** 'Hauptper,son *f*, **b)** Hauptsache *f*; '♀**·post** *s.* ⚠ Dachstuhl-, Giebel-, First-, Hängesäule *f*; ~**'s Bench** (**Di·vi·sion**) *s.* ⚖ *Brit.* Erste Kammer (für Zi'vil- u. Strafsachen) des *High Court*; ~**'s Coun·sel** *s.* ⚖ *Brit.* höherer Anwalt (*ein barrister, der die Krone in Strafsachen vertritt*); ♀**'s e·vil** *s.* ⚕ Skrofu'lose *f.*

king·ship ['kiŋʃip] *s.* Königtum *n.*

'**king-size** *adj.* 'über,durchschnittlich groß.

king's| peg *s. Getränk aus Weinbrand u. Sekt*; ♀ **Proc·tor** → *proctor 2 b*; ♀ **Speech** *s. parl.* Thronrede *f.*

kink [kiŋk] **I.** *s.* **1.** *bsd.* ⚓ Kink *f*, Knick *m*, Schleife *f* (*Draht, Tau*); **2.** Kräuselung *f* (*Haar*); **3.** *fig.* Schrulle *f*, Tick *m*, ‚Klaps' *m*; **II.** *v/i.* **4.** e-e Kink *od.* e-n Knick *od.* e-e Schleife haben; **III.** *v/t.* **5.** knikken, knoten, kräuseln.

kin·ka·jou ['kiŋkədʒu:] *s. zo.* Wikkelbär *m.*

kin·kle ['kiŋkl] *s.* kleiner Knick; '**kin·kled** [-ld] *adj.* **1.** voller Knicke, verdreht (*Tau*); **2.** kraus (*Haar*); **3.** *fig.* schrullenhaft; '**kin·ky** [-ki] *adj.* **1.** → *kinkled*; **2.** *Brit. sl.* per'vers, abartig; **3.** *sl.* ‚irre', ausgefallen, verrückt.

ki·no ['ki:nou] *s.* 'Kinoharz *n.*

kins·folk ['kinzfouk] *s. pl.* Verwandtschaft *f*, (Bluts)Verwandte *pl.*

kin·ship ['kinʃip] *s.* **1.** (Bluts)Verwandtschaft *f*; **2.** *fig.* Verwandtschaft *f.*

kins|·man ['kinzmən] *s.* [*irr.*] Angehörige(r) *m*, (Bluts)Verwandte(r) *m*; ~**·wom·an** ['kinzwumən] *s.* [*irr.*] (Bluts)Verwandte *f*, Angehörige *f.*

ki·osk [ki'ɔsk] *s.* Ki'osk *m*: **a)** Mu'sikpavillon *m*, **b)** Verkaufsbude *f.*

kip [kip] *sl.* **I.** *s.* **1.** ‚Penne' *f* (*Schlafstelle*); **2.** ‚Falle' *f*, ‚Klappe' *f* (*Bett*); **II.** *v/i.* **3.** ‚pennen' (*schlafen*).

kip·per ['kipə] **I.** *s.* **1.** Bückling *m*, Räucherhering *m*; **2.** Lachs *m* (*während od. nach der Laichzeit*); **3.** *Brit. sl.* Kerl *m*, Bursche *m*; **II.** *v/t.* **4.** *Heringe* einsalzen u. räuchern: ~*ed herring* Räucherhering.

Kir·ghiz ['kə:giz] *s.* Kir'gise *m.*

kirk [kə:k] *s. Scot.* Kirche *f.*

kirn [kə:n] *s. Scot.* Erntefest *n.*

Kirsch(**·was·ser**) ['kiəʃ(vɑ:sə)] *s.* Kirsch(wasser *n*) *m.*

kir·tle ['kə:tl] *s. Brit. obs.* **1.** kurzer Frauenrock; **2.** Wams *n*, Jacke *f.*

kiss [kis] **I.** *s.* **1.** Kuß *m*: *to blow* (*od. throw*) *a* ~ *to s.o.* j-m e-e Kußhand zuwerfen; **2.** leichte Berührung (*Billardbälle etc.*); **3.** *Am.* Bai'ser *n* (*Zuckergebäck*); **4.** Zuckerplätzchen *n*; **II.** *v/t.* **5.** küssen: *to* ~ *s.o. good night* j-m e-n Gutenachtkuß geben; *to* ~ *one's hand to s.o.* j-m e-e Kußhand zuwerfen; *to* ~ *s.o.'s hand* j-m die Hand küssen; → *book 1, rod 2*; **6.** *fig.* leicht berühren; **III.** *v/i.* **7.** sich küssen; **8.** *fig.* sich leicht berühren; '**kiss·er** [-sə] *s. sl.* ‚Fresse' *f* (*Mund od. Gesicht*).

'**kiss·ing|-crust** *s.* weiche Krustenstelle (*an der sich Brote beim Backen berühren*); '~**-gate** *s.* kleines Schwingtor (*das immer nur 'eine Person durchläßt, bsd. in Zäunen u. Hecken*).

'**kiss|-in-the-'ring** *s. Gesellschaftsspiel, bei dem e-r den anderen fängt u. küßt*; '~**-off** *s. Am. sl.* **1.** Ende *n*, *a.* Tod *m*; **2.** ‚Rausschmiß' *m*; ~ **of life** *s.* ⚕ Mund-zu-Mund-Beatmung *f*; '~**-proof** *adj.* kußecht, -fest.

kit [kit] **I.** *s.* **1.** Ausrüstung *f*, Ausstattung *f*; **2.** ⚔ **a)** Mon'tur *f*, **b)** Gepäck *n*; **3.** Handwerkszeug *n*, Arbeitsgerät *n*; **4.** Werkzeugkasten *m*, -tasche *f*; **5.** *Zeitungswesen*: Pressemappe *f*; **6.** F Kram *m*, Zeug *n*; **7.** F Sippe *f*, ‚Blase' *f*; **8.** Wanne *f*, Bütte *f*; **II.** *v/t.* **9.** ~ *out* ausstatten (*with* mit); '~**-bag** *s.* **1.** Reisetasche *f*; **2.** ⚔ Kleider-, Seesack *m.*

kit-cat ['kitkæt] *s. a.* ~ *portrait verkürztes* Brustbild (mit Darstellung der Hände).

kitch·en ['kitʃin] *s.* Küche *f*; '**kitch·en·er** [-nə] *s.* **1.** Pa'tentkochherd *m*; **2.** Küchenmeister *m* (*e-s Klosters*); **kitch·en·et**(**te**) [kitʃi'net] *s.* Kleinküche *f*, Kochnische *f.*

kitch·en| gar·den *s.* Gemüsegarten *m*; '~**-maid** *s.* Küchenmädchen *n*; ~ **mid·den** *s.* vorgeschichtlicher (Küchen)Abfallhaufen; ~ **po·lice** *s.* ⚔ Küchendienst *m*; ~ **range** *s.* Kochherd *m*; '~**-stuff** *s.* Küchenbedarf *m* (*bsd. Gemüse*); '~**·ware** *s.* Küchengeschirr *n.*

kite [kait] *s.* **1.** (Pa'pier-, Stoff-) Drachen *m*: *to fly a* ~ **a)** e-n Drachen steigen lassen, **b)** *fig.* e-n Versuchsballon loslassen, **c)** → *4*; **2.** *orn.* Gabelweihe *f*, Roter 'Milan; **3.** Schwindler *m*; **4.** ✝ F Gefälligkeits-, Kellerwechsel *m*: *to fly a* ~ Wechselreiterei betreiben; → *1*; **5.** ✈ *sl.* ‚Mühle' *f* (*Flugzeug*); ~ **bal·loon** *s.* ⚔ 'Fessel-, 'Drachenbal,lon *m*; ~ **fly·er** *s.* **1.** j-d der Drachen steigen läßt; **2.** ✝ F Wechselreiter *m*; '~**-fly·ing** *s.* **1.** Steigenlassen *n* e-s Drachens; **2.** *fig.* Los-

lassen *n* e-s Ver'suchsbal,lons, Sondieren *n*; **3.** ✝ F ,Wechselreite'rei *f*.
kith [kiθ] *s.*: ~ *and kin* Bekannte u. Verwandte; *with* ~ *and kin* mit Kind u. Kegel.
kit·ten ['kitn] **I.** *s.* Kätzchen *n*, junge Katze; **II.** *v/i.* Junge werfen (*Katze*); '**kit·ten·ish** [-niʃ] *adj.* **1.** wie ein Kätzchen (geartet); **2.** verspielt.
kit·ti·wake ['kitiweik] *s. orn.* Dreizehenmöwe *f*.
kit·tle ['kitl] *adj.* kitzlig, heikel, schwierig (zu behandeln): *they are* ~ *cattle* sie sind heikel *od.* unberechenbar.
kit·ty[1] ['kiti] *s.* Kätzchen *n*.
kit·ty[2] ['kiti] *s. bsd. Kartenspiel*: (gemeinsame) Kasse.
ki·wi ['ki:wi(:)] *s. orn.* Kiwi *m*, Schnepfenstrauß *m*.
klax·on ['klæksn] *s.* (e'lektrisches) Horn, (laute) Hupe.
klep·to·ma·ni·a [kleptou'meinjə] *s. psych.* Kleptoma'nie *f*, (krankhafter) Stehltrieb; **klep·to'ma·ni·ac** [-niæk] *s.* Klepto'mane *m*, Klepto'manin *f*.
klieg light [kli:g] *s.* (Klieg)Scheinwerfer *m*, 'Jupiterlampe *f*.
knack [næk] *s.* Kunstgriff *m*, Trick *m*, Dreh *m*; Geschick(lichkeit *f*) *n*: *to have the* ~ *of s.th.* den Dreh von et. heraushaben.
knack·er ['nækə] *s.* **1.** *Brit.* Abdekker *m*, Schinder *m*; **2.** 'Abbruchunter,nehmer *m*: *fit only for the* ~*'s yard* abbruchreif, reif zum Verschrotten.
knag [næg] *s.* Knorren *m*, Ast-[stumpf *m*.]
knap·sack ['næpsæk] *s.* **1.** ⚔ Tor'nister *m*; **2.** Rucksack *m*, Ranzen *m*.
knar [nɑ:] *s.* Knorren *m*.
knave [neiv] *s.* **1.** Schurke *m*, Schuft *m*, Spitzbube *m*; **2.** *Kartenspiel*: Bube *m*; '**knav·er·y** [-vəri] *s.* **1.** Schurke'rei *f*, Schurkenstreich *m*; **2.** Gaune'rei *f*; '**knav·ish** [-viʃ] *adj.* □ (spitz)bübisch, schurkisch; '**knav·ish·ness** [-viʃnis] → *knavery*.
knead [ni:d] *v/t.* **1.** kneten; **2.** massieren; **3.** *fig.* formen, bilden; **4.** *fig.* vermengen; '**knead·ing-trough** [-diŋ] *s.* Backtrog *m*.
knee [ni:] **I.** *s.* **1.** Knie *n*: *on one's (bended)* ~*s* auf Knien, kniefällig; *to bend (od. bow) the* ~ *to* niederknien vor (*dat.*); *on the* ~*s of the gods* im Schoße der Götter; *to bring s.o. to his* ~*s* j-n auf *od.* in die Knie zwingen; *to give a* ~ *to s.o.* j-n unterstützen; *to go on one's* ~*s to* **a)** niederknien vor (*dat.*), **b)** *fig.* *j-n* kniefällig bitten; **2.** ⊕ Knie(stück, -rohr) *n*, Winkel *m*; **II.** *v/t.* **3.** F *Hose an den Knien* ausbeulen; ~ **bend·ing** *s.* Kniebeuge *f*; '~**-boots** *s. pl.* Schaftstiefel *pl.*; '~**-breech·es** *s. pl.* Kniehose(n *pl.*) *f*; '~**-cap** *s.* **1.** *anat.* Kniescheibe *f*; **2.** Knieleder *n*, -schützer *m*; '~-'**deep** *adj.* knietief, bis an die Knie (reichend); '~**-hole** *s.* Raum *m* für die Knie: ~ *desk* Schreibtisch mit Öffnung für die Knie; '~**-joint** *s. anat.* Kniegelenk *n*.
kneel [ni:l] *v/i.* [*irr.*] *a.* ~ *down* (nieder)knien (*to* vor *dat.*).
'**knee-length** *adj.* knielang: ~ *skirt* kniefreier Rock.
kneel·er ['ni:lə] *s.* **1.** Knieende(r *m*) *f*; **2.** Kniekissen *n*.
'**knee|-pad** *s.* Knieschützer *m*; '~-**pan** → *knee-cap 1*; '~**-pipe** *s.* ⊕ Knierohr *n*; ~**s bend** *s.* Kniebeuge *f*; ~ **shot** *s. Film*: 'Halbto,tale *f*; '~-**tim·ber** *s.* Knie-, Krummholz *n*.
knell [nel] **I.** *s.* **1.** Totenglocke *f*, Grabgeläute *n* (*a. fig.*): *to sound the* ~ *of* → *3*; **2.** *fig.* Vorbote *m*, Ankündigung *f*; **II.** *v/t.* **3.** zu Grabe läuten (*a. fig.*).
knelt [nelt] *pret. u. p.p. von kneel.*
knew [nju:] *pret. von know.*
Knick·er·bock·er ['nikəbɔkə] *s.* **1.** 'Knickerbocker *m* (*Spitzname für den New Yorker*); **2.** ♀*s pl.* 'Knikkerbocker *pl.*, Kniehose *f*.
knick·ers ['nikəz] *s. pl.* **1.** *abbr. für Knickerbocker* 2; **2.** (Damen-) Schlüpfer *m*: *a pair of* ~.
knick-knack ['niknæk] *s.* **1. a)** Nippsache *f*, **b)** kleines Schmuckstück; **2.** Spiele'rei *f*, Kleinigkeit *f*.
knife [naif] **I.** *pl.* **knives** [naivz] *s.* **1.** Messer *n* (*a.* ⊕, ⚕): ~ *and fork* Messer u. Gabel; *to play a good* ~ *and fork* ein starker Esser sein; *before you can say* ~ ehe man sich's versieht; *to get one's* ~ *into s.o.* j-m übelwollen, j-n ,gefressen' haben; *to the* ~ bis aufs Messer, bis zum Äußersten; **II.** *v/t.* **2.** mit e-m Messer bearbeiten; **3.** erstechen, erdolchen; **4.** *Am. sl. bsd. pol. j-m* e-n Dolchstoß versetzen, *j-n* ,abschießen'; '~**-board** *s.* Messerputzbrett *n*; '~**-edge** *s.* **1.** (Messer)Schneide *f*; **2.** ⊕ Waageschneide *f*; '~**-edged** *adj.* messerscharf; '~**-grind·er** *s.* Messerschleifer *m*; '~**-rest** *s.* Messerbänkchen *n*.
knif·ing ['naifiŋ] *s.* Messersteche'rei *f*.
knight [nait] **I.** *s.* **1.** *hist.* Ritter *m*, Edelmann *m*; **2.** *Brit.* Ritter *m* (*niederster, nicht erblicher Adelstitel*; *Anrede*: *Sir u. Vorname*); **3.** Ritter *m* e-s Ordens: ♀ *of the Bath* Ritter des Bath-Ordens; ♀ *of the Garter* Ritter des Hosenbandordens; → *Hospital(l)er*; **4.** *fig.* Ritter *m*, Kava'lier *m*, Beschützer *m*; **5.** *humor.* ~ *of the pen* Ritter von der Feder (*Schriftsteller*); ~ *of the road* **a)** Straßenräuber, **b)** Reisevertreter; **6.** *Schach*: Springer *m*; **II.** *v/t.* **7.** zum Ritter schlagen; '**knight·age** [-tidʒ] *s.* **1.** *coll.* Ritterschaft *f*; **2.** Ritterstand *m*; **3.** Ritterliste *f*.
knight| bach·e·lor *pl.* ~**s bach·e·lor** *s.* Ritter *m* (*Mitglied des niedersten englischen Ritterordens*); ~ **com·mand·er** *s.* Kom'tur *m* (*Ritterorden*); ~ **er·rant** *pl.* ~**s er·rant** *s.* **1.** fahrender Ritter; **2.** *fig.* ,Don Qui'xote' *m*; '~-'**er·rant·ry** *s.* **1.** fahrendes Rittertum; **2.** *fig.* Abenteuerlust *f*, unstetes Leben.
knight·hood ['naithud] *s.* **1.** Rittertum *n*, -würde *f*; **2.** *coll.* Ritterschaft *f*.
knight·li·ness ['naitlinis] *s.* Ritterlichkeit *f*; **knight·ly** ['naitli] *adj. u. adv.* ritterlich.
Knight Tem·plar → *Templar 1 u. 2*.
knit [nit] **I.** *v/t.* [*irr.*] **1. a)** stricken, **b)** ⊕ wirken: ~ *two, purl two* zwei rechts, zwei links (stricken); **2.** *fig.* zs.-fügen, verbinden, verknüpfen, vereinigen; → *close-knit, well-knit*; **3.** ~ *up* **a)** fest verbinden, **b)** abschließen; **4.** *Stirn* runzeln, *Brauen* zs.-ziehen; **II.** *v/i.* [*irr.*] **5. a)** stricken, **b)** ⊕ wirken; **6.** *a.* ~ *up* sich (eng) verbinden *od.* zs.-fügen (*a. fig.*), zs.-wachsen; '**knit·ted** [-tid] *adj.* gestrickt, Strick...; '**knit·ter** [-tə] *s.* **1.** Stricker(in); **2.** ⊕ 'Strick-, 'Wirkma,schine *f*.
knit·ting ['nitiŋ] *s.* **1. a)** Stricken *n*, **b)** ⊕ Wirken *n*; **2.** Strickzeug *n*, -arbeit *f*; '~**-ma·chine** *s.* 'Strickma,schine *f*; '~**-nee·dle** *s.* Stricknadel *f*.
'**knit·wear** *s.* Strick-, Wirkwaren *pl.*
knives [naivz] *pl. von knife.*
knob [nɔb] *s.* **1.** (runder) Griff, Knopf *m*, Knauf *m*: *with* ~*s on sl.* allerdings!, (na) und ob!, und wie!; **2.** Knorren *m*, Ast *m* (*im Holz*); **3.** Beule *f*, Höcker *m*; **4.** Stück (-chen) *n* (*Zucker etc.*); **5.** *sl.* ,Birne' *f*, ,Kürbis' *m* (*Kopf*); '**knob·by** [-bi] *adj.* **1.** knorrig; **2.** knoten-, knopf-, knaufartig.
'**knob·stick** *s.* **1.** Stock *m* mit Knauf; **2.** *Brit.* Streikbrecher *m*.
knock [nɔk] **I.** *s.* **1.** Schlag *m*, Stoß *m* (*a. fig.*): *to take the* ~ *sl.* e-n schweren (finanziellen) Schlag abkriegen; **2.** Klopfen *n*, Pochen *n*: *there is a* ~ *(at the door)* es klopft; *to give a double* ~ zweimal klopfen; **3.** *mot.* Klopfen *n* (*Motor*); **4.** *sl.* Kri'tik *f*; **II.** *v/t.* **5.** schlagen, stoßen: *to* ~ *on the head* **a)** bewußtlos schlagen, **b)** totschlagen, **c)** *fig.* vereiteln, zunichte machen; *to* ~ *one's head against* **a)** mit dem Kopf stoßen gegen, **b)** *fig.* zs.-stoßen mit; *to* ~ *one's head against a brick wall fig.* mit dem Kopf gegen die Wand rennen *od.* durch die Wand wollen; *to* ~ *s.th. into s.o.'s head* j-m et. einhämmern; *to* ~ *s.o. into the middle of next week sl.* j-m Beine machen; **6.** schlagen, klopfen; **7.** *Brit.* F verblüffen, sprachlos machen; **8.** *sl.* kritisieren, her'unter-, schlechtmachen; **III.** *v/i.* **9.** schlagen, pochen, klopfen: *to* ~ *at the door* an die Tür klopfen; *to* ~ *at an open door* offene Türen einrennen; **10.** (*against*) **a)** schlagen, prallen, stoßen (gegen *od.* auf *acc.*), **b)** zufällig treffen *od.* stoßen (auf *acc.*); **11.** ⊕ **a)** rattern, rütteln (*Maschine*), **b)** klopfen (*Motor*);
Zssgn mit adv.:
knock| a·bout I. *v/t.* **1.** her'umstoßen, übel mitnehmen *od.* zurichten; **II.** *v/i.* **2.** sich her'umtreiben; **3.** ein unstetes Leben führen; ~ **down** *v/t.* **1.** niederschlagen, zu Boden schlagen (*a. fig.*); **2.** über'wältigen; *Argument* entkräften; **3.** ✝ F *Preis* her'absetzen, drücken; **4. a)** *Haus* abreißen, -brechen, **b)** *Maschinen etc.* ausein'andernehmen, zerlegen; **5.** ✝ *Auktion*: *to* ~ *s.th. to s.o.* j-m et. zuschlagen; **6.** *Am.* F *Fahrgelder etc.* unter'schlagen; **7.** *Am.* F *j-n* einführen, vorstellen; ~ **off I.** *v/t.* **1.** ab-, her'unterschlagen: *to knock s.o.'s head off fig.* j-m weit ,über' sein; **2.** aufhören mit: *to* ~ *work* die Arbeit einstellen, Feierabend machen; *knocking-off time* Feierabend; **3.** F **a)** *Arbeit* schnell erledigen, **b)** ,hinhauen', aus dem Ärmel schütteln; **4.** ✝ *vom Preis* abziehen: *to knock a*

pound off the price ein Pfund abziehen; **5.** † *Waren* abstoßen; **6.** *Brit. sl.* stehlen, ‚abstauben'; **7.** *sl.* ‚erledigen' (*töten*); **II.** *v/i.* **8.** die Arbeit einstellen, Feierabend machen; **~ out** *v/t.* **1.** (her)'ausschlagen, -klopfen; **2. a)** *Boxen*: *a.* **~** *of time* k. 'o. schlagen (*a. fig.*), **b)** *Baseball*: *a.* **~** *of the box* zum Abtreten vom Wurfplatz zwingen; **3.** F schnell entwerfen *od.* ausarbeiten; **~ o·ver** *v/t.* **1.** 'umwerfen (*a. fig.*), 'umstoßen; **2.** über'fahren; **~ to·geth·er** *v/t.* zs.-hauen, schnell zs.-bauen; **~ up I.** *v/t.* **1.** (durch Klopfen) wecken; **2.** hochschlagen; **3.** hastig zs.-bauen; **4.** *Kricket*: **~** *runs* schnell Läufe machen; **5.** F ermüden, erschöpfen; **6.** *Am. sl.* **a)** vögeln, **b)** *e-r Frau* ein Kind ‚machen'; **II.** *v/i.* **7.** ermüden, ‚fertig' sein.

'knock|·a·bout I. *adj.* **1.** lärmend, laut; **2.** unstet, unruhig; **3.** Alltags..., strapazierfähig (*Kleidung etc.*); **II.** *s.* **4.** *thea. sl.* Ra'daustück *n*; **'~-'down I.** *adj.* **1.** betäubend, niederschmetternd; **2.** zerlegbar, zs.-legbar; **3.** äußerst, niedrigst (*Preis*); **II.** *s.* **4.** Schläge'rei *f*; **5.** *Boxen*: Niederschlag *m*; **6.** *Am. sl. gesellschaftliche* Einführung, Vorstellung.

knock·er ['nɔkə] *s.* **1.** (Tür)Klopfer *m*: *up to the* **~** *sl.* bis aufs i-Tüpfelchen (genau), ‚piekfein'; **2.** *sl.* Nörgler *m*, Krittler *m*; **3.** *pl.* V ‚Titten' *pl.*

'knock|-kneed *adj.* X-beinig; **'~-knees** *s. pl.* X-Beine *pl.*; **'~-out I.** *s.* **1.** *Boxen*: 'Knockout *m*, K. 'o. *m*; **2.** *fig.* vernichtende Niederlage, tödlicher Schlag; **3.** *sl.* großartige *od.* ‚tolle' Sache *od.* Per'son; **II.** *adj.* **4.** *Boxen*: entscheidend, k. 'o.: **~** *blow* K.-o.-Schlag; **~** *system* Ausscheidungssystem, K.-o.-System; **5.** *fig.* **a)** vernichtend, **b)** geschlagen; **'~-proof** *adj. mot.* klopffest; **'~-rat·ing** *s. mot.* Ok'tanzahl *f*.

knoll[1] [noul] **I.** *v/t. u. v/i.* läuten; **II.** *s.* (*bsd.* Grab)Geläute *n*.

knoll[2] [noul] *s.* **1.** kleiner Hügel; **2.** Bergkuppe *f*.

knop [nɔp] *s.* **1.** Knauf *m*, Knopf *m*; **2.** ⚘ (Blüten)Knospe *f*.

knot [nɔt] **I.** *s.* **1.** Knoten *m*: *to make* (*od. tie*) *a* **~** e-n Knoten machen; **2.** Schleife *f*, Schlinge *f*; Achselstück *n*, -band *n*; **3.** Astknoten *m*, Knorren *m*; **4.** ⚘ Knoten *m*, Knospe *f*, Auge *n*; **5.** ⚓ Knoten *m*, Seemeile *f* (*1,853 km/h*); **6.** *fig.* Knoten *m*, Schwierigkeit *f*, Verwicklung *f*: *to cut the* **~** den Knoten durchhauen; **7.** *fig.* Band *n*, Verbindung *f*: *marriage-***~** Band der Ehe; **8.** Gruppe *f*, Knäuel *m*, *n*, Haufen *m* (*Menschen*); **II.** *v/t.* **9.** (ver)knoten, (ver)knüpfen; **10.** *fig.* verwickeln, verwirren; **III.** *v/i.* **11.** (e-n) Knoten bilden; **12.** *fig.* sich verwickeln; **'~-grass** *s.* ⚘ Knöterich *m*; **'~-hole** *s.* Astloch *n*.

knot·ted ['nɔtid] *adj.* **1.** ver-, geknotet; **2.** *fig.* verschlungen, verwickelt; **'knot·ter** [-tə] *s.* ⊕ 'Knot-, 'Knüpfmaˌschine *f*; **'knot·ty** [-ti] *adj.* **1.** knorrig (*Holz*); **2.** *fig.* verwickelt, verzwickt, schwierig.

'knot·work *s.* Knüpfarbeit *f*.

knout [naut] **I.** *s.* Knute *f*; **II.** *v/t.* mit der Knute schlagen, *j-m* die Knute geben.

know [nou] **I.** *v/t.* [*irr.*] **1.** *allg.* wissen: *he* **~***s it* er weiß es; *he wouldn't* **~** *that* das kann er nicht *od.* kaum wissen; *I* **~** *him to be honest* ich weiß, daß er ehrlich ist; *I have never* **~***n him to lie* m-s Wissens hat er nie gelogen; *he* **~***s what to do* er weiß, was zu tun ist; *to* **~** *what's what, to* **~** *all about it* genau Bescheid wissen; *don't I* **~** *it!* und ob ich das weiß!; → *let*[1] 2; **2.** (es) verstehen, können: *he* **~***s how to treat children* er versteht mit Kindern umzugehen; *she* **~***s how to cook* sie kann kochen; **3.** kennen, vertraut sein mit: *I have* **~***n him for years* ich kenne ihn schon seit Jahren; *to* **~** *German* Deutsch können; *he* **~***s no fear* Furcht kennt er nicht; *he* **~***s a thing or two* F er ist gar nicht (so) dumm, er ist nicht von gestern; *to get to* **~** kennenlernen; *after I first knew her* nachdem ich ihre Bekanntschaft gemacht hatte; **4.** erfahren, erleben: *I have* **~***n it to happen* ich habe das schon erlebt; *he has* **~***n better days* er hat bessere Tage gesehen; **5.** ('wieder-) erkennen, unter'scheiden: *I should* **~** *him anywhere* ich würde ihn überall erkennen; *to* **~** *one from the other* einen vom anderen unterscheiden; **II.** *v/i.* [*irr.*] **6.** wissen (*of* von), Bescheid wissen, im Bilde sein (*about* über *acc.*): *I* **~** ich weiß, natürlich!; *I* **~** *better* so dumm bin ich nicht; *you ought to* **~** *better* (*than that*) das sollten Sie besser wissen, dazu sollten Sie zu vernünftig sein; *before you* **~** *where you are* ehe man sich's versieht; *I would have you* **~** *that ...* ich möchte Ihnen klarmachen, daß ...; *I* **~** *of s.o. who can do it* ich weiß (*od.* kenne) j-n, der es kann; *not that I* **~** *of* F nicht, daß ich wüßte; (*don't*) *you* **~** F wissen Sie, nicht wahr?; **III.** *s.* **7.** *to be in the* **~** F Bescheid wissen, eingeweiht *od.* im Bilde sein.

know·a·ble ['nouəbl] *adj.* erkennbar, kenntlich.

'know|-all *s.* Besserwisser *m*, ‚Schlaumeier' *m*; **'~-how** *s.* **1.** Know-'how *n*, Sachkenntnis *f*, praktisches Wissen, Fachwissen *n*, *technische etc.* Erfahrung; **2.** ‚Re'zept' *n*.

know·ing ['nouiŋ] **I.** *adj.* ☐ **1.** intelli'gent, klug, geschickt; **2.** verständnisvoll, wissend; **3.** schlau, durch'trieben: *a* **~** *one* ein Schlauberger; **4.** F raffiniert, ‚schick', ‚fesch'; **II.** *s.* **5.** Wissen *n*: *there is no* **~** man kann nie wissen; **'know·ing·ly** [-li] *adv.* **1.** schlau, klug; **2.** verständnisvoll; **3.** wissentlich, absichtlich, vorsätzlich.

knowl·edge ['nɔlidʒ] *s. nur sg.* **1.** Kenntnis *f*, Kunde *f*: *without my* **~** ohne mein Wissen; *the* **~** *of the victory* die Kunde *od.* Nachricht vom Siege; *it has come to my* **~** es ist mir zu Ohren gekommen, ich habe erfahren; *to* (*the best of*) *my* **~** m-s Wissens, soviel ich weiß; *to the best of my* **~** *and belief* nach bestem Wissen u. Gewissen; *not to my* **~** soviel ich weiß nicht; *my* **~** *of Mr. X.* m-e Bekanntschaft mit Herrn X.; **~** *of life* Lebenserfahrung; → *carnal*; **2.** Wissen *n*, Kenntnisse *pl.*: *a good* **~** *of German* gute Deutschkenntnisse; **'knowl·edge·a·ble** [-dʒəbl] *adj.* F klug, kenntnisreich.

known [noun] **I.** *p.p. von know*; **II.** *adj.* bekannt: *to make* **~** bekanntmachen; *to make o.s.* **~** *to s.o.* sich j-m vorstellen; **~** *to all* allbekannt; *the* **~** *facts* die anerkannten Tatsachen.

'know-noth·ing *s.* **1.** Unwissende(r *m*) *f*; **2.** A'gnostiker(in).

knuck·le ['nʌkl] **I.** *s.* **1.** Fingergelenk *n*, -knöchel *m*: *a rap on* (*od. over*) *the* **~***s* ein Verweis, e-e Rüge; **2.** Kniestück *n*, (Kalbs- *od.* Schweins)Haxe (*od.* Hachse) *f*; **II.** *v/i.* **3.** **~** *down*, **~** *under* sich beugen, nachgeben, sich unter'werfen (*to dat.*); **4.** **~** *down to s.th.* mit Eifer an et. her'angehen; **'~-bone** *s.* **1.** *anat.*, *zo.* Knöchelbein *n*; **2.** *pl.* Knöchelspiel *n*; **'~-dust·er** *s.* Schlagring *m*; **'~-joint** *s.* **1.** *anat.* Knöchel-, Fingergelenk *n*; **2.** ⊕ Kar'dan-, Kreuzgelenk *n*.

knur *Am.* → *knurr*.

knurl [nɔ:l] **I.** *s.* **1.** Knoten *m*, Ast *m*, Buckel *m*; **2.** ⊕ Rändelrad *n*; **II.** *v/t.* **3.** rändeln, kordeln: **~***ed screw* Rändelschraube.

knurr [nɔ:] *s.* **1.** Knorren *m*; **2.** Holzball *m*, -kugel *f*: **~** *and spell Ballspiel in Nordengland.*

knut → *nut* 6 e.

koh-i-noor, *a.* ♀ ['kouinuə] *s.* **1.** 'Kohinoor *m* (*berühmter Diamant*); **2.** *fig. das* Köstlichste *s-r Art.*

kohl·ra·bi ['koul'rɑ:bi] *s.* ⚘ Kohl'rabi *m*.

kop·je ['kɔpi] *s. S.Afr.* kleiner Hügel.

Ko·ran [kɔ'rɑ:n] *s.* Ko'ran *m*.

Ko·re·an [kə'riən] **I.** *s.* Kore'aner (-in); **II.** *adj.* kore'anisch.

ko·sher ['kouʃə] *adj.* 'koscher (*a. fig.*), rein (*nach jüdischen Speisegesetzen*).

ko·tow ['kou'tau] **I.** *s.* Ko'tau *m*, unter'würfige Ehrenbezeigung (*früher in China*); **II.** *v/i.* Kotau machen (*a. fig.*).

kow·tow ['kau'tau] → *kotow*.

kraal [krɑ:l] *s. S.Afr.* Kral *m*.

kraft [krɑ:ft], *a.* **~ pa·per** *s. Am.* braunes 'Packpaˌpier, 'Hartpaˌpier *n*.

Krem·lin ['kremlin] *npr.* Kreml *m* (*a. fig. die sowjetische Regierung*); **Krem·lin·ol·o·gist** [kremli'nɔlədʒist] *s.* Sowjeto'loge *m*.

kro·ne[1] ['krounə] *pl.* **-ner** [-nə] *s.* Krone *f* (*Münze in Skandinavien*).

kro·ne[2] ['krounə] *pl.* **-nen** [-nən] (*Ger.*) *s.* Krone *f* (*ehemalige Münze in Deutschland u. Österreich*).

ku·dos ['kju:dɔs] *s.* F Ruhm *m*, Ehre *f*.

Ku-Klux(**-Klan**) ['kju:klʌks('klæn)] *s. Am. pol.* 'Ku-Klux-'Klan *m* (*negerfeindlicher amer. Geheimbund*).

ku·lak [ku:'lɑ:k] (*Russ.*) *s.* Ku'lak *m*, Großbauer *m*.

kum·quat ['kʌmkwɔt] *s.* ⚘ Kleinfrüchtige 'Goldoˌrange.

Kur·saal ['kuəzɑ:l] *s.* (*Ger.*) Kursaal *m*, -haus *n*.

kvass [kvɑ:s] *s.* Kwaß *m* (*Art Bier*).

ky·an·ize ['kaiənaiz] *v/t.* ⊕ kyanisieren, mit Subli'mat behandeln.

Kyr·i·e ['kirii], **~ e·le·i·son** [i'leiisɔn] *s. eccl.* 'Kyrie (e'leison) *n*.

L

L, l [el] *s.* L *n*, l *n* (*Buchstabe*).
la [lɑː] *s.* ♪ la *n* (*Solmisationssilbe*).
laa·ger ['lɑːgə] *S.Afr.* **I.** *s.* Lager *n*, *bsd.* Wagenburg *f*; **II.** *v/i.* (sich) lagern; **III.** *v/t.* zu e-r Wagenburg zs.-stellen; lagern.
lab [læb] *s.* F La'bor *n*, Labora'torium *n*.
la·bel ['leibl] **I.** *s.* **1.** (Klebe-, Anhänge)Zettel *m od.* (-)Schild(chen) *n*, Eti'kett *n*; **2.** Bezeichnung *f*, (Kenn)Zeichen *n*, Signa'tur *f*; **3.** Aufschrift *f*, Beschriftung *f*; **4.** ⚠ Kranzleiste *f*; **II.** *v/t.* **5.** etikettieren, mit e-m Zettel *od.* Schild (-chen) versehen; **6.** beschriften, mit e-r Aufschrift versehen: *~(l)ed "poison"* mit der Aufschrift „Gift"; **7.** *fig.* (als ...) bezeichnen, (zu ...) stempeln; **'la·bel·(l)er** [-lə] *s.* Etiket'tierma,schine *f*.
la·bi·al ['leibjəl] **I.** *adj. bsd. ling.* Lippen..., labi'al; **II.** *s.* Lippenlaut *m*, Labi'al *m*; **'la·bi·ate** [-jit] **I.** *adj.* **1.** lippenförmig; **2.** ⚘ lippenblütig; **II.** *s.* **3.** ⚘ Lippenblüter *m*.
la·bile ['leibil] *adj.* la'bil, unsicher, unbeständig.
la·bi·o·den·tal ['leibiou'dentl] *ling.* **I.** *adj.* ,labioden'tal; **II.** *s.* ,Labioden'tal *m*, Lippenzahnlaut *m*.
la·bor *Am.* → *labour*.
lab·o·ra·to·ry [*Brit.* lə'bɔrətəri; *Am.* 'læbrətɔri] *s.* **1.** Labora'torium *n*: *~ assistant* Laborant(in); *~ stage* Versuchsstadium; **2.** *fig.* Werkstätte *f*.
la·bo·ri·ous [lə'bɔːriəs] *adj.* □ **1.** mühsam, anstrengend, schwierig; **2.** schwerfällig (*Stil*); **3.** arbeitsam, fleißig; **la'bo·ri·ous·ness** [-nis] *s.* **1.** Mühseligkeit *f*; **2.** Schwerfälligkeit *f*; **3.** Fleiß *m*.
la·bour ['leibə] **I.** *s.* **1.** (schwere) Arbeit, Anstrengung *f*, Mühe *f*: *lost ~* vergebliche Mühe; *~ of love* gern *od.* unentgeltlich getane Arbeit; → *hard labo(u)r*; **2. a)** Arbeiterschaft *f*: *~ trouble(s)* Schwierigkeiten mit der Arbeiterschaft; *the rights of ~* die Rechte der Arbeiterklasse, **b)** Arbeiter *pl.*, Arbeitskräfte *pl.*: *~ force* Arbeitskräfte, Belegschaft; *shortage of ~* Arbeitskräftemangel; → *skilled 2*; **3.** ♀ (*ohne Artikel*) → *Labour Party*; **4.** ⚕ Wehen *pl.*: *to be in ~* in den Wehen liegen; **II.** *v/i.* **5.** arbeiten (*at* an *dat.*); **6.** sich anstrengen (*to inf.* zu *inf.*), sich ab- *od.* bemühen (*for* um *acc.*); **7.** *a. ~ along* sich mühsam fortbewegen, nur schwer vor'ankommen; **8.** stampfen, schlingern (*Schiff*); **9.** (*under*) zu leiden haben (unter *dat.*), zu kämpfen haben (mit), kranken (an *dat.*); → *delusion 2*; **10.** ⚕ in den Wehen liegen; **III.** *v/t.* **11.** (aus-, be-) arbeiten; **12.** ausführlich eingehen auf (*acc.*), ‚breitwalzen'; *~* **camp** *s.* Arbeitslager *n*; *~* **con·tract** *s.* † Arbeitsvertrag *m*: *collective ~* Tarifvertrag; ♀ **Day** *s.* Tag *m* der Arbeit (*in europäischen Ländern der 1. Mai, in USA der 1. Montag im September*); *~* **de·mand** *s.* † Nachfrage *f* nach Arbeitskräften; *~* **dis·pute** *s.* † Arbeitskampf *m*.
la·bo(u)red ['leibəd] *adj.* **1.** schwerfällig, 'umständlich (*a. Stil*); **2.** mühsam, schwer; **'la·bo(u)r·er** [-ərə] *s. ungelernter* Arbeiter.
La·bo(u)r Ex·change *s.* Arbeitsamt *n*, -nachweis *m*.
la·bo(u)r·ing ['leibəriŋ] *adj.* **1.** arbeitend, werktätig: *the ~ classes* die Arbeiterbevölkerung; **2.** mühsam, schwer (*Atem*).
'la·bo(u)r-in·ten·sive *adj.* † 'arbeitsinten,siv.
la·bour·ite ['leibərait] *s.* Anhänger *m od.* Mitglied *n* der *Labour Party*.
la·bo(u)r| lead·er *s.* Arbeiterführer *m*; *~* **mar·ket** *s.* Arbeitsmarkt *m*.
La·bour Par·ty *s. pol. Brit.* Labour Party *f*.
'la·bo(u)r|-sav·ing *adj.* arbeitssparend; *~* **un·ion** *s. bsd. Am.* Gewerkschaft *f*.
Lab·ra·dor dog ['læbrədɔː] *s. zo.* Neu'fundländer *m* (*Hund*).
la·bret ['leibrit] *s.* Lippenpflock *m*.
la·bur·num [lə'bəːnəm] *s.* ⚘ Goldregen *m*.
lab·y·rinth ['læbərinθ] *s.* **1.** Laby'rinth *n*, Irrgarten *m* (*beide a. fig.*); **2.** *fig.* Wirrwarr *m*, Verwirrung *f*, Durchein'ander *n*; **3.** *anat.* Labyrinth *n*, inneres Ohr; **lab·y·rin·thine** [læbə'rinθain] *adj.* laby'rinthisch.
lac[1] [læk] *s.* 'Gummilack *m*, Lack- [harz *n*.]
lac[2] [læk] *s. Brit. Ind.* Lak *n* (*100 000, mst Rupien*).
lace [leis] **I.** *s.* **1.** Spitze *f*; **2.** Litze *f*, Borte *f*, Tresse *f*, Schnur *f*: *gold ~* Goldtresse; **3.** Schnürband *n*, -senkel *m*: *~-boot* Schnürstiefel; **4.** Schuß *m* 'Alkohol (*in Getränken*); **II.** *v/t.* **5.** (zu-, zs.-)schnüren; **6.** mit Spitzen *od.* Litzen besetzen; **7.** *~ s.o.* (*od. s.o.'s jacket*) j-n verprügeln; **8.** Schnürsenkel einziehen in; **9.** mit Streifenmuster verzieren; **10.** e-n Schuß 'Alkohol zugeben (*dat.*); **III.** *v/i.* **11.** sich schnüren (lassen); **laced** [-st] *adj.* **1.** geschnürt, Schnür...: *~ boot* Schnürstiefel; **2.** mit e-m Schuß 'Alkohol: *~* **coffee**.
'lace|-glass *s.* Venezi'anisches Fadenglas; **'~-pa·per** *s.* Pa'pierspitzen *pl.*; **'~-pil·low** *s.* Klöppelkissen *n*.
lac·er·ate ['læsəreit] *v/t.* **1.** zerfleischen, zerreißen; **2.** quälen, *Gefühle* verletzen; **lac·er·a·tion** [læsə'reiʃən] *s.* **1.** Zerreißung *f*, Zerfleischung *f*; Riß *m* (*a.* ⚕); **2.** ⚕ Fleischwunde *f*.
lach·es ['leitʃiz] *s.* ⚖ Verzug *m*, fahrlässiges Versäumnis.
lach·ry·mal ['lækriməl] **I.** *adj.* **1.** Tränen...: *~ vase* → *3*; **II.** *s.* **2.** *pl. anat.* 'Tränenappa,rat *m*; **3.** Tränenkrug *m*; **'lach·ry·ma·tor** [-meitə] *s.* ⚗, ⚔ Tränengas *n*; **'lach·ry·ma·to·ry** [-ətəri] **I.** *adj.* Tränen her'vorrufend: *~ gas* Tränengas; **II.** *s.* Tränenkrug *m*; **'lach·ry·mose** [-mous] *adj.* □ tränenreich, weinerlich.
lac·ing ['leisiŋ] *s.* **1.** (Ver)Schnüren *n*; **2.** Schnürband *n*, -senkel *m*; **3.** Litzen *pl.*, Tressen *pl.*; **4.** Tracht *f* Prügel; **5.** → *lace 4*.
lack [læk] **I.** *s.* (*of*) Mangel *m* (an *dat.*), Fehlen *n* (von): *for ~ of time* aus Zeitmangel; *there was no ~ of* es fehlte nicht an (*dat.*); **II.** *v/t.* Mangel haben an (*dat.*), nicht haben: *we ~ coal* es fehlt uns (an) Kohle; **III.** *v/i.* (*nur pr.p.*) fehlen; Mangel leiden (*in* an *dat.*): *wine was not ~ing* Wein fehlte nicht; *he is ~ing in courage* ihm fehlt es an Mut.
lack·a·dai·si·cal [lækə'deizikəl] *adj.* □ **1.** schmachtend, affektiert; **2.** gelangweilt, gleichgültig, schlapp.
lack·a·day ['lækədei] *int. obs.* ach!, o weh!
lack·er *etc.* → *lacquer etc.*
lack·ey ['læki] **I.** *pl.* -eys *s.* **1.** La'kai *m* (*a. fig.*); **2.** *fig.* **a)** Kriecher *m*, Speichellecker *m*, **b)** Schma'rotzer *m*; **II.** *v/t.* **3.** *j-n* bedienen; **4.** *j-m* unter'würfig folgen, *j-m* liebedienern.
'lack|·land *adj.* land-, besitzlos: *John* ♀ Johann ohne Land (*englischer König*); **'~·lus·ter** *Am.*, **'~·lus·tre** *Brit. adj.* glanzlos, matt.
la·con·ic [lə'kɔnik] *adj.* (□ *~ally*) **1.** la'konisch, kurz u. prä'gnant; **2.** wortkarg; **lac·o·nism** ['lækənizəm] *s.* lakonische Kürze, Lako'nismus *m*.
lac·quer ['lækə] **I.** *s.* **1.** (Farb-) Lack *m*, Lackfirnis *m*; **2.** Lackarbeit *f*, -waren *pl.*; **II.** *v/t.* **3.** lackieren; **'~-ware**, **'~-work** → *lacquer 2*.
lac·quey → *lackey*.
la·crosse [lə'krɔs] *s. sport* La'crosse

n (*Ballspiel*); ~ **stick** *s.* La'crosse-schläger *m.*

lac·tate ['lækteit] *v/t.* **1.** *Milch* absondern; **2.** *Junge* säugen; **lac·ta·tion** [læk'teiʃən] *s.* **1.** Milchabsonderung *f;* **2.** Säugen *n,* Stillen *n;* **'lac·te·al** [-tiəl] **I.** *adj.* Milch..., milchähnlich; **II.** *s. pl.* Milch-, Lymphgefäße *pl.*; **'lac·tic** [-tik] *adj.* Milch...: ~ *acid* ⚗ Milchsäure; **lac·tif·er·ous** [læk'tifərəs] *adj.* milchführend: ~ *duct* Milchgang; **lac·tom·e·ter** [læk'tɔmitə] *s.* Milchwaage *f* (*zur Feststellung des spezifischen Gewichts der Milch*); **'lac·tose** [-tous] *s.* ⚗ Milchzucker *m,* Lak'tose *f.*

la·cu·na [lə'kju:nə] *pl.* **-nae** [-ni:] *od.* **-nas** *s.* **1.** *anat.* Spalt *m,* Hohlraum *m;* **2.** Lücke *f* (*in e-m Text*); **la'cu·nar** [-nə] *s.* △ Kas'settendecke *f.*

la·cus·trine [lə'kʌstrain] *adj.* e-n See betreffend, See...: ~ *dwellings* Pfahlbauten.

lac·y ['leisi] *adj.* spitzenartig, Spitzen...

lad [læd] *s.* junger Kerl *od.* Bursche, Junge *m.*

lad·der ['lædə] **I.** *s.* **1.** Leiter *f* (*a. fig.*): *the* ~ *of fame* die (Stufen-)Leiter des Ruhms; *to kick down the* ~ die Leute loswerden wollen, die e-m beim Aufstieg geholfen haben; *he can't see a hole in a* ~ er ist total betrunken; **2.** Laufmasche *f;* **II.** *v/i.* **3.** Laufmaschen bekommen (*Strumpf*); **'~-dredge** *s.* ⊕ Eimerbagger *m;* **'~·proof** *adj.* (lauf)maschenfest (*Strumpf*); **'~-stitch** *s. Stickerei:* Leiterstich *m.*

lad·die ['lædi] *s.* Bürschchen *n,* Kleine(r) *m.*

lade [leid] *p.p. a.* **'lad·en** [-dn] *v/t.* **1.** (be)laden, befrachten; **2.** *Waren* ver-, aufladen; **3.** *Wasser* ausschöpfen; **'lad·en** [-dn] **I.** *p.p. von lade;* **II.** *adj.* **1.** (*with*) beladen (mit), voll (von), voller: ~ *with fruit* (schwer) beladen mit Obst; *germ-*~ voller Bazillen; **2.** *fig.* belastet, bedrückt: ~ *with guilt* schuldbeladen.

la-di-da ['la:di'da:] *sl.* **I.** *s.* Stutzer *m,* ‚Affe' *m,* ‚Fatzke' *m;* **II.** *adj.* geckenhaft, ‚affig'.

la·dies'| **choice** *s.* Damenwahl *f* (*beim Tanz*); ~ **man** *s.* [*irr.*] Frauenheld *m.*

lad·ing ['leidiŋ] *s.* **1.** Laden *n;* **2.** Ladung *f;* → *bill*² *3.*

la·dle ['leidl] **I.** *s.* **1.** Schöpflöffel *m,* (Schöpf-, Suppen)Kelle *f;* **2.** ⊕ Gießkelle *f,* -löffel *m;* **3.** Schaufel *f* (*am Wasserrad*); **II.** *v/t.* **4.** *a.* ~ *out* (aus)schöpfen; **5.** *fig.* austeilen.

la·dy ['leidi] **I.** *s.* **1.** Dame *f* (*Frau von Bildung*): *she is no* (*od. not a*) ~ sie ist keine Dame; *an English* ~ e-e Engländerin; *young* ~ junge Dame, junges Mädchen; → *6; my dear* (*od. good*) ~ (verehrte) gnädige Frau; *ladies and gentlemen* m-e Damen u. Herren; *the Old* ♀ *of Threadneedle Street humor.* die Bank von England; **2.** Lady *f* (*Titel*); **3.** *obs. od.* V (*außer wenn auf e-e Lady angewandt*) Gattin *f: your good* ~ Ihre Frau Gemahlin; **4.** Herrin *f:* ~ *of the house* Hausherrin, Dame des Hauses; *our sovereign* ~ *Brit.* die Königin; **5.** *Our* ♀ Unsere Liebe Frau, die Mutter Gottes: *Church of Our* ♀ Marien-, Frauenkirche; **6.** *his young* ~ F s-e Freundin; → *1;* **7.** *Ladies pl. sg. konstr.* 'Damentoi,lette *f,* ‚Damen' *n;* **II.** *adj.* **8.** weiblich: ~ *doctor* Ärztin; ~ *president* Präsidentin; ~ *dog humor.* ‚Hundedame'; **9.** *Brit. bei Angestellten, die beanspruchen, als Dame behandelt zu werden:* ~ cook Köchin.

'La·dy|**-al·tar** *s. R.C.* Ma'rienal,tar *m;* **'♀-bird** *s. zo.* Ma'rien-, Sonnenkäfer(chen *n*) *m;* ~ **Boun·ti·ful** *s. fig.* gute Fee; **'♀-bug** *Am.* → *ladybird;* **'♀-chair** *s.* Vier'händesitz *m* (*Tragesitz für Verletzte, aus den verschlungenen Händen von zwei Personen gebildet*); **'~-chap·el** *s.* Ma'rienka,pelle *f;* ~ **Day** *s. eccl.* Ma'riä Verkündigung *f.*

la·dy·fied ['leidifaid] *adj.* F damenhaft.

la·dy| **help** *s. Brit.* Stütze *f* der Hausfrau, Haustochter *f;* **'~-in-'wait·ing** *s.* Hofdame *f;* **'~-kill·er** *s.* F Herzensbrecher *m,* Schwerenöter *m;* **'~·like** *adj.* damenhaft, vornehm; **'~-love** *s.* Geliebte *f;* ♀ **May·or·ess** *s. Brit.* Frau *f* des *Lord Mayor;* ♀ **of the Bed·cham·ber** *s. Brit.* königliche Kammerfrau, Hofdame *f.*

La·dy's| **bed·straw** *s.* ⚘ Echtes Labkraut; ♀ **com·pan·ion** *s.* Reise-Nähzeug *n.*

la·dy·ship ['leidiʃip] *s. Stand u. Anrede: her* (*your*) ~ ihre (Eure) Ladyschaft.

La·dy's| **lac·es** *s.* ⚘ Ma'riengras *n;* **'♀-maid** *s.* Kammerzofe *f;* ♀ **man** → *ladies' man;* ~ **man·tle** *s.* ⚘ Frauenmantel *m;* **'~-smock** *s.* ⚘ Wiesenschaumkraut *n;* ~ **slip·per** *s.* ⚘ Frauenschuh *m.*

laev·u·lose ['li:vjulous] *s.* ⚗ Fruchtzucker *m.*

lag¹ [læg] **I.** *v/i.* **1.** *mst* ~ *behind* zu'rückbleiben, nachhinken (*a. fig.*), nicht mitkommen; **2.** *mst* ~ *behind* **a**) sich verzögern, **b**) zögern, **c**) ⚡ nacheilen; **II.** *s.* **3.** Zu'rückbleiben *n,* Rückstand *m,* Verzögerung *f* (*a.* ⊕, *phys.*); **4.** Zeitabstand *m;* **5.** ⚡ nega'tive Phasenverschiebung, (Phasen)Nacheilung *f.*

lag² [læg] *sl.* **I.** *v/t.* **1.** *j-n* ‚schnappen', ‚einlochen', ‚einstecken'; **II.** *s.* **3.** ‚Knastschieber' *m* (*Strafgefangener*).

lag³ [læg] **I.** *s.* **1.** (Faß)Daube *f;* **2.** ⊕ Verschalungsbrett *n;* **II.** *v/t.* **3.** mit Dauben versehen; **4.** ⊕ *Rohre etc.* isolieren.

lag·an ['lægən] *s.* ⚖, ⚓ versenktes (Wrack)Gut.

la·ger (**beer**) ['la:gə] *s.* Lagerbier *n.*

lag·gard ['lægəd] **I.** *adj.* langsam, bummelig; **II.** *s.* träger Mensch, Bummler *m.*

lag·ging ['lægiŋ] *s.* ⊕ Verkleidung *f,* Verschalung *f.*

la·goon [lə'gu:n] *s.* La'gune *f.*

la·ic ['leiik] **I.** *adj.* weltlich, Laien...; **II.** *s.* Laie *m,* Nichtgeistliche(r) *m;* **'la·i·cal** [-kəl] *adj.* □ → *laic I;* **'la·i·cize** [-isaiz] *v/t.* verweltlichen, säkularisieren.

laid [leid] *pret. u. p.p. von lay;* ~ **up** *adj.* bettlägerig (*with* mit, wegen).

lain [lein] *p.p. von lie.*

lair [lɛə] **I.** *s.* **1.** Lager *n* (*des Wildes*); **2.** *allg.* Lager(statt *f*) *n;* **II.** *v/i.* **3.** (sich) lagern.

laird [lɛəd] *s. Scot.* Gutsherr *m.*

lais·sez-faire ['leisei'fɛə] (*Fr.*) *s.* **1.** Nichteinmischung *f* (*des Staates in das Wirtschaftsleben*); **2.** *allg.* 'übermäßige Tole'ranz.

la·i·ty ['leiiti] *s.* **1.** Laienstand *m,* Laien *pl.* (*Ggs. Geistlichkeit*); **2.** Laien *pl.,* Nichtfachleute *pl.*

lake¹ [leik] *s.* rote Pig'mentfarbe.

lake² [leik] *s.* (Binnen)See *m: the Great* ♀ der große Teich (*der Atlantische Ozean*); *the Great* ♀*s* die großen Seen (*an der Grenze zwischen USA u. Kanada*); *the* ~*s, the* ♀ *District,* ~*-land* das (englische) Seengebiet; **'~-dwell·er** *s.* Pfahlbauer *m;* ~ **dwell·ing** *s.* Pfahlbau *m;* **'~·side** *s.* Seeufer *n: by the* ~ am See.

lakh → *lac*².

lam¹ [læm] *v/t. sl.* (ver)dreschen, ‚vermöbeln'.

lam² [læm] *Am. sl.* **I.** *s.* (eiliges) ‚Verduften': *on the* ~ im ‚Abhauen' (begriffen), auf der Flucht (*vor der Polizei*); *to take it on the* ~ → *II;* **II.** *v/i.* ‚verduften', ‚Leine ziehen', (schleunigst) ‚türmen'.

la·ma ['la:mə] *s. eccl.* 'Lama *m;* **'la·ma·ism** [-əizəm] *s. eccl.* Lama'ismus *m;* **'la·ma·ser·y** [-əsəri] *s.* 'Lamakloster *n.*

lamb [læm] **I.** *s.* **1.** Lamm *n: in* (*od. with*) ~ trächtig (*Schaf*); *like a* ~ lammfromm; **2.** Lammfleisch *n;* **3.** *the* ♀ (*of God*) *eccl.* das Lamm (Gottes); **II.** *v/i.* **4.** lammen: ~*ing time* Lammzeit.

lam·baste [læm'beist] *v/t. sl.* **1.** ‚vermöbeln' (*verprügeln*); **2.** *fig.* ‚her'unterputzen' (*gehörig ausschelten*).

lam·ben·cy ['læmbənsi] *s.* **1.** Züngeln *n* (*Flamme*); **2.** *fig.* Funkeln *n,* Sprühen *n* (*Witz etc.*); **'lam·bent** [-nt] *adj.* □ **1.** züngelnd, flackernd; **2.** sanft strahlend; **3.** *fig.* sprühend, funkelnd (*Witz*).

Lam·beth Pal·ace ['læmbəθ] *s.* **1.** *der Londoner Amtssitz des Erzbischofs von Canterbury;* **2.** *fig.* der Erzbischof von Canterbury (*als Vertreter der anglikanischen Kirche*).

lamb·kin ['læmkin] *s.* **1.** Lämmchen *n;* **2.** *fig.* Häs-chen *n* (*Kosename*).

'lamb·like *adj.* lammfromm, sanft.

'lamb·skin *s.* **1.** Lammfell *n;* **2.** Schafleder *n.*

'lamb's|**-tails** *s. pl.* ⚘ **1.** *Brit.* Haselkätzchen *pl.*; **2.** *Am.* Weiden-, Palmkätzchen *pl.*; **'~-wool** *s.* **1.** Lammwolle *f;* **2.** Stoff *m* aus Lammwolle.

lame [leim] **I.** *adj.* □ **1.** lahm, hinkend: *to be* ~ *in one leg* auf 'einem Bein lahm sein; *to walk* ~ hinken; **2.** *fig.* mangelhaft, unbefriedigend, lahm: ~ *excuse* faule Ausrede; **3.** hinkend (*Verse*); stockend (*Sprache*); **II.** *v/t.* **4.** lahm machen, lähmen (*a. fig.*); ~ **duck** *s.* **1.** Körperbehinderte(r *m*) *f;* **2.** ‚Versager' *m,* ‚Niete' *f* (*Person od.*

Sache); **3.** ✝ **a)** fauler Kunde, **b)** ruinierter (ˈBörsen)Spekuˌlant; **4.** *Am. pol. nicht wiedergewählter Amtsinhaber, bsd. Kongreßmitglied, bis zum Ende s-r Amtsperiode.*

la·mel·la [ləˈmelə] *pl.* **-lae** [-liː] *s. a.* ⊕, ⚘, *zo.* Laˈmelle *f*, Plättchen *n*, Blättchen *n*; **laˈmel·lar** [-lə], **lam·el·late** [ˈlæməleit] *adj.* laˈmellen-, plättchenartig.

lame·ness [ˈleimnis] *s.* **1.** Lahmheit *f* (*a. fig.*); **2.** *fig.* Schwäche *f*; **3.** Hinken *n* (*von Versen*).

la·ment [ləˈment] **I.** *v/i.* **1.** jammern, (weh)klagen, lamentieren (*for od. over* um); **2.** trauern (*for od. over* um); **II.** *v/t.* **3.** bejammern, beklagen, bedauern, betrauern; → *late 5 b*; **III.** *s.* **4.** Jammer *m*, Wehklage *f*, Klage(lied *n*) *f*;

lam·en·ta·ble [ˈlæməntəbl] *adj.* □ **1.** beklagenswert, bedauerlich; **2.** *contp.* elend, erbärmlich, kläglich;

lam·en·ta·tion [læmenˈteiʃən] *s.* **1.** (Weh)Klage *f*; Lamentieren *n*; **2.** ⁲*s* (*of Jeremiah*) *pl. mst sg. konstr. bibl.* Klagelieder *pl.* Jereˈmiae.

lam·i·na [ˈlæminə] *pl.* **-nae** [-niː] *s.* **1.** Plättchen *n*, Blättchen *n*; **2.** dünne Schicht; **3.** ⚘ Blattspreite *f*; **ˈlam·i·nal** [-nl] → *laminar*; **ˈlam·i·nar** [-nə] *adj.* blätterig, (blättchenartig) geschichtet: ~ *flow phys.* wirbelfreie Strömung; **ˈlam·i·nate** [-neit] **I.** *v/t.* **1.** ⊕ **a)** auswalzen, strecken, **b)** in Blättchen aufspalten, **c)** schichten; **2.** mit Plättchen belegen; **II.** *v/i.* **3.** sich in Plättchen *od.* Schichten spalten; **III.** *s.* [-nit] **4.** ⊕ (ˈPlastik-, Verˈbund)ˌFolie *f*; **IV.** *adj.* [-nit] **5.** → *laminar*.

lam·i·nat·ed [ˈlæmineitid] → *laminar*; ~ **glass** *s.* ⊕ Verbundglas *n*; ~ **ma·te·ri·al** *s.* ⊕ Schichtstoff *m*; ~ **spring** *s.* ⊕ Blattfeder *f*.

lam·i·na·tion [læmiˈneiʃən] *s.* **1.** ⊕ **a)** Streckung *f*, **b)** Schichtung *f*; **2.** blätterige Beschaffenheit.

lam·mer·gei·er, lam·mer·gey·er [ˈlæməgaiə] *s. orn.* Lämmergeier *m.*

lamp [læmp] *s.* **1.** Lampe *f*, (*Straßen*)Laˈterne *f*: *to smell of the* ~ mehr Fleiß als Talent verraten; **2.** *fig.* Leuchte *f*, Licht *n*, Fackel *f*; **ˈ~·black** *s.* Lampenruß *m*, -schwarz *n*; **ˈ~·chim·ney** *s.* ˈLampenzyˌlinder *m*; ~ **hold·er** *s.* ⚡ Fassung *f* e-r Glühlampe; **ˈ~·light** *s.* Lampenlicht *n*; **ˈ~·light·er** *s.* **1.** Laˈternen-, Lampenanzünder *m*; **2.** *Am.* ˈFidibus *m.*

lam·poon [læmˈpuːn] **I.** *s.* Schmähschrift *f*, Saˈtire *f*; **II.** *v/t.* (*schriftlich*) verspotten, verunglimpfen; **lamˈpoon·er** [-nə], **lamˈpoon·ist** [-nist] *s.* Schmähschreiber(in).

ˈlamp·post *s.* Laˈternenpfahl *m*: *between you and me and the* ~ F (ganz) unter uns *od.* vertraulich (gesagt).

lam·prey [ˈlæmpri] *s. ichth.* Lamˈprete *f*, Neunauge *n.*

ˈlamp-shade *s.* Lampenschirm *m.*

Lan·cas·tri·an [læŋˈkæstriən] *s.* **1.** Bewohner(in) der (*englischen*) Stadt *od.* Grafschaft ˈLancaster; **2.** Angehörige(r *m*) *f od.* Anhänger(in) des Hauses Lancaster.

lance [lɑːns] **I.** *s.* **1.** Lanze *f*, Speer *m*: *to break a* ~ *for* (*od. on behalf of*) *s.o.* e-e Lanze für j-n einlegen *od.* brechen; **2.** → *lancer 1*; **II.** *v/t.* **3.** mit e-r Lanze durchˈbohren; **4.** ⚕ mit e-r Lanˈzette öffnen: *to* ~ *an abscess od. a boil* ein Geschwür (*fig.* e-e Eiterbeule) aufstechen; **ˈ~-ˈcor·po·ral** *s.* ⚔ *Brit.* Ober-, Hauptgefreite(r) *m.*

lanc·er [ˈlɑːnsə] *s.* **1.** ⚔ Uˈlan *m*; **2.** *pl. sg. konstr.* Lanciˈers *pl.* (*Tanz*).

lan·cet [ˈlɑːnsit] *s.* **1.** ⚕ Lanˈzette *f*; **2.** *a.* ~ *arch* △ Spitzbogen *m*; **3.** *a.* ~ *window* △ Spitzbogenfenster *n.*

land [lænd] **I.** *s.* **1.** Land *n* (*Ggs. Meer, Wasser*): *by* ~ *and by sea* zu Wasser u. zu Lande; *to make (the)* ~ ⚓ Land sichten; *to see how the* ~ *lies* sehen, wie die Sache steht, die Lage ‚peilen'; **2.** Land *n*, Boden *m*: *rich* ~ fruchtbarer Boden; *ploughed* ~, *Am. plowed* ~ bebautes Ackerland; *back to the* ~ zurück aufs Land: **3.** Land *n*, Grund *m* u. Boden *m*, Grundstück *n*, -besitz *m*; *pl.* Ländeˈreien *pl.*; **4.** Land *n*, Staat *m*, Volk *n*: *to visit far-off* ~*s* ferne Länder besuchen; **5.** *fig.* Gebiet *n*, Reich *n*: ~ *of the living* Diesseits; ~ *of dreams* Reich der Träume; **II.** *v/i.* **6.** ⚓, ✈ landen; ⚓ anlegen; **7.** landen, an Land gehen, aussteigen; **8.** landen, ankommen: *he* ~*ed in a ditch* er landete in e-m Graben; *to* ~ *on one's feet* auf die Füße fallen (*a. fig.*); **9.** *sport* durchs Ziel gehen; **III.** *v/t.* **10.** *Personen, Waren, Flugzeug* landen; *Schiffsgüter* landen, löschen, ausladen; *Fisch(fang)* an Land bringen; **11.** *bsd. Fahrgäste* ab-, niedersetzen: *to be* ~*ed in the mud* im Schlamm landen; **12.** *j-n* versetzen, verwickeln, *in Schwierigkeiten etc.* bringen: *to* ~ *s.o. with s.th.* j-m et. aufhalsen *od.* einbrocken; *to* ~ *o.s.* (*od. to be* ~*ed*) *in* (hinein)geraten in (*acc.*); *I* ~*ed him one in the face* ich hab ihm eine geknallt; **13.** F *j-n od. et.* erwischen, ‚kriegen': *to* ~ *a prize* sich e-n Preis ‚holen'; *I* ~*ed a good job* ich bekam *od.* kriegte e-e gute Stellung.

ˈland-a·gent *s.* **1.** Grundstücks-, Gütermakler *m*; **2.** *Brit.* Gutsverwalter *m.*

lan·dau [ˈlændɔː] *s.* **1.** Landauer *m*; **2.** *mot.* e-e Limouˈsine *f*; **lan·dau·let(te)** [lændɔːˈlet] *s. mot.* Landauˈlett *n.*

ˈland|·bank *s.* ˈGrundkreˌdit-, Hypoˈthekenbank *f*; **ˈ~-breeze** [-ndb-] *s.* Landbrise *f*, -wind *m*; **ˈ~-car·riage** *s.* ˈLandtransˌport *m*, -fracht *f*; **ˈ~-crab** *s. zo.* Landkrabbe *f*; ~ **de·vel·op·ment** *s.* Erschließung *f* von Baugelände.

land·ed [ˈlændid] *adj.* Land..., Grund...: ~ *estate*, ~ *property* Grundbesitz, -eigentum; ~ *proprietor* Grundbesitzer; *the* ~ *interest coll.* die Grundbesitzer.

ˈland|·fall *s.* **1.** ⚓ Landkennung *f*; **2.** ✈ Landung *f*; **ˈ~-forc·es** *s. pl.* ⚔ Landstreitkräfte *pl.*; **ˈ~·girl** *s.* Landarbeiterin *f*, -helferin *f*; **ˈ~-grab·ber** *s.* ‚Landraffer' *m* (*j-d der auf ungesetzliche Weise Land in Besitz nimmt*); **ˈ~·grave** [-ndg-] *s. hist.* (deutscher) Landgraf; **ˈ~·hold·er** *s.* Grundbesitzer *m*; **ˈ~-hun·ger** *s.* Landhunger *m.*

land·ing [ˈlændiŋ] *s.* **1.** ⚓, ✈ Landen *n*, Landung *f*; **2.** ⚓ **a)** Anlegen *n* (*Schiff*), **b)** Ausschiffung *f* (*Personen*), **c)** Ausladen *n*, Löschen *n* (*Fracht*); **3.** ⚓ Lande-, Anlegeplatz *m*; **4.** △ Treppenabsatz *m*; ~ **beam** *s.* ✈ Landeleitstrahl *m*; ~ **charg·es** *s. pl.* ⚓ Löschgebühren *pl.*; **ˈ~-craft** *s.* ⚓, ⚔ Landungsboot *n*; **ˈ~-field** *s.* ✈ Landeplatz *m*, -bahn *f*; **ˈ~-flap** *s.* ✈ Landeklappe *f*; **ˈ~-gear** *s.* ✈ Fahrgestell *n*, -werk *n*; **ˈ~-ground** → *landing-field*; **ˈ~-net** *s.* Hamen *m*, Ke(t)scher *m*; ~ **par·ty** *s.* ⚔ ˈLandungstrupp *m*, -komˌmando *n*; **ˈ~-place** → *landing 3*; **ˈ~-stage** *s.* ⚓ Landungsbrücke *f*, -steg *m*; **ˈ~-strip**, ~ **track** → *air strip.*

ˈland|-job·ber *s.* **1.** ˈBodenspekuˌlant *m*; **2.** Grundstücksmakler *m*; **ˈ~·la·dy** [ˈlænl-] *s.* (Haus-, Gast-, Pensiˈons)Wirtin *f.*

land·less [ˈlændlis] *adj.* ohne Grundbesitz.

ˈland|-locked *adj.* ˈlandumˌschlossen: ~ *country* Binnenstaat; **ˈ~·lop·er** [-loupə] *s.* Landstreicher *m*, Vagaˈbund *m*; **ˈ~·lord** [ˈlænl-] *s.* **1.** Grundbesitzer *m*; **2.** Hauseigentümer *m*; **3.** Hauswirt *m*, ⚖ *a.* Hauswirtin *f*; **4.** Gastwirt *m*; **ˈ~·lub·ber** *s.* ⚓ Landratte *f* (*Nichtseemann*); **ˈ~·mark** [-ndm-] *s.* **1.** Grenzstein *m*; **2.** ⚓ Seezeichen *n*; **3.** ⚔ Gelände-, Orientierungspunkt *m*; **4.** *fig.* Markstein *m*, Wendepunkt *m*; **5.** Wahrzeichen *n*, Merkmal *n*; **ˈ~·mine** [-ndm-] *s.* ⚔ Landmine *f*; ~ **of·fice** *s. Am.* Grundbuchamt *n*; **ˈ~-of·fice busi·ness** *s. Am.* F ‚Bombengeschäft' *n*; **ˈ~·own·er** *s.* Land-, Grundbesitzer(in); **ˈ~·own·ing** *adj.* grundbesitzend, Grundbesitz(er)...; **ˈ~·rail** → *corn-crake*; ~ **re·form** *s.* ˈBodenreˌform *f*; ~ **reg·is·ter** *s.* Grundbuch *n*; **ˈ~-rov·er** *s. Brit. kleiner geländegängiger* Kraftwagen.

land·scape [ˈlænskeip] *s.* **1.** Landschaft *f* (*a. paint.*); **2.** ˌLandschaftsmaleˈrei *f*; **ˈ~-ˈgar·den·er** *s.* Landschafts-, Kunstgärtner *m*; **ˈ~-ˈgar·den·ing** *s.* Landschafts-, Kunstgärtneˈrei *f*; **ˈ~-ˈpaint·er** *s.* Landschaftsmaler(in).

land·scap·ist [ˈlænskeipist] → *landscape-painter.*

ˈland|-shark [-nds-] *s.* **1.** ‚Halsabschneider' *m* (*der Matrosen an Land ausbeutet*); **2.** → *land-grabber*; **ˈ~·slide** [-nds-] *s.* **1.** Erdrutsch *m*; **2.** *pol. fig.* ‚Erdrutsch' *m*: **a)** völliger ˈUmschwung, **b)** überˈwältigender (Wahl)Sieg; **ˈ~·slip** [-nds-] *Brit.* → *landslide 1.*

lands·man [ˈlændzmən] *s.* [*irr.*] Landratte *f*, -bewohner *m.*

land| sur·vey·or *s.* Geoˈmeter *m*, Landmesser *m*; **ˈ~-swell** [-nds-] *s.* ⚓ Dünung *f*; **ˈ~-tax** *s.* Grundsteuer *f*; **ˈ~-tie** *s.* △ Mauerstütze *f.*

land·ward [ˈlændwəd] **I.** *adj.* land(ˈein)wärts (gelegen); **II.** *adv. a.* **ˈland·wards** [-dz] land(ein)wärts.

ˈland-wind → *land-breeze.*

lane [lein] *s.* **1.** (Feld)Weg *m*, Pfad *m* (*bsd. zwischen Hecken*); **2.** Gäßchen *n*, Gasse *f*, 'Durchgang *m*: *to form a* ~ Spalier stehen; **3.** 'Durchhau *m*, Schneise *f*; **4.** ⚓ Fahrrinne *f*, Fahrtroute *f*; **5.** ✈ Flugschneise *f*; **6.** *mot.* (Fahr)Spur *f*; **7.** *sport* (einzelne) Bahn (*e-r Rennbahn etc.*).

lang syne ['læŋ 'sain] *Scot.* **I.** *adv.* vor langer Zeit; **II.** *s.* längst vergangene Zeit; → *auld lang syne.*

lan·guage ['læŋgwidʒ] *s.* **1.** Sprache *f*: *foreign* ~*s* Fremdsprachen; ~*-master* Sprachlehrer; ~ *of flowers fig.* Blumensprache; **2.** Ausdrucks-, Redeweise *f*, Stil *m*: *sailors'* ~ Matrosensprache; **3.** (Fach)Sprache *f*: *medical* ~; **4.** Worte *pl.*: *bad* ~ (ordinäre) Ausdrücke, Schimpfworte; *strong* ~ Kraftausdrücke; **5.** *sl.* ordi'näre *od.* unflätige Ausdrucksweise: ~, *sir!* ich verbitte mir solche (gemeinen) Ausdrücke!; ~ **lab·o·ra·to·ry** *s. ped.* 'Sprachlaˌbor *n.*

lan·guid ['læŋgwid] *adj.* □ **1.** schwach, matt; **2.** schleppend, träge, gleichgültig; **3.** † flau (*Markt*).

lan·guish ['læŋgwiʃ] *v/i.* **1.** ermatten, erschlaffen, erlahmen; **2.** (ver)schmachten, da'hinsiechen, -welken; dar'niederliegen; **3.** schmachtend blicken; **4.** schmachten (*for* nach); **5.** sich härmen (*for* nach, um); '**lan·guish·ing** [-ʃiŋ] *adj.* □ **1.** ermattend, erlahmend; **2.** (ver)schmachtend, leidend; **3.** lustlos, träge (*a.* †), langsam.

lan·guor ['læŋgə] *s.* **1.** Schwäche *f*, Mattigkeit *f*, Abgespanntheit *f*; **2.** Trägheit *f*, Stumpfheit *f*, Gleichgültigkeit *f*, Lauheit *f*; **3.** Stille *f*, Schwüle *f*; '**lan·guor·ous** [-ərəs] *adj.* □ **1.** matt; **2.** schlaff, träge, stumpf, gleichgültig; **3.** schwül, drückend.

la·nif·er·ous [læ'nifərəs], **la'nig·er·ous** [-idʒərəs] *adj.* wollig, Wolle tragend.

lank [læŋk] *adj.* □ **1.** lang u. dünn, schlank, schmächtig; **2.** glatt, schlicht (*Haar*); '**lank·i·ness** [-kinis] *s.* Schlankheit *f*, Schlaksigkeit *f*; '**lank·y** [-ki] *adj.* schlank, hoch aufgeschossen, schlaksig.

lan·o·lin(**e**) ['lænəli:n] *s.* ⚗ Lano'lin *n*, Wollfett *n.*

lans·que·net ['lænskinet] *s. hist.* Landsknecht *m* (*a. ein Kartenspiel*).

lan·tern ['læntən] *s.* **1.** La'terne *f*; **2.** Leuchtkammer *f* (*e-s Leuchtturms*); **3.** ⌂ La'terne *f* (*durchbrochener Dachaufsatz*); '**lan·tern·ist** [-nist] *s.* Lichtbildervorführer *m.*

'**lan·tern|-jawed** *adj.* hohlwangig; ~ **jaws** *s. pl.* eingefallene Wangen *pl.*; ~ **lec·ture** *s.* Lichtbildervortrag *m*; ~ **light** *s.* Oberlichtfenster *n*; '~**-slide** *s.* Dia(posi'tiv) *n*, Lichtbild *n*: ~ *lecture* Lichtbildervortrag.

lan·yard ['lænjəd] *s.* **1.** ⚓ Taljereep *n*; **2.** ⚔ **a**) Abzugsleine *f* (*Kanone*), **b**) Traggurt *m* (*Pistole*); **3.** Schnur *f*, Schleife *f.*

lap[1] [læp] *s.* **1.** Schoß *m* (*e-s Kleides od. des Körpers*; *a. fig.*): *to sit on s.o.'s* ~; *in Fortune's* ~ im Schoß des Glücks; *in the* ~ *of the gods* im Schoß der Götter; *in the* ~ *of luxury* von Luxus umgeben; **2.** (Kleider- *etc.*)Zipfel *m.*

lap[2] [læp] **I.** *v/t.* **1.** falten, einwickeln, -schlagen, 'umschlagen; **2.** *a. fig.* um'hüllen, -'geben, (ein-)betten, (-)hüllen; **3.** überein'anderlegen, über'lappt anordnen; **4.** *sport* über'runden; **II.** *v/i.* **5.** sich her'umlegen *od.* über'lappen; **6.** hin'ausragen, 'übergreifen; **III.** *s.* **7.** Wickelung *f*, Windung *f*, Lage *f*; **8.** 'übergreifende Kante, Über'lappung *f*, 'Überstand *m*; **9.** *Buchbinderei*: Falz *m*, Vorstoß *m*; **10.** *sport* Runde *f.*

lap[3] [læp] **I.** *v/t.* **1.** auflecken; **2.** ~ *up*, ~ *down* **a**) verschlingen, **b**) leichthin glauben, ‚fressen'; **3.** plätschern gegen; **II.** *v/i.* **4.** schlürfen, schlecken; **5.** plätschern; **III.** *s.* **6.** Lecken *n*; **7.** Schluck *m*; **8.** *sl.* ‚Gesöff' *n.*

'**lap-dog** *s.* Schoßhund *m.*

la·pel [lə'pel] *s.* Rockaufschlag *m*, Re'vers *n, m.*

lap·i·dar·y ['læpidəri] **I.** *s.* **1.** Edelsteinschneider *m*; **II.** *adj.* **2.** Stein...; **3.** Steinschleiferei...; **4.** in Stein gehauen; **5.** *fig.* wuchtig, lapi'dar.

lap·i·date ['læpideit] *v/t.* steinigen; **lap·i·da·tion** [læpi'deiʃən] *s.* Steinigung *f.*

lap·is laz·u·li [læpis'læzjulai] *s. min.* La'surstein *m*, Lapis'lazuli *m.*

Lap·land·er ['læplændə] → *Lapp I.*

Lapp [læp] **I.** *s.* Lappe *m*, Lappländer(in); **II.** *adj.* lappisch.

lap·pet ['læpit] *s.* **1.** (Rock)Zipfel *m*; **2.** *anat., zo.* Fleischfetzen *m*, Hautlappen *m.*

Lap·pish ['læpiʃ] → *Lapp II.*

lapse [læps] **I.** *s.* **1.** Versehen *n*, Fehler *m*: ~ *of the pen* Schreibfehler; **2.** Entgleisung *f*, Vergehen *n*, Fehltritt *m*, Abweichen *n*: ~ *from duty* Pflichtversäumnis; **3.** Ab-, Verlauf *m*; Zeitspanne *f*; **4.** Da'hingleiten *n*, Lauf *m* (*Fluß*); **5.** Abfall *m* (*vom Glauben*); **6.** ⚖ **a**) Verfall *m*, Erlöschen *n e-s Anspruchs etc.*, **b**) (Frist)Ablauf *m*; **II.** *v/i.* **7.** (*from*) abfallen (vom *Glauben*); *Pflicht* versäumen; **8.** e-n Fehltritt tun, entgleisen; **9.** (*into*) hin'abgleiten, absinken, fallen, geraten (in *acc.*); verfallen (in *Sünde*, in *Schweigen*); **10.** vergehen, -streichen (*Zeit*); ablaufen (*Frist*); **11.** ⚖ **a**) verfallen, erlöschen, **b**) heimfallen (*to* an *acc.*).

lap·wing ['læpwiŋ] *s. orn.* Kiebitz *m.*

lar·board ['lɑ:bəd] ⚓ *obs.* **I.** *s.* Backbord *n*; **II.** *adj.* Backbord...

lar·ce·ner ['lɑ:snə], '**lar·ce·nist** [-nist] *s.* ⚖ Dieb *m*; **lar·ce·ny** ['lɑ:sni] *s.* ⚖ Diebstahl *m.*

larch [lɑ:tʃ] *s.* ⚘ Lärche *f.*

lard [lɑ:d] **I.** *s.* **1.** Schweinefett *n*, -schmalz *n*; **II.** *v/t.* **2.** *Fleisch* spicken: ~*ing-needle*, ~*ing-pin* Spicknadel; **3.** *fig.* spicken, schmücken, würzen (*with* mit).

lard·er ['lɑ:də] *s.* Speisekammer *f*, -schrank *m.*

lar·don ['lɑ:dən], **lar·doon** [lɑ:'du:n] *s.* Speckstreifen *m* (*zum Spicken*).

large [lɑ:dʒ] **I.** *adj.* □ → *largely*; **1.** groß: *a* ~ *room*; *a* ~ *rock*; ~ *of limb* mit großen Gliedern; ~ *as life* in Lebensgröße; ~*r than life* überlebensgroß; **2.** groß, beträchtlich, reichlich: *a* ~ *sum*; *a* ~ *family* e-e große Familie; *a* ~ *meal* e-e reichliche Mahlzeit; *a* ~ *income* ein großes *od.* hohes Einkommen; **3.** Groß...: ~ *farmer* Großbauer; **4.** zu groß: *the coat is a bit* ~ *for me*; **5.** um'fassend, 'weit(gehend): ~ *powers* umfassende Vollmachten; **6.** *obs.* großzügig, -mütig: ~ *views* weitherzige Ansichten; **II.** *adv.* **7.** *to talk* ~ großspurig reden; *to write* ~ sehr groß schreiben; **III.** *s.* **8.** *at* ~ **a**) in Freiheit, auf freiem Fuß: *to set at* ~ auf freien Fuß setzen, **b**) in der Gesamtheit: *the nation at* ~ die ganze Nation, **c**) planlos: *to talk at* ~ ins Blaue hinein reden, **d**) ohne bestimmtes Amt, ohne Beruf; '~**-'hand·ed** *adj. fig.* freigebig; '~**-'heart·ed** *adj.* großherzig, freigebig; tole'rant.

large·ly ['lɑ:dʒli] *adv.* **1.** in hohem Maße, großen-, größtenteils, weitgehend, im wesentlichen; **2.** reichlich.

'**large|-'mind·ed** *adj.* vorurteilslos, tole'rant, aufgeschlossen; '~**-'mind·ed·ness** *s.* Weitherzigkeit *f.*

large·ness ['lɑ:dʒnis] *s.* **1.** Größe *f*, Weite *f*, 'Umfang *m*; **2.** Großzügigkeit *f*, Freigebigkeit *f*; Großmütigkeit *f.*

'**large-'scale** *adj.* groß(angelegt), ausgedehnt, Groß...: ~ *attack* ⚔ Großangriff; ~ *manufacture* Serienherstellung; *a* ~ *map* e-e Karte in großem Maßstab.

lar·gess(**e**) ['lɑ:dʒes] *s.* **1.** Freigebigkeit *f*; **2.** Gabe *f*, reiches Geschenk.

lar·ghet·to [lɑ:'getou] (*Ital.*) *adv.* ♪ lar'ghetto, ziemlich langsam.

larg·ish ['lɑ:dʒiʃ] *adj.* ziemlich groß.

lar·go ['lɑ:gou] (*Ital.*) *adv.* ♪ 'largo, breit, sehr langsam.

lar·i·at ['læriət] *s. bsd. Am.* 'Lasso *m, n.*

lark[1] [lɑ:k] *s. orn.* Lerche *f*: *to rise with the* ~ in aller Herrgottsfrühe aufstehen.

lark[2] [lɑ:k] F **I.** *s.* Jux *m*, Ulk *m*, Spaß *m*: *for a* ~ zum Spaß; *to have a* ~ s-n Spaß haben *od.* treiben; *what a* ~! wie lustig!; **II.** *v/i.* Possen treiben, spaßen, tollen; '**lark·some** [-səm] *adj.* F ausgelassen.

lark·spur ['lɑ:kspə:] *s.* ⚘ Rittersporn *m.*

lark·y ['lɑ:ki] → *larksome.*

lar·ri·kin ['lærikin] *s. bsd. Austral.* (jugendlicher) Rowdy, Halbstarke(r) *m.*

lar·rup ['lærʌp] *v/t. sl.* ‚verdreschen', ‚übers Knie legen'.

lar·va ['lɑ:və] *pl.* **-vae** [-vi:] *s. zo.* Larve *f*; '**lar·val** [-vəl] *adj. zo.* Larven...; '**lar·vi·cide** [-visaid] *s.* Larven-, *bsd.* Raupenvertilgungsmittel *n.*

la·ryn·ge·al [lærin'dʒi(:)əl] *adj.* Kehlkopf...; **lar·yn'gi·tis** [-'dʒaitis] *s.* ⚕ Kehlkopfentzündung *f.*

la·ryn·go·scope [lə'riŋgəskoup] *s.* ⚕ Kehlkopfspiegel *m.*
lar·ynx ['læriŋks] *s. anat.* Kehlkopf *m.*
las·civ·i·ous [lə'siviəs] *adj.* □ **1.** geil, wollüstig, lüstern; **2.** las'ziv, schlüpfrig; **las'civ·i·ous·ness** [-nis] *s.* Geilheit *f*, Lüsternheit *f.*
la·ser ['leizə] *s. phys.* 'Laser *m*; ~ **beam** *s. phys.* 'Laserstrahl *m.*
lash[1] [læʃ] **I.** *s.* **1.** Peitschenschnur *f*; **2.** Peitschen-, Rutenhieb *m*: *the* ~ die Prügelstrafe; **3.** *fig.* (Peitschen-) Hieb *m*, scharfer Tadel, Geißel *f*; **4.** Peitschen *n* (*a. fig.*); **5.** (Augen-) Wimper *f*; **II.** *v/t.* **6.** *j-n* peitschen, schlagen: *to* ~ *the tail* mit dem Schwanz um sich schlagen; *to* ~ *the sea* das Meer peitschen (*Sturm*); **7.** peitschen *od.* schlagen an (*acc.*) *od.* gegen (*Regen*); **8.** *fig.* geißeln, streng tadeln: *a* ~*ing tongue* e-e spitze Zunge; **9.** heftig (an)treiben: *to* ~ *o.s. into a fury* sich in e-e Wut hineinsteigern; **III.** *v/i.* **10.** *a. fig.* peitschen, schlagen; **11.** peitschen, prasseln (*Regen*); **12.** ~ *down* niederprasseln; **13.** ~ *out* **a)** um sich schlagen, ausschlagen (*Pferd*), **b)** ausfallend werden, vom Leder ziehen (*at* gegen).
lash[2] [læʃ] *v/t.* festbinden, -machen (*to, on* an *dat.*); ⚓ (fest)zurren.
lash·er ['læʃə] *s.* **1.** durch ein Wehr fließendes Wasser; **2.** Wehr *n.*
lash·ing[1] ['læʃiŋ] *s.* **1.** Auspeitschung *f*, Prügel *pl.*; **2.** *pl. Brit.* F Massen *pl.* (*Speise od. Trank*).
lash·ing[2] ['læʃiŋ] *s.* **1.** Anbinden *n*; **2.** ⚓ Laschung *f*, Tau(werk) *n.*
lass [læs] *s.* **1.** Mädchen *n*; **2.** Liebste *f*; **las·sie** ['læsi] *s.* Mädel *n*, kleines Mädchen.
las·si·tude ['læsitju:d] *s.* Mattigkeit *f*, Abgespanntheit *f.*
las·so ['læsou] **I.** *pl.* **-sos** *s.* 'Lasso *m*, *n*; **II.** *v/t.* mit e-m Lasso fangen.
last[1] [lɑ:st] **I.** *adj.* □ → *lastly*; **1.** letzt: ~ *but one* vorletzt; ~ *but two* drittletzt; *for the* ~ *time* zum letzten Male; *to the* ~ *man* bis auf den letzten Mann; **2.** letzt, vorig: ~ *Monday, Monday* ~ (am) letzten *od.* vorigen Montag; ~ *night* gestern abend; ~ *week* in der letzten *od.* vorigen Woche; *the week before* ~ die vorletzte Woche; *this day* ~ *week* heute vor e-r Woche; *on May 6th* ~ am vergangenen 6. Mai; **3.** neuest, letzt: *the* ~ *news*; *the* ~ *thing in hats* das Neueste in Hüten; **4.** letzt, al'lein übrigbleibend: *the* ~ *hope* die letzte (verbleibende) Hoffnung; *my* ~ *shilling* mein letzter Schilling; **5.** letzt, endgültig, entscheidend; → *word 1*; **6.** äußerst: *of the* ~ *importance* von höchster Bedeutung; *this is my* ~ *price* dies ist mein äußerster *od.* niedrigster Preis; **7.** letzt, am wenigsten erwartet *od.* geeignet, unwahrscheinlich: *the* ~ *man I would choose* der letzte, den ich wählen würde; *he is the* ~ *person I expect to see* es ist sehr unwahrscheinlich, daß ich ihn sehen werde; → *ditch 1*; *judg(e)ment 5*; *leg Redew.*; *post*[2] *1*; *supper 2 a*; **II.** *adv.* **8.** zu'letzt, als letzter, -e, -es, an letzter Stelle: ~ *of all* ganz zuletzt, zuallerletzt; ~ (*but*) *not least* nicht zuletzt, nicht zu vergessen; **9.** zu'letzt, zum letzten Male: *I* ~ *met him in Berlin*; **10.** *in Zssgn*: ~*-mentioned* letzterwähnt; **III.** *s.* **11.** *at* ~ endlich, schließlich, zuletzt; *at long* ~ schließlich (u. endlich); **12.** *der* (*die, das*) Letzte: *the* ~ *of the Mohicans* der letzte Mohikaner; *the* ~ *to arrive* der letzte, der ankam; *he would be the* ~ *to do that* er wäre der letzte, der so etwas täte; **13.** *der* (*die, das*) Letztgenannte; **14.** letzte Erwähnung, letztes Mal: *to breathe one's* ~ s-n letzten Atemzug tun; *to hear the* ~ *of* zum letzten Male (*od.* nichts mehr) hören; *we shall never see the* ~ *of that man* den (Mann) werden wir nie mehr los; **15.** Ende *n*, Tod *m*: *to the* ~ bis zum äußersten, bis zum Ende (*od.* Tod).
last[2] [lɑ:st] **I.** *v/i.* **1.** dauern, währen; bestehen: *too good to* ~ zu schön, um lange zu währen; **2.** 'durch-, aushalten; **3.** (sich) halten: *to* ~ *well* haltbar sein; **4.** (aus)reichen, genügen: *while the money* ~*s* solange das Geld reicht; *I must make my money* ~ ich muß mit m-m Gelde auskommen; **II.** *v/t.* **5.** *mst* ~ *out* **a)** über'dauern, **b)** ebenso lange (aus-) halten wie; **III.** *s.* **6.** Ausdauer *f.*
last[3] [lɑ:st] *s.* Leisten *m*: *to put on the* ~ über den Leisten schlagen; *to stick to one's* ~ *fig.* bei s-m Leisten bleiben.
last[4] [lɑ:st] *s.* Last *f* (*altes Gewicht od. Hohlmaß, mst etwa 4000 englische Pfund od. 30 hl*).
'last-'ditch·er *s.* Unentwegte(r *m*) *f.*
last·ing ['lɑ:stiŋ] **I.** *adj.* □ **1.** dauernd, anhaltend, beständig; **2.** dauerhaft, haltbar; **3.** nachhaltig; **II.** *s.* **4.** Lasting *n* (*fester Kammgarnstoff*); **'last·ing·ness** [-nis] *s.* Dauer(haftigkeit) *f*, Haltbarkeit *f.*
last·ly ['lɑ:stli] *adv.* zu'letzt, am Ende.
latch [lætʃ] **I.** *s.* **1.** Klinke *f*, Schnäpper *m*, Schnappriegel *m*: *on the* ~ nur eingeklinkt (*Tür*); **2.** Druck-, Schnappschloß *n*; **II.** *v/t.* **3.** ein-, zuklinken; **III.** *v/i.* **4.** sich einklinken, einschnappen: *to* ~ *on to s.th. Am.* F et. ‚spitzkriegen'.
latch·et ['lætʃit] *s. obs.* Schuhriemen *m.*
'latch·key *s.* **1.** Drücker *m*, Schlüssel *m* für ein Schnappschloß; **2.** Hausschlüssel *m*; ~ **child** *s.* Schlüsselkind *n.*
late [leit] **I.** *adj.* □ → *lately*; **1.** spät: *at a* ~ *hour* spät (*a. fig.*), zu später Stunde (*a. fig.*); → *hour 2*; *on Monday at the* ~*st* spätestens am Montag; **2.** vorgerückt, spät, Spät...: ~ *summer* Spätsommer; ~ *Latin* Spätlatein; *the* ~ *18th century* das späte 18. Jahrhundert; ~*r events* spätere Ereignisse; **3.** verspätet, zu spät: *to be* ~ zu spät kommen, sich verspäten, Verspätung haben, rückständig *od.* im Rückstand sein; *to be* ~ *for dinner* zu spät zum Essen kommen; **4.** letzt, jüngst, neu: *the* ~ *war* der letzte Krieg; *of* ~ *years* in den letzten Jahren; *the* ~*st fashion* die neueste Mode; *that is the* ~*st* **a)** das ist das Neueste, **b)** F das ist (doch) die Höhe; **5. a)** letzt, früher, ehemalig, **b)** verstorben: *the* ~ *lamented* der *od.* die jüngst Entschlafene; *the* ~ *headmaster* der letzte *od.* der verstorbene Schuldirektor; *the* ~ *government* die letzte *od.* vorige Regierung; *my* ~ *residence* m-e frühere Wohnung; ~ *of Oxford* früher in Oxford (wohnhaft); **II.** *adv.* **6.** spät: *of* ~ in letzter Zeit, neuerdings; *as* ~ *as last year* erst *od.* noch letztes Jahr; *better* ~ *than never* lieber spät als gar nicht; ~*r on* später(hin); *to sit up* ~ bis spät in die Nacht aufbleiben; ~ *in the day* F reichlich spät, ein bißchen spät; **7.** zu spät: *to come* ~; **'~-com·er** *s.* Zu'spätgekommene(r *m*) *f*, Nachzügler(in).
la·teen [lə'ti:n] ⚓ **I.** *adj.* Latein...; **II.** *s. a.* ~ *sail* La'teinsegel *n.*
late·ly ['leitli] *adv.* vor kurzem, kürzlich, unlängst; neuerdings.
la·ten·cy ['leitənsi] *s.* La'tenz *f*, Verborgenheit *f.*
late·ness ['leitnis] *s.* **1.** späte Zeit, spätes 'Stadium: ~ *of the hour* vorgerückte Stunde; **2.** Verspätung *f*, Zu'spätkommen *n.*
la·tent ['leitənt] *adj.* □ **1.** la'tent (*a.* ⚕, *phys., psych.*), verborgen, versteckt, schlafend: ~ *buds* unentwickelte Knospen; ~ *heat phys.* gebundene Wärme.
lat·er·al ['lætərəl] **I.** *adj.* □ **1.** seitlich, Seiten..., Neben..., Quer...: ~ *branch* Seitenlinie (*Stammbaum*); ~ *wind* Seitenwind; **II.** *s.* **2.** Seitenteil *n*, -stück *n*; **3.** ♀ Seitenzweig *m*, -trieb *m*; **'lat·er·al·ly** [-rəli] *adv.* seitlich, seitwärts; von der Seite.
Lat·er·an ['lætərən] *s.* Late'ran *m.*
la·tex ['leiteks] *s.* ♀ Milchsaft *m* (*von Pflanzen, bsd. des Gummibaums*).
lath [lɑ:θ] *s.* **1.** Latte *f*, Leiste *f*; → *thin 2*; **2. a)** *coll.* Latten(werk *n*) *pl.*, **b)** Putzträger *m*: ~ *and plaster* ⚠ Putzträger u. Putz.
lathe [leið] *s.* ⊕ **1.** Drehbank *f*: ~ *tool* Drehstahl; ~ *tooling* Bearbeitung auf der Drehbank; **2.** Lade *f* (*Webstuhl*); **3.** Töpferscheibe *f.*
lath·er ['lɑ:ðə] **I.** *s.* **1.** Seifenschaum *m*; **2.** schäumender Schweiß (*e-s Pferdes*): *in a* ~ *about s.th. Am.* F erregt über e-e Sache; **II.** *v/t.* **3.** einseifen; **4.** F verprügeln; **III.** *v/i.* **5.** schäumen.
lath·ing ['lɑ:θiŋ] *s.* Lattenwerk *n*, *bsd.* -verschalung *f.*
Lat·in ['lætin] **I.** *s.* **1.** *ling.* La'tein(-isch) *n*; **2.** *antiq.* **a)** La'tiner *m*, **b)** Römer *m*; **3.** Ro'mane *m*; **II.** *adj.* **4.** *ling.* la'teinisch, Latein...; **5.** ro'manisch: *the* ~ *peoples*; **6.** *eccl.* 'römisch-ka'tholisch: ~ *Church*; **7.** la'tinisch; **'~-A'mer·i·can I.** *adj.* la'teinameri͵kanisch; **II.** *s.* La'teinameri͵kaner(in).
Lat·in·er ['lætinə] *s.* F La'teiner *m*; **'Lat·in·ism** [-nizəm] *s.* Lati'nismus *m*; **'Lat·in·ist** [-nist] *s.* La'teingelehrte(r *m*) *f*, Lati'nist(in), ‚La'teiner' *m*; **La·tin·i·ty** [lə'tiniti] *s.* Latini'tät *f*, *j-s* Kenntnisse *pl.* im La'teinischen; **Lat·in·i·za·tion** [lætinai'zeiʃən] *s.* **1.** Latinisierung *f* (*e-r Sprache*); **2.** La'teinschreibung *f*; **'Lat·in·ize** [-naiz] *v/t.* **1.** lateinische Form geben (*dat.*); ins Lateinische

über'tragen; mit lateinischen Buchstaben schreiben; **2.** *eccl.* der 'römisch-ka'tholischen Kirche annähern.

lat·ish ['leitiʃ] *adj.* etwas spät.

lat·i·tude ['lætitju:d] *s.* **1.** *ast., geogr.* Breite *f*: *degree of* ~ Breitengrad; *in* ~ *40° N.* auf dem 40. Grad nördlicher Breite; **2.** *pl. geogr.* Breiten *pl.*, Gegenden *pl.*: *low* ~*s* niedere Breiten; *cold* ~*s* kalte Gegenden; **3.** *fig.* Spielraum *m*, Freiheit *f*: *to allow s.o. great* ~ j-m große Freiheit gewähren; **lat·i·tu·di·nal** [læti'tju:dinl] *adj. geogr.* Breiten...

lat·i·tu·di·nar·i·an ['lætitju:di'nɛəriən] **I.** *adj.* **1.** weitherzig, libe'ral; **2.** *bsd. eccl.* freisinnig, freidenkerisch; **II.** *s.* **3.** *bsd. eccl.* Freigeist *m*, Freidenker(in); **'lat·i·tu·di'nar·i·an·ism** [-nizəm] *s. eccl.* Duldsamkeit *f*, Tole'ranz *f*.

la·trine [lə'tri:n] *s.* **1.** La'trine *f*; **2.** Klo'sett *n*.

lat·ten ['lætn] *s.* Messing(blech) *n*.

lat·ter ['lætə] *adj.* □ → *latterly*; **1.** *von zweien*: letzter; **2.** später, neuer, jünger: *in these* ~ *days* in der jüngsten Zeit; *the* ~ *half of June* die zweite Junihälfte; *the* ~ *end of June* die letzten Junitage; *the* ~ *end* **a)** das Ende, **b)** der Tod; **'~'day** *adj.* aus neuester Zeit, mo'dern; **'~-'day saints** *s. pl. eccl. die* Heiligen *pl.* der letzten Tage (*Mormonen*).

lat·ter·ly ['lætəli] *adv.* **1.** in letzter Zeit, neuerdings; **2.** am Ende, dem Ende zu.

lat·tice ['lætis] **I.** *s.* **1.** Gitter *n*, Gitter-, Lattenwerk *n*; **2.** Gitterfenster *n od.* -tür *f*; **II.** *v/t.* **3.** vergittern; **~ bridge** *s.* ⊕ Gitterbrücke *f*; **~ frame, ~ gird·er** *s.* ⊕ Gitter-, Fachwerkträger *m*; **~ win·dow** *s.* Gitter-, Rautenfenster *n*; **'~-work** → *lattice 1.*

Lat·vi·an ['lætviən] **I.** *adj.* **1.** lettisch; **II.** *s.* **2.** Lette *m*, Lettin *f*; **3.** *ling.* Lettisch *n*.

laud [lɔ:d] **I.** *s.* **1.** Lobgesang *m*; **2.** *pl. R.C.* 'Laudes *pl.* (*Gebet*); **II.** *v/t.* **3.** loben, preisen, rühmen; **'laud·a·ble** [-dəbl] *adj.* □ löblich, lobenswert.

lau·da·num ['lɔdnəm] *s. pharm.* 'Opiumtink,tur *f*.

lau·da·tion [lɔ:'deiʃən] *s.* Lob *n*; **laud·a·to·ry** ['lɔ:dətəri] *adj.* lobend; Belobigungs...

laugh [lɑ:f] **I.** *s.* **1.** Lachen *n*, Gelächter *n*: *with a* ~ lachend; *a broad* ~ schallendes Gelächter; *to have a good* ~ *at s.th.* herzlich über e-e Sache lachen; *to have the* ~ *of s.o.* über j-n (am Ende) triumphieren; *to have the* ~ *on one's side* die Lacher auf s-r Seite haben; *the* ~ *is against him* die Lacher sind auf der anderen Seite; *to raise a* ~ Gelächter erregen; **II.** *v/i.* **2.** lachen (*a. fig.*): *to make s.o.* ~ j-n zum Lachen bringen; *don't make me* ~! F daß ich nicht lache!; *to* ~ *in s.o.'s face* j-m ins Gesicht lachen; *he* ~*ed till he cried* er lachte (bis ihm die) Tränen (kamen); *he* ~*s best who* ~*s last* wer zuletzt lacht, lacht am besten; → *wrong 2*; **3.** *a. iro.* froh sein, triumphieren; **III.** *v/t.* **4.** lachend äußern: *he* ~*ed his thanks* er dankte lachend; *to* ~ *a bitter* ~ bitter lachen; *Zssgn mit adv. u. prp.*:

~ at *v/i.* **1.** lachen *od.* sich lustig machen über *j-n od. e-e Sache*; *j-n* auslachen; **2.** über *e-e Sache* spotten; keine No'tiz von *et.* nehmen; **~ a·way I.** *v/t.* **1.** *Sorgen etc.* durch Lachen verscheuchen; **2.** → *laugh off*; **3.** *Zeit* mit Scherzen verbringen; **II.** *v/i.* **4.** drauf'loslachen; **~ down** *v/t.* **1.** *j-n* durch Gelächter zum Schweigen bringen; **2.** *et.* durch Gelächter vereiteln; **~ off** *v/t. et.* lachend *od.* mit e-m Scherz abtun; **~ out of** *v/t. j-n* durch Lachen von *et.* abbringen.

laugh·a·ble ['lɑ:fəbl] *adj.* □ **1.** ulkig, komisch; **2.** lachhaft, lächerlich.

laugh·ing ['lɑ:fiŋ] **I.** *s.* **1.** Lachen *n*, Gelächter *n*; **II.** *adj.* □ **2.** lachend: *it is no* ~ *matter* es ist nicht(s) zum Lachen; **3.** *fig.* lächelnd, strahlend; **'~-'gas** *s.* ⚗ Lachgas *n*; **~ gull** *s. orn.* Lachmöwe *f*; **~ hy·e·na** *s. zo.* 'Fleckenhy,äne *f*; **~ jack·ass** *s. orn.* Rieseneisvogel *m*; **'~-stock** *s.* Gegenstand *m* des Gelächters, Zielscheibe *f* des Spottes: *to make a* ~ *of o.s.* sich lächerlich machen.

laugh·ter ['lɑ:ftə] *s.* Lachen *n*, Gelächter *n*.

launch [lɔ:ntʃ] **I.** *v/t.* **1.** *Boot* aussetzen, ins Wasser lassen; **2.** *Schiff* vom Stapel lassen: *to be* ~*ed* vom Stapel laufen; **3.** ✈ katapultieren, abschießen; **4.** *Torpedo, Geschoß* abschießen; **5.** *Speer* schleudern; **6.** *et.* lancieren, in Gang setzen, unter'nehmen; **7.** *j-n* lancieren, *j-m* ‚Starthilfe geben'; **8.** *Rede* vom Stapel lassen; *Drohungen etc.* ausstoßen, schleudern; † *Anleihe* auflegen; **II.** *v/i.* **9.** *a.* ~ *out* **a)** (*into* in *acc.*) sich stürzen *od.* begeben, geraten, **b)** (*into acc.*) beginnen, unternehmen, vom Stapel lassen; **10.** ~ *out* **a)** viel Geld ausgeben, **b)** weitschweifig reden; **III.** *s.* **11.** Stapellauf *m*; **12.** ⚓ Bar'kasse *f*: *pleasure* ~ Vergnügungsboot; **'launch·er** [-tʃə] *s.* ⚔ **1. a)** (Ra'keten)Werfer *m*, **b)** Abschußvorrichtung *f* (*Fernlenkgeschosse*); **2.** ✈ Kata'pult *m, n*.

launch·ing| pad ['lɔ:ntʃiŋ], **~ platform, ~ ramp** *s.* Schleuder-, Abschußrampe *f* (*Rakete*); **~ rope** *s.* ✈ Startseil *n*; **~ site** *s.* 'Abschuß,basis *f* (*Rakete*); **~ tube** *s.* ⚔ Tor'pedo(ausstoß)rohr *n*.

laun·der ['lɔ:ndə] **I.** *v/t.* *Wäsche* waschen (u. bügeln); **II.** *v/i.* sich waschen lassen; **laun·der·ette** [lɔ:ndə'ret] *s.* ,Schnellwäsche'rei *f*; **'laun·dress** [-dris] *s.* Wäscherin *f*.

laun·dry ['lɔ:ndri] *s.* **1.** Wäsche'rei *f*, Waschanstalt *f*; Waschhaus *n*; **2.** F (schmutzige *od.* frisch gereinigte) Wäsche; **~ chute** *s.* Wäscheschacht *m* (*e-s Wohnhochhauses*).

lau·re·ate ['lɔ:riit] **I.** *adj.* **1.** lorbeergekrönt, -geschmückt; -bekränzt; **II.** *s.* **2.** → *poet*; **3.** Preisträger *m*; **'lau·re·ate·ship** [-ʃip] *s.* Amt *n od.* Würde *f* e-s *poet laureate*.

lau·rel ['lɔrəl] *s.* **1.** ⚘ Lorbeer(baum) *m*; **2.** *mst pl. fig.* Lorbeeren *pl.*, Ehren *pl.*, Ruhm *m*: *to reap* (*od. win od. gain*) ~*s* Lorbeeren ernten; *to rest on one's* ~*s* sich auf s-n Lorbeeren ausruhen; **'lau·rel(l)ed** [-ld] *adj.* **1.** lorbeergekrönt; **2.** preisgekrönt.

lau·rus·ti·nus [lɔrəs'tainəs] *s.* ⚘ Lauru'stin *m*, *ein* Schneeball *m*.

la·va ['lɑ:və] *s. geol.* 'Lava *f*.

lav·a·to·ry ['lævətəri] *s.* **1.** Waschraum *m*; **2.** Toi'lette *f*, Klo'sett *n*: *public* ~ Bedürfnisanstalt.

lave [leiv] *poet.* **I.** *v/t.* **1.** waschen, baden; **2.** bespülen (*Meer etc.*); **II.** *v/i.* **3.** sich baden *od.* waschen.

lav·en·der ['lævində] **I.** *s.* ⚘ La'vendel *m*; **II.** *adj.* la'vendelfarben, blaßlila; **'~-wa·ter** *s.* La'vendelwasser *n*.

lav·ish ['læviʃ] **I.** *adj.* □ **1.** sehr freigebig, verschwenderisch (of mit, *in* in *dat.*): *to be* ~ *of* um sich werfen mit, verschwenderisch umgehen mit; **2.** ('über)reichlich, verschwenderisch; **II.** *v/t.* **3.** verschwenden, verschwenderisch (aus)geben: *to* ~ *s.th. on s.o.* j-n mit et. überhäufen; **'lav·ish·ness** [-nis] *s.* Verschwendung *f*, Hülle *f* u. Fülle *f*.

law¹ [lɔ:] *s.* **1.** *objektives* Recht; Gesetz *n*, Gesetze *pl.*: *by* ~ von Rechts wegen, gesetzlich; *contrary to* ~ rechtswidrig; *under the* ~ nach dem Gesetz; *under German* ~ nach deutschem Recht; *the* ~ *of the land* das Landesrecht; ~ *and order* Recht (*od.* Ruhe) u. Ordnung; **2. a)** (*einzelnes*) Gesetz: *Election* ♀; *the bill has become* (*od. passed into*) ~ die Gesetzesvorlage ist (zum) Gesetz geworden, **b)** (*einzelnes*) Recht, Rechtsgebiet *n*: *commercial* ~ Handelsrecht; ~ *of nations* Völkerrecht; **3.** → *common law*; **4.** Rechtswissenschaft *f*, 'Jura *pl.*: *comparative* ~ vergleichende Rechtswissenschaft; *to read* (*od. go in for*) ~ Jura studieren; *Doctor of* ♀*s* (*abbr. LL.D.*) Doktor der Rechte; **5.** Ju'ristenberuf *m*: *to be in the* ~ Jurist sein; **6.** Gericht *n*, Rechtsmittel *pl.*: *at* ~ vor Gericht, gerichtlich; *to go to* ~ den Rechtsweg beschreiten, prozessieren: *to go to* ~ *with s.o.* j-n verklagen; **7.** *allg.* Gesetz *n*, Vorschrift *f*, Befehl *m*: *to be a* ~ *unto o.s.* sich über jegliche Konventionen hinwegsetzen; *to lay down the* ~ gebieterisch auftreten, selbstherrlich handeln; **8.** *oft pl.* Regel *f*: ~*s of the game* Spielregeln; ~*s of golf* Golfregeln; **9.** *wissenschaftliches etc.* Gesetz: ~ *of gravity* (*od. gravitation*) *phys.* Gesetz der Schwerkraft; ~ *of nature, natural* ~ Naturgesetz; *not chance, but* ~ nicht Zufall, sondern Gesetzmäßigkeit; **10.** *the* ♀ *eccl.* das Gesetz, die Gebote *pl.*; **11.** *hunt., sport* Vorgabe *f*; **12.** *fig.* (Gnaden-) Frist *f*.

law² *int.* V ach!; herr'je!; Mensch!

'law|-a·bid·ing *adj.* **1.** gesetzestreu; **2.** friedlich, ordnungsliebend; **'~-break·er** *s.* Ge'setzesüber,treter (-in); **'~-court** *s.* Gerichtshof *m*.

law·ful ['lɔ:ful] *adj.* □ **1.** gesetzlich, gesetzmäßig; **2.** rechtmäßig, legi'tim: ~ *son* ehelicher *od.* legitimer Sohn; **3.** rechtsgültig, gesetzlich anerkannt: ~ *marriage* gültige Ehe; ~ *age* Volljährigkeit; **'law·ful·ness** [-nis] *s.* Gesetzmäßigkeit *f*.

'law|·giv·er *s.* Gesetzgeber *m*; **'~-hand** *s. Brit. in Rechtsurkunden verwendete Handschrift.*
lawk [lɔ:k], **lawks** [lɔ:ks] → *law*².
law·less ['lɔ:lis] *adj.* □ **1.** gesetzlos, -widrig, unrechtmäßig; **2.** zügellos; **'law·less·ness** [-nis] *s.* **1.** Gesetzlosigkeit *f*, -widrigkeit *f*; **2.** Zügellosigkeit *f*.
'law|-lord *s.* Mitglied *n* des brit. Oberhauses mit richterlicher Funkti'on; **'~·mak·er** → *lawgiver.*
lawn¹ [lɔ:n] *s.* Rasen *m*.
lawn² [lɔ:n] *s.* Li'non *m*, Ba'tist *m*.
'lawn|-mow·er *s.* Rasenmäher *m*; **'~-sprin·kler** *s.* Rasensprenger *m*; **~ ten·nis** *s.* ('Lawn-)ˌTennis *n*.
'law|-of·fi·cer *s.* ⚖ **1.** Ju'stizbeamte(r) *m*; **2.** *Brit. engS.* **a)** → *Attorney-General*, **b)** → *Solicitor-General*; **~ re·port** *s.* ⚖ **a)** Bericht *m* über e-e richterliche Entscheidung, **b)** *pl.* Sammlung *f* von Entscheidungen; **~ school** *s.* 'Rechtsakadeˌmie *f*; **'~-suit** *s.* ⚖ **a)** Pro'zeß *m*, Verfahren *n*, **b)** Klage *f*: *to bring a ~* e-n Prozeß anstrengen, Klage einreichen (*against* gegen); **'~-term** *s.* **1.** ju'ristischer Ausdruck; **2.** Ge'richtsperiˌode *f*.
law·yer ['lɔ:jə] *s.* **1.** Rechtsanwalt *m*; Rechtsberater *m*; **2.** Ju'rist *m*, Rechtsgelehrte(r) *m*.
lax [læks] *adj.* □ **1.** lax, locker (*Sitten etc.*); **2.** lose, schlaff, locker; **3.** unklar, verschwommen; **4.** ⚕ zu 'Durchfall neigend; an Durchfall leidend; **lax·a·tive** ['læksətiv] ⚕ **I.** *s.* Abführmittel *n*; **II.** *adj.* abführend; **lax·i·ty** ['læksiti], **'lax·ness** [-nis] *s.* **1.** Laxheit *f*, Lässigkeit *f*; **2.** Schlaffheit *f*, Lockerheit *f* (*a. fig.*); **3.** Ungenauigkeit *f*, Unklarheit *f*.
lay¹ [lei] **I.** *s.* **1.** Lage *f*; **2.** Schlag *m* (*Tauwerk*); **3.** *sl.* Job *m*, Beschäftigung *f*, Tätigkeit *f*; **II.** *v/t.* [*irr.*] **4.** legen: *~ it on the table*; *to ~ bricks* Backsteine legen; *to ~ a cable* ein Kabel (ver)legen; *to ~ a bridge* e-e Brücke schlagen; *to ~ the foundation(s) of fig.* den Grund(stock) legen zu; *to ~ the foundation-stone* den Grundstein legen; → *bare 4, blame 4, door 2, hand Redew., heart Redew., heel*¹ *Redew., hold*² *1, siege 1, wait 8*; **5.** *Eier* legen; **6.** *fig.* legen, setzen: *to ~ hopes on* Hoffnung setzen auf (*acc.*); *to ~ stress on* Nachdruck legen auf (*acc.*), betonen; *to ~ an ambush* e-n Hinterhalt legen; *the scene is laid in Rome* der Schauplatz *od.* Ort der Handlung ist Rom, *thea.* das Stück *etc.* spielt in Rom; **7.** anordnen, herrichten: *to ~ the table* (*od. the cloth*) den Tisch decken; *to ~ lunch* den Tisch zum Mittagessen decken; *to ~ the fire* das Feuer (*im Kamin*) anlegen; **8.** belegen, bedecken: *to ~ the floor with a carpet*; **9.** *Klage etc.* vorbringen; geltend machen: *to ~ an information against s.o.* j-n anklagen; **10.** *e-n Betrag* wetten: *to ~ a wager* e-e Wette eingehen; **11.** *Plan etc.* ersinnen, aushecken; **12. a)** *Strafe* verhängen, **b)** *Steuern* auferlegen; **13.** *Schuld etc.* zuschreiben, zur Last legen: *to ~ a crime to s.o.'s charge* j-m die Schuld an e-m Verbrechen zuschreiben; *to ~ a charge against s.o.* j-n beschuldigen; **14.** (*before*) vorlegen (*dat.*), bringen (vor *acc.*): *to ~ on the table parl.* vorlegen; *to ~ papers Brit. parl.* das Unterhaus informieren; **15.** *Schaden* festsetzen (*at* auf *acc.*); **16.** 'umlegen, niederwerfen: *to ~ s.o. in the dust* j-n zu Boden strecken; **17.** *Getreide* zu Boden drücken; **18.** mäßigen, beruhigen, besänftigen: *the wind is laid* der Wind hat sich gelegt; **19.** *Staub* löschen; **20.** *Geist* bannen; **21.** ⚓ *Kurs* richten; *Ziel* ansteuern; **22.** ⚔ *Geschütz* richten; **III.** *v/i.* [*irr.*] **23.** Eier legen; **24.** wetten; **25.** schlagen, hauen: *to ~ about one* um sich schlagen; *to ~ into s.o. sl.* auf j-n einschlagen;
Zssgn mit adv.:
lay| a·side, ~ by *v/t.* **1.** bei'seite legen; **2.** ablegen, aufgeben; **3.** beiseite legen, zu'rücklegen, (auf)sparen, reservieren; **~ down** *v/t.* **1.** hinlegen; **2.** *Amt, Waffen etc.* niederlegen; **3.** *Hoffnung* aufgeben; **4.** *Leben* hingeben, opfern; **5.** *Geld* einzahlen, hinter'legen; **6.** *Grundsatz, Regeln etc.* aufstellen, festlegen, -setzen, vorschreiben; *Bedingung in e-m Vertrag* niederlegen, verankern: *to lay it down that* behaupten, daß; **7.** planen, entwerfen; **8. a)** *Schiff* auf Stapel legen, **b)** *Straße* bauen; **9.** ⚘ besäen *od.* bepflanzen (*in, to, under, with* mit); **10.** *Wein* (ein)lagern; **~ in** *v/t.* sich eindecken mit, einlagern; **~ off I.** *v/t.* F **1.** entlassen; **2.** in Ruhe lassen: *~!* hör auf (damit)!; **II.** *v/i.* **3.** ⚓ vom Land abhalten (*Schiff*); **~ on I.** *v/t.* **1.** *Schläge* austeilen; **2.** *Farbe etc.* auftragen: *to lay it on thick fig.* ‚dick auftragen', übertreiben, zuviel des Guten tun; **3.** (*Gas-, Wasser- etc.*)Leitung legen: *laid-on water* Leitungswasser; **4.** *Hunde* auf die Fährte setzen; **II.** *v/i.* **5.** zuschlagen, angreifen; **~ o·pen** *v/t.* bloß-, freilegen; *fig.* aufdecken; **~ out** *v/t.* **1.** ausbreiten, -stellen; **2.** aufbahren; **3.** *Geld* ausgeben; **4.** entwerfen, anlegen, herrichten; **5.** *to lay o.s. out* ‚sich am Riemen reißen'; **6.** *sl.* **a)** *j-n* zs.-schlagen, **b)** *j-n* ‚'umlegen', ‚kaltmachen'; **~ o·ver** *v/t.* über'ziehen, belegen; **~ to** *v/i.* ⚓ beidrehen; **~ up** *v/t.* **1.** aufspeichern, ansammeln, zu'rücklegen; **2. a)** ⚓ *Schiff* auflegen, außer Dienst stellen, **b)** *mot.* stillegen; **3.** *to be laid up* (*with*) ans Bett *od.* Haus gefesselt sein, bettlägerig sein (wegen).
lay² [lei] *pret. von lie*².
lay³ [lei] *adj.* **1.** Laien..., weltlich; **2.** laienhaft, nicht fachmännisch: *to the ~ mind* nach Laienansicht.
lay⁴ [lei] *s. poet.* Lied *n*.
'lay|-a·bout *s. Brit. sl.* Gammler *m*; **~ broth·er** *s. eccl.* Laienbruder *m*; **'~-by** *s. mot. Brit.* **a)** Rastplatz *m*, Parkplatz *m*, **b)** Parkbucht *f* (*Landstraße*); **~ days** *s. pl.* ⚓ Liegetage *pl.*, -zeit *f*.
lay·er I. *s.* ['leiə] **1.** Schicht *f*, Lage *f*: *in ~s* schicht-, lagenweise; **2.** Leger *m*, *in Zssgn* ...leger *m*; **3.** Leg(e)henne *f*: *this hen is a good ~* diese Henne legt gut; **4.** ⚘ Ableger *m*; **5.** ⚔ 'Höhenrichtkanoˌnier *m*; **II.** *v/t.* ['lɛə] **6.** ⚘ durch Ableger vermehren; **7.** über'lagern, schichtweise legen; **'~-cake** *s.* Schichttorte *f*; **'~-'on** *s.* **1.** ⊕ Zubringer *m*; **2.** *typ. Brit.* Anleger(in).
lay·ette [lei'et] *s.* 'Babyausstattung *f*.
lay fig·ure *s.* **1.** Gliederpuppe *f* (*als Modell*); **2.** *fig.* Mario'nette *f*, Null *f*.
lay·ing ['leiiŋ] *s.* **1.** Legen *n*; **2.** Gelege *n* (*Eier*); **3.** ⚠ Bewurf *m*, Putz *m*.
lay| judge *s.* Laienrichter *m*; **'~·man** [-mən] *s.* [*irr.*] **1.** Laie *m* (*Ggs. Geistlicher*); **2.** Laie *m*, Nichtfachmann *m*; **'~-off** *s.* (vor'übergehende) Entlassung; **'~-out** *s.* **1.** Planung *f*, Anordnung *f*, Anlage *f*; **2.** Plan *m*, Entwurf *m*; **3.** Layout *n*, Gestaltungsskizze *f*; **4.** Aufmachung *f* (*e-r Zeitschrift etc.*); **~ sis·ter** *s.* Laienschwester *f*.
la·zar ['læzə] *s. obs.* ekelerregender *od.* aussätziger Bettler.
laz·a·ret(te) [læzə'ret], **laz·a·'ret·to** [-tou] *pl.* **-tos** *s.* **1.** Iso'lier- *od.* 'Aussätzigenspiˌtal *n* (*für Arme*); **2.** Quaran'tänestatiˌon *f*, -schiff *n*.
laze [leiz] **I.** *v/i.* faulenzen, bummeln; **II.** *v/t.* *~ away Zeit* vertrödeln *od.* verträumen; **la·zi·ness** ['leizinis] *s.* Faulheit *f*, Trägheit *f*.
la·zy ['leizi] *adj.* □ träg(e): **a)** faul, **b)** langsam, sich langsam bewegend; **'~-bones** *s.* F Faulpelz *m*; **♀ Su·san** *s. Am.* drehbares Ta'blett.
'ld [d] F *für would od. should.*
lea [li:] *s. poet.* Flur *f*, Aue *f*, Anger *m*.
leach [li:tʃ] **I.** *v/t.* **1.** 'durchsickern lassen; **2.** (aus)laugen; **II.** *v/i.* **3.** 'durchsickern.
lead¹ [li:d] **I.** *s.* **1.** Führung *f*, Leitung *f*: *under s.o.'s ~*; **2.** Führung *f*, Spitze *f*: *to be in the ~* an der Spitze stehen, führend sein; *to have the ~* die Führung innehaben; *to take the ~* **a)** die Führung übernehmen, sich an die Spitze setzen, **b)** neue Wege weisen; **3.** *bsd. sport* **a)** Führung *f*: *to gain the ~* in Führung gehen, **b)** Vorsprung *m*: *one minute's ~* 'eine Minute Vorsprung; **4.** Vorbild *n*, Beispiel *n*: *to give s.o. a ~* j-m ein gutes Beispiel geben; *to follow s.o.'s ~* j-s Beispiel folgen; **5.** Hinweis *m*, Wink *m*; **6.** *Kartenspiel*: **a)** Vorhand *f*: *your ~* Sie spielen aus!, **b)** zu'erst ausgespielte Karte *od.* Farbe; **7.** *to give a ~ hunt.* vorangehen, -reiten; **8.** *thea.* **a)** Hauptrolle *f*, **b)** Hauptdarsteller(in); **9.** *Zeitung*: (zs.-fassende) Einleitung; **10.** (Hunde)Leine *f*; **11.** ⚡ **a)** Leiter *m*, **b)** (Zu)Leitung *f*, **c)** Voreilung *f*; **12.** ⊕ Steigung *f* e-s Gewindes; **13.** 'Mühlkaˌnal *m*; **14.** Wasserrinne *f* (*Eisfeld*); **II.** *v/t.* [*irr.*] **15.** führen, leiten, *j-m* den Weg zeigen; *fig. j-n* lenken: *to ~ the way* vorangehen; → *nose Redew.*; **16.** führen, bringen (*to* nach, zu) (*a. Straße etc.*); **17.** (an)führen, befehligen, *a. Orchester etc.* leiten; *die Mode* bestimmen; *sport das Feld* anführen; **18.** bewegen, verleiten, 'dahin bringen, veranlassen (*to do zu tun*); **19. a)** *Leben* führen, **b)** *j-m ein Hundeleben etc.* bereiten; **20.** *Karte, Farbe etc.* aus-, anspielen;

III. *v/i.* [*irr.*] **21.** führen: **a)** vor'angehen, **b)** die erste Stelle einnehmen, (An)Führer sein, **c)** *sport* an der Spitze liegen; **22.** *wohin* führen (*Straße etc.*) (*to* zu, nach): *to ~ to fig.* führen zu, zeitigen; **23.** *Boxen*: zum Angriff 'übergehen: *to ~ with the chin fig.* sich in Gefahr begeben;
Zssgn mit adv.:
lead| a·stray *v/t.* in die Irre führen; *fig.* irre-, verführen; **~ a·way** *v/t.* verleiten (*mst pass.*): *to be led away* sich verleiten lassen; **~ off I.** *v/t. Tanz etc.* eröffnen, beginnen; **II.** *v/i.* den Anfang machen; *sport* anspielen; **~ on I.** *v/t.* zum Weitergehen, -sprechen *etc.* verlocken; **II.** *v/i.* weiterführen (*to* zu); **~ up** *v/i.* (*to*) (all'mählich) führen (zu), 'überleiten (zu), einleiten (*acc.*).

lead² [led] **I.** *s.* **1.** ⚗ Blei *n*; **2.** ⚓ Senkblei *n*, Lot *n*: *to cast* (*od. heave*) *the ~* loten; *to swing the ~* ⚓, ⚔ *sl.* sich drücken; **3. a)** Gra'phit *m*, Reißblei *n*, **b)** (Bleistift)Mine *f*; **4.** *typ.* 'Durchschuß *m*; **5.** Bleifassung *f* (*Fenster*); **6.** *pl. Brit.* **a)** bleierne Dachplatten *pl.*, **b)** (flaches) Bleidach; **7.** → *white lead*; **II.** *v/t.* **8.** verbleien; **9.** mit Blei beschweren; **10.** *typ.* durch'schießen; **~ con·tent** *s.* ⚗ Bleigehalt *m* (*Benzin*).

lead·en ['ledn] *adj.* bleiern (*a. fig. Glieder, Schlaf etc.*; *a. bleigrau*), Blei...

lead·er ['li:də] *s.* **1.** Führer(in), Erste(r *m*) *f*; **2.** (An)Führer *m*, (*pol. Partei-,* ⚔ *Zug-, Gruppen*)Führer *m*: ≈ *of the House parl.* Führer des Unterhauses; **3.** ♪ **a)** Diri'gent *m*, **b)** wichtigster Spieler *od.* Sänger, *bsd.* Kon'zertmeister *m od.* erster So'pran; **4.** ⚖ *Brit.* erster Anwalt; **5.** Leitpferd *n*; **6.** *bsd. Brit.* 'Leitar‚tikel *m* (*Zeitung*); **7.** † **a)** 'Lockar‚tikel *m*, **b)** 'Spitzenar‚tikel *m*; **8.** ⚘ Leit-, Haupttrieb *m*; **9.** *anat.* Sehne *f*; **10.** Startband *n* (*e-s Films*).

lead·er·ette [li:də'ret] *s. Brit.* kurzer 'Leitar‚tikel.

lead·er·ship ['li:dəʃip] *s.* **1.** Führung *f*, Leitung *f*; **2.** Führerschaft *f*.

'lead-'in [li:d] **I.** *adj.* ⚡ Zuleitungs..., Einführungs...: *~ wire*; **II.** *s.* (An'tennen- *etc.*)Zuleitung *f*.

lead·ing ['li:diŋ] **I.** *s.* Leitung *f*, Führung *f*; **II.** *adj.* führend: **a)** Leit..., leitend, **b)** Haupt..., erst; herrschend: *~ fashion*; **~ ar·ti·cle** → *leader 6, 7*; **'~-busi·ness** *s.* Hauptrollen *pl.* (*e-s Stückes*); **~ case** *s.* ⚖ Präze'denzfall *m*; **~ la·dy** *s.* Hauptdarstellerin *f*, erste Liebhaberin; **~ man** *s.* [*irr.*] Hauptdarsteller *m*, erster Liebhaber; **~ note** *s.* ♪ Leitton *m*; **~ ques·tion** *s.* ⚖ Sugge'stivfrage *f*; **'~-strings** *s. pl.* Gängelband *n* (*a. fig.*): *in ~ fig.* **a)** in den Kinderschuhen, **b)** am Gängelband.

lead| pen·cil [led] *s.* Bleistift *m*; **'~-poi·son·ing** *s.* ⚕ Bleivergiftung *f*; **'~-works** *s. pl.* (*oft sg. konstr.*) Bleihütte *f*.

leaf [li:f] **I.** *pl.* **leaves** [li:vz] *s.* **1.** ⚘ (*a.* Blumen)Blatt *n*: *in ~* belaubt; *to come into ~* ausschlagen; **2.** *coll.* **a)** Teeblätter *pl.*, **b)** Tabakblätter *pl.*; **3.** Blatt *n* (*Buch*): *to take a ~ out of s.o.'s book fig.* sich an j-m ein Beispiel nehmen; *to turn over a new ~ fig.* ein neues Leben beginnen; **4.** ⊕ **a)** Flügel *m* (*Tür, Fenster etc.*), **b)** Klappe *f* (*Tisch*), **c)** Einlegbrett *n* (*Ausziehtisch*), **d)** ⚔ (*Visier*)Klappe *f*; **5.** ⊕ Blatt *n*, (dünne) Folie: *gold ~* Blattgold; **6.** ⊕ Blatt *n* (*Feder*); **II.** *v/t. u. v/i.* **7.** *a. ~ through* 'durchblättern.

leaf·age ['li:fidʒ] *s.* Laub(werk) *n*.

'leaf|-bud *s.* Blattknospe *f*; **'~-green** *s.* ⚘ Blattgrün *n* (*a. Farbe*).

leaf·less ['li:flis] *adj.* blätterlos, entblättert, kahl.

leaf·let ['li:flit] *s.* **1.** ⚘ Blättchen *n*; **2. a)** Flugblatt *n*, **b)** Merkblatt *n*, **c)** Pro'spekt *m*.

'leaf|-met·al *s.* ⊕ 'Blattme‚tall *n*; **'~-mo(u)ld** *s.* Lauberde *f*; **~ sight** *s.* 'Klappvi‚sier *n* (*des Gewehrs*); **~ spring** *s.* ⊕ Blattfeder *f*; **~ to·bac·co** *s.* 'Roh- *od.* 'Blätter‚tabak *m*.

leaf·y ['li:fi] *adj.* **1.** belaubt; **2.** Laub...; **3.** blattartig, Blatt...

league¹ [li:g] **I.** *s.* Liga *f* (*a. hist. u. sport*), Bund *m*: ≈ *of Nations* Völkerbund; *~ match sport* Punktspiel; *in ~ with* im Bunde mit, verbündet mit; **II.** *v/t. u. v/i.* (sich) verbünden.

league² [li:g] *s.* Meile *f* (*4,8 km*; *mst nur poet.*).

lea·guer ['li:gə] *s.* Verbündete(r) *m*.

leak [li:k] **I.** *s.* **1.** ⚓ Leck *n*; *allg.* Loch *n*, undichte Stelle (*a. fig.*): *to spring a ~* ein Leck *etc.* bekommen; **2. a)** Auslaufen *n*, 'Durchsickern *n* (*a. fig.*), **b)** *das* auslaufende Wasser *etc.*; **3.** ⚡ **a)** Streuung(sverluste *pl.*) *f*, **b)** Fehlerstelle *f*; **II.** *v/i.* **4.** lecken (*a.* ⚡ *streuen*), leck sein; tropfen (*Wasserhahn*); **5.** *~ out* **a)** auslaufen, -strömen, **b)** *a. fig.* 'durchsickern; **III.** *v/t.* **6.** 'durchlassen.

leak·age ['li:kidʒ] *s.* **1.** Lecken *n*, Auslaufen *n*; → *leak 2, 3*; **2.** Verlust *m*, Schwund *m* (*a. fig.*); † Le'ckage *f*; **~ cur·rent** *s.* ⚡ Leck-, Ableitstrom *m*; **~ re·sist·ance** *s.* ⚡ 'Streu-, 'Ableit‚widerstand *m*.

leak·y ['li:ki] *adj.* **1.** leck, undicht; **2.** *fig.* schwatzhaft.

leal [li:l] *adj. Scot. od. poet.* treu: *the Land of the* ≈ *Scot.* das Paradies.

lean¹ [li:n] *adj.* mager (*a. fig. Ernte, Fleisch, Jahre, Lohn etc.*); ⊕ Mager...(*-kohle etc.*), Spar...(*-beton, -mischung etc.*).

lean² [li:n] **I.** *v/i.* [*irr.*] **1.** sich neigen; (sich) lehnen (*against* an *acc.*); sich stützen (*on* auf *acc.*): *to ~ back* sich zurücklehnen; *to ~ over backward(s) fig.* ‚sich e-n abbrechen' (*sich Mühe geben*); *to ~ to(ward) s.th. fig.* zu et. (hin)neigen; **2.** *fig.* sich verlassen (*on* auf *acc.*); **II.** *v/t.* [*irr.*] **3.** neigen, beugen; **4.** lehnen (*against* gegen, an *acc.*), stützen (*on, upon* auf *acc.*); **III.** *s.* **5.** Neigung *f* (*to* nach); **'lean·ing** [-niŋ] **I.** *adj.* sich neigend, schief; **II.** *s.* Neigung *f*, Ten'denz *f* (*a. fig. towards* zu).

lean·ness ['li:nnis] *s.* Magerkeit *f* (*a. fig.*).

leant [lent] *bsd. Brit. pret. u. p.p. von lean²*.

'lean-'to I. *pl.* **-tos** *s.* Anbau *m* (*mit Pultdach*); **II.** *adj.* Anbau..., sich anlehnend: *~ roof* Pultdach.

leap [li:p] **I.** *v/i.* [*irr.*] **1.** springen: *look before you ~* erst wägen, dann wagen; *ready to ~ and strike* sprungbereit; **2.** *vor Freude* hüpfen (*Herz*); **3.** *fig.* her'vor-, hochschießen; auflodern; (sich) stürzen: *to ~ at* sich auf *e-e Gelegenheit etc.* stürzen; *to ~ into fame* mit 'einem Schlag berühmt werden; *to ~ to a conclusion* voreilig e-n Schluß ziehen; *to ~ to the eye* ins Auge springen; **II.** *v/t.* [*irr.*] **4.** über'springen (*a. fig.*), springen über (*acc.*); **5.** *Pferd etc.* springen lassen; **III.** *s.* **6.** Sprung *m*: *a ~ in the dark fig.* ein Sprung ins Ungewisse; *by ~s (and bounds) fig.* sprunghaft; **'~-frog I.** *s.* Bockspringen *n*; **II.** *v/i.* bockspringen.

leapt [lept] *pret. u. p.p. von leap*.

'leap-year *s.* Schaltjahr *n*.

learn [lə:n] **I.** *v/t.* [*irr.*] **1.** (er)lernen; **2.** (*from*) **a)** erfahren, hören (von): *it was ~ed yesterday* gestern erfuhr man, **b)** ersehen, entnehmen (aus *e-m Brief etc.*); **3.** V ‚lernen' (*lehren*); **II.** *v/i.* [*irr.*] **4.** lernen; **'learn·ed** [-nid] *adj.* □ **1.** gelehrt (*a. Beruf, Buch etc.*); **2.** (gründlich) bewandert (*in* in *dat.*); **'learn·er** [-nə] *s.* **1.** Anfänger(in); **2.** (*a.* Fahr)Schüler(in); Lehrling *m*; **'learn·ing** [-niŋ] *s.* **1.** Gelehrsamkeit *f*, (gelehrtes) Wissen: *the new ~* der Humanismus; **2.** (Er)Lernen *n*; **learnt** [-nt] *pret. u. p.p. von learn*.

lease¹ [li:s] **I.** *s.* **1.** Pacht-, Mietvertrag *m*; **2. a)** Verpachtung *f* (*to* an *acc.*), **b)** Pacht *f*, Miete *f*: *~ of life* Pacht auf Lebenszeit, *fig.* Lebensfrist; *a new ~ of life fig.* ein neues Leben (*nach Krankheit etc.*); *to put out to* (*od. to let out on*) *~* → *5*; *to take s.th. on ~, to take a ~ of s.th.* → *6*; *by* (*od. on*) *~* auf Pacht; **3.** Pachtbesitz *m*, -grundstück *n*; **4.** Pacht-, Mietzeit *f od.* -verhältnis *n*; **II.** *v/t.* **5.** *~ out* verpachten, vermieten (*to* an *acc.*); **6.** *et.* in Pacht nehmen, pachten, mieten.

lease² [li:s] *s. Weberei*: **1.** (Faden-)Kreuz *n*, Schrank *m*; **2.** Latze *f*.

'lease|·hold I. *s.* **1.** Pacht(ung) *f*; **2.** Pachtbesitz *m*, -grundstück *n*; **II.** *adj.* **3.** Pacht...; **'~·hold·er** *s.* Pächter(in).

leas·er ['li:sə] *s.* ⚖ 'Leasingnehmer (-in), Mieter(in).

leash [li:ʃ] **I.** *s.* **1.** Koppelleine *f*: *to hold in ~* **a)** → *4*, **b)** *fig.* im Zaum halten; *to strain at the ~* **a)** an der Leine zerren, **b)** *fig.* vor Ungeduld platzen; **2.** *hunt.* Koppel *f* (*drei Hunde, Füchse etc.*); **II.** *v/t.* **3.** (zs.-)koppeln; **4.** an der Leine halten.

leas·ing ['li:siŋ] *s.* ⚖ 'Leasing *n*.

least [li:st] **I.** *adj.* (*sup. von little*) kleinst; geringst, wenigst, mindest; unbedeutendst; **II.** *s. das* Mindeste, *das* Wenigste: *at (the) ~* mindestens, wenigstens, zum mindesten; *at the very ~* allermindestens; *not in the ~* nicht im geringsten *od.* mindesten; *to say the ~ (of it)* gelinde gesagt; *~ said soonest mended* je weniger Worte desto besser; **III.** *adv.* am wenigsten: *~ of all* am allerwenigsten; *not ~* nicht zuletzt; **~ tern** *s. orn.* Zwergseeschwalbe *f*.

leath·er ['leðə] **I.** *s.* **1.** Leder *n* (*a.*

fig. humor. Haut; *sport sl. Ball*); **2.** Lederball *m*, -lappen *m*, -riemen *m etc.*; **3.** *pl.* **a)** Lederhose(n *pl.*) *f*, **b)** 'Lederga,maschen *pl.*; **II.** *v/t.* **4.** mit Leder über'ziehen; **5.** F ‚versohlen'; '~**-bound** *adj.* ledergebunden.

leath·er·ette [leðə'ret] → *leatheroid*.

leath·ern ['leðə(:)n] *adj.* ledern.

'**leath·er·neck** *s.* ⚔ *sl.* Ma'rineinfante,rist *m* (*des U.S. Marine Corps*).

leath·er·oid ['leðərɔid] *s. ein* Kunstleder *n*, 'Lederimitati,on *f*.

leath·er·y ['leðəri] *adj.* ledern, zäh.

leave[1] [li:v] **I.** *v/t.* [*irr.*] **1.** *allg.* verlassen; abreisen von; von *der Schule* abgehen; **2.** im Stich lassen, aufgeben; **3.** lassen: *it* ~*s me cold* F es läßt mich kalt; *to* ~ *it at that* F es dabei belassen *od.* (bewenden) lassen; **4.** (übrig)lassen: *6 from 8* ~*s* 2 8 minus 6 ist 2; *to be left* übrigbleiben *od.* übrig sein; *there's nothing left for us but to go* uns bleibt nichts übrig als zu gehen; *to be left till called for* postlagernd; → *desire 1*; *undone 1*; **5.** *Narbe etc.* zu'rücklassen, *Eindruck, Nachricht, Spur etc.* hinter'lassen: *to* ~ *s.o. wondering whether* j-n im Zweifel darüber lassen, ob; *to* ~ *s.o. to himself* j-n sich selbst überlassen; **6.** *et.* stehen- *od.* liegenlassen, vergessen; **7.** über'lassen, an'heimstellen (*to dat.*): *to* ~ *nothing to accident* nichts dem Zufall überlassen; **8.** (*nach dem Tode*) hinter'lassen, zu'rücklassen: *he* ~*s a wife and five children*; **9.** vermachen, vererben (*to s.o.* j-m); **10.** (*auf der Fahrt*) *links od. rechts* liegen lassen: ~ *the mill on the left*; **11.** aufhören mit, (unter)'lassen; **II.** *v/i.* [*irr.*] **12.** (fort-, ab)gehen, abfahren, -reisen (*for* nach); **13.** gehen, die Stellung aufgeben; *Zssgn mit adv.*:

leave| a·bout *v/t.* her'umliegen lassen; ~ **a·lone** *v/t.* **1.** al'lein lassen; **2.** *j-n od. et.* in Ruhe lassen; *et.* auf sich beruhen lassen; ~ **behind** *v/t.* **1.** hinter'lassen, zu'rücklassen; **2.** *Gegner etc.* hinter sich lassen; **3.** *et.* liegen- *od.* stehenlassen, vergessen; ~ **off I.** *v/t.* **1.** aufhören mit, *die Arbeit* einstellen; **2.** *Gewohnheit etc.* aufgeben; **3.** *Kleidungsstück* ablegen (*nicht mehr tragen*); **II.** *v/i.* **4.** aufhören; ~ **out** *v/t.* aus-, weglassen; ~ **o·ver** *v/t.* (*als Rest*) übriglassen.

leave[2] [li:v] *s.* **1.** Erlaubnis *f*, Genehmigung *f*: *to ask* ~ *of s.o.* j-n um Erlaubnis bitten; *to take* ~ *to say* sich zu sagen erlauben; *by your* ~! mit Verlaub!; **2.** *bsd.* ⚔ *a.* ~ *of absence* Urlaub *m*: *to go on* ~ auf Urlaub gehen; *a man on* ~ ein Urlauber; **3.** Abschied *m*: *to take (one's)* ~ Abschied nehmen; *to take* ~ *of* von *j-m* Abschied nehmen; *to have taken* ~ *of one's senses* nicht (mehr) ganz bei Trost sein.

leaved [li:vd] *adj. bsd. in Zssgn* **1.** ⚘ ...blätt(e)rig; **2.** ...flügelig: *two-*~ *door* Flügeltür.

leav·en ['levn] **I.** *s.* **1. a)** Sauerteig *m* (*a. fig.*), **b)** Hefe *f*; **II.** *v/t.* **2.** *Teig* **a)** säuern, **b)** (auf)gehen lassen; **3.** *fig.* durch'setzen, -'dringen; '**leaven·ing** [-niŋ] *s.* Gär(ungs)stoff *m.*

leaves [li:vz] *pl. von leaf.*

'**leave|-tak·ing** *s.* Abschied(nehmen *n*) *m*; ~ **train** *s.* Urlauberzug *m*.

leav·ing ['li:viŋ] *s. mst pl.* 'Überbleibsel *pl.*, Reste *pl.*; ~ **cer·tif·i·cate** *s.* Abgangszeugnis *n.*

Leb·a·nese [lebə'ni:z] **I.** *adj.* liba'nesisch; **II.** *s. sg. u. pl.* Liba'nese *m*, Liba'nesin *f*, Libanesen *pl.*

lech·er ['letʃə] *s.* Wüstling *m*; **lech·er·ous** ['letʃərəs] *adj.* □ wollüstig, geil; '**lech·er·y** [-əri] *s.* Wollust *f*, Geilheit *f*, Unzüchtigkeit *f*.

lec·tern ['lektə(:)n] *s. eccl.* Lese-, Chorpult *n*.

lec·tion·ar·y ['lekʃnəri] *s. eccl.* Lektio'nar *n*.

lec·ture ['lektʃə] **I.** *s.* **1.** Vortrag *m*; *univ.* Vorlesung *f*, Kol'leg *n* (*on* über *acc.*, *to* vor *dat.*); ('Unterrichts)Lekti,on *f*: ~ *room* **a)** Vortragssaal, **b)** *univ.* Hörsaal; **2.** Strafpredigt *f*: *to read s.o. a* ~ → *5*; **II.** *v/i.* **3.** e-n Vortrag *od.* Vorträge halten (*to s.o. on s.th.* vor j-m über e-e Sache); **4.** *univ.* e-e Vorlesung *od.* Vorlesungen halten, lesen (*on* über *acc.*); **III.** *v/t.* **5.** *j-m* e-e Standpauke halten, *j-m* die Le'viten lesen; '**lec·tur·er** [-tʃərə] *s.* **1.** Vortragende(r *m*) *f*; **2.** *univ.* Do'zent(in); **3.** *Church of England*: Hilfsprediger *m*; '**lec·ture·ship** [-ʃip] *s.* **1.** *univ.* Dozen'tur *f*; **2.** *eccl.* Hilfspredigeramt *n*.

led [led] *pret. u. p.p. von lead*[1].

led cap·tain *s.* Speichellecker *m*.

ledge [ledʒ] *s.* **1.** Sims *m*, *n*, Leiste *f*, vorstehender Rand; **2.** (Fels-)Gesims *n*; **3.** Felsbank *f*, Riff *n*; **4.** ⚒ **a)** Lager *n*, **b)** Ader *f*.

ledg·er ['ledʒə] *s.* **1.** ✝ Hauptbuch *n*; **2.** ⚠ Querbalken *m*, Sturz *m* (*e-s Gerüsts*); **3.** große Steinplatte; '~**-line** *s.* **1.** Angelleine *f* mit festliegendem Köder; **2.** ♪ Hilfslinie *f*.

lee [li:] *s.* **1.** Schutz *m*: *under the* ~ *of* im Schutz von; **2.** (wind)geschützte Stelle; **3.** Windschattenseite *f*; **4.** ⚓ Lee(seite) *f*; '~**-board** *s.* ⚓ (Seiten)Schwert *n*.

leech [li:tʃ] *s.* **1.** *zo.* Blutegel *m*: *to stick like a* ~ *to fig.* wie e-e Klette hängen an *j-m*; **2.** *fig.* Schma'rotzer *m*, Para'sit *m*.

leek [li:k] *s.* ⚘ (Breit)Lauch *m*, Porree *m*: *to eat the* ~ e-e Beleidigung einstecken müssen.

leer [liə] **I.** *s.* (lüsterner *od.* gehässiger *od.* boshafter) Seitenblick; **II.** *v/i.* (lüstern *etc.*) schielen (*at* nach); **leer·y** ['liəri] *adj. sl.* **1.** schlau, gerissen; **2.** argwöhnisch.

lees [li:z] *s. pl.* Bodensatz *m*, Hefe *f* (*a. fig.*): *to drink* (*od. drain*) *to the* ~ *bsd. fig.* bis zur Neige leeren.

lee| shore *s.* ⚓ Leeküste *f*; ~ **side** *s.* ⚓ Leeseite *f*.

leet[1] [li:t] *s. Scot.* (Bewerber-, Kandi'daten)Liste *f*.

leet[2] [li:t] *s. hist.* Lehngericht(stag *m*) *n*.

lee·ward ['li:wəd; ⚓ 'lu(:)əd] **I.** *adj.* Lee...; **II.** *s.* Lee(seite) *f*: *to* ~ leewärts; **III.** *adv.* leewärts.

'**lee·way** *s.* **1.** ⚓, *a.* ✈ Abtrift *f*: *to make* ~ abtreiben; **2.** *fig.* Rückstand *m*: *to make up* ~ (Rückstand) aufholen, (Versäumtes) nachholen; **3.** *Am. fig.* Spielraum *m*.

left[1] [left] *pret. u. p.p. von leave*[1].

left[2] [left] **I.** *adj.* **1.** link: ~ *side*; **II.** *s.* **2.** Linke *f* (*a. pol.*), linke Seite: *on* (*od. to*) *the* ~ (*of*) links (von), linker Hand (von); *on our* ~ zu unserer Linken; *to the* ~ nach links; *to keep to the* ~ sich links halten, links fahren; **3.** *Boxen*: **a)** Linke *f* (*Faust*), **b)** Linke(r *m*) *f* (*Schlag*); **III.** *adv.* **4.** links: ~ *of* links von; **5.** (nach) links: ~ *turn* (*Am. face*)! ⚔ links um!; '~**-hand** *adj.* **1.** link; **2.** → *left-handed 1-4*; '~**-'hand·ed** *adj.* □ **1.** linkshändig: *a* ~ *person* ein Linkshänder; **2.** linkshändig (*Schlag etc.*); **3.** link, linksseitig; **4.** ⊕ linksgängig, -läufig, Links...; **5.** zweifelhaft, fragwürdig: ~ *compliments*; **6.** linkisch, ungeschickt; **7.** morga'natisch, zur linken Hand (*Ehe*); '~**-'hand·er** *s.* Linkshänder(in).

left·ist ['leftist] *pol.* **I.** *s.* '**Links**po,litiker *m*, -radi,kale(r) *m*; **II.** *adj.* linksgerichtet, 'linksradi,kal.

'**left|-'lug·gage lock·er** *s.* (Gepäck-)Schließfach *n*; '~**-'lug·gage of·fice** *s. Brit.* Gepäckaufbewahrung(sstelle) *f*; '~**-'o·ver I.** *adj.* übrig(geblieben); **II.** *s.* 'Überbleibsel *n*, (*bsd.* Speise)Rest *m*.

'**left-wing** *adj. pol.* dem linken Flügel angehörend, Links...

leg [leg] **I.** *s.* **1. a)** Bein *n*, **b)** 'Unterschenkel *m*; **2.** (*Hammel- etc.*)Keule *f*: ~ *of mutton*; **3. a)** Bein *n* (*Hose, Strumpf*), **b)** Schaft *m* (*Stiefel*); **4. a)** Bein *n* (*Tisch etc.*), **b)** Stütze *f*, **c)** Schenkel *m* (*Zirkel etc.*, *a.* ⚠ *Dreieck*); **5.** E'tappe *f*, Abschnitt *m*, Teilstrecke *f*; **6.** *sport* erster gewonnener 'Durchgang *od.* Lauf; **7.** *Kricket*: *Seite des Spielfelds, die links vom Schläger* (*u. rechts vom Werfer*) *liegt*; **II.** *v/i.* **8.** *mst* ~ *it* (zu Fuß) gehen, marschieren;

Besondere Redewendungen:

on one's ~*s* **a)** stehend (*bsd. um e-e Rede zu halten*), **b)** auf den Beinen (*Ggs. bettlägerig*); *to be on one's last* ~*s* auf dem letzten Loch pfeifen; *to find one's* ~*s* s-e Beine gebrauchen lernen; *to give s.o. a* ~ *up* j-m (hin)aufhelfen, *fig.* j-m unter die Arme greifen; *to have not a* ~ *to stand on fig.* keinerlei Beweise haben; *to pull s.o.'s* ~ F j-n ‚auf den Arm nehmen' *od.* aufziehen; *to shake a* ~ **a)** F das Tanzbein schwingen, **b)** *sl.* ‚Tempo machen'; *to stand on one's own* ~*s* auf eigenen Füßen stehen; *to stretch one's* ~*s* sich die Beine vertreten.

leg·a·cy ['legəsi] *s.* ⚖ Le'gat *n*, Vermächtnis *n* (*a. fig.*): *a* ~ *of hatred* Erbhaß; '~**-hunt·er** *s.* Erbschleicher *m*.

le·gal ['li:gəl] *adj.* □ **1.** gesetzlich, rechtlich: ~ *reserves* ✝ gesetzliche Rücklagen; **2.** le'gal, gesetzmäßig, rechtsgültig; **3.** Rechts..., ju'ristisch: ~ *adviser* Rechtsberater; ~ *aid* Rechtshilfe (*für bedürftige Personen*); ~ *capacity* Geschäftsfähigkeit; ~ *entity* juristische Person; ~ *force* Rechtskraft; ~ *remedy*

Rechtsmittel; **4.** gerichtlich: *a ~ decision*; *to take ~ steps against s.o.* gegen j-n gerichtlich vorgehen; **~ hol·i·day** *s.* gesetzlicher Feiertag.
le·gal·ism ['li:gəlizəm] *s.* **1.** strikte Einhaltung des Gesetzes; **2.** Paraˌgraphenreite'rei *f.*
le·gal·i·ty [li(:)'gæliti] *s.* Legali'tät *f*, Gesetzlichkeit *f.*
le·gal·i·za·tion [li:gəlai'zeiʃən] *s.* Legalisierung *f*; **le·gal·ize** ['li:gəlaiz] *v/t.* legalisieren, rechtskräftig machen, *a.* amtlich beglaubigen, beurkunden.
le·gal| re·serve *s.* ✝ gesetzliche Rücklage; **~ sep·a·ra·tion** *s.* ⚖ Ehetrennung *f*; **~ ten·der** *s.* gesetzliches Zahlungsmittel.
leg·ate[1] ['legit] *s.* (päpstlicher) Le'gat.
le·gate[2] [li'geit] *v/t.* (testamen'tarisch) vermachen.
leg·a·tee [legə'ti:] *s.* ⚖ Lega'tar(in), Vermächtnisnehmer(in).
le·ga·tion [li'geiʃən] *s. pol.* Gesandtschaft *f.*
le·ga·to [le'ga:tou] (*Ital.*) *adv.* ♪ le'gato, gebunden.
le·ga·tor [li'geitə] *s.* ⚖ Vermächtnisgeber(in), 'Erb-lasser(in).
'leg-'bail *s.*: *to give ~* Fersengeld geben.
leg·end ['ledʒənd] *s.* **1.** Sage *f*, (*a.* 'Heiligen)Leˌgende *f*; **2.** Le'gende *f*: **a)** erläuternder Text *zu Karten etc.*, (Bild)Text *m*, **b)** Inschrift *f auf Münzen etc.*; **'leg·end·ar·y** [-dəri] **I.** *adj.* sagenhaft, legen'där, Sagen...; **II.** *s.* Sagen-, Le'gendensammlung *f.*
leg·er·de·main ['ledʒədə'mein] *s.* Taschenspiele'rei *f*, (Zauber)Trick *m* (*a. fig.*); *fig.* Kniff *m*, Schwindel *m.*
legged [legd] *adj. bsd. in Zssgn* mit (...) Beinen, ...beinig; **leg·gings** ['legiŋz] *s. pl.* (hohe) Ga'maschen; **leg·gy** ['legi] *adj.* langbeinig.
leg·horn *s.* **1.** ['legho:n] itali'enischer Strohhut; **2.** [le'go:n] Leghorn *n* (*Hühnerrasse*).
leg·i·bil·i·ty [ledʒi'biliti] *s.* Leserlichkeit *f*; **leg·i·ble** ['ledʒəbl] *adj.* □ (gut) leserlich, deutlich.
le·gion ['li:dʒən] *s.* **1.** *antiq.* ⚔ Legi'on *f* (*a. fig. Unzahl*): *their name is ~ fig.* ihre Zahl ist Legion; **2.** Legi'on *f*, (*bsd.* Frontkämpfer-) Verband *m*: *the American (British)* ♀; ♀ *of Hono(u)r französische* Ehrenlegion; *the (Foreign)* ♀ die (fran'zösische) Fremdenlegion; **'le·gion·ar·y** [-dʒənəri] **I.** *adj.* Legions...; **II.** *s.* Legio'när *m.*
leg·is·late ['ledʒisleit] *v/i.* Gesetze geben *od.* machen; **leg·is·la·tion** [ledʒis'leiʃən] *s.* Gesetzgebung *f* (*a. weitS.* gegebene Gesetze *pl.*); **'leg·is·la·tive** [-lətiv] **I.** *adj.* □ **1.** gesetzgebend, legisla'tiv; **2.** Legislatur..., Gesetzgebungs...; **II.** *s.* **3.** Legisla'tive *f*: **a)** gesetzgebende Gewalt, **b)** gesetzgebende Körperschaft; **'leg·is·la·tor** [-leitə] *s.* Gesetzgeber *m*; **'leg·is·la·ture** [-leitʃə] → *legislative 3b.*
le·git·i·ma·cy [li'dʒitiməsi] *s.* **1.** Legitimi'tät *f*: **a)** Rechtmäßigkeit *f*, **b)** Ehelichkeit *f*, **c)** Berechtigung *f*; **2.** (Folge)Richtigkeit *f.*
le·git·i·mate [li'dʒitimit] **I.** *adj.* □ **1.** legi'tim: **a)** gesetzmäßig, gesetzlich, **b)** rechtmäßig, berechtigt (*Forderung etc.*), **c)** ehelich: *~ birth*; *~ son*; **2.** einwandfrei, folgerichtig; **II.** *v/t.* [-meit] **3.** legitimieren: **a)** für gesetzmäßig erklären, **b)** ehelich machen; **4.** als (rechts)gültig anerkennen; **5.** rechtfertigen; **~ dra·ma** *s.* **1.** lite'rarisch wertvolles Drama; **2.** echtes Drama (*Ggs. Film etc.*).
le·git·i·ma·tion [lidʒiti'meiʃən] *s.* Legiti'mierung *f*; Legitimati'on *f* (*a. Ausweis*); **le·git·i·ma·tize** [li'dʒitimətaiz] → *legitimate 3, 4, 5.*
le·git·i·mism [li'dʒitimizəm] *s. pol.* Legiti'mismus *m.*
le·git·i·mi·za·tion [lidʒitimai'zeiʃən] → *legitimation*; **le·git·i·mize** [li'dʒitimaiz] → *legitimate 3, 4, 5.*
leg·less ['leglis] *adj.* beinlos.
leg-of-'mut·ton *adj.* Keulen...
'leg-pull(·ing) *s.* F Foppe'rei *f*, Necke'rei *f.*
leg·ume ['legju:m] *s.* **1.** ♀ **a)** Legumi'nose *f*, Hülsenfrucht *f*, **b)** Hülse *f* (*Frucht der Leguminosen*); **2.** *mst pl.* Gemüse *n*; **le·gu·mi·nous** [le'gju:minəs] *adj.* Hülsen...; hülsentragend.
lei·sure ['leʒə] **I.** *s.* Muße *f*, freie Zeit: *at ~* **a)** mit Muße, **b)** frei, unbeschäftigt; *at your ~* wenn es Ihnen (gerade) paßt; **II.** *adj.* Muße..., frei: *~ hours*; *~ industry* Freizeitindustrie; *~ time* Freizeit; *~ wear* Freizeitkleidung; **'lei·sured** [-əd] *adj.* frei, unbeschäftigt, müßig: *the ~ classes* die begüterten Klassen; **'lei·sure·li·ness** [-linis] *s.* Gemächlichkeit *f*; **'lei·sure·ly** [-li] *adj. u. adv.* gemächlich.
leit·mo·tiv, *a.* **leit·mo·tif** ['laitmouti:f] *s. bsd.* ♪ 'Leitmoˌtiv *n.*
lem·an ['lemən] *s. obs.* Buhle *m u. f*, Geliebte(r *m*) *f.*
lem·ming ['lemiŋ] *s. zo.* Lemming [*m* (*Wühlmaus*).
lem·on ['lemən] **I.** *s.* **1.** Zi'trone *f*; **2.** Zi'tronenbaum *m*; **3.** Zi'tronengelb *n*; **4.** *Am. sl.* ‚Niete' *f* (*a. Person*); **II.** *adj.* **5.** zi'tronengelb; **lem·on·ade** [lemə'neid] *s.* Zi'tronenlimoˌnade *f.*
'lem·on|-juice *s.* Zi'tronensaft *m*; **~ squash** *s. Brit.* Zi'tronenlimoˌnade *f* (mit Soda); **'~-squeez·er** *s.* Zi'tronenpresse *f.*
le·mur ['li:mə] *s. zo.* Le'mure *m*; Maki *m.*
lem·u·res ['lemjəri:z] *s. pl. myth.* Le'muren *pl.* (*Gespenster*).
lend [lend] *v/t.* [*irr.*] **1.** (ver-, aus)leihen: *to ~ s.o. money* (*od. money to s.o.*) j-m Geld leihen, an j-n Geld verleihen; **2.** *fig. Würde etc.* verleihen (*to dat.*); **3.** *Hilfe etc.* leisten, gewähren: *to ~ itself to* sich eignen zu *od.* für (*Sache*); → *ear*[1] *3, hand Redew.*; **4.** *s-n Namen* hergeben (*to* zu): *to ~ o.s. to* sich hergeben zu; **lend·er** ['lendə] *s.* Aus-, Verleiher(in), Geld-, Kre'ditgeber(in); **'lend·ing-li·brar·y** ['lendiŋ] *s.* ˌLeihbüche'rei *f.*
'Lend-'Lease Act *s.* Leih-Pacht-Gesetz *n* (*1941*).
length [leŋθ] *s.* **1.** Länge *f*: **a)** *als Maß, a.* Stück *n* (*Stoff etc.*): *two feet in ~* 2 Fuß lang, **b)** (*a.* lange) Strecke, **c)** 'Umfang *m* (*Buch, Liste etc.*), **d)** (*a.* lange) Dauer (*a. Phonetik*); **2.** *sport* Länge *f* (Vorsprung);
Besondere Redewendungen:
at ~ **a)** ausführlich, **b)** endlich, schließlich; *at full ~* **a)** (ganz) ausführlich, **b)** der Länge nach; *at great (some) ~* sehr (ziemlich) ausführlich; *to go (to) great ~s* **a)** sehr weit gehen, **b)** sich sehr bemühen; *he went (to) the ~ of asserting* er ging so weit zu behaupten; *to go (to) all ~s* aufs Ganze gehen, vor nichts zurückschrecken; *to go any ~* alles (Erdenkliche) tun.
length·en ['leŋθən] **I.** *v/t.* **1.** verlängern; **2.** ausdehnen; **II.** *v/i.* **3.** sich verlängern, länger werden; **4.** *~ out* sich in die Länge ziehen; **'length·en·ing** [-θəniŋ] **I.** *s.* Verlängerung *f*; **II.** *adj.* Verlängerungs...
length·i·ness ['leŋθinis] *s.* Langatmigkeit *f*, Weitschweifigkeit *f.*
'length·ways, 'length·wise *adv.* der Länge nach, längs.
length·y ['leŋθi] *adj.* □ sehr *od.* 'übermäßig lang; langatmig.
le·ni·en·cy ['li:njənsi], *a.* **le·ni·ence** ['li:njəns] *s.* Milde *f*, Nachsicht *f*; **'le·ni·ent** [-nt] *adj.* □ mild(e), nachsichtig (*to*[*wards*] gegen'über).
len·i·tive ['lenitiv] **I.** *adj.* ⚕ lindernd; **II.** *s.* ⚕ Linderungsmittel *n.*
len·i·ty ['leniti] *s.* Nachsicht *f*, Milde *f.*
lens [lenz] *s.* **1.** *anat., a. phot., phys.* Linse *f*; **2.** *phot.* Objek'tiv *n*; *pl.* ⚕, *opt.* Gläser *pl.*; **~ hood, ~ screen** *s. phot.* Gegenlichtblende *f*; **~ sys·tem** *s.* Optik *f.*
lent[1] [lent] *pret. u. p.p. von lend.*
Lent[2] [lent] *s.* Fasten(zeit *f*) *pl.*; **'Lent·en** [-tən] *adj.* Fasten...; fastenmäßig, mager.
len·tic·u·lar [len'tikjulə] *adj.* □ **1.** linsenförmig; *bsd. anat.* Linsen...; **2.** *phys.* bikon'vex.
len·til ['lentil] *s.* ♀ Linse *f.*
Lent| lil·y *s.* ♀ Nar'zisse *f*; **~ term** *s. Brit.* 'Frühjahrstriˌmester *n.*
Le·o ['li(:)ou] *s. ast.* Löwe *m.*
le·o·nine ['li(:)ənain] *adj.* Löwen...; ♀ **cit·y** *s.* Leostadt *f* (*Teil von Rom, in dem die Vatikanstadt liegt*); ♀ **verse** *s.* leo'ninischer Vers.
leop·ard ['lepəd] *s. zo.* Leo'pard *m*: *black ~* Schwarzer Panther; **'~-cat** *s. zo.* Ben'galkatze *f.*
lep·er ['lepə] *s.* Aussätzige(r *m*) *f*, Leprakranke(r *m*) *f.*
lep·i·dop·ter·ous [lepi'dɔptərəs] *adj.* Schmetterlings...
lep·o·rine ['lepərain] *adj. zo.* Hasen...
lep·ro·sy ['leprəsi] *s.* ⚕ Lepra *f*, Aussatz *m*; **'lep·rous** [-əs] *adj.* **1.** leprakrank, aussätzig; **2.** le'prös, Lepra...
Les·bi·an ['lezbiən] *adj.* lesbisch.
lese-maj·es·ty ['li:z'mædʒisti] *s.* **1.** Maje'stätsbeleidigung *f*; **2.** Hochverrat *m.*
le·sion ['li:ʒən] *s.* **1.** Verletzung *f*, Wunde *f*; **2.** krankhafte Veränderung (*e-s Organs*).

less [les] **I.** *adv.* (*comp. von little*) weniger, in geringerem Maße *od.* Grade: *a ~ known* (*od. ~-known*) *author* ein weniger bekannter Autor; *~ and ~* immer weniger; *the ~ so as* (dies) um so weniger, als; **II.** *adj.* (*comp. von little*) geringer, kleiner, weniger: *in ~ time* in kürzerer Zeit; *no ~ a person than* kein Geringerer als; **III.** *s.* weniger, e-e kleinere Menge *od.* Zahl, ein geringeres (Aus)Maß: *to do with ~* mit weniger auskommen; *little ~ than* so gut wie, schon fast; *nothing ~ than* zumindest; **IV.** *prp.* weniger, minus, ✝ abzüglich.

les·see [le'si:] *s.* ⚖ 'Leasingnehmer (-in), Mieter(in).

less·en ['lesn] **I.** *v/i.* sich vermindern *od.* verringern, abnehmen, geringer *od.* kleiner werden; **II.** *v/t.* vermindern, -ringern, -kleinern; her'absetzen, schmälern (*a. fig.*).

less·er ['lesə] *adj.* (*nur attr.*) kleiner, geringer; unbedeutender.

les·son ['lesn] *s.* **1.** Lekti'on *f* (*a. fig. Denkzettel, Strafe*), Übungsstück *n*; (*a.* Haus)Aufgabe *f*; **2.** (Lehr-, 'Unterrichts)Stunde *f*; *pl.* 'Unterricht *m*, Stunden *pl.*: *to give ~s* Unterricht erteilen; *to take ~s from s.o.* Stunden *od.* Unterricht bei j-m nehmen; **3.** *fig.* Lehre *f*: *let this be a ~ to you* laß dir das zur Lehre *od.* Warnung dienen; **4.** *eccl.* Lekti'on *f*, Lesung *f*.

les·sor [le'sɔ:] *s.* ⚖ 'Leasinggeber (-in), Vermieter(in).

lest [lest] *cj.* **1.** (*mst mit folgendem should konstr.*) daß *od.* da'mit nicht; aus Furcht, daß; **2.** (*nach Ausdrücken des Befürchtens*) daß: *to fear ~*.

let¹ [let] **I.** *s.* **1.** *Brit.* F Vermieten *n*, Vermietung *f*: *to get a ~ for* e-n Mieter finden für; **II.** *v/t.* [*irr.*] **2.** lassen, *j-m* erlauben: *~ me help you* lassen Sie mich Ihnen helfen; *to ~ s.o. know* j-n wissen lassen; *to ~ into* **a)** (her)einlassen in (*acc.*), **b)** *j-n* einweihen in *ein Geheimnis*, **c)** *Stück Stoff etc.* einsetzen in (*acc.*); *to ~ s.o. off a penalty* j-m e-e Strafe erlassen; *to ~ s.o. off a promise* j-n von e-m Versprechen entbinden; **3.** vermieten (*to* an *acc.*, *for* auf *ein Jahr etc.*); **4.** *Arbeit etc.* vergeben (*to* an *j-n*); **III.** *v/aux.* [*irr.*] **5.** lassen, mögen, sollen (*zur Umschreibung des Imperativs der 1. u. 2. Person*): *~ us go! Yes, ~'s!* gehen wir! Ja, gehen wir! (*od.* Ja, einverstanden!); *~ him go there at once!* er soll sofort hingehen!; (*just*) *~ them try* das sollen sie nur versuchen; *~ me see!* einen Augenblick!; *~ A be equal to B* nehmen wir an, A ist gleich B; *~ those people be told that* diese Leute mögen sich gesagt sein lassen, daß; **IV.** *v/i.* [*irr.*] **6.** sich vermieten (lassen) (*at, for* für);

Besondere Redewendungen:

~ alone **a)** geschweige denn, ganz zu schweigen von, **b)** → *let alone*; *to ~ loose* loslassen; *to ~ be* **a)** *et.* sein lassen, **b)** *et. od. j-n* in Ruhe lassen; *to ~ drive at s.o.* auf j-n losschlagen *od.* -feuern; *to ~ fall* **a)** (*a. fig. Bemerkung*) fallen lassen, **b)** ⩘ *Senkrechte* fällen (*on, upon* auf *acc.*); *to ~ fly* **a)** *et.* abschießen, *fig. et.* vom Stapel lassen, **b)** (*v/i.*) abdrücken (*at* auf *acc.*), *fig.* vom Leder ziehen, grob werden; *to ~ go* **a)** loslassen, lassen, **b)** (ab)laufen lassen, es sausen lassen, **c)** loslegen, *a.* drauflos *schießen etc.* (*with* mit); *to ~ o.s. go* sich gehenlassen; *to ~ go of s.th.* et. loslassen; *~ it go at that* laß es dabei bewenden;

Zssgn mit adv.:

let| a·lone *v/t.* **1.** al'lein lassen, verlassen; **2.** *j-n od. et.* in Ruhe lassen; *et.* sein lassen; die Finger von *et.* lassen (*a. fig.*); → *well¹ 18*; **~ down** *v/t.* **1.** her'unterlassen: *to let s.o. down gently* mit j-m glimpflich verfahren; **2.** *j-n* im Stich lassen; *j-n* enttäuschen; **~ in** *v/t.* **1.** (her-) 'einlassen; **2.** *Stück* einlassen, -setzen; **3.** einweihen (*on* in *acc.*); **4.** reinlegen, betrügen (*for* um); **5.** *to let s.o. in for* j-m *et.* aufhalsen *od.* einbrocken; *to let o.s. in for* sich *et.* einbrocken, sich auf *et.* einlassen; **~ off** *v/t.* **1.** abfeuern, abschießen; → *steam 1*; **2.** *Witz etc.* vom Stapel lassen; **3.** *j-n* laufen lassen, *mit e-r Geldstrafe etc.* da'vonkommen lassen; **~ on** F **I.** *v/i.* **1.** ‚plaudern' (*Geheimnis verraten*); **2.** vorgeben, so tun als ob; **II.** *v/t.* **3.** verraten; **~ out** *v/t.* **1.** her'auslassen; **2.** *Kleid* auslassen; **3.** *Geheimnis* ausplaudern; **4.** → *let¹ 3, 4*; **~ up** *v/i.* F **1.** **a)** nachlassen, **b)** aufhören; **2.** *Am.* ablassen (*on* von).

let² [let] *s.* **1.** *Tennis*: Netzaufschlag *m*; **2.** *without ~ or hindrance* völlig unbehindert.

'let-'down *s.* **1.** Nachlassen *n*; **2.** F Enttäuschung *f*.

le·thal ['li:θəl] *adj.* **1.** tödlich, todbringend; **2.** Todes...

le·thar·gic *adj.*; **le·thar·gi·cal** [li'θɑ:dʒik(əl)] *adj.* □ le'thargisch: **a)** ⚕ schlafsüchtig, **b)** stumpf, träg(e); **leth·ar·gy** ['leθədʒi] *s.* Lethar'gie *f*; Teilnahmslosigkeit *f*, Stumpfheit *f*.

Le·the ['li:θi(:)] *s.* **1.** Lethe *f* (*Fluß des Vergessens im Hades*); **2.** *poet.* Vergessen(heit *f*) *n*.

Lett [let] *s.* **1.** Lette *m*, Lettin *f*; **2.** *ling.* Lettisch *n*.

let·ter ['letə] **I.** *s.* **1.** Buchstabe *m* (*a. fig. buchstäblicher Sinn*): *to the ~ fig.* buchstäblich; *the ~ of the law* der Buchstabe des Gesetzes; *in ~ and in spirit* dem Buchstaben u. dem Sinne nach; **2.** Brief *m*, Schreiben *n* (*to an acc.*): *by ~* brieflich, schriftlich; *~ of application* Bewerbungsschreiben; *~ of attorney* ⚖ Vollmacht; *~ of credit* ✝ Akkreditiv; **3.** *pl.* Urkunde *f*: *~s of administration* ⚖ Nachlaßverwalter-Zeugnis; *~s testamentary* Testamentsvollstrecker-Zeugnis; *~s* (*od. ~*) *of credence*, *~s credential pol.* Beglaubigungsschreiben; *~s patent* ⚖ (*sg. od. pl. konstr.*) Patenturkunde; **4.** *typ.* **a)** Letter *f*, Type *f*, **b)** *coll.* Lettern *pl.*, Typen *pl.*, **c)** Schrift(art) *f*; **5.** *pl.* **a)** (schöne) Litera'tur, **b)** Bildung *f*, **c)** Wissenschaft *f*: *man of ~s* Literat, Gelehrter; **II.** *v/t.* **6.** beschriften; mit Buchstaben bezeichnen; *Buch* betiteln.

'let·ter|-bal·ance *s.* Briefwaage *f*; **'~-book** *s.* Briefordner *m* (*für Kopien*); **'~-box** *s. bsd. Brit.* Briefkasten *m*; **'~-card** *s. Brit.* Kartenbrief *m*; **'~-car·ri·er** *s.* Briefträger *m*; **'~-case** *s.* Briefmappe *f*.

let·tered ['letəd] *adj.* **1.** (lite'rarisch) gebildet; gelehrt; **2.** bedruckt.

'let·ter|-file *s.* Briefordner *m*; **'~-found·er** *s. typ.* Schriftgießer *m*.

let·ter·gram ['letəgræm] *s. Am.* 'Brieftele,gramm *n*.

let·ter head *s.* **1.** (gedruckter) Briefkopf; **2.** 'Kopfpa,pier *n*.

let·ter·ing ['letəriŋ] *s.* Titel-, Aufdruck *m*, Beschriftung *f*.

'let·ter|-'per·fect *adj. thea.* rollensicher; *allg.* buchstabengetreu; **'~-press** *s.* 'Briefko,pierpresse *f*; **'~-press** *s. typ.* **1.** (Druck)Text *m*; **2.** Hoch-, Buchdruck *m*: *~ printing* Typendruck; **'~-weight** *s.* **1.** Briefwaage *f*; **2.** Briefbeschwerer *m*; **'~-writ·er** *s.* **1.** Briefschreiber *m*; **2.** Briefsteller *m*.

Let·tish ['letiʃ] **I.** *adj.* lettisch; **II.** *s. ling.* Lettisch *n*.

let·tuce ['letis] *s.* ⚘ (*bsd.* Garten-) Lattich *m*; (*bsd.* 'Kopf)Sa,lat *m*.

'let-up *s.* F Nachlassen *n*, Aufhören *n*, Unter'brechung *f*.

leuco- [lju:kou; -ə] *in Zssgn* weiß.

leu·co·cyte ['lju:kəsait] *s. physiol.* Leuko'zyte *f*, weißes Blutkörperchen.

leu·co·ma [lju:'koumə] *s.* ⚕ Leu'kom *n* (*Hornhauttrübung*).

leu·cor·rh(o)e·a [lju:kə'ri:ə] *s.* ⚕ Leukor'rhöe *f*, Weißfluß *m*.

leu·k(a)e·mi·a [lju:'ki:miə] *s.* ⚕ Leukä'mie *f*.

le·vant [li'vænt] *v/i. Brit.* 'durchbrennen.

Le·van·tine ['levəntain] **I.** *s.* Levan'tiner(in); **II.** *adj.* levan'tinisch.

lev·ee¹ ['levi] *s. Am.* (Ufer-, Schutz-) Damm *m* (*Fluß*).

lev·ee² ['levi] *s.* **1.** *hist.* Le'ver *n*, Morgenempfang *m* (*e-s Fürsten*); **2.** *allg.* Empfang *m*.

lev·el ['levl] **I.** *s.* **1.** ebene Fläche; Ebene *f* (*a. fig. pol. etc.*): *dead ~* gerade Ebene, *fig.* Eintönigkeit; **2.** (*a.* gleiche) Höhe; (*Meeres-*, ⚕ *Blutkalk- etc.*)Spiegel *m*; (*a. geistiges etc.*) Ni'veau; *fig.* Stand *m*, Stufe *f*: *~ of employment* Beschäftigungsstand; *~ of prices* Preisniveau; *on a ~ with* auf gleicher Höhe mit (*a. fig.*); *on the ~* F ehrlich, fair; *to find one's ~ fig.* den Platz einnehmen, der e-m zukommt; **3.** ⊕ Li'belle *f*, Wasserwaage *f*; Nivelliergerät *n*; ⚒ Sohle *f*; **II.** *adj.* **4.** eben; waag(e)recht, horizon'tal: *~ printing* Flachdruck; *~ teaspoon* gestrichener Teelöffel(voll); **5.** gleich: *~ stress ling.* schwebende Betonung; *to make ~ with the ground* dem Erdboden gleichmachen; *~ with* auf gleicher Höhe *od.* Stufe mit; *to draw ~ with s.o.* j-n einholen; **6.** gleichmäßig, ausgeglichen: *to do one's ~ best* sein möglichstes tun; **7.** vernünftig, verständig, ruhig; **III.** *v/t.* **8.** (ein)ebnen, planieren: *to ~* (*to od. with the ground*) dem Erdboden gleichmachen; **9.** *j-n* zu Boden schlagen; **10.** *fig.* gleichmachen, nivellieren (*a. surv.*); **11.** *Waffe, a. Kritik etc.* richten (*at, against* auf *acc.*); **IV.** *v/i.* **12.** (*fig.* ab)zielen (*at* auf *acc.*); ~ **down** *v/t.* auf ein tieferes Ni'veau her'abdrükken; *Preise, Löhne etc.* her'absetzen; ~ **off** *v/t.* ✈ abfangen; ~ **up** *v/t.* auf ein höheres Ni'veau heben; *Preise, Löhne etc.* hin'aufschrauben.

'lev·el-'head·ed *adj.* vernünftig, nüchtern, klar.

lev·el·(l)er ['levlə] *s. pol.* Gleichmacher *m*; **'lev·el·(l)ing** [-liŋ] *adj.* ⊕, *surv.* Nivellier...: ~ *screw.*

le·ver ['li:və] **I.** *s.* **1.** ⊕, *phys.* Hebel *m*; Hebebaum *m*; Brechstange *f*; Anker *m* (*Uhr*): ~ *escapement* Ankerhemmung; **2.** *fig.* Hebel *m*, (*bsd.* mo'ralisches Druck)Mittel; **II.** *v/t.* **3.** hebeln, mit e-m Hebel bewegen; **'le·ver·age** [-əridʒ] *s.* **1.** ⊕ Hebelanordnung *f*, -anwendung *f*, -kraft *f*, -wirkung *f*; **2.** *fig.* Einfluß *m*; **3.** → *lever* 2.

lev·er·et ['levərit] *s.* Junghase *m*, Häs-chen *n*.

le·ver| switch *s.* ⊕ Hebel-, Griffschalter *m*; ~ **watch** *s.* Ankeruhr *f*.

le·vi·a·than [li'vaiəθən] *s. bibl.* Levi'athan *m*; (See)Ungeheuer *n*; *fig.* Ungetüm *n*, Riese *m* (*bsd. Schiff*).

lev·i·gate ['levigeit] *v/t.* pulverisieren; (*a.* zu e-r Paste) verreiben.

lev·i·tate ['leviteit] *v/i. u. v/t.* frei schweben (lassen); **lev·i·ta·tion** [levi'teiʃən] *s.* Levitati'on *f*, Schweben *n*.

Le·vite ['li:vait] *s. bibl.* Le'vit *m*.

Le·vit·i·cus [li'vitikəs] *s. bibl.* Le'vitikus *m*, Drittes Buch Mose.

lev·i·ty ['leviti] *s.* Leichtsinn *m*, -fertigkeit *f*, Frivoli'tät *f*.

lev·u·lose → *laevulose.*

lev·y ['levi] **I.** *s.* **1.** ✝ **a)** Erhebung *f* (*Steuern etc.*), **b)** Abgabe *f*: *capital* ~ Kapitalabgabe, **c)** Beitrag *m*, 'Umlage *f*; **2.** ⚖ Voll'streckungsvoll,zug *m*; **3.** ⚔ **a)** Aushebung *f*, **b)** *a. pl.* ausgehobene Truppen *pl.*, Aufgebot *n*; **II.** *v/t.* **4.** *Steuern etc.* erheben; auferlegen (*on dat.*); **5. a)** beschlagnahmen, **b)** *Beschlagnahme* 'durchführen; **6.** ~ *blackmail* erpressen; **7.** ⚔ **a)** *Truppen* ausheben, **b)** *Krieg* anfangen *od.* führen ([*up*]*on* gegen).

lewd [lu:d] *adj.* □ unzüchtig, liederlich, lüstern; **'lewd·ness** [-nis] *s.* Unzüchtigkeit *f*, Lüsternheit *f*.

lex·i·cal ['leksikəl] *adj.* □ lexi'kal(isch); **lex·i·cog·ra·pher** [leksi'kɔgrəfə] *s.* Lexiko'graph(in), Wörterbuchverfasser(in); **lex·i·co·graph·ic** *adj.*; **lex·i·co·graph·i·cal** [leksikə'græfik(əl)] *adj.* □ lexiko'graphisch; **lex·i·cog·ra·phy** [leksi'kɔgrəfi] *s.* Lexikogra'phie *f*; **lex·i·col·o·gy** [leksi'kɔlədʒi] *s.* Lexikolo'gie *f*; **lex·i·con** ['leksikən] *s.* **1.** Lexikon *n*, Wörterbuch *n*; **2.** Wortschatz *m*.

li·a·bil·i·ty [laiə'biliti] *s.* **1.** ✝, ⚖ **a)** Verpflichtung *f*, Verbindlichkeit *f*, Schuld *f*; *pl. Bilanz*: Pas'siva *pl.*, **b)** Haftung *f*, Haftpflicht *f*: ~ *insurance* Haftpflichtversicherung; → *limited I*; **2.** Verantwortlichkeit *f*; **3.** Ausgesetztsein *n*, Unter'worfensein *n* (*to s.th.* e-r Sache); (*Steuer-, Wehr- etc.*)Pflicht *f*: ~ *to penalty* Strafbarkeit; **4.** (*to*) Hang *m*, Neigung *f* (zu), Anfälligkeit *f* (für).

li·a·ble ['laiəbl] *adj.* **1.** ✝, ⚖ verantwortlich (*for* für), haftbar, -pflichtig: *to be* ~ *for* haften für; **2.** verpflichtet (*for* zu); (*steuer- etc.*)pflichtig; **3.** (*to*) neigend (zu), ausgesetzt (*dat.*), unter'worfen (*dat.*): *to be* ~ *to* **a)** *e-r Sache* ausgesetzt sein *od.* unterliegen, **b)** (*mit inf.*) leicht *et. tun* (können), in Gefahr sein *vergessen etc.* zu *werden*, **c)** (*mit inf.*) *et.* wahrscheinlich *tun*; ~ *to prosecution* strafbar, -fällig.

li·ai·son [li(:)'eizɔ̃:ŋ; ljɛzɔ̃] (*Fr.*) *s.* **1.** Zs.-arbeit *f*, Verbindung *f*: ~ *officer* ⚔ Verbindungsoffizier; **2.** Liai'son *f*: **a)** (Liebes)Verhältnis *n*, **b)** *ling.* Bindung *f*.

li·a·na [li'ɑ:nə] *s.* ⚘ Li'ane *f*.

li·ar ['laiə] *s.* Lügner(in).

Li·as ['laiəs] *s. geol.* Lias *m, f*, schwarzer Jura.

li·ba·tion [lai'beiʃən] *s.* **1.** Trankopfer *n*; **2.** *humor.* Zeche'rei *f*.

li·bel ['laibəl] **I.** *s.* **1.** ⚖ **a)** Verleumdung *f od.* Beleidigung *f* (durch Veröffentlichung), *bsd.* Schmähschrift *f*, **b)** Klageschrift *f*; **2.** *allg.* (*on*) Verunglimpfung *f* (*gen.*), Hohn *m* gegen; **II.** *v/t.* **3.** ⚖ schriftlich *etc.* verleumden; **4.** *allg.* verunglimpfen; **'li·bel·(l)ant** [-lənt] *s.* ⚖ Kläger *m*; **li·bel·(l)ee** [laibə'li:] *s.* ⚖ Beklagte(r) *m*; **'li·bel·(l)ous** [-bləs] *adj.* □ verleumderisch, Schmäh...

lib·er·al ['libərəl] **I.** *adj.* □ **1.** libe'ral (*a. pol.*), frei(sinnig), vorurteilsfrei, aufgeschlossen; **2.** großzügig: **a)** freigebig (*of* mit), **b)** reichlich (bemessen), **c)** frei, weitherzig: ~ *interpretation*, **d)** allgemein(bildend): ~ *education* allgemeinbildende Erziehung, (gute) Allgemeinbildung; ~ *profession* freier Beruf; **II.** *s.* **3.** *oft* ♀ *pol.* Libe'rale(r) *m*; ~ **arts** *s. pl.* **1.** Fächer *pl.* der philo'sophischen Fakul'tät (*einschließlich Mathematik, Naturwissenschaften u. Soziologie*); **2.** *hist.* freie Künste *pl.*

lib·er·al·ism ['libərəlizəm] *s.* Libera'lismus *m*; **lib·er·al·i·ty** [libə'ræliti] *s.* **1.** Großzügigkeit *f*; **2.** Freisinnigkeit *f*, Vorurteilslosigkeit *f*; **lib·er·al·i·za·tion** [libərəlai'zeiʃən] *s.* ✝, *pol.* Liberalisierung *f*; **'lib·er·al·ize** [-laiz] *v/t.* ✝, *pol.* liberalisieren.

Lib·er·al Par·ty *s. pol.* Libe'rale Par'tei (*in Großbritannien*).

lib·er·ate ['libəreit] *v/t.* **1.** befreien (*from* von) (*a. fig.*); *Sklaven etc.* freilassen; **2.** ⚗ frei machen; **lib·er·a·tion** [libə'reiʃən] *s.* **1.** Befreiung *f*; **2.** ⚗ Freimachen *n*, -werden *n*; **'lib·er·a·tor** [-tə] *s.* Befreier *m*.

Li·be·ri·an [lai'biəriən] **I.** *s.* Li'berier(in); **II.** *adj.* li'berisch.

lib·er·tin·age ['libətinidʒ] → *libertinism*; **'lib·er·tine** [-ə(:)tain] *s.* Wüstling *m*; **'lib·er·tin·ism** [-tinizəm] *s.* Liederlichkeit *f*, Liberti'nismus *m*.

lib·er·ty ['libəti] *s.* **1.** Freiheit *f*: **a)** per'sönliche *etc.* Freiheit: *religious* ~ Religionsfreiheit, **b)** freie Wahl, Erlaubnis *f*: *large* ~ *of action* weitgehende Handlungsfreiheit, **c)** *mst pl.* Privi'leg *n*, (Vor)Recht *n*, **d)** *b.s.* Ungehörigkeit *f*; **2.** Freibezirk *m* (*e-r Stadt*);

Besondere Redewendungen:

at ~ **a)** in Freiheit, frei, **b)** berechtigt, **c)** unbenützt; *to be at* ~ *to do s.th.* et. tun dürfen; *you are at* ~ *to go* es steht Ihnen frei zu gehen; *to set at* ~ freilassen, befreien; *to take the* ~ *to do* (*od. of doing*) *s.th.* sich die Freiheit nehmen, et. zu tun; *to take liberties with* **a)** sich Freiheiten gegen *j-n* herausnehmen, **b)** willkürlich mit *et.* umgehen.

li·bid·i·nous [li'bidinəs] *adj.* □ libidi'nös, wollüstig, lüstern; **li·bi·do** [li'bi:dou] *s.* Li'bido *f*, (Geschlechts-)Trieb *m*.

Li·bra ['li:brə] *s. ast.* Waage *f*.

li·brar·i·an [lai'brɛəriən] *s.* Bibliothe'kar(in); **li'brar·i·an·ship** [-ʃip] *s.* Bibliothe'karsamt *n*.

li·brar·y ['laibrəri] *s.* Biblio'thek *f*: **a)** *öffentliche* Büche'rei, **b)** *private* Büchersammlung, **c)** Studierzimmer *n*, **d)** Buchreihe *f*.

li·bret·to [li'bretou] *s.* ♪ Li'bretto *n*, Text(buch *n*) *m*.

Lib·y·an ['libiən] **I.** *adj.* libysch; **II.** *s.* Libyer(in).

lice [lais] *pl. von louse.*

li·cence ['laisəns] **I.** *s.* **1.** Erlaubnis *f*; (*a.* ✝ Pa'tent-, Ver'kaufs)Li,zenz *f*, Konzessi'on *f*, behördliche Genehmigung; amtlicher Zulassungsschein, (*Führer-, Jagd-, Waffen- etc.*)Schein *m*: ~ *fee* Lizenzgebühr; ~ *plate mot.* amtliches *od.* polizeiliches Kennzeichen, Nummernschild; *special* ~ Sondergenehmigung; **2.** Eheerlaubnis *f*; **3.** *künstlerische, dichterische* Freiheit; **4.** Zügellosigkeit *f*; **II.** *v/t.* **5.** → *license I*; **'li·cense** [-s] **I.** *v/t.* **1.** lizenzieren; konzessionieren; (amtlich) genehmigen *od.* zulassen; **2.** *Buch* zur Veröffentlichung *od. Theaterstück* zur Aufführung freigeben; **3.** *j-n* ermächtigen; **II.** *s.* **4.** *Am.* → *licence I*; **'li·censed** [-st] *adj.* **1.** (zum Ausschank alko'holischer Getränke *etc.*) konzessioniert, lizenziert, amtlich zugelassen; **2.** Lizenz...: ~ *construction* Lizenzbau; **3.** privilegiert; **li·cen·see** [laisən'si:] *s.* Li'zenznehmer *m*, Konzessi'onsinhaber *m*; **'li·cens·er** [-sə] *s.* **1.** Li'zenzgeber *m*, Konzessi'onserteiler *m*; **2.** Zensor *m*; **li·cen·ti·ate** [lai'senʃiit] *s. univ.* Lizenti'at *m*.

li·cen·tious [lai'senʃəs] *adj.* □ unzüchtig, ausschweifend, liederlich.

li·chen ['laiken] *s.* ⚘, ⚕ Flechte *f*.

'lich-gate [litʃ] *s. überdachtes* Friedhofstor.

lick [lik] **I.** *v/t.* **1.** (be-, ab-, auf-) lecken: *to* ~ *s.o.'s boots od. shoes* vor j-m kriechen; *to* ~ *into shape* in die richtige Form bringen, zurechtbiegen, -stutzen; → *dust 1*; **2.** F **a)** verprügeln, ‚verdreschen', **b)** schlagen, besiegen, **c)** über'treffen: *this* ~*s me* das geht über m-n Horizont; **II.** *v/i.* **3.** züngeln (*Flamme*); **III.** *s.* **4.** Lecken *n*; **5.** (*das*) bißchen, Spur *f*; **6.** F **a)** Schlag *m*, **b)** ‚Tempo' *n*: (*at*) *full* ~ mit größter Geschwindigkeit, **c)** *Am.* (kurzer) Kraftaufwand; **7.** Salzlecke *f*; **'lick·er** [-kə] *s.* ⊕ (Tropf)Öler *m*; **'lick·er·ish** ['likəriʃ] *adj.* naschhaft, leckermäulig; gierig, lüstern (*after* nach).

'lick·e·ty-'split ['likəti] *adv. Am.* F wie der Blitz.

lick·ing ['likiŋ] *s.* **1.** Lecken *n*; **2.** F Prügel *pl.*, ‚Dresche' *pl.* (*a. fig. Niederlage*).

'lick·spit·tle *s.* Speichellecker *m.*

lic·o·rice *Am.* → *liquorice.*

lid [lid] *s.* **1.** Deckel *m* (*a. sl. Hut*): *to put the ~ on s.th. Brit.* F **a)** e-r Sache die Krone aufsetzen, **b)** et. endgültig erledigen; **2.** (Augen)Lid *n*; **3.** *Am.* F Einschränkung *f*: *the ~ is on* (*od. down*) es wird scharf durchgegriffen.

li·do ['li:dou] *s. Brit.* Frei-, Strandbad *n.*

lie[1] [lai] **I.** *s.* Lüge *f*, Schwindel *m*: *to tell a ~* (*od. lies*) lügen; → *white lie*; *to give s.o. the ~* j-n der Lüge bezichtigen; *to give the ~ to et. od. j-n* Lügen strafen; **II.** *v/i.* lügen: *to ~ to s.o.* **a)** j-n belügen, j-n anlügen, **b)** j-m vorlügen (*that* daß).

lie[2] [lai] **I.** *s.* **1.** Lage *f* (*a. fig.*): *the ~ of the land Brit. fig.* die Sachlage; **II.** *v/i.* [*irr.*] **2.** liegen: **a)** *allg.* *im Bett, im Hinterhalt, in Trümmern etc.* liegen; *ausgebreitet, tot etc.* daliegen, **b)** begraben sein, ruhen, **c)** gelegen sein, sich befinden, **d)** lasten (*on* auf *der Seele*, im *Magen etc.*), **e)** begründet liegen, bestehen (*in* in *dat.*): *to ~ dying* im Sterben liegen; *to ~ in s.o.'s way* j-m zur Hand *od.* möglich sein; in j-s Fach schlagen; *his talents do not ~ that way* dazu hat er kein Talent; *to ~ on s.o.* ⚖ j-m obliegen; *to ~ under a suspicion* unter e-m Verdacht stehen; *to ~ under a sentence of death* zum Tode verurteilt sein; *to ~ with s.o.* j-m beischlafen, mit j-m schlafen; *as far as lies with me* soweit es in m-n Kräften steht; *it lies with you to do it* es liegt an dir, es zu tun; **3.** führen, verlaufen (*Straße etc.*); **4.** ⚖ zulässig sein (*Klage etc.*);

Zssgn mit adv.:

lie| back *v/i.* sich zu'rücklegen; **~ by** *v/i.* still-, brachliegen; **~ down** *v/i.* **1.** sich hinlegen; **2.** *to ~ under, to take lying down Beleidigung etc.* widerspruchslos hinnehmen, sich *e-e Beleidigung* gefallen lassen; **~ in** *v/i.* im Wochenbett liegen; **~ low** → *low*[1] *1*; **~ o·ver** *v/i.* **1.** nicht rechtzeitig bezahlt werden; **2.** liegenbleiben, aufgeschoben werden; **~ to** *v/i.* ⚓ beiliegen; **~ up** *v/i.* **1.** ruhen (*a. fig.*); **2.** das Bett *od.* das Zimmer hüten (müssen).

'lie-a·bed *s.* Langschläfer(in).

lied [li:d] *pl.* **lie·der** ['li:də] (*Ger.*) *s.* ♪ (*deutsches*) (Kunst)Lied.

lie de·tec·tor *s.* 'Lügende͵tektor *m.*

lief [li:f] *adv. obs.* gern: *~er than* lieber als; *I had* (*od. would*) *as ~ ...* ich würde eher *sterben etc.*, ich *ginge etc.* ebensogern.

liege [li:dʒ] **I.** *s.* **1.** *a. ~ lord* Leh(e)nsherr *m*; **2.** *a. ~man* Leh(e)nsmann *m*; **II.** *adj.* **3.** Leh(e)ns...; lehnspflichtig.

li·en ['liən] *s.* ⚖ Pfandrecht *n*, Zu'rückbehaltungsrecht *n* (*on* auf *acc.*).

lieu [lju:] *s.*: *in ~ of* anstatt (*gen.*).

lieu·ten·an·cy [*Brit.* lef'tenənsi; ⚓ le't-; *Am.* lu:'t-] *s.* **1.** ⚔, ⚓ **a)** Leutnantsrang *m*, -stelle *f*, **b)** *coll.* Leutnants *pl.*; **2.** Statthalterschaft *f.*

lieu·ten·ant [*Brit.* lef'tenənt; ⚓ le't-; *Am.* lu:'t-] *s.* **1.** Statthalter *m*; **2.** ⚔, ⚓ **a)** *allg.* Leutnant *m*, **b)** *Brit.* (*Am. first ~*) Oberleutnant *m*, **c)** ⚓ (*Am. a. ~ senior grade*) Kapi'tänleutnant *m*: *~ junior grade Am.* Oberleutnant zur See; **~-'colo·nel** *s.* ⚔ Oberst'leutnant *m*; **~-com-'mand·er** *s.* ⚓ Kor'vettenkapi͵tän *m*; **~-'gen·er·al** *s.* ⚔ Gene'ralleutnant *m*; **~-'gov·er·nor** *s.* 'Vizegouver͵neur *m* (*im brit. Commonwealth od. e-s amer. Bundesstaates*).

life [laif] *pl.* **lives** [laivz] *s.* **1.** *allg.* Leben *n*: **a)** or'ganisches Leben, **b)** Lebenskraft *f*, **c)** Lebenserscheinungen *pl.*, **d)** Lebewesen *pl.*, **e)** Menschenleben *n*: *they lost their lives* sie verloren ihr Leben; *three lives were lost* drei Menschenleben sind zu beklagen; *~ and limb* Leib u. Leben, **f)** Leben *n* (*e-s Einzelwesens*): *a matter of ~ and death* e-e Sache auf Leben u. Tod; *my early ~* m-e Jugend, **g)** Lebensdauer *f* (*a.* ⊕ *e-r Maschine etc.*), -zeit *f*: *expectation of ~* Lebenserwartung; *the ~ of a bond* ✝ die Gültigkeitsdauer e-s Wertpapiers, **h)** Lebensweise *f*, -art *f*, -wandel *m*: *to lead a good ~* ein anständiges Leben führen, **i)** Biogra'phie *f*, Lebensbeschreibung *f*, **j)** menschliches Tun u. Treiben, Welt *f*: *to see ~* das Leben kennenlernen *od.* genießen, **k)** Le'bendigkeit *f*: *to give ~ to, to put ~ into e-e Sache* beleben; *the ~ and soul of the party er war* die Seele der Gesellschaft, **l)** *Kunst*: lebendes Mo'dell, Na'tur *f*: *as large as ~* in (*humor.* voller) Lebensgröße, lebensgroß; **2.** *Versicherungswesen*: auf Lebenszeit Versicherte(r *m*) *f*;

Besondere Redewendungen:

for ~ **a)** fürs (ganze) Leben, **b)** *bsd.* ⚖ lebenslänglich, auf Lebenszeit; *for one's ~, for dear ~* ums (liebe) Leben; *not for the ~ of me* F nicht um die *od.* alles in der Welt; *to the ~* lebensecht, naturgetreu; *upon my ~!* so wahr ich lebe!; *to bring to ~* wieder zum Bewußtsein bringen; *to seek s.o.'s ~* j-m nach dem Leben trachten; *to sell one's ~ dearly fig.* sein Leben teuer verkaufen; *to take s.o.'s (one's own) ~* j-m (sich [selbst]) das Leben nehmen.

'life|-and-'death *adj. Kampf etc.* auf Leben u. Tod; **~ an·nu·i·ty** *s.* Leibrente *f*; **'~-as·sur·ance** *s.* Lebensversicherung *f*; **'~·belt** *s.* Rettungsgürtel *m*; **'~-blood** *s.* Herzblut *n* (*a. fig.*); **'~·boat** *s.* ⚓ Rettungsboot *n*; **'~·buoy** *s.* Rettungsboje *f*; **~ ex·pect·an·cy** *s.* Lebenserwartung *f*; **'~-giv·ing** *adj.* lebenspendend, belebend; **'~-guard** *s.* ⚔ Leibgarde *f*; **'~·guard** *s. Am.* Rettungsschwimmer *m*, Bademeister *m*; ♀ **Guards** *s. pl.* ⚔ Leibgarde *f* (zu Pferde), 'Gardekavalle͵rie *f*; **~ in·sur·ance** *s.* Lebensversicherung *f*; **~ in·ter·est** *s.* ⚖ lebenslänglicher Nießbrauch; **'~-jack·et** *s.* Schwimmweste *f.*

life·less ['laiflis] *adj.* □ leblos: **a)** tot, **b)** unbelebt, **c)** *fig.* matt, schwunglos, fad(e).

'life|·like *adj.* lebenswahr, na'turgetreu; **'~·line** *s.* **1.** ⚓ Rettungsleine *f*; **2.** Si'gnalleine *f* (*für Taucher*); **3.** *fig.* Lebensader *f* (*Versorgungsweg*); **4.** *Chiromantie*: Lebenslinie *f*; **'~·long** *adj.* lebenslänglich; **'~-pre·serv·er** *s.* **1.** ⚓ Schwimmweste *f*, Rettungsgürtel *m*; **2.** Totschläger *m* (*Waffe*).

lif·er ['laifə] *s. sl.* **1.** ‚Lebenslängliche(r)' *m* (*Strafgefangener*); **2.** → *life sentence*; **3.** *Am.* Be'rufssol͵dat *m.*

life| sen·tence *s.* ⚖ lebenslängliche Freiheitsstrafe; **'~-'size(d)** *adj.* lebensgroß, in Lebensgröße; **'~-strings** *s. pl. poet.* Lebensfaden *m*; **'~-style** *s.* Lebensstil *m*; **'~·ta·ble** *s.* 'Sterblichkeitsta͵belle *f*; **'~·time** *s.* Lebenszeit *f*, Leben *n*; **'~-'work** *s.* Lebenswerk *n.*

lift [lift] **I.** *s.* **1.** (Auf-, Hoch)Heben *n*; **2.** stolze Haltung *des Kopfes*; **3.** ⊕ Hub(höhe *f*) *m*; ✈ Auftrieb *m* (*Am. a. fig.*); **4.** Unter'stützung *f*, Hilfe *f*: *to give s.o. a ~* **a)** j-m helfen, **b)** j-n (im Auto) mitnehmen; **5.** ⊕ Hebe-, Fördergerät *n*; *Brit.* Lift *m*, Aufzug *m*, Fahrstuhl *m*; **6.** *Schuhmacherei*: Lage *f* Absatzleder; **II.** *v/t.* **7.** *a. ~ up* (auf-, em'por-, hoch)heben; *Hand, Augen, Stimme etc.* erheben: *to ~ s.th. down* et. herunterheben; *not to ~ a finger* keinen Finger rühren; **8.** *fig.* (*geistig od. sittlich*) heben; *aus der Armut etc.* em'porheben; *a. ~ up innerlich* erheben, ermuntern; **9.** *Preise* erhöhen; **10.** *Kartoffeln* graben, ernten; **11.** ‚mitgehen heißen', stehlen; **12.** *Gesicht etc.* liften, straffen: *to have one's face ~ed* sich das Gesicht liften lassen; **13.** *Verbot etc.* aufheben; **III.** *v/i.* **14.** sich heben (*a. Nebel*); sich (hoch)heben lassen; **'lift·er** [-tə] *s.* **1.** (*sport* Gewicht)Heber *m*; **2.** ⊕ Hebegerät *n*; Nocken *m*; Stößel *m*; **3.** ‚Langfinger' *m* (*Dieb*).

lift·ing ['liftiŋ] *adj.* Hebe..., Hub...; **~ force** *s.* ✈, ⊕ Auftriebs-, Hub-, Tragkraft *f*; **~ jack** *s.* ⊕ Hebewinde *f*; Wagenheber *m.*

'lift-off *s.* **1.** Start *m* (*Rakete*); **2.** Abheben *n* (*Flugzeug*).

lig·a·ment ['ligəmənt] *s. anat.* Liga'ment *n*, Band *n.*

lig·a·ture ['ligətʃuə] **I.** *s.* **1.** Binde *f*, Band *n*; **2.** *typ. u.* ♪ Liga'tur *f*; **3.** ⚕ Abbindungsschnur *f*, Bindung *f*; **II.** *v/t.* **4.** ver-, ⚕ abbinden.

light[1] [lait] **I.** *s.* **1.** *allg.* Licht *n* (*a. phys.*): **a)** Helligkeit *f*: *to stand in s.o.'s ~* j-m im Licht (*fig.* im Wege) stehen, **b)** Beleuchtung *f*: *in subdued ~* bei gedämpftem Licht, **c)** Schein *m*: *by the ~ of a candle*, **d)** Sonne *f*, Lampe *f*, Kerze *f etc.*, *a.* Verkehrslicht *n*, (-)Ampel *f*: *to hide one's ~ under a bushel* sein Licht unter den Scheffel stellen; → *green light, red 1*, **e)** Tageslicht *n*, Tag *m*: *to bring (come) to ~ fig.* ans Licht *od.* an den Tag bringen (kommen); *to see the ~* das Licht der Welt erblicken; → *g*, **f)** *fig.* A'spekt *m*: *to put s.th. in its true ~* et. ins rechte Licht rücken; *in a favo(u)rable ~* in günstigem Licht; *in the ~ of* im Lichte (*gen.*), angesichts (*gen.*), **g)** Erleuchtung *f*, Aufklärung *f*: *to* *throw ~ on s.th.* Licht auf e-e Sache werfen; zur (Auf)Lösung e-r Sache beitragen; *I see the ~* mir geht ein Licht auf; → e, **h**) *paint.* heller Teil *e-s Gemäldes,* **i**) *fig.* Leuchte *f* (*Person*): *a shining ~* e-e Leuchte, ein großes Licht; **2.** ⚓ **a**) Leuchtfeuer *n,* **b**) Leuchtturm *m;* **3.** Feuer *n* (*zum Anzünden*), *a.* Streichholz *n*: *to put a ~ to et.* anzünden; *will you give me a ~?* darf ich Sie um Feuer bitten?; **4.** *pl. fig.* Verstand *m,* geistige Fähigkeiten *pl.*: *according to his ~s* so gut er es eben versteht; **5.** *pl. sl.* Augen *pl.*; **II.** *adj.* **6.** hell, licht; blond: *~-red* hellrot; **III.** *v/t.* [*irr.*] **7.** *a. ~ up* anzünden; **8.** *oft ~ up* be-, erleuchten (*a. fig.*); **9.** *~ up* **a**) hell beleuchten, **b**) *Augen etc.* aufleuchten lassen; **10.** *j-m* leuchten; **IV.** *v/i.* [*irr.*] **11.** *a. ~ up* sich entzünden; **12.** *mst ~ up fig.* aufleuchten (*Augen etc.*); **13.** *~ up* **a**) die Pfeife *etc.* anzünden, **b**) Licht machen.

light[2] [lait] **I.** *adj.* □ → *lightly;* **1.** *allg.* leicht (*z. B. Last; Kleidung; Mahlzeit, Wein, Zigarre;* ⚔ *Infanterie,* ⚓ *Kreuzer etc.; Hand, Schritt, Schlaf; Regen, Wind; Arbeit, Fehler, Strafe; Charakter; Musik, Roman*): *~ of foot* leichtfüßig; *a ~ girl* ein leichtes Mädchen; *~ current* ⚡ Schwachstrom; *~ literature* Unterhaltungsliteratur; *~ railway* Kleinbahn; *~ in the head* wirr im Kopf; *no ~ matter* keine Kleinigkeit; *to make ~ of* **a**) auf die leichte Schulter nehmen, **b**) verharmlosen, bagatellisieren; **2.** zu leicht: *~ weights* Untergewichte; **3.** locker (*Brot, Erde, Schnee*); **4.** sorglos, unbeschwert, heiter; **5. a**) leicht beladen, **b**) unbeladen: *a ~ engine* e-e alleinfahrende Lokomotive; **II.** *adv.* **6.** leicht, nicht schwer: *~ come ~ go* wie gewonnen, so zerronnen.

light[3] [lait] *v/i.* [*irr.*] **1.** *obs.* (ab-) steigen (*from, off* von); **2.** fallen (*on* auf *acc.*); **3.** sich niederlassen (*on* auf *dat.*) (*Vogel etc.*); **4.** *fig.* (zufällig) stoßen (*on* auf *acc.*); **5.** *~ out Am. sl.* ‚verduften'.

light bar·ri·er *s.* ⚡ Lichtschranke *f.*

light·en[1] ['laitn] **I.** *v/i.* **1.** sich erhellen; **2.** blitzen; **II.** *v/t.* **3.** erhellen; *fig.* erleuchten.

light·en[2] ['laitn] **I.** *v/t.* **1.** leichter machen, erleichtern (*beide a. fig.*); **2.** *Schiff* (ab)leichtern; **3.** aufheitern; **II.** *v/i.* **4.** leichter werden (*a. fig. Herz etc.*).

light·er[1] ['laitə] *s.* Anzünder *m* (*a. Gerät*); (Taschen)Feuerzeug *n.*

light·er[2] ['laitə] *s.* ⚓ Leichter (-schiff *n*) *m,* Prahm *m;* '**light·er·age** [-əridʒ] *s.* Leichtergeld *n;* '**light·er·man** [-mən] *s.* [*irr.*] Leichterschiffer *m.*

'**light·er-than-'air** *adj.*: *~ craft* Luftfahrzeug leichter als Luft.

'**light|-fin·gered** *adj.* **1.** geschickt; **2.** langfingerig, diebisch; '**~-foot·ed** *adj.* leicht-, schnellfüßig; '**~-'head·ed** *adj.* **1.** leichtsinnig, -fertig; **2. a**) wirr, leicht verrückt, **b**) schwind(e)lig; '**~-'heart·ed** *adj.* □ fröhlich, unbeschwert; leichten Herzens; **~ heav·y-weight** *s. sport* Halbschwergewicht(ler *m*) *n;* **~ horse·man** [-mən] *s.* [*irr.*] ⚔ leichter Kavalle'rist; '**~-house** *s.* Leuchtturm *m.*

light·ing ['laitiŋ] *s.* Beleuchtung *f*: *~ up mot.* Aufblenden; *~ effects* Lichteffekte; *~ point* ⚡ Brennstelle; '**~-'up time** *s.* Zeit *f* des Einschaltens der Straßenbeleuchtung.

light·ly ['laitli] *adv.* **1.** leicht: *~ come ~ go* wie gewonnen, so zerronnen; **2.** leichtfertig; **3.** leichthin, unbesonnen; **4.** geringschätzig.

light| met·al *s.* 'Leichtme,tall *n;* '**~-'mind·ed** *adj.* leichtfertig.

light·ness ['laitnis] *s.* **1.** Leichtheit *f,* Leichtigkeit *f* (*a. fig.*); **2.** Leichtverdaulichkeit *f;* **3.** Milde *f;* **4.** Behendigkeit *f;* **5.** Heiterkeit *f;* **6.** Leichtfertigkeit *f,* Leichtsinn *m,* Oberflächlichkeit *f.*

light·ning ['laitniŋ] **I.** *s.* Blitz *m*: *struck by ~* vom Blitz getroffen; *like (a greased) ~ fig.* wie der Blitz; **II.** *adj.* blitzschnell, Schnell...: *~ artist* Schnellzeichner; *with ~ speed* mit Blitzesschnelle; **~ ar·rest·er** *s.* ⚡ Blitzschutzsicherung *f;* **~ bug** *s. Am.* Leuchtkäfer *m;* '**~-con·duc·tor,** '**~-rod** *s.* Blitzableiter *m;* **~ strike** *s.* Blitzstreik *m.*

light| oil *s.* ⊕ Leichtöl *n;* '**~-o'-love** *s.* ‚leichtes Mädchen'; **~ pen** *s.* Leuchtstift *m* (*Computer*).

lights [laits] *s. pl.* (Tier)Lunge *f.*

'**light|·ship** *s.* ⚓ Feuer-, Leuchtschiff *n;* **~ source** *s.* ⚡, *phys.* Lichtquelle *f;* '**~-weight I.** *adj.* leicht; **II.** *s. sport* Leichtgewicht(ler *m*) *n;* F *fig.* unbedeutender Mensch; '**~-year** *s. ast.* Lichtjahr *n.*

lig·ne·ous ['ligniəs] *adj.* holzig, holzartig, Holz...; '**lig·ni·fy** [-nifai] **I.** *v/t.* in Holz verwandeln; **II.** *v/i.* verholzen; '**lig·nin** [-nin] *s.* ⚗ Li'gnin *n,* Holzstoff *m;* '**lig·nite** [-nait] *s.* Braunkohle *f, bsd.* Li'gnit *m.*

lik·a·ble ['laikəbl] *adj.* liebenswert, -würdig, angenehm, sym'pathisch.

like[1] [laik] **I.** *adj. u. prp.* **1.** gleich (*dat.*), wie (*a. adv.*): *a man ~ you* ein Mann wie du; *~ a man* wie ein Mann; *what is he ~?* wie sieht er aus?, wie ist er?; *he is ~ that* er ist nun mal so; *I cannot play ~ you* ich kann nicht so (gut) spielen wie du; *what does it look ~?* wie sieht es aus?; *it looks ~ rain* es sieht nach Regen aus; *to feel ~ s.th.* (*od. doing*) aufgelegt sein zu *et.*, Lust haben zu tun, gern tun wollen; *a fool ~ that* so ein Dummkopf; *a thing ~ that* so etwas; *~ mad* wie verrückt; *there is nothing ~* es geht nichts über (*acc.*); *it is nothing* (*od. not anything*) *~ as bad as that* es ist bei weitem nicht so schlimm; *something ~ 100 tons* so etwa 100 Tonnen; *this is something ~!* F das läßt sich hören!; *that's more ~ it!* das läßt sich eher hören!; *~ master, ~ man* wie der Herr, so der Knecht; **2.** ähnlich (*dat.*), bezeichnend für: *that is just ~ him!* das sieht ihm ähnlich!; **3.** gleich: *a ~ amount* ein gleicher Betrag; *in ~ manner* **a**) auf gleiche Weise, **b**) gleichermaßen; **4.** ähnlich: *the portrait is not ~* das Porträt ist nicht ähnlich; *as ~ as two eggs* ähnlich wie ein Ei dem anderen; **5.** ähnlich, gleich-, derartig: *... and other ~ problems ...* und andere derartige Probleme; **6.** F *od. obs.* (*a. adv.*) wahr'scheinlich: *he is ~ to pass his exam* er wird sein Examen wahrscheinlich bestehen; *~ enough, as ~ as not* höchstwahrscheinlich; **II.** *cj.* **7.** V *od.* F (ebenso) wie; **8.** *dial.* als ob; **III.** *s.* **9.** *der* (*die, das*) Gleiche: *his ~* seinesgleichen; *the ~* der-, desgleichen; *and the ~* und dergleichen; *the ~(s) of* so etwas wie, solche wie; *the ~(s) of that* so etwas, etwas derartiges; *the ~s of you* F Leute wie Sie.

like[2] [laik] **I.** *v/t.* gern haben, (gern) mögen, (gut) leiden können, lieben; gern essen, trinken *etc.*: *to ~ doing* (*od. to do*) gern tun; *much ~d* sehr beliebt; *I ~ it* es gefällt mir; *I ~ him* ich mag ihn gern, ich kann ihn gut leiden; *how do you ~ it?* wie gefällt es dir?, wie findest du es?; *I ~ that! iro.* so was hab' ich gern!; *what do you ~ better?* was hast du lieber?, was gefällt dir besser?; *I should ~ to know* ich möchte gerne wissen; *I should ~ you to be here* ich hätte gern, daß du hier wär(e)st; *I ~ steak, but it doesn't ~ me* F ich esse Beefsteak gern, aber es bekommt mir nicht; *I should ~ time to consider it* ich hätte gern etwas Zeit, darüber nachzudenken; **II.** *v/i.* wollen: (*just*) *as you ~* (ganz) wie du willst, (ganz) nach Belieben; *if you ~* wenn du willst; **III.** *s.* Neigung *f,* Vorliebe *f*: *~s and dislikes* Neigungen u. Abneigungen.

-like [laik] *in Zssgn* wie, ...artig, ...ähnlich, ...mäßig.

like·a·ble → *likable.*

like·li·hood ['laiklihud] *s.* Wahr'scheinlichkeit *f*: *in all ~* aller Wahrscheinlichkeit nach; *there is a strong ~ of his succeeding* es ist sehr wahrscheinlich, daß es ihm gelingt;

like·ly ['laikli] **I.** *adj.* **1.** wahr'scheinlich, vor'aussichtlich: *not ~* schwerlich, kaum; *it is not ~ (that) he will come, he is not ~ to come* es ist nicht wahrscheinlich, daß er kommen wird; *which is his most ~ route?* welchen Weg wird er voraussichtlich einschlagen?; *this is not ~ to happen* das wird wahrscheinlich nicht geschehen; **2.** wahr'scheinlich, glaubhaft; **3.** aussichtsreich; vielversprechend; **4.** in Frage kommend, geeignet; **II.** *adv.* **5.** wahr'scheinlich: *as ~ as not* (ziemlich) wahrscheinlich.

'**like-'mind·ed** *adj.* gleichgesinnt: *to be ~ with s.o.* mit j-m übereinstimmen.

lik·en ['laikən] *v/t.* vergleichen (*to* mit).

like·ness ['laiknis] *s.* **1.** Ähnlichkeit *f,* Gleichheit *f;* **2.** Gestalt *f,* Form *f;* **3.** Bild *n,* Por'trät *n*: *to have one's ~ taken* sich malen *od.* photographieren lassen; **4.** Abbild *n* (*of gen.*).

'**like·wise** *adv. u. cj.* eben-, gleichfalls; des'gleichen, ebenso.

lik·ing ['laikiŋ] *s.* **1.** Zuneigung *f*: *to*

have (*take*) *a* ~ *for* (*od.* *to*) s.o. zu j-m eine Zuneigung haben (fassen), an j-m Gefallen haben (finden); 2. (*for*) Gefallen *n* (an *dat.*), Neigung *f* (zu), Geschmack *m* (an *dat.*): *to be greatly to s.o.'s* ~ j-m sehr zusagen; *this is not to my* ~ das ist nicht nach meinem Geschmack.

lil [lil] *Am. dial. für little.*

li·lac ['lailək] **I.** *s.* **1.** ⚘ Spanischer Flieder; **2.** Lila *n* (*Farbe*); **II.** *adj.* **3.** lila(farben).

Lil·li·pu·tian [lili'pju:ʃjən] **I.** *adj.* **1.** Liliput...; **2.** winzig, zwergenhaft; **II.** *s.* **3.** Lilipu'taner(in); **4.** Zwerg *m.*

lilt [lilt] **I.** *s.* **1.** fröhliche Weise; **2.** rhythmischer Schwung; **II.** *v/t.* *u.* *v/i.* **3.** trällern.

lil·y ['lili] *s.* ⚘ Lilie *f*: ~ *of the valley* Maiglöckchen; *to paint the* ~ *fig.* schönfärben.

limb[1] [lim] *s.* **1.** (Körper)Glied *n*; *fig.* Arm *m*; *pl.* Gliedmaßen *pl.*; **2.** Ast *m*: *out on a* ~ F in e-r gefährlichen Lage; **3.** F Racker *m*; **4.** *ling.* (Satz)Glied *n*; **5.** ⚖ Absatz *m.*

limb[2] [lim] *s.* **1.** ⚘ **a)** (Kelch)Saum *m* (*Blumenkrone*), **b)** Blattrand *m* (*Moos*); **2.** *ast.* **a)** Rand *m* (*Himmelskörper*), **b)** Teilkreis *m* (*an Winkelmeßinstrumenten*).

limbed [limd] *adj. in Zssgn* ...gliedrig.

lim·ber[1] ['limbə] **I.** *adj.* biegsam, geschmeidig; **II.** *v/t.* *u.* *v/i.* ~ *up* (sich) geschmeidig machen, (sich) lockern.

lim·ber[2] ['limbə] **I.** *s.* **1.** ⚔ Protze *f*; **2.** *pl.* ⚓ Pumpensod *m*; **II.** *v/t.* *u.* *v/i.* **3.** *mst* ~ *up* ⚔ aufprotzen.

lim·bo ['limbou] *s.* **1.** Vorhölle *f*; **2.** *fig.* Rumpelkammer *f*; Vergessenheit *f*; **3.** Gefängnis *n.*

lime[1] [laim] **I.** *s.* **1.** ⚗ Kalk *m*; **2.** ⚒ Kalkdünger *m*; **3.** Vogelleim *m*; **II.** *v/t.* **4.** kalken, mit Kalk düngen; **5.** *Rute etc.* mit Vogelleim bestreichen; **6.** *fig.* *j-n* ‚leimen', fangen.

lime[2] [laim] *s.* ⚘ Linde *f.*

lime[3] [laim] *s.* ⚘ Limo'nelle *f.*

'lime|·kiln *s.* Kalkofen *m*; **'~·light** *s.* **1.** ⊕ Kalklicht *n*; **2.** *thea.* Scheinwerfer(licht *n*) *m*; **3.** *fig.* Rampenlicht *n*, Licht *n* der Öffentlichkeit, Mittelpunkt *m* des (öffentlichen) Inter'esses.

li·men ['laimen] *s. psych.* (Bewußtseins-, Reiz)Schwelle *f.*

'lime-pit *s.* **1.** Kalkbruch *m*; **2.** Kalkgrube *f*; **3.** *Gerberei*: Äscher *m.*

Lim·er·ick ['limərik] *s.* Limerick *m* (*5-zeiliger Nonsensvers*).

'lime|·stone *s. min.* Kalkstein *m*; **'~-tree** *s.* ⚘ Linde(nbaum *m*) *f*; **'~-twig** *s.* Leimrute *f*; **'~-wash I.** *v/t.* tünchen; **II.** *s.* Kalktünche *f.*

lim·ey ['laimi] *s. Am. sl.* ‚Tommy' *m* (*Brite*).

lim·it ['limit] **I.** *s.* **1.** *fig.* Grenze *f*, Schranke *f*: *within* ~*s* in Grenzen; *without* ~ ohne Grenzen, schrankenlos; *there is a* ~ *to everything* alles hat seine Grenzen; *in* (*off*) ~*s* *Am.* Zutritt gestattet (verboten) (*to* für); *that's the* ~! F das ist (doch) die Höhe!; *he is the* ~! F er ist unglaublich!; *to go to the* ~ *Am.* F bis zum Äußersten gehen; **2.** ⚗, ⊕ Grenze *f*, Grenzwert *m*, Endpunkt *m*; **3.** zeitliche Begrenzung, Frist *f*: *extreme* ~ ✝ äußerster Termin; **4.** ✝ **a)** Höchstbetrag *m*, **b)** Limit *n*, Preisgrenze *f*: *lowest* ~ äußerster *od.* letzter Preis; **II.** *v/t.* **5.** begrenzen, beschränken, einschränken (*to* auf *acc.*); *Preise* limitieren; ⚖ festsetzen; **lim·i·ta·tion** [limi'teiʃən] *s.* **1.** *fig.* Grenze *f*: *to know one's* ~*s* s-e Grenzen kennen; **2.** Begrenzung *f*, Beschränkung *f*; ⚖ Verjährung(s-frist) *f*; **'lim·it·ed** [-tid] **I.** *adj.* beschränkt, begrenzt (*to* auf *acc.*): ~ (*express*) *train* → *ll*; ~ (*liability*) *company* ✝ *Brit.* Aktiengesellschaft; ~ *monarchy* konstitutionelle Monarchie; ~ *partner* ✝ Kommanditist; ~ *partnership* ✝ Kommanditgesellschaft; ~ *in time* befristet; **II.** *s.* *Am.* Schnellzug *m* (mit Platzkarten).

lim·net·ic [lim'netik] *adj.* Süßwasser..., im Süßwasser lebend.

lim·ou·sine ['limu(:)zi:n] *s. mot.* Limou'sine *f.*

limp[1] [limp] *adj.* □ schlaff, schlapp (*a. fig. kraftlos, schwach*).

limp[2] [limp] **I.** *v/i.* **1.** hinken (*a. fig. Vers*), humpeln; **2.** da'hintrotten; **II.** *s.* **3.** Hinken *n*: *to walk with a* ~ → *1.*

lim·pet ['limpit] *zo.* Napfschnecke *f*; *fig.* j-d *bsd. Staatsangestellter*, der förmlich an seinem Pöstchen klebt.

lim·pet mine ['limpit] *s.* ⚓ Haftmine *f.*

lim·pid ['limpid] *adj.* □ 'durchsichtig, klar (*a. fig. Stil etc.*), hell, rein; **lim·pid·i·ty** [lim'piditi], **'lim·pid·ness** [-nis] *s.* 'Durchsichtigkeit *f*, Klarheit *f.*

limp·ness ['limpnis] *s.* Schlaff-, Schlappheit *f.*

lim·y ['laimi] *adj.* **1.** Kalk..., kalkig: **a)** kalkhaltig, **b)** kalkartig; **2.** gekalkt; **3.** mit Vogelleim beschmiert; **4.** leimig, klebrig.

lin·age ['lainidʒ] *s.* **1.** → *alignment*; **2.** 'Zeilenhono͵rar *n.*

linch·pin ['lintʃpin] *s.* ⊕ Lünse *f*, Vorstecker *m*, Achsnagel *m.*

lin·den ['lindən] *s.* ⚘ Linde *f.*

line[1] [lain] **I.** *s.* **1.** Linie *f*, Strich *m*: *the* ♎ *geogr.* der Äquator; **2. a)** Linie *f* (*in der Hand etc.*), **b)** Falte *f*, Runzel *f*, **c)** Zug *m* (*im Gesicht*); **3.** Linie *f*, Richtung *f*: ~ *of attack* Angriffsrichtung; ~ *of direction* Baufluchtlinie; ~ *of fire* ⚔ Schuß-, Feuerlinie; ~ *of force phys.* Kraftlinie; ~ *of sight* **a)** Sehlinie, Blickrichtung, **b)** *a.* ~ *of vision* Gesichtslinie, -achse; **4.** *pl.* Linien(führung *f*) *pl.*, Kon'turen *pl.*, Form *f*; Riß *m*, Entwurf *m*; **5.** *pl. fig.* Grundsätze *pl.*, Prin'zipien *pl.*, Richtlinie(n *pl.*) *f*: *along these* ~*s* nach diesen Grundsätzen; *along general* ~*s* in großen Zügen; *the* ~*s of his policy* die Grundlinien s-r Politik; **6.** Art *f* u. Weise *f*, Me'thode *f*: ~ *of argument* Beweisführung; ~ *of conduct* Lebensführung; *to take one's own* ~ nach eigener Methode vorgehen; *to take a strong* ~ energisch vorgehen; *to take the* ~ *that* den Standpunkt vertreten, daß; *in the* ~ *of* nach Art von; **7.** Grenze *f*, Grenzlinie *f* (*a. fig.*): *to draw the* ~ *fig.* die Grenze ziehen, haltmachen (*at* bei); **8.** Reihe *f*, Kette *f von Bäumen, Hügeln etc.*; (*Menschen-*)Schlange *f*: *to stand in* ~ anstehen, Schlange stehen; *to be in* ~ *for Am. fig.* Aussichten haben auf (*acc.*); **9.** Über'einstimmung *f*: *in* ~ *with* in Übereinstimmung *od.* im Einklang mit; *to be in* ~ *with* übereinstimmen mit; *to bring into* ~ *with* in Einklang bringen mit, *pol.* gleichschalten mit; *to fall into* ~ sich einordnen, sich anschließen (*with j-m*); *to toe the* ~ ‚spuren', sich der (*Partei- etc.*) Disziplin beugen; *in* ~ *of duty bsd.* ⚔ in Ausübung des Dienstes; **10. a)** (Abstammungs)Linie *f*, **b)** Fa'milie *f*, Geschlecht *n*: *the male* ~ die männliche Linie; *in the direct* ~ in direkter Linie; **11.** Zeile *f*; *Fernsehen*: Bildzeile *f*; *weitS.* kurze Nachricht: *to drop s.o. a* ~ j-m ein paar Zeilen schreiben; **12.** Vers *m*; *pl. Brit. ped.* Strafarbeit *f*; *thea.* Rolle *f*, Text *m*; **13.** *pl.* F Trauschein *m*; **14. a)** F Informati'on *f*: *to get a* ~ *on* e-e Information erhalten über (*acc.*), **b)** *Am. sl.* ‚Platte' *f* (*Gerede*), ‚Masche' *f* (*Trick*); **15.** *pl.* Los *n*, Geschick *n*: *hard* ~*s* F Pech; **16.** Fach *n*, Gebiet *n*, Tätigkeitsfeld *n*, Sparte *f*: ~ (*of business*) Branche, Geschäftszweig; *that's not in my* ~ das schlägt nicht in mein Fach, das liegt mir nicht; **17.** (*Verkehrs-, Eisenbahn- etc.*)Linie *f*, Strecke *f*, Route *f*, *engS.* Gleis *n*: *ship of the* ~ Linienschiff; ~*s of communications* ⚔ rückwärtige Verbindungen; **18.** (*Eisenbahn-, Luftverkehrs-, Autobus*)Gesellschaft *f*; **19. a)** ⚡, ⊕ Leitung *f*, *bsd.* Tele'phon- *od.* Tele'graphenleitung *f*: *the* ~ *is engaged* (*Am. busy*) die Leitung ist besetzt; *to hold the* ~ am Apparat bleiben; *three* ~*s* 3 Anschlüsse, **b)** ⊕ (Fertigungs)Straße *f*; **20.** ✝ **a)** Sorte *f*, Warengattung *f*, **b)** Posten *m*, Par'tie *f*, **c)** Ar'tikel (-͵serie *f*) *m od. pl.*; **21.** ⚔ **a)** Linie *f*: *behind the enemy's* ~*s* hinter den feindlichen Linien; ~ *of battle* vorderste Linie, Kampflinie, **b)** Front *f*: *to go up the* ~ an die Front gehen; *all along the* ~, (*all*) *down the* ~ *fig.* auf der ganzen Linie; *to go down the* ~ *for Am.* F sich voll einsetzen für, **c)** Linie *f* (*Formation beim Antreten*), **d)** Fronttruppe *f*: *the* ~*s* Linienregimenter; **22.** ⚓ Linie *f*: ~ *abreast* Dwarslinie; ~ *ahead* Kiellinie; **23.** (Wäsche)Leine *f*, (starke) Schnur, Seil *n*, Tau *n*; Draht *m*; Kabel *n*; Angelschnur *f*; **24.** Linie *f* (*als Maß* = $^1/_{12}$ *Zoll*); **II.** *v/i.* **25.** → *line up 1, 2*; **III.** *v/t.* **26.** linieren; **27.** zeichnen; *Gesicht a.* furchen; **28.** aufstellen (entlang); formieren; **29.** einfassen, *Straße etc.* säumen: *soldiers* ~*d the street* Soldaten bildeten an der Straße Spalier; ~ **in** *v/t.* einzeichnen; ~ **off** *v/t.* abgrenzen; ~ **out** *v/t.* entwerfen, skizzieren; ~ **through** *v/t.* 'durchstreichen; ~ **up I.** *v/i.* **1.** sich in e-r Linie *od.* Reihe aufstellen; Schlange stehen; **2.** *fig.* sich zs.-schließen; **II.** *v/t.* **3.** → *line*[1] *28.*

line[2] [lain] *v/t.* **1.** *Kleid etc.* füttern; **2.** ⊕ ausfüttern, -gießen, -kleiden, -schlagen; **3.** (an)füllen: *to* ~ *one's pockets* sich die Taschen füllen.

lin·e·age ['liniidʒ] *s.* **1.** (geradlinige)

Abstammung; **2.** Stammbaum *m*; **3.** Geschlecht *n*, Fa'milie *f*.

lin·e·al ['liniəl] *adj.* □ geradlinig, in di'rekter Linie, di'rekt (*Abstammung, Nachkomme*).

lin·e·a·ment ['liniəmənt] *s.* (Gesichts-, *fig.* Cha'rakter)Zug *m*.

lin·e·ar ['liniə] *adj.* □ **1.** Linien..., geradlinig; *bsd.* ⚡, ⊕, *phys.* line'ar (*Gleichung, Elektrode, Perspektive etc.*), Linear...; **2.** Längen...(*-ausdehnung, -maß etc.*); **3.** Linien..., Strich...; strichförmig; ⚘ line'alisch.

line| block *s.* → *line etching*; **~ draw·ing** *s.* Strichzeichnung *f*; **~ etch·ing** *s. Kunst*: Strichätzung *f*; **'~-fish·ing** *s.* ˌAngelfische'rei *f*; **~ fre·quen·cy** *s. Fernsehen*: 'Zeilenfreˌquenz *f*; **'~·man** [-mən] *s.* [*irr.*] **1.** ☎ Leitungsmann *m*, *bsd.* Störungssucher *m*; **2.** 🚂 *Am.* Streckenarbeiter *m*.

lin·en ['linin] **I.** *s.* **1.** Leinen *n*, Leinwand *f*, Linnen *n*; **2.** (Bett-, 'Unter-*etc.*)Wäsche *f*, Weißzeug *n*: *to wash one's dirty ~ in public fig.* s-e schmutzige Wäsche vor allen Leuten waschen; **II.** *adj.* **3.** leinen, Leinwand...; **~ clos·et** *s.* Wäscheschrank *m*; **'~-drap·er** *s. Brit.* Weißwarenhändler *m*, Wäschegeschäft *n*; **~ pa·per** *s.* 'Leinenpaˌpier *n*.

lin·er[1] ['lainə] *s.* **1.** ⊕ Futter *n*, Buchse *f*; **2.** Einsatz(stück *n*) *m*.

lin·er[2] ['lainə] *s.* **1.** ⚓ Linienschiff *n*, Passa'gier-, 'Überseedampfer *m*; → *air liner*; **2.** Zeilenschinder *m*.

lines·man ['lainzmən] *s.* [*irr.*] **1.** → *lineman 1*; **2.** 🚂 Streckenwärter *m*; **3.** *sport* Linienrichter *m*.

'line-up *s. bsd. sport* Aufstellung *f*, Gruppierung *f*.

ling[1] [liŋ] *pl.* **lings** *od. coll.* **ling** *s. ichth.* Leng(fisch) *m*.

ling[2] [liŋ] *s.* ⚘ Heidekraut *n*.

lin·ger ['liŋgə] *v/i.* **1.** (*a. fig.*) (noch) (ver)weilen, (zu'rück)bleiben (*a. Gefühl, Geschmack etc.*), sich aufhalten (*fig. over od. upon* bei *e-r Sache*): *to ~ on fig.* noch fortleben (*Brauch etc.*); **2.** zögern; säumen, trödeln: *to ~ at* (*od. about*) sich herumdrücken an, bei (*dat.*); **3.** sich hinziehen *od.* -schleppen.

lin·ge·rie ['lɛ̃:nʒəri:; lɛ̃ʒri] (*Fr.*) *s.* 'Damenˌunterwäsche *f*.

lin·ger·ing ['liŋgəriŋ] *adj.* □ **1.** zögernd; **2.** bleibend; nachklingend (*Ton*); **3.** schleppend, schleichend (*Krankheit*); **4.** sehnsüchtig (*Blick etc.*).

lin·go ['liŋgou] *pl.* **-goes** [-gouz] *s.* **1.** Kauderwelsch *n*; **2.** ('Fach-)Jarˌgon *m*.

lin·gua fran·ca ['liŋgwə'fræŋkə] *s.* Misch-, Verkehrs-, Hilfssprache *f*.

lin·gual ['liŋgwəl] **I.** *adj.* Zungen...; **II.** *s.* Zungenlaut *m*.

lin·guist ['liŋgwist] *s.* Sprachforscher(in), Lingu'ist(in); Fremdsprachler(in), Sprachenkundige(r *m*) *f*; **lin·guis·tic** [liŋ'gwistik] *adj.* (□ **~ally**) **1.** sprachwissenschaftlich, lingu'istisch; **2.** Sprach(en)...; **linguis·tics** [liŋ'gwistiks] *s. pl.* (*mst sg. konstr.*) Sprachwissenschaft *f*, Lingu'istik *f*.

lin·i·ment ['linimənt] *s.* ⚕ Lini'ment *n*, Einreibemittel *n*.

lin·ing ['lainiŋ] *s.* **1.** Futter *n*, (Aus-)Fütterung *f* (*von Kleidern etc.*); **2.** ⊕ Futter *n*, Ver-, Auskleidung *f*; Ausmauerung *f*; (*Brems- etc.*)Belag *m*; → *silver lining*.

link[1] [liŋk] **I.** *s.* **1.** (Ketten)Glied *n*; **2.** *fig.* **a)** Glied *n* (*in e-r Kette von Ereignissen etc.*), **b)** Bindeglied *n*, Band *n*; → *missing 1*; **3.** ⊕ Glied *n* (*a.* ⚡), Gelenk(stück) *n*, Ku'lisse *f*: *~ motion* Kulissensteuerung; **4.** Man'schettenknopf *m*; **5.** *surv.* Meßkettenglied *n* (= *7,92 Zoll*); **II.** *v/t. u. v/i.* **6.** *a. ~ up* (*to, with*) (sich) verketten, -binden, -knüpfen (mit), (sich) anschließen (an *acc.*): *to ~ arms* (*with*) sich einhaken (bei).

link[2] [liŋk] *s. hist.* Fackel *f*.

link·age ['liŋkidʒ] *s.* Verkettung *f*; ⊕ Gestänge *n*, Gelenkviereck *n*; ⚡ *u. biol.* Kopplung *f*.

links [liŋks] *s. pl.* **1.** (Gras)Dünen *pl.*; **2.** (*a. sg. konstr.*) Golf(spiel)platz *m*.

'link·up *s.* Verknüpfung *f*, *pol. a.* 'Junktim *n*, Zs.-hang *m*.

linn [lin] *s. bsd. Scot.* **1.** Teich *m*; **2.** Wasserfall *m*.

lin·net ['linit] *s. orn.* Hänfling *m*.

li·no ['lainou] *abbr. für linoleum*; **~·cut** ['lainoukʌt] *s.* Lin'olschnitt *m*.

li·no·le·um [li'nouljəm] *s.* Lin'oleum *n*.

lin·o·type ['lainoutaip] *s. typ.* **1.** Linotype *f*; **2.** ♀ *Markenname für e-e Zeilensetz- u. -gießmaschine*.

lin·seed ['linsi:d] *s.* ⚘ Leinsamen *m*; **~ cake** *s.* Leinkuchen *m*; **~ oil** *s.* Leinöl *n*.

lin·sey-wool·sey ['linzi'wulzi] *s.* *grobes* Halbwollzeug.

lint [lint] *s.* **1.** ⚕ Schar'pie *f*, Zupflinnen *n*; **2.** *Am.* Fussel *f*.

lin·tel ['lintl] *s.* △ Oberschwelle *f*, (Tür-, Fenster)Sturz *m*.

li·on ['laiən] *s.* **1.** *zo.* Löwe *m* (*a. fig. Held*; *a. ast.* ♌): *the ~'s share fig.* der Löwenanteil; *to go into the ~'s den fig.* sich in die Höhle des Löwen wagen; **2.** ‚Größe' *f*, Berühmtheit *f* (*Person*); **3.** *pl.* Sehenswürdigkeiten *pl.* (*e-s Ortes*); **'li·on·ess** [-nis] *s.* Löwin *f*; **'li·on·et** [-nit] *s.* junger Löwe.

'li·on|-heart·ed *adj.* löwenherzig, mutig; **'~-hunt·er** *s.* Löwenjäger *m*; *Brit. fig.* Promi'nentenjäger(in).

li·on·ize ['laiənaiz] **I.** *v/t.* **1.** *j-n* feiern, zum Helden des Tages machen; **2.** *j-m* die Sehenswürdigkeiten *e-s Ortes* zeigen; **II.** *v/t.* **3.** die Sehenswürdigkeiten bestaunen.

lip [lip] **I.** *s.* **1.** Lippe *f*: *to hang on s.o.'s ~s* an j-s Lippen hängen; *to keep a stiff upper ~* die Ohren steifhalten; → *bite 7*; **2.** *sl.* Unverschämtheit *f*: *none of your ~!* keine Unverschämtheiten!; **3.** Rand *m* (*Wunde, Schale, Krater etc.*); **4.** Tülle *f*, Schnauze *f* (*Krug etc.*); **II.** *v/t.* **5.** mit den Lippen berühren.

lipped [lipt] *adj. in Zssgn* ...lippig; ...randig.

'lip|-read *v/t. u. v/i.* [*irr.* → *read*] von den Lippen ablesen; **'~-read·ing** *s.* Lippenlesen *n*; **'~-serv·ice** *s.* Lippendienst *m*: *to pay ~ to* ein Lippenbekenntnis ablegen zu *e-r Idee etc.*; **'~·stick** *s.* Lippenstift *m*.

li·quate ['laikweit] *v/t. metall.* seigern; **li·qua·tion** [lai'kweiʃən] *s.* (Aus)Seigerung *f*: *~ hearth* Seigerherd.

liq·ue·fa·cient [likwi'feiʃənt] **I.** *s.* Verflüssigungsmittel *n*; **II.** *adj.* verflüssigend; **liq·ue'fac·tion** [-'fækʃən] *s.* Verflüssigung *f*; **liq·ue·fi·a·ble** ['likwifaiəbl] *adj.* schmelzbar; **liq·ue·fy** ['likwifai] *v/t. u. v/i.* (sich) verflüssigen; schmelzen; **li·ques·cent** [li'kwesnt] *adj.* sich (leicht) verflüssigend, schmelzend.

li·queur [li'kjuə] *s.* Li'kör *m*.

liq·uid ['likwid] **I.** *adj.* □ **1.** flüssig; Flüssigkeits...: *~ measure* Flüssigkeitsmaß; **2.** klar, hell u. glänzend: *~ eyes*; *~ sky*; **3.** fließend, wohltönend; **4.** ✝ li'quid, flüssig: *~ assets*; **5.** unbeständig, schwankend; **II.** *s.* **6.** Flüssigkeit *f*; **7.** *Phonetik*: Liquida *f*.

liq·ui·date ['likwideit] *v/t.* **1.** *Schulden etc.* tilgen, abtragen; **2.** *Konten* abrechnen, saldieren; **3.** ✝ *Unternehmen* liquidieren (*a. fig. j-n töten*); **liq·ui·da·tion** [likwi'deiʃən] *s.* **1.** ✝ Liquidati'on *f*, Abwicklung *f* (*Unternehmen*): *to go into ~* in Liquidation treten; **2.** Tilgung *f*, Bezahlung *f*; **3.** Abrechnung *f*; **4.** *fig.* Liquidierung *f*, Beseitigung *f*; **'liq·ui·da·tor** [-tə] *s.* ✝ Liqui'dator *m*, Abwickler *m*.

li·quid·i·ty [li'kwiditi] *s.* **1.** flüssiger Zustand; **2.** ✝ Liquidi'tät *f*, (Geld-)Flüssigkeit *f*.

liq·uor ['likə] **I.** *s.* **1.** alko'holisches Getränk, 'Alkohol *m* (*bsd. Branntwein u. Whisky*): *in ~, the worse for ~* betrunken; **2.** Flüssigkeit *f*; *pharm.* Arz'neilösung *f*; **3.** ⊕ **a)** Lauge *f*, **b)** Flotte *f* (*Färbebad*); **II.** *v/i.* **4.** *a. ~ up sl.* ‚einen heben' (*trinken*); **~ cab·i·net** *s. Am.* Hausbar *f*.

liq·uo·rice ['likəris] *s.* La'kritze *f*.

lisp [lisp] **I.** *v/i.* **1.** (*a. v/t. et.*) lispeln (*a. fig. Blätter etc.*), mit der Zunge anstoßen; **2.** stammeln; **II.** *s.* **3.** Lispeln *n*.

lis·some, *a.* **lis·som** ['lisəm] *adj.* **1.** geschmeidig; **2.** wendig, a'gil.

list[1] [list] **I.** *s.* Liste *f*, Verzeichnis *n*: *on the ~* auf der Liste; *~ price* ✝ Listenpreis; **II.** *v/t.* verzeichnen, aufführen, katalogisieren; aufzählen; in e-e Liste eintragen: *~ed Am.* ✝ amtlich notiert, börsenfähig (*Wertpapier*); **III.** *v/i.* ⚔ → *enlist 3*.

list[2] [list] *s.* **1.** Saum *m*, Rand *m*; **2.** *Weberei*: Salband *n*, Webekante *f*; **3.** (Sal)Leiste *f*; **4.** *pl.* **a)** Schranken *pl.* (*e-s Turnierplatzes*), **b)** Kampfplatz *m* (*a. fig.*): *to enter the ~s fig.* in die Schranken treten.

list[3] [list] **I.** *s.* **1.** ⚓ Schlagseite *f*; **II.** *v/i.* **2.** ⚓ Schlagseite haben; **3.** *fig.* sich neigen (*Gebäude, Zaun*).

list[4] [list] *obs. v/i.* wünschen.

list[5] [list] *obs. od. poet.* → *listen 1*.

lis·ten ['lisn] **I.** *v/i.* **1.** horchen, hören, lauschen (*to* auf *acc.*): *to ~ to* **a)** *j-m* zuhören, *j-n* anhören, **b)** auf *j-n, j-s Rat* hören, *j-m* Gehör schenken, **c)** *e-m Rat etc.* folgen; → *reason 1*; **2.** *~ in* **a)** Radio hören, **b)** (*am Telephon etc.*) mithören (*on s.th. et.*): *to ~ in to et.* im Radio hören; **'lis·ten·er** [-nə] *s.* **1.** Horcher(in), Lauscher(in); **2.** Zuhörer (-in); **3.** (Rundfunk)Hörer(in); **'lis-**

ten·er·'in *pl.* **'lis·ten·ers·'in** → *listener 3.*

'lis·ten·ing|-post ['lisniŋ] *s.* ⚔ Horchposten *m* (*a. fig.*); ~ **serv·ice** *s.* ⚔, *Funk*: Abhördienst *m.*

list·less ['listlis] *adj.* □ lustlos, teilnahmslos, matt, gleichgültig.

lists [lists] → *list*² 4.

lit [lit] **I.** *pret. u. p.p.* von *light*¹ *u. light*³; **II.** *adj. mst* ~ *up sl.* ‚blau' (*betrunken*).

lit·a·ny ['litəni] *s. eccl. u. fig.* Lita'nei *f.*

li·ter *Am.* → *litre.*

lit·er·a·cy ['litərəsi] *s.* **1.** Fähigkeit *f* zu lesen u. zu schreiben; **2.** (geistige) Bildung; **'lit·er·al** [-rəl] *adj.* □ **1.** wörtlich, wortgetreu; **2.** ungeschminkt, nüchtern: ~ *account*; ~ *truth*; **3.** eigentlich: ~ *sense*; **4.** *fig.* buchstäblich: ~ *annihilation*; **5.** am Buchstaben klebend, pe'dantisch, pro'saisch (*Person*); **6.** Buchstaben...; **'lit·er·al·ism** [-rəlizəm], **'lit·er·al·ness** [-rəlnis] *s.* Festhalten *n* am Buchstaben, *bsd.* strenge *od.* allzu wörtliche Über'setzung *od.* Auslegung, Buchstabenglaube *m.*

lit·er·ar·y ['litərəri] *adj.* □ **1.** lite'rarisch, Literatur...: ~ *historian* Literarhistoriker; ~ *history* Literaturgeschichte; ~ *language* Schriftsprache; **2.** schriftstellerisch: *a* ~ *man* ein Literat; ~ *property* geistiges Eigentum; **3.** lite'rarisch gebildet; **4.** gewählt: *a* ~ *expression*; **lit·er·ate** ['litərit] **I.** *adj.* **1.** des Lesens u. Schreibens kundig; **2.** (lite'rarisch) gebildet; **3.** lite'rarisch; **II.** *s.* **4.** Gebildete(r *m*) *f*, Gelehrte(r *m*) *f*; **lit·e·ra·ti** [litə'rɑːtiː] *s. pl.* **1.** Lite'raten *pl.*; **2.** *die* Gelehrten *pl.*; **lit·e·ra·tim** [litə'rɑːtim] (*Lat.*) *adv.* buchstäblich, wörtlich; **lit·er·a·ture** ['litəritʃə] *s.* **1.** ('Fach)Litera,tur *f*, Schrifttum *n*; **2.** F Druckschriften *pl.*

lithe [laið] *adj.* □ geschmeidig; **'lithe·ness** [-nis] *s.* Geschmeidigkeit *f*; **'lithe·some** [-səm] → *lithe.*

lith·o·chro·mat·ic [liθəkrə'mætik] *adj.* Farben-, Buntdruck...

lith·o·graph ['liθəgrɑːf; -græf] **I.** *s.* Lithogra'phie *f*, Steindruck *m* (*Erzeugnis*); **II.** *v/t. u. v/i.* lithographieren; **li·thog·ra·pher** [li'θɔgrəfə] *s.* Litho'graph *m*; **lith·o·graph·ic** [liθə'græfik] *adj.* (□ ~*ally*) litho'graphisch; Steindruck...; **li·thog·ra·phy** [li'θɔgrəfi] *s.* Lithographie *f*, Steindruck *m.*

Lith·u·a·ni·an [liθju(ː)'einjən] **I.** *s.* **1.** Litauer(in); **2.** *ling.* Litauisch *n*; **II.** *adj.* **3.** litauisch.

lit·i·gant ['litigənt] ⚖ **I.** *s.* Pro'zeßführende(r *m*) *f*, (streitende) Par'tei; **II.** *adj.* streitend, pro'zeßführend; **lit·i·gate** ['litigeit] *v/i. u. v/t.* prozessieren (um), streiten (um); **lit·i·ga·tion** [liti'geiʃən] *s.* Rechtsstreit *m*, Pro'zeß *m*; **li·ti·gious** [li'tidʒəs] *adj.* □ **1.** ⚖ Prozeß...; strittig, streitig; **2.** pro'zeß-, streitsüchtig.

lit·mus ['litməs] *s.* ⚗ Lackmus *n*; **'~-pa·per** *s.* 'Lackmuspa,pier *n.*

li·tre ['liːtə] *s.* Liter *n.*

lit·ter ['litə] **I.** *s.* **1.** Sänfte *f*; **2.** Tragbahre *f*; **3.** Streu *f*; **4.** her'umliegende Sachen *pl.*, *bsd.* her'umliegender Abfall; **5.** Wust *m*, Unordnung *f*; **6.** *zo.* Wurf *m Ferkel etc.*; **II.** *v/t.* **7.** *mst* ~ *down* Streu legen für *Tiere*; *Stall*, *Boden* einstreuen; **8.** unordentlich ver- *od.* bestreuen; *Zimmer* in Unordnung bringen; *oft* ~ *up* unordentlich her'umliegen in (*dat.*) *od.* auf (*dat.*); **9.** *zo. Junge* werfen; **III.** *v/i.* **10.** Junge werfen.

lit·tle ['litl] **I.** *adj.* **1.** klein: *a* ~ *house* ein kleines Haus, ein Häuschen; *a* ~ *one* ein Kleines (*Kind*); *our* ~ *ones* unsere Kleinen; ~ *Mary Brit.* F *der* Magen; *the* ~ *people* die Elfen *od.* Heinzelmännchen; **2.** kurz (*Strecke od. Zeit*); **3.** wenig: ~ *hope*; *a* ~ *honey* ein wenig *od.* ein bißchen *od.* etwas Honig; **4.** klein, gering(fügig), unbedeutend; **5.** klein(lich), beschränkt, engstirnig: ~ *minds* kleine Geister; **6.** gemein, erbärmlich; **7.** *iro.* klein: *her poor* ~ *efforts*; *his* ~ *ways* s-e kleinen Eigenarten *od.* Schliche; **II.** *adv.* **8.** wenig, kaum, nicht sehr; **9.** über'haupt nicht: *he* ~ *knows* er hat keine Ahnung; **10.** wenig, selten; **III.** *s.* **11.** Kleinigkeit *f*, *das* Wenige, *ein* bißchen: *a* ~ ein wenig, ein bißchen; *not a* ~ nicht wenig; *after a* ~ nach e-m Weilchen; *a* ~ *rash* ein bißchen voreilig; ~ *by* ~, *by* ~ *and* ~ nach und nach; **'lit·tle·ness** [-nis] *s.* **1.** Kleinheit *f*; **2.** Geringfügigkeit *f*, Bedeutungslosigkeit *f*; **3.** Kleinlichkeit *f.*

lit·to·ral ['litərəl] **I.** *adj.* **1.** Küsten..., Ufer...; **II.** *s.* **2.** Gezeitenzone *f*; **3.** Küstenland *n.*

li·tur·gic *adj.*; **li·tur·gi·cal** [li'təːdʒik(əl)] *adj.* □ li'turgisch; **lit·ur·gy** ['litə(ː)dʒi] *s. eccl.* Litur'gie *f.*

liv·a·ble ['livəbl] *adj.* **1.** wohnlich; **2.** *mst* ~*-with* 'umgänglich; **3.** lebenswert, erträglich.

live¹ [liv] **I.** *v/i.* **1.** *allg.* leben: **a)** (or'ganisches) Leben haben, **b)** am Leben bleiben; *weitS.* bestehen, aushalten: *to* ~ *through s.th.* et. durchmachen *od.* -stehen; *to* ~ *to a great age* ein hohes Alter erreichen; *to* ~ *to see* erleben; *he will* ~ *to regret it* er wird es noch bereuen; ~ *and learn!* man lernt nie aus; ~ *and let* ~ leben u. leben lassen, **c)** *oft* ~ *on* weiter-, fortleben (*mst fig.*), **d)** sich (er)nähren ([*up*]on von, *by* von, durch), den 'Lebens,unterhalt bestreiten (*by* durch): *to* ~ *on bread and water* von Wasser u. Brot leben; *he* ~*s on his wife* er lebt auf Kosten *od.* von den Einkünften seiner Frau; *to* ~ *off* vom *Kapital etc.* zehren, **e)** ein *ehrliches etc.* Leben führen: *to* ~ *honestly*; *to* ~ *well* üppig *od.* gut leben; *to* ~ *to o.s.* (nur) für sich leben, **f)** wohnen: *to* ~ *in the country* auf dem Lande leben, **g)** das Leben genießen; **II.** *v/t.* **2.** *ein bestimmtes Leben* führen *od.* leben; **3.** (vor)leben, im Leben verwirklichen;

Zssgn mit adv.:

live| down *v/t.* durch tadellosen Lebenswandel vergessen machen *od.* wider'legen *od.* über'winden; ~ **in** *v/i.* am Arbeitsplatz wohnen; ~ **out I.** *v/t.* über'leben; **II.** *v/i.* nicht am Arbeitsplatz wohnen; ~ **to·geth·er** *v/i.* (unverheiratet) zu'sammen leben; ~ **up** *v/i.*: ~ *to s-n Grundsätzen etc.* gemäß leben; *s-m Ruf etc.* gerecht werden, entsprechen; *Versprechen* halten.

live² [laiv] *adj.* (*nur attr.*) **1.** le'bendig: **a)** lebend: ~ *animals*, **b)** *fig.* lebhaft (*a. Debatte etc.*); rührig, tätig, e'nergisch (*Person*); **2.** aktu'ell: *a* ~ *question*; **3.** glühend (*Kohle etc.*) (*a. fig.*); ⚔ scharf (*Munition*); ungebraucht (*Streichholz*); ⚡ stromführend, geladen: ~ *wire fig.* energiegeladener Mensch; **4.** *Radio, Fernsehen*: Direkt..., Original..., Live-...: ~ *broadcast* Live-Sendung, Direktübertragung; **5.** ⊕ **a)** Trieb..., **b)** angetrieben.

-lived [livd] *in Zssgn* ...lebig.

live·li·hood ['laivlihud] *s.* 'Lebens,unterhalt *m*, Auskommen *n*: *to earn* (*od. make*) *a* (*od. one's*) ~ sein Brot verdienen.

live·li·ness ['laivlinis] *s.* Lebhaftigkeit *f*; Le'bendigkeit *f.*

live·long ['livlɔŋ] *adj. poet.*: *the* ~ *day* den lieben langen Tag.

live·ly ['laivli] *adj.* □ **1.** lebhaft, le'bendig (*Person, Geist, Gespräch, Rhythmus, Gefühl, Erinnerung, Farbe, Beschreibung etc.*); kräftig, vi'tal; aufregend (*Zeit*): *to make it* (*od. things*) ~ *for j-m* (tüchtig) einheizen; ~ *with* belebt von *od.* durch; **2.** schnell; **3.** stark, fest: ~ *hope.*

liv·en ['laivn] *v/t. u. v/i. mst* ~ *up* F (sich) beleben, le'bendig *od.* munter machen (werden); *nur v/t.* Leben bringen in (*acc.*).

liv·er¹ ['livə] *s. anat.* Leber *f.*

liv·er² ['livə] *s.*: *fast* ~ Lebemann; *good* ~ Schlemmer; *loose* ~ liederlicher Mensch.

liv·er·ied ['livərid] *adj.* livriert.

liv·er·ish ['livəriʃ] *adj.* F **1.** leberleidend; **2.** gallig, mürrisch.

'liv·er|-rot *s. vet.* Leberfäule *f*; **'~-wort** *s.* ♀ Leberblümchen *n.*

liv·er·y ['livəri] *s.* **1.** Li'vree *f*; **2.** (*bsd.* Amts)Tracht *f*; *fig.* (*a. zo. Winter- etc.*)Kleid *n*; **3.** → *livery company*; **4.** Pflege *f* u. 'Unterbringung *f* (*von Pferden*) gegen Bezahlung: *at* ~ in Futter *stehen etc.*; **5.** *Am.* → *livery stable*; **6. a)** 'Übergabe *f*, Über'tragung *f*, **b)** *Brit.* 'Übergabe *f* von vom Vormundschaftsgericht freigegebenem Eigentum; ~ **com·pa·ny** *s.* (Handels-) Zunft *f* der *City of London*; **'~man** [-mən] *s.* [*irr.*] Zunftmitglied *n*; ~ **serv·ant** *s.* livrierter Diener; ~ **sta·ble** *s.* Mietstallung *f.*

lives [laivz] *pl. von life.*

live| steam [laiv] *s.* Frischdampf *m*; **'~-stock** *s.* Vieh(bestand *m*) *n*, lebendes Inven'tar; ~ **weight** *s.* Lebendgewicht *n.*

liv·id ['livid] *adj.* □ **1.** bläulich; bleifarben, graublau; **2.** fahl, aschgrau, bleich, blaß (*with* vor *dat.*); **3.** *Brit.* F ‚fuchsteufelswild'; **li·vid·i·ty** [li'viditi], **'liv·id·ness** [-nis] *s.* Fahlheit *f*, Blässe *f.*

liv·ing ['liviŋ] **I.** *adj.* □ **1.** lebend

(*a. Sprachen*); le'bendig (*a. fig. Glaube etc.*): *no man* ~ kein Sterblicher; *the* ~ die Lebenden; *while* ~ zu Lebzeiten; *the greatest of* ~ *statesmen* der größte lebende *od.* zeitgenössische Staatsmann; ~ *death* trostloses Dasein; *the* ~ *image* das genaue Ebenbild; *within* ~ *memory* seit Menschengedenken; **2.** glühend (*Kohle*); **3.** gewachsen (*Fels*); **4.** Lebens...: ~ *conditions*; **II.** *s.* **5.** (das) Leben; **6.** Leben *n*, Lebensweise *f*, -führung *f*: *good* ~ üppiges Leben; **7.** 'Lebens,unterhalt *m*: *to make a* ~ s-n Lebensunterhalt verdienen (*as* als, *out of* durch); **8.** Wohnen *n*; **9.** *eccl. Brit.* Pfründe *f*; '~**-room** *s.* Wohnzimmer *n*; '~**-space** *s.* **1.** Wohnfläche *f*; **2.** *pol.* Lebensraum *m*; ~ **wage** *s.* Exi'stenz,minimum *n*, Mindestlohn *m*.

Li·vo·ni·an [li'vounjən] **I.** *adj.* livländisch; **II.** *s.* Livländer(in).

lix·iv·i·ate [lik'sivieit] *v/t.* auslaugen.

liz·ard ['lizəd] *s. zo.* Eidechse *f*.

Liz·zie ['lizi] *s. mot. sl.* ‚alte Kiste' (*bsd. altes Fordmodell*).

'll [l; əl] F *für will od. shall*.

lla·ma ['lɑːmə] *s. zo.* Lama(wolle *f*) *n*.

Lloyd's [lɔidz] *s.* Lloyd's (*Londoner Schiffsbörse für Seehandel u. Seeversicherung*).

lo [lou] *int.* siehe!: ~ *and behold!* sieh(e) da!

loach [loutʃ] *s. ichth.* Schmerle *f*.

load [loud] **I.** *s.* **1.** Last *f* (*a. fig. Bürde*; *a. phys. Druck*): *to take a* ~ *off s.o.'s mind* j-m e-e Last von der Seele nehmen; **2.** Ladung *f* (*a. e-r Schußwaffe*; *a. Am. sl. Menge Alkohol*), Fuhre *f*: *get a* ~ *of this! Am. sl.* hör mal gut zu!; **3.** *pl.* F Massen *pl.*, e-e Unmasse; **4.** ⊕, ⚡ Last *f*, (Arbeits)Belastung *f*; Leistung *f*: ~ *capacity* **a)** Ladefähigkeit, **b)** Tragfähigkeit, **c)** ⚡ Belastbarkeit; **II.** *v/t.* **5.** beladen; **6.** *Güter, Schußwaffe etc.* laden; aufladen: *to* ~ *a camera phot.* e-n Film einlegen; **7.** *fig. j-n* über'häufen (*with* mit *Arbeit, Geschenken, Vorwürfen etc.*); *Magen* über'laden; **8.** *Würfel* beschweren *od.* fälschen; *Stock* mit Blei beschweren; *Wein* verfälschen: *to* ~ *one's dice fig.* s-e Karten zinken; *the dice are* ~*ed against him fig.* er zieht den kürzeren; ~*ed cane* bleibeschwerter Stock, Totschläger; ~*ed question* Fangfrage; ~ **up** *v/t. u. v/i.* (auf)laden; F tüchtig zulangen (*beim Essen*).

load·er ['loudə] *s.* **1.** (Ver)Lader *m*; **2.** Verladevorrichtung *f*; **3.** *hunt.* Lader *m*; ⚔ Ladeschütze *m*; **4.** *in Zssgn* ...lader *m*; → *breech-loader*.

load·ing ['loudiŋ] *s.* **1.** Beladen *n*; ✝ (Auf)Laden *n*; *attr.* Lade...; **2.** Ladung *f*, Fracht *f*; **3.** ⊕, ⚡, ✈ Belastung *f*; **4.** *Versicherung*: Verwaltungskostenanteil *m* (*der Prämie*); ~ **bridge** *s.* ✈ Fluggastbrücke *f*.

'load|-line *s.* ⚓ Lade(wasser)linie *f*; '~**star** → *lodestar*; '~**stone** *s. min.* Ma'gneteisenstein *m*; *fig.* Ma'gnet *m*; ~ **test** *s.* ⊕, ⚡ Belastungsprobe *f*; '~**-wa·ter·line** → *load-line*.

loaf[1] [louf] *pl.* **loaves** [louvz] *s.* **1.** Laib *m* (*Brot*); *weitS.* Brot *n*: *half a* ~ *is better than no bread* etwas ist besser als gar nichts; **2.** Zuckerhut *m*; **3.** Hackbraten *m*; **4.** *Brit. sl.* ‚Hirn' *n*: *use your* ~ denk mal nach.

loaf[2] [louf] **I.** *v/i.* her'umlungern, bummeln; faulenzen; **II.** *v/t.* ~ *away Zeit* verbummeln; **III.** *s.* F: *to be on the* ~ → *l*; '**loaf·er** [-fə] *s.* Bummler *m*; Müßiggänger *m*, Faulenzer *m*.

loaf sug·ar *s.* Hutzucker *m*.

loam [loum] *s.* Lehm(boden) *m*; '**loam·y** [-mi] *adj.* lehmig; Lehm..., lehmhaltig.

loan [loun] **I.** *s.* **1.** (Ver)Leihen *n*: *on* ~ leihweise; *to ask for the* ~ *of s.th.* et. leihweise erbitten; *to put out to* ~ verleihen; **2.** Anleihe *f* (*a. fig.*): *to take up a* ~ *on* e-e Anleihe aufnehmen auf *e-e Sache*; *government* ~ Staatsanleihe; **3.** Darlehen *n*, Kre'dit *m*; **4.** Leihgabe *f* (*für e-e Ausstellung*); **II.** *v/t. u. v/i.* **5.** *bsd. Am.* (ver-, aus)leihen (*to dat.*); '~**-bank** *s.* Darlehensbank *f*, Kre'ditanstalt *f*; '~**-of·fice** *s.* **1.** Darlehenskasse *f*; **2.** Pfandleihe *f*; '~**-so·ci·e·ty** *s. Brit.* Darlehensgesellschaft *f*; '~**-word** *s. ling.* Lehnwort *n*.

loath [louθ] *adj.* (*nur pred.*) abgeneigt, unwillig: *I am* ~ *to do it* ich tue es sehr ungern; *to be* ~ *for s.o. to do s.th.* dagegen sein, daß j-d et. tut; *nothing* ~ durchaus nicht abgeneigt.

loathe [louð] *v/t.* **1.** verabscheuen, hassen, nicht ausstehen können; **2.** sich ekeln vor (*dat.*); '**loath·ing** [-ðiŋ] *s.* Abscheu *m*, heftiger 'Widerwille; Ekel *m* (*at* vor *dat.*); '**loath·ing·ly** [-ðiŋli] *adv.* mit Abscheu *etc.*; '**loath·some** [-səm] *adj.* □ widerlich, ab'scheulich, verhaßt; ekelhaft, eklig.

loaves [louvz] *pl. von loaf*[1].

lob [lɔb] **I.** *s.* **1.** *Tennis*: Lob(ball) *m*, Hochschlag *m*; **2.** *Kricket*: Grundball *m*; **II.** *v/t. u. v/i.* **3. a)** (*Tennisball*) hoch (zu'rück)schlagen, lobben, **b)** (*Kricketball*) von unten her hochwerfen.

lo·bate ['loubeit] → *lobed*.

lob·by ['lɔbi] **I.** *s.* **1. a)** Vorhalle *f*, Vesti'bül *n*, **b)** Wandelgang *m*, -halle *f* (*a. parl.*), Foy'er *n* (*bsd. thea.*); **2.** *pol.* (Vertreter *pl.* von) Inter'essengruppen *pl.*, Lobby *f*; **II.** *v/t. u. v/i.* **3.** (Abgeordnete) beeinflussen *od.* bearbeiten: to ~ (*through*) *Gesetzesantrag* mit Hilfe e-r Lobby durchbringen; '**lob·by·ist** [-iist] *s. pol.* Lobby'ist *m* (*Agent e-r Interessengruppe*).

lobe [loub] *s. bsd.* ♀, *anat.* Lappen *m*: ~ *of the ear* Ohrläppchen; **lobed** [-bd] *adj.* gelappt, lappig.

lob·ster ['lɔbstə] *s. zo.* Hummer *m*: *as red as a* ~ *fig.* krebsrot; *spiny* ~ Languste.

lob·u·lar ['lɔbjulə] *adj.* ⚕ kleinlappig, Lobulär...; '**lob·ule** [-juːl] *s.* ♀, *anat.* Läppchen *n*.

'**lob·worm** *s.* Köderwurm *m*.

lo·cal ['loukəl] **I.** *adj.* □ **1.** lo'kal, örtlich, Lokal..., Orts...: ~ *call teleph.* Ortsgespräch; ~ *news* Lokalnachrichten; ~ *traffic* Lokal-, Orts-, Nahverkehr; **2.** Orts..., ortsansässig, hiesig: *the* ~ *doctor*; **3.** lo'kal, örtlich, Lokal...: ~ *an(a)esthesia* ⚕ Lokalanästhesie, örtliche Betäubung; *a* ~ *custom* ein ortsüblicher Brauch; **4.** *Brit.* (*als Postvermerk*) Ortsdienst!; **II.** *s.* **5.** *a.* ~ *train* Vorort(s)zug *m*; **6.** *Zeitung*: Lo'kalnachricht *f*; **7.** *Am.* Ortsgruppe *f* (*Verein etc.*); **8.** *pl.* Ortsansässige *pl.*; **9.** *Brit.* F (nächstgelegene) Kneipe, Stammkneipe *f*; **10.** *Brit.* F → *local examination*; ~ **col·o(u)r** *s.* **1.** *Literatur*: Lo'kalkolo,rit *n*; **2.** *paint.* Lo'kalfarbe *f*.

lo·cale [lou'kɑːl] *s.* Schauplatz *m*, Ort *m* (*Ereignis etc.*).

lo·cal| ex·am·i·na·tion *s. Brit. von e-r Universitäts-Prüfungskommission abgehaltene Prüfung an e-r höheren Schule*; ~ **gov·ern·ment** *s.* Gemeinde-, Kommu'nalverwaltung *f*.

lo·cal·ism ['loukəlizəm] *s.* **1.** *ling.* örtliche (Sprach)Eigentümlichkeit, Provinzia'lismus *m*; **2.** Borniertheit *f*.

lo·cal·i·ty [lou'kæliti] *s.* **1.** Örtlichkeit *f*, Ort *m*: *sense of* ~ Ortssinn; **2.** (örtliche) Lage.

lo·cal·i·za·tion [loukəlai'zeiʃən] *s.* Lokalisierung *f*, örtliche Bestimmung *od.* Festlegung *od.* Beschränkung; '**lo·cal·ize** ['loukəlaiz] *v/t.* **1.** lokalisieren: **a)** örtlich festlegen, **b)** örtlich beschränken (*to* auf *acc.*); **2.** Lo'kalkolo,rit geben (*dat.*); **lo·cal·iz·er** ['loukəlaizə] *s.* ✈ Landekurssender *m*: ~ *beam* Leitstrahl.

lo·cal time *s.* Ortszeit *f*.

lo·cate [lou'keit] **I.** *v/t.* **1.** ausfindig machen, die örtliche Lage *od.* den Aufenthalt ermitteln von; ⚓ *etc.* orten; ⚔ *Ziel etc.* ausmachen; **2.** *Büro etc.* errichten; **3.** *Am.* **a)** *Land etc.* abstecken, **b)** den Ort *od.* die Grenzen festsetzen für; **4.** e-n bestimmten Platz zuweisen (*dat.*), einordnen; *wo* an- *od.* 'unterbringen; *an e-n Ort* verlegen: *to be* ~*d* gelegen sein, *wo* liegen *od.* sich befinden, *a.* s-n Wohnsitz haben; **II.** *v/i.* **5.** *Am.* F sich niederlassen; **lo'ca·tion** [-eiʃən] *s.* **1.** örtliche Festlegung, Ortung *f*; Ausfindigmachen *n*; 'Unterbringung *f*; **2.** Stelle *f*, Lage *f*, Platz *m*; Standort *m*; **3.** Anweisung *f* von (*od.* angewiesenes) Land; Farm *f*; *Am.* Grundstück *n*; *Film*: Gelände *n* für Außenaufnahmen: *on* ~ auf Außenaufnahme; ~ *shots* Außenaufnahmen; **4.** Niederlassung *f*; **5.** ⚖ Verpachtung *f*, -mietung *f*.

loch [lɔk; lɔx] *s. Scot.* **1.** See *m*; **2.** Bucht *f*.

lo·ci ['lousai] *pl. u. gen. von locus*.

lock[1] [lɔk] **I.** *s.* **1.** Schloß *n* (*an Türen etc.*): *under* ~ *and key* hinter Schloß u. Riegel, unter Verschluß; **2.** Verschluß *m*; Sperrvorrichtung *f*; Schloß *n* (*Gewehr etc.*): ~, *stock, and barrel fig.* **a)** mit Stumpf u. Stiel, ganz u. gar, **b)** mit allem Drum u. Dran, **c)** mit Sack u. Pack; **3.** Schleusenkammer *f*; **4.** *mot.* Einschlag *m* (*der Vorderräder*); **5.** Stauung *f*, Gedränge *n* (*von Fahrzeugen etc.*); **6.** *Ringen*: Fessel(ung) *f*; **II.** *v/t.* **7.** *oft* ~ *up* ab-, zu-, verschließen, versperren; **8.** *oft* ~ *up* einschließen, (ein)sperren (*in, into* in *acc.*); **9.** um'schließen, um'fassen, *in die Arme* schließen; inein'anderschlingen, *Arme* verschränken; *Ringen*: (um)'fassen, fesseln; ⊕ sperren; **III.** *v/i.* **10.** sperren, sich schließen (lassen); **11.** inein'ander-, eingreifen;

Zssgn mit adv.:

lock| a·way *v/t.* wegschließen; ~ **down** *v/t. Schiff* hin'abschleusen; ~ **in** *v/t.* einschließen, -sperren; ~ **out** *v/t.* hin'aus-, *a. Arbeiter* aussperren; ~ **up** *v/t.* **1.** → *lock*[1] *7, 8*: *to lock o.s. up* sich einschließen; **2.** ver-, ein-, wegschließen; **3.** *typ. Satz* schließen; **4.** *Kapital* fest anlegen; **5.** *Schiff* hin'aufschleusen.

lock[2] [lɔk] *s.* **1.** Locke *f*; *pl. poet.* Haar *n*; **2.** (Woll)Flocke *f*; **3.** Strähne *f*, Büschel *n*.

lock·age ['lɔkidʒ] *s.* **1.** Schleusen (-anlage *f*) *pl.*; **2.** Schleusengeld *n*; **3.** Schleusengefälle *n*.

lock·er ['lɔkə] *s.* verschließbarer Kasten *od.* Schrank, Spind *m, n*; Schließfach *n*; → *shot*[2] *4*.

lock·et ['lɔkit] *s.* Medail'lon *n*.

'lock|-gate *s.* Schleusentor *n*; '~-**jaw** *s.* ⚕ Kaumuskelkrampf *m*; '~-**nut** *s.* ⊕ Gegenmutter *f*; '~-**out** *s.* Aussperrung *f* (*von Arbeitern*); '~-**smith** *s.* Schlosser *m*; '~-**stitch** *s.* Kettenstich *m*; '~-**up** **I.** *s.* **1.** Ar'restzelle *f*; **2.** *mot.* 'Einzelga,rage *f*; **3.** (Tor)Schluß *m*; **4.** feste Anlage (*von Kapital*); **II.** *adj.* **5.** verschließbar.

lo·co[1] ['loukou] *adj. Am. sl.* me'schugge, verrückt.

lo·co[2] ['loukou] *s.* Lok *f* (*Lokomotive*).

lo·co·mo·tion [loukə'mouʃən] *s.* **1.** Ortsveränderung *f*, Fortbewegung *f*; **2.** Fortbewegungsfähigkeit *f*; **lo·co·mo·tive** ['loukəmoutiv] **I.** *adj.* sich fortbewegend, fortbewegungsfähig, sich frei bewegend; Fortbewegungs...; *humor.* reiselustig: ~ *engine* → *II*; **II.** *s.* Lokomo'tive *f*.

lo·cum ['loukəm] F = ~ **te·nens** ['ti:nenz] *pl.* ~ **te·nen·tes** [ti'nenti:z] *s.* Vertreter(in) (*e-s Arztes*).

lo·cus ['loukəs] *pl. u. gen.* **lo·ci** ['lousai] *s.* (⩚ geo'metrischer) Ort.

lo·cust ['loukəst] *s.* **1.** *zo.* Heuschrecke *f*; **2.** *a.* ~-*tree* ⚘ **a)** Ro'binie *f*, 'Scheina,kazie *f*, **b)** Jo'hannisbrotbaum *m*; **3.** ⚘ Jo'hannisbrot *n*, Ka'rube *f*.

lo·cu·tion [lou'kju:ʃən] *s.* **1.** Redeweise *f*; **2.** Redewendung *f*, Redensart *f*, Ausdruck *m*.

lode [loud] *s.* ⚒ (Erz)Gang *m*, Ader *f*; '~-**star** *s.* Leitstern *m* (*a. fig.*), Po'larstern *m*; '~-**stone** → *loadstone*.

lodge [lɔdʒ] **I.** *s.* **1.** Häus-chen *n*; Jagdhütte *f*; Parkwächter-, Forsthaus *n*; Pförtnerloge *f*; **2.** (*bsd.* Freimaurer)Loge *f*; **3.** Wigwam *m der Indianer*; **II.** *v/i.* **4.** logieren, (*bsd.* in 'Untermiete) wohnen; über'nachten (*with* bei); **5.** stecken(bleiben) (*Kugel etc.*); **III.** *v/t.* **6.** 'unterbringen, aufnehmen, beherbergen; in 'Untermiete nehmen; ✝ *Güter* einlagern; **7.** *Geld* deponieren, hinter'legen; **8.** anvertrauen (*with dat.*); *Befugnisse etc.* über'tragen (*in, with, in the hands of dat. od.* auf *acc.*); **9.** *Antrag, Beschwerde etc.* einreichen, *Anzeige* erstatten, *Berufung, Protest* einlegen (*with* bei); ✝ *Kredit* eröffnen; **10.** *Geschoß* ans Ziel bringen, *a. Messer etc.* (hin'ein)jagen; *Schlag* landen, versetzen; **11.** *Getreide etc.* 'umlegen (*Wind*); **lodge·ment** → *lodgment*; '**lodg·er** [-dʒə] *s.* ('Unter)Mieter(in).

lodg·ing ['lɔdʒiŋ] *s.* **1.** Wohnen *n*, Logieren *n*; **2.** Wohnung *f*, 'Unterkunft *f*; ('Nacht)Quar,tier *n*; **3.** *pl.* **a)** (*bsd.* möbliertes) Zimmer, **b)** Mietwohnung *f*; '~-**house** *s.* Fremdenheim *n*, Pensi'on *f*: *common* ~ Herberge.

lodg·ment ['lɔdʒmənt] *s.* **1.** ⚖ Einreichung *f* (*Klage, Antrag etc.*); Erhebung *f* (*Beschwerde, Protest etc.*); Einlegung *f* (*Berufung*); **2.** Hinter'legung *f*, Deponierung *f*; **3.** ⚔ Verschanzung *f*; **4.** → *lodging 3*; **5.** Ansammlung *f*, Ablagerung *f*.

lo·ess ['louis] *s. geol.* Löß *m*.

loft [lɔft] **I.** *s.* (Dach-, *a.* 🌾 Heu-) Boden *m*; Speicher *m*; *Am.* ('durchgehendes) Obergeschoß *e-s Lagerhauses etc.*; ⛪ Em'pore *f*; (Orgel-) Chor *m*; Taubenschlag *m*; **II.** *v/t. u. v/i. Golf*: (den Ball) hochschlagen; '**loft·er** [-tə] *s. Golf*: Schläger *m* für Hochbälle.

loft·i·ness ['lɔftinis] *s.* **1.** Höhe *f*; **2.** Erhabenheit *f* (*a. fig.*); **3.** Hochmut *m*, Dünkel *m*; **loft·y** ['lɔfti] *adj.* □ **1.** hoch(ragend); **2.** erhaben: **a)** edel, **b)** über'legen; **3.** hochfliegend; **4.** stolz, hochmütig.

log [lɔg] **I.** *s.* **1.** (Holz)Klotz *m*, (-)Block *m*, (*gefällter*) Baumstamm: *in the* ~ unbehauen; *like a* ~ *fig.* wie ein Klotz; *to roll a* ~ *for s.o. Am.* j-m e-n Dienst erweisen; **2.** ⚓ Log *n*; **3.** ⚓ *etc.* → *log-book*; **II.** *v/t.* **4.** *gefällte Bäume* in Klötze schneiden; **5.** ⚓ loggen: **a)** *Entfernung* zu'rücklegen, **b)** *Geschwindigkeit etc.* in das Logbuch eintragen.

lo·gan·ber·ry ['lougənbəri] *s.* ⚘ Logan-Beere *f* (*Kreuzung zwischen Bärenbrombeere u. Himbeere*).

log·a·rithm ['lɔgəriθəm] *s.* ⩚ Loga'rithmus *m*; **log·a·rith·mic** *adj.*; **log·a·rith·mi·cal** [lɔgə'riθmik(əl)] *adj.* □ loga'rithmisch.

'log|-book *s.* **1.** ⚓ Log-, ✈ Bord-, *mot.* Fahrtenbuch *n*; **2.** Reisetagebuch *n*; ~ **cab·in** *s.* Blockhaus *n*.

logged [lɔgd] *adj.* (mit Wasser) vollgesogen.

log·ger·head ['lɔgəhed] *s. obs.* Schafskopf *m*: *to be at* ~*s* sich in den Haaren liegen.

log·gia ['lɔdʒə] *s.* ⛪ Loggia *f*.

'log-hut *s.* Blockhütte *f*.

log·ic ['lɔdʒik] *s. phls. u. fig.* Logik *f*; '**log·i·cal** [-kəl] *adj.* □ logisch (*a. fig. folgerichtig; natürlich*); **lo·gi·cian** [lou'dʒiʃən] *s.* Logiker *m*; **lo·gis·tic** [lou'dʒistik] **I.** *adj.* **1.** *phls. u.* ⚔ lo'gistisch; **II.** *s.* **2.** *phls.* Lo'gistik *f*; **3.** *pl.* ⚔ Logistik *f* (*Beschaffungs-, Nachschub- u. Transportwesen*).

log·o·gram ['lɔgougræm] *s.* Logo'gramm *n*, Wortzeichen *n*.

lo·gom·a·chy [lɔ'gɔməki] *s.* Wortklaube'rei *f*, Haarspalte'rei *f*.

'log|-roll *pol.* **I.** *v/t. Gesetz* durch gegenseitiges In-die-'Hände-Arbeiten 'durchbringen; **II.** *v/i.* sich gegenseitig in die Hände arbeiten (*Parteien*); '~-**roll·ing** *s. pol.* ‚Kuhhandel' *m*, gegenseitiges In-die-Hände-Arbeiten; '~-**wood** *s.* ⚘ Kam'pesche-, Blauholz *n*.

loin [lɔin] *s.* **1.** (*mst pl.*) *anat.* Lende *f*: *to gird up one's* ~*s fig.* s-e Lenden gürten, sich rüsten; **2.** *Küche*: Lende(nstück *n*) *f*; '~-**cloth** *s.* Lendentuch *n*.

loi·ter ['lɔitə] **I.** *v/i.* **1.** bummeln: **a)** schlendern, **b)** trödeln; **2.** her'umlungern; **II.** *v/t.* **3.** ~ *away Zeit* vertrödeln; '**loi·ter·er** [-ərə] *s.* Bummler(in), Faulenzer(in); '**loi·ter·ing** [-əriŋ] *s.* ⚖ Stadtstreiche'rei *f*.

loll [lɔl] *v/t. u. v/i.* **1.** (sich) rekeln: *to* ~ *about* herumlungern; **2.** *mst* ~ *out* (die Zunge) her'aushängen (lassen).

lol·li·pop ['lɔlipɔp] *s.* **1.** 'Lutschbon,bon *m, n*; **2.** *pl.* Süßigkeiten *pl.*

lol·lop ['lɔləp] *v/i.* F latschen, watscheln.

lol·ly ['lɔli] *s. sl.* ‚Kies' *m*, ‚Moos' *n* (*Geld*): *to earn the* ~ die Brötchen verdienen.

Lom·bard Street ['lɔmbəd] *s. fig.* der Londoner Geldmarkt.

Lon·don·er ['lʌndənə] *s.* Londoner (-in); '**Lon·don·ism** [-nizəm] *s.* Londoner (Sprach)Eigentümlichkeit *f*.

lone [loun] *adj.* einsam: *to play a* ~ *hand fig.* es im Alleingang machen; → *wolf 1*; '**lone·li·ness** [-linis] *s.* Einsamkeit *f*, Verlassenheit *f*; '**lone·ly** [-li] *adj.* einsam, verlassen (*a. fig.*), abgelegen: *to be* ~ *for Am.* F Sehnsucht haben nach *j-m*; '**lone·some** [-səm] *adj.* □ → *lonely*.

long[1] [lɔŋ] **I.** *adj.* **1.** *allg.* lang (*a. fig. langwierig*): *two miles (weeks)* ~; ~ *journey (list, syllable)*; ~ *years of misery*; ~ *measure* Längenmaß; ~ *vacation die* großen Ferien; ~ *wave* ⚡ Langwelle; ~*er comp.* länger; *a* ~ *dozen* 13 Stück; *a* ~ *guess* e-e vage Schätzung; **2.** lang, hoch(gewachsen): *a* ~ *fellow*; **3.** groß, zahlreich: *a* ~ *family*; *a* ~ *figure* eine vielstellige Zahl; *a* ~ *price* ein hoher Preis; **4.** weitreichend: *a* ~ *memory*; *to take a* ~ *view* weit vorausblicken; **5.** ✝ langfristig (*Wechsel etc.*), auf lange Sicht; **6.** ✝ eingedeckt (*of* mit); **II.** *adv.* **7.** lang, lange: ~ *dead* schon lange tot; *as (od. so)* ~ *as* **a)** solange (wie), **b)** sofern; vorausgesetzt, daß; ~ *ago* vor langer Zeit; *not* ~ *ago* vor kurzem; *as* ~ *ago as 1900* schon 1900; *all day* ~ den ganzen Tag (lang); *to be* ~ **a)** lange dauern (*Sache*), **b)** lange brauchen (*[in] doing s.th.* et. zu tun); *don't be* ~*!* mach nicht so lang!; *it was not* ~ *before* es dauerte nicht lange bis *er kam etc.*; *so* ~*!* tschüs!, bis später (dann); *no (od. not any)* ~*er* nicht (mehr) länger, nicht mehr; ~*est sup.* am längsten; **III.** *s.* **8.** (e-e) lange Zeit: *at (the)*

~*est* längstens; *before* ~ bald, binnen kurzem; *for* ~ lange (Zeit); *it is* ~ *since* es ist lange her, daß; **9.** *to take* ~ lange brauchen; *the* ~ *and the short of it* **a)** die ganze Geschichte, **b)** mit 'einem Wort, kurzum; **10.** Länge *f*: **a)** *Phonetik*: langer Laut, **b)** *Metrik*: lange Silbe; **11.** *Brit.* F *die* großen Ferien *pl.*

long² [lɔŋ] *v/i.* sich sehnen (*for* nach): *I* ~*ed to see him* ich sehnte mich danach, ihn zu sehen; *the* ~*ed-for rest* die ersehnte Ruhe.

'long|·boat *s.* ⚓ Großboot *n*, großes Beiboot (*e-s Segelschiffs*); **'~-bow** [bou] *s. hist.* Langbogen *m*: *to draw the* ~ übertreiben, aufschneiden; **'~-clothes** *s. pl. Brit.* Tragkleid *n* (*Kleinkind*); **'~-'dat·ed** *adj.* langfristig; **'~-'dis·tance I.** *adj.* **1.** *teleph. etc. Am.* Fern...(*-gespräch, -empfang, -leitung etc.*; *a. -fahrt, -lastzug, -verkehr etc.*); **2.** ✈, *sport* Langstrecken...(*-flug, -lauf*); **II.** *s.* **3.** *teleph. Am.* Fernamt *n*; **'~-'drawn, '~-drawn-'out** *adj. fig.* langatmig, lang hin('aus)gezogen.

longe [lʌndʒ] **I.** *s.* Longe *f*, Laufleine *f* (*für Pferde*); **II.** *v/t. Pferd* longieren.

lon·ge·ron ['lɔndʒərən] *s.* ✈ Rumpf-(längs)holm *m.*

lon·gev·i·ty [lɔn'dʒeviti] *s.* Langlebigkeit *f*, langes Leben.

long| firm *s.* † *Brit.* 'Schwindel-ˌfirma *f*; **'~·hair** *s.* **1.** Künstler *m od.* Liebhaber *m* ernster Mu'sik; **2.** Intellektu'elle(r) *m*; **'~-hand** *s.* Langschrift *f*, *gewöhnliche* Schreibschrift; **'~-'head·ed** *adj.* **1.** langköpfig; **2.** gescheit, schlau; **'~·horn** *s.* **1.** langhörniges Tier; **2.** langhörniges Rind.

long·ing ['lɔŋiŋ] **I.** *adj.* □ sehnsüchtig, verlangend; **II.** *s.* Sehnsucht *f*, Verlangen *n* (*for* nach).

long·ish ['lɔŋiʃ] *adj.* ziemlich lang.

lon·gi·tude ['lɔndʒitju:d] *s. geogr.* Länge *f*; **lon·gi·tu·di·nal** [lɔndʒi'tju:dinl] *adj.* □ **1.** *geogr.* Längen...; **2.** Längs...; **lon·gi·tu·di·nal·ly** [lɔndʒi'tju:dinəli] *adv.* längs, der Länge nach.

long| johns *s. pl.* lange 'Unterhose; **'~-legged** *adj.* langbeinig; **'~-lived** *adj.* langlebig; **'~-'play·ing rec·ord** *s.* Langspielplatte *f*; **~ prim·er** *s. typ.* Korpus *f* (*Schriftgrad*); **'~-'range** *adj.* **1.** ⚔ weittragend, Fernkampf..., Fern...; ✈ Langstrekken...: ~ *bomber*; **2.** auf lange Sicht (geplant); **'~·shore·man** [-mən] *s.* [*irr.*] Hafenarbeiter *m*; **~ shot** *s. Film*: To'tale *f*; **'~-'sight·ed** *adj.* **1.** ⚕ weitsichtig; **2.** *fig.* weitblikkend, 'umsichtig; **'~-'stand·ing** *adj.* seit langer Zeit bestehend, alt; **'~-'suf·fer·ing I.** *s.* Langmut *f*; **II.** *adj.* langmütig; **'~-term** *adj.* langfristig; **'~·ways** → *longwise*; **'~-'wind·ed** *adj. fig.* langatmig; **'~·wise** *adv.* der Länge nach.

loo [lu:] **I.** *s.* **1.** Lu(spiel) *n* (*Kartenspiel*); **2.** *Brit.* F Klo *n*; **II.** *v/i.* **3.** *Brit.* F aufs Klo gehen.

loo·fa(h) ['lu:fɑ:] → *luffa*.

look [luk] **I.** *s.* **1.** Blick *m* (*at* auf *acc.*, nach): *to have a* ~ *at s.th.* (sich) et. ansehen; **2.** Miene *f*, Ausdruck *m*; **3.** *oft pl.* Aussehen *n*: *good* ~*s* gutes Aussehen, Schönheit; *to wear the* ~ *of* aussehen wie; *I do not like the* ~ *of it* die Sache gefällt mir nicht; **II.** *v/i.* **4.** schauen, blicken, (hin-)sehen (*at, on* auf *acc.*, nach): *don't* ~! nicht hersehen!; *don't* ~ *like that!* schau nicht so (drein)!; ~ *here!* schau mal (her)!, hör mal (zu)!; → *leap 1*; **5.** (nach)schauen, nachsehen: ~ *who is coming!* schau, wer da kommt!; ~ *and see!* überzeugen Sie sich (selbst)!; **6.** *krank etc.* aussehen (*a. fig.*): *things* ~ *bad for him* es sieht schlimm für ihn aus; *he* ~*s it!* so sieht er (auch) aus!; *to* ~ *an idiot* wie ein Idiot aussehen; *she does not* ~ *her age* man sieht ihr ihr Alter nicht an; *it* ~*s as if* es sieht (so) aus, als ob; *to* ~ *like* aussehen wie; *it* ~*s like snow* es sieht nach Schnee aus; *he* ~*s like winning* es sieht so aus, als ob er gewinnen sollte; → *alive 3, sharp 14*; **7.** achten, aufpassen, sehen (*to* auf *acc.*); zusehen (*that* daß, *how* wie); **8.** *nach e-r Richtung* liegen, gehen (*toward, to* nach) (*Zimmer etc.*); **III.** *v/t.* **9.** *j-m in die Augen etc.* sehen *od.* schauen *od.* blicken: *to* ~ *s.o. in the eyes*; **10.** durch Blicke ausdrücken: *to* ~ *compassion* mitleidig dreinschauen; → *dagger 1*;

Zssgn mit prp.:

look| a·bout *v/t.*: *to* ~ *one* sich umsehen, um sich sehen; **~ aft·er** *v/t.* **1.** *j-m* nachblicken; **2.** sehen nach, aufpassen auf (*acc.*), sich kümmern um, sorgen für; **~ at** *v/t.* ansehen, -schauen, betrachten: *to* ~ *him* wenn man ihn (so) ansieht; *he wouldn't* ~ *it* er wollte nichts davon wissen; **~ for** *v/t.* **1.** suchen (nach), sich 'umsehen nach; **2.** erwarten; **~ in·to** *v/t.* **1.** blicken in (*acc.*); **2.** unter'suchen, prüfen; **~ on** *v/t.* betrachten, ansehen (*as* als); **~ o·ver** *v/t.* **1.** 'durchsehen, (über-)'prüfen; **2.** (absichtlich) über'sehen; **~ through** *v/t.* **1.** 'durchsehen, -lesen; **2.** *fig. j-n od. et.* durch'schauen; **~ to** *v/t.* **1.** achten *od.* achtgeben auf (*acc.*): ~ *it that* achte darauf, daß; sieh zu, daß; **2.** zählen auf (*acc.*), von *j-m* erwarten, *daß er...*: *I* ~ *you to help me* (*od. for help*) ich erwarte Hilfe von dir; **3.** sich wenden *od.* halten an (*acc.*); **~ up·on** → *look on*;

Zssgn mit adv.:

look| a·bout *v/i.* sich 'umsehen (*for* nach); **~ a·head** *v/i.* nach vorne schauen; *fig.* vor'ausschauen; **~ back** *v/i.* **1.** *a. fig.* zu'rückblicken (*upon* auf *acc.*, *to* nach, zu); **2.** *fig.* schwankend werden; **~ down** *v/i.* **1.** her'ab-, her'untersehen (*a. fig.* [*up*]*on s.o.* auf j-n); **2.** *bsd.* † sich verschlechtern; **~ for·ward** *v/i.*: *to* ~ *to s.th.* sich auf e-e Sache freuen, e-r Sache erwartungsvoll entgegensehen; **~ in** *v/i. als Besucher* her'ein-, hin'einschauen (*on* bei); **~ on** *v/i.* zusehen, -schauen (*at* bei); **~ out I.** *v/i.* **1.** her'aus-, hin'aussehen, -schauen (*at od. of the window* zum *od.* aus dem Fenster); **2.** aufpassen: ~! paß auf!, Vorsicht!; **3.** Ausschau halten (*for* nach); **4.** (*for*) gefaßt sein (auf *acc.*), auf der Hut sein (vor *dat.*); **5.** Ausblick gewähren, (hin'aus)gehen (*on* auf *acc.*) (*Fenster etc.*); **II.** *v/t.* **6.** aussuchen; **~ o·ver** *v/t.* **1.** 'durchsehen, (über)'prüfen; **2.** *j-n* mustern; **~ round** *v/i.* sich 'umsehen; **~ through** *v/t.* → *look over 1*; **~ up I.** *v/i.* **1.** hin'aufblicken (*at* auf *acc.*); aufblicken (*fig. to s.o.* zu j-m); **2.** F *a.* † sich bessern; steigen (*Preise*); **II.** *v/t.* **3.** *Wort* nachschlagen; **4.** *j-n* aufsuchen; **~ up and down** *v/t. j-n* von oben bis unten mustern.

'look-a·like *s.* F Doppelgänger *m.*

look·er ['lukə] *s.* F gutaussehender *od.* fescher Kerl: *she is not much of a* ~ sie sieht nicht besonders gut aus; **'~-'on** [-ər'ɔn] *pl.* **'look·ers-'on** *s.* Zuschauer(in) (*at* bei).

'look-in *s. sl.* Chance *f*.

'look·ing-glass ['lukiŋ] *s.* Spiegel *m.*

'look-'out *s.* **1.** Ausschau *f*: *to be on the* ~ *for* nach *et.* Ausschau halten; *to keep a good* ~ (*for*) auf der Hut sein (vor *dat.*); **2.** *a.* ⚓ Ausguck *m*; **3.** Aussicht *f*, -blick *m*; *fig.* Aussicht(en *pl.*) *f*; **4.** F Angelegenheit *f*: *that's his* ~ das ist s-e Sache.

'look-see *s.*: *to have a* ~ *sl.* sich mal umsehen, die Sache mal beriechen.

loom¹ [lu:m] *s.* 'Webstuhl *m*, -maˌschine *f*.

loom² [lu:m] *v/i.* **1.** undeutlich sichtbar werden, sich abzeichnen; **2.** (drohend) aufragen: *to* ~ *large* **a)** *fig.* sich auftürmen, **b)** von großer Bedeutung sein *od.* scheinen.

loon¹ [lu:n] *s. orn.* Seetaucher *m*: *common* ~ Eistaucher.

loon² [lu:n] *s.* Lümmel *m*, Bengel *m.*

loon·y ['lu:ni] *sl.* **I.** *adj.* ‚plem'plem', verrückt; **II.** *s.* Verrückte(r *m*) *f*; **'~-bin** *s. sl.* ‚Klapsmühle' *f*.

loop¹ [lu:p] *s. metall.* Luppe *f*.

loop² [lu:p] **I.** *s.* **1.** Schlinge *f*, Schleife *f*; **2.** ⚡, 🚂, *Eislauf*: Schleife *f* (*a. Fluß etc.*); **3. a)** Schlaufe *f*, **b)** Öse *f*; **4.** ✈ *etc.* Looping *m, n*, 'Überschlag *m*; **II.** *v/t.* **5.** in e-e Schleife *od.* in Schleifen legen, schlingen: *to* ~ *up Haar, Kleid* aufstecken; **6.** *to* ~ *the* ~ ✈ e-n Looping drehen; **III.** *v/i.* **7.** e-e Schleife machen, sich winden; **'~-a·e·ri·al** *s.* ⚡ 'Rahmenanˌtenne *f*; **'~-'hole** *s.* **1.** (Guck)Loch *n*; **2.** ⚔ **a)** Sehschlitz *m*, **b)** Schießscharte *f*; **3.** *fig.* 'Hintertürchen *n*, Ausweg *m*: *a* ~ *in the law* eine Lücke im Gesetz.

loose [lu:s] **I.** *adj.* □ **1.** los(e): *to come* (*od. get*) ~ **a)** abgehen (*Knöpfe*), **b)** sich ablösen (*Farbe etc.*), **c)** loskommen; *to let* ~ **a)** loslassen, **b)** *s-m Ärger etc.* Luft machen; **2.** frei, befreit (*of, from* von); **3.** lose (hängend) (*Haar etc.*): *to be at a* ~ *end* **a)** beschäftigungslos sein, **b)** nicht wissen, was man tun soll; **4.** locker (*Boden, Gewebe, Gürtel, Schraube, Zahn etc.*), lose: ~ *bowels* offener Leib; ~ *change* kleines Geld; ~ *collar* weicher Kragen; ~ *connection* ⚡ Wackelkontakt; ~ *dress* weites *od.*

lose sitzendes Kleid; ~ *figs* lose *od.* nicht verpackte Feigen; ~ *jam* offene Marmelade; ~ *tongue fig.* loses Mundwerk; **5.** einzeln, verstreut, zs.-hanglos; **6.** unklar, ungenau; unlogisch; frei (*Übersetzung*); **7.** locker, lose, liederlich: *a* ~ *fish* F ein lockerer Vogel; **II.** *adv.* **8.** lose, locker; **III.** *v/t.* **9.** *Knoten etc., a. Zunge* lösen; aufbinden; losmachen; befreien, lösen (*from* von); **10.** lockern: *to* ~ *one's hold of et.* loslassen; **11.** *a.* ~ *off Waffe, Schuß* abfeuern; **IV.** *v/i.* **12.** schießen (*at* auf *acc.*); **V.** *s.* **13.** *to give* (*a*) ~ *to s-n Gefühlen etc.* freien Lauf lassen; **14.** *to go on the* ~ F ‚sumpfen', ‚auf die Pauke hauen'; '**~-joint·ed** *adj.* **1.** außerordentlich gelenkig; **2.** schlaksig; '**~-leaf** *adj.* Loseblatt...: ~ *binder* Schnellhefter; ~ *notebook* Loseblattbuch.

loos·en ['lu:sn] **I.** *v/t.* **1.** *Knoten etc., a. Husten, fig. Zunge* lösen; ⚕ *Leib* öffnen; **2.** *Griff, Schraube etc., a. Disziplin etc.* lockern; ⚒ *Boden* auflockern; **II.** *v/i.* **3.** sich lockern (*a. fig.*), sich lösen.

loose·ness ['lu:snis] *s.* **1.** Locker-, Schlaffheit *f*; **2.** Ungenauigkeit *f*, Unklarheit *f*; **3.** ⚕ 'Durchfall *m*; **4.** Liederlichkeit *f*.

loot [lu:t] **I.** *s.* **1.** (Kriegs-, Diebes-) Beute *f*; **II.** *v/t.* **2.** erbeuten; **3.** (aus)plündern; **III.** *v/i.* **4.** plündern; '**loot·er** [-tə] *s.* Plünderer *m*; '**loot·ing** [-tiŋ] *s.* Plünderung *f*.

lop[1] [lɔp] *v/t.* **1.** *Baum etc.* beschneiden, stutzen; **2.** *oft* ~ *off Äste, a. Kopf etc.* abhauen, -hacken.

lop[2] [lɔp] *v/i. u. v/t.* schlaff (her'unter)hängen (lassen).

lope [loup] **I.** *v/i.* (da'her)springen *od.* (-)trotten; **II.** *s.*: *at a* ~ im Galopp.

'**lop|-eared** *adj.* mit Hängeohren; '**~-ears** *s. pl.* Hängeohren *pl.*; '**~-'sid·ed** *adj.* **1.** schief, nach 'einer Seite hängend; **2.** einseitig (*a. fig.*); **3.** 'unsym͵metrisch.

lo·qua·cious [lou'kweiʃəs] *adj.* □ schwatzhaft, redselig; **lo'qua·cious·ness** [-nis], **lo'quac·i·ty** [-'kwæsiti] *s.* Geschwätzigkeit *f*.

lo·ran ['lɔ:rən] *s.* ⚓, ✈ (= *long-range navigation*) 'Loran(-Sy͵stem) *n*, 'Fern(bereichs)-Navigati͵ons-sy͵stem *n*.

lord [lɔ:d] **I.** *s.* **1.** Herr *m*, Gebieter *m* (*of* über *acc.*): *the* ~*s of creation a. humor.* die Herren der Schöpfung; **2.** *fig.* Ma'gnat *m*; **3.** Lehensherr *m*; → *manor*; **4.** *the* ♀ **a)** *a.* ♀ *God* (Gott) der Herr, **b)** *a. our* ♀ (Christus) der Herr: *the* ♀*'s day* der Tag des Herrn; *the* ♀*'s Prayer* das Vaterunser; *the* ♀*'s Supper* das (heilige) Abendmahl; *the* ♀*'s table* der Tisch des Herrn (*a. Abendmahl*), der Altar; *in the year of our* ♀ im Jahre des Herrn; (*good*) ♀! (du) lieber Gott *od.* Himmel!; **5.** ♀ Lord *m* (*Adliger od. Würdenträger, z. B. Bischof, hoher Richter*): *the* ♀*s Brit. parl.* das Oberhaus; **6.** *my* ♀ [mi'lɔ:d; ⚖ *Brit. oft* mi'lʌd] My'lord, Euer Gnaden (*Anrede*); **II.** *v/i.* **7.** *oft* ~ *it* den Herren spielen: *to* ~ *it over* **a)** sich *j-m* gegenüber als Herr aufspielen, **b)** herrschen über (*acc.*).

Lord| Cham·ber·lain (of the House·hold) *s.* Haushofmeister *m*; ~ **Chan·cel·lor** *s.* Lordkanzler *m* (*Präsident des Oberhauses, Präsident der Chancery Division des Supreme Court of Judicature sowie des Court of Appeal, Kabinettsmitglied, Bewahrer des Großsiegels*); ~ **Chief Jus·tice of Eng·land** *s.* ⚖ Lord'oberrichter *m* (*Vorsitzender der King's Bench Division des High Court of Justice*); ♀ **in wait·ing** *s.* königlicher Kammerherr (*wenn e-e Königin regiert*); ~ **Jus·tice** *pl.* **Lords Jus·tic·es** *s. Brit.* Lordrichter *m* (*Richter des Court of Appeal*); ♀ **lieu·ten·ant** *pl.* **lords lieu·ten·ant** *s.* **1.** *hist. Vertreter der Krone in den englischen Grafschaften; jetzt oberster Exekutivbeamter*; **2.** *Lord Lieutenant* **a)** *hist.* Vizekönig *m* von Irland (*bis 1922*), **b)** *jetzt* Gene'ralgouver͵neur *m* des Freistaates Nordirland.

lord·li·ness ['lɔ:dlinis] *s.* **1.** Großzügigkeit *f*; **2.** Würde *f*; **3.** Pracht *f*, Glanz *m*; **4.** Arro'ganz *f*.

lord·ling ['lɔ:dliŋ] *s. contp.* Herrchen *n*.

lord·ly ['lɔ:dli] *adj. u. adv.* **1.** großzügig; **2.** vornehm, edel; Herren...; **3.** prächtig; **4.** stolz; **5.** arro'gant.

Lord| May·or *pl.* **Lord May·ors** *s. Brit.* Oberbürgermeister *m*: ~*'s Day Tag des Amtsantritts des Oberbürgermeisters von London* (*9. November*); ~*'s Show Festzug des Oberbürgermeisters von London am 9. November*; ~ **Priv·y Seal** *s.* Lordsiegelbewahrer *m*; ~ **Prov·ost** *pl.* **Lord Prov·osts** *s.* Oberbürgermeister *m* (*mehrerer schottischer Städte*).

lord·ship ['lɔ:dʃip] *s.* **1.** Lordschaft *f*: *your* (*his*) ~ Euer (Seine) Lordschaft; **2.** *hist.* Herrschaftsgebiet *n* e-s Lords; **3.** *fig.* Herrschaft *f*.

lord| spir·it·u·al *pl.* **lords spir·it·u·al** *s. geistliches Mitglied des brit. Oberhauses*; ~ **tem·po·ral** *pl.* **lords tem·po·ral** *s. weltliches Mitglied des brit. Oberhauses.*

lore *s.* (*Tier- etc.*)Kunde *f*, Lehre *f*; über'liefertes Wissen; Sagen- u. Märchengut.

lor·i·cate ['lɔrikeit] *adj. zo.* gepanzert.

lorn [lɔ:n] *adj. obs. od. poet.* verlassen, einsam.

lor·ry ['lɔri] *s.* **1.** *Brit.* Lastkraftwagen *m*, Lastauto *n*; **2.** 🚂, ⚒ Lore *f*, Lori *f*.

lose [lu:z] **I.** *v/t.* [*irr.*] **1.** *allg. Sache, j-n, Gesundheit, Verstand, a. Weg, Zeit etc.* verlieren: *to* ~ *o.s.* **a)** sich verlieren (*a. fig.*), **b)** sich verirren; *to* ~ *interest* **a)** das Interesse verlieren, **b)** uninteressant werden (*Sache*); → *caste 3, face 4, life 1 e, temper 4*; **2.** *Vermögen, Stellung* verlieren, einbüßen, kommen um; **3.** *Vorrecht etc.* verlieren, verlustig gehen (*gen.*); **4.** *Schlacht, Spiel etc.* verlieren; *Preis etc.* nicht erringen; *Gesetzesantrag* nicht 'durchbringen; **5.** *Zug etc., a. Gelegenheit* versäumen, verpassen; **6.** *Rede etc.* ‚nicht mitbekommen'; **7.** aus den Augen verlieren; → *sight 3*; **8.** vergessen: *I have lost my Greek*; **9.** nachgehen, zu'rückbleiben (*Uhr*); **10.** *Krankheit etc., a. Verfolger* loswerden; **11.** *j-n s-e Stellung etc.* kosten, bringen um: *this will* ~ *you your position*; **II.** *v/i.* [*irr.*] **12.** Verluste erleiden (*by* durch, *on* bei); **13.** verlieren (*in* an *dat.*); **14.** (*to*) verlieren (gegen), geschlagen werden (von); unter'liegen (*dat.*);

'**los·er** [-zə] *s.* **1.** Verlierer(in): *good* (*bad*) ~ guter (schlechter) Verlierer; *to be a* ~ *by* Schaden *od.* Verlust erleiden durch; *to come off a* ~ den kürzeren ziehen; **2.** ewiger Verlierer; **3.** F **a)** Versager *m*, **b)** ‚Pleite' *f*; '**los·ing** [-ziŋ] *adj.* **1.** verlierend; **2.** verlustbringend, Verlust...: ~ *bargain* ✝ Verlustgeschäft; **3.** verloren, aussichtslos (*Schlacht, Spiel*).

loss [lɔs] *s.* **1.** Verlust *m*: **a)** Einbuße *f*, Ausfall *m* (*in* an *dat.*, von *od. gen.*): ~ *of blood* (*time*) Blut-(Zeit)verlust; ~ *of pay* Lohnausfall, **b)** Nachteil *m*, Schaden *m*, **c)** *verlorene Sache od. Person*: *he is a great* ~ *to his firm*, **d)** Verschwinden *n*, Verlieren *n*, **e)** *verlorene Schlacht, Wette etc.*, **f)** Abnahme *f*, Schwund *m*: ~ *in weight* Gewichtsverlust, -abnahme; **2.** *mst pl.* ⚔ Verluste *pl.*, Ausfälle *pl.*; **3.** *Versicherungswesen*: Schadensfall *m*; **4.** *at a* ~ **a)** ✝ mit Verlust, **b)** in Verlegenheit (*for* um), außerstande (*to do* zu tun); *to be at a* ~ *for words* (*od. what to say*) keine Worte finden (können); nicht wissen, was man sagen soll; ~ **lead·er** *s.* ✝ 'Lockar͵tikel *m*; '**~-mak·er** *s.* ✝ *Brit.* **1.** mit Verlust arbeitender Betrieb; **2.** Verlustgeschäft *n*.

lost [lɔst] **I.** *pret. u. p.p. von lose*; **II.** *adj.* **1.** verloren: ~ *motion* ⊕ toter Gang; **2.** verloren(gegangen), vernichtet, (da)'hin: *to be* ~ **a)** verlorengehen (*to* an *acc.*), **b)** zugrunde gehen, untergehen, **c)** umkommen, den Tod finden, **d)** verschwinden, **e)** verschwunden sein, **f)** versunken *od.* vertieft sein (*in* in *acc.*); ~ *in thought*; ~ *soul* e-e verlorene Seele; **3.** verirrt: *to be* ~ sich verirrt haben, sich nicht mehr zurechtfinden (*a. fig.*); **4.** vergeudet: ~ *time* verlorene Zeit; *to be* ~ *upon s.o.* an j-m verloren sein, keinen Eindruck machen auf j-n, j-n kalt lassen; **5.** ~ *to* **a)** verloren für, **b)** versagt (*dat.*), **c)** ohne Empfinden für, bar *allen Schamgefühls etc.*

lot [lɔt] **I.** *s.* **1.** Los *n*: *to cast* (*od. draw*) ~*s* losen, Lose ziehen (*for* um); *to throw in one's* ~ *with s.o.* das Los mit j-m teilen, sich auf Gedeih u. Verderb mit j-m verbinden; *by* ~ durch (das) Los; **2.** Anteil *m*; **3.** Los *n*, Schicksal *n*: *to fall to s.o.'s* ~ j-m zufallen; **4.** fest um'grenztes Stück Land, *bsd.* Par'zelle *f*; Bauplatz *m*; **5.** Filmgelände *n*, *bsd.* Studio *n*; **6.** ✝ **a)** Ar'tikel *m*, **b)** Par'tie *f*, Posten *m* (*von Waren*): *in* ~*s* partienweise; **7.** Gruppe *f*, Gesellschaft *f*: *the whole* ~ die ganze Gesellschaft;

8. *the* ~ alles, das Ganze: *that's the* ~ das ist alles; **9.** Menge *f*, Haufen *m*: *a* ~ *of*, ~*s of* viel, e-e Menge, ein Haufen *Geld etc.*; ~*s and* ~*s of people* e-e Masse Menschen; **10.** F **a)** Kerl *m*, Per'son *f*, **b)** Ding *n*: *a bad* ~ ein übler Genosse; **II.** *adv.* **11.** *a* ~ viel, sehr; **III.** *v/t.* **12.** parzellieren; **13.** zuteilen.

loth → *loath.*

Lo·thar·i·o [lou'θɑːriou] *s. mst gay* ~ Schwerenöter *m*, Schürzenjäger *m.*

lo·tion ['louʃən] *s.* (Augen-, Haut- *etc.*)Wasser *n.*

lot·ter·y ['lɔtəri] *s.* **1.** Lotte'rie *f*: ~ *ticket* Lotterielos; **2.** *fig.* Glückssache *f*, Lotte'riespiel *n.*

lot·to ['lɔtou] *s.* Lotto *n.*

lo·tus ['loutəs] *s.* **1.** *Sage*: Lotos *m* (*Frucht*); **2.** ⚘ **a)** Lotos(blume *f*) *m*, **b)** Honigklee *m*; '~**-eat·er** *s.* **1.** (*in der Odyssee*) Lotosesser *m*; **2.** Träumer *m*, tatenloser Genußmensch.

loud [laud] *adj.* □ **1.** (*a. adv.*) laut (*a. fig.*): ~ *admiration*; **2.** schreiend, auffallend, grell: ~ *colo(u)rs*; '**loud·ness** [-nis] *s.* **1.** Lautheit *f*; **2.** *phys.* Lautstärke *f*; **3.** *das* Auffallende.

loud speak·er *s.* ⚡ Lautsprecher *m.*

lounge [laundʒ] **I.** *s.* **1.** Chaise-'longue *f*; **2.** → *lounge chair*; **3.** Halle *f*, (*a.* Wohn)Diele *f*, Gesellschaftsraum *m* (*Hotel*); *thea.* Foy'er *n*; **4.** Bummel *m*; **5.** → *lounge suit*; **II.** *v/i.* **6.** sich her'umlümmeln, sich rekeln; faulenzen; **III.** *v/t.* **7.** ~ *away Zeit* verbummeln; ~ **chair** *s.* Klubsessel *m*; ~ **coat** *s.* Sakko *m*; '~**-liz·ard** *s. sl.* **1.** Sa'lonlöwe *m*; **2.** Gigolo *m.*

loung·er ['laundʒə] *s.* Faulenzer(in).

lounge suit *s. Brit.* Straßen-, Sakkoanzug *m.*

lour, lour·ing → *lower¹ lowering.*

louse [laus] **I.** *pl.* **lice** [lais] *s.* **1.** *zo.* Laus *f*; **II.** *v/t.* [lauz] **2.** (ent-)lausen; **3.** ~ *up Am. sl.* versauen, vermurksen; '**lous·y** [-zi] *adj.* **1.** verlaust; **2.** *sl.* **a)** widerlich, dreckig, **b)** (hunds)gemein, **c)** ‚lausig', mise'rabel; **3.** ~ *with sl.* wimmelnd von; ~ *with people*; ~ *with money* stinkreich.

lout [laut] *s.* Tölpel *m*; Lümmel *m*; '**lout·ish** [-tiʃ] *adj.* □ **1.** tölpelhaft, plump; **2.** lümmelhaft.

lou·ver, *Brit. a.* **lou·vre** ['luːvə] *s.* **1.** ⚠ Dachtürmchen *n*; **2.** ('Glas-)Jalouˌsie *f*; **3.** ⊕ Jalou'sie *f*, Luft- *od.* Kühlschlitze *pl.*

lov·a·ble ['lʌvəbl] *adj.* □ liebenswürdig, -wert.

lov·age ['lʌvidʒ] *s.* ⚘ Liebstöckel *n.*

love [lʌv] **I.** *s.* **1.** (*sinnliche od. geistige*) Liebe (*of, for, to[wards]* zu): ~ herzliche Grüße (*Briefschluß*); *to be in* ~ *with* verliebt sein in *j-n*; *to fall in* ~ *with* sich verlieben in (*acc.*); *to play for* ~ um nichts spielen; *for the* ~ *of God* um Gottes willen; *not for* ~ *or money* nicht für Geld u. gute Worte; *give my* ~ *to her* grüße sie herzlich von mir; *to send one's* ~ *to s.o.* j-n grüßen lassen; *to make* ~ *(to s.o.)* **a)** (j-m gegenüber) zärtlich werden, **b)** (j-n) (körperlich) lieben; *they made* ~ sie liebten sich (*auf dem Sofa etc.*); *there is no* ~ *lost between them* sie haben nichts füreinander übrig; **2.** ♀ die Liebe, (Gott *m*) Amor *m*; **3.** *pl. Kunst*: Amo'retten *pl.*; **4.** Liebling *m*, Schatz *m*; **5.** Liebe *f*, Liebschaft *f*; **6.** F lieber Kerl; **7.** F reizende *od.* goldige Sache *od.* Per'son: *a* ~ *of a child*; **8.** *bsd. Tennis*: null: ~ *all* beide null; **II.** *v/t.* **9.** *j-n od. et.* lieben; **10.** lieben: *to* ~ *to do* (*od. doing*) *s.th.* etwas (schrecklich) gern tun; *we* ~*d having you with us* wir haben uns sehr über deinen Besuch gefreut; '~**-af·fair** *s.* 'Liebesafˌfäre *f*; '~**-bird** *s. orn.* Unzertrennlicher 'Sperlingspapaˌgei; '~**-child** *s.* Kind *n* der Liebe; ~ **game** *s. Tennis*: Zu-'Null-Spiel *n*; '~**-'hate re·la·tion·ship** *s.* Haßliebe *f.*

love·less ['lʌvlis] *adj.* □ **1.** lieblos; ohne Liebe; **2.** ungeliebt.

'**love-let·ter** *s.* Liebesbrief *m.*

love·li·ness ['lʌvlinis] *s.* Lieblichkeit *f*; *das* Entzückende.

'**love**|**-lock** *s.* Schmachtlocke *f*; '~**-lorn** *adj.* vor Liebeskummer *od.* Liebe vergehend.

love·ly ['lʌvli] *adj.* □ **1.** lieblich, hold, wunderschön, entzückend, reizend; **2.** F reizend, niedlich, ‚süß'.

'**love**|**-mak·ing** *s.* **1.** Zärtlichkeit(en *pl.*) *f*; **2.** (körperliche) Liebe; '~**-match** *s.* Liebesheirat *f*; '~**-phil·ter**, *bsd. Brit.* '~**-phil·tre** *s.* Liebestrank *m.*

lov·er ['lʌvə] *s.* **1. a)** Liebhaber *m*, Geliebte(r) *m*, **b)** Geliebte *f*; **2.** *pl.* Liebende *pl.*, Liebespaar *n*: ~*s' lane Am.* ‚Seufzergäßchen'; **3.** Liebhaber(in), (*Musik- etc.*)Freund(in).

love| **set** *s. Tennis*: Zu-'Null-Satz *m*; '~**-sick** *adj.* liebeskrank; '~**-song** *s.* Liebeslied *n*; '~**-sto·ry** *s.* Liebesgeschichte *f*; '~**-to·ken** *s.* Liebespfand *n.*

lov·ing ['lʌviŋ] *adj.* □ liebend, liebevoll, Liebes...: ~ *words*; *your* ~ *father* (*als Briefschluß*) Dein Dich liebender Vater; '~**-'kind·ness** *s.* **1.** (göttliche) Gnade *od.* Barm'herzigkeit; **2.** Herzensgüte *f.*

low¹ [lou] **I.** *adj. u. adv.* **1.** nieder, niedrig (*a. Preis, Temperatur, Zahl etc.*): ~ *brook* seichter Bach; *of* ~ *birth* von niedriger Abkunft; ~ *life* das Leben der einfachen Leute; ~ *speed* geringe Geschwindigkeit; ~ *water* ⚓ tiefster Gezeitenstand; *at the* ~*est* wenigstens, mindestens; → *lower³*; *to bring* ~ demütigen; *to lay* ~ *j-n* stürzen; *to be laid* ~ **a)** niedergeschlagen *od.* umgebracht werden, **b)** ans Bett gefesselt sein; *to lie* ~ **a)** sich versteckt halten, abwarten, **b)** darniederliegen, **c)** tot sein; *to sell* ~ billig verkaufen; **2.** tief (*a. fig.*): ~ *bow*; ~ *flying* Tiefflug; *sunk thus* ~ *fig.* so tief gesunken; → *low-necked*; *the sun is* ~ die Sonne steht tief; **3.** knapp (*Vorrat etc.*): *to run* ~ knapp werden, zur Neige gehen; **4.** schwach: ~ *pulse*; **5.** einfach, fru'gal (*Kost*); **6.** gedrückt: ~ *spirits* gedrückte Stimmung; *to feel* ~ **a)** in gedrückter Stimmung sein, **b)** sich elend fühlen; **7.** gering(schätzig): → *opinion* 2; **8. a)** niedrig (*denkend od. gesinnt*): ~ *thinking* niedrige Denkungsart, **b)** ordi'när, vul'gär: *a* ~ *expression*; *a* ~ *fellow*, **c)** gemein, niederträchtig: *a* ~ *trick*; **9.** nieder, primi'tiv: ~ *forms of life* niedere Lebensformen; ~ *race* primitive Rasse; **10. a)** tief (*Ton etc.*), **b)** leise (*Ton, Stimme etc.*): *in a* ~ *voice* leise; **11.** *Phonetik*: offen; **12.** ⊕, *mot.* erst, niedrigst (*Gang*): *in* ~ *gear*; **II.** *s.* **13.** *meteor.* Tief (-druckgebiet) *n*; **14.** *fig.* Tiefstand *m.*

low² [lou] **I.** *v/i. u. v/t.* brüllen, muhen (*Rind*); **II.** *s.* Brüllen *n*, Muhen *n.*

'**low**|**-born** *adj.* aus niederem Stande, von niedriger Geburt; '~**-boy** *s. Am.* niedrige Kom'mode; '~**-bred** *adj.* ungebildet, ordi'när; '~**-brow** F **I.** *s.* geistig Anspruchslose(r *m*) *f*, Unbedarfte(r *m*) *f*; **II.** *adj.* geistig anspruchslos, unbedarft; '~**-ca'lor·ic** *adj.* kalo'rienarm (*Nahrung*); ♀ **Church** *s. eccl.* Low Church *f* (*protestantisch-pietistische Sektion der anglikanischen Kirche*); ~ **com·e·dy** *s.* Posse *f*, Schwank *m*; ♀ **Coun·tries** *s. pl. die Niederlande, Belgien u. Luxemburg*; '~**-down** *sl.* **I.** *adj.* fies, gemein; **II.** *s.* (eigentliche) Wahrheit, genaue Tatsachen *pl.*, 'Hintergründe *pl.*

low·er¹ ['lauə] *v/i.* **1.** finster *od.* drohend blicken; **2.** finster drohen (*Himmel, Wolken etc.*); drohen (*Ereignisse*).

low·er² ['louə] **I.** *v/t.* **1.** niedriger machen; **2.** *Augen, Gewehrlauf etc., a. Stimme, Preis, Kosten, Temperatur etc.* senken; **3.** *fig.* (*a.* ♪ *Ton*) erniedrigen: *to* ~ *o.s.* **a)** sich demütigen, **b)** sich herablassen; **4.** schwächen; **5.** her'unter-, niederlassen; *Fahne, Segel* niederholen, streichen; **II.** *v/i.* **6.** sinken, fallen; sich senken.

low·er³ ['louə] *adj.* (*comp. von low¹ I*) **1.** tiefer, niedriger; **2.** unter, Unter...: ~ *boy Brit.* Schüler der Unterstufe (*e-r Public School*); ~ *case typ.* **a)** Unterkasten, **b)** Kleinbuchstaben *pl.*; ♀ *Chamber* (*od. House*) *parl.* Unter-, Abgeordnetenhaus; ~ *deck* Unterdeck; ~ *jaw* Unterkiefer; ~ *region* Unterwelt, Hölle; ~ *school* Unter- u. Mittelstufe (*der höheren Schulen*); **3.** *geogr.* Unter..., Nieder...: ♀ *Austria* Niederösterreich.

low·er·ing ['lauəriŋ] *adj.* □ finster, düster, drohend.

low·er·most ['louəmoust] **I.** *adj.* unterst, niedrigst, tiefst; **II.** *adv.* am niedrigsten, zu'unterst.

low·est ['louist] *adj.* (*sup. von low¹ I*) **1.** tiefst, niedrigst: ~ *bid* ✝ Mindestgebot; **2.** unterst.

low| **fre·quen·cy** *s.* ⚡ 'Niederfreˌquenz *f*; ♀ **Ger·man** *s. ling.* **1.** Niederdeutsch *n*; **2.** Plattdeutsch *n*; '~**-land** [-lənd] **I.** *s. oft pl.* Tiefland *n*, Niederung *f*: *the* ♀*s* das (*schottische*) Tiefland; **II.** *adj.* Tiefland(s)...; '~**-land·er** [-ləndə] *s.* **1.** Tieflandsbewohner(in); **2.** ♀ (*schottischer*) Tiefländer; ♀ **Lat·in**

s. ling. nichtklassisches La'tein; '~-**lev·el at·tack** *s.* ✈ Tief(flieger)-angriff *m.*
low·li·ness ['loulinis] *s.* **1.** Niedrigkeit *f*; **2.** Demut *f.*
low load·er *s. mot.* Tieflader *m.*
low·ly ['louli] *adj. u. adv.* **1.** niedrig, gering, bescheiden; **2.** tief(stehend), primi'tiv, niedrig; **3.** demütig, bescheiden.
Low| Mass *s. R.C.* Stille Messe; '♀-'**mind·ed** *adj.* niedrig (gesinnt), gemein; '♀-'**necked** *adj.* tief ausgeschnitten (*Kleid*).
low·ness ['lounis] *s.* **1.** Niedrigkeit *f* (*a. fig.*); **2.** Tiefe *f* (*Verbeugung, Ton etc.*); **3.** ~ *of spirits* Niedergeschlagenheit; **4.** Gemeinheit *f.*
'**low|-'noise** *adj.* rauscharm (*Tonband*); '~-'**pitched** *adj.* **1.** ♪ tief; **2.** mit geringer Steigung (*Dach*); ~ **pres·sure** *s.* **1.** ⊕ Nieder-, 'Unterdruck *m*; **2.** *meteor.* Tiefdruck *m*; '~-'**pres·sure** *adj.* Niederdruck..., Tiefdruck...; '~-**priced** *adj.* ✝ billig; '~-'**spir·it·ed** *adj.* niedergeschlagen, gedrückt; ♀ **Sun·day** *s.* Weißer Sonntag (*erster Sonntag nach Ostern*); ~ **ten·sion** *s.* ⚡ Niederspannung *f*; '~-'**ten·sion** *adj.* ⚡ Niederspannungs...; ~ **tide** *s.* ⚓ Niedrigwasser *n*; '~-'**volt·age** *adj.* ⚡ **1.** Niederspannungs...; **2.** Schwachstrom...; ~ **wa·ter** *s.* ⚓ Ebbe *f*, Niedrigwasser *n*: *to be in* ~ *fig.* auf dem trockenen sitzen; '~-'**wa·ter mark** *s.* **1.** ⚓ Niedrigwassermarke *f*; **2.** *fig.* Tiefpunkt *m*, -stand *m*; '~-'**wing air·craft** *s.* Tiefdecker *m.*
loy·al ['lɔiəl] *adj.* □ **1.** loy'al, treu; **2.** (ge)treu (*to dat.*); **3.** bieder, redlich; **loy·al·ist** ['lɔiəlist] **I.** *s.* Loya'list (-in), Treugesinnte(r *m*) *f*; **II.** *adj.* loya'listisch; '**loy·al·ty** [-ti] *s.* Loyali'tät *f*, Treue *f* (*to* zu, gegen).
loz·enge ['lɔzindʒ] *s.* **1.** *her.*, ⩓ Raute *f*, Rhombus *m*; **2.** *pharm.* (*bsd.* 'Husten)Pa‚stille *f*; Bon'bon *m, n.*
lub·ber ['lʌbə] *s.* **1. a)** Lümmel *m*, **b)** Tölpel *m*; **2.** ⚓ Landratte *f*; '**lub·ber·ly** [-li] *adj. u. adv.* tölpelhaft, tolpatschig.
lu·bri·cant ['lu:brikənt] *s.* ⊕ Gleit-, Schmiermittel *n*; **lu·bri·cate** ['lu:brikeit] *v/t.* ⊕ *u. fig.* schmieren, ölen; **lu·bri·ca·tion** [lu:bri'keiʃən] *s.* ⊕ *u. fig.* Schmieren *n*, Schmierung *f*, Ölen *n*: ~ *chart* Schmierplan; '**lu·bri·ca·tor** [-keitə] *s.* ⊕ Öler *m*, Schmiervorrichtung *f*, -büchse *f*; **lu·bric·i·ty** [lu:'brisiti] *s.* **1.** Schlüpfrigkeit *f* (*a. fig.*); **2.** ⊕ Schmierfähigkeit *f.*
luce [lju:s] *s. ichth.* (ausgewachsener) Hecht.
lu·cent ['lu:snt] *adj.* **1.** glänzend, strahlend; **2.** 'durchsichtig, klar.
lu·cern(e) [lu:'sə:n] *s.* ⚘ Lu'zerne *f.*
lu·cid ['lu:sid] *adj.* □ **1.** *fig.* klar: **a)** deutlich (*Stil etc.*), **b)** hell, licht (*Geist, Gedanken etc.*): ~ *interval psych.* lichter Augenblick; **2.** → *lucent 1 u. 2*; **lu·cid·i·ty** [lu'siditi], '**lu·cid·ness** [-nis] *s. fig.* Klarheit *f*, Deutlichkeit *f*; Helligkeit *f.*
Lu·ci·fer ['lu:sifə] *s. bibl.* 'Luzifer *m* (*a. ast. Venus als Morgenstern*).
luck [lʌk] *s.* **1.** Schicksal *n*, Geschick *n*, Zufall *m*: *as* ~ *would have it* wie es der Zufall wollte, (un)glücklicherweise; *bad* (*od. hard od. ill*) ~ Unglück, Pech; *good* ~ Glück; *good* ~*!* viel Glück!, Hals- u. Beinbruch!; *worse* ~ unglücklicherweise, leider; *to be down on one's* ~ e-e Pechsträhne haben; *just my* ~*!* so geht es mir immer; **2.** Glück *n*: *for* ~ als Glückbringer; *to be in* (*out of*) ~ (kein) Glück haben; *to try one's* ~ sein Glück versuchen; **luck·i·ly** ['lʌkili] *adv.* zum Glück, glücklicherweise; **luck·i·ness** ['lʌkinis] *s.* Glück *n*; '**luck·less** [-lis] *adj.* □ unglücklich; '**luck·less·ly** [-lisli] *adv.* unglücklich(erweise).
luck·y ['lʌki] *adj.* □ → *luckily*; **1.** Glücks..., glücklich: *a* ~ *day* ein Glückstag; ~ *hit* Glückstreffer; *to be* ~ Glück haben; **2.** glückbringend, Glücks...; '~-**bag** *s.*, '~-**dip** *s.* Glücksbeutel *m.*
lu·cra·tive ['lu:krətiv] *adj.* □ einträglich, lukra'tiv.
lu·cre ['lu:kə] *s.* Gewinn(sucht *f*) *m*, Geld(gier *f*) *n*: *filthy* ~ schnöder Mammon, gemeine Profitgier.
lu·cu·bra·tion [lu:kju(:)'breiʃən] *s.* **1.** mühsames (Nacht)Studium; **2.** (mühsame) gelehrte Arbeit.
lu·di·crous ['lu:dikrəs] *adj.* □ **1.** lächerlich, albern; **2.** spaßig, drollig.
lu·do ['lu:dou] *s.* Mensch, ärgere dich nicht *n* (*Würfelspiel*).
luff [lʌf] ⚓ **I.** *s.* **1.** Luven *n*; **2.** Luv (-seite) *f*, Windseite *f*; **II.** *v/t. u. v/i.* **3.** *a.* ~ *up* anluven.
luf·fa ['lʌfə] *s.* ⚘ *u.* ✝ Luffa *f.*
lug[1] [lʌg] *v/t.* zerren, schleppen: *to* ~ *in fig.* an den Haaren herbeiziehen, (mit Gewalt) hineinbringen.
lug[2] [lʌg] *s.* **1.** *Scot.* Ohr *n*; **2.** (Leder)Schlaufe *f*; Henkel *m*; Öhr *n*; ⊕ Knagge *f*, Zinke *f*; Ansatz *m*; **3.** *sl.* ‚Hornochse' *m.*
luge [lu:ʒ] **I.** *s.* (kufenloser) Rodelschlitten (*Schweiz*); **II.** *v/i.* rodeln.
lug·gage ['lʌgidʒ] *s. bsd. Brit.* Gepäck *n*; '~-**car·ri·er** *s.* Gepäckträger *m* (*am Fahrrad*); ~ **in·sur·ance** *s.* (Reise)Gepäckversicherung *f*; '~-**lock·er** *s.* (Gepäck)Schließfach *n*; '~-**of·fice** *s.* Gepäckschalter *m*; '~-**rack** *s.* Gepäcknetz *n*; '~-**tick·et** *s.* Gepäckschein *m*; '~-**van** *s.* Packwagen *m.*
lug·ger ['lʌgə] *s.* ⚓ Lugger *m*, Logger *m* (*Schiff*).
lu·gu·bri·ous [lu:'gju:briəs] *adj.* □ **1.** traurig, kummervoll; **2.** kläglich.
Luke [lu:k] *npr. u. s. bibl.* 'Lukas (-evan‚gelium *n*) *m.*
luke·warm ['lu:kwɔ:m] *adj.* □ lau(-warm); *fig.* lau; '**luke·warm·ness** [-nis] *s.* Lauheit *f* (*a. fig.*).
lull [lʌl] **I.** *v/t.* **1.** *mst* ~ *to sleep* einlullen (*a. fig.*); **2.** *fig.* beruhigen, *a. j-s Befürchtungen etc.* beschwichtigen: *to* ~ *into* (*a false sense of*) *security* in Sicherheit wiegen; **II.** *v/i.* **3.** sich legen, sich beruhigen (*Sturm etc.*); **III.** *s.* **4.** (Ruhe)Pause *f*; Flaute *f*, (Wind)Stille *f*; *fig. a.* Stille *f* (*vor dem Sturm*): *a* ~ *in conversation* e-e Gesprächspause; *business* ~ ✝ (Geschäfts)Flaute.
lull·a·by ['lʌləbai] *s.* Wiegenlied *n.*
lu·lu ['lu:lu:] *s. sl.* ‚dolles Ding', schicke Sache.
lum·ba·go [lʌm'beigou] *s.* ⚕ Hexenschuß *m*, Lum'bago *f.*
lum·bar ['lʌmbə] *adj. anat.* Lenden..., lum'bal.
lum·ber[1] ['lʌmbə] **I.** *s.* **1.** *bsd. Am.* Bau-, Nutzholz *n*; **2.** Gerümpel *n*, Plunder *m*; **II.** *v/t.* **3.** *bsd. Am. Holz* aufbereiten; **4.** *a.* ~ *up Zimmer* vollstopfen, *a. Erzählung etc.* über'laden.
lum·ber[2] ['lʌmbə] *v/i.* **1.** sich (da'hin)schleppen, schwerfällig gehen; **2.** (da'hin)rumpeln, poltern.
lum·ber·ing ['lʌmbəriŋ] *adj.* □ schwerfällig.
'**lum·ber|·jack** *s. bsd. Am.* Holzfäller *m*; '~-**mill** *s.* Sägewerk *n*; '~-**room** *s.* Rumpelkammer *f*; '~-**trade** *s.* (Bau)Holzhandel *m*; '~-**yard** *s.* Holzplatz *m.*
lu·men ['lu:mən] *s. phys.* 'Lumen *n.*
lu·mi·nar·y ['lu:minəri] *s.* Leuchtkörper *m*, *bsd. ast.* Himmelskörper *m*; *fig.* Leuchte *f* (*Person*); **lu·mi·nes·cence** [lu:mi'nesns] *s.* Lumines'zenz *f*; **lu·mi·nes·cent** [lu:mi'nesnt] *adj.* lumineszierend, leuchtend; **lu·mi·nos·i·ty** [lu:mi'nɔsiti] *s.* **1.** Leuchten *n*, Glanz *m*; **2.** *ast., phys.* Lichtstärke *f*, Helligkeit *f*; '**lu·mi·nous** [-nəs] *adj.* □ **1.** leuchtend, Leucht... (*-farbe, -kraft, -uhr, -zifferblatt etc.*), *bsd. phys.* Licht... (*-energie etc.*): ~ *screen Fernsehen*: Leuchtschirm; **2.** *fig.* lichtvoll, klar.
lum·mox ['lʌməks] *s. Am.* F ‚Dussel' *m.*
lump [lʌmp] **I.** *s.* **1.** Klumpen *m*: *to have a* ~ *in one's throat fig.* e-n Kloß im Hals haben; **2.** Schwellung *f*, Beule *f*; **3.** Stück *n Zucker etc.*; **4.** *metall.* Luppe *f*; **5.** *fig.* Masse *f*: *all of a* ~ alles auf einmal; *in the* ~ **a)** in Bausch u. Bogen, **b)** im großen; **6.** F ‚Klotz' *m* (*langweiliger od. stämmiger Kerl*); **II.** *adj.* **7.** Stück...: ~ *coal* Stückkohle; ~ *sugar* Würfelzucker; **8.** Pauschal... (*-fracht, -summe etc.*); **III.** *v/t.* **9.** *oft* ~ *together fig.* **a)** zs.-werfen, in 'einen Topf werfen, **b)** zs.-fassen; **10.** *if you don't like it you can* ~ *it* **a)** wenn es dir nicht paßt, kannst du's ja bleiben lassen, **b)** du wirst dich eben damit abfinden müssen; **IV.** *v/i.* **11.** Klumpen bilden; '**lump·ing** [-piŋ] *adj.* F **1.** massig, schwer; **2.** reichlich; '**lump·ish** [-piʃ] *adj.* □ **1.** unter'setzt; **2.** schwerfällig, plump; **3.** träge, ‚stur'; '**lump·y** [-pi] *adj.* □ **1.** klumpig; **2.** ⚓ unruhig (*See*).
lu·na·cy ['lu:nəsi] *s.* **1.** ⚕ Wahn-, Irrsinn *m* (*a. fig.* F); **2.** ⚖ geistige Unzurechnungsfähigkeit.
lu·nar ['lu:nə] *adj.* Mond..., Lunar...: ~ *landing* Mondlandung; ~ *landing vehicle* Mondlandefahrzeug; ~ *module* Mondfähre; ~ *rock* Mondgestein; ~ *rover* Mondfahrzeug; ~ *soil* Mondboden; ~ *surface* Mondoberfläche; ~ *year* Mondjahr; ~ **caus·tic** *s. pharm.* Höllenstein *m.*
lu·na·tic ['lu:nətik] **I.** *adj.* wahn-, irrsinnig, geisteskrank: ~ *fringe* F *pol. die* Hundertfünfzigprozentigen, extremistische Kreise; **II.** *s.*

Wahnsinnige(r *m*) *f*, Irre(r *m*) *f*; → *asylum* 2.

lunch [lʌntʃ] **I.** *s.* Lunch *m*: **a)** Mittagessen *n*, **b)** zweites Frühstück; **II.** *v/i.* das Mittagessen *etc.* einnehmen, lunchen; **III.** *v/t.* *j-n* beköstigen; '**~-count·er** *s.* Imbißbar *f* (*in Restaurants*).

lunch·eon ['lʌntʃən] → *lunch*; **lunch·eon·ette** [lʌntʃə'net] *s. Am.* **1.** Imbiß *m*; **2.** Imbißstube *f*.

'**lunch|-hour,** '**~-time** *s.* Mittagszeit *f*, -pause *f*.

lune [lu:n] *s.* ⚹ Zweieck *n*.

lu·nette [lu:'net] *s.* **1.** Lü'nette *f*: **a)** ⚹ Halbkreis-, Bogenfeld *n*, **b)** ⚔ Brillschanze *f*, **c)** Scheuklappe *f* (*Pferd*); **2.** flaches Uhrglas.

lung [lʌŋ] *s. anat.* Lunge(nflügel *m*) *f*: *the* ~*s* die Lunge (*als Organ*).

lunge[1] [lʌndʒ] **I.** *s.* **1.** *fenc.* Ausfall *m*, Stoß *m*; **2.** Sprung *m* vorwärts; **II.** *v/i.* **3.** *fenc.* ausfallen (*at* gegen); **4.** losstürzen (*at* auf *acc.*); **III.** *v/t.* **5.** *Waffe etc.* stoßen.

lunge[2] [lʌndʒ] → *longe*.

lung·er ['lʌŋə] *s. sl.* ‚Schwindsüchtige(r' *m*) *f*, Lungenkranke(r *m*) *f*.

'**lung-pow·er** *s.* Stimmkraft *f*.

lu·pin(e)[1] ['lu:pin] *s.* ⚘ Lu'pine *f*.

lu·pine[2] ['lu:pain] *adj.* Wolfs..., wölfisch.

lurch[1] [lə:tʃ] **I.** *s.* **1.** Taumeln *n*, Torkeln *n*; **2.** ⚓ 'Überholen *n*, Rollen *n*; **3.** Ruck *m*; **II.** *v/i.* **4.** ⚓ schlingern; **5.** taumeln, torkeln.

lurch[2] [lə:tʃ] *s.*: *to leave in the* ~ *fig.* im Stich(e) lassen.

lurch·er ['lə:tʃə] *s. hunt.* Spürhund *m*.

lure [ljuə] **I.** *s.* **1.** Köder *m* (*a. fig.*); **2.** *fig.* Lockung *f*, Zauber *m*, Reiz *m*; **II.** *v/t.* **3.** (an)locken, ködern: *to* ~ *away* fortlocken; **4.** verlocken (*into* zu).

lu·rid ['ljuərid] *adj.* ☐ **1.** grell, unheimlich, gespenstisch (*Beleuchtung etc.*); **2.** *fig.* düster, finster, unheimlich; **3.** ⚘ schmutziggelb.

lurk [lə:k] **I.** *v/i.* **1.** sich versteckt halten, lauern; **2.** *fig.* verborgen liegen; **3.** (her'um)schleichen; **II.** *s.* **4.** *on the* ~ auf der Lauer.

lurk·ing ['lə:kiŋ] *adj. fig.* versteckt, schlummernd; '**~-place** *s.* Schlupfwinkel *m*.

lus·cious ['lʌʃəs] *adj.* ☐ **1.** lecker, köstlich; **2.** *a. fig.* 'übersüß, widerlich süß; **3.** über'laden, blumig (*Stil etc.*); '**lus·cious·ness** [-nis] *s.* **1.** Köstlichkeit *f*; **2.** Süße *f*; Süßlichkeit *f*; **3.** Üppigkeit *f*.

lush[1] [lʌʃ] *adj.* ☐ ⚘ saftig, üppig (*a. fig.*).

lush[2] [lʌʃ] *sl.* **I.** *s.* **1.** ‚Stoff' *m* (*Schnaps etc.*); **2.** ‚Besoffene(r' *m*) *f*; **II.** *v/t. u. v/i.* **3.** (‚sich) vollaufen lassen'.

lust [lʌst] **I.** *s.* **1.** (sinnliche) Begierde, Wollust *f*; **2.** Gier *f*, Gelüste *n*, Sucht *f* (*of, for* nach): ~ *of power* Machtgier; **II.** *v/i.* **3.** gieren (*for, after* nach): *they* ~ *for power* es gelüstet sie nach Macht.

lus·ter *Am.* → *lustre*.

lust·ful ['lʌstful] *adj.* ☐ wollüstig, geil, lüstern.

lust·i·ness ['lʌstinis] *s.* Lebenskraft *f*, Vitali'tät *f*, Frische *f*.

lus·tre ['lʌstə] *s.* **1.** Glanz *m* (*a. min. u. fig.*); **2.** Lüster *m*: **a)** Kronleuchter *m*, **b)** *Halbwollgewebe*, **c)** *Glanzüberzug auf Porzellan etc.*; '**lus·tre·less** [-lis] *adj.* glanzlos, stumpf; '**lus·trine** [-trin] *s.* Lü'strin *m*, Glanztaft *m*; **lus·trous** ['lʌstrəs] *adj.* ☐ glänzend, strahlend.

lust·y ['lʌsti] *adj.* ☐ **1.** kräftig, rüstig, stark u. gesund; **2.** (tat)kräftig, lebhaft, frisch.

lu·ta·nist ['lu:tənist] *s.* Lautenspieler(in), Laute'nist(in).

lute[1] [lu:t; lju:t] *s.* ♪ Laute *f*; → *rift* 2.

lute[2] [lu:t; lju:t] **I.** *s.* **1.** ⊕ Kitt *m*; **2.** Gummiring *m* (*für Flaschen etc.*); **II.** *v/t.* **3.** (ver)kitten.

'**lute·string** → *lustrine*.

Lu·ther·an ['lu:θərən] **I.** *s. eccl.* Luthe'raner(in); **II.** *adj.* lutherisch; '**Lu·ther·an·ism** [-rənizəm] *s.* Luthertum *n*.

lu·tist ['lu:tist] → *lutanist*.

lux [lʌks] *pl.* '**lux·es** *s. phys.* Lux *n* (*Einheit der Beleuchtungsstärke*).

lux·ate ['lʌkseit] *v/t.* ⚕ aus-, verrenken; **lux·a·tion** [lʌk'seiʃən] *s.* Verrenkung *f*.

luxe [luks] *s.* Luxus *m*; → *de luxe*.

lux·u·ri·ance [lʌg'zjuəriəns], **lux'u·ri·an·cy** [-si] *s.* **1.** Üppigkeit *f*; **2.** Fülle *f*, Reichtum *m* (*of* an *dat.*); **lux'u·ri·ant** [-nt] *adj.* ☐ **1.** üppig (*Vegetation*; *a. fig.*); *fig.* fruchtbar; blühend (*Phantasie*); **2.** 'überschwenglich (*Stil etc.*); **lux'u·ri·ate** [-ieit] *v/i.* **1.** schwelgen (*a. fig.*) (*in* in *dat.*); **2.** üppig wachsen; **lux'u·ri·ous** [-iəs] *adj.* ☐ **1.** Luxus..., luxuri'ös, üppig; **2.** schwelgerisch, verschwenderisch (*Person*); **lux·u·ry** ['lʌkʃəri] *s.* **1.** Luxus *m*: **a)** Wohlleben *n*: *to live in* ~ im Überfluß leben, **b)** (Hoch)Genuß *m*: *to permit o.s. the* ~ *of doing* sich den Luxus gestatten, *et.* zu tun, **c)** Aufwand *m*, Pracht *f*; **2. a)** 'Luxusar‚tikel *m*, **b)** Genußmittel *n*.

ly·ce·um [lai'siəm] *s.* **1. a)** Lehrstätte *f*, **b)** Vortragssaal *m*; **2.** *Am.* Volkshochschule *f*; **3.** lite'rarischer Verein.

lych-gate → *lich-gate*.

lych·nis ['liknis] *s.* ⚘ Lichtnelke *f*.

lye [lai] *s.* ⚗ Lauge *f*.

ly·ing[1] ['laiiŋ] **I.** *pres.p. von lie*[1]; **II.** *adj.* lügnerisch, verlogen; **III.** *s* Lügen *n od. pl.*

ly·ing[2] ['laiiŋ] **I.** *pres.p. von lie*[2]; **II.** *adj.* liegend; '**~-'in** *s.* **a)** Entbindung *f*, **b)** Wochenbett *n*: ~ *hospital* Entbindungsanstalt, -heim.

lymph [limf] *s.* **1.** Lymphe *f*: **a)** *physiol.* Blutwasser *n*, **b)** ⚕ Impfstoff *m*; **2.** *poet.* Quellwasser *n*; **lym·phat·ic** [lim'fætik] ⚕ **I.** *adj.* **1.** lym'phatisch, Lymph...: ~ *gland*; **2.** *fig.* blutleer; **II.** *s.* **3.** Lymphgefäß *n*.

lynch [lintʃ] *v/t.* lynchen; ~ **law** *s.* 'Lynchju‚stiz *f*.

lynx [liŋks] *s. zo.* Luchs *m*; **~-eyed** *adj. fig.* luchsäugig.

lyre ['laiə] *s.* ♪, *ast.* Leier *f*, Lyra *f*.

lyr·ic ['lirik] **I.** *adj.* (☐ ~*ally*) **1.** lyrisch (*a. fig. gefühlvoll*); **2.** Musik...: ~ *drama*; **II.** *s.* **3.** lyrisches Gedicht; *pl.* Lyrik *f*; **4.** (Lied)Text *m*; '**lyr·i·cal** [-kəl] *adj.* ☐ → *lyric I*; '**lyr·i·cism** [-isizəm] *s.* **1.** Lyrik *f*, lyrischer Cha'rakter; **2.** Gefühlsausbruch *m*, Über'spanntheit *f*; '**lyr·ist** [-ist] *s.* Lyriker *m*.

ly·sol ['laisɔl] *s.* ⚗ Ly'sol *n*.

M

M, m [em] *s.* M *n*, m *n* (*Buchstabe*).
ma [mɑː] *s.* F Ma'ma *f.*
ma'am [mæm; F məm] *s.* **1.** F ,gnä Frau' (*Anrede*); **2.** *Brit.* **a)** Maje'stät (*Anrede für die Königin*), **b)** Hoheit (*Anrede für Prinzessinnen*).
mac [mæk] *s. Brit.* F → *mackintosh.*
ma·ca·ber *Am.*, **ma·ca·bre** *Brit.* [mə'kɑːbr] *adj.* **1.** grausig; **2.** ma'kaber, Toten...
ma·ca·co [mə'keikou] *s. zo.* Maki *m*, Le'mure *m.*
mac·ad·am [mə'kædəm] **I.** *s.* **1.** Maka'dam-, Schotterdecke *f*; **2.** Schotterstraße *f*; **3.** Schotter *m*; **II.** *adj.* **4.** beschottert, Schotter...: ~ *road*; **mac·ad·am·i·za·tion** [məkædəmai'zeiʃən] *s.* Schotterung *f*, Chaussierung *f*; **mac'ad·am·ize** [-maiz] *v/t.* makadamisieren, chaussieren.
mac·a·ro·ni [mækə'rouni] *s. sg. u. pl.* Makka'roni *pl.*
mac·a·ron·ic [mækə'rɔnik] **I.** *adj.* **1.** makka'ronisch; **II.** *s. mst pl.* **2.** makkaronische Verse *pl.*; **3.** *fig.* Mischmasch *m.*
mac·a·roon [mækə'ruːn] *s.* Ma'krone *f.*
ma·caw [mə'kɔː] *s. orn.* Ara *m.*
mac·ca·ro·ni → *macaroni.*
mace¹ [meis] *s.* ✝ Mus'katblüte *f* (*Gewürz*).
mace² [meis] *s.* **1.** ⚔ *hist.* Streitkolben *m*; **2.** (langer) Amtsstab (*bsd. im brit. Unterhaus*); **3.** *a.* ~-*bearer* Träger *m* des Amtsstabes.
mac·er·ate ['mæsəreit] *v/t.* **1.** (*a. v/i.*) *durch Flüssigkeit* aufweichen, aufquellen *u.* erweichen; **2.** *biol. Nahrungsmittel* aufschließen; **3.** ausmergeln, abzehren; **4.** ka'steien.
Mach [mɑːk] → *Mach number.*
Mach·i·a·vel·li·an [mækiə'veliən] *adj.* machiavel'listisch (*skrupellos, ränkevoll*).
ma·chic·o·la·tion [mætʃikou'leiʃən] *s. hist.* **1.** Pechnase *f*, Gußerker *m* (*Festung*); **2.** Gußlochreihe *f.*
mach·i·nate ['mækineit] *v/i.* Ränke schmieden, intrigieren; **mach·i·na·tion** [mæki'neiʃən] *s.* Anschlag *m*, In'trige *f*, Machenschaft *f*: *political* ~*s* politische Ränke; '**mach·i·na·tor** [-tə] *s.* Ränkeschmied *m*, Intri'gant(in).
ma·chine [mə'ʃiːn] **I.** *s.* **1.** ⊕ Ma'schine *f* (F *a. Auto, Fahrrad, Flugzeug etc.*); **2.** Appa'rat *m*, Vorrichtung *f*, (*thea.* 'Bühnen)Mecha,nismus *m*: *the god from the* ~ Deus ex machina (*e-e plötzliche Lösung*); **3.** *fig.* ,Maschine' *f*, ,'Roboter' *m* (*Mensch*); **4.** *pol.* Organisati'on *f*, (Par'tei)Ma,schine *f*, (Re'gierungs-)Appa,rat *m*; **II.** *v/t.* **5.** ⊕ maschi'nell herstellen, maschinell drucken; **6.** (maschinell) bearbeiten; *engS. Metall* zerspanen; ~ **age** *s.* Ma'schinen,zeitalter *n*; ~ **fit·ter** *s.* ⊕ Ma'schinenschlosser *m*; ~**-gun** ⚔ **I.** *s.* Ma'schinengewehr *n*; **II.** *v/t.* mit Ma'schinengewehrfeuer belegen; ~**-made** *adj.* **1.** maschi'nell (hergestellt), Fabrik...: ~ *paper* Maschinenpapier; **2.** *fig.* stereo'typ.
ma·chin·er·y [mə'ʃiːnəri] *s.* **1.** Maschine'rie *f*, Ma'schinen(park *m*) *pl.*; **2.** Mecha'nismus *m*, (Trieb-)Werk *n*; **3.** *fig.* Maschinerie *f*, Räderwerk *n*, (*Regierungs*)Ma'schine *f*; **4.** dra'matische Kunstmittel *pl.*
ma·chine| shop *s.* ⊕ Ma'schinenhalle *f*, -saal *m*; ~ **tool** *s.* ⊕ 'Werkzeugma,schine *f*; ~**-wash·a·ble** *adj.* 'waschma,schinenfest (*Stoff etc.*).
ma·chin·ist [mə'ʃiːnist] *s.* **1.** ⊕ **a)** Ma'schinenbauer *m*, -ingeni,eur *m*, **b)** Ma'schinenschlosser *m*, **c)** Maschi'nist *m* (*a. thea.*); **2.** Ma'schinennäherin *f.*
Mach num·ber [mɑːk] *s. phys.* Machzahl *f.*
mac·in·tosh → *mackintosh.*
mack·er·el ['mækrəl] *pl.* **-el** *s. ichth.* Ma'krele *f*; ~ **sky** *s. meteor.* (Himmel *m* mit) Schäfchenwolken *pl.*
mack·i·naw ['mækinɔː] *s. a.* ~ *coat Am.* Stutzer *m*, kurzer Plaidmantel.
mack·in·tosh ['mækintɔʃ] *s.* Regen-, 'Gummimantel *m.*
mack·le ['mækl] **I.** *s.* **1.** dunkler Fleck; **2.** *typ.* Schmitz *m*, verwischter Druck; **II.** *v/t. u. v/i.* **3.** *typ.* schmitzen.
ma·cle ['mækl] *s. min.* **1.** 'Zwillingskri,stall *m*; **2.** dunkler Fleck (*in e-m Mineral*).
macro- [mækrə] *in Zssgn* lang, groß.
mac·ro·cosm ['mækrəkɔzəm] *s.* Makro'kosmos *m.*
ma·cron ['mækrɔn] *s.* Längestrich *m* (*über Vokalen*).
mac·u·la ['mækjulə] *pl.* **-lae** [-liː] *s.* **1.** (⚕ *bsd.* Haut)Fleck *m*; **2.** *ast.* Sonnenfleck *m*; **3.** *min.* dunkler Fleck; '**mac·u·lar** [-lə] *adj.* **1.** gefleckt, maku'lös; **2.** Flecken...
mad [mæd] *adj.* □ → *madly*; **1.** wahnsinnig, verrückt, toll (*alle a. fig.*): *to go* ~ verrückt werden; *it's enough to drive one* ~ es ist zum Verrücktwerden; *like* ~ wie toll *od.* wie verrückt (*arbeiten etc.*); *a* ~ *plan* ein verrücktes Vorhaben; → *hatter, drive 19*; **2.** (*after, about, for, on*) versessen (auf *acc.*), verrückt (nach), vernarrt (in *acc.*): *she is* ~ *about music*; **3.** F außer sich, verrückt, rasend (*with* vor *Freude, Wut etc.*): ~ *with pain*; **4.** *bsd. Am.* F wütend, böse (*at, about* über *acc.*, auf *acc.*); **5.** toll, wild, 'übermütig: *they are having a* ~ *time* bei denen geht's toll zu, sie amüsieren sich toll; **6.** wild (geworden): *a* ~ *bull*; **7.** tollwütig (*Hund*).
Mad·a·gas·can [mædə'gæskən] **I.** *s.* Made'gasse *m*, Made'gassin *f*; **II.** *adj.* made'gassisch.
mad·am ['mædəm] *s.* **1.** gnädige Frau *od.* gnädiges Fräulein (*Anrede*); **2.** F Puffmutter *f.*
'**mad·cap I.** *s.* Wildfang *m*; **II.** *adj.* → *mad 5.*
mad·den ['mædn] **I.** *v/t.* verrückt *od.* toll *od.* rasend machen (*a. fig. wütend machen*); **II.** *v/i.* verrückt *etc.* werden; '**mad·den·ing** [-niŋ] *adj.* □ aufreizend, verrückt *etc.* machend: *it is* ~ es ist zum Verrücktwerden.
mad·der¹ ['mædə] *comp. von mad.*
mad·der² ['mædə] *s.* ⚘, ⊕ Krapp *m.*
mad·dest ['mædist] *sup. von mad.*
mad·ding ['mædiŋ] *adj. poet.* **1.** rasend, tobend: *the* ~ *crowd*; **2.** → *maddening.*
'**mad·doc·tor** *s.* Irrenarzt *m.*
made [meid] **I.** *pret. u. p.p. von make*; **II.** *adj.* **1.** (künstlich) hergestellt: ~ *dish* aus mehreren Zutaten zs.-gestelltes Gericht; ~ *gravy* künstliche Bratensoße; ~ *road* befestigte Straße; ~ *of wood* aus Holz, Holz...; *English*-~ ✝ *Artikel* englischer Fabrikation; **2.** gemacht, arriviert: *a* ~ *man*; **3.** *körperlich* gebaut: *a well*-~ *man*; **4.** F bestimmt, gedacht: *it's* ~ *for this purpose* es ist für diesen Zweck gedacht.
'**made-'up** *adj.* **1.** erfunden: *a* ~ *story*; **2.** geschminkt; **3.** ✝ Fertig..., Fabrik...: ~ *clothes* Konfektionskleidung.
'**mad·house** *s.* Irren-, Tollhaus *n.*
mad·ly ['mædli] *adv.* **1.** wie verrückt, wie wild: *they worked* ~ *all night*; **2.** F schrecklich, wahnsinnig: ~ *in love*; **3.** dumm, verrückt.
'**mad·man** [-mən] *s.* [*irr.*] Verrückte(r) *m*, Irre(r) *m.*
mad·ness ['mædnis] *s.* **1.** Wahnsinn *m*, Tollheit *f* (*a. fig.*); **2.** *bsd. Am.* Wut *f* (*at* über *acc.*).
mad·re·pore [mædri'pɔː] *s. zo.* Madre'pore *f*, 'Löcherko,ralle *f.*
mad·ri·gal ['mædrigəl] *s.* ♪ Madri'gal *n*, (mehrstimmiges) Lied.
'**mad·wom·an** *s.* [*irr.*] Wahnsinnige *f*, Irre *f.*
mael·strom ['meilstroum] *s.* Mahlstrom *m*, Strudel *m* (*a. fig.*): ~ *of traffic* Verkehrsgewühl.
ma·es·to·so [mɑːes'touzou] (*Ital.*) *adv.* ♪ mae'stoso, maje'stätisch.
ma·e·stro [mɑː'estrou] *pl.* **-stri**

[-stri:] (*Ital.*) *s.* Ma'estro *m*, Meister *m*.

Mae West ['mei'west] *s. sl.* **1.** ⚓ aufblasbare Schwimmweste; **2.** ⚔ *Am.* Panzer *m* mit Zwillingsturm.

maf·fick ['mæfik] *v/i. Brit.* ausgelassen feiern.

Ma·fia ['mɑ:fiə] *s. pol.* 'Mafia *f* (*terroristischer Geheimbund*) (*a. fig.*); **ma·fi·o·so** [mɑ:fi:'ousou] *s.* Mafi'oso *m*, Anhänger *m od.* Mitglied *n* e-r Mafia.

mag [mæg] ⊕ *sl. abbr. für magneto*: *~-generator* Magnetodynamo.

mag·a·zine [mægə'zi:n] *s.* **1.** ⚔ **a)** ('Pulver)Maga͵zin *n*, Muniti'onslager *n*, **b)** Versorgungslager *n*, **c)** Maga'zin *n*, Kasten *m* (*in Mehrladewaffen*): *~ gun*, *~ rifle* Mehrladegewehr; **2.** ⊕ Vorratsbehälter *m*; **3.** *fig.* Vorrats-, Kornkammer *f* (*fruchtbares Gebiet*); **4.** Magazin *n*, (*oft* illustrierte) Zeitschrift.

mag·da·len ['mægdəlin] *s. fig.* (büßende) Magda'lena, reuige Sünderin.

ma·gen·ta [mə'dʒentə] **I.** *s.* ⚗ Ma'genta(rot) *n*, Fuch'sin *n*; **II.** *adj.* ma'gentarot.

mag·got ['mægət] *s.* **1.** *zo.* Made *f*, Larve *f*; **2.** *fig.* Grille *f*; '**mag·got·y** [-ti] *adj.* **1.** madig; **2.** *fig.* schrullig, grillenhaft.

Ma·gi ['meidʒai] *s. pl.*: *the* (*three*) *~* die (drei) Weisen aus dem Morgenland.

mag·ic ['mædʒik] **I.** *s.* **1.** Ma'gie *f*, Zaube'rei *f*; **2.** Zauber(kraft *f*) *m* (*a. fig.*): *it works like ~* es ist die reinste Hexerei; **II.** *adj.* (□ *~ally*) **3.** 'magisch, Wunder..., Zauber...: *~ carpet* fliegender Teppich; *~ eye* ⚡ magisches Auge; *~ lamp* Wunderlampe; *~ lantern* Laterna magica; *~ square* magisches Quadrat; **4.** zauberhaft: *~ beauty*; '**mag·i·cal** [-kəl] → *magic II*.

ma·gi·cian [mə'dʒiʃən] *s.* **1.** 'Magier *m*, Zauberer *m*; **2.** Zauberkünstler *m*.

mag·is·te·ri·al [mædʒis'tiəriəl] *adj.* □ **1.** obrigkeitlich, behördlich; **2.** maßgeblich, autorita'tiv; **3.** herrisch, gebieterisch.

mag·is·tra·cy ['mædʒistrəsi] *s.* (Friedens-, Poli'zei)Richteramt *n*, Magistra'tur *f*; **mag·is·tral** [mə'dʒistrəl] *adj. pharm.* nicht offizi'nell, eigens verschrieben; '**mag·is·trate** [-rit] *s.* **1.** (obrigkeitlicher *od.* richterlicher) Beamter: **a)** *a. police ~* Poli'zeirichter *m*, **b)** Friedensrichter *m*; **2.** *chief ~*, *first ~* **a)** Präsi'dent *m*, **b)** Gouver'neur *m* (*e-s Staates der USA etc.*).

Mag·na C(h)ar·ta ['mægnə'kɑ:tə] *s.* **1.** *hist.* Magna Charta *f* (*der große Freibrief der englischen Verfassung*); **2.** Grundgesetz *n*.

mag·na·nim·i·ty [mægnə'nimiti] *s.* Edelmut *m*, Großmut *f*; **mag·nan·i·mous** [mæg'næniməs] *adj.* □ großmütig, hochherzig.

mag·nate ['mægneit] *s.* **1.** Ma'gnat *m*: *oil ~*; **2.** Größe *f*, einflußreiche Per'sönlichkeit; **3.** Großgrundbesitzer *m*.

mag·ne·sia [mæg'ni:ʃə] *s.* ⚗ Ma'gnesia *f*, Ma'gnesiumo͵xyd *n*; **mag'ne·sian** [-ʃən] *adj.* **1.** Magnesia...; **2.** Magnesium...; **mag'ne·si·um** [-i:zjəm] *s.* ⚗ Ma'gnesium *n*.

mag·net ['mægnit] *s.* Ma'gnet *m* (*a. fig.*); **mag·net·ic** [mæg'netik] *adj.* (□ *~ally*) **1.** ma'gnetisch, Magnet... (*-feld, -kompaß, -nadel etc.*): *~ attraction* magnetische Anziehung(skraft) (*a. fig.*); *~ declination* Mißweisung; *~ recorder* Magnettongerät; *~ tape* (Ton)Band; **2.** *fig.* anziehend, faszinierend, fesselnd; **mag·net·ics** [mæg'netiks] *s. pl.* (*mst sg. konstr.*) Wissenschaft *f* vom Magne'tismus; '**mag·net·ism** [-tizəm] *s.* **1.** *phys.* Magne'tismus *m*; **2.** *fig.* Anziehungskraft *f*; **mag·net·i·za·tion** [mægnitai'zeiʃən] *s.* Magnetisierung *f*; '**mag·net·ize** [-taiz] *v/t.* **1.** magnetisieren; **2.** *fig.* (wie ein Ma'gnet) anziehen, fesseln; '**mag·net·iz·er** [-taizə] *s.* ☤ Magneti'seur *m*.

mag·ne·to [mæg'ni:tou] *pl.* **-tos** *s.* ⚡ Ma'gnetzünder *m*.

magneto- [mægni:tou] *in Zssgn* Magneto...; **mag·ne·to-e·lec·tric** [mæg'ni:toui'lektrik] *adj.* ma'gnetoe͵lektrisch.

mag·ne·tron ['mægnitrɔn] *s.* ⚡ Magne'tron *n*.

mag·ni·fi·ca·tion [mægnifi'keiʃən] *s.* **1.** Vergrößern *n*; **2.** Vergrößerung *f*; **3.** *phys.* Vergrößerungsstärke *f*; **4.** ⚡ Verstärkung *f*.

mag·nif·i·cence [mæg'nifisns] *s.* Großartigkeit *f*, Pracht *f*, Herrlichkeit *f*; **mag'nif·i·cent** [-nt] *adj.* □ großartig, prächtig, herrlich (*alle a.* F *fig.*).

mag·ni·fi·er ['mægnifaiə] *s.* **1.** Vergrößerungsglas *n*, Lupe *f*; **2.** ⚡ Verstärker *m*; **3.** Verherrlicher *m*; **mag·ni·fy** ['mægnifai] *v/t. opt. u. fig.* **1.** vergrößern: *~ing glass* → *magnifier 1*; **2.** *fig.* über'treiben; **3.** ⚡ verstärken.

mag·nil·o·quence [mæg'niləkwəns] *s.* **1.** Großsprecherei *f*; **2.** Schwulst *m*, Bom'bast *m*; **mag'nil·o·quent** [-nt] *adj.* □ **1.** großsprecherisch; **2.** hochtrabend, bom'bastisch.

mag·ni·tude ['mægnitju:d] *s.* **1.** Größe *f*, Größenordnung *f* (*a. ast.*, ⩘): *a star of the first ~* ein Stern erster Größe; **2.** *fig.* Ausmaß *n*, Schwere *f*; **3.** *fig.* Bedeutung *f*: *of the first ~* von äußerster Wichtigkeit.

mag·no·li·a [mæg'nouljə] *s.* ♀ Ma'gnolie *f*.

mag·num ['mægnəm] *s.* Zwei'quartflasche *f* (*etwa 2 l enthaltend*).

mag·pie ['mægpai] *s.* **1.** *zo.* Elster *f*; **2.** *fig.* Schwätzer(in); **3.** *Scheibenschießen*: zweiter Ring von außen.

ma·gus ['meigəs] *pl.* **-gi** [-dʒai] *s.* **1.** ♀ *antiq.* *persischer* Priester; **2.** Zauberer *m*; **3.** *a.* ♀ *sg. von Magi*.

ma·ha·ra·ja(h) [mɑ:hə'rɑ:dʒə] *s.* Maha'radscha *m*; **ma·ha'ra·nee** [-ɑ:ni:] *s.* Maha'rani *f*.

mahl·stick ['mɔ:lstik] → *maulstick*.

ma·hog·a·ny [mə'hɔgəni] **I.** *s.* **1.** ♀ Maha'gonibaum *m*; **2.** Maha'goni(-holz) *n*; **3.** Maha'goni(farbe *f*) *n*; **4.** *to have* (*od. put*) *one's feet under s.o.'s ~* F bei j-m zu Tisch sein, j-s Gastfreundschaft genießen; **II.** *adj.* **5.** Mahagoni...; **6.** maha'gonifarben.

ma·hout [mə'haut] *s. Brit. Ind.* Ele'fantentreiber *m*.

maid [meid] *s.* **1.** (junges) Mädchen, Maid *f*: *~ of hono(u)r* **a)** Ehren-, Hofdame, **b)** *Am. erste* Brautjungfer; **2.** (junge) unverheiratete Frau: *old ~* alte Jungfer; **3.** (Dienst)Mädchen *n*, Magd *f*: *~-of-all-work bsd. fig.* Mädchen für alles; **4.** *poet.* Jungfrau *f*: *the ♀ (of Orleans)*.

maid·en ['meidn] **I.** *adj.* **1.** mädchenhaft, Mädchen...: *~ name* Mädchenname *e-r Frau*; **2.** jungfräulich, unberührt (*a. fig.*): *~ soil*; **3.** unverheiratet: *~ aunt*; **4.** Jungfern..., Antritts...: *~ speech parl.* Jungfernrede; *~ voyage* ⚓ Jungfernfahrt; **II.** *s.* **5.** → *maid 1, 2*; **6.** *Scot. hist.* Guillo'tine *f*; **7.** *Rennsport*: **a)** Maiden *n* (*Pferd, das noch nie gesiegt hat*), **b)** Rennen *n* für Maidens; **~ as·size** *s.* ⚖ Gerichtssitzung *f* ohne Krimi'nalfall; '**~·hair (fern)** *s.* ♀ Frauenhaar(farn *m*) *n*; '**~·head** *s.* **1.** → *maidenhood*; **2.** *anat.* Jungfernhäutchen *n*; '**~·hood** *s.* **a)** Jungfräulichkeit *f*, **b)** Jungfernschaft *f*.

maid·en·like ['meidnlaik], '**maid·en·ly** [-li] *adj.* **1.** mädchenhaft, Mädchen...; **2.** jungfräulich, züchtig.

'**maid·serv·ant** → *maid 3*.

mail[1] [meil] **I.** *s.* **1.** Post(sendung) *f*, *bsd.* Brief- *od.* Pa'ketpost *f*: *by ~ Am.* mit der Post; *by return ~ Am.* postwendend, umgehend; *incoming ~* Posteingang; *outgoing ~* Postausgang; **2.** Briefbeutel *m*, Postsack *m*; **3.** Post(dienst *m*) *f*: *the Federal ♀s Am.* die Bundespost; **4.** Postversand *m*; **5.** Postauto *n*, -boot *n*, -bote *m*, -flugzeug *n*, -zug *m*; **II.** *adj.* **6.** Post...: *~-boat* Post-, Paketboot; **III.** *v/t.* **7.** *bsd. Am.* (mit der Post) (ab)schicken, aufgeben; zuschicken (*to dat.*).

mail[2] [meil] **I.** *s.* **1.** Kettenpanzer *m*: *coat of ~* Panzerhemd; **2.** (Ritter-) Rüstung *f*; **3.** *zo.* Panzer *m*; **II.** *v/t.* **4.** panzern.

mail·a·ble ['meiləbl] *adj. Am.* postversandfähig.

'**mail|-bag** *s.* Post-, Briefbeutel *m*; '**~·box** *s. Am.* Briefkasten *m*; '**~·car·ri·er** *s. Am.* Briefträger *m*; '**~-clad** *adj.* gepanzert; '**~-coach** *s. Brit.* **1.** Postwagen *m*; **2.** *hist.* Postkutsche *f*.

mailed [meild] *adj.* gepanzert (*a. zo.*): *the ~ fist fig.* die eiserne Faust.

'**mail|·man** [-mən] *s.* [*irr.*] *Am.* Briefträger *m*; **~ or·der** *s.* ✝ Bestellung *f* (*von Waren*) durch die Post; '**~-or·der** *adj.* Postversand...: *~ house* (Post)Versandgeschäft.

maim [meim] *v/t.* verstümmeln (*a. fig. Text*); zum Krüppel machen; lähmen (*a. fig.*).

main [mein] **I.** *adj.* □ → *mainly*; **1.** Haupt..., größt, wichtigst, vorwiegend, hauptsächlich: *~ clause ling.* Hauptsatz; *~ deck* ⚓ Hauptdeck; *~ girder* ⚠ Längsträger; *~ office* Hauptbüro; *~ road* Hauptverkehrsstraße; *~ station teleph.* Hauptanschluß; *~ thing* Hauptsache; *by ~ force* mit äußerster Kraft; **2.** ⚓ groß, Groß...: *~ brace* Großbrasse; **3.** *poet.* (weit) offen: *the ~ sea* die offene *od.* hohe See; **II.** *s.* **4.** *mst pl.* **a)** Haupt-

(gas- *etc.*)leitung *f*: (*gas*) ~*s*; (*water*) ~*s*, **b)** ⚡ Haupt-, Stromleitung *f*, **c)** (Strom)Netz *n*: *operating on the* ~*s* mit Netzanschluß; ~*s receiving set* Netzempfänger; ~*s voltage* Netzspannung; **5. a)** Hauptrohr *n*, **b)** Hauptkabel *n*; **6.** 🚂 *Am.* 'Haupt|linie *f*; **7.** Hauptsache *f*, Kern *m*: *in* (*Am. a. for*) *the* ~ hauptsächlich, in der Hauptsache; **8.** *poet. die* hohe See; **9.** → *might*[1] 2; ~ **chance** *s.* materi'eller Vorteil: *to have an eye to the* ~ s-n eigenen Vorteil im Auge behalten; '~**·land** [-lənd] *s.* Festland *n*; ~ **line** *s.* **1.** 🚂 *etc.*, *a.* ⚔ 'Haupt|linie *f*: ~ *of resistance* Hauptkampflinie; **2.** *Am. sl.* Promi'nenz *f*, *die* reichen Leute *pl.*; '~**·line** *v/i. sl.* ‚fixen' (*sich Drogen injizieren*); '~**·lin·er** *s. sl.* ‚Fixer' *m.*

main·ly ['meinli] *adv.* hauptsächlich, vorwiegend.

main|·mast ['meinmɑːst; ⚓ -məst] *s.* ⚓ Großmast *m*; ~**·sail** ['meinseil; ⚓ -sl] *s.* ⚓ Großsegel *n*; '~**·spring** *s.* **1.** Hauptfeder *f* (*Uhr etc.*); **2.** *fig.* (Haupt)Triebfeder *f*, treibende Kraft; '~**·stay** *s.* **1.** ⚓ Großstag *n*; **2.** *fig.* Hauptstütze *f*; ♀ **Street** *s. Am.* **1.** Hauptstraße *f*; **2.** *fig.* materia'listisches Pro'vinzbürgertum.

main·tain [men'tein] *v/t.* **1.** *Zustand, gute Beziehungen etc.* (aufrecht)erhalten, beibehalten, (be-)wahren: *to* ~ *an attitude* e-e Haltung beibehalten; *to* ~ *a price* ✝ e-n Preis halten; **2.** in'stand halten, pflegen, ⊕ *a.* warten; **3.** *Briefwechsel etc.* unter'halten, (weiter)führen; **4.** (*in e-m bestimmten Zustand*) lassen, bewahren: *to* ~ *s.th. in* (*an*) *excellent condition*; **5.** *Familie etc.* unter'halten, versorgen; **6.** behaupten (*that* daß, *to* zu); **7.** *Meinung, Recht etc.* verfechten; auf *e-r Forderung* bestehen: *to* ~ *an action* ⚖ e-e Klage anhängig machen; **8.** *j-n* unter'stützen, *j-m* beipflichten; ⚖ *e-e Prozeßpartei* 'widerrechtlich unterstützen; **9.** nicht aufgeben, behaupten: *to* ~ *one's ground bsd. fig.* sich (in s-r Stellung) behaupten; **main'tain·a·ble** [-nəbl] *adj.* verfechtbar, haltbar; **main'tain·er** [-nə] *s.* Unter'stützer *m*: **a)** Verfechter *m* (*Meinung etc.*), **b)** Versorger *m*; **main'tain·or** [-nə] *s.* ⚖ außenstehender Pro'zeßtreiber; **main·te·nance** ['meintinəns] *s.* **1.** In'standhaltung *f*, Erhaltung *f*; **2.** ⊕ Wartung *f*: ~ *man* Wart, Monteur; ~*-free* wartungsfrei; **3.** 'Unterhalt(smittel *pl.*) *m*: ~ *grant* Unterhaltszuschuß; ~ *order* ⚖ Anordnung von Unterhaltszahlungen; **4.** Aufrechterhaltung *f*, Beibehalten *n*; **5.** Behauptung *f*, Verfechtung *f.*

'main|·top *s.* ⚓ Großmars *m*; ~ **yard** *s.* ⚓ Großrah(e) *f.*

mai·so(n)·nette [meizə'net] *s.* **1.** kleines Eigenheim; **2.** Maiso'nettewohnung *f.*

maize [meiz] *s.* ⚘ Mais *m*; **mai·ze·na** [mei'ziːnə] *s.* Mai'zena *n*, Maisstärkemehl *n.*

ma·jes·tic [mə'dʒestik] *adj.* (□ ~*ally*) maje'stätisch; **maj·es·ty** ['mædʒisti] *s.* **1.** Maje'stät *f*: *His* (*Her*) ♀ Seine (Ihre) Majestät; *Your* ♀ Eure Majestät; **2.** *fig.* Majestät *f*, Erhabenheit *f*, Hoheit *f.*

ma·jol·i·ca [mə'jɔlikə] *s.* Ma'jolika *f.*

ma·jor ['meidʒə] **I.** *s.* **1.** Ma'jor *m*; **2.** ⚖ Volljährige(r *m*) *f*, Mündige(r *m*) *f*; **3.** *hinter Eigennamen*: der Ältere; **4.** ♪ **a)** Dur *n*, **b)** 'Durak|kord *m*, **c)** Durtonart *f*; **5.** *phls.* **a)** *a.* ~ *term* Oberbegriff, **b)** *a.* ~ *premise* Obersatz; **6.** *univ. Am.* Hauptfach *n*; **II.** *adj.* **7.** größer (*a. fig.*); *fig.* bedeutend: ~ *attack* Großangriff; ~ *event bsd. sport* Großveranstaltung; ~ *repair* größere Reparatur; **8.** ⚖ volljährig, mündig; **9.** ♪ **a)** groß (*Terz etc.*), **b)** Dur...: ~ *key* Durtonart; *C* ~ C-Dur; **III.** *v/t.* **10.** (*v/i.* ~ *in*) *Am.* als Hauptfach studieren; ~ **ax·is** *s.* 𝔄 Hauptachse *f*; '~-'**gen·er·al** *s.* ⚔ Gene'ralma|jor *m.*

ma·jor·i·ty [mə'dʒɔriti] *s.* **1.** Mehrheit *f*: ~ *of votes* (Stimmen)Mehrheit, Majorität; *in the* ~ *of cases* in der Mehrzahl der Fälle; *to join the* ~ **a)** sich der Mehrheit anschließen, **b)** zu den Vätern versammelt werden (*sterben*); **2.** ⚖ Voll-, Großjährigkeit *f*; **3.** ⚔ Ma'jorsrang *m*, -stelle *f.*

ma·jor| league *s. sport Am.* 'Ober|liga *f* (*Baseball*); ~ **mode** *s.* ♪ Dur (-tonart *f*) *n*; ~ **scale** *s.* ♪ Durtonleiter *f.*

ma·jus·cule ['mædʒəskjuːl] *s.* Ma'juskel *f*, großer Anfangsbuchstabe.

make [meik] **I.** *s.* **1. a)** Mach-, Bauart *f*, Form *f*, **b)** Erzeugnis *n*, Fabri'kat *n*: *our own* ~ (unser) eigenes Fabrikat; *of best English* ~ beste englische Qualität; **2.** *Mode*: Schnitt *m*, Fas'son *f*; **3.** ✝ **a)** (Fa'brik)Marke *f*, **b)** ⊕ Typ *m*, Bau(art *f*) *m*; **4.** (*Körper*)Bau *m*; **5.** Anfertigung *f*, Herstellung *f*; **6.** Schließen *n* (*Stromkreis*): *to be at* ~ geschlossen sein; **7.** *on the* ~ *sl.* auf Geld (*od.* e-n Vorteil) aus, ‚schwer da|hinter-'her' (*sein*); **II.** *v/t.* [*irr.*] **8.** *allg. z.B. Anstrengungen, Betten, Einkäufe, Einwände, Feuer, Reise, Testament, Verbeugung, Versuch* machen; *Frieden* schließen; *e-e Rede* halten; → *face* 2, *war* 1 *etc.*; **9.** machen: **a)** anfertigen, herstellen, erzeugen (*from, of, out of* von, aus), **b)** verarbeiten, bilden, formen (*to, into* in *acc.*, zu), **c)** *Tee etc.* (zu-)bereiten, **d)** *Gedicht etc.* verfassen; **10.** errichten, bauen, *Garten, Weg etc.* anlegen; **11.** (er)schaffen: *God made man* Gott schuf den Menschen; *you are made for this job* du bist für diese Arbeit wie geschaffen; **12.** *fig.* machen zu: *he made her his wife*; *to* ~ *enemies of* sich zu Feinden machen; *to* ~ *a doctor of s.o.* j-n Arzt werden lassen; **13.** ergeben, bilden, entstehen lassen: *many brooks* ~ *a river*; *oxygen and hydrogen* ~ *water* Wasserstoff u. Sauerstoff bilden Wasser; **14.** verursachen: **a)** *ein Geräusch, Lärm, Mühe, Schwierigkeiten* machen, **b)** bewirken, (mit sich) bringen: *prosperity* ~*s contentment*; **15.** (er)geben, den Stoff abgeben zu, dienen als (*Sache*): *this* ~*s a good article* das gibt e-n guten Artikel; *this book* ~*s good reading* dieses Buch liest sich gut; *this cloth will* ~ *a suit* dieses Tuch wird für e-n Anzug reichen; **16.** sich erweisen als (*Person*): *he would* ~ *a good salesman* er würde e-n guten Verkäufer abgeben; *she made him a good wife* sie war ihm e-e gute Frau; **17.** bilden, (aus)machen: *this* ~*s the tenth time* das ist das zehnte Mal; → *difference* 1, *one* 7, *party* 2; **18.** (*mit adj., p.p. etc.*) machen: *to* ~ *angry* zornig machen, erzürnen; *to* ~ *known* bekanntmachen, -geben; → *make good*; **19.** (*mit folgendem s.*) machen zu, ernennen **zu**: *they made him a general, he was made a general* er wurde zum General ernannt; *he made himself a martyr* er wurde zum Märtyrer; **20.** *mit inf.* (*act. ohne to, pass. mit to*) *j-n* veranlassen, lassen, bringen, zwingen *od.* nötigen zu: *to* ~ *s.o. wait* j-n warten lassen; *we made him talk* wir brachten ihn zum Sprechen; *they made him repeat it, he was made to repeat it* man ließ es ihn wiederholen; *to* ~ *s.th. do, to* ~ *do with s.th.* mit et. auskommen, sich mit et. behelfen; **21.** *fig.* machen: *to* ~ *much of* **a)** viel Wesens um *et. od. j-n* machen, **b)** sich viel aus *et.* machen, viel von *et.* halten; → *best* 7, *most* 3, *nothing Redew.*; **22.** sich e-e Vorstellung von *et.* machen, *et.* halten für: *what do you* ~ *of it?* was halten Sie davon?; **23.** F *j-n* halten für: *I* ~ *him a greenhorn*; **24.** schätzen auf (*acc.*): *I* ~ *the distance three miles*; **25.** feststellen: *I* ~ *it a quarter to five* nach m-r Uhr ist es viertel vor fünf; **26.** erfolgreich 'durchführen: → *escape* 11; **27.** *j-m* zum Erfolg verhelfen, *j-s* Glück machen: *I can* ~ *and break you* ich kann aus Ihnen et. machen und ich kann Sie auch erledigen; **28.** sich *ein Vermögen etc.* erwerben, verdienen, *Geld, Profit* machen, *Gewinn* erzielen; → *name Redew.*; **29.** ‚schaffen': **a)** *Strecke* zu'rücklegen: *can we* ~ *it in 3 hours?*, **b)** *Geschwindigkeit* erreichen: *to* ~ *60 mph.*; **30.** F *et.* erreichen, ‚schaffen', *akademischen Grad* erlangen, *sport etc. Punkte, a. Schulnote* erzielen, *Zug* erwischen: *to* ~ *it* es schaffen; *to* ~ *the team Am.* in die Mannschaft aufgenommen werden; **31.** *sl. Frau* ‚'umlegen' (*verführen*); **32.** ankommen in (*dat.*), erreichen: *to* ~ *port* ⚓ in den Hafen einlaufen; **33.** ⚓ sichten, ausmachen: *to* ~ *land*; **34.** *Brit. Mahlzeit* einnehmen; **35.** *Fest etc.* veranstalten; **36.** *Preis* festsetzen, machen; **37.** *Kartenspiel*: **a)** *Karten* mischen, **b)** *Stich* machen; **38.** ⚡ *Stromkreis* schließen; **39.** *ling. Plural etc.* bilden, werden zu; **40.** sich belaufen auf (*acc.*), ergeben, machen: *two and two* ~ *four* 2 u. 2 macht *od.* ist 4; **III.** *v/i.* [*irr.*] **41.** sich anschicken, den Versuch machen (*to do* zu tun): *he made to go* er wollte gehen; **42.** (*to* nach) **a)** sich begeben *od.* wenden, **b)** führen, gehen (*Weg etc.*), sich erstrecken, **c)** fließen; **43.** einsetzen (*Ebbe, Flut*), (an)steigen (*Flut etc.*); **44.** ~ *as if* (*od. as though*) so tun als ob *od.* als wenn: *to* ~

believe (*that od. to do*) vorgeben (daß *od.* zu tun);

Zssgn mit prp.:

make| aft·er *v/t. obs. j-m* nachsetzen, *j-n* verfolgen; **~ a·gainst** *v/t.* **1.** ungünstig sein für, schaden (*dat.*); **2.** sprechen gegen (*a. fig.*); **~ for** *v/t.* **1. a)** zugehen auf (*acc.*), sich begeben *od.* aufmachen nach, zustreben (*dat.*), **b)** ⚓ Kurs haben auf (*acc.*), **c)** sich stürzen auf (*acc.*); **2.** beitragen zu, fördern: *it makes for his advantage* es wirkt sich für ihn günstig aus; *the aerial makes for better reception* die Antenne verbessert den Empfang; **~ to·ward**(s) *v/t.* zugehen auf (*acc.*), sich bewegen nach, sich nähern (*dat.*);

Zssgn mit adv.:

make| a·way *v/i.* sich da'vonmachen: *to ~ with* **a)** sich davonmachen mit (*Geld etc.*), **b)** *et. od. j-n* beseitigen, aus dem Weg(e) räumen, **c)** *Geld etc.* durchbringen, **d)** sich entledigen (*gen.*); **~ good I.** *v/t.* **1. a)** (wieder)'gutmachen, **b)** ersetzen, vergüten: *to ~ a deficit* ein Defizit decken; **2.** begründen, rechtfertigen, nachweisen; **3.** *Versprechen, sein Wort* halten; **4.** *den Erwartungen* entsprechen; **5.** *Flucht etc.* glücklich bewerkstelligen; **6.** (*berufliche etc.*) *Stellung* ausbauen; **II.** *v/i.* **7.** sich 'durchsetzen, sein Ziel erreichen; **8.** sich bewähren, den Erwartungen entsprechen; **~ off** *v/i.* sich da'vomachen, ausreißen: *to ~ with the money* mit dem Geld durchbrennen; **~ out I.** *v/t.* **1.** *Scheck etc.* ausstellen; *Urkunde* ausfertigen; *Liste etc.* aufstellen; **2.** ausmachen, erkennen; **3.** *Sachverhalt etc.* feststellen, her'ausbekommen; **4. a)** *j-n* ausfindig machen, **b)** *j-n* verstehen, aus *j-m od. et.* klug werden; **5.** entziffern; **6. a)** behaupten, **b)** beweisen, **c)** *j-n* als *Lügner etc.* hinstellen; **7.** *Am. mühsam* zu'stande bringen; **8.** *Summe* voll machen; **9.** halten für; **II.** *v/i.* **10.** *bsd. Am.* F Erfolg haben: *how did you ~?* wie haben Sie abgeschnitten?; **11.** *bsd. Am.* (*mit j-m*) auskommen; **12.** vorgeben, (so) tun (als ob); **~ o·ver** *v/t.* **1.** *Eigentum* über'tragen, -'eignen, vermachen; **2.** 'umbauen; *Anzug etc.* 'umarbeiten; **~ up I.** *v/t.* **1.** bilden, zs.-setzen: *to be made up of* bestehen *od.* sich zs.-setzen aus; **2.** *Arznei, Bericht etc.* zs.-stellen; *Schriftstück* aufsetzen, *Liste etc.* aufstellen; *Paket* (ver)packen, verschnüren; **3.** *a. thea.* zu'rechtmachen, schminken, pudern; **4.** *Geschichte etc.* sich ausdenken, *a. b.s.* erfinden: *a made-up story*; **5. a)** *Versäumtes* nachholen; → *leeway 2*, **b)** 'wiedergewinnen: *to ~ lost ground*; **6.** ersetzen, vergüten; **7.** *Rechnung, Konten* ausgleichen; *Bilanz* ziehen; → *account 5*; **8.** *Streit etc.* beilegen; **9.** ver'vollständigen, *Fehlendes* ergänzen, *Betrag, Gesellschaft etc.* voll machen; **10.** *to make it up* **a)** es wieder'gutmachen, **b)** sich wieder versöhnen; **11.** *typ.* um'brechen; **II.** *v/i.* **12.** sich zu'rechtmachen, *bsd.* sich pudern *od.* schminken; **13.** (*for*) Ersatz leisten, als Ersatz dienen (für), vergüten (*acc.*); **14.** aufholen, wieder'gutmachen, wettmachen (*for acc.*): *to ~ for lost time* die verlorene Zeit wieder aufzuholen suchen; **15.** *Am.* sich nähern (*to dat.*); **16.** (*to*) F (*j-m*) schöntun, sich anbiedern (bei *j-m*), sich her'anmachen (an *j-n*); **17.** sich versöhnen (*with* mit).

make| and break *s.* ⚡ Unter'brecher *m*; **'~-and-'break** *adj.* ⚡ zeitweilig unter'brochen: *~ contact* Unterbrecherkontakt; **'~-be·lieve I.** *s.* **1. a)** Verstellung *f*, **b)** Heuche'lei *f*; **2.** Vorwand *m*; **3.** Schein *m*, Spiegelfechte'rei *f*; **II.** *adj.* **4.** vorgeblich, scheinbar, falsch.

mak·er ['meikə] *s.* **1. a)** Macher *m*, Verfertiger *m*; Aussteller(in) *e-r Urkunde*, **b)** ✝ Hersteller *m*, Erzeuger *m*; **2.** *the* ♀ der Schöpfer (*Gott*).

'make|-read·y *s. typ.* Zurichtung *f*; **'~-shift I.** *s.* Notbehelf *m*; **II.** *adj.* behelfsmäßig, Behelfs..., Not...

'make-up *s.* **1.** Aufmachung *f*: **a)** *Film etc.*: Ausstattung *f*, Kostümierung *f*, **b)** Verpackung *f*, ✝ Ausstattung *f*: *~ charge Schneiderei*: Macherlohn; *~ man Film*: Maskenbildner; **2.** Schminke *f*, Puder *m*; **3.** Make-up *n*: **a)** Schminken *n*, **b)** Pudern *n*; **4.** *fig. humor.* Aufmachung *f*, Aufzug *m*, (Ver)Kleidung *f*; **5.** Zs.-setzung *f*; *sport* (*Mannschafts*)Aufstellung *f*; **6.** Körperbau *m*; **7.** Veranlagung *f*, Na'tur *f*; **8.** *fig. humor. Am.* erfundene Geschichte; **9.** *typ.* 'Umbruch *m*.

'make·weight *s.* **1.** (Gewichts)Zugabe *f*, Zusatz *m*; **2.** Gegengewicht *n* (*a. fig.*); **3.** *fig.* **a)** Lückenbüßer *m*, Anhängsel *n* (*Person*), **b)** (kleiner) Notbehelf.

mak·ing ['meikiŋ] *s.* **1.** Machen *n*: *this is of my own ~* das habe ich selbst gemacht; **2.** Erzeugung *f*, Herstellung *f*, Fabrikati'on *f*: *to be in the ~ a. fig.* im Entstehen *od.* im Werden *od.* in der Entwicklung sein; **3. a)** Zs.-setzung *f*, **b)** Verfassung *f*, **c)** Bau(art *f*) *m*, Aufbau *m*, **d)** Aufmachung *f*; **4.** Glück *n*, Chance *f*: *this will be the ~ of him* damit ist er ein gemachter Mann; **5.** *pl.* ('Roh)Materi͵al *n* (*a. fig.*): *he has the ~s of* er hat das Zeug *od.* die Anlagen zu; **6.** *pl.* Pro'fit *m*, Verdienst *m*; **7.** *pl.* F *die* (nötigen) Zutaten *pl.*

mal- [mæl] *in Zssgn* **a)** schlecht, **b)** mangelhaft, **c)** übel, **d)** Miß..., un...

Mal·a·chi ['mæləkai], *a.* **Mal·a·chi·as** [mælə'kaiəs] *npr. u. s. bibl.* (das Buch) Male'achi *m od.* Mala'chias *m*.

mal·a·chite ['mæləkait] *s. min.* Mala'chit *m*, Kupferspat *m*.

mal·ad·just·ed ['mælə'dʒʌstid] *adj. psych.* nicht angepaßt, mi'lieugestört; **'mal·ad'just·ment** [-stmənt] *s.* **1.** mangelnde Anpassung, Mi'lieustörung *f*; **2.** ⊕ Falscheinstellung *f*; **3.** 'Mißverhältnis *n*.

'mal·ad·min·is'tra·tion *s.* **1.** schlechte Verwaltung; **2.** *pol.* 'Mißwirtschaft *f*.

'mal·a'droit *adj.* □ **1.** ungeschickt; **2.** taktlos.

mal·a·dy ['mælədi] *s.* Krankheit *f*, Gebrechen *n*.

ma·la fi·de ['meilə'faidi] (*Lat.*) *adj. u. adv.* arglistig (*a.* ⚖).

ma·laise [mæ'leiz] *s.* **1.** Unpäßlichkeit *f*; **2.** Unbehagen *n*.

mal·a·prop·ism ['mæləprɔpizəm] *s.* (lächerliche) Wortverwechslung, 'Mißgriff *m*; **mal·ap·ro·pos** ['mæl'æprəpou] **I.** *adj.* **1.** unangebracht; **2.** unschicklich; **II.** *adv.* **3. a)** zur Unzeit, **b)** im falschen Augenblick; **III.** *s.* **4.** *et.* Unangebrachtes.

ma·lar ['meilə] *anat.* **I.** *adj.* Bakken...; **II.** *s.* Backenknochen *m*.

ma·lar·i·a [mə'lɛəriə] *s.* ⚕ Ma'laria *f*, Sumpffieber *n*; **ma'lar·i·al** [-əl], **ma'lar·i·an** [-ən], **ma'lar·i·ous** [-iəs] *adj.* Malaria..., ma'lariaverseucht.

ma·lar·k(e)y [mə'lɑ:ki] *s. Am. sl.* ‚Quatsch' *m*, ‚Käse' *m*.

Ma·lay [mə'lei] **I.** *s.* **1.** Ma'laie *m*, Ma'laiin *f*; **2.** Ma'laiisch *n*; **II.** *adj.* **3.** ma'laiisch; **Ma'lay·an** [-eiən] → *Malay 3*.

'mal·con·tent I. *adj.* unzufrieden (*a. pol.*), 'mißvergnügt; **II.** *s.* Unzufriedene(r *m*) *f*, 'Mißvergnügte(r *m*) *f*.

male [meil] **I.** *adj.* **1.** männlich (*a. biol. u.* ⊕): *~ choir* Männerchor; *~ cousin* Vetter; *~ nurse* Krankenpfleger; *~ plug* ⊕ Stecker; *~ rhyme* männlicher Reim; *~ screw* ⊕ Schraube(nspindel); **2.** *weitS.* männlich, mannhaft; **II.** *s.* **3. a)** Mann *m*, **b)** Knabe *m*; **4.** *zo.* Männchen *n*; **5.** ⚘ männliche Pflanze.

mal·e·dic·tion [mæli'dikʃən] *s.* Fluch *m*, Verwünschung *f*; **mal·e'dic·to·ry** [-ktəri] *adj.* verwünschend, Verwünschungs..., Fluch...

mal·e·fac·tor ['mælifæktə] *s.* Misse-, Übeltäter *m*; **'mal·e·fac·tress** [-tris] *s.* Missetäterin *f*.

ma·lef·ic [mə'lefik] *adj.* (□ *~ally*) ruchlos, bösartig; **ma·lef·i·cent** [mə'lefisnt] *adj.* **1.** bösartig; **2.** schädlich (*to* für *od. dat.*); **3.** verbrecherisch.

ma·le·ic ac·id [mə'li:ik] *s.* ⚗ Male'insäure *f*.

ma·lev·o·lence [mə'levələns] *s.* 'Mißgunst *f*, Bosheit *f*, Feindseligkeit *f* (*to* gegen), Böswilligkeit *f*; **ma'lev·o·lent** [-nt] *adj.* □ **1.** 'mißgünstig, widrig (*Umstände etc.*); **2.** feindselig, böswillig, übelwollend.

mal·fea·sance [mæl'fi:zəns] *s.* ⚖ (*bsd. Amts*)Vergehen *n*.

'mal·for'ma·tion *s. bsd.* ⚕ 'Mißbildung *f*.

mal'func·tion *s.* **1.** ⚕ Funkti'onsstörung *f*; **2.** ⊕ Versagen *n*.

mal·ic ['mælik] *adj.* ⚗ Apfel...

mal·ice ['mælis] *s.* **1.** Böswilligkeit *f*, Bosheit *f*; Arglist *f*, Tücke *f*; **2.** Groll *m*: *to bear s.o. ~* j-m grollen; **3.** ⚖ (böse) Absicht, Vorsatz *m*: *with ~ aforethought* (*od. prepense*) vorsätzlich; **ma·li·cious** [mə'liʃəs] *adj.* □ **1.** böswillig, boshaft; **2.** arglistig, (heim)tückisch; **3.** gehässig; **4.** hämisch; **5.** ⚖ böswillig, vorsätzlich; **ma·li·cious·ness** [mə'liʃəsnis] → *malice 1, 2*.

ma·lign [mə'lain] **I.** *adj.* □ **1.** verderblich, schädlich; **2.** unheilvoll; **3.** böswillig; **4.** ⚕ bösartig; **II.** *v/t.* **5.** verleumden, beschimpfen.

ma·lig·nan·cy [mə'lignənsi] *s.* Böswilligkeit *f*; Bösartigkeit *f* (*a.* ⚕); Bosheit *f*; Arglist *f*; Schadenfreude *f*; **ma'lig·nant** [-nt] **I.** *adj.* □ **1.** böswillig; bösartig (*a.* ⚕); **2.** arglistig, (heim)tückisch; **3.** schadenfroh; **4.** gehässig; **II.** *s.* **5.** *hist. Brit.* Roya'list *m*; **6.** Übelgesinnte(r *m*) *f*; **ma'lig·ni·ty** [-niti] → *malignancy.*

ma·lin·ger [mə'liŋgə] *v/i.* sich krank stellen, simulieren, ‚sich drücken'; **ma'lin·ger·er** [-ərə] *s.* Simu'lant *m*, Drückeberger *m.*

mall[1] [mɔ:l] *s.* 'Laubenprome͵nade *f.*

mall[2] [mɔ:l] *s. orn.* Sturmmöwe *f.*

mal·lard ['mæləd] *pl.* **-lards,** *coll.* **-lard** *s. orn.* Stockente *f.*

mal·le·a·ble ['mæliəbl] *adj.* **1.** ⊕ **a)** (kalt)hämmerbar, **b)** dehn-, streckbar, **c)** verformbar; **2.** *fig.* gefügig, geschmeidig; **~ cast i·ron** *s.* ⊕ **1.** 'Tempereisen *n*; **2.** 'Temperguß *m*; **~ i·ron** *s.* ⊕ **1. a)** Schmiedeeisen *n*, **b)** schmiedbarer Guß; **2.** → *malleable cast iron.*

mal·le·o·lar [mə'li:ələ] *adj. anat.* Knöchel...

mal·let ['mælit] *s.* **1.** Holzhammer *m*, Schlegel *m*; **2.** ⊕, ⚒ Fäustel *m*: **~** *toe* ⚕ Hammerzehe; **3.** *sport* Schlagholz *n*, Schläger *m.*

mal·low ['mælou] *s.* ♣ Malve *f.*

malm [mɑ:m] *s. geol.* Malm *m*, (*kalkhaltiger*) weicher Lehm.

malm·sey ['mɑ:mzi] *s.* Malva'sier (-wein) *m.*

'mal·nu'tri·tion *s.* 'Unterernährung *f*, schlechte Ernährung.

mal·o·dor·ous [mæ'loudərəs] *adj.* übelriechend.

mal·po'si·tion *s.* ⚕ 'Stellungs-, 'Lageanoma͵lie *f.*

mal'prac·tice *s.* **1.** Übeltat *f*; **2.** ⚖ **a)** Kunstfehler *m*, Fahrlässigkeit *f des Arztes*, **b)** Untreue *f im Amt etc.*

malt [mɔ:lt] **I.** *s.* **1.** Malz *n*: **~** *kiln* Malzdarre; **~** *liquor* gegorener Malztrank, *bsd.* Bier; **II.** *v/t.* **2.** mälzen, malzen: **~***ed milk* Malzmilch; **3.** unter Zusatz von Malz herstellen; **III.** *v/i.* **4.** zu Malz werden.

Mal·tese ['mɔ:l'ti:z] **I.** *s. sg. u. pl.* **1. a)** Mal'teser(in), **b)** Malteser *pl.*; **2.** *ling.* Mal'tesisch *n*; **II.** *adj.* **3.** mal'tesisch, Malteser...; **~ cross** *s.* **1.** Mal'teserkreuz *n*; **2.** ♣ Brennende Liebe.

'malt-house *s.* Mälze'rei *f.*

malt·ose ['mɔ:ltous] *s.* ⚗ Malzzucker *m.*

mal'treat *v/t.* **1.** schlecht behandeln, malträtieren; **2.** miß'handeln; **mal'treat·ment** *s.* **1.** schlechte Behandlung; **2.** Miß'handlung *f.*

malt·ster ['mɔ:ltstə] *s.* Mälzer *m.*

mal·ver·sa·tion [mælvə:'seiʃən] *s.* ⚖ **1.** Amtsvergehen *n*; **2.** Veruntreuung *f*, 'Unterschleif *m.*

ma·mil·la [mæ'milə] *pl.* **-lae** [-li:] *s.* **1.** *anat.* Brustwarze *f*; **2.** *zo.* Zitze *f*; **mam·il·lar·y** ['mæmiləri] *adj.* **1.** *anat.* Brustwarzen...; **2.** brustwarzenförmig.

mam·ma[1] [mə'mɑ:] *s.* Ma'ma *f*, Mutti *f.*

mam·ma[2] ['mæmə] *pl.* **-mae** [-mi:] *s.* **1.** *anat.* (weibliche) Brust, Brustdrüse *f*; **2.** *zo.* Zitze *f*, Euter *n.*

mam·mal ['mæməl] *s. zo.* Säugetier *n*; **mam·ma·li·an** [mæ'meiljən] *zo.* **I.** *s.* Säugetier *n*; **II.** *adj.* Säugetier...

mam·ma·ry ['mæməri] *adj.* **1.** *anat.* Brust(warzen)..., Milch...: **~** *gland* Brust-, Milchdrüse; **2.** *zo.* Euter...

mam·mil·la *etc. Am.* → *mamilla etc.*

mam·mon ['mæmən] *s.* 'Mammon *m*; **'mam·mon·ism** [-nizəm] *s.* 'Mammonsdienst *m*, Geldgier *f.*

mam·moth ['mæməθ] **I.** *s. zo.* 'Mammut *n*; **II.** *adj.* Mammut... (*-baum etc.*), riesig, Riesen...

mam·my ['mæmi] *s.* **1.** F Mami *f*; **2.** *Am.* (farbiges) Kindermädchen.

man [mæn] **I.** *pl.* **men** [men] *s.* **1.** Mensch *m*; **2.** *oft* ♀ *coll.* (*mst ohne the*) der Mensch, die Menschen *pl.*, die Menschheit: *rights of* **~** Menschenrechte; **3.** Mann *m*: **~** *about town* Lebemann; *the* **~** *in the street* der Mann auf der Straße, der Durchschnittsmensch; **~** *of God* Diener Gottes; **~** *of letters* **a)** Literat, Schriftsteller, **b)** Gelehrter; **~** *of straw* Strohmann; **~** *of the world* Weltmann; **~** *of few* (*many*) *words* Schweiger (Schwätzer); *Oxford* **~** Oxforder (Akademiker); *I have known him* **~** *and boy* ich kenne ihn von Jugend auf; *to be one's own* **~ a)** sein eigener Herr sein, **b)** im Vollbesitz s-r Kräfte sein; *the* **~** *Smith* (besagter) Smith; *my good* **~**! *herablassend*: mein lieber Herr!; → *honour 1*; **4.** *weitS.* **a)** Mann *m*, Per'son *f*, **b)** jemand, **c)** man: *a* **~** jemand; *any* **~** irgend jemand, jedermann; *no* **~** niemand; *few men* wenige (Leute); **~** *by* **~** Mann für Mann, einer nach dem andern; *as one* **~** wie 'ein Mann, geschlossen; *to a* **~** bis auf den letzten Mann; *to give a* **~** *a chance* einem e-e Chance geben; *what can a* **~** *do in such a case?* was kann man da schon machen?; **5.** F Mensch *m*, Menschenskind *n*: **~** *alive!* Menschenskind!; *hurry up,* **~**! Mensch, beeil dich!; **6.** (Ehe)Mann *m*: **~** *and wife* Mann u. Frau; **7. a)** Diener *m*, **b)** Angestellte(r) *m*, **c)** Arbeiter *m*: *men working* Baustelle (*Hinweis auf Verkehrsschildern*), **d)** *hist.* Lehnsmann *m*; **8.** ⚔, ⚓ Mann *m*: **a)** Sol'dat *m*, **b)** ⚓ Ma'trose *m*, **c)** *pl.* Mannschaft *f*: **~** *on leave* Urlauber; *20 men* zwanzig Mann; **9.** *der* Richtige: *to be the* **~** *for s.th.* der Richtige für et. (*e-e Aufgabe*) sein; *I am your* **~**! ich bin Ihr Mann!; **10.** *Brettspiel*: Stein *m*, ('Schach)Fi͵gur *f*; **II.** *v/t.* **11.** ⚔, ⚓ bemannen; *a. e-n Arbeitsplatz* besetzen; **12.** *fig. j-n* stärken: *to* **~** *o.s.* sich ermannen; **III.** *adj.* **13.** männlich: **~** *cook* Koch.

man·a·cle ['mænəkl] **I.** *s. mst pl.* (Hand)Fessel *f* (*a. fig.*); **II.** *v/t. j-m* Handfesseln *od.* -schellen anlegen, *j-n* fesseln (*a. fig.*).

man·age ['mænidʒ] **I.** *v/t.* **1.** *Geschäft etc.* führen, verwalten; *Betrieb etc.* leiten; *Gut etc.* bewirtschaften; **2.** *Künstler etc.* managen; **3.** zu'stande bringen, bewerkstelligen, es fertigbringen (*to do* zu tun) (*a. iro.*): *he* **~***d to* (*inf.*) es gelang ihm zu (*inf.*); **4.** ‚deichseln', ‚managen': *to* **~** *matters* ‚die Sache managen'; **5.** F *Arbeit, Essen* bewältigen, ‚schaffen'; **6.** 'umgehen (können) mit: **a)** *Werkzeug etc.* handhaben, bedienen, **b)** *j-n* zu behandeln *od.* zu ‚nehmen' wissen, **c)** *j-n* bändigen, mit *j-m etc.* fertigwerden, **d)** *j-n* her'umkriegen: *I can* **~** *him* ich werde (schon) mit ihm fertig; **7.** lenken (*a. fig.*); **II.** *v/i.* **8.** das Geschäft *od.* den Betrieb *etc.* führen; die Aufsicht haben; **9.** auskommen, sich behelfen (*with* mit); **10.** F **a)** ‚es schaffen', 'durchkommen, zu Rande kommen, **b)** ermöglichen: *can you come? I'm afraid, I can't* **~** (*it*) können Sie kommen? es geht leider nicht *od.* es ist mir leider nicht möglich; **'man·age·a·ble** [-dʒəbl] *adj.* □ **1.** lenksam, fügsam; **2.** handlich, leicht zu handhaben(d); **'man·age·a·ble·ness** [-dʒəblnis] *s.* **1.** Lenk-, Fügsamkeit *f*; **2.** Handlichkeit *f*; **'man·age·ment** [-mənt] *s.* **1.** (Haus- *etc.*)Verwaltung *f*; **2.** ✝ 'Management *n*, Unter'nehmensführung *f*: **~** *consultant* Unternehmensberater; → *industrial 1*; **3.** ✝ Geschäftsleitung *f*, Direkti'on *f*: *under new* **~** unter neuer Leitung; **4.** ↗ Bewirtschaftung *f* (*Gut etc.*); **5.** Geschicklichkeit *f*, (kluge) 'Taktik; **6.** Kunstgriff *m*, Trick *m*; **7.** Handhabung *f*, Behandlung *f*; **'man·ag·er** [-dʒə] *s.* **1.** (Haus- *etc.*)Verwalter *m*; **2.** ✝ **a)** 'Manager *m*, **b)** Führungskraft *f*, **c)** Geschäftsführer *m*, Leiter *m*, Di'rektor *m*: *board of* **~***s* Direktorium; → *general 5*; **3.** *thea.* **a)** Inten'dant *m*, **b)** Regis'seur *m*, **c)** Manager *m* (*a. sport*), Impre'sario *m*; **4.** *to be a good* **~** gut *od.* sparsam wirtschaften können; **'man·ag·er·ess** [-dʒəres] *s.* **1.** (Haus- *etc.*)Verwalterin *f*; **2.** ✝ **a)** 'Managerin *f*, **b)** Geschäftsführerin *f*, Leiterin *f*, Direk'torin *f*; **3.** Haushälterin *f*; **man·a·ge·ri·al** [mænə'dʒiəriəl] *adj.* geschäftsführend, Direktions..., leitend: **~** *functions*; *in* **~** *capacity* in leitender Stellung; **~** *qualities* Führungsqualitäten.

man·ag·ing ['mænidʒiŋ] *adj.* **1.** geschäftsführend, leitend, Betriebs...; **2.** wirtschaftlich, sparsam; **3.** bevormundend; **~ board** *s.* ✝ Direk'torium *n*; **~ clerk** *s.* ✝ Geschäftsführer *m*; Proku'rist *m*; **~ com·mit·tee** *s.* ✝ Vorstand *m*; **~ di·rec·tor** *s.* ✝ **1.** Be'triebsdi͵rektor *m*, geschäftsführendes Vorstandsmitglied; **2.** *pl.* (geschäftsführender) Vorstand.

Man·chu [mæn'tʃu:] **I.** *s.* **1.** 'Mandschu *m* (*Eingeborener der Mandschurei*); **2.** *ling.* Mandschu *n*; **II.** *adj.* **3.** man'dschurisch; **Man'chu·ri·an** [-'tʃuəriən] → *Manchu 1, 3.*

man·da·mus [mæn'deiməs] *s.* ⚖ *hist.* (*heute*: *order of* **~**) Befehl *m e-s höheren Gerichts an ein untergeordnetes.*

man·da·rin[1] ['mændərin] *s.* **1.** *hist.* Manda'rin *m* (*chinesischer Titel*); **2.** F ‚hohes Tier' (*hoher Beamter*).

man·da·rin(e)[2] ['mændəri:n] *s.* ♣ Manda'rine *f.*

man·da·tar·y ['mændətəri] *s.* ⚖ Manda'tar *m*: **a)** (Pro'zeß)Be͵vollmächtigte(r) *m*, Sachwalter *m*, **b)** Manda'tarstaat *m.*

man·date ['mændeit] **I.** *s.* **1.** ⚖ **a)**

Man'dat *n*, (Pro'zeß)ˌVollmacht *f*, **b**) Geschäftsbesorgungsauftrag *m*, **c**) Befehl *m e-s übergeordneten Gerichts*; **2.** *pol.* **a**) Mandat *n* (*Schutzherrschaftsauftrag*), **b**) Man'dat(sgebiet) *n*; **3.** *R.C.* päpstlicher Entscheid; **II.** *v/t.* **4.** *pol.* e-m Man'dat unter'stellen: *~d territory* Mandatsgebiet; **man·da·tor** [mæn'deitə] *s.* ⚖ Man'dant *m*, Vollmachtgeber *m*; **'man·da·to·ry** [-dətəri] **I.** *adj.* **1.** ⚖ vorschreibend, Muß...: *~ regulation* Mußvorschrift; *to make s.th. ~ upon s.o.* j-m et. vorschreiben; **2.** obliga'torisch, verbindlich, zwangsweise; **II.** *s.* **3.** → *mandatary*.

man·di·ble ['mændibl] *s. anat.* **1.** Kinnbacken *m*, -lade *f*; **2.** 'Unterkieferknochen *m*.

man·do·lin(e) ['mændəlin] *s.* ♪ Mando'line *f*.

man·drake ['mændreik] *s.* ⚘ Al'raun(e *f*) *m*.

man·drel ['mændrəl], *a.* **'man·dril** [-dril] *s.* ⊕ (Spann)Dorn *m*; (Drehbank)Spindel *f*; *für Holz*: Docke(nspindel) *f*.

man·drill ['mændril] *s. zo.* Man'drill *m*.

mane [mein] *s.* Mähne *f* (*a. weitS.*).

'man-eat·er *s.* **1.** Menschenfresser *m*; **2.** menschenfressendes Tier.

maned [meind] *adj.* mit Mähne; Mähnen...: *~ wolf*.

ma·nège, *a.* **ma·nege** [mæ'neiʒ] *s.* **1.** Ma'nege *f*: **a**) Reitschule *f*, **b**) Reitbahn *f*, **c**) Reitkunst *f*; **2.** Gang *m*, Schule *f*; **3.** Zureiten *n*.

ma·nes ['mɑ:neiz] *s. pl.* 'Manen *pl.*

ma·neu·ver *etc. Am.* → *manœuvre etc.*

man·ful ['mænful] *adj.* □ mannhaft, beherzt; **'man·ful·ness** [-nis] *s.* Mannhaftigkeit *f*; Beherztheit *f*.

man·ga·nate ['mæŋgəneit] *s.* ⚗ man'gansaures Salz; **man·ga·nese** [mæŋgə'ni:z] *s.* ⚗ Man'gan *n*; **man·gan·ic** [mæŋ'gænik] *adj.* man'ganhaltig, Mangan...

mange [meindʒ] *s. vet.* Räude *f*.

man·gel-wur·zel ['mæŋgl'wə:zl] *s.* ⚘ Mangold *m*.

man·ger ['meindʒə] *s.* Krippe *f* (*a. ast.* 2); Futtertrog *m*; → *dog Redew.*

man·gle[1] ['mæŋgl] *v/t.* **1.** zerfleischen, -fetzen, -stückeln; **2.** *fig. Text* verstümmeln.

man·gle[2] ['mæŋgl] **I.** *s.* (Wäsche-) Mangel *f*; **II.** *v/t.* mangeln.

man·gler ['mæŋglə] *s.* Fleischwolf *m*.

man·go ['mæŋgou] *pl.* **-goes** [-z] *s.* **1.** 'Mangopflaume *f*; **2.** ⚘ 'Mangobaum *m*.

man·gold(**-wur·zel**) ['mæŋgəld(wə:zl)] *s.* ⚘ *Brit.* Mangold *m*.

man·grove ['mæŋgrouv] *s.* ⚘ Man'grove(nbaum *m*) *f*.

man·gy ['meindʒi] *adj.* □ **1.** *vet.* krätzig, räudig; **2.** *fig.* **a**) eklig, **b**) schäbig.

'man·han·dle *v/t.* **1.** F miß'handeln; **2.** mit Menschenkraft bewegen *od.* meistern.

'man·hole *s.* ⊕ Mann-, Einsteigloch *n*; (Straßen)Schacht *m*.

man·hood ['mænhud] *s.* **1.** Menschentum *n*; **2.** Mannesalter *n*; **3.** Männlichkeit *f*; **4.** Mannhaftigkeit *f*; **5.** *coll.* die Männer *pl.*

'man-'hour *s.* Arbeitsstunde *f pro Mann*.

ma·ni·a ['meinjə] *s.* **1.** ⚕ Ma'nie *f*, Wahn(sinn) *m*, Rase'rei *f*, Besessensein *n*: *religious ~* religiöses Irresein; **2.** *fig.* (*for*) Sucht *f* (nach), Leidenschaft *f* (für), Manie *f*, ‚Fimmel' *m*: *collector's ~* Sammlerwut; *sport ~* ‚Sportfimmel'; **ma·ni·ac** ['meiniæk] **I.** *s.* Wahnsinnige(r *m*) *f*, Rasende(r *m*) *f*, Verrückte(r *m*) *f*; **II.** *adj.* wahnsinnig, rasend, verrückt; **ma·ni·a·cal** [mə'naiəkəl] *adj.* □ → *maniac II*.

man·i·cure ['mænikjuə] **I.** *s.* Mani'küre *f*: **a**) Hand-, Nagelpflege *f*, **b**) Hand-, Nagelpflegerin *f*; **II.** *v/t. u. v/i.* mani'küren; **'man·i·cur·ist** [-ərist] *s.* Maniküre *f* (*Person*).

man·i·fest ['mænifest] **I.** *adj.* □ **1.** offenbar, -kundig, augenscheinlich, handgreiflich; **II.** *v/t.* **2.** offen'baren, bekunden, kundtun, manifestieren; **3.** be-, erweisen; **III.** *v/i.* **4.** *pol.* Kundgebungen veranstalten; **5.** erscheinen (*Geister*); **IV.** *s.* **6.** ⚓ Ladungsverzeichnis *n*; **7.** ✝ ('Schiffs)ManiˌFest *n*; **man·i·fes·ta·tion** [mænifes'teiʃən] *s.* **1.** Offen'barung *f*, Äußerung *f*, Kundgebung *f*; **2.** (deutliches) Anzeichen, Sym'ptom *n*: *~ of life* Lebensäußerung; **3.** *pol.* Demonstrati'on *f*; **4.** Erscheinen *n e-s Geistes*; **man·i·fes·to** [mæni'festou] *s.* Mani'fest *n*, öffentliche Erklärung, Grundsatzerklärung *f*.

man·i·fold ['mænifould] **I.** *adj.* □ **1.** mannigfaltig, vielfach, -fältig; **2.** ⊕ Mehr(fach)..., Mehrzweck...; **II.** *s.* **3.** ⊕ **a**) Sammelleitung *f*, **b**) Rohrverzweigung *f*: *intake ~ mot.* Einlaßkrümmer; **4.** Ko'pie *f*, Abzug *m*; **III.** *v/t.* **5.** *Text* vervielfältigen, hektographieren; **~ pa·per** *s.* 'Manifold-PaˌPier *n* (*festes Durchschlagpapier*); **~ plug** *s.* ⚡ Vielfachstecker *m*; **~ writ·er** *s.* Ver'vielfältigungsappaˌrat *m*.

man·i·kin ['mænikin] *s.* **1.** Männchen *n*, Knirps *m*; **2.** Glieder-, Schaufensterpuppe *f*, ('AnproˌBier-) MoˌDell *n*; **3.** ⚕ ana'tomisches Mo'dell, Phan'tom *n*; **4.** → *mannequin 1*.

Ma·nil·(**l**)**a** [mə'nilə] *s. abbr. für* **a**) *~ cheroot*, **b**) *~ hemp*, **c**) *~ paper*; **~ che·root**, **~ ci·gar** *s.* Ma'nilaziˌgarre *f*; **~ hemp** *s.* Ma'nilahanf *m*; **~ pa·per** *s.* Ma'nilapaˌpier *n*.

ma·nip·u·late [mə'nipjuleit] **I.** *v/t.* **1.** manipulieren, (künstlich) beeinflussen: *to ~ prices*; **2.** (geschickt) handhaben; ⊕ bedienen; **3.** *j-n* manipulieren *od.* geschickt behandeln; **4.** *et.* ‚hinkriegen', ‚deichseln'; **5.** zu'rechtmachen, ‚frisieren'; **II.** *v/i.* **6.** manipulieren; **ma·nip·u·la·tion** [mənipju'leiʃən] *s.* **1.** Manipulati'on *f*: *~ of currency*; **2.** (Kunst-) Griff *m*, Verfahren *n*; **3.** *b.s.* Machenschaft *f*, Manipulation *f*; **ma'nip·u·la·tive** [-lətiv] → *manipulatory*; **ma'nip·u·la·tor** [-tə] *s.* **1.** (geschickter) Handhaber; **2.** Drahtzieher *m*; **ma'nip·u·la·to·ry** [-lətəri] *adj.* **1.** durch Manipulation her'beigeführt; **2.** manipulierend; **3.** Handhabungs...

man·kind [mæn'kaind] *s.* **1.** die Menschheit, das Menschengeschlecht; **2.** *coll.* die Menschen *pl.*, der Mensch; **3.** ['mænkaind] *coll.* die Männer *pl.*

'man·like *adj.* **1.** menschenähnlich; **2.** wie ein Mann, männlich; **3.** → *mannish*.

man·li·ness ['mænlinis] *s.* **1.** Männlichkeit *f*; **2.** Mannhaftigkeit *f*; **man·ly** ['mænli] *adj.* **1.** männlich; **2.** mannhaft; **3.** Mannes...: *~ sports* Männersport.

'man-made *adj.* Kunst..., künstlich: *~ satellite*; *~ fibre* (*Am. fiber*) ⊕ Kunstfaser.

man·na ['mænə] *s. bibl.* Manna *n*, *f* (*a.* ⚘ *u. fig.*).

man·ne·quin ['mænikin] *s.* **1.** 'Mannequin *n*, *m*, Vorführdame *f*: *~ parade* Mode(n)schau; **2.** → *manikin* 2.

man·ner ['mænə] *s.* **1.** Art *f* (und Weise *f*) (*et. zu tun*): *after* (*od. in*) *this ~* auf diese Art *od.* Weise, so; *in such a ~* (*that*) so *od.* derart (daß); *in what ~?* wie?; *adverb of ~ ling.* Umstandswort der Art u. Weise; *in a ~* auf e-e Art, gewissermaßen; *in a ~ of speaking* sozusagen; *in a gentle ~* sacht; *all ~ of things* alles mögliche; *no ~ of doubt* gar kein Zweifel; **2.** Art *f*, Betragen *n*, Auftreten *n*, Verhalten *n* (*to* zu); **3.** *pl.* Benehmen *n*, 'Umgangsformen *pl.*, Ma'nieren *pl.*: *bad* (*good*) *~s*; *we shall teach them ~s* ‚wir werden sie Mores lehren'; *it is bad ~s* es gehört sich nicht; **4.** *pl.* Sitten *pl.* (u. Gebräuche *pl.*); **5.** *paint. etc.* Stil(art *f*) *m*, Manier *f*; **'man·nered** [-əd] *adj.* **1.** *mst in Zssgn* gesittet, geartet: *ill-~* von schlechtem Benehmen, ungezogen; **2.** gekünstelt, manie'riert; **'manner·ism** [-ərizəm] *s.* **1.** *Kunst etc.*: Manie'rismus *m*, Künste'lei *f*; **2.** Manie'riertheit *f*, Gehabe *n*; **3.** eigenartige Wendung (*in der Rede etc.*); **'man·ner·li·ness** [-əlinis] *s.* gutes Benehmen, Ma'nierlichkeit *f*; **'man·ner·ly** [-əli] *adj.* ma'nierlich, gesittet.

man·ni·kin → *manikin*.

man·nish ['mæniʃ] *adj.* männisch, unweiblich.

ma·nœu·vra·ble [mə'nu:vrəbl] *adj.* **1.** ⚔ manövrierfähig; **2.** ⊕ lenk-, steuerbar; *weitS.* (*a. fig.*) wendig, beweglich; **ma·nœu·vre** [mə'nu:və] **I.** *s.* **1.** ⚔, ⚓ Ma'növer *n*: **a**) 'taktische Bewegung, **b**) Truppen-, ⚓ Flottenübung *f*; **2.** *fig.* Manöver *n*, Schachzug *m*, List *f*; **II.** *v/t. u. v/i.* **3.** manövrieren (*a. fig.*): *to ~ s.o. into s.th.* j-n in et. hineinmanövrieren; **ma'nœu·vrer** [-vərə] *s. fig.* **1.** (schlauer) 'Taktiker; **2.** Intri'gant *m*.

'man-of-'war *pl.* **'men-of-'war** *s.* ⚓ Kriegsschiff *n*.

ma·nom·e·ter [mə'nɔmitə] *s.* ⊕ Mano'meter *n*, (Dampf- *etc.*)Druckmesser *m*.

man·or ['mænə] *s.* Rittergut *n*: *lord of the ~* Gutsherr; **'~-house** *s.* Herrschaftshaus *n*, Herrensitz *m*; Schloß *n*.

ma·no·ri·al [mə'nɔ:riəl] *adj.* herrschaftlich, (Ritter)Guts..., Herrschafts...: *~ court*.

'man·pow·er *s.* **1.** menschliche Arbeitskraft *od.* -leistung; **2. a)** Kriegsstärke *f* (*e-s Volkes*), 'Menschenmateri,al *n*, **b)** verfügbare Arbeitskräfte *pl.*, 'Menschenpotenti,al *n*.
man·sard ['mænsɑːd] *s.* **1.** *a.* ~ *roof* Man'sardendach *n*; **2.** Man'sarde *f*.
manse [mæns] *s.* Pfarrhaus *n*.
'man·serv·ant *pl.* **'men·serv·ants** *s.* Diener *m*.
man·sion ['mænʃən] *s.* **1.** (herrschaftliches) Wohnhaus, Villa *f*; **2.** *bsd. pl. Brit.* (großes) Miet(s)haus; **'~-house** *s. Brit.* **1.** Herrenhaus *n*, -sitz *m*; **2.** *the* ♀ *Amtssitz des Lord Mayor von London.*
'man·slaugh·ter *s.* ⚖ **1.** (provozierter) Totschlag; **2.** vorsätzliche Körperverletzung mit Todesfolge; **3.** fahrlässige Tötung.
man·tel ['mæntl] *abbr. für* **a)** *mantelpiece*, **b)** *mantelshelf*; **'~·piece** *s.* ⚠ Ka'mineinfassung *f*, -mantel *m*; **'~·shelf** *s.* Ka'minsims *m, n*.
man·tis ['mæntis] *pl.* **-tis·es** *s. zo.* Gottesanbeterin *f* (*Heuschrecke*).
man·tle ['mæntl] **I.** *s.* **1.** Mantel *m* (*a. zo.*), (ärmelloser) 'Umhang; **2.** *fig.* (Schutz-, Deck)Mantel *m*, Hülle *f*; **3.** ⊕ Mantel *m*; (Glüh)Strumpf *m*; **4.** *Gußtechnik*: Formmantel *m*; **II.** *v/i.* **5.** sich über'ziehen (*with* mit); sich röten (*Gesicht*); **III.** *v/t.* **6.** über'ziehen; **7.** verhüllen (*a. fig. bemänteln*).
mant·let ['mæntlit] *s.* **1.** ⚔ **a)** Schutzwall *m* (*der Anzeigerdeckung*), **b)** tragbarer Schutzschild; **2.** ⚔ *hist.* Sturmdach *n*.
'man·trap *s.* **1.** Fußangel *f*; **2.** *fig.* Falle *f*.
man·u·al ['mænjuəl] **I.** *adj.* □ **1.** mit der Hand, Hand..., manu'ell: ~ *aid* Handreichung; ~ *alphabet* Fingeralphabet; ~ *exercises* ⚔ Griffeüben; ~ *labo(u)r* Handarbeit; ~ *training ped.* Werkunterricht; ~*ly operated* ⊕ mit Handbetrieb; **2.** handschriftlich: ~ *book-keeping*; **II.** *s.* **3. a)** Handbuch *n*, Leitfaden *m*, **b)** ⚔ Dienstvorschrift *f*; **4.** ♪ Manu'al *n* (*Orgel etc.*).
man·u·fac·to·ry [mænju'fæktəri] *s. obs.* Fa'brik *f*.
man·u·fac·ture [mænju'fæktʃə] **I.** *s.* **1.** Fertigung *f*, Erzeugung *f*, Herstellung *f*, Fabrikati'on *f*: *year of* ~ Herstellungs-, Baujahr; **2.** Erzeugnis *n*, Fabri'kat *n*; **3.** Indu'strie(-zweig *m*) *f*; **II.** *v/t.* **4.** verfertigen, erzeugen, herstellen, fabrizieren (*a. fig. Beweismittel etc.*): ~*d goods* Fabrik-, Fertig-, Manufakturwaren; **5.** verarbeiten (*into* zu); **man·u'fac·tur·er** [-tʃərə] *s.* **1.** Hersteller *m*, Erzeuger *m*; **2.** Fabri'kant *m*; **man·u'fac·tur·ing** [-tʃəriŋ] *adj.* **1.** Herstellungs..., Produktions...: ~ *cost* Herstellkosten; ~ *efficiency* Produktionsleistung; ~ *industries* Fertigungsindustrien; ~ *plant* Fabrikationsbetrieb; ~ *process* Herstellungsverfahren; **2.** Industrie..., Fabrik..., Gewerbe...
ma·nure [mə'njuə] **I.** *s.* **1.** Dünger *m*; **2.** Dung *m*: *liquid* ~ (Dung)Jauche; **II.** *v/t.* **3.** düngen.
man·u·script ['mænjuskript] **I.** *s.* **1.** Manu'skript *n*; **2.** *typ.* Satzvorlage *f*; **II.** *adj.* **3.** Manuskript..., handschriftlich.
man·y ['meni] **I.** *adj.* **1.** viele, viel: ~ *times* oft; *as* ~ ebensoviel(e); *as* ~ *again* doppelt soviel(e); *as* ~ *as forty* (nicht weniger als) vierzig; *one too* ~ einer zu viel, einer überflüssig; *to be one too* ~ *for* F *j-m* ,über' sein; *they behaved like so* ~ *children* sie benahmen sich wie (die) Kinder; **2.** ~ *a* manch, manch ein: ~ *a man* manch einer; ~ *a time* des öfteren; **II.** *s.* **3.** viele: *the* ~ *pl. konstr.* die (große) Masse; ~ *of us* viele von uns; *a good* ~ ziemlich viel(e); *a great* ~ sehr viele; **~-sid·ed** ['meni'saidid] *adj.* vielseitig (*a. fig.*); **~-sid·ed·ness** ['meni'saididnis] *s.* Vielseitigkeit *f*.
Mao·ism ['mauizəm] *s.* Mao'ismus *m*; **'Mao·ist** [-ist] **I.** *s.* Mao'ist *m*; **II.** *adj.* mao'istisch.
map [mæp] **I.** *s.* **1.** (Land- *etc.*, *a.* Himmels)Karte *f*: ~ *of the city* Stadtplan; *by* ~ nach der Karte; *off the* ~ F **a)** abgelegen, ,hinter dem Mond' (gelegen), **b)** bedeutungslos; *on the* ~ F **a)** (noch) da *od.* vorhanden, **b)** beachtenswert; **2.** *sl.* ,Vi'sage' *f*, ,Fresse' *f* (*Gesicht*); **II.** *v/t.* **3.** e-e Karte machen von, karto'graphisch darstellen; **4.** *Gebiet* kartographisch erfassen; **5.** auf e-r Karte eintragen; **6.** ~ *out fig.* (vor'aus-)planen, ausarbeiten, *s-e Zeit* einteilen; ~ **case** *s.* Kartentasche *f*; ~ **ex·er·cise** *s.* ⚔ Planspiel *n*.
ma·ple ['meipl] **I.** *s.* **1.** ♆ Ahorn *m*; **2.** Ahornholz *n*; **II.** *adj.* **3.** aus Ahorn(holz), Ahorn...; ~ **sug·ar** *s.* Ahornzucker *m*.
map·per ['mæpə] *s.* Karto'graph *m*.
ma·quis ['mɑːkiː] *pl.* **-quis** [-kiː] *s.* **a)** Ma'quis *m*, französische 'Widerstandsbewegung (*im 2. Weltkrieg*), **b)** Maqui'sard *m*, (französischer) 'Widerstandskämpfer.
mar [mɑː] *v/t.* **1.** (be)schädigen: ~-*resistant* ⊕ kratzfest; **2.** ruinieren; **3.** *fig. Pläne etc.* stören, beeinträchtigen; *Schönheit, Spaß* verderben.
mar·a·bou[1] ['mærəbuː] *s. orn.* 'Marabu *m*.
mar·a·bou[2] ['mærəbuː] *s. amer. Mischling mit fünf Achtel Negerblut.*
mar·a·schi·no [mærəs'kiːnou] *s.* Mara'schino(li,kör) *m*.
ma·ras·mus [mə'ræzməs] *s.* ⚕ Ma'rasmus *m*, Kräfteverfall *m*.
mar·a·thon ['mærəθən] **I.** *s. sport* **1.** *a.* ~ *race* 'Marathonlauf *m*; **2.** *fig.* Dauerwettkampf *m*; **II.** *adj.* **3.** Marathon..., Dauer...
ma·raud [mə'rɔːd] ⚔ **I.** *v/i.* marodieren, plündern; **II.** *v/t.* verheeren, (aus)plündern; **ma'raud·er** [-də] *s.* Plünderer *m*, Maro'deur *m*.
mar·ble ['mɑːbl] **I.** *s.* **1.** *min.* 'Marmor *m*: *artificial* ~ Gipsmarmor, Stuck; **2.** 'Marmor,statue *f*, -bildwerk *n*; **3. a)** Murmel(kugel) *f*, **b)** *pl. sg. konstr.* Murmelspiel *n*: *to play* ~*s* (mit) Murmeln spielen; **4.** marmorierter Buchschnitt; **II.** *adj.* **5.** 'marmorn, aus Marmor; **6.** marmoriert, gesprenkelt; **7.** *fig.* steinern, gefühllos; **III.** *v/t.* **8.** marmorieren, sprenkeln: ~*d meat* durchwachsenes Fleisch.
mar·cel [mɑː'sel] **I.** *v/t. Haar* ondulieren; **II.** *s.* **a.** ~ *wave* Ondulati'on(swelle) *f*.
march[1] [mɑːtʃ] **I.** *v/i.* **1.** ⚔ *etc.* marschieren, ziehen: *to* ~ *off* abrücken; *to* ~ *past* (s.o.) (an j-m) vorbeiziehen *od.* -marschieren; *to* ~ *up* anrücken; **2.** *fig.* fort-, vorwärtsschreiten; Fortschritte machen; **II.** *v/t.* **3.** *Strecke* marschieren, zu'rücklegen; **4.** marschieren lassen: *to* ~ *off prisoners* Gefangene abführen; **III.** *s.* **5.** ⚔ Marsch *m* (*a.* ♪): *slow* ~ langsamer Parademarsch; ~ *order Am.* Marschbefehl; **6.** Marsch (-strecke *f*) *m*: *a day's* ~ ein Tagemarsch; **7.** ⚔ Vormarsch *m* (*on* auf *acc.*); **8.** *fig.* (Ab)Lauf *m*, (Fort-)Gang *m*: *the* ~ *of events*; **9.** *fig.* Fortschritt *m*: *the* ~ *of progress* die fortschrittliche Entwicklung; **10.** *to steal a* ~ (*up*)*on s.o.* j-m ein Schnippchen schlagen, j-m zuvorkommen.
march[2] [mɑːtʃ] **I.** *s.* **1.** *hist.* Mark *f*; **2. a)** *mst pl.* Grenzgebiet *n*, -land *n*, **b)** Grenze *f*; **II.** *v/i.* **3.** grenzen (*upon* an *acc.*); **4.** e-e gemeinsame Grenze haben (*with* mit).
March[3] [mɑːtʃ] *s.* März *m*: *in* ~ im März; *as mad as a* ~ *hare* F total übergeschnappt.
march·ing ['mɑːtʃiŋ] *adj.* ⚔ Marsch..., marschierend: ~ *order* **a)** Marschausrüstung, **b)** Marschordnung; *in heavy* ~ *order* feldmarschmäßig; ~ *orders Brit.* Marschbefehl.
mar·chion·ess ['mɑːʃənis] *s.* Mar'quise *f*, Markgräfin *f*.
march·pane ['mɑːtʃpein] *s.* Marzi'pan *n*.
Mar·di gras ['mɑːdi'grɑː] (*Fr.*) *s.* 'Fastnacht(sdienstag *m*) *f*.
mare [mɛə] *s.* Stute *f*: *the grey* ~ *is the better horse fig.* die Frau ist der Herr im Hause; ~*'s nest fig.* Gemsenei(er) (*unsinnige Entdeckung*), ungereimtes Zeug, *a.* (Zeitungs-)Ente.
mar·ga·rine [mɑːdʒə'riːn] *s.* Marga'rine *f*.
marge [mɑːdʒ] *s. sl.* Marga'rine *f*.
mar·gin ['mɑːdʒin] **I.** *s.* **1.** Rand *m* (*a. fig.*); **2.** *a. pl.* (Seiten)Rand *m* (*bei Büchern etc.*): *as per* ~ ✝ wie nebenstehend; **3.** Grenze *f* (*a. fig.*): ~ *of income* Einkommensgrenze; **4.** Spielraum *m*: *to leave a* ~ Spielraum lassen; **5.** *fig.* 'Überschuß *m*, (*ein*) Mehr *n* (*an Zeit, Geld etc.*): ~ *of safety* Sicherheitsfaktor; *by a narrow* ~ mit knapper Not; **6.** *mst profit* ~ ✝ (Gewinn-, Verdienst)Spanne *f*, Marge *f*, Handelsspanne *f*: *interest* ~ Zinsgefälle; **7.** ✝, *Börse*: Hinter'legungssumme *f*, Deckung *f* (*von Kursschwankungen*), 'Marge *f*: ~ *business Am.* Effektendifferenzgeschäft; **8.** ✝ Rentabili'tätsgrenze *f*; **9.** *sport* Abstand *m*, Vorsprung *m*: *by a* ~ *of four seconds* mit vier Sekunden Abstand *od.* Vorsprung; **II.** *v/t.* **10.** mit Rand(bemerkungen) versehen; **11.** an den Rand schreiben; **12.** ✝ *durch Hinterlegung* decken; **'mar·gin·al** [-nl] *adj.* □ **1.** am *od.* auf dem Rande, Rand...: ~ *note* Randbemerkung; ~ *release* **a)** Randauslösung, **b)** Randlöser (*der Schreibmaschine*); **2.** am Rande, Grenz... (*a. fig.*); **3.** *fig.* Mindest...:

~ *capacity*; **4.** † a) zum Selbstkostenpreis, **b)** knapp über der Rentabili'tätsgrenze, Grenz...: ~ *cost* Grenz-, Mindestkosten; ~ *sales* Verkäufe zum Selbstkostenpreis;

mar·gi·na·li·a [mɑːdʒiˈneiljə] *s. pl.* Margi'nalien *pl.*, Randbemerkungen *pl.*

mar·grave [ˈmɑːgreiv] *s. hist.* Markgraf *m*; **mar·gra·vi·ate** [mɑːˈgreivieit] *s.* Markgrafschaft *f*; **'mar·gra·vine** [-grəviːn] *s.* Markgräfin *f.*

mar·gue·rite [mɑːgəˈriːt] *s.* ⚘ Gänseblümchen *n*, Maßliebchen *n.*

mar·i·gold [ˈmærigould] *s.* ⚘ Ringelblume *f.*

mar·i·jua·na, *a.* **mar·i·hua·na** [mɑːriˈhwɑːnə] *s.* **1.** ⚘ Marihu'anahanf *m*; **2.** Marihu'ana *n* (*Rauschgift*).

mar·i·nade [mæriˈneid] *s.* **1.** Mari'nade *f*; **2.** marinierter Fisch; **mar·i·nate** [ˈmærineit] *v/t. Fisch* marinieren.

ma·rine [məˈriːn] **I.** *adj.* **1.** See...: ~ *warfare*; ~ *court Am.* ⚖ Seegericht; ~ *insurance* See(transport)-versicherung; **2.** Meeres...: ~ *plants*; **3.** Schiffs...; **4.** Marine...: ♀ *Corps Am.* ⚔ Marineinfanteriekorps; **II.** *s.* **5.** Ma'rine *f*: *mercantile* ~ Handelsmarine; **6.** ⚔ Ma'rineinfante,rist *m*, 'Seesol,dat *m*: *tell that to the* ~*s!* F das kannst du mir nicht weismachen!; **7.** *paint.* Seestück *n.*

mar·i·ner [ˈmærinə] *s. poet. od.* ⚖ Seemann *m*, Ma'trose *m*: *master* ~ Kapitän e-s Handelsschiffs.

Mar·i·ol·a·try [mɛəriˈɔlətri] *s.* Ma'rienkult *m*, -verehrung *f.*

mar·i·o·nette [mæriəˈnet] *s.* Mario'nette *f* (*a. fig.*).

mar·i·tal [məˈraitl] *adj.* □ ehelich, Ehe..., Gatten...: ~ *partners* Ehegatten; ~ *relations* eheliche Beziehungen; ~ *status* ⚖ Familienstand; *disruption of* ~ *relations* Zerrüttung der Ehe.

mar·i·time [ˈmæritaim] *adj.* **1.** See..., Schiffahrts...: ~ *commerce* Seehandel; ~ *court* Seeamt; ~ *insurance* Seeversicherung; ~ *law* Seerecht; **2. a)** seefahrend, Seemanns..., **b)** Seehandel (be)treibend; **3.** an der See liegend *od.* lebend, Küsten...; **4.** *zo.* an der Küste lebend, Strand...; ♀ **Commis·sion** *s. Am. Oberste Handelsschiffahrtsbehörde der USA*; ~ **ter·ri·to·ry** *s.* ⚖ Seehoheitsgebiet *n.*

mar·jo·ram [ˈmɑːdʒərəm] *s.* ⚘ Majo'ran *m.*

mark[1] [mɑːk] **I.** *s.* **1.** Markierung *f*, Marke *f*, Mal *n*; *engS.* Fleck *m*: *adjusting* ~ ⊕ Einstellmarke; **2.** *fig.* Zeichen *n*: ~ *of confidence* Vertrauensbeweis; ~ *of respect* Zeichen der Hochachtung; **3.** (Kenn)Zeichen *n*, (Merk)Mal *n*; *vet.* Kennung *f*: *distinctive* ~ Kennzeichen; **4.** (Schrift-, Satz)Zeichen *n*: *question* ~ Fragezeichen; **5.** (An)Zeichen *n*: *a* ~ *of great carelessness*; **6.** (Eigentums)Zeichen *n*, Brandmal *n*; **7.** Strieme *f*, Schwiele *f*; **8.** Narbe *f* (*a.* ⊕); **9.** Kerbe *f*, Einschnitt *m*; **10.** Kreuz *n als Unterschrift*; **11.** Ziel(scheibe *f*; *a. fig.*) *n*: *wide of* (*od. beside*) *the* ~ *fig.* **a)** fehl am Platz, nicht zur Sache gehörig, **b)** ‚fehlgeschossen'; *you are quite off* (*od. wide of*) *the* ~ *fig.* Sie irren sich gewaltig; *to hit the* ~ (ins Schwarze) treffen; *to miss the* ~ **a)** fehl-, vorbeischießen, **b)** sein Ziel *od.* s-n Zweck verfehlen, ‚danebenhauen'; **12.** *fig.* Norm *f*: *below the* ~ unterdurchschnittlich, nicht auf der Höhe; *up to the* ~ **a)** der Sache gewachsen, **b)** den Erwartungen entsprechend, **c)** *gesundheitlich etc.* auf der Höhe; *within the* ~ innerhalb der erlaubten Grenzen, berechtigt (*in doing* zu tun); *to overshoot the* ~ über das Ziel hinausschießen, es zu weit treiben; **13.** (aufgeprägter) Stempel, Gepräge *n*; **14.** Spur *f* (*a. fig.*): *to leave one's* ~ *upon* **a)** s-n Stempel aufdrücken (*dat.*), **b)** bei *j-m* s-e Spuren hinterlassen; *to make one's* ~ sich e-n Namen machen (*in* in *dat.*, *upon* bei), Vorzügliches leisten; **15.** *fig.* Bedeutung *f*, Rang *m*: *a man of* ~ e-e markante Persönlichkeit; **16.** † **a)** (Waren)Zeichen *n*, Fa'brik-, Schutzmarke *f*, (Handels)Marke *f*, **b)** Preisangabe *f*; **17.** ⚔ *Brit.* Mo'dell *n*, Type *f* (*Panzerwagen etc.*); **18. a)** (Schul)Note *f*, Zen'sur *f*: *to obtain full* ~*s* in allen Punkten voll bestehen; *bad* ~ Note für schlechtes Benehmen, **b)** *pl.* Zeugnis *n*: *bad* ~*s* (ein) schlechtes Zeugnis; **19.** *sport* **a)** *Fußball etc.*: (Strafstoß)Marke *f*, **b)** *Laufsport*: 'Start,linie *f*, **c)** *Boxen*: *sl.* Magengrube *f*: *to get off the* ~ starten; **20.** *not my* ~ *sl.* nicht mein Geschmack, nicht das Richtige für mich; **21.** *sl.* ‚Gimpel' *m*, leichtes Opfer: *to be an easy* ~ leicht ‚reinzulegen' sein; **22.** *hist.* **a)** Mark *f* (*Grenzgebiet*), **b)** All'mende *f*; **II.** *v/t.* **23.** markieren (*a.* ⚔), (*a. fig. j-n, et., ein Zeitalter*) kennzeichnen; bezeichnen; *Wäsche* zeichnen; † *Waren* auszeichnen, *Preis* festsetzen; *Temperatur etc.* anzeigen; *fig.* ein Zeichen sein für: *to* ~ *the occasion* aus diesem Anlaß, zur Feier des Tages; *the day was* ~*ed by heavy fighting* der Tag stand im Zeichen schwerer Kämpfe; → *time 18*; **24.** brandmarken; **25.** Spuren hinter'lassen auf (*dat.*); **26.** zeigen, zum Ausdruck bringen; **27.** be-, vermerken, achtgeben auf (*acc.*), sich merken; **28.** *ped. Arbeiten* zensieren; **29.** bestimmen (*for* für); **30.** *sport* markieren: **a)** *s-n Gegner* decken, **b)** *Punkte etc.* aufschreiben; **III.** *v/i.* **31.** achtgeben, aufpassen: ~! Achtung!; ~ *you* wohlgemerkt; ~ **down** *v/t.* **1.** † (*im Preis*) her'absetzen; **2.** bestimmen, vormerken (*for* für, zu); ~ **off** *v/t.* **1.** abgrenzen, -stecken; **2.** *fig.* (ab)trennen; **3.** ⚒ *Strecke* ab-, auftragen; ~ **out** *v/t.* **1.** bestimmen, ausersehen (*for* für, zu); **2.** abgrenzen, (*durch Striche etc.*) bezeichnen, markieren; ~ **up** *v/t.* † **1.** (*im Preis etc.*) hin'auf-, her'aufsetzen; **2.** *Diskontsatz etc.* erhöhen.

mark[2] [mɑːk] *s.* † **1.** (deutsche) Mark: *blocked* ~ Sperrmark; **2.** *hist.* Mark *f* (*Münze, Goldgewicht*).

Mark[3] [mɑːk] *npr. u. s. bibl.* 'Markus(evan,gelium *n*) *m.*

'mark·down *s.* † **1.** Preissenkung *f*; **2.** *Am.* im Preis her'abgesetzter Ar'tikel.

marked [mɑːkt] *adj.* □ **1.** markiert, gekennzeichnet; mit e-r Aufschrift versehen; **2.** † bestätigt (*Am.* gekennzeichnet) (*Scheck*); **3.** mar'kant, ausgeprägt; **4.** deutlich, merklich: ~ *progress*; **5.** auffällig, ostenta'tiv: ~ *indifference*; **6.** gezeichnet: *a face* ~ *with smallpox* ein pockennarbiges Gesicht; *a* ~ *man fig.* ein Gezeichneter; **'mark·ed·ly** [-kidli] *adv.* ausgesprochen.

mark·er [ˈmɑːkə] *s.* **1.** Anschreiber *m*; *Billard*: Mar'kör *m*; **2.** ⚔ **a)** Anzeiger *m* (*beim Schießstand*), **b)** Flügelmann *m*; **3. a)** Kennzeichen *n*, **b)** (Weg)Markierung *f*; **4.** Lesezeichen *n*; **5.** *Am.* **a)** Straßenschild *n*, **b)** Gedenktafel *f*; **6.** ✈ **a)** Sichtzeichen *n*: ~ *panel* Fliegertuch, **b)** Leuchtbombe.

mar·ket [ˈmɑːkit] † **I.** *s.* **1.** Markt *m* (*Handel*): *to be in the* ~ *for* Bedarf haben an (*a. fig.*); *to come into the* ~ (zum Verkauf) angeboten werden, auf den Markt kommen; *to place* (*od. put*) *on the* ~ auf den Markt bringen; *sale in the open* ~ freihändiger Verkauf; **2.** *Börse*: Markt *m*: *railway* (*Am. railroad*) ~ Markt für Eisenbahnwerte; **3.** (*a.* Geld-) Markt *m*, Börse *f*, Handelsverkehr *m*: *active* (*dull*) ~ lebhafter (lustloser) Markt; *to play the* ~ an der Börse spekulieren; **4. a)** Marktpreis *m*, **b)** Marktpreise *pl.*: *the* ~ *is low* (*rising*); *at the* ~ zum Marktpreis, *Börse*: zum ‚Besten'-Preis; **5.** Markt(platz) *m*, Handelsplatz *m*: *in the* ~ auf dem Markt; (*covered*) ~ Markthalle; **6.** *Am.* (Lebensmittel-) Geschäft *n*: *meat* ~; **7.** (Jahr)Markt *m*, Messe *f*; **8.** Markt *m* (*Absatzgebiet*): *to hold the* ~ **a)** den Markt beherrschen, **b)** (durch Kauf *od.* Verkauf) die Preise halten; **9.** Absatz *m*, Verkauf *m*, Markt *m*: *to find a* ~ Absatz finden (*Ware*); *to find a* ~ *for et.* an den Mann bringen; *to meet with a ready* ~ schnellen Absatz finden; **10.** (*for*) Nachfrage *f* (nach), Bedarf *m* (an *dat.*); **II.** *v/t.* **11.** auf den Markt bringen; (auf dem Markt) verkaufen; **III.** *v/i.* **12.** einkaufen; auf dem Markt handeln; Märkte besuchen; **IV.** *adj.* **13.** Markt...: ~*-day*; **14.** Börsen...: ~ *quotation* Börsennotierung; ~ *rate* Tageskurs; **15.** Kurs...: ~ *profit*;

'mar·ket·a·ble [-təbl] *adj.* marktfähig, -gängig, verkäuflich, handelsgängig.

mar·ket| a·nal·y·sis *s.* † 'Marktana,lyse *f*; ~ **con·di·tion** *s.* † Marktlage *f*, Konjunk'tur *f*; '~-**dom·i·nat·ing** *adj.* † marktbeherrschend (*Stellung*); ~ **dom·i·na·tion** *s.* † Marktbeherrschung *f*: *a position of* ~ e-e marktbeherrschende Stellung; ~ **e·con·o·my** *s.* † Marktwirtschaft *f*: *free* ~ freie Marktwirtschaft; ~ **fluc·tu·a·tion** *s.* † **1.** Konjunk'turbewegung *f*; **2.** *pl.* Konjunk'turschwankungen *pl.*; ~ **gar·den** *s.* Handelsgärtne'rei *f*; ~ **gar·den·er** *s.* Handelsgärtner *m.*

mar·ket·ing ['mɑːkitiŋ] **I.** *s.* **1.** † 'Marketing *n*, Marktversorgung *f*, 'Absatzpoli,tik *f*; **2.** Marktbesuch *m*; **II.** *adj.* **3.** Markt...: ~ *association* Marktverband; ~ *organization* Absatzorganisation; ~ *research* Absatzforschung.

mar·ket| in·ves·ti·ga·tion *s.* Marktbeobachtung *f*; ~ **lead·ers** *s. pl.* führende Börsenwerte *pl.*; ~ **let·ter** *s. Am.* Markt-, Börsenbericht *m*; '~-'**o·ri·ent·ed** *adj.* † marktorientiert; '~-**place** *s.* Marktplatz *m*; ~ **price** *s.* **1.** Marktpreis *m*; **2.** *Börse*: Kurs(wert) *m*; ~ **quo·ta·tion** *s.* Börsennotierung *f*, Marktkurs *m*: *list of* ~*s* Markt-, Börsenzettel; ~ **rate** → *market price*; ~ **re·search** *s.* † Marktforschung *f*: ~ *expert* → *market researcher*; ~ **re·search·er** *s.* † Marktforscher *m*; ~ **rig·ging** *s.* Kurstreibe'rei *f*, 'Börsenma,növer *n*; ~ **study** *s.* † 'Marktunter,suchung *f*; ~ **swing** *s. Am.* Konjunk'turperi,ode *f*; '~-**town** *s.* Markt(-flecken *m*, -gemeinde *f*) *m*; ~ **value** *s.* Markt-, Kurs-, Verkehrswert *m*.

mark·ing ['mɑːkiŋ] **I.** *s.* **1.** Kennzeichnung *f*, Markierung *f*; Bezeichnung *f* (*a.* ♪); ✈ Hoheitsabzeichen *n*; **2.** *zo.* (Haut-, Feder-) Musterung *f*, Zeichnung *f*; **II.** *adj.* **3.** ⊕ markierend: ~ *awl* Reißahle; ~-*ink* Zeichen-, Wäschetinte.

marks·man ['mɑːksmən] *s.* [*irr.*] guter Schütze, Meister-, Scharfschütze *m*; '**marks·man·ship** [-ʃip] *s.* **1.** Schießkunst *f*; **2.** Treffsicherheit *f*.

'**mark·up** *s.* † **1. a)** höhere Auszeichnung (*e-r Ware*), **b)** Preiserhöhung *f*; **2.** Kalkulati'onsaufschlag *m*; **3.** *Am.* im Preis erhöhter Ar'tikel.

marl [mɑːl] **I.** *s. geol.* Mergel *m*; **II.** *v/t.* ⚒ mergeln.

mar·ma·lade ['mɑːməleid] *s.* (*bsd.* O'rangen)Marme,lade *f*.

mar·mo·re·al [mɑː'mɔːriəl] *a.* **mar'mo·re·an** [-iən] *adj. lit.* 'marmorn, Marmor...

mar·mo·set ['mɑːməzet] *s. zo.* Krallenaffe *m*.

mar·mot ['mɑːmət] *s. zo.* **1.** Murmeltier *n*; **2.** Prä'riehund *m*.

mar·o·cain ['mærəkein] *s.* Maro'cain *n* (*ein Kreppgewebe*).

ma·roon¹ [mə'ruːn] **I.** *v/t.* **1.** (*auf e-r einsamen Insel etc.*) aussetzen; **2.** *fig.* **a)** im Stich lassen, **b)** von der Außenwelt abschneiden; **II.** *v/i.* **3.** *Brit.* her'umlungern; **4.** *Am.* einsam zelten; **III.** *s.* **5.** Busch-, Ma'ronneger *m* (*Westindien u. Holl.-Guayana*); **6.** Ausgesetzte(r *m*) *f*.

ma·roon² [mə'ruːn] **I.** *s.* **1.** Ka'stanienbraun *n*; **2.** Ka'nonenschlag *m* (*Feuerwerk*); **II.** *adj.* **3.** ka'stanienbraun.

mar·plot ['mɑːplɔt] *s.* **1.** Quertreiber *m*; **2.** Spielverderber *m*, Störenfried *m*.

marque [mɑːk] *s.* ⚓ *hist.*: *letter(s) of* ~ (*and reprisal*) Kaperbrief.

mar·quee [mɑː'kiː] *s.* **1.** großes Zelt; **2.** *Am.* Mar'kise *f*, Schirmdach *n* (*über e-m Hoteleingang etc.*).

mar·quess → *marquis*.

mar·que·try, *a.* **mar·que·te·rie** ['mɑːkitri] *s.* In'tarsia *f*, Holzeinlegearbeit *f*.

mar·quis ['mɑːkwis] *s.* Mar'quis *m* (*englischer Adelstitel*).

mar·riage ['mæridʒ] *s.* **1.** Heirat *f*, Vermählung *f*, Hochzeit *f* (*to* mit): → *civil 4*; **2.** Ehe(stand *m*) *f*: ~ *of convenience* Vernunftehe, Geldheirat; *by* ~ angeheiratet; *related by* ~ verschwägert; *to contract a* ~ die Ehe eingehen; *to give s.o. in* ~ j-n verheiraten; *to take s.o. in* ~ j-n heiraten; **3.** *fig.* Vermählung *f*, innige Verbindung; '**mar·riage·a·ble** [-dʒəbl] *adj.* **1.** heiratsfähig: ~ *age* Ehemündigkeit; **2.** mannbar.

mar·riage| ar·ti·cles *s. pl.* ⚖ Ehevertrag *m*; ~ **bro·ker** *s.* Heiratsvermittler *m*; ~ **cer·e·mo·ny** *s.* Trauung *f*; ~ **cer·tif·i·cate** *s.* Trauschein *m*; ~ **con·tract** *s.* ⚖ Ehevertrag *m*; ~ **flight** *s. Bienenzucht*: Hochzeitsflug *m*; ~ **li·cence,** *Am.* ~ **li·cense** *s.* ⚖ amtliche Eheerlaubnis; ~ **lines** *s. pl. Brit.* F Trauschein *m*; ~ **por·tion** *s.* ⚖ Mitgift *f*; ~ **set·tle·ment** *s.* ⚖ Ehevertrag *m*.

mar·ried ['mærid] *adj.* **1.** verheiratet, Ehe..., ehelich: ~ *life* Eheleben; ~ *man* Ehemann; ~ *state* Ehestand; **2.** *fig.* eng *od.* innig (mitein'ander) verbunden.

mar·row¹ ['mærou] *s.* **1.** *anat.* (Knochen)Mark *n*; **2.** *fig.* Mark *n*, Kern *m*, *das* Innerste *od.* Wesentlichste: *to the* ~ (*of one's bones*) bis aufs Mark, bis ins Innerste; → *pith 2*.

mar·row² ['mærou] *s. Am. mst* ~ *squash, Brit. a. vegetable* ~ ⚘ Eier-, Markkürbis *m*.

'**mar·row·bone** [-oub-] *s.* **1.** Markknochen *m*; **2.** *pl. humor.* Knie *pl.*; **3.** *pl.* Totenkopfknochen *pl.*

mar·row·less ['mæroulis] *adj. fig.* mark-, kraftlos.

mar·row·y ['mæroui] *adj.* markig, kernig, kräftig (*a. fig.*).

mar·ry¹ ['mæri] **I.** *v/t.* **1.** heiraten, sich vermählen *od.* verheiraten mit: *to be married to* verheiratet sein mit; *to get married to* sich verheiraten mit; **2.** *Sohn, Tochter* verheiraten (*to* an *acc.*, mit); **3.** *ein Paar* trauen (*Geistlicher*); **4.** *fig.* eng verbinden *od.* verknüpfen (*to* mit); **II.** *v/i.* **5.** (sich ver)heiraten: ~*ing man* F Heiratslustiger, Ehekandidat; ~ *in haste and repent at leisure* schnell gefreit, lang bereut.

mar·ry² ['mæri] *int. obs.* für'wahr!

Mars [mɑːz] *s. ast.* Mars *m* (*Planet*).

marsh [mɑːʃ] *s.* Sumpf(land *n*) *m*, Marsch *f*; Mo'rast *m*.

mar·shal ['mɑːʃəl] **I.** *s.* **1.** ⚔ 'Marschall *m*; **2.** ⚖ *Brit.* Gerichtsschreiber *m e-s reisenden Richters*; **3.** ⚖ *Am.* **a)** *US* ~ ('Bundes)Voll,zugsbeamte(r) *m*, **b)** Be'zirkspoli,zeichef *m*, **c)** *a. city* ~ Poli'zeidi,rektor *m*; **4.** *hist.* 'Hofmar,schall *m*; **5.** Zere'monienmeister *m*; Festordner *m*; *mot.* Rennwart *m*; **II.** *v/t.* **6.** aufstellen (*a.* ⚔); (an)ordnen, arrangieren: *to* ~ *wag(g)ons into trains* Züge zs.-stellen; *to* ~ *one's thoughts fig.* s-e Gedanken ordnen; **7.** (*bsd. feierlich*) (hin'ein)geleiten (*into* in *acc.*); **8.** ✈ einwinken; '**mar·shal·(l)ing yard** [-ʃliŋ] *s.* 🚂 Rangier-, Verschiebebahnhof *m*.

'**marsh| -fe·ver** *s.* ⚕ Sumpffieber *n*; ~ **gas** *s.* Sumpfgas *n*; '~-**land** *s.* Sumpf-, Marschland *n*; ~ **mal·low** *s.* **1.** ⚘ Echter Eibisch, Al'thee *f*; **2.** *Art* türkischer Honig; ~ **mar·i·gold** *s.* ⚘ Sumpfdotterblume *f*.

marsh·y ['mɑːʃi] *adj.* sumpfig, mo'rastig, Sumpf...

mar·su·pi·al [mɑː'sjuːpjəl] *zo.* **I.** *adj.* **1.** Beuteltier...; **2. a)** beutelartig, **b)** Beutel...; **II.** *s.* **3.** Beuteltier *n*.

mart [mɑːt] *s.* **1.** Markt *m*, 'Handels,zentrum *n*; **2.** Aukti'onsraum *m*; **3.** *obs. od. poet.* Markt(platz) *m*, (Jahr)Markt *m*.

mar·ten ['mɑːtin] *s. zo.* Marder *m*.

mar·tial ['mɑːʃəl] *adj.* □ **1.** kriegerisch, streitbar; **2.** mili'tärisch, sol'datisch: ~ *music* Militärmusik; **3.** Kriegs..., Militär...: ~ *law* Kriegs-, Standrecht; *state of* ~ *law* Belagerungszustand.

Mar·ti·an ['mɑːʃjən] **I.** *s.* **1.** Marsmensch *m*; **II.** *adj.* **2.** Mars..., kriegerisch; **3.** *ast.* Mars...

mar·tin ['mɑːtin] *s. orn.* Mauerschwalbe *f*.

mar·ti·net [mɑːti'net] *s.* Leuteschinder *m*, Zuchtmeister *m*.

mar·ti·ni [mɑː'tiːni] *s.* Mar'tini *m* (*Cocktail*).

mar·tyr ['mɑːtə] **I.** *s.* **1.** 'Märtyrer (-in), Blutzeuge *m*; **2.** *fig.* Märtyrer (-in), Opfer *n*: *to make a* ~ *of o.s.* sich für et. aufopfern, *iro.* den Märtyrer spielen: *to die a* ~ *to* (*od. in the cause of*) *science* sein Leben im Dienst der Wissenschaft opfern; **3.** F Dulder *m*, armer Kerl: *to be a* ~ *to gout* ständig von Gicht geplagt werden; **II.** *v/t.* **4.** zum Märtyrer machen; **5.** zu Tode martern; **6.** martern, peinigen; '**mar·tyr·dom** [-dəm] *s.* **1.** Mar'tyrium *n* (*a. fig.*), 'Märtyrertod *m*; **2.** Marterqualen *pl.* (*a. fig.*); '**mar·tyr·ize** [-əraiz] *v/t.* **1.** (*j-n od. sich*) zum Märtyrer machen (*a. fig.*); **2.** → *martyr 6*.

mar·vel ['mɑːvəl] **I.** *s.* **1.** Wunder (-ding) *n*: *engineering* ~*s* Wunder der Technik; *to be a* ~ *at s.th.* et. fabelhaft können; **2.** Muster *n* (*of* an *dat.*): *he is a* ~ *of patience* er ist die Geduld selber; *he is a perfect* ~ F er ist wunderbar *od.* ein Phänomen; **II.** *v/i.* **3.** sich (ver)wundern, staunen (*at* über *acc.*); **4.** sich verwundert fragen, sich wundern (*that* daß, *how* wie, *why* warum).

mar·vel·(l)ous ['mɑːviləs] *adj.* □ **1.** erstaunlich, wunderbar; **2.** un'glaublich, unwahrscheinlich; **3.** F fabelhaft, phan'tastisch; '**mar·vel·(l)ous·ness** [-nis] *s. das* Wunderbare, *das* Erstaunliche.

Marx·i·an ['mɑːksjən] → *Marxist*; '**Marx·ism** [-sizəm] *s.* Mar'xismus *m*; '**Marx·ist** [-sist] **I.** *s.* Mar'xist *m*; **II.** *adj.* mar'xistisch.

mar·zi·pan [mɑːzi'pæn] *s.* Marzi'pan *n*.

mas·car·a [mæs'kɑːrə] *s.* Wimpern-, Augenbrauentusche *f*.

mas·cot ['mæskət] *s.* Mas'kottchen *n*, 'Talisman *m*; Glücksbringer(in): *radiator* ~ Kühlerfigur (*am Auto*).

mas·cu·line ['mæskjulin] **I.** *adj.* **1.** männlich (*a. weitS. u. ling.*); Männer...; **2.** mannhaft; **3.** unweiblich, männisch (*Frau*); **II.** *s.* **4.** *ling.* ˈMaskulinum *n.*

mas·cu·lin·i·ty [mæskjuˈliniti] *s.* **1.** Männlichkeit *f*; **2.** Mannhaftigkeit *f.*

mash[1] [mæʃ] **I.** *s.* **1.** *Brauerei etc.*: Maische *f*; **2.** Mengfutter *n*; **3.** breiige Masse, Brei *m*, Mansch *m*; **4.** *Brit.* Karˈtoffelbrei *m*; **5.** *fig.* Mischmasch *m*; **II.** *v/t.* **6.** (ein-) maischen; **7.** zerdrücken, -quetschen: *~ed potatoes* Kartoffelbrei.

mash[2] [mæʃ] *obs. sl.* **I.** *v/t.* **1.** *j-m* den Kopf verdrehen; **2.** flirten mit; **II.** *v/i.* **3.** flirten.

mash·er[1] [ˈmæʃə] *s.* **1.** Quetsche *f* (*Küchengerät*); **2.** *Brauerei*: ˈMaischappaˌrat *m.*

mash·er[2] [ˈmæʃə] *s. obs. sl.* **1.** Weiberheld *m*, Schwerenöter *m*; **2.** *Brit.* Geck *m.*

mash·ie [ˈmæʃi] *s. sport* Mashie *m* (*ein Golfschläger für kurze Schläge*).

mask [mɑːsk] **I.** *s.* **1.** Maske *f*, Larve *f*: *death-~* Totenmaske; **2.** (Schutz-, Gesichts)Maske *f*: *fencing ~* Fechtmaske; *oxygen ~* Sauerstoffmaske; **3.** Gasmaske *f*; **4.** Maske *f*: **a)** Maskierte(r *m*) *f*, **b)** ˈMaskenkoˌstüm *n*, Maskierung *f*, **c)** *fig.* Verkappung *f*: *to throw off the ~ fig.* die Maske fallenlassen; *under the ~ of* unter dem Deckmantel (*gen.*); **5.** → *masque*; **6.** ⚔ Tarnung *f*, Blende *f*; **7.** *phot.* Vorsatzscheibe *f*; **II.** *v/t.* **8.** *j-n* maskieren, verkleiden, vermummen; *fig.* verschleiern, -hüllen; **9.** ⚔ tarnen; **10.** *a. ~ out* ⊕ korrigieren, retuschieren; *Licht* abblenden; **masked** [-kt] *adj.* **1.** maskiert (*a.* ⚘); Masken...: *~ ball* Maskenball; **2.** ⚔, ✝ getarnt: *~ advertising* Schleichwerbung; ˈ**mask·er** [-kə] *s.* Maske *f*, Maskenspieler *m.*

mas·och·ism [ˈmæzəkizəm] *s.* ⚕, *psych.* Masoˈchismus *m*; ˈ**mas·och·ist** [-ist] *s.* Masoˈchist *m.*

ma·son [ˈmeisn] **I.** *s.* **1.** Steinmetz *m*; **2.** Maurer *m*; **3.** *oft* ♀ Freimaurer *m*; **II.** *v/t.* **4.** mauern; **ma·son·ic** [məˈsɔnik] *adj. mst* ♀ freimaurerisch, Freimaurer...; **ma·son·ry** [ˈmeisnri] *s.* **1.** Steinmetz-, Maurerarbeit *f*; **2.** Mauerwerk *n*; **3.** Maurerhandwerk *n*; **4.** *mst* ♀ Freimaureˈrei *f.*

masque [mɑːsk] *s. thea. hist.* Maskenspiel *n.*

mas·quer·ade [mæskəˈreid] **I.** *s.* **1.** Maskeˈrade *f*: **a)** Maskenball *m*, **b)** Maskierung *f*, **c)** *fig.* Theˈater *n*, Verstellung *f*, **d)** *fig.* Maske *f*, Verkleidung *f*; **II.** *v/i.* **2.** an e-r Maskerade teilnehmen; **3.** sich maskieren *od.* verkleiden (*a. fig.*); **4.** *fig.* sich ausgeben (*as* als).

mass[1] [mæs] **I.** *s.* **1.** *allg.* Masse *f* (*a.* ⊕): *a ~ of blood* ein Klumpen Blut; *a ~ of errors* e-e (Un)Menge Fehler; *a ~ of troops* e-e Truppenansammlung; *in the ~* im großen u. ganzen; **2.** Mehrzahl *f*: *the (great) ~ of imports* der überwiegende Teil der Einfuhr; **3.** *the ~* die Masse, die Allgeˈmeinheit; **4.** *the ~es pl.* der Pöbel, die ‚breite' Masse; **5.** *phys.* Masse *f* (*Quotient aus Gewicht u. Beschleunigung*); **II.** *v/t.* **6.** (*v/i.* sich) (an)sammeln *od.* (an)häufen, (*v/i.* sich) zs.-ballen; ⚔ (*v/i.* sich) massieren *od.* konzentrieren; **III.** *adj.* **7.** Massen...: *~ acceleration phys.* Massenbeschleunigung; *~ communication* Massenkommunikation; *~ meeting* Massenversammlung; *~ murder* Massenmord.

Mass[2] [mæs] *s. eccl.* (*a.* ♪) Messe *f*; → *High (Low) Mass*; *~ was said* die Messe wurde gelesen; *to attend (the)* (*od. go to*) *~* zur Messe gehen; *to hear ~* die Messe hören; *~ for the dead* Toten-, Seelenmesse.

mas·sa·cre [ˈmæsəkə] **I.** *s.* Gemetzel *n*, Masˈsaker *n*, Blutbad *n*; **II.** *v/t.* niedermetzeln, massakrieren.

mas·sage [ˈmæsɑːʒ] **I.** *s.* Masˈsage *f*, Massieren *n*; **II.** *v/t.* massieren.

mas·seur [mæˈsəː; masœːr] (*Fr.*) *s.* Masˈseur *m*; **mas·seuse** [mæˈsəːz; masøːz] (*Fr.*) *s.* Masˈseuse *f.*

mas·sif [ˈmæsiːf] *s. geol.* Geˈbirgsmasˌsiv *n*, -stock *m.*

mas·sive [ˈmæsiv] *adj.* □ **1.** masˈsiv (*a. geol., a. Gold etc.*), schwer, massig; **2.** *fig.* massiv, wuchtig, klobig, ‚klotzig'; ˈ**mas·sive·ness** [-nis] *s.* **1.** Masˈsive(s) *n*, Schwere(s) *n*; **2.** Gediegenheit *f* (*Gold etc.*); **3.** *fig.* Wucht *f.*

mass| me·di·a *s. pl.* ˈMassenˌmedien *pl.*; ˈ**~-pro·duce** *v/t.* ˈserienmäßig herstellen: *~d articles* Massen-, Serienartikel; **~ pro·duc·tion** *s.* ✝ ˈMassen-, ˈSerienproduktiˌon *f*: *standardized ~* Fließarbeit; **~ un·em·ploy·ment** *s.* Massenarbeitslosigkeit *f*, -erwerbslosigkeit *f.*

mass·y [ˈmæsi] *adj.* **1.** masˈsiv, schwer; **2.** ‚klotzig', klobig; **3.** schwer, wuchtig.

mast[1] [mɑːst] **I.** *s.* **1.** ⚓ (Schiffs-)Mast *m*: *to sail before the ~* (als Matrose) zur See fahren; **2.** ⚡ (Gitter-, Leitungs-, Anˈtennen-)Mast *m*; **3.** ✈ Ankermast *m* (*für Luftschiffe*); **II.** *v/t.* **4.** ⚓ bemasten: *three-~ed* dreimastig.

mast[2] [mɑːst] *s.* Mast(futter *n*) *f.*

mas·tec·to·my [mæsˈtektəmi] *s.* ⚕ ˈBrustamputatiˌon *f.*

mas·ter [ˈmɑːstə] **I.** *s.* **1.** Meister *m* (*a. Kunst u. fig.*), Herr *m*, Gebieter *m*: *the ♀ eccl.* der Herr (*Christus*); *to be ~ of s.th.* et. (*a. e-e Sprache*) beherrschen; *to be ~ of o.s.* sich in der Gewalt haben; *to be ~ of the situation* Herr der Lage sein; *to be one's own ~* sein eigener Herr sein; *to be ~ of one's time* über s-e Zeit (nach Belieben) verfügen können; **2.** Besitzer *m*, Eigentümer *m*, Herr *m*: *to make o.s. ~ of s.th.* et. in s-n Besitz bringen; **3.** Hausherr *m*; **4.** Meister *m*, Sieger *m*; **5. a)** Lehrherr *m*, Meister *m*, **b)** *a.* ⚖ Dienstherr *m*, Arbeitgeber *m*, **c)** (Handwerks)Meister *m*: *~ tailor* Schneidermeister; *like ~ like man* wie der Herr so der Knecht; **6.** Vorsteher *m*, Leiter *m e-r Innung etc.*; **7.** ⚓ (ˈHandels)Kapiˌtän *m*: *~'s certificate* Kapitänspatent; **8.** *bsd. Brit.* Lehrer *m*, ˈStudienrat *m*: *~ in English* Englischlehrer; *senior ~* Oberstudienrat; **9.** *Brit. univ.* Rektor *m* (*Titel der Leiter einiger Colleges*); **10.** *univ.* Maˈgister *m* (*Grad*): *♀ of Arts* Magister der freien Künste; *♀ of Science* Magister der Naturwissenschaften; **11.** junger Herr (*a. als Anrede für Knaben bis zu 16 Jahren*); **12.** *Brit.* (*in Titeln*): Leiter *m*, Aufseher *m* (*am königlichen Hof etc*): *♀ of Ceremonies* **a)** Zeremonienmeister, **b)** *bsd. Am.* Conférencier; *♀ of the Horse* Oberstallmeister; **13.** ⚖ protoˈkollführender Gerichtsbeamter: *♀ of the Rolls* Oberarchivar; **14.** (ˈSchall)Plattenmaˌtrize *f*; **II.** *v/t.* **15.** Herr sein *od.* werden über (*acc.*) (*a. fig.*), *a. Sprache, Wissenschaft etc.* beherrschen; *Aufgabe, Schwierigkeit* meistern; **16.** *Tier* zähmen; *a. Leidenschaften etc.* bändigen; **III.** *adj.* **17.** Meister..., meisterhaft, -lich; **18.** Meister..., Herren...; **19.** Haupt..., hauptsächlich: *~ file* Hauptkartei; *~ switch* ⚡ Hauptschalter; **20.** leitend, führend.

ˈ**mas·ter|-at-ˈarms** *pl.* ˈ**mas·ters-at-ˈarms** *s.* ⚓ ˈSchiffsproˌfos *m* (*Polizeioffizier*); **~ build·er** *s.* Baumeister *m*; **~ car·pen·ter** *s.* Zimmermeister *m*; **~ chord** *s.* ♪ Domiˈnantdreiklang *m*; **~ clock** *s.* Zenˈtraluhr *f* (*e-r Uhrenanlage*); **~ cop·y** *s.* **1.** Origiˈnalkoˌpie *f* (*a. Film*); **2.** ˈHandexemˌplar *n* (*e-s literarischen etc. Werks*).

mas·ter·ful [ˈmɑːstəful] *adj.* □ **1.** herrisch, gebieterisch; **2.** → *masterly.*

mas·ter| ga(u)ge *s.* ⊕ Urlehre *f*; ˈ**~-key** *s.* **1.** Hauptschlüssel *m*; **2.** *fig.* Schlüssel *m.*

mas·ter·less [ˈmɑːstəlis] *adj.* herrenlos; ˈ**mas·ter·li·ness** [-linis] *s.* meisterhafte Ausführung, Meisterschaft *f*; ˈ**mas·ter·ly** [-li] *adj. u. adv.* meisterhaft, -lich, Meister...

ˈ**mas·ter|-mind I.** *s.* **1.** führende Perˈsönlichkeit, überˈlegener Geist; **2.** *bsd. Am.* Kapaziˈtät *f*, ‚Kaˈnone' *f*, Geˈnie *n*; **II.** *v/t. Am.* **3.** (geschickt) lenken *od.* leiten; ˈ**~·piece** *s.* Meisterstück *n*, -werk *n*; **~ ser·geant** *s.* ⚔ *Am.* (Ober)Stabsfeldwebel *m.*

mas·ter·ship [ˈmɑːstəʃip] *s.* **1.** meisterhafte Beherrschung (*of gen.*), Meisterschaft *f*; **2.** Herrschaft *f*, Gewalt *f* (*over* über *acc.*); **3.** Vorsteheramt *n*; **4.** Lehramt *n.*

ˈ**mas·ter|-stroke** *s.* Meisterstreich *m*, -stück *n*, Glanzstück *n*; **~ tooth** *s.* [*irr.*] Eck-, Fangzahn *m*; **~ touch** *s.* **1.** Meisterhaftigkeit *f*, -schaft *f*; **2.** Meisterzug *m*; **3.** ⊕ *u. fig.* letzter Schliff; ˈ**~·work** → *masterpiece.*

mas·ter·y [ˈmɑːstəri] *s.* **1.** Herrschaft *f*, Gewalt *f* (*of, over* über *acc.*); **2.** Überˈlegenheit *f*, Oberhand *f*: *to gain the ~ over s.o.* über j-n die Oberhand gewinnen; **3.** Beherrschung *f* (*e-r Sprache etc.*); **4.** → *master touch* **1.**

ˈ**mast-head** *s.* **1.** ⚓ Masttop *m*, Mars *m*: *~ light* Topplicht; **2.** *typ.* Imˈpressum *n e-r Zeitung.*

mas·tic [ˈmæstik] *s.* **1.** ˈMastix(harz *n*) *m*; **2.** ⚘ ˈMastixstrauch *m*; **3.** ˈMastik *m*, ˈMastixzeˌment *m.*

mas·ti·cate [ˈmæstikeit] *v/t.* (zer-)kauen; **mas·ti·ca·tion** [mæstiˈkeiʃən] *s.* Kauen *n*; ˈ**mas·ti·ca·tor** [-tə] *s.* **1.** Kauende(r *m*) *f*; **2.** Fleischwolf *m*; **3.** ⊕ ˈMahlmaˌschine *f*; ˈ**mas·ti·ca·to·ry** [-kətəri] *adj.* Kau..., Freß...

mas·tiff ['mæstif] *s.* Bulldogge *f*, englische Dogge.
mas·ti·tis [mæs'taitis] *s.* ⚕ Brust(drüsen)entzündung *f*; **mas·toid** ['mæstɔid] *adj. anat.* masto'id, brust(warzen)förmig; **mas·tot·o·my** [mæs'tɔtəmi] *s.* ⚕ 'Brustoperati͵on *f*.
mas·tur·bate ['mæstəbeit] *v/i.* onanieren; **mas·tur·ba·tion** [mæstə'beiʃən] *s.* Ona'nie *f*.
mat[1] [mæt] **I.** *s.* **1.** Matte *f* (*a. Ringen, Turnen*): ~ *position Ringen*: Bank; *to be on the* ~ **a)** am Boden sein, **b)** *sl. fig.* in der Tinte sitzen, e-e Zigarre verpaßt kriegen; **2.** 'Untersetzer *m*, -satz *m*: *beer* ~ Bierdeckel; **3.** Vorleger *m*, Abtreter *m*; **4.** grober Sack; **5.** verfilzte Masse (*Haar etc.*), Gewirr *n*; **6.** (*glasloser*) Wechselrahmen; **II.** *v/t.* **7.** mit Matten belegen; **8.** (*v/i.* sich) verflechten; **9.** (*v/i.* sich) verfilzen (*Haar*).
mat[2] [mæt] **I.** *adj.* matt (*a. phot.*), glanzlos, mattiert; **II.** *v/t.* mattieren; ⊕ mattschleifen.
match[1] [mætʃ] **I.** *s.* **1.** der *od.* die *od.* das Gleiche *od.* Ebenbürtige: *his* ~ **a)** seinesgleichen, **b)** sein Ebenbild, **c)** j-d der es mit ihm aufnehmen kann; *to meet one's* ~ s-n Meister finden; ͵*to be a* ~ *for s.o.* j-m gewachsen sein; *to be more than a* ~ *for s.o.* j-m überlegen sein; **2.** Gegenstück *n*, Passende(s) *n*; **3.** (zs.-passendes) Paar, Gespann *n* (*a. fig.*): *they are an excellent* ~ sie passen ausgezeichnet zueinander; **4.** ✝ Ar'tikel *m* gleicher Quali'tät: *exact* ~ genaue Bemusterung; **5.** (Wett-)Kampf *m*, Wettspiel *n*, Par'tie *f*, Treffen *n*: *boxing* ~ Boxkampf; *singing* ~ Wettsingen; **6. a)** Heirat *f*, **b)** *gute etc.* Par'tie (*Person*): *to make a* ~ (*of it*) e-e Ehe stiften *od.* zustande bringen; **II.** *v/t.* **7.** *j-n* passend verheiraten (*to, with* mit); **8.** *j-n od. et.* vergleichen (*with* mit); **9.** *j-n* ausspielen (*against* gegen); **10.** passend machen, anpassen (*to, with* an *acc.*); *a. ehelich* verbinden, zs.-fügen; ⚡ angleichen: ~*ing circuit* Anpassungskreis; **11.** entsprechen (*dat.*), *a. farblich etc.* passen zu: *well-*~*ed* gut zs.-passend; **12.** et. Gleiches *od.* Passendes auswählen *od.* finden zu: *can you* ~ *this velvet for me?* haben Sie et. Passendes zu diesem Samtstoff?; **13.** *nur pass.*: *to be* ~*ed j-m* ebenbürtig *od.* gewachsen sein, *e-r Sache* gleichkommen; *not to be* ~*ed* unerreichbar; **III.** *v/i.* **14.** zs.-passen, über'einstimmen (*with* mit), entsprechen (*to dat.*): *a brown coat and gloves to* ~ ein brauner Mantel u. dazu passende Handschuhe.
match[2] [mætʃ] *s.* **1.** Zünd-, Streichholz *n*; **2.** Zündschnur *f*; **3.** *hist.* Lunte *f*; '~**-box** *s.* Streichholzschachtel *f*.
match·less ['mætʃlis] *adj.* □ unvergleichlich, einzig dastehend, ohne'gleichen.
'**match·mak·er** *s.* **1.** Ehestifter(in); **2.** Heiratsvermittler(in).
match| point *s. sport* (für den Sieg) entscheidender Punkt; *Tennis*: Matchball *m*; '~**wood** *s. coll.* (Holz)Späne *pl.*, Splitter *pl.*: *to make* ~ *of s.th.* aus et. 'Kleinholz machen, et. kurz u. klein schlagen.
mate[1] [meit] **I.** *s.* **1. a)** ('Arbeits-, 'Werk)Kame͵rad *m*, Genosse *m*, Gefährte *m*, **b)** *als Anrede*: Kame'rad *m*, ‚Kumpel' *m*, **c)** Gehilfe *m*, Handlanger *m*; **2. a)** (Lebens)Gefährte *m*, Gatte *m*, Gattin *f*, **b)** *bsd. orn.* Männchen *n od.* Weibchen *n*, **c)** Gegenstück *n* (*von Schuhen etc.*); **3.** *Handelsmarine*: 'Schiffsoffi͵zier *m* (*unter dem Kapitän*); **4.** ⚓ Maat *m*, Gehilfe *m*: *cook's* ~ Kochsmaat; **II.** *v/t.* **5.** (*paarweise*) verbinden, *bsd.* vermählen, -heiraten; *Tiere* paaren; **6.** *fig.* ein'ander anpassen: *to* ~ *words with deeds* auf Worte entsprechende Taten folgen lassen; **III.** *v/i.* **7.** sich vermählen, (*a. weitS.*) sich verbinden; *zo.* sich paaren; **8.** ⊕ eingreifen (*Zahnräder*); aufein'ander arbeiten (*Flächen*): *mating surfaces* Arbeitsflächen.
mate[2] [meit] **I.** *v/t. Schach*: (schach-)matt setzen; **II.** *v/i.* ein (Schach-)Matt erzielen; **III.** *s. u. int.* (Schach)Matt *n*.
ma·te·ri·al [mə'tiəriəl] **I.** *adj.* □ **1.** materi'ell, physisch, körperlich; **2.** stofflich, Material...: ~ *damage* Sachschaden; ~ *defect* Materialfehler; ~ *fatigue* ⊕ Werkstoffmüdigkeit; ~ *goods* Sachgüter; **3.** materia'listisch (*Anschauung etc.*); **4.** materi'ell, leiblich: ~ *well-being*; **5. a)** sachlich wichtig, gewichtig, von Belang, **b)** wesentlich, ausschlaggebend (*to* für); ⚖ erheblich: ~ *facts*; *a* ~ *witness* ein unentbehrlicher Zeuge; **6.** *Logik*: sachlich (*Folgerung etc.*); **7.** ⚕ materi'ell (*Punkt etc.*); **II.** *s.* **8.** Materi'al *n*, Stoff *m* (*beide a. fig.*) (*for* zu); ⊕ Werkstoff *m*; (Kleider)Stoff *m*; **9.** *coll. od. pl.* Materi'al(ien *pl.*) *n*, Ausrüstung *f*: *building* ~*s* Baustoffe; *cleaning* ~*s* Putzzeug; *war* ~ Kriegsmaterial; *writing* ~*s* Schreibmaterial(ien); **10.** *oft pl. fig.* 'Unterlagen *pl.*, *urkundliches etc.* Materi'al; **ma'te·ri·al·ism** [-lizəm] *s.* Materia'lismus *m*; **ma'te·ri·al·ist** [-list] **I.** *s.* Materia'list *m*; **II.** *adj. a.* **ma·te·ri·al·is·tic** [mətiəriə'listik] *adj.* (□ ~*ally*) materia'listisch; **ma·te·ri·al·i·za·tion** [mətiəriəlai'zeiʃən] *s.* **1.** Verkörperung *f*; **2.** *Spiritismus*: Materialisati'on *f*; **ma'te·ri·al·ize** [-laiz] **I.** *v/t.* **1.** *e-r Sache* stoffliche Form geben, *et.* verkörperlichen; **2.** *et.* verwirklichen; **3.** *bsd. Am.* materia'listisch machen: *to* ~ *thought*; **4.** *Geister* erscheinen lassen; **II.** *v/i.* **5.** (feste) Gestalt annehmen, sich verkörpern (*in* in *dat.*); **6.** sich verwirklichen, Tatsache werden, zu'stande kommen; **7.** erscheinen (*Geister*).
ma·te·ri·a med·i·ca [mə'tiəriə 'medikə] *s.* ⚕ **1.** *coll.* Arz'neimittel *pl.*; **2.** Arz'neimittel͵lehre *f*.
ma·té·ri·el [mətiəri'el] *s.* Ausrüstung *f*, (⚔ 'Kriegs)Materi͵al *n*.
ma·ter·nal [mə'tə:nl] *adj.* □ mütterlich: **a)** wie e-e Mutter, Mutter...: ~ *love*, **b)** *Verwandte(r) etc.* mütterlicherseits, **c)** Mütter...: ~ *mortality* Müttersterblichkeit.
ma·ter·ni·ty [mə'tə:niti] **I.** *s.* Mutterschaft *f*; **II.** *adj.* Wöchnerinnen..., Schwangerschafts..., Umstands...(*-kleidung*): ~ *benefit* Wochenhilfe; ~ *dress* Umstandskleid; ~ *home*, ~ *hospital* Entbindungsheim; ~ *ward* Entbindungsstation.
mat·ey ['meiti] **I.** *adj.* kame'radschaftlich, vertraulich, famili'är; **II.** *s. Brit.* F Kame'rad *m*, ‚Kumpel' *m* (*Anrede*).
math [mæθ] *s. Am.* F ‚Mathe' *f* (*Mathematik*).
math·e·mat·i·cal [mæθi'mætikəl] *adj.* □ **1.** mathe'matisch; **2.** *fig.* (mathematisch) ex'akt; **math·e·ma·ti·cian** [mæθimə'tiʃən] *s.* Mathe'matiker *m*; **math·e'mat·ics** [-ks] *s. pl. mst sg. konstr.* Mathema'tik *f*: *higher* (*elementary, new*) ~ höhere (elementare, neue) Mathematik.
maths [mæθs] *s. Brit.* F ‚Mathe' *f* (*Mathematik*).
mat·in ['mætin] *s.* **1.** *pl. oft* ♀*s* **a)** *R.C.* (Früh)Mette *f*, **b)** *Church of England*: 'Morgenlitur͵gie *f*; **2.** *poet.* Morgenlied *n* (*der Vögel*).
mat·i·nee, mat·i·née ['mætinei] *s. thea.* Mati'nee *f*, *bsd.* Nachmittagsvorstellung *f*.
mat·ing ['meitiŋ] *s. bsd. orn.* Paarung *f*: ~ *season* Paarungszeit.
ma·tri·arch·y ['meitriɑ:ki] *s.* Mutterherrschaft *f*, Matriar'chat *n*; **ma·tri·cid·al** [meitri'saidl] *adj.* muttermörderisch; '**ma·tri·cide** [-isaid] *s.* **1.** Muttermord *m*; **2.** Muttermörder(in).
ma·tric·u·late [mə'trikjuleit] **I.** *v/t.* immatrikulieren (*an e-r Universität*); **II.** *v/i.* sich immatrikulieren (lassen); **ma·tric·u·la·tion** [mətrikju'leiʃən] *s.* Immatrikulati'on *f*: ~ *examination Brit.* Zulassungsprüfung zum Universitätsstudium.
mat·ri·mo·ni·al [mætri'mounjəl] *adj.* □ ehelich, Ehe...: ~ *agency* Heiratsvermittlung(sbüro); ~ *cases* ⚖ Ehesachen; **mat·ri·mo·ny** ['mætriməni] *s. a.* ⚖ Ehe(stand *m*) *f*.
ma·trix ['meitriks] *pl.* **-tri·ces** [-trisi:z] *s.* **1.** Mutter-, Nährboden *m* (*beide a. fig.*), 'Grundsub͵stanz *f*; **2.** *physiol.* 'Matrix *f*: **a)** Mutterboden *m*, **b)** Gewebeschicht *f*, **c)** Gebärmutter *f*; **3.** *min.* **a)** Grundmasse *f*, **b)** Ganggestein *n*; **4.** ⊕, *typ.* Ma'trize *f* (*a. Schallplattenherstellung*); **5.** ⚕ Matrix *f*.
ma·tron ['meitrən] *s.* **1.** würdige Dame, Ma'trone *f*; **2.** Hausmutter *f* (*e-s Internats etc.*), Wirtschafterin *f*; **3. a)** Vorsteherin *f*, **b)** Oberin *f im Krankenhaus*, **c)** Aufseherin *f im Gefängnis etc.*; '**ma·tron·ize** [-rənaiz] *v/t.* **1.** ma'tronenhaft machen; **2.** bemuttern; '**ma·tron·ly** [-li] **I.** *adj.* ma'tronenhaft, gesetzt: ~ *duties* hausmütterliche Pflichten; **II.** *adv.* ma'tronenhaft.
mat·ted[1] ['mætid] *adj.* mattiert.
mat·ted[2] ['mætid] *adj.* **1.** mit Matten bedeckt: *a* ~ *floor*; **2.** verflochten: ~ *hair* verfilztes Haar.
mat·ter ['mætə] **I.** *s.* **1.** Ma'terie *f* (*a. phys., phls.*), Materi'al *n*, Stoff *m*; *biol.* Sub'stanz *f*: *gaseous* ~ gasförmiger Körper; → *foreign* 2, *grey matter*; **2.** Sache *f* (*a.* ⚖), Angele-

genheit *f*: *this is a serious ~; the ~ in hand* die vorliegende Angelegenheit; *a ~ of fact* e-e Tatsache; *as a ~ of fact* tatsächlich, eigentlich; *a ~ of course* e-e Selbstverständlichkeit; *as a ~ of course* selbstverständlich; *a ~ of taste* (e-e) Geschmackssache; *a ~ of time* e-e Frage der Zeit; *it is a ~ of life and death* es geht um Leben u. Tod; *it's no laughing ~* es ist nichts zum Lachen; *for that ~* was das (an)betrifft, schließlich; *in the ~ of* **a)** hinsichtlich (*gen.*), **b)** ⚖ in Sachen *A. gegen B.*; **3.** *pl.* (*ohne Artikel*) die 'Umstände *pl.*, die Dinge *pl.*: *to make ~s worse* **a)** die Sache schlimmer machen, **b)** *feststehende Wendung*: was die Sache noch schlimmer macht; *as ~s stand* wie die Dinge liegen; **4.** *the ~* die Schwierigkeit: *is there anything the ~ with him?* fehlt ihm etwas?, ist ihm nicht wohl?; *what's the ~?* was ist los?, wo fehlt's?; *no ~!* es hat nichts zu sagen!; *it's no ~ whether* es spielt keine Rolle, ob; *no ~ what he says* was er auch sagt; *no ~ who* gleichgültig wer; **5.** *a ~ of* (*mit verblaßter Bedeutung*) Sache *f*, etwas: *it's a ~ of £5* es kostet 5 Pfund; *a ~ of three weeks* ungefähr 3 Wochen; *it was a ~ of five minutes* es dauerte nur 5 Minuten; *it's a ~ of common knowledge* es ist allgemein bekannt; **6.** *fig.* Stoff *m* (*Dichtung*), (behandelter) Gegenstand, Thema *n* (*Aufsatz*), Inhalt *m* (*Buch*), innerer Gehalt; **7.** ⚖ Streitgegenstand *m*; **8.** *mst postal ~* Postsache *f*: *printed ~* Drucksache; **9.** *typ.* **a)** Manu'skript *n*, **b)** (Schrift)Satz *m*: *live ~, standing ~* Stehsatz; **10.** ⚕ Eiter *m*; **II.** *v/i.* **11.** von Bedeutung sein (*to* für), dar'auf ankommen (*to s.o.* j-m): *it doesn't ~* (es) macht nichts; *it ~s little* es ist ziemlich einerlei, es spielt kaum e-e Rolle; **12.** ⚕ eitern.

'mat·ter|-of-'course [-tərəv'k-] *adj.* selbstverständlich; **'~-of-'fact** [-tərəv'f-] *adj.* **1.** pro'saisch; **2.** sachlich, nüchtern.

Mat·thew ['mæθju:] *npr. u. s. bibl.* Mat'thäus(evan,gelium *n*) *m.*

mat·ting ['mætiŋ] *s.* ⊕ **1.** Mattenstoff *m*; **2.** Matten(belag *m*) *pl.*

mat·tock ['mætək] *s.* (Breit)Hacke *f*, Karst *m.*

mat·tress ['mætris] *s.* Ma'tratze *f.*

mat·u·ra·tion [mætjuə'reiʃən] *s.* **1.** ⚕ (Aus)Reifung *f*, Eiterung *f* (*Geschwür*); **2.** *biol.*, *a. fig.* Reifen *n*, Reifwerden *n.*

ma·ture [mə'tjuə] **I.** *adj.* □ **1.** *allg.* reif (*a. Käse, Wein; a.* ⚕ *Geschwür*); **2.** reif, voll entwickelt (*Person*); **3.** *fig.* reiflich erwogen, ('wohl)durch,dacht: *~ reflection* reifliche Überlegung; *~ plans* ausgereifte Pläne; **4.** † fällig, zahlbar (*Wechsel*); **II.** *v/t.* **5.** reifen (lassen), zur Reife bringen; *fig. Pläne* reifen lassen; **III.** *v/i.* **6.** reif werden, (her'an-, aus)reifen; † fällig werden, verfallen; **ma'tured** [-əd] *adj.* **1.** (aus)gereift; **2.** abgelagert; **3.** † fällig; **ma·tu·ri·ty** [mə'tjuəriti] *s.* **1.** Reife *f* (*a.* ⚕ *u. fig.*): *to bring (come) to ~* zur Reife bringen (kommen); *~ of judg(e)ment* Reife des Urteils; **2.** † Fälligkeit *f*, Verfall(zeit *f*) *m*: *at (od. on) ~* bei Verfall; *~ date* Fälligkeitstag; **3.** *fig.* (Wahl- *etc.*)Mündigkeit *f.*

ma·tu·ti·nal [mætju(:)'tainl] *adj.* morgendlich, Morgen..., früh.

mat·y ['meiti] *Brit.* → *matey.*

maud·lin ['mɔ:dlin] **I.** *s.* weinerliche Gefühlsduse'lei; **II.** *adj.* weinerlich sentimen'tal, rührselig.

maul [mɔ:l] **I.** *s.* **1.** ⊕ Schlegel *m*, schwerer Holzhammer; **II.** *v/t.* **2.** schwer beschädigen; übel zurichten, (*j-n*) 'durchprügeln, miß'handeln: *to ~ about* roh umgehen mit; **3.** ‚her'unterreißen', heftig kritisieren.

maul·stick ['mɔ:lstik] *s. paint.* Malerstock *m.*

maun·der ['mɔ:ndə] *v/i.* **1.** vor sich hinreden, faseln; **2.** ziellos um'herschlendern *od.* handeln.

Maun·dy Thurs·day ['mɔ:ndi] *s. eccl.* Grün'donnerstag *m.*

mau·so·le·um [mɔ:sə'li:əm] *s.* Mauso'leum *n*, Grabmal *n.*

mauve [mouv] **I.** *s.* Malvenfarbe *f*; **II.** *adj.* malvenfarbig, mauve.

mav·er·ick ['mævərik] *s. Am.* **1.** herrenloses Vieh ohne Brandzeichen; **2.** mutterloses Kalb; **3.** F *pol.* Einzelgänger *m.*

ma·vis ['meivis] *s. poet.* Singdrossel *f.*

maw [mɔ:] *s.* **1.** (Tier)Magen *m*, *bsd.* Labmagen *m* (*der Wiederkäuer*); **2.** *fig.* Rachen *m des Todes etc.*

mawk·ish ['mɔ:kiʃ] *adj.* □ **1.** süßlich, abgestanden (*Geschmack*); **2.** *fig.* rührselig, süßlich, kitschig.

'maw·seed *s.* Mohnsame(n) *m.*

'maw·worm *s. zo.* Spulwurm *m.*

max·i ['mæksi] **I.** *s.* **1.** Maximode *f*: *to wear ~* maxi tragen; **II.** *adj.* **2.** Maxi...: *~ skirt* → *maxiskirt.*

max·il·la [mæk'silə] *pl.* **-lae** [-li:] *s.* **1.** *anat.* (Ober)Kiefer *m*, Kinnlade *f*, -backen *m*; **2.** *zo.* Fußkiefer *m* (*von Krustentieren*), Zange *f*; **max'il·lar·y** [-əri] **I.** *adj. anat.* (Ober)Kiefer..., maxil'lar; **II.** *s. anat.* Oberkieferknochen *m.*

max·im ['mæksim] *s.* Ma'xime *f*, Sen'tenz *f*, Grundsatz *m.*

max·i·mal ['mæksiml] *adj.* maxi'mal, Maximal..., Höchst...; **'max·i·mize** [-maiz] *v/t.* †, ⊕ maximieren; **max·i·mum** ['mæksiməm] **I.** *pl.* **-ma** [-mə], **-mums** *s.* **1.** 'Maximum *n*, Höhepunkt *m*, Höchstgrenze *f*, -maß *n*, -stand *m*, -wert *m*; **2.** † Höchstpreis *m*, -angebot *n*, -betrag *m*; **II.** *adj.* **3.** höchst, größt, Höchst..., Maximal...: *~ current* ⚡ Höchststrom; *~ load* ⊕, ⚡ Höchstbelastung; *~ safety load (od. stress)* zulässige Beanspruchung; *~ output* (Produktions)Höchstleistung; *~ performance* Spitzenleistung; *~ permissible speed* zulässige Höchstgeschwindigkeit; *~ wages* Spitzenlohn.

'max·i·skirt *s.* Maxirock *m.*

may[1] [mei] *v/aux.* [*irr.*] **1.** (*Möglichkeit, Gelegenheit*) *sg.* kann, mag, *pl.* können, mögen: *it ~ happen any time* es kann jederzeit geschehen; *it might happen* es könnte geschehen; *you ~ be right* du magst recht haben; *he ~ not come* vielleicht kommt er nicht; *he might lose his way* er könnte sich verirren; **2.** (*Erlaubnis*) *sg.* darf, kann (*a.* ⚖), *pl.* dürfen, können: *you ~ go; ~ I ask?* darf ich fragen?; *we might as well go* da können wir ebensogut auch gehen; **3.** *ungewisse Frage*: *how old ~ she be?* wie alt mag sie wohl sein?; *I wondered what he might be doing* ich fragte mich, was er wohl tue; **4.** *Wunschgedanke, Segenswunsch*: *~ you be happy!* sei glücklich!; *~ it please your Majesty* Eure Majestät mögen geruhen; **5.** *familiäre od. vorwurfsvolle Aufforderung*: *you ~ post this letter for me; you might help me* du könntest mir (eigentlich) helfen; **6.** *~ od. might als Konjunktivumschreibung*: *I shall write to him so that he ~ know our plans; whatever it ~ cost; difficult as it ~ be* so schwierig es auch sein mag; *we feared they might attack* wir fürchteten, sie würden angreifen.

May[2] [mei] *s.* **1.** Mai *m*, *poet.* (*fig. a.* ♀) Lenz *m*: *in ~* im Mai; **2.** ♀ ✿ Weißdornblüte *f.*

may·be ['meibi:] *adv.* viel'leicht, möglicherweise.

May| bug *s. zo.* Maikäfer *m*; **~ Day** *s.* der 1. Mai; **'~·flow·er** *s.* **1.** ✿ **a)** Maiblume *f*, **b)** *Am.* Primelstrauch *m*; **2.** ♀ *hist. Name des Auswandererschiffs der Pilgrim Fathers*; **'~·fly** *s. zo.* Eintagsfliege *f.*

may·hap ['meihæp] *adv. obs. od. dial.* viel'leicht.

may·hem ['meihem] *s.* ⚖ (*Am. a. allg.*) schwere Körperverletzung; (⚔ *a.* Selbst)Verstümmelung *f.*

mayn't [meint] F *für may not.*

may·on·naise [meiə'neiz] *s.* **1.** Mayon'naise *f*; **2.** Mayon'naisegericht *n*: *~ of lobster* Hummermayonnaise.

may·or [mɛə] *s.* Bürgermeister *m*; **'may·or·al** [-ərəl] *adj.* bürgermeisterlich; **'may·or·ess** [-əris] *s.* Bürgermeisterin *f.*

'May|·pole, ♀ *s.* Maibaum *m*; **~ queen** *s.* Mai(en)königin *f*; **'~·thorn** *s.* ✿ Weißdorn *m.*

maz·a·rine [mæzə'ri:n] *adj.* maza'rin-, dunkelblau.

maze [meiz] *s.* **1.** Irrgarten *m*, Laby'rinth *n* (*a. fig.*); **2.** *fig.* Verwirrung *f*: *in a ~* → *mazed*; **mazed** [-zd] *adj.* verdutzt, verblüfft; **'ma·zy** [-zi] *adj.* □ laby'rinthisch.

Mc·Coy [mə'kɔi] *s. Am. sl.*: *the real ~* der wahre Jakob, der (die, das) Richtige.

'M-day *s.* Mo'bilmachungstag *m.*

me [mi:; mi] *pron.* **1.** (*dat.*) mir: *he gave ~ money; he gave it (to) ~*; **2.** (*acc.*) mich: *he took ~ away* er führte mich weg; **3.** F ich: *it's ~* ich bin's.

mead[1] [mi:d] *s.* Met *m*, Honigwein *m.*

mead[2] [mi:d] *poet. für meadow.*

mead·ow ['medou] *s.* Wiese *f*, Anger *m*; **'~-grass** *s.* ✿ Rispengras *n*; **'~-lark** *s. orn. ein amer.* Wiesenstärling *m*; **'~-saf·fron** *s.* ✿ (*bsd.* Herbst)Zeitlose *f*; **'~-sweet** *s.* ✿ **1.** Mädesüß *n*; **2.** *Am.* Spierstrauch *m.*

mead·ow·y ['medoui] *adj.* wiesenartig, -reich, Wiesen...

mea·ger *Am.*, **mea·gre** *Brit.* ['mi:gə] *adj.* □ **1.** mager, dürr; **2.** *fig.* dürftig, kärglich; **'mea·ger·ness** *Am.*, **'mea·gre·ness** *Brit.* [-nis] *s.* **1.** Magerkeit *f*; **2.** Dürftigkeit *f.*

meal[1] [mi:l] *s.* **1.** grobes (Getreide-) Mehl, Schrotmehl *n*; **2.** Mehl *n*, Pulver *n* (*aus Mineralen etc.*).

meal[2] [mi:l] *s.* Mahl(zeit *f*) *n*, Essen *n*: *to have a ~* e-e Mahlzeit einnehmen; *to make a ~ of s.th.* et. verzehren.

meal·ies ['mi:liz] (*S.Afr.*) *s. pl.* Mais *m.*

meal| tick·et *s. Am.* **1.** Essensbons *pl.*; **2.** *sl.* **a)** *b.s.* ‚Ernährer' *m*, **b)** Einnahmequelle *f*, **c)** Kapi'tal *n*: *his voice is his ~*; '**~·time** *s.* Essenszeit *f.*

meal·y ['mi:li] *adj.* **1.** mehlig: *~ potatoes*; **2.** mehlhaltig; **3.** (wie) mit Mehl bestäubt; **4.** blaß (*Gesicht*); '**~-mouthed** *adj.* **1.** sanftzüngig, zu'rückhaltend *od.* geziert (*in Worten*); **2.** leisetretend, duckmäuserisch; **3.** heuchlerisch, glattzüngig.

mean[1] [mi:n] **I.** *v/t.* [*irr.*] **1.** *et.* im Sinn *od.* im Auge haben, beabsichtigen, vorhaben, entschlossen sein: *I ~ it* es ist mir Ernst damit; *to ~ to do s.th.* et. zu tun gedenken; *he means no harm* er meint es nicht böse; *I didn't ~ to disturb you* ich habe dich nicht stören wollen; *without ~ing it* ohne es zu wollen; → *business 4*; **2.** bestimmen (*for* zu): *he was meant to be a barrister* er war zum Anwalt bestimmt; *the cake is meant to be eaten* der Kuchen ist zum Essen da; **3.** meinen, sagen wollen: *by 'liberal' I ~* unter ‚liberal' verstehe ich; *I ~ his father* ich meine s-n Vater; *I ~ to say* ich will sagen; **4.** bedeuten: *he ~s all the world to me* er bedeutet mir alles; *that means war* das bedeutet Krieg; *what does 'fair' ~?* was bedeutet *od.* heißt (das Wort) ‚fair'?; **II.** *v/i.* [*irr.*] **5.** *to ~ well (ill) by* (*od. to*) *s.o.* j-m wohlgesinnt (übel gesinnt) sein.

mean[2] [mi:n] *adj.* □ **1.** gering, niedrig: *~ birth* niedrige Herkunft; **2.** armselig, schäbig: *~ streets*; **3.** unbedeutend, gering: *no ~ artist* ein recht bedeutender Künstler; *no ~ foe* ein nicht zu unterschätzender Gegner; **4.** gemein, niederträchtig; **5.** geizig, knauserig, schäbig, ‚filzig'; **6.** F **a)** eigennützig, **b)** *Am.* bösartig, bissig, **c)** kleinlich: *to feel ~* sich schäbig vorkommen, **d)** *Am.* unpäßlich: *to feel ~* sich elend fühlen.

mean[3] [mi:n] **I.** *adj.* **1.** mittel, mittler, Mittel...; 'durchschnittlich, Durchschnitts...: *~ annual temperature* Temperaturjahresmittel; *~ sea level das* Normalnull; *~ value* Mittelwert; **II.** *s.* **2.** Mitte *f*, *das* Mittlere, Mittel *n*, 'Durchschnitt(szahl *f*) *m*; ⩘ Mittel(wert *m*) *n*: *to hit the happy ~* die goldene Mitte treffen; *arithmetical (geometric) ~* arithmetisches (geometrisches) Mittel; → *golden mean*; **3.** *pl. sg. od. pl. konstr.* (Hilfs)Mittel *n od. pl.*, Werkzeug *n*, Weg *m*: *by all ~s* auf alle Fälle, unbedingt; *by any ~s* etwa, vielleicht, möglicherweise; *by no ~s* durchaus nicht, keineswegs, auf keinen Fall; *by some ~s or other* auf die eine oder andere Weise, irgendwie; *by ~s of* mittels, durch; *by this (od. these) ~s* hierdurch; *~s of communication* Verkehrsmittel; *~s of production* Produktionsmittel; *~s of transport(ation)* Beförderungsmittel; *to find the ~s* Mittel und Wege finden; → *end 9, way*[1] *1*; **4.** *pl.* (Geld)Mittel *pl.*, Vermögen *n*, Einkommen *n*: *to live within (beyond) one's ~s* s-n Verhältnissen entsprechend (über s-e Verhältnisse) leben; *a man of ~s* ein bemittelter Mann; *~s test Brit.* Bedürftigkeitsermittlung.

me·an·der [mi'ændə] **I.** *s.* Windung *f*, Krümmung *f*; *pl. a.* Schlängelweg *m*; △ 'Zier,linien *pl.*; **II.** *v/i.* sich winden, (sich) schlängeln.

mean·ing ['mi:niŋ] **I.** *s.* **1.** Absicht *f*, Zweck *m*, Ziel *n*; **2.** Sinn *m*, Bedeutung *f*: *full of ~* bedeutungsvoll, bedeutsam; *what's the ~ of this?* was soll das bedeuten?; *words with the same ~* Wörter mit gleicher Bedeutung; *full of ~* → *3*; **II.** *adj.* □ **3.** bedeutungsvoll, bedeutsam (*Blick etc.*); **4.** *in Zssgn* in ... Absicht: *well-~* wohlmeinend, -wollend; '**mean·ing·ful** [-ful] *adj.* bedeutungsvoll; '**mean·ing·less** [-lis] *adj.* **1.** sinn-, bedeutungslos; **2.** ausdruckslos (*Gesicht*).

mean·ness ['mi:nnis] *s.* **1.** Niedrigkeit *f*, niedriger Stand; **2.** Wertlosigkeit *f*, Ärmlichkeit *f*; **3.** Niedrigkeit *f der Gesinnung*, Gemeinheit *f*, Niederträchtigkeit *f*; **4.** Knauserigkeit *f*, ‚Filzigkeit' *f*; **5.** *Am.* F Bösartigkeit *f.*

meant [ment] *pret. u. p.p. von mean*[1].

'**mean|'time I.** *adv.* in'zwischen, mittler'weile, unter'dessen; **II.** *s.* Zwischenzeit *f*: *in the ~* → *I*; **~ time** *s. ast.* mittlere (Sonnen)Zeit; '**~'while** → *meantime I.*

mea·sles ['mi:zlz] *s. pl. sg. konstr.* **1.** ⚕ Masern *pl.*: *false ~*, *German ~* Röteln; **2.** *vet.* Finnen *pl.* (*der Schweine*); '**mea·sly** [-li] *adj.* **1.** ⚕ masernkrank; **2.** *vet.* finnig; **3.** *sl.* elend, schäbig, lumpig.

meas·ur·a·bil·i·ty [meʒərə'biliti] *s.* Meßbarkeit *f*; **meas·ur·a·ble** ['meʒərəbl] *adj.* □ meßbar: *within ~ distance of fig.* nahe (*dat.*); **meas·ur·a·ble·ness** ['meʒərəblnis] → *measurability.*

meas·ure ['meʒə] **I.** *s.* **1.** Maß(einheit *f*) *n*: *long ~* Längenmaß; *~ of capacity* Hohlmaß; **2.** *fig.* richtiges Maß, Ausmaß *n*: *beyond (od. out of) all ~* über alle Maßen, außerordentlich; *in a great ~* in großem Maße, großenteils, überaus; *in some ~*, *in a (certain) ~* gewissermaßen, bis zu e-m gewissen Grade; **3.** Messen *n*, Maß *n*: (*made*) *to ~* nach Maß (gearbeitet); *to take the ~ of s.th.* et. abmessen; *to take s.o.'s ~* **a)** j-m (*zu e-m Anzug*) Maß nehmen, **b)** *fig.* j-n taxieren *od.* einschätzen; **4.** Maß *n*, 'Meßinstru,ment *n*, -gerät *n*; → *tape-measure*; **5.** Verhältnis *n*, Maßstab *m* (*of* für): *to be a ~ of s.th.* e-r Sache als Maßstab dienen; **6.** Anteil *m*, Porti'on *f*, gewisse Menge; **7. a)** ⩘ Maß(einheit *f*) *n*, Teiler *m*, Faktor *m*, **b)** ⚗, *phys.* Maßeinheit *f*: *~ of variation* Schwankungsmaß; *common ~* gemeinsamer Teiler; **8.** (abgemessener) Teil, Grenze *f*: *to set a ~ to s.th.* et. begrenzen; **9.** *Metrik*: **a)** Silbenmaß *n*, **b)** Versglied *n*, **c)** Versmaß *n*; **10.** ♪ 'Metrum *n*, Takt *m*, 'Rhythmus *m*: *to tread a ~* tanzen; **11.** *poet.* Weise *f*, Melo'die *f*; **12.** *pl. geol.* Lager *n*, Flöz *n*; **13.** *typ.* Zeilen-, Satz-, Ko'lumnenbreite *f*; **14.** *fig.* Maßnahme *f*, -regel *f*, Schritt *m*: *to take ~s* Maßnahmen ergreifen; *to take legal ~s* den Rechtsweg beschreiten; **15.** ⚖ gesetzliche Maßnahme, Verfügung *f*: *coercive ~* Zwangsmaßnahme; **II.** *v/t.* **16.** (ver)messen, ab-, aus-, zumessen: *to ~ the depth* ⚒ abseigern; *to ~ one's length fig.* längelang hinfallen; *to ~ swords* **a)** die Klingen messen, **b)** (*with*) die Klingen kreuzen (mit) (*a. fig.*); *to ~ s.o. for a suit of clothes* j-m Maß nehmen zu e-m Anzug; **17.** *~ out* ausmessen, die Ausmaße bestimmen; **18.** *fig.* ermessen; **19.** (ab)messen, abschätzen (*by* an *dat.*): *~d by* gemessen an; **20.** beurteilen (*by* nach); **21.** vergleichen, messen (*with* mit): *to ~ one's strength with s.o.* s-e Kräfte mit j-m messen; **III.** *v/i.* **22.** Messungen vornehmen; **23.** messen, groß sein: *it ~s 7 inches* es mißt 7 Zoll, es ist 7 Zoll lang; **24.** *~ up (to) Am.* die Ansprüche (*gen.*) erfüllen, her'anreichen (an *acc.*); '**meas·ured** [-əd] *adj.* **1.** (ab)gemessen: *~ in the clear (od. day)* ⊕ im Lichten gemessen; *~ value* Meßwert; **2.** richtig proportioniert; **3.** (ab)gemessen, gleich-, regelmäßig: *~ tread* gemessener Schritt; **4.** 'wohlüber,legt, abgewogen, gemessen: *to speak in ~ terms* sich maßvoll ausdrücken; **5.** im Versmaß, metrisch; '**meas·ure·less** [-lis] *adj.* unermeßlich, unbeschränkt; '**meas·ure·ment** [-mənt] *s.* **1.** Messung *f*, Messen *n*, Ab-, Vermessung *f*; **2.** Maß *n*; *pl.* Abmessungen *pl.*, Größe *f*, Ausmaße *pl.*; **3.** ⚓ Tonnengehalt *m.*

meas·ur·ing ['meʒəriŋ] *s.* **1.** Messen *n*, (Ver)Messung *f*; **2.** *in Zssgn*: Meß...; **~ bridge** *s.* ⚡ Meßbrücke *f*; **~ di·al** *s.* 'Rundmaß,skala *f*; **~ glass** *s.* Meßglas *n*; **~ in·stru·ment** *s.* ⊕ Meßgerät *n*; **~ tape** *s.* ⊕ Maß-, Meßband *n*, Bandmaß *n.*

meat [mi:t] *s.* **1.** Fleisch *n* (*als Nahrung*; *Am. a. von Früchten etc.*): *butcher's ~* Schlachtfleisch; *fresh ~* Frischfleisch; *~ and drink* Speise u. Trank; *this is ~ and drink to me* es ist mir e-e Wonne; *one man's ~ is another man's poison* des einen Tod ist des andern Brot; **2.** Fleischspeise *f*: *cold ~* kalte Platte; *~ tea* Tee mit kalter Küche; **3.** *fig.* Sub'stanz *f*, Gehalt *m*, Inhalt *m*: *full of ~* gehaltvoll; **~ ax(e)** *s.* Schlachtbeil *n*; **~ ball** *s.* Fleischklößchen *n*; **~ broth** *s.* Fleischbrühe *f*; '**~·chop·per** *s.* **1.** Hackmesser *n*; **2.** 'Fleisch,hackma,schine *f*; **~ ex·tract** *s.* 'Fleischex,trakt *m*; '**~-fly** *s. zo.* Schmeißfliege *f*; **~ in·spec·tion** *s.* Fleischbeschau *f.*

meat·less ['mi:tlis] *adj.* fleischlos.

'**meat|·man** [-mən] *s.* [*irr.*] *Am.* Fleischer *m*; '**~-pie** *s.* 'Fleischpa,stete *f*; **~ pud·ding** *s.* Fleisch-

pudding *m*; '~-safe *s.* Fliegenschrank *m.*
meat·y ['mi:ti] *adj.* **1.** fleischig; **2.** fleischartig; **3.** *fig.* gehaltvoll, kernig, markig.
Mec·can·o [me'ka:nou] *s.* Sta'bilbaukasten *m* (*Spielzeug*).
me·chan·ic [mi'kænik] **I.** *adj.* **1.** → *mechanical*; **II.** *s.* **2.** Me'chaniker *m*, Maschi'nist *m*, Mon'teur *m*, Handwerker *m*; **3.** *pl. sg. konstr. phys.* **a)** Me'chanik *f*, Bewegungslehre *f*, **b)** *a. practical* ~*s* Ma'schinenlehre *f*; **4.** *pl. sg. konstr.* ⊕ Konstrukti'on *f* von Ma'schinen *etc.*: *precision* ~*s* Feinmechanik; **5.** *pl. sg. konstr.* Mecha'nismus *m*; **6.** *pl. sg. konstr. fig.* Technik *f*: *the* ~*s of playwriting*; **me'chan·i·cal** [-kəl] *adj.* □ **1.** ⊕ me'chanisch (*a. phys.*); maschi'nell, Maschinen...; auto'matisch: ~ *force phys.* mechanische Kraft; ~ *engineer* Maschineningenieur; ~ *engineering* Maschinenbau(kunde); ~ *woodpulp* Holzschliff; **2.** *fig.* mechanisch, automatisch; **me'chan·i·cal·ness** [-kəlnis] *s. das* Me'chanische; **mech·a·ni·cian** [mekə'niʃən] *s.* Me'chaniker *m*, Mon'teur *m*, Ma'schinen,techniker *m.*
mechanico- [mikænikou] *in Zssgn* me'chanisch.
mech·a·nism ['mekənizəm] *s.* **1.** Mecha'nismus *m*: ~ *of government fig.* Regierungs-, Verwaltungsapparat; **2.** *biol., phls.* Mecha'nismus *m* (*mechanische Auffassung*); **3.** *paint. etc.* Technik *f*; **mech·a·nis·tic** [mekə'nistik] *adj.* (□ ~*ally*) *phls.* mecha'nistisch; **mech·a·ni·za·tion** [mekənai'zeiʃən] *s.* Mechanisierung *f*; '**mech·a·nize** [-naiz] *v/t.* mechanisieren; ⚔ *a.* motorisieren: ~*d division* ⚔ Panzergrenadierdivision.
me·con·ic [mi'kɔnik] *adj.* ⚗ me'konsauer: ~ *acid* Mekonsäure; **me·co·ni·um** [mi'kounjəm] *s. physiol.* Kindspech *n.*
med·al ['medl] *s.* **1.** Me'daille *f*, Denk-, Schaumünze *f*; → *reverse 4*; **2.** Ehrenzeichen *n*, Auszeichnung *f*, Orden *m*: ♀ *of Honor Am.* ⚔ Tapferkeitsmedaille; ~ *ribbon* Ordensband; *service* ~ Dienstmedaille.
med·aled, med·al·ist *Am.* → *medalled, medallist.*
med·alled ['medld] *adj.* ordengeschmückt.
me·dal·lion [mi'dæljən] *s.* **1.** große Denk- *od.* Schaumünze, Me'daille *f*; **2.** Medail'lon *n*; **med·al·list** ['medlist] *s.* **1.** Me'daillenschneider *m*; **2.** Inhaber(in) e-r Medaille: *gold* ~ *bsd. sport* Goldmedaillengewinner(in), -träger(in).
med·dle ['medl] *v/i.* **1.** sich (ein-)mischen (*with, in* in *acc.*); **2.** sich (unaufgefordert) befassen, sich abgeben, sich einlassen (*with* mit); **3.** her'umhantieren, -spielen (*with* mit); '**med·dler** [-lə] *s.* j-d der sich in fremde Angelegenheiten mischt, Unbefugte(r *m*) *f*, Zudringliche(r *m*) *f*; '**med·dle·some** [-səm] *adj.* vorwitzig, zudringlich.
me·di·a[1] ['mediə] *pl.* **-di·ae** [-dii:] *s. ling.* 'Media *f*, stimmhafter Verschlußlaut.
me·di·a[2] ['mi:djə] **1.** *pl. von medium*; **2.** 'Medien *pl.*: ~ *research* Medienforschung; *mixed* ~ Medienverbund.
me·di·ae·val *etc.* → *medieval etc.*
me·di·al ['mi:djəl] **I.** *adj.* □ **1.** mittler, Mittel...: ~ *line* Mittellinie; **2.** *ling.* medi'al, inlautend: ~ *sound* Inlaut; **3.** Durchschnitts...; **II.** *s.* **4.** → *media*[1].
me·di·an ['mi:djən] **I.** *adj.* die Mitte bildend *od.* einnehmend, mittler, Mittel...; **II.** *s.* 'Mittel,linie *f*, -wert *m*; ~ **line** *s.* **1.** *anat.* Mittellinie *f*; **2.** ⩚ **a)** Mittellinie *f*, **b)** Hal'bierungs,linie *f*; ~ **point** *s.* ⩚ Mittelpunkt *m*, Schnittpunkt *m* der Mittellinien.
me·di·ant ['mi:djənt] *s.* ♪ Medi'ante *f.*
me·di·ate ['mi:dieit] **I.** *v/i.* **1.** vermitteln, den Vermittler spielen (*between* zwischen *dat.*); **2.** da'zwischen liegen, ein Bindeglied bilden; **II.** *adj.* [-diit] □ **3.** mittelbar, 'indi,rekt; **me·di·a·tion** [mi:di'eiʃən] *s.* Vermittlung *f*, Fürsprache *f*; *eccl.* Fürbitte *f*: *through his* ~; '**me·di·a·tor** [-tə] *s.* Vermittler *m*; Fürsprecher *m*; *eccl.* Mittler *m*; **me·di·a·to·ri·al** [mi:diə'tɔ:riəl] *adj.* □ vermittelnd, Vermittler..., Mittler...; '**me·di·a·tor·ship** [-təʃip] *s.* (Ver-)Mittleramt *n*, Vermittlung *f*; '**me·di·a·to·ry** [-diətəri] → *mediatorial*; '**me·di·a·trix** [-triks] *s.* Vermittlerin *f.*
med·ic ['medik] **I.** *adj.* **1.** → *medical 1*; **II.** *s.* **2.** *obs. od. sl.* Medi'ziner *m*, Arzt *m*; **3.** *Am.* F Medi'zinstu,dent (-in); '**med·i·cal** [-kəl] *adj.* □ **1. a)** medi'zinisch, ärztlich, Kranken..., **b)** inter'nistisch: ~ *attendance* ärztliche Behandlung; ~ *board* Gesundheitsbehörde; ~ *certificate* Krankenschein, Attest; ♀ *Corps* ⚔ Sanitätstruppe; ♀ *Department* ⚔ Sanitätswesen; ~ *examiner* **a)** Amtsarzt, **b)** Vertrauensarzt (*Krankenkasse*), **c)** *Am.* Leichenbeschauer; ~ *history* Krankengeschichte; ~ *jurisprudence* Gerichtsmedizin; ~ *man* F ‚Doktor', Arzt; ~ *officer* Amtsarzt; ~ *practitioner* praktischer Arzt; ~ *science* medizinische Wissenschaft, Medizin; ~ *specialist* Facharzt; ~ *student* Mediziner, Medizinstudent; ♀ *Superintendent* Chefarzt; ~ *ward* innere Abteilung (*e-r Klinik*); **2.** Heil..., heilend; **me·dic·a·ment** [me'dikəmənt] *s.* Medika'ment *n*, Heil-, Arz'neimittel *n*; '**med·i·cate** [-keit] *v/t.* **1.** medi'zinisch behandeln; **2.** mit Arz'neistoff versetzen *od.* imprägnieren: ~*d cotton* medizinische Watte; **med·i·ca·tion** [medi'keiʃən] *s.* **1.** Beimischung *f* von Arz'neistoffen; **2.** Verordnung *f*, medi'zinische Behandlung; '**med·i·ca·tive** [-keitiv] *adj.* heilsam, heilkräftig; **me·dic·i·nal** [me'disinl] *adj.* □ Medizinal..., medizinisch, heilkräftig, Heil...: ~ *herbs* Arznei-, Heilkräuter; ~ *spring* Heilquelle.
med·i·cine ['medsin] *s.* **1.** Medi'zin *f*, Arz'nei *f* (*a. fig.*): *to take one's* ~ **a)** s-e Medizin (ein)nehmen, **b)** *fig.* sich dreinfügen, ‚die Pille schlucken'; **2. a)** Heilkunde *f*, ärztliche Wissenschaft, **b)** innere Medizin (*Ggs. Chirurgie*); **3.** Zauber *m*, Medizin *f* (*bei Indianern etc.*): *he is bad* ~ *Am. sl.* er ist ein gefährlicher Bursche; ~ **ball** *s. sport* Medi'zinball *m*; '~-**chest** *s.* Arz'neischrank *m*, 'Hausapo,theke *f*; '~-**man** [-mæn] *s.* [*irr.*] Medi'zinmann *m.*
med·i·co ['medikou] *pl.* **-cos** *s. humor.* ‚'Medikus' *m* (*Arzt od. Medizinstudent*).
medico- [medikou] *in Zssgn* medi'zinisch, Mediko...: ~*chirurgic(al)* medizinisch-chirurgisch; ~*legal* gerichtsmedizinisch.
me·di·e·val [medi'i:vəl] *adj.* □ mittelalterlich (*a.* F *fig. altmodisch, vorsintflutlich*); **me·di'e·val·ism** [-vəlizəm] *s.* **1.** Eigentümlichkeit *f od.* Geist *m* des Mittelalters; **2.** Vorliebe *f* für das Mittelalter; **3.** Mittelalterlichkeit *f*; **me·di'e·val·ist** [-vəlist] *s.* Erforscher(in) *od.* Kenner(in) des Mittelalters.
me·di·o·cre ['mi:dioukə] *adj.* mittelmäßig, zweitklassig; **me·di·oc·ri·ty** [mi:di'ɔkriti] *s.* **1.** Mittelmäßigkeit *f*, mäßige Begabung; **2.** unbedeutender Mensch, kleiner Geist.
med·i·tate ['mediteit] **I.** *v/i.* nachsinnen, -denken, grübeln, meditieren (*on, upon* über *acc.*); **II.** *v/t.* im Sinn haben, erwägen, planen; **med·i·ta·tion** [medi'teiʃən] *s.* **1.** tiefes Nachdenken, Sinnen *n*; **2.** (*bsd.* fromme) Betrachtung, Andacht *f*: *book of* ~*s* Andachts-, Erbauungsbuch; '**med·i·ta·tive** [-tətiv] *adj.* □ **1.** nachdenklich; **2.** besinnlich (*a. Buch etc.*); '**med·i·ta·tive·ness** [-tətivnis] *s.* Nachdenklichkeit *f.*
med·i·ter·ra·ne·an [meditə'reinjən] **I.** *adj.* **1.** von Land um'geben; binnenländisch; **2.** ♀ mittelmeerisch, Mittelmeer...: ♀ *Sea* → *3*; **II.** *s.* **3.** ♀ Mittelmeer *n*, Mittelländisches Meer; **4.** ♀ Angehörige(r *m*) *f* der Mittelmeerrasse.
me·di·um ['mi:djəm] **I.** *pl.* **-di·a** [-djə], **-di·ums** *s.* **1.** *fig.* Mitte *f*, Mittel *n*, Mittelweg *m*: *the just* ~ der goldene Mittelweg; *to find the happy* ~ die richtige Mitte treffen; **2.** *phys.* Mittel *n*, 'Medium *n*; **3.** ✝, *biol.* Medium *n*, Träger *m*, Mittel *n*: *circulating* ~, *currency* ~ ✝ Umlaufs-, Zahlungsmittel; *dispersion* ~ ⚗ Dispersionsmittel; **4.** 'Lebensele,ment *n*, -bedingungen *pl.*; **5.** *fig.* Um'gebung *f*, Mili'eu *n*; **6.** Medium *n*, (Hilfs-, Werbe- *etc.*)Mittel *n*; Werkzeug *n*, Vermittlung *f*: *by* (*od. through*) *the* ~ *of* durch, vermittels; **7.** *paint.* Bindemittel *n*; **8.** *Spiritismus etc.*: Medium *n*; **9.** *typ.* Medi'anpa,pier *n*; **II.** *adj.* **10.** mittelmäßig, mittler, Mittel..., Durchschnitts...: ~ *quality* Mittelqualität; ~ *price* Durchschnittspreis; ~-*price car mot.* Mittelklassewagen *m*; ~ **brown** *s.* Mittelbraun *n*; '~-**faced** *adj. typ.* halbfett.
me·di·um·is·tic [mi:djə'mistik] *adj. Spiritismus etc.*: **a)** Medium..., **b)** als 'Medium geeignet.
me·di·um| size *s.* Mittelgröße *f*; '~-'**sized** *adj.* mittelgroß; ~ **wave** *s.* ⚡ Mittelwelle *f.*

med·lar ['medlə] *s.* ♀ **1.** Mispelstrauch *m*; **2.** Mispel *f* (*Frucht*).

med·ley ['medli] **I.** *s.* **1.** Gemisch *n*; *contp.* Mischmasch *m*, Durchein'ander *n*; **2.** ♪ 'Potpourri *n*; **II.** *adj.* **3.** gemischt, wirr; bunt; **4.** *Schwimmen*: Lagen...: ~ *swimming*; ~ *relay* Lagenstaffel.

me·dul·la [me'dʌlə] *s.* **1.** *anat.* **a)** ~ *spinalis* Rückenmark *n*, **b)** (Knochen)Mark *n*; **2.** ♀ Mark *n*; **med'ul·lar·y** [-əri] *adj.* medul'lär, markig, Mark...

meed [mi:d] *s. poet.* Lohn *m*, [Preis *m*.]

meek [mi:k] *adj.* □ **1.** mild, sanft (-mütig); **2.** demütig, bescheiden; **3.** fromm (*Tier*): *as ~ as a lamb* lammfromm; '**meek·ness** [-nis] *s.* **1.** Sanftmut *f*, Milde *f*; **2.** Demut *f*.

meer·schaum ['miəʃəm] *s.* Meerschaum(pfeife *f*) *m*.

meet [mi:t] **I.** *v/t.* [*irr.*] **1.** begegnen (*dat.*), treffen, zs.-treffen mit, treffen auf (*acc.*), antreffen: *to ~ s.o. in the street*; *well met!* schön, daß wir uns treffen!; **2.** abholen: *to ~ s.o. at the station* j-n von der Bahn abholen; *to be met* abgeholt *od.* empfangen werden; *to come (go) to ~ s.o.* j-m entgegenkommen (-gehen); **3.** *j-n* kennenlernen: *when I first met him* als ich s-e Bekanntschaft machte; *pleased to ~ you* F sehr erfreut, Sie kennenzulernen; *~ Mr. Brown! bsd. Am.* darf ich Sie mit Herrn B. bekannt machen?; **4.** *fig. j-m* entgegenkommen (*half-way* auf halbem Wege); **5.** (*feindlich*) zs.-treffen *od.* -stoßen mit, begegnen (*dat.*), stoßen auf (*acc.*); *sport* antreten gegen (*Konkurrenten*); **6.** *a. fig. j-m* gegen'übertreten; → *fate 1*; **7.** *fig.* entgegentreten (*dat.*): **a)** *e-r Sache* abhelfen, *der Not* steuern, *Schwierigkeiten* über'winden, *e-m Übel* begegnen, *der Konkurrenz* Herr werden, **b)** *Einwände* wider'legen, entgegnen auf (*acc.*); **8.** *parl.* sich vorstellen (*dat.*): *to ~ (the) parliament*; **9.** berühren, münden in (*acc.*) (*Straßen*), stoßen *od.* treffen auf (*acc.*), schneiden (*a.* ⚹): *to ~ s.o.'s eye* **a)** j-m ins Auge fallen, **b)** j-s Blick erwidern; *to ~ the eye* auffallen; *there is more in it than ~s the eye* da steckt mehr dahinter; **10.** *Anforderungen etc.* entsprechen, gerecht werden (*dat.*), über'einstimmen mit: *the supply ~s the demand* das Angebot entspricht der Nachfrage; *to be well met* gut zs.-passen; *that won't ~ my case* das löst mein Problem nicht; **11.** *j-s Wünschen* entgegenkommen *od.* entsprechen, *Forderungen* erfüllen, *Verpflichtungen* nachkommen, *Unkosten* bestreiten (out of aus), *Nachfrage* befriedigen, *Rechnungen* begleichen, *j-s Auslagen* decken, *Wechsel* honorieren *od.* decken: *to ~ the claims of one's creditors* s-e Gläubiger befriedigen; **II.** *v/i.* [*irr.*] **12.** zs.-kommen, -treffen, -treten; **13.** sich begegnen, sich treffen, sich finden: *to ~ again* sich wiedersehen; **14.** (*feindlich od. im Spiel*) zs.-stoßen, anein'andergeraten, sich messen; *sport* aufein'andertreffen (*Gegner*); **15.** sich kennenlernen, zs.-treffen; **16.** sich vereinigen (*Straßen etc.*), sich berühren; **17.** genau zs.-treffen *od.* -stimmen *od.* -passen, sich decken; zugehen (*Kleidungsstück*); → *end 1*; **18.** ~ *with* **a)** zs.-treffen mit, sich vereinigen mit, **b)** (an)treffen, finden, (zufällig) stoßen auf (*acc.*), **c)** erleben, erleiden, erfahren, betroffen werden von, erhalten, *Billigung* finden, *Erfolg* haben: *to ~ with an accident* e-n Unfall erleiden, verunglücken; *to ~ with a kind reception* freundlich aufgenommen werden; **III.** *s.* **19.** *Am.* **a)** Treffen *n* (*von Zügen etc.*), **b)** → *meeting 3 b*; **20.** *Brit. hunt.* **a)** Jagdtreffen *n* (*zur Fuchsjagd*), **b)** Jagdgesellschaft *f*.

meet·ing ['mi:tiŋ] *s.* **1.** Begegnung *f*, Zs.-treffen *n*, -kunft *f*; **2.** Versammlung *f*, Konfe'renz *f*, Sitzung *f*, Tagung *f*: *~ of creditors* Gläubigerversammlung; *at a ~* auf e-r Versammlung; **3.** **a)** Zweikampf *m*, Du'ell *n*, **b)** *sport* Treffen *n*, Wettkampf *m*, Veranstaltung *f*; **4.** Zs.-treffen *n* (*zweier Linien etc.*), Zs.-fluß *m* (*zweier Flüsse*); '**~-place** *s.* Sammelplatz *m*, Treffpunkt *m*.

meg(a)- [meg(ə)] in *Zssgn* **a)** groß, **b)** Milli'on; **meg·a·ce·phal·ic** [megəsi'fælik] *adj.* großköpfig.

meg·a·cy·cle ['megəsaikl] *s.* ⚡ 'Megahertz *n*; **meg·a·fog** ['megəfɔg] *s.* ⚓ 'Nebelsi,gnal(anlage *f*) *n*; **meg·a·lith** ['megəliθ] *s.* Mega'lith *m*, großer Steinblock; **meg·a·lith·ic** [megə'liθik] *adj.* mega'lithisch.

megalo- [megəlou] *in Zssgn* groß.

meg·a·lo·car·di·a [megəlou'kɑ:diə] *s.* ⚕ Herzerweiterung *f*; **meg·a·lo·ma·ni·a** ['megəlou'meinjə] *s. psych.* Größenwahn *m*; **meg·a·lop·o·lis** [megə'lɔpəlis] *s.* Ballungsraum *m*, -gebiet *n*.

meg·a·phone ['megəfoun] **I.** *s.* Mega'phon *n*, Sprachrohr *n*, Schalltrichter *m*; **II.** *v/t. u. v/i.* durch e-n Schalltrichter sprechen.

meg·a·ton ['megətʌn] *s.* 'Megatonne *f* (*1 000 000 Tonnen*).

meg·ger ['megə] *s.* ⚡ Megohm-'meter *n*.

me·gilp [mə'gilp] **I.** *s.* 'Leinöl-, Retu'schier,firnis *m*; **II.** *v/t.* firnissen.

meg·ohm ['megoum] *s.* ⚡ Meg-'ohm *n*.

me·grim ['mi:grim] *s.* **1.** ⚕ Mi'gräne *f*; **2.** Grille *f*, Schrulle *f*; **3.** *pl.* Schwermut *f*, Melancho'lie *f*; **4.** *pl. vet.* Koller *m* (*der Pferde*).

mel·an·cho·li·a [melən'kouljə] *s.* ⚕ Melancho'lie *f*, Schwermut *f*; **mel·an'cho·li·ac** [-liæk], **mel·an'chol·ic** [-'kɔlik] **I.** *adj.* melan'cholisch, schwermütig, traurig, schmerzlich; **II.** *s.* Melan'choliker (-in), Schwermütige(r *m*) *f*; **mel·an·chol·y** ['melənkəli] **I.** *s.* **1.** ⚕ Melancho'lie *f*, Depressi'on *f*; **2.** Schwermut *f*, Trübsinn *m*, Niedergeschlagenheit *f*; **II.** *adj.* **3.** melan'cholisch, schwermütig, trübsinnig; **4.** traurig, düster, trübe.

mé·lange [mei'lɑ̃:nʒ; melɑ̃:ʒ] (*Fr.*) *s.* Mischung *f*, Gemisch *n*.

mel·a·no·sis [melə'nousis] *s.* ⚕ Mela'nose *f*, Schwarzsucht *f*.

me·las·sic [mi'læsik] *adj.* ⚗ Melassin...(*-säure etc.*).

Mel·ba toast ['melbə] *s.* dünne hartgeröstete Brotscheiben *pl*.

me·lee *Am.*, **mê·lée** ['melei] (*Fr.*) *s.* Handgemenge *n*; *fig.* Tu'mult *m*.

mel·io·rate ['mi:ljəreit] **I.** *v/t.* (ver-) bessern; **II.** *v/i.* besser werden, sich verbessern; **mel·io·ra·tion** [mi:ljə'reiʃən] *s.* (Ver)Besserung *f*; ✝ ('Grundstücks)Meliorati,on *f*.

me·lis·sa [mi'lisə] *s.* ♀, ⚕ (Zi'tronen)Me,lisse *f*.

mel·lif·er·ous [me'lifərəs] *adj.* **1.** ♀ honigerzeugend; **2.** *zo.* Honig tragend *od.* bereitend; **mel'lif·lu·ence** [-fluəns] *s.* **1.** Honigfluß *m*; **2.** *fig.* Süßigkeit *f*; **mel'lif·lu·ent** [-fluənt] *adj.* □ (wie Honig) süß *od.* glatt da'hinfließend; **mel'lif·lu·ous** [-fluəs] *adj.* □ *fig.* honigsüß, lieblich.

mel·low ['melou] **I.** *adj.* □ **1.** reif, saftig, mürbe, weich (*Obst*); **2.** ⚒ **a)** leicht zu bearbeiten(d), locker, **b)** reich (*Boden*); **3.** ausgereift, mild (*Wein*); **4.** sanft, mild, zart, weich (*Farbe, Licht, Ton etc.*); **5.** *fig.* gereift u. gemildert, mild, freundlich, heiter (*Person*): *of ~ age* von gereiftem Alter; **6.** angeheitert, beschwipst; **II.** *v/t.* **7.** weich *od.* mürbe machen, *Boden* auflockern; **8.** *fig.* sänftigen, mildern; **9.** (aus-) reifen, reifen lassen (*a. fig.*); **III.** *v/i.* **10.** weich *od.* mürbe *od.* mild *od.* reif werden (*Wein etc.*); **11.** *fig.* sich abklären *od.* mildern; '**mel·low·ness** [-nis] *s.* **1.** Weichheit *f*, Mürbheit *f*; **2.** ⚒ Gare *f*; **3.** Gereiftheit *f*; **4.** Milde *f*, Sanftheit *f*, Weichheit *f*.

me·lo·de·on [mi'loudjən] *s.* ♪ **1.** Me'lodium(orgel *f*) *n* (*ein amer. Harmonium*); **2.** *Art* Ak'kordeon *n*; **3.** *Am.* Varie'té(the,ater) *n*.

me·lod·ic [mi'lɔdik] *adj.* me'lodisch; **me'lod·ics** [-ks] *s. pl. sg. konstr.* ♪ Melo'dielehre *f*, Me'lodik *f*; **me·lo·di·ous** [mi'loudjəs] *adj.* □ melo'dienreich, wohlklingend; **me·lo·di·ous·ness** [mi'loudjəsnis] *s.* Wohlklang *m*; **mel·o·dist** ['melədist] *s.* **1.** 'Liedersänger(in), -kompo,nist *m*; **2.** Me'lodiker *m*; **mel·o·dize** ['melədaiz] **I.** *v/t.* **1.** me'lodisch machen; **2.** *Lieder* vertonen; **II.** *v/i.* **3.** Melo'dien singen *od.* komponieren; **mel·o·dra·ma** ['melədrɑ:mə] *s.* Melo'dram(a) *n* (*a. fig.*); Volksstück *n*; **mel·o·dra·mat·ic** [meloudrə'mætik] *adj.* (□ *~ally*) melodra'matisch.

mel·o·dy ['melədi] *s.* **1.** ♪ (*a. ling. u. fig.*) Melo'die *f*, Weise *f*; **2.** Wohllaut *m*, -klang *m*.

mel·on ['melən] *s.* **1.** ♀ Me'lone *f*: *water-~* Wassermelone; **2.** *to cut a ~* ✝ *sl.* e-e (besonders) hohe Dividende ausschütten.

melt [melt] **I.** *v/i.* **1.** (zer)schmelzen, flüssig werden; sich auflösen, aufzergehen (*into* in *acc.*): *to ~ down* zerfließen; → *butter 1*; **2.** sich auflösen; **3.** aufgehen (*into* in *acc.*), sich verflüchtigen; **4.** zs.-schrumpfen; **5.** *fig.* zerschmelzen, zerfließen (*with* vor *dat.*): *to ~ into tears* in Tränen zerfließen; **6.** *fig.* auftauen, weich werden, schmelzen; **7.** verschmelzen, *ineinander* 'übergehen (*Ränder, Farben etc.*): *outlines ~ing into each other*; **8.** (ver)schwinden, zur Neige gehen (*Geld etc.*): *to ~ away* dahinschwinden, -schmelzen; **9.** *humor.* vor Hitze vergehen, zerfließen; **II.** *v/t.* **10.** schmelzen, lösen; **11.** (zer)schmelzen *od.* (zer)fließen lassen (*into* in *acc.*); *Butter* zerlassen; ⊕ schmelzen: *to ~ down* einschmelzen; **12.** *fig.* rühren, erweichen: *to ~ s.o.'s heart*; **13.** *Farben etc.* verschmelzen lassen; **III.** *s.* **14.** Schmelzen *n* (*Metall*); **15.** Schmelze *f*, geschmolzene Masse; *metall.* → *melting charge.*

melt·ing ['meltiŋ] *adj.* □ **1.** schmelzend, Schmelz...: *~ heat* schwüle Hitze; **2.** *fig.* **a)** weich, zart, **b)** schmelzend, schmachtend, rührend (*Sprache etc.*); **~ charge** *s. metall.* Schmelzgut *n*, Einsatz *m*; **~ furnace** *s.* ⊕ Schmelzofen *m*; **'~-point** *s. phys.* Schmelzpunkt *m*; **'~-pot** *s.* Schmelztiegel *m* (*a. fig. Land etc.*): *to put into the ~ fig.* von Grund auf ändern; **~ stock** *s. metall.* Charge *f*, Beschickungsgut *n* (*Hochofen*).

mem·ber ['membə] *s.* **1.** Mitglied *n*, Angehörige(r *m*) *f* (*e-r Gesellschaft, Familie, Partei etc.*): ♀ *of Parliament Brit.* Abgeordnete(r) des Unterhauses; ♀ *of Congress Am.* Kongreßmitglied; **2.** *anat.* Glied(maße *f*) *n*; **3.** ⊕ (Bau)Teil *n*; **4.** *ling.* Satzteil *m*, -glied *n*; **5.** 𝔄 **a)** Glied *n* (*Reihe etc.*), **b)** Seite *f* (*Gleichung*); **6.** *anat.* (männliches) Glied, Penis *m*; **'mem·bered** [-əd] *adj.* **1.** gegliedert; **2.** *in Zssgn* ...gliedrig: *four-~* viergliedrig; **'mem·ber·ship** [-ʃip] *s.* **1.** Mitgliedschaft *f*, Zugehörigkeit *f*: *~ card* Mitgliedsausweis; *~ fee* Mitgliedsbeitrag; **2.** Mitgliederzahl *f*; *coll. die* Mitglieder *pl.*

mem·brane ['membrein] *s.* **1.** *anat.* Mem'bran(e) *f*, Häutchen *n*: *drum ~* Trommelfell; *~ of connective tissue* Bindegewebshaut; **2.** *phys.*, ⊕ Membran(e) *f*; **mem·bra·ne·ous** [mem'breinjəs], **mem·bra·nous** [mem'breinəs] *adj. anat.*, ⊕ häutig, Membran...: *~ cartilage* Hautknorpel.

me·men·to [mi'mentou] *pl.* **-tos** [-z] *s.* Me'mento *n*, Mahnzeichen *n*; Erinnerung *f* (*of* an *acc.*).

mem·o ['mi:mou] *s.* F No'tiz *f*.

mem·oir ['memwɑ:] *s.* **1.** Denkschrift *f*, Abhandlung *f*, Bericht *m*; **2.** *pl.* Memo'iren *pl.*, Lebenserinnerungen *pl.*

mem·o·ra·bil·i·a [memərə'biliə] (*Lat.*) *s. pl.* Denkwürdigkeiten *pl.*; **mem·o·ra·ble** ['memərəbl] *adj.* □ denkwürdig.

mem·o·ran·dum [memə'rændəm] *pl.* **-da** [-də], **-dums** *s.* **1.** Vermerk *m*, No'tiz *f*: *to make a ~* notieren; *urgent ~* Dringlichkeitsvermerk; **2.** ⚖ Schriftsatz *m*; Vereinbarung *f*, Vertragsurkunde *f*: *~ of association* Gründungsprotokoll (*e-r Gesellschaft*); **3.** † **a)** Kommissi'ons,nota *f*: *to send on a ~* in Kommission senden, **b)** Rechnung *f*, Nota *f*; **4.** *pol.* diplo'matische Note, Denkschrift *f*, Memo'randum *n*; **5.** Merkblatt *n*; **~ book** *s.* No'tizbuch *n*, Kladde *f*.

me·mo·ri·al [mi'mɔ:riəl] **I.** *adj.* **1.** Gedächtnis...: *~ service* Gedenkgottesdienst; **II.** *s.* **2.** Denkmal *n*, Ehrenmal *n*; Gedenkzeichen *n*, -feier *f*; **3.** Andenken *n* (*for* an *acc.*); **4.** ⚖ Auszug *m* (*aus e-r Urkunde etc.*); **5.** Denkschrift *f*, Eingabe *f*, Gesuch *n*; **6.** *pl.* → *memoir* 2; ♀ **Day** *s. Am.* (Helden)Gedenktag *m* (*30. Mai*).

me·mo·ri·al·ist [mi'mɔ:riəlist] *s.* **1.** Memo'irenschreiber(in); **2.** Bittsteller(in); **me'mo·ri·al·ize** [-laiz] *v/t.* **1.** e-e Denk- *od.* Bittschrift einreichen bei: *to ~ Congress*; **2.** erinnern an (*acc.*), e-e Gedenkfeier abhalten für.

mem·o·rize ['meməraiz] *v/t.* **1.** sich einprägen, auswendig lernen, memorieren; **2.** niederschreiben, festhalten, verewigen; **mem·o·ry** ['meməri] *s.* **1.** Gedächtnis *n*, Erinnerung(svermögen *n*) *f*: *from ~, by ~* aus dem Gedächtnis, auswendig; *to call to ~* sich *et.* ins Gedächtnis zurückrufen; *to escape s.o.'s ~* j-s Gedächtnis entfallen; *if my ~ serves me* (*right*) wenn ich mich recht erinnere; → *commit* 1; **2.** Erinnerung(szeit) *f* (*of* an *acc.*): *within living ~* seit Menschengedenken; *before ~, beyond ~* in unvordenklichen Zeiten; **3.** Andenken *n*, Erinnerung *f*: *in ~ of* zum Andenken an (*acc.*); → *blessed* 1; **4.** Reminis'zenz *f*, Erinnerung *f* (*an Vergangenes*); **5.** *Computer:* Speicher *m*.

mem-sa·hib ['memsɑ:hib] *s. Brit. Ind.* euro'päische Frau.

men [men] *pl. von man.*

men·ace ['menəs] **I.** *v/t.* **1.** bedrohen, gefährden; **2.** *et.* androhen; **II.** *v/i.* **3.** drohen, Drohungen ausstoßen; **III.** *s.* **4.** (Be)Drohung *f* (*to* gen.); **5.** drohende Gefahr (*to* für); **'men·ac·ing** [-siŋ] *adj.* □ drohend.

mé·nage, me·nage [me'nɑ:ʒ] (*Fr.*) *s.* Haushalt(ung *f*) *m*.

me·nag·er·ie [mi'nædʒəri] *s.* Menage'rie *f*, Tierschau *f*.

mend [mend] **I.** *v/t.* **1.** ausbessern, flicken, reparieren: *to ~ stockings* Strümpfe stopfen; **2.** *fig.* (ver)bessern: *to ~ one's efforts* s-e Anstrengungen verdoppeln; *to ~ the fire* das Feuer schüren, nachlegen; *to ~ one's pace* den Schritt beschleunigen; *to ~ one's ways* sich (*sittlich*) bessern; *least said soonest ~ed* je weniger geredet wird, desto rascher wird alles wieder gut; **II.** *v/i.* **3.** sich bessern; **4.** genesen: *to be ~ing* auf dem Wege der Besserung sein; **III.** *s.* **5.** † *u. allg.* Besserung *f*: *to be on the ~* auf dem Wege der Besserung sein; **6.** ausgebesserte Stelle, Stopfstelle *f*, Flicken *m*; **'mend·a·ble** [-dəbl] *adj.* (aus)besserungsfähig.

men·da·cious [men'deiʃəs] *adj.* □ lügnerisch; lügenhaft, verlogen; **men'dac·i·ty** [-'dæsiti] *s.* **1.** Lügenhaftigkeit *f*, Verlogenheit *f*; **2.** Lüge *f*, Unwahrheit *f*.

Men·de·li·an [men'di:ljən] *adj. biol.* Mendelsch, Mendel...

men·di·can·cy ['mendikənsi] *s.* Bette'lei *f*, Betteln *n*; **'men·di·cant** [-nt] **I.** *adj.* **1.** bettelnd, Bettel...: *~ friar* Bettelmönch; **II.** *s.* **2.** Bettler(in); **3.** Bettelmönch *m*.

men·dic·i·ty [men'disiti] *s.* **1.** Bette'lei *f*; **2.** Bettelstand *m*: *to reduce to ~ fig.* an den Bettelstab bringen.

mend·ing ['mendiŋ] *s.* **1.** (Aus)Bessern *n*, Flicken *n*: *his boots need ~* seine Stiefel müssen repariert werden; *invisible ~* Kunststopfen; **2.** *pl.* Stopfgarn *n*.

'men·folk *s.*; **'men·folks** *s. pl.* Mannsvolk *n*, -leute *pl.*

me·ni·al ['mi:njəl] **I.** *adj.* □ **1.** *contp.* knechtisch, niedrig (*Arbeit*): *~ offices* niedrige Dienste; **2.** knechtisch, unter'würfig; **II.** *s.* **3.** Diener(in), Knecht *m*, La'kai *m* (*a. fig.*): *~s* Gesinde.

me·nin·ge·al [mi'nindʒiəl] *adj. anat.* Hirnhaut...; **men·in·gi·tis** [menin'dʒaitis] *s.* ⚕ Menin'gitis *f*, (Ge-) Hirnhautentzündung *f*.

me·nis·cus [mi'niskəs] *pl.* **-nis·ci** [-'nisai] *s.* **1.** Me'niskus *m*, halbmondförmiger Körper; **2.** *anat.* Me'niskus *m*, Gelenkscheibe *f*; **3.** *opt.* Me'niskenglas *n*.

men·o·pause ['menoupɔ:z] *s. biol.* Meno'pause *f*, Wechseljahre *pl.*

men·ses ['mensi:z] *s. pl. physiol.* 'Menses *pl.*, Regel *f* (*der Frau*).

men·stru·al ['menstruəl] *adj.* **1.** *ast.* Monats...: *~ equation* Monatsgleichung; **2.** *physiol.* Menstruations...: *~ flow* Regelblutung; **'men·stru·ate** [-ueit] *v/i.* menstru'ieren, die Regel haben; **men·stru·a·tion** [menstru'eiʃən] *s.* Menstruati'on *f*, (monatliche) Regel, Peri'ode *f*.

men·sur·a·bil·i·ty [menʃurə'biliti] *s.* Meßbarkeit *f*; **men·sur·a·ble** ['menʃurəbl] *adj.* **1.** meßbar; **2.** ♪ Mensural...: *~ music*; **men·su·ra·tion** [mensjuə'reiʃən] *s.* **1.** (Ver-) Messung *f*; **2.** 𝔄 Meßkunst *f*.

men·tal ['mentl] **I.** *adj.* □ **1.** geistig, innerlich, intellektu'ell, Geistes... (*-kraft, -zustand etc.*): *~ arithmetic* Kopfrechnen; *~ reservation* geheimer Vorbehalt, Mentalreservation; **2.** (geistig-)seelisch; **3.** ⚕ geisteskrank, -gestört: *~ disease* Geisteskrankheit; *~ home, ~ hospital* Nervenheilanstalt; *~ patient, ~ case* Geisteskranke(r); **II.** *s.* **4.** F Verrückte(r *m*) *f*; **~ de·fi·cien·cy** *s.* ⚕ Geistesbehinderung *f*; **~ de·range·ment** *s.* **1.** ⚖ krankhafte Störung der Geistestätigkeit; **2.** ⚕ Geistesstörung *f*, Irrsinn *m*; **~ hy·giene** *s.* ⚕ 'Psychohygi,ene *f*.

men·tal·i·ty [men'tæliti] *s.* Mentali'tät *f*, Denkungsart *f*, Gesinnung *f*.

men·thol ['menθɔl] *s.* ⚗ Men'thol *n*.

men·tion ['menʃən] **I.** *s.* **1.** Erwähnung *f*: *to make* (*no*) *~ of s.th.* et. (nicht) erwähnen; *hono(u)rable ~* ehrenvolle Erwähnung; **2.** lobende Erwähnung; **II.** *v/t.* **3.** erwähnen, Erwähnung tun (*gen.*), anführen: (*please*) *don't ~ it!* bitte (sehr)!, gern geschehen!, (es ist) nicht der Rede wert!; *not to ~* ganz zu schweigen von; *not worth ~ing* nicht der Rede wert; **'men·tion·a·ble** [-ʃnəbl] *adj.* erwähnenswert.

men·tor ['mentɔ:] *s.* Mentor *m*, treuer Ratgeber.

men·u ['menju:; m(ə)ny] (*Fr.*) *s.*

Me'nü *n*, Speisenfolge *f*, Speise(n)-karte *f*.

me·ow [mi'au] **I.** *v/i.* mi'auen (*Katze*); **II.** *s.* Mi'auen *n*.

me·phit·ic [me'fitik] *adj.* verpestet, giftig (*Luft, Geruch etc.*): ~ *air* Stickluft; **me·phi·tis** [me'faitis] *s.* faule Ausdünstung, Stickluft *f*.

mer·can·tile ['mə:kəntail] *adj.* **1.** kaufmännisch, handeltreibend, Handels...: ~ *agency* Handelsauskunftei; ~ *marine* Handelsmarine; ~ *paper* † Warenpapier; **2.** † Merkantil...: ~ *system* → *mercantilism* 3; '**mer·can·til·ism** [-lizəm] *s.* **1.** Handels-, Krämergeist *m*; **2.** kaufmännischer Unter'nehmergeist; **3.** † *hist.* Merkanti'lismus *m*, Merkan'tilsyˌstem *n*.

mer·ce·nar·y ['mə:sinəri] **I.** *adj.* □ **1.** gedungen, Lohn...: ~ *troops* Söldnertruppen; **2.** *fig.* feil, käuflich; **3.** *fig.* Gewinn..., gewinnsüchtig: ~ *marriage* Geldheirat; **II.** *s.* **4.** ⚔ Söldner *m*; *contp.* Mietling *m*.

mer·cer ['mə:sə] *s. Brit.* Seiden- u. Tex'tilienhändler *m*; '**mer·cer·ize** [-əraiz] *v/t. Baumwollfasern* merzerisieren; '**mer·cer·y** [-əri] *s.* † **1.** Seiden-, Schnittwaren *pl.*; **2.** Seiden-, Schnittwarenhandlung *f*.

mer·chan·dise ['mə:tʃəndaiz] **I.** *s.* **1.** *coll.* Ware(n *pl.*) *f*, Handelsgüter *pl.*: *an article of* ~ eine Ware; **II.** *v/i.* **2.** *Am.* Handel treiben, Waren vertreiben; **III.** *v/t. Am.* **3.** *Waren* verkaufen; **4.** Werbung machen für *e-e Ware*, den Absatz *e-r Ware* steigern; '**mer·chan·dis·ing** [-ziŋ] † **I.** *s.* **1.** *Am.* 'Merchandising *n*, Ver'kaufspoliˌtik *f* u. -förderung *f* (*durch Marktforschung, Untersuchung der Verbrauchergewohnheiten, wirksame Gütergestaltung u. Werbung*); **2.** Handel(sgeschäfte *pl.*) *m*; **II.** *adj.* **3.** Handels...

mer·chant ['mə:tʃənt] † **I.** *s.* **1.** (Groß)Kaufmann *m*, Handelsherr *m*, Großhändler *m*: *the* ~*s* die Kaufmannschaft, Handelskreise; **2.** *Am. od. Scot. od. dial.* Ladenbesitzer *m*, Krämer *m*; **3.** *speed*-~ *mot. Brit. sl.* ‚Rennsau'; **4.** ⚓ *obs.* Handelsschiff *n*; **II.** *adj.* **5.** Handels..., Kaufmanns...; '**mer·chant·a·ble** [-təbl] *adj.* marktgängig.

mer·chant| fleet *s.* ⚓ Handelsflotte *f*; '~**man** [-mən] *s.* [*irr.*] ⚓ Kauffahr'tei-, Handelsschiff *n*; ~ **prince** *s.* † reicher Kaufherr, Handelsfürst *m*; ~ **ship** *s.* Handelsschiff *n*.

mer·ci·ful ['mə:siful] *adj.* □ (*to*) barm'herzig, mitleidvoll (gegen), gütig (gegen, zu); gnädig (*dat.*) (*Gott, Strafe*); '**mer·ci·ful·ly** [-fuli] *adv.* **1.** → *merciful*; **2.** glücklicherweise; '**mer·ci·ful·ness** [-nis] *s.* Barm'herzigkeit *f*, Erbarmen *n*, Gnade *f* (*Gottes*); '**mer·ci·less** [-ilis] *adj.* □ unbarmherzig, erbarmungslos, mitleidlos; '**mer·ci·less·ness** [-ilisnis] *s.* Erbarmungslosigkeit *f*.

mer·cu·ri·al [mə:'kjuəriəl] *adj.* □ **1.** ☿ Quecksilber...; **2.** *fig.* lebhaft, quecksilb(e)rig; **3.** *myth.* Merkur...: ~ *wand* Merkurstab; **mer'cu·ri·al·ism** [-lizəm] *s.* ⚕ Quecksilbervergiftung *f*; **mer'cu·ri·al·ize** [-laiz] *v/t.* ⚕, *phot.* mit Quecksilber behandeln; **mer'cu·ric** [-rik] *adj.* ☿ Quecksilber...

mer·cu·ry ['mə:kjuri] *s.* **1.** ~ *myth. ast.* Mer'kur *m*; *fig.* Bote *m*; **2.** ☿, ⚕ Quecksilber *n*: ~ *column* Quecksilbersäule; **3.** Quecksilber(säule *f*) *n*: *the* ~ *is rising* das Barometer steigt (*a. fig.*); **4.** ✿ Bingelkraut *n*; ~ **con·vert·er** *s.* ⚡ Quecksilbergleichrichter *m*; ~ **pres·sure ga(u)ge** *s. phys.* 'Quecksilbermanoˌmeter *n*.

mer·cy ['mə:si] *s.* **1.** Barm'herzigkeit *f*, Mitleid *n*, Erbarmen *n*; Gnade *f*: *to be at the* ~ *of s.o.* in j-s Gewalt sein, j-m auf Gnade u. Ungnade ausgeliefert sein; *at the* ~ *of the waves* den Wellen preisgegeben; *to throw o.s. on s.o.'s* ~ sich j-m auf Gnade u. Ungnade ergeben; *to be left to the tender mercies of iro.* der rauhen Behandlung von ... ausgesetzt sein; *Sister of* ~ Barmherzige Schwester; **2.** Glück *n*, Segen *m*: *it is a* ~ *that* es ist e-e wahre Wohltat, daß; ~ **kill·ing** *s.* Sterbehilfe *f*.

mere [miə] *adj.* □ bloß, nichts als, al'lein(ig), rein, völlig: ~(*st*) *nonsense* purer Unsinn; ~ *words* bloße Worte; *he is no* ~ *craftsman* er ist kein bloßer Handwerker; *the* ~*st accident* der reinste Zufall; '**mere·ly** [-li] *adv.* bloß, rein, nur, lediglich.

mer·e·tri·cious [meri'triʃəs] *adj.* □ **1.** dirnenhaft, Dirnen...; **2.** *fig.* verführerisch; aufdringlich, unecht.

merge [mə:dʒ] **I.** *v/t.* **1.** (*in*) verschmelzen (mit), aufgehen lassen (in *dat.*), einverleiben (*dat.*): *to be* ~*d in* in *et.* aufgehen; **2.** ⚖ tilgen, aufheben; **3.** † **a)** fusionieren, **b)** *Aktien* zs.-legen; **II.** *v/i.* **4.** ~ *in* sich verschmelzen mit, aufgehen in (*dat.*); **5.** sich (in den Verkehr) einfädeln; '**mer·gence** [-dʒəns] *s.* Aufgehen *n* (*in* in *dat.*), Verschmelzung *f* (*into* mit); '**merg·er** [-dʒə] *s.* **1.** † Fusi'on *f*, Fusionierung *f von Gesellschaften*; Zs.-legung *f von Aktien*; **2.** ⚖ **a)** Verschmelzung(svertrag *m*) *f*, Aufgehen *n* (*e-s Besitzes od. Vertrages in e-m anderen etc.*), **b)** Konsumpti'on *f* (*e-r Straftat durch e-e schwerere*).

me·rid·i·an [mə'ridiən] **I.** *adj.* **1.** mittägig, Mittags...; **2.** *ast.* Kulminations..., Meridian...: ~ *circle* Meridiankreis; **3.** *fig.* höchst; **II.** *s.* **4.** *geogr.* Meridi'an *m*, Längenkreis *m*: *prime* ~ Nullmeridian; **5.** *poet.* Mittag(szeit *f*) *m*; **6.** *ast.* Kulminati'onspunkt *m*; **7.** *fig.* Höhepunkt *m*, Gipfel *m*; *fig.* Blüte(zeit) *f*; **me'rid·i·o·nal** [-diənl] **I.** *adj.* □ **1.** *ast.* meridio'nal, Meridian..., Mittags...; **2.** südlich, südländisch; **II.** *s.* **3.** Südländer(in), *bsd.* 'Südfranˌzose *f*, 'Südfranˌzösin *f*.

me·ringue [mə'ræŋ] *s.* Me'ringe *f*, Schaumgebäck *n*, Bai'ser *n*.

me·ri·no [mə'ri:nou] *pl.* **-nos** [-z] *s.* **1.** *a.* ~ *sheep zo.* Me'rinoschaf *n*; **2.** † **a)** Me'rinowolle *f*, **b)** Me'rino *m* (*Kammgarnstoff*).

mer·it ['merit] **I.** *s.* **1.** Verdienst(lichkeit *f*) *n*: *according to one's* ~ nach Verdienst *belohnen etc.*; *a man of* ~ e-e verdiente Persönlichkeit; *Order of* ~ Verdienstorden; **2.** Wert *m*, Vorzug *m*; **3.** *the* ~*s pl.* ⚖ *u. fig.* die Hauptpunkte, der sachliche Gehalt, die wesentlichen Gesichtspunkte: *on its (own)* ~ dem wesentlichen Inhalt nach, an (u. für) sich betrachtet; *to inquire into the* ~*s of a case* e-r Sache auf den Grund gehen; **II.** *v/t.* **4.** *Lohn, Strafe etc.* verdienen; '**mer·it·ed** [-tid] *adj.* □ verdient; '**mer·it·ed·ly** [-tidli] *adv.* verdientermaßen.

me·ri·toc·ra·cy [meri'tɔkrəsi] *s. sociol.* **1.** (herrschende) E'lite; **2.** Leistungsgesellschaft *f*.

mer·i·to·ri·ous [meri'tɔ:riəs] *adj.* □ verdienstlich.

mer·lin ['mə:lin] *s. zo.* Merlin-, Zwergfalke *m*.

mer·lon ['mə:lən] *s.* ⚔ *hist.* Mauerzacke *f* (*zwischen 2 Schießscharten*).

mer·maid ['mə:meid] *s.* Meerweib *n*, Seejungfer *f*, Wassernixe *f*; '**mer·man** [-mæn] *s.* [*irr.*] Wassermann *m*, Triton *m*.

mer·ri·ly ['merili] *adv. von merry*; '**mer·ri·ment** [-imənt] *s.* **1.** Fröhlichkeit *f*, Lustigkeit *f*; **2.** Belustigung *f*, Lustbarkeit *f*, Spaß *m*.

mer·ry ['meri] *adj.* □ **1.** lustig, fröhlich: *as* ~ *as a lark* (*od. cricket*) kreuzfidel; *to make* ~ lustig sein, feiern, scherzen; **2.** scherzhaft, spaßhaft, lustig: *to make* ~ *over* sich lustig machen über (*acc.*); **3.** beschwipst, angeheitert; ~ **an·drew** ['ændru:] *s.* Hans'wurst *m*, Spaßmacher *m*; '~**-go-round** *s.* Karus'sell *n*; *fig.* Wirbel *m*; '~**mak·ing** *s.* Belustigung *f*, Lustbarkeit *f*, Fest *n*; '~**thought** → *wishbone*.

me·sa ['meisə] *s. geogr. Am.* Tafelland *n*; ~ **oak** *s. Am.* Tischeiche *f*.

mes·en·ter·y ['mesəntəri] *s. anat., zo.* Gekröse *n*.

mesh [meʃ] **I.** *s.* **1.** Masche *f*; **2.** ⊕ Maschenweite *f*; **3.** *mst pl. fig.* Netz *n*, Schlingen *pl.*: *to be caught in the* ~*es of the law* in die Schlingen des Gesetzes verstrickt sein; **4.** ⊕ Inein'andergreifen *n*, Eingriff *m* (*von Zahnrädern*): *to be in* ~ im Eingriff sein; **5.** → *mesh connection*; **II.** *v/t.* **6.** in e-m Netz fangen, verwickeln; **7.** ⊕ in Eingriff bringen, einrücken; **III.** *v/i.* **8.** ⊕ ein-, inein'andergreifen (*Zahnräder*); ~ **con·nec·tion** *s.* ⚡ Maschen-, *bsd.* 'Deltaschaltung *f*.

meshed [meʃt] *adj.* netzartig, ...maschig: *close*-~ engmaschig.

'**mesh-work** *s.* Maschen *pl.*, Netzwerk *n*; Gespinst *n*.

mes·mer·ic *adj.*; **mes·mer·i·cal** [mez'merik(əl)] *adj.* **1.** mesmerisch, 'heilmaˌgnetisch, hyp'notisch; **2.** *fig.* 'unwiderˌstehlich, faszinierend.

mes·mer·ism ['mezmərizəm] *s.* Mesme'rismus *m*, tierischer Magne'tismus; '**mes·mer·ist** [-ist] *s.* 'Heilmagnetiˌseur *m*; '**mes·mer·ize** [-raiz] *v/t.* hypnotisieren, mesmerisieren; *fig.* faszinieren.

mesne [mi:n] *adj.* ⚖ da'zwischentretend, Zwischen..., Mittel...: ~ *lord* Afterlehnsherr; ~ **in·ter·est** *s.* ⚖ Zwischenzins *m*; ~ **proc·ess** *s.* ⚖ **1.** Verfahren *n* zur Erwirkung e-r Verhaftung (*wegen Fluchtgefahr*); **2.** 'Nebenproˌzeß *m*.

meso- [mesou] *in Zssgn* Zwischen..., Mittel...; **mes·o'lith·ic** [-'liθik] *adj.* meso'lithisch, mittelsteinzeitlich.

mes·on ['mi:zɔn] *s. phys.* Meson *n* (*Elementarpartikel*).

Mes·o·zo·ic [mesou'zouik] *geol.* **I.** *adj.* meso'zoisch; **II.** *s.* Meso'zoikum *n.*

mess [mes] **I.** *s.* **1.** *obs.* Gericht *n*, Speise *f*: ~ *of pottage bibl.* Linsengericht (*Esau*); **2.** Viehfutter *n*; **3.** ⚔ Ka'sino *n*, Speiseraum *m*; ⚓ Messe *f*, Back *f*: *officers'* ~ Offiziersmesse; **4.** *fig.* Mischmasch *m*, Mansche'rei *f*; **5.** *fig.* **a)** Durchein'ander *n*, Unordnung *f*, **b)** Schmutz *m*, ‚Schweine'rei' *f*, **c)** ‚Schla'massel' *m*, ‚Patsche' *f*, Klemme *f*: *in a* ~ beschmutzt, in Unordnung, *fig.* in der Klemme; *to get into a* ~ in die Klemme kommen; *to make a* ~ Schmutz machen; *to make a* ~ *of et.* verpfuschen, verhunzen; *you made a nice* ~ *of it* da hast du was Schönes angerichtet; → *pretty* 2; **II.** *v/t.* **6.** *a.* ~ *up* **a)** beschmutzen, **b)** in Unordnung *od.* Verwirrung bringen, **c)** *fig.* verpfuschen; **III.** *v/i.* **7.** (*an e-m gemeinsamen Tisch*) essen (*with* mit): *to* ~ *together* ⚓ zu 'einer Back gehören; **8.** manschen, planschen (*in* in *dat.*); **9.** ~ *in Am.* sich einmischen; **10.** ~ *about*, ~ *around* her'ummurksen, (-)pfuschen.

mes·sage ['mesidʒ] *s.* **1.** Botschaft *f* (*a. bibl.*), Sendung *f*: *can I take a* ~? kann ich et. ausrichten?; **2.** Mitteilung *f*, Bescheid *m*: *to send a* ~ *to s.o.* j-m eine Mitteilung zukommen lassen; *telephone* ~ telephonische Nachricht; *wireless* (*od. radio*) ~ Funkmeldung, -spruch; **3.** *fig.* Botschaft *f*, Anliegen *n e-s Dichters etc.*: *got the* ~? *sl.* ‚kapiert'?; '**~-tak·ing serv·ice** *s. teleph.* (Fernsprech)Auftragsdienst *m.*

mes·sen·ger ['mesindʒə] *s.* **1.** (Post-, Eil)Bote *m*, Ausläufer *m*: *express* ~, *special* ~ Eilbote; *by* ~ durch Boten; ~*'s fee* Botenlohn; **2.** Ku'rier *m*; ⚔ *a.* Melder *m*; **3.** *fig.* (Vor)Bote *m*, Verkünder *m*; **4.** ⚓ **a)** Anholtau *n*, **b)** Ankerkette *f*, Kabelar *n*; ~ **airplane** *s.* ⚔ Ku'rierflugzeug *n*; ~ **boy** *s.* Laufbursche *m*, Botenjunge *m*; ~ **dog** *s.* Meldehund *m*; ~ **pigeon** *s.* Brieftaube *f*; ~ **wheel** *s.* ⊕ Treibrad *n.*

mess hall *s.* ⚔, ⚓ Messe *f*, Ka'sino(raum *m*) *n*, Speisesaal *m.*

Mes·si·ah [mi'saiə] *s. bibl.* Mes'sias *m*, Erlöser *m.*

'mess|-jack·et *s.* ⚓ kurze Uni'formjacke; ~ **kit** *s.* ⚔ Kochgeschirr *n*, Eßgerät *n*; '**~mate** *s.* ⚔, ⚓ Meßgenosse *m*, 'Tischkame,rad *m*; ~ **sergeant** *s.* ⚔ 'Küchen,unteroffi,zier *m*; '**~-tin** *s.* ⚔, ⚓ Eßgeschirr *n.*

mes·suage ['meswidʒ] *s.* ⚖ Wohnhaus *n* (*mst mit Ländereien*), Anwesen *n.*

mess·y ['mesi] *adj.* □ **1.** unordentlich; **2.** unsauber, schmutzig.

mes·ti·zo [mes'ti:zou] *pl.* **-zos** [-z] *s.* Me'stize *m*; Mischling *m.*

met [met] *pret. u. p.p. von meet.*

met·a·bol·ic [metə'bɔlik] *adj.* **1.** *physiol.* meta'bolisch, Stoffwechsel...; **2.** sich (ver)wandelnd;

me·tab·o·lism [me'tæbəlizəm] *s.* **1.** *biol.* Metabo'lismus *m*, Formveränderung *f*; **2.** *physiol.*, *a.* ⚘ Stoffwechsel *m*: *general* ~, *total* ~ Gesamtstoffwechsel; → *basal* 2; **3.** ⚗ Metabolismus *m*; **me·tab·o·lize** [me'tæbəlaiz] *v/t. biol.* 'umwandeln.

met·a·car·pal [metə'kɑ:pl] *anat.* **I.** *adj.* Mittelhand...; **II.** *s.* Mittelhandknochen *m*; **met·a'car·pus** [-pəs] *pl.* **-pi** [-pai] *s.* **1.** Mittelhand *f*; **2.** Vordermittelfuß *m.*

met·age ['mi:tidʒ] *s.* **1.** amtliches Messen (*des Inhalts od. Gewichts bsd. von Kohlen*); **2.** Meß-, Waagegeld *n.*

met·al ['metl] **I.** *s.* **1.** ⚗, *min.* Me'tall *n*; **2.** ⊕ **a)** 'Nichteisenme,tall *n*, **b)** Me'tall-Legierung *f*, *bsd.* 'Typen-, Ge'schützme,tall *n*, **c)** 'Gußme,tall *n*: *brittle* ~, *red* ~ Rotguß, Tombak; *fine* ~ Weiß-, Feinmetall; *grey* ~ graues Gußeisen; **3.** *min.* **a)** Regulus *m*, Korn *n*, **b)** (Kupfer-)Stein *m*; **4.** ⚒ Schieferton *m*; **5.** ⊕ (flüssige) Glasmasse; **6.** *pl. Brit.* Eisenbahnschienen *pl.*: *to run off the* ~*s* entgleisen; **7.** *her.* Me'tall *n* (*Gold- u. Silberfarbe*); **8.** *Straßenbau*: Beschotterung *f*, Schotter *m*; **9.** *fig.* Mut *m*; **II.** *v/t.* **10.** mit Me'tall bedecken *od.* versehen; **11.** 🚂, *Straßenbau*: beschottern; **III.** *adj.* **12.** Metall..., me'tallen; ~ **age** *s.* Bronze- u. Eisenzeitalter *n*; '**~-clad** *adj.* ⊕ me'tallgekapselt; '**~-coat** *v/t.* mit Me'tall über'ziehen; ~ **cut·ting** *s.* ⊕ spanabhebende Bearbeitung.

met·aled *Am.* → *metalled.*

met·al| found·er *s.* Me'tallgießer *m*; ~ **ga(u)ge** *s.* Blechlehre *f.*

met·al·ing *Am.* → *metalling*; **met·al·ize** *Am.* → *metallize.*

met·alled ['metld] *adj.* ⊕ beschottert, Schotter...: ~ *road.*

me·tal·lic [mi'tælik] *adj.* (□ ~*ally*) **1.** me'tallen, Metall...: ~ *cover* **a)** ⊕ Metallüberzug, **b)** ✝ Metalldeckung; ~ *currency* Metallwährung, Hartgeld; **2.** me'tallisch (glänzend *od.* klingend): ~ *beetle* Prachtkäfer; ~ *voice* helle Stimme; **met·al·lif·er·ous** [metə'lifərəs] *adj.* me'tallführend, -reich; **met·al·line** ['metlain] *adj.* **1.** me'tallisch; **2.** me'tallhaltig; **met·al·ling** ['metliŋ] *s.* **1.** Beschotterung *f e-r Straße etc.*; **2.** 🚂 Schienenlegung *f*; **met·al·lize** ['metlaiz] *v/t.* metallisieren.

met·al·loid ['metəlɔid] **I.** *adj.* metallo'idisch, me'tallartig; **II.** *s.* ⚗ Metallo'id *n.*

met·al·lur·gic *adj.*; **met·al·lur·gi·cal** [metə'lə:dʒik(əl)] *adj.* metall'urgisch, Hütten...; **met·al·lur·gist** [me'tælədʒist] *s.* Metall'urg(e) *m*; **met·al·lur·gy** [me'tælədʒi] *s.* Metallur'gie *f*, Hüttenkunde *f*, -wesen *n.*

met·al| plat·ing *s.* ⊕ Plattierung *f*; '**~-work·er** *s.* Me'tallarbeiter *m*; '**~-work·ing** *s.* Me'tallbearbeitung *f.*

met·a·mor·phic [metə'mɔ:fik] *adj.* **1.** *geol.* meta'morph; **2.** *biol.* gestaltverändernd; **met·a'mor·phose** [-fouz] *v/t.* **1.** (*to, into*) 'umgestalten (zu), verwandeln (in *acc.*); **2.** verzaubern, -wandeln (*to, into* in *acc.*); **met·a'mor·pho·sis** [-fəsis] *pl.* **-ses** [-si:z] *s.* Metamor'phose *f* (*a. biol., physiol.*), Verwandlung *f.*

met·a·phor ['metəfə] *s.* Me'tapher *f*, bildlicher Ausdruck.

met·a·phor·i·cal [metə'fɔrikəl] *adj.* □ meta'phorisch, bildlich.

met·a·phrase ['metəfreiz] **I.** *s.* Meta'phrase *f*, wörtliche Über'setzung; **II.** *v/t.* wörtlich über'tragen; um'schreiben.

met·a·phys·i·cal [metə'fizikəl] *adj.* □ **1.** *phls.* meta'physisch; **2.** 'übersinnlich, ab'strakt; **met·a·phy·si·cian** [metəfi'ziʃən] *s. phls.* Meta'physiker *m*; **met·a'phys·ics** [-ks] *s. pl. sg. konstr. phls.* Metaphy'sik *f.*

met·a·plasm ['metəplæzəm] *s.* **1.** *ling.* Meta'plasmus *m*, Wortveränderung *f*; **2.** *biol.* Meta'plasma *n.*

me·tas·ta·sis [mi'tæstəsis] *pl.* **-ses** [-si:z] *s.* **1.** ⚕ Meta'stase *f*, Tochtergeschwulst *f*; **2.** *biol.* Stoffwechsel *m.*

met·a·tar·sal [metə'tɑ:sl] *anat.* **I.** *adj.* Mittelfuß...; **II.** *s.* Mittelfußknochen *m*; **met·a'tar·sus** [-səs] *pl.* **-si** [-sai] *s. anat., zo.* Mittelfuß *m.*

mete [mi:t] **I.** *v/t.* **1.** *poet.* (ab-, aus)messen, durch'messen; **2.** *mst* ~ *out* (*a. Strafe*) zumessen (*to dat.*); **3.** *fig.* ermessen; **II.** *s. mst pl.* **4.** Grenze *f*: *to know one's* ~*s and bounds fig.* Maß u. Ziel kennen.

me·temp·sy·cho·sis [metempsi'kousis] *pl.* **-ses** [-si:z] *s.* Seelenwanderung *f.*

me·te·or ['mi:tjə] *s. ast.* **a)** Mete'or *m* (*a. fig.*), **b)** Sternschnuppe *f*; **me·te·or·ic** [mi:ti'ɔrik] *adj.* **1.** *ast.* mete'orisch, Meteor...: ~ *shower* Sternschnuppenschwarm; **2.** *fig.* mete'orhaft: **a)** glänzend, **b)** schnell, plötzlich; '**me·te·or·ite** [-jərait] *s. ast.* Meteo'rit *m*, Mete'orstein *m*; **me·te·or·o·log·ic** *adj.*; **me·te·or·o·log·i·cal** [mi:tjərə'lɔdʒik(əl)] *adj.* □ *phys.* meteoro'logisch, Wetter..., Luft...: ~ *conditions* Witterungsverhältnisse; ~ *office* Wetterwarte; **me·te·or·ol·o·gist** [mi:tjə'rɔlədʒist] *s. phys.* Meteoro'loge *m*; **me·te·or·ol·o·gy** [mi:tjə'rɔlədʒi] *s. phys.* **1.** Meteorolo'gie *f*, Witterungskunde *f*; **2.** meteoro'logische Verhältnisse *pl.* (*e-r Gegend*).

me·ter[1] *Am.* → *metre.*

me·ter[2] ['mi:tə] **I.** *s.* ⊕ Messer *m*, 'Meßinstru,ment *n*, Zähler *m*: *electricity* ~ elektrischer Strommesser *od.* Zähler; *gas-*~ Gasuhr; ~ *board* Zählertafel; **II.** *v/t.* (*mit e-m Meßinstrument*) messen: *to* ~ *out et.* abgeben, dosieren; ~ **maid** *s. Am.* F Poli'tesse *f.*

meth·ane ['meθein] *s.* ⚗ Me'than *n*, Sumpf-, Grubengas *n.*

me·thinks [mi'θiŋks] *v/impers. poet.* mich dünkt, mir scheint.

meth·od ['meθəd] *s.* **1.** Me'thode *f*; *bsd.* ⊕ Verfahren *n*: ~ *of doing s.th.* Art u. Weise, et. zu tun; *by a* ~ nach e-r Methode; **2.** 'Lehrme,thode *f*; **3.** Sy'stem *n*; **4.** *phls.* (logische) 'Denkme,thode; **5.** Ordnung *f*, Methode *f*, Planmäßigkeit *f*: *to work with* ~ methodisch arbeiten; *there is* ~ *in his madness* was er tut, ist nicht so verrückt, wie es aussieht; *there is* ~ *in this* da ist System drin; **me·thod·ic** *adj.*; **me·thod·i-**

cal [mi'θɔdik(əl)] *adj.* □ **1.** me'thodisch, syste'matisch; **2.** über'legt.
Meth·od·ism ['meθədizəm] *s. eccl.* Metho'dismus *m*; **'Meth·od·ist** [-ist] **I.** *s.* **1.** *eccl.* Metho'dist(in); **2.** ♀ *fig. contp.* Frömmler *m*, Mucker *m*; **II.** *adj.* **3.** *eccl.* metho'distisch, Methodisten...
meth·od·ize ['meθədaiz] *v/t.* me'thodisch ordnen; **'meth·od·less** [-dlis] *adj.* □ plan-, sy'stemlos.
me·thought [mi'θɔ:t] *pret. von methinks.*
Me·thu·se·lah [mi'θju:zələ] *npr. bibl.* Me'thusalem *m*: *as old as* ~ (so) alt wie Methusalem.
meth·yl ['meθil; ⚗ 'mi:θail] *s.* ⚗ Me'thyl *n*: ~ *alcohol* Methylalkohol; **meth·yl·ate** ['meθileit] ⚗ **I.** *v/t.* **1.** methylieren; **2.** denaturieren: ~*d spirit* denaturierter Spiritus; **II.** *s.* **3.** Methy'lat *n*; **meth·yl·ene** ['meθili:n] *s.* ⚗ Methy'len *n*; **me·thyl·ic** [mi'θilik] *adj.* ⚗ Methyl...
me·tic·u·los·i·ty [mitikju'lɔsiti] *s.* peinliche *od.* über'triebene Genauigkeit; **me·tic·u·lous** [mi'tikjuləs] *adj.* □ peinlich genau, 'übergenau.
mé·tier ['metjei] *s.* **1.** Gewerbe *n*; **2.** *fig.* (Spezi'al)Gebiet *n*, Me'tier *n*.
me·ton·y·my [mi'tɔnimi] *s.* Metony'mie *f*, Begriffsvertauschung *f*.
met·o·pe ['metoup] *s.* △ Zwischenfeld *n*.
me·tre ['mi:tə] *s.* **1.** Versmaß *n*, Metrum *n*; **2.** Meter *m*, *n*.
met·ric ['metrik] **I.** *adj.* (□ ~*ally*) **1.** metrisch: ~ *method of analysis* ⚗ Maßanalyse; ~ *system* ⚖ Dezimalsystem; → *hundredweight*; **2.** → *metrical* 2; **II.** *s. pl. sg. konstr.* **3.** Metrik *f*, Verslehre *f*; ♪ Rhythmik *f*, Taktlehre *f*; **'met·ri·cal** [-kəl] *adj.* □ **1.** → *metric* 1; **2. a)** metrisch, Vers..., **b)** rhythmisch.
met·ro·nome ['metrənoum] *s.* ♪ Metro'nom *n*, Taktmesser *m*.
me·trop·o·lis [mi'trɔpəlis] *s.* **1.** Metro'pole *f*, Hauptstadt *f*: *the* ♀ *Brit.* London; **2.** 'Haupt,zentrum *n*; **3.** *eccl.* Sitz *m* e-s Metropo'liten *od.* Erzbischofs; **met·ro·pol·i·tan** [metrə'pɔlitən] **I.** *adj.* **1.** hauptstädtisch: ♀ *Railway* Stadtbahn; **2.** *eccl.* erzbischöflich; **II.** *s.* **3. a)** Metropo'lit *m* (*altgriechische Kirche*), Erzbischof *m*; **4.** Bewohner(in) der Landeshauptstadt; Großstädter(in).
met·tle ['metl] *s.* **1.** *fig.* Na'turanlage *f*; **2.** Eifer *m*, Mut *m*, Feuer *n*: *to be on one's* ~ sein Bestes tun wollen; *to put s.o. on his* ~ j-n zur Aufbietung aller s-r Kräfte anspornen; *to try s.o.'s* ~ j-n auf die Probe stellen; *horse of* ~ feuriges Pferd; **'met·tled** [-ld], **'met·tle·some** [-səm] *adj.* feurig, mutig.
mew¹ [mju:] *s. orn.* Seemöwe *f*.
mew² [mju:] *v/i.* mi'auen (*Katze*).
mew³ [mju:] **I.** *v/t. obs.* **1.** *zo. Geweih, Haare etc.* verlieren: *the bird* ~*s its feathers* der Vogel mausert; **2.** *mst* ~ *up* einsperren; **II.** *v/i. zo. obs.* **3.** (sich) mausern, federn, haaren; **III.** *s.* **4.** Mauserkäfig *m*; **5.** *pl. sg. konstr.* **a)** Stall *m*: *the Royal* ♀*s* der Königliche Marstall, **b)** *Brit. zu Luxuswohnungen umgebaute ehemalige Stallungen.*
mewl [mju:l] *v/i.* **1.** quäken, maunzen (*Kind*); **2.** mi'auen.
Mex·i·can ['meksikən] **I.** *adj.* mexi'kanisch; **II.** *s.* Mexi'kaner(in).
mez·za·nine ['mezəni:n] *s.* **1.** △ Entre'sol *n*, Zwischenstock *m*; **2.** *thea.* Raum *m* unter der Bühne.
mez·zo ['medzou] (*Ital.*) **I.** *adj.* **1.** ♪ mezzo, mittel, halb: ~ *forte* halblaut; **II.** *s.* **2.** → *mezzosoprano*; **3.** → *mezzotint*; **'~-so'pra·no** *s.* ♪ 'Mezzoso,pran *m*; **'~·tint** **I.** *s.* **1.** *Kupferstecherei*: Mezzo'tinto *n*, Schabkunst *f*; **2.** Schabkunstblatt *n*: ~ *engraving* Stechkunst in Mezzotintmanier; **II.** *v/t.* **3.** in Mezzo'tint gravieren.
mi [mi:] *s.* ♪ mi *n* (*Solmisationssilbe*).
mi·aow [mi(:)'au] → *meow*.
mi·asm ['maiæzəm] *s.*; **mi·as·ma** [mi'æzmə] *pl.* **-ma·ta** [-mətə] *s.* ⚕ Mi'asma *n*, Krankheits-, Ansteckungsstoff *m*; **mi·as·mal** [mi'æzməl] *adj.*; **mi·as·mat·ic** *adj.*; **mi·as·mat·i·cal** [miəz'mætik(əl)] *adj.* ansteckend.
mi·aul [mi'ɔ:l] *v/i.* mi'auen.
mi·ca ['maikə] *min.* **I.** *s.* Glimmer (-erde *f*) *m*; **II.** *adj.* Glimmer...: ~ *capacitor* ⚡ Glimmerkondensator; **mi·ca·ce·ous** [mai'keiʃəs] *adj.* Glimmer...: ~ *iron-ore* Eisenglimmer.
Mi·cah ['maikə] *npr. u. s. bibl.* (das Buch) 'Micha *m od.* Mi'chäas *m*.
mice [mais] *pl. von mouse.*
Mich·ael·mas ['miklməs] *s.* Micha'elis *n*, 'Michaelstag *m* (*29. September*); ~ **Day** *s.* **1.** Michaelstag *m* (*29. September*); **2.** *e-r der 4 brit. Quartalstage*; ~ **term** *s. Brit. univ.* 'Herbstse,mester *n*.
Mi·che·as [mai'ki:əs] → *Micah*.
Mick [mik] **I.** *npr.* (*Koseform von*) *Michael*; **II.** *s. sl.* **a)** Ire *m*, **b)** Katho'lik *m*.
Mick·ey Finn ['miki 'fin] *s. Am. sl.* **1.** Betäubungspille *f*; **2.** Abführmittel *n*.
micro- [maikrou] *in Zssgn*: **a)** Mikro..., (sehr) klein, **b)** (*bei Maßbezeichnungen*) ein Milli'onstel, **c)** mikro'skopisch.
mi·crobe ['maikroub] *s. biol.* Mi'krobe *f*; **mi·cro·bi·al** [mai'kroubjəl], **mi·cro·bic** [mai'kroubik] *adj.* mi'krobisch, Mikroben...; **mi·cro·bi·o·sis** [maikroubai'ousis] *s.* ⚕ Mi'krobeninfekti,on *f*.
mi·cro'chem·is·try *s.* Mikroche'mie *f*.
mi·cro·cosm ['maikroukɔzəm] *s.* Mikro'kosmos *m* (*a. phls. u. fig.*); **mi·cro·cos·mic** [maikrou'kɔzmik] *adj.* mikro'kosmisch.
'mi·cro·film *phot.* **I.** *s.* 'Mikrofilm *m*; **II.** *v/t.* 'mikrofilmen.
'mi·cro·gram *Am.*, **'mi·cro·gramme** *Brit. s. phys.* 'Mikrogramm *n* (*ein millionstel Gramm*).
'mi·cro·groove *s.* **1.** 'Mikrorille *f* (*Schallplatte*); **2.** Schallplatte *f* mit Mikrorillen.
'mi·cro·inch *s.* ein milli'onstel Zoll.
mi·crom·e·ter [mai'krɔmitə] *s.* **1.** *phys.* Mikro'meter *n* (*ein millionstel Meter*): ~ *adjustment* ⊕ Feinsteinstellung; ~ *screw* ⊕ Feinmeßschraube; **2.** *opt.* Oku'lar-Mikro,meter *n* (*an Fernrohren etc.*).
mi·cron ['maikrɔn] *pl.* **-crons, -cra** [-krə] *s.* ⚗, *phys.* 'Mikron *n* (*Maßeinheit*).
'mi·cro'or·gan·ism *s.* ,Mikroorga'nismus *m*.
mi·cro·phone ['maikrəfoun] *s.* ⚡ **1.** Mikro'phon *n*: *at the* ~ am Mikrophon; **2.** *teleph.* Sprechkapsel *f*; **3.** F Radio *n*: *through the* ~ durch den Rundfunk.
mi·cro'pho·to·graph *s.* **1.** ,Mikrophoto'gramm *n* (*sehr kleine Photographie*); **2.** → *microphotography*; **mi·cro·pho'tog·ra·phy** *s.* ,Mikrophotogra'phie *f*.
mi·cro·scope ['maikrəskoup] **I.** *s.* Mikro'skop *n*: *reflecting* ~ Spiegelmikroskop; ~ *stage* Objektivtisch; **II.** *v/t.* mikro'skopisch unter'suchen; **mi·cro·scop·ic** *adj.*; **mi·cro·scop·i·cal** [maikrəs'kɔpik(əl)] *adj.* □ **1.** mikro'skopisch: ~ *examination*; ~ *slide* Objektträger; **2.** (peinlich) genau; **3.** mikroskopisch klein, verschwindend klein.
mi·cro'struc·ture *s. bsd. geol.* mikro'skopische Struk'tur, Feingefüge *n*.
'mi·cro·volt *s. phys.* 'Mikrovolt *n*.
'mi·cro·wave *s.* ⚡ 'Mikrowelle *f*, Dezi'meterwelle *f*: ~ *engineering* Höchstfrequenztechnik.
mic·tu·ri·tion [miktjuə'riʃən] *s.* ⚕ **1.** U'rindrang *m*; **2.** Harnen *n*.
mid¹ [mid] *adj. attr. od. in Zssgn* mittler, Mittel...: *in* ~ *air* mitten in der Luft, frei schwebend; *in the* ~ *16th century* in der Mitte des 16. Jhs.; *in* ~ *ocean* auf offener See.
mid² [mid] *prp. poet.* in'mitten von (*od. gen.*).
Mi·das ['maidæs] **I.** *npr. antiq.* Midas *m* (*König von Phrygien*): *the* ~ *touch fig.* e-e glückliche Hand *im Geldverdienen*; **II.** *s.* ♀ *zo.* Midasfliege *f*.
'mid·day **I.** *s.* Mittag *m*; **II.** *adj.* mittägig, Mittags...
mid·dle ['midl] **I.** *adj.* **1.** mittler, Mittel... (*a. ling.*): ~ *finger* Mittelfinger; ~ *quality* ✝ Mittelqualität; **II.** *s.* **2.** Mitte *f*: *in the* ~ in der Mitte; *in the* ~ *of speaking* mitten in der Rede; *in the* ~ *of July* Mitte Juli; **3.** Mittelweg *m*; **4.** Mittelstück *n* (*a. Schlachttier*); **5.** Mitte *f* (*des Leibes*), Taille *f*; **6.** 'Medium *n* (*griechische Verbalform*); **7.** *Logik*: Mittelglied *n* (*e-s Schlusses*); **8.** *Fußball*: Flankenball *m*; **9.** *a.* ~ *article Brit.* Feuille'ton *n*; **10.** *pl.* ✝ Mittelsorte *f*; **11.** Mittelsmann *m*; **III.** *v/t.* **12.** in die Mitte bringen; *bsd. Fußball*: zur Mitte flanken.
mid·dle| age *s.* mittleres Alter; **'♀-'Age** *adj.* mittelalterlich; **'~-'aged** *adj.* mittleren Alters; ♀ **Ag·es** *s. pl. das* Mittelalter; **'~·brow** F **I.** *s.* geistiger ,Nor'malverbraucher'; **II.** *adj.* von 'durchschnittlichen geistigen Inter'essen; **'~-'class** *adj.* zum Mittelstand gehörig, Mittelstands...; ~ **class·es** *s. pl.* Mittelstand *m*; ~ **course** *s.* Mittelweg *m*; ~ **dis·tance** *s.* **1.** *paint., phot.* Mittelgrund *m*; **2.** *sport* Mittelstrecke *f*; ~ **ear** *s. anat.* Mittelohr *n*; ♀ **East** *s. geogr.* **1.** *der* Mittlere Osten; **2.** *Brit. der* Nahe Osten; ♀

Eng·lish *s. ling.* Mittelenglisch *n*; Ձ **High Ger·man** *s. ling.* Mittelhochdeutsch *n*; Ձ **King·dom** *s.* Reich *n* der Mitte (*China*); '**~·man** [-mæn] *s.* [*irr.*] **1.** Mittelsmann *m*; **2.** ⚚ Zwischenhändler *m*; '**~·most** *adj.* ganz in der Mitte (liegend); '**~-of-the-'road** *adj.* unabhängig, neu'tral; **~ rhyme** *s.* Binnenreim *m*; '**~-'sized** *adj.* von mittlerer Größe; **~ watch** *s.* ⚓ Mittelwache *f* (*zwischen Mitternacht u. 4 Uhr morgens*); '**~-weight** *s. sport* Mittelgewicht(ler *m*) *n*; Ձ **West** *s. Am.* (*u. Kanada*) Mittelwesten *m*, *der* mittlere Westen.

mid·dling ['midliŋ] **I.** *adj.* □ → *a. II*; **1.** von mittlerer Güte *od.* Sorte, mittelmäßig, Mittel...: *fair to ~* ziemlich gut bis mittelmäßig; *~ quality* Mittelqualität; **2.** F leidlich (*Gesundheit*); **3.** F ziemlich groß; **II.** *adv.* F **4.** (*a. ~ly*) leidlich, ziemlich; **5.** ziemlich gut; **III.** *s.* **6.** *mst pl.* ⚚ Mittelsorte *f*; **7.** *pl.* Mittelmehl *n*; **8.** *pl. metall.* 'Zwischenpro,dukt *n.*

mid·dy ['midi] *s.* **1.** F *für midshipman*; **2.** → *middy blouse*; **~ blouse** *s. e-e* Ma'trosenbluse.

'**mid·field** *s. sport* Mittelfeld *n* (*a. Spieler*): *~ man*, *~ player* Mittelfeldspieler.

midge [midʒ] *s.* **1.** *zo.* kleine Mücke; **2.** → *midget 1.*

midg·et ['midʒit] **I.** *s.* **1.** Zwerg *m*, Knirps *m*; **2.** *et.* Winziges; **II.** *adj.* **3.** Zwerg..., Miniatur..., Kleinst...: *~ car mot.* Klein(st)wagen; *~ railroad* Liliputbahn.

mid·i ['midi] **I.** *s.* **1.** Midimode *f*: *to wear ~* midi tragen; **II.** *adj.* **2.** Midi...: *~ skirt* → *midiskirt*; '**mid·i·skirt** *s.* Midirock *m.*

'**mid·land** [-lənd] **I.** *s.* **1.** *mst pl.* Mittelland *n*; **2.** *the* Ձ*s pl.* Mittelengland *n*; **II.** *adj.* **3.** binnenländisch; **4.** Ձ *geogr.* mittelenglisch.

'**mid·most** [-moust] **I.** *adj.* ganz in der Mitte (liegend); innerst; **II.** *adv.* (ganz) im Innern *od.* in der Mitte.

'**mid·night** **I.** *s.* Mitternacht *f*: *at ~* um Mitternacht; **II.** *adj.* mitternächtig, Mitternachts...: *to burn the ~ oil* bis spät in die Nacht aufbleiben *od.* arbeiten; **~ blue** *s.* Mitternachtsblau *n* (*Farbe*); **~ sun** *s.* **1.** Mitternachtssonne *f*; **2.** ⚓ Nordersonne *f.*

'**mid**|'**noon** *s.* Mittag *m*; **~ off** *s.* (**~ on** *s.*) *Kricket* **1.** links (rechts) vom Werfer stehender Spieler; **2.** links (rechts) vom Werfer liegende Seite des Spielfelds; '**~·rib** *s.* ⚘ Mittelrippe *f* (*Blatt*); '**~·riff** *s.* **1.** *anat.* Zwerchfell *n*; **2.** *Am.* **a)** Mittelteil *m e-s Frauenkleids*, **b)** zweiteilige Kleidung, **c)** Obertaille *f*, *a.* Magengrube *f*; '**~·ship** ⚓ **I.** *s.* Mitte *f* des Schiffs; **II.** *adj.* Mittschiffs...: *~ section* Hauptspant; '**~·ship·man** [-mən] *s.* [*irr.*] ⚓ **1.** *Brit.* Leutnant *m* zur See; **2.** *Am.* Oberfähnrich *m*; '**~·ships** *adv.* ⚓ mittschiffs.

midst [midst] *s.* Mitte *f* (*nur mit prp.*): *in the ~ of* inmitten (*gen.*), mitten unter (*dat.*); *in their* (*our*) *~* mitten unter ihnen (uns); *from our ~* aus unserer Mitte.

'**mid·sum·mer** **I.** *s.* **1.** Mitte *f* des Sommers, Hochsommer *m*; **2.** *ast.* Sommersonnenwende *f*; **II.** *adj.* **3.** hochsommerlich, Hochsommer...; Ձ **Day** *s.* **1.** Jo'hannistag *m* (*24. Juni*); **2.** *e-r der 4 brit. Quartalstage.*

'**mid**|'**way** **I.** *s.* **1.** Hälfte *f* des Weges, halber Weg; **2.** *Am.* Haupt-, Mittelstraße *f* (*auf Ausstellungen etc.*); **II.** *adj.* **3.** mittler; **III.** *adv.* **4.** auf halbem Wege; '**~·week** **I.** *s.* Mitte *f* der Woche; **II.** *adj.* (in der) Mitte der Woche stattfindend.

mid·wife ['midwaif] *s.* [*irr.*] Hebamme *f*, Geburtshelferin *f* (*a. fig.*); '**mid·wife·ry** [-wifəri] *s. Brit.* Geburtshilfe *f.*

'**mid**|'**win·ter** *s.* **1.** Mitte *f* des Winters; **2.** *ast.* Wintersonnenwende *f*; '**~·year** **I.** *adj.* **1.** in der Mitte des Jahres vorkommend, in der Jahresmitte; **II.** *s.* **2.** Jahresmitte *f*; **3.** *Am.* F **a)** um die Jahresmitte stattfindende Prüfung, **b)** *pl.* Prüfungszeit *f* (*um die Jahresmitte*).

mien [mi:n] *s.* Miene *f*, Gesichtsausdruck *m*: *noble ~* vornehme Haltung.

miff [mif] *s.* F 'Mißmut *m*, Verstimmung *f.*

might[1] [mait] *s.* **1.** Macht *f*, Gewalt *f*: *~ is* (*above*) *right* Gewalt geht vor Recht; **2.** Stärke *f*, Kraft *f*: *with ~ and main*, *with all one's ~* aus Leibeskräften, mit aller Gewalt.

might[2] [mait] *pret. von may*[1].

'**might-have-been** *s.* **1.** *et.* was hätte sein können; **2.** Per'son, die es zu etwas hätte bringen können.

might·i·ly ['maitili] *adv.* **1.** mit Macht, heftig, kräftig; **2.** F e'norm, mächtig, sehr; '**might·i·ness** [-inis] *s.* Macht *f*, Gewalt *f*;

might·y ['maiti] **I.** *adj.* □ → *mightily u. II*; **1.** mächtig, gewaltig, heftig, groß, stark; → *high 2*; **2.** *fig.* gewaltig, riesig, mächtig; **II.** *adv.* **3.** F mächtig, riesig, ungeheuer: *~ easy* kolossal leicht.

mi·gnon·ette [minjə'net] *s.* ⚘ Re'seda *f.*

mi·graine [mi:'grein] (*Fr.*) *s.* ⚕ Mi'gräne *f*; **mi'grain·ous** [-nəs] *adj.* durch Migräne verursacht, Migräne...

mi·grant ['maigrənt] **I.** *adj.* **1.** Wander..., Zug...; **II.** *s.* **2.** Wandernde(r *m*) *f*; 'Umsiedler(in); **3.** *zo.* Zugvogel *m*; Wandertier *n*;

mi·grate [mai'greit] *v/i.* (aus-) wandern, (*a. orn.* fort)ziehen: *to ~ from the country to the town* vom Land in die Stadt übersiedeln;

mi·gra·tion [mai'greiʃən] *s.* Wanderung *f* (*a.* ⚗, *zo.*, *geol.*); Zug *m* (*Menschen od. Wandertiere*); *orn.* (Vogel)Zug *m*: *~ of* (*the*) *peoples* Völkerwanderung; *intramolecular ~* ⚗ intramolekulare Wanderung; → *ionic*[2]; **mi·gra·tion·al** [mai'greiʃənl] *adj.* Wander..., Zug...; '**mi·gra·to·ry** [-grətəri] *adj.* **1.** (aus-) wandernd; **2.** Zug..., Wander...: *~ bird* Zugvogel; *~ instinct* Wandertrieb; **3.** um'herziehend, no'madisch: *~ life* Wanderleben; *~ worker* Wanderarbeiter.

Mike[1] [maik] **I.** *npr.* Michel *m* (*Kosename für Michael*); **II.** *s.* Ձ *sl.* Ire *m.*

mike[2] [maik] *v/i. sl.* her'umlungern.

mike[3] [maik] *sl. abbr. für microphone.*

mil [mil] *s.* **1.** Tausend *n*: *per ~* per Mille; **2.** ⊕ $^{1}/_{1000}$ Zoll *m* (*Drahtmaß*); **3.** ⚔ (Teil)Strich *m.*

mil·age → *mileage.*

Mil·a·nese [milə'ni:z] **I.** *adj.* mailändisch; **II.** *s. sg. u. pl.* Mailänder (-in), Mailänder *pl.*

milch [miltʃ] *adj.* milchgebend, Milch...; '**milch·er** [-tʃə] *s.* Milchkuh *f.*

mild [maild] *adj.* □ mild (*a. Strafe, Wein, Wetter etc.*); gelind, sanft; leicht (*Krankheit, Zigarre etc.*), schwach: *~ attempt* schüchterner Versuch; *~ steel* ⊕ Flußstahl; *to put it ~*(*ly*) **a)** sich gelinde ausdrücken, **b)** gelinde gesagt; *draw it ~* mach's mal halblang!

mil·dew ['mildju:] **I.** *s.* **1.** ⚘ Me(h)ltau(pilz) *m*, Brand *m* (*am Getreide*); **2.** Schimmel *m*, Moder *m*: *a spot of ~* ein Moder- *od.* Stockfleck (*in Papier etc.*); **II.** *v/t.* **3.** mit Me(h)ltau *od.* Schimmel- *od.* Moderflekken über'ziehen: *to be ~ed* verschimmelt sein (*a. fig.*); **III.** *v/i.* **4.** brandig *od.* schimm(e)lig *od.* mod(e)rig werden (*a. fig.*); '**mildewed** [-dju:d], '**mil·dew·y** [-dju:i] *adj.* **1.** brandig, mod(e)rig, schimm(e)lig; **2.** ⚘ von Me(h)ltau befallen; me(h)ltauartig.

mild·ness ['maildnis] *s.* **1.** Milde *f*, Sanftheit *f*; **2.** Sanftmut *f.*

mile [mail] *s.* Meile *f* (*zu Land* = *1,609 km*): *Admiralty ~ Brit.* englische Seemeile (= *1,8532 km*); *air ~* Luftmeile (= *1,852 km*); *geographical ~*, *nautical ~*, *sea ~* Seemeile (= *1,852 km*); *~ after ~ of fields*, *~s and ~s of fields* meilenweite Felder; *~s apart* meilenweit auseinander, *fig.* himmelweit entfernt; *to miss s.th. by a ~ fig.* etwas (meilen)weit verfehlen; → *statute mile.*

mile·age ['mailidʒ] *s.* **1.** Meilenlänge *f*, -zahl *f*; **2.** zu'rückgelegte Meilenzahl *od.* Fahrstrecke: *~ indicator*, *~ recorder mot.* Wegstreckenmesser, Kilometerzähler; **3.** Kilo'metergelder *pl.* (*Vergütung*); **4.** Fahrpreis *m* per Meile; **5.** *a. ~ book* 🚂 *Am.* Fahrscheinheft *n.*

'**mile·stone** *s.* Meilenstein *m* (*a. fig. Markstein*).

mil·foil ['milfɔil] *s.* ⚘ Schafgarbe *f.*

mil·i·ar·i·a [mili'ɛəriə] *s.* ⚕ Frieselfieber *n*; **mil·i·ar·y** ['miliəri] *adj.* ⚕ hirsekornartig: *~ fever* → *miliaria.*

mil·i·tan·cy ['militənsi] *s.* **1.** Kriegszustand *m*, Kampf *m*; **2.** Angriffs-, Kampfgeist *m*; '**mil·i·tant** [-tənt] **I.** *adj.* □ **1.** streitend, mili'tant; **2.** streitbar, kriegerisch; **II.** *s.* **3.** Kämpfer *m*, Streiter *m*; '**mil·i·ta·rist** [-tərist] *s.* **1.** *pol.* Milita'rist *m*; **2.** Fachmann *m* in mili'tärischen Angelegenheiten; **mil·i·ta·ris·tic** [militə'ristik] *adj.* milita'ristisch; '**mil·i·ta·rize** [-təraiz] *v/t.* militarisieren.

mil·i·tar·y ['militəri] **I.** *adj.* □ **1.** mili'tärisch, Militär...; **2.** Heeres..., Kriegs...; kriegswichtig; **II.** *s. pl. konstr.* **3.** Mili'tär *n*, Sol'daten *pl.*, Truppen *pl.*; **~ a·cad·e·my** *s.*

1. Mili'tärakade,mie *f*; **2.** *Am.* (*zivile*) Schule mit mili'tärischer Ausbildung; ~ **col·lege** *s.* Kriegsschule *f*; ♀ **Gov·ern·ment** *s.* Mili'tärre,gierung *f*; ~ **law** *s.* Kriegs-, Standrecht *n*; ~ **map** *s.* Gene'ralstabskarte *f*; ~ **po·lice** *s.* Mili'tärpoli,zei *f*; ~ **pro·fes·sion** *s.* Sol'datenstand *m*; ~ **serv·ice** *s.* Mili'tär-, Wehrdienst *m*; ~ **serv·ice book** *s.* Wehrpaß *m*; ~ **stores** *s. pl.* Mili'tärbedarf *m*, 'Kriegsmateri,al *n* (*Munition, Proviant etc.*); ~ **tes·ta·ment** *s.* ⚖ 'Nottesta,ment *n* (*von Militärpersonen*); ~ **tri·bu·nal** *s.* Mili'tärgericht *n*.

mil·i·tate ['militeit] *v/i.* (*against*) sprechen (gegen), wider'streiten (*dat.*), *e-r Sache* entgegenwirken.

mi·li·tia [mi'liʃə] *s.* ⚔ **1.** Mi'liz *f*, Bürger-, Landwehr *f*; **2.** *Brit. die im Jahre 1939 ausgehobenen Wehrpflichtigen.*

milk [milk] **I.** *s.* **1.** Milch *f*: ~ *and water fig.* kraftloses Zeug, seichtes Gewäsch; ~ *of human kindness fig.* Milch der frommen Denkungsart; ~ *of sulphur* ⚗ Schwefelmilch; *it is no use crying over spilt* ~ geschehen ist geschehen, hin ist hin; → *coco-nut 1*; **2.** ♀ (Pflanzen)Milch *f*; **II.** *v/t.* **3.** melken; **4.** *fig. j-n* schröpfen, rupfen; **5.** ⚡ *Leitung* ‚anzapfen', abhören; **III.** *v/i.* **6.** Milch geben; '~**-and-'wa·ter** *adj.* saft- u. kraftlos, sentimen'tal; '~**-bar** *s.* Milchbar *f*; '~**-crust** *s.* ⚕ Milchschorf *m*; ~ **duct** *s. anat.* Milchdrüsengang *m*.

milk·er ['milkə] *s.* **1.** Melker(in); **2.** ⊕ 'Melkma,schine *f*; **3.** Milchkuh *f*.

'**milk**|**-float** *s. Brit.* Milchwagen *m*; '~**·man** [-mən] *s.* [*irr.*] Milchmann *m*; ~ **run** *s.* ✈ *sl.* **1.** Rou'tineeinsatz *m*; **2.** ‚gemütliche Sache', gefahrloser Einsatz; '~**-shake** *s.* Milchshake *m*; '~**·sop** *s. fig. contp.* ‚Schlappschwanz' *m*, Muttersöhnchen *n*; '~**·sug·ar** *s.* ⚗ Milchzucker *m*, Lak'tose *f*; '~**-tooth** *s.* [*irr.*] Milchzahn *m*; '~**·weed** *s.* ♀ **1.** Schwalbenwurzgewächs *n*; **2.** Wolfsmilch *f*; '~**·wort** *s.* ♀ Kreuzblume *f*.

milk·y ['milki] *adj.* **1.** □ milchig, Milch...; *weitS. a.* milchweiß; **2.** *min.* milchig, wolkig (*bsd. Edelsteine*); **3.** *fig.* **a)** sanft, **b)** weichlich; ♀ **Way** *s. ast.* Milchstraße *f*.

mill[1] [mil] **I.** *s.* **1.** (Mehl-, Mahl-) Mühle *f*; → *grist 1*; **2.** ⊕ (*Kaffee-, Öl-, Säge- etc.*)Mühle *f*, Zerkleinerungsvorrichtung *f*: *to go through the* ~ *fig.* e-e harte Schule durchmachen; *to put s.o. through the* ~ j-n durch e-e harte Schule schikken; *to have been through the* ~ viel durchgemacht haben; **3.** *metall.* Hütten-, Hammer-, Walzwerk *n*; **4.** *a. spinning-*~ ⊕ Spinne'rei *f*; **5.** ⊕ **a)** *Münzerei*: Prägwerk *n*, **b)** *Glasherstellung*: Schleifkasten *m*; **6.** Fa'brik *f*, Werk *n*; **7.** F Prüge'lei *f*; **II.** *v/t.* **8.** *Korn etc.* mahlen; **9.** ⊕ *allg.* bearbeiten, *z. B. Holz, Metall* fräsen, *Papier, Metall* walzen, *Tuch, Leder* walken, *Münzen* rändeln, *Eier, Schokolade* quirlen, schlagen, *Seide* moulinieren; **10.** F ‚durchwalken'; **III.** *v/i.* **11.** F raufen, sich prügeln; **12.** ('rund)her'umlaufen, ziellos her'umirren: ~*ing crowd* Gewühl, wogende Menge.

mill[2] [mil] *s. Am.* Tausendstel *n* (*bsd.* $^1/_{1000}$ *Dollar*).

mill| **bar** *s.* ⊕ Pla'tine *f*; '~**·board** *s.* starke Pappe, Pappdeckel *m*; '~**·course** *s.* **1.** Mühlengerinne *n*; **2.** Mahlgang *m*.

mil·le·nar·i·an [mili'nɛəriən] **I.** *adj.* **1.** tausendjährig; **2.** *eccl.* das Tausendjährige Reich (Christi) betreffend; **II.** *s.* **3.** *eccl.* Chili'ast *m*; **mil·le·nar·y** [mi'lenəri] **I.** *adj.* **1.** aus tausend (Jahren) bestehend, von tausend Jahren; **II.** *s.* **2.** (Jahr-) 'Tausend *n*; **3.** Jahr'tausendfeier *f*; **mil·len·ni·al** [mi'leniəl] *adj.* **1.** *eccl.* das Tausendjährige Reich betreffend; **2.** e-e Jahrtausendfeier betreffend; **3.** tausendjährig; **mil·len·ni·um** [mi'leniəm] *pl.* **-ni·ums** *od.* **-ni·a** [-niə] *s.* **1.** Jahr'tausend *n*; **2.** Jahr'tausendfeier *f*; **3.** *eccl.* Tausendjähriges Reich (Christi); **4.** *fig.* Para'dies *n* auf Erden.

mil·le·pede ['milipi:d] *s. zo.* Tausendfüß(l)er *m*.

mill·er ['milə] *s.* **1.** Müller *m*: *to drown the* ~ *Wein etc.* verwässern, pan(t)schen; **2.** ⊕ 'Fräsma,schine *f*; **3.** *zo.* Müller *m* (*Motte*).

mil·les·i·mal [mi'lesiməl] **I.** *adj.* □ **1.** tausendst; **2.** aus Tausendsteln bestehend; **II.** *s.* **3.** Tausendstel *n*.

mil·let ['milit] *s.* ♀ (Rispen)Hirse *f*: *Indian* ~ Mohrenhirse; '~**-grass** *s.* ♀ Flattergras *n*.

'**mill-hand** *s.* Mühlen-, Fa'brik-, Spinne'reiarbeiter *m*.

milli- [mili] *in Zssgn* Tausendstel.

mil·li'am·me·ter *s.* ⚡ 'Milliam-,pere,meter *n*.

mil·li·ard ['miljɑ:d] *s. Brit.* Milli'arde *f*.

mil·li·bar ['miliba:] *s. meteor.* Milli'bar *n*.

'**mil·li·gram(me)** *s.* Milli'gramm *n*; '**mil·li·me·ter** *Am.*, '**mil·li·me·tre** *Brit. s.* Milli'meter *n*.

mil·li·ner ['milinə] *s.* Hut-, Putzmacherin *f*, Mo'distin *f*; '**mil·li·ner·y** [-nəri] *s.* **1.** Putz-, Modewaren *pl.*; **2.** Modewarengeschäft *n*.

mill·ing ['miliŋ] *s.* **1.** Mahlen *n*; **2.** ⊕ **a)** Walken *n*, **b)** Rändeln *n*, **c)** Fräsen *n*, **d)** Walzen *n*; **3.** *sl.* Tracht *f* Prügel; ~ **cut·ter** *s.* ⊕ Fräser *m*; ~ **ma·chine** *s.* ⊕ **1.** 'Fräsma,schine *f*; **2.** Rändelwerk *n*; ~ **prod·uct** *s.* **1.** 'Mühlenpro,dukt *n*; **2.** ⊕ 'Walzpro,dukt *n*.

mil·lion ['miljən] *s.* **1.** Milli'on *f*: *a* ~ *times* millionenmal; *two* ~ *men* 2 Millionen Mann; *by the* ~ nach Millionen; ~*s of people fig.* e-e Unmasse Menschen; **2.** *the* ~ die große Masse, das Volk; **mil·lion·aire**, *bsd. Am.* **mil·lion·naire** [miljə'nɛə] *s.* Millio'när *m*; **mil·lion·air·ess** [miljə'nɛəris] *s.* Millio'närin *f*; '**mil·lion·fold** *adj.* milli'onenfach; '**mil·lionth** [-nθ] **I.** *adj.* milli'onst; **II.** *s.* Milli'onstel *n*.

mil·li·pede ['milipi:d], *a.* '**mil·li·ped** [-ped] → *millepede*.

'**mil·li·sec·ond** *s.* 'Millise,kunde *f*.

'**mill**|**-pond** *s.* Mühlteich *m*; '~**-race** *s.* Mühlgerinne *n*.

Mills bomb [milz], **Mills gre·nade** *s.* ⚔ 'Eier,handgra,nate *f*.

'**mill**|**·stone** *s.* Mühlstein *m* (*a. fig. Last*): *to see through a* ~ *fig.* das Gras wachsen hören; '~**-wheel** *s.* Mühlrad *n*.

milt[1] [milt] *s. anat.* Milz *f*.

milt[2] [milt] *ichth.* **I.** *s.* Milch *f* (*der männlichen Fische*); **II.** *v/t. den Rogen* mit Milch befruchten; '**milt·er** [-tə] *s. ichth.* Milchner *m*.

mime [maim] **I.** *s.* **1.** *antiq.* Mimus *m*, Possenspiel *n*; **2.** Mime *m*; **3.** Possenreißer *m*; **II.** *v/t.* **4.** mimen, nachahmen.

mim·e·o·graph ['mimiəgrɑ:f; -græf] **I.** *s.* Mimeo'graph *m* (*Vervielfältigungsapparat*); **II.** *v/t.* vervielfältigen; **mim·e·o·graph·ic** [mimiə'græfik] *adj.* (□ ~*ally*) mimeo'graphisch, vervielfältigt.

mi·met·ic [mi'metik] *adj.* (□ ~*ally*) **1.** nachahmend (*a. ling. lautmalend*); *b.s.* nachäffend, Schein...; **2.** *biol.* fremde Formen nachbildend.

mim·ic ['mimik] **I.** *adj.* **1.** mimisch, (durch Gebärden) nachahmend; **2.** Schauspiel...: ~ *art* Schauspielkunst; **3.** nachgeahmt, Schein...: **II.** *s.* **4.** Nachahmer *m*, Imi'tator *m*; **5.** *obs.* Mime *m*, Schauspieler *m*; **III.** *v/t. pret. u. p.p.* '**mim·icked** [-kt], *pres. p.* '**mim·ick·ing** [-kiŋ] **6.** nachahmen, -äffen; **7.** ♀, *zo.* sich *in der Farbe etc.* angleichen (*dat.*); '**mim·ic·ry** [-kri] *s.* **1.** Nachahmen *n*, -äffung *f*; **2.** *zo.* 'Mimikry *f*, Angleichung *f*.

mi·mo·sa [mi'mouzə] *s.* ♀ Mi'mose *f*.

min·a·ret ['minəret] *s.* ⚠ Mina'rett *n*.

min·a·to·ry ['minətəri] *adj.* drohend, bedrohlich.

mince [mins] **I.** *v/t.* **1.** zerhacken, in kleine Stücke zerschneiden; 'durchdrehen: *to* ~ *meat* Hackfleisch machen; **2.** *fig.* mildern, bemänteln: *to* ~ *one's words* geziert *od.* affektiert sprechen; *not to* ~ *matters* (*od. one's words*) kein Blatt vor den Mund nehmen; **3.** geziert tun: *to* ~ *one's steps* trippeln; **II.** *v/i.* **4.** Fleisch (*a.* Fett, Gemüse) kleinschneiden *od.* zerkleinern, Hackfleisch machen; **5.** sich geziert benehmen, geziert gehen; **III.** *s.* **6.** *bsd. Brit.* Hackfleisch *n*, Gehacktes *n*; '~**·meat** *s.* Pa'steten-, Tortenfüllung *f aus Korinthen, Äpfeln, Rosinen, Rum etc. mit od. ohne Fleisch*: *to make* ~ *of fig.* **a)** aus *j-m* ‚Hackfleisch machen', **b)** *Argument etc.* zerreißen; ~ **pie** *s. mit mincemeat gefüllte Pastete.*

minc·er ['minsə] → *mincing machine.*

minc·ing ['minsiŋ] *adj.* □ *fig.* geziert, affek'tiert, zimperlich.

minc·ing ma·chine *s.* 'Fleischhackma,schine *f*, Fleischwolf *m*.

mind [maind] **I.** *s.* **1.** Sinn *m*, Gemüt *n*, Herz *n*: *to have s.th. on one's* ~ et. auf dem Herzen haben; **2.** Seele *f*, Verstand *m*, Geist *m*: *presence of* ~ Geistesgegenwart; *before one's* ~*'s eye* vor j-s geistigem Auge; *to be of sound* ~, *to be in one's right* ~ bei (vollem) Verstand sein; *of sound ~ and memory* ⚖ im Vollbesitz s-r geistigen Kräfte; *to be out of one's ~* nicht (recht) bei Sinnen sein, verrückt sein; *to lose one's ~* den Verstand verlieren; *to close one's ~ to s.th.* sich gegen et. verschließen; *to have an open ~* unvoreingenommen sein; *to cast back one's ~* sich zurückversetzen (*to* nach, in *acc.*); *to enter s.o.'s ~* j-m in den Sinn kommen; *to put s.th. out of one's ~* sich et. aus dem Kopf schlagen; *to read s.o.'s ~* j-s Gedanken lesen; **3.** Geist *m* (*a. phls.*): *the human ~*; *things of the ~* geistige Dinge; *history of the ~* Geistesgeschichte; *his is a fine ~* er hat e-n feinen Verstand, er ist ein kluger Kopf; *one of the greatest ~s of his time fig.* e-r der größten Geister s-r Zeit; **4.** Meinung *f*, Ansicht *f*: *in* (*od. to*) *my ~* **a)** m-r Ansicht nach, m-s Erachtens, **b)** nach m-m Sinn; *to be of s.o.'s ~* j-s Meinung sein; *to change one's ~* sich anders besinnen; *to speak one's ~* (*freely*) s-e Meinung frei äußern; *to give s.o. a piece of one's ~* j-m gründlich die Meinung sagen; *to know one's own ~* wissen, was man will; *to be in two ~s about s.th.* mit sich selbst über et. nicht einig sein; *there can be no two ~s about it* darüber kann es keine geteilte Meinung geben; **5.** Neigung *f*, Lust *f*; Absicht *f*: *to have* (*half*) *a ~ to do s.th.* (beinahe) Lust haben, et. zu tun; *to have s.th. in ~* et. im Sinne haben; *I have you in ~* ich denke (dabei) an dich; *to have it in ~ to do s.th.* beabsichtigen, et. zu tun; *to make up one's ~* **a)** sich entschließen, e-n Entschluß fassen, **b)** zur Überzeugung kommen (*that* daß), sich klarwerden (*about* über *acc.*); **6.** Erinnerung *f*, Gedächtnis *n*: *to bear* (*od. keep*) *in ~* (immer) an *et.* denken, *et.* nicht vergessen, bedenken; *to call to ~* sich *et.* ins Gedächtnis zurückrufen, sich an *et.* erinnern; *to put s.o. in ~ of s.th.* j-n an et. erinnern; *time out of ~* seit (*od.* vor) undenklichen Zeiten; **II.** *v/t.* **7.** merken, (be)achten, achtgeben, hören auf (*acc.*): *to ~ one's P's and Q's* F sich ganz gehörig in acht nehmen; *~ you write* F denk daran (*od.* vergiß nicht) zu schreiben; **8.** sich in acht nehmen, sich hüten vor (*dat.*): *~ the step!* Achtung Stufe!; **9.** sorgen für, sehen nach: *to ~ the fire* nach dem Feuer sehen; *to ~ the children* sich um die Kinder kümmern; *~ your own business!* kümmere dich um deine eigenen Dinge!; *never ~ him!* kümmere dich nicht um ihn!; **10.** sich et. machen aus, es nicht gern sehen *od.* mögen, sich stoßen an (*dat.*): *do you ~ my smoking?* haben Sie et. dagegen, wenn ich rauche?; *would you ~ coming?* würden Sie so freundlich sein zu kommen?; *I don't ~* (*it*) ich habe nichts dagegen, meinetwegen; *I should not ~ a drink* ich wäre nicht abgeneigt, et. zu trinken; **III.** *v/i.* **11.** achthaben, aufpassen, bedenken: *~* (*you*)*!* wohlgemerkt; *never ~!* laß es gut sein!, es hat nichts zu sagen!, es macht nichts!; **12.** et. da'gegen haben: *I don't ~* ich habe nichts dagegen, meinetwegen; *I don't ~ if I do* F ja, ganz gern *od.* ich möchte schon; *he ~s a great deal* er ist allerdings dagegen, es macht ihm sehr viel aus; *never ~!* mach dir nichts draus!.

mind·ed ['maindid] *adj.* **1.** geneigt, gesonnen: *if you are so ~* wenn das deine Absicht ist; **2.** *in Zssgn*: gesinnt: *evil-~* böse gesinnt; *small-~* kleinlich; *air-~* flugbegeistert.

'mind-ex·pand·ing *adj.* bewußtseinserweiternd, psyche'delisch (*Droge*).

mind·ful ['maindful] *adj.* □ (*of*) aufmerksam, achtsam (auf *acc.*), eingedenk (*gen.*): *to be ~ of* achten auf; **'mind·less** ['maindlis] *adj.* □ **1.** (*of*) unbekümmert (um), ohne Rücksicht (auf *acc.*), uneingedenk (*gen.*); **2.** geistlos, unbeseelt.

'mind|-read·er *s.* Gedankenleser(in); **'~-read·ing** *s.* Gedankenlesen *n.*

mine[1] [main] **I.** *poss. pron.* der (die, das) mein(ig)e: *what is ~* was mir gehört, das Meinige; *a friend of ~* ein Freund von mir; *me and ~* ich u. die Mein(ig)en *od.* meine Familie; **II.** *poss. adj. poet. od. obs.* mein: *~ eyes* meine Augen; *~ host* (der) Herr Wirt.

mine[2] [main] **I.** *v/i.* **1.** minieren; **2.** schürfen, graben (*for* nach); **3.** sich eingraben (*Tiere*); **II.** *v/t.* **4.** *Erz, Kohlen* abbauen, gewinnen; **5.** ⚓, ⚔ **a)** verminen, **b)** minieren; **6.** *fig.* unter'graben, -mi'nieren; **III.** *s.* **7.** *oft pl.* ⚒ Mine *f*, Bergwerk *n*, Zeche *f*, Grube *f*; **8.** ⚓, ⚔ (*Luft-, See*)Mine *f*: *to spring a ~* e-e Mine springen lassen (*a. fig.*); **9.** *fig.* Fundgrube *f* (*of* an *dat.*): *a ~ of information*; *~* **bar·ri·er** *s.* ⚔ Minensperre *f*; *~* **de·tec·tor** *s.* ⚔ Minensuchgerät *n*; *~* **fore·man** *s.* [*irr.*] ⚒ Obersteiger *m*; *~* **gas** *s.* **1.** → *methane*; **2.** ⚒ Grubengas *n*, schlagende Wetter *pl.*; **'~·lay·er** [-leiə] *s.* ⚓ Minenleger *m*: *cruiser ~* Minenkreuzer.

min·er ['mainə] *s.* **1.** ⚒ Bergarbeiter *m*, -mann *m*, Grubenarbeiter *m*, Kumpel *m*: *~s' association* Knappschaft; *~'s lamp* Grubenlampe; *~'s lung* ⚕ (Kohlen)Staublunge; **2.** ⚓, ⚔ Mi'neur *m*, Minenleger *m.*

min·er·al ['minərəl] **I.** *s.* **1.** Mine'ral *n*; **2.** *bsd. pl.* Mine'ralwasser *n*; **II.** *adj.* **3.** mine'ralisch, Mineral...; **4.** ⚗ 'anor'ganisch; *~* **blue** *s. min.* Bergblau *n*; *~* **car·bon** *s. min.* Gra'phit *m*; *~* **coal** *s. min.* Steinkohle *f*; *~* **de·pos·it** *s. geol.* Erzlagerstätte *f.*

min·er·al·ize ['minərəlaiz] *v/t. geol.* **1.** vererzen; **2.** mineralisieren, versteinern; **3.** mit 'anor'ganischem Stoff durch'setzen; **min·er·al·og·i·cal** [minərə'lɔdʒikəl] *adj.* □ *min.* minera'logisch; **min·er·al·o·gist** [minə'rælədʒist] *s.* Minera'loge *m*; **min·er·al·o·gy** [minə'rælədʒi] *s.* Mineralo'gie *f.*

min·er·al| oil *s.* Erdöl *n*, Pe'troleum *n*, Mine'ralöl *n*; *~* **spring** *s.* Mine'ralquelle *f*, Heilbrunnen *m*; *~* **wa·ter** *s.* Mine'ralwasser *n.*

mine| sur·vey·or *s.* ⚒ Markscheider *m*; **'~·sweep·er** *s.* ⚓, ⚔ Minenräum-, Minensuchboot *n*; *~* **sweep·ing** *s.* ⚓ Minenräumen *n.*

min·e·ver → *miniver.*

min·gle ['miŋgl] **I.** *v/i.* **1.** verschmelzen, sich vermischen, sich vereinigen, sich verbinden (*with* mit): *with ~d feelings fig.* mit gemischten Gefühlen; **2.** *fig.* sich (ein)mischen (*in* in *acc.*), sich mischen (*among, with* unter *acc.*); **II.** *v/t.* **3.** vermischen, -mengen.

min·gy ['mindʒi] *adj.* F geizig, knickerig.

min·i ['mini] **I.** *s.* **1.** Minimode *f*: *to wear ~* mini tragen; **II.** *adj.* **2.** Mini...: *~ skirt* → *miniskirt.*

min·i·a·ture ['minjətʃə] **I.** *s.* **1.** Minia'tur(gemälde *n*) *f*; **2.** *fig.* Minia'turausgabe *f*: *in ~* im kleinen, en miniature, Miniatur...; **3.** ⚔ kleine Ordensschnalle; **II.** *adj.* **4.** Miniatur..., Klein..., im kleinen; *~* **cam·er·a** *s. phot.* 'Kleinbild,kamera *f*; *~* **cur·rent** *s.* ⚡ Mini'mal-, Unterstrom *m*; *~* **grand** *s.* ♪ Stutzflügel *m*; *~* **ri·fle shoot·ing** *s.* 'Kleinka,liberschießen *n*; *~* **valve** *s.* ⚡ 'Liliputröhre *f.*

min·i·a·tur·ist ['minjətjuərist] *s.* Minia'turmaler *m.*

'min·i·bus *s. mot.* Mini-, Kleinbus *m.*

'min·i·cab *s.* Minicar *m* (*Kleintaxi*).

'min·i·car *s. mot.* Kleinwagen *m.*

min·i·fy ['minifai] *v/t.* vermindern, verkleinern; *fig. a.* her'absetzen.

min·i·kin ['minikin] **I.** *adj.* **1.** affek'tiert, geziert; **2.** winzig, zierlich; **II.** *s.* **3.** kleine Stecknadel; **4.** *fig.* Knirps *m.*

min·im ['minim] *s.* **1.** ♪ halbe Note; **2.** *et.* Winziges; Zwerg *m*; **3.** *pharm.* $^{1}/_{60}$ Drachme *f* (*Apothekermaß*); **4.** Grundstrich *m* (*Kalligraphie*); **'min·i·mal** [-ml] *adj.* kleinst, mini'mal, Mindest...; **'min·i·mize** [-maiz] *v/t.* **1.** auf das Mindestmaß zu'rückführen; **2.** als geringfügig darstellen, bagatellisieren; **'min·i·mum** [-məm] **I.** *pl.* **-ma** [-mə] *s.* 'Minimum *n* (*a.* ⚕), Mindestmaß *n*, -betrag *m*, -stand *m*: *with a ~ of effort* mit e-m Minimum an *od.* von Anstrengung; **II.** *adj.* mini'mal, mindest, Mindest..., kleinst: *~ output* Leistungsminimum; *~ price* Mindestpreis; *~ wage* Mindestlohn; *~ weight* Mindestgewicht.

min·ing ['mainiŋ] ⚒ **I.** *s.* Bergbau *m*, Bergwerk(s)betrieb *m*, Bergwesen *n*; **II.** *adj.* Bergwerks..., Berg(bau)..., Gruben..., Montan...: *~ law* Bergrecht; *~* **dis·as·ter** *s.* Grubenunglück *n*; *~* **en·gi·neer** *s.* 'Berg(bau)ingeni,eur *m*; *~* **in·dus·try** *s.* 'Bergwerks-, 'Bergbau-, Mon'tanindu,strie *f*; *~* **share** *s.* Kux *m.*

min·ion ['minjən] *s.* **1.** Günstling *m*; **2.** *contp.* Speichellecker *m*: *~ of the law* Häscher; **3.** *typ.* Kolo'nel *f* (*Schriftgrad*).

'min·i·skirt *s.* Minirock *m.*

'min·i·state *s. pol.* Zwergstaat *m.*

min·is·ter ['ministə] **I.** *s.* **1.** *eccl.* Geistliche(r) *m*, Pfarrer *m* (*bsd. e-r Dissenterkirche*); **2.** *pol. Brit.* Mi'nister *m*, *a.* Premi'ermi,nister *m*: ♀ *of Labour* Arbeitsminister; **3.** *pol.* Gesandte(r) *m*: *~ plenipotentiary* Gesandter mit unbeschränkter Vollmacht; **4.** *fig.* Diener *m*, Werkzeug *n*; **II.** *v/t.* **5.** darreichen; *eccl. die Sakramente* spenden; **III.** *v/i.* **6.** (*to*) behilflich *od.* dienlich sein (*dat.*): *to ~ to the wants of others* für die Bedürfnisse anderer sorgen; **7.** *eccl.* Gottesdienst halten; **min·is·te·ri·al** [minis'tiəriəl] *adj.* □ **1.** amtlich, Verwaltungs..., 'untergeordnet: *~ officer* Verwaltungs-, Exekutivbeamter; **2.** *eccl.* geistlich; **3.** *pol.* **a)** Ministerial..., Minister..., **b)** Regierungs...: *~ bill* Regierungsvorlage; **4.** Hilfs..., dienlich (*to dat.*); **min·is·te·ri·al·ist** [minis'tiəriəlist] *s. pol.* Regierungstreue(r *m*) *f*; '**min·is·trant** [-trənt] **I.** *adj.* **1.** (*to*) dienend (zu), dienstbar (*dat.*); **II.** *s.* **2.** Diener(in); **3.** *eccl.* Mini'strant *m*; **min·is·tra·tion** [minis'treiʃən] *s.* Dienst *m* (*to* an *dat.*); *bsd. kirchliches* Amt; '**min·is·try** [-tri] *s.* **1.** *eccl.* geistliches Amt; **2.** *pol. Brit.* **a)** Mini'sterium *n* (*a. Amtsdauer u. Gebäude*), **b)** Mi'nisterposten *m*, -amt *n*, **c)** Kabi'nett *n*, Regierung *f*; **3.** *pol. Brit.* Amt *n* e-s Gesandten; **4.** *eccl. coll.* Geistlichkeit *f*.

min·i·um ['miniəm] *s.* **1.** → *vermilion*; **2.** ⚗ Mennige *f*.

min·i·ver ['minivə] *s.* Grauwerk *n*, Feh *n* (*Pelz*).

mink [miŋk] *s.* **1.** *zo.* Nerz *m*; **2.** Nerz(fell *n*) *m*.

min·now ['minou] *s. ichth.* Elritze *f*.

mi·nor ['mainə] **I.** *adj.* **1. a)** kleiner, geringer, **b)** klein, unbedeutend, geringfügig; 'untergeordnet (*a. phls.*): *~ casualty* ⚔ Leichtverwundeter; *~ offence* (*Am. offense*) ⚖ (leichtes) Vergehen, Übertretung; *the ♀ Prophets bibl.* die kleinen Propheten; *of ~ importance* von zweitrangiger Bedeutung, **c)** Neben..., Hilfs..., Unter...: *a ~ group* eine Untergruppe; *~ premise phls.* Untersatz; *~ subject Am. univ.* Nebenfach; **2.** minderjährig; **3.** *Brit.* jünger (*in Schulen*): *Smith ~* Smith der Jüngere; **4.** ♪ **a)** klein (*Terz etc.*), **b)** Moll...: *C ~* c-moll; *~ key* Molltonart; **II.** *s.* **5.** Minderjährige(r *m*) *f*; **6.** ♪ **a)** Moll *n*, **b)** 'Mollak,kord *m*, **c)** Molltonart *f*; **7.** *phls.* 'Untersatz *m*; **8.** *Am. univ.* Nebenfach *n*; **mi·nor·i·ty** [mai'nɔriti] *s.* **1.** Minderjährigkeit *f*, Unmündigkeit *f*; **2.** Minori'tät *f*, Minderheit *f*, -zahl *f*.

min·ster ['minstə] *s. eccl.* **1.** Klosterkirche *f*; **2.** Münster *n*, Kathe'drale *f*.

min·strel ['minstrəl] *s.* **1.** *hist.* Spielmann *m*; Minnesänger *m*; **2.** *poet.* Sänger *m*, Dichter *m*; *mst negro ~s pl.* Negersänger *pl.*; '**min·strel·sy** [-si] *s.* **1.** Musi'kantentum *n*; **2. a)** Minnesang *m*, -dichtung *f*, **b)** *poet.* Dichtkunst *f*, Dichtung *f*; **3.** *coll.* Spielleute *pl.*

mint[1] [mint] *s.* ⚘ Minze *f*: *~ sauce* (saure) Minzsoße.

mint[2] [mint] **I.** *s.* **1.** Münze *f*: **a)** Münzstätte *f*, -anstalt *f*, **b)** Münzamt *n*: *a ~ of money* F ein Haufen Geld; **2.** *fig.* **a)** Werkstatt *f der Natur*, **b)** (reiche) Fundgrube, Quelle *f*; **II.** *adj.* **3.** (wie) neu, tadellos erhalten, unbeschädigt (*Briefmarke, Buch*): *in ~ condition*; **III.** *v/t.* **4.** *Geld* münzen, schlagen, prägen; **5.** *fig. Wort etc.* prägen; schmieden; '**mint·age** [-tidʒ] *s.* **1.** Münzen *n*, Prägung *f* (*a. fig.*); **2.** *das* Gepräge, Geld *n*; **3.** Prägegebühr *f*.

min·u·end ['minjuend] *s.* ⅍ Minu'end *m*.

min·u·et [minju'et] *s.* ♪ Menu'ett *n*.

mi·nus ['mainəs] **I.** *prp.* **1.** ⅍ minus, weniger; **2.** F ohne *Hosen etc.*, mit *e-m Bein etc.* weniger; **II.** *adv.* **3.** minus, unter null (*Temperatur*); **III.** *adj.* **4.** Minus..., nega'tiv: *~ amount* Fehlbetrag; *~ quantity* → 6; **IV.** *s.* **5.** Minuszeichen *n*; **6.** negative Größe; **7.** Verlust *m*, Mangel *m*.

mi·nus·cule [mi'nʌskju:l] *s.* Mi'nuskel *f*, kleiner (Anfangs)Buchstabe.

min·ute[1] ['minit] **I.** *s.* **1.** Mi'nute *f* (*a.* ⅍): *for a ~* e-e Minute (lang); *~-hand* Minutenzeiger (*Uhr*); *to the ~* auf die Minute genau; (*up*) *to the ~* hypermodern; **2.** Augenblick *m*: *in a ~* sofort; *just a ~!* Moment mal!; *the ~ that* sobald; **3.** ✝ **a)** Kon'zept *n*, kurzer Entwurf, **b)** No'tiz *f*, Memo'randum *n*: *~-book* Protokollbuch; *to enter in the ~-book* protokollieren; **4.** *pl.* ⚖, *pol.* ('Sitzungs)Proto,koll *n*, Niederschrift *f*: (*the*) *~s of the proceedings* Verhandlungsprotokoll; *to keep the ~s* das Protokoll führen; **II.** *v/t.* **5. a)** entwerfen, aufsetzen, **b)** notieren, protokollieren.

mi·nute[2] [mai'nju:t] *adj.* □ → *minutely*[2]; **1.** sehr klein, winzig: *in the ~st details* in den kleinsten Einzelheiten; **2.** *fig.* unbedeutend, geringfügig; **3.** sorgfältig, peinlich genau.

min·ute·ly[1] ['minitli] **I.** *adj.* jede Mi'nute geschehend, Minuten...; **II.** *adv.* jede Minute, von Minute zu Minute.

mi·nute·ly[2] [mai'nju:tli] *adv.* genau, 'umständlich; **mi·nute·ness** [mai'nju:tnis] *s.* **1.** Kleinheit *f*, Winzigkeit *f*; **2.** (peinliche) Genauigkeit, 'Umständlichkeit *f*.

mi·nu·ti·a [mi'nju:ʃiə] *pl.* **-ti·ae** [-ʃii:] (*Lat.*) *s.* Einzelheit *f*, De'tail *n*.

minx [miŋks] *s.* Range *f*, Racker *m* (*Mädchen*).

mir·a·cle ['mirəkl] *s.* Wunder *n* (*a. fig.*); Wundertat *f*, -kraft *f*: *to a ~* wundervoll, ausgezeichnet; *to work ~s* Wunder tun; *~ play hist. eccl.* Mirakelspiel; **mi·rac·u·lous** [mi'rækjuləs] **I.** *adj.* □ 'überna,türlich, wunderbar (*a. fig.*); Wunder...: *~ cure* Wunderkur; **II.** *s. das* Wunderbare; **mi·rac·u·lous·ly** [mi'rækjuləsli] *adv.* (wie) durch ein Wunder.

mi·rage ['mira:ʒ] *s.* **1.** *phys.* Luftspiegelung *f*, Fata Mor'gana *f*; **2.** *fig.* Trugbild *n*, Täuschung *f*, Wahn *m*.

mire ['maiə] **I.** *s.* **1.** Schlamm *m*, Sumpf *m*, Kot *m* (*alle a. fig.*): *to drag s.o. into the ~ fig.* j-n in den Schmutz ziehen; **2.** *fig.* ‚Patsche' *f*, Verlegenheit *f*: *to be deep in the ~* ‚tief in der Klemme sitzen'; **II.** *v/t.* **3.** in den Schlamm fahren *od.* setzen: *to be ~d* im Sumpf *etc.* stecken (-bleiben); **4.** beschmutzen, besudeln; **III.** *v/i.* **5.** im Sumpf versinken.

mir·ror ['mirə] **I.** *s.* **1.** Spiegel *m* (*a. zo.*): *to hold up the ~ to s.o. fig.* j-m den Spiegel vorhalten; **2.** *fig.* Spiegel *m*, Muster *n*, Vorbild *n*; **II.** *v/t.* **3.** 'widerspiegeln; **4.** mit Spiegel(n) versehen: *~ed room* Spiegelzimmer; *~* **fin·ish** *s.* ⊕ Hochglanz *m*; '*~*-**in·vert·ed** *adj.* seitenverkehrt; *~* **sym·me·try** *s.* ⅍, *phys.* 'Spiegelsymme,trie *f*; '*~*-**writ·ing** *s.* Spiegelschrift *f*.

mirth [mə:θ] *s.* Fröhlichkeit *f*, Frohsinn *m*, Heiterkeit *f*, Freude *f*; '**mirth·ful** [-ful] *adj.* □ fröhlich, heiter, lustig; '**mirth·ful·ness** [-fulnis] *s.* Fröhlichkeit *f*; '**mirth·less** [-lis] *adj.* freudlos, trüb(e).

mir·y ['maiəri] *adj.* **1.** sumpfig, schlammig, kotig; **2.** *fig.* dreckig, gemein.

mis- [mis] *in Zssgn* falsch, Falsch..., miß..., Miß...; schlecht; Fehl...

'**mis·ad'ven·ture** *s.* Unfall *m*, Unglück *n*; 'Mißgeschick *n*; '**mis·a'lign·ment** *s.* ⊕ Flucht(ungs)fehler *m*; '**mis·al'li·ance** *s.* Mesalli'ance *f*, 'Mißheirat *f*.

mis·an·thrope ['mizənθroup] *s.* Menschenfeind *m*, Misan'throp *m*; **mis·an·throp·ic** *adj.*; **mis·an·throp·i·cal** [mizən'θrɔpik(əl)] *adj.* □ menschenfeindlich, misan'thropisch; **mis·an·thro·pist** [mi'zænθrəpist] → *misanthrope*; **mis·an·thro·py** [mi'zænθrəpi] *s.* Menschenhaß *m*.

'**mis·ap·pli'ca·tion** *s.* falsche Verwendung; *b.s.* 'Mißbrauch *m*; '**mis·ap'ply** *v/t.* **1.** falsch anbringen *od.* anwenden; **2.** miß'brauchen; *öffentliche Gelder etc.* veruntreuen.

'**mis·ap·pre'hend** *v/t.* 'mißverstehen; '**mis·ap·pre'hen·sion** *s.* 'Mißverständnis *n*, falsche Auffassung: *to be od. labo(u)r under a ~* sich in e-m Irrtum befinden.

'**mis·ap'pro·pri·ate** *v/t.* **1.** sich 'widerrechtlich aneignen, unter'schlagen; **2.** falsch anwenden: *~d capital* ✝ fehlgeleitetes Kapital; '**mis·ap·pro·pri'a·tion** *s.* ⚖ 'widerrechtliche Aneignung *od.* Verwendung, Unter'schlagung *f*, Veruntreuung *f*.

'**mis·be'come** *v/t.* [*irr.* → *become*] *j-m* schlecht stehen, sich nicht schicken *od.* ziemen für; '**mis·be'com·ing** *adj.* unschicklich.

'**mis·be'got·ten** *adj.* **1.** unehelich (gezeugt); **2.** scheußlich, ekelhaft.

'**mis·be'have** *v/i. od. v/refl.* **1.** sich schlecht benehmen *od.* aufführen, sich da'nebenbenehmen; **2.** *to ~ with* sich einlassen *od.* in'tim werden mit; '**mis·be'hav·io(u)r** *s.* **1.** schlechtes Betragen, Ungezogenheit *f*; **2.** *~ before the enemy* ⚔ *Am.* Feigheit vor dem Feind.

'**mis·be'lief** *s.* Irrglaube *m*; irrige Ansicht; '**mis·be'lieve** *v/i.* irrgläubig sein; '**mis·be'liev·er** *s.* Irrgläubige(r *m*) *f*.

'**mis'cal·cu·late** **I.** *v/t.* falsch berechnen *od.* (ab)schätzen; **II.** *v/i.* sich verrechnen, sich verkalkulieren; '**mis·cal·cu'la·tion** *s.* Rechen-, Kalkulati'onsfehler *m*, falsche (Be)Rechnung.

'**mis'call** *v/t.* falsch *od.* zu Unrecht (be)nennen.

mis'car·riage *s.* **1.** Fehlschlag(en *n*)

m, Miß'lingen *n*: ~ *of justice* ⚖ Fehlspruch, -urteil, Justizirrtum; **2.** ✝ Versandfehler *m*; **3.** Fehlleitung *f* (*Brief*); **4.** ⚕ Fehlgeburt *f*; **mis'car·ry** *v/i.* **1.** miß'lingen, -'glücken, fehlschlagen, scheitern; **2.** verlorengehen (*Brief*); **3.** ⚕ e-e Fehlgeburt haben.

mis'cast *v/t.* [*irr.* → *cast*] *thea. etc. Rolle* fehlbesetzen: *to be* ~ **a)** e-e Fehlbesetzung sein (*Schauspieler*), **b)** *fig.* s-n Beruf verfehlt haben.

mis·ce·ge·na·tion [misidʒi'neiʃən] *s.* Rassenmischung *f*.

mis·cel·la·ne·ous [misi'leinjəs] *adj.* □ **1.** ge-, vermischt; **2.** vielseitig, verschiedenartig; **mis·cel'la·ne·ous·ness** [-nis] *s.* **1.** Gemischtheit *f*; **2.** Vielseitigkeit *f*; Mannigfaltigkeit *f*; **mis·cel·la·ny** [mi'seləni] *s.* **1.** Gemisch *n*, Sammlung *f*, Sammelband *m*; **2.** *pl.* vermischte Schriften *pl.*, Mis'zellen *pl.*

mis'chance *s.* Unfall *m*, 'Mißgeschick *n*: *by* ~ durch e-n unglücklichen Zufall, unglücklicherweise.

mis·chief ['mistʃif] *s.* **1.** Unheil *n*, Unglück *n*, Schaden *m*: *to do* ~ Unheil anrichten; *to mean* ~ Böses im Schilde führen; *to make* ~ Zwietracht säen, böses Blut machen; **2.** Gefahr *f*: *to run into* ~ in Gefahr kommen; **3.** Ursache *f* des Unheils, Übelstand *m*, Unrecht *n*, Störenfried *m*; **4.** Unfug *m*, Possen *m*: *to get into* ~ et. ‚anstellen'; *to keep out of* ~ brav sein; *that will keep you out of* ~ das wird dir deine dummen Gedanken austreiben; **5.** Racker *m* (*Kind*); **6.** Mutwille *m*, 'Übermut *m*, Ausgelassenheit *f*: *to be full of* ~ immer Unfug im Kopf haben; **7.** *euphem. der* Böse, Teufel *m*: *what (why) the* ~ ...? was (warum) zum Teufel ...?; **'~-mak·er** *s.* Unheilstifter *m*, Störenfried *m*; Hetzer *m*.

mis·chie·vous ['mistʃivəs] *adj.* □ **1.** nachteilig, schädlich, verderblich; **2.** boshaft, mutwillig, schadenfroh, schelmisch; **'mis·chie·vous·ness** [-nis] *s.* **1.** Schädlichkeit *f*; **2.** Bosheit *f*, Mutwille *m*; Schadenfreude *f*; **3.** Schalkheit *f*, Ausgelassenheit *f*.

mis·ci·ble ['misibl] *adj.* mischbar.

'mis·con'ceive *v/t.* falsch auffassen *od.* verstehen, sich e-n falschen Begriff machen von; **'mis·con'cep·tion** *s.* 'Mißverständnis *n*, falsche Auffassung.

mis·con·duct I. *v/t.* ['miskən'dʌkt] **1.** schlecht führen *od.* verwalten; **2.** ~ *o.s.* sich schlecht betragen *od.* benehmen, e-n Fehltritt begehen; **II.** *s.* [mis'kɔndʌkt] **3.** Ungebühr *f*, schlechtes Betragen *od.* Benehmen; **4.** Verfehlung *f*, *bsd.* Ehebruch *m*, Fehltritt *m*; ⚔ schlechte Führung: ~ *in office* ⚖ Amtsvergehen.

'mis·con'struc·tion *s.* Miß'deutung *f*, falsche Auslegung; **'mis·con'strue** *v/t.* falsch auslegen, miß'deuten, 'mißverstehen.

'mis'count I. *v/t.* falsch (be)rechnen *od.* zählen; **II.** *v/i.* sich verrechnen; **III.** *s.* Rechenfehler *m*.

mis·cre·ant ['miskriənt] **I.** *adj.* gemein, ab'scheulich, scheußlich; **II.** *s.* Schurke *m*, Bösewicht *m*.

'mis'date I. *v/t.* falsch datieren; **II.** *s.* falsches Datum.

'mis'deal *v/t. u. v/i.* [*irr.* → *deal*] *Karten* vergeben.

'mis'deed *s.* Missetat *f*, Verbrechen *n*, Untat *f*.

mis·de·mean [misdi'mi:n] *v/i. u. v/refl.* sich schlecht betragen, sich vergehen; **mis·de'mean·ant** [-nənt] *s.* **1.** Übel-, Missetäter(in); **2.** ⚖ Straffällige(r *m*) *f*, Delin'quent(in); **mis·de'mean·o(u)r** [-nə] *s.* ⚖ Vergehen *n*, minderes De'likt.

'mis·di'rect *v/t.* **1.** *j-n od. et.* fehl-, irreleiten: *~ed charity* falsch angebrachte Wohltätigkeit; **2.** ⚖ *die Geschworenen* falsch belehren; **3.** *Brief* falsch adressieren; **'mis·di'rec·tion** *s.* **1.** Irreleiten *n*, Irreführung *f*; **2.** falsche Verwendung; **3.** ⚖ unrichtige Rechtsbelehrung; **4.** falsche Adressierung (*Brief*).

'mis'do·ing → *misdeed.*

mise en scène ['mi:zɑ̃:n'sein; mizɑ̃sɛ:n] (*Fr.*) *s. thea. u. fig.* Inszenierung *f*.

'mis·em'ploy *v/t.* schlecht anwenden, miß'brauchen; **'mis·em'ploy·ment** *s.* schlechte Anwendung, 'Mißbrauch *m*.

mi·ser ['maizə] *s.* Geizhals *m*.

mis·er·a·ble ['mizərəbl] *adj.* □ **1.** elend, jämmerlich, erbärmlich, armselig, kläglich (*alle a. contp.*); **2.** traurig, unglücklich: *to make s.o.* ~; **3.** verächtlich, nichtswürdig.

mi·ser·li·ness ['maizəlinis] *s.* Geiz *m*; **mi·ser·ly** ['maizəli] *adj.* geizig, filzig, knick(e)rig.

mis·er·y ['mizəri] *s.* Elend *n*, Not *f*; Trübsal *f*, Jammer *m*.

mis·fea·sance [mis'fi:zəns] *s.* ⚖ **1.** pflichtwidrige Handlung; **2.** 'Mißbrauch *m* (*der Amtsgewalt*).

'mis'fire I. *v/i.* **1.** versagen (*Waffe*); **2.** *mot.* fehlzünden, aussetzen; **II.** *s.* **3.** Versager *m*; **4.** *mot.* Fehlzündung *f*.

'mis·fit *s.* **1.** schlechter Sitz (*Kleidungsstücke etc.*); **2.** nicht passendes Stück; **3.** F *fig.* Eigenbrötler *m*, j-d der sich s-r Um'gebung nicht anpassen kann.

mis'for·tune *s.* 'Mißgeschick *n*, Unglück(sfall *m*) *n*.

mis'give *v/t.* [*irr.* → *give*] *Böses* ahnen lassen: *my heart ~s me* mir schwant (*that* daß, *about s.th.* et.);

mis'giv·ing *s.* Befürchtung *f*, Zweifel *m*, böse Ahnung.

mis'got·ten *adj.* unrechtmäßig erworben.

'mis'gov·ern *v/t.* schlecht regieren; **'mis'gov·ern·ment** *s.* 'Mißregierung *f*, schlechte Regierung.

'mis'guid·ance *s.* Irreführung *f*, Verleitung *f*; **'mis'guide** *v/t.* fehlleiten, verleiten, irreführen; **'mis'guid·ed** *adj.* fehl-, irregeleitet: *in a* ~ *moment* in e-r schwachen Stunde.

'mis'han·dle *v/t.* miß'handeln; *weitS.* falsch behandeln, schlecht handhaben.

mis·hap ['mishæp] *s.* Unglück *n*, Unfall *m*; *mot.* (*u. humor. fig.*) Panne *f*.

'mis'hear *v/t. u. v/i.* [*irr.* → *hear*] falsch hören, sich verhören.

mish·mash ['miʃmæʃ] *s.* Mischmasch *m*.

'mis·in'form I. *v/t. j-m* falsch berichten, *j-n* falsch unter'richten; **II.** *v/i.* falsch aussagen (*against* gegen); **'mis·in·for'ma·tion** *s.* falscher Bericht, falsche Auskunft.

'mis·in'ter·pret *v/t. u. v/i.* miß'deuten, falsch auffassen *od.* auslegen; **'mis·in·ter·pre'ta·tion** *s.* 'Mißdeutung *f*, falsche Auslegung.

'mis'join·der *s.* ⚖ unzulässige Klagehäufung; unzulässige Zuziehung (*e-s Streitgenossen*).

'mis'judge *v/i. u. v/t.* **1.** falsch (be-)urteilen, verkennen; **2.** falsch schätzen: *I ~d the distance*; **'mis'judge·ment** *s.* irriges Urteil; falsche Beurteilung.

mis'lay *v/t.* [*irr.* → *lay*] *et.* verlegen.

mis'lead *v/t.* [*irr.* → *lead*] irreführen; *fig. a.* verführen, verleiten (*into doing* zu tun): *to be misled* sich verleiten lassen; **mis'lead·ing** *adj.* irreführend.

mis'led *pret. u. p.p. von mislead.*

'mis'man·age I. *v/t.* schlecht verwalten, unrichtig handhaben; **II.** *v/i.* schlecht wirtschaften; **'mis'man·age·ment** *s.* schlechte Verwaltung, 'Mißwirtschaft *f*.

'mis'name *v/t.* falsch benennen.

mis·no·mer ['mis'noumə] *s.* **1.** ⚖ Namensirrtum *m* (*in e-r Urkunde*); **2.** falsche Benennung *od.* Bezeichnung.

mi·sog·a·mist [mi'sɔgəmist] *s.* Ehefeind *m*.

mi·sog·y·nist [mai'sɔdʒinist] *s.* Weiberfeind *m*; **mi'sog·y·ny** [-ni] *s.* Weiberhaß *m*.

'mis'place *v/t.* **1.** *et.* verlegen; **2.** an e-e falsche Stelle legen *od.* setzen; **3.** *fig.* falsch *od.* übel anbringen: *to be ~d* unangebracht sein.

mis·print I. *v/t.* [mis'print] verdrucken, fehldrucken; **II.** *s.* ['mis'print] Druckfehler *m*.

mis·pri·sion [mis'priʒən] *s.* ⚖ **1.** Vergehen *n*, Versäumnis *n*; **2.** Unter'lassung *f* der Anzeige.

'mis·pro'nounce *v/t.* falsch aussprechen; **'mis·pro·nun·ci'a·tion** *s.* falsche Aussprache.

'mis·quo'ta·tion *s.* falsches Zi'tat; **'mis'quote** *v/t. u. v/i.* falsch anführen *od.* zitieren.

'mis'read *v/t.* [*irr.* → *read*] **1.** falsch lesen; **2.** miß'deuten (*beim Lesen*).

'mis·rep·re'sent *v/t.* **1.** falsch *od.* ungenau darstellen; **2.** entstellen, verdrehen; **'mis·rep·re·sen'ta·tion** *s.* falsche *od.* ungenaue Darstellung, Verdrehung *f*; ⚖ falsche Angabe.

'mis'rule I. *v/t.* **1.** schlecht regieren; **II.** *s.* **2.** schlechte Re'gierung, 'Mißregierung *f*; **3.** Unordnung *f*, Tu'mult *m*.

miss[1] [mis] *s.* **1.** 2 *in der Anrede*: Fräulein *n*: 2 *Smith*; ~ *America* die Schönheitskönigin von Amerika; **2.** *humor.* junges Mädchen, Backfisch *m*; **3.** F (*ohne folgenden Namen*) Fräulein *n*.

miss[2] [mis] **I.** *v/t.* **1.** *Gelegenheit, Zug etc.* verpassen, versäumen; *Beruf, Person, Schlag, Weg, Ziel* verfehlen: *to* ~ *the point* (*of an argument*) das Wesentliche (e-s Arguments) nicht begreifen; *he didn't ~ much* **a)** er versäumte nicht viel, **b)** ihm entging fast nichts; *~ed approach* ✈ Fehlanflug; → *boat 1, bus 1, fire 6, footing 3, guess 7, hold² 1, mark¹ 11*; **2.** *a.* *~ out* auslassen, über'gehen, -'springen; **3.** nicht haben, nicht bekommen; **4.** nicht hören können, über'hören; **5.** (ver)missen, entbehren: *we ~ her very much* sie fehlt uns sehr; **6.** entkommen, vermeiden: *he just ~ed being hurt* er ist gerade (noch) e-r Verletzung entgangen; *I just ~ed running him over* ich hätte ihn beinahe überfahren; **II.** *v/i.* **7.** fehlen, nicht treffen: **a)** da'nebenschießen, -werfen, -schlagen *etc.*, **b)** da'nebengehen (*Schuß etc.*); **8.** miß'glücken, -'lingen, fehlschlagen, ‚da'nebengehen'; **9.** *~ out on* **a)** über'sehen, auslassen, **b)** sich entgehen lassen; **III.** *s.* **10.** Fehlschuß *m*, -wurf *m*, -stoß *m*: *every shot a ~* jeder Schuß (ging) daneben; **11.** Verpassen *n*, Versäumen *n*, Verfehlen *n*, Entrinnen *n*: *a ~ is as good as a mile* **a)** haarscharf daneben ist auch daneben, **b)** mit knapper Not entrinnen ist immerhin entrinnen; *to give s.th. a ~* et. vermeiden, et. nicht nehmen, et. nicht tun *etc.*; **12.** Verlust *m*.

mis·sal ['misəl] *s. eccl.* Meßbuch *n*.

'mis·sel-thrush ['misəl] *s. orn.* Misteldrossel *f*.

mis-shap·en ['mis'ʃeipən] *adj.* 'miß-, ungestalt(et), unförmig.

mis·sile ['misail] **I.** *s.* (Wurf-)Geschoß *n*, Projek'til *n*; ⚔ Flugkörper *m*: *ballistic ~*, *guided ~* Fernlenkwaffe, Rakete(ngeschoß); **II.** *adj.* Wurf...; Raketen...

miss·ing ['misiŋ] *adj.* **1.** fehlend, weg, nicht da: *to be ~* **a)** fehlen, **b)** verschwunden *od.* weg sein (*Sache*); *~ link biol.* fehlendes Glied, Zwischenstufe (*zwischen Mensch u. Affe*); **2.** vermißt (⚔ *a. ~ in action*), verschollen: *to be ~* vermißt sein *od.* werden; *the ~* die Vermißten, die Verschollenen.

mis·sion ['miʃən] *s.* **1.** *pol.* Gesandtschaft *f*; Ge'sandtschaftsperso,nal *n*; **2.** *pol.*, ⚔ Missi'on *f im Ausland*; **3.** (⚔ Kampf)Auftrag *m*; ✈ Einsatz *m*, Feindflug *m*: *on (a) special ~* mit besonderem Auftrag; **4.** *eccl.* **a)** Missi'on *f*, Sendung *f*, **b)** Missio'narstätigkeit *f*: *foreign (home) ~* äußere (innere) Mission, **c)** Missi'on(sgesellschaft) *f*, **d)** Missi'onsstati,on *f*; **5.** Missi'on *f*, Sendung *f*, Lebenszweck *m*: *~ in life* Lebensaufgabe; **mis·sion·ar·y** ['miʃnəri] **I.** *adj.* missio'narisch, Missions...: *~ society*; **II.** *s.* Missio'nar(in), Glaubensbote *m*, -botin *f*.

mis·sis ['misiz] *s.* **1.** *sl.* gnä' Frau (*als Anrede der Hausfrau*); **2.** F ‚Olle' *f*, ‚bessere Hälfte' (*Gattin*).

mis·sive ['misiv] *s.* Sendschreiben *n*.

'mis-'spell *v/t. u. v/i.* [*a. irr.* → *spell*] falsch buchstabieren *od.* schreiben; **'mis-'spell·ing** *s.* falsches Buchstabieren, ortho'graphischer Fehler.

'mis-'spend *v/t.* [*irr.* → *spend*] falsch verwenden, *a. s-e Jugend etc.* vergeuden.

'mis-'state *v/t.* falsch angeben, unrichtig darstellen; **'mis-'state·ment** *s.* falsche Angabe *od.* Darstellung.

mis·sus ['misəs] → *missis*.

miss·y ['misi] *s.* F kleines Fräulein.

mist [mist] **I.** *s.* **1.** (feiner) Nebel, feuchter Dunst, *Am. a.* Sprühregen *m*; **2.** *fig.* Nebel *m*, Schleier *m*: *to be in a ~* ganz irre *od.* verdutzt sein; **3.** F Beschlag *m*, Hauch *m* (*auf e-m Glase*); **II.** *v/i.* **4.** *a. ~ over* nebeln, neblig sein (*a. fig.*); sich trüben (*Augen*); (sich) beschlagen (*Glas*); **III.** *v/t.* **5.** um'nebeln.

mis·tak·a·ble [mis'teikəbl] *adj.* verkennbar, (leicht) zu verwechseln(d), 'mißzuverstehen(d); **mis'take** [-'teik] **I.** *v/t.* [*irr.* → *take*] **1.** (*for*) verwechseln (mit), (fälschlich) halten (für), verfehlen, nicht erkennen, verkennen, sich irren in (*dat.*): *to ~ s.o.'s character* sich in j-s Charakter irren; **2.** falsch verstehen, 'mißverstehen; **II.** *v/i.* [*irr.* → *take*] **3.** sich irren, sich versehen; **III.** *s.* **4.** 'Mißverständnis *n*; **5.** Irrtum *m* (*a.* ⚖), Fehler *m*, Versehen *n*, 'Mißgriff *m*: *by ~* irrtümlich, aus Versehen; *to make a ~* sich irren; *and no ~* F bestimmt, worauf du dich (*etc.*) verlassen kannst; **6.** (Schreib-, Sprach-, Rechen)Fehler *m*; **mis'tak·en** [-kən] **I.** *p.p. von mistake*; **II.** *adj.* □ **1.** im Irrtum: *to be ~* sich irren; *unless I am very much ~* wenn ich mich nicht sehr irre; *we were quite ~ in him* wir haben uns in ihm ziemlich getäuscht; **2.** irrtümlich, falsch, verfehlt (*Politik etc.*): *~ identity* Personenverwechslung; *~ kindness* unangebrachte Freundlichkeit.

mis·ter ['mistə] *s.* **1.** ♀ Herr *m* (*abbr. Mr*): *Mr Smith*; *Mr President* Herr Präsident; **2.** F *als bloße Anrede*: Herr!, ‚Meister'!, ‚Chef'!

'mis'time *v/t.* zur unpassenden Zeit sagen *od.* tun; e-n falschen Zeitpunkt wählen für.

'mis'timed *adj.* unpassend, unangebracht, zur Unzeit.

mist·i·ness ['mistinis] *s.* **1.** Nebligkeit *f*, Dunstigkeit *f*; **2.** Unklarheit *f*, Verschwommenheit *f* (*a. fig.*).

mis·tle·toe ['misltou] *s.* ⚘ **1.** Mistel *f*; **2.** Mistelzweig *m*.

mis'took *pret. u. obs. p.p. von mistake.*

'mis·trans'late *v/t. u. v/i.* falsch über'setzen.

mis·tress ['mistris] *s.* **1.** Herrin *f* (*a. fig.*), Gebieterin *f*, Besitzerin *f*: *she is ~ of herself* sie weiß sich zu beherrschen; **2.** Frau *f* des Hauses, Hausfrau *f*; **3.** Lehrerin *f*: *chemistry ~* Chemielehrerin; **4.** Kennerin *f*, Meisterin *f in e-r Kunst etc.*; **5.** Mä'tresse *f*, Geliebte *f*; **6.** (gnädige) Frau (*abbr. Mrs.*): *Mrs. Smith.*

'mis'tri·al *s.* ⚖ fehlerhaft geführter Pro'zeß; *Am. a.* ergebnisloser Pro'zeß.

'mis'trust **I.** *s.* **1.** 'Mißtrauen *n*, Argwohn *m* (of gegen); **II.** *v/t.* **2.** *j-m* miß'trauen, nicht trauen; **3.** zweifeln an (*dat.*); **mis'trust·ful** *adj.* □ 'mißtrauisch, argwöhnisch (of gegen).

mist·y ['misti] *adj.* □ **1.** (leicht) neb(e)lig, dunstig; **2.** *fig.* nebelhaft, verschwommen.

'mis·un·der'stand *v/t. u. v/i.* [*irr.* → *understand*] 'mißverstehen; **'mis·un·der'stand·ing** *s.* **1.** 'Mißverständnis *n*; **2.** 'Mißhelligkeit *f*, Diffe'renz *f*; **'mis·un·der'stood** *adj.* **1.** 'mißverstanden; **2.** nicht richtig gewürdigt.

mis'us·age *s.* **1.** 'Mißbrauch *m*; **2.** falscher Gebrauch; **3.** Miß'handlung *f*.

'mis'use **I.** *s.* [-'ju:s] **1.** 'Mißbrauch *m*, falscher Gebrauch, falsche Anwendung; **II.** *v/t.* [-'ju:z] **2.** miß'brauchen, falsch *od.* zu unrechten Zwecken gebrauchen; falsch anwenden; **3.** miß'handeln.

mite¹ [mait] *s. zo.* Milbe *f*.

mite² [mait] *s.* **1.** Heller *m*; *weitS.* kleine Geldsumme; Scherflein *n*: *to contribute one's ~ to* sein Scherflein beitragen zu; **2.** F kleines Ding, Dingelchen *n*: *a ~ of a child* ein Würmchen.

mi·ter *Am.* → *mitre*.

mit·i·gate ['mitigeit] *v/t. Schmerz etc.* lindern; *Strafe etc.* mildern; *Zorn* besänftigen, mäßigen: *mitigating circumstances* ⚖ (straf)mildernde Umstände; **mit·i·ga·tion** [miti'geiʃən] *s.* **1.** Linderung *f*, Milderung *f*; **2.** Milderung *f*, Abschwächung *f*: *to plead in ~* ⚖ für Strafmilderung plädieren; **3.** Besänftigung *f*, Mäßigung *f*.

mi·to·sis [mi'tousis] *pl.* **-ses** [-si:z] *s. biol.* 'indi,rekte *od.* chromoso'male (Zell)Kernteilung.

mi·tre ['maitə] **I.** *s.* **1. a)** Mitra *f*, Bischofsmütze *f*, **b)** *fig.* Bischofsamt *n*, -würde *f*; **2.** ⊕ **a)** Gehrung(sfuge) *f*, **b)** Gehrungsfläche *f*; **II.** *v/t.* **3.** mit der Mitra schmücken, zum Bischof machen; **4.** ⊕ **a)** auf Gehrung verbinden, **b)** gehren, auf Gehrung zurichten; **III.** *v/i.* **5.** ⊕ sich in einem Winkel treffen; **'~-box** *s.* ⊕ Gehrlade *f*; **~ gear** *s.* ⊕ Kegelrad *n*, Winkelgetriebe *n*; **'~-joint** *s.* ⊕ Gehrfuge *f*; **~ square** *s.* ⊕ Gehrdreieck *n*.

mitt [mit] *s.* **1.** Halbhandschuh *m* (*langer Handschuh ohne Finger*); **2.** *Baseball*: Fanghandschuh *m*; **3.** → *mitten 1*; **4.** *Am. sl.* ‚Flosse' *f* (*Hand*).

mit·ten ['mitn] *s.* **1.** Fausthandschuh *m*, Fäustling *m*: *to get the ~* F **a)** e-n Korb bekommen, abgewiesen werden, **b)** ‚(hinaus)fliegen', entlassen werden; **2.** → *mitt 1*; **3.** *pl. sl.* Boxhandschuhe *pl*.

mit·ti·mus ['mitiməs] (*Lat.*) *s.* **1.** ⚖ **a)** *richterlicher Befehl an die Gefängnisbehörde zur Aufnahme e-s Häftlings*, **b)** *Befehl zur Übersendung der Akten an ein anderes Gericht*; **2.** F ‚blauer Brief', Entlassung *f*.

mix [miks] **I.** *v/t.* **1.** (ver)mischen, vermengen (*with* mit); *Cocktail etc.* mixen, mischen; *Teig* anrühren, mischen: *to ~ into* mischen in (*acc.*); *to ~ up* zs.-, durcheinandermischen, *fig.* völlig durcheinanderbringen, verwechseln (*with* mit); *to be ~ed up fig.* verwickelt sein *od.* werden (*in, with* in *acc.*); **2.** *biol.* kreuzen; **3.** *Stoffe* melieren; **4.** *fig.* verbinden: *to ~ work and pleasure*; **II.** *v/i.*

5. sich (ver)mischen; **6.** sich mischen lassen; **7.** *gut etc.* auskommen (*with* mit); **8.** verkehren (*with* mit, *in* in *dat.*): *to ~ in the best society*; **III.** *s.* **9.** Mischung *f* (*a. Am. kochfertige Speise*); **10.** F Durchein'ander *n*, Mischmasch *m*; **11.** *sl.* Keile'rei *f*, Raufe'rei *f*.

mixed [mikst] *adj.* **1.** gemischt (*a. fig. Gefühl, Gesellschaft, Metapher*); **2.** vermischt, Misch...; **3.** F verwirrt, kon'fus; ~ **bath·ing** *s.* Fa'milienbad *n*; ~ **car·go** *s.* † Stückgutladung *f*; ~ **con·struc·tion** *s.* Gemischtbauweise *f*; ~ **dou·bles** *s. pl. sg. konstr. sport* gemischtes Doppel: *to play a ~*; ~ **e·con·o·my** *s.* † gemischte Wirtschaftsform; '**~-e'con·o·my** *adj.* † gemischtwirtschaftlich; ~ **for·est** *s.* Mischwald *m*; ~ **frac·tion** *s.* ℵ gemischter Bruch; ~ **mar·riage** *s.* Mischehe *f*; ~ **pick·les** *s. pl.* Mixed Pickles *pl.* (*Essiggemüse*); ~ **school** *s. Brit.* Koedukati'onsschule *f*; ~ **train** *s.* 🚂 gemischter Zug.

mix·er ['miksə] *s.* **1.** Mischer *m*; **2.** Mixer *m* (*von Cocktails etc.*) (*a. Küchengerät*); **3.** ⊕ Mischer *m*, 'Mischmaˌschine *f*; **4.** ⚡ *Fernsehen etc.*: Mischpult *n*; **5.** F *guter etc.* Gesellschafter, Kon'taktmensch *m*;

mix·ture ['mikstʃə] *s.* **1.** Mischung *f* (*a. von Tee, Tabak etc.*), Gemisch *n* (*a.* ⚗ *Ggs. Verbindung*); **2.** ⊕ Gas-Luftgemisch *n*; **3.** *pharm.* Mix'tur *f*; **4.** *biol.* Kreuzung *f*; **5.** Beimengung *f*; '**mix-'up** *s.* F **1.** Wirrwarr *m*, Durchein'ander *n*; **2.** Handgemenge *n*.

miz·(z)en ['mizn] *s.* ⚓ **1.** Be'san(-segel *n*) *m*; **2.** → *miz(z)en-mast*; '**~-mast** [-mɑːst; ⚓ -məst] *s.* Be'san-, Kreuzmast *m*; '**~-sail** → *miz(z)en 1*; '**~-top·gal·lant** *s.* Kreuzbramsegel *n*.

miz·zle ['mizl] *dial.* **I.** *v/i.* nieseln, fein regnen; **II.** *s.* Nieseln *n*, Sprühregen *m*.

mne·mon·ic [ni(ː)'mɔnik] **I.** *adj.* **1.** mnemo'technisch; **2.** mne'monisch, Gedächtnis...; **II.** *s.* **3.** Gedächtnishilfe *f*; **4.** → *mnemonics 1*; **mne'mon·ics** [-ks] *s. pl.* **1.** *a. sg. konstr.* Mnemo'technik *f*, Gedächtniskunst *f*; **2.** mne'monische Zeichen *pl.*; **mne·mo·tech·nics** [niːmou'tekniks] *s. pl. a. sg. konstr.*, **mne·mo·tech·ny** [niːmou'tekni] → *mnemonics 1*.

mo [mou] *s.* F Mo'ment *m*: *wait half a ~!* eine Sekunde!

moan [moun] **I.** *s.* **1.** Stöhnen *n*, Ächzen *n* (*a. fig. des Windes*); **II.** *v/i.* **2.** stöhnen, ächzen; **3.** (weh-)klagen, jammern; '**moan·ful** [-ful] *adj.* □ (weh)klagend.

moat [mout] ⚔ *hist.* **I.** *s.* (Wall-, Burg-, Stadt)Graben *m*; **II.** *v/t.* mit e-m Graben um'geben.

mob [mɔb] **I.** *s.* **1.** Mob *m*, zs.-gerotteter Pöbel(haufen): ~ *law* Lynchjustiz; **2.** Pöbel *m*, Gesindel *n*; **3.** *sl.* Bande *f*, Sippschaft *f*; **II.** *v/t.* **4.** lärmend herfallen über (*acc.*); anpöbeln; angreifen, attackieren.

mo·bile ['moubail] *adj.* **1.** beweglich, wendig (*a. Geist etc.*); schnell (beweglich); **2.** unstet, veränderlich; lebhaft (*Gesichtszüge*); **3.** *e-r* leichtflüssig; **4.** ⊕, ⚔ fahrbar, beweglich; ⚔ motorisiert: ~ *artillery* fahrbare Artillerie; ~ *warfare* Bewegungskrieg; ~ *workshop* Werkstattwagen; **mo·bil·i·ty** [mou'biliti] *s.* Beweglichkeit *f*, Wendigkeit *f*.

mo·bi·li·za·tion [moubilai'zeiʃən] *s.* Mobilisierung *f*: **a)** ⚔ Mo'bilmachung *f*, **b)** *bsd. fig.* Aktivierung *f*, Aufgebot *n* (*Kräfte etc.*), **c)** † Flüssigmachung *f*; **mo·bi·lize** ['moubilaiz] *v/t.* mobilisieren: **a)** ⚔ mo'bilmachen, *a.* dienstverpflichten, **b)** *fig. Kräfte etc.* aufbieten, einsetzen, **c)** † *Kapital* flüssig machen.

mob·oc·ra·cy [mɔ'bɔkrəsi] *s.* **1.** Pöbelherrschaft *f*; **2.** (herrschender) Pöbel.

mobs·man ['mɔbzmən] *s.* [*irr.*] **1.** Gangster *m*; **2.** *Brit. sl.* (ele'ganter) Taschendieb.

mob·ster ['mɔbstə] *Am. sl. für mobsman 1.*

moc·ca·sin ['mɔkəsin] *s.* **1.** Mokas'sin *m* (*Schuh*); **2.** *zo.* Mokas'sinschlange *f*.

mo·cha[1] ['moukə] **I.** *s.* **1.** *a.* ≈ *coffee* 'Mokka(kafˌfee) *m*; **2.** Mochaleder *n*; **II.** *adj.* **3.** Mokka...

mo·cha[2] ['moukə], ≈ **stone** *s. min.* Mochastein *m*.

mock [mɔk] **I.** *v/t.* **1.** verspotten, -höhnen, lächerlich machen; **2.** (*zum Spott*) nachäffen; **3.** *poet.* nachahmen; **4.** täuschen, narren; **5.** spotten (*gen.*), trotzen (*dat.*), nicht achten (*acc.*); **II.** *v/i.* **6.** sich lustig machen, spotten (*at* über *acc.*); **III.** *s.* **7.** Spott *m*, Hohn *m*; **8.** Gespött *n*, Zielscheibe *f* des Spottes: *to make a ~ of s.o.* j-n zum Gespött machen; **9.** Nachäffung *f*; **10.** Nachahmung *f*, Fälschung *f*; **IV.** *adj.* **11.** nachgemacht, Schein..., Pseudo...: ~ *attack* ⚔ Scheinangriff; ~ *battle* ⚔ Scheingefecht; ~ *king* Schattenkönig; ~ *sun* Nebensonne; ~ *trial* ⚖ Scheinprozeß; **mock·er** ['mɔkə] *s.* **1.** Spötter(in); **2.** Nachäffer(in); **mock·er·y** ['mɔkəri] *s.* **1.** Spott *m*, Hohn *m*, Spötte'rei *f*; **2.** Gegenstand *m* des Spottes, Gespött *n*: *to make a ~ of s.th.* et. zum Gespött machen; **3.** Nachäffung *f*; **4.** *fig.* Possenspiel *n*, Farce *f*.

'**mock-he'ro·ic** *adj.* (□ *~ally*) 'komisch-he'roisch (*Gedicht etc.*).

mock·ing ['mɔkiŋ] **I.** *s.* Spott *m*, Gespött *n*; **II.** *adj.* □ spöttisch; '**~-bird** *s. orn.* Spottdrossel *f*.

mock| moon *s. ast.* Nebenmond *m*; ~ **tur·tle** *s. Küche*: Kalbskopf en tortue; '**~-tur·tle soup** *s.* falsche Schildkrötensuppe; '**~-up** *s.* Mo'dell *n in natürlicher Größe*, At'trappe *f*.

mod·al ['moudl] *adj.* □ mo'dal (*a. phls., ling.*, ♪): ~ *proposition Logik*: Modalsatz; ~ *verb* modales Hilfsverb; **mo·dal·i·ty** [mou'dæliti] *s.* Modali'tät *f* (*a. phls.*), Art *f* u. Weise *f*, Ausführungsart *f*.

mode[1] [moud] *s.* **1.** (Art *f* u.) Weise *f*, Me'thode *f*: ~ *of action* ⊕ Wirkungsweise; ~ *of life* Lebensweise; ~ *of payment* † Zahlungsweise; **2.** (Erscheinungs)Form *f*, Art *f*: *heat is a ~ of motion* Wärme ist e-e Form der Bewegung; **3.** *Logik*: **a)** Modali'tät *f*, **b)** Modus *m* (*e-r Schlußfigur*); **4.** ♪ Modus *m*, Tongeschlecht *n*: *major ~* Durgeschlecht; **5.** *ling.* Modus *m*, Aussageweise *f*.

mode[2] [moud] *s.* Mode *f*, Brauch *m*.

mod·el ['mɔdl] **I.** *s.* **1.** Muster *n*, Vorbild *n* (*for* für): *after* (*od. on*) *the ~ of* nach dem Muster von (*od. gen.*); *he is a ~ of self-control* er ist ein Muster an Selbstbeherrschung; **2.** (*fig.* 'Denk)Moˌdell *n*, Nachbildung *f*: *working ~* Arbeitsmodell; **3.** Muster *n*, Vorlage *f*; **4.** *paint. etc.* Mo'dell *n*: *to act as a ~ to a painter* e-m Maler Modell stehen *od.* sitzen; **5.** *Mode*: 'Mannequin *n, m*; **6.** ⊕ **a)** Bau(weise *f*) *m*, **b)** (Bau)Muster *n*, Modell *n*, Typ(e *f*) *m*; **II.** *adj.* **7.** vorbildlich, musterhaft, Muster...: ~ *farm* landwirtschaftlicher Musterbetrieb; ~ *husband* Mustergatte; ~ *plant* † Musterbetrieb; ~ *school* Musterschule; **8.** Modell...: ~ *airplane* Modellflugzeug; ~ *builder* ⊕ Modellbauer; ~ (*dress*) Modell(kleid); **III.** *v/t.* **9.** nach Mo'dell formen *od.* herstellen; **10.** modellieren, nachbilden; abformen; **11.** *fig.* formen, gestalten (*after, on, upon* nach [dem Vorbild *gen.*]): *to ~ o.s. on* sich *j-n* zum Vorbild nehmen; **IV.** *v/i.* **12.** *Kunst*: modellieren; **13.** Mo'dell stehen *od.* sitzen; **14.** Kleider vorführen, als Mannequin arbeiten; '**mod·el·(l)er** [-lə] *s.* **1.** Modellierer *m*; **2.** Mo'dell-, Mustermacher *m*; '**mod·el·(l)ing** [-liŋ] **I.** *s.* **1.** Modellieren *n*; **2.** Formgebung *f*, Formung *f*; **3.** Mo'dellstehen *od.* -sitzen *n*; **II.** *adj.* **4.** Modellier...: ~ *clay* Modellierton.

mod·er·ate ['mɔdərit] **I.** *adj.* □ **1.** gemäßigt (*a. Sprache etc.*; *a. pol.*), mäßig; **2.** mäßig *im Trinken etc.*; fru'gal (*Lebensweise*); **3.** mild (*Winter, Strafe etc.*); **4.** vernünftig, maßvoll (*Forderung etc.*); angemessen, niedrig (*Preis*); **5.** mittelmäßig; **II.** *s.* **6.** (*pol. mst* ≈) Gemäßigte(r *m*) *f*; **III.** *v/t.* [-dəreit] **7.** mäßigen, mildern; beruhigen; **8.** einschränken; **9.** ⊕, *phys.* dämpfen, abbremsen; **IV.** *v/i.* [-dəreit] **10.** sich mäßigen; **11.** nachlassen (*Wind etc.*); '**mod·er·ate·ness** [-nis] *s.* Mäßigkeit *f etc.*; **mod·er·a·tion** [mɔdə'reiʃən] *s.* **1.** Mäßigung *f*, Maß(halten) *n*: *in ~* mit Maß; **2.** Mäßigkeit *f*; **3.** *pl. univ.* erste öffentliche Prüfung *in Oxford*; **4.** Milderung *f*; **mod·er·a·tor** ['mɔdəreitə] *s.* **1.** Mäßiger *m*, Beruhiger *m*; Vermittler *m*; **2.** Vorsitzende(r) *m*; Diskussi'onsleiter *m*; *univ.* Exami'nator *m* (*Oxford*); **3.** Mode'rator *m* (*Vorsitzender e-s Kollegiums reformierter Kirchen*); **4.** ⊕, *phys.* Mode'rator *m* (*a. Atomtechnik=Reaktionsbremse*).

mod·ern ['mɔdən] **I.** *adj.* **1.** mo'dern, neuzeitlich: ~ *times* die Neuzeit; *the ~ school* (*od. side*) *ped. Brit.* die Realabteilung; **2.** mo'dern, (neu)modisch; **3.** *mst* ≈ *ling.* **a)** mo'dern, Neu..., **b)** neuer: ≈ *Greek* Neugriechisch; ~ *languages* neuere Sprachen; ≈ *Languages* (*als Fach*) Neuphilologie; **II.** *s.* **4.** mo'derner Mensch, Fortschrittliche(r *m*) *f*; **5.** Mensch *m* der Neuzeit; **6.** *typ.* neuzeitliche An'tiqua; **'mod·ern·ism** [-nizəm] *s.* **1.** Moder'nismus *m*: **a**) mo'derne Ansichten *pl.*, **b**) mo'dernes Wort; **2.** *eccl.* Modernismus *m*; **mo·der·ni·ty** [mɔ'də:niti] *s.* **1.** Moderni'tät *f*, (*das*) Mo'derne; **2.** *et.* Mo'dernes; **mod·ern·i·za·tion** [mɔdə(:)nai'zeiʃən] *s.* Modernisierung *f*; **'mod·ern·ize** [-naiz] *v/t. u. v/i.* (sich) modernisieren; **'mod·ern·ness** [-nis] *s.* Moderni'tät *f.*

mod·est ['mɔdist] *adj.* ☐ **1.** bescheiden, anspruchslos (*Person od. Sache*): ~ *income* bescheidenes Einkommen; **2.** anständig, sittsam; **3.** maßvoll, vernünftig; **'mod·es·ty** [-ti] *s.* **1.** Bescheidenheit *f* (*Person, Einkommen etc.*); **2.** Anspruchslosigkeit *f*, Einfachheit *f*; **3.** Schamgefühl *n*; Sittsamkeit *f.*

mod·i·cum ['mɔdikəm] *s.* kleine Menge, *ein* bißchen: *a* ~ *of truth* ein Körnchen Wahrheit.

mod·i·fi·a·ble ['mɔdifaiəbl] *adj.* modifizierbar, (ab)änderungsfähig; **mod·i·fi·ca·tion** [mɔdifi'keiʃən] *s.* **1.** Modifikati'on *f*: **a**) Abänderung *f*: *to make a* ~ *to s.th.* et. modifizieren, **b**) Abart *f*, modifizierte Form, **c**) Einschränkung *f*, nähere Bestimmung, **d**) *biol.* nichterbliche Abänderung, **e**) *ling.* nähere Bestimmung, **f**) *ling.* lautliche Veränderung, 'Umlautung *f*; **2.** Mäßigung *f*; **mod·i·fy** ['mɔdifai] *v/t.* **1.** modifizieren: **a**) abändern, teilweise 'umwandeln, **b**) einschränken, näher bestimmen; **2.** mildern, mäßigen; abschwächen; **3.** *ling. Vokal* 'umlauten.

mod·ish ['moudiʃ] *adj.* ☐ **1.** modisch, mo'dern; **2.** Mode...

mods [mɔdz] *s. pl. Brit.* Halbstarke *pl.* mit bewußt gepflegtem Aussehen (*Ggs. rockers*).

mod·u·late ['mɔdjuleit] **I.** *v/t.* **1.** abstimmen, regulieren; **2.** anpassen (*to* an *acc.*); **3.** dämpfen; **4.** *Stimme, Ton etc., a. Funk* modulieren: ~*d reception* ⚡ Tonempfang; **II.** *v/i.* **5.** ♪ modulieren (*from* von, *to* nach), die Tonart wechseln; **6.** all'mählich 'übergehen (*into* in *acc.*); **mod·u·la·tion** [mɔdju'leiʃən] *s.* **1.** Abstimmung *f*, Regulierung *f*; **2.** Anpassung *f*; **3.** Dämpfung *f*; **4.** ♪, *tel., a. Stimme*: Modulati'on *f*; **5.** Intonati'on *f*, Tonfall *m*; **'mod·u·la·tor** [-tə] *s.* **1.** Regler *m*; *tel.* Modu'lator *m*: ~ *of tonality Film*: Tonblende; **2.** ♪ die Tonverwandtschaft (*nach der Tonic-Solfa-Methode*) darstellende Skala; **'mod·ule** [-dju:l] *s.* **1.** 'Modul *m* (*a.* ⚠), Model *m*, Maßeinheit *f*, Einheits-, Verhältniszahl *f*; **2.** *bsd.* ⚡ Modul *m* (*austauschbare Funktionseinheit*); **3.** ⊕ Baueinheit *f*: ~ *construction* Baukastensystem; **4.** *Raumfahrt*: (*Kommando- etc.*) Kapsel *f*; **'mod·u·lus** [-ləs] *pl.* **-li** [-lai] *s.* Ⱥ, *phys.* Modul *m*: ~ *of elasticity* Elastizitätsmodul.

Mo·gul [mou'gʌl] *s.* **1.** 'Mogul *m*: *the* (*Great od. Grand*) ~ der Großmogul; **2.** ♀ *Am. humor.* wichtige Per'sönlichkeit, Ma'gnat *m.*

mo·hair ['mouhɛə] *s.* **1.** Mo'hair *m* (*Angorahaar*); **2.** Mo'hairstoff *m*, -kleidungsstück *n.*

Mo·ham·med·an [mou'hæmidən] **I.** *adj.* mohamme'danisch; **II.** *s.* Mohamme'daner(in).

moi·e·ty ['mɔiəti] *s.* **1.** Hälfte *f*; **2.** Teil *m.*

moil [mɔil] *v/i. obs. od. dial.* sich schinden, sich abrackern.

moire [mwɑ:] *s.* **1.** Moi'ré *m, n*, Wasserglanz *m auf Stoffen*; **2.** moirierter Stoff; **moi·ré** ['mwɑ:rei] **I.** *adj.* moiriert, gewässert, geflammt, mit Wellenmuster; **II.** *s.* → *moire 1.*

moist [mɔist] *adj.* ☐ feucht, naß; **'mois·ten** [-sn] **I.** *v/t.* an-, befeuchten, benetzen; **II.** *v/i.* feucht werden; nässen; **'moist·ness** [-nis] *s.* Feuchte *f*; **'mois·ture** [-tʃə] *s.* Feuchtigkeit *f*: ~*-proof* feuchtigkeitsfest.

moke [mouk] *s. sl.* Esel *m* (*a. fig.*).

mo·lar[1] ['moulə] *anat.* **I.** *s.* Backenzahn *m*, Mo'lar *m*; **II.** *adj.* Mahl..., Backen...: ~ *tooth* → *molar I.*

mo·lar[2] ['moulə] *adj.* **1.** *phys.* Massen...: ~ *motion* Massenbewegung; **2.** ⚗ mo'lar, Mol...: ~ *weight* Mol-, Molargewicht.

mo·lar[3] ['moulə] *adj.* ⚕ Molen...

mo·las·ses [mə'læsiz] *s. sg. u. pl.* **1.** Me'lasse *f*; **2.** (Zucker)Sirup *m.*

mold *etc. Am.* → *mould etc.*

mole[1] [moul] *s. zo.* Maulwurf *m.*

mole[2] [moul] *s.* (kleines) Muttermal, *bsd.* Leberfleck *m.*

mole[3] [moul] *s.* Mole *f*, Hafendamm *m.*

mole[4] [moul] *s.* Mol *n*, 'Grammolekül *n.*

mole[5] [moul] *s.* ⚕ Mole *f*, Mondkalb *n.*

'mole-crick·et *s. zo.* Maulwurfsgrille *f.*

mo·lec·u·lar [mou'lekjulə] *adj.* ⚗, *phys.* moleku'lar, Molekular...: ~ *weight* Molekulargewicht; **mo·lec·u·lar·i·ty** [moulekju'læriti] *s.* ⚗, *phys.* Moleku'larzustand *m*; **mol·e·cule** ['mɔlikju:l] *s.* **1.** ⚗, *phys.* Mole'kül *n*, Mo'lekel *f*; **2.** *fig.* winziges Teilchen.

'mole|·hill *s.* Maulwurfshügel *m*, -haufen *m*; → *mountain 1*; **'~·skin** *s.* **1.** Maulwurfsfell *n*; **2.** ✝ Moleskin *m, n*, Englischleder *n* (*Baumwollgewebe*); **3.** *pl.* Hose *f* aus Moleskin.

mo·lest [mou'lest] *v/t.* belästigen, *j-m* lästig *od.* zur Last fallen; **mo·les·ta·tion** [moules'teiʃən] *s.* Belästigung *f.*

Moll, *a.* ♀ [mɔl] *s. sl.* **1.** ‚Nutte' *f* (*Prostituierte*); **2.** Gangsterbraut *f.*

mol·li·fi·ca·tion [mɔlifi'keiʃən] *s.* **1.** Besänftigung *f*; **2.** Erweichung *f*; **mol·li·fy** ['mɔlifai] *v/t.* **1.** besänftigen, beruhigen, beschwichtigen; **2.** weich machen, erweichen.

mol·lusc → *mollusk.*

mol·lus·can [mɔ'lʌskən] **I.** *adj.* Weichtier...; **II.** *s.* Weichtier *n*; **mol'lus·cous** [-kəs] *adj.* **1.** *zo.* Weichtier...; **2.** schwammig.

mol·lusk ['mɔləsk] *s. zo.* Mol'luske *f*, Weichtier *n.*

mol·ly-cod·dle ['mɔlikɔdl] **I.** *s.* Weichling *m*, Muttersöhnchen *n*; **II.** *v/t. u. v/i.* verweichlichen.

molt [moult] → *moult.*

mol·ten ['moultən] *adj.* **1.** geschmolzen, (schmelz)flüssig: ~ *metal* flüssiges Metall; **2.** gegossen, Guß...

mo·lyb·date [mɔ'libdeit] ⚗ *s.* Molyb'dat *n*, molyb'dänsaures Salz; **mo'lyb·de·nite** [-dinait] *s. min.* Molybdä'nit *m*, Molyb'dänglanz *m.*

mo·ment ['moumənt] *s.* **1.** Mo'ment *m*, Augenblick *m*: *one* (*od. just a*) ~! (nur) e-n Augenblick!; *in a* ~ in e-m Augenblick, sofort; **2.** (*bestimmter*) Zeitpunkt, Augenblick *m*: ~ *of truth* Stunde der Wahrheit; *the very* ~ *I saw him* in dem Augenblick, in dem ich ihn sah; *at the* ~ im Augenblick, gerade (jetzt *od.* damals); *at the last* ~ im letzten Augenblick; *not for the* ~ im Augenblick nicht; *to the* ~ auf die Sekunde genau, pünktlich; **3.** Bedeutung *f*, Tragweite *f*, Belang *m* (*to* für); **4.** *phys.* Moment *n*: ~ *of inertia* Trägheitsmoment; **mo·men·tal** [mou'mentl] *adj. phys.* Momenten...; **'mo·men·tar·y** [-təri] *adj.* ☐ **1.** momen'tan, augenblicklich; **2.** vor'übergehend, flüchtig; **3.** jeden Augenblick geschehend *od.* möglich; **'mo·ment·ly** [-li] *adv.* **1.** augenblicklich, in e-m Augenblick; **2.** von Se'kunde zu Se'kunde: *increasing* ~; **3.** e-n Augenblick lang; **mo·men·tous** [mou'mentəs] *adj.* ☐ bedeutsam, folgenschwer, von großer Tragweite; **mo·men·tous·ness** [mou'mentəsnis] *s.* Bedeutsam-, Wichtigkeit *f*, Tragweite *f.*

mo·men·tum [mou'mentəm] *pl.* **-ta** [-tə] *s.* **1.** *phys.* Im'puls *m*, Mo'ment *n e-r Kraft*: ~ *theorem* Momentensatz; **2.** ⊕ Triebkraft *f*; **3.** *allg.* Wucht *f*, Schwung *m*, Fahrt *f*: *to gather* ~ Stoßkraft gewinnen, in Fahrt kommen.

mon·ad ['mɔnæd] *s.* **1.** *phls.* Mo'nade *f*; **2.** *biol.* Einzeller *m*; **3.** ⚗ einwertiges Ele'ment *od.* A'tom; **mo·nad·ic** [mɔ'nædik] *adj.* **1.** mo'nadisch, Monaden...; **2.** Ⱥ eingliedrig, -stellig.

mon·arch ['mɔnək] *s.* Mon'arch(in), Herrscher(in); **mo·nar·chal** [mɔ'nɑ:kəl] *adj.* ☐ mon'archisch; **mo·nar·chic** *adj.*; **mo·nar·chi·cal** [mɔ'nɑ:kik(ə)l] *adj.* ☐ **1.** mon'archisch; **2.** monar'chistisch; **3.** königlich (*a. fig.*); **'mon·arch·ism** [-kizəm] *s.* Monar'chismus *m*; **'mon·arch·ist** [-kist] **I.** *s.* Monar'chist(in); **II.** *adj.* monar'chistisch; **'mon·arch·y** [-ki] *s.* Monar'chie *f.*

mon·as·ter·y ['mɔnəstəri] *s. Brit.* (Mönchs)Kloster *n*; **mo·nas·tic** [mə'næstik] *adj.* (☐ ~*ally*) **1.** klösterlich, Kloster...; **2.** mönchisch (*a. fig.*), Mönchs...: ~ *vows* Mönchsgelübde; **mo·nas·ti·cism** [mə'næstisizəm] *s.* **1.** Mönch(s)tum *n*; **2.** mönchisches Leben, As'kese *f.*

mon·a·tom·ic [mɔnə'tɔmik] *adj.* ⚗ 'einaˌtomig.

Mon·day ['mʌndi] *s.* Montag *m*: *on* ~ am Montag; *on* ~*s* montags.

mon·e·tar·y ['mʌnitəri] *adj.* ✝ **1.** Geld..., geldlich, finanzi'ell; **2.** Währungs...(*-einheit, -reform etc.*); **3.** Münz...: ~ *standard* Münzfuß; **'mon·e·tize** [-taiz] *v/t.* **1.** zu Münzen prägen; **2.** zum gesetzlichen Zahlungsmittel machen; **3.** den Münzfuß (*gen.*) festsetzen.

mon·ey ['mʌni] *s.* ✝ **1.** Geld *n*; Geldbetrag *m*, -summe *f*: ~ *on* (*od. at*) *call* Tagesgeld; *to be out of* ~

kein Geld haben; *short of* ~ knapp an Geld, ‚schlecht bei Kasse'; ~ *due* ausstehendes Geld; ~ *on account* Guthaben; ~ *on hand* verfügbares Geld; *to get one's* ~*'s worth* et. (Vollwertiges) für sein Geld bekommen; **2.** Geld *n*, Vermögen *n*: *to make* ~ Geld machen, gut verdienen (*by* bei); *to marry* ~ sich reich verheiraten; *to have* ~ *to burn* Geld wie Heu haben; **3.** Geldsorte *f*; **4.** Zahlungsmittel *n*; **5.** *pl.* ⚖ Gelder *pl.*, (Geld)Beträge *pl.*; '~-**bag** *s.* **1.** Geldbeutel *m*; ⚔ Brustbeutel *m*; **2.** *pl.* F **a)** Geldsäcke *pl.*, Reichtum *m*, **b)** *sg. konstr.* ‚Geldsack' *m* (*reiche Person*); '~-**bill** *s. parl.* Fi'nanzvorlage *f*; '~-**box** *s.* Sparbüchse *f*; '~-**chang·er** *s.* Geldwechsler *m*.

mon·eyed ['mʌnid] *adj.* **1.** reich, vermögend; **2.** Geld...: ~ *assistance* finanzielle Hilfe; ~ *corporation* ✝ *Am.* Geldinstitut; ~ *interests* Finanzwelt.

'**mon·ey|-grub·ber** [-grʌbə] *s.* Geldraffer *m*; '~-**grub·bing** [-grʌbiŋ] *adj.* geldraffend, -gierig; '~-**lend·er** *s.* ✝ Geldverleiher *m*; '~-**let·ter** *s.* Geld-, Wertbrief *m*; '~-**mak·er** *s.* **1.** Geldverdiener *m*; **2.** einträgliche Sache, ‚Goldgrube' *f*; '~-**mak·ing** **I.** *adj.* **1.** einträglich; **2.** (geld)verdienend; **II.** *s.* **3.** Gelderwerb *m*; '~-**mar·ket** *s.* ✝ Geldmarkt *m*; ~ **mat·ters** *s. pl.* Geldangelegenheiten *pl.*; '~-**of·fice** *s.* 'Kasse(nbüˌro *n*) *f*; ~ **or·der** *s.* **1.** Postanweisung *f*; **2.** Zahlungsanweisung *f*; '~-**spin·ner** *s. bsd. Brit.* F Bombengeschäft *n*, ‚Renner' *m*; ~ **trans·ac·tion** *s.* ✝ Geld-, Effek'tivgeschäft *n*.

mon·ger ['mʌŋgə] *s.* (*mst in Zssgn*) **1.** Händler *m*, Krämer *m*: *fish*~ Fischhändler; **2.** *fig. contp.* Krämer *m*, Macher *m*: *sensation*-~ Sensationsmacher.

Mon·gol ['mɔŋgɔl] **I.** *s.* **1.** Mon'gole *m*, Mon'golin *f*; **2.** *ling.* Mon'golisch *n*; **II.** *adj.* **3.** → *Mongolian I*; **Mon·go·li·an** [mɔŋ'gouljən] **I.** *adj.* **1.** mon'golisch; **2.** mongo'lid, gelb (*Rasse*); **3.** ⚕ mongolo'id, an Mongo'lismus leidend; **II.** *s.* **4.** → *Mongol 1.*

mon·goose ['mɔŋgu:s] *s. zo.* 'Mungo *m*.

mon·grel ['mʌŋgrəl] **I.** *s.* **1.** *biol.* Bastard *m*; **2.** Köter *m*, Prome'nadenmischung *f*; **3.** Mischling *m* (*Mensch*); **4.** Zwischending *n*; **II.** *adj.* **5.** Bastard..., Misch...: ~ *race* Mischrasse.

'mongst [mʌŋst] *abbr. für amongst.*

mon·ick·er → *moniker.*

mon·ies ['mʌniz] *s. pl.* → *money 5.*

mon·i·ker ['mɔnikə] *s. sl.* (Spitz-) Name *m*.

mon·ism ['mɔnizəm] *s. phls.* Mo'nismus *m*.

mo·ni·tion [mou'niʃən] *s.* **1.** (Er-) Mahnung *f*; **2.** Warnung *f*; **3.** ⚖ Vorladung *f*.

mon·i·tor ['mɔnitə] **I.** *s.* **1.** (Er-) Mahner *m*; **2.** Warner *m*; **3.** *ped.* Klassenordner *m*; **4.** ⚓ *Art* Panzerschiff *n*; **5.** ⚡, *tel.* **a)** Abhörer(in), **b)** Abhorchgerät *n*; **6.** ⚡ 'Monitor *m*, Kon'trollschirm *m*; **II.** *v/t.* **7.** *tel.* ab-, mithören, über'wachen (*a. fig.*); **8.** ⚡ *Akustik etc.* durch Abhören kontrollieren; **9.** auf ˌRadioaktivi'tät über'prüfen; '**mon·i·tor·ing** [-təriŋ] *adj.* ⚡, *tel.* Mithör..., Prüf..., Überwachungs...: ~ *desk* Misch-, Reglerpult; ~ *operator* **a)** Tonmeister, **b)** ⚔ Horchfunker; '**mon·i·to·ry** [-təri] **I.** *adj.* **1.** (er)mahnend, Mahn...: ~ *letter* → *3*; **2.** warnend, Warnungs...; **II.** *s.* **3.** *eccl.* Mahnbrief *m*.

monk [mʌŋk] *s.* **1.** *eccl.* Mönch *m*; **2.** *zo.* Mönchsaffe *m*; **3.** *typ.* Schmierstelle *f*; '**monk·er·y** [-kəri] *s.* **1.** *mst contp.* **a)** Klosterleben *n*, **b)** Mönch(s)tum *n*, **c)** *pl.* 'Mönchsˌpraktiken *pl.*; **2.** *coll.* Mönche *pl.*; **3.** Mönchskloster *n*.

mon·key ['mʌŋki] **I.** *s.* **1.** *zo.* **a)** Affe *m* (*a. fig. humor.*), **b)** *engS.* kleinerer (langschwänziger) Affe (*Ggs. ape*); **2.** ⊕ **a)** Ramme *f*, **b)** Fallhammer *m*; **3.** *Brit. sl.* Wut *f*: *to get* (*od. put*) *s.o.'s* ~ *up* j-n auf die Palme bringen; *to get one's* ~ *up* ‚hochgehen', in Wut geraten; **4.** *Brit. sl.* £500, 500 Pfund; **II.** *v/i.* **5.** Possen treiben; **6.** F (*with*) spielen (mit), her'umpfuschen (an *dat.*): *to* ~ (*about*) (herum)albern; **III.** *v/t.* **7.** nachäffen; '~-**bread** *s.* ♀ Affenbrotbaum-Frucht *f*; ~ **busi·ness** *s. sl.* ‚krumme Tour', ‚fauler Zauber'; ~ **en·gine** *s.* ⊕ (Pfahl-) Ramme *f*; '~-**jack·et** *s.* ⚓ Munkijacke *f*, 'Bordjaˌckett *n*; '~-**puz·zle** *s.* ♀ Schuppentanne *f*; '~-**shine** *s. Am. sl.* (dummer *od.* 'übermütiger) Streich, ‚Blödsinn' *m*; '~-**wrench** *s.* ⊕ ‚Engländer' *m*, Univer'sal-(schrauben)schlüssel *m*: *to throw a* ~ *into s.th. Am.* et. über den Haufen werfen.

monk·ish ['mʌŋkiʃ] *adj.* **1.** Mönchs...; **2.** *mst contp.* mönchisch, Pfaffen...

mon·o ['mɔnou] F **I.** *s.* 'Mono-(schall)platte *f*; **II.** *adj.* 'mono, Mono...: ~ *record* → *I.*

mono- [mɔnou, -ə] *in Zssgn* ein..., einfach...; **mon·o·ac·id** [mɔnou'æsid] ⚗ **I.** *adj.* einsäurig; **II.** *s.* einbasige Säure; **mon·o·car·pous** ['mɔnəka:pəs] *adj.* ♀ **1.** einfrüchtig (*Blüte*); **2.** nur einmal fruchtend.

mon·o·chro·mat·ic [mɔnoukrə'mætik] *adj.* (□ ~*ally*) monochro'matisch, einfarbig; **mon·o·chrome** ['mɔnəkroum] **I.** *s.* einfarbiges Gemälde; **II.** *adj.* mono'chrom.

mon·o·cle ['mɔnɔkl] *s.* Mon'okel *n*, Einglas *n*.

mo·no·coque [mɔnə'kɔk] (*Fr.*) *s.* ✈ **1.** Schalenrumpf *m*; **2.** Flugzeug *n* mit Schalenrumpf: ~ *construction* ⊕ Schalenbau(weise).

mo·noc·u·lar [mɔ'nɔkjulə] *adj.* **1.** einäugig; **2.** monoku'lar, für 'ein Auge.

mon·o·cul·ture ['mɔnoukʌltʃə] *s.* ✓ 'Monokulˌtur *f*; **mo·nog·a·mous** [mɔ'nɔgəməs] *adj.* mono'gam(isch); **mo·nog·a·my** [mɔ'nɔgəmi] *s.* Monoga'mie *f*, Einehe *f*; **mon·o·gram** ['mɔnəgræm] *s.* Mono'gramm *n*; **mon·o·graph** ['mɔnəgra:f; -græf] *s.* Monogra'phie *f*; **mon·o·hy·dric** [mɔnou'haidrik] *adj.* ⚗ einwertig: ~ *alcohol*; **mon·o·lith** ['mɔnouliθ] *s.* Mono'lith *m*; **mo·nol·o·gize** [mɔ'nɔlədʒaiz] *v/i.* monologisieren, ein Selbstgespräch führen; **mon·o·logue** ['mɔnəlɔg] *s.* Mono'log *m*, Selbstgespräch *n*; **mon·o·ma·ni·a** [mɔnou'meinjə] *s.* Monoma'nie *f*, fixe I'dee; **mon·o·met·al·lism** [mɔnou'metəlizəm] *s.* ✝ ˌMonometal'lismus *m*.

mo·no·mi·al [mɔ'noumjəl] *s.* ⅌ eingliedrige Zahlengröße.

mon·o·phase ['mɔnoufeiz] *adj.* ⚡ einwertig; **mon·o·pho·bi·a** [mɔnou'foubjə] *s.* Monopho'bie *f*; **mon·o·plane** ['mɔnəplein] *s.* ✈ Eindecker *m*.

mo·nop·o·list [mə'nɔpəlist] *s.* ✝ Monopo'list *m*; Mono'polbesitzer (-in); **mo'nop·o·lize** [-laiz] *v/t.* **1.** ✝ monopolisieren, ein Mono'pol erringen *od.* haben in (*dat.*); **2.** *fig.* mit Beschlag belegen, an sich reißen: *to* ~ *the conversation*; **mo'nop·o·ly** [-li] *s.* ✝ **1.** Mono'pol(stellung *f*) *n*; **2.** (*of*) Mono'pol *n* (auf *acc.*); Al'leinverkaufs-, Al'leinbetriebs-, Al'leinherstellungsrecht *n* (für): *market* ~ Marktbeherrschung; **3.** *fig.* Mono'pol *n*, al'leinige Beherrschung: ~ *of learning* Bildungsmonopol.

mon·o·rail ['mɔnoureil] *s.* 🚃 **1.** Einschiene *f*; **2.** Einwegbahn *f*.

mon·o·syl·lab·ic ['mɔnəsi'læbik] *adj.* (□ ~*ally*) *ling. u. fig.* einsilbig; **mon·o·syl·la·ble** ['mɔnəsiləbl] *s.* einsilbiges Wort: *to speak in* ~*s* einsilbige Antworten geben.

mon·o·the·ism ['mɔnouθi:izəm] *s. eccl.* Monothe'ismus *m*; '**mon·o·the·ist** [-ist] **I.** *s.* Monothe'ist *m*; **II.** *adj.* monothe'istisch; **mon·o·the·is·tic** *adj.*; **mon·o·the·is·ti·cal** [mɔnouθi'istik(əl)] *adj.* monothe'istisch.

mon·o·tone ['mɔnətoun] *s.* **1.** mono'tones Geräusch, gleichbleibender Ton; eintönige Wieder'holung; **2.** Monoto'nie *f*, Eintönigkeit *f* (*bsd. fig.*); **3.** *fig.* (ewiges) Einerlei; **mo·not·o·nous** [mə'nɔtnəs] *adj.* □ mono'ton, eintönig (*a. fig.*); **mo·not·o·ny** [mə'nɔtni] *s.* Monoto'nie *f*, Eintönigkeit *f*; *fig. a.* Einförmigkeit *f*.

mon·o·type ['mɔnətaip] *s. typ.* **1.** ♎ Monotype *f* (*Setz- u. Gießmaschine für Einzelbuchstaben*); **2.** mit der Monotype hergestellte Letter.

mon·o·va·lent [mɔnou'veilənt] *adj.* ⚗ einwertig; **mon·ox·ide** [mɔ'nɔksaid] *s.* ⚗ 'Monoˌxyd *n*.

mon·soon [mɔn'su:n] *s.* Mon'sun *m*.

mon·ster ['mɔnstə] **I.** *s.* **1.** Ungeheuer *n* (*a. fig.*); **2.** Scheusal *n*; Mißgeburt *f*, -bildung *f*, Monstrum *n*; **II.** *adj.* **3.** ungeheuer(lich), Riesen..., Monster...: ~ *film* Monsterfilm; ~ *meeting* Massenversammlung.

mon·strance ['mɔnstrəns] *s. eccl.* Mon'stranz *f*.

mon·stros·i·ty [mɔns'trɔsiti] *s.* **1.** Ungeheuerlichkeit *f*; **2.** 'Mißbildung *f*, -gestalt *f*; **3.** Ungeheuer *n*.

mon·strous ['mɔnstrəs] *adj.* □ **1.** ungeheuer, riesig; **2.** ungeheuerlich, gräßlich, scheußlich, ab'scheulich; 'unnaˌtürlich; **3.** 'mißgestaltet, unförmig, ungestalt; **4.** lächerlich, ab'surd; '**mon·strous·ness** [-nis] *s.* **1.** Ungeheuerlichkeit *f*; **2.** Rie-

senhaftigkeit *f*; **3.** ˈWidernaˌtürlichkeit *f*.
mon·tage [mɔnˈtɑːʒ] *s.* ˈPhoto-, ˈBildmonˌtage *f*.
monte-jus [mɔ̃tˈʒy] (*Fr.*) *s.* ⊕ Monteˈjus *m*, Druckbehälter *m*.
month [mʌnθ] *s.* **1.** Monat *m*: *this day* ~ heute in *od.* vor e-m Monat; *by the* ~ (all)monatlich; *a* ~ *of Sundays* e-e ewig lange Zeit; **2.** F vier Wochen *od.* 30 Tage; **month·ly** [ˈmʌnθli] **I.** *s.* **1.** Monatsschrift *f*; **2.** *pl.* → *menses*; **II.** *adj.* **3.** einen Monat dauernd; **4.** monatlich, Monats...: ~ *salary* Monatsgehalt; ~ *season ticket* 🚂 *etc. Brit.* Monatskarte; **III.** *adv.* **5.** monatlich, einmal im Monat, jeden Monat.
mon·ti·cule [ˈmɔntikjuːl] *s.* **1.** (kleiner) Hügel, Erhebung *f*; **2.** Höckerchen *n*.
mon·u·ment [ˈmɔnjumənt] *s.* Monuˈment *n*, Denkmal *n*, *bsd.* Grab(denk)mal *n* (*to* für): *a* ~ *of literature fig.* ein Literaturdenkmal; **mon·u·men·tal** [mɔnjuˈmentl] *adj.* □ **1.** monumenˈtal, gewaltig, impoˈsant; **2.** F kolosˈsal, ungeheuer: ~ *stupidity*; **3.** Denkmal(s)... Gedenk...; Grabmal(s)...
moo [muː] **I.** *v/i.* muhen; **II.** *s.* Muhen *n*.
mooch [muːtʃ] *sl.* **I.** *v/i.* **1.** *a.* ~ *about* herˈumlungern, -strolchen: *to* ~ *along* dahinlatschen; **II.** *v/t.* **2.** ‚klauen', stehlen; **3.** schnorren, erbetteln.
mood[1] [muːd] *s.* **1.** *ling.* Modus *m*, Aussageweise *f*; **2.** ♪ Tonart *f*.
mood[2] [muːd] *s.* Stimmung *f* (*a. paint. etc.*), Laune *f*: *to be in the* ~ *to work* zur Arbeit aufgelegt sein; *in no* ~ *for a walk* nicht zu e-m Spaziergang aufgelegt; *of sombre* ~ von düsterem Gemüt; **mood·i·ness** [ˈmuːdinis] *s.* **1.** Launenhaftigkeit *f*; **2.** Übellaunigkeit *f*, Verdrießlichkeit *f*; **mood·y** [ˈmuːdi] *adj.* **1.** □ launisch, launenhaft; **2.** übellaunig, verstimmt; **3.** niedergeschlagen, trübsinnig.
moon [muːn] **I.** *s.* **1.** Mond *m*: *full* ~ Vollmond; *new* ~ Neumond; *there is a (no)* ~ der Mond scheint (nicht); *once in a blue* ~ F alle Jubeljahre einmal, höchst selten; *to cry for the* ~ nach dem Mond (*nach Unmöglichem*) verlangen; *to shoot the* ~ F bei Nacht u. Nebel ausrücken (*ohne die Miete zu bezahlen*); **2.** *ast.* Traˈbant *m*, Satelˈlit *m*: *man-made* (*od. baby*) ~ (Erd)Satellit, ‚Sputnik'; **3.** *poet.* Mond *m*, Monat *m*; **II.** *v/i.* **4.** *mst* ~ *about* umˈherlungern, -irren; **III.** *v/t.* **5.** ~ *away Zeit* vertrödeln, verträumen; ˈ~**·beam** *s.* Mondstrahl *m*; ˈ~**·calf** *s.* [*irr.*] ‚Mondkalb' *n*, *fig. a.* Trottel *m*; Träumer *m*; ˈ~**·craft** *s.* ˈMondraˌkete *f*.
mooned [muːnd] *adj.* **1.** mit e-m (Halb)Mond geschmückt; **2.** (halb-)mondförmig.
ˈ**moon|·face** *s.* Vollmondgesicht *n*; ˈ~**·faced** *adj.* vollmondgesichtig; ˈ~**·light I.** *s.* Mondlicht *n*, -schein *m*: ♀ *Sonata* ♪ Mondscheinsonate; **II.** *adj.* mondhell, Mondlicht...: ~ *flit(ting) sl.* heimliches Ausziehen bei Nacht (*wegen Mietschulden*); ˈ~**·light·ing** *s.* Schwarzarbeit *f*; ˈ~**·lit** *adj.* mondhell; ˈ~**·rise** *s.* Mondaufgang *m*; ˈ~**·set** *s.* ˈMondˌuntergang *m*; ˈ~**·shine** *s.* **1.** Mondschein *m*; **2.** *fig.* **a)** leerer Schein, fauler Zauber, **b)** Unsinn *m*, Geschwafel *n*; **3.** *sl.* geschmuggelter *od.* ‚schwarz' gebrannter Alkohol; ˈ~**·shin·er** *s. Am. sl.* Alkoholschmuggler *m*; Schwarzbrenner *m*; ˈ~**·ship** → *mooncraft*; ˈ~**·stone** *s. min.* Mondstein *m*; ˈ~**·struck** *adj.* **1.** mondsüchtig; **2.** verrückt.
moon·y [ˈmuːni] *adj.* **1.** (halb)mondförmig; **2.** Mond..., Mondes...; **3.** mondhell, Mondlicht...; **4.** F verträumt, dösig; **5.** *sl.* beschwipst.
moor[1] [muə] *s.* **1.** Ödland *n*, *bsd.* Heideland *n*; **2.** Hochmoor *n*; Bergheide *f*.
moor[2] [muə] **I.** *v/t.* **1.** ⚓ vertäuen, festmachen; *fig.* verankern, sichern; **II.** *v/i.* ⚓ **2.** festmachen, ein Schiff vertäuen; **3.** sich festmachen; **4.** festgemacht *od.* vertäut liegen.
Moor[3] [muə] *s.* Maure *m*; Mohr *m*.
moor·age [ˈmuəridʒ] *s.* ⚓ **1.** Vertäuung *f*; **2.** Liegeplatz *m*.
ˈ**moor|·fowl**, ~ **game** *s. orn.* (schottisches) Moorhuhn; ˈ~**·hen** *s. orn.* **1.** weibliches Moorhuhn; **2.** Gemeines Teichhuhn.
moor·ing [ˈmuəriŋ] *s.* ⚓ **1.** Festmachen *n*; **2.** *mst pl.* Vertäuung *f* (*Schiff*); **3.** *pl.* Liegeplatz *m*; ~ **buoy** *s.* ⚓ Festmacheboje *f*; ~ **ca·ble** *s.* **1.** ⚓ Ankertau *n*; **2.** Fesselkabel *n* (*e-s Ballons*); ˈ~**·mast** *s.* ✈ Ankermast *m* (*Luftschiff*); ~ **rope** *s.* Halteleine *f*.
Moor·ish [ˈmuəriʃ] *adj.* maurisch.
ˈ**moor·land** [-lənd] *s.* Heidemoor *n*.
moose [muːs] *pl.* **moose** *s. zo.* Elch *m*.
moot [muːt] **I.** *s.* **1.** *hist.* (beratende) Volksversammlung; **2.** ⚖, *univ.* Diskussiˈon *f* angenommener (Rechts-)Fälle; **II.** *v/t.* **3.** *Frage* aufwerfen, anschneiden; **4.** erörtern, diskutieren; **III.** *adj.* **5.** strittig: ~ *point*.
mop[1] [mɔp] **I.** *s.* **1.** Mop *m* (*Fransenbesen*); Schrubber *m*; Wischlappen *m*; **2.** (Haar)Wust *m*; **3.** ⚓ Dweil *m*; **4.** ⊕ Schwabbelscheibe *f*; **II.** *v/t.* **5.** auf-, abwischen: *to* ~ *one's face* sich das Gesicht (ab-)wischen; → *floor 1*; **6.** ~ *up* **a)** (mit dem Mop) aufwischen, **b)** ⚔ *sl.* (*vom Feinde*) säubern, *Wald* ˈdurchkämmen, **c)** *sl. Profit etc.* ‚schlukken', **d)** *sl.* aufräumen mit.
mop[2] [mɔp] **I.** *v/i. mst* ~ *and mow* Gesichter schneiden; **II.** *s.* Griˈmasse *f*: ~*s and mows* Grimassen.
mope [moup] **I.** *v/i.* **1.** den Kopf hängen lassen, Trübsal blasen; **II.** *v/t.* **2.** (*nur pass.*) *be* ~*d* niedergeschlagen sein; ‚sich mopsen' (*langweilen*); **III.** *s.* **3.** Trübsalbläser(in), Griesgram *m*; **4.** *pl.* Trübsinn *m*, heulendes Elend.
mo·ped [ˈmouped] *s. mot. Brit.* Moped *n*.
ˈ**mop·head** *s.* F **a)** Wuschelkopf *m*, **b)** Struwwelpeter *m*.
mop·ing [ˈmoupiŋ] *adj.* □; ˈ**mop·ish** [-iʃ] *adj.* □ trübselig, aˈpathisch, kopfhängerisch; ˈ**mop·ish·ness** [-iʃnis] *s.* Lustlosigkeit *f*, Griesgrämigkeit *f*, Trübsinn *m*.
mop·pet [ˈmɔpit] *s.* F Püppchen *n* (*a. fig. Kind*).
ˈ**mop·ping-up** [ˈmɔpiŋ] *s.* ⚔ *sl.* **1.** Aufräumungsarbeit *f*; **2.** Säuberung *f* (*vom Feinde*): ~ *operation* Säuberungsaktion.
mo·quette [moˈket] *s.* Moˈkett *m*, Plüschgewebe *n*.
mo·raine [moˈrein] *s. geol.* Moˈräne *f*.
mor·al [ˈmɔrəl] **I.** *adj.* □ **1.** moˈralisch, sittlich: ~ *force*; ~ *sense* Sittlichkeitsgefühl; **2.** moralisch, geistig: ~ *obligation* moralische Verpflichtung; ~ *support* moralische Unterstützung; ~ *victory* moralischer Sieg; **3.** Moral..., Sitten...: ~ *law* Sittengesetz; ~ *theology* Moraltheologie; **4.** moralisch, sittenstreng, tugendhaft: *a* ~ *life*; **5.** (sittlich) gut: *a* ~ *act*; **6.** chaˈrakterlich: ~*ly firm* innerlich gefestigt; **7.** moralisch, vernunftgemäß: ~ *certainty* moralische Gewißheit; **II.** *s.* **8.** Moˈral *f*, Nutzanwendung *f* (*e-r Geschichte etc.*): *to draw the* ~ *from* die Lehre ziehen aus; **9.** moralischer Grundsatz: *to point the* ~ den sittlichen Standpunkt betonen; **10.** *pl.* Moral *f*, sittliches Verhalten, Sitten *pl.*: *code of* ~*s* Sittenkodex; **11.** *pl. sg. konstr.* Sittenlehre *f*, Ethik *f*.
mo·rale [mɔˈrɑːl] *s.* Moˈral *f*, Haltung *f*, Stimmung, (Arbeits-, Kampf)Geist *m*: *the* ~ *of the army* die Kampfmoral *od.* Stimmung der Armee.
mor·al| fac·ul·ty *s.* Sittlichkeitsgefühl *n*; ~ **haz·ard** *s. Versicherungswesen*: subjekˈtives Risiko, Risiko *n* falscher Angaben des Versicherten; ~ **in·san·i·ty** *s. psych. krankhaftes Fehlen sittlicher Begriffe u. Gefühle.*
mor·al·ist [ˈmɔrəlist] *s.* **1.** Moraˈlist *m*, Sittenlehrer *m*; **2.** Ethiker *m*.
mo·ral·i·ty [məˈræliti] *s.* **1.** Moˈral *f*, Sittlichkeit *f*, Tugend(haftigkeit) *f*; **2.** Moraliˈtät *f*, sittliche Gesinnung; **3.** Ethik *f*, Sittenlehre *f*; **4.** *pl.* moˈralische Grundsätze *pl.*, Ethik *f* (*e-r Person*); **5.** *contp.* Moˈralpredigt *f*; **6.** → *morality play*; ~ **play** *s. hist. thea.* Moraliˈtät *f*.
mor·al·ize [ˈmɔrəlaiz] **I.** *v/i.* **1.** moralisieren (*on* über *acc.*); **II.** *v/t.* **2.** moˈralisch auslegen; **3.** versittlichen, die Moˈral (*gen.*) heben; ˈ**mor·al·iz·er** [-zə] *s.* Sittenprediger *m*.
mor·al| phi·los·o·phy, ~ **sci·ence** *s.* Moˈralphilosoˌphie *f*, Ethik *f*.
mo·rass [məˈræs] *s.* **1.** Moˈrast *m*, Sumpf(land *n*) *m*; **2.** *fig.* Klemme *f*, schwierige Lage.
mor·a·to·ri·um [mɔrəˈtɔːriəm] *pl.* **-ri·ums** *s.* ✝ Moraˈtorium *n*, Zahlungsaufschub *m*, Stillhalteabkommen *n*, Stundung *f*; **mor·a·to·ry** [ˈmɔrətəri] *adj.* Moratoriums..., Stundungs...
Mo·ra·vi·an [məˈreivjən] **I.** *s.* **1.** Mähre *m*, Mährin *f*; **2.** *ling.* Mährisch *n*; **II.** *adj.* **3.** mährisch: ~ *Brethren eccl.* die Herrnhuter Brüdergemeine.
mor·bid [ˈmɔːbid] *adj.* □ morˈbid, krankhaft, pathoˈlogisch: ~ *anatomy* ⚕ pathologische Anatomie; **mor-**

bid·i·ty [mɔːˈbiditi] *s.* **1.** Krankhaftigkeit *f*; **2.** Erkrankungsziffer *f*.

mor·dan·cy [ˈmɔːdənsi] *s.* Bissigkeit *f*, beißende Schärfe; ˈ**mordant** [-dənt] **I.** *adj.* □ **1.** beißend: **a)** brennend (*Schmerz*), **b)** *fig.* scharf, sarˈkastisch (*Worte etc.*); **2.** ⊕ **a)** beizend, ätzend, **b)** *Farben* fixierend; **II.** *s.* **3.** ⊕ **a)** Ätzwasser *n*, **b)** (*bsd. Färberei*) Beize *f*.

mor·dent [ˈmɔːdənt] *s.* ♪ Morˈdent *m*, Pralltriller *m* nach unten.

more [mɔː] **I.** *adj.* **1.** mehr: (*no*) ~ *than* (nicht) mehr als; *they are* ~ *than we* sie sind zahlreicher als wir; **2.** mehr, noch (mehr), weiter: *some* ~ *tea* noch etwas Tee; *one* ~ *day* noch ein(en) Tag; *so much the* ~ *courage* um so mehr Mut; *he is no* ~ er ist nicht mehr (*ist tot*); **3.** größer (*obs. außer in*): *the* ~ *fool* der größere Tor; *the* ~ *part* der größere Teil; **II.** *adv.* **4.** mehr: ~ *dead than alive* mehr *od.* eher tot als lebendig; ~ *and* ~ immer mehr; ~ *and* ~ *difficult* immer schwieriger; ~ *or less* mehr oder weniger, ungefähr; *the* ~ um so mehr; *the* ~ *so because* um so mehr da; *all the* ~ *so* nur um so mehr; *no* (*od. not any*) ~ *than* ebensowenig wie; *neither* (*od. no*) ~ *nor less than stupid* nicht mehr u. nicht weniger als dumm; **5.** (*zur Bildung des comp.*): ~ *important* wichtiger; ~ *often* öfter; **6.** noch: *once* ~ noch einmal; *two hours* ~ noch zwei Stunden; **7.** noch mehr, ja soˈgar: *it is wrong and,* ~, *it is foolish*; **III.** *s.* **8.** Mehr *n* (*of an dat.*); **9.** mehr: ~ *than one person has seen it* mehr als einer hat es gesehen; *we shall see* ~ *of you* wir werden dich noch öfter sehen; *and what is* ~ und was noch wichtiger ist; *no* ~ nichts mehr.

mo·reen [məˈriːn] *s.* moiriertes Wollgewebe.

mo·rel [mɔˈrel] *s.* ⚘ **1.** Morchel *f*; **2.** Nachtschatten *m*; **3.** → *morello*.

mo·rel·lo [məˈrelou] *pl.* **-los** *s.* ⚘ Moˈrelle *f*, Schwarze Sauerweichsel.

more·o·ver [mɔːˈrouvə] *adv.* außerdem, überˈdies, ferner, weiter.

mo·res [ˈmɔːriːz] *s. pl.* Sitten *pl.*

mor·ga·nat·ic [mɔːgəˈnætik] *adj.* (□ ~*ally*) morgaˈnatisch.

morgue [mɔːg] *s.* **1.** Leichenschauhaus *n*; **2.** *Am.* Arˈchiv *n* (*e-s Zeitungsverlages etc.*).

mor·i·bund [ˈmɔribʌnd] *adj.* sterbend, dem Tode geweiht (*a. fig.*).

Mor·mon [ˈmɔːmən] *eccl.* **I.** *s.* Morˈmone *m*, Morˈmonin *f*; **II.** *adj.* morˈmonisch: ~ *Church* Kirche Jesu Christi der Heiligen der letzten Tage.

morn [mɔːn] *s. poet.* Morgen *m*.

morn·ing [ˈmɔːniŋ] **I.** *s.* **1. a)** Morgen *m*, **b)** Morgen *m*, Vormittag *m*: *in the* ~ morgens, am Morgen, vormittags; *early in the* ~ frühmorgens, früh am Morgen; *on the* ~ *of May 5* am Morgen des 5. Mai; *one* (*fine*) ~ eines (schönen) Morgens; *this* ~ heute früh; *the* ~ *after* am Morgen darauf, am darauffolgenden Morgen; *good* ~! guten Morgen!; *morning!* F ʼn Morgen!; **2.** *fig.* Morgen *m*, Beginn *m*; **3.** *poet.* **a)** Morgendämmerung *f*, **b)** ♀ Auˈrora *f*; **II.** *adj.* **4. a)** Morgen..., Vormittags..., **b)** Früh...; ~ **coat** *s.* Cut (-away) *m*; ~ **dress** *s.* **1.** Hauskleid *n*; **2.** Besuchs-, Konfeˈrenzanzug *m*, ‚Stresemann' *m* (*schwarzer Rock mit gestreifter Hose*); ~ **gift** *s.* ⚖ *hist.* Morgengabe *f*; ~ **glo·ry** *s.* ⚘ Winde *f*; ~ **gown** *s.* Morgenrock *m*; Hauskleid *n* (*der Frau*); ~ **per·form·ance** *s. thea.* Frühvorstellung *f*, Matiˈnee *f*; ~ **prayer** *s. eccl.* **1.** Morgengebet *n*; **2.** Frühgottesdienst *m*; ~ **sick·ness** *s.* ⚕ morgendliches Erbrechen (*bei Schwangeren*); ~ **star** *s.* **1.** *ast., a.* ⚔ *hist.* Morgenstern *m*; **2.** ⚘ Menˈtzelie *f*; ~ **watch** *s.* ⚓ Morgenwache *f*.

Mo·roc·can [məˈrɔkən] **I.** *adj.* maroˈkanisch; **II.** *s.* Marokˈkaner(in).

mo·roc·co [məˈrɔkou] *pl.* **-cos** [-z] *s. a.* ~ *leather* Saffian(leder *n*) *m*, Maroˈquin *m*.

mo·ron [ˈmɔːrɔn] *s.* **1.** Schwachsinnige(r *m*) *f*; **2.** F Trottel *m*, Idiˈot *m*; **mo·ron·ic** [məˈrɔnik] *adj.* schwachsinnig.

mo·rose [məˈrous] *adj.* □ mürrisch, grämlich, verdrießlich; **moˈrose·ness** [-nis] *s.* Verdrießlichkeit *f*, mürrisches Wesen.

mor·pheme [ˈmɔːfiːm] *s. ling.* Morˈphem *n*.

mor·phi·a [ˈmɔːfjə], ˈ**mor·phine** [-fiːn] *s.* ⚗ Morphium *n*; ˈ**mor·phin·ism** [-finizəm] *s.* **1.** Morphiˈnismus *m*, Morphiumsucht *f*; **2.** Morphiumvergiftung *f*; ˈ**mor·phin·ist** [-finist] *s.* Morphiˈnist(in).

morpho- [mɔːfou; -ə] *in Zssgn* Form..., Gestalt..., Morpho...

mor·pho·log·ic *adj.*; **mor·pho·log·i·cal** [mɔːfəˈlɔdʒik(əl)] *adj.* □ morphoˈlogisch, Form...: ~ *element* Formelement; **mor·phol·o·gy** [mɔːˈfɔlədʒi] *s.* Morpholoˈgie *f*.

mor·ris [ˈmɔris] *s. a.* ~ *dance* Moˈriskentanz *m*; ~ **tube** *s.* Einstecklauf *m* (*für Gewehre*).

mor·row [ˈmɔrou] *s. mst poet.* morgiger *od.* folgender Tag: *the* ~ *of* **a)** der Tag nach, **b)** *fig.* die Zeit unmittelbar nach.

Morse[1] [mɔːs] **I.** *adj.* Morse...: ~ *code* Morsealphabet; **II.** *v/t. u. v/i.* ♀ morsen.

morse[2] [mɔːs] → *walrus*.

mor·sel [ˈmɔːsəl] **I.** *s.* **1.** Bissen *m*; **2.** Stückchen *n*, *das* bißchen; **3.** Leckerbissen *m*; **II.** *v/t.* **4.** in kleine Stückchen teilen, in kleinen Portiˈonen austeilen.

mort[1] [mɔːt] *s. hunt.* (ˈHirsch)ˌTotsiˌgnal *n*.

mort[2] [mɔːt] *s. dial.* große Menge.

mor·tal [ˈmɔːtl] **I.** *adj.* □ **1.** sterblich; **2.** tödlich, verderblich, todbringend (*to* für): ~ *wound*; **3.** tödlich, erbittert: ~ *battle* erbitterte Schlacht; ~ *hatred* tödlicher Haß; **4.** Tod(es)...: ~ *agony* Todeskampf; ~ *enemies* Todfeinde; ~ *fear* Todesangst; ~ *hour* Todesstunde; ~ *sin* Todsünde; **5.** menschlich, irdisch, Menschen...: ~ *life* irdisches Leben, Vergänglichkeit; *by no* ~ *means* F auf keine menschenmögliche Art; *of no* ~ *use* F absolut zwecklos; **6.** F Mords..., ‚mordsmäßig': ~ *hurry* Mordseile; **7.** ewig, sterbenslangweilig: *three* ~ *hours* drei endlose Stunden; **II.** *s.* **8.** Sterbliche(r *m*) *f*; **mor·tal·i·ty** [mɔːˈtæliti] *s.* **1.** Sterblichkeit *f*; **2.** die (sterbliche) Menschheit; **3.** *a.* ~ *rate* **a)** Sterblichkeit(sziffer) *f*, **b)** ⊕ Verschleiß (-quote *f*) *m*.

mor·tar[1] [ˈmɔːtə] **I.** *s.* **1.** ⚗ Mörser *m*; **2.** *metall.* Pochladen *m*; **3.** ⚔ **a)** Mörser *m* (*Geschütz*), **b)** Graˈnatwerfer *m*: ~ *shell* Werfergranate; **II.** *v/t.* **4.** ⚔ mit Mörsern beschießen, mit Graˈnatwerferfeuer belegen.

mor·tar[2] [ˈmɔːtə] *s.* ⌂ Mörtel *m*.

ˈ**mor·tar-board** *s.* **1.** ⌂ Mörtelbrett *n*; **2.** *univ.* quaˈdratisches Baˈrett.

mort·gage [ˈmɔːgidʒ] ⚖ **I.** *s.* **1.** Verpfändung *f*; Pfandgut *n*: *to give in* ~ verpfänden; **2.** Pfandbrief *m*; **3.** Hypoˈthek *f*: *by* ~ hypothekarisch; *to lend on* ~ auf Hypothek (ver)leihen; *to raise a* ~ e-e Hypothek aufnehmen (*on* auf *acc.*); **4.** Hypoˈthekenbrief *m*; **II.** *v/t.* **5.** (*a. fig.*) verpfänden (*to* an *acc.*); **6.** hypotheˈkarisch belasten, e-e Hypoˈthek aufnehmen auf (*acc.*); ~ **bond** *s.* Hypoˈthekenpfandbrief *m*; ~ **deed** *s.* **1.** Pfandbrief *m*; **2.** Hypoˈthekenbrief *m*.

mort·ga·gee [mɔːgəˈdʒiː] *s.* ⚖ Hypotheˈkar *m*, Pfand- *od.* Hypoˈthekengläubiger *m*; **mort·gaˈgor** [-ˈdʒɔː], *a.* **mort·gag·er** [ˈmɔːgidʒə] *s.* ⚖ Pfand- *od.* Hypoˈthekenschuldner *m*.

mor·ti·cian [mɔːˈtiʃən] *s. Am.* Leichenbestatter *m*.

mor·ti·fi·ca·tion [mɔːtifiˈkeiʃən] *s.* **1.** Demütigung *f*, Kränkung *f*; **2.** Ärger *m*, Verdruß *m*; **3.** Kaˈsteiung *f*; Abtötung *f* (*Leidenschaften*); **4.** ⚕ (kalter) Brand, Neˈkrose *f*; **mor·ti·fy** [ˈmɔːtifai] **I.** *v/t.* **1.** demütigen, kränken; **2.** *Gefühle* verletzen; **3.** *Körper, Fleisch* kaˈsteien; *Leidenschaften* abtöten; **4.** ⚕ brandig machen, absterben lassen; **II.** *v/i.* **5.** ⚕ brandig werden, absterben.

mor·tise [ˈmɔːtis] ⊕ **I.** *s.* **a)** Zapfenloch *n*, **b)** Stemmloch *n*, **c)** (Keil-) Nut *f*, **d)** Falz *m*, **Fuge** *f*; **II.** *v/t.* **a)** verzapfen, **b)** einstemmen, **c)** einzapfen (*into* in *acc.*), **d)** einlassen; ~ **chis·el** *s.* Lochbeitel *m*; ~ **ga(u)ge** *s.* Zapfenstreichmaß *n*; ~ **joint** *s.* Verzapfung *f*; ~ **lock** *s.* (Ein)Steckschloß *n*.

mort·main [ˈmɔːtmein] *s.* ⚖ unveräußerlicher Besitz, Besitz *m* der Toten Hand: *in* ~ unveräußerlich.

mor·tu·ar·y [ˈmɔːtjuəri] **I.** *s.* Leichenhalle *f*; **II.** *adj.* Leichen..., Begräbnis...

mo·sa·ic[1] [məˈzeiik] **I.** *s.* **1.** Mosaˈik *n* (*a. fig.*); **2.** (ˈLuftbild)Mosaˌik *n*, Reihenbild *n*; **II.** *adj.* **3.** Mosaik...; mosaˈikartig.

Mo·sa·ic[2] *adj.*; **Mo·sa·i·cal** [məˈzeiik(əl)] *adj.* moˈsaisch.

Mo·selle [məˈzel] *s.* Mosel(wein) *m*.

mo·sey [ˈmouzi] *v/i. Am. sl.* **1.** *a.* ~ *along* daˈhinschlendern, -schlürfen; **2.** abhauen, ‚verduften'.

Mos·lem [ˈmɔzləm] **I.** *s.* Moslem *m*, Muselman(n) *m*; **II.** *adj.* muselmanisch, mohammeˈdanisch.

mosque [mɔsk] *s.* Moˈschee *f*.

mos·qui·to [məsˈkiːtou] *s.* **1.** *pl.* **-toes** *zo.* Stechmücke *f*, *bsd.* Mos-

ˈkito *m*; **2.** *pl.* **-toes** *od.* **-tos** ✈ Mosˈkito *m* (*brit. Langstreckenbomber*); **~-boat, ~-craft** *s.* ⚓, ⚔ Schnellboot *n*; **~-net** Mosˈkitonetz *n*; ♀ **State** *s. Am.* (*Beiname für*) New Jersey *n* (*USA*).

moss [mɔs] *s.* **1.** ♀ Moos *n*; → *stone 1*; **2.** (Torf)Moor *n*; **ˈ~-grown** *adj.* **1.** moosbewachsen, bemoost; **2.** *fig.* altmodisch, überˈholt.

moss·i·ness [ˈmɔsinis] *s.* **1.** ˈMoosˌüberzug *m*; **2.** Moosartigkeit *f*, Weichheit *f*; **moss·y** [ˈmɔsi] *adj.* **1.** moosig, bemoost; **2.** moosartig; **3.** Moos...: *~ green* Moosgrün.

most [moust] **I.** *adj.* □ → *mostly*; **1.** meist, größt; höchst, äußerst: *the ~ fear* die meiste *od.* größte Angst; *for the ~ part* größtenteils, meistenteils; **2.** (*vor e-m Substantiv im pl.*) die meisten: *~ people* die meisten Leute; (*the*) *~ votes* die meisten Stimmen; **II.** *s.* **3.** *das* meiste, *das* Höchste, *das* Äußerste: *at* (*the*) *~* höchstens, bestenfalls; *to make the ~ of et.* nach Kräften ausnützen, (noch) das Beste aus *et.* herausholen; **4.** das meiste, der größte Teil: *he spent ~ of his time there* er verbrachte die meiste Zeit dort; **5.** die meisten: *better than ~* besser als die meisten; *~ of my friends* die meisten m-r Freunde; **III.** *adv.* **6.** am meisten: *~ of all* am allermeisten **7.** *zur Bildung des Superlativs*: *the ~ important point* der wichtigste Punkt; **8.** *vor adj.* höchst, äußerst, ˈüberaus.

-most [moust; məst] *in Zssgn Bezeichnung des sup.*: *in~, top~ etc.*

ˈmost-ˈfa·vo(u)red-ˈna·tion clause *s. pol.* Meistbegünstigungsklausel *f*.

most·ly [ˈmoustli] *adv.* **1.** größtenteils, im wesentlichen, in der Hauptsache; **2.** hauptsächlich.

mote [mout] *s.* (Sonnen)Stäubchen *n*: *the ~ in another's eye bibl.* der Splitter im Auge des anderen.

mo·tel [ˈmoutel] *s.* Moˈtel *n*, Hoˈtel-Raststätte *f* für Autofahrer *etc.*

mo·tet [mouˈtet] *s.* ♪ Moˈtette *f*.

moth [mɔθ] *s.* **1.** *pl.* **moths** *zo.* Nachtfalter *m*; **2.** *pl.* **moths** *od. coll.* **moth** (Kleider)Motte *f*; **ˈ~-ball I.** *s.* Mottenkugel *f*; **II.** *v/t. Am.* ⚔ einlagern, ‚einmotten'; **ˈ~-eat·en** *adj.* **1.** von Motten zerfressen; **2.** *fig.* veraltet, antiˈquiert.

moth·er¹ [ˈmʌðə] **I.** *s.* **1.** Mutter *f* (*a. fig.*); **II.** *adj.* **2.** Mutter...; **III.** *v/t.* **3.** (*mst fig.*) gebären, herˈvorbringen; **4.** bemuttern.

moth·er² [ˈmʌðə] **I.** *s.* Essigmutter *f*; **II.** *v/i.* Essigmutter ansetzen.

Moth·er Car·ey's chick·en [ˈkɛəri] *s. orn.* Sturmschwalbe *f*.

moth·er| cell *s. biol.* Mutterzelle *f*; **~ church** *s.* **1.** Mutterkirche *f*; **2.** Hauptkirche *f*; **~ coun·try** *s.* **1.** Mutterland *n*; **2.** Vater-, Heimatland *n*; **~ earth** *s.* Mutter *f* Erde; **ˈ~-fuck·er** *s. fig.* V ‚Scheißkerl' *m*, ‚Arschloch' *n*.

moth·er·hood [ˈmʌðəhud] *s.* **1.** Mutterschaft *f*; **2.** *coll. die* Mütter *pl.*

ˈmoth·er-in-law [-ðərin-] *pl.* **ˈmoth·ers-in-law** *s.* Schwiegermutter *f*.

ˈmoth·er·land → *mother country*.

moth·er·less [ˈmʌðəlis] *adj.* mutterlos; **ˈmoth·er·li·ness** [-linis] *s.* Mütterlichkeit *f*.

moth·er| liq·uor *s.* ⚗ Mutterlauge *f*; **~ lode** *s.* ⚒ Hauptader *f*.

moth·er·ly [ˈmʌðəli] *adj. u. adv.* mütterlich.

moth·er| of pearl *s.* Perlˈmutter *f*, Perlmutt *n*; **ˈ~-of-ˈpearl** *adj.* perlˈmuttern, Perlmutt...

moth·er| ship *s.* ⚓ *Brit.* Mutterschiff *n*; **~ su·pe·ri·or** *s. eccl.* Oberin *f*, Äbˈtissin *f*; **ˈ~-tie** *s. psych.* Mutterbindung *f*; **~ tongue** *s.* Muttersprache *f*; **~ wit** *s.* Mutterwitz *m*.

moth·er·y [ˈmʌðəri] *adj.* hefig, trübe.

moth·y [ˈmɔθi] *adj.* **1.** voller Motten; **2.** mottenzerfressen.

mo·tif [mouˈti:f] *s.* **1.** ♪ (ˈLeit)Moˌtiv *n*; **2.** *paint. etc., Literatur*: Moˈtiv *n*, Vorwurf *m*; **3.** *fig.* Leitgedanke *m*.

mo·tile [ˈmoutil] *adj. biol.* freibeweglich; **mo·til·i·ty** [mouˈtiliti] *s.* selbständiges Bewegungsvermögen.

mo·tion [ˈmouʃən] **I.** *s.* **1.** Bewegung *f* (*a. phys.*, ♞, ♪); **2.** Gang *m* (*a.* ⊕): *to set in ~* in Gang bringen, in Bewegung setzen; → *idle motion, lost 1*; **3.** (Körper-, Hand)Bewegung *f*, Wink *m*: *~ of the head* Zeichen mit dem Kopf; **4.** Antrieb *m*: *of one's own ~* aus eigenem Antrieb, *a.* freiwillig; **5.** *pl.* Schritte *pl.*, Handlungen *pl.*: *to watch s.o.'s ~s*; **6.** ⚖, *parl. etc.* Antrag *m*: *to carry a ~* e-n Antrag durchbringen; *to bring forward a ~* e-n Antrag stellen; **7.** *physiol.* Stuhlgang *m*; **II.** *v/i.* **8.** winken (*with* mit, *to dat.*); **III.** *v/t.* **9.** *j-m* (zu)winken, *j-n* durch e-n Wink auffordern (*to do* zu tun), *j-n wohin* winken; **ˈmo·tion·less** [-lis] *adj.* bewegungslos, regungslos, unbeweglich.

mo·tion| pic·ture *s.* Film *m*; **ˈ~-pic·ture** *adj.* Film...: *~ camera*; *~ projector* Filmvorführapparat; **~ stud·y** *s.* Beˈwegungs-, Rationaliˈsierungsˌstudie *f*.

mo·ti·vate [ˈmoutiveit] *v/t.* **1.** *j-n, et.* motivieren, *et.* begründen; **2.** anregen, herˈvorrufen; **mo·ti·va·tion** [moutiˈveiʃən] *s.* **1.** Motivierung *f*, Begründung *f*; *~ research* Motivforschung; **2.** Anregung *f*.

mo·tive [ˈmoutiv] **I.** *s.* **1.** Moˈtiv *n*, Beweggrund *m*, Antrieb *m* (*for* zu); **2.** → *motif 1 u. 2*; **II.** *adj.* **3.** bewegend, treibend (*a. fig.*): *~ power* Triebkraft; **III.** *v/t.* **4.** *mst pass.* der Beweggrund sein von, veranlassen: *an act ~d by hatred* e-e vom Haß diktierte Tat; **ˈmo·tive·less** [-lis] *adj.* grundlos.

mo·tiv·i·ty [mouˈtiviti] *s.* Bewegungsfähigkeit *f*, -kraft *f*.

mot·ley [ˈmɔtli] **I.** *adj.* **1.** bunt (*a. fig. Menge etc.*), scheckig; **II.** *s.* **2.** *hist.* Narrenkleid *n*; **3.** buntes Gemisch.

mo·tor [ˈmoutə] **I.** *s.* **1.** ⊕ (*bsd.* Eˈlektro-, Verbrennungs)ˌMotor *m*; **2.** *fig.* treibende Kraft; **3. a)** Kraftwagen *m*, Auto *n*, **b)** ˈMotorfahrzeug *n*; **4.** *anat.* **a)** Muskel *m*, **b)** moˈtorischer Nerv; **II.** *adj.* **5.** bewegend, (an)treibend; **6.** Motor...; **7.** Auto...; **8.** *anat.* moˈtorisch; **III.** *v/i.* **9.** (*in e-m Kraftfahrzeug*) fahren; **IV.** *v/t.* **10.** in e-m Kraftfahrzeug befördern; **~ ac·ci·dent** *s.* Autounfall *m*; **~ am·bu·lance** *s.* Krankenwagen *m*, Ambuˈlanz *f*; **ˈ~-asˈsist·ed** *adj.*: *~ bicycle* **a)** Fahrrad mit Hilfsmotor, **b)** Mofa; **~ bi·cy·cle** → *motor cycle*; **ˈ~-bike 1.** F *für motor cycle*; **2.** *Am.* Moped *n*; **~ boat** *s.* ˈMotorboot *n*; **~ bus** *s.* Autobus *m*; **~ cab** *s.* Taxe *f*, Taxi *n*; **ˈ~-cade** [-keid] *s. Am.* ˈAutokoˌlonne *f*; **~ camp** *s. Am.* Auto-Campingplatz *m*; **ˈ~-car** *s.* Kraftwagen *m*, Auto(moˈbil) *n*: *~ industry* Automobilindustrie; **~ car·a·van** *s. mot.* Campingwagen *m*; **~ coach** → *coach 3*; **~ court** → *motel*; **~ cy·cle** *s.* ˈMotor-, Kraftrad *n*; **ˈ~-cy·cle** *v/i.* ˈmotorradfahren; **ˈ~-cy·clist** *s.* ˈMotorradfahrer(in); **ˈ~-driv·en** *adj.* mit ˈMotorantrieb, Motor...

mo·tored [ˈmoutəd] *adj.* ⊕ **1.** motorisiert, mit e-m ˈMotor *od.* mit Moˈtoren (versehen); **2.** ...motorig.

mo·tor| en·gine *s.* ⊕ ˈKraftmaˌschine *f*; **~ fit·ter** *s.* Autoschlosser *m*; **~ gog·gles** *s. pl.* Autobrille *f*.

mo·tor·ing [ˈmoutəriŋ] *s.* Autofahren *n*; Kraftfahrsport *m*; **ˈmo·tor·ist** [-ist] *s.* Kraft-, Autofahrer(in).

mo·tor·i·za·tion [moutəraiˈzeiʃən] *s.* Motorisierung *f*; **mo·tor·ize** [ˈmoutəraiz] *v/t.* ⊕ *u.* ⚔ motorisieren: *~d division* ⚔ leichte Division; *~d unit* ⚔ (voll)motorisierte Einheit.

mo·tor launch *s.* ˈMotorbarˌkasse *f*.

mo·tor·less [ˈmoutəlis] *adj.* ˈmotorlos: *~ flight* Segelflug.

mo·tor| lor·ry *s. Brit.* Lastkraftwagen *m*; **ˈ~-man** [-mən] *s.* [*irr.*] *Am.* ⚡ Wagenführer *m*; **~ me·chan·ic** *s.* Autoschlosser *m*; **~ nerve** *s. anat.* moˈtorischer Nerv, Bewegungsnerv *m*; **~ oil** *s.* ⊕ Moˈtorenöl *n*; **ˈ~-park** *s. Am.* ˈFerienkoloˌnie *f für Autofahrer*; **~ pool** *s.* Fahrbereitschaft *f*; **~ road** *s.* Autostraße *f*, -bahn *f*; Straße *f* für Kraftverkehr; **~ school** *s.* Fahrschule *f*; **~ scoot·er** *s.* ˈMotorroller *m*; **~ ship** *s.* ⚓ ˈMotorschiff *n*; **~ show** *s.* Automoˈbilausstellung *f*; **~ start·er** *s.* ⊕ ˈMotoranlasser *m*; **~ tor·pe·do boat** *s.* ⚓, ⚔ Schnellboot *n*, E-Boot *n*; **~ trac·tor** *s.* Traktor *m*, Schlepper *m*, ˈZugmaˌschine *f*; **~ trou·ble** *s.* Panne *f*; **~ truck** *s.* **1.** *bsd. Am.* Lastkraftwagen *m*; **2.** ⚡ Eˈlektrokarren *m*; **~ van** *s. Brit.* (kleiner) Lastkraftwagen, Lieferwagen *m*; **~ ve·hi·cle** *s.* Kraftfahrzeug *n*; **ˈ~-way** *s. Brit.* Autobahn *f*, Schnellstraße *f*.

mot·tle [ˈmɔtl] *v/t.* sprenkeln, marmorieren; **ˈmot·tled** [-ld] *adj.* gesprenkelt, gefleckt, bunt.

mot·to [ˈmɔtou] *pl.* **-toes, -tos** *s.* Motto *n*, Wahl-, Sinnspruch *m*.

mou·jik [ˈmu:ʒik] → *muzhik*.

mould¹ [mould] **I.** *s.* **1.** ⊕ (Gieß-, Guß)Form *f*: *cast in the same ~ fig.* aus demselben Holz geschnitzt; **2.** (Körper)Bau *m*, Gestalt *f*, (*äußere*) Form; **3.** Art *f*, Naˈtur *f*, Chaˈrakter *m*; **4.** ⊕ **a)** Hohlform *f*, **b)** Preßform *f*, **c)** Koˈkille *f*, Hartgußform *f*, **d)** Maˈtrize *f*, **e)** (ˈForm)Moˌdell *n*, **f)** Gesenk *n*; **5.** ⊕ **a)** ˈGußmateriˌal *n*, **b)** Guß(stück *n*) *m*; **6.** *Schiffbau*: Mall *n*; **7.** △ **a)** Sims *m*, *n*, **b)** Leiste *f*, **c)** Hohlkehle *f*; **8.** *Kochkunst*: Form *f* (*für Speisen*): *jelly ~*

Puddingform; **9.** *geol.* Abdruck *m* (*Versteinerung*); **II.** *v/t.* **10.** ⊕ gießen; (ab)formen, modellieren; pressen; *Holz* profilieren; ⚓ abmallen; **11.** formen, bilden, gestalten (**on** nach dem Muster von); **III.** *v/i.* **12.** Gestalt annehmen, sich formen.

mould² [mould] **I.** *s.* **1.** Schimmel *m*, Moder *m*; **2.** ⚘ Schimmelpilz *m*; **II.** *v/i.* **3.** schimm(e)lig werden, (ver)schimmeln.

mould³ [mould] *s.* **1.** lockere Erde, Gartenerde *f*; **2.** Humus(boden) *m*.

mould·a·ble ['mouldəbl] *adj.* (ver-)formbar, bildsam: ~ *material* ⊕ Preßmasse.

'mould-board *s.* **1.** ⚒ Streichbrett *n* (*am Pflug*); **2.** Formbrett *n* (*der Maurer*).

mould·er¹ ['mouldə] *s.* **1.** ⊕ Former *m*, Gießer *m*; **2.** *fig.* Gestalter(in); Bildner(in).

mould·er² ['mouldə] *v/i. a.* ~ *away* vermodern, (*zu Staub*) zerfallen, zerbröckeln.

mould·i·ness ['mouldinis] *s.* Moder *m*, Schimm(e)ligkeit *f*; (*a. fig.*) Schalheit *f*.

mould·ing ['mouldiŋ] *s.* **1.** Formen *n*, Formgebung *f*; **2.** Formgieße'rei *f*, -arbeit *f*; Modellieren *n*; **3.** Formstück *n*; Preßteil *n*; **4.** → *mould¹ 7*; **'~-board** *s.* **1.** Formbrett *n*; **2.** *Küche*: Kuchen-, Nudelbrett *n*; **~ clay** *s.* ⊕ Formerde *f*, -ton *m*; **'~-ma·chine** *s.* ⊕ **1.** *Holzbearbeitung*: 'Kehl(hobel)ma,schine *f*; **2.** *metall.* 'Formma,schine *f*; **3.** 'Spritzma,schine *f* (*für Spritzguß etc.*); **~ press** *s.* ⊕ Formpresse *f*; **~ sand** *s.* ⊕ Formsand *m*.

mould·y ['mouldi] *adj.* **1.** schimm(e)lig; **2.** Schimmel..., schimmelartig: ~ *fungi* Schimmelpilze; **3.** muffig, schal (*a. fig.*).

moult [moult] *zo.* **I.** *v/i.* (sich) mausern (*a. fig.*); sich häuten; **II.** *v/t.* *Federn, Haut* abwerfen, verlieren; **III.** *s.* Mauser(ung) *f*; Häutung *f*.

mound¹ [maund] *s.* **1.** Erdwall *m*, -hügel *m*; **2.** Damm *m*; **3.** *Baseball*: Abwurfstelle *f*.

mound² [maund] *s. hist.* Reichsapfel *m*.

mount¹ [maunt] **I.** *v/t.* **1.** *Berg, Pferd, Fahrrad etc.* besteigen; *Treppen* hin'aufgehen, ersteigen; *Fluß* hin'auffahren; **2.** beritten machen: *to* ~ *troops*; *~ed police* berittene Polizei; **3.** errichten; *a. Maschine* aufstellen, montieren (*a. phot., Fernsehen*); anbringen, einbauen, befestigen; *Papier, Bild* aufkleben, -ziehen; *Edelstein* fassen; *Messer etc.* mit e-m Griff versehen, stielen; ⚕ *Versuchsobjekt* präparieren; *Präparat im Mikroskop* fixieren; **4.** zs.-bauen, -stellen, arrangieren; *thea. Stück* inszenieren; **5.** ⚔ **a)** *Geschütz* in Stellung bringen, **b)** *Posten* aufstellen; → *guard 8*; **6.** ⚓ bewaffnet sein mit, *Geschütz* führen; **II.** *v/i.* **7.** (auf-, em'por-, hoch)steigen; **8.** *fig.* (an)wachsen, steigen, sich auftürmen (*bsd. Schulden, Schwierigkeiten etc.*): *~ing suspense* wachsende Spannung; **9.** *oft* ~ *up* sich belaufen (*to* auf *acc.*); **III.** *s.* **10.** Gestell *n*; ⊕ Ständer *m*, Halterung *f*, 'Untersatz *m*; Fassung *f*; (Wechsel)Rahmen *m*, Passepar'tout *n*; ⚔ (Ge'schütz)La,fette *f*; Ob'jektträger *m* (*Mikroskop*); **11.** Pferd *n*, Reittier *n*.

mount² [maunt] *s.* **1.** *poet.* **a)** Berg *m*, **b)** Hügel *m*; **2.** ♀ (*in Eigennamen*) Berg *m*: ♀ *Sinai*.

moun·tain ['mauntin] **I.** *s.* Berg *m* (*a. fig. von Arbeit etc.*); *pl.* Gebirge *n*: *to make a* ~ *out of a molehill* aus e-r Mücke e-n Elefanten machen; **II.** *adj.* Berg..., Gebirgs...: *~ artillery* Gebirgsartillerie; **~ ash** *s.* ⚘ *e-e* Eberesche *f*; **~ chain** *s.* Berg-, Gebirgskette *f*; **~ cock** *s. orn.* Auerhahn *m*.

moun·tained ['mauntind] *adj.* bergig, gebirgig.

moun·tain·eer [maunti'niə] **I.** *s.* **1.** Bergbewohner(in); **2.** Bergsteiger *m*, Alpi'nist *m*; **II.** *v/i.* **3.** bergsteigen; **moun·tain'eer·ing** [-iəriŋ] **I.** *s.* Bergsteigen *n*; **II.** *adj.* bergsteigerisch; **moun·tain·ous** ['mauntinəs] *adj.* **1.** bergig, gebirgig; **2.** Berg..., Gebirgs...; **3.** *fig.* riesig, gewaltig.

moun·tain| pas·ture *s.* Alm *f*; **'~-'rail·way** *s.* Bergbahn *f*; **~ range** *s.* Gebirgszug *m*, -kette *f*; **~ sick·ness** *s.* ⚕ Berg-, Höhenkrankheit *f*; **'~-side** *s.* Berg(ab)hang *m*; **~ slide** *s.* Bergrutsch *m*; ♀ **State** *s. Am.* (*Beiname für*) **a)** Mon'tana *n* (*USA*), **b)** West Vir'ginia *n* (*USA*); **~ troops** *s. pl.* ⚔ Gebirgstruppen *pl.*

moun·te·bank ['mauntibæŋk] *s.* **1.** Quacksalber *m*; Marktschreier *m*; **2.** Scharlatan *m*.

mount·ing ['mauntiŋ] *s.* **1.** ⊕ **a)** Einbau *m*, Aufstellung *f*, Mon'tage *f* (*a. phot., Fernsehen etc.*), **b)** Gestell *n*, Rahmen *m*, **c)** Befestigung *f*, Aufhängung *f*, **d)** (Auf)Lagerung *f*, **e)** Arma'tur *f*, **f)** (Ein)Fassung *f* (*Edelstein*), **g)** Ausstattung *f*, **h)** *pl.* Fenster-, Türbeschläge *pl.*, **i)** *pl.* Gewirre *n* (*an Türschlössern*), **j)** (*Weberei*) Geschirr *n*, Zeug *n*; **2.** ⚡ (Ver)Schaltung *f*, Installati'on *f*; **~ brack·et** *s.* Befestigungsschelle *f*.

mourn [mɔːn] **I.** *v/i.* **1.** trauern, klagen (*at, over* über *acc.*; *for, over* um); **2.** Trauer(kleidung) tragen, trauern; **II.** *v/t.* **3.** *j-n* betrauern, *a. et.* beklagen, trauern um *j-n*; **'mourn·er** [-nə] *s.* Trauernde(r *m*) *f*, Leidtragende(r *m*) *f*; **'mourn·ful** [-ful] *adj.* □ trauervoll, traurig, düster, Trauer...

mourn·ing ['mɔːniŋ] **I.** *s.* **1.** Trauer(n *n*) *f*; **2.** Trauer(kleidung) *f*: *in* ~ in Trauer; *to go into (out of)* ~ Trauer anlegen (die Trauer ablegen); **II.** *adj.* □ **3.** trauernd; **4.** Trauer...: ~ *band* Trauerband, -flor: **'~-bor·der**, **'~-edge** *s.* Trauerrand *m*: **'~-pa·per** *s.* 'Briefpa,pier *n* mit Trauerrand.

mouse [maus] **I.** *pl.* **mice** [mais] *s.* **1.** *zo.* Maus *f* (*a. fig. contp.*): *~trap* Mausefalle; **2.** ⊕ Zugleine *f* mit Gewicht; **3.** *sl.*, blaues Auge', Schwellung *f*; **II.** *v/i.* [mauz] **4.** mausen, Mäuse fangen; **'~-col·o(u)red** *adj.* mausfarbig, -grau.

mous·tache [məs'tɑːʃ] *s.* Schnurrbart *m* (*a. zo.*).

mous·y ['mausi] *adj.* **1.** von Mäusen heimgesucht; **2.** mauseartig; mausgrau; **3.** *fig.* grau, trüb; **4.** *fig.* leise; furchtsam; farblos.

mouth [mauθ] **I.** *pl.* **mouths** [mauðz] *s.* **1.** Mund *m*: *to give* ~ Laut geben, anschlagen (*Hund*); *by word of* ~ mündlich; *to keep one's* ~ *shut* F den Mund halten; *to shut s.o.'s* ~ j-m den Mund stopfen; *to stop s.o.'s* ~ j-m durch Bestechung den Mund stopfen; *down in the* ~ F niedergeschlagen, bedrückt; *to make s.o. laugh on the wrong side of his* ~ j-m das Lachen abgewöhnen; **2.** Maul *n*, Schnauze *f*, Rachen *m* (*Tier*); **3.** Mündung *f* (*Fluß, Kanone etc.*); Öffnung *f* (*Flasche, Sack*); Ein-, Ausgang *m* (*Höhle, Röhre etc.*); Ein-, Ausfahrt *f* (*Hafen etc.*); ♪ Mundstück *n* (*Blasinstrument*); **4.** ⊕ **a)** Mundloch *n*, **b)** Schnauze *f*, **c)** Öffnung *f*, **d)** Gichtöffnung *f* (*Hochofen*), **e)** Abstichloch *n* (*Hoch-, Schmelzofen*); **II.** *v/t.* [mauð] **5.** affek'tiert *od.* gespreizt (aus-)sprechen; **6.** in den Mund *od.* ins Maul nehmen; **'mouth·ful** [-ful] *pl.* **-fuls** *s.* **1.** *ein* Mundvoll *m*, Brocken *m* (*a. fig. Wort*); **2.** kleine Menge; **3.** *sl.* großes Wort.

'mouth|-or·gan *s.* ♪ 'Mundhar,monika *f*; **'~-piece** *s.* **1.** ♪ Mundstück *n*, Ansatz *m* (*Blasinstrument*); **2.** ⊕ **a)** Schalltrichter *m*, Sprechmuschel *f*, **b)** Mundstück *n*, Tülle *f*; **3.** *fig.* Sprachrohr *n* (*a. Person*); ⚖ *sl.* (Straf)Verteidiger *m*; **4.** Gebiß *n* (*Pferdezaum*); **'~-wash** *s.* Mundwasser *n*.

mov·a·bil·i·ty [muːvə'biliti] *s.* Beweglichkeit *f*, Bewegbarkeit *f*.

mov·a·ble ['muːvəbl] **I.** *adj.* □ **1.** beweglich (*a.* ⊕; *a.* ⚖ *Eigentum*; ⚔ *Geschütz*), bewegbar; **2. a)** verschiebbar, verstellbar, **b)** fahrbar; **3.** ℞ ortsveränderlich; **II.** *s.* **4.** *pl.* Möbel *pl.*; **5.** *pl.* ⚖ Mo'bilien *pl.*, bewegliche Habe; **~ kid·ney** *s.* ⚕ Wanderniere *f*.

move [muːv] **I.** *v/t.* **1.** fortbewegen, -rücken, von der Stelle bewegen, verschieben; ⚔ *Einheit* verlegen: *to* ~ *up* **a)** *Truppen* heranbringen, **b)** *ped. Brit. Schüler* versetzen; **2.** entfernen, fortbringen, -schaffen; **3.** bewegen, in Bewegung setzen *od.* halten, (an)treiben: *to* ~ *on* vorwärtstreiben; **4.** *fig.* bewegen, rühren, ergreifen: *to be ~d to tears* zu Tränen gerührt sein; **5.** *j-n* veranlassen, bewegen, hinreißen (*to* zu): *to* ~ *to anger* erzürnen; **6.** *Schach etc.*: e-n Zug machen mit; **7.** *et.* beantragen, Antrag stellen auf (*acc.*), vorschlagen: *to* ~ *an amendment parl.* e-n Abänderungsantrag stellen; **8.** *Antrag* stellen, einbringen; **II.** *v/i.* **9.** sich bewegen, sich rühren, sich regen; ⊕ laufen, in Gang sein (*Maschine etc.*); **10.** sich fortbewegen, gehen, fahren: *to* ~ *on* weitergehen; **11.** sich entfernen, abziehen, abmarschieren; *wegen Wohnungswechsels* ('um)ziehen (*to* nach): *to* ~ *in* einziehen; *if ~d* falls verzogen; **12.** fortschreiten, weitergehen (*Vorgang*); **13.** verkehren, sich bewegen: *to* ~ *in good society*; **14.** vorgehen, Schritte unter'nehmen (*in s.th.* in e-r Sache, *against* gegen); handeln, zupacken: *he* ~*d quickly*; **15.** ~ *for* beantragen, (e-n) Antrag stellen auf (*acc.*); *to* ~ *that* beantragen, daß; **16.** *Schach etc.*: e-n Zug machen, ziehen; **17.** ⚕ sich entleeren (*Darm*); **18.** ~ *up* ✝ anziehen, steigen (*Preise*); **III.** *s.* **19.** (Fort)Bewegung *f*, Aufbruch *m*: *on the* ~ in Bewegung, auf dem Marsch; *to get a* ~ *on sl.* ‚e-n Zahn zulegen', sich beeilen; *to make a* ~ aufbrechen, sich (von der Stelle) rühren; die Tafel aufheben; **20.** 'Umzug *m*; **21.** *Schach etc.*: Zug *m*; *fig.* Schritt *m*, Maßnahme *f*: *a clever* ~ ein kluger Schachzug (*od.* Schritt); *to make the first* ~ den ersten Schritt tun;

'move·ment [-mənt] *s.* **1.** Bewegung *f* (*a. fig., pol., eccl., paint. etc.*); ⚔, ⚓ (Truppen- *od.* Flotten)Bewegung *f*: ~ *by air* Lufttransport; **2.** *mst pl.* Handeln *n*, Schritte *pl.*, Maßnahmen *pl.*; **3.** (rasche) Entwicklung, Fortschreiten *n* (*von Ereignissen, e-r Handlung*); **4.** Bestrebung *f*, Ten'denz *f*, (mo'derne) Richtung; **5.** ♪ **a)** Satz *m*: *a* ~ *of a sonata*, **b)** Tempo *n*; **6.** ⊕ **a)** Bewegung *f*, **b)** Lauf *m* (*Maschine*), **c)** Gang-, Gehwerk *n* (*der Uhr*), 'Antriebsmecha͵nismus *m*; **7.** *a.* ~ *of the bowels* ⚕ Stuhlgang *m*; **8.** ✝ (Kurs-, Preis)Bewegung *f*; 'Umsatz *m* (*Börse, Markt*): *downward* ~ Senkung, Fallen; *retrograde* ~ rückläufige Bewegung; *upward* ~ Steigen, Aufwärtsbewegung (*der Preise*);

'mov·er [-və] *s.* **1.** *fig.* treibende Kraft, Triebkraft *f*, Antrieb *m* (*a. Person*); **2.** ⊕ Triebwerk *n*, Motor *m*; → *prime mover*; **3.** Antragsteller(in); **4.** *Am.* Spedi'teur *m*.

mov·ie ['mu:vi] *Am.* F **I.** *s.* **1.** Film (-streifen) *m*; **2.** *pl.* **a)** Filmwesen *n*, **b)** Kino *n*, **c)** Kinovorstellung *f*: *to go to the* ~*s* ins Kino gehen; **II.** *adj.* **3.** Film..., Kino..., Lichtspiel...; **'~-go·er** *s. Am.* F Kinobesucher(in).

mov·ing ['mu:viŋ] *adj.* □ beweglich, sich bewegend; **2.** bewegend, treibend: ~ *power* treibende Kraft; **3. a)** rührend, bewegend, **b)** eindringlich, packend; **~ coil** *s.* ⚡ Drehspule *f*; **~ mag·net** *s.* ⚡ 'Drehma͵gnet *m*; **~ pic·ture** F → *motion picture*; **~ stair·case** *s.* Rolltreppe *f*; **~ van** *s. Am.* Möbelwagen *m*.

mow¹ [mou] **I.** *v/t.* [*a. irr.*] (ab-) mähen, schneiden: *to* ~ *down* niedermähen; **II.** *v/i.* [*a. irr.*] mähen.

mow² [mou] *s.* **1.** Getreidegarbe *f*, Heuhaufen *m* (*Scheune*); **2.** Heu-, Getreideboden *m*.

mow·er ['mouə] *s.* **1.** Mäher(in), Schnitter(in); **2.** → *mowing-machine*; **'mow·ing-ma·chine** ['mouiŋ] *s.* ⚒ 'Mähma͵schine *f*.

mown [moun] *p.p. von mow¹*.

mu [mju:] *s.* **1.** My *n* (*griechischer Buchstabe*); **2.** ⚡ Ver'stärkungs͵faktor *m*.

much [mʌtʃ] **I.** *s.* **1.** Menge *f*, große Sache, Besondere(s) *n*: *nothing* ~ nichts Besonderes; *it did not come to* ~ es kam nicht viel dabei heraus; *to think* ~ *of s.o.* viel von j-m halten; *he is not* ~ *of a dancer* er ist kein großer Tänzer; → *make 21*; **II.** *adj.* **2.** viel: *too* ~ zu viel; **III.** *adv.* **3.** sehr: ~ *to my regret* sehr zu m-m Bedauern; **4.** (*in Zssgn*) viel...: ~*-admired* vielbewundert; **5.** (*vor comp.*) viel, weit: ~ *stronger* viel stärker; **6.** (*vor sup.*) bei weitem, weitaus: ~ *the oldest*; **7.** fast: *he did it in* ~ *the same way* er tat es auf ungefähr die gleiche Weise; *it is* ~ *the same thing* es ist ziemlich dasselbe;

Besondere Redewendungen:

~ *as I would like* so gern ich (auch) möchte; *as* ~ *as* so viel wie; *he did not as* ~ *as write* er schrieb nicht einmal; *as* ~ *more* (*od. again*) noch einmal soviel; *he said as* ~ das war (ungefähr) der Sinn s-r Worte; *this is as* ~ *as to say* das heißt mit anderen Worten; *as* ~ *as to say* als wenn er (*etc.*) sagen wollte; *I thought as* ~ das habe ich mir gedacht; *so* ~ **a)** so sehr, **b)** so viel, **c)** lauter, nichts als; *so* ~ *the better* um so besser; *so* ~ *for today* soviel für heute; *so* ~ *for our plans* soviel (wäre also) zu unseren Plänen (zu sagen); *not so* ~ *as* nicht einmal; *without so* ~ *as to move* ohne sich auch nur zu bewegen; *so* ~ so (und zwar) so sehr; ~ *less* **a)** viel weniger, **b)** geschweige denn; ~ *like a child* ganz wie ein Kind.

much·ly ['mʌtʃli] *adv. obs. od. humor.* sehr, viel, besonders; **'much·ness** [-tʃnis] *s.* große Menge: *much of a* ~ F ziemlich *od.* praktisch dasselbe.

mu·ci·lage ['mju:silidʒ] *s.* **1.** ⚘ (Pflanzen)Schleim *m*; **2.** *bsd. Am.* Klebstoff *m*, 'Gummilösung *f*; **mu·ci·lag·i·nous** [mju:si'lædʒinəs] *adj.* **1.** schleimig; **2.** klebrig.

muck [mʌk] **I.** *s.* **1.** Mist *m*, Dung *m*; **2.** Kot *m*, Dreck *m*, Unrat *m*, Schmutz *m* (*a. fig.*); **3.** *Brit.* F Blödsinn *m*, Schund *m*, ‚Mist' *m*: *to make a* ~ *of* → 6; **II.** *v/t.* **4.** düngen; *a.* ~ *out* ausmisten; **5.** *oft* ~ *up* F beschmutzen; **6.** *sl.* verpfuschen, verhunzen, ‚vermasseln'; **III.** *v/i.* **7.** *mst* ~ *about sl.* her'umlungern; **'muck·er** [-kə] *s.* **1.** *sl.* Schuft *m*; **2.** ⚒ Lader *m*: ~*'s car* Minenhund; **3.** *sl.* **a)** schwerer Sturz, **b)** *fig.* ‚Reinfall' *m*: *to come a* ~ zu Fall kommen, stürzen, *fig.* ‚reinfallen'.

'muck|-hill *s.* Mist-, Dreckhaufen *m*; **'~-rake** *s.* Mistgabel *f*; **'~rake** *v/i. fig.* im Schmutz her'umrühren; *Am. sl.* Korrupti'onsfälle aufdecken *od.* aufbauschen; **'~rak·er** *s. Am.* Korrupti'onsschnüffler *m*, Skan'dalmacher *m*.

muck·y ['mʌki] *adj.* schmutzig, dreckig (*a. fig.*).

mu·cous ['mju:kəs] *adj.* schleimig, Schleim...: ~ *membrane* Schleimhaut; **'mu·cus** [-kəs] *s. biol.* Schleim *m*.

mud [mʌd] *s.* **1.** Schlamm *m*, Schlick *m*; **2.** Mo'rast *m*, Kot *m*, Schmutz *m* (*a. fig.*): *to drag in the* ~ *fig.* in den Schmutz ziehen; *to stick in the* ~ im Schlamm steckenbleiben (*a. fig.*); *to sling* (*od. throw*) ~ *at s.o. fig.* j-n mit Schmutz bewerfen; → *clear 1*; **'~-bath** *s.* ⚕ Moor-, Schlammbad *n*.

mud·di·ness ['mʌdinis] *s.* **1.** Schlammigkeit *f*, Trübheit *f* (*a. des Lichts*); **2.** Schmutzigkeit *f*; **3.** *fig.* Verschwommenheit *f*.

mud·dle ['mʌdl] **I.** *s.* **1.** Durchein'ander *n*, Unordnung *f*, Wirrwarr *m*: *to make a* ~ *of s.th.* et. durcheinanderbringen *od.* ‚vermasseln'; *to get into a* ~ in Schwierigkeiten geraten; **2.** Verworrenheit *f*, Unklarheit *f*: *to be in a* ~ in Verwirrung sein; **II.** *v/t.* **3.** *Gedanken etc.* verwirren: *to* ~ *up* verwechseln, durcheinanderwerfen; **4.** in Unordnung bringen, durchein'anderbringen; **5.** benebeln (*bsd. durch Alkohol*): *to* ~ *one's brains* sich benebeln; **6.** verpfuschen, verderben; **III.** *v/i.* **7.** pfuschen, stümpern, ‚wursteln': *to* ~ *about* herumwursteln (*with* an *dat.*); *to* ~ *on* weiterwursteln; *to* ~ *through* sich durchwursteln; **'mud·dle·dom** [-dəm] *s. humor.* Durchein'ander *n*.

'mud·dle-head·ed *adj.* wirr(köpfig), kon'fus.

mud·dler ['mʌdlə] *s.* **1.** j-d der sich 'durchwurstelt; Wirrkopf *m*; Pfuscher *m*; **2.** *Am.* ('Um)Rührlöffel *m*.

mud·dy ['mʌdi] **I.** *adj.* □ **1.** schlammig, trüb(e) (*a. Licht*); Schlamm...: ~ *soil*; **2.** schmutzig; **3.** *fig.* unklar, verworren, kon'fus; **4.** verschwommen (*Farbe*); **II.** *v/t.* **5.** trüben; **6.** beschmutzen.

'mud|·guard *s.* **1. a)** *mot.* Kotflügel *m*, **b)** Schutzblech *n* (*Fahrrad*); **2.** ⊕ Schmutzfänger *m*; **'~-hole** *s.* **1.** Schlammloch *n*; **2.** ⊕ Schlammablaß *m*; **'~lark** *s.* Schmutzfink *m*, Dreckspatz *m*; **'~-sling·er** *s.* F Verleumder(in); **'~-sling·ing** F **I.** *s.* Beschmutzung *f*, Verleumdung *f*; **II.** *adj.* verleumderisch.

muff [mʌf] **I.** *s.* **1.** Muff *m*; **2.** F *sport u. fig.* ‚Patzer' *m*; **3.** F Tölpel *m*, Stümper *m*; **4.** ⊕ **a)** Stutzen *m*, **b)** Muffe *f*, Flanschstück *n*; **II.** *v/t.* **5.** F *sport u. fig.* ‚verpatzen'.

muf·fin ['mʌfin] *s.* (Tee)Semmel *f*; Teekuchen *m*; **muf·fin·eer** [mʌfi'niə] *s.* Salz- *od.* Zuckerstreuer *m*.

muf·fle ['mʌfl] **I.** *v/t.* **1.** *oft* ~ *up* einhüllen, einwickeln; *Ruder* um'wickeln; **2.** *Ton etc.* dämpfen (*a. fig.*); **II.** *s.* **3.** *metall.* Muffel *f*: ~ *furnace* Muffelofen; **4.** ⊕ Flaschenzug *m*; **'muf·fler** [-lə] *s.* **1.** Schal *m*, Halstuch *n*; **2.** ⊕ Schalldämpfer *m*; *mot.* Auspufftopf *m*; ♪ Dämpfer *m*; **3.** Boxhandschuh *m*.

muf·ti ['mʌfti] *s.* **1.** Mufti *m*; **2.** ⚔ Zi'vilkleidung *f*: *in* ~ in Zivil.

mug [mʌg] **I.** *s.* **1.** Krug *m*; **2.** Becher *m*; **3.** *sl.* **a)** Vi'sage *f*, Gesicht *n*, **b)** ‚Fresse' *f*, Mund *m*, **c)** Gri'masse *f*; **4.** *Brit. sl.* **a)** Trottel *m*, **b)** Büffler *m*, Streber *m*; **5.** *Am. sl.* **a)** Boxer *m*, **b)** Ga'nove *m*; **II.** *v/t.* **6.** *sl. bsd. Verbrecher* photographieren; **7.** *sl.* über'fallen, niederschlagen u. ausrauben; **8.** *a.* ~ *up Brit. sl.* ‚büffeln', ‚ochsen'; **III.** *v/i.* **9.** *sl.* Gesichter schneiden; **10.** *Am. sl.* ‚schmusen'.

mug·gi·ness ['mʌginis] *s.* **1.** Schwüle *f*; **2.** Muffigkeit *f*.

mug·gins ['mʌginz] *s. sl.* Trottel *m*.

mug·gy ['mʌgi] *adj.* **1.** schwül (*Wetter*); **2.** dumpfig, muffig.

'mug·wort *s.* ⚘ Beifuß *m*.

mug·wump ['mʌgwʌmp] *s. Am.*

1. F ‚hohes Tier'; 2. *pol. sl.* Unabhängige(r) *m*, Einzelgänger *m*.
mu·lat·to [mju(:)'lætou] **I.** *pl.* **-toes** *s.* Mu'latte *m*; **II.** *adj.* Mulatten...
mul·ber·ry ['mʌlbəri] *s.* **1.** Maulbeerbaum *m*; **2.** Maulbeere *f*.
mulch [mʌlʃ] ⚒ **I.** *s.* Stroh-, Laubdecke *f*; **II.** *v/t.* mit Stroh *etc.* bedecken.
mulct [mʌlkt] **I.** *s.* **1.** Geldstrafe *f*; **II.** *v/t.* **2.** mit e-r Geldstrafe belegen; **3.** ~ *of j-n* um *et.* bringen *od.* betrügen.
mule [mju:l] *s.* **1.** *zo.* **a)** Maultier *n*, **b)** Maulesel *m*; **2.** *biol.* Bastard *m*, Hy'bride *f*; **3.** *fig.* sturer Kerl, Dickkopf *m*; **4.** ⊕ **a)** ('Motor-)Schlepper *m*, 'Traktor *m*, **b)** 'Förderlokomo,tive *f*, **c)** 'Mule(spinn)ma,schine *f* (*Spinnerei*); **5.** Pan'toffel *m*; '**mule-jen·ny** → *mule 4 c*; **mule skin·ner**, *Am.* F **mu·le·teer** [mju:li'tiə] *s.* Maultiertreiber *m*; '**mule-track** *s.* Saumpfad *m*.
mul·ish ['mju:liʃ] *adj.* □ störrisch.
mull[1] [mʌl] **I.** *v/t.* F verpatzen, verpfuschen; **II.** *v/i.* ~ *over* F *Am.* nachdenken, -grübeln über (*acc.*).
mull[2] [mʌl] *v/t.* *Getränk* heiß machen u. (süß) würzen: ~*ed wine* Glühwein.
mull[3] [mʌl] *s.* (⚕ Verband)Mull *m*.
mull[4] [mʌl] *s. Scot.* Vorgebirge *n*.
mul·le(i)n ['mʌlin] *s.* ✿ Königskerze *f*, Wollkraut *n*.
mull·er ['mʌlə] *s.* ⊕ Reibstein *m*.
mul·let ['mʌlit] *s. ichth.* **1.** *a. grey* ~ Meeräsche *f*; **2.** *a. red* ~ Seebarbe *f*.
mul·li·gan ['mʌligən] *s. Am.* F *ein* Eintopfgericht *n*.
mul·li·ga·taw·ny [mʌligə'tɔ:ni] *s.* Currysuppe *f*.
mul·li·grubs ['mʌligrʌbz] *s. pl.* F **1.** Bauchweh *n*; **2.** miese Laune.
mul·lion ['mʌliən] ⌂ **I.** *s.* Mittelpfosten *m* (*Fenster etc.*); **II.** *v/t.* mit Mittel- *od.* Längspfosten versehen *od.* abteilen.
mul·lock ['mʌlək] *s. geol.* **a)** taubes Gestein, Abgang *m* (*ohne Goldgehalt*), **b)** Abfall *m*.
mul·tan·gu·lar [mʌl'tæŋgjulə] *adj.* vielwink(e)lig, -eckig.
mul·te·i·ty [mʌl'ti:iti] *s.* Vielheit *f*.
multi- [mʌlti] *in Zssgn:* viel..., mehr..., ...reich, Mehrfach..., Multi...
mul·ti'ax·le drive *s. mot.* Mehrachsenantrieb *m*; '**mul·ti·col·o(u)r**, '**mul·ti·col·o(u)red** *adj.* mehrfarbig, Mehrfarben...; **mul·ti'en·gine(d)** *adj.* ⊕ 'mehrmo,torig.
mul·ti·far·i·ous [mʌlti'fɛəriəs] *adj.* □ mannigfaltig.
'**mul·ti·form** *adj.* vielförmig, -gestaltig; **mul·ti·for·mi·ty** [mʌlti'fɔ:miti] *s.* Vielförmigkeit *f*; '**mul·ti·graph** *typ.* **I.** *s.* Ver'vielfältigungsma,schine *f*; **II.** *v/t. u. v/i.* vervielfältigen; '**mul·ti·grid tube** *s.* ⚡ Mehrgitterröhre *f*; '**mul·ti'lat·er·al** *adj.* **1.** vielseitig (*a. fig.*); **2.** *pol.* mehrseitig, multilate'ral; '**mul·ti'lin·gual** *adj.* mehrsprachig; '**mul·ti'me·di·a** *s. pl.* 'Medienverbund *m*; '**mul·ti·mil·lion'aire** *s.* 'Multimillio,när *m*; '**mul·ti'na·tion·al** *adj. bsd.* ☤ 'multinatio,nal (*Konzern*); **mul·tip·a·rous** [mʌl'tipərəs] *adj.* mehrgebärend; '**mul·ti'par·tite** *adj.* **1.** vielteilig; **2.** → *multilateral 2*.
mul·ti·ple ['mʌltipl] **I.** *adj.* □ **1.** viel-, mehrfach; **2.** mannigfaltig; **3.** *biol.*, ⚕, 𝔄 mul'tipel; **4.** ⊕, ⚡ **a)** Mehr(fach)..., Vielfach..., **b)** Parallel...; **5.** *ling.* zs.-gesetzt (*Satz*); **II.** *s.* **6.** Vielfache(s) *n* (*a.* 𝔄); **7.** ⚡ Paral'lelschaltung *f*: *in* ~ parallel (geschaltet); ~ **con·nec·tion** *s.* ⚡ Mehrfachschaltung *f*; '~**-disk clutch** *s. mot.* La'mellenkupplung *f*; ~ **fac·tors** *s. pl. biol.* poly'mere Gene *pl.*; ~ **plug** *s.* ⚡ Mehrfachstecker *m*; ~ **pro·duc·tion** *s.* ☤ 'Serien,herstellung *f*; ~ **root** *s.* 𝔄 mehrwertige Wurzel; ~ **shop** *s.* ☤ *Brit.* **1.** Ketten-, Fili'alladen *m*; **2.** *pl.* Ladenkette *f*; ~ **thread** *s.* ⊕ mehrgängiges Gewinde.
mul·ti·plex ['mʌltipleks] **I.** *adj.* **1.** mehr-, vielfach; **2.** ⚡, *tel.* Mehr(-fach)...(-*telegraphie etc.*); **II.** *v/t.* **3.** ⚡, *tel.* **a)** in Mehrfachschaltung betreiben, **b)** gleichzeitig senden; '**mul·ti·pli·a·ble** [-plaiəbl] *adj.* multiplizierbar; **mul·ti·pli·cand** [mʌltipli'kænd] *s.* 𝔄 Multipli'kand *m*; '**mul·ti·pli·cate** [-plikeit] *adj.* mehr-, vielfach; **mul·ti·pli·ca·tion** [mʌltipli'keiʃən] *s.* **1.** Vermehrung *f* (*a.* ✿); **2.** 𝔄 **a)** Multiplikati'on *f*: ~ *sign* Mal-, Multiplikationszeichen; ~ *table das* Einmaleins, **b)** Vervielfachung *f*; **3.** ⊕ (Ge'triebe)Über,setzung *f*; **mul·ti·plic·i·ty** [mʌlti'plisiti] *s.* **1.** Vielfalt *f*; **2.** Menge *f*, Vielzahl *f*, -heit *f*; **3.** 𝔄 **a)** Mehr-, Vielwertigkeit *f*, **b)** Mehrfachheit *f*; '**mul·ti·pli·er** [-plaiə] *s.* **1.** Vermehrer *m*; **2.** 𝔄 **a)** Multipli'kator *m*, **b)** Multipli'zierma,schine *f*; **3.** *phys.* **a)** Verstärker *m*, **b)** Vergrößerungslinse *f*, -lupe *f*; **4.** ⚡ 'Vor- *od.* 'Neben-,widerstand *m*; **5.** ⊕ Über'setzung *f*; '**mul·ti·ply** [-plai] **I.** *v/t.* **1.** vermehren (*a. biol.*), vervielfältigen: ~*ing glass opt.* Vergrößerungsglas, -linse; **2.** 𝔄 multiplizieren (*by* mit); **3.** ⚡ vielfachschalten; **II.** *v/i.* **4.** sich vermehren *od.* vervielfachen.
mul·ti|'po·lar *adj.* ⚡ viel-, mehrpolig; '~**pur·pose** *adj.* Mehrzweck...: ~ *aircraft*; '~**seat·er** *s.* ✈ Mehrsitzer *m*; '~**speed** *adj.* ⊕ Mehrgang...; '~**stage** *adj.* ⊕, ⚡ mehrstufig, Mehrstufen...: ~ *rocket*; '~**-sto·rey** *adj.* vielstöckig: ~ *building* Hochhaus; ~ *parking garage*, ~ *car park* Parkhaus.
mul·ti·tude ['mʌltitju:d] *s.* **1.** große Zahl, Menge *f*; **2.** Vielheit *f*; **3.** Menschenmenge *f*: *the* ~ der große Haufen, die Masse; **mul·ti·tu·di·nous** [mʌlti'tju:dinəs] *adj.* □ **1.** (sehr) zahlreich; **2.** mannigfaltig, vielfältig.
mul·ti|'va·lent *adj.* ⚗ mehr-, vielwertig; '~**way** *adj.* ⚡ mehrwegig: ~ *plug* Vielfachstecker.
mum[1] [mʌm] F **I.** *int.* pst!, still!, kein Wort dar'über!; **II.** *adj.* still, stumm.
mum[2] [mʌm] *v/i.* **1.** sich vermummen; **2.** Mummenschanz treiben.
mum[3] [mʌm] *s.* F Mama *f*.
mum·ble ['mʌmbl] **I.** *v/t. u. v/i.* **1.** murmeln; **2.** mummeln, knabbern; **II.** *s.* **3.** Gemurmel *n*.
Mum·bo Jum·bo ['mʌmbou 'dʒʌmbou] *s.* **1.** 'Popanz *m*; **2.** *mumbo jumbo* Hokus'pokus *m*, fauler Zauber.
mum·mer ['mʌmə] *s.* **1.** Vermummte(r *m*) *f*, Maske *f* (*Person*); **2.** *contp.* Komödi'ant *m*; '**mum·mer·y** [-əri] *s.* **1.** *contp.* Mummenschanz *m*, Maske'rade *f*; **2.** Hokus'pokus *m*.
mum·mi·fi·ca·tion [mʌmifi'keiʃən] *s.* **1.** Mumifizierung *f*; **2.** ⚕ trockener Brand; **mum·mi·fy** ['mʌmifai] **I.** *v/t.* mumifizieren; **II.** *v/i. a. fig.* vertrocknen, -dörren.
mum·my[1] ['mʌmi] *s.* Mumie *f* (*a. fig.*): *to beat s.o. to a* ~ F j-n zu Brei schlagen.
mum·my[2] ['mʌmi] *s.* F Mutti *f*, [Mami *f*.]
mump [mʌmp] *v/i.* **1.** schmollen, schlecht gelaunt sein; **2.** F ‚fechten', betteln; '**mump·ish** [-piʃ] *adj.* □ verdrießlich, mürrisch.
mumps [mʌmps] *s. pl.* **1.** *sg. konstr.* ⚕ Mumps *m*, Ziegenpeter *m*; **2.** miese Laune, Trübsinn *m*.
munch [mʌntʃ] *v/t. u. v/i.* schmatzend kauen, ‚mampfen'.
mun·dane ['mʌndein] *adj.* □ **1.** weltlich, Welt...; **2.** irdisch, weltlich: ~ *poetry* weltliche Dichtung.
mu·nic·i·pal [mju(:)'nisipəl] *adj.* □ **1.** städtisch, Stadt...; kommu'nal, Gemeinde...: ~ *elections* Gemeindewahlen; **2.** Selbstverwaltungs...: ~ *town* Stadt mit Selbstverwaltung; **3.** Land(es)...: ~ *law* Landesrecht; ~ **bank** *s.* ☤ Kommu'nalbank *f*; ~ **bonds** *s. pl.* ☤ Kommu'nalobligati,onen *pl.*, Stadtanleihen *pl.*; ~ **cor·po·ra·tion** *s.* **1.** Gemeindebehörde *f*; **2.** Selbstverwaltungskörper *m*.
mu·nic·i·pal·i·ty [mju(:)nisi'pæliti] *s.* **1.** Stadt *f* mit Selbstverwaltung; Stadtbezirk *m*; **2.** Stadtbehörde *f*, -verwaltung *f*; **mu·nic·i·pal·ize** [mju(:)'nisipəlaiz] *v/t.* **1.** *Stadt* mit Obrigkeitsgewalt ausstatten; **2.** *Betrieb etc.* kommunalisieren.
mu·nic·i·pal| loan *s.* ☤ Kommu'nalkre,dit *m*; ~ **rates**, ~ **tax·es** *s. pl.* Gemeindesteuern *pl.*, -abgaben *pl.*
mu·nif·i·cence [mju(:)'nifisns] *s.* Freigebigkeit *f*; **mu'nif·i·cent** [-nt] *adj.* □ freigebig, großzügig.
mu·ni·ment ['mju:nimənt] *s.* **1.** *pl.* ⚖ Rechtsurkunde *f*; **2.** Urkundensammlung *f*, Ar'chiv *n*.
mu·ni·tion [mju(:)'niʃən] **I.** *s. mst pl.* ⚔ 'Kriegsmateri,al *n*, -vorräte *pl.*, *bsd.* Muniti'on *f*: ~ *plant* Rüstungsfabrik; ~*-worker* Munitionsarbeiter; **II.** *v/t.* mit Materi'al *od.* Munition versehen.
mu·ral ['mjuərəl] **I.** *adj.* Mauer..., Wand...; **II.** *s. a.* ~ *painting* Wandgemälde *n*.
mur·der ['mə:də] **I.** *s.* **1.** (*of*) Mord *m* (an *dat.*), Ermordung *f* (*gen.*): ~ *will out fig.* die Sonne bringt es an den Tag; *the* ~ *is out fig.* das Geheimnis ist gelöst; *to cry blue* ~ F zetermordio schreien; **II.** *v/t.* **2.** (er)morden; **3.** *fig.* (*a. Sprache*) verschandeln, verhunzen; '**mur·der·er** [-ərə] *s.* Mörder *m*; '**mur·der·ess** [-əris] *s.* Mörderin *f*; '**mur·der·ous** [-dərəs] *adj.* □ **1.** mörderisch (*a. fig. Hitze etc.*);

2. Mord...: ~ *intent*; 3. tödlich, todbringend; 4. blutdürstig.

mure [mjuə] *v/t.* 1. einmauern; 2. *mst* ~ *up* einsperren.

mu·ri·ate ['mjuəriit] *s.* 1. Muri'at *n*, Hydrochlo'rid *n*; 2. 'Kaliumchlo,rid *n* (*Düngemittel*); **mu·ri·at·ic** [mjuəri'ætik] *adj.* salzsauer: ~ *acid* Salzsäure.

murk·y ['mə:ki] *adj.* □ dunkel; düster, trüb (*a. fig.*).

mur·mur ['mə:mə] I. *s.* 1. Murmeln *n*, (leises) Rauschen (*Wasser, Wind etc.*); 2. Gemurmel *n*; 3. Murren *n*; 4. Geräusch *n*; II. *v/i.* 5. murmeln (*a. Wasser etc.*); 6. murren (*at, against* gegen); III. *v/t.* 7. murmeln; '**mur·mur·ous** [-mərəs] *adj.* □ 1. murmelnd; 2. murrend.

mur·rain ['mʌrin] *s.* Viehseuche *f* (*z.B. Maul- u. Klauenseuche*).

mus·ca·dine ['mʌskədin], '**mus·cat** [-kət], **mus·ca·tel** [mʌskə'tel] *s.* Muska'tellerwein *m*, -traube *f*.

mus·cle ['mʌsl] I. *s.* 1. *anat.* Muskel *m*, Muskelfleisch *n*: *not to move a* ~ *fig.* sich nicht rühren, nicht mit der Wimper zucken; 2. *fig. a.* ~ *power* Muskelkraft *f*; 3. *Am. sl.* Muskelprotz *m*, ‚Schläger' *m*; II. *v/i.* 4. *to* ~ *in bsd. Am.* F sich rücksichtslos eindrängen; '~-**bound** *adj.* Muskelkater habend: *to be* ~ Muskelkater haben.

Mus·co·vite ['mʌskəvait] I. *s.* 1. Mosko'witer(in), Russe *m*, Russin *f*; 2. ♀ *min.* Musko'wit *m*, Kaliglimmer *m*; II. *adj.* 3. mosko'witisch, russisch.

mus·cu·lar ['mʌskjulə] *adj.* □ 1. Muskel...: ~ *atrophy* Muskelschwund; 2. musku'lös; **mus·cu·lar·i·ty** [mʌskju'læriti] *s.* Muskelkraft *f*, muskulöser Körperbau; '**mus·cu·la·ture** [-lətʃə] *s. anat.* Muskula'tur *f*.

Muse[1] [mju:z] *s. myth.* Muse *f* (*fig. a.* ♀).

muse[2] [mju:z] *v/i.* 1. (nach)sinnen, (-)denken, (-)grübeln (*on, upon* über *acc.*); 2. in Gedanken versunken sein, träumen; '**mus·er** [-zə] *s.* Träumer(in).

mu·se·um [mju(:)'ziəm] *s.* Mu'seum *n*: ~ *piece* Museumsstück.

mush[1] [mʌʃ] *s.* 1. Brei *m*, Mus *n*; 2. *Am.* (Mais)Brei *m*; 3. F Gefühlsduse'lei *f*; 4. *Radio*: Knistergeräusch *n*: ~ *area* Störgebiet.

mush[2] [mʌʃ] *v/i. Am.* durch den Schnee stapfen; mit Hundeschlitten fahren.

mush[3] [mʌʃ] *s. Brit. sl.* Regenschirm *m*.

mush·room ['mʌʃrum] I. *s.* 1. ♀ a) Ständerpilz *m*, b) *allg.* eßbarer Pilz, *bsd.* Champignon *m*: *to grow like* ~*s* wie Pilze aus dem Boden schießen; 2. *fig.* Em'porkömmling *m*; II. *adj.* 3. Pilz...; pilzförmig: ~ *bulb* ⚡ Pilzbirne; 4. plötzlich entstanden; Eintags...: ~ *fame*; III. *v/i.* 5. Pilze sammeln; 6. wie Pilze aus dem Boden schießen; sich ausbreiten (*Flammen*); IV. *v/t.* 7. F *Zigarette* ausdrücken.

mush·y ['mʌʃi] *adj.* □ 1. breiig, weich; 2. *fig.* a) weichlich, b) F gefühlsduselig.

mu·sic ['mju:zik] *s.* 1. Mu'sik *f*, Tonkunst *f*; *konkr.* Kompositi'on(en *pl. coll.*) *f*: *to face the* ~ F ‚die Suppe auslöffeln'; *to set to* ~ vertonen; 2. Noten(blatt *n*) *pl.*: *to play from* ~ vom Blatt spielen; 3. *coll.* Musi'kalien *pl.*: ~-*shop* Musikalienhandlung; 4. *fig.* Musik *f*, Wohllaut *m*, Gesang *m*; 5. (Mu'sik)Ka,pelle *f*.

mu·si·cal ['mju:zikəl] I. *adj.* □ 1. Musik...: ~ *instrument*; 2. me'lodisch; 3. musi'kalisch; II. *s.* 4. 'Musical *n* (*musikalisches Lustspiel*); 5. F *für musical film*; ~ **art** *s.* (Kunst *f* der) Mu'sik *f*, Tonkunst *f*; ~ **box** *s. Brit.* Spieldose *f*; ~ **clock** *s.* Spieluhr *f*; ~ **com·e·dy** → *musical 4*; ~ **film** *s.* Mu'sikfilm *m*; ~ **glass·es** *s. pl.* ♪ 'Glashar,monika *f*.

mu·si·cal·i·ty [mju:zi'kæliti], **mu·si·cal·ness** ['mju:zikəlnis] *s.* 1. Musikali'tät *f*; 2. Wohlklang *m*.

'**mu·sic|-ap·pre·ci'a·tion rec·ord** *s.* Schallplatte *f* mit mu'sikkundlichem Kommen'tar; '~-**book** *s.* Notenheft *n*, -buch *n*; ~ **box** *s. Am.* Spieldose *f*; '~-**hall** *s.* 1. *Brit.* Varie'té(the,ater) *n*; 2. *Radio*: Buntes Pro'gramm; '~-**house** *s.* Musi'kalienhandlung *f*.

mu·si·cian [mju(:)'ziʃən] *s.* 1. (*bsd.* Be'rufs),Musiker *m*: *to be a good* ~ a) gut spielen *od.* singen, b) sehr musikalisch sein; 2. Musi'kant *m*.

'**mu·sic|-pa·per** *s.* 'Notenpa,pier *n*; '~-**rack**, '~-**stand** *s.* Notenständer *m*; '~-**stool** *s.* Kla'vierstuhl *m*.

mus·ing ['mju:ziŋ] I. *s.* 1. Sinnen *n*, Grübeln *n*, Nachdenken *n*; 2. *pl.* Träume'reien *pl.*; II. *adj.* □ 3. nachdenklich, träumerisch, sinnend.

musk [mʌsk] *s.* 1. *zo.* Moschus *m* (*a. Geruch*), Bisam *m*; 2. → *musk-deer*; 3. Moschuspflanze *f*; '~-**bag** *s. zo.* Moschusbeutel *m*; '~-'**deer** *s. zo.* Moschustier *n*.

mus·ket ['mʌskit] *s.* ⚔ *hist.* Mus'kete *f*, Flinte *f*; **mus·ket·eer** [mʌski'tiə] *s. hist.* Muske'tier *m*; '**mus·ket·ry** [-tri] *s.* 1. *hist. coll.* a) Mus'keten *pl.*, b) Muske'tiere *pl.*; 2. *hist.* Mus'ketenschießen *n*; 3. ⚔ Schießunterricht *m*: ~ *manual* Schießvorschrift.

'**musk|-ox** *s. zo.* Moschusochse *m*; '~-**rat** *s. zo.* Bisamratte *f*; '~-**rose** *s.* ♀ Moschusrose *f*.

musk·y ['mʌski] *adj.* □ 1. nach Moschus riechend; 2. Moschus...

Mus·lim ['muslim] → *Moslem*.

mus·lin ['mʌzlin] *s.* ✝ Musse'lin *m*.

mus·quash ['mʌskwɔʃ] → *musk-rat*.

muss [mʌs] *bsd. Am.* F I. *s.* Durchein'ander *n*, Unordnung *f*; II. *v/t. oft* ~ *up* durchein'anderbringen, in Unordnung bringen.

mus·sel ['mʌsl] *s.* Muschel *f*.

Mus·sul·man ['mʌslmən] I. *pl.* -**mans**, *a.* -**men** [-mən] *s.* Muselman(n) *m*; II. *adj.* muselmanisch.

muss·y ['mʌsi] *adj. Am.* F unordentlich; verknittert; schmutzig.

must[1] [mʌst] I. *v/aux.* 1. *pres.* muß, mußt, müssen, müßt: *I* ~ *go now* ich muß jetzt gehen; *he* ~ *be over eighty* er muß über achtzig (Jahre alt) sein; 2. *neg.* darf, darfst, dürfen, dürft: *you* ~ *not smoke here* du darfst hier nicht rauchen; 3. *pret.* a) mußte, mußtest, mußten, mußtet: *it was too late now, he* ~ *go on* es war bereits zu spät, er mußte weitergehen; *just as I was busiest, he* ~ *come* gerade als ich am meisten zu tun hatte, mußte er kommen; b) *neg.* durfte, durftest, durften, durftet; II. *adj.* 4. unerläßlich, abso'lut notwendig: *a* ~ *book* ein Buch, das man gelesen haben muß; III. *s.* 5. Muß *n*: *it is a* ~ es ist unerläßlich *od.* unbedingt erforderlich.

must[2] [mʌst] *s.* Most *m*.

must[3] [mʌst] *s.* 1. Moder *m*, Schimmel *m*; 2. Dumpfigkeit *f*, Modrigkeit *f*.

mus·tache [məs'tæʃ] *Am.* → *moustache*.

mus·tang ['mʌstæŋ] *s.* 1. *zo.* Mustang *m* (*halbwildes Präriepferd*); 2. ♀ ✈ Mustang *m* (*amer. Jagdflugzeug im 2. Weltkrieg*).

mus·tard ['mʌstəd] *s.* 1. Senf *m*, Mostrich *m*; → *keen*[1] 12; 2. ♀ Senf *m*; 3. *Am. sl.* a) ‚Mordskerl' *m*, b) schwungvolle Sache; ~ **gas** *s.* ⚔ Senfgas *n*, Gelbkreuz *n*; ~ **plas·ter** *s.* Senfpflaster *n*; ~ **poul·tice** *s.* Senfpackung *f*; ~ **seed** *s.* 1. ♀ Senfsame *m*: *grain of* ~ *bibl.* Senfkorn; 2. *hunt.* Vogelschrot *m, n*.

mus·ter ['mʌstə] I. *v/t.* 1. ⚔ a) (zum Ap'pell) antreten lassen, mustern, b) aufbieten: *to* ~ *in (out) Am.* einziehen (entlassen); 2. versammeln, zs.-bringen, auftreiben; 3. *a.* ~ *up fig.* aufbieten, *s-e Kraft* zs.-nehmen, *Mut* fassen; II. *v/i.* 4. sich versammeln, ⚔ *a.* antreten; III. *s.* 5. ⚔ Ap'pell *m*, Pa'rade *f*; Musterung *f*: *to pass* ~ *fig.* durchgehen, Zustimmung finden (*with* bei); 6. ⚔ → *muster-roll*; 7. Versammlung *f*; 8. Aufgebot *n*; '~-**book** *s.* ⚔ Stammrollenbuch *n*; '~-**roll** *s.* 1. ⚓ Musterrolle *f*; 2. ⚔ Stammrolle *f*.

mus·ti·ness ['mʌstinis] *s.* 1. Muffigkeit *f*, Modrigkeit *f*; 2. *fig.* Verstaubtheit *f*; **mus·ty** ['mʌsti] *adj.* □ 1. muffig; 2. mod(e)rig; 3. *fig.* verstaubt.

mu·ta·bil·i·ty [mju:tə'biliti] *s.* 1. Veränderlichkeit *f*; 2. *fig.* Unbeständigkeit *f*; 3. *biol.* Mutati'onsfähigkeit *f*; **mu·ta·ble** ['mju:təbl] *adj.* □ 1. veränderlich; 2. *fig.* unbeständig; 3. *biol.* mutati'onsfähig; **mu·tant** ['mju:tənt] *biol.* I. *adj.* 1. mutierend; 2. mutati'onsbedingt; II. *s.* 3. Vari'ante *f*; **mu·tate** [mju:'teit] I. *v/t.* 1. verändern; 2. *ling.* 'umlauten: ~*d vowel* Umlaut; II. *v/i.* 3. sich ändern; 4. *ling.* 'umlauten; 5. *biol.* mutieren; **mu·ta·tion** [mju(:)'teiʃən] *s.* 1. (Ver-)Änderung *f*; 2. 'Umwandlung *f*: ~ *of energy phys.* Energienumformung; 3. *biol.* a) Mutati'on *f*, b) Mutati'onspro,dukt *n*; 4. *ling* 'Umlaut *m*; 5. ♪ Mutation *f*.

mute [mju:t] I. *adj.* □ 1. stumm (*a. ling.*); *weitS. a.* still, schweigend: ~ *sound* Verschlußlaut; *to stand* ~ stumm *od.* sprachlos dastehen; II. *s.* 2. Stumme(r *m*) *f*; 3. *thea.* Sta'tist(in); 4. ♪ Dämpfer *m*; 5. *ling.* a) stummer Buchstabe, b)

Verschlußlaut *m*; **III.** *v/t.* **6.** ♪ *Instrument* dämpfen.

mu·ti·late ['mju:tileit] *v/t.* verstümmeln (*a. fig.*); **mu·ti·la·tion** [mju:ti'leiʃən] *s.* Verstümmelung *f.*

mu·ti·neer [mju:ti'niə] **I.** *s.* Meuterer *m*; **II.** *v/i.* meutern; **mu·ti·nous** ['mju:tinəs] *adj.* □ **1.** meuterisch; **2.** aufrührerisch, re'bellisch; **mu·ti·ny** ['mju:tini] **I.** *s.* **1.** Meute'rei *f*: ♀ *Act Brit.* Militärstrafgesetz; **2.** Auflehnung *f*, Rebelli'on *f*; **II.** *v/i.* **3.** meutern.

mut·ism ['mju:tizəm] *s.* (Taub-)Stummheit *f.*

mutt [mʌt] *s. Am. sl.* **1.** ‚Dussel' *m*, ‚Schafskopf' *m*; **2.** Köter *m*, Hund *m*.

mut·ter ['mʌtə] **I.** *v/i.* **1.** (*a. v/t. et.*) murmeln: *to* ~ *to o.s.* vor sich hinmurmeln; **2.** murren (*at* über *acc.*; *against* gegen); **II.** *s.* **3.** Gemurmel *n*.

mut·ton ['mʌtn] *s.* Hammelfleisch *n*: *leg of* ~ Hammelkeule; → *dead 1*; ~ **chop** *s.* **1.** 'Hammelkote,lett *n*, -rippchen *n*; **2.** *pl.* Kote'letten *pl.* (*Bart*); '~-**head** *s.* F ‚Schafskopf' *m*.

mu·tu·al ['mju:tjuəl] *adj.* □ **1.** gegen-, wechselseitig: ~ *aid* gegenseitige Hilfe: ~ *building association* Baugenossenschaft; ~ *capacitance* ⚡ Gegenkapazität; ~ *contributory negligence* ⚖ beiderseitiges Verschulden; ~ *improvement society* Fortbildungsverein; ~ *insurance* ✝ Versicherung auf Gegenseitigkeit; *it's* ~ *iro.* es beruht auf Gegenseitigkeit; **2.** gemeinsam: *our* ~ *friends*; **mu·tu·al·i·ty** [mju:tju'æliti] *s.* Gegenseitigkeit *f.*

mu·zhik, mu·zjik ['mu:ʒik] *s.* Muschik *m*, russischer Bauer.

muz·zle ['mʌzl] **I.** *s.* **1.** Maul *n*, Schnauze *f* (*Tier*); **2.** Maulkorb *m*; **3.** Mündung *f e-r Feuerwaffe*; **4.** ⊕ Mündung *f*; Tülle *f*; **II.** *v/t.* **5.** e-n Maulkorb anlegen (*dat.*); *fig. a. Presse etc.* knebeln, mundtot machen, den Mund stopfen (*dat.*); ~ **burst** *s.* ⚔ Mündungskrepierer *m*; '~-**ve'loc·i·ty** *s. Ballistik*: Mündungs-, Anfangsgeschwindigkeit *f.*

muz·zy ['mʌzi] *adj.* □ F **1.** zerstreut, verwirrt; **2.** dus(e)lig; **3.** stumpfsinnig.

my [mai; mi] *poss. pron.* mein(e): *I must wash* ~ *face* ich muß mir das Gesicht waschen; (*oh*) ~! F meine Güte!

my·al·gi·a [mai'ældʒiə] *s.* ⚕ 'Muskelrheuma(,tismus *m*) *n*.

my·col·o·gy [mai'kɔlədʒi] *s.* ♀ **1.** Pilzkunde *f*, Mykolo'gie *f*; **2.** Pilz-Flora *f*, Pilze *pl.* (*e-s Gebiets*).

my·cose ['maikous] *s.* ⚗ My'kose *f.*

my·co·sis [mai'kousis] *s.* ⚕ Pilzkrankheit *f*, My'kose *f.*

my·e·li·tis [maiə'laitis] *s.* Mye'litis *f*: **a)** Rückenmarksentzündung *f*, **b)** Knochenmarksentzündung *f*.

my·o·car·di·o·gram [maiou'kɑ:djəgræm] *s.* ⚕ E,lektrokardio'gramm *n*; **my·o'car·di·o·graph** [-grɑ:f; -græf] *s.* ⚕ E,lektrokardio'graph *m*, EK'G-Appa,rat *m*; **my·o·car·di·tis** [maioukɑ:'daitis] *s.* ⚕ Herzmuskelentzündung *f*.

my·ol·o·gy [mai'ɔlədʒi] *s.* Myolo'gie *f*, Muskelkunde *f*, -lehre *f*.

my·ope ['maioup] *s.* ⚕ Kurzsichtige(r *m*) *f*; **my·o·pi·a** [mai'oupjə] *s.* ⚕ Kurzsichtigkeit *f*; **my·op·ic** [mai'ɔpik] *adj.* kurzsichtig; **my·o·py** ['maiəpi] → *myopia*.

myr·i·ad ['miriəd] **I.** *s.* Myri'ade *f*; *fig. a.* Unzahl *f*; **II.** *adj.* unzählig, zahllos.

myr·mi·don ['mə:midən] *s.* Scherge *m*, Häscher *m*; Helfershelfer *m*.

myrrh [mə:] *s.* ♀ Myrrhe *f*.

myr·tle ['mə:tl] *s.* ♀ **1.** Myrthe *f*; **2.** *Am.* Immergrün *n*.

my·self [mai'self] *pron.* **1.** (*verstärkend*) (ich *od.* mir *od.* mich) selbst: *I did it* ~ ich selbst habe es getan; *I* ~ *wouldn't do it* ich (persönlich) würde es sein lassen; *it is for* ~ es ist für mich (selbst); **2.** *refl.* mir (*dat.*), mich (*acc.*): *I cut* ~ ich habe mich geschnitten.

mys·te·ri·ous [mis'tiəriəs] *adj.* □ mysteri'ös, geheimnisvoll; rätselhaft, unerklärlich; **mys'te·ri·ous·ness** [-nis] *s.* Rätselhaftigkeit *f*, Unerklärlichkeit *f*, *das* Geheimnisvolle.

mys·ter·y ['mistəri] *s.* **1.** Geheimnis *n*, Rätsel *n* (*to* für *od. dat.*): *to make a* ~ *of et.* geheimhalten; *wrapped in* ~ in geheimnisvolles Dunkel gehüllt; *it's a complete* ~ *to me* es ist mir völlig schleierhaft; **2.** Rätselhaftigkeit *f*, Unerklärlichkeit *f*; **3.** *eccl.* My'sterium *n*; **4.** *pl.* Geheimlehre *f*, -kunst *f*; My'sterien *pl.*; **5.** → *mystery-play 1*; **6.** *Am.* → *mystery novel*; ~ **nov·el** *s.* Krimi'nalro,man *m*; '~-**play** *s.* **1.** *hist.* My'sterienspiel *n*; **2.** *thea.* Krimi'nalstück *n*; '~-**ship** *s.* ⚓ U-Bootfalle *f*; ~ **tour** *s.* Fahrt *f* ins Blaue.

mys·tic ['mistik] **I.** *adj.* (□ ~*ally*) **1.** mystisch; **2.** *fig.* rätselhaft, mysteri'ös, geheimnisvoll; **3.** geheim, Zauber...; **4.** sinnbildlich; **II.** *s.* **5.** Mystiker(in); Schwärmer(in); '**mys·ti·cal** [-kəl] *adj.* □ **1.** sym'bolisch; **2.** *eccl.* mystisch (*a. fig. geheimnisvoll*); '**mys·ti·cism** [-isizəm] *s. phls., eccl.* **a)** Mysti'zismus *m*, Glaubensschwärme'rei *f*, **b)** Mystik *f*.

mys·ti·fi·ca·tion [mistifi'keiʃən] *s.* **1.** Täuschung *f*, Irreführung *f*; **2.** Foppe'rei *f*; **3.** Verwirrung *f*, Verblüffung *f*; **mys·ti·fy** ['mistifai] *v/t.* **1.** täuschen, hinters Licht führen, foppen; **2.** verwirren, verblüffen; **3.** in Dunkel hüllen.

myth [miθ] *s.* **1.** (Götter-, Helden-)Sage *f*, Mythos *m* (*a. pol.*), Mythus *m*, Mythe *f*; **2.** Märchen *n*, erfundene Geschichte; **3.** *fig.* Mythus *m* (*legendär gewordene Person od. Sache*).

myth·ic *adj.*; **myth·i·cal** ['miθik(əl)] *adj.* □ **1.** mythisch, sagenhaft; Sagen...; **2.** *fig.* erdichtet, fik'tiv.

myth·o·log·ic *adj.*; **myth·o·log·i·cal** [miθə'lɔdʒik(əl)] *adj.* □ mytho'logisch; **my·thol·o·gist** [mi'θɔlədʒist] *s.* Mytho'loge *m*; **my·thol·o·gy** [mi'θɔlədʒi] *s.* **1.** Mytholo'gie *f*, Götter- u. Heldensagen *pl.*; **2.** Sagenforschung *f*, -kunde *f*.

N

N, n [en] *s.* **1.** N *n*, n *n* (*Buchstabe*); **2.** ⚗ N *n* (*Stickstoff*); **3.** 𝔄 N *n*, n *n* (*unbestimmte Konstante*).

nab [næb] *v/t.* F schnappen, erwischen.

na·bob [ˈneibɔb] *s.* ˈNabob *m* (*a. fig.* *Krösus*).

na·celle [nəˈsel] *s.* ✈ **1.** (Flugzeug-) Rumpf *m*; **2.** (ˈMotor-, Luftschiff-) Gondel *f*; **3.** Balˈlonkorb *m*.

na·cre [ˈneikə] *s.* Perlmutt(er *f*) *n*; **ˈna·cre·ous** [-kriəs], **ˈna·crous** [-krəs] *adj.* **1.** perlmutterartig; **2.** Perlmutt(er)…

na·dir [ˈneidiə] *s.* **1.** *ast.*, *geogr.* Naˈdir *m*, Fußpunkt *m*; **2.** *fig.* Tiefpunkt *m*.

nag[1] [næg] *s.* **1.** kleines Reitpferd, ˈPony *n*; **2.** F *contp.* Gaul *m*, Klepper *m*.

nag[2] [næg] **I.** *v/t.* herˈumnörgeln an (*dat.*); **II.** *v/i.* nörgeln, keifen (*at* mit *j-m*); **ˈnag·ger** [-gə] *s.* Nörgler (-in); **ˈnag·ging** [-giŋ] **I.** *s.* Nörgeˈlei *f*, Gekeife *n*; **II.** *adj.* nörgelnd, keifend.

Na·hum [ˈneihəm] *npr. u. s. bibl.* (das Buch) Nahum *m*.

nai·ad [ˈnaiæd] *s.* **1.** *myth.* Naˈjade *f*, Wassernymphe *f*; **2.** *fig.* (Bade-) Nixe *f*.

nail [neil] **I.** *s.* **1.** (Finger-, Zehen-) Nagel *m*; **2.** ⊕ Nagel *m*; Stift *m*; **3.** *zo.* **a)** Nagel *m*, **b)** Klaue *f*, Kralle *f*;

Besondere Redewendungen:

a ~ in s.o.'s coffin ein Nagel zu j-s Sarg; *on the ~* auf der Stelle, sofort, bar *bezahlen*; *to the ~* bis ins letzte, vollendet; *to hit the (right) ~ on the head fig.* den Nagel auf den Kopf treffen; *hard as ~s* eisern: **a)** fit, in guter Kondition, **b)** unbarmherzig;

II. *v/t.* **4.** (an)nageln (*on* auf *acc.*, *to* an *acc.*): *~ed to the spot* wie an- *od.* festgenagelt; *to ~ to the barndoor fig. Lüge etc.* festnageln; → *counter*[1] *1*, *colour 10*; **5.** benageln, mit Nägeln beschlagen; **6.** *a. ~ up* vernageln; **7.** *fig. Augen etc.* heften, *Aufmerksamkeit* richten (*to* auf *acc.*); **8.** → *nail down 2*; **9.** F schnappen, erwischen; **10.** *sl. et.* ‚spitz kriegen' (*entdecken*); **~ down** *v/t.* **1.** zunageln; **2.** *fig. j-n* festnageln (*to* auf *acc.*); **~ up** *v/t.* **1.** zs.-nageln; **2.** zu-, vernageln; **3.** *fig.* zs.-basteln: *a nailed-up drama*.

ˈnail|-bed *s. anat.* Nagelbett *n*; **ˈ~-brush** *s.* Nagelbürste *f*.

nail·er [ˈneilə] *s.* **1.** Nagelschmied *m*; **2.** *sl.* ‚Kaˈnone' *f* (*tüchtiger Mensch*).

ˈnail|-file *s.* Nagelfeile *f*; **ˈ~-head** *s.* ⊕ Nagelkopf *m*; **ˈ~-pol·ish** *s.* Nagellack *m*; **ˈ~-pull·er** *s.* ⊕ Nagelzieher *m*; **ˈ~-scis·sors** *s. pl.* Nagelschere *f*; **ˈ~-var·nish** *s. Brit.* Nagellack *m*: *colourless ~* farbloser Nagellack.

na·ïve [nɑːˈiːv], *a.* **na·ive** [neiv] *adj.* □ naˈiv, treuherzig.

na·ïve·té [nɑːˈiːvtei], *a.* **na·ive·ty** [ˈneivti] *s.* Naiviˈtät *f*.

na·ked [ˈneikid] *adj.* □ **1.** nackt, bloß, unbedeckt: ♀ *Lady* ♀ Herbstzeitlose; **2.** bloß, unbewaffnet (*Auge*); **3.** bloß, blank (*Schwert*; ⊕ *Draht*); **4.** nackt, kahl (*Feld*, *Raum*, *Wand etc.*); **5.** entblößt (*of* von): *~ of all provisions* bar aller Vorräte; **6. a)** schutz-, wehrlos, **b)** preisgegeben (*to dat.*); **7.** nackt, unverhüllt: *~ facts*; *~ truth*; **8.** ⚖ nicht unterˈbaut *od.* bestätigt: *~ confession*; *~ possession* tatsächlicher Besitz (*ohne Rechtsanspruch*); **ˈna·ked·ness** [-nis] *s.* **1.** Nacktheit *f*, Blöße *f*; **2.** Kahlheit *f*; **3.** Schutz-, Wehrlosigkeit *f*; **4.** Mangel *m* (*of an dat.*); **5.** *fig.* Unverhülltheit *f*.

nam·a·ble [ˈneiməbl] *adj.* **1.** benennbar; **2.** nennenswert.

nam·by-pam·by [ˈnæmbiˈpæmbi] **I.** *adj.* **1.** seicht, abgeschmackt; **2.** geziert, affektiert; **3.** sentimenˈtal; **II.** *s.* **4.** sentimentales Zeug; **5.** sentimentaler Mensch.

name [neim] **I.** *v/t.* **1.** nennen; erwähnen, anführen; **2.** (be)nennen (*after*, *from* nach), e-n Namen geben (*dat.*): *~d* genannt, namens; **3.** beim (richtigen) Namen nennen; **4.** ernennen, bestimmen (*for*, *to* für, zu); **5.** *Datum etc.* bestimmen; **6.** *parl. Brit.* mit Namen zur Ordnung rufen: *~!* **a)** zur Ordnung rufen!, **b)** *allg.* Namen nennen!; **II.** *s.* **7.** Name *m*: *what is your ~?* wie heißen Sie?; *in ~ only* nur dem Namen nach; **8.** Name *m*, Bezeichnung *f*, Benennung *f*; **9.** Schimpfname *m*: *to call s.o. ~s* j-n beschimpfen; **10.** Name *m*, Ruf *m*: *a bad ~*; **11.** (berühmter) Name, (guter) Ruf: *a man of ~* ein Mann von Ruf; **12.** Name *m*, Berühmtheit *f* (*Person*): *the great ~s of our century*; **13.** Geschlecht *n*, Faˈmilie *f*;

Besondere Redewendungen:

by ~ **a)** mit Namen, namentlich, **b)** namens, **c)** dem Namen nach; *a man by* (*od.* *of*) *the ~ of A.* ein Mann namens A.; *in the ~ of* **a)** um (*gen.*) willen, **b)** im Namen *des Gesetzes etc.*; *to book a ticket in the ~ of s.o.* e-e Fahrkarte auf j-s Namen bestellen; *I haven't a penny to my ~* ich besitze keinen Pfennig; *to give one's ~* s-n Namen nennen; *give it a ~!* F heraus damit!, sagen Sie, was Sie (haben) wollen!; *to give a dog a bad ~ and hang him* j-n wegen s-s schlechten Rufs *od.* auf Grund von Gerüchten verurteilen; *to have a ~ for being* dafür bekannt sein, *et.* zu sein; *to make one's ~*, *to make* (*od.* *win*) *a ~ for o.s.* sich e-n Namen machen (*as* als, *by* durch); *to put one's ~ down for* kandidieren für; *to send in one's ~* sich (an)melden (lassen); *what's in a ~?* was bedeutet schon ein Name?

named [neimd] *adj.* **1.** genannt, namens; **2.** genannt, erwähnt: *~ above* oben genannt.

ˈname-day *s.* **1.** Namenstag *m*; **2.** ✝ Abrechnungstag *m*.

name·less [ˈneimlis] *adj.* □ **1.** namenlos, unbekannt, obˈskur; **2.** ungenannt, unerwähnt; anoˈnym; **3.** unehelich (*Kind*); **4.** *fig.* namenlos, unbeschreiblich (*Furcht etc.*); **5.** unaussprechlich, abˈscheulich.

ˈname·ly [-li] *adv.* nämlich.

ˈname|-part *s. thea.* ˈTitelrolle *f*; **ˈ~-plate** *s.* **1.** Tür-, Firmen-, Namens-, Straßenschild *n*; **2.** ⊕ ˈTypenschild *n*; **ˈ~sake** *s.* Namensvetter *m*, -schwester *f*.

nam·ing [ˈneimiŋ] *s.* Namengebung *f*.

nan·cy [ˈnænsi] *s. sl.* **1.** Muttersöhnchen *n*; **2.** ‚Homo' *m*.

nan·keen [næŋˈkiːn] *s.* ✝ ˈNanking *m* (*Stoff*); *pl.* ˈNankinghosen *pl.*

nan·ny [ˈnæni] *s.* Amme *f*, Kindermädchen *n*; **~ goat** *s.* F Geiß *f*, Ziege *f*.

nap[1] [næp] **I.** *v/i.* **1.** ein Schläfchen machen, ‚ein Nickerchen machen'; **2.** *fig.* ‚schlafen': *to catch s.o. ~ping* j-n überrumpeln; **II.** *s.* **3.** Schläfchen *n*, ‚Nickerchen' *n*: *to take a ~* → *1*.

nap[2] [næp] **I.** *s.* **1.** Haar(seite *f*) *n e-s Gewebes*; **2. a)** *Spinnerei*: Noppe *f*, **b)** *Weberei*: (Gewebe)Flor *m*; **II.** *v/t. u. v/i.* **3.** noppen, rauhen.

nap[3] [næp] *s.* **1.** Naˈpoleon *n* (*Kartenspiel*): *a ~ hand fig.* gute Chancen; *to go ~* **a)** die höchste Zahl von Stichen ansagen, **b)** *fig.* alles auf eine Karte setzen; **2.** Setzen *n* auf eine einzige Geˈwinnˌchance.

na·palm [ˈneipɑːm] *s.* ⚔ ˈNapalm *n*: *~ bomb*.

nape [neip] *s. mst ~ of the neck* Genick *n*, Nacken *m*.

naph·tha [ˈnæfθə] *s.* ⚗ **1.** ˈNaphtha *n*, Erdöl *n*, ˈLeuchtpeˌtroleum *n*; **2.** (ˈSchwer)Benˌzin *n*: *cleaner's ~* Waschbenzin; *painter's ~* Testbenzin; **ˈnaph·tha·lene** [-liːn] *s.* Naphthaˈlin *n*; **naph·tha·len·ic** [næfθəˈlenik] *adj.* naphthaˈlinsauer:

~ *acid* Naphthalinsäure; **naph·thal·ic** [næf'θælik] *adj.* naph'thalsauer: ~ *acid* Naphthalsäure; '**naph·tha·line** [-lin] → *naphthalene.*

nap·kin ['næpkin] *s.* **1.** *a. table-*~ Servi'ette *f*, Mundtuch *n*; **2.** Wischtuch *n*; **3.** *bsd. Brit.* Windel *f*; **4.** *mst sanitary* ~ *Am.* Damen-, Monatsbinde *f.*

nap·less ['næplis] *adj.* **1.** ungenoppt, glatt (*Stoff*); **2.** fadenscheinig.

napped [næpt] *adj.* genoppt, gerauht (*Tuch*); **nap·ping** ['næpiŋ] *s.* ⊕ **1.** Ausnoppen *n* (*der Wolle*); **2.** Rauhen *n*: ~ *comb* Aufstreichkamm.

nap·py ['næpi] *s. bsd. Brit.* F Windel *f.*

nar·cis·sism [nɑ:'sisizəm] *s. psych.* Nar'zißmus *m.*

nar·cis·sus [nɑ:'sisəs] *pl.* **-sus·es** [-iz] *s.* ⚘ Nar'zisse *f.*

nar·co·sis [nɑ:'kousis] *s.* ⚕ Nar'kose *f.*

nar·cot·ic [nɑ:'kɔtik] **I.** *adj.* (□ ~*ally*) **1.** nar'kotisch (*a. fig. einschläfernd*); **II.** *s.* **2.** Nar'kotikum *n*, Betäubungsmittel *n* (*a. fig.*); **3.** Rauschgift *n*; **nar·co·tism** ['nɑ:kətizəm] *s.* nar'kotischer Zustand *od.* Rausch; **nar·co·tize** ['nɑ:kətaiz] *v/t.* narkotisieren.

nard [nɑ:d] *s.* **1.** ⚘ Narde *f*; **2.** *pharm.* Nardensalbe *f.*

nark [nɑ:k] *sl.* **I.** *s.* **1.** Poli'zeispitzel *m*; **II.** *v/t.* **2.** bespitzeln; **3.** ärgern.

nar·rate [næ'reit] *v/t. u. v/i.* erzählen; **nar'ra·tion** [-eiʃən] *s.* Erzählung *f*; **nar·ra·tive** ['nærətiv] **I.** *s.* **1.** Erzählung *f*, Geschichte *f*; **2.** Bericht *m*, Schilderung *f*; **II.** *adj.* □ **3.** erzählend: ~ *poem*; **4.** Erzählungs...: ~ *skill* Erzählergabe; **nar'ra·tor** [-tə] *s.* Erzähler(in).

nar·row ['nærou] **I.** *adj.* □ **1.** eng, schmal: *the* ~ *seas* der Ärmelkanal u. die Irische See; **2.** eng (*a. fig.*), (*räumlich*) beschränkt, knapp: *within* ~ *bounds* in engen Grenzen; *in the* ~*est sense* im engsten Sinne; **3.** *fig.* eingeschränkt, beschränkt; **4.** → *narrow-minded*; **5.** knapp, beschränkt (*Mittel, Verhältnisse*); **6.** knapp (*Entkommen, Mehrheit etc.*); **7.** gründlich, eingehend; genau: ~ *investigations*; **II.** *v/i.* **8.** enger *od.* schmäler werden, sich verengen (*into* zu); **9.** knapper werden; **III.** *v/t.* **10.** enger *od.* schmäler machen, verenge(r)n; **11.** einengen, beengen; **12.** einschränken, begrenzen; verringern; **13.** *Maschen* abnehmen; **14.** engstirnig machen; **IV.** *s.* **15.** Enge *f*, enge *od.* schmale Stelle; *pl.* **a)** (Meer)Enge *f*, **b)** *bsd. Am.* Engpaß *m.*

nar·row| film *s.* Schmalfilm *m*; ~ **ga(u)ge** *s.* 🚂 Schmalspur *f*; '~-'**ga(u)ge** [-rou'g-], *a.* '~-'**ga(u)ged** [-rou'g-] *adj.* 🚂 schmalspurig, Schmalspur...; '~-'**mind·ed** [-rou'maindid] *adj.* engherzig, -stirnig, borniert, kleinlich; '~-'**mind·ed·ness** [-rou'maindidnis] *s.* Engstirnigkeit *f*, Kleinlichkeit *f*, Borniertheit *f.*

nar·row·ness ['nærounis] *s.* **1.** Enge *f*, Schmalheit *f*; **2.** Knappheit *f*; **3.** → *narrow-mindedness*; **4.** Gründlichkeit *f.*

na·sal ['neizəl] **I.** *adj.* □ → *nasally*; **1.** Nasen...: ~ *bone*; ~ *cavity*; ~ *organ humor.* Riechorgan; ~ *septum* Nasenscheidewand; **2.** *ling.* na'sal, Nasal...: ~ *twang das* Näseln; **II.** *s.* **3.** *ling.* Na'sal(laut) *m*; **na·sal·i·ty** [nei'zæliti] *s.* Nasali'tät *f*; **na·sal·i·za·tion** [neizəlai'zeiʃən] *s.* Nasalierung *f*, nasale Aussprache; '**na·sal·ize** [-zəlaiz] **I.** *v/t.* nasalieren; **II.** *v/i.* näseln, durch die Nase sprechen; '**na·sal·ly** [-zəli] *adv.* **1.** nasal, durch die Nase; **2.** näselnd.

nas·cent ['næsnt] *adj.* **1.** werdend, entstehend: ~ *state* Entwicklungszustand; **2.** ⚗ freiwerdend.

nas·ti·ness ['nɑ:stinis] *s.* **1.** Schmutzigkeit *f*; **2.** Ekligkeit *f*; **3.** Unflätigkeit *f*; **4.** Gefährlichkeit *f*; **5. a)** Bosheit *f*, **b)** Gemeinheit *f*, **c)** Übelgelauntheit *f.*

nas·tur·tium [nəs'tə:ʃəm] *s.* ⚘ **1.** Kapu'zinerkresse *f*; **2.** Brunnenkresse *f.*

nas·ty ['nɑ:sti] *adj.* □ **1.** schmutzig; **2.** ekelhaft, eklig, widerlich (*Geschmack, Geruch etc.*); **3.** *fig.* schmutzig, zotig; **4.** *fig.* böse, schlimm, gefährlich: ~ *accident*; **5.** *fig.* **a)** bös, gehässig, garstig (*to* zu, gegen), **b)** fies, 'niederträchtig, **c)** übelgelaunt, **d)** unangenehm, ekelhaft.

na·tal ['neitl] *adj.* Geburts...: ~ *day*; **na·tal·i·ty** [nei'tæliti] *s.* Geburtenziffer *f.*

na·ta·tion [nei'teiʃən] *s.* Schwimmen *n*; **na·ta·to·ri·al** [neitə'tɔ:riəl] *adj.* Schwimm...: ~ *bird*; **na·ta·to·ry** ['neitətəri] *adj.* Schwimm...

na·tion ['neiʃən] *s.* Nati'on *f*, Volk *n.*

na·tion·al ['næʃənl] **I.** *adj.* □ **1.** natio'nal, National..., Landes..., Volks...: ~ *language* Landessprache; **2.** staatlich, öffentlich, Staats...: ~ *debt* Staatsschuld, öffentliche Schuld; **3.** (ein)heimisch; **II.** *s.* **4.** Staatsangehörige(r *m*) *f*; ~ **an·them** *s.* Natio'nalˌhymne *f*; ~ **as·sem·bly** *s. pol.* Natio'nalversammlung *f*; ~ **bank** *s.* ✝ Landes-, Natio'nalbank *f*; ~ **e·con·o·my** *s.* ✝ Volkswirtschaft *f*; ♀ **Gi·ro** *s.* 📯 *Brit.* Postscheckdienst *m*; ♀ **Health Serv·ice** *s.* ⚕ *Brit.* Staatlicher Gesundheitsdienst; ~ **in·come** *s.* ✝ Sozi'alproˌdukt *n*; ♀ **In·sur·ance** *s. Brit.* allgemeine Sozi'alversicherung.

na·tion·al·ism ['næʃnəlizəm] *s.* **1.** Natio'nalgefühl *n*, Nationa'lismus *m*; **2.** ✝ *Am.* Ver'staatlichungspoliˌtik *f*; '**na·tion·al·ist** [-ist] **I.** *s. pol.* Nationa'list *m*; **II.** *adj.* nationa'listisch; **na·tion·al·i·ty** [næʃə'næliti] *s.* **1.** Nationali'tät *f*, Staatsangehörigkeit *f*; **2.** Nati'on *f*; **na·tion·al·i·za·tion** [næʃnəlai'zeiʃən] *s.* **1.** *bsd. Am.* Einbürgerung *f*, Naturalisierung *f*; **2.** ✝ Verstaatlichung *f*; **3.** Verwandlung *f* in e-e (*einheitliche, unabhängige etc.*) Nation; '**na·tion·al·ize** [-laiz] *v/t.* **1.** einbürgern, naturalisieren; **2.** ✝ verstaatlichen; **3.** zu e-r Nation machen; **4.** *Problem etc.* zur Sache der Nation machen.

na·tion·al| park *s.* Natio'nalpark *m* (*Naturschutzgebiet*); ♀ **So·cial·ism** *s. pol. hist.* Natio'nalsoziaˌlismus *m.*

'**na·tion-'wide** *adj.* allge'mein, das ganze Land um'fassend.

na·tive ['neitiv] **I.** *adj.* □ **1.** angeboren (*to s.o.* j-m), na'türlich (*Recht etc.*); **2.** eingeboren, Eingeborenen...: ~ *quarter*; **3.** (ein)heimisch, inländisch, Landes...: ~ *plant* ⚘ einheimische Pflanze; ~ *product*; **4.** heimatlich, Heimat...: ~ *country* Heimat, Vaterland; ~ *language* Muttersprache; ~ *town* Heimat-, Vaterstadt; **5.** ursprünglich, urwüchsig, na'turhaft: ~ *beauty*; **6.** ursprünglich, eigentlich: *the* ~ *sense of a word*; **7.** gediegen (*Metall etc.*); **8.** *min.* **a)** roh, Jungfern..., **b)** natürlich vorkommend; **II.** *s.* **9.** Eingeborene(r *m*) *f*; **10.** Einheimische(r *m*) *f*, Landeskind *n*: *a* ~ *of Berlin* ein gebürtiger Berliner; **11.** ⚘ einheimisches Gewächs; **12.** *zo.* einheimisches Tier; **13.** Na'tive *f*, (künstlich) gezüchtete Auster; '~-**born** *adj.* einheimisch, im Lande geboren.

na·tiv·i·ty [nə'tiviti] *s.* **1.** Geburt *f* (*a. fig.*): *the* ♀ *eccl.* **a)** die Geburt Christi (*a. paint etc.*), **b)** Weihnachten, **c)** Ma'riä Geburt (*8. September*); ♀ *play* Krippenspiel; **2.** *ast.* Nativi'tät *f*, (Ge'burts)Horoˌskop *n.*

na·tron ['neitrən] *s. min.* kohlensaures 'Natron.

nat·ter ['nætə] *Brit.* F **I.** *v/i.* **1.** vor sich hin nörgeln *od.* brummen; **2.** plauschen, plaudern; **II.** *s.* **3.** Nörge'lei *f*; **4.** Plausch *m.*

nat·ty ['næti] *adj.* □ F **1.** nett, schick, geschniegelt; **2.** geschickt.

nat·u·ral ['nætʃrəl] **I.** *adj.* □ → *naturally*; **1.** na'türlich, Natur...: ~ *law* Naturgesetz; *to die a* ~ *death* e-s natürlichen Todes sterben; → *person 1*; **2.** na'turgemäß, -bedingt; **3.** angeboren, natürlich, eigen (*to dat.*): ~ *talent*; **4.** → *natural-born*; **5.** re'al, wirklich, 'physisch; **6.** selbstverständlich, natürlich: *it comes quite* ~ *to him* es ist ihm ganz selbstverständlich; **7.** natürlich, ungekünstelt (*Benehmen etc.*); **8.** na'turgetreu, natürlich (wirkend) (*Nachahmung, Bild etc.*); **9.** unbearbeitet, Natur..., Roh...: ~ *steel* Rohstahl; **10.** na'turhaft, urwüchsig; **11.** natürlich, unehelich (*Kind, Vater etc.*); **12.** ⅍ natürlich: ~ *number* natürliche Zahl; **13.** ♪ **a)** ohne Vorzeichen: ~ *key* C-dur-Tonart, **b)** mit e-m Auflösungszeichen (versehen) (*Note*); **II.** *s.* **14.** Idi'ot *m*; **15.** ♪ **a)** Auflösungszeichen *n*, **b)** mit e-m Auflösungszeichen versehene Note, **c)** Stammton *m*, **d)** weiße Taste (*Klaviatur*); **16.** *Am.* F (sicherer) Erfolg (*a. Person*); *e-e* ‚klare Sache' (*for* für *j-n*); '~-**born** *adj.* von Geburt, geboren: ~ *genius*; ~ **cool·ing** *s.* ⊕ Selbstkühlung *f*; ~ **fre·quen·cy** *s. phys.* 'Eigenfreˌquenz *f*; ~ **gas** *s. geol.* Erdgas *n*; ~ **his·to·ry** *s.* Na'turgeschichte *f.*

nat·u·ral·ism ['nætʃrəlizəm] *s. phls., paint. etc.* Natura'lismus *m*; '**nat·u·ral·ist** [-ist] **I.** *s.* **1.** *phls., paint. etc.* Natura'list *m*; **2.** Na'turkundige(r *m*) *f*, -forscher(in), *bsd.* Zoo'loge *m od.* Bo'taniker *m*; **3.** *Brit.* **a)** Tierhändler *m*, **b)** Tierausstopfer *m*, Präpa'rator *m*; **II.** *adj.* **4.** natura'listisch; **nat·u·ral·is·tic** [nætʃrə'listik] *adj.* (□ ~*ally*) **1.** *phls., paint.*

etc. naturalistisch; **2.** na'turkundlich, -geschichtlich.

nat·u·ral·i·za·tion [nætʃrəlai'zeiʃən] *s.* Naturalisierung *f*, Einbürgerung *f*; **nat·u·ral·ize** ['nætʃrəlaiz] *v/t.* **1.** naturalisieren, einbürgern; **2.** heimisch machen, einbürgern (*a. ling. u. fig.*); **3.** akklimatisieren (*a. fig.*).

nat·u·ral·ly ['nætʃrəli] *adv.* **1.** von Na'tur (aus); **2.** instink'tiv, spon'tan; **3.** auf na'türlichem Wege, na'türlich; **4.** *a. int.* natürlich, selbstverständlich; **'nat·u·ral·ness** [-rəlnis] *s. allg.* Na'türlichkeit *f*.

nat·u·ral| phi·los·o·phy *s.* **1.** Na'turphiloso,phie *f*, -kunde *f*; **2.** Phy'sik *f*; **~ re·li·gion** *s.* Na'turreligi,on *f*; **~ rights** *s. pl.* ⚖, *pol.* Na'turrechte *pl. des Menschen*; **~ scale** *s.* **1.** ♪ Stammtonleiter *f*; **2.** ♗ Achse *f* der na'türlichen Zahlen; **~ sci·ence** *s.* Na'turwissenschaft *f*; **~ se·lec·tion** *s. biol.* na'türliche Zuchtwahl; **~ sign** *s.* ♪ Auflösungszeichen *n*; **~ state** *s.* Na'turzustand *m*.

na·ture ['neitʃə] *s.* **1.** Na'tur *f*, Schöpfung *f*; **2.** (*a.* ♀; *ohne art.*) Na'tur(kräfte *pl.*) *f*: *law of ~* Naturgesetz; *from ~* nach der Natur *malen etc.*; *back to ~* zurück zur Natur; *in the state of ~* in natürlichem Zustand, nackt; → *debt, true 4*; **3.** Natur *f*, Veranlagung *f*, Cha'rakter *m*, (Eigen-, Gemüts)Art *f*, Natu'rell *n*: *animal ~* das Tierische *im Menschen*; *by ~* von Natur; *human ~* die menschliche Natur; *of good ~* gutherzig, -mütig; *it is in her ~* es liegt in ihrem Wesen; → *second 1*; **4.** Art *f*, Sorte *f*: *of* (*od. in*) *the ~ of a trial* nach Art (*od.* in Form) e-s Verhörs; *~ of the business* Gegenstand der Firma; **5.** (na'türliche) Beschaffenheit; **6.** Natur *f*, natürliche Landschaft: *~ conservation* Naturschutz; **7.** *to ease* (*od. relieve*) *~* sich erleichtern (*den Darm od. die Blase entleeren*).

-natured [neitʃəd] *in Zssgn* geartet, ...artig, ...mütig: *good-~* gutartig.

na·tur·o·path ['neitʃərəupæθ] *s.* ⚕ **1.** Heilpraktiker *m*; **2.** Na'turheilkundige(r *m*) *f*.

naught [nɔ:t] **I.** *s.* Null *f*: *to bring* (*come*) *to ~* zunichte machen (werden); *to set at ~ Mahnung etc.* in den Wind schlagen; **II.** *adj. obs.* nichts.

naugh·ti·ness ['nɔ:tinis] *s.* Ungezogenheit *f*, Unartigkeit *f*; **naugh·ty** ['nɔ:ti] *adj.* □ **1.** ungezogen, unartig; **2.** ungehörig (*Handlung*); **3.** unanständig, schlimm (*Wort etc.*): *~, ~!* F aber, aber!

nau·se·a ['nɔ:sjə] *s.* **1.** Übelkeit *f*, Brechreiz *m*; **2.** Seekrankheit *f*; **3.** *fig.* Ekel *m*; **'nau·se·ate** [-sieit] **I.** *v/i.* **1.** (e-n) Brechreiz empfinden, sich ekeln (*at* vor *dat.*); **II.** *v/t.* **2.** sich ekeln vor (*dat.*); **3.** anekeln, *j-m* Übelkeit erregen: *to be ~d* sich ekeln (*at* vor *dat.*); **'nau·se·at·ing** [-sieitiŋ], **'nau·seous** [-jəs] *adj.* □ ekelerregend, widerlich.

nau·tic ['nɔ:tik] → *nautical*.

nau·ti·cal ['nɔ:tikəl] *adj.* □ ⚓ nautisch, Schiffs..., See(fahrts)...; **~ al·ma·nac** *s.* nautisches Jahrbuch; **~ chart** *s.* Seekarte *f*; **~ mile** *s.* ⚓ Seemeile *f* (*1,852 km*).

na·val ['neivəl] *adj.* ⚓ **1.** Flotten..., (Kriegs)Marine...; **2.** See..., Schiffs...; **~ a·cad·e·my** *s.* ⚓ **1.** Ma'rine-Akade,mie *f*; **2.** Navigati'onsschule *f*; **~ a·gree·ment** *s. pol.* Flottenabkommen *n*; **~ air·plane** *s.* Ma'rineflugzeug *n*; **~ ar·chi·tect** *s.* 'Schiffbauingeni,eur *m*; **~ base** *s.* 'Flottenstützpunkt *m*, -,basis *f*; **~ bat·tle** *s.* Seeschlacht *f*; **~ ca·det** *s.* 'Seeka,dett *m*; **~ forc·es** *s. pl.* Seestreitkräfte *pl.*; **~ of·fi·cer** *s.* ⚓ **1.** ⚔ Ma'rineoffi,zier *m*; **2.** *Am.* (höherer) Hafenzollbeamter; **~ pow·er** *s. pol.* Seemacht *f*; **~ stores** *s. pl.* (Kriegs-) Schiffsvorräte *pl.*

nave[1] [neiv] *s.* △ Mittel-, Hauptschiff *n* (*bsd. e-r Kirche*).

nave[2] [neiv] *s.* ⊕ (Rad)Nabe *f*.

na·vel ['neivəl] *s.* **1.** *anat.* Nabel *m*; **2.** *fig.* Mitte(lpunkt *m*) *f*; **~ or·ange** *s.* 'Navelo,range *f*; **'~-string** *s. anat.* Nabelschnur *f*.

nav·i·cert ['nævisə:t] *s.* ✝, ⚓ [Warenpaß *m*.]

na·vic·u·lar [nə'vikjulə] *adj.* nachen-, kahnförmig: *~ bone anat.* Kahnbein.

nav·i·ga·bil·i·ty [nævigə'biliti] *s.* **1.** ⚓ a) Schiffbarkeit *f* (*e-s Gewässers*), b) Fahrttüchtigkeit *f*; **2.** ✈ Lenkbarkeit *f*; **nav·i·ga·ble** ['nævigəbl] *adj.* **1.** ⚓ schiffbar, (be)fahrbar; **2.** ✈ lenkbar (*Luftschiff*); **nav·i·gate** ['nævigeit] **I.** *v/i.* **1.** schiffen, (zu Schiff) fahren; **2.** *bsd.* ⚓, ✈ steuern; orten (*to* nach); **II.** *v/t.* **3.** *Gewässer* a) befahren, b) durch'fahren; **4.** ✈ durch'fliegen; **5.** steuern, lenken; **nav·i·ga·tion** [nævi'geiʃən] *s.* **1.** ⚓ 'Nautik *f*, Navigati'on *f*, Schiffsführung *f*, Schiffahrtskunde *f*; **2.** ✈ Navigati'onskunde *f*; **3.** ⚓ Schiffahrt *f*, Seefahrt *f*; **4.** ✈, ⚓ a) Navigation *f*, Navigierung *f*, b) Ortung *f*; **nav·i·ga·tion·al** [nævi'geiʃənl] *adj.* Navigations...

nav·i·ga·tion| chan·nel *s.* ⚓ Fahrwasser *n*; **~ chart** *s.* Navigati'onskarte *f*; **~ guide** *s.* ✈, ⚓ Bake *f*; **~ light** *s.* ✈ Positi'onslicht *n*; **~ of·fi·cer** *s.* ⚓, ✈ Navigati'onsoffi,zier *m*.

nav·i·ga·tor ['nævigeitə] *s.* **1.** ⚓ a) Seefahrer *m*, b) Nautiker *m*, c) Steuermann *m*, d) *Am.* Navigati'onsoffi,zier *m*; **2.** ✈ a) ('Aero-),Nautiker *m*, b) Beobachter *m*.

nav·vy ['nævi] *s.* **1.** *Brit.* Erd-, Streckenarbeiter *m*; **2.** ⊕ Exka'vator *m*, Löffelbagger *m*.

na·vy ['neivi] *s.* ⚓ **1.** *mst* ♀ 'Kriegsma,rine *f*; **2.** (Kriegs)Flotte *f*; **~ blue** *s.* Ma'rineblau *n*; **'~-'blue** *adj.* ma'rineblau; ♀ **De·part·ment** *s. Am.* Ma'rineamt *n*, -mini,sterium *n*; **~ league** *s.* Flottenverein *m*; ♀ **List** *s.* Ma'rine,rangliste *f*; **~ yard** *s.* Ma'rinewerft *f*.

nay [nei] **I.** *adv.* **1.** *obs.* nein; **2.** ja so'gar; **II.** *s.* **3.** *parl. etc.* Nein(stimme *f*) *n*.

naze [neiz] *s.* Landspitze *f*.

Na·zi ['nɑ:tsi] *pol. hist.* **I.** *s.* Nazi *m*; **II.** *adj.* Nazi...; **'Na·zism** [-izəm] *s. pol. hist.* Na'zismus *m*.

neap [ni:p] **I.** *adj.* niedrig, abnehmend (*Flut*); **II.** *s. a. ~-tide* Nippflut *f*; **III.** *v/i.* zu'rückgehen (*Flut*).

near [niə] **I.** *adv.* **1.** nahe, (ganz) in der Nähe; **2.** nahe (bevorstehend) (*Zeitpunkt, Ereignis etc.*): *~ upon five o'clock* ziemlich genau um 5 Uhr; **3.** F annähernd, nahezu, fast: *not ~ so bad* bei weitem nicht so schlecht;

Besondere Redewendungen:

~ at hand a) nahe, in der Nähe, dicht dabei, b) *fig.* nahe bevorstehend, vor der Tür; *~ by* → *nearby I*; *to come* (*od. go*) *~ to* a) sich ungefähr belaufen auf (*acc.*), b) *e-r Sache* sehr nahekommen, fast *et.* sein; *to come ~ to doing s.th.* et. beinahe tun; *to draw ~* heranrücken (*a. Zeitpunkt*); *to live ~* sparsam *od.* kärglich leben; *to sail ~ to the wind* ⚓ hart am Wind segeln;

II. *adj.* □ → *nearly*; **4.** nahe (-gelegen), in der Nähe: *the ~est place* der nächste Ort; *~ miss* a) ⚔ Nahkrepierer, b) *fig.* fast ein Erfolg; **5.** kurz, nahe (*Weg*): *the ~est way* der kürzeste Weg; **6.** nahe (*Zeit*): *the ~ future*; **7.** nahe (verwandt): *the ~est relations* die nächsten Verwandten; **8.** eng (befreundet), in'tim: *a ~ friend*; **9.** a'kut, brennend (*Frage, Problem etc.*); **10.** knapp (*Entkommen, Rennen etc.*): *that was a ~ thing* F ‚das hätte ins Auge gehen können'; **11.** genau, (wort)getreu (*Übersetzung etc.*); **12.** sparsam, geizig; **13.** link (*vom Fahrer aus; Pferd, Fahrbahnseite etc.*): *~ horse* Handpferd; **14.** nachgemacht, Imitations...: *~-beer* Dünnbier; *~ leather* Imitationsleder; *~ silk* Halbseide; **III.** *prp.* **15.** nahe, in der Nähe von (*od. gen.*), nahe an (*dat.*) *od.* bei, unweit (*gen.*): *~ s.o.* j-m nahe; *~ completion* der Vollendung nahe; *~ doing s.th.* nahe daran, et. zu tun; **16.** (*zeitlich*) nahe, nicht weit von; **IV.** *v/t. u. v/i.* **17.** sich nähern, näherkommen (*dat.*): *to be ~ing completion* der Vollendung entgegengehen.

'near·by **I.** *adv. bsd. Am.* in der Nähe, nahe; **II.** *adj.* nahe(gelegen); **'near-'by** → *nearby*.

Near East *s. geogr., pol.* **1.** *Brit. die* 'Balkanstaaten *pl.*; **2.** *der* Nahe Osten.

near·ly ['niəli] *adv.* **1.** beinahe, fast; **2.** annähernd: *not ~* bei weitem nicht, nicht annähernd; **3.** genau, gründlich; **near·ness** ['niənis] *s.* **1.** Nähe *f*; **2.** Innigkeit *f*, Vertrautheit *f*; **3.** große Ähnlichkeit; **4.** Knauserigkeit *f*.

near| point *s. opt.* Nahpunkt *m*; **'~-'sight·ed** *adj.* kurzsichtig; **'~-'sight·ed·ness** *s.* Kurzsichtigkeit *f*.

neat[1] [ni:t] *adj.* □ **1.** sauber: a) ordentlich, reinlich, b) hübsch, nett, a'drett, geschmackvoll, c) klar, 'übersichtlich, d) geschickt; **2.** treffend (*Antwort etc.*); **3.** unverdünnt, rein (*Wein etc.*).

neat[2] [ni:t] **I.** *s. pl.* **1.** *coll.* Rind-, Hornvieh *n*, Rinder *pl.*; **2.** Ochse *m*, Rind *n*; **II.** *adj.* **3.** Rind(er)...

'neath, neath [ni:θ] *prp. poet. od. dial.* unter (*dat.*), 'unterhalb (*gen.*).

neat·ness ['ni:tnis] *s.* **1.** Ordentlichkeit *f*, Sauberkeit *f*; **2.** Gefälligkeit *f*, Nettigkeit *f*; Zierlichkeit *f*; **3.** schlichte Ele'ganz, Klarheit *f* (*Stil etc.*); **4.** Geschicklichkeit *f*; **5.** Unvermischtheit *f* (*Getränke etc.*).

ˈneat's|-foot oil *s.* Klauenfett *n*; **ˈ~-leath·er** *s.* Rindsleder *n.*

neb [neb] *Scot. od. dial. s.* **1.** Schnabel *m* (*Vogel*), Maul *n*, Schnauze *f* (*Tier*); **2.** Spitze *f.*

neb·u·la [ˈnebjulə] *pl.* **-lae** [-liː] *s.* **1.** *ast.* Nebel(fleck) *m*; **2.** ⚕ **a)** Trübheit *f* (*des Urins*), **b)** Hornhauttrübung *f*; **ˈneb·u·lar** [-lə] *adj. ast.* **1.** Nebel(fleck)..., Nebular...; **2.** nebelartig; **neb·u·los·i·ty** [nebjuˈlɔsiti] *s.* **1.** Neb(e)ligkeit *f*; **2.** Trübheit *f*; **3.** *fig.* Verschwommenheit *f*; **4.** *ast.* Nebel(fleck *m*, -hülle *f*) *m*; **ˈneb·u·lous** [-ləs] *adj.* □ **1.** neb(e)lig, wolkig (*a. Flüssigkeit*); *ast.* Nebel...; **2.** *fig.* verschwommen, nebelhaft.

nec·es·sar·i·ly [ˈnesisərili] *adv.* **1.** notwendigerweise; **2.** unbedingt: *you need not ~ do it*; **nec·es·sar·y** [ˈnesisəri] **I.** *adj.* □ **1.** notwendig, nötig, erforderlich (*to* für): *it is ~ for me to do it* es ist nötig, daß ich es tue; *a ~ evil* ein notwendiges Übel; *if ~* nötigenfalls; **2.** unvermeidlich, zwangsläufig, notwendig: *a ~ consequence*; **3.** notgedrungen, gezwungen; **II.** *s.* **4.** Erfordernis *n*, Bedürfnis *n*: *necessaries of life* Notbedarf, Lebensbedürfnisse; *strict necessaries* unentbehrliche Unterhaltsmittel; **5.** ✝ Beˈdarfsarˌtikel *m.*

ne·ces·si·tar·i·an [nisesiˈtɛəriən] *phls.* **I.** *s.* Determiˈnist *m*; **II.** *adj.* determiˈnistisch; **ne·ces·siˈtar·i·an·ism** [-nizəm] *s. phls.* Determiˈnismus *m.*

ne·ces·si·tate [niˈsesiteit] *v/t.* **1.** notwendig *od.* nötig machen, erfordern, verlangen; **2.** *j-n* zwingen, nötigen; **ne·ces·si·ta·tion** [nisesiˈteiʃən] *s.* Nötigung *f*, Zwang *m*; **neˈces·si·tous** [-təs] *adj.* □ **1.** bedürftig, notleidend; **2.** dürftig, ärmlich (*Umstände*); **3.** notgedrungen (*Handlung*); **neˈces·si·ty** [-ti] *s.* **1.** Notwendigkeit *f*: **a)** Erforderlichkeit *f*, **b)** ˈUnumˌgänglichkeit *f*, Unvermeidlichkeit *f*, **c)** Zwang *m*: *as a ~*, *of ~* notwendigerweise; *to be under the ~ of doing* gezwungen sein zu tun; **2.** (dringendes) Bedürfnis: *necessities of life* Lebensbedürfnisse; **3.** Not *f*, Zwangslage *f*: *~ is the mother of invention* Not macht erfinderisch; *~ knows no law* Not kennt kein Gebot; *in case of ~* im Notfall; → *virtue 3*; **4.** Not(lage) *f*, Bedürftigkeit *f.*

neck [nek] **I.** *s.* **1.** Hals *m* (*a. Flasche, Gewehr, Saiteninstrument*); **2.** Nakken *m*, Genick *n*: *to break one's ~* sich das Genick brechen; *to crane one's ~* sich den Hals ausrenken (*at* nach); *to get it in the ~ sl.* ‚eins aufs Dach bekommen'; *to risk one's ~* Kopf u. Kragen riskieren; *to win by a ~ sport* um e-e Kopflänge gewinnen (*Pferd*); *~ and ~* Kopf an Kopf; *~ and crop* mit Stumpf u. Stiel; *~ or nothing* **a)** (*adv.*) auf Biegen oder Brechen, **b)** (*attr.*) tollkühn, verzweifelt; *it is ~ or nothing* ‚es geht um die Wurst'; **3.** Hals-, Kammstück *n* (*Schlachtvieh*); **4.** Ausschnitt *m* (*Kleid*); **5.** *anat.* Hals *m e-s Organs*; **6.** △ Halsglied *n* (*Säule*); **7.** ⊕ **a)** Hals *m* (*Welle*), **b)** Schenkel *m* (*Achse*), **c)** (abgesetzter) Zapfen, **d)** Ansatz *m* (*Schraube*), **e)** Einfüllstutzen *m*; **8. a)** Landenge *f*, **b)** Engpaß *m*; **II.** *v/t.* **9.** *e-m Huhn etc.* den Kopf abschlagen *od.* den Hals ˈumdrehen; **10.** ⊕ *a. ~ out* aushalsen: *to ~ down* absetzen; **11.** *sl.* ‚knutschen' mit; **III.** *v/i.* **12.** *sl.* ‚knutschen'; **ˈ~·band** *s.* Halspriese *f*; **ˈ~·cloth** *s.* Halstuch *n.*

-necked [nekt] *in Zssgn* ...halsig, ...nackig.

neck·er·chief [ˈnekətʃif] *s.* Halstuch [*n.*]

neck·ing [ˈnekiŋ] *s.* **1.** △ Säulenhals *m*; **2.** ⊕ **a)** Aushalsen *n e-s Hohlkörpers*, **b)** Querschnittverminderung *f*; **3.** *sl.* ‚Geknutsche' *n*, Necking *n.*

neck·lace [ˈneklis], **ˈneck·let** [-lit] *s.* Halskette *f.*

neck| le·ver *s. Ringen*: Nackenhebel *m*; **~ scis·sors** *s. pl. sg. konstr. Ringen*: Halsschere *f*; **ˈ~·tie** *s.* **1.** Kraˈwatte *f*, Halsbinde *f*, Schlips *m*; **2.** *Am. sl.* Schlinge *f des Henkers*; **ˈ~·wear** *s.* ✝ *coll.* Kraˈwatten *pl.*, Kragen *pl.*, Halstücher *pl.*

ne·crol·o·gy [neˈkrɔlədʒi] *s.* **1.** Toten-, Sterbeliste *f*; **2.** Nachruf *m*; **nec·ro·man·cer** [ˈnekroumænsə] *s.* **1.** Geister-, Totenbeschwörer *m*; **2.** *allg.* Schwarzkünstler *m*; **nec·ro·man·cy** [ˈnekroumænsi] *s.* **1.** Geisterbeschwörung *f*, Nekromanˈtie *f*; **2.** *allg.* Schwarze Kunst; **ne·cro·sis** [neˈkrousis] *s.* **1.** ⚕ Neˈkrose *f*, Brand *m*: *~ of the bone* Knochenfraß; **2.** ⚘ Brand *m.*

nec·tar [ˈnektə] *s. myth.* Nektar *m* (*a.* ⚘ *u. fig.*), Göttertrank *m*; **ˈnec·ta·ry** [-əri] *s.* ⚘, *zo.* Nekˈtarium *n*, Honigdrüse *f.*

née, *bsd. Am.* **nee** [nei] *adj.* geborene (*vor dem Mädchennamen e-r Frau*).

need [niːd] **I.** *s.* **1.** (*of, for*) (dringendes) Bedürfnis (nach), Bedarf *m* (an *dat.*): *one's own ~s* Eigenbedarf; *to be* (*od. stand*) *in ~ of s.th.* et. dringend brauchen, et. sehr nötig haben; *in ~ of repair* reparaturbedürftig; *to have no ~ to do* kein Bedürfnis haben zu tun; **2.** Mangel *m* (*of, for* an *dat.*): *to feel the ~ of* (*od. for*) *s.th.* et. vermissen, Mangel an et. verspüren; **3.** dringende Notwendigkeit: *there is no ~ for you to come* du brauchst nicht zu kommen; *to have no ~ to do* keinen Grund haben zu tun; **4.** Not(lage) *f*: *in case of ~*, *if ~ be*, *if ~ arise* nötigenfalls, im Notfall; **5.** Armut *f*, Not *f*; **6.** *pl.* Erfordernisse *pl.*, Bedürfnisse *pl.*; **II.** *v/t.* **7.** benötigen, nötig haben, brauchen, bedürfen (*gen.*); **8.** erfordern: *it ~s all your strength*; *it ~ed doing* es mußte (einmal) getan werden; **III.** *v/aux.* **9.** müssen, brauchen: *it ~s to be done* es muß getan werden; *it ~s but to become known* es braucht nur bekannt zu werden; **10.** (*vor e-r Verneinung u. in Fragen, ohne to*; *3. sg. pres. need*) brauchen, müssen: *she ~ not do it*; *you ~ not have come* du hättest nicht zu kommen brauchen; **ˈneed·ful** [-ful] **I.** *adj.* □ nötig; **II.** *s. das* Nötige: *the ~* F das nötige Kleingeld; **ˈneed·i·ness** [-dinis] *s.* Bedürftigkeit *f*, Armut *f.*

nee·dle [ˈniːdl] **I.** *s.* **1.** (*Näh-, a. Grammophon-, Magnet- etc.*)Nadel *f* (*a.* ⚕, ⚘): *knitting-~* Stricknadel; *as sharp as a ~ fig.* äußerst intelligent, ‚auf Draht'; *~'s eye* Nadelöhr; *to get* (*od. take*) *the ~ sl.* ‚hochgehen', e-e Wut kriegen; *to give s.o. the ~* → 7; **2.** ⊕ **a)** Venˈtilnadel *f*, **b)** *mot.* Schwimmernadel *f* (*Vergaser*), **c)** Zeiger *m*, **d)** Zunge *f* (*Waage*), **e)** Radiernadel *f*; **3.** Nadel *f* (*Berg-, Felsspitze*); **4.** Obeˈlisk *m*; **5.** *min.* Kriˈstallnadel *f*; **II.** *v/t.* **6.** (*mit e-r Nadel*) nähen, durchˈstechen; ⚕ punktieren: *to ~ one's way through fig.* sich hindurchschlängeln; **7.** F *durch Sticheleien* aufbringen, reizen; **8.** anstacheln; **9.** F *Getränk durch Alkoholzusatz* schärfen **ˈ~-bath** *s.* **Strahldusche** *f*; **ˈ~-book** *s.* Nadelbuch *n*; **ˈ~-case** *s.* Nadelbüchse *f*, -buch *n*; **~ e·lec·trode** *s.* ⊕ ˈSpitzenelekˌtrode *f*; **ˈ~-gun** *s.* ⚔ Zündnadelgewehr *n*; **ˈ~-like** *adj.* nadelartig; **ˈ~-point** *s.* **1.** → *needle-point lace*; **2.** Petitˈpoint-Stickeˌrei *f*; **ˈ~-point lace** *s.* Nadelspitze *f* (*Ggs. Klöppelspitze*).

need·less [ˈniːdlis] *adj.* □ unnötig, ˈüberflüssig: *~ to say* selbstredend, selbstverständlich; **ˈneed·less·ness** [-nis] *s.* Unnötigkeit *f*, ˈÜberflüssigkeit *f.*

nee·dle| valve *s.* ⊕ ˈNadelvenˌtil *n*; **ˈ~·wom·an** *s.* [*irr.*] Näherin *f*; **ˈ~·work** *s.* Handarbeit *f*, Näheˈrei *f.*

needs [niːdz] *adv.* unbedingt, notwendigerweise (*mst mit must*): *if you must ~ do it* wenn du es durchaus tun willst.

need·y [ˈniːdi] *adj.* □ arm, bedürftig, notleidend.

ne'er [nɛə] *poet. für never*; **ˈ~-do-well I.** *s.* Taugenichts *m*, Tunichtgut *m*; **II.** *adj.* nichtsnutzig.

ne·far·i·ous [niˈfɛəriəs] *adj.* □ ruchlos, schändlich; **neˈfar·i·ous·ness** [-nis] *s.* Ruchlosigkeit *f*, Bosheit *f.*

ne·gate [niˈgeit] *v/t.* **1.** verneinen, negieren, leugnen; **2.** annullieren, unwirksam machen, verwerfen; **neˈga·tion** [-eiʃən] *s.* **1.** Verneinung *f*, Verneinen *n*, Negieren *n*; **2.** Verwerfung *f*, Annullierung *f*, Aufhebung *f*; **3.** *phls.* **a)** (*Logik*) Negatiˈon *f*, **b)** Nichts *n.*

neg·a·tive [ˈnegətiv] **I.** *adj.* □ **1.** ˈnegativ, verneinend; **2.** abschlägig, ablehnend (*Antwort etc.*); **3.** erfolglos, ergebnislos; **4.** negativ (*ohne positive Werte*); **5.** ♏, ⚡, ♗, ⚕, *phot.*, *phys.* negativ: *~ conductor* ⚡ Minusleitung; *~ lens opt.* Zerstreuungslinse; *~ sign* ♗ Minuszeichen, negatives Vorzeichen; **II.** *s.* **6.** Verneinung *f*: *to answer in the ~* verneinen; **7.** abschlägige Antwort; **8.** *ling.* Negatiˈon *f*; **9. a)** Einspruch *m*, Veto *n*, **b)** ablehnende Stimme; **10.** negative Eigenschaft, ˈNegativum *n*; **11.** ⚡ negativer Pol; **12.** ♗ **a)** Minuszeichen *n*, **b)** negative Zahl; **13.** *phot.* ˈNegativ *n*; **III.** *v/t.* **14.** negieren, verneinen; **15.** verwerfen, ablehnen; **16.** widerˈlegen; **17.** unwirksam machen, neutralisieren; **ˈneg·a·tiv·ism** [-vizəm] *s.* Negatiˈvismus *m* (*a. phls., psych.*).

neg·lect [niˈglekt] **I.** *v/t.* **1.** vernachlässigen; **2.** miß'achten; **3.** versäumen, unter'lassen (*to do od. doing* zu tun); **4.** über'sehen, -'gehen; außer acht lassen; **II.** *s.* **5.** Vernachlässigung *f*; **6.** 'Mißachtung *f*; **7.** Unter'lassung *f*, Versäumnis *n*; **8.** Über'gehen *n*, Auslassung *f*; **9.** Nachlässigkeit *f*, Unter'lassung *f*; ⚖ Fahrlässigkeit *f*: *~ of duty* Pflichtversäumnis; **neg'lect·ful** [-ful] *adj.* □ → *negligent 1.*

né·gli·gée ['negli:ʒei] *s.* Negli'gé *n*: **a)** *ungezwungene Hauskleidung*, **b)** *dünner Morgenmantel.*

neg·li·gence ['neglidʒəns] *s.* **1.** Nachlässigkeit *f*, Unachtsamkeit *f*; **2.** ⚖ Fahrlässigkeit *f*: *contributory ~* mitwirkendes Verschulden; '**neg·li·gent** [-nt] *adj.* □ **1.** nachlässig, gleichgültig, unachtsam (*of* gegen): *to be ~ of s.th.* et. vernachlässigen, et. außer acht lassen; **2.** ⚖ fahrlässig.

neg·li·gi·ble ['neglidʒəbl] *adj.* □ **1.** nebensächlich, unwesentlich; **2.** geringfügig, unbedeutend; → *quantity* 2.

ne·go·ti·a·bil·i·ty [nigouʃjə'biliti] *s.* ✝ **1.** Verkäuflichkeit *f*; **2.** Begebbarkeit *f*; **3.** Bank-, Börsenfähigkeit *f*; **4.** Über'tragbarkeit *f*; **5.** Verwertbarkeit *f*; **ne·go·ti·a·ble** [ni'gouʃjəbl] *adj.* □ **1.** ✝ **a)** verkäuflich, veräußerlich, **b)** verkehrsfähig, **c)** bank-, börsenfähig, **d)** (durch Indossa'ment) über'tragbar, begebbar, **e)** verwertbar: *~ instrument* begebbares (Wert)Papier; *not ~* nur zur Verrechnung; **2.** über'windbar (*Hindernis*).

ne·go·ti·ate [ni'gouʃieit] **I.** *v/i.* **1.** ver-, unter'handeln, in Unter'handlung stehen (*with* mit, *for, about* um, wegen); **II.** *v/t.* **2.** *Vertrag etc.* zu'stande bringen, (ab)schließen; **3.** verhandeln über (*acc.*); **4.** ✝ *Wechsel* begeben, 'unterbringen: *to ~ back* zurückbegeben; **5.** *Hindernis etc.* über'winden, *a. Kurve* nehmen; **ne·go·ti·a·tion** [nigouʃi'eiʃən] *s.* **1.** Ver-, Unter'handlung *f*: *to enter into ~s* in Verhandlungen eintreten: *by way of ~* auf dem Verhandlungswege; **2.** Aushandeln *n* (*Vertrag*); **3.** ✝ Begebung *f*, Über'tragung *f*, 'Unterbringung *f* (*Wechsel etc.*): *further ~* Weiterbegebung; **4.** Über'windung *f*, Nehmen *n von Hindernissen*; **ne'go·ti·a·tor** [-tə] *s.* **1.** 'Unterhändler *m*; **2.** Vermittler *m*.

ne·gress ['ni:gris] *s.* Negerin *f*.

ne·gro ['ni:grou] **I.** *pl.* **-groes** *s.* Neger *m*; **II.** *adj.* Neger...: *~ question* Negerfrage, -problem; *~ spiritual* → *spiritual* 7; '**ne·groid** [-rɔid] *adj.* negro'id, negerartig.

Ne·gus[1] ['ni:gəs] *s.* 'Negus *m* (*äthiopischer Königstitel*).

ne·gus[2] ['ni:gəs] *s.* Glühwein *m*.

Ne·he·mi·ah [ni:i'maiə], **Ne·he'mi·as** [-əs] *npr. u. s. bibl.* (das Buch) Nehe'mia *m od.* Nehe'mias *m*.

neigh [nei] **I.** *v/t. u. v/i.* wiehern; **II.** *s.* Gewieher *n*, Wiehern *n*.

neigh·bo(u)r ['neibə] **I.** *s.* **1.** Nachbar(in); **2.** Nächste(r) *m*, Mitmensch *m*; **II.** *adj.* **3.** benachbart, angrenzend, Nachbar...; **III.** *v/t.* **4.** (an-) grenzen an (*acc.*); **IV.** *v/i.* **5.** benachbart sein, in der Nachbarschaft wohnen; **6.** grenzen (*upon* an *acc.*); '**neigh·bo(u)r·hood** [-hud] *s.* **1.** Nachbarschaft *f* (*a. fig.*), Um'gebung *f*, Nähe *f*: *in the ~ of* **a)** in der Umgebung von, **b)** *fig.* F ungefähr, etwa, um ... herum; *~ shop* ‚Tante-Emma-Laden'; **2.** *coll.* Nachbarn *pl.*, Nachbarschaft *f*; **3.** (Wohn)Gegend *f*: *a fashionable ~*; '**neigh·bo(u)r·ing** [-bəriŋ] *adj.* benachbart, angrenzend; Nachbar...: *~ state* Anliegerstaat; '**neigh·bo(u)r·li·ness** [-linis] *s.* (gut)'nachbarliches Verhalten; Freundlichkeit *f*; '**neigh·bo(u)r·ly** [-li] *adj. u. adv.* **1.** (gut)nachbarlich; **2.** freundlich, gesellig.

nei·ther ['naiðə] **I.** *adj. u. pron.* **1.** kein (von beiden): *~ of you* keiner von euch (beiden); **II.** *cj.* **2.** weder: *~ you nor he knows* weder du weißt es noch er; **3. noch** (auch), **auch** nicht, ebensowenig: *he does not know, ~ do I* er weiß es nicht, noch *od.* ebensowenig weiß ich es.

nem·a·tode ['nemətoud] *zo. s.* Nema'tode *f*, Fadenwurm *m*.

nem·e·sis, *a.* ♀ ['nemisis] *s. myth. u. fig.* 'Nemesis *f*, (die Göttin der) Vergeltung *f*.

ne·mo ['ni:mou] *s. Radio, Fernsehen*: 'Außenrepor,tage *f*.

neo- [ni(:)ou] *in Zssgn* neu, jung, neo..., Neo...

ne·o·lith ['ni(:)ouliθ] *s.* jungsteinzeitliches Gerät; **ne·o·lith·ic** [ni(:)ou'liθik] *adj.* jungsteinzeitlich, neo'lithisch: ♀ *period* Jungsteinzeit.

ne·ol·o·gism [ni(:)'ɔlədʒizəm] *s.* **1.** *ling.* Neolo'gismus *m*, Wortneubildung *f*; **2.** *eccl.* neue Dok'trin, *bsd.* Rationa'lismus *m*; **ne'ol·o·gy** [-dʒi] *s.* **1.** → *neologism 1 u. 2*; **2.** *ling.* Neolo'gie *f*, Bildung *f* neuer Wörter.

ne·on ['ni:ən] *s.* ⚗ Neon *n*: *~ lamp* Neonlampe, Leucht(stoff)röhre; *~ signs* Leuchtreklame.

ne·o·phyte ['ni(:)oufait] *s.* **1.** *eccl.* Neubekehrte(r *m*) *f*, Konver'tit(in); **2.** *R.C.* **a)** No'vize *m, f*, **b)** Jungpriester *m*; **3.** *fig.* Neuling *m*, Anfänger(in).

ne·o·plasm ['ni(:)ouplæzəm] *s.* ⚕ Neo'plasma *n*, Gewächs *n*.

Ne·o-Pla·to·nism ['ni(:)ou'pleitənizəm] *s. phls.* 'Neuplato,nismus *m*.

ne·o·ter·ic [ni(:)ou'terik] *adj.* (□ *~ally*) neuzeitlich, mo'dern.

Ne·o·zo·ic [ni(:)ou'zouik] *geol.* **I.** *s.* Neo'zoikum *n*, Neuzeit *f*; **II.** *adj.* neo'zoisch.

Nep·a·lese [nepɔ:'li:z] **I.** *s.* Nepa'lese *m*, Bewohner(in) von Ne'pal; Nepa'lesen *pl.*; **II.** *adj.* nepa'lesisch.

neph·ew ['nevju(:)] Neffe *m*.

ne·phol·o·gy [ni'fɔlədʒi] *s.* Wolkenkunde *f*.

neph·rite ['nefrait] *s. min.* Ne'phrit *m*, Beilstein *m*.

ne·phrit·ic [ne'fritik] *adj.* ⚕ Nieren...; **ne·phri·tis** [ne'fraitis] *s.* ⚕ Ne'phritis *f*, Nierenentzündung *f*; **neph·ro·lith** ['nefrəliθ] *s.* ⚕ Nierenstein *m*; **ne·phrol·o·gist** [ne'frɔlədʒist] *s.* ⚕ Nierenfacharzt *m*, Uro'loge *m*.

nep·o·tism ['nepətizəm] *s.* Nepo'tismus *m*, Vetternwirtschaft *f*.

Nep·tune ['neptju:n] *s. ast.* 'Neptun *m*.

Ne·re·id ['niəriid] *s. myth.* Nere'ide *f*, Wassernymphe *f*.

ner·va·tion [nə:'veiʃən], **nerv·a·ture** ['nə:vitʃə] *s.* **1.** Anordnung *f* der Nerven; **2.** ♆ Aderung *f*, Nerva'tur *f*.

nerve [nə:v] **I.** *s.* **1.** Nerv(enfaser *f*) *m*: *to get on s.o.'s ~s* j-m auf die Nerven gehen; *a bag of ~s* F ein Nervenbündel; *a fit of ~s* e-e Nervenkrise; *to strain every ~* s-e ganze Kraft aufbieten; **2.** *fig.* **a)** Lebensnerv *m*, **b)** Stärke *f*, Ener'gie *f*, **c)** Mut *m*, Selbstbeherrschung *f*, **d)** *sl.* Frechheit *f*: *to lose one's ~* die Nerven verlieren; *to have the ~ to do s.th.* den Mut *od. sl.* die Frechheit besitzen, et. zu tun; **3.** ♆ Nerv *m*, Ader *f* (*Blatt*); **4.** ⚠ Rippe *f* (*Gewölbe*); **II.** *v/t.* **5.** *fig.* (*körperlich od. seelisch*) stärken, ermutigen: *to ~ o.s.* sich aufraffen; '**~-cen·ter** *Am.*, '**~-cen·tre** *Brit. s.* Nervenzentrum *n* (*a. fig.*); '**~-cord** *s.* Nervenstrang *m*.

nerved [nə:vd] *adj.* **1.** nervig (*mst in Zssgn*): *strong-~* mit starken Nerven; **2.** ♆, *zo.* geädert, gerippt.

nerve·less ['nə:vlis] *adj.* □ **1.** *fig.* kraft-, ener'gielos, schlapp; **2.** ohne Nerven; **3.** ♆ ohne Adern, nervenlos.

nerve| poi·son *s.* ⚔ Nervengas *n*; '**~-rack·ing** *adj.* nervenaufreibend.

nerv·ine ['nə:vi:n] *adj. u. s.* ⚕ nervenstärkend(es Mittel).

nerv·ous ['nə:vəs] *adj.* **1.** Nerven... (*-system, -zusammenbruch etc.*): *~ excitement* nervöse Erregtheit; **2.** nervenreich; **3.** ner'vös: **a)** nervenschwach, erregbar, **b)** ängstlich, scheu; **4.** aufregend; **5.** *obs.* kräftig, nervig; '**ner·vous·ness** [-nis] *s.* **1.** Nervosi'tät *f*; **2.** *obs.* Nervigkeit *f*, Kraft *f*.

nerv·y ['nə:vi] *adj.* F **1.** dreist, frech; **2.** *Brit.* ner'vös, erregbar; **3.** nervenaufreibend.

nes·ci·ence ['nesiəns] *s.* (vollständige) Unwissenheit; '**nes·ci·ent** [-nt] *adj.* unwissend (*of* in *dat.*).

ness [nes] *s.* Vorgebirge *n*.

nest [nest] **I.** *s.* **1.** *orn., zo., a. geol.* Nest *n*; **2.** *fig.* Nest *n*, Zufluchtsort *m*, behagliches Heim; **3.** *fig.* Schlupfwinkel *m*, Brutstätte *f*: *~ of vice* Lasterhöhle; **4.** Brut *f* (*junger Tiere*): *to take a ~* ein Nest ausnehmen; **5.** Serie *f*, Satz *m* (*ineinanderpassender Dinge, z.B. Schüsseln*); **6.** ⊕ Satz *m*, Gruppe *f*: *~ of boiler tubes* Heizrohrbündel; **II.** *v/i.* **7. a)** ein Nest bauen, **b)** nisten; **8.** sich einnisten, sich 'niederlassen; **9.** Vogelnester ausnehmen; **III.** *v/t.* **10.** *Töpfe etc.* inein'anderstellen, -setzen; '**~-egg** *s.* **1.** Nestei *n*; **2.** *fig.* Spar-, Notgroschen *m*.

nes·tle ['nesl] **I.** *v/i.* **1.** *a. ~ down* sich behaglich 'niederlassen; **2.** sich anschmiegen *od.* kuscheln (*to, against* an *acc.*); **3.** sich einnisten; **II.** *v/t.* **4.** schmiegen, kuscheln (*on, to, against* an *acc.*); **nest·ling** ['nestliŋ] *s.* **1.** *orn.* Nestling *m*; **2.** *fig.* Nesthäkchen *n*.

net[1] [net] **I.** *s.* **1.** (*a. weitS. Straßen- etc.*, ⊿ Koordi'naten)Netz *n*; **2.** *fig.* Falle *f*, Netz *n*, Garn *n*; **3.** netzartiges Gewebe, Netz *n*; ✝ Tüll *m*, Musse'lin *m*; **4.** *Tennis*: **a)** Netzball *m*, **b)** Let *n* (*Wiederholung der Angabe*); **II.** *v/t.* **5.** mit e-m Netz fangen; **6.** *fig.* (ein)fangen; **7.** mit e-m Netz um'geben *od.* bedecken; **8.** *Gewässer* mit Netzen abfischen; **9.** in Fi'let arbeiten, knüpfen; **10.** *Tennis*: *Ball* ins Netz spielen; **III.** *v/i.* **11.** Netz- *od.* Fi'letarbeit machen.

net[2] [net] **I.** *adj.* ✝ **1.** netto, Netto..., Rein..., Roh...; **II.** *v/t.* **2.** netto einbringen, e-n Reingewinn von ... abwerfen; **3.** netto verdienen, e-n Reingewinn haben von; ~ **a·mount** *s.* Nettobetrag *m*, Reinertrag *m*; ~ **cash** *s.* ✝ netto Kasse: ~ *in advance* Nettokasse im voraus; ~ **ef·fi·cien·cy** *s.* ⊕ Nutzleistung *f*.

neth·er ['neðə] *adj.* **1.** unter, Unter...: ~ *world* Unterwelt; **2.** nieder, Nieder...

Neth·er·land·er ['neðələndə] *s.* Niederländer(in); '**Neth·er·land·ish** [-diʃ] *adj.* niederländisch.

'**neth·er·most** *adj.* unterst, tiefst.

net| load *s.* ✝, ⊕ Nutzlast *f*; ~ **price** *s.* ✝ Nettopreis *m*; ~ **pro·ceeds** *s. pl.* ✝ Nettoeinnahme(n *pl.*) *f*, Reinerlös *m*; ~ **prof·it** *s.* ✝ Reingewinn *m*.

net·ted ['netid] *adj.* **1.** netzförmig, maschig; **2.** von Netzen um'geben *od.* bedeckt; '**net·ting** [-tiŋ] *s.* **1.** Netzstricken *n*, Fi'letarbeit *f*; **2.** Netz(werk) *n*, Geflecht *n* (*a. Draht*); ⚔ Tarnnetze *pl.*

net·tle ['netl] **I.** *s.* **1.** ⚘ Nessel *f*: *to grasp the* ~ *fig.* die Schwierigkeit anpacken; **II.** *v/t.* **2.** mit *od.* an Nesseln brennen; **3.** *fig.* ärgern, reizen: *to be* ~*d at* aufgebracht sein über (*acc.*); '~-**cloth** *s.* Nesseltuch *n*; '~-**rash** *s.* ⚕ Nesselausschlag *m*.

net| weight *s.* ✝ Netto-, Rein-, Eigen-, Trockengewicht *n*; '~**work** *s.* **1.** Netz-, Maschenwerk *n*, Geflecht *n*, Netz *n*; **2.** Netz-, Fi'letarbeit *f*; **3.** *fig.* Netz *n*: ~ *of roads* Straßennetz; ~ *of intrigues* Netz von Intrigen; **4.** ⚡ **a)** Leitungs-, Verteilungsnetz *n*, **b)** *Rundfunk*: Sendernetz *n*, -gruppe *f*; ~ **yield** *s.* ✝ effek'tive Ren'dite *od.* Verzinsung, Nettoertrag *m*.

neume [nju:m] ♪ Neume *f* (*Notenzeichen*).

neu·ral ['njuərəl] *adj. physiol.* Nerven...: ~ *axis* Nervenachse.

neu·ral·gia [njuə'rældʒə] *s.* ⚕ Neural'gie *f*, Nervenschmerz *m*; **neu·'ral·gic** [-dʒik] *adj.* (□ ~*ally*) neur'algisch.

neu·ras·the·ni·a [njuərəs'θi:niə] *s.* ⚕ Neurasthe'nie *f*, Nervenschwäche *f*; **neu·ras'then·ic** [-'θenik] ⚕ **I.** *adj.* (□ ~*ally*) neura'sthenisch, nervenschwach; **II.** *s.* Neura'stheniker(in).

neu·ri·tis [njuə'raitis] *s.* Nervenentzündung *f*.

neu·rol·o·gist [njuə'rɔlədʒist] *s.* Neuro'loge *m*, Nervenarzt *m*; **neu·'rol·o·gy** [-dʒi] *s.* Neurolo'gie *f*.

neu·ro·path ['njuərəupæθ] *s.* ⚕ Nervenleidende(r *m*) *f*; **neu·ro·path·ic** [njuərəu'pæθik] *adj.* (□ ~*ally*) neuro'pathisch: **a)** ner'vös (*Leiden etc.*), **b)** nervenkrank; **neu·rop·a·thist** [njuə'rɔpəθist] → *neurologist*; **neu'rop·a·thy** [njuə'rɔpəθi] *s.* Nervenleiden *n*.

neu·rop·ter·an [njuə'rɔptərən] *zo.* **I.** *adj.* Netzflügler...; **II.** *s.* Netzflügler *m*.

neu·ro·sis [njuə'rəusis] *pl.* **-ses** [-si:z] *s.* ⚕ Neu'rose *f*; **neu'rot·ic** [-'rɔtik] **I.** *adj.* (□ ~*ally*) **1.** neu'rotisch: **a)** nervenleidend, **b)** Neurosen...; **2.** Nerven... (*-mittel, -leiden etc.*); **II.** *s.* **3.** Neu'rotiker(in), Nervenkranke(r *m*) *f*; **4.** Nervenmittel *n*; **neu'rot·o·my** [-'rɔtəmi] *s.* **1.** 'Nervenanato,mie *f*; **2.** 'Nervenschnitt *m*.

neu·ter ['nju:tə] **I.** *adj.* **1.** *ling.* **a)** sächlich, **b)** 'intransi,tiv (*Verb*); **2.** *biol.* geschlechtslos; **II.** *s.* **3.** *ling.* **a)** Neutrum *n*, sächliches Hauptwort, **b)** intransitives Verb; **4.** ⚘ Blüte *f* ohne Staubgefäße u. Stempel; **5.** *zo.* geschlechtsloses *od.* kastriertes Tier; **III.** *v/t.* **6.** kastrieren.

neu·tral ['nju:trəl] **I.** *adj.* □ **1.** neu'tral (*a. pol.*), par'teilos, 'unpar,teiisch, unbeteiligt; **2.** neutral, unbestimmt, farblos; **3.** neutral (*a.* ⚗, ⚡), gleichgültig, 'indiffe,rent; **4.** ⚘, *zo.* geschlechtslos; **5.** ⊕, *mot.* **a)** Ruhe..., Null... (*Lage*), **b)** Leerlauf... (*Gang*); **II.** *s.* **6. a)** Neu'trale(r) *m*, Par'teilose(r) *m*, **b)** neutraler Staat, **c)** Angehörige(r *m*) *f* e-s neutralen Staates; **7.** *mot.* Ruhelage *f*, Leerlaufstellung *f des Gangschalters*; ~ **ax·is** *s.* ⊿, *phys.*, ⊕ neutrale Achse, Nullinie *f*; ~ **con·duc·tor** *s.* ⚡ Nulleiter *m*; ~ **e·qui·lib·ri·um** *s. phys.* indifferentes Gleichgewicht; ~ **gear** *s.* ⊕ Leerlauf(gang) *m*.

neu·tral·i·ty [nju(:)'træliti] *s.* Neutrali'tät *f* (*a.* ⚗, *pol.*).

neu·tral·i·za·tion [nju:trəlai'zeiʃən] *s.* **1.** Neutralisierung *f*, Ausgleichung *f*, (gegenseitige) Aufhebung; **2.** ⚗ Neutralisati'on *f*; **3.** *pol.* Neutrali'tätserklärung *f e-s Staates etc.*; **4.** ⚡ Entkopplung *f*; **5.** ⚔ Niederhaltung *f*, Lahmlegung *f*: ~ *fire* Niederhaltungsfeuer; **neu·tral·ize** ['nju:trəlaiz] *v/t.* **1.** neutralisieren (*a.* ⚗), ausgleichen, aufheben: *to* ~ *each other* sich gegenseitig aufheben; **2.** *pol.* für neu'tral erklären; **3.** ⚡ neutralisieren, entkoppeln; **4.** ⚔ niederhalten, -kämpfen; *Kampfstoff* entgiften.

neu·tral| line *s.* **1.** ⊿, *phys.* Neu'trale *f*, neu'trale Linie; **2.** *phys.* Nullinie *f*; **3.** → *neutral axis*; ~ **po·si·tion** *s.* **1.** ⊕ Nullstellung *f*, -lage *f*; Ruhestellung *f*; **2.** ⚡ neutrale Stellung (*Anker etc.*).

neu·tro·dyne ['nju:trədain] *s.* ⚡ Neutro'dyn *n*: ~ *receiver* Neutrodynempfänger.

neu·tron ['nju:trɔn] *s. phys.* Neu'tron *n*.

né·vé ['nevei] (*Fr.*) *s.* Firn(feld *n*) *m*.

nev·er ['nevə] *adv.* **1.** nie, niemals, nimmer(mehr); **2.** durch'aus nicht, (ganz und) gar nicht, nicht im geringsten; **3.** (doch) wohl nicht;

Besondere Redewendungen:

~ *fear* nur keine Bange! ~ *mind* das macht nichts!; *well I* ~! F nein, so was!, das ist ja unerhört!; ~ so auch noch so; *he* ~ *so much as answered* er hat noch nicht einmal geantwortet; ~ *say die!* nur nicht verzweifeln!; ~-*to-be-forgotten* unvergeßlich; *to buy on the* ~(-~) F ‚abstottern', auf Abzahlung kaufen.

'**nev·er|-do-well** *s.* Taugenichts *m*, Tunichtgut *m*; '~-'**end·ing** *adj.* endlos, unauf'hörlich; '~-'**fail·ing** *adj.* unfehlbar, untrüglich, nie versiegend; '~'**more** *adv.* nimmermehr, nie wieder.

nev·er·the'less *adv.* nichtsdesto'weniger, dennoch, trotzdem.

ne·vus ['ni:vəs] *s.* ⚕ Muttermal *n*, Leberfleck *m*: *vascular* ~ Feuermal.

new [nju:] **I.** *adj.* □ → *newly*; **1.** *allg.* neu: *nothing* ~ nichts Neues; → *broom*[2]; **2.** *a. ling.* neu, mo'dern; *bsd. contp.* neumodisch; **3.** neu (*Kartoffeln, Obst etc.*), frisch (*Brot, Milch etc.*); **4.** neu (*Ggs. alt*), gut erhalten: *as good as* ~ so gut wie neu; **5.** neu(entdeckt *od.* -erschienen *od.* -erstanden *od.* -geschaffen): ~ *facts*; ~ *star*; ~ *moon* Neumond; ~ *publications* Neuerscheinungen; *the* ~ *woman* die Frau von heute; *the* ♀ *World* die Neue Welt (*Amerika*); *that is not* ~ *to me* das ist mir nichts Neues; **6.** unerforscht: ~ *ground* Neuland (*a. fig.*); **7.** neu(gewählt, -ernannt): *the* ~ *president*; **8.** (*to*) **a)** *j-m* unbekannt, **b)** nicht vertraut (mit *e-r Sache*), unerfahren, ungeübt (in *dat.*), **c)** *j-m* ungewohnt; **9.** neu, ander, besser: *to feel a* ~ *man* sich wie neugeboren fühlen; *to lead a* ~ *life* ein neues (*besseres*) Leben führen; **10.** erneut: *a* ~ *start*; **11.** (*bsd. bei Ortsnamen*) Neu...; **II.** *adv.* **12.** neu(erlich), so'eben, frisch (*bsd. in Zssgn*): ~-*built* neuerbaut.

'**new|-born** *adj.* neugeboren (*a. fig.*); ~ **build·ing** *s.* Neubau *m*; '~-**come** *adj.* neuangekommen; '~-**com·er** *s.* **1.** Neuankömmling *m*, Fremde(r *m*) *f*; **2.** Neuling *m* (*to* in *e-m Fach*); ♀ **Deal** *s.* New Deal *m* (*Wirtschafts- u. Sozialpolitik des Präsidenten F. D. Roosevelt*).

new·el ['nju:əl] *s.* ⊕ **1.** Spindel *f* (*Wendeltreppe, Gußform etc.*); **2.** Endpfosten *m* (*Geländer*).

'**new|-fan·gled** *adj. contp.* neu(modisch); '~-**fledged** *adj.* **1.** flügge geworden; **2.** *fig.* neugebacken; '~-'**found** *adj.* **1.** neugefunden; neuerfunden; **2.** neuentdeckt.

New·found·land (**dog**) [nju(:)'faundlənd], **New'found·land·er** [-də] *s.* Neu'fundländer *m* (*Hund*).

new·ish ['nju:iʃ] *adj.* ziemlich neu; **new·ly** ['nju:li] *adv.* **1.** neulich, kürzlich, jüngst: ~ *married* jungvermählt; **2.** von neuem; **new·ness** ['nju:nis] *s.* (*Zustand der*) Neuheit, *das* Neue; *fig.* Unerfahrenheit *f*.

'**new-rich** **I.** *adj.* neureich; **II.** *s.* Neureiche(r *m*) *f*, Parve'nü *m*.

news [nju:z] *s. pl. sg. konstr.* **1.** *das* Neue, Neuigkeit(en *pl.*) *f*, Neues *n*, Nachrichten *pl.*: *a piece of* ~ e-e Nachricht *od.* Neuigkeit; *at this* ~ bei dieser Nachricht; *commercial* ~ ✝ Handelsteil (*Zeitung*); *to have* ~ *from s.o.* von j-m Nachricht haben; *it is* ~ *to me* es ist mir et. ganz Neues; *what('s the)* ~*?* was gibt es Neues?; **2.** neueste (Zeitungs-, Radio-) Nachrichten *pl.*: *to be in the* ~ (in der Öffentlichkeit) von sich reden machen; '~**-a·gen·cy** *s.* 'Nachrichtenagen,tur *f*, -bü,ro *n*; '~**-a·gent** *s.* Zeitungshändler *m*; '~**-boy** *s.* Zeitungsjunge *m*; ~ **butch·er** *s.* 🚂 *Am.* Verkäufer *m* von Zeitungen, Süßigkeiten *etc.*; '~**-cast** *s. Radio, Fernsehen*: Nachrichtensendung *f*; '~**-cast·er** *s. Radio, Fernsehen*: Nachrichtensprecher *m*; ~ **con·fer·ence** *s.* Redakti'onskonfe,renz *f*; '~**-deal·er** *Am.* → *news-agent*; ~ **flash** *s. bsd. Am.* Kurzmeldung *f*; ~ **i·tem** *s.* 'Presseno,tiz *f*; '~**-let·ter** *s.* (Nachrichten-)Rundschreiben *n*, Zirku'lar *n*; '~**-man** [-mæn] *s.* [*irr.*] **1.** Zeitungshändler *m*, -austräger *m*; **2.** Journa'list *m*; '~**-mon·ger** *s.* Neuigkeitskrämer(in).

'**news·pa·per I.** *s.* Zeitung *f*: *commercial* ~ Börsenblatt, Wirtschaftszeitung; **II.** *adj.* Zeitungs...; ~ **ad·ver·tise·ment** *s.* 'Zeitungsan,nonce *f*, -anzeige *f*; ~ **clip·ping** *Am.*, ~ **cut·ting** *s.* Zeitungsausschnitt *m*; '~**-man** [-mæn] *s.* [*irr.*] **1.** Zeitungsverkäufer *m*; **2.** Journa'list *m*; **3.** Zeitungsverleger *m*.

'**news|·print** *s.* 'Zeitungspa,pier *n*; '~**-read·er** *s. Radio, Fernsehen*: Nachrichtensprecher *m*; '~**-reel** *s.* Wochenschau *f*; '~**-room** *s.* **1.** Nachrichtenraum *m e-r Zeitung*; **2.** *Brit.* Zeitschriftenlesesaal *m*; **3.** *Am.* 'Zeitungsladen *m*, -ki,osk *m*; ~ **serv·ice** *s.* Nachrichtendienst *m*; '~**-sheet** *s.* kleines Nachrichtenblatt; '~**-stall** *s. Brit.*, '~**-stand** *s. Am.* 'Zeitungski,osk *m*, -stand *m*.

New Style *s.* neue Zeitrechnung (*nach dem Gregorianischen Kalender*), neuer Stil.

'**news|-ven·dor** *s.* Zeitungsverkäufer *m*; '~**-wor·thy** *adj.* von Inter'esse (für den Zeitungsleser), aktu'ell.

news·y ['nju:zi] *adj.* F voller Neuigkeiten.

newt [nju:t] *s. zo.* Wassermolch *m*.

New·to·ni·an [nju(:)'tounjən] *adj.* Newton(i)sch: ~ *force* Newtonsche Kraft.

new| year *s.* Neujahr *n*, *das* neue Jahr; ♀ **Year** *s.* Neujahrstag; ♀ **Year's Day** *s.* Neujahrstag *m*; ♀ **Year's Eve** *s.* Sil'vesterabend *m*.

next [nekst] **I.** *adj.* **1.** nächst, nächstfolgend, -stehend: *the* ~ *house (train)* das nächste Haus (der nächste Zug); *(the)* ~ *day* am nächsten *od.* folgenden Tag; ~ *door* (im Haus) nebenan; ~ *door to fig.* beinahe, fast *unmöglich etc.*, so gut wie; ~ *to* **a)** (gleich) neben, **b)** (gleich) nach (*Rang, Reihenfolge*), **c)** fast *unmöglich etc.*; ~ *to nothing* fast gar nichts; ~ *to last* zweitletzt; *the* ~ *but one* der (die, das) übernächste; ~ *in size* **a)** nächstgrößer, **b)** nächstkleiner; ~ *friend* ⚖ Prozeßbeistand; *the* ~ *of kin* der (*pl.* die) nächste(n) Angehörige(n) *od.* Verwandte(n); *to be* ~ *best* **a)** der Zweitbeste sein, **b)** (*to*) *fig.* gleich kommen (nach), fast so gut sein (wie); *week after* ~ übernächste Woche; *what* ~*?* was (denn) noch?; **II.** *adv.* **2.** (*Ort, Zeit etc.*) zu'nächst, gleich dar'auf, als nächste(r) *od.* nächstes: *to come* ~ (als nächstes) folgen; **3.** nächstens, demnächst, das nächste Mal; **4.** (*bei Aufzählung*) dann, dar'auf; **III.** *prp.* **5.** (gleich) neben (*dat.*) *od.* bei (*dat.*) *od.* an (*dat.*); **6.** zu'nächst nach, (*an Rang*) gleich nach; **IV.** *s.* **7.** *der* (*die, das*) Nächste.

nex·us ['neksəs] *pl.* **-us** (*Lat.*) *s.* Verknüpfung *f*, Zs.-hang *m*.

nib [nib] *s.* **1.** Schnabel *m* (*Vogel*); **2.** (Gold-, Stahl)Spitze *f* (*Schreibfeder*); **3.** *pl.* Kaffee- *od.* Ka'kaobohnenstückchen *pl*.

nib·ble ['nibl] **I.** *v/t.* **1.** benagen, knabbern an (*dat.*): *to* ~ *off* abbeißen, -fressen; **2.** vorsichtig anbeißen (*Fische am Köder*); **II.** *v/i.* **3.** nagen, knabbern (*at* an *dat.*): *to* ~ *at one's food* im Essen herumstochern; **4.** (fast) anbeißen (*Fisch*) (*a. fig. Käufer*); **5.** *fig.* kritteln, tadeln; **III.** *s.* **6.** Nagen *n*, Knabbern *n*; **7.** (kleiner) Bissen, Happen *m*.

nib·lick ['niblik] *s.* (*eiserner*) Golfschläger.

nibs [nibz] *s. pl. sg. konstr.* F ‚großes Tier': *his* ~ ‚seine Hoheit'.

nice [nais] *adj.* □ **1.** fein (*Beobachtung, Sinn, Urteil, Unterschied etc.*); **2.** lecker, fein (*Speise etc.*); **3.** nett, freundlich (*to* zu *j-m*); **4.** nett, hübsch, schön (*alle a. iro.*): ~ *girl*; ~ *weather*; *a* ~ *mess iro.* e-e schöne Bescherung; ~ *and fat* schön fett; ~ *and warm* hübsch warm; **5.** niedlich, nett; **6.** heikel, wählerisch (*about* in *dat.*); **7.** (peinlich) genau, gewissenhaft; **8.** (*mst mit not*) anständig; **9.** *fig.* heikel, schwierig; '**nice·ly** [-li] *adv.* **1.** nett, fein: *I was done* ~ *sl. iro.* ich wurde schön übers Ohr gehauen; **2.** gut, fein, befriedigend: *that will do* ~ das paßt ausgezeichnet; *she is doing* ~ F es geht ihr gut (*od.* besser), sie macht gute Fortschritte; **3.** sorgfältig, genau; '**nice·ness** [-nis] *s.* **1.** Feinheit *f*; **2.** Nettheit *f*; Niedlichkeit *f*; **3.** F Nettigkeit *f*; **4.** Schärfe *f des Urteils*; **5.** Genauigkeit *f*, Pünktlichkeit *f*; '**ni·ce·ty** [-siti] **1.** Feinheit *f*, Schärfe *f des Urteils etc.*; **2.** peinliche Genauigkeit, Pünktlichkeit *f*: *to a* ~ aufs genaueste, bis aufs Haar; **3.** Spitzfindigkeit *f*; **4.** *pl.* kleine 'Unterschiede *pl.*, Feinheiten *pl.*: *not to stand upon niceties* es nicht so genau nehmen; **5.** wählerisches Wesen; **6.** *the niceties of life* die Annehmlichkeiten des Lebens.

niche [nitʃ] **I.** *s.* **1.** ⚠, *a.* ⚔ Nische *f*; **2.** *fig.* (*der j-m angewiesene od. zukommende*) Ort *od.* Platz; **3.** *fig.* Versteck *n*; **II.** *v/t.* **4.** mit e-r Nische versehen; **5.** in e-e Nische stellen (*Bildsäule etc.*).

ni·chrome ['naikroum] *s.* ⊕ Nickelchrom *n*.

Nick[1] [nik] *npr.* **1.** Niki *m* (*Koseform zu Nicholas*); **2.** *Old* ~ *sl.* der Teufel.

nick[2] [nik] **I.** *s.* **1.** Kerbe *f*, Einkerbung *f*, Einschnitt *m*; **2.** Kerbholz *n*; **3.** *typ.* Signa'tur(rinne) *f*; **4.** *in the (very)* ~ *(of time)* (gerade) zur rechten Zeit, im richtigen Augenblick, wie gerufen; **5.** *Würfelspiel etc.*: (hoher) Wurf, Treffer *m*; **II.** *v/t.* **6.** (ein)kerben, einschneiden: *to* ~ *out* auszacken, -furchen; **7.** *et.* glücklich treffen: *to* ~ *the time* gerade den richtigen Zeitpunkt treffen; **8.** erraten; **9.** *Zug* erwischen; **10.** *sl. j-n* ertappen, fassen; **11.** *sl. et.* kriegen, erwischen; **12.** *sl.* betrügen, reinlegen.

nick·el ['nikl] **I.** *s.* **1.** ⚗, *min.* Nickel *n*; **2.** *Am.* F Nickel *m*, Fünf'centstück *n*; **II.** *adj.* **3.** Nickel...; **III.** *v/t.* **4.** vernickeln; '~**-'al·ka·line cell** *s.* ⚡ 'Nickelele,ment *n*; ~ **bloom** *s. min.* Nickelblüte *f*; '~**-'clad sheet** *s.* ⊕ nickelplattiertes Blech.

nick·el·o·de·on [nikə'loudiən] *s.* *Am.* **1.** *hist.* ‚Kintopp' *m, n*; **2.** Mu'sikauto,mat *m*.

'**nick·el|-plate** *v/t.* ⊕ vernickeln; '~**-plat·ing** *s.* Vernickelung *f*; ~ **sil·ver** *s.* Neusilber *n*; ~ **steel** *s.* Nickelstahl *m*.

nick-nack ['niknæk] → *knick-knack*.

nick·name ['nikneim] **I.** *s.* Spitzname *m*; ⚔ Deckname *m*; **II.** *v/t.* mit e-m Spitznamen bezeichnen, *j-m* e-n *od.* den Spitznamen geben.

nic·o·tine ['nikəti:n] *s.* ⚗ Niko'tin *n*; '**nic·o·tin·ism** [-nizəm] *s.* Niko'tinvergiftung *f*.

nide [naid] *s.* (Fa'sanen)Nest *n*, -brut *f*, Geheck *n*.

nid·i·fy ['nidifai] *v/i.* nisten.

nid-nod ['nidnɔd] *v/i.* (mehrmals) nicken.

ni·dus ['naidəs] *pl. a.* **-di** [-dai] *s.* **1.** *zo.* Nest *n*, Brutstätte *f*; **2.** *fig.* Lagerstätte *f*, Sitz *m*; **3.** ⚕ Herd *m e-r Krankheit*.

niece [ni:s] *s.* Nichte *f*.

nif·ty ['nifti] *adj. bsd. Am. sl.* **1.** hübsch, ‚sauber', fesch; **2.** geschickt, raffiniert.

nig·gard ['nigəd] **I.** *s.* Knicker(in), Geizhals *m*, Filz *m*; **II.** *adj.* □ geizig, knauserig, knickerig, kärglich; '**nig·gard·li·ness** [-linis] *s.* Knikke'rei *f*, Knause'rei *f*, Geiz *m*; '**nig·gard·ly** [-li] **I.** *adv.* → *niggard II*; **II.** *adj.* schäbig, kümmerlich: *a* ~ *gift*.

nig·ger ['nigə] *s.* F *mst contp.* Nigger *m*, Neger(in), Schwarze(r *m*) *f*: *to work like a* ~ wie ein Pferd arbeiten, schuften; ~ *in the woodpile sl. der* Haken an der Sache.

nig·gle ['nigl] *v/i.* **1.** (pe'dantisch) her'umtüfteln; **2.** trödeln.

nigh [nai] *obs. od. poet.* **I.** *adv.* **1.** nahe (*to* an *dat.*): ~ *(un)to death* dem Tode nahe; ~ *but* beinahe; *to draw* ~ *to* sich nähern (*dat.*); **2.** *mst well* ~ beinahe; **II.** *prp.* **3.** nahe bei, neben.

night [nait] *s.* **1.** Nacht *f*: *at* ~, *by* ~, *in the* ~, F *o'nights* bei Nacht, nachts, des Nachts; ~*'s lodging* Nachtquartier; *all* ~ *(long)* die ganze Nacht (hindurch); *over* ~ über Nacht; *to bid (od. wish) s.o. good* ~ *j-m* gute Nacht wünschen; *to make a* ~ *of it* die ganze Nacht durchmachen, -feiern, sich die Nacht um die Ohren schlagen; *to stay the* ~ *at* übernachten in *e-m Ort od.* bei *j-m*; **2.** Abend *m*: *last* ~ gestern abend; *the* ~ *before last* vorgestern abend; *first* ~ *thea.* Erstaufführung, Premiere; *a* ~ *of Wagner* Wagnerabend; *on the* ~ *of May 4th* am Abend des 4. Mai; ~ *out* freier

Abend; *to have a ~ out* e-n Abend ausspannen, ausgehen; **3.** *fig.* Nacht *f*, Dunkelheit *f*; **~ at·tack** *s.* ⚔ Nachtangriff *m*; **'~-blind** *adj.* ⚕ nachtblind; **'~·cap** *s.* **1.** Nachtmütze *f*, -haube *f*; **2.** *fig.* Schlummertrunk *m*; **'~-club** *s.* Nachtklub *m*, 'Nachtloˌkal *n*; **'~-dress** *s.* Nachthemd *n* (*für Frauen u. Kinder*); **~ ex·po·sure** *s. phot.* Nachtaufnahme *f*; **'~·fall** *s.* Einbruch *m* der Nacht; **~ fight·er** *s.* ✈, ⚔ Nachtjäger *m*; **'~-glass** *s.* Nachtfernrohr *n*, -glas *n*; **'~-gown** → *night-dress*.

night·in·gale ['naitiŋgeil] *s. orn.* Nachtigall *f*.

'night|·jar *s. orn.* Ziegenmelker *m*; **~ leave** *s.* ⚔ Urlaub *m* bis zum Wecken; **~ let·ter(·gram)** *s. Am.* (*bei Nacht befördertes*) 'Brieftele-ˌgramm; **'~-long I.** *adj.* e-e Nacht dauernd; **II.** *adv.* die ganze Nacht (hin'durch).

night·ly ['naitli] **I.** *adj.* **1.** nächtlich, Nacht...; **2.** jede Nacht *od.* jeden Abend stattfindend; **II.** *adv.* **3.** (all-) nächtlich, jede Nacht; jeden Abend, (all)abendlich.

night·mare ['naitmɛə] *s.* **1.** Nachtmahr *m* (*böser Geist*); **2.** ⚕ Alp (-drücken *n*) *m*, böser Traum; **3.** *fig.* Schreckgespenst *n*, Alpdruck *m*; **'night·mar·ish** [-əriʃ] *adj.* alp(druck)artig, beängstigend.

night| nurse *s.* Nachtschwester *f*; **'~-owl** *s.* **1.** *orn.* Nachteule *f*; **2.** F Nachtschwärmer *m*; **'~-por·ter** *s.* 'Nachtportiˌer *m*.

nights [naits] *adv. Brit. dial. od. Am.* F bei Nacht, nachts.

'night|-school *s.* Abend-, Fortbildungsschule *f*; **'~·shade** *s.* ♀ Nachtschatten *m*: *deadly ~* Tollkirsche; **'~-shift** *s.* Nachtschicht *f*: *to be on ~* Nachtschicht haben; **'~-shirt** *s.* Nachthemd *n* (*für Männer u. Knaben*); **'~·spot** *s. Am.* 'Nachtlo-ˌkal *n*; **~ stick** *s. Am.* (Gummi-) Knüppel *m*; **'~-stool** *s.* ⚕ Nachtstuhl *m*; **'~-time** *s.* Nachtzeit *f*; **~ vi·sion** *s.* **1.** nächtliche Erscheinung; **2.** Nachtsehvermögen *n*; **'~-watch** *s.* Nachtwache *f*; **'~-watch·man** [-mən] *s.* [*irr.*] Nachtwächter *m*; **'~·wear** *s.* Nachtzeug *n*; **'~-work** *s.* Nachtarbeit *f*.

night·y ['naiti] *s.* F (Damen)Nachthemd *n*.

ni·hil·ism ['naiilizəm] *s. phls., pol.* Nihi'lismus *m*; **'ni·hil·ist** [-ist] **I.** *s.* Nihi'list(in); **II.** *adj.* → *nihilistic*; **ni·hil·is·tic** [naii'listik] *adj.* nihi'listisch.

nil [nil] *s.* Nichts *n*, Null *f* (*bsd. in Spielresultaten*): *two goals to ~* zwei zu null (2:0); *~ report* Fehlanzeige; *his influence is now ~ fig.* sein Einfluß ist jetzt gleich null.

nim·ble ['nimbl] *adj.* □ flink, hurtig, gewandt, be'hend: *~ mind fig.* beweglicher Geist, rasche Auffassungsgabe; **'~-'fin·gered** *adj.* **1.** geschickt; **2.** langfingerig, diebisch; **'~-'foot·ed** *adj.* leicht-, schnellfüßig.

nim·ble·ness ['nimblnis] *s.* Be'hendigkeit *f*, Gewandtheit *f*.

nim·bus ['nimbəs] *pl.* **-bi** [-bai] *od.* **-bus·es** *s.* **1.** *a. ~ cloud* graue Regenwolke; **2.** Nimbus *m*: **a)** Heiligenschein *m*, **b)** *fig.* Ruhm *m*.

nim·i·ny-pim·i·ny ['nimini'pimini] *adj.* **1.** geziert; **2.** zimperlich.

Nim·rod ['nimrɔd] *s. fig.* Nimrod *m* (*großer Jäger*).

nin·com·poop ['ninkəmpu:p] *s.* Einfaltspinsel *m*, Trottel *m*.

nine [nain] **I.** *adj.* **1.** neun: *~ days' wonder* Tagesgespräch, sensationelles Ereignis; *~ times out of ten* in den meisten Fällen; **II.** *s.* **2.** Neun *f*, Neuner *m* (*Spielkarte etc.*): *the ~ of hearts* Herzneun; *to the ~s* in höchstem Maße; *dressed up to the ~s* pikfein gekleidet, aufgedonnert; **3.** *the* ♀ die neun Musen; **4.** *sport* Baseballmannschaft *f*; **'nine·fold I.** *adj. u. adv.* neunfach; **II.** *s. das* Neunfache; **'nine·pins** *s. pl.* **1.** Kegel *pl.*: *~ alley* Kegelbahn; **2.** *a. sg. konstr.* Kegelspiel *n*: *to play ~* Kegel spielen, kegeln.

nine·teen ['nain'ti:n] **I.** *adj.* neunzehn; → *dozen*; **II.** *s.* Neunzehn *f*; **'nine'teenth** [-θ] **I.** *adj.* neunzehnt; **II.** *s.* Neunzehntel *n*; **'nine·ti·eth** [-tiiθ] **I.** *adj.* neunzigst; **II.** *s.* Neunzigstel *n*; **'nine·ty** [-ti] **I.** *s.* Neunzig *f*: *he is in his nineties* er ist in den Neunzigern; *in the nineties* in den neunziger Jahren (*des vorigen Jahrhunderts*); **II.** *adj.* neunzig.

nin·ny ['nini] F *s.* Dummkopf *m*, ‚Gimpel' *m*, Trottel *m*.

ninth [nainθ] **I.** *adj.* **1.** neunt: *in the ~ place* neuntens, an neunter Stelle; **II.** *s.* **2.** *der* (*die, das*) Neunte; **3.** *a. ~ part* Neuntel *n*; **4.** ♪ None *f*; **'ninth·ly** [-li] *adv.* neuntens.

nip[1] [nip] **I.** *v/t.* **1.** kneifen, zwicken, klemmen: *to ~ off* abzwicken, -kneifen, -beißen; **2.** (*durch Frost etc.*) beschädigen, vernichten, ka'puttmachen: *to ~ in the bud fig.* im Keim ersticken; **3.** *sl.* **a)** ‚klauen', stehlen, **b)** ‚schnappen', verhaften; **II.** *v/i.* **4.** schneiden (*Kälte, Wind*); ⊕ klemmen (*Maschine*); **5.** F ‚flitzen': *to ~ in* hineinschlüpfen; *to ~ on ahead* nach vorne flitzen; **III.** *s.* **6.** Kneifen *n*, Kniff *m*, Biß *m*; **7.** Schneiden *n* (*Kälte etc.*); scharfer Frost; **8.** ♀ Frostbrand *m*; **9.** Knick *m* (*Draht etc.*); **10.** *~ and tuck, attr. ~-and-tuck Am.* auf Biegen oder Brechen, scharf (*Kampf*), hart (*Rennen*).

nip[2] [nip] **I.** *v/i. u. v/t.* nippen (an *dat.*); **II.** *s.* Schlückchen *n*.

nip·per ['nipə] *s.* **1.** *zo.* **a)** Vorder-, Schneidezahn *m* (*bsd. des Pferdes*), **b)** Schere *f* (*Krebs etc.*); **2.** *mst pl.* ⊕ **a)** *a. a pair of ~s* (Kneif)Zange *f*, **b)** Pin'zette *f*, **c)** Auslösungshaken *m e-r Ramme*; **3.** ⚓ (Kabe'lar)Zeising *f*; **4.** *pl.* Kneifer *m*; **5.** *Brit.* F Bengel *m*, ‚Stift' *m*; **6.** *pl.* F Handschellen *pl.*; **~ ac·tion** *s.* ⊕ Klemmwirkung *f*.

nip·ping ['nipiŋ] *adj.* □ **1.** kneifend; **2.** beißend, schneidend (*Kälte, Wind*); **3.** *fig.* bissig, scharf (*Worte*).

nip·ple ['nipl] *s.* **1.** *anat.* Brustwarze *f*; **2.** (Saug)Hütchen *n*, Lutscher *m* (*e-r Saugflasche*); **3.** ⊕ (Speichen-, Schmier)Nippel *m*; (Rohr)Stutzen *m*; **'~·wort** *s.* ♀ Hasenkohl *m*.

nip·py ['nipi] **I.** *adj.* **1.** → *nipping 3*; **2.** F schnell, behend(e); **II.** *s.* **3.** *Brit.* F Kellnerin *f*.

ni·sei ['ni:'sei] *pl.* **-sei, -seis** *s.* Ja'paner(in) *geboren in den USA*.

ni·si ['naisai] (*Lat.*) *cj.* ⚖ wenn nicht: *decree ~* vorläufiges Scheidungsurteil.

Nis·sen hut ['nisn] *s.* ⚔ 'Nissenhütte *f*, 'Wellblechbaˌracke *f mit Zementboden*.

nit [nit] *s. zo.* Nisse *f*, Niß *f*.

ni·ter *Am.* → *nitre*.

'nit·pick·ing *adj.* F kleinlich, ‚pingelig'.

ni·trate ['naitreit] **I.** *s.* ⚗ Ni'trat *n*, sal'petersaures Salz: *~ of silver* salpetersaures Silber, Höllenstein; *~ of soda* (*od. sodium*) salpetersaures Natrium; **II.** *v/t.* nitrieren, mit Sal'petersäure behandeln.

ni·tre ['naitə] *s.* ⚗ Sal'peter *m*: *~ cake* Natriumkuchen.

ni·tric ['naitrik] *adj.* ⚗ sal'petersauer, Salpeter..., Stickstoff...; **~ ac·id** *s.* Sal'petersäure *f*; **~ ox·ide** *s.* 'Stickstoffoˌxyd *n*.

ni·tride ['naitraid] **I.** *s.* Ni'trid *n*; **II.** *v/t.* nitrieren; **ni·trif·er·ous** [nai'trifərəs] *adj.* **1.** stickstoffhaltig; **2.** sal'peterhaltig; **'ni·tri·fy** [-trifai] **I.** *v/t.* nitrieren; **II.** *v/i.* sich in Sal'peter verwandeln; **'ni·trite** [-ait] *s.* Ni'trit *n*, sal'pet(e)rigsaures Salz.

ni·tro·ben·zene ['naitrou'benzi:n], **ni·tro·ben·zol(e)** ['naitrou'benzɔl] *s.* ⚗ ˌNitroben'zol *n*.

ni·tro·cel·lu·lose ['naitrou'seljulous] *s.* ⚗ ˌNitrozellu'lose *f*: *~ lacquer* ⊕ Nitro(zellulose)lack.

ni·tro·gen ['naitridʒən] *s.* ⚗ Stickstoff *m*: *~ carbide* Stickkohlenstoff; *~ chloride* Chlorstickstoff; **'ni·tro·gen·ize** [-naiz] *v/t.* ⚗ mit Stickstoff verbinden *od.* anreichern *od.* sättigen: *~d foods* stickstoffhaltige Nahrungsmittel; **ni·trog·e·nous** [nai'trɔdʒinəs] *adj.* ⚗ stickstoffhaltig.

ni·tro·glyc·er·in(e) ['naitrouglisə'ri:n] *s.* ⚗ ˌNitroglyze'rin *n*.

ni·tro·hy·dro·chlo·ric ['naitrouhaidrə'klɔrik] *adj.* ⚗ Salpetersalz...

ni·trous ['naitrəs] *adj.* ⚗ Salpeter..., sal'peterhaltig, sal'petrig; **~ ac·id** *s.* sal'petrige Säure; **~ ox·ide** *s.* 'Stickstoffoxyˌdul *n*, Lachgas *n*.

nit·wit ['nitwit] *s.* Schwach-, Dummkopf *m*.

nix[1] [niks] *sl. pron.* nichts.

nix[2] [niks] *pl.* **-es** *s.* Nix *m*, Wassergeist *m*; **'nix·ie** [-ksi] *s.* Wassernixe *f*.

no [nou] **I.** *adv.* **1.** nein: *to answer ~* nein sagen; **2.** (*nach or am Ende e-s Satzes*) nicht (*jetzt mst not*): *whether ... or ~* ob ... oder nicht; **3.** (*beim comp.*) um nichts, nicht: *~ better a writer* kein besserer Schriftsteller; *~ longer* (*ago*) *than yesterday* erst gestern; *~!* nicht möglich!, nein!; → *more 1, 5, soon 1*; **II.** *adj.* **4.** kein(e): *~ hope* keine Hoffnung; *~ one* keiner; *~ man* niemand; *~ parking* Parkverbot; *~ thoroughfare* Durchfahrt gesperrt; *in ~ time* im Nu; **5.** kein, alles andere als ein(e): *he is ~ artist*; *~ such thing* nichts dergleichen; **6.** (*vor ger.*): *there is ~*

denying es läßt sich *od.* man kann nicht leugnen; **III.** *pl.* **noes** *s.* **7.** Nein *n*, verneinende Antwort, Absage *f*, Weigerung *f*; **8.** *parl.* Gegenstimme *f*, mit Nein Stimmende(r*m*)*f*: *the ayes and* ~*es* die Stimmen für u. wider; *the* ~*es have it* die Mehrheit ist dagegen.
'no-ac'count *adj. Am. dial.* unbedeutend (*mst Person*).
nob[1] [nɔb] *sl. s.* **1.** ‚Dez' *m* (*Kopf*); **2.** ⊕ Knopf *m*.
nob[2] [nɔb] *s. sl.* ‚feiner Pinkel' (*vornehmer Mann*).
'no-'ball *s. Kricket*: ungültiger Ball.
nob·ble ['nɔbl] *v/t. sl.* **1.** betrügen, ‚reinlegen'; **2.** *j-n* auf s-e Seite ziehen, ‚her'umkriegen'; **3.** bestechen; **4.** ‚klauen', ‚mausen'.
nob·by ['nɔbi] *adj. sl.* **1.** nobel, schick; **2.** fa'mos.
No·bel Prize [nou'bel] *s.* No'belpreis *m*: ~ *winner* Nobelpreisträger; *Nobel Peace Prize* Friedensnobelpreis.
no·bil·i·ar·y [nou'biliəri] *adj.* adlig, Adels...
no·bil·i·ty [nou'biliti] *s.* **1.** *fig.* Adel *m*, Würde *f*, Vornehmheit *f*: ~ *of mind* vornehme Denkungsart; ~ *of soul* Seelenadel; **2.** Adel(sstand) *m*, *die* Adligen *pl.*; (*bsd. in England*) *der* hohe Adel: *the* ~ *and gentry* der hohe u. niedere Adel.
no·ble ['noubl] **I.** *adj.* □ **1.** adlig, von Adel; edel, erlaucht; **2.** *fig.* edel, 'nobel, erhaben, groß(mütig), vor'trefflich: *the* ~ *art* (*of self-defence, Am. self-defense*) die edle Kunst der Selbstverteidigung (*Boxen*); **3.** prächtig, stattlich: *a* ~ *edifice*; **4.** prächtig geschmückt (*with* mit); **5.** *phys.* Edel...(*-gas, -metall*); **II.** *s.* **6.** Edelmann *m*, (hoher) Adliger; **7.** *hist.* Nobel *m* (*Goldmünze*); **'~·man** [-mən] *s.* [*irr.*] **1.** Edelmann *m*, (hoher) Adliger; **2.** *pl. Schach*: Offi'ziere *pl.*; **'~-'mind·ed** *adj.* edeldenkend; **'~-'mind·ed·ness** *s.* vornehme Denkungsart, Edelmut *m*.
no·ble·ness ['noublnis] *s.* **1.** Adel *m*, hohe Abstammung; **2.** *fig.* **a)** Adel *m*, Würde *f*, **b)** Edelsinn *m*, -mut *m*.
'no·ble·wom·an *s.* [*irr.*] Adlige *f*.
no·bod·y ['noubədi] **I.** *adj. pron.* niemand, keiner: ~ *else* sonst niemand, niemand anders; **II.** *s. fig.* unbedeutende Per'son, ‚Niemand' *m*, ‚Null' *f*: *to be* ~ nichts sein, nichts zu sagen haben.
nock [nɔk] **I.** *s. Bogenschießen*: Kerbe *f*; **II.** *v/t. Pfeil* auf die Kerbe legen, *Bogen* einkerben.
noc·tam·bu·la·tion [nɔktæmbju'leiʃən], *a.* **noc·tam·bu·lism** [nɔk'tæmbjulizəm] *s.* ⚕ Somnambu'lismus *m*, Nachtwandeln *n*; **noc·tam·bu·list** [nɔk'tæmbjulist] *s.* Schlafwandler(in).
noc·turn ['nɔktə:n] *s. R.C.* Nachtmette *f*; **noc·tur·nal** [nɔk'tə:nl] *adj.* □ nächtlich, Nacht...; **noc·turne** ['nɔktə:n] *s.* **1.** *paint.* Nachtstück *n*; **2.** ♪ Not'turno *n*.
noc·u·ous ['nɔkjuəs] *adj.* □ **1.** schädlich; **2.** giftig (*Schlangen*).
nod [nɔd] **I.** *v/i.* **1.** nicken: *to* ~ *to s.o.* j-m zunicken, j-n grüßen; ~*ding acquaintance* oberflächliche(r) Bekannte(r), Grußbekanntschaft; *we are on* ~*ding terms* wir grüßen uns; **2.** sich neigen (*Blumen etc.*) (*a. fig. to* vor *dat.*); wippen (*Hutfeder*); **3.** nicken, (*sitzend*) schlafen: *to* ~ *off* einnicken; **4.** *fig.* unaufmerksam sein, ‚schlafen': *Homer sometimes* ~*s* auch dem Aufmerksamsten entgeht manchmal etwas; **II.** *v/t.* **5.** *to* ~ *one's head* (mit dem Kopf) nicken; **6.** (*durch Nicken*) andeuten: *to* ~ *one's assent* beifällig (zu)nicken; *to* ~ *s.o. out* j-n hinauswinken; **III.** *s.* **7.** (Kopf)Nicken *n*, Wink *m*: *to give s.o. a* ~ j-m zunicken; *to go to the land of* ~ einschlafen; *on the* ~ F auf Pump.
nod·al ['noudl] *adj.* Knoten...; ~ **point** *s.* **1.** ♪, *phys.* Schwingungsknoten *m*; **2.** ⩕, *phys.* Knotenpunkt *m*.
nod·dle ['nɔdl] *s. sl.* Schädel *m*, ‚Birne' *f*.
node [noud] *s.* **1.** *allg.* Knoten *m* (*a. ast.*, ⚘, ⩕; *a. fig. im Drama etc.*): ~ *of a curve* ⩕ Knotenpunkt e-r Kurve; **2.** ⚕ Knoten, Knötchen *n*, 'Überbein *n*: *gouty* ~ Gichtknoten; **3.** *phys.* Schwingungsknoten *m*.
no·dose ['noudous] *adj.* knotig (*a.* ⚕ *u. fig.*), voller Knoten; **no·dos·i·ty** [nou'dɔsiti] *s.* **1.** knotige Beschaffenheit; **2.** Knoten *m*, Knötchen *n*.
nod·u·lar ['nɔdjulə] *adj.* knoten-, knötchenförmig: ~*-ulcerous* ⚕ tubero-ulzerös.
nod·ule ['nɔdju:l] *s.* **1.** ⚘, ⚕ Knötchen *n*: *lymphatic* ~ Lymphknötchen; **2.** *geol., min.* Nest *n*, Niere *f*.
no·dus ['noudəs] *pl.* **-di** [-dai] *s.* Knoten *m*, Schwierigkeit *f*.
nog [nɔg] *s.* **1.** Holznagel *m*, -klotz *m*; **2.** ⚠ **a)** Holm *m* (*querliegender Balken*), **b)** *Maurerei*: Riegel *m*.
nog·gin ['nɔgin] *s.* **1.** kleiner (Holz-) Krug; **2.** F ‚Birne' *f* (*Kopf*).
nog·ging ['nɔgiŋ] *s.* ⚠ Riegelmauer *f*, (ausgemauertes) Fachwerk.
'no-'good *Am.* F **I.** *s.* Lump *m*, Nichtsnutz *m*; **II.** *adj.* lumpig, mise'rabel.
'no·how *adv. dial.* **1.** auf keinen Fall, durch'aus nicht; **2.** nichtssagend, ungut: *to feel* ~ nicht auf der Höhe sein; *to look* ~ nach nichts aussehen.
noil [nɔil] *s. sg. u. pl.* ✝, ⊕ Kämmling *m*, Kurzwolle *f*.
no-'i·ron *adj.* bügelfrei (*Hemd etc.*).
noise [nɔiz] **I.** *s.* **1.** Geräusch *n*; Lärm *m*, Getöse *n*, Geschrei *n*: ~ *of battle* Gefechtslärm; ~ *abatement*, ~ *control* Lärmbekämpfung; ~ *nuisance* Lärmbelästigung; *hold your* ~*!* F halt den Mund!; **2.** Rauschen *n* (*a.* ⚡ *Störung*), Summen *n*: ~ *factor* ⚡ Rauschfaktor; **3.** *fig.* Streit *m*, Krach *m*: *to make a* ~ Krach machen (*about* wegen); → 4; **4.** *fig.* Aufsehen *n*, Geschrei *n*: *to make a great* ~ *in the world* großes Aufsehen erregen; *to make a* ~ viel Tamtam machen (*about* um); **5.** *a big* ~ *sl.* ein hohes (*od.* großes) Tier (*wichtige Persönlichkeit*); **II.** *v/i.* **6.** *to* ~ *it* lärmen; **III.** *v/t.* **7.** ~ *abroad* ausschreien, -sprengen.
noise·less ['nɔizlis] *adj.* □ laut-, geräuschlos (*a.* ⊕), still; **'noise·less·ness** [-nis] *s.* Geräuschlosigkeit *f*, Stille *f*.
noise| lev·el *s.* ⚡ Geräuschpegel *m*; ~ **sup·pres·sion** *s.* ⚡ **1.** Störschutz *m*; **2.** Entstörung *f*; ~ **volt·age** *s.* ⚡ **1.** Geräuschspannung *f*; **2.** Rauschspannung *f*.
nois·i·ness ['nɔizinis] *s.* Lärm *m*, Getöse *n*; lärmendes Wesen.
noi·some ['nɔisəm] *adj.* □ **1.** schädlich, ungesund; **2.** widerlich.
nois·y ['nɔizi] *adj.* □ **1.** geräuschvoll, laut; lärmend: ~ *running* ⊕ geräuschvoller Gang; **2.** *fig.* tobend, kra'keelend: ~ *fellow* Krakeeler, Schreier; **3.** *fig.* grell, schreiend (*Farbe etc.*); laut, aufdringlich (*Stil*).
nol·le ['nɔli], **nol·le·pros** [nɔli'prɔs] (*Lat.*) ⚖ *Am.* **I.** *v/i.* **a)** die Zu'rücknahme e-r Klage einleiten, **b)** *im Strafprozeß*: das Verfahren einstellen; **II.** *s.* → *nolle prosequi*.
nol·le pros·e·qui ['nɔli 'prɔsikwai] (*Lat.*) *s.* ⚖ **a)** Zu'rücknahme *f* der (*Zivil*)Klage, **b)** Einstellung *f* des (*Straf*)Verfahrens.
'no-'load *s.* ⚡ Leerlauf *m*: ~ *current* Leerlaufstrom.
nol-pros [nɔl'prɔs] → *nolle I*.
no·mad ['nɔməd] **I.** *adj.* no'madisch, Nomaden...; **II.** *s.* No'made *m*, No'madin *f*; **no·mad·ic** [nou'mædik] *adj.* (□ ~*ally*) **1.** → *nomad I*; **2.** *fig.* unstet; **'no·mad·ism** [-dizəm] *s.* No'madentum *n*, Wanderleben *n*.
no man's land *s.* ⚔ Niemandsland *n* (*a. fig.*).
nom de plume [nɔ̃mdə'plu:m; nɔ̃dplym] (*Fr.*) *s.* Pseudo'nym *n*, Schriftstellername *m*.
no·men·cla·ture [nou'menklətʃə] *s.* **1.** Nomenkla'tur *f*: **a)** (*wissenschaftliche*) Namengebung, **b)** Namensverzeichnis *n*; **2.** *fachliche* Terminolo'gie; **3.** *coll. die* Namen *pl.*, Bezeichnungen *pl.* (*a.* ⩕).
nom·i·nal ['nɔminl] *adj.* □ **1.** Namen...; **2.** nomi'nell, Nominal...: ~ *consideration* ⚖ formale Gegenleistung; ~ *fine* nominelle (*sehr geringe*) Geldstrafe; ~ *rank* Titularrang; **3.** *ling.* nomi'nal; **4.** ⊕, ⚡ Nominal..., Nenn..., Soll...; ~ **ac·count** *s.* ✝ Sachkonto *n*; ~ **a·mount** *s.* ✝ Nennbetrag *m*; ~ **bal·ance** *s.* ✝ Sollbestand *m*; ~ **ca·pac·i·ty** *s.* ⚡, ⊕ Nennleistung *f*; ~ **cap·i·tal** *s.* ✝ 'Grund-, 'Stammkapiˌtal *n*.
nom·i·nal·ism ['nɔminəlizəm] *s. phls.* Nomina'lismus *m*.
nom·i·nal| out·put *s.* ⊕ Nennleistung *f*; ~ **par** *s.* ✝ Nenn-, Nomi'nalwert *m*; ~ **par·i·ty** *s.* ✝ 'Nennwertpariˌtät *f*; ~ **stock** *s.* ✝ 'Gründungs-, 'Stammkapiˌtal *n*; ~ **val·ue** *s.* ✝, ⊕ Nomi'nal-, Nennwert *m*.
nom·i·nate *v/t.* ['nɔmineit] **1.** (*to*) berufen, ernennen (zu *e-r Stelle*), einsetzen (in *ein Amt*); **2.** nominieren, als ('Wahl)Kandiˌdaten aufstellen; **nom·i·na·tion** [nɔmi'neiʃən] *s.* **1.** (*to*) Berufung *f*, Ernennung *f* (zu), Einsetzung *f* (in): *in* ~ vorgeschlagen (*for* für); **2.** Vorschlagsrecht *n*; **3.** Nominierung *f*, Vorwahl *f* (*e-s Kandidaten*): ~ *day* Wahlvorschlagstermin; **nom·i·na·tive** ['nɔminətiv] **I.** *adj. ling.* 'nomi-

nativ(isch): ~ *case* → *II*; **II.** *s. ling.* 'Nominativ *m*, erster Fall; '**nom·i·na·tor** [-tə] *s.* Ernenn(end)er *m*; **nom·i·nee** [nɔmi'ni:] *s.* **1.** Vorgeschlagene(r *m*) *f*, Kandi'dat(in); **2.** ✝ Begünstigte(r *m*) *f*, Empfänger(in) *e-r Karte etc.*

non- [nɔn] *in Zssgn:* nicht..., Nicht..., un..., miß...

'**non-ac'cept·ance** *s.* Annahmeverweigerung *f*, Nichtannahme *f e-s Wechsels etc.*

non·age ['nounidʒ] *s.* Unmündigkeit *f*, Minderjährigkeit *f*.

non·a·ge·nar·i·an [nounədʒi'nɛəriən] **I.** *adj.* neunzigjährig; **II.** *s.* Neunzigjährige(r *m*) *f*.

'**non-ag'gres·sion** *s.* Nichtangriff *m*: ~ *treaty pol.* Gewaltverzichtsvertrag.

'**non-al·co'hol·ic** *adj.* alkoholfrei.

'**non-a'ligned** *adj. pol.* bündnis-, blockfrei.

'**non-ap'pear·ance** *s.* Nichterscheinen *n vor Gericht etc.*

'**non-as'sess·a·ble** *adj.* nicht steuerpflichtig, steuerfrei.

'**non-at'tend·ance** *s.* Nichterscheinen *n.*

'**non-bel'lig·er·ent** **I.** *adj.* nicht kriegführend; **II.** *s.* nicht am Krieg teilnehmende Per'son *od.* Nati'on.

nonce [nɔns] *s.* (*nur in*): *for the* ~ für das 'eine Mal, nur für diesen Fall, einstweilen; '**~-word** *s. ling.* für e-n besonderen Zweck geprägtes (Gelegenheits)Wort, Augenblicksbildung *f*.

non·cha·lance ['nɔnʃələns] (*Fr.*) *s.* **1.** (Nach)Lässigkeit *f*, Gleichgültigkeit *f*; **2.** F Unbekümmertheit *f*; '**non·cha·lant** [-nt] *adj.* □ **1.** lässig, gleichgültig; **2.** F unbekümmert.

'**non-col'le·gi·ate** *adj.* **1.** *Brit. univ.* keinem College angehörend; **2.** nicht aus Colleges bestehend (*Universität*).

non·com [nɔn'kɔm] F *für noncommissioned (officer Brit.).*

'**non-'com·bat·ant** *Brit.* ⚔ **I.** *s.* 'Nichtkämpfer *m*, -kombat,tant *m*; **II.** *adj.* am Kampf nicht beteiligt.

'**non-com'mis·sioned** *adj.* **1.** unbestallt, nicht be'vollmächtigt; **2.** 'Unteroffi,ziers,rang besitzend; ~ **of·fi·cer** *s.* ⚔ 'Unteroffi,zier *m.*

'**non-com'mit·tal** **I.** *adj.* unverbindlich, nichtssagend, neu'tral; zu'rückhaltend; **II.** *s.* Unverbindlichkeit *f*, freie Hand.

'**non-com'pli·ance** *s.* **1.** Zu'widerhandeln *n* (*with* gegen), Weigerung *f*; **2.** Nichterfüllung *f*, Nichteinhaltung *f* (*with* von *od. gen.*).

non com·pos (men·tis) [nɔn 'kɔmpɔs 'mentis] (*Lat.*) *adj.* ⚖ unzurechnungsfähig.

'**non-con'duc·tor** *s.* ϟ Nichtleiter *m.*

'**non·con'form·ist** **I.** *s. eccl.* Dissi'dent(in), Freikirchler(in); **II.** *adj.* 'nonkonfor,mistisch; '**non·con'form·i·ty** *s.* **1.** mangelnde Über'einstimmung (*with* mit) *od.* Anpassung (*to* an *acc.*); **2.** *eccl.* Dissi'dentENTUM *n.*

'**non-con'tent** *s. Brit. parl.* Neinstimme *f* (*im Oberhaus*).

'**non-con'ten·tious** *adj.* □ nicht strittig: ~ *litigation* ⚖ freiwillige Gerichtsbarkeit.

'**non-con'trib·u·to·ry** *adj.* beitragsfrei (*Organisation*).

'**non-co-op·er'a·tion** *s.* Mitarbeitsverweigerung *f*; *pol.* passiver 'Widerstand.

'**non-cor'rod·ing** *adj.* ⊕ **1.** korrosi'onsfrei; **2.** rostbeständig (*Eisen*).

'**non-'creas·ing** *adj.* ✝ knitterfrei.

'**non-'cut·ting** *adj.* ⊕ spanlos: ~ *shaping* spanlose Formung.

'**non-'daz·zling** *adj.* ⊕ blendfrei.

'**non-de'liv·er·y** *s.* **1.** ✝, ⚖ Nichtauslieferung *f*, Nichterfüllung *f*; **2.** ✆ Nichtbestellung *f*.

'**non-de·nom·i'na·tion·al** *adj.* nicht konfes'sionsgebunden: ~ *school* Simultanschule.

non·de·script ['nɔndiskript] **I.** *adj.* schwer zu beschreiben(d), unbestimmbar, nicht klassifizierbar (*mst contp.*); **II.** *s.* Per'son, die schwer zu klassifizieren ist; Per'son, über die nichts Näheres bekannt ist.

'**non-di'rec·tion·al** *adj. Funk, Radio*: ungerichtet: ~ *aerial* Rundstrahlantenne.

none [nʌn] **I.** *pron. u. s. mst pl. konstr.* kein, niemand: ~ *of them is here* keiner von ihnen ist hier; *I have* ~ ich habe keine(n); ~ *but fools* nur Narren; *it's* ~ *of your business* es geht dich nichts an; ~ *of that* nichts dergleichen; ~ *of your tricks!* laß deine Späße!; *he will have* ~ *of me* er will von mir nichts wissen; → *other 8*; **II.** *adv.* in keiner Weise, nicht im geringsten, keineswegs: ~ *too high* keineswegs zu hoch; ~ *the less* nichtsdestoweniger; ~ *too soon* fast zu spät, im letzten Augenblick; → *wise 3.*

'**non-ef'fec·tive** ⚔ **I.** *adj.* dienstuntauglich; **II.** *s.* Dienstuntaugliche(r) *m.*

'**non-'e·go** *Brit. s. phls.* Nicht-Ich *n.*

non·en·ti·ty [nɔ'nentiti] *s.* **1.** Nicht(da)sein *n*; **2.** Unding *n*, Nichts *n*; *fig. contp.* Null *f* (*Person*).

nones [nounz] *s. pl.* **1.** *antiq.* Nonen *pl.*; **2.** *R.C.* 'Mittagsof,fizium *n.*

'**non-es'sen·tial** *Brit.* **I.** *adj.* unwesentlich; **II.** *s.* unwesentliche Sache, Nebensächlichkeit *f*.

'**none·such** **I.** *adj.* **1.** unvergleichlich; **II.** *s.* **2.** Per'son *od.* Sache, die nicht ihresgleichen hat, Muster *n*; **3.** ⚘ a) Brennende Liebe, b) Nonpa'reilleapfel *m.*

'**non-ex'ist·ence** *s.* Nicht(da)sein *n*; *weitS.* Fehlen *n*; '**non-ex'ist·ent** *adj.* nicht existierend.

'**non-'fad·ing** *adj.* ⊕, ✝ lichtecht.

non-fea·sance ['nɔn'fi:zəns] *s.* ⚖ pflichtwidrige Unter'lassung.

'**non-'fer·rous** *adj.* **1.** nicht eisenhaltig; **2.** Nichteisen...: ~ *metal.*

'**non-'fic·tion** *s.* Sachbücher *pl.*

'**non-'freez·ing** *adj.* ⊕ kältebeständig: ~ *mixture* Frostschutzmittel.

'**non-ful'fil(l)·ment** *s.* Nichterfüllung *f*.

'**non-'hu·man** *adj.* nicht zur menschlichen Rasse gehörig.

'**non-in'duc·tive** *adj.* ϟ indukti'onsfrei.

'**non-in'flam·ma·ble** *adj.* nicht feuergefährlich.

'**non-'in·ter·est-'bear·ing** *adj.* ✝ zinslos.

'**non-in·ter'ven·tion** *s. pol.* Nichteinmischung *f*.

'**non-'ju·ry** *adj.*: ~ *trial* ⚖ summarisches Verfahren.

'**non-'ladder·ing** *adj.* ✝ maschenfest.

'**non-'lead·ed** [-'ledid] *adj.* ⚗ bleifrei (*Benzin*).

'**non-'li·ne·ar** *adj.* ⟋, 𝔸, *phys.* 'nichtline,ar.

'**non-'met·al** *s.* ⚗ 'Nichtme,tall *n*; '**non-me'tal·lic** *adj.* 'nichtme,tallisch: ~ *element* ⚗ Metalloid.

'**non-ne'go·ti·a·ble** *adj.* ✝ 'unüber,tragbar, nicht begebbar: ~ *bill* (*cheque, Am. check*) Rektawechsel (-scheck).

'**non-ob'jec·tion·a·ble** *adj.* einwandfrei.

'**non-ob'serv·ance** *s.* Nichtbe(ob)achtung *f*; Nichterfüllung *f*.

non·pa·reil ['nɔnpərel] (*Fr.*) **I.** *adj.* **1.** unvergleichlich; **II.** *s.* **2.** *der* (*die, das*) Unvergleichliche; **3.** *typ.* Nonpa'reille(schrift) *f*; **4.** *orn.* Papstfink *m.*

'**non-par'tic·i·pat·ing** *adj.* **1.** nichtteilhabend, -nehmend; **2.** ✝ nicht gewinnberechtigt (*Versicherungspolice*).

'**non-'par·ti·san** *adj.* **1.** (par'tei)unabhängig; 'überpar,teilich; **2.** unvoreingenommen, objek'tiv.

'**non-'par·ty** *adj.* nicht par'teigebunden.

'**non-'pay·ment** *s.* Nicht(be)zahlung *f*, Nichterfüllung *f*.

'**non-per'form·ance** *s.* ⚖ Nichterfüllung *f*.

'**non'plus** **I.** *v/t.* verblüffen, verwirren: *to be* ~(*s*)*ed* verdutzt sein; **II.** *s.* Verlegenheit *f*, Klemme *f*: *at a* ~ ratlos, verdutzt.

'**non-pol'lut·ing** *adj.* ⊕ 'umweltfreundlich, ungiftig.

'**non-pro'duc·tive** *adj.* ✝ 'unproduk,tiv (*Arbeit, Angestellter etc.*).

'**non-'prof·it (mak·ing)** *adj.* gemeinnützig: *a* ~ *institution.*

'**non·pro·lif·er'a·tion** *s. pol.* Nichtweitergabe *f* von A'tomwaffen: ~ *treaty* Atomsperrvertrag.

non-pros [nɔn'prɔs] *v/t.* ⚖ *e-n Kläger* (*wegen Nichterscheinens*) abweisen; **non pro'se·qui·tur** [-prou'sekwitə] (*Lat.*) *s.* Abweisung *f e-s* Klägers *wegen Nichterscheinens.*

'**non-re'ac·tive** *adj.* ϟ phasenfrei: ~ *load* ohmsche Belastung.

'**non-re'cur·ring** *adj.* einmalig (*Zahlung etc.*).

'**non-rep·re·sen'ta·tion·al** *adj.* *paint.* gegenstandslos, ab'strakt.

'**non-'res·i·dent** **I.** *adj.* **1.** außerhalb des Amtsbezirks wohnend; abwesend (*Amtsperson*); **2.** nicht ansässig: ~ *traffic* Durchgangsverkehr; **3.** auswärtig (*Klubmitglied*); **II.** *s.* **4.** Abwesende(r *m*) *f*; **5.** Nichtansässige(r *m*) *f*; nicht im Hause Wohnende(r *m*) *f*; **6.** ✝ De'visenausländer *m.*

'**non-re'turn·a·ble** *adj.* ✝ Einweg...: ~ *bottle*; ~ *container* Einwegverpackung.

'**non-'rig·id** *adj. Brit.* ✈ unstarr (*Luftschiff*; *a. phys. Molekül*).

non·sense ['nɔnsəns] **I.** *s.* Unsinn *m*,

dummes Zeug: *to talk* ~; *to stand no* ~ sich nichts gefallen lassen; **II.** *int.* Unsinn!, Blödsinn!; **non·sen·si·cal** [nɔn'sensikəl] *adj.* □ unsinnig, sinnlos, ab'surd.

non se·qui·tur ['nɔn'sekwitə] (*Lat.*) *s.* Trugschluß *m*, irrige Folgerung.

'non-'skid *adj. mot.* rutschsicher, profiliert (*Reifen*); Gleitschutz...: ~ *chain*.

'non-'smok·er *s.* **1.** Nichtraucher (-in); **2.** 🚋 Nichtraucher(abteil *n*) *m*; **'non-'smok·ing** *adj.* Nichtraucher...

'non-'stop *adj.* ohne Halt, pausenlos, Nonstop..., 'durchgehend (*Zug*), ohne Zwischenlandung (*Flug*): ~ *flight* Nonstopflug; ~ *operation* ⊕ 24-Stunden-Betrieb; ~ *run mot.* Ohnehaltfahrt.

non·such → *nonesuch*.

'non'suit ⚖ **I.** *s.* **1.** (*gezwungene*) Zu'rücknahme e-r Klage; **2.** Abweisung *f* e-r Klage; **II.** *v/t.* **3.** *den Kläger* mit der Klage abweisen.

'non-sup'port *s.* ⚖ Nichterfüllung *f* einer 'Unterhaltsverpflichtung.

'non-'syn·chro·nous *adj.* ⊕ *Brit.* 'asyn'chron.

'non-U *adj. Brit.* F unkultiviert, ple'bejisch.

'non-'u·ni·form *adj.* ungleichmäßig (*a. phys.*, ⚗), uneinheitlich.

'non-'un·ion *Brit. adj.* † keiner Gewerkschaft angehörig, nicht organisiert: ~ *shop Am.* gewerkschaftsfreier Betrieb; **'non-'un·ion·ist** *s.* **1.** nicht organisierter Arbeiter; **2.** Gewerkschaftsgegner *m*.

'non-'us·er *s.* ⚖ **1.** Nichtausübung *f* e-s Rechts; **2.** Vernachlässigung *f* e-r Amtspflicht.

'non-'val·ue bill *s.* † Gefälligkeitswechsel *m*.

'non-'va·lent *adj.* ⚗, *phys.* nullwertig.

'non-'war·ran·ty *s.* ⚖ Haftungsausschluß *m*.

noo·dle[1] ['nu:dl] *s.* **1.** F Dussel *m*, Trottel *m*; **2.** *sl.* ‚Birne' *f* (*Kopf*).

noo·dle[2] ['nu:dl] *s.* Nudel *f*: ~ *soup* Nudelsuppe.

nook [nuk] *s.* (Schlupf)Winkel *m*, Ecke *f*.

noon [nu:n] **I.** *s. a.* **'~·day, '~·tide, '~·time** Mittag(szeit *f*) *m*: *at* ~ zu Mittag; *at high* ~ am hellen Mittag; **II.** *adj.* mittägig, Mittags...

noose [nu:s] **I.** *s.* Schlinge *f* (*a. fig.*): *running* ~ Lauf-, Gleitschlinge; *to slip one's head out of the hangman's* ~ *fig.* mit knapper Not dem Galgen entgehen; *to put one's head into the* ~ *fig.* den Kopf in die Schlinge stecken; **II.** *v/t. et.* schlingen (*over* über *acc*, *round* um); (mit e-r Schlinge) fangen.

'no-'par *adj.* † nennwertlos: ~ *share* Aktie ohne Nennwert.

nope [noup] *adv. bsd. Am.* F ‚ne(e)', nein.

nor [nɔ:] *cj.* **1.** (*mst. nach neg.*) noch: *neither* ... ~ weder ... noch; **2.** (*nach e-m verneinten Satzglied od. zu Beginn e-s angehängten verneinten Satzes*) und nicht, auch nicht(s): ~ *do* (*od. am*) *I* ich auch nicht.

norm [nɔ:m] *s.* **1.** Norm *f* (*a.* ⚗, †), Regel *f*, Richtschnur *f*; **2.** *biol.* Typus *m*; **3.** *bsd. ped.* 'Durchschnittsleistung *f*; **'nor·mal** [-məl] **I.** *adj.* □ → *normally*; **1.** nor'mal, Normal...; gewöhnlich, üblich: ~ *school* Pädagogische Hochschule; ~ *speed* ⊕ Betriebsdrehzahl; **2.** ⚗ normal: **a)** richtig, **b)** lot-, senkrecht: ~ *line* Senkrechte, Normale; **II.** *s.* **3.** *das* Nor'male, Nor'mal(zu)stand *m*; **4.** Nor'maltyp *m*; **5.** ⚗ Nor'male *f*, Senkrechte *f*, (Einfalls)Lot *n*; **'nor·mal·cy** [-məlsi] *s.* Normali'tät *f*, Nor'malzustand: *to return to* ~ sich normalisieren; **nor·mal·i·ty** [nɔ:'mæliti] *s.* Normali'tät *f* (*a.* ⚗ *senkrechte Lage*).

nor·mal·i·za·tion [nɔ:məlai'zeiʃən] *s.* **1.** Normalisierung *f*; **2.** Normung *f*, Vereinheitlichung *f*; **nor·mal·ize** ['nɔ:məlaiz] *v/t.* **1.** normalisieren; **2.** normen, vereinheitlichen; **3.** *metall.* nor'malglühen; **nor·mal·ly** ['nɔ:məli] *adv.* nor'malerweise, (für) gewöhnlich.

Nor·man ['nɔ:mən] **I.** *s.* **1.** *hist.* Nor'manne *m*, Nor'mannin *f*; **2.** Bewohner(in) der Norman'die; **3.** *ling.* Nor'mannisch *n*; **II.** *adj.* **4.** nor'mannisch.

nor·ma·tive ['nɔ:mətiv] *adj.* norma'tiv.

Norse [nɔ:s] **I.** *adj.* **1.** skandi'navisch; **2.** norwegisch; **II.** *s.* **3.** *ling.* Norwegisch *n*: *Old* ~ Altnordisch; **'~·man** [-mən] *s.* [*irr.*] *hist.* Nordländer *m*, *bsd.* Norweger *m*.

north [nɔ:θ] **I.** *s.* **1.** *mst the* ♀ Nord(en) *m* (*Himmelsrichtung, Gegend etc.*): *to the* ~ *of* nördlich von; ~ *by east* ⚓ Nord zu Ost; **2.** *the* ♀ **a)** *Brit.* Nordengland *n*, **b)** *Am.* die Nordstaaten *pl.*, **c)** die 'Arktis; **II.** *adj.* **3.** nördlich, Nord...; **III.** *adv.* **4.** nördlich, nach *od.* im Norden (*of* von); ♀ **At·lan·tic Trea·ty** *s.* 'Nordatˌlantikˌpakt *m*; ♀ **Brit·ain** *s.* Schottland *n*; ♀ **Coun·try** *s.* Nord-England *n*; **~-east** ['nɔ:θ'i:st; ⚓ nɔ:r'i:st] **I.** *s.* Nord'ost(en) *m*: ~ *by east* ⚓ Nordost zu Ost; **II.** *adj.* nord'östlich, Nordost...; **III.** *adv.* nordöstlich, nach Nordosten; **~-east·er** [nɔ:θ'i:stə; ⚓ nɔ:r'i:stə] *s.* Nord'ostwind *m*; **~-east·er·ly** [nɔ:θ'i:stəli; ⚓ nɔ:r'i:stəli] *adj. u. adv.* nordöstlich, Nordost...; **~-'east·ern** *adj.* nordöstlich; **~-'east·ward I.** *adj. u. adv.* nordöstlich; **II.** *s.* nordöstliche Richtung.

north·er·ly ['nɔ:ðəli] *adj. u. adv.* nördlich; **'north·ern** [-ðən] *adj.* **1.** nördlich, Nord...: ~ *Europe* Nordeuropa; ~ *lights* Nordlicht; **2.** nordisch; **'north·ern·er** [-ðənə] *s.* Bewohner(in) des nördlichen Landesteils, *bsd.* der amer. Nordstaaten; **'north·ern·most** *adj.* nördlichst; **north·ing** ['nɔ:θiŋ] *s.* **1.** *ast.* nördliche Deklinati'on (*Planet*); **2.** Weg *m od.* Di'stanz *f* nach Norden, nördliche Richtung.

'North|·man [-mən] *s.* [*irr.*] Nordländer *m*; ♀ **point** *s. phys.* Nordpunkt *m*; ~ **Pole** *s.* Nordpol *m*; ~ **Sea** *s.* Nordsee *f*; ~ **Star** *s. ast.* Po'larstern *m*.

north·ward ['nɔ:θwəd] *adj. u. adv.* nördlich (*of, from* von), nordwärts, nach Norden; **'north·wards** [-dz] *adv.* → *northward*.

north-west ['nɔ:θ'west; ⚓ nɔ:'west] **I.** *s.* Nord'west(en) *m*; **II.** *adj.* nord'westlich, Nordwest...: ♀ *Passage geogr.* Nordwestpassage; **III.** *adv.* nordwestlich, nach *od.* von Nordwesten; **north-west·er** ['nɔ:θ'westə; ⚓ nɔ:'westə] *s.* **1.** Nord'westwind *m*; **2.** *Am.* Ölzeug *n*; **north-west·er·ly** ['nɔ:θ'westəli; ⚓ nɔ:'westəli] *adj. u. adv.* nordwestlich; **'north-'west·ern** *adj.* nordwestlich.

Nor·we·gian [nɔ:'wi:dʒən] **I.** *adj.* **1.** norwegisch; **II.** *s.* **2.** Norweger (-in); **3.** *ling.* Norwegisch *n*.

nose [nouz] **I.** *s.* **1.** *anat.* Nase *f* (*a. fig. for* für); **2.** *Brit.* A'roma *n*, starker Geruch (*Tee, Heu etc.*); **3.** ⊕ *etc.* **a)** Nase *f*, Vorsprung *m*, (⚔ Geschoß)Spitze *f*, Schnabel *m*, **b)** Schneidkopf *m* (*Drehstahl etc.*), Mündung *f*; **4.** ⚓ Schiffsbug *m*; **5.** ✈ (Rumpf)Nase *f*, Bug *m*; **6.** *sl.* Poli'zeispitzel *m*;

Besondere Redewendungen:

to bite (*od. snap*) *s.o.'s* ~ *off* j-n scharf anfahren; *to cut off one's* ~ *to spite one's face* sich ins eigene Fleisch schneiden; *to follow one's* ~ **a)** immer der Nase nach gehen, **b)** s-m Instinkt folgen; *to have a good* ~ *for s.th.* F e-e gute Nase *od.* e-n ‚Riecher' für et. haben; *to hold one's* ~ sich die Nase zuhalten; *to lead s.o. by the* ~ j-n völlig beherrschen; *to look down one's* ~ ein verdrießliches Gesicht machen; *to look down one's* ~ *at j-n od. et.* verachten; *to pay through the* ~ ‚bluten' *od.* übermäßig bezahlen müssen; *to poke* (*od. put, thrust*) *one's* ~ *into* s-e Nase in *et.* stecken; *to put s.o.'s* ~ *out of joint* **a)** j-n ausstechen, j-m die Freundin *etc.* ausspannen, **b)** j-m das Nachsehen geben; *not to see beyond one's* ~ **a)** die Hand nicht vor den Augen sehen können, **b)** *fig.* e-n engen (*geistigen*) Horizont haben; *to turn up one's* ~ (*at*) die Nase rümpfen (über *acc.*); *as plain as the* ~ *in your face* sonnenklar; *under s.o.'s* (*very*) ~ j-m direkt vor der Nase;

II. *v/t.* **7.** riechen, spüren, wittern; **8.** beschnüffeln; mit der Nase berühren *od.* stoßen; **9.** *fig.* sich *im Verkehr etc.* vorsichtig vortasten; **10.** näseln(d aussprechen); **III.** *v/i.* **11.** (her'um)schnüffeln (*after, for* nach) (*a. fig.*);

Zssgn mit adv.:

nose| a·head *v/i.*: ~ *of s.th.* e-r Sache um e-e Nasenlänge voraus sein; ~ **down** ✈ **I.** *v/t. Flugzeug* (an)drücken; **II.** *v/i.* **im** *Steilflug* niedergehen; ~ **out** *v/t.* **1.** ausschnüffeln, -spionieren, her'ausbekommen; **2.** um e-e Handbreit schlagen; ~ **o·ver** *v/i.* ✈ (sich) über'schlagen, e-n ‚Kopfstand' machen; ~ **up** ✈ **I.** *v/t. Flugzeug* hochziehen; **II.** *v/i.* steil hochgehen.

'nose|-ape *s. zo.* Nasenaffe *m*; **'~·bag** *s.* Futterbeutel *m*; **'~·band** *s.* Nasenriemen *m* (*Pferdegeschirr*); **'~·bleed** *s.* ⚕ Nasenbluten *n*.

nosed [nouzd] *adj. mst in Zssgn* benast, mit e-r *dicken etc.* Nase, ...nasig.

'nose|·dive I. *s.* **1.** ✈ Sturzflug *m*; **2.** ✝ Kurssturz *m*; **II.** *v/i.* **3.** abdrehen, e-n Sturzflug machen; **4.** ✝ stürzen (*Kurs, Preis*); **'~·gay** *s.* (Blumen)Strauß *m*; **'~-heav·y** *adj.* ✈ vorderlastig; **'~-o·ver** *s.* ✈ ‚Kopfstand' *m beim Landen*; **'~-piece** *s.* **1.** ⊕ **a)** Mundstück *n* (*Blasebalg, Schlauch etc.*), **b)** Re'volver *m* (*Objektivende e-s Mikroskops*), **c)** Nasensteg *m* (*Schutzbrille*); **2.** → *noseband.*

nos·er ['nouzə] *s.* **1.** *sl.* ‚Nasenstüber' *m*; **2.** ⚓ F starker Gegenwind.

'nose|·rag *s. sl.* ‚Rotzfahne' *f* (*Taschentuch*); **~ tur·ret** *s.* ✈ vordere Kanzel; **'~·warm·er** *s. sl.* ‚Nasenwärmer' *m*, kurze Pfeife; **~ wheel** *s.* ✈ Bugrad *n.*

nose·y → *nosy.*

'no-'show *s.* ✈ *Am. sl. zur Abflugszeit nicht erschienener Flugpassagier.*

nos·ing ['nouziŋ] *s.* ⚠ **1.** Nase *f*, Ausladung *f*; **2.** (*Treppen*)Kante *f.*

nos·o·log·i·cal [nɔsə'lɔdʒikəl] *adj.* □ ⚕ noso-, patho'logisch; **no·sol·o·gist** [nɔ'sɔlədʒist] *s.* Patho'loge *m.*

nos·tal·gi·a [nɔs'tældʒiə] *s.* **1.** ⚕ Nostal'gie *f*; **2.** Heimweh(gefühl) *n*; **3.** Nostalgie *f*, Sehnsucht *f nach etwas Vergangenem*; **nos'tal·gic** [-ik] *adj.* (□ *~ally*) **1.** Heimweh...; **2.** no'stalgisch, voll Sehnsucht, wehmütig.

nos·tril ['nɔstril] *s.* Nasenloch *n*, *bsd. zo.* Nüster *f*: *it stinks in one's ~s* es ekelt einen an.

nos·trum ['nɔstrəm] *s.* **1.** ⚕ Geheimmittel *n*, 'Quacksalbermedi,zin *f*; **2.** *fig.* Heilmittel *n*, Pa'tentlösung *f.*

nos·y ['nouzi] *adj.* **1.** F großnäsig; **2.** F neugierig: ♀ *Parker* neugierige Person; **3.** *Brit.* aro'matisch, duftend (*bsd. Tee*); **4.** *Brit.* muffig.

not [nɔt] *adv.* **1.** *~ that* nicht, daß; nicht als ob; *is it ~?*, F *isn't it?* nicht wahr?; → *at* 7; **2.** *~ a* kein(e): *~ a few* nicht wenige.

no·ta·bil·i·ty [noutə'biliti] *s.* **1.** wichtige Per'sönlichkeit, 'Standesper,son *f*; **2.** her'vorragende Eigenschaft, Bedeutung *f*; **no·ta·ble** ['noutəbl] **I.** *adj.* □ **1.** beachtens-, bemerkenswert, denkwürdig, wichtig; **2.** beträchtlich: *a ~ difference*; **3.** angesehen, her'vorragend; **4.** ⚗ merklich; **5.** häuslich, fleißig (*Frau*); **II.** *s.* **6.** → *notability* 1.

no·tar·i·al [nou'tɛəriəl] *adj.* □ ⚖ **1.** Notariats..., notari'ell; **2.** notariell beglaubigt; **no·ta·rize** ['noutəraiz] *v/t.* notariell be'urkunden *od.* beglaubigen; **no·ta·ry** ['noutəri] *s.* ⚖ No'tar *m*: *~ public* öffentlicher Notar.

no·ta·tion [nou'teiʃən] *s.* **1.** Aufzeichnung *f*, Notierung *f*; **2.** *bsd.* ⚗, ⚗ Schreibweise *f*, Bezeichnung *f*: *chemical ~* chemisches Formelzeichen; **3.** ♪ Notenschrift *f.*

notch [nɔtʃ] **I.** *s.* **1.** *a.* ⊕ Kerbe *f*, Einschnitt *m*, Aussparung *f*, Falz *m*, Nute *f*, Raste *f*; **2.** (Vi'sier)Kimme *f* (*Schußwaffe*): *~ and bead sights* Kimme und Korn; **3.** *Am.* Engpaß *m*, Hohlweg *m*; **II.** *v/t.* **4.** *bsd.* ⊕ (ein)kerben, (ein)schneiden, einfeilen; **5.** ⊕ **a)** ausklinken, **b)** nuten, falzen; **notched** [-tʃt] *adj.* **1.** ⊕ (ein)gekerbt, mit Nuten versehen; **2.** ♀ grob gezähnt (*Blatt*).

note [nout] **I.** *s.* **1.** (Kenn)Zeichen *n*, Merkmal *n*; *fig.* Ansehen *n*, Ruf *m*, Bedeutung *f*: *man of ~* bedeutender Mann; *nothing of ~* nichts von Bedeutung; *worthy of ~* beachtenswert; **2.** *mst pl.* No'tiz *f*, Aufzeichnung *f*: *to compare ~s* Meinungen *od.* Erfahrungen austauschen, sich beraten; *to make a ~ of s.th.* sich et. vormerken *od.* notieren; *to take ~s of s.th.* sich über et. Notizen machen; *to take ~ of s.th. fig.* et. zur Kenntnis nehmen, et. berücksichtigen; **3.** *pol.* (diplo'matische) Note: *exchange of ~s* Notenwechsel; **4.** Briefchen *n*, Zettelchen *n*; **5.** *typ.* **a)** Anmerkung *f*, **b)** (Satz)Zeichen *n*: *~ of interrogation* Fragezeichen; **6.** ✝ **a)** 'Nota *f*, Rechnung *f*: *as per ~* laut Nota, **b)** (Schuld)Schein *m*: *~ of hand* → *promissory*; *bought and sold ~* Schlußschein; *~s payable* (*receivable*) *Am.* Wechselverbindlichkeiten (-forderungen), **c)** Banknote *f*, **d)** Vermerk *m*, Notiz *f*: *urgent ~* Dringlichkeitsvermerk, **e)** Mitteilung *f*: *advice ~* Versandanzeige; *~ of exchange* Kursblatt; **7.** ♪ **a)** Note *f*, **b)** Ton *m*, **c)** Taste *f*; **8.** *weitS.* Klang *m*, Melo'die *f*; Gesang *m* (*Vogel*); *fig.* Ton(art *f*) *m*: *to change one's ~* e-n anderen Ton anschlagen; *to strike the right ~* den richtigen Ton treffen; *to strike a false ~* den falschen Ton anschlagen; **9.** *fig.* Brandmal *n*, Schandfleck *m*; **II.** *v/t.* **10.** Kenntnis nehmen von, bemerken, be(ob)achten; **11.** besonders erwähnen; **12.** *a. ~ down* niederschreiben, notieren, vermerken; **13.** ✝ *Wechsel* protestieren; *Preise* angeben.

note| bank *s.* ✝ Notenbank *f*; **'~·book** *s.* No'tizbuch *n*; ✝, ⚖ Kladde *f*; **~ brok·er** *s.* ✝ *Am.* Wechselhändler *m*, Dis'kontmakler *m.*

not·ed ['noutid] *adj.* □ **1.** bekannt, berühmt (*for* wegen); **2.** ✝ notiert: *~ before official hours* vorbörslich (*Kurs*); **'not·ed·ly** [-li] *adv.* ausgesprochen, deutlich, besonders.

'note|-pa·per *s.* 'Briefpa,pier *n*; **~ press** *s.* ✝ 'Banknotenpresse *f*, -drucke,rei *f*; **'~·wor·thy** *adj.* bemerkens-, beachtenswert.

noth·ing ['nʌθiŋ] **I.** *pron.* **1.** nichts (*of* von): *~ much* nichts Bedeutendes; **II.** *s.* **2.** Nichts *n*: *to ~* zu *od.* in nichts; *for ~* vergebens, umsonst; **3.** *fig.* Nichts *n*, Unwichtigkeit *f*, Kleinigkeit *f*; *pl.* Nichtigkeiten *pl.*; Null *f* (*a. Person*); **III.** *adv.* **4.** durch'aus nicht, keineswegs: *~ like complete* keineswegs *od.* längst nicht vollständig; **IV.** *int.* **5.** F keine Spur!, Unsinn!;

Besondere Redewendungen:

good for ~ zu nichts zu gebrauchen; *~ doing* F **a)** (das) kommt gar nicht in Frage, **b)** nichts zu machen; *~ but* nichts als, nur; *~ else* nichts anderes, sonst nichts; *~ if not courageous* überaus mutig; *not for ~* nicht umsonst, nicht ohne Grund; *that is ~ to what we have seen* das ist nichts gegen das, was wir gesehen haben; *that's ~ to me* das bedeutet mir nichts; *that is ~ to you* das geht dich nichts an; *there is ~ like* es geht nichts über; *to come to ~ fig.* zunichte werden, sich zerschlagen; *to feel like ~ on earth* sich hundeelend fühlen; *to make ~ of s.th.* nicht viel Wesens von et. machen, sich nichts aus et. machen; *I can make ~ of it* ich kann daraus nicht klug werden.

noth·ing·ness ['nʌθiŋnis] *s.* **1.** Nichts *n*; **2.** Nichtigkeit *f.*

no·tice ['noutis] **I.** *s.* **1.** Wahrnehmung *f*: *to avoid ~* (*Redew.*) um Aufsehen zu vermeiden; *to come under s.o.'s ~* j-m bekanntwerden; *to escape ~* unbemerkt bleiben; *to take ~ of* Notiz nehmen von *et. od. j-m*, beachten; *~!* zur Beachtung!; **2.** No'tiz *f*, (*a. Presse*)Nachricht *f*, Anzeige *f* (*a.* ✝), (An)Meldung *f*, Ankündigung *f*, Mitteilung *f*; ⚖ Vorladung *f*; (Buch)Besprechung *f*; Kenntnis *f*: *~ of acceptance* ✝ Annahmeerklärung; *~ of arrival* ✝ Eingangsbestätigung; *~ of assessment* Steuerbescheid; *~ of departure* (polizeiliche) Abmeldung; *previous ~* Voranzeige; *to bring s.th. to s.o.'s ~* j-m et. zur Kenntnis bringen; *to give ~ that* bekanntgeben, daß; *to give s.o. ~ of s.th.* j-n von et. benachrichtigen; *to give ~ of appeal* ⚖ Berufung einlegen; *to give ~ of motion parl.* e-n Initiativantrag stellen; *to give ~ of a patent* ein Patent anmelden; *to have ~ of* Kenntnis haben von; **3.** Warnung *f*; Kündigung(sfrist) *f*: *to give s.o. ~ (for Easter)* j-m (zu Ostern) kündigen; *I am under ~ to leave* mir ist gekündigt worden; *at a day's ~* binnen eines Tages; *at a moment's ~* sogleich, jederzeit; *at short ~* auf (kurzen) Abruf, sofort; *subject to a month's ~* mit monatlicher Kündigung; *without ~* fristlos; → *further* 4, *quit* 11; **II.** *v/t.* **4.** bemerken, beobachten, wahrnehmen, achten auf (*acc.*); **5.** No'tiz nehmen von, beachten, erwähnen; F mit Aufmerksamkeit behandeln; **6.** *Buch* besprechen; **7.** anzeigen, melden, bekanntmachen.

no·tice·a·ble ['noutisəbl] *adj.* □ **1.** wahrnehmbar, merklich; **2.** bemerkenswert, beachtlich.

'no·tice|-board *s.* **1.** Anschlagtafel *f*, Schwarzes Brett; **2.** Warnungstafel *f*; **~ pe·ri·od** *s.* Kündigungsfrist *f.*

no·ti·fi·a·ble ['noutifaiəbl] *adj.* meldepflichtig; **no·ti·fi·ca·tion** [noutifi'keiʃən] *s.* Anzeige *f*, Meldung *f*, Mitteilung *f*, Bekanntmachung *f*, Benachrichtigung *f*; **no·ti·fy** ['noutifai] *v/t.* **1.** (*förmlich*) bekanntgeben, anzeigen, avisieren, melden, (amtlich) mitteilen (*s.th. to s.o.* j-m et.); **2:** *j-n* benachrichtigen, in Kenntnis setzen (*of* von, *that* daß).

no·tion ['nouʃən] *s.* **1.** Begriff *m* (*a. phls.*, ⚗), Gedanke *m*, I'dee *f*, Vorstellung *f* (*of* von): *not to have the vaguest ~ of s.th.* nicht die leiseste Ahnung von et. haben; *I have a ~ that* ich denke mir, daß; **2.** Meinung *f*, Ansicht *f*: *to fall into the ~ that* auf den Gedanken kommen, daß; **3.** Neigung *f*, Lust *f*, Absicht *f* (*of doing* zu tun); **4.** *pl. Am.* **a)** Kurz-, Galante'riewaren *pl.*, **b)** Kinde'reien *pl.*, Kleinigkeiten *pl.*; **'no·tion·al** [-ʃənl] *adj.* □ **1.** begrifflich, Begriffs...; **2.** *phls.* rein gedanklich, spekula'tiv; **3.** eingebildet, imagi'när; **4.** grillen-, launenhaft.

no·to·ri·e·ty [noutə'raiəti] *s.* **1.** Allbekanntheit *f*; *b.s.* schlechter Ruf; **2.** Berüchtigtsein *n*, *das* No'torische; **3.** allbekannte Per'sönlichkeit *od.* Sache; **no·to·ri·ous** [nou'tɔ:riəs] *adj.* □ no'torisch: **a)** offenkundig, **b)** all-, stadt-, weltbekannt, **c)** berüchtigt (*for* wegen).

not·with·stand·ing [nɔtwiθ'stændiŋ] **I.** *prp.* ungeachtet, trotz (*gen.*): ~ *the objections* ungeachtet der Einwände; *his great reputation* ~ trotz s-s hohen Ansehens; **II.** *a.* ~ *that cj.* ob'gleich; **III.** *adv.* nichtsdesto'weniger, dennoch.

nou·gat ['nu:gɑ:] *s.* N(o)ugat *m.*

nought [nɔ:t] *s. u. pron.* **1.** nichts: *to bring to* ~ ruinieren, zunichte machen; *to come to* ~ zunichte werden, mißlingen, fehlschlagen; **2.** Null *f* (*a. fig.*): *to set at* ~ *et.* in den Wind schlagen, verlachen, nicht achten.

noun [naun] *ling.* **I.** *s.* Hauptwort *n*, 'Substantiv *n*: *proper* ~ Eigenname; **II.** *adj.* 'substantivisch.

nour·ish ['nʌriʃ] *v/t.* **1.** (er)nähren, erhalten (*on* von); **2.** *fig. Gefühl* nähren, hegen; **'nour·ish·ing** [-ʃiŋ] *adj.* nahrhaft, Nähr...; **'nour·ish·ment** [-mənt] *s.* **1.** Ernährung *f*; **2.** Nahrung *f* (*a. fig.*), Nahrungsmittel *n*: *to take* ~ Nahrung zu sich nehmen.

nous [naus] *s.* **1.** *phls.* Vernunft *f*, Verstand *m*; **2.** F Mutterwitz *m*, ,Grütze' *f.*

no·va ['nouvə] *pl.* **-vae** [-vi:], *a.* **-vas** *s. ast.* 'Nova *f* (*plötzlich aufflammender Stern*).

no·va·tion [nou'veiʃən] *s.* ⚖ Nova'tion *f* (*Forderungsablösung od. -übertragung*).

nov·el ['nɔvəl] **I.** *adj.* neu(artig); ungewöhnlich, über'raschend; **II.** *s.* Ro'man *m*: *short* ~ Kurzroman; ~-*writer* → *novelist*; **nov·el·ette** [nɔvə'let] *s.* **1.** kurzer Roman; **2.** *contp.* seichter Unter'haltungsro'man; **nov·el·ist** ['nɔvəlist] *s.* Ro'manschriftsteller(in); **'nov·el·ty** [-ti] *s.* **1.** Neuheit *f*; **2.** *et.* Neues; **3.** Ungewöhnlichkeit *f*, *et.* Ungewöhnliches; **4.** *pl.* ✝ neueingeführte 'Modear,tikel *pl.*, Neuheiten *pl.*: ~ *item* Neuheit, Schlager; **5.** Neuerung *f.*

No·vem·ber [nou'vembə] *s.* No'vember *m*: *in* ~ im November.

nov·ice ['nɔvis] *s.* **1.** Anfänger(in), Neuling *m*; **2.** *R.C.* No'vize *m, f*, No'vizin *f*; **3.** *bibl.* Neubekehrte(r *m*) *f.*

now [nau] **I.** *adv.* **1.** nun, gegenwärtig, jetzt: *from* ~ von jetzt an; *up to* ~ bis jetzt; **2.** so'fort, bald; **3.** eben, so'eben: *just* ~ gerade eben, vor ein paar Minuten; **4.** nun, dann, dar'auf, damals; **5.** (*nicht zeitlich*) nun (aber); **II.** *cj.* **6.** *a.* ~ *that* nun aber, nun da, da nun, jetzt wo; **III.** *s.* **7.** *poet.* Gegenwart *f*, Jetzt *n*; *Besondere Redewendungen*: *before* ~ schon einmal, schon früher; *by* ~ mittlerweile, jetzt; ~ *if* wenn nun aber; *how* ~? nun?, was gibt's?, was soll das heißen?; *what is it* ~? was ist jetzt schon wieder los?; *now ... now* ... bald ... bald ...; ~ *and again*, (*every*) ~ *and then* von Zeit zu Zeit, hie(r) **und** da, dann und wann, gelegentlich; ~ *then* nun also, wohlan; *come* ~! nur ruhig!, sachte, sachte!; *what* ~? was nun?; ~ *or never* jetzt oder nie.

now·a·day ['nauədei] *adj.* heutig; **'now·a·days** [-z] *adv.* heutzutage, jetzt.

'no·way(s) F → *nowise.*

'no·where **I.** *adv.* **1.** nirgends, nirgendwo; **2.** F ganz unten durch: *to be* ~ **a)** haushoch verlieren (*Pferd etc.*), **b)** ein glatter Versager sein; ~ *near* nicht annähernd; **3.** nirgendwohin; **II.** *s.* **4.** Nirgendwo *n*: *from* ~ aus dem Nichts; *in the middle of* ~ 🚗 auf freier Strecke *halten.*

'no·wise *adv.* in keiner Weise.

nox·ious ['nɔkʃəs] *adj.* □ schädlich (*to* für); **'nox·ious·ness** [-nis] *s.* Schädlichkeit *f.*

noz·zle ['nɔzl] *s.* **1.** Schnauze *f*, Rüssel *m*; **2.** *sl.* ,Rüssel' *m* (*Nase*); **3.** ⊕ **a)** Schnauze *f*, Tülle *f*, Schnabel *m*, Mundstück *n*, Ausguß *m*, Röhre *f*, (*an Gefäßen etc.*), **b)** Stutzen *m*, Mündung *f* (*an Röhren etc.*), **c)** (*Kraftstoff- etc.*)Düse *f.*

nth [enθ] *adj.* & n-te(r), n-tes: *to the* ~ *degree* **a)** & bis zum n-ten Grade, **b)** *fig.* im höchsten Maße.

nu·ance [nju(:)'ɑ̃ns; nɥɑ̃:s] (*Fr.*) *s.* Nu'ance *f*, feiner 'Unterschied, Schattierung *f.*

nub [nʌb] *s.* **1.** Knopf *m*, Auswuchs *m*, Knötchen *n*; **2.** (kleiner) Klumpen, Nuß *f* (*Kohle etc.*); **3.** *the Am.* F der springende Punkt *bei e-r Sache*; **nub·ble** ['nʌbl] *s.* Klümpchen *n*; Knötchen *n*; **'nub·bly** [-bli] *adj.* knotig.

nu·bile ['nju:bil] *adj.* mannbar, heiratsfähig; **nu·bil·i·ty** [nju(:)'biliti] *s.* Heiratsfähigkeit *f.*

nu·cle·ar ['nju:kliə] *adj.* **1.** kernförmig; *a. biol. etc.* Kern...; **2.** *phys.* (Atom)Kern...; Atom...: ~ *test*; ~ *weapon* ⚔ Kernwaffe; ~ **charge** *s. phys.* Kernladung *f*; ~ **chem·is·try** *s.* 'Kernche,mie *f*; ~ **dis·in·te·gra·tion** *s. phys.* Kernzerfall *m*; ~ **en·er·gy** *s. phys.* **1.** 'Kernener,gie *f*; **2.** *allg.* A'tomener,gie *f*; ~ **fis·sion** *s. phys.* Kernspaltung *f*; ~ **fu·sion** *s. phys.* 'Kernfusi,on *f*, -verschmelzung *f*; ~ **par·ti·cle** *s. phys.* Kernteilchen *n*; ~ **phys·ics** *s. pl. sg. konstr.* 'Kernphy,sik *f*; ~ **re·ac·tor** *s. phys.* 'Kernre,aktor *m*; ~ **re·search** *s.* (A'tom)Kernforschung *f*; ~ **the·o·ry** *s. phys.* 'Kerntheo,rie *f*; ~ **war-head** *s.* ⚔ A'tomsprengkopf *m.*

nu·cle·i ['nju:kliai] *pl. von nucleus.*

nu·cle·o·lus [nju:'kli:ələs] *pl.* **-li** [-lai] *s.* ♀, *biol.* Kernkörperchen *n.*

nu·cle·on ['nju:kliɔn] *s. phys.* 'Nukleon *n*, (A'tom)Kernbaustein *m* (*Proton od. Neutron*).

nu·cle·us ['nju:kliəs] *pl.* **-i** [-ai] *s.* **1.** *allg.* (*a.* A'tom-, Ko'meten-, Zell)Kern *m* (*a.* &); **2.** *fig.* Kern *m*, Mittelpunkt *m*, Grundstock *m*; **3.** *opt.* Kernschatten *m.*

nude [nju:d] **I.** *adj.* **1.** nackt (*a. fig. Tatsache etc.*), bloß; **2.** ⚖ unverbindlich, nichtig: ~ *contract*; **II.** *s.* **3.** *paint. etc.* Akt *m*: *study from the* ~ Aktstudie; **4.** Nacktheit *f*: *in the* ~ nackt.

nudge [nʌdʒ] **I.** *v/t.* *j-n* leise *od.* heimlich anstoßen; **II.** *s.* Stups *m*, leichter Rippenstoß.

nu·die ['nju:di] *s. sl.* Nacktfilm *m.*

nud·ism ['nju:dizəm] *s.* 'Nackt-, 'Freikörperkul,tur *f*; **'nud·ist** [-ist] *s.* Anhänger(in) der Nacktkultur; **'nu·di·ty** [-iti] *s.* **1.** Nacktheit *f*, Blöße *f*; **2.** *fig.* Armut *f*; **3.** Kahlheit *f*; **4.** *paint. etc.* 'Akt(fi,gur *f*) *m.*

nu·ga·to·ry ['nju:gətəri] *adj.* **1.** wertlos, albern; **2.** unwirksam (*a.* ⚖), eitel, leer.

nug·get ['nʌgit] *s.* 'Nugget *n*, (*bsd.* Gold)Klumpen *m.*

nui·sance ['nju:sns] *s.* **1.** Ärgernis *n*, Plage *f*, *et.* Lästiges *od.* Unangenehmes; Unfug *m*, 'Mißstand *m*: *dust* ~ Staubplage; *what a* ~! wie ärgerlich!; **2.** ⚖ Poli'zeiwidrigkeit *f*: *public* ~ Störung *od.* Gefährdung der öffentlichen Sicherheit u. Ordnung, *a. fig. iro.* öffentliches Ärgernis; *private* ~ Besitzstörung; *commit no* ~! das Verunreinigen (dieses Ortes) ist verboten!; **3.** (*von Personen*) Landplage *f*, Quälgeist *m*, lästiger Kerl: *to be a* ~ *to s.o.* j-m lästig fallen; *to make a* ~ *of o.s.* sich lästig machen; ~ **raid** *s.* ⚔, ✈ Störangriff *m*; ~ **tax** *s. sl. ärgerliche kleine* (*Verbraucher*)*Steuer.*

null [nʌl] **I.** *adj.* **1.** ⚖ *u. fig.* nichtig, ungültig: *to declare* ~ *and void* für null u. nichtig erklären; **2.** wertlos, leer, nichtssagend, unbedeutend; **II.** *s.* **3.** & Null *f.*

nul·li·fi·ca·tion [nʌlifi'keiʃən] *s.* **1.** Aufhebung *f*, Nichtigerklärung *f*; **2.** Vernichtung *f*; **nul·li·fy** ['nʌlifai] *v/t.* **1.** ungültig machen, null u. nichtig erklären, aufheben; **2.** vernichten; **nul·li·ty** ['nʌliti] *s.* **1.** Unwirksamkeit *f*; ⚖ Ungültigkeit *f*, Nichtigkeit *f*: *decree of* ~ Nichtigkeitsurteil *od.* Annullierung *e-r Ehe*; ~ *suit* Nichtigkeitsklage; *to be a* ~ (null u.) nichtig sein; **2.** Nichts *n*; *fig.* Null *f* (*Person*).

numb [nʌm] **I.** *adj.* □ starr, erstarrt (*with* vor *Kälte etc.*); taub (*empfindungslos*); *fig.* betäubt, stumpf; **II.** *v/t.* starr *od.* taub machen, erstarren lassen; *fig.* betäuben.

num·ber ['nʌmbə] **I.** *s.* **1.** Zahl(enwert *m*) *f*, Ziffer *f*; **2.** (Haus-, Tele'phon- *etc.*)Nummer *f*: *by* ~*s* nummernweise; ~ *engaged teleph.* besetzt; *to have s.o.'s* ~ F j-n durchschaut haben; *his* ~ *is up* F s-e Stunde hat geschlagen, jetzt ist er **dran**; → *number one*; **3.** (An)Zahl *f*: *a* ~ *of* e-e Anzahl von (*od. gen.*), mehrere; *a great* ~ *of* sehr viele *Leute etc.*; *in* ~ *fünf etc.* an (der) Zahl; *in large* ~*s* in großen Mengen; *in round* ~ rund; *one of their* ~ einer aus ihrer Mitte; ~*s of times* zu wiederholten Malen; *times without* ~ unzählige Male; *five times the* ~ *of people* fünfmal so viele Leute; **4.** ✝ **a)** (An)Zahl *f*, Nummer *f*: *to raise* *to the full* ~ komplettieren, **b)** Ar'tikel *m*, Ware *f*; **5.** Heft *n*, Nummer *f*, Ausgabe *f* (*Zeitschrift etc.*), Lieferung *f e-s Werkes*: *back* ~ **a)** alte Nummer, **b)** F Ladenhüter, **c)** F altmodischer Mensch; *to appear in* ~*s* in Lieferungen erscheinen; **6.** *thea. etc.* (Pro'gramm)Nummer *f*; **7.** ♪ **a)** Nummer *f* (*Satz*), **b)** *sl.* Tanznummer *f*, Schlager *m*; **8.** *poet. pl.* Verse *pl.*; **9.** *ling.* Numerus *m*: *plural* (*singular*) ~ Mehrzahl (Einzahl); **10.** ⊕ Feinheitsnummer *f* (*Garn*); **11.** *sl.* ‚Type' *f*, ‚Nummer' *f*, ‚Stück' *n* (*Person*); **12.** ♀*s bibl.* Numeri *pl.*, Viertes Buch Mose; **II.** *v/t.* **13.** zs.-zählen, aufrechnen: *to* ~ *off* abzählen; *his days are* ~*ed* s-e Tage sind gezählt; **14.** zählen, rechnen (*a. fig. among, in, with* zu *od.* unter *acc.*); **15.** numerieren: *to* ~ *consecutively* durchnumerieren; **16.** zählen, sich belaufen auf (*acc.*); **17.** *Jahre* zählen, alt sein; **III.** *v/i.* **18.** (auf)zählen; **19.** zählen (*among* zu *j-s Freunden etc.*); '**num·ber·ing** [-bəriŋ] *s.* Numerierung *f*; '**num·ber·less** [-lis] *adj.* unzählig, zahllos.

num·ber| one I. *adj.* **1.** erstklassig; **II.** *s.* **2.** Nummer *f* Eins; der (die, das) Erste; erste Klasse; **3.** F die eigene Per'son, das liebe Ich: *to look after* ~ den eigenen Vorteil wahren; **4.** *to do* ~ F sein ‚kleines Geschäft' machen; ~ **plate** *s. mot.* Nummernschild *n*; ~ **pol·y·gon** *s.* ⩕ 'Zahlenvieleck *n*, -poly͵gon *n*; ~ **two** *s.*: *to do* ~ F sein ‚großes Geschäft' machen.

numb·ness ['nʌmnis] *s.* Erstarrung *f*, Betäubung *f*; Starr-, Taubheit *f*.

nu·mer·a·ble ['nju:mərəbl] *adj.* zählbar; '**nu·mer·al** [-rəl] **I.** *adj.* **1.** Zahl..., Zahlen..., nu'merisch: ~ *language* Ziffernsprache; **II.** *s.* **2.** Ziffer *f*, Zahlzeichen *n*; **3.** *ling.* Zahlwort *n*; **nu·mer·a·tion** [nju:mə'reiʃən] *s.* **1.** Zählen *n*; Zähl-, Rechenkunst *f*; **2.** Numerierung *f*; **3.** (Auf)Zählung *f*; '**nu·mer·a·tive** [-rətiv] *adj.* zählend, Zahl(en)...: ~ *system* Zahlensystem; '**nu·mer·a·tor** [-məreitə] *s.* ⩕ Zähler *m e-s Bruchs.*

nu·mer·i·cal [nju(:)'merikəl] *adj.* □ **1.** ⩕ Zahl(en)...: ~ *equation* Zahlengleichung; ~ *value* Zahlenwert; **2.** nu'merisch; zahlenmäßig: ~ *superiority*.

nu·mer·ous ['nju:mərəs] *adj.* □ zahlreich: *a* ~ *assembly*; ~*ly attended* stark besucht; '**nu·mer·ous·ness** [-nis] *s.* große Zahl, Menge *f*, Stärke *f*.

nu·mis·mat·ic [nju:miz'mætik] *adj.* (□ ~*ally*) numis'matisch, Münz(en)...; **nu·mis'mat·ics** [-ks] *s. pl. sg. konstr.* Numis'matik *f*, Münzkunde *f*; **nu·mis·ma·tist** [nju(:)'mizmətist] *s.* Numis'matiker *m*, Münzkenner(in).

num·skull ['nʌmskʌl] *s.* Dummkopf *m*, Trottel *m*.

nun [nʌn] *s. eccl.* Nonne *f*.

nun·ci·a·ture ['nʌnʃiətʃə] *s. eccl.* Nuntia'tur *f*; **nun·ci·o** ['nʌnʃiou] *pl.* -os *s.* Nuntius *m*.

nun·cu·pa·tive ['nʌŋkjupeitiv] *adj.* ⚖ mündlich: ~ *will* mündliches Testament, *bsd.* ⚔ Not-, ⚓ Seetestament.

nun·ner·y ['nʌnəri] *s.* Nonnen-[kloster *n*.]

nup·tial ['nʌpʃəl] **I.** *adj.* hochzeitlich, Hochzeit(s)..., Ehe..., Braut...: ~ *bed* Brautbett; **II.** *s. mst pl.* Hochzeit *f*.

nurse [nə:s] **I.** *s.* **1.** *mst wet* ~ (Säug-)Amme *f*; **2.** *a. dry* ~ Kinderfrau *f*, -mädchen *n*; **3.** Krankenwärter(in), -pfleger(in), -schwester *f*: *head* ~ Oberschwester; → *male 1*; **4.** Säugung(szeit) *f*, (erste) Pflege: *at* ~ in Pflege; *to put out to* ~ *Kinder* in Pflege geben; **5.** *fig.* Nährmutter *f*; **II.** *v/t.* **6.** *Kind* säugen, nähren, stillen, *dem Kind* die Brust geben; **7.** *Kind* auf-, großziehen; **8.** *Kranke* pflegen; *Krankheit* auskurieren; *Glied, Stimme* schonen: *to* ~ *one's leg* ein Bein über das andere schlagen; *to* ~ *a glass of wine* bedächtig ein Glas Wein trinken; **9.** *fig. Gefühl etc.* hegen, nähren; **10.** *fig.* nähren, fördern; **11.** streicheln, hätscheln; *weitS. a. pol.* sich eifrig kümmern um, sich ‚warm halten': *to* ~ *one's constituency*; **12.** sparsam *od.* schonend 'umgehen mit.

nurse·ling → *nursling*.

'**nurse·maid** *s.* Kindermädchen *n*.

nurs·er·y ['nə:sri] *s.* **1.** Kinderzimmer *n*: *day* ~ Spielzimmer *n*; *night* ~ Kinderschlafzimmer; **2.** Kindertagesstätte *f*; **3.** Pflanz-, Baumschule *f*; Schonung *f*; *fig.* Pflanzstätte *f*, Schule *f*; **4.** Fischpflege *f*, Streckteich *m*; **5.** *a.* ~ *stakes* (Pferde-)Rennen *n* der Zweijährigen; ~ **gov·er·ness** *s.* Kinderfräulein *n*; '~**·man** [-mən] *s.* [*irr.*] Pflanzenzüchter *m*, Kunstgärtner *m*; ~ **rhyme** *s.* Kinderlied *n*, -reim *m*; ~ **school** *s.* Kindergarten *m*; ~ **slope** *s. Skisport*: ‚Idi'otenhügel' *m*, Anfängerhügel *m*; ~ **tale** *s.* Ammenmärchen *n*.

nurs·ing ['nə:siŋ] **I.** *s.* **1.** Säugen *n*, Stillen *n*; **2.** *a. sick*~ Krankenpflege *f*; **II.** *adj.* **3.** Nähr..., Pflege..., Kranken...; ~ **ben·e·fit** *s.* Stillgeld *n*; ~ **bot·tle** *s.* Säuglingsflasche *f*; ~ **home** *s. bsd. Brit.* Pri'vatklinik *f*; ~ **moth·er** *s.* stillende Mutter; ~ **staff** *s.* 'Pflegeperso͵nal *n*.

nurs·ling ['nə:sliŋ] *s.* **1.** Säugling *m*; **2.** Pflegling *m*; **3.** *fig.* Liebling *m*, Hätschelkind *n*; **4.** *fig.* Schützling *m*, Schüler(in).

nur·ture ['nə:tʃə] **I.** *v/t.* **1.** (er)nähren; **2.** auf-, erziehen; **3.** *fig. Gefühle etc.* hegen; **II.** *s.* **4.** Nahrung *f*; *fig.* Pflege *f*, Erziehung *f*.

nut [nʌt] **I.** *s.* **1.** ✿ Nuß *f*; **2.** ⊕ **a)** Nuß *f*, **b)** (Schrauben)Mutter *f*; **3.** ♪ **a)** Frosch *m* (*am Bogen*), **b)** Saitensattel *m*; **4.** *pl.* ✝ Nußkohle *f*; **5.** *fig.* schwierige Sache: *a hard* ~ *to crack* e-e harte Nuß; **6.** *sl.* **a)** ‚Birne' *f* (*Kopf*): *to be (go) off one's* ~ verrückt sein (werden), **b)** *contp.* ‚Knülch' *m*, Kerl *m*, **c)** komischer Kauz, **d)** Idi'ot *m*, **e)** Geck *m*; **7.** *sl. to be* ~*s* verrückt sein (*on* nach); *he is* ~*s about her* er ist in sie total verschossen; *to drive* ~*s* verrückt machen; *to go* ~*s* überschnappen; *that's* ~*s to him* das ist genau sein Fall; ~*s!* **a)** du bist wohl verrückt!, **b)** *a.* ~ *to you!* ‚rutsch mir den Buckel runter'!; **8.** *pl.* V ‚Eier' *pl.*; **9.** *not for* ~*s sl.* überhaupt nicht; *he can't play for* ~*s sl.* er spielt miserabel; **II.** *v/i.* **10.** Nüsse pflücken: *to go* ~*ting* Nüsse pflücken gehen.

nu·ta·tion [nju:'teiʃən] *s.* **1.** (⚕ krankhaftes) Nicken; **2.** ✿, *ast., phys.* Nutati'on *f*.

nut| bolt ⊕ **1.** Mutterbolzen *m*; **2.** Bolzen *m od.* Schraube *f* mit Mutter; '~**-brown** *adj.* nußbraun; '~**-but·ter** *s.* Nußbutter *f*; '~**-crack·er** *s.* **1.** *a. pl.* Nußknacker *m*; **2.** *orn.* Tannenhäher *m*; '~**-gall** *s.* Gallapfel *m*: ~ *ink* Gallustinte; '~**-hatch** *s. orn.* Kleiber *m*, Spechtmeise *f*; '~**-house** *s. sl.* ‚Klapsmühle' *f* (*Irrenhaus*); ~ **key** *s.* ⊕ Mutternschlüssel *m*; ~ **lock** *s.* ⊕ Muttersicherung *f*.

nut·meg ['nʌtmeg] *s.* Mus'kat-[nuß *f*.]

nu·tri·a ['nju:triə] *s.* **1.** *zo.* Biberratte *f*, Nutria *f*; **2.** ✝ Nutriafell *n*.

nu·tri·ent ['nju:triənt] **I.** *adj.* **1.** nährend, nahrhaft; **2.** Ernährungs...: ~ *medium biol.* Nährsubstanz; **II.** *s.* **3.** Nährstoff *m*; **4.** *biol.* Baustoff *m*; '**nu·tri·ment** [-imənt] *s.* Nahrung *f*, Nährstoff *m* (*a. fig.*): *mineral* ~ Nährsalz.

nu·tri·tion [nju(:)'triʃən] *s.* **1.** Ernährung *f*; **2.** Nahrung *f*: ~ *cycle* Nahrungskreislauf; **nu'tri·tion·al** [-ʃənl] Ernährungs...; **nu'tri·tion·ist** [-ʃnist] *s.* Ernährungswissenschaftler *m*, Diä'tetiker *m*; **nu'tri·tious** [-ʃəs] *adj.* □ nährend, nahrhaft; **nu'tri·tious·ness** [-ʃəsnis] *s.* Nahrhaftigkeit *f*.

nu·tri·tive ['nju:tritiv] *adj.* □ **1.** nährend, nahrhaft: ~ *value* Nährwert; **2.** Ernährungs...

nuts [nʌts] → *nut 7*.

nut| screw *s.* ⊕ **1.** Schraube *f* mit Mutter; **2.** Innengewinde *n*; '~**-shell** *s.* ✿ Nußschale *f*: *in a* ~ *fig.* in knapper Form, in aller Kürze; *you can put the whole matter in a* ~ die Sache läßt sich in wenigen Worten zs.-fassen; '~**-tree** *s.* ✿ **1.** Haselnußstrauch *m*; **2.** Nußbaum *m*.

nut·ty ['nʌti] *adj.* **1.** nußreich, voller Nüsse; **2.** nußartig, Nuß...; **3.** schmackhaft, pi'kant; **4.** *sl.* verrückt (*on* nach), ‚bekloppt'.

nux vom·i·ca ['nʌks'vɔmikə] *s.* **1.** ⚕ Brechnuß *f*; **2.** ✿ Brechnußbaum *m*.

nuz·zle ['nʌzl] **I.** *v/t.* **1.** mit der Schnauze aufwühlen; **2.** mit der Schnauze *od.* Nase reiben an (*dat.*); *fig. Kind* liebkosen, hätscheln; **3.** *e-m Schwein etc.* e-n Ring durch die Nase ziehen; **II.** *v/i.* **4.** (mit der Schnauze) wühlen, schnüffeln (*in* in *dat.*, *for* nach); **5.** *a.* ~ *o.s.* sich (an)schmiegen (*to* an *acc.*).

nyc·ta·lo·pi·a [niktə'loupiə] *s.* ⚕ Nachtblindheit *f*.

ny·lon ['nailən] *s.* Nylon *n*: ~*s* F Nylonstrümpfe, -garnitur, -wäsche.

nymph [nimf] *s.* **1.** *myth.* Nymphe *f*; **2.** *poet.* junge Schöne; **3.** *zo.* **a)** Puppe *f*, **b)** Nymphe *f*; **nym·phae·a** [nim'fi:ə] *s.* ✿ Seerose *f*.

nym·pho·ma·ni·a [nimfə'meinjə] *s.* ⚕ Nymphoma'nie *f*, Mannstollheit *f*; **nym·pho'ma·ni·ac** [-niæk] **I.** *adj.* nympho'man, mannstoll; **II.** *s.* Nympho'manin *f*.

O

O, o[1] [ou] *s.* **1.** O *n*, o *n* (*Buchstabe*); **2.** *bsd. teleph.* Null *f.*
O, o[2] [ou] *int.* o(h)!, ah!, ach!
oaf [ouf] *s.* **1.** Dummkopf *m*, ‚Hornochse' *m*; **2.** Lümmel *m*; **oaf·ish** ['oufiʃ] *adj.* **1.** einfältig, dumm; **2.** lümmelhaft.
oak [ouk] **I.** *s.* **1.** ⚘ *a.* ~-*tree* Eiche *f*, Eichbaum *m*; **2.** *poet.* Eichenlaub *n*; **3.** Eichenholz *n*; **4.** *Brit. univ. sl.* Eichentür *f*: *to sport one's* ~ die Tür verschlossen halten, nicht zu sprechen sein; **5.** *the* ⁀*s sport Stutenrennen in Epsom*; **II.** *adj.* **6.** eichen, Eichen...; '~**-ap·ple** *s.* ⚘ Gallapfel *m.*
oak·en ['oukən] *adj.* **1.** *bsd. poet.* Eichen...; **2.** eichen, von Eichenholz; **oak·let** ['ouklit], **oak·ling** ['oukliŋ] *s.* ⚘ junge *od.* kleine Eiche.
oa·kum ['oukəm] *s.* Werg *n*: *to pick* ~ **a)** Werg zupfen, **b)** F ‚Tüten kleben' (*im Gefängnis sitzen*).
'**oak-wood** *s.* **1.** Eichenholz *n*; **2.** Eichenwald(ung *f*) *m.*
oar [ɔ:] **I.** *s.* **1.** *sport* Ruder *n*, Riemen *m*: *four-*~ Vierer (*Boot*); *pair-*~ Zweier; *to pull a good* ~ gut rudern; *to put one's* ~ *in* F sich einmischen, *im Gespräch* ‚s-n Senf dazugeben'; *to rest on one's* ~*s fig.* sich auf s-n Lorbeeren ausruhen; → *ship* 8; **2.** *sport* Ruderer *m*: *a good* ~; **3.** *fig.* Flügel *m*, Arm *m*; **4.** *Brauerei*: Krücke *f*, Malzwender *m*; **II.** *v/t. u. v/i.* **5.** rudern; **oared** [ɔ:d] *adj.* **1.** mit Rudern (versehen); **2.** *in Zssgn* ...rud(e)rig; **oar-lock** ['ɔ:lɔk] *s.* Ruder-, Riemendolle *f*; **oars·man** ['ɔ:zmən] *s.* [*irr.*] Ruderer *m*; **oars·wom·an** ['ɔ:zwumən] *s.* [*irr.*] Ruderin *f.*
o·a·sis [ou'eisis] *pl.* **-ses** [-si:z] *s.* O'ase *f* (*a. fig.*).
oast [oust] *s. Brauerei*: Darre *f.*
oat [out] *s. mst pl.* Hafer *m*: *he feels his* ~*s Am.* F **a)** ihn sticht der Hafer, **b)** er ist ‚groß in Form'; *to sow one's wild* ~*s* sich austoben, sich die Hörner abstoßen; **oat·en** ['outn] *adj.* **1.** Hafer...: **2.** Hafermehl...
oath [ouθ; *pl.* ouðz] *s.* **1.** Eid *m*, Schwur *m*: ~ *of allegiance* Fahnen-, Treueid; ~ *of disclosure* ⚖ Offenbarungseid; ~ *of office* Amts-, Diensteid; *to bind by* ~ eidlich verpflichten; (*up*)*on* ~ unter Eid, eidlich; *upon my* ~! das kann ich beschwören!; *to administer* (*od. tender*) *an* ~ *to s.o.*, *to put s.o. to* (*od. on*) *his* ~ j-m e-n Eid abnehmen, j-n schwören lassen; *to swear* (*od. take*) *an* ~ e-n Eid leisten, schwören (*on*, *to* auf *acc.*); *in lieu of an* ~ an Eides Statt; *under* ~ unter Eid, eidlich verpflichtet; *to be on one's* ~ eidlich gebunden sein; *false* ~ Falsch-, Meineid; **2.** Fluch *m*, Verwünschung *f.*
'**oat·meal** *s.* **1.** Hafermehl *n*, -grütze *f*; **2.** Haferschleim *m.*
O·ba·di·ah [oubə'daiə] *npr. u. s. bibl.* (das Buch) O'badja *m od.* Ab'dias *m.*
ob·bli·ga·to [ɔbli'gɑ:tou] ♪ **I.** *adj.* hauptstimmig; **II.** *pl.* **-tos** *s.* selbständige Begleitstimme.
ob·du·ra·cy ['ɔbdjurəsi] *s. fig.* Verstocktheit *f*, Halsstarrigkeit *f*; '**ob·du·rate** [-rit] *adj.* □ verstockt, halsstarrig.
o·be·di·ence [ə'bi:djəns] *s.* **1.** Gehorsam *m* (*to* gegen); **2.** *fig.* Abhängigkeit *f* (*to* von): *in* ~ *to* gemäß (*dat.*), im Verfolg (*gen.*); *in* ~ *to s.o.* auf j-s Verlangen; **3.** *eccl.* Obedi'enz *f*, 'Obrigkeits,sphäre *f*; **o'be·di·ent** [-nt] *adj.* □ **1.** gehorsam (*to dat.*); **2.** ergeben, unter'würfig (*to dat.*); → *servant 1*; **3.** *fig.* abhängig (*to* von).
o·bei·sance [ou'beisəns] *s.* **1.** Verbeugung *f*; **2.** Ehrerbietung *f*, Huldigung *f*: *to do* (*od. make od. pay*) ~ *to s.o.* j-m huldigen; **o'bei·sant** [-nt] *adj.* huldigend, unter'würfig.
ob·e·lisk ['ɔbilisk] *s.* **1.** Obe'lisk *m*; **2.** *typ.* **a)** → *obelus*, **b)** Kreuz(zeichen) *n* (*für Randbemerkungen*).
ob·e·lus ['ɔbiləs] *pl.* **-li** [-lai] *s. typ.* **1.** Obe'lisk *m* (*Zeichen für fragwürdige Stellen*); **2.** Verweisungszeichen *n auf Randbemerkungen.*
o·bese [ou'bi:s] *adj.* fettleibig, korpu'lent; **o'bese·ness** [-nis], **o'bes·i·ty** [-siti] *s.* Fettleibigkeit *f*, Korpu'lenz *f.*
o·bey [ə'bei] **I.** *v/t.* **1.** *j-m* gehorchen, folgen (*a. fig.*); **2.** *e-m Befehl etc.* Folge leisten, befolgen (*acc.*); **II.** *v/i.* **3.** gehorchen, folgen (*to dat.*).
ob·fus·cate ['ɔbfʌskeit] *v/t.* **1.** verfinstern, trüben (*a. fig.*); **2.** *fig. Urteil etc.* trüben, verwirren; *die Sinne* benebeln; **ob·fus·ca·tion** [ɔbfʌs'keiʃən] *s.* **1.** Verdunkelung *f*, Trübung *f*; **2.** *fig.* Verwirrung *f*, Benebelung *f* (*der Sinne*).
o·bit·u·ar·y [ə'bitjuəri] **I.** *s.* **1.** Todesanzeige *f*; **2.** Nachruf *m*; **3.** *eccl.* Totenliste *f*; **II.** *adj.* **4.** Toten..., Todes...: ~ *notice* Todesanzeige.
ob·ject[1] [əb'dʒekt] **I.** *v/t.* **1.** *fig.* einwenden, vorbringen (*to* gegen); **2.** vorhalten, vorwerfen (*to*, *against dat.*); **II.** *v/i.* **3.** Einwendungen machen, Einsprüche erheben, protestieren, reklamieren (*to*, *against* gegen); **4.** et. einwenden, et. dagegen haben: *to* ~ *to s.th.* et. beanstanden; *do you* ~ *to my smoking?* haben Sie et. dagegen, wenn ich rauche?; *if you don't* ~ wenn Sie nichts dagegen haben.
ob·ject[2] ['ɔbdʒikt] *s.* **1.** Ob'jekt *n*, Gegenstand *m* (*a. fig. des Mitleids etc.*): ~ *of invention* ⚖ Erfindungsgegenstand; *money is no* ~ Geld spielt keine Rolle; *salary no* ~ Gehalt Nebensache; **2.** Absicht *f*, Ziel *n*, Zweck *m*: *to make it one's* ~ *to do s.th.* es sich zum Ziel setzen, et. zu tun; **3.** F scheußliche Per'son *od.* Sache: *what an* ~ *you are!* wie sehen Sie denn aus!; **4.** *ling.* Ob'jekt *n*: *direct* ~ Akkusativobjekt; '~**-draw·ing** *s. bsd.* ⊕ Zeichnen *n* nach Vorlagen *od.* Mo'dellen; '~**-find·er** *s. phot.* (Objek'tiv)Sucher *m*; '~**-glass** *s.* ⊕ Objek'tiv(glas) *n.*
ob·jec·ti·fy [ɔb'dʒektifai] *v/t.* objektivieren, vergegenständlichen.
ob·jec·tion [əb'dʒekʃən] *s.* **1. a)** Einwendung *f* (*a.* ⚖), Einspruch *m*, -wand *m*, -wurf *m*, Bedenken *n* (*to* gegen), **b)** *weitS.* Abneigung *f*, 'Widerwille *m* (*against* gegen): *I have no* ~ *to him* ich habe nichts gegen ihn *od.* an ihm nichts auszusetzen; *to make* (*od. to raise*) *an* ~ *to s.th.* gegen et. e-n Einwand erheben; *to take* ~ *to s.th.* gegen et. protestieren; **2.** Beanstandung *f*, Reklamati'on *f*; **ob'jec·tion·a·ble** [-ʃnəbl] *adj.* □ **1.** nicht einwandfrei, zu beanstanden(d), unerwünscht, anrüchig; **2.** unangenehm (*to dat. od.* für); **3.** anstößig.
ob·jec·tive [ɔb'dʒektiv] **I.** *adj.* □ **1.** objek'tiv (*a. phls.*), sachlich, vorurteilslos; **2.** *ling.* Objekts...: ~ *case* Objektsfall; ~ *genitive* objektiver Genitiv; **3.** Ziel...: ~ *point* ⚔ Operations-, Angriffsziel; **II.** *s.* **4.** *opt.* Objek'tiv(linse *f*) *n*; **5.** *ling.* Ob'jektsfall *m*; **6.** (*bsd.* ⚔ Kampf-, Angriffs)Ziel *n*; **ob'jec·tive·ness** [-nis], **ob·jec·tiv·i·ty** [ɔbdʒek'tiviti] *s.* Objektivi'tät *f.*
'**ob·ject-lens** *s. opt.* Objek'tivlinse *f.*
ob·ject·less ['ɔbdʒiktlis] *adj.* gegenstands-, zweck-, ziellos.
'**ob·ject-les·son** *s.* **1.** *ped. u. fig.* 'Anschauungs,unterricht *m*; **2.** *fig.* Schulbeispiel *n*; **3.** *fig.* Denkzettel *m.*
ob·jec·tor [əb'dʒektə] *s.* Gegner(in), Protestierende(r *m*) *f*; → *conscientious.*
'**ob·ject|-plate**, '~**-slide** *s.* Ob'jektträger *m* (*Mikroskop etc.*); ~ **teach·ing** *s.* 'Anschauungs,unterricht *m.*
ob·jur·gate ['ɔbdʒə:geit] *v/t.* tadeln, schelten; **ob·jur·ga·tion** [ɔbdʒə:-

'geiʃən] *s.* Tadel *m*; **ob·jur·ga·to·ry** [ɔb'dʒə:gətəri] *adj.* tadelnd, scheltend.
ob·late¹ ['ɔbleit] *adj.* ⅍, *phys.* (an den Polen) abgeplattet.
ob·late² ['ɔbleit] *R.C.* Ob'lat(in) (*Laienbruder od. -schwester*).
ob·la·tion [ou'bleiʃən] *s. bsd. eccl.* Opfer(gabe *f*) *n*.
ob·li·gate *v/t.* ['ɔbligeit] **1.** verpflichten (*a.* ⚖); **2.** F nötigen; **ob·li·ga·tion** [ɔbli'geiʃən] *s.* **1.** Verpflichten *n*; **2.** Verpflichtung *f*, Verbindlichkeit *f*: *of* ~ obligatorisch; *to be under an* ~ *to s.o.* j-m (zu Dank) verpflichtet sein; **3.** ✝ **a)** Schuldverschreibung *f*, Obligati'on *f*, **b)** (Schuld)Verpflichtung *f*, Verbindlichkeit *f*: *financial* ~ Zahlungsverpflichtung; ~ *to buy* Kaufzwang; *no* ~, *without* ~ unverbindlich, freibleibend; **ob·li·ga·to·ry** [ɔ'bligətəri] *adj.* □ verpflichtend, bindend, (rechts)verbindlich, obliga'torisch (*on, upon* für), Zwangs...
o·blige [ə'blaidʒ] **I.** *v/t.* **1.** nötigen, zwingen: *I was* ~*d to go* ich mußte gehen; **2.** *fig. j-n* (zu Dank) verpflichten: *much* ~*d!* sehr verbunden!, danke bestens!; *I am* ~*d to you for it* ich habe es Ihnen zu verdanken; *will you* ~ *me by* (*ger.*)? wären Sie so freundlich, zu (*inf.*)?, *iro.* würden Sie gefälligst *et. tun*?; **3.** *j-m* gefällig sein, e-n Gefallen tun, dienen: *to* ~ *you* Ihnen zu Gefallen; *to* ~ *the company with* die Gesellschaft mit *e-m Lied etc.* erfreuen; **4.** ⚖ *j-n* (*durch Eid etc.*) binden (*to* an *acc.*): *to* ~ *o.s.* sich verpflichten (*to do et.* zu tun); **II.** *v/i.* **5.** ~ *with* F *Lied etc.* vortragen, zum besten geben; **6.** erwünscht sein: *an early reply will* ~ um baldige Antwort wird gebeten; **ob·li·gee** [ɔbli'dʒi:] *s.* ⚖ Forderungsberechtigte(r *m*) *f*; **o'blig·ing** [-dʒiŋ] *adj.* □ verbindlich, gefällig, zu'vor-, entgegenkommend; **o'blig·ing·ness** [-dʒiŋnis] *s.* Gefälligkeit *f*, Zu'vorkommenheit *f*; **ob·li·gor** [ɔbli'gɔ:] *s.* ⚖ (Obligati'ons)Schuldner(in).
ob·lique [ə'bli:k] *adj.* □ **1.** *bsd.* ⅍ schief, schräg: ~(*-angled*) schiefwink(e)lig; ~ *photograph* Schrägaufnahme; *at an* ~ *angle with* im spitzen Winkel zu; **2.** 'indiˌrekt, versteckt, verblümt: ~ *accusation*; ~ *glance* Seitenblick; **3.** unaufrichtig, unredlich; **4.** *ling.* abhängig, 'indiˌrekt: ~ *case* Beugefall; ~ *speech* indirekte Rede; **ob'lique·ness** [-nis] → *obliquity*; **ob·liq·ui·ty** [ə'blikwiti] *s.* **1.** Schiefe *f* (*a. ast.*), schiefe Lage *od.* Richtung, Schrägheit *f*; **2.** *fig.* Schiefheit *f*, Unregelmäßigkeit *f*; **3.** *fig.* Verirrung *f*: *moral* ~ Unredlichkeit; ~ *of judg(e)ment* Schiefe des Urteils.
ob·lit·er·ate [ə'blitəreit] *v/t.* auslöschen, tilgen (*a. fig.*); *Schrift a.* ausstreichen, wegradieren; *Briefmarken* entwerten; **ob·lit·er·a·tion** [əblitə'reiʃən] *s.* **1.** Verwischung *f*, Auslöschung *f*; **2.** *fig.* Vernichtung *f*, Vertilgung *f*.
ob·liv·i·on [ə'bliviən] *s.* **1.** Vergessenheit *f*: *to fall into* ~ in Vergessenheit geraten; **2.** Vergessen *n*, Vergeßlichkeit *f*; **3.** *a. act of* ~ *pol.* Amne'stie *f*; **ob'liv·i·ous** [-iəs] *adj.* □ vergeßlich: *to be* ~ *of s.th.* et. vergessen (haben); *to be* ~ *to s.th.* F *fig.* blind sein gegen et., et. nicht beachten; **ob'liv·i·ous·ness** [-iəsnis] *s.* Vergeßlichkeit *f*.
ob·long ['ɔblɔŋ] **I.** *adj.* **1.** länglich; **2.** ⅍ rechteckig; **II.** *s.* **3.** ⅍ Rechteck *n*.
ob·lo·quy ['ɔbləkwi] *s.* **1.** Verleumdung *f*, Schmähung *f*: *to fall into* ~ in Verruf kommen; **2.** Schmach *f*.
ob·nox·ious [əb'nɔkʃəs] *adj.* □ **1.** anstößig, anrüchig, verhaßt, ab'scheulich; **2.** (*to*) unbeliebt (bei), unangenehm (*dat.*); **ob'nox·ious·ness** [-nis] *s.* **1.** Anstößigkeit *f*, Anrüchigkeit *f*; **2.** Verhaßtheit *f*.
o·boe ['oubou] *s.* ♪ O'boe *f*; **'o·bo·ist** [-ouist] *s.* Obo'ist(in).
ob·scene [ɔb'si:n] *adj.* □ unzüchtig (*a.* ⚖), unanständig, zotig, ob'szön: ~ *talker* Zotenreißer; **ob'scen·i·ty** [-niti] *s.* Unanständigkeit *f*, Unzüchtigkeit *f*, Zote *f*; *pl.* Obszöni'täten *pl.*
ob·scur·ant [ɔb'skjuərənt] *s.* Obsku'rant *m*, Dunkelmann *m*, Bildungsfeind *m*; **ob·scur·ant·ism** [ɔbskjuə'ræntizəm] *s.* Obskuran'tismus *m*, Bildungshaß *m*; **ob·scur·ant·ist** [ɔbskjuə'ræntist] **I.** *s.* → *obscurant*; **II.** *adj.* obskuran'tistisch.
ob·scu·ra·tion [ɔbskjuə'reiʃən] *s.* Verdunkelung *f* (*a. fig.*).
ob·scure [əb'skjuə] **I.** *adj.* □ **1.** dunkel, düster; **2.** *fig.* dunkel, unklar; **3.** *fig.* ob'skur, unbekannt, unbedeutend; **4.** *fig.* verborgen: *to live an* ~ *life*; **II.** *v/t.* **5.** verdunkeln, verfinstern (*a. fig.*); **6.** *fig.* verkleinern, in den Schatten stellen; **7.** *fig.* unverständlich *od.* undeutlich machen; **8.** verbergen; **ob'scu·ri·ty** [-əriti] *s.* **1.** Dunkelheit *f* (*a. fig.*); **2.** *fig.* Unklarheit *f*, Undeutlichkeit *f*, Unverständlichkeit *f*; **3.** *fig.* Unbekanntheit *f*, Verborgenheit *f*; Niedrigkeit *f der Herkunft*: *to be lost in* ~ vergessen sein.
ob·se·quies ['ɔbsikwiz] *s. pl.* Trauerfeierlichkeit(en *pl.*) *f*.
ob·se·qui·ous [əb'si:kwiəs] *adj.* □ unter'würfig (*to* gegen), ser'vil, kriecherisch; **ob'se·qui·ous·ness** [-nis] *s.* Unter'würfigkeit *f*.
ob·serv·a·ble [əb'zə:vəbl] *adj.* □ **1.** wahrnehmbar; **2.** bemerkenswert; **3.** zu be(ob)achten(d); **ob'serv·ance** [-vəns] *s.* **1.** Befolgung *f*, Be(ob)achtung *f*, Ein-, Innehaltung *f von Gesetzen etc.*; **2.** *eccl.* Heilighaltung *f*, Feiern *n*; **3.** Brauch *m*, Sitte *f*; **4.** Regel *f*, Vorschrift *f*; **5.** *R.C.* Ordensregel *f*, Obser'vanz *f*; **ob'serv·ant** [-vənt] *adj.* □ **1.** beobachtend, befolgend (*of acc.*): *to be very* ~ *of forms* sehr auf Formen halten; **2.** aufmerksam, acht-, wachsam (*of* auf *acc.*).
ob·ser·va·tion [ɔbzə(:)'veiʃən] **I.** *s.* **1.** Beobachtung *f* (*a.* ⚕, ⚓ *etc.*), Über'wachung *f*, Wahrnehmung *f*: *to keep s.o. under* ~ j-n beobachten (lassen); **2.** ⚔ (Nah)Aufklärung *f*; **3.** Beobachtungsvermögen *n*; **4.** Bemerkung *f*; **5.** Befolgung *f*; **II.** *adj.* **6.** Beobachtungs..., Aussichts...; ~ **bal·loon** *s.* 'Fesselbalˌlon *m*; ~ **car** *s.* 🚃 Aussichtswagen *m*; ~ **coach** *s.* Omnibus *m* mit Aussichtsplattform; ~ **post** *s.* ⚔ Beobachtungsstand *m*, -posten *m*; ~ **tow·er** *s.* Beobachtungswarte *f*; Aussichtsturm *m*; ~ **train** *s. bsd. Am.* 🚃 Aussichtszug *m*; ~ **win·dow** *s.* ⊕ *etc.* Beobachtungsfenster *n*.
ob·serv·a·to·ry [əb'zə:vətri] *s.* Observa'torium *n*: **a)** Wetterwarte *f*, **b)** Sternwarte *f*.
ob·serve [əb'zə:v] **I.** *v/t.* **1.** beobachten: **a)** über'wachen, **b)** bemerken, wahrnehmen, **c)** *Gesetz etc.* befolgen, **d)** (ein)halten, üben, *Fest etc.* feiern: *to* ~ *silence* Stillschweigen beobachten; **2.** bemerken, äußern, sagen; **II.** *v/i.* **3.** Beobachtungen machen; **4.** Bemerkungen machen, sich äußern (*on, upon* über *acc.*); **ob'serv·er** [-və] *s.* **1.** Beobachter(in), Zuschauer(in); **2.** Befolger(in); **3.** ⚔ **a)** Beobachter *m* (*a.* ✈), **b)** Luftspäher *m* (*Flugmeldedienst*); **ob'serv·ing** [-viŋ] *adj.* □ aufmerksam, achtsam.
ob·sess [əb'ses] *v/t.* quälen, heimsuchen, verfolgen (*von Ideen etc.*): ~*ed by* (*od. with*) besessen von; **ob·ses·sion** [əb'seʃən] *s.* Besessenheit *f*, fixe I'dee; ⚕ Zwangsvorstellung *f*.
ob·sid·i·an [ɔb'sidiən] *s. min.* Obsidi'an *m*.
ob·so·les·cence [ɔbsə'lesns] *s.* Veralten *n*; **ob·so'les·cent** [-nt] *adj.* veraltend.
ob·so·lete ['ɔbsəli:t] *adj.* □ **1.** veraltet, über'holt, altmodisch; **2.** abgenutzt, verbraucht; **3.** *biol.* zu'rückgeblieben, rudimen'tär.
ob·sta·cle ['ɔbstəkl] *s.* Hindernis *n* (*to* für) (*a. fig.*): *to put* ~*s in s.o.'s way fig.* j-m Hindernisse in den Weg legen; ~ *race sport* Hindernisrennen.
ob·stet·ric *adj.*; **ob·stet·ri·cal** [ɔb'stetrik(əl)] *adj.* Geburts(hilfe)..., Entbindungs..., geburtshilflich; **ob·ste·tri·cian** [ɔbste'triʃən] *s.* ⚕ Geburtshelfer *m*; **ob'stet·rics** [-ks] *s. pl. mst sg. konstr.* Geburtshilfe *f*.
ob·sti·na·cy ['ɔbstinəsi] *s.* Hartnäckigkeit *f* (*a. fig.*, ⚕ *etc.*), Eigensinn *m*; **'ob·sti·nate** [-nit] *adj.* □ hartnäckig (*a. fig.*), halsstarrig, eigensinnig.
ob·strep·er·ous [əb'strepərəs] *adj.* □ **1.** ungebärdig, tobend, 'widerspenstig; **2.** lärmend.
ob·struct [əb'strʌkt] **I.** *v/t.* **1.** versperren, -stopfen, blockieren: *to* ~ *s.o.'s view* j-m die Sicht nehmen; **2.** behindern, hemmen, lahmlegen, nicht 'durchlassen; **3.** verhindern, vereiteln; **II.** *v/i.* **4.** *pol.* Obstrukti'on treiben; **ob'struc·tion** [-kʃən] *s.* **1.** Versperrung *f*, Verstopfung *f*; **2.** Behinderung *f*, Hemmung *f*; **3.** Hindernis *n* (*to* für); **4.** *pol.* Obstrukti'on *f*; **ob'struc·tion·ism** [-kʃənizəm] *s. bsd. pol.* Obstrukti'onspoliˌtik *f*; **ob'struc·tion·ist** [-kʃənist] **I.** *s.* Obstrukti'onspoˌlitiker *m*; **II.** *adj.* Obstruktions...; **ob'struc·tive** [-tiv] **I.** *adj.* □ **1.** (*of, to*) hinderlich, hemmend (für): *to be* ~ *to s.th.* et. behindern; **2.** Obstruktions...; **II.** *s.* **3.** Hindernis *n*.
ob·tain [əb'tein] **I.** *v/t.* **1.** erlangen, erhalten, bekommen, erwerben, sich verschaffen, *Sieg* erringen: *to*

~ *by flattery* sich erschmeicheln; *to* ~ *by false pretences* ⚖ sich erschleichen; *to* ~ *legal force* Rechtskraft erlangen; *details can be* ~*ed from* Näheres ist zu erfahren bei; **2.** *Willen, Wünsche etc.* 'durchsetzen; **3.** erreichen; **4.** ✝ *Preis* erzielen; **II.** *v/i.* **5.** (vor)herrschen, bestehen; Geltung haben, sich behaupten; **ob'tain·a·ble** [-nəbl] *adj.* erreichbar, erlangbar; erhältlich, zu erhalten(d) (*at* bei); **ob'tain·ment** [-mənt] *s.* Erlangung *f.*

ob·trude [əb'tru:d] **I.** *v/t.* aufdrängen, -nötigen, -zwingen (*upon, on dat.*): *to* ~ *o.s. upon* → *II*; **II.** *v/i.* sich aufdrängen (*upon, on dat.*); **ob'tru·sion** [-u:ʒən] *s.* **1.** Aufdrängen *n*, Aufnötigung *f*; **2.** Aufdringlichkeit *f*; **ob'tru·sive** [-u:siv] *adj.* □ aufdringlich (*a. Sache*); **ob'tru·sive·ness** [-u:sivnis] *s.* Aufdringlichkeit *f.*

ob·tu·rate ['ɔbtjuəreit] *v/t.* **1.** verstopfen, verschließen; **2.** ⊕ (ab-) dichten, lidern; **ob·tu·ra·tion** [ɔbtjuə'reiʃən] *s.* **1.** Verstopfung *f*, Verschließung *f*; **2.** ⊕ (Ab)Dichtung *f*; '**ob·tu·ra·tor** [-tə] *s.* **1.** Schließvorrichtung *f*, Verschluß *m*; **2.** ⊕ (Ab)Dichtungsmittel *n*, -ring *m*; **3.** ⚕ Obtu'rator *m* (*Verschlußplatte, bsd. für Gaumenspalten*).

ob·tuse [əb'tju:s] *adj.* □ **1.** stumpf (*a.* ∢): ~*-angled* stumpfwink(e)lig; **2.** *fig.* stumpf(sinnig), beschränkt; dumpf (*Ton, Schmerz etc.*); **ob'tuse·ness** [-nis] *s.* Stumpfheit *f* (*a. fig.*).

ob·verse ['ɔbvə:s] **I.** *s.* **1.** Vorderseite *f*; Bildseite *f e-r Münze*; **2.** Gegenstück *n*, *die* andere Seite, Kehrseite *f*; **II.** *adj.* □ **3.** Vorder..., dem Beobachter zugekehrt; **4.** entsprechend, 'umgekehrt; **ob·verse·ly** [əb'və:sli] *adv.* 'umgekehrt.

ob·vi·ate ['ɔbvieit] *v/t.* **1.** *e-r Sache* begegnen, zu'vorkommen, vorbeugen, *et.* verhindern, verhüten; **2.** aus dem Weg räumen, beseitigen; **3.** erübrigen; **ob·vi·a·tion** [ɔbvi'eiʃən] *s.* **1.** Vorbeugen *n*, Verhütung *f*; **2.** Beseitigung *f.*

ob·vi·ous ['ɔbviəs] *adj.* □ offensichtlich, augenfällig, klar, deutlich; naheliegend, einleuchtend: *it is* ~ *that* es liegt auf der Hand, daß; '**ob·vi·ous·ness** [-nis] *s.* Offensichtlichkeit *f.*

oc·ca·sion [ə'keiʒən] **I.** *s.* **1.** (günstige) Gelegenheit; **2.** (*of*) Gelegenheit *f* (zu), Möglichkeit *f* (*gen.*); **3.** (besondere) Gelegenheit, Anlaß *m*; (F festliches) Ereignis: *on this* ~ bei dieser Gelegenheit; *on the* ~ *of* anläßlich (*gen.*); *on* ~ **a)** bei Gelegenheit, **b)** gelegentlich, **c)** wenn nötig; *for the* ~ für diese besondere Gelegenheit, eigens zu diesem Zweck; *a great* ~ ein großes Ereignis; *to improve the* ~ die Gelegenheit (*bsd.* zu e-r Moralpredigt) benützen; *to rise to the* ~ sich der Lage gewachsen zeigen; **4.** Anlaß *m*, Anstoß *m*: *to give* ~ *to s.th.* et. veranlassen, den Anstoß geben zu e-r Sache, et. hervorrufen; **5.** (*for*) Grund *m* (zu), Ursache *f* (*gen.*), Veranlassung *f* (zu); **II.** *v/t.* **6.** verursachen (*s.o. s.th., s.th. to s.o.* j-m et.), bewirken, zeitigen; **7.** *j-n* veranlassen (*to do* zu tun); **oc'ca·sion·al** [-ʒənl] *adj.* □ **1.** gelegentlich, Gelegenheits...(*-arbeit, -gedicht etc.*); **2.** zufällig; **oc'ca·sion·al·ly** [-ʒnəli] *adv.* gelegentlich.

Oc·ci·dent ['ɔksidənt] *s.* **1.** 'Okzident *m*, Westen *m*, Abendland *n*; **2.** ♀ Westen *m*; **Oc·ci·den·tal** [ɔksi'dentl] **I.** *adj.* □ **1.** abendländisch, westlich; **2.** ♀ westlich; **II.** *s.* **3.** Abendländer(in).

oc·cip·i·tal [ɔk'sipitl] *anat.* **I.** *adj.* Hinterhaupt(s)...; **II.** *s.* 'Hinterhauptsbein *n*; **oc·ci·put** ['ɔksipʌt] *pl.* **oc·cip·i·ta** [ɔk'sipitə] *s. anat.* 'Hinterkopf *m.*

oc·clude [ɔ'klu:d] *v/t.* **1.** verstopfen, verschließen; **2. a)** einschließen, **b)** ausschließen, **c)** abschließen (*from* von); **3.** ⚗ okkludieren, adsorbieren; **oc'clu·sion** [-u:ʒən] *s.* **1.** Verstopfung *f*, Verschließung *f*; **2.** Verschluß *m*; **3.** ⚗ Okklusi'on *f*, Adsorpti'on *f*; **4.** ⚕ Okklusion *f*: *abnormal* ~ Bißanomalie.

oc·cult [ɔ'kʌlt] **I.** *adj.* □ **1.** ok'kult, 'magisch, 'übersinnlich; **2.** geheim, Geheim...; **3.** ⚕ okkult, verborgen; **II.** *v/t.* **4.** verdecken; ⊕ abblenden; *ast.* verfinstern.

oc·cul·ta·tion [ɔkəl'teiʃən] *s.* **1.** Verdeckung *f*; **2.** Verschwinden *n*; **3.** *ast.* Verfinsterung *f*; **oc·cult·ism** ['ɔkəltizəm] *s.* Okkul'tismus *m*; **oc·cult·ist** ['ɔkəltist] **I.** *s.* Okkul'tist(in); **II.** *adj.* okkul'tistisch.

oc·cu·pan·cy ['ɔkjupənsi] *s.* **1.** Besitzergreifung *f* (*a.* ⚖); Einzug *m* (*of* in *e-e Wohnung*); **2.** Innehaben *n*, Besitz *m*: *during his* ~ *of the post* solange er die Stelle innehatte; **3.** In'anspruchnahme *f* (*von Raum etc.*); '**oc·cu·pant** [-ənt] *s.* **1.** *bsd.* ⚖ Besitzergreifer(in); **2.** Besitzer(in), Inhaber(in); **3.** Bewohner(in), Insasse *m*, Insassin *f* (*Haus etc.*); **oc·cu·pa·tion** [ɔkju'peiʃən] *s.* **1.** Besitz *m*, Innehaben *n*; **2.** Besitznahme *f*, -ergreifung *f*; **3.** ⚔, *pol.* Besetzung *f*, Besatzung *f*, Okkupati'on *f*: ~ *costs* Besatzungskosten; ~ *troops* Besatzungstruppen; → *zone 1*; **4.** Beschäftigung *f*: *without* ~ beschäftigungslos; **5.** Beruf *m*, Gewerbe *n*: *by* ~ von Beruf; *employed in an* ~ berufstätig; *in* (*od. as a*) *regular* ~ hauptberuflich; **oc·cu·pa·tion·al** [ɔkju(:)'peiʃənl] *adj.* **1.** beruflich, Berufs...(*-gruppe, -krankheit etc.*): ~ *hazard* Berufsrisiko; ~ *training* Berufsausbildung; **2.** Beschäftigungs...: ~ *therapy.*

oc·cu·pi·er ['ɔkjupaiə] → *occupant.*

oc·cu·py ['ɔkjupai] **I.** *v/t.* **1.** in Besitz nehmen, Besitz ergreifen von; *Wohnung* beziehen; ⚔ besetzen; **2.** besitzen, innehaben; *fig. Amt etc.* bekleiden, innehaben: *to* ~ *the chair* den Vorsitz führen; **3.** bewohnen; **4.** *Raum* einnehmen, (*a. Zeit*) in Anspruch nehmen; **5.** *j-n, j-s Geist* beschäftigen: *to* ~ *o.s.* sich beschäftigen *od.* befassen (*with* mit); *to be occupied with* (*od. in*) *doing* damit beschäftigt sein, *et.* zu tun.

oc·cur [ə'kə:] *v/i.* **1.** sich ereignen, vorfallen, -kommen, eintreten; **2.** vorkommen (*in Poe* bei Poe); **3.** zustoßen, begegnen (*to s.o.* j-m); **4.** einfallen (*to dat.*): *it* ~*red to me that* es fiel mir ein *od.* es kam mir der Gedanke, daß; **oc·cur·rence** [ə'kʌrəns] *s.* **1.** Vorkommen *n*, Auftreten *n*: *to be of frequent* ~ häufig vorkommen; **2.** Ereignis *n*, Vorfall *m*, Vorkommnis *n.*

o·cean ['ouʃən] *s.* **1.** 'Ozean *m*, Meer *n*: ~ *lane* Schiffahrtsroute; ~ *liner* Ozeandampfer; **2.** *fig.* Meer *n*: ~*s of* F e-e Unmenge von; ~ **bill of lad·ing** *s.* ✝ Konnosse'ment *n*, Seefrachtbrief *m*; '~**-going** *adj.* ⚓ Hochsee...

o·ce·an·ic [ouʃi'ænik] *adj.* ozeanisch, Ozean..., Meer(es)...

o·ce·a·no·graph·ic *adj.*; **o·ce·a·no·graph·i·cal** [ouʃjənou'græfik(əl)] *adj.* ozeano'graphisch; **o·ce·a·nog·ra·phy** [ouʃjə'nɔgrəfi] *s.* Meereskunde *f.*

oc·el·lat·ed ['ɔsileitid] *adj. zo.* **1.** augenfleckig; **2.** augenähnlich; **o·cel·lus** [ou'seləs] *pl.* **-li** [-lai] *s. zo.* **1.** Punktauge *n*; **2.** Augenfleck *m.*

o·cher *Am.* → *ochre.*

och·loc·ra·cy [ɔk'lɔkrəsi] *s.* Ochlokra'tie *f*, Pöbelherrschaft *f.*

o·chre ['oukə] **I.** *s.* **1.** *min.* Ocker *m*: *blue* (*od. iron*) ~ Eisenocker; *brown* (*od. spruce*) ~ brauner Eisenocker; **2.** Ockerfarbe *f*, *bsd.* Ockergelb *n*; **II.** *adj.* **3.** ockergelb; **o·chre·ous** ['oukriəs] *adj.* **1.** Ocker...; **2.** ockerhaltig; **3.** ockerartig; **4.** ockerfarben.

o'clock [ə'klɔk] Uhr (*bei Zeitangaben*): *four* ~ vier Uhr.

oc·ta·gon ['ɔktəgən] *s.* ∢ Achteck *n*; **oc·tag·o·nal** [ɔk'tægənl] *adj.* □ **1.** achteckig, -seitig; **2.** Achtkant...

oc·ta·he·dral ['ɔktə'hedrəl] *adj.* ∢, *min.* okta'edrisch, achtflächig; '**oc·ta'he·dron** [-drən] *pl.* **-drons** *od.* **-dra** [-drə] *s.* Okta'eder *n.*

oc·tane ['ɔktein] *s.* ⚗ Ok'tan *n*; ~ **num·ber**, ~ **rat·ing** *s.* ⚗, *mot.* Ok'tanzahl *f*, Klopffestigkeitsgrad *m.*

oc·tant ['ɔktənt] *s.* ∢, ⚓ Ok'tant *m.*

oc·tave ['ɔktiv; *eccl.* 'ɔkteiv] *s.* ♪, *eccl., phys.* Ok'tave *f.*

oc·ta·vo [ɔk'teivou] *pl.* **-vos** *s.* **1.** Ok'tav(for,mat) *n*; **2.** Ok'tavband *m.*

oc·til·lion [ɔk'tiljən] *s.* ∢ **1.** *Brit.* Oktilli'on *f*; **2.** *Am.* Quadrilli'arde *f.*

Oc·to·ber [ɔk'toubə] *s.* Ok'tober *m*: *in* ~ im Oktober.

oc·to·dec·i·mo ['ɔktou'desimou] *pl.* **-mos** *s.* **1.** Okto'dezfor,mat *n*; **2.** Okto'dezband *m.*

oc·to·ge·nar·i·an [ɔktoudʒi'nɛəriən] **I.** *adj.* achtzigjährig; **II.** *s.* Achtzigjährige(r *m*) *f*, Achtziger(in).

oc·to·pod ['ɔktəpɔd] *s. zo.* Okto'pode *m*, Krake *m.*

oc·to·pus ['ɔktəpəs] *pl.* **-pus·es** *od.* **oc·to·pi** [-pai] *s.* **1.** *zo.* Krake *m*, 'Seepo,lyp *m*; **2.** → *octopod*; **3.** *fig.* Po'lyp *m.*

oc·to·syl·lab·ic ['ɔktousi'læbik] **I.** *adj.* achtsilbig; **II.** *s.* Achtsilb(l)er *m* (*Vers*); **oc·to·syl·la·ble** ['ɔktousiləbl] *s.* **1.** achtsilbiges Wort; **2.** → *octosyllabic II.*

oc·u·lar ['ɔkjulə] **I.** *adj.* □ **1.** Augen...(*-bewegung, -zeuge etc.*); **2.** sichtbar (*Beweis*), augenfällig; **II.** *s.* **3.** *opt.* Oku'lar *n*; '**oc·u·lar·ly** [-li] *adv.* **1.** augenscheinlich; **2.** durch

Augenschein; **'oc·u·list** [-list] *s.* Augenarzt *m.*

odd [ɔd] **I.** *adj.* □ → *oddly*; **1.** sonderbar, seltsam, merkwürdig, kuri'os: *an ~ fellow* (*od.* F *fish*) ein sonderbarer Kauz; **2.** (*nach Zahlen etc.*) und etliche, und einige *od.* etwas dar'über: *50 ~* über 50, einige 50; *fifty ~ thousand* zwischen 50000 u. 60000; *it cost five pounds ~* es kostete etwas über 5 Pfund; **3.** (*noch*) übrig, 'überzählig, restlich; **4.** ungerade: *~ and even* gerade u. ungerade; *an ~ number* eine ungerade Zahl; *~ man out* Überzählige(r); *the ~ man* der Mann mit der entscheidenden Stimme (*bei Stimmengleichheit*); **5. a)** einzeln (*Schuh etc.*): *~ pair* Einzelpaar, **b)** vereinzelt: *some ~ volumes* einige Einzelbände, **c)** ausgefallen, wenig gefragt (*Kleidergröße*); **6.** gelegentlich, Gelegenheits...: *~ jobs* Gelegenheitsarbeiten; *at ~ moments, at ~ times* dann und wann, zwischendurch; *~ man* Gelegenheitsarbeiter; **II.** *s.* **7.** → *odds.*

odd·i·ty ['ɔditi] *s.* **1.** Seltsamkeit *f*, Wunderlichkeit *f*, Eigenartigkeit *f*; **2.** seltsamer Kauz, Origi'nal *n*; **3.** seltsame *od.* kuri'ose Sache; **odd·ly** ['ɔdli] *adv.* **1.** → *odd 1*; **2.** *a. ~ enough* seltsamerweise; **odd·ments** ['ɔdmənts] *s. pl.* Reste *pl.*, 'Überbleibsel *pl.*; Krimskrams *m*; † Einzelstücke *pl.*; **odd·ness** ['ɔdnis] *s.* Seltsamkeit *f*, Sonderbarkeit *f.*

odd-num·bered *adj.* ungeradzahlig.

odds [ɔdz] *s. pl. oft sg. konstr.* **1.** Ungleichheit *f*, Verschiedenheit *f*, 'Unterschied *m*: *what's the ~?* F was macht es (schon) aus?; *it makes no ~* es macht nichts (aus); **2.** Vorteil *m*, Über'legenheit *f*: *the ~ are in our favo(u)r* der Vorteil liegt auf unserer Seite; *the ~ are against us* wir sind im Nachteil; *against long ~* gegen große Übermacht, mit wenig Aussicht auf Erfolg; *by long ~* bei weitem; **3.** Vorgabe *f* (*im Spiel*): *to give s.o. ~* j-m et. vorgeben; *to take ~* sich vorgeben lassen; *to take the ~* e-e ungleiche Wette eingehen; **4.** (Gewinn)Chancen *pl.*: *the ~ are 10 to 1* die Chancen stehen 10 zu 1; *the ~ are that he will come fig.* es ist sehr wahrscheinlich, daß er kommt; **5.** Uneinigkeit *f*: *at ~ with* im Streit mit, uneins mit; *to set at ~* uneinig machen, gegeneinander aufhetzen; **6.** *~ and ends* **a)** allerlei Kleinigkeiten, Krimskrams, dies u. das, **b)** Reste, Abfälle; **'~-'on I.** *adj.* aussichtsreich (*z.B. Rennpferd*); **II.** *s.* gute Chance.

ode [oud] *s.* Ode *f.*

o·di·ous ['oudjəs] *adj.* □ **1.** verhaßt, hassenswert, ab'scheulich; **2.** widerlich, ekelhaft; **'o·di·ous·ness** [-nis] *s.* **1.** Verhaßtheit *f*, Ab'scheulichkeit *f*; **2.** Widerlichkeit *f*; **'o·di·um** [-jəm] *s.* **1.** Verhaßtheit *f*; **2.** 'Odium *n*, Vorwurf *m*, Makel *m*; **3.** Haß *m*, Gehässigkeit *f.*

o·dom·e·ter [o'dɔmitə] *s.* **1.** Weg(strecken)messer *m*; **2.** Kilo'meterzähler *m.*

o·don·tal·gi·a [ɔdɔn'tældʒiə] *s.* ⚕ Zahnschmerz *m*; **o·don·tic** [ɔ'dɔntik] *adj.* Zahn...: *~ nerve*; **o·don'tol·o·gy** [-'tɔlədʒi] *s.* Zahnheilkunde *f.*

o·dor(·less) *Am.* → *odour(less).*

o·dor·ant ['oudərənt] *adj.*; **o·dor·if·er·ous** [oudə'rifərəs] *adj.* □ **1.** wohlriechend, duftend; **2.** *allg.* riechend.

o·dour ['oudə] *s.* **1.** Geruch *m*; **2.** Duft *m*, Wohlgeruch *m*; **3.** *fig.* Geruch *m*, Ruf *m*: *the ~ of sanctity* der Geruch der Heiligkeit; *to be in bad ~ with s.o.* bei j-m in schlechtem Rufe stehen; **'o·dour·less** [-lis] *adj.* geruchlos.

Od·ys·sey ['ɔdisi] *s. lit.* (*fig. oft* ♀) Odys'see *f.*

oe·col·o·gy → *ecology.*

oec·u·men·i·cal [i:kju(:)'menikəl] *adj. bsd. eccl.* öku'menisch.

oe·de·ma [i(:)'di:mə] *pl.* **-ma·ta** [-mətə] *s.* ⚕ Ö'dem *n.*

Oed·i·pus com·plex ['i:dipəs] *s. psych.* 'Ödipuskomˌplex *m.*

o'er ['ouə] *poet. od. dial. für* over.

oe·so·phag·e·al [i:sou'fædʒiəl] *adj. anat.* Speiseröhren..., Schlund...: *~ orifice* Magenmund; **oe·soph·a·gus** [i:'sɔfəgəs] *pl.* **-gi** [-gai] *od.* **-gus·es** *s. anat.* Speiseröhre *f.*

of [ɔv, *schwache Form* əv] *prp.* **1.** *allg.* von; **2.** *zur Bezeichnung des Genitivs*: *the tail ~ the dog* der Schwanz des Hundes; *the tail ~ a dog* der Hundeschwanz; **3.** *Ort*: bei: *the battle ~ Hastings*; **4.** *Entfernung, Trennung, Befreiung*: **a)** von: *south ~ (within ten miles ~) London*; *to cure (rid) ~ s.th.*; *free ~*, **b)** *gen.*: *robbed ~ his purse* s-r Börse beraubt, **c)** um: *to cheat s.o. ~ s.th.*; **5.** *Herkunft*: von, aus: *~ good family*; *Mr. X ~ London*; **6.** *Teil*: von *od. gen.*: *the best ~ my friends*; *a friend ~ mine* ein Freund von mir, e-r m-r Freunde; *that red nose ~ his* diese rote Nase, die er hat; **7.** *Eigenschaft*: von, mit: *a man ~ courage*; *a man ~ no importance* ein unbedeutender Mensch; **8.** *Stoff*: aus, von: *a dress ~ silk* ein Kleid aus *od.* von Seide, ein Seidenkleid; *(made) ~ steel* aus Stahl (hergestellt), stählern, Stahl...; **9.** *Urheberschaft, Art u. Weise*: von: *the works ~ Byron*; *it was clever ~ him*; *~ o.s.* von selbst, von sich aus; **10.** *Ursache, Grund*: **a)** von, an (*dat.*): *to die ~ cancer* an Krebs sterben, **b)** aus: *~ charity*, **c)** vor (*dat.*): *afraid ~*, **d)** auf (*acc.*): *proud ~*, **e)** über (*acc.*): *ashamed ~*, **f)** nach: *to smell ~*; **11.** *Beziehung*: hinsichtlich (*gen.*): *quick ~ eye* flinkäugig; *nimble ~ foot* leichtfüßig; **12.** *Thema*: **a)** von, über (*acc.*): *to speak ~ s.th.*, **b)** an (*acc.*): *to think ~ s.th.*; **13.** *Apposition, im Deutschen nicht ausgedrückt*: **a)** *the city ~ London*; *the University ~ Oxford*; *the month ~ April*; *the name ~ Smith*, **b)** *Maß*: *two feet ~ snow*; *a glass ~ wine*; *a piece ~ meat*; **14.** *Genitivus objectivus*: **a)** zu: *the love ~ God*, **b)** vor (*dat.*): *the fear ~ God* die Furcht vor Gott, die Gottesfurcht, **c)** bei: *an audience ~ the king*; **15.** *Zeit*: **a)** an (*dat.*), in (*dat.*), *mst gen.*: *~ an evening* e-s Abends; *~ late years* in den letzten Jahren, **b)** von: *your letter ~ March 3rd* Ihr Schreiben vom 3. März, **c)** *Am.* F vor (*bei Zeitangaben*): *ten minutes ~ three.*

off [ɔ:f] **I.** *adv.* **1.** *mst in Zssgn mit vb.* fort, weg, da'von: *to be ~* **a)** weg *od.* fort sein, **b)** (weg)gehen, sich davonmachen, (ab)fahren, **c)** weg müssen; *be ~!, ~ you go!, ~ with you!* fort mit dir!, pack dich!, weg!; *where are you ~ to?* wo gehst du hin?; **2.** ab(*-brechen, -kühlen, -rutschen, -schneiden etc.*), her'unter(...), los(...): *the apple is ~* der Apfel ist ab; *to dash ~* losrennen; *to have one's shoes etc. ~* s-e *od.* die Schuhe *etc.* ausgezogen haben; *~ with your hat!* herunter mit dem Hut!; **3.** entfernt, weg: *3 miles ~*; **4.** *Zeitpunkt*: von jetzt an, hin: *Christmas is a week ~* bis Weihnachten ist es eine Woche; *~ and on* **a)** ab u. zu, hin u. wieder, **b)** ab u. an, mit (kurzen) Unterbrechungen; **5.** abgezogen, ab(züglich); **6. a)** aus(geschaltet), abgeschaltet, -gestellt (*Maschine, Radio etc.*), (ab)gesperrt (*Gas etc.*), zu (*Hahn etc.*), **b)** *fig.* aus, vor'bei, abgebrochen; gelöst (*Verlobung*): *the bet is ~* die Wette gilt nicht mehr; *the whole thing is ~* die ganze Sache ist abgeblasen *od.* ins Wasser gefallen; **7.** aus(gegangen), verkauft, nicht mehr vorrätig; **8.** frei (*von Arbeit*): *to take a day ~* sich e-n Tag freinehmen; **9.** ganz, zu Ende: *to drink ~* (ganz) austrinken; *to kill ~* ausrotten; *to sell ~* ausverkaufen; **10.** † flau: *the market is ~*; **11.** nicht frisch, (leicht) verdorben (*Nahrungsmittel*); **12.** *sport* außer Form; **13.** ⚓ vom Land *etc.* ab; **14.** *well (badly) ~* gut (schlecht) d(a)ran *od.* gestellt *od.* situiert; *how are you ~ for ...?* wie bist du dran mit ...?; **II.** *prp.* **15.** von ... (weg, ab, her'unter): *to climb ~ the horse* vom Pferd (heruntersteigen); *to eat ~ a plate* von e-m Teller essen; *to take 3 percent ~ the price* 3 Prozent vom Preis abziehen; **16.** abseits von *od. gen.*, von ... ab: *~ the street*; *a street ~ the Strand* e-e Seitenstraße vom Strand; *~ one's balance* aus dem Gleichgewicht; *~ form* außer Form; **17.** frei von: *~ duty* dienstfrei; **18.** ⚓ auf der Höhe von *Trafalgar etc.*, vor *der Küste*; **III.** *adj.* **19.** (weiter) entfernt; **20.** Seiten..., Neben...: *~ street*; **21.** recht (*von Tieren, Fuhrwerken etc.*): *the ~ horse* das rechte Pferd, das Handpferd; **22.** *Kricket*: abseitig (*rechts vom Schlagmann*); **23.** ab(-), los (-gegangen); **24.** (arbeits-, dienst-) frei: *an ~ day*; → *25*; **25.** (*verhältnismäßig*) schlecht: *an ~ day* ein schlechter Tag (*an dem alles mißlingt etc.*); → *24*; *an ~ year for fruit* ein schlechtes Obstjahr; **26.** † **a)** flau, still, tot (*Saison*), **b)** von schlechter Quali'tät: *~ shade* Fehlfarbe; **27.** ‚ab', unwohl, nicht auf dem Damm: *I am feeling rather ~ today*; **28.** schwach, entfernt: *~ chance*; *on the ~ chance of* (*ger.*) auf gut Glück, zu (*inf.*); **IV.** *int.* **29.** weg!, fort!, raus!: *hands ~!* Hände weg!; **30.** her'unter!, ab!

of·fal ['ɔfəl] *s.* **1.** Abfall *m*; **2.** *sg. od. pl. konstr.* Fleischabfall *m*, Inne-

'reien *pl.*; **3.** billige *od.* minderwertige Fische *pl.*; **4.** *fig.* Schund *m*, Ausschuß *m*.

'off|-beat *adj.* F ausgefallen, ungewöhnlich, 'unkonventio,nell: ~ *advertising*; '**~·cast I.** *adj.* verworfen, abgetan; **II.** *s.* abgetane Per'son *od.* Sache; '**~-'cen·ter** *Am.*, '**~-'cen·tre** *Brit.* *adj.* verrutscht; ⊕ außermittig; '**~-col·o(u)r** *adj.* **1.** *fig.* nicht in Ordnung; unpäßlich; **2.** *Am.* zweideutig, schlüpfrig (*Witz etc.*); '**~-du·ty** *adj.* dienstfrei.

of·fence [ə'fens] *s.* **1.** *allg.* Vergehen *n*, Verstoß *m* (*against* gegen); **2.** ⚖ a) *a. criminal* ~ Straftat *f*, strafbare Handlung, De'likt *n*, **b)** *a. lesser od. minor* ~ Über'tretung *f*; **3.** Anstoß *m*, Ärgernis *n*, Beleidigung *f*, Kränkung *f*: *to give* ~ Anstoß *od.* Ärgernis erregen (*to* bei); *to take* ~ (*at*) Anstoß nehmen (an *dat.*), beleidigt *od.* gekränkt sein (durch, über *acc.*), (*et.*) übelnehmen; *no* ~ (*meant*)! nichts für ungut!; **4.** Angriff *m*: *arms of* ~ Angriffswaffen; **of'fence·less** [-lis] *adj.* harmlos.

of·fend [ə'fend] **I.** *v/t.* **1.** *j-n*, *j-s Gefühle etc.* verletzen, beleidigen, kränken, *j-m* zu nahe treten: *it* ~*s the eye* es beleidigt das Auge; *to be* ~*ed at* (*od. by*) *s.th.* sich durch et. beleidigt fühlen; *to be* ~*ed with* (*od. by*) *s.o.* sich durch j-n beleidigt fühlen; **II.** *v/i.* **2.** Anstoß erregen; **3.** (*against*) verstoßen (gegen), sündigen, sich vergehen (an *dat.*); **of'fend·ed·ly** [-didli] *adv.* beleidigt; **of'fend·er** [-də] *s.* Übel-, Missetäter(in); ⚖ Straffällige(r *m*) *f*: *first* ~ ⚖ nicht Vorbestrafte(r); *second* ~ Rückfällige(r); **of'fend·ing** [-diŋ] *adj.* **1.** verletzend, beleidigend; **2.** anstößig.

of·fense *Am.* → *offence*.

of·fen·sive [ə'fensiv] **I.** *adj.* □ **1.** beleidigend, anstößig, anstoß- *od.* ärgerniserregend; **2.** 'widerwärtig, ekelhaft, übel: ~ *smell*; **3.** angreifend, offen'siv: ~ *war* Angriffs-, Offensivkrieg; **II.** *s.* **4.** Offen'sive *f*, Angriff *m*: *to take the* ~ die Offensive ergreifen, zum Angriff übergehen; **of'fen·sive·ness** [-nis] *s.* **1.** *das* Beleidigende, Anstößigkeit *f*; **2.** 'Widerlichkeit *f*.

of·fer ['ɔfə] **I.** *v/t.* **1.** *Geschenk*, *Ware etc.*, *a. Schlacht* anbieten; ✝ *a.* offerieren; *Preis*, *Summe* bieten: *to* ~ *s.o. a cigarette*; *to* ~ *one's hand* (*to*) *j-m* die Hand bieten *od.* reichen; *to* ~ *for sale* zum Verkauf anbieten; **2.** *Ansicht*, *Entschuldigung etc.* vorbringen, äußern; **3.** *Anblick*, *Schwierigkeit etc.* bieten: *no opportunity* ~*ed itself* es bot sich keine Gelegenheit; **4.** sich bereit erklären zu, sich (an)erbieten zu; **5.** Anstalten machen zu, sich anschicken zu; **6.** *fig. Beleidigung* zufügen; *Widerstand* leisten; *Gewalt* antun (*to dat.*); **7.** *a.* ~ *up* opfern, *Opfer*, *Gebet*, *Geschenk* darbringen (*to dat.*); **II.** *v/i.* **8.** sich bieten, auftauchen: *no opportunity* ~*ed* es bot sich keine Gelegenheit; **III.** *s.* **9.** *allg.* Angebot *n*, Anerbieten *n*; **10.** ✝ (An)Gebot *n*, Of'ferte *f*, Antrag *m*: *on* ~ zu verkaufen, verkäuflich; **11.** Vorbringen *n* (*e-s Vorschlags*, *e-r Meinung etc.*); '**of·fer·er** [-ərə] *s.* **1.** Anbietende(r *m*) *f*; **2.** *eccl.* Opfernde(r *m*) *f*; **of·fer·ing** ['ɔfəriŋ] *s.* **1.** *eccl.* Opfer *n*; **2.** *eccl.* Spende *f*; **3.** Angebot *n* (*Am. a.* ✝ *Börse*).

of·fer·to·ry ['ɔfətəri] *s. eccl.* **1.** *mst* ♀ Offer'torium *n*; **2.** Kol'lekte *f*, Geldsammlung *f*; **3.** Opfergeld *n*, Geldopfer *n*.

'off|-'face *adj.* stirnfrei (*Damenhut*); '**~-'grade** *adj.* ✝ von geringerer Quali'tät: ~ *iron* Ausfalleisen.

off|·hand ['ɔ:f'hænd] **I.** *adv.* **1.** aus dem Handgelenk *od.* Stegreif, ohne weiteres, so'fort; **II.** *adj.* **2.** unvorbereitet, Stegreif ..., spon'tan: *an* ~ *answer* e-e improvisierte Antwort; **3.** lässig: *in an* ~ *manner*; **4.** kurz (angebunden); '**~'hand·ed** [-did] → *offhand 2, 3, 4*; '**~'hand·ed·ness** [-didnis] *s.* Lässigkeit *f*.

of·fice ['ɔfis] *s.* **1.** Bü'ro *n*, Kanz'lei *f*, Kon'tor *n*; Geschäftsstelle *f* (*a.* ⚖ *des Gerichts*), Amt *n*; Geschäfts-, Amtszimmer *n od.* -gebäude *n*; **2.** Behörde *f*, Amt *n*, (Dienst)Stelle *f*; *mst* ♀ *bsd. Brit.* Mini'sterium *n*, (Ministeri'al)Amt *n*: *Foreign* ♀; **3.** Zweigstelle *f*, Fili'ale *f*; **4.** (*bsd.* öffentliches, staatliches) Amt, Posten *m*, Stellung *f*: *to take* ~, *to enter upon an* ~ ein Amt antreten; *to be in* ~ im Amt sein; *to hold an* ~ ein Amt bekleiden *od.* innehaben; *to resign one's* ~ zurücktreten, sein Amt niederlegen; **5.** Funkti'on *f*, Aufgabe *f*, Pflicht *f*: *it is my* ~ *to advise him*; **6.** Dienst(leistung *f*) *m*, Gefälligkeit *f*: *to do s.o. a good* ~ j-m e-n guten Dienst erweisen; *through the good* ~*s of* durch die freundliche Vermittlung von; **7.** *eccl.* Gottesdienst *m*: ♀ *for the Dead* Totenamt; *to perform the last* ~*s to e-n Toten* aussegnen; *divine* ~ das Brevier; **8.** *pl. bsd. Brit.* Wirtschaftsteil *m*, -raum *m od.* -räume *pl. od.* -gebäude *n od. pl.*; **9.** *sl.* Wink *m*, Tip *m*.

of·fice| ac·tion *s.* (Prüfungs)Bescheid *m des Patentamts*; '**~-bear·er** *s.* Amtsinhaber(in); '**~-boy** *s.* Laufbursche *m*; '**~-clerk** *s.* Konto'rist *m*, Bü'roangestellte(r) *m*; '**~-hold·er** *s.* Amtsinhaber(in), (Staats)Beamte(r) *m*; **~ hours** *s. pl.* Dienststunden *pl.*, Geschäftszeit *f*; '**~-hunt·er** *s.* Postenjäger(in).

of·fi·cer ['ɔfisə] **I.** *s.* **1.** ⚔, ⚓ Offi'zier *m*: ~ *of the day* Offizier vom Tagesdienst; *commanding* ~ Kommandeur, Einheitsführer; ~ *cadet* Fähnrich; ~ *candidate* Offiziersanwärter; ♀*s' Training Corps Brit.* Offiziersausbildungskorps; **2.** a) Poli'zist *m*, Poli'zeibeamte(r) *m*, **b)** Herr Wachtmeister (*Anrede*); **3.** Beamte(r) *m* (*a.* ✝ *etc.*), Beamtin *f*, Amtsträger(in): *medical* ~ Amtsarzt; *public* ~ Beamte(r) im öffentlichen Dienst; **II.** *v/t.* **4.** ⚔ a) mit Offizieren versehen, **b)** *e-e Einheit* als Offizier befehligen (*mst pass.*): *to be* ~*ed by* befehligt werden von; **5.** *fig.* leiten, führen.

'of·fice|-seek·er *s. bsd. Am.* **1.** Stellungssuchende(r *m*) *f*; **2.** *b.s.* Postenjäger(in); **~ staff** *s.* Bü'roperso,nal *n*; **~ sup·plies** *s. pl.* Bü'romateri,al *n*.

of·fi·cial [ə'fiʃəl] **I.** *adj.* □ **1.** offizi'ell, amtlich, dienstlich, behördlich: ~ *act* Amtshandlung; ~ *business* ✉ Dienstsache; ~ *call teleph.* Dienstgespräch; ~ *duties* Amtspflichten; ~ *language* Amtssprache; ~ *oath* Amtseid; ~ *powers* Amtsgewalt, -vollmacht; ~ *residence* Amtssitz; ~ *secret* Amts-, Dienstgeheimnis; *through* ~ *channels* auf dem Dienst- *od.* Instanzenweg; ~ *trip* Dienstreise; ~ *use* Dienstgebrauch; **2.** offiziell, amtlich (bestätigt *od.* autorisiert): *an* ~ *report*; **3.** offiziell, for'mell: *an* ~ *dinner*; **4.** ⚕ offizi'nell; **II.** *s.* **5.** Beamte(r) *m*, Beamtin *f*; Funktio'när (-in); **of'fi·cial·dom** [-dəm] *s.* → *officialism 2 u. 3*; **of·fi·cial·ese** [əfiʃə'li:z] *s.* Behördensprache *f*, Amtsstil *m*; **of'fi·cial·ism** [-ʃəlizəm] *s.* **1.** Amtsme'thoden *pl.*; **2.** Bürokra'tie *f*, Amtsschimmel *m*; **3.** *coll.* Beamtentum *n*, *die* Beamten *pl.*

of·fi·ci·ate [ə'fiʃieit] *v/i.* **1.** amtieren, fungieren (*as* als); **2.** den Gottesdienst leiten: *to* ~ *at a wedding* e-n Traugottesdienst abhalten.

of·fic·i·nal [ɔfi'sainl] **I.** *adj.* ⚕ a) offizi'nell, als Arz'nei anerkannt, **b)** Arznei...: ~ *plants* Heilkräuter; **II.** *s.* offizinelle Arznei.

of·fi·cious [ə'fiʃəs] *adj.* □ **1.** aufdringlich, über'trieben diensteifrig, 'übereifrig; **2.** offizi'ös, halbamtlich; **of'fi·cious·ness** [-nis] *s.* Zudringlichkeit *f*, (aufdringlicher) Diensteifer.

of·fing ['ɔfiŋ] *s.* ⚓ offene See, Seeraum *m*: *in the* ~ a) auf offener See, **b)** *fig.* in (Aus)Sicht; *to be in the* ~ *fig.* sich abzeichnen.

off·ish ['ɔfiʃ] *adj.* F reserviert, kühl, steif.

'off|-li·cense *s. Brit.* 'Schankkonzessi,on *f* über die Straße; '**~·load** *v/t. fig.* abladen (*on s.o.* auf j-n); '**~-'peak I.** *adj.* abfallend, unter der Spitze liegend; **II.** *s.* ⚡ Belastungstal *n*; **~ po·si·tion** *s.* ⊕ Ausschalt-, Schließstellung *f*; '**~-print I.** *s.* Sonder(ab)druck *m* (*from* aus); **II.** *v/t.* als Sonder(ab)druck herstellen; '**~·scour·ings** *s. pl.* **1.** Kehricht *m*, Schmutz *m*; **2.** Abschaum *m* (*bsd. fig.*): *the* ~*s of humanity*; '**~·scum** *s. fig.* Abschaum *m*, Auswurf *m*.

off·set ['ɔ:fset] **I.** *s.* **1.** Ausgleich *m*, Kompensati'on *f*; ✝ Verrechnung *f*: ~ *account* Verrechnungskonto; **2.** ⚘ a) Ableger *m*, **b)** kurzer Ausläufer; **3.** Neben-, Seitenlinie *f* (*e-s Stammbaums etc.*); **4.** Abzweigung *f*; Ausläufer *m* (*bsd. e-s Gebirges*); **5.** *typ.* a) Offsetdruck *m*, **b)** Abziehen *n*, Abliegen *n* (*bsd. noch feuchten Druckes*), **c)** Abzug *m*, Pa'trize *f* (*Lithographie*); **6.** ⊕ a) Kröpfung *f*; Biegung *f e-s Rohrs*, **b)** ⚒ kurze Sohle, **c)** ⚡ (Ab)Zweigleitung *f*; **7.** *surv.* Ordi'nate *f*; **8.** ⚠ Absatz *m e-r Mauer etc.*; **II.** *v/t.* [*irr.* → *set*] **9.** ausgleichen, aufwiegen, wettmachen: *the gains* ~ *the losses*; **10.** ✝ *Am.* aufrechnen, ausgleichen;

11. ⊕ kröpfen; 12. △ *Mauer etc.* absetzen; ~ **bulb** *s.* ♀ Brutzwiebel *f*; ~ **print·ing ma·chine** *s.* 'Offsetdruck-, 'Gummiwalzen,druckma,schine *f*; ~ **sheet** *s. typ.* 'Durchschußbogen *m.*

'**off|·shoot** *s.* **1.** ♀ Sprößling *m*, Ausläufer *m*, Ableger *m*; **2.** Abzweigung *f*; **3.** *fig.* Seitenlinie *f* (*e-s Stammbaums etc.*); '~·**shore** ⚓ **I.** *adv.* **1.** von der Küste ab *od.* her; **2.** in einiger Entfernung von der Küste; **II.** *adj.* **3.** küstennah; **4.** ablandig (*Wind, Strömung*); '~'**side** *adj. u. adv. sport* abseits; ~ **side** *s.* **1.** *sport* Abseits(stellung *f*) *n*; **2.** *mot.* rechte Fahrbahnseite (*in Ländern mit Linksverkehr*); '~·**size** *s.* ⊕ Maßabweichung *f*; '~·**spring** *s.* **1.** Nachkommen(schaft *f*) *pl.*; **2.** (*pl. offspring*) Nachkomme *m*, Abkömmling *m*; **3.** *fig.* Frucht *f*, Ergebnis *n*; '~·**stage** *adj.* hinter der Bühne, hinter den Ku'lissen (*a. fig.*); '~·**take** *s.* **1.** † Abzug *m*; Einkauf *m*; **2.** ⊕ Abzug(srohr *n*) *m*; '~·**the-'rec·ord** *adj.* nicht für die Öffentlichkeit bestimmt, 'inoffizi,ell.

oft [ɔːft] *adv. obs., poet. u. in Zssgn* oft: ~-*told* oft erzählt.

of·ten ['ɔːfn] *adv.* oft(mals), häufig: *as ~ as not, ever so ~* sehr oft; *more ~ than not* meistens.

o·gee ['oudʒiː] *s.* **1.** S-Kurve *f*, S-förmige Linie; **2.** △ **a)** Kar'nies *n*, Rinnleiste *f*, **b)** *a. ~ arch* Eselsrücken *m* (*Bogenform*).

o·give ['oudʒaiv] *s.* **1.** △ **a)** Gratrippe *f e-s Gewölbes*, **b)** Spitzbogen *m*; **2.** ⚔ Geschoßspitze *f*; **3.** *Statistik*: Häufigkeitsverteilungskurve *f*.

o·gle ['ougl] **I.** *v/t.* liebäugeln mit; **II.** *v/i.* (*with*) liebäugeln (mit, *a. fig.*), ‚Augen machen' (*dat.*); **III.** *s.* verliebter *od.* liebäugelnder Blick; '**o·gler** [-lə] *s.* Liebäugelnde(r *m*) *f*.

o·gre ['ougə] *s.* **1.** (menschenfressendes) Ungeheuer, *bsd.* Riese *m* (*im Märchen*); **2.** *fig.* Scheusal *n*, Unhold *m* (*Mensch*); **o·gress** ['ougris] *s.* Menschenfresserin *f* (*im Märchen*).

oh [ou] *int.* oh!; ach!

ohm [oum], **ohm·ad** ['oumæd] *s.* ⚡ Ohm *n*; **ohm·age** ['oumidʒ] *s.* Ohmzahl *f*; **ohm·ic** ['oumik] *adj.* Ohmsch: ~ *resistance*; **ohm·me·ter** ['oummiːtə] *s.* ⚡ Ohmmeter *n.*

oil [ɔil] **I.** *s.* **1.** Öl *n*: *to pour ~ on the flames fig.* Öl ins Feuer gießen; *to pour ~ on troubled waters fig.* die Gemüter beruhigen; *to smell of ~ fig.* mehr Fleiß als Geist *od.* Talent verraten; **2.** Erdöl *n*, Pe'troleum *n*: *to strike ~* **a)** Erdöl finden, auf Öl stoßen, **b)** Glück *od.* Erfolg haben; **3.** *mst pl.* Ölfarbe *f*: *to paint in ~s* in Öl malen; **4.** *mst pl.* F Ölgemälde *n*; **5.** *pl.* Ölzeug *n*, -haut *f*; **II.** *v/t.* **6.** ⊕ (ein)ölen, einfetten, schmieren; → *palm*[1] *1*; '~·**bear·ing** *adj. geol.* ölhaltig, -führend; '~·**box** *s.* ⊕ Schmierbüchse *f*; '~·**brake** *s. mot.* Öldruckbremse *f*; '~·**burn·ing** *s.* ⊕ Ölfeuerung *f*; '~·**cake** *s.* Ölkuchen *m*; '~·**can** *s.* 'Ölka,nister *m*, -kännchen *n*; '~·**cloth** *s.* **1.** Wachstuch *n*; **2.** → *oilskin*; '~·**col·o(u)r** *s. mst pl.* Ölfarbe *f*; ~ **cri·sis** *s.* [*irr.*] † 'Öl,krise *f*; '~·**cup** *s.* ⊕ Öler *m*, Schmierbüchse *f*.

oil·er ['ɔilə] *s.* **1.** ⚓, ⊕ Öler *m*, Schmierer *m* (*Person u. Gerät*); **2.** ⊕ Öl-, Schmierkanne *f*; **3.** *Am.* F → *oilskin 2*; **4.** *Am.* → *oil-well*; **5.** ⚓ Öltanker *m.*

'**oil|·field** *s.* Ölfeld *n*; '~-'**fired** *adj.* mit Ölfeuerung, ölbeheizt: ~ *central heating* Ölzentralheizung; ~ **fu·el** *s.* **1.** Heizöl *n*; **2.** Treiböl *n*, Öltreibstoff *m*; ~ **gas** *s.* Ölgas *n*; '~·**ga(u)ge** *s.* ⊕ Ölstandsanzeiger *m*; '~·**groove** *s.* ⊕ Schmiernut *f*.

oil·i·ness ['ɔilinis] *s.* **1.** ölige Beschaffenheit, Fettigkeit *f*, Schmierfähigkeit *f*; **2.** *fig.* Glattheit *f*, Schlüpfrigkeit *f*; **3.** *fig.* Öligkeit *f*, salbungsvolles Wesen.

oil| lev·el *s. mot.* Ölstand *m*; '~·**paint** *s.* Ölfarbe *f*; '~·**paint·ing** *s.* **1.** 'Ölmale,rei *f*; **2.** Ölgemälde *n*; **3.** ⊕ Ölanstrich *m*; '~·**pan** *s. mot.* Ölwanne *f*; '~·**seal** *s.* ⊕ **1.** Öldichtung *f*; **2.** *a. ~ ring* Simmerring *m*; '~·**skin** *s.* **1.** Ölleinwand *f*; **2.** *pl.* Ölzeug *n*, -kleidung *f*; '~·**stove** *s.* Ölofen *m*; ~ **sump** *s.* ⊕ Ölwanne *f*; ~ **switch** *s.* ⊕ Ölschalter *m*; ~ **var·nish** *s.* Öllack *m*; '~·**well** *s.* Ölquelle *f*.

oil·y ['ɔili] *adj.* □ **1.** ölig, ölhaltig, Öl...; **2.** fettig, schmierig; **3.** *fig.* glatt(züngig), aalglatt, schmeichlerisch; **4.** *fig.* ölig, salbungsvoll.

oint·ment ['ɔintmənt] *s.* ⚕ Salbe *f*; → *fly*[2] *1*.

O.K., OK, o·kay ['ou'kei] F **I.** *adj. u. int.* richtig, gut, in Ordnung, genehmigt; **II.** *v/t.* genehmigen, gutheißen, *e-r Sache* zustimmen; **III.** *s.* Zustimmung *f*, Genehmigung *f*.

old [ould] **I.** *adj.* **1.** alt, betagt: *the ~* die Alten; *to grow ~* alt werden, altern; **2.** *zehn Jahre etc.* alt: *ten years ~*; **3.** alt('hergebracht): ~ *tradition*; *as ~ as the hills* uralt; **4.** alt, vergangen, früher: *an ~ boy* ein früherer Schüler; *the ~ masters paint. etc.* die alten Meister; **5.** alt (-bekannt, -bewährt): *an ~ friend*; **6.** alt, abgenutzt; (ab)getragen (*Kleider*): *that is ~ hat* das ist ein alter Hut; **7.** alt(modisch), verkalkt; **8.** alt, erfahren, gewitz(ig)t: ~ *offender* alter Sünder; → *hand 11*; **9.** F (*guter*) alter, lieber: ~ *chap od. man* ‚altes Haus'; *nice ~ boy* netter alter ‚Knabe'; *the ~ man* der Alte (*Chef*); ~ *man*, ‚Alter (Herr)', (*Vater*); ~ *woman* ‚Alte' (*Ehefrau*); **10.** *sl.* toll: *to have a fine ~ time* sich toll amüsieren; *any ~ thing* irgend so ein Dingsbums; **II.** *s.* **11.** *of ~, in times of ~* ehedem, vor alters; *from of ~* seit altersher; *times of ~* alte Zeiten; *a friend of ~* ein alter Freund.

old| age *s.* (hohes) Alter, Greisenalter *n*: ~ *annuity* (Alters)Rente, Ruhegeld; ~ *insurance* Altersversicherung; ~ *pension* (Alters)Rente, Ruhegeld; ~ *pensioner* (Alters-) Rentner(in), Ruhegeldempfänger (-in); '~·**clothes·man** *s.* [*irr.*] Trödler *m.*

old·en ['ouldən] *adj. Brit. obs. od. poet.* alt: *in ~ times* in alten Zeiten.

Old| Eng·lish *s. ling.* Altenglisch *n*; '≗-'**fash·ioned** *adj.* **1.** altmodisch: *an ~ butler* ein Butler der alten Schule; **2.** altklug (*Kind*); '≗-'**fo·g(e)y·ish** *adj.* altmodisch, verknöchert, verkalkt; ~ **Glo·ry** *s.* F Sternenbanner *n* (*Flagge der USA*); ~ **Guard** *s. pol.* **a)** *Am. der ultrakonservative Flügel der Republikaner*, **b)** *allg. jede streng konservative Gruppe.*

old·ish ['ouldiʃ] *adj.* ältlich.

'**old|-'line** *adj.* **1.** konserva'tiv; **2.** traditio'nell; **3.** e-r alten 'Linie entstammend; '~-'**maid·ish** *adj.* alt'jüngferlich.

old·ster ['ouldstə] *s.* F ‚alter Knabe'.

old| style *s.* **1.** alte Zeitrechnung (*nach dem Julianischen Kalender*); **2.** *typ.* Mediä'val(schrift) *f*; '~·**time** *adj.* aus alter Zeit, alt; '~·**tim·er** *s.* F **1.** altmodische Per'son *od.* Sache; **2.** ‚alter Hase' (*erfahrener Alter*); **3.** → *oldster*; '~-'**wom·an·ish** *adj.* alt'weiberhaft; '~-'**world** *adj.* **1.** die alte Welt betreffend, *engS.* euro'päisch; **2.** altmodisch (anheimelnd).

o·le·ag·i·nous [ouli'ædʒinəs] *adj.* ölig (*a. fig.*), ölhaltig, Öl...

o·le·an·der [ouli'ændə] *s.* ♀ Ole'ander *m.*

o·le·ate ['oulieit] *s.* ⚗ ölsaures Salz: ~ *of potash* ölsaures Kali.

o·le·fi·ant ['oulifaiənt] *adj.* ⚗ ölbildend: ~ *gas.*

o·le·if·er·ous [ouli'ifərəs] *adj.* ♀ ölhaltig.

o·le·in ['ouliin] *s.* ⚗ **1.** Ole'in *n*; **2.** † Ölsäure *f*.

o·le·o·graph ['ouliougrɑːf; -græf] *s.* Öldruck *m* (*Bild*); **o·le·og·ra·phy** [ouli'ɔgrəfi] *s.* Öldruck(verfahren *n*) *m.*

o·le·o·mar·ga·rine ['oulioumɑː-dʒə'riːn] *s.* ,Oleomarga'rin *n*, Marga'rine *f*.

ol·fac·to·ry [ɔl'fæktəri] *adj.* Geruchs...: ~ *nerves.*

ol·i·garch ['ɔligɑːk] *s.* Olig'arch *m*; '**ol·i·garch·y** [-ki] *s.* Oligar'chie *f*.

Ol·i·go·cene ['ɔligousiːn] **I.** *adj. geol.* oligo'zän; **II.** *s.* Oligo'zän *n.*

o·li·o ['ouliou] *pl.* **-os** *s.* **1.** Ra'gout *n* (*a. fig. Mischmasch*); **2.** ♪ 'Potpourri *n.*

ol·ive ['ɔliv] **I.** *s.* **1.** *a. ~-tree* O'live *f*, Ölbaum *m*: *Mount of ≗s bibl.* Ölberg; **2.** Olive *f* (*Frucht*); **3.** Ölzweig *m*; **4.** *a. ~-green* O'livgrün *n*; **II.** *adj.* **5.** o'livenartig, Oliven...; **6.** o'livgrau, -grün; '~·**branch** *s.* Ölzweig *m* (*a. fig.*): *to hold out the ~* s-n Friedenswillen zeigen; ~ **drab** *s.* **1.** O'livgrün *n*; **2.** *Am.* olivgrünes Uni'formtuch; '~-'**drab** *adj.* olivgrün; ~ **oil** *s.* O'livenöl *n.*

ol·la po·dri·da ['ɔləpɔ'driːdə] → *olio 1*.

O·lym·pi·ad [ou'limpiæd] *s.* Olympi'ade *f*; **O'lym·pi·an** [-iən] *adj.* o'lympisch, göttlich; **O'lym·pic** [-ik] **I.** *adj.* o'lympisch: ~ *games* → *II*; **II.** *s. pl.* O'lympische Spiele *pl.*

Om·buds·man ['ɔmbudzmən] *s.* [*irr.*] Ombudsmann *m* (*Beauftragter des Parlaments für Beschwerden von Staatsbürgern*).

om·e·let(te) ['ɔmlit] *s.* Ome'lett *n*: *you cannot make an ~ without breaking eggs fig.* wo gehobelt wird, (da) fallen Späne.

o·men ['oumen] **I.** *s.* Omen *n*, (*bsd.*

schlechtes) Vorzeichen (*for* für): *a good* (*bad, ill*) ~; **II.** *v/i. u. v/t.* deuten (auf *acc.*), ahnen (lassen), prophe'zeien, (ver)künden.

o·men·tum [ou'mentəm] *pl.* **-ta** [-tə] *s. anat.* (Darm)Netz *n.*

om·i·nous ['ɔminəs] *adj.* □ unheil-, verhängnisvoll, omi'nös, drohend.

o·mis·si·ble [ou'misibl] *adj.* auszulassen(d), auslaßbar; **o'mis·sion** [-iʃən] *s.* **1.** Aus-, Weglassung *f* (*from* aus); **2.** Unter'lassung *f*, Versäumnis *n*, Über'gehung *f*: *sin of* ~ Unterlassungssünde; **o·mit** [ou'mit] **1.** aus-, weglassen (*from* aus *od.* von); über'gehen; **2.** unter'lassen, versäumen (*doing, to do et.* zu tun).

om·ni·bus ['ɔmnibəs] **I.** *s.* **1.** Omnibus *m*, (Auto)Bus *m*; **2.** Sammelband *m*, Antholo'gie *f*; **II.** *adj.* **3.** Sammel...; ~ **ac·count** *s.* ✝ Sammelkonto *n*; ~ **bar** *s.* ⚡ Sammelschiene *f*; ~ **bill** *s. parl.* Mantelgesetz *n*; ~ **clause** *s.* ✝ Sammelklausel *f*; ~ **train** *s. Brit.* Per'sonen-, Bummelzug *m.*

om·ni·di·rec·tion·al a·e·ri·al [ɔmnidi'rekʃənl] *s.* ⚡ 'Rundstrahlan,tenne *f.*

om·ni·far·i·ous [ɔmni'fεəriəs] *adj.* von aller(lei) Art, vielseitig.

om·nip·o·tence [ɔm'nipətəns] *s.* Allmacht *f*; **om'nip·o·tent** [-nt] *adj.* □ all'mächtig.

om·ni·pres·ence ['ɔmni'prezəns] *s.* All'gegenwart *f*; **'om·ni'pres·ent** [-nt] *adj.* all'gegenwärtig, über'all.

om·nis·cience [ɔm'nisiəns] *s.* All'wissenheit *f*; **om'nis·cient** [-nt] *adj.* □ all'wissend.

om·ni·um ['ɔmniəm] *s.* ✝ *Brit.* Omnium *n*, Gesamtwert *m e-r fundierten öffentlichen Anleihe*; ~ **gath·er·um** ['gæðərəm] *s.* **1.** Sammel'surium *n*; **2.** gemischte *od.* bunte Gesellschaft.

om·niv·o·rous [ɔm'nivərəs] *adj.* [alles fressend.]

o·mo·plate ['oumoupleit] *s. anat.* Schulterblatt *n.*

om·phal·ic [ɔm'fælik] *adj. anat.* Nabel...; **om·pha·lo·cele** ['ɔmfəlousi:l] *s.* ⚕ Nabelbruch *m.*

om·pha·los ['ɔmfəlɔs] *pl.* **-li** [-lai] (*Greek*) *s.* **1.** *anat.* Nabel *m*; **2.** *antiq.* Schildbuckel *m*; **3.** *fig.* Mittelpunkt *m*, Nabel *m.*

on [ɔn; ən] **I.** *prp.* **1.** *mst* auf (*dat. od. acc.*): *siehe die mit on verbundenen Wörter*; **2.** *Lage*: **a)** (*getragen von*): auf (*dat.*), an (*dat.*), in (*dat.*): ~ *board* an Bord; ~ *earth* auf Erden; *the scar* ~ *the face* die Narbe im Gesicht; ~ *foot* zu Fuß; ~ *all fours* auf allen vieren; ~ *the radio* im Radio; *have you a match* ~ *you?* haben Sie ein Streichholz bei sich?, **b)** (*festgemacht od. unmittelbar*) an (*dat.*): ~ *the chain*; ~ *the Thames*; ~ *the wall*; **3.** *Richtung, Ziel*: auf (*acc.*)... (hin) (*od.* los), nach ... (hin), an (*acc.*), zu: *a blow* ~ *the chin* ein Schlag ans Kinn; *to drop s.th.* ~ *the floor* et. zu Boden fallen lassen; *to throw s.o.* ~ *the floor* j-n zu Boden werfen; *the march* ~ *Rome* der Marsch auf Rom; **4.** *fig.* **a)** *Grund*: auf ... (hin): ~ *his authority*; ~ *suspicion*; *to levy a duty* ~ *silk* einen Zoll auf Seide erheben; ~ *his own theory* nach s-r eigenen Theorie; ~ *these conditions* unter diesen Bedingungen, **b)** *Aufeinanderfolge*: auf (*acc.*), über (*acc.*), nach: *loss* ~ *loss* Verlust auf *od.* über Verlust, ein Verlust nach dem andern, **c)** *gehörig* zu, *beschäftigt* bei, an (*dat.*): ~ *a committee* zu e-m Ausschuß gehörend; *to be* ~ *the Stock Exchange* an der Börse (beschäftigt) sein, **d)** *Zustand*: in, auf (*dat.*), zu: ~ *duty* im Dienst; ~ *fire* in Brand; ~ *leave* auf Urlaub; ~ *sale* verkäuflich, **e)** *gerichtet* auf (*acc.*): *an attack* ~; ~ *business* geschäftlich; *a joke* ~ *me* ein Spaß auf m-e Kosten; *to shut* (*open*) *the door* ~ *s.o.* j-m die Tür verschließen (öffnen); *to have s.th.* ~ *s.o. sl.* et. Belastendes über j-n wissen; *to have nothing* ~ *s.o. sl.* j-m nichts anhaben können, *a.* j-m nichts voraus haben; *this is* ~ *me* F das geht auf m-e Rechnung, **f)** *Thema*: über (*acc.*): *agreement* (*lecture, opinion*) ~; *to talk* ~ *a subject*; **5.** *Zeitpunkt*: an (*dat.*): ~ *Sunday*; ~ *the 1st of April*; ~ *or before April 1st* bis zum 1. April; ~ *his arrival* bei *od.* (gleich) nach seiner Ankunft; ~ *being asked* als ich *etc.* (danach) gefragt wurde; ~ *entering* beim Eintritt; **II.** *adv.* **6.** (*a. Zssgn mit vb.*) (dar)'auf(*-legen, -schrauben etc.*); **7.** *bsd. Kleidung*: **a)** an(*-haben, -ziehen*): *to have* (*put*) *a coat* ~, **b)** auf: *to keep one's hat* ~; **8.** (*a. in Zssgn mit vb.*) weiter(*-gehen, -sprechen etc.*): *and so* ~ und so weiter; ~ *and* ~ immer weiter; ~ *and off* **a)** ab u. zu, **b)** ab u. an, mit Unterbrechungen; *from that day* ~ von dem Tage an; ~ *with the show!* weiter im Programm!; ~ *to ...* auf (*acc.*) ... (hinauf *od.* hinaus); **III.** *adj. pred.* **9.** *to be* ~ **a)** im Gange sein (*Spiel etc.*), vor sich gehen: *what's* ~*?* was ist los?; *have you anything* ~ *tomorrow?* haben Sie morgen et. vor?; *that's not* ~*!* das ist nicht ‚drin'!, **b)** an sein (*Licht, Radio, Wasser etc.*), an-, eingeschaltet sein, laufen; auf sein (*Hahn*): ~*-off* ⊕ An-Aus, **c)** *thea.* gegeben werden, laufen (*Film*), *Radio, Fernsehen*: gesendet werden, **d)** d(a)ran (*an der Reihe*) sein, **e)** (mit) dabeisein, mitmachen; **10.** *to be* ~ *to Am. sl. et.* ‚spitzgekriegt' haben, über *j-n od. et.* im Bilde sein; **11.** *sl.* beschwipst: *to be a bit* ~ e-n Schwips haben.

o·nan·ism ['ounənizəm] *s.* ⚕ **1.** 'Coitus *m* inter'ruptus; **2.** Ona'nie *f.*

once [wʌns] **I.** *adv.* **1.** einmal: ~ *again* (*od. more*) noch einmal; ~ *and again* (*od.* ~ *or twice*) einige Male, ab u. zu; ~ *in a while* (*od. way*) zuweilen, hin u. wieder; ~ (*and*) *for all* ein für allemal; *if* ~ *he should suspect* wenn er erst einmal mißtrauisch würde; *not* ~ kein einziges Mal; **2.** einmal, einst: ~ (*upon a time*) *there was* es war einmal (*Märchenanfang*); **II.** *s.* **3.** *every* ~ *in a while* von Zeit zu Zeit; *for* ~, *this* ~ dieses 'eine Mal, (für) diesmal (*ausnahmsweise*); **4.** *at* ~ **a)** auf einmal, zugleich, gleichzeitig: *don't all speak at* ~; *at* ~ *a soldier and a poet* Soldat u. Dichter zugleich, **b)** sogleich, sofort: *all at* ~ plötzlich, mit 'einem Male; **III.** *cj.* **5.** *a.* ~ *that* so'bald *od.* wenn ... (einmal), wenn erst; **'~-o·ver** *s. sl. bsd. Am.* rascher abschätzender Blick, kurze Musterung, flüchtige Über'prüfung.

'on·com·ing *adj.* **1.** (her'an)nahend, entgegenkommend: ~ *traffic* Gegenverkehr; **2.** *fig.* kommend: *the* ~ *generation.*

one [wʌn] **I.** *adj.* **1.** ein (eine, ein): ~ *hundred* (ein)hundert; ~ *man in ten* jeder zehnte; ~ *or two* ein paar, einige; **2.** (*betont*) ein (eine, ein), ein einziger (eine einzige, ein einziges): *all were of* ~ *mind* sie waren alle 'eines Sinnes; *for* ~ *thing* (zunächst) einmal; *his* ~ *thought* sein einziger Gedanke; *the* ~ *way to do it* die einzige Möglichkeit (es zu tun); **3.** ein gewisser (e-e gewisse, ein gewisses), ein (eine, ein): ~ *day* e-s Tages (*in Zukunft od. Vergangenheit*); ~ *of these days* irgendwann (ein)mal; ~ *John Smith* ein gewisser J. S.; **II.** *s.* **4.** Eins *f*, eins: *Roman* ~ römische Eins; ~ *and a half* ein(und)einhalb, anderthalb; *at* ~ *o'clock* um ein Uhr; **5.** *der* (*die*) einzelne, *das* einzelne (Stück): ~ *by* ~, ~ *after another* e-r nach dem andern, einzeln; ~ *with another* eins ins andere gerechnet; *I for* ~ ich zum Beispiel; **6.** Einheit *f*: *to be at* ~ *with s.o.* mit j-m 'einer Meinung *od.* einig sein; ~ *and all* alle miteinander; *all in* ~ alles in 'einem; *it is all* ~ (*to me*) es ist (mir) ganz einerlei; *to be made* ~ ein (*Ehe*)Paar werden; *to make* ~ mit von der Partie sein; **7.** *bsd.* Ein'dollar- *od.* Ein'pfundnote *f*; **III.** *pron.* **8.** ein, einer, jemand: *like* ~ *dead* wie ein Toter; ~ *of the poets* einer der Dichter; ~ *another* einander; ~ *who* einer, der; *the* ~ *who* der(jenige), der; ~ *of these days* dieser Tage; ~ *in the eye* F *fig.* ein Denkzettel; **9.** (*Stützwort, mst unübersetzt*): *a sly* ~ ein (ganz) Schlauer; *the little* ~*s* die Kleinen; *a red pencil and a blue* ~ ein roter Bleistift u. ein blauer; *that* ~ der (die, das) da *od.* dort; *the* ~*s you mention* die (von Ihnen) erwähnten; → *any, each etc.*; **10.** man: ~ *knows*; **11.** ~*'s* sein: *to break* ~*'s leg* sich das Bein brechen; *to take* ~*'s walk* s-n Spaziergang machen; **'~-'act play** *s. thea.* Einakter *m*; **'~-'armed** *adj.* einarmig; **'~-'crop sys·tem** *s.* ⚒ 'Monokul,tur *f*; **'~-'dig·it** *adj.* ⅌ einstellig (*Zahl*); **'~-'eyed** *adj.* einäugig; **'~-'hand·ed** *adj.* **1.** einhändig; **2.** mit nur 'einer Hand zu bedienen(d); **'~-'horse** *adj.* **1.** einspännig; **2.** *fig.* F armselig, zweitrangig: *this* ~ *town* dieses ‚Nest'; **'~-legged** [-'legd] *adj.* **1.** einbeinig; **2.** *fig.* einseitig; **'~-line busi·ness** *s.* ✝ Fachgeschäft *n*; **'~-man** *adj.* Einmann...: ~ *bus* Einmannbus; ~ *show* **a)** One-man-Show, **b)** Ausstellung der Werke 'eines Künstlers.

one·ness ['wʌnnis] *s.* **1.** Einheit *f*; **2.** Gleichheit *f*, Identi'tät *f*; **3.** Einigkeit *f*, Über'einstimmung *f.*

'one|-night stand *s. Am. thea.* einmaliges Gastspiel; **'~-'piece** *adj.* **1.** einteilig: ~ *bathing-suit*; **2.** ⊕ aus 'einem Stück: ~ *wheel* Vollrad;

'~-'price shop *s.* Einheitspreisladen *m.*

on·er ['wʌnə] *s.* **1.** *sl.* ‚Ka'none' *f* (*Könner*) (*at* in *dat.*); **2.** *sl.* ‚Mordsding' *n* (*hervorragende Sache*), *bsd.* (*kräftiger*) Schlag; **3.** *Brit. sl.* ‚dicke' Lüge; **4.** F Einer *m*, Eins *f.*

on·er·ous ['ɔnərəs] *adj.* □ lästig, drückend, beschwerlich (*to* für); **'on·er·ous·ness** [-nis] *s.* Beschwerlichkeit *f*, Last *f.*

one'self *pron.* **1.** *refl.* sich (selber): *by* ~ aus eigener Kraft, von selbst; **2.** selber; **3.** *mst one's self* man (selber).

'one-shot cam·er·a *s. phot.* **1.** 'Einbelichtungsˌkamera *f*; **2.** 'Dreifarbenˌkamera *f.*

'one|-'sid·ed [-'saidid] *adj.* □ einseitig (*a. fig.*); **'~-'sid·ed·ness** [-nis] *s.* Einseitigkeit *f*; **'~·time I.** *adj.* einst-, ehemalig; **II.** *adv.* einst-, ehemals; **'~-track** *adj.* **1.** 🚂 eingleisig; **2.** *fig.* einseitig: *you have a ~ mind* du hast immer nur dasselbe im Kopf; **'~-'up·man·ship** [-'ʌpmənʃip] *s.* die Kunst, dem andern immer (um eine Nasenlänge) vor'aus zu sein; **'~-way** *adj.* Einweg...(*-flasche*, *-schalter etc.*), Einbahn...(*-straße*, *-verkehr*).

on·ion ['ʌnjən] *s.* **1.** ⚘ Zwiebel *f*; **2.** *sl.* ‚Kürbis' *m* (*Kopf*): *off one's ~ sl.* (total) verrückt; **3.** *to know one's ~s sl.* sein Geschäft verstehen; **'~·skin** *s.* **1.** Zwiebelschale *f*; **2.** 'Durchschlagpaˌpier *n*; **3.** 'Luftpostpaˌpier *n.*

'on·look·er *s.* Zuschauer(in) (*at* bei); **'on·look·ing** *adj.* zuschauend.

on·ly ['ounli] **I.** *adj.* **1.** einzig, al'leinig: *the ~ son* der einzige Sohn; *my one and ~ hope* meine einzige Hoffnung; *the ~ begotten Son of God* Gottes eingeborener Sohn; **2.** einzigartig; **II.** *adv.* **3.** nur, bloß: *not ~ ..., but (also)* nicht nur ..., sondern auch; *if ~* wenn nur; **4.** erst: *~ yesterday* erst gestern, gestern noch; *~ just* eben erst, gerade, kaum; **III.** *cj.* **5.** je'doch, nur (daß), aber; **6.** *~ that* nur, daß; außer, wenn.

'on-'off switch *s.* ⚡ Ein-Aus-Schalter *m.*

on·o·mat·o·poe·ia [ɔnoumætou'pi(:)ə] *s.* Lautmale'rei *f*; **on·o·mat·o'poe·ic** [-'pi:ik] *adj.* (□ *~ally*), **on·o·mat·o·po·et·ic** [ɔnoumætoupou'etik] *adj.* (□ *~ally*) lautnachahmend, onomatopo'etisch.

'on|-po·si·tion *s.* ⊕ Einschaltstellung *f*, -zustand *m*; **'~·rush** *s.* Ansturm *m* (*a. fig.*); **'~·set** *s.* **1.** Angriff *m*, At'tacke *f*; **2.** Anfang *m*, Beginn *m*; ⊕ Einsatz *m*: *at the first ~* gleich beim ersten Anlauf; **3.** ⚕ Ausbruch *m* (*e-r Krankheit*), Anfall *m*; **~·slaught** ['ɔnslɔ:t] *s.* (heftiger) Angriff *od.* Ansturm (*a. fig.*).

on·to ['ɔntu, -tə] *prp.* **1.** auf (*acc.*); **2.** *sl. to be ~ s.th.* hinter et. gekommen sein, et. wissen.

on·to·gen·e·sis [ɔntou'dʒenisis] *s. biol.* Ontoge'nese *f.*

on·tol·o·gy [ɔn'tɔlədʒi] *s. phls.* Ontolo'gie *f.*

o·nus ['ounəs] (*Lat.*) *s. nur sg.* **1.** *fig.* Last *f*, Verpflichtung *f*, Onus *n*; **2.** *a. ~ of proof*, *~ probandi* ⚖ Beweislast *f*: *the ~ rests with him* die Beweislast obliegt ihm.

on·ward ['ɔnwəd] **I.** *adv.* vorwärts, weiter: *from the tenth century ~* vom 10. Jahrhundert an; **II.** *adj.* vorwärts-, fortschreitend; **'on·wards** [-dz] → *onward I.*

on·yx ['ɔniks] *s.* **1.** *min.* Onyx *m*; **2.** ⚕ Nagelgeschwür *n* der Hornhaut, Onyx *m.*

o·o·blast, *bsd. Am.* **o·ö·blast** ['ouəblɑ:st] *s. biol.* Eikeim *m*; **o·o·cyst**, *bsd. Am.* **o·ö·cyst** ['ouəsist] *s.* Oo'cyste *f.*

oo·dles ['u:dlz] *s. pl.* F Unmengen *pl.*, ‚Haufen' *m*: *he has ~ of money* er hat Geld wie Heu.

oof [u:f] *s. Brit. sl.* ‚Zaster' *m*, ‚Mo'neten' *pl.* (*Geld*).

oomph [u:mf] *s. sl.* 'Sex-Ap'peal *m.*

o·o·sperm, *bsd. Am.* **o·ö·sperm** ['ouəspə:m] *s. biol.* befruchtetes Ei *od.* befruchtete Eizelle, Zy'gote *f.*

ooze [u:z] **I.** *v/i.* **1.** ('durch-, aus-, ein)sickern (*through*, *out of*, *into*); hin'durchdringen (*a. Licht etc.*): *to ~ away* **a)** versickern, **b)** *fig.* (dahin-)schwinden; *to ~ out* **a)** entweichen (*Luft*, *Gas*), **b)** *fig.* durchsickern (*Geheimnis*); *to ~ with sweat* von Schweiß triefen; **II.** *v/t.* **2.** ausströmen, -schwitzen; **III.** *s.* **3.** ⊕ Lohbrühe *f*; **4.** Schlick *m*, Schlamm(grund) *m*; **~ leath·er** *s.* ⊕ lohgares Leder.

oo·zy ['u:zi] *adj.* **1.** schlammig, schlick(er)ig; **2.** schleimig; **3.** feucht.

o·pac·i·ty [ou'pæsiti] *s.* **1.** 'Undurchˌsichtigkeit *f* (*a. fig.*); **2.** Dunkelheit *f*; **3.** *fig.* Stumpfheit *f*; **4.** *phys.* ('Licht)ˌUndurchˌlässigkeit *f*; **5.** Deckfähigkeit *f* (*Farbe*).

o·pal ['oupəl] *s. min.* O'pal *m*: *~ blue* Opalblau; *~ glass* Opal-, Milchglas; *~ lamp* Opallampe; **o·pal·esce** [oupə'les] *v/i.* opalisieren, bunt schillern; **o·pal·es·cence** [oupə'lesns] *s.* Opalisieren *n*, Schillern *n*, Farbenspiel *n*; **o·pal·es·cent** [oupə'lesnt] *adj.* opalisierend, schillernd; **o·pal·ine I.** *adj.* ['oupəlain] o'palartig, Opal...; **II.** *s.* [-li:n] O'palglas *n.*

o·paque [ou'peik] *adj.* □ **1.** 'undurchˌsichtig, o'pak: *~ colo(u)r* Deckfarbe; **2.** 'undurchˌlässig (*to* für *Strahlen*): *~ meal* ⚕ Kontrastmahlzeit (*Röntgenaufnahme*); **3.** glanzlos, trüb; **4.** *fig.* **a)** unklar, dunkel, **b)** stumpf(sinnig); **o'paque·ness** [-nis] *s.* ('Licht)ˌUndurchˌlässigkeit *f*; Deckkraft *f* (*Farben*).

op art [ɔp] *s. Kunst*: Op-art *f.*

o·pen ['oupən] **I.** *adj.* □ **1.** *allg.* offen (*z. B. Buch, Flasche*, ⛓ *Kette*, ⚡ *Stromkreis*, ⚔ *Stadt*, *Tür*, ⚔ *Visier*, ⚕ *Wunde*); offenstehend, auf: *~ warfare* ⚔ Bewegungskrieg; *to keep one's eyes ~ fig.* die Augen offenhalten; *with ~ arms fig.* mit offenen Armen; → *bowels 1*, *order 5*; **2.** zugänglich, frei, offen (*Gelände*, *Straße*, *Meer etc.*): *~ field* freies Feld; *~ spaces* öffentliche Plätze (*Parkanlagen etc.*); **3.** frei, bloß, offen (*Wagen etc.*; ⚡ *Motor*); → *lay open*; **4.** offen, eisfrei (*Wetter*, ⚓ *Hafen*, *Gewässer*); ⚓ klar (*Sicht*): *~ winter* frostfreier Winter; **5.** geöffnet (*Laden*, *Theater etc.*), offen (*a. fig. to dat.*), öffentlich (*Sitzung*, *Versteigerung etc.*); (jedem) zugänglich: *a career ~ to talent*; *~ competition* freier Wettbewerb; *~ market* ✝ offener *od.* freier Markt; *~ position* freie *od.* offene (*Arbeits-*)Stelle; *~ policy* **a)** ✝ Offenmarktpolitik, **b)** *Versicherung*: Pauschalpolice; *~ scholarship Brit.* offenes Stipendium; *~ for subscription* ✝ zur Zeichnung aufgelegt; *in ~ court* in öffentlicher Verhandlung, vor Gericht; **6.** (*to*) *fig. der Kritik*, *dem Zweifel etc.* ausgesetzt, unter'worfen: *~ to question* anfechtbar; *~ to temptation* anfällig gegen die Versuchung; *to lay o.s. ~ to criticism* sich der Kritik aussetzen; *to leave o.s. wide ~ to s.o.* sich j-m gegenüber e-e (große) Blöße geben; **7.** zugänglich, aufgeschlossen (*to* für *od. dat.*): *an ~ mind*; *to be ~ to conviction (an offer)* mit sich reden (handeln) lassen; **8.** offen(kundig), unverhüllt: *~ contempt*; *an ~ secret* ein offenes Geheimnis; **9.** offen, freimütig: *an ~ character*; *~ letter* offener Brief; *I will be ~ with you* ich will ganz offen mit dir reden; **10.** freigebig: *with an ~ hand*; *to keep an ~ house* offenes Haus halten, gastfrei sein; **11.** *fig.* unentschieden, offen (*Frage*, *Forderung*, *Kampf*, *Urteil etc.*); **12.** *fig.* frei (*ohne Verbote*): *~ pattern* ⚖ ungeschütztes Muster; *~ season* Jagd-, Fischzeit; **13.** ✝ laufend (*Konto*, *Kredit*, *Rechnung*): *~ cheque* Barscheck; **14.** ⊕ durch'brochen (*Gewebe*, *Handarbeit*); **15.** *ling.* offen (*Silbe*, *Vokal*): *~ consonant* Reibelaut; **16.** ♪ **a)** weit (*Lage*, *Satz*), **b)** leer (*Saite etc.*): *~ note* Grundton; **17.** *typ.* licht (*Satz*): *~ type* Konturschrift; **II.** *s.* **18.** *the ~* **a)** offenes Land, **b)** offene See: *in the ~* im Freien, unter freiem Himmel; ⚒ über Tag; *to bring into the ~ fig.* an die Öffentlichkeit bringen; *to come into the ~ fig.* sich erklären, offen reden, Farbe bekennen, (*with s.th.* et.) bekanntgeben; **19.** *the* ☉ Golfmeisterschaften *pl. für Amateure u. Berufsspieler*; **III.** *v/t.* **20.** *allg.* öffnen, aufmachen; *Buch a.* aufschlagen; ⚡ *Stromkreis* ausschalten, unter'brechen: *to ~ the bowels* ⚕ den Leib öffnen; *to ~ s.o.'s eyes fig.* j-m die Augen öffnen; → *throttle 2*; **21.** *Aussicht*, ✝ *Akkreditiv*, *Debatte*, ⚔ *das Feuer*, ✝ *Konto*, *Geschäft*, ⚖ *die Verhandlung etc.* eröffnen; *Verhandlungen* anknüpfen, in *Verhandlungen* eintreten; ✝ *neue Märkte* erschließen: *to ~ to traffic e-e Straße etc.* dem Verkehr übergeben; **22.** *fig. Gefühle*, *Gedanken* enthüllen, *s-e Absichten* entdecken: *to ~ o.s. to s.o.* sich j-m mitteilen; → *heart Redew.*; **IV.** *v/i.* **23.** sich öffnen *od.* auftun, aufgehen; *fig.* sich *dem Auge*, *Geist etc.* erschließen, zeigen, auftun; **24.** führen, gehen (*Tür*, *Fenster*) (*on to* auf *acc.*, *into* nach *dat.*); **25.** *fig.* **a)** anfangen, beginnen (*Schule*, *Börse etc.*), öffnen, aufmachen (*Laden etc.*), **b)** (e-n Brief, s-e Rede) beginnen (*with* mit *e-m Kompliment* *etc.*); **26.** *allg.* öffnen; (ein Buch) aufschlagen; ~ **out I.** *v/t.* **1.** *et.* ausbreiten; **II.** *v/i.* **2.** sich ausbreiten, -dehnen, sich erweitern; **3.** *mot.* Vollgas geben; ~ **up I.** *v/t.* **1.** *Land,* ✝ *Markt etc.* erschließen; **II.** *v/i.* **2.** ⚔ das Feuer eröffnen; **3.** *fig.* **a)** ‚loslegen' (*sich aussprechen*), **b)** ‚auftauen', mitteilsam werden; **4.** sich auftun *od.* zeigen.

'o·pen|-'air *adj.* Freilicht..., Freiluft...: ~ *swimming pool* Freibad; **'~-and-'shut** *adj. Am.* F ganz einfach, offensichtlich; **'~-'armed** *adj.* warm, herzlich (*Empfang*); **'~-'door** *adj.* frei zugänglich: ~ *policy* (Handels)Politik der offenen Tür.

o·pen·er ['oupnə] *s.* **1.** (*fig.* Er)Öffner(in); **2.** (*Büchsen- etc.*)Öffner *m*; **3.** *Baumwollspinnerei*: Öffner *m*, (Reiß)Wolf *m*.

'o·pen|-'eyed *adj.* mit offenen Augen, wachsam; **'~'hand·ed** *adj.* □ freigebig; **'~'heart·ed** *adj.* □ offen (-herzig), aufrichtig; **'~-'hearth** *adj.* ⊕ Siemens-Martin-(*Ofen, Stahl*).

o·pen·ing ['oupniŋ] **I.** *s.* **1.** *das* Öffnen; Eröffnung *f* (*a. fig. Akkreditiv, Konto, Testament, Unternehmen*); *fig.* Inbetriebnahme *f* (*e-r Anlage etc.*); *fig.* Erschließung *f* (*Land,* ✝ *Markt*); **2.** Öffnung *f*, Loch *n*, Lücke *f*, Bresche *f*, Spalt *m*, 'Durchlaß *m*; **3.** *Am.* (Wald)Lichtung *f*; **4.** ⊕ (Spann)Weite *f*; **5.** *fig.* Eröffnung *f* (*a. Schach, Kampf etc.*), Beginn *m*, einleitender Teil (*a.* ⚖); **6.** Gelegenheit *f*, (✝ Absatz)Möglichkeit *f*; **7.** ✝ offene *od.* freie Stelle; **II.** *adj.* **8.** Öffnungs...; **9.** Eröffnungs...: ~ *price* ✝ Eröffnungs-, Anfangskurs; ~ *speech* Eröffnungsrede.

'o·pen|-mar·ket *adj.* Freimarkt...: ~ *paper* marktgängiges Wertpapier; ~ *policy* Offenmarktpolitik; **'~-'mind·ed** *adj.* □ aufgeschlossen, vorurteilslos; **'~-'mouthed** *adj.* mit offenem Mund, *fig. a.* gaffend; ~ **ses·a·me** *s.* Sesam öffne dich *n*; ~ **shop** *s. Am.* offener Betrieb (*der Gewerkschafts- u. Nichtgewerkschaftsmitglieder beschäftigt*); ♀ **U·ni·ver·si·ty** *s.* 'Telekol,leg *n*; **'~(-)work** *s.* **1.** 'Durchbrucharbeit *f* (*Handarbeit*); **2.** ⚒ Tagebau *m*.

op·er·a ['ɔpərə] **I.** *s.* Oper *f* (*a. Gebäude*): *comic* ~ komische Oper; *grand* ~ große Oper; **II.** *adj.* ✝ *Brit.* tief ausgeschnitten u. mit schmalen Trägern (*Damenwäsche*).

op·er·a·ble ['ɔpərəbl] *adj.* **1.** 'durchführbar; **2.** ⊕ betriebsfähig; **3.** ⚕ ope'rabel.

'op·er·a|-cloak *s.* Abendmantel *m*; **'~-danc·er** *s.* Bal'lettänzer(in); **'~-glass(·es** *pl.*) *s.* Opern-, The'aterglas *n*; **'~-hat** *s.* 'Klappzy,linder *m*, Chapeau-'claque *m*; **'~-house** *s.* Opernhaus *n*, Oper *f*; ~ **pump** *s. Am.* (schlichter) Pumps (*Damenhalbschuh*).

op·er·ate ['ɔpəreit] **I.** *v/i.* **1.** arbeiten, in Betrieb sein, funktionieren, laufen (*Maschine etc.*): *to be operating* in Betrieb sein; *to* ~ *on batteries* von Batterien getrieben werden; *to* ~ *at a deficit* ✝ mit Verlust arbeiten; **2.** wirksam werden *od.* sein, einwirken (*on, upon* auf *acc.*, *as* als), hinwirken (*for* auf *acc.*); **3.** ⚕ (*on, upon*) *j-n* operieren: *to be* ~*d on* (*od. upon*) operiert werden; **4.** ✝ F spekulieren, operieren: *to* ~ *for a fall* auf e-e Baisse spekulieren; **5.** ⚔ operieren; **II.** *v/t.* **6.** bewirken, verursachen, (mit sich) bringen; **7.** ⊕ *Maschine* laufen lassen, bedienen, *Gerät* handhaben, *Schalter, Bremse etc.* betätigen, *Auto* fahren: *safe to* ~ betriebssicher; **8.** *Unternehmen, Geschäft* betreiben, führen, *Vorhaben* ausführen.

op·er·at·ic [ɔpə'rætik] *adj.* (□ ~*ally*) opernhaft (*a. fig. contp.*), Opern...: ~ *performance* Opernaufführung; ~ *singer* Opernsänger(in).

op·er·at·ing ['ɔpəreitiŋ] *adj.* **1.** *bsd.* ⊕ in Betrieb befindlich, Betriebs..., Arbeits...: ~ *conditions* Betriebsbedingungen; ~ *instructions* Bedienungsvorschrift, Betriebsanweisung; ~ *lever* Betätigungshebel; **2.** ✝ Betriebs..., betrieblich: ~ *accounts* Betriebsbuchführung; ~ *costs* (*od. expenses*) Betriebs-, Geschäfts(un)kosten; ~ *statement* Betriebsbilanz; **3.** ⚕ operierend, Operations...: ~ *room od.* ~ *theatre* (*Am. theater*) Operationssaal; ~ *surgeon* → *operator 4*; ~ *table* Operationstisch.

op·er·a·tion [ɔpə'reiʃən] *s.* **1.** Wirken *n*, Wirkung *f* (*on* auf *acc.*); **2.** *bsd.* ⚖ Wirksamkeit *f*, Geltung *f*: *by* ~ *of law* kraft Gesetzes; *to come into* ~ in Kraft treten; **3.** ⊕ Betrieb *m*, Tätigkeit *f*, Lauf *m* (*Maschine etc.*): *in* ~ in Betrieb; *to put* (*od. set*) *in* (*out of*) ~ in (außer) Betrieb setzen; **4.** *bsd.* ⊕ Wirkungs-, Arbeitsweise *f*; Arbeits(vor)gang *m*, (*Arbeits-, Denk- etc. a. chemischer*) Pro'zeß *m*; **5.** ⊕ Inbetriebsetzung *f*, Bedienung *f* (*Maschine, Gerät*), Betätigung *f* (*Bremse, Schalter*); **6.** Arbeit *f*: *building* ~*s* Bauarbeiten; **7.** ✝ **a)** Betrieb *m*: *continuous* ~ durchgehender Betrieb; *in* ~ in Betrieb, **b)** Unter'nehmen *n*, -'nehmung *f*, **c)** Geschäft *n*: *trading* ~ Tauschgeschäft; **8.** *Börse*: Transakti'on *f*; **9.** ⚕ Operati'on *f*, (chir'urgischer) Eingriff: ~ *for appendicitis* Blinddarmoperation; ~ *to the neck* Halsoperation; **10.** ⚔ Operati'on *f*, Einsatz *m*, Unter'nehmung *f*; **op·er'a·tion·al** [-ʃənl] *adj.* **1.** ⊕ Betriebs..., Arbeits...; **2.** ✝ betrieblich, Betriebs...; **3.** ⚔ Einsatz..., Operations..., einsatzfähig: ~ *objective* Operationsziel; **4.** ⚓ klar, fahrbereit; **op·er·a·tive** ['ɔpərətiv] **I.** *adj.* □ **1.** wirkend, treibend: *an* ~ *motive*; **2.** wirksam: *an* ~ *dose*; *to become* ~ ⚖ (rechts-) wirksam werden, in Kraft treten; ~ *words* ⚖ rechtsbegründende Worte; **3.** praktisch; **4.** ✝, ⊕ Arbeits..., Betriebs..., betriebsfähig; **5.** ⚕ opera'tiv, chir'urgisch: ~ *dentistry* Zahn- u. Kieferchirurgie; **6.** arbeitend, tätig, beschäftigt; **II.** *s.* **7.** (Fa'brik)Arbeiter *m*, Me'chaniker *m*; **8.** Detek'tiv *m*; **op·er·a·tor** ['ɔpəreitə] *s.* **1.** *der* (*die, das*) Wirkende; **2. a)** ⊕ Bedienungsmann *m*, Arbeiter(in), (*Kran- etc.*)Führer *m*: *engine* ~ Maschinist; ~*'s license Am.* Führerschein, **b)** Telegra'phist(in), **c)** Telepho'nist(in), **d)** (Film)Vorführer *m*, *a.* 'Kameramann *m*; **3.** ✝ **a)** Unter'nehmer *m*, **b)** *Börse*: berufsmäßiger Speku'lant, *b.s.* Schieber *m*; **4.** ⚕ operierender Arzt, behandelnder Chir'urg, Opera'teur *m*.

o·per·cu·lum [ou'pə:kjuləm] *pl.* **-la** [-lə] *s.* **1.** ⚘ Deckel *m*; **2.** *zo.* **a)** Deckel *m* (*Schnecken*), **b)** Kiemendeckel *m* (*Fische*).

op·er·et·ta [ɔpə'retə] *s.* Ope'rette *f*.

oph·ite ['ɔfait] *s. min.* O'phit *m*.

oph·thal·mi·a [ɔf'θælmiə] *s.* ⚕ Bindehautentzündung *f*; **oph'thal·mic** [-ik] *adj.* Augen...; augenkrank: ~ *hospital* Augenklinik; **oph·thal·mol·o·gist** [ɔfθæl'mɔlədʒist] *s.* Augenarzt *m*; **oph·thal·mol·o·gy** [ɔfθæl'mɔlədʒi] *s.* Augenheilkunde *f*, Ophthalmolo'gie *f*; **oph·thal·mo·scope** [ɔf'θælmouskoup] *s.* ⚕ Augenspiegel *m*.

o·pi·ate ['oupiit] **I.** *s.* **1.** ⚕ Opi'at *n*, 'Opiumpräpa,rat *n*; **2.** Beruhigungsmittel *n* (*a. fig.*); **II.** *adj.* **3.** einschläfernd.

o·pine [ou'pain] **I.** *v/i.* da'fürhalten; **II.** *v/t. et.* meinen.

o·pin·ion [ə'pinjən] *s.* **1.** Meinung *f*, Ansicht *f*, Stellungnahme *f*: *in my* ~ m-s Erachtens, nach m-r Meinung *od.* Ansicht; *to be of* (*the*) ~ *that* der Meinung sein, daß; *that is a matter of* ~ das ist Ansichtssache; *public* ~ die öffentliche Meinung; **2.** Achtung *f*, (gute) Meinung: *to have a high* (*low od. poor*) ~ *of* e-e (keine) hohe Meinung haben von, (nicht) viel halten von; *she has no* ~ *of Frenchmen* sie hält nicht viel von (den) Franzosen; **3.** (schriftliches) Gutachten (*on* über *acc.*): *counsel's* ~ Rechtsgutachten; **4.** *mst pl.* Über'zeugung *f*: *to have the courage of one's* ~*s* zu s-r Überzeugung stehen; **5.** ⚖ **a)** Ermessen *n*, **b)** (Urteils-) Begründung *f*; **o'pin·ion·at·ed** [-neitid] *adj.* **1.** starr-, eigensinnig; dog'matisch; **2.** schulmeisterlich, über'heblich.

o'pin·ion|-form·ing *adj.* meinungsbildend; ~ **lead·er, ~-mak·er** *s.* Meinungsbildner *m*; ~ **poll** *s.* 'Meinungs,umfrage *f*; ~ **re·search** *s.* Meinungsforschung *f*.

o·pi·um ['oupjəm] *s.* Opium *n*: ~*-eater* Opiumesser; ~ *poppy* ⚘ Schlafmohn; **'o·pi·um·ism** [-mizəm] *s.* ⚕ **1.** Opiumsucht *f*; **2.** Opiumvergiftung *f*.

o·pos·sum [ə'pɔsəm] *s. zo.* O'possum *n*, Beutelratte *f*: *water* ~ Schwimmbeutler.

op·po·nen·cy [ə'pounənsi] *s.* Gegensatz *m*, Gegnerschaft *f*; **op'po·nent** [-nt] **I.** *adj.* entgegenstehend, -gesetzt, gegnerisch (*to dat.*); **II.** *s.* Gegner(in) (*a.* ⚖), Gegenspieler(in), Oppo'nent(in).

op·por·tune ['ɔpətju:n] *adj.* □ **1.** günstig, passend, gut angebracht; **2.** rechtzeitig; **'op·por·tune·ness** [-nis] *s.* Angebrachtheit *f*, Rechtzeitigkeit *f*; günstiger Zeitpunkt.

op·por·tun·ism ['ɔpətju:nizəm] *s.* Opportu'nismus *m*; **'op·por·tun·ist** [-ist] *s.* Opportu'nist *m*.

op·por·tu·ni·ty [ɔpəˈtjuːniti] *s.* (*günstige*) Gelegenheit, Möglichkeit *f* (*of doing, to do* zu tun; *for s.th.* zu et.): *to miss the* ~ die Gelegenheit verpassen; *to seize* (*od. take*) *an* ~ e-e Gelegenheit ergreifen; *at the first* ~ bei der ersten Gelegenheit; ~ *for advancement* Aufstiegsmöglichkeit.

op·pose [əˈpouz] *v/t.* **1.** (*vergleichend*) gegenˈüberstellen; **2.** entgegensetzen, -stellen (*to dat.*); **3.** entgegentreten (*dat.*), sich widerˈsetzen (*dat.*); angehen gegen, bekämpfen; **4.** ⚖ *Am.* gegen *e-e Patentanmeldung* Einspruch erheben; **opˈposed** [-zd] *adj.* **1.** gegensätzlich, entgegengesetzt (*a.* ₰); **2.** (*to*) abgeneigt (*dat.*), feind (*dat.*), feindlich (gegen): *to be* ~ *to j-m od. e-r Sache* feindlich *od.* ablehnend gegenüberstehen, gegen ... sein; **3.** ⊕ Gegen...: ~ *ions* Gegenionen; ~ *piston engine* Gegenkolben-, Boxermotor; **opˈpos·ing** [-ziŋ] *adj.* **1.** gegenˈüberliegend; **2.** opponierend, gegnerisch; **3.** *fig.* entgegengesetzt, unvereinbar.

op·po·site [ˈɔpəzit] **I.** *adj.* □ **1.** gegenˈüberliegend, -stehend (*to dat.*): ~ *angle* ₰ Gegen-, Scheitelwinkel; ~ *edge* Gegenkante; **2.** entgegengesetzt (gerichtet), ˈumgekehrt: ~ *directions*; ~ *signs* ₰ entgegengesetzte Vorzeichen; *of* ~ *sign* ₰ ungleichnamig; ~ *pistons* ⊕ gegenläufige Kolben; **3.** gegensätzlich, entgegengesetzt, gegenteilig, (grund)verschieden, ander: *words of* ~ *meaning*; **4.** gegnerisch, Gegen...: ~ *side sport* Gegenpartei, gegnerische Mannschaft; ~ *number sport, pol. etc.* Gegenspieler, *weitS.* ‚Kollege'; **5.** ♣ gegenständig (*Blätter*); **II.** *s.* **6.** Gegenteil *n* (*a.* ₰), -satz *m*: *just the* ~ das gerade Gegenteil; **III.** *adv.* **7.** gegenˈüber; **IV.** *prp.* **8.** gegenüber (*dat.*): *the* ~ *house*; *to play* ~ *X. sport, Film etc.* als Partner(in) von X spielen.

op·po·si·tion [ɔpəˈziʃən] *s.* **1.** Gegenˈüberstellung *f*; *das* Gegenˈüberstehen *od.* -liegen; ⊕ Gegenläufigkeit *f*; **2.** ˈWiderstand *m* (*to* gegen): *to offer* ~ (*to*) Widerstand leisten (gegen); *to meet with* (*od. to face*) *stiff* ~ auf heftigen Widerstand stoßen; **3.** Gegensatz *m*, ˈWiderspruch *m*: *to act in* ~ *to* zuwiderhandeln (*dat.*); **4.** *pol.* (*a. ast. u. fig.*) Oppositiˈon *f*; **5.** ✝ Konkurˈrenz *f*; **6.** ⚖ **a)** ˈWiderspruch *m*, **b)** *Am.* Einspruch *m* (*to* gegen *e-e Patentanmeldung*); **7.** *Logik*: Gegensatz *m*; **op·poˈsi·tion·al** [-ʃənl] *adj.* **1.** *pol.* oppositioˈnell, Oppositions..., regierungsfeindlich; **2.** gegensätzlich, Widerstands...

op·press [əˈpres] *v/t.* **1.** *seelisch* bedrücken; **2.** unterˈdrücken, tyrannisieren, schikanieren; **opˈpres·sion** [-eʃən] *s.* **1.** Unterˈdrückung *f*, Vergewaltigung *f*; ⚖ ˈMißbrauch *m* der Amtsgewalt; **2.** Druck *m*, Bedrängnis *f*, Not *f*; **3.** Bedrücktheit *f*; **4.** ⚕ Beklemmung *f*; **opˈpressive** [-siv] *adj.* □ **1.** *seelisch* (be)drükkend, niederdrückend; **2.** tyˈrannisch, grausam, gewaltsam; ⚖ schikaˈnös; **3.** (drückend) schwül; **opˈpres·sive·ness** [-sivnis] *s.* **1.** Druck *m*; **2.** Schwere *f*, Schwüle *f*; **opˈpres·sor** [-sə] *s.* Unterˈdrücker *m*, Tyˈrann *m*.

op·pro·bri·ous [əˈproubriəs] *adj.* □ **1.** schmähend, Schmäh...; **2.** schändlich, inˈfam; **opˈpro·bri·um** [-iəm] *s.* Schmach *f*, Schande *f*.

op·pugn [ɔˈpjuːn] *v/t.* anfechten, bestreiten.

opt [ɔpt] *v/i.* **1.** wählen (*between* zwischen *dat.*), sich entscheiden (*for* für, *against* gegen), *bsd. pol.* optieren (*for* für); **2.** ~ *out* ‚aussteigen', sich zuˈrückziehen (*of, on* aus); **op·ta·tive** [ˈɔptətiv] **I.** *adj.* Wunsch..., *ling.* ˈoptativ(isch): ~ *mood* → *II*; **II.** *s. ling.* ˈOptativ *m*, Wunschform *f*.

op·tic [ˈɔptik] **I.** *adj.* **1.** Augen..., Seh..., Gesichts...: ~ *angle* Seh-, Gesichtswinkel; ~ *axis* **a)** optische Achse, **b)** Sehachse; ~ *nerve* Sehnerv; **2.** → *optical*; **II.** *s.* **3.** *mst pl. humor.* Auge *n*; **4.** *pl. sg. konstr. phys.* Optik *f*, Lichtlehre *f*; **ˈop·ti·cal** [-kəl] *adj.* □ optisch: ~ *illusion* optische Täuschung; ~ *microscope* Lichtmikroskop; ~ *view-finder* optischer Sucher (*Fernsehen*); **op·ti·cian** [ɔpˈtiʃən] *s.* Optiker *m*.

op·ti·mism [ˈɔptimizəm] *s.* Optiˈmismus *m*; **ˈop·ti·mist** [-ist] *s.* Optiˈmist(in); **op·ti·mis·tic** [ɔptiˈmistik] *adj.* (□ ~*ally*) optiˈmistisch, zuversichtlich.

op·ti·mize [ˈɔptimaiz] *v/t.* optimieren.

op·ti·mum [ˈɔptiməm] **I.** *s.* **1.** ˈOptimum *n*, günstigster Fall, Bestfall *m*; **2.** ✝, ⊕ Bestwert *m*; **II.** *adj.* **3.** optiˈmal, günstigst, best.

op·tion [ˈɔpʃən] *s.* **1.** Wahlfreiheit *f*, freie Wahl *od.* Entscheidung: ~ *of a fine* Recht, e-e Geldstrafe (*an Stelle der Haft*) zu wählen; **2.** Wahl *f*: *at one's* ~ nach Wahl; *to make one's* ~ s-e Wahl treffen; **3.** Alternaˈtive *f*: *I had no* ~ *but to* ich hatte keine andere Wahl als; **4.** ✝ Optiˈon *f*, Vorkaufsrecht *n*: *buyer's* ~ Kaufoption, Vorprämie; ~ *for the call* (*the put*) Vor- (Rück)prämiengeschäft; ~ *rate* Prämiensatz; ~ *of repurchase* Rückkaufsrecht; **5.** *Versicherung*: Option *f* (*Wahlmöglichkeit des Versicherungsteilnehmers in bezug auf die Form der Versicherungsleistung*); **op·tion·al** [ˈɔpʃənl] *adj.* □ **1.** freigestellt, wahlfrei, freiwillig, fakultaˈtiv: ~ *bonds Am.* kündbare Obligationen; ~ *subject ped.* Wahlfach; **2.** ✝ Options...: ~ *bargain* Prämiengeschäft.

op·u·lence [ˈɔpjuləns] *s.* Reichtum *m*, (ˈÜber)Fülle *f*, ˈÜberfluß *m*: *to live in* ~ im Überfluß leben; **ˈop·u·lent** [-nt] *adj.* □ **1.** (sehr) reich (*a. fig.*); **2.** üppig, opuˈlent: ~ *meal*.

o·pus [ˈoupəs] *pl.* **o·pe·ra** [ˈɔpərə] (*Lat.*) *s.* (*einzelnes*) Werk, Opus *n*: *his magnum* ~ sein Hauptwerk; **o·pus·cule** [ɔˈpʌskjuːl] *s.* ♪, *lit.* kleines Werk.

or[1] [ɔː] *cj.* **1.** oder: ~ *else* sonst, andernfalls; *one* ~ *two* ein bis zwei, einige; **2.** (*nach neg.*) noch, und kein.

or[2] [ɔː] *s. her.* Gold *n*, Gelb *n*.

or·a·cle [ˈɔrəkl] **I.** *s.* **1.** Oˈrakel (-spruch *m*) *n*; *fig. a.* Weissagung *f*: *to work the* ~ F e-e Sache ‚drehen'; **2.** *fig.* oˈrakelhafter Ausspruch; **3.** *fig.* Proˈphet *m*, unfehlbare Autoriˈtät; **II.** *v/t. u. v/i.* **4.** oˈrakeln; **o·rac·u·lar** [ɔˈrækjulə] *adj.* □ **1.** oˈrakelhaft (*a. fig.*), Orakel...; **2.** *fig.* weise, maßgebend (*Person*).

o·ral [ˈɔːrəl] **I.** *adj.* □ **1.** mündlich: ~ *contract*; ~ *examination*; **2.** ⚕ oˈral (*a. ling.*), Mund...: *for* ~ *use* zum innerlichen Gebrauch; **II.** *s.* **3.** F mündliche Prüfung.

or·ange [ˈɔrindʒ] **I.** *s.* ♣ Oˈrange *f*, Apfelˈsine *f*: *bitter* ~ Pomeranze; *to squeeze the* ~ *dry* F j-n ausquetschen wie e-e Zitrone; **II.** *adj.* Orangen...; oˈrange(farben).

or·ange·ade [ˈɔrindʒˈeid] *s.* Oranˈgeade *f* (*Getränk*).

ˈor·ange|-ˈcol·o(u)red *adj.* oˈrange (-farben); ~ **lead** [led] *s.* ⊕ Oˈrangeˌmennige *f*, Bleisafran *m*; ~ **peel** *s.* **1.** Oˈrangenschale *f*; **2.** *a.* ~ *effect* ⊕ Oˈrangenschalenstrukˌtur *f* (*Lackierung*).

or·ange·ry [ˈɔrindʒəri] *s.* Orangeˈrie *f*.

o·rang-ou·tang [ˈɔːrəŋˈuːtæŋ], **ˈo·rang-ˈu·tan** [-ˈuːtæn] *s. zo.* ˈOrang-ˈUtan *m*.

o·rate [ɔːˈreit] *v/t. u. v/i. humor. u. contp.* (lange) Reden halten, reden; **oˈra·tion** [-eiʃən] *s.* **1.** *förmliche od. feierliche* Rede; **2.** *ling.* Rede *f*: *direct* ~ direkte Rede; **or·a·tor** [ˈɔrətə] *s.* **1.** Redner *m*; **2.** ⚖ *Am.* Kläger *m* (*in equity-Prozessen*); **or·a·tor·i·cal** [ɔrəˈtɔrikəl] *adj.* □ rednerisch, Redner..., oraˈtorisch, rhetˈtorisch, Rede...; **or·a·to·ri·o** [ɔrəˈtɔːriou] *pl.* **-ri·os** *s.* ♪ Oraˈtorium *n*; **or·a·tor·ize** [ˈɔrətəraiz] *v/i.* F *contp.* sich als Redner aufspielen, ‚e-e Rede schwingen'; **or·a·to·ry** [ˈɔrətəri] *s.* **1.** Redekunst *f*, Beredsamkeit *f*, Rheˈtorik *f*; **2.** *eccl.* Kaˈpelle *f*, Andachtsraum *m*.

orb [ɔːb] **I.** *s.* **1.** Kugel *f*, Ball *m*; **2.** *poet.* Gestirn *n*, Himmelskörper *m*; **3.** *poet.* **a)** Augapfel *m*, **b)** Auge *n*; **4.** *hist.* Reichsapfel *m*; **or·bic·u·lar** [ɔːˈbikjulə] *adj.* □ **1.** kugelförmig; **2.** rund, kreisförmig; **3.** ringförmig; **or·bit** [ˈɔːbit] **I.** *s.* **1.** (*ast. etc.* Kreis-, *phys.* Elekˈtronen)Bahn *f*: *to get into* ~ in s-e Umlaufbahn gelangen (*Erdsatellit*); *to put into* ~ in e-e Umlaufbahn einschießen; **2.** *fig.* Bereich *m*, Wirkungskreis *m*; *pol.* Einflußsphäre *f*; **3.** *anat.* **a)** Augenhöhle *f*, **b)** Auge *n*; **II.** *v/t.* **4.** umˈkreisen; **ˈor·bit·al** [-bitl] **I.** *adj.* **1.** *anat.* Augenhöhlen...: ~ *cavity* Augenhöhle; **2.** *ast., phys.* Bahn...: ~ *electron*; **II.** *s.* **3.** *Brit.* Ringstraße *f*.

or·chard [ˈɔːtʃəd] *s.* Obstgarten *m*: *in* ~ mit Obstbäumen bepflanzt; **ˈor·chard·ing** [-diŋ] *s.* **1.** Obstbau *m*; **2.** *coll. Am.* ˈObstkulˌturen *pl.*

or·ches·tic [ɔːˈkestik] **I.** *adj.* Tanz...; **II.** *s. pl.* Orˈchestik *f* (*höhere Tanzkunst*).

or·ches·tra [ˈɔːkistrə] *s.* **1.** ♪ Orˈchester *n*; **2.** *thea.* **a)** Orˈchester (-raum *m*, -graben *m*) *n*, **b)** Parˈterre *n*, **c)** *a.* ~ *stalls* Parˈkett *n*; **or·ches·tral** [ɔːˈkestrəl] *adj.* ♪ **1.** Orchester...; 2. orche'stral; '**or·ches·trate** [-reit] *v/t. u. v/i.* ♪ orchestrieren, instrumentieren; **or·ches·tra·tion** [ɔːkes'treiʃən] *s.* Instrumentati'on *f.*

or·chid ['ɔːkid] *s.* ⚘ Orchi'dee *f*; **or·chi·da·ceous** [ɔːki'deiʃəs] *adj.* Orchideen...

or·chis ['ɔːkis] *pl.* '**or·chis·es** *s.* ⚘ **1.** Orchi'dee *f*; **2.** Knabenkraut *n.*

or·dain [ɔː'dein] *v/t.* **1.** *eccl.* ordinieren, (*zum Priester*) weihen; **2.** bestimmen, fügen (*Gott, Schicksal*); **3.** anordnen, verfügen.

or·deal [ɔː'diːl] *s.* **1.** *hist.* Gottesurteil *n*: ~ *by fire* Feuerprobe; **2.** *fig.* Zerreiß-, Feuerprobe *f*, schwere Prüfung; **3.** *fig.* Qual *f*, Nervenprobe *f*, Tor'tur *f.*

or·der ['ɔːdə] **I.** *s.* **1.** Ordnung *f*, geordneter Zustand: *love of* ~ Ordnungsliebe; *in* ~ in Ordnung (*a. fig.*); *out of* ~ in Unordnung; → *8*; **2.** (öffentliche) Ordnung: *law and* ~ Ruhe u. Ordnung; **3.** Ordnung *f* (*a.* ⚘ *Kategorie*), Sy'stem *n*: *social* ~ soziale Ordnung; **4.** (An)Ordnung *f*, Reihenfolge *f*; *ling.* (Satz)Stellung *f*, Wortfolge *f*: *in alphabetical* ~ in alphabetischer Ordnung; ~ *of priority* Dringlichkeitsfolge; ~ *of merit* (*od. precedence*) Rangordnung; **5.** Ordnung *f*, Aufstellung *f*; ⩓ Stil *m*: *in close* (*open*) ~ ⚔ in geschlossener (geöffneter) Ordnung; ~ *of battle* **a)** ⚔ Schlachtordnung, Gefechtsaufstellung, **b)** ⚓ Gefechtsformation; *Doric* ~ ⩓ dorische Säulenordnung; **6.** ⚔ vorschriftsmäßige Uni'form u. Ausrüstung; → *marching*; **7.** (Geschäfts)Ordnung *f*: *standing* ~*s parl.* feststehende Geschäftsordnung; *a call to* ~ ein Ordnungsruf; *to call to* ~ zur Ordnung rufen; *to rise to* (*a point of*) ~ zur Geschäftsordnung sprechen; *2!*, *2!* zur Ordnung!; *in* (*out of*) ~ (un)zulässig; ~ *of the day* Tagesordnung; → *9*; *to be the* ~ *of the day fig.* an der Tagesordnung sein; *to pass to the* ~ *of the day* zur Tagesordnung übergehen; → *rule 15*; **8.** Zustand *m*: *in bad* ~ nicht in Ordnung, in schlechtem Zustand; *out of* ~ nicht in Ordnung, defekt; *in running* ~ betriebsfähig; **9.** Befehl *m*, Instrukti'on *f*, Anordnung *f*: *2 in Council pol.* Kabinettsbefehl; ~ *of the day* ⚔ Tagesbefehl; ~ *for remittance* Überweisungsauftrag; *doctor's* ~*s* ärztliche Anordnung; *by* ~ **a)** befehls-, auftragsgemäß, **b)** im Auftrag (*vor der Unterschrift*); *by* (*od. on the*) ~ *of* auf Befehl von, im Auftrag von; *to be under* ~*s to do s.th.* Befehl haben, et. zu tun; *till further* ~*s* bis auf weiteres; *in short* ~ *Am.* F sofort; **10.** ⚖ (Gerichts-) Beschluß *m*, Befehl *m*, Verfügung *f*; **11.** ✝ Bestellung *f* (*a. Ware*), Auftrag *m* (*for* für): *a large* (*od. tall*) ~ F e-e (arge) Zumutung, (zu)viel verlangt; ~*s on hand* Auftragsbestand; *to give* (*od. place*) *an* ~ e-n Auftrag erteilen, e-e Bestellung aufgeben; *to make to* ~ **a)** auf Bestellung anfertigen, **b)** nach Maß anfertigen; *shoes made to* ~ Maßschuhe; *last* ~*s, please* Polizeistunde!; **12.** ✝ Order *f* (*Zahlungsauftrag*): *to pay to s.o.'s* ~ an j-s Order zahlen; *pay to the* ~ *of* für mich an ... (*Wechselindossament*); *payable to* ~ zahlbar an Order; *own* ~ eigene Order; **13.** → *post-office order, postal 1*; **14.** ⩘ Ordnung *f*, Grad *m*: *equation of the first* ~ Gleichung ersten Grades; **15.** Größenordnung *f*; **16.** Art *f*, Rang *m*: *of a high* ~ von hohem Rang; *of quite another* ~ von ganz anderer Art; *on the* ~ *of* nach Art von; **17.** (Gesellschafts)Schicht *f*, Klasse *f*, Stand *m*: *the higher* ~*s* die höheren Klassen; *the military* ~ der Soldatenstand; **18.** Orden *m* (*Gemeinschaft*): *the Franciscan* ~ *eccl.* der Franziskanerorden; *the Teutonic* ~ *hist.* der Deutsche (*Ritter*)Orden; **19.** Orden(szeichen *n*) *m*; → *Garter 2*; **20.** *pl. mst holy* ~*s eccl.* (heilige) Weihen *pl.*, Priesterweihe *f*: *to take* (*holy*) ~*s* die (heiligen) Weihen empfangen, in den geistlichen Stand treten; *major* ~*s* höhere Weihen; **21.** Einlaßschein *m*, *thea.* Freikarte *f*; **II.** *v/t.* **22.** *j-m od. e-e Sache* befehlen, *et.* anordnen: *he* ~*ed him to come* er befahl ihm zu kommen; **23.** *j-n* schicken, beordern (*to* nach); **24.** ⚕ *j-m et.* verordnen; **25.** bestellen (*a.* ✝; *a. im Restaurant*); **26.** regeln, leiten, führen; **27.** ~ *arms!* ⚔ Gewehr ab!; **28.** ordnen, einrichten: *to* ~ *one's affairs* s-e Angelegenheiten in Ordnung bringen; ~ **a·bout** *v/t.* her'umkommandieren; ~ **a·way** *v/t.* **1.** weg-, fortschicken; **2.** abführen lassen; ~ **back** *v/t.* zu'rückbeordern; ~ **in** *v/t.* her'einkommen lassen; ~ **out** *v/t.* **1.** hin'ausbeordern; **2.** hin'ausweisen.

or·der|-bill *s.* ✝ 'Orderpaˌpier *n*; ~ **bill of lad·ing** *s.* ✝, ⊕ 'Orderkonnosseˌment *n*; '~**-book** *s.* **1.** ✝ Auftragsbuch *n*; **2.** *Brit. parl.* Liste *f* der angemeldeten Anträge; ~ **check** *Am.*, '~**-cheque** *Brit. s.* ✝ Orderscheck *m*; '~**-form** *s.* ✝ Bestellschein *m*; ~ **in·stru·ment** *s.* ✝ 'Orderpaˌpier *n.*

or·der·less ['ɔːdəlis] *adj.* unordentlich, regellos; '**or·der·li·ness** [-linis] *s.* **1.** Ordnung *f*, Regelmäßigkeit *f*; **2.** Ordentlichkeit *f.*

or·derly ['ɔːdəli] **I.** *adj.* **1.** ordentlich, (wohl)geordnet; **2.** plan-, regelmäßig, me'thodisch; **3.** *fig.* ruhig, gesittet, friedlich: *an* ~ *citizen*; **4.** ⚔ **a)** im *od.* vom Dienst, diensttuend, **b)** Ordonnanz...: *on* ~ *duty* auf Ordonnanz; **II.** *adv.* **5.** ordnungsgemäß, planmäßig; **III.** *s.* **6.** ⚔ **a)** Ordon'nanz *f*, **b)** Sani'täter *m*, Krankenträger *m*, **c)** (Offi'ziers)Bursche *m*; **7.** *allg.* (Kranken)Pfleger *m*; **8.** *Brit.* Straßenkehrer *m*; ~ **of·fi·cer** *s.* ⚔ **1.** Ordon'nanzoffiˌzier *m*; **2.** Offi'zier *m* vom Dienst; '~**-room** *s.* ⚔ Geschäftszimmer *n*, Schreibstube *f.*

or·der| num·ber *s.* ✝ Bestellnummer *f*; '~**-pad** *s.* ✝ Bestell(schein)-block *m*; '~**-pa·per** *s.* **1.** 'Sitzungsproˌgramm *n*, (*schriftliche*) Tagesordnung *f*; **2.** ✝ *Am.* 'Orderpaˌpier *n*; ~ **slip** *s.* ✝ Bestellzettel *m.*

or·di·nal ['ɔːdinl] **I.** *adj.* **1.** ⩘ Ordnungs..., Ordinal...: ~ *number*; **2.** ⚘, *zo.* Ordnungs...; **II.** *s.* **3.** ⩘ Ordnungszahl *f*; **4.** *eccl.* **a)** Ordi'nale *n* (*Regelbuch für die Ordinierung anglikanischer Geistlicher*), **b)** *oft* 2 Ordi'narium *n* (*Ritualbuch od. Gottesdienstordnung*).

or·di·nance ['ɔːdinəns] *s.* **1.** *amtliche* Verordnung; **2.** *eccl.* (*festgesetzter*) Brauch, Ritus *m.*

or·di·nand [ɔːdi'nænd] *s. eccl.* Ordi'nandus *m.*

or·di·nar·i·ly ['ɔːdnrili] *adv.* **1.** nor'malerweise, gewöhnlich; **2.** wie gewöhnlich *od.* üblich.

or·di·nar·y ['ɔːdnri] **I.** *adj.* □ → *ordinarily*; **1.** gewöhnlich, nor'mal, üblich; **2.** gewöhnlich, mittelmäßig, Durchschnitts...: ~ *face* Alltagsgesicht; **3.** ständig; ordentlich (*Gericht, Mitglied*); **II.** *s.* **4.** *das* Übliche, *das* Nor'male: *nothing out of the* ~ nichts Ungewöhnliches; **5.** *in* ~ ordentlich, von Amts wegen; *judge in* ~ ordentlicher Richter; *physician in* ~ (*to a king*) Leibarzt (e-s Königs); **6.** *eccl.* Ordi'narium *n*, Gottesdienst-, Meßordnung *f*; **7.** *a.* 2 *eccl.* Ordi'narius *m* (*Bischof*); **8.** ⚖ **a)** ordentlicher Richter, **b)** *Am.* Nachlaßrichter *m*; **9. a)** Hausmannskost *f*, **b)** Tagesgericht *n*; **10.** *Am.* Gaststätte *f*; ~ **life in·sur·ance** *s.* Lebensversicherung *f* auf den Todesfall; ~ **sea·man** *s.* 'Leichtmaˌtrose *m*; ~ **share** *s.* ✝ 'Stammˌaktie *f.*

or·di·nate ['ɔːdnit] *s.* ⩘ Ordi'nate *f.*

or·di·na·tion [ɔːdi'neiʃən] *s.* **1.** *eccl.* Priesterweihe *f*, Ordinati'on *f*; **2.** Bestimmung *f*, Ratschluß *m* (*Gottes etc.*).

ord·nance ['ɔːdnəns] *s.* ⚔ **1.** Artille'rie *f*, Geschütze *pl.*, Bestükkung *f*: *a piece of* ~ ein (schweres) Geschütz; ~ *technician* Feuerwerker; **2.** 'Feldzeugmateriˌal *n*; **3.** Feldzeugwesen *n*: *Royal Army* 2 *Corps* Feldzeugkorps des brit. Heeres; 2 **De·part·ment** *s.* ⚔ Zeug-, Waffenamt *n*; ~ **de·pot** *s.* ⚔ 'Feldzeug-, *bsd.* Artille'riedeˌpot *n*; ~ **map** *s.* ⚔ **1.** *Am.* Gene'ralstabskarte *f*; **2.** *Brit.* Meßtischblatt *n*; ~ **of·fi·cer** *s.* **1.** ⚓ *Am.* Artille'rieoffiˌzier *m*; **2.** Offi'zier *m* der Feldzeugtruppe; **3.** 'Waffenoffiˌzier *m*; ~ **park** *s.* ⚔ **a)** Geschützpark *m*, **b)** Feldzeugpark *m*; ~ **ser·geant** *s.* ⚔ 'Waffen-, Ge'räteˌunteroffiˌzier *m*; 2 **Sur·vey** *s.* amtliche Landesvermessung: 2 *map Brit.* **a)** Meßtischblatt, **b)** (*1:100,000*) Generalstabskarte.

or·dure ['ɔːdjuə] *s.* Kot *m*, Schmutz *m*, Unflat *m* (*a. fig.*).

ore [ɔː] *s.* **1.** Erz *n*; **2.** *poet.* (kostbares) Me'tall; '~**-bear·ing** *adj. geol.* erzführend, -haltig; ~ **bed** *s.* Erzlager *n*; ~ **ham·mer** *s.* ⚒ Pochschlegel *m.*

or·gan ['ɔːgən] *s.* **1.** Or'gan *n*: **a)** *anat.* Körperwerkzeug *n*: ~ *of sight* Sehorgan, **b)** *fig.* Werkzeug *n*, Hilfsmittel *n*, **c)** Sprachrohr *n* (*Zeitschrift*): *party* ~ Parteiorgan, **d)** *laute etc.* Stimme; **2.** ♪ **a)** Orgel *f*: ~*-pipe* Orgelpfeife; ~*-stop* Orgelregister, **b)** Kla'vier *n* (*e-r Orgel*), **c)** *a. American* ~ *Art* Har'monium *n*,

d) → *barrel-organ*: ~*-grinder* Leier(kasten)mann.

or·gan·die, or·gan·dy ['ɔːgəndi] *s.* Or'gandy *m* (*Baumwollgewebe*).

or·gan·ic [ɔː'gænik] *adj.* (□ ~*ally*) *allg.* or'ganisch; ~ **chem·is·try** *s.* or'ganische Che'mie; ~ **dis·ease** *s.* ⚕ or'ganische Krankheit; ~ **e·lec·tric·i·ty** *s. zo.* tierische Elektrizi'tät; ~ **law** *s. pol.* Grundgesetz *n.*

or·gan·ism ['ɔːgənizəm] *s. biol. u. fig.* Orga'nismus *m.*

or·gan·ist ['ɔːgənist] *s.* ♪ Orga'nist(in).

or·gan·i·za·tion [ɔːgənai'zeiʃən] *s.* **1.** Organisati'on *f*: **a)** Organisierung *f*, Bildung *f*, Gründung *f*, **b)** (syste'matischer) Aufbau, Gliederung *f*, (Aus)Gestaltung *f*, **c)** Zs.-schluß *m*, Verband *m*, Gesellschaft *f*: *administrative* ~ Verwaltungsapparat; **2.** Orga'nismus *m*, Sy'stem *n*; **or·gan·i'za·tion·al** [-ʃənl] *adj.* organisa'torisch; **or·gan·ize** ['ɔːgənaiz] **I.** *v/t.* **1.** organisieren: **a)** aufbauen, einrichten, **b)** gründen, ins Leben rufen, **c)** veranstalten, *sport a.* ausrichten: ~*d tour* Gesellschaftsreise, **d)** gestalten; **2.** in ein Sy'stem bringen; **3.** (gewerkschaftlich) organisieren: ~*d labo(u)r*; **II.** *v/i.* **4.** sich organisieren; **or·gan·iz·er** ['ɔːgənaizə] *s.* Organi'sator *m*; Veranstalter *m*, *sport a.* Ausrichter *m*; ⚖ Gründer *m.*

'or·gan-loft *s.* △ 'Orgelchor *m*, -em‚pore *f.*

or·gan·zine ['ɔːgənziːn] *s.* Organ'sin(seide *f*) *m*, *n.*

or·gasm ['ɔːgæzəm] *s. physiol.* **1.** Or'gasmus *m*, (sexu'eller) Höhepunkt; **2.** heftige Erregung; **or·gi·as·tic** [ɔːdʒi'æstik] *adj.* orgi'astisch; **or·gy** ['ɔːdʒi] *s.* Orgie *f.*

o·ri·el ['ɔːriəl] *s.* △ Erker *m.*

o·ri·ent ['ɔːriənt] **I.** *s.* **1.** Osten *m*, Morgen *m*; **2.** *the* ♀ der Orient, das Morgenland; **II.** *adj.* **3.** aufgehend; **4.** östlich, morgenländisch; **5.** glänzend; **III.** *v/t.* [-ient] **6.** orientieren, die Lage *od.* die Richtung bestimmen von, orten; *Landkarte* einnorden; *Instrument* einstellen; *Kirche* osten; **7.** *fig. geistig* (aus)richten, orientieren (*by* an *dat.*); **8.** ~ *o.s.* sich orientieren (*by* an *dat.*), sich zu'rechtfinden, sich informieren; **o·ri·en·tal** [ɔːri'entl] **I.** *adj.* **1.** östlich; **2.** *mst* ♀ orien'talisch, morgenländisch, östlich; **II.** *s.* **3.** Orien'tale *m*, Orien'talin *f*; **o·ri·en·tal·ist** [ɔːri'entəlist] *s.* Orienta'list(in); **o·ri·en·tate** ['ɔːrienteit] → *orient 6, 7, 8*; **o·ri·en·ta·tion** [ɔːrien'teiʃən] *s.* **1.** △ Ostung *f* (*Kirche*); **2.** Anlage *f*, Richtung *f*; **3.** Orientierung *f* (*a.* ⛴), Ortung *f*; Ausrichtung *f* (*a. fig.*); **4.** Orientierung *f*, (Sich)Zu'rechtfinden *n* (*a. fig.*); **5.** Orientierungssinn *m.*

or·i·fice ['ɔrifis] *s.* **Öffnung** *f* (*a. anat.*, ⊕), **Mündung** *f.*

or·i·flamme ['ɔriflæm] *s.* Banner *n*, Fahne *f*; *fig.* Fa'nal *n.*

or·i·gin ['ɔridʒin] *s.* **1.** Ursprung *m*: **a)** Quelle *f*, **b)** *fig.* Herkunft *f*, Abstammung *f*: *certificate of* ~ ✝ Ursprungszeugnis; *country of* ~ Ursprungsland; *indication of* ~ Ursprungsbezeichnung, **c)** Anfang *m*, Entstehung *f*: *the* ~ *of species* der Ursprung der Arten; **2.** ∡ Koordi'natenursprung *m*, -nullpunkt *m.*

o·rig·i·nal [ə'ridʒənl] **I.** *adj.* □ → *originally*; **1.** origi'nal, Original..., Ur..., ursprünglich, echt: *the* ~ *text* der Ur- *od.* Originaltext; **2.** erst, ursprünglich, ur...: ~ *bill* ✝ *Am.* Primawechsel; ~ *capital* ✝ Gründungskapital; ~ *copy* Erstausfertigung; ~ *cost* ✝ Selbstkosten; ~ *inhabitants* Ureinwohner; ~ *jurisdiction* ⚖ erstinstanzliche Zuständigkeit; ~ *share* ✝ Stammaktie; → *sin 1*; **3.** origi'nell, neu(artig); *an* ~ *idea*; **4.** schöpferisch, ursprünglich: ~ *genius* Originalgenie, Schöpfergeist; ~ *thinker* selbständiger Geist; **5.** urwüchsig, Ur...: ~ *nature* Urnatur; **II.** *s.* **6.** Origi'nal *n*: **a)** Urbild *n*, -stück *n*, **b)** Urfassung *f*, -text *m*: *in the* ~ im Original, im Urtext, ⚖ urschriftlich; **7.** Original *n* (*Mensch*); **8.** ⚘, *zo.* Stammform *f*; **o·rig·i·nal·i·ty** [ɔridʒi'næliti] *s.* **1.** Originali'tät *f*: **a)** Ursprünglichkeit *f*, Echtheit *f*, **b)** Eigenart *f*, origi'neller Cha'rakter, **c)** Neuheit *f*; **2.** *das* Schöpferische; **o'rig·i·nal·ly** [-dʒnəli] *adv.* **1.** ursprünglich, zu'erst; **2.** hauptsächlich, eigentlich; **3.** von Anfang an, schon immer.

o·rig·i·nate [ə'ridʒineit] **I.** *v/i.* **1.** (*from*) entstehen, entspringen (aus), s-n Ursprung haben (in *dat.*), herrühren (von *od.* aus); **2.** (*with, from*) ausgehen (von *j-m*); **II.** *v/t.* **3.** her'vorbringen, verursachen, erzeugen, schaffen; **4.** den Anfang machen mit, den Grund legen zu; **o·rig·i·na·tion** [əridʒi'neiʃən] *s.* **1.** Her'vorbringung *f*, Schaffung *f*, Veranlassung *f*; **2.** → *origin 1 b u. c*; **o'rig·i·na·tive** [-tiv] *adj.* schöpferisch; **o'rig·i·na·tor** [-tə] *s.* Urheber(in), Begründer(in), Schöpfer(in).

o·ri·ole ['ɔːrioul] *s. orn.* Pi'rol *m.*

or·mo·lu ['ɔːməluː] *s.* **a)** Malergold *n*, **b)** Goldbronze *f.*

or·na·ment I. *s.* ['ɔːnəmənt] Orna'ment *n*, Verzierung *f* (*a.* ♪), Schmuck *m*; *fig.* Zier(de) *f* (*to* für *od. gen.*): *rich in* ~ reich verziert; **II.** *v/t.* [-ment] verzieren, schmükken; **or·na·men·tal** [ɔːnə'mentl] *adj.* □ ornamen'tal, schmückend, dekora'tiv, Zier...: ~ *castings* ⊕ Kunstguß; ~ *plants* Zierpflanzen; ~ *type* Zierschrift; **or·na·men·ta·tion** [ɔːnəmen'teiʃən] *s.* Ornamentierung *f*, Ausschmückung *f*, Verzierung *f.*

or·nate [ɔː'neit] *adj.* □ **1.** reich verziert; **2.** über'laden (*Stil etc.*); blumig (*Sprache*).

or·ni·tho·log·i·cal [ɔːniθə'lɔdʒikəl] *adj.* □ ornitho'logisch; **or·ni·thol·o·gist** [ɔːni'θɔlədʒist] *s.* Ornitho'loge *m*; **or·ni·thol·o·gy** [ɔːni'θɔlədʒi] *s.* Ornitholo'gie *f*, Vogelkunde *f*; **or·ni·thop·ter** [ɔːni'θɔptə] *s.* ✈ Schwingenflügler *m*; **or·ni·tho'rhyn·chus** [-ə'riŋkəs] *s. zo.* Schnabeltier *n.*

o·rog·ra·phy [ɔ'rɔgrəfi] *s.* Gebirgsbeschreibung *f*; **o·rol·o·gy** [ɔ'rɔlədʒi] *s.* Gebirgskunde *f.*

o·ro·pha·ryn·ge·al [ɔːroufærin'dʒiːəl] *adj.* ⚕ Mundrachen...

o·ro·tund ['ɔːroutʌnd] *adj.* **1.** volltönend (*Stimme*); **2.** bom'bastisch (*Stil*).

or·phan ['ɔːfən] **I.** *s.* **1.** (Voll)Waise *f*, Waisenkind *n*: ~*s' home* Waisenhaus; **II.** *adj.* **2.** Waisen...: *an* ~ *child*; **III.** *v/t.* **3.** zur Waise machen: *to be* ~*ed* (zur) Waise werden, verwaisen; **or·phan·age** ['ɔːfənidʒ] *s.* **1.** Waisenhaus *n*; **2.** Verwaistheit *f*; **or·phan·ize** ['ɔːfənaiz] *v/t.* → *orphan 3.*

or·rer·y ['ɔrəri] *s. ast.* Plane'tarium *n.*

or·ris ['ɔris] *s.* ⚘ **1.** Floren'tiner Schwertlilie *f*; **2.** *a.* ~ *root* Iris-, Veilchenwurzel *f* (*a. pharm.*).

or·tho·chro·mat·ic ['ɔːθoukrou'mætik] *adj. phot.* orthochro'matisch, farb(wert)richtig.

or·tho·clase ['ɔːθoukleis] *s. min.* Ortho'klas *m.*

or·tho·dox ['ɔːθədɔks] *adj.* □ **1.** *eccl.* ortho'dox: **a)** streng-, recht-, altgläubig, **b)** ♀ ortho'dox-ana'tolisch: ♀ *Church* griechisch-katholische Kirche; **2.** *fig.* orthodox: **a)** streng: *an* ~ *opinion*, **b)** anerkannt, üblich, konventio'nell; **'or·tho·dox·y** [-ksi] *s. eccl.* Orthodo'xie *f* (*a. fig. orthodoxes Denken*).

or·thog·o·nal [ɔː'θɔgənl] *adj.* ∡ orthogo'nal, rechtwink(e)lig.

or·tho·graph·ic *adj.*; **or·tho·graph·i·cal** [ɔːθə'græfik(əl)] *adj.* □ **1.** ortho'graphisch; **2.** ∡ senkrecht, rechtwink(e)lig; **or·thog·ra·phy** [ɔː'θɔgrəfi] *s.* Orthogra'phie *f*, Rechtschreibung *f.*

or·tho·p(a)e·dic [ɔːθou'piːdik] *adj.* ⚕ ortho'pädisch; **or·tho'p(a)e·dics** [-ks] *s. pl. oft* ‚*sg. konstr.* Orthopä'die *f*; **or·tho'p(a)e·dist** [-ist] *s.* Ortho'päde *m*; **or·tho·p(a)e·dy** ['ɔːθoupiːdi] → *orthop(a)edics.*

or·thop·ter [ɔː'θɔptə] *s.* **1.** ✈ → *ornithopter*; **2.** → *orthopteron*; **or'thop·ter·on** [-ərɔn] *s. zo.* Geradflügler *m.*

or·tho·scope ['ɔːθouskoup] *s.* ⚕ Ortho'skop *n*; **or·tho·scop·ic** [ɔːθou'skɔpik] *adj.* tiefenrichtig, verzeichnungsfrei.

Os·car ['ɔskə] *s. bsd. Am.* Oskar *m* (*Filmpreis*).

os·cil·late ['ɔsileit] *v/i.* **1.** oszillieren, schwingen, pendeln, vibrieren; **2.** *fig.* (hin- u. her) schwanken; **'os·cil·lat·ing** [-tiŋ] *adj.* oszillierend *etc.*: ~ *axle mot.* Schwingachse; ~ *circuit* ⚡ Schwingkreis; **os·cil·la·tion** [ɔsi'leiʃən] *s.* **1.** Schwingung *f*, Pendelbewegung *f*, Schwankung *f*; **2.** *fig.* Schwanken *n*; **'os·cil·la·tor** [-tə] *s.* ⊕ Oszil'lator *m*; **'os·cil·la·to·ry** [-lətəri] *adj.* oszilla'torisch, schwingend, schwingungsfähig: ~ *circuit* ⚡ Schwingkreis; **os·cil·lo·graph** [ɔ'siləgrɑːf; -græf] *s.* Oszillo'graph *m*; **os·cil·lo·scope** [ɔ'siləskoup] *s. phys.* Oszillo'skop *n*, Ka'thodenstrahlröhre *f.*

os·cu·late ['ɔskjuleit] *v/t. u. v/i.* **1.** *humor.* (sich) küssen; **2.** ∡ oskulieren, (sich) eng berühren: *osculating plane* Schmiegungsebene.

o·sier ['ouʒə] *s.* ♀ Korbweide *f*: ~ *basket* Weidenkorb; ~ *furniture* Korbmöbel.
os·mic ['ɔzmik] *adj.* ⚗ Osmium...; **os·mi·um** ['ɔzmiəm] *s.* ⚗ 'Osmium *n*.
os·mo·sis [ɔz'mousis] *s. phys.* Os'mose *f*; **os·mot·ic** [ɔz'mɔtik] *adj.* (□ ~*ally*) os'motisch.
os·prey ['ɔspri] *s.* **1.** *orn.* Fischadler *m*; **2.** † Reiherfederbusch *m*.
os·se·in ['ɔsiin] *s. biol.*, ⚗ Knochenleim *m*.
os·se·ous ['ɔsiəs] *adj.* knöchern, Knochen...; **os·si·cle** ['ɔsikl] *s. anat.* Knöchelchen *n*; **os·si·fi·ca·tion** [ɔsifi:'keiʃən] *s.* Verknöcherung *f*; **os·si·fied** ['ɔsifaid] *adj.* verknöchert (*a. fig.*); **os·si·fy** ['ɔsifai] **I.** *v/t.* **1.** verknöchern (lassen); **2.** *fig.* verknöchern; (*in Konventionen*) erstarren lassen; **II.** *v/i.* **3.** verknöchern; **4.** *fig.* verknöchern, in Konventi'onen erstarren; **os·su·ar·y** ['ɔsjuəri] *s.* Beinhaus *n*.
os·te·i·tis [ɔsti'aitis] *s.* ⚕ Knochenentzündung *f*.
os·ten·si·ble [ɔs'tensəbl] *adj.* □ **1.** scheinbar; **2.** an-, vorgeblich: ~ *partner* † Strohmann.
os·ten·ta·tion [ɔsten'teiʃən] *s.* **1.** (protzige) Schaustellung; **2.** Protze'rei *f*, Prahle'rei *f*; **3.** Gepränge *n*; **os·ten'ta·tious** [-ʃəs] *adj.* □ **1.** großtuerisch, prahlend, prunkend; **2.** (*absichtlich*) auffällig, ostenta'tiv; **os·ten'ta·tious·ness** [-ʃəsnis] *s.* Prahle'rei *f*, Großtue'rei *f*, eitles Gepränge.
os·te·o·blast ['ɔstiəbla:st] *s. biol.* Knochenbildner *m*; **os·te·oc·la·sis** [ɔsti'ɔkləsis] *s.* ⚕ (opera'tive) 'Knochenfrakˌtur; **os·te·ol·o·gy** [ɔsti'ɔlədʒi] *s.* Knochenlehre *f*; **os·te·o·ma** [ɔsti'oumə] *s.* ⚕ Oste'om *n*, gutartige Knochengeschwulst; **os·te·o·ma·la·ci·a** [ɔstiouma'leiʃiə] *s.* ⚕ Knochenerweichung *f*; '**os·te·o·path** [-ioupæθ] *s.* ⚕ Osteo'path *m*.
ost·ler ['ɔslə] *s.* Stallknecht *m*.
os·tra·cism ['ɔstrəsizəm] *s.* **1.** *antiq.* Scherbengericht *n*; **2.** *fig.* **a)** Verbannung *f*, **b)** Ächtung *f*; '**os·tra·cize** [-saiz] *v/t.* **1.** verbannen (*a. fig.*); **2.** *fig.* ächten, ausstoßen, verfemen.
os·trich ['ɔstritʃ] *s. orn.* Strauß *m*; ~ **pol·i·cy** *s.* Vogel-'Strauß-Poliˌtik *f*.
oth·er ['ʌðə] **I.** *adj.* **1.** ander; **2.** (*vor s. im pl.*) andere, übrige: *the* ~ *guests*; **3.** ander, weiter, sonstig: *one* ~ *person* e-e weitere Person, (noch) j-d anders; **4.** anders (*than* als): *I would not have him* ~ *than he is* ich möchte ihn nicht anders haben, als er ist; *no person* ~ *than yourself* niemand außer dir; **5.** (*from, than*) anders (als), verschieden (von); **6.** zweit (*nur in*): *every* ~ jeder (jede, jedes) zweite; *every* ~ *day* jeden zweiten Tag; **7.** (*nur in*): *the* ~ *day* neulich, kürzlich; *the* ~ *night* neulich abends; **II.** *pron.* **8.** ander: *the* ~ der (die, das) andere; *each* ~ einander; *the two* ~*s* die beiden anderen; *of all* ~*s* vor allen anderen; *no* (*od.* *none*) ~ *than* kein anderer als; *some day* (*od. time*) *or* ~ eines Tages, irgendeinmal; *some way or* ~ irgendwie, auf irgendeine Weise; → *someone 1*; **III.** *adv.* **9.** anders (*than* als); '~**wise** [-waiz] *adv.* **1.** (*a. cj.*) sonst, andernfalls; **2.** sonst, im übrigen: *stupid but* ~ *harmless*; **3.** anderweitig: ~ *occupied*; *unless you are* ~ *engaged* wenn du nichts anderes vorhast; **4.** anders (*than* als): *we think* ~ wir denken anders; *berries edible and* ~ eßbare u. nicht eßbare Beeren; '~-'**world** *adj.* jenseitig; ~-'**world·li·ness** *s.* Jenseitigkeit *f*, Jenseitsgerichtetheit *f*; ~-'**world·ly** *adj.* jenseitig, Jenseits...
o·ti·ose ['ouʃious] *adj.* □ müßig: **a)** untätig, **b)** zwecklos.
o·to·lar·yn·gol·o·gist [outoulærinˈgɔlədʒist] *s.* ⚕ Facharzt *m* für Hals- u. Ohrenleiden; **o·tol·o·gy** [ou'tɔlədʒi] *s.* Ohrenheilkunde *f*; **o·to·rhi·no·lar·yn·gol·o·gist** [outourainoulærinˈgɔlədʒist] *s.* Facharzt *m* für Hals-, Nasen- u. Ohrenkrankheiten; **o·to·scope** ['outəskoup] *s.* ⚕ Ohr(en)spiegel *m*.
ot·ter ['ɔtə] *s.* **1.** *zo.* Otter *m*; **2.** Otterfell *n*, -pelz *m*; '~-**dog**, '~-**hound** *s. hunt.* Otterhund *m*.
Ot·to·man ['ɔtəmən] **I.** *adj.* **1.** os'manisch, türkisch; **II.** *s. pl.* **-mans** **2.** Os'mane *m*, Türke *m*; **3.** ♀ Otto'mane *f* (*Sofa*).
ouch [autʃ] *int.* autsch!, au!
ought[1] [ɔ:t] **I.** *v/aux. ich, er, sie, es* sollte, *du* solltest, *ihr* solltet, *wir, sie, Sie* sollten: *he* ~ *to do it* er sollte es (eigentlich) tun; *he* ~ (*not*) *to have seen it* er hätte es (nicht) sehen sollen; *you* ~ *to have known better* du hättest es besser wissen sollen *od.* müssen; **II.** *s.* (mo'ralische) Pflicht.
ought[2] [ɔ:t] *s.* Null *f*.
ought[3] → *aught*.
ounce[1] [auns] *s.* **1.** Unze *f* (*28,35 g*): *by the* ~ nach (dem) Gewicht; **2.** *fig. ein* bißchen, Körnchen *n* (*Wahrheit etc.*).
ounce[2] [auns] *s.* **1.** *zo.* Irbis *m* (*Schneeleopard*); **2.** *poet.* Luchs *m*.
our ['auə] *poss. adj.* unser: ♀ *Father das* Vaterunser; **ours** ['auəz] *poss. pron.* **1.** *der* (*die, das*) uns(e)re: *I like* ~ *better* mir gefällt das unsere besser; *a friend of* ~ ein Freund von uns; *this world of* ~ diese unsere Welt; ~ *is a small group* unsere Gruppe ist klein; **2.** unser, *der* (*die, das*) uns(e)re: *it is* ~ es gehört uns, es ist unser; **our'self** *pron.*: *We* ♀ Wir höchstselbst; **our'selves** *pron.* **1.** *refl.* uns (selbst): *we blame* ~ wir geben uns (selbst) die Schuld; **2.** (wir) selbst: *let us do it* ~; **3.** uns (selbst): *good for the others, not for* ~ gut für die andern, nicht für uns (selbst).
oust [aust] *v/t.* **1.** vertreiben, entfernen, verdrängen, hin'auswerfen (*from* aus): *to* ~ *s.o. from office* j-n aus s-m Amt verdrängen; *to* ~ *from the market* † vom Markt verdrängen; **2.** ⚖ enteignen, um den Besitz bringen; **3.** berauben (*of gen.*); '**oust·er** [-tə] *s.* ⚖ **a)** Enteignung *f*, **b)** Besitzvorenthaltung *f*.
out [aut] **I.** *adv.* **1.** (*a. in Zssgn mit vb.*) hin'aus (*-gehen, -werfen etc.*), her'aus (*-kommen, -schauen etc.*), aus (*-brechen, -pumpen, -sterben etc.*): *voyage* ~ Ausreise; *way* ~ Ausgang; *on the way* ~ beim Hinausgehen; ~ *with him!* hinaus mit ihm!; ~ *with it!* hinaus *od.* heraus damit!; *to have a tooth* ~ sich e-n Zahn ziehen lassen; *to insure* ~ *and home* † hin u. zurück versichern; *to have it* ~ *with s.o. fig.* die Sache mit j-m ausfechten; *that's* ~! das kommt nicht in Frage!; **2.** außen, draußen, fort: *some way* ~ ein Stück draußen; *he is* ~ er ist draußen; **3.** nicht zu Hause, ausgegangen: *to be* ~ *on business* geschäftlich verreist sein; *a day* ~ ein freier Tag; *an evening* ~ ein Ausgeh-Abend; *to be* ~ *on account of illness* wegen Krankheit der Arbeit fernbleiben; **4.** ausständig (*Arbeiter*): *to be* ~ streiken; **5. a)** ins Freie, **b)** draußen, im Freien, **c)** ⚓ draußen, auf See, **d)** ⚔ im Felde; **6. a)** ausgeliehen (*Buch*), **b)** verliehen (*Geld*), **c)** verpachtet, vermietet, **d)** (*aus dem Gefängnis etc.*) entlassen; **7.** her'aus *sein*: **a)** (*just*) ~ (soeben) erschienen (*Buch*), **b)** in Blüte (*Blumen*), entfaltet (*Blüte*), **c)** ausgeschlüpft (*Küken*), **d)** verrenkt (*Glied*), **e)** *fig.* enthüllt (*Geheimnis*): *the girl is not yet* ~ das Mädchen ist noch nicht in die Gesellschaft eingeführt (worden); → *blood 3, murder 1*; **8.** *sport* aus, draußen: **a)** nicht (mehr) im Spiel, **b)** im Aus; **9.** *Boxen*: ausgezählt, kampfunfähig; **10.** *pol.* draußen, raus, nicht (mehr) im Amt, nicht (mehr) am Ruder; **11.** aus der Mode; **12.** aus, vor'bei (*zu Ende*): *before the week is* ~ vor Ende der Woche; **13.** aus, erloschen (*Feuer, Licht*); **14.** aus(gegangen), verbraucht: *the potatoes are* ~; **15.** aus der Übung: *my hand is* ~; **16.** zu Ende, bis zum Ende, ganz: *to hear s.o.* ~ j-n bis zum Ende *od.* ganz anhören; **17.** ausgetreten, über die Ufer getreten (*Fluß*); **18.** löch(e)rig, 'durchgescheuert; → *elbow 1*; **19.** ärmer um *1 Dollar etc.*; **20.** unrichtig, im Irrtum (befangen): *his calculations are* ~ s-e Berechnungen stimmen nicht; *to be* (*far*) ~ sich (gewaltig) irren, (ganz) auf dem Holzweg sein; **21.** entzweit, verkracht: *to be* ~ *with s.o.*; **22.** laut *lachen etc.*; **23.** ~ *for* auf *e-e Sache* aus, auf der Jagd *od.* Suche nach: ~ *for prey* auf Raub aus; **24.** ~ *to do s.th.* darauf aus, et. zu tun; **25.** (*bsd. nach sup.*) *das Beste etc.* weit u. breit; **26.** ~ *and about* (wieder) auf den Beinen; ~ *and away* bei weitem; ~ *and* ~ durch u. durch; ~ *of* → *31*; **II.** *adj.* **27.** Außen...: ~ *edge*; **28.** *sport* auswärtig, Auswärts... (*-spiel*); **29.** *Kricket*: nicht schlagend: ~ *side* → *34*; **30.** 'übernorˌmal, Über...; → *outsize*; **III.** *prp.* **31.** ~ *of* **a)** aus (... her'aus), zu ... hin'aus, **b)** *fig.* aus *Furcht, Mitleid etc.*, **c)** aus, von: *two* ~ *of three* zwei von drei *Personen etc.*, **d)** außerhalb, außer *Reichweite, Sicht etc.*, **e)** außer *Atem, Übung etc.*, ohne: *to be* ~ *of s.th.* et. nicht (mehr) haben, ohne et. sein; → *money 1, work 1*, **f)** aus *der Mode, Richtung etc.*, nicht gemäß: ~ *of drawing* verzeichnet; → *focus 1, hand Redew., question 4*, **g)** außerhalb (*gen. od.* von): *6 miles* ~ *of*

Oxford; ~ *of doors* im Freien, ins Freie; *to be* ~ *of it* nicht dabei sein (dürfen); *to feel* ~ *of it* sich ausgeschlossen *od.* nicht zugehörig fühlen, **h)** um *et. betrügen*: *to cheat s.o.* ~ *of s.th.*, **i)** aus, von: *to get s.th.* ~ *of s.o.* et. von j-m bekommen; *he got more (pleasure)* ~ *of it* er hatte mehr davon, **j)** *hergestellt* aus: *made* ~ *of paper*; **IV.** *s.* **32.** *typ.* Auslassung *f*, ‚Leiche' *f*; **33.** *Tennis etc.*: Ausball *m*; **34.** *the* ~*s Kricket etc.*: die 'Feldpar,tei; **35.** *the* ~*s parl.* die Oppositi'on; **36.** *Am.* F Ausweg *m*, Schlupfloch *n*; **V.** *v/t.* **37.** F rausschmeißen; **38.** *Boxen*: k. 'o. schlagen; **VI.** *int.* **39.** hin'aus!, raus!; **40.** *obs.* ~ *upon you!* pfui über dich!

'out|-and-'out *adj.* abso'lut, völlig: *an* ~ *villain* ein Erzschurke; ~**-and-'out·er** *s. sl.* **1.** 'Hundertpro,zentige(r *m*) *f*, ‚Waschechte(r' *m*) *f*; **2.** *et.* 'Hundertpro,zentiges *od.* ganz Typisches *s-r Art*; ~**'bal·ance** *v/t.* über'wiegen; ~**'bid** *v/t.* [*irr.* → *bid*] über'bieten (*a. fig.*); **'~·board** ⚓ **I.** *adj.* Außenbord...: ~ *motor*; **II.** *adv.* außenbords; **'~·bound** *adj.* **1.** ⚓ nach auswärts bestimmt *od.* fahrend, auslaufend, ausgehend; **2.** ✈ im Abflug; **3.** ✝ nach dem Ausland bestimmt; ~**'box** *v/t. im Boxen* schlagen, auspunkten; ~**'brave** *v/t.* **1.** trotzen (*dat.*); **2.** an Kühnheit *od.* Glanz über'treffen; **'~·break** *s. allg.* Ausbruch *m*; **'~·build·ing** *s.* Außen-, Nebengebäude *n*; **'~·burst** *s.* Ausbruch *m* (*a. fig.*); **'~·cast I.** *adj.* **1.** ausgestoßen, verstoßen; **II.** *s.* **2.** Ausgestoßene(r *m*) *f*; **3.** Abfall *m*, Ausschuß *m*; ~**'class** *v/t. j-m* weit über'legen sein, *j-n* weit über'treffen, *sport a. j-n* deklassieren; **'~·clear·ing** *s.* ✝ Gesamtbetrag *m* der Wechsel- u. Scheckforderungen e-r Bank an das *Clearing-House*; **'~·come** *s.* Ergebnis *n*, Resul'tat *n*, Folge *f*; **'~·crop I.** *s.* **1.** *geol.* **a)** Zu'tageliegen *n*, Anstehen *n*, **b)** Anstehendes *n*, Ausbiß *m*; **2.** *fig.* Zu'tagetreten *n*; **II.** *v/i.* *out'crop* **3.** *geol.* zu'tage liegen *od.* treten, anstehen; **4.** *fig.* zu'tage treten; **'~·cry** *s.* Aufschrei *m*, Schrei *m* der Entrüstung; ~**'dat·ed** *adj.* über'holt, veraltet; ~**'dis·tance** *v/t.* über'holen, (weit) hinter sich lassen (*a. fig.*); ~**'do** *v/t.* [*irr.* → *do*[1]] über'treffen, es *j-m* zu'vortun: *to* ~ *o.s.* sich selbst über'treffen; **'~·door** *adj.* Außen..., draußen, außer dem Hause (*a. parl.*); im Freien: ~ *aerial* Außen-, Hochantenne; ~ *dress* Ausgehanzug; ~ *exercise* Bewegung in freier Luft; ~ *relief* Hauspflege *für Arme*; ~ *shot phot.* Außen-, Freilichtaufnahme; ~**'doors I.** *adv.* **1.** draußen, im Freien; **2.** hin'aus, ins Freie; **II.** *adj.* **3.** → *outdoor*.

out·er ['autə] *adj.* Außen...: ~ *garments*, ~ *wear* Ober-, Überkleidung; ~ *cover* ✈ Außenhaut; ~ *diameter* äußerer Durchmesser; ~ *harbo(u)r* ⚓ Außenhafen; *the* ~ *man* der äußere Mensch; ~ *skin* Oberhaut, Epidermis; ~ *space* Weltraum; ~ *surface* Außenfläche, -seite; ~ *world* Außenwelt; **'~·most** *adj.* äußerst.

out|'face *v/t.* **1.** Trotz bieten (*dat.*), mutig *od.* gefaßt begegnen (*dat.*): *to* ~ *a situation* e-r Lage Herr werden; **2.** *j-n* mit Blicken aus der Fassung bringen; **'~·fall** *s.* Mündung *f*; **'~·field** *s.* **1.** *Baseball u. Kricket*: **a)** Außenfeld *n*, **b)** Außenfeldspieler *pl.*; **2.** *fig.* fernes Gebiet; **3.** weitabliegende Felder *pl.* (*e-r Farm*); **'~·field·er** *s.* Außenfeldspieler(in); **'~·fit I.** *s.* **1.** Ausrüstung *f*, -stattung *f*: ~ *of tools* Werkzeug; *travel(l)ing* ~; *cooking* ~ Kochutensilien; *puncture* ~ *mot.* Reifenflickzeug; *the whole* ~ F der ganze Kram; **2.** *Am.* **a)** ⚔ Einheit *f*, ‚Haufen' *m*, **b)** (Arbeits)Gruppe *f*, **c)** F ‚Verein' *m*, Gesellschaft *f*; **II.** *v/t.* **3.** ausrüsten, -statten; **'~·fit·ter** *s.* ✝ **1.** 'Ausrüstungsliefer,ant(in); **2.** Herrenausstatter *m*; **3.** (Fach)Händler *m*: *electrical* ~ Elektrohändler; ~**'flank** *v/t.* ⚔ über'flügeln (*a. fig.*), die Flanke um'fassen von: ~*ing attack* Umfassungsangriff; **'~·flow** *s.* Ausfluß *m* (*a.* ⚕): ~ *of gold* ✝ Goldabfluß; ~**'gen·er·al** *v/t.* **1.** an Feldherrnkunst über'treffen; **2.** → *outmanœuvre*; ~**'go I.** *v/t.* [*irr.* → *go*] *fig.* über'treffen; über'listen; **II.** *s.* **'out·go** *pl.* **'~·goes** ✝ Ausgaben *pl.*; **'~·go·ing I.** *adj.* weg-, gehend; 🚂, ⚓ *etc.* abgehend (*a.* ⚡ *Strom*; *Verkehr*); ausziehend (*Mieter*); zu'rückgehend (*Flut*); abtretend (*Regierung*): ~ *stocks* ✝ Ausgänge; **II.** *s.* Ausgehen *n*; *pl.* ✝ Ausgaben *pl.*; ~**'grow** *v/t.* [*irr.* → *grow*] **1.** schneller wachsen als, hin'auswachsen über (*acc.*); **2.** *j-m* über den Kopf wachsen; **3.** her'auswachsen aus *Kleidern*; **4.** *fig. Gewohnheit etc.* (mit der Zeit) ablegen, her'auswachsen aus; **'~·growth** *s.* **1.** na'türliche Folge, Ergebnis *n*; **2.** Nebenerscheinung *f*; **3.** ⚕ Auswuchs *m*; **'~·guard** *s.* ⚔ Vorposten *m*, Feldwache *f*; **'~·house** *s.* **1.** Nebengebäude *n*, Schuppen *m*; **2.** *Am.* Außenabort *m*.

out·ing ['autiŋ] *s.* Ausflug *m*, 'Landpar,tie *f*; Spaziergang *m*: *works'* ~ Betriebsausflug.

out|'jump *v/t.* höher *od.* weiter springen als; ~**'land·ish** *adj.* **1.** fremdartig, seltsam, e'xotisch; **2. a)** unkultiviert, **b)** rückständig; **3.** abgelegen; ~**'last** *v/t.* über'dauern, -'leben.

out·law ['autlɔ:] **I.** *s.* **1.** *hist.* Geächtete(r *m*) *f*, Vogelfreie(r *m*) *f*; **2.** Ban'dit *m*, Verbrecher *m*; **3.** *Am.* bösartiges Pferd; **II.** *v/t.* **4.** *hist.* ächten, für vogelfrei erklären; **5.** ⚖ der Rechtskraft berauben: ~*ed claim* verjährter Anspruch; **6.** für ungesetzlich erklären, verbieten; **'out·law·ry** [-ri] *s.* **1.** *hist.* Ächtung *f*; **2.** Verfemung *f*, Verbot *n*; **3.** Ge'setzesmiß,achtung *f*; **4.** Verbrechertum *n*.

'out|·lay *s.* (Geld)Auslage(n *pl.*) *f*: *initial* ~ Anschaffungskosten; **'~·let** *s.* **1.** Auslaß *m*, Abzug *m*, Abzugsöffnung *f*, 'Durchlaß *m*; *mot.* Abluftstutzen *m*; **2.** ⚡ (Stekker)Anschluß *m*; *weitS.* (*electric* ~) Stromverbraucher *m*; **3.** *fig.* Ven'til *n*, Betätigungsfeld *n*: *to find an* ~ *for one's emotions* s-n Gefühlen Luft machen können; **4.** ✝ **a)** Absatzmarkt *m*, -möglichkeit *f*, **b)** Großabnehmer *m*, **c)** Verkaufsstelle *f*; **'~·line I.** *s.* **1. a)** 'Umriß (-,linie *f*) *m*, **b)** *mst pl.* 'Umrisse *pl.*, Kon'turen *pl.*, Silhou'ette *f*; **2.** *Zeichnen*: **a)** Kon'turzeichnung *f*, **b)** 'Umriß-, Kon'turlinie *f*; **3.** Entwurf *m*, Skizze *f*; **4.** (of) *fig.* 'Umriß *m* (von), 'Überblick *m* (über *acc.*); **5.** Abriß *m*, Auszug *m*: *an* ~ *of history*; **II.** *v/t.* **6.** entwerfen, skizzieren; *fig. a.* um'reißen, e-n 'Überblick geben über (*acc.*), in groben Zügen darstellen; **7.** die 'Umrisse zeigen von: ~*d against* scharf abgehoben von; ~**'live** *v/t.* *j-n od. et.* über'leben; *et.* über'dauern; **'~·look** *s.* **1.** Aussicht *f*, (Aus)Blick *m*; *fig.* Aussichten *pl.*; **2.** *fig.* Auffassung *f*, Einstellung *f*; Ansichten *pl.*, (Welt)Anschauung *f*; *pol.* Zielsetzung *f*; **3.** Ausguck *m*, Warte *f*; **4.** Wacht *f*, Wache *f*; **'~·ly·ing** *adj.* **1.** außerhalb *od.* abseits gelegen, entlegen, Außen...: ~ *district* Außenbezirk; **2.** *fig.* am Rande liegend, nebensächlich; ~**ma'neu·ver** *Am.*, ~**'ma'nœu·vre** *Brit.* *v/t.* ausmanövrieren (*a. fig. überlisten*); ~**'match** *v/t.* über'treffen, (aus dem Felde) schlagen; ~**'mod·ed** *adj.* 'unmo,dern, veraltet, über'holt; **'~·most** [-moust] *adj.* äußerst (*a. fig.*); ~**'num·ber** *v/t.* an Zahl über'treffen, zahlenmäßig über'legen sein (*dat.*): *to be* ~*ed* in der Minderheit sein.

'out-of|-'bal·ance *adj.* ⊕ unausgeglichen: ~ *force* Unwuchtkraft; **'~-'date** *adj.* veraltet, 'unmo,dern; **'~-'door(s)** → *outdoor(s)*; **'~-'pock·et ex·pens·es** *s. pl.* Barauslagen *pl.*; **'~-the-'way** *adj.* **1.** abgelegen, versteckt; **2.** ungewöhnlich, ausgefallen; **3.** ungehörig; **'~-'town** *adj.* auswärtig: ~ *bank* ✝ auswärtige Bank; ~ *bill* Distanzwechsel; **'~-'turn** *adj.* unangebracht, taktlos, vorlaut; **'~-'work pay** *s.* Er'werbslosenunter,stützung *f*.

out|'pace *v/t.* *j-n* hinter sich lassen; **'~·pa·tient** *s.* ⚕ ambu'lanter Pati'ent: ~ *treatment* ambulante Behandlung; **'~·pick·et** *s.* ⚔ vorgeschobener Posten; ~**'play** *v/t.* über'spielen, schlagen; ~**'point** *v/t.* *sport* nach Punkten schlagen; **'~·port** *s.* ⚓ **1.** Vorhafen *m*; **2.** abgelegener Hafen; **'~·pour(·ing)** *s.* Erguß *m* (*a. fig.*); **'~·put** *s.* Output *m*: **a)** ✝, ⊕ (Arbeits)Leistung *f*, **b)** ✝ Produkti'on *f*, Ertrag *m*, Ausstoß *m*, **c)** ⚒ Förderung *f*, Fördermenge *f*, **d)** ⚡ Leistungsabgabe *f*, **e)** *Computer*: Datenausgabe *f*: ~ *capacity* ⊕ Leistungsfähigkeit, *e-r Werkzeugmaschine*: Stückleistung; ~ *voltage* ⚡ Ausgangsspannung.

out·rage ['autreidʒ] **I.** *s.* **1.** Frevel (-tat *f*) *m*, Greuel(tat *f*) *m*, Ausschreitung *f*, Verbrechen *n*; **2.** (on, upon) Frevel(tat *f*) *m* (an *dat.*), Atten'tat *n* (auf *acc.*) (*bsd. fig.*): *an* ~ *upon decency* e-e grobe Verletzung des Anstandes; *an* ~ *upon justice* e-e Vergewaltigung der Gerechtigkeit; **3.** Schande *f*, Schmach *f*; **II.** *v/t.* **4.** sich vergehen an (*dat.*), *j-m* Gewalt antun (*a. fig.*); **5.** *Ge-*

fühle etc. mit Füßen treten, gröblich beleidigen *od.* verletzen; **6.** *j-n* em'pören, schockieren; **out'ra·geous** [-dʒəs] *adj.* □ **1.** frevelhaft, ab'scheulich, verbrecherisch; **2.** schändlich, em'pörend, unerhört: ~ *behavio(u)r*; **3.** heftig, unerhört: ~ *heat*.

out|'range *v/t.* **1.** ⚔ an Schuß- *od.* Reichweite über'treffen; **2.** hin'ausreichen über *(acc.)*; **3.** *fig.* über'treffen; **~'rank** *v/t.* **1.** im Rang höherstehen als; **2.** *fig.* wichtiger sein als, an Bedeutung über'ragen; **~'reach I.** *v/t.* über'treffen, weiter reichen als, hin'ausreichen über *(acc.)*; **'~-re·lief** *s. Brit.* Hauspflege *f für Arme*; **~'ride** *v/t.* [*irr.* → *ride*] **1.** besser *od.* schneller reiten als; **2.** ⚓ *e-n Sturm* ausreiten; **'~·rid·er** *s.* Vorreiter *m*; **'~·rig·ger** *s.* **1.** ⚓ *(a.* ⊕) Ausleger *m*; **2.** Auslegerboot *n*, *sport* Outrigger *m*; **3.** ⚔ (La'fetten)Holm *m*; **'~·right I.** *adj.* **1.** völlig, gänzlich, to'tal: *an ~ loss*; **2.** vorbehaltlos, offen: *an ~ refusal* e-e glatte Weigerung; **3.** gerade (her)'aus, di'rekt; **II.** *adv. out'right* **4.** gänzlich, völlig, total, ganz u. gar; **5.** ohne Vorbehalt, ganz: *to refuse ~* rundweg ablehnen; *to sell ~* fest verkaufen; **6.** auf der Stelle, so'fort: *to kill ~*; *to buy ~ Am.* gegen sofortige Lieferung kaufen; *to laugh ~* laut lachen; **~'ri·val** *v/t.* über'treffen, über'bieten (*in* an *od.* in *dat.*), ausstechen; **~'run** *v/t.* [*irr.* → *run*] **1.** schneller laufen als, (im Laufen) besiegen; **2.** *fig.* hin'ausgehen über *(acc.)*, über'schreiten; **'~·run·ner** *s.* **1.** (Vor)Läufer *m* *(Bedienter)*; **2.** Beipferd *n*; **3.** Leithund *m*; **~'sell** *v/t.* [*irr.* → *sell*] **1.** mehr verkaufen als; **2.** e-n höheren Preis erzielen als; mehr einbringen als; **'~·set** *s.* **1.** Anfang *m*, Beginn *m*: *at the ~* am Anfang; *from the ~* gleich von Anfang an; **2.** Aufbruch *m zu e-r Reise*; **~'shine** [*irr.* → *shine*] *v/t.* über'strahlen, in den Schatten stellen *(a. fig.)*.

'out'side I. *s.* **1.** *das* Äußere *(a. fig.)*, Außenseite *f*: *on the ~ of* außerhalb, jenseits *(gen.)*; **2.** *fig. das* Äußerste: *at the ~* höchstens; **3.** *sport* Außenspieler *m*: ~ *right* Rechtsaußen; **II.** *adj.* **4.** äußer, Außen...*(-antenne, -durchmesser etc.)*: ~ *broker* † freier Makler; ~ *capital* Fremdkapital; *an ~ opinion* die Meinung e-s Außenstehenden; **5.** außerhalb, (dr)außen; **6.** *fig.* äußerst *(Schätzung, Preis)*; **III.** *adv.* **7.** draußen, außerhalb: ~ *of* **a)** außerhalb, **b)** *Am.* F außer, ausgenommen; **8.** her'aus, hin'aus; **9.** außen, an der Außenseite; **IV.** *prp.* **10.** außerhalb, jenseits *(gen.)* *(a. fig.)*; **'out'sid·er** *s.* Außenseiter(in).

out|'sit *v/t.* [*irr.* → *sit*] länger sitzen (bleiben) als; **'~·size I.** *s.* 'Übergröße *f (a. Kleidungsstück)*; **II.** *adj.* ab'norm groß, 'übergroß; **'~·sized** → *outsize II*; **'~·skirts** *s. pl.* nahe Um'gebung, Stadtrand *m*, *a. fig.* Rand(gebiet *n*) *m*, Periphe'rie *f*; **~'smart** *v/t.* F über'listen, über'vorteilen; **~'speed** *v/t.* [*irr.* → *speed*] schneller sein als, an Geschwindigkeit über'treffen.

out|'spo·ken *adj.* □ **1.** offen, freimütig: *she was very ~ about it* sie äußerte sich sehr offen darüber; **2.** unverblümt; **~'spo·ken·ness** [-'spoukənnis] *s.* **1.** Offenheit *f*, Freimütigkeit *f*; **2.** Unverblümtheit *f*.

out'stand·ing *adj.* **1.** her'vorragend *(bsd. fig. Leistung, Spieler, Tapferkeit etc.)*; *fig.* her'vorstechend *(Eigenschaft etc.)* promi'nent *(Persönlichkeit)*; **2.** *bsd.* † unerledigt, aus-, offenstehend *(Forderung etc.)*: ~ *capital stock Am.* ausgegebenes Aktienkapital; ~ *debts* Außenstände, Forderungen; **'out·stand·ings** *s. pl.* † Außenstände *pl.*

out|'stare *v/t.* mit e-m Blick aus der Fassung bringen; **'~·sta·tion** *s.* **1.** 'Außen-, 'Hilfsstati,on *f*; **2.** *Funk*: 'Gegenstati,on *f*; **~'stay** *v/t.* länger bleiben als; → *welcome 1*; **~'step** *v/t. fig.* über'schreiten: *to ~ the truth* übertreiben; **~'stretch** *v/t.* ausstrecken; **~'strip** *v/t.* **1.** über'holen, hinter sich lassen *(a. fig.)*; **2.** *fig.* über'flügeln, aus dem Felde schlagen; **~'swim** *v/t.* [*irr.* → *swim*] schneller schwimmen als, (im Schwimmen) schlagen; **'~·turn** *s.* **1.** Ertrag *m*; **2.** † Ausfall *m*: ~ *sample* Ausfallmuster; **~'vote** *v/t.* über'stimmen.

out·ward ['autwəd] **I.** *adj.* □ → *outwardly*; **1.** äußer, sichtbar; Außen...; **2.** äußerlich *(a.* ⚕ *u. fig. contp.)*; **3.** nach (dr)außen gerichtet *od.* führend, Aus(wärts)..., Hin...: ~ *cargo*, ~ *freight* ⚓ ausgehende Ladung, Hinfracht; ~ *journey* Aus-, Hinreise; ~ *trade* Ausfuhrhandel; **II.** *adv.* **4.** (nach) auswärts, nach außen: *to clear ~ Schiff* ausklarieren; → *bound²*; **'out·ward·ly** [-li] *adv.* äußerlich; außen, nach außen (hin); **'out·ward·ness** [-nis] *s.* Äußerlichkeit *f*; äußere Form; **'out·wards** [-dz] → *outward II*.

out|'wear *v/t.* [*irr.* → *wear*] **1.** abnutzen; **2.** *fig.* erschöpfen; **3.** *fig.* über'dauern, haltbarer sein als; **~'weigh** *v/t.* **1.** mehr wiegen als; **2.** *fig.* über'wiegen, gewichtiger sein als, *e-e Sache* aufwiegen; **~'wit** *v/t.* über'listen; **'~·work** *s.* **1.** ⚔ Außenwerk *n*; *fig.* Bollwerk *n*; **2.** † Heimarbeit *f*; **'~·work·er** *s.* **1.** Außenarbeiter(in); **2.** Heimarbeiter (-in); **'~·worn** *adj.*, *pred.* out'worn **1.** abgetragen, abgenutzt; **2.** veraltet, über'holt; **3.** erschöpft.

ou·zel ['u:zəl] *s. orn.* Amsel *f*.

o·va ['ouvə] *pl. von ovum.*

o·val ['ouvəl] **I.** *adj.* o'val; **II.** *s.* O'val [*n*.]

o·var·i·an [ou'vɛəriən] *adj.* **1.** *anat.* Eierstock(s)...; **2.** ⚘ Fruchtknoten...;

o·va·ri·tis [ouvə'raitis] *s.* Eierstockentzündung *f*; **o·va·ry** ['ouvəri] *s.* **1.** *anat.* Eierstock *m*; **2.** ⚘ Fruchtknoten *m*.

o·vate ['ouveit] *adj.* eiförmig.

o·va·tion [ou'veiʃən] *s.* Ovati'on *f*, begeisterte Huldigung.

ov·en ['ʌvn] *s.* **1.** Backofen *m*, -rohr *n*; **2.** ⊕ Ofen *m*; **'~·dry** *adj.* ofentrocken.

o·ver ['ouvə] **I.** *prp.* **1.** *Lage*: über *(dat.)*: *the lamp ~ his head*; *to be ~ the signature of Mr. N.* von Herrn N. unterzeichnet sein; **2.** *Richtung, Bewegung*: über *(acc.)*, über *(acc.)* ... hin *od.* (hin)'weg: *to jump ~ the fence*; *the bridge ~ the Danube* die Brücke über die Donau; ~ *the radio* im Radio; *all ~ the town* durch die ganze *od.* in der ganzen Stadt; *from all ~ Germany* aus ganz Deutschland; *to be all ~ s.o. sl.* ‚e-n Narren gefressen haben an j-m'; **3.** über *(dat.)*, auf der anderen Seite von *(od. gen.)*: ~ *the sea* in Übersee, jenseits des Meeres; ~ *the street* über der Straße, auf der anderen Seite; ~ *the way* gegenüber; **4. a)** über *der Arbeit einschlafen etc.*, bei *e-m Glase Wein etc.*, **b)** über *(acc.)*, wegen: *to laugh ~* über *et.* lachen; *to worry ~* sich wegen *e-r Sache* Sorgen machen; **5.** *Herrschaft, Rang*: über *(dat. od. acc.)*: *to be ~ s.o.* über j-m stehen; **6.** über *(acc.)*, mehr als: ~ *a mile*: ~ *and above* zusätzlich zu, außer; → *21*; **7.** über *(acc.)*, während *(gen.)*: ~ *the weekend*; ~ *night* die Nacht über; **8.** durch: *he went ~ his notes* er ging seine Notizen durch; **II.** *adv.* **9.** hin'über, dar'über: *he jumped ~*; **10.** hin'über (*to* zu), auf die andere Seite; **11.** her'über: *to come ~* herüberkommen *(a. weitS. zu Besuch)*; **12.** drüben: ~ *there* da drüben; ~ *against* gegenüber *(dat.; a. fig. im Gegensatz zu)*; **13.** *(genau)* dar'über: *the bird is directly ~*; **14.** über *(acc.)* ...; dar'über...*(-decken, -legen etc.)*; über'...: *to paint ~ et.* übermalen; **15.** *(mst in Verbindung mit vb.)* **a)** über'... *(-geben etc.)*: *to hand s. th. ~*, **b)** 'über... *(-kochen etc.)*: *to boil ~*; **16.** *(oft in Verbindung mit vb.)* **a)** 'um... *(-fallen, -werfen etc.)*, **b)** (her)'um... *(-drehen etc.)*: *see ~!* siehe umstehend; **17.** 'durch(weg), vom Anfang bis zum Ende: *the world ~* **a)** in der ganzen Welt, **b)** durch die ganze Welt; *to read s.th. ~ et.* (ganz) durchlesen; **18.** (gründlich) über'... *(-denken, -legen)*: *to think s.th. ~*; *to talk s.th. ~* et. durchsprechen; **19.** nochmals, wieder: *to do s.th. ~*; *(all) ~ again* nochmals, (ganz) von vorn; ~ *and ~ (again)* immer wieder; *ten times ~* zehnmal hintereinander; **20.** 'übermäßig, allzu *sparsam etc.*, 'über...*(-vorsichtig etc.)*; **21.** dar'über, mehr: *10 years and ~* 10 Jahre und darüber; ~ *and above* außerdem, überdies; → *6*; **22.** übrig, über: *left ~* übriggelassen; *to have s.th. ~* et. übrig haben; **23.** zu Ende, vor'über, vor'bei: *the lesson is ~*; ~ *with* F erledigt, vorüber; *it's all ~* es ist aus und vorbei; *to get ~ with* F *et.* hinter sich bringen.

'o·ver|-a'bun·dant [-vərə-] *adj.* □ 'überreich(lich), 'übermäßig; **~'act** [-və'ræ-] **I.** *v/t. e-e Rolle* über'treiben, über'spielen; **II.** *v/i.* (s-e Rolle) über'treiben; **'~·all** [-ərɔ:l] **I.** *adj.* **1.** gesamt, Gesamt...: ~ *efficiency* ⊕ Totalnutzeffekt; ~ *length* Gesamtlänge; **II.** *s.* **2.** *a. pl.* Arbeits-, Mon'teur-, Kombinati'onsanzug *m*; **3.** *Brit.* Kittelschürze *f*; **4.** *pl.* 'Überzieh-, Arbeitshose *f*; **'~-am'bi·tious** [-əræ-] *adj.* □ allzu ehrgeizig; **'~-'anx·ious** [-ər'æ-] *adj.* □ **1.** 'überängstlich; **2.** 'überbegierig; **'~·arm stroke** [-ərɑ:m] *s. Schwimmen*: Hand-über-'Hand-Stoß *m*; **~'awe**

[-ər'ɔː] *v/t.* **1.** einschüchtern; **2.** tief beeindrucken; **~'bal·ance I.** *v/t.* **1.** über'wiegen (*a. fig.*); **2.** 'umstoßen, -kippen; **II.** *v/i.* **3.** 'umkippen, das 'Übergewicht bekommen; **III.** *s.* '*overbalance* **4.** 'Übergewicht *n*; **5.** ✝ 'Überschuß *m*: *~ of exports*; **~'bear** *v/t.* [*irr.* → *bear*[1]] **1.** niederdrücken; **2.** über'wältigen, unter'drücken; **3.** *fig.* schwerer wiegen als; **~'bear·ance** *s.* Anmaßung *f*, Arro'ganz *f*; **~'bear·ing** *adj.* □ anmaßend, arro'gant, herrisch; **~'bid** *v/t.* [*irr.* → *bid*] **1.** ✝ über'bieten; **2.** *Bridge*: über'reizen; **'~'blown** *adj.* **1.** am Verblühen (*a. fig.*); **2.** ♪ über'blasen (*Ton*); **3.** *metall.* 'übergar (*Stahl*); **'~board** *adv.* ⚓ über Bord: *to throw ~* über Bord werfen (*a. fig.*); **'~'brim** *v/i. u. v/t.* 'überfließen (lassen); **'~'build** *v/t.* [*irr.* → *build*] **1.** über'bauen; **2.** zu dicht bebauen; **3.** *~ o.s.* sich ‚verbauen'; **~'bur·den** *v/t.* über'bürden, -'laden, -'lasten; **'~'bus·y** *adj.* **1.** zu sehr beschäftigt; **2.** 'übergeschäftig; **~'buy** [*irr.* → *buy*] ✝ **I.** *v/t.* zu viel kaufen von; **II.** *v/i.* zu teuer *od.* über Bedarf (ein)kaufen; **~-'cap·i·tal·ize** *v/t.* ✝ **1.** e-n zu hohen Nennwert für das 'Stammkapiˌtal *e-s Unternehmens* angeben: *to ~ a firm*; **2.** 'überkapitalisieren; **~'cast I.** *v/t.* [*irr.* → *cast*] **1.** *mit Wolken* über'ziehen, bedecken, verdunkeln, trüben (*a. fig.*); **2.** *Naht* um'stechen; **II.** *v/i.* [*irr.* → *cast*] **3.** sich bewölken, sich beziehen (*Himmel*); **III.** *adj.* '*overcast* **4.** bewölkt, bedeckt (*Himmel*); **5.** trüb(e), düster (*a. fig.*); **6.** über'wendlich (genäht); **'~'charge I.** *v/t.* **1.** *j-n* über'fordern; *et.* über'teuern; zu'viel anrechnen *od.* verlangen für *et.*; **2.** ⊕, ⚡ über'laden (*a. fig.*); **II.** *s.* **3.** ✝ **a)** Mehrbelastung *f*, Aufschlag *m*: *~ for arrears* Säumniszuschlag, **b)** Über'forderung *f*, Über'teuerung *f*; **4.** Über'ladung *f*, 'Überbelastung *f*; **~'cloud I.** *v/t.* **1.** über'wölken, bewölken: *~ed meteor.* bewölkt; **2.** trüben (*a. fig.*); **II.** *v/i.* **3.** sich um'wölken (*a. fig.*); **'~coat** *s.* Mantel *m*, 'Überzieher *m*; **~'come** *v/t.* [*irr.* → *come*] über'winden, -'wältigen, -'mannen, bezwingen; *e-r Sache* Herr werden: *he was ~ with* (*od. by*) *emotion* er wurde von s-n Gefühlen übermannt; **'~-'con·fi·dence** *s.* **1.** 'übermäßiges (Selbst)Vertrauen; **2.** Vermessenheit *f*; **'~-'con·fi·dent** *adj.* □ **1.** allzu vertrauend (*of* auf *acc.*); **2.** zu selbstsicher; **3.** vermessen; **'~-'cred·u·lous** *adj.* allzu leichtgläubig; **~'crop** *v/t.* ✍ Raubbau treiben mit, zu'grunde wirtschaften; **~'crowd** *v/t.* über'füllen; **'~-cur·rent** *s.* ⚡ 'Überstrom *m*; **'~-de·vel·op** *v/t. bsd. phot.* 'überentwickeln; **~'do** *v/t.* [*irr.* → *do*[1]] **1.** über'treiben, zu weit treiben; **2.** *fig.* zu weit gehen mit *od.* in (*dat.*), *et.* zu arg treiben: *to ~ it* **a)** zu weit gehen, **b)** des Guten zuviel tun; **3.** 'überbeanspruchen; **4.** zu stark *od.* zu lange kochen *od.* braten; **'~'done** *adj.* 'übergar; **'~dose I.** *s.* 'Überdosis *f*; **II.** *v/t.* '*over'dose j-m* e-e zu starke Dosis geben; **'~draft** *s.* ✝ **a)** ('Konto)Überˌziehung *f*, **b)** Über'ziehung *f*, über'zogener Betrag; **'~'draw** *v/t.* [*irr.* → *draw*] **1.** *Konto* über'ziehen; **2.** *Bogen* über'spannen; **3.** *fig.* über'treiben; **'~'dress** *v/t. u. v/i.* (sich) über'trieben anziehen; **'~'drive I.** *v/t.* [*irr.* → *drive*] **1.** abschinden, -hetzen; **2.** *et.* zu weit treiben; **II.** *s.* '*overdrive* **3.** *mot.* Schnell-, Schongang(getriebe *n*) *m*; **'~'due** *adj.* 'überfällig (*a.* 🚂, ✝): *the train is ~* der Zug hat Verspätung; **'~'eat** [-ər'iːt] *v/i.* [*irr.* → *eat*] (*a. ~ o.s.*) sich über'essen; **'~'em·pha·size** [-ər'e-] *v/t.* 'überbetonen, zu großen Nachdruck legen auf (*acc.*); **'~-'es·ti·mate** [-ər'estimeit] **I.** *v/t.* über'schätzen, 'überbewerten; **II.** *s.* [-mit] Über'schätzung *f*, 'Überbewertung *f*; **'~-ex'cite** [-əri-] *v/t.* **1.** über'reizen; **2.** ⚡ 'übererregen; **'~-ex'ert** [-əri-] *v/t.* über'anstrengen; **'~-ex'pose** [-əri-] *v/t. phot.* 'überbelichten; **'~-ex'po·sure** [-əri-] *s. phot.* 'Überbelichtung *f*; **'~-fa'tigue I.** *v/t.* über'müden, über'anstrengen; **II.** *s.* Über'müdung *f*; **'~'feed** *v/t.* [*irr.* → *feed*] über'füttern, 'überernähren; **~'flow I.** *v/i.* **1.** 'überlaufen, 'überfließen, 'überströmen, sich ergießen (*into* in *acc.*); **2.** *fig.* 'überquellen (*with* von); **II.** *v/t.* **3.** über'fluten, über'schwemmen; **III.** *s.* '*overflow* **4.** Über'schwemmung *f*, 'Überfließen *n*; ⊕ 'Überlauf *m*: *~ pipe* Überlaufrohr; *~ valve* Überströmventil; **5.** 'Überschuß *m*, 'überfließende Menge: *~ of population* Bevölkerungsüberschuß; *~ meeting* Parallelversammlung; **~-'flow·ing I.** *adj.* 'überfließend, -strömend (*a. fig. Güte, Herz etc.*): *~ harvest* überreiche Ernte; **II.** *s.* 'Überfließen *n*: *full to ~* voll zum Überlaufen, *weitS.* zum Platzen voll; **'~freight** *s.* ✝ 'Überfracht *f*; **'~ground** *adj.* über der Erde (befindlich); **'~'grow** *v/t.* [*irr.* → *grow*] **1.** über'wachsen, -'wuchern; **2.** hin'auswachsen über (*acc.*), zu groß werden für; **'~'grown** *adj.* **1.** über'wachsen; **2.** 'übermäßig gewachsen, 'übergroß; **'~growth** *s.* **1.** Über'wucherung *f*; **2.** 'übermäßiges Wachstum; **'~hand** *adj. u. adv.* **1.** mit dem Handrücken nach oben; *Schlag etc.* von oben; **2.** *sport* 'überhand: *~ stroke Tennis*: Überhandschlag; *~ service* Hochaufschlag; **3.** *Schwimmen*: Hand-über-Hand-...; **4.** *Näherei*: über'wendlich; **'~'hang I.** *v/t.* [*irr.* → *hang*] **1.** her'vorstehen *od.* -ragen *od.* 'überhängen über (*acc.*); **2.** *fig.* (drohend) schweben über (*dat.*), drohen (*dat.*); **II.** *v/i.* [*irr.* → *hang*] **3.** 'überhängen, -kragen (*a.* ⚠), her'vorstehen, -ragen; **III.** *s.* '*overhang* **4.** 'Überhang *m* (*a.* ⚠, ⚓); ⊕, ✈ Ausladung *f*; **'~-'hap·py** *adj.* 'überglücklich; **'~-'haste** *s.* 'Übereile *f*; **~'haul I.** *v/t.* **1.** ⊕ *Maschine etc.* über'holen, (*a. fig.*) gründlich über'prüfen; **2.** ⚓ *Tau, Taljen etc.* 'überholen; **3. a)** einholen, **b)** über'holen; **II.** *s.* '*overhaul* **4.** ⊕ Über'holung *f*, gründliche Über'prüfung (*a. fig.*); **'~head I.** *adj.* **1.** oberirdisch, Frei..., Hoch...(*-antenne, -behälter etc.*): *~ line* Frei-, Oberleitung; *~ railway* Hochbahn; **2.** *mot.* **a)** obengesteuert (*Motor, Ventil*), **b)** obenliegend (*Nockenwelle*); **3.** allgemein, Gesamt...: *~ costs*, *~ expenses* → **4**; **II.** *s.* **4.** *a. pl.* allgemeine Unkosten *pl.*, Gemein-, Re'giekosten *pl.*; **III.** *adv.* '*over'head* **5.** (dr)oben: *works ~!* Vorsicht, Dacharbeiten!; **~'hear** *v/t.* [*irr.* → *hear*] belauschen, (zufällig) (mit'an)hören; **'~'heat I.** *v/t.* über'hitzen, -'heizen: *to ~ o.s.* → *II*; **II.** *v/i.* ⊕ heißlaufen; **'~house** *adj.* Dach...(*-antenne etc.*); **~'hung** *adj.* ⊕ fliegend (angeordnet), freitragend; 'überhängend; **'~in'dulge** [-vəri-] **I.** *v/t.* **1.** zu nachsichtig behandeln; **2.** *e-r Leidenschaft etc.* 'übermäßig frönen; **II.** *v/i.* **3.** sich allzu'sehr ergehen (*in* in *dat.*); **'~-in'dul·gence** [-vəri-] *s.* **1.** zu große Nachsicht; **2.** 'übermäßiger Genuß; **'~-in'dul·gent** [-vəri-] *adj.* allzu nachsichtig; **'~in'sure** [-vəri-] *v/t. u. v/i.* (sich) 'überversichern; **'~-'is·sue** [-ər'i-] **I.** *s.* 'Überemissiˌon *f*; **II.** *v/t.* zu'viel *Banknoten etc.* ausgeben; **~'joyed** [-'dʒɔid] *adj.* außer sich vor Freude, 'überglücklich; **'~kill** *s.* **1.** ⚔ Overkill *n*; **2.** *fig.* 'Übermaß *n*, Zu'viel *n* (*of* an *dat.*); **'~'lad·en** *adj.* 'überbelastet, über'laden; **~-'land I.** *adv.* über Land, auf dem Landweg; **II.** *adj.* '*overland* Überland...: *~ route* Landweg: *~ transport* Überland-, Fernverkehr; **~'lap I.** *v/t.* **1.** 'übergreifen auf (*acc.*) *od.* in (*acc.*), sich über'schneiden mit, teilweise zs.-fallen mit; ⊕ über'lappen; **2.** hin'ausgehen über (*acc.*); **II.** *v/i.* **3.** sich *od.* ein'ander über'schneiden, sich teilweise decken, auf- *od.* inein'ander 'übergreifen; ⊕ über'lappen, 'übergreifen; **III.** *s.* '*overlap* **4.** 'Übergreifen *n*, Über'schneiden *n*; ⊕ Über'lappung *f*; **~'lay I.** *v/t.* [*irr.* → *lay*[1]] **1.** belegen; ⊕ über'lagern; **2.** über'ziehen; *overlaid with gold* mit Gold überzogen; **3.** *typ.* zurichten; **II.** *s.* '*overlay* **4.** Bedeckung *f*: *~ mattress* Auflegematratze; **5.** Auflage *f*, 'Überzug *m*; **6.** *typ.* Zurichtung *f*; **7.** Planpause *f*; **'~'leaf** *adv.* 'umstehend, 'umseitig; **~'leap** *v/t.* [*irr.* → *leap*] **1.** springen über (*acc.*), über'springen (*a. fig.*); **2.** '*over'leap sein Ziel* über'springen, hin'ausspringen über (*acc.*); **~'lie** *v/t.* [*irr.* → *lie*[2]] **1.** liegen auf *od.* über (*dat.*); **2.** *geol.* über'lagern; **'~'load I.** *v/t.* über'laden, 'überbelasten, *a.* ⚡ über'lasten; **II.** *s.* '*overload* 'Überbelastung *f*, -beanspruchung *f*: *~ of current* ⚡ Stromüberlastung; **'~-'long** *adj. u. adv.* allzu lang(e); **~'look** *v/t.* **1.** *Fehler etc.* über'sehen, nicht beachten; *fig. a.* ignorieren; (nachsichtig) hin'wegsehen über (*acc.*); **2.** über'blicken; *weitS. a.* Aussicht gewähren auf (*acc.*); **'~lord** *s.* Oberherr *m*; **'~lord·ship** *s.* Oberherrschaft *f*. ['allzu('sehr).}
o·ver·ly ['ouvəli] *adv. Am. u. Scot.*}
'o·ver|·man [-mæn] *s.* [*irr.*] Aufseher *m*, Vorarbeiter *m*; ⚒ (Ober)Steiger *m*; **~'manned** *adj.* 'überbelegt, zu stark bemannt; **'~man·tel** *s.* Kaminaufsatz *m*; **~'mas·ter** *v/t.* über-

ˈwältigen, bezwingen; ˈ**~much I.** *adj.* ˈallzuˈviel; **II.** *adv.* ˈallzu(ˈsehr, -ˈviel), ˈübermäßig; ˈ**~-ˈnice** *adj.* ˈüberfein; ˈ**~ˈnight I.** *adv.* über Nacht, während der Nacht; **II.** *adj.* Nacht...; Übernachtungs...: ~ *lodgings*; ~ *case* Übernachtungs-, Handkoffer; ˈ**~pass** *s.* (ˈStraßen-, ˈEisenbahn)Überˌführung *f*; ˈ**~ˈpay** *v/t.* [*irr.* → *pay*] **1.** zu teuer bezahlen; **2.** ˈüberreichlich belohnen; **3.** ˈüberbezahlen; **~ˈpeo·pled** *adj.* überˈvölkert; **~·perˈsuade** *v/t.* *j-n* gegen s-n Willen überˈreden; **~ˈpitch** *v/t.* überˈtreiben; ˈ**~ˈplay** *v/t.* **1.** überˈtreiben; **2.** *to ~ one's hand* zu weit gehen; ˈ**~plus** *s.* ˈÜberschuß *m*; **~ˈpop·u·late** *v/t.* überˈvölkern; **~-ˈpow·er** *v/t.* überˈwältigen (*a. fig.*); ˈ**~ˈpres·sure** *s.* **1.** Überˈbürdung *f*; **2.** ⊕ ˈÜberdruck *m*; ˈ**~ˈprint I.** *v/t.* **1.** *typ.* **a)** überˈdrucken, **b)** e-e zu große Auflage drucken von; **2.** *phot.* ˈüberkopieren; **II.** *s.* ˈ*overprint* **3.** *typ.* ˈÜberdruck *m*; **4. a)** Aufdruck *m* (*auf Briefmarken*), **b)** Briefmarke *f* mit Aufdruck; ˈ**~-proˈduce** *v/t.* ✝ ˈüberproduzieren, im ˈÜbermaß herstellen; ˈ**~-proˈduc·tion** *s.* ˈÜberproduktiˌon *f*; ˈ**~ˈproof** *adj.* ˈüberproˌzentig (*alkoholisches Getränk*); ˈ**~ˈrate** *v/t.* **1.** überˈschätzen, ˈüberbewerten (*a. sport Eiskunstläuferin etc.*); **2.** ✝ zu hoch veranschlagen; **~ˈreach** *v/t.* **1.** zu weit gehen für: *to ~ one's purpose fig.* über sein Ziel hinausschießen; *to ~ o.s.* es zu weit treiben, sich übernehmen; **2.** *j-n* überˈvorteilen, -ˈlisten; **~·reˈact** *v/i.* zu heftig reagieren; **~ˈride** *v/t.* [*irr.* → *ride*] **1.** überˈreiten; **2.** *fig.* sich (rücksichtslos) hinˈwegsetzen über (*acc.*); **3.** *fig.* ˈumstoßen, aufheben, nichtig machen; ˈ**~ˈripe** *adj.* ˈüberreif; **~ˈrule** *v/t.* **1.** *Vorschlag etc.* verwerfen, zuˈrückweisen; ⚖ *Urteil* ˈumstoßen; **2.** *fig.* die Oberhand gewinnen über (*acc.*); **~ˈrul·ing** *adj.* beherrschend, ˈübermächtig; **~ˈrun** *v/t.* [*irr.* → *run*] **1.** *fig. Land etc.* überˈfluten, -ˈschwemmen, überˈrennen: *to be ~ with* wimmeln von, überlaufen sein von; **2.** überˈwuchern; **3.** *fig.* rasch um sich greifen in (*dat.*); **4.** *typ.* umˈbrechen; **5.** ⚔ *u. fig.* überˈrollen; **~-ˈrun·ning** *adj.* ⊕ Freilauf..., Überlauf...: ~ *clutch*; ˈ**~ˈsea I.** *adv. a.* ˈ**~ˈseas** nach *od.* in ˈÜbersee; **II.** *adj.* ˈüberseeisch, Übersee...; ˈ**~ˈsee** *v/t.* [*irr.* → *see*¹] beaufsichtigen, überˈwachen; ˈ**~·se·er** [-siə] *s.* **1.** Aufseher *m*, Inˈspektor *m*; **2.** Vorarbeiter *m*; **3.** *mst ~ of the poor Brit.* Armenpfleger *m*; ˈ**~-ˈsen·si·tive** *adj.* □ ˈüberempfindlich; **~ˈset** *v/t.* [*irr.* → *set*] **1.** ˈumwerfen, -stoßen; (*a. v/i.*) umstürzen; *fig.* durcheinˈanderbringen, zerrütten; ˈ**~ˈsew** *v/t.* [*irr.* → *sew*] überˈwendlich nähen; **~ˈshad·ow** *v/t.* **1.** *fig.* in den Schatten stellen; **2.** *bsd. fig.* überˈschatten, verdüstern; **3.** *fig.* e-e schützende Hand halten über (*acc.*); ˈ**~shoe** *s.* ˈÜberschuh *m*; ˈ**~ˈshoot** *v/t.* [*irr.* → *shoot*] **1.** über *ein Ziel* hinˈausschießen (*a. fig.*): *to ~ o.s.* (*od. the mark*) zu weit gehen, übers Ziel hinausschießen; ˈ**~ˈshot** *adj.* oberschlächtig (*Wasserrad, Mühle*); ˈ**~sight** *s.* **1.** Versehen *n*: *by an ~* aus Versehen; **2.** Aufsicht *f*; ˈ**~size** *s.* ˈÜbergröße *f*; ˈ**~size(d)** *adj.* ˈübergroß; **~slaugh** [ˈouvəslɔː] *v/t.* **1.** ⚔ abkommandieren; **2.** *Am. bei der Beförderung* überˈgehen; ˈ**~-ˈsleep I.** *v/t.* [*irr.* → *sleep*] *e-n Zeitpunkt* verschlafen: *to ~ o.s.* → *II*; **II.** *v/i.* [*irr.* → *sleep*] (sich) verschlafen; ˈ**~sleeve** *s.* Ärmelschoner *m*; ˈ**~ˈspeed** *v/t.* [*irr.* → *speed*] *den Motor* überˈdrehen, auf ˈÜbertouren bringen; ˈ**~ˈspend** [*irr.* → *spend*] **I.** *v/i.* **1.** zu viel ausgeben; **II.** *v/t.* **2.** *Ausgabensumme* überˈschreiten; **3.** *~ o.s.* sich ˈübermäßig verausgaben; ˈ**~spill** *s.* (*bsd.* Beˈvölkerungs-) ˌÜberschuß *m*; **~ˈspread** *v/t.* [*irr.* → *spread*] **1.** überˈziehen, sich ausbreiten über (*acc.*); **2.** (*with*) überˈziehen *od.* bedecken (mit); ˈ**~-ˈstaffed** *adj.* (persoˈnell) ˈüberbesetzt; ˈ**~ˈstate** *v/t.* überˈtreiben, in *e-r Behauptung* zu weit gehen; ˈ**~ˈstate·ment** *s.* Überˈtreibung *f*; ˈ**~ˈstay** *v/t.* *e-e Zeit* überˈschreiten: *to ~ the market* den günstigsten Verkaufszeitpunkt versäumen; → *welcome 1*; ˈ**~ˈstep** *v/t.* überˈschreiten (*a. fig.*); ˈ**~ˈstock** *v/t.* **1.** ˈüberreichlich eindecken, *bsd.* ✝ ˈüberbeliefern, *den Markt* überˈschwemmen: *to ~ o.s.* sich zu hoch eindekken; **2.** ✝ in zu großen Mengen auf Lager halten; ˈ**~ˈstrain I.** *v/t.* **1.** überˈanstrengen; **2.** *fig.* überˈtreiben: *to ~ one's conscience* übertriebene Skrupel haben; **II.** *s.* ˈ*overstrain* **3.** Überˈanstrengung *f*; ˈ**~ˈstrung** *adj.* **1.** überˈreizt (*Nerven od. Person*); **2.** ˈ*overstrung* ♪ kreuzsaitig (*Klavier*); ˈ**~·subˈscribe** *v/t.* ✝ *Anleihe* überˈzeichnen; ˈ**~·subˈscrip·tion** *s.* ✝ Überˈzeichnung *f*; ˈ**~-supˈply** *s.* **1.** ˈÜberangebot *n*; **2.** zu großer Vorrat.

o·vert [ˈouvəːt] *adj.* □ offen(kundig): *~ act* ⚖ Ausführungshandlung; *~ hostility* offene Feindschaft; *~ market* ✝ offener Markt.

o·ver|ˈtake *v/t.* [*irr.* → *take*] **1.** einholen (*a. fig.*); **2.** überˈholen; **3.** *fig.* überˈraschen, -ˈfallen; **4.** *Versäumtes* nachholen; ˈ**~ˈtask** *v/t.* **1.** überˈbürden; **2.** über *j-s* Kräfte gehen; ˈ**~ˈtax** *v/t.* **1.** ˈüberbesteuern; **2.** zu hoch einschätzen; **3.** ˈüberbeanspruchen, zu hohe Anforderungen stellen an (*acc.*); *Geduld* strapazieren: *to ~ one's strength* sich (kräftemäßig) übernehmen; ˈ**~-the-ˈcount·er** *adj.* ✝ freihändig (*Effektenverkauf*): *~ market* Freiverkehrsmarkt; **~ˈthrow I.** *v/t.* [*irr.* → *throw*] **1.** (ˈum)stürzen (*a. fig. Regierung etc.*); **2.** niederwerfen, besiegen; **3.** niederreißen, vernichten; **II.** *s.* ˈ*overthrow* **4.** Sturz *m*, Niederlage *f* (*e-r Regierung etc.*); **5.** Vernichtung *f*, ˈUntergang *m*; ˈ**~time I.** *s.* ✝ **a)** ˈÜberstunden *pl.*, **b)** *a. ~ pay* Mehrarbeitszuschlag *m*, ˈÜberstundenlohn *m*; **II.** *adv.* *to work ~* Überstunden machen; ˈ**~ˈtire** *v/t.* überˈmüden; ˈ**~tone** *s.* **1.** ♪ Oberton *m*; **2.** *pl. fig.* Neben-, Zwischentöne *pl.*; ˈ**~ˈtop** *v/t.* überˈragen (*a. fig.*); **~ˈtow·er** *v/t.* überˈragen; **~ˈtrain** *v/t. u. v/i.* ˈübertrainieren; ˈ**~trump** *v/t. u. v/i.* überˈtrumpfen (*a. fig.*).

o·ver·ture [ˈouvətjuə] *s.* **1.** ♪ Ouverˈtüre *f*; **2.** *fig.* Einleitung *f*, Vorspiel *n*; **3.** (forˈmeller Heirats-, Friedens)Antrag *m*: *to make ~s to s.o.*; **4.** *pl.* Annäherungen *pl.*

o·ver|ˈturn I. *v/t.* (ˈum)stürzen (*a. fig.*); ˈumstoßen, -kippen; **II.** *v/i.* ˈumkippen, -schlagen, -stürzen, kentern; **III.** *s.* ˈ*overturn* (ˈUm-) Sturz *m*; ˈ**~ˈval·ue** *v/t.* zu hoch einschätzen, ˈüberbewerten; **~ˈween·ing** *adj.* **1.** anmaßend, eingebildet; **2.** überˈtrieben; ˈ**~weight** *s.* ˈÜbergewicht *n* (*a. fig.*); ˈ**~ˈweight·ed** *adj.* ˈüberbeladen, -belastet.

o·ver·whelm [ouvəˈwelm] *v/t.* **1.** überˈwältigen, -ˈmannen (*bsd. fig.*); **2.** *fig. mit Fragen, Geschenken etc.* überˈschütten, -ˈhäufen: *~ed with work* überlastet; **3.** erdrücken; **o·verˈwhelm·ing** [-miŋ] *adj.* überˈwältigend.

o·ver|·wind [ouvəˈwaind] *v/t.* [*irr.* → *wind*²] *Uhr etc.* überˈdrehen; ˈ**~-ˈwork I.** *v/t.* **1.** überˈanstrengen, mit Arbeit überˈlasten; **2.** *~ o.s.* → *3*; **II.** *v/i.* **3.** sich überˈarbeiten; **III.** *s.* **4.** ˈübermäßige Arbeit; **5.** Überˈarbeitung *f*; ˈ**~ˈwrought** *adj.* **1.** überˈarbeitet, erschöpft; **2.** überˈreizt; ˈ**~-ˈzeal·ous** *adj.* ˈübereifrig.

o·vi·duct [ˈouvidʌkt] *s. anat.* Eileiter *m*; ˈ**o·vi·form** [-ifɔːm] *adj.* eiförmig, oˈval; **o·vip·a·rous** [ouˈvipərəs] *adj.* oviˈpar, eierlegend.

o·vo·gen·e·sis [ouvouˈdʒenisis] *s. biol.* Eibildung *f*; **o·void** [ˈouvɔid] *adj. u. s.* eiförmig(er Körper).

o·vu·lar [ˈouvjulə] *adj. biol.* Ei..., Ovular...; **o·vu·la·tion** [ouvjuˈleiʃən] *s.* Ovulatiˈon *f*, Eiausstoßung *f*; **o·vule** [ˈouvjuːl] *s.* **1.** *biol.* ˈOvulum *n*, kleines Ei; **2.** ⚘ Samenanlage *f*; **o·vum** [ˈouvəm] *pl.* **o·va** [ˈouvə] *s. biol.* Ovum *n*, Ei(zelle *f*) *n*.

owe [ou] **I.** *v/t.* **1.** *Geld, Achtung, e-e Erklärung etc.* schulden, schuldig sein: *to ~ s.o. a grudge* gegen j-n e-n Groll hegen; *you ~ that to yourself* das bist du dir schuldig; **2.** bei *j-m* Schulden haben (*for* für); **3.** *et.* verdanken, zu verdanken haben, Dank schulden für: *I ~ him much* ich habe ihm viel zu verdanken; **4.** *sport* vorgeben; **II.** *v/i.* **5.** Schulden haben; **6.** die Bezahlung schuldig sein (*for* für); **ow·ing** [ˈouiŋ] *adj.* **1.** geschuldet: *to be ~* zu zahlen sein, noch offenstehen; *to have ~* ausstehen haben; **2.** (*to*) infolge (*gen.*), wegen (*gen.*), dank (*dat.*): *to be ~ to* zurückzuführen sein auf (*acc.*), zuzuschreiben sein (*dat.*).

owl [aul] *s.* **1.** *orn.* Eule *f*; **2.** *fig.* Nachteule *f* (*Mensch*); **owl·ish** [ˈauliʃ] *adj.* □ eulenhaft, -artig.

own [oun] **I.** *v/t.* **1.** besitzen; **2.** *Erben, Kind, Schuld etc.* anerkennen; **3.** zugeben, (ein)gestehen, einräumen: *to ~ o.s. defeated* sich geschlagen geben; *to ~ up* F offen zugeben; **II.** *v/i.* **4.** sich bekennen (*to* zu): *to ~ to s.th.* et. zugeben *od.* (ein)gestehen; **5.** *~ up* F ein offenes Geständnis ablegen; **III.** *adj.* **6.** eigen: *my ~ self* ich selbst; **7.** wirklich, richtig: *~ brother to s.o.* j-s rechter Bruder; **8.** eigen(artig), besonder: *it has a value all its* ~ es hat e-n ganz besonderen *od.* eigenen Wert; **9.** selbst: *I cook my* ~ *breakfast* ich bereite mir das Frühstück selbst; **10.** (innig) geliebt, einzig: *my* ~ *child!*; **IV.** *s.* **11.** *my* ~ **a)** mein Eigentum, **b)** meine Angehörigen: *may I have it for my* ~? darf ich es haben?; *to come into one's* ~ s-n rechtmäßigen Besitz erlangen; *she has a car of her* ~ sie hat ein eigenes Auto; *he has a way of his* ~ er hat e-e eigene Art; *on one's* ~ F **a)** selbständig, unabhängig, ohne fremde Hilfe, **b)** von sich aus, aus eigenem Antrieb, **c)** auf eigene Verantwortung; *to be left on one's* ~ F sich selbst überlassen sein; *to get one's* ~ *back* F sich revanchieren, sich rächen (*on* an *dat.*); → *hold 16.*

-owned [ound] *adj. in Zssgn* gehörig, gehörend (*dat.*), in *j-s* Besitz: *state*-~ dem Staat gehörend, Staats...

own·er ['ounə] *s.* Eigentümer(in), Inhaber(in); *at* ~*'s risk* ✝ auf eigene Gefahr; ~*-driver* Herren-, Selbstfahrer; '**own·er·less** [-lis] *adj.* herrenlos; '**own·er·ship** [-ʃip] *s.* **1.** Eigentum(srecht *n*) *n*, Besitzerschaft *f*; **2.** Besitz *m.*

ox [ɔks] *pl.* **ox·en** ['ɔksən] *s.* **1.** Ochse *m*; **2.** (Haus)Rind *n.*

ox·a·late ['ɔksəleit] *s.* ⚗ Oxa'lat *n*; **ox·al·ic** [ɔks'ælik] *adj.* ⚗ o'xalsauer: ~*acid* Oxalsäure.

Ox·ford| man *s.* [*irr.*] → *Oxonian II*; ~ **move·ment** *s. eccl.* 'Oxfordbewegung *f*; ~ **shoes** *s. pl.* Schnürhalbschuhe *pl.*

ox·i·dant ['ɔksidənt] *s.* ⚗ Oxydati'onsmittel *n*; '**ox·i·date** [-deit] → *oxidize*; **ox·i·da·tion** [ɔksi'deiʃən] *s.* ⚗ Oxyda'tion *f*, Oxydierung *f*; **ox·ide** ['ɔksaid] *s.* ⚗ O'xyd *n*; '**ox·i·dize** [-daiz] *v/t. u. v/i.* ⚗ oxydieren; '**ox·i·diz·er** [-daizə] *s.* ⚗ Oxydati'onsmittel *n.*

'**ox·lip** *s.* ⚘ Hohe Schlüsselblume.

Ox·o·ni·an [ɔk'sounjən] **I.** *adj.* Oxforder, Oxford...; **II.** *s.* Mitglied *n od.* Graduierte(r *m*) *f* der Universi'tät Oxford.

'**ox·tail** *s.* Ochsenschwanz *m*: ~ *soup.*

ox·y·a·cet·y·lene ['ɔksiə'setili:n] *adj.* ⚗, ⊕ Sauerstoff-Azetylen...: ~ *cutter* (autogener) Schneidbrenner; ~ *torch* Schweißbrenner; ~ *welding* Autogenschweißen.

ox·y·gen ['ɔksidʒən] *s.* ⚗ Sauerstoff *m*: ~ *apparatus* Atemgerät; ~*tent* ⚕ Sauerstoffzelt; **ox·y·gen·ate** [ɔk'sidʒineit], **ox·y·gen·ize** [ɔk'sidʒinaiz] *v/t.* **1.** oxydieren, mit Sauerstoff verbinden *od.* behandeln; **2.** mit Sauerstoff anreichern.

ox·y·hy·dro·gen ['ɔksi'haidridʒən] ⚗, ⊕ **I.** *adj.* Hydrooxygen..., Knallgas...; **II.** *s.* Knallgas *n.*

o·yer ['ɔiə] *s.* ⚖ gerichtliche Unter'suchung; ~ **and ter·mi·ner** *s.* ⚖ **1.** gerichtliche Unter'suchung u. Entscheidung; **2.** *mst commission* (*od. writ*) *of* ~ *Brit. königliche Ermächtigung an die Richter der Assisengerichte, Gericht zu halten.*

o·yez [ou'jes] *int.* hört (zu)!

oys·ter ['ɔistə] *s.* **1.** *zo.* Auster *f*; **2.** *sl.* ‚zugeknöpfter Mensch'; **3.** *Am.* vorteilhafte Sache; '~**-bank**, '~**-bed** *s.* Austernbank *f*; '~**-catch·er** *s. orn.* Austernfischer *m*; '~**-farm** *s.* Austernpark *m.*

o·zone ['ouzoun] *s.* **1.** ⚗ O'zon *n*; **2.** F O'zon *n*, reine frische Luft; **o·zon·ic** [ou'zɔnik] *adj.* **1.** o'zonisch, Ozon...; **2.** o'zonhaltig; **o·zo·nif·er·ous** [ouzou'nifərəs] *adj.* **1.** o'zonhaltig; **2.** o'zonerzeugend; **o·zo·nize** ['ouzounaiz] **I.** *v/t.* ozonisieren; **II.** *v/i.* sich in Ozon verwandeln; **o·zo·niz·er** ['ouzounaizə] *s.* Ozoni'sator *m.*

P

P, p [pi:] *s.* P *n*, p *n* (*Buchstabe*): *to mind one's P's and Q's* sich sehr in acht nehmen.

pa [pɑ:] *s.* F Pa'pa *m*, ‚Paps' *m*.

pab·u·lum ['pæbjuləm] *s.* Nahrung *f* (*a. fig.*).

pace¹ [peis] **I.** *s.* **1.** Schritt *m* (*a. als Maß*); **2.** Gang(art *f*) *m*: *to put a horse through its* ~*s* ein Pferd alle Gangarten machen lassen; *to put s.o. through his* ~*s fig.* j-n auf Herz u. Nieren prüfen; **3.** Paßgang *m* (*Pferd*); **4. a)** ⚔ Marschschritt *m*, **b)** (Marsch)Geschwindigkeit *f*, Tempo *n* (*a. sport*; *a. fig. e-r Handlung etc.*), Fahrt *f*, Schwung *m*: *to go the* ~ **a)** ein scharfes Tempo anschlagen, **b)** *fig.* flott leben; *to keep* ~ *with* Schritt halten *od.* mitkommen mit (*a. fig.*); *to set the* ~ *sport u. fig.* Schrittmacher sein, das Tempo angeben; *at a great* ~ in schnellem Tempo; **II.** *v/t.* **5.** *a.* ~ *out* (*od. off*) abschreiten; **6.** *Zimmer etc.* durch'schreiten, -'messen; **7.** *sport* Schrittmacher sein für; **8.** *Pferd* im Paßgang gehen lassen; **III.** *v/i.* **9.** (ein'her)schreiten; **10.** im Paßgang gehen (*Pferd*).

pa·ce² ['peisi] (*Lat.*) *prp.* ohne (*dat.*) nahetreten zu wollen.

'pace|-mak·er *s. sport* Schrittmacher *m*; **'~-mak·ing** *s. sport* Schrittmacherdienste *pl.*

pac·er ['peisə] *s.* **1.** → *pace-maker*; **2.** Paßgänger *m* (*Pferd*).

pa·cha → *pasha*.

pach·y·derm ['pækidə:m] *s. zo.* Dickhäuter *m* (*a. humor. fig. Mensch*); **pach·y·der·ma·tous** [pæki'də:mətəs] *adj.* **1.** *zo.* dickhäutig; *fig. a.* dickfellig; **2.** ♀ dickwandig.

pa·cif·ic [pə'sifik] *adj.* (□ ~*ally*) **1.** friedfertig, versöhnlich, Friedens...: ~ *policy*; **2.** ruhig, friedlich; **3.** ♀ *geogr.* pa'zifisch, Pa'zifisch: *the* ♀ (*Ocean*) der Pazifische *od.* Stille Ozean, der Pazifik; **pac·i·fi·ca·tion** [pæsifi'keiʃən] *s.* **1.** Befriedung *f*; **2.** Beschwichtigung *f*.

pac·i·fi·er ['pæsifaiə] *s.* **1.** Friedensstifter(in); **2.** *Am.* **a)** Schnuller *m*, **b)** Beißring *m für Kleinkinder*; **'pac·i·fism** [-fizəm] *s.* Pazi'fismus *m*; **'pac·i·fist** [-fist] **I.** *s.* Pazi'fist *m*; **II.** *adj.* pazi'fistisch; **'pac·i·fy** [-fai] *v/t.* **1.** *Land* befrieden; **2.** besänftigen, beschwichtigen; **3.** *Hunger etc.* stillen.

pack [pæk] **I.** *s.* **1.** Pack(en) *m*, Ballen *m*, Bündel *n*; **2.** *bsd. Am.* Packung *f Zigaretten etc.*, Päckchen *n*: *a* ~ *of films* ein Filmpack; **3.** Spiel *n* Karten; **4.** ⚔ **a)** Tor'nister *m*, **b)** Rükkentrage *f* (*Kabelrolle etc.*); **5.** Verpackungsweise *f*; **6.** (Schub *m*) Kon'serven *pl.*; **7.** Menge *f*: *a* ~ *of lies* ein Haufen Lügen; *a* ~ *of nonsense* lauter Unsinn; **8.** Packeis *n*; **9.** Pack *n*, Bande *f* (*Diebe etc.*); **10.** Meute *f*, Koppel *f* (*Hunde*); Rudel *n* (*Wölfe*, ⚔ *U-Boote*); **11.** *Rugby*: Stürmer *pl.*, Sturm *m*; **II.** *v/t.* **12.** *oft* ~ *up* einpacken (*a.* ⚕), zs.-, verpacken; **13.** zs.-pressen, -pferchen; → *sardine*; **14.** vollstopfen: *a* ~*ed house thea. etc.* ein zum Bersten volles Haus; **15.** eindosen, konservieren; **16.** ⊕ (ab)dichten, lidern; **17.** bepacken, -laden; **18.** *Geschworenenbank etc.* mit s-n Leuten besetzen; **19.** *Am.* F (bei sich) tragen: *to* ~ *a hard punch Boxen*: e-n harten Schlag haben; **20.** *a.* ~ *off* fortschicken, -jagen; **III.** *v/i.* **21.** packen (*oft* ~ *up*): *to* ~ *up fig.* ‚einpacken' (*es aufgeben*); **22.** sich *gut etc.* (ver-)packen lassen; **23.** fest werden, sich fest zs.-ballen; **24.** *mst* ~ *off fig.* sich packen *od.* da'vonmachen: *to send s.o.* ~*ing* j-n fortjagen; **25.** ~ *up sl.* ‚absterben', ‚verrecken' (*Motor*).

pack·age ['pækidʒ] **I.** *s.* **1.** Pack *m*, Ballen *m*; Frachtstück *n*; *bsd. Am.* Pa'ket *n*, Gebinde *n*; *pl.* Kolli *pl.*; **2.** Packung *f mit Ware*; **3.** Verpakkung *f*; **4.** ⊕ betriebsfertige Maschine *od.* Baueinheit; **5.** ✝, *pol.*, *fig.* Paket *n*, *pol. a.* Junktim *n*: ~ *deal* **a)** Kopplungsgeschäft, **b)** *pol.* Junktim; ~ *tour* Pauschalreise; **6.** *Am. sl.* ‚süßer Käfer' (*Mädchen*); **II.** *v/t.* **7.** verpacken, paketieren; **8.** *Lebensmittel etc.* abpacken; **'pack·ag·ing** [-dʒiŋ] **I.** *s.* (Einzel-)Verpackung *f*; **II.** *adj.* Verpakkungs...: ~ *machine*.

'pack|-an·i·mal *s.* Pack-, Lasttier *n*; **'~-cloth** *s.* Packleinwand *f*; **~ cord** *s.* Bindezwirn *m*; **'~-drill** *s.* ⚔ Strafexerzieren *n* in voller Marschausrüstung.

pack·er ['pækə] *s.* **1.** (Ver)Packer(in); **2.** *Am.* Kon'serven₁hersteller *m*; **3.** 'Packma₁schine *f*.

pack·et ['pækit] **I.** *s.* **1.** kleines Pa'ket, Päckchen *n*: *a* ~ *of cigarettes* e-e Schachtel Zigaretten; *to sell s.o. a* ~ F j-n hinters Licht führen; **2.** ⚓ *a.* ~*-boat* Postschiff *n*, Pa'ketboot *n*; **3.** *sl.* Haufen *m* Geld; **II.** *v/t.* **4.** verpacken, paketieren.

'pack|-horse *s.* **1.** Pack-, Lastpferd *n*; **2.** *fig.* Lastesel *m*; **'~-ice** *s.* Packeis *n*.

pack·ing ['pækiŋ] *s.* **1.** (Ver)Packen *n*: *to do one's* ~ packen; **2.** Konservierung *f*; **3.** Verpackung *f* (*a.* ✝); **4.** ⊕ **a)** (Ab)Dichtung *f*, **b)** Dichtung *f*, Liderung *f*, **c)** 'Dichtungsmateri₁al *n*, **d)** Füllung *f*; **5.** ⚕ Einpackung *f*; **'~-box** *s.* **1.** → *packing-case*; **2.** ⊕ Stopfbüchse *f*; **'~-case** *s.* Packkiste *f*; **~ house** *s.* **1.** *Am.* Kon'servenfa₁brik *f*; **2.** Warenlager *n*; **'~-nee·dle** *s.* Packnadel *f*; **'~-pa·per** *s.* 'Packpa₁pier *n*; **'~-ring** *s.* ⊕ Dichtring *m*, Man'schette *f*; **~ sleeve** *s.* ⊕ Dichtungsmuffe *f*.

'pack|-rat *s. zo.* Packratte *f*; **'~-sad·dle** *s.* Pack-, Saumsattel *m*; **'~-thread** *s.* Packzwirn *m*, Bindfaden *m*; **'~-train** *s.* 'Tragtierko₁lonne *f*.

pact [pækt] *s.* Vertrag *m*, Pakt *m*.

pad¹ [pæd] **I.** *s.* **1.** Polster *n*, (Stoß-)Kissen *n*, Wulst *m*, Bausch *m*: *oil* ~ ⊕ Schmierkissen; **2.** *sport* Knie- *od.* Beinschützer *m*; **3.** 'Unterlage *f*; ⊕ Kon'sole *f für Hilfsgeräte*; **4.** ('Löschpa₁pier-, Schreib-, Brief-) Block *m*; **5.** Stempelkissen *n*; **6.** *zo.* (Fuß)Ballen *m*; **7.** *hunt.* Pfote *f*; **8.** *sl.* ‚Bude' *f*, Zimmer *n*; **9.** *Am. sl.* (e-m Poli'zeibeamten gezahlte) Schmiergelder *pl.*; **II.** *v/t.* **10.** (aus-)polstern, wattieren: ~*ded cell* Gummizelle (*Irrenhaus*); **11.** *fig. Rede, Schrift* ‚garnieren'.

pad² [pæd] *v/t. u. v/i. a.* ~ *along sl.* (da'hin)trotten, (-)latschen.

pad·ding ['pædiŋ] *s.* **1.** (Aus)Polstern *n*; **2.** Polsterung *f*, Wattierung *f*, Einlage *f*; **3.** (Polster)Füllung *f*; **4.** *fig.* leeres Füllwerk, (Zeilen-) Füllsel *n*; **5.** *a.* ~ *condenser* ⚡ Ver'kürzungskonden₁sator *m*.

pad·dle ['pædl] **I.** *s.* **1.** Paddel(ruder) *n*: **2.** ⚓ **a)** Schaufel *f* (*e-s Schaufelrades*), **b)** Schaufelrad *n* (*e-s Flußdampfers*); **3.** Waschbleuel *m*; **4.** ⊕ Kratze *f*, Rührstange *f*; **5.** ⊕ **a)** Schaufel *f* (*Wasserrad*), **b)** Schütz *n*, Falltor *n* (*Schleuse*); **II.** *v/i.* **6.** rudern, *bsd.* paddeln; → *canoe I*; **7.** *im Wasser* planschen; **8.** watscheln; **III.** *v/t.* **9.** paddeln; **10.** *Am.* F verhauen; **'~-board** *s.* (Rad)Schaufel *f*; **'~-box** *s.* ⚓ Radkasten *m*; **'~-steam·er** *s.* ⚓ Raddampfer *m*; **'~-wheel** *s.* Schaufelrad *n*.

pad·dock¹ ['pædək] *s.* **1.** (Pferde-) Koppel *f*; **2.** *sport* Sattelplatz *m*.

pad·dock² ['pædək] *s. zo.* **1.** *Scot. od. dial.* Frosch *m*; **2.** *obs.* Kröte *f*.

pad·dy¹ ['pædi] *s.* ✝ roher Reis.

pad·dy² ['pædi] *s.* F Wutanfall *m*; **~ wag·on** *s. Am. sl.* **1.** ‚Grüne Minna' (*Polizeigefangenenwagen*); **2.** Anstaltswagen *m* (*für Irre etc.*).

pad·lock ['pædlɔk] **I.** *s.* Vorhänge-, Vorlegeschloß *n*; **II.** *v/t.* mit e-m Vorhängeschloß verschließen.

pae·an ['pi:ən] *s.* **1.** *antiq.* Pä'an *m*; **2.** *allg.* Freuden-, Lobgesang *m*.

paed·er·as·ty ['pi:dəræsti] *s.* Pädera'stie *f*, Knabenliebe *f*.
pae·di·at·ric [pi:di'ætrik] *adj.* pädi'atrisch, Kinderheil(kunde)...; **pae·di·a·tri·cian** [pi:diə'triʃən] *s.* Kinderarzt *m*, -ärztin *f*; **pae·di'at·rics** [-ks] *s. pl. sg. konst.*, **paed·i·at·ry** ['pi:diætri] *s.* Kinderheilkunde *f*.
pa·gan ['peigən] **I.** *s.* Heide *m*, Heidin *f*; **II.** *adj.* heidnisch; '**pa·gan·ism** [-nizəm] *s.* Heidentum *n*.
page[1] [peidʒ] **I.** *s.* **1.** Seite *f* (*Buch etc.*); *typ.* Schriftseite *f*, Ko'lumne *f*: ~ *printer tel.* Blattdrucker; **2.** *fig.* Chronik *f*, Buch *n*; **3.** *fig.* Blatt *n aus der Geschichte etc.*; **II.** *v/t.* **4.** paginieren.
page[2] [peidʒ] **I.** *s.* **1.** *hist.* Page *m*; Edelknabe *m*; **2.** junger (*engS.* Ho'tel)Diener, Page *m*; *Am.* Amtsbote *m*; **II.** *v/t.* **3.** *j-n* (durch e-n Pagen) suchen *od.* holen lassen; *j-s Namen* durch den Lautsprecher ausrufen lassen.
pag·eant ['pædʒənt] *s.* **1. a)** (*bsd.* hi'storischer) Festzug, **b)** (historisches) Festspiel; **2.** Schaugepränge *n*, Pomp *m*; **3.** *fig.* leerer Prunk, Flitterstaat *m*; '**pag·eant·ry** [-ri] *s.* **1.** *a. pl.* Prunk *m*, Gepränge *n*; **2.** *fig.* leerer Pomp.
pag·i·nal ['pædʒinl] *adj.* Seiten...; '**pag·i·nate** [-neit] *v/t.* paginieren; **pag·i·na·tion** [pædʒi'neiʃən], *a.* **pag·ing** ['peidʒiŋ] *s.* Paginierung *f*, 'Seitennume,rierung *f*.
pa·go·da [pə'goudə] *s.* Pa'gode *f*; **~-tree** *s.* ⚘ So'phora *f*: *to shake the ~ fig.* in Indien schnell ein Vermögen machen.
pah [pɑ:] *int.* **1.** pfui!; **2.** *contp.* pah!
paid [peid] **I.** *pret. u. p.p. von pay*; **II.** *adj.* bezahlt: ~ *in* eingezahlt; ~ *up* abgezahlt (*Schulden*), voll eingezahlt (*Kapital, Police*); *to put ~ to s.th.* e-r Sache ein Ende setzen; '**~-in cap·i·tal** *s.* † 'Einlagekapi,tal *n*; '**~-up cap·i·tal** *s.* † eingezahltes *od.* eingebrachtes Kapi'tal.
pail [peil] *s.* Eimer *m*, Kübel *m*; '**pail·ful** [-ful] *s. ein* Eimer(voll) *m*: *by ~s* eimerweise.
pail·lasse [pæl'jæs] *s.* Strohsack *m* [(*Matratze*).]
pain [pein] **I.** *s.* **1.** Schmerz(en *pl.*) *m*, Pein *f*; *pl.* ⚕ (Geburts)Wehen *pl.*: *to be in ~* Schmerzen haben, leiden; *you are a ~ in the neck* F du gehst mir auf die Nerven; **2.** Schmerz(en *pl.*) *m*, Leid *n*, Kummer *m*: *to give* (*od. cause*) *s.o. ~* j-m Kummer machen; **3.** *pl.* Mühe *f*, Bemühungen *pl.*: *to be at ~s, to take ~s* sich Mühe geben, sich anstrengen; *to spare no ~s* keine Mühe scheuen; *all he got for his ~s* der Dank (für s-e Mühe); **4.** Strafe *f*: (*up*)*on* (*od. under*) ~ *of* bei Strafe von; *on* (*od. under*) ~ *of death* bei Todesstrafe; **II.** *v/t.* **5.** *j-m* weh tun, *j-n* schmerzen; *fig. a. j-n* schmerzlich berühren, peinigen; **pained** [-nd] *adj.* gequält, schmerzlich; '**pain·ful** [-ful] *adj.* □ **1.** schmerzend, schmerzhaft; **2.** schmerzlich, peinlich, quälend: *to produce a ~ impression* peinlich wirken; **3.** mühsam; '**pain·ful·ness** [-fulnis] *s.* **1.** Schmerzhaftigkeit *f*; **2.** Schmerzlichkeit *f*, Peinlichkeit *f*; '**pain-kill·er** *s.* F schmerzstillendes Mittel; '**pain·less** [-lis] *adj.* □ schmerzlos.
pains·tak·ing ['peinzteikiŋ] **I.** *adj.* □ **sorgfältig**, gewissenhaft; rührig, eifrig; **II.** *s.* Sorgfalt *f*, Mühe *f*.
paint [peint] **I.** *v/t.* **1.** *Bild* malen; *fig.* ausmalen, schildern: *to ~ s.o.'s portrait* j-n malen; **2.** an-, bemalen, (an)streichen; *Auto* lackieren: *to ~ out* übermalen; *to ~ the town red sl.* ‚auf die Pauke hauen', ‚die Gegend unsicher machen'; → *lily*; **3.** *Mittel* auftragen, *Hals, Wunde* (aus)pinseln; **4.** schminken: *to ~ one's face* **sich** schminken, sich ‚anmalen'; **II.** *v/i.* **5.** malen; **6.** streichen; **7.** sich schminken; **III.** *s.* **8.** (Anstrich-, Öl)Farbe *f*; (Auto)Lack *m*; Tünche *f*; **9.** *a. coat of ~* Anstrich *m*: *as fresh as ~* F frisch u. munter; **10.** Schminke *f*; **11.** ⚕ Tink'tur *f*; '**~-box** *s.* **1.** Tusch-, Malkasten *m*; **2.** Schminkdose *f*; '**~-brush** *s.* Pinsel *m*.
paint·ed ['peintid] *p.p. u. adj.* **1.** ge-, bemalt, gestrichen; lackiert; **2.** *bsd.* ⚘, *zo.* bunt, scheckig; **3.** *fig.* gefärbt; ♀ **La·dy** *s.* **1.** *zo.* Distelfalter *m*; **2.** ⚘ Rote Wucherblume.
paint·er[1] ['peintə] *s.* ⚓ Fangleine *f*: *to cut the ~ fig.* sich loslösen.
paint·er[2] ['peintə] *s.* **1.** (Kunst-) Maler(in); **2.** Maler *m*, Anstreicher *m*: *~'s colic* ⚕ Bleikolik; *~'s shop* **a)** Malerwerkstatt, **b)** (Auto)Lakkiererei; '**paint·ing** [-tiŋ] *s.* **1.** Malen *n*, Male'rei *f*: ~ *in oil* Ölmalerei; **2.** Gemälde *n*, Bild *n*; **3.** ⊕ **a)** Farbanstrich *m*, **b)** Spritzlackieren *n*.
paint| re·fresh·er *s.* ⊕ 'Neuglanzpoli,tur *f*; **~re·mov·er** *s.* ⊕ (Farben)Abbeizmittel *n*.
paint·ress ['peintris] *s.* Malerin *f*.
'**paint-spray·ing pis·tol** *s.* ⊕ ('Anstreich),Spritzpi,stole *f*.
pair [pɛə] **I.** *s.* **1.** Paar *n*: *a ~ of boots, legs etc.*; **2.** (*Zweiteiliges, mst unübersetzt*): *a ~ of scales* (*scissors, spectacles*) eine Waage (Schere, Brille); *a ~ of trousers* ein Paar Hosen, eine Hose; **3.** Paar *n*, Pärchen *n* (*Mann u. Frau; zo. Männchen u. Weibchen*): ~ *skating sport* Paarlauf(en); **4.** Partner *m*; Gegenstück *n* (*von e-m Paar*); *der* (*die, das*) andere *od.* zweite: *where is the ~ to this shoe?*; **5.** (Zweier)Gespann *n*: *carriage and ~* Zweispänner; **6.** *sport* Zweier *m* (*Ruderboot*): ~ *with cox* Zweier mit Steuermann; **7.** *a. kinematic ~* ⊕ Ele'mentenpaar *n*; **8.** *Brit.* ~ *of stairs* (*od. steps*) Treppe *f*: *two ~ front* (*back*) (Raum *od.* Mieter) im zweiten Stock nach vorn (hinten); **II.** *v/t.* **9.** *a.* ~ *off* paarweise anordnen: *to ~ off* F *fig.* verheiraten; **10.** *Tiere* paaren (*with* mit); **III.** *v/i.* **11.** sich paaren (*Tiere*) (*a. fig.*); **12.** zs.-passen; **13.** ~ *off* **a)** paarweise weggehen, **b)** F *fig.* sich verheiraten (*with* mit), **c)** *pol.* (*with* mit *e-m Mitglied e-r anderen Partei*) ein Abkommen treffen; **pair·ing** ['pɛəriŋ] *s. biol.* Paarung *f*: *~-season, ~-time* Paarungszeit.
'**pair-oar** **I.** *s.* Zweier *m* (*Boot*); **II.** *adj.* zweiruderig.
pa·ja·mas *bsd. Am.* → *pyjamas*.
Pak·i·stan·i [pɑ:ki'stɑ:ni] **I.** *adj.* paki'stanisch; **II.** *s.* Paki'staner(in), Einwohner(in) Pakistans.
pal [pæl] **I.** *s.* F Kame'rad *m*, ‚Kumpel' *m*, ‚Spezi' *m*, Freund *m*; **II.** *v/i. mst ~ up* F sich anfreunden (*with od. to s.o.* mit j-m).
pal·ace ['pælis] *s.* Schloß *n*, Pa'last *m*, Pa'lais *n*: ~ *of justice* Justizpalast; **~ car** *s.* 🚃 Sa'lonwagen *m*; **~ guard** *s.* **1.** Pa'lastwache *f*; **2.** *fig. contp.* Clique *f um e-n Regierungschef*, Kama'rilla *f*; **~ rev·o·lu·tion** *s. fig.* Pa'lastrevoluti,on *f*.
pal·a·din ['pælədin] *s. hist.* Pala'din *m* (*a. fig.*).
pa·lae·og·ra·pher *etc.* → *paleographer etc.*
pal·at·a·ble ['pælətəbl] *adj.* □ **a)** schmackhaft, wohlschmeckend, **b)** *fig.* angenehm; '**pal·a·tal** [-tl] **I.** *adj.* **1.** Gaumen...; **II.** *s.* **2.** Gaumenknochen *m*; **3.** *ling.* Pala'tal (-laut) *m*; '**pal·a·tal·ize** [-təlaiz] *v/t. ling. Laut* palatalisieren; **pal·ate** ['pælit] *s.* **1.** *anat.* Gaumen *m*: *bony* (*od. hard*) ~ harter Gaumen, Vordergaumen; *cleft ~* Wolfsrachen; *soft ~* weicher Gaumen, Gaumensegel; **2.** *fig.* (*for*) Gaumen *m* (für), Geschmack *m* (an *dat.*).
pa·la·tial [pə'leiʃəl] *adj.* pa'lastartig, Palast..., Schloß..., Luxus...
pa·lat·i·nate [pə'lætinit] **I.** *s.* **1.** *hist.* Pfalzgrafschaft *f*; **2.** *the* ♀ die (Rhein)Pfalz; **II.** *adj.* **3.** ♀ Pfälzer, pfälzisch.
pal·a·tine[1] ['pælətain] **I.** *adj.* **1.** *hist.* Pfalz..., pfalzgräflich: *Count* ♀ Pfalzgraf; *County* ♀ Pfalzgrafschaft; **2.** ♀ pfälzisch, Pfälzer(...); **II.** *s.* **3.** Pfalzgraf *m*; **4.** ♀ (Rhein-) Pfälzer(in).
pal·a·tine[2] ['pælətain] *anat.* **I.** *adj.* Gaumen...: ~ *tonsil* Gaumen-, Halsmandel; **II.** *s.* Gaumenbein *n*.
pa·lav·er [pə'lɑ:və] **I.** *s.* **1.** Unter'handlung *f*, -'redung *f*, Konfe'renz *f*; **2.** F ‚Pa'laver' *n*, Geschwätz *n*; **3.** *sl.* ‚Sache' *f*, Geschäft *n*; **II.** *v/i.* **4.** unter'handeln; **5.** pa'lavern, ‚quasseln'; **III.** *v/t.* **6.** F *j-n* beschwatzen, *j-m* schmeicheln.
pale[1] [peil] **I.** *s.* **1.** Pfahl *m* (*a. her.*); **2.** *bsd. fig.* um'grenzter Raum, Bereich *m*, (enge) Grenzen *pl.*: *beyond the ~ fig.* jenseits der Grenzen des Erlaubten; *within the ~ of the Church* im Schoße der Kirche; **II.** *v/t.* **3.** *a.* ~ *in* einpfählen, -zäunen; *fig.* um'schließen.
pale[2] [peil] **I.** *adj.* □ **1.** blaß, bleich, fahl: *to turn ~* → *3*; ~ *with fright* schreckensbleich; *as ~ as ashes* (*clay, death*) aschfahl (kreidebleich, totenblaß); **2.** hell, blaß, matt (*Farben*): ~ *ale* helles Bier; ~ *green* Blaß-, Zartgrün; ~ *pink* (Blaß)Rosa; **II.** *v/i.* **3.** blaß werden, erbleichen, erblassen; **4.** *fig.* verblassen (*before od. beside* vor *dat.*); **III.** *v/t.* **5.** bleich machen, erbleichen lassen.
'**pale|-face** *s.* **1.** Bleichgesicht *n* (*Ggs. Indianer*) (*a. fig. humor.*); **2.** *Am. sl.* (Zirkus)Clown *m*; '**~-faced** *adj.* bleich, blaß.
pale·ness ['peilnis] *s.* Blässe *f*, Farblosigkeit *f* (*a. fig.*).
pa·le·og·ra·pher [pæli'ɔgrəfə] *s.* Paläo'graph *m*; **pa·le'og·ra·phy** [-fi] *s.* **1.** alte Schriftarten *pl.*, alte Schriftdenkmäler *pl.*; **2.** Paläogra'phie *f*, Handschriftenkunde *f*.

pa·le·o·lith·ic [pæliou'liθik] **I.** *adj.* paläo'lithisch, altsteinzeitlich; **II.** *s.* Altsteinzeit *f.*
pa·le·on·tol·o·gist [pæliɔn'tɔlədʒist] *s.* Paläonto'loge *m*; **pa·le·on'tol·o·gy** [-dʒi] *s.* Paläontolo'gie *f.*
pa·le·o·zo·ic [pæliou'zouik] *geol.* **I.** *adj.* paläo'zoisch: ~ *era* → *II*; **II.** *s.* Paläo'zoikum *n.*
Pal·es·tin·i·an [pæles'tiniən] *adj.* palästi'nensisch.
pal·e·tot ['pæltou] *s.* **1.** 'Paletot *m*, 'Überzieher *m* (*für Herren*); **2.** loser (Damen)Mantel.
pal·ette ['pælit] *s.* **1.** *paint.* Pa'lette *f*; **2.** *fig.* Pa'lette *f*, Farbenskala *f*; '~**-knife** *s.* Streichmesser *n*, Spachtel *m, f.*
pal·frey ['pɔ:lfri] *s.* Zelter *m.*
pal·ing ['peiliŋ] *s.* Um'pfählung *f*, Pfahl-, Lattenzaun *m*, Sta'ket *n*; '~**-board** *s.* ⊕ *Brit.* Schalbrett *n.*
pal·in·gen·e·sis [pælin'dʒenisis] *s.* **1.** 'Wiedergeburt *f* (*a. eccl.*); **2.** *biol.* Palinge'nese *f.*
pal·i·sade [pæli'seid] **I.** *s.* **1.** Pali'sade *f*; Pfahlzaun *m*, Sta'ket *n*; **2.** Schanzpfahl *m*; **II.** *v/t.* **3.** mit e-r Palisade um'geben *od.* sperren.
pall[1] [pɔ:l] *s.* **1.** Bahr-, Leichentuch *n*; **2.** *fig.* Mantel *m*, Hülle *f*, Decke *f*; (Rauch- *etc.*)Wolke *f*; **3.** *eccl.* → *pallium 2 u. 3*; **4.** *her.* Gabel(kreuz *n*) *f.*
pall[2] [pɔ:l] **I.** *v/i.* **1.** (*on, upon*) jeden Reiz verlieren (für), *j-n* kalt lassen *od.* langweilen; **2.** schal *od.* fade werden, s-n Reiz verlieren; **3.** über'sättigt werden (*with s.th.* von et.) (*Magen*); **II.** *v/t.* **4.** den Geschmack verderben an (*dat.*); **5.** *Magen etc.* über'sättigen.
pal·la·di·um [pə'leidjəm] *pl.* **-di·a** [-djə] *s.* **1.** *fig.* Pal'ladium *n*, Hort *m*, Schutz *m*; **2.** ⚗ Palladium *n* (*Element*).
'**pall·bear·er** *s.* Sargträger *m.*
pal·let[1] ['pælit] *s.* (Stroh)Lager *n*, Strohsack *m*, Pritsche *f.*
pal·let[2] ['pælit] *s.* **1.** ⊕ Dreh-, Töpferscheibe *f*; **2.** *paint.* Pa'lette *f*; **3.** Trockenbrett *n* (*für Keramik, Ziegel etc.*); **4.** Pa'lette *f*, Laderost *m* (*Gabelstapler*); **5.** *a.* ~ *of escapement* Hemmungslappen *m* (*Uhr*).
pal·liasse [pæl'jæs] → *paillasse.*
pal·li·ate ['pælieit] *v/t.* **1.** *Krankheit, Schmerz* lindern; **2.** *fig.* bemänteln, beschönigen; **pal·li·a·tion** [pæli'eiʃən] *s.* **1.** Linderung *f*; **2.** Bemäntelung *f*, Beschönigung *f*; '**pal·li·a·tive** [-iətiv] **I.** *adj.* **1.** ⚕ lindernd, pallia'tiv; **2.** *fig.* bemäntelnd, beschönigend; **II.** *s.* **3.** ⚕ Linderungsmittel *n*; *fig.* Bemäntelung *f.*
pal·lid ['pælid] *adj.* □ blaß, bleich, farblos; '**pal·lid·ness** [-nis] *s.* Blässe *f.*
pal·li·um ['pæliəm] *pl.* **-li·a** [-liə], **-li·ums** *s.* **1.** *antiq.* 'Pallium *n*, Philo'sophenmantel *m*; **2.** *eccl.* Pallium *n* (*Schulterband des Erzbischofs*); **3.** *eccl.* Al'tartuch *n*; **4.** *anat.* (Ge-) Hirnmantel *m*; **5.** *zo.* Mantel *m* (*Weichtiere*).
pal·lor ['pælə] *s.* Blässe *f.*
palm[1] [pɑ:m] **I.** *s.* **1.** Handfläche *f*, -teller *m*, hohle Hand: *to grease* (*od. oil*) *s.o.'s* ~ j-n ‚schmieren' *od.* bestechen; **2.** Hand(breite) *f* (*als Maß*); **3.** Schaufel *f* (*Anker, Hirschgeweih*); **II.** *v/t.* **4.** betasten, streicheln; **5. a)** palmieren, **b)** *Am. sl.* ‚klauen', stehlen; **6.** *to* ~ *s.th. off on s.o.* j-m et. ‚aufhängen' *od.* ‚andrehen'; *to* ~ *o.s. off* (*as*) sich ausgeben (als).
palm[2] [pɑ:m] *s.* **1.** ♆ Palme *f*; **2.** *fig.* Siegespalme *f*, Krone *f*, Sieg *m*: *to bear* (*od. win*) *the* ~ den Sieg davontragen; → *yield 4.*
pal·mate ['pælmit] *adj.* **1.** ♆ handförmig (gefingert *od.* geteilt); **2.** *zo.* schwimmfüßig.
palm grease *s. Am. sl. u. Brit. humor.* Schmiergeld *n.*
pal·mi·ped ['pælmiped], '**pal·mi·pede** [-ipi:d] *zo.* **I.** *adj.* schwimmfüßig; **II.** *s.* Schwimmfüßer *m.*
palm·ist ['pɑ:mist] *s.* Handwahrsager(in); '**palm·is·try** [-tri] *s.* Handlesekunst *f.*
'**palm|-oil** *s.* **1.** Palmöl *n*; **2.** *humor.* Schmiergeld(er *pl.*) *n*; ♀ **Sun·day** *s. eccl.* Palm'sonntag *m*; '~**-tree** *s.* Palmbaum *m*, Palme *f.*
palm·y ['pɑ:mi] *adj.* **1.** palmenreich; **2.** *fig.* erfolg-, glorreich.
pa·loo·ka [pə'lu:kə] *s. Am. sl.* **1.** *bsd. sport* ‚Flasche' *f* (*Nichtskönner*); **2.** Lümmel *m.*
palp [pælp] *s. zo.* Taster *m*, Fühler *m*; **pal·pa·bil·i·ty** [pælpə'biliti] *s.* **1.** Fühl-, Greif-, Tastbarkeit *f*; **2.** *fig.* Handgreiflichkeit *f*; '**pal·pa·ble** [-pəbl] *adj.* □ **1.** fühl-, greifbar; **2.** *fig.* handgreiflich, augenfällig; '**pal·pa·ble·ness** [-pəblnis] → *palpability*; '**pal·pate** [-peit] *v/t.* befühlen, (*a.* ⚕) abtasten; **pal·pa·tion** [pæl'peiʃən] *s.* Abtasten *n* (*a.* ⚕).
pal·pe·bra ['pælpibrə] *s. anat.* Augenlid *n*: *lower* ~ Unterlid.
pal·pi·tant ['pælpitənt] *adj.* klopfend, pochend; **pal·pi·tate** ['pælpiteit] *v/i.* **1.** klopfen, pochen (*Herz*); **2.** (er)zittern; **pal·pi·ta·tion** [pælpi'teiʃən] *s.* Klopfen *n*, (heftiges) Schlagen: ~ (*of the heart*) ⚕ Herzklopfen.
pal·sied ['pɔ:lzid] *adj.* **1.** gelähmt; **2.** zittrig, wacklig; **pal·sy** ['pɔ:lzi] **I.** *s.* **1.** ⚕ Lähmung *f*, Schlagfluß *m*: *shaking* ~ Schüttellähmung; *wasting* ~ progressive Muskelatrophie; → *writer 1*; **2.** *fig.* Ohnmacht *f*, Lähmung *f*; **II.** *v/t.* **3.** lähmen.
pal·ter ['pɔ:ltə] *v/i.* **1.** (*with*) gemein handeln (an *dat.*), sein Spiel treiben (mit); **2.** schachern, feilschen.
pal·tri·ness ['pɔ:ltrinis] *s.* Armseligkeit *f*, Erbärmlichkeit *f*, Schäbigkeit *f*; **pal·try** ['pɔ:ltri] *adj.* □ **1.** armselig, karg: *a* ~ *sum*; **2.** dürftig, fadenscheinig: *a* ~ *excuse*; **3.** schäbig, schofel, gemein: *a* ~ *fellow*; *a* ~ *lie*; *a* ~ *two pounds* lumpige zwei Pfund.
pam·pas ['pæmpəs] *s. pl.* Pampas *pl.* (*südamer. Grasebene[n]*).
pam·per ['pæmpə] *v/t.* verwöhnen, -zärteln, (ver)hätscheln; *fig. Stolz, Eitelkeit* nähren, ‚hätscheln'; *e-m Gelüst* frönen.
pam·phlet ['pæmflit] *s.* Bro'schüre *f*, Flug-, Druckschrift *f*, Heft *n*; Merkblatt *n*; **pam·phlet·eer** [pæmfli'tiə] *s.* Pamphle'tist *m.*
pan[1] [pæn] **I.** *s.* **1.** Pfanne *f*: *frying* ~ Bratpfanne; **2.** ⊕ Pfanne *f*, Tiegel *m*, Becken *n*, Mulde *f*, Trog *m*; **3.** Schale *f* (*e-r Waage*); **4.** ⊕ Türangelpfanne *f*; **5.** ⚔ *hist.* (Zünd-) Pfanne *f*; → *flash 1*; **6.** *Am. sl.* Vi'sage *f*, Gesicht *n*; **7.** *Am. sl.* ‚Verriß' *m*, vernichtende Kri'tik; **II.** *v/t.* **8.** *oft* ~ *out*, ~ *off Goldsand* (aus)waschen, *Gold* auswaschen; **9.** *Am. sl.* ‚her'unterreißen', scharf kritisieren; **III.** *v/i.* **10.** ~ *out Am. sl.* sich bezahlt machen, ‚klappen': *to* ~ *out well* **a)** *an Gold* ergiebig sein, **b)** *fig.* gut ausgehen, ‚hinhauen', ‚einschlagen'.
pan[2] [pæn] **I.** *v/t. Filmkamera* schwenken, fahren; **II.** *v/i.* **a)** panoramieren, die 'Film͵kamera fahren *od.* schwenken, **b)** (her'um-) schwenken (*Kamera*).
pan- [pæn] *in Zssgn* all..., gesamt...; All..., Gesamt..., Pan...
pan·a·ce·a [pænə'siə] *s.* All'heil-, Wundermittel *n.*
pa·nache [pə'næʃ] *s.* **1.** Helm-, Federbusch *m*; **2.** *fig.* Großtue'rei *f.*
'**Pan-A'mer·i·can** *adj.* panameri'kanisch.
'**pan·cake I.** *s.* **1.** Pfann-, Eierkuchen *m*; **2.** Leder *n* geringerer Qualität (*aus Resten hergestellt*); **3.** *a.* ~ *landing* ✈ Bumslandung *f*; **II.** *v/i.* **4.** ✈ 'durchsacken, bumslanden; **III.** *v/t.* **5.** ✈ *Maschine* 'durchsacken lassen; **IV.** *adj.* **6.** Pfannkuchen...: ~ *Day* F Fastnachtsdienstag; **7.** flach: ~ *coil* ⚡ Flachspule.
pan·chro·mat·ic [pænkrou'mætik] *adj.* ♪, *phot.* panchro'matisch.
pan·cre·as ['pæŋkriəs] *s. anat.* Bauchspeicheldrüse *f*, 'Pankreas *n*; **pan·cre·at·ic** [pæŋkri'ætik] *adj.* Bauchspeicheldrüsen...: ~ *juice* Bauchspeichel.
pan·da ['pændə] *s. zo.* Panda *m*, Katzenbär *m*; ~ **car** *s. Brit.* (Funk-, Poli'zei)Streifenwagen *m.*
pan·dem·ic [pæn'demik] *adj.* ⚕ pan'demisch, ganz allgemein verbreitet.
pan·de·mo·ni·um [pændi'mounjəm] *s. fig.* **1.** In'ferno *n*, Hölle *f*; **2.** Höllenlärm *m.*
pan·der ['pændə] **I.** *s.* **1.** Kuppler (-in), Zuhälter *m*; **2.** *fig. b.s.* Wegbereiter *m*, Verführung *f*; **II.** *v/t.* **3.** verkuppeln; **III.** *v/i.* **4.** kuppeln; **5.** (*to*) *e-m Laster etc.* Vorschub leisten: *to* ~ *to s.o.'s ambition* j-s Ehrgeiz anstacheln.
pane [pein] **I.** *s.* **1.** (Fenster)Scheibe *f*; **2.** ⊕ Feld *n*, Fach *n*, Platte *f*, Tafel *f*, Füllung *f* (*Tür*), Kas'sette *f* (*Decke*): ~ *of glass* e-e Tafel Glas; **3.** ebene Seitenfläche; Finne *f* (*Hammer*); Fa'cette *f* (*Edelstein*); **4.** *Am.* Abteilung *f Briefmarken.*
pan·e·gyr·ic [pæni'dʒirik] **I.** *s.* Lobrede *f*, -preisung *f*, -schrift *f* (*on* über *acc.*); **II.** *adj.* → *panegyrical*; **pan·e'gyr·i·cal** [-kəl] *adj.* □ lobpreisend, Lob u. Preis...; **pan·e'gyr·ist** [-ist] *s.* Lobredner *m*; **pan·e·gy·rize** ['pænidʒiraiz] **I.** *v/t.* (lob-) preisen, ‚in den Himmel heben'; **II.** *v/i.* sich in Lobeshymnen ergehen.
pan·el ['pænl] **I.** *s.* **1.** ⚠ (vertieftes) Feld, Fach *n*, Füllung *f* (*Tür*), Täfelung *f* (*Wand*); **2.** Tafel *f* (*Holz*), Platte *f* (*Blech etc.*); → *instrument panel*; **3.** *paint.* Holztafel *f*, Gemälde

n auf Holz; **4.** *phot.* (Bild *n* im) 'Hochfor͵mat *n*; **5.** Einsatz(streifen) *m am Kleid*; **6.** ✈ **a)** ⚔ 'Flieger-, Si'gnaltuch *n*, **b)** Stoffbahn *f* (*Fallschirm*), **c)** Streifen *m* der Bespannung (*Flugzeugflügel*), Verkleidung(sblech *n*) *f* (*Flügelbauteil*); **7.** (Bau)Abteilung *f*, Abschnitt *m*; **8.** ⚒ (Abbau)Feld *n*; **9.** ⚡ Schalttafel *f*; **10.** ⚖ **a)** Liste *f* der Geschworenen, **b)** Geschworene *pl.*; **11.** ('Unter)Ausschuß *m*, Kommissi'on *f*; Kammer *f*; **12. a)** → *panel discussion*, **b)** Diskussi'onsteilnehmer *pl.*; **13.** *Meinungsforschung*: Befragtengruppe *f*; **14.** *hist. Brit.* Verzeichnis *n* der Kassenärzte; **II.** *v/t.* **15.** täfeln, paneelieren, in Felder einteilen; **16.** *Kleid* mit Einsatzstreifen verzieren.

pan·el| board *s.* **1.** ⊕ Füllbrett *n*, (Wand-, Par'kett)Tafel *f*; **2.** ⚡ Schaltbrett *n*, -tafel *f*; **~ dis·cus·sion** *s.* 'Podiumgespräch *n*, öffentliche Diskussi'on; **~ game** *s. Fernsehen etc.*: Ratespiel *n*, Quiz *n*; **~ heat·ing** *s.* Flächenheizung *f*.

pan·el·ist ['pænlist] *s.* Diskussi'onsteilnehmer(in).

pan·el·(l)ing ['pænliŋ] *s.* Täfelung *f*, Tafelwerk *n*, Verkleidung *f*.

pan·el| sys·tem *s.* 'Listensy͵stem *n* (*für die Auswahl von Abgeordneten etc.*); '**~·work** *s.* Tafel-, Fachwerk *n*.

pang [pæŋ] *s.* **1.** plötzlicher Schmerz, Stechen *n*, Stich *m*: *death ~s* Todesqualen; **2.** *fig.* aufschießende Angst, plötzlicher Schmerz, Qual *f*, Weh *n*, Pein *f*: *~s of remorse* heftige Gewissensbisse.

Pan-'Ger·man I. *adj.* 'panger͵manisch, all-, großdeutsch; **II.** *s.* 'Pangerma͵nist *m*, Alldeutsche(r) *m*.

pan·han·dle ['pænhændl] **I.** *s.* **1.** Pfannenstiel *m*; **2.** *Am.* schmaler Fortsatz (*bes. e-s Staatsgebiets*), Korridor *m*; **II.** *v/t. u. v/i.* **3.** *Am. sl. j-n* (an)betteln, *et.* ‚schnorren', erbetteln (*a. fig.*); '**pan·han·dler** [-lə] *s. Am. sl.* Bettler *m*, ‚Schnorrer' *m*.

pan·ic[1] ['pænik] *s.* ♀ (Kolben) Hirse *f*.

pan·ic[2] ['pænik] **I.** *adj.* **1.** panisch: *~ fear*; *~ haste* blinde Hast; *~ braking mot.* scharfes Bremsen; *~ buying* Angstkäufe; **II.** *s.* **2.** Panik *f*, panischer Schrecken, Bestürzung *f*, 'Angstpsy͵chose *f*; **3.** † Börsenpanik *f*, Kurssturz *m*: *~-proof* krisenfest; **III.** *v/t. pret. u. p.p.* '**pan·icked** [-kt] **4.** *Am. sl. Publikum* hinreißen; **IV.** *v/i.* **5.** von panischem Schrecken erfaßt werden; **6.** sich zu e-r Kurzschlußhandlung hinreißen lassen: *don't ~!* nur keine Aufregung!; '**pan·ick·y** [-ki] *adj.* F **1.** 'über͵ängstlich, -ner͵vös; unruhig (*at* über *acc.*); **2.** beunruhigend.

pan·i·cle ['pænikl] *s.* ♀ Rispe *f*.

'**pan·ic|-mon·ger** *s.* Bange-, Panikmacher(in); '**~-strick·en,** '**~-struck** *adj.* von panischem Schrecken gepackt.

pan·jan·drum [pən'dʒændrəm] *s. humor.* ‚großes Tier', ‚Bonze' *m*, Wichtigtuer *m*.

pan·nier ['pæniə] *s.* **1.** (Trag)Korb *m*: *a pair of ~s* e-e Doppelpacktasche (*Fahr-, Motorrad*); **2.** Reifrock *m*.

pan·ni·kin ['pænikin] *s.* **1.** Pfännchen *n*; **2.** (Trink)Kännchen *n*.

pan·ning ['pæniŋ] *s. Film*: Panoramierung *f*, Schwenken *n der Kamera*: *~ shot der* Schwenk.

pan·o·plied ['pænəplid] *adj.* vollständig gerüstet (*a. fig.*); **pan·o·ply** ['pænəpli] *s.* **1.** vollständige Rüstung; **2.** *fig.* prächtige Um'rahmung, Schmuck *m*.

pan·o·ra·ma [pænə'rɑːmə] *s.* **1.** Pano'rama *n* (*a. paint*), Rundblick *m*; **2.** *phot.* Rundbildaufnahme *f*: *~ lens* Weitwinkelobjektiv; **3.** *fig.* vollständiger 'Überblick (*of* über *acc.*); **pan·o'ram·ic** [-'ræmik] *adj.* (□ *~ally*) pano'ramisch, Rundblick...: *~ camera* Panoramenkamera; *~ sketch* Ansichtsskizze; *~ windshield mot. Am.* Rundsichtverglasung.

pan shot *s.* ('Kamera)Schwenk *m*.

pan·sy ['pænzi] *s.* **1.** ♀ Stiefmütterchen *n*; **2.** *a. ~ boy* F **a)** ‚Bubi' *m*, **b)** ‚Homo' *m* (*Homosexueller*).

pant [pænt] **I.** *v/i.* **1.** keuchen, japsen, schnaufen: *to ~ for breath* nach Luft schnappen; **2.** *fig.* lechzen, dürsten, gieren (*for od. after* nach); **II.** *v/t.* **3.** *~ out Worte* (her'vor)keuchen.

pan·ta·loon [pæntə'luːn] *s.* **1.** Hans'wurst *m*; **2.** *pl. hist.* Beinkleider *pl.*; *bsd. Am.* lange (Herren)Hose.

pan·tech·ni·con [pæn'teknikən] *s. Brit.* **1.** Möbelspeicher *m*; **2.** *a. ~ van* Möbelwagen *m*.

pan·the·ism ['pænθi(ː)izəm] *s. phls.* Panthe'ismus *m*; '**pan·the·ist** [-ist] *s.* Panthe'ist(in); **pan·the·is·tic** [pænθi(ː)'istik] *adj.* panthe'istisch.

pan·the·on [pæn'θiːən] *s.* Pantheon *n*, Ehrentempel *m*, Ruhmeshalle *f*.

pan·ther ['pænθə] *s. zo.* Panther *m*.

pan·ties ['pæntiz] *s. pl.* F **1.** Kinderhös·chen *n od. pl.*; **2.** (Damen)Slip *m*.

pan·tile ['pæntail] *s.* Dachziegel *m*, -pfanne *f*, Hohlziegel *m*.

pan·to·graph ['pæntəgrɑːf; -græf] *s.* **1.** ⚡ Scherenstromabnehmer *m*; **2.** ⊕ Storchschnabel *m*.

pan·to·mime ['pæntəmaim] *s.* **1.** *thea.* Panto'mime *f*; *Brit.* (Laien-) Spiel *n*, englisches Weihnachtsspiel; **2.** Mienen-, Gebärdenspiel *n*; **pan·to·mim·ic** [pæntə'mimik] *adj.* (□ *~ally*) panto'mimisch.

pan·try ['pæntri] *s.* **1.** Vorratskammer *f*, Speiseschrank *m*; **2.** *a. butlers ~, housemaids ~* Geschirr-, Wäschekammer *f*; Anrichteraum *m*.

pants [pænts] *s. pl.* **1.** lange (Herren)Hose; → *wear*[1] *1*; **2.** *Brit.* (*a.* †) 'Herren͵unterhose *f*; **3.** *Am. sl.* Mann *m*.

pant skirt [pænt] *s.* Hosenrock *m*.

pant·y ['pænti] → *panties*; **~ gir·dle** *s. Am.* Hüfthalterhös·chen *n*; '**~-hose** *s.* Strumpfhose *f*; '**~-waist** *Am. s.* **1.** Hemdhös·chen *n*; **2.** *sl.* Weichling *m*, Schwächling *m*.

pap [pæp] *s.* **1.** (Kinder)Brei *m*, Papp *m*; **2.** *fig. Am.* F wohlwollende Förderung, Protekti'on *f*; **3.** ⊕ Kleister *m*.

pa·pa [pə'pɑː] *s.* Pa'pa *m*.

pa·pa·cy ['peipəsi] *s.* **1.** päpstliches Amt; **2.** ♀ Papsttum *n*; '**pa·pal** [-pəl] *adj.* □ **1.** päpstlich; **2.** 'römisch-ka'tholisch.

pa·per ['peipə] **I.** *s.* **1.** ⊕ **a)** Pa'pier *n*, **b)** Pappe *f*, **c)** Ta'pete *f*; **2.** Blatt *n* Papier; **3.** Papier *n als Schreibmaterial*: *~ does not blush* Papier ist geduldig; *on ~ fig.* auf dem Papier, theoretisch; → *commit 1*; **4.** Doku'ment *n*, Schriftstück *n*; **5.** † **a)** ('Wert)Pa͵pier *n*, **b)** Wechsel *m*, **c)** Pa'piergeld *n*: *best ~* erstklassiger Wechsel; *convertible ~* (*in Gold*) einlösbares Papiergeld; *~ currency* Papierwährung; **6.** *pl.* **a)** 'Ausweis- *od.* Be'glaubigungspa͵piere *pl.*, Doku'mente *pl.*: *to send in one's ~s* den Abschied nehmen, **b)** Akten *pl*, Schriftstücke *pl*: *~s on appeal* ⚖ Berufungsakten; *to move for ~s bsd. parl.* die Vorlage der Unterlagen *e-s Falles* beantragen; **7.** Prüfungsarbeit *f*; **8.** Aufsatz *m*, Abhandlung *f*, Vortrag *m*, -lesung *f*, Refe'rat *n*: *to read a ~* e-n Vortrag halten, referieren (*on* über *acc.*); **9.** Zeitung *f*, Blatt *n*; **10.** Brief *m*, Heft *n mit Nadeln etc.*; **11.** *thea. sl.* **a)** Freikarte *f*, **b)** Besucher *m* mit Freikarte; **II.** *adj.* **12.** pa'pieren, Papier..., Papp...; **13.** *fig.* (hauch)dünn, schwach; **14.** nur auf dem Pa'pier vorhanden: *~ city*; **III.** *v/t.* **15.** in Papier einwickeln; mit Papier ausschlagen; **16.** tapezieren; **17.** mit 'Sandpa͵pier polieren; **18.** *thea. sl. Haus* mit Freikarten füllen; '**~·back** *s.* Paperback *n*, Buch *n* im Papp(ein)band; '**~-bag** *s.* Tüte *f*: *~ cookery* Kochen im Papierbeutel; **~ ba·sis** *s.* † Pa'pierwährung *f*; '**~·board I.** *s.* Pappdeckel *m*; **II.** *adj.* Pappdeckel...: *~ stock* Graupappe; '**~-chase** *s.* Schnitzeljagd *f*; '**~-clip** *s.* Bü'ro-, Briefklammer *f*; **~ cred·it** *s.* † offener 'Wechselkre͵dit; '**~-cut·ter** *s.* **1.** Pa'pier͵schneidema͵schine *f*; **2.** → *paper-knife*; **~ ex·er·cise** *s.* ⚔ Planspiel *n*; '**~-fas·ten·er** *s.* Heftklammer *f*; '**~-hang·er** *s.* Tapezierer *m*; '**~-hang·ings** *s. pl.* Ta'pete(n *pl.*) *f*; '**~-knife** *s.* **1.** Pa'piermesser *n*; **2.** Brieföffner *m*; '**~-mill** *s.* Pa'pierfa͵brik *f*, -mühle *f*; '**~-mon·ey** *s.* Pa'piergeld *n*; '**~-pat·tern** *s.* Schnittmuster *n*; **~ prof·it** *s.* † rechnerischer Gewinn; '**~-pulp** *s.* ⊕ Pa'pierbrei *m*, Ganzzeug *n*; '**~-stain·er** *s.* Ta'petenmaler *m*, -macher *m*; **~ tow·el** *s.* Pa'pierhandtuch *n*; **~ war(·fare)** *s.* **1.** Pressekrieg *m*, -fehde *f*, Federkrieg *m*; **2.** Pa'pierkrieg *m*; '**~-weight** *s.* **1.** Briefbeschwerer *m*; **2.** *sport* Pa'piergewicht(ler *m*) *n*; '**~-work** *s.* Schreib-, Bü'roarbeit *f*.

pa·per·y ['peipəri] *adj.* pa'pierähnlich; (pa'pier)dünn.

pa·pier mâ·ché ['pæpjei'mɑːʃei] *s.* Pa'pierma͵ché *n*.

pa·pil·i·o·na·ceous [pəpilio'neiʃəs] *adj.* ♀ schmetterlingsblütig.

pa·pil·la [pə'pilə] *pl.* **-pil·lae** [-liː] *s. anat.* Pa'pille *f* (*a.* ♀), Warze *f*; **pap·'il·lar·y** [-əri] *adj.* **1.** warzenartig, papil'lär; **2.** mit Pa'pillen versehen, warzig.

pa·pist ['peipist] *s. contp.* Pa'pist *m*; **pa·pis·tic** *adj.*; **pa·pis·ti·cal** [pə'pistik(əl)] *adj.* □ **1.** päpstlich; **2.** *contp.* pa'pistisch; '**pa·pist·ry** [-ri] *s.* Pa'pismus *m*, Papiste'rei *f*.

pa·poose [pə'puːs] *s.* **1.** Indi'aner-

ˌbaby *n*; **2.** *Am. humor.* kleines Kind.

pap·pus [ˈpæpəs] *pl.* **-pi** [-ai] *s.* **1.** ⚘ **a)** Haarkrone *f*, **b)** Federkelch *m*; **2.** Flaum *m*.

pap·py [ˈpæpi] *adj.* breiig, pappig.

pa·py·rus [pəˈpaiərəs] *pl.* **-ri** [-rai] *s.* **1.** ⚘ Paˈpyrus(staude *f*) *m*; **2.** *antiq.* Paˈpyrus(rolle *f*, -text) *m*.

par [pɑː] **I.** *s.* **1.** ✝ Nennwert *m*, Pari *n*: *issue* ~ Emissionskurs; *nominal* (*od. face*) ~ Nennbetrag (*Aktie*), Nominalwert; ~ *of exchange* Wechselpari(tät), Parikurs; *at* ~ zum Nennwert, al pari; *above* (*below*) ~ über (unter) Pari; **2.** *fig. above* ~ in bester Form; *up to* (*below*) ~ F (nicht) auf der Höhe; *to be on a* ~ (*with*) ebenbürtig *od.* gewachsen sein (*dat.*), entsprechen (*dat.*); *to put on a* ~ *with* gleichstellen (*dat.*); *on a* ~ *Brit.* im Durchschnitt; **3.** *Golf*: festgesetzte Schlagzahl; **II.** *adj.* **4.** ✝ pari: ~ *clearance Am.* Clearing zum Pariwert; ~ *value* Pari-, Nennwert.

para- [ˈpærə] *in Zssgn* **1.** neben, über ... hinˈaus; **2.** ähnlich; **3.** falsch; **4.** ⚗ neben, ähnlich; Verwandtschaft bezeichnend; **5.** ⚕ **a)** fehlerhaft, abˈnorm, **b)** ergänzend, **c)** umˈgebend.

par·a·ble [ˈpærəbl] *s.* Paˈrabel *f*; *bibl.* Gleichnis *n*.

pa·rab·o·la [pəˈræbələ] *s.* ⩓ Paˈrabel *f*: ~ *compasses* Parabelzirkel.

par·a·bol·ic [pærəˈbɔlik] *adj.* **1.** → *parabolical*; **2.** ⩓ paraˈbolisch, Parabel...: ~ *mirror* ⊕ Parabolspiegel; **par·aˈbol·i·cal** [-kəl] *adj.* □ parabolisch, gleichnishaft, alleˈgorisch;

pa·rab·o·loid [pəˈræbəlɔid] *s.* ⩓ Paraboloˈid *n*.

ˈ**par·a·brake** *v/t.* ✈ durch Heckfallschirm (*bei der Landung*) abbremsen.

par·a·chute [ˈpærəʃuːt] **I.** *s.* **1.** ✈ Fallschirm *m*: ~ *jumper* Fallschirmspringer; **II.** *v/t.* **2.** (mit dem Fallschirm) absetzen, -werfen; **III.** *v/i.* **3.** mit dem Fallschirm abspringen; **4.** (wie) mit e-m Fallschirm schweben; ~ **flare** *s.* ⚔ Leuchtfallschirm *m*; ~ **troops** *s. pl.* ⚔ Fallschirmtruppen *pl.*

par·a·chut·ist [ˈpærəʃuːtist] *s.* ✈ **1.** Fallschirmspringer *m*; **2.** ⚔ Fallschirmjäger *m*.

pa·rade [pəˈreid] **I.** *s.* **1.** Paˈrade *f*, Vorführung *f*, Zurˈschaustellen *n*: *to make a* ~ *of et.* zur Schau stellen, protzen mit; **2.** ⚔ **a)** Paˈrade *f* (*Truppenschau u. Vorbeimarsch*), **b)** Apˈpell *m*: ~ *rest!* Rührt Euch!, **c)** *a.* ~*-ground* Paˈrade-, Exerzierplatz *m*; **3.** (ˈUm)Zug *m*, (Auf-, Vorˈbei-)Marsch *m*; **4.** *bsd. Brit.* Promeˈnade *f*; **5.** *fenc.* Parade *f*; **II.** *v/t.* **6.** zur Schau stellen, vorführen; **7.** zur Schau tragen, prunken *od.* protzen mit; **8.** ⚔ auf-, vorˈbeimarschieren lassen; **9.** *Straße* entlangstolzieren; **III.** *v/i.* **10.** ⚔ paradieren, (vorˈbei-)marschieren; **11.** e-n Umzug veranstalten, durch die Straßen ziehen; **12.** sich zur Schau stellen, stolzieren, paradieren.

par·a·digm [ˈpærədaim] *s. ling.* Paraˈdigma *n*, (Muster)Beispiel *n*;

par·a·dig·mat·ic [pærədigˈmætik] *adj.* (□ ~*ally*) paradigˈmatisch.

par·a·dise [ˈpærədais] *s.* (*bibl.* ♀) Paraˈdies *n* (*a. fig.*): *bird of* ~ Paradiesvogel; → *fool's paradise*;

par·a·dis·i·ac [pærəˈdisiæk], **par·a·di·si·a·cal** [pærədiˈsaiəkəl] *adj.* paraˈdiesisch.

par·a·dox [ˈpærədɔks] *s.* Paˈradoxon *n*, Paraˈdox *n*; **par·a·dox·i·cal** [pærəˈdɔksikəl] *adj.* □ paraˈdox.

ˈ**par·a·drop** *v/t.* ✈ mit dem Fallschirm abwerfen.

par·af·fin [ˈpærəfin], **par·af·fine** [ˈpærəfiːn] **I.** *s.* Parafˈfin *n*: *liquid* ~, *Brit.* ~ (*oil*) Paraffinöl; *solid* ~ Erdwachs; ~ *wax* Paraffin (*für Kerzen*); **II.** *v/t.* ⊕ paraffinieren.

par·a·gon [ˈpærəgən] *s.* **1.** Muster *n*, Vorbild *n*: ~ *of virtue* Muster *od.* Ausbund von Tugend; **2.** *typ.* Text *f* (*Schriftgrad*).

par·a·graph [ˈpærəgrɑːf, -græf] *s.* **1.** *typ.* **a)** Absatz *m*, Abschnitt *m*, Paraˈgraph *m*, **b)** Paraˈgraphzeichen *n*; **2.** kurzer (ˈZeitungs)Arˌtikel; ˈ**par·a·graph·er** [-fə] *s.* **1.** Verfasser *m* kleiner Zeitungsartikel; **2.** ˈLeitarˌtikler *m* (*e-r Zeitung*).

Par·a·guay·an [pærəˈgwaiən] **I.** *adj.* paraˈguayisch; **II.** *s.* Paraˈguayer(in).

par·a·keet [ˈpærəkiːt] *s. orn.* Sittich *m*: *Australian grass* ~ Wellensittich.

par·al·de·hyde [pəˈrældihaid] *s.* ⚗ Paraldeˈhyd *n*.

Par·a·li·pom·e·non [pærəliˈpɔmenɔn] → *chronicle* 2.

par·al·lac·tic [pærəˈlæktik] *adj. ast., phys.* paralˈlaktisch: ~ *motion* parallaktische Verschiebung; ˈ**par·al·lax** [ˈpærəlæks] *s.* Paralˈlaxe *f*.

par·al·lel [ˈpærəlel] **I.** *adj.* **1.** (*with, to*) paralˈlel (zu, mit), gleichlaufend (mit): ~ *bars Turnen*: Barren; ~ *connection* ⚡ Parallelschaltung; *to run* ~ *to* parallel verlaufen zu; **2.** *fig.* parallel, gleich(gerichtet, -laufend), entsprechend: ~ *case* Parallelfall; ~ *passage* Parallele *in e-m Text*; **II.** *s.* **3.** ⩓ *u. fig.* Paralˈlele *f* (*to* zu): *in* ~ *with* parallel zu; *to draw a* ~ *between fig.* e-e Parallele ziehen zwischen (*dat.*), (miteinander) vergleichen; **4.** ⩓ Paralleliˈtät *f* (*a. fig. Gleichheit*); **5.** *geogr.* Breitenkreis *m*; **6.** ⚡ Paralˈlelschaltung *f*: *to connect* (*od. join*) *in* ~ parallelschalten; **7.** Gegenstück *n*, Entsprechung *f*: *to have no* ~ nicht seinesgleichen haben; *without* ~ ohnegleichen; **8.** ⚔ Quergraben *m*; **III.** *v/t.* **9.** (*with, to*) anpassen, -gleichen (*dat.*); **10.** gleichkommen (*dat.*); **11.** et. Gleiches *od.* Entsprechendes zu *e-r Sache od. j-m* finden; **12.** *bsd. Am.* F parallel laufen zu, laufen neben (*dat.*); ˈ**par·al·lel·ism** [-lizəm] *s.* ⩓ Paralleˈlismus *m* (*a. ling., phls., fig.*), Paralleliˈtät *f*; **par·al·lel·o·gram** [pærəˈleləgræm] *s.* ⩓ Parallelloˈgramm *n*: ~ *of forces phys.* Kräfteparallelogramm.

pa·ral·o·gism [pəˈrælədʒizəm] *s. phls.* Paraloˈgismus *m*, Trugschluß *m*.

par·a·ly·sa·tion [pærəlaiˈzeiʃən] *s.* **1.** ⚕ Lähmung *f* (*a. fig.*); **2.** *fig.* Lahmlegung *f*; **par·a·lyse** [ˈpærəlaiz] *v/t.* **1.** ⚕ paralysieren, lähmen (*a. fig.*); **2.** *fig.* **a)** lahmlegen, **b)** unwirksam machen, **c)** entkräften;

pa·ral·y·sis [pəˈrælisis] *pl.* **-ses** [-siːz] *s.* **1.** ⚕ Paraˈlyse *f*, Lähmung *f*; **2.** *fig.* **a)** Lähmung *f*, Lahmlegung *f*, **b)** Daˈniederliegen *n*, Ohnmacht *f*; **par·a·lyt·ic** [pærəˈlitik] **I.** *adj.* (□ ~*ally*) ⚕ paraˈlytisch: **a)** Lähmungs..., **b)** gelähmt (*a. fig.*); **II.** *s.* ⚕ Paraˈlytiker(in).

par·a·lyze *bsd. Am.* → *paralyse*.

pa·ram·e·ter [pəˈræmitə] *s.* ⩓ **1.** Paˈrameter *m*; **2.** Hilfs-, Nebenveränderliche *f*.

ˈ**par·aˈmil·i·tar·y** *adj.* ˈhalbmiliˌtärisch.

par·a·mount [ˈpærəmaunt] **I.** *adj.* □ **1.** höher stehend (*to* als), oberst, höchst; **2.** *fig.* an erster Stelle *od.* an der Spitze stehend, größt, überˈragend, ausschlaggebend: *of* ~ *importance* von (aller)größter Bedeutung; ˈ**par·a·mount·cy** [-si] *s.* Ober-, Vorherrschaft *f*.

par·a·mour [ˈpærəmuə] *s.* Geliebte(r *m*) *f*; Buhle *m, f*.

par·a·noi·a [pærəˈnɔiə] *s.* ⚕ Paraˈnoia *f*; **par·aˈnoi·ac** [-iæk] **I.** *adj.* paraˈnoisch; **II.** *s.* Paraˈnoiker(in); **par·a·noid** [ˈpærənɔid] *adj.* paranoˈid.

par·a·pet [ˈpærəpit] *s.* **1.** ⚔ Wall *m*, Brustwehr *f*; **2.** ⚠ (Brücken)Geländer *n*, (Balˈkon-, Fenster)Brüstung *f*.

par·aph [ˈpærəf] *s.* Paˈraphe *f*, (ˈUnterschrifts)Schnörkel *m*.

par·a·pher·na·li·a [pærəfəˈneiljə] *s. pl.* **1.** Zubehör *n, m*, Ausrüstung *f*, Utenˈsilien *pl.*, ‚Drum u. ˈDranʻ *n*; **2.** ⚖ Parapherˈnalgut *n der Ehefrau*.

par·a·phrase [ˈpærəfreiz] **I.** *s.* Paraˈphrase *f* (*a.* ♪), Umˈschreibung *f*; freie ˈWiedergabe, Interpretatiˈon *f*; **II.** *v/t. u. v/i.* umˈschreiben, paraphrasieren (*a.* ♪), interpretieren, *e-n Text* frei ˈwiedergeben.

par·a·plec·tic [pærəˈplektik] *adj.* ⚕ paraˈplegisch; **par·aˈple·gi·a** [-ˈpliːdʒiə] *s.* Parapleˈgie *f*, Querschnittslähmung *f*.

ˈ**par·a·psyˈchol·o·gy** *s.* ˈParapsychoˌloˌgie *f*.

par·a·sit·al [pærəˈsaitl] *adj.* paraˈsitisch; **par·a·site** [ˈpærəsait] *s.* **1.** *biol. u. fig.* Schmaˈrotzer *m*, Schädling *m*, Paraˈsit *m*; **2.** *ling.* paraˈsitischer Laut; **II.** *adj.* **3.** ⊕ schädlich, Stör... ; **par·aˈsit·ic** *adj.*; **par·aˈsit·ic·al** [-ˈsitik(ə)l] *adj.* □ **1.** *biol.* paraˈsitisch (*a. ling.*), schmaˈrotzend; **2.** ⚕ parasitisch, parasiˈtär; **3.** *fig.* schmaˈrotzerhaft, parasitisch; **4.** ⊕, ⚡ (*nur parasitic*) störend, parasitär: ~ *current* Fremdstrom; **par·a·sit·ism** [ˈpærəsaitizəm] *s.* Parasiˈtismus *m* (*a.* ⚕), Schmaˈrotzertum *n*.

par·a·sol [pærəˈsɔl] *s.* Sonnenschirm *m*.

par·a·suit [ˈpærəsjuːt] *s.* ✈ ˈFallschirmkombinatiˌon *f*.

par·a·thy·roid (gland) [ˈpærəˈθairɔid] *s. anat.* Nebenschilddrüse *f*.

ˈ**par·a·troop·er** *s.* ⚔ Fallschirmjäger *m*; ˈ**par·a·troops** *s. pl.* ⚔ Fallschirmtruppen *pl.*

par·a·ty·phoid (fe·ver) [ˈpærəˈtaifɔid] *s.* ⚕ ˈParatyphus *m*.

par·a·vane [ˈpærəvein] *s.* ⚓ Minenabweiser *m*, Ottergerät *n*.

par a·vi·on [para'vjɔ̃] (*Fr.*) *adv.* mit Luftpost.

par·boil ['pɑːbɔil] *v/t.* **1.** halb kochen, ankochen; **2.** ⊕ *Tuch* abbrühen; **3.** *fig.* über'hitzen.

par·cel ['pɑːsl] **I.** *s.* **1.** Pa'ket *n*, Päckchen *n*; Bündel *n*; *pl.* Stückgüter *pl.*: ~ *of shares* Aktienpaket; *to do up in* ~*s* einpacken; **2.** ✝ Posten *m*, Par'tie *f*, Los *n* (*Ware*): *in* ~*s* in kleinen Posten, stückpackweise; **3.** *contp.* Haufe(n) *m*; **4.** *a.* ~ *of land* Par'zelle *f*; **II.** *v/t.* **5.** *mst* ~ *out* auf-, aus-, abteilen, *Land* parzellieren; **6.** *a.* ~ *up* einpacken, (ver)packen; ~ **of·fice** *s.* Gepäckabfertigung(sstelle) *f*; ~ **post** *s.* Pa'ketpost *f*.

par·ce·nar·y ['pɑːsinəri] *s.* ⚖ Mitbesitz *m* (*durch Erbschaft*); '**par·ce·ner** [-nə] *s.* Miterbe *m*.

parch [pɑːtʃ] **I.** *v/t.* **1.** rösten, dörren; **2.** ausdörren, -trocknen, (ver-)sengen: *to be* ~*ed with thirst* vor Durst verschmachten; **II.** *v/i.* **3.** ausdörren, rösten, schmoren; **4.** ~ *up* austrocknen; '**parch·ing** [-tʃiŋ] *adj.* **1.** brennend (*Durst*); **2.** sengend (*Hitze*); '**parch·ment** [-mənt] *s.* **1.** Perga'ment *n*; **2.** *a. vegetable* ~ Perga'mentpa,pier *n*; **3.** Perga'ment(urkunde *f*) *n*, Urkunde *f*.

pard [pɑːd] *s. bsd. Am.* F Partner *m*, Freund *m*.

par·don ['pɑːdn] **I.** *v/t.* **1.** *j-m od. e-e Sache* verzeihen, *j-n od. et.* entschuldigen: ~ *me* Verzeihung!, entschuldigen Sie!, verzeihen Sie!; ~ *me for interrupting you* verzeihen *od.* entschuldigen Sie, wenn ich Sie unterbreche!; **2.** *Schuld* vergeben; **3.** *j-m* das Leben schenken, *j-m* die Strafe erlassen, *j-n* begnadigen; **II.** *s.* **4.** Verzeihung *f*: *a thousand* ~*s* ich bitte Sie tausendmal um Entschuldigung; *to beg* (*od. ask*) *s.o.'s* ~ j-n um Verzeihung bitten; (*I*) *beg your* ~ **a)** ich bitte Sie um Entschuldigung!, Verzeihung!, **b)** wie sagten Sie (doch eben)?, wie bitte?; **5.** Vergebung *f*; *R.C.* Ablaß *m*; ⚖ Begnadigung *f*, Straferlaß *m*: *general* ~ (allgemeine) Amnestie; **6.** Par'don *m*, Gnade *f*; '**par·don·a·ble** [-nəbl] *adj.* □ verzeihlich (*Fehler*), läßlich (*Sünde*); '**par·don·er** [-nə] *s. eccl. hist.* Ablaßkrämer *m*.

pare [pɛə] *v/t.* *Äpfel etc.* schälen; ⊕ *a.* (ab)schaben; *Fingernägel etc.* (be)schneiden: *to* ~ *down fig.* beschneiden, einschränken; → *claw 1 b.*

par·e·gor·ic [pære'gɔrik] *adj. u. s.* ⚕ schmerzstillend(es Mittel).

par·en·ceph·a·lon [pæren'sefəlɔn] *s. anat.* Kleinhirn *n*.

pa·ren·chy·ma [pə'reŋkimə] *s.* **1.** ⚘, *anat.* Paren'chym *n*; **2.** ⚕ 'Tumorgewebe *n*.

par·ent ['pɛərənt] **I.** *s.* **1.** *pl.* Eltern *pl.*; **2.** *a.* ⚖ Elternteil *m*; **3.** Vorfahr *m*; **4.** *biol.* Elter *m*; **5.** *fig.* Ursache *f*: *the* ~ *of vice* aller Laster Anfang; **II.** *adj.* **6.** *biol.* Stamm..., Mutter...: ~ *cell* Mutterzelle; **7.** ursprünglich, Ur...: ~ *form* Urform; **8.** *fig.* Mutter..., Stamm...: ~ *company* (*od. establishment*) ✝ Stammhaus, Muttergesellschaft; ~ *material* Urstoff, *geol.* Ausgangsgestein; ~ *organization* Dachorganisation; ~ *rock geol.* Urgestein; ~ *ship* ⚓ Mutterschiff; '**par·ent·age** [-tidʒ] *s.* **1.** Abkunft *f*, Abstammung *f*, Fa'milie *f*; **2.** Elternschaft *f*; **3.** *fig.* Urheberschaft *f*; **pa·ren·tal** [pə'rentl] *adj.* □ elterlich, Eltern...: ~ *authority* ⚖ elterliche Gewalt.

pa·ren·the·sis [pə'renθisis] *pl.* **-the·ses** [-siːz] *s.* **1.** *ling.* Paren'these *f*, Einschaltung *f*: *by way of* ~ *fig.* beiläufig; **2.** *mst pl. typ.* (runde) Klammer(n *pl.*): *to put in parentheses* einklammern; **pa'ren·the·size** [-saiz] *v/t.* **1.** einschalten, einflechten; **2.** *typ.* einklammern; **par·en·thet·ic** *adj.*; **par·en·thet·i·cal** [pærən'θetik(əl)] *adj.* □ **1.** paren'thetisch, eingeschaltet; *fig.* beiläufig; **2.** eingeklammert.

par·ent·less ['pɛərəntlis] *adj.* elternlos.

pa·re·sis ['pærisis] *s.* ⚕ **1.** Pa'rese *f*; **2.** *oft general* ~ progres'sive Para'lyse.

par·get ['pɑːdʒit] **I.** *s.* **1.** Gips(stein) *m*; **2.** Verputz *m*; **3.** Stuck *m*; **II.** *v/t.* **4.** verputzen; **5.** mit Stuck verzieren.

par·he·li·on [pɑː'hiːljən] *pl.* **-li·a** [-ljə] *s.* Nebensonne *f*.

pa·ri·ah ['pæriə] *s.* Paria *m* (*a. fig. Ausgestoßener*).

pa·ri·e·tal [pə'raiitl] **I.** *adj. anat.* parie'tal: **a)** (*a.* ⚘, *biol.*) wandständig, Wand..., **b)** seitlich, **c)** Scheitel(bein)...; **II.** *s. a.* ~ *bone* Scheitelbein *n*.

par·ing ['pɛəriŋ] *s.* **1.** Schälen *n*, Abschaben *n*, (Be)Schneiden *n*, Stutzen *n*; **2.** *pl.* Schalen *pl.*, Abfall *m*: *potato* ~*s*; **3.** *pl.* ⊕ Späne *pl.*, Schabsel *pl.*, Schnitzel *pl.*; ~ **knife** *s.* **1.** Schälmesser *n* (*für Obst etc.*); **2.** Beschneidmesser *n* (*Buchbinder*); **3.** Wirkmesser *n* (*Hufschmied*); **4.** Schustermesser *n*.

Par·is ['pæris] *adj.* Pa'riser; ~ **blue** *s.* Pa'riser *od.* Ber'liner Blau *n*; ~ **green** *s.* Pa'riser *od.* Schweinfurter Grün *n* (*Farbe u. Insektizid*).

par·ish ['pæriʃ] **I.** *s.* **1.** *eccl.* **a)** Kirchspiel *n*, Pfarrbezirk *m*, **b)** Gemeinde *f* (*a. coll.*); **2.** *a. civil* (*od. poor-law*) ~ *pol. Brit.* (po'litische) Gemeinde: *to go* (*od. be*) *on the* ~ der Gemeinde zur Last fallen; **II.** *adj.* **3.** Kirchen..., Pfarr...: ~ *church* Pfarrkirche; ~ *clerk* Küster; ~ *register* Kirchenbuch; **4.** *pol.* Gemeinde...: ~ *council* Gemeinderat; ~*-pump politics* Kirchturmpolitik; **pa·rish·ion·er** [pə'riʃənə] *s.* Pfarrkind *n*, Gemeindeglied *n*.

Pa·ri·sian [pə'rizjən] **I.** *s.* Pa'riser(in); **II.** *adj.* Pa'riser.

par·i·syl·lab·ic ['pærisi'læbik] *ling.* **I.** *adj.* parisyl'labisch, gleichsilbig; **II.** *s.* Pari'syllabum *n*.

par·i·ty ['pæriti] *s.* **1.** Gleichheit *f*; gleichberechtigte Stellung; **2.** ✝ **a)** Pari'tät *f*, **b)** 'Umrechnungskurs *m*: *at the* ~ *of* zum Umrechnungskurs von; ~ *clause* Paritätsklausel; ~ *price* Parikurs.

park [pɑːk] **I.** *s.* **1.** Park *m*, (Park-)Anlagen *pl.*; **2.** Na'turschutzgebiet *n*, Park *m*: *national* ~; **3.** *bsd.* ⚔ (Geschütz-, Fahrzeug- *etc.*)Park *m*; **4.** *mst car* ~ *mot.* Parkplatz *m*; **II.** *v/t.* **5.** *mot. etc.* parken, ab-, aufstellen; F *et.* abstellen, *wo* lassen: *to* ~ *o.s.* sich setzen; **III.** *v/i.* **6.** parken.

par·ka ['pɑːkə] *s.* Anorak *m*; ⚔ Schneehemd *n*.

'**park-and-'ride sys·tem** *s.* 'Park-and-'ride-Sy,stem *n*.

park·ing ['pɑːkiŋ] *s. mot.* **1.** Parken *n*; **2.** Parkplatz *m*, -fläche *f*: *there is ample* ~ *available* es stehen genügend Parkplätze zur Verfügung; ~ **brake** *s.* Feststellbremse *f*; ~ **garage** *s.* Parkhaus *n*; ~ **light** *s.* Standlicht *n*; ~ **lot** *s. Am.* Parkplatz *m*, -fläche *f*; ~ **me·ter** *s.* Park(zeit)uhr *f*; '~**-space** *s.* Parkplatz *m*, -lücke *f*; ~ **tick·et** *s.* gebührenpflichtige Verwarnung wegen Falschparkens.

par·lance ['pɑːləns] *s.* Ausdrucksweise *f*, Sprache *f*: *in common* ~ auf gut deutsch; *in legal* ~ in der Rechtssprache.

par·lay ['pɑːli] *Am.* **I.** *v/t.* **1.** *Wett-, Spielgewinn* wieder einsetzen; **2.** *fig.* aus *j-m od. et.* Kapi'tal schlagen; **3.** erweitern, ausbauen (*into* zu); **II.** *v/i.* **4.** e-n Spielgewinn wieder einsetzen; **III.** *s.* **5.** erneuter Einsatz e-s Gewinns; **6.** Auswertung *f*; **7.** Ausweitung *f*, Ausbau *m*.

par·ley ['pɑːli] **I.** *s.* **1.** Unter'redung *f*, Verhandlung *f*, Konfe'renz *f*; **2.** ⚔ (Waffenstillstands)Verhandlung(en *pl.*) *f*, Unter'handlung *f*; **II.** *v/i.* **3.** sich besprechen (*with* mit); **4.** ⚔ unter'handeln; **III.** *v/t.* **5.** *bsd. humor.* parlieren: *to* ~ *French.*

par·lia·ment ['pɑːləmənt] *s.* Parla'ment *n*: *to enter* (*od. get into od. go into*) ∼ ins Parlament gewählt werden; *Member of* ∼ *Brit.* Mitglied des Unterhauses, Abgeordnete(r *m*) *f*; **par·lia·men·tar·i·an** [pɑːləmen'tɛəriən] *pol.* **I.** *s.* (erfahrener) Parlamen'tarier; **II.** *adj.* → *parliamentary*; **par·lia·men·ta·rism** [pɑːlə'mentərizəm] *s.* parlamen'tarisches Sy'stem, Parlamenta'rismus *m*; **par·lia·men·ta·ry** [pɑːlə'mentəri] *adj.* **1.** parlamentarisch, Parlaments...: ~ *group* (*od. party*) Fraktion; ~ *party leader Brit.* Fraktionsvorsitzende(r); **2.** *fig.* höflich (*Sprache*).

par·lo(u)r ['pɑːlə] **I.** *s.* **1.** Wohnzimmer *n*; **2.** Besuchszimmer *n*, gute Stube, Sa'lon *m*; **3.** Empfangs-, Sprechzimmer *n*; **4.** Klub-, Gesellschaftszimmer *n* (*Gasthaus*); **5.** *bsd. Am.* Geschäftsraum *m*, Sa'lon *m*: *beauty* ~ *a. Brit.* Schönheitssalon; **II.** *adj.* **6.** Wohnzimmer...: ~ *furniture*; **7.** *fig.* Salon...: ~ *radical*, *Am.* ~ *red pol.* Salonbolschewist; ~ **car** *s.* 🚃 *Am.* Sa'lonwagen *m*; ~ **game** *s.* Gesellschaftsspiel *n*; '~**-maid** *s.* Stubenmädchen *n*.

par·lous ['pɑːləs] *adj.* **1.** F furchtbar, schlimm; **2.** *obs.* gefährlich.

Par·me·san cheese [pɑːmi'zæn] *s.* Parme'sankäse *m*.

pa·ro·chi·al [pə'roukjəl] *adj.* □ **1.** parochi'al, Pfarr..., Gemeinde...: ~ *church council* Kirchenvorstand; ~ *school Am.* Konfessionsschule; **2.** *fig.* beschränkt, eng(stirnig): ~ *politics* Kirchturmpolitik; **pa'ro·chi·al·ism** [-lizəm] *s.* **1.** Parochi-

ˈalsyˌstem *n*; **2.** *fig.* Beschränktheit *f*, Spießigkeit *f*.

par·o·dist [ˈpærədist] *s.* Paroˈdist (-in); **par·o·dy** [ˈpærədi] **I.** *s.* Paroˈdie *f* (*of* auf *acc.*), Parodierung *f*; *fig.* Entstellung *f*, Verzerrung *f*; **II.** *v/t.* parodieren.

pa·rol [pəˈroul] *adj.* ⚖ **a)** (bloß) mündlich, **b)** unbeglaubigt, ungesiegelt: ~ *contract* formloser (*mündlicher od. schriftlicher*) Vertrag; ~ *evidence* Zeugenbeweis.

pa·role [pəˈroul] **I.** *s.* **1.** ⚖ bedingte Haftentlassung *od.* Strafaussetzung: *to put s.o. on* ~ j-n bedingt entlassen, j-s Strafe bedingt aussetzen; ~ *officer Am.* Bewährungshelfer; **2.** *a.* ~ *of hono(u)r bsd.* ⚔ Ehrenwort *n*: *on* ~ auf Ehrenwort; **3.** ⚔ Paˈrole *f*, Kennwort *n*; **II.** *v/t. Am.* **4.** bedingt (aus der Haft) entlassen; **pa·rol·ee** [pərouˈliː] *s.* ⚖ *Am.* bedingt Entlassene(r *m*) *f*.

par·o·nym [ˈpærənim] *s. ling.* **1.** Paroˈnym *n*, Wortableitung *f*; **2.** ˈLehnüberˌsetzung *f*; **pa·ron·y·mous** [pəˈrɔniməs] *adj.* □ **1.** (stamm)verwandt (*Wort*); **2.** ˈlehnüberˌsetzt (*Wort*).

par·o·quet [ˈpærəket] → *parakeet*.

pa·rot·id [pəˈrɔtid] *s. a.* ~ *gland anat.* Ohrspeicheldrüse *f*.

par·ox·ysm [ˈpærəksizəm] *s.* ⚕ Paroˈxysmus *m*, Krampf *m*, Anfall *m* (*a. fig.*): ~ *of laughing* Lachkrampf; ~*s of rage* Wutanfall; **par·ox·ys·mal** [pærəkˈsizməl] *adj.* krampfartig.

par·quet [ˈpɑːkei] **I.** *s.* **1.** Parˈkett (-fußboden *m*) *n*; **2.** *thea. bsd. Am.* Parˈkett *n*; **II.** *v/t.* **3.** parkettieren; ˈ**par·quet·ry** [-kitri] *s.* Parˈkett (-arbeit *f*) *n*, Täfelung *f*.

par·ri·cid·al [pæriˈsaidl] *adj.* **1.** vater-, muttermörderisch; **2.** (landes)verräterisch; **par·ri·cide** [ˈpærisaid] *s.* **1.** Vater-, Muttermörder(in); **2.** Vater-, Muttermord *m*; **3.** Landesverrat *m*.

par·rot [ˈpærət] **I.** *s. orn.* Papaˈgei *m*; *fig. a.* Nachschwätzer(in); **II.** *v/t.* nachplappern; ˈ~**-disˈease**, ˈ~**-fever** *s.* ⚕ Papaˈgeienkrankheit *f*.

par·ry [ˈpæri] **I.** *v/t. Stöße, Schläge, Fragen etc.* parieren, abwehren (*beide a. v/i.*); **II.** *s. fenc. etc.* Paˈrade *f*, Abwehr *f*.

parse [pɑːz] *v/t. ling. Satz* gramˈmatisch zergliedern, *Satzteil* bestimmen, *Wort* grammatisch definieren.

par·sec [ˈpɑːsek] *s. ast.* Parsek *n*, Sternweite *f*.

par·si·mo·ni·ous [pɑːsiˈmounjəs] *adj.* □ **1.** sparsam, karg, knauserig (*of* mit); **2.** armselig, kärglich; **par·siˈmo·ni·ous·ness** [-nis], **par·si·mo·ny** [ˈpɑːsiməni] *s.* Sparsamkeit *f*, Kargheit *f*, Knauserigkeit *f*.

pars·ley [ˈpɑːsli] *s.* ♀ Peterˈsilie *f*.

pars·nip [ˈpɑːsnip] *s.* ♀ Pastinak *m*, Pastiˈnake *f*.

par·son [ˈpɑːsn] *s.* Pastor *m*, Pfarrer *m*; F *contp.* Pfaffe *m*: ~*'s nose* Bürzel (*Gans etc.*); ˈ**par·son·age** [-nidʒ] *s.* Pfarˈrei *f*; Pfarrhaus *n*.

part [pɑːt] **I.** *s.* **1.** Teil *m, n*, Stück *n*: ~ *by volume* (*weight*) *phys.* Raum- (Gewichts)teil; ~ *of speech ling.* Redeteil, Wortklasse; *in* ~ teilweise; *payment in* ~ Abschlagszahlung; *to be* ~ *and parcel of* e-n wesentlichen Bestandteil bilden von (*od. gen.*); **2.** ⅌ Bruchteil *m*: *three* ~*s* drei Viertel; **3.** ⊕ (Bau-, Einzel)Teil *n*: ~*s list* Ersatzteil-, Stückliste; **4.** ✝ Lieferung *f e-s Buches*; **5.** (Körper)Teil *m*, Glied *n*: *soft* ~ Weichteil; *the* (*privy*) ~*s* die Geschlechtsteile; **6.** Anteil *m* (*of, in* an *dat.*): *to have a* ~ *in* teilhaben an (*dat.*); *to have neither* ~ *nor lot in* nicht das geringste mit *et.* zu tun haben; *to take* ~ (*in*) teilnehmen (an *dat.*); **7.** *fig.* Teil *m*, Seite *f*: *the most* ~ die Mehrheit, das Meiste *von et.*; *for my* ~ ich für mein(en) Teil; *for the most* ~ meistens, größtenteils; *on the* ~ *of* von seiten, seitens (*gen.*); *to take in good* (*bad*) ~ *et.* gut (übel) aufnehmen; **8.** Seite *f*, Parˈtei *f*: *he took my* ~ er ergriff m-e Partei; **9.** Pflicht *f*: *to do one's* ~ das Seinige *od.* s-e Schuldigkeit tun; **10.** *thea.* Rolle *f* (*a. fig.*): *to act* (*od. a. fig. play*) *a* ~ e-e Rolle spielen; **11.** ♪ Sing- *od.* Instrumenˈtalstimme *f*, Parˈtie *f*: *for* (*od. in od. of*) *several* ~*s* mehrstimmig; **12.** *pl.* (geistige) Fähigkeiten *pl.*, Taˈlent *n*: *a man of* ~*s* ein fähiger Kopf; **13.** *oft pl.* Gegend *f*, Teil *m e-s Landes, der Erde*: *in these* ~*s* hierzulande; *in foreign* ~*s* im Ausland; **14.** *Am.* (Haar)Scheitel *m*; **II.** *v/t.* **15.** teilen, ab-, ein-, zerteilen; trennen (*from* von); **16.** *Streitende* trennen, *Metalle* scheiden, *Haar* scheiteln; **III.** *v/i.* **17.** auseinˈandergehen, sich lösen, zerreißen, brechen (*a.* ⚓); **18.** auseinˈandergehen, sich trennen (*Menschen, Wege etc.*): *to* ~ *friends* als Freunde auseinandergehen; **19.** ~ *with et.* aufgeben, fahren lassen, verlieren, verkaufen, *j-n* entlassen: *to* ~ *with one's money* F mit dem Geld herausrücken; **IV.** *adj.* **20.** Teil...: ~ *damage* Teilschaden; ~ *delivery* Teillieferung; **V.** *adv.* **21.** teilweise, zum Teil: *made* ~ *of iron,* ~ *of wood* teils aus Eisen, teils aus Holz.

part- [pɑːt] *in Zssgn* teilweise, zum Teil: ~*-done* zum Teil erledigt; *to accept s.th. in* ~*-exchange* et. in Zahlung nehmen; ~*-finished* halbfertig; ~*-opened* ein Stück geöffnet.

par·take [pɑːˈteik] **I.** *v/i.* [*irr.* → *take*] **1.** teilnehmen, -haben (*in, of* an *dat.*); **2.** (*of*) et. an sich haben (von), et. teilen (mit): *his manner* ~*s of insolence* es ist et. Unverschämtes in s-m Benehmen; **3.** (*of*) mitessen, genießen, *j-s Mahlzeit* teilen; *Mahlzeit* einnehmen; **II.** *v/t.* [*irr.* → *take*] **4.** teilen, teilhaben (an *dat.*); **parˈtak·er** [-kə] *s.* Teilnehmer(in) (*of* an *dat.*).

par·terre [pɑːˈtɛə] *s.* **1.** Blumenbeet *n*; **2.** *thea.* Parˈterre *n*.

par·the·no·gen·e·sis [ˈpɑːθinouˈdʒenisis] *s.* Parthenogeˈnese *f*: **a)** ♀ Jungfernfrüchtigkeit *f*, **b)** *zo.* Jungfernzeugung *f*, **c)** *eccl.* Jungfrauengeburt *f*.

Par·thi·an [ˈpɑːθjən] *adj.* parthisch: ~ *shot fig.* letztes boshaftes Wort.

par·tial [ˈpɑːʃəl] *adj.* □ → *partially*; **1.** teilweise, partiˈell, Teil...: ~ *acceptance* ✝ Teilakzept; ~ *eclipse ast.* partielle Finsternis; ~ *payment* Teilzahlung; ~ *view* Teilansicht; **2.** parˈteiisch, eingenommen (*to* für), einseitig: *to be* ~ *to s.th.* e-e besondere Vorliebe haben für et.; **par·ti·al·i·ty** [pɑːʃiˈæliti] *s.* **1.** Parˈteilichkeit *f*, Voreingenommenheit *f*; **2.** Vorliebe *f* (*to, for* für); ˈ**par·tial·ly** [-ʃəli] *adv.* teilweise, zum Teil.

par·tic·i·pant [pɑːˈtisipənt] *s.* Teilnehmer(in); **par·tic·i·pate** [pɑːˈtisipeit] *v/i.* teilhaben, -nehmen, sich beteiligen (*in* an *dat.*); beteiligt sein (an *dat.*); ✝ am Gewinn beteiligt sein; **parˈtic·i·pat·ing** [-peitiŋ] *adj.* **1.** ✝ gewinnberechtigt, mit Gewinnbeteiligung (*Versicherungspolice etc.*): ~ *share* dividendenberechtigte Aktie; ~ *rights* Gewinnbeteiligungsrechte; **2.** (mit)beteiligt (*Person*); **par·tic·i·pa·tion** [pɑːtisiˈpeiʃən] *s.* **1.** Teilnahme *f*, Beteiligung *f*, Mitwirkung *f*; **2.** ✝ Teilhaberschaft *f*, (Gewinn)Beteiligung *f*; **parˈtic·i·pa·tor** [-peitə] *s.* Teilnehmer(in) (*in* an *dat.*).

par·ti·cip·i·al [pɑːtiˈsipiəl] *adj.* □ *ling.* partizipiˈal; **par·ti·ci·ple** [ˈpɑːtisipl] *s. ling.* Partiˈzip(ium) *n*, Mittelwort *n*.

par·ti·cle [ˈpɑːtikl] *s.* **1.** Teilchen *n*, Stückchen *n*; *phys.* Parˈtikel *f*, (Stoff-, Masse)Teilchen *n*; **2.** *fig.* Fünkchen *n*, Spur *f*: *not a* ~ *of truth in it* nicht ein wahres Wort daran; **3.** *ling.* Parˈtikel *f*.

par·ti·col·o(u)red [ˈpɑːtikʌləd] *adj.* bunt, verschiedenfarbig.

par·tic·u·lar [pəˈtikjulə] **I.** *adj.* □ → *particularly*; **1.** besonder, einzeln, speziˈell, Sonder...: ~ *average* ✝ kleine (besondere) Havarie; *for no* ~ *reason* aus keinem besonderen Grund; *this* ~ *case* dieser spezielle Fall; **2.** individuˈell, ausgeprägt; **3.** ausführlich; ˈumständlich; **4.** peinlich, genau, eigen: *to be* ~ *about* es genau nehmen mit, Wert legen auf (*acc.*); **5.** wählerisch (*in, about, as to* in *dat.*); **6.** eigentümlich, sonderbar; **II.** *s.* **7.** Einzelheit *f*, besonderer ˈUmstand; *pl.* nähere Umstände *od.* Angaben *pl.*, *das* Nähere: *in* ~ insbesondere; *to enter into* ~*s* sich auf Einzelheiten einlassen; *further* ~*s from* Näheres (erfährt man) bei; **8.** Persoˈnalien *pl.*, Angaben *pl. zur Person*; **parˈtic·u·lar·ism** [-ərizəm] *s. pol.* Partikulaˈrismus *m*, ˌKleinstaateˈrei *f*; ˈSonderinterˌesse *n*; **par·tic·u·lar·i·ty** [pətikjuˈlæriti] *s.* **1.** Besonderheit *f*, eigentümliche Beschaffenheit; **2.** besonderer ˈUmstand, Einzelheit *f*; **3.** Ausführlichkeit *f*; **4.** Genauigkeit *f*, Eigenheit *f*, Peinlichkeit *f*; **par·tic·u·lar·i·za·tion** [pətikjulәraiˈzeiʃən] *s.* Detaillierung *f*, Spezifizierung *f*; **parˈtic·u·lar·ize** [-əraiz] **I.** *v/t.* spezifizieren, einzeln *od.* ˈumständlich anführen, ausführlich angeben; **II.** *v/i.* ins einzelne gehen; **parˈtic·u·lar·ly** [-li] *adv.* **1.** besonders, im besonderen, insbesondere: *not* ~ nicht sonderlich; (*more*) ~ *as* um so mehr als, zumal; **2.** ungewöhnlich, besonders.

part·ing [ˈpɑːtiŋ] **I.** *adj.* **1.** Scheide..., Abschieds...: ~ *kiss*; ~ *breath* letzter Atemzug; **2.** trennend, abteilend: ~ *tool* ⊕ Einstichstahl; ~

wall Trennwand; **II.** *s.* **3.** Abschied *m*, Scheiden *n*, Trennung *f* (*with* von); *fig.* Tod *m*; **4.** Trennlinie *f*, (Haar)Scheitel *m*: ~ *of the ways* Weggabelung, *fig.* Scheideweg; **5.** ⚗, *phys.* Scheidung *f*: ~ *silver* Scheidesilber; **6.** ⊕ *Gießerei*: **a)** *a.* ~ *sand* Streusand *m*, trockener Formsand, **b)** *a.* ~ *line* Teilfuge *f* (*Gußform*); **7.** ⚓ Bruch *m*, Reißen *n*.

par·ti·san[1] ['pɑ:tizn] *s.* ⚔ *hist.* Parti'sane *f*, Helle'barde *f*.

par·ti·san[2] [pɑ:ti'zæn] **I.** *s.* **1.** Par'teigänger(in), -genosse *m*, -genossin *f*; **2.** ⚔ Parti'san *m*, Freischärler *m*; **II.** *adj.* **3.** Partei...: ~ *spirit* Parteigeist; **par·ti'san·ship** [-ʃip] *s.* **1.** *pl.* Par'teigängertum *n*; **2.** *fig.* Par'tei-, Vetternwirtschaft *f*.

par·tite ['pɑ:tait] *adj.* **1.** geteilt (*a.* ⚘); **2.** *in Zssgn* ...teilig.

par·ti·tion [pɑ:'tiʃən] **I.** *s.* **1.** (Auf-, Ver)Teilung *f*; **2.** ⚖ ('Erb)Ausein,andersetzung *f*; **3.** Trennung *f*, Absonderung *f*; **4.** Scheide-, Querwand *f*, Fach *n* (*Schrank etc.*); (Bretter)Verschlag *m*: ~ *wall* Zwischenwand; **II.** *v/t.* **5.** (auf-, ver)teilen; **6.** *Erbschaft* ausein'andersetzen; **7.** *mst* ~ *off* abteilen, -fachen; **par·ti·tive** ['pɑ:titiv] **I.** *adj.* teilend, Teil...; *ling.* parti'tiv: ~ *genitive*; **II.** *s. ling.* Parti'tivum *n*.

part·ly ['pɑ:tli] *adv.* zum Teil, teilweise, teils: ~..., ~ ... teils ..., teils ...

part·ner ['pɑ:tnə] **I.** *s.* **1.** *allg.* (*a. sport, a.* Tanz)Partner(in); **2.** † Gesellschafter *m*, (Geschäfts)Teilhaber (-in), 'Kompagnon *m*: *general* ~ (unbeschränkt) haftender Gesellschafter, Komplementär; → *limited l*; *special* ~ *Am.* Kommanditist; **3.** 'Lebenskame,rad(in), Gatte *m*, Gattin *f*; **II.** *v/t.* **4.** zs.-bringen, -tun; **5.** sich zs.-tun, sich assoziieren (*with* mit *j-m*): *to be* ~*ed with j-n* zum Partner haben; **'part·ner·ship** [-ʃip] *s.* **1.** Teilhaberschaft *f*, Partnerschaft *f*, Mitbeteiligung *f* (*in* an *dat.*); **2.** † **a)** Handelsgesellschaft *f*, **b)** Perso'nalgesellschaft *f*: *general od. ordinary* ~ Offene Handelsgesellschaft; → *limited l*; *special* ~ *Am.* Kommanditgesellschaft; *deed of* ~ Gesellschaftsvertrag; *to enter into a* ~ *with* → *partner 5.*

'part|-own·er *s.* **1.** Miteigentümer (-in); **2.** ⚓ Mitreeder *m*; **'~-pay·ment** *s.* Teil-, Abschlagszahlung *f*.

par·tridge ['pɑ:tridʒ] *pl.* **partridge** *u.* **par·tridg·es** *s. orn.* Rebhuhn *n*.

'part|-sing·ing *s.* ♪ mehrstimmiger Gesang; **'~-time** *adj.* **1.** nicht vollzeitlich; **2.** † nicht ganztägig beschäftigt, Teilzeit..., Halbtags...: ~ *employee*; **'~-tim·er** *s.* Teilzeitbeschäftigte(r *m*) *f*.

par·tu·ri·ent [pɑ:'tjuəriənt] *adj.* **1.** gebärend, kreißend; **2.** *fig.* (*mit e-r Idee*) schwanger; **par·tu·ri·tion** [pɑ:tjuə'riʃən] *s.* Gebären *n*.

par·ty ['pɑ:ti] *s.* **1.** *pol.* Par'tei *f*: ~ *boss* Parteibonze; ~ *spirit* Parteigeist; → *whip 4a*; **2.** Par'tie *f*, Gesellschaft *f*: *hunting* ~; *to make one of the* ~ sich anschließen, mitmachen; **3.** ⚔ Trupp *m*, Kom'mando *n*; **4.** Einladung *f*, Party *f*, Gesellschaft *f*: *to give a* ~; **5.** ⚖ (Pro'zeß-*etc.*)Par,tei *f*: *contracting* ~, ~ *to a contract* Vertragspartei, Kontrahent; *a third* ~ ein Dritter; **6.** Teilhaber(in), -nehmer(in), Beteiligte(r *m*) *f*: *to be a* ~ *to* beteiligt sein an, *et.* mitmachen; *the parties concerned* die Beteiligten; **7.** F Per'son *f*, ,Indi'viduum' *n*; ~ **line** *s.* **1.** *teleph.* Gemeinschaftsanschluß *m*; **2.** *pol.* Par'tei,linie *f*, -direk,tive *f*: *to follow the* ~ *parl.* linientreu sein; *voting was on* ~*s* bei der Abstimmung herrschte Fraktionszwang; ~ **lin·er** *s. Am.* Linientreue(r *m*) *f*; ~ **sta·tus** *s.* Par'tei,zugehörigkeit *f*; ~ **tick·et** *s.* **1.** Gruppenfahrkarte *f*; **2.** *pol. Am.* Kandi'datenliste *f e-r Partei*.

par·ve·nu ['pɑ:vənju:; parvəny] (*Fr.*) *s.* Em'porkömmling *m*, Parve'nü *m*.

pas·chal ['pɑ:skəl] *eccl. adj.* Oster..., Passah...

pa·sha ['pɑ:ʃə] *s.* Pascha *m*.

pasque-flow·er ['pæskflauə] *s.* ⚘ Küchenschelle *f*.

pas·quin·ade [pæskwi'neid] *s.* Schmähschrift *f*.

pass[1] [pɑ:s] *s.* **1.** (Eng)Paß *m*, Zugang *m*, 'Durchgang *m*, -fahrt *f*, Weg *m*: *to hold the* ~ die Stellung halten (*a. fig.*); *to sell the* ~ *fig.* alles verraten; **2.** Joch *n*, Sattel *m* (*Berg*); **3.** schiffbarer Ka'nal; **4.** Fischgang *m* (*Schleuse etc.*).

pass[2] [pɑ:s] **I.** *s.* **1.** (Reise)Paß *m*; (Perso'nal)Ausweis *m*; Passierschein *m*; 🚂, *thea. a. free* ~ Frei-, Dauerkarte *f*; **2.** ⚔ **a)** Urlaubschein *m*, **b)** Kurzurlaub *m*: *to be on* ~ auf (Kurz)Urlaub sein; **3. a)** Bestehen *n*, 'Durchkommen *n im Examen etc.*, **b)** bestandenes Examen, **c)** Note *f*, Zeugnis *n*, **d)** *univ. Brit.* gewöhnlicher Grad; **4.** †, ⊕ Abnahme *f*, Genehmigung *f*; **5.** Bestreichung *f*, Strich *m beim Hypnotisieren etc.*; **6.** *Maltechnik*: Strich *m*; **7.** (Hand-) Bewegung *f*, (Zauber)Trick *m*; **8.** *Fußball etc.*: Paß *m*, (Ball)Abgabe *f*, Vorlage *f*: ~ *back* Rückgabe; *low* ~ Flachpaß; **9.** *fenc.* Ausfall *m*, Stoß *m*; **10.** *sl.* Annäherungsversuch *m*, *amouröse* Zudringlichkeit: *to make a* ~ *at e-r Frau gegenüber* zudringlich werden; **11.** *fig.* **a)** Zustand *m*, **b)** kritische Lage: *a pretty* ~ F e-e ,schöne Geschichte'; *to be at a desperate* ~ hoffnungslos sein; *things have come to such a* ~ die Dinge haben sich derart zugespitzt; **12.** ⊕ Arbeitsgang *m* (*Werkzeugmaschine*); **13.** ⊕ (Schweiß)Lage *f*; **14.** *Walzwesen*: **a)** Gang *m*, **b)** Zug *m*; **15.** ⚡ Paß *m* (*frequenzabhängiger Vierpol*); **II.** *v/t.* **16.** *et.* passieren, vor'bei-, vor'übergehen, -fahren, -fließen, -kommen, -reiten, -ziehen an (*dat.*); **17.** über'holen (*a. mot.*), vor'beilaufen, -fahren an (*dat.*); **18.** durch-, über'schreiten, passieren, durch'gehen, -'reisen *etc.*: *to* ~ *s.o.'s lips* über j-s Lippen kommen; **19.** über'steigen, -'treffen, hin'ausgehen über (*acc.*) (*a. fig.*): *it* ~*es my comprehension* es geht über m-n Verstand; **20.** *fig.* über'gehen, -'springen, keine No'tiz nehmen von; † *e-e Dividende* ausfallen lassen; **21.** *durch et.* hin'durchleiten, -führen (*a.* ⊕), gleiten lassen: *to* ~ (*through a sieve*) durch ein Sieb passieren, durchseihen; *to* ~ *one's hand over* mit der Hand über *et.* fahren; **22.** *Gegenstand* reichen, (*a.* ⚖ *Falschgeld*) weitergeben; *Geld* in 'Umlauf setzen; (über)'senden, (*a. Funkspruch*) befördern; *sport Ball* abspielen: *to* ~ *the chair* (*to*) den Vorsitz abgeben (an *j-n*); *to* ~ *the hat* (*round Brit.*) e-e Sammlung veranstalten (*for* für *j-n*); *to* ~ *the time of day* guten Tag *etc.* sagen, grüßen; *to* ~ *to s.o.'s account* j-m *e-n Betrag* in Rechnung stellen; *to* ~ *to s.o.'s credit* j-m gutschreiben; → *word 5*; **23.** *Türschloß* öffnen; **24.** vor'bei-, 'durchlassen, passieren lassen; **25.** *fig.* anerkennen, gelten lassen, genehmigen; **26.** ⚕ **a)** *Eiter, Nierenstein etc.* ausscheiden, **b)** *Eingeweide* entleeren, *Wasser* lassen; **27.** *Zeit* verbringen, -leben, -treiben; **28.** *parl. etc.* **a)** *Vorschlag* 'durchbringen, -setzen, **b)** *Gesetz* verabschieden, ergehen lassen, **c)** *Resolution* annehmen; **29.** rechtskräftig machen; **30.** ⚖ *Eigentum, Rechtstitel* über'tragen, *letztwillig* zukommen lassen; **31. a)** *Examen* bestehen, **b)** *Prüfling* bestehen lassen, 'durchkommen lassen; **32.** *Urteil* äußern, *s-e Meinung* aussprechen (*upon* über *acc.*), *Bemerkung* fallenlassen, *Kompliment* machen: *to* ~ *criticism on* Kritik üben an (*dat.*); → *sentence 2 a*; **III.** *v/i.* **33.** sich fortbewegen, von e-m Ort zum andern gehen *od.* fahren *od.* ziehen *etc.*; **34.** vor'bei-, vor'übergehen *etc.* (*by* an *dat.*); **35.** 'durchgehen, passieren (*a. Linie*): *it just* ~*ed through my mind fig.* es ging mir eben durch den Kopf; **36.** ⚕ abgehen, abgeführt werden; **37.** 'durchkommen: **a)** ein Hindernis *etc.* bewältigen, **b)** (e-e Prüfung) bestehen; **38.** her'umgereicht werden, von Hand zu Hand gehen, her'umgehen; im 'Umlauf sein: *harsh words* ~*ed between them* es fielen harte Worte bei ihrer Auseinandersetzung; **39.** *sport* passen (*a. Kartenspiel*), (den Ball) zuspielen *od.* abgeben; **40.** *fenc.* ausfallen; **41.** 'übergehen (*from ... [in-] to* von ... zu), werden (*into* zu); **42.** *in andere Hände* 'übergehen, über'tragen werden (*Eigentum*); fallen (*to* an *Erben etc.*); *unter j-s Aufsicht* kommen, geraten; **43.** an-, hin-, 'durchgehen, leidlich sein, unbeanstandet bleiben, geduldet werden: *let that* ~ reden wir nicht mehr davon; **44.** *parl. etc.* 'durchgehen, bewilligt *od.* zum Gesetz erhoben werden, Rechtskraft erlangen; **45.** gangbar sein, Geltung finden (*Ideen, Grundsätze*); **46.** angesehen werden, gelten (*for, as* als); **47.** urteilen, entscheiden (*upon* über *acc.*); ⚖ *a.* gefällt werden (*Urteil*); **48.** vergehen (*a. Schmerz etc.*), verstreichen (*Zeit*); endigen; sterben: *fashions* ~ Moden kommen u. gehen; **49.** sich zutragen *od.* abspielen, passieren: *what* ~*ed between you and him?*; *to bring to* ~ bewirken; *it came to* ~ *that bibl.* es begab sich, daß; *Zssgn mit prp.*:

pass| be·yond *v/t.* hin'ausgehen über (*acc.*) (*a. fig.*); ~ **by** *v/t.* **1.** vor'bei-, vor'übergehen an (*dat.*); **2.**

et. od. j-n über'gehen (in silence stillschweigend); 3. unter dem Namen ... bekannt sein; ~ **in·to** I. v/t. 1. et. einführen in (acc.); II. v/i. 2. (hin'ein)gehen etc. in (acc.); 3. führen od. leiten in (acc.); 4. 'übergehen in (acc.): to ~ law (zum) Gesetz werden; ~ **through** v/t. 1. durch ... führen od. leiten od. stecken; 'durchschleusen; 2. durch'fahren, -'queren, -'schreiten etc.; durch ... gehen etc.; durch'fließen; 3. durch ... führen (Draht, Tunnel etc.); 4. durch'bohren; 5. 'durchmachen, erleben; Zssgn mit adv.:

pass| a·way I. v/t. 1. Zeit verbringen, -treiben; II. v/i. 2. vergehen (Zeit etc.); 3. hinscheiden, sterben; ~ **by** v/i. vor'bei-, vor'übergehen (a. Zeit); ~ **in** v/t. 1. einlassen; 2. einreichen, -händigen: to ~ one's check Am. sl. ‚abkratzen' (sterben); ~ **off** I. v/t. 1. j-n od. et. ausgeben (for, as für, als); II. v/i. 2. vergehen (Schmerz etc.); 3. gut etc. vor'übergehen, von'statten gehen; 4. bsd. Am. als Weißer gelten (hellhäutiger Neger); ~ **on** I. v/t. 1. weitergeben, -reichen (to dat. od. an acc.); befördern; 2. j-m et. unter'schieben, ‚andrehen'; II. v/i. 3. weitergehen; 4. 'übergehen (to zu); 5. → pass away 3; ~ **out** I. v/i. 1. hin'ausgehen, -fließen, -strömen; 2. sl. ‚Mattscheibe' bekommen, ohnmächtig werden; II. v/t. 3. Bücher ausgeben; ~ **o·ver** I. v/i. 1. hin'übergehen; 2. 'überleiten, -führen; II. v/t. 3. über'reichen, -'tragen; 4. über'gehen (in silence stillschweigend), ignorieren; ~ **through** v/t. 1. hin'durchführen; 2. hin'durchgehen, -reisen etc.; ~ **up** v/t. sl. 1. ablehnen; Chance etc. vor'übergehen lassen, verzichten auf (acc.); 2. j-n über'gehen.

pass·a·ble ['pɑːsəbl] adj. □ 1. passierbar; gang-, befahrbar; 2. ✝ gangbar, gültig (Geld etc.); 3. fig. leidlich, pas'sabel.

pas·sage ['pæsidʒ] s. 1. Her'ein-, Her'aus-, Vor'über-, 'Durchgehen n, 'Durchgang m, -reise f, -fahrt f, 'Durchfließen n: no ~! kein Durchgang!, keine Durchfahrt!; → bird of passage; 2. ✝ ('Waren)Tran͵sit m, 'Durchgang m; 3. Pas'sage f, (Durch-, Verbindungs)Gang m; bsd. Brit. Korridor m; 4. Ka'nal m, Furt f; 5. ⊕ 'Durchlaß m, -tritt m; 6. (See-, Flug)Reise f, ('Über)Fahrt f: to book one's ~ s-e Schiffskarte lösen (to nach); to work one's ~ s-e Überfahrt durch Arbeit abverdienen; 7. Vergehen n, Ablauf m: the ~ of time; 8. parl. 'Durchkommen n, Annahme f, In'krafttreten n e-s Gesetzes; 9. Wortwechsel m; 10. pl. Beziehungen pl., geistiger Austausch; 11. (Text)Stelle f, Passus m; 12. ♪ Pas'sage f; 13. fig. 'Übergang m, -tritt m (from ... to, into von ... in acc., zu); 14. ⚕ Entleerung f, Stuhlgang m; 15. anat. (Gehör- etc.) Gang m, (Harn- etc.)Weg(e pl.) m: auditory (urinary) ~; '**~-boat** s. Passa'gierboot n; '**~-mon·ey** s. 'Überfahrtsgeld n; '**~-way** s. 'Durchgang m, Korridor m, Pas'sage f.

'**pass|·book** s. 1. bsd. Brit. Bank-, Kontobuch n; 2. Buch n über kreditierte Waren; '**~-check** s. Pas'sierschein m; ~ **de·gree** s. univ. einfacher Grad.

pas·sé, pas·sée ['pɑːsei; pɑse] (Fr.) adj. passé: a) vergangen, b) veraltet, c) verblüht: a passée belle e-e verblühte Schönheit.

passe·ment ['pæsmənt] s. Tresse f, Borte f; '**passe·men·terie** [-tri; pɑsmɑ̃tri] (Fr.) s. Posamentierwaren pl.

pas·sen·ger ['pæsindʒə] s. 1. Passa'gier m, Fahr-, Fluggast m, Reisende(r m) f, Insasse m: ~ cabin ✈ Fluggastraum; 2. F Drückeberger m; ~ **car** s. 1. Per'sonen(kraft)wagen m, abbr. Pkw; 2. 🚃 Am. Per'sonenwagen m; ~ **lift** s. Brit. Per'sonenaufzug m; '**~-pi·geon** s. orn. Wandertaube f; ~ **plane** s. ✈ Passa'gierflugzeug n; ~ **serv·ice** s. Per'sonenbeförderung f; ~ **traf·fic** s. Per'sonenverkehr m; ~ **train** s. 🚃 Per'sonenzug m.

passe-par·tout ['pæspɑːtuː] (Fr.) s. Passepar'tout n: a) Hauptschlüssel m, b) Wechselrahmen m.

'**pass·er-'by** pl. '**pass·ers-'by** s. Vor'beigehende(r m) f, Pas'sant(in).

pas·si·ble ['pæsibl] adj. □ leidensfähig.

pas·sim ['pæsim] (Lat.) adv. passim, hier u. da, an verschiedenen Orten.

pass·ing ['pɑːsiŋ] I. adj. 1. vor'über-, 'durchgehend: ~ axle ⊕ durchgehende Achse; 2. vergehend, vor'übergehend, flüchtig; 3. beiläufig; II. s. 4. Vor'bei-, 'Durch-, Hin'übergehen n: in ~ im Vorbeigehen, fig. beiläufig, nebenher; no ~! mot. Überholverbot!; 5. 'Übergang m: ~ of title Eigentumsübertragung; 6. Da'hinschwinden n; 7. Hinscheiden n, Ableben n; 8. pol. 'Durchgehen n e-s Gesetzes; ~ **beam** s. mot. Abblendlicht n; '**~-bell** s. Totenglocke f; '**~-note** s. ♪ 'Durchgangston m.

pas·sion ['pæʃən] s. 1. Leidenschaft f, heftige Gemütserregung, (Gefühls)Ausbruch m; 2. Zorn m: to fly into a ~ e-n Wutanfall bekommen; → heat 6; 3. Leidenschaft f, heftige Neigung od. Liebe, (e'rotisches) Verlangen; 4. Vorliebe f, Passi'on f (for für); Liebhabe'rei f: it has become a ~ with him es ist bei ihm zur Leidenschaft geworden, er tut es leidenschaftlich gern(e); 5. ♀ eccl. Leiden n (Christi), Passion f (a. ♪, paint. u. fig.): ♀ Week a) Woche zwischen Passionssonntag und Palmsonntag, b) obs. Karwoche; **pas·sion·ate** ['pæʃənit] adj. □ leidenschaftlich (a. fig.); jähzornig; **pas·sion·less** ['pæʃənlis] adj. □ leidenschaftslos.

'**pas·sion|-play** s. eccl. Passi'onsspiel n; ♀ **Sun·day** s. eccl. Passi'onssonntag m, Sonntag m Judika.

pas·si·vate ['pæsiveit] v/t. ⊕, ⚗ passivieren.

pas·sive ['pæsiv] adj. □ 1. 'passiv (a. ling., ⚕, sport), leidend, teilnahmslos, 'widerstandslos: ~ air defence Luftschutz; ~ verb ling. intransitives Verb; ~ voice Passiv, Leideform; 2. ✝ untätig, nicht zinstragend, passiv: ~ debt unverzinsliche Schuld; ~ trade Passivhandel; '**pas·sive·ness** [-nis], **pas·siv·i·ty** [pæ'siviti] s. Passivi'tät f, Teilnahmslosigkeit f, Geduld f.

'**pass·key** s. 1. Hauptschlüssel m; 2. Drücker m; 3. Nachschlüssel m.

pas·som·e·ter [pæ'sɔmitə] s. ⊕ Schrittmesser m.

Pass·o·ver ['pɑːsouvə] s. eccl. 1. Passah(fest) n; 2. ♀ Osterlamm n.

pass·port ['pɑːspɔːt] s. 1. (Reise)Paß m: ~ inspection Paßkontrolle; 2. ✝ Passierschein m; 3. fig. Zugang m, Weg m, Schlüssel m (to zu).

'**pass·word** s. Pa'role f, Losung f, Kennwort n.

past [pɑːst] I. adj. 1. vergangen, verflossen: for some time ~ seit einiger Zeit; 2. ling. Vergangenheits...: ~ participle Mittelwort der Vergangenheit, Partizip Perfekt; ~ tense Vergangenheit, Präteritum; 3. vorig, früher, ehemalig, letzt: ~ president; ~ master fig. Altmeister (Könner); II. s. 4. Vergangenheit f (a. ling.); weitS. a. Vorleben n: a woman with a ~ eine Frau mit Vergangenheit; in the ~ bisher, früher; III. adv. 5. vor'bei, vor'über: to run ~; IV. prp. 6. (Zeit) nach, über (acc.): half ~ seven halb acht; she is ~ forty sie ist über vierzig; 7. an ... vorbei: he ran ~ the house; 8. über ... hin'aus: it is ~ comprehension es geht über alle Begriffe; ~ cure unheilbar; ~ endurance unerträglich; ~ hope hoffnungslos; I would not put it ~ him sl. ich traue es ihm glatt zu; '**~-'due** adj. ✝ 'überfällig (Wechsel etc.); Verzugs...(-zinsen).

paste [peist] I. s. 1. Teig m, (Fisch-, Zahn- etc.)Paste f, Brei m; ⊕ Tonmasse f; Glasmasse f; 2. Kleister m, Klebstoff m, Papp m; 3. a) Paste f (Diamantenherstellung), b) künstlicher Edelstein, Simili n, m; II. v/t. 4. kleben, kleistern, pappen, bekleben (with mit); 5. ~ up a) auf-, ankleben (on, in auf, in acc.), b) verkleistern (Loch); 6. sl. ('durch)hauen: to ~ s.o. one j-m ‚eine kleben'; '**~-board** I. s. 1. Pappe f, Pappendeckel m, Kar'ton m; 2. sl. (Eintritts-, Spiel-, Vi'siten)Karte f; II. adj. 3. aus Pappe, Papp...: ~ box Karton; 4. fig. unecht, wertlos, kitschig.

pas·tel I. s. [pæs'tel] 1. ⚘ Färberwaid m; 2. ⊕ Waidblau n; 3. Pa'stellstift m, -farbe f; 4. Pa'stellzeichnung f, -bild n; II. adj. ['pæstl] 5. zart, duftig (Farbe); **pas·tel·ist** ['pæstəlist], **pas·tel·list** [pæs'telist] s. Pa'stellmaler(in).

pas·tern ['pæstəːn] s. zo. Fessel f (Pferd).

'**paste-up** s. Photomon'tage f.

pas·teur·i·za·tion [pæstərai'zeiʃən] s. Pasteurisierung f; **pas·teur·ize** ['pæstəraiz] v/t. pasteurisieren.

pas·tille [pæs'tiːl] s. 1. Räucherkerzchen n; 2. pharm. Pa'stille f.

pas·time ['pɑːstaim] s. Zeitvertreib m, Kurzweil f, Belustigung f: as a ~ zum Zeitvertreib.

past·i·ness ['peistinis] s. 1. breiiger Zustand; 2. breiiges Aussehen; 3. fig. käsiges od. kränkliches Aussehen.

past·ing ['peistiŋ] *s.* **1.** Kleistern *n*, Kleben *n*; **2.** ⊕ Klebstoff *m*; **3.** *sl.* ‚Dresche' *f* (*Prügel*).

pas·tor ['pɑ:stə] *s.* Pfarrer *m*, Pastor *m*, Seelsorger *m*; **'pas·to·ral** [-tərəl] **I.** *adj.* □ **1.** Schäfer..., Hirten..., i'dyllisch, ländlich; **2.** *eccl.* pasto'ral, seelsorgerlich: *~ staff* Krummstab; **II.** *s.* **3.** Hirtengedicht *n*, I'dylle *f*; **4.** *paint.* ländliche Szene; **5.** ♪ **a)** Schäferspiel *n*, **b)** Pasto'rale *n*; **6.** *eccl.* Hirtenbrief *m*; **'pas·tor·ate** [-ərit] *s.* **1.** Pasto'rat *n*, Pfarramt *n*; **2.** *coll. die* Geistlichen *pl.*; **3.** *Am.* Pfarrhaus *n*.

past per·fect *ling. s.* Vorvergangenheit *f*, 'Plusquamper,fekt(um) *n*.

pas·try ['peistri] *s.* **1.** Tortengebäck *n*, Kon'ditorware *f*; Pa'steten *pl.*; **2.** Blätterteig *m*; **'~-cook** *s.* **1.** Pa'stetenbäcker *m*; **2.** *Brit.* Kon'ditor *m*.

pas·tur·age ['pɑ:stjuridʒ] *s.* **1.** Weiden *n* (*Vieh*); **2.** Weidegras *n*; **3.** Weide(land *n*) *f*; **4.** Zucht *f* u. Fütterung *f von Bienen*.

pas·ture ['pɑ:stʃə] **I.** *s.* **1.** Weidegras *n*, Viehfutter *n*; **2.** Weide(land *n*) *f*; **II.** *v/i.* **3.** grasen, weiden; **III.** *v/t.* **4.** *Vieh* auf die Weide treiben, weiden; **5.** *Wiese* abweiden.

past·y¹ ['peisti] *adj.* **1.** teigig, kleisterig; **2.** bläßlich, ‚käsig'.

past·y² ['pæsti] *s.* ('Fleisch)Pa,stete *f*.

pat [pæt] **I.** *s.* **1.** *Brit.* (*leichter*) Schlag, Klaps *m*: *~ on the back fig.* Schulterklopfen, Lob, Glückwunsch; **2.** Klümpchen *n* (*Butter*); **3.** Klopfen *n*, Getrappel *n*, Tapsen *n*; **II.** *adj.* **4.** pa'rat, bereit: *~ answer* schlagfertige Antwort; *~ solution* Patentlösung; *to know s.th. off* (*od. to have it down*) *~* F et. (wie) am Schnürchen können; **5.** fest, unbeweglich: *to stand ~* fest bleiben, sich nicht beirren lassen; **6.** (*a. adv.*) gerade recht, rechtzeitig, wie erwünscht, gelegen; **III.** *v/t.* **7.** *Brit.* klapsen, klopfen, tätscheln, patschen: *to ~ s.o. on the back* j-m auf die Schulter klopfen, *fig.* j-n beglückwünschen; **'pat-a-cake** *s.* backe, backe Kuchen (*Kinderspiel*).

patch [pætʃ] **I.** *s.* **1.** Fleck *m*, Flikken *m*, Lappen *m*; ⚔ *etc.* Tuchabzeichen *n*: *~-pocket Schneiderei*: aufgesetzte Tasche; *not a ~ on* F gar nicht zu vergleichen mit; **2. a)** ⚕ Pflaster *n*, **b)** Augenbinde *f*; **3.** Schönheitspflästerchen *n*; **4.** Stück *n* Land, Fleck *m*; Stück *n* Rasen; Stelle *f* (*a. Buch*): *in ~es* stellenweise; *to strike a bad ~* e-e Pechsträhne *od.* e-n schwarzen Tag haben; **5.** (Farb-) Fleck *m* (*bei Tieren etc.*); **6.** *pl.* Bruchstücke *pl.*, *et.* Zs.-gestoppeltes; **II.** *v/t.* **7.** flicken, ausbessern; mit Flicken versehen; **8.** *~ up bsd. fig.* **a)** zs.-stoppeln: *to ~ up a text-book*, **b)** reparieren: *to ~ up a friendship* eine Freundschaft ‚kitten' *od.* ‚leimen', **c)** *Streit* beilegen, **d)** über'tünchen, beschönigen.

patch·ou·li ['pætʃuli(:)] *s.* 'Patschuli *n* (*Pflanze u. Parfüm*).

'patch|·word *s. ling.* Flickwort *n*; **~·work** *s. a. fig.* Flickwerk *n*.

patch·y ['pætʃi] *adj.* □ **1.** voller Flikken; **2.** *fig.* zs.-gestoppelt; **3.** fleckig; **4.** *fig.* ungleichmäßig.

pate [peit] *s.* F Schädel *m*, ‚Birne' *f*.

pâté [pæ'tei; pɑ:te] (*Fr.*) *s.* Pa'stete *f*.

pat·en ['pætən] *s. eccl.* Pa'tene *f*, Hostienteller *m*.

pa·ten·cy ['peitənsi] *s.* **1.** Offenkundigkeit *f*; **2.** ⚕ 'Durchgängigkeit *f* (*e-s Kanals etc.*).

pat·ent ['peitənt; *bsd.* ⚖ *u. Am.* 'pæ-] **I.** *adj.* □ **1.** offen(kundig): *to be ~* auf der Hand liegen; **2.** *letters ~* → *6 u. 7*; **3.** patentiert, gesetzlich geschützt: *~ article* Markenartikel; *~ fuel* Preßkohlen; *~ leather* Lack-, Glanzleder; *~-leather shoes* Lackschuhe; *~ medicine* Marken-, Patentmedizin; **4.** ⚖ Patent...: *~ agent* (*Am. attorney*) Patentanwalt; *~ law objektives* Patentrecht; *♀ Office* Patentamt; *~ right subjektives* Patentrecht; *~-roll Brit.* Patentregister; *~ specification* Patentschrift, -beschreibung; **5.** *Brit.* F ‚pa'tent' (*Methode etc.*); **II.** *s.* **6.** Pa'tent *n*, Privi'leg(ium) *n*, Freibrief *m*, Bestallung *f*; **7.** ⚖ Pa'tent(urkunde *f*) *n*: *~ of addition* Zusatzpatent; *~ applied for*, *~ pending* Patent angemeldet; *to take out a ~ for et.* patentieren lassen; **III.** *v/t.* **8.** patentieren, gesetzlich schützen; **9.** patentieren lassen; **'pat·ent·a·ble** [-təbl] *adj.* pa'tentfähig; **pat·ent·ee** [peitən'ti:] *s.* Pa'tentinhaber(in).

pa·ter ['peitə] *s. ped. sl.* Alter Herr (*Vater*).

pa·ter·nal [pə'tə:nl] *adj.* □ väterlich, Vater...: *~ grandfather* Großvater väterlicherseits; **pa'ter·ni·ty** [-niti] *s.* Vaterschaft *f* (*a. fig.*): *to declare ~* ⚖ die Vaterschaft feststellen.

pa·ter·nos·ter ['pætənɔstə] **I.** *s.* **1.** *R.C.* **a)** Vater'unser *n*, **b)** Rosenkranz *m*; **2.** ⊕ Pater'noster *m* (*Aufzug*); **II.** *adj.* **3.** ⊕ Paternoster...

path [pɑ:θ; *pl.* pɑ:ðz] *s.* **1.** Pfad *m*, Weg *m* (*a. fig.*); **2.** ⊕, *phys.*, *sport* Bahn *f*: *~ of electrons* Elektronenbahn.

pa·thet·ic [pə'θetik] *adj.* (□ *~ally*) **1.** rührend, ergreifend, traurig: *~ fallacy* Vermenschlichung der Natur (*in der Sprache*); **2.** bemitleidenswert, kläglich; **3.** *anat.* pathetisch.

'path·find·er *s.* **1.** Pfadfinder *m* (*a.* ✈, ⚔); ✈ *bei Nachtangriff*: Zielbeleuchter *m*; **2.** *fig.* Bahnbrecher *m*.

path·less ['pɑ:θlis] *adj.* weglos, unwegsam.

path·o·log·i·cal [pæθə'lɔdʒikəl] *adj.* □ ⚕ patho'logisch, krankhaft; **pa·thol·o·gist** [pə'θɔlədʒist] *s.* ⚕ Patho'loge *m*; **pa·thol·o·gy** [pə'θɔlədʒi] *s.* **1.** Patholo'gie *f*, Krankheitslehre *f*; **2.** pathologischer Befund.

pa·thos ['peiθɔs] *s.* **1.** *das* Ergreifende; **2.** Mitleid *n*.

'path·way *s.* Pfad *m*, Weg *m*, Bahn *f*.

pa·tience ['peiʃəns] *s.* **1.** Geduld *f*; Ausdauer *f*: *to lose one's ~* die Geduld verlieren; *to be out of ~ with s.o.* aufgebracht sein gegen j-n; *to have no ~ with s.o.* j-n nicht leiden können, nichts übrig haben für j-n; → *Job²*; *possess 2 b*; **2.** *bsd. Brit.* Pati'ence *f* (*Kartenspiel*); **'pa·tient** [-nt] **I.** *adj.* □ **1.** geduldig; nachsichtig; beharrlich: *to be ~ of* ertragen; *~ of two interpretations fig.* zwei Deutungen zulassend; **II.** *s.* **2.** Pati'ent(in), Kranke(r *m*) *f*; **3.** ⚖ *Brit.* Geistesgestörte(r *m*) *f* (*Heil- und Pflegeanstalt*).

pat·i·o ['pætiou] *s. Am.* Innenhof *m*, Patio *m*.

pa·tri·arch ['peitriɑ:k] *s.* Patri'arch *m*; **pa·tri·ar·chal** [peitri'ɑ:kəl] *adj.* patriar'chalisch (*a. fig. ehrwürdig*); **'pa·tri·arch·ate** [-kit] *s.* Patriar'chat *n*.

pa·tri·cian [pə'triʃən] **I.** *adj.* pa'trizisch; *fig.* aristo'kratisch; **II.** *s.* Pa'trizier(in).

pat·ri·cide ['pætrisaid] → *parricide*.

pat·ri·mo·ni·al [pætri'mounjəl] *adj.* ererbt, Erb...; **pat·ri·mo·ny** ['pætriməni] *s.* **1.** väterliches Erbteil (*a. fig.*); **2.** Kirchengut *n*.

pa·tri·ot ['peitriət] *s.* Patri'ot(in); **pa·tri·ot·eer** [peitriə'tiə] *s.* Hur'rapatri,ot *m*; **pa·tri·ot·ic** [pætri'ɔtik] *adj.* (□ *~ally*) patri'otisch; **pa·tri·ot·ism** ['pætriətizəm] *s.* Patrio'tismus *m*.

pa·trol [pə'troul] **I.** *v/i.* **1.** ⚔, *Polizei*: patrouillieren, die Runde machen; **II.** *v/t.* **2.** abpatrouillieren, *Straße, Bezirk* durch'streifen; ✈ *Strecke* abfliegen; **III.** *s.* **3.** Runde *f*, Patrouillieren *n*; ✈ Streifenflug *m*; **4.** ⚔ Pa'trouille *f*, Späh-, Stoßtrupp *m*; (Poli'zei)Streife *f*: *~ activity* ⚔ Spähtrupptätigkeit; *~ car* **a)** ⚔ (Panzer)Spähwagen, **b)** *Brit.* (Funk-, Polizei)Streifenwagen; *~ wagon Am.* Polizeigefangenenwagen; **'~·man** [-mæn] *s.* [*irr.*] Streifenbeamte(r) *m*.

pa·tron ['peitrən] *s.* **1.** Pa'tron *m*, Schutz-, Schirmherr *m*; **2.** Gönner *m*, Förderer *m*; **3.** *R.C.* **a)** 'Kirchenpa,tron *m*, **b)** *a. ~ saint* Schutzheilige(r) *m*; **4.** ☤ (Stamm)Kunde *m*; **pa·tron·age** ['pætrənidʒ] *s.* **1.** Protekti'on *f*, Gönnerschaft *f*, Begünstigung *f*, Förderung *f*, Patro'nat *n*; **2.** ⚖ Patro'natsrecht *n*; **3.** Kundschaft *f*; **4.** gönnerhaftes Benehmen; **5.** *Am.* Recht *n* der Ämterbesetzung; **pa·tron·ess** ['peitrənis] *s.* Pa'tronin *f etc.* (→ *patron*).

pa·tron·ize ['pætrənaiz] *v/t.* **1.** fördern, begünstigen, unter'stützen, beschützen; **2.** Kunde sein bei; *thea.* regelmäßig besuchen; **3.** gönnerhaft behandeln; **'pa·tron·iz·er** [-zə] *s.* Förderer *m*, Kunde *m*, Gönner *m*, Beschützer *m*; **'pa·tron·iz·ing** [-ziŋ] *adj.* □ gönnerhaft, her'ablassend: *~ air* Gönnermiene.

pat·ten ['pætn] *s.* **1.** Holzschuh *m*; **2.** Stelzschuh *m*; **3.** △ Säulenfuß *m*.

pat·ter¹ ['pætə] **I.** *v/i. u. v/t.* **1.** schwatzen, (da'her)plappern; **II.** *s.* **2.** Geplapper *n*; **3.** Rotwelsch *n*, Gaunersprache *f*, Jar'gon *m*.

pat·ter² ['pætə] **I.** *v/i.* **1.** prasseln (*Regen etc.*); **2.** trappeln (*Füße*); **II.** *s.* **3.** Prasseln *n*, Platschen *n* (*Regen*); **4.** Getrappel *n*.

pat·tern ['pætən] **I.** *s.* **1.** (*a.* Schnitt-, Stick)Muster *n*, Vorlage *f*, Mo'dell *n*: *on the ~ of* nach dem Muster von; **2.** ☤ Muster *n*: **a)** (Waren)Probe *f*, **b)** Des'sin *n*, Mo'tiv *n* (*Stoff*): *by ~ post* als Muster ohne Wert; **3.** *fig.* Muster *n*, Vorbild *n*; **4.** *fig.* Plan *m*, Anlage *f*: *~ of one's life*; **5.** ⊕ **a)** Scha'blone *f*, **b)** 'Gußmo,dell *n*, **c)**

Lehre *f*; **6.** *Weberei*: Pa'trone *f*; **7.** (*behavio[u]r*) ~ *psych.* (Verhaltens)Muster *n*; **II.** *adj.* **8.** musterhaft, Muster...: *a* ~ *wife*; **III.** *v/t.* **9.** (nach)bilden, gestalten (*after, on* nach): *to* ~ *one's conduct on s.o.* sich in s-m Benehmen ein Beispiel an j-m nehmen; **10.** mit Muster(n) verzieren, mustern; ~ **bomb·ing** *s.* ⚔ Reihenwurf *m*; ~ **book** *s.* † Musterbuch *n*; '~-**mak·er** *s.* ⊕ Mo'dellmacher *m*; '~-**shop** *s.* Mo'dellwerkstatt *f*; ~ **paint·ing** *s.* ⚔ Tarnanstrich *m*.

pat·ty ['pæti] *s.* Pa'stetchen *n*.

pau·ci·ty ['pɔ:siti] *s.* geringe Zahl *od.* Menge, Knappheit *f*.

Paul·ine ['pɔ:lain] *adj. eccl.* pau'linisch.

paunch [pɔ:ntʃ] *s.* **1.** (Dick)Bauch *m*, Wanst *m*; **2.** *zo.* Pansen *m*; '**paunch·y** [-tʃi] *adj.* dickbäuchig.

pau·per ['pɔ:pə] **I.** *s.* **1.** Arme(r *m*) *f*, Unter'stützungsempfänger(in); **2.** ⚖ unter Armenrecht Klagende(r *m*) *f*; **II.** *adj.* **3.** Armen...; '**pau·per·ism** [-ərizəm] *s.* Verarmung *f*, Massenarmut *f*; **pau·per·i·za·tion** [pɔ:pərai'zeiʃən] *s.* Verarmung *f*, Verelendung *f*; '**pau·per·ize** [-əraiz] *v/t.* bettelarm machen.

pause [pɔ:z] **I.** *s.* **1.** Pause *f*, Unter'brechung *f*: *to make a* ~ innehalten, pausieren; *it gives one* ~ *to think* es macht einen zögern, es gibt e-m zu denken; **2.** *typ.* Gedankenstrich *m*; **3.** ♪ Fer'mate *f*; **II.** *v/i.* **4.** pausieren, innehalten; stehenbleiben; zögern; **5.** verweilen (*on, upon* bei): *to* ~ *upon a note* (*od. tone*) ♪ e-n Ton aushalten.

pave [peiv] *v/t.* *Straße* pflastern, *Fußboden* legen: *to* ~ *the way for fig.* den Weg bahnen für; ~*d runway* ✈ befestigte Startbahn; → *paving*; '**pave·ment** [-mənt] *s.* **1.** (Straßen-)Pflaster *n*; **2.** *Brit.* Bürgersteig *m*, Trot'toir *n*: ~-*artist* Trottoirmaler; **3.** *Am.* Fahrbahn *f*; **4.** Fußboden(belag) *m*; '**pav·er** [-və] *s.* **1.** Pflasterer *m*; **2.** Fliesen-, Plattenleger *m*; **3.** Pflasterstein *m*, Fußbodenplatte *f*; **4.** *Am.* 'Straßenbe,tonmischer *m*.

pa·vil·ion [pə'viljən] *s.* **1.** (großes) Zelt; **2.** 'Pavillon *m*, Gartenhäuschen *n*; **3.** † ('Messe),Pavillon *m*.

pav·ing ['peiviŋ] *s.* Pflastern *n*; (Be)Pflasterung *f*, Straßendecke *f*; Fußbodenbelag *m*; '~-**stone** *s.* Pflasterstein *m*; '~-**tamp** *s.* ⊕ Erdstampfer *m*; '~-**tile** *s.* Fliese *f*.

pav·io(u)r ['peivjə] *s.* Pflasterer *m*.

paw [pɔ:] **I.** *s.* **1.** Pfote *f*, Tatze *f*; **2.** F ,Pfote' *f* (*Hand*); **3.** F *humor.* ,Klaue' *f* (*Handschrift*); **II.** *v/t.* **4.** *mit dem Vorderfuß od. der Pfote* scharren, kratzen, stampfen; **5.** F rauh behandeln, ungeschickt anfassen; **6.** F *j-n* betätscheln; **III.** *v/i.* **7.** stampfen, scharren.

pawl [pɔ:l] *s.* **1.** ⊕ Sperrhaken *m*, -klinke *f*, Klaue *f*; **2.** ⚓ Pall *n*.

pawn[1] [pɔ:n] *s.* **1.** *Schach*: Bauer *m*; **2.** *fig.* 'Schachfi,gur *f*.

pawn[2] [pɔ:n] **I.** *s.* **1.** Pfand(stück) *n*; ⚖ *a.* Faustpfand *n*: *in* (*od. at*) ~ verpfändet, versetzt; **II.** *v/t.* **2.** verpfänden (*a. fig.*), versetzen; **3.** † lombardieren; '~-**bro·ker** *s.* Pfandleiher *m*.

pawn·ee [pɔ:'ni:] *s.* ⚖ Pfandinhaber *m*, -nehmer *m*; **pawn·er, pawn·or** ['pɔ:nə] *s.* Pfandschuldner *m*, Verpfänder *m*.

'**pawn|·shop** *s.* Pfandhaus *n*, Pfandleihe *f*; '~-**tick·et** *s.* Pfandschein *m*.

pay [pei] **I.** *s.* **1.** Bezahlung *f*; (Arbeits)Lohn *m*, Löhnung *f*; Gehalt *n*; Sold *m* (*a. fig.*); ⚔ (Wehr)Sold *m*: *in the* ~ *of s.o.* bei j-m beschäftigt, in j-s Sold; **2.** *fig.* Belohnung *f*, Lohn *m*; **II.** *v/t.* [*irr.*] **3.** zahlen, entrichten; *Rechnung* bezahlen *od.* begleichen, *Wechsel* einlösen, *Hypothek* ablösen; *j-n* bezahlen, *Gläubiger* befriedigen: *to* ~ *one's way* ohne Verlust arbeiten, s-n Verbindlichkeiten nachkommen, auskommen mit dem, was man hat; **4.** *fig.* (be-) lohnen, vergelten (*for et.*): *to* ~ *home* heimzahlen; **5.** *fig. Achtung* zollen; *Aufmerksamkeit* schenken; *Besuch* abstatten; *Ehre* erweisen; *Kompliment* machen; → *court 10, homage 1*; **6.** *fig.* sich lohnen für *j-n*, *j-m et.* einbringen; **III.** *v/i.* [*irr.*] **7.** zahlen, Zahlung leisten: *to* ~ *for* (für) *et.* bezahlen (*a. fig. et. büßen*), die Kosten tragen für; *he had to* ~ *dearly for it fig.* er mußte es bitter büßen, es kam ihn teuer zu stehen; **8.** *fig.* sich lohnen, sich rentieren, sich bezahlt machen;

Zssgn mit adv.:

pay| back *v/t.* zu'rückzahlen, -erstatten; *fig.* heimzahlen; → *coin 1*; ~ **down** *v/t.* **1.** bar bezahlen; **2.** e-e Anzahlung machen von; ~ **in** *v/t.* (*auf ein Konto*) einzahlen; ~ **off** *v/t.* **1.** *j-n* auszahlen, entlohnen; ⚓ abmustern; **2.** *et.* abbezahlen, tilgen; **3.** *Am. j-m* heimzahlen (*for* für); **II.** *v/i.* **4.** F → *pay 8*; ~ **out** *v/t.* **1.** auszahlen; **2.** F *fig. j-m* heimzahlen; **3.** (*pret. u. p.p.* **payed**) *Kabel, Kette etc.* ausstecken, -legen, abrollen; ~ **up** *v/t.* *j-n od. et.* voll *od.* so'fort bezahlen; *Schuld* tilgen; † *Anteile, Versicherung etc.* voll einzahlen.

pay·a·ble ['peiəbl] *adj.* **1.** zahlbar, fällig: *accounts* ~ *Am.* Buchschulden; ~ *to bearer* auf den Überbringer lautend; **2.** ⚒, † ren'tabel.

'**pay|-as-you-'earn** *s. Brit.* Lohnsteuerabzug *m*; '~-**as-you-'view tele·vi·sion** *s.* Münzfernsehen *n*; ~ **check** *s. Am.* Lohn-, Gehaltsscheck *m*; '~-**clerk** *s.* **1.** † Lohnauszahler *m*; **2.** ⚔ Rechnungsführer *m*; '~-**day** *s.* Zahl-, Löhnungstag *m*; '~-**desk** *s.* † Kasse *f* (*im Kaufhaus*); '~-**dirt** *s.* **1.** *geol.* goldführendes Erdreich; **2.** *fig. Am.* Gold *n*; Geld *n*, Gewinn *m*.

pay·ee [pei'i:] *s.* **1.** Zahlungsempfänger(in); **2.** Wechselnehmer *m*.

pay en·ve·lope *s.* Lohntüte *f*.

pay·er ['peiə] *s.* **1.** (Be)Zahler *m*; **2.** Bezogene(r) *m*, Tras'sat *m* (*Wechsel*).

pay·ing ['peiiŋ] *adj.* **1.** lohnend, einträglich, ren'tabel: *not* ~ unrentabel; ~ *concern* lohnendes Geschäft; **2.** Zahl(ungs)..., Kassen...

pay| load *s.* ⊕, ⚓, ✈ Nutzlast *f*: ~ *capacity* Ladefähigkeit; '~-**master** *s.* ⚔ Zahlmeister *m*.

pay·ment ['peimənt] *s.* **1.** (Ein-, Aus-, Be)Zahlung *f*, Entrichtung *f*, Abtragung *f von Schulden*, Einlösung *f e-s Wechsels*: ~ *in kind* Sachleistung; *in* ~ *of* zum Ausgleich (*gen.*); *on* ~ (*of*) nach Eingang (*gen.*), gegen Zahlung (von *od. gen.*); *to accept in* ~ in Zahlung nehmen; **2.** gezahlte Summe, Bezahlung *f*; **3.** Lohn *m*, Löhnung *f*, Besoldung *f*; **4.** *fig.* Lohn *m* (*a. Strafe*).

'**pay|·off** *s. sl.* **1.** Auszahlung *f*; **2.** *fig.* Abrechnung *f* (*Rache*); **3.** Resul'tat *n*; Entscheidung *f*; **4.** *Am.* Clou *m* (*Höhepunkt*); '~-**of·fice** *s.* **1.** 'Lohnbü,ro *n*; **2.** Zahlstelle *f*.

pay·o·la [pei'oulə] *s. pol. Am. sl.* Schmiergeld(er *pl.*) *n*, Bestechungsgeschenke *pl.*

'**pay|-pack·et** *s.* Lohntüte *f*; ~ **pause** *s.* Lohnpause *f*; '~-**roll** *s.* Lohnliste *f*: *to have* (*od. keep*) *s.o. on one's* ~ j-n (bei sich) beschäftigen; *he is no longer on our* ~ er arbeitet nicht mehr für *od.* bei uns; '~-**slip** *s.* Lohnstreifen *m*; ~ **sta·tion** *s. teleph. Am.* Münzfernsprecher *m*; '~-**tele·vi·sion** *s.* Münzfernsehen *n*.

pea [pi:] **I.** *s.* ♀ Erbse *f*: *as like as two* ~*s* sich gleichend wie ein Ei dem andern; → *sweet pea*; **II.** *adj.* erbsengroß, -förmig.

peace [pi:s] **I.** *s.* **1.** Friede(n) *m*: *at* ~ in Frieden, im Friedenszustand; **2.** *a. the King's* ~, *public* ~ Landfrieden *m*, öffentliche Ruhe und Ordnung, öffentliche Sicherheit: *breach of the* ~ ⚖ (öffentliche) Ruhestörung; *to break the* ~ die öffentliche Ruhe stören; *to keep the* ~ die öffentliche Sicherheit wahren; **3.** *fig.* Ruhe *f*, Friede(n) *m*: ~ *of mind* Seelenruhe; *to hold one's* ~ sich ruhig verhalten; *to leave in* ~ in Ruhe *od.* Frieden lassen; **4.** Versöhnung *f*, Eintracht *f*: *to make one's* ~ *with s.o.* sich mit j-m versöhnen; **II.** *int.* **5.** sst!, still!, ruhig!; '**peace·a·ble** [-səbl] *adj.* □ **1.** friedlich, friedfertig, -liebend; **2.** ruhig, ungestört; '**peace·ful** [-ful] *adj.* □ friedlich; '**peace·less** [-lis] *adj.* friedlos.

'**peace|-lov·ing** *adj.* friedliebend; '~-**mak·er** *s.* Friedensstifter *m*; ~ **of·fen·sive** *s.* 'Friedensoffen,sive *f*; '~-**of·fer·ing** *s.* **1.** *eccl.* Sühneopfer *n*; **2.** Versöhnungsgabe *f*, Friedenszeichen *n*; '~-**'of·fi·cer** *s.* Sicherheitsbeamte(r) *m*, Schutzmann *m*; ~ **re·search** *s.* Friedensforschung *f*; '~-**time I.** *s.* Friedenszeit *f*; **II.** *adj.* friedensmäßig, in Friedenszeit(en), Friedens...; ~ **trea·ty** *s. pol.* Friedensvertrag *m*.

peach[1] [pi:tʃ] *s.* **1.** ♀ Pfirsich(baum) *m*; **2.** *sl.* **a)** süßes Mädel, ,süßer Käfer', **b)** prächtige Sache: *a* ~ *of a car* ein ,toller' *od.* ,todschicker' Wagen.

peach[2] [pi:tʃ] *v/i.* F ausplaudern: *to* ~ *against* (*od. on*) *Mittäter* ,verpfeifen', *Schulkameraden* verpetzen.

'**pea-chick** *s. orn.* junger Pfau.

peach·y ['pi:tʃi] *adj.* **1.** pfirsichähnlich, -farben; **2.** *sl.* prachtvoll, ,prima', ,schick'.

pea·cock ['pi:kɔk] *s.* **1.** *orn.* Pfau (-hahn) *m*; **2.** *fig.* Fatzke *m*; ~ **blue** *s.* Pfauenblau *n* (*Farbe*); ~ **but·ter·fly** *s. zo.* Tagpfauenauge *n*.

'**pea|·fowl** *s. orn.* Pfau *m*; '**~'hen** *s. orn.* Pfauhenne *f*; '**~-jack·et** *s.* ⚓ Bord-, Ma'trosenjacke *f*.
peak[1] [pi:k] **I.** *s.* **1.** Spitze *f*; **2.** Bergspitze *f*; Horn *n*, spitzer Berg; **3.** (Mützen)Schirm *m*; **4.** ⚓ Piek *f*; **5.** ⚡, *phys.* Höchst-, Scheitelwert *m*; **6.** *fig.* (Leistungs- *etc.*)Spitze *f*, Höchststand *m*; Gipfel *m des Glücks etc.*: *~ of traffic* Verkehrsspitze; *to reach the ~* den Höchststand erreichen; **II.** *adj.* **7.** Spitzen..., Höchst..., Haupt...: *~ factor* Scheitelfaktor; *~-load* Spitzenbelastung (*a.* ⚡); *~ output* Spitze(nleistung); *~ season* Hochsaison, -konjunktur; *~-traffic hours* Hauptverkehrszeit.
peak[2] [pi:k] *v/i.* **1.** kränkeln, abmagern; **2.** spitz aussehen.
peaked [pi:kt] *adj.* **1.** spitz(ig): *~ cap* Schirmmütze; **2.** F ‚spitz', kränklich.
peak·y ['pi:ki] *adj.* **1.** gipfelig; **2.** spitz(ig); **3.** → *peaked* 2.
peal [pi:l] **I.** *s.* **1.** (Glocken)Läuten *n*; **2.** Glockenspiel *n*; **3.** (*Donner-*)Schlag *m*, Dröhnen *n*: *~ of laughter* schallendes Gelächter; **II.** *v/i.* **4.** läuten; erschallen, dröhnen, schmettern; **III.** *v/t.* **5.** *Glocke etc.* ertönen lassen; **6.** laut verkünden.
'**pea·nut** **I.** *s.* **1.** ⚘ Erdnuß *f*; **2.** *Am. sl.* **a)** ‚kleine Fische' *pl.* (*geringer Betrag*), **b)** ‚kleines Würstchen' (*unbedeutender Mensch*); **II.** *adj.* **3.** *Am. sl.* klein, unbedeutend: *a ~ politician*; *~ politics* politisches Intrigenspiel; **~ but·ter** *s.* Erdnußbutter *f*.
pear [pɛə] *s.* ⚘ **1.** Birne *f*; **2.** *a. ~-tree* Birnbaum *m*.
pearl [pə:l] **I.** *s.* **1.** Perle *f* (*a. fig.*): *to cast ~s before swine* Perlen vor die Säue werfen; **2.** *pharm.* Pille *f*; **3.** *typ.* Perl(schrift) *f*; **II.** *adj.* **4.** Perlen...; Perlmutter...; **III.** *v/i.* **5.** Perlen bilden, perlen, tropfen; '**~-bar·ley** *s.* Perlgraupen *pl.*; '**~-div·er** *s.* Perlenfischer *m*; '**~-oys·ter** *s. zo.* Perlmuschel *f*; '**~-shell** *s.* Perlmutt(er *f*) *n*; '**~-white** *s.* Perl-, Schminkweiß *n*.
pearl·y ['pə:li] *adj.* **1.** Perlen..., perlenartig, perlmutterartig; **2.** perlenreich.
'**pear|-quince** *s.* ⚘ Echte Quitte, Birnenquitte *f*; '**~-shaped** *adj.* birnenförmig.
peas·ant ['pezənt] **I.** *s.* Bauer *m*; **II.** *adj.* bäuerlich, Bauern...: *~ woman* Bauersfrau, Bäuerin; '**peas·ant·ry** [-ri] *s.* Bauernschaft *f*, Landvolk *n*.
pease [pi:z] *s. pl.* F Erbsen *pl.*; '**~-pud·ding** *s.* Erbs(en)brei *m*.
'**pea|-shoot·er** *s.* **1.** Blas-, Pusterohr *n*; **2.** *Am.* Kata'pult *m, n*; **3.** *Am. sl.* ‚Ka'none' *f* (*Pistole*); **~ soup** *s.* **1.** Erbsensuppe *f*; **2.** *a.* '**~-'soup·er** ['su:pə] *s.* F ‚Waschküche' *f* (*dichter Nebel*); '**~-'soup·y** ['su:pi] *adj.* F dicht u. gelb (*Nebel*).
peat [pi:t] *s.* **1.** Torf *m*: *to cut* (*od. dig*) *~* Torf stechen; **2.** Torfstück *n*, -sode *f*; '**~-bog** *s.* Torfmoor *n*; '**~-coal** *s.* Torfkohle *f*, Li'gnit *n*; '**~-moss** *s.* ⚘ Torfmoos *n*.
peb·ble ['pebl] **I.** *s.* **1.** Kiesel(stein) *m*: *you are not the only ~ on the beach* F man (*od.* ich) kann auch ohne dich auskommen; **2.** A'chat *m*; **3.** 'Bergkri,stall *m*; **4.** *opt.* Linse *f* aus 'Bergkri,stall; **II.** *v/t.* **5.** *Weg* mit Kies bestreuen; **6.** ⊕ *Leder* krispeln; '**peb·bly** [-li] *adj.* kieselig.
pec·ca·dil·lo [pekə'dilou] *pl.* **-loes** *s.* läßliche Sünde, kleiner Fehler.
peck[1] [pek] *s.* **1.** Viertelscheffel *m* (*Brit. 9,1, Am. 8,8 Liter*); **2.** *fig.* e-e Menge: *a ~ of trouble*.
peck[2] [pek] **I.** *v/t.* **1.** *mit dem Schnabel etc.* (auf)picken, (-)hacken; **2.** *j-m* ein Küßchen geben; **II.** *v/i.* **3.** picken, hacken (*at* nach): *to ~ at s.o. fig.* an j-m herumnörgeln; *to ~ at one's food lustlos* im Essen herumstochern; **III.** *s.* **4.** Schlag *m*, (Schnabel)Hieb *m*; **5.** Loch *n*; **6.** leichter *od.* flüchtiger Kuß; **7.** *Brit. sl.* ‚Futter' *n* (*Essen*); '**peck·er** [-kə] *s.* **1.** Picke *f*, Haue *f*; **2.** ⊕ Abfühlnadel *f*; **3.** *sl.* **a)** ‚Zinken' *m* (*Nase*), **b)** *Am.* Penis *m*, **c)** guter Mut: *to keep one's ~ up* sich nicht kleinkriegen lassen; **peck·ish** ['pekiʃ] *adj.* F **1.** hungrig; **2.** *Am.* nörglerisch, reizbar.
pec·ti·nate ['pektineit] *adj.* kammförmig, -artig.
pec·to·ral ['pektərəl] **I.** *adj.* **1.** *anat.*, ⚕ Brust...; **II.** *s.* **2.** *pharm.* Brust-, Hustenmittel *n*; **3.** *zo. a. ~ fin* Brustflosse *f*; **4.** *R.C.* Brustkreuz *n* (*Bischof*).
pec·u·late ['pekjuleit] *v/t.* (*v/i.* öffentliche Gelder) unter'schlagen, veruntreuen; **pec·u·la·tion** [pekju'leiʃən] *s.* Unter'schlagung *f*, Veruntreuung *f*, 'Unterschleif *m*; '**pec·u·la·tor** [-tə] *s.* Veruntreuer *m*, Betrüger *m*.
pe·cul·iar [pi'kju:ljə] **I.** *adj.* □ **1.** eigen(tümlich) (*to dat.*); **2.** eigen, seltsam, absonderlich; **3.** besonder; **II.** *s.* **4.** Privi'leg *n*; **5.** ausschließliches Eigentum; **pe·cu·li·ar·i·ty** [pikju:li'æriti] *s.* **1.** Eigenheit *f*, Eigentümlichkeit *f*, Besonderheit *f*; **2.** Eigenartigkeit *f*, Seltsamkeit *f*.
pe·cu·ni·ar·y [pi'kju:njəri] *adj.* □ geldlich, Geld..., pekuni'är: *~ advantage* Vermögensvorteil.
ped·a·gog·ic *adj.*, **ped·a·gog·i·cal** [pedə'gɔdʒik(əl)] *adj.* □ päda'gogisch, erzieherisch, Erziehungs...; **ped·a'gog·ics** [-ks] *s. pl. sg. konstr.* Päda'gogik *f*; **ped·a·gogue** ['pedəgɔg] *s.* **1.** Päda'goge *m*, Erzieher *m*; **2.** *contp. fig.* Pe'dant *m*, Schulmeister *m*; **ped·a·go·gy** ['pedəgɔgi] *s.* Päda'gogik *f*.
ped·al ['pedl] **I.** *s.* **1.** Pe'dal *n* (*a.* ♪), Fußhebel *m*, Tretkurbel *f*: *forte ~* ♪ Fortepedal; → *soft pedal*; **II.** *v/i.* **2.** ⊕, ♪ Pedal treten; **3.** radfahren, ‚strampeln'; **III.** *v/t.* **4.** treten, fahren; **IV.** *adj.* **5.** Pedal..., Fuß...: *~ brake mot.* Fußbremse; *~ control* ✈ Pedalsteuerung; *~ switch* ⊕ Fußschaltung.
ped·ant ['pedənt] *s.* Pe'dant(in), Kleinigkeitskrämer(in); **pe·dan·tic** [pi'dæntik] *adj.* (□ *~ally*) pe'dantisch, kleinlich; '**ped·ant·ry** [-tri] *s.* Pedante'rie *f*.
ped·dle ['pedl] **I.** *v/i.* **1.** hausieren gehen; **2.** sich mit Kleinigkeiten abgeben, tändeln; **II.** *v/t.* **3.** *bsd. Am.* (*a. fig.*) (mit *et.*) hausieren (gehen), *et.* aushökern: *to ~ new ideas*; '**ped·dler** *Am.* → *pedlar*; '**ped·dling** [-liŋ] *adj. fig.* kleinlich; geringfügig, unbedeutend, wertlos.
ped·es·tal ['pedistl] *s.* **1.** ⚠ Sockel *m*, Posta'ment *n*, Säulenfuß *m*: *to set s.o. on a ~ fig.* j-n aufs Podest erheben; **2.** *fig.* Basis *f*, Grundlage *f*; **3.** ⊕ 'Untergestell *n*, Sockel *m*, (Lager)Bock *m*.
pe·des·tri·an [pi'destriən] **I.** *adj.* **1.** zu Fuß, Fuß...; Spazier...; Fußgänger...: *~ precinct* (*od. area*) Fußgängerzone; **2.** *fig.* pro'saisch, nüchtern; langweilig; **II.** *s.* **3.** Fußgänger(in); **pe'des·tri·an·ize** [-naiz] *v/t.* in e-e Fußgängerzone verwandeln.
pe·di·at·ric *etc.* → *paediatric etc.*
ped·i·cel ['pedisəl] *s.* **1.** ⚘ Blütenstengel *m*; **2.** *anat.*, *zo.* Stiel(chen *n*) *m*; '**ped·i·cle** [-kl] *s.* **1.** ⚘ Blütenstengel *m*; **2.** ⚕ Stiel *m* (*Tumor*).
ped·i·cure ['pedikjuə] **I.** *s.* **1.** Fußpflege *f*, Pedi'küre *f*; **2.** Fußpfleger (-in); **II.** *v/t.* **3.** *j-s* Füße behandeln *od.* pflegen; '**ped·i·cur·ist** [-ərist] → *pedicure* 2.
ped·i·gree ['pedigri:] **I.** *s.* **1.** Stammbaum *m* (*a. zo.*), Ahnentafel *f*; **2.** Entwicklungstafel *f*; **3.** Ab-, Herkunft *f*; **4.** lange Ahnenreihe; **II.** *adj. a.* '**ped·i·greed** [-i:d] **5.** mit Stammbaum, reinrassig, Zucht...
ped·i·ment ['pedimənt] *s.* ⚠ **1.** Giebel(feld *n*) *m*; **2.** Ziergiebel *m*.
ped·lar ['pedlə] *s.* Hausierer *m*; '**ped·lar·y** [-ləri] *s.* **1.** Hausieren *n*; **2.** Hausiererware *f*; **3.** *fig.* Plunder *m*, Kitsch *m*.
pe·dom·e·ter [pi'dɔmitə] *s. phys.* Schrittmesser *m*, -zähler *m*.
pe·dun·cle [pi'dʌŋkl] *s.* **1.** ⚘ Blütenstandstiel *m*, Blütenzweig *m*; **2.** *zo.* Stiel *m*, Schaft *m*; **3.** *anat.* Zirbel-, Hirnstiel *m*.
pee [pi:] *v/i.* F ‚Pi'pi machen', ‚pinkeln'.
peek[1] [pi:k] **I.** *v/i.* **1.** gucken, spähen (*into* in *acc.*); **2.** *~ out* her'ausgucken (*a. fig.*); **II.** *s.* **3.** flüchtiger Blick.
peek[2] [pi:k] *s.* Piepsen *n* (*Vogel*).
peek·a·boo ['pi:kəbu:] *s.* ‚Guck-Guck-Spiel' *n*, Versteckspiel *n* (*kleiner Kinder*).
peel[1] [pi:l] **I.** *v/t.* **1.** *Frucht, Kartoffeln, Bäume* schälen: *to ~ off* abschälen; *~ed barley* Graupen; *keep your eyes ~ed sl.* halt die Augen offen; **2.** *sl. Kleider* abstreifen; **II.** *v/i.* **3.** *a. ~ off* sich abschälen, sich abblättern, abbröckeln, abschilfern; **4.** *sl.* ‚strippen' (*sich ausziehen*); **5.** *~ off* ✈ *aus e-m Verband* ausscheren; **III.** *s.* **6.** (*Zitronen- etc.*) Schale *f*; Rinde *f*; Haut *f*.
peel[2] [pi:l] *s.* **1.** Backschaufel *f*, Brotschieber *m*; **2.** *typ.* Aufhängekreuz *n*; **3.** ⊕ Rieshänge *f* (*Papierherstellung*).
peel·er[1] ['pi:lə] *s.* **1.** (*Kartoffel- etc.*) Schäler *m*; **2.** *sl.* Stripperin *f*.
peel·er[2] ['pi:lə] *s. sl.* ‚Bulle' *m* (*Polizist*).
peel·ing ['pi:liŋ] *s.* (*lose*) Schale, Rinde *f*, Haut *f*.
peen [pi:n] ⊕ **I.** *s.* Finne *f*, Hammerbahn *f*; **II.** *v/t.* mit der Finne bearbeiten: *~ over* verstemmen.
peep[1] [pi:p] **I.** *v/i.* **1.** piep(s)en (*Vogel etc.*): *he never dared ~ again* er hat es nicht mehr gewagt, den

Mund aufzumachen; **II.** *s.* **2.** Piep(s)en *n*; **3.** *sl.* ‚Piepser' *m* (*Wort*).

peep[2] [piːp] **I.** *v/i.* **1.** neugierig *od.* verstohlen blicken, gucken (*into* in *acc.*); **2.** *oft* ~ *out* her'vorgucken, -schauen, -lugen (*a. fig. sich zeigen, zum Vorschein kommen*); **II.** *s.* **3.** neugieriger *od.* verstohlener Blick: *to have* (*od. take*) *a* ~ → *1*; **4.** Blick *m* (*of* in *acc.*), ('Durch)Sicht *f*; **5.** *at* ~ *of day* bei Tagesanbruch; **'peep·er** [-pə] *s.* **1.** Spitzel *m*; **2.** *sl.* ‚Gucker' *m* (*Auge*); **3.** *sl.* Spiegel *m*; Fenster *n*; Brille *f*.

'peep-hole *s.* Guckloch *n*.

Peep·ing Tom ['piːpiŋ] *s.* Voy'eur *m*.

'peep-show *s.* **1.** Guckkasten *m*; **2.** *Am. sl.* ‚Fleischbeschau' *f* (*Striptease etc.*).

peer[1] [piə] *v/i.* **1.** spähen, lugen, gucken (*into* in *acc.*): *to* ~ *at* sich *et.* genau an- *od.* begucken; **2.** *poet.* sich zeigen, erscheinen; **3.** her'vorgucken, -lugen.

peer[2] [piə] *s.* **1.** Gleiche(r *m*) *f*, Ebenbürtige(r *m*) *f*: *without a* ~ ohnegleichen, unvergleichlich; *he associates with his* ~*s* er gesellt sich zu seinesgleichen; **2.** Angehörige(r) *m* des (brit.) Hochadels: ~ *of the realm Brit.* Pair (*Mitglied des Oberhauses*); **peer·age** ['piəridʒ] *s.* **1.** Pairswürde *f*; **2.** hoher Adelsstand; Pairs *pl.*; **3.** 'Adelskaˌlender *m*; **peer·ess** ['piəris] *s.* **1.** Gemahlin *f e-s* Pairs; **2.** hohe Adlige: ~ *in her own right* Inhaberin der Pairswürde; **peer·less** ['piəlis] *adj.* □ unvergleichlich, einzig(artig).

peeve [piːv] F *v/t.* (ver)ärgern; **peeved** [-vd] *adj.* F ‚eingeschnappt', verärgert; **'pee·vish** [-viʃ] *adj.* □ grämlich, übellaunig, verdrießlich.

pee·wit ['piːwit] → *pewit*.

peg [peg] **I.** *s.* **1.** (Holz-, *surv.* Absteck)Pflock *m*; (Holz)Nagel *m*; (Schuh)Stift *m*; ⊕ Dübel *m*; Sprosse *f* (*a. fig.*): *to take s.o. down a* ~ (*or two*) j-n ‚ducken'; *to come down a* ~ gelindere Saiten aufziehen, ‚zurückstecken'; *a round* ~ *in a square hole, a square* ~ *in a round hole* ein Mensch am falschen Platze; **2.** (Kleider)Haken *m*: *off the* ~ von der Stange (*Anzug*); **3.** (Wäsche)Klammer *f*; **4.** (Zelt)Hering *m*; **5.** ♪ Wirbel *m* (*Saiteninstrument*); **6.** *fig.* ‚Aufhänger' *m*: *a good* ~ *on which to hang a story*; **7.** *Brit.* ‚Gläs·chen' *n*, *bsd.* Whisky *m* mit Soda; **II.** *v/t.* **8.** anpflöcken, -nageln; **9.** ⊕ (ver)dübeln; **10.** *a.* ~ *out surv. Grenze, Land* abstecken: *to* ~ *out one's claim fig.* s-e Ansprüche geltend machen; **11.** ✝ *Löhne, Preise* stützen, halten: ~*ged price* Stützkurs; **12.** F schmeißen (*at* nach); **III.** *v/i.* **13.** ~ *away* (*od. along*) F drauf'los arbeiten *etc.*; **14.** ~ *out sl.* ‚eingehen' (*sterben*).

peg·a·moid ['pegəmɔid] *s.* Imitati'onsleder *n*.

'peg|-tooth *s.* Stiftzahn *m*; **'~-top** *s.* Kreisel *m*.

peign·oir ['peinwaː; peɲwaːr] (*Fr.*) *s.* Frisiermantel *m e-r Frau*.

pe·jo·ra·tive ['piːdʒərətiv] **I.** *adj.* □ verschlechternd, her'absetzend, pejora'tiv; **II.** *s. ling.* abschätziges Wort, Pejora'tivum *n*.

Pe·king·ese [piːkiŋ'iːz] *s. sg. u. pl.* **1.** Bewohner(in) von Peking; **2.** Peki'nese *m* (*Hund*).

pel·age ['pelidʒ] *s. zo.* Körperbedeckung *f* wilder Tiere (*Fell etc.*).

pel·ar·gon·ic [pelɑː'gɔnik] *adj.* ⚗ Pelargon...: ~ *acid*; **pel·ar'go·ni·um** [-'gounjəm] *s.* ⚘ Pelar'gonie *f*.

pelf [pelf] *s. contp.* Mammon *m*.

Pel·ham ['peləm] *s.* Kan'dare *f*.

pel·i·can ['pelikən] *s. orn.* Pelikan *m*.

pe·lisse [pe'liːs] *s.* (*langer*) Damen- *od.* Kindermantel.

pel·let ['pelit] *s.* **1.** Kügelchen *n*, Pille *f*; **2.** Schrotkorn *n* (*Munition*).

pel·li·cle ['pelikl] *s.* Häutchen *n*; Mem'bran *f*; **pel·lic·u·lar** [pe'likjulə] *adj.* häutchenförmig, Häutchen...

pell-mell ['pel'mel] **I.** *adv.* **1.** durchein'ander, ‚wie Kraut u. Rüben'; **2.** 'unterschiedslos; **3.** Hals über Kopf; **II.** *adj.* **4.** verworren, kunterbunt; **5.** hastig, über'eilt; **III.** *s.* **6.** Durchein'ander *n*.

pel·lu·cid [pe'ljuːsid] *adj.* □ 'durchsichtig, klar (*a. fig.*).

pelt[1] [pelt] *s.* Fell *n*, (Tier)Pelz *m*; ✝ *rohe* Haut.

pelt[2] [pelt] **I.** *v/t.* **1.** *j-n mit Steinen etc.* bewerfen, (*fig. mit Fragen*) bombardieren; **2.** verhauen, prügeln; **II.** *v/i.* **3.** mit Steinen *etc.* werfen (*at* nach); **4.** niederprasseln: ~*ing rain* Platzregen; **III.** *s.* **5.** Schlag *m*, Wurf *m*; **6.** Prasseln *n* (*Regen*); **7.** Eile *f*: (*at*) *full* ~ in voller Geschwindigkeit.

pelt·ry ['peltri] *s.* **1.** Rauch-, Pelzwaren *pl.*; **2.** Fell *n*, Haut *f*.

pel·vic ['pelvik] *adj. anat.* Becken...: ~ *cavity* Beckenhöhle; **pel·vis** ['pelvis] *pl.* **-ves** [-viːz] *s. anat.* Becken *n*.

pem·(m)i·can ['pemikən] *s.* 'Pemmikan *n* (*Dörrfleisch*).

pen[1] [pen] **I.** *s.* **1.** Pferch *m*, Hürde *f* (*Schafe*), Verschlag *m* (*Geflügel*), Hühnerstall *m*; **2.** kleiner Behälter *od.* Raum; **3.** ⚓ (U-Boot)Bunker *m*; **4.** *Am. sl.* ‚Kittchen' *n* (*Zuchthaus*); **II.** *v/t.* **5.** *a.* ~ *in*, ~ *up* einpferchen, -schließen, -sperren.

pen[2] [pen] **I.** *s.* **1.** (Schreib)Feder *f*, *a.* Federhalter *m*: *to set* ~ *to paper* die Feder ansetzen; ~ *and ink* Schreibmaterial; **2.** *fig.* Feder *f*, Stil *m*: *he has a sharp* ~ er führt e-e spitze Feder; **II.** *v/t.* **3.** (nieder-)schreiben; ab-, verfassen.

pe·nal ['piːnl] *adj.* □ **1.** strafrechtlich, Straf...: ~ *code* Strafgesetzbuch; ~ *colony* Sträflingskolonie; ~ *duty* Strafzoll; ~ *institution* Strafanstalt; ~ *law* Strafrecht; ~ *reform* Strafrechtsreform; ~ *sum* Vertrags-, Konventionalstrafe; **2.** sträflich, strafbar: ~ *act*; **'pe·nal·ize** [-nəlaiz] *v/t.* **1.** mit e-r Strafe belegen, bestrafen; **2.** benachteiligen, belasten; **pen·al·ty** ['penlti] *s.* **1.** gesetzliche Strafe: *on* (*od. under*) ~ *of* bei Strafe von; → *extreme 2*; *to pay* (*od. bear*) *the* ~ *of et.* büßen; **2.** *a.* ~ *money* (Geld)Buße *f*, Vertragsstrafe *f*; **3.** *fig.* Nachteil *m*, Fluch *m des Ruhms etc.*; **4.** *sport* **a)** Strafe *f*, Strafpunkt *m*, **b)** *Fußball*: Elf'meter *m*: ~ *area Fußball*: Strafraum; ~ *box Eishockey*: Strafbank; ~ *kick Fußball*: Strafstoß; ~ *shot Eishockey*: Penalty.

pen·ance ['penəns] *s.* Buße *f*: *to do* ~ Buße tun.

'pen-and-'ink *adj.* Feder..., Schreiber...: ~ *drawing* Federzeichnung.

pence [pens] *pl. von penny*.

pen·chant ['pɑ̃ːŋʃɑ̃ŋ; pɑ̃ʃɑ̃] (*Fr.*) *s.* (*for*) Neigung *f*, Hang *m* (für, zu), Vorliebe *f* (für).

pen·cil ['pensl] **I.** *s.* **1.** Blei-, Zeichen-, Farbstift *m*: *red* ~ Rotstift; *in* ~ mit Bleistift; **2.** *paint. obs.* Pinsel *m*; *fig.* Stil *m e-s Malers*; **3.** *rhet.* Griffel *m*, Stift *m*; **4.** ⊕, ⚕, *Kosmetik*: Stift *m*; **5.** ⚗, *phys.* (Strahlen)Büschel *m*, *n*: ~ *of light phot.* Lichtbündel; **II.** **6.** *v/t.* zeichnen; **7.** mit e-m Bleistift aufschreiben, anzeichnen *od.* anstreichen; **8.** mit e-m Stift behandeln, *z. B. die Augenbrauen* nachziehen; **'pen·cil(l)ed** [-ld] *adj.* **1.** fein gezeichnet *od.* gestrichelt; **2.** mit e-m Bleistift gezeichnet *od.* angestrichen; **3.** ⚗, *phys.* gebündelt (*Strahlen etc.*).

'pen·cil-sharp·en·er *s.* Bleistiftspitzer *m*.

pend·ant ['pendənt] **I.** *s.* **1.** Anhänger *m* (*Schmuckstück*), Ohrgehänge *n*; **2.** Hängeleuchter *m*; **3.** Bügel *m* (*Uhr*); **4.** ⚠ Hängezierat *m*; **5.** *fig.* Anhang *m*, Anhängsel *n*; **6.** *fig.* Pen'dant *n*, Seiten-, Gegenstück *n* (*to* zu); **7.** ⚓ → *pennant 1*; **II.** *adj.* → *pendent I*; **'pend·en·cy** [-dənsi] *s. fig. bsd.* ⚖ Schweben *n*, Anhängigsein *n* (*e-s Prozesses*); **'pen·dent** [-nt] **I.** *adj.* **1.** (her'ab)hängend; 'überhängend; Hänge...; **2.** *fig.* → *pending 3*; **3.** *ling.* unvollständig; **II.** *s.* **4.** → *pendant I*; **'pend·ing** [-diŋ] **I.** *adj.* **1.** hängend; **2.** bevorstehend; **3.** *bsd.* ⚖ schwebend, (noch) unentschieden; anhängig (*Klage*); → *patent 7*; **II.** *prp.* **4. a)** während, **b)** bis zu.

pen·du·late ['pendjuleit] *v/i.* **1.** pendeln; **2.** *fig.* fluktuieren, schwanken; **'pen·du·lous** [-ləs] *adj.* hängend, pendelnd; Hänge...(*-bauch etc.*), Pendel...(*-bewegung etc.*); **'pen·du·lum** [-ləm] **I.** *s.* **1.** *phys.* Pendel *n*; **2.** ⊕ **a)** Pendel *n*, Perpen'dikel *m*, *n* (*Uhr*), **b)** Schwunggewicht *n*; **3.** *fig.* Pendelbewegung *f*, wechselnde Stimmung *od.* Haltung; → *swing 20*; **II.** *adj.* **4.** Pendel... (*-säge, -uhr, -waage etc.*): ~ *wheel* Unruhe *der Uhr*.

pen·e·tra·bil·i·ty [penitrə'biliti] *s.* Durch'dringbarkeit *f*, Durch'dringlichkeit *f*; **pen·e·tra·ble** ['penitrəbl] *adj.* □ durch'dringlich, erfaßbar, erreichbar; **pen·e·tra·li·a** [peni'treiljə] (*Lat.*) *s. pl.* **1.** *das* Innerste, *das* Aller'heiligste; **2.** *fig.* Geheimnisse *pl.*; in'time Dinge *pl.*

pen·e·trate ['penitreit] **I.** *v/t.* **1.** durch'dringen, eindringen in (*acc.*), durch'bohren; ⚔ durch'stoßen; **2.** *fig. seelisch* durch'dringen, erfüllen; **3.** *fig. geistig* eindringen in (*acc.*), ergründen, durch'schauen; **II.** *v/i.* **4.** eindringen, 'durchdringen (*into*, *to* in *acc.*, zu); ✈, ⚔ einfliegen; **5.** 'durch-, vordringen (*to* zu); **6.** *fig.* ergründen: *to* ~ *into a secret*; **'pen·e·trat·ing** [-tiŋ] *adj.* □ **1.** 'durchdringend, durch'bohrend (*a. Blick*): ~ *power* ⚔ Durchschlagskraft; **2.** *fig.* durch'dringend, scharf(sinnig); **pen·e·tra·tion** [peni'treiʃən] *s.* **1.** Ein-, 'Durchdringen, Durch'bohren *n*: *peaceful* ~ *fig. pol.* friedliche Durchdringung *e-s Landes*; **2.** Eindringungsvermögen *n*, 'Durchschlagskraft *f* (*e-s Geschosses*); Tiefenwirkung *f*; **3.** ⚔ 'Durch-, Einbruch *m*; ✈ Einflug *m*; **4.** *phys.* Schärfe *f*, Auflösungsvermögen *n* (*Auge, Objektiv etc.*); **5.** *fig.* Ergründung *f*; **6.** *fig.* Scharfsinn *m*, durch'dringender Verstand; '**pen·e·tra·tive** [-trətiv] *adj.* □ → *penetrating*.

'**pen-friend** *s.* Brieffreund(in).

pen·guin ['peŋgwin] *s.* Pinguin *m.*

'**pen·hold·er** *s.* Federhalter *m.*

pen·i·cil·lin [peni'silin] *s.* ⚕ Peni'cillin *n.*

pen·in·su·la [pi'ninsjulə] *s.* Halbinsel *f*; **pen'in·su·lar** [-lə] *adj.* **1.** Halbinsel...; **2.** halbinselförmig.

pe·nis ['pi:nis] *s. anat.* Penis *m.*

pen·i·tence ['penitəns] *s.* Bußfertigkeit *f*, Buße *f*, Reue *f*; '**pen·i·tent** [-nt] **I.** *adj.* □ **1.** bußfertig, reuig, zerknirscht; **II.** *s.* **2.** Bußfertige(r *m*) *f*, Büßer(in); **3.** Beichtkind *n*; **pen·i·ten·tial** [peni'tenʃəl] *eccl.* **I.** *adj.* □ bußfertig, Buß...; **II.** *s. a.* ~ *book R.C.* Buß-, Pöni'tenzbuch *n*; **pen·i·ten·tia·ry** [peni'tenʃəri] **I.** *s.* **1.** *eccl.* Bußpriester *m*; **2.** *Am.* Zuchthaus *n*, Strafanstalt *f*; **3.** Besserungsanstalt *f*; **II.** *adj.* **4.** *eccl.* Buß...

'**pen|·knife** *s.* [*irr.*] Feder-, Taschenmesser *n*; '**~·man** [-mən] *s.* [*irr.*] **1.** Schönschreiber *m*, Kalli'graph *m*; **2.** Schriftsteller *m*; '**~·man·ship** [-mənʃip] *s.* **1.** Schreibkunst *f*; **2.** Stil *m*; schriftstellerisches Können; '**~-name** *s.* Schriftstellername *m*, Pseudo'nym *n.*

pen·nant ['penənt] *s.* **1.** ⚓, ⚔ Wimpel *m*, Stander *m*, kleine Flagge; **2.** (Lanzen)Fähnchen *n*; **3.** *sport Am.* Siegeswimpel *m*; *fig.* Meisterschaft *f*; **4.** ♪ *Am.* Fähnchen *n.*

pen·ni·less ['penilis] *adj.* □ ohne (e-n Pfennig) Geld, mittellos, ganz arm.

pen·non ['penən] *s.* **1.** *bsd.* ⚔ Fähnlein *n*, Wimpel *m*, Lanzenfähnchen *n*; **2.** Fittich *m*, Schwinge *f.*

Penn·syl·va·nia Dutch [pensil'veinjə] *s.* **1.** *coll.* in Pennsyl'vania lebende 'Deutsch-Ameri,kaner *pl.*; **2.** *ling.* Pennsyl'vanisch-Deutsch *n.*

pen·ny ['peni] *pl.* **-nies** *od. coll.* **pence** [pens] *s.* **1. a)** *brit.* Penny *m*, (=£0.01=1p), **b)** *Am.* Centstück *n*: *in for a* ~, *in for a pound* wer A sagt, muß auch B sagen; *the* ~ *dropped humor.* ‚der Groschen ist gefallen' (bei ihm *etc.*); **2.** *fig.* Pfennig *m*, Heller *m*, Kleinigkeit *f*: *not worth a* ~ keinen Heller wert; *he hasn't a* ~ *to bless himself with* er hat keinen roten Heller; *a* ~ *for your thoughts* ich gäb' was dafür, wenn ich wüßte, woran Sie jetzt denken; **3.** *fig.* Geld *n*: *to turn an honest* ~ sich et. (durch ehrliche Arbeit) (da'zu-)verdienen; *a pretty* ~ ein hübsches Sümmchen.

'**pen·ny|-a-'lin·er** *s. bsd. Brit.* Schreiberling *m*, Zeilenschinder *m*; **~ dread·ful** *s.* 'Groschen-, 'Schauerro,man *m*; Groschenblatt *n*; '**~-in-the-'slot** *adj.* aus dem 'Groschenauto,maten, Automaten...: ~ *machine* (Verkaufs)Automat; '**~-weight** *s. Brit.* Pennygewicht *n* ($1^1/_2$ *Gramm*); '**~-wise** *adj.* sparsam in Kleinigkeiten: ~ *and pound-foolish* im Kleinen sparsam, im Großen verschwenderisch; '**~·worth** ['penəθ] *s.* **1.** was man für e-n Penny kaufen kann, Pfennigwert *m*: *a* ~ *of tobacco* für e-n Penny Tabak; **2.** (wohlfeiler) Kauf.

pe·no·log·ic *adj.*; **pe·no·log·i·cal** [pi:nə'lɔdʒik(əl)] *adj.* □ ⚖ krimi'nalkundlich, Strafvollzugs...; **pe·nol·o·gist** [pi:'nɔlədʒist] *s.* Strafrechtler *m*; **pe·nol·o·gy** [pi:'nɔlədʒi] *s.* Krimi'nalstrafkunde *f*, *bsd.* Strafvollzugslehre *f.*

pen·sion[1] ['pɑ̃:ŋsiɔ̃:ŋ; pɑ̃sjɔ̃] (*Fr.*) *s.* **1.** Pensi'on *f*, Fremdenheim *n*; **2.** Pensio'nat *n*, Inter'nat *n* (*bsd. auf dem Kontinent*).

pen·sion[2] ['penʃən] **I.** *s.* **Pensi'on** *f*, Ruhegeld *n*, Rente *f*: ~ *fund* Pensionskasse; *entitled to a* ~ pensionsberechtigt; **II.** *v/t. oft* ~ *off j-n* pensionieren; '**pen·sion·a·ble** [-ʃnəbl] *adj.* **1.** pensi'onsberechtigt; **2.** zu e-r Pensi'on berechtigend; '**pen·sion·ar·y** [-ʃnəri], '**pen·sion·er** [-ʃənə] *s.* **1.** Pensio'när *m*, Ruhegeldempfänger(in), Rentner(in); **2.** *fig. contp.* Mietling *m.*

pen·sive ['pensiv] *adj.* □ **1.** nachdenklich, sinnend, gedankenvoll; **2.** ernst, tiefsinnig; '**pen·sive·ness** [-nis] *s.* Nachdenklichkeit *f*; Tiefsinn *m*, Ernst *m.*

'**pen·stock** *s.* ⊕ **1.** Wehr *n*, Stauanlage *f*, Schleuse *f*; **2.** *Am.* Rohrzuleitung *f*, Druckrohr *n.*

pen·ta·cle ['pentəkl] → *pentagram.*

pen·ta·gon ['pentəgən] *s.* ⊿ Fünfeck *n*: *the* ♀ *Am.* das Pentagon (*Gebäude des amer. Verteidigungsministeriums*); **pen·tag·o·nal** [pen'tægənl] *adj.* fünfeckig; '**pen·ta·gram** [-græm] *s.* Penta'gramm *n*, Drudenfuß *m*; '**pen·ta·grid** [-grid] *adj. Radio*: Fünfgitter...: ~ *valve* Fünfgitterröhre; **pen·ta·he·dral** [pentə'hi:drəl] *adj.* ⊿ fünfflächig; **pen·ta·he·dron** [pentə'hedrən] *pl.* **-drons** *od.* **-dra** [-drə] *s.* ⊿ ,Penta'eder *n*; **pen·tam·e·ter** [pen'tæmitə] *s.* Pen'tameter *m.*

Pen·ta·teuch ['pentətju:k] *s. bibl.* Penta'teuch *m*, die Fünf Bücher Mose.

pen·tath·lete [pen'tæθli:t] *s. sport* Fünfkämpfer(in); **pen'tath·lon** [-lɔn] *s. sport* Fünfkampf *m.*

pen·ta·va·lent [pentə'veilənt] *adj.* ⚗ fünfwertig.

Pen·te·cost ['pentikɔst] *s.* Pfingsten *n od. pl.*, Pfingstfest *n*; **Pen·te·cos·tal** [penti'kɔstl] *adj.* pfingstlich; Pfingst...

pent·house ['penthaus] *s.* △ **1.** Wetter-, Vor-, Schirmdach *n*; **2.** Anbau *m*, Nebengebäude *n*, angebauter Schuppen; **3.** Penthouse *n*, 'Dachter,rassenwohnung *f.*

pen·tode ['pentoud] *s.* ⚡ Pen'tode *f*, Fünfpolröhre *f.*

'**pent-'up** *adj.* **1.** eingepfercht; **2.** *fig.* angestaut (*Gefühle*): ~ *demand* ✝ *Am.* Nachholbedarf.

pe·nult [pi'nʌlt] *s. ling.* vorletzte Silbe; **pe'nul·ti·mate** [-timit] **I.** *adj.* vorletzt; **II.** *s.* → *penult.*

pe·num·bra [pi'nʌmbrə] *pl.* **-bras** *s.* Halbschatten *m.*

pe·nu·ri·ous [pi'njuəriəs] *adj.* □ **1.** geizig, knauserig; **2.** karg; **pen·u·ry** ['penjuri] *s.* Knappheit *f*, Armut *f*, Not *f*, Mangel *m.*

pe·on [pju:n] *s.* **1.** Sol'dat *m*, Poli'zist *m*, Bote *m* (*in Indien u. Ceylon*); **2.** Tagelöhner *m* (*in Südamerika*); **3.** (*durch Geldschulden*) zu Dienst verpflichteter Arbeiter (*Mexiko*); '**pe·on·age** [-nidʒ], '**pe·on·ism** [-nizəm] *s.* Dienstbarkeit *f*, Leibeigenschaft *f.*

pe·o·ny ['pi:əni] *s.* ⚘ Pfingstrose *f.*

peo·ple ['pi:pl] **I.** *s.* **1.** *pl. konstr.* die Leute *pl.*, die Menschen *pl.*: *English* ~ (die) Engländer; *London* ~ die Londoner (Bevölkerung); *country* ~ Landleute, -bevölkerung; *literary* ~ (die) Literaten; *a great many* ~ sehr viele Leute; *some* ~ manche; *he of all* ~ ausgerechnet er; **2.** *the* ~ **a)** *a. sg. konstr.* das *gemeine* Volk, **b)** die Bürger *pl.*, die Wähler *pl.*; **3.** *pl.* ~s Volk *n*, Nati'on *f*: *the* ~*s of Europe*; *the chosen* ~ das auserwählte Volk; **4.** *pl. konstr.* F *j-s* Angehörige *pl.*, Fa'milie *f*: *my* ~ m-e Leute; **5.** F man: ~ *say* man sagt; **II.** *v/t.* **6.** bevölkern (*with* mit).

peo·ple's re·pub·lic *s. pol.* 'Volksrepu,blik *f*: *the* ♀ *of Poland.*

pep [pep] *sl.* **I.** *s.* E'lan *m*, Schwung *m*, ‚Schmiß' *m*: ~ *pill* Aufputschungsmittel; ~ *talk* Anfeuerung, ermunternde Worte; **II.** *v/t.* ~ *up* **a)** *j-n* ‚aufmöbeln', in Schwung bringen, **b)** *j-n* anfeuern, **c)** *Geschichte* ‚pfeffern'.

pep·per ['pepə] **I.** *s.* **1.** Pfeffer *m* (*a. fig. et. Scharfes*); **2.** ⚘ Pfefferstrauch *m*, *bsd.* **a)** Spanischer Pfeffer, **b)** Roter Pfeffer, Cay'ennepfeffer *m*, **c)** Paprika *m*; **3.** pfefferähnliches Gewürz: ~ *cake* Ingwerkuchen; **II.** *v/t.* **4.** pfeffern; **5.** *fig. Stil etc.* würzen; **6.** *fig.* sprenkeln, bestreuen; **7.** *fig.* ‚bepfeffern', bombardieren (*a. mit Fragen etc.*); **8.** *fig.* 'durchprügeln; '**~-and-'salt I.** *adj.* pfeffer-und-'salz-farbig, graugesprenkelt (*Stoff*); **II.** *s.* Anzug *m* aus pfeffer-und-salz-farbenem Stoff; '**~·box** *s. bsd. Brit.*, '**~-cast·or** *s.* Pfefferbüchse *f*, -streuer *m*; '**~·corn** *s.* Pfefferkorn *n*; '**~·mint** *s.* **1.** ⚘ Pfefferminze *f*; **2.** Pfefferminzöl *n*; **3.** *a.* ~ *drop*, ~ *lozenge* Pfefferminzplätzchen *n.*

pep·per·y ['pepəri] *adj.* **1.** pfefferig, scharf; **2.** *fig.* hitzig, jähzornig; **3.** beißend, scharf (*Stil*).

pep·py ['pepi] *adj. sl.* schwungvoll, ‚schmissig', forsch.

pep·sin ['pepsin] *s.* ⚗ Pep'sin *n*; **pep·tic** ['peptik] *anat. adj.* **1.** Verdauungs...: ~ *gland* Magendrüse; ~ *ulcer* ⚕ Magengeschwür; **2.** verdauungsfördernd, peptisch; **pep·tone** ['peptoun] *s. physiol.* Pep'ton *n.*

per [pə:; pə] *prp.* **1.** per, durch: ~ *bearer* durch Überbringer; ~ *post* durch die Post, auf dem Postwege; ~ *rail* per Bahn; **2.** pro, je, für: ~ *annum* pro Jahr, jährlich; ~ *capita* pro

Kopf, pro Person; ~ *capita quota* Kopfbetrag; ~ *cent* pro *od.* vom Hundert; ~ *second* in der *od.* pro Sekunde; **3.** laut, gemäß (✝ *a. as* ~).

per·ad·ven·ture [pərəd'ventʃə] *adv. obs.* viel'leicht, ungefähr.

per·am·bu·late [pə'ræmbjuleit] **I.** *v/t.* **1.** durch'wandern, -'reisen, -'ziehen; **2.** bereisen, besichtigen; **3.** die Grenzen *e-s Gebiets* abschreiten; **II.** *v/i.* **4.** um'herwandern; **per·am·bu·la·tion** [pəræmbju'leiʃən] *s.* **1.** Durch'wanderung *f*; **2.** Bereisen *n*, Besichtigung(sreise) *f*; **3.** Grenzbegehung *f*; **per·am·bu·la·tor** ['præmbjuleitə] *s.* **1.** *bsd. Brit.* Kinderwagen *m*; **2.** Durch'wanderer *m*; **3.** *surv.* Meßrad *n*.

per·ceiv·a·ble [pə'si:vəbl] *adj.* □ **1.** wahrnehmbar, spürbar, merklich; **2.** verständlich; **per·ceive** [pə'si:v] *v/t. u. v/i.* **1.** wahrnehmen, empfinden, (be)merken, spüren; **2.** verstehen, erkennen, begreifen.

per·cent, *Brit.* **per cent** [pə'sent] **I.** *adj.* **1.** ...prozentig; **II.** *s.* **2.** Pro'zent *n* (⁰/₀); **3.** *pl.* 'Wertpa,piere *pl.* mit feststehendem Zinssatz: *three per cents* dreiprozentige Wertpapiere; **per'cent·age** [-tidʒ] *s.* **1.** Pro'zent-, Hundertsatz *m*; Prozentgehalt *m*: ~ *by weight* Gewichtsprozent; **2.** ✝ Pro'zente *pl.*; **3.** *weitS.* Teil *m*, Anteil *m* (*of* an *dat.*); **4.** ✝ Gewinnanteil *m*, Provisi'on *f*, Tan'tieme *f*.

per·cept ['pə:sept] *s. phls.* wahrgenommener Gegenstand; **per·cep·ti·bil·i·ty** [pəseptə'biliti] *s.* Wahrnehmbarkeit *f*; **per·cep·ti·ble** [pə'septəbl] *adj.* □ wahrnehmbar, merklich; **per·cep·tion** [pə'sepʃən] *s.* **1.** (sinnliche *od.* geistige) Wahrnehmung, Empfindung *f*; **2.** Wahrnehmungsvermögen *n*; **3.** Auffassung(skraft) *f*; **4.** Begriff *m*, Vorstellung *f*; **5.** Erkenntnis *f*; **per·cep·tion·al** [pə'sepʃnəl] *adj.* Wahrnehmungs..., Empfindungs...; **per·cep·tive** [pə'septiv] *adj.* □ **1.** wahrnehmend, Wahrnehmungs...; **2.** auffassungsfähig, scharfsichtig; **per·cep·tiv·i·ty** [pəsep'tiviti] *s.* Wahrnehmungsvermögen *n*.

perch[1] [pə:tʃ] *pl.* '**perch·es** [-iz] *od.* **perch** *s. ichth.* Flußbarsch *m*.

perch[2] [pə:tʃ] **I.** *s.* **1.** (Auf)Sitzstange *f für Vögel*, Hühnerstange *f*; **2.** F *fig.* hoher (sicherer) Sitz, 'Thron' *m*: *to knock s.o. off his* ~ *fig.* j-n besiegen *od.* demütigen; *come off your* ~! F tu nicht so überlegen!; **3.** *surv.* Meßstange *f*; **4.** Rute *f* (*Längenmaß = 5,029 m*); **5.** ⚓ Pricke *f*; **6.** Lang-, Lenkbaum *m e-s Wagens*; **II.** *v/i.* **7.** sich setzen *od.* niederlassen (*on* auf *acc.*), sitzen (*Vögel*); *fig.* hoch sitzen; **III.** *v/t.* **8.** (*auf et. Hohes*) setzen: *to* ~ *o.s.* sich setzen; *to be* ~*ed* sitzen.

per·chance [pə'tʃɑ:ns] *adv. poet.* viel'leicht, zufällig.

perch·er ['pə:tʃə] *s. orn.* Sitzvogel *m*.

per·chlo·rate [pə'klɔ:rit] *s.* ⚗ Perchlo'rat *n*; **per'chlo·ric** [-ik] *adj.* 'überchlorig: ~ *acid* Über- *od.* Perchlorsäure.

per·cip·i·ence [pə(:)'sipiəns] *s.* **1.** Wahrnehmen *n*; **2.** Wahrnehmung(svermögen *n*) *f*; **per'cip·i·ent** [-nt] *adj.* wahrnehmend, Wahrnehmungs...

per·co·late ['pə:kəleit] **I.** *v/t.* **1.** *Kaffee etc.* filtern, 'durchseihen, 'durchsickern lassen; **II.** *v/i.* **2.** 'durchsintern, -sickern: *percolating tank* Sickertank; **3.** gefiltert werden; **per·co·la·tion** [pə:kə'leiʃən] *s.* 'Durchseihung *f*, Filtrati'on *f*; '**per·co·la·tor** [-tə] *s.* Filtriertrichter *m*, Perko'lator *m*, 'Kaffee(filter)ma,schine *f*.

per·cuss [pə'kʌs] *v/t. u. v/i.* ⚕ perkutieren, abklopfen; **per'cus·sion** [-ʌʃən] **I.** *s.* **1.** Schlag *m*, Stoß *m*, Erschütterung *f*, Aufschlag *m*; **2.** ⚕ **a)** Perkus'sion *f*, **b)** 'Klopfmas,sage *f*; **3.** ♪ *coll.* 'Schlaginstru,mente *pl.*, -zeug *n*; **II.** *adj.* **4.** Schlag..., Stoß..., Zünd...: ~ *cap* Zündhütchen; ~ *fuse* ⚔ Aufschlagzünder; ~ *instrument* ♪ Schlaginstrument; **III.** *v/t.* **5.** ⚕ **a)** perkutieren, **b)** durch Beklopfen massieren; **per'cus·sion·ist** [-ʌʃnist] *s.* ♪ Schlagzeuger *m*; **per'cus·sive** [-siv] *adj.* schlagend, Schlag..., Stoß...

per·cu·ta·ne·ous [pə:kju(:)'teinjəs] *adj.* □ ⚕ perku'tan, durch die Haut hin'durch.

per di·em [pə:'daiem] **I.** *adj. u. adv.* täglich; **II.** *s. Am.* Tagegeld *n*.

per·di·tion [pə:'diʃən] *s.* **1.** Verderben *n*; **2.** ewige Verdammnis; Hölle *f*.

per·du(e) [pə:'dju:] *adj.* im 'Hinterhalt, auf der Lauer.

per·e·gri·nate ['perigrineit] **I.** *v/i.* wandern, um'herreisen; **II.** *v/t.* durch'wandern, bereisen; **per·e·gri·na·tion** [perigri'neiʃən] *s.* **1.** Wandern *n*, Wanderschaft *f*; **2.** Wanderung *f*; **3.** *fig.* Weitschweifigkeit *f*.

per·emp·to·ri·ness [pə'remptərinis] *s.* **1.** Entschiedenheit *f*, Bestimmtheit *f*; herrisches Wesen; **2.** Endgültigkeit *f*; **per·emp·to·ry** [pə'remptəri] *adj.* □ **1.** entschieden, bestimmt; gebieterisch, herrisch; **2.** entscheidend, endgültig; zwingend, defini'tiv: *a* ~ *command*.

per·en·ni·al [pə'renjəl] **I.** *adj.* □ **1.** das ganze Jahr hin'durch dauernd, beständig; **2.** immerwährend, anhaltend; **3.** ⚘ perennierend, winterhart; **II.** *s.* **4.** ⚘ perennierende Pflanze.

per·fect ['pə:fikt] **I.** *adj.* □ → *perfectly*; **1.** 'vollkommen, voll'endet, fertig, fehler-, makellos, ide'al: *to make* ~ vervollkommnen; ~ *pitch* ♪ absolutes Gehör; **2.** gründlich (ausgebildet), per'fekt (*in* in *dat.*); **3.** gänzlich, 'vollständig: *a* ~ *circle*; ~ *strangers* wildfremde Leute; **4.** F rein, bar, bloß: ~ *nonsense*; *a* ~ *fool* ein ausgemachter Narr; **5.** voll'endet: ~ *participle* Mittelwort der Vergangenheit; ~ *tense* Perfekt; **II.** *s.* **6.** *ling.* Perfekt *n*: *past* ~ Plusquamperfekt; **III.** *v/t.* [pə'fekt] **7.** voll'enden; ver'vollkommnen (*a. fig.*): *to* ~ *o.s. in* sich vervollkommnen in (*dat.*); **per·fect·i·ble** [pə'fektəbl] *adj.* ver'vollkommnungsfähig; **per·fec·tion** [pə'fekʃən] **I.** *s.* **1.** Ver'vollkommnung *f*; **2.** *fig.* Voll'kommenheit *f*, Voll'endung *f*, Perfekti'on *f*: *to bring to* ~ vervollkommnen; *to* ~ vollkommen, meisterlich; **3.** Vortrefflichkeit *f*; **4.** Fehler-, Makellosigkeit *f*; **5.** *fig.* Gipfel *m*; **per·fec·tion·ist** [pə'fekʃnist] *s.* j-d der *bei jeder Arbeit* nach fehlerloser Leistung strebt, Perfektio'nist *m*; '**per·fect·ly** [-ktli] *adv.* **1.** vollkommen, fehlerlos; gänzlich, völlig; **2.** F ganz, geradezu, einfach *wunderbar etc.*

per·fid·i·ous [pə:'fidiəs] *adj.* □ treulos, verräterisch, falsch, heimtückisch; **per'fid·i·ous·ness** [-nis], **per·fi·dy** ['pə:fidi] *s.* Treulosigkeit *f*, Falschheit *f*, Perfi'die *f*, Tücke *f*, Verrat *m*.

per·fo·rate I. *v/t.* ['pə:fəreit] durch'bohren, -'löchern, lochen, perforieren: ~*d disk* ⊕ (Kreis)Lochscheibe; ~*d tape* Lochstreifen; ~*ed card system* Hollerithsystem; **II.** *adj.* [-rit] durch'löchert, gelocht; **per·fo·ra·tion** [pə:fə'reiʃən] *s.* **1.** Durch'bohrung *f*, -'lochung *f*, -'löcherung *f*, Perforati'on *f*; **2.** Lochung *f*, gelochte Linie; **3.** Loch *n*, Öffnung *f*; '**per·fo·ra·tor** [-tə] *s.* Locher *m* (*Gerät*).

per·force [pə'fɔ:s] *adv.* notgedrungen.

per·form [pə'fɔ:m] **I.** *v/t.* **1.** *Arbeit, Dienst etc.* verrichten, leisten, machen, tun, ausführen; **2.** voll'bringen, -'ziehen, 'durchführen; *e-r Verpflichtung* nachkommen, *e-e Pflicht, a. e-n Vertrag* erfüllen; **3.** *Theaterstück, Konzert etc.* aufführen, geben, spielen; *e-e Rolle* spielen, darstellen; **II.** *v/i.* **4.** et. ausführen *od.* leisten; ⊕ funktionieren, arbeiten; **5.** ⚖ leisten: *able to* ~ leistungsfähig; **6.** *thea. etc.* e-e Vorstellung geben, auftreten, vortragen: *to* ~ *on the piano* Klavier spielen, auf dem Klavier et. vortragen; **per'form·ance** [-məns] *s.* **1.** Verrichtung *f*, Aus-, 'Durchführung *f*; **2.** Tat *f*, Werk *n*; **3.** Voll'ziehung *f*, Erfüllung *f* (*Pflicht, Versprechen*); **4.** ⚖ Leistung *f*; (Vertrags)Erfüllung *f*: ~ *in kind* Sachleistung; **5.** ♪, *thea.* Aufführung *f*; Vorstellung *f*; Vortrag *m*; **6.** *thea.* Darstellung(skunst) *f*, Spiel *n*; **7.** Leistung *f* (*a.* ⊕): ~ *principle sociol.* Leistungsprinzip; ~ *test ped.* Leistungsprüfung; **per'form·er** [-mə] *s.* Schauspieler(in); Darsteller(in); Musiker(in); Künstler(in); **per'form·ing** [-miŋ] *adj.* dressiert (*Tier*).

per·fume I. *v/t.* [pə'fju:m] **1.** mit Duft erfüllen, parfümieren (*a. fig.*); **II.** *s.* ['pə:fju:m] **2.** Duft *m*, Wohlgeruch *m*; **3.** Par'füm *n*, Duftstoff *m*; **per'fum·er** [-mə] *s.* Parfüme'riehändler *m*, Parfü'meur *m*; **per'fum·er·y** [-məri] *s.* Parfüme'rien *pl.*; Parfüme'rie(geschäft *n*) *f*.

per·func·to·ry [pə'fʌŋktəri] *adj.* □ **1.** oberflächlich, obenhin, nachlässig, flüchtig; **2.** me'chanisch, inter'esselos.

per·go·la ['pə:gələ] *s.* Laube *f*, offener Laubengang, 'Pergola *f*.

per·haps [pə'hæps, præps] *adv.* viel'leicht.

per·i·car·di·tis [perikɑ:'daitis] *s.* ⚕ Herzbeutelentzündung *f*, Perikar'ditis *f*; **per·i·car·di·um** [peri'kɑ:-

djəm] *pl.* **-di·a** [-djə] *s. anat.* **1.** Herzbeutel *m*; **2.** Herzfell *n*.

per·i·carp ['perikɑ:p] *s.* ♀ Fruchthülle *f*.

per·i·gee ['peridʒi:] *s. ast.* Erdnähe *f*.

per·i·he·li·on [peri'hi:ljən] *s. ast.* Sonnennähe *f e-s Planeten*.

per·il ['peril] **I.** *s.* Gefahr *f*, Risiko *n* (*a.* ♆): *in ~ of one's life* in Lebensgefahr; *at (one's) ~* auf eigene Gefahr; *at the ~ of* auf die Gefahr hin, daß; **II.** *v/t.* gefährden; '**per·il·ous** [-ləs] *adj.* □ gefährlich.

per·im·e·ter [pə'rimitə] *s.* **1.** ✎ 'Umkreis *m*; **2.** Periphe'rie *f*: *~ position* ⚔ Randstellung.

per·i·ne·um [peri'ni:əm] *pl.* **-ne·a** [-ə] *s. anat.* Damm *m*, Schamleiste *f*.

pe·ri·od ['piəriəd] **I.** *s.* **1.** Peri'ode *f* (*a.* ✎, ♪), Zeit(dauer *f*, -raum *m*, -spanne *f*) *f*, Frist *f*: *~ of appeal* ⚖ Berufungsfrist; *~ of exposure phot.* Belichtungszeit; *~ of office* Amtsdauer; *for a ~* für einige Zeit; *for a ~ of* auf die Dauer von; **2.** *ast.* 'Umlaufszeit *f*; **3.** (vergangenes *od.* gegenwärtiges) Zeitalter: *glacial ~* Eiszeit; *dresses of the ~* zeitgenössische Kleider; *a girl of the ~* ein modernes Mädchen; **4.** *ped.* ('Unterrichts)Stunde *f*; **5.** *a. monthly ~* (*od. ~s pl.*) ⚕ Periode *f der Frau*; **6.** ⚡ Periode *f*, Schwingungsdauer *f*; **7.** (Sprech)Pause *f*, Absatz *m*; **8.** *ling.* **a)** Punkt *m*: *to put a ~ to fig. e-r Sache* ein Ende setzen, **b)** Satzgefüge *n*, **c)** *pl.* blumiger Stil; **II.** *adj.* **9. a)** zeitgeschichtlich, Zeit...: *a ~ play* ein Zeitstück, **b)** Stil...: *~ furniture*; *~ house* Haus im Zeitstil.

pe·ri·od·ic¹ [piəri'ɔdik] *adj.* (□ *~ally*) **1.** peri'odisch, Kreis..., regelmäßig 'wiederkehrend; **2.** *ling.* rhe'torisch, wohlgefügt (*Satz*).

per·i·od·ic² [pə:ai'ɔdik] *adj.* ⚗ per-, 'überjodsauer: *~ acid* Überjodsäure.

pe·ri·od·i·cal [piəri'ɔdikəl] **I.** *adj.* □ **1.** → *periodic¹*; **2.** regelmäßig erscheinend; **3.** Zeitschriften...; **II.** *s.* **4.** Zeitschrift *f*; **pe·ri·o·dic·i·ty** [piəriə'disiti] *s.* **1.** Periodizi'tät *f* (*a.* ⚕); **2.** ⚗ Stellung *f e-s* Ele'ments in der A'tomgewichtstafel; **3.** ⚡ Fre'quenz *f*.

per·i·os·te·um [peri'ɔstiəm] *pl.* **-te·a** [-ə] *s. anat.* Knochenhaut *f*; **per·i·os·ti·tis** [periɔs'taitis] *s.* ⚕ Knochenhautentzündung *f*.

per·i·pa·tet·ic [peripə'tetik] *adj.* (□ *~ally*) **1.** um'herwandelnd; **2.** ♀ *phls.* peripa'tetisch; **3.** *fig.* weitschweifig.

pe·riph·er·al [pə'rifərəl] *adj.* □ **1.** peri'pherisch, Rand...; **2.** *anat.* pe-ri'pher; **pe·riph·er·y** [pe'rifəri] *s.* Periphe'rie *f*; *fig. a.* Rand *m*, Grenze *f*.

pe·riph·ra·sis [pə'rifrəsis] *pl.* **-ses** [-si:z] *s.* Um'schreibung *f*, Peri'phrase *f*; **per·i·phras·tic** [peri'fræstik] *adj.* (□ *~ally*) um'schreibend.

per·i·scope ['periskoup] *s.* ⚔ **1.** Sehrohr *n* (*U-Boot, Panzer*); **2.** Beobachtungsspiegel *m*.

per·ish ['periʃ] **I.** *v/i.* **1.** 'umkommen, 'untergehen, zu'grunde gehen, sterben, (tödlich) verunglücken (*by, of, with* durch, von, an *dat.*): *to ~ by drowning* ertrinken; *~ the thought!* daran ist nicht zu denken!; **2.** hinschwinden, absterben, eingehen; **II.** *v/t.* **3.** vernichten (*mst pass.*): *to be ~ed with* F umkommen vor *Kälte etc.*; '**per·ish·a·ble** [-ʃəbl] **I.** *adj.* □ vergänglich; leichtverderblich (*Lebensmittel etc.*); **II.** *s. pl.* leichtverderbliche Waren *pl.*; '**per·ish·er** [-ʃə] *s. Brit. sl.* Lümmel *m*; '**per·ish·ing** [-ʃiŋ] **I.** *adj.* □ vernichtend, tödlich (*a. fig.*); **II.** *adv.* F scheußlich, verflixt.

per·i·style ['peristail] *s.* ⚠ Säulengang *m*.

per·i·to·n(a)e·um [peritou'ni:əm] *pl.* **-ne·a** [-ə] *s. anat.* Bauchfell *n*; **per·i·to'ni·tis** [-tə'naitis] *s.* ⚕ Bauchfellentzündung *f*.

per·i·wig ['periwig] *s.* Pe'rücke *f*.

per·i·win·kle¹ ['periwiŋkl] *s.* ♀ Immergrün *n*.

per·i·win·kle² ['periwiŋkl] *s. zo.* (*eßbare*) Uferschnecke.

per·jure ['pə:dʒə] *v/t.*: *~ o.s.* e-n Meineid leisten, meineidig werden; *~d* meineidig; '**per·jur·er** [-ərə] *s.* Meineidige(r *m*) *f*; '**per·ju·ry** [-dʒəri] *s.* Meineid *m*.

perk¹ [pə:k] *s. mst pl. bsd. Brit.* F freiwillige Sozi'alleistung (*des Arbeitgebers*).

perk² [pə:k] **I.** *v/i. mst ~ up* **1.** (lebhaft) den Kopf recken, munter werden; **2.** *fig.* die Nase hochtragen, selbstbewußt *od.* frech auftreten; **3.** *fig.* sich erholen; **II.** *v/t. mst ~ up* **4.** *den Kopf* recken; *die Ohren* spitzen: *to ~ (up) one's ears*; **5.** *~ o.s. (up)* **a)** sich hübsch machen, **b)** *fig.* munter werden; '**perk·i·ness** [-kinis] *s.* Keckheit *f*, Selbstbewußtsein *n*; '**perk·y** [-ki] *adj.* □ **1.** flott, forsch; **2.** keck, dreist, frech.

perm [pə:m] *s.* F Dauerwelle *f*.

per·ma·nence ['pə:mənəns] *s.* **1.** Perma'nenz *f* (*a. phys.*), Ständigkeit *f*, (Fort)Dauer *f*; **2.** Beständigkeit *f*, Dauerhaftigkeit *f*; '**per·ma·nen·cy** [-si] **1.** → *permanence*; **2.** et. Dauerhaftes *od.* Bleibendes; feste Anstellung, Dauerstellung *f*; '**per·ma·nent** [-nt] *adj.* □ (fort)dauernd, bleibend, perma'nent; ständig (*Ausschuß, Bauten, Personal, Wohnsitz etc.*); dauerhaft, Dauer... (*-magnet, -stellung, -ton, -wirkung etc.*), mas'siv (*Bau*): *~ assets* ♆ Anlagevermögen; *~ call teleph.* Dauerbelegung; *~ situation* ♆ Dauer-, Lebensstellung; *~ wave* Dauerwelle; *~ way* 🚂 Bahnkörper, Oberbau.

per·man·ga·nate [pə:'mæŋgənit] *s.* ⚗ Permanga'nat *n*: *~ of potash* Kaliumpermanganat; **per·man·gan·ic** [pə:mæŋ'gænik] *adj.* Übermangan...: *~ acid*.

per·me·a·bil·i·ty [pə:mjə'biliti] *s.* Durch'dringbarkeit *f*, *bsd. phys.* Permeabili'tät *f*: *~ to gas(es) phys.* Gasdurchlässigkeit.

per·me·a·ble ['pə:mjəbl] *adj.* □ durch'dringbar, 'durchlässig (*to* für); **per·me·ance** ['pə:miəns] *s.* **1.** Durch'dringung *f*; **2.** *phys.* ma'gnetischer Leitwert; **per·me·ate** ['pə:mieit] **I.** *v/t.* durch'dringen; **II.** *v/i.* dringen (*into* in *acc.*), sich verbreiten (*among* unter *dat.*), 'durchsickern; **per·me·a·tion** [pə:mi'eiʃən] *s.* Eindringen *n*, Durchdringung *f*.

per·mis·si·ble [pə'misəbl] *adj.* □ zulässig; **per'mis·sion** [-'miʃən] *s.* Erlaubnis *f*, Genehmigung *f*, Zulassung *f*: *by special ~* mit besonderer Erlaubnis; *to ask s.o. for ~* (*od. to ask s.o.'s ~*) j-n um Erlaubnis bitten; **per'mis·sive** [-siv] *adj.* □ **1.** gestattend, zulassend; ⚖ fakul'ta'tiv; **2.** tole'rant, libe'ral: *~ society* tabufreie Gesellschaft; **3.** *obs.* zulässig.

per·mit [pə'mit] **I.** *v/t.* **1.** *et.* erlauben, gestatten, zulassen, dulden: *am I ~ted to* darf ich?; *to ~ o.s. s.th.* sich et. erlauben; **II.** *v/i.* **2.** erlauben: *weather (time) ~ting* wenn es das Wetter (die Zeit) erlaubt; **3.** *~ of fig.* zulassen: *the rule ~s of no exception*; **III.** *s.* ['pə:mit] **4.** Genehmigung(sschein *m*) *f*, Li'zenz *f*, Zulassung *f* (*to* für); ♆ Aus-, Einfuhrerlaubnis *f*; **5.** Aus-, Einreiseerlaubnis *f*; **6.** Passierschein *m*, Ausweis *m*; **per·mit·tiv·i·ty** [pə:mi'tiviti] *s.* ⚡ ˌDielektrizi'tätskonˌstante *f*.

per·mu·ta·tion [pə:mju(:)'teiʃən] *s.* **1.** Vertauschung *f*, Versetzung *f*: *~ lock* Vexierschloß; **2.** ✎ Permutati'on *f*.

per·ni·cious [pə:'niʃəs] *adj.* □ **1.** verderblich, schädlich; **2.** ⚕ bösartig, pernizi'ös; **per'ni·cious·ness** [-nis] *s.* Schädlichkeit *f*; Bösartigkeit *f*.

per·nick·et·y [pə'nikiti] *adj.* **1.** F kleinlich, wählerisch, pe'dantisch; **2.** heikel (*a. Sache*).

per·o·rate ['perəreit] *v/i.* **1.** große Reden schwingen; **2.** e-e Rede abschließen; **per·o·ra·tion** [perə'reiʃən] *s.* (zs.-fassender) Redeschluß.

per·ox·ide [pə'rɔksaid] ⚗ 'Superoˌxyd *n*; *weitS.* 'Wasserstoffˌsuperoˌxyd *n*; **per·ox·i·dize** [-sidaiz] *v/t. u. v/i.* peroxydieren.

per·pen·dic·u·lar [pə:pən'dikjulə] **I.** *adj.* □ **1.** senk-, lotrecht (*to* zu): *~ style* ⚠ englische Spätgotik; **2.** rechtwinklig (*to* auf *dat.*); **3.** ⚒ seiger; **4.** steil; **5.** aufrecht (*a. fig.*); **II.** *s.* **6.** (Einfalls)Lot *n*, Senkrechte *f*; Perpen'dikel *n*, *m*: *out of (the) ~* schief, nicht senkrecht; *to raise (let fall) a ~* ein Lot errichten (fällen); **7.** ⊕ (Senk)Lot *n*, Senkwaage *f*.

per·pe·trate ['pə:pitreit] *v/t. Verbrechen etc.* begehen, verüben; F *fig. Buch etc.* ‚verbrechen'; **per·pe·tra·tion** [pə:pi'treiʃən] *s.* Begehung *f*, Verübung *f*; '**per·pe·tra·tor** [-tə] *s.* Täter *m*; Verbrecher *m*.

per·pet·u·al [pə'petjuəl] *adj.* □ **1.** fort-, immerwährend, unaufhörlich, beständig, ewig, andauernd: *~ motion* beständige Bewegung, Perpetuum mobile; *~ snow* ewiger Schnee, Firn; **2.** lebenslänglich, unabsetzbar: *~ officer*; **3.** ♆ unablösbar, unkündbar: *~ lease*; *~ bonds* Rentenanleihen; **4.** ♀ perennierend; **per'pet·u·ate** *v/t.* [-jueit] verewigen, fortbestehen lassen, (immerwährend) fortsetzen; **per·pet·u·a·tion** [pəpetju'eiʃən] *s.* Fortdauer *f*, endlose Fortsetzung, Verewigung *f*, Fortbestehenlassen *n*;

per·pe·tu·i·ty [pə:pi'tju(:)iti] *s.* **1.** Fortdauer *f*, unaufhörliches Bestehen, Unaufhörlichkeit *f*, Ewigkeit *f*: *in* (*od. to od. for*) ~ auf ewig; **2.** ⚖ Unveräußerlichkeit(sverfügung) *f*; **3.** lebenslängliche (Jahres)Rente.

per·plex [pəˈpleks] *v/t.* verwirren, verblüffen, bestürzt machen; **perˈplexed** [-kst] *adj.* □ **1.** verwirrt, verblüfft, verdutzt, bestürzt (*Person*); **2.** verworren, verwickelt (*Sache*); **perˈplex·i·ty** [-ksiti] *s.* **1.** Verwirrung *f*, Bestürzung *f*, Verlegenheit *f*; **2.** Verworrenheit *f*, Schwierigkeit *f*.

per·qui·site [ˈpəːkwizit] *s.* **1.** *mst pl. bsd. Brit.* Nebeneinkünfte *pl.*, -verdienst *m*; **2.** Vergütung *f*, Gehalt *n*; **3.** perˈsönliches Vorrecht.

per·se·cute [ˈpəːsikjuːt] *v/t.* **1.** *bsd. pol., eccl.* verfolgen; **2.** belästigen, drangsalieren, schikanieren; **per·se·cu·tion** [pəːsiˈkjuːʃən] *s.* **1.** Verfolgung *f*: ~ *mania* Verfolgungswahn; **2.** Drangsalierung *f*, Schiˈkane(n *pl.*) *f*; **ˈper·se·cu·tor** [-tə] *s.* **1.** Verfolger *m*; **2.** Peiniger(in).

per·se·ver·ance [pəːsiˈviərəns] *s.* Beharrlichkeit *f*, Ausdauer *f*; **per·sev·er·ate** [pəˈsevəreit] *v/i.* **1.** *psych.* sponˈtan auftreten; **2.** immer ˈwiederkehren (*Melodie, Motiv*); **per·se·vere** [pəːsiˈviə] *v/i.* (*in*) beharren, ausdauern, aushalten (bei), fortfahren (mit), festhalten (an *dat.*); **per·seˈver·ing** [-əriŋ] *adj.* □ beharrlich, standhaft.

Per·sian [ˈpəːʃən] **I.** *adj.* **1.** persisch; **II.** *s.* **2.** Perser(in); **3.** *ling.* Persisch *n*; ~ **blinds** *s. pl.*. Jalouˈsien *pl.*; ~ **car·pet** *s.* Perserteppich *m*; ~ **cat** *s.* Anˈgorakatze *f*.

per·si·flage [pɛəsiˈflɑːʒ] *s.* Persiˈflage *f*, Verspottung *f*.

per·sim·mon [pəːˈsimən] *s.* ⚘ Persiˈmone *f*, Kaki-, Dattelpflaume *f*.

per·sist [pəˈsist] **I.** *v/i.* **1.** (*in*) aus-, verharren (bei), hartnäckig bestehen (auf *dat.*), beharren (auf *dat.*, bei), unbeirrt fortfahren (mit); **2.** weiterarbeiten (*with* an *dat.*); **3.** fortdauern, anhalten; fort-, weiterbestehen; **perˈsist·ence** [-təns], **perˈsist·en·cy** [-tənsi] *s.* **1.** Beharren *n* (*in* bei); Beharrlichkeit *f*; Fortdauer *f*; **2.** beharrliches *od.* hartnäckiges Fortfahren (*in* in *dat.*); **3.** Hartnäckigkeit *f*, Ausdauer *f*; **4.** *phys.* Beharrung(szustand *m*) *f*, Nachwirkung *f*; Wirkungsdauer *f*; *Fernsehen, Radar etc.*: Nachleuchten *n*; *opt.* (Augen)Trägheit *f*; **perˈsist·ent** [-tənt] *adj.* □ **1.** beharrlich, ausdauernd, hartnäckig; **2.** ständig, nachhaltig; anhaltend (*a.* ✝ *Nachfrage*; *a. Regen*); ⚔ seßhaft (*Kampfstoff*), schwerflüchtig (*Gas*): ~ *current* ⚡ Dauerstrom.

per·son [ˈpəːsn] *s.* **1.** Perˈson *f* (*a. contp.*), (Einzel)Wesen *n*, Indiˈviduum *n*; *weitS.* Perˈsönlichkeit *f*: *any* ~ irgend jemand: *in* ~ in eigener Person, persönlich; *no* ~ niemand; *natural* ~ ⚖ natürliche Person; **2.** *das* Äußere, Körper *m*: *to carry s.th. on one's* ~ et. bei sich tragen; **3.** *thea.* Rolle *f*; **ˈper·son·a·ble** [-nəbl] *adj.* gutaussehend, ansehnlich, stattlich; **ˈper·son·age** [-nidʒ] *s.* **1.** (hohe) Perˈsönlichkeit; **2.** *lit.* Fiˈgur *f*, *thea. a.* Chaˈrakter *m*, Rolle *f*; **ˈper·son·al** [-nl] **I.** *adj.* □ **1.** perˈsönlich (*a. ling.*); Personal...(*-konto, -kredit, -steuer etc.*); Privat...(*-einkommen, -leben etc.*); eigen (*a. Meinung*): ~ *call teleph.* Voranmeldung; ~ *damage* Personenschaden; ~ *data* Personalien; ~ *file* Personalakte; ~ *injury* Körperverletzung; ~ *property* (*od. estate*) → *personalty*; ~ *union pol.* Personalunion; **2.** persönlich, priˈvat, vertraulich (*Brief etc.*); mündlich (*Auskunft etc.*): ~ *matter* Privatsache; **3.** äußer, körperlich: ~ *charms*; ~ *hygiene* Körperpflege; **4.** persönlich, anzüglich (*Bemerkung etc.*): *to become* ~ anzüglich werden; **II.** *s.* **5.** Faˈmilienanzeige *f*, Perˈsönliches *n* (*Zeitung*); **per·son·al·i·ty** [pəːsəˈnæliti] *s.* **1.** Perˈsönlichkeit *f*, Perˈson *f*: ~ *cult pol.* Personenkult; **2.** Individualiˈtät *f*; **3.** *pl.* Anzüglichkeiten *pl.*, anzügliche Bemerkungen *pl.*; **ˈper·son·al·ize** [-nəlaiz] *v/t.* personifizieren; typisieren, illustrieren; **ˈper·son·al·ty** [-nlti] ⚖ bewegliches *od.* perˈsönliches Eigentum, Mobiliˈarvermögen *n*; **ˈper·son·ate** [-səneit] **I.** *v/t.* **1.** vor-, darstellen; **2.** personifizieren, verkörpern; nachahmen; **3.** sich (fälschlich) ausgeben als; **II.** *v/i.* **4.** e-e Rolle spielen, nachahmen; **per·son·a·tion** [pəːsəˈneiʃən] *s.* **1.** Vor-, Darstellung *f*; **2.** Personifikatiˈon *f*, Verkörperung *f*; **3.** Nachahmung *f*; **4.** ⚖ fälschliches Sichˈausgeben.

per·son·i·fi·ca·tion [pəːsɔnifiˈkeiʃən] *s.* Verkörperung *f*; **perˈson·i·fy** [pəːˈsɔnifai] *v/t.* personifizieren, verkörpern, versinnbildlichen.

per·son·nel [pəːsəˈnel] **I.** *s.* Persoˈnal *n*, Belegschaft *f*; ⚔, ⚓ Mannschaft(en *pl.*) *f*, Besatzung *f*; **II.** *adj.* Personal...: ~ *manager* Personalchef.

per·spec·tive [pəˈspektiv] **I.** *s.* **1.** Perspekˈtive *f*, Bildweite *f*: *in true* ~ in richtiger Perspektive; **2.** *a.* ~ *drawing* perspektivische Zeichnung; **3.** *a.* ~ *view* Aus-, Fernsicht *f*; *fig.* Ausblick *m*; **4.** richtiges Verhältnis (*a. fig.*); **II.** *adj.* □ **5.** perspekˈtivisch.

per·spi·ca·cious [pəːspiˈkeiʃəs] *adj.* □ scharfsichtig, -sinnig, ˈdurchdringend; **per·spiˈcac·i·ty** [-ˈkæsiti] *s.* Scharfblick *m*, -sinn *m*; **per·spiˈcu·i·ty** [-ˈkju(ː)iti] *s.* Deutlichkeit *f*, Klarheit *f*, Verständlichkeit *f*; **per·spic·u·ous** [pəˈspikjuəs] *adj.* □ deutlich, klar, (leicht) verständlich.

per·spi·ra·tion [pəːspəˈreiʃən] *s.* **1.** Ausdünsten *n*, Schwitzen *n*; **2.** Schweiß *m*; **per·spir·a·to·ry** [pəˈspaiərətəri] *adj.* Schweiß...: ~ *gland* Schweißdrüse; **per·spire** [pəˈspaiə] **I.** *v/i.* schwitzen, transpirieren; **II.** *v/t.* ausschwitzen, -dünsten.

per·suade [pəˈsweid] *v/t.* **1.** überˈreden, bereden (*to inf.*, *into ger.* zu *inf.*); **2.** überˈzeugen (*of* von, *that* daß): *to* ~ *o.s.* **a)** sich überzeugen, **b)** sich einbilden *od.* einreden; *to be* ~*d that* überzeugt sein, daß; **perˈsuad·er** [-də] *s. sl.* Überˈredungsmittel *n* (*a. Knüppel, Pistole etc.*).

per·sua·sion [pəˈsweiʒən] *s.* **1.** Überˈredung *f*; **2.** Überˈredungsgabe *f*, -kraft *f*; **3.** Überˈzeugung *f*, fester Glaube; **4.** *eccl.* Glaube(nsrichtung *f*) *m*; **5.** F *humor.* Art *f*, Sorte *f*; **6.** F Geschlecht *n*: *female* ~; **perˈsua·sive** [-eisiv] *adj.* □ **1.** überˈredend; **2.** überˈzeugend; **perˈsua·sive·ness** [-eisivnis] *s.* Überˈzeugungskraft *f*, Überˈredungsgabe *f*.

pert [pəːt] *adj.* □ keck (*a. fig. Hut etc.*), schnippisch, naseweis, vorlaut.

per·tain [pəːˈtein] *v/i.* (*to*) gehören (*dat. od.* zu); betreffen (*acc.*), sich beziehen (auf *acc.*): ~*ing to* betreffend.

per·ti·na·cious [pəːtiˈneiʃəs] *adj.* □ **1.** hartnäckig, zäh; **2.** beharrlich, standhaft; **per·tiˈnac·i·ty** [-ˈnæsiti] *s.* **1.** Hartnäckigkeit *f*, Eigensinn *m*; **2.** Zähigkeit *f*, Beharrlichkeit *f*, Standhaftigkeit *f*.

per·ti·nence [ˈpəːtinəns], **ˈper·ti·nen·cy** [-si] *s.* **1.** Angemessenheit *f*, Gemäßheit *f*; **2.** Sachdienlichkeit *f*, Releˈvanz *f*; **ˈper·ti·nent** [-nt] *adj.* □ **1.** angemessen, passend, schicklich; **2.** zur Sache gehörig, einschlägig, sachdienlich, gehörig (*to* zu): *to be* ~ *to* Bezug haben auf (*acc.*).

pert·ness [ˈpəːtnis] *s.* Keckheit *f*, schnippisches Wesen, vorlaute Art.

per·turb [pəˈtəːb] *v/t.* beunruhigen, stören, verwirren, ängstigen; **per·tur·ba·tion** [pəːtəːˈbeiʃən] *s.* **1.** Unruhe *f*, Bestürzung *f*; **2.** Beunruhigung *f*, Störung *f*; **3.** *ast.* Perturbatiˈon *f*.

pe·ruke [pəˈruːk] *s.* Peˈrücke *f*.

pe·rus·al [pəˈruːzəl] *s.* sorgfältiges ˈDurchlesen, ˈDurchsicht *f*, Prüfung *f*: *for* ~ zur Einsicht; **pe·ruse** [pəˈruːz] *v/t.* ˈdurchlesen; *weitS.* ˈdurchgehen, prüfen.

Pe·ru·vi·an [pəˈruːvjən] **I.** *adj.* peruˈanisch: ~ *bark* ⚘ Chinarinde; **II.** *s.* Peruˈaner(in).

per·vade [pəːˈveid] *v/t.* durchˈdringen, -ˈziehen, erfüllen (*a. fig.*); **perˈva·sion** [-eiʒən] *s.* Durchˈdringung *f* (*a. fig.*); **perˈva·sive** [-eisiv] *adj.* □ ˈdurchdringend; *fig.* ˈüberall vorˈhanden, beherrschend.

per·verse [pəˈvəːs] *adj.* □ **1.** verkehrt, Fehl...; **2.** verderbt, böse; **3.** verdreht, wunderlich; **4.** verstockt, launisch; **5.** *psych.* perˈvers, ˈwidernatürlich; **perˈver·sion** [-əːʃən] *s.* **1.** Verdrehung *f*, ˈUmkehrung *f*; Entstellung *f*: ~ *of justice* Rechtsbeugung; ~ *of history* Geschichtsklitterung; **2.** *bsd. eccl.* Verirrung *f*, Abkehr *f vom Guten etc.*; **3.** *psych.* Perversiˈon *f*; **4.** 𝒜 ˈUmkehrung *f* (*e-r Figur*); **perˈver·si·ty** [-siti] *s.* **1.** Verkehrtheit *f*, Verdrehtheit *f*; **2.** Eigensinn *m*, Halsstarrigkeit *f*; **3.** Verderbtheit *f*; **4.** ˈWidernaˌtürlichkeit *f*, Perversiˈtät *f*; **perˈver·sive** [-siv] *adj.* verderblich (*of* für).

per·vert **I.** *v/t.* [pəˈvəːt] **1.** verdrehen, verkehren, entstellen, fälschen; mißˈbrauchen; **2.** *j-n* verderben, verführen; *psych.* pervertieren; **II.** *s.* [ˈpəːvəːt] **3.** Abtrünnige(r *m*) *f*; **4.** *a. sexual* ~ *psych.* perˈverser Mensch; **perˈvert·er** [-tə] *s.* Verdreher(in); Verführer(in).

per·vi·ous [ˈpəːvjəs] *adj.* □ **1.** ˈdurchlässig (*a. phys.*), durchˈdringbar, gangbar (*to* für); **2.** *fig.* zugänglich (*to* für), offen (*to dat.*); **3.** ⊕ undicht.

pes·sa·ry [ˈpesəri] *s.* ⚕ Pesˈsar *n*, (Gebär)Mutterring *m*.

pes·si·mism ['pesimizəm] *s.* Pessi'mismus *m*, Schwarzsehe'rei *f*; '**pes·si·mist** [-ist] **I.** *s.* Pessi'mist (-in), Schwarzseher(in); **II.** *adj. a.* **pes·si·mis·tic** [pesi'mistik] *adj.* (□ *~ally*) pessi'mistisch.

pest [pest] **I.** *s.* **1.** Pest *f*, Plage *f* (*a. fig.*); **2.** *fig.* Pestbeule *f*; **3.** *fig.* lästiger Mensch, lästige Sache; **4.** *bsd. insect ~ biol.* Schädling *m*: *~ control* Schädlingsbekämpfung.

pes·ter ['pestə] *v/t.* belästigen, quälen, plagen.

pes·ti·lence ['pestiləns] *s.* Seuche *f*, Pest *f*, Pesti'lenz *f*; '**pes·ti·lent** [-ilənt] *adj.* **1.** → *pestilential 2 u. 3*; **2.** *humor.* verteufelt; **pes·ti·len·tial** [pesti'lenʃəl] *adj.* □ **1.** pestartig; **2.** verpestend, ansteckend; **3.** *fig.* verderblich, schädlich; **4.** ekelhaft.

pes·tle ['pesl] **I.** *s.* **1.** Mörserkeule *f*, Stößel *m*; **2.** ⚗ Pi'still *n*; **II.** *v/t.* **3.** zerstoßen.

pet¹ [pet] **I.** *s.* **1.** (zahmes) Haustier; Stubentier *n*; **2.** gehätscheltes Tier *od.* Kind, Liebling *m*, Schoßkind *n*, Schätzchen *n*; **II.** *adj.* **3.** Lieblings...: *~ dog* Schoßhund; *~ mistake* Lieblingsfehler; *~ name* Kosename; *~ shop* Tierhandlung; → *aversion 3*; **III.** *v/t.* **4.** (ver)hätscheln, liebkosen; **5.** F ‚abfummeln'; **IV.** *v/i.* **6.** F ‚fummeln'.

pet² [pet] *s.* Verdruß *m*, schlechte Laune: *in a ~* verärgert, schlecht gelaunt.

pet·al ['petl] *s.* ⚘ Blumenblatt *n*.

pe·tard [pe'tɑ:d] *s.* **1.** ⚔ *hist.* Pe'tarde *f*, Sprengbüchse *f*; → *hoist¹*; **2.** Schwärmer *m* (*Feuerwerk*).

pe·ter¹ ['pi:tə] *v/i.*: *~ out* F zu Ende gehen, sich verlieren, sich totlaufen, versanden; *mot.* absterben.

Pe·ter² ['pi:tə] *npr. u. s. bibl.* 'Petrus *m*: (*the Epistles of*) *~* die Petrusbriefe.

pe·ter³ ['pi:tə] *s. sl.* ‚Zipfel' *m* (*Penis*).

pet·it ['peti] → *petty*.

pe·ti·tion [pi'tiʃən] **I.** *s.* Bitte *f*, *bsd.* Bittschrift *f*, Gesuch *n*; Eingabe *f* (*a. Patentrecht*); ⚖ (schriftlicher) Antrag: *~ for divorce* Scheidungsklage; *~ in bankruptcy* Konkursantrag; *to file one's ~ in bankruptcy* Konkurs anmelden; *~ for clemency* Gnadengesuch; **II.** *v/i.* (*u. v/t. j-n*) bitten, an-, ersuchen (*for* um), schriftlich einkommen (s.o. bei j-m), e-e Bittschrift einreichen (s.o. an j-n): *to ~ for divorce* die Scheidungsklage einreichen; **pe'ti·tion·er** [-ʃnə] *s.* Antragsteller(in): **a)** Bitt-, Gesuchsteller(in), Pe'tent *m*, **b)** ⚖ (Scheidungs)Kläger(in).

pet·rel ['petrəl] *s.* **1.** *orn.* Sturmvogel *m*; → *stormy petrel*; **2.** *fig.* Unruhestifter *m*.

pet·ri·fac·tion [petri'fækʃən] *s.* Versteinerung *f* (*Vorgang u. Ergebnis*) (*a. fig.*).

pet·ri·fy ['petrifai] **I.** *v/t.* **1.** versteinern (*a. fig.*); **2.** *fig. durch Schrecken etc.* versteinern, erstarren lassen: *petrified with horror* starr vor Schrecken; **II.** *v/i.* **3.** sich versteinern, zu Stein werden (*a. fig.*).

pe·trog·ra·phy [pi'trɔgrəfi] *s.* Gesteinsbeschreibung *f*, -kunde *f*.

pet·rol ['petrəl] *s. mot. Brit.* Ben'zin *n*, Kraftstoff *m*: *~-assisted bicycle* Fahrrad mit Hilfsmotor; *~ engine* Benzin-, Vergasermotor; *~ station* Tankstelle; **pet·ro·la·tum** [petrə'leitəm] *s.* **1.** ⚗ Petro'latum *n*; **2.** ⚕ Paraf'fin *n*; **pe·tro·le·um** [pi'trouljəm] *s.* Pe'troleum *n*, Erd-, Mine'ralöl *n*: *~ ether* Petroläther; *~ jelly* Vaselin; **pe·trol·o·gy** [pe'trɔlədʒi] *s.* Gesteinskunde *f*.

pet·ti·coat ['petikout] **I.** *s.* **1.** 'Unterrock *m* (*von Frauen*); Petticoat *m*; **2.** *fig.* Frauenzimmer *n*, Weibsbild *n*, ‚Unterrock' *m*; **3.** Kinderröckchen *n*; **4.** ⊕ Glocke *f*; **5.** *a. ~ insulator* ⚡ 'Glockeniso,lator *m*; **6.** *mot.* (Ven'til)Schutzhaube *f*; **II.** *adj.* **7.** Weiber...: *~ government* Weiberregiment.

pet·ti·fog·ger ['petifɔgə] *s.* 'Winkeladvo,kat *m*; Haarspalter *m*, Rabu'list *m*; '**pet·ti·fog·ging** [-giŋ] **I.** *adj.* **1.** rechtsverdrehend; **2.** schika'nös, rabu'listisch; **3.** gemein, lumpig; **II.** *s.* **4.** Rabu'listik *f*, Haarspalte'rei *f*, Rechtskniffe *pl*.

pet·ti·ness ['petinis] *s.* **1.** Geringfügigkeit *f*; **2.** Kleinlichkeit *f des Charakters*.

pet·ting ['petiŋ] *s.* F ‚Fumme'lei' *f*, Petting *n*.

pet·tish ['petiʃ] *adj.* □ empfindlich, mürrisch, launisch; '**pet·tish·ness** [-nis] *s.* Verdrießlichkeit *f*, Launenhaftigkeit *f*.

pet·ti·toes ['petitouz] *s. pl.* **1.** *Küche*: Schweinsfüße *pl.*; **2.** Kinderfüßchen *pl.*, -zehen *pl*.

pet·ty ['peti] *adj.* □ **1.** unbedeutend, geringfügig, klein, Klein...: *~ cash* † **a)** geringfügige Beträge, **b)** kleine Kasse, Portokasse; *~ offence* ⚖ Vergehen; *~ wares* Kurzwaren; **2.** kleinlich; *~* **ju·ry** *s.* ⚖ kleine Jury; *~* **lar·ce·ny** *s.* ⚖ leichter Diebstahl; *~* **of·fi·cer** *s.* ⚔, ⚓ Maat *m* (*Unteroffizier*); *~* **ses·sions** *s. pl.* ⚖ *Brit.* Baga'tellgericht *n*.

pet·u·lance ['petjuləns] *s.* Gereiztheit *f*, Verdrießlichkeit *f*, Launenhaftigkeit *f*; '**pet·u·lant** [-nt] *adj.* □ verdrießlich, gereizt, ungeduldig.

pe·tu·ni·a [pi'tju:njə] *s.* ⚘ Pe'tunie *f*.

pew [pju:] *s.* **1.** Kirchenstuhl *m*, -sitz *m*, Bankreihe *f*; **2.** *Brit.* F Sitz *m*, Platz *m*: *to take a ~* Platz nehmen.

pe·wit ['pi:wit] *s. orn.* **1.** Kiebitz *m*; **2.** *a. ~ gull* Lachmöwe *f*.

pew·ter ['pju:tə] **I.** *s.* **1.** brit. Schüsselzinn *n*, Hartzinn *n*; **2.** *coll.* Zinngerät *n*; **3.** Zinnkrug *m*, -gefäß *n*; **4.** *Brit. sl.* ('Preis)Po,kal *m*, Geldpreis *m* (*Wettkampf*); **II.** *adj.* **5.** (Hart)Zinn..., zinnern; '**pew·ter·er** [-ərə] *s.* Zinngießer *m*.

pha·e·ton ['feitn] *s.* Phaeton *m* (*Kutsche*; *mot. Reisewagen*).

phag·o·cyte ['fægəsait] *s. biol.* Phago'cyte *f*, Freßzelle *f*.

phal·ange ['fælændʒ] *s.* **1.** *anat.* Finger-, Zehenknochen *m*; **2.** ⚘ Bündel *n* (von) Staubfäden; **3.** *zo.* Tarsenglied *n*.

pha·lanx ['fælæŋks] *pl.* **-lanx·es** *od.* **-lan·ges** [fə'lændʒi:z] *s.* **1.** ⚔ *hist.* Phalanx *f*; **2.** *fig.* Phalanx *f*, geschlossene Front; **3.** → *phalange 1 u. 2*.

phal·lic ['fælik] *adj.* phallisch; **phal·lus** ['fæləs] *pl.* **-li** [-lai] *s.* Phallus *m*.

phan·tasm ['fæntæzəm] *s.* **1.** Trugbild *n*, Wahngebilde *n*, Hirngespinst *n*; **2.** (Geister)Erscheinung *f*, Gespenst *n*; **phan·tas·ma·go·ri·a** [fæntæzmə'gɔriə] *s.* Phantasmago'rie *f*, Gaukelbild *n*, Blendwerk *n*; **phan·tas·ma·gor·ic** [fæntæzmə'gɔrik] *adj.* (□ *~ally*) phantasma'gorisch, traumhaft, gespensterhaft, trügerisch; **phan·tas·mal** [fæn'tæzməl] *adj.* □ **1.** halluzina'torisch, eingebildet; **2.** geisterhaft; **3.** illu'sorisch, unwirklich, trügerisch.

phan·tom ['fæntəm] **I.** *s.* **1.** Phan'tom *n*, Erscheinung *f*, Gespenst *n*; **2.** Wahngebilde *n*, Hirngespinst *n*; Trugbild *n*; **3.** *fig.* Schatten *m*, Schein *m*; **4.** ⚕ Phantom *n* (*Körpermodell*); **II.** *adj.* **5.** Gespenster..., Geister...; Schein...; *~* **cir·cuit** *s.* ⚡ Phan'tomkreis *m*, Duplexleitung *f*; *~* **ship** *s.* Geisterschiff *n*.

phar·i·sa·ic *adj.*; **phar·i·sa·i·cal** [færi'seiik(əl)] *adj.* □ phari'säisch, selbstgerecht, scheinheilig; **phar·i·sa·ism** ['færiseiizəm] *s.* Phari'säertum *n*, Scheinheiligkeit *f*; **Phar·i·see** ['færisi:] *s.* **1.** *eccl.* Phari'säer *m*; **2.** ♀ *fig.* Phari'säer(in), Selbstgerechte(r *m*) *f*, Heuchler(in).

phar·ma·ceu·ti·cal [fɑ:mə'sju:tikəl] *adj.* □ pharma'zeutisch; Apotheker...; **phar·ma'ceu·tics** [-ks] *s. pl. sg. konstr.* Pharma'zeutik *f*, Arz'neimittellehre *f*; **phar·ma·cist** ['fɑ:məsist] *s.* **1.** Pharma'zeut *m*, Apo'theker *m*; **2.** pharma'zeutischer Chemiker; **phar·ma·col·o·gy** *s.* [fɑ:mə'kɔlədʒi] ,Pharmakolo'gie *f*, Arz'neimittellehre *f*; **phar·ma·co·poe·ia** [fɑ:məkə'pi:ə] *s.* ,Pharmako'pöe *f*, amtliches Arz'neibuch; **phar·ma·cy** ['fɑ:məsi] *s.* **1.** Pharma'zie *f*, Arz'neimittelkunde *f*; **2.** Apo'theke *f*.

pha·ryn·gal [fə'riŋgəl], **pha·ryn·ge·al** [færin'dʒi:əl] **I.** *adj. anat.* Schlund..., Rachen... (*a. ling. Laut*); **II.** *s. anat.* Schlundknochen *m*; **phar·yn·gi·tis** [færin'dʒaitis] *s.* 'Rachenka,tarrh *m*; **pha'ryn·go·'na·sal** [-gə'neizəl] *adj.* Rachen u. Nase betreffend; **phar·ynx** ['færiŋks] *s.* Schlund *m*, Rachen (-höhle *f*) *m*.

phase [feiz] **I.** *s.* **1.** ⚗, ⚡, ✂, *ast.*, *biol.*, *phys.* Phase *f*: *the ~s of the moon ast.* Mondphasen; *~ advancer* (*od. converter*) ⚡ Phasenverschieber; *in ~* (*out of ~*) ⚡ phasengleich (phasenverschoben); *~ shift(ing)* ⚡ Phasenverschiebung; **2.** (Entwicklungs-) Stufe *f*, Stadium *n*, Phase *f*; **3.** ⚔ (Front)Abschnitt *m*; **II.** *v/t.* **4.** ⚡ in Phase bringen; **5.** (zeitlich) aufschlüsseln: *to ~ out* abwickeln, ⚔ *Am. Einheit* auflösen.

pheas·ant ['feznt] *s. orn.* Fa'san *m*; '**pheas·ant·ry** [-ri] *s.* Fasane'rie *f*.

phe·nic ['fi:nik] *adj.* ⚗ kar'bolsauer, Karbol...: *~ acid* → *phenol*; **phe·nol** ['fi:nɔl] *s.* ⚗ Phe'nol *n*, Kar'bolsäure *f*; **phe·no·lic** [fi'nɔlik] **I.** *adj.* Phenol...: *~ resin* Phenolharz; **II.** *s.* Phe'nolharz *n*.

phe·nom·e·nal [fi'nɔminl] *adj.* □ phänome'nal: **a)** *phls.* Erscheinungs...(*-welt etc.*), **b)** unglaublich, 'toll'; **phe'nom·e·nal·ism** [-nəlizəm] *s. phls.* Phänomena'lismus *m*; **phe·nom·e·non** [fi'nɔminən] *pl.* **-na** [-nə] *s.* **1.** Phäno'men *n*, Erscheinung *f* (*a. phys. u. phls.*); **2.** *pl.* *-nons fig.* wahres Wunder; *a. infant* ~ Wunderkind *n*.

phe·no·type ['fi:nətaip] *s. biol.* 'Phänoˌtypus *m*, Erscheinungsbild *n*.

phen·yl ['fi:nil] *s.* Phe'nyl *n*; **phe·nyl·ic** [fi'nilik] *adj.* Phenyl..., phe'nolisch: ~ *acid* → *phenol*.

phew [fju:] *int.* puh!

phi·al ['faiəl] *s.* Phi'ole *f*, Fläschchen *n*, Am'pulle *f*.

Phi Be·ta Kap·pa ['fai'bi:tə'kæpə] *s. Am. studentische Vereinigung hervorragender Akademiker.*

phi·lan·der [fi'lændə] *v/i.* 'poussieren', schäkern, den Frauen nachlaufen; **phi'lan·der·er** [-ərə] *s.* Schäker *m*, Schürzenjäger *m*, 'Poussierstengel' *m*.

phil·an·throp·ic *adj.*; **phil·an·throp·i·cal** [filən'θrɔpik(əl)] *adj.* □ philan'thropisch, menschenfreundlich; **phi·lan·thro·pist** [fi'lænθrəpist] **I.** *s.* Philan'throp *m*, Menschenfreund *m*; **II.** *adj.* → *philanthropic*; **phi·lan·thro·py** [fi'lænθrəpi] *s.* Philanthro'pie *f*, Menschenliebe *f*.

phil·a·tel·ic [filə'telik] *adj.* Briefmarken..., philate'listisch; **phi·lat·e·list** [fi'lætəlist] **I.** *s.* Briefmarkensammler *m*, Philate'list *m*; **II.** *adj.* philatelistisch; **phi·lat·e·ly** [fi'lætəli] *s.* Briefmarkensammeln *n*, Philate'lie *f*.

Phi·le·mon [fi'li:mɔn] *npr. u. s. bibl.* (Brief *m* des Paulus an) Phi'lemon *m*.

phil·har·mon·ic [filɑ:'mɔnik] *adj.* philhar'monisch (*Konzert, Orchester*): ~ *society* Philharmonie.

Phi·lip·pi·ans [fi'lipiənz] *s. pl. bibl.* (Brief *m* des Paulus an die) Phi'lipper *pl*.

phi·lip·pic [fi'lipik] *s.* Phi'lippika *f*, Brandrede *f*, Strafpredigt *f*.

Phil·ip·pine ['filipi:n] *adj.* **1.** phi'lip'pinisch, Philippinen...; **2.** Filipino...

Phi·lis·tine ['filistain] **I.** *s. fig.* Phi'lister *m*, Spießbürger *m*, Spießer *m*; **II.** *adj.* phi'listerhaft, spießbürgerlich; **'phi·lis·tin·ism** [-tinizəm] *s.* Phi'listertum *n*, Philiste'rei *f*, Spießbürgertum *n*.

phil·o·log·i·cal [filə'lɔdʒikəl] *adj.* □ philo'logisch, sprachwissenschaftlich; **phi·lol·o·gist** [fi'lɔlədʒist] *s.* Philo'loge *m*, Philo'login *f*, Sprachwissenschaftler(in); **phi·lol·o·gy** [fi'lɔlədʒi] *s.* Philolo'gie *f*, Sprachwissenschaft *f*.

phi·los·o·pher [fi'lɔsəfə] *s.* Philo'soph *m* (*a. fig. Lebenskünstler*): *natural* ~ Naturforscher; ~*s' stone* Stein der Weisen; **phil·o·soph·ic** *adj.*; **phil·o·soph·i·cal** [filə'sɔfik(əl)] *adj.* □ philo'sophisch (*a. fig. weise, gleichmütig*); **phi'los·o·phize** [-faiz] *v/i.* philosophieren; **phi'los·o·phy** [-fi] *s.* **1.** Philoso'phie *f*: *natural* ~ Naturwissenschaft; ~ *of history* Geschichtsphilosophie; **2.** praktische Lebensweisheit, Weltanschauung *f*; *fig.* Gleichmut *m*.

phil·ter *Am.*, **phil·tre** *Brit.* ['filtə] *s.* **1.** Liebestrank *m*; **2.** Zaubertrank *m*.

phiz [fiz] *s. sl.* Vi'sage *f*, Gesicht *n*.

phle·bi·tis [fli'baitis] *s.* ⚕ 'Venenentzündung *f*.

phlegm [flem] *s.* **1.** *physiol.* Phlegma *n*, Schleim *m*; **2.** *fig.* Phlegma *n*, stumpfer Gleichmut; **phleg·mat·ic** [fleg'mætik] **I.** *adj.* (□ ~*ally*) phleg'matisch: **a)** *physiol.* schleimhaltig, **b)** *fig.* gleichgültig, träge; **II.** *s.* Phleg'matiker(in).

pho·bi·a ['foubiə] *s. psych.* Pho'bie *f* (*Angst*).

Phoe·ni·cian [fi'niʃiən] **I.** *s.* **1.** Phö'nizier(in); **2.** *ling.* Phö'nikisch *n*; **II.** *adj.* **3.** phö'nikisch.

phoe·nix ['fi:niks] *s.* **1.** *myth.* Phönix *m* (*sagenhafter Vogel*); **2.** *fig.* Wunder *n*.

phon [fɔn] *s. phys.* Phon *n*.

phone[1] [foun] *s. ling.* (Einzel)Laut *m*.

phone[2] [foun] F → *telephone*: *to be on the* ~ Telephon haben.

pho·neme ['founi:m] *s. ling.* Pho'nem *n*.

pho·net·ic [fou'netik] *adj.* (□ ~*ally*) pho'netisch, lautlich: ~ *spelling* Lautschrift; **pho·ne·ti·cian** [founi'tiʃən] *s.* Pho'netiker *m*; **pho'net·ics** [-ks] *s. pl. mst sg. konstr.* Pho'netik *f*, Laut(bildungs)lehre *f*.

pho·ney → *phony*.

phon·ic ['founik] *adj.* **1.** lautlich, a'kustisch; **2.** pho'netisch; **3.** ⊕ phonisch.

pho·no·gram ['founəgræm] *s.* Lautzeichen *n*; **'pho·no·graph** [-grɑ:f; -græf] *s.* ⊕ **1.** Phono'graph *m*, 'Sprechmaˌschine *f*; **2.** *Am.* Plattenspieler *m*, Grammo'phon *n*; **pho·no·graph·ic** [founə'græfik] *adj.* (□ ~*ally*) phono'graphisch.

pho·nol·o·gy [fou'nɔlədʒi] *s. ling.* Phonolo'gie *f*, Lautlehre *f*.

pho·nom·e·ter [fou'nɔmitə] *s. phys.* Phono'meter *n*, Schall(stärke)messer *m*.

pho·ny ['founi] F **I.** *adj.* **1.** falsch, gefälscht, unecht; Falsch..., Schein...; **II.** *s.* **2.** Schwindler *m*, 'Schauspieler(in)'; **3.** Fälschung *f*, Schwindel *m*.

phos·gene ['fɔzdʒi:n] *s.* ⚗ Phos'gen *n*, Chlor'kohlenoˌxyd *n*; **'phos·phate** [-zfeit] *s.* ⚗ **1.** Phos'phat *n*: ~ *of lime* phosphorsaurer Kalk; **2.** ✓ Phos'phat(düngemittel) *n*; **phos·phat·ic** [fɔs'fætik] *adj.* ⚗ phos'phathaltig; **'phos·phide** [-zfaid] *s.* ⚗ Phos'phid *n*; **'phos·phite** [-zfait] *s.* **1.** ⚗ Phos'phit *n*; **2.** *min.* 'Phosphormeˌtall *n*; **'phos·phor** [-zfə] **I.** *s.* **1.** *poet.* 'Phosphor *m*; **2.** ⊕ Leuchtmasse *f*; **II.** *adj.* **3.** Phosphor...; **'phos·pho·rate** [-zfəreit] *v/t.* ⚗ **1.** phosphorisieren; **2.** phosphoreszierend machen; **phos·pho·resce** [-zfɔsfə'res] *v/i.* phosphoreszieren, (nach)leuchten; **phos·pho·res·cence** [fɔsfə'resns] *s.* **1.** ⚗, *phys.* Chemolumines'zenz *f*; **2.** *phys.* Phosphores'zenz *f*, Nachleuchten *n*; **phos·pho·res·cent** [fɔsfə'resnt] *adj.* phosphoreszierend; **phos·phor·ic** [fɔs'fɔrik] *adj.* phosphorsauer, -haltig, Phosphor...; **'phos·pho·rous** [-zfərəs] *adj.* ⚗ phos'phorig(sauer); **'phospho·rus** [-zfərəs] *pl.* **-ri** [-rai] *s.* **1.** ⚗ Phosphor *m*; **2.** *phys.* 'Leuchtphos'phore *f*, -masse *f*.

phot [fɔt] *s. phys.* Phot *n*.

pho·to ['foutou] F → *photograph*.

pho·to- [fouto*u*; -tə] *in Zssgn* Photo...: **a)** Licht..., **b)** Photogra'phie..., photographisch; **'~·cell** *s.* ⚡ 'Photozelle *f*, 'Lichteleˌment *n*; **~'chem·i·cal** *adj.* □ photo'chemisch; **~·chro·my** ['foutəkroumi] *s.* 'Farbphotograˌphie *f*; **'~·cop·y** → *photostat 1*; **~·e'lec·tric** [-to*u*-] *adj.*; **~·e'lec·tri·cal** [-to*u*-] *adj.* □ *phys.* photoe'lektrisch: ~ *cell* Photozelle; **'~·en'grav·ing** [-to*u*-] *s.* Lichtdruck(verfahren *n*) *m*; **'~-'fin·ish** *s. sport* **a)** *durch Zielphotographie entschiedener Zieleinlauf*, **b)** Entscheidung *f* durch 'Zielphotograˌphie; **'~-flash (lamp)** *s.* Blitzlicht(birne *f*) *n*, 'Vakublitz *m*.

pho·to·gen·ic [foutə'dʒenik] *adj.* **1.** photo'gen, bildwirksam; **2.** *biol.* lichterzeugend, Leucht...; **~'gram·me·try** [foutə'græmitri] *s.* Photogramme'trie *f*, Meßbildverfahren *n*.

pho·to·graph ['foutəgrɑ:f; -græf] **I.** *s.* Photogra'phie *f*, Lichtbild *n*, Aufnahme *f*: *to take a* ~ e-e Aufnahme machen (*of* von); **II.** *v/t.* photographieren, aufnehmen, 'knipsen'; **III.** *v/i.* photographieren; photographiert werden: *he does not* ~ *well* er wird nicht gut auf den Bildern, er läßt sich schlecht photographieren; **pho·tog·ra·pher** [fə'tɔgrəfə] *s.* Photo'graph(in); **pho·to·graph·ic** [foutə'græfik] *adj.* (□ ~*ally*) **1.** photo'graphisch; **2.** *fig.* photographisch genau; **pho·tog·ra·phy** [fə'tɔgrəfi] *s.* Photogra'phie *f*, Lichtbildkunst *f*.

pho·to·gra·vure [foutəgrə'vjuə] *s.* ˌPhotogra'vüre *f*, Kupferlichtdruck *m*; **pho·to'lith·o·graph** *typ.* **I.** *s.* ˌPhotolithogra'phie *f* (*Erzeugnis*); **II.** *v/t.* photolithographieren; **pho·to·li'thog·ra·phy** [-to*u*-] *s.* ˌPhotolithogra'phie *f* (*Verfahren*).

pho·tom·e·ter [fou'tɔmitə] *s. phys.* Photo'meter *n*, Lichtstärkemesser *m*; **pho'tom·e·try** [-tri] *s.* Lichtstärkemessung *f*.

pho·to'mi·cro·graph *s. phot.* 'Mikrophotograˌphie *f*.

pho·to·mon'tage *s.* 'Photomonˌtage *f*.

pho·ton ['foutɔn] *s. phys.* Pho'ton *n*, Lichtquant *n*.

'pho·to·play *s.* Filmdrama *n*.

pho·to·stat ['fouto*u*stæt] *phot.* **I.** *s.* **1.** Photoko'pie *f*, Lichtpause *f*; **2.** ♀ Photoko'piergerät *n* (*Handelsname*); **II.** *v/t.* **3.** photokopieren; **pho·to·stat·ic** [fouto*u*'stætik] *adj.* Kopier..., Lichtpaus...: ~ *copy* Photokopie.

pho·to·te'leg·ra·phy [-to*u*-] *s.* 'Bildtelegraˌphie *f*; **'pho·to·type** *s. typ.* **I.** *s.* Lichtdruck(bild *n*, -platte *f*) *m*; **II.** *v/t.* im Lichtdruckverfahren vervielfältigen.

phrase [freiz] **I.** *s.* **1.** (Rede)Wendung *f*, Redensart *f*, Ausdruck *m*: ~ *of civility* Höflichkeitsfloskel; **2.** Phrase *f*, Schlagwort *n*: ~*-monger* Phrasendrescher; **3.** *ling.* Wortverbindung *f*; kurzer Satz: *consequent* ~ Nachsatz; **4.** ♪ Satz *m*; Phrase *f*; **II.** *v/t.* **5.** ausdrücken, formulieren; **6.** ♪ phrasieren; **phra·se·ol·o·gy** [freizi'ɔlədʒi] *s.* Phraseolo'gie *f* (*a. Buch*), Ausdrucksweise *f*.

phre·net·ic [fri'netik] *adj.* (□ *~ally*) fre'netisch, rasend, toll (*a. fig.*).
phren·ic ['frenik] *adj. anat.* Zwerchfell...
phren·o·log·i·cal [frenə'lɔdʒikl] *adj.* □ phreno'logisch; **phre·nol·o·gist** [fri'nɔlədʒist] *s.* Phreno'loge *m*; **phre·nol·o·gy** [fri'nɔlədʒi] *s.* Phrenolo'gie *f*, Schädellehre *f*.
phthis·ic *adj.*; **phthis·i·cal** [θaisik(əl)] *adj.* □ ⚕ schwindsüchtig, phthisisch; **phthi·sis** ['θaisis] *s* Tuberku'lose *f*, Schwindsucht *f*.
phut [fʌt] **I.** *int.* fft!; **II.** *adj. sl.*: *to go ~* futschgehen, ‚platzen'.
phyl·lox·e·ra [filɔk'siərə] *pl.* **-rae** [-ri:] *s. zo.* Reblaus *f*.
phy·lum ['failəm] *pl.* **-la** [-lə] *s.* **1.** *biol.* Ordnung *f des Tier- od. Pflanzenreichs*; **2.** *biol.* Stamm *m*; **3.** *ling.* Sprachstamm *m*.
phys·ic ['fizik] **I.** *s.* **1.** Arz'nei(mittel *n*) *f*, Medi'zin *f*, *bsd.* Abführmittel *n*; **2.** *obs.* Heilkunde *f*; **3.** *pl. sg. konstr.* (die) Phy'sik; **II.** *v/t. pret. u. p.p.* '**phys·icked** [-kt] **4.** *sl. j-n* ‚verarzten', her'umdoktern an *j-m*; '**phys·i·cal** [-kəl] *adj.* □ **1.** physisch, körperlich: *~ condition* Gesundheitszustand; *~ culture* Körperkultur; *~ examination* ärztliche Untersuchung; *~ force* physische Gewalt; *~ impossibility* absolute Unmöglichkeit; *~ inventory* ✝ Bestandsaufnahme; *~ stock* ✝ Lagerbestand; *~ training* Leibeserziehung; **2.** physi'kalisch; na'turwissenschaftlich: *~ geography* physikalische Geographie; *~ science* **a)** Physik, **b)** Naturwissenschaften; **phy·si·cian** [fi'ziʃən] *s.* Arzt *m*; '**phys·i·cist** [-isist] *s.* Physiker *m*.
phys·i·co-'chem·i·cal [fizikou-] *adj.* □ physi'kalisch-'chemisch.
phys·i·og·no·my [fizi'ɔnəmi] *s.* **1.** Physiogno'mie *f* (*a. fig.*), Gesichtsausdruck *m*; **2.** Physio'gnomik *f*; **phys·i'og·ra·phy** [-'ɔgrəfi] *s.* **1.** ˌPhysio(geo)gra'phie *f*; **2.** Na'turbeschreibung *f*; **phys·i·o·log·i·cal** [fiziə'lɔdʒikəl] *adj.* □ physio'logisch; **phys·i'ol·o·gist** [-'ɔlədʒist] *s.* Physio'loge *m*; **phys·i'ol·o·gy** [-'ɔlədʒi] *s.* Physiolo'gie *f*; **phys·i·o·ther·a·py** [fiziou'θerəpi] *s.* ˌPhysiothera'pie *f*.
phy·sique [fi'zi:k] *s.* Körperbau *m*, -beschaffenheit *f*, Fi'gur *f*.
phy·to·gen·e·sis [faitou'dʒenisis] *s.* ⚘ Lehre *f* von der Entstehung der Pflanzen; **phy·to·to·my** [fai'tɔtəmi] *s.* ⚘ 'Pflanzenanatoˌmie *f*.
pi·an·ist ['pjænist; ♪ 'piənist] *s.* ♪ Pia'nist(in), Kla'vierspieler(in).
pi·an·o¹ ['pjænou; ♪ 'pja:nou] *pl.* **-os** *s.* ♪ Kla'vier *n*, Piˌano('forte) *n*: *at the ~* am Klavier.
pi·a·no² ['pja:nou] ♪ **I.** *pl.* **-nos** *s.* Pi'ano *n* (*leises Spiel*): *~ pedal* Pianopedal; **II.** *adv.* pi'ano, leise.
pi·an·o·for·te [pjænou'fɔ:ti] → *piano*¹.
'**pi·a·no-play·er** → *pianist*.
pi·az·za [pi'ædzə] *pl.* **-zas** (*Ital.*) *s.* **1.** öffentlicher Platz; **2.** *Am.* (große) Ve'randa.
pi·broch ['pi:brɔk; -ɔx] *s.* 'Kriegsmuˌsik *f* der Bergschotten; 'Dudelsackvariatiˌonen *pl.*
pi·ca ['paikə] *s. typ.* Cicero *f*, Pica *f* (*Schriftgrad*).
pic·a·dor ['pikədɔ:] (*Span.*) *s.* Pika'dor *m* (*reitender Stierkämpfer*).
pic·a·resque [pikə'resk] *adj.* pika'resk: *~ novel* Schelmenroman, pikaresker Roman.
pic·a·roon [pikə'ru:n] *s.* **1.** Gauner *m*, Abenteurer *m*; **2.** Pi'rat *m*.
pic·a·yune [piki'ju:n] *Am.* **I.** *s.* **1.** *mst fig.* Pfennig *m*, Groschen *m*; **2.** *fig.* Lap'palie *f*; Tinnef *m*, *n*; **3.** *fig.* Null *f* (*unbedeutender Mensch*); **II.** *adj.*, *a.* **pic·a'yun·ish** [-niʃ] **4.** unbedeutend, schäbig; klein(lich).
pic·ca·lil·li ['pikəlili] *s.* scharf gewürztes Essiggemüse, Pickles *pl.*
pic·ca·nin·ny ['pikənini] **I.** *s. humor.* (*bsd.* Neger)Kind *n*, Gör *n*; **II.** *adj.* kindlich; winzig.
pic·co·lo ['pikəlou] *pl.* **-los** *s.* ♪ Pikkoloflöte *f*; *~* **pi·a·no** *s.* ♪ Kleinklavier *n*.
pick [pik] **I.** *s.* **1.** ⊕ **a)** Spitz-, Kreuzhacke *f*, Picke *f*, Pickel *m*, **b)** ⚒ (Keil)Haue *f*; **2.** Schlag *m*; **3.** Auswahl *f*, -lese *f*: *the ~ of the bunch* der (die, das) Beste von allen; *you may have the ~* Sie können sich (das Beste) aussuchen; **4.** *typ.* unreiner Buchstabe; **5.** ✐ Ernte *f*; **II.** *v/t.* **6.** aufhacken, -picken: → *hole 1*; **7.** *Körner* aufpicken; auflesen; sammeln; *Blumen, Obst* pflücken; *Beeren* abzupfen; F (häppchenweise) essen; **8.** *fig.* (sorgfältig) auswählen, -suchen: *to ~ and choose* wählerisch sein, (sorgfältig) aussuchen; *to ~ one's way* (*od. steps*) sich s-n Weg suchen *od.* bahnen, *fig.* sich durchlavieren; *to ~ one's words* s-e Worte wählen; *to ~ a quarrel* (*with s.o.*) (mit j-m) Streit suchen *od.* anbändeln; **9.** *Gemüse etc.* (ver)lesen, säubern; *Hühner* rupfen; *Metall* scheiden; *Wolle* zupfen; in *der Nase* bohren; in *den Zähnen* stochern; *e-n Knochen* (ab-)nagen; → *bone 1*; **10.** *Schloß* mit e-m Dietrich öffnen, ‚knacken'; *j-m die Tasche* ausräumen (*Dieb*); → *brain 2*; **11.** ♪ *Am. Banjo etc.* spielen; **12.** ausfasern, zerpflücken: *to ~ to pieces fig. Theorie etc.* zerflücken, herunterreißen; **III.** *v/i.* **13.** hacken, pike(l)n; **14.** im Essen her'umstochern; **15.** sorgfältig wählen; **16.** ‚sti'bitzen', stehlen;
Zssgn mit prp. u. adv.:
pick| at *v/t.* **1.** *im Essen* her'umstochern; **2.** F her'ummäkeln *od.* nörgeln an (*dat.*); auf *j-m* her'umhacken; *~* **off** *v/t.* **1.** (ab-)pflücken, -rupfen; **2.** wegnehmen; **3.** (einzeln) abschießen, ‚wegputzen'; *~* **on** *v/t.* **1.** aussuchen, sich entscheiden für; **2.** → *pick at 2*; *~* **out** *v/t.* **1.** (sich) *et.* auswählen; **2.** ausmachen, erkennen; *fig.* her'ausfinden, -bekommen; **3.** ♪ sich *e-e Melodie auf dem Klavier etc.* zs.-suchen; **4.** *mit e-r anderen Farbe* absetzen; *~* **o·ver** *v/t.* **1.** (gründlich) 'durchsehen, -gehen; **2.** (das Beste) auslesen; *~* **up I.** *v/t.* **1.** *Boden* aufhacken; **2.** aufheben, -nehmen, -lesen; in die Hand nehmen: *to pick o.s. up* sich erheben; → *gauntlet*¹ 2; **3.** *j-n im Fahrzeug* mitnehmen, abholen; **4. a)** *j-n* ‚auflesen', kennenlernen, **b)** ‚hochnehmen' (*verhaften*); **5.** *Strickmaschen* aufnehmen; **6.** *Rundfunksender* bekommen, ‚(rein)kriegen'; **7.** *Sendung* empfangen, aufnehmen, abhören; *Funkspruch etc.* auffangen; **8.** in Sicht bekommen; **9.** *fig.* mitbekommen, ‚mitkriegen', *Sprache etc.* ‚aufschnappen', erlernen; **10.** erstehen, gewinnen: *to ~ a livelihood* sich mit Gelegenheitsarbeiten *etc.* durchschlagen; *to ~ courage* Mut fassen; *to ~ speed* auf Touren (*od.* in Fahrt) kommen; **II.** *v/i.* **11.** sich (wieder) erholen (*a.* ✝); **12.** sich anfreunden (*with* mit); **13.** auf Touren kommen, Geschwindigkeit aufnehmen; *fig.* stärker werden.
pick-a-back ['pikəbæk] *adj. u. adv.* huckepack *tragen etc.*: *~ plane* ✈ Huckepackflugzeug.
pick·a·nin·ny → *piccaninny*.
'**pick·ax(e)** *s.* (Spitz)Hacke *f*, (Beil-)Pike *f*, Pickel *m*.
picked [pikt] *adj. fig.* ausgewählt, -gesucht, (aus)erlesen: *~ troops* ⚔ Kerntruppen; '**pick·er** [-kə] *s.* **1.** Pflücker(in); **2.** (*Hopfen- etc.*) Zupfer(in); **3.** (*Lumpen*)Sammler (-in); **4.** *Spinnerei*: Picker *m* (*Arbeiter u. Gerät*).
pick·er·el ['pikərəl] *pl.* **-els** *od. bsd. coll.* '**pick·er·el** *s. ichth.* (*Brit.* junger) Hecht.
pick·et ['pikit] **I.** *s.* **1.** (Holz-, Absteck)Pfahl *m*; Pflock *m*; **2.** ⚔ Feldwache *f*; **3.** Streikposten *m*; **II.** *v/t.* **4.** einpfählen; **5.** an e-n Pfahl binden, anpflocken; **6.** Streikposten aufstellen vor (*dat.*), mit Streikposten besetzen; (als Streikposten) anhalten *od.* belästigen; **7.** ⚔ als Feldwache ausstellen; **III.** *v/i.* **8.** Streikposten stehen.
pick·ings ['pikiŋz] *s. pl.* **1.** Nachlese *f*, 'Überbleibsel *pl.*, Reste *pl.*; **2.** *a.* *~ and stealings* unehrliche Nebeneinkünfte *pl.*; Diebesbeute *f*, Fang *m*; **3.** Pro'fit *m*, Gewinn *m*.
pick·le ['pikl] **I.** *s.* **1.** Pökel *m*, Salzlake *f*, Essigsoße *f* (*zum Einlegen*); **2.** Essig-, Gewürzgurke *f*; **3.** *pl.* Eingepökelte(s) *n*, Pickles *pl.*; → *mixed pickles*; **4.** ⊕ Beize *f*; **5.** F *a. nice* (*od. sad od. sorry*) *~* mißliche Lage: *to be in a ~* (schön) in der Patsche sitzen; **6.** F Balg *m*, *n*, Gör *n*, ‚Früchtchen' *n*; **II.** *v/t.* **7.** einpökeln, -salzen, -legen; **8.** ⊕ *Metall* (ab-)beizen; *Bleche* dekapieren: *pickling agent* Abbeizmittel; **9.** ✐ *Saatgut* beizen; '**pick·led** [-ld] *adj.* **1.** gepökelt, eingesalzen; Essig..., Salz...: *~ herring* Salzhering; **2.** *sl.* ‚blau' (*betrunken*).
'**pick|·lock** *s.* **1.** Einbrecher *m*; **2.** Dietrich *m*; '**~-me-up** *s.* F **a)** (Magen)Stärkung *f*, Schnäps·chen *n*, **b)** *fig.* Stärkung *f*; '**~-off** *adj.* ⊕ *Am.* 'abmonˌtierbar, Wechsel...; '**~·pock·et** *s.* Taschendieb *m*; '**~-up** *s.* **1.** Ansteigen *n*; ✝ Erholung *f*: *~* (*in prices*) Anziehen der Preise, Hausse; **2.** *mot.* Start-, Beschleunigungsvermögen *n*; **3.** *a.* *~ truck* (kleiner) Lieferwagen; **4.** *Am.* → *pick-me-up*; **5.** ⊕ Tonabnehmer *m*, Schalldose *f* (*Plattenspieler*); Empfänger *m* (*Mikrophon*); Geber *m* (*Meßgerät*); **6.** *Radio, Fernsehen*: 'Aufnahme(apparaˌtur) *f*; **7.**

⚡ Ansprechen *n* (*Relais*); **8.** Straßenbekanntschaft *f*; **9.** *mst* ~ *dinner sl.* improvisierte Mahlzeit, Essen *n* aus (Fleisch)Resten; **10. a)** Verhaftung *f*, **b)** Verhaftete(r *m*) *f*.

pic·nic ['piknik] **I.** *s.* **1.** Picknick *n*; 'Landpar,tie *f*; **2.** F (reines) Vergnügen, Kinderspiel *n*: *no* ~ keine leichte Sache; **II.** *v/i.* **3.** ein Picknick *etc.* machen; picknicken.

pic·quet ['pikit] → *picket*.

pic·ric ['pikrik] *adj.* ⚗ Pikrin...

pic·to·ri·al [pik'tɔ:riəl] **I.** *adj.* □ **1.** malerisch, Maler...: ~ *art* Malerei; **2.** Bild(er)..., illustriert: ~ *advertising* Bildwerbung; **3.** *fig.* bildmäßig (*a. phot.*), -haft; **II.** *s.* **4.** Illustrierte *f* (*Zeitung*).

pic·ture ['piktʃə] **I.** *s.* **1.** Bild *n*: ~ *frequency Fernsehen*: Bildfrequenz; ~ *telegraph* Bildtelegraph; (*clinical*) ~ ⚕ Krankheitsbild, Befund; **2.** Abbildung *f*, Illustrati'on *f*; **3.** Gemälde *n*, Bild *n*: *to sit for one's* ~ sich malen lassen; **4.** (geistiges) Bild, Vorstellung *f*: *to form a* ~ *of s.th.* sich von et. ein Bild machen; **5.** *fig.* F Bild *n*, Verkörperung *f*: *he looks the very* ~ *of health* er sieht aus wie das blühende Leben; *to be the* ~ *of misery* ein Bild des Jammers sein; **6.** Ebenbild *n*: *the child is the* ~ *of his father*; **7.** *fig.* anschauliche Darstellung *od.* Schilderung (*in Worten*), Bild *n*; **8.** F bildschöne Sache *od.* Per'son: *she is a perfect* ~ sie ist bildschön; *the hat is a* ~ der Hut ist ein Gedicht; **9.** F Blickfeld *n*: *to be in the* ~ **a)** sichtbar sein, e-e Rolle spielen, **b)** im Bilde (*informiert*) sein; *to come into the* ~ in Erscheinung treten; *quite out of the* ~ gar nicht von Interesse, ohne Belang; **10.** *phot.* Aufnahme *f*, Bild *n*; **11. a)** Film *m*, Streifen *m*, **b)** *pl.* F Kino *n*, Film *m* (*Filmvorführung od. Filmwelt*): *to go to the* ~*s Brit.* ins Kino gehen; **II.** *v/t.* **12.** abbilden, darstellen, malen; **13.** *fig.* anschaulich schildern, beschreiben, ausmalen; **14.** *fig.* sich ein Bild machen von, sich *et.* ausmalen *od.* vorstellen; **15.** *s-e Empfindung etc.* spiegeln, zeigen; **III.** *adj.* **16.** Bilder...: ~ *frame* Bilderrahmen; **17.** Film...: ~ *play* Filmdrama; '~**-book** *s.* Bilderbuch *n*; '~**-card** *s. Kartenspiel*: Fi'gurenkarte *f*, Bild *n*; '~**-gal·ler·y** *s.* 'Bildergale,rie *f*; *Am. sl.* Verbrecheralbum *n*; '~**-go·er** *s. Brit.* Kinobesucher(in); '~**-house**, '~**-pal·ace** *Brit.* → *picture theater*; ~ **post·card** *s.* Ansichtskarte *f*; ~ **puz·zle** *s.* **1.** Vexierbild *n*; **2.** Bilderrätsel *n*.

pic·tur·esque [piktʃə'resk] *adj.* □ malerisch (*a. fig.*).

pic·ture| te·leg·ra·phy *s.* 'Bildtelegra,phie *f*; '~**-the·a·ter** *Am.*, '~**-the·a·tre** *Brit. s.* 'Filmthe,ater *n*, 'Lichtspielhaus *n*, Kino *n*; ~ **trans·mis·sion** *s.* 'Bildüber,tragung *f*, Bildfunk *m*; ~ **tube** *s.* Fernseh-, Bildröhre *f*; '~**-writ·ing** s. Bilderschrift *f*.

pic·tur·ize ['piktʃəraiz] *v/t. Am.* verfilmen.

pid·dle ['pidl] *v/i.* **1.** (*v/t.* ver)trödeln; **2.** F ‚Pi'pi machen', ‚pinkeln'; '**pid·dling** [-liŋ] *adj.* unbedeutend, nutzlos, lumpig.

pidg·in ['pidʒin] *s.* **1.** *sl.* Angelegenheit *f*: *that is your* ~ das ist deine Sache; **2.** ~ *English* Pidgin-Englisch *n* (*Verkehrssprache zwischen Europäern u. Ostasiaten*); *weitS.* Kauderwelsch *n*.

pie[1] [pai] *s.* **1.** *orn.* Elster *f*; **2.** *zo.* Scheck(e) *m* (*Pferd*).

pie[2] [pai] *s.* **1.** ('Fleisch-, 'Obst- *etc.*)Pa,stete *f*, Pie *f*: *it's* (*as easy as*) ~ *sl.* es ist kinderleicht; → *finger 1*; *humble 1*; **2.** (Obst)Torte *f*; **3.** *pol. Am. sl.* Protekti'on *f*, Bestechung *f*: ~ *counter* ‚Futterkrippe'; **4.** F *e-e* feine Sache; *ein* ‚gefundenes Fressen'.

pie[3] [pai] **I.** *s.* **1.** *typ.* Zwiebelfisch(e *pl.*) *m*; **2.** *fig.* Wirrwarr *m*, Durchein'ander *n*; **II.** *v/t.* **3.** *typ. Satz* zs.-werfen; **4.** *fig.* durchein'anderbringen.

pie·bald ['paibɔ:ld] **I.** *adj.* scheckig, bunt; **II.** *s.* scheckiges Tier; Schecke *f* (*Pferd*).

piece [pi:s] **I.** *s.* **1.** Stück *n*: *a* ~ *of land* ein Stück Land; *a* ~ *of furniture* ein Möbel(stück); *a* ~ *of wallpaper* e-e Rolle Tapete; *a* ~ je, das Stück (*im Preis*); *by the* ~ **a)** stückweise *verkaufen*, **b)** im Akkord *od.* Stücklohn *arbeiten od. bezahlen*; *in* ~*s* entzwei, ‚kaputt'; *of a* ~ gleichmäßig; *all of a* ~ aus 'einem Guß; *to be all of a* ~ *with* ganz passen zu; *to break* (*od. fall*) *to* ~*s* entzweigehen, zerbrechen; *to go to* ~*s* **a)** in Stücke gehen (*a. fig.*), **b)** *fig.* zs.-brechen (*Person*); *to take to* ~*s* auseinandernehmen, zerlegen; → *pick 12*, *pull 16*; **2.** *fig.* Beispiel *n*, Fall *m*, *mst* ein(e): *a* ~ *of advice* ein Rat(schlag); *a* ~ *of folly* e-e Dummheit; *a* ~ *of news* e-e Neuigkeit; → *mind 4*; **3.** Teil *m* (*e-s Service etc.*): *two-*~ *set* zweiteiliger Satz; **4.** (Geld)Stück *n*, Münze *f*; **5.** ⚔ Geschütz *n*; Gewehr *n*; **6.** *a.* ~ *of work* Arbeit *f*, Stück *n*; *paint.* Stück *n*, Gemälde *n*; *thea.* (Bühnen)Stück *n*; ♪ (Mu'sik)Stück *n*; (kleines) *literarisches* Werk; **7.** ('Spiel)Fi,gur *f*, Stein *m*; *Schach*: Offi'zier *m*, Figur *f*: *minor* ~*s* leichtere Figuren (*Läufer u. Springer*); **8.** F **a)** Stück *n* Wegs, kurze Entfernung, **b)** Weilchen *n*; **9.** V *contp.* ‚(Weibs-) Stück' *n*; **II.** *v/t.* **10.** *a.* ~ *up* flicken, ausbessern, zs.-stücken; **11.** verlängern, anstücken, -setzen (*on to* an *acc.*); **12.** *oft* ~ *together* zs.-setzen, -stücke(l)n (*a. fig.*); **13.** ver'vollständigen, ergänzen; '~**-goods** *pl.* † Meter-, Schnittware *f*; '~**-meal** *adv.* stückweise, Stück für Stück, all'mählich; '~**-rate** *s.* Ak'kordsatz *m*; '~**-wag·es** *s. pl.* Ak'kord-, Stücklohn *m*; '~**-work** *s.* Ak'kordarbeit *f*; '~**-work·er** *s.* Ak'kordarbeiter(in).

'**pie|-chart** *s. Statistik*: 'Kreisdia,gramm *n*; '~**-crust** *s.* Pa'stetenkruste *f*, Teigdecke *f*.

pied[1] [paid] *adj.* gescheckt, buntscheckig: ♀ *Piper* (*of Hamelin*) *der* Rattenfänger von Hameln.

pied[2] [paid] *pret. u. p.p. von pie*[3] *II*.

'**pie|-eyed** *adj. Am. sl.* ‚blau' (*betrunken*); '~**-plant** *s. Am.* Rha'barber *m*.

pier [piə] *s.* **1.** Pier *m, f* (*feste Landungsbrücke*); Kai *m*; **2.** Mole *f*, Hafendamm *m*; (Brücken)Pfeiler *m*, Wellenbrecher *m*; **3.** ⚠ (Stütz-, Tor)Pfeiler *m*; **pier·age** ['piəridʒ] *s.* Kaigeld *n*.

pierce [piəs] **I.** *v/t.* **1.** durch'bohren, -'dringen, -'stechen, -'stoßen; ⊕ lochen; ⚔ durch'brechen, -'stoßen, eindringen in (*acc.*); **2.** *fig.* durch'dringen (*Kälte, Schrei, Schmerz etc.*): *to* ~ *s.o.'s heart* j-m ins Herz schneiden; **3.** *fig.* durch'schauen, ergründen, eindringen in *Geheimnisse etc.*; **II.** *v/i.* (ein)dringen (*into in acc.*) (*a. fig.*); dringen (*through* durch); '**pierc·ing** [-siŋ] *adj.* □ 'durchdringend, scharf, schneidend, stechend (*a. Kälte, Blick, Schmerz*); gellend (*Schrei*).

'**pier|-glass** *s.* Pfeilerspiegel *m*; '~**-head** *s.* Molenkopf *m*.

pi·er·rot ['piərou] *s.* Pier'rot *m*, Hans'wurst *m*.

pi·e·tism ['paiətizəm] *s.* Pie'tismus *m*; '**pi·e·tist** [-ist] *s.* **1.** Pie'tist(in); **2.** Frömmler(in), Mucker(in); **pi·e'tis·tic** [paiə'tistik] *adj.* **1.** pie'tistisch; **2.** frömmelnd.

pi·e·ty ['paiəti] *s.* **1.** Frömmigkeit *f*; **2.** Pie'tät *f*, Ehrfurcht *f* (*to* vor *dat.*).

pi·e·zo·e·lec·tric [paii:zoui'lektrik] *adj. phys.* pi'ezoe,lektrisch.

pif·fle ['pifl] F **I.** *v/i.* **a)** Blech reden, quatschen, **b)** Quatsch machen; **II.** *s.* Quatsch *m*, ‚Blech' *n*.

pig [pig] **I.** *pl.* **pigs** *od. coll.* **pig** *s.* **1.** Ferkel *n*: *sow in* ~ trächtiges Mutterschwein; *sucking* ~ Spanferkel; *to buy a* ~ *in a poke fig.* die Katze im Sack kaufen; *in a* (*od. the*) ~*'s eye! Am. sl.* Quatsch!, ‚von wegen'!; **2.** *fig. contp.* **a)** Ferkel *n*, Schwein *n*, **b)** Dickschädel *m*, **c)** Ekel *n* (*Person*); **3.** *sl.* ‚Bulle' *m* (*Polizist*); **4.** ⊕ **a)** Massel *f*, (Roheisen)Barren *m*, **b)** Roheisen *n*, **c)** Block *m*, Mulde *f* (*bsd. Blei*); **II.** *v/i.* **5.** ferkeln, frischen; **6.** *mst* ~ *it* F eng zs.-hausen, aufein'anderhocken.

pi·geon ['pidʒin] *s.* **1.** *pl.* **-geons** *od. coll.* **-geon** Taube *f*; **2.** *sl.* ‚Gimpel' *m*; **3.** → *clay pigeon*; '~**-breast** *s.* ⚕ Hühnerbrust *f*; '~**-'breast·ed** *adj.* hühnerbrüstig; '~**-hole I.** *s.* **1.** (Ablege-, Schub)Fach *n*; **2.** Taubenloch *n*; **II.** *v/t.* **3.** in ein Schubfach legen, einordnen, *Akten* ablegen; **4.** *fig.* zu'rückstellen, zu den Akten legen, auf die lange Bank schieben, die Erledigung *e-r Sache* verschleppen; **5.** *fig. Tatsachen, Wissen* (ein)ordnen, klassifizieren; **6.** mit Fächern versehen; '~**-house**, '~**-loft** *s.* Taubenschlag *m*; '~**-'liv·ered** *adj.* ‚weich', feige.

pi·geon·ry ['pidʒinri] *s.* Taubenhaus *n*, -schlag *m*.

pig·ger·y ['pigəri] *s.* **1.** Schweinezucht *f*; **2.** Schweinestall *m*; **3.** *fig. contp.* **a)** Saustall *m*, **b)** Schweine'rei *f*; **pig·gish** ['pigiʃ] *adj.* **1.** schweinisch, unflätig; **2.** gierig; **3.** dickköpfig; **pig·gy** ['pigi] **I.** *s.* **1.** Schweinchen *n*: ~ *bank* Sparschwein(chen); **2.** *Am.* F Zehe *f*; **II.** *adj.* **3.** → *piggish*.

'**pig|'head·ed** *adj.* □ dickköpfig, störrisch, eigensinnig; '**~'head·ed·ness** *s.* Dickköpfigkeit *f*, ‚Sturheit' *f*; '**~-i·ron** *s. metall.* Massel-, Roheisen *n*.
pig·let ['piglit] *s.* Schweinchen *n*, Ferkel *n*.
pig·ment ['pigmənt] **I.** *s.* **1.** *a. biol.* Pig'ment *n*; **2.** Farbe *f*, Farbstoff *m*, -körper *m*; **II.** *v/t. u. v/i.* **3.** (sich) pigmentieren, (sich) färben; '**pig·men·tar·y** [-təri], *a.* **pig·men·tal** [pig'mentl] *adj.* Pigment...; **pig·men·ta·tion** [pigmən'teiʃən] *s.* **1.** *biol.* Pigmentati'on *f*, Färbung *f*; **2.** ⚕ Pigmentierung *f*.
pig·my → *pygmy*.
'**pig|·nut** *s.* ♀ 'Erdkaˌstanie *f*, -nuß *f*; '**~·skin** *s.* **1.** Schweinsleder *n*; **2.** F ‚Leder' *n* (*Fußball*); '**~·stick·ing** *s.* **1.** Wildschweinjagd *f*, Sauhatz *f*; **2.** Schweineschlachten *n*; '**~·sty** *s.* Schweinestall *m* (*a. fig.*); '**~·tail** *s.* **1.** (Haar)Zopf *m*; **2.** Rolle *f* 'Tabak; '**~·wash** → *hog-wash*.
pi-jaw ['paidʒɔ:] *Brit. sl.* **I.** *s.* Standpauke *f*; **II.** *v/t. j-m* die Le'viten lesen, *j-n* anschnauzen.
pike[1] [paik] *pl.* **pikes** *od. bsd. coll.* **pike** *s. ichth.* Hecht *m*.
pike[2] [paik] *s.* **1.** ⚔ *hist.* Pike *f*, (Lang)Spieß *m*; **2.** (Speer- *etc.*) Spitze *f*, Stachel *m*; **3. a)** Schlagbaum *m* (*Mautstraße*), **b)** Maut *f*, Straßenbenutzungsgebühr *f*, **c)** Mautstraße *f*, gebührenpflichtige Straße; **4.** *Brit. dial.* Bergspitze *f*.
pike·let ['paiklit] *s. Brit. ein* Teegebäck *n*.
'**pike·man** [-mən] *s.* [*irr.*] **1.** ⚒ Hauer *m*; **2.** Mautner *m*; **3.** ⚔ *hist.* Pike'nier *m*.
pik·er ['paikə] *s. Am. sl.* **1.** Geizhals *m*; **2.** vorsichtiger Spieler; **3.** ‚kleiner Mann'; **4.** Drückeberger *m*, Feigling *m*; **5.** ‚Stromer' *m*.
'**pike·staff** *s.*: *as plain as a ~* sonnenklar.
pi·las·ter [pi'læstə] *s.* ⚠ Pi'laster *m*, (*viereckiger*) Stützpfeiler.
pilch [piltʃ] *s.* (*dreieckiges*) Wickeltuch.
pil·chard ['piltʃəd] *s. ichth.* Sar['dine *f*.]
pile[1] [pail] **I.** *s.* **1.** Haufen *m*, Stoß *m*, Stapel *m* (*Akten, Holz etc.*): *a ~ of arms* e-e Gewehrpyramide; **2.** Scheiterhaufen *m*; **3.** großes Gebäude, Ge'bäudekomˌplex *m*; **4.** ‚Haufen' *m*, ‚Masse' *f* (*bsd. Geld*): *to make a* (*od. one's*) *~* e-e Menge Geld machen, ein Vermögen verdienen; *to make a ~ of money* e-e Stange Geld verdienen; **5.** ⚡ **a)** (gal'vanische *etc.*) Säule: *thermo-electrical ~* Thermosäule, **b)** Batte'rie *f*; **6.** *a. atomic ~* (A'tom)Meiler *m*, Re'aktor *m*; **7.** *metall.* 'Schweiß(eisen)pa'ket *n*; **8.** *Am. sl.* ‚Kasten' *m* (*Auto*); **II.** *v/t.* **9.** *a. ~ up* (*od. on*) (an-, auf)häufen, (auf)stapeln, aufschichten: *to ~ arms* ⚔ Gewehre zs.-setzen; **10.** aufspeichern (*a. fig.*); **11.** über'häufen, -'laden (*a. fig.*): *to ~ a table with food*; *to ~ up* (*od. on*) *the agony* F Schrecken auf Schrecken häufen; *to ~ it on* F dick auftragen; **III.** *v/i.* **12.** *mst ~ up* sich (auf- *od.* an)häufen, sich ansammeln (*a. fig.*); **13.** F sich (scharenweise) drängen (*into* in *acc.*); **14.** *~ up mot.* aufein'anderfahren, zs.-prallen.
pile[2] [pail] **I.** *s.* **1.** ⊕ (Stütz)Pfahl *m*, Pfeiler *m*; Bock *m*, Joch *n e-r Brücke*; **2.** *her.* Spitzpfahl *m*; **II.** *v/t.* **3.** auspfählen, unter'pfählen, durch Pfähle verstärken; **4.** (hin'ein-) treiben *od.* (ein)rammen in (*acc.*).
pile[3] [pail] **I.** *s.* **1.** Flaum *m*; **2.** (Woll)Haar *n*, Pelz *m* (*des Fells*); **3.** *Weberei*: Samt *m*, Felbel *m*; **4.** *Weberei*: Flor *m*, Pol *m* (*e-s Gewebes*); Noppe *f* (*a. rauhe Tuchseite*); **II.** *adj.* **5.** ...fach gewebt (*Teppich etc.*): *a three-~ carpet*; *double-~ velvet* doppelfloriger Samt.
'**pile|-bridge** (Pfahl)Jochbrücke *f*; '**~-driv·er** *s.* ⊕ **1.** (Pfahl)Ramme *f*; **2.** Rammklotz *m*; '**~-dwell·ing** *s.* Pfahlbau *m*; **~ fab·ric** *s.* Samtstoff *m*; *pl.* Polgewebe *pl.*
piles [pailz] *s. pl.* ⚕ Hämorrho'iden *pl.*
'**pile-up** *s. mot.* 'Massenkarambo-ˌlage *f*.
pil·fer ['pilfə] *v/t. u. v/i.* stehlen, mausen, sti'bitzen; '**pil·fer·age** [-əridʒ] *s.* geringfügiger Diebstahl, Diebe'rei *f*; '**pil·fer·er** [-ərə] *s.* Dieb(in), ‚Langfinger' *m*.
pil·grim ['pilgrim] *s.* **1.** Pilger(in), Wallfahrer(in); **2.** *fig.* Pilger *m*, Wanderer *m*; **3.** ♀ (*pl. a.* ♀ *Fathers*) *hist.* Pilgervater *m*; '**pil·grim·age** [-midʒ] **I.** *s.* **1.** Pilger-, Wallfahrt *f*; **2.** *fig.* lange Reise; **II.** *v/i.* **3.** pilgern, wallfahren.
pill [pil] **I.** *s.* **1.** Pille *f* (*a. fig.*), Ta'blette *f*: *to swallow the ~* die bittere Pille schlucken, in den sauren Apfel beißen; → *gild*[2] *3*; **2.** *sl.* ‚Brechmittel' *n*, ‚Ekel' *n* (*Person*); **3.** *sport sl.* Ball *m*; *Brit. a.* Billard *n*; **4.** ⚔ *sl. od. humor.* ‚blaue Bohne' (*Gewehrkugel*), ‚Ei' *n*, ‚Koffer' *m* (*Kanonenkugel*); **5.** *sl.* ‚Stäbchen' *n* (*Zigarette*); **6.** *the ~* die (Anti'baby)Pille: *to be on the ~* die Pille nehmen; **II.** *v/t.* **7.** *sl. bei e-r Wahl* ablehnen, durchfallen lassen.
pil·lage ['pilidʒ] **I.** *v/t.* **1.** (aus)plündern; **2.** rauben, erbeuten; **II.** *v/i.* **3.** plündern; **III.** *s.* **4.** Plünderung *f*, Plündern *n*; **5.** Beute *f*.
pil·lar ['pilə] **I.** *s.* **1.** Pfeiler *m*, Ständer *m* (*a. Reitsport*): *a ~ of coal* ⚒ Kohlenpfeiler; *to run from ~ to post fig.* von Pontius zu Pilatus laufen; **2.** ⚠ (*a. weitS.* Luft-, Rauch- *etc.*)Säule *f*; **3.** *fig.* Säule *f*, (Haupt)Stütze *f*: *the ~s of wisdom* die Säulen der Weisheit; **4.** ⊕ Stütze *f*, Sup'port *m*, Sockel *m*; **II.** *v/t.* **5.** mit Pfeilern *od.* Säulen stützen *od.* schmücken; '**~-box** *s. Brit.* Briefkasten *m* (in Säulenform).
pil·lared ['piləd] *adj.* **1.** mit Säulen *od.* Pfeilern (versehen); **2.** säulenförmig.
'**pill·box** *s.* **1.** Pillenschachtel *f*; **2.** ⚔ *sl.* Bunker *m*, 'Unterstand *m*.
pil·lion ['piljən] *s.* **1.** leichter (Damen)Sattel; **2.** Sattelkissen *n*; **3.** *a. ~ seat mot.* Soziussitz *m*: *to ride ~* auf dem Sozius (mit)fahren; '**~-rid·er** *s.* Soziusfahrer(in).
pil·lo·ry ['piləri] **I.** *s.* Pranger *m* (*a. fig.*): *in the ~* am Pranger; **II.** *v/t.* an den Pranger stellen; *fig.* anprangern.
pil·low ['pilou] **I.** *s.* **1.** (Kopf)Kissen *n*, Polster *n*: *to take counsel of one's ~ fig.* e-e Sache beschlafen; **2.** ⊕ (Zapfen)Lager *n*, Pfanne *f*; **II.** *v/t.* **3.** (auf ein Kissen) betten, stützen (*on* auf *acc.*): *to ~ up* hoch betten; '**~-case** *s.* (Kopf)Kissenbezug *m*; '**~-lace** *s.* Klöppel-, Kissenspitzen *pl.*; '**~-slip** → *pillow-case*.
pi·lose ['pailous] *adj.* ♀, *zo.* behaart.
pi·lot ['pailət] **I.** *s.* **1.** ⚓ Lotse *m*; **2.** ✈ Flugzeug-, Ball'lonführer *m*, Pi'lot *m*: *~ instructor* Fluglehrer; *~'s licence* Flugzeugführerschein; *~ officer* Fliegerleutnant; *~ pupil*, *~ trainee* Flugschüler(in); **3.** *fig.* **a)** Führer *m*, Wegweiser *m*, **b)** Berater *m*; **4.** 🚂 *Am.* Schienenräumer *m*; **5.** ⊕ Be'tätigungseleˌment *n*; **6.** ⊕ Führungszapfen *m*; **II.** *v/t.* **7.** ⚓ lotsen (*a. mot. u. fig.*), steuern: *to ~ through* durchlotsen (*a. fig.*); **8.** ✈ steuern, fliegen; **9.** *bsd. fig.* führen, lenken, leiten; **III.** *adj.* **10.** Versuchs...; → *pilot plant 1*; **11.** Hilfs-...: *~ parachute*; **12.** Steuer..., Kontroll..., Leit...: *~ relay* Steuer-, Kontrollrelais; '**pi·lot·age** [-tidʒ] *s.* **1.** ⚓ Lotsen(kunst *f*) *n*: *certificate of ~* Lotsenpatent; **2.** Lotsengeld *n*; **3.** ✈ **a)** Flugkunst *f*, **b)** 'Bodennavigatiˌon *f*; **4.** *fig.* Leitung *f*, Führung *f*.
pi·lot| bal·loon *s.* ✈ Pi'lotbalˌlon *m*; **~ boat** *s.* ⚓ Lotsenboot *n*; **~ burn·er** *s.* ⊕ Sparbrenner *m*; '**~-cloth** *s.* dunkelblauer Fries; **~ en·gine** *s.* 🚂 'Leerfahrtlokomoˌtive *f*; **~ film** *s.* Pi'lotfilm *m*; **~ in·jec·tion** *s. mot.* Voreinspritzung *f*; **~ jet** *s.* ⊕ Leerlaufdüse *f*; **~ lamp** *s.* ⊕ Kon'trolllampe.
pi·lot·less ['pailətlis] *adj.* führerlos, unbemannt.
pi·lot| light *s.* **1.** → *pilot burner*; **2.** → *pilot lamp*; **~ plant** *s.* **1.** Versuchsanlage *f*; **2.** Musterbetrieb *m*; **~ scheme** *s.* Ver'suchsproˌjekt *n*; **~ stu·dy** *s.* 'Leitˌstudie *f*; **~ valve** *s.* ⊕ 'Steuervenˌtil *n*.
pi·lous ['pailəs] → *pilose*.
pil·ule ['pilju:l] *s.* kleine Pille.
pi·men·to [pi'mentou] *pl.* **-tos** *s.* ♀ *bsd. Brit.* **1.** Pi'ment *m*, *n*, Nelkenpfeffer *m*; **2.** Pi'mentbaum *m*.
pimp [pimp] **I.** *s.* **1.** Kuppler *m*; Zuhälter *m*; **2.** *Am. sl.* ‚Strichjunge' *m*; **II.** *v/i.* **3.** kuppeln.
pim·per·nel ['pimpənel] *s.* ♀ Pimper'nelle *f*.
pim·ple ['pimpl] **I.** *s.* Pustel *f*, (Haut)Pickel *m*; **II.** *v/i.* pickelig werden; '**pim·pled** [-ld], '**pim·ply** [-li] *adj.* pickelig, finnig.
pin [pin] **I.** *s.* **1.** (Steck)Nadel *f*: *~s and needles* ‚Kribbeln' (*in eingeschlafenen Gliedern*); *to sit on ~s and needles fig.* wie auf Kohlen sitzen; *I don't care a ~* das ist mir völlig schnuppe (*gleichgültig*); **2.** (Schmuck-, Haar-, Hut)Nadel *f*: *scarf-~* Krawattennadel; **3.** (Ansteck)Nadel *f*, Abzeichen *n*; **4.** ⊕ Pflock *m*, Dübel *m*, Bolzen *m*, Zapfen *m*, Stift *m*: *split ~* Splint; *~ with thread* Gewindezapfen; *~ bearing* Nadel-, Stiftlager; **5.** ⊕ Dorn *m*; **6.** *a. drawing-~ Brit.* Reißnagel *m*, -zwecke *f*; **7.** *a. clothes-~* Wäscheklammer *f*; **8.** *a. rolling-~* Nudel-

holz *n*; 3. *pl.* F ‚Stelzen' *pl.* (*Beine*): *that knocked him off his* ~*s* das hat ihn ‚umgeschmissen'; 10. ♪ Wirbel *m* (*Streichinstrument*); 11. *Kegelsport*: Kegel *m*; II. *v/t.* 12. (an)heften, -stecken, befestigen (*to*, *on* an *acc.*): *to* ~ *up* auf-, hochstecken; *to* ~ *one's faith on* sein Vertrauen auf j-n setzen; *to* ~ *one's hopes on* s-e (ganze) Hoffnung setzen auf (*acc.*), fest bauen auf (*acc.*); 13. pressen, drücken, heften (*against*, *to* gegen, an *acc.*), festhalten; 14. *a.* ~ *down* a) zu Boden pressen, b) *fig.* *j-n* festnageln (*to* auf *ein Versprechen*, *e-e Aussage etc.*), c) ⚔ *Feindkräfte* fesseln (*a. Schach*); 15. ⊕ verbolzen, -dübeln, -stiften.

pin·a·fore ['pinəfɔ:] *s.* (Kinder-) Lätzchen *n*, (-)Schürze *f*.

'pin|·ball ma·chine *s.* Flipper *m* (*Spielautomat*); ~ **bit** *s.* ⊕ Bohrspitze *f*; ~ **bolt** *s.* ⊕ Federbolzen *m*.

pince-nez ['pɛ̃:nsnei; pɛ̃snɛ] (*Fr.*) *s.* Kneifer *m*, Klemmer *m*.

pin·cer ['pinsə] *adj.* Zangen...: ~ *movement* ⚔ Zangenbewegung; **'pin·cers** [-əz] *s. pl.* 1. (Kneif-, Beiß)Zange *f*: *a pair of* ~ eine Kneifzange; 2. ⚘, *typ.* Pin'zette *f*; 3. *zo.* Krebsschere *f*.

pinch [pintʃ] I. *v/t.* 1. zwicken, kneifen, (ein)klemmen, quetschen: *to* ~ *off* abkneifen; 2. beengen, einengen, -zwängen; *fig.* (be)drücken, beengen, beschränken: *to be* ~*ed for time* wenig Zeit haben; *to be* ~*ed* in Bedrängnis sein, Not leiden, knapp sein (*for*, *in*, *of* an *dat.*); *to be* ~*ed for money* knapp bei Kasse sein; ~*ed circumstances* beschränkte Verhältnisse; 3. *fig.* quälen: *to be* ~*ed with cold* durchgefroren sein; *to be* ~*ed with hunger* ausgehungert sein; *a* ~*ed face* ein schmales *od.* abgehärmtes Gesicht; 4. *sl. et.* ‚klemmen', ‚klauen' (*stehlen*); 5. *sl.* *j-n* ‚schnappen' (*verhaften*); II. *v/i.* 6. drücken, kneifen, zwicken: ~*ing want* drückende Not; → *shoe 1*; 7. *fig. a.* ~ *and scrape* knausern, darben, sich nichts gönnen; III. *s.* 8. Kneifen *n*, Zwicken *n*; 9. *fig.* Druck *m*, Qual *f*, Not(lage) *f*: *at a* ~ im Notfall; *if it comes to a* ~ wenn es zum Äußersten kommt; 10. Prise *f* (*Tabak etc.*): 11. Quentchen *n*, (kleines) bißchen: *a* ~ *of butter*; *with a* ~ *of salt fig.* mit Vorbehalt; 12. *sl.* Festnahme *f*, Verhaftung *f*.

pinch·beck ['pintʃbek] I. *s.* 1. Tombak *m*, Talmi *n* (*a. fig.*); II. *adj.* 2. Talmi... (*a. fig.*); 3. unecht, nachgemacht.

'pinch|-hit *v/i.* [*irr.* → *hit*] *Am.* *Baseball u. fig.* einspringen (*for* für); **'~-hit·ter** *s. Am.* Ersatz(mann) *m*.

'pin|·cush·ion *s.* Nadelkissen *n*; ~ **cou·pling** *s.* ⊕ Bolzenkupplung *f*.

pine[1] [pain] *s.* 1. ⚘ Kiefer *f*, Föhre *f*, Pinie *f*; 2. Kiefernholz *n*; 3. F Ananas *f*.

pine[2] [pain] *v/i.* 1. sich sehnen, schmachten (*after*, *for* nach); 2. *mst* ~ *away* verschmachten, vor Gram vergehen; 3. sich grämen *od.* abhärmen (*at* über *acc.*).

pin·e·al gland ['piniəl] *s. anat.* Zirbeldrüse *f*.

'pine|·ap·ple *s.* 1. ⚘ Ananas *f*; 2. ⚔ *sl.* 'Handgra,nate *f*; Bombe *f*; Tor'pedo *m*; **'~-cone** *s.* ⚘ Kiefernzapfen *m*; ~ **mar·ten** *s. zo.* Baummarder *m*; **'~-nee·dle** *s.* ⚘ Fichtennadel *f*; **'~-oil** *s.* Kiefernöl *n*.

pin·er·y ['painəri] *s.* 1. Treibhaus *n* für Ananas; 2. Kiefernpflanzung *f*.

pine| tar *s.* Kienteer *m*; **,~-tree** *s.* ⚘ Kiefer *f*.

'pin-feath·er *s. orn.* Stoppelfeder *f*.

ping [piŋ] I. *v/i.* 1. pfeifen (*Kugel*), schwirren (*Mücke etc.*); *mot.* klingeln; II. *s.* 2. Peng *n*; 3. Pfeifen *n*, Schwirren *n*; *mot.* Klingeln *n*; **'~-pong** [-pɔŋ] *s.* Tischtennis *n*.

'pin|-head *s.* 1. (Steck)Nadelkopf *m*; 2. *fig.* Kleinigkeit *f*; 3. F Dummkopf *m*; **'~-head·ed** *adj.* dumm, ‚doof'; **'~-hole** *s.* 1. Nadelloch *n*; 2. kleines Loch (*a. opt.*): ~ *camera* Lochkamera.

pin·ion[1] ['pinjən] *s.* ⊕ 1. Ritzel *n*, Antriebs(kegel)rad *n*: *gear* ~ Getriebezahnrad; ~ *drive* Ritzelantrieb; 2. Kammwalze *f*.

pin·ion[2] ['pinjən] I. *s.* 1. *orn.* Flügelspitze *f*; 2. *orn.* (Schwung)Feder *f*; 3. *poet.* Schwinge *f*, Fittich *m*; II. *v/t.* 4. die Flügel stutzen (*dat.*) (*a. fig.*); 5. fesseln (*to* an *acc.*).

pink[1] [piŋk] I. *s.* 1. ⚘ Nelke *f*: *plumed* (*od. feathered*) ~ Federnelke; 2. Blaßrot *n*, Rosa *n*; 3. *bsd. Brit.* (scharlach)roter Jagdrock; 4. *pol. Am. sl.* ‚rot Angehauchte(r)' *m*, Sa'lonbolsche,wist *m*; 5. *fig.* Gipfel *m*, Krone *f*, höchster Grad: *in the* ~ *of health* bei bester Gesundheit; *the* ~ *of perfection* die höchste Vollendung; *to be in the* ~ (*of condition*) *sl.* in ‚Hochform' sein; II. *adj.* 6. rosa (-farben), blaßrot: ~ *slip* ‚blauer Brief', Kündigungsschreiben; 7. *pol. sl.* ‚rötlich', kommu'nistisch angehaucht.

pink[2] [piŋk] *v/t.* 1. *a.* ~ *out* auszacken; 2. durch'bohren, -'stechen.

pink[3] [piŋk] *s.* ⚓ Pinke *f* (*Boot*).

pink[4] [piŋk] *v/i.* klopfen (*Motor*).

pink·ish ['piŋkiʃ] *adj.* rötlich (*a. pol. sl.*), blaßrosa.

'pin-mon·ey *s.* Nadelgeld *n* (*Taschengeld der Frau*).

pin·na ['pinə] *pl.* **-nae** [-ni:] *s.* 1. *anat.* Ohrmuschel *f*; 2. *zo.* a) Feder *f*, Flügel *m*, b) Flosse *f*; 3. ⚘ Fieder (-blatt *n*) *f*.

pin·nace ['pinis] *s.* ⚓ Pi'nasse *f*.

pin·na·cle ['pinəkl] *s.* 1. △ a) Spitzturm *m*, b) Zinne *f*; 2. (Fels-, Berg-) Spitze *f*, Gipfel *m*; 3. *fig.* Gipfel *m*, Spitze *f*, Höhepunkt *m*.

pin·nate ['pinit] *adj.* ⚘, *orn.* gefiedert.

pin·ni·grade ['pinigreid], **'pin·ni·ped** [-ped] *zo.* I. *adj.* flossen-, schwimmfüßig; II. *s.* Flossen-, Schwimmfüßer *m*.

pin·nule ['pinju:l] *s.* 1. Federchen *n*; 2. *zo.* Flössel *n*; 3. ⚘ Fiederblättchen *n*.

pin·ny ['pini] F → *pinafore*.

pi·noch·le, pi·noc·le ['pi:nʌkl] *s.* *Am.* Bi'nokel *n* (*Kartenspiel*).

'pin|-point ⚔ I. *v/t.* *Ziel* genau festlegen (*a. fig.*) *od.* bombardieren; II. *v/i.* ein Punktziel ausmachen; III. *adj.* genau, Punkt...: ~ *bombing* Bombenpunktwurf; ~ *strike* ✝ Schwerpunktstreik; ~ *target* Punktziel; **'~-prick** *s.* 1. Nadelstich *m* (*a. fig.*): *policy of* ~*s* Politik der Nadelstiche; 2. *fig.* Stiche'lei *f*, spitze Bemerkung; **'~-stripe** *s.* Nadelstreifen *m* (*Stoff*).

pint [paint] *s.* *etwa* halbes Liter (*Brit. 0,57*, *Am. 0,47 Liter*).

pin·tle ['pintl] *s.* 1. ⊕ (Dreh)Bolzen *m*; 2. *mot.* Düsennadel *f*, -zapfen *m*; 3. ⚓ Fingerling *m*, Ruderhaken *m*.

pin·to ['pintou] *Am. pl.* **-tos** *s.* Scheck *m*, Schecke *f* (*Pferd*).

'pin-up (**girl**) *s.* Pin-'up-girl *n* (*Zeitungsbild*), ‚Sexbombe' *f*.

pi·o·neer [paiə'niə] I. *s.* 1. ⚔ Pio'nier *m*; 2. *fig.* Pio'nier *m*, Bahnbrecher *m*, Vorkämpfer *m*, Wegbereiter *m*; II. *v/i.* 3. *fig.* den Weg bahnen, bahnbrechende Arbeit leisten; III. *v/t.* 4. den Weg bahnen für (*a. fig.*); IV. *adj.* 5. Pionier...: ~ *work*; 6. *fig.* bahnbrechend, wegbereitend, Versuchs..., erst.

pi·ous ['paiəs] *adj.* □ 1. fromm (*a. iro.*), gottesfürchtig: ~ *wish fig.* frommer Wunsch; *a* ~ *effort* F ein gutgemeinter Versuch; ~ *fraud* frommer Betrug; 2. liebevoll.

pip[1] [pip] *s.* 1. *vet.* Pips *m* (*Geflügelkrankheit*); 2. *Brit. sl.* miese Laune: *to have the* ~ nicht auf dem Damm sein; *he gives me the* ~ er fällt mir auf die Nerven.

pip[2] [pip] *s.* 1. Auge *n* (*auf Spielkarten*), Punkt *m* (*auf Würfeln etc.*); 2. (Obst)Kern *m*; 3. ⚔ *bsd. Brit. sl.* Stern *m* (*Rangabzeichen*); 4. *Radar*: Pip *m* (*Bildspur*); 5. *Brit. Radio*: Ton *m* (*Zeitzeichen*).

pip[3] [pip] *Brit.* F I. *v/t.* 1. 'durchfallen lassen (*bei e-r Wahl etc.*); 2. *fig.* ‚in den Sack stecken', schlagen; 3. ‚abknallen' (*erschießen*); II. *v/i.* 4. *a.* ~ *out* ‚eingehen' (*sterben*).

pipe [paip] I. *s.* 1. ⊕ a) Rohr *n*, Röhre *f*, b) (Rohr)Leitung *f*; 2. (Tabaks)Pfeife *f*: *put that in your* ~ *and smoke it* F laß dir das gesagt sein; 3. ♪ Pfeife *f* (*Flöte*); Orgelpfeife *f*; ('Holz)Blasinstru,ment *n*; *mst pl.* Dudelsack *m*; 4. a) Pfeifen *n* (*e-s Vogels*), Piep(s)en *n*, b) Pfeifenton *m*, c) Stimme *f*; 5. F Luftröhre *f*: *to clear one's* ~ sich räuspern; 6. *metall.* Lunker *m*; 7. ⚒ (Wetter)Lutte *f*; 8. ✝ Pipe *f* (*Weinfaß* = *Brit. 477,3*, *Am. 397,4 Liter*); II. *v/t.* 9. (durch Röhren) leiten; 10. Röhren *od.* e-e Rohrleitung legen in (*acc.*); 11. pfeifen, flöten; *Lied* anstimmen, singen; 12. quieken, piepsen; 13. ⚓ *Mannschaft* zs.-pfeifen; 14. *Schneiderei*: paspelieren, mit Biesen besetzen; 15. *Torte etc.* mit feinem Guß verzieren, spritzen; 16. *to* ~ *one's eye* F ‚flennen', weinen; III. *v/i.* 17. pfeifen (*a. Wind etc.*), flöten; piep(s)en: *to* ~ *down sl.* ‚die Luft anhalten', den Mund halten; *to* ~ *up* loslegen, anfangen; **'~-bowl** *s.* Pfeifenkopf *m*; ~ **burst** *s.* Rohrbruch *m*; ~ **clamp** *s.* ⊕ Rohrschelle *f*; **'~-clay** I. *s.* 1. *min.* Pfeifenton *m*; 2. ⚔ *fig.* ‚Kom'miß' *m*; II. *v/t.* 3. mit Pfeifenton weißen; ~ **clip** *s.* ⊕ Rohrschelle *f*; ~ **dream** *s. Am.* F Luftschloß *n*, Hirngespinst *n*; **'~-lay·er** *s.* 1. ⊕ Rohrleger *m*; 2. *pol. Am.* Drahtzieher *m*; **'~-line** *s.* 1. Pipe-

line *f*, Ölleitung *f*: *in the ~ fig.* in Vorbereitung (*Pläne etc*), im Kommen (*Entwicklung etc.*); **2.** *fig.* (*mst* geheime) Verbindung *od.* (Informati'ons)Quelle; **3.** ⚔ Nachschubweg *m*.
pip·er ['paipə] *s.* Pfeifer *m*: *to pay the ~ fig.* die Zeche bezahlen, *weitS.* der Dumme sein.
'**pipe|-rack** *s.* Pfeifenständer *m*; **~ tongs** *s. pl.* ⊕ Rohrzange *f*.
pi·pette [pi'pet] *s.* ⚗ Pi'pette *f* (*Stechheber*).
pipe| un·ion *s.* ⊕ Rohrverbindung *f*; '**~-wrench** *s.* ⊕ Rohrschlüssel *m*.
pip·ing ['paipiŋ] **I.** *s.* **1.** ⊕ **a)** Rohrleitung *f*, -netz *n*, Röhrenwerk *n*, **b)** Rohrverlegung *f*; **2.** *metall.* **a)** Lunker *m*, **b)** Lunkerbildung *f*; **3.** Pfeifen *n*, Piep(s)en *n*; Pfiff *m*; **4.** *Schneiderei*: Paspel *m*, (*an Uniformen*) Biese *f*; **5.** (feiner) Zuckerguß, Verzierung *f* (*Kuchen*); **II.** *adj.* **6.** pfeifend, schrill; **7.** friedlich, i'dyllisch (*Zeit*); **III.** *adv.* **8.** *~ hot* siedend heiß, *fig.* brühwarm.
pip·it ['pipit] *s. orn.* Pieper *m*.
pip·kin ['pipkin] *s.* irdenes Töpfchen.
pip·pin ['pipin] *s.* **1.** Pippinapfel *m*; **2.** *sl.* **a)** ‚tolle Sache', **b)** ‚toller Kerl'.
pi·quan·cy ['pi:kənsi] *s.* Pi'kantheit *f*, *das* Pi'kante; '**pi·quant** [-nt] *adj.* □ pi'kant (*Soße*, *a. fig. Witz etc.*).
pique [pi:k] **I.** *v/t.* **1.** (auf)reizen, sticheln, ärgern, *j-s Stolz etc.* verletzen: *to be ~d at* über *et.* pikiert *od.* verärgert sein; **2.** *Neugier etc.* reizen, wecken; **3.** *~ o.s. (on)* sich et. einbilden (auf *acc.*), sich brüsten (mit); **II.** *s.* **4.** Groll *m*; Gereiztheit *f*, Gekränktsein *n*, Ärger *m*.
pi·qué ['pi:kei] *s.* Pi'kee *m* (*Gewebe*).
pi·quet[1] [pi'ket] *s.* Pi'kett *n* (*Kartenspiel*).
pi·quet[2] → *picket*.
pi·ra·cy ['paiərəsi] *s.* **1.** Pirate'rie *f*, Seeräube'rei *f*; **2.** Raubdruck *m*, unerlaubter Nachdruck; *allg.* Plagi'at *n*; **3.** Pa'tentverletzung *f*; **pi·rate** ['paiərit] **I.** *s.* **1. a)** Pi'rat *m*, Seeräuber *m*, **b)** Seeräuberschiff *n*; **2.** Raubdrucker *m*; *allg.* Plagi'ator *m*; **3. a)** *~ (radio) station* Pi'ratensender *m*, **b)** *~ listener* Schwarzhörer(in); **II.** *v/t.* **4.** kapern, (aus-)plündern (*a. weitS.*); **5.** unerlaubt nachdrucken; *allg.* plagiieren: *~d edition* → *piracy* 2; **pi·rat·i·cal** [pai'rætikəl] *adj.* □ **1.** (see)räuberisch; **2.** *~ edition* unerlaubter Nachdruck, Raubdruck.
pir·ou·ette [piru'et] **I.** *s. Tanz etc.*: Pirou'ette *f*; **II.** *v/i.* pirouettieren.
Pis·ces ['pisi:z] *s. pl. ast.* Fische *pl.*
pis·ci·cul·ture ['pisikʌltʃə] *s.* Fischzucht *f*; **pis·ci·cul·tur·ist** [pisi'kʌltʃərist] *s.* Fischzüchter *m*.
pish [piʃ] *int.* pfui!, bah!
pi·si·form ['paisifɔ:m] *adj.* erbsenförmig, Erbsen...
piss [pis] *sl.* **I.** *v/i.* ‚pissen', ‚schiffen': *to ~ on s.th. fig.* ‚auf et. scheißen'; **II.** *v/t.* ‚be-, anpissen': *to ~ the bed* ins Bett ‚schiffen'; **III.** *s.* ‚Pisse' *f*, ‚Schiffe' *f*; **pissed** [-st] *adj. sl.* **1.** ‚blau', besoffen; **2.** *~-off* ‚(stock-)sauer'.
pis·tach·i·o [pis'tɑ:ʃiou] *pl.* **-i·os** *s.* ⚘ Pi'stazie *f*.
pis·til ['pistil] *s.* ⚘ Pi'still *n*, Stempel *m*, Griffel *m*; '**pis·til·late** [-lit] *adj.* mit Stempel(n), weiblich (*Blüte*).
pis·tol ['pistl] **I.** *s.* Pi'stole *f* (*a. phys.*); **II.** *v/t.* mit e-r Pi'stole erschießen; '**~-shot** *s.* **1.** Pi'stolenschuß(weite *f*) *m*; **2.** *Am.* Pi'stolenschütze *m*.
pis·ton ['pistən] *s.* **1.** ⊕ Kolben *m*: *~ engine* Kolbenmotor; **2.** ⊕ (Druck)Stempel *m*; **~ dis·place·ment** *s.* Kolbenverdrängung *f*, Hubraum *m*; '**~-rod** *s.* Kolben-, Pleuelstange *f*; '**~-stroke** *s.* Kolbenhub *m*.
pit[1] [pit] **I.** *s.* **1.** Grube *f* (*a. anat.*): *refuse ~* Müllgrube; *~ of the stomach* Magengrube; **2.** Abgrund *m* (*a. fig.*): (*bottomless*) *~*, *~ (of hell)* (Abgrund der) Hölle, Höllenschlund; **3.** ⚒ **a)** (*bsd.* Kohlen)Grube *f*, Zeche *f*, **b)** (*bsd.* Kohlen)Schacht *m*; **4.** ⚘ (Rüben- *etc.*)Miete *f*; **5.** ⊕ **a)** *Gießerei*: Dammgrube *f*, **b)** Abstichherd *m*, Schlackengrube *f*; **6.** *thea. bsd. Brit.* Par'terre *n*, Par'kett *n*; **7.** *mot.* Box *f*; **8.** ✝ *Am.* Börse *f*, Maklerstand *m*: *grain ~* Getreidebörse; **9.** ⚕ (Blattern-, Pocken)Narbe *f*; **10.** ⊕ Rostgrübchen *n*; **II.** *v/t.* **11.** Löcher *od.* Vertiefungen bilden in (*dat.*) *od.* graben in (*acc.*); ⊕ an-, zerfressen (*Korrosion*); ⚕ mit Narben bedekken: *~ted with smallpox* pockennarbig; **12.** ⚘ *Rüben etc.* einmieten; **13. a)** *feindlich* gegen'überstellen, **b)** *j-n* ausspielen (*against* gegen), **c)** *s-e Kraft etc.* messen (*against* mit); **III.** *v/i.* **14.** Löcher *od.* Vertiefungen bilden; ⚕ narbig werden.
pit[2] [pit] *Am.* **I.** *s.* (Obst)Stein *m*; **II.** *v/t.* entsteinen.
pit-a-pat ['pitə'pæt] **I.** *adv.* ticktack (*Herz*); klipp'klapp (*Schritte*); **II.** *s.* Getrappel *n*, Getrippel *n*.
pitch[1] [pitʃ] **I.** *s.* Pech *n*; **II.** *v/t.* (ver)pichen, teeren (*a.* ⚓).
pitch[2] [pitʃ] **I.** *s.* **1.** Wurf *m* (*a. sport*): *to queer s.o.'s ~ sl.* j-m das Konzept verderben, j-m e-n Strich durch die Rechnung machen; *what's the ~? sl.* was ist los?; **2.** ✝ (Waren)Angebot *n*; **3.** ⚓ Stampfen *n*; **4.** Neigung *f*, Gefälle *n* (*Dach etc.*); **5.** ⊕ **a)** Teilung *f* (*Gewinde*, *Zahnrad*), **b)** Schränkung *f* (*Säge*), **c)** Steigung *f* (*Luftschraube* ✈); **6.** ♪ **a)** Tonhöhe *f*, **b)** (*absolute*) Stimmung *e-s Instruments*, **c)** Nor'malstimmung *f*, Kammerton *m*: *above ~* zu hoch; *to have absolute ~* das absolute Gehör haben; *to sing true to ~* tonrein singen; **7.** Grad *m*, Stufe *f*, Höhe *f* (*a. fig.*); *fig.* höchster Grad, Gipfel *m*: *to the highest ~* aufs äußerste; **8.** ✝ **a)** Stand *m e-s Händlers*, **b)** *Am. sl.* Anpreisung *f*, Verkaufsgespräch *n*; **9.** *sport Brit.* (Mittel)Feld *n* (*Krikket*); **II.** *v/t.* **10.** (*gezielt*) werfen (*a. sport*), schleudern; *Golf*: *den Ball* heben (*hoch schlagen*); **11.** *Heu etc.* aufladen, -gabeln; **12.** *Pfosten etc.* einrammen, befestigen; *Zelt*, *Verkaufsstand etc.* aufschlagen; *Leiter*, *Stadt etc.* anlegen; **13.** ♪ **a)** *Instrument* stimmen, **b)** *Grundton* angeben, **c)** *Lied etc. in e-r Tonart* anstimmen *od.* singen *od.* spielen: *high-~ed voice* hohe Stimme; *to ~ one's hopes too high fig.* s-e Hoffnungen zu hoch stecken; *to ~ a yarn fig.* ein Garn spinnen; **14.** *fig. Rede etc.* abstimmen (*on* auf *acc.*), *et.* ausdrücken; **15.** *Straße* beschottern, *Böschung* verpacken; **16.** *Brit. Ware* ausstellen, feilhalten; **17.** ⚔ *~ed battle* regelrechte *od.* offene (Feld-)Schlacht; **III.** *v/i.* **18.** (kopf'über) hinstürzen, -schlagen; **19.** ⚔ (sich) lagern; **20.** ✝ e-n (Verkaufs)Stand aufschlagen; **21.** ⚓ stampfen (*Schiff*); *fig.* taumeln; **22.** sich neigen (*Dach etc.*); **23.** *~ in* F sich (tüchtig) ins Zeug legen, loslegen; *~ into* F **a)** herfallen über *j-n* (*a. fig.*), **b)** tüchtig ‚einhauen' (*essen*); *~ on*, *~ upon* sich entscheiden für, verfallen auf (*acc.*); '**~-and-'toss** *s.* ‚Kopf oder Schrift' (*Spiel*); **~ an·gle** *s.* ⊕ Steigungswinkel *m*; '**~-black** *adj.* pechschwarz; '**~-blende** *s. min.* (U'ran-)Pechblende *f*; **~ cir·cle** *s.* ⊕ Teilkreis *m* (*Zahnrad*); '**~-'dark** *adj.* pechschwarz, stockdunkel (*Nacht*).
pitch·er[1] ['pitʃə] *s. sport* Werfer *m*.
pitch·er[2] ['pitʃə] *s.* (irdener) Krug (*mit Henkel*).
'**pitch|-fork** **I.** *s.* **1.** ⚘ Heu-, Mistgabel *f*; **2.** ♪ Stimmgabel *f*; **II.** *v/t.* **3.** mit der Heugabel werfen; *fig.* rücksichtslos werfen: *to ~ troops into a battle*; **4.** drängen, ‚schubsen' (*into* in *ein Amt etc.*); '**~-pine** *s.* ⚘ Pechkiefer *f*; '**~-pipe** *s.* ♪ Stimmpfeife *f*.
pitch·y ['pitʃi] *adj.* **1.** pechartig; **2.** voll Pech; **3.** pechschwarz (*a. fig.*).
'**pit-coal** *s.* Schwarz-, Steinkohle *f*.
pit·e·ous ['pitiəs] *adj.* □ mitleiderregend; *a. contp.* kläglich, erbärmlich: *~ cries* klägliche Schreie.
'**pit·fall** *s.* Fallgrube *f*, Falle *f* (*a. fig.*).
pith [piθ] *s.* **1.** ⚘, *anat.* Mark *n*; **2.** *a. ~ and marrow fig.* Mark *n*, Kern *m*, 'Quintes,senz *f*; **3.** *fig.* Kraft *f*, Prä'gnanz *f* (*e-r Rede etc.*); **4.** *fig.* Gewicht *n*, Bedeutung *f*.
'**pit·head** *s.* ⚒ **1.** Füllort *m*, Schachtöffnung *f*; **2.** Fördergerüst *n*.
pith·e·can·thro·pus [piθikæn'θroupəs] *s.* Javamensch *m*.
'**pith|-hat**, **~ hel·met** *s.* Tropenhelm *m*.
pith·i·ness ['piθinis] *s.* **1.** *das* Markige, Markigkeit *f*; **2.** *fig.* Kernigkeit *f*, Prä'gnanz *f*, Kraft *f*; **pith·less** ['piθlis] *adj.* marklos; *fig.* kraftlos, schwach; **pith·y** ['piθi] *adj.* □ **1.** mark(art)ig; **2.** *fig.* markig, kernig, prä'gnant: *a ~ saying* ein Kernspruch.
pit·i·a·ble ['pitiəbl] *adj.* □ mitleiderregend, bedauernswert; *a. contp.* erbärmlich, jämmerlich, elend, kläglich; **pit·i·ful** ['pitiful] *adj.* □ **1.** mitfühlend, -leidig, mitleidsvoll; **2.** → *pitiable*; '**pit·i·less** [-lis] *adj.* □ **1.** unbarmherzig; **2.** erbarmungslos, mitleidlos; '**pit·i·less·ness** [-lisnis] *s.* Unbarmherzigkeit *f*.
'**pit|·man** [-mən] *s.* [*irr.*] Bergmann *m*, Knappe *m*, Grubenarbeiter *m*; '**~-prop** *s.* ⚒ (Gruben)Stempel *m*; *pl.* Grubenholz *n*; '**~-saw** *s.* ⊕ Schrot-, Längensäge *f*.
pit·tance ['pitəns] *s.* **1.** Hungerlohn *m*; **2.** (kleines) bißchen, Häppchen

n: *the small ~ of learning* das kümmerliche Wissen.

pit·ting ['pitiŋ] *s. metall.* Körnung *f*, Lochfraß *m*, 'Grübchenkorrosi,on *f*.

pi·tu·i·tar·y [pi'tju(:)itəri] *physiol.* **I.** *adj.* pitui'tär, schleimabsondernd, Schleim...; **II.** *s. a.* ~ *gland* Hirnanhang(drüse *f*) *m*, Hypo'physe *f*.

pit·y ['piti] **I.** *s.* **1.** Mitleid *n*, Erbarmen *n*: *to feel ~ for, to have* (*od. take*) ~ *on* Mitleid haben mit; *for ~'s sake!* um Himmels willen!; **2.** Jammer *m*: *it is a* (*great*) ~ es ist (sehr) schade; *what a ~!* wie schade!; *it is a thousand pities* es ist jammerschade; *the ~ of it is that* es ist ein Jammer, daß; **II.** *v/t.* **3.** bemitleiden, bedauern, Mitleid haben mit: *I ~ him* er tut mir leid; **pit·y·ing** ['pitiiŋ] *adj.* □ mitleidig.

piv·ot ['pivət] **I.** *s.* **1. a)** (Dreh-)Punkt *m*, **b)** (Dreh)Zapfen *m*: ~ *bearing* Zapfenlager, **c)** Stift *m*, **d)** Spindel *f*; **2.** (Tür)Angel *f*; **3.** ⚔ stehender Flügel(mann), Schwenkungspunkt *m*; **4.** *fig.* Dreh-, Angelpunkt *m*; **II.** *v/t.* **5.** ⊕ **a)** mit Zapfen *etc.* versehen, **b)** drehbar lagern, **c)** (ein)schwenken; **III.** *v/i.* **6.** sich drehen (*upon, on* um) (*a. fig.*); ⚔ schwenken; '**piv·ot·al** [-tl] *adj.* **1.** Zapfen..., Angel...: ~ *point* Angelpunkt; **2.** *fig.* zen'tral, Kardinal...: *a ~ question*.

piv·ot| **bolt** *s.* Drehbolzen *m*; '**~-bridge** *s.* Drehbrücke *f*; '**~-man** [-mən] *s.* [*irr.*] *fig.* 'Schlüsselfi,gur *f*; '**~-mount·ed** *adj.* schwenkbar; **~ tooth** *s.* ⚕ Stiftzahn *m*.

pix·ie → *pixy*.

pix·i·lat·ed ['piksileitid] *adj. Am.* F **1.** ‚verdreht', leicht verrückt; **2.** ‚blau' (*betrunken*).

pix·y ['piksi] *s.* Fee *f*, Elf(e *f*) *m*, Kobold *m*.

piz·zle ['pizl] *s. zo.* V Rute *f*.

pla·ca·bil·i·ty [plækə'biliti] → *placableness*; **pla·ca·ble** ['plækəbl] *adj.* □ versöhnlich, nachgiebig; **pla·ca·ble·ness** ['plækəblnis] *s.* Versöhnlichkeit *f*.

plac·ard ['plækɑːd] **I.** *s.* **1.** Pla'kat *n*, Anschlag(zettel) *m*; **II.** *v/t.* **2.** mit Pla'katen bekleben; **3.** durch Pla'kate bekanntgeben, anschlagen.

pla·cate [plə'keit] *v/t.* beschwichtigen, besänftigen, versöhnlich stimmen.

place [pleis] **I.** *s.* **1.** Ort *m*, Stelle *f*, Platz *m*: *from ~ to ~* von Ort zu Ort; *in ~* am Platze (*a. fig. angebracht*); *in ~s* stellenweise; *in ~ of* an Stelle (*gen.*), anstatt (*gen.*); *out of ~ fig.* fehl am Platz, unangebracht; *to take ~* stattfinden; *to take s.o.'s ~* j-s Stelle einnehmen; *to take the ~ of* ersetzen, an die Stelle treten von; *if I were in your ~* an Ihrer Stelle (*würde ich* ...); *put yourself in my ~* versetzen Sie sich in meine Lage; **2.** Ort *m*, Stätte *f*: *~ of amusement* Vergnügungsstätte; *~ of birth* Geburtsort; *~ of business* ✝ Geschäftssitz; *~ of delivery* ✝ Erfüllungsort; *~ of worship* Gotteshaus, Kultstätte; *from this ~* ✝ ab hier; *in* (*od. of*) *your ~* ✝ dort; *to go ~s Am.* **a)** ausgehen, Vergnügungsstätten aufsuchen, **b)** die Sehenswürdigkeiten *e-s Ortes* ansehen, **c)** *fig.* es weit bringen (*im Leben*); **3.** Wohnsitz *m*; F Wohnung *f*, Haus *n*: *at his ~* bei ihm (zu Hause); **4.** Wohnort *m*; Ort(schaft *f*) *m*, Stadt *f*, Dorf *n*: *in this ~* hier; **5.** ⚓ Platz *m*, Hafen *m*: *~ for tran(s)shipment* Umschlagplatz; **6.** ⚔ Festung *f*; **7.** F Gaststätte *f*, Lo'kal *n*; **8.** (Sitz)Platz *m*: *take your ~s!*; **9.** *fig.* Platz *m* (*in e-r Reihenfolge*; *a. sport*), Stelle *f* (*a. in e-m Buch*): *in the first ~* **a)** an erster Stelle, erstens, **b)** zuerst, von vornherein, **c)** in erster Linie, **d)** überhaupt (erst); *in third ~ sport* auf dem dritten Platz; **10.** ⅍ (Dezi'mal)Stelle *f*; **11.** Raum *m* (*a. fig.*) (*a. für Zweifel etc.*); **12.** *thea.* Ort *m* (der Handlung); **13.** (An)Stellung *f*, (Arbeits-)Stelle *f*: *out of ~* stellenlos; **14.** Dienst *m*, Amt *n* (*a. fig. Pflicht*): *it is not my ~ fig.* es ist nicht meines Amtes; **15.** (sozi'ale) Stellung, Rang *m*, Stand *m*: *to keep s.o. in his ~* j-n in s-n Schranken *od.* Grenzen halten; *to know one's ~* wissen wohin man gehört; *to put s.o. in his ~* j-n in s-e Schranken weisen; **II.** *v/t.* **16.** stellen, setzen, legen (*a. fig.*); *teleph. Gespräch* anmelden; → *disposal* 2; **17.** ⚔ *Posten* aufstellen, (*o.s.* sich) postieren; **18.** *j-n* an-, einstellen; ernennen, in ein Amt einsetzen; **19.** *j-n* 'unterbringen (*a. Kind*), *j-m* Arbeit *od.* e-e Anstellung verschaffen; **20.** ✝ *Anleihe, Kapital* 'unterbringen; *Auftrag* erteilen *od.* vergeben; *Bestellung* aufgeben; *Vertrag* abschließen; → *account 5, credit 1b*; **21.** ✝ *Ware* absetzen; **22.** (der Lage nach) näher bestimmen; *fig. j-n* ‚'unterbringen' (*identifizieren*): *I can't ~ him* ich weiß nicht wo ich ihn ‚unterbringen' *od.* ‚hintun' soll; **23.** *sport* placieren: *to be ~d* unter den ersten drei sein, sich placieren.

pla·ce·bo [plə'siːbou] *pl.* **-bos** *s.* **1.** ⚕ Pla'cebo *n*, Suggesti'onsmittel *n*; **2.** *fig.* Beruhigungspille *f*.

'**place**|**-card** *s.* Platz-, Tischkarte *f*; '**~-hunt·er** *s.* Pöstchenjäger *m*; '**~-hunt·ing** *s.* Pöstchenjäge'rei *f*; '**~-kick** *s. sport* **a)** *Fußball*: Stoß *m* auf den ruhenden Ball (*Freistoß etc.*), **b)** *Rugby*: Platztritt *m*; '**~-man** [-mən] *s.* [*irr.*] *pol. contp.* ‚Pöstcheninhaber' *m*, ‚'Futterkrippenpo,litiker' *m*; **~ mat** *s.* Set *n*, Platzdeckchen *n*.

place·ment ['pleismənt] *s.* **1.** (Hin-, Auf)Stellen *n*, Placieren *n*; **2. a)** Einstellung *f e-s Arbeitnehmers*, **b)** Vermittlung *f e-s Arbeitsplatzes*, **c)** 'Unterbringung *f von Arbeitskräften, Waisen*; **3.** Stellung *f*, Lage *f*; Anordnung *f*; **4.** ✝ Anlage *f*, Unterbringung *f von Kapital*.

'**place-name** *s.* Ortsname *m*.

pla·cen·ta [plə'sentə] *pl.* **-tae** [-tiː] *s.* **1.** *anat.* Pla'zenta *f*, Mutterkuchen *m*, Nachgeburt *f*; **2.** ⚘ Samenleiste *f*.

plac·er ['plæsə] *s. min.* **1.** *bsd. Am.* (*Gold- etc.*)Seife *f*; **2.** seifengold- *od.* erzseifenhaltige Stelle; '**~-gold** *s.* Seifen-, Waschgold *n*; '**~-min·ing** *s.* Goldwaschen *n*.

pla·cet ['pleiset] (*Lat.*) *s.* Plazet *n*, Zustimmung *f*, Ja *n*.

plac·id ['plæsid] *adj.* □ (seelen-)ruhig, gelassen, ‚gemütlich'; mild, sanft; **pla·cid·i·ty** [plæ'siditi] *s.* Milde *f*, Gelassenheit *f*, (Gemüts-)Ruhe *f*.

plack·et ['plækit] *s.* **1.** Schlitz *m an Frauenkleidern*; **2.** Tasche *f im Frauenrock*.

pla·gi·a·rism ['pleidʒjərizəm] *s.* Plagi'at *n*; '**pla·gi·a·rist** [-ist] *s.* Plagi'ator *m*; '**pla·gi·a·rize** [-raiz] **I.** *v/t.* plagiieren, abschreiben; **II.** *v/i.* ein Plagi'at begehen.

plague [pleig] **I.** *s.* **1.** ⚕ Seuche *f*, Pest *f*: *pneumonic ~* Lungenpest; → *bubonic*; **2.** *bsd. fig.* Plage *f*, Heimsuchung *f*, Geißel *f*: *the ten ~s bibl.* die Zehn Plagen; *a ~ on it!* zum Kuckuck damit!; **3.** *fig.* F **a)** Plage *f*, **b)** Quälgeist *m* (*Mensch*); **II.** *v/t.* **4.** plagen, quälen; **5.** F belästigen, peinigen; **6.** *fig.* heimsuchen; '**~-spot** *s. mst fig.* Pestbeule *f*.

plaice [pleis] *pl. coll.* **plaice** *s. ichth.* Scholle *f*.

plaid [plæd] **I.** *s.* schottisches Plaid (-tuch); **II.** *adj.* 'buntka,riert.

plain [plein] **I.** *adj.* □ **1.** einfach, schlicht: *~ clothes* Zivil(kleidung); *~-clothes man* Detektiv, Geheimpolizist; *~ cooking* bürgerliche Küche; *~ fare* Hausmannskost; *~ postcard* gewöhnliche Postkarte; **2.** schlicht, schmucklos, kahl (*Zimmer etc.*); ungemustert, einfarbig (*Stoff*): *~ knitting* Rechts-, Glattstrickerei; *~ sewing* Weißnäherei; **3.** unscheinbar, unschön, wenig anziehend, hausbacken (*Gesicht, Mädchen etc.*); **4.** klar, leicht verständlich: *in ~ language tel.* im Klartext, offen; **5.** klar, offenbar, -kundig (*Irrtum etc.*); **6.** klar (und deutlich), 'unmißverständlich, 'unum,wunden: *~ talk*; *the ~ truth* die nackte Wahrheit; **7.** offen, ehrlich: *~ dealing* ehrliche Handlungsweise; **8.** unverdünnt (*Alkohol*); *fig.* bar, rein (*Unsinn etc.*): *~ folly* heller Wahnsinn; **9.** *bsd. Am.* flach; ⊕ glatt: *~ country Am.* Flachland; *~ roll* ⊕ Glattwalze; *~ bearing* ⊕ Gleitlager; *~ fit* ⊕ Schlichtsitz; *fig.* → *sailing 1*; **10.** ohne Filter (*Zigarette*); **II.** *adv.* **11.** klar, deutlich; **III.** *s.* **12.** Ebene *f*, Fläche *f*; Flachland *n*; *pl. bsd. Am.* Prä'rie *f*; '**plain·ness** [-nis] *s.* **1.** Einfachheit *f*, Schlichtheit *f*; **2.** Deutlichkeit *f*, Klarheit *f*; **3.** Offenheit *f*, Ehrlichkeit *f*; **4.** unansehnliches Äußere(s); '**plain-'spo·ken** *adj.* offen, freimütig: *he is a ~ man* er nimmt (sich) kein Blatt vor den Mund.

plaint [pleint] *s.* **1.** Beschwerde *f*, Klage *f*; **2.** ⚖ (An)Klage(schrift) *f*; '**plain·tiff** [-tif] *s.* ⚖ (Zi'vil)Kläger (-in): *party ~* klägerische Partei; '**plain·tive** [-tiv] *adj.* □ traurig, kläglich, wehleidig (*Stimme*), Klage...: *~ song*.

plait [plæt] **I.** *s.* **1.** Zopf *m*, Flechte *f*; (Haar-, Stroh)Geflecht *n*; **2.** Falte *f*; **II.** *v/t.* **3.** *Haar, Matte etc.* flechten; **4.** verflechten.

plan [plæn] **I.** *s.* **1.** (Spiel-, Wirtschafts-, Arbeits)Plan *m*, Entwurf *m*, Pro'jekt *n*, Vorhaben *n*: *~ of action* Schlachtplan (*a. fig.*); *according to ~* planmäßig; *to make ~s* (*for the future*) (Zukunfts)Pläne schmieden; **2.** (Lage-, Stadt)Plan *m*: *general* ~ Übersichtsplan; **3.** ⊕ (Grund)Riß *m*: ~ *view* Draufsicht; **II.** *v/t.* **4.** planen, entwerfen, e-n Plan entwerfen für *od.* zu: ~*ning board* Planungsamt; **5.** *fig.* planen, beabsichtigen.

plane¹ [plein] *s.* ♀ Pla'tane *f.*

plane² [plein] **I.** *adj.* **1.** flach, eben; ⊕ plan; **2.** ⩘ eben: ~ *figure*; ~ *curve* einfach gekrümmte Kurve; **II.** *s.* **3.** Ebene *f*, (ebene) Fläche: ~ *of refraction phys.* Brechungsebene; *on the upward* ~ *fig.* im Anstieg; **4.** *fig.* Ebene *f*, Stufe *f*, Ni'veau *n*, Bereich *m*: *on the same* ~ *as* auf dem gleichen Niveau wie; **5.** ⊕ Hobel *m*; **6.** ⚒ Förderstrecke *f*; **7.** ✈ **a)** Tragfläche *f*: *elevating* (*depressing*) ~*s* Höhen-(Flächen)steuer, **b)** Flugzeug *n*; **III.** *v/t.* **8.** (ein)ebnen, planieren, ⊕ *a.* schlichten, *Bleche* abrichten; **9.** (ab)hobeln; **10.** *typ.* bestoßen; **IV.** *v/i.* **11.** ✈ gleiten; fliegen; '**plan·er** [-nə] *s.* **1.** ⊕ 'Hobel(ma͵schine *f*) *m*; **2.** *typ.* Klopfholz *n.*

plane sail·ing *s.* ⚓ Plansegeln *n.*

plan·et ['plænit] *s. ast.* Pla'net *m.*

'**plane-ta·ble** *s. surv.* Meßtisch *m*: ~ *map* Meßtischblatt.

plan·e·tar·i·um [plæni'tɛəriəm] *s.* Plane'tarium *n*; **plan·e·tar·y** ['plænitəri] *adj.* **1.** *ast.* plane'tarisch, Planeten...; **2.** *fig.* um'herirrend; **3.** ⊕ Planeten...: ~ *gear* Planetengetriebe; ~ *wheel* Umlaufrad; **plan·et·oid** ['plænitɔid] *s. ast.* Planeto'id *m.*

'**plane-tree** → *plane¹*.

pla·nim·e·ter [plæ'nimitə] *s.* ⊕ Plani'meter *n*, Flächenmesser *m*; **pla'nim·e·try** [-tri] *s.* Planime'trie *f.*

plan·ish ['plæniʃ] ⊕ *v/t.* **1.** glätten, (ab)schlichten, planieren; **2.** *Holz* glatthobeln; **3.** *Metall* glatthämmern; polieren.

plank [plæŋk] **I.** *s.* **1.** (*a.* Schiffs-) Planke *f*, Bohle *f*, (Fußboden)Diele *f*, Brett *n*: ~ *flooring* Bohlenbelag; *to walk the* ~ ⚓ ertränkt werden; **2.** *pol. bsd. Am.* (Pro'gramm)Punkt *m e-r Partei*; **3.** ⚒ Schwarte *f*; **II.** *v/t.* **4.** mit Planken *etc.* belegen, beplanken, dielen; **5.** verschalen, ⚒ verzimmern; **6.** *Speise* auf e-m Brett servieren; **7.** ~ *down* (*od. out*) F *Geld* auf den Tisch legen, hinlegen, ‚blechen'; ~ **bed** *s.* (Holz-) Pritsche *f* (*im Gefängnis etc.*).

plank·ing ['plæŋkiŋ] *s.* Beplankung *f*, (Holz)Verschalung *f*, Verkleidung *f*, Bohlenbelag *m*; *coll.* Planken *pl.*

plank·ton ['plæŋktən] *s. zo.* Plankton *n.*

plan·less ['plænlis] *adj.* planlos; '**plan·ning** [-niŋ] *s.* **1.** Planen *n*, Planung *f*; **2.** ✝ Bewirtschaftung *f*, Planwirtschaft *f.*

pla·no-con·cave [pleinou'kɔnkeiv] *adj. phys.* 'plan-kon͵kav (*Linse*).

plant [plɑːnt] **I.** *s.* **1. a)** Pflanze *f*, Gewächs *n*, **b)** Setz-, Steckling *m*: *in* ~ im Wachstum befindlich; **2.** ⊕ (Betriebs-, Fa'brik)Anlage *f*, Werk *n*, Fa'brik *f*, (Fabrikati'ons)Betrieb *m*: ~ *engineer* Betriebsingenieur; **3.** ⊕ (Ma'schinen)Anlage *f*, Aggre'gat *n*; Appara'tur *f*; **4.** (Be'triebs-) Materi͵al *n*, Betriebseinrichtung *f*, Inven'tar *n*, Gerätschaften *pl.*: ~ *equipment* Werksausrüstung; **5.** *sl.* **a)** *et.* Eingeschmuggeltes, Schwindel *m*, (*a.* Poli'zei)Falle *f*, **b)** (Poli'zei)Spitzel *m*; **II.** *v/t.* **6.** (ein-, an-) pflanzen: *to* ~ *out* aus-, um-, verpflanzen; **7.** *Land* **a)** bepflanzen, **b)** besiedeln, kolonisieren; **8.** *Kolonisten* ansiedeln; **9.** *Garten etc.* anlegen; *et.* errichten; *Kolonie etc.* gründen; **10.** *fig.* (*o.s.* sich) *wo* aufpflanzen, (auf)stellen; *j-n* postieren; **11.** *Faust, Fuß wohin* setzen; **12.** *fig. Ideen etc.* (ein)pflanzen, einimpfen; **13.** *sl. Schlag* ‚landen', ‚verpassen'; *Schuß* setzen, (hin-) knallen; **14.** *sl. Diebesgut* ‚sicherstellen' (*verstecken*); **15.** *sl. Belastendes, Irreführendes* (ein)schmuggeln: *to* ~ *s.th. on j-m et.* ‚andrehen'; **16.** *j-n* im Stich lassen.

plan·tain¹ ['plæntin] *s.* ♀ Wegerich *m.*

plan·tain² ['plæntin] *s.* ♀ **1.** Pi'sang *m*; **2.** Ba'nane *f* (*Frucht*).

plan·ta·tion [plæn'teiʃən] *s.* **1.** Pflanzung *f* (*a. fig.*), Plan'tage *f*; **2.** (Wald)Schonung *f*; **3.** *hist.* Ansiedlung *f*, Kolo'nie *f.*

plant·er ['plɑːntə] *s.* **1.** Pflanzer *m*, Plan'tagenbesitzer *m*; **2.** *hist.* Siedler *m*; **3.** 'Pflanzma͵schine *f.*

plan·ti·grade ['plæntigreid] *zo.* **I.** *adj.* auf den Fußsohlen gehend; **II.** *s.* Sohlengänger *m* (*Mensch, Bär etc.*).

'**plant-louse** *s.* [*irr.*] *zo.* Blattlaus *f.*

plaque [plɑːk] *s.* **1.** (Schmuck)Platte *f*; **2.** A'graffe *f*, (Ordens)Schnalle *f*, Spange *f*; **3.** Gedenktafel *f*; **4.** ⚕ Fleck *m.*

plash¹ [plæʃ] *v/t. u. v/i.* (Zweige) zu e-r Hecke verflechten.

plash² [plæʃ] **I.** *v/i.* **1.** platschen, plätschern (*Wasser*); *im Wasser* planschen; **II.** *v/t.* **2.** platschen *od.* klatschen auf (*acc.*): ~! platsch!; **III.** *s.* **3.** Platschen *n*, Plätschern *n*, Spritzen *n*; **4.** Pfütze *f*, Lache *f*; '**plash·y** [-ʃi] *adj.* **1.** plätschernd, klatschend, spritzend; **2.** voller Pfützen, matschig, feucht.

plasm ['plæzəm], '**plas·ma** [-zmə] *s.* **1.** *biol.* ('Milch-, 'Blut-, 'Muskel-) ͵Plasma *n*; **2.** *biol.* Proto'plasma *n*; **3.** *min.* 'Plasma *n*; **plas·mat·ic** [plæz'mætik], '**plas·mic** [-zmik] *adj. biol.* plas'matisch, Plasma...

plas·ter ['plɑːstə] **I.** *s.* **1.** *pharm.* (Heft-, Senf)Pflaster *n*; **2. a)** Gips *m* (*a.* ⚕), **b)** ⊕ Mörtel *m*, Verputz *m*, Bewurf *m*, Tünche *f*: ~ *cast* **a)** Gipsabdruck, **b)** ⚕ Gipsverband; **3.** *mst* ~ *of Paris* **a)** (gebrannter) Gips (*a.* ⚕), **b)** Stuck *m*, Gips (-mörtel) *m*; **II.** *v/t.* **4.** ⊕ (vergipsen, (über)'tünchen, verputzen; **5.** bepflastern (*a. fig. mit Plakaten, Steinwürfen etc.*); **6.** *fig.* über'schütten (*with* mit *Lob etc.*); **7.** *to be* ~*ed sl.* ‚besoffen' sein; '**plas·ter·er** [-ərə] *s.* Stukka'teur *m*; '**plas·ter·ing** [-əriŋ] *s.* **1.** Verputz *m*, Bewurf *m*; **2.** Stuck *m*; **3.** Gipsen *n*; **4.** Stukka'tur *f.*

plas·tic ['plæstik] **I.** *adj.* (□ ~*ally*) **1.** plastisch: ~ *art* bildende Kunst, Plastik; **2.** formgebend, gestaltend; **3.** ⊕ (ver)formbar, knetbar, plastisch: ~ *clay* bildfähiger Ton; **4.** Kunststoff...: ~ *bag* Plastikbeutel, -tüte; (*synthetic*) ~ *material* → *9*; **5.** ⚕ plastisch: ~ *surgery*; ~ *surgeon* Facharzt für plastische Chirurgie; **6.** *fig.* plastisch, anschaulich; **7.** *fig.* formbar (*Geist*); **8.** ~ *bomb* ⚔ Plastikbombe; **II.** *s.* **9.** ⊕ (Kunstharz)Preßstoff *m*, 'Plastik-, Kunststoff *m*; '**plas·ti·cine** [-isiːn] *s.* Plasti'lin *n*, Knetmasse *f*; **plas·tic·i·ty** [plæs'tisiti] *s.* Plastizi'tät *f* (*a. fig. Bildhaftigkeit*), (Ver-) Formbarkeit *f*; '**plas·ti·ciz·er** [-isaizə] *s.* ⊕ Weichmacher *m.*

plat [plæt] → *plait, plot 1.*

plate [pleit] **I.** *s.* **1.** *allg.* Platte *f* (*a. phot.*); (Me'tall)Schild *n*, Tafel *f*; (Namen-, Firmen-, Tür)Schild *n*; **2.** *paint.* (Kupfer- *etc.*)Stich *m*; *weitS.* Holzschnitt *m*: *etched* ~ Radierung; **3.** (Bild)Tafel *f* (*Buch*); **4.** (Eß-, *eccl.* Kol'lekten)Teller *m*; Platte *f* (*a. Gang e-r Mahlzeit*); *coll.* (Gold-, Silber-, Tafel)Geschirr *n od.* (-)Besteck *n*: *German* ~ Neusilber; **5.** ⊕ (Glas-, Me'tall)Platte *f*; Scheibe *f*, La'melle *f* (*Kupplung etc.*); Deckel *m*; **6.** ⊕ Grobblech *n*; Blechtafel *f*; **7.** ⚡ *Radio*: A'node *f e-r Röhre*; Platte *f*, Elek'trode *f e-s Kondensators*; **8.** *typ.* (Druck-, Stereo'typ)Platte *f*; **9.** Po'kal *m*, Preis *m beim Rennen*; **10.** *Am. Baseball*: (Schlag)Mal *n*; **11.** *a. dental* ~ **a)** (Gaumen)Platte *f*, **b)** *weitS.* (künstliches) Gebiß; **12.** *Am. sl.* **a)** ('hyper)ele͵gante Per'son, **b)** ‚tolle Frau'; **II.** *v/t.* **13.** mit Platten belegen; ⚔, ⚓ panzern, blenden; **14.** plattieren, (mit Me'tall) über'ziehen; **15.** *typ.* **a)** stereotypieren, **b)** *Typendruck*: in Platten formen; '~**-ar·mo(u)r** *s.* ⚓, ⊕ Plattenpanzer(ung *f*) *m.*

pla·teau ['plætou] *pl.* **-teaux, -teaus** [-z] (*Fr.*) *s.* Pla'teau *n*, Hochebene *f.*

'**plate|-bas·ket** *s. Brit.* Besteckkorb *m*; ~ **cir·cuit** *s.* ⚡ An'odenkreis *m.*

plat·ed ['pleitid] *adj.* ⊕ plattiert, me'tallüber͵zogen, versilbert, -golddet, dubliert; '**plate·ful** [-ful] *pl.* **-fuls** *s. ein* Teller(voll) *m.*

plate| glass *s.* Scheiben-, Spiegelglas *n*; '~**-hold·er** *s. phot.* ('Platten)Kas͵sette *f*; '~**-lay·er** *s.* 🚂 Oberbauarbeiter *m*; '~**-mark** → *hallmark.*

plat·en ['plætən] *s.* **1.** *typ.* Drucktiegel *m*, Platte *f*: ~ *press* Tiegeldruckpresse; **2.** ('Schreibma͵schinen-) Walze *f*; **3.** 'Druckzy͵linder *m* (*Rotationsmaschine*).

plat·er ['pleitə] *s.* **1.** ⊕ Plattierer *m*; **2.** *sport* (minderwertiges) Rennpferd.

plate| shears *s. pl.* Blechschere *f*; ~ **spring** *s.* ⊕ Blattfeder *f.*

plat·form ['plætfɔːm] *s.* **1.** Plattform *f*, ('Redner)Tri͵büne *f*, Podium *n*; **2.** ⊕ Rampe *f*; (Lauf-, Steuer)Bühne *f*: *lifting* ~ Hebebühne; **3.** Treppenabsatz *m*; **4.** *geogr.* **a)** Hochebene *f*, **b)** Ter'rasse *f* (*a. engS.*); **5.** 🚂 **a)** Bahnsteig *m*, **b)** *Am. bsd.* Plattform *f am Wagenende*, Per'ron *m* (*Brit. bsd. Straßen-*

bahn etc.); **6.** ⚔ Bettung *f e-s Geschützes*; **7.** *a.* ~ *sole* (dicke) ˈdurchgehende Sohle; **8.** *fig.* öffentliches Forum, Podiumsgespräch *n*; **9.** *pol.* Parˈteiproˌgramm *n*, Plattform *f*; *bsd. Am.* programˈmatische Wahlerklärung; ~ **car** *bsd. Am.* → *flatcar*; ~ **scale** *s.* ⊕ Brückenwaage *f*; ~ **tick·et** *s.* Bahnsteigkarte *f*.

plat·ing [ˈpleitiŋ] *s.* **1.** Panzerung *f*; **2.** ⊕ Beplattung *f*, Meˈtallˌauflage *f*, Verkleidung *f* (*mit Metallplatten*); **3.** Plattieren *n*, Versilberung *f*.

pla·tin·ic [pləˈtinik] *adj.* Platin...: ~ *acid* ⚗ Platinchlorid; **plat·i·nize** [ˈplætinaiz] *v/t.* **1.** ⊕ platinieren, mit Plaˈtin überˈziehen; **2.** ⚗ mit Plaˈtin verbinden; **plat·i·num** [ˈplætinəm] *s.* Plaˈtin *n*: ~ *blonde* F Platinblondine.

plat·i·tude [ˈplætitjuːd] *s. fig.* Plattheit *f*, Gemeinplatz *m*, Platiˈtüde *f*; **plat·i·tu·di·nar·i·an** [ˈplætitjuːdiˈnɛəriən] *s.* Phrasendrescher *m*, Schwätzer *m*; **plat·i·tu·di·nize** [plætiˈtjuːdinaiz] *v/i.* sich in Gemeinplätzen ergehen, quatschen; **plat·i·tu·di·nous** [plætiˈtjuːdinəs] *adj.* □ platt, seicht, phrasenhaft.

Pla·ton·ic [pləˈtɔnik] *adj.* (□ ~*ally*) plaˈtonisch.

pla·toon [pləˈtuːn] *s.* **1.** ⚔ Zug *m* (*Kompanieabteilung*): *in* (*od. by*) ~*s* zugweise; **2.** Poliˈzeiaufgebot *n*.

plat·ter [ˈplætə] *s.* **1.** *bsd. Am.* (Servier)Platte *f*; **2.** *Am. sl.* Schallplatte *f*.

plat·y·pus [ˈplætipəs] *pl.* **-pus·es** *s. zo.* Schnabeltier *n*.

plat·y(r)·rhine [ˈplætirain] *zo.* **I.** *adj.* breitnasig; **II.** *s.* Breitnase *f* (*Affe*).

plau·dit [ˈplɔːdit] *s. mst pl.* lauter Beifall, Apˈplaus *m*.

plau·si·bil·i·ty [plɔːzəˈbiliti] *s.* **1.** Glaubwürdigkeit *f*, Wahrˈscheinlichkeit *f*; **2.** gefälliges Äußeres, einnehmendes Wesen; **plau·si·ble** [ˈplɔːzəbl] *adj.* □ **1.** glaubhaft, einleuchtend, annehmbar, plauˈsibel; **2.** einnehmend, gewinnend (*Äußeres*).

play [plei] **I.** *s.* **1.** (Glücks-, Wett-, Unterˈhaltungs)Spiel *n* (*a. sport*): *to be at* ~ a) spielen, b) *Kartenspiel*: am Ausspielen sein, c) *Schach*: am Zuge sein; *it is your* ~ Sie sind am Spiel; *to lose money at* ~ Geld verwetten; **2.** Spiel(weise *f*) *n*: *that was pretty* ~ das war gut (gespielt); → *fair*[1] *8, foul play*; **3.** Spieleˈrei *f*, Kurzweil *f*: *a* ~ *of words* ein Spiel mit Worten; *a* ~ (*up*)*on words* ein Wortspiel; *in* ~ im Scherz; **4.** *thea.* (Schau)Spiel *n*, (Theˈater)Stück *n*: *at the* ~ im Theater; *to go to the* ~ ins Theater gehen; *as good as a* ~ äußerst amüsant *od.* interessant; **5.** Spiel *n*, Vortrag *m*; **6.** *fig.* Spiel *n des Lichtes auf Wasser etc.*, spielerische Bewegung, (*Muskel- etc.*) Spiel *n*: ~ *of colo*(*u*)*rs* Farbenspiel; **7.** Bewegung *f*, Gang *m*: *to bring into* ~ a) in Gang bringen, b) ins Spiel *od.* zur Anwendung bringen; *to come into* ~ ins Spiel kommen; *to make* ~ a) Wirkung haben, b) s-n Zweck erfüllen; *to make* ~ *with* zur Geltung bringen, sich brüsten mit; *to make a* ~ *for Am. sl. e-m Mädchen* den Kopf verdrehen wollen; **8.** Spielraum *m* (*a. fig.*); ⊕ *mst* Spiel *n*: *to allow* (*od. give*) *full* (*od. free*) ~ *to e-r Sache, s-r Phantasie etc.* freien Lauf lassen; **II.** *v/i.* **9.** a) spielen (*a. sport, thea. u. fig.*) (*for* um *Geld etc.*), b) mitspielen (*a. fig. mitmachen*): *to* ~ *at* a) *Ball, Karten etc.* spielen, b) *fig.* sich nur so nebenbei mit *et.* beschäftigen; *to* ~ *at business* ein bißchen in Geschäften machen; *to* ~ *for time* Zeit zu gewinnen suchen; *to* ~ *into s.o.'s hands* j-m in die Hände spielen; *to* ~ (*up*)*on* a) ♪ auf *e-m Instrument* spielen, b) mit *Worten* spielen, c) *fig. j-s Schwächen* ausnutzen; *to* ~ *with* a) spielen mit (*a. fig. e-m Gedanken*; *a. leichtfertig umgehen mit*; *a. engS. herumfingern an*), b) *Am. sl.* mitmachen, ‚spuren'; *to* ~ *up to* a) *j-n* unterstützen, b) *j-m* schöntun; *to* ~ *safe* kein Risiko eingehen; ~*! Tennis etc.*: bitte! (= *fertig*); → *fair*[1] *13, false II, fast*[2] *1, gallery 3 b*; **10.** a) *Kartenspiel*: ausspielen, b) *Schach*: am Zug sein, ziehen; **11.** a) ‚herˈumspielen', sich amüsieren, b) Unsinn treiben, c) scherzen; **12.** a) sich tummeln, b) flattern, gaukeln, c) spielen (*Lächeln, Licht etc.*) (*on* auf *dat.*), d) schillern (*Farbe*), e) in Tätigkeit sein (*Springbrunnen*); **13.** a) schießen, b) spritzen, c) strahlen, streichen: *to* ~ *on* gerichtet sein auf (*acc.*), bestreichen, bespritzen (*Schlauch, Wasserstrahl*), anstrahlen, absuchen (*Scheinwerfer*); **14.** ⊕ a) Spiel(raum) haben, b) sich bewegen (*Kolben etc.*); **15.** sich *gut etc.* zum Spielen eignen (*Boden etc.*); **III.** *v/t.* **16.** *Karten, Tennis etc., a.* ♪, *a. thea. Rolle od. Stück, a. fig.* spielen: *to* ~ (*s.th. on*) *the piano* (et. auf dem) Klavier spielen; *to* ~ *both ends against the middle fig.* vorsichtig lavieren; *to* ~ *it safe* a) kein Risiko eingehen, b) (*Wendung*) um (ganz) sicher zu gehen; *to* ~ *it low down sl.* ein gemeines Spiel treiben (*on* mit *j-m*); *to* ~ *the races* bei (Pferde)Rennen wetten; ~*ed out fig.* ‚erledigt', ‚fertig', erschöpft; → *deuce 3, fool*[1] *2, game*[1] *2, havoc, hooky*[2], *trick 2, truant 1*; **17.** a) *Karte* ausspielen (*a. fig.*): *to* ~ *one's cards well* s-e Chancen gut (aus)nutzen, b) *Schachfigur* ziehen; **18.** spielen, Vorstellungen geben in (*dat.*): *to* ~ *the larger cities*; **19.** *Geschütz, Scheinwerfer, Licht-, Wasserstrahl etc.* richten (*on* auf *acc.*): *to* ~ *a hose on et.* bespritzen; *to* ~ *colo*(*u*)*red lights on et.* bunt anstrahlen; **20.** *Fisch* auszappeln lassen;

Zssgn mit prp.:

play| at → *play 9*; ~ **(up·)on** → *play 9, 12, 13, 19*; ~ **up to** → *play 9*; ~ **with** → *play 9*;

Zssgn mit adv.:

play| a·way I. *v/t. Geld* verspielen; **II.** *v/i.* draufˈlosspielen; ~ **back** *v/t. Platte, Band* abspielen; ~ **down** *v/t.* herˈunterspielen; ~ **off I.** *v/t.* **1.** *sport Spiel* a) beenden, b) *durch Stichkampf* entscheiden; **2.** *fig. j-n* ausspielen (*against* gegen *e-n andern*); **3.** *Musik* herˈunterspielen (*a. auswendig*); **4.** *to* ~ *graces* kokettieren; **5.** ~ *as* (fälschlich) ausgeben als; **II.** *v/i.* **6.** *contp.* schauspielern; ~ **up I.** *v/i.* **1.** einsetzen (*Musik*), aufspielen (*a.* F *sport*); **2.** ‚sich am Riemen reißen'; *thea.* gut spielen; **II.** *v/t.* **3.** *e-e Sache* hochspielen; **4.** *j-n* ‚auf die Palme bringen' (*reizen*).

play·a·ble [ˈpleiəbl] *adj.* **1.** spielbar; **2.** *thea.* bühnenreif, -gerecht.

ˈ**play|-ac·tor** *s. mst contp.* Schauspieler *m* (*a. fig.*); ˈ~**·back** *s.* ↯ Ab-, Rückspielen *n*: ~ *head* Tonkopf (*Magnetophon*); ˈ~**·bill** *s.* Theˈaterzettel *m*; ˈ~**·book** *s. thea.* Textbuch *n*; ˈ~**-box** *s.* Spielzeugschachtel *f*; ˈ~**·boy** *s.* Playboy *m*; ˈ~**-day** *s.* (schul-, arbeits)freier Tag.

play·er [ˈpleiə] *s.* **1.** *sport, a.* ♪ Spieler(in); **2.** *Brit.* Berufsspieler *m* (*Kricket etc.*); **3.** (Glücks)Spieler *m*; **4.** Schauspieler(in); ˈ~**-pi·an·o** *s.* eˈlektrisches Klaˈvier.

ˈ**play·fel·low** → *playmate*.

play·ful [ˈpleiful] *adj.* □ spielerisch, scherzhaft, neckisch; ˈ**play·ful·ness** [-nis] *s.* **1.** Munterkeit *f*; Ausgelassenheit *f*, spielerisches Wesen; **2.** Scherzhaftigkeit *f*.

ˈ**play|·girl** *s.* Playgirl *n*; ˈ~**·go·er** *s.* Theˈaterbesucher(in); ˈ~**·ground** *s.* **1.** Spiel-, Tummelplatz *m* (*a. fig.*); **2.** Schulhof *m*; ˈ~**·house** *s.* **1.** *thea.* Schauspielhaus *n*; **2.** *Am.* Spielzeughaus *n*.

ˈ**play·ing|-card** [ˈpleiiŋ] *s.* Spielkarte *f*; ˈ~**-field** *s. Brit.* Sport-, Spielplatz *m*.

play·let [ˈpleilit] *s.* kurzes Schau-[spiel.]

ˈ**play|·mate** *s.* ˈSpielkameˌrad(in), Gespieleˈ *m*, Gespielin *f*; ˈ~**-off** *s. sport* Stichkampf *m*, Entscheidungsspiel *n*; ˈ~**-pen** Laufställchen *n*; ˈ~**·thing** *s.* Spielzeug *n* (*fig. a. Person*); ˈ~**·wright** *s.* Bühnenschriftsteller *m*, Draˈmatiker *m*.

plea [pliː] *s.* **1.** Vorwand *m*, Ausrede *f*: *on the* ~ *of* (*od. that*) unter dem Vorwand (*gen.*) *od.* daß; **2.** ⚖ a) Verteidigung *f*, b) Antwort *f* des Angeklagten: ~ *of guilty* Schuldgeständnis; **3.** ⚖ Einrede *f*: *to make a* ~ Einspruch erheben; ~ *of the crown Brit.* Strafklage; **4.** *fig.* (dringende) Bitte (*for* um), Gesuch *n*; **5.** *fig.* Befürwortung *f*.

plead [pliːd] **I.** *v/i.* **1.** ⚖ *u. fig.* plädieren (*for* für); **2.** ⚖ (*vor Gericht*) e-n Fall erörtern, Beweisgründe vorbringen; **3.** ⚖ sich zu s-r Verteidigung äußern: *to* ~ *guilty* sich schuldig bekennen (*to gen.*); **4.** dringend bitten (*for* um, *with s.o.* j-n); **5.** sich einsetzen *od.* verwenden (*for* für, *with s.o.* bei j-m); **6.** einwenden *od.* geltend machen (*that* daß); **II.** *v/t.* **7.** ⚖ *u. fig.* als Verteidigung *od.* Entschuldigung anführen, *et.* vorschützen: *to* ~ *ignorance*; **8.** ⚖ erörtern; **9.** ⚖ a) *Sache* vertreten, verteidigen: *to* ~ *s.o.'s cause*, b) (als Beweisgrund) vorbringen, anführen; ˈ**plead·er** [-də] *s.* ⚖ Anwalt *m*, Sachwalter *m* (*a. fig.*); ˈ**plead·ing** [-diŋ] **I.** *s.* **1.** ⚖ a) Plädoˈyer *n*, b) Plädieren *n*, Führen *n* e-r Rechtssache, c) *pl.* Parteivorbringen *pl.*, gerichtliche Verhandlungen *pl.*, d) *bsd. Brit.* vorbereitete Schriftsätze *pl.*, Vorverhandlung *f*; **2.** Fürsprache *f*; **3.** Bitten *n* (*for* um); **II.** *adj.* □ **4.** flehend, bittend, inständig.

pleas·ant ['pleznt] *adj.* □ **1.** angenehm (*a. Geruch, Geschmack, Traum etc.*), wohltuend, erfreulich (*Nachrichten etc.*), vergnüglich; **2.** freundlich (*Person, Wetter, Zimmer*): *please look ~!* bitte recht freundlich!; **'pleas·ant·ness** [-nis] *s.* **1.** *das* Angenehme; angenehmes Wesen; **2.** Freundlichkeit *f*; **3.** Heiterkeit *f* (*a. fig.*); **'pleas·ant·ry** [-tri] *s.* **1.** Heiter-, Lustigkeit *f*; **2.** Scherz *m*: **a**) Witz *m*, **b**) Hänse'lei *f*.

please [pli:z] **I.** *v/i.* **1.** gefallen, angenehm sein, befriedigen, Anklang finden: *~!* bitte (sehr)!; *as you ~* wie Sie wünschen; *if you ~* **a**) wenn ich bitten darf, wenn es Ihnen recht ist, **b**) *iro.* gefälligst, **c**) man stelle sich vor, denken Sie nur; *~ come in!* bitte, treten Sie ein!; **2.** befriedigen, zufriedenstellen: *anxious to ~* dienstbeflissen, sehr eifrig; **II.** *v/t.* **3.** *j-m* gefallen *od.* angenehm sein *od.* zusagen, *j-n* erfreuen: *to be ~d to do* sich freuen *et.* zu tun; *I am only too ~d to do it* ich tue es mit dem größten Vergnügen; *to be ~d with* **a**) befriedigt sein von, **b**) Vergnügen haben an (*dat.*), **c**) Gefallen finden an (*dat.*): *I am ~d with it* es gefällt mir; **4.** befriedigen, zufriedenstellen: *to ~ o.s.* tun, was man will; *~ yourself* **a**) wie Sie wünschen, **b**) bitte, bedienen Sie sich; *only to ~ you* nur Ihnen zuliebe; → *hard* 2; **5.** (*a. iro.*) geruhen, belieben (*to do et.* zu tun): *~ God* so Gott will; **'pleased** [-zd] *adj.* zufrieden (*with* mit), erfreut (*at* über *acc.*); → *Punch*[4]; **'pleas·ing** [-ziŋ] *adj.* □ angenehm, wohltuend, gefällig.

pleas·ur·a·ble ['pleʒərəbl] *adj.* □ angenehm, vergnüglich, ergötzlich.

pleas·ure ['pleʒə] **I.** *s.* **1.** Vergnügen *n*, Freude *f*; *with ~!* mit Vergnügen!; *to give s.o. ~* j-m Vergnügen (*od.* Freude) machen; *to have the ~ of doing* das Vergnügen haben, *et.* zu tun; *to take ~ in* (*od. at*) Vergnügen *od.* Freude finden an (*dat.*): *he takes* (*a*) *~ in contradicting* es macht ihm Spaß zu widersprechen; *to take one's ~* sich vergnügen; *a man of ~* ein Genußmensch; **2.** Gefallen *m*, Gefälligkeit *f*: *to do s.o. a ~* j-m e-n Gefallen tun; **3.** Belieben *n*, Gutdünken *n*: *at ~* nach Belieben; *at the Court's ~* nach dem Ermessen des Gerichts; *during Her Majesty's ~ Brit.* (*mst*) auf Lebenszeit (*Gefängnisstrafe*); *what is your ~? obs.* womit kann ich dienen?; **II.** *v/i.* **4.** sich erfreuen *od.* vergnügen; **'~-boat** *s.* Vergnügungsdampfer *m*; **'~-ground** *s.* Vergnügungs-, Rasenplatz *m*; **~ prin·ci·ple** *s. psych.* 'Lustprin͵zip *n*; **'~-seek·ing** *adj.* vergnügungssüchtig; **~ tour** *s.* Vergnügungsreise *f*.

pleat [pli:t] **I.** *s.* (Rock- *etc.*)Falte *f*; **II.** *v/t.* falten, fälteln, plissieren.

ple·be·ian [pli'bi(:)ən] **I.** *adj.* ple'bejisch; **II.** *s.* Ple'bejer(in); **ple'be·ian·ism** [-nizəm] *s.* Ple'bejertum *n*.

pleb·i·scite ['plebisit] *s.* Plebis'zit *n*, Volksabstimmung *f*, -entscheid *m*.

plec·trum ['plektrəm] *pl.* **-tra** [-ə] *s.* ♪ Plektron *n*.

pledge [pledʒ] **I.** *s.* **1.** (Faust-, 'Unter)Pfand *n*, Pfandgegenstand *m*; Verpfändung *f*; Bürgschaft *f*, Sicherheit *f*; *hist.* Bürge *m*, Geisel *f*: *in ~ of* **a**) als Pfand für, **b**) *fig.* als Beweis für, zum Zeichen, daß; *to hold in ~* als Pfand halten; *to put in ~* verpfänden; *to take out of ~ Pfand* auslösen; **2.** Versprechen *n*, feste Zusage, Gelübde *n*, Gelöbnis *n*: *to take the ~* dem Alkohol abschwören; **3.** *fig.* 'Unterpfand *n*, Beweis *m* (*der Freundschaft etc.*): *under the ~ of secrecy* unter dem Siegel der Verschwiegenheit; **4.** *a. ~ of love fig.* Pfand *n* der Liebe (*Kind*); **5.** Zutrinken *n*, Toast *m*; **6.** *bsd. univ. Am.* **a**) Versprechen *n*, e-r Verbindung *od.* e-m (Geheim)Bund beizutreten, **b**) Anwärter(in) auf solche Mitgliedschaft; **II.** *v/t.* **7.** verpfänden (*s.th. to s.o.* j-m et.); Pfand bestellen für, e-e Sicherheit leisten für; als Sicherheit *od.* zum Pfand geben: *to ~ one's word fig.* sein Wort verpfänden; *~d article* Pfandobjekt; *~d merchandise* ✝ sicherungsübereignete Ware(n); *~d securities* ✝ lombardierte Effekten; **8.** *j-n* verpflichten (*to* zu, auf *acc.*): *to ~ o.s.* geloben, sich verpflichten; **9.** *j-m* zutrinken, auf das Wohl (*gen.*) trinken; **'pledge·a·ble** [-dʒəbl] *adj.* verpfändbar; **pledg·ee** [ple'dʒi:] *s.* Pfandnehmer(in), -inhaber(in), -gläubiger(in); **pledge·or** [ple'dʒɔ:] ⚖, **'pledg·er** [-dʒə] *s.* Pfandgeber(in), -schuldner(in), Verpfänder(in).

pledg·et ['pledʒit] *s.* ⚕ (Watte-) Bausch *m*, Tupfer *m*.

pledg·or [ple'dʒɔ:] ⚖ → *pledgeor*.

Ple·iad ['plaiəd] *pl.* **'Ple·ia·des** [-di:z] *s. ast. u. fig.* Siebengestirn *n*.

Pleis·to·cene ['pli:stousi:n] *geol.* **I.** *s.* Pleisto'zän *n*, Di'luvium *n*; **II.** *adj.* Pleistozän...

ple·na·ry ['pli:nəri] *adj.* **1.** □ voll (-ständig), Voll..., Plenar...: *~ session* Plenarsitzung; **2.** voll('kommen), uneingeschränkt: *~ indulgence R.C.* vollkommener Ablaß; *~ power* unbeschränkte Vollmacht, Generalvollmacht.

plen·i·po·ten·ti·ar·y [plenipə'tenʃəri] **I.** *s.* **1.** (Gene'ral)Be͵vollmächtigte(r *m*) *f*, bevollmächtigter Gesandter *od.* Mi'nister; **II.** *adj.* **2.** bevollmächtigt; **3.** abso'lut, unbeschränkt.

plen·i·tude ['plenitju:d] *s.* **1.** Fülle *f*, Reichtum *m* (*of* an *dat.*); **2.** Vollkommenheit *f*.

plen·te·ous ['plentjəs] *adj.* □ *poet.* reich(lich); **'plen·te·ous·ness** [-nis] *s. poet.* Fülle *f*.

plen·ti·ful ['plentiful] *adj.* □ reich (-lich), im 'Überfluß (vor'handen); **'plen·ti·ful·ness** [-nis] *s.* Fülle *f*, Reichtum *m* (*of* an *dat.*).

plen·ty ['plenti] **I.** *s.* Fülle *f*, 'Überfluß *m*, Reichtum *m* (*of* an *dat.*): *to have ~ of s.th.* mit et. reichlich versehen sein, et. in Hülle u. Fülle haben; *in ~* im Überfluß; *~ of money* (*time*) e-e Menge *od.* viel Geld (Zeit); *~ of times* sehr oft; → *horn* 4; **II.** *adj. pred. Am.* reichlich; **III.** *adv.* F reichlich.

ple·num ['pli:nəm] *s.* **1.** Plenum *n*, Vollversammlung *f*; **2.** *phys.* (vollkommen) ausgefüllter Raum.

ple·o·nasm ['pli(:)ənæzəm] *s.* Pleo'nasmus *m*; **ple·o·nas·tic** [pliə'næstik] *adj.* (□ *~ally*) pleo'nastisch.

pleth·o·ra ['pleθərə] *s.* **1.** ⚕ Blutandrang *m*; **2.** *fig.* 'Überfülle *f*, Zu'viel *n* (*of* an *dat.*); **ple·thor·ic** [ple'θɔrik] *adj.* (□ *~ally*) **1.** ⚕ ple'thorisch, vollblütig; **2.** *fig.* 'übervoll, über'laden, dick.

pleu·ra ['pluərə] *pl.* **-rae** [-ri:] *s. anat.* Brust-, Rippenfell *n*; **'pleu·ral** [-rəl] *adj.* Brust-, Rippenfell...; **'pleu·ri·sy** [-risi] *s.* ⚕ Pleu'ritis *f*, Brustfell-, Rippenfellentzündung *f*.

pleu·ro·car·pous [pluərou'kɑ:pəs] *adj.* ⚘ seitenfrüchtig; **pleu·ro·pneu'mo·ni·a** [-ounju(:)'mounjə] *s.* **1.** ⚕ Lungen- u. Rippenfellentzündung *f*; **2.** *vet.* Lungen- u. Brustseuche *f*.

plex·im·e·ter [plek'simitə] *s.* ⚕ Plessi'meter *n*.

plex·or ['pleksə] *s.* ⚕ Perkussi'onshammer *m*.

plex·us ['pleksəs] *pl.* **-es** [-iz] *s.* **1.** *anat.* Plexus *m*, (Nerven)Geflecht *n*; **2.** *fig.* Flechtwerk *n*, Netz (-werk) *n*, Kom'plex *m*.

pli·a·bil·i·ty [plaiə'biliti] *s.* Biegsamkeit *f*, Geschmeidigkeit *f* (*a. fig.*); **pli·a·ble** ['plaiəbl] *adj.* □ **1.** biegsam, geschmeidig (*a. fig.*); **2.** *fig.* nachgiebig, fügsam, leicht zu beeinflussen(d).

pli·an·cy ['plaiənsi] *s.* Biegsamkeit *f*, Geschmeidigkeit *f* (*a. fig.*); **'pli·ant** [-nt] *adj.* □ → *pliable*.

pli·ers ['plaiəz] *s. pl.* ⊕ (*a pair of ~* e-e) (Draht-, Kneif)Zange (*a. sg. konstr.*): *round(-nosed) ~* Rundzange.

plight[1] [plait] *s.* (mißliche) Lage, Not-, Zwangslage *f*.

plight[2] [plait] *bsd. poet.* **I.** *v/t.* **1.** *Wort, Ehre* verpfänden, *Treue* geloben: *~ed troth* gelobte Treue; **2.** verloben (*to dat.*); **II.** *s.* **3.** *obs.* Gelöbnis *n*, feierliches Versprechen; **4.** *a. ~ of faith* Verlobung *f*.

plinth [plinθ] *s.* △ **1.** Plinthe *f*, Säulenplatte *f*; **2.** Fußleiste *f e-r Wand.*

Pli·o·cene ['plaiəsi:n] *geol. s.* Plio'zän *n*.

plod [plɔd] **I.** *v/i.* **1.** *a. ~ along, ~ on* mühsam *od.* schwerfällig gehen, sich da'hinschleppen, trotten, (ein'her)stapfen; **2.** *fig.* sich abmühen *od.* -plagen (*at*, [*up*]*on* mit), ‚schuften'; **II.** *v/t.* **3.** *to ~ one's way* → 1; **'plod·der** [-də] *s. fig.* Arbeitstier *n*; **'plod·ding** [diŋ] **I.** *adj.* □ **1.** stapfend; **2.** arbeitsam, angestrengt *od.* unverdrossen (*arbeitend*); **II.** *s.* **3.** Placke'rei *f*, Schufte'rei *f*.

plop [plɔp] **I.** *v/i.* plumpsen; **II.** *v/t.* plumpsen lassen; **III.** *s.* Plumps *m*, Plumpsen *n*; **IV.** *adv.* mit e-m Plumps; **V.** *int.* plumps!

plo·sion ['plouʒən] *s. ling.* Verschluß(sprengung *f*) *m*; **plo·sive** ['plousiv] **I.** *adj.* Verschluß...; **II.** *s.* Verschlußlaut *m*.

plot [plɔt] **I.** *s.* **1.** Stück(chen) *n* Land, Par'zelle *f*, Grundstück *n*: *a gar-*

den-~ ein Stück Garten; **2.** *bsd. Am.* (Lage-, Bau)Plan *m*, (Grund)Riß *m*, Dia'gramm *n*, graphische Darstellung; **3.** ⚔ **a)** *Artillerie*: Zielort *m*, **b)** *Radar*: Standort *m*; **4.** (geheimer) Plan, Kom'plott *n*, Anschlag *m*, Verschwörung *f*, In'trige *f*: *to lay a ~* ein Komplott schmieden; **5.** Handlung *f*, Fabel *f* (*Roman, Drama etc.*), *a.* In'trige *f* (*Komödie*); **II.** *v/t.* **6.** e-n Plan von *et.* anfertigen, *et.* planen, entwerfen; aufzeichnen (*a. ~ down*) (*on* in *dat.*); ⚓, ✈ *Kurs* abstecken, -setzen, ermitteln; *Kurve* (graphisch) darstellen *od.* auswerten; *Luftbilder* auswerten: *~ted fire* ⚔ Planfeuer; **7.** *a. ~ out Land* parzellieren; **8.** *Verschwörung* planen, aushecken, *Meuterei etc.* anzetteln; **9.** *Romanhandlung etc.* entwickeln, ersinnen; **III.** *v/i.* **10.** (*against*) Ränke *od.* ein Komplott schmieden, intrigieren, sich verschwören (gegen), e-n Anschlag verüben (auf *acc.*); '**plot·ter** [-tə] *s.* **1.** Planzeichner(in); **2.** Anstifter(in); **3.** Ränkeschmied *m*, Intri'gant(in), Verschwörer(in).

plough [plau] **I.** *s.* **1.** Pflug *m*: *to put one's hand to the ~* s-e Hand an den Pflug legen; **2.** *the ♀ ast.* der Große Bär *od.* Wagen; **3.** *Tischlerei*: Falzhobel *m*; **4.** *Buchbinderei*: Beschneidhobel *m*; **5.** *univ. Brit. sl.* ,('Durch-) Rasseln' *n*, ,'Durchfall' *m*; **II.** *v/t.* **6.** *Boden* ('um)pflügen: *to ~ back* unterpflügen, *fig. Gewinn* wieder in das Geschäft stecken; → *sand* 2; **7.** *fig.* **a)** *Wasser, Gesicht* (durch-) 'furchen, *Wellen* pflügen, **b)** sich (*e-n Weg*) bahnen: *to ~ one's way*; **8.** *univ. Brit. sl.* 'durchfallen lassen: *to be ~ed* durchrasseln; **III.** *v/i.* **9.** *fig.* sich e-n Weg bahnen: *to ~ through a book* F ein Buch durchackern; '**~-land** *s.* Ackerland *n*; '**~-man** [-mən] *s.* [*irr.*] Pflüger *m*; **~ plane** *s.* ⊕ Nuthobel *m*; '**~-share** *s.* ⚒ Pflugschar *f*; '**~-tail** *s.* ⚒ Pflugsterz *m*.

plov·er ['plʌvə] *s. orn.* **1.** Regenpfeifer *m*; **2.** Gelbschenkelwasserläufer *m*; **3.** Kiebitz *m*.

plow *etc. Am.* → *plough etc.*

ploy [plɔi] *s.* F List *f*, ,Masche' *f*.

pluck [plʌk] **I.** *s.* **1.** Rupfen *n*, Zupfen *n*, Zerren *n*, Reißen *n*; **2.** Ruck *m*, Zug *m*; **3.** Geschlinge *n von Schlachttieren*; **4.** *fig.* Schneid *m*, Mut *m*; **5.** → *plough 5*; **II.** *v/t.* **6.** *Obst, Blumen etc.* pflücken, abreißen; **7.** *Federn, Haar, Unkraut etc.* ausreißen, -zupfen, *Geflügel* rupfen; ⊕ *Wolle* plüsen; → *crow*[1] *1*; **8.** zupfen, ziehen, zerren, reißen: *to ~ s.o. by the sleeve* j-n am Ärmel zupfen; *to ~ up courage fig.* Mut fassen; **9.** *sl. j-n* ,rupfen', ausplündern; **10.** → *plough 8*; **III.** *v/i.* **11.** (*at*) zupfen, ziehen, zerren (an *dat.*), schnappen, greifen (nach); '**pluck·i·ness** [-kinis] *s.* Schneid *m*, Mut *m*; '**pluck·y** [-ki] *adj.* □ F beherzt, mutig, schneidig.

plug [plʌg] **I.** *s.* **1.** Pflock *m*, Stöpsel *m*, Dübel *m*, Zapfen *m*; (Faß)Spund *m*; Pfropf(en) *m* (*a.* ⚕); Verschlußschraube *f*, (Hahn-, Ven'til)Küken *n*: *drain ~* Ablaßschraube; **2.** ⚡ Stecker *m*, Stöpsel *m*: *~-ended cord* Stöpselschnur; *~ socket* Steckdose; **3.** *mot.* Zündkerze *f*; **4.** ('Feuer)Hy,drant *m*; **5.** (Klo'sett)Spülvorrichtung *f*; **6.** (Zahn)Plombe *f*; **7.** Priem *m* (*Kautabak*); **8.** → *plug-hat*; **9.** ✝ *sl.* Ladenhüter *m*; **10.** *sl.* alter Gaul; **11.** *sl.* (Faust)Schlag *m*; **12.** *Am. Radio*: Re'klame(hinweis *m*) *f*; **13.** *Am. sl.* falsches Geldstück; **II.** *v/t.* **14.** *a. ~ up* zu-, verstopfen, verkorken, zustöpseln; **15.** *Zahn* plombieren; **16.** *~ in* ⚡ Gerät einschalten, -stöpseln, *durch Steckkontakt* anschließen; **17.** F *im Radio etc.* Reklame machen für; *Lied etc.* ständig spielen (lassen); **18.** *sl. j-m* ,eine (*e-n Schlag, e-e Kugel*) verpassen'; **III.** *v/i.* **19.** F *a. ~ away* ,schuften' (*at* an *dat.*); **~ box** *s.* 'Steckdose *f*, -kon,takt *m*; **~ fuse** *s.* Stöpselsicherung *f*; '**~-hat** *s. Am. sl.* ,Angströhre' *f* (*Zylinder*); **~ switch** *s.* ⚡ Steck-, Stöpselschalter *m*; '**~-'ug·ly** *s. Am. sl.* Schläger *m*, Ra'bauke *m*; **~ wrench** *s. mot.* Zündkerzenschlüssel *m*.

plum [plʌm] *s.* **1.** Pflaume *f*, Zwetsch(g)e *f*; **2.** Ro'sine *f* (*im Pudding u. Backwerk*): *~ cake* Rosinenkuchen; **3.** *fig.* **a)** ,Rosine' *f* (*das Beste*), **b)** *pl. Am. sl.* Belohnung *f für Unterstützung bei der Wahl* (*Posten, Titel etc.*); **4.** *Brit. obs. sl.* £ 100 000.

plum·age ['plu:midʒ] *s. orn.* Gefieder *n*.

plumb [plʌm] **I.** *s.* **1.** (Blei)Lot *n*, Senkblei *n*: *out of ~* aus dem Lot, nicht (mehr) senkrecht; **2.** ⚓ (Echo)Lot *n*; **II.** *adj.* **3.** lot-, senkrecht; **4.** F richtig(gehend), rein (*Unsinn etc.*); **III.** *adv.* **5.** *fig.* stracks, gerade(swegs), ,peng', platsch (*ins Wasser etc.*); **6.** *Am.* F ,kom'plett', ,to'tal' (*verrückt etc.*); **IV.** *v/t.* **7.** lotrecht machen; **8.** ⚓ *Meerestiefe* (ab-, aus)loten, sondieren; **9.** *fig.* sondieren, erforschen; **10.** ⊕ (mit Blei) verlöten, verbleien; **11.** F Wasser- *od.* Gasleitungen legen in (*e-m Haus*); **V.** *v/i.* **12.** als Rohrleger arbeiten, klempnern; **plum·ba·go** [plʌm'beigou] *s.* **1.** *min.* **a)** Gra'phit *m*, **b)** Bleiglanz *m*; **2.** ⚘ Bleiwurz *f*.

'**plumb-bob** *s.* ⊕ (Blei)Lot *n*, Senkblei *n*.

plum·be·ous ['plʌmbiəs] *adj.* **1.** bleiartig; **2.** bleifarben; **3.** *Keramik*: mit Blei glasiert; '**plumb·er** [-mə] *s.* **1.** Klempner *m*, Rohrleger *m*, Installa'teur *m*; **2.** Bleiarbeiter *m*; '**plum·bic** [-bik] *adj.* Blei...: *~ chloride* ⚗ Bleitetrachlorid; **plumb·if·er·ous** [plʌm'bifərəs] *adj.* bleihaltig; '**plumb·ing** [-miŋ] *s.* **1.** Klempner-, Rohrleger-, Installa'teurarbeit *f*; **2.** Rohr-, Wasser-, Gasleitung *f*; **3.** Blei(gießer)arbeit *f*; **4.** △, ⚓ Ausloten *n*; '**plum·bism** [-bizəm] *s.* ⚕ Bleivergiftung *f*.

'**plumb-line** **I.** *s.* **1.** Senkschnur *f*, -blei *n*; **II.** *v/t.* **2.** △, ⚓ ausloten; **3.** *fig.* sondieren, prüfen.

plumbo- [plʌmbou] ⚗ *in Zssgn* Blei..., *z.B. plumbosolvent* bleizersetzend.

'**plumb-rule** *s.* ⊕ Lot-, Senkwaage *f*.

plum duff *s.* Ro'sinenauflauf *m*.

plume [plu:m] **I.** *s.* **1.** *orn.* (*Straußen- etc.*)Feder *f*: *to adorn o.s. with borrowed ~s fig.* sich mit fremden Federn schmücken; **2.** (Hut-, Schmuck)Feder *f*; **3.** Feder-, Helmbusch *m*; **4.** *fig. ~ (of cloud)* Wolkenstreifen; *~ (of smoke)* Rauchfahne; **II.** *v/t.* **5.** mit Federn schmükken: *to ~ o.s. (up)on fig.* sich brüsten mit; *~d* **a)** gefiedert, **b)** mit Federn geschmückt; **6.** *Gefieder* putzen; '**plume·less** [-lis] *adj.* ungefiedert.

plum·met ['plʌmit] **I.** *s.* **1.** (Blei-) Lot *n*, Senkblei *n*; **2.** ⊕ Senkwaage *f*; **3.** *Fischen*: (Blei)Senker *m*; **4.** *fig.* Bleigewicht *n*; **II.** *v/i.* **5.** absinken, (ab)stürzen.

plum·my ['plʌmi] *adj.* **1.** pflaumenartig, Pflaumen...; **2.** reich an Pflaumen *od.* Ro'sinen; **3.** F ,prima', ausgezeichnet.

plu·mose ['plu:mous] *adj.* **1.** *orn.* gefiedert; **2.** ⚘, *zo.* federartig.

plump[1] [plʌmp] **I.** *adj.* prall, drall, mollig, rund(lich), feist: *~ cheeks* Pausbacken; **II.** *v/t. u. v/i. oft ~ up* (*od. out*) prall *od.* fett machen (werden).

plump[2] [plʌmp] **I.** *v/i.* **1.** (hin-) plumpsen, schwer fallen, sich (*in e-n Sessel etc.*) fallen lassen: *to ~ for fig.* **a)** *pol. e-m Wahlkandidaten* s-e Stimme ungeteilt geben, **b)** *j-n* rückhaltlos unterstützen; **II.** *v/t.* **2.** plumpsen lassen; **3.** *~ out with* mit *s-r Meinung etc.* her'ausplatzen, unverblümt her'aussagen; **4.** *pol.* kumulieren; **III.** *s.* **5.** F Plumps *m*; **IV.** *adv.* **6.** plumpsend, mit e-m Plumps; **7.** F unverblümt, gerade her'aus; **V.** *adj.* □ **8.** F plump (*Lüge etc.*), deutlich, glatt (*Ablehnung etc.*); '**plump·er** [-pə] *s.* **1.** Plumps *m*; **2.** Bausch *m*; **3.** *pol.* ungeteilte Wahlstimme; **4.** *sl.* plumpe Lüge; '**plump·ness** [-nis] *s.* **1.** Rundlichkeit *f*, Pausbackigkeit *f*; **2.** F Plumpheit *f*, Offenheit *f*.

plum pud·ding *s.* Plumpudding *m*.

plum·y ['plu:mi] *adj.* **1.** gefiedert; **2.** federartig.

plun·der ['plʌndə] **I.** *v/t.* **1.** *Land, Stadt etc.* plündern; **2.** *Waren* rauben, stehlen; **3.** *j-n* ausplündern; **II.** *v/i.* **4.** plündern, räubern; **III.** *s.* **5.** Plünderung *f*; **6.** Beute *f*, Raub *m*; **7.** *Am.* F Plunder *m*, Kram *m*; '**plun·der·er** [-ərə] *s.* Plünderer *m*, Räuber *m*.

plunge [plʌndʒ] **I.** *v/t.* **1.** (ein-, 'unter)tauchen, stürzen (*in, into* in *acc.*); *fig. j-n in Schulden etc.* stürzen; *e-e Nation in e-n Krieg* stürzen *od.* treiben; *Zimmer in Dunkel* tauchen *od.* hüllen; **2.** *Waffe* stoßen; **II.** *v/i.* **3.** (ein-, 'unter)tauchen (*into* in *acc.*); **4.** stürzen (*a. fig. Klippe etc.*, ✝ *Preise*); **5.** *ins Zimmer etc.* stürzen, stürmen; *fig.* sich *in e-e Tätigkeit, in Schulden etc.* stürzen; **6.** ⚓ stampfen (*Schiff*); **7.** sich nach vorne werfen, ausschlagen (*Pferd*); **8.** *sl.* et. riskieren, alles auf 'eine Karte setzen; **III.** *s.* **9.** (Ein-, 'Unter)Tauchen *n*; *sport* (Kopf)Sprung *m*: *to take the ~ fig.* den entscheidenden Schritt *od.* den Sprung wagen; **10.** Sturz *m*, Stürzen *n*; **11.** Ausschlagen *n e-s Pferdes*; **12.** Sprung-, Schwimmbecken *n*; **13.** Schwimmen *n*, Bad *n*; '**plung·er** [-dʒə] *s.* **1.** Taucher *m*; **2.** ⊕ Tauchkolben *m*; 3. ⚡ a) Tauchbolzen *m*, b) Tauchspule *f*; 4. *mot.* Ven'tilkolben *m*; 5. ⚔ Schlagbolzen *m*; 6. *sl.* a) Hasar'deur *m*, Spieler *m*, b) wilder Speku'lant.

plunk [plʌŋk] I. *v/t.* 1. *Saite* zupfen, auf *e-r Gitarre etc.* klimpern; 2. *et.* hinplumpsen lassen; hinschmeißen, -werfen: *to ~ down Am. sl.* ,blechen', bezahlen; II. *v/i.* 3. klimpern; 4. (hin)plumpsen; III. *s.* 5. Plumps *m*; 6. *Am.* F Mordsschlag *m*; 7. *Am. sl.* Dollar *m*; IV. *adv.* 8. mit e-m Plumps; 9. genau, ,zack': *~ in the middle.*

plu·per·fect ['plu:'pə:fikt] *s. a. ~ tense ling.* 'Plusquamper,fekt *n*, Vorvergangenheit *f*.

plu·ral ['pluərəl] I. *adj.* □ 1. mehrfach: *~ marriage* Mehrehe; *~ vote* Mehrstimmenrecht; 2. *ling.* Plural..., im 'Plural, plu'ralisch: *~ number* → 3; II. *s.* 3. *ling.* 'Plural *m*, Mehrzahl *f*; '**plu·ral·ism** [-rəlizəm] *s.* 1. Vielheit *f*; 2. *eccl.* Besitz *m* mehrerer Pfründen *od.* Ämter; 3. *phls.* Plura'lismus *m*; **plu·ral·i·ty** [pluə'ræliti] *s.* 1. Mehrheit *f*, 'Über-, Mehrzahl *f*; 2. Vielheit *f*, -zahl *f*: *~ of wives* Vielweiberei; 3. *pol.* (*Am. bsd.* rela'tive) Stimmenmehrheit; 4. *eccl.* Besitz *m* mehrerer Pfründen *od.* Ämter; '**plu·ral·ize** [-rəlaiz] I. *v/t. ling.* 1. in den 'Plural setzen; 2. als *od.* im Plural gebrauchen; II. *v/i.* 3. *eccl.* mehrere Pfründen innehaben.

plus [plʌs] I. *prp.* 1. plus, und; 2. *bsd.* ✝ zuzüglich (*gen.*); II. *adj.* 3. Plus..., *a.* extra, Extra...; 4. ✗, ⚡ 'positiv, Plus...: *~ quantity* positive Größe; 5. F plus, mit; III. *s.* 6. Plus(zeichen) *n*; 7. Plus *n*, Mehr *n*, 'Überschuß *m*; '**~-'fours** *s. pl. weite* Knickerbocker- *od.* Golfhose.

plush [plʌʃ] I. *s.* 1. Plüsch *m*; II. *adj.* 2. Plüsch...; 3. *sl.* (stink)vornehm (*Restaurant etc.*); '**plush·y** [-ʃi] *adj.* plüschartig.

Plu·to ['plu:tou] *s. ast.* Pluto *m* (*Planet*).

plu·toc·ra·cy [plu:'tɔkrəsi] *s.* 1. Plutokra'tie *f*, Geldherrschaft *f*; 2. 'Geldaristokra,tie *f*, *coll.* Pluto'kraten *pl.*; **plu·to·crat** ['plu:təkræt] *s.* Pluto'krat *m*, Kapita'list *m*; **plu·to·crat·ic** [plu:tə'krætik] *adj.* pluto'kratisch.

plu·ton·ic [plu:'tɔnik] *adj. geol.* plu'tonisch; **plu'to·ni·um** [-'tounjəm] *s.* ⚗ Plu'tonium *n*.

plu·vi·al ['plu:vjəl] *adj.* regnerisch; Regen...; '**plu·vi·o·graph** [-əgra:f; -əgræf] *s. phys.* Regenschreiber *m*; **plu·vi·om·e·ter** [plu:vi'ɔmitə] *s. phys.* Pluvio'meter *n*, Regenmesser *m*; '**plu·vi·ous** [-jəs] → *pluvial.*

ply[1] [plai] I. *v/t.* 1. *Arbeitsgerät* (fleißig) handhaben, hantieren *od.* 'umgehen mit; 2. *Gewerbe* betreiben, ausüben; 3. (*with*) bearbeiten (mit) (*a. fig.*); *fig. j-m* (mit *Fragen etc.*) zusetzen, *j-n* (mit *et.*) über'häufen: *to ~ s.o. with drink* j-n zum Trinken nötigen; 4. *Strecke* (regelmäßig) befahren; II. *v/i.* 5. verkehren, fahren, pendeln (*between* zwischen); 6. ⚓ aufkreuzen.

ply[2] [plai] I. *s.* 1. Falte *f*; (Garn-) Strähne *f*; (Stoff-, Sperrholz- *etc.*) Lage *f*, Schicht *f*: *three-~* dreifach (*z.B. Garn, Teppich*); 2. *fig.* Hang *m*, Neigung *f*; II. *v/t.* 3. falten; *Garn* fachen; '**ply·wood** *s.* Sperr-, Furnierholz *n*.

pneu·mat·ic [nju(:)'mætik] I. *adj.* (□ *~ally*) 1. ⊕, *phys.* pneu'matisch, Luft...; ⊕ Druck-, Preßluft...: *~ brake* Druckluftbremse; *~ tool* Preßluftwerkzeug; 2. *zo.* lufthaltig; II. *s.* 3. Luftreifen *m*; 4. Fahrzeug *n* mit Luftbereifung; **~ dis·patch** *s.* Rohrpost *f*; **~ drill** *s.* ⊕ Preßluftbohrer *m*; **~ float** *s.* Floßsack *m*; **~ ham·mer** *s.* ⊕ Preßlufthammer *m*.

pneu·mat·ics [nju(:)'mætiks] *s. pl. sg. konstr. phys.* Pneu'matik *f*.

pneu·mat·ic| tire (*od.* **tyre**) *s.* Luftreifen *m*; *pl. a.* Luftbereifung *f*; **~ tube** *s.* pneu'matische Röhre; *weitS.* Rohrpost *f*; *pl.* Rohrpostanlage *f*.

pneu·mo·ni·a [nju(:)'mounjə] *s.* ⚕ Lungenentzündung *f*, Pneumo'nie *f*; **pneu'mon·ic** [-'mɔnik] *adj.* pneu'monisch, die Lunge *od.* Lungenentzündung betreffend.

poach[1] [poutʃ] I. *v/t.* 1. *a. ~ up Erde* aufwühlen, *Rasen* zertrampeln; 2. (zu e-m Brei) anrühren; 3. *Wild etc.* unerlaubt jagen *od.* fangen; räubern (*a. fig.*); 4. *sl. Vorteil* ,schinden'; 5. ⊕ *Papier* bleichen; II. *v/i.* 6. weich *od.* matschig werden (*Boden*); 7. unbefugt eindringen (*on* in *acc.*); → *preserve 8b*; 8. *hunt.* wildern.

poach[2] [poutʃ] *v/t. Eier* pochieren: *~ed egg* pochiertes *od.* verlorenes Ei.

poach·er ['poutʃə] *s.* Wilderer *m*, Wilddieb *m*; '**poach·ing** [-tʃiŋ] *s. hunt.* Wildern *n*, Wilde'rei *f*.

po·chette [pɔ'ʃet] (*Fr.*) *s.* Handtäschchen *n*.

pock [pɔk] *s.* ⚕ Pocke *f*, Blatter *f*, (Pocken)Pustel *f*.

pock·et ['pɔkit] I. *s.* 1. (*Hosen- etc., a. zo. Backen- etc.*)Tasche *f*: *to have s.o. in one's ~ fig.* j-n in der Tasche *od.* Gewalt haben; *to put s.o. in one's ~ fig.* j-n in die Tasche stekken; *to put one's pride in one's ~* s-n Stolz überwinden, klein beigeben; 2. *fig.* Geldbeutel *m*, Fi'nanzen *pl.*: *to be in ~* gut bei Kasse sein; *to be 3 dollars in (out of) ~* drei Dollar profitiert (verloren) haben; *to put one's hand in one's ~* (tief) in die Tasche greifen; → *line*[2] *3*; 3. *Brit.* Sack *m Hopfen, Wolle* (= 76 *kg*); 4. *geol.* Einschluß *m*; 5. *min.* (*Erz-, Gold*)Nest *m*; 6. *Billard*: Tasche *f*, Loch *n*; 7. ✈ (Luft)Loch *n*, Fallbö *f*; 8. ⚔ Kessel *m*: *~ of resistance* Widerstandsnest; II. *adj.* 9. Taschen...: *~ lamp* (*od. torch*) Taschenlampe; *~ lighter* Taschenfeuerzeug; III. *v/t.* 10. in die Tasche stecken, einstecken (*a. fig. einheimsen*); 11. a) *fig. Kränkung* einstecken, hinnehmen, b) *Gefühle* unter'drücken, *s-n Stolz* über'winden; 12. *Billardkugel* ins Loch treiben; 13. *pol. Am. Gesetzesvorlage* nicht unter'schreiben, Veto einlegen gegen (*vom Präsidenten*); 14. ⚔ *Feind* einkesseln; **~ bat·tle·ship** *s.* ⚓ Westentaschenkreuzer *m* (*Panzerschiff*); '**~-book** *s.* 1. Taschen-, No'tizbuch *n*; 2. Brieftasche *f*; 3. *Am.* Handtasche *f*; 4. *fig.* Geldbeutel *m*: *the average ~* das Normaleinkommen; 5. Taschenausgabe *f* (*Buch*): *~ edition*; **~ cal·cu·la·tor** *s.* Taschenrechner *m*.

pock·et·ful ['pɔkitful] *pl.* **-fuls** *s. e-e* Tasche(voll): *a ~ of money.*

'**pock·et|-knife** *s.* [*irr.*] Taschenmesser *n*; '**~-mon·ey** *s.* Taschengeld *n*; **~ ve·to** *s. pol. Am.* Zu'rückhalten *n od.* Verzögerung *f* e-s Gesetzentwurfs (*bsd. durch den Präsidenten*).

'**pock|·mark** *s.* Pockennarbe *f*; '**~-marked** *adj.* pockennarbig.

pod[1] [pɔd] *s. zo. bsd. Am.* Herde *f*, Schwarm *m*.

pod[2] [pɔd] I. *s.* 1. ⚘ Hülse *f*, Schale *f*, Schote *f*; 2. *zo.* (Schutz)Hülle *f*, *a.* Ko'kon *m* (*der Seidenraupe*), Beutel *m* (*des Moschustiers*); 3. *sl.* ,Wampe' *f*, Bauch *m*; II. *v/i.* 4. Hülsen ansetzen; 5. *Erbsen etc.* aushülsen, -schoten.

po·dag·ra [pə'dægrə] *s.* ⚕ Podagra *n*, (Fuß)Gicht *f*.

podg·y ['pɔdʒi] *adj.* F unter'setzt, dicklich.

po·di·a·trist [pɔ'daiətrist] *s.* ⚕ 'Fußspezia,list *m*; **po'di·a·try** [-tri] *s.* Lehre *f* von den Fußkrankheiten.

po·em ['pouim] *s.* Gedicht *n* (*a. fig.*), Dichtung *f*; **po·e·sy** ['pouizi] *s. obs.* Poe'sie *f*, Dichtkunst *f*; **po·et** ['pouit] *s.* Dichter *m*, Po'et *m*: *~ laureate* a) Dichterfürst, b) *Brit.* Hofdichter; **po·et·as·ter** [poui'tæstə] *s.* Dichterling *m*; **po·et·ess** ['pouitis] *s.* Dichterin *f*.

po·et·ic *adj.*; **po·et·i·cal** [pou'etik(əl)] *adj.* □ 1. po'etisch, dichterisch: *~ justice fig.* poetische Gerechtigkeit; 2. *fig.* poetisch, ro'mantisch, stimmungsvoll; **po·et·ic li·cence** (*Am.* **li·cense**) *s.* dichterische Freiheit.

po·et·ics [pou'etiks] *s. pl. sg. konstr.* Po'etik *f*; **po·et·ize** ['pouitaiz] I. *v/i.* 1. dichten; II. *v/t.* 2. in Verse bringen; 3. (im Gedicht) besingen; **po·et·ry** ['pouitri] *s.* 1. Poe'sie *f* (*a. Ggs. Prosa*) (*a. fig.*), Dichtkunst *f*; 2. Dichtung *f*, *coll.* Dichtungen *pl.*, Gedichte *pl.*: *dramatic ~* dramatische Dichtung.

po·grom ['pɔgrəm] *s.* Po'grom *m*, (*bsd.* Juden)Verfolgung *f*.

poign·an·cy ['pɔinənsi] *s.* 1. Schärfe *f von Gerüchen etc.*; 2. *fig.* Bitterkeit *f*, Heftigkeit *f*, Schärfe *f*; 3. Schmerzlichkeit *f*; '**poign·ant** [-nt] *adj.* □ 1. scharf, beißend (*Geruch, Geschmack*); 2. pi'kant (*a. fig.*); 3. *fig.* bitter, quälend (*Reue, Hunger etc.*); 4. *fig.* ergreifend: *a ~ scene*; 5. *fig.* beißend, scharf: *~ wit*; 6. stechend, 'durchdringend: *a ~ look.*

point [pɔint] I. *s.* 1. (Nadel-, Messer-, Bleistift- *etc.*)Spitze *f*: (*not*) *to put too fine a ~ upon s.th. fig.* et. (nicht gerade) gewählt ausdrücken; *at the ~ of the pistol, at pistol ~* mit vorgehaltener Pistole; *at the ~ of the sword fig.* unter Zwang, mit Gewalt; 2. ⊕ a) Stecheisen *n*, b) Grabstichel *m*, Griffel *m*, c) Radiernadel *f*, d) Ahle *f*; 3. *geogr.* a) Landspitze *f*, b) Himmelsrichtung *f*; → *cardinal 1*; 4. *hunt.* a) (Geweih)Ende *n*, b) Stehen *n des Jagdhundes*; 5. *ling.* a) *a. full ~* Punkt *m am Satzende*, b) *~ of exclamation* Ausrufezeichen; → *interrogation 1, vowel point*; 6. *typ.* a) Punk'tur *f*, b) typo'graphischer Punkt (= *0,376 mm*); **7.** ⩘ **a)** Punkt *m*: ~ *of intersection* Schnittpunkt, **b)** (Dezi'mal)Punkt *m*, Komma *n*; **8.** (Kompaß)Strich *m*; **9.** Auge *n*, Punkt *m auf Karten, Würfeln*; **10.** → *point lace*; **11.** *phys.* Grad *m e-r Skala* (*a. ast.*), Stufe *f* (*a.* ⊕ *e-s Schalters*), Punkt *m*: ~ *of action* Angriffspunkt (der Kraft); ~ *of contact* Berührungspunkt; ~ *of culmination* Kulminations-, Gipfelpunkt; *boiling-*~ Siedepunkt; *freezing-*~ Gefrierpunkt; *3* ~*s below zero* 3 Grad unter Null; *to bursting* ~ zum Bersten (*voll*); *frankness to the* ~ *of insult fig.* an Beleidigung grenzende Offenheit; *up to a* ~ bis zu e-m gewissen Grad; *when it came to the* ~ *fig.* als es so weit war, als es darauf ankam; → *stretch 10*; **12.** Punkt *m*, Stelle *f*, Ort *m*: ~ *of departure* Ausgangsort; ~ *of destination* Bestimmungsort; ~ *of entry* ✝ Eingangshafen; ~ *of lubrication* ⊕ Schmierstelle; ~ *of view fig.* Gesichts-, Standpunkt; **13.** ⚡ **a)** Kon'takt(punkt) *m*, **b)** *Brit.* 'Steckkon,takt *m*; **14.** *Brit.* (Kon'troll)Posten *m e-s Verkehrspolizisten*; **15.** *pl.* 🚂 *Brit.* Weichen *pl.*; **16.** Punkt *m e-s Bewertungs- od. Bewirtschaftungssystems* (*a. Börse u. sport*): *bad* ~ *sport* Strafpunkt; *to win on* ~*s* nach Punkten gewinnen; *to give* ~*s to s.o.* **a)** *sport* j-m vorgeben, **b)** *fig.* j-m überlegen sein; ~ *rationing* ✝ Punktrationierung; **17.** *Boxen*: ‚Punkt' *m* (*Kinnspitze*); **18.** *a.* ~ *of time* Zeitpunkt *m*, Augenblick *m*: *at the* ~ *of death*; *at this* ~ **a)** in diesem Augenblick, **b)** an dieser Stelle, hier (*a. in e-r Rede etc.*); *to be on the* ~ *of doing s.th.* im Begriff sein, et. zu tun; **19.** Punkt *m e-r Tagesordnung etc.*, (Einzel-, Teil)Frage *f*: *a case in* ~ ein einschlägiger Fall, ein Beispiel; *the case in* ~ der vorliegende Fall; *at all* ~*s* in allen Punkten, in jeder Hinsicht; ~ *of interest* interessante Einzelheit; ~ *of law* Rechtsfrage; ~ *of order* **a)** (Punkt der) Tagesordnung, **b)** Verfahrensfrage; *to differ on many* ~*s* in vielen Punkten nicht übereinstimmen; **20.** Kernpunkt *m*, -frage *f*, springender Punkt, Sache *f*: *beside* (*od. off*) *the* ~ nicht zur Sache gehörig, abwegig, unerheblich; *to come to the* ~ zur Sache kommen; *to the* ~ zur Sache gehörig, (zu)treffend, exakt; *to keep* (*od. stick*) *to the* ~ bei der Sache bleiben; *to make* (*od. score*) *a* ~ ein Argument anbringen, s-e Ansicht durchsetzen; *to make a* ~ *of s.th.* Wert *od.* Gewicht auf et. legen, auf et. bestehen; *to make the* ~ *that* die Feststellung machen, daß; *that's the* ~ *I wanted to make* darauf wollte ich hinaus; *in* ~ *of* hinsichtlich (*gen.*); *in* ~ *of fact* tatsächlich; *that is the* ~! das ist die Frage!; *the* ~ *is that* die Sache ist die, daß; *it's a* ~ *of hono(u)r to him* das ist Ehrensache für ihn; → *miss² 1, press 8*; **21.** Pointe *f e-s Witzes etc.*; **22.** Zweck *m*, Ziel *n*, Absicht *f*: *what's your* ~ *in coming?*; *to carry* (*od. gain od. make*) *one's* ~ sich (*od.* s-e Ansicht) durchsetzen, sein Ziel erreichen; *there is no* ~ *in doing* es hat keinen Zweck *od.* es ist sinnlos zu tun; **23.** Nachdruck *m*: *to give* ~ *to one's words* s-n Worten Nachdruck *od.* Gewicht verleihen; **24.** (her'vorstechende) Eigenschaft, (Vor)Zug *m*: *a noble* ~ *in her* ein edler Zug an ihr; *it has its* ~*s* es hat so s-e Vorzüge; *strong* ~ starke Seite, Stärke; *weak* ~ schwache Seite, wunder Punkt; **II.** *v/t.* **25.** (an-, zu-) spitzen; **26.** *fig.* pointieren; **27.** *Waffe etc.* richten (*at* auf *acc.*): *to* ~ *one's finger at* (mit dem Finger) auf *j-n* deuten *od.* zeigen; *to* ~ (*up*)*on Augen, Gedanken etc.* richten auf (*acc.*); *to* ~ *to Kurs, Aufmerksamkeit* lenken auf (*acc.*), *j-n* bringen auf (*acc.*); **28.** ~ *out* **a)** zeigen, **b)** *fig.* hinweisen *od.* aufmerksam machen auf (*acc.*), betonen, **c)** *fig.* aufzeigen (*a. Fehler*), klarmachen, **d)** ausführen, darlegen; **29.** *to* ~ *off places* ⩘ (Dezimal)Stellen abstreichen; **30.** ~ *up* **a)** ⚠ verfugen, **b)** ⊕ *Fugen* glattstreichen, **c)** *Am. fig.* unter'streichen; **III.** *v/i.* **31.** (mit dem Finger) zeigen, deuten, weisen (*at* auf *acc.*); **32.** ~ *to* nach *e-r Richtung* weisen *od.* liegen (*Haus etc.*); *fig.* **a)** hinweisen, -deuten auf (*acc.*), **b)** ab-, hinzielen auf (*acc.*); **33.** *hunt.* (vor)stehen (*Jagdhund*); **34.** ⚕ reifen (*Abszeß etc.*); '~-'**blank I.** *adj.* **1.** schnurgerade; **2.** ⚔ Kernschuß… (*-weite etc.*): ~ *shot* Fleckschuß; **3.** unverblümt, offen; glatt (*Ablehnung*); **II.** *adv.* **4.** geradewegs; **5.** *fig.* 'rundher'aus, klipp u. klar; '~-**du·ty** *s. Brit.* (Verkehrs)Postendienst *m* (*Polizei*).

point·ed ['pɔintid] *adj.* □ **1.** spitz(ig), zugespitzt, Spitz…(*-bogen, -geschoß etc.*); **2.** scharf, pointiert (*Stil, Bemerkung*), anzüglich; **3.** treffend; '**point·ed·ness** [-nis] *s.* **1.** Spitzigkeit *f*; **2.** *fig.* Schärfe *f*, Deutlichkeit *f*; **3.** Anzüglichkeit *f*, Spitze *f*; '**point·er** [-tə] *s.* **1.** ⚔ 'Richtschütze *m*, -kano,nier *m*; **2.** Zeiger *m*, Weiser *m* (*Uhr, Meßgerät*); **3.** Zeigestock *m*; **4.** Radiernadel *f*; **5.** *hunt.* Vorsteh-, Hühnerhund *m*; **6.** F Fingerzeig *m*, Tip *m*.

point lace *s.* genähte Spitze(n *pl.*).

point·less ['pɔintlis] *adj.* □ **1.** ohne Spitze, stumpf; **2.** *sport etc.* punktlos; **3.** *fig.* witzlos, ohne Pointe; **4.** *fig.* sinn-, zwecklos.

'**point-po'lice·man** [-mən] *s.* [*irr.*] Verkehrsschutzmann *m*; **points·man** ['pɔintsmən] *s.* [*irr.*] *Brit.* **1.** 🚂 Weichensteller *m*; **2.** Ver'kehrspoli,zist *m*; **point sys·tem** *s.* **1.** *sport etc.* (*a. typ.*) 'Punktsys,tem *n*; **2.** Punktschrift *f für Blinde*; '**point-to-'point** (**race**) *s.* Geländejagdrennen *n*.

poise [pɔiz] **I.** *s.* **1.** Gleichgewicht *n*; **2.** Schwebe *f* (*a. fig. Unentschiedenheit*); **3.** (*Körper-, Kopf*)Haltung *f*; **4.** *fig.* sicheres Auftreten; Gelassenheit *f*; **II.** *v/t.* **5.** im Gleichgewicht erhalten; *et.* balancieren: *to be* ~*d* **a)** im Gleichgewicht sein, **b)** gelassen *od.* ausgeglichen sein; **6.** *Kopf, Waffe etc. wie* halten; **III.** *v/i.* **7.** schweben.

poi·son ['pɔizn] **I.** *s.* **1.** Gift *n* (*a. fig.*): *what is your* ~? F was wollen Sie trinken?; **II.** *v/t.* **2.** (o.s. sich) vergiften (*a. fig.*); **3.** ⚕ infizieren; '**poi·son·er** [-nə] *s.* **1.** Giftmörder (-in), Giftmischer(in); **2.** *fig.* Verderber(in).

'**poi·son**|**-fang** *s. zo.* Giftzahn *m*; ~ **gas** *s.* ⚔ Kampfstoff *m*, *bsd.* Giftgas *n*.

poi·son·ing ['pɔizniŋ] *s.* **1.** Vergiftung *f*; **2.** Giftmord *m*; '**poi·son·ous** [-nəs] *adj.* □ **1.** giftig (*a. fig.*) Gift…; **2.** F ekelhaft.

poke[1] [pouk] **I.** *v/t.* **1.** *j-n* stoßen, puffen, knuffen: *to* ~ *s.o. in the ribs* j-m e-n Rippenstoß geben; **2.** *Loch* stoßen (*in* in *acc.*); **3.** *a.* ~ *up Feuer* schüren; **4.** *Kopf* vorstrecken, *Nase etc. wohin* stecken: *she* ~*s her nose into everything* sie steckt überall ihre Nase hinein; **5.** *to* ~ *fun at s.o.* sich über j-n lustig machen; **II.** *v/i.* **6.** stoßen (*at* nach); stöbern (*into* in *dat.*): *to* ~ *about* (herum)tasten, -tappen (*for* nach); **7.** *fig.* **a)** *a.* ~ *and pry* (her'um)schnüffeln, **b)** sich einmischen (*into* in *fremde Angelegenheiten*); **8.** *a.* ~ *about* F (her'um)trödeln, bummeln; **III.** *s.* **9.** (Rippen)Stoß *m*, Puff *m*, Knuff *m*; **10.** *Am.* → *slowpoke*.

poke[2] [pouk] *s. obs.* Spitztüte *f*; → *pig 1*.

'**poke-bon·net** *s.* Kiepe(nhut *m*) *f*, Schute *f*.

pok·er[1] ['poukə] *s.* **1.** Feuer-, Schürhaken *m*: *to be as stiff as a* ~ steif wie ein Stock sein; **2.** *univ. Brit. sl.* Pe'dell *m*.

po·ker[2] ['poukə] *s.* Poker(spiel) *n*.

po·ker[3] ['poukə] *s. Am.* F Popanz *m*, Schreckgespenst *n*.

'**pok·er**|**-face** *s.* Pokergesicht *n* (*unbewegliches, undurchdringliches Gesicht, a. Person*); '~**-work** *s.* ,Brandmale'rei *f*.

pok·y ['pouki] *adj.* **1.** eng, dumpf(ig); **2.** dürftig, schäbig, lumpig; **3.** langweilig (*a. Mensch*).

po·lar ['poulə] **I.** *adj.* □ **1.** po'lar (*a. phys.*, ⩘), Polar…: ~ *air meteor.* Polarluft, polare Kaltluft; ~ *fox zo.* Polarfuchs; ~ *lights ast.* Polarlicht; ♀ *Sea* Polar-, Eismeer; **2.** *fig.* po'lar, genau entgegengesetzt (wirkend); **II.** *s.* **3.** ⩘ Po'lare *f*; ~ **ax·is** *s.* ⩘, *ast.* Po'larachse *f*; ~ **bear** *s. zo.* Eisbär *m*; ~ **cir·cle** *s. geogr.* Po'larkreis *m*; ~ **dis·tance** *s.* ⩘, *ast.* 'Poldi,stanz *f*.

po·lar·i·ty [pou'læriti] *s. phys.* Polari'tät *f* (*a. fig.*): ~ *indicator* ⚡ Polsucher; **po·lar·i·za·tion** [poulərai'zeiʃən] *s.* ⚡, *phys.* Polarisati'on *f*; *fig.* Polarisierung *f*; **po·lar·ize** ['pouləraiz] *v/t.* ⚡, *phys.* polarisieren (*a. fig.*); **po·lar·iz·er** ['pouləraizə] *s. phys.* Polari'sator *m*.

pole[1] [poul] **I.** *s.* **1.** Pfosten *m*, Pfahl *m*; **2.** (*Bohnen, Telegraphen-, Zelt- etc.*)Stange *f*; (*sport* Sprung)Stab *m*; (Wagen)Deichsel *f*; ⚡ (Leitungs-) Mast *m*; (Schi)Stock *m*: ~*-jumper sport* Stabhochspringer; *to be up the* ~ *sl.* **a)** in der Tinte sitzen, **b)** verrückt sein; **3.** ⚓ **a)** Flaggenmast *m*, **b)** Schifferstange *f*: *under bare* ~*s* ⚓ vor Topp und Takel; **4.** (Meß-) Rute *f* (*5,029 Meter*); **II.** *v/t.* **5.** *Boot* staken; **6.** *Bohnen etc.* stängen.

pole[2] [poul] *s.* **1.** *ast., biol., geogr., phys.* Pol *m*: *celestial* ~ Himmelspol;

negative ~ *phys.* negativer Pol, ⚡ *a.* Kathode; → *positive 8*; **2.** *fig.* Gegenpol *m*, entgegengesetztes Ex'trem: *they are* ~*s apart* Welten trennen sie.

Pole³ [poul] *s.* Pole *m*, Polin *f*.

pole| a·e·ri·al *s.* 'Staban,tenne *f*; '~**-ax(e)** *s.* **1.** Streitaxt *f*; **2.** ⚓ **a)** *hist.* Enterbeil *n*, **b)** Kappbeil *n*; **3.** Schlächterbeil *n*; '~**-cat** *s. zo.* **1.** Iltis *m*; **2.** *Am.* Skunk *m*; ~ **chang·er** *s.* ⚡ Polwechsler *m*; ~ **charge** *s.* ⚔ gestreckte Ladung; '~**-jump** *etc.* → *pole-vault etc.*

po·lem·ic [pɔ'lemik] **I.** *adj.*, (□ ~*ally*) **1.** po'lemisch; feindlich; Streit...; **II.** *s.* **2.** Po'lemiker(in); **3.** Po'lemik *f*; **po'lem·i·cal** [-kəl] *adj.* □ → *polemic I*; **po'lem·i·cist** [-isist] *s.* Po'lemiker *m*; **po'lem·ics** [-ks] *s. pl. sg. konstr.* Po'lemik *f*.

'**pole|-star** *s. ast.* Po'larstern *m*; *fig.* Leitstern *m*; '~**-vault** *sport* **I.** *v/i.* stabhochspringen; **II.** *s.* Stabhochsprung *m*; '~**-vault·er** *s. sport* Stabhochspringer *m*.

po·lice [pə'li:s] **I.** *s.* **1.** Poli'zei(behörde, -truppe) *f*; **2.** *coll. pl. konstr.* Poli'zei *f*, *einzelne* Poli'zisten *pl.*: *five* ~; **3.** ⚔ *Am.* Ordnungsdienst *m*: *kitchen* ~ Küchendienst; **II.** *v/t.* **4.** (poli'zeilich) über'wachen; **5.** *fig.* kontrollieren, reglementieren; **6.** ⚔ *Am. Kaserne etc.* säubern, in Ordnung halten; **III.** *adj.* **7.** polizeilich, Polizei...(*-gericht, -gewalt, -staat etc.*): ~ *dossier* polizeiliches Führungszeugnis; ~**-con·sta·ble** → *policeman 1*; ~**-dog** *s.* **1.** Poli'zeihund *m*; **2.** (deutscher) Schäferhund; ~ **force** *s.* Poli'zei(truppe) *f*; ~**-mag·is·trate** *s.* Poli'zeirichter *m*; ~**-man** [-mən] *s.* [*irr.*] **1.** Poli'zist *m*, Schutzmann *m*; **2.** *zo.* Sol'dat *m* (*Ameise*); ~**-of·fice** *s.* Poli'zeiprä,sidium *n*; ~**-of·fi·cer** *s.* Poli'zeibeamte(r) *m*, Poli'zist *m*; ~ **rec·ord** *s.* 'Vorstrafenre,gister *n*; ~**-sta·tion** *s.* Poli'zeiwache *f*, -re,vier *n*; ~**-trap** *s.* Autofalle *f*.

pol·i·clin·ic [pɔli'klinik] *s.* ⚕ **1.** (großes) allgemeines Krankenhaus; **2.** Poli'klinik *f*, Ambu'lanz *f e-s Krankenhauses*.

pol·i·cy¹ ['pɔlisi] *s.* **1.** Verfahren(sweise *f*) *n*, Taktik *f*, Poli'tik *f*: *marketing* ~ ✝ Absatzpolitik *e-r Firma*; *honesty is the best* ~ ehrlich währt am längsten; *the best* ~ *would be to* (*inf.*) das Beste *od.* Klügste wäre, zu (*inf.*); **2.** Poli'tik *f* (*Wege u. Ziele der Staatsführung*), po'litische Linie: *foreign* ~ Außenpolitik; **3.** *public* ~ ⚖ Rechtsordnung *f*: *against public* ~ sittenwidrig; **4.** Klugheit *f*: **a)** Zweckmäßigkeit *f*, **b)** Schlauheit *f*.

pol·i·cy² ['pɔlisi] *s.* **1.** (Ver'sicherungs)Po,lice *f*, Versicherungsschein *m*; **2.** *a.* ~ *racket Am.* Zahlenlotto *n*; '~**-hold·er** *s.* Versicherungsnehmer(in), Po'liceninhaber (-in); '~**-mak·ing** *adj.* die Richtlinien der Poli'tik bestimmend.

pol·i·o(-my·e·li·tis) ['pouliou(maiə'laitis)] *s.* ⚕ spi'nale Kinderlähmung.

Pol·ish¹ ['pouliʃ] **I.** *adj.* polnisch; **II.** *s. ling.* Polnisch *n*.

pol·ish² ['pɔliʃ] **I.** *v/t.* **1.** polieren, glätten; *Schuhe etc.* wichsen; ⊕ abschleifen, -schmirgeln, glanzschleifen; **2.** *fig.* abschleifen, verfeinern: *to* ~ *off* F **a)** *Gegner* ‚erledigen', **b)** *Arbeit* ‚hinhauen' (*schnell erledigen*), **c)** *Essen* ‚wegputzen', ‚verdrücken' (*verschlingen*); *to* ~ *up* aufpolieren (*a. fig. Wissen auffrischen*); **II.** *v/i.* **3.** glänzend werden; sich polieren lassen; **III.** *s.* **4.** Poli'tur *f*, (Hoch-) Glanz *m*, Glätte *f*: *to give s.th. a* ~ et. polieren; **5.** Poliermittel *n*, Poli'tur *f*; Schuhcreme *f*; Bohnerwachs *n*; **6.** *fig.* Schliff *m* (*feine Sitten*); **7.** *fig.* Glanz *m*; '**pol·ished** [-ʃt] *adj.* **1.** poliert, glatt, glänzend; **2.** *fig.* fein, ele'gant; höflich; geschliffen (*Sprache*); **3.** *fig.* tadellos; '**pol·ish·er** [-ʃə] *s.* **1.** Polierer *m*, Schleifer *m*; **2.** ⊕ **a)** Polierfeile *f*, -stahl *m*, -scheibe *f*, -bürste *f*, **b)** Po'lierma,schine *f*; **3.** Poliermittel *n*, Poli'tur *f*; '**pol·ish·ing** [-ʃiŋ] **I.** *s.* Polieren *n*, Glätten *n*, Schleifen *n*; **II.** *adj.* Polier..., Putz...: ~*-file* Polierfeile; ~*-powder* Polier-, Schleifpulver; ~*-wax* Bohnerwachs.

po·lite [pə'lait] *adj.* □ **1.** höflich, artig (*to* gegen); **2.** verfeinert, fein: ~ *arts* schöne Künste; ~ *letters* schöne Literatur, Belletristik; **po'lite·ness** [-nis] *s.* Höflichkeit *f*.

pol·i·tic ['pɔlitik] *adj.* □ **1.** diplo'matisch; **2.** *fig.* diplomatisch, (welt)klug, berechnend, po'litisch; **3.** politisch: *body* ~ Staatskörper; **po·lit·i·cal** [pə'litikəl] *adj.* □ **1.** po'litisch: ~ *geography* politische Geographie; *a* ~ *issue* ein Politikum; ~ *science* Staatswissenschaft; **2.** staatlich, Staats...: ~ *system* Regierungssystem; **pol·i·ti·cian** [pɔli'tiʃən] *s.* **1.** Po'litiker *m*, Staatsmann *m*; **2.** (Par'tei)Po,litiker *m* (*a. contp.*); **3.** *Am.* F aalglatter Kerl, guter Diplo'mat; ‚Schmuser' *m*, ‚Radfahrer' *m*; **po·lit·i·co** [pə'litikou] *s. Am. contp.* (kor'rupter *od.* machtgieriger) Politiker.

politico- [pəlitikou] *in Zssgn* politisch-...: ~*-economical* wirtschaftspolitisch.

pol·i·tics ['pɔlitiks] *s. pl. oft sg. konstr.* **1.** Poli'tik *f*, Staatskunst *f*; **2.** (Par'tei-, 'Staats)Poli,tik: *to enter* ~ ins politische Leben (ein)treten; **3.** po'litische Über'zeugung *od.* Richtung: *what are his* ~? wie ist er politisch eingestellt?; **4.** *fig.* (Inter'essen)Poli,tik *f*; *bsd. Am.* (politische) Machenschaften *pl.*: *to play* ~ Winkelzüge machen, manipulieren; '**pol·i·ty** [-iti] *s.* **1.** Regierungsform *f*, Verfassung *f*, politische Ordnung; **2.** Staats-, Gemeinwesen *n*, Staat *m*.

pol·ka ['pɔlkə] **I.** *s.* ♪ Polka *f*; **II.** *v/i.* Polka tanzen; '~**-dot** *s.* Punktmuster *n* (*auf Textilien*).

poll¹ [poul] **I.** *s.* **1.** *bsd. dial. od. humor.* (Hinter)Kopf *m*; **2.** ('Einzel-) Per,son *f*; **3.** Abstimmung *f*, Stimmabgabe *f*, Wahl *f*: *poor* ~ geringe Wahlbeteiligung; **4.** Wählerliste *f*; **5. a)** Stimmenzählung *f*, **b)** Stimmenzahl *f*; **6.** *mst pl.* 'Wahllo,kal *n*: *to go to the* ~*s* zur Wahl (-urne) gehen; **7.** 'Umfrage *f*; → *public 3*; **II.** *v/t.* **8.** *Haar etc.* stutzen, (*a. Tier*) scheren; *Baum* kappen; *Pflanze* köpfen; *e-m Rind* die Hörner stutzen; **9.** in die Wahlliste eintragen; **10.** *Wahlstimmen* erhalten, auf sich vereinigen; **11.** *Bevölkerung* befragen; **III.** *v/i.* **12.** s-e Stimme abgeben, wählen: *to* ~ *for* stimmen für.

poll² [pɔl] *s. univ. Brit. sl.* **1.** *coll. the* ~ *Studenten, die sich nur auf den poll degree* vorbereiten; **2.** *a.* ~ *examination* (leichteres) Bakkalaure'atsex,amen: ~ *degree nach Bestehen dieses Examens erlangter Grad.*

poll³ [pɔl] *s.* Papa'gei *m*.

poll⁴ [poul] **I.** *adj.* hornlos: ~ *cattle*; **II.** *s.* hornloses Rind.

pol·lack ['pɔlək] *pl.* **-lacks**, *bsd. coll.* **-lack** *s. ichth.* Pollack *m* (*Schellfisch*).

pol·lard ['pɔləd] **I.** *s.* **1.** gekappter Baum; **2.** *zo.* **a)** hornloses Tier, **b)** Hirsch, der sein Geweih abgeworfen hat; **3.** (Weizen)Kleie *f*; **II.** *v/t.* **4.** *Baum etc.* kappen, stutzen.

'**poll·book** *s.* Wählerliste *f*.

pol·len ['pɔlin] *s.* ♀ Pollen *m*, Blütenstaub *m*: ~ *catarrh* ⚕ Heuschnupfen; ~ *sac* Pollensack; ~ *tube* Pollenschlauch; '**pol·li·nate** [-neit] *v/t. bot.* bestäuben, befruchten.

poll·ing ['pouliŋ] **I.** *s.* **1.** Wählen *n*, Wahl *f*; **2.** Wahlbeteiligung *f*: *heavy* ~ hohe Wahlbeteiligung; **II.** *adj.* **3.** Wahl...: ~ *booth* Wahlzelle; ~ *district* Wahlkreis; ~ *station bsd. Brit.* Wahllokal.

pol·lock → *pollack*.

poll·ster ['poulstə] *s. Am.* Meinungsforscher *m*, Inter'viewer *m*.

'**poll-tax** *s.* Kopfsteuer *f*, -geld *n*.

pol·lu·tant [pə'lu:tənt] *s.* Schadstoff *m*; **pol·lute** [pə'lu:t] *v/t.* **1.** beflecken (*a. fig. Ehre etc.*), beschmutzen; **2.** *Wasser etc.* verunreinigen; **3.** *fig.* besudeln; *eccl.* entweihen; *moralisch* verderben; **pol'lu·ter** [-u:tə] *s.* 'Umweltverschmutzer *m*, -sünder *m*; **pol'lu·tion** [-u:ʃən] *s.* **1.** Befleckung *f*, Verunreinigung *f* (*a. fig.*); **2.** *fig.* Entweihung *f*, Schändung *f*; **3.** *physiol.* Polluti'on *f*; **4.** 'Umweltverschmutzung *f*; **pol'lu·tive** [-u:tiv] *adj.* 'umweltverschmutzend, -feindlich.

po·lo ['poulou] *s. sport* Polo *n*: ~ *shirt* Polohemd.

po·lo·ny [pə'louni] *s.* grobe Zervelatwurst.

pol·troon [pɔl'tru:n] *s.* Feigling *m*, Memme *f*; **pol'troon·er·y** [-nəri] *s.* Feigheit *f*.

poly- [pɔli] *in Zssgn* Viel..., Mehr..., Poly...; **pol·y·a'tom·ic** *adj.* ⚗ 'viel-, 'mehra,tomig; **pol·y'bas·ic** *adj.* ⚗ mehrbasig; **pol·y'cel·lu·lar** *adj.* mehr-, vielzellig; **pol·y·chro'mat·ic** *adj.* (□ ~*ally*) viel-, mehrfarbig; '**pol·y·chrome** **I.** *adj.* **1.** viel-, mehrfarbig, bunt: ~ *printing* Bunt-, Mehrfarbendruck; **II.** *s.* **2.** Vielfarbigkeit *f*; **3.** mehrfarbige Plastik; **pol·y'clin·ic** *s.* Klinik *f* (für alle Krankheiten).

po·lyg·a·mist [pɔ'ligəmist] *s.* Polyga'mist(in); **po'lyg·a·mous** [-məs] *adj.* poly'gam(isch ♀, *zo.*); **po'lyg·a·my** [-mi] *s.* Polyga'mie *f* (*a. zo.*), ,Vielweibe'rei *f*.

pol·y·glot ['pɔliglɔt] **I.** *adj.* **1.** vielsprachig; **II.** *s.* **2.** Poly'glotte *f* (*Buch in mehreren Sprachen*); **3.** Poly'glott *m* (*Person*).

pol·y·gon ['pɔligən] *s.* ⚹ **a)** Poly'gon *n*, Vieleck *n*, **b)** Polygo'nal-

zahl *f*: ~ *of forces phys.* Kräftepolygon; **po·lyg·o·nal** [pɔ'ligənl] *adj.* polygo'nal, vieleckig.
pol·y·he·dral [pɔli'hedrəl] *adj.* 𝔄 poly'edrisch, vielflächig, Polyeder...; **pol·y'he·dron** [-ən] *s.* 𝔄 Poly'eder *n.*
pol·y·mer·ic [pɔli'merik] *adj.* ⚗ poly'mer; **po·lym·er·ism** [pə'liməriزəm] *s.* **1.** Polyme'rie *f*; **2.** Vielteiligkeit *f*; **pol·y·mer·ize** ['pɔliməraiz] ⚗ **I.** *v/t.* polymerisieren; **II.** *v/i.* polymere Körper bilden.
pol·y·mor·phic [pɔli'mɔːfik] *adj.* poly'morph, vielgestaltig.
Pol·y·ne·sian [pɔli'niːzjən] **I.** *adj.* **1.** poly'nesisch; **II.** *s.* **2.** Poly'nesier(in); **3.** *ling.* Poly'nesisch *n.*
pol·y·no·mi·al [pɔli'noumjəl] **I.** *adj.* 𝔄 poly'nomisch, vielglied(e)rig; **II.** *s.* 𝔄 Poly'nom *n.*
pol·yp(e) ['pɔlip] *s.* ⚕, *zo.* Po'lyp *m.*
'**pol·y·phase** *adj.* ⚡ mehrphasig, Mehrphasen...: ~ *current* Mehrphasen-, Drehstrom; **pol·y'phon·ic** [-'fɔnik] *adj.* **1.** vielstimmig, mehrtönig; **2.** ♪ poly'phon, 'kontrapunktisch; **3.** *ling.* pho'netisch mehrdeutig; '**pol·y·pod** [-pɔd] *s. zo.* Vielfüßer *m.*
pol·y·pus ['pɔlipəs] *pl.* **-pi** [-pai] *s.* **1.** *zo.* Po'lyp *m*, Tintenfisch *m*; **2.** ⚕ Polyp *m.*
pol·y·sty·rene [pɔli'staiəriːn] *s.* ⚗ Styro'por *n.*
'**pol·y·syl'lab·ic** *adj.* mehr-, vielsilbig; '**pol·y·syl·la·ble** *s.* vielsilbiges Wort; **pol·y'tech·nic I.** *adj.* poly'technisch; **II.** *s.* polytechnische Schule, Poly'technikum *n*; '**pol·y·the·ism** *s.* Polythe'ismus *m*, ˌVielgötte'rei *f*; **pol·y'trop·ic** *adj.* 𝔄, *biol.* poly'trop(isch); **pol·y'va·lent** *adj.* ⚗ polyva'lent, mehrwertig.
pol·y·zo·on [pɔli'zouɔn] *pl.* **-'zo·a** [-ə] *s.* Moos-tierchen *n.*
po·made [pə'mɑːd] **I.** *s.* Po'made *f*; **II.** *v/t.* pomadisieren, mit Pomade einreiben.
po·ma·tum [pə'meitəm] → *pomade.*
pome [poum] *s.* **1.** ♀ Apfel-, Kernfrucht *f*; **2.** *hist.* Reichsapfel *m.*
pome·gran·ate ['pɔmgrænit] *s.* **1.** *a.* ~ *tree* Gra'natapfelbaum *m*; **2.** *a.* ~ *apple* Gra'natapfel *m.*
Pom·er·a·nian [pɔmə'reinjən] **I.** *adj.* **1.** pommer(i)sch; **II.** *s.* **2.** Pommer(in); **3.** *a.* ~ *dog* Spitz *m.*
po·mi·cul·ture ['poumikʌltʃə] *s.* Obstbaumzucht *f.*
pom·mel ['pʌml] **I.** *s.* **1.** (Degen-, Sattel-, Turm)Knopf *m*, Knauf *m*; **2.** *Gerberei*: Krispelholz *n*; **II.** *v/t.* **3.** mit den Fäusten bearbeiten, schlagen.
pomp [pɔmp] *s.* Pomp *m*, Prunk *m*, Pracht *f*, Gepränge *n.*
pom-pom ['pɔmpɔm] *s.* ⚔ Pom'pom *n* (*automatisches Schnellfeuer-, bsd. Flakgeschütz*).
pom·pon ['pɔ̃ːmpɔ̃ːn; pɔ̃pɔ̃] (*Fr.*) *s.* Troddel *f*, Quaste *f.*
pom·pos·i·ty [pɔm'pɔsiti] *s.* **1.** Prunk *m*; Pomphaftigkeit *f*, Prahle'rei *f*; wichtigtuerisches Wesen; **2.** Bom'bast *m*, Schwülstigkeit *f* (*im Ausdruck*); **pomp·ous** ['pɔmpəs] *adj.* □ **1.** pom'pös, prunkvoll; **2.** wichtigtuerisch, aufgeblasen; **3.** bom'bastisch, schwülstig (*Sprache*).
ponce [pɔns] *Brit. sl.* **I.** *s.* Zuhälter *m*; **II.** *v/i.* Zuhälter sein; '**ponc·ing** [-siŋ] *s. Brit. sl.* Zuhälte'rei *f.*
pon·cho ['pɔntʃou] *pl.* -chos [-z] *s.* 'Regenˌumhang *m.*
pond [pɔnd] *s.* Teich *m*, Weiher *m*: *horse-*~ Pferdeschwemme; *big* ~ ‚Großer Teich' (*Atlantik*).
pon·der ['pɔndə] **I.** *v/i.* nachdenken, -sinnen, (nach)grübeln (*on, upon, over* über *acc.*): *to* ~ *over s.th.* et. überlegen; **II.** *v/t.* erwägen, über'legen, nachdenken über (*acc.*): *to* ~ *one's words* s-e Worte abwägen; ~*ing silence* nachdenkliches Schweigen; **pon·der·a·bil·i·ty** [pɔndərə'biliti] *s. phys.* Wägbarkeit *f*; '**pon·der·a·ble** [-dərəbl] *adj.* wägbar (*a. fig.*); **pon·der·os·i·ty** [pɔndə'rɔsiti] *s.* **1.** Gewicht *n*, Schwere *f*, Gewichtigkeit *f*; **2.** *fig.* Schwerfälligkeit *f*; '**pon·der·ous** [-dərəs] *adj.* □ **1.** schwer, massig, gewichtig; **2.** *fig.* schwerfällig (*Stil*); '**pon·der·ous·ness** [-dərəsnis] → *ponderosity.*
pone[1] [poun] *s. Am.* Maisbrot *n.*
po·ne[2] ['pouni] *s. Kartenspiel*: **1.** Vorhand *f*; **2.** Spieler, der abhebt.
pon·iard ['pɔnjəd] **I.** *s.* Dolch *m*; **II.** *v/t.* erdolchen.
pon·tiff ['pɔntif] *s.* **1.** Hohe'priester *m*; **2.** Papst *m*; **pon·tif·ic·al** [pɔn'tifikəl] *adj.* □ **1.** *antiq.* (ober)priesterlich; **2.** *R.C.* pontifi'kal: **a)** bischöflich, **b)** *bsd.* päpstlich: ♀ *Mass* Pontifikalamt; **3.** *fig.* **a)** feierlich, würdig, **b)** päpstlich, über'heblich; **pon·tif·i·cate I.** *s.* [pɔn'tifikit] Pontifi'kat *n*; **II.** *v/i.* [-keit] sich für unfehlbar halten, sich päpstlich gebärden; '**pon·ti·fy** [-ifai] → *pontificate II.*
pon·toon[1] [pɔn'tuːn] *s.* **1.** Pon'ton *m*, Brückenkahn *m*: ~*-bridge* Ponton-, Schiffsbrücke; ~ *train* ⚔ Brückenkolonne; **2.** ⚓ Kielleichter *m*, Prahm *m*; **3.** ✈ Schwimmer *m.*
pon·toon[2] [pɔn'tuːn] *s. Brit. etwa* Vingt-et-un *n* (*Kartenspiel*).
po·ny ['pouni] **I.** *s.* **1.** *zo.* Pony *n*, Pferdchen *n*; **2.** *Brit. sl.* £ 25; **3.** *Am.* F ‚Klatsche' *f*, Eselsbrücke *f* (*Übersetzungshilfe*); **4.** *Am.* F **a)** kleines (Schnaps- *etc.*)Glas, **b)** Gläs·chen *n* Schnaps *etc.*; **5.** *Am.* et. ‚im Westentaschenformat', Miniatur... (*z.B. Auto, Zeitschrift*); **II.** *v/t.* **6.** ~ *up Am. sl.* berappen, bezahlen; '~**-engine** *s.* 🚂 Ran'gierlokomoˌtive *f*; '~**-tail** *s.* Pferdeschwanz *m* (*Frisur*).
pooch [puːtʃ] *s. Am. sl.* Köter *m.*
poo·dle ['puːdl] *s. zo.* Pudel *m.*
pooh [puː] *int. contp.* pah!; ~-'**pooh** *v/t.* geringschätzig behandeln, *et.* als unwichtig abtun, die Nase rümpfen über (*acc.*), *et.* verlachen.
pool[1] [puːl] *s.* **1.** Teich *m*, Tümpel *m*; **2.** Pfütze *f*, Lache *f*: ~ *of blood* Blutlache; **3.** (Schwimm)Becken *n*; **4.** *geol.* pe'troleumhaltige Ge'steinsparˌtie.
pool[2] [puːl] **I.** *s.* **1.** *Kartenspiel*: **a)** (Gesamt)Einsatz *m*, **b)** (Spiel)Kasse *f*; **2.** (Fußball- *etc.*)Toto *m, n*; **3.** *Billard*: **a)** *Brit.* Poulespiel *n* (*mit Einsatz*), **b)** *Am. ein* Billardspiel *n*; **4.** *fenc.* Poule *f* (*Turnierart*); **5.** ✝ **a)** Pool *m*, Kar'tell *n*, Ring *m*, Inter'essengemeinschaft *f*, **b)** *a. working* ~ Arbeitsgemeinschaft *f*, **c)** (Preis- *etc.*)Abkommen *n*; **6.** ✝ gemeinsamer Fonds; **II.** *v/t.* **7.** ✝ *Geld, Kapital* zs.-legen: *to* ~ *funds* zs.-schießen; *Gewinn* unterein'ander (ver)teilen; *Geschäfsrisiko* verteilen; **8.** ✝ zu e-m Ring vereinigen; **9.** *fig. Kräfte* vereinigen; **III.** *v/i.* **10.** ein Kartell bilden; '~**-room** *s. Am.* **1.** Billardzimmer *n*, Spielhalle *f*; **2.** Wettannahmestelle *f.*
poop[1] [puːp] ⚓ **I.** *s.* **1.** Heck *n*; **2.** *a.* ~ *deck* (erhöhtes) Achterdeck; **3.** *obs.* Achterhütte *f*; **II.** *v/t.* **4.** *Schiff* von hinten treffen (*Sturzwelle*): *to be* ~*ed* e-e Sturzsee von hinten bekommen.
poop[2] [puːp] *v/t. Am. sl. j-n* ‚auspumpen' (*erschöpfen*).
poor [puə] **I.** *adj.* □ → *poorly II*; **1.** arm, mittellos, (unter'stützungs-)bedürftig: ~ *person* ⚖ Arme(r); ♀ *Persons Certificate* ⚖ Armenrechtszeugnis; **2.** *fig.* arm(selig), ärmlich, dürftig (*Kleidung, Mahlzeit etc.*); **3.** dürr, mager (*Boden, Erz, Vieh etc.*), schlecht, unergiebig (*Ernte etc.*): ~ *coal* Magerkohle; ~ *lead mine* unergiebige Bleimine; **4.** *fig.* arm (*in* an *dat.*); schlecht, mangelhaft, schwach (*Gesundheit, Leistung, Spieler, Sicht, Verständigung etc.*): ~ *consolation* schwacher Trost; *a* ~ *look-out* schlechte Aussichten; *a* ~ *night* e-e schlechte Nacht; **5.** *fig. contp.* jämmerlich, traurig: *in my* ~ *opinion iro.* m-r unmaßgeblichen Meinung nach; → *opinion* 2; **6.** F arm, bedauernswert: ~ *me! humor.* ich Ärmste(r)!; **II.** *s.* **7.** *the* ~ die Armen *pl.*; '~**-box** *s.* Armenkasse *f*; '~**-house** *s.* Armenhaus *n*; '~**-law** *s.* **1.** ⚖ Armenrecht *n*; **2.** *pl.* öffentliches Fürsorgerecht.
poor·ly ['puəli] **I.** *adj.* **1.** unpäßlich, kränklich: *he looks* ~ er sieht schlecht aus; **II.** *adv.* **2.** armselig, dürftig: *he is* ~ *off* es geht ihm schlecht; **3.** *fig.* schlecht, dürftig, schwach: ~ *gifted* schwach begabt; *to think* ~ *of* nicht viel halten von; '**poor·ness** [-ənis] *s.* **1.** Armut *f*, Mangel *m*; *fig.* Armseligkeit *f*, Ärmlichkeit *f*, Dürftigkeit *f*; **2.** ⚒ Magerkeit *f*, Unfruchtbarkeit *f* (*des Bodens*); *min.* Unergiebigkeit *f.*
'**poor**|**-rate** *s.* Armensteuer *f*; ~ **relief** *s.* Armenfürsorge *f*, -pflege *f*; '~-'**spir·it·ed** *adj.* feige, mutlos, verzagt.
pop[1] [pɔp] **I.** *v/i.* **1.** knallen, puffen, losgehen (*Flaschenkork, Feuerwerk etc.*); **2.** aufplatzen (*Kastanien, Mais*); **3.** F knallen, schießen (*at* auf *acc.*); **4.** *mit adv.* flitzen, huschen: *to* ~ *in* hereinplatzen, auf e-n Sprung vorbeikommen (*Besuch*); *to* ~ *off* F **a)** ‚abhauen', sich aus dem Staub machen, plötzlich verschwinden, **b)** einnicken, **c)** ‚abkratzen' (*sterben*), **d)** *Am. sl.* ‚das Maul aufreißen'; *to* ~ *up* (plötzlich) auftauchen; **5.** *a.* ~ *out* aus den Höhlen treten (*Augen*); **II.** *v/t.* **6.** knallen *od.* platzen lassen; *Am. Mais* rösten; **7.** F *Gewehr etc.* abfeuern; **8** abknallen, -schießen; **9.** schnell *wohin* tun *od.* stecken: *to* ~ *one's head in the door*; *to* ~ *on Hut* aufstülpen; **10.** her'ausplatzen mit (*e-r Frage etc.*): *to* ~ *the question* F (*to e-r*

Dame) e-n Heiratsantrag machen; **11.** *Brit. sl.* verpfänden; **III.** *s.* **12.** Knall *m*, Puff *m*, Paff *m*; **13.** F Schuß *m*: *to take a ~ at* schießen nach; **14.** *Am. sl.* Pi'stole *f*; **15.** F **a)** Brause *f* (*Ingwerlimonade etc.*), **b)** ,Schampus' *m* (*Sekt*); **16.** *in ~ Brit. sl.* verpfändet; **IV.** *int.* **17.** puff!, paff!, husch!; **V.** *adv.* **18. a)** mit e-m Knall, **b)** plötzlich: *to go ~* knallen, platzen.

pop² [pɔp] *s. Am.* F **1.** Pa'pa *m*; **2.** ,Opa' *m*, Alter *m*.

pop³ [pɔp] F **I.** *s.* **1.** *a. ~ music* 'Schlager-, 'Popmuˌsik *f*; **2.** *a. ~ song* Schlager *m*; **II.** *adj.* **3.** Schlager...: *~ group* Popgruppe; *~ singer* Schlager-, Popsänger(in).

pop⁴ [pɔp] → *popsicle*.

pop art *s. Kunst*: Pop-art *f*.

'pop·corn *s.* Puffmais *m*.

pope [poup] *s. R.C.* Papst *m* (*a. fig.*); **'pope·dom** [-dəm] *s.* Papsttum *n*; **'pop·er·y** [-pəri] *s. contp.* Papiste'rei *f*, Pfaffentum *n*.

'pop|-eyed *adj.* F glotzäugig: *to be ~* Stielaugen machen (*with* vor *dat.*); **'~-gun** *s.* ,Knallbüchse' *f*, Kindergewehr *n*.

pop·in·jay ['pɔpindʒei] *s.* Geck *m*, Laffe *m*, Fatzke *m*.

pop·ish ['poupiʃ] *adj.* □ *contp.* pa'pistisch.

pop·lar ['pɔplə] *s.* ♀ Pappel *f*.

pop·lin ['pɔplin] *s.* Pope'lin *m*, Pope'line *f* (*Stoff*).

pop·lit·e·al [pɔp'litiəl] *adj. anat.* Kniekehlen...

pop·pa ['pɔpə] → *pop²*.

pop·pet ['pɔpit] *s.* **1.** *obs. od. dial.* Püppchen *n* (*a. Kosewort*); **2.** ⊕ **a)** *a. ~-head* Docke *f e-r Drehbank*, **b)** *a. ~ valve* 'Schnüffelvenˌtil *n*; **3.** ⚓ Schlittenständer *m*.

pop·py ['pɔpi] *s.* ♀ Mohn(blume *f*) *m*: *corn* (*od. field*) *~* Klatschmohn; **'~cock** *s. Am.* F Quatsch *m*, dummes Zeug; **♀ Day** *s. Brit. Gedenktag des Waffenstillstands nach dem 1. Weltkrieg* (*Sonnabend vor od. nach dem 11. November*); **'~-seed** *s.* Mohn(samen) *m*.

pops [pɔps] → *pop²* 2.

pop·si·cle ['pɔpsikl] *s. Am.* Eis *n* am Stiel.

pop·sy ['pɔpsi], *a.* **'~-'wop·sy** [-'wɔpsi] *s.* ,süße Puppe', ,Goldstück' *n* (*Mädchen*).

pop·u·lace ['pɔpjuləs] *s.* **1.** Pöbel *m*; **2.** (gemeines) Volk, *der* große Haufen.

pop·u·lar ['pɔpjulə] *adj.* □ → *popularly*; **1.** Volks...: *~ election* allgemeine Wahl; *~ front pol.* Volksfront; *~ government* Volksherrschaft; **2.** allgemein, weitverbreitet (*Irrtum, Unzufriedenheit etc.*); **3.** popu'lär, (allgemein) beliebt (*with* bei): *the ~ hero* der Held des Tages; *to make o.s. ~ with* sich bei *j-m* beliebt machen; **4. a)** populär, volkstümlich, **b)** gemeinverständlich, Popular...: *~ magazine* populäre Zeitschrift; *~ science* Popularwissenschaft; *~ song* Schlager; *~ writer* Volksschriftsteller(in); **5.** (für jeden) erschwinglich, Volks...: *~ edition* Volksausgabe; *~ prices* volkstümliche Preise; **pop·u·lar·i·ty** [pɔpju'læriti] *s.* Populari'tät *f*, Volkstümlichkeit *f*, Beliebtheit *f* (*with* bei, *among* unter *dat.*); **'pop·u·lar·ize** [-əraiz] *v/t.* **1.** popu'lär machen, (*beim Volk*) einführen; **2.** popularisieren, volkstümlich *od.* gemeinverständlich darstellen; **'pop·u·lar·ly** [-li] *adv.* **1.** allgemein; im Volksmund; **2.** populär, volkstümlich, gemeinverständlich.

pop·u·late ['pɔpjuleit] *v/t.* bevölkern, besiedeln; **pop·u·la·tion** [pɔpju'leiʃən] *s.* **1.** Bevölkerung *f*, Einwohnerschaft *f*: *~ density* Bevölkerungsdichte; **2.** Bevölkerungszahl *f*; **3.** Gesamtzahl *f*, Bestand *m*: *swine ~* Schweinebestand (*e-s Landes*); **'pop·u·lous** [-ləs] *adj.* □ dichtbesiedelt, volkreich; **'pop·u·lous·ness** [-ləsnis] *s.* dichte Besied(e)lung, Bevölkerungsdichte *f*.

por·ce·lain ['pɔːslin] **I.** *s.* Porzel'lan *n*; **II.** *adj.* Porzellan...: *~ clay min.* Porzellanerde, Kaolin.

porch [pɔːtʃ] *s.* **1.** (über'dachte) Vorhalle, Por'tal *n*; **2.** *Am.* Ve'randa *f*: *~ climber sl.* ,Klettermaxe', Einsteigdieb.

por·cine ['pɔːsain] *adj.* **1.** *zo.* zur Fa'milie der Schweine gehörig; **2.** schweineartig; **3.** *fig.* schweinisch.

por·cu·pine ['pɔːkjupain] *s.* **1.** *zo.* Stachelschwein *n*; **2.** *Spinnerei*: Igel *m*, Nadel-, Kammwalze *f*.

pore¹ [pɔː] *v/i.* **1.** (*over*) *et.* eifrig studieren; brüten (über *dat.*): *to ~ over one's books* über s-n Büchern hocken; **2.** (nach)grübeln (*on, upon* über *acc.*).

pore² [pɔː] *s. biol. etc.* Pore *f*.

pork [pɔːk] *s.* **1.** Schweinefleisch *n*; **2.** *Am.* F *von der Regierung aus politischen Gründen gewährte* (*finanzielle*) *Begünstigung od. Stellung*; **~ barrel** *s. Am.* F *politisch berechnete* Geldzuwendung *der Regierung*; **'~-butch·er** *s.* Schweineschlächter *m*; **'~-chop** *s.* 'Schweinskoteˌlett *n*.

pork·er ['pɔːkə] *s.* Mastschwein *n*, -ferkel *n*; **'pork·ling** [-kliŋ] *s.* Ferkel *n*.

pork pie *s.* 'Schweinefleischpaˌstete *f*.

'pork-pie hat *s.* runder Filzhut.

pork·y¹ ['pɔːki] *adj.* fett(ig), dick.

por·ky² ['pɔːki] *s. Am.* F Stachelschwein *n*.

porn [pɔːn], **por·no** ['pɔːnou] *sl.* **I.** *s.* **1.** Porno(gra'phie *f*) *m*; **2.** Porno(film) *m*; **II.** *adj.* **3.** → *pornographic*.

por·no·graph·ic [pɔːnə'græfik] *adj.* porno'graphisch, Porno...: *~ film* Porno(film); **por·nog·ra·phy** [pɔː'nɔgrəfi] *s.* Pornogra'phie *f*.

por·ny ['pɔːni] *adj. sl.* → *pornographic*.

po·ros·i·ty [pɔː'rɔsiti] *s.* **1.** Porosi'tät *f*, ('Luft-, 'Wasser)ˌDurchlässigkeit *f*; **2.** Pore *f*, po'röse Stelle; **po·rous** ['pɔːrəs] *adj.* po'rös: **a)** löch(e)rig, porig, **b)** ('luft-, 'wasser-)ˌdurchlässig.

por·poise ['pɔːpəs] *pl.* **-pois·es**, *coll.* **-poise** *s. zo.* Tümmler *m*.

por·ridge ['pɔridʒ] *s.* Porridge *n, m*, Hafer(flocken)brei *m*, -grütze *f*: *pease-~* Erbsenbrei.

por·ri·go [pɔ'raigou] *s.* ⚕ Grind *m*.

por·rin·ger ['pɔrindʒə] *s.* Suppennapf *m*.

port¹ [pɔːt] *s.* **1.** ⚓, ✈ (See-, Flug-) Hafen *m*: *free ~* Freihafen; *inner ~* Binnenhafen; *~ of call* **a)** ⚓ Anlaufhafen, **b)** ✈ Anflughafen; *~ of delivery* (*od. discharge*) Löschhafen, -platz; *~ of departure* **a)** ⚓ Abgangshafen, **b)** ✈ Abflughafen; *~ of destination* **a)** ⚓ Bestimmungshafen, **b)** ✈ Zielflughafen; *~ of entry* Einlaufhafen; *~ of registry* Heimathafen; *~ of tran(s)shipment* Umschlaghafen; *any ~ in a storm fig.* in der Not frißt der Teufel Fliegen; **2.** Hafenplatz *m*, -stadt *f*; **3.** *fig.* (sicherer) Hafen, Ziel *n*: *to come safe to ~*.

port² [pɔːt] ⚓ **I.** *s.* Backbord(seite *f*) *n*: *on the ~ beam* an Backbord dwars; *on the ~ bow* an Backbord voraus; *on the ~ quarter* Backbord achtern; *to cast to ~* nach Backbord abfallen; **II.** *v/t. Ruder* nach der Backbordseite 'umlegen; **III.** *v/i.* nach Backbord drehen (*Schiff*); **IV.** *adj.* **a)** ⚓ Backbord..., **b)** ✈ link.

port³ [pɔːt] *s.* **1.** Tor *n*, Pforte *f*; *city ~* Stadttor; **2.** ⚓ **a)** (Pfort-, Lade)Luke *f*, **b)** (Schieß)Scharte *f* (*a.* ⚔ *Panzer*); **3.** ⊕ (Auslaß-, Einlaß)Öffnung *f*, Abzug *m*: *exhaust ~* Auspuff(öffnung).

port⁴ [pɔːt] *s.* Portwein *m*.

port⁵ [pɔːt] **I.** *v/t.* **1.** *obs.* tragen; **2.** ⚔ *Am. ~ arms! Kommando, das Gewehr schräg nach links vor dem Körper zu halten*; **II.** *s.* **3.** (äußere) Haltung, Benehmen *n*.

port·a·ble ['pɔːtəbl] *adj.* **1.** tragbar: *~ radio* (*set*) **a)** Kofferradio, **b)** ⚔ Tornisterfunkgerät; *~ typewriter* Reiseschreibmaschine; **2.** transpor'tabel, beweglich: *~ derrick* fahrbarer Kran; *~ engine* Lokomobile; *~ railway* Feldbahn; *~ searchlight* Handscheinwerfer.

por·tage ['pɔːtidʒ] *s.* **1.** (*bsd.* 'Trage)Transˌport *m*; **2.** ✝ Fracht *f*, Rollgeld *n*, Träger-, Zustellgebühr *f*; **3.** ⚓ **a)** Por'tage *f*, Trageplatz *m*, **b)** Tragen *n* (*von Kähnen etc.*) über e-e Portage.

por·tal¹ ['pɔːtl] *s.* **1.** △ Por'tal *n*, (Haupt)Eingang *m*, Tor *n*: *~ crane* ⊕ Portalkran; **2.** *poet.* Pforte *f*, Tor *n*: *~ of heaven*.

por·tal² ['pɔːtl] *anat.* **I.** *adj.* Pfort(ader)...; **II.** *s.* Pfortader *f*.

'por·tal-to-'por·tal pay *s.* ✝ *Arbeitslohn, berechnet für die Zeit vom Betreten der Fabrik etc. bis zum Verlassen.*

port·cul·lis [pɔːt'kʌlis] *s.* ⚔ *hist.* Fallgatter *n*.

por·tend [pɔː'tend] *v/t.* vorbedeuten, anzeigen, deuten auf (*acc.*); **por·tent** ['pɔːtent] *s.* **1.** Vorbedeutung *f*; **2.** (*bsd.* schlimmes) (Vor-, An)Zeichen, Omen *n*; **3.** Wunder *n* (*Sache od. Person*); **por'ten·tous** [-ntəs] *adj.* □ **1.** omi'nös, unheil-, verhängnisvoll; **2.** ungeheuer, wunderbar, *a. humor.* unheimlich.

por·ter¹ ['pɔːtə] *s.* **a)** Pförtner *m*, **b)** Por'tier *m*.

por·ter² ['pɔːtə] *s.* **1.** 🚂 (Gepäck-) Träger *m*, Dienstmann *m*; **2.** 🚂 *Am.* (Schlafwagen)Schaffner *m*.

por·ter³ ['pɔːtə] *s.* Porter(bier *n*) *m*.

por·ter·age ['pɔːtəridʒ] → *portage* 1 *u.* 2.

'por·ter-house *s. Am.* Bier-, Speisehaus *n*: ~ *steak* zartes (Beef-) Steak.

'port|·fire *s.* ⚔ **1.** Lunte *f* (*für Minen etc.*); **2.** Abschußvorrichtung *f* (*für Raketen etc.*); **~'fo·li·o** *s.* **1.** Aktentasche *f*, Mappe *f*; **2.** *fig.* (Mi'nister)Porte,feuille *n*: *without* ~ ohne Geschäftsbereich; **3.** ✝ ('Wechsel)Porte,feuille *n*; **'~·hole** *s.* **1.** ⚓ **a)** (Pfort)Luke *f*, **b)** Bullauge *n*; **2.** ⊕ → *port*[3] *3.*

por·ti·co ['pɔːtikou] *pl.* **-cos** *s.* △ Säulengang *m.*

por·tion ['pɔːʃən] **I.** *s.* **1.** (An)Teil *m* (*of* an *dat*); **2.** Porti'on *f* (*Essen*); **3.** Teil *m*, Stück *n* (*Buch, Gebiet, Strecke etc.*); **4.** Menge *f*, Quantum *n*; **5.** ⚖ **a)** Mitgift *f*, Aussteuer *f*, **b)** Erbteil *n*; **6.** *fig.* Los *n*, Schicksal *n*; **II.** *v/t.* **7.** aufteilen: *to* ~ *out* aus-, verteilen; **8.** zuteilen; **9.** *Tochter* ausstatten, aussteuern.

port·li·ness ['pɔːtlinis] *s.* **1.** Stattlichkeit *f*, Würde *f*; **2.** Wohlbeleibtheit *f*, Behäbigkeit *f*; **port·ly** ['pɔːtli] *adj.* **1.** stattlich, würdevoll; **2.** wohlbeleibt, behäbig.

port·man·teau [pɔːt'mæntou] *pl.* **-s** *u.* **-x** [-z] *s.* **1.** Handkoffer *m*; **2.** *obs.* Mantelsack *m*; **3.** *mst* ~*-word ling.* Schachtelwort *n.*

por·trait ['pɔːtrit] *s.* **1.** Por'trät *n*, Bild(nis) *n*: *to take s.o.'s* ~ j-n porträtieren *od.* malen; ~ *lens phot.* Porträtlinse; → *sit for 3*; **2.** *fig.* Bild *n*, (lebenswahre) Darstellung, Schilderung *f*; **'por·trait·ist** [-tist] *s.* Por'trätmaler(in); **'por·trai·ture** [-tʃə] *s.* **1.** → *portrait*; **2. a)** Por'trätmale,rei *f*, **b)** *phot.* Por'trätphotogra,phie *f*; **por·tray** [pɔː'trei] *v/t.* **1.** porträ'tieren, (ab)malen; **2.** *fig.* schildern, darstellen; **por·tray·al** [pɔː'treiəl] *s.* **1.** Porträtieren *n*; **2.** Por'trät *n*; **3.** *fig.* Schilderung *f.*

Por·tu·guese [pɔːtju'giːz] **I.** *pl.* **-guese** *s.* **1.** Portu'giese *m*, Portu'giesin *f*; **2.** *ling.* Portu'giesisch *n*; **II.** *adj.* **3.** portu'giesisch.

pose[1] [pouz] **I.** *s.* **1.** Pose *f* (*a. fig.*), Posi'tur *f*, Haltung *f*; **II.** *v/t.* **2.** aufstellen, in Positur setzen; **3.** *Frage* stellen, aufwerfen; **4.** *Behauptung* aufstellen, *Anspruch* erheben; **5.** (*as*) hinstellen (als), ausgeben (für); **III.** *v/i.* **6.** sich in Positur setzen; **7. a)** *paint. etc.* Mo'dell stehen *od.* sitzen, **b)** sich photographieren lassen; **8.** posieren, auftreten *od.* sich ausgeben (*as* als).

pose[2] [pouz] *v/t.* durch Fragen verwirren, verblüffen.

pos·er ['pouzə] *s.* **1.** → *poseur*; **2.** ‚harte Nuß', knifflige Frage.

po·seur [pou'zəː; pozœːr] (*Fr.*) *s.* Po'seur *m*, ‚Schauspieler' *m.*

posh [pɔʃ] *adj. sl.* ‚pikfein', ‚todschick', fesch.

pos·it ['pɔzit] *v/t. phls.* postulieren.

po·si·tion [pə'ziʃən] **I.** *s.* **1.** Positi'on *f*, Lage *f*, Standort *m*; ⊕ (Schalt- *etc.*)Stellung *f*: ~ *of the sun ast.* Sonnenstand; *in (out of)* ~ (nicht) in der richtigen Lage; **2.** *körperliche* Lage, Stellung *f*: *horizontal* ~; **3.** ⚓, ✈ Position *f*; ⚓ *a.* Besteck *n*: ~ *lights* **a)** ⚓, ✈ Positionslichter, **b)** *mot.* Begrenzungslichter; **4.** ⚔ Stellung *f*: ~ *warfare* Stellungskrieg; **5.** (Arbeits)Platz *m*, Stellung *f*, Posten *m*, Amt *n*: *to hold a responsible* ~ e-e verantwortliche Stellung innehaben; **6.** *fig.* (sozi'ale) Stellung, (gesellschaftlicher) Rang: *people of* ~ Leute von Rang; **7.** *fig.* Lage *f*, Situati'on *f*: *an awkward* ~; *to be in a* ~ *to do s.th.* in der Lage sein, et. zu tun; **8.** *fig.* (Sach)Lage *f*, Stand *m der Dinge*: *financial* ~ Finanzlage, Vermögensverhältnisse; *legal* ~ Rechtslage; **9.** Standpunkt *m*, Haltung *f*: *to take up a* ~ *on a question* zu e-r Frage Stellung nehmen; **10.** ⚗, *phls.* (Grund-, Lehr)Satz *m*; **II.** *v/t.* **11.** *bsd.* ⊕ in die richtige Lage bringen, (ein)stellen; anbringen; **12.** lokalisieren; **13.** ⚔ *Truppen* stationieren; **po'si·tion·al** [-ʃənl] *adj.* Stellungs..., Lage...; **po·si·tion find·er** *s.* Ortungsgerät *n.*

pos·i·tive ['pɔzətiv] **I.** *adj.* □ **1.** bestimmt, defini'tiv, ausdrücklich (*Befehl etc.*), fest (*Versprechen etc.*), unbedingt: ~ *law* ⚖ positives Recht; **2.** sicher, 'unum,stößlich, eindeutig (*Beweis, Tatsache*); **3.** 'positiv, tatsächlich; **4.** positiv, zustimmend: ~ *reaction*; **5.** über'zeugt, (abso'lut) sicher: *to be* ~ *about s.th.* e-r Sache ganz sicher sein, et. felsenfest glauben *od.* behaupten; **6.** rechthaberisch; **7.** F ausgesprochen, abso'lut: *a* ~ *fool* ein ausgemachter *od.* kompletter Narr; **8.** ⚡, ⚗, ⚕, *biol.*, *phys.*, *phot.*, *phls.* positiv: ~ *electrode* ⚡ Anode; ~ *pole* ⚡ Pluspol; **9.** ⊕ zwangsläufig, Zwangs... (*Getriebe, Steuerung etc.*); **10.** *ling.* im 'Positiv stehend: ~ *degree* Positiv; **II.** *s.* **11.** *et.* Positives, 'Positivum *n*; **12.** *phot.* Positiv *n*; **13.** *ling.* Positiv *m*; **'pos·i·tive·ness** [-nis] *s.* **1.** Bestimmtheit *f*; Wirklichkeit *f*; **2.** *fig.* Hartnäckigkeit *f*; **'pos·i·tiv·ism** [-vizəm] *s. phls.* Positi'vismus *m.*

pos·se ['pɔsi] *s.* (Poli'zei- *etc.*)Aufgebot *n*; *allg.* Haufen *m*, Schar *f*, Rotte *f.*

pos·sess [pə'zes] *v/t.* **1.** *allg.* (*a. Eigenschaften, Kenntnisse etc.*; *a. e-e Frau*) besitzen; im Besitz haben, (inne)haben: ~*ed of* im Besitz *e-r Sache*; *to* ~ *o.s. of et.* in Besitz nehmen, sich *e-r Sache* bemächtigen; ~*ed noun ling.* Besitzsubjekt; **2. a)** (*a. fig. e-e Sprache etc.*) beherrschen, Gewalt haben über (*acc.*), **b)** erfüllen (*with* mit *e-r Idee*, mit *Unwillen etc.*): *like a man* ~*ed* wie ein Besessener, wie toll; *to* ~ *one's soul in patience* sich in Geduld fassen; **pos'ses·sion** [-eʃən] *s.* **1.** *abstrakt*: Besitz *m* (*a.* ⚖): *actual* ~ tatsächlicher *od.* unmittelbarer Besitz; *adverse* ~ Ersitzung(sbesitz); *in the* ~ *of* in *j-s* Besitz; *in* ~ *of s.th.* im Besitz e-r Sache; *to have* ~ *of* im Besitze von *et.* sein; *to take* ~ *of* Besitz ergreifen von, in Besitz nehmen; **2.** Besitz(tum *n*) *m*, Habe *f*; **3.** *pl.* Besitzungen *pl.*, Liegenschaften *pl.*: *foreign* ~*s* auswärtige Besitzungen; **4.** *fig.* Besessenheit *f*; **5.** *fig.* Beherrscht-, Erfülltsein *n* (*by* von *e-r Idee etc.*); **6.** *mst self-*~ *fig.* Fassung *f*, Beherrschung *f*; **pos'ses·sive** [-siv] **I.** *adj.* □ **1.** Besitz...; **2.** besitzgierig, -betonend: ~ *instinct* Sinn für Besitz; **3.** *ling.* posses'siv, besitzanzeigend: ~ *case* → *4b*; **II.** *s.* **4.** *ling.* **a)** Posses'siv(um) *n*, besitzanzeigendes Fürwort, **b)** 'Genitiv *m*, zweiter Fall; **pos'ses·sor** [-sə] *s.* Besitzer(in), Inhaber(in); **pos'ses·so·ry** [-səri] *adj.* Besitz...: ~ *action* ⚖ Besitzstörungsklage; ~ *right* Besitzrecht.

pos·set ['pɔsit] *s.* Molkentrank *m* (*mit Alkoholzusatz*).

pos·si·bil·i·ty [pɔsə'biliti] *s.* **1.** Möglichkeit *f* (*of* zu, für, *of doing et.* zu tun): *there is no* ~ *of his coming* es besteht keine Möglichkeit, daß er kommt; **2.** *pl.* (Entwicklungs)Möglichkeiten *pl.*, (-)Fähigkeiten *pl.*;

pos·si·ble ['pɔsibl] **I.** *adj.* □ **1.** möglich (*with* bei, *to dat.*, *for* für): *this is* ~ *with him* das ist bei ihm möglich; *highest* ~ größtmöglich; **2.** eventu'ell, etwaig, denkbar; **3.** F angängig, erträglich, leidlich; **II.** *s.* **4.** *the* ~ das (Menschen)Mögliche, das Beste; *sport* die höchste Punktzahl; **5.** in Frage kommende Per'son (*bei Wettbewerb etc.*); **pos·si·bly** ['pɔsibli] *adv.* **1.** möglicherweise, viel'leicht; **2.** (irgend) möglich: *when I* ~ *can* wenn ich irgend kann; *I cannot* ~ *do this* ich kann das unmöglich tun; *how can I* ~ *do it?* wie kann ich es nur *od.* bloß machen?

pos·sum ['pɔsəm] *s.* F *abbr. für opossum*: *to play* ~ sich nicht rühren, sich tot *od.* krank *od.* dumm stellen.

post[1] [poust] **I.** *s.* **1.** Pfahl *m*, Pfosten *m*, Ständer *m*, Stange *f*, Stab *m*: *telegraph* ~ Telegraphenstange; *as deaf as a* ~ *fig.* stocktaub; **2.** Anschlagsäule *f*; **3.** *sport* (Start- *od.* Ziel)Pfosten *m*, Start- (*od.* Ziel-)linie *f*: *to be beaten at the* ~ kurz vor dem Ziel geschlagen werden; **II.** *v/t.* **4.** *mst* ~ *up Plakate etc.* anschlagen, -kleben; **5.** *mst* ~ *over Mauer mit Zetteln* bekleben; **6. a)** *et.* (durch Aushang *etc.*) bekanntgeben: *to* ~ *as missing* ⚓, ✈ als vermißt melden, **b)** *fig.* (öffentlich) anprangern.

post[2] [poust] **I.** *s.* **1.** ⚔ Posten *m* (*Stelle od. Soldat*): *advanced* ~ vorgeschobener Posten; *last* ~ *Brit.* Zapfenstreich; *at one's* ~ auf (s-m) Posten; **2.** ⚔ Standort *m*, Garni'son *f*: ~ *exchange Am.* Marketenderei, Einkaufsstelle; ~ *headquarters* Standortkommandantur; **3.** Posten *m*, Platz *m*, Stand *m*; ✝ Makler-, Börsenstand *m*; **4.** Handelsniederlassung *f*, -platz *m*; **5.** ✝ (Rechnungs)Posten *m*; **6.** Posten *m*, (An)Stellung *f*, Stelle *f*, Amt *n*: ~ *of a secretary* Sekretärsposten; **II.** *v/t.* **7.** *Soldat etc.* aufstellen, postieren; **8.** ⚔ **a)** ernennen, **b)** versetzen, (ab)kommandieren; **9.** ✝ eintragen, verbuchen; *Konto* (ins Hauptbuch) über'tragen: *to* ~ *up Hauptbuch* nachtragen, *Bücher* in Ordnung bringen.

post[3] [poust] **I.** *s.* **1.** ✉ *bsd. Brit.* Post *f*: **a)** *als Einrichtung*, **b)** *Brit.* Postamt *n*, **c)** *Brit.* Post-, Briefkasten *m*, **d)** Postzustellung *f*, **e)** Postsendung(en *pl.*) *f*, -sachen *pl.*, **f)** Nachricht *f*: *by* ~ per (*od.* mit der) Post; *general* ~ Morgenpost, *fig.* Blindekuhspiel; **2.** *hist.* **a)** Post(kutsche) *f*, **b)** Ku'rier *m*; **3.** *bsd. Brit.*

ˈBrief,papier *n* (*Format*); **II.** *v/t.* **4.** *Brit.* zur Post geben, mit der Post (zu)senden, aufgeben, in den Briefkasten werfen; **5.** F *mst* ~ *up j-n* informieren: *to keep s.o.* ~*ed* j-n auf dem laufenden halten; *well* ~*ed* gut unterrichtet; **III.** *v/i.* **6.** (daˈhin-)eilen.

post- [poust] *in Zssgn* nach, später, hinter, post...

post·age [ˈpoustidʒ] *s.* Porto *n*, Postgebühr *f*, -spesen *pl.*: *additional* (*od. extra*) ~ Nachporto, Portozuschlag; ~ *free*, ~ *paid* portofrei, franko; ˈ~-ˈ**due** *s.* Nachgebühr *f*, -porto *n*; ~ **stamp** *s.* Briefmarke *f*, Postwertzeichen *n*.

post·al [ˈpoustəl] **I.** *adj.* poˈstalisch, Post...: ~ *card* → *II*; ~ *cash order* Postnachnahme; ~ *code* → *postcode*; ~ *district* Postzustellbezirk; ~ *order Brit.* Postanweisung (*für kleinere Beträge*); ~ *parcel* Postpaket; ~ *tuition* Fernunterricht; ~ *vote Brit.* Briefwahl; ~ *voter* Briefwähler; ♀ *Union* Weltpostverein; **II.** *s. Am.* Postkarte *f* (*mit aufgedruckter Marke*).

ˈ**post|·card** *s.* Postkarte *f*; ˈ~**·code** *s. Brit.* Postleitzahl *f*.

ˈ**post|-ˈdate** *v/t.* **1.** *Brief etc.* nachdatieren; **2.** nachträglich *od.* später datieren; ˈ~-ˈ**en·try** *s.* **1.** ✝ nachträgliche (Ver)Buchung; **2.** ✝ Nachverzollung *f*.

post·er [ˈpoustə] *s.* **1.** Plaˈkatankleber *m*; **2.** Poster *m*, *n*.

poste res·tante [ˈpoustˈrestɑ̃:nt; pɔstrestɑ̃:t] (*Fr.*) **I.** *adj.* postlagernd; **II.** *s. bsd. Brit.* Aufbewahrungsstelle *f* für postlagernde Sendungen.

pos·te·ri·or [pɔsˈtiəriə] **I.** *adj.* □ **a)** später (*to* als), **b)** hinter, Hinter...: *to be* ~ *to zeitlich od. örtlich* kommen nach, folgen auf (*acc.*); **II.** *s.* ˈHinterteil *n*, Hintern *m*; **pos·ˈter·i·ty** [-ˈteriti] *s.* **1.** Nachkommen(schaft *f*) *pl.*; **2.** Nachwelt *f*.

pos·tern [ˈpoustə:n] *s. a.* ~ *door*, ~ *gate* ˈHinter-, Neben-, Seitentür *f*.

ˈ**post-ˈfree** *adj. bsd. Brit.* portofrei, franko.

ˈ**post-ˈgrad·u·ate I.** *adj.* **1.** nach beendigter Studienzeit; **2.** nach dem ersten akaˈdemischen Grad, vorgeschritten, Doktoranden...: ~ *studies*; **II.** *s.* **3.** Graduierte(r *m*) *f* (*Forschungsarbeiter*); Doktoˈrand(in).

ˈ**post-ˈhaste** *adv.* eiligst, schnellstens.

post·hu·mous [ˈpɔstjuməs] *adj.* □ **1.** poˈstum, postˈhum: **a)** *nach des Vaters Tod geboren*, **b)** nachgelassen, hinterˈlassen (*Schriftwerk*); **2.** nachträglich (*Ordensverleihung etc.*): ~ *fame* Nachruhm.

pos·til·(l)ion [pəsˈtiljən] *s. hist.* ˈPostillion *m*.

post|·man [ˈpoustmən] *s.* [*irr.*] Briefträger *m*, Postbote *m*; ˈ~**·mark** [-stm-] **I.** *s.* Poststempel *m*: *date of the* ~ Datum des Poststempels; **II.** *v/t.* (ab)stempeln; ˈ~**·mas·ter** [-stm-] *s.* Postamtsvorsteher *m*, Postmeister *m*: ♀ *General* Postminister.

post·me·rid·i·an [ˈpoustməˈridiən] *adj.* Nachmittags..., nachmittägig; **post me·rid·i·em** [-məˈridiəm] (*Lat.*) *adv.* (*abbr. p.m.*) nachmittags.

ˈ**post·mis·tress** [ˈpoust-] *s.* Postmeisterin *f*.

post|-mor·tem [ˈpoustˈmɔ:təm] ⚖, ⚕ **I.** *adj.* Leichen..., nach dem Tode (stattfindend); **II.** *s.* (*abbr. für* ~ *examination*) Leichenöffnung *f*, Autoˈpsie *f*; ˈ~ˈ**na·tal** [-stn-] *adj.* nach der Geburt (stattfindend); ˈ~ˈ**nup·tial** [-stn-] *adj.* nach der Hochzeit (stattfindend); ~-ˈ**o·bit** (**bond**) [-ˈɔbit] *s.* nach dem Tode fälliger Schuldschein.

post of·fice *s.* **1.** Post(amt *n*) *f*: *General* ♀ Hauptpost(amt); ♀ *Department Am.* Postministerium; **2.** *Am. ein Gesellschaftsspiel*; ~ **box** *s.* Post(schließ)fach *n*; ~ **or·der** *s.* Postanweisung *f* (*für größere Beträge*); ~ **sav·ings bank** *s.* Postsparkasse *f*.

ˈ**post-paid** *adj.* freigemacht, frankiert.

post·pone [poustˈpoun] *v/t.* **1.** verschieben, auf-, hinˈausschieben; **2.** *j-n od. et.* ˈunterordnen (*to dat.*), hintˈansetzen; **postˈpone·ment** [-mənt] *s.* **1.** Verschiebung *f*, Aufschub *m*; **2.** ⊕ Nachstellung *f*.

ˈ**post·poˈsi·tion** *s.* **1.** Nachstellung *f* (*a. ling.*); **2.** *ling.* nachgestelltes (Verhältnis)Wort; ˈ**postˈpos·i·tive** *ling.* **I.** *adj.* nachgestellt; **II.** *s.* → *postposition 2.*

postˈpran·di·al *adj. humor.* nach dem Essen, nach Tisch (*Rede, Schläfchen etc.*).

post·script [ˈpousskript] *s.* **1.** Postˈskriptum *n* (*zu e-m Brief*), Nachschrift *f*; **2.** Nachtrag *m* (*zu e-m Buch*).

pos·tu·lant [ˈpɔstjulənt] *s.* **1.** Antragsteller(in); **2.** Bewerber(in) (*bsd. eccl. um Aufnahme in e-n Orden*); **pos·tu·late I.** *v/t.* [ˈpɔstjuleit] **1.** fordern, verlangen, begehren; **2.** postulieren, (als gegeben) vorˈaussetzen; **II.** *s.* [-lit] **3.** Postuˈlat *n*, Vorˈaussetzung *f*, (Grund)Bedingung *f*; **pos·tu·la·tion** [pɔstjuˈleiʃən] *s.* **1.** Gesuch *n*, Forderung *f*; **2.** *Logik*: Postulat *n*.

pos·ture [ˈpɔstʃə] **I.** *s.* **1.** (Körper-)Haltung *f*, Stellung *f*; (*a. thea., paint.*) Posiˈtur *f*, Pose *f*; **2.** Lage *f* (*a. fig. Situation*), Anordnung *f*; **3.** *fig. geistige* Haltung; **II.** *v/t.* **4.** zuˈrechtstellen, arrangieren; **III.** *v/i.* **5.** sich zurechtstellen, sich in Positur stellen; posieren (*a. fig. as* als); ˈ~**-mak·er** *s.* Schlangenmensch *m* (*Artist*).

ˈ**post-ˈwar** *adj.* Nachkriegs...

po·sy [ˈpouzi] *s.* **1.** Blumenstrauß *m*; **2.** Motto *n*, Denkspruch *m*.

pot [pɔt] **I.** *s.* **1.** (*Blumen-, Koch- etc.*) Topf *m*: *to go to* ~ *sl.* kaputtgehen, ‚auf den Hund kommen'; *to keep the* ~ *boiling* die Sache in Gang halten; *the* ~ *calls the kettle black* ein Esel schilt den andern Langohr; *big* ~ *sl.* ‚großes Tier'; *a* ~ *of money* F ‚ein Heidengeld'; *he has* ~*s of money* F er hat Geld wie Heu; **2.** Kanne *f*; **3.** ⊕ Tiegel *m*, Gefäß *n*: ~ *annealing* Kastenglühen; ~ *galvanization* Feuerverzinken; **4.** *sport sl.* Poˈkal *m*; **5.** (Spiel)Einsatz *m*; **6.** → *pot-shot*; **7.** *sl.* Pot *n*, Mariˈhuˈana *n*; **8.** (Nacht)Topf *m*: *to set* (*od. put*) *a baby on the* ~ ein Baby aufs Töpfchen setzen; **II.** *v/t.* **9.** in e-n Topf tun; *Pflanze* eintopfen; **10.** *Fleisch* einlegen, einmachen: ~*ted meat* Fleischkonserven; **11.** *Billardball* in das Loch spielen; **12.** *hunt.* (ab)schießen, erlegen; **13.** F einheimsen, erbeuten; **14.** *Baby* aufs Töpfchen setzen; **III.** *v/i.* **15.** (los)knallen, schießen (*at* auf *acc.*).

po·ta·ble [ˈpoutəbl] **I.** *adj.* trinkbar; **II.** *s. pl.* Getränke *pl.*

po·tage [pɔˈtɑ:ʒ] (*Fr.*) *s.* (dicke) Suppe.

pot·ash [ˈpɔtæʃ] *s.* ⚗ **1.** Pottasche *f*, ˈKaliumkarbo,nat *n*: *bicarbonate of* ~ doppeltkohlensaures Kali; ~ *fertilizer* Kalidünger; ~ *mine* Kalibergwerk; **2.** → *caustic 1.*

po·tas·si·um [pəˈtæsjəm] *s.* ⚗ Kalium *n*; ~ **bro·mide** *s.* ˈKaliumbro,mid *n*; ~ **car·bon·ate** *s.* ˈKaliumkarbo,nat *n*, Pottasche *f*; ~ **cy·a·nide** *s.* ˈKaliumcya,nid *n*, Zyanˈkali *n*; ~ **hy·drox·ide** *s.* ˈKaliumhydro,xyd *n*, Ätzkali *n*; ~ **ni·trate** *s.* ˈKaliumni,trat *n*.

po·ta·tion [pouˈteiʃən] *s.* **1.** Trinken *n*; Zecheˈrei *f*; **2.** Trank *m*, Getränk *n*.

po·ta·to [pəˈteitou] *pl.* **-toes** *s.* **1.** Karˈtoffel *f*: *fried* ~*es* Bratkartoffeln; *small* ~*es Am.* F ‚kleine Fische', Lappalien; *to drop s.th. like a hot* ~ et. erschreckt fallen lassen; *to think o.s. no small* ~*es sl.* sehr von sich eingenommen sein; **2.** *Am. sl.* **a)** ‚Rübe' *f* (*Kopf*), **b)** Dollar *m*; ~ **bee·tle** *s. zo.* Karˈtoffelkäfer *m*; ~**-blight** → *potato-disease*; ~ **bug** → *potato beetle*; ~**-chips** *s. pl.* **a)** *Brit.* → *chip 3*, **b)** *Am.* (Karˈtoffel)Chips *pl.*; ~**-dis·ease**, ~**-rot** *s.* Karˈtoffelkrankheit *f*, -fäule *f*; ~**-trap** *s. sl.* ‚Klappe' *f* (*Mund*).

ˈ**pot|-bar·ley** *s.* Graupen *pl.*; ˈ~**-bel·lied** *adj.* dickbäuchig; ˈ~**-bel·ly** *s.* Dick-, Spitzbauch *m*; ˈ~**-boil·er** *s.* F *paint. etc.* Brot-, Lohnarbeit *f*; ˈ~**-boy** *s. Brit.* Bierkellner *m*.

po·teen [pɔˈti:n] *s.* heimlich gebrannter Whisky (*in Irland*).

po·ten·cy [ˈpoutənsi] *s.* **1.** Stärke *f*, Macht *f*; *fig. a.* Einfluß *m*; **2.** Wirksamkeit *f*, Kraft *f*; **3.** *biol.* Poˈtenz *f*, Zeugungsfähigkeit *f*; ˈ**po·tent** [-nt] *adj.* □ **1.** mächtig, stark; **2.** einflußreich; **3.** zwingend, überˈzeugend (*Argumente etc.*); **4.** stark (wirkend) (*Drogen, Getränk*); **5.** *biol.* poˈtent, zeugungsfähig; ˈ**po·ten·tate** [-teit] *s.* Potenˈtat *m*, Machthaber *m*, Herrscher *m*; **po·ten·tial** [pəˈtenʃəl] **I.** *adj.* □ **1.** möglich, potentiˈell, eventuˈell; **2.** in der Anlage vorhanden, laˈtent: *a* ~ *murderer* ein potentieller Mörder; **3.** *ling.* Möglichkeits...: ~ *mood* → *5*; **4.** *phys.* potentiell, gebunden: ~ *energy* potentielle Energie, Energie der Lage; **II.** *s.* **5.** *ling.* ˈPotenti,alis *m*, Möglichkeitsform *f*; **6.** *phys.* Potentiˈal *n* (*a.* ⚡), ⚡ Spannung *f*: ~ *difference* Spannungsunterschied; ~ *equation* ⅌ Potentialgleichung; **7.** (*Kriegs-, Menschen- etc.*)Potential *n*, Reˈserven *pl.*; **8.** Leistungsfähigkeit *f*, Kraftvorrat *m*; **po·ten·ti·al·i·ty** [pətenʃiˈæliti] *s.* **1.** Potentialiˈtät *f*,

(Entwicklungs)Möglichkeit *f*; **2.** Wirkungsvermögen *n*, innere Kraft;
po·ten·ti·om·e·ter [pətenʃiˈɔmitə] *s.* ⚡ **1.** Potentioˈmeter *n*; **2.** *Radio*: Spannungsteiler *m*.
pot hat *s.* F Meˈlone *f* (*Hut*).
po·theen [pɔˈθiːn] → *poteen*.
poth·er [ˈpɔðə] **I.** *s.* **1.** Aufruhr *m*, Lärm *m*, Aufregung *f*, ‚Theˈater' *n*: *to be in a ~ about s.th.* e-n großen Wirbel wegen et. machen; **2.** Rauch-, Staubwolke *f*, Dunst *m*; **II.** *v/t.* **3.** verwirren, aufregen; **III.** *v/i.* **4.** sich aufregen.
ˈpot|-herb *s.* Küchenkraut *n*; **ˈ~-hole** *s.* **1.** *mot.* Schlagloch *n*; **2.** *geol.* Gletschertopf *m*, Strudelkessel *m*; **ˈ~-hook** *s.* **1.** Kesselhaken *m*; **2.** Schnörkel *m* (*Kinderschrift*); *pl.* Gekritzel *n*; **ˈ~-house** *s.* Wirtschaft *f*, Kneipe *f*; **ˈ~-hunt·er** *s. sl.* **1.** unweidmännischer Jäger, Aasjäger *m*; **2.** *sport* Preisjäger *m*.
po·tion [ˈpouʃən] *s.* (Arzˈnei-, Gift-) Trank *m*.
pot luck *s.*: *to take ~* (*with s.o.*) (bei j-m) mit dem vorliebnehmen, was es gerade (zu essen) gibt.
pot-pour·ri [pouˈpuri(ː)] *s.* ˈPotpourri *n*: **a**) Dufttopf *m*, **b**) *Zs.-stellung verschiedener Musikstücke*, **c**) *fig.* Kunterbunt *n*.
ˈpot|-roast *s.* Schmorfleisch *n*; **ˈ~-sherd** [-ʃəːd] *s.* *Archäologie*: (Topf)Scherbe *f*; **ˈ~-shot** *s.* **1.** unweidmännischer Schuß (*zum Nahrungserwerb*); **2.** Nahschuß *m*, ˈhinterhältiger Schuß; **3.** Schuß *m* in die Luft; **4.** *fig.* leichte Sache.
pot·tage [ˈpɔtidʒ] *s.* dicke Gemüsesuppe (mit Fleisch).
pot·ter[1] [ˈpɔtə] **I.** *v/i.* **1.** *oft ~ about* herˈumwerkeln, -hantieren; **2.** (herˈum)trödeln: *to ~ at* herumspielen, -pfuschen an *od.* in (*dat.*); **II.** *v/t.* **3.** *~ away Zeit* vertrödeln.
pot·ter[2] [ˈpɔtə] *s.* Töpfer(in): *~'s clay* Töpferton; *~'s lathe* Töpferscheibentisch; *~'s wheel* Töpferscheibe; **ˈpot·ter·y** [-əri] *s.* **1.** Töpfer-, Tonware(n *pl.*) *f*, Steingut *n*, Keˈramik *f*; **2.** Töpfeˈrei(werkstatt) *f*; **3.** Töpfeˈrei *f* (*Kunst*), Keramik *f*.
pot·ty [ˈpɔti] *adj.* F **1.** verrückt (*about* auf *acc.*); **2.** kinderleicht; **3.** lächerlich, unbedeutend.
ˈpot|-val·iant *adj.* vom Trinken mutig; **~ val·o(u)r** *s.* angetrunkener Mut.
pouch [pautʃ] **I.** *s.* **1.** Beutel (*a. zo.*, ♀), (Leder-, Trage-, *a.* Post)Tasche *f*, (kleiner) Sack; **2.** Tabaksbeutel *m*; **3.** Geldbeutel *m*; **4.** ⚔ Paˈtronentasche *f*; **5.** *anat.* (Tränen)Sack *m*; **II.** *v/t.* **6.** in e-n Beutel tun; **7.** *fig.* einstecken; **8.** beuteln, bauschen; **III.** *v/i.* **9.** sich beuteln *od.* bauschen; sackartig fallen (*Kleid*); **ˈpouched** [-tʃt] *adj.* *zo.* Beutel...
poul·ter·er [ˈpoultərə] *s.* Geflügelhändler *m*.
poul·tice [ˈpoultis] ⚕ **I.** *s.* ˈBreiˌumschlag *m*, Packung *f*; **II.** *v/t.* e-n ˈBreiˌumschlag auflegen auf (*acc.*), e-e Packung machen um.
poul·try [ˈpoultri] *s.* (Haus)Geflügel *n*, Federvieh *n*: *~-farm* Geflügelfarm.
pounce[1] [pauns] **I.** *s.* **1. a**) Herˈabstoßen *n e-s Raubvogels*, **b**) Sprung *m*, Satz *m*: *on the ~* sprungbereit; **II.** *v/i.* **2.** (herˈab)stoßen, sich stürzen (*on, upon* auf *acc.*) (*Raubvogel*); **3.** *fig.* (*on, upon*) sich stürzen (auf *j-n, e-n Fehler, e-e Gelegenheit etc.*), losgehen (auf *j-n*); **4.** (plötzlich) stürzen: *to ~ into the room*.
pounce[2] [pauns] **I.** *s.* **1.** Glättpulver *n*, *bsd.* Bimssteinpulver *n*; **2.** Pauspulver *n*; **3.** ˈdurchgepaustes (*bsd.* Stick)Muster; **II.** *v/t.* **4.** glatt abreiben, bimsen; **5.** ˈdurchpausen.
pound[1] [paund] *s.* **1.** Pfund *n* (*abbr. lbs. = 453,59 g*): *a ~ of cherries* ein Pfund Kirschen; **2.** *a. ~ sterling* Pfund *n* (Sterling) (*abbr.* £): *to pay twenty shillings in the ~ fig.* voll bezahlen.
pound[2] [paund] **I.** *s.* **1.** schwerer Stoß *od.* Schlag, Stampfen *n*; **II.** *v/t.* **2.** (zer)stoßen, (zer)stampfen; **3.** feststampfen, rammen; **4.** hämmern (auf), trommeln auf, schlagen: *to ~ sense into s.o. fig.* j-m Vernunft einhämmern; *to ~ out* **a**) glatthämmern, **b**) *Melodie* herunterhämmern (*auf dem Klavier*); **III.** *v/i.* **5.** hämmern (*a. Herz*), pochen, schlagen; **6.** *mst ~ along* (einˈher-) stampfen, wuchtig gehen; **7.** stampfen (*Maschine etc.*).
pound[3] [paund] **I.** *s.* **1.** Pfandstall *m*; **2.** ˈTieraˌsyl *n*; **3.** Hürde *f*, Pferch *m*; **II.** *v/t.* **4.** *oft ~ up* einpferchen.
pound·age [ˈpaundidʒ] *s.* **1.** Anteil *m od.* Gebühr *f* pro Pfund (*Sterling*); **2.** Bezahlung *f* pro Pfund (*Gewicht*).
pound·er [ˈpaundə] *s.* *in Zssgn* ...pfünder.
pound fool·ish *adj.* unfähig, mit großen Summen *od.* Proˈblemen ˈumzugehen; → *penny wise*.
pour [pɔː] **I.** *s.* **1.** Strömen *n*; **2.** (Regen)Guß *m*; **3.** *metall.* Einguß *m*: *~ test* Stockpunktbestimmung; **II.** *v/t.* **4.** gießen, schütten (*from, out of* aus, *into, in* in *acc.*, *on, upon* auf *acc.*): *to ~ forth* (*od. out*) **a**) ausgießen, (aus-) strömen lassen, **b**) *fig. Herz* ausschütten, *Kummer* ausbreiten, **c**) *Flüche etc.* ausstoßen; *to ~ out drinks* Getränke eingießen, -schenken; *to ~ off* abgießen; *to ~ it on Am. sl.* **a**) ‚rangehen', **b**) mit Vollgas fahren; **5.** *~ itself* sich ergießen (*Fluß*); **III.** *v/i.* **6.** strömen, gießen: *to ~ down* niederströmen; *to ~ forth* (*od. out*) (*a. fig.*) sich ergießen, strömen (*from* aus); *it ~s with rain* es gießt in Strömen; *it never rains but it ~s fig.* ein Unglück kommt selten allein; **7.** *fig.* strömen (*Menschenmenge etc.*): *to ~ in* hereinströmen (*a. Aufträge, Briefe etc.*); **8.** *metall. in die Form* gießen; **pour·a·ble** [ˈpɔːrəbl] *adj.* ⊕ vergießbar: *~ compound* Gußmasse; **pour·ing** [ˈpɔːriŋ] **I.** *adj.* **1.** strömend (*a. Regen*); **2.** ⊕ Gieß..., Guß...: *~ gate* Gießtrichter; **II.** *s.* **3.** ⊕ (Ver)Gießen *n*, Guß *m*.
pout[1] [paut] **I.** *v/i.* **1.** die Lippen spitzen; **2.** e-e Schnute *od.* e-n Flunsch ziehen; *fig.* schmollen; **3.** vorstehen (*Lippen*); **II.** *v/t.* **4.** *Lippen, Mund* (schmollend) aufwerfen, (*a. zum Kuß*) spitzen; **5.** schmollen(d sagen); **III.** *s.* **6.** Flunsch *m*, Schnute *f*, Schmollmund *m*; **7.** Schmollen *n*.
pout[2] [paut] *s. ein* Schellfisch *m*.
pout·er [ˈpautə] *s.* **1.** *a. ~ pigeon orn.* Kropftaube *f*; **2.** → *pout*[2].
pov·er·ty [ˈpɔvəti] *s.* **1.** Armut *f*, Mangel *m* (*of an dat.*) (*beide a. fig.*): *~ of ideas* Ideenarmut; **2.** *fig.* Armseligkeit *f*, Dürftigkeit *f*; **3.** Armut *f*, geringe Ergiebigkeit (*des Bodens etc.*); **ˈ~-strick·en** *adj.* **1.** in Armut lebend, verarmt; **2.** *fig.* armselig.
pow·der [ˈpaudə] **I.** *s.* **1.** (*Back-, Schieß- etc.*)Pulver *n*: *not worth ~ and shot* keinen Schuß Pulver wert; *the smell of ~* Kriegserfahrung; *keep your ~ dry!* sei auf der Hut!; *to take a ~ Am. sl.* ‚Leine ziehen' (*flüchten*); **2.** Puder *m*: *face-~*; *~-room* Damentoilette; **II.** *v/t.* **3.** pulvern, pulverisieren: *~ed milk* Trockenmilch; *~ed sugar* Staubzucker; **4.** (be)pudern: *to ~ one's nose*; **5.** bestäuben, bestreuen (*with* mit); **III.** *v/i.* **6.** zu Pulver werden; **ˈ~-box** *s.* Puderdose *f*; **ˈ~-ˈmet·al·lur·gy** *s.* ˈSintermetallurˌgie *f*, Meˈtallkeˌramik *f*; **ˈ~-mill** *s.* ˈPulvermühle *f*, -faˌbrik *f*; **ˈ~-puff** *s.* Puderquaste *f*.
pow·der·y [ˈpaudəri] *adj.* **1.** pulverig, Pulver...: *~ snow* Pulverschnee; **2.** bestäubt.
pow·er [ˈpauə] **I.** *s.* **1.** Kraft *f*, Stärke *f*, Macht *f*, Vermögen *n*: *to do all in one's ~* alles tun, was in s-r Macht steht; *it was out of* (*od. not in*) *his ~* es stand nicht in s-r Macht (*to do* zu tun); *more ~ to you*(*r elbow*)! nur zu!, viel Erfolg!; **2.** Kraft *f*, Enerˈgie *f*; *weitS.* Wucht *f*, Gewalt *f*; **3.** *mst pl. hypnotische etc.* Kräfte *pl.*, (geistige) Fähigkeiten *pl.*, Taˈlent *n*: *reasoning ~* Denkvermögen; **4.** Macht *f*, Gewalt *f*, Herrschaft *f*, Einfluß *m* (*over* über *acc.*): *to be in ~ pol.* an der Macht *od.* am Ruder sein; *to be in s.o.'s ~* in j-s Gewalt sein; *to come into ~ pol.* an die Macht kommen; *~ politics* Machtpolitik; **5.** *pol.* Gewalt *f als Staatsfunktion*: *legislative ~*; *separation of ~s* Gewaltenteilung; **6.** *pol.* (Macht-) Befugnis *f*, (Amts)Gewalt *f*; **7.** ⚖ (Handlungs-, Vertretungs)Vollmacht *f*, Befugnis *f*, Recht *n*: *~ of testation* Testierfähigkeit; → *attorney*; **8.** *pol.* Macht *f*, Staat *m*; **9.** Macht(faktor *m*) *f*, einflußreiche Stelle *od.* Perˈson: *the ~s that be* die maßgeblichen (Regierungs)Stellen; **10.** *mst pl.* höhere Macht: *heavenly ~s*; **11.** F Masse *f*: *a ~ of people*; **12.** & Poˈtenz *f*: *to raise to the third ~* in die dritte Potenz erheben; **13.** ⚡, *phys.* Kraft *f*, Enerˈgie *f*, Leistung *f*; *a. ~ current* ⚡ (Stark)Strom *m*; *Funk*: Sendestärke *f*; *opt.* Stärke *f e-r Linse*: *~ cable* Starkstromkabel; *~ economy* Energiewirtschaft; **14.** ⊕ meˈchanische Kraft, Antriebskraft *f*: *~-propelled* kraftbetrieben, Kraft...; *~ on* (mit) Vollgas; *~ off* **a**) mit abgestelltem Motor, **b**) im Leerlauf; **II.** *v/t.* **15.** mit (*elektrischer etc.*) Kraft versehen *od.* betreiben, antreiben: *rocket-~ed* raketengetrieben; **~ am·pli·fi·er** *s. Radio*: Kraft-, Endverstärker *m*; **~ brake** *s. mot.* ˈServobremse *f*; **~ con-**

sump·tion *s.* ⚡ Strom-, Ener'gieverbrauch *m*; '~-drive *s.* ⊕ Kraftantrieb *m*; '~-driv·en *adj.* ⊕ kraftbetrieben, Kraft...; ~ en·gi·neer·ing *s.* ⚡ 'Starkstrom,technik *f*; ~ fac·tor *s.* ⚡, *phys.* 'Leistungs,faktor *m*; ~ fail·ure *s.* ⚡ Netzausfall *m*.

pow·er·ful ['pauəful] *adj.* □ **1.** mächtig (*a. Körper, Schlag, Mensch*), stark (*a. opt. u. Motor*), gewaltig, kräftig; **2.** *fig.* kräftig, wirksam (*a. Argument*); wuchtig (*Stil*); packend (*Roman etc.*); **3.** F ‚massig', gewaltig.

pow·er| glid·er *s.* ✈ 'Motorsegler *m*; '~-house *s.* **1.** → *power-station 1*; **2.** ⊕ Ma'schinenhaus *n*; **3.** *Am. sl.* **a)** *sport* ‚Bombenmannschaft' *f*, **b)** *sport* ‚Ka'none' *f* (*Spitzenspieler*), **c)** Riesenkerl *m*; '~-lathe *s.* ⊕ Hochleistungsdrehbank *f*.

pow·er·less ['pauəlis] *adj.* □ kraft-, machtlos, ohnmächtig.

pow·er| line *s.* ⚡ **1.** Starkstromleitung *f*; **2.** 'Überlandleitung *f*; '~-'op·er·at·ed *adj.* ⊕ kraftbetätigt, -betrieben; ~ out·put *s.* ⚡, ⊕ Ausgangs-, Nennleistung *f*; ~ pack *s.* ⚡ Netzteil *n* (*Radio etc.*); '~-plant *s.* **1.** → *power-station 1*; **2.** Ma'schinensatz *m*, Aggre'gat *n*, Triebwerk(anlage *f*) *n*; ~ play *s. sport* 'Powerplay *n*; ~ pol·i·tics *s. pl. sg. konstr.* 'Machtpoli,tik *f*; '~-shov·el *s.* ⊕ Löffelbagger *m*; '~-sta·tion *s.* ⚡ **1.** Elektrizi'täts-, Kraftwerk *n*; **2.** 'Kraftzen,trale *f*: *long-distance* ~ Überlandzentrale; ~ steer·ing *s. mot.* 'Servolenkung *f*; ~ stroke *s.* ⊕, ⚡, *mot.* Arbeitshub *m*, -takt *m*; ~ sup·ply *s.* ⚡ Ener'gieversorgung *f*, Netz(anschluß *m*) *n*; ~ trans·mis·sion *s.* ⊕ 'Leistungs-, Ener'gieüber,tragung *f*.

pow·wow ['pauwau] **I.** *s.* **1. a)** indi'anisches Fest, **b)** indianischer Medi'zinmann; **2.** *bsd. Am.* F Konfe'renz *f*, Besprechung *f*; **II.** *v/i.* **3.** *bsd. Am.* F e-e Besprechung *od.* Versammlung abhalten; debattieren.

pox [pɔks] *s.* ⚕ **1.** Pocken *pl.*, Blattern *pl.*; Pusteln *pl.*; **2.** V Syphilis *f*.

prac·ti·ca·bil·i·ty [præktikə'biliti] *s.* 'Durchführbarkeit *f etc.*; **prac·ti·ca·ble** ['præktikəbl] *adj.* □ **1.** 'durch-, ausführbar, tunlich, möglich; **2.** anwendbar, brauchbar; **3.** gang-, fahrbar (*Straße, Furt etc.*).

prac·ti·cal ['præktikəl] *adj.* □ → *practically*; **1.** (*Ggs. theoretisch*) praktisch (*Kenntnisse, Landwirtschaft etc.*); angewandt: ~ *chemistry*; ~ *fact* Erfahrungstatsache; **2.** praktisch (*Anwendung, Versuch etc.*); **3.** praktisch, geschickt (*Person*); **4.** praktisch, in der Praxis tätig, ausübend: ~ *politician*; ~ *man* Mann der Praxis, Praktiker; **5.** praktisch (*Denken*); **6.** praktisch, faktisch, tatsächlich; **7.** sachlich; **8.** praktisch anwendbar, 'durchführbar; **9.** handgreiflich, grob: ~ *joke* Schabernack; **prac·ti·cal·i·ty** [prækti'kæliti] *s. das* Praktische, praktisches Wesen, Sachlichkeit *f*; praktische Anwendbarkeit; **prac·ti·cal·ly** *adv.* **1.** [-kəli] → *practical*; **2.** [-kli] praktisch, so gut wie *nichts etc.*

prac·tice ['præktis] **I.** *s.* **1.** 'Praxis *f* (*Ggs. Theorie*): *in* ~ in der Praxis; *to put into* ~ in die Praxis umsetzen, ausführen, verwirklichen; **2.** Übung *f* (*a.* ♪, ⚔): *in (out of)* ~ in (aus) der Übung; ~ *makes perfect* Übung macht den Meister; **3.** Praxis *f* (*Arzt, Anwalt*); **4.** Brauch *m*, Gewohnheit *f*, übliches Verfahren, 'Usus *m*; **5.** Handlungsweise *f*, 'Praktik *f*; *oft pl. contp.* (unsaubere) Praktiken *pl.*, Machenschaften *pl.*, Schliche *pl.*; **6.** Verfahren *n*; ⊕ *a.* Technik *f*: *welding* ~ Schweißtechnik; **7.** ⚖ Verfahren(sregeln *pl.*) *n*, for'melles Recht; **8.** Übungs..., Probe...: ~ *alarm* ⚔ Probealarm; ~ *ammunition* ⚔ Übungsmunition; ~ *cartridge* ⚔ Exerzierpatrone; ~ *flight* ✈ Übungsflug; ~ *run mot.* Trainingsfahrt; **II.** *v/t. u. v/i.* **9.** *Am.* → *practise*.

prac·tise ['præktis] **I.** *v/t.* **1.** *Beruf* ausüben; *Geschäft etc.* betreiben; tätig sein als *od.* in (*dat.*), *als Arzt, Anwalt* praktizieren: *to* ~ *medicine (law)*; **2.** ♪ *etc.* (ein)üben, sich üben in; (*dat.*); *et. auf e-m Instrument* üben; *j-n* schulen: *to* ~ *Bach* Bach üben; **3.** *fig.* üben, gewohnheitsmäßig tun: *to* ~ *politeness* Höflichkeit üben; **4.** verüben: *to* ~ *a fraud on j-n* arglistig täuschen; **II.** *v/i.* **5.** praktizieren (*als Arzt, Jurist, a. Katholik*); **6.** (sich) üben (*on the piano* auf dem Klavier, *at shooting* im Schießen); **7.** ~ *on (od. upon)* **a)** *j-n* bearbeiten, **b)** *j-s Schwäche etc.* ausnutzen, *j-n* miß'brauchen; '**prac·tised** [-st] *adj.* geübt (*Person, a. Auge, Hand*).

prac·ti·tion·er [præk'tiʃnə] *s.* **1.** Praktiker *m*; **2.** *a. general (od. medical)* ~ praktischer Arzt; **3.** *a. general* ~ Rechtsanwalt *m*.

praec·i·pe ['pri:sipi] *s.* ⚖ gerichtlicher Befehl.

prag·mat·ic [præg'mætik] *adj.* (□ ~*ally*) **1.** *phls.* prag'matisch; **2.** → *pragmatical*; **prag'mat·i·cal** [-kəl] *adj.* □ **1.** prag'matisch, praktisch, sachlich; **2.** belehrend; **3.** geschäftig; **4.** aufdringlich, vorwitzig; **5.** rechthaberisch; **prag·ma·tism** ['prægmətizəm] *s.* **1.** *phls.* Pragma'tismus *m*; **2.** 'Übereifer *m*, Zudringlichkeit *f*; **3.** rechthaberisches Wesen; **4.** Sachlichkeit *f*; nüchternes, praktisches Denken *od.* Handeln.

prag·ma·tize ['prægmətaiz] *v/t.* **1.** als re'al darstellen; **2.** ratio'nal erklären.

prai·rie ['prɛəri] *s.* **1.** Grasebene *f*, Steppe *f*; **2.** Prä'rie *f* (*in Nordamerika*); **3.** *Am.* (grasbewachsene) Lichtung; '~-dog *s. zo.* Prä'riehund *m*; '~-schoon·er *s. Am.* Planwagen *m der Kolonialzeit*.

praise [preiz] **I.** *v/t.* **1.** loben, rühmen, preisen; → *sky 2*; **2.** (*bsd. Gott*) (lob)preisen, loben; **II.** *s.* **3.** Lob *n*: *to be loud in one's* ~ *of* laute Loblieder singen auf (*acc.*); *to sing s.o.'s* ~*s* j-s Lob singen; *in* ~ *of s.o., in s.o.'s* ~ zu j-s Lob; '~-wor·thi·ness *s.* Löblichkeit *f*, lobenswerte Eigenschaft; '**praise·wor·thy** *adj.* □ lobenswert, löblich.

pram[1] [præm] *s.* ⚓ Prahm *m*, Leichter *m*.

pram[2] [præm] *s.* F → *perambulator*.

prance [prɑ:ns] *v/i.* **1. a)** sich bäumen, **b)** tänzeln (*Pferd*); **2.** (ein'her)stolzieren, paradieren; sich brüsten; **3.** F her'umtollen.

pran·di·al ['prændiəl] *adj. humor.* Essens..., Tisch...

prank[1] [præŋk] *s.* **1.** Streich *m*, Ulk *m*, Possen *m*; **2.** *weitS.* Kapri'ole *f*, Faxe *f e-r Maschine etc.*

prank[2] [præŋk] **I.** *v/t. mst* ~ *out (od. up)* (her'aus)putzen, schmücken; **II.** *v/i.* prunken, prangen.

prate [preit] **I.** *v/i.* plappern, plaudern, schwatzen (*of* von); **II.** *v/t.* plappern, ausschwatzen; **III.** *s.* Geschwätz *n*, Geplapper *n*; '**prat·er** [-tə] *s.* Schwätzer(in); '**prat·ing** [-tiŋ] *adj.* □ schwatzhaft, geschwätzig; **prat·tle** ['prætl] → *prate*.

prawn [prɔ:n] *s. zo.* Gar'nele *f*.

pray [prei] **I.** *v/i.* **1.** beten (*to* zu, *for* um, für); **2.** bitten, ersuchen (*for* um); ⚖ Antrag stellen (*that* daß); **II.** *v/t.* **3.** *j-n* inständig bitten, ersuchen, anflehen (*for* um): ~, *consider!* bitte, bedenken Sie doch!; **4.** *et.* erbitten, erflehen.

prayer [prɛə] *s.* **1.** Ge'bet *n*: *to put up a* ~ ein Gebet emporsenden; *to say one's* ~*s* beten, s-e Gebete verrichten; *he hasn't got a* ~ *Am. sl.* er hat nicht die geringste Chance; **2.** *oft pl.* Andacht *f*: *evening* ~ Abendandacht; **3.** inständige Bitte, Flehen *n*; **4.** Gesuch *n*; ⚖ *a.* Antrag *m*, Klagebegehren *n*; '~-book *s.* Ge'betbuch *n*; '~-meet·ing *s.* Ge'betsversammlung *f*; '~-wheel *s.* Ge'betsmühle *f*.

pre- [pri:; pri] *in Zssgn* **a)** (*zeitlich*) vor(her); vor...; früher als, **b)** (*räumlich*) vor, da'vor.

preach [pri:tʃ] **I.** *v/i.* **1.** (*to*) predigen (zu *od.* vor *dat.*), e-e Predigt halten (*dat. od.* vor *dat.*); **2.** *fig.* ‚predigen' (*Ermahnungen äußern*); **II.** *v/t.* **3.** *et.* predigen: *to* ~ *the gospel* das Evangelium predigen *od.* verkünden; *to* ~ *a sermon* e-e Predigt halten; **4.** ermahnen zu: *to* ~ *charity* Nächstenliebe predigen; '**preach·er** [-tʃə] *s.* Prediger(in); '**preach·i·fy** [-tʃifai] *v/i.* sal'badern, Mo'ral predigen; '**preach·ing** [-tʃiŋ] *s.* **1.** Predigen *n*; **2.** *bibl.* Lehre *f*; '**preach·ment** [-mənt] *s. contp.* Ser'mon *m*, Salbade'rei *f*; '**preach·y** [-tʃi] *adj.* □ F sal'badernd, moralisierend.

pre·am·ble [pri:'æmbl] *s.* **1.** Prä'ambel *f* (*a.* ⚖), Einleitung *f*; Oberbegriff *m e-r Patentschrift*; Kopf *m e-s Funkspruchs etc.*; **2.** *fig.* Vorspiel *n*, Auftakt *m*.

pre·ar·range ['pri:ə'reindʒ] *v/t.* vorher abmachen *od.* anordnen *od.* bestimmen.

preb·end ['prebənd] *s. eccl.* Prä'bende *f*, Pfründe *f*; '**preb·en·dar·y** [-bəndəri] *s.* Pfründner *m*, Domherr *m*, Stiftsherr *m*.

pre·cal·cu·late ['pri:'kælkjuleit] *v/t.* vor'ausberechnen.

pre·car·i·ous [pri'kɛəriəs] *adj.* □ **1.** pre'kär, unsicher (*a. Lebensunterhalt*), bedenklich (*a. Gesundheitszustand*); **2.** gefährlich; **3.** anfechtbar; **4.** ⚖ 'widerruflich; **pre'car·i·ous·ness** [-nis] *s.* **1.** Unsicherheit *f*; **2.** Gefährlichkeit *f*; **3.** Zweifelhaftigkeit *f*.

prec·a·to·ry ['prekətəri] *adj.* e-e Bitte enthaltend, Bitt...: *in ~ words* ⚖ (*in Testamenten*) als Bitte (*nicht als Auftrag*) formuliert.

pre·cau·tion [pri'kɔ:ʃən] *s.* **1.** Vorkehrung *f*, Vorsichtsmaßregel *f*: *to take ~s* Vorsichtsmaßregeln *od.* Vorsorge treffen; *as a ~* vorsichtshalber, vorsorglich; **2.** Vorsicht *f*; **pre'cau·tion·ar·y** [-ʃnəri] *adj.* **1.** vorbeugend, Vorsichts...: *~ measures* Vorkehrungen; **2.** Warn..., Warnungs...: *~ signal* Warnsignal.

pre·cede [pri(:)'si:d] **I.** *v/t.* **1.** vor'aus-, vor'angehen (*dat.*) (*a. fig. Buchkapitel, Zeitraum etc.*); **2.** den Vorrang *od.* Vortritt *od.* Vorzug haben vor (*dat.*), vorgehen (*dat.*); **3.** *fig.* (*by, with s.th.*) (durch et.) einleiten, (*e-r Sache* et.) vor'ausschicken; **II.** *v/i.* **4.** voran-, vorausgehen; **5.** den Vorrang *od.* Vortritt haben; **pre'ced·ence** [-dəns] *s.* **1.** Vor'hergehen *n*, Priori'tät *f*: *to have the ~ of e-r Sache zeitlich* vorangehen; **2.** Vorrang *m*, Vorzug *m*, Vortritt *m*, Vorrecht *n*: *to take ~ of* (*od. over*) → *precede* 2; (*order of*) *~* Rangordnung; **prec·e·dent** ['presidənt] **I.** *s.* ⚖ Präze'denzfall *m*, Präju'diz *n*: *without ~* ohne Beispiel, noch nie dagewesen; *to set a ~* e-n Präzedenzfall schaffen; **II.** *adj.* □ vor'hergehend; **pre'ced·ing** [-diŋ] **I.** *adj.* vorhergehend: *~ indorser* ✝ Vor(der)mann (*Wechsel*); **II.** *prp.* vor (*dat.*).

pre·cen·tor [pri(:)'sentə] *s.* ♪, *eccl.* Kantor *m*, Vorsänger *m*.

pre·cept ['pri:sept] *s.* **1.** (*a.* göttliches) Gebot; **2.** Regel *f*, Richtschnur *f*; **3.** Lehre *f*, Unter'weisung *f*; **4.** ⚖ Gerichtsbefehl *m*; **pre·cep·tor** [pri'septə] *s.* Lehrer *m*; **pre·cep·tress** [pri'septris] *s.* Lehrerin *f*.

pre·cinct ['pri:siŋkt] *s.* **1.** Bezirk *m*: *cathedral ~s* Domfreiheit; **2.** *bsd. Am.* Poli'zei-, Wahlbezirk *m*; **3.** *pl.* Um'gebung *f*, Bereich *m*; **4.** *pl. fig.* Grenzen *pl.*

pre·ci·os·i·ty [preʃi'ɔsiti] *s.* Geziertheit *f*, Affektiertheit *f*, Über'feinerung *f*.

pre·cious ['preʃəs] **I.** *adj.* □ **1.** kostbar, wertvoll (*a. fig.*): *~ memories*; **2.** edel (*Steine etc.*): *~ metals* Edelmetalle; **3.** *iro.* schön, nett: *a ~ mess* e-e schöne Unordnung; **4.** F beträchtlich: *a ~ lot better than* bei weitem besser als; **5.** *fig.* prezi'ös, affektiert, geziert: *~ style*; **II.** *adv.* **6.** F reichlich, äußerst: *~ little*; **III.** *s.* **7.** Schatz *m*, Liebling *m*: *my ~!*; **'pre·cious·ness** [-nis] *s.* **1.** Köstlichkeit *f*, Kostbarkeit *f*; **2.** → *preciosity*.

prec·i·pice ['presipis] *s.* **1.** Abgrund *m* (*a. fig.*); **2.** *fig.* Klippe *f*.

pre·cip·i·ta·ble [pri'sipitəbl] *adj.* ⚗ abscheidbar, fällbar, niederschlagbar; **pre'cip·i·tance** [-təns], **pre·cip·i·tan·cy** [-tənsi] *s.* **1.** Eile *f*; **2.** Hast *f*, Über'stürzung *f*; **pre'cip·i·tant** [-tənt] **I.** *adj.* □ **1.** (steil) abstürzend, jäh; **2.** *fig.* hastig, eilig; **3.** *fig.* über'eilt; **II.** *s.* **4.** ⚗ Fällungsmittel *n*; **pre'cip·i·tate** [-teit] **I.** *v/t.* **1.** hin'abstürzen (*a. fig.*); **2.** *fig. Ereignisse* her'aufbeschwören, (plötzlich) her'beiführen, beschleunigen; **3.** *j-n* (hin'ein)stürzen (*into* in *acc.*): *to ~ a country into war*; **4.** ⚗ (aus)fällen; **5.** *meteor.* niederschlagen, verflüssigen; **II.** *v/i.* **6.** ⚗ *u. meteor.* sich niederschlagen; **III.** *adj.* [-tit] **7.** jäh(lings) hinabstürzend, steil abfallend; **8.** *fig.* über'stürzt, -'eilt, 'voreilig; eilig, hastig; **9.** plötzlich; **IV.** *s.* [-tit] **10.** ⚗ Niederschlag *m*, 'Fällproˌdukt *n*; **pre'cip·i·tate·ness** [-titnis] *s.* Über'eilung *f*, 'Voreiligkeit *f*; **pre·cip·i·ta·tion** [prisipi'teiʃən] *s.* **1.** jäher Sturz, (Her'ab-)Stürzen *n*; **2.** *fig.* Über'stürzung *f*; Hast *f*; **3.** ⚗ Fällung *f*; **4.** *meteor.* Niederschlag *m*; **5.** *Spiritismus*: Materialisati'on *f*; **pre'cip·i·ta·tor** [-teitə] *s.* ⚗ 'Ausfällappaˌrat *m*; **pre'cip·i·tous** [-təs] *adj.* □ **1.** jäh, steil (abfallend), abschüssig; **2.** *fig.* über'stürzt.

pré·cis ['preisi:] (*Fr.*) **I.** *pl.* **-cis** [-si:z] *s.* (kurze) 'Übersicht, Zs.-fassung *f*; **II.** *v/t.* kurz zs.-fassen, e-e kurze Darstellung geben von.

pre·cise [pri'sais] *adj.* □ **1.** prä'zis(e), klar, genau; **2.** ex'akt, (peinlich) genau, kor'rekt; *contp.* pe'dantisch; **3.** genau, richtig (*Betrag, Moment etc.*); **pre'cise·ly** [-li] *adv.* **1.** → *precise*; **2.** gerade, genau, ausgerechnet; **3.** *~!* genau!; **pre'cise·ness** [-nis] *s.* **1.** (über'triebene) Genauigkeit; **2.** (ängstliche) Gewissenhaftigkeit, Pedante'rie *f*; **pre·ci·sian** [pri'siʒən] *s.* Rigo'rist (-in), Pe'dant(in); **pre·ci·sion** [pri'siʒən] **I.** *s.* Genauigkeit *f*, Ex'aktheit *f*; *a.* ⊕, ⚔ Präzisi'on *f*; **II.** *adj.* ⊕, ⚔ Präzisions..., Fein...: *~ adjustment* **a)** ⊕ Feineinstellung, **b)** ⚔ genaues Einschießen; *~ bombing* gezielter Bombenwurf; *~ instrument* Präzisionsinstrument; *~ mechanics* Feinmechanik.

pre·clude [pri'klu:d] *v/t.* **1.** ausschließen (*from* von); **2.** *e-r Sache* vorbeugen *od.* zu'vorkommen; *Einwände* vor'wegnehmen; **3.** *j-n* hindern (*from* an *dat.*, *from doing* zu tun); **pre'clu·sion** [-u:ʒən] *s.* **1.** Ausschließung *f*, Ausschluß *m* (*from* von); **2.** Verhinderung *f*; **pre'clu·sive** [-u:siv] *adj.* □ **1.** ausschließend (*of* von); **2.** (ver)hindernd.

pre·co·cious [pri'kouʃəs] *adj.* □ **1.** frühreif, frühzeitig (entwickelt); **2.** *fig.* frühreif, altklug; **pre'co·cious·ness** [-nis], **pre'coc·i·ty** [-'kɔsiti] *s.* **1.** Frühreife *f*, -zeitigkeit *f*; **2.** *fig.* Frühreife *f*, Altklugheit *f*.

pre·cog·ni·tion [pri:kəg'niʃən] *s.* Vorkenntnis *f*.

pre·con·ceive ['pri:kən'si:v] *v/t.* (sich) vorher ausdenken, sich vorher vorstellen: *~d opinion* → *preconception*; **pre·con·cep·tion** ['pri:kən'sepʃən] *s.* vorgefaßte Meinung, Vorurteil *n*.

pre·con·cert ['pri:kən'sə:t] *v/t.* vorher vereinbaren: *~ed* verabredet, *b.s.* abgekartet.

'pre·con'di·tion *s.* Vorbedingung *f*, Vor'aussetzung *f*.

pre·co·nize ['pri:kənaiz] *v/t.* **1.** öffentlich verkündigen; **2.** *R.C. Bischof* präkonisieren.

pre·cook ['pri:'kuk] *v/t.* vorkochen.

pre·cool ['pri:'ku:l] *v/t.* vorkühlen.

pre·cur·sor [pri(:)'kə:sə] *s.* **1.** Vorläufer(in), Vorbote *m*, -botin *f*; **2.** (Amts)Vorgänger(in); **pre'cur·so·ry** [-əri] *adj.* **1.** vor'ausgehend; **2.** einleitend, vorbereitend.

pre·da·ceous *Am.*, **pre·da·cious** *Brit.* [pri'deiʃəs] *adj.* räuberisch: *~ animal* Raubtier; *~ instinct* Raub(tier)instinkt.

pre·date ['pri:'deit] *v/t.* **1.** zu'rück-, vordatieren; **2.** *zeitlich* vor'angehen.

pred·a·to·ry ['predətəri] *adj.* □ räuberisch, Raub...(*-krieg, -vogel etc.*).

pre·de·cease ['pri:di'si:s] *v/t.* früher sterben als *j-d*, vor *j-m* sterben: *~d parent* ⚖ vorverstorbener Elternteil.

pred·e·ces·sor ['pri:disesə] *s.* **1.** Vorgänger(in) (*a. fig. Buch etc.*): *~ in interest* ⚖ Rechtsvorgänger; *~ in office* Amtsvorgänger; **2.** Vorfahr *m*.

pre·des·ti·nate [pri(:)'destineit] **I.** *v/t. eccl. u. weitS.* prädestinieren, aus(er)wählen, (vor'her)bestimmen, ausersehen (*to* für, zu); **II.** *adj.* [-nit] prädestiniert, auserwählt; **pre·des·ti·na·tion** [pri(:)desti'neiʃən] *s.* **1.** Vor'herbestimmung *f*; **2.** *eccl.* Prädestinati'on *f*, Gnadenwahl *f*; **pre'des·tine** [-tin] → *predestinate I.*

pre·de·ter·mi·na·tion ['pri:ditə:mi'neiʃən] *s.* Vor'herbestimmung *f*; **pre·de·ter·mine** ['pri:di'tə:min] *v/t.* **1.** *eccl.*, *a.* ⊕ vor'herbestimmen; **2.** *Kosten etc.* vorher festsetzen *od.* bestimmen: *to ~ s.o. to s.th.* j-n für et. vorbestimmen.

pred·i·ca·ble ['predikəbl] **I.** *adj.* aussagbar, *j-m* zuzuschreiben(d); **II.** *s. pl. phls.* Prädika'bilien *pl.*, Allgemeinbegriffe *pl.*; **pre·dic·a·ment** [pri'dikəmənt] *s.* **1.** *phls.* Katego'rie *f*; **2.** (mißliche) Lage; **pred·i·cate** ['predikeit] **I.** *v/t.* **1.** behaupten, aussagen; **2.** *phls.* prädizieren, aussagen; **3.** *Am.* F (be)gründen, basieren (*on* auf *dat.*); **II.** *s.* [-kit] **4.** *phls.* Aussage *f*; **5.** *ling.* Prädi'kat *n*, Satzaussage *f*: *~ adjective* prädikatives Adjektiv; **pred·i·ca·tion** [predi'keiʃən] *s.* Aussage *f* (*a. ling. im Prädikat*), Behauptung *f*; **pred·i·ca·tive** [pri'dikətiv] *adj.* □ **1.** aussagend, Aussage...; **2.** *ling.* prädika'tiv; **pred·i·ca·to·ry** [pri'dikətəri] *adj.* **1.** predigend, Prediger...; **2.** gepredigt.

pre·dict [pri'dikt] *v/t.* vor'her-, vor'aussagen, prophe'zeien; **pre'dict·a·ble** [-təbl] *adj.* vor'aussagbar; **pre'dic·tion** [-kʃən] *s.* Vor'her-, Vor'aussage *f*, Weissagung *f*, Prophe'zeiung *f*; **pre'dic·tor** [-tə] *s.* **1.** Pro'phet(in); **2.** ✈ Kom'mandogerät *n*.

pre·di·lec·tion [pri:di'lekʃən] *s.* Vorliebe *f*, Voreingenommenheit *f* (*for* für).

pre·dis·pose ['pri:dis'pouz] *v/t.* (*to*) *j-n* im vor'aus geneigt *od.* empfänglich machen (für); *bsd.* ⚕ prädisponieren, empfänglich *od.* anfällig machen (für); **pre·dis·po·si·tion** ['pri:dispə'ziʃən] *s.* (*to*) Neigung *f* (zu); Empfänglichkeit *f* (für); Anfälligkeit *f* (für) (*alle a.* ⚕).

pre·dom·i·nance [pri'dɔminəns] *s.* **1.** Vorherrschaft *f*; Vormacht(stellung) *f*; **2.** *fig.* Vorherrschen *n*,

Über'wiegen *n*, 'Übergewicht *n* (*in* in *dat.*, *over* über *acc.*); **3.** Über'legenheit *f*; **pre'dom·i·nant** [-nt] *adj.* □ **1.** vorherrschend, über'wiegend, 'vorwiegend; **2.** über'legen; **pre'dom·i·nate** [-neit] *v/i.* **1.** vorherrschen, über'wiegen, vorwiegen; **2.** *zahlenmäßig, geistig, körperlich etc.* über'legen sein; **3.** die Oberhand *od.* das 'Übergewicht haben (*over* über *acc.*); **4.** herrschen, die Herrschaft haben (*over* über *acc.*).

pre-em·i·nence [pri(:)'eminəns] *s.* **1.** Her'vorragen *n*, Über'legenheit *f* (*above, over* über *acc.*); **2.** Vorrang *m*, -zug *m* (*over* vor *dat.*); **3.** her'vorragende Stellung; **pre-'em·i·nent** [-nt] *adj.* □ her'vorragend, über'ragend: *to be* ~ hervorstechen, sich hervortun (*in* in *dat.*, *among* unter *dat.*).

pre-empt [pri(:)'empt] *v/t. u. v/i.* durch Vorkaufsrecht erwerben; **pre-'emp·tion** [-pʃən] *s.* Vorkauf(srecht *n*) *m*: ~ *price* Vorkaufspreis; **pre-'emp·tive** [-tiv] *adj.* **1.** Vorkaufs...: ~ *right*; **2.** ⚔ Präventiv...: ~ *strike* Präventivschlag; **pre-'emp·tor** [-tə] *s.* Vorkaufsberechtigte(r *m*) *f*, Vorkäufer *m*.

preen [pri:n] *v/t. Gefieder etc.* putzen; *sein Haar* (her)richten: *to* ~ *o.s.* sich putzen (*a. Person*); *to* ~ *o.s. on fig.* sich et. einbilden auf (*acc.*).

pre-en·gage ['pri:in'geidʒ] *v/t.* **1.** im vor'aus *vertraglich* verpflichten; **2.** im voraus in Anspruch nehmen; **3.** ✝ vorbestellen; **'pre-en'gage·ment** [-mənt] *s.* vorher eingegangene Verpflichtung, frühere Verbindlichkeit.

pre-ex·am·i·na·tion ['pri:igzæmi'neiʃən] *s.* vor'herige Vernehmung, 'Vorunter,suchung *f*, -prüfung *f*.

pre-ex·ist ['pri:ig'zist] *v/i.* vorher vor'handen sein *od.* existieren; **'pre-ex'ist·ence** [-təns] *s. bsd. eccl.* früheres Dasein, Präexi'stenz *f*.

pre·fab ['pri:'fæb] **I.** *adj.* → *prefabricated*; **II.** *s.* Fertighaus *n*.

pre·fab·ri·cate ['pri:'fæbrikeit] *v/t.* vorfabrizieren, *genormte* Fertigteile für *Häuser etc.* herstellen; **'pre'fab·ri·cat·ed** [-tid] *adj.* vorgefertigt, zs.-setzbar, Fertig...: ~ *piece* Bauteil.

pref·ace ['prefis] **I.** *s.* Vorrede *f*, -wort *n*; Einleitung *f* (*a. fig.*); **II.** *v/t. Rede etc.* einleiten (*a. fig.*), ein Vorwort schreiben zu *e-m Buch*.

pref·a·to·ry ['prefətəri] *adj.* □ einleitend, Einleitungs...

pre·fect ['pri:fekt] *s.* **1.** *pol.* Prä'fekt *m*; **2.** *Brit.* Aufsichts-, Vertrauensschüler *m*, Ordner *m*.

pre·fer [pri'fə:] *v/t.* **1.** (es) vorziehen (*to dat., rather than* statt); bevorzugen: *I* ~ *to go today* ich gehe lieber heute; ~*red* ✝ bevorzugt, Vorzugs... (*-aktie etc.*); **2.** befördern (*to* [*the rank of*] zum); **3.** ⚖ *Gläubiger etc.* begünstigen, bevorzugt befriedigen; **4.** ⚖ *Gesuch, Klage* einreichen (*to* bei, *against* gegen); *Ansprüche* erheben; **pref·er·a·ble** ['prefərəbl] *adj.* □ (*to*) vorzuziehen(d) (*dat.*); vorzüglicher (als); **pref·er·a·bly** ['prefərəbli] *adv.* vorzugsweise, lieber, am besten; **pref·er·ence** ['prefərəns] *s.* **1.** Bevorzugung *f*, Vorzug *m* (*above, before, over, to* vor *dat.*); **2.** Vorliebe *f* (*for* für): *by* ~ mit (besonderer) Vorliebe; **3.** ✝, ⚖ **a)** Vor(zugs)recht *n*, Priori'tät *f*: ~ *bond* Prioritätsobligation; ~ *dividend Brit.* Vorzugsdividende; ~ *share* (*od. stock*) *Brit.* Vorzugsaktie, **b)** Vorzug *m*, Bevorrechtigung *f*: ~ *as to dividends* Dividendenbevorrechtigung, **c)** bevorzugte Befriedigung (*a. Konkurs*): *fraudulent* ~ Gläubigerbegünstigung, **d)** *Zoll*: 'Meistbegünstigung(sta,rif *m*) *f*, **e)** *Brit.* 'Vorzugs,aktie *f*; **pref·er·en·tial** [prefə'renʃəl] *adj.* □ bevorzugt; *a.* ✝, ⚖ bevorrechtigt (*Forderung, Gläubiger etc.*), Vorzugs...(*-aktie, -dividende, -recht, -zoll*): ~ *treatment* Vorzugsbehandlung; **pref·er·en·tial·ly** [prefə'renʃəli] *adv.* vorzugsweise; **pre'fer·ment** [-mənt] *s.* **1.** Beförderung *f* (*to* zu); **2.** höheres Amt, Ehrenamt *n* (*bsd. eccl.*); **3.** ⚖ Einreichung *f* (*Klage*).

pre·fig·u·ra·tion ['pri:figju'reiʃən] *s.* **1.** vorbildhafte Darstellung, Vor-, Urbild *n*; **2.** vor'herige Darstellung.

pre·fix **I.** *v/t.* [pri:'fiks] (*a. ling. Wort, Silbe*) vorsetzen, vor'ausgehen lassen (*to dat.*); **II.** *s.* vorsetzen ['pri:fiks] *ling.* Prä'fix *n*, Vorsilbe *f*.

preg·nan·cy ['pregnənsi] *s.* **1.** Schwangerschaft *f*; *zo.* Trächtigkeit *f*; **2.** *fig.* Fruchtbarkeit *f*, Schöpferkraft *f*, Gedankenfülle *f*; **3.** *fig.* Prä'gnanz *f*, Bedeutungsgehalt *m*, -schwere *f*; **'preg·nant** [-nt] *adj.* □ **1. a)** schwanger (*Frau*), **b)** trächtig (*Tier*); **2.** *fig.* fruchtbar, reich (*in* an *dat.*); **3.** einfalls-, geistreich; **4.** *fig.* prä'gnant, bedeutungsvoll, gewichtig; voll (*with* von).

pre·heat ['pri:'hi:t] *v/t.* vorwärmen (*a.* ⊕).

pre·hen·sile [pri'hensail] *adj. zo.* zum Greifen geeignet, Greif...

pre·his·tor·ic *adj.*; **pre·his·tor·i·cal** ['pri:his'tɔrik(əl)] *adj.* □ prähi'storisch, vorgeschichtlich; **pre·his·to·ry** ['pri:'histəri] *s.* Vor-, Urgeschichte *f*.

pre-ig·ni·tion ['pri:ig'niʃən] *s. mot.* Frühzündung *f*.

pre·judge ['pri:'dʒʌdʒ] *v/t.* im vor'aus *od.* vorschnell be- *od.* verurteilen.

prej·u·dice ['predʒudis] **I.** *s.* **1.** Vorurteil *n*, Voreingenommenheit *f*, vorgefaßte Meinung; **2.** (*a.* ⚖) Nachteil *m*, Schaden *m*: *to the* ~ *of* zum Nachteil (*gen.*); *without* ~ ohne Verbindlichkeit; *without* ~ *to* ohne Schaden für, unbeschadet (*gen.*); **II.** *v/t.* **3.** mit e-m Vorurteil erfüllen, einnehmen (*in favo*[*u*]*r of* für, *against* gegen): ~*d* (vor)eingenommen; **4.** *bsd.* ⚖ beeinträchtigen, benachrichtigen, schaden (*dat.*); *e-r Sache* Abbruch tun; **prej·u·di·cial** [predʒu'diʃəl] *adj.* □ nachteilig, schädlich (*to* für).

prel·a·cy ['preləsi] *s.* **1.** Präla'tur *f*: **a)** Prä'latenwürde *f*, **b)** Amtsbereich *m* e-s Prä'laten; **2.** *coll.* Prä'laten (-stand *m*, -tum *n*) *pl.*; **prel·ate** ['prelit] *s.* Prä'lat *m*.

pre·lect [pri'lekt] *v/i.* lesen, e-e Vorlesung *od.* Vorlesungen halten (*on, upon* über *acc.*, *to* vor *dat.*); **pre'lec·tion** [-kʃən] *s.* Vorlesung *f*, Vortrag *m*; **pre'lec·tor** [-tə] *s.* Vorleser *m*, (Universi'täts)Lektor *m*.

pre·lim [pri'lim] **1.** F → *preliminary examination*; **2.** *pl. typ.* Tite'lei *f*.

pre·lim·i·nar·y [pri'liminəri] **I.** *adj.* □ **1.** einleitend, vorbereitend, Vor...: ~ *discussion* Vorbesprechung; ~ *inquiry* ⚖ Voruntersuchung; ~ *measures* vorbereitende Maßnahmen; ~ *round sport* Vorrunde; ~ *work* Vorarbeit; **2.** vorläufig: ~ *dressing* ⚕ Notverband; **II.** *s.* **3.** *mst pl.* Einleitung *f*, Vorbereitung(en *pl.*) *f*, vorbereitende Maßnahmen *pl.*; *pl.* Präli'minarien *pl.* (*a.* ⚖ *e-s Vertrags*); **4.** ⚖ Vorverhandlungen *pl.*; **5.** → *preliminary examination*; ~ **ex·am·i·na·tion** *s. univ.* **1.** Aufnahmeprüfung *f*; **2. a)** Vorprüfung *f*, **b)** ⚕ 'Physikum *n*.

prel·ude ['prelju:d] **I.** *s.* **1.** ♪ Vorspiel *n*, Einleitung *f* (*beide a. fig.*), Prä'ludium *n*; *fig.* Auftakt *m*; **II.** *v/t.* **2.** ♪ **a)** (mit e-m Prä'ludium) einleiten, **b)** als Prä'ludium spielen; **3.** *bsd. fig.* einleiten, das Vorspiel *od.* der Auftakt sein zu; **III.** *v/i.* **4.** ♪ **a)** ein Prä'ludium spielen, **b)** als Vorspiel dienen (*to* für, zu); **5.** *fig.* das Vorspiel *od.* die Einleitung bilden.

pre·mar·i·tal ['pri:mə'raitl] *adj.* vorehelich.

pre·ma·ture [premə'tjuə] *adj.* □ **1.** früh-, vorzeitig, verfrüht: ~ *birth* Frühgeburt; ~ *ignition mot.* Frühzündung; **2.** *fig.* voreilig, -schnell, über'eilt; **3.** frühreif; **pre·ma'ture·ness** [-nis], **pre·ma'tu·ri·ty** [-əriti] *s.* **1.** Frühreife *f*; **2.** Früh-, Vorzeitigkeit *f*; **3.** Voreiligkeit *f*, Über'eiltheit *f*.

pre·med·i·cal ['pri:'medikəl] *adj.* 'vormedi,zinisch, in die Medi'zin einführend: ~ *course* Einführungskurs in die Medizin; ~ *student* Medizinstudent(in) im ersten Semester.

pre·me·di·e·val ['pri:medi'i:vəl] *adj.* frühmittelalterlich.

pre·med·i·tate [pri(:)'mediteit] *v/t. u. v/i.* vorher über'legen: ~*d murder* vorsätzlicher Mord; **pre'med·i·tat·ed·ly** [-tidli] *adv.* mit Vorbedacht, vorsätzlich; **pre·med·i·ta·tion** [pri(:)medi'teiʃən] *s.* Vorbedacht *m*; Vorsatz *m*.

pre·mi·er ['premjə] **I.** *adj.* erst; oberst, Haupt...; **II.** *s.* Premi'er(mi,nister) *m*.

pre·mière [prə'mjɛə] (*Fr.*) *thea.* **I.** *s.* Premi'ere *f*, Ur-, Erstaufführung *f*; **II.** *v/t.* ur-, erstaufführen.

pre·mi·er·ship ['premjəʃip] *s.* Amt *n od.* Würde *f* des Premi'ermi,nisters.

prem·ise[1] ['premis] *s.* **1.** *phls.* Prä'misse *f*, Vor'aussetzung *f*, Vordersatz *m e-s Schlusses*; **2.** ⚖ **a)** *pl. das* Obenerwähnte: *in the* ~*s* im Vorstehenden; *in these* ~*s* in Hinsicht auf das eben Erwähnte, **b)** obenerwähntes Grundstück; **3.** *pl.* **a)** Grundstück *n*, **b)** Haus *n* nebst Zubehör (*Nebengebäude, Grund u. Boden*), **c)** Lo'kal *n*, Räumlichkeiten *pl.*: *business* ~*s* Geschäftsgrundstück, -räume; *licensed* ~ Schanklokal; *on the* ~*s* an Ort u. Stelle, auf dem Grundstück, im Hause *od.* Lokal.

pre·mise² [pri'maiz] *v/t.* **1.** vor'ausschicken; **2.** *phls.* postulieren.

pre·mi·um ['pri:mjəm] *s.* **1.** (Leistungs- *etc.*)Prämie *f*, Bonus *m*; Belohnung *f*, Preis *m*; Zugabe *f*: ~ *offers* ✝ Verkauf mit Zugaben; ~ *system* Prämienlohnsystem; **2.** (Versicherungs)Prämie *f*: *free of* ~ prämienfrei; **3.** ✝ Aufgeld *n*, Agio *n*: *at a* ~ **a)** ✝ über Pari, **b)** *fig.* hoch im Kurs (stehend), sehr gesucht; *to sell at a* ~ **a)** (*v/i.*) über Pari stehen, **b)** (*v/t.*) mit Gewinn verkaufen; **4.** Lehrgeld *n e-s Lehrlings*, 'Ausbildungshono,rar *n*.

pre·mo·ni·tion [pri:mə'niʃən] *s.* **1.** Warnung *f*; **2.** (Vor)Ahnung *f*, Vorgefühl *n*; **pre·mon·i·to·ry** [pri'mɔnitəri] *adj.* warnend: ~ *symptom* ⚕ Frühsymptom.

pre·na·tal ['pri:'neitl] *adj.* ⚕ vor der Geburt, vorgeburtlich.

pre·oc·cu·pan·cy [pri(:)'ɔkjupənsi] *s.* **1.** (Recht *n* der) frühere(n) Besitznahme; **2.** (*in*) Beschäftigtsein *n* (mit), Vertieftsein *n* (in *acc.*); **pre·oc·cu·pa·tion** [pri(:)ɔkju'peiʃən] *s.* **1.** vor'herige Besitznahme; **2.** (*with*) Beschäftigtsein *n* (mit), Vertieftsein *n* (in *acc.*), In'anspruchnahme *f* (durch); **3.** Hauptbeschäftigung *f*; **4.** Vorurteil *n*, Voreingenommenheit *f*; **pre'oc·cu·pied** [-paid] *adj.* vertieft (*with* in *acc.*), gedankenverloren, geistesabwesend; **pre·oc·cu·py** [pri(:)'ɔkjupai] *v/t.* **1.** vorher *od.* vor anderen in Besitz nehmen; **2.** *j-n* (völlig) in Anspruch nehmen, *j-s Gedanken* ausschließlich beschäftigen, erfüllen.

pre·or·dain ['pri:ɔ:'dein] *v/t.* vorher anordnen *od.* bestimmen.

prep [prep] *s.* F **1. a)** *a.* ~ *school* → *preparatory school*, **b)** *Am.* Schüler(in) e-r *preparatory school*; **2.** *Brit.* → *preparation 5.*

pre·paid ['pri:'peid] *adj.* vor'ausbezahlt; ✉ frankiert, (porto)frei.

prep·a·ra·tion [prepə'reiʃən] *s.* **1.** Vorbereitung *f*: *in* ~ *for* als Vorbereitung auf (*acc.*); *to make* ~*s* Vorbereitungen *od.* Anstalten treffen (*for* für); **2.** (Zu)Bereitung *f* (*von Tee, Speisen etc.*), Herstellung *f*; ⚒, ⊕ Aufbereitung *f* (*von Erz, Kraftstoff etc.*); Vorbehandlung *f*, Imprägnieren *n* (*von Holz etc.*); **3.** ⚗, ⚕ Präpa'rat *n*; *pharm.* *a.* Arz'nei (-mittel *n*) *f*; **4.** Abfassung *f e-r Urkunde etc.*; Ausfüllen *n e-s Formulars*; **5.** *ped. Brit.* (Anfertigung *f* der) Hausaufgaben *pl.*, Vorbereitung(sstunde) *f*; **6.** ♪ **a)** (Disso'nanz)Vorbereitung *f*, **b)** Einleitung *f*; **pre·par·a·tive** [pri'pærətiv] **I.** *adj.* □ → *preparatory I*; **II.** *s.* Vorbereitung *f*, vorbereitende Maßnahme (*for* auf *acc.*, *to* zu).

pre·par·a·to·ry [pri'pærətəri] **I.** *adj.* □ **1.** vorbereitend, als Vorbereitung dienend (*to* für); **2.** Vor(bereitungs)...; **3.** ~ *to adv.* im Hinblick auf (*acc.*), vor (*dat.*): ~ *to doing s.th.* bevor *od.* ehe man etwas tut; **II.** *s.* **4.** *Brit.* → *preparatory school*; ~ **school** *s.* (*Am.* pri'vate) Vor(bereitungs)schule.

pre·pare [pri'pɛə] **I.** *v/t.* **1.** (*a. Rede, Schularbeiten, Schüler etc.*) vorbereiten; zu'recht-, fertigmachen, (her)richten; *Speise etc.* (zu)bereiten; **2.** (aus)rüsten, bereitstellen; **3.** *j-n seelisch* vorbereiten (*to do* zu tun, *for* auf *acc.*): **a)** geneigt *od.* bereit machen, **b)** gefaßt machen: *to* ~ *o.s. to do s.th.* sich anschicken, et. zu tun; **4.** anfertigen, ausarbeiten, *Plan* entwerfen, *Schriftstück* abfassen; **5.** ⚗, ⊕ **a)** herstellen, anfertigen, **b)** präparieren, zurichten; **6.** *Kohle* aufbereiten; **II.** *v/i.* **7.** (*for*) sich (*a. seelisch*) vorbereiten (auf *acc.*), sich anschicken *od.* rüsten, Vorbereitungen *od.* Anstalten treffen (für): *to* ~ *for war* (sich) zum Krieg rüsten; ~ *to* ...! ✕ Fertig zum ...!; **pre'pared** [-ɛəd] *adj.* **1.** vor-, zubereitet, bereit; **2.** *fig.* bereit, gewillt: *to be* ~ *to do s.th.*; **3.** gefaßt (*for* auf *acc.*); **pre'par·ed·ness** [-ɛədnis] *s.* **1.** Bereitschaft *f*; **2.** Gefaßtsein *n* (*for* auf *acc.*).

pre·pay ['pri:'pei] *v/t.* [*irr.* → *pay*] vor'ausbezahlen, *Brief etc.* frankieren, freimachen; **'pre'pay·ment** [-mənt] *s.* Vor'aus(be)zahlung *f*; Frankierung *f*: ~ *fee* Freimachungsgebühr.

pre·pense [pri'pens] *adj.* □ ⚖ vorsätzlich, vorbedacht: *with* (*od. of*) *malice* ~ in böswilliger Absicht.

pre·pon·der·ance [pri'pɔndərəns] *s.* **1.** 'Übergewicht *n* (*a. fig. over* über *acc.*); **2.** *fig.* Über'wiegen *n* (*an Zahl etc.*), über'wiegende Zahl (*over* über *acc.*); **pre'pon·der·ant** [-nt] *adj.* □ über'wiegend, entscheidend; **pre·pon·der·ate** [pri'pɔndəreit] *v/i.* *fig.* über'wiegen, vorherrschen, -wiegen: *to* ~ *over* (an Zahl) übersteigen, überlegen sein (*dat.*).

prep·o·si·tion [prepə'ziʃən] *s.* *ling.* Präpositi'on *f*, Verhältniswort *n*; **prep·o'si·tion·al** [-ʃənl] *adj.* □ präpositio'nal.

pre·pos·sess [pri:pə'zes] *v/t.* **1.** *mst pass. j-n, den Geist* einnehmen (*in favo[u]r of* für): ~*ed* voreingenommen; ~*ing* einnehmend, anziehend; **2.** erfüllen (*with* mit *Ideen etc.*); **pre·pos'ses·sion** [-eʃən] *s.* Voreingenommenheit *f* (*in favo[u]r of* für), Vorurteil *n* (*against* gegen); vorgefaßte (günstige) Meinung (*for* von).

pre·pos·ter·ous [pri'pɔstərəs] *adj.* □ **1.** ab'surd, 'widersinnig, -na,türlich; **2.** lächerlich, gro'tesk.

pre·po·tence [pri'poutəns], **pre'po·ten·cy** [-si] *s.* **1.** Vorherrschaft *f*, Über'legenheit *f*; **2.** *biol.* stärkere Vererbungskraft; **pre'po·tent** [-nt] *adj.* **1.** vorherrschend, (an Kraft) über'legen; **2.** *biol.* sich stärker fortpflanzend *od.* vererbend.

pre·print ['pri:'print] *s.* **1.** Vorabdruck *m* (*e-s Buches etc.*); **2.** Teilausgabe *f* (*e-s Gesamtwerks*).

pre·pro·gram(me) ['pri:'prougræm] *v/t.* vorprogrammieren.

pre·puce ['pri:pju:s] *s.* Vorhaut *f*.

pre·req·ui·site ['pri:'rekwizit] **I.** *adj.* vor'auszusetzen(d), erforderlich (*for, to* für); **II.** *s.* Vorbedingung *f*, (erste) Vor'aussetzung (*for, to* für).

pre·rog·a·tive [pri'rɔgətiv] **I.** *s.* Privi'leg(ium) *n*, Vorrecht *n*: *royal* ~ Hoheitsrecht; **II.** *adj.* bevorrechtigt: ~ *right* Vorrecht.

pre·sage ['presidʒ] **I.** *v/t.* **1.** *mst Böses* ahnen; **2.** (vorher) anzeigen *od.* ankündigen; **3.** weissagen, prophe'zeien; **II.** *s.* **4.** Omen *n*, Warnungs-, Anzeichen *n*; **5.** (Vor-)Ahnung *f*, Vorgefühl *n*; **6.** Vorbedeutung *f*: *of evil* ~.

pres·by·op·ic [prezbi'ɔpik] *adj.* alters-, weitsichtig.

pres·by·ter ['prezbitə] *s.* *eccl.* **1.** (Kirchen)Älteste(r) *m*; **2.** (Hilfs-)Geistliche(r) *m* (*in Episkopalkirchen*); **Pres·by·te·ri·an** [prezbi'tiəriən] **I.** *adj.* presbyteri'anisch; **II.** *s.* Presbyteri'aner(in); **'pres·by·ter·y** [-təri] *s.* **1.** Presby'terium *n* (*a.* ⛪ *Chor*); **2.** *katholisches* Pfarrhaus.

pre·school *ped.* **I.** *adj.* [pri:'sku:l] vorschulisch, Vorschul...: ~ *child* noch nicht schulpflichtiges Kind; **II.** *s.* ['pri:sku:l] Vorschule *f*.

pre·sci·ence ['presiəns] *s.* Vor'herwissen *n*, Vor'aussicht *f*; **'pre·sci·ent** [-nt] *adj.* □ vor'herwissend, -sehend (*of acc.*).

pre·scribe [pris'kraib] **I.** *v/t.* **1.** vorschreiben (*to s.o.* j-m), *et.* anordnen: (*as*) ~*d* (wie) vorgeschrieben, vorschriftsmäßig; **2.** ⚕ verordnen, -schreiben (*for od. to s.o.* j-m, *for s.th.* gegen et.); **II.** *v/i.* **3.** ⚕ et. verschreiben, ein Re'zept ausstellen (*for s.o.* j-m); **4.** ⚖ **a)** verjähren, **b)** Verjährung *od.* Ersitzung geltend machen (*for to* für, auf *acc.*).

pre·script ['pri:skript] *s.* Vorschrift *f*.

pre·scrip·tion [pris'kripʃən] **I.** *s.* **1.** Vorschrift *f*, Verordnung *f*; **2.** ⚕ Re'zept *n*, *a.* verordnete Medi'zin: *to take one's* ~; **3.** ⚖ **a)** (*positive*) ~ Ersitzung *f*, **b)** (*negative*) ~ Verjährung *f*; **II.** *adj.* **4.** ärztlich verordnet: ~ *glasses*; **pre'scrip·tive** [-ptiv] *adj.* □ **1.** verordnend, vorschreibend; **2.** ⚖ **a)** ersessen: ~ *right*, **b)** Verjährungs...: ~ *period*; ~ *debt* verjährte Schuld; **3.** (alt)herkömmlich.

pre·se·lec·tion ['pri:si'lekʃən] *s.* **1.** ⊕, *teleph.* Vorwahl *f*; **2.** *Radio*: 'Vorselekti,on *f*; **'pre·se'lec·tive** [-ktiv] *adj.* ⊕, *mot.* Vorwähler...: ~ *gears*; **'pre·se'lec·tor** [-ktə] *s.* *teleph.* Vorwähler *m*.

pres·ence ['prezns] *s.* **1.** Gegenwart *f*, Anwesenheit *f*: *in the* ~ *of* in Gegenwart *od.* in Anwesenheit von *od. gen.*, vor *Zeugen*; *saving your* ~ so sehr ich es bedaure, dies in Ihrer Gegenwart sagen zu müssen; → *mind* 2; **2.** (unmittelbare) Nähe, Vor'handensein *n*: *to be admitted into the* ~ (zur Audienz) vorgelassen werden; *in the* ~ *of danger* angesichts der Gefahr; **3.** hohe Per'sönlichkeit(en *pl.*); **4.** Äußere(s) *n*, Aussehen *n*, (stattliche) Erscheinung; *weitS.* Auftreten *n*, Haltung *f*; **5.** 'überna,türliche Erscheinung, Geist *m*; **'~-cham·ber** *s.* Audi'enzzimmer *n*.

pres·ent¹ ['preznt] **I.** *adj.* □ → *presently*; **1.** (*räumlich*) gegenwärtig, anwesend; vor'handen (*a.* ⚗ *etc.*): ~ *company*, *those* ~ die Anwesenden; *to be* ~ *at* teilnehmen an (*dat.*), beiwohnen (*dat.*), bei *e-m Fest etc.* zugegen sein; *~!* (*bei Namensaufruf*) hier!; *it is ~ to my mind fig.* es ist mir gegenwärtig; **2.** (*zeitlich*) gegenwärtig, jetzig, augenblicklich, momen'tan: *the ~ day* (*od. time*) die Gegenwart; *~ value* Gegenwartswert; **3.** heutig (*bsd. Tag*), laufend (*bsd. Jahr, Monat*); **4.** vorliegend (*Fall, Urkunde etc.*): *the ~ writer* der Schreiber *od.* Verfasser (dieser Zeilen); **5.** *ling. ~ participle* Mittelwort der Gegenwart, Partizip Präsens; *~ perfect* Perfekt, zweite Vergangenheit; *~ tense* → 7; **II.** *s.* **6.** Gegenwart *f*: *at ~* gegenwärtig, im Augenblick, jetzt, momentan; *for the ~* für den Augenblick, vorläufig, einstweilen; *up to the ~* bislang, bis dato; **7.** *ling.* Präsens *n*, Gegenwart *f*; **8.** *pl.* ⚖ (vorliegendes) Schriftstück *od.* Doku'ment: *by these ~s* hiermit, hierdurch; *know all men by these ~s* hiermit jedermann kund und zu wissen (*daß*).

pre·sent² [pri'zent] **I.** *v/t.* **1.** (dar-) bieten, (über)'reichen; *Nachricht etc.* über'bringen: *to ~ one's compliments to* sich *j-m* empfehlen; *to ~ s.o. with* j-n mit *et.* beschenken; *to ~ s.th. to j-m* et. schenken; **2.** *Gesuch etc.* einreichen, vorlegen, unter'breiten; ✝ *Scheck, Wechsel* (zur Zahlung) vorlegen, präsentieren; ⚖ *Klage* erheben: *to ~ a case* e-n Fall vor Gericht vertreten; **3.** *j-n für ein Amt* vorschlagen; **4.** *Bitte, Klage, Argument etc.* vorbringen; *Gedanken, Wunsch etc.* äußern, unterbreiten; **5.** *j-n* vorstellen (*to dat.*), einführen (*at* bei *Hofe*): *to ~ o.s.* **a)** sich vorstellen, **b)** sich einfinden, erscheinen, sich melden (*for* zu), **c)** *fig.* sich bieten (*Möglichkeit etc.*); **6.** *Schwierigkeiten* bieten, *Problem* darstellen: *to ~ an appearance* (*of*) erscheinen (als); **7.** *thea. etc.* darbieten, *Film* vorführen, zeigen, *Sendung* bringen, geben; *Rolle* spielen *od.* verkörpern; *fig.* vergegenwärtigen, darstellen, schildern; **8.** ⚔ **a)** *Gewehr* präsentieren, **b)** *Waffe* anlegen, richten (*at* auf *acc.*).

pres·ent³ ['preznt] *s.* Geschenk *n*: *to make s.o. a ~ of s.th.* j-m et. zum Geschenk machen.

pre·sent·a·ble [pri'zentəbl] *adj.* □ **1.** darstellbar; **2.** präsen'tabel (*Geschenk*); **3.** präsentabel (*Erscheinung*), anständig angezogen.

pres·en·ta·tion [prezen'teiʃən] *s.* **1.** Schenkung *f*, (feierliche) Über'reichung *od.* 'Übergabe: *~ copy* Widmungsexemplar; **2.** Gabe *f*, Geschenk *n*; **3.** Vorstellung *f*, Einführung *f e-r Person*; **4.** Vorstellung *f*, Erscheinen *n*; **5.** *fig.* Darstellung *f*, Schilderung *f*, Behandlung *f e-s Falles, Problems etc.*; **6.** *thea., Kino, Radio*: Darbietung *f*, Vorführung *f*; ⚕ Demonstrati'on *f* (*im Kolleg*); **7.** Einreichung *f e-s Gesuchs etc.*; ✝ Vorlage *f e-s Wechsels*: (*up*)*on ~* gegen Vorlage; *payable on ~* zahlbar bei Sicht; **8.** Vorschlag(srecht *n*) *m*; Ernennung *f* (*Brit. a. eccl.*); **9.** ⚕ (Kinds-) Lage *f im Uterus*; **10.** *psych.* **a)** Wahrnehmung *f*, **b)** Vorstellung *f*.

'pres·ent-'day *adj.* heutig, gegenwärtig, mo'dern.

pre·sent·er [pri'zentə] *s. Brit.* ('Fernseh)Mode₁rator *m*.

pre·sen·tient [pri'senʃiənt] *adj.* im vor'aus fühlend, ahnend (*of acc.*); **pre·sen·ti·ment** [pri'zentimənt] *s.* Vorgefühl *n*, (*mst* böse Vor)Ahnung.

pres·ent·ly ['prezntli] *adv.* **1.** (so-) 'gleich, bald (dar'auf), als'bald; **2.** jetzt, gegenwärtig; **3.** so'fort.

pre·sent·ment [pri'zentmənt] *s.* **1.** Darstellung *f*, 'Wiedergabe *f*, Bild *n*; **2.** *thea. etc.* Darbietung *f*, Aufführung *f*; **3.** ✝ (*Wechsel-*) Vorlage *f*; **4.** ⚖ Anklage(schrift) *f*; Unter'suchung *f* von Amts wegen.

pre·serv·a·ble [pri'zə:vəbl] *adj.* erhaltbar, zu erhalten(d), konservierbar; **pres·er·va·tion** [prezə(:)'veiʃən] *s.* **1.** Bewahrung *f*, (Er)Rettung *f*, Schutz *m* (*from* vor *dat.*): *~ of natural beauty* Naturschutz; **2.** Erhaltung *f*, Konservierung *f*: *in good ~* gut erhalten: *~ of evidence* ⚖ Beweissicherung; **3.** Einmachen *n*, -kochen *n*, Konservierung *f* (*von Früchten etc.*); **pre'serv·a·tive** [-vətiv] **I.** *adj.* **1.** bewahrend, Schutz...: *~ coat* ⊕ Schutzanstrich; **2.** erhaltend, konservierend; **II.** *s.* **3.** Konservierungsmittel *n* (*a.* ⊕); **4.** *bsd.* ⚕ Vorbeugungsmittel *n*, Präserva'tiv *n*; **pre·serve** [pri'zə:v] **I.** *v/t.* **1.** bewahren, behüten, (er-) retten, (be)schützen (*from* vor *dat.*); **2.** erhalten, vor dem Verderb schützen: *well-~d* guterhalten; **3.** aufbewahren, -heben; ⚖ *Beweise* sichern; **4.** konservieren (*a.* ⊕), *Obst etc.* einkochen, -machen, -legen: *~d meat* Büchsenfleisch, *coll.* Fleischkonserven; **5.** *hunt. bsd. Brit. Wild, Fische* hegen; **6.** *fig. Haltung, Ruhe, Andenken etc.* (be)wahren: *to ~ silence*; **II.** *s.* **7.** *mst pl.* Eingemachte(s) *n*, Kon'serve(n *pl.*) *f*; **8.** *oft pl.* **a)** *hunt. bsd. Brit.* ('Wild-) Reser₁vat *n*, (Jagd-, Fisch)Gehege *n*, **b)** *fig.* Gehege *n*: *to poach on s.o.'s ~s* j-m ins Gehege kommen (*a. fig.*); **pre'serv·er** [-və] *s.* **1.** Bewahrer(in), Erhalter(in), (Er)Retter(in); **2.** Konservierungsmittel *n*; **3.** 'Einkochappa₁rat *m*; **4.** *hunt. Brit.* Heger *m*, Wildhüter *m*.

pre-shrink ['pri:'ʃriŋk] *v/t.* [*irr.* → *shrink*] ⊕ *Stoffe* krumpfen: *preshrunk* gekrumpft.

pre·side [pri'zaid] *v/i.* **1.** den Vorsitz haben *od.* führen (*at* bei, *over* über *acc.*), präsidieren: *to ~ over* (*od. at*) *a meeting* e-e Versammlung leiten; *presiding judge* ⚖ Vorsitzende(r); **2.** ♪ *u. fig.* führen.

pres·i·den·cy ['prezidənsi] *s.* **1.** Prä'sidium *n*, Vorsitz *m*, (Ober)Aufsicht *f*; **2.** *pol.* **a)** Präsi'dentschaft *f*, **b)** Amtszeit *f e-s Präsidenten*; **'pres·i·dent** [-nt] *s.* **1.** Präsi'dent *m* (*a. pol. u.* ⚖), Vorsitzende(r *m*) *f*, Vorstand *m e-r Körperschaft*; *Am.* ✝ (Gene'ral)Di₁rektor *m*: ♀ *of the Board of Trade Brit.* Handelsminister; **2.** *univ. bsd. Am.* Rektor *m*; **'pres·i·dent-e'lect** *s. der* gewählte Präsi'dent (*vor Amtsantritt*); **pres·i·den·tial** [prezi'denʃəl] *adj.* □ Präsidenten..., Präsidentschafts...: *~ message Am.* Botschaft des Präsidenten an den Kongreß; *~ primary Am.* Vorwahl zur Nominierung des Präsidentschaftskandidaten *e-r Partei*; *~ system* Präsidialsystem; *~ term* Amtsperiode des Präsidenten; *~ year Am.* F Jahr der Präsidentenwahl.

press [pres] **I.** *v/t.* **1.** *allg., a. j-m die Hand* drücken, pressen (*a.* ⊕); **2.** drücken auf (*acc.*): *to ~ the button* auf den Knopf drücken (*a. fig.*); **3.** *Saft, Frucht etc.* (aus)pressen, keltern; **4.** (*vorwärts-, weiter- etc.*)drängen, (-)treiben: *to ~ on*; **5.** *j-n* (be)drängen: **a)** in die Enge treiben, zwingen (*to do* zu tun), **b)** *j-m* zusetzen, *j-n* bestürmen: *to ~ s.o. for* j-n dringend um *et.* bitten, von j-m *Geld* erpressen; *to be ~ed for money* (*time*) in Geldverlegenheit sein (unter Zeitdruck stehen, es eilig haben); *hard ~ed* in Bedrängnis; **6.** ([*up*]*on j-m*) *et.* aufdrängen, -nötigen; **7.** *Kleidungsstück* plätten; **8.** Nachdruck legen auf (*acc.*): *to ~ one's point* auf s-r Forderung *od.* Meinung nachdrücklich bestehen; *to ~ the point that* nachdrücklich betonen, daß; *to ~ home* **a)** *Forderung etc.* durchsetzen, **b)** *Angriff* energisch durchführen, **c)** *Vorteil* ausnützen; **9.** ⚔, ⚓ *in den Dienst* pressen; **II.** *v/i.* **10.** drücken, (e-n) Druck ausüben (*a. fig.*); **11.** drängen, pressieren: *time ~es* die Zeit drängt; **12.** *~ for* dringen *od.* drängen auf (*acc.*), fordern; **13.** (sich) *wohin* drängen: *to ~ forward* (sich) vor(wärts)drängen; *to ~ on* vorwärtsdrängen, weitereilen; *to ~ in upon s.o.* auf j-n eindringen (*a. fig.*); **III.** *s.* **14.** (*Frucht-, Wein- etc.*)Presse *f*; **15.** *typ.* **a)** (Drucker)Presse *f*, **b)** Drucke'rei(anstalt *f*, -raum *m*, -wesen *n*) *f*, **c)** Druck(en *n*) *m*: *to correct the ~* Korrektur lesen; *to go to (the) ~* in Druck gehen; *to send to (the) ~* in Druck geben; *in the ~* im Druck; *ready for the ~* druckfertig; **16.** *the ~* die Presse (*Zeitungswesen, a. coll. die Zeitungen od. die Presseleute*): *~ campaign* Pressefeldzug; *~ conference* Pressekonferenz; *~ photographer* Pressephotograph; *to have a good (bad) ~* e-e gute (schlechte) Presse haben; **17.** Spanner *m für Skier od. Tennisschläger*; **18.** (*Bücher- etc., bsd. Wäsche*)Schrank *m*; **19.** *fig.* **a)** Druck *m*, Hast *f*, **b)** Dringlichkeit *f*, Drang *m der Geschäfte*: *the ~ of business*; **20.** *~ of sail* ⚓ (Segel)Preß *m*: *under a ~ of canvas* mit vollen Segeln; **21.** ⚔, ⚓ *hist.* Pressen *n* (*Zwangsaushebung*); **~ a·gen·cy** *s.* 'Nachrichtenagen₁tur *f*; **~ a·gent** *s. thea. etc.* Re'klamea₁gent *m*; **'~-box** *s.* 'Pressetri₁büne *f*; **~ but·ton** *s.* ⚡ (Druck)Knopf *m*; **~ clip·ping** *Am.* → *press cutting*; **~ cop·y** *s.* **1.** 'Durchschlag *m*; **2.** Rezensi'onsexem₁plar *n*; **~ cor·rec·tor** *s. typ.* Kor'rektor *m*; **~ cut·ting** *s. Brit.* Zeitungsausschnitt *m*.

pressed [prest] *adj.* gepreßt, Preß... (*-glas, -käse, -öl, -ziegel etc.*); **'press-**

er [-sə] *s.* **1.** ⊕ Presser(in); **2.** *typ.* Drucker *m*; **3.** Bügler(in); **4.** ⊕ Preßvorrichtung *f*; **5.** *typ. etc.* Druckwalze *f*.

'press|-gal·ler·y *s. parl. bsd. Brit.* 'Pressegale,rie *f*; **'~-gang** *s.* ⚓ *hist.* 'Preßpa,trouille *f*.

press·ing ['presiŋ] **I.** *adj.* □ **1.** pressend, drückend; **2.** *fig.* **a)** (be)drükkend, **b)** dringend, dringlich; **II.** *s.* **3.** (Aus)Pressen *n*; **4.** ⊕ **a)** Stanzen *n*, **b)** *Papierfabrikation*: Satinieren *n*; **5.** ⊕ Preßling *m*; **6.** *Schallplattenfabrikation*: Preßplatte *f*.

press| law *s. mst pl.* Pressegesetz(e *pl.*) *n*; **'~·man** [-mən] *s.* [*irr.*] **1.** (Buch)Drucker *m*; **2.** Zeitungsmann *m*, Pressevertreter *m*; **'~·mark** *s.* Signa'tur *f*, Biblio'theksnummer *f e-s Buches*; **'~-proof** *s. typ.* letzte Korrek'tur, Ma'schinenrevisi,on *f*; **'~-room** *s.* Drucke'rei(raum *m*) *f*, Ma'schinensaal *m*; **'~-to-'talk button** *s.* Sprechtaste *f*; **'~-up** *s. sport* Liegestütz *m*.

pres·sure ['preʃə] *s.* **1.** Druck *m* (*a.* ⊕, *phys.*): ~ *hose* (*pump, valve*) ⊕ Druckschlauch, (-pumpe, -ventil); *to work at high* ~ mit Hochdruck arbeiten (*a. fig.*); **2.** *meteor.* (Luft-)Druck *m*: *high* (*low*) ~ Hoch-(Tief-)druck; **3.** *fig.* Druck *m* (*Last od. Zwang*): *to act under* ~ unter Druck handeln; *to bring* ~ *to bear upon* auf *j-n* Druck ausüben; *the* ~ *of business* der Drang *od.* Druck der Geschäfte; ~ *of taxation* Steuerdruck, -last; **4.** *fig.* Drangsal *f*, Not *f*: *monetary* ~ Geldknappheit; ~ *of conscience* Gewissensnot; **~ cab·in** *s.* ✈ 'Druckausgleichka,bine *f*; **~ cook·er** *s.* Schnellkochtopf *m*; **~ drop** *s.* **1.** ⊕ Druckgefälle *n*; **2.** ⚡ Spannungsabfall *m*; **~ e·qual·i·za·tion** *s.* Druckausgleich *m*; **~ ga(u)ge** *s.* ⊕ Druckmesser *m*, Mano'meter *n*; **~ group** *s. pol.* Inter'essengruppe *f*; **~ lu·bri·ca·tion** *s.* ⊕ 'Druck(,umlauf),schmierung *f*; **'~-sen·si·tive** *adj.* ⚕ druckempfindlich; **~ suit** *s.* ✈ ('Über)Druckanzug *m*; **~ tank** *s.* ⊕ Druckbehälter *m*.

pres·sur·ize ['preʃəraiz] *v/t.* **1.** ⊕ unter Druck setzen, *bsd.* ✈ druckfest machen: *~d cabin* → *pressure cabin*; **2.** ⚒ belüften.

'press-work *s. typ.* Druckarbeit *f*.

pres·ti·dig·i·ta·tion ['prestididʒi'teiʃən] *s.* **1.** Fingerfertigkeit *f*; **2.** Taschenspielerkunst *f*; **pres·ti·dig·i·ta·tor** [presti'didʒiteitə] *s.* Taschenspieler *m*.

pres·tige [pres'ti:ʒ] (*Fr.*) *s.* Pre'stige *n*, Geltung *f*, Ansehen *n*.

pres·to ['prestou] (*Ital.*) **I.** *adv.* **1.** ♪ presto, sehr schnell; **2.** schnell, geschwind: *hey* ~, *pass!* Hokuspokus (Fidibus)! (*Zauberformel*); **II.** *adj.* **3.** blitzschnell.

pre·stressed ['pri:'strest] *adj.* ⊕ vorgespannt: ~ *concrete* Spannbeton.

pre·sum·a·ble [pri'zju:məbl] *adj.* □ vermutlich, mutmaßlich, vor'aussichtlich, wahr'scheinlich; **pre·sume** [pri'zju:m] **I.** *v/t.* **1.** *als wahr* annehmen, vermuten; vor'aussetzen; schließen (*from* aus): *~d dead* verschollen; **2.** sich *et.* erlauben; **II.** *v/i.* **3.** vermuten, mutmaßen: *I* ~ (wie) ich vermute, vermutlich; **4.** sich her'ausnehmen, sich erdreisten, (es) wagen (*to inf.* zu *inf.*); anmaßend sein; **5.** ~ (*up*)*on* pochen auf (*acc.*), ausnutzen *od.* miß'brauchen (*acc.*); **pre'sum·ed·ly** [-midli] *adv.* mutmaßlich, vermutlich; **pre'sum·ing** [-miŋ] *adj.* □ vermessen, anmaßend.

pre·sump·tion [pri'zʌmpʃən] *s.* **1.** Vermutung *f*, Annahme *f*, Mutmaßung *f*; **2.** ⚖ Vermutung *f*, Präsumti'on *f*: ~ *of death* Todesvermutung, Verschollenheit; ~ *of law* Rechtsvermutung (*der Wahrheit bis zum Beweis des Gegenteils*); **3.** Wahrscheinlichkeit *f*: *there is a strong* ~ *of his death* es ist (mit Sicherheit) anzunehmen, daß er tot ist; **4.** Vermessenheit *f*, Anmaßung *f*, Dünkel *m*; **pre'sump·tive** [-ptiv] *adj.* □ vermutlich, mutmaßlich, präsum'tiv: ~ *evidence* ⚖ Indizienbeweis; ~ *title* ⚖ präsumtives Eigentum; **pre'sump·tu·ous** [-ptjuəs] *adj.* □ **1.** anmaßend, vermessen, dreist; **2.** über'heblich, dünkelhaft.

pre·sup·pose [pri:sə'pouz] *v/t.* vor'aussetzen: **a)** im vor'aus annehmen, **b)** zur Vor'aussetzung haben; **pre·sup·po·si·tion** [pri:sʌpə'ziʃən] *s.* Vor'aussetzung *f*.

pre-tax ['pri:'tæks] *adj.* noch unversteuert, vor Besteuerung: ~ *figure*.

pre·tence [pri'tens] *s.* **1.** Anspruch *m*: *to make no* ~ *to* keinen Anspruch erheben auf (*acc.*); **2.** Vorwand *m*, Scheingrund *m*, Vortäuschung *f*: *false ~s* ⚖ Arglist; *under false ~s* arglistig, unter Vorspiegelung falscher Tatsachen; **3.** *fig.* Schein *m*, Verstellung *f*: *to make* ~ *of doing s.th.* sich den Anschein geben, als täte man etwas.

pre·tend [pri'tend] **I.** *v/t.* **1.** vorgeben, -täuschen, -schützen, -heucheln; so tun als ob: *to* ~ *to be sick* vorgeben, krank zu sein; krank spielen; **II.** *v/i.* **2.** sich verstellen, heucheln: *he is only ~ing* er tut nur so; **3.** Anspruch erheben (*to* auf *den Thron etc.*); **pre'tend·ed** [-did] *adj.* □ vorgetäuscht, an-, vorgeblich; **pre'tend·er** [-də] *s.* **1.** Beanspruchende(r *m*) *f*; **2.** ('Thron)Präten,dent *m*, Thronbewerber *m*.

pre·tense *Am.* → *pretence*.

pre·ten·sion [pri'tenʃən] *s.* **1.** Anspruch *m* (*to* auf *acc.*): *of great ~s* anspruchsvoll; **2.** Anmaßung *f*, Dünkel *m*; **pre'ten·tious** [-ʃəs] *adj.* □ **1.** anmaßend; **2.** prätenti'ös, anspruchsvoll; **3.** protzig; **pre'ten·tious·ness** [-ʃəsnis] *s.* Anmaßung *f*.

preter- [pri:tə] *in Zssgn* (hin'ausgehend) über (*acc.*), mehr als.

pret·er·it(e) ['pretərit] *ling.* **I.** *adj.* Vergangenheits...; **II.** *s.* Prä'teritum *n*, (erste) Vergangenheit; **'~-'present** ['preznt] *s.* Prä'terito,präsens *n*.

pre·ter·mis·sion [pri:tə'miʃən] *s.* **1.** Über'gehung *f*; **2.** Unter'lassung *f*, Versäumnis *n*.

pre·ter·nat·u·ral [pri:tə'nætʃrəl] *adj.* □ **1.** ab'norm, außergewöhnlich; **2.** 'überna,türlich.

pre·text ['pri:tekst] *s.* Vorwand *m*, Ausrede *f*, Ausflucht *f*: *under* (*od. upon od. on*) *the* ~ *of* unter dem Vorwand (*gen.*).

pret·ti·fy ['pritifai] *v/t.* F verschönern, hübsch machen; **'pret·ti·ly** [-ili] *adv.* → *pretty 1*; **'pret·ti·ness** [-inis] *s.* **1.** Hübschheit *f*, Nettigkeit *f*, Niedlichkeit *f*; Anmut *f*; **2.** Gezier'theit *f* (*bsd. im Ausdruck*); **pret·ty** ['priti] **I.** *adj.* □ **1.** hübsch, nett, niedlich; **2.** (*a. iro.*) schön, fein, tüchtig: *a* ~ *mess!* e-e schöne Geschichte!; **3.** F ‚(ganz) schön', ‚hübsch', beträchtlich: *it costs a* ~ *penny* es kostet e-e schöne Stange Geld; **II.** *adv.* **4. a)** ziemlich, ganz, **b)** einigermaßen, leidlich: ~ *cold* ganz schön kalt; ~ *good* recht gut, nicht schlecht; ~ *much the same thing* so ziemlich dasselbe; ~ *near* nahe daran, ziemlich nahe; ~ *close to perfection* nahezu vollkommen; **5.** *sitting* ~ *sl.* wie der Hase im Kohl, ‚warm' (sitzend).

pret·zel ['pretsəl] *s.* (Salz)Brezel *f*.

pre·vail [pri'veil] *v/i.* **1.** (*over, against*) die Oberhand *od.* das 'Übergewicht gewinnen *od.* haben (über *acc.*), (*a.* ⚖ ob)siegen; *fig. a.* sich 'durchsetzen *od.* behaupten (gegen); **2.** *fig.* maß-, ausschlaggebend sein; **3.** *fig.* (vor)herrschen; (weit) verbreitet sein; **4.** *to* ~ (*up*)*on s.o. to do* j-n dazu bewegen *od.* bringen, *et.* zu tun; **pre'vail·ing** [-liŋ] *adj.* □ **1.** über'legen: ~ *party* ⚖ obsiegende Partei; **2.** (vor)herrschend, maßgebend: *the* ~ *opinion* die herrschende Meinung; *under the* ~ *circumstances* unter den obwaltenden Umständen; ~ *tone* † Grundstimmung; **prev·a·lence** ['prevələns] *s.* **1.** (Vor)Herrschen *n*; Über'handnehmen *n*; **2.** (allgemeine) Gültigkeit; **'prev·a·lent** [-nt] *adj.* □ (vor)herrschend, über'wiegend; häufig, weit,verbreitet.

pre·var·i·cate [pri'værikeit] *v/i.* Ausflüchte machen; die Wahrheit verdrehen; **pre·var·i·ca·tion** [priværi'keiʃən] *s.* **1.** Ausflucht *f*, Tatsachenverdrehung *f*, Winkelzug *m*; **2.** ⚖ Anwaltstreubruch *m*; **pre'var·i·ca·tor** [-tə] *s.* Ausflüchtemacher(in), Wortverdreher(in).

pre·vent [pri'vent] *v/t.* **1.** verhindern, -hüten; *e-r Sache* vorbeugen *od.* zu'vorkommen; **2.** (*from*) *j-n* hindern (an *dat.*), abhalten (von): *to* ~ *s.o. from coming* j-n am Kommen hindern, j-n vom Kommen abhalten; **pre'vent·a·ble** [-təbl] *adj.* verhütbar, abwendbar; **pre'ven·tion** [-nʃən] *s.* **1.** Verhinderung *f*, Verhütung *f*: ~ *of accidents* Unfallverhütung; **2.** *bsd.* ⚕ Vorbeugung *f*; **pre'ven·tive** [-tiv] **I.** *adj.* □ **1.** ⚕ vorbeugend, prophy'laktisch, Vorbeugungs...: ~ *medicine* **a)** Vorbeugungsmittel, **b)** Gesundheitspflege; **2.** *bsd.* ⚖ präven'tiv: ~ *arrest* Schutzhaft; ~ *detention* Sicherungsverwahrung; ~ *war pol.* Präventivkrieg; **II.** *s.* **3.** ⚕ Vorbeugungs-, Schutzmittel *n*; **4.** Schutz-, Vorsichtsmaßnahme *f*.

pre·view ['pri:'vju:] *s.* **1.** Vorbesichtigung *f*; *Film*: **a)** Probeaufführung *f*, **b)** (Pro'gramm)Vorschau *f*; **2.** Vorbesprechung *f e-s Buches*; **3.** (Vor)'Ausblick *m*.

pre·vi·ous ['pri:vjəs] **I.** *adj.* □ → *previously*; **1.** vor'her-, vor'ausgehend, früher, vor'herig, Vor...: *~ conviction* ⚖ Vorstrafe; *~ holder* ✝ Vor(der)mann; *~ question parl.* Vorfrage, ob ohne weitere Debatte abgestimmt werden soll; *to move the ~ question* Übergang zur Tagesordnung beantragen; *without ~ notice* ohne vorherige Ankündigung; **2.** *mst too ~* F verfrüht, voreilig; **II.** *adv.* **3.** *~ to* bevor, vor (*dat.*); *~ to that* zuvor; '**pre·vi·ous·ly** [-li] *adv.* vorher, früher.

pre·vo·ca·tion·al ['pri:vou'keiʃənl] *adj.* vorberuflich.

pre·vue ['pri:vju:] *s. Am.* (Film-) Vorschau *f.*

pre·war ['pri:'wɔ:] *adj.* Vorkriegs...

prey [prei] **I.** *s.* **1.** *zo. u. fig.* Raub *m*, Beute *f*, Opfer *n*: → *beast 1, bird of prey*; *to become* (*od. fall*) *a ~ to j-m od. e-r Sache* zum Opfer fallen; **II.** *v/i.* **2.** auf Raub *od.* Beute ausgehen; **3.** *~ (up)on* **a)** *zo.* Jagd machen auf (*acc.*), erbeuten, fressen, **b)** *fig.* berauben, aussaugen, **c)** *fig.* nagen *od.* zehren an (*dat.*): *it ~ed upon his mind* es ließ ihm keine Ruhe, der Gedanke quälte ihn.

price [prais] **I.** *s.* **1.** ✝ **a)** (Kauf-) Preis *m*, Kosten *pl.*, **b)** *Börse*: Kurs (-wert) *m*: *~ of issue* Emissionspreis; *bid ~* gebotener Preis, *Börse*: Geldkurs; *share* (*od. stock*) *~* Aktienkurs; *to secure a good ~* e-n guten Preis erzielen; *every man has his ~ fig.* keiner ist unbestechlich; (*not*) *at any ~* um jeden (keinen) Preis; **2.** (Kopf)Preis *m*: *to set a ~ on s.o.'s head* e-n Preis auf j-s Kopf aussetzen; **3.** *fig.* Lohn *m*, Preis *m*; **4.** (Wett)Chance(n *pl.*) *f*: *what ~ ...? sl.* wie steht es mit ...?; **II.** *v/t.* **5.** ✝ **a)** den Preis festsetzen für, **b)** *Waren* auszeichnen: *~d* mit Preisangaben (*Katalog*); *high-~d* hoch im Preis, teuer; **6.** bewerten: *to ~ s.th. high* (*low*) e-r Sache großen (geringen) Wert beimessen; **7.** F nach dem Preis *e-r Ware* fragen; '**~-con·scious** *adj.* preisbewußt; **~ con·trol** *s.* 'Preiskon₁trolle *f*, -über₁wachung *f*; **~ cut** *s.* Preissenkung *f*; '**~-cut·ting** *s.* Preisdrücke'rei *f*, -senkung *f*, 'Preisunter₁bietung *f.*

price·less ['praislis] *adj.* unschätzbar, unbezahlbar (*a.* F *köstlich*).

price| lev·el *s.* 'Preisni₁veau *n*; **~ lim·it** *s.* (Preis)Limit *n*, Preisgrenze *f*; '**~-list** *s.* **1.** Preisliste *f*; **2.** *Börse*: Kurszettel *m*; '**~-main·'tained** *adj.* ✝ preisgebunden (*Ware*); **~ main·te·nance** *s.* ✝ Preisbindung *f*; **~ tag, ~ tick·et** *s.* Preisschild *n*, -zettel *m.*

prick [prik] **I.** *s.* **1.** (*Insekten-, Nadel- etc.*)Stich *m*; **2.** stechender Schmerz, Stich *m*: *~s of conscience fig.* Gewissensbisse; **3.** spitzer Gegenstand; Stachel *m* (*a. fig.*): *to kick against the ~s* wider den Stachel löken; **4.** V ‚Schwanz' *m*; **II.** *v/t.* **5.** (ein-, 'durch)stechen, ‚pieken': *to ~ one's finger* sich in den Finger stechen; *his conscience ~ed him fig.* er bekam Gewissensbisse; **6.** *a. ~ out* (aus)stechen, lochen; *Muster etc.* punktieren; **7.** ✎ pikieren: *to ~ in (out)* ein- (aus)pflanzen; **8.** prikkeln auf *od.* in (*dat.*); **9.** *to ~ up one's ears* die Ohren spitzen (*a. fig.*); **III.** *v/i.* **10.** stechen (*a. Schmerzen*); **11.** prickeln; **12.** *~ up* sich aufrichten (*Ohren etc.*); '**prick-eared** *adj.* **1.** *zo.* spitzohrig; **2.** *fig.* wachsam; '**prick·er** [-kə] *s.* **1.** ⊕ Pfriem *m* Ahle *f*; **2.** *metall.* Schießnadel *f*; '**prick·et** [-kit] *s. zo.* Spießbock *m.*

prick·le ['prikl] **I.** *s.* **1.** Stachel *m*, Dorn *m*; **2.** Prickeln *n*, Kribbeln *n* (*der Haut*); **II.** *v/i.* **3.** stechen; **4.** prickeln, kribbeln; '**prick·ly** [-li] *adj.* **1.** stachelig, dornig: *~ pear* ⚘ Feigenkaktus; **2.** stechend, prikkelnd: *~ heat* ⚕ Hitzpickel.

pride [praid] **I.** *s.* **1.** Stolz *m* (*a. Gegenstand des Stolzes*): *civic ~* Bürgerstolz; *~ of place* Ehrenplatz, *fig.* Vorrang, *b.s.* Standesdünkel; *to take (a) ~ in* stolz sein auf (*acc.*); *he is the ~ of his family* er ist der Stolz s-r Familie; **2.** *b.s.* Stolz *m*, Hochmut *m*: *~ goes before a fall* Hochmut kommt vor dem Fall; **3.** *rhet.* Pracht *f*; **4.** Höhe *f*, Blüte *f*: *~ of the season* beste Jahreszeit; *in the ~ of his years* in s-n besten Jahren; **5.** *zo.* (Löwen)Rudel *n*; **6.** *in his ~ her.* radschlagend (*Pfau*); **II.** *v/t.* **7.** *~ o.s. (on, upon)* stolz sein (auf *acc.*), sich et. einbilden (auf *acc.*), sich brüsten (mit).

priest [pri:st] *s.* Priester *m*, Geistliche(r) *m*; '**~·craft** *s. contp.* Pfaffenlist *f*; '**priest·ess** [-tis] *s.* Priesterin *f*; '**priest·hood** [-hud] *s.* **1.** Priesteramt *n*, -würde *f*; **2.** Priesterschaft *f*, Priester *pl.*; '**priest·ly** [-li] *adj.* priesterlich, Priester...

prig [prig] *s.* (selbstgefälliger) Pe'dant, Besserwisser(in); Musterknabe *m*; '**prig·gish** [-giʃ] *adj.* □ **1.** selbstgefällig, eingebildet; **2.** pe'dantisch, besserwisserisch.

prim [prim] **I.** *adj.* □ **1.** steif, for'mell, *a.* affektiert, gekünstelt; **2.** spröde, geziert; **II.** *v/t.* **3.** *Mund, Gesicht* affektiert verziehen.

pri·ma·cy ['praiməsi] *s.* **1.** Pri'mat *m, n*, Vorrang *m*, Vortritt *m*; **2.** *eccl.* Primat *m, n* (*Würde, Sprengel e-s Primas*); **3.** *R. C.* Primat *m, n* (*Gerichtsbarkeit des Papstes*).

pri·ma don·na ['pri:mə'dɔnə] *s.* ♪ Prima'donna *f* (*a. fig.*).

pri·ma fa·ci·e ['praimə'feiʃi(:)] (*Lat.*) *adj. u. adv.* dem (ersten) Anschein nach: *~ case* ⚖ Fall, bei dem der Tatbestand einfach liegt; *~ evidence* ⚖ **a)** glaubhafter Beweis, **b)** Beweis des ersten Anscheins.

pri·mal ['praiməl] *adj.* □ **1.** erst, frühest, ursprünglich; **2.** wichtigst, Haupt...; '**pri·ma·ri·ly** [-mərili] *adv.* in erster Linie; **pri·ma·ry** ['praiməri] **I.** *adj.* □ **1.** erst, ursprünglich, Anfangs..., Ur...: *~ instinct* Urinstinkt; *~ matter* Urstoff; *~ rocks* Urgestein, -gebirge; **2.** pri'mär, hauptsächlich, wichtigst, Haupt...: *~ accent ling.* Hauptakzent; *~ concern* Hauptsorge; *~ industry* Grundstoffindustrie; *~ liability* ⚖ unmittelbare Haftung; *~ road* Straße erster Ordnung; *~ share* ✝ Stammaktie; *of ~ importance* von höchster Wichtigkeit; **3.** grundlegend, elemen'tar, Grund...: *~ education* Grundschul(aus)bildung; *~ school* Elementar-, Grundschule; **4.** ⚡ Primär...(*-batterie, -spule, -strom etc.*); **5.** ⚕ Primär...: *~ tumo(u)r* Primärtumor (*Krebs*); **II.** *s.* **6.** *a. ~ colo(u)r* Pri'mär-, Grundfarbe *f*; **7.** *a. ~ feather orn.* Haupt-, Schwungfeder *f*; **8.** *pol. Am.* **a)** *a. ~ election* Vorwahl *f* (*zur Aufstellung von Wahlkandidaten*), **b)** *a. ~ meeting* (*innerparteiliche*) Versammlung der 'Wahlkandi₁daten; **9.** *a. ~ planet ast.* 'Hauptpla₁net *m.*

pri·mate ['praimit] *s. eccl. Brit.* Primas *m*: ♀ *of England* (*Titel des Erzbischofs von York*); ♀ *of All England* (*Titel des Erzbischofs von Canterbury*); **Pri·ma·tes** [prai'meiti:z] *s. pl. zo.* Pri'maten *pl.*

prime [praim] **I.** *adj.* □ **1.** erst, wichtigst, wesentlichst, Haupt... (*-grund etc.*): *of ~ importance* von größter Wichtigkeit; **2.** erstklassig (*Kapitalanlage, Qualität etc.*), prima: *~ bill* ✝ vorzüglicher Wechsel; **3.** pri'mär, grundlegend; **4.** erst, Erst..., Ur...; **5.** ⩘ **a)** unteilbar, **b)** teilerfremd (*to* zu): *~ factor* (*number*) Primfaktor (Primzahl); **6.** Anfang *m*: *~ of the day (year)* Tagesanbruch (Frühling); **7.** *fig.* Blüte (-zeit) *f*: *in his ~* in der Blüte s-r Jahre, im besten (Mannes)Alter; **8.** *das* Beste, höchste Voll'kommenheit; ✝ Primasorte *f*, auserlesene Quali'tät; **9.** *eccl.* Prim *f*, erste Gebetsstunde; Frühgottesdienst *m*; **10.** ⩘ **a)** Primzahl *f*, **b)** Strich *m* (*erste Ableitung e-r Funktion*): *x ~ (x')* xStrich (x'); **11.** 'Strich₁index *m*; **12.** ♪ *u. fenc.* Prim *f*; **II.** *v/t.* **13.** ⚔ *Bomben, Munition* scharfmachen: *~d* zündfertig; **14.** **a)** ⊕ *Pumpe* anlassen, **b)** *sl.* ‚vollaufen lassen': *~d* ‚besoffen'; **15.** *mot.* **a)** *Kraftstoff* vorpumpen, **b)** Anlaßkraftstoff einspritzen in (*acc.*); **16.** ⊕, *paint.* grundieren; **17.** mit Strichindex versehen; **18.** *fig.* instruieren, vorbereiten; **~ cost** *s.* ✝ **1.** Selbstkosten(preis *m*) *pl.*, Gestehungskosten *pl.*; **2.** Einkaufspreis *m*, Anschaffungskosten *pl.*; **~ min·is·ter** *s.* Premi'ermi₁nister *m*, Mi'nisterpräsi₁dent *m*; **~ mov·er** *s.* **1.** *phys.* Antriebskraft *f*; *fig.* Triebfeder *f*, treibende Kraft; **2.** ⊕ 'Antriebsma₁schine *f*; 'Zugma₁schine *f* (*Sattelschlepper*); ⚔ *Am.* Geschützschlepper *m*; Triebwagen *m* (*Straßenbahn*).

prim·er[1] ['praimə] *s.* **1.** ⚔ Zündvorrichtung *f*, -hütchen *n*, -pille *f*; Sprengkapsel *f*; **2.** ⚔ Zündbolzen *m* (*am Gewehr*); **3.** ⚒ Zünddraht *m*; **4.** ⊕ Einspritzvorrichtung *f* (*bsd. mot.*): *~ pump* Anlaßeinspritzpumpe; *~ valve* Anlaßventil; **5.** ⊕ Grundier-, Spachtelmasse *f*: *~ coat* Voranstrich; **6.** Grundierer *m.*

prim·er[2] ['praimə] *s.* **1.** **a)** Fibel *f*, **b)** Elemen'tarbuch *n*, **c)** *fig.* Leitfaden *m*; **2.** ['primə] *typ.* **a)** *great ~* Tertia(schrift) *f*, **b)** *long ~* Korpus (-), Garmond(schrift) *f.*

pri·me·val [prai'mi:vəl] *adj.* □ uranfänglich, urzeitlich, Ur...(*-wald, -zeiten etc.*).

prim·ing ['praimiŋ] *s.* **1.** ⚔ Zündmasse *f*, Zündung *f*: *~ charge* Zünd-,

Initialladung; 2. ⊕ Grundierung *f*: ~ *colo(u)r* Grundierfarbe; 3. *a.* ~ *material* Spachtelmasse *f*; 4. *mot.* Einspritzen *n* von Anlaßkraftstoff: ~ *fuel injector* Anlaßeinspritzanlage; 5. ⊕ Angießen *n e-r Pumpe*; 6. *a.* ~ *of the tide* verfrühtes Eintreten der Flut; 7. *fig.* Instrukti'on *f*, Vorbereitung *f*.

prim·i·tive ['primitiv] I. *adj.* □ 1. erst, ursprünglich, urzeitlich, Ur...: ♀ *Church* Urkirche; ~ *races* Ur-, Naturvölker; ~ *rocks geol.* Urgestein; 2. *allg.* (*a. contp.*) primi'tiv (*Kultur, Mensch, a. fig. Denkweise, Konstruktion etc.*); 3. *ling.* Stamm...: ~ *verb*; 4. ~ *colo(u)r* Grundfarbe; II. *s.* 5. *der* (*die, das*) Primi'tive: *the* ~*s* die Primitiven (*Naturvölker*); 6. *Kunst*: a) primitiver Künstler, b) Frühmeister *m*, c) Früher Meister (*der Frührenaissance, a. Bild*); 7. *ling.* Stammwort *n*; '**prim·i·tive·ness** [-nis] *s.* 1. Ursprünglichkeit *f*; 2. Primitivi'tät *f*.

prim·ness ['primnis] *s.* 1. Steifheit *f*, Förmlichkeit *f*; 2. Sprödigkeit *f*, Zimperlichkeit *f*.

pri·mo·gen·i·ture [praimou'dʒenitʃə] *s.* Erstgeburt(srecht *n* ⚖) *f*.

pri·mor·di·al [prai'mɔːdjəl] □ primordi'al (*a. biol.*), ursprünglich, uranfänglich, Ur...

prim·rose ['primrouz] *s.* 1. ⚘ Primel *f*, gelbe Schlüsselblume: ~ *path fig.* Rosenpfad; ♀ *League hist.* Primelliga; 2. *evening* ~ ⚘ Nachtkerze; 3. *a.* ~ *yellow* Blaßgelb *n*.

prim·u·la ['primjulə] *s.* ⚘ Primel *f*.

prince [prins] *s.* 1. Fürst *m* (*Landesherr u. Adelstitel*): ♀ *of the Church* Kirchenfürst; ♀ *of Darkness* Fürst der Finsternis (*Satan*); ♀ *of Peace* Friedensfürst (*Christus*); ~ *of poets* Dichterfürst; *merchant* ~ Kaufherr; ~ *consort* Prinzgemahl; 2. Prinz *m*: ~ *of the blood* Prinz von (königlichem) Geblüt; ♀ *Albert Am.* Gehrock; '**prince·ling** [-liŋ] *s.* 1. Prinzchen *n*; 2. kleiner Herrscher, Duo'dezfürst *m*; '**prince·ly** [-li] *adj.* fürstlich (*a. fig.*); prinzlich, königlich; **prin·cess** [prin'ses; *vor npr.* 'prin-] I. *s.* 1. Prin'zessin *f*: ~ *royal älteste Tochter e-s Herrschers*; 2. Fürstin *f*; II. *adj. Damenmode*: Prinzeß...(-*kleid etc.*).

prin·ci·pal ['prinsəpəl] I. *adj.* □ → *principally*; 1. erst, hauptsächlich, Haupt...: ~ *actor* Haupt(rollen)darsteller; ~ *office*, ~ *place of business* Hauptgeschäftsstelle, -niederlassung; 2. ♪, *ling.* Haupt..., Stamm...: ~ *chord* Stammakkord; ~ *clause* Hauptsatz; ~ *parts* Stammformen *des Verbs*; 3. ✝ Kapital...: ~ *amount* Kapitalbetrag; II. *s.* 4. 'Haupt(perˌson *f*) *n*; Vorsteher(in), *bsd. Am.* ('Schul)Diˌrektor *m*, Rektor *m*; 5. ✝ Chef(in), Prinzi'pal(in); 6. ✝, ⚖ Auftrag-, Vollmachtgeber (-in), Geschäftsherr *m*; 7. ⚖ *a.* ~ *in the first degree* Haupttäter(in), -schuldige(r *m*) *f*: ~ *in the second degree* Mittäter; 8. *a.* ~ *debtor* Hauptschuldner(in); 9. Duel'lant *m* (*Ggs. Sekundant*); 10. ✝ ('Grund-)Kapiˌtal *n*, Hauptsumme *f*; (*Nachlaß- etc.*)Masse *f*: ~ *and interest* Kapital u. Zins(en); 11. *a.* ~ *beam* ⚠ Hauptbalken *m*; **prin·ci·pal·i·ty** [prinsi'pæliti] *s.* Fürstentum *n*; '**prin·ci·pal·ly** [-pli] *adv.* hauptsächlich, in der Hauptsache.

prin·ci·ple ['prinsəpl] *s.* 1. Prin'zip *n*, Grundsatz *m*, -regel *f*: *a man of* ~*s* ein Mann mit Grundsätzen; ~ *of law* Rechtsgrundsatz; *in* ~ im Prinzip, an sich; *on* ~ aus Prinzip, grundsätzlich; *on the* ~ *that* nach dem Grundsatz, daß; 2. *phys. etc.* Prinzip *n*, (Na'tur)Gesetz *n*, Satz *m*: ~ *of causality* Kausalitätsprinzip; ~ *of averages* Mittelwertsatz; ~ *of relativity* Relativitätstheorie; 3. Grund(lage *f*) *m*, Ursprung *m*; 4. ⚗ Grundbestandteil *m*; '**prin·ci·pled** [-ld] *adj.* mit *hohen etc.* Grundsätzen.

prink [priŋk] I. *v/i. a.* ~ *up* sich (auf)putzen, sich schniegeln; II. *v/t.* (auf)putzen: *to* ~ *o.s.* (*up*).

print [print] I. *v/t.* 1. *typ.* drucken (lassen), in Druck geben: *to* ~ *in italics* kursiv drucken; 2. (ab)drukken: ~*ed form* Vordruck; ~*ed matter* ✉ Drucksache(n); 3. bedrucken: ~*ed goods* bedruckte Stoffe; 4. in Druckschrift schreiben: ~*ed characters* Druckbuchstaben; 5. *Stempel etc.* (auf)drücken (*on dat.*), *Eindruck, Spur* hinter'lassen (*on* auf *acc.*), *Muster etc.* ab-, aufdrucken, drükken (*in* in *acc.*); 6. *fig.* einprägen (*on s.o.'s mind* j-m); 7. *a.* ~ *off phot.* abziehen, kopieren; II. *v/i.* 8. *typ.* drucken; 9. gedruckt werden, sich im Druck befinden: *the book is* ~*ing*; 10. sich drucken (*phot.* abziehen) lassen; III. *s.* 11. (*Finger- etc.*)Abdruck *m*, Eindruck *m*, Spur *f*, Mal *n*; 12. *typ.* Druck *m*: *colo(u)red* ~ Farbdruck; *in* ~ a) im Druck (erschienen), b) vorrätig; *out of* ~ vergriffen; *in cold* ~ *fig.* schwarz auf weiß; 13. Druckschrift *f*, *bsd. Am.* Zeitung *f*, Blatt *n*: *to rush into* ~ sich in die Öffentlichkeit flüchten; *to appear in* ~ im Druck erscheinen; 14. Druckschrift *f*, -buchstaben *pl.*; 15. 'Zeitungspaˌpier *n*; 16. (*Stahl- etc.*) Stich *m*; Holzschnitt *m*; Lithogra'phie *f*; 17. bedruckter Kat'tun, Druckstoff *m*: ~ *dress* Kattunkleid; 18. *phot.* Abzug *m*, Ko'pie *f*: *blue*~ Lichtpause; 19. ⊕ Stempel *m*, Form *f*: ~ *cutter* Formenschneider; 20. *metall.* Gesenk *n*; *Eisengießerei*: Kernauge *n*; 21. *fig.* Stempel *m*; '**print·a·ble** [-təbl] *adj.* 1. druckfähig; 2. druckfertig, -reif (*Manuskript*); '**print·er** [-tə] *s.* 1. (*Buch- etc.*)Drucker *m*: ~*'s devil* Setzerjunge; ~*'s error* Druckfehler; ~*'s flower* Vignette; ~*'s ink* Druckerschwärze; 2. Drucke'reibesitzer *m*; 3. ⊕ 'Druck-, Ko'pierappaˌrat *m*; 4. → *printing telegraph*; '**print·er·y** [-təri] *s. bsd. Am.* Drucke'rei *f*.

print·ing ['printiŋ] *s.* 1. Drucken *n*; (Buch)Druck *m*, Buchdruckerkunst *f*; 2. Tuchdruck *m*; 3. *phot.* Abziehen *n*, Kopieren *n*; ~ **block** *s.* Kli'schee *n*; ~ **frame** *s. phot.* Ko'pierrahmen *m*; '~-**ink** *s.* Druckerschwärze *f*, -farbe *f*; '~-**ma·chine** *s. typ.* Schnellpresse *f*, ('Buch-)ˌDruckmaˌschine *f*; '~-**of·fice** *s.* (Buch)Drucke'rei *f*: *lithographic* ~ lithographische Anstalt; '~-**out** *adj. phot.* Kopier...: ~ *paper*; '~-**pa·per** *s.* 1. 'DruckpaˌPier *n*; 2. 'Lichtpauspaˌpier *n*; 3. Ko'pierpaˌpier *n*; '~-**press** *s.* Druckerpresse *f*: ~ *type* Letter, Type; ~ **tel·e·graph** *s.* 'Drucktele͵graph *m*; ~ **types** *s. pl.* Lettern *pl.*; ~ **works** *s. pl. oft sg. konstr.* Drucke'rei *f*.

'**print-works** *s. pl. oft sg. konstr.* Kat'tun- *od.* Ta'petendruckeˌrei *f*.

pri·or ['praiə] I. *adj.* 1. (*to*) früher, älter (als): ~ *art Patentrecht*: Stand der Technik, Vorwegnahme; ~ *patent* älteres Patent; ~ *use* Vorbenutzung; *subject to* ~ *sale* ✝ Zwischenverkauf vorbehalten; 2. vordringlich, Vorzugs...: ~ *right* (*od. claim*) Vorzugsrecht; ~ *condition* erste Voraussetzung; II. *adv.* 3. ~ *to* vor (*dat.*) (*zeitlich*); III. *s. eccl.* 4. Prior *m*; '**pri·or·ess** [-əris] *s.* Pri'orin *f*; **pri·or·i·ty** [prai'ɔriti] *s.* 1. Priori'tät *f* (*a.* ⚖), Vorrang *m* (*a. e-s Anspruchs etc.*), Vorzug *m* (*over, to* vor *dat.*): *to take* ~ *of* den Vorrang haben *od.* genießen vor (*dat.*); *to set priorities* Prioritäten setzen; ~ *share* ✝ Vorzugsaktie; 2. Dringlichkeit(sstufe) *f*: ~ *call teleph.* Vorrangsgespräch; ~ *list* Dringlichkeitsliste; *of first* (*od. top*) ~ von größter Dringlichkeit; *to give* ~ *to* vordringlich behandeln; 3. Vorfahrt(srecht *n*) *f*; '**pri·o·ry** [-əri] *s. eccl.* Prio'rei *f*.

prism ['prizəm] *s.* Prisma *n* (*a. fig.*): ~ *binoculars* Prismen(fern)glas; **pris·mat·ic** [priz'mætik] *adj.* (□ ~*ally*) pris'matisch, Prismen...: ~ *colo(u)rs* Regenbogenfarben.

pris·on ['prizn] *s.* 1. Gefängnis *n* (*a. fig.*), Strafanstalt *f*; 2. *a. state* ~ *Am.* Zuchthaus *n*; '~-**break·ing** *s.* Ausbrechen *n* aus dem Gefängnis; ~ **ed·i·tor** *s.* 'Sitzredakˌteur *m* (*Redakteur, der etwaige Gefängnisstrafen absitzt*).

pris·on·er ['priznə] *s.* Gefangene(r *m*) *f* (*a. fig.*), Häftling *m*: ~ (*at the bar*) Angeklagte(r); ~ (*on remand*) Untersuchungsgefangene(r); ~ *of state* Staatsgefangene(r), politischer Häftling; ~ (*of war*) Kriegsgefangener; *to hold* (*take*) *s.o.* ~ j-n gefangenhalten (-nehmen); *he is a* ~ *to fig.* er ist gefesselt an (*acc.*); ~*'s* **bar**(s), ~*'s* **base** *s.* Barlauf(spiel *n*) *m*.

pris·on psy·cho·sis *s.* [*irr.*] 'Haftpsyˌchose *f*.

pris·sy ['prisi] *adj. Am.* F zimperlich, etepe'tete.

pris·tine ['pristain] *adj.* 1. ursprünglich, -tümlich, unverdorben; 2. vormalig, alt.

pri·va·cy ['praivəsi] *s.* 1. Zu'rückgezogenheit *f*; Alleinsein *n*; Ruhe *f*: *to disturb s.o.'s* ~ j-n stören; 2. Pri'vatleben *n*; ⚖ In'timsphäre *f*: *right of* ~ Persönlichkeitsrecht; 3. Heimlichkeit *f*, Geheimhaltung *f*: ~ *of letters* ⚖ Briefgeheimnis; *to talk to s.o. in* ~ mit j-m unter vier Augen sprechen; *in strict* ~ streng vertraulich; '**pri·vate** [-vit] I. *adj.* □ 1. pri'vat, Privat...(-*konto*, -*leben*, -*person*, -*recht etc.*), per'sönlich: ~ *affair* Privatangelegenheit; ~ *bill parl.* Antrag e-s Abgeordneten; ~ eye *Am. sl.* Privatdetektiv; ~ *firm*

✝ Einzelfirma; ~ *gentleman* Privatier; ~ *means* Privatvermögen; → *nuisance 2*; ~ *property* Privateigentum, -besitz; **2.** privat, Privat... (*-pension, -schule etc.*), nicht öffentlich: ~ (*limited*) *company* ✝ *Brit.* Gesellschaft mit beschränkter Haftung; ~ *corporation* **a)** ⚖ privatrechtliche Körperschaft, **b)** ✝ *Am.* Gesellschaft mit beschränkter Haftung; *to sell by* ~ *contract* unter der Hand verkaufen; ~ *hotel* Fremdenheim; ~ *industry* Privatwirtschaft; ~ *lessons* Privatunterricht; ~ *road* Privatweg; ~ *theatre* Liebhabertheater; ~ *view* Besichtigung durch geladene Gäste; **3.** al'lein, zu'rückgezogen, einsam; **4.** geheim (*Gedanken, Verhandlungen etc.*), heimlich; vertraulich (*Mitteilung etc.*): ~ *parts* Geschlechtsteile; ~ *prayer* stilles Gebet; ~ *reasons* Hintergründe; *to keep s.th.* ~ et. geheimhalten *od.* vertraulich behandeln; *this is for your* ~ *ear* dies sage ich Ihnen ganz im Vertrauen; **5.** außeramtlich (*Angelegenheit*); **6.** nicht beamtet: ~ *member parl.* nichtbeamtetes Parlamentsmitglied; **7.** ⚖ außergerichtlich: ~ *arrangement* gütlicher Vergleich; **8.** ~ *soldier* → *9*; **II.** *s.* **9.** ⚔ (gewöhnlicher) Sol'dat; *pl.* Mannschaften *pl.*: ~ *1st Class Am.* Obergefreite(r); **10.** *pl.* Geschlechtsteile *pl.*; **11.** *in* ~ **a)** pri'vat(im), **b)** insge'heim, unter vier Augen *sprechen*.

pri·va·teer [praivə'tiə] **I.** *s.* **1.** ⚓ Freibeuter *m*, Kaperschiff *n*; **2.** Kapi'tän *m* e-s Kaperschiffes, Kaperer *m*; **3.** *pl.* Mannschaft *f* e-s Kaperschiffes; **II.** *v/i.* **4.** Kape'rei treiben; **pri·va'teer·ing** [-əriŋ] **I.** *s.* Kape'rei *f*; **II.** *adj.* Kaper...

pri·va·tion [prai'veiʃən] *s.* **1.** *a. fig.* Wegnahme *f*, Entziehung; **2.** Fehlen *n*, Mangel *m*; **3.** Not *f*, Entbehrung *f*.

priv·a·tive ['privətiv] **I.** *adj.* □ **1.** entziehend, beraubend; **2.** *a. ling. od. phls.* verneinend, 'negativ; **II.** *s.* **3.** *ling.* **a)** Ver'neinungspar,tikel *f*, **b)** priva'tiver Ausdruck.

priv·et ['privit] *s.* ♃ Li'guster *m*.

priv·i·lege ['privilidʒ] **I.** *s.* **1.** Pri'vileg *n*, Sonder-, Vorrecht *n*, Vergünstigung *f*: *breach of a* ~ **a)** Übertretung der Machtbefugnis, **b)** *parl.* Vergehen gegen die Vorrechte des Parlaments; *Committee of* ♀*s* Ausschuß zur Untersuchung von Rechtsübergriffen; ~ *of Parliament pol.* Immunität e-s Abgeordneten; ~ *of self-defence* (Recht der) Notwehr; *with kitchen* ~*s* mit Küchenbenutzung; **2.** *fig.* (besonderer) Vorzug: *to have the* ~ *of being admitted* den Vorzug haben, zugelassen zu sein; *it is a* ~ *to do* es ist e-e besondere Ehre, et. zu tun; **3.** *pl.* ✝ *Am.* Prämien- *od.* Stellgeschäft *n*; **II.** *v/t.* **4.** privilegieren, bevorrecht(ig)en: *the* ~*d classes* die privilegierten Stände; ~*d debt* bevorrechtigte Forderung; ~*d communication* ⚖ **a)** vertrauliche Mitteilung (*für die Schweigepflicht besteht*), **b)** Berufsgeheimnis.

priv·i·ty ['priviti] *s.* **1.** ⚖ (Inter'essen)Gemeinschaft *f*; **2.** ⚖ Rechtsbeziehung *f*; **3.** ⚖ Rechtsnachfolge *f*; **4.** Mitwisserschaft *f*.

priv·y ['privi] **I.** *adj.* □ **1.** eingeweiht (*to* in *acc.*); **2.** ⚖ (mit)beteiligt (*to* an *dat.*); **3.** *mst poet.* heimlich, geheim: ~ *parts* Scham-, Geschlechtsteile; ~ *stairs* Hintertreppe; **II.** *s.* **4.** ⚖ 'Mitinteres,sent(in) (*to* an *dat.*); **5.** A'bort *m*, Abtritt *m*; ♀ **Coun·cil** *s. Brit.* (Geheimer) Staats- *od.* Kronrat: *Judicial Committee of the* ~ ⚖ Justizausschuß des Staatsrats (*höchste Berufungsinstanz für die Dominions*); ♀ **Coun·cil·lor** *s. Brit.* Geheimer (Staats)Rat (*Person*); ♀ **Purse** *s. königliche* Pri'vatscha,tulle; ♀ **Seal** *s. Brit.* Geheimsiegel *n*: *Lord* ~ königlicher Geheimsiegelbewahrer.

prize[1] [praiz] **I.** *s.* **1.** (Sieger)Preis *m* (*a. fig.*), Prämie *f*: *the* ~*s of a profession* die höchsten Stellungen in e-m Beruf; **2.** (Lotte'rie)Gewinn *m*, Treffer *m*: *the first* ~ das Große Los; **3.** Lohn *m*, Belohnung *f*; **II.** *adj.* **4.** preisgekrönt, prämiiert; **5.** Preis...: ~ *medal*; ~ *competition* Preisausschreiben; **III.** *v/t.* **6.** (hoch)schätzen, würdigen.

prize[2] [praiz] **I.** *s.* ⚓ Prise *f*, Beute *f* (*a. fig.*): *to make* ~ *of* → *11*; **II.** *v/t.* (als Prise) aufbringen, kapern.

prize[3] [praiz] *bsd. Brit.* **I.** *v/t.* **1.** (auf)stemmen: *to* ~ *open* (mit e-m Hebel) aufbrechen; *to* ~ *up* hochwuchten *od.* -stemmen; **II.** *s.* **2.** Hebelwirkung *f*, -kraft *f*; **3.** Hebel *m*.

'prize|-court *s.* ⚓ Prisengericht *n*; **'~-fight** *s.* Preisboxkampf *m*; **'~-fight·er** *s.* Preis-, Berufsboxer *m*; **'~-list** *s.* Gewinnliste *f*; **'~·man** [-mən] *s.* [*irr.*] Preisträger *m*; **'~-mon·ey** *s.* **1.** ⚓ Prisengeld(er *pl.*) *n*; **2.** Geldpreis *m*; **~ ques·tion** *s.* Preisfrage *f*; **'~-ring** *s.* **1.** *Boxen*: Ring *m*; *weitS. das* Berufsboxen; **2.** *fig.* Wettkampf *m*; **'~-win·ner** *s.* Preisträger(in); **'~-win·ning** *adj.* preisgekrönt, präm(i)iert.

pro[1] [prou] *pl.* **pros I.** *s.* Ja-Stimme *f*, Stimme *f* da'für: *the* ~*s and cons* das Für und Wider; **II.** *adv.* (da)'für.

pro[2] [prou] (*Lat.*) *prp.* für; pro, per; → *pro forma, pro rata*.

pro[3] [prou] *s. sport* F Profi *m* (*Berufsspieler*).

pro- [prou] *in Zssgn*: **1.** pro..., ...freundlich, *z.B.* ~*-German*; **2.** stellvertretend, Vize..., Pro...; **3.** vor (*räumlich u. zeitlich*).

prob·a·bil·i·ty [prɔbə'biliti] *s.* Wahrscheinlichkeit *f* (*a.* ℞): *in all* ~ aller Wahrscheinlichkeit nach, höchstwahrscheinlich; *theory of* ~, ~ *calculus* ℞ Wahrscheinlichkeitsrechnung; *the* ~ *is that* es besteht die Wahrscheinlichkeit, daß; **prob·a·ble** ['prɔbəbl] *adj.* □ **1.** wahrscheinlich, vermutlich, mutmaßlich: ~ *cause* ⚖ hinreichender Verdacht; **2.** wahrscheinlich, glaubhaft, einleuchtend.

pro·bate ['proubit] ⚖ **I.** *s.* **1.** gerichtliche (*bsd.* Testa'ments)Bestätigung; **2.** Testa'mentser,öffnung *f*; **3.** Abschrift *f* e-s gerichtlich bestätigten Testaments; **II.** *v/t.* **4.** *bsd. Am. Testament* **a)** bestätigen, **b)** eröffnen u. als rechtswirksam bestätigen lassen; **~ court** *s.* Nachlaßgericht *n*, (*in U.S.A. a. zuständig in Sachen der freiwilligen Gerichtsbarkeit, bsd. als*) Vormundschaftsgericht *n*; **~ du·ty** *s.* ⚖ Erbschaftssteuer *f*.

pro·ba·tion [prə'beiʃən] *s.* **1.** (Eignungs)Prüfung *f*, Probe(zeit) *f*: *on* ~ auf Probe(zeit); *year of* ~ Probejahr; **2.** ⚖ **a)** Bewährungsfrist *f*, **b)** bedingte Freilassung *f*: *to place s.o. on* ~ j-m Bewährungsfrist zubilligen, j-n unter Zubilligung von Bewährungsfrist freilassen: ~ *officer* Bewährungshelfer; **3.** *eccl.* Novizi'at *n*; **pro'ba·tion·ar·y** [-ʃnəri], **pro'ba·tion·al** [-ʃənl] *adj.* Probe...: ~ *period* ⚖ Bewährungsfrist; **pro'ba·tion·er** [-ʃnə] *s.* **1.** 'Probekandi,dat(in), Angestellte(r *m*) *f* auf Probe, *z.B.* Lernschwester *f*; **2.** *fig.* Neuling *m*; **3.** *eccl.* No'vize *m*, *f*; **4.** ⚖ **a)** j-d dessen Strafe zur Bewährung ausgesetzt ist, **b)** auf Bewährung bedingt Strafentlassene(r).

pro·ba·tive ['proubətiv] als Beweis dienend (*of* für): *to be* ~ *of* beweisen; ~ *facts* ⚖ beweiserhebliche Tatsachen; ~ *force* Beweiskraft.

probe [proub] **I.** *v/t.* **1.** ⚕ sondieren (*a. fig.*); **2.** *fig.* eindringen in (*acc.*), erforschen, e-r (gründlichen) Unter'suchung unter'ziehen; **II.** *v/i.* **3.** *fig.* (forschend) eindringen (*into in acc.*); **III.** *s.* **4.** ⚕, *Radar etc.*: Sonde *f*; **5.** *fig.* Sondierung *f*; *bsd. Am.* Unter'suchung *f* (*e-s Rechtsausschusses*).

prob·i·ty ['proubiti] *s.* Rechtschaffenheit *f*, Redlichkeit *f*.

prob·lem ['prɔbləm] **I.** *s.* **1.** Pro'blem *n* (*a. phls., Schach etc.*), proble'matische Sache, Schwierigkeit *f*: *to set a* ~ ein Problem aufstellen; *it is a* ~ *to me fig.* es ist mir unverständlich; **2.** ℞ Aufgabe *f*, Problem *n*; **II.** *adj.* **3.** problematisch: ~ *play* Problemstück; ~ *child* schwererziehbares Kind, Sorgenkind; **prob·lem·at·ic** *adj.*; **prob·lem·at·i·cal** [prɔbli'mætik(əl)] *adj.* □ proble'matisch, zweifelhaft.

pro·bos·cis [prə'bɔsis] *pl.* **-cis·es** [-i:z] *s. zo.* Rüssel *m* (*a. humor. Nase*).

pro·ce·dur·al [prə'si:dʒərəl] *adj.* ⚖ verfahrensrechtlich; Verfahrens...: ~ *law*; **pro·ce·dure** [prə'si:dʒə] *s.* **1.** *allg.* Verfahren *n* (*a.* ⊕), Vorgehen *n*; **2.** ⚖ (*bsd. prozeßrechtliches*) Verfahren: *rules of* ~ Prozeßvorschriften, Verfahrensbestimmungen; **3.** Handlungsweise *f*, Verhalten *n*; **pro·ceed** [prə'si:d] *v/i.* **1.** weitergehen, -fahren *etc.*; sich begeben (*to* nach); **2.** *fig.* weitergehen (*Handlung etc.*), fortschreiten; **3.** vor sich gehen, von'statten gehen; **4.** *fig.* fortfahren (*with, in* mit, in *s-r Rede etc.*), s-e Arbeit *etc.* fortsetzen: *to* ~ *on one's journey* s-e Reise fortsetzen, weiterreisen; **5.** *fig.* vorgehen, verfahren: *to* ~ *with et.* durchführen *od.* in Angriff nehmen; *to* ~ *on the assumption that* davon ausgehen, daß; **6.** schreiten *od.* 'übergehen (*to* zu), sich anschicken (*to do* zu tun): *to* ~ *to business* an die Arbeit gehen, anfangen; **7.** (*from*) ausgehen *od.* herrühren *od.* kommen (von) (*Geräusch, Hoffnung, Krankheit etc.*), (*e-r Hoffnung etc.*) entspringen; **8.** ⚖ (gerichtlich) vorgehen, e-n Pro'zeß anstrengen (*against* gegen); **9.** *univ. Brit.* promovieren (*to* [*the degree of*] zum); **pro'ceed·ing** [-diŋ] *s.* **1.** Vorgehen *n*, Verfahren *n*; **2.** *pl.* ⚖ Verfahren *n*, (Gerichts)Verhandlung(en *pl.*) *f*: *to take* (*od. institute*) *~s against* ein Verfahren einleiten *od.* gerichtlich vorgehen gegen; **3.** *pl.* (Sitzungs-, Tätigkeits)Bericht(e *pl.*) *m*, (⚖ Pro'zeß)Akten *pl.*; **pro·ceeds** ['prousi:dz] *s. pl.* **1.** Erlös *m* (*from a sale* aus e-m Verkauf), Ertrag *m*, Gewinn *m*; **2.** Einnahmen *pl.*

proc·ess ['prouses] **I.** *s.* **1.** Verfahren *n*, Pro'zeß *m* (*a.* ⊕, ⚗): *~ engineering* Verfahrenstechnik; *~ of manufacture* Herstellungsvorgang, Werdegang; *in ~ of construction* im Bau (befindlich); **2.** Vorgang *m*, Verlauf *m*, Prozeß *m* (*a. phys.*): *~ of combustion* Verbrennungsvorgang; *mental ~* Denkprozeß; **3.** Arbeitsgang *m*; **4.** Fortgang *m*, -schreiten *n*, (Ver)Lauf *m*: *in ~ of time* im Laufe der Zeit; *to be in ~* im Gange sein; **5.** *typ.* 'photome,chanisches Reprodukti'onsverfahren: *~ printing* Mehrfarbendruck; **6.** *anat.* Fortsatz *m*; **7.** ⚘ Auswuchs *m*; **8.** ⚖ **a)** Zustellung(en *pl.*) *f*, *bsd.* Vorladung *f*, **b)** (ordentliches) Verfahren: *due ~ of law* rechtliches Gehör; **II.** *v/t.* **9.** ⊕ *etc.* bearbeiten, (chemisch *etc.*) behandeln, e-m Verfahren unter'werfen; *Lebensmittel* haltbar machen, *Milch etc.* sterilisieren: *to ~ into* verarbeiten zu; **10.** ⚖ *j-n* gerichtlich belangen; **11.** *Am. fig. j-n* 'durchschleusen, abfertigen, *j-s Fall etc.* bearbeiten; **III.** *v/i.* [prə'ses] **12.** F in e-r Prozessi'on (mit)gehen; **'proc·ess·ing** [-siŋ] *s.* **1.** ⊕ Vered(e)lung *f*: *~ industry* Veredelungsindustrie; **2.** ⊕ Verarbeitung *f*; **3.** *bsd. Am. fig.* Bearbeitung *f*.

pro·ces·sion [prə'seʃən] *s.* **1.** Prozessi'on *f*, (feierlicher) (Auf-, 'Um-)Zug: *to go in ~* e-e Prozession abhalten *od.* machen; **2.** Reihe(nfolge) *f*; **3.** *a. ~ of the Holy Spirit eccl.* Ausströmen *n* des Heiligen Geistes; **pro'ces·sion·al** [-ʃənl] **I.** *adj.* Prozessions...; **II.** *s. eccl.* **a)** Prozessi'onsbuch *n*, **b)** Prozessi'onshymne *f*.

pro·claim [prə'kleim] *v/t.* **1.** proklamieren, (öffentlich) verkünd(ig)en, kundgeben: *to ~ war* den Krieg erklären; *to ~ s.o. a traitor* j-n zum Verräter erklären; *to ~ s.o. king* j-n zum König ausrufen; **2.** den Ausnahmezustand verhängen über *ein Gebiet etc.*; **3.** in die Acht erklären; **4.** *Versammlung etc.* verbieten.

proc·la·ma·tion [prɔklə'meiʃən] *s.* **1.** Proklamati'on *f* (*to* an *acc.*), (öffentliche *od.* feierliche) Verkündigung *od.* Bekanntmachung, Aufruf *m*: *~ of martial law* Verhängung des Standrechts; **2.** Erklärung *f*, Ausrufung *f zum König etc.*; **3.** Verhängung *f* des Ausnahmezustandes.

pro·cliv·i·ty [prə'kliviti] *s.* Neigung *f*, Hang *m* (*to, toward* zu).

pro·con·sul [prou'kɔnsəl] *s.* Statthalter *m*, 'Prokonsul *m*.

pro·cras·ti·nate [prou'kræstineit] *v/i.* zaudern, zögern; **pro·cras·ti·na·tion** [proukræsti'neiʃən] *s.* Verschleppung *f*.

pro·cre·ant ['proukriənt] *adj.* (er-)zeugend; **'pro·cre·ate** [-ieit] *v/t.* (er)zeugen, her'vorbringen (*a. fig.*); **pro·cre·a·tion** [proukri'eiʃən] *s.* (Er)Zeugung *f*, Her'vorbringen *n*; **'pro·cre·a·tive** [-ieitiv] *adj.* **1.** zeugungsfähig, Zeugungs...: *~ capacity* Zeugungsfähigkeit; **2.** fruchtbar.

Pro·crus·te·an [prou'krʌstiən] *adj.* Prokrustes... (*a. fig.*): *~ bed.*

proc·tor ['prɔktə] **I.** *s.* **1.** *univ. Brit.* **a)** Diszipli'narbe,amte(r) *m*, **b)** Aufsichtsführende(r) *m*, (*bsd. bei Prüfungen*): *~'s man*, *~'s* (*bull*)*dog sl.* Pedell; **2.** ⚖ **a)** Anwalt *m* (*an Spezialgerichten*), **b)** *a. King's* (*od. Queen's*) *~* Proku'rator *m* der Krone (*der verpflichtet ist, bei vermuteter Kollusion der Parteien in das Verfahren einzugreifen*); **II.** *v/t.* **3.** beaufsichtigen.

pro·cur·a·ble [prə'kjuərəbl] *adj.* zu beschaffen(d), erhältlich; **proc·u·ra·tion** [prɔkjuə'reiʃən] *s.* **1.** → *procurement 1 u. 3*; **2.** (Stell)Vertretung *f*; **3.** ✝ Pro'kura *f*, Vollmacht *f*: *by ~* per Prokura; *joint ~* Gesamthandlungsvollmacht; *single* (*od. sole*) *~* Einzelprokura; **4.** → *procuring 2*; **proc·u·ra·tor** ['prɔkjuəreitə] *s.* **1.** ⚖ Anwalt *m*: *2 General Brit.* Königlicher Anwalt des Schatzamtes; **2.** ⚖ Bevollmächtigte(r) *m*, Sachwalter *m*; **3.** *~ fiscal* ⚖ *Scot.* Staatsanwalt *m*.

pro·cure [prə'kjuə] **I.** *v/t.* **1.** (sich) be-, verschaffen, besorgen (*s.th. for s.o., s.o. s.th.* j-m et.); *a. Beweise etc.* liefern, beibringen; **2.** erwerben, erlangen; **3.** verkuppeln; **4.** *fig.* bewirken, her'beiführen; **5.** veranlassen: *to ~ s.o. to commit a crime* j-n zu e-m Verbrechen anstiften; **II.** *v/i.* **6.** kuppeln; **pro'cure·ment** [-mənt] *s.* **1.** Besorgung *f*, Beschaffung *f*; **2.** Erwerbung *f*; **3.** Vermittlung *f*; **4.** Veranlassung *f*; **pro'cur·er** [-ərə] *s.* **1.** Beschaffer(in), Vermittler(in); **2.** Kuppler *m*, Zuhälter *m*; **pro'cur·ess** [-əris] *s.* Kupplerin *f*; **pro'cur·ing** [-əriŋ] *s.* **1.** Beschaffen *n etc.*; **2.** Kuppe'lei *f*, Zuhälte'rei *f*.

prod [prɔd] **I.** *v/t.* **1.** stechen, stoßen; **2.** *fig.* anstacheln, -spornen (*into* zu *et.*); **II.** *s.* **3.** Stich *m*, Stechen *n*, Stoß *m* (*a. fig.*); **4.** *fig.* Ansporn *m*; **5.** Stachelstock *m*; Ahle *f*.

prod·i·gal ['prɔdigəl] **I.** *adj.* □ verschwenderisch (*of* mit): *to be ~ of s.th.* mit et. verschwenderisch umgehen; *the ~ son bibl.* der verlorene Sohn; **II.** *s.* Verschwender(in); **prod·i·gal·i·ty** [prɔdi'gæliti] *s.* **1.** Verschwendung *f*; **2.** Üppigkeit *f*, (verschwenderische) Fülle (*of* an *dat.*); **'prod·i·gal·ize** [-gəlaiz] *v/t.* verschwenden, verschwenderisch 'umgehen mit.

pro·di·gious [prə'didʒəs] *adj.* □ **1.** erstaunlich, wunderbar, großartig; **2.** gewaltig, ungeheuer; **prod·i·gy** ['prɔdidʒi] *s.* **1.** Wunder *n* (*of gen. od.* an *dat.*): *a ~ of learning* ein Wunder der *od.* an Gelehrsamkeit; **2.** *mst infant ~* Wunderkind *n*.

pro·duce¹ [prə'dju:s] *v/t.* **1.** *allg.* erzeugen, machen, schaffen; ✝ *Waren etc.* produzieren, herstellen, erzeugen; *Kohle etc.* gewinnen, fördern; *Buch* **a)** verfassen, **b)** her'ausbringen; *thea. Stück* **a)** inszenieren, **b)** aufführen; *Film* produzieren, herausbringen; *Brit. thea., Radio*: Re'gie führen bei: *to ~ o.s. fig.* sich produzieren; **2.** ⚘ *Früchte etc.* her'vorbringen; **3.** ✝ *Gewinn, Zinsen* (ein)bringen, abwerfen; **4.** *fig.* erzeugen, bewirken, her'vorrufen, zeitigen; *Wirkung* erzielen; **5.** her'vorziehen, -holen (*from* aus *der Tasche etc.*); *Ausweis etc.* (vor)zeigen, vorlegen; *Beweise, Zeugen etc.* beibringen; *Gründe* anführen; **6.** Ⱥ *Linie* verlängern.

prod·uce² ['prɔdju:s] *s.* (*nur sg.*) **1.** (*bsd.* 'Boden)Pro,dukt(e *pl.*) *n*, (Na'tur)Erzeugnis(se *pl.*) *n*: *~ market* Produkten-, Warenmarkt; **2.** Ertrag *m*, Gewinn *m*.

pro·duc·er [prə'dju:sə] *s.* **1.** Erzeuger(in), 'Hersteller(in) (*a.* ✝); **2.** ✝ Produ'zent *m*, Fabri'kant *m*: *~ goods* Produktionsgüter; **3. a)** *Film*: Produ'zent *m*, Produkti'onsleiter *m*, **b)** *Brit. thea., Radio*: Regis'seur *m*, Spielleiter *m*; **4.** ⊕ Gene'rator *m*: *~ gas* Generatorgas; **pro'duc·i·ble** [-səbl] *adj.* **1.** erzeug-, herstellbar, produzierbar; **2.** vorzuzeigen(d), beizubringen(d), aufweisbar; **pro'duc·ing** [-siŋ] *adj.* Produktions..., Herstellungs...

prod·uct ['prɔdəkt] *s.* **1.** Pro'dukt *n*, Erzeugnis *n* (*a.* ✝, ⊕): *intermediate ~* Zwischenprodukt; *~ patent* Stoffpatent; **2.** ⚗, Ⱥ Produkt *n*; **3.** *fig.* (*a.* 'Geistes)Pro,dukt *n*, Ergebnis *n*, Frucht *f*, Werk *n*; **4.** ⚒ Ausbringen *n*.

pro·duc·tion [prə'dʌkʃən] *s.* **1.** (*z.B. Kälte-, Strom*)Erzeugung *f*, (*z.B. Rauch*)Bildung *f*; **2.** ✝ Produkti'on *f*, Herstellung *f*, Erzeugung *f*, Fertigung *f*; ⚗, ⚒, *min.* Gewinnung *f*; ⚒ Förderleistung *f*: *~ of gold* Goldgewinnung; *to be in ~* serienmäßig hergestellt werden; *to be in good ~* genügend hergestellt werden; *to go into ~* Produktion aufnehmen (*Fabrik*); **3.** (*Arbeits*)Erzeugnis *n*, (*a.* Na'tur)Pro,dukt *n*, Fabri'kat *n*; **4.** *fig.* (*mst* lite'rarisches) Pro'dukt, Ergebnis *n*, Werk *n*, Schöpfung *f*, Frucht *f*; **5.** Her'vorbringen *n*, Entstehung *f*; **6.** Vorlegung *f*, -zeigung *f e-s Dokuments etc.*, Beibringung *f e-s Zeugen*, Erbringen *n e-s Beweises*; Vorführen *n*, Aufweisen *n*; **7.** Her'vorholen *n*, -ziehen *n*; **8.** *thea.* Vor-, Aufführung *f*, Inszenierung *f*; **9. a)** *Brit. thea., Radio*: Re'gie *f*, Spielleitung *f*, **b)** *Film*: Produkti'on *f*; **pro'duc·tion·al** [-ʃənl] *adj.* Produktions...

pro·duc·tion| ca·pac·i·ty *s.* Produkti'onskapazi,tät *f*, Leistungsfähigkeit *f*; *~* **car** *s. mot.* Serienwagen *m*; *~* **costs** *s. pl.* Gestehungskosten *pl.*; *~* **di·rec·tor** *s. Radio*: Sendeleiter *m*; *~* **en·gi·neer** *s.* Be'triebsingeni,eur *m*; *~* **goods** *s. pl.* Produkti'onsgüter *pl.*; *~* **line** *s.* ⊕ Fließband *n*, Fertigungsstraße *f*; *~* **man·ag·er** *s.* ✝ Leiter *m* der Fertigungsabteilung.

pro·duc·tive [prə'dʌktiv] *adj.* □ **1.** (*of acc.*) her'vorbringend, erzeugend, schaffend: *to be ~ of* führen zu, erzeugen; **2.** produk'tiv, ergiebig, ertragreich, fruchtbar, ren'tabel; **3.** produzierend, leistungsfähig; ⚒ abbauwürdig; **4.** *fig.* produktiv, fruchtbar, schöpferisch; **pro'duc·tive·ness** [-nis], **pro·duc·tiv·i·ty** [prɔdʌk'tiviti] *s.* Produktivi'tät *f*: **a)** ✝ Rentabili'tät *f*, Ergiebigkeit *f*, **b)** ✝ Leistungs-, Ertragsfähigkeit *f*, **c)** *fig.* Fruchtbarkeit *f*.

pro·em ['prouem] *s.* Einleitung *f* (*a. fig.*), Vorrede *f*.

prof·a·na·tion [prɔfə'neiʃən] *s.* Entweihung *f*, Profanierung *f*; **pro·fane** [prə'fein] **I.** *adj.* □ **1.** weltlich, pro'fan, ungeweiht, Profan...(*-bau, -geschichte*); **2.** lästerlich, gottlos: ~ *language* Lästern, Fluchen; **3.** uneingeweiht (*to* in *acc.*); **II.** *v/t.* **4.** entweihen, profanieren; **pro·fan·i·ty** [prə'fæniti] *s.* **1.** Gott-, Ruchlosigkeit *f*; **2.** Weltlichkeit *f*; **3.** Fluchen *n*; *pl.* Flüche *pl.*

pro·fess [prə'fes] *v/t.* **1.** (*a.* öffentlich) erklären, *Reue etc.* bekunden, sich bezeichnen (*to be* als): *to* ~ *o.s. a communist* sich zum Kommunismus bekennen; **2.** beteuern, versichern, *b.s.* heucheln, zur Schau tragen; **3.** sich bekennen zu (*e-m Glauben etc.*) *od.* als (*Christ etc.*): *to* ~ *christianity*; **4.** eintreten für, *Grundsätze etc.* vertreten; **5.** (*als Beruf*) ausüben, betreiben; **6.** *Brit.* Pro'fessor sein in (*dat.*), lehren; **pro'fessed** [-st] *adj.* □ **1.** erklärt (*Feind etc.*), ausgesprochen; **2.** an-, vorgeblich; **3.** Berufs..., berufsmäßig; **4.** (in einen Orden) aufgenommen: ~ *monk* Profeß; **pro'fess·ed·ly** [-sidli] *adv.* **1.** angeblich; **2.** erklärtermaßen; **3.** offenkundig; **pro'fes·sion** [-eʃən] *s.* **1.** (*bsd.* aka'demischer *od.* freier) Beruf, Stand *m*: *learned* ~ gelehrter Beruf; *the* ~*s* die akademischen Berufe; *the military* ~ der Soldatenberuf; *by* ~ von Beruf; **2.** *the* ~ *coll.* der Beruf *od.* Stand: *the medical* ~ die Ärzteschaft; **3.** (*bsd.* Glaubens)Bekenntnis *n*; **4.** Bekundung *f*, (*a.* falsche) Versicherung *od.* Behauptung, Beteuerung *f*: ~ *of friendship* Freundschaftsbeteuerung; **5.** *eccl.* Pro'feß *f*, Gelübde(ablegung *f*) *n*; **pro'fes·sion·al** [-eʃənl] **I.** *adj.* □ **1.** Berufs..., beruflich, Amts..., Standes...: ~ *discretion* Schweigepflicht *des Arztes etc.*; ~ *ethics* Berufsethos; **2.** Fach..., Berufs..., fachlich: ~ *association* Berufsgenossenschaft; ~ *school* Fach-, Berufsschule; ~ *studies* Fachstudium; ~ *terminology* Fachsprache; ~ *man* Mann vom Fach; → *4*; **3.** professio'nell, Berufs... (*a. sport*): ~ *player*; **4.** freiberuflich, aka'demisch; ~ *man* Akademiker, Geistesarbeiter; *the* ~ *classes* die höheren Berufsstände; **5.** gelernt, fachlich ausgebildet: ~ *gardener*; **6.** *fig. iro.* unentwegt: ~ *patriot*; **II.** *s.* **7.** *sport* Berufssportler (-in) *od.* -spieler(in); **8.** Berufskünstler *m etc.*, Künstler *m* vom Fach; **9.** Fachmann *m*; **10.** Geistesarbeiter *m*; **pro'fes·sion·al·ism** [-eʃnəlizəm] *s.* Berufssportlertum *n*, -spielertum *n*.

pro·fes·sor [prə'fesə] *s.* **1.** Pro'fessor *m*, Profes'sorin *f*; → *associate 8*; **2.** *Am.* Lehrer *m*; **3.** F *a. humor.* Lehrmeister *m*; **4.** *bsd. Am. od. Scot.* (*a.* Glaubens)Bekenner *m*; **pro·fes·so·ri·al** [prɔfe'sɔ:riəl] *adj.* □ professor'al; Professoren...: ~ *chair* Lehrstuhl, Professur; **pro·fes·so·ri·ate** [prɔfe'sɔ:riit] *s.* **1.** Profes'soren(schaft *f*) *pl.*; **2.** → *professorship*; **pro'fes·sor·ship** [-ʃip] *s.* Profes'sur *f*, Lehrstuhl *m*.

prof·fer ['prɔfə] **I.** *s.* Angebot *n*; **II.** *v/t.* (an)bieten.

pro·fi·cien·cy [prə'fiʃənsi] *s.* Fertigkeit *f*, Können *n*, Tüchtigkeit *f*, (gute) Leistungen *pl.*; **pro'fi·cient** [-nt] **I.** *adj.* □ tüchtig, geübt, bewandert, erfahren (*in, at* in *dat.*); **II.** *s.* Fachmann *m*, Meister *m*.

pro·file ['proufail] **I.** *s.* **1.** Pro'fil *n*: **a)** Seitenansicht *f*, **b)** Kon'tur *f*; **2.** (*a.* ⚠, ⊕) Pro'fil *n*, Längsschnitt *m*; **3.** Querschnitt *m* (*a. fig.*); **4.** 'Kurzbiogra,phie *f*; **II.** *v/t.* **5.** im Profil darstellen, profilieren; ⊕ im Quer- *od.* Längsschnitt zeichnen; **6.** ⊕ profilieren, fassonieren; kopierfräsen: ~ *cutter* Fassonfräser.

prof·it ['prɔfit] **I.** *s.* **1.** (✝ *oft pl.*) Gewinn *m*, Pro'fit *m*: ~ *and loss account* Gewinn- u. Verlustkonto, Erfolgsrechnung; ~*-sharing* Gewinnbeteiligung; ~*-taking Börse*: Gewinnmitnahme; *to sell at a* ~ mit Gewinn verkaufen; *to leave a* ~ e-n Gewinn abwerfen; **2.** *oft pl.* **a)** Ertrag *m*, Erlös *m*, **b)** Reinertrag *m*; **3.** ⚖ Nutzung *f*, Früchte *pl.* (*aus Land*); **4.** Nutzen *m*, Vorteil *m*: *to turn s.th. to* ~ aus et. Nutzen ziehen; *to his* ~ zu s-m Vorteil; **II.** *v/i.* **5.** (*by, from*) (e-n) Nutzen *od.* Gewinn ziehen (aus), profitieren (von): *to* ~ *by* sich *et.* zunutze machen, *e-e Gelegenheit* ausnützen; **III.** *v/t.* **6.** nützen, nutzen (*dat.*), von Nutzen sein für; **'prof·it·a·ble** [-təbl] *adj.* □ **1.** gewinnbringend, einträglich, lohnend, ren'tabel: *to be* ~ sich rentieren; **2.** vorteilhaft, nützlich (*to* für); **'prof·it·a·ble·ness** [-təblnis] *s.* **1.** Einträglichkeit *f*, Rentabili'tät *f*; **2.** Nützlichkeit *f*; **prof·it·eer** [prɔfi'tiə] **I.** *s.* Pro'fitmacher *m*, (Kriegs- *etc.*)Gewinnler *m*, ‚Schieber' *m*, Wucherer *m*; **II.** *v/i.* Schieber- *od.* Wuchergeschäfte machen, ‚schieben'; **prof·it·eer·ing** [prɔfi'tiəriŋ] *s.* Schieber-, Wuchergeschäfte *pl.*, Preistreibe'rei *f*; **'prof·it·less** [-lis] *adj.* □ nicht einträglich, ohne Gewinn, 'unren,tabel.

prof·li·ga·cy ['prɔfligəsi] *s.* **1.** Lasterhaftigkeit *f*, Verworfenheit *f*; **2.** Verschwendung(ssucht) *f*; **'prof·li·gate** [-git] **I.** *adj.* □ **1.** verworfen, liederlich; **2.** verschwenderisch; **II.** *s.* **3.** lasterhafter Mensch, Liederjan *m*; **4.** Verschwender(in).

pro for·ma [prou'fɔ:mə] (*Lat.*) *adv. u. adj.* **1.** pro forma, zum Schein; **2.** ✝ Proforma...(*-rechnung*), Schein...(*-geschäft*): ~ *bill* Proforma-, Gefälligkeitswechsel.

pro·found [prə'faund] *adj.* □ **1.** tief (*mst fig. Friede, Seufzer, Schlaf etc.*); **2.** tiefschürfend, inhaltsschwer, gründlich, pro'fund; **3.** *fig.* unergründlich, dunkel; **4.** *fig.* tief, groß (*Hochachtung etc.*), stark (*Interesse etc.*), vollkommen (*Gleichgültigkeit*); **pro'found·ness** [-nis], **pro'fun·di·ty** [-'fʌnditi] *s.* **1.** Tiefe *f* (*a. fig.*), Abgrund *m*; **2.** Tiefgründigkeit *f*, -sinnigkeit *f*; **3.** Gründlichkeit *f*; **4.** Stärke *f*, hoher Grad (*der Erregung etc.*).

pro·fuse [prə'fju:s] *adj.* □ **1.** (*a.* 'über)reich (*of, in* an *dat.*), 'überfließend, üppig; **2.** (*oft* allzu) freigebig, verschwenderisch (*of, in* mit): *to be* ~ *in one's thanks* überschwenglich danken; ~*ly illustrated* reich(haltig) illustriert; **pro'fuse·ness** [-nis], **pro'fu·sion** [-u:ʒən] *s.* **1.** ('Über)Fülle *f*, 'Überfluß *m* (*of* an *dat.*): *in* ~ in Hülle u. Fülle; **2.** Verschwendung *f*, Luxus *m*, allzugroße Freigebigkeit.

prog[1] [prɔg] *s. sl.* Fres'salien *pl.*, Provi'ant *m*.

prog[2] [prɔg] *Brit. sl.* → *proctor 1*.

pro·gen·i·tive [prou'dʒenitiv] *adj.* **1.** Zeugungs...: ~ *act*; **2.** zeugungsfähig; **pro'gen·i·tor** [-tə] *s.* **1.** Vorfahr *m*, Ahn *m*; **2.** *fig.* Vorläufer *m*; **pro'gen·i·tress** [-tris] *s.* Ahne *f*; **pro'gen·i·ture** [-tʃə] *s.* **1.** Zeugung *f*; **2.** Nachkommenschaft *f*; **prog·e·ny** ['prɔdʒini] *s.* **1.** Nachkommen (-schaft *f a.* ⚘) *pl.*; *zo. die* Jungen *pl.*, Brut *f*; **2.** *fig.* Frucht *f*, Pro'dukt *n*.

prog·no·sis [prɔg'nousis] *pl.* **-ses** [-si:z] *s. bsd.* ⚕ Pro'gnose *f*, Vor'hersage *f*; **prog'nos·tic** [-'nɔstik] **I.** *adj.* **1.** pro'gnostisch (*bsd.* ⚕), vor'aussagend (*of acc.*): ~ *chart* Wettervorhersagekarte; **2.** warnend, vorbedeutend; **II.** *s.* **3.** Vor'hersage *f*; **4.** (An-, Vor)Zeichen *n*; **prog·nos·ti·cate** [prəg'nɔstikeit] *v/t.* **1.** (*a. v/i.*) vor'her-, vor'aussagen, prognostizieren; **2.** anzeigen; **prog·nos·ti·ca·tion** [prəgnɔsti'keiʃən] *s.* **1.** Vor'her-, Vor'aussage *f*, Pro'gnose *f* (*a.* ⚕); **2.** Prophe'zeiung *f*; **3.** Vorzeichen *n*.

pro·gram(me) ['prougræm] **I.** *s.* **1.** ('Studien-, Par'tei- *etc.*)Pro,gramm *n*, Plan *m* (*a. fig.* F): *manufacturing* ~ Herstellungsprogramm; **2.** Pro'gramm *n*: **a)** *thea.* Spielplan *m*, **b)** The'aterzettel *m*, **c)** Darbietung *f*, **d)** *Radio, Fernsehen*: Sendefolge *f*, Sendung *f*: ~ *director Radio, Fernsehen*: Programmdirektor; ~ *music* Programmusik; ~ *picture* Beifilm; **3.** Programm *n* (*Computer*); **II.** *v/t.* **4.** ein Pro'gramm aufstellen für; **5.** auf das Pro'gramm setzen, planen, ansetzen; **6.** *Computer* programmieren; **'pro·grammed** *adj.* programmiert: ~ *instruction*; ~ *learning*; **'pro·gram·mer** [-mə] *s.* Program'mierer(in) (*Computer*).

prog·ress[1] ['prougres] *s.* (*nur sg. außer 6*) **1.** *fig.* Fortschritt(e *pl.*) *m*: *to make* ~ Fortschritte machen; ~ *report* Tätigkeitsbericht; **2.** (Weiter)Entwicklung *f*: *in* ~ im Werden (begriffen); **3.** Fortschreiten *n*, Vorrücken *n*; ⚔ Vordringen *n*; **4.** Fortgang *m*, (Ver)Lauf *m*: *to be in* ~ im Gange sein; **5.** Über'handnehmen *n*, 'Umsichgreifen *n*: *the disease made rapid* ~ die Krankheit griff schnell um sich; **6.** *obs.* Reise *f*, Fahrt *f*; *Brit. mst hist.* Rundreise *f e-s Herrschers etc.*

pro·gress[2] [prə'gres] *v/i.* **1.** fortschreiten, weitergehen, s-n Fortgang nehmen; **2.** sich (fort-, weiter)entwickeln: *to ~ towards completion* s-r Vollendung entgegengehen; **3.** *fig.* Fortschritte machen, vorwärtskommen; gedeihen (*to* zu) (*Vorhaben etc.*).

pro·gres·sion [prəˈgreʃən] *s.* **1.** Vorwärts-, Fortbewegung *f*; **2.** Weiterentwicklung *f*, Verlauf *m*; **3.** (Aufein'ander)Folge *f*; **4.** ℞ Progressi'on *f*, Reihe *f*; **5.** Staffelung *f e-r Steuer etc.*; **6.** ♪ **a)** Se'quenz *f*, **b)** Fortschreitung *f* (*Stimmbewegung*); **pro'gres·sion·ist** [-ʃnist], **pro'gress·ist** [-esist] *s. pol.* Fortschrittler *m*; **pro'gres·sive** [-esiv] **I.** *adj.* □ **1.** fortschrittlich (*Person u. Sache*): *~ party pol.* Fortschrittspartei; **2.** fortschreitend, -laufend, progres'siv: *a ~ step fig.* ein Schritt nach vorn; *~ assembly* ⊕ Fließbandmontage; **3.** gestaffelt, progressiv (*Besteuerung etc.*); **4.** (fort-)laufend: *~ numbers*; **5.** *bsd.* ⚕ zunehmend, progressiv: *~ paralysis*; **6.** *ling.* progressiv: *~ form* Verlaufsform; **II.** *s.* **7.** *pol.* Fortschrittler *m*; **pro'gres·sive·ly** [-esivli] *adv.* stufenweise, nach u. nach, all'mählich.

pro·hib·it [prəˈhibit] *v/t.* **1.** verbieten, unter'sagen (*a th. et., s.o. from doing* j-m *et.* zu tun); **2.** verhindern (*s.th. being done* daß et. geschieht); **3.** hindern (*s.o. from doing* j-n daran, *et.* zu tun); **pro·hi·bi·tion** [prouiˈbiʃən] *s.* **1.** Verbot *n*; **2.** *hist. Am.* Prohibiti'on *f*, Alkoholverbot *n*; **pro·hi·bi·tion·ist** [prouiˈbiʃnist] *s. hist. Am.* Prohibitio'nist *m*, Verfechter *m* des Alkoholverbots; **pro'hib·i·tive** [-tiv] *adj.* □ **1.** verbietend, unter'sagend; **2.** ✝ Prohibitiv..., Schutz..., Sperr...: *~ duty* Schutzzoll; *~ system* Schutzzollsystem; *~ tax* Prohibitivsteuer; **3.** unerschwinglich (*Preis*), untragbar (*Kosten*); **pro'hib·i·to·ry** [-təri] → *prohibitive*.

pro·ject¹ [prəˈdʒekt] **I.** *v/t.* **1.** planen, entwerfen, projektieren; **2.** werfen, schleudern; **3.** *Bild, Licht, Schatten etc.* werfen, projizieren; **4.** *fig.* projizieren (*a.* ℞): *to ~ o.s.* (*od. one's thoughts*) *into* sich versetzen in (*acc.*); *to ~ one's feelings into* s-e Gefühle übertragen auf (*acc.*); **II.** *v/i.* **5.** vorspringen, -stehen, -ragen (*over* über *acc.*).

proj·ect² [ˈprɔdʒekt] *s.* Pro'jekt *n* (*a. Am. ped.*), Plan *m*, (*a.* Bau)Vorhaben *n*, Entwurf *m*: *~ engineer* Projektingenieur.

pro·jec·tile **I.** *s.* [ˈprɔdʒiktail]; **1.** ⚔ Geschoß *n*, Projek'til *n*; **2.** (Wurf-)Geschoß *n*; **II.** *adj.* [prəˈdʒektail] **3.** (an)treibend, Stoß..., Trieb...: *~ force*; **4.** Wurf...

pro·jec·tion [prəˈdʒekʃən] *s.* **1.** Vorsprung *m*, vorspringender Teil *od.* Gegenstand *etc.*; △ Auskragung *f*, -ladung *f*, 'Überhang *m*; **2.** Fortsatz *m*; **3.** Werfen *n*, Schleudern *n*; Vortreiben *n*; **4.** Wurf *m*, Stoß *m*; **5.** ℞, *ast.* Projekti'on *f*: *upright ~* Aufriß; **6.** *phot.* Projektion *f*: **a)** Projizieren *n* (*Lichtbilder*), **b)** Lichtbild *n*; **7.** Vorführen *n* (*Film*): *~ booth* Vorführkabine; *~ screen* Leinwand, Bildschirm; **8.** *psych.* Projektion *f*; **9.** *fig.* 'Widerspiegelung *f*; **10.** Planen *n*, Entwerfen *n*; Plan *m*, Entwurf *m*; **11.** *Statistik*: Hochrechnung *f*; **pro'jec·tion·ist** [-kʃnist] *s.* Filmvorführer *m*; **pro'jec·tor** [-ktə] *s.* **1.** Projekti'onsappa,rat *m*, Vorführgerät *n*, Bildwerfer *m*, Pro'jektor *m*; **2.** ⊕ Scheinwerfer *m*; **3.** ⚔ (Ra'keten-, Flammen- *etc.*)Werfer *m*; **4.** Pläneschmied *m*, Pro'jektemacher *m*; **5.** ✝ Gründer *m*.

pro·lapse [ˈproulæps] ⚕ **I.** *s.* Vorfall *m*, Pro'laps(us) *m*; **II.** *v/i.* prolabieren; **pro·lap·sus** [prouˈlæpsəs] → *prolapse I.*

pro·le·tar·i·an [prouleˈtɛəriən] **I.** *adj.* prole'tarisch, Proletarier...; **II.** *s.* Prole'tarier(in); **pro·le'tar·i·at,** *mst* **pro·le'tar·i·ate** [-iət] *s.* Proletari'at *n*: *dictatorship of the ~ pol. hist.* Diktatur des Proletariats.

pro·li·cide [ˈproulisaid] *s.* ⚖ Tötung *f* der Leibesfrucht, Abtreibung *f*.

pro·lif·er·ate [prəˈlifəreit] *v/i. biol.* **1.** wuchern; **2.** sich fortpflanzen (*durch Zellteilung etc.*); **3.** sich stark vermehren; **pro'lif·ic** [-fik] *adj.* (□ *~ally*) **1.** *bsd. biol.* (*oft* 'überaus) fruchtbar; **2.** *fig.* reich (*of, in* an *dat.*); **3.** *fig.* fruchtbar, produk'tiv (*Schriftsteller etc.*).

pro·lix [ˈprouliks] *adj.* □ weitschweifig; **pro·lix·i·ty** [prouˈliksiti] *s.* Weitschweifigkeit *f*.

pro·log *Am.* → *prologue*.

pro·logue [ˈproulɔg] *s.* **1.** *bsd. thea.* Pro'log *m*, Einleitung *f*; Vorspruch *m*; **2.** *fig.* Vorspiel *n*, Auftakt *m* (*to* zu); **'pro·logu·ize** [-gaiz] *v/i.* e-n Pro'log verfassen *od.* sprechen.

pro·long [prəˈlɔŋ] *v/t.* **1.** verlängern, (aus)dehnen; **2.** ✝ *Wechsel* prolongieren; **pro'longed** [-ŋd] *adj.* anhaltend (*Beifall, Regen etc.*): *for a ~ time* längere Zeit; **pro·lon·ga·tion** [prouləŋˈgeiʃən] *s.* **1.** Verlängerung *f*; **2.** Prolongierung *f e-s Wechsels etc.*, Fristverlängerung *f*, Aufschub *m*: *~ business* ✝ Prolongationsgeschäft.

prom [prɔm] *s.* **1.** *Am.* F (Stu'denten)Ball *m*; **2.** *bsd. Brit.* F **a)** 'Seeprome,nade *f*, **b)** → *promenade concert*.

prom·e·nade [prɔmiˈnɑːd] **I.** *s.* **1.** Prome'nade *f*: **a)** Spaziergang *m*, -fahrt *f*, -ritt *m*, **b)** Spazierweg *m*, Wandelhalle *f*; **2.** feierlicher Einzug der (Ball)Gäste, Polo'näse *f*; **3.** → *prom 1*; **4.** → *promenade concert*; **II.** *v/i.* **5.** promenieren, spazieren(gehen *etc.*); **III.** *v/t.* **6.** promenieren *od.* (her'um)spazieren in (*dat.*) *od.* auf (*dat.*); **7.** spazierenführen, (um'her)führen; **~ con·cert** *s.* Prome'nadenkon,zert *n*; **~ deck** *s.* ⚓ Prome'nadendeck *n*.

prom·i·nence [ˈprɔminəns] *s.* **1.** (Her)'Vorragen *n*, -springen *n*; **2.** Vorsprung *m*, vorstehender Teil; *ast.* Protube'ranz *f*; **3.** *fig.* **a)** Berühmtheit *f*, **b)** Bedeutung *f*: *to bring into ~* **a)** berühmt machen, **b)** klar herausstellen, hervorheben; *to come into ~* in den Vordergrund rücken, hervortreten; → *blaze* 7; **'prom·i·nent** [-nt] *adj.* □ **1.** vorstehend, -springend (*a. Nase etc.*); **2.** mar'kant, auffallend, her'vorstechend (*Eigenschaft*); **3.** promi'nent: **a)** führend (*Persönlichkeit*), her'vorragend, **b)** berühmt.

prom·is·cu·i·ty [prɔmisˈkju(ː)iti] *s.* **1.** Vermischt-, Verworrenheit *f*, Durchein'ander *n*; **2.** Wahllosigkeit *f*; **3.** Promiskui'tät *f*, ungebundene Geschlechtsbeziehungen *pl.*; **pro·mis·cu·ous** [prəˈmiskjuəs] *adj.* □ **1.** (kunter)bunt, verworren; **2.** wahl-, 'unterschiedslos; **3.** gemeinsam (*beide Geschlechter*): *~ bathing*.

prom·ise [ˈprɔmis] **I.** *s.* **1.** Versprechen *n*, -heißung *f*, Zusage *f* (*to j-m* gegen'über): *~ to pay* ✝ Zahlungsversprechen; *to break (keep) one's ~* sein Versprechen brechen (halten); *to make a ~* ein Versprechen geben; *breach of ~* Bruch des Eheversprechens; *Land of ♀* → *Promised Land*; **2.** *fig.* Hoffnung *f od.* Aussicht *f* (*of* auf *acc.*, zu *inf.*): *of great ~* vielversprechend (*Aussicht, junger Mann etc.*); *to show some ~* gewisse Ansätze zeigen; **II.** *v/t.* **3.** versprechen, zusagen, in Aussicht stellen, verheißen, geloben (*s.o. s.th., s.th. to s.o.* j-m et.): *I ~ you* F ich versichere Ihnen; **4.** *fig.* versprechen, erwarten *od.* hoffen lassen, ankündigen; **5.** *to be ~d* (in die Ehe) versprochen sein; **6.** *to ~ o.s. s.th.* sich et. versprechen *od.* erhoffen; **III.** *v/i.* **7.** versprechen, zusagen; **8.** *fig.* Hoffnungen erwecken: *he ~s well* er läßt sich gut an; *the weather ~s fine* das Wetter verspricht gut zu werden; **Prom·ised Land** [ˈprɔmist] *s. bibl. u. fig. das* Gelobte Land, Land *n* der Verheißung; **prom·is·ee** [prɔmiˈsiː] *s.* ⚖ Versprechensempfänger(in); **'prom·is·ing** [-siŋ] *adj.* □ *fig.* vielversprechend, hoffnungs-, verheißungsvoll, aussichtsreich; **'prom·i·sor** [-sɔː] *s.* ⚖ Versprechensgeber(in); **'prom·is·so·ry** [-səri] *adj.* versprechend: *~ note* ✝ Schuldschein, Eigen-, Solawechsel.

prom·on·to·ry [ˈprɔməntri] *s.* Vorgebirge *n*.

pro·mote [prəˈmout] *v/t.* **1.** fördern, unter'stützen; *b.s.* Vorschub leisten (*dat.*); **2.** *j-n* befördern: *to be ~d* **a)** befördert werden, **b)** *sport* aufsteigen; **3.** *parl. Antrag* **a)** unter'stützen, **b)** einbringen; **4.** ✝ *Gesellschaft* gründen; **5.** ✝ **a)** *Verkauf* (*durch Werbung*) steigern, **b)** werben für; **6.** *ped. Am. Schüler* versetzen; **7.** *Schach*: *Bauern* verwandeln; **8.** *Am. sl.* ‚organisieren'; **pro'mot·er** [-tə] *s.* **1.** Förderer *m*; Befürworter *m*; *b.s.* Anstifter *m*; **2.** ✝ Gründer *m*: *~'s shares* Gründeraktien; **3.** *sport* Veranstalter *m*; **pro'mo·tion** [-ouʃən] *s.* **1.** Beförderung *f* (*a.* ⚔): *~ list* Beförderungsliste; *to get one's ~* befördert werden; **2.** Förderung *f*, Befürwortung *f*: *export ~* ✝ Exportförderung; **3.** ✝ Gründung *f*; **4.** ✝ Verkaufsförderung *f*, Werbung *f*; **5.** *ped. Am.* Versetzung *f*; **6.** *sport* Aufstieg *m*: *to gain ~* aufsteigen; **pro'mo·tion·al** [-ouʃənl] *adj.* **1.** Beförderungs...; **2.** fördernd; **3.** ✝ Reklame..., Werbe...; **pro-**

ˈ**mo·tive** [-tiv] *adj.* fördernd, begünstigend (*of acc.*).
prompt [prɔmpt] **I.** *adj.* □ **1.** unverzüglich, prompt, soˈfortig, ˈumgehend: *a ~ reply* e-e prompte *od.* schlagfertige Antwort; **2.** schnell, rasch; **3.** bereit(willig); **4.** ✝ **a)** pünktlich, **b)** bar, **c)** sofort liefer- u. zahlbar: *for ~ cash* gegen sofortige Kasse; **II.** *adv.* **5.** pünktlich; **III.** *v/t.* **6.** *j-n* antreiben, bewegen, (*a. et.*) veranlassen (*to* zu); **7.** *Gedanken, Gefühl etc.* eingeben, wecken; **8.** *j-m* das Stichwort geben, ein-, vorsagen; *thea. j-m* soufflieren: *~-book* Soufflierbuch; *~-box* Souffleurkasten; **IV.** *s.* **9.** ✝ Ziel *n*, Zahlungsfrist *f*; ˈ**prompt·er** [-tə] *s.* **1.** *thea.* Soufˈfleur *m*, Soufˈfleuse *f*; **2.** Vorsager(in); **3.** Anreger(in), Urheber(in); *b.s.* Anstifter(in); ˈ**prompt·ing** [-tiŋ] *s.* (*oft pl.*) Eingebung *f*, Stimme *f des Herzens*; **promp·ti·tude** [ˈprɔmptitju:d], ˈ**prompt·ness** [-nis] *s.* **1.** Schnelligkeit *f*; **2.** Bereitwilligkeit *f*; **3.** *bsd.* ✝ Promptheit *f*, Pünktlichkeit *f*.
ˈ**prompt-note** *s.* ✝ Mahnzettel *m*, -schreiben *n*.
pro·mul·gate [ˈprɔməlgeit] *v/t.* **1.** *Gesetz etc.* (öffentlich) bekanntmachen *od.* verkündigen; **2.** *Lehre etc.* verbreiten; **pro·mul·ga·tion** [prɔməlˈgeiʃən] *s.* **1.** (öffentliche) Bekanntmachung, Verkündung *f*, -öffentlichung *f*; **2.** Verbreitung *f*.
prone [proun] *adj.* □ **1.** auf dem Bauch *od.* mit dem Gesicht nach unten liegend, hingestreckt: *~ position* **a)** Bauchlage (*a. sport*), **b)** ⚔ *Am.* Anschlag liegend; **2.** (vorn-ˈüber)gebeugt; **3.** abschüssig; **4.** *fig.* (*to*) neigend (zu), veranlagt (zu), anfällig (für); ˈ**prone·ness** [-nis] *s.* (*to*) Neigung *f*, Hang *m* (zu), Anfälligkeit *f* (für).
prong [prɔŋ] **I.** *s.* **1.** Zinke *f e-r (Heu- etc.)Gabel*; Zacke *f*, Spitze *f*, Dorn *m*; **2.** (Geweih)Sprosse *f*; **3.** Horn *n*; **4.** (Heu-, Mist- *etc.*)Gabel *f*; **II.** *v/t.* **5.** mit e-r Gabel stechen *od.* heben; **6.** aufspießen; **pronged** [-ŋd] *adj.* gezinkt, zackig: *two-~* zweizinkig.
pro·nom·i·nal [prəˈnɔminl] *adj.* □ *ling.* pronomiˈnal.
pro·noun [ˈprounaun] *s. ling.* Proˈnomen *n*, Fürwort *n*: *personal ~* persönliches Fürwort, Personalpronomen.
pro·nounce [prəˈnauns] **I.** *v/t.* **1.** aussprechen (*a. ling.*); **2.** erklären für, bezeichnen als; **3.** *Urteil* aussprechen *od.* verkünden, *Segen* erteilen: *to ~ sentence of death* das Todesurteil fällen, auf Todesstrafe erkennen; **4.** behaupten (*that* daß); **II.** *v/i.* **5.** sich aussprechen *od.* erklären, s-e Meinung äußern (*on* über *acc.*, *for*, *in favo[u]r of* für): *to ~ against s.th.* sich gegen et. aussprechen; **proˈnounced** [-st] *adj.* □ **1.** ausgesprochen, ausgeprägt, deutlich (*Tendenz etc.*), sichtlich (*Besserung etc.*); **2.** bestimmt, entschieden (*Ansicht etc.*); **proˈnounc·ed·ly** [-sidli] *adv.* ausgesprochen *gut, schlecht etc.*; **proˈnounce·ment** [-mənt] *s.* **1.** Äußerung *f*; **2.** Erklärung, *f*, (⚖ *Urteils*)Verkünd(ig)ung *f*.
pron·to [ˈprɔntou] *adv.* F fix, schnell, ‚aber dalli'.
pro·nun·ci·a·tion [prənʌnsiˈeiʃən] *s.* Aussprache *f*.
proof [pru:f] **I.** *adj.* **1.** fest (*against*, *to* gegen), ˈundurchˌlässig, (*wasser- etc.*)dicht, (*hitze*)beständig, (*kugel-*)sicher; **2.** gefeit (*against* gegen) (*a. fig.*); *fig. a.* unzugänglich: *~ against bribes* unbestechlich; **3.** ⚗ probehaltig, norˈmalstark (*alkoholische Flüssigkeit*); **II.** *s.* **4.** Beweis *m*, Nachweis *m*: *in ~ of* zum *od.* als Beweis (*gen.*); *to give ~ of et.* beweisen; **5.** (*a.* ⚖) Beweis(mittel *n*, -stück *n*) *m*; Beleg(e *pl.*) *m*; **6.** Probe *f* (*a.* ℞), (*a.* Materiˈal)Prüfung *f*: *to put to (the) ~* auf die Probe stellen; *the ~ of the pudding is in the eating* Probieren geht über Studieren; **7.** *typ.* **a)** Korrekˈturfahne *f*, -bogen *m*, **b)** Probeabzug *m* (*a. phot.*): *clean ~* Revisionsbogen; **8.** Norˈmalstärke *f alkoholischer Getränke*; **III.** *v/t.* **9.** ⊕ (wasser- *etc.*)dicht machen, imprägnieren; ˈ**~-mark** *s.* Probestempel *m*, Stempelplatte *f auf Gewehren*; ˈ**~-read·er** *s. typ.* Korˈrektor *m*; ˈ**~-read·ing** *s. typ.* Korrekˈturlesen *n*; ˈ**~-sheet** → *proof 7a*; ˈ**~-spir·it** *s.* Norˈmalweingeist *m*.
prop[1] [prɔp] **I.** *s.* **1.** Stütze *f* (*a.* ⚓), (Stütz)Pfahl *m*; **2.** *fig.* Stütze *f*, Halt *m*; **3.** ⛏, ⊕ Stempel *m*, Stützbalken *m*; Strebe *f*; **4.** ⊕ Drehpunkt *m e-s Hebels*; **5.** *pl. sl.* ‚Stelzen' *pl.* (*Beine*); **II.** *v/t.* **6.** stützen (*a. fig.*); **7.** *a. ~ up* (ab)stützen, pfählen; ⊕ verstreben; **8.** *to ~ up mot.* aufbocken.
prop[2] [prɔp] *sl.* → *property 4*.
prop[3] [prɔp] *s.* ✈ *sl.* ‚Latte' *f* (*Propeller*).
prop·a·gan·da [prɔpəˈgændə] *s.* Propaˈganda *f*; *bsd.* ✝ Werbung *f*, Reˈklame *f*: *to make ~ for*; *~ week* Werbewoche; **prop·aˈgan·dist** [-dist] **I.** *s.* Propaganˈdist(in); **II.** *adj.* propaganˈdistisch; **prop·a·gan·dis·tic** [prɔpəgænˈdistik] *adj.* propaganˈdistisch; **prop·aˈgan·dize** [-daiz] **I.** *v/t.* **1.** Propaganda machen für, propagieren; **2.** *j-n* durch Propaganda beeinflussen; **II.** *v/i.* **3.** Propaganda machen.
prop·a·gate [ˈprɔpəgeit] **I.** *v/t.* **1.** *a. phys. Ton, Bewegung, Licht* fortpflanzen (*a. fig.*); **2.** *Nachricht etc.* aus-, verbreiten, propagieren; **II.** *v/i.* **3.** sich fortpflanzen; **prop·a·ga·tion** [prɔpəˈgeiʃən] *s.* **1.** Fortpflanzung *f* (*a. phys.*), Vermehrung *f*; **2.** Aus-, Verbreitung *f*; **prop·a·ga·tor** [ˈprɔpəgeitə] *s.* **1.** Fortpflanzer *m*; **2.** Verbreiter *m*, Propaganˈdist *m*.
pro·pane [ˈproupein] *s.* ⚗ Proˈpan *n*.
pro·pel [prəˈpel] *v/t.* (an-, vorwärts-) treiben (*a. fig. od.* ⊕); **proˈpel·lant** [-lənt] *s.* ⊕ Treibstoff *m*, -mittel *n*: *~ (charge)* Treibladung (*e-r Rakete etc.*); **proˈpel·lent** [-lənt] **I.** *adj.* **1.** (an-, vorwärts)treibend: *~ gas* Treibgas; *~ power* Antriebs-, Triebkraft; **II.** *s.* **2.** *fig.* treibende Kraft; **3.** → *propellant*; **proˈpel·ler** [-lə] *s.* Proˈpeller *m*: **a)** ✈ Luftschraube *f*, **b)** ⚓ Schiffsschraube *f*: *~-blade* ✈ Luftschraubenblatt; *~-shaft mot. Am.* Kardanwelle; **proˈpel·ling** [-liŋ] *adj.* Antriebs..., Trieb..., Treib...: *~ charge* Treibladung, -satz (*e-r Rakete etc.*); *~ force* Triebkraft; *~ nozzle* ✈ Schubdüse; *~ pencil* Drehbleistift.
pro·pen·si·ty [prəˈpensiti] *s. fig.* Hang *m*, Neigung *f* (*to*, *for* zu).
prop·er [ˈprɔpə] *adj.* □ **1.** richtig, passend, geeignet, angemessen, ordnungsgemäß, zweckmäßig: *in ~ form* in gebührender *od.* angemessener Form; *in the ~ place* am rechten Platz; *do as you think (it) ~* tun Sie, was Sie für richtig halten; *~ fraction* ℞ echter Bruch; **2.** anständig, schicklich, korˈrekt, einwandfrei (*Benehmen etc.*): *it is ~* es (ge)ziemt *od.* schickt sich; **3.** zulässig; **4.** eigen(tümlich) (*to dat.*), besonder; **5.** genau: *in the ~ meaning of the word* strenggenommen; **6.** (*mst nachgestellt*) eigentlich: *philosophy ~* die eigentliche Philosophie; *in the Middle East ~* im Mittleren Osten selbst; **7.** maßgebend, zuständig (*Dienststelle etc.*); **8.** F ‚richtig', ‚ordentlich', ‚anständig': *a ~ licking* e-e gehörige Tracht Prügel; **9.** *ling.* Eigen...: *~ name* (*od. noun*) Eigenname; ˈ**prop·er·ly** [-li] *adv.* **1.** richtig, passend, wie es sich gehört: *to behave ~* sich (anständig) benehmen; **2.** genau: *~ speaking* eigentlich, streng genommen; **3.** F gründlich, ‚anständig', ‚tüchtig'.
prop·er·tied [ˈprɔpətid] *adj.* besitzend, begütert: *the ~ classes*.
prop·er·ty [ˈprɔpəti] *s.* **1.** Eigentum *n*, Besitz(tum *n*) *m*, Gut *n*, Vermögen *n*: *common ~* Gemeingut; *damage to ~* Sachschaden; *law of ~* ⚖ Sachenrecht; *left ~* Hinterlassenschaft; *lost ~* Fundsache; *man of ~* begüterter Mann; *personal ~* → *personalty*; **2.** *a. landed ~* (Grund-, Land)Besitz *m*, Grundstück *n*, Liegenschaft *f*, Ländeˈreien *pl.*; **3.** ⚖ Eigentum(srecht) *n*: *industrial ~* gewerbliches Schutzrecht; *intellectual ~* geistiges Eigentum; *literary ~* literarisches Eigentum, Urheberrecht; **4.** *mst pl. thea.* Requiˈsit(en *pl.*) *n*; **5.** Eigenart *f*, -heit *f*; Merkmal *n*; **6.** *phys. etc.* Eigenschaft *f*; ⊕ *a.* Tätigkeit *f*: *~ of material* Werkstoffeigenschaft; *insulating ~* Isolationsvermögen; *~ in·sur·ance* *s.* Sachversicherung *f*; ˈ**~-man** [-mæn] *s.* [*irr.*] *thea.* Requisiˈteur *m*; *~* **mar·ket** *s.* Immoˈbilienmarkt *m*; *~* **tax** *s.* **1.** Vermögenssteuer *f*; **2.** Grundsteuer *f*.
proph·e·cy [ˈprɔfisi] *s.* Propheˈzeiung *f*, Weissagung *f*; ˈ**proph·e·sy** [-sai] *v/t.* propheˈzeien, weis-, vorˈaussagen (*s.th. for s.o.* j-m et.) (*a. fig.*).
proph·et [ˈprɔfit] *s.* Proˈphet *m* (*a. fig.*): *the Major (Minor) ⁓s bibl.* die großen (kleinen) Propheten; ˈ**proph·et·ess** [-tis] *s.* Proˈphetin *f*; **pro·phet·ic** *adj.*; **pro·phet·i·cal** [prəˈfetik(əl)] *adj.* □ proˈphetisch.
pro·phy·lac·tic [prɔfiˈlæktik] **I.** *adj.* *bsd.* ⚕ prophyˈlaktisch, vorbeugend, Vorbeugungs...: *~ station Am.*, *~*

aid centre Brit. ⚔ Sanierungsstelle; **II.** *s.* ⚕ Prophy'laktikum *n*, vorbeugendes Mittel; **pro·phy'lax·is** [-ksis] *s.* ⚕ Prophy'laxe *f*, Präven'tivbe,handlung *f*.

pro·pin·qui·ty [prə'piŋkwiti] *s.* **1.** Nähe *f*; **2.** nahe Verwandtschaft.

pro·pi·ti·ate [prə'piʃieit] *v/t.* versöhnen, besänftigen, günstig stimmen; **pro·pi·ti·a·tion** [prəpiʃi'eiʃən] *s.* **1.** Versöhnung *f*; Besänftigung *f*; **2.** *obs.* (Sühn)Opfer *n*, Sühne *f*; **pro'pi·ti·a·to·ry** [-iətəri] *adj.* □ versöhnend, sühnend, Sühn...

pro·pi·tious [prə'piʃəs] *adj.* □ **1.** günstig, vorteilhaft (*to* für); **2.** gnädig, geneigt.

'prop-jet en·gine *s.* ✈ Pro'peller-Düsentriebwerk *n*.

pro·po·nent [prə'pounənt] *s.* **1.** Vorschlagende(r *m*) *f*; *fig.* Befürworter (-in); **2.** ⚖ präsum'tiver Testa'mentserbe.

pro·por·tion [prə'pɔːʃən] **I.** *s.* **1.** (richtiges) Verhältnis; Gleich-, Ebenmaß *n*; *pl.* (Aus)Maße *pl.*, Größenverhältnisse *pl.*, Dimensi'onen *pl.*, Proporti'onen *pl.*: *in ~ as* in dem Maße wie, je nachdem wie; *in ~ to* im Verhältnis zu; *to be out of (all) ~ to* in keinem Verhältnis stehen zu; **2.** *fig.* **a)** Ausmaß *n*, Größe *f*, Umfang, **b)** Symmet'rie *f*, Harmo'nie *f*; **3.** ⩘, ⚗ Proporti'on *f*; **4.** ⩘ **a)** Dreisatz(rechnung *f*) *m*, Regelde'tri *f*, **b)** *a. geometric ~* Verhältnisgleichheit *f*; **5.** Anteil *m*, Teil *m*: *in ~* anteilig; **II.** *v/t.* **6.** (*to*) in das richtige Verhältnis bringen (mit, zu), anpassen (*dat.*); **7.** verhältnismäßig verteilen; **8.** proportionieren, bemessen; **9.** sym'metrisch gestalten: *well-~d* ebenmäßig, wohlgestaltet; **pro'por·tion·al** [-ʃənl] **I.** *adj.* □ **1.** proportio'nal, verhältnismäßig; anteilmäßig: *~ numbers* ⩘ Proportionalzahlen; *~ representation pol.* Verhältniswahl (-system); **2.** → *proportionate*; **II.** *s.* **3.** ⩘ Proportio'nale *f*; **pro'por·tion·ate** [-ʃnit] *adj.* □ (*to*) im richtigen Verhältnis (stehend) (zu), angemessen (*dat.*), entsprechend (*dat.*): *~ share* ✝ Verhältnisanteil, anteilmäßige Befriedigung.

pro·pos·al [prə'pouzəl] *s.* **1.** Vorschlag *m*, (*a.* ✝, *a. Friedens*)Angebot *n*, (*a.* Heirats)Antrag *m*; **2.** Plan *m*; **pro·pose** [prə'pouz] **I.** *v/t.* **1.** vorschlagen (*a th. to s.o.* j-m et., *s.o. for* j-n zu *od.* als); **2.** *Antrag* stellen; *Resolution* einbringen; *Mißtrauensvotum* stellen *od.* beantragen; **3.** *Rätsel* aufgeben; *Frage* stellen; **4.** beabsichtigen, sich vornehmen; **5.** e-n Toast ausbringen auf (*acc.*), auf *et.* trinken; **II.** *v/i.* **6.** beabsichtigen, vorhaben; planen: *man ~s (but) God disposes* der Mensch denkt, Gott lenkt; **7.** e-n Heiratsantrag machen (*to dat.*), anhalten (*for* um *j-n, j-s Hand*); **pro'pos·er** [-zə] *s. pol.* Antragsteller *m*; **prop·o·si·tion** [prɔpə'ziʃən] **I.** *s.* **1.** Vorschlag *m*, Antrag *m*; **2.** (vorgeschlagener) Plan, Pro'jekt *n*; **3.** ✝ Angebot *n*; **4.** Behauptung *f*; **5.** F **a)** Sache *f*, **b)** Geschäft *n*: *an easy ~* ,kleine Fische', Kleinigkeit; **6.** *phls.* Satz *m*; **7.** ⩘ (Lehr)Satz *m*; **II.** *v/t.* **8.** *Am. sl. j-m* e-n Vorschlag machen; *e-m Mädchen* e-n unsittlichen Antrag machen.

pro·pound [prə'paund] *v/t.* **1.** *Frage etc.* vorlegen, -tragen (*to dat.*); **2.** vorschlagen; **3.** *to ~ a will* ⚖ auf Anerkennung e-s Testaments klagen.

pro·pri·e·tar·y [prə'praiətəri] **I.** *adj.* **1.** Eigentums...(*-recht etc.*), Vermögens...; **2.** Eigentümer..., Besitzer...: *~ company* ✝ Gründergesellschaft; *the ~ classes* die besitzenden Klassen; **3.** gesetzlich geschützt (*Arznei, Ware*): *~ article* Markenartikel; *~ name* Markenbezeichnung; **II.** *s.* **4.** Eigentümer *m od. pl.*; **pro·pri·e·tor** [prə'praiətə] *s.* Eigentümer *m*, Besitzer *m*, (Geschäfts)Inhaber *m*, Anteilseigner *m*, Gesellschafter *m*: *~s' capital* Eigenkapital *e-r Gesellschaft*; *sole ~* **a)** Alleininhaber, **b)** ✝ *Am.* Einzelkaufmann; **pro'pri·e·tor·ship** [-təʃip] *s.* **1.** Eigentum(srecht) *n* (*in* an *dat.*); **2.** Verlagsrecht *n*; **3.** *Bilanz*: 'Eigenkapi,tal *n*; **4.** *sole ~* **a)** al'leiniges Eigentumsrecht, **b)** ✝ *Am.* 'Einzelunter,nehmen *n*; **pro'pri·e·tress** [-tris] *s.* Eigentümerin *f etc.*; **pro'pri·e·ty** [-ti] *s.* **1.** Schicklichkeit *f*, Anstand *m*; **2.** *pl.* Anstandsformen *pl.*; **3.** Angemessenheit *f*, Richtigkeit *f*.

props [prɔps] *s. pl. thea. sl.* Requi'siten *pl.*

pro·pul·sion [prə'pʌlʃən] *s.* **1.** ⊕ Antrieb *m* (*a. fig.*), Antriebskraft *f*: *~ nozzle* Rückstoßdüse; **2.** Fortbewegung *f*; **pro'pul·sive** [-lsiv] *adj.* (an-, vorwärts)treibend (*a. fig.*): *~ force* Triebkraft; *~ jet* Treibstrahl.

pro ra·ta [prou'rɑːtə] (*Lat.*) *adj. u. adv.* verhältnis-, anteilmäßig; **pro·rate** [prou'reit] *Am. v/t.* anteilmäßig ver-, aufteilen.

pro·ro·ga·tion [prourə'geiʃən] *s. pol.* Vertagung *f*; **pro·rogue** [prə'roug] *v/t. u. v/i.* (sich) vertagen.

pro·sa·ic [prou'zeiik] *adj.* (□ *~ally*) *fig.* pro'saisch: **a)** all'täglich, **b)** nüchtern, trocken, **c)** langweilig.

pro·sce·ni·um [prou'siːnjəm] *pl.* **-ni·a** [-njə] *s. thea.* Pro'szenium *n*.

pro·scribe [prous'kraib] *v/t.* **1.** ächten, für vogelfrei erklären; **2.** *mst fig.* verbannen; **3.** *fig.* verurteilen; verbieten; **pro'scrip·tion** [-'kripʃən] *s.* **1.** Ächtung *f*, Acht *f*, Proskripti'on *f* (*mst hist.*); **2.** Verbannung *f*; **3.** *fig.* Verurteilung *f*, Verbot *n*; **pro'scriptive** [-'kriptiv] *adj.* □ Ächtungs..., ächtend; beschränkend.

prose [prouz] **I.** *s.* **1.** Prosa *f*; **2.** *fig.* Prosa *f*, Nüchternheit *f*, All'täglichkeit *f*; **3.** *ped.* Über'setzung *f in die Fremdsprache*; **II.** *adj.* **4.** Prosa...: *~ writer* Prosaschriftsteller(in); **5.** *fig.* pro'saisch; **III.** *v/t. u. v/i.* **6.** in Prosa schreiben; **7.** langweilig erzählen.

pros·e·cute ['prɔsikjuːt] **I.** *v/t.* **1.** *Plan etc.* verfolgen, weiterführen: *to ~ an action* ⚖ e-n Prozeß führen; **2.** *Gewerbe, Studien etc.* betreiben; **3.** *Untersuchung* 'durchführen; **4.** ⚖ **a)** strafrechtlich verfolgen, **b)** gerichtlich verfolgen, belangen, anklagen (*for* wegen), **c)** *Forderung* einklagen; **II.** *v/i.* **5.** gerichtlich vorgehen; **6.** ⚖ als Kläger auftreten, die Anklage vertreten: *prosecuting counsel (Am. attorney)* Anklagevertreter, Staatsanwalt; **pros·e·cu·tion** [prɔsi'kjuːʃən] *s.* **1.** Verfolgung *f*, Fortsetzung *f*, 'Durchführung *f e-s Plans etc.*; **2.** Betreiben *n e-s Gewerbes etc.*; **3.** ⚖ **a)** strafrechtliche Verfolgung, Strafverfolgung *f*, **b)** Einklagen *n e-r Forderung etc.*: *liable to ~* strafbar; *Director of Public* ℒ*s* Leiter der Anklagebehörde; **4.** *the ~* ⚖ die Staatsanwaltschaft, die Anklage(behörde): *witness for the ~* Belastungszeuge; **'pros·e·cu·tor** [-tə] *s.* ⚖ (An)Kläger *m*, Anklagevertreter *m*: *public ~* Staatsanwalt.

pros·e·lyte ['prɔsilait] *s. eccl.* Prose'lyt(in), Konver'tit(in); **'pros·e·lyt·ism** [-litizəm] *s.* Prosely'tismus *m*: **a)** Bekehrungseifer *m*, **b)** Prose'lytentum *n*; **'pros·e·lyt·ize** [-litaiz] **I.** *v/t.* zum Prose'lyten machen, bekehren; **II.** *v/i.* Anhänger gewinnen.

pros·er ['prouzə] *s.* langweiliger Erzähler.

pros·i·ness ['prouzinis] *s.* **1.** Eintönigkeit *f*, Langweiligkeit *f*; **2.** Weitschweifigkeit *f*.

pros·o·dy ['prɔsədi] *s.* Proso'die *f* (*Silbenmessungslehre*).

pros·pect **I.** *s.* ['prɔspekt] **1.** (Aus-) Sicht *f*, (-)Blick *m* (*of* auf *acc.*); **2.** *fig.* Aussicht *f*: *to hold out a ~ of et.* in Aussicht stellen; *to have s.th. in ~* auf et. Aussicht haben, et. in Aussicht haben; **3.** *fig.* Vor('aus)schau *f* (*of* auf *acc.*); **4.** ✝ *etc.* Interes'sent *m*, Reflek'tant *m*; ✝ möglicher Kunde; **5.** ⚒ **a)** (*Erz- etc.*)Anzeichen *n*, **b)** Schürfprobe *f*, **c)** Schürfstelle *f*; **II.** *v/t.* [prəs'pekt] **6.** *Gebiet* durch'forschen, unter'suchen (*for* nach *Gold etc.*); **III.** *v/i.* [prəs'pekt] **7.** (*for*) ⚒ suchen (nach, *a. fig.*), schürfen (nach); (nach *Öl*) bohren; **pro·spec·tive** [prəs'pektiv] *adj.* □ **1.** (zu)künftig, vor'aussichtlich, in Aussicht stehend: *~ buyer* Kaufinteressent; **2.** *fig.* vor'ausschauend; **pros·pec·tor** [prəs'pektə] *s.* Pro'spektor *m*, Schürfer *m*, Goldsucher *m*; **pro·spec·tus** [prəs'pektəs] *s.* **1.** ('Werbe)Pro,spekt *m*; **2.** ✝ Subskripti'onsanzeige *f*.

pros·per ['prɔspə] **I.** *v/i.* Erfolg haben (*in* bei); gedeihen, florieren, blühen (*Unternehmen etc.*); **II.** *v/t.* begünstigen, *j-m* hold *od.* gewogen sein; segnen, *j-m* gnädig sein (*Gott*); **pros·per·i·ty** [prɔs'periti] *s.* **1.** Wohlstand *m* (*a.* ✝), Gedeihen *n*, Glück *n*; **2.** ✝ Prosperi'tät *f*, Blüte(zeit) *f*, Aufschwung *m*: **'pros·per·ous** [-pərəs] *adj.* □ **1.** gedeihend, blühend, erfolgreich, glücklich; **2.** wohlhabend; **3.** günstig (*Wind etc.*).

pros·tate (gland) ['prɔsteit] *s. anat.* Prostata *f*, Vorsteherdrüse *f*.

pros·the·sis ['prɔsθisis] *pl.* **-ses** [-siːz] *s.* **1.** ⚕ Pro'these *f*, künstliches Glied; **2.** ⚕ Anfertigung *f* e-r Pro'these; **3.** *ling.* Pros'these *f* (*Vorsetzen e-s Buchstabens od e-r Silbe vor ein Wort*).

pros·ti·tute ['prɔstitjuːt] **I.** *s.* **1.** Prostituierte *f*, (gewerbsmäßige) Dirne; **II.** *v/t.* **2.** prostituieren: *to ~ o.s.* sich prostituieren *od.* verkaufen (*a. fig.*); **3.** *fig.* (für ehrlose Zwecke) her-, preisgeben, entwürdigen, *Talent etc.* wegwerfen; **pros·ti·tu·tion** [prɔsti'tjuːʃən] *s.* **1.** Prostituti'on *f*; **2.** *fig.* Her'ab-, Entwürdigung *f.*

pros·trate I. *v/t.* [prɔs'treit] **1.** zu Boden werfen *od.* strecken, niederwerfen; **2.** ~ o.s. *fig.* sich in den Staub werfen, sich demütigen (*before* vor); **3.** entkräften, erschöpfen; *fig.* niederschmettern; **II.** *adj.* ['prɔstreit] **4.** hingestreckt; **5.** *fig.* erschöpft (*with* vor *dat.*), da'niederliegend, kraftlos; *weitS.* gebrochen (*with grief* vom Gram); **6.** *fig.* unter'worfen, demütig; **7.** fußfällig, (*fig.*) im Staube liegend; **pros'tra·tion** [-eiʃən] *s.* **1.** Fußfall *m* (*a. fig.*); **2.** *fig.* Niederwerfung *f*; Demütigung *f*; **3.** *nervöse etc.* Erschöpfung, Entkräftung *f*; **4.** *fig.* Niedergeschlagenheit *f.*

pros·y ['prouzi] *adj.* □ **1.** langweilig; **2.** nüchtern, pro'saisch.

pro·tag·o·nist [prou'tægənist] *s.* **1.** *thea.* 'Hauptfiˌgur *f*, Held(in), Träger(in) der Handlung; **2.** *fig.* Vorkämpfer(in).

pro·te·an [prou'tiːən] *adj.* **1.** *fig.* pro'teisch, wandelhaft, vielgestaltig; **2.** *zo.* a'möbenartig: ~ *animalcule* Amöbe.

pro·tect [prə'tekt] *v/t.* **1.** (be)schützen (*from* vor *dat.*, *against* gegen): *to ~ interests* Interessen wahren; **2.** ✝ (durch Zölle) schützen; **3.** ✝ **a)** *Sichtwechsel* honorieren, einlösen, **b)** *Wechsel mit Laufzeit* schützen; **4.** ⊕ (ab)sichern, abschirmen; *weitS.* schonen: *~ed against corrosion* korrosionsgeschützt; *~ed motor* ⚡ geschützter Motor; *~ing sleeve* Schutzmuffe; **5.** ⚔ (taktisch) sichern, abschirmen; **6.** *Schach: Figur* decken; **pro'tec·tion** [-kʃən] *s.* **1.** Schutz *m*, Beschützung *f* (*from* vor *dat.*); Sicherheit *f*: ~ *of interests* Interessenwahrung; (*legal*) ~ *of registered designs* ⚖ Gebrauchsmusterschutz; ~ *of industrial property* gewerblicher Rechtsschutz; **2.** ✝ Wirtschaftsschutz *m*, 'Schutzzoll(poliˌtik *f*, -syˌstem *n*) *m*; **3.** ✝ Honorierung *f e-s Wechsels*: *to find due ~* honoriert werden; **4.** Protekti'on *f*, Gönnerschaft *f*, Förderung *f*: ~ (*money*) *Am.* Bestechungsgeld; **5.** ⊕ Schutz *m*, Abschirmung *f*; **pro'tec·tion·ism** [-kʃənizəm] *s.* ✝ 'Schutzzollpoliˌtik *f*; **pro'tec·tion·ist** [-kʃənist] **I.** *s.* Protektio'nist *m*, Verfechter *m* der Schutzzollpolitik; **II.** *adj.* Schutzzoll...; **pro'tec·tive** [-tiv] *adj.* □ **1.** (be)schützend, schutzgewährend, Schutz...: *~clothing* Schutz(be)kleidung; ~ *conveyance* ⚖ Sicherungsübereignung; ~ *custody* ⚖ Schutzhaft; ~ *duty* ✝ Schutzzoll; **2.** ✝ Schutzzoll...: ~ *system* Schutzzollwesen; **pro'tec·tor** [-tə] *s.* **1.** Beschützer *m*, Schutz-, Schirmherr *m*, Gönner *m*; **2.** ⊕ *etc.* Schutz(vorrichtung *f*, -mittel *n*) *m*, Schützer *m*, Schoner *m*; **3.** *hist.* Pro'tektor *m*, Reichsverweser *m*; **pro'tec·tor·ate** [-tərit] *s.* Protekto'rat *n*: **a)** Schutzherrschaft *f*, **b)** Schutzgebiet *n*; **pro'tec·to·ry** [-təri] *s.* (Kinder)Fürsorgeheim *n*; **pro'tec·tress** [-tris] *s.* Beschützerin *f*, Schutz-, Schirmherrin *f.*

pro·té·gé ['proutezei] (*Fr.*) *s.* Schützling *m*, Prote'gé *m.*

pro·te·in ['proutiːn] *s. biol.* Prote'in *n*, Eiweiß(körper *m od. pl.*) *n.*

pro·test I. *s.* ['proutest] **1.** Pro'test *m*, Ein-, 'Widerspruch *m*: *in ~*, *as a ~* zum *od.* als Protest; *to enter* (*od. lodge*) *a ~* Protest erheben *od.* Verwahrung einlegen (*with* bei); *to accept under ~* unter Vorbehalt *od.* Protest annehmen; **2.** ✝, ⚖ ('Wechsel)Proˌtest *m*; **3.** ⚓, ⚖ 'Seeproˌtest *m*, Verklarung *f*; **II.** *v/i.* [prə'test] **4.** protestieren, Verwahrung einlegen, sich verwahren (*against* gegen); **III.** *v/t.* [prə'test] **5.** protestieren gegen, reklamieren; **6.** beteuern (*s.th.* et., *that* daß): *to ~ one's loyalty*; **7.** ✝ *Wechsel* protestieren: *to have a bill ~ed* e-n Wechsel zu Protest gehen lassen.

Prot·es·tant ['prɔtistənt] **I.** *s.* Prote'stant(in); **II.** *adj.* prote'stantisch; **'Prot·es·tant·ism** [-tizəm] *s.* Protestan'tismus *m.*

prot·es·ta·tion [proutes'teiʃən] *s.* **1.** Beteuerung *f*; **2.** *obs.* Einspruch *m*, Verwahrung *f.*

pro·to·col ['proutəkɔl] **I.** *s.* **1.** (Ver'handlungs)Protoˌkoll *n*; **2.** *pol.* Proto'koll *n*: **a)** *diplomatische Etikette*, **b)** *kleineres Vertragswerk*; **3.** *pol.* Einleitungs- u. Schlußformeln *pl. e-r Urkunde etc.*; **II.** *v/t. u. v/i.* **4.** protokollieren.

pro·ton ['proutɔn] *s. phys.* Proton *n* (*positiv geladenes Elementarteilchen*).

pro·to·plasm ['proutəplæzəm] *s. biol.* **1.** Proto'plasma *n* (*Zellsubstanz*); **2.** Urschleim *m*; **'pro·to·plast** [-plæst] *s. biol.* Proto'plast *m* (*Zellkörper*).

pro·to·type ['proutətaip] *s.* Proto'typ *m* (*a. biol.*): **a)** Urbild *n*, -typ *m*, -form *f*, **b)** (Ur)Muster *n*; ⊕ ('Richt-)Moˌdell *n*, Ausgangsbautyp *m.*

pro·to·zo·on [proutə'zouən] *pl.* **-'zo·a** [-'zouə] *s.* Proto'zoon *n*, Urtierchen *n.*

pro·tract [prə'trækt] *v/t.* **1.** in die Länge (*od.* hin)ziehen (*mst zeitlich*): *~ed illness* langwierige Krankheit; *~ed defence* ⚔ hinhaltende Verteidigung; **2.** 𝒜 mit e-m Winkelmesser *od.* maßstabsgetreu zeichnen *od.* auftragen; **pro'trac·tion** [-kʃən] *s.* **1.** Hin'ausschieben *n*, Hinziehen *n*, Verschleppen *n* (*a.* ⚕); **2.** 𝒜 maßstabsgetreue Zeichnung; **pro'trac·tor** [-tə] *s.* **1.** 𝒜 Transpor'teur *m*, Gradbogen *m*, Winkelmesser *m*; **2.** *anat.* Streckmuskel *m.*

pro·trude [prə'truːd] **I.** *v/i.* her'aus-, (her)'vorstehen, -ragen, -treten; **II.** *v/t.* her'ausstrecken, (her-)'vortreten lassen; **pro'tru·sion** [-uːʒən] *s.* **1.** Her'vorstehen *n*, -treten *n*, Vorspringen *n*; **2.** Vorwölbung *f*, -sprung *m*, (her)'vorstehender Teil; **pro'tru·sive** [-uːsiv] *adj.* □ vorstehend, her'vortretend.

pro·tu·ber·ance [prə'tjuːbərəns] *s.* **1.** Auswuchs *m*, Beule *f*, Höcker *m*; **2.** *ast.* Protube'ranz *f*; **3.** (Her)'Vortreten *n*, -stehen *n*; **pro'tu·ber·ant** [-nt] *adj.* □ (her)'vorstehend, -tretend, -quellend (*a. Augen*).

proud [praud] **I.** *adj.* □ **1.** stolz (*of* auf *acc.*, *to inf.* zu *inf.*): *a ~ day fig.* ein stolzer Tag *für uns etc.*; **2.** hochmütig, eingebildet; **3.** *fig.* stolz, prächtig; **4.** ~ *flesh* ⚕ wildes Fleisch; **II.** *adv.* **5.** F stolz: *to do s.o. ~* **a)** j-m große Ehre erweisen, **b)** j-n königlich bewirten; *to do o.s. ~* es sich gut gehen lassen.

prov·a·ble ['pruːvəbl] *adj.* □ be-, nachweisbar, erweislich; **prove** [pruːv] **I.** *v/t.* **1.** er-, nach-, beweisen, **2.** ⚖ *Testament* bestätigen (lassen); **3.** bekunden, unter Beweis stellen, zeigen; **4.** (*a.* ⊕) prüfen, erproben: *a ~d remedy* ein erprobtes *od.* bewährtes Mittel; *to ~ o.s.* **a)** sich bewähren, **b)** sich erweisen als; → *proving 1*; **5.** 𝒜 die Probe machen auf (*acc.*); **II.** *v/i.* **6.** sich her'ausstellen *od.* erweisen (als): *he will ~ (to be) the heir* es wird sich herausstellen, daß er der Erbe ist; *to ~ true* (*false*) **a)** sich als richtig (falsch) herausstellen, **b)** sich (nicht) bestätigen (*Voraussage etc.*); **7.** ausfallen, sich ergeben; **prov·en** ['pruːvən] *adj.* be-, erwiesen, nachgewiesen; *fig.* bewährt.

prov·e·nance ['prɔvinəns] *s.* Herkunft *f*, Ursprung *m e-r Sache.*

Prov·en·çal [prɔvɑ̃ːn'saːl; prɔvɑ̃sal] (*Fr.*) **I.** *s.* **1.** Proven'zale *m*, Proven'zalin *f*; **2.** *ling.* Proven'zalisch *n*; **II.** *adj.* **3.** proven'zalisch.

prov·en·der ['prɔvində] *s.* **1.** 🌾 (Trocken)Futter *n*; **2.** F *humor.* ‚Futter' *n* (*Lebensmittel*).

prov·erb ['prɔvəb] **1.** *s.* Sprichwort *n*: *he is a ~ for courage* sein Mut ist sprichwörtlich (*b.s.* berüchtigt); **2.** (*The Book of*) ⁓*s pl. bibl.* die Sprüche *pl.* (Salo'monis); **pro·ver·bi·al** [prə'vəːbjəl] *adj.* □ sprichwörtlich (*a. fig. for* wegen).

pro·vide [prə'vaid] **I.** *v/t.* **1.** versehen, -sorgen, ausstatten, beliefern (*with* mit); **2.** ver-, beschaffen, besorgen, liefern; zur Verfügung (*od.* bereit)stellen; *Gelegenheit* schaffen; **3.** ⚖ vorsehen, -schreiben, bestimmen (*a. Gesetze, Vertrag etc.*); **II.** *v/i.* **4.** Vorsorge *od.* Vorkehrungen treffen, vorsorgen, sich sichern (*against* vor *dat.*, gegen): *to ~ against* **a)** sich schützen vor (*dat.*), **b)** *et.* unmöglich machen, verhindern; *to ~ for* **a)** sorgen für (*j-s Lebensunterhalt*), **b)** *Maßnahmen* vorsehen, *e-r Sache* Rechnung tragen, *Bedürfnisse* befriedigen, *Gelder etc.* bereitstellen; **5.** ⚖ den Vorbehalt machen (*that* daß): *unless otherwise ~d* sofern nichts Gegenteiliges bestimmt ist; *providing (that)* → *provided.*

pro·vid·ed [prə'vaidid] *cj. a. ~ that* **1.** vor'ausgesetzt (daß), unter der Bedingung, daß; **2.** wenn, so'fern; **~ school** *s. Brit.* Gemeindeschule *f.*

prov·i·dence ['prɔvidəns] *s.* **1.** (göttliche) Vorsehung; **2.** *the* ⁓ die Vorsehung, Gott *m*; **3.** Vorsorge *f*, (weise) Vor'aussicht; **'prov·i·dent** [-nt] *adj.* □ **1.** vor'ausblickend, vor-, fürsorglich: ~ *bank* Sparkasse; ~ *fund* Unterstützungskasse; ~ *society* Unterstützungsverein; **2.** haushälterisch, sparsam; **prov·i·den·tial** [prɔvi'denʃəl] *adj.* □ **1.** durch die (göttliche) Vorsehung bestimmt *od.* bewirkt, schicksalhaft; **2.** glücklich, gnädig (*Geschick etc.*).

pro·vid·er [prə'vaidə] *s.* **1.** Versorger(in), Fürsorger(in), Ernährer *m der Familie*: *good ~* F treusorgende(r) Mutter (Vater); **2.** Liefe'rant *m.*

prov·ince ['prɔvins] *s.* **1.** Pro'vinz *f*, Bezirk *m*; **2.** *fig.* **a)** (Wissens)Gebiet *n*, Fach *n*, **b)** (Aufgaben)Bereich *m*, Wirkungskreis *m*, Amt *n*: *it is not within my ~* **a)** es schlägt nicht in mein Fach, **b)** es ist nicht m-s Amtes (*to inf.* zu *inf.*).

pro·vin·cial [prə'vinʃəl] **I.** *adj.* □ **1.** Provinz..., provinzi'ell (*a. fig. engstirnig, spießbürgerlich*): *~ town*; **2.** pro'vinzlich, ländlich, kleinstädtisch; **3.** *fig. contp.* pro'vinzlerisch (*ungebildet, plump*); **II.** *s.* **4.** Pro'vinzbewohner(in); *contp.* Pro'vinzler(in); **pro'vin·cial·ism** [prə'vinʃəlizəm] *s.* Provinzia'lismus *m* (*a. contp. Kleingeisterei, Lokalpatriotismus, Plumpheit*); *contp.* Pro'vinzlertum *n.*

prov·ing ['pru:viŋ] *s.* **1.** Prüfen *n*, Erprobung *f*: *~ flight* Probe-, Erprobungsflug; *~ ground* Versuchsfeld, -gelände; **2.** *~ of a will* ⚖ Eröffnung u. Bestätigung e-s Testaments.

pro·vi·sion [prə'viʒən] **I.** *s.* **1. a)** Vorkehrung *f*, -sorge *f*, Maßnahme *f*, **b)** Vor-, Einrichtung *f*: *to make ~* sorgen *od.* Vorkehrungen treffen (*for* für), sich schützen (*against* vor *dat. od.* gegen); **2.** ⚖ Bestimmung *f*, Vorschrift *f*: *to come within the ~s of the law* unter die gesetzlichen Bestimmungen fallen; **3.** ⚖ Bedingung *f*, Vorbehalt *m*; **4.** Beschaffung *f*, Besorgung *f*, Bereitstellung *f*; **5.** *pl.* (Lebensmittel-) Vorräte *pl.*, Vorrat *m* (*of* an *dat.*), Nahrungsmittel *pl.*, Provi'ant *m*: *~s dealer* (*od. merchant*) Lebensmittel-, Feinkosthändler; *~s industry* Nahrungsmittelindustrie; **6.** *oft pl.* Rückstellungen *pl.*, -lagen *pl.*, Re'serven *pl.*: *~ for taxes* Steuerrückstellungen; **II.** *v/t.* **7.** mit Lebensmitteln versehen, verproviantieren; **pro'vi·sion·al** [-ʒənl] *adj.* □ provi'sorisch, vorläufig, einstweilig, behelfsmäßig: *~ agreement* Vorvertrag; *~ arrangement* Provisorium; *~ receipt* Interimsquittung; *~ regulations* Übergangsbestimmungen; *~ result sport* vorläufiges *od.* inoffizielles Endergebnis.

pro·vi·so [prə'vaizou] *s.* ⚖ Vorbehalt *m*, (Bedingungs)Klausel *f*, Bedingung *f*: *~ clause* Vorbehaltsklausel; **pro'vi·so·ry** [-zəri] *adj.* □ **1.** bedingend, bedingt, vorbehaltlich; **2.** provi'sorisch, vorläufig.

prov·o·ca·tion [prɔvə'keiʃən] *s.* **1.** Her'ausforderung *f*, Provokati'on *f* (*a.* ⚖); **2.** Aufreizung *f*, Erregung *f*; **3.** Verärgerung *f*, Ärger *m*: *at the slightest ~* beim geringsten Anlaß; **pro·voc·a·tive** [prə'vɔkətiv] **I.** *adj.* (*a.* zum 'Widerspruch) her'ausfordernd, aufreizend (*of* zu), provozierend; **II.** *s.* Reiz(mittel *n*) *m*, Antrieb *m* (*of* zu).

pro·voke [prə'vouk] *v/t.* **1.** erzürnen, aufbringen, (ver)ärgern; **2.** *Gefühl etc.* her'vorrufen, erregen; **3.** *j-n* antreiben, (auf)reizen, her'ausfordern, provozieren: *to ~ s.o. to do s.th.* j-n dazu bewegen, et. zu tun; **pro'vok·ing** [-kiŋ] *adj.* □ **1.** aufreizend, her'ausfordernd; **2.** em'pörend, unausstehlich.

prov·ost ['prɔvəst] *s.* **1.** Vorsteher *m* (*a. univ. Brit. e-s College*); **2.** *Scot.* Bürgermeister *m*; **3.** *eccl.* Propst *m*; **4.** [prə'vou] ⚔ Pro'fos *m*, Offi'zier *m* der Mili'tärpoli,zei; *~* **mar·shal** [prə'vou] *s.* ⚔ Komman'deur *m* der Mili'tärpoli,zei.

prow [prau] *s.* ⚓ Bug *m*, Schiffsschnabel *m.*

prow·ess ['prauis] *s.* **1.** Tapferkeit *f*, Verwegenheit *f*; **2.** über'ragendes Können, Tüchtigkeit *f.*

prowl [praul] **I.** *v/i.* her'umschleichen, -streichen; **II.** *v/t.* durch'streifen; **III.** *s.* Um'herstreifen *n*, Streife *f*: *to be on the ~* → I; *~ car Am.* (Funk-, Polizei)Streifenwagen; **prowl·er** ['praulə] *s.* Her'umtreiber *m.*

prox·i·mal ['prɔksiməl] *adj.* □ *anat.* proxi'mal, körpernah; **'prox·i·mate** [-mit] *adj.* □ **1.** nächst, folgend, (sich) unmittelbar (anschließend): *~ cause* unmittelbare Ursache; **2.** naheliegend; **3.** annähernd; **prox·im·i·ty** [prɔk'simiti] *s.* Nähe *f*: *~ fuse* ⚔ Annäherungszünder; **'prox·i·mo** [-mou] *adv.* (des) nächsten Monats.

prox·y ['prɔksi] *s.* **1.** (Stell)Vertretung *f*, (Handlungs)Vollmacht *f*: *by ~* in Vertretung; *marriage by ~* Ferntrauung; **2.** (Stell)Vertreter(in), Bevollmächtigte(r *m*) *f*: *by ~* durch e-n Bevollmächtigten; *to stand ~ for s.o.* als Stellvertreter fungieren für j-n.

prude [pru:d] *s.* Prüde *f*, prüdes Mädchen, Zimperliese *f.*

pru·dence ['pru:dəns] *s.* **1.** Klugheit *f*, Vernunft *f*; **2.** 'Um-, Vorsicht *f*, Über'legtheit *f*: *ordinary ~* ⚖ *die* im Verkehr erforderliche Sorgfalt; **'pru·dent** [-nt] *adj.* □ **1.** klug, vernünftig; **2.** 'um-, vorsichtig, besonnen; **pru·den·tial** [pru(:)'denʃəl] *adj.* □ klüglich; → *prudent*: *for ~ reasons* aus Gründen praktischer Überlegung.

prud·er·y ['pru:dəri] *s.* Prüde'rie *f*, Sprödigkeit *f*, Zimperlichkeit *f*; **'prud·ish** [-diʃ] *adj.* □ prüde, spröde, zimperlich.

prune[1] [pru:n] *s.* **1.** ⚘ Pflaume *f*; **2.** Backpflaume *f.*

prune[2] [pru:n] *v/t.* **1.** *Bäume etc.* (aus)putzen, beschneiden; **2.** *a. ~ off, ~ away* wegschneiden; **3.** *fig.* zu('recht)stutzen, befreien (*of* von), säubern, *Text etc.* zs.-streichen, *Überflüssiges* entfernen.

pru·nel·la[1] [pru(:)'nelə] *s.* ✝ Pru'nell *m*, Lasting *m* (*Gewebe*).

pru·nel·la[2] [pru(:)'nelə] *s.* ⚕ *obs.* Halsbräune *f.*

pru·nelle [pru(:)'nel] *s.* Prü'nelle *f* (*getrocknete entkernte Pflaume*).

pru·nel·lo [pru(:)'nelou] → *prunelle.*

'prun·ing|-hook ['pru:niŋ] *s.* Hekkensichel *f*; **'~-knife** *s.* [*irr.*] Gartenmesser *n*; **'~-shears** *s. pl.* Baumschere *f.*

pru·ri·ence ['pruəriəns], **'pru·ri·en·cy** [-si] *s.* **1.** Geilheit *f*, Lüsternheit *f*; (Sinnen)Kitzel *m*; **2.** Gier *f* (*for* nach); **'pru·ri·ent** [-nt] *adj.* □ geil, lüstern, las'ziv.

Prus·sian ['prʌʃən] **I.** *adj.* preußisch; **II.** *s.* Preuße *m*, Preußin *f*; *~* **blue** *s.* Ber'linerblau *n.*

prus·si·ate ['prʌʃiit] *s.* ⚗ Prussi'at *n*; *~* **of pot·ash** *s.* ⚗ 'Kaliumferrocya,nid *n.*

prus·sic ac·id ['prʌsik] *s.* ⚗ Blausäure *f*, Zy'anwasserstoff(säure *f*) *m.*

pry[1] [prai] *v/i.* neugierig gucken *od.* sein, (*about* her'um)spähen, (-)schnüffeln: *to ~ into* **a)** *et.* zu erforschen suchen, **b)** *contp.* s-e Nase stecken in (*acc.*).

pry[2] [prai] **I.** *v/t.* **1.** *a. ~ open mit e-m Hebel etc.* aufbrechen, -stemmen: *to ~ up* hochstemmen, -heben; **2.** *fig.* her'ausholen; **II.** *s.* **3.** Hebel *m*; Brecheisen *n*; **4.** Hebelwirkung *f.*

pry·ing ['praiiŋ] *adj.* □ neugierig, naseweis.

psalm [sɑ:m] *s.* Psalm *m*: *the (Book of) ℒs bibl.* die Psalmen; **'psalm·ist** [-mist] *s.* Psal'mist *m*; **psal·mo·dy** ['sælmədi] *s.* **1.** Psalmo'die *f*, Psalmengesang *m*; **2.** *coll.* Psalmen *pl.*

Psal·ter ['sɔ:ltə] *s.* Psalter *m*, (Buch *n* der) Psalmen *pl.*; **psal·te·ri·um** [sɔ:l'tiəriəm] *pl.* **-ri·a** [-riə] *s. zo.* Blättermagen *m*; **'psal·ter·y** [-təri] *s.* ♪ Psalter *m*, Psal'terium *n.*

pseudo- [psju:dou] *in Zssgn* Pseudo..., pseudo..., falsch, unecht; **'pseu·do'carp** [-'kɑ:p] *s.* ⚘ Scheinfrucht *f*; **'pseu·do·nym** [-dənim] *s.* Pseudo'nym *n*, Deckname *m*; **pseu·do'nym·i·ty** [-də'nimiti] *s.* **1.** Pseudonymi'tät *f*; **2.** Führen *n* e-s Pseudo'nyms; **pseu'don·y·mous** [-'dɔniməs] *adj.* □ pseudo'nym.

pshaw [pʃɔ:] *int.* pah!

psit·ta·co·sis [psitə'kousis] *s.* ⚕ Papa'geienkrankheit *f.*

pso·ri·a·sis [psə'raiəsis] *s.* ⚕ Schuppenflechte *f.*

psy·che·del·ic [saikə'delik] *adj.* psyche'delisch, bewußtseinserweiternd.

psy·chi·at·ric, psy·chi·at·ri·cal [saiki'ætrik(əl)] *adj.* psychi'atrisch; **psy·chi·a·trist** [sai'kaiətrist] *s.* ⚕ Psychi'ater *m*; **psy'chi·a·try** [sai'kaiətri] *s.* ⚕ Psychia'trie *f.*

psy·chic ['saikik] **I.** *adj.* (□ *~ally*) **1.** psychisch, seelisch(-geistig), Seelen...; **2.** 'übersinnlich: *~ forces*; **3.** tele'pathisch (veranlagt), medi'al; **4.** spiri'tistisch; **II.** *s.* **5.** für 'übersinnliche Einflüsse empfängliche Per'son, Medium *n*; **6.** *das* Psychische; **7.** *pl. sg. konstr.* **a)** Seelenkunde *f*, -forschung *f*, **b)** 'Parapsycholo,gie *f*; **'psy·chi·cal** [-kəl] *adj.* □ → *psychic I*: *~ research* Parapsychologie.

psy·cho-a·nal·y·sis [saikouə'næləsis] *s.* ,Psychoana'lyse *f*; **psy·cho·an·a·lyst** [saikou'ænəlist] *s.* ,Psychoana'lytiker(in).

psy·cho·graph ['saikəgrɑ:f; -græf] *s.* Psycho'gramm *n.*

psy·cho·log·ic [saikə'lɔdʒik] → *psychological*; **psy·cho'log·i·cal** [-kəl] *adj.* □ psycho'logisch (*a. Kriegführung*): *~ moment* richtiger Augenblick; **psy·chol·o·gist** [sai-

'kɔlədʒist] *s.* Psycho'loge *m*, Psycho'login *f*; **psychol·o·gy** [sai'kɔlədʒi] *s.* **1.** Psycholo'gie *f* (*Wissenschaft*); **2.** Psychologie *f*, Seelenleben *n*.

psy·cho·path ['saikəpæθ] *s.* Psycho'path(in); **psy·cho·path·ic** [saikou'pæθik] **I.** *adj.* psycho'pathisch; **II.** *s.* Psycho'path(in); **psy·chop·a·thy** [sai'kɔpəθi] *s.* Psychopa'thie *f*; Gemütskrankheit *f*.

psy·cho·sis [sai'kousis] *pl.* **-ses** [-si:z] *s.* Psy'chose *f* (*a. fig.*), seelische Störung.

psy·cho·ther·a·py ['saikou'θerəpi] *s.* ⚕ ˌPsychothera'pie *f*.

ptar·mi·gan ['tɑ:migən] *s. zo.* Schneehuhn *n*.

pto·maine ['toumein] *s.* ⚗ Ptoma'in *n*, Leichengift *n*.

pub [pʌb] *s. bsd. Brit.* F Pub *n*, Kneipe *f*; '**~-crawl** *s. bsd. Brit.* F Kneipenbummel *m*, Bierreise *f*.

pu·ber·ty ['pju:bəti] *s.* **1.** Puber'tät *f*, Geschlechtsreife *f*; **2.** *a. age of ~* Puber'tät(salter *n*) *f*: *~ vocal change* Stimmbruch.

pu·bes[1] ['pju:bi:z] *s. anat.* **a)** Schamgegend *f*, **b)** Schamhaare *pl*.

pu·bes[2] ['pju:bi:z] *pl. von pubis*.

pu·bes·cence [pju(:)'besns] *s.* **1.** Geschlechtsreife *f*; **2.** ⚘, *zo.* Flaumhaar *n*; **pu'bes·cent** [-nt] *adj.* **1.** geschlechtsreif (werdend); **2.** Pubertäts...; **3.** ⚘, *zo.* fein behaart.

pu·bic ['pju:bik] *adj. anat.* Scham...

pu·bis ['pju:bis] *pl.* **-bes** [-bi:z] *s. anat.* Schambein *n*.

pub·lic ['pʌblik] **I.** *adj.* □ **1.** öffentlich *stattfindend* (*z.B. Verhandlung, Versammlung, Versteigerung*): *~ notice* öffentliche Bekanntmachung, Aufgebot; *in the ~ eye* im Lichte der Öffentlichkeit; **2.** öffentlich, allgemein bekannt: *a ~ character*; *to go ~* sich an die Öffentlichkeit wenden; *to make ~* (allgemein) bekanntmachen; **3. a)** öffentlich (*z.B. Anstalt, Bad, Dienst, Feiertag, Kredit, Sicherheit, Straße, Verkehrsmittel*), **b)** Staats..., staatlich (*z.B. Anleihe, Behörde, Papiere, Schuld, Stellung*), **c)** Volks...(*-bücherei, -gesundheit etc.*), **d)** Gemeinde..., Stadt...: *~ accountant* öffentlicher Bücherrevisor; *~-address system* **öffentliche Lautsprecheranlage;** ♀ ***Assistance*** **öffentliche Fürsorge;** *~ charge* Fürsorgeempfänger; *~ (limited) company* ✝ *Brit.* Aktiengesellschaft; *~ convenience* öffentliche Bedürfnisanstalt; *~ corporation* ⚖ öffentlich-rechtliche Körperschaft; *~ economy* Volkswirtschaft(slehre); *~ enemy* Staatsfeind; *~ house bsd. Brit.* → *pub*; *~ information* Unterrichtung der Öffentlichkeit; *~ law* öffentliches Recht; *~ opinion* öffentliche Meinung; *~ opinion poll* öffentliche Umfrage, Meinungsbefragung; *~ official* Beamte(r); *~ relations* **a)** Public Relations, Öffentlichkeitsarbeit, **b)** *attr.* Presse..., Werbe...; *~ revenue* Staatseinkünfte; *~ school* **a)** *Brit.* Public School, höhere Privatschule mit Internat, **b)** *Am.* staatliche Schule; *~ service* **a)** Staatsdienst, **b)** öffentliche Versorgung (*Gas, Wasser, Elektrizität etc.*); *~ spirit* Bürgersinn; *~ works* öffentliche Arbeiten *od.* Bauten; → *nuisance 2, policy*[1] *3, prosecutor, utility 3*; **4.** natio'nal: *~ disaster*; **II.** *s.* **5.** Öffentlichkeit *f*: *in ~* in der Öffentlichkeit, öffentlich; **6.** *sg. u. pl. konstr.* Öffentlichkeit *f*, *die* Leute *pl.*; *das* Publikum; Kreise *pl.*, Welt *f*: *to appear before the ~* an die Öffentlichkeit treten; *to exclude the ~* ⚖ die Öffentlichkeit ausschließen; **7.** *Brit.* F → *pub*; '**pub·li·can** [-kən] *s.* **1.** *Brit.* (Gast)Wirt *m*; **2.** *hist.*, *bibl.* Zöllner *m*; **pub·li·ca·tion** [pʌbli'keiʃən] *s.* **1.** Bekanntmachung *f*, -gabe *f*; **2.** Her'ausgabe *f*, Veröffentlichung *f* (*von Druckwerken*); **3.** Publikati'on *f*, Veröffentlichung *f*, Verlagswerk *n*; (Druck)Schrift *f*: *monthly ~* Monatsschrift; *new ~* Neuerscheinung; '**pub·li·cist** [-isist] *s.* **1.** Publi'zist *m*, Tagesschriftsteller *m*; **2.** Völkerrechtler *m*; **pub·lic·i·ty** [pʌb'lisiti] *s.* **1.** Publizi'tät *f*, Öffentlichkeit *f* (*a.* ⚖ *des Verfahrens*): *to give s.th. ~* et. allgemein bekanntmachen; *to seek ~* bekannt werden wollen; **2.** Re'klame *f*, Werbung *f*: *~ agent*, *~ man* Werbefachmann; *~ campaign* Werbefeldzug; *~ manager* Werbeleiter; '**pub·li·cize** [-isaiz] *v/t.* **1.** publizieren, (öffentlich) bekanntmachen; **2.** Re'klame machen für, propagieren.

'**pub·lic|-'pri·vate** *adj.* ✝ gemischtwirtschaftlich; '**~-'spir·it·ed** *adj.* gemeinsinnig, sozi'al gesinnt.

pub·lish ['pʌbliʃ] *v/t.* **1.** (offizi'ell) bekanntmachen, -geben; *Aufgebot etc.* verkünd(ig)en; **2.** publizieren, veröffentlichen; **3.** *Buch etc.* verlegen, her'ausbringen: *just ~ed* (so)eben erschienen; *~ed by Methuen* im Verlag Methuen erschienen; *~ed by the author* im Selbstverlag; **4.** ⚖ *Beleidigendes* äußern, verbreiten; '**pub·lish·er** [-ʃə] *s.* **1.** Verleger *m*, Her'ausgeber *m*; *bsd. Am.* Zeitungsverleger *m*; **2.** *pl.* Verlag *m*, Verlagsanstalt *f*; '**pub·lish·ing** [-ʃiŋ] **I.** *s.* Her'ausgabe *f*, Verlag *m*; **II.** *adj.* Verlags...: *~ business* Verlagsgeschäft, -buchhandel; *~ house* → *publisher 2*.

puce [pju:s] *adj.* braunrot.

puck [pʌk] *s.* **1.** Kobold *m*; **2.** *Eishockey*: Puck *m*, Scheibe *f*.

puck·a ['pʌkə] *adj.* **1.** echt, wirklich; **2.** so'lid, dauerhaft; **3.** erstklassig, tadellos.

puck·er ['pʌkə] **I.** *v/t.* *oft ~ up* **1.** runzeln, fälteln, Runzeln *od.* Falten bilden in (*dat.*); **2.** *Mund, Lippen etc.* zs.-ziehen, spitzen; *a. Stirn, Stoff* kräuseln; **II.** *v/i.* **3.** sich kräuseln, sich zs.-ziehen, sich falten, Runzeln bilden; **III.** *s.* **4.** Runzel *f*, Falte *f*; **5.** Bausch *m*; **6.** F Aufregung *f* (*about* über *acc.*, wegen).

puck·ish ['pʌkiʃ] *adj.* koboldhaft.

pud·ding ['pudiŋ] *s.* **1.** Pudding *m*, Süßspeise *f*; → *proof 6*; **2.** ('Fleisch- *etc.*)Paˌstete *f*; **3.** *e-e Wurstsorte*: *black ~* Blutwurst; *white ~* Preßsack; '**~-faced** *adj.* mit e-m Vollmondgesicht.

pud·dle ['pʌdl] **I.** *s.* **1.** Pfütze *f*, Lache *f*; **2.** ⊕ Lehmschlag *m*; **II.** *v/t.* **3.** mit Pfützen bedecken; in Matsch verwandeln; **4.** *Wasser* trüben (*a. fig.*); **5.** *Lehm* zu Lehmschlag verarbeiten; **6.** mit Lehmschlag abdichten *od.* auskleiden; **7.** *metall.* puddeln: *~(d) steel* Puddelstahl; **III.** *v/i.* **8.** (in Pfützen) her'umplanschen *od.* -waten; **9.** *fig.* her'umpfuschen; '**pud·dler** [-lə] *s.* ⊕ Puddler *m* (*Arbeiter od. Gerät*).

pu·den·cy ['pju:dənsi] *s.* Verschämtheit *f*.

pu·den·dum [pju(:)'dendəm] *mst im pl.* **-da** [-də] *s.* weibliche Scham, Vulva *f*.

pu·dent ['pju:dənt] *adj.* verschämt.

pudg·y ['pʌdʒi] *adj.* dicklich, unter'setzt, plump.

pu·er·ile ['pjuərail] *adj.* □ pue'ril, knabenhaft, kindlich, *contp.* kindisch; **pu·er·il·i·ty** [pjuə'riliti] *s.* **1.** Puerili'tät *f*, kindisches Wesen; **2.** *et.* Kindisches, Kinde'rei *f*, Torheit *f*.

pu·er·per·al [pju(:)'ə:pərəl] *adj.* Kindbett...: *~ fever.*

puff [pʌf] **I.** *s.* **1.** Hauch *m*; (leichter) Windstoß; **2.** Zug *m beim Rauchen*; Paffen *n der Pfeife etc.*; **3.** (Rauch-, Dampf)Wölkchen *n*; **4.** leichter Knall; **5.** *Bäckerei*: Windbeutel *m*; **6.** Puderquaste *f*; **7.** Puffe *f*, Bausch *m an Kleidern*; **8. a)** marktschreierische Anpreisung, aufdringliche Re'klame, **b)** lobhudelnde Kri'tik: *~ is part of the trade* Klappern gehört zum Handwerk; **II.** *v/t.* **9.** blasen, pusten (*away* weg, *out* aus); **10.** auspuffen, -paffen, -stoßen; **11.** *Zigarre etc.* paffen; **12.** *oft ~ out*, *~ up* aufblasen, (-)blähen; *fig.* aufgeblasen machen: *~ed up with pride* stolzgeschwellt; *~ed eyes* geschwollene Augen; *~ed sleeve* Puffärmel; **13.** außer Atem bringen: *~ed* außer Atem; **14.** marktschreierisch anpreisen: *to ~ up Preise* hochtreiben; **III.** *v/i.* **15.** paffen (*at* an *e-r Zigarre etc.*); Rauch- od. Dampfwölkchen ausstoßen; **16.** pusten, schnaufen, keuchen; **17.** *Lokomotive etc.* (da'hin)dampfen, keuchen; **18.** *~ out* (*od. up*) sich (auf)blähen; '**~-ad·der** *s. zo.* Puffotter *f*; '**~-ball** *s.* ⚘ Bofist *m*; '**~-box** *s.* Puderdose *f*.

puff·er ['pʌfə] *s.* **1.** Paffer *m*; **2.** Marktschreier *m*; **3.** Preistreiber *m*, Scheinbieter *m bei Auktionen*; '**puff·er·y** [-əri] *s.* Marktschreie'rei *f*; **puff·i·ness** ['pʌfinis] *s.* **1.** Aufgeblähtheit *f*, Aufgeblasenheit *f* (*a. fig.*); **2.** (Auf)Gedunsenheit *f*; **3.** Schwulst *m*; **puff·ing** ['pʌfiŋ] *s.* **1.** Aufbauschung *f*, Aufblähung *f*; **2.** → *puff 8 a*; **3.** Scheinbieten *n bei Auktionen*, Preistreibe'rei *f*; '**puff-paste** *s.* Blätterteig *m*; **puff·y** ['pʌfi] *adj.* □ **1.** böig (*Wind*); **2.** kurzatmig, keuchend; **3.** aufgebläht, (an)geschwollen; **4.** bauschig (*Ärmel*); **5.** aufgedunsen, dick; **6.** *fig.* schwülstig.

pug[1] [pʌg] *s. a. ~-dog* Mops *m*.

pug[2] [pʌg] *v/t.* **1.** *Lehm etc.* mischen u. kneten; schlagen; **2.** mit Lehmschlag *etc.* ausfüllen *od.* abdichten.

pug[3] [pʌg] *s. sl.* Boxer *m*.

pu·gil·ism ['pju:dʒilizəm] *s.* Boxen *n*, Faustkampf *m*; '**pu·gil·ist** [-ist] *s.* (Berufs)Boxer *m*.

pug·na·cious [pʌgˈneiʃəs] *adj.* □ **1.** kampflustig, kämpferisch; **2.** streitsüchtig; **pugˈnac·i·ty** [-ˈnæsiti] *s.* **1.** Kampflust *f*; **2.** Streitsucht *f*.
ˈpug|-nose *s.* Stupsnase *f*; **ˈ~-nosed** *adj.* stupsnasig.
puis·ne [ˈpju:ni] **I.** *adj.* ⚖ rangjünger, ˈuntergeordnet: *~ judge* → *II*; **II.** *s.* ˈUnterrichter *m*, Beisitzer *m*.
puke [pju:k] *v/t. u. v/i.* (sich) erbrechen, ‚kotzen'.
puk·ka [ˈpʌkə] → *pucka*.
pul·chri·tude [ˈpʌlkritju:d] *s. bsd. Am.* (weibliche) Schönheit; **pul·chri·tu·di·nous** [pʌlkriˈtju:dinəs] *adj. Am.* schön.
pule [pju:l] *v/i.* **1.** wimmern, winseln; **2.** piepsen.
pull [pul] **I.** *s.* **1.** Ziehen *n*, Zerren *n*; **2.** Zug *m*, Ruck *m*: *to give a strong ~ (at)* kräftig ziehen (an *dat.*); **3.** *mot. etc.* Zug(kraft *f*) *m*, Ziehkraft *f*; **4.** Anziehungskraft *f* (*a. fig.*); **5.** *fig.* Zug-, Werbekraft *f*; **6.** Zug *m*, Schluck *m* (*at* aus); **7.** Zug(griff) *m*, -leine *f*: *bell-~* Glockenzug; **8. a)** Bootfahrt *f*, **b)** Ruderschlag *m*: *to go for a ~* e-e Ruderpartie machen; **9.** (*long ~* große) Anstrengung; **10.** ermüdende Steigung; **11.** Vorteil *m* (*over*, *of* vor *dat.*, gegenˈüber); **12.** *sl.* (*with*) (heimlicher) Einfluß (auf *acc.*), Beziehungen *pl.* (zu); **13.** *typ.* Fahne *f*, (erster) Abzug; **II.** *v/t.* **14.** ziehen, schleppen; **15.** zerren (an *dat.*), zupfen (an *dat.*): *to ~ about* umherzerren; *to ~ s.o.'s ear*, *to ~ s.o. by the ear* j-n an den Ohren ziehen; *to ~ a muscle* sich e-e Muskelzerrung zuziehen; → *face 2*, *leg Redew.*, *string 3*, *trigger 2*; **16.** reißen: *~ apart* auseinanderreißen; *to ~ to pieces* **a)** zerreißen, in Stücke reißen, **b)** *fig.* (in e-r Kritik *etc.*) zer- *od.* herunterreißen; *to ~ o.s. together fig.* sich zs.-reißen; **17.** *Pflanze* ausreißen; *Korken*, *Zahn* ziehen; *Blumen*, *Obst* pflücken; *Flachs* raufen; *Gans etc.* rupfen; *Leder* enthaaren; **18.** *to ~ one's punches Boxen*: verhalten schlagen, *fig.* sich zurückhalten; *not to ~ one's punches fig.* vom Leder ziehen, kein Blatt vor den Mund nehmen; **19.** *Pferd* zügeln; *Rennpferd* pullen; **20.** *Boot* rudern: *to ~ a good oar* gut rudern; → *weight 1*; **21.** *Am. Messer etc.* ziehen: *to ~ a pistol on j-n* mit der Pistole bedrohen; **22.** *typ. Fahne* abziehen; **23.** *sl. et.* ‚drehen', ‚schaukeln' (*ausführen*): *to ~ the job* das Ding drehen; *to ~ a fast one on s.o.* j-n ‚reinlegen'; **24.** *sl.* ‚schnappen' (*verhaften*); **25.** *sl.* e-e Razzia machen auf (*acc.*), *Spielhölle etc.* ausheben; **III.** *v/i.* **26.** ziehen (*at* an *dat.*); **27.** zerren, reißen (*at* an *dat.*); **28.** *a. ~ against the bit* am Zügel reißen (*Pferd*); **29. a)** e-n Zug machen, trinken (*at* aus *e-r Flasche*), **b)** ziehen (*at* an *e-r Pfeife etc.*); **30.** *gut etc.* ziehen (*Pfeife etc.*); **31.** sich vorwärtsarbeiten, -bewegen, -schieben: *to ~ into the station* 🚂 (in den Bahnhof) einfahren; **32.** rudern, pullen: *to ~ together fig.* zs.-arbeiten; **33.** (herˈan)fahren (*to the kerb* an den Bordstein); **34.** *sl.* ‚ziehen', Zugkraft haben (*Reklame*);
Zssgn mit adv.:
pull| down *v/t.* **1.** herˈunterziehen, -reißen; *Gebäude* abreißen; **2.** *fig.* herunterreißen, herˈabsetzen; **3.** *j-n* schwächen; *j-n* entmutigen; **~ in I.** *v/t.* **1.** (her)ˈeinziehen; **2.** *Pferd* zügeln, parieren; **II.** *v/i.* **3.** anhalten, stehenbleiben; **4.** hinˈeinrudern; 🚂 einfahren; **~ off I.** *v/t.* **1.** wegziehen, -reißen; **2.** *Schuhe etc.* ausziehen; *Hut* abnehmen (*to* vor *dat.*); **3.** *Preis*, *Sieg* daˈvontragen, erringen; **4.** F *et.* ‚schaukeln', ‚schaffen' (*zuwege bringen*); **II.** *v/i.* **5.** sich in Bewegung setzen, abfahren; abstoßen (*Boot*); **~ on** *v/t. Kleid etc.* anziehen; **~ out I.** *v/t.* **1.** herˈausziehen; **2.** ✈ *Flugzeug* hochziehen, *aus dem Sturzflug* abfangen; **3.** *fig.* in die Länge ziehen; **II.** *v/i.* **4.** hinˈausrudern; 🚂 hinˈausdampfen, abfahren; ‚abziehen', sich daˈvonmachen; **~ round I.** *v/t.* *j-n* wieder ‚hinkriegen', wieder gesund machen; **II.** *v/i.* wieder auf die Beine kommen, sich erholen; **~ through I.** *v/t.* **1.** (hin)ˈdurchziehen; **2.** *fig.* **a)** *j-m* ˈdurchhelfen, **b)** *e-n Kranken* ˈdurchbringen; **3.** *et.* erfolgreich ˈdurchführen; **II.** *v/i.* **4.** durch *et. Übles* ˈdurchkommen; sich ˈdurchschlagen; **~ up I.** *v/t.* **1.** herˈauf-, hochziehen (*a.* ✈); ⚓ *Flagge* hissen; **2.** *Pferd*, *Wagen* anhalten; **3.** *j-n* zuˈrückhalten, *j-m* Einhalt gebieten; *j-n* zur Rede stellen; **II.** *v/i.* **4.** (an)halten, vorfahren; **5.** *fig.* bremsen; **6.** *sport* sich nach vorn schieben: *to ~ to* (*od. with*) *j-n* einholen.
pul·let [ˈpulit] *s.* Hühnchen *n*.
pul·ley [ˈpuli] ⊕ *s.* **1.** Rolle *f* (*bsd. Flaschenzug*): *rope ~* Seilrolle; *block and ~*, *set of ~s* Flaschenzug; **2.** Flasche *f* (*Verbindung mehrerer Rollen*); **3.** Flaschenzug *m*; **4.** ⚓ Talje *f*; **5.** *a. belt ~* Riemenscheibe *f*; **~ block** *s.* ⊕ (Roll)Kloben *m*; **~ chain** *s.* Flaschenzugkette *f*; **~ drive** *s.* Riemenscheibenantrieb *m*.
ˈpull-fas·ten·er *s.* Reißverschluß *m*.
Pull·man (car) [ˈpulmən] *pl.* **-mans** *s.* 🚂 Pullmanwagen *m* (*Salon- u. Schlafwagen*).
ˈpull|-off I. *s.* **1.** ✈ Lösen *n* des Fallschirms (*beim Absprung*); **2.** *leichter etc.* Abzug (*Schußwaffe*); **II.** *adj.* **3.** ⊕ Abzieh...(*-feder*); **ˈ~-out** *adj.* ⊕ ausziehbar: *~ seat* Schiebesitz; **ˈ~-o·ver** *s.* Pullˈover *m*, ˈÜberziehjacke *f*; **~ strap** *s.* Strippe *f*, Schlaufe *f* (*Stiefel*); **~ switch** *s.* ⚡ Zugschalter *m*; **ˈ~-through** *s.* Reinigungskette *f für Schußwaffen*.
pul·lu·late [ˈpʌljuleit] *v/i.* **1.** (herˈvor)sprossen, knospen; **2.** Knospen treiben; **3.** keimen (*Samen*); **4.** *biol.* sich (*durch Knospung*) vermehren; **5.** *fig.* wuchern, grassieren; **6.** *fig.* wimmeln.
ˈpull-up *s.* Halteplatz *m*, Rast(stätte) *f*.
pul·mo·nar·y [ˈpʌlmənəri] *adj. anat.* Lungen...; **ˈpul·mo·nate** [-neit] *zo. adj.* Lungen..., mit Lungen (ausgestattet): *~ (mollusc)* Lungenschnecke; **pul·mon·ic** [pʌlˈmɔnik] **I.** *adj.* Lungen...; **II.** *s.* Lungenheilmittel *n*.
pulp [pʌlp] **I.** *s.* **1.** Fruchtfleisch *n*, -mark *n*; **2.** ⚘ Stengelmark *n*; **3.** *anat.* (Zahn)Pulpa *f*; **4.** Brei *m*, breiige Masse: *to beat to a ~ fig.* *j-n* zu Brei schlagen; **5.** ⊕ **a)** Paˈpierbrei *m*, Pulpe *f*, *bsd.* Ganzzeug *n*, **b)** Zellstoff *m*: *~board* Zellstoffpappe; *~-engine* Holländer; *~ factory* Holzschleiferei; **6.** Maische *f*, Schnitzel *pl.* (*Zucker*); **7.** *a. ~ magazine Am.* billige Zeitschrift, Schundblatt *n*; **II.** *v/t.* **8.** in Brei verwandeln; **9.** *Papier* einstampfen; **10.** *Früchte* entfleischen; **III.** *v/i.* **11.** breiig werden *od.* sein; **ˈpulp·er** [-pə] *s.* **1.** ⊕ (Ganzzeug)Holländer *m* (*Papier*); **2.** ⚒ (Rüben)Breimühle *f*; **ˈpulp·i·fy** [-pifai] *v/t.* in Brei verwandeln; **ˈpulp·i·ness** [-pinis] *s.* **1.** Weichheit *f*; **2.** Fleischigkeit *f*; **3.** Matschigkeit *f*.
pul·pit [ˈpulpit] *s.* **1.** Kanzel *f*: *in the ~* auf der Kanzel; *~ orator* Kanzelredner; **2.** *the ~ coll.* **a)** die Kanzelredner *pl.*, **b)** die Geistlichkeit; **3.** *fig.* Kanzel *f*; Kanzelreden *pl.*
pulp·y [ˈpʌlpi] *adj.* □ **1.** weich u. saftig; **2.** fleischig; **3.** schwammig; **4.** breiig, matschig.
pul·sate [pʌlˈseit] *v/i.* **1.** pulsieren (*a.* ⚡), (rhythmisch) pochen *od.* schlagen; **2.** vibrieren; **3.** *fig.* pulsieren (*with* von *Leben*, *Erregung*);
pul·sa·tile [ˈpʌlsətail] *adj.* ♪ Schlag...: *~ instrument*; **pulˈsat·ing** [-tiŋ] *adj.* **1.** ⚡ pulsierend (*a. fig.*), stoßweise; **2.** *fig.* beschwingt (*Rhythmus*, *Weise*); **pulˈsa·tion** [-eiʃən] *s.* **1.** Pulsieren *n* (*a. fig.*), Pochen *n*, Schlagen *n*; **2.** Pulsschlag *m* (*a. fig.*); **3.** Vibrieren *n*.
pulse¹ [pʌls] **I.** *s.* **1.** Puls(schlag) *m* (*a. fig.*): *quick ~* schneller Puls; *~-rate* ⚕ Pulszahl; *to feel s.o.'s ~* **a)** j-m den Puls fühlen, **b)** *fig.* j-m auf den Zahn fühlen, bei j-m vorfühlen; **2.** ⚡, *phys.* Imˈpuls *m*, (Strom)Stoß *m*; **II.** *v/i.* **3.** → *pulsate*.
pulse² [pʌls] *s.* Hülsenfrüchte *pl.*
pul·ver·i·za·tion [pʌlvəraiˈzeiʃən] *s.* **1.** Pulverisierung *f*, (Feinst)Mahlung *f*; **2.** Zerstäubung *f von Flüssigkeiten*; **3.** *fig.* Zermalmung *f*;
pul·ver·ize [ˈpʌlvəraiz] **I.** *v/t.* **1.** pulverisieren, *zu Staub* zermahlen, -stoßen, -reiben: *~d coal* feingemahlene Kohlen, Kohlenstaub; **2.** *Flüssigkeit* zerstäuben; **3.** *fig.* zermalmen; **II.** *v/i.* **4.** (in Staub) zerfallen, zu Staub werden; **pul·ver·iz·er** [ˈpʌlvəraizə] *s.* **1.** ⊕ Zerkleinerer *m*, Pulverisiermühle *f*, Mahlanlage *f*; **2.** Zerstäuber *m*; **pul·ver·u·lent** [pʌlˈverjələnt] *adj.* **1.** (fein)pulverig; **2.** (leicht) zerbröckelnd; **3.** staubig.
pu·ma [ˈpju:mə] *s. zo.* Puma *m*.
pum·ice [ˈpʌmis] **I.** *s. a. ~-stone* Bimsstein *m*; **II.** *v/t.* mit Bimsstein abreiben, (ab)bimsen.
pum·mel [ˈpʌml] → *pommel II*.
pump¹ [pʌmp] **I.** *s.* **1.** Pumpe *f*: (*dispensing*) *~ mot.* Zapfsäule; *fuel ~* Kraftstoff-, Förderpumpe; **2.** Pumpen(stoß *m*) *n*; **II.** *v/t.* **3.** pumpen: *to ~ dry* aus-, leerpumpen; *to ~ out* auspumpen (*a. fig. erschöpfen*); *to ~ up* **a)** hochpumpen, **b)** *Reifen* aufpumpen (*a. fig.*); *to ~ bullets into fig. j-m* Kugeln in den Leib jagen; *to ~ money into* ✝ Geld in *et.* hin-

einpumpen; **4.** *fig.* *j-n* ausholen, -fragen, -horchen; **III.** *v/i.* **5.** pumpen (*a. fig. Herz etc.*).

pump² [pʌmp] *s.* Tanzschuh *m*; *pl.* Pumps *pl.*

'pump-han·dle I. *s.* Pumpenschwengel *m*; **II.** *v/t.* F *j-s Hand* 'überschwenglich schütteln.

pump·kin ['pʌmpkin] *s.* ♀ (*bsd.* Garten)Kürbis *m.*

pump prim·ing *s.* ✝ Ankurbelung *f* der Wirtschaft.

'pump-room *s.* Trinkhalle *f in Kurbädern.*

pun [pʌn] **I.** *s.* Wortspiel *n* (*on* über *acc.*, mit); **II.** *v/i.* Wortspiele *od.* ein Wortspiel machen, witzeln.

punch¹ [pʌntʃ] **I.** *s.* **1.** (Faust)Schlag *m*: *to beat s.o. to the ~ Am. fig.* j-m zuvorkommen; → *pull 18*; **2.** Schlagkraft *f* (*a. fig.*); → *pack 19*; **3.** F Wucht *f*, Schmiß *m*, Schwung *m*; **II.** *v/t.* **4.** (*mit der Faust*) schlagen, boxen, knuffen; **5.** *Am. Rinder* treiben.

punch² [pʌntʃ] ⊕ **I.** *s.* **1.** Stanzwerkzeug *n*, Lochstanze *f*, -eisen *n*, Stempel *m*, 'Durchschlag *m*, Dorn *m*; **2.** Pa'trize *f*; **3.** Prägestempel *m*; **4.** Lochzange *f* (*a.* 🚂 *etc.*); **5.** (Pa'pier)Locher *m*; **II.** *v/t.* **6.** (aus-, loch)stanzen, durch'schlagen, lochen; **7.** *Zahlen etc.* punzen, stempeln; **8.** *Fahrkarten etc.* lochen, knipsen: *~ed card* Lochkarte; *~ed tape* Lochstreifen.

punch³ [pʌntʃ] *s.* Punsch *m* (*Getränk*).

Punch⁴ [pʌntʃ] *s.* Kasperle *n*, Hans'wurst *m*: *~ and Judy show* Kasperletheater; *he was as pleased as ~* er hat sich königlich gefreut.

punch⁵ [pʌntʃ] *s. Brit.* **1.** kurzbeiniges schweres Zugpferd; **2.** F ‚Stöpsel' *m* (*kleine dicke Person*).

'punch|-bowl *s.* Punschbowle *f*; **~ card** *s.* Lochkarte *f*; **'~-drunk** *adj.* **1.** (von vielen Boxhieben) blöde (geworden); **2.** (wie) von Faustschlägen betäubt, groggy.

pun·cheon¹ ['pʌntʃən] *s.* **1.** (Holz-, Stütz)Pfosten *m*; **2.** ⊕ → *punch² 1.*

pun·cheon² ['pʌntʃən] *s. hist.* Puncheon *n* (*Faß enthaltend 324 l*).

punch·er ['pʌntʃə] *s.* **1.** ⊕ Locheisen *n*, Locher *m*; **2.** F Schläger *m* (*a. Boxer*); **3.** *Am.* F Cowboy *m.*

punch·ing| bag ['pʌntʃiŋ] *s. Boxen*: Sandsack *m*; **'~-ball** *s. Boxen*: Punchingball *m*; **~ die** *s.* ⊕ 'Stanzma,trize *f.*

'punch|-la·dle *s.* Punschlöffel *m*; **~ line** *s. Am.* Po'inte *f*; **~ press** *s.* ⊕ Lochpresse *f*; **'~-up** *s.* F Schläge'rei *f.*

punc·til·i·o [pʌŋk'tiliou] *pl.* **-i·os** *s.* **1.** Punkt *m* der Eti'kette; Feinheit *f des Benehmens etc.*; **2.** heikler *od.* kitzliger Punkt: *~ of hono(u)r* Ehrenpunkt; **3.** → *punctiliousness*; **punc'til·i·ous** [-iəs] *adj.* □ **1.** peinlich (genau), pe'dantisch, spitzfindig; **2.** (über'trieben) förmlich; **punc'til·i·ous·ness** [-iəsnis] *s.* pe'dantische Genauigkeit, Förmlichkeit *f.*

punc·tu·al ['pʌŋktjuəl] *adj.* □ pünktlich; **punc·tu·al·i·ty** [pʌŋktju'æliti] *s.* Pünktlichkeit *f.*

punc·tu·ate ['pʌŋktjueit] *v/t.* **1.** interpunktieren, Satzzeichen setzen in (*acc.*); **2.** *fig.* unter'brechen (*with* durch, mit); **3.** *fig.* unter'streichen; **punc·tu·a·tion** [pʌŋktju'eiʃən] *s.* **1.** Interpunkti'on *f*, Zeichensetzung *f*: *close ~* strikte Zeichensetzung; *open ~* weniger strikte Zeichensetzung; *~ mark* Satzzeichen; **2.** *fig.* Unter'brechung *f*; **3.** *fig.* Unter'streichung *f.*

punc·ture ['pʌŋktʃə] **I.** *v/t.* **1.** durch'stechen, -'bohren; **2.** ⚕ punktieren; **II.** *v/i.* **3.** ein Loch bekommen, platzen (*Reifen*); **4.** ⚡ 'durchschlagen; **III.** *s.* **5.** (Ein)Stich *m*, Loch *n*; **6.** Reifenpanne *f*: *~ outfit* Flickzeug; **7.** ⚕ Punk'tur *f*; **8.** ⚡ 'Durchschlag *m*; **'~-proof** *adj.* **1.** *mot. etc.* nagel-, pannensicher (*Reifen*); **2.** ⚡ 'durchschlagsicher.

pun·dit ['pʌndit] *s.* **1.** Pandit *m* (*brahmanischer Gelehrter*); **2.** *humor.* ‚gelehrtes Haus', Gelehrte(r) *m.*

pun·gen·cy ['pʌndʒənsi] *s.* Schärfe *f* (*a. fig.*); **'pun·gent** [-nt] *adj.* □ **1.** scharf (*im Geschmack*); **2.** stechend, beißend (*Geruch etc.*); **3.** *fig.* beißend, sar'kastisch, scharf; **4.** *fig.* prickelnd, pi'kant.

pu·ni·ness ['pju:ninis] *s.* **1.** Schwächlichkeit *f*; **2.** Kleinheit *f*, Bedeutungslosigkeit *f.*

pun·ish ['pʌniʃ] **I.** *v/t.* **1.** *j-n* (be-)strafen (*for* für, wegen); **2.** *Vergehen* bestrafen, ahnden; **3.** F *fig. Boxer etc.* übel zurichten, arg mitnehmen (*a. weitS. strapazieren*); **4.** F *e-r Speise etc.* tüchtig zusprechen; **II.** *v/i.* **5.** strafen; **'pun·ish·a·ble** [-ʃəbl] *adj.* □ strafbar; **'pun·ish·ment** [-mənt] *s.* **1.** Bestrafung *f* (*by* durch); **2.** Strafe *f* (*a.* ⚖): *for* (*od. as*) *a ~* als *od.* zur Strafe; **3.** F **a)** grobe Behandlung, **b)** *Boxen*: ‚Prügel' *pl.*: *to take ~* ‚einstecken', **c)** Stra'paze *f*, ‚Schlauch' *m*, **d)** ⊕, ✝ harte Beanspruchung. [Straf...]

pu·ni·tive ['pju:nitiv] *adj.* strafend,

punk [pʌŋk] *Am.* **I.** *s.* **1.** Zunderholz *n*; **2.** Zunder *m*; **3.** *sl. contp.* Anfänger *m*, ‚Flasche' *f*; **4.** *sl.* ‚Mist' *m*, Schund *m*; Quatsch *m*; **II.** *adj. sl.* **5.** mise'rabel.

pun·ster ['pʌnstə] *s.* Wortspielmacher(in), Witzbold *m.*

punt¹ [pʌnt] **I.** *s.* Punt *n*, Stakkahn *m*; **II.** *v/t. Boot* staken; **III.** *v/i.* punten, im Punt fahren.

punt² [pʌnt] **I.** *s. Rugby*: Fallstoß *m*; **II.** *v/t.* (*v/i.* den fallenden Ball) stoßen.

punt³ [pʌnt] *v/i.* **1.** *Glücksspiel*: gegen die Bank setzen; **2.** (*auf ein Pferd*) wetten.

pu·ny ['pju:ni] *adj.* □ schwächlich, winzig, kümmerlich.

pup [pʌp] **I.** *s.* junger Hund: *in ~* trächtig (*Hündin*); *conceited ~* → *puppy 2*; *to sell s.o. a ~* F j-m et. andrehen, j-n ‚reinlegen'; **II.** *v/t. u. v/i.* (Junge) werfen.

pu·pa ['pju:pə] *pl.* **-pae** [-pi:] *s. zo.* Puppe *f*; **'pu·pate** [-peit] *v/i. zo.* sich verpuppen; **pu·pa·tion** [pju:'peiʃən] *s. zo.* Verpuppung *f.*

pu·pil¹ ['pju:pl] *s.* **1.** Schüler(in): *~ teacher* Junglehrer; **2.** ✝ Prakti'kant(in); **3.** ⚖ Mündel *m, n.*

pu·pil² ['pju:pl] *s. anat.* Pu'pille *f.*

pu·pil·(l)age ['pju:pilidʒ] *s.* **1.** Schüler-, Lehrjahre *pl.*; **2.** Minderjährigkeit *f*, Unmündigkeit *f*; **'pu·pil·(l)ar** [-lə] → *pupil(l)ary*; **'pu·pil·(l)ar·y** [-ləri] *adj.* **1.** ⚖ Mündel...; **2.** *anat.* Pupillen...: *~ reflex* Pupillarreflex.

pup·pet ['pʌpit] *s.* Mario'nette *f*, (Draht)Puppe *f* (*a. fig.*): *~ government* Marionettenregierung; **'~-play, '~-show** *s.* Puppenspiel *n*, Mario'nettenthe,ater *n.*

pup·py ['pʌpi] *s.* **1.** junger Hund, Welpe *m*; *a. weitS. zo.* Junge(s) *n*; **2.** *fig.* (junger) Schnösel, (eingebildeter) Fatzke; **'pup·py·hood** [-hud] *s.* Jugend-, Flegeljahre *pl.*

pup tent *s.* (Zwei'mann)Zelt *n.*

pur → *purr.*

pur·blind ['pə:blaind] *adj.* **1.** *fig.* kurzsichtig, dumm; **2.** *obs.* halb blind.

pur·chas·a·ble ['pə:tʃəsəbl] *adj.* käuflich (*a. fig.*); **pur·chase** ['pə:tʃəs] **I.** *v/t.* **1.** kaufen, erstehen, (käuflich) erwerben; **2.** *fig.* erkaufen, erringen (*with* mit, durch); **3.** *fig.* kaufen (*bestechen*); **4.** ⊕, ⚓ **a)** hochwinden; **b)** (mit Hebelkraft) heben *od.* bewegen; **II.** *s.* **5.** (An-, Ein)Kauf *m*: *by ~* durch Kauf, käuflich; *to make ~s* Einkäufe machen; **6.** 'Kauf(ob,jekt *n*) *m*, Anschaffung *f*: *~s Bilanz*: Wareneingänge; **7.** ⚖ Erwerbung *f*; **8.** (Jahres)Ertrag *m*: *at ten years' ~* zum Zehnfachen des Jahresertrages; *his life is not worth a day's ~* er lebt keinen Tag mehr, er macht es nicht mehr lange; **9.** ⊕ Hebevorrichtung *f*, *bsd.* **a)** Flaschenzug *m*, **b)** ⚓ Talje *f*; **10.** Hebelkraft *f*, -wirkung *f*; **11.** (guter) Angriffs- *od.* Ansatzpunkt; **12.** *fig.* **a)** Machtstellung *f*, Einfluß *m*, **b)** Machtmittel *n*, Handhabe *f.*

pur·chase| ac·count *s.* ✝ Wareneingangskonto *n*; **~ dis·count** *s.* 'Einkaufsra,batt *m*; **~ mon·ey** *s.* Kaufsumme *f*; **~ pat·tern** *s.* Käuferverhalten *n*; **~ price** *s.* Kaufpreis *m.*

pur·chas·er ['pə:tʃəsə] *s.* **1.** Käufer(in); Abnehmer(in); **2.** ⚖ Erwerber *m*: *first ~* Ersterwerber.

pur·chase tax *s. Brit.* Kaufsteuer *f* (*zwischen Groß- u. Einzelhandel erhobene Umsatzsteuer*).

pur·chas·ing| a·gent ['pə:tʃəsiŋ] *s.* ✝ Einkäufer *m e-r Firma*; **~ as·so·ci·a·tion** *s.* ✝ Einkaufsgenossenschaft *f*; **~ man·ag·er** *s.* ✝ Einkaufsleiter *m*; **~ pow·er** *s.* Kaufkraft *f.*

pure [pjuə] *adj.* □ **1.** rein: **a)** sauber, makellos (*a. fig. Freundschaft, Sprache, Ton etc.*), **b)** unschuldig, unberührt: *a ~ girl*, **c)** unvermischt: *~ gold* pures *od.* reines Gold, **d)** theo'retisch: *~ mathematics* reine Mathematik, **e)** völlig, bloß, pur: *~ nonsense*; **2.** *biol.* reinrassig; **'~-bred I.** *adj.* reinrassig, rasserein; **II.** *s.* reinrassiges Tier.

pu·rée ['pjuərei; pyre] (*Fr.*) *s.* **1.** Pü'ree *n*; **2.** (Pü'ree)Suppe *f.*

pure·ness ['pjuənis] *s.* Reinheit *f.*

pur·ga·tion [pə:'geiʃən] *s.* **1.** *mst eccl. u. fig.* Reinigung *f*; **2.** ⚕ Darmentleerung *f*; **pur·ga·tive** ['pə:gətiv] **I.** *adj.* □ **1.** reinigend; **2.** ⚕ abführend, Abführ...; **II.** *s.* **3.** ⚕ Ab-

führmittel *n*; **pur·ga·to·ry** ['pə:gətəri] *s. R.C.* Fegefeuer *n* (*a. fig.*).
purge [pə:dʒ] **I.** *v/t.* **1.** *mst fig. j-n* reinigen (*of, from* von *Schuld, Verdacht*); **2.** *Flüssigkeit* klären, läutern; **3.** ⚕ **a)** *Darm* abführen, entschlacken, **b)** *j-m* Abführmittel geben; **4.** *Verbrechen* sühnen; **5.** *pol.* **a)** *Partei etc.* säubern, **b)** (aus der Par'tei) ausschließen; **II.** *v/i.* **6.** sich läutern; **7.** ⚕ **a)** abführen (*Medikament*), **b)** Stuhlgang haben; **III.** *s.* **8.** Reinigung *f*; **9.** ⚕ **a)** Entleerung *f*, -schlackung *f*, **b)** Abführmittel *n*; **10.** *pol.* 'Säuberung(saktiˌon) *f*.
pu·ri·fi·ca·tion [pjuərifi'keiʃən] *s.* **1.** Reinigung *f* (*a. eccl.*); **2.** ⊕ Reinigung *f* (*a. metall.*), Klärung *f*, Abläuterung *f*; Regenerierung *f von Altöl*; **pu·ri·fi·er** ['pjuərifaiə] *s.* ⊕ Reiniger *m*, 'Reinigungsappaˌrat *m*;
pu·ri·fy ['pjuərifai] **I.** *v/t.* **1.** reinigen (*of, from* von) (*a. fig. läutern*); **2.** ⊕ reinigen, läutern, klären, raffinieren; *Öl* regenerieren: *~ing plant* Reinigungsanlage; **II.** *v/i.* **3.** sich läutern.
pur·ism ['pjuərizəm] *s. a. ling. u. Kunst*: Pu'rismus *m*; '**pur·ist** [-ist] *s.* Pu'rist *m*, *bsd.* Sprachreiniger *m*.
Pu·ri·tan ['pjuəritən] **I.** *s.* **1.** *hist.* (*fig. mst* ♀) Puri'taner(in); **II.** *adj.* **2.** puri'tanisch; **3.** *fig.* (*mst* ♀) → *puritanical*; **pu·ri·tan·i·cal** [pjuəri'tænikəl] *adj.* □ puritanisch, über'trieben sittenstreng; '**Pu·ri·tan·ism** [-tənizəm] *s.* Purita'nismus *m*.
pu·ri·ty ['pjuəriti] *s.* Reinheit *f*.
purl[1] [pə:l] **I.** *v/i.* murmeln, rieseln (*Bach*); **II.** *s.* Murmeln *n*.
purl[2] [pə:l] **I.** *v/t.* **1.** (um)'säumen, einfassen; **2.** (*a. v/i.*) linksstricken; **II.** *s.* **3.** Gold-, Silberdraht *m*, -litze *f*; **4.** Zäckchen(borte *f*) *n*; **5.** Häkelkante *f*; **6.** Linksstricken *n*.
purl·er ['pə:lə] *s.* F **1.** schwerer Sturz: *to come* (*od. take*) *a ~* schwer stürzen; **2.** schwerer Schlag.
pur·lieus ['pə:lju:z] *s. pl.* Um'gebung *f*, Randbezirk(e *pl.*) *m*.
pur·loin [pə:'lɔin] *v/t.* entwenden, stehlen (*a. fig.*); **pur'loin·er** [-nə] *s.* Dieb *m*; *fig.* Plagi'ator *m*.
pur·ple ['pə:pl] **I.** *adj.* **1.** purpurn, purpurrot: ♀ *Heart* ⚔ *Am.* Verwundetenabzeichen; **2.** *fig.* bril'lant (*Stil*): *~ passage* Glanzstelle; **3.** *Am.* F zotig, nicht sa'lonfähig; **II.** *s.* **4.** Purpur *m* (*a. fig. Herrscher-, Kardinalswürde*): *to raise to the ~* zum Kardinal ernennen; **III.** *v/i.* **5.** sich purpurn färben.
pur·port **I.** *v/t.* ['pə:pət] **1.** behaupten, vorgeben: *to ~ to be* (*do*) angeblich sein (tun), sein (tun) wollen; **2.** besagen, be-inhalten, zum Inhalt haben, ausdrücken (wollen); **II.** *s.* **3.** Inhalt *m*, Bedeutung *f*, Sinn *m*.
pur·pose ['pə:pəs] **I.** *s.* **1.** Zweck *m*, Ziel *n*; Absicht *f*, Vorsatz *m*: *for what ~?* zu welchem Zweck?, wozu?; *for all practical ~s* praktisch; *for the ~ of* **a)** um zu, zwecks, **b)** im Sinne *e-s Gesetzes*; *of set ~* ⚖ vorsätzlich; *on ~* absichtlich; *to the ~* **a)** zur Sache (gehörig), **b)** zweckdienlich; *to no ~* vergeblich, umsonst; *to answer* (*od. serve*) *the ~* dem Zweck entsprechen; *to be to little ~* wenig Zweck haben; *to turn to good ~* gut anwenden *od.* nützen; *novel with a ~*, *~-novel* Tendenzroman; **2.** *a. strength of ~* Entschlußkraft *f*; **3.** Zielbewußtheit *f*; **4.** Wirkung *f*; **II.** *v/t.* **5.** vorhaben, beabsichtigen, bezwecken; '**~-built** *adj.* spezi'algefertigt.
pur·pose·ful ['pə:pəsful] *adj.* □ **1.** zielbewußt, entschlossen; **2.** zweckmäßig, -voll; **3.** absichtlich; '**pur·pose·less** [-lis] *adj.* □ **1.** zwecklos; **2.** ziel-, planlos; '**pur·pose·ly** [-li] *adv.* absichtlich, vorsätzlich; '**pur·pos·ive** [-siv] *adj.* **1.** zweckmäßig, -voll, -dienlich; **2.** absichtlich, bewußt, *a.* gezielt; **3.** zielstrebig, -bewußt.
'**pur·pose-trained** *adj.* mit Spezi'alausbildung.
purr [pə:] **I.** *v/i.* **1.** schnurren (*Katze etc.*); **2.** *fig.* surren, summen (*Motor etc.*); **3.** *fig.* vor Behagen schnurren; **II.** *v/t.* **4.** *et.* summen, säuseln (*sagen*); **III.** *s.* **5.** Schnurren *n*; Surren *n*.
purse [pə:s] **I.** *s.* **1. a)** Geldbeutel *m*, Börse *f*, **b)** (Damen)Handtasche *f*: *a light* (*long*) *~ fig.* ein magerer (voller) Geldbeutel; *public ~* Staatssäckel; **2.** Fonds *m*: *common ~* gemeinsame Kasse; **3.** Geldsammlung *f*, -geschenk *n*: *to make up a ~ for* Geld sammeln für; **4.** *Boxen*: Börse *f*; **II.** *v/t.* **5.** *oft ~ up* in Falten legen; *Lippen* schürzen, *Mund* spitzen; *Stirn* runzeln; '**~-proud** *adj.* geldstolz, protzig.
purs·er ['pə:sə] *s.* ⚓ Zahl-, Provi'antmeister *m*.
'**purse-strings** *s. pl.*: *to hold the ~* den Geldbeutel verwalten; *to tighten the ~* den Daumen auf dem Beutel halten.
pur·si·ness ['pə:sinis] *s.* Kurzatmigkeit *f*.
purs·lane ['pə:slin] *s.* ♀ Portulak (-gewächs *n*) *m*.
pur·su·ance [pə'sju(:)əns] *s.* Verfolgung *f*, Ausführung *f*: *in ~ of* **a)** im Verfolg (*gen.*), **b)** → *pursuant*; **pur'su·ant** [-nt] *adj.* □: *~ to e-r Vorschrift etc.* gemäß *od.* zufolge *od.* entsprechend, laut *e-m Befehl etc.*, gemäß *Paragraph 1*.
pur·sue [pə'sju:] **I.** *v/t.* **1.** (*a.* ⚔) verfolgen, *j-m* nachsetzen, *j-n* jagen; **2.** *fig. Zweck, Ziel, Plan* verfolgen; **3.** nach *Glück etc.* streben; *dem Vergnügen* nachgehen; **4.** *Kurs, Weg* einschlagen, folgen (*dat.*); **5.** *Beruf, Studien etc.* betreiben, nachgehen (*dat.*); **6.** *et.* weiterführen, fortsetzen, fortfahren in; **7.** *Thema etc.* weiterführen, (weiter) diskutieren; **II.** *v/i.* **8.** *~ after* → *1*; **9.** *im Sprechen etc.* fortfahren; **pur'su·er** [-ju(:)ə] *s.* **1.** Verfolger(in); **2.** ⚖ *Scot.* (An-) Kläger(in).
pur·suit [pə'sju:t] *s.* **1.** Verfolgung *f*, Jagd *f* (*of* auf *acc.*): *~ action* ⚔ Verfolgungskampf; *in hot ~* in wilder Verfolgung, hart auf den Fersen; **2.** *fig.* Streben *n*, Trachten *n*, Jagd *f* (*of* nach *Glück etc.*); **3.** Verfolgung *f*, Verfolg *m e-s Plans etc.*: *in ~ of* im Verfolg *e-r Sache*; **4.** Beschäftigung *f*, Betätigung *f*; Ausübung *f e-s Gewerbes*, Betreiben *n von Studien etc.*; **5.** *pl.* Arbeiten *pl.*, Geschäfte *pl.*; Studien *pl.*; **~ in·ter·cep·tor** *s.* ✈ Zerstörer *m*; **~ plane** *s.* ✈ Jagdflugzeug *n*.
pur·sy[1] ['pə:si] *adj.* **1.** kurzatmig; **2.** korpu'lent; **3.** protzig.
pur·sy[2] ['pə:si] *adj.* zs.-gekniffen (*Mund etc.*), faltig, gerunzelt (*Stirn*).
pu·ru·lence ['pjuərulǝns] *s.* ⚕ **1.** Eitrigkeit *f*; **2.** Eiter *m*; '**pu·ru·lent** [-nt] *adj.* □ ⚕ eiternd, eit(e)rig; Eiter...: *~ matter* Eiter.
pur·vey [pə:'vei] **I.** *v/t.* (*to*) *mst Lebensmittel* liefern (an *acc.*), (*j-n*) versorgen mit; **II.** *v/i.* (*for*) liefern (an *acc.*), sorgen (für): *to ~ for j-n* beliefern; **pur'vey·ance** [-eiəns] *s.* **1.** Lieferung *f*, Beschaffung *f*; **2.** (Mund)Vorrat *m*, Lebensmittel *pl.*; **pur'vey·or** [-eiə] *s.* **1.** Liefe'rant *m*: ♀ *to Her Majesty* Hoflieferant; **2.** Lebensmittelhändler *m*.
pur·view ['pə:vju:] *s.* **1.** ⚖ verfügender Teil (*e-s Gesetzes*); **2.** (Anwendungs)Bereich *m*, Geltungsgebiet *n e-s Gesetzes*; **3.** Wirkungskreis *m*, Sphäre *f*, Gebiet *n*; **4.** Gesichtskreis *m*, Blickfeld *n* (*a. fig.*).
pus [pʌs] *s.* ⚕ Eiter *m*.
push [puʃ] **I.** *s.* **1.** Stoß *m*, Schub *m*: *to give s.o. a ~* **a)** j-m e-n Stoß versetzen, **b)** *mot.* j-n anschieben; *to give s.o. the ~ sl.* j-n ‚rausschmeißen' (*entlassen*); *to get the ~ sl.* ‚rausfliegen' (*entlassen werden*); **2.** ⚠, ⊕, *geol.* (horizon'taler) Druck, Schub *m*; **3.** Anstoß *m*, -trieb *m*; **4.** Anstrengung *f*, Bemühung *f*; **5.** *bsd.* ⚔ Vorstoß *m* (*for* auf *acc.*); Offen'sive *f*; **6.** *fig.* Druck *m*, Drang *m der Verhältnisse*; **7.** kritischer Augenblick: *at a ~* im Notfall; *to bring to the last ~* aufs Äußerste treiben; **8.** F Schwung *m*, Ener'gie *f*, Tatkraft *f*, Draufgängertum *n*; **9.** Protekti'on *f*: *to get a job by ~*; **10.** F Menge *f*, Haufen *m Menschen*; **11.** *sl.* **a)** (exklu'sive) Clique, **b)** (Diebs-, Straßen)Bande *f*; **II.** *v/t.* **12.** stoßen, *Karren etc.* schieben: *to ~ open* aufstoßen; **13.** stecken, schieben (*into* in *acc.*); **14.** drängen: *to ~ one's way ahead* (*through*) sich vor- (durch-) drängen; **15.** *fig.* (an)treiben, drängen (*to* zu, *to do* zu tun): *to ~ s.o. for* j-n bedrängen *od.* j-m zusetzen wegen; *to ~ s.o. for payment* bei j-m auf Zahlung drängen; *to ~ s.th. on s.o.* j-m et. aufdrängen; *to be ~ed for time* in Zeitnot *od.* im Gedränge sein; *to be ~ed for money* in Geldverlegenheit sein; **16.** *a. ~ ahead* (*od. forward od. on*) *Angelegenheit* (e'nergisch) betreiben *od.* verfolgen, vor'antreiben; **17.** *a. ~ through* 'durchführen, -setzen; *Anspruch* 'durchdrücken; *Vorteil* ausnutzen: *to ~ s.th. too far* et. zu weit treiben; **18.** Re'klame machen für, die Trommel rühren für; **19.** *sl.* mit *Rauschgift* handeln; **III.** *v/i.* **20.** stoßen, schieben; **21.** (sich) drängen; **22.** sich vorwärtsdrängen, sich vor'ankämpfen; **23.** sich tüchtig ins Zeug legen; **24.** *Billard*: schieben; **~ off** **I.** *v/t.* **1.** *Boot* abstoßen; **2.** ✝ *Waren* abstoßen, losschlagen; **II.** *v/i.* **3.** ⚓ abstoßen (*from* von); F ‚abhauen', sich da'vonmachen; **4.** *~!* F ‚schieß los' (*erzähle*)!; **~ up** *v/t.* hoch-, hin'aufschieben, -stoßen; ✝ *Preise* hochtreiben.
'**push|-ball** *s.* Push-, Stoßball(spiel

n) *m*; '~-**bike** *s. Brit.* F Fahrrad *n*; '~-**but·ton I.** *s.* ⊕ Druckknopf *m*, -taste *f*; **II.** *adj.* druckknopfgesteuert, Druckknopf...: ~ *switch*; ~ *telephone* Tastentelephon; ~ *warfare* automatische Kriegführung; '~-**cart** *s.* **1.** (Schiebe)Karren *m*; **2.** *Am.* Einkaufswagen *m*.

push·er ['puʃə] *s.* **1.** Schieber *m* (*Kinderlöffel*); **2.** 🚂 'Hilfslokomo,tive *f*; **3.** *a.* ~ *airplane* Flugzeug *n* mit Druckschraube; **4.** F Streber *m*; Draufgänger *m*; **5.** *sl.* Rauschgifthändler *m*, Pusher *m*.

push·ful ['puʃful] *adj.* □ e'nergisch, unter'nehmend, draufgängerisch.

push·ing ['puʃiŋ] *adj.* □ **1.** → *pushful*; **2.** streberisch; **3.** zudringlich.

'**push**|-**off** *s.* F Anfang *m*, Start *m*; '~-**o·ver** *s.* F **1.** leicht zu besiegender Gegner, Schwächling *m*; **2.** Gimpel *m*: *he is a* ~ *for that* darauf fällt er prompt herein; **3.** leichte Sache, Kinderspiel *n*; '~-'**pull** *adj.* ⚡ Gegentakt...

pu·sil·la·nim·i·ty [pju:silə'nimiti] *s.* Kleinmütigkeit *f*, Verzagtheit *f*; **pu·sil·lan·i·mous** [pju:si'læniməs] *adj.* □ kleinmütig, verzagt.

puss[1] [pus] *s.* **1.** Mieze *f*, Katze *f* (*a. fig. Mädchen*): ♀ *in Boots der* Gestiefelte Kater; ~ *in the corner* Kämmerchen vermieten (*Kinderspiel*); **2.** *hunt.* Hase *m*.

puss[2] [pus] *s. sl.* ‚Fresse' *f* (*Gesicht, Mund*).

puss·l(e)y ['pusli] *s.* ♀ *Am.* Kohlportulak *m*.

puss·y ['pusi] *s.* **1.** Mieze(kätzchen *n*) *f*, Kätzchen *n*; **2.** → *tipcat*; **3.** *et.* Weiches u. Wolliges, *bsd.* ♀ (Weiden)Kätzchen *n*; **4.** *sl.* ‚Spalte' *f*; '~-**cat** → *pussy 1*; '~-**foot I.** *v/i.* **1.** (wie e-e Katze) schleichen; **2.** *fig.* F leisetreten; **3.** *Am. sl.* (*on*) sich nicht festlegen (auf *acc.*), her'umreden (um); **II.** *pl.* -**foots** [-futs] *s.* **4.** Schleicher *m*; **5.** *fig.* F Leisetreter *m*.

pus·tule ['pʌstju:l] *s.* **1.** ⚕ Pustel *f*, Eiterbläschen *n*; **2.** ♀, *zo.* Warze *f*.

put [put] **I.** *s.* **1.** Stoß *m*, Wurf *m*; **2.** ☿, *Börse*: Rückprämie *f*: ~ *and call* Stellagegeschäft; ~ *of more* Nochgeschäft ‚auf Geben'; **II.** *adj.* **3.** F an Ort u. Stelle, unbeweglich: *to stay* ~ **a**) sich nicht (vom Fleck) rühren, **b**) festbleiben (*a. fig.*); **III.** *v/t.* [*irr.*] **4.** legen, stellen, setzen, *wohin* tun; befestigen (*to* an *dat.*): *I shall* ~ *the matter before him* ich werde ihm die Sache vorlegen; ~ *the matter in(to) his hands* lege die Angelegenheit in s-e Hände; *I* ~ *him above his brother* ich stelle ihn über seinen Bruder; *to* ~ *s.th. in hand fig.* et. in die Hand nehmen, anfangen; *to* ~ *a tax on s.th.* et. besteuern; **5.** stecken (*in one's pocket* in die Tasche, *in prison* ins Gefängnis); **6.** *die Kuh zum Stier, j-n in e-e unangenehme Lage,* ☿ *et. auf den Markt, in Ordnung, thea. ein Stück auf die Bühne etc.* bringen: *to* ~ *s.o. across a river* j-n über e-n Fluß übersetzen; *to* ~ *it across s.o.* F j-n ‚reinlegen'; *to* ~ *into shape* in (geeignete) Form bringen; *to* ~ *one's brain to it* sich darauf konzentrieren, die Sache in Angriff nehmen; *to* ~ *s.o. in mind* of j-n erinnern an (*acc.*); *to* ~ *s.th. on paper* et. zu Papier bringen; *to* ~ *s.o. right* j-n berichtigen; **7.** *ein Ende, in Kraft, in Umlauf, j-n auf Diät, in Besitz, in ein gutes od. schlechtes Licht, ins Unrecht, über ein Land, sich et. in den Kopf* setzen: *to* ~ *one's signature to* s-e Unterschrift darauf *od.* darunter setzen; ~ *yourself in my place* versetze dich in m-e Lage; **8.** ~ *o.s.* sich in *j-s Hände etc.* begeben: *to* ~ *o.s. under s.o.'s care* sich in j-s Obhut begeben; ~ *yourself in(to) my hands* vertraue dich mir ganz an; **9.** ~ *out of* aus ... hin'ausstellen *etc.*; werfen *od.* verdrängen aus; außer *Betrieb od. Gefecht etc.* setzen; → *action* 2, 9, *running 1*; **10.** unter'werfen, -'ziehen (*to e-r Probe etc., through e-m Verhör etc.*): *to* ~ *s.o. to inconvenience* j-m Ungelegenheiten machen; *to* ~ *s.o. through it* j-n auf Herz u. Nieren prüfen; → *confusion 3, death 1, expense 1, shame 1, sword 1, test 1*; **11.** *Land* bepflanzen (*into, under mit*): *land was* ~ *under potatoes*; **12.** (*to*) setzen (an *acc.*), (an)treiben *od.* zwingen (zu): *to* ~ *s.o. to work* j-n an die Arbeit setzen, j-n arbeiten lassen; *to* ~ *to school* zur Schule schicken; *to* ~ *to trade j-n* ein Handwerk lernen lassen; *to* ~ *s.o. to a joiner* j-n bei e-m Schreiner in die Lehre geben; *to* ~ *s.o. to it* j-m zusetzen, j-n bedrängen; *to be hard* ~ *to it* arg bedrängt werden; → *flight*[1], *pace*[1] 2; **13.** veranlassen, verlocken (*on, to* zu); **14.** *in Furcht, Wut etc.* versetzen; → *countenance* 2, *ease* 2, *guard* 9, *mettle* 2, *temper* 4; **15.** über'setzen (*into French etc.* ins Französische *etc.*); **16.** (*un*)*klar etc.* ausdrücken, sagen, *klug etc.* formulieren, *in Worte* fassen: *the case was cleverly* ~; *to* ~ *it mildly* gelinde gesagt; *how shall I* ~ *it?* wie soll ich mich (*od.* es) ausdrücken; **17.** schätzen (*at* auf *acc.*); **18.** (*to*) verwenden (für), anwenden (zu): *to* ~ *s.th. to a good use* et. gut verwenden; **19.** *Frage, Antrag etc.* vorlegen, stellen; *den Fall* setzen: *I* ~ *it to you* **a**) ich appelliere an Sie, **b**) ich stelle es Ihnen anheim; *I* ~ *it to you that* geben Sie zu, daß; **20.** *Geld* setzen, wetten (*on* auf); **21.** (*into*) *Geld* stecken (in *acc.*), anlegen (in *dat.*), investieren (in *dat.*); **22.** *Schuld* zuschieben, geben (*on dat.*): *they* ~ *the blame on him*; **23.** *Uhr* stellen; **24.** *bsd. sport* werfen, schleudern; *Kugel, Stein* stoßen; **25.** *Waffe* stoßen, *Kugel* schießen (*in*[*to*] in *acc.*); **IV.** *v/i.* [*irr.*] **26.** sich begeben (*to land* an Land), fahren: *to* ~ *to sea* in See stechen; **27.** *Am.* münden, sich ergießen (*Fluß*) (*into* in *e-n See etc.*); **28.** ~ *upon mst pass.* **a**) *j-m* zusetzen, **b**) *j-n* ausnutzen, **c**) *j-n* ‚reinlegen'; *Zssgn mit prp.*:

→ *Beispiele unter put 4 — 28*;

Zssgn mit adv.:

put| **a·bout I.** *v/t.* **1.** ⚓ wenden; **2.** *Gerücht* verbreiten; **3. a**) beunruhigen, **b**) quälen, **c**) ärgern; **II.** *v/i.* **4.** ⚓ wenden; ~ **a·cross** *v/t.* **1.** ⚓ 'übersetzen; **2.** *sl. et.* ‚schaukeln', erfolgreich 'durchführen: *to put it across* Erfolg haben, ‚es schaffen'; ~ **a·side** *v/t.* **1.** → *put away 1 u. 3*; **2.** *fig.* bei'seite schieben; ~ **a·way I.** *v/t.* **1.** weglegen, -stecken, -tun, beiseite legen; **2.** auf-, wegräumen; **3.** *Geld* zu'rücklegen, ‚auf die hohe Kante legen'; **4.** *Laster etc.* ablegen; **5.** F *Speisen* ‚verdrücken', *Getränke* ‚runterstellen'; **6.** F *j-n* ‚einsperren'; **7.** F *j-n* ‚beseitigen' (*umbringen*); **8.** *sl. et.* versetzen; **9.** *obs. od. bibl. Frau* verstoßen; **II.** *v/i.* **10.** ⚓ auslaufen (*for* nach); ~ **back I.** *v/t.* **1.** zu'rückschieben, -stellen, -tun; **2.** *Uhr* zu'rückstellen, *Zeiger* zu'rückdrehen; **3.** *fig.* aufhalten, hemmen; → *clock*[1] *1*; **4.** *Schüler* zu'rückversetzen; **II.** *v/i.* **5.** ⚓ 'umkehren; ~ **by** *v/t.* **1.** → *put away 1 u. 3*; **2.** *e-r Frage etc.* ausweichen; **3.** *fig.* bei'seite schieben, *j-n* über'gehen; ~ **down** *v/t.* **1.** hin-, niederlegen, -stellen, -setzen; → *foot 1*; **2.** *j-n auf der Fahrt* absetzen, aussteigen lassen; **3.** *Weinkeller* anlegen; **4.** *Aufstand* niederwerfen, *a. Mißstand* unter'drücken; **5.** *j-n* demütigen, ducken; kurz abweisen; her'untersetzen; **6.** zum Schweigen bringen; **7. a**) *Preise* heruntersetzen, **b**) *Ausgaben* einschränken; **8.** (auf-, nieder)schreiben; **9.** (*to*) ☿ **a**) *j-m* anschreiben, **b**) auf *j-s Rechnung* setzen: *to put s.th. down to s.o.'s account*; **10.** *j-n* eintragen *od.* vormerken (*for* für *e-e Spende etc.*): *to put o.s. down* sich eintragen; **11.** zuschreiben (*to dat.*); **12.** schätzen (*at, for* auf *acc.*); **13.** ansehen (*as, for* als); ~ **forth** *v/t.* **1.** her'vor-, hin'auslegen, -stellen, -schieben; **2.** *Hand etc.* ausstrecken; **3.** *Kraft etc.* aufbieten; **4.** ♀ *Knospen etc.* treiben; **5.** veröffentlichen, *bsd. Buch* her'ausbringen; **6.** behaupten; ~ **for·ward** *v/t.* **1.** vorschieben; *Uhr* vorstellen, *Zeiger* vorrücken; **2.** in den Vordergrund schieben: *to put o.s. forward* **a**) sich hervortun, **b**) sich vordrängen; **3.** *fig.* vor'anbringen, weiterhelfen (*dat.*); **4.** *Meinung etc.* vorbringen, *et.* vorlegen, unter'breiten; *Theorie* aufstellen; ~ **in I.** *v/t.* **1.** her'ein-, hin'einlegen *etc.*; **2.** einschieben, -schalten: *to* ~ *a word* **a**) e-e Bemerkung einwerfen *od.* anbringen, **b**) ein Wort mitsprechen, **c**) ein Wort einlegen (*for* für); *to* ~ *an extra hour's work* e-e Stunde mehr arbeiten; **3.** *Schlag etc.* anbringen; **4.** *Gesuch etc.* einreichen, *Dokument* vorlegen; *Anspruch* stellen *od.* erheben (*to, for* auf *acc.*); **5.** *j-n* anstellen, *in ein Amt* einsetzen; **6.** *Annonce* einrücken; **7.** F *Zeit* verbringen; **II.** *v/i.* **8.** ⚓ einlaufen; **9.** einkehren (*at* in *e-m Gasthaus etc.*); **10.** sich bewerben (*for* um): *to* ~ *for s.th.* et. fordern *od.* verlangen; ~ **off I.** *v/t.* **1.** weg-, bei'seite legen, -stellen; **2.** *Kleider, bsd. fig. Zweifel etc.* ablegen; **3.** auf-, verschieben; **4.** *j-n* vertrösten, abspeisen (*with* mit *Worten etc.*); **5.** *j-m* absagen; **6.** sich drücken vor (*dat.*); **7.** *j-n* abbringen, *j-m* abraten (*from* von); **8.** hindern (*from* an *dat.*); **9.** *to put s.th. off* (*up*)*on s.o.* j-m et. ‚andrehen'; **10.** F *j-n* aus der Fassung *od.* aus dem

Kon'zept bringen; **11.** F *j-n* abstoßen; **II.** *v/i.* **12.** ⚓ auslaufen; ~ **on** *v/t.* **1.** *Kleider* anziehen; *Hut, Brille* aufsetzen; *Rouge* auflegen; **2.** *Fett* ansetzen; → *weight 1*; **3.** *Charakter, Gestalt* annehmen; **4.** vortäuschen, -spiegeln, (er)heucheln: → *air¹ 7, dog Redew.*; *to put it on* F **a)** angeben, **b)** übertreiben, **c)** ‚schwer draufschlagen' (*auf den Preis*), **d)** heucheln; *to put it on thick* F dick auftragen; *is all ~ s-e Bescheidenheit* ist nur Mache; **5.** *Summe* aufschlagen (*on* auf *den Preis*); **6.** *Uhr* vorstellen, *Zeiger* vorrücken; **7.** an-, einschalten, *Gas etc.* aufdrehen, *Dampf* anlassen, *Tempo* beschleunigen; **8.** *Kraft, a. Arbeitskräfte, Sonderzug etc.* einsetzen; **9.** *Schraube, Bremse* anziehen; **10.** *thea. Stück* ansetzen, her'ausbringen; **11.** *to put s.o. on to* j-m e-n Tip geben für, j-n auf e-e Idee bringen; **12.** *sport Tor etc.* erzielen; ~ **out I.** *v/t.* **1.** hin'auslegen, -stellen *etc.*; **2.** *Hand, Fühler* ausstrecken; *Zunge* her'ausstrecken; *Ankündigung etc.* aushängen; **3.** *sport* zum Ausscheiden zwingen, ‚aus dem Rennen werfen'; **4.** *Glied* aus-, verrenken; **5.** *Feuer, Licht* (aus)löschen; **6. a)** verwirren, außer Fassung bringen, **b)** verstimmen, ärgern: *to be ~ about s.th.*, **c)** *j-m* Ungelegenheiten bereiten, *j-n* stören; **7.** *Kraft etc.* aufbieten; **8.** *Geld* ausleihen (*at interest* auf Zinsen), investieren; **9.** *Boot* aussetzen; **10.** *Augen* ausstechen; **11.** *Arbeit, a. Kind, Tier* außer Haus geben; ✝ in Auftrag geben: *to ~ to service* in Dienst geben *od.* schicken; → *grass 3 b, nurse 4*; **12.** *Knospen etc.* treiben; **II.** *v/i.* **13.** ⚓ auslaufen: *to ~ (to sea)* in See gehen; ~ **o·ver I.** *v/t.* **1.** *sl.* → *put across 2*; **2.** *e-m Film etc.* Erfolg sichern, popu'lär machen (*acc.*): *to put o.s. over* sich durchsetzen, Anklang finden; *to put it over* das Publikum gewinnen; **3.** *to put it over on j-n* ‚reinlegen'; **II.** *v/i.* **4.** ⚓ hin'überfahren; ~ **through** *v/t.* **1.** 'durch-, ausführen; **2.** *teleph. j-n* verbinden (*to* mit); ~ **to** *v/t. Pferd* anspannen, *Lokomotive* vorspannen; ~ **to·geth·er** *v/t.* **1.** zs.-setzen, (*a. Schriftwerk*) zs.-stellen; **2.** zs.-zählen: → *two 2*; **3.** zs.-stecken; → *head Redew.*; ~ **up I.** *v/t.* **1.** hin'auflegen, -stellen; **2.** hochschieben, -ziehen; → *back¹ 8, shutter 1*; **3.** *Hände* **a)** heben, **b)** *zum Kampf* hochnehmen; **4.** *Bild etc.* aufhängen; *Plakat* anschlagen; **5.** *Haar* aufstecken; → *hair 2*; **6.** *Schirm* aufspannen; **7.** *Zelt etc.* aufstellen, *Gebäude* errichten; **8.** F *et.* aushecken; *et.* ‚drehen', fingieren; **9.** *Gebet* em'porsenden; **10.** *Gast* (bei sich) aufnehmen, 'unterbringen; **11.** weglegen; **12.** aufbewahren; **13.** ein-, ver-, wegpacken; zs.-legen; **14.** *Schwert* einstecken; **15.** konservieren, einkochen, -machen; **16.** *Spiel etc.* zeigen; *e-n Kampf* liefern; *Widerstand* leisten; **17.** (als Kandi'daten) aufstellen; **18.** *Auktion*: an-, ausbieten: *to ~ for sale* meistbietend verkaufen; **19.** *Preis etc.* hin'aufsetzen, erhöhen; **20.** *Wild* aufjagen; **21.** *Eheaufgebot* verkünden; **22.** bezahlen; **23.** (ein)setzen (*Wette etc.*), *Geld* bereitstellen, *od.* hinter'legen; **24.** ~ *to* **a)** *j-n* anstiften zu, **b)** *j-n* informieren über (*acc.*), *a. j-m* e-n Tip geben für; **II.** *v/i.* **25.** absteigen, einkehren (*at* in); **26.** (*for*) sich aufstellen lassen, kandidieren (für), sich bewerben (um); **27.** ~ *with* sich abfinden mit, sich gefallen lassen, hinnehmen.

pu·ta·tive ['pju:tətiv] *adj.* □ **1.** vermeintlich; **2.** mutmaßlich **3.** ⚖ puta'tiv.

put·lock ['pʌtlɔk], *a.* **'put·log** [-lɔg] *s.* Rüstbalken *m.*

'put-off *s.* **1.** Ausflucht *f*; **2.** Verschiebung *f.*

put-put ['pʌtpʌt] *s.* Tuckern *n* (*e-s Motors etc.*).

pu·tre·fa·cient [pju:tri'feiʃənt] → *putrefactive*; **pu·tre'fac·tion** [-'fækʃən] *s.* **1.** Fäulnis *f*, Verwesung *f*; **2.** Faulen *n*; **pu·tre'fac·tive** [-'fæktiv] **I.** *adj.* **1.** faulig, Fäulnis...: ~ *bacterium* Fäulnisbakterium; **2.** fäulniserregend; **II.** *s.* **3.** Fäulniserreger *m*; **pu·tre·fy** ['pju:trifai] **I.** *v/i.* (ver)faulen, in Fäulnis 'übergehen, verwesen; **II.** *v/t.* verfaulen lassen.

pu·tres·cence [pju:'tresns] *s.* (Ver-)Faulen *n*, Fäulnis *f*; **pu'tres·cent** [-nt] *adj.* **1.** (ver)faulend, verwesend; **2.** faulig, Fäulnis...

pu·trid ['pju:trid] *adj.* □ **1.** verfault, verwest, faul; faulig (*Geruch*), stinkend; **2.** *fig.* verderbt, kor'rupt; **3.** *fig.* verderblich; **4.** *fig.* scheußlich, ekelhaft; **5.** *sl.* mise'rabel, ‚saumäßig'; **pu·trid·i·ty** [pju:'triditi] *s.* **1.** Fäulnis *f*; **2.** *fig.* Verderbtheit *f.*

putt [pʌt] *Golf*: **I.** *v/t. u. v/i.* putten, leicht schlagen; **II.** *s.* Putten *n*, leichter Schlag (*zum Einlochen*).

put·tee ['pʌti] *s.* 'Wickelga,masche *f.*

putt·er ['pʌtə] *s. Golf*: Putter *m*, Einlochschläger *m.*

'putt·ing-green ['pʌtiŋ] *s.* Grün *n* (*Teil des Golfplatzes*).

put·ty ['pʌti] **I.** *s.* **1.** ⊕ Kitt *m*, Spachtel *m*: (*glaziers'*) ~ Glaserkitt; (*plasterers'*) ~ Kalkkitt; (*jewellers'*) ~ Zinnasche; **2.** *fig.* Wachs *n*: *he is ~ in her hand*; **II.** *v/t.* **3.** *a.* ~ *up* (ver)kitten; **'~-knife** *s.* [*irr.*] Spachtelmesser *n.*

put-up ['put'ʌp] *adj.* F abgekartet: *a ~ job* e-e ‚Schiebung'.

puz·zle ['pʌzl] **I.** *s.* **1.** Rätsel *n*; **2.** Puzzle-, Geduldspiel *n*; **3.** schwierige Sache, Prob'lem *n*; **4.** Verwirrung *f*, Verlegenheit *f*; **II.** *v/t.* **5.** verwirren, vor ein Rätsel stellen, verdutzen; **6.** *et.* komplizieren, durchein'anderbringen; **7.** *j-m* Kopfzerbrechen machen, zu schaffen machen: *to ~ one's brains* (*od. head*) sich den Kopf zerbrechen (*over* über *acc.*); **8.** ~ *out* austüfteln, -knobeln, her'ausbekommen; **III.** *v/i.* **9.** verwirrt sein (*over, about* über *acc.*); **10.** sich den Kopf zerbrechen (*over* über *acc.*); **'~-head·ed** *adj.* wirrköpfig, kon'fus; ~ **lock** *s.* Vexier-, Buchstabenschloß *n.*

puz·zle·ment ['pʌzlmənt] *s.* Verwirrung *f*; **'puz·zler** [-lə] *s.* Rätsel *n*; schwierige Frage, Pro'blem *n*; **'puz·zling** [-liŋ] *adj.* □ **1.** rätselhaft; **2.** verwirrend.

py·e·li·tis [paiə'laitis] *s.* ⚕ Nierenbeckenentzündung *f.*

pyg·m(a)e·an [pig'mi:ən] → *pygmy II.*

pyg·my ['pigmi] **I.** *s.* **1.** ♀ Pyg'mäe *m*, Pyg'mäin *f* (*Zwergmensch*); **2.** *fig.* Zwerg *m*; **II.** *adj.* **3.** Pygmäen...; **4.** winzig, Zwerg...; **5.** unbedeutend.

py·ja·mas [pə'dʒɑ:məz] *s. pl.* Schlafanzug *m*, Py'jama *m.*

py·lon ['pailən] *s.* **1.** ⚡ (freitragender) Mast (*für Hochspannungsleitungen etc.*); **2.** ✈ Orientierungsturm *m*, *bsd.* Wendeturm *m.*

py·lo·rus [pai'lɔ:rəs] *pl.* **-ri** [-rai] *s. anat.* Pförtner *m.*

py·or·rh(o)e·a [paiə'riə] *s.* ⚕ Eiterfluß *m*, *bsd.* Paraden'tose *f.*

pyr·a·mid ['pirəmid] *s.* Pyra'mide *f* (*a.* ⚘); **py·ram·i·dal** [pi'ræmidl] *adj.* □ **1.** Pyramiden...; **2.** pyrami'dal (*a. fig. gewaltig*), pyra'midenartig, -förmig.

pyre ['paiə] *s.* Scheiterhaufen *m.*

py·ret·ic [pai'retik] *adj.* ⚕ fieberhaft, Fieber...; **py'rex·i·a** [-eksiə] *s.* ⚕ Fieberzustand *m.*

py·rite ['pairait] *s. min.* Py'rit *m*, Schwefel-, Eisenkies *m*; **py·ri·tes** [pai'raiti:z] *s. min.* Py'ri: *m*: *copper ~* Kupferkies; *iron ~* → *pyrite.*

py·ro ['paiərou] F → *pyrogallol.*

pyro- [pairou] *in Zssgn* Feuer..., Brand..., Wärme..., Glut...; **py·ro·gal·lic ac·id** [pairou'gælik], **py·ro'gal·lol** ['gæloul] *s.* ⚗ Pyro'gallussäure *f*; **'py·ro·gen** [-ridʒən] *s.* ⚕ fiebererregender Stoff; **py·rog·e·nous** [pai'rɔdʒinəs] *adj.* **1. a)** wärmeerzeugend, **b)** durch Wärme erzeugt; **2.** ⚕ **a)** fiebererregend, **b)** durch Fieber verursacht; **3.** *geol.* pyro'gen; **py·rog·ra·phy** [pai'rɔgrəfi] *s.* Brandmale'rei *f*; **py·ro·ma·ni·a** [pairou'meinjə] *s.* Pyroma'nie *f*, Brandstiftungstrieb *m*; **py·ro·ma·ni·ac** [pairou'meinjæk] *s.* Pyro'mane *m*, Pyro'manin *f.*

py·rom·e·ter [pai'rɔmitə] *s. phys.* Pyro'meter *n*, Hitzemesser *m.*

py·ro·tech·nic *adj.*; **py·ro·tech·ni·cal** [pairou'teknik(əl)] *adj.* □ **1.** pyro'technisch; **2.** Feuerwerks..., feuerwerkartig; **3.** *fig.* bril'lant; **py·ro'tech·nics** [-ks] *s. pl.* **1.** Pyro'technik *f*, ‚Feuerwerke'rei *f*; **2.** *fig.* Feuerwerk *n von Witz etc.*; **py·ro'tech·nist** [-ist] *s.* Pyro'techniker *m.*

py·rox·y·lin [pai'rɔksilin] *s.* ⚗ Kol'lodiumwolle *f*: ~ *lacquer* Nitrozelluloselack.

Pyr·rhic vic·to·ry ['pirik] *s.* Pyrrhussieg *m.*

Py·thag·o·re·an [paiθægə'ri(:)ən] **I.** *adj.* pythago'reisch; **II.** *s. phls.* Pythago'reer *m.*

py·thon ['paiθən] *s. zo.* **1.** Pythonschlange *f*; **2.** *allg.* Riesenschlange *f.*

pyx [piks] **I.** *s.* **1.** *R.C.* 'Pyxis *f*, Mon'stranz *f*; **2.** *Brit.* Büchse *f* mit Probemünzen; **II.** *v/t.* **3.** *Münze* **a)** in der *Pyx* hinter'legen, **b)** auf Gewicht u. Feinheit prüfen.

Q

Q, q [kjuː] *s.* Q *n*, q *n* (*Buchstabe*).
'Q-boat *s.* ⚓ U-Bootfalle *f*.
qua [kwei] (*Lat.*) *adv.* (*in der Eigenschaft*) als.
quack[1] [kwæk] **I.** *v/i.* **1.** quaken; **2.** *fig.* schnattern, schwatzen; **II.** *s.* **3.** Quaken *n* (*Ente*); **4.** *fig.* Geplapper *n*.
quack[2] [kwæk] **I.** *s.* **1.** *a.* ~ *doctor* Quacksalber *m*, Kurpfuscher *m*; **2.** Scharlatan *m*; Marktschreier *m*; **II.** *adj.* **3.** quacksalberisch, Quacksalber...; **4.** marktschreierisch; **5.** Schwindel...; **III.** *v/i.* **6.** quacksalbern; **7.** marktschreierisch auftreten; **IV.** *v/t.* **8.** quacksalbern *od.* her'umpfuschen an (*dat.*); **'quack·er·y** [-kəri] *s.* **1.** Quacksalbe'rei *f*, Kurpfusche'rei *f*; **2.** Scharlatane'rie *f*, Schwindel *m*.
quad[1] [kwɔd] F → *quadrangle, quadrat, quadruped, quadruplet*.
quad[2] [kwɔd] **I.** *s.* ⚡ Viererkabel *n*; **II.** *v/t.* zum Vierer verseilen: ~*ded cable* → *I*.
quad·ra·ble ['kwɔdrəbl] *adj.* & quadrierbar.
quad·ra·ge·nar·i·an [kwɔdrədʒi'nɛəriən] **I.** *adj.* vierzigjährig **II.** *s.* Vierziger(in), Vierzigjährige(r *m*) *f*.
quad·ran·gle ['kwɔdræŋgl] *s.* **1.** & *u. weitS.* Viereck *n*; **2. a)** (*bsd.* Schul)Hof *m*, **b)** viereckiger Ge'bäudekomˌplex; **quad·ran·gu·lar** [kwɔ'dræŋgjulə] *adj.* □ & viereckig, -seitig.
quad·rant ['kwɔdrənt] *s.* **1.** & Qua'drant *m*, Viertelkreis *m*, ('Kreis-)Segˌment *n*; **2.** ⚓, *ast.* Quadrant *m* (*Instrument*).
quad·rat ['kwɔdrət] *s. typ.* Qua'drat *n*, (großer) Ausschluß: *em* ~ Geviert; *en* ~ Halbgeviert.
quad·rate ['kwɔdrit] **I.** *adj.* (annähernd) qua'dratisch, *bsd. anat.* Quadrat...; **II.** *v/t.* [kwɔ'dreit] (*with, to*) in Über'einstimmung bringen (mit); **III.** *v/i.* über'einstimmen (*with* mit); **quad·rat·ic** [kwə'drætik] **I.** *adj.* quadratisch (*Form*, & *Gleichung*): ~ *curve* Kurve zweiter Ordnung; **II.** *s.* & quadratische Gleichung; **quad·ra·ture** ['kwɔdrətʃə] *s.* **1.** &, *ast.* Quadra'tur *f* (*of the circle* des Kreises); **2.** ⚡ (Phasen)Verschiebung *f* um 90 Grad.
quad·ren·ni·al [kwɔ'dreniəl] *adj.* □ **1.** vierjährig, vier Jahre dauernd; **2.** vierjährlich, alle vier Jahre stattfindend.
quad·ri·lat·er·al [kwɔdri'lætərəl] **I.** *adj.* vierseitig; **II.** *s.* Vierseit *n*, -eck *n*.
qua·drille [kwə'dril] *s.* Qua'drille *f* (*Tanz*).
quad·ril·lion [kwɔ'driljən] *s.* & **1.** *Brit.* Quadrilli'on *f*; **2.** *Am.* Billi'arde *f*.
quad·ri·par·tite [kwɔdri'pɑːtait] *adj.* **1.** vierteilig (*a.* ♀); **2.** Vierer..., zwischen vier Partnern abgeschlossen *etc.*: ~ *pact* Viererpakt.
quad·ri·phon·ic [kwɔdri'fɔnik] *adj.* → *quadrophonic*.
quad·ro ['kwɔdrou] *adj. u. adv. Radio*: quadro.
quadro- [kwɔdrou] *in Zssgn* quadro...
quad·ro'phon·ic [-'fɔnik] *adj. Radio*: quadro'phonisch.
quad·ru·ped ['kwɔdruped] **I.** *s.* Vierfüßer *m*; **II.** *adj. a.* **quad·ru·pe·dal** [kwɔdrə'piːdl] vierfüßig; **'quad·ru·ple** [-pl] **I.** *adj.* **1.** *a.* ~ *to* (*od. of*) vierfach, -fältig; viermal so groß wie; **2.** Vierer...: ~ *machinegun* ⚔ Vierlings-MG; ~ *measure* ♪ Viervierteltakt; ~ *thread* ⊕ viergängiges Gewinde; **II.** *adv.* **3.** vierfach; **III.** *s.* **4.** *das* Vierfache; **IV.** *v/t.* **5.** vervierfachen; **6.** viermal so groß *od.* so viel sein wie; **V.** *v/i.* **7.** sich vervierfachen; **'quad·ru·plet** [-plit] *s.* **1.** Vierling *m* (*Kind*); **2.** Gruppe *f* von Vieren; **'quad·ru·plex** [-pleks] **I.** *adj.* **1.** vierfach, -fältig; **2.** ⚡ Quadruplex..., Vierfach...: ~ *system* Vierfachbetrieb, Doppelgegensprechen; **II.** *s.* **3.** 'Quadruplextele̦graph *m*; **quad·ru·pli·cate I.** *v/t.* [kwɔ'druːplikeit] **1.** vervierfachen; **2.** *Dokument* vierfach ausfertigen; **II.** *adj.* [kwɔ'druːplikit] **3.** vierfach; **III.** *s.* [-kit] **4.** vierfache Ausfertigung.
quaff [kwɑːf] **I.** *v/i.* zechen, pokulieren; **II.** *v/t.* schlürfen, in langen Zügen austrinken: *to* ~ *off Getränk* hinunterstürzen.
quag [kwæg] → *quagmire*; **'quag·gy** [-gi] *adj.* **1.** sumpfig, mo'rastig; **2.** schwammig, weich; **'quag·mire** [-maiə] *s.* Mo'rast *m*, Moor(boden *m*) *n*, Sumpf(land *n*) *m*: *to be caught in a* ~ *fig.* in e-e Patsche geraten.
quail[1] [kweil] *pl.* **quails,** *coll.* **quail** *s. orn.* Wachtel *f*.
quail[2] [kweil] *v/i.* **1.** verzagen, den Mut verlieren, (zu'rück)beben (*before, to* vor *dat.*); **2.** sinken (*Mut*); erzittern (*Herz*).
quaint [kweint] *adj.* □ **1.** wunderlich, drollig, kuri'os; **2.** malerisch, anheimelnd (*altmodisch*); **3.** seltsam, merkwürdig; **'quaint·ness** [-nis] *s.* **1.** Wunderlichkeit *f*; Seltsamkeit *f*; **2.** anheimelndes, *bsd.* altmodisches Aussehen.
quake [kweik] **I.** *v/i.* zittern, beben (*with, for* vor *dat.*); **II.** *s.* Zittern *n*, (*a.* Erd)Beben *n*, Erschütterung *f*.
Quak·er ['kweikə] *s.* **1.** *eccl.* Quäker *m*: ~(*s'*)-*meeting fig.* schweigsame Versammlung; **2.** *a.* ~ *gun* ⚔ *Am.* Ge'schützatˌtrappe *f*; **3.** ♀, *a.* ♀-*bird orn.* schwarzer Albatros; **'Quak·er·ess** [-əris] *s.* Quäkerin *f*; **'Quak·er·ism** [-ərizəm] *s.* Quäkertum *n*.
'quak·ing-grass ['kweikiŋ] *s.* ♀ Zittergras *n*.
qual·i·fi·ca·tion [kwɔlifi'keiʃən] *s.* **1.** Qualifikati'on *f*, Befähigung *f*, Eignung *f* (*for* für, zu): ~ *test* Eignungsprüfung; *to have the necessary* ~*s* den Anforderungen entsprechen; **2.** Vorbedingung *f*, (notwendige) Vor'aussetzung (*of, for* für); **3.** Eignungszeugnis *n*; **4.** Einschränkung *f*, Modifikati'on *f*: *without any* ~ ohne jede Einschränkung; **5.** *ling.* nähere Bestimmung; **6.** ✝ 'Mindestˌaktienkapiˌtal *n* (*e-s Aufsichtsratsmitglieds*);
qual·i·fied ['kwɔlifaid] *adj.* **1.** qualifiziert, geeignet, befähigt (*for* für); **2.** berechtigt: ~ *for a post* anstellungsberechtigt; ~ *voter* Wahlberechtigte(r); **3.** eingeschränkt, bedingt, modifiziert: ~ *acceptance* ✝ bedingte Annahme (*e-s Wechsels*); ~ *sale* ✝ Konditionskauf; *in a* ~ *sense* mit Einschränkungen; **qual·i·fy** ['kwɔlifai] **I.** *v/t.* **1.** qualifizieren, befähigen, geeignet machen (*for* für, *for being, to be* zu sein); **2.** berechtigen (*for* zu); **3.** bezeichnen, charakterisieren (*as* als); **4.** einschränken, modifizieren; **5.** abschwächen, mildern; **6.** *Getränke* verdünnen; **7.** *ling.* modifizieren, näher bestimmen; **II.** *v/i.* **8.** sich qualifizieren *od.* eignen, die Eignung besitzen *od.* nachweisen, in Frage kommen (*for* für, *as* als): ~*ing examination* Eignungsprüfung; ~*ing period* Anwartschafts-, Probezeit; **9.** *sport* sich qualifizieren (*for* für): ~*ing round* Ausscheidungsrunde; **10.** die nötigen Fähigkeiten erwerben; **11.** die (ju'ristischen) Vorbedingungen erfüllen, *bsd. Am.* den Eid ablegen; **qual·i·ta·tive** ['kwɔlitətiv] *adj.* □ qualita'tiv (*a.* ⚗ *Analyse, a.* & *Verteilung*); **qual·i·ty** ['kwɔliti] *s.* **1.** Eigenschaft *f* (*Person u. Sache*): (*good*) ~ gute Eigenschaft; *in the* ~ *of* (in der Eigenschaft) als; **2.** Art *f*, Na'tur *f*, Beschaffenheit *f*; **3.** Fähigkeit *f*, Ta'lent *n*; **4.** *bsd.* ✝, ⊕ Quali'tät *f*: *in* ~ qualitativ; **5.** ✝ (Güte)Sorte *f*, Klasse *f*; **6.** gute Qualität, Güte *f*: ~ *goods* Quali-

tätswaren; ~ *of life* Lebensqualität; **7. a)** ♪ 'Tonquali,tät *f*, -farbe *f*, **b)** *ling.* Klangfarbe *f*; **8.** *phls.* Qualität *f*; **9.** vornehmer Stand: *person of* ~ Standesperson; *the people of* ~ die vornehme Welt.

qualm [kwɔːm] *s.* **1.** Übelkeitsgefühl *n*, Schwäche(anfall *m*) *f*; **2.** Bedenken *n*, Zweifel *m*; Skrupel *m*; **'qualm·ish** [-miʃ] *adj.* □ **1.** (sich) übel (fühlend), unwohl; **2.** Übelkeits...: ~ *feelings.*

quan·da·ry ['kwɔndəri] *s.* Verlegenheit *f*, verzwickte Lage: *to be in a* ~ sich in e-m Dilemma befinden; nicht wissen, was man tun soll.

quan·ta ['kwɔntə] *pl. von quantum.*

quan·ti·ta·tive ['kwɔntitətiv] *adj.* □ quantita'tiv (*a. ling.*), Mengen...: ~ *analysis* ⚗ Maßanalyse, Mengenbestimmung; ~ *ratio* Mengenverhältnis; **quan·ti·ty** ['kwɔntiti] *s.* **1.** Quanti'tät *f*, (bestimmte *od.* große) Menge, Quantum *n*: ~ *of heat phys.* Wärmemenge; *a* ~ *of cigars* e-e Anzahl Zigarren; *in (large) quantities* in großen Mengen; ~ *discount* ✝ Mengenrabatt; ~ *production* Massenerzeugung, Serienfertigung; ~ *purchase* Großeinkauf; ~ *surveyor Brit.* Bausachverständige(r); **2.** ⩘ Größe *f*: *negligible* ~ **a)** unwesentliche Größe, **b)** *fig.* völlig unbedeutende Person *etc.*; *numerical* ~ Zahlengröße; *(un)known* ~ (un)bekannte Größe (*a. fig.*); **3.** *ling.* Quanti'tät *f*, Lautdauer *f*; (Silben)Zeitmaß *n*.

quan·ti·za·tion [kwɔnti'zeiʃən] *s. phys.* Quantelung *f*.

quan·tum ['kwɔntəm] *pl.* **-ta** [-tə] *s.* **1.** Quantum *n*, Menge *f*; **2.** (An-)Teil *m*; **3.** *phys.* (Ener'gie)Quantum *n*, Quant *n*: ~ *of radiation* Lichtquant; ~ **me·chan·ics** *s. pl. phys.* 'Quantenme,chanik *f*; ~ **or·bit,** ~ **path** *s. phys.* Quantenbahn *f*.

quar·an·tine ['kwɔrəntiːn] **I.** *s.* ⚕ **1.** Quaran'täne *f*: *absolute* ~ Isolierung; ~ *flag* ⚓ Quarantäneflagge; *to put under* ~ → 2; **II.** *v/t.* **2.** unter Quaran'täne stellen; **3.** *fig. pol.*, ✝ *Land* völlig isolieren.

quar·rel ['kwɔrəl] **I.** *s.* **1.** Streit *m*, Zank *m*, Hader *m* (*with* mit, *between* zwischen): *to have no* ~ *with* (*od. against*) keinen Grund zum Streit haben mit, nichts auszusetzen haben an (*dat.*); → *pick 8*; **II.** *v/i.* **2.** (sich) streiten, (sich) zanken (*with* mit, *for* wegen, *about* über *acc.*); **3.** sich entzweien; **4.** hadern (*with one's lot* mit s-m Schicksal); **5.** et. auszusetzen haben (*with* an *dat.*); → *bread 2*; **'quar·rel·(l)er** [-rələ] *s.* Zänker(in), Streitsüchtige(r *m*) *f*, ‚Stänker(in)'; **'quar·rel·some** [-səm] *adj.* □ zänkisch, streitsüchtig; **'quar·rel·some·ness** [-səmnis] *s.* Zank-, Streitsucht *f*.

quar·ri·er ['kwɔriə] *s.* Steinbrecher *m*, -hauer *m*.

quar·ry[1] ['kwɔri] *s.* **1.** *hunt.* (verfolgtes) Wild, Jagdbeute *f*; **2.** *fig.* Opfer *n*, Beute *f*.

quar·ry[2] ['kwɔri] **I.** *s.* **1.** Steinbruch *m*; **2.** *fig.* Fundgrube *f*, Quelle *f*; **II.** *v/t.* **3.** *Steine* brechen, abbauen; **4.** *fig.* zs.-tragen, (mühsam) erarbeiten, ausgraben; stöbern (*for* nach); **'~·man** [-mən] *s.* [*irr.*] → *quarrier*; **'~·stone** *s.* Bruchstein *m*.

quart[1] [kwɔːt] *s.* **1.** Quart *n* (*Maß = Brit. 1,14 l, Am. 0,95 l*); **2.** *a.* ~*-pot* Quartkrug *m*.

quart[2] [kɑːt] *s.* **1.** *fenc.* Quart *f*; **2.** *Kartenspiel*: Quart *f* (*Sequenz*).

quar·tan ['kwɔːtn] ⚕ **I.** *adj.* viertägig: ~ *fever* → *II*; **II.** *s.* Quar'tan-, Vier'tagefieber *n*.

quar·ter ['kwɔːtə] **I.** *s.* **1.** Viertel *n*, vierter Teil: ~ *of a century* Vierteljahrhundert; *for a* ~ *the price* zum viertel Preis; *not a* ~ *as good* nicht annähernd so gut; **2.** *a.* ~ *of an hour* Viertel(stunde *f*) *n*: *a* ~ *to six* (ein) Viertel vor sechs, drei Viertel sechs; **3.** *a.* ~ *of a year* Vierteljahr *n*, Quar'tal *n*; **4.** Viertel(pfund *n*, -zentner *m*) *n*; **5.** (*bsd.* Hinter)Viertel *n e-s Schlachttieres*; Kruppe *f e-s Pferdes*; **6.** *sport* **a)** (Spiel)Viertel *n*, **b)** Viertelmeile(nlauf *m a.* ~*-mile race*) *f*, **c)** *Am.* Abwehrspieler *m*; **7.** *Am.* Vierteldollar *m*, 25 Cent; **8.** Quarter *n*: **a)** *Handelsgewicht* (*12,6 kg*), **b)** *Hohlmaß* (*2,908 hl*); **9.** Himmelsrichtung *f*; **10.** Gegend *f*, Teil *m e-s Landes etc.*: *at close* ~*s* nahe aufeinander; *to come to close* ~*s* handgemein werden; *from all* ~*s* von überall(her); *in this* ~ hierzulande, in dieser Gegend; **11.** (Stadt)Viertel *n*: *poor* ~ Armenviertel; *residential* ~ Wohnbezirk; **12.** *mst pl.* Quar'tier *n*, 'Unterkunft *f*, Wohnung *f*: *to have free* ~*s* freie Wohnung haben; **13.** *mst pl.* ⚔ Quartier *n*, ('Truppen),Unterkunft *f*: *to be confined to* ~*s* Stubenarrest haben; **14.** Stelle *f*, Seite *f*, Quelle *f*: *higher* ~*s* höhere Stellen; *in the proper* ~ bei der zuständigen Stelle; *from official* ~*s* von amtlicher Seite; *from a good* ~ aus guter Quelle; → *informed 1*; **15.** *bsd.* ⚔ Par'don *m*, Schonung *f*: *to find no* ~ keine Schonung finden; *to give no* ~ keinen Pardon geben; *to give fair* ~ *fig.* Nachsicht üben; **16.** ⚓ Achterschiff *n*: *on the port* ~ an Backbord achtern; **17.** ⚓ Posten *m*; **18.** *her.* Quar'tier *n*, (Wappen)Feld *n*; **19.** ⊕, △ Stollenholz *n*; **II.** *v/t.* **20.** *et.* vierteln; *weitS.* aufteilen, zerstückeln; **21.** *j-n* vierteilen; **22.** *her. Wappenschild* vieren; **23.** *j-n* beherbergen; ⚔ einquartieren, *Truppen* 'unterbringen ([*up*]*on* bei): ~*ed in barracks* kaserniert; *to be* ~*ed at* (*od. in*) in Garnison liegen in (*dat.*); *to be* ~*ed* (*up*)*on* bei *j-m* in Quartier liegen; *to* ~ *o.s. upon s.o. fig.* sich bei j-m einquartieren; **24.** *Gegend* durch'stöbern (*Jagdhunde*); **'quar·ter·age** [-əridʒ] *s.* Quar'talsgehalt *n*, Vierteljahreszahlung *f*.

'quar·ter|·back *s. sport Am.* Abwehrspieler *m*; ~ **bind·ing** *s. Buchbinderei*: Halbfranz(band *m*) *n*; ~ **cir·cle** *s.* **1.** ⩘ Viertelkreis *m*; **2.** ⊕ Abrundung *f*; **'~·day** *s.* Quar'talstag *m für fällige Zahlungen* (*in England*: *25. 3., 24. 6., 29. 9., 25. 12.*; *in U.S.A.*: *1. 1., 1. 4., 1. 7., 1. 10.*); **'~·deck** *s.* ⚓ **1.** Achterdeck *n*; **2.** *coll.* Offi'ziere *pl.*; **'~'fi·nal** *s. sport* (Spiel *n* im) 'Viertelfi,nale *n*; **'~'fi·nal·ist** *s. sport* Teilnehmer(in) am Viertelfinale.

quar·ter·ly ['kwɔːtəli] **I.** *adj.* **1.** Viertel...; **2.** vierteljährlich, Quartals...; **II.** *adv.* **3.** in *od.* nach Vierteln; **4.** vierteljährlich, quar'talsweise; **III.** *s.* **5.** Vierteljahresschrift *f*.

'quar·ter·mas·ter *s.* **1.** ⚔ Quar'tiermeister *m*; **2.** ⚓ **a)** Steuerer *m* (*Handelsmarine*), **b)** Steuermannsmaat *m* (*Kriegsmarine*); **'~-'Gen·er·al** *s.* ⚔ Gene'ralquar,tiermeister *m*.

quar·tern ['kwɔːtən] *s. bsd. Brit.* **1.** Viertel *n* (*bsd. e-s Maßes od. Gewichtes*): **a)** Viertelpinte *f*, **b)** Viertel *n* e-s engl. Pfunds; **2.** *a.* ~*-loaf* Vier'pfundbrot *n*.

quar·ter| ses·sions *s. pl.* ⚖ **1.** *Brit. obs.* Krimi'nalgericht *n* (*mit vierteljährlichen Sitzungen, a. Berufungsinstanz für Zivilsachen*; *bis 1971*); **2.** *Am.* (*in einigen Staaten*) *ein ähnliches* Gericht für Strafsachen; **'~·tone** *s.* ♪ **1.** 'Vierteltoninter,vall *n*; **2.** Viertelton *m*; **'~·wind** *s.* ⚓ Backstagswind *m*.

quar·tet(te) [kwɔː'tet] *s.* **1.** ♪ Quar'tett *n* (*a. humor. 4 Personen*); **2.** Vierergruppe *f*.

quar·tile ['kwɔːtil] *s.* **1.** *ast.* Quadra'tur *f*, Geviertschein *m*; **2.** *Statistik*: Quar'til *n*, Viertelswert *m*.

quar·to ['kwɔːtou] *pl.* **-tos** *typ.* **I.** *s.* 'Quartfor,mat *n*; **II.** *adj.* im 'Quartfor,mat.

quartz [kwɔːts] *s. min.* Quarz *m*: *crystallized* ~ Bergkristall; ~ *lamp* **a)** ⊕ Quarz(glas)lampe, **b)** ⚕ Quarzlampe (*Höhensonne*).

quash[1] [kwɔʃ] *v/t.* ⚖ **1.** *Verfügung etc.* aufheben, annullieren, verwerfen; **2.** *Klage* abweisen; **3.** *Verfahren* niederschlagen.

quash[2] [kwɔʃ] *v/t.* **1.** zermalmen, -stören; **2.** *fig.* unter'drücken.

qua·si ['kwɑːzi] *adv.* gleichsam, gewissermaßen, sozu'sagen; (*mst mit Bindestrich*) Quasi..., Schein..., ...ähnlich: ~ *contract* vertragsähnliches Verhältnis; ~*-judicial* quasigerichtlich; ~*-official* halbamtlich.

qua·ter·na·ry [kwə'təːnəri] **I.** *adj.* **1.** aus vier bestehend; **2.** ♀ *geol.* Quartär...; **3.** ⚗ vierbindig, quater'när; **II.** *s.* **4.** Gruppe *f* von 4 Dingen; **5.** Vier *f* (*Zahl*); **6.** *geol.* Quar'tär(peri,ode *f*) *n*.

quat·rain ['kwɔtrein] *s.* Vierzeiler *m*.

quat·re·foil ['kætrəfɔil] *s.* **1.** △ Vierpaß *m*; **2.** ⚘ vierblättriges (Klee)Blatt.

qua·ver ['kweivə] **I.** *v/i.* **1.** zittern; **2.** ♪ tremolieren (*weitS. a. beim Sprechen*), trillern; **II.** *v/t. mst* ~ *out* **3.** mit über'triebenem Vi'brato singen; **4.** mit zitternder Stimme sagen, stammeln; **III.** *s.* **5.** ♪ Trillern *n*, Tremolieren *n*; **6.** ♪ *Brit.* Achtelnote *f*; **'qua·ver·y** [-vəri] *adj.* zitternd.

quay [kiː] *s.* ⚓ Kai *m*; **quay·age** ['kiːidʒ] *s.* **1.** Kaigeld *n*; **2.** Kaianlagen *pl.*

quea·si·ness ['kwiːzinis] *s.* **1.** Übelkeit *f*; **2.** ('Über)Empfindlichkeit *f*; **quea·sy** ['kwiːzi] *adj.* □ **1.** ('über-)empfindlich (*Magen etc.*); **2.** heikel, mäkelig (*beim Essen etc.*); **3.** ekelerregend; **4.** unwohl: *I feel* ~ mir ist übel.

queen [kwiːn] **I.** *s.* **1.** Königin *f* (*a.*

fig.): ♀ *of (the) May* Maikönigin; *the ~ of the watering-places fig.* die Königin *od.* Perle der Badeorte; *~'s metal* Weißmetall; *~'s-ware* gelbes Steingut; ♀ *Anne is dead! humor.* so'n Bart!; **2.** *zo.* Königin *f*: **a)** *a. ~ bee* Bienenkönigin *f*, **b)** *a. ~ ant* Ameisenkönigin *f*; **3.** *Kartenspiel, Schach*: Dame *f*: *~'s pawn* Damenbauer; **4.** *Am. sl.* **a)** ‚Prachtweib' *n*, **b)** → *queer 11*; **II.** *v/i.* **5.** *mst ~ it* die große Dame spielen: *to ~ it over j-n* beherrschen; **6.** *Schach*: in e-e Dame verwandelt werden (*Bauer*); **III.** *v/t.* **7.** zur Königin machen; **8.** *Bienenstock* beweiseln; **9.** *Schach*: *Bauern* (in e-e Dame) verwandeln; **~ dow·a·ger** *s.* Königinwitwe *f*; **'~-like** → *queenly*.

queen·ly ['kwi:nli] *adj. u. adv.* wie e-e Königin, königlich, maje'stätisch.

queen moth·er *s.* Königinmutter *f*.

Queen's| Bench → *King's Bench*; **~ Coun·sel** → *King's Counsel*; **~ Eng·lish** → *English 3*; **~ Speech** → *King's Speech*.

queer [kwiə] **I.** *adj.* □ **1.** seltsam, sonderbar, wunderlich, kuri'os, ‚komisch': *~ (in the head)* F leicht verrückt; *~ fellow* komischer Kauz; **2.** F fragwürdig, ‚faul' (*Sache*): *to be in ♀ Street* **a)** ‚auf dem trockenen sitzen' (*kein Geld haben*), **b)** ‚in der Tinte sitzen'; **3.** unwohl, schwummerig: *to feel ~* sich ‚komisch' fühlen; **4.** *sl.* gefälscht; **5.** *Brit. sl.* besoffen; **6.** *sl.* ‚schwul' (*homosexuell*); **II.** *v/t.* **7.** *sl.* verpfuschen, verderben; → *pitch² 1*; **8.** *sl. j-n* ‚übers Ohr hauen'; **9.** *sl. j-n* ‚auf den Arm nehmen'; **III.** *s.* **10.** *sl.* ‚Blüte' *f* (*Falschgeld*); **11.** *sl.* ‚Schwule(r)' *m* (*Homosexueller*).

quell [kwel] *v/t. rhet.* **1.** bezwingen; **2.** *Aufstand etc., a. Gefühle* unter'drücken, ersticken.

quench [kwentʃ] *v/t.* **1.** *rhet. Flammen, Durst etc.* löschen; **2.** *fig.* **a)** → *quell 2*, **b)** *Hoffnung* zu'nichte machen, **c)** *Verlangen* stillen; **3.** ⊕ *Asche, Koks etc.* (ab)löschen; **4.** *metall.* abschrecken, härten: *~ing and tempering* (Stahl)Vergütung; **5.** ⚡ *Funken* löschen: *~ed spark gap* Löschfunkenstrecke; **6.** *fig. j-m* den Mund stopfen; **'quench·er** [-tʃə] *s.* F Schluck *m*; **'quench·less** [-lis] *adj.* □ un(aus)löschlich.

que·nelle [kə'nel] *s.* Fleisch- *od.* Fischknödel *m*.

que·rist ['kwiərist] *s.* Fragesteller (-in).

quer·u·lous ['kweruləs] *adj.* □ quengelig, nörgelnd, verdrossen.

que·ry ['kwiəri] **I.** *s.* **1.** (*bsd.* zweifelnde *od.* unangenehme) Frage; ✝ Rückfrage *f*: *~ (abbr. qu.), was the money ever paid?* Frage, wurde das Geld je bezahlt?; **2.** *typ.* (anzweifelndes) Fragezeichen; **3.** *fig.* Zweifel *m*; **II.** *v/t.* **4.** fragen; **5.** *j-n* (aus-, be)fragen; **6.** *et.* in Zweifel ziehen, in Frage stellen, beanstanden; **7.** *typ.* mit e-m Fragezeichen versehen.

quest [kwest] **I.** *s.* **1.** Suche *f*, Streben *n*, Trachten *n* (*for, of* nach): *knightly ~* Ritterzug; *the ~ for the (Holy) Grail* die Suche nach dem (Heiligen) Gral; *in ~ of* auf der Suche nach; **2.** Nachforschung(en *pl.*) *f*; **II.** *v/i.* **3.** suchen; **4.** Wild suchen (*Jagdhund*); **III.** *v/t.* **5.** suchen *od.* trachten nach.

ques·tion ['kwestʃən] **I.** *s.* **1.** Frage *f* (*a. ling.*): *to beg the ~* **a)** von e-r falschen Voraussetzung ausgehen, **b)** die Sache von vornherein als erwiesen ansehen; *to put a ~ to s.o.* **j-m e-e Frage** stellen; *the ~ does not arise* die **Frage** ist belanglos; → *pop¹ 10*; **2.** Frage *f*, Pro'blem *n*, Thema *n*, (Streit)Punkt *m*: *the Negro ♀* die Negerfrage; *~s of the day* Tagesfragen; *~ of fact* ⚖ Tatfrage; *~ of law* ⚖ Rechtsfrage; *the point in ~* die fragliche *od.* vorliegende *od.* zur Debatte stehende Sache; *to come into ~* in Frage kommen, wichtig werden; *there is no ~ of s.th. od. ger.* es ist nicht die Rede von *et. od.* davon, daß; *~! parl.* zur Sache!; **3.** Frage *f*, Sache *f*, Angelegenheit *f*: *only a ~ of time* nur e-e Frage der Zeit; **4.** Frage *f*, Zweifel *m*: *beyond (all) ~* ohne Frage, fraglos; *to call in ~* → *8*; *there is no ~ but (od. that)* es steht außer Frage, daß; *out of ~* außer Frage; *that is out of the ~* das kommt nicht in Frage; **5.** *pol.* Anfrage *f*: *~ time parl. Brit.* Fragestunde; *to put to the ~* zur Abstimmung über *e-e Sache* schreiten; **6.** ⚖ Vernehmung *f*; Unter'suchung *f*: *to put to the ~ hist. j-n* foltern; **II.** *v/t.* **7.** *j-n* (aus-, be)fragen; ⚖ vernehmen, -hören; **8.** *et.* an-, bezweifeln, in Zweifel ziehen; **'ques·tion·a·ble** [-tʃənəbl] *adj.* □ **1.** fraglich, zweifelhaft, ungewiß; **2.** bedenklich, fragwürdig; **'ques·tion·ar·y** [-tʃənəri] → *questionnaire*; **'ques·tion·er** [-tʃənə] *s.* Fragesteller(in), Frager(in); **'ques·tion·ing** [-tʃəniŋ] **I.** *adj.* □ fragend (*a. Blick, Stimme*); **II.** *s.* Befragung *f*; ⚖ Vernehmung *f*.

'ques·tion-mark *s.* Fragezeichen *n*.

ques·tion·naire [kwestiə'nɛə] (*Fr.*) *s.* Fragebogen *m*.

queue [kju:] **I.** *s.* **1.** (Haar)Zopf *m*; **2.** *bsd. Brit.* Schlange *f*, Reihe *f vor Geschäften etc.*: *to stand (od. wait) in a ~* Schlange stehen; → *jump 16*; **II.** *v/i.* **3.** *mst ~ up Brit.* e-e Schlange bilden, Schlange stehen, sich anstellen.

quib·ble ['kwibl] **I.** *s.* **1.** Spitzfindigkeit *f*, Wortklaube'rei *f*, Ausflucht *f*; **2.** Wortspiel *n*; **II.** *v/i.* **3.** her'umreden, Ausflüchte machen; **4.** spitzfindig sein, Haarspalte'reien betreiben; **5.** witzeln; **'quib·bler** [-lə] *s.* **1.** Wortklauber(in), -verdreher (-in); **2.** Wortwitzler(in); **'quib·bling** [-liŋ] *adj.* □ spitzfindig, haarspalterisch, wortklauberisch.

quick [kwik] **I.** *adj.* □ **1.** schnell, so'fortig: *~ answer (service)* prompte Antwort (Bedienung); *~ returns* ✝ schneller Umsatz; **2.** schnell, hurtig, geschwind, rasch: *be ~!* mach schnell!, beeile dich!; *to be ~ about s.th.* sich mit et. beeilen; **3.** (geistig) gewandt, flink, aufgeweckt, schlagfertig, ‚fix'; beweglich, flink (*Geist*): *~ wit* Schlagfertigkeit; **4.** scharf (*Auge, Ohr, Verstand*): *a ~ ear* ein feines Gehör; **5.** scharf (*Geruch, Geschmack, Schmerz*); **6.** voreilig, hitzig: *a ~ temper*; **7.** lebend (*a.* ⚘ *Hecke*), lebendig: *~ with child* (hoch)schwanger; **8.** *fig.* lebhaft (*a. Gefühle*; *a. Handel etc.*); **9.** lose, treibend (*Sand etc.*); **10.** *min.* erzhaltig, ergiebig; **11.** ✝ flüssig (*Anlagen, Aktiva*); **II.** *s.* **12.** *the ~* die Lebenden *pl.*; **13.** (lebendes) Fleisch; *fig.* Mark *n*: *to the ~* **a)** (bis) ins Fleisch, **b)** *fig.* bis ins Mark *od.* Herz, **c)** durch u. durch; *to cut s.o. to the ~* j-n tief verwunden; *touched to the ~* bis ins Mark getroffen; *a Socialist to the ~* ein Sozialist bis auf die Knochen; *to paint s.o. to the ~* j-n malen wie er leibt u. lebt; **14.** *Am.* → *quicksilver*; **III.** *adv.* **15.** schnell, geschwind; **'~-ac·tion** *adj.* ⊕ Schnell...; **'~-break switch** *s.* ⚡ Mo'mentschalter *m*; **'~-change** *adj.* **1.** *~ artist thea.* Verwandlungskünstler(in); **2.** ⊕ Schnellwechsel...(*-futter, -getriebe etc.*); **'~-dry·ing** *adj.* schnelltrocknend (*Lack*); ä'therisch (*Öl*); **'~-eared** *adj.* mit e-m feinen Gehör.

quick·en ['kwikən] **I.** *v/t.* **1.** beschleunigen; **2.** (wieder) lebendig machen; beseelen; **3.** *Interesse etc.* an-, erregen; **4.** beleben, *j-m* neuen Auftrieb geben; **II.** *v/i.* **5.** sich beschleunigen (*Puls, Schritte etc.*); **6.** (wieder) lebendig werden; **7.** gekräftigt werden; **8.** hoch'schwanger werden; **9.** sich bewegen (*Fötus*).

'quick|-eyed *adj.* scharfsichtig (*a. fig.*); **'~-fire, '~-fir·ing** *adj.* ⚔ Schnellfeuer...; **'~-freeze** *v/t. Lebensmittel* einfrieren; **'~-freez·ing** *s.* Einfrieren *n*, Gefrierverfahren *n*.

quick·ie ['kwiki] *s.* F **1.** *et.* ‚Hingehauenes', ‚fixe Sache', *z. B.* billiger, improvisierter Film; ✝ Ramschware *f*; **2.** *et. Kurzdauerndes*, *bsd.* kurzer Werbefilm; **3.** *Am.* ‚Schnäps-chen' *n*.

'quick|·lime *s.* ⚗ gebrannter, ungelöschter Kalk, Ätzkalk *m*; **~ march** *s.* ⚔ Eilmarsch *m*; **'~-match** *s.* ⚔, ⚒ Zündschnur *f*; **~ mo·tion** *s.* ⊕ Schnellgang *m*; **'~-mo·tion cam·er·a** *s. phot.* Zeitraffer(kamera *f*) *m*.

quick·ness ['kwiknis] *s.* **1.** Schnelligkeit *f*; **2.** (geistige) Beweglichkeit *od.* Flinkheit; **3.** Hitzigkeit *f*: *~ of temper*; **4.** *~ of sight* gutes Sehvermögen; **5.** Lebendigkeit *f*, Kraft *f*.

'quick|·sand *s. geol.* Treibsand *m*; **'~·set** *s.* **1.** heckenbildende Pflanze, *bsd.* Weißdorn *m*; **2.** Setzling *m*; **3.** *a. ~ hedge* lebende Hecke; **'~-set·ting** *adj.* ⊕ schnell abbindend (*Zement etc.*); **'~-sight·ed** *adj.* scharfsichtig; **'~-sil·ver** *s.* Quecksilber *n* (*a. fig.*); **~ step** *s.* ⚔ Schnellschritt *m*; **'~-step** *s.* ♪ Quickstep *m* (*Foxtrott*); **'~-'tem·pered** *adj.* hitzig, jäh; **~ time** *s.* ⚔ **1.** schnelles Marschtempo; **2.** exerziermäßiges Marschtempo: *~ march!* Im Gleichschritt, marsch!; **'~-'wit·ted** *adj.* schlagfertig, aufgeweckt, ‚fix'.

quid¹ [kwid] *s.* **1.** Priem *m* (*Kautabak*); **2.** 'wiedergekäutes Futter.

quid² [kwid] *pl. mst* **quid** *s. Brit. sl.* Pfund *n* (Sterling).

quid·di·ty ['kwiditi] *s.* **1.** *phls.* Es'senz *f*, Wesen *n*; **2.** Feinheit *f*, Spitzfindigkeit *f*.

quid·nunc ['kwidnʌŋk] *s.* Neuigkeitskrämer *m*, Klatschtante *f*.
quid pro quo ['kwidprou'kwou] *pl.* **quid pro quos** (*Lat.*) *s.* Gegenleistung *f*, Vergütung *f*.
qui·es·cence [kwai'esns] *s.* Ruhe *f*, Stille *f*; **qui'es·cent** [-nt] *adj.* □ **1.** ruhend, bewegungslos; *fig.* ruhig, still; **2.** *ling.* stumm (*Buchstabe*).
qui·et [kwaiət] **I.** *adj.* □ **1.** ruhig, still (*a. fig. Person, See, Straße etc.*); **2.** ruhig, leise, geräuschlos (*a.* ⊕): ~ *running mot.* ruhiger Gang; *be* ~! sei still!; ~, *please!* ich bitte um Ruhe!; *to keep* ~ **a)** sich ruhig verhalten, **b)** den Mund halten; **3.** bewegungslos, still; **4.** ruhig, friedlich (*a. Leben, Zeiten*); behaglich, beschaulich: ~ *conscience* ruhiges Gewissen; ~ *enjoyment* ⚖ ruhiger Besitz, ungestörter Genuß; **5.** ruhig, unauffällig (*Farbe etc.*); **6.** versteckt, geheim, leise: *to keep s.th.* ~ et. geheimhalten, et. für sich behalten; **7.** † ruhig, still, ‚flau' (*Geschäft etc.*); **II.** *s.* **8.** Ruhe *f*, Stille *f*; Frieden *m*: *on the* ~ (*od. on the q.t.*) F ‚klammheimlich', stillschweigend; **III.** *v/t.* **9.** beruhigen, zur Ruhe bringen; **10.** besänftigen; **11.** zum Schweigen bringen; **IV.** *v/i.* **12.** *mst* ~ *down* ruhig *od.* still werden, sich beruhigen; '**qui·et·en** [-tn] → *quiet III u. IV*.
qui·et·ism ['kwaiitizəm] *s. eccl.* Quie'tismus *m*.
qui·et·ness ['kwaiətnis] *s.* **1.** → *quietude*; **2.** Geräuschlosigkeit *f*;
qui·e·tude ['kwaiitju:d] *s.* **1.** Stille *f*, Ruhe *f*; **2.** *fig.* Friede(n) *m*; **3.** (Gemüts)Ruhe *f*.
qui·e·tus [kwai'i:təs] *s.* **1.** Ende *n*, Tod *m*; **2.** Todesstoß *m*: *to give s.o. his* ~ j-m den Garaus machen; **3.** (restlose) Tilgung *e-r Schuld*; **4.** ⚖ **a)** *Brit.* Endquittung *f*, **b)** *Am.* Entlastung *f des Nachlaßverwalters*.
quill [kwil] **I.** *s.* **1.** *a.* ~*-feather orn.* (Schwung-, Schwanz)Feder *f*; **2.** *a.* ~ *pen* Federkiel *m*; *fig.* Feder *f*; **3.** *zo.* Stachel *m* (*Igel etc.*): *to get one's* ~*s up sl.* in Wut geraten; **4.** ♪ **a)** *hist.* Panflöte *f*, **b)** Plektrum *n*; **5.** Zahnstocher *m*; **6.** Zimtstange *f*; **7.** ⊕ Weberspule *f*; **8.** ⊕ Hohlwelle *f*; **II.** *v/t.* **9.** rund fälteln, kräuseln; **10.** *Faden* aufspulen; '~**-driv·er** *s. contp.* Federfuchser *m*.
quill·ing ['kwiliŋ] *s.* Krause *f*, Rüsche *f*.
quilt [kwilt] **I.** *s.* **1.** Steppdecke *f*; **2.** gesteppte (Bett)Decke; **II.** *v/t.* **3.** steppen, 'durchnähen; **4.** wattieren, (aus)polstern; '**quilt·ing** [-tiŋ] *s.* **1.** 'Durchnähen *n*, Steppen *n*: ~ *seam* Steppnaht; **2.** gesteppte Arbeit; **3.** Füllung *f*, Wattierung *f*; **4.** Pi'kee *m* (*Gewebe*).
quince [kwins] *s.* ♀ Quitte *f*.
qui·nine [*Brit.* kwi'ni:n; *Am.* 'kwainain] *s.* ⚗, *pharm.* Chi'nin *n*.
quin·qua·ge·nar·i·an [kwiŋkwədʒi'neəriən] **I.** *adj.* fünfzigjährig, in den Fünfzigern; **II.** *s.* Fünfzigjährige(r *m*) *f*, Fünfziger(in); **quin·quen·ni·al** [kwiŋ'kweniəl] *adj.* □ fünfjährig; fünfjährlich (*wiederkehrend*).
quins [kwinz] *s. pl.* F Fünflinge *pl*.
quin·sy ['kwinzi] *s.* ⚕ (Hals)Bräune *f*, Mandelentzündung *f*.
quint *s.* **1.** [kint] *Pikett*: Quinte *f*; **2.** [kwint] ♪ Quint *f* (*Orgelregister*).
quin·tal ['kwintl] *s.* Doppelzentner *m*.
quinte [kɛ̃t] (*Fr.*) *s. fenc.* Quinte *f*.
quint·es·sence [kwin'tesns] *s.* **1.** ⚗ 'Quintessenz *f* (*a. phls. u. fig.*); **2.** *fig.* Kern *m*, Inbegriff *m*; **3.** (höchste) Voll'kommenheit *f*.
quin·tet(te) [kwin'tet] *s.* ♪ Quin'tett *n*.
quin·tu·ple ['kwintjupl] **I.** *adj.* fünffach; **II.** *s. das* Fünffache; **III.** *v/t. u. v/i.* (sich) verfünffachen; '**quin·tu·plets** [-plits] *s. pl.* Fünflinge *pl*.
quip [kwip] **I.** *s.* **1.** witziger Einfall, geistreiche Bemerkung; **2.** (treffender) Hieb, Stich(e'lei *f*) *m*; **3.** Wortspiel *n*, Spitzfindigkeit *f*; **4.** Scherz *m*; **II.** *v/i.* **5.** witzeln, spötteln.
quire [kwaiə] *s.* **1.** *typ.* Buch *n* (*24 Papierbogen*); **2.** *Buchbinderei*: Lage *f*.
quirk [kwə:k] *s.* **1.** Kniff *m*, Trick *m*; Finte *f*, Ausflucht *f*; **2.** → *quip 1, 2, 3*; **3.** Schnörkel *m*; **4.** △ spitze Kehlung; **5.** Zucken *n des Mundes etc.*; **6.** Eigenart *f*, seltsame Angewohnheit: *by a* ~ *of fate* durch e-n verrückten Zufall, wie das Schicksal so spielt; '**quirk·y** *adj.* F **1.** ‚gerissen' (*Anwalt etc.*); **2.** eigen(artig) (*Ansichten etc.*).
quis·ling ['kwizliŋ] *s. pol.* F Quisling *m*, Kollabora'teur *m*.
quit [kwit] **I.** *v/t.* **1.** verzichten auf (*acc.*); **2.** *a. Stellung* aufgeben; *Dienst* quittieren; sich vom *Geschäft* zu'rückziehen; **3.** *Am.* aufhören (*s.th.* mit et.; *doing* zu tun); **4.** verlassen; **5.** *Schuld* bezahlen, tilgen; **6.** ~ *o.s.* sich befreien (*of* von); **7.** *poet.* vergelten (*love with hate* Liebe mit Haß); **II.** *v/i.* **8.** aufhören; **9.** weggehen; **10.** ausziehen (*Mieter*): *notice to* ~ Kündigung; *to give notice to* ~ (j-m die Wohnung) kündigen; **III.** *adj. pred.* **11.** quitt, frei: *to go* ~ frei ausgehen; *to be* ~ *for* davonkommen mit; **12.** frei, los (*of* von): ~ *of charges* † nach Abzug der Kosten, spesenfrei; '~**-claim** **I.** *s.* ⚖ **1.** Verzicht(leistung *f*) *m auf Rechte*; **2.** ~ *deed* **a)** Grundstückskaufvertrag *m*, **b)** *Am.* Zessi'onsurkunde *f* (*beide: ohne Haftung für Rechts- od. Sachmängel*); **II.** *v/t.* **3.** ⚖ Verzicht leisten auf (*acc.*).
quite [kwait] *adv.* **1.** ganz, völlig: ~ *another* ein ganz anderer; ~ *wrong* völlig falsch; **2.** wirklich, tatsächlich, ziemlich: ~ *a disappointment* e-e ziemliche Enttäuschung; ~ *good* recht gut; ~ *a few* ziemlich viele; ~ *a gentleman* wirklich ein feiner Herr; **3.** F ganz, durch'aus: ~ *nice* ganz *od.* sehr nett; ~ *the thing* genau das Richtige; ~ (*so*)! ganz recht!
'**quit·rent** *s.* ⚖ Erb-, Pachtzins *m*.
quits [kwits] *adj.* quitt (*mit j-m*): *to cry* ~ aufgeben, genug haben; *to get* ~ *with s.o.* mit j-m quitt werden; → *double 10*.
quit·tance ['kwitəns] *s.* **1.** Vergeltung *f*; **2.** Bezahlung *f e-r Schuld*; **3.** Erlassen *n e-r Schuld*; **4.** † Quittung *f*.
quit·ter ['kwitə] *s. Am. u.* F **1.** Drükkeberger *m*; **2.** Feigling *m*.
quiv·er[1] ['kwivə] **I.** *v/i.* beben, zittern (*with* vor *dat.*); **II.** *s.* Beben *n*, Zittern *n*: *in a* ~ *of excitement fig.* zitternd vor Aufregung.
quiv·er[2] ['kwivə] *s.* Köcher *m*: *to have an arrow left in one's* ~ *fig.* noch ein Eisen im Feuer haben; *a* ~ *full of children fig.* e-e Herde Kinder.
qui vive [ki:'vi:v] (*Fr.*) *s.*: *to be on the* ~ auf dem Quivive sein, aufpassen.
quix·ot·ic [kwik'sɔtik] *adj.* (□ ~*ally*) donqui'chotisch (*weltfremd, überspannt*), phan'tastisch; **quix·ot·ism** ['kwiksətizəm], **quix·ot·ry** ['kwiksətri] *s.* Donquichotte'rie *f*, Narre'tei *f*.
quiz [kwiz] **I.** *v/t.* **1.** *Am. j-n* prüfen, abfragen; **2.** (aus)fragen; **3.** *bsd. Brit.* aufziehen, hänseln; **4.** anstarren, fixieren; **II.** *pl.* '**quiz·zes** [-ziz] *s.* **5.** *ped. Am.* Prüfung *f*, Klassenarbeit *f*; **6.** Ausfragen *n*; **7.** **a)** *Radio etc.*: Quiz *m*: ~*master* Quizmaster; ~ *program(me)* Quizsendung, **b)** Denksportaufgabe *f*; **8.** Foppe'rei *f*, Spaß *m*; **9.** Spottvogel *m*.
quiz·zi·cal ['kwizikəl] *adj.* □ **1.** seltsam, komisch; **2.** spöttisch, hänselnd.
quod [kwɔd] *s. sl.* ‚Loch' *n*, ‚Kittchen' *n* (*Gefängnis*).
quoin [kɔin] **I.** *s.* **1.** △ **a)** (vorspringende) Ecke, **b)** Eckstein *m*; **2.** *typ.* Schließkeil *m*; **II.** *v/t.* **3.** *typ. Druckform* schließen; **4.** ⊕ verkeilen; **5.** △ *Ecke* mit Winkelsteinen versehen.
quoit [kɔit] *s.* **1.** Wurfring *m*; **2.** *pl. sg. konstr.* Wurfringspiel *n*.
quon·dam ['kwɔndæm] *adj.* ehemalig, früher.
Quon·set hut ['kwɔnsit] *s. e-e* Nissenhütte.
quo·rum ['kwɔ:rəm] *s.* **1.** beschlußfähige Anzahl *od.* Mitgliederzahl: *to be* (*od. constitute*) *a* ~ beschlußfähig sein; **2.** ⚖ handlungsfähige Besetzung *e-s Gerichts*.
quo·ta ['kwoutə] *s.* **1.** *bsd.* † Quote *f*, Anteil *m*; Kon'kursdivi,dende *f*, -quote *f*; **2.** † (*Einfuhr- etc.*)Kontin'gent *n*: ~ *goods* kontingentierte Waren; ~ *system* Zuteilungssystem; **3.** *Am.* Einwanderungsquote *f*.
quo·ta·tion [kwou'teiʃən] *s.* **1.** Zi'tat *n*; Anführung *f*, Her'anziehung *f* (*a.* ⚖): *familiar* ~*s* geflügelte Worte; **2.** Beleg(stelle *f*) *m*; **3.** † Preisangabe *f*, -ansatz *m*; **4.** † (Börsen-, Kurs)Notierung *f*, Kurs *m*: *final* ~ Schlußnotierung; ~**-marks** *s. pl.* Anführungszeichen *pl.*, ‚Gänsefüßchen' *pl*.
quote [kwout] *v/t.* **1.** zitieren (*from* aus), (*a. als Beweis*) anführen; *weitS. a.* Bezug nehmen auf (*acc.*), sich auf *ein Dokument etc.* berufen, *e-e Quelle, e-n Fall* her'anziehen: ~: ... ich zitiere: ...; **2.** † *Preis* aufgeben, ansetzen, berechnen; **3.** *Börse*: notieren: *to be* ~*d at* (*od. with*) notieren *od.* im Kurs stehen mit; **4.** *Am.* in Anführungszeichen setzen.

quoth [kwouθ] *obs. ich, er, sie, es* sprach, sagte.

quo·tid·i·an [kwɔ'tidiən] **I.** *adj.* **1.** täglich: ~ *fever* → *3*; **2.** all'täglich, gewöhnlich; **II.** *s.* **3.** ⚕ Quotidi'anfieber *n.*

quo·tient ['kwouʃənt] *s.* ⩘ Quo-ti'ent *m.*

R

R, r [ɑ:] *s.* R *n*, r *n* (*Buchstabe*): *the three Rs* (*reading*, *[w]riting*, *[a]rithmetic*) Lesen, Schreiben, Rechnen.

rab·bet ['ræbit] **I.** *s.* **1.** ⊕ **a)** Fuge *f*, Falz *m*, Nut *f*, **b)** Falzverbindung *f*; **2.** ⊕ Stoßstahl *m*; **3.** ⚓ (Kiel-) Sponung *f*; **II.** *v/t.* **4.** einfügen, (zs.-)fugen, falzen; '**~-joint** *s.* ⊕ Fuge *f*, Falzverbindung *f*; '**~-plane** *s.* ⊕ Falzhobel *m*.

rab·bi ['ræbai] *s.* **1.** Rab'biner *m*; **2.** 'Rabbi *m* (*Schriftgelehrter*); **rab·bin·i·cal** [ræ'binikəl] *adj.* □ rab'binisch.

rab·bit ['ræbit] *s.* **1.** *zo.* Ka'ninchen *n*; **2.** *zo. Am. allg.* Hase *m*; **3.** → *Welsh*¹ *1*; **4.** *sport* F Anfänger(in), ‚Flasche' *f*; '**~-fe·ver** *s.* Hasenpest *f*; '**~-hutch** *s.* Ka'ninchenstall *m*; '**~-punch** *s. Boxen*: Schlag *m* ins Genick.

rab·ble¹ ['ræbl] *s.* **1.** Mob *m*, Pöbelhaufen *m*; **2.** *the* ~ *contp.* der Pöbel: *~-rousing* aufwieglerisch, demagogisch.

rab·ble² ['ræbl] ⊕ **I.** *s.* Rührstange *f*, Kratze *f*; **II.** *v/t.* 'umrühren.

Rab·e·lai·si·an [ræbə'leiziən] *adj.* **1.** des Rabe'lais; **2.** im Stil von Rabelais (*grob-satirisch, geistvoll-frech*).

rab·id ['ræbid] *adj.* □ **1.** wütend (*a. Haß etc.*), rasend (*a. fig. Hunger etc.*); **2.** rabi'at, fa'natisch: *a ~ anti-Semite*; **3.** toll(wütig): *a ~ dog*; '**rab·id·ness** [-nis] *s.* **1.** Rasen *n*, Wut *f*; **2.** (wilder) Fana'tismus, Tollheit *f*.

ra·bies ['reibi:z] *s. vet.* Tollwut *f*.

rac·coon [rə'ku:n] *s. zo.* Waschbär *m*.

race¹ [reis] *s.* **1.** Rasse *f*: *the white ~*; **2.** Rasse *f*: **a)** Rassenzugehörigkeit *f*, **b)** rassische Eigenart: *differences of ~* Rassenunterschiede; **3.** Geschlecht *n*, Fa'milie *f*; Volk *n*: *of noble ~* edler Abstammung; **4.** *biol.* Rasse *f*, Gattung *f*, 'Unterart *f*; **5.** (*Menschen- etc.*)Geschlecht *n*: *the human ~*; **6.** *fig.* Klasse *f*, Schlag *m*: *the ~ of politicians*; **7.** Rasse *f des Weins etc.*

race² [reis] **I.** *s.* **1.** *sport* (Wett)Rennen *n*, (Wett)Lauf *m*; **2.** *pl. sport* Pferderennen *n*; → *play 16*; **3.** *fig.* (*for*) Wettlauf *m*, Kampf *m* (um), Jagd *f* (nach): *armament ~* Wettrüsten; *~ against time* Wettlauf mit der Zeit; **4.** *ast.* Lauf *m* (*a. fig. des Lebens etc.*): *his ~ is run* er hat die längste Zeit gelebt; **5. a)** starke Strömung, **b)** Stromschnelle *f*, **c)** Flußbett *n*, **d)** Ka'nal *m*, Gerinne *n*, **e)** Ka'nalgewässer *n*; **6.** ⊕ **a)** Laufring *m* (*Kugellager*), (Gleit)Bahn *f*, **b)** *Weberei*: Schützenbahn *f*; **7.** → *slip-stream*; **II.** *v/i.* **8.** an e-m Rennen teilnehmen, *bsd.* um die Wette laufen *od.* fahren (*with* mit); laufen *etc.* (*for* um); **9.** (da'hin)rasen, (-)schießen, rennen; **10.** ⊕ 'durchdrehen (*Rad*), 'durchgehen (*Motor*); **III.** *v/t.* **11.** um die Wette laufen *od.* fahren *etc.* mit; **12.** *Pferde* rennen *od.* laufen lassen; **13.** *Fahrzeug* rasen lassen, rasen mit; **14.** *fig.* ('durch)hetzen, (-)jagen; *Gesetz* 'durchpeitschen; **15.** ⊕ **a)** *Motor* (*ohne Belastung*) 'durchdrehen lassen, **b)** *Motor* hochjagen: *to ~ up Flugzeugmotor* abbremsen; '**~-boat** *s.* Rennboot *n*; '**~-course** *s.* **1.** Rennbahn *f*, -strecke *f*; **2.** → *raceway 1*; '**~-go·er** *s.* Rennplatzbesucher(in); '**~-horse** *s.* Rennpferd *n*.

ra·ceme [rə'si:m] *s.* ⚘ Traube *f* (*Blütenstand*).

'**race-meet·ing** *s.* (Pferde)Rennen *n*.

rac·er ['reisə] *s.* **1. a)** (Wett)Läufer (-in), **b)** Rennfahrer(in); **2.** Rennpferd *n*; **3.** Rennfahrzeug *n*, -rad *n*, -boot *n*, -wagen *m etc.*; **4.** ⚔ Drehscheibe *f* (*Geschütz*).

Race Re·la·tions Board *s. Brit.* Ausschuß *m* zur Verhinderung von Rassendiskriminierung.

'**race|-track** *s.* Rennbahn *f*, -strecke *f*; '**~-way** *s.* **1.** (Mühl)Gerinne *n*; **2.** ⊕ Laufring *m* (*Kugellager*).

ra·chis ['reikis] *pl.* **rach·i·des** ['reikidi:s] *s.* **1.** ⚘, *zo.* 'Rhachis *f*, Spindel *f*; **2.** *anat.*, *zo.* Rückgrat *n*;

ra·chi·tis [ræ'kaitis] *s.* ⚕ Ra'chitis *f*, Englische Krankheit.

ra·cial ['reiʃəl] *adj.* □ rassisch, Rassen...: *~ equality* Rassengleichheit; *~ discrimination* Rassendiskriminierung; '**ra·cial·ism** [-ʃəlizəm] *s.* → *racism 1*.

rac·i·ness ['reisinis] *s.* **1.** Rassigkeit *f*, Rasse *f*; **2.** Urwüchsigkeit *f*, Frische *f*, Lebhaftigkeit *f*; **3.** *das* Pi'kante, Würze *f*.

rac·ing ['reisiŋ] **I.** *s.* **1.** Rennen *n*; **2.** (Pferde)Rennsport *m*; **II.** *adj.* **3.** Renn...(*-boot*, *-wagen etc.*); **4.** Pferdesport...: *~ man* Pferdesport-Liebhaber; *~ world die* Rennwelt; **~ cy·clist** *s.* Radrennfahrer *m*; **~ driv·er** *s.* Rennfahrer *m*.

rac·ism ['reisizəm] *s.* **1.** Ras'sismus *m*; **2.** 'Rassenpoli,tik *f*.

rack¹ [ræk] **I.** *s.* **1.** Gestell *n*, Gerüst *n*; (*Gewehr-*, *Kleider- etc.*)Ständer *m*; (Streck-, Stütz)Rahmen *m*; ⚒ Raufe *f*, Futtergestell *n*; 🚂 Gepäcknetz *n*; (Handtuch)Halter *m*: *bomb ~* ✈ Bombenaufhängevorrichtung; **2.** 'Fächerre,gal *n*; **3.** *typ.* 'Setzre,gal *n*; **4.** ⊕ Zahnstange *f*: *~ (-and-pinion) gear* Zahnstangengetriebe; **5.** *hist.* Folterbank *f*, (Streck)Folter *f*: *on the ~ bsd. fig.* auf der Folter, in Folterqualen; *to put on the ~ bsd. fig. j-n* auf die Folter spannen; **II.** *v/t.* **6.** (aus-) recken, strecken; **7.** auf *od.* in ein Gestell *od.* Re'gal legen; **8.** *bsd. fig.* foltern, martern: *to ~ one's brains* sich den Kopf zermartern; *~ed with pain* schmerzgequält; *~ing pains* rasende Schmerzen; **9. a)** *Miete* (wucherisch) hochschrauben, **b)** von *j-m* Wucherzins erpressen, *j-n* aussaugen; **10.** *~ up* ⚒ mit Futter versehen.

rack² [ræk] *s.* Vernichtung *f*: *to go to ~ and ruin* völlig zugrunde gehen.

rack³ [ræk] *s. Am.* (schneller) Paßgang (*Pferd*).

rack⁴ [ræk] **I.** *s.* fliegendes Gewölk, ziehende Wolkenmasse; **II.** *v/i.* (da'hin)ziehen (*Wolken*).

rack⁵ [ræk] *v/t. oft ~ off Wein etc.* abziehen, -füllen.

rack·et¹ ['rækit] *s.* **1.** *sport* Ra'kett *n*, (*Tennis- etc.*)Schläger *m*; **2.** *pl. oft sg. konstr.* Ra'kettspiel *n*, Wandballspiel *n*; **3.** Schneeteller *m*.

rack·et² ['rækit] **I.** *s.* **1.** Krach *m*, Lärm *m*, Ra'dau *m*, Spek'takel *m*; **2.** ‚Wirbel' *m*, Aufregung *f*; **3. a)** ausgelassene Gesellschaft, rauschendes Fest, **b)** Vergnügungstaumel *m*, **c)** Trubel *m des Gesellschaftslebens*: *to go on the ~* ‚auf die Pauke hauen'; **4.** harte (Nerven-) Probe, ‚Schlauch' *m*: *to stand the ~* F **a)** die Sache durchstehen, **b)** die Folgen zu tragen haben *od.* wissen; **5.** *sl.* **a)** Schwindel(geschäft *n*) *m*, ‚Masche' *f*, **b)** Erpresserbande *f*, **c)** *Am.* (einträgliches) Geschäft, **d)** *Am.* Beruf *m*, Gewerbe *n*; **II.** *v/i.* **6.** Krach machen, lärmen; **7.** *mst ~ about* ‚sumpfen'; **rack·et·eer** [ræki'tiə] **I.** *s.* **1.** Gangster *m*, Erpresser *m*; **2.** Schieber *m*, Geschäftemacher *m*; **II.** *v/i.* **3.** dunkle Geschäfte machen; **4.** organisierte Erpressung betreiben; **rack·et·eer·ing** [ræki'tiəriŋ] *s.* **1.** Gangstertum *n*, Erpresserwesen *n*; **2.** Geschäftemache'rei *f*; '**rack·et·y** [-ti] *adj.* **1.** lärmend; **2.** turbu'lent, aufregend; **3.** ausgelassen, ausschweifend.

'**rack|-railway** *s.* Zahnradbahn *f*; '**~-rent** **I.** *s.* **1.** Wuchermiete *f*, wucherischer Pachtzins; **2.** *Brit.* ⚖ Pachtzins *m* zum vollen Jahreswert des Grundstücks; **II.** *v/t.* **3.** e-n Wucherzins von *j-m od.* für *et.* verlangen; '**~-wheel** *s.* ⊕ Zahnrad *n*.

ra·coon → *raccoon*.

rac·y ['reisi] *adj.* **1.** rassig (*a. fig. Auto*, *Stil etc.*), feurig (*Pferd*, *a.*

Musik etc.); **2.** urtümlich, kernig: ~ *of the soil* urwüchsig, bodenständig; **3.** *fig.* le'bendig, geistreich, ‚spritzig'; **4.** pi'kant, würzig (*Geruch etc.*) (*a. fig.*); **5.** F *u. Am.* schlüpfrig, zotig.

rad [ræd] *s. pol.* Radi'kale(r *m*) *f.*

ra·dar ['reidə] *s.* **1.** Ra'dar *m, n,* Funkmeßtechnik *f,* -ortung *f;* **2.** *a.* ~ *set* Ra'dargerät *n;* ~ **screen** *s.* Ra'darschirm *m;* ~ **trap** *s.* Ra'darfalle *f* (*der Polizei*).

rad·dle ['rædl] **I.** *s.* **1.** *min.* Rötel *m;* **II.** *v/t.* **2.** mit Rötel bemalen; **3.** rot anmalen.

ra·di·al ['reidjəl] **I.** *adj.* □ **1.** radi'al, Radial..., Strahl(en)...; sternförmig; **2.** *anat.* Speichen...; **3.** ⚘, *zo.* radi'alsym,metrisch; **II.** *s.* **4.** *anat.* **a)** → *radial artery,* **b)** → *radial nerve;* ~ **ar·ter·y** *s. anat.* Speichenschlagader *f;* ~ **drill** *s.* ⊕ Radi'albohrma,schine *f;* ~ **en·gine** *s.* Sternmotor *m;* '~-**flow tur·bine** *s.* Radi'altur,bine *f;* ~ **nerve** *s. anat.* Speichennerv *m;* '~(-**ply**) **tire** (*Brit.* **tyre**) *s.* ⊕ Gürtelreifen *m.*

ra·di·ance ['reidjəns], '**ra·di·an·cy** [-si] *s.* **1.** *a. fig.* Strahlen *n,* strahlender Glanz; **2.** → *radiation;* '**ra·di·ant** [-nt] **I.** *adj.* □ **1.** strahlend (*a. fig. with* vor *dat.,* von): ~ *with joy* freudestrahlend; **2.** *phys.* Strahlungs...(-*energie etc.*): ~ *heating* ⊕ Flächenheizung; **3.** strahlenförmig (angeordnet); **II.** *s.* **4.** Strahl(ungs)punkt *m;* '**ra·di·ate** [-dieit] **I.** *v/i.* **1.** ausstrahlen (*from* von) (*a. fig.*); **2.** *a. fig.* strahlen, leuchten; **II.** *v/t.* **3.** *Licht, Wärme etc.* ausstrahlen; **4.** *fig. Liebe etc.* ausstrahlen, -strömen: *to* ~ *health* vor Gesundheit strotzen; **5.** *Radio*: ausstrahlen, senden; **III.** *adj.* [-diit] **6.** radi'al, strahlig, Strahl(en)...; **ra·di·a·tion** [reidi'eiʃən] *s.* **1.** *phys.* (Aus)Strahlung *f* (*a. fig.*): *cosmic* ~ Höhenstrahlung; ~ *detection team* ⚔ Strahlenspürtrupp; **2.** Bestrahlung *f;* '**ra·di·a·tor** [-dieitə] *s.* **1.** ⊕ Heizkörper *m;* Strahlkörper *m,* -ofen *m;* **2.** ⚡ 'Raumstrahlan,tenne *f;* **3.** *mot.* Kühler *m:* ~ *core* Kühlerblock; ~ *mascot* Kühlerfigur.

rad·i·cal ['rædikəl] **I.** *adj.* □ → *radically;* **1.** radi'kal (*pol. oft* ♀); *weitS. a.* 'drastisch, gründlich: ~ *cure* Radikal-, Roßkur; *to undergo a* ~ *change* sich von Grund auf ändern; **2.** ursprünglich, eingewurzelt; fundamen'tal (*Fehler etc.*); grundlegend, Grund...: ~ *difference;* ~ *idea;* **3.** *bsd.* ⚘, ⩘ Wurzel...: ~ *sign* ⩘ Wurzelzeichen; **4.** *ling.* Wurzel..., Stamm...: ~ *word* Stamm(wort); **5.** ♪ Grund(ton)...; **6.** Radikal...; **II.** *s.* **7.** *pol.* (*a.* ♀) Radi'kale(r *m*) *f;* **8.** ⩘ **a)** Wurzel *f,* **b)** Wurzelzeichen *n;* **9.** *ling.* Wurzel(buchstabe *m*) *f;* **10.** ♪ Grundton *m* (*Akkord*); **11.** ⚗ Radi'kal *n;* '**rad·i·cal·ism** [-kəlizəm] *s.* Radika'lismus *m;* '**rad·i·cal·ize** [-kəlaiz] *v/t. bsd. pol.* radikalisieren; '**rad·i·cal·ly** [-li] *adv.* **1.** radikal, von Grund auf, grundlegend; **2.** ursprünglich.

rad·i·ces ['reidisi:z] *pl. von radix.*

rad·i·cle ['rædikl] *s.* **1.** ⚘ **a)** Keimwurzel *f,* **b)** Würzelchen *n;* **2.** *anat.* (Gefäß-, Nerven)Wurzel *f.*

ra·di·i ['reidiai] *pl. von radius.*

ra·di·o ['reidiou] **I.** *pl.* **-di·os** *s.* **1.** 'Radio *n* (*drahtlose Telegraphie u. Telephonie*); Funkbetrieb *m:* ~ *car Am.* Funk(streifen)wagen; ~ *engineering* Funktechnik; **2.** Radio *n,* Rundfunk *m:* ~ *play* Hörspiel; *on the* ~ im Rundfunk; **3.** 'Radio(sender *m*) *n;* **4.** F Funkspruch *m;* **5.** ⚕ Röntgenstrahlen *pl.;* **II.** *v/t.* **6.** (drahtlos) senden, *Funkmeldung* 'durchgeben; **7.** (durch den Rundfunk) senden, über'tragen; **8.** ⚕ **a)** e-e Röntgenaufnahme machen von, **b)** durch'leuchten; **9.** ⚕ mit 'Radium bestrahlen.

radio- [reidiou] *in Zssgn* Funk..., Radio...

'**ra·di·o**|-'**ac·tive** *adj.* radioak'tiv; '~-**ac'tiv·i·ty** *s.* ,Radioaktivi'tät *f;* ~ **am·a·teur** *s.* 'Funkama,teur *m;* '~-'**bea·con** *s.* Funkbake *f;* ~ **beam** *s.* Funk-, Richtstrahl *m;* '~-'**bear·ing** *s.* **1.** Funkpeilung *f;* **2.** Peilwinkel *m;* '~'**chem·is·try** *s.* 'Radio-, 'Kernche,mie *f;* '~-**con'trol** *s.* Funksteuerung *f,* Fernlenkung *f;* '~'**el·e·ment** *s. phys.* radioak'tives Ele'ment; ~ **fan** *s.* Funkbastler *m;* ~ **fre·quen·cy** *s.* ⚡ 'Hochfre,quenz *f.*

ra·di·o·gram ['reidiougræm] *s.* **1.** 'Funkmeldung *f,* -tele,gramm *n;* **2.** *Brit.* → *radiograph I;* **3.** → *radiogramophone.*

'**ra·di·o-'gram·o·phone** *s.* Mu'sikschrank *m,* -truhe *f.*

ra·di·o·graph ['reidiougra:f; -græf] ⚕ **I.** *s.* Radio'gramm *n, bsd.* Röntgenaufnahme *f;* **II.** *v/t.* ein Radio'gramm *etc.* machen von; **ra·di·o·graph·ic** [reidiou'græfik] *adj.* (□ ~*ally*) radio'graphisch, röntgeno'logisch.

'**ra·di·o-lo'ca·tion** *s.* Funkortung *f.*

ra·di·o·log·i·cal [reidiou'lɔdʒikəl] *adj.* ⚕ radio'logisch, Röntgen...; **ra·di·ol·o·gist** [reidi'ɔlədʒist] *s.* Röntgeno'loge *m;* **ra·di·ol·o·gy** [reidi'ɔlədʒi] *s.* Strahlen-, 'Röntgenkunde *f.*

'**ra·di·o**|-'**mark·er** *s.* ✈ (Anflug-) Funkbake *f,* Kurzstreckenfunkfeuer *n;* '~-'**mes·sage** *s.* Funkmeldung *f.*

ra·di·om·e·ter [reidi'ɔmitə] *s. phys.* Strahlungsmesser *m.*

ra·di·o op·er·a·tor *s.* (✈ Bord-) Funker *m.*

ra·di·o·phone ['reidioufoun] *s.* **1.** *phys.* Radio'phon *n;* **2.** → *radiotelephone.*

'**ra·di·o**|'**pho·no·graph** *s. Am.* Mu'siktruhe *f;* '~-'**pho·to·graph** *s.* Funkbild *n;* '~-**pho'tog·ra·phy** *s.* Bildfunk *m.*

ra·di·os·co·py [reidi'ɔskəpi] *s.* ⚕ Röntgenosko'pie *f,* ('Röntgen-) Durch,leuchtung *f.*

ra·di·o| **set** *s.* **1.** 'Radiogerät *n,* Rundfunkempfänger *m;* **2.** Funkgerät *n;* ~ **sonde** [sɔnd] *s. meteor.* 'Radiosonde *f;* '~-'**tel·e·gram** *s.* 'Funktele,gramm *n;* '~-**te'leg·ra·phy** *s.* drahtlose Telegra'phie; '~-'**tel·e·phone** *s.* Funksprechgerät *n;* '~-**te'leph·o·ny** *s.* drahtlose Telepho'nie, Sprechfunk *m;* '~-'**ther·a·py** *s.* 'Strahlen-, 'Röntgenthera,pie *f.*

rad·ish ['rædiʃ] *s.* ⚘ **1.** *a. large* ~ Rettich *m;* **2.** *a. red* ~ Ra'dieschen *n.*

ra·di·um ['reidjəm] *s.* ⚗ 'Radium *n.*

ra·di·us ['reidjəs] *pl.* **-di·i** [-diai] *od.* **-di·us·es** *s.* **1.** ⩘ 'Radius *m,* Halbmesser *m:* ~ *of turn mot.* Wendehalbmesser; **2.** ⊕, *anat.* Speiche *f;* **3.** ⚘ Strahl *m;* **4.** 'Umkreis *m: within a* ~ *of;* **5.** *fig.* (Wirkungs-, Einfluß-) Bereich *m:* ~ *of action* Aktionsradius, *mot.* Fahrbereich.

ra·dix ['reidiks] *pl.* **rad·i·ces** ['reidisi:z] *s.* **1.** ⩘ 'Basis *f,* Grundzahl *f;* **2.** ⚘, *a. ling.* Wurzel *f.*

raf·fi·a ['ræfiə] *s.* 'Raffiabast *m.*

raff·ish ['ræfiʃ] *adj.* □ **1.** liederlich; **2.** pöbelhaft, ordi'när.

raf·fle ['ræfl] **I.** *s.* 'Tombola *f* (*Lotterieart*), Verlosung *f;* **II.** *v/t. oft* ~ *off et.* in e-r Tombola verlosen; **III.** *v/i.* losen (*for* um).

raft [ra:ft] **I.** *s.* **1.** Floß *n;* **2.** zs.-gebundenes Holz; **3.** *Am.* Treibholz(ansammlung *f*) *n;* **4.** F Unmenge *f,* ‚Haufen' *m;* **II.** *v/t.* **5.** flößen, als Floß *od.* mit dem Floß befördern; **6.** zu e-m Floß zs.-binden; **7.** mit e-m Floß befahren *od.* über'queren; '**raft·er** [-tə] *s.* **1.** Flößer *m;* **2.** ⊕ (Dach)Sparren *m;* **rafts·man** ['ra:ftsmən] *s.* [*irr.*] Flößer *m.*

rag[1] [ræg] *s.* **1.** Fetzen *m,* Lumpen *m,* Lappen *m: in* ~*s* **a)** in Fetzen (*Stoff etc.*), **b)** zerlumpt (*Person*); *not a* ~ *of evidence* nicht den geringsten Beweis; *to chew the* ~ **a)** ‚quatschen', plaudern, **b)** ‚meckern'; *to cook to* ~*s* zerkochen; *it's a red* ~ *to him fig.* es ist für ihn ein rotes Tuch; → *ragtag;* **2.** *pl. Papierherstellung*: Hadern *pl.,* Lumpen *pl.;* **3.** *humor.* ‚Fetzen' *m* (*Kleid, Anzug*): *not a* ~ *to put on* keinen Fetzen zum Anziehen *haben;* → *glad 2;* **4.** *humor.* ‚Lappen' *m* (*Geldschein, Taschentuch etc.*); **5.** (*contp.* Käse-, Wurst)Blatt *n* (*Zeitung*); **6.** ♪ F → *ragtime I.*

rag[2] [ræg] *sl.* **I.** *v/t.* **1.** *j-n* ‚anschnauzen'; **2.** *j-n* ‚aufziehen', ‚auf den Arm nehmen'; **3.** Schindluder treiben mit, übel mitspielen (*dat.*); **II.** *v/i.* **4.** es wüst treiben, Ra'dau machen; **III.** *s.* **5.** Radau *m;* Unfug *m,* toller Streich.

rag·a·muf·fin ['rægəmʌfin] *s.* **1.** zerlumpter Kerl, ‚Vogelscheuche' *f;* **2.** (schmutziges) Gassenkind.

'**rag**|-**bag** *s.* Lumpensack *m;* '~-**bolt** *s.* ⊕ Steinschraube *f,* Bartbolzen *m;* '~-**book** *s.* unzerreißbares Bilderbuch; '~-**doll** *s.* Stoffpuppe *f.*

rage [reidʒ] **I.** *s.* **1.** Wut(anfall *m*) *f,* Rase'rei *f: to be in a* ~ vor Wut schäumen, toben; *to fly into a* ~ in Wut geraten; **2.** Wüten *n,* Toben *n,* Rasen *n* (*der Elemente, der Leidenschaft etc.*); **3.** Sucht *f,* Ma'nie *f,* Gier *f* (*for* nach): ~ *for collecting things* Sammelwut; **4.** Begeisterung *f,* Taumel *m,* Rausch *m,* Ek'stase *f: it is all the* ~ es ist jetzt die große Mode, alles ist wild danach; **II.** *v/i.* **5.** (*a. fig.*) toben, rasen, wüten (*at, against* gegen).

rag fair *s.* Trödelmarkt *m.*

rag·ged ['rægid] *adj.* □ **1.** zerlumpt, abgerissen (*Person, Kleidung*); **2.** zottig (*Fell*); **3.** zerfetzt, ausgefranst (*Wunde*); **4.** zackig, gezackt (*Glas, Stein*); **5.** uneben, holp(e)rig: *~ rhymes*; **6.** verwildert: *a ~ garden*; **7.** roh, unfertig, fehler-, mangelhaft; **8.** rauh (*Stimme, Ton*).

'rag·man [-mən] *s.* [*irr.*] Lumpensammler *m.*

ra·gout ['rægu:] *s.* Ra'gout *n.*

rag| pa·per *s. Papierindustrie*: 'Hadernpa,pier *n*; **'~-pick·er** *s.* Lumpensammler(in); **'~·tag** *s.* **1.** Pöbel *m*, Gesindel *n*: *~ and bobtail* Krethi u. Plethi; **2.** Ple'bejer(in); **'~·time I.** *s.* ♪ Ragtime *m* (*Jazzstil*); **II.** *adj.* F lustig.

raid [reid] **I.** *s.* **1.** Ein-, 'Überfall *m*; Raub-, Streifzug *m*; ⚔ 'Stoßtrupp-unter,nehmen *n*; ⚓ Kaperfahrt *f*; ✈ (Luft)Angriff *m*; **2.** (Poli'zei-),Razzia *f*; **3.** *fig.* (An)Sturm *m* (*on, upon* auf *acc.*); **II.** *v/t.* **4.** e-n 'Überfall machen auf (*acc.*), e-n Einfall machen in (*acc.*), über'fallen, angreifen (*a.* ✈): *~ing party* ⚔ Stoßtrupp; **5.** stürmen, plündern; **6.** e-e Razzia machen auf (*acc.*); **7.** *to ~ the market* ✝ den Markt drücken.

rail[1] [reil] **I.** *s.* **1.** ⊕ Schiene *f*, Riegel *m*, Querstange *f*; **2.** Geländer *n*; *a. main ~* ⚓ Reling *f*; **3.** 🚂 **a)** Schiene *f*, **b)** *pl.* Gleis *n*: *by ~* mit der Bahn; *to run off the ~s* entgleisen; *off the ~s fig.* aus dem Geleise, in Unordnung, durcheinander; *~ car Am.*, *~-motor Brit.* Triebwagen; **4.** *pl.* ✝ 'Eisenbahn,aktien *pl.*; **II.** *v/t.* **5.** *a. ~ in* mit e-m Geländer versehen *od.* um'geben: *to ~ off* durch ein Geländer (ab)trennen.

rail[2] [reil] *s. orn.* Ralle *f.*

rail[3] [reil] *v/i.* schimpfen, lästern, fluchen (*at, against* über *acc.*): *to ~ at* (*od. against*) beschimpfen, über *et.* herziehen; **'rail·er** [-lə] *s.* Schmäher(in).

'rail·head *s.* **1.** ⚔ 'Kopfstati,on *f*, Ausladebahnhof *m*; **2.** 🚂 **a)** Schienenkopf *m*, **b)** im Bau befindliches Ende (*e-r neuen Strecke*).

rail·ing ['reiliŋ] *s.* **1.** *a. pl.* Geländer *n*, Gitter *n*; **2.** ⚓ Reling *f.*

rail·ler·y ['reiləri] *s.* Necke'rei *f*, Stiche'lei *f*, (gutmütiger) Spott.

rail·road ['reilroud] *Am.* **I.** *s.* **1.** Eisenbahn *f*; **2.** *pl.* ✝ 'Eisenbahn-,aktien *pl.*; **II.** *adj.* **3.** Eisenbahn...: *~ accident*; **III.** *v/t.* **4.** mit der Eisenbahn befördern; **5.** F *Gesetz etc.* 'durchpeitschen; **~ car** *s. Am.* 'Eisenbahnwagen *m*, -wag,gon *m.*

rail·road·er ['reilroudə] *s. Am.* Eisenbahner *m.*

rail·road sta·tion *s. Am.* Bahnhof *m.*

rail·way ['reilwei] **I.** *s.* **1.** *bsd. Brit.* Eisenbahn *f*; **2.** Lo'kalbahn *f*; **II.** *adj.* **3.** Eisenbahn...: *~ accident*; **~ car·riage** *s. Brit.* Per'sonenwagen *m*; **~ guard** *s. Brit.* Zugbegleiter *m*; **~ guide** *s. Brit.* Kursbuch *n*; **'~·man** [-weimən] *s.* [*irr.*] *Brit.* Eisenbahner *m*; **~ sta·tion** *s. Brit.* Bahnhof *m.*

rai·ment ['reimənt] *s. poet.* Kleidung *f*, Gewand *n.*

rain [rein] **I.** *s.* **1.** Regen *m*; *pl.* Regenfälle *pl.*, -güsse *pl.*: *the ~s* die Regenzeit (*in den Tropen*); *~ or shine* bei jedem Wetter; *as right as ~* F ganz richtig, in Ordnung; **II.** *v/i.* **2.** *impers.* regnen; → *pour 6*; **3.** *fig.* regnen; niederprasseln (*Schläge*); strömen (*Tränen*); **III.** *v/t.* **4.** *Tropfen etc.* (her)'niedersenden, regnen: *it's ~ing cats and dogs* es gießt in Strömen; **5.** *fig.* regnen *od.* hageln lassen; **'~·bow** [-bou] *s.* Regenbogen *m*; **~ check** *s. Am.* Einlaßkarte *f* für die Wieder'holung e-r verregneten Veranstaltung: *may I take a ~ on it? fig.* darf ich darauf (*auf Ihr Angebot etc.*) später einmal zurückkommen?; **'~·coat** *s.* Regenmantel *m*; **'~·drop** *s.* Regentropfen *m*; **'~·fall** *s.* **1.** Regen(schauer) *m*; **2.** *meteor.* Niederschlagsmenge *f*; **'~-for·est** *s.* Regenwald *m*; **'~-ga(u)ge** *s.* Niederschlagsmesser *m.*

rain·i·ness ['reininis] *s.* **1.** Regenneigung *f*; **2.** Regenwetter *n.*

'rain|·proof I. *adj.* wasserdicht; **II.** *s.* Regenmantel *m*; **'~·storm** *s.* heftiger Regenguß.

rain·y ['reini] *adj.* ☐ regnerisch, verregnet; Regen...(*-wetter, -wind etc.*): *to save up for a ~ day fig.* e-n Notgroschen zurücklegen.

raise [reiz] **I.** *v/t.* **1.** *oft ~ up* (in die Höhe) heben, auf-, em'por-, hochheben, erheben, erhöhen; *mit Kran etc.* hochwinden, -ziehen; *Augen* erheben, aufschlagen; ⚕ *Blasen* ziehen; *Kohle* fördern; *Staub* aufwirbeln; *Vorhang* hochziehen; *Teig, Brot* treiben: *to ~ one's glass to* auf *j-n* das Glas erheben, *j-m* zutrinken; *to ~ one's hat (to s.o.)* den Hut lüften (vor j-m); *~d cake* Hefekuchen; → *power 12*; **2.** aufrichten, -stellen, aufrecht stellen; **3.** errichten, erstellen, (er)bauen; **4.** *Familie* gründen; *Kinder* auf-, großziehen; **5. a)** *Pflanzen* ziehen, **b)** *Tiere* züchten; **6.** aufwecken: *to ~ from the dead* von den Toten erwecken; **7.** *Geister* zitieren, beschwören; **8.** *Gelächter, Sturm etc.* her'vorrufen, verursachen; *Erwartungen, Verdacht, Zorn* erwecken, erregen; *Gerücht* aufkommen lassen; *Schwierigkeiten* machen; **9.** *Geist, Mut* beleben, anfeuern; **10.** aufwiegeln (*against* gegen); *Aufruhr* anstiften, -zetteln; **11.** *Geld etc.* beschaffen; *Anleihe, Hypothek, Kredit* aufnehmen; *Steuern* erheben; *Heer* aufstellen; **12.** *Stimme, Geschrei* erheben; **13.** *An-, Einspruch* erheben, *Einwand a.* vorbringen, geltend machen, *Forderung a.* stellen; *Frage* aufwerfen; *Sache* zur Sprache bringen; **14.** (ver)stärken, vergrößern, vermehren; **15.** *Lohn, Preis, Wert etc.* erhöhen, hin'aufsetzen; *Temperatur, Wette etc.* steigern; **16.** (im Rang) erhöhen: *to ~ to the throne (peerage)* auf den Thron (in den Pairsstand) erheben; **17.** *Belagerung, Blockade etc., a. Verbot* aufheben; **18.** ⚓ sichten; **II.** *s.* **19.** Erhöhung *f*; Steigung *f* (*Straße*); **20.** (Gehalts-, Lohn)Erhöhung *f*, Aufbesserung *f*; **raised** [-zd] *adj.* **1.** erhöht; **2.** gesteigert; **3.** ⊕ erhaben; **'rais·er** [-zə] *s.* **1.** Erbauer(in); **2.** Gründer(in), Stifter (-in); **3.** Züchter(in).

rai·sin ['reizn] *s.* Ro'sine *f.*

rais·ing plat·form ['reiziŋ] *s.* ⊕ Hebebühne *f.*

rai·son d'ê·tre ['reizɔ̃:n'deitr; rezɔ̃ dɛ:tr] (*Fr.*) *s.* Daseinsberechtigung *f*, -zweck *m.*

ra·ja(h) ['rɑ:dʒə] *s.* 'Radscha *m* (*indischer Fürst*).

rake[1] [reik] **I.** *s.* **1.** Rechen *m* (*a. des Croupiers etc.*), Harke *f*; **2.** ⊕ **a)** Rührstange *f*, **b)** Kratze *f*, **c)** Schürhaken *m*; **II.** *v/t.* **3.** (glatt-, zs.-) rechen, (-)harken; **4.** *mst ~ together* zs.-scharren (*a. fig. zs.-raffen*); **5.** durch'stöbern (*a. ~ up, ~ over*): *to ~ up fig. alte Geschichten* aufrühren; **6.** ⚔ (mit Feuer) bestreichen, ‚beharken'; **7.** über'blicken; (mit den Augen) absuchen: *to ~ out* auskundschaften; **III.** *v/i.* **8.** rechen, harken; **9.** *fig.* her'umstöbern, -suchen (*for* nach).

rake[2] [reik] *s.* Rou'é *m*, Wüstling *m*, Lebemann *m.*

rake[3] [reik] **I.** *v/i.* **1.** Neigung haben; **2.** ⚓ **a)** 'überhängen (*Steven*), **b)** Fall haben (*Mast, Schornstein*); **II.** *v/t.* **3.** (nach rückwärts) neigen; **III.** *s.* **4.** Neigung(swinkel *m*) *f.*

'rake-off *s. sl.* Gewinnanteil *m*, Provisi'on *f*, *bsd.* 'Schwindelpro,fit *m.*

rak·ish[1] ['reikiʃ] *adj.* ☐ ausschweifend, liederlich, wüst.

rak·ish[2] ['reikiʃ] *adj.* **1.** ⚓, *mot.* schnittig (gebaut); **2.** *fig.* flott, verwegen.

ral·ly[1] ['ræli] **I.** *v/t.* **1.** *Truppen etc.* (wieder) sammeln *od.* ordnen; **2.** vereinigen, scharen (*round, to* um *acc.*), zs.-trommeln; **3.** aufrütteln, -muntern, in Schwung bringen; **4.** *Kräfte etc.* sammeln, zs.-raffen; **II.** *v/i.* **5.** sich (wieder) sammeln; **6.** *a. fig.* sich scharen (*round, to* um *acc.*); sich zs.-tun; sich anschließen (*to dat. od.* an *acc.*); **7.** *a. ~ round* sich erholen (*a. fig. u.* ✝), neue Kräfte sammeln; *sport etc.* sich ‚fangen'; **III.** *s.* **8.** ⚔ Sammeln *n*; **9.** Zs.-kunft *f*, Treffen *n*, Tagung *f*, Kundgebung *f*, (Massen)Versammlung *f*; **10.** Erholung *f* (*a.* ✝ *der Preise, des Marktes*); **11.** *Tennis*: Ballwechsel *m*; **12.** *mot.* Rallye *f*, Sternfahrt *f.*

ral·ly[2] ['ræli] *v/t.* ‚aufziehen', hänseln.

ral·ly·ing ['ræliiŋ] *adj.* Sammel...: *~ cry* Parole, Schlagwort; *~ point* Sammelpunkt, -platz.

ram [ræm] **I.** *s.* **1.** *zo.* (*ast.* ♈) Widder *m*; **2.** ⚔ *hist.* Sturmbock *m*; **3.** ⊕ **a)** Ramme *f*, **b)** Rammbock m, -bär *m*, **c)** Preßkolben *m*; **4.** ⚓ Ramme *f*, Rammsporn *m*; **II.** *v/t.* **5.** (fest-, ein-) rammen (*a. ~ down od. in*); *weitS.* (gewaltsam) stoßen, drücken; **6.** (hin'ein)stopfen: *to ~ up* **a)** vollstopfen, **b)** verrammeln, verstopfen; **7.** *fig.* eintrichtern, -pauken: *to ~ s.th. into s.o.* j-m et. einbleuen; → *throat 1*; **8.** ⚓, ✈ *etc.* rammen; *weitS.* stoßen, schmettern, *wohin* ‚knallen'.

ram·ble ['ræmbl] **I.** *v/i.* **1.** um'herwandern, -streifen, bummeln; **2.** sich winden (*Fluß etc.*); **3.** ⚘ wuchern, (üppig) ranken; **4.** *fig.* (vom Thema) abschweifen; drauf'losreden; **II.** *s.* **5.** (Fuß)Wanderung *f*, Streifzug *m*; Bummel *m*; **'ram·bler** [-lə] *s.* **1.** Wanderer *m*, Wandrer

(-in); Um'herstreicher(in); 2 *a. crimson* ~ ♀ Kletterrose *f*; '**ram·bling** [-liŋ] **I.** *adj.* □ **1.** um'herwandernd, -streifend, bummelnd: ~ *club* Wanderverein; **2.** ♀ (üppig) rankend, wuchernd; **3.** weitläufig, verschachtelt (*Gebäude*); **4.** *fig.* abschweifend, weitschweifig, planlos; **II.** *s.* **5.** Wandern *n*, Um'herschweifen *n*.

ram·bunc·tious [ræm'bʌŋkʃəs] *adj.* laut, lärmend, wild.

ram·ie ['ræmi:] *s.* ♀ Ra'mie(faser †) *f*.

ram·i·fi·ca·tion [ræmifi'keiʃən] *s.* Verzweigung *f*, -ästelung *f* (*a. fig.*); **ram·i·fy** ['ræmifai] *v/t. u. v/i.* (sich) verzweigen (*a. fig.*).

ram·jet, ram-jet en·gine ['ræmdʒet] *s.* ⊕ Staustrahltriebwerk *n*.

ram·mer ['ræmə] *s.* **1.** ⊕ **a)** (Hand-)Ramme *f*, **b)** *Gießerei*: Stampfer *m*; **2.** ⚔ (Geschoß)Ansetzer *m*.

ramp[1] [ræmp] **I.** *s.* **1.** Rampe *f* (*a.* △ *Abdachung*); **2.** (schräge) Auffahrt, (Lade)Rampe *f*; **3.** Krümmling *m* (*am Treppengeländer*); **II.** *v/i.* **4.** sich *drohend* aufrichten, zum Sprung ansetzen (*Tier*); **5.** toben, rasen; **6.** ♀ wuchern; **III.** *v/t.* **7.** mit e-r Rampe versehen.

ramp[2] [ræmp] *s. Brit. sl.* **1.** Schwindel *m*, Schiebung *f*; **2.** Geldschneide'rei *f*.

ram·page [ræm'peidʒ] **I.** *v/i.* (her-'um)toben, (-)rasen; **II.** *s.*: *to be on the* ~ (sich aus)toben; **ram'pa·geous** [-dʒəs] *adj.* □ wild, wütend.

ramp·an·cy ['ræmpənsi] *s.* **1.** Über'handnehmen *n*, 'Umsichgreifen *n*, Wuchern *n*; **2.** *fig.* Ausgelassenheit *f*, Wildheit *f*; '**ramp·ant** [-nt] *adj.* □ **1.** wild, zügellos, ausgelassen; **2.** über'handnehmend: *to be* ~ um sich greifen, grassieren; **3.** üppig, wuchernd (*Pflanzen*); **4.** (drohend) aufgerichtet, sprungbereit (*Tier*); **5.** *her.* steigend.

ram·part ['ræmpɑ:t] *s.* ⚔ **a)** Brustwehr *f*, **b)** (Schutz)Wall *m* (*a. fig.*).

ram·pi·on ['ræmpjən] *s.* ♀ Ra'punzelglockenblume *f*.

ram·rod ['ræmrɔd] *s.* ⚔ *hist.* Ladestock *m*: *as stiff as a* ~ als hätte *er etc.* e-n Ladestock verschluckt.

ram·shack·le ['ræmʃækl] *adj.* baufällig, wack(e)lig.

ran[1] [ræn] *pret. von run*.

ran[2] [ræn] *s.* **1.** Docke *f* Bindfaden; **2.** ⚓ aufgehaspeltes Kabelgarn.

ranch [rɑ:ntʃ; *bsd. Am.* ræntʃ] **I.** *s.* Ranch *f*, amer. Viehfarm *f*; **II.** *v/i.* Viehzucht treiben; '**ranch·er** [-tʃə] *s. Am.* **1.** Rancher *m*, Viehzüchter *m*; **2.** Farmer *m*.

ran·cid ['rænsid] *adj.* **1.** ranzig (*Butter etc.*); **2.** *fig.* widerlich; **ran·cid·i·ty** [ræn'siditi], '**ran·cid·ness** [-nis] *s.* Ranzigkeit *f*.

ran·cor *Am.* → *rancour*.

ran·cor·ous ['ræŋkərəs] *adj.* □ erbittert, boshaft, voller Groll, giftig; **ran·cour** ['ræŋkə] *s.* Erbitterung *f*, Groll *m*, Haß *m*.

ran·dom ['rændəm] **I.** *adj.* □ ziel-, wahllos, zufällig, aufs Gerate'wohl, Zufalls...: ~ *mating biol.* Zufallspaarung; ~ *sample* (*od. test*) Stichprobe; ~ *shot* Schuß ins Blaue; **II.** *s.*: *at* ~ aufs Geratewohl, auf gut Glück, blindlings, zufällig: *to talk at* ~ faseln, drauflosreden.

ra·nee [rɑ:'ni:] *s.* Rani *f* (*indische Fürstin*).

rang [ræŋ] *pret. von ring*[2].

range [reindʒ] **I.** *s.* **1.** Reihe *f*; (Berg)Kette *f*; **2.** (Koch-, Küchen-) Herd *m*; **3.** Schießstand *m*, -platz *m*; **4.** Entfernung *f zum Ziel*, Abstand *m*: *at a* ~ *of* aus (*od.* in) e-r Entfernung von; *at close* ~ aus der Nähe; *to find the* ~ ⚔ sich einschießen; *to take the* ~ die Entfernung schätzen; **5.** *bsd.* ⚔ Reich-, Trag-, Schußweite *f*; ⚓ Laufstrecke *f* (*Torpedo*); ✈ Flugbereich *m*: *out of* ~ außer Schußweite; *within* ~ *of vision* in Sichtweite; → *long-range*; **6.** Ausdehnung *f*, (ausgedehnte) Fläche; **7.** *fig.* Bereich *m*, Spielraum *m*, Grenzen *pl.*; (♀, *zo.* Verbreitungs-) Gebiet *n*: ~ (*of action*) Aktionsbereich; ~ (*of activities*) (Betätigungs-) Feld; ~ *of application* Anwendungsbereich; ~ *of prices* † Preislage, -klasse; ~ *of reception Funk*: Empfangsbereich; *boiling* ~ *phys.* Siedebereich; **8.** † Kollekti'on *f*, Sorti'ment *n*: *a wide* ~ (*of goods*) e-e große Auswahl, ein großes Angebot; **9.** Bereich *m*, Gebiet *n*, Raum *m*: ~ *of knowledge* Wissensbereich; ~ *of thought* Ideenkreis; *in the* ~ *of politics* auf politischem Gebiet; **10.** ♪ **a)** 'Ton-, 'Stimm,umfang *m*, **b)** Ton-, Stimmlage *f*; **II.** *v/t.* **11.** (in Reihen) aufstellen *od.* anordnen; **12.** einreihen, -ordnen: *to* ~ *o.s. with* (*od. on the side of*) *zu j-m* halten; **13.** *Gebiet etc.* durch'streifen, -'wandern; **14.** längs *der Küste* fahren, entlangfahren; **15.** *Teleskop etc.* einstellen; **16.** ⚔ **a)** *Geschütz* richten (*on* auf *acc.*), **b)** e-e Reichweite haben von, tragen; **III.** *v/i.* **17.** (*with*) e-e Reihe *od.* Linie bilden (mit), in e-r Reihe *od.* Linie stehen (mit); **18.** sich erstrecken, verlaufen, sich ausdehnen, reichen; **19.** *fig.* rangieren (*among* unter), im gleichen Rang stehen (*with* mit); zählen, gehören (*with* zu); **20.** (um'her)streifen, (-)schweifen, wandern (*a. Auge, Blick*); **21.** ♀, *zo.* vorkommen, verbreitet *od.* zu finden sein; **22.** schwanken, sich bewegen (*from ... to ... od. between ... and ...* zwischen ... und ...) (*Zahlenwert, Preis etc.*); **23.** ⚔ sich einschießen (*Geschütz*).

'**range-find·er** *s.* ⚔, *phot.* Entfernungsmesser *m* (⚔ *a. Mann*).

rang·er ['reindʒə] *s.* **1.** *Am.* Förster *m*; **2.** *Brit.* Aufseher *m* e-s königlichen Forsts *od.* Parks (*Titel*); **3.** *bsd. Am.* Angehörige(r) *m* einer (berittenen) Schutztruppe; **4.** ♀s *pl.* ⚔ *Am.* Kom'mandotruppe *f*; **5.** Ranger *m* (*Pfadfinderin über 16*).

rank[1] [ræŋk] **I.** *s.* **1.** Reihe *f*, Linie *f*; **2.** ⚔ **a)** Glied *n*, **b)** Rang *m*, Dienstgrad *m*: *the* ~*s* (Unteroffiziere und) Mannschaften; ~ *and file* ⚔ *der* Mannschaftsstand, *fig. die* große *od.* breite Masse; *in* ~ *and file* in Reih und Glied; *to close the* ~*s* die Reihen schließen; *to join the* ~*s* ins Heer eintreten; *to rise from the* ~*s* von der Pike auf dienen (*a. fig.*); **3.** (sozi'ale) Klasse, Stand *m*, Schicht *f*, Rang *m*: *man of* ~ Mann von Stand; ~ *and fashion* die vornehme Welt; *of second* ~ zweitrangig; *to take* ~ *of* den Vorrang haben vor (*dat.*); *to take* ~ *with* mit *j-m* gleichrangig sein; **II.** *v/t.* **4.** (ein)reihen, (-)ordnen, klassifizieren; **5.** *Truppe etc.* aufstellen, formieren; **6.** *fig.* rechnen, zählen (*with, among* zu): *I* ~ *him above Shaw* ich stelle ihn über Shaw; **III.** *v/i.* **7.** sich reihen *od.* ordnen; ⚔ (in geschlossener Formati'on) marschieren; **8.** e-n Rang *od.* e-e Stelle einnehmen, rangieren (*above* über *dat.*, *below* unter *dat.*, *next to* hinter *dat.*): *to* ~ *as* gelten als; *to* ~ *first* an erster Stelle stehen; *to* ~ *high* e-n hohen Rang einnehmen; ~*ing officer Am.* rangältester Offizier; **9.** gehören, zählen (*among, with* zu).

rank[2] [ræŋk] *adj.* □ **1.** üppig, geil wachsend (*Pflanzen*); **2.** fruchtbar, fett (*Boden*); **3.** stinkend, ranzig; **4.** widerlich, scharf (*Geruch od. Geschmack*); **5.** kraß: ~ *nonsense* blühender Unsinn; ~ *outsider* krasser Außenseiter; ~ *treason* regelrechter Verrat; **6.** ekelhaft, unanständig.

rank·er ['ræŋkə] *s.* ⚔ aus dem Mannschaftsstand her'vorgegangener Offi'zier.

ran·kle ['ræŋkl] *v/i.* **1.** schwären (*Wunde*); **2.** *fig.* nagen, fressen.

rank·ness ['ræŋknis] *s.* **1.** Üppigkeit *f*, üppiges Wachstum; **2.** scharfer Geruch *od.* Geschmack.

ran·sack ['rænsæk] *v/t.* **1.** durch'wühlen, -'stöbern; **2.** plündern, ausrauben.

ran·som ['rænsəm] **I.** *s.* **1.** Loskauf *m*, Auslösung *f*; **2.** Lösegeld *n*: *a king's* ~ e-e Riesensumme; *to hold to* ~ *j-n* gegen Lösegeld gefangenhalten; **3.** *eccl.* Erlösung *f*; **II.** *v/t.* **4.** los-, freikaufen; **5.** *eccl.* erlösen.

rant [rænt] **I.** *v/i.* **1.** toben, lärmen; **2.** schwadronieren, Phrasen dreschen; **3.** (g)eifern, schimpfen (*at, against* über *acc.*); **II.** *v/t.* **4.** pa'thetisch vortragen; **III.** *s.* **5.** Wortschwall *m*; Schwulst *m*, leeres Gerede, ,Phrasendresche'rei *f*; '**rant·er** [-tə] *s.* **1.** pa'thetischer Redner, Kanzelpauker *m*; **2.** Schwadro'neur *m*, Großsprecher *m*.

ra·nun·cu·lus [rə'nʌŋkjuləs] *pl.* **-lus·es, -li** [-lai] *s.* ♀ Ra'nunkel *f*, Hahnenfuß *m*.

rap[1] [ræp] **I.** *v/t.* **1.** klopfen *od.* pochen an *od.* auf (*acc.*): *to* ~ *s.o.'s fingers* (*od. knuckles*) *bsd. fig.* j-m auf die Finger klopfen; **2.** *Am. sl.* *j-m* e-e ,Zi'garre' verpassen; **3.** ~ *out* **a)** durch Klopfen mitteilen (*Geist*), **b)** her'auspoltern, ,bellen'; **II.** *v/i.* **4.** klopfen, pochen, schlagen (*at* an *acc.*); **III.** *s.* **5.** Klopfen *n*, leichter Schlag, Klaps *m*; **6.** *Am. sl.* Rüge *f*, ,Zigarre' *f*; **7.** *sl.* Anklage *f*: *to beat the* ~ sich rauswinden; *to take the* ~ die Sache ,ausbaden' müssen.

rap[2] [ræp] *s. fig.* Heller *m*, Deut *m*: *I don't care* (*od. give*) *a* ~ (*for it*) es ist mir ganz egal; *it is not worth a* ~ es ist keinen Pfifferling wert.

ra·pa·cious [rə'peiʃəs] *adj.* □ raubgierig, Raub...(*-tier*, *-vogel*); *fig.* (hab)gierig; **ra'pa·cious·ness** [-nis], **ra'pac·i·ty** [-'pæsiti] *s.* Raubgier *f*; *fig.* Habgier *f*.

rape¹ [reip] **I.** *s.* **1.** Vergewaltigung *f* (*a. fig.*), *bsd.* ⚖ Notzucht *f*: ~ *and murder* Lustmord; *statutory* ~ *Am.* ⚖ Unzucht mit Minderjährigen; **2.** Entführung *f*, Raub *m*; **II.** *v/t.* **3.** *Frau* vergewaltigen; **4.** rauben.

rape² [reip] *s.* ♀ Raps *m.*

rape³ [reip] *s.* Trester *pl.*

'rape|-oil *s.* Rüb-, Rapsöl *n*; **'~-seed** *s.* Rübsamen *m.*

rap·id ['ræpid] **I.** *adj.* □ **1.** schnell, rasch, ra'pid(e); reißend (*Fluß*; ✝ *Absatz*); Schnell...: ~ *fire* ⚔ Schnellfeuer; ~ *transit Am.* Nahschnellverkehr; **2.** jäh, steil (*Hang*); **3.** *phot.* **a)** lichtstark (*Objektiv*), **b)** hochempfindlich (*Film*); **II.** *s.* **4.** *pl.* Stromschnelle(n *pl.*) *f*; **ra·pid·i·ty** [rə'piditi] *s.* Schnelligkeit *f*, (rasende) Geschwindigkeit.

ra·pi·er ['reipjə] *s. fenc.* Ra'pier *n*: ~-*thrust fig.* Nadelstich (*Bemerkung*).

rap·ist ['reipist] *s. Am.* Frauenschänder *m*: ~-*killer* Lustmörder.

rap·port [ræ'pɔ:] *s.* Beziehung *f*, Verhältnis *n*: *to be in* (*od.* en) ~ *with* mit *j-m* in Verbindung stehen, *fig.* gut harmonieren mit.

rap·proche·ment [ræ'prɔʃmɑ̃:ŋ; raprɔʃmɑ̃] (*Fr.*) *s. bsd. pol.* (Wieder)'Annäherung *f.*

rapt [ræpt] *adj.* **1.** versunken, verloren (*in* in *acc.*): ~ *in thought*; **2.** hingerissen, entzückt (*with, by* von); **3.** verzückt (*Lächeln etc.*); gespannt (*upon* auf *acc.*) (*a. Aufmerksamkeit*).

rap·to·ri·al [ræp'tɔ:riəl] *orn.* **I.** *adj.* Raub...; **II.** *s.* Raubvogel *m.*

rap·ture ['ræptʃə] *s.* **1.** Entzücken *n*, Verzückung *f*, Begeisterung *f*, Taumel *m*: *in* ~*s* hingerissen (*at* von); *to go into* ~*s* in Verzückung geraten (*over* über *acc.*); **2.** *pl.* Ausbruch *m* des Entzückens, Begeisterungstaumel *m*; **'rap·tur·ous** [-tʃərəs] *adj.* □ **1.** entzückt, hingerissen; **2.** stürmisch, leidenschaftlich (*Beifall etc.*); **3.** verzückt (*Gesicht*).

rare¹ [rɛə] *adj.* □ **1.** selten, rar (*a. fig. ungewöhnlich, hervorragend, köstlich*): ~ *earth* ⚗ seltene Erde; ~ *fun* F Mordsspaß; ~ *gas* Edelgas; **2.** *phys.* dünn (*Luft*).

rare² [rɛə] *adj.* halbgar, nicht 'durchgebraten (*Fleisch*).

rare·bit ['rɛəbit] *s.*: *Welsh* ~ überbackene Käseschnitte.

'rar·ee-show ['rɛəri:] *s.* **1.** Guck-, Rari'tätenkasten *m*; **2.** *fig.* Schauspiel *n.*

rar·e·fac·tion rɛəri'fækʃən] *s. phys.* Verdünnung *f*; **rar·e·fy** ['rɛərifai] **I.** *v/t.* **1.** verdünnen; **2.** *fig.* verfeinern; **II.** *v/i.* **3.** sich verdünnen.

rare·ness ['rɛənis], **rar·i·ty** ['rɛəriti] *s.* **1.** Seltenheit *f*: **a)** Ungewöhnlichkeit *f*, **b)** Rari'tät *f*, Kostbarkeit *f*; **2.** Vor'trefflichkeit *f*; **3.** *phys.* Dünnheit *f.*

ras·cal ['rɑ:skəl] *s.* **1.** Schuft *m*, Schurke *m*, Ha'lunke *m*; **2.** *humor.* Spitzbube *m*, Gauner *m*; **ras·cal·i·ty** [rɑ:s'kæliti] *s.* Schurke'rei *f*; **'ras·cal·ly** [-kəli] *adj. u. adv.* niederträchtig, schurkisch; gemein.

rase → *raze.*

rash¹ [ræʃ] *adj.* □ **1.** hastig, über'eilt, -'stürzt, vorschnell: *a* ~ *decision*; **2.** unbesonnen, tollkühn.

rash² [ræʃ] *s.* ⚕ (Haut)Ausschlag *m.*

rash·er ['ræʃə] *s.* Speckschnitte *f.*

rash·ness ['ræʃnis] *s.* **1.** Hast *f*, Über'eiltheit *f*, -'stürztheit *f*; **2.** Unbesonnenheit *f*, Tollkühnheit *f.*

rasp [rɑ:sp] **I.** *v/t.* **1.** raspeln, feilen, schaben; **2.** *fig. Gefühle etc.* verletzen; *Ohren* beleidigen; *Nerven* reizen; **3.** krächzen (d äußern); **II.** *s.* **4.** Raspel *f*, Grobfeile *f*; Reibeisen *n.*

rasp·ber·ry ['rɑ:zbəri] *s.* **1.** ♀ Himbeere *f*; **2.** *a.* ~-*cane* ♀ Himbeerstrauch *m*; **3.** *to give s.o. the* ~ *fig. sl.* j-n auspfeifen.

rasp·ing ['rɑ:spiŋ] **I.** *adj.* □ **1.** kratzend, krächzend (*Stimme etc.*); **II.** *s.* **2.** Raspeln *n*; **3.** *pl.* Raspelspäne *pl.*

ras·ter ['ræstə] *s. Fernsehen, opt.* Raster *m.*

rat [ræt] **I.** *s.* **1.** *zo.* Ratte *f*: *to smell a* ~ *fig.* Lunte *od.* den Braten riechen, Unrat wittern; *like a drowned* ~ pudelnaß; ~*s!* ‚Quatsch'!; **2.** *pol.* 'Überläufer *m*, Abtrünnige(r *m*) *f*; **3.** *sl.* Streikbrecher *m*; **4.** *sl.* Ha'lunke *m*; **II.** *v/i.* **5.** *pol.* 'überlaufen, die Farbe wechseln; **6.** *sl.* (ein) Streikbrecher sein; **7.** *sl.* ‚singen': *to* ~ *on j-n* ‚verpfeifen'; **8.** Ratten fangen.

rat·a·bil·i·ty [reitə'biliti] *s.* **1.** (Ab-)Schätzbarkeit *f*; **2.** Verhältnismäßigkeit *f*; **3.** *bsd. Brit.* Steuerbarkeit *f*, 'Umlagepflicht *f*; **rat·a·ble** ['reitəbl] *adj.* □ **1.** (ab)schätzbar, abzuschätzen(d), bewertbar; **2.** anteilmäßig, proportio'nal; **3.** *bsd. Brit.* (kommu'nal)steuerpflichtig; zollpflichtig: ~ *value* steuerbarer Wert.

ratch [rætʃ] *s.* ⊕ **1.** (gezahnte) Sperrstange; **2.** Auslösung *f* (*Uhr*).

ratch·et ['rætʃit] *s.* ⊕ Sperrklinke *f*; **'~-wheel** *s.* ⊕ Sperrad *n.*

rate¹ [reit] **I.** *s.* **1.** (Verhältnis)Ziffer *f*, 'Quote *f*, Maß(stab *m*) *n*, (*Wachstums-, Inflations- etc.*)Rate *f*: *birth-*~ Geburtenziffer; *death-*~ Sterblichkeitsziffer; *at the* ~ *of* im Verhältnis von (→ 2 *u.* 6); *at a fearful* ~ in erschreckendem Ausmaß; **2.** (*Diskont-, Lohn-, Steuer- etc.*)Satz *m*, Kurs *m*, Ta'rif *m*: ~ *of exchange* (Umrechnungs-, Wechsel)Kurs; ~ *of the day* Tageskurs; *at the* ~ *of* zum Satze von; **3.** (festgesetzter) Preis, Betrag *m*, Taxe *f*: *at any* ~ *fig.* **a)** auf jeden Fall, **b)** wenigstens; *at that* ~ unter diesen Umständen; **4.** (*Post- etc.*)Gebühr *f*, 'Porto *n*; (Gas-, Strom)Preis *m*: *inland* ~ Inlandporto; **5.** *Brit.* (Kommu'nal)Steuer *f*, (Gemeinde)Abgabe *f*; **6.** (rela'tive) Geschwindigkeit: ~ *of climb* ✈ Steiggeschwindigkeit; ~ *of energy phys.* Energiemenge pro Zeiteinheit; ~ *of an engine* Motorleistung; ~ *plate* ⊕ Leistungsschild; *at the* ~ *of* mit e-r Geschwindigkeit von; **7.** Grad *m*, Rang *m*, Klasse *f*; → *first-rate etc.*; **8.** ⚓ **a)** Klasse *f* (*Schiff*), **b)** Dienstgrad *m* (*Matrose*); **II.** *v/t.* **9.** *et.* abschätzen, taxieren (*at* auf *acc.*); **10.** *j-n* einschätzen, beurteilen; ⚓ *Seemann* einstufen; **11.** *Preis etc.* bemessen, ansetzen; *Kosten* veranschlagen: *to* ~ *up* höher versichern; **12.** *j-n* betrachten als, halten für; **13.** rechnen, zählen (*among* zu); **14.** *Brit.* **a)** (zur Steuer) veranlagen, **b)** besteuern; **15.** *Am. sl. et.* wert sein, Anspruch haben auf (*acc.*); **III.** *v/i.* **16.** angesehen werden, gelten (*as* als): *to* ~ *high* (*low*) hoch (niedrig) ‚im Kurs stehen'; *to* ~ *with s.o.* bei j-m e-n Stein im Brett haben.

rate² [reit] **I.** *v/t.* ausschelten (*for, about* wegen); **II.** *v/i.* schimpfen (*at* auf *acc.*).

rate·a·bil·i·ty *etc.* → *ratability etc.*

rat·ed ['reitid] *adj.* **1.** (gemeinde-)steuerpflichtig; **2.** ⊕ Nenn...: ~ *power* Nennleistung.

'rate·pay·er *s. Brit.* (Gemeinde-)Steuerzahler(in).

rath·er ['rɑ:ðə] *adv.* **1.** ziemlich, recht, fast, etwas: ~ *cold* ziemlich kalt; *I would* ~ *think* ich möchte fast glauben; *I* ~ *expected it* ich habe es fast erwartet; **2.** lieber, eher (*than* als): *I would* (*od. had*) *much* ~ *go* ich möchte viel lieber gehen; **3.** (*or* oder) vielmehr, eigentlich, besser gesagt; **4.** *bsd. Brit.* F (ja) freilich!, gewiß!, aller'dings!

rat·i·fi·ca·tion [rætifi'keiʃən] *s.* **1.** Bestätigung *f*, Genehmigung *f*; **2.** *pol.* Ratifizierung *f*; **rat·i·fy** ['rætifai] *v/t.* **1.** bestätigen, genehmigen, gutheißen; **2.** *pol.* ratifizieren.

rat·ing¹ ['reitiŋ] *s.* **1.** (Ab)Schätzung *f*, Bewertung *f*, Beurteilung *f*; *Am. ped.* (Zeugnis)Note *f*: *efficiency* ~ *Am.* Leistungsbeurteilung; **2.** ⚓ **a)** Dienstgrad *m*, **b)** *Brit.* Ma'trose *m*, **c)** *pl. Brit.* Leute *pl.* e-s bestimmten Dienstgrades; **3.** ⚓ (Segel)Klasse *f*; **4.** ✝ Kre'ditwürdigkeit *f*; **5.** Ta'rif *m*; **6.** *Brit.* **a)** (Gemeindesteuer-)Veranlagung *f*, **b)** Steuersatz *m*; **7.** ⊕ Leistung *f.*

rat·ing² ['reitiŋ] *s.* Schelte(n *n*) *f*; Verweis *m*, Rüffel *m.*

ra·tio ['reiʃiou] *s.* **1.** ⅍ *etc.* Verhältnis *n*: ~ *of distribution* Verteilungsschlüssel; *to be in the inverse* ~ **a)** im umgekehrten Verhältnis stehen, **b)** ⅍ umgekehrt proportional sein (*to* zu); **2.** ⅍ Quoti'ent *m*; **3.** ✝ Wertverhältnis *n* zwischen Gold u. Silber; **4.** ⊕ *Getriebe*: Über'setzungsverhältnis *n.*

ra·ti·oc·i·na·tion [rætiɔsi'neiʃən] *s.* **1.** (vernunftmäßiges) Folgern; **2.** (Schluß)Folgerung *f.*

ra·tion ['ræʃən] **I.** *s.* **1.** Rati'on *f*, Zuteilung *f*: ~-*card*, ~-*ticket* Lebensmittelkarte, Bezug(s)schein; *off the* ~ markenfrei; **2.** ⚔ (Tages)Verpflegungssatz *m*; **3.** *pl.* Lebensmittel *pl.*, Verpflegung *f*; **II.** *v/t.* **4.** rationieren, (zwangs)bewirtschaften; **5.** *a.* ~ *out* (in Rationen) zuteilen; **6.** ⚔ verpflegen.

ra·tion·al ['ræʃənl] *adj.* □ **1.** vernünftig: **a)** vernunftmäßig, ratio'nal, **b)** vernunftbegabt, **c)** verständig; **2.** zweckmäßig, rational (*a.* ⅍); **ra·tion·ale** [ræʃiə'nɑ:li] *s.* 'Grundprin,zip *n.*

ra·tion·al·ism ['ræʃnəlizəm] *s.* Rationa'lismus *m*; **'ra·tion·al·ist** [-ist] **I.** *s.* Rationa'list *m*, Verstandesmensch *m*; **II.** *adj.* → *rationalistic*; **ra·tion·al·is·tic** [ræʃnə'listik] *adj.* (□ ~*ally*) rationa'listisch; **ra·tion·al·i·ty** [ræʃə'næliti] *s.* **1.** Vernünftigkeit *f*; **2.** Vernunft *f*, Denkvermögen *n*; **ra·tion·al·i·za·tion** [ræʃnəlai'zeiʃən] *s.* **1.** Rationalisieren *n*; **2.** ⚒ Rationalisierung *f*; **'ra·tion·al·ize** [-laiz] **I.** *v/t.* **1.** ratio'nal erklären, vernunftgemäß deuten; **2.** ⚒ rationalisieren; **II.** *v/i.* **3.** ratio'nell verfahren; **4.** rationa'listisch denken.

ra·tion·ing ['ræʃniŋ] *s.* Rationierung *f*, Bewirtschaftung *f*.

rat race *s.* **1.** ‚Hetzjagd' *f* (*des Lebens*); **2.** harter (Konkur'renz-) Kampf; **3.** Teufelskreis *m*.

rats·bane ['rætsbein] *s.* Rattengift *n*.

rat-tat [ræt'tæt], *a.* **rat-tat-tat** ['rætə'tæt] **I.** *s.* lautes Pochen, Geknatter *n*; **II.** *v/i.* knattern.

rat·ten ['rætn] *v/i. bsd. Brit.* (die Arbeit) sabotieren, Sabo'tage treiben; **'rat·ten·ing** [-niŋ] *s.* Sabo'tage *f*.

rat·ter ['rætə] *s.* Rattenfänger *m* (*a. Hund*).

rat·tle ['rætl] **I.** *v/i.* **1.** rattern, klappern, rasseln, klirren: *to ~ at the door* an der Tür rütteln; *to ~ off* losrattern, davonjagen; **2.** röcheln; rasseln (*Atem*); **3.** *a. ~ away od. on* plappern; **II.** *v/t.* **4.** rasseln mit *od.* an (*dat.*); an *der Tür etc.* rütteln; mit *Geschirr etc.* klappern; → *sabre 1*; **5.** *a. ~ off Rede etc.* ‚her'unterrasseln'; **6.** F *j-n* ner'vös machen, aus der Fassung bringen; **III.** *s.* **7.** Rattern *n*, Gerassel *n*, Klappern *n*; **8.** Rassel *f*, (Kinder)Klapper *f*, Schnarre *f*; **9.** Röcheln *n*: *death-~* Todesröcheln; **10.** Lärm *m*, Trubel *m*; **11.** ♀ **a)** *red ~* Sumpfläusekraut, **b)** *yellow ~* Klappertopf; **'~-brain** *s.* Hohl-, Wirrkopf *m*; Windbeutel *m*; **'~-brained** [-breind] **'~-pat·ed** [-peitid] *adj.* hohl-, wirrköpfig.

rat·tler ['rætlə] *s.* **1.** Schwätzer(in); **2.** *Brit. sl.* **a)** Mordskerl *m*, **b)** Mordsding *n*; **3.** *Am.* → *rattlesnake*.

'rat·tle|·snake *s. zo.* Klapperschlange *f*; **'~-trap I.** *s.* **1.** Klapperkasten *m* (*Fahrzeug etc.*); **2.** F ‚Quatschmaul' *n* (*Schwätzer*); **3.** *sl.* ‚Klappe' *f* (*Mund*); **II.** *adj.* **4.** klapperig.

rat·tling ['rætliŋ] **I.** *adj.* **1.** ratternd, rasselnd, klappernd; **2.** lebhaft, munter; **3.** F schnell: *at a ~ pace* in rasendem Tempo; **4.** F prächtig, fa'mos; **II.** *adv.* **5.** äußerst.

rat·ty ['ræti] *adj.* **1.** rattenverseucht; **2.** Ratten...; **3.** *sl.* gereizt, bissig.

rau·cous ['rɔːkəs] *adj.* □ rauh, heiser.

rav·age ['rævidʒ] **I.** *s.* **1.** Verwüstung *f*, Verheerung *f*; **2.** *pl.* verheerende (Aus)Wirkungen *pl.*: *the ~s of time* der Zahn der Zeit; **II.** *v/t.* **3.** verwüsten, verheeren; plündern: *a face ~d by grief fig.* ein gramzerfurchtes Gesicht; **III.** *v/i.* **4.** Verheerungen anrichten.

rave [reiv] *v/i.* **1.** ⚕ phantasieren, irrereden; toben, rasen (*a. fig. Sturm etc.*); **2.** schwärmen (*about, of* von).

rav·el ['rævəl] **I.** *v/t.* **1.** *a. ~ out* ausfasern, auftrennen; entwirren (*a. fig.*); **2.** verwirren, -wickeln (*a. fig.*); **II.** *v/i.* **3.** *a. ~ out* sich auftrennen, sich ausfasern; sich entwirren (*a. fig.*); **III.** *s.* **4.** Verwirrung *f*, -wicklung *f*; **5.** loser Faden.

ra·ven[1] ['reivn] **I.** *s. orn.* Rabe *m*; **II.** *adj.* (kohl)rabenschwarz.

rav·en[2] ['rævn] **I.** *v/i.* **1.** *a. ~ about* rauben, plündern (d um'herstreifen); **2.** gierig (fr)essen; **3.** Heißhunger haben; **4.** lechzen, dürsten (*for* nach); **II.** *v/t.* **5.** (gierig) verschlingen.

rav·en·ous ['rævinəs] *adj.* □ **1.** heißhungrig; **2.** gierig (*for* auf *acc.*): *~ hunger* Bärenhunger; **3.** gefräßig; **4.** raubgierig (*Tier*); **'rav·en·ous·ness** [-nis] *s.* **1.** Heißhunger *m*; **2.** Gefräßigkeit *f*; **3.** (Raub)Gier *f*.

ra·vine [rə'viːn] *s.* (Berg)Schlucht *f*, Klamm *f*; Hohlweg *m*.

rav·ing ['reiviŋ] **I.** *adj.* □ **1.** tobend, rasend; **2.** phantasierend, delirierend; **3.** F phan'tastisch: *a ~ beauty*; **II.** *s.* **4.** *mst pl.* **a)** Rase'rei *f*, **b)** De'lirien *pl.*, Fieberwahn *m*.

rav·ish ['ræviʃ] *v/t.* **1.** entzücken, hinreißen; **2.** *Frau* vergewaltigen, schänden; *obs.* entführen; **3.** *rhet.* rauben, entreißen; **'rav·ish·er** [-ʃə] *s.* **1.** Schänder *m*; **2.** Entführer *m*; **rav·ish·ing** [-ʃiŋ] *adj.* □ hinreißend, entzückend; **'rav·ish·ment** [-mənt] *s.* **1.** Entzücken *n*; **2.** Entführung *f*; **3.** Schändung *f*, Vergewaltigung *f*.

raw [rɔː] **I.** *adj.* □ **1.** roh (*a. fig. grob*); **2.** roh, ungekocht (*Milch*); **3.** ⊕, ⚒ roh, Roh..., unbearbeitet, *a.* ungegerbt (*Leder*), ungewalkt (*Tuch*), ungesponnen (*Wolle etc.*), unvermischt, unverdünnt (*Spirituosen*): *~ material* Rohmaterial, -stoff (*a. fig.*); *~ silk* Rohseide; **4.** wund(gerieben); offen (*Wunde*); **5.** unwirtlich, rauh, naßkalt (*Wetter, Klima etc.*); **6.** unerfahren, ‚grün'; **7.** *sl.* gemein: *~ deal* unfaire Behandlung; **II.** *s.* **8.** wund(gerieben)e Stelle; **9.** *fig.* wunder Punkt: *to touch s.o. on the ~* j-n an s-r empfindlichen Stelle treffen; **10.** Rohzustand *m*: *life in the ~ fig.* die grausame Härte des Lebens; **'~-boned** *adj.* hager, (grob)knochig; **~ hide** *s.* **1.** Rohhaut *f*, -leder *n*; **2.** Peitsche *f*.

raw·ness ['rɔːnis] *s.* **1.** Rohzustand *m*; **2.** Unerfahrenheit *f*; **3.** Wundsein *n*; **4.** Rauheit *f des Wetters*.

ray[1] [rei] **I.** *s.* **1.** (Licht)Strahl *m*; **2.** *fig.* (*Hoffnungs- etc.*)Strahl *m*, Schimmer *m*, Spur *f*; **3.** *phys.*, ⚗, ♀ Strahl *m*: *~ treatment* ⚕ Strahlenbehandlung, Bestrahlung; **II.** *v/i.* **4.** Strahlen aussenden; **5.** sich strahlenförmig ausbreiten; **III.** *v/t.* **6.** *~ out* ausstrahlen; **7.** bestrahlen (*a. phys.*, ⚕).

ray[2] [rei] *s. ichth.* Rochen *m*.

ray·on ['reiɔn] *s.* ⚒ Kunstseide *f*: *~ staple* Zellwolle.

raze [reiz] *v/t.* **1.** *Gebäude* niederreißen; *Festung* schleifen: *to ~ s.th. to the ground* et. dem Erdboden gleichmachen; **2.** *fig.* ausmerzen, tilgen; **3.** ritzen, kratzen, streifen.

ra·zor ['reizə] *s.* Rasiermesser *n*: *safety ~* Rasierapparat; *~-blade* Rasierklinge; *as sharp as a ~* messerscharf; *to be on the ~'s edge* auf des Messers Schneide stehen; **'~-strop** *s.* Streichriemen *m*.

razz [ræz] *Am. sl.* **I.** *v/t.* hänseln, ‚aufziehen', ‚auf den Arm nehmen'; **II.** *v/i.* necken, spotten; **III.** *s.* Verspottung *f*.

raz·zi·a ['ræziə] *s.* Raubzug *m*.

raz·zle-daz·zle ['ræzldæzl] *s. sl.* **1.** Saufe'rei *f*: *to go on the ~* auf den Bummel gehen; **2.** *Am. sl.* **a)** ‚Kuddelmuddel' *m, n*, **b)** Schiebung *f*, **c)** ‚Wirbel' *m*, Tam'tam *n*.

re[1] [riː] *s.* ♪ re *n* (*Solmisationssilbe*).

re[2] [riː] (*Lat.*) *prp.* **1.** ⚖ in Sachen; **2.** *bsd.* ⚒ betrifft, betreffs, bezüglich.

re- *in Zssgn* **1.** [riː] wieder, noch einmal, neu: *reprint, rebirth*; **2.** [ri] zu'rück, wider: *revert, retract*.

're [ə] F *für are*.

re·ab·sorb ['riːəb'sɔːb] *v/t.* wieder'aufsaugen, resorbieren.

reach [riːtʃ] **I.** *v/t.* **1.** (hin-, her)reichen, über'reichen, geben (*s.o. s.th.* j-m et.); *j-m e-n Schlag* versetzen; **2.** (her)langen, nehmen: *to ~ s.th. down* et. herunterlangen; **3.** *oft ~ out* (*od. forth*) *Hand etc.* reichen, ausstrecken; **4.** reichen *od.* sich erstrecken bis an (*acc.*) *od.* zu: *the water ~ed his knees* das Wasser ging ihm bis an die Knie; **5.** *Zahl, Alter* erreichen; sich belaufen auf (*acc.*); *Auflagenzahl* erleben; **6.** erreichen, erzielen, gelangen zu: *to ~ an understanding*; *to ~ no conclusion* zu keinem Schluß gelangen; **7.** *Ziel* erreichen, treffen; **8.** *Ort* erreichen, eintreffen in *od.* an (*dat.*): *to ~ home* nach Hause gelangen; *to ~ s.o.'s ear* j-m zu Ohren kommen; **9.** *j-n* erreichen (*Brief etc.*); **10.** *fig.* (ein-) wirken auf (*acc.*), *j-n* gewinnen; *durch Werbung* ansprechen; **II.** *v/i.* **11.** (mit der Hand) reichen *od.* greifen *od.* langen; **12.** *a. ~ out* langen, greifen (*after, for, at* nach); **13.** reichen, sich erstrecken *od.* ausdehnen (*to* bis [zu]): *as far as the eye can ~* soweit das Auge reicht; **14.** sich belaufen (*to* auf *acc.*); **III.** *s.* **15.** Griff *m*: *to make a ~ for s.th.* nach et. greifen *od.* langen; **16.** Reich-, Tragweite *f* (*Geschoß, Waffe, Stimme etc.*) (*a. fig.*): *within ~* erreichbar; *within s.o.'s ~* in j-s Reichweite, für j-n erreichbar *od.* erschwinglich, j-m zugänglich; *above* (*od. beyond od. out of*) *~* unerreichbar *od.* unerschwinglich (*of* für); *within easy ~ of the station* vom Bahnhof aus leicht zu erreichen; **17.** Bereich *m*, 'Umfang *m*, Ausdehnung *f*; **18.** (geistige) Fassungskraft, Hori'zont *m*; **19. a)** Ka'nalabschnitt *m* (*zwischen zwei Schleusen*), **b)** Flußstrecke *f*; **'reach·a·ble** [-tʃəbl] *adj.* erreichbar.

'reach-me-down F **I.** *adj.* Konfektions..., von der Stange; **II.** *s. mst pl.* Konfekti'onskleidung *f*, Kleid(er *pl.*) *n* von der Stange.

re·act [ri(ː)'ækt] **I.** *v/i.* **1.** ⚗, ⚕ reagieren (*to* auf *acc.*): *slow to ~* reaktionsträge; **2.** *fig.* reagieren, antworten, eingehen (*to* auf *acc.*); aufnehmen (*to s.th.* et.); sich verhalten: *to ~ against e-r Sache* entgegenwirken *od.* widerstreben; **3.** ein-, zu'rückwirken, Rückwirkungen haben ([up]on auf *acc.*): *to ~ on each other* sich gegenseitig beeinflussen; **4.** ⚔ e-n Gegenangriff machen; **II.** *v/t.* **5.** ⚗ zur Reakti'on bringen.

re-act ['ri'ækt] *v/t. thea. etc.* wieder aufführen.

re·act·ance [ri(ː)'æktəns] *s.* ⚡ Reak'tanz *f*, 'Blind,widerstand *m*.

re·ac·tion [ri(:)ˈækʃən] *s.* **1.** ⚗, ⚕, *phys.* Reakti'on *f*; **2.** Rückwirkung *f*, -schlag *m*, Gegen-, Einwirkung *f* (*from, against* gegen, [*up*]*on* auf *acc.*); **3.** *fig.* (*to*) Reaktion *f* (auf *acc.*), Verhalten *n* (bei), Stellungnahme *f* (zu); **4.** *pol.* Reaktion *f* (*a. Bewegung*), Rückschritt(lertum *n*) *m*; **5.** ✝ rückläufige Bewegung, (*Kurs-, Preis- etc.*)Rückgang *m*; **6.** ⚔ Gegenstoß *m*, -schlag *m*; **7.** ⊕ Gegendruck *m*; **8.** ⚡ Rückkopplung *f*, -wirkung *f*; **re'ac·tion·ar·y** [-ʃnəri] **I.** *adj. bsd. pol.* reaktio'när; **II.** *s. pol.* Reaktio'när(in).

re·ac·tion| cou·pling *s.* ⚡ Rückkopplung *f*; **~ drive** *s.* ⊕ Rückstoßantrieb *m*; **~-time** *s.* ⚕ Reakti'onszeit *f*.

re'ac·ti·vate [riˈæktiveit] *v/t.* reaktivieren; **re·ac·tive** [riˈæktiv] *adj.* □ **1.** reak'tiv, rück-, gegenwirkend; **2.** empfänglich (*to* für), Reaktions...; **3.** ⚡ Blind... (*-strom, -leistung etc.*); **re·ac·tor** [riˈæktə] *s.* **1.** *phys.* Re'aktor *m*, 'Umwandlungsanlage *f*; **2.** ⚡ Drossel(spule) *f*.

read[1] [ri:d] **I.** *v/t.* [*irr.*] **1.** lesen (*a. fig.*): *to ~ s.th. into et.* in *e-n Text* hineinlesen; *to ~ off et.* ablesen; *to ~ out* **a)** *et.* (laut) vorlesen, **b)** *Buch etc.* auslesen; *to ~ over* **a)** durchlesen, **b)** *formell* vor-, verlesen (*Notar etc.*); *to ~ s.o.'s face* in j-s Gesicht lesen; **2.** vor-, verlesen; *Rede etc.* ablesen; **3.** *parl. Vorlage* lesen: *was read for the third time die Vorlage* wurde in dritter Lesung behandelt; **4.** *Kurzschrift etc.* lesen können; *die Uhr* kennen: *to ~ music* **a)** Noten lesen, **b)** nach Noten spielen *etc.*; **5.** *Traum etc.* deuten; → *fortune 3*; **6.** *et.* auslegen, auffassen, verstehen: *do you ~ me?* hast du mich verstanden?; **7.** *Charakter etc.* durch'schauen: *I ~ you like a book* ich lese in dir wie in e-m Buch; **8.** ⊕ **a)** anzeigen (*Meßgerät*), **b)** *Barometerstand etc.* ablesen; **9.** *Rätsel* lösen; **II.** *v/i.* [*irr.*] **10.** lesen: *to ~ to s.o.* j-m vorlesen; **11.** e-e Vorlesung *od.* e-n Vortrag halten; **12.** *bsd. Brit.* (*for*) sich vorbereiten (auf *e-e Prüfung etc.*), *et.* studieren: *to ~ for the bar* sich auf den Anwaltsberuf vorbereiten; *to ~ up on* sich in *ein Fachgebiet* einarbeiten, *et.* studieren; **13.** sich *gut etc.* lesen lassen; **14.** *so u. so* lauten, heißen: *the passage ~s as follows.*

read[2] [red] **I.** *pret. u. p.p. von read*[1]; **II.** *adj.* **1.** gelesen: *the most-~ book* das meistgelesene Buch; **2.** belesen (*in* in *dat.*); → *well-read.*

read·a·ble [ˈri:dəbl] *adj.* □ lesbar: **a)** lesenswert, **b)** leserlich.

re·ad·dress [ˈri:əˈdres] *v/t.* **1.** *Brief* neu adressieren; **2.** *~ o.s.* sich nochmals wenden (*to* an *j-n*).

read·er [ˈri:də] *s.* **1.** Leser(in); **2.** Vorleser(in); **3.** (Ver'lags)ˌLektor *m*; **4.** *typ.* Kor'rektor *m*; **5.** *univ. Brit.* außerordentlicher Pro'fessor, Do'zent *m*; **6.** *ped.* Lesebuch *n*; **'read·er·ship** [-ʃip] *s.* **1.** Vorleseramt *n*; **2.** *bsd. Brit.* Do'zentenstelle *f*.

read·i·ly [ˈredili] *adv.* **1.** so'gleich, prompt; **2.** bereitwillig, gern; **3.** leicht, ohne weiteres; **'read·i·ness** [-inis] *s.* **1.** Bereitschaft *f*: *~ for war* Kriegsbereitschaft; *in ~* bereit, in Bereitschaft; *to place in ~* bereitstellen; **2.** Schnelligkeit *f*, Raschheit *f*, Promptheit *f*: *~ of mind od. wit* Geistesgegenwart; **3.** Fertigkeit *f*, Gewandtheit *f*; **4.** Bereitwilligkeit *f*: *~ to help others* Hilfsbereitschaft.

read·ing [ˈri:diŋ] **I.** *s.* **1.** Lesen *n*; *weitS.* Bücherstudium *n*; **2.** (Vor-)Lesung *f*, Vortrag *m*; **3.** *parl.* Lesung *f*; **4.** Belesenheit *f*: *a man of vast ~* ein sehr belesener Mann; **5.** Lek'türe *f*, Lesestoff *m*: *this book makes good ~* dieses Buch liest sich gut; **6.** Lesart *f*, Versi'on *f*; **7.** Deutung *f*, Auslegung *f*, Auffassung *f*; **8.** ⊕ Anzeige *f*, Ablesung *f* (*Meßgerät*), (*Barometer- etc.*)Stand *m*; **II.** *adj.* **9.** Lese...: *~-lamp*; **'~-desk** *s.* Lesepult *n*; **'~-glass** *s.* Vergrößerungsglas *n*, Lupe *f*; **~ head** *s.* *Computer*: Lesekopf *m*; **~ mat·ter** *s.* **1.** Lesestoff *m*; **2.** redaktio'neller Teil (*e-r Zeitung*); **~ pub·lic** *s.* Leserschaft *f*, 'Leserˌpublikum *n*; **'~-room** *s.* Lesezimmer *n*, -saal *m*.

re·ad·just [ˈri:əˈdʒʌst] *v/t.* **1.** wieder anpassen; ⊕ nachstellen, -richten; **2.** wieder in Ordnung bringen; ✝ sanieren; *pol. etc.* neu orientieren; **'re·ad'just·ment** [-smənt] *s.* **1.** Wieder'anpassung *f*; **2.** Neuordnung *f*, ˌReorganisati'on *f*; ✝ wirtschaftliche Sanierung.

re·ad·mis·sion [ˈri:ədˈmiʃən] *s.* Wieder'zulassung *f* (*to* zu); **'re·ad'mit** [-ˈmit] *v/t.* wieder zulassen; **'re·ad'mit·tance** [-ˈmitəns] → *readmission.*

read·y [ˈredi] **I.** *adj.* □ → *readily*; **1.** bereit, fertig (*for* zu *et.*): *~ for action* ⚔ einsatzbereit; *~ for sea* ⚓ seeklar; *~ for service* ⊕ betriebsfertig; *~ for take-off* ✈ startbereit; *~ to operate* ⊕ betriebsbereit; *~ to serve* tafelfertig (*Speise*); *to be ~ with s.th.* et. bereithaben *od.* -halten; *to get od. make ~* (sich) bereit- *od.* fertigmachen; *are you ~? go! sport* Achtung-fertig-los!; **2.** bereit (-willig), willens, geneigt (*to* zu); **3.** schnell, rasch, prompt: *to find a ~ market* (*od. sale*) ✝ raschen Absatz finden, gut gehen; **4.** schlagfertig, prompt (*Antwort*), geschickt (*Arbeiter etc.*), gewandt: *a ~ pen* e-e gewandte Feder; *~ wit* Schlagfertigkeit; **5.** im Begriff, nahe dar'an (*to do* zu tun); **6.** ✝ verfügbar, greifbar (*Vermögenswerte*), bar (*Geld*): *~ cash od. money* Bargeld, -zahlung; *~ money business* Bar-, Kassageschäft; **7.** bequem, leicht: *~ at* (*od. to*) *hand* gleich zur Hand; **II.** *v/t.* **8.** bereit-, fertigmachen; **III.** *s.* **9.** *mst the ~ sl.* Bargeld *n*; **10.** ⚔ *at the ~* schußbereit, -fertig; **IV.** *adv.* **11.** fertig: *~-built houses* Fertighäuser; **12.** *readier* schneller; *readiest* am schnellsten; **'~-'made** *adj.* **1.** Konfektions..., von der Stange: *~ clothes* Konfektion(sbekleidung); *~ shop* Konfektionsgeschäft; **2.** gebrauchsfertig, Fertig...; **3.** *fig.* schablonisiert, ‚vorgekaut'; **~ reck·on·er** *s.* 'Rechentaˌbelle *f*; **'~-to-'wear** → *ready-made 1*; **'~-'wit·ted** *adj.* schlagfertig.

re·af·firm [ˈri:əˈfə:m] *v/t.* nochmals versichern *od.* beteuern.

re·af·for·est [ˈri:æˈfɔrist] *v/t.* wieder aufforsten; **re·af·for·es'ta·tion** [ri:æfɔrisˈteiʃən] *s.* Wieder'aufforstung *f*.

re·a·gent [ri(:)ˈeidʒənt] *s.* **1.** ⚗ Re'agens *n*; **2.** *fig.* Gegenkraft *f*, -wirkung *f*.

re·al [riəl] **I.** *adj.* □ → *really*; **1.** re'al (*a. phls.*), tatsächlich, wirklich, wahr, eigentlich: *~ life* das wirkliche Leben; *the ~ thing sl.* das einzig Wahre; **2.** echt (*Seide etc.*; *fig. Gefühle, Mann etc.*); **3.** ⚖ **a)** dinglich, **b)** unbeweglich: *~ account* ✝ Sach(wert)konto; *~ action* dingliche Klage; *~ assets* unbewegliches Vermögen; *~ estate od. property* Grundeigentum, unbewegliches Vermögen, Liegenschaften, Immobilien; *~ stock* ✝ Ist-Bestand; *~ wage* Reallohn; **4.** *phys.*, ⅄ re'ell (*Bild, Zahl etc.*); **5.** ⚡ ohmsch, Wirk...: *~ power* Wirkleistung; **II.** *adv.* **6.** *bsd. Am.* F sehr, äußerst, ‚richtig'; **III.** *s.* **7.** *the ~ phls.* das Re'ale, die Wirklichkeit; **'re·al·ism** [-lizəm] *s.* Rea'lismus *m* (*a. phls., lit., paint.*); **'re·al·ist** [-list] **I.** *s.* Rea'list(in); **II.** *adj.* → *realistic*; **re·al·is·tic** [riəˈlistik] *adj.* (□ *~ally*) rea'listisch (*a. phls., lit., paint.*), wirklichkeitsnah, -getreu, sachlich; **re·al·i·ty** [ri(:)ˈæliti] *s.* **1.** Reali'tät *f*, Wirklichkeit *f*: *in ~* in Wirklichkeit, tatsächlich; **2.** Wirklichkeits-, Na'turtreue *f*; **3.** Tatsache *f*, Faktum *n*, Gegebenheit *f*; **re·al·iz·a·ble** [ˈriəlaizəbl] *adj.* □ **1.** realisierbar, aus-, 'durchführbar; **2.** ✝ realisierbar, verwertbar, kapitalisierbar, verkäuflich; **re·al·i·za·tion** [riəlaiˈzeiʃən] *s.* **1.** Realisierung *f*, Verwirklichung *f*, Aus-, 'Durchführung *f*; **2.** Vergegen'wärtigung *f*, Erkenntnis *f*; **3.** ✝ **a)** Realisierung *f*, Verwertung *f*, **b)** Liquidati'on *f*, Glattstellung *f*, **c)** Erzielung *f e-s Gewinns*: *~ account* Liquidationskonto; **re·al·ize** [ˈriəlaiz] *v/t.* **1.** (klar) erkennen, sich klarmachen, begreifen, erfassen: *he ~d that* er sah ein, daß; es kam ihm zum Bewußtsein, daß; **2.** verwirklichen, realisieren, aus-, 'durchführen; **3.** sich vergegen'wärtigen, sich (lebhaft) vorstellen; **4.** ✝ **a)** realisieren, verwerten, zu Geld *od.* flüssig machen, **b)** *Gewinn, Preis* erzielen; **re·al·ly** [ˈriəli] *adv.* **1.** wirklich, tatsächlich, in der Tat; **2.** (*rügend*) *~!* ich muß schon sagen!, aber wirklich!

realm [relm] *s.* **1.** Königreich *n*: *Peer of the ♀* Mitglied des Oberhauses; **2.** *fig.* Reich *n*, Sphäre *f*; **3.** Bereich *m*, (Fach)Gebiet *n*.

re·al·tor [ˈriəltə] *s. Am.* Grundstücksmakler *m*; **'re·al·ty** [-ti] *s.* **1.** Grundeigentum *n*; **2.** Grundstück *n*.

ream[1] [ri:m] *s.* Ries *n* (*480 Bogen Papier*): *printer's ~, long ~* 516 Bogen Druckpapier; *~s and ~s of fig.* zahllose, große Mengen von.

ream[2] [ri:m] *v/t.* ⊕ **1.** *Bohrloch etc.* erweitern; **2.** *oft ~ out* **a)** *Bohrung* (auf-, aus)räumen, **b)** *Kaliber* ausbohren, **c)** nachbohren; **'ream·er** [-mə] *s.* ⊕ Reib-, Räumahle *f*.

re·an·i·mate [ˈriːˈænimeit] *v/t.* **1.** ˈwiederbeleben; **2.** *fig.* neu beleben.

reap [riːp] **I.** *v/t.* **1.** *Getreide etc.* schneiden, ernten; **2.** *Feld* mähen, abernten; **3.** *fig.* ernten; **II.** *v/i.* **4.** mähen, ernten: *he ~s where he has not sown fig.* er erntet, wo er nicht gesät hat; **ˈreap·er** [-pə] *s.* **1.** Schnitter(in), Mäher(in): *the Grim ♀ fig.* der Sensenmann; **2.** ˈMähmaˌschine *f*: *~-binder* Mähbinder; **ˈreap·ing-hook** [ˈriːpiŋ] *s.* Sichel *f*; **ˈreap·ing-ma·chine** *s.* (Geˈtreide)ˌMähmaˌschine *f.*

re·ap·pear [ˈriːəˈpiə] *v/i.* wieder erscheinen; **ˈre·apˈpear·ance** [-ərəns] *s.* ˈWiedererscheinen *n.*

re·ap·pli·ca·tion [ˈriːæpliˈkeiʃən] *s.* **1.** wiederˈholte Anwendung; **2.** erneutes Gesuch; **re·ap·ply** [ˈriːəˈplai] **I.** *v/t.* wieder *od.* wiederˈholt anwenden; **II.** *v/i.* (*for*) (*et.*) wiederholt beantragen, erneut e-n Antrag stellen (auf *acc.*); sich erneut bewerben (um).

re·ap·point [ˈriːəˈpɔint] *v/t.* wieder ernennen *od.* einsetzen *od.* anstellen; **ˈre·apˈpoint·ment** [-mənt] *s.* ˈWiederernennung *f*, Wiederˈanstellung *f.*

rear[1] [riə] **I.** *v/t.* **1.** *Kind* auf-, großziehen, erziehen; *Tiere* züchten; *Pflanzen* ziehen; **2.** *Leiter etc.* aufrichten, -stellen; **3.** *rhet. Gebäude* errichten; **4.** *Haupt, Stimme etc.* (er)heben; **II.** *v/i.* **5.** *a. ~ up* sich (auf)bäumen (*Pferd etc.*); **6.** *oft ~ up* (auf-, hoch)ragen.

rear[2] [riə] **I.** *s.* **1.** ˈHinter-, Rückseite *f*; *mot.*, ⚓ Heck *n*: *at the ~ of* hinter (*dat.*); **2.** ˈHintergrund *m*: *in the ~ of* im Hintergrund (*gen.*); **3.** ⚔ Nachhut *f*: *to bring up the ~ allg.* die Nachhut bilden, den Zug beschließen; *to take in the ~ den Feind* im Rücken angreifen; **4.** *Brit. sl.* ‚Lokus' *m* (*Abort*); **II.** *adj.* **5.** hinter, Hinter..., Rück... *~ axle*: *mot.* Hinterachse; *~ echelon* ⚔ rückwärtiger Stab; *~ engine mot.* Heckmotor; **ˈ~-ˈad·mi·ral** *s.* ⚓ ˈKonteradmiˌral *m*; **~ drive** *s. mot.* Heckantrieb *m*; **ˈ~-guard** *s.* ⚔ Nachhut *f.*

re·ar·gue [ˈriːˈɑːgjuː] *v/t.* ⚖ *in gleicher Instanz* neuerlich verhandeln.

rear| gun·ner *s.* ✈ Heckschütze *m*; **ˈ~-lamp, ˈ~-light** *s. mot.* Schlußlicht *n*, -leuchte *f.*

re·arm [ˈriːˈɑːm] **I.** *v/t.* ˈwiederbewaffnen; **II.** *v/i.* wiederˈaufrüsten; **ˈreˈar·ma·ment** [-məmənt] *s.* Wiederˈaufrüstung *f*, ˈWiederbewaffnung *f.*

re·ar·range [ˈriːəˈreindʒ] *v/t.* neu-, ˈumordnen, ändern; **ˈre·arˈrange·ment** [-mənt] *s.* **1.** ˈUm-, Neuordnung *f*, Neugestaltung *f*; Änderung *f*; **2.** ⚗ ˈUmlagerung *f.*

ˈrear|-rank *s.* ⚔ hinteres *od.* letztes Glied; **~ sight** *s.* ⚔ Kimme *f*; **ˈ~-view mir·ror, ˈ~-vi·sion mir·ror** *s. mot.* Rückspiegel *m.*

rear·ward [ˈriəwəd] **I.** *adj.* **1.** hinter, rückwärtig; **2.** Rückwärts...; **II.** *adv.* **3.** nach hinten, rückwärts, zuˈrück; **ˈrear·wards** [-dz] → *rearward 3.*

rea·son [ˈriːzn] **I.** *s.* **1.** *ohne art.* Vernunft *f* (*a. phls.*), Verstand *m*, Einsicht *f*: *Age of ♀ hist. die* Aufklärung; *to bring s.o. to ~* j-n zur Vernunft bringen; *to listen to ~* Vernunft annehmen; *to lose one's ~* den Verstand verlieren; *it stands to ~* es ist klar, es leuchtet ein (*that* daß); *there is ~ in what you say* was du sagst, hat Hand u. Fuß; *in (all) ~* **a)** in Grenzen, mit Maß u. Ziel, **b)** mit Recht; *to do everything in ~* sein möglichstes tun (in gewissen Grenzen); **2.** Grund *m* (*of, for gen. od.* für), Ursache *f* (*for gen.*), Anlaß *m*: *the ~ why* (der Grund) weshalb; *by ~ of* wegen (*gen.*), infolge (*gen.*); *for this ~* aus diesem Grund, deshalb; *with ~* aus gutem Grund, mit Recht; *to have ~ to do* Grund *od.* Anlaß haben, zu tun; *there is no ~ to suppose* es besteht kein Grund zu der Annahme; *there is every ~ to believe* alles spricht dafür (*that* daß); **3.** Begründung *f*, Rechtfertigung *f*: *woman's ~* weibliche Logik; *~ of state* Staatsräson; **II.** *v/i.* **4.** logisch denken; vernünftig urteilen; **5.** schließen, folgern (*from* aus); **6.** (*with*) vernünftig reden (mit *j-m*), (*j-m*) gut zureden, (*j-n*) zu überˈzeugen suchen: *he is not to be ~ed with* er läßt nicht mit sich reden; **III.** *v/t.* **7.** *a. ~ out* durchˈdenken: *~ed* wohldurchdacht; **8.** ergründen (*why* warum, *what* was); **9.** erörtern: *to ~ away et.* wegdisputieren; *to ~ s.o. into (out of) s.th.* j-m et. ein- (aus)reden; **10.** schließen, geltend machen (*that* daß); **ˈrea·son·a·ble** [-nəbl] *adj.* □ → *reasonably*; vernünftig: **a)** vernunftgemäß, **b)** verständig, einsichtig (*Person*), **c)** angemessen, annehmbar, tragbar, billig (*Forderung*), zumutbar (*Bedingung, Frist, Preis etc.*): *~ doubt* berechtigter Zweifel; *~ care and diligence* ⚖ die im Verkehr erforderliche Sorgfalt; **ˈrea·son·a·ble·ness** [-nəblnis] *s.* **1.** Vernünftigkeit *f*, Verständigkeit *f*; **2.** Annehmbarkeit *f*, Tragbarkeit *f*, Billigkeit *f*; **ˈrea·son·a·bly** [-nəbli] *adv.* **1.** vernünftiger-, billigerweise; **2.** ziemlich, leidlich: *~ good*; **ˈrea·son·er** [-nə] *s.* logischer Geist (*Person*); **ˈrea·son·ing** [-niŋ] **I.** *s.* **1.** Denken *n*, Folgern *n*, Urteilen *n*; **2.** *a. line of ~* Gedankengang *m*; **3.** Argumentatiˈon *f*, Beweisführung *f*; **4.** Schluß(folgerung *f*) *m*, Arguˈment *n*, Beweis *m*; **II.** *adj.* **5.** Denk..., Urteils...

re·as·sem·ble [ˈriːəˈsembl] *v/t.* **1.** (*v/i.* sich) wieder versammeln; **2.** ⊕ wieder zs.-bauen.

re·as·sert [ˈriːəˈsəːt] *v/t.* **1.** wieder behaupten; **2.** wieder geltend machen.

re·as·sur·ance [riːəˈʃuərəns] *s.* **1.** Beruhigung *f*; **2.** nochmalige Versicherung, Bestätigung *f*; **3.** ✝ Rückversicherung *f*; **re·as·sure** [riːəˈʃuə] *v/t.* **1.** *j-n* beruhigen; **2.** *et.* nochmals versichern *od.* beteuern; **3.** ✝ wieder versichern; **re·asˈsur·ing** [-əriŋ] *adj.* □ beruhigend.

re·bap·tism [ˈriːˈbæptizəm] *s.* ˈWiedertaufe *f*; **re·bap·tize** [ˈriːbæpˈtaiz] *v/t.* **1.** ˈwiedertaufen; **2.** ˈumtaufen.

re·bate[1] [ˈriːbeit] *s.* **1.** Raˈbatt *m*, (Preis)Nachlaß *m*, Abzug *m*; **2.** Zuˈrückzahlung *f*, (Rück)Vergütung *f.*

re·bate[2] [ˈræbit] → *rabbet.*

reb·el [ˈrebl] **I.** *s.* → Reˈbell(in), Aufrührer(in), Empörer(in) (*a. fig.*); **II.** *adj.* reˈbellisch, aufrührerisch; Rebellen...; **III.** *v/i.* [riˈbel] rebellieren, sich empören *od.* auflehnen (*against* gegen); **re·bel·lion** [riˈbeljən] *s.* **1.** Rebelliˈon *f*, Aufruhr *m*, Aufstand *m*, Empörung *f* (*against, to* gegen); **2.** Auflehnung *f*, offener ˈWiderstand; **reˈbel·lious** [riˈbeljəs] *adj.* □ **1.** reˈbellisch: **a)** aufrührerisch, -ständig, **b)** *fig.* aufsässig, ˈwiderspenstig (*a. Sache*); **2.** ⚕ hartnäckig (*Krankheit*).

re·birth [ˈriːˈbəːθ] *s.* ˈWiedergeburt *f* (*a. fig.*).

re·bore [ˈriːˈbɔː] *v/t.* ⊕ **1.** *Loch* nachbohren; **2.** *Motorzylinder* ausschleifen.

re·born [ˈriːˈbɔːn] *adj.* ˈwiedergeboren, neu geboren (*a. fig.*).

re·bound[1] [riˈbaund] **I.** *v/i.* **1.** zuˈrückprallen, -schnellen; **2.** *fig.* zuˈrückfallen (*upon* auf *acc.*); **II.** *s.* **3.** Zuˈrückprallen *n*; **4.** Rückprall *m*, -sprung *m*, -stoß *m*; **5.** ˈWiderhall *m*; **6.** *fig.* Rückschlag *m*: *on the ~* als Reaktion darauf; *to take s.o. on* (*od. at*) *the ~* j-s Enttäuschung ausnutzen; **7.** *sport* Abpraller *m*: *to score from the ~* den Abpraller verwandeln.

re·bound[2] [ˈriːˈbaund] *adj.* neugebunden (*Buch*).

re·broad·cast [ˈriːˈbrɔːdkɑːst] **I.** *v/t.* [*irr.* → *cast*] **1.** *Radiosendung* wiederˈholen; **2.** *Programm* durch Reˈlais(statiˌonen) überˈtragen; **II.** *v/i.* [*irr.* → *cast*] **3.** über Reˈlais (-statiˌonen) senden: *~ing station* Ballsender; **III.** *s.* **4.** Wiederˈholungssendung *f*; **5.** Reˈlaisüberˌtragung *f*, Ballsendung *f.*

re·buff [riˈbʌf] **I.** *s.* **1.** (schroffe) Abweisung, Abfuhr *f*: *to meet with a ~* abblitzen; **II.** *v/t.* **2.** zuˈrückabweisen, abblitzen lassen; **3.** zuˈrücktreiben, -schlagen.

re·build [ˈriːˈbild] *v/t.* [*irr.* → *build*] **1.** wiederˈaufbauen; **2.** ˈumbauen; **3.** *fig.* wiederˈherstellen.

re·buke [riˈbjuːk] **I.** *v/t.* **1.** *j-n* rügen, rüffeln, zuˈrechtweisen, *j-m* e-n scharfen Verweis erteilen; **2.** *et.* scharf tadeln, rügen; **II.** *s.* **3.** Tadel *m*, Verweis *m*, Rüge *f*, Rüffel *m.*

re·bus [ˈriːbəs] *pl.* **-bus·es** [-siz] *s.* Rebus *m, n*, Bilderrätsel *n.*

re·but [riˈbʌt] **I.** *v/t.* (durch Beweise) widerˈlegen *od.* entkräften (*a.* ⚖); **II.** *v/i.* ⚖ auf die Triˈplik antworten; **reˈbut·tal** [-tl] *s. bsd.* ⚖ Widerˈlegung *f*; **reˈbut·ter** [-tə] *s.* ⚖ Quadruˈplik *f.*

re·cal·ci·trance [riˈkælsitrəns] *s.* ˈWiderspenstigkeit *f*; **reˈcal·ci·trant** [-nt] *adj.* ˈwiderspenstig.

re·call [riˈkɔːl] **I.** *v/t.* **1.** zuˈrückrufen; *Gesandten etc.* abberufen; **2.** sich erinnern an (*acc.*), sich ins Gedächtnis zurückrufen; **3.** *j-n* erinnern (*to* an *acc.*): *to ~ s.th. to s.o.* (*od. to s.o.'s mind*) j-m et. ins Gedächtnis zurückrufen; **4.** *poet. Gefühl* wieder wachrufen; **5.** *Versprechen etc.* zuˈrücknehmen, wider-

ˈrufen: *until* ~*ed* bis auf Widerruf; **6.** † *Kapital, Kredit etc.* (auf)kündigen; **II.** *s.* **7.** Zuˈrückrufung *f*; Abberufung *f e-s Gesandten etc.*; *teleph.* Rückruf *m*; **8.** ˈWiderruf *m*, Zuˈrücknahme *f*: *beyond* (*od. past*) ~ unwiderruflich, unabänderlich; **9.** † (Auf)Kündigung *f*, Aufruf *m*; **10.** ⚔ Siˈgnal *n* zum Sammeln; ~ **test** *s. ped.* Nacherzählung(saufgabe) *f*.

re·cant [riˈkænt] **I.** *v/t. Behauptung* (forˈmell) zuˈrücknehmen, widerˈrufen; **II.** *v/i.* (öffentlich) widerrufen, Abbitte tun; **re·can·ta·tion** [riːkænˈteiʃən] *s.* Widerˈrufung *f*.

re·cap [ˈriːˈkæp] *v/t.* ⊕ *Autoreifen* aufvulkanisieren, runderneuern.

re·cap·i·tal·i·za·tion [ˈriːkəpitəlaiˈzeiʃən] *s.* † Neukapitalisierung *f*, -finanzierung *f*.

re·ca·pit·u·late [riːkəˈpitjuleit] *v/t. u. v/i.* rekapitulieren (*a. biol.*), (kurz) zs.-fassen *od.* wiederˈholen; **re·ca·pit·u·la·tion** [ˈriːkəpitjuˈleiʃən] *s.* ˌRekapitulatiˈon *f* (*a. biol.*), kurze Wiederˈholung *od.* Zs.-fassung.

re·cap·ture [ˈriːˈkæptʃə] **I.** *v/t.* **1.** *et.* wieder (in Besitz) nehmen, ˈwiedererlangen; *j-n* wieder ergreifen; **2.** ⚔ zuˈrückerobern; **II.** *s.* **3.** ˈWiedererlangung *f*, -ergreifung *f*; Wiederˈeinnahme *f*.

re·cast [ˈriːˈkɑːst] **I.** *v/t.* [*irr.* → *cast*] **1.** ⊕ ˈumgießen; **2.** ˈumformen, neu-, ˈumgestalten; **3.** *thea. Stück, Rolle* ˈumbesetzen; *Rollen* neu verteilen; **4.** ˈdurchrechnen; **II.** *s.* **5.** ⊕ ˈUmguß *m*; **6.** ˈUmformung *f*, ˈUmgestaltung *f*; **7.** *thea.* Neu-, ˈUmbesetzung *f*.

re·cede [ri(ː)ˈsiːd] *v/i.* **1.** zuˈrücktreten, -weichen: *receding* fliehend (*Kinn, Stirn*); **2.** ent-, verschwinden; *fig. in den Hintergrund* treten; **3.** *fig.* (*from*) zurücktreten (von *e-m Amt, Vertrag*), (von *e-r Sache*) Abstand nehmen, (*e-e Ansicht*) aufgeben; **4.** *bsd.* † zuˈrückgehen, im Wert fallen.

re·ceipt [riˈsiːt] **I.** *s.* **1.** Empfang *m e-s Briefes etc.*, Erhalt *m*; Annahme *f e-r Sendung*; Eingang *m von Waren*: *on* ~ *of* bei *od.* nach Empfang (*gen.*); *to be in* ~ *of* im Besitz *e-r Sendung etc.* sein; **2.** Empfangsbestätigung *f*, Quittung *f*, Beleg *m*: ~ *stamp* Quittungsstempel(marke); **3.** *pl.* † Einnahmen *pl.*, Eingänge *pl.*, eingehende Gelder *pl. od.* Waren *pl.*; **4.** (ˈKoch)Reˌzept *n*; **II.** *v/t. u. v/i.* **5.** quittieren.

re·ceiv·a·ble [riˈsiːvəbl] *adj.* **1.** annehmbar, zulässig (*Beweis etc.*): *to be* ~ als gesetzliches Zahlungsmittel gelten; **2.** † ausstehend (*Forderung, Gelder, Guthaben*), debiˈtorisch (*Posten*): *accounts* ~ Außenstände; *bills* ~ Rimessen; **reˈceiv·a·bles** [-lz] *s. pl.* † *Am.* Außenstände *pl.*;

re·ceive [riˈsiːv] **I.** *v/t.* **1.** *Brief etc., a. weitS. Befehl, Eindruck, Radiosendung, Sakramente, Wunde* empfangen, *a. Namen, Schock, Treffer* erhalten, bekommen; *Aufmerksamkeit* finden, auf sich ziehen; *Neuigkeit* erfahren; **2.** in Empfang nehmen, annehmen, *a. Beichte, Eid* entgegennehmen; *Geld etc.* einnehmen, vereinnahmen: *to* ~ *stolen goods* ⚖ Hehlerei treiben; **3.** *j-n* bei sich aufnehmen, beherbergen; **4.** *Besucher, a. weitS. Schauspieler etc.* empfangen (*with applause* mit Beifall); **5.** *j-n* aufnehmen (*into* in *e-e Gemeinschaft*); *j-n* zulassen; **6.** *Nachricht etc.* aufnehmen, reagieren auf (*acc.*): *how did he* ~ *this offer?*; **7.** *et.* erleben, erleiden, erfahren; *Beleidigung* einstecken; *Armbruch etc.* daˈvontragen; **8.** ⊕ *Flüssigkeit, Schraube etc.* aufnehmen; **9.** *et.* (als gültig) anerkennen; **II.** *v/i.* **10.** (Besuch) empfangen; **11.** *eccl.* das Abendmahl empfangen, kommunizieren; **reˈceived** [-vd] *adj.* **1.** erhalten: ~ *with thanks* dankend erhalten; **2.** allgemein anerkannt: ~ *text* echter *od.* authentischer Text; **3.** gültig, korˈrekt, vorschriftsmäßig; **reˈceiv·er** [-və] *s.* **1.** Empfänger(in); **2.** (Steuer-, Zoll)Einnehmer *m*; **3.** *a. official* ~ ⚖ **a)** (gerichtlich bestellter) Zwangs- *od.* Konˈkurs- *od.* Masseverwalter, **b)** Liquiˈdator *m*, **c)** Treuhänder *m*; **4.** *a.* ~ *of stolen goods* ⚖ Hehler(in); **5.** (Radio-, Funk)Empfänger *m*, Empfangsgerät *n*; **6.** *teleph.* Hörer *m*; **7.** ⊕ (Sammel)Becken *n*, (-)Behälter *m*; **8.** ⚗, *phys.* Rezipiˈent *m*; **reˈceiv·er·ship** [-vəʃip] *s.* ⚖ Zwangs-, Konˈkursverwaltung *f*, Geschäftsaufsicht *f*; **reˈceiv·ing** [-viŋ] *s.* **1.** Annahme *f*: ~ *hopper* ⊕ Schüttrumpf; ~ *office* Annahmestelle; ~ *order* ⚖ Konkurseröffnungsbeschluß; **2.** *Funk*: Empfang *m*: ~ *set* → *receiver 5*; ~ *station* Empfangsstation; **3.** ⚖ Hehleˈrei *f*.

re·cen·cy [ˈriːsnsi] *s.* Neuheit *f*.

re·cen·sion [riˈsenʃən] *s.* **1.** Prüfung *f*, Revisiˈon *f*, ˈDurchsicht *f e-s Textes etc.*; **2.** revidierter Text.

re·cent [ˈriːsnt] *adj.* □ **1.** vor kurzem *od.* unlängst (geschehen *od.* entstanden *etc.*): *the* ~ *events* die jüngsten Ereignisse; **2.** neu, jung, frisch: *of* ~ *date* neueren *od.* jüngeren Datums; **3.** neu, moˈdern; **ˈre·cent·ly** [-li] *adv.* kürzlich, vor kurzem, unlängst, neulich; **ˈre·cent·ness** [-nis] → *recency*.

re·cep·ta·cle [riˈseptəkl] *s.* **1.** Behälter *m*, Gefäß *n*; **2.** *a. floral* ~ ⚘ Fruchtboden *m*; **3.** ⚡ Steckdose *f*.

re·cep·ti·ble [riˈseptibl] *adj.* aufnahmefähig, empfänglich (*of* für).

re·cep·tion [riˈsepʃən] *s.* **1.** Empfang *m* (*a. Funk*), Annahme *f*; **2.** Zulassung *f*; **3.** Aufnahme *f* (*a. fig.*): *to meet with a favo(u)rable* ~ e-e günstige Aufnahme finden (*Buch etc.*); **4.** (offiziˈeller) Empfang, *a.* Empfangsabend *m*: *a warm* (*cool*) ~ ein herzlicher (kühler) Empfang; **reˈcep·tion·ist** [-ʃənist] *s.* **1.** Empfangsdame *f*; **2.** Sprechstundenhilfe *f*.

reˈcep·tion-room *s.* Empfangszimmer *n*.

re·cep·tive [riˈseptiv] *adj.* □ aufnahmefähig, empfänglich (*of* für);

re·cep·tiv·i·ty [risepˈtiviti] *s.* Aufnahmefähigkeit *f*, Empfänglichkeit *f*.

re·cess [riˈses] **I.** *s.* **1.** (zeitweilige) Unterˈbrechung (*a.* ⚖ *der Verhandlung*), (*Am. a.* Schul)Pause *f*, *bsd. parl.* Ferien *pl.*; **2.** Schlupfwinkel *m*, stiller Winkel; **3.** ⌂ (Wand)Aussparung *f*, Nische *f*, Alˈkoven *m*; **4.** ⊕ Aussparung *f*, Vertiefung *f*, Einschnitt *m*; **5.** *pl. fig. das* Innere, Tiefe(n *pl.*) *f*, geheime Winkel *pl. des Herzens etc.*; **II.** *v/t.* **6.** in e-e Nische stellen, zuˈrücksetzen; **7.** aussparen; ausbuchten, einsenken, vertiefen; **III.** *v/i.* **8.** *Am.* F e-e Pause machen, sich vertagen.

re·ces·sion [riˈseʃən] *s.* **1.** Zuˈrücktreten *n*; **2.** *eccl.* Auszug *m*; **3.** ⌂ *etc.* Vertiefung *f*; **4.** † Rezessiˈon *f*, (leichter) (Konjunkˈtur-, Geschäfts)Rückgang: *period of* ~ Rezessionsphase; **reˈces·sion·al** [-ʃənl] **I.** *adj.* **1.** *eccl.* Schluß...; **2.** *parl.* Ferien...; **II.** *s.* **3.** *a.* ~ *hymn* ˈSchlußchoˌral *m*.

re·charge [ˈriːˈtʃɑːdʒ] *v/t.* **1.** wieder (be)laden; **2.** ⚔ **a)** von neuem angreifen, **b)** nachladen; **3.** ⚡ *Batterie* wieder aufladen.

re·chris·ten [ˈriːˈkrisn] → *rebaptize*.

re·cid·i·vism [riˈsidivizəm] *s.* ⚖ Rückfall *m*, -fälligkeit *f*; **reˈcid·i·vist** [-ist] *s.* Rückfällige(r *m*) *f*; **reˈcid·i·vous** [-vəs] *adj.* rückfällig.

rec·i·pe [ˈresipi] *s.* Reˈzept *n* (*a. fig.*).

re·cip·i·ent [riˈsipiənt] **I.** *s.* **1.** Empfänger(in); **II.** *adj.* **2.** aufnehmend; **3.** empfänglich.

re·cip·ro·cal [riˈsiprəkəl] **I.** *adj.* □ **1.** wechsel-, gegenseitig: ~ *service* Gegendienst; ~ *relationship* Wechselbeziehung; **2.** ˈumgekehrt; **3.** ℞, *ling., phls.* reziˈprok; **II.** *s.* **4.** Gegenstück *n*; **5.** *a.* ~ *value* ℞ reziproker Wert, Kehrwert *m*; **reˈcip·ro·cate** [-keit] **I.** *v/t.* **1.** *Gefühle etc.* erwidern, vergelten; *Glückwünsche etc.* austauschen; **II.** *v/i.* **2.** sich erkenntlich zeigen, sich revanchieren (*for* für, *with* mit): *glad to* ~ zu Gegendiensten gern bereit; **3.** in Wechselbeziehung stehen; **4.** ⊕ sich hin- u. herbewegen: *reciprocating engine* Kolbenmaschine; **re·cip·ro·ca·tion** [risiprəˈkeiʃən] *s.* **1.** Erwiderung *f*; **2.** Erkenntlichkeit *f*; **3.** Austausch *m*; **4.** Wechselwirkung *f*; **5.** ⊕ ˌHinundˈherbewegung *f*; **rec·i·proc·i·ty** [resiˈprɔsiti] *s.* Reziproziˈtät *f*; Gegenseitigkeit *f* (*a.* † *in Handelsverträgen etc.*): ~ *clause* Gegenseitigkeitsklausel.

re·cit·al [riˈsaitl] *s.* **1.** Vortrag *m*, -lesung *f*; **2.** ♪ (Solo)Vortrag *m*, (*Orgel- etc.*)Konˈzert *n*: *lieder* ~ Liederabend; **3.** Bericht *m*, Schilderung *f*; **4.** Aufzählung *f*; **5.** ⚖ **a)** *a.* ~ *of fact* Darstellung *f* des Sachverhalts, **b)** Präˈambel *f e-s Vertrags etc.*; **rec·i·ta·tion** [resiˈteiʃən] *s.* **1.** Auf-, Hersagen *n*, Rezitieren *n*; **2.** Vortrag *m*, Rezitatiˈon *f*; **3.** *ped. Am.* Abfrage-, Übungsstunde *f*; **4.** Vortragsstück *n*, rezitierter Text; **rec·i·ta·tive** [resitəˈtiːv] ♪ **I.** *adj.* rezitaˈtivartig; **II.** *s.* Rezitaˈtiv *n*, Sprechgesang *m*; **re·cite** [riˈsait] *v/t.* **1.** (auswendig) her- *od.* aufsagen; **2.** rezitieren, vortragen, deklamieren; **3.** ⚖ **a)** *Sachverhalt* darstellen, **b)** anführen, zitieren; **reˈcit·er** [-tə] *s.* **1.** Reziˈtator *m*, Rezitaˈtorin *f*, Vortragskünstler(in); **2.** Vortragsbuch *n*.

reck·less ['reklis] *adj.* □ **1.** unbesorgt, unbekümmert (*of* um): *to be ~ of* sich nicht kümmern um; **2.** sorglos; leichtsinnig; verwegen; **3.** rücksichtslos; ⚖ (bewußt) fahrlässig; '**reck·less·ness** [-nis] *s.* **1.** Unbesorgtheit *f*, Unbekümmertheit *f* (*of* um); **2.** Sorglosigkeit *f*, Leichtsinn *m*, Verwegenheit *f*; **3.** Rücksichtslosigkeit *f*.

reck·on ['rekən] **I.** *v/t.* **1.** (be-, er-)rechnen: *to ~ in* einrechnen; *to ~ over* nachrechnen; *to ~ up* **a)** auf-, zs.-zählen, **b)** *j-n* einschätzen; **2.** halten für: *to ~ as od. for* betrachten als; *to ~ among od. with* rechnen *od.* zählen zu (*od.* unter *acc.*); **3.** der Meinung sein (*that* daß); **II.** *v/i.* **4.** zählen, rechnen: *to ~ with* **a)** rechnen mit (*a. fig.*), **b)** abrechnen mit (*a. fig.*); *to ~ (up)on fig.* rechnen *od.* zählen auf *j-n, j-s Hilfe etc.*; → *host*² 2; **5.** *Am.* F denken, meinen, vermuten; **reck·on·er** ['reknə] *s.* **1.** Rechner(in); **2.** → *ready reckoner*; **reck·on·ing** ['rekniŋ] *s.* **1.** Rechnen *n*; **2.** Berechnung *f*, Kalkulati'on *f*; ⚓ Gissung *f*: *dead ~* gegißtes Besteck; *to be out of (od. in) one's ~ fig.* sich verrechnet haben; **3.** Abrechnung *f*: *day of ~* **a)** *bsd. fig.* Tag der Abrechnung, **b)** *eccl. der* Jüngste Tag; **4.** (Wirtshaus)Rechnung *f*, Zeche *f*.

re·claim [ri'kleim] *v/t.* **1.** *Eigentum, Rechte etc.* zu'rückfordern, her'ausverlangen, reklamieren; **2.** *Land* urbar machen, kultivieren, trockenlegen; **3.** *Tiere* zähmen; **4.** *Volk* zivilisieren; **5.** ⊕ *aus Altmaterial* gewinnen, *Altöl, Gummi etc.* regenerieren; **6.** *fig.* **a)** *j-n* bekehren, bessern, **b)** *j-n* zu'rückbringen, -führen (*from* von, *to* zu); **re'claim·a·ble** [-məbl] *adj.* □ **1.** (ver-)besserungsfähig; **2.** kul'turfähig (*Land*); **3.** ⊕ regenerierfähig.

rec·la·ma·tion [reklə'meiʃən] *s.* **1.** Reklamati'on *f*: **a)** Rückforderung *f*, **b)** Beschwerde *f*; **2.** *fig.* Bekehrung *f*, Besserung *f*, Heilung *f* (*from* von); **3.** Urbarmachung *f*, Neugewinnung *f* (*von Land*); **4.** ⊕ Rückgewinnung *f*.

re·cline [ri'klain] **I.** *v/i.* **1.** sich (an-, zu'rück)lehnen: *reclining chair* (verstellbarer) Lehnstuhl; **2.** ruhen, liegen (*on, upon* an, auf *dat.*); **3.** *fig. ~ upon* sich stützen auf (*acc.*); **II.** *v/t.* **4.** (an-, zu'rück)lehnen, legen (*on, upon* auf *acc.*).

re·cluse [ri'klu:s] **I.** *s.* **1.** Einsiedler (-in); **II.** *adj.* **2.** einsam, abgeschieden (*from* von); **3.** einsiedlerisch.

rec·og·ni·tion [rekəg'niʃən] *s.* **1.** ('Wieder)Erkennen *n*: *~ vocabulary ling.* passiver Wortschatz; *beyond ~, out of ~, past (all) ~* (bis) zur Unkenntlichkeit *verändert, verstümmelt etc.*; *the capital has changed beyond (all) ~* die Hauptstadt ist (überhaupt) nicht wiederzuerkennen; **2.** Erkenntnis *f*; **3.** Anerkennung *f* (*a. pol.*): *in ~ of* als Anerkennung für; *to win ~* sich durchsetzen, Anerkennung finden; **rec·og·niz·a·ble** ['rekəgnaizəbl] *adj.* □ ('wieder)erkennbar, kenntlich; **re·cog·ni·zance** [ri'kɔgnizəns] *s.* **1.** ⚖ schriftliche Verpflichtung; (Schuld)Anerkenntnis *f*: *to enter into ~s* sich gerichtlich binden; **2.** ⚖ Sicherheitsleistung *f*, Kauti'on *f*; **re·cog·ni·zant** [ri'kɔgnizənt] *adj.*: *to be ~ of* anerkennen; **rec·og·nize** ['rekəgnaiz] *v/t.* **1.** ('wieder)erkennen; **3.** *j-n, e-e Regierung, Schuld etc., a. lobend* anerkennen: *to ~ that* zugeben, daß; **4.** No'tiz nehmen von; **5.** *auf der Straße* grüßen; **6.** *j-m* das Wort erteilen.

re·coil [ri'kɔil] **I.** *v/i.* **1.** zu'rückprallen; zu'rückstoßen (*Gewehr etc.*); **2.** *fig.* zu'rückprallen, -schrecken, -schaudern (*at, from* vor *dat.*); **3.** *~ on fig.* zu'rückfallen auf (*acc.*); **II.** *s.* **4.** Rückprall *m*; **5.** ⚔ **a)** Rückstoß *m* (*Gewehr*), **b)** (Rohr)Rücklauf *m* (*Geschütz*); **re'coil·less** [-lis] *adj.* ⚔ rückstoßfrei.

rec·ol·lect [rekə'lekt] *v/t.* sich erinnern (*gen.*) *od.* an (*acc.*), sich besinnen auf (*acc.*), sich ins Gedächtnis zu'rückrufen.

re-col·lect ['ri:kə'lekt] *v/t.* wieder sammeln (*a. fig.*): *to ~ o.s.* sich fassen.

rec·ol·lec·tion [rekə'lekʃən] *s.* Erinnerung *f* (*Vermögen u. Vorgang*), Gedächtnis *n*: *it is within my ~* es ist mir in Erinnerung; *to the best of my ~* soweit ich mich (daran) erinnern kann.

re·com·mence ['ri:kə'mens] *v/t. u. v/i.* 'wiederbeginnen.

rec·om·mend [rekə'mend] *v/t.* **1.** empfehlen (*s.th. to s.o.* j-m et.): *to ~ s.o. for a post* j-n für e-n Posten empfehlen; *to ~ caution* Vorsicht empfehlen, zu Vorsicht raten; **2.** empfehlen, anziehend machen: *his manners ~ him*; **3.** (an)empfehlen, anvertrauen: *to ~ o.s. to s.o.*; **rec·om'mend·a·ble** [-dəbl] *adj.* □ empfehlenswert; **rec·om·men·da·tion** [rekəmen'deiʃən] *s.* **1.** Empfehlung *f* (*a. fig. Eigenschaft*), Befürwortung *f*, Vorschlag *m*: *on the ~ of* auf Empfehlung von; **2.** *a. letter of ~* Empfehlungsschreiben *n*; **rec·om'mend·a·to·ry** [-dətəri] *adj.* empfehlend, Empfehlungs...

re·com·mis·sion ['ri:kə'miʃən] *v/t.* **1.** wieder anstellen *od.* beauftragen; ⚔ *Offizier* reaktivieren; **2.** ⚓ *Schiff* wieder in Dienst stellen.

re·com·mit [ri:kə'mit] *v/t.* **1.** *parl.* (an e-n Ausschuß) zu'rückverweisen; **2.** ⚖ *j-n* wieder *dem Gericht* über'antworten: *to ~ s.o. to prison* j-n wieder inhaftieren.

rec·om·pense ['rekəmpens] **I.** *v/t.* **1.** *j-n* belohnen, entschädigen (*for* für); **2.** *et.* vergelten, belohnen (*to s.o.* j-m); **3.** *et.* erstatten, ersetzen, wieder'gutmachen; **II.** *s.* **4.** Belohnung *f*; *a. b.s.* Vergeltung *f*; **5.** Entschädigung *f*, Ersatz *m*.

re·com·pose ['ri:kəm'pouz] *v/t.* **1.** wieder zs.-setzen; **2.** neu (an)ordnen, 'umgestalten, -gruppieren; **3.** *fig.* wieder beruhigen; **4.** *typ.* neu setzen.

rec·on·cil·a·ble ['rekənsailəbl] *adj.* **1.** versöhnbar; **2.** vereinbar (*with* mit); **rec·on·cile** ['rekənsail] *v/t.* **1.** *j-n* ver-, aussöhnen (*to, with* mit): *to ~ o.s. to, to become ~d to fig.* sich versöhnen *od.* abfinden *od.* befreunden mit *et.*, sich fügen *od.* finden in (*acc.*); **2.** *fig.* in Einklang bringen, abstimmen (*with, to* mit); **3.** *Streit* beilegen, schlichten; **rec·on·cil·i·a·tion** [rekənsili'eiʃən] *s.* **1.** Ver-, Aussöhnung *f* (*to, with* mit); **2.** Beilegung *f*, Schlichtung *f*; **3.** Ausgleich(ung *f*) *m*, Einklang *m* (*between* zwischen *dat.*, unter *dat.*).

rec·on·dite [ri'kɔndait] *adj.* □ tief (-gründig), ab'strus, dunkel: *a ~ book*; *a ~ writer*.

re·con·di·tion ['ri:kən'diʃən] *v/t.* *bsd.* ⊕ wieder in'standsetzen, über'holen, erneuern.

re·con·nais·sance [ri'kɔnisəns] *s.* ⚔ **a)** Erkundung *f*, Aufklärung *f*, **b)** *a. ~ party od. patrol* Spähtrupp *m*: *~ car* Spähwagen; *~ plane* Aufklärungsflugzeug, Aufklärer.

rec·on·noi·ter *Am.*, **rec·on·noi·tre** *Brit.* [rekə'nɔitə] *v/t.* ⚔ erkunden, aufklären, auskundschaften (*a. fig.*), rekognoszieren (*a. geol.*).

re·con·quer ['ri:'kɔŋkə] *v/t.* 'wieder-, zu'rückerobern; '**re'con·quest** [-kwest] *s.* 'Wiedereroberung *f*.

re·con·sid·er ['ri:kən'sidə] *v/t.* **1.** von neuem erwägen, nochmals über'legen, nachprüfen; **2.** *pol.*, ⚖ *Antrag, Sache* nochmals behandeln; **re·con·sid·er·a·tion** ['ri:kənsidə'reiʃən] *s.* nochmalige Über'legung *od.* Erwägung *od.* Prüfung.

re·con·stit·u·ent ['ri:kən'stitjuənt] **I.** *s.* ⚕ Wieder'aufbaumittel *n*, 'Roborans *n*; **II.** *adj. bsd.* ⚕ wieder'aufbauend.

re·con·sti·tute ['ri:'kɔnstitju:t] *v/t.* **1.** wieder einsetzen; **2.** wieder'herstellen; neu bilden; ⚔ neu aufstellen.

re·con·struct ['ri:kəns'trʌkt] *v/t.* **1.** wieder aufbauen, wieder herstellen; **2.** 'umbauen (*a.* ⊕ *neu konstruieren*), 'umformen, -bilden; **4.** ✝ wieder'aufbauen, sanieren; **re·con·struc·tion** ['ri:kəns'trʌkʃən] *s.* **1.** Wieder'aufbau *m*, -'herstellung *f*; **2.** 'Umbau *m* (*a.* ⊕ *Neukonstruktion*), 'Umformung *f*; **3.** Rekonstrukti'on *f* (*a. e-s Verbrechens*); **4.** ✝ Sanierung *f*, Wieder'aufbau *m*.

re·con·ver·sion ['ri:kən'və:ʃən] *s.* ('Rück),Umwandlung *f*, 'Umstellung *f* (*bsd.* ✝ *e-s Betriebs, auf Friedensproduktion etc.*); '**re·con'vert** [-'və:t] *v/t.* (wieder) 'umstellen.

rec·ord¹ ['rekɔ:d] *s.* **1.** Aufzeichnung *f*, Niederschrift *f*: *on ~* **a)** (geschichtlich *etc.*) verzeichnet, schriftlich belegt, **b)** → *4 b*, **c)** *fig. das beste etc.* aller Zeiten, bisher; *off the ~ bsd. Am.* inoffiziell, nicht für die Öffentlichkeit bestimmt; *on the ~* offiziell; *matter of ~* verbürgte Tatsache; **2.** (schriftlicher) Bericht; **3.** *a.* ⚖ Urkunde *f*, Doku'ment *n*, 'Unterlage *f*; **4.** ⚖ **a)** Proto'koll *n*, Niederschrift *f*, **b)** (Gerichts)Akte *f*, Aktenstück *n*: *on ~* aktenkundig; *on the ~ of the case* nach Aktenlage; *to go on ~ Am. fig.* sich festlegen; *to place on ~* aktenkundig machen; *court of ~* ordentliches Gericht; *~ office* Archiv; **5.** Re'gister *n*, Liste *f*, Verzeichnis *n*: *criminal ~* **a)** Strafregister, **b)** *weitS.* Vorstrafen; *to have a (criminal) ~* vorbestraft sein; **6.** *a.* ⊕ Registrierung *f*; **7. a)** Ruf *m*, Leumund *m*, Vergangenheit *f*: *a bad* ~, **b)** *gute etc.* Leistung(en *pl.*) *in der Vergangenheit*; **8.** *fig.* Urkunde *f*, Zeugnis *n*: *to be a* ~ *of et.* bezeugen; **9.** (Schall)Platte *f*: ~ *changer* Plattenwechsler; ~ *machine Am.* Musikautomat; ~ *player* Plattenspieler; **10.** *sport etc.* Re'kord *m*, Best-, Höchstleistung *f*: ~ *performance allg.* Spitzenleistung; ~ *prices* ✝ Rekordpreise; *in* ~ *time* in Rekordzeit.

re·cord² [ri'kɔ:d] *v/t.* **1.** schriftlich niederlegen; (*a.* ⊕) aufzeichnen, -schreiben; ⚖ beurkunden, protokollieren; zu den Akten nehmen; ✝ *etc.* eintragen, registrieren, erfassen; **2.** ⊕ *Meßwerte* registrieren, verzeichnen; **3.** (*auf Tonband etc.*) aufnehmen, *Sendung* mitschneiden, *a. photographisch* festhalten; **4.** *fig.* aufzeichnen, festhalten, der Nachwelt über'liefern; **5.** *Stimme* abgeben; **re·cord·er** [ri'kɔ:də] *s.* **1.** Regi'strator *m*; *weitS.* Chro'nist *m*; **2.** Schrift-, Proto'kollführer *m*; **3.** ⚖ *Brit. obs.* Einzelrichter *m* der *Quarter Sessions*; **4.** ⊕ Regi'strierappa,rat *m*, (Bild-, Selbst)Schreiber *m*, Aufnahmegerät *n*; **5.** ♪ Blockflöte *f*; **re·cord·ing** [ri'kɔ:diŋ] **I.** *s.* **1.** *a.* ⊕ Aufzeichnung *f*, Registrierung *f*; **2.** Beurkundung *f*; Protokollierung *f*; **3.** *Radio etc.*: Aufnahme *f*, Aufzeichnung *f*, Mitschnitt *m*; **II.** *adj.* **4.** Protokoll...; **5.** registrierend: ~ *chart* Registrierpapier; ~ *head* **a)** ⚡ Tonkopf (*Tonbandgerät*), **b)** *Computer*: Schreibkopf.

re·count¹ [ri'kaunt] *v/t.* (im einzelnen) erzählen.

re·count² ['ri:'kaunt] *v/t.* nachzählen.

re·coup [ri'ku:p] *v/t.* **1.** *Verlust etc.* wieder'einbringen; **2.** *j-n* entschädigen, schadlos halten (*for* für); **3.** ✝, ⚖ einbehalten.

re·course [ri'kɔ:s] *s.* **1.** Zuflucht *f* (*to* zu): *to have* ~ *to s.th.* s-e Zuflucht zu et. nehmen; *to have* ~ *to foul means* zu unredlichen Mitteln greifen; **2.** ✝, ⚖ Re'greß *m*, Re'kurs *m*: *with* (*without*) ~ mit (ohne) Rückgriff; *liable to* ~ regreßpflichtig.

re·cov·er [ri'kʌvə] **I.** *v/t.* **1.** (*a. fig. Appetit, Bewußtsein, Fassung etc.*) 'wiedererlangen, -finden; zu'rückerlangen, -gewinnen; ⚔ 'wieder-, zu'rückerobern; *Fahrzeug, Schiff* bergen: *to* ~ *one's breath* wieder zu Atem kommen; *to* ~ *one's legs* wieder auf die Beine kommen; *to* ~ *land from the sea* dem Meer Land abringen; **2.** *Verluste etc.* wieder'gutmachen, wieder'einbringen, ersetzen; *Zeit* wieder'aufholen; **3.** ⚖ **a)** *Schuld etc.* einziehen, beitreiben, **b)** *Urteil* erwirken (*against* gegen): *to* ~ *damages for* Schadensersatz erhalten für; **4.** ⊕ *aus Altmaterial* regenerieren, 'wiedergewinnen; **5.** ~ *o.s.* → *8 u. 9*: *to be* ~*ed from* wiederhergestellt sein von; **6.** (er-)retten, befreien (*from* aus *dat.*); **7.** *fenc. etc.* in die Ausgangsstellung bringen; **II.** *v/i.* **8.** genesen, wieder gesund werden; **9.** sich erholen (*from*, *of* von *e-m Schock etc.*) (*a.* ✝); **10.** wieder zu sich kommen, das Bewußtsein 'wiedererlangen; **11.** ⚖ **a)** Recht bekommen, **b)** entschädigt werden, sich schadlos halten: *to* ~ *in one's suit* s-n Prozeß gewinnen, obsiegen.

re-cov·er ['ri:'kʌvə] *v/t.* wieder bedecken, *bsd. Schirm etc.* neu beziehen.

re·cov·er·a·ble [ri'kʌvərəbl] *adj.* **1.** 'wiedererlangbar; **2.** wieder'gutzumachen(d); **3.** ⚖ ein-, beitreibbar (*Schuld*); **4.** wieder'herstellbar; **5.** ⊕ regenerierbar; **re·cov·er·y** [ri'kʌvəri] *s.* **1.** (Zu)'Rück-, 'Wiedererlangung *f*, -gewinnung *f*; **2.** ⚖ **a)** Ein-, Beitreibung *f*, **b)** *mst* ~ *of damages* (Erlangung *f* von) Schadenersatz *m*; **3.** ⊕ Rückgewinnung *f aus Abfallstoffen etc.*; **4.** ⚓ *etc.* Bergung *f*, Rettung *f*: ~ *vehicle mot.* Bergungsfahrzeug; **5.** *fig.* Rettung *f*, Bekehrung *f*; **6.** Genesung *f*, Gesundung *f*, Erholung *f* (*a.* ✝), (*gesundheitliche*) Wieder'herstellung: *economic* ~ Konjunkturaufschwung, -belebung; *to be past* (*od. beyond*) ~ unheilbar krank sein, *fig.* hoffnungslos darniederliegen; **7.** *sport* **a)** *fenc. etc.* Zu'rückgehen *n* in die Ausgangsstellung, **b)** *Golf etc.* Erholung *f* (*befreiender Schlag*).

rec·re·an·cy ['rekriənsi] *s.* **1.** Feigheit *f*, Verzagtheit *f*; **2.** Abtrünnigkeit *f*; '**rec·re·ant** [-nt] **I.** *adj.* □ **1.** feig(e), verzagt; **2.** abtrünnig; **II.** *s.* **3.** Feigling *m*; **4.** Abtrünnige(r *m*) *f*.

rec·re·ate ['rekrieit] **I.** *v/t.* **1.** erfrischen, *j-m* Erholung *od.* Entspannung gewähren; **2.** erheitern, unter'halten; **3.** ~ *o.s.* **a)** ausspannen, sich erholen, **b)** sich ergötzen *od.* unterhalten; **II.** *v/i.* **4.** → *3*.

re-cre·ate ['ri:kri'eit] *v/t.* neu *od.* wieder erschaffen.

rec·re·a·tion [rekri'eiʃən] *s.* Erholung *f*, Entspannung *f*, Erfrischung *f*; Belustigung *f*, Unter'haltung *f*: ~ *area* Erholungsgebiet; ~ *ground* Spiel-, Sportplatz; **rec·re'a·tion·al** [-ʃənl] *adj.* Erholungs..., Entspannungs..., *Ort etc.* der Erholung; Freizeit...; **rec·re·a·tive** ['rekrieitiv] *adj.* **1.** erholsam, entspannend, erfrischend; **2.** unter'haltend, amü'sant.

re·crim·i·nate [ri'krimineit] *v/i. u. v/t.* Gegenbeschuldigungen vorbringen (gegen).

re·crim·i·na·tion [rikrimi'neiʃən] *s.* Gegenbeschuldigung *f*.

re·cru·desce [ri:kru:'des] *v/i.* **1.** wieder aufbrechen (*Wunde*); **2.** sich wieder verschlimmern (*Zustand*); **3.** *fig.* wieder'ausbrechen, -'aufflackern (*Übel*); **re·cru'des·cence** [-sns] *s.* **1.** Wieder'aufbrechen *n* (*e-r Wunde etc.*); **2.** *fig.* Wieder'ausbrechen *n*, -'aufflackern *n*.

re·cruit [ri'kru:t] **I.** *s.* **1.** ⚔ Re'krut *m*; **2.** Neuling *m* (*a. contp.*); **II.** *v/t.* **3.** ⚔ rekrutieren: **a)** *Rekruten* ausheben, einziehen, **b)** anwerben, **c)** *Einheit* ergänzen, erneuern, **d)** *weitS. Leute* her'anziehen: *to be* ~*ed from* sich rekrutieren aus, *fig.* sich zs.-setzen *od.* ergänzen aus; **4.** *j-n*, *j-s Gesundheit* wieder'herstellen; **5.** *fig.* stärken, erfrischen; **III.** *v/i.* **6.** Rekruten ausheben *od.* anwerben; **7.** sich erholen; **re'cruit·al** [-tl] *s.* Erholung *f*, (gesundheitliche) Wieder'herstellung; **re'cruit·ing** [-tiŋ] ⚔ **I.** *s.* Rekrutierung *f*, (An-)Werben *n*; **II.** *adj.* Werbe...(*-büro, -offizier etc.*); Rekrutierungs...(*-stelle*); **re'cruit·ment** [-mənt] *s.* **1.** Verstärkung *f*, Auffrischung *f*; **2.** ⚔ Rekrutierung *f*; **3.** Erholung *f*.

rec·tal ['rektəl] *adj.* □ *anat.* rek'tal: ~ *syringe* Klistierspritze.

rec·tan·gle ['rektæŋgl] *s.* Å Rechteck *n*; **rec·tan·gu·lar** [rek'tæŋgjulə] *adj.* □ Å **1.** rechteckig; **2.** rechtwink(e)lig.

rec·ti·fi·a·ble ['rektifaiəbl] *adj.* **1.** zu berichtigen(d), korrigierbar; **2.** Å, ⊕, ⚗ rektifizierbar; **rec·ti·fi·ca·tion** [rektifi'keiʃən] *s.* **1.** Berichtigung *f*, Verbesserung *f*, Richtigstellung *f*; **2.** Å, ⚗ Rektifikati'on *f*; **3.** ⚡ Gleichrichtung *f*; '**rec·ti·fi·er** [-faiə] *s.* **1.** Berichtiger *m*; **2.** ⚗ *etc.* Rektifizierer *m*; **3.** ⚡ Gleichrichter *m*; **4.** *phot.* Entzerrungsgerät *n*; **rec·ti·fy** ['rektifai] *v/t.* berichtigen, korrigieren, verbessern, richtigstellen; Å, ⚗, ⊕ rektifizieren; ⚡ gleichrichten.

rec·ti·lin·e·al [rekti'liniəl] *adj.*; **rec·ti'lin·e·ar** [-iə] *adj.* □ geradlinig; **rec·ti·tude** ['rektitju:d] *s.* Geradheit *f*, Rechtschaffenheit *f*.

rec·tor ['rektə] *s.* **1.** *eccl.* Pfarrer *m*; **2.** *univ.* 'Rektor *m*; **3.** *Scot.* ('Schul)Di,rektor *m*; '**rec·tor·ate** [-ərit], '**rec·tor·ship** [-ʃip] *s.* **1.** *ped.* Rekto'rat *n*; **2.** *eccl.* **a)** Pfarrstelle *f*, **b)** Amt *n od.* Amtszeit *f* e-s Pfarrers; '**rec·to·ry** [-təri] *s.* Pfar'rei *f*, Pfarre *f*: **a)** Pfarrhaus *n*, **b)** *Brit.* Pfarrstelle *f*, **c)** Kirchspiel *n*.

rec·tum ['rektəm] *pl.* **-ta** [-tə] *s. anat.* Mastdarm *m*.

re·cum·ben·cy [ri'kʌmbənsi] *s.* **1.** liegende Stellung, Liegen *n*; **2.** *fig.* Ruhe *f*; **re'cum·bent** [-nt] *adj.* □ (sich zu'rück)lehnend, liegend; ruhend (*a. fig.*).

re·cu·per·ate [ri'kju:pəreit] *v/i.* sich erholen (*a.* ✝); **re·cu·per·a·tion** [rikju:pə'reiʃən] *s.* Erholung *f* (*a.* ✝); **re'cu·per·a·tive** [-rətiv] *adj.* **1.** stärkend, kräftigend; **2.** Erholungs...; **re'cu·per·a·tor** [-tə] *s.* ⊕ **1.** Rekupe'rator *m* (*Feuerung*); **2.** Vorholer *m*: ~ *spring* Vorholfeder.

re·cur [ri'kə:] *v/i.* **1.** 'wiederkehren, wieder'auftreten (*Ereignis, Erscheinung etc.*); **2.** *fig. in Gedanken, im Gespräch* zu'rückkommen (*to* auf *acc.*); **3.** *fig.* wiederkehren (*Gedanken*); **4.** zu'rückgreifen (*to* auf *acc.*); **5.** Å (peri'odisch) wiederkehren (*Kurve etc.*): ~*ring decimal* periodische Dezimalzahl; **re·currence** [ri'kʌrəns] *s.* **1.** 'Wiederkehr *f*, Wieder'auftreten *n*; **2.** Zu'rückgreifen *n* (*to* auf *acc.*); **3.** *fig.* Zu'rückkommen *n* (*im Gespräch etc.*) (*to* auf *acc.*); **re·cur·rent** [ri'kʌrənt] *adj.* □ **1.** 'wiederkehrend (*a. Zahlungen*), sich wieder'holend; **2.** peri'odisch auftretend: ~ *fever* ⚕ Rückfallfieber; **3.** ✿, *anat.* rückläufig (*Nerv, Arterie etc.*).

re·cur·vate [ri'kə:vit] *adj.* zu'rückgebogen.

re·cy·cle [ri'saikl] *v/t.* ⊕ 'wiederverwerten: *to* ~ *waste material*;

re'cy·cling *s.* ⊕, ✝ Re'cycling *n*: a) ⊕ 'Wiederverwertung *f*: ~ *of waste material*, b) ✝ Rückschleusung *f*: ~ *of funds*.

red [red] **I.** *adj.* **1.** rot: ~ *ant* rote Waldameise; ♀ *Book* a) Adelskalender, b) *pol.* Rotbuch; ~ *cabbage* Rotkohl; ♀ *Cross* Rotes Kreuz; ~ *currant* Johannisbeere; ~ *deer* Edel-, Rothirsch; ♀ *Ensign* brit. Handelsflagge; ~ *hat* Kardinalshut; ~ *heat* Rotglut; ~ *herring* a) Bückling, b) *fig.* Ablenkungsmanöver; *to draw a* ~ *herring across the path* ein Ablenkungsmanöver durchführen; ~ *lead min.* Mennige; ~ *lead ore* Rotbleierz; ~ *light* Warn-, Stopplicht; *to see the* ~ *light fig.* die Gefahr erkennen; ~ *tape* Amtsschimmel, Bürokratismus, Papierkrieg; to see ~ ‚rotsehen', wild werden; → *paint 2*; *rag*[1] *1*; **2.** rot(glühend); **3.** rot(haarig); **4.** rot(häutig); **5.** *oft* ♀ *pol.* rot: a) kommu'nistisch, b) sow'jetisch: *the* ♀ *Army* die Rote Armee; **II.** *s.* **6.** Rot *n*; **7.** *a.* ~*skin* Rothaut *f* (*Indianer*); **8.** *oft* ♀ *pol.* Rote(r *m*) *f*; **9.** *bsd.* ✝ *to be in the* ~ in den roten Zahlen sein; *to get out of the* ~ aus den roten Zahlen herauskommen; **10.** *bsd. Am.* F roter Heller.

re·dact [ri'dækt] *v/t.* **1.** redigieren, her'ausgeben; **2.** *Erklärung etc.* abfassen; **re'dac·tion** [-kʃən] *s.* **1.** Redakti'on *f* (*Tätigkeit*), Her'ausgabe *f*; **2.** (Ab)Fassung *f*; **3.** Neubearbeitung *f*.

'red|-'blood·ed *adj. fig.* lebenssprühend, vi'tal, feurig; **'~-breast** *s. orn.* Rotkehlchen *n*; **'~-cap** *s.* Rotmütze *f*: a) *Brit. sl.* Mili'tärpoli,zist *m*, b) *Am.* (Bahnhofs)Gepäckträger *m*.

red·den ['redn] **I.** *v/t.* röten, rot färben; **II.** *v/i.* rot werden: a) sich röten, b) erröten (*at* über *acc.*, *with* vor *dat.*).

red·der ['redə] *comp. von red*; **reddest** ['redist] *sup. von red*; **reddish** ['rediʃ] *adj.* rötlich.

red·dle ['redl] *s.* Rötel *m*.

re·dec·o·rate ['ri:'dekəreit] *v/t. Zimmer etc.* renovieren; **re·dec·o·ra·tion** ['ri:dekə'reiʃən] *s.* Renovierung *f*.

re·deem [ri'di:m] *v/t.* **1.** *Verpflichtung* abzahlen, -lösen, tilgen, amortisieren; **2.** zu'rückkaufen; **3.** ✝ *Staatspapier* auslosen; **4.** *Pfand* einlösen; **5.** *Gefangene etc.* los-, freikaufen; **6.** *Versprechen* erfüllen, einlösen; **7.** *Fehler etc.* wieder'gutmachen, *Sünde* abbüßen; **8.** *schlechte Eigenschaft* aufwiegen, wettmachen, versöhnen mit: ~*ing feature* a) versöhnender Zug, b) ausgleichendes Moment; **9.** *Ehre, Rechte* 'wiedererlangen, wieder'herstellen; **10.** (*from*) bewahren (vor *dat.*); (er-)retten (von); befreien (von); **11.** *eccl.* erlösen (*from* von); **12.** *Zeit* wieder'einbringen; **re'deem·a·ble** [-məbl] *adj.* □ **1.** abzahlbar, -lösbar, tilgbar; kündbar (*Anleihe*); rückzahlbar (*Wertpapier*): ~ *loan* Tilgungsdarlehen; **2.** zu'rückkaufbar; **3.** ✝ auslosbar (*Staatspapier*); **4.** einlösbar (*Pfand, Versprechen etc.*); **5.** wieder'gutzumachen(d) (*Fehler*), abzubüßen(d) (*Sünde*); **6.** 'wiedererlangbar; **7.** *eccl.* erlösbar; **re'deem·er** [-mə] *s.* **1.** Einlöser(in) *etc.*; **2.** ♀ *eccl.* Erlöser *m*, Heiland *m*.

re·de·liv·er ['ri:di'livə] *v/t.* **1.** *j-n* wieder befreien; **2.** *et.* zu'rückgeben; wieder ab- *od.* ausliefern; rückliefern.

re·demp·tion [ri'dempʃən] *s.* **1.** Abzahlung *f*, Ablösung *f*, Tilgung *f*, Amortisati'on *f e-r Schuld etc.*: ~ *fund Am.* ✝ Tilgungsfonds; ~ *loan* ✝ Ablösungsanleihe; **2.** Rückkauf *m*; **3.** Auslosung *f von Staatspapieren*; **4.** Einlösung *f e-s Pfandes* (*fig. e-s Versprechens*); **5.** Los-, Freikauf *m e-r Geisel etc.*; **6.** Wieder'gutmachung *f e-s Fehlers*; Abbüßung *f e-r Sünde*; **7.** Ausgleich *m* (of für), Wettmachen *n e-s Nachteils*; **8.** 'Wiedererlangung *f*, Wieder'herstellung *f e-s Rechts etc.*; **9.** *bsd. eccl.* Erlösung *f* (*from* von): *past od. beyond* ~ hoffnungs-, rettungslos (verloren); **re'demp·tive** [-ptiv] *adj. eccl.* erlösend, Erlösungs...

re·de·ploy ['ri:di'plɔi] *v/t.* **1.** *bsd.* ⚔ 'umgrup,pieren; **2.** ⚔ *Truppen* verlegen; **'re·de'ploy·ment** [-mənt] *s.* **1.** 'Umgrup,pierung *f*, (Truppen-)Verschiebung *f*; **2.** Verlegung *f*.

re·de·vel·op ['ri:di'veləp] *v/t. Stadtteil* sanieren; **'re·de'vel·op·ment** [-mənt] *s.* (Stadt)Sanierung *f*: ~ *area* Sanierungsgebiet.

'red-'hand·ed *adj.*: *to take s.o.* ~ j-n auf frischer Tat ertappen.

red·hi·bi·tion [redhi'biʃən] *s.* ⚖ Wandlung *f beim Kauf*; **red·hib·i·to·ry** [red'hibitəri] *adj.* Wandlungs...(*-klage etc.*): ~ *defect* Fehler der Sache beim Kauf.

'red'hot *adj.* **1.** rotglühend; **2.** *fig.* hitzig, feurig, wild; **3.** *fig.*: ~ *news* allerneueste Nachrichten; **~ pok·er (plant)** *s.* ♣ Fackellilie *f*.

red·in·te·grate [re'dintigreit] *v/t.* **1.** wieder'herstellen; **2.** erneuern.

re·di·rect ['ri:di'rekt] *v/t.* **1.** *Brief etc.* 'umadres,sieren; **2.** e-e neue Richtung geben (*dat.*).

re·dis·count ['ri:'diskaunt] ✝ **I.** *v/t.* rediskontieren; **II.** *s.* Redis'kont *m*.

re·dis·cov·er ['ri:dis'kʌvə] *v/t.* 'wiederentdecken.

re·dis·trib·ute ['ri:dis'tribju(:)t] *v/t.* **1.** neu verteilen; **2.** wieder verteilen.

'red|-'let·ter day *s.* **1.** Festtag *m*; **2.** *fig.* Freuden-, Glückstag *m*; **'~-'light dis·trict** *s.* Bor'dellviertel *n*.

red·ness ['rednis] *s.* Röte *f*.

re·do ['ri:'du:] *v/t.* [*irr.* → *do*] **1.** nochmals tun *od.* machen; **2.** *Haar* nochmals richten *etc.*

red·o·lence ['redouləns] *s.* Duft *m*, Wohlgeruch *m*; **'red·o·lent** [-nt] *adj.* duftend (of, *with* nach): *to be* ~ *of fig. et.* atmen, stark gemahnen an (*acc.*).

re·dou·ble [ri'dʌbl] **I.** *v/t.* **1.** verdoppeln; **2.** *Kartenspiel*: *j-m* Re'kontra geben; **II.** *v/i.* **3.** sich verdoppeln.

re·doubt [ri'daut] *s.* ⚔ **1.** Re'doute *f*; **2.** Schanze *f*; **re'doubt·a·ble** [-təbl] *adj. rhet.* (*a. iro.*) furchtbar, schrecklich.

re·dound [ri'daund] *v/i.* **1.** ausschlagen *od.* gereichen (*to* zu *j-s Ehre, Vorteil etc.*); **2.** zu'teil werden, erwachsen (*to dat.*, *from* aus); **3.** zu'rückfallen, -wirken (*upon* auf *acc.*).

re·draft ['ri:'drɑ:ft] **I.** *s.* **1.** neuer Entwurf; **2.** ✝ Rück-, Ri'kambiowechsel *m*; **II.** *v/t.* **3.** → *redraw I*.

re·draw ['ri:'drɔ:] [*irr.* → *draw*] **I.** *v/t.* neu entwerfen; **II.** *v/i.* ✝ zu'rücktras,sieren (*on, upon* auf *acc.*).

re·dress [ri'dres] **I.** *s.* **1.** Abhilfe *f* (*a.* ⚖): *legal* ~ Rechtshilfe; *to obtain* ~ *from s.o.* gegen j-n Regreß nehmen; **2.** Behebung *f*, Beseitigung *f*, Abschaffung *f e-s Übelstandes*; **3.** Wieder'gutmachung *f e-s Unrechts, Fehlers etc.*; **4.** Entschädigung *f* (for für); **II.** *v/t.* **5.** *Übelstand* beheben, beseitigen, (*dat.*) abhelfen; *Unrecht* wieder'gutmachen; *Gleichgewicht etc.* wieder'herstellen; **6.** ✈ *Flugzeug* in die nor'male Fluglage zu'rückbringen.

'red|-'short *adj. metall.* rotbrüchig; **'~-start** *s. orn.* Rotschwänzchen *n*; **'~-'tape** *adj.* büro'kratisch; **'~-'tap·ism** [-'teipizəm] *s.* Bürokra'tismus *m*; **'~-'tap·ist** [-'teipist] *s.* Büro'krat(in), 'Aktenmensch *m*.

re·duce [ri'dju:s] **I.** *v/t.* **1.** her'absetzen, vermindern, -ringern, -kleinern, reduzieren: ~*d scale* verjüngter Maßstab; *on a* ~*d scale* in verkleinertem Maßstab; **2.** *Preise* herabsetzen, ermäßigen: *at* ~*d prices* zu herabgesetzten Preisen; *at a* ~*d fare* zu ermäßigtem Fahrpreis; **3.** *im Rang, Wert etc.* herabsetzen, -mindern, -drücken, erniedrigen; *a.* ~ *to the ranks* ⚔ degradieren; **4.** schwächen, erschöpfen; (*finanziell*) erschüttern: *in* ~*d circumstances* in beschränkten Verhältnissen, verarmt; **5.** (*to*) verwandeln (in *acc.*, zu), machen (zu): *to* ~ *to pulp* zu Brei machen; ~*d to a skeleton* zum Skelett abgemagert; **6.** bringen (*to* zu): *to* ~ *to a system* in ein System bringen; *to* ~ *to rules* in Regeln fassen; *to* ~ *to writing* schriftlich niederlegen, aufzeichnen; *to* ~ *theories into practice* Theorien in die Praxis umsetzen; **7.** zu'rückführen, reduzieren (*to* auf *acc.*): *to* ~ *to absurdity* ad absurdum führen; **8.** zerlegen (*to* in *acc.*); **9.** einteilen (*to* in *acc.*); **10.** anpassen (*to dat. od.* an *acc.*); **11.** ⅍, ⚗, *biol.* reduzieren; *Gleichung* auflösen; *to* ~ *to a common denominator* auf e-n gemeinsamen Nenner bringen; **12.** *metall.* (aus-)schmelzen (*from* aus); **13.** zwingen, *zur Verzweiflung etc.* bringen: *to* ~ *to obedience* zum Gehorsam zwingen; *he was* ~*d to sell*(*ing*) *his house* er war gezwungen, sein Haus zu verkaufen; ~*d to tears* zu Tränen gerührt; **14.** unter'werfen, erobern; *Festung* zur 'Übergabe zwingen; **15.** beschränken (*to* auf *acc.*); **16.** *Farben etc.* verdünnen; **17.** *phot.* abschwächen; **18.** ⚕ einrenken, (wieder) einrichten; **II.** *v/i.* **19.** (an Gewicht) abnehmen; e-e Abmagerungskur machen; **re'duc·er** [-sə] *s.* **1.** ⚗ Redukti'onsmittel *n*; **2.** *phot.* a) Abschwächer *m*, b) Entwickler *m*; **3.** ⊕ a) Reduzierstück *n*, b) Unter'setzungsgetriebe *n*; **re'duc·i·ble** [-səbl] *adj.* **1.** reduzierbar (*a.* ⚕), zu'rückführbar (*to* auf *acc.*): *to be ~ to* sich reduzieren *od.* zurückführen lassen auf (*acc.*); **2.** verwandelbar (*to, into* in *acc.*); **3.** her'absetzbar.

re·duc·ing| a·gent [ri'dju:siŋ] *s.* ⚗ Redukti'onsmittel *n*; **~ coup·ling** *s.* ⊕ Redukti'ons(verbindungs)stück *n*; **~ di·et** *s.* Abmagerungskur *f*; **~ gear** *s.* ⊕ Unter'setzungsgetriebe *n*; **~ valve** *s.* ⊕ Redu'zierven,til *n.*

re·duc·tion [ri'dʌkʃən] *s.* **1.** Her'absetzung *f*, Verminderung *f*, -ringerung *f*, -kleinerung *f*, Reduzierung *f*: *~ in* (*od. of*) *prices* Preisherabsetzung, -ermäßigung; *~ in* (*od. of*) *wages* Lohnkürzung; *~ of interest* Zinsherabsetzung; *~ of staff* Personalabbau; **2.** (Preis)Nachlaß *m*, Abzug *m*, Ra'batt *m*; **3.** Verminderung *f*, Rückgang *m*: *import ~* † Einfuhrrückgang; **4.** Verwandlung *f* (*into, to* in *acc.*): *~ into gas* Vergasung; **5.** Zu'rückführung *f*, Reduzierung *f* (*to* auf *acc.*); **6.** Zerlegung *f* (*to* in *acc.*); **7.** ⚗ Redukti'on *f*; **8.** ⩓ Reduktion *f*, Kürzung *f*, Vereinfachung *f*; Auflösung *f von Gleichungen*; **9.** *metall.* (Aus-)Schmelzung *f*; **10.** Unter'werfung *f* (*to* unter *acc.*); Bezwingung *f*, ⚔ Niederkämpfung *f*; **11.** *phot.* Abschwächung *f*; **12.** *biol.* Reduktion *f*; **13.** ⚕ Einrenkung *f*; **14.** Verkleinerung *f* (*e-s Bildes etc.*); **~ com·pass·es** *s. pl.* Redukti'onszirkel *m*; **~ di·vi·sion** *s. biol.* Redukti'onsteilung *f*; **~ gear** *s.* ⊕ Redukti'ons-, Unter'setzungsgetriebe *n*; **~ ra·tio** *s.* ⊕ Unter'setzungsverhältnis *n.*

re·dun·dance [ri'dʌndəns], **re'dun·dan·cy** [-si] *s.* **1.** 'Überfluß *m*, -fülle *f*; **2.** 'Überflüssigkeit *f*; **3.** Wortfülle *f*; **4.** *ling.*, *Informatik*: Redun'danz *f*; **re'dun·dant** [-nt] *adj.* □ **1.** 'überreichlich, -mäßig; **2.** 'überschüssig, -zählig: *~ workers* freigesetzte (*entlassene*) Arbeitskräfte; **3.** 'überflüssig; **4.** üppig; **5.** 'überfließend (*of, with* von); **6.** über'laden (*Stil etc.*), *bsd.* weitschweifig; **7.** *ling.*, *Informatik*: redun'dant.

re·du·pli·cate [ri'dju:plikeit] *v/t.* **1.** verdoppeln; **2.** wieder'holen; **3.** *ling.* reduplizieren.

red wine *s.* Rotwein *m.*

re·dye ['ri:'dai] *v/t.* **1.** nachfärben; **2.** 'umfärben.

re·ech·o [ri(:)'ekou] **I.** *v/i.* 'widerhallen (*with* von); **II.** *v/t.* widerhallen lassen.

reed [ri:d] *s.* **1.** ⚘ Schilf *n*; (Schilf-)Rohr *n*; Ried(gras) *n*: *broken ~ fig.* schwankes Rohr; **2.** *pl. Brit.* (Dachdecker)Stroh *n*; **3.** Pfeil *m*; **4.** Rohrflöte *f*; **5.** ♪ **a)** (Rohr)Blatt *n*: *~ instruments, the ~s* Rohrblattinstrumente, **b)** *a. ~-stop* Zungenstimme *f* (*Orgel*); **6.** ⊕ Weberkamm *m*, Blatt *n*; **'~-bun·ting** *s. orn.* Rohrammer *f.*

re·ed·it ['ri:'edit] *v/t.* neu her'ausgeben.

re·ed·u·cate ['ri:'edju(:)keit] *v/t.* 'umschulen; **re·ed·u·ca·tion** ['ri:edju(:)'keiʃən] *s.* 'Umschulung *f.*

reed·y ['ri:di] *adj.* **1.** schilfig, schilfreich; **2.** lang u. schlank; **3.** dünn, piepsig, quäkend (*Stimme*).

reef[1] [ri:f] *s.* **1.** (Felsen)Riff *n*; **2.** *min.* Ader *f*, (*bsd.* goldführender Quarz)Gang.

reef[2] [ri:f] ⚓ **I.** *s.* Reff *n*; **II.** *v/t.* *Segel* reffen.

reef·er ['ri:fə] *s.* **1.** ⚓ **a)** Reffer *m*, **b)** *sl.* 'Seeka,dett *m*, **c)** Bord-, Ma'trosenjacke *f*, **d)** *Am. sl.* Kühlschiff *n*; **2.** *Am. sl.* **a)** 🚃, *mot.* Kühlwagen *m*, **b)** Kühlschrank *m*; **3.** *sl.* Marihu'ana-Ziga,rette *f.*

reek [ri:k] **I.** *s.* **1.** Gestank *m*, (üble) Ausdünstung, Geruch *m*; **2.** Dampf *m*, Dunst *m*, Qualm *m*; **II.** *v/i.* **3.** stinken, riechen (*of, with* nach), üble Dünste ausströmen; **4.** dampfen, rauchen (*with* von); **5.** *fig.* (*of, with*) sehr riechen (nach), voll sein (von); **'reek·y** [-ki] *adj.* **1.** dampfend, dunstend; **2.** rauchig.

reel[1] [ri:l] **I.** *s.* **1.** Haspel *f*, (*Garn- etc.*)Winde *f*; **2.** (*Garn-, Schlauch- etc.*)Rolle *f*, (*Bandmaß-, Farbband-, Film- etc.*)Spule *f*; ⚡ Kabeltrommel *f*; **3. a)** Film(streifen) *m*, **b)** (Film)Akt *m*; **II.** *v/t.* **4.** *a. ~ up* aufspulen, -wickeln, -rollen: *to ~ off* abhaspeln, -spulen, *fig.* herunterrasseln.

reel[2] [ri:l] *v/i.* **1.** sich (schnell) drehen, wirbeln: *my head ~s* mir schwindelt; **2.** wanken, taumeln: *to ~ back* zurücktaumeln.

reel[3] [ri:l] *s.* Reel *m* (*schottischer Volkstanz*).

re·e·lect ['ri:i'lekt] *v/t.* 'wiederwählen; **'re·e'lec·tion** [-kʃən] *s.* 'Wiederwahl *f*; **re·el·i·gi·ble** ['ri:'elidʒəbl] *adj.* 'wiederwählbar.

re·em·bark ['ri:im'bɑ:k] *v/t. u. v/i.* (sich) wieder einschiffen.

re·e·merge ['ri:i'mə:dʒ] *v/i.* wieder'auftauchen, -'auftreten.

re·en·act ['ri:i'nækt] *v/t.* **1.** wieder in Kraft setzen; **2.** *thea.* neu inszenieren; **3.** *fig.* wieder'holen; **'re·en'act·ment** [-mənt] *s.* **1.** ,Wieder-in'kraftsetzung *f*; **2.** *thea.* 'Neuinszenierung *f.*

re·en·gage ['ri:in'geidʒ] *v/t.* *j-n* wieder an- *od.* einstellen.

re·en·list ['ri:in'list] ⚔ *v/t. u. v/i.* (sich) weiter-, 'wiederverpflichten; (*nur v/i.*) kapitulieren: *~ed man* Kapitulant; **'re·en'list·ment** [-mənt] *s.* Wieder'anwerbung *f.*

re·en·ter ['ri:'entə] *v/t.* **1.** wieder betreten, wieder eintreten in (*acc.*); **2.** wieder eintragen (*in e-e Liste etc.*); **3.** ⊕ *Farben* auftragen; **re·en·trant** [ri:'entrənt] **I.** *adj.* ⩓ einspringend (*Winkel*); **II.** *s.* einspringender Winkel; **re·en·try** [ri:'entri] *s.* Wieder'eintreten *n*, -'eintritt *m* (*a.* ⚖ *in den Besitz*).

re·es·tab·lish ['ri:is'tæbliʃ] *v/t.* **1.** wieder'herstellen; **2.** wieder'einführen, neu gründen.

reeve[1] [ri:v] *s. Brit.* **a)** *hist.* Vogt *m*, **b)** Gemeindevorsteher *m* (*a. in Kanada*).

reeve[2] [ri:v] *v/t.* ⚓ *Tauende* einscheren.

re·ex·am·i·na·tion ['ri:igzæmi'neiʃən] *s.* **1.** Nachprüfung *f*, Wieder'holungsprüfung *f*; **2.** ⚖ **a)** nochmaliges (Zeugen)Verhör, **b)** nochmalige Unter'suchung.

re·ex·change ['ri:iks'tʃeindʒ] *s.* **1.** Rücktausch *m*; **2.** † Rück-, Gegenwechsel *m*; **3.** † Rückwechselkosten *pl.*

re·fash·ion ['ri:'fæʃən] *v/t.* 'umgestalten, -modeln.

re·fec·tion [ri'fekʃən] *s.* **1.** Erfrischung *f*; **2.** Imbiß *m*; **re'fec·to·ry** [-ktəri] *s.* Refek'torium *n* (*Speiseraum*).

re·fer [ri'fə:] **I.** *v/t.* **1.** verweisen, hinweisen (*to* auf *acc.*); **2.** *j-n um Auskunft, Referenzen etc.* verweisen (*to* an *j-n*); **3.** (zur Entscheidung *etc.*) über'geben, -'weisen (*to* an *acc.*): *to ~ back to* ⚖ *Rechtssache* zurückverweisen an *die Unterinstanz*; *~ to drawer* † an Aussteller zurück; **4.** (*to*) zuschreiben (*dat.*), zu'rückführen (auf *acc.*); **5.** zuordnen, -weisen (*to e-r Klasse etc.*); **II.** *v/i.* **6.** (*to*) verweisen, hinweisen, sich beziehen, Bezug haben (auf *acc.*), betreffen (*acc.*): *to ~ to s.th. briefly* et. kurz berühren; *~ring to my letter* Bezug nehmend auf mein Schreiben; *the point ~red to* der erwähnte *od.* betreffende Punkt; **7.** sich beziehen *od.* berufen, Bezug nehmen (*to* auf *j-n*); **8.** (*to*) sich wenden (an *acc.*), (*a. Uhr, Wörterbuch etc.*) befragen; (*in e-m Buch*) nachschlagen, -sehen; **ref·er·a·ble** [ri'fə:rəbl] *adj.* **1.** (*to*) zuzuschreiben(d) (*dat.*), zu'rückzuführen(d) (auf *acc.*); **2.** (*to*) zu beziehen(d) (auf *acc.*), bezüglich (*gen.*); **ref·er·ee** [refə'ri:] **I.** *s.* **1.** ⚖, *sport* Schiedsrichter *m*; ⚖ *a.* beauftragter Richter; *Boxen*: Ringrichter *m*; **2.** *parl. etc.* Refe'rent *m*, Berichterstatter *m*; **3.** ⚖ *etc.* Sachbearbeiter(in), -verständige(r *m*) *f*; **II.** *v/i.* **4.** als Schiedsrichter fungieren; **III.** *v/t.* **5.** Schiedsrichter sein bei; **ref·er·ence** ['refrəns] **I.** *s.* **1.** Verweis(ung *f*) *m*, Hinweis *m* (*to* auf *acc.*): *cross-~* Querverweis; *mark of ~* → *2 a u. 4*; **2. a)** Verweiszeichen *n*, **b)** Verweisstelle *f*, **c)** Beleg *m*, 'Unterlage *f*; **3.** Bezugnahme *f* (*to* auf *acc.*); *Patentrecht*: Entgegenhaltung *f*: *in* (*od. with*) *~ to* bezüglich (*gen.*); *for future ~* zu späterer Verwendung; *terms of ~* Richtlinien; *to have ~ to* sich beziehen auf (*acc.*); **4.** *a. ~ number* Akten-, Geschäftszeichen *n*; **5.** (*to*) Anspielung *f* (auf *acc.*), Erwähnung *f* (*gen.*): *to make ~ to* auf *et.* anspielen, *et.* erwähnen; **6.** (*to*) Zs.-hang *m* (mit), Beziehung *f* (zu): *to have no ~ to* nichts zu tun haben mit; *with ~ to him* was ihn betrifft; **7.** Rücksicht *f* (*to* auf *acc.*): *without ~ to* ohne Berücksichtigung (*gen.*); **8.** (*to*) Nachschlagen *n*, -sehen *n* (in *dat.*), Befragen *n* (*gen.*): *book* (*od. work*) *of ~* Nachschlagewerk; *~ library* Handbibliothek; **9.** (*to*) Befragung *f* (*gen.*), Rückfrage *f* (bei); **10.** ⚖ Über'weisung *f e-r Sache* (*to* an *ein Schiedsgericht etc.*); **11. a)** Refe'renz *f*, Empfehlung *f*; (*a.* Dienstboten-)Zeugnis *n*, **b)** Referenz *f* (*Auskunftgeber*); **II.** *adj.* **12.** ⊕ Bezugs...: *~ frequency*; *~ line* ⩓ Bezugslinie; **III.** *v/t.* **13.** Verweise anbringen in *e-m Buch*; **ref·er·en·dum** [refə'rendəm] *pl.* **-dums** *s. pol.* Volksentscheid *m*, -befragung *f*.

·re·fill ['riː'fil] **I.** *v/t.* wieder füllen, nach-, auffüllen; **II.** *v/i.* sich wieder füllen; **III.** *s.* ['riːfil] Nach-, Ersatzfüllung *f*; ⚡ Er'satzbatteˌrie *f*; Ersatzmine *f* (*Bleistift etc.*); Einlage *f* (*Ringbuch*).

re·fine [ri'fain] **I.** *v/t.* **1.** ⊕ veredeln, raffinieren, *bsd.* **a)** *Eisen* frischen, **b)** *Metall* feinen, **c)** *Stahl* gar machen, **d)** *Glas* läutern, **e)** *Petroleum, Zucker* raffinieren; **2.** *fig.* bilden, verfeinern, kultivieren; **3.** *fig.* läutern, vergeistigen; **II.** *v/i.* **4.** sich läutern; **5.** sich verfeinern *od.* kultivieren; **6.** klügeln, (her'um)tüfteln ([*up*]*on* an *dat.*): *to* ~ (*up*)*on* verbessern, weiterentwickeln; **re'fined** [-nd] *adj.* □ **1.** geläutert, raffiniert: ~ *sugar* Feinzucker, Raffinade; ~ *steel* Raffinierstahl; **2.** *fig.* fein, gebildet, kultiviert; **3.** *fig.* raffiniert, sub'til; **4.** ('über)fein, (-)genau; **re'fine·ment** [-mənt] *s.* **1.** ⊕ Veredelung *f*, Vergütungs-, Raffinati'onsbehandlung *f*; **2.** Verfeinerung *f*; **3.** Feinheit *f der Sprache, e-r Konstruktion etc.*, Raffi'nesse *f* (*des Luxus etc.*); **4.** Vornehm-, Feinheit *f*, Kultiviertheit *f*, gebildetes Wesen; **5.** Klüge'lei *f*, Spitzfindigkeit *f*; **re'finer** [-nə] *s.* **1.** ⊕ **a)** (Eisen)Frischer *m*, **b)** Raffi'neur *m*, (Zucker)Sieder *m*, **c)** *metall.* Vorfrischofen *m*; **2.** Verfeinerer *m*; **3.** Klügler(in), Haarspalter(in); **re'fin·er·y** [-nəri] *s.* ⊕ **1.** (*Öl-, Zucker- etc.*)Raffine'rie *f*; **2.** *metall.* (Eisen-, Frisch)Hütte *f*; **re'fin·ing fur·nace** [-niŋ] *s. metall.* Frisch-, Feinofen *m*.

re·fit ['riː'fit] **I.** *v/t.* **1.** wieder in'stand setzen, ausbessern; **2.** neu ausrüsten; **II.** *v/i.* **3.** ausgebessert *od.* über'holt werden; **III.** *s.* **4.** *a.* **re·fit·ment** [ri'fitmənt] Wiederin'standsetzung *f*, Ausbesserung *f*.

re·flect [ri'flekt] **I.** *v/t.* **1.** *Strahlen etc.* reflektieren, zu'rückwerfen, -strahlen: ~*ing power* Reflexionsvermögen; **2.** *Bild etc.* ('wider-)spiegeln: ~*ing telescope* Spiegelteleskop; **3.** *fig.* ('wider)spiegeln, zeigen: *to be* ~*ed in* sich (wider-)spiegeln in (*dat.*); *to* ~ *credit on s.o.* j-m Ehre machen; *our prices* ~ *your commission* ✝ unsere Preise enthalten Ihre Provision; **4.** über'legen (*that* daß, *how* wie); **II.** *v/i.* **5.** ([*up*]*on*) nachdenken, -sinnen (über *acc.*), (*et.*) überlegen; **6.** ~ (*up*)*on* **a)** sich abfällig äußern über (*acc.*), *et.* her'absetzen, **b)** ein schlechtes Licht werfen auf (*acc.*), *j-m* nicht gerade zur Ehre gereichen, **c)** *et.* ungünstig beeinflussen; **re'flec·tion** [-kʃən] *s.* **1.** *phys.* Reflexi'on *f*, Zu'rückstrahlung *f*; **2.** ('Wider-)Spiegelung *f* (*a. fig.*); Re'flex *m*, 'Widerschein *m*: *a faint* ~ *of fig.* ein schwacher Abglanz (*gen.*); **3.** Spiegelbild *n*; **4.** *fig.* Nachwirkung *f*, Einfluß *m*; **5. a)** Über'legung *f*, Erwägung *f*, **b)** Betrachtung *f*, Gedanke *m* (*on* über *acc.*): *on* ~ nach einigem Nachdenken; **6.** abfällige Bemerkung (*on* über *acc.*), Anwurf *m*: *to cast* ~*s upon* herabsetzen, in ein schlechtes Licht setzen; **7.** *anat.* **a)** Zu'rückbiegung *f*, **b)** zu'rückgebogener Teil; **8.** *physiol.* Re'flex *m*; **re'flec·tive** [-tiv] *adj.* □ **1.** reflektierend, zu'rückstrahlend; **2.** nachdenklich; **re'flec·tor** [-tə] *s.* **1.** Re'flektor *m*; **2.** Spiegel *m*; **3.** *mot.* Rückstrahler *m*; Katzenauge *n* (*Fahrrad etc.*); **4.** Scheinwerfer *m*; **re·flex** ['riːfleks] **I.** *s.* **1.** *physiol.* Re'flex *m*: ~ *action* (*od. movement*) Reflexbewegung; **2.** ('Licht)Reˌflex *m*, 'Widerschein *m*; *fig.* Abglanz *m*; ~ *camera* (Spiegel)Reflexkamera; **3.** Spiegelbild *n* (*a. fig.*); **II.** *adj.* **4.** zu'rückgebogen; **5.** Reflex..., Rück...; **re·flex·i·ble** [ri'fleksəbl] *adj.* reflektierbar; **re·flex·ion** → *reflection*; **re·flex·ive** [ri'fleksiv] **I.** *adj.* □ **1.** zu'rückwirkend; **2.** *ling.* refle'xiv, rückbezüglich, Reflexiv...; **II.** *s.* **3.** *ling.* **a)** rückbezügliches Fürwort *od.* Zeitwort, **b)** reflexive Form.

re·float ['riː'flout] *v/t. u. v/i.* ⚓ wieder flottmachen (flottwerden).

ref·lu·ent ['refluənt] *adj.* zu'rückflutend.

re·flux ['riːflʌks] *s.* Zu'rückfließen *n*, Rückfluß *m* (*a.* ✝ *von Kapital*).

re·for·est ['riː'fɔrist] *v/t. Land* aufforsten.

re·form[1] [ri'fɔːm] **I.** *s.* **1.** *pol. etc.* Re'form *f*, Verbesserung *f*; **2.** Besserung *f*: ~ *school* Besserungsanstalt; **II.** *v/t.* **3.** reformieren, verbessern; **4.** *j-n* bessern; **5.** *Mißstand etc.* beseitigen; **6.** ⚖ *Am. Urkunde* berichtigen; **III.** *v/i.* **7.** sich bessern.

re·form[2], **re-form** ['riː'fɔːm] **I.** *v/t.* 'umformen, -gestalten, -bilden, neu gestalten; **II.** *v/i.* sich 'umformen, sich neu gestalten.

ref·or·ma·tion[1] [refə'meiʃən] *s.* **1.** Reformierung *f*, Verbesserung *f*; **2.** Besserung *f des Lebenswandels etc.*; **3.** ♀ *eccl.* Reformati'on *f*; **4.** ⚖ *Am.* Berichtigung *f e-r Urkunde*.

re·for·ma·tion[2], **re-for·ma·tion** ['riːfɔː'meiʃən] *s.* 'Umbildung *f*, 'Um-, Neugestaltung *f*.

re·form·a·to·ry [ri'fɔːmətəri] **I.** *adj.* **1.** Besserungs...: ~ *measures* Besserungsmaßnahmen; **2.** Reform...; **II.** *s.* **3.** Besserungsanstalt *f*; **re'formed** [-md] *adj.* **1.** verbessert, neu u. besser gestaltet; **2.** gebessert: ~ *drunkard* geheilter Trinker; **3.** ♀ *eccl.* reformiert; **re'form·er** [-mə] *s.* **1.** *bsd. eccl.* Refor'mator *m*; **2.** *pol.* Re'former(in); **re'form·ist** [-mist] *s.* **1.** *eccl.* Reformierte(r *m*) *f*; **2.** → *reformer*.

re·fract [ri'frækt] *v/t. phys. Strahlen* brechen; **re'fract·ing** [-tiŋ] *adj. phys.* lichtbrechend, Brechungs..., Refraktions...: ~ *angle* Brechungswinkel; ~ *telescope* Refraktor; **re'frac·tion** [-kʃən] *s. phys.* **1.** (*Licht-, Strahlen*)Brechung *f*, Refrakti'on *f*; **2.** *opt.* Brechungskraft *f*; **re'frac·tive** [-tiv] *adj. phys.* Brechungs..., Refraktions...; **re'frac·tor** [-tə] *s. phys.* **1.** Lichtbrechungskörper *m*; **2.** Re'fraktor *m*; **re'frac·to·ri·ness** [-tərinis] *s.* **1.** 'Widerspenstigkeit *f*; **2.** 'Widerstandskraft *f*, *bsd.* **a)** ⚒ Strengflüssigkeit *f*, **b)** ⊕ Feuerfestigkeit *f*; **3.** ⚕ **a)** 'Widerstandsfähigkeit *f gegen Krankheiten*, **b)** Hartnäckigkeit *f e-r Krankheit*; **re'frac·to·ry** [-təri] **I.** *adj.* **1.** 'widerspenstig, aufsässig; **2.** ⚒ strengflüssig; **3.** ⊕ feuerfest: ~ *clay* Schamotte(ton); **4.** ⚕ **a)** 'widerstandsfähig (*Person*), **b)** hartnäckig (*Krankheit*); **II.** *s.* **5.** ⊕ feuerfester Baustoff.

re·frain[1] [ri'frein] **I.** *v/i.* (*from*) Abstand nehmen *od.* absehen (von), sich (*gen.*) enthalten: *to* ~ *from doing s.th.* et. unterlassen; es unterlassen, et. zu tun; **II.** *v/t. obs. et.* zu'rückhalten.

re·frain[2] [ri'frein] *s.* Re'frain *m*, Kehrreim *m*.

re·fran·gi·ble [ri'frændʒibl] *adj. phys.* brechbar.

re·fresh [ri'freʃ] **I.** *v/t.* **1.** erfrischen, erquicken (*a. fig.*); **2.** *fig. sein Gedächtnis* auffrischen; *Vorrat etc.* erneuern; **II.** *v/i.* **3.** sich erfrischen; **4.** frische Vorräte fassen (*Schiff etc.*); **re'fresh·er** [-ʃə] *s.* **1.** Erfrischung *f*; ‚Gläs·chen' *n* (*Trunk*); **2.** *fig.* Auffrischung *f*: ~ *course* Auffrischungs-, Wiederholungskurs; *paint* ~ ⊕ Neuglanzpolitur; **3.** ⚖ 'Nachschuß(honoˌrar *n*) *m e-s Anwalts*; **re'fresh·ing** [-ʃiŋ] *adj.* □ erfrischend (*a. fig. wohltuend*); **re'fresh·ment** [-mənt] *s.* Erfrischung *f* (*a. Getränk etc.*): ~ *room* Erfrischungsraum, (Bahnhofs)Büfett.

re·frig·er·ant [ri'fridʒərənt] **I.** *adj.* **1.** kühlend, Kühl...; **II.** *s.* **2.** ⚕ kühlendes Mittel, Kühltrank *m*; **3.** ⊕ Kühlmittel *n*; **re'frig·er·ate** [-reit] *v/t.* ⊕ kühlen; **re'frig·er·at·ing** [-reitiŋ] *adj.* ⊕ Kühl... (*-raum etc.*), Kälte...(*-maschine etc.*); **re·frig·er·a·tion** [rifridʒə'reiʃən] *s.* Kühlung *f*; Kälteerzeugung *f*, -technik *f*; **re'frig·er·a·tor** [-reitə] *s.* ⊕ Kühlschrank *m*, -raum *m*, -anlage *f*; 'Kältemaˌschine *f*: ~ *van Brit.*, ~ *car Am.* 🚃 Kühlwagen; ~ *van od. lorry Brit.*, ~ *truck Am. mot.* Kühlwagen; ~ *vessel* ⚓ Kühlschiff.

re·fu·el ['riː'fjuəl] *v/t. u. v/i. mot.*, ✈ (auf)tanken.

ref·uge ['refjuːdʒ] **I.** *s.* **1.** Zuflucht *f* (*a. fig. Ausweg, a. Person, Gott*), Schutz *m* (*from* vor): *to seek* (*od. take*) ~ *in fig.* s-e Zuflucht suchen in *od.* nehmen zu; *house of* ~ Obdachlosenasyl; **2.** Zuflucht *f*, Zufluchtsort *m*; **3.** *a.* ~ *hut mount.* Schutzhütte *f*; **4.** Verkehrsinsel *f*; **II.** *v/i.* **5.** Schutz suchen; **ref·u·gee** [refju(ː)'dʒiː] *s.* Flüchtling *m*: ~ *camp* Flüchtlingslager.

re·ful·gence [ri'fʌldʒəns] *s.* Glanz *m*, heller Schein; **re'ful·gent** [-nt] *adj.* □ glänzend, strahlend.

re·fund[1] **I.** *v/t.* [riː'fʌnd] **1.** *Geld* zu'rückzahlen, -erstatten, *Verlust, Auslagen* ersetzen, rückvergüten; **2.** *j-m* Rückzahlung leisten, *j-m* seine Auslagen ersetzen; **II.** *s.* ['riːfʌnd] **3.** Rückvergütung *f*.

re·fund[2] ['riː'fʌnd] *v/t.* ✝ *Anleihe etc.* neu fundieren.

re·fund·ment [ri'fʌndmənt] *s.* Rückvergütung *f*.

re·fur·bish ['riː'fəːbiʃ] *v/t.* aufpolieren.

re·fur·nish ['riː'fəːniʃ] *v/t.* wieder *od.* neu möblieren *od.* ausstatten.

re·fus·al [ri'fju:zəl] *s.* **1.** Ablehnung *f*, Zu'rückweisung *f e-s Angebots etc.*; **2.** Verweigerung *f e-r Bitte, des Gehorsams etc.*; **3.** abschlägige Antwort: *he will take no* ~ er läßt sich nicht abweisen; **4.** Weigerung *f* (*to do s.th.* et. zu tun); **5.** † Vorkaufsrecht *n*, Vorhand *f*: *first* ~ *of* erstes Anrecht auf (*acc.*); *to give s.o. the* ~ *of s.th.* j-m das Vorkaufsrecht auf e-e Sache einräumen.

re·fuse[1] [ri'fju:z] **I.** *v/t.* **1.** *Amt, Antrag, Kandidaten etc.* ablehnen; *Angebot* ausschlagen; *et. od. j-n* zu'rückweisen; *j-n* abweisen; *j-m e-e Bitte* abschlagen; **2.** *Befehl, Forderung, Gehorsam* verweigern; *Bitte* abschlagen; **3.** *Kartenspiel*: *Farbe* verweigern; **4.** *Hindernis* verweigern, scheuen vor (*dat.*) (*Pferd*); **II.** *v/i.* **5.** sich weigern, es ablehnen (*to do zu tun*): *he* ~*d to believe it* er wollte es einfach nicht glauben; *he* ~*d to be bullied* er ließ sich nicht tyrannisieren; *it* ~*d to work* es wollte nicht funktionieren, es ‚streikte'; **6.** absagen (*Gast*); **7.** scheuen (*Pferd*).

ref·use[2] ['refju:s] **I.** *s.* **1.** ⊕ Abfall *m*, Ausschuß *m*; **2.** (Küchen)Abfall *m*, Müll *m*; **II.** *adj.* **3.** wertlos; **4.** Abfall..., Müll...

ref·u·ta·ble ['refjutəbl] *adj.* □ wider'legbar; **ref·u·ta·tion** [refju(:)'teiʃən] *s.* Wider'legung *f*; **re·fute** [ri'fju:t] *v/t.* wider'legen.

re·gain [ri'gein] *v/t.* 'wiedergewinnen; *a. Bewußtsein etc.* 'wiedererlangen: *to* ~ *one's feet* wieder auf die Beine kommen; *to* ~ *the shore* den Strand wiedergewinnen (*erreichen*).

re·gal ['ri:gəl] *adj.* □ königlich (*a. fig. prächtig*); Königs...

re·gale [ri'geil] **I.** *v/t.* **1.** erfreuen, ergötzen; **2.** festlich bewirten: *to* ~ *o.s. on* sich laben an (*dat.*); **II.** *v/i.* **3.** (*on*) schwelgen (in *dat.*), sich gütlich tun (an *dat.*).

re·ga·li·a [ri'geiljə] *s. pl.* ('Krönungs-, 'Amts)In,signien *pl.*

re·gard [ri'gɑ:d] **I.** *v/t.* **1.** ansehen; betrachten (*a. fig. with* mit *Abneigung etc.*); **2.** *fig.* ~ *as* betrachten als, halten für: *to be* ~*ed as* gelten als *od.* für; **3.** *fig.* beachten, berücksichtigen; **4.** respektieren; **5.** achten, (hoch)schätzen; **6.** betreffen, angehen: *as* ~*s* was ... betrifft; **II.** *s.* **7.** *fester od. bedeutsamer* Blick; **8.** Hinblick *m*, -sicht *f* (*to* auf *acc.*): *in this* ~ in dieser Hinsicht; *in* ~ *to* (*od. of*), *with* ~ *to* hinsichtlich, bezüglich, was ... betrifft; *to have* ~ *to* **a)** sich beziehen auf (*acc.*), **b)** in Betracht ziehen; **9.** (*to, for*) Rücksicht(nahme) *f* (auf *acc.*), Beachtung *f* (*gen.*): *to pay no* ~ *to s.th.* sich um et. nicht kümmern; *without* ~ *to* (*od. for*) ohne Rücksicht auf (*acc.*); *to have no* ~ *for s.o.'s feelings* auf j-s Gefühle keine Rücksicht nehmen; **10.** (Hoch)Achtung *f* (*for* vor *dat.*); **11.** *pl.* Grüße *pl.*, Empfehlungen *pl.*: *with kind* ~*s to* mit herzlichen Grüßen an (*acc.*); *give him my (best)* ~*s* grüße ihn (herzlich) von mir; **re'gard·ful** [-ful] *adj.* □ **1.** achtsam, aufmerksam (*of* auf *acc.*); **2.** rücksichtsvoll (*of* gegen); **re'gard·ing** [-diŋ] *prp.* bezüglich, betreffs, hinsichtlich (*gen.*); **re'gard·less** [-lis] **I.** *adj.* □ **1.** ~ *of* ungeachtet (*gen.*), ohne Rücksicht auf (*acc.*); **2.** rücksichts-, achtlos; **II.** *adv.* **3.** F ohne Rücksicht auf Kosten *etc.*

re·gat·ta [ri'gætə] *s.* Re'gatta *f.*

re·gen·cy ['ri:dʒənsi] *s.* **1.** Re'gentschaft *f* (*Amt, Gebiet, Periode*); **2.** ♀ *hist.* Regentschaft(szeit) *f*, *bsd.* **a)** Ré'gence *f* (*in Frankreich, des Herzogs Philipp von Orléans [1715-23]*), **b)** *in England (1811-30), von Georg, Prinz von Wales (später Georg IV.)*.

re·gen·er·ate [ri'dʒenəreit] **I.** *v/t. u. v/i.* **1.** (sich) regenerieren (*a. biol., phys.*, ⊕), (sich) erneuern, (sich) neu *od.* wieder bilden; (sich) wieder erzeugen: *to be* ~*d eccl.* wiedergeboren werden; **2.** *fig.* (sich) bessern *od.* reformieren; **3.** *fig.* (sich) neu beleben; **4.** ⚡ rückkoppeln; **II.** *adj.* [-rit] **5.** ge- *od.* verbessert, reformiert; 'wiedergeboren; **re·gen·er·a·tion** [ridʒenə'reiʃən] *s.* **1.** Regenerati'on *f* (*a. biol.*), Erneuerung *f*; **2.** *eccl.* 'Wiedergeburt *f*; **3.** Besserung *f*; **4.** ⚡ Rückkopplung *f*; **5.** ⊕ Regenerierung *f*, 'Wiedergewinnung *f*; **re'gen·er·a·tive** [-nərətiv] *adj.* □ **1.** (ver)bessernd; **2.** neuschaffend; **3.** Erneuerungs..., Verjüngungs...; **4.** ⚡ Rückkopplungs...

re·gent ['ri:dʒənt] *s.* **1.** Re'gent(in): *Queen* ♀ Regentin; *Prince* ♀ Prinzregent; **2.** *univ. Am.* Mitglied *n* des 'Aufsichtskomi,tees; **'re·gent·ship** [-ʃip] *s.* Re'gentschaft *f.*

reg·i·cide ['redʒisaid] *s.* **1.** Königsmörder *m*; **2.** Königsmord *m.*

re·gime, *a.* **ré·gime** [rei'ʒi:m] *s.* **1.** *pol.* Re'gime *n*, Regierungsform *f*; **2.** (vor)herrschendes Sy'stem: *matrimonial* ~ ⚖ eheliches Güterrecht; **3.** → *regimen 1.*

reg·i·men ['redʒimen] *s.* **1.** ⚕ gesunde Lebensweise, *bsd.* Di'ät *f*; **2.** Regierung *f*, Herrschaft *f*; **3.** *ling.* Rekti'on *f.*

reg·i·ment **I.** *s.* ['redʒimənt] **1.** ⚔ Regi'ment *n*; **2.** *fig.* (große) Schar; **II.** *v/t.* ['redʒiment] **3.** *fig.* reglementieren, bevormunden; **4.** organisieren, syste'matisch einteilen.

reg·i·men·tal [redʒi'mentl] *adj.* □ Regiments...: ~ *officer Brit.* Truppenoffizier; **reg·i·men·tals** [redʒi'mentlz] *s. pl.* ⚔ (Regi'ments)Uni,form *f*; **reg·i·men·ta·tion** [redʒimen'teiʃən] *s.* **1.** Organisierung *f*, Einteilung *f*; **2.** Reglementierung *f*, Diri'gismus *m*, Bevormundung *f.*

Re·gi·na [ri'dʒainə] (*Lat.*) *s. Brit.* ⚖ *die* Königin; *weitS. die* Krone, *der* Staat: ~ *versus John Doe.*

re·gion ['ri:dʒən] *s.* **1.** Gebiet *n* (*a. meteor.*), (*a.* ⚕ *Körper*)Gegend *f*, (*a. Höhen-, Tiefen*)Regi'on *f*, Landstrich *m*; (Verwaltungs)Bezirk *m*; **2.** *fig.* Gebiet *n*, Bereich *m*, Sphäre *f*; (*a. himmlische etc.*) Region: *in the* ~ *of* von ungefähr ...; **'re·gion·al** [-dʒənl] *adj.* □ regio'nal; örtlich, lo'kal (*beide a.* ⚕); Orts...; Bezirks...: ~ (*station*) *Radio*: Bezirkssender.

reg·is·ter ['redʒistə] **I.** *s.* **1.** *amtliches* Re'gister, (Eintragungs)Buch *n*, (*a.* Inhalts)Verzeichnis *n*; (*Wähler- etc.*)Liste *f*: ~ *of births, marriages, and deaths* Personenstandsregister; ~ *of companies* Handelsregister; (*ship's*) ~ Schiffsregister; ~ *ton* ⚓ Registertonne; **2.** ⊕ **a)** Registriervorrichtung *f*, Zählwerk *n*: *cash* ~ Registrier-, Kontrollkasse, **b)** Schieber *m*, Klappe *f*, Ven'til *n*; **3.** ♪ **a)** ('Orgel)Re,gister *n*, **b)** Stimm-, Tonlage *f*, **c)** 'Stimm,umfang *m*; **4.** *typ.* Re'gister *n*; **5.** *phot.* genaue Einstellung; **6.** → *registrar*; **II.** *v/t.* **7.** registrieren, (in ein Register *etc.*) eintragen *od.* -schreiben (lassen), anmelden (*for school* zur Schule); *weitS.* amtlich erfassen; (*a. fig. Erfolg etc.*) verzeichnen, -buchen: *to* ~ *a company* e-e Firma handelsgerichtlich eintragen; **8.** † *Warenzeichen* anmelden; *Artikel* gesetzlich schützen; **9.** *Postsachen* einschreiben (lassen); *Gepäck* aufgeben; **10.** ⊕ *Meßwerte* registrieren, anzeigen; **11.** *fig. Empfindung* zeigen, ausdrücken; **12.** *typ.* in das Re'gister bringen; **13.** ⚔ *Geschütz* einschießen; **III.** *v/i.* **14.** sich (in das Ho'telre,gister, in die Wählerliste *etc.*) eintragen (lassen); **15.** sich (an)melden (*at, with* bei *der Polizei etc.*); **16.** *typ.* Register halten; **17.** ⚔ sich einschießen; **'reg·is·tered** [-əd] *adj.* **1.** eingetragen († *Geschäftssitz, Gesellschaft, Warenzeichen*); **2.** † gesetzlich geschützt: ~ *design* (*od. pattern*) Gebrauchsmuster; **3.** † registriert, Namens...: ~ *bonds* Namensschuldverschreibungen; ~ *capital* autorisiertes (Aktien)Kapital; ~ *share* (*Am. stock*) Namensaktie; **4.** ✉ eingeschrieben, Einschreibe...(*-brief etc.*): ~! Einschreiben!; **reg·is·trar** [redʒis'trɑ:] *s.* Regi'strator *m*, Archi'var *m*, Urkundsbeamte(r) *m*; *bsd. Brit.* Standesbeamte(r) *m*: ~*'s office* **a)** Standesamt, **b)** Registratur; ♀*-General Brit.* oberster Standesbeamter; ~ *in bankruptcy* ⚖ *Brit.* Konkursrichter; **reg·is·tra·tion** [redʒis'treiʃən] *s.* **1.** (*bsd.* amtliche) Registrierung, Erfassung *f*; Eintragung *f* (*a.* † *e-r Gesellschaft, e-s Warenzeichens*); *mot.* Zulassung *f e-s Fahrzeugs*; **2.** (*polizeiliche, a. Hotel-, Schul- etc.*)Anmeldung, Einschreibung *f*: *compulsory* ~ (An)Meldepflicht; ~ *fee* Anmelde-, Einschreibgebühr, † Umschreibungsgebühr (*Aktien*); ~ *form* (An-)Meldeformular; ~ *office* Meldestelle, Einwohnermeldeamt; **3.** Zahl *f* der Erfaßten, registrierte Zahl; **4.** ✉ Einschreibung *f*; **5.** *a.* ~ *of luggage bsd. Brit.* Gepäckaufgabe *f*: ~ *window* Gepäckschalter; **'reg·is·try** [-tri] *s.* **1.** Registrierung *f* (*a. e-s Schiffs*): ~ *fee Am.* Anmelde-, Einschreibegebühr; *port of* ~ ⚓ Registerhafen; **2.** Re'gister *n*; **3.** *a.* ~ *office* **a)** Registra'tur *f*, **b)** Standesamt *n*, **c)** 'Stellenver,mittlungsbü,ro *n.*

reg·let ['reglit] *s.* **1.** △ Leistchen *n*; **2.** *typ.* **a)** Re'glette *f*, **b)** ('Zeilen-),Durchschuß *m.*

reg·nant ['regnənt] *adj.* regierend; *fig.* (vor)herrschend.

re·gress **I.** *v/i.* [ri'gres] **1.** *ast. u. fig.*

zu'rückgehen; **II.** *s.* ['ri:gres] **2.** Rückkehr *f*; **3.** *fig.* Rückgang *m*, -schritt *m*; **re'gres·sion** [-eʃən] *s.* **1.** → *regress 2 u. 3*; **2.** *biol.* Rückbildung *f*; **3.** *psych.* Regressi'on *f*; **re'gres·sive** [-siv] *adj.* □ **1.** rückläufig, -gängig; **2.** rückwirkend (*Steuer etc., a. ling. Akzent*); **3.** *biol.* regres'siv.

re·gret [ri'gret] **I.** *s.* **1.** Bedauern *n* (*at* über *acc.*): *to my* ~ zu m-m Bedauern, leider; **2.** Reue *f*; **3.** Schmerz *m*, Trauer *f* (*for* um); **II.** *v/t.* **4.** bedauern: *it is to be* ~*ted* es ist bedauerlich; *I* ~ *to say* ich muß leider sagen; **5.** *Vergangenes etc., a. Tote* beklagen, trauern um, *j-m od. e-r Sache* nachtrauern; **re'gret·ful** [-ful] *adj.* □ bedauernd, reue-, kummervoll; **re'gret·ful·ly** [-fuli] *adv.* mit Bedauern; **re'gret·ta·ble** [-təbl] *adj.* □ **1.** bedauerlich; **2.** bedauernswert, zu bedauern(d); **re'gret·ta·bly** [-təbli] *adv.* bedauerlicherweise.

re·grind ['ri:'graind] *v/t.* [*irr.* → *grind*] ⊕ nachschleifen.

re·group ['ri:'gru:p] *v/t.* 'um-, neugruppieren, (*a.* ⚕ *Kapital*) 'umschichten.

reg·u·lar ['regjulə] **I.** *adj.* □ **1.** *zeitlich* regelmäßig; 🚂 *etc.* fahrplanmäßig: ~ *air service* regelmäßiger Luftverkehr; ~ *business* ⚕ laufende Geschäfte; ~ *customer* Stammkunde; *at* ~ *intervals* in regelmäßigen Abständen; **2.** regelmäßig (*in Form od. Anordnung*), ebenmäßig; sym'metrisch; **3.** regelmäßig, geregelt, geordnet (*Lebensweise etc.*); **4.** pünktlich, genau; **5.** regu'lär, nor'mal, gewohnt; **6.** richtig, geprüft, gelernt: *a* ~ *cook*; ~ *doctor* approbierter Arzt; **7.** richtig, vorschriftsmäßig, formgerecht; **8.** F ‚richtig (-gehend)': ~ *rascal*; *a* ~ *guy Am.* ein Pfundskerl; **9.** ⚔ **a)** regu'lär (*Kampftruppe*), **b)** Berufs..., ak'tiv (*Heer, Soldat*); **10.** *eccl.* Ordens...; **II.** *s.* **11.** Ordensgeistliche(r) *m*; **12.** ⚔ ak'tiver Sol'dat, Be'rufssol'dat *m*; *pl.* regu'läre Truppen *pl.*; **13.** *pol. Am.* treuer Par'teianhänger; **14.** F Stammkunde *m*, -kundin *f*, -gast *m*; **reg·u·lar·i·ty** [regju'læriti] *s.* **1.** Regelmäßigkeit *f*: **a)** Gleichmäßigkeit *f*, Stetigkeit *f*, **b)** regelmäßige Form; **2.** Ordnung *f*, Richtigkeit *f*; **'reg·u·lar·ize** [-əraiz] *v/t.* (gesetzlich) regeln *od.* festlegen.

reg·u·late ['regjuleit] *v/t.* **1.** *Geschäft, Verdauung, Verkehr etc.* regeln; ordnen; (*a.* ⚕ *Wirtschaft*) lenken; **2.** ⚖ (gesetzlich) regeln; **3.** ⊕ **a)** *Geschwindigkeit etc.* regulieren, regeln, **b)** *Gerät, Uhr* (ein-) stellen; **4.** anpassen (*according to* an *acc.*); **'reg·u·lat·ing** [-tiŋ] *adj.* ⊕ Regulier..., (Ein)Stell...: ~ *screw* Stellschraube; ~ *switch* Regelschalter; **reg·u·la·tion** [regju'leiʃən] **I.** *s.* **1.** Regelung *f*, Regulierung *f* (*a.* ⊕); ⊕ Einstellung *f*; **2.** Verfügung *f*, (Ausführungs)Verordnung *f*; *pl.* **a)** 'Durchführungsbestimmungen *pl.*, **b)** Satzung(en *pl.*) *f*, Sta'tuten *pl.*, **c)** (Dienst-, Betriebs)Vorschrift *f*: ~*s of the works* Betriebsordnung; *traffic* ~*s* Verkehrsvorschriften; *according to* ~*s* nach Vorschrift, vorschriftsmäßig; *contrary to* ~*s* vorschriftswidrig; **II.** *adj.* **3.** vorschriftsmäßig; ⚔ *a.* Dienst...(-*mütze etc.*); **'reg·u·la·tive** [-lətiv] *adj.* regelnd, regulierend, *a. phls.* regula'tiv; **'reg·u·la·tor** [-tə] *s.* **1.** ⚡ Regler *m*: *automatic* ~ Selbst-, Schnellregler; **2.** *Uhrmacherei*: Regu'lator *m* (*a. Uhr*); **3.** ⊕ Regulier-, Stellvorrichtung *f*, Steuerung *f*: ~ *valve* Reglerventil; **'reg·u·la·to·ry** [-leitəri] *adj.* Durch-, Ausführungs...

re·gur·gi·tate [ri'gə:dʒiteit] **I.** *v/i.* zu'rückfließen; **II.** *v/t.* wieder ausströmen, -speien; *Essen* erbrechen.

re·ha·bil·i·tate [ri:ə'biliteit] *v/t.* **1.** rehabilitieren: **a)** wieder'einsetzen (*in* in *acc.*), **b)** *j-s* Ruf wieder'herstellen; **2.** *et. od. j-n* wiederherstellen; **3.** ⚖ *Strafentlassenen* resozialisieren; **4.** ⚔ *Truppen* auffrischen; **re·ha·bil·i·ta·tion** ['ri:əbili'teiʃən] *s.* **1.** Rehabilitierung *f*: **a)** Wieder'einsetzung *f* (*in frühere Rechte*), **b)** Ehrenrettung *f*, **c)** *a. vocational* ~ Wieder'eingliederung *f* ins Berufsleben; **2.** Wieder'herstellung *f*; ⚕ Sanierung *f*: *industrial* ~ wirtschaftlicher Wiederaufbau; **3.** *a. social* ~ ⚖ Resozialisierung *f*.

re·hash ['ri:'hæʃ] **I.** *s.* **1.** *fig. et.* Aufgewärmtes, Wieder'holung *f*; **2.** Wieder'aufwärmen *n*; **II.** *v/t.* **3.** *fig.* wieder'aufwärmen, 'wiederkäuen, neu auftischen.

re·hear·ing ['ri:'hiəriŋ] *s.* ⚖ erneute Verhandlung.

re·hears·al [ri'hə:səl] *s.* **1.** *thea.*, ♪ Probe *f*: *to be in* ~ einstudiert werden; *final* ~ Generalprobe; **2.** Einstudierung *f*; **3.** Wieder'holung *f*; **4.** Aufsagen *n*, Vortrag *m*; **re·hearse** [ri'hə:s] *v/t.* **1.** *thea.*, ♪ *et.* proben (*a. v/i.*), *Rolle etc.* einstudieren; **2.** wieder'holen; **3.** aufzählen; **4.** aufsagen, rezitieren; **5.** *fig. Möglichkeiten etc.* 'durchspielen.

reign [rein] **I.** *s.* **1.** Regierung *f*, Regierungszeit *f*: *in* (*od. under*) *the* ~ *of* unter der Regierung (*gen.*); **2.** Herrschaft *f* (*a. fig. der Mode etc.*): ~ *of law* Rechtsstaatlichkeit; ♀ *of Terror* Schreckensherrschaft; **II.** *v/i.* **3.** regieren, herrschen (*over* über *acc.*); **4.** *fig.* (vor)herrschen: *silence* ~*ed* es herrschte Stille.

re·im·burs·a·ble [ri:im'bə:səbl] *adj.* rückzahlbar; **re·im·burse** [ri:im'bə:s] *v/t.* **1.** *j-n* entschädigen (*for* für): *to* ~ *o.s.* sich entschädigen *od.* schadlos halten; **2.** *et.* zu'rückzahlen, vergüten, *Auslagen* erstatten, *Kosten* decken; **re·im'burse·ment** [-mənt] *s.* **1.** Entschädigung *f*; **2.** ('Wieder)Erstattung *f*, (Rück)Vergütung *f*, (Kosten)Deckung *f*: ~ *credit* ⚕ Rembourskredit.

rein [rein] **I.** *s.* **1.** *oft pl.* Zügel *m mst pl.* (*a. fig.*): *to draw* ~ anhalten, zügeln (*a. fig.*); *to give a horse the* ~(*s*) die Zügel locker lassen; *to give free* ~(*s*) *to s-r Phantasie* freien Lauf lassen *od.* die Zügel schießen lassen; *to keep a tight* ~ *on j-n* fest an der Kandare haben; **II.** *v/t.* **2.** *Pferd* aufzäumen; **3.** lenken: *to* ~ *back* (*od. in, up*) (*a. v/i.*) **a)** anhalten, **b)** verhalten; **4.** *a.* ~ *in fig.* zügeln, im Zaum halten; *to take* (*od. assume*) *the* ~*s of government* die Zügel (der Regierung) in die Hand nehmen.

re·in·car·na·tion ['ri:inkɑ:'neiʃən] *s.* Re-inkarnati'on *f*: **a)** (Glaube *m* an die) Seelenwanderung *f*, **b)** 'Wiederverkörperung *f*, -geburt *f*.

rein·deer ['reindiə] *pl.* **-deer** *od.* **-deers** *s. zo.* Ren(ntier) *n*.

re·in·force [ri:in'fɔ:s] **I.** *v/t.* **1.** verstärken (*a.* ⊕, *Gewebe etc., a.* ⚔); ⊕ *Beton* armieren: ~*d concrete* Eisen-, Stahlbeton; **2.** *fig. Gesundheit* kräftigen; *Beweis* unter'mauern; **II.** *s.* **3.** ⊕ Verstärkung *f*; **re·in'force·ment** [-mənt] *s.* **1.** Verstärkung *f*; Armierung *f* (*Beton*); *pl.* ⚔ Verstärkungstruppen *pl.*; **2.** *fig.* Stärkung *f*.

re·in·stall ['ri:in'stɔ:l] *v/t.* wieder'einsetzen; **'re·in'stal(l)·ment** [-mənt] *s.* Wieder'einsetzung *f*.

re·in·state ['ri:in'steit] *v/t.* **1.** *j-n* wieder'einsetzen (*in* in *acc.*); **2.** *et.* (wieder) in'stand setzen; **3.** *j-n od. et.* wieder'herstellen; *Versicherung etc.* wieder'aufleben lassen; **'re·in'state·ment** [-mənt] *s.* **1.** Wieder'einsetzung *f*; **2.** Wieder'herstellung *f*.

re·in·sur·ance ['ri:in'ʃuərəns] *s.* ⚕ Rückversicherung *f*; **re·in·sure** ['ri:in'ʃuə] *v/t.* **1.** rückversichern; **2.** nachversichern.

re·in·vest·ment ['ri:in'vestmənt] *s.* ⚕ Neu-, 'Wiederanlage *f*.

re·is·sue ['ri:'isju:; *bsd. Am.* 'ri:'iʃu:] **I.** *v/t.* **1.** *Banknoten etc.* wieder ausgeben; **2.** *Buch* neu her'ausgeben; **II.** *s.* **3.** 'Wieder-, Neuausgabe *f*: ~ *patent* Abänderungspatent.

re·it·er·ate [ri:'itəreit] *v/t.* (ständig) wieder'holen; **re·it·er·a·tion** ['ri:itə'reiʃən] *s.* Wieder'holung *f*.

re·ject I. *v/t.* [ri'dʒekt] **1.** *Antrag, Kandidaten, Lieferung, Verantwortung etc.* ablehnen; *Ersuchen, Freier etc.* ab-, zu'rückweisen; *Bitte* abschlagen; *et.* verwerfen; *Nahrung* verweigern: *to be* ~*ed pol. u. thea.* durchfallen; **2.** (als wertlos) ausscheiden; **3.** *Essen* wieder von sich geben (*Magen*); **4.** ⚕ *körperfremdes Gewebe etc.* abstoßen; **II.** *s.* ['ri:dʒekt] **5.** ⚔ Ausgemusterte(r) *m*, Untaugliche(r) *m*; **6.** ⚕ 'Ausschußar'tikel *m*; **re·jec·ta·men·ta** [ridʒektə'mentə] *s. pl.* **1.** Abfälle *pl.*; **2.** Strandgut *n*; **3.** *physiol.* Exkre'mente *pl.*; **re'jec·tion** [-kʃən] *s.* **1.** Ablehnung *f*, Zu'rückweisung *f*, Verwerfung *f*; ⚕, ⊕ Abnahmeverweigerung *f*; **2.** Ausscheidung *f*; **3.** *pl.* Ausschußartikel *pl.*; **4.** ⚕ Abstoßung *f*; **5.** *pl. physiol.* Exkremente *pl.*; **re'jec·tor** [-tə] *s. a.* ~ *circuit* ⚡ Sperrkreis *m*.

re·joice [ri'dʒɔis] **I.** *v/i.* **1.** sich freuen, froh'locken (*in, at* über *acc.*); **2.** ~ *in* sich *e-r Sache* erfreuen; **II.** *v/t.* **3.** erfreuen: ~*d at* (*od. by*) erfreut über (*acc.*); **re'joic·ing** [-siŋ] **I.** *s.* **1.** Freude *f*, Froh'locken *n*; **2.** *oft pl.* (Freuden)Fest *n*, Lustbarkeit(en *pl.*) *f*; **II.** *adj.* □ **3.** erfreut, froh (*in, at* über *acc.*).

re·join ['ri:'dʒɔin] *v/t. u. v/i.* (sich) 'wiedervereinigen (*to, with* mit), (sich) wieder zs.-fügen.

re·join[1] ['ri:'dʒɔin] *v/t.* sich wieder anschließen (*dat.*) *od.* an (*acc.*), wieder eintreten in *e-e Partei etc.*;

wieder zu'rückkehren zu, *j-n* wieder treffen.

re·join[2] [ri'dʒɔin] *v/t. u. v/i.* erwidern; **re'join·der** [-də] *s.* Erwiderung *f*; ⚖ Du'plik *f*.

re·ju·ve·nate [ri'dʒu:vineit] *v/t. u. v/i.* (sich) verjüngen; **re·ju·ve·na·tion** [ridʒu:vi'neiʃən] *s.* Verjüngung *f*.

re·ju·ve·nesce [ri:dʒu:vi'nes] *v/t. u. v/i.* (sich) verjüngen (*a. biol.*); **re·ju·ve'nes·cence** [-sns] *s. biol.* Zell-)Verjüngung *f*.

re·kindle ['ri:'kindl] **I.** *v/t.* **1.** wieder anzünden; **2.** *fig.* wieder entfachen, neu beleben; **II.** *v/i.* **3.** sich wieder entzünden; **4.** *fig.* wieder entbrennen, wieder'aufleben.

re·lapse [ri'læps] **I.** *v/i.* **1.** zu'rückfallen, wieder (ver)fallen (*into* in *acc.*); **2.** rückfällig werden; ⚕ e-n Rückfall bekommen; **II.** *s.* **3.** Rückfall *m*.

re·late [ri'leit] **I.** *v/t.* **1.** berichten, erzählen (*to s.o.* j-m); **2.** in Beziehung *od.* Zs.-hang bringen, verbinden (*to, with* mit); **II.** *v/i.* **3.** sich beziehen, Bezug haben (*to* auf *acc.*): *relating to* in bezug auf (*acc.*), bezüglich (*gen.*); **re'lat·ed** [-tid] *adj.* verwandt (*to, with* mit) (*a. fig.*): ~ *by marriage* verschwägert.

re·la·tion [ri'leiʃən] *s.* **1.** Bericht *m*, Erzählung *f*; **2.** Beziehung *f* (*a. pol.*, ✝, ⚗), (*a. Vertrags-, Vertrauens- etc.*)Verhältnis *n*; (*kausaler etc.*) Zs.-hang; Bezug *m*: *business* ~*s* Geschäftsbeziehungen; *human* ~*s* (innerbetriebliche) Kontaktpflege; *in* ~ *to* in bezug auf (*acc.*); *to be out of all* ~ *to* in keinem Verhältnis stehen zu; *to bear no* ~ *to* nichts zu tun haben mit; → *public 3*; **3. a)** Verwandte(r *m*) *f*, **b)** Verwandtschaft *f* (*a. fig.*): *what* ~ *is he to you?* wie ist er mit dir verwandt?; **re'la·tion·ship** [-ʃip] *s.* **1.** Beziehung *f*, (*a. Rechts*)Verhältnis *n* (*to* zu); **2.** Verwandtschaft *f* (*to* mit) (*a. coll. u. fig.*).

rel·a·tive ['relətiv] **I.** *adj.* □ **1.** bezüglich, sich beziehend (*to* auf *acc.*): ~ *value* ⚗ Bezugswert; ~ *to* bezüglich, hinsichtlich (*gen.*); **2.** rela'tiv, verhältnismäßig, Verhältnis...; **3.** (*to*) abhängig (von), bedingt (durch); **4.** gegenseitig, entsprechend, jeweilig; **5.** *ling.* bezüglich, Relativ...; **6.** ♪ paral'lel (*Tonart*); **II.** *s.* **7.** Verwandte(r *m*) *f*; **8.** *ling.* Rela'tivpro,nomen *n*; **9.** *phls.* Relati'onsbegriff *m*; **'rel·a·tive·ness** [-nis] *s.* Relativi'tät *f*; **'rel·a·tiv·ism** [-vizəm] *s.* *phls.* Relati'vismus *m*; **rel·a·tiv·i·ty** [relə'tiviti] *s.* **1.** Relativität *f*: *theory of* ~ *phys.* Relativitätstheorie; **2.** Abhängigkeit *f* (*to* von).

re·lax [ri'læks] **I.** *v/t.* **1.** *Muskeln etc.*, ⊕ *Feder* entspannen; (*a. fig. Disziplin, Vorschrift etc.*) lockern: ~*ing climate* Schonklima; **2.** in *s-n Anstrengungen etc.* nachlassen; **3.** ⚕ den Leib öffnen; **II.** *v/i.* **4.** sich entspannen (*Muskeln etc., a. Geist, Person*); ausspannen, sich erholen (*Person*); es sich bequem machen; **5.** sich lockern (*Griff, Seil etc.*) (*a. fig.*); **6.** nachlassen (*in* in *e-r Bemühung etc.*) (*a. Sturm etc.*); **7.** milder *od.* freundlicher werden; **re·lax·a·tion** [ri:læk'seiʃən] *s.* **1.** Entspannung *f* (*a. fig. Erholung*); Lokkerung *f* (*a. fig.*); Erschlaffung *f*; **2.** Nachlassen *n*; **3.** Milderung *f*, Erleichterung *f e-r Strafe etc.*

re·lay [ri'lei] **I.** *s.* **1. a)** frisches Gespann, **b)** Pferdewechsel *m*, **c)** *fig.* ✝, ⚔ Ablösung(smannschaft) *f*: ~ *attack* ⚔ rollender Angriff; *in* ~*s* ⚔ in rollendem Einsatz; **2.** *sport* **a)** *a.* ~*-race* Staffellauf *m*, -rennen *n*, **b)** Staffel *f*, **c)** Teilstrecke *f*; **3.** ['ri:'lei] **a)** ⚡ Re'lais *n*: ~ *station* Relais-, Zwischensender; ~ *switch* Schaltschütz, **b)** *Radio*: Über'tragung *f*; **II.** *v/t.* **4.** *allg.* weitergeben; **5.** ['ri:'lei] ⚡ mit Relais steuern; *Radio*: (mit Relais) über'tragen.

re-lay ['ri:'lei] *v/t.* [*irr.* → *lay*[1]] **1.** ⊕ neu (ver)legen; **2.** ⚔ *Geschütz* nachrichten.

re·lease [ri'li:s] **I.** *s.* **1.** (Haft)Entlassung *f*, Freilassung *f* (*from* aus); **2.** *fig.* Befreiung *f*, Erlösung *f* (*from* von); **3.** Entlastung *f* (*a. e-s Treuhänders etc.*), Entbindung *f* (*from* von *e-r Pflicht*); **4.** Freigabe *f* (*Buch, Film, Vermögen etc.*): *first* ~ *Film*: Uraufführung; (*press*) ~ (Presse-) Verlautbarung; ~ *of energy* Freiwerden von Energie; **5.** ⚖ **a)** Verzicht(leistung *f*, -urkunde *f*) *m*, **b)** ('Rechts)Über,tragung *f*, **c)** Quittung *f*; **6.** ⊕, *phot.* **a)** Auslöser *m*, **b)** Auslösung *f*: ~ *of bombs* ⚔ Bombenabwurf; **II.** *v/t.* **7.** *Häftling* ent-, freilassen; **8.** *fig.* (*from*) **a)** befreien, erlösen (von), **b)** entbinden, -lasten (von *e-r Pflicht, Schuld etc.*); **9.** *Buch, Film, Guthaben* freigeben; **10.** ⚖ verzichten auf (*acc.*), *Recht* aufgeben *od.* über'tragen; *Hypothek* löschen; **11.** ⚗, *phys.* freisetzen; **12.** ⊕ **a)** auslösen (*a. phot.*); *Bomben* abwerfen; *Gas* abblasen, **b)** ausschalten: *to* ~ *the clutch* auskuppeln.

rel·e·gate ['religeit] *v/t.* **1.** relegieren, verbannen (*out of* aus): *to be* ~*d sport* absteigen; **2.** verweisen (*to* an *acc.*); **3.** (*to*) verweisen (in *acc.*), zuschreiben (*dat.*): *to* ~ *to the sphere of legend* in das Reich der Fabel verweisen; *he was* ~*d to fourth place sport* er wurde auf den 4. Platz verwiesen; **re·le·ga·tion** [reli'geiʃən] *s.* **1.** Verbannung *f* (*out of* aus); **2.** Verweisung *f* (*to* an *acc.*); **3.** *sport* Abstieg *m*: *to be in danger of* ~ in Abstiegsgefahr schweben.

re·lent [ri'lent] *v/i.* weicher *od.* mitleidig werden, sich erweichen lassen; **re'lent·less** [-lis] *adj.* □ unbarmherzig, schonungslos, hart.

rel·e·vance ['relivəns], **'rel·e·van·cy** [-si] *s.* Rele'vanz *f*, (*a.* Beweis-) Erheblichkeit *f*; Bedeutung *f* (*to* für); **'rel·e·vant** [-nt] *adj.* □ **1.** einschlägig, sachdienlich; anwendbar (*to* auf *acc.*); **2.** (beweis-, rechts- *etc.*) erheblich, belangvoll, von Bedeutung (*to* für).

re·li·a·bil·i·ty [rilaiə'biliti] *s.* Zuverlässigkeit *f*; ⊕ *a.* Betriebssicherheit *f*: ~ *test* Zuverlässigkeitsprüfung; **re·li·a·ble** [ri'laiəbl] *adj.* □ **1.** zuverlässig (*a.* ⊕ *betriebssicher*), verläßlich; **2.** glaubwürdig; **3.** vertrauenswürdig, re'ell (*Firma etc.*); **re·li·ance** [ri'laiəns] *s.* Vertrauen *n*: *in* ~ (*up*)*on* unter Verlaß auf (*acc.*), bauend auf; *to place* ~ *on* (*od. in*) Vertrauen in *j-n* setzen; **re·li·ant** [ri'laiənt] *adj.* **1.** vertrauensvoll; **2.** zuversichtlich.

rel·ic ['relik] *s.* **1.** ('Über)Rest *m*, 'Überbleibsel *n*, Re'likt *n*: ~*s of the past fig.* Zeugen der Vergangenheit; **2.** *R.C.* Re'liquie *f*; **'rel·ict** [-kt] *s. obs.* Witwe *f*.

re·lief[1] [ri'li:f] *s.* **1.** Erleichterung *f* (*a.* ⚕); → *sigh 5*; **2.** (angenehme) Unter'brechung, Abwechslung *f*, Wohltat *f* (*to* für *das Auge etc.*); **3.** Trost *m*; **4.** Entlastung *f*; (*Steuer- etc.*)Erleichterung *f*; **5. a)** Unter'stützung *f*, Hilfe *f*, **b)** *Brit.* Fürsorge *f*, ('Wohlfahrts)Unter,stützung *f*: ~ *fund* Unterstützungsfonds, -kasse; ~*-work* Hilfswerk; ~*-works* Notstandsarbeiten; *to be on* ~ Unterstützung beziehen; **6.** ⚖ **a)** Rechtshilfe *f*: *the* ~ *sought* das Klagebegehren, **b)** Rechtsbehelf *m*, -mittel *n*; **7.** ⚔ **a)** *a. allg.* Ablösung *f*, **b)** Entsatz *m*, Entlastung *f*: ~ *attack* Entlastungsangriff; ~ *driver mot.* Beifahrer; ~ *road* Entlastungsstraße; ~ *train* 🚂 Entlastungs-, Vorzug.

re·lief[2] [ri'li:f] *s.* ⚠ *etc.* Reli'ef *n*; erhabene Arbeit: ~ *map* Relief-, Höhenkarte; *in* ~ *against* sich (scharf) abhebend gegen; *to set into vivid* ~ *fig. et.* plastisch schildern; *to stand out in* (*bold*) ~ deutlich hervortreten (*a. fig.*); *to throw into* ~ hervortreten lassen (*a. fig.*).

re·lieve [ri'li:v] *v/t.* **1.** *Schmerzen etc., a. Gewissen* erleichtern: *to* ~ *one's feelings* s-n Gefühlen Luft machen; *to* ~ *s.o.'s mind* j-n beruhigen; → *nature 7*; **2.** *j-n* entlasten: *to* ~ *s.o. from* (*od. of*) j-m *et.* abnehmen, j-n von *e-r Pflicht etc.* entbinden, j-n *e-r Verantwortung etc.* entheben, j-n von *et.* befreien; *to* ~ *s.o. of humor.* j-n um *et.* ‚erleichtern', j-m *et.* stehlen; **3.** *j-n* erleichtern, beruhigen, trösten: *I am* ~*d to hear* es beruhigt mich, zu hören; **4.** ⚔ **a)** *Platz* entsetzen, **b)** *Kampftruppe* entlasten, **c)** *Posten, Einheit* ablösen; **5.** *Bedürftige* unter'stützen, *Armen* helfen; **6.** *Eintöniges* beleben, Abwechslung bringen in (*acc.*); **7.** her'vor-, abheben; **8.** *j-m* Recht verschaffen; *e-r Sache* abhelfen; **9.** ⊕ **a)** entlasten (*a.* ⚠), *Feder* entspannen, **b)** 'hinterdrehen.

re·lie·vo [ri'li:vou] *pl.* **-vos** *s.* Reli'efarbeit *f*: ~*-engraving typ.* Hochätzung.

re·li·gion [ri'lidʒən] *s.* **1.** Religi'on *f*: *to get* ~ F fromm werden; **2.** Frömmigkeit *f*; **3.** Ehrensache *f*, Herzenspflicht *f*; **4.** mo'nastisches Leben: *to enter* ~ in e-n Orden eintreten; **re'li·gion·ist** [-dʒənist] *s.* religi'öser Schwärmer *od.* Eiferer; **re·lig·i·os·i·ty** [rilidʒi'ɔsiti] *s.* **1.** Religiosi'tät *f*; **2.** Frömme'lei *f*.

re·li·gious [ri'lidʒəs] *adj.* □ **1.** Religions..., religi'ös (*Buch, Pflicht etc.*); **2.** religiös, fromm; **3.** Ordens...: ~ *order* geistlicher Orden; **4.** *fig.* gewissenhaft, peinlich genau; **5.** *fig.* andächtig (*Stille etc.*).

re·lin·quish [ri'liŋkwiʃ] *v/t.* **1.** *Hoffnung, Idee, Plan etc.* aufgeben; **2.** (*to*) *Besitz, Recht* abtreten (*dat. od.* an *acc.*), preisgeben (*dat.*), über'lassen (*dat.*); **3.** *et.* loslassen, fahrenlassen; **4.** verzichten auf (*acc.*); **re'lin·quish·ment** [-mənt] *s.* **1.** Aufgabe *f*; **2.** Über'lassung *f*; **3.** Verzicht *m* (*of* auf *acc.*).

rel·i·quar·y ['relikwəri] *s. R.C.* Re'liquienschrein *m.*

rel·ish ['reliʃ] **I.** *v/t.* **1.** gern essen, sich schmecken lassen; *a. fig.* (mit Behagen) genießen, Geschmack finden an (*dat.*): *I do not much ~ the idea* ich bin nicht gerade begeistert davon (*of doing* zu tun); **2.** *fig.* schmackhaft machen; **II.** *v/i.* **3.** schmecken *od.* (*fig.*) riechen (*of* nach); **III.** *s.* **4.** (Wohl)Geschmack *m*; **5.** *fig.* **a)** Kostprobe *f*, **b)** Beigeschmack *m* (*of* von); **6.** Würze *f* (*a. fig.*); **7.** Hors d'Oeuvre *n*, Appe'tithappen *m*; **8.** *fig.* (*for*) Geschmack *m* (an *dat.*), Sinn *m* (für): *to have no ~ for* sich nichts machen aus; *with (great) ~* mit (großem) Behagen, mit Wonne (*a. iro.*).

re·live ['ri:'liv] *v/t. et.* wieder durch'leben *od.* erleben.

re·luc·tance [ri'lʌktəns] *s.* **1.** Wider'streben *n*, Abneigung *f* (*to* gegen, *to do s.th.* et. zu tun): *with ~* widerstrebend, ungern, zögernd; **2.** *phys.* ma'gnetischer 'Widerstand; **re·luc·tant** [-nt] *adj.* □ 'widerwillig, wider'strebend, zögernd: *to be ~ to do s.th.* sich sträuben, et. zu tun; et. nur ungern tun.

re·ly [ri'lai] *v/i.* **1.** *~ (up)on* sich verlassen, vertrauen *od.* bauen *od.* zählen auf (*acc.*); **2.** *~ (up)on* sich auf *e-e Quelle etc.* stützen *od.* berufen.

re·main [ri'mein] **I.** *v/i.* **1.** *allg.* bleiben; **2.** (übrig)bleiben (*a. fig. to s.o.* j-m); zu'rück-, verbleiben, noch übrig *od.* vor'handen sein: *it now ~s for me to explain* es bleibt mir nur noch übrig, zu erklären; *nothing ~s (to us) but to (inf.)* es bleibt (uns) nichts anderes übrig, als zu (*inf.*); *that ~s to be seen* das bleibt abzuwarten; **3.** (bestehen) bleiben: *to ~ in force* in Kraft bleiben; **4.** *im Briefschluß*: verbleiben; **II.** *s. pl.* **5.** *a. fig.* Reste *pl.*, 'Überreste *pl.*, -bleibsel *pl.*; **6.** *die sterblichen* Überreste *pl.*; **7.** *a. literary ~s* hinter'lassene Werke *pl.*, lite'rarischer Nachlaß; **re'main·der** [-də] **I.** *s.* **1.** Rest *m* (*a.* ⅍), *das* übrige; **2.** ✝ Restbestand *m*, -betrag *m*: *~ of a debt* Restschuld; **3.** ⊕ Rückstand *m*; **4.** *Buchhandel*: Restauflage *f*, Remit'tenden *pl.*; **5.** ⚖ **a)** Anwartschaft *f* (auf Grundeigentum), **b)** Obereigentum *n*, **c)** Nacherbenrecht *n*; **II.** *v/t.* **6.** *Bücher* billig abgeben; **re'main·der·man** [-dəmæn] *s.* [*irr.*] ⚖ **a)** Anwärter *m*, **b)** Nacherbe *m*, **c)** Obereigentümer *m*; **re'main·ing** [-niŋ] *adj.* übrig(geblieben), Rest..., verbleibend, restlich.

re·make ['ri:'meik] **I.** *v/t.* [*irr.* → *make*] wieder *od.* neu machen; **II.** *s.* 'Neuverfilmung *f*, Re'make *n.*

re·mand [ri'mɑ:nd] **I.** *v/t.* ⚖ **a)** (in Unter'suchungshaft) zu'rückschikken, **b)** *Rechtssache* (an die untere In'stanz) zu'rückverweisen; **II.** *s.* (Zu'rücksendung *f* in die) Unter'suchungshaft *f*: *~ prison* Untersuchungsgefängnis; *prisoner on ~* Untersuchungsgefangene(r); *to be brought up on ~* aus der Untersuchungshaft vorgeführt werden; *~ home s.* ⚖ Voll'zugsanstalt *f* für 'Jugendar,rest.

re·mark [ri'mɑ:k] **I.** *v/t.* **1.** (be)merken, beobachten; **2.** bemerken, äußern (*that* daß); **II.** *v/i.* **3.** e-e Bemerkung *od.* Bemerkungen machen, sich äußern ([*up*]*on* über *acc.*, zu); **III.** *s.* **4.** Bemerkung *f*, Äußerung *f*: *without ~* ohne Kommentar; *worthy of ~* → *remarkable*; **re'mark·a·ble** [-kəbl] *adj.* □ bemerkenswert: **a)** beachtlich, **b)** ungewöhnlich; **re'mark·a·ble·ness** [-kəblnis] *s.* **1.** Ungewöhnlichkeit *f*, Merkwürdigkeit *f*; **2.** Bedeutsamkeit *f.*

re·mar·riage ['ri:'mæridʒ] *s.* 'Wiederver,heiratung *f*; **'re'mar·ry** [-ri] *v/t. u. v/i.* (sich) wieder verheiraten (*to* mit).

re·me·di·a·ble [ri'mi:djəbl] *adj.* □ heil-, abstellbar: *this is ~* dem ist abzuhelfen; **re'me·di·al** [-jəl] *adj.* □ **1.** heilend, Heil...: *~ gymnastics* Heilgymnastik; **2.** abhelfend: *~ measure* Abhilfsmaßnahme.

rem·e·dy ['remidi] **I.** *s.* **1.** ⚕ (Heil-) Mittel *n*, Arz'nei *f* (*for, against* für, gegen); **2.** *fig.* (Gegen)Mittel *n* (*for, against* gegen); Abhilfe *f*; ⚖ Rechtsmittel *n*, -behelf *m*; **3.** *Münzwesen*: Re'medium *n*, Tole'ranz *f*; **II.** *v/t.* **4.** *Mangel, Schaden* beheben; **5.** *Mißstand* abstellen, abhelfen (*dat.*), in Ordnung bringen.

re·mem·ber [ri'membə] **I.** *v/t.* **1.** sich entsinnen (*gen.*) *od.* an (*acc.*), sich besinnen auf (*acc.*), sich erinnern an (*acc.*): *I ~ that* es fällt mir (gerade) ein, daß; **2.** sich merken, nicht vergessen; **3.** eingedenk sein (*gen.*), denken an (*acc.*), beherzigen, sich *et.* vor Augen halten; **4.** *j-n mit e-m Geschenk, in s-m Testament* bedenken; **5.** empfehlen, grüßen: *~ me to him* grüßen Sie ihn von mir; **II.** *v/i.* **6.** sich erinnern *od.* entsinnen: *not that I ~* nicht, daß ich wüßte; **re'mem·brance** [-brəns] *s.* **1.** Erinnerung *f*, Gedächtnis *n* (*of* an *acc.*); **2.** Gedächtnis *n*, An-, Gedenken *n*: *in ~ of* im Gedenken *od.* zur Erinnerung an (*acc.*); *♀ Day* Waffenstillstands-, Heldengedenktag (*11. November*); **3.** Andenken *n* (*Sache*); **4.** *pl.* Grüße *pl.*, Empfehlungen *pl.*

re·mi·gra·tion ['ri:mai'greiʃən] *s.* Rückwanderung *f.*

re·mil·i·ta·ri·za·tion ['ri:militərai'zeiʃən] *s.* Remilitarisierung *f.*

re·mind [ri'maind] *v/t. j-n* erinnern (*of* an *acc.*, *that* daß): *that ~s me* da(bei) fällt mir (et.) ein; *this ~s me of home* das erinnert mich an zu Hause; **re'mind·er** [-də] *s.* Mahnung *f*; *fig.* Denkzettel *m*: *a gentle ~* ein (zarter) Wink.

rem·i·nisce [remi'nis] *v/i.* in Erinnerungen schwelgen; **rem·i'nis·cence** [-sns] *s.* **1.** Erinnerung *f*; **2.** *pl.* (Lebens)Erinnerungen *pl.*, Reminis'zenzen *pl.*; **3.** *fig.* Anklang *m*; **rem·i'nis·cent** [-snt] *adj.* □ **1.** sich erinnernd (*of* an *acc.*), Erinnerungs...; **2.** Erinnerungen wachrufend (*of* an *acc.*), erinnerungsträchtig; **3.** sich (gern) erinnernd, in Erinnerungen schwelgend.

re·mise[1] [ri'maiz] *s.* ⚖ Aufgabe *f e-s Anspruchs*, Rechtsverzicht *m.*

re·mise[2] [rə'mi:z] *s.* **1.** *obs.* **a)** Re'mise *f*, Wagenschuppen *m*, **b)** Mietkutsche *f*; **2.** *fenc.* Nachstoß *m.*

re·miss [ri'mis] *adj.* □ (nach)lässig, säumig; lax, träge: *to be ~ in one's duties* s-e Pflichten vernachlässigen; **re'mis·si·ble** [-səbl] *adj.* **1.** erläßlich; **2.** verzeihlich; *R.C.* läßlich (*Sünde*); **re'mis·sion** [-iʃən] *s.* **1.** Vergebung *f* (der Sünden); **2. a)** (teilweiser) Erlaß *e-r Strafe, Schuld, Gebühr etc.*, **b)** Nachlaß *m*, Ermäßigung *f*; **3.** Nachlassen *n der Intensität etc.*; ⚕ Remissi'on *f*; **re'miss·ness** [-nis] *s.* (Nach)Lässigkeit *f.*

re·mit [ri'mit] **I.** *v/t.* **1.** *Sünden* vergeben; **2.** *Schulden, Strafe* (ganz *od.* teilweise) erlassen; **3.** hin'aus-, verschieben (*till, to* bis, *to* auf *acc.*); **4. a)** nachlassen in *s-n Anstrengungen etc.*, **b)** *Zorn etc.* mäßigen, **c)** aufhören mit, einstellen; **5.** ✝ *Geld etc.* über'weisen, -'senden; **6.** *bsd.* ⚖ **a)** (*Fall etc. zur Entscheidung*) über'tragen, **b)** → *remand* I *b*; **II.** *v/i.* **7.** ✝ Zahlung leisten, remittieren; **re'mit·tal** [-tl] → *remission*; **re'mit·tance** [-təns] *s.* **1.** (*bsd.* Geld-) Sendung *f*, Über'weisung *f*; **2.** ✝ (Geld-, Wechsel)Sendung *f*, Überweisung *f*, Ri'messe *f*: *~ account* Überweisungskonto; *to make ~* remittieren, Deckung anschaffen; **re·mit·tee** [remi'ti:] *s.* ✝ (Zahlungs-, Über'weisungs)Empfänger *m*; **re'mit·tent** [-tənt] *bsd.* ⚕ **I.** *adj.* (vor'übergehend) nachlassend; remittierend (*Fieber*); **II.** *s.* remittierendes Fieber; **re'mit·ter** [-tə] *s.* **1.** ✝ Geldsender *m*, Über'sender *m*; Remit'tend *m*; **2.** ⚖ **a)** Wieder'einsetzung *f* (*to* in *frühere Rechte etc.*), **b)** Über'weisung *f e-s Falles.*

rem·nant ['remnənt] *s.* **1.** ('Über-) Rest *m*, 'Überbleibsel *n*; kläglicher Rest; *fig.* (letzter) Rest, Spur *f*; **2.** ✝ (Stoff)Rest *m*; *pl.* Reste(r) *pl.*: *~ sale* Resteverkauf.

re·mod·el ['ri:'mɔdl] *v/t.* 'umbilden, -bauen, -formen, -gestalten.

re·mon·e·ti·za·tion [ri:mʌnitai'zeiʃən] *s.* ✝ Wiederin'kurssetzung *f.*

re·mon·strance [ri'mɔnstrəns] *s.* (Gegen)Vorstellung *f*, Vorhaltung *f*, Einspruch *m*, Pro'test *m*; **re'mon·strant** [-nt] **I.** *adj.* □ ermahnend, protestierend; **II.** *s.* Einspruchерheber *m*; **re'mon·strate** [-reit] **I.** *v/i.* **1.** protestieren, remonstrieren (*against* gegen); **2.** Vorhaltungen *od.* Vorwürfe machen (*on* über *acc.*, *with s.o.* j-m); **II.** *v/t.* **3.** einwenden (*that* daß).

re·morse [ri'mɔ:s] *s.* Gewissensbisse *pl.*, Reue *f* (*at* über *acc.*, *for* wegen): *without ~* unbarmherzig, kalt; **re'morse·ful** [-ful] *adj.* □ reumütig, reuevoll; **re'morse·less** [-lis] *adj.* □ unbarmherzig, hart(herzig).

re·mote [ri'mout] *adj.* □ **1.** *räumlich u. zeitlich, a. fig.* fern, (weit) entfernt (*from* von); *fig.* schwach, vage: *~ antiquity* graue Vorzeit; *~ control* ⊕ Fernsteuerung; *~-control(led)* ferngesteuert, -gelenkt; *~ future* ferne Zukunft; *not the ~st idea* keine blasse Ahnung; *~ possibility* vage Möglichkeit; *~ relation* entfernte(r) *od.* weitläufige(r) Verwandte(r); ~ *resemblance* entfernte *od.* schwache Ähnlichkeit; **2.** abgelegen, entlegen; **3.** mittelbar, 'indi,rekt: ~ *damages* ⚖ Folgeschäden; **re'mote·ness** [-nis] *s.* Ferne *f*, Entlegenheit *f*.

re·mount [ri:'maunt] **I.** *v/t.* **1.** *Berg, Pferd etc.* wieder besteigen; **2.** ⚔ neue Pferde beschaffen für; **3.** ⊕ *Maschine* wieder aufstellen; **II.** *v/i.* **4.** wieder aufsteigen; wieder aufsitzen (*Reiter*); **5.** *fig.* zu'rückgehen (*to* auf *acc.*); **III.** *s.* ['ri:maunt] **6.** frisches Reitpferd; ⚔ Re'monte *f*.

re·mov·a·ble [ri'mu:vəbl] *adj.* □ **1.** absetzbar; **2.** ⊕ abnehmbar, auswechselbar; **3.** zu beseitigen(d), behebbar (*Übel*); **re'mov·al** [-vəl] *s.* **1.** Fort-, Wegschaffen *n*, -räumen *n*; Entfernen *n*; Abfuhr *f*, 'Abtrans,port *m*; Beseitigung *f* (*a. fig. von Fehlern, Mißständen, e-s Gegners*); **2.** 'Umzug *m* (*to* in *acc.*, nach): ~ *of business* Geschäftsverlegung; ~ *van* Möbelwagen; **3. a)** Absetzung *f*, Enthebung *f* (*from office* aus dem Amt), **b)** (Straf)Versetzung *f*; **4.** ⚖ Verweisung *f* (*to* an *acc.*); **re·move** [ri'mu:v] **I.** *v/t.* **1.** *allg.* (weg)nehmen, entfernen (*from* aus); ⊕ abnehmen, abmontieren, ausbauen; *Kleidungsstück* ablegen; *Hut* abnehmen; *Hand* zu'rückziehen; *fig. Furcht, Zweifel etc.* nehmen: *to* ~ *the cloth* (den Tisch) abdecken; *to* ~ *from the agenda* von der Tagesordnung absetzen; *to* ~ *o.s.* sich entfernen (*from* von); **2.** wegräumen, -rücken, -bringen, fortschaffen, abtransportieren; (*a. fig. j-n*) aus dem Wege räumen: *to* ~ *furniture* (Wohnungs)Umzüge besorgen; *to* ~ *a prisoner* e-n Gefangenen abführen (lassen); *to* ~ *mountains fig.* Berge versetzen; *to* ~ *by suction* ⊕ absaugen; **3.** *Fehler, Gegner, Hindernis, Spuren etc.* beseitigen; *Flecken* entfernen; *fig. Schwierigkeiten* beheben; **4.** *wohin* bringen, schaffen, verlegen; **5.** *Beamten* absetzen, entlassen, *s-s Amtes* entheben; **II.** *v/i.* **6.** (aus-, 'um-, ver)ziehen (*to* nach); **III.** *s.* **7.** Entfernung *f*, Abstand *m*: *at a* ~ *fig.* mit einigem Abstand; **8.** Schritt *m*, Stufe *f*, Grad *m*; **9.** *Brit.* nächster Gang (*beim Essen*); **re'mov·er** [-və] *s.* **1.** Abbeizmittel *n*; **2.** ('Möbel)Spedi,teur *m*.

re·mu·ner·ate [ri'mju:nəreit] *v/t.* **1.** *j-n* entschädigen, belohnen (*for* für); **2.** *et.* vergüten, Entschädigung zahlen für, ersetzen; **re·mu·ner·a·tion** [rimju:nə'reiʃən] *s.* **1.** Entschädigung *f*, Vergütung *f*; **2.** Belohnung *f*; **3.** Hono'rar *n*, Lohn *m*, Entgelt *n*; **re'mu·ner·a·tive** [-nərətiv] *adj.* □ einträglich, lohnend, lukra'tiv, vorteilhaft.

Ren·ais·sance [rə'neisəns; rənɛsɑ̃:s] (*Fr.*) *s.* **1.** Renais'sance *f*; **2.** ♀ 'Wiedergeburt *f*, -erwachen *n*.

re·nal ['ri:nl] *adj. anat.* re'nal, Nieren...

re·name ['ri:'neim] *v/t.* **1.** 'umbenennen; **2.** neu benennen.

re·nas·cence [ri'næsns] *s.* **1.** 'Wiedergeburt *f*, Erneuerung *f*; **2.** ♀ Renais'sance *f*; **re'nas·cent** [-nt] *adj.* sich erneuernd, wieder auflebend, 'wiedererwachend.

rend [rend] [*irr.*] **I.** *v/t.* **1.** (zer)reißen: *to* ~ *from j-m* entreißen; *to* ~ *the air* die Luft zerreißen (*Schrei etc.*); **2.** spalten (*a. fig.*); **II.** *v/i.* **3.** (zer)reißen.

ren·der ['rendə] *v/t.* **1.** *a.* ~ *back* zu'rückgeben, -erstatten: *to* ~ *up* herausgeben, *fig.* vergelten (*good for evil* Böses mit Gutem); **2.** (*a.* ⚔ *Festung*) über'geben; ✝ *Rechnung* (vor)legen: *to account* ~*ed* ✝ laut (erteilter) Rechnung; *to* ~ *a profit* Gewinn abwerfen; → *a. account 6 u. 7*; **3.** (*to s.o.* j-m) *e-n Dienst, Hilfe etc.* leisten; *Aufmerksamkeit, Ehre, Gehorsam* erweisen; *Dank* abstatten: *for services* ~*ed* für geleistete Dienste; **4.** *Grund* angeben; **5.** ⚖ *Urteil* fällen; **6.** *berühmt, schwierig, sichtbar etc.* machen: *to* ~ *audible* hörbar machen; *to* ~ *possible* möglich machen, ermöglichen; **7.** *künstlerisch* 'wiedergeben, interpretieren; **8.** *sprachlich, sinngemäß* 'wiedergeben, über'setzen; **9.** ⊕ *Fett* auslassen; **10.** △ roh bewerfen; **'ren·der·ing** [-dəriŋ] *s.* **1.** 'Übergabe *f*: ~ *of account* ✝ Rechnungslegung; **2.** *künstlerische* 'Wiedergabe, ,Interpretati'on *f*, Gestaltung *f*, Vortrag *m*; **3.** Über'setzung *f*, 'Wiedergabe *f*; **4.** △ Rohbewurf *m*.

ren·dez·vous ['rɔndivu:] *pl.* **-vous** [-vu:z] (*Fr.*) *s.* **1. a)** Rendez'vous *n*, Verabredung *f*, Stelldichein *n*, **b)** Zs.-kunft *f*; **2.** Treffpunkt *m* (*a.* ⚔ *Sammelplatz*).

ren·di·tion [ren'diʃən] *s.* **1.** → *rendering 2 u. 3*; **2.** *Am.* (Urteils)Fällung *f*, (-)Verkündung *f*.

ren·e·gade ['renigeid] *s.* Rene'gat (-in), Abtrünnige(r *m*) *f*, 'Überläufer(in).

re·new [ri'nju:] *v/t.* **1.** *allg.* erneuern (*z.B. Bekanntschaft, Angriff, Autoreifen, Gelöbnis*): ~*ed* erneut; **2.** *Briefwechsel etc.* wieder'aufnehmen: *to* ~ *one's efforts* sich erneut bemühen; **3.** *Jugend, Kraft* 'wiedererlangen; *biol.* regenerieren; **4.** ✝ *Vertrag etc.* erneuern, verlängern; *Wechsel* prolongieren; **5.** ergänzen, -setzen; **6.** wieder'holen; **re'new·a·ble** [-ju(:)əbl] *adj.* **1.** erneuerbar, zu erneuern(d); **2.** ✝ erneuerungs-, verlängerungsfähig; prolongierbar (*Wechsel*); **re'new·al** [-ju(:)əl] *s.* **1.** Erneuerung *f*; **2.** ✝ **a)** Erneuerung *f*, Verlängerung *f*, **b)** Prolongati'on *f*.

ren·i·form ['renifɔ:m] *adj.* nierenförmig.

ren·net[1] ['renit] *s.* ⚗, *zo.* Lab *n*.

ren·net[2] ['renit] *s.* ♀ *Brit.* Re'nette *f*.

re·nounce [ri'nauns] **I.** *v/t.* **1.** verzichten auf (*acc.*), *et.* aufgeben; entsagen (*dat.*); **2.** verleugnen; *dem Glauben etc.* abschwören; *Freundschaft* aufsagen; ✝ *Vertrag* kündigen; *et.* von sich weisen, ablehnen; sich von *j-m* lossagen; *j-n* verstoßen; **3.** *Kartenspiel*: *Farbe* nicht bedienen (können); **II.** *v/i.* **4.** Verzicht leisten; **5.** *Kartenspiel*: nicht bedienen (können), passen.

ren·o·vate ['renouveit] *v/t.* **1.** erneuern; wieder'herstellen; **2.** renovieren; **ren·o·va·tion** [renou'veiʃən] *s.* Renovierung *f*, Erneuerung *f*; **'ren·o·va·tor** [-tə] *s.* Erneuerer *m*.

re·nown [ri'naun] *s. rhet.* Ruhm *m*, Ruf *m*, Berühmtheit *f*; **re'nowned** [-nd] *adj.* berühmt, namhaft.

rent[1] [rent] **I.** *s.* **1.** (Wohnungs-) Miete *f*, Mietzins *m*: *for* ~ *bsd. Am.* **a)** zu vermieten, **b)** zu verleihen; **2.** Pacht(geld *n*, -zins *m*) *f*; **II.** *v/t.* **3.** vermieten; **4.** verpachten; **5.** mieten; **6.** (ab)pachten; **7.** *Am.* **a)** *et.* ausleihen, **b)** sich *et.* leihen; **III.** *v/i.* **8.** vermietet *od.* verpachtet werden (*at od. for* zu).

rent[2] [rent] **I.** *s.* Riß *m*; Spalt(e *f*) *m*; **II.** *pret. u. p.p. von rend.*

rent·a·ble ['rentəbl] *adj.* (ver)mietbar.

'rent-a-'car (serv·ice) *s. mot.* Autoverleih *m*.

ren·tal ['rentl] *s.* **1.** Miet-, Pachtbetrag *m*, -satz *m*: ~ *library Am.* Leihbücherei; ~ *value* Miet-, Pachtwert; **2.** (Brutto)Mietertrag *m*; **3.** Zinsbuch *n*.

rent charge *pl.* **rents charge** *s.* Grundrente *f*, Erbzins *m*.

rent·er ['rentə] *s. bsd. Am.* **1.** Pächter *m*, Mieter *m*; **2.** Verpächter *m*, -mieter *m*, -leiher *m*; **'rent-'free** *adj.* miet-, pachtfrei.

re·nun·ci·a·tion [rinʌnsi'eiʃən] *s.* **1.** (*of*) Verzicht *m* (auf *acc.*), Aufgabe *f* (*gen.*); **2.** Entsagung *f*; **3.** Ablehnung *f*.

re·oc·cu·py ['ri:'ɔkjupai] *v/t.* 'wiederbesetzen.

re·o·pen ['ri:'oupən] **I.** *v/t.* **1.** 'wiedereröffnen; **2.** wieder beginnen, wieder'aufnehmen; **II.** *v/i.* **3.** sich wieder öffnen; **4.** 'wiedereröffnen (*Geschäft etc.*); **5.** wieder beginnen.

re·or·gan·i·za·tion ['ri:ɔ:gənai'zeiʃən] *s.* **1.** 'Umbildung *f*, Neuordnung *f*, -gestaltung *f*; **2.** ✝ Sanierung *f*; **re·or·gan·ize** ['ri:'ɔ:gənaiz] *v/t.* **1.** reorganisieren, neu gestalten, 'umgestalten, 'umgliedern; **2.** ✝ sanieren.

rep[1] [rep] *s.* Rips *m* (*Stoff*).

rep[2] [rep] *s. sl.* **1.** Wüstling *m*; **2.** *Am.* Ruf *m*.

re·pack ['ri:'pæk] *v/t.* 'umpacken.

re·paint ['ri:'peint] *v/t.* neu (an-) streichen, über'malen.

re·pair[1] [ri'pɛə] **I.** *v/t.* **1.** reparieren, (wieder) in'stand setzen; ausbessern, flicken; **2.** wieder'herstellen; **3.** wieder'gutmachen; *Verlust* ersetzen; **II.** *s.* **4.** Repara'tur *f*, In'standsetzung *f*, Ausbesserung *f*; *pl.* In'standsetzungsarbeit(en *pl.*) *f*: *state of* ~ (baulicher *etc.*) Zustand; *in good* ~ in gutem Zustand; *in need of* ~ reparaturbedürftig; *out of* ~ **a)** betriebsunfähig, **b)** baufällig; *under* ~ in Reparatur; ~ *kit*, ~ *outfit* Reparaturwerkzeug, Flickzeug.

re·pair[2] [ri'pɛə] **I.** *v/i.* sich begeben (*to* nach, zu); **II.** *s.* Zufluchtsort *m*, (beliebter) Aufenthaltsort.

re·pair·a·ble [ri'pɛərəbl] *adj.* **1.** repara'turbedürftig; **2.** zu reparieren(d), reparierbar; **3.** → *reparable*.

re'pair|·man [-mæn] *s.* [*irr.*] *bsd. Am.* Me'chaniker *m*, Autoschlosser *m*; ~**-shop** *s.* Repara'turwerkstätte *f*.

rep·a·ra·ble ['repərəbl] *adj.* □ wieder'gutzumachen(d); ersetzbar (*Verlust*); **rep·a·ra·tion** [repə'reiʃən] *s.* **1.** Wieder'gutmachung *f*: *to make* ~ Genugtuung leisten; **2.** Entschädigung *f*, Ersatz *m*; **3.** *pol.* Wieder'gutmachungsleistung *f*; *pl.* Reparati'onen *pl*.

rep·ar·tee [repɑ:'ti:] *s.* schlagfertige Antwort, Schlagfertigkeit *f*: *quick at* ~ schlagfertig.

re·par·ti·tion [ri:pɑ:'tiʃən] **I.** *s.* Aufteilung *f*, (Neu)Verteilung *f*; **II.** *v/t.* (neu) auf-, verteilen.

re·pass ['ri:'pɑ:s] **I.** *v/t.* **1.** wieder vor'beikommen an (*dat.*); **II.** *v/i.* **2.** wieder vorbeikommen; **3.** zu'rückkehren.

re·past [ri'pɑ:st] *s.* Mahl(zeit *f*) *n*.

re·pa·tri·ate [ri:'pætrieit] **I.** *v/t.* repatriieren, (in die Heimat) zu'rückführen; **II.** *s.* Repatriierte(r *m*) *f*, Heimkehrer(in); **re·pa·tri·a·tion** ['ri:pætri'eiʃən] *s.* Rückführung *f*.

re·pay [*irr.* → *pay*] **I.** *v/t.* [ri:'pei] **1.** *et.* zu'rückzahlen, (zu'rück)erstatten; **2.** *fig. Besuch, Gruß, Schlag etc.* erwidern; *Böses* heimzahlen, vergelten (*to s.o.* j-m); **3.** *j-n* belohnen, (*a.* †) entschädigen (*for* für); **4.** *et.* lohnen, vergelten (*with* mit); **II.** *v/i.* ['ri:'pei] **5.** nochmals (be)zahlen; **re'pay·a·ble** [-'peiəbl] *adj.* rückzahlbar; **re'pay·ment** [-mənt] *s.* **1.** Rückzahlung *f*; **2.** Erwiderung *f*; **3.** Vergeltung *f*.

re·peal [ri'pi:l] **I.** *v/t.* **1.** *Gesetz etc.* aufheben, außer Kraft setzen; **2.** wider'rufen; **II.** *s.* **3.** Aufhebung *f von Gesetzen*; **re'peal·a·ble** [-ləbl] *adj.* 'widerruflich, aufhebbar.

re·peat [ri'pi:t] **I.** *v/t.* **1.** wieder'holen: *to* ~ *an experience* et. nochmals durchmachen *od.* erleben; *to* ~ *an order* (*for s.th.* et.) nachbestellen; **2.** nachsprechen, wieder'holen; weitererzählen; **3.** *ped. Gedicht* aufsagen; **II.** *v/i.* **4.** sich wiederholen (*Vorgang*); **5.** repetieren (*Uhr, Gewehr*); **6.** aufstoßen (*Speisen*); **III.** *s.* **7.** Wieder'holung *f*; **8.** *et.* sich Wieder'holendes (*z.B. Muster*); **9.** ♪ **a)** Wieder'holung *f*, **b)** Wieder'holungszeichen *n*; **10.** † *oft* ~ *order* Nachbestellung *f*; **re'peat·ed** [-tid] *adj.* □ wieder'holt, mehrmalig; neuerlich; **re'peat·er** [-tə] *s.* **1.** Wieder'holende(r *m*) *f*; **2.** Repetieruhr *f*; **3.** Repetier-, Mehrladegewehr *n*; **4.** *Am. Wähler, der widerrechtlich mehrere Stimmen abgibt*; **5.** ⅍ peri'odischer Dezi'malbruch; **6.** ⚖ Rückfällige(r *m*) *f*; **7.** ⚓ Tochterkompaß *m*; **8.** ⚡ **a)** (Leitungs)Verstärker *m*, **b)** Über'trager *m*; **re'peat·ing** [-tiŋ] *adj.* wieder'holend: ~ *decimal* → *repeater 5*; ~ *rifle* → *repeater 3*; ~ *watch* → *repeater 2*; **re·peat per·form·ance** *s. thea.* Wiederholung *f*.

re·pel [ri'pel] *v/t.* **1.** *Angreifer* zu'rückschlagen, -treiben; **2.** *Angriff* abschlagen, abweisen, *a. Schlag* abwehren; **3.** *fig.* ab-, zu'rückweisen; **4.** *phys.* abstoßen; **5.** *fig. j-n* abstoßen, anwidern; **re'pel·lent** [-lənt] *adj.* □ **1.** ab-, zu'rückstoßend; **2.** *fig.* abstoßend, widerlich.

re·pent [ri'pent] *v/t.* (*a. v/i. of*) *et.* bereuen; **re'pent·ance** [-təns] *s.* Reue *f*; **re'pent·ant** [-tənt] *adj.* □ reuig (*of* über *acc.*), bußfertig.

re·peo·ple ['ri:'pi:pl] *v/t.* wieder bevölkern.

re·per·cus·sion [ri:pə:'kʌʃən] *s.* **1.** Rückprall *m*, -stoß *m*; **2.** 'Widerhall *m*; **3.** *mst pl. fig.* Rück-, Auswirkungen *pl.* (*on* auf *acc.*).

rep·er·toire ['repətwɑ:] → *repertory 1*.

rep·er·to·ry ['repətəri] *s.* **1.** *thea.* Reper'toire *n*, Spielplan *m*: ~ *theatre* (*Am. theater*) Repertoirebühne; **2.** *fig.* Fundgrube *f*.

rep·e·ti·tion [repi'tiʃən] *s.* **1.** Wieder'holung *f*: ~ *order* † Nachbestellung; ~ *work* ⊕ Reihenfertigung; **2.** *ped.* (Stück *n* zum) Aufsagen *n*, Memorieraufgabe *f*; **3.** Ko'pie *f*, Nachbildung *f*; **re·pet·i·tive** [ri'petitiv] *adj.* □ (sich) wieder'holend, wieder'holt.

re·pine [ri'pain] *v/i.* murren, 'mißvergnügt *od.* unzufrieden sein (*at* über *acc.*); **re'pin·ing** [-niŋ] *adj.* □ unzufrieden, murrend, mürrisch.

re·place [ri'pleis] *v/t.* **1.** wieder hinstellen, -legen; *teleph. Hörer* auflegen; **2.** *et. Verlorenes, Veraltetes* ersetzen, an die Stelle treten von; ⊕ auswechseln; **3.** *j-n* ersetzen *od.* ablösen, *j-s* Stelle einnehmen; **4.** *Geld* zu'rückerstatten, ersetzen; **5.** ⅍ vertauschen; **re'place·a·ble** [-səbl] *adj.* ersetzbar; ⊕ auswechselbar; **re'place·ment** [-mənt] *s.* **1. a)** Ersetzung *f*, **b)** Ersatz *m*: ~ *engine* ⊕ Austauschmotor; ~ *parts* ⊕ Ersatzteile; **2.** ⚔ **a)** Ersatzmann *m*, **b)** Ersatz *m*, Auffüllung *f*: ~ *unit* Ersatztruppenteil; **3.** *geol.* Verdrängung *f*.

re·plant ['ri:'plɑ:nt] *v/t.* 'umpflanzen; neu pflanzen.

re·play ['ri:plei] *s. sport* **1.** Wieder'holungsspiel *n*; **2.** *Fernsehen*: Wieder'holung *f e-r Spielszene* (in Zeitlupe).

re·plen·ish [ri'pleniʃ] *v/t.* (wieder) auffüllen, ergänzen (*with* mit); **re'plen·ish·ment** [-mənt] *s.* **1.** Auffüllung *f*, Ersatz *m*; **2.** Ergänzung *f*.

re·plete [ri'pli:t] *adj.* **1.** (*with*) (zum Platzen) voll (von), angefüllt (von); **2.** reichlich versehen (*with* mit); **re'ple·tion** [-i:ʃən] *s.* ('Über)Fülle *f*: *full to* ~ bis zum Rande voll; *to eat to* ~ sich vollessen.

re·plev·in [ri'plevin] *s.* ⚖ **1.** (Klage *f* auf) Her'ausgabe *f* gegen Sicherheitsleistung; **2.** einstweilige Verfügung (auf Herausgabe).

rep·li·ca ['replikə] *s.* **1.** *paint.* Re'plik *f*, Origi'nalkoˌpie *f*; **2.** Ko'pie *f*; **3.** *fig.* Ebenbild *n*.

rep·li·ca·tion [repli'keiʃən] *s.* **1.** Erwiderung *f*; **2.** Echo *n*; **3.** ⚖ Re'plik *f*; **4.** Reprodukti'on *f*, Ko'pie *f*.

re·ply [ri'plai] **I.** *v/i.* **1.** antworten, erwidern (*to s.th.* auf et., *to s.o.* j-m) (*a. fig.*); **2.** ⚖ replizieren; **II.** *s.* **3.** Antwort *f*, Erwiderung *f*: *in* ~ *to* (als Antwort) auf; *in* ~ *to your letter* in Beantwortung Ihres Schreibens; *to make a* ~ erwidern; ~*-paid telegram* Telegramm mit bezahlter Rückantwort; ~ (*postal*) *card* Postkarte mit Rückantwort; ~ *postage* Rückporto; (*there is*) *no* ~ *teleph.* der Teilnehmer meldet sich nicht; **4.** *Funk*: Rückmeldung *f*; **5.** ⚖ Re'plik *f*.

re·port [ri'pɔ:t] **I.** *s.* **1.** *allg.* Bericht *m* (*on* über *acc.*); † (Geschäfts-, Sitzungs-, Verhandlungs)Bericht *m*: *market* ~ † Marktbericht; *month under* ~ Berichtsmonat; ~ *stage parl.* Erörterungsstadium *e-r Vorlage*; → *law report*; **2.** Gutachten *n*, Refe'rat *n*; **3.** ⚔ Meldung *f*; **4.** ⚖ Anzeige *f*; **5.** Nachricht *f*, (Presse)Bericht *m*, (-)Meldung *f*; **6.** (Schul-)Zeugnis *n*; **7.** Gerücht *n*; **8.** Ruf *m*, Leumund *m*; **9.** Knall *m*; **II.** *v/t.* **10.** berichten (*to s.o.* j-m); Bericht erstatten, berichten über (*acc.*); erzählen: *it is* ~*ed that* es heißt, daß; *he is* ~*ed as saying* er soll gesagt haben; ~*ed speech ling.* indirekte Rede; **11.** *Vorkommnis, Schaden etc.* melden; **12.** *j-n* (*o.s.* sich) melden; anzeigen (*to* bei, *for* wegen); **13.** *parl. Gesetzesvorlage* (wieder) vorlegen (*Ausschuß*); **III.** *v/i.* **14.** (e-n) Bericht geben *od.* erstatten, berichten (*on, of* über *acc.*); **15.** als Berichterstatter arbeiten (*for* für *e-e Zeitung*); **16.** (*to*) sich melden (bei); sich stellen (*dat.*): *to* ~ *for duty* sich zum Dienst melden; **re'port·a·ble** [-təbl] *adj.* **1.** ⚕ meldepflichtig (*Krankheit*); **2.** steuerpflichtig (*Einkommen*); **re'port·ed·ly** [-tidli] *adv.* wie verlautet; **re'port·er** [-tə] *s.* **1.** Re'porter *m*, (Presse-)Berichterstatter *m*; **2.** Berichterstatter *m*, Refe'rent *m*; **3.** Proto'kollführer *m*.

re·pose [ri'pouz] **I.** *s.* **1.** Ruhe *f* (*a. fig.*); Erholung *f* (*from* von): *in* ~ in Ruhe, untätig (*a. Vulkan*); **2.** *fig.* Gelassenheit *f*, (Gemüts)Ruhe *f*; **II.** *v/i.* **3.** ruhen (*a. Toter*); (sich) ausruhen, schlafen; **4.** ~ *on* **a)** liegen *od.* ruhen auf (*dat.*), **b)** *fig.* beruhen auf (*dat.*), **c)** verweilen bei (*Gedanken*); **5.** ~ *in fig.* vertrauen auf (*acc.*); **III.** *v/t.* **6.** *j-m* Ruhe gewähren, *j-n* (sich aus)ruhen lassen: *to* ~ *o.s.* sich zur Ruhe legen; **7.** ~ *on* legen *od.* betten auf (*acc.*); **8.** ~ *in fig. Vertrauen, Hoffnung* setzen auf (*acc.*); **re·pos·i·to·ry** [ri'pɔzitəri] *s.* **1.** Behältnis *n*, Gefäß *n* (*a. fig.*); **2.** Verwahrungsort *m*; † (Waren)Lager *n*, Niederlage *f*; **3.** *fig.* Fundgrube *f*, Quelle *f*; **4.** Vertraute(r *m*) *f*.

re·pos·sess ['ri:pə'zes] *v/t.* **1.** wieder in Besitz nehmen; **2.** ~ *of j-n* wieder in den Besitz *e-r Sache* setzen.

rep·re·hend [repri'hend] *v/t.* tadeln, rügen, kritisieren; **rep·re'hen·si·ble** [-nsəbl] *adj.* □ tadelnswert, sträflich; **rep·re'hen·sion** [-nʃən] *s.* Tadel *m*, Rüge *f*, Verweis *m*.

rep·re·sent [repri'zent] *v/t.* **1.** *j-n od. j-s Sache* vertreten: *to be* ~*ed at* bei *e-r Sache* vertreten sein; **2.** (bildlich, graphisch) dar-, vorstellen, abbilden; **3.** *thea.* **a)** *Rolle* darstellen, verkörpern, **b)** *Stück* aufführen; **4.** *fig.* (*symbolisch*) darstellen, verkörpern, bedeuten, repräsentieren; *e-r Sache* entsprechen; **5.** darlegen, -stellen, schildern, vor Augen führen (*to dat.*): *to* ~ *to o.s.* sich *et.* vorstellen; **6.** hin-, darstellen (*as od. to be* als); behaupten, vorbringen: *to* ~ *that* behaupten, daß; es so hinstellen, als ob; *to ~ to s.o. that* j-m vorhalten, daß; **rep·re·sen·ta·tion** [reprizen'teiʃən] *s.* **1.** ⚖, ✝, *pol.* Vertretung *f*; → *proportional* 1; **2.** (*bildliche, graphische*) Darstellung, Bild *n*; **3.** *thea.* **a)** Darstellung *f e-r Rolle*, **b)** Aufführung *f e-s Stückes*; **4.** Schilderung *f*, Darstellung *f des Sachverhalts*: *false* ~*s* ⚖ falsche Angaben; **5.** Vorhaltung *f*: *to make* ~*s to* bei *j-m* vorstellig werden, Vorstellungen erheben bei; **6.** ⚖ **a)** Anzeige *f* von Ge'fahrˌumständen (*Versicherung*), **b)** Rechtsnachfolge *f* (*bsd. Erbrecht*); **7.** *phls.* Vorstellung *f*, Begriff *m*; **rep·re'sent·a·tive** [-tətiv] **I.** *s.* **1.** Vertreter(in); Stellvertreter(in), Beauftragte(r *m*) *f*, Repräsen'tant(in): *authorized* ~ Bevollmächtigte(r); (*commercial*) ~ Handelsvertreter; **2.** *parl.* (Volks)Vertreter(in), Abgeordnete(r *m*) *f*: *House of* ♀*s Am.* Unterhaus; **3.** *fig.* typischer Vertreter, Musterbeispiel *n* (*of gen.*); **II.** *adj.* □ **4.** (*of*) vertretend (*acc.*), stellvertretend (für): *in a* ~ *capacity* als Vertreter; **5.** *pol.* repräsenta'tiv: ~ *government* parlamentarische Regierung; **6.** darstellend (*of acc.*): ~ *arts*; **7.** (*of*) *fig.* verkörpernd (*acc.*), sym'bolisch (für); **8.** 'typisch, kennzeichnend (*of* für); *Statistik etc.*: repräsentativ (*Auswahl, Querschnitt*): ~ *sample* ✝ Durchschnittsmuster; **9.** *phls.* Vorstellungs...; **10.** ♀, *zo.* entsprechend (*of dat.*).

re·press [ri'pres] *v/t.* **1.** *Gefühle, Tränen etc.* unter'drücken; **2.** *psych.* verdrängen; **re'pres·sion** [-eʃən] *s.* **1.** Unter'drückung *f*; **2.** *psych.* Verdrängung *f*; **re'pres·sive** [-siv] *adj.* □ **1.** repres'siv, unter'drückend; **2.** hemmend, Hemmungs...

re·prieve [ri'pri:v] **I.** *s.* **1.** ⚖ **a)** Begnadigung *f*, **b)** (Straf-, Voll'streckungs)Aufschub *m*; **2.** *fig.* (Gnaden)Frist *f*, Atempause *f*; **II.** *v/t.* **3.** ⚖ *j-s* 'Urteilsvollˌstreckung aussetzen, (*a. fig.*) *j-m* e-e Gnadenfrist gewähren; **4.** *j-n* begnadigen; **5.** *fig. j-m* e-e Atempause gönnen.

rep·ri·mand ['reprimɑ:nd] **I.** *s.* Verweis *m*, Rüge *f*, Maßregelung *f*; **II.** *v/t. j-m* e-n Verweis erteilen, *j-n* rügen *od.* maßregeln.

re·print ['ri:'print] **I.** *v/t.* neu drukken, nachdrucken, neu auflegen; **II.** *s.* Nach-, Neudruck *m*, Neuauflage *f*.

re·pris·al [ri'praizəl] *s.* Repres'salie *f*, Vergeltungsmaßnahme *f*: *to make* ~*s* (*up*)*on* Repressalien ergreifen gegen.

re·proach [ri'proutʃ] **I.** *s.* **1.** Vorwurf *m*, Tadel *m*: *without fear or* ~ ohne Furcht u. Tadel; *to heap* ~*es on j-n* mit Vorwürfen überschütten; **2.** *fig.* Schande *f* (*to* für): *to bring* ~ (*up*)*on j-m* Schande machen; **II.** *v/t.* **3.** vorwerfen, -halten, zum Vorwurf machen (*s.o. with s.th.* j-m et.); **4.** *j-m* Vorwürfe machen, *j-n* tadeln (*for* wegen); **5.** *et.* tadeln; **6.** *fig.* ein Vorwurf sein für, *et.* mit Schande bedecken; **re'proach·ful** [-ful] *adj.* □ vorwurfsvoll, tadelnd.

rep·ro·bate ['reproubeit] **I.** *adj.* **1.** ruchlos, lasterhaft; **2.** *eccl.* verdammt; **II.** *s.* **3. a)** verkommenes Sub'jekt, **b)** Schurke *m*, **c)** Taugenichts *m*; **4.** (*von Gott*) Verworfene(r *m*) *f*; Verdammte(r *m*) *f*; **III.** *v/t.* **5.** miß'billigen, verurteilen, verwerfen; verdammen (*Gott*); **rep·ro·ba·tion** [reprou'beiʃən] *s.* 'Mißbilligung *f*, Verurteilung *f*.

re·pro·duce [ri:prə'dju:s] **I.** *v/t.* **1.** *biol. u. fig.* ('wieder)erzeugen, (wieder) her'vorbringen; (*o.s.* sich) fortpflanzen; **2.** *biol. Glied* regenerieren, neu bilden; **3.** *Bild etc.* reproduzieren; (*a.* ⊕) nachbilden, kopieren; *typ.* ab-, nachdrucken, vervielfältigen; **4.** *Stimme etc.* reproduzieren, 'wiedergeben; **5.** *Buch, Schauspiel* neu her'ausbringen; **6.** *et.* wieder'holen; **II.** *v/i.* **7.** sich fortpflanzen *od.* vermehren; **re·pro'duc·er** [-sə] *s.* ⚡ 'Tonˌwiedergabegerät *n*, Lautsprecher *m*; **re·pro'duc·i·ble** [-səbl] *adj.* reproduzierbar; **re·pro'duc·tion** [-'dʌkʃən] *s.* **1.** *allg.* 'Wiedererzeugung *f*; **2.** *biol.* Fortpflanzung *f*; **3.** *typ., phot.* Reprodukti'on *f* (*a. psych. früherer Erlebnisse*); **4.** *typ.* Nachdruck *m*, Vervielfältigung *f*; **5.** ⊕ Nachbildung *f*; **6.** ♪, ⚡ *etc.* 'Wiedergabe *f* (*a. ped. e-s Textes*); **7.** *paint.* Reproduktion *f*, Ko'pie *f*; **re·pro'duc·tive** [-'dʌktiv] *adj.* □ **1.** sich vermehrend, fruchtbar; **2.** *biol.* Fortpflanzungs...: ~ *organs*; **3.** *psych.* reproduk'tiv, nachschöpferisch.

re·proof [ri'pru:f] *s.* Tadel *m*, Rüge *f*, Verweis *m*.

re·proof ['ri:'pru:f] *v/t. Mantel etc.* neu imprägnieren.

re·prov·al [ri'pru:vəl] → *reproof*; **re·prove** [ri'pru:v] *v/t. j-n* tadeln, rügen; *et.* miß'billigen; **re'prov·ing·ly** [-viŋli] *adv.* miß'billigend, tadelnd.

reps [reps] → *rep*[1].

rep·tant ['reptənt] *adj.* ♀, *zo.* kriechend; **'rep·tile** [-tail] **I.** *s.* **1.** *zo.* Rep'til *n*, Kriechtier *n*; **2.** *fig.* **a)** Kriecher(in), **b)** ‚Schlange' *f* (*falsche Person*); **II.** *adj.* **3.** kriechend, Kriech...; **4.** *fig.* **a)** kriecherisch, **b)** gemein, niederträchtig, tückisch; **rep·til·i·an** [rep'tiliən] **I.** *adj.* **1.** *zo.* Reptilien..., Kriechtier..., rep'tilisch; **2.** → *reptile* 4 b; **II.** *s.* **3.** → *reptile* 1 u. 2.

re·pub·lic [ri'pʌblik] *s. pol.* Repu'blik *f*: *the* ~ *of letters fig.* die Gelehrtenwelt; **re'pub·li·can** [-kən] (*USA pol.* ♀) **I.** *adj.* republi'kanisch; **II.** *s.* Republi'kaner(in); **re'pub·li·can·ism** [-kənizəm] *s.* **1.** republi'kanische Staatsform; **2.** republikanische Gesinnung.

re·pub·li·ca·tion ['ri:pʌbli'keiʃən] *s.* **1.** 'Wiederveröffentlichung *f*; **2.** Neuauflage *f* (*Vorgang u. Erzeugnis*); **re·pub·lish** ['ri:'pʌbliʃ] *v/t. Buch, a. Gesetz, Testament* neu veröffentlichen.

re·pu·di·ate [ri'pju:dieit] **I.** *v/t.* **1.** *Autorität, Schuld etc.* nicht anerkennen; *Vertrag* für unverbindlich erklären; **2.** *als unberechtigt* zu'rückweisen, verwerfen, in Abrede stellen; **3.** *et.* ablehnen, nicht glauben; **4.** *Frau etc.* verstoßen; **II.** *v/i.* **5.** Staatsschulden nicht anerkennen; **re·pu·di·a·tion** [ripju:di'eiʃən] *s.* **1.** Nichtanerkennung *f* (*bsd. e-r Staatsschuld*); **2.** Ablehnung *f*, Zu'rückweisung *f*, Verwerfung *f*; **3.** Verstoßung *f e-r Frau etc.*

re·pug·nance [ri'pʌgnəns] *s.* **1.** 'Widerwille *m*, Abneigung *f* (*to, against* gegen); **2.** Unvereinbarkeit *f*, (innerer) 'Widerspruch (*of gen. od.* von, *to, with* mit); **re'pug·nant** [-nt] *adj.* **1.** widerlich, zu'wider (-laufend), 'widerwärtig (*to dat.*); **2.** (*to, with*) im Widerspruch stehend (zu), unvereinbar (mit); **3.** wider'strebend.

re·pulse [ri'pʌls] **I.** *v/t.* **1.** *Feind* zu'rückschlagen, -werfen; *Angriff* abschlagen, -weisen; **2.** *fig. j-n* abweisen; *Bitte* abschlagen; **II.** *s.* **3.** Zurückschlagen *n*, Abwehr *f*; **4.** *fig.* Zu'rückweisung *f*, Absage *f*: *to meet with a* ~ abgewiesen werden (*a. fig.*); **5.** *phys.* Rückstoß *m*; **re'pul·sion** [-lʃən] *s.* **1.** *phys.* Abstoßung *f*, Repulsi'on *f*: ~ *motor* ⚡ Repulsionsmotor; **2.** *fig.* 'Widerwille *m*, Abscheu *m, f*; **re'pul·sive** [-siv] *adj.* □ *fig.* abstoßend (*a. phys.*), 'widerwärtig; **re'pul·sive·ness** [-sivnis] *s.* 'Widerwärtigkeit *f*.

re·pur·chase ['ri:'pə:tʃəs] **I.** *v/t.* 'wieder-, zu'rückkaufen; **II.** *s.* ✝ Rückkauf *m*.

rep·u·ta·ble ['repjutəbl] *adj.* □ **1.** achtbar, geachtet, angesehen, ehrbar; **2.** anständig; **rep·u·ta·tion** [repju(:)'teiʃən] *s.* **1.** (guter) Ruf, Name *m*: *a man of* ~ ein Mann von Ruf *od.* Namen; **2.** Ruf *m*: *good* (*bad*) ~; *to have the* ~ *of being* im Ruf stehen, *et.* zu sein; *to have a* ~ *for* bekannt sein für *od.* wegen.

re·pute [ri'pju:t] **I.** *s.* **1.** Ruf *m*, Leumund *m*: *by* ~ dem Rufe nach, wie es heißt; *of ill* ~ von schlechtem Ruf, übelbeleumdet; *house of ill* ~ Bordell; **2.** (guter) Ruf, (hohes) Ansehen: *a scientist of* ~ ein Wissenschaftler von Ruf *od.* Namen; *to be held in high* ~ hohes Ansehen genießen; **II.** *v/t.* **3.** halten für: *to be* ~*d* (*to be*) gelten als, gehalten werden für; *to be well* (*ill*) ~*d* in gutem (üblem) Rufe stehen; **re'put·ed** [-tid] *adj.* □ **1.** angeblich; **2.** ungeeicht, landesüblich (*Maß*); **3.** bekannt, berühmt; **re'put·ed·ly** [-tidli] *adv.* angeblich, dem Vernehmen nach.

re·quest [ri'kwest] **I.** *s.* **1.** Bitte *f*, Wunsch *m*; (*a. formelles*) Ersuchen, Gesuch *n*; (*Zahlungs- etc.*)Aufforderung *f*: *at* (*od. by*) (*s.o.'s*) ~ auf (j-s) Ansuchen *od.* Bitte hin, auf (j-s) Veranlassung; *by* ~ auf Wunsch; *no flowers by* ~ Blumenspenden dankend verbeten; (*musical*) ~ *program*(*me*) Wunschkonzert; ~ *stop* 🚌 *etc.* Bedarfshaltestelle; **2.** Nachfrage *f* (*a.* ✝): *to be in* (*great*) ~ (sehr) gefragt *od.* begehrt sein; **II.** *v/t.* **3.** bitten *od.* ersuchen um: *to* ~ *s.th. from s.o.* j-n um et. ersuchen; *it is* ~*ed* es wird gebeten; **4.** *j-n* (höflich) bitten, *j-n* (*a. amtlich*) ersuchen (*to do* zu tun).

re·qui·em ['rekwiem] *s.* 'Requiem *n* (*a.* ♪), Seelen-, Totenmesse *f*.

re·quire [ri'kwaiə] **I.** *v/t.* **1.** erfordern (*Sache*): *to be* ~*d* erforderlich sein; *if* ~*d* erforderlichenfalls, wenn nötig; **2.** brauchen, nötig haben, *e-r Sache* bedürfen: *a task which* ~*s to be done* e-e Aufgabe, die noch erledigt werden muß; **3.** verlangen, fordern (*of s.o.* von j-m): *to* ~ *(of) s.o. to do s.th.* j-n auffordern, et. zu tun; von j-m verlangen, daß er et. tue; ~*d subject ped. Am.* Pflichtfach; **4.** *Brit.* wünschen; **II.** *v/i.* **5.** (es) verlangen; **re'quire·ment** [-mənt] *s.* **1.** (*fig.* An)Forderung *f*; *fig.* Bedingung *f*, Vor'aussetzung *f*: *to meet the* ~*s* den Anforderungen entsprechen; **2.** Erfordernis *n*, Bedürfnis *n*; *mst pl.* Bedarf *m*: ~*s of raw materials* Rohstoffbedarf.

req·ui·site ['rekwizit] **I.** *adj.* **1.** erforderlich, notwendig (*for, to* für); **II.** *s.* **2.** Erfordernis *n*, Vor'aussetzung *f* (*for* für); **3.** (Be'darfs-, Ge'brauchs)Arˌtikel *m*: *office* ~*s* Büroartikel; **req·ui·si·tion** [rekwi'ziʃən] **I.** *s.* **1.** Anforderung *f* (*for* an *dat.*): ~ *number* Bestellnummer; **2.** (amtliche) Aufforderung; *Völkerrecht*: Ersuchen *n*; **3.** ⚔ Requisiti'on *f*, Beschlagnahme *f*; In'anspruchnahme *f*; **4.** Einsatz *m*, Beanspruchung *f*; **5.** Erfordernis *n*; **II.** *v/t.* **6.** verlangen; **7.** in Anspruch nehmen; ⚔ requirieren.

re·quit·al [ri'kwaitl] *s.* **1.** Belohnung *f* (*for* für); **2.** Vergeltung *f* (*of* für); **3.** Vergütung *f* (*for* für); **re·quite** [ri'kwait] *v/t.* **1.** belohnen: *to* ~ *s.o.* (*for s.th.*); **2.** vergelten.

re·read ['ri:'ri:d] *v/t.* [*irr.* → *read*] nochmals ('durch)lesen.

res [ri:z] *pl.* **res** (*Lat.*) *s.* ⚖ Sache *f*: ~ *judicata* rechtskräftig entschiedene Sache, *weitS.* (materielle) Rechtskraft; ~ *gestae* (beweiserhebliche) Tatsachen, Tatbestand.

re·sale ['ri:seil] *s.* 'Wieder-, Weiterverkauf *m*: ~ *price maintenance* Preisbindung der zweiten Hand.

re·scind [ri'sind] *v/t. Gesetz, Urteil etc.* aufheben, für nichtig erklären; *Kauf etc.* rückgängig machen; von *e-m Vertrag* zu'rücktreten; **re'scis·sion** [-iʒən] *s.* **1.** Aufhebung *f e-s Urteils etc.*; **2.** Rücktritt *m vom Vertrag.*

re·script ['ri:skript] *s.* Erlaß *m.*

res·cue ['reskju:] **I.** *v/t.* **1.** (*from*) retten (aus), (*bsd.* ⚖ gewaltsam) befreien (von); (*bsd. et.*) bergen: *to* ~ *from oblivion* der Vergessenheit entreißen; **2.** (gewaltsam) zu'rückholen; **II.** *s.* **3.** Rettung *f* (*a. fig.*); Bergung *f*: *to come to s.o.'s* ~ j-m zu Hilfe kommen; **4.** (gewaltsame) Befreiung; **III.** *adj.* **5.** Rettungs...: ~ *party* Rettungs-, Bergungsmannschaft; ~ *vessel* ⚓ Bergungsfahrzeug; **'res·cu·er** [-juə] *s.* Befreier (-in), Retter(in).

re·search [ri'sə:tʃ] **I.** *s.* **1.** Forschung *f*, (wissenschaftliche) Forschungsarbeit (*on* über *acc.*, auf dem Gebiet *gen.*); **2.** (genaue) Unter'suchung, (Nach)Forschung *f* (*after, for* nach): *industrial* ~ ✝ Konjunkturforschung; **II.** *v/i.* **3.** Forschungen anstellen, wissenschaftlich arbeiten (*on* über *acc.*); **III.** *adj.* **4.** Forschungs...: ~ *satellite* Forschungssatellit; **re'search·er** [-tʃə] *s.* Forscher *m.*

re·seat ['ri:'si:t] *v/t.* **1.** mit neuen Sitzen *od.* e-m neuen Sitz versehen, *Saal etc.* neu bestuhlen; **2.** ⊕ *Ventile* nachschleifen; **3.** *to* ~ *o.s.* sich wieder setzen.

re·sect [ri:'sekt] *v/t.* ⚕ her'ausschneiden; **re'sec·tion** [-kʃən] *s.* Resekti'on *f.*

re·se·da ['residə] *s.* **1.** ⚘ Re'seda *f*; **2.** Re'sedagrün *n.*

re·sell ['ri:'sel] *v/t.* [*irr.* → *sell*] wieder verkaufen, 'wiederverkaufen; **'re'sell·er** [-lə] *s.* 'Wiederverkäufer *m.*

re·sem·blance [ri'zembləns] *s.* Ähnlichkeit *f* (*to* mit, *between* zwischen): *to bear* (*od. have*) ~ *to s.o.* j-m ähnlich sehen; **re·sem·ble** [ri'zembl] *v/t.* (*dat.*) ähnlich sein *od.* sehen, gleichen, ähneln.

re·sent [ri'zent] *v/t.* übelnehmen, verübeln, sich ärgern über (*acc.*); **re'sent·ful** [-ful] *adj.* □ **1.** (*against, of*) aufgebracht (gegen), ärgerlich *od.* voller Groll (auf *acc.*); **2.** übelnehmerisch; **re'sent·ment** [-mənt] *s.* **1.** Ressenti'ment *n*, Groll *m* (*against, at* gegen); **2.** Verstimmung *f*, Unmut *m*, Unwille *m.*

res·er·va·tion [rezə'veiʃən] *s.* **1.** Vorbehalt *m*; ⚖ *a.* Vorbehaltsrecht *n*, -klausel *f*: *without* ~ ohne Vorbehalt; → *mental 1*; **2.** *oft pl. Am.* Vorbestellung *f*, Reservierung *f von Zimmern etc.*; **3.** *Am.* Reser'vat *n*: **a)** Na'turschutzgebiet *n*, **b)** Indi'anerreservatiˌon *f.*

re·serve [ri'zə:v] **I.** *s.* **1.** *allg.* Re'serve *f* (*a. fig.*), Vorrat *m*: *in* ~ in Reserve, vorrätig; ~ *seat* Notsitz; **2.** ✝ Reserve *f*, Rücklage *f*, -stellung *f*: ~ *account* Rückstellungskonto; **3.** ⚔ **a)** Reserve *f*: ~ *officer* Reserveoffizier, **b)** *pl. taktische* Reserven *pl.*; **4.** *sport* Ersatz(mann) *m*, Re'servespieler *m*; **5.** Reser'vat *n*, Schutzgebiet *n*: ~ *game* geschützter Wildbestand; **6.** Vorbehalt *m* (*a.* ⚖): *without* ~ vorbehalt-, rückhaltlos; *with certain* ~*s* mit gewissen Einschränkungen; ~ *price* ✝ Mindestgebot (*bei Versteigerungen*); **7.** *fig.* Zu'rückhaltung *f*, Reserve *f*, zu'rückhaltendes Wesen: *to receive s.th. with* ~ *e-e Nachricht etc.* mit Zurückhaltung aufnehmen; **II.** *v/t.* **8.** (sich) aufsparen *od.* -bewahren, (zu'rück)behalten, in Re'serve halten; ⚔ *j-n* zu'rückstellen; **9.** (sich) zu'rückhalten mit, warten mit, *et.* verschieben: *to* ~ *judg(e)ment* ⚖ die Urteilsverkündung aussetzen; **10.** reservieren (lassen), vorbestellen, vormerken (*to, for* für); **11.** *bsd.* ⚖ **a)** vorbehalten (*to s.o.* j-m), **b)** sich vorbehalten: *to* ~ *the right to do* (*od. of doing*) *s.th.* sich das Recht vorbehalten, et. zu tun; *all rights* ~*d* alle Rechte vorbehalten; **re'served** [-vd] *adj.* □ *fig.* zu'rückhaltend, reserviert; **re'serv·ist** [-vist] *s.* ⚔ Reser'vist *m.*

res·er·voir ['rezəvwɑ:] *s.* **1.** Behälter *m* für Wasser *etc.*; Speicher *m*; **2.** ('Wasser)Reserˌvoir *n*: **a)** Wasserturm *m*, **b)** Sammel-, Staubecken *n*, Bas'sin *n*; **3.** *fig.* Reser'voir *n* (*of* an *dat.*).

re·set ['ri:'set] *v/t.* [*irr.* → *set*] **1.** *Edelstein* neu fassen; **2.** *Messer* neu abziehen; **3.** *typ.* neu setzen; **4.** ⊕ nachrichten, -stellen.

re·set·tle ['ri:'setl] **I.** *v/t.* **1.** *Land* wieder besiedeln; **2.** *j-n* wieder ansiedeln, 'umsiedeln; **3.** wieder in Ordnung bringen; **II.** *v/i.* **4.** sich wieder ansiedeln; **5.** sich wieder setzen *od.* legen *od.* beruhigen; **'re'set·tle·ment** [-mənt] *s.* **1.** 'Wiederansiedlung *f*, 'Umsiedlung *f*; **2.** Neuordnung *f.*

re·shape ['ri:'ʃeip] *v/t.* neu formen, 'umgestalten.

re·ship ['ri:'ʃip] *v/t.* **1.** *Güter* wieder verschiffen; **2.** 'umladen; **'re'ship·ment** [-mənt] *s.* **1.** 'Wiederverladung *f*; **2.** Rückladung *f*, -fracht *f.*

re·shuf·fle ['ri:'ʃʌfl] **I.** *v/t.* **1.** *Spielkarten* neu mischen; **2.** *bsd. pol.* 'umgruppieren, -bilden; **II.** *s.* **3.** *pol.* 'Umbildung *f*, 'Umgruppierung *f.*

re·side [ri'zaid] *v/i.* **1.** wohnen, ansässig sein, s-n (ständigen) Wohnsitz haben (*in, at* in *dat.*); **2.** *fig.* (*in*) **a)** wohnen (in *dat.*), **b)** innewohnen (*dat.*), **c)** zustehen (*dat.*), liegen, ruhen (bei *j-m*).

res·i·dence ['rezidəns] *s.* **1.** Wohnsitz *m*, -ort *m*; Sitz *m e-r Behörde etc.*: *to take up one's* ~ s-n Wohnsitz nehmen *od.* aufschlagen, sich niederlassen; **2.** Aufenthalt *m*: ~ *permit* Aufenthaltsgenehmigung; *place of* ~ Wohn-, Aufenthaltsort; **3.** (herrschaftliches) Wohnhaus; **4.** Wohnung *f*: *official* ~ Dienstwohnung; **5.** Wohnen *n*; **6.** Ortsansässigkeit *f*: ~ *is required* es besteht Wohnpflicht; *to be in* ~ am Amtsort ansässig sein; **res·i·dent** ['rezidənt] **I.** *adj.* **1.** (orts)ansässig, (ständig) wohnhaft; **2.** im (*Schul- od. Kranken- etc.*)Haus wohnend: ~ *physician*; **3.** *fig.* innewohnend (*in dat.*); **4.** *zo.* seßhaft: ~ *birds* Standvögel; **II.** *s.* **5.** Ortsansässige(r *m*) *f*, Einwohner(in); *mot.* Anlieger *m*; **6.** *pol. a. minister*-~ Mi'nisterresiˌdent *m* (*Gesandter*); **res·i·den·tial** [rezi'denʃəl] *adj.* **1. a)** Wohn...: ~ *allowance* Ortszulage; ~ *district* Wohnviertel, Villenviertel; ~ *university* Internatsuniversität, **b)** herrschaftlich; **2.** Wohnsitz...

re·sid·u·al [ri'zidjuəl] **I.** *adj.* **1.** ⅌ zu'rückbleibend, übrig; **2.** übrig (-geblieben), Rest... (*a. phys. etc.*): ~ *product* ⚗, ⊕ Nebenprodukt; ~ *soil geol.* Eluvialboden; **3.** *phys.* rema'nent: ~ *magnetism*; **II.** *s.* **4.** Rückstand *m*, Rest *m*; **5.** ⅌ Rest (-wert) *m*, Diffe'renz *f*; **re'sid·u·ar·y** [-əri] *adj.* restlich, übrig(geblieben): ~ *estate* ⚖ Reinnachlaß; ~ *legatee* Nachvermächtnisnehmer; **res·i·due** ['rezidju:] *s.* **1.** Rest *m* (*a.* ⅌, ✝); **2.** ⚗ Rückstand *m*; **3.** ⚖ reiner (Erb)Nachlaß; **re'sid·u·um** [-juəm] *pl.* **-u·a** [-juə] (*Lat.*) *s.* **1.** *bsd.* ⚗ Rückstand *m*, (*a.* ⅌) Re'siduum *n*; **2.** *fig.* Bodensatz *m*, Hefe *f e-s Volkes etc.*

re·sign [ri'zain] **I.** *v/t.* **1.** *Besitz, Hoffnung etc.* aufgeben; verzichten auf (*acc.*); *Amt* niederlegen; **2.** über'lassen (*to dat.*); **3.** ~ *o.s.* sich anver-

trauen *od.* überlassen (*to dat.*); **4.** ~ *o.s.* (*to*) sich ergeben (in *acc.*), sich abfinden *od.* versöhnen (mit *s-m Schicksal etc.*); **II.** *v/i.* **5.** (*to* in *acc.*) sich ergeben, sich fügen; **6.** (*from*) **a)** zu'rücktreten (von *e-m Amt*), abdanken, **b)** austreten (aus);
res·ig·na·tion [rezig'neiʃən] *s.* **1.** Aufgabe *f*, Verzicht *m*; **2.** Rücktritt(sgesuch *n*) *m*, Amtsniederlegung *f*, Abdankung *f*: *to send in* (*od. tender*) *one's* ~ s-n Rücktritt einreichen; **3.** Ergebung *f* (*to* in *acc.*); **re'signed** [-nd] *adj.* □ ergeben: *he is* ~ *to his fate* er hat sich mit s-m Schicksal abgefunden.

re·sil·i·ence [ri'ziliəns] *s.* Elastizi'tät *f*: **a)** *phys.* Prallkraft *f*, **b)** *fig.* Spannkraft *f*; **re'sil·i·ent** [-nt] *adj.* e'lastisch: **a)** federnd, **b)** *fig.* spannkräftig, unverwüstlich.

res·in ['rezin] **I.** *s.* **1.** Harz *n*; **2.** → *rosin I*; **II.** *v/t.* **3.** harzen, mit Harz behandeln; **'res·in·ous** [-nəs] *adj.* harzig, Harz...

re·sist [ri'zist] **I.** *v/t.* **1.** wider'stehen (*dat.*): *I cannot* ~ *doing it* ich muß es einfach tun; **2.** 'Widerstand leisten (*dat. od.* gegen), sich wider'setzen (*dat.*), sich sträuben gegen: ~*ing a public officer in the excecution of his duty* ⚖ Widerstand gegen die Staatsgewalt; **II.** *v/i.* **3.** 'Widerstand leisten, sich wider'setzen; **III.** *s.* **4.** ⊕ Deckmittel *n*, Schutzlack *m*; **re'sist·ance** [-təns] *s.* **1.** Widerstand *m* (*to* gegen): *air* ~ *phys.* Luftwiderstand; ~ *movement pol.* Widerstandsbewegung; *to offer* ~ Widerstand leisten (*to dat.*); *to take the line of the least* ~ den Weg des geringsten Widerstandes einschlagen; **2.** 'Widerstandskraft *f* (*a.* ⚕); ⊕ (*Hitze-, Kälte- etc.*)Beständigkeit *f*, (*Biegungs-,Säure-,Stoß-etc.*)Festigkeit *f*: ~ *to wear* Verschleißfestigkeit; **3.** ⚡ Widerstand *m*; **re'sistant** [-tənt] *adj.* **1.** wider'stehend, -'strebend; **2.** ⊕ 'widerstandsfähig (*to* gegen), beständig; **re·sis·tiv·i·ty** [rizis'tiviti] *s.* ⚡ spe'zifischer Widerstand; **re'sis·tor** [-tə] *s.* ⚡ Widerstand *m*.

re·sole ['ri:'soul] *v/t. Schuhe* neu besohlen.

res·o·lu·ble [ri'zɔljubl] *adj.* **1.** ⚗ auflösbar; **2.** *fig.* lösbar.

res·o·lute ['rezəlu:t] *adj.* □ entschieden, entschlossen, reso'lut; **'res·o·lute·ness** [-nis] *s.* Entschlossenheit *f*; reso'lute Art.

res·o·lu·tion [rezə'lu:ʃən] *s.* **1.** Entschlossenheit *f*, Entschiedenheit *f*; **2.** Entschluß *m*: *good* ~*s* gute Vorsätze; **3.** ✝, *parl.* Beschluß(fassung *f*) *m*, Entschließung *f*, Resoluti'on *f*; **4.** ⚗, ⌒, ♪, *phys.*, *opt.* (*a. Metrik*) Auflösung *f* (*into* in *acc.*); **5.** ⊕ Rasterung *f* (*Bild*); **6.** ⚕ **a)** Lösung *f e-r Entzündung etc.*, **b)** Zerteilung *f e-s Tumors*; **7.** *fig.* Lösung *f e-r Frage*; Behebung *f von Zweifeln.*

re·solv·a·ble [ri'zɔlvəbl] *adj.* (auf-)lösbar (*into* in *acc.*); **re'solve** [ri'zɔlv] **I.** *v/t.* **1.** *a. opt.*, ⚗, ♪, ⌒ auflösen (*into* in *acc.*): *to be* ~*d into* sich auflösen in (*acc.*); ~*d into dust* in Staub verwandelt; *resolving power opt.*, *phot.* Auflösungsvermögen; → *committee*; **2.** analysieren; **3.** *fig.* zu'rückführen (*into, to* auf *acc.*); **4.** *fig. Frage etc.* lösen; **5.** *fig. Bedenken, Zweifel* zerstreuen; **6. a)** beschließen, sich entschließen (*to do et.* zu tun), **b)** entscheiden; **II.** *v/i.* **7.** sich auflösen (*into* in *acc.*, *to* zu); **8.** (*on, upon s.th.*) (et.) beschließen, sich entschließen (zu et.); **III.** *s.* **9.** Entschluß *m*, Vorsatz *m*; **10.** *Am.* → *resolution 3*; **11.** *rhet.* Entschlossenheit *f*; **re'solved** [-vd] *p.p. u. adj.* □ (fest) entschlossen.

res·o·nance ['reznəns] *s.* Reso'nanz *f* (*a* ♪, ⚕, *phys.*), Nach-, 'Widerhall *m*, Mitschwingen *n*: ~ *box* Resonanzkasten; **'res·o·nant** [-nt] *adj.* □ **1.** 'wider-, nachhallend (*with* von); **2.** volltönend (*Stimme*); **3.** *phys.* mitschwingend, Resonanz...; **res·o·na·tor** ['rezəneitə] *s. phys.* Reso'nator *m*.

re·sorb [ri'sɔ:b] *v/t.* (wieder) aufsaugen, resorbieren; **re'sorb·ence** [-bəns], **re'sorp·tion** [-ɔ:pʃən] *s.* Resorpti'on *f*.

re·sort [ri'zɔ:t] **I.** *s.* **1.** Zuflucht *f* (*to* zu); (Auskunfts)Mittel *n*: *in the last* ~ als letzter Ausweg, ‚wenn alle Stricke reißen'; *to have* ~ *to* → *5*; *without* ~ *to force* ohne Gewaltanwendung; **2.** Besuch *m*, Zustrom *m*: *place of* ~ (beliebter) Treffpunkt; **3.** (Aufenthalts-, Erholungs)Ort *m*: *health* ~ Kurort; *summer* ~ Sommerfrische; **II.** *v/i.* **4.** ~ *to* **a)** sich begeben zu *od.* nach, **b)** *Ort* oft besuchen; **5.** ~ *to* s-e Zuflucht nehmen zu, zu'rückgreifen auf (*acc.*), Gebrauch machen von, *et.* anwenden.

re·sound [ri'zaund] **I.** *v/i.* **1.** 'widerhallen (*with, to* von): ~*ing* schallend; **2.** erschallen, ertönen (*Klang*); **II.** *v/t.* **3.** widerhallen lassen.

re·source [ri'sɔ:s] *s.* **1.** (Hilfs)Quelle *f*, (-)Mittel *n*; **2.** *pl.* **a)** Mittel *pl.*, Reichtümer *pl. e-s Landes*: *natural* ~*s* Bodenschätze, **b)** Geldmittel *pl.*, **c)** ✝ *Am.* Ak'tiva *pl.*; **3.** (Auskunfts-)Mittel *n*, Zuflucht *f*; **4.** Findig-, Wendigkeit *f*; Ta'lent *n*: *he is full of* ~ er weiß sich immer zu helfen; **5.** Entspannung *f*, Unter'haltung *f*; **re'source·ful** [-ful] *adj.* □ **1.** reich an Hilfsquellen; **2.** findig, wendig, erfinderisch, einfallsreich.

re·spect [ris'pekt] **I.** *s.* **1.** Rücksicht *f* (*to, of* auf *acc.*): *without* ~ *to persons* ohne Ansehen der Person; **2.** Hinsicht *f*, Beziehung *f*: *in every* (*some*) ~ in jeder (gewisser) Hinsicht; *in* ~ *of* (*od. to*), *with* ~ *to* (*od. of*) hinsichtlich (*gen.*), bezüglich (*gen.*), in Anbetracht (*gen.*); *to have* ~ *to* sich beziehen auf (*acc.*); **3.** (Hoch)Achtung *f*, Ehrerbietung *f*, Re'spekt *m* (*for* vor *dat.*); **4.** *one's* ~*s pl.* s-e Empfehlungen *pl. od.* Grüße *pl.* (*to* an *acc.*): *give him my* ~*s* grüßen Sie ihn von mir; *to pay one's* ~*s to* **a)** *j-n* bestens grüßen, **b)** *j-m* s-e Aufwartung machen; **II.** *v/t.* **5.** sich beziehen auf (*acc.*), betreffen; **6.** (hoch)achten, ehren; **7.** *Gefühle, Gesetze etc.* respektieren, (be)achten; *to* ~ *o.s.* etwas auf sich halten; **re·spect·a·bil·i·ty** [rispektə'biliti] *s.* **1.** Ehrbarkeit *f*, Achtbarkeit *f*; **2.** Ansehen *n*; ✝ Solidi'tät *f*; **3. a)** *pl.* Re'spektsper͵sonen *pl.*, Honorati'oren *pl.*, **b)** Re'spektsper͵son *f*; **4.** *pl.* Anstandsregeln *pl.*; **re'spect·a·ble** [-təbl] *adj.* □ **1.** ansehnlich, (recht) beachtlich; **2.** acht-, ehrbar; anständig, so'lide; **3.** angesehen, geachtet; **4.** kor'rekt, konventio'nell; **re'spect·er** [-tə] *s.*: *to be no* ~ *of persons* ohne Ansehen der Person handeln; **re'spect·ful** [-ful] *adj.* □ re'spektvoll (*a. iro. Entfernung*), ehrerbietig, höflich: *Yours* ~*ly* mit vorzüglicher Hochachtung (*Briefschluß*); **re'spect·ing** [-tiŋ] *prp.* bezüglich (*gen.*), hinsichtlich (*gen.*), über (*acc.*); **re'spec·tive** [-tiv] *adj.* □ jeweilig (*jedem einzeln zukommend*), verschieden: *to our* ~ *places wir gingen* jeder an s-n Platz; **re'spec·tive·ly** [-tivli] *adv.* beziehungsweise; in dieser Reihenfolge.

res·pi·ra·tion [respə'reiʃən] *s.* Atmung *f*, Atmen *n*, Atemholen *n*: *artificial* ~ künstliche Beatmung; **res·pi·ra·tor** ['respəreitə] *s.* **1.** *Brit.* Gasmaske *f*; **2.** Atemfilter *m*; **3.** ⚕ Atemgerät *n*, 'Sauerstoffappa͵rat *m*; **re·spir·a·to·ry** [ris'paiərətəri] *adj. anat.* Atmungs...

re·spire [ris'paiə] **I.** *v/i.* **1.** atmen; **2.** *fig.* aufatmen; **II.** *v/t.* **3.** (ein-)atmen.

res·pite ['respait] **I.** *s.* **1.** Frist *f*, (Zahlungs)Aufschub *m*, Stundung *f*; **2.** ⚖ **a)** Aussetzung *f* des Voll'zugs (*der Todesstrafe*), **b)** Strafaufschub *m*; **3.** *fig.* (Atem-, Ruhe-)Pause *f*; **II.** *v/t.* **4.** auf-, verschieben; **5.** *j-m* Aufschub gewähren, e-e Frist einräumen; **6.** ⚖ die Voll'streckung des Urteils an *j-m* aufschieben; **7.** Erleichterung von *Schmerz etc.* verschaffen.

re·splend·ence [ris'plendəns], **re'splend·en·cy** [-si] *s.* Glanz *m* (*a. fig. Pracht*); **re'splend·ent** [-nt] *adj.* □ glänzend, strahlend, prangend.

re·spond [ris'pɔnd] *v/i.* **1.** (*to*) antworten (auf *acc.*) (*a. eccl.*), *Brief etc.* beantworten; **2.** *fig.* antworten, er'widern (*with* mit); **3.** *fig.* (*to*) reagieren *od.* ansprechen (auf *acc.*), empfänglich sein (für), eingehen auf (*acc.*): *to* ~ *to a call* e-m Rufe folgen; **4.** ⊕ ansprechen (*Motor*), gehorchen; **re'spond·ent** [-dənt] **I.** *adj.* **1.** ~ *to* reagierend auf (*acc.*), empfänglich für; **2.** ⚖ beklagt; **II.** *s.* **3.** ⚖ **a)** (Scheidungs)Beklagte(r *m*) *f*, **b)** Berufungsbeklagte(r *m*) *f*.

re·sponse [ris'pɔns] *s.* **1.** Antwort *f*, Erwiderung *f*: *in* ~ *to* als Antwort auf (*acc.*), in Erwiderung (*gen.*); **2.** *fig.* **a)** Reakti'on *f* (*a. biol., psych.*), Antwort *f*, **b)** 'Widerhall *m* (*alle*: *to* auf *acc.*): *to meet with a good* ~ Widerhall *od.* e-e gute Aufnahme finden; **3.** *eccl.* Antwort(strophe) *f*; **4.** ⊕ Ansprechen *n* (*des Motors etc.*).

re·spon·si·bil·i·ty [rispɔnsə'biliti] *s.* **1.** Verantwortlichkeit *f*; **2.** Verantwortung *f* (*for, of* für): *on one's own* ~ auf eigene Verantwortung; **3.** ⚖ **a)** Zurechnungsfähigkeit *f*, **b)** Haftbarkeit *f*; **4.** Vertrauenswürdigkeit *f*; ✝ Zahlungsfähigkeit *f*; **5.** *oft pl.* Verbindlichkeit *f*, Verpflichtung *f*;

re·spon·si·ble [ris'pɔnsəbl] *adj.* □ **1.** verantwortlich (*to dat.*, *for* für): ~ *partner* ✝ persönlich haftender Gesellschafter; **2.** ⚖ **a)** zurechnungsfähig, **b)** geschäftsfähig, **c)** haftbar; **3.** verantwortungsbewußt, zuverlässig; ✝ so'lide, zahlungsfähig; **4.** verantwortungsvoll, verantwortlich (*Stellung*): *used to* ~ *work* an selbständiges Arbeiten gewöhnt; **5.** (*for*) **a)** schuld (an *dat.*), verantwortlich (für), **b)** die Ursache (*gen. od.* von); **re·spon·sive** [ris'pɔnsiv] *adj.* □ **1.** Antwort..., antwortehd (*to* auf *acc.*); **2.** (*to*) (leicht) reagierend (auf *acc.*), ansprechbar; *weitS.* empfänglich *od.* zugänglich *od.* aufgeschlossen (für): *to be* ~ *to* **a)** ansprechen *od.* reagieren auf (*acc.*), **b)** eingehen auf (*j-n*), (*e-m Bedürfnis etc.*) entgegenkommen; **3.** ⊕ e'lastisch (*Motor*).

rest[1] [rest] **I.** *s.* **1.** (*a.* Nacht)Ruhe *f*, Rast *f*; *fig.* **a)** Ruhe *f* (*Frieden, Untätigkeit*), **b)** Ruhepause *f*, Erholung *f*, **c)** ewige *od.* letzte Ruhe (*Tod*); *phys.* Ruhe(lage) *f*: *at* ~ in Ruhe, ruhig; *to be at* ~ **a)** ruhen (*Toter*), **b)** beruhigt sein, **c)** ⊕ sich in Ruhelage befinden; *to give a* ~ *to* **a)** *Maschine etc.* ruhen lassen, **b)** F *et.* auf sich beruhen lassen; *to have a good night's* ~ gut schlafen; *to lay to* ~ zur letzten Ruhe betten; *to set s.o.'s mind at* ~ j-n beruhigen; *to set a matter at* ~ e-e Sache (endgültig) entscheiden *od.* erledigen; *to take a* ~ sich ausruhen; **2.** Ruheplatz *m* (*a. Grab*), Raststätte *f*; Aufenthalt *m*; Herberge *f*: *seamen's* ~ Seemannsheim; **3.** ⊕ **a)** Auflage *f*, Stütze *f*, (Arm)Lehne *f*, (Fuß-) Raste *f*, *teleph.* Gabel *f*, **b)** Sup'port *m e-r Drehbank*, **c)** ⚔ (Gewehr-) Auflage *f*; **4.** ♪ Pause *f*; **5.** *Metrik*: Zä'sur *f*; **II.** *v/i.* **6.** ruhen, schlafen (*a. Toter*); **7.** (sich aus)ruhen, rasten, e-e (Ruhe)Pause einlegen: *to let a matter* ~ *fig.* e-e Sache auf sich beruhen lassen; *the matter cannot* ~ *there* damit kann es nicht sein Bewenden haben; **8.** sich stützen: *to* ~ *against* sich stützen *od.* lehnen gegen, ⊕ anliegen an (*acc.*); *to* ~ (*up*)*on* **a)** ruhen auf (*dat.*) (*a. Last, Blick, Schatten etc.*), **b)** *fig.* beruhen auf (*dat.*), sich stützen auf (*acc.*), **c)** *fig.* sich verlassen auf (*acc.*); **9.** ~ *with* bei *j-m* liegen (*Entscheidung, Schuld*), in *j-s* Händen liegen, von *j-m* abhängen, *j-m* über'lassen bleiben; **10.** ⚖ *Am.* → *16*; **III.** *v/t.* **11.** (aus)ruhen lassen, *j-m* Ruhe gönnen: *to* ~ *o.s.* sich ausruhen; *God* ~ *his soul* Gott hab ihn selig; **12.** *Augen, Stimme* schonen; **13.** legen, lagern (*on* auf *acc.*); **14.** stützen, lehnen; *fig.* gründen, stützen (*on, upon* auf *acc.*); **15.** *Am.* F *Hut etc.* ablegen; **16.** ~ *one's case* ⚖ *Am.* den Beweisvortrag abschließen (*Prozeßpartei*).

rest[2] [rest] **I.** *s.* **1.** Rest *m*; (*das*) übrige, (*die*) übrigen: *and all the* ~ *of it* und alles übrige; *the* ~ *of us* wir übrigen; *for the* ~ im übrigen; **2.** ✝ *Brit.* Re'serve,fonds *m*; **3.** ✝ *Brit.* **a)** Bilanzierung *f*, **b)** Restsaldo *m*; **II.** *v/i.* **4.** *in e-m Zustand* bleiben, weiterhin sein: ~ *assured that* seien Sie versichert *od.* verlassen Sie sich darauf, daß; **5.** ~ *with* → *rest*[1] 9.

re·state ['ri:'steit] *v/t.* neu (u. besser) formulieren; '**re'state·ment** [-mənt] *s.* neue Darstellung *od.* Formulierung.

res·tau·rant ['restərɔ̃:ŋ; -rɔnt; restɔrɑ̃] (*Fr.*) *s.* Restau'rant *n*, Gaststätte *f*: ~-*car* Speisewagen.

'**rest-cure** [-stk-] *s.* ⚕ Liegekur *f*.

rest·ed ['restid] *p.p. u. adj.* ausgeruht, erholt; **rest·ful** ['restful] *adj.* □ **1.** ruhig, friedlich; **2.** erholsam, gemütlich, bequem.

'**rest-house** *s.* Rasthaus *n*.

'**rest·ing-place** ['restiŋ] *s.* **1.** Ruheplatz *m*; **2.** (letzte) Ruhestätte, Grab *n*.

res·ti·tu·tion [resti'tju:ʃən] *s.* **1.** Restituti'on *f*: **a)** (Zu)'Rückerstattung *f*, **b)** Entschädigung *f*, **c)** Wieder'gutmachung *f*, **d)** Wieder'herstellung *f von Rechten etc.*: *to make* ~ Ersatz leisten (*of* für); **2.** *phys.* (e'lastische) Rückstellung; **3.** *phot.* Entzerrung *f*.

res·tive ['restiv] *adj.* □ **1.** unruhig, ner'vös; **2.** störrisch, 'widerspenstig, bockig (*a. Pferd*); '**res·tive·ness** [-nis] *s.* **1.** Unruhe *f*, Ungeduld *f*; **2.** 'Widerspenstigkeit *f*.

rest·less ['restlis] *adj.* □ **1.** ruhe-, rastlos; **2.** unruhig; **3.** schlaflos (*Nacht*); '**rest·less·ness** [-nis] *s.* **1.** Ruhe-, Rastlosigkeit *f*; **2.** (ner'vöse) Unruhe, Unrast *f*.

re·stock ['ri:'stɔk] **I.** *v/t.* **1.** *Lager* wieder auffüllen; **2.** *Gewässer* wieder mit Fischen besetzen; **II.** *v/i.* **3.** neuen Vorrat einlagern.

res·to·ra·tion [restə'reiʃən] *s.* **1.** Wieder'herstellung *f* (*e-s Zustandes, der Gesundheit etc.*); **2.** Restaurierung *f e-s Kunstwerks etc.*; **3.** Rückerstattung *f*, -gabe *f*; **4.** Wieder'einsetzung *f* (*to* in *ein Amt*); **5.** *the* ♀ *hist.* die Restaurati'on; **re·stor·a·tive** [ris'tɔrətiv] ⚕ **I.** *adj.* □ **1.** stärkend; **II.** *s.* **2.** Stärkungsmittel *n*; **3.** 'Wiederbelebungsmittel *n*.

re·store [ris'tɔ:] *v/t.* **1.** *Einrichtung, Gesundheit, Ordnung etc.* wieder'herstellen; **2. a)** *Kunstwerk etc.* restaurieren, **b)** ⊕ in'stand setzen; **3.** *j-n* wieder'einsetzen (*to* in *acc.*); **4.** zu'rückerstatten, -bringen, -geben: *to* ~ *s.th. to its place* et. an s-n Platz zurückstellen; *to* ~ *the receiver teleph.* den Hörer auflegen *od.* einhängen; *to* ~ *s.o.* (*to health*) j-n gesund machen *od.* wiederherstellen; *to* ~ *s.o. to liberty* j-m die Freiheit wiedergeben; *to* ~ *s.o. to life* j-n ins Leben zurückrufen; *to* ~ *a king* (*to the throne*) e-n König wieder auf den Thron setzen; **re'stor·er** [-ɔ:rə] *s.* **1.** Wieder'hersteller(in); **2.** Restau'rator *m*; **3.** Haarwuchsmittel *n*.

re·strain [ris'trein] *v/t.* **1.** zu'rückhalten: *to* ~ *s.o. from doing s.th.* j-n davon abhalten, et. zu tun; ~*ing order* ⚖ Unterlassungsurteil; **2. a)** in Schranken halten, Einhalt gebieten (*dat.*), **b)** *Pferd* im Zaum halten, zügeln (*a. fig.*); **3.** *Gefühl* unter'drücken, bezähmen; **4. a)** einsperren, -schließen, **b)** *Geisteskranken* in e-r Anstalt 'unterbringen; **5.** *Macht etc.* be-, einschränken; **6.** ✝ *Produktion etc.* drosseln; **re'strained** [-nd] *adj.* □ **1.** zu'rückhaltend, beherrscht, maßvoll; **2.** verhalten, gedämpft; **re'straint** [-nt] *s.* **1.** Einschränkung *f*, Beschränkung(en *pl.*) *f*; Hemmnis *n*, Zwang *m*: ~ *of* (*od. upon*) *liberty* Beschränkung der Freiheit; ~ *of trade* **a)** Beschränkung des Handels, **b)** Einschränkung des freien Wettbewerbs, Konkurrenzverbot; ~ *clause* Konkurrenzklausel; *without* ~ frei, ungehemmt, offen; **2.** ⚖ Freiheitsbeschränkung *f*, Haft *f*: *to place s.o. under* ~ j-n in Gewahrsam nehmen; **3. a)** Zu'rückhaltung *f*, Beherrschtheit *f*, **b)** (künstlerische) Zucht.

re·strict [ris'trikt] *v/t.* **a)** einschränken, **b)** beschränken (*to* auf *acc.*): *to be* ~*ed to doing* sich darauf beschränken müssen, et. zu tun; **re'strict·ed** [-tid] *adj.* □ eingeschränkt, beschränkt, begrenzt: ~! nur für den Dienstgebrauch!; ~ *area* Sperrgebiet; ~ *district* Gebiet mit bestimmten Baubeschränkungen; **re'stric·tion** [-kʃən] *s.* **1.** Ein-, Beschränkung *f* (*of, on gen.*): ~*s on imports* Einfuhrbeschränkungen; ~*s of space* räumliche Beschränktheit; *without* ~*s* uneingeschränkt; **2.** Vorbehalt *m*; **re'stric·tive** [-tiv] **I.** *adj.* □ be-, einschränkend (*of acc.*): ~ *clause* **a)** *ling.* einschränkender Relativsatz, **b)** ✝ einschränkende Bestimmung; **II.** *s. ling.* Einschränkung *f*.

'**rest-room** *s.* **1.** Aufenthaltsraum *m*; **2.** *Am.* Toi'lette *f*.

re·sult [ri'zʌlt] **I.** *s.* **1.** *a.* ⅄ Ergebnis *n*, Resul'tat *n*; (*a.* guter) Erfolg: *without* ~ ergebnislos; **2.** Folge *f*, Aus-, Nachwirkung *f*: *as a* ~ **a)** die Folge war, daß, **b)** folglich; **II.** *v/i.* **3.** sich ergeben, resultieren (*from* aus): *to* ~ *in* hinauslaufen auf (*acc.*), zur Folge haben (*acc.*), enden mit (*dat.*); **re'sult·ant** [-tənt] **I.** *adj.* **1.** sich ergebend, (dabei *od.* daraus) entstehend, resultierend (*from* aus); **II.** *s.* **2.** *phys.*, ⅄ Resul'tante *f*; **3.** (End)Ergebnis *n*.

ré·su·mé ['rezju(:)mei; rezyme] (*Fr.*) *s.* Resü'mee *n*, Zs.-fassung *f*.

re·sume [ri'zju:m] **I.** *v/t.* **1.** *Tätigkeit etc.* wieder'aufnehmen, wieder anfangen; fortsetzen: *he* ~*d painting* er begann wieder zu malen, er malte wieder; **2.** 'wiedererlangen; *Platz* wieder einnehmen; *Amt, Kommando* wieder über'nehmen; *Namen* wieder annehmen; **3.** resümieren, zs.-fassen; **II.** *v/i.* **4.** s-e Tätigkeit wieder'aufnehmen; **5.** *in s-r Rede* fortfahren; **6.** wieder beginnen; **re·sump·tion** [ri'zʌmpʃən] *s.* **1. a)** Zu'rücknahme *f*, **b)** ✝ Li'zenzentzug *m*; **2.** Wieder'aufnahme *f e-r Tätigkeit, von Zahlungen etc.*

re·sur·gence [ri'sə:dʒəns] *s.* Wiederem'porkommen *n*, Wieder'aufleben *n*, -'aufstieg *m*, 'Wiedererweckung *f*; **re'sur·gent** [-nt] *adj.* sich 'wiedererhebend, wieder'auflebend.

res·ur·rect [rezə'rekt] *v/t.* **1.** F wieder zum Leben erwecken; **2.** *fig. Sitte* wieder'aufleben lassen; **3.** *Leiche* exhumieren, ausgraben; **res·ur'rec·tion** [-kʃən] *s.* **1.** (*eccl.* ♀) Auferstehung *f*; **2.** *fig.* Wieder'aufleben *n*, 'Wiedererwachen *n*; **3.** Leichenraub *m*; **res·ur'rec·tion·ist**

[-kʃnist] *s.* Leichenräuber *m*; **res·ur·rec·tion pie** *s. Brit. sl.* ˈRestepaˌstete *f.*

re·sus·ci·tate [riˈsʌsiteit] **I.** *v/t.* **1.** ˈwiederbeleben; **2.** *fig.* ˈwiedererwecken, wiederˈaufleben lassen; **II.** *v/i.* **3.** das Bewußtsein ˈwiedererlangen; **4.** wiederˈaufleben; **re·sus·ci·ta·tion** [risʌsiˈteiʃən] *s.* **1.** ˈWiederbelebung *f* (*a. fig. Erneuerung*); **2.** Auferstehung *f.*

ret [ret] **I.** *v/t. Flachs etc.* rösten, rötten; **II.** *v/i.* verfaulen (*Heu*).

re·tail [ˈri:teil] **I.** *s.* Einzel-, Kleinhandel *m*, Kleinverkauf *m*, Deˈtailgeschäft *n*: *by* (*Am. at*) ~ → *III*; **II.** *adj.* Einzel-, Kleinhandels...: ~ *bookseller* Sortimentsbuchhändler; ~ *dealer* Einzel-, Kleinhändler; ~ *price* Einzelhandels-, Ladenpreis; ~ *trade* → *I*; **III.** *adv.* im Einzelhandel, einzeln, en deˈtail: *to sell* ~; **IV.** *v/t.* [ri:ˈteil] **a)** *Waren* im kleinen *od.* en detail verkaufen, **b)** *Klatsch* weitergeben, (haarklein) weitererzählen; **V.** *v/i.* [ri:ˈteil] im Einzelhandel verkauft werden: *it* ~*s at $6* es kostet im Kleinverkauf 6 Dollar; **re·tail·er** [ri:ˈteilə] *s.* **1.** ✝ Einzel-, Kleinhändler(in); **2.** Erzähler(in), Verbreiter(in) *von Klatsch etc.*

re·tain [riˈtein] *v/t.* **1.** zuˈrück(be)halten, einbehalten; **2.** *Eigenschaft, Posten etc., a. im Gedächtnis* behalten; *a. Geduld etc.* bewahren; **3.** *Brauch* beibehalten; **4.** *j-n* in s-n Diensten halten: *to* ~ *a lawyer* e-n Anwalt nehmen; ~*ing fee* → *retainer 2 a*; **5.** ⊕ halten, sichern, stützen; *Wasser* stauen: ~*ing nut* Befestigungsmutter; ~*ing ring* Sprengring; ~*ing wall* Stütz-, Staumauer; **reˈtain·er** [-nə] *s.* **1.** *hist.* Gefolgsmann *m*: *old* ~ *F* altes Faktotum; **2.** ⚖ **a)** Verpflichtung *f* e-s Anwalts, *bsd.* (*durch*) Honoˈrarvorschuß *m*: *general* ~ Pauschalhonorar, **b)** Proˈzeßvollmacht *f*; **3.** ⊕ **a)** Befestigungsteil *n*, **b)** Käfig *m e-s Kugellagers.*

re·take [ˈri:ˈteik] **I.** *v/t.* [*irr.* → *take*] **1.** wieder (an-, ein-, zuˈrück)nehmen; **2.** ⚔ wiederˈeinnehmen; **3.** *Film: Szene etc.* wiederˈholen, nochmals (ab)drehen; **II.** *s.* **4.** *Film:* Reˈtake *n*, Wiederˈholung *f.*

re·tal·i·ate [riˈtælieit] **I.** *v/i.* Vergeltung üben, sich rächen (*upon s.o.* an j-m); **II.** *v/t.* vergelten, sich rächen für, heimzahlen; **re·tal·i·a·tion** [ritæliˈeiʃən] *s.* Vergeltung *f*: *in* ~ als Vergeltung(smaßnahme); **reˈtal·i·a·to·ry** [-iətəri] *adj.* Vergeltungs...: ~ *duty* ✝ Kampfzoll.

re·tard [riˈtɑ:d] *v/t.* **1.** verzögern, -langsamen, -späten; auf-, zuˈrückhalten; **2.** *phys.* retardieren, verzögern; *Elektronen* bremsen: *to be* ~*ed* nacheilen; **3.** *biol.* retardieren; **4.** *psych. j-s* Entwicklung hemmen: ~*ed child* zurückgebliebenes Kind; *mentally* ~*ed* geistig zurückgeblieben; **5.** *mot. Zündung* nachstellen: ~*ed ignition* **a)** Spätzündung, **b)** verzögerte Zündung; **re·tar·da·tion** [ri:tɑ:ˈdeiʃən] *s.* **1.** Verzögezung *f* (*a. phys.*), -langsamung *f*, -später *f*; Aufschub *m*; **2.** ℞, *phys., biol.* Retardatiˈon *f*; *phys.* (*Elektronen*)Bremsung *f*; **3.** *psych.* **a)** Entwicklungshemmung *f*, **b)** ˈUnterentwickeltheit *f*; **4.** ♪ **a)** Verlangsamung *f*, **b)** aufwärtsgehender Vorhalt.

retch [retʃ] *v/i.* würgen (*beim Erbrechen*).

re·tell [ˈri:ˈtel] *v/t.* [*irr.* → *tell*] **1.** nochmals erzählen, wiederˈholen; **2.** *ped.* nacherzählen.

re·ten·tion [riˈtenʃən] *s.* **1.** Zuˈrückhalten *n*; **2.** Einbehaltung *f*; **3.** Beibehaltung *f* (*a. von Bräuchen etc.*), Bewahrung *f*; **4.** ⚕ Verhalten *n*; **5.** Festhalten *n*, Halt *m*: ~ *pin* ⊕ Arretierstift; **6.** Merken *n*, Merkfähigkeit *f*; **reˈten·tive** [-ntiv] *adj.* □ **1.** (zuˈrück)haltend (*of acc.*); **2.** erhaltend, bewahrend; gut (*Gedächtnis*); **3.** Wasser speichernd.

re·think [ˈri:ˈθiŋk] *v/t.* [*irr.* → *think*] *et.* neu ˈdurchdenken *od.* überˈdenken; **ˈreˈthink·ing** [-kiŋ] *s.* ˈUmdenken *n.*

ret·i·cence [ˈretisəns] *s.* **1.** Verschwiegenheit *f*, Schweigsamkeit *f*; **2.** Zuˈrückhaltung *f*; **ˈret·i·cent** [-nt] *adj.* □ verschwiegen (*about, on* über *acc.*), schweigsam, zuˈrückhaltend.

ret·i·cle [ˈretikl] *s. opt.* Fadenkreuz *n.*

re·tic·u·lar [riˈtikjulə] *adj.* □ netzartig, -förmig, Netz...; **reˈtic·u·late I.** *adj.* □ [-lit] netzartig, -förmig; **II.** *v/t.* [-leit] netzförmig mustern *od.* bedecken; **III.** *v/i.* [-leit] sich verästeln; **reˈtic·u·lat·ed** [-leitid] *adj.* netzförmig, maschig, Netz...: ~ *glass* Filigranglas; **re·tic·u·la·tion** [ritikjuˈleiʃən] *s.* Netzwerk *n*; **ret·i·cule** [ˈretikju:l] *s.* **1.** → *reticle*; **2.** Damentasche *f*; Arbeitsbeutel *m*; **re·ti·form** [ˈri:tifɔ:m] *adj.* netz-, gitterförmig.

ret·i·na [ˈretinə] *s. anat.* ˈRetina *f*, Netzhaut *f.*

ret·i·nue [ˈretinju:] *s.* Gefolge *n.*

re·tire [riˈtaiə] **I.** *v/i.* **1.** *allg.* sich zuˈrückziehen (*a.* ⚔): *to* ~ (*from business*) sich vom Geschäft zurückziehen, sich zur Ruhe setzen; *to* ~ *into o.s.* sich verschließen; *to* ~ (*to rest*) sich zur Ruhe begeben, schlafen gehen; **2.** ab-, zuˈrücktreten; in den Ruhestand treten, in Pensiˈon gehen, s-n Abschied nehmen (*Beamter*); **3.** *fig.* zuˈrücktreten (*Hintergrund, Ufer etc.*); **II.** *v/t.* **4.** zuˈrückziehen (*a.* ⚔); **5.** ✝ *Noten* aus dem Verkehr ziehen; *Wechsel* einlösen; **6.** *bsd.* ⚔ verabschieden, pensionieren; → *retired 1*; **reˈtired** [-əd] *p.p. u. adj.* □ **1.** pensioniert, im Ruhestand (lebend): ~ *general* General a.D. *od.* außer Dienst; ~ *pay* Ruhegeld, Pension; *to be placed on the* ~ *list* ⚔ den Abschied erhalten; **2.** im Ruhestand lebend (*Kaufmann etc.*); **3.** zuˈrückgezogen (*Leben*); **4.** abgelegen, einsam (*Ort*); **reˈtire·ment** [-mənt] *s.* **1.** (Sich)Zuˈrückziehen *n*; **2.** Aus-, Rücktritt *m*, Ausscheiden *n*; **3.** Ruhestand *m*: ~ *pension* (Alters-)Rente, Ruhegeld; ~ *pensioner* (Alters)Rentner(in), Ruhegeldempfänger(in); *to go into* ~ sich ins Privatleben zurückziehen; **4.** *j-s* Zuˈrückgezogenheit *f*; **5. a)** Abgeschiedenheit *f*, **b)** abgelegener Ort, Zuflucht *f*; **6.** ⚔ (planmäßige) Absetzbewegung, Rückzug *m*; **7.** ✝ Einziehung *f*; **reˈtir·ing** [-əriŋ] *adj.* □ **1.** Ruhestands...: ~ *age* Pensionierungsalter; ~ *pension* Ruhegeld; **2.** *fig.* zuˈrückhaltend, bescheiden; **3.** unauffällig, deˈzent (*Farbe etc.*); **4.** ~ *room* **a)** Privatzimmer, **b)** Toilette.

re·tort[1] [riˈtɔ:t] **I.** *s.* **1.** (scharfe *od.* treffende) Entgegnung, (schlagfertige) Antwort; Erwiderung *f*; **II.** *v/t.* **2.** (darauf) erwidern; **3.** *Beleidigung etc.* zuˈrückgeben (*on s.o.* j-m); **III.** *v/i.* **4.** (scharf *od.* treffend) erwidern, entgegnen.

re·tort[2] [riˈtɔ:t] *s.* ⚗, ⊕ Reˈtorte *f.*

re·tor·tion [riˈtɔ:ʃən] *s.* **1.** (Sich-)ˈUmwenden *n*, Zuˈrückströmen *n*, -biegen *n*, -beugen *n*; **2.** *Völkerrecht:* Retorsiˈon *f* (*Vergeltungsmaßnahme*).

re·touch [ˈri:ˈtʌtʃ] **I.** *v/t. et.* überˈarbeiten; *phot.* retuschieren; **II.** *s.* Reˈtusche *f.*

re·trace [riˈtreis] **I.** *v/t.* (*a. fig. Stammbaum etc.*) zuˈrückverfolgen; *fig.* zuˈrückführen (*to* auf *acc.*): *to* ~ *one's steps* **a)** (denselben Weg) zurückgehen, **b)** *fig.* die Sache ungeschehen machen; **II.** *s.* ⚡ Rücklauf *m.*

re·tract [riˈtrækt] **I.** *v/t.* **1.** *Behauptung* zuˈrücknehmen, (*a.* ⚖ *Aussage*) widerˈrufen; **2.** *Haut, Zunge etc., a.* ⚖ *Anklage* zuˈrückziehen; **3.** *zo. Klauen etc., a.* ✈ *Fahrgestell* einziehen; **II.** *v/i.* **4.** sich zurückziehen; **5.** widerrufen, es zurücknehmen; **6.** zuˈrücktreten (*from* von *e-m Entschluß, e-m Vertrag etc.*); **reˈtract·a·ble** [-təbl] *adj.* **1.** einziehbar: ~ *landing gear* ✈ einziehbares Fahrgestell; **2.** zuˈrückziehbar; **3.** zuˈrücknehmbar, zu widerˈrufen(d); **re·trac·ta·tion** [ri:trækˈteiʃən] → *retraction 1*; **reˈtrac·tile** [-tail] *adj.* **1.** einziehbar; **2.** *a. anat.* zuˈrückziehbar; **reˈtrac·tion** [-kʃən] *s.* **1.** Zuˈrücknahme *f*, ˈWiderruf *m*; **2.** Zuˈrück-, Einziehen *n*; **3.** ⚕, *zo.* Retraktiˈon *f*; **reˈtrac·tor** [-tə] *s.* **1.** *anat.* Retraktiˈonsmuskel *m*; **2.** ⚕ Reˈtraktor *m*, Wundhaken *m.*

re·train [ˈri:ˈtrein] *v/t. j-n* ˈumschulen; **ˈreˈtrain·ing** [-niŋ] *s. a. occupational* ~ ˈUmschulung *f.*

re·trans·late [ˈri:trænsˈleit] *v/t.* (zu)ˈrücküberˌsetzen; **ˈre·transˈla·tion** [-eiʃən] *s.* ˈRücküberˌsetzung *f.*

re-tread [ˈri:ˈtred] *v/t.* ⊕ *Reifen* runderneuern.

re·treat [riˈtri:t] **I.** *s.* **1.** *bsd.* ⚔ Rückzug *m*: *to beat a* ~ *fig.* das Feld räumen, klein beigeben; *to sound the* (*od. a*) ~ zum Rückzug blasen; **2.** Zufluchtsort *m*, Schlupfwinkel *m*; **3.** Anstalt *f für Irre etc.*; **4.** Zuˈrückgezogenheit *f*, Abgeschiedenheit *f*; **5.** ⚔ Zapfenstreich *m*; **II.** *v/i.* **6.** *a.* ⚔ sich zuˈrückziehen; **7.** zuˈrücktreten, -weichen (*z.B. Meer*): ~*ing chin* fliehendes Kinn; **III.** *v/t.* **8.** *bsd. Schachfigur* zuˈrückziehen.

re·trench [riˈtrentʃ] **I.** *v/t.* **1.** *Ausgaben etc.* einschränken, *a. Personal* abbauen; **2.** beschneiden, kürzen; **3. a)** *Textstelle* streichen, **b)** *Buch* zs.-streichen; **4.** *Festungswerk* mit inneren Verschanzungen versehen;

II. *v/i.* **5.** sich einschränken, Sparmaßnahmen 'durchführen, sparen; **re'trench·ment** [-mənt] *s.* **1.** Einschränkung *f*, (*Kosten-*, *Personal-*) Abbau *m*; Sparmaßnahme *f*; (Gehalts)Kürzung *f*; **2.** Streichung *f*, Kürzung *f*; **3.** ⚔ Verschanzung *f*, innere Verteidigungsstellung.

re·tri·al ['ri:'traiəl] *s.* **1.** nochmalige Prüfung; **2.** ⚖ Wieder'aufnahmeverfahren *n*.

ret·ri·bu·tion [retri'bju:ʃən] *s.* Vergeltung *f*, Strafe *f*; **re·trib·u·tive** [ri'tribjutiv] *adj.* □ vergeltend, Vergeltungs...

re·triev·a·ble [ri'tri:vəbl] *adj.* □ wieder'gutzumachen(d), reparierbar; **re'trieve** [ri'tri:v] **I.** *v/t.* **1.** *hunt.* apportieren; **2.** 'wiederfinden, -bekommen; **3.** (sich *et.*) zu'rückholen; **4.** *et.* her'ausholen, -fischen (*from* aus); **5.** *fig.* 'wiedergewinnen, -erlangen; **6.** *Fehler* wieder'gutmachen; **7.** *Verlust* wettmachen; **8.** *j-n* retten (*from* aus); **9.** *et.* der Vergessenheit entreißen; **II.** *s.* **10.** *beyond* (*od. past*) ~ rettungslos (verloren), unwiederbringlich dahin; **re'triev·er** [-və] *s. hunt.* Apportierhund *m*.

retro- [retrou] *in Zssgn* zurück..., rück(wärts)..., Rück...; hinter...; **ret·ro'ac·tive** *adj.* □ **1.** ⚖ rückwirkend; **2.** zu'rückwirkend; **ret·ro'cede** **I.** *v/i.* **a)** *a.* ⚕ zu'rückgehen, **b)** ⚕ nach innen schlagen (*Ausschlag*); **II.** *v/t.* ⚖ wieder'abtreten (*to* an *acc.*); **ret·ro'ces·sion** *s.* **1. a)** *a.* ⚕ Zu'rückgehen *n*, **b)** ⚕ Nach'innenschlagen *n*; **2.** ⚖ 'Wieder-, Rückabtretung *f*; **ret·ro·gra'da·tion** *s.* **1.** → *retrogression 1*; **2.** Zu'rückgehen *n*; **3.** *fig.* Rück-, Niedergang *m*; **ret·ro·grade** ['retrougreid] **I.** *adj.* **1.** ⚕, ♪, *ast.*, *zo.* rückläufig; **2.** *fig.* rückgängig, -läufig, Rückwärts..., rückschrittlich; **II.** *v/i.* **3. a)** rückläufig sein, **b)** zu'rückgehen; **4.** rückwärts gehen; **5.** *bsd. biol.* entarten.

ret·ro·gres·sion [retrou'greʃən] *s.* **1.** *ast.* rückläufige Bewegung; **2.** *bsd. biol.* Rückentwicklung *f*; **3.** *fig.* Rückgang *m*, -schritt *m*; **ret·ro'gres·sive** [-esiv] *adj.* □ **1.** *bsd. biol.* rückschreitend: ~ *metamorphosis biol.* Rückbildung; **2.** *fig.* rückschrittlich; **3.** *fig.* nieder-, zu'rückgehend; **ret·ro-rock·et** ['retrou'rɔkit] *s. Raumfahrt*: 'Bremsra,kete *f*; **ret·ro·spect** ['retrouspekt] *s.* Rückblick *m*, -schau *f* (*of*, *on* auf *acc.*): *in* (*the*) ~ rückschauend, im Rückblick; **ret·ro·spec·tion** [retrou'spekʃən] *s.* Erinnerung *f*; Zu'rückblicken *n*; **ret·ro·spec·tive** [retrou'spektiv] *adj.* □ **1.** zu'rückblickend; **2.** nach rückwärts *od.* hinten (gerichtet); **3.** ⚖ rückwirkend.

ret·rous·sé [rə'tru:sei] (*Fr.*) *adj.* nach oben gebogen: ~ *nose* Stupsnase.

re·try ['ri:'trai] *v/t.* ⚖ **a)** *Prozeß* wieder'aufnehmen, **b)** neu verhandeln gegen *j-n*.

re·turn [ri'tə:n] **I.** *v/i.* **1.** zu'rückkehren, -kommen (*to* zu); 'wiederkehren (*a. fig.*); *fig.* wieder auftreten (*Krankheit etc.*): *to* ~ *to fig.* **a)** auf *ein Thema* zurückkommen, **b)** zu *e-m Vorhaben* zurückkommen, **c)** in *e-e Gewohnheit etc.* zurückfallen, **d)** in *e-n Zustand* zurückkehren; *to* ~ *to dust* zu Staub werden; *to* ~ *to health* wieder gesund werden; **2.** zu'rückfallen (*Besitz*) (*to* an *acc.*); **3.** erwidern, antworten; **II.** *v/t.* **4.** *Gruß etc.*, *a. Besuch*, ⚔ *Feuer*, *Liebe*, *Schlag etc.* erwidern: *to* ~ *thanks* danken; **5.** zu'rückgeben, *Geld a.* zu'rückzahlen, -erstatten; **6.** zu'rückschicken, -senden: ~*ed empties* ⚚ zurückgesandtes Leergut; ~*ed letter* unzustellbarer Brief; **7.** (an s-n Platz) zu'rückstellen, -tun; **8.** (ein)bringen, *Gewinn* abwerfen, *Zinsen* tragen; **9.** *Bericht* erstatten; ⚖ **a)** Voll'zugsbericht erstatten über (*acc.*), **b)** *Gerichtsbefehl* mit Vollzugsbericht rückvorlegen; **10.** ⚖ Schuldspruch fällen *od.* aussprechen: *to be* ~*ed guilty* schuldig gesprochen werden; **11.** *Votum* abgeben; **12.** amtlich erklären für *od.* als, *j-n arbeitsunfähig etc.* schreiben; **13.** *Einkommen* zur Steuerveranlagung erklären, angeben (*at* mit); **14.** *amtliche Liste etc.* vorlegen *od.* veröffentlichen; **15.** *parl. Brit. Wahlergebnis* melden; **16.** *parl. Brit.* als Abgeordneten wählen (*to Parliament* ins Parlament); **17.** *sport Ball* zu'rückschlagen; **18.** *Echo*, *Strahlen* zu'rückwerfen; **19.** ⊕ zu'rückführen, -leiten; **III.** *s.* **20.** Rückkehr *f*, -kunft *f*; 'Wiederkehr *f* (*a. fig.*): ~ *of health* Genesung; *by* ~ *of post Brit.* postwendend, umgehend; *many happy* ~*s of the day!* herzlichen Glückwunsch zum Geburtstag!; *on my* ~ bei m-r Rückkehr; **21.** Wieder'auftreten *n* (*Krankheit etc.*): ~ *of influenza* Gripperückfall; ~ *of cold weather* Kälterückfall; **22.** 🚂 Rückfahrkarte *f*; **23.** Rück-, Her'ausgabe *f*: *on sale or* ~ ⚚ in Kommission; **24.** *oft pl.* ⚚ Rücksendung *f* (*a. Ware*): ~*s* **a)** Rückgut, **b)** *Buchhandel*: *a.* ~ *copies* Remittenden; **25.** ⚚ Rückzahlung *f*, (-)Erstattung *f*; *Versicherung*: ~ (*of premium*) Ri'storno *n*; **26.** Entgelt *n*, Gegenleistung *f*, Entschädigung *f*: *in* ~ dafür, dagegen; *in* ~ *for* (als Gegenleistung) für; *without* ~ unentgeltlich; **27.** *oft pl.* ⚚ **a)** (*Kapital- etc.*) 'Umsatz *m*: *quick* ~*s* schneller Umsatz, **b)** Ertrag *m*, Einnahme *f*, Verzinsung *f*, Gewinn *m*: *to yield* (*od. bring*) *a* ~ Nutzen abwerfen, sich rentieren; **28.** Erwiderung *f* (*a. fig. e-s Grußes etc.*): ~ *of affection* Gegenliebe; **29.** (amtlicher) Bericht, (sta'tistischer) Ausweis, Aufstellung *f*; *pol. Brit.* Wahlbericht *m*, -ergebnis *n*: *annual* ~ Jahresbericht, -ausweis; *bank* ~ Bankausweis; *official* ~*s* amtliche Ziffern; **30.** Steuererklärung *f*; **31.** ⚖ **a)** Rückvorlage *f* (*e-s Vollstreckungsbefehls etc.*) (mit Voll'zugsbericht), **b)** Voll'zugsbericht *m* (*des Gerichtsvollziehers etc.*); **32.** *a.* ~ *day* ⚖ Ver'handlungster,min *m*; **33.** ⊕ **a)** Rückführung *f*, -leitung *f*, **b)** Rücklauf *m*, **c)** ⚡ Rückleitung *f*; **34.** Biegung *f*, Krümmung *f*; **35.** ⚠ **a)** 'Wiederkehr *f*, **b)** vorspringender *od.* zu'rückgesetzter Teil, **c)** (Seiten)Flügel *m*; **36.** *sport* Rückschlag *m* (*a. Ball*); Zu'rückschlagen *n*; **37.** *sport a.* ~ *match* Rückspiel *n*; **38.** (leichter) Feinschnitt (*Tabak*); **IV.** *adj.* **39.** Rück... (*-porto*, *-reise etc.*): ~ *cable* ⚡ Rückleitung; ~ *cargo* Rückfracht, -ladung; ~ *current* ⚡ Rück-, Erdstrom; ~ *ticket* **a)** Rückfahrkarte, **b)** ✈ Rückflugkarte; ~ *valve* ⊕ Rückschlagventil; ~ *visit* Gegenbesuch; ~ *wire* ⚡ Nulleiter; **re'turn·a·ble** [-nəbl] *adj.* **1.** zu'rückzugeben(d); einzusenden(d); **2.** ⚚ rückzahlbar.

re·turn·ing of·fi·cer [ri'tə:niŋ] *s. pol. Brit.* 'Wahlkommis,sar *m*.

re·u·ni·fi·ca·tion ['ri:ju:nifi'keiʃən] *s. pol.* 'Wiedervereinigung *f*.

re·un·ion ['ri:'ju:njən] *s.* **1.** 'Wiedervereinigung *f*; *fig.* Versöhnung *f*; **2.** Treffen *n*, Zs.-kunft *f*.

re·u·nite ['ri:ju:'nait] **I.** *v/t.* 'wiedervereinigen; **II.** *v/i.* sich wieder vereinigen.

rev [rev] ⊕ F **I.** *s.* 'Touren-, Drehzahl *f* (*Motor*); **II.** *v/t. mst* ~ *up* auf Touren bringen; **III.** *v/i.* laufen, auf Touren sein (*Motor*): *to* ~ *up* **a)** auf Touren kommen, **b)** den Motor auf Touren bringen.

re·vac·ci·nate ['ri:'væksineit] *v/t.* 'wieder-, nachimpfen.

re·val·or·i·za·tion ['ri:vælərai'zeiʃən] *s.* ⚚ (*bsd. Geld*)Aufwertung *f*; **re·val·or·ize** ['ri:'væləraiz] *v/t.* aufwerten.

re·val·u·ate ['ri:'væljueit] *v/t.* 'um-, aufwerten; **re·val·u·a·tion** ['ri:vælju'eiʃən] *s.* 'Umwertung *f*, Neubewertung *f*.

re·val·ue ['ri:'vælju:] *v/t.* neu schätzen.

re·vamp ['ri:'væmp] *v/t.* **1.** ⊕ vorschuhen; **2.** *Am.* F auf neu her'ausputzen, ‚aufpolieren'.

re·veal [ri'vi:l] **I.** *v/t.* (*to*) **1.** *eccl.*, *a. fig.* offenbaren (*dat.*); **2.** enthüllen, zeigen (*dat.*) (*a. fig. erkennen lassen*); **3.** *fig. Geheimnis etc.* enthüllen, verraten, aufdecken (*dat.*); **II.** *s.* **4.** ⊕ **a)** innere Laibung (*Tür etc.*), **b)** Fensterrahmen *m* (*Auto*); **re'veal·ing** [-liŋ] *adj.* enthüllend, aufschlußreich.

re·veil·le [ri'væli] *s.* ⚔ (Si'gnal *n* zum) Wecken *n*.

rev·el ['revl] **I.** *v/i.* **1.** (lärmend) feiern, ausgelassen sein; **2.** schmausen, zechen; schwelgen (*a. fig. in in dat.*); **3.** *fig.* sich weiden *od.* ergötzen (*in* an *dat.*); **II.** *s.* **4.** *oft pl.* → *revelry*.

rev·e·la·tion [revi'leiʃən] *s.* **1.** Enthüllung *f*, Offen'barung *f*: *it was a* ~ *to me* es fiel mir wie Schuppen von den Augen; *what a* ~! welch überraschende Entdeckung!; **2.** (göttliche) Offenbarung: *the* ♀ (*of St. John*) *bibl.* die (Geheime) Offenbarung (des Johannes); **3.** F ‚Offenbarung' *f* (*et. Ausgezeichnetes*).

rev·el·(l)er ['revlə] *s.* **1.** Feiernde(r *m*) *f*; **2.** Zecher *m*; **3.** Nachtschwärmer *m*; **'rev·el·ry** [-lri] *s.* lärmende Festlichkeit, Rummel *m*; Gelage *n*, 'Orgie *f*.

re·venge [ri'vendʒ] **I.** *v/t.* **1.** *et.*, *a. j-n* rächen ([*up*]*on* an *dat.*): *to* ~ *o.s. for s.th.* sich für et. rächen; *to be* ~*d* **a)** gerächt sein *od.* werden, **b)** sich rächen; **2.** sich rächen für, vergelten (*upon*, *on* an *dat.*); **II.** *s.* **3.** Rache *f*: *to take one's* ~ Rache nehmen, sich rächen; *in ~ for it* dafür; **4.** Re'vanche *f* (*beim Spiel*): *to have one's ~* sich revanchieren; **5.** Rachsucht *f*, -gier *f*; **re'venge·ful** [-ful] *adj.* □ rachsüchtig; **re'venge·ful·ness** [-fulnis] → *revenge 5*.

rev·e·nue ['revinju:] *s.* **1.** *a. public* (*od. national*) ~ öffentliche Einnahmen *pl.*, Staatseinkünfte *pl.*: ~ *board*, ~ *office* Finanzamt; **2.** a) Fi'nanzverwaltung *f*, b) 'Fiskus *m*: *to defraud the* ~ Steuern hinterziehen; **3.** *pl.* Einnahmen *pl.*, Einkünfte *pl.*; **4.** Ertrag *m*, Nutzung *f*; **5.** Einkommensquelle *f*; **~cut·ter** *s.* ⚓ Zollkutter *m*; **~ of·fi·cer** *s.* **1.** Zollbeamte(r) *m*; **2.** Fi'nanz-, Steuerbeamte(r) *m*; **~ stamp** *s.* ✝ Bande'role *f*, Steuermarke *f*.

re·ver·ber·ate [ri'və:bəreit] **I.** *v/i.* **1.** zu'rückstrahlen; **2.** (nach-, 'wider)hallen; **II.** *v/t.* **3.** *Strahlen, Hitze, Klang* zu'rückwerfen; von *e-m Klange* widerhallen; **re·ver·ber·a·tion** [rivə:bə'reiʃən] *s.* **1.** Zu'rückwerfen *n*, -strahlen *n*; **2.** 'Widerhall(en *n*) *m*; Nachhall *m*; **re'ver·ber·a·tor** [-tə] *s.* ⊕ **1.** Re'flektor *m*; **2.** Scheinwerfer *m*.

re·vere [ri'viə] *v/t.* (ver)ehren.

rev·er·ence ['revərəns] **I.** *s.* **1.** Verehrung *f* (for für *od. gen.*); **2.** Ehrfurcht *f* (for vor *dat.*); **3.** Ehrerbietung *f*; **4.** Reve'renz *f* (*Verbeugung od. Knicks*); **5.** *dial. od. humor. Your* (*His*) ~ Euer (Seine) Ehrwürden; **II.** *v/t.* **6.** (ver)ehren; **'rev·er·end** [-nd] **I.** *adj.* **1.** ehrwürdig; **2.** ♀ *eccl.* hochwürdig (*Geistlicher*): *Very* ♀ (*im Titel e-s Dekans*); *Right* ♀ (*Bischof*); *Most* ♀ (*Erzbischof*); **II.** *s.* **3.** Geistliche(r) *m*; **'rev·er·ent** [-nt] *adj.* □, **rev·er·en·tial** [revə'renʃəl] *adj.* □ ehrerbietig, ehrfurchtsvoll.

rev·er·ie ['revəri] *s.* (*a.* ♪) Träume'rei *f*: *to be lost in* (*a*) ~ in (s-n) Träumen versunken sein.

re·ver·sal [ri'və:səl] *s.* **1.** 'Umkehr (-ung) *f*; 'Umschwung *m*, -schlagen *n*: *~ of opinion* Meinungsumschwung; ~ *process phot.* Umkehrentwicklung; **2.** ⚖ (Urteils)Aufhebung *f*, 'Umstoßung *f*; **3.** ⊕ 'Umsteuerung *f*; **4.** ⚡ ('Strom)ˌUmkehr *f*; **5.** ✝ Stornierung *f*; **re'verse** [ri'və:s] **I.** *s.* **1.** Gegenteil *n*, *das* 'Umgekehrte; **2.** Rückschlag *m*: *~ of fortune* Schicksalsschlag; **3.** ⚔ Niederlage *f*, Schlappe *f*; **4.** Rückseite *f*, *bsd. fig.* Kehrseite *f*: ~ *of a coin* Rückseite *od.* Revers e-r Münze; *~ of the medal fig.* Kehrseite der Medaille; *on the ~* umstehend; *to take in ~* ⚔ im Rükken packen; **5.** *mot.* Rückwärtsgang *m*; **6.** ⊕ 'Umsteuerung *f*; **II.** *adj.* □ **7.** 'umgekehrt, verkehrt, entgegengesetzt (*to dat.*): *~ current* ⚡ Gegenstrom; ~ *flying* ✈ Rückenflug; ~ *order* umgekehrte Reihenfolge; ~ *side* a) Rückseite, b) linke (*Stoff-*) Seite; **8.** rückläufig, rückwärts...: ~ *gear* → *5*; **III.** *v/t.* **9.** 'umkehren (*a.* ⚗, ⚡), 'umdrehen; *fig. Politik* (ganz) 'umstellen; *Meinung* völlig ändern: *to ~ the order of things* die Weltordnung auf den Kopf stellen; **10.** ⚖ *Urteil* aufheben, 'umstoßen; **11.** ✝ stornieren; **12.** ⊕ im Rückwärtsgang *od.* rückwärts fahren *od.* laufen (lassen); **13.** ⚡ a) 'umpolen, b) 'umsteuern; **IV.** *v/i.* **14.** rückwärts fahren; **15.** *beim Walzer* 'linksherˌum tanzen; **re'vers·i·ble** [-səbl] *adj.* **1.** *a.* ⚗, ♂, *phys.* 'umkehrbar; **2.** doppelseitig, wendbar (*Stoff, Mantel*); **3.** ⊕ 'umsteuerbar; **4.** ⚖ 'umstoßbar; **re'vers·ing** [-siŋ] *adj.* ⊕, *phys.* Umkehr..., Umsteuerungs...: ~ *gear* a) Umsteuerung, b) Wendegetriebe, c) Rückwärtsgang; ~ *pole* ⚡ Wendepol; ~ *switch* ⚡ Wendeschalter; **re'ver·sion** [-ə:ʃən] *s.* **1.** *a.* ⚗ 'Umkehrung *f*; **2.** ⚖ a) Heim-, Rückfall *m*, b) *a. right of* ~ Heimfallsrecht *n*; **3.** ⚖ a) Anwartschaft *f* (of auf *acc.*), b) Anwartschaftsrente *f*; **4.** *biol.* a) Rückartung *f*, b) Ata'vismus *m*; **5.** ⚡ 'Umpolung *f*; **re'ver·sion·ar·y** [-ə:ʃnəri] *adj.* **1.** ⚖ anwartschaftlich, Anwartschafts...: *~ annuity* Rente auf den Überlebensfall; ~ *heir* Nacherbe; **2.** *biol.* ata'vistisch; **re'ver·sion·er** [-ə:ʃnə] *s.* ⚖ **1.** Anwartschaftsberechtigte(r *m*) *f*, Anwärter(in); **2.** Nacherbe *m*; **re·vert** [ri'və:t] **I.** *v/i.* **1.** zu'rückkehren (*to* zu *s-m Glauben etc.*); **2.** zu'rückkommen (*to* auf *e-n Brief, ein Thema etc.*); **3.** wieder zu'rückfallen (*to* in *acc.*): *to ~ to barbarism*; **4.** ⚖ zu'rück-, heimfallen (*to s.o.* an j-n); **5.** *biol.* zu'rückschlagen (*to* zu); **II.** *v/t.* **6.** *Blick* (zu'rück)wenden; **re'vert·i·ble** [-ə:təbl] *adj.* ⚖ heimfällig (*Besitz*).

re·vet·ment [ri'vetmənt] *s.* **1.** ⊕ Verkleidung *f*, Futtermauer *f* (*Ufer etc.*); **2.** ⚔ Splitterschutzwand *f*.

re·view [ri'vju:] **I.** *s.* **1.** 'Nachprüfung *f*, (Über)'Prüfung *f*, Revisi'on *f*: *court of* ~ ⚖ Rechtsmittelgericht; *to be under* ~ überprüft werden; **2.** (Buch)Besprechung *f*, Rezensi'on *f*, Kri'tik *f*; **3.** Rundschau *f* (*kritische Zeitschrift*); **4.** ⚔ Pa'rade *f*, Truppenschau *f*: *naval* ~ Flottenparade; *to pass in* ~ a) mustern, b) (vorbei-) defilieren (lassen); **5.** Rückblick *m*, -schau *f* (of auf *acc.*): *to pass in* ~ a) Rückschau halten über (*acc.*), b) *im Geiste* durchmustern; **6.** Bericht *m*, 'Übersicht *f*, -blick *m* (of über *acc.*): *market* ~ ✝ Markt-, Börsenbericht; *month under* ~ Berichtsmonat; **7.** 'Durchsicht *f*; **8.** → *revue*; **II.** *v/t.* **9.** nachprüfen, (über)'prüfen, e-r Revisi'on unter'ziehen; **10.** ⚔ besichtigen, inspizieren; **11.** *fig.* zu'rückblicken auf (*acc.*); **12.** über'blicken, -'schauen: *to ~ the situation*; **13.** e-n 'Überblick geben über (*acc.*); **14.** *Buch* besprechen, rezensieren; **III.** *v/i.* **15.** (Buch-) Besprechungen schreiben; **re'view·er** [-ju(:)ə] *s.* 'Kritiker *m*, Rezen'sent *m*: *~'s copy* Rezensionsexemplar.

re·vile [ri'vail] *v/t. u. v/i.* schmähen; **re'vile·ment** [-mənt] *s.* Schmähung *f*, Verunglimpfung *f*.

re·vis·al [ri'vaizəl] *s.* **1.** (Nach)Prüfung *f*; **2.** (nochmalige) 'Durchsicht; **3.** *typ.* zweite Korrek'tur; **re·vise** [ri'vaiz] **I.** *v/t.* **1.** revidieren: a) *typ.* in zweiter Korrektur lesen, b) *Buch* über'arbeiten: *~d edition* verbesserte Auflage, c) *fig. Ansicht* ändern; **2.** über'prüfen, (wieder-) 'durchsehen; **II.** *s.* **3.** *a.* ~ *proof typ.* Revisi'onsbogen *m*, Korrek'turabzug *m*; **4.** → *revision*; **re'vis·er** [-zə] *s.* **1.** *typ.* Kor'rektor *m*; **2.** Bearbeiter *m*; **re·vi·sion** [ri'viʒən] *s.* **1.** Revisi'on *f*: a) 'Durchsicht *f*, b) Über'arbeitung *f*, c) Korrek'tur *f*; **2.** verbesserte Ausgabe *od.* Auflage.

re·vis·it ['ri:'vizit] *v/t.* nochmals *od.* wieder besuchen.

re·vi·tal·ize ['ri:'vaitəlaiz] *v/t.* neu beleben, 'wiederbeleben.

re·viv·al [ri'vaivəl] *s.* **1.** 'Wiederbelebung *f* (*a.* ✝; *a.* ⚖ *von Rechten*): ~ *of architecture* Neugotik; ♀ *of Learning hist.* Renaissance; **2.** Wieder'aufleben *n*, -'aufblühen *n*, Erneuerung *f*; **3.** *eccl.* a) Erweckung *f*, b) Erweckungsversammlung *f*; **4.** Wieder'aufgreifen *n e-s veralteten Worts etc.*; *thea.* Wieder'aufnahme *f e-s vergessenen Stücks*; **re'viv·al·ism** [-vəlizəm] *s. bsd. U.S.A.* a) (religi'öse) Erweckungsbewegung, ˌEvangelisati'on *f*, b) Erweckungseifer *m*; **re·vive** [ri'vaiv] **I.** *v/t.* **1.** 'wiederbeleben (*a. fig.*); **2.** *Anspruch, Gefühl, Hoffnung, Streit etc.* wieder'aufleben lassen; *Gefühle* 'wiedererwecken; *Brauch, Gesetz* wieder'einführen; *Vertrag* erneuern; *Gerechtigkeit, Ruf* wieder'herstellen; *Thema* wieder'aufgreifen; **3.** *thea. Stück* wieder auf die Bühne bringen; **4.** ⊕ *Metall* frischen; **II.** *v/i.* **5.** wieder (zum Leben) erwachen; **6.** das Bewußtsein 'wiedererlangen; **7.** *fig.* wieder'aufleben (*a. Rechte*); 'wiedererwachen (*Haß etc.*); wieder'aufblühen; ✝ sich erholen; **8.** wieder'auftreten; wieder'aufkommen (*Brauch etc.*); **re'viv·er** [-və] *s.* **1.** ⊕ Auffrischungs-, Regenerierungsmittel *n*; **2.** *sl.* (*alkoholische*) Stärkung; **re·viv·i·fy** [ri(:)'vivifai] *v/t.* **1.** 'wiederbeleben; **2.** *fig.* wieder'aufleben lassen, neu beleben.

rev·o·ca·ble ['revəkəbl] *adj.* □ 'widerruflich; **rev·o·ca·tion** [revə'keiʃən] *s.* ⚖ 'Widerruf *m*, Aufhebung *f*; (*Lizenz- etc.*)Entziehung *f*.

re·voke [ri'vouk] **I.** *v/t.* wider'rufen, aufheben, rückgängig machen; **II.** *v/i. Kartenspiel*: nicht Farbe bekennen, nicht bedienen.

re·volt [ri'voult] **I.** *s.* **1.** Re'volte *f*, Aufruhr *m*, Aufstand *m*; **II.** *v/i.* **2.** a) (*a. fig.*) revoltieren, sich em'pören, sich auflehnen (*against* gegen), b) abfallen (*from* von); **3.** *fig.* 'Widerwillen empfinden (*at* über *acc.*), sich sträuben *od.* empören (*against, at, from* gegen); **III.** *v/t.* **4.** *fig.* empören, mit Abscheu erfüllen, abstoßen; **re'volt·ing** [-tiŋ] *adj.* □ em'pörend, abstoßend, widerlich.

rev·o·lu·tion [revə'lu:ʃən] *s.* **1.** 'Umwälzung *f*, -drehung *f*, Rotati'on *f*: *~s per minute* ⊕ Umdrehungen pro Minute, Dreh-, Tourenzahl; ~ *counter* Drehzahlmesser, Tourenzähler; **2.** *ast.* a) Kreislauf *m* (*a. fig.*), b) Umdrehung *f*, c) 'Umlauf(zeit *f*) *m*; **3.** *fig.* Revoluti'on *f*: a) Umwälzung *f*, 'Umschwung *m*, b) *pol.* 'Umsturz *m*; **rev·o'lu·tion·ar·y** [-ʃnəri] **I.** *adj.* revolutio'när: a) *pol.* Revolutions..., Umsturz..., b) *fig.* 'umwälzend, e'pochemachend;

II. *s. a.* **rev·o'lu·tion·ist** [-ʃnist] Revolutio'när(in) (*a. fig.*); **rev·o·'lu·tion·ize** [-ʃnaiz] *v/t.* **1.** aufwiegeln, in Aufruhr bringen; **2.** *Staat* revolutionieren (*a. fig. völlig umgestalten*).
re·volve [ri'vɔlv] **I.** *v/i.* **1.** *bsd.* ⚔, ⊕, *phys.* sich drehen, kreisen, rotieren (*on, about* um *e-e Achse, round* um *e-n Mittelpunkt*); **2.** e-n Kreislauf bilden, da'hinrollen (*Jahre etc.*); **II.** *v/t.* **3.** drehen, rotieren lassen; **4.** *fig.* (hin u. her) über'legen, *Gedanken, Problem* wälzen; **re'volv·er** [-və] *s.* Re'volver *m*; **re'volv·ing** [-viŋ] *adj.* **a)** sich drehend, kreisend, drehbar (*about, round* um), **b)** Dreh...(*-bleistift, -brücke, -bühne, -tür etc.*): ~ *credit* ✝ Revolving-Kredit; ~ *shutter* Rolladen.
re·vue [ri'vju:] *s. thea.* **1.** Re'vue *f*, Ausstattungsstück *n*; **2.** sa'tirische Kaba'rettvorführung.
re·vul·sion [ri'vʌlʃən] *s.* **1.** ⚕ Ableitung *f*; **2.** *fig.* 'Umschwung *m*, heftige Reakti'on; **re'vul·sive** [-lsiv] ⚕ **I.** *adj.* ableitend; **II.** *s.* ableitendes Mittel.
re·ward [ri'wɔ:d] **I.** *s.* **1.** Entgelt *n*; Belohnung *f*, *a.* Finderlohn *m*; **2.** Vergeltung *f*, (gerechter) Lohn; **II.** *v/t.* **3.** *j-n od. et.* belohnen (*a. fig.*); *fig. j-m* vergelten (*for s.th.* et.); *j-n od. et.* bestrafen; **re'ward·ing** [-diŋ] *adj.* lohnend (*a. fig.*); *fig.* dankbar (*Aufgabe*).
re·word ['ri:'wɔ:d] *v/t.* neu *od.* anders formulieren.
re·write ['ri:'rait] **I.** *v/t. u. v/i.* [*irr.* → *write*] **1.** nochmals *od.* neu schreiben; **2.** 'umschreiben; *Am. Pressebericht* redigieren, über'arbeiten; **II.** *s.* **3.** *Am.* redigierter Bericht: ~ *man* Überarbeiter.
Rex [reks] (*Lat.*) *s.* ⚖ *Brit. der* König.
rhap·sod·ic *adj.*; **rhap·sod·i·cal** [ræp'sɔdik(əl)] *adj.* □ **1.** rhap'sodisch; **2.** *fig.* begeistert, 'überschwenglich, ek'statisch; **rhap·so·dist** ['ræpsədist] *s.* **1.** Rhap'sode *m*; **2.** *fig.* begeisterter Schwärmer; **rhap·so·dize** ['ræpsədaiz] *v/i. fig.* schwärmen (*about, on* von); **rhap·so·dy** ['ræpsədi] *s.* **1.** Rhapso'die *f* (*a.* ♪); **2.** *fig.* (Wort)Schwall *m*, Schwärme'rei *f*: *to go into rhapsodies over* in Ekstase geraten über (*acc.*).
rhe·o·stat ['ri:oustæt] *s.* ⚡ Rheo'stat *m*, 'Regel|widerstand *m*.
Rhe·sus fac·tor ['ri:səs] *s.* 'Rhesus|faktor *m*, R'h-|Faktor *m*.
rhet·o·ric ['retərik] *s.* **1.** Rhe'torik *f*, Redekunst *f*; **2.** *ped. Am.* Stilübungen *pl.*, Aufsatz *m*; **3.** *fig. contp.* schöne Reden *pl.*, (leere) Phrasen *pl.*, Schwulst *m*; **rhe·tor·i·cal** [ri'tɔrikəl] **I.** *adj.* □ **1.** rhe'torisch, Redner...: ~ *question* rhetorische Frage; **2.** *contp.* schönrednerisch, phrasenhaft, schwülstig; **II.** *s.* **3.** *pl. ped. Am.* Rede-, Deklamati'onsübungen *pl.*; **rhet·o·ri·cian** [retə'riʃən] *s.* **1.** guter Redner, Redekünstler *m*; **2.** *contp.* Schönredner *m*, Phrasendrescher *m*.
rheu·mat·ic [ru(:)'mætik] ⚕ **I.** *adj.* (□ *~ally*) **1.** rheu'matisch: ~ *fever* Gelenkrheumatismus; **II.** *s.* **2.** Rheu'matiker(in); **3.** *pl. dial.* 'Rheuma *n*; **rheu·ma·tism** ['ru:mətizəm] *s.* Rheuma'tismus *m*, Rheuma *n*: *articular* ~ Gelenkrheumatismus.
Rhine·land·er ['rainlændə] *s.* Rheinländer(in).
rhine·stone ['rainstoun] *s. min.* Rheinkiesel *m* (*Bergkristall*).
rhi·no[1] ['rainou] *s. Brit. sl.* ‚Mo'neten' *pl.* (*Geld*).
rhi·no[2] ['rainou] *pl.* **-nos** *s.* F, **rhi·noc·er·os** [rai'nɔsərəs] *pl.* **-os·es**, *coll.* **-os** *s. zo.* Rhi'nozeros *n*, Nashorn *n*.
rhi·zoph·a·gous [rai'zɔfəgəs] *adj. zo.* wurzelfressend.
rhi·zo·pod ['raizəpɔd] *s. zo.* Rhizo'pode *m*, Wurzelfüßer *m*.
Rho·de·si·an [rou'di:zjən] **I.** *adj.* rho'desisch; **II.** *s.* Rho'desier(in).
rho·do·cyte ['roudəsait] *s. physiol.* rotes Blutkörperchen.
rho·do·den·dron [roudə'dendrən] *s.* ⚘ Rhodo'dendron *n, m*.
rhomb [rɔm] → *rhombus*; '**rhom·bic** [-bik] *adj.* 'rhombisch, rautenförmig; **rhom·bo·he·dron** [rɔmbə'hedrən] *pl.* **-he·dra** [-drə], **-he·drons** *s.* ⚔ Rhombo'eder *n*; **rhom·boid** ['rɔmbɔid] **I.** *s.* **1.** ⚔ Rhombo'id *n*, Parallelo'gramm *n*; **II.** *adj.* **2.** rautenförmig; **3.** → *rhomboidal*; **rhom'boi·dal** [rɔm'bɔidəl] *adj.* ⚔ rhombo'idförmig, rhombo'idisch; **rhom·bus** ['rɔmbəs] *pl.* **-bus·es, -bi** [-bai] *s.* ⚔ 'Rhombus *m*, Raute *f*.
rhu·barb ['ru:bɑ:b] *s.* **1.** ⚘ Rha'barber *m*; **2.** *Am. sl.* Krach *m*, Streit *m*.
rhumb [rʌm] *s.* **1.** Kompaßstrich *m*; **2.** *a.* *~-line* **a)** ⚔ loxo'dromische Linie, **b)** ⚓ Dwarslinie *f*.
rhyme [raim] **I.** *s.* **1.** Reim *m* (*to* auf *acc.*): *without* ~ *or reason* ohne Sinn und Verstand; **2.** *sg. od. pl.* **a)** Vers *m*, **b)** Reim *m*, Gedicht *n*, Lied *n*; **II.** *v/i.* **3.** reimen, Verse machen; **4.** sich reimen (*with* mit, *to* auf *acc.*); **III.** *v/t.* **5.** reimen, in Reime bringen; **6.** *Wort* reimen lassen (*with* auf *acc.*); '**rhyme·less** [-lis] *adj.* reimlos; '**rhym·er** [-mə], '**rhyme·ster** [-stə] *s.* Verseschmied *m*; '**rhym·ing·dic·tion·ar·y** ['raimiŋ] *s.* Reimwörterbuch *n*.
rhythm ['riðəm] *s.* **1.** ♪ 'Rhythmus *m* (*a. Metrik u. fig.*); Takt *m*: *three-four* ~; *dance* *~s* Tanzrhythmen, beschwingte Weisen; **2.** Versmaß *n*; **3.** ⚕ Pulsschlag *m*; **rhyth·mic** *adj.*; **rhyth·mi·cal** ['riðmik(əl)] *adj.* □ 'rhythmisch: **a)** taktmäßig, **b)** *fig.* regelmäßig ('wiederkehrend); **rhyth·mics** ['riðmiks] *s. pl. sg. konstr.* ♪ 'Rhythmik *f* (*a. Metrik*).
Ri·al·to [ri'æltou] *s. U.S.A. Theaterviertel am Broadway.*
rib [rib] **I.** *s.* **1.** *anat.* Rippe *f*; **2.** *Küche*: **a)** *a.* ~ *roast* Rippenstück *n*, **b)** Rippe(n)speer *m*; **3.** *humor.* ‚Ehehälfte' *f*; **4.** ⚘ (Blatt)Rippe *f*, (-)Ader *f*; **5.** ⊕ Stab *m*, Stange *f*, (*a. Heiz-, Kühl- etc.*)Rippe *f*; **6.** △ (*Gewölbe- etc.*)Rippe *f*, Strebe *f*; **7.** ⚓ **a)** (Schiffs)Rippe *f*, Spant *n*, **b)** Spiere *f*; **8.** ♪ Zarge *f*; **9.** (*Stoff*)Rippe *f*: ~ *stitch Stricken*: linke Masche; **II.** *v/t.* **10.** mit Rippen versehen; **11.** *Stoff etc.* rippen; **12.** *sl.* ‚aufziehen', hänseln.
rib·ald ['ribəld] **I.** *adj.* **1.** lästerlich, frech; **2.** zotig, ‚saftig', ob'szön; **II.** *s.* **3.** Spötter(in), Lästermaul *n*; **4.** Zotenreißer *m*; '**rib·ald·ry** [-dri] *s.* ordi'näre Rede(n *pl.*), Zoten(reiße'rei *f*) *pl.*, saftige Späße *pl.*
rib·and ['ribənd] *s.* (Zier)Band *n*.
ribbed [ribd] *adj.* gerippt, geriffelt, Rippen...: ~ *cooler* ⊕ Rippenkühler; ~ *glass* Riffelglas.
rib·bon ['ribən] *s.* **1.** Band *n*, Borte *f*; **2.** Ordensband *n*; **3.** (schmaler) Streifen; **4.** Fetzen *m*: *to tear to* *~s* in Fetzen reißen; **5.** Farbband *n* (*Schreibmaschine*); **6.** ⊕ **a)** (Me'tall)Band *n*, (-)Streifen *m*, **b)** (Holz)Leiste *f*: ~ *microphone* Bandmikrophon; ~ *saw* Bandsäge; **7.** *pl.* Zügel *pl.*; ~ **build·ing**, ~ **de·vel·op·ment** *s.* △ *Brit.* Stadtrandsiedlung *f* entlang der Landstraße.
rib·bon·ed ['ribənd] *adj.* **1.** bebändert; **2.** gestreift.
ri·bo·fla·vin [raibou'fleivin] *s.* ⚕ Ribofla'vin *n* (*Vitamin B_2*).
rice [rais] *s.* ⚘ Reis *m*; '**~-flour** *s.* Reismehl *n*; '**~-pa·per** *s.* 'Reispa|pier *n*.
ric·er ['raisə] *s. Am.* Kar'toffelpresse *f*.
rich [ritʃ] **I.** *adj.* □ **1.** reich (*in* an *dat.*) (*a. fig.*), wohlhabend: ~ *in cattle* viehreich; ~ *in hydrogen* wasserstoffreich; ~ *in ideas* ideenreich; **2.** schwer (*Stoff*), prächtig, kostbar (*Seide, Schmuck etc.*); **3.** reich(lich), reichhaltig, ergiebig (*Ernte etc.*); **4.** fruchtbar, fett (*Boden*); **5. a)** *geol.* (erz)reich, fündig (*Lagerstätte*), **b)** *min.* reich, fett (*Erz*): *to strike it* ~ *min.* auf Öl *etc.* stoßen, *fig.* arrivieren, zu Geld kommen; **6.** ⚗ schwer; *mot.* fett, gasreich (*Luftgemisch*); **7.** schwer, fett (*Speise*); **8.** schwer, kräftig (*Wein, Duft etc.*); **9.** satt, voll (*Farbton*); **10.** voll, satt (*Ton*); voll(tönend), klangvoll (*Stimme*); **11.** inhalt(s)reich; **12.** F ‚köstlich', spaßig; **II.** *s.* **13.** *coll. the* ~ die Reichen *pl.*; **rich·es** ['ritʃiz] *s. pl.* Reichtum *m*, -tümer *pl.*; '**rich·ness** [-nis] *s.* **1.** Reichtum *m*, Reichhaltigkeit *f*, Fülle *f*; **2.** Pracht *f*; **3.** Ergiebigkeit *f*; **4.** Nahrhaftigkeit *f*; **5.** (Voll)Gehalt *m*, Schwere *f* (*Wein etc.*); **6.** Sattheit *f* (*Farbton*); **7.** Klangfülle *f*.
rick[1] [rik] ✂ *bsd. Brit.* **I.** *s.* (Getreide-, Heu)Schober *m*; **II.** *v/t.* schobern.
rick[2] [rik] → *wrick*.
rick·ets ['rikits] *s. sg. od. pl. konstr.* ⚕ Ra'chitis *f*, englische Krankheit; '**rick·et·y** [-ti] *adj.* **1.** ⚕ ra'chitisch; **2.** gebrechlich (*Person*); wack(e)lig (*Möbel etc.*) (*a. fig. unsicher*).
rick·rack ['rikræk] *s. Am.* Zackenlitze(nbesatz *m*) *f*.
ric·o·chet ['rikəʃet] **I.** *s.* **1.** Abprallen *n*; **2.** ⚔ **a)** Rikoschettieren *n*, **b)** *a.* ~ *shot* Abpraller *m*, Querschläger *m*; **II.** *v/i. u. v/t.* **3.** abprallen (lassen); ⚔ rikoschettieren (lassen).
rid [rid] *v/t.* [*irr.*] befreien, frei machen (*of* von): *to get* ~ *of j-n od. et.* loswerden; *to be* ~ *of j-n od. et.* los sein; **rid·dance** ['ridəns] *s.* Be-

freiung *f*, Erlösung *f*: (*he is a*) *good ~!* man ist froh, daß man ihn los ist!, den wären wir los!

rid·den ['ridn] **I.** *p.p. von ride*; **II.** *adj. in Zssgn* bedrückt, geplagt, gepeinigt von: *fever-~*; *pest-~* von der Pest heimgesucht.

rid·dle¹ ['ridl] **I.** *s.* **1.** Rätsel *n* (*a. fig.*): *to speak in ~s* → *4*; **II.** *v/t.* **2.** enträtseln: *~* me rate mal; **3.** *fig. j-n* vor ein Rätsel stellen; **III.** *v/i.* **4.** *fig.* in Rätseln sprechen.

rid·dle² ['ridl] **I.** *s.* **1.** grobes (Draht)Sieb, Schüttelsieb *n*, Rätter *m*; **II.** *v/t.* **2.** ('durch-, aus)sieben; **3.** *fig.* durch'sieben, durch'löchern: *to ~ s.o. with bullets*; **4.** *fig. Argument etc.* zerpflücken; **5.** *fig.* mit Fragen bestürmen.

ride [raid] **I.** *s.* **1. a)** Ritt *m*, **b)** Fahrt *f* (*bsd. auf e-m* [*Motor*]*Rad od. in e-m öffentlichen Verkehrsmittel*): *to go for a ~*, *to take a ~* **a)** ausreiten, **b)** ausfahren; *to give s.o. a ~* j-n reiten *od.* fahren lassen, j-n *im Auto etc.* mitnehmen; *to take s.o. for a ~* F **a)** j-n (im Auto entführen und) umbringen, **b)** j-n ‚reinlegen' (*betrügen*), **c)** j-n ‚auf den Arm nehmen' (*hänseln*); **2.** Reitweg *m*, Schneise *f*; **II.** *v/i.* [*irr.*] **3.** reiten (*a. fig. rittlings sitzen*): *to ~ out* F ausreiten; *to ~ for* zustreben (*dat.*), entgegeneilen (*dat.*); *to ~ for a fall* halsbrecherisch reiten, *fig.* in sein Verderben rennen; *to ~ up* hochrutschen (*Kragen etc.*); *let it ~!* F laß die Karre laufen!; **4.** fahren: *to ~ on a bicycle* radfahren; *to ~ in a train* mit e-m Zug fahren; **5.** sich (fort-)bewegen, da'hinziehen (*a. Mond, Wolken etc.*); **6.** (auf dem Wasser) treiben, schwimmen; *fig.* schweben: *to ~ at anchor* ⚓ vor Anker liegen; *to ~ on the waves of popularity fig.* von der Woge der Volksgunst getragen werden; *to ~ on the wind* sich vom Wind tragen lassen (*Vogel*); *to be riding on air fig.* glücksverklärt sein; **7.** *fig.* ruhen, liegen, sich drehen (*on* auf *dat.*); **8.** sich über'lagern (*z.B.* ⚕ *Knochenfragmente*); ⚓ unklar laufen (*Tau*); **9.** ⊕ fahren, laufen, gleiten; **10.** zum Reiten *gut etc.* geeignet sein (*Boden*); **11.** im Reitdreß wiegen; **III.** *v/t.* [*irr.*] **12.** reiten: *to ~ at Pferd* lenken nach *od.* auf (*acc.*); *to ~ to death* zu Tode hetzen (*a. fig. Theorie, Witz etc.*); *to ~ a race* an e-m Rennen teilnehmen; **13.** reiten *od.* rittlings sitzen (lassen) auf (*dat.*); *j-n auf den Schultern* tragen; **14.** *Motorrad etc.* fahren, lenken: *to ~ over j-n* überfahren, *fig. j-n* tyrannisieren, über *e-e Sache* rücksichtslos hinweggehen; **15.** *fig.* reiten *od.* schwimmen *od.* schweben auf (*dat.*): *to ~ the waves* auf den Wellen reiten; **16.** aufliegen *od.* ruhen auf (*dat.*); **17.** tyrannisieren, beherrschen; *weitS.* heimsuchen, plagen, quälen; *j-m* bös zusetzen (*a. mit Kritik*); *Am.* F *j-n* reizen, hänseln: *the devil ~s him* ihn reitet der Teufel; → *ridden II*; **18.** *Land* durch'reiten; *~* **down** *v/t.* **1.** über'holen; **2. a)** niederreiten, **b)** über'fahren; *~* **out** *v/t. Sturm etc.* (gut) über'stehen (*a. fig.*).

rid·er ['raidə] *s.* **1.** Reiter(in); **2.** (Mit)Fahrer(in); **3.** ⊕ **a)** Oberteil *n*, **b)** Laufgewicht *n* (*Waage*); **4.** △ Strebe *f*; **5.** ⚓ Binnenspant *n*; **6.** ⚖ **a)** Zusatz(klausel *f*) *m*, **b)** Beiblatt *n*, **c)** ('Wechsel)Al,longe *f*, **d)** zusätzliche Empfehlung; **7.** ∡ Zusatzaufgabe *f*; **8.** ⚒ Salband *n*.

ridge [ridʒ] **I.** *s.* **1. a)** (Gebirgs-)Kamm *m*, Grat *m*, Kammlinie *f*, **b)** Berg-, Hügelkette *f*, **c)** Wasserscheide *f*; **2.** Kamm *m e-r Welle*; **3.** Rücken *m der Nase, e-s Tiers*; **4.** △ (Dach)First *m*; **5.** ⚘ **a)** (Furchen)Rain *m*, **b)** erhöhtes Mistbeet; **6.** ⊕ Wulst *m*; **7.** *meteor.* Hochdruckgürtel *m*; **II.** *v/t. u. v/i.* **8.** (sich) furchen; '*~*-**pole** *s.* **1.** △ Firstbalken *m*; **2.** Firststange *f* (*Zelt*); '*~*-**soar·ing** *s.* ✈ Hangsegeln *n*; '*~*-**tile** *s.* △ Firstziegel *m*; '*~*-**way** *s.* Kammlinien-, Gratweg *m*.

rid·i·cule ['ridikju:l] **I.** *s.* Spott *m*: *to hold up to ~* → *II*; *to turn* (*in*)*to ~ et.* ins Lächerliche ziehen; **II.** *v/t.* lächerlich machen, verspotten; **ri·dic·u·lous** [ri'dikjuləs] *adj.* □ lächerlich; **ri·dic·u·lous·ness** [ri'dikjuləsnis] *s.* Lächerlichkeit *f*.

rid·ing ['raidiŋ] **I.** *s.* **1.** Reiten *n*; Reitsport *m*; **2.** Fahren *n*; **3.** Reitweg *m*; **4.** *Brit.* Verwaltungsbezirk *m*; **II.** *adj.* **5.** Reit...: *~-horse*; '*~*-**breech·es** *s. pl.* Reithose *f*; '*~*-**hab·it** *s.* Reitkleid *n*.

rife [raif] *adj. pred.* **1.** weit verbreitet, häufig: *to be ~* (vor)herrschen, grassieren; *to grow* (*od. wax*) *~* überhandnehmen; **2.** (*with*) voll (von), angefüllt (mit).

rif·fle ['rifl] **I.** *s.* **1.** ⊕ Rille *f*, Riefelung *f*; **2.** *Am.* **a)** seichter Abschnitt (*Fluß*), **b)** Stromschnelle *f*; **3.** Stechen *n* (*Mischen von Spielkarten*); **II.** *v/t.* **4.** ⊕ riffeln; **5.** *Spielkarten* stechen (*mischen*); **6.** 'durchblättern; *Zettel etc.* durchein'anderbringen; '**rif·fler** [-lə] *s.* ⊕ Loch-, Riffelfeile *f*.

riff-raff ['rifræf] *s.* Pöbel *m*, Gesindel *n*.

ri·fle¹ ['raifl] **I.** *s.* **1.** Gewehr *n* (*mit gezogenem Lauf*), Büchse *f*; **2.** *pl.* ⚔ Schützen *pl.*; **II.** *v/t.* **3.** *Gewehrlauf* ziehen.

ri·fle² ['raifl] *v/t.* (aus)plündern.

'**ri·fle|-corps** *s.* Schützenkorps *n*; '*~*·**man** [-mən] *s.* [*irr.*] ⚔ Schütze *m*, Jäger *m*; '*~*-**pit** *s.* ⚔ Schützenloch *n*; '*~*-**prac·tice** *s.* ⚔ Schießübung *f*; '*~*-**range** *s.* **1.** Schießstand *m*; **2.** Schußweite *f*; '*~*-**shot** *s.* **1.** Gewehrschuß *m*; **2.** Schußweite *f*; **3.** *guter etc.* Schütze.

ri·fling ['raifliŋ] *s.* **1.** Ziehen *n e-s Gewehrlaufs etc.*; **2.** Züge *pl.*, Drall *m*.

rift [rift] **I.** *s.* **1.** Spalte *f*, Spalt *m*, Ritze *f*; **2.** Sprung *m*, Riß *m*: *a little ~ within the lute fig.* der Anfang vom Ende; **II.** *v/t.* **3.** (zer)spalten; '*~*-**val·ley** *s. geol.* Senkungsgraben *m*.

rig¹ [rig] **I.** *s.* **1.** ⚓ Takelung *f*, Take'lage *f*; ✈ (Auf)Rüstung *f*; **2.** Ausrüstung *f*; **3.** F *fig.* ‚Auftakelung' *f*, Aufmachung *f* (*Kleidung*); **4.** *Am.* Gespann *n*; **II.** *v/t.* **5.** ⚓ **a)** *Schiff* auftakeln, **b)** *Segel* anschlagen; **6.** ✈ (auf)rüsten, montieren; **7.** *~ out*, *~ up* **a)** ⚓ *etc.* ausrüsten, -statten, **b)** F *fig. j-n* ‚auftakeln', ausstaffieren; **8.** *oft ~ up* (behelfsmäßig) zs.-bauen, zs.-basteln.

rig² [rig] **I.** *v/t.* ☿ *Markt etc.*, *pol. Wahl* manipulieren, (durch Schiebung) beeinflussen; **II.** *s.* ('Schwindel)Ma,növer *n*, Schiebung *f*.

rig·ger ['rigə] *s.* **1.** ⚓ Takler *m*; **2.** ✈ Mon'teur *m*, ('Rüst)Me,chaniker *m*; **3.** △ Schutzgerüst *n*; **4.** ⊕ Schnur-, Riemenscheibe *f*; **5.** ☿ Kurstreiber *m*.

rig·ging ['rigiŋ] *s.* **1.** ⚓ Take'lage *f*, Takelwerk *n*, Gut *n*: *running* (*standing*) *~* laufendes (stehendes) Gut; **2.** ✈ Verspannung *f*; **3.** → *rig² II*; '*~*-**loft** *s. thea.* Schnürboden *m*.

right [rait] **I.** *adj.* □ → *rightly*; **1.** richtig, recht, angemessen: *it is only ~* es ist nicht mehr als recht und billig; *he is ~ to do so* er tut recht daran (, so zu handeln); *the ~ thing* das Richtige; *to say the ~ thing* das rechte Wort finden; **2.** richtig: **a)** kor'rekt, **b)** wahr(heitsgemäß): *the solution is ~* die Lösung stimmt *od.* ist richtig; *is your watch ~?* geht Ihre Uhr richtig?; *to be ~* recht haben; *to get s.th. ~* et. klarlegen, et. in Ordnung bringen; *to get it ~* F es ‚klarbekommen' (*richtig verstehen*); *all ~!* **a)** alles in Ordnung, **b)** ganz recht!, sehr wohl!, **c)** abgemacht!, in Ordnung!, gut!, (na) schön!; *~ you are!* F richtig!, jawohl!; *that's ~!* ganz recht!, stimmt!; **3.** richtig, geeignet: *he is the ~ man* er ist der Richtige; *the ~ man in the ~ place* der rechte Mann am rechten Platz; **4.** gesund, wohl: *to feel quite all ~* sich ganz wohl fühlen; *out of one's ~ mind*, *not ~ in one's* (*od. the*) *head* F nicht ganz bei Trost; *in one's ~ mind* bei klarem Verstand; **5.** richtig, in Ordnung: *to come ~* in Ordnung kommen; *to put* (*od. set*) *~* **a)** in Ordnung bringen, **b)** *j-n* (über e-n Irrtum) aufklären, **c)** *Irrtum* richtigstellen, **d)** *j-n* gesund machen; *to put o.s. ~ with s.o.* **a)** sich vor j-m rechtfertigen, **b)** sich mit j-m gut stellen; **6.** recht, Rechts... (*a. pol.*): *~ arm* (*od. hand*) *fig.* rechte Hand; *~ side* rechte Seite, Oberseite (*a. Münze, Stoff etc.*); *on* (*od. to*) *the ~ side* rechts, rechter Hand; *on the ~ side of 40* noch nicht 40 (Jahre alt); *~ turn* Rechtswendung (um 90 Grad); *~ wing* **a)** *sport u. pol.* rechter Flügel, **b)** *sport* Rechtsaußen (*Spieler*); **7.** ∡ **a)** recht(*er Winkel*), **b)** rechtwink(e)lig (*Dreieck*), **c)** gerade (*Linie*), **d)** senkrecht (*Figur*): *at ~ angles* rechtwink(e)lig; **8.** *obs.* rechtmäßig (*Erbe*); echt (*Kognak etc.*); **II.** *adv.* **9.** richtig, recht: *to act* (*od. do*) *~*; *to guess ~* richtig (er)raten; **10.** recht, richtig, gut: *nothing goes ~ with me* (bei) mir geht alles schief; *to turn out ~* gut ausgehen; → *5*; **11.** rechts (*from* von); nach rechts; auf der rechten Seite: *~ and left* rechts und links, *fig.* von *od.* auf *od.* nach allen Seiten; *~ about face!* ⚔ (ganze Abteilung,) kehrt!; **12.** gerade(wegs), (schnur)stracks, so'fort: *~ ahead*, *~ on* geradeaus; *~ away* (*od. off*) *bsd.*

Am. sofort, gleich; ~ *now Am.* jetzt (gleich); **13.** völlig, ganz (und gar), di'rekt: *rotten ~ through* durch und durch faul; **14.** genau, gerade: ~ *in the middle*; **15.** F ‚richtig', ‚ordentlich': *I was ~ glad*; **16.** *obs.* recht, sehr: *to know ~ well* sehr wohl wissen; **17.** ♀ *in Titeln*: hoch, sehr: ~ *Hono(u)rable* Sehr Ehrenwert; → *reverend 2*; **III.** *s.* **18.** Recht *n*: *of* (*od. by*) ~*s* von Rechts wegen, rechtmäßig, eigentlich; *in the ~* im Recht; ~ *and wrong* Recht und Unrecht; *to do s.o. ~* j-m Gerechtigkeit widerfahren lassen; *to give s.o. his ~s* j-m sein Recht geben *od.* lassen; **19.** ⚖ (subjek'tives) Recht, Anrecht *n*, (Rechts-) Anspruch *m* (*to* auf *acc.*); Berechtigung *f*: ~*s and duties* Rechte und Pflichten; ~ *of inheritance* Erbschaftsanspruch; ~ *of possession* Eigentumsrecht; ~ *of sale* Verkaufsrecht; ~ *of way* → *right-of-way*; *industrial ~s* gewerbliche Schutzrechte; *by ~ of* kraft (*gen.*), auf Grund (*gen.*); *in ~ of his wife* **a)** im Namen s-r Frau, **b)** von seiten s-r Frau; *in one's own ~* aus eigenem Recht; *to be within one's ~s* das Recht auf s-r Seite haben; **20.** *das* Rechte *od.* Richtige: *to do the ~*; **21.** *pl.* (richtige) Ordnung: *to bring* (*od. put od. set*) *s.th. to ~s* et. (wieder) in Ordnung bringen; **22.** wahrer Sachverhalt: *to know the ~s of a case*; **23.** *die* Rechte, rechte Seite (*a. Stoff*): *on* (*od. to*) *the ~* rechts, zur Rechten; *on the ~ of* rechts von; *to keep to the ~* sich rechts halten; *to turn to the ~* (sich) nach rechts wenden; **24.** rechte Hand, Rechte *f*; **25.** *Boxen*: **a)** Rechte *f* (*Faust*), **b)** Rechte(r *m*) *f* (*Schlag*); **26.** ♀ *pol.* **a)** rechter Flügel, **b)** 'Rechtspar,tei *f*; **IV.** *v/t.* **27.** (⚓ auf)richten, ins Gleichgewicht bringen; ✈ *Maschine* abfangen; **28.** *Fehler, Irrtum* berichtigen: *to ~ itself* **a)** sich wieder ausgleichen, **b)** (wieder) in Ordnung kommen; **29.** *Unrecht etc.* wieder'gutmachen, in Ordnung bringen; **30.** *Zimmer etc.* in Ordnung bringen; **31.** *j-m* zu s-m Recht verhelfen: *to ~ o.s.* sich rehabilitieren; **V.** *v/i.* **32.** sich wieder aufrichten.

'right|-a·bout I. *adj.*: ~ *face* (*od. turn*) Kehrtwendung (*a. fig.*); **II.** *s.*: *to send s.o. to the ~* j-n ‚abfahren lassen' (*abweisen*); **'~-'an·gled** → *right 7 b*; **'~-'down** *adj. u. adv.* ‚regelrecht', ausgesprochen.

right·eous ['raitʃəs] **I.** *adj.* □ gerecht (*a. Sache, Zorn*), rechtschaffen; **II.** *s. coll. the ~* die Gerechten *pl.*; **'right·eous·ness** [-nis] *s.* Rechtschaffenheit *f.*

'right|·ful [-ful] *adj.* □ rechtmäßig; **'~-hand** *adj.* **1.** recht, zur Rechten (stehend *etc.*): ~ *man* **a)** ⚔ rechter Nebenmann, **b)** *fig.* rechte Hand; **2.** rechtshändig (*Schlag etc.*); **3.** ⊕ Rechts...; rechtsgängig (*Schraube*); rechtsläufig (*Motor*): ~ *thread* Rechtsgewinde; **'~-'handed** *adj.* **1.** rechtshändig (*Person, a. Schlag etc.*); **2.** → *right-hand 3*; **'~-'hand·er** [-'hændə] *s.* F **1.** Rechtshänder *m*; **2.** → *right 25 b.*

right·ist ['raitist] *adj. pol.* 'rechtspar,teiisch, -stehend.

right·ly ['raitli] *adv.* **1.** richtig; **2.** mit Recht.

'right-'mind·ed *adj.* rechtschaffen.

right·ness ['raitnis] *s.* **1.** Richtigkeit *f*; **2.** Rechtmäßigkeit *f*; **3.** Geradheit *f* (*Linie*).

right·o ['rait'ou] *int. Brit.* F gut!, schön!, in Ordnung!

'right-of-'way *pl.* **'rights-of-'way** *s.* **1.** *Verkehr*: **a)** Vorfahrt *f*, **b)** Vorfahrtsrecht *n*: *to yield the ~* (die) Vorfahrt gewähren (*to dat.*); **2.** Wegerecht *n*; **3.** öffentlicher Weg; **4.** *Am.* zu öffentlichen Zwecken enteignetes (*z.B.* Bahn)Gelände.

right·oh → *righto.*

rig·id ['ridʒid] *adj.* □ **1.** starr, steif; **2.** ⊕ **a)** starr, unbeweglich, **b)** (stand-, form)fest, sta'bil: ~ *airship* Starrluftschiff; **3.** *fig.* **a)** streng (*Disziplin, Glaube, Sparsamkeit etc.*), **b)** starr (*Politik*, ✝ *Preise etc.*), **c)** streng, hart, unbeugsam (*Person*); **ri·gid·i·ty** [ri'dʒiditi] *s.* **1.** Starr-, Steifheit *f* (*a. fig.*), Starre *f*; **2.** ⊕ **a)** Starrheit *f*, Unbeweglichkeit *f*, **b)** (Stand-, Form)Festigkeit *f*, Stabili'tät *f*; **3.** *fig.* Strenge *f*, Härte *f*, Unnachgiebigkeit *f.*

rig·ma·role ['rigməroul] *s.* Geschwätz *n*, Salbade'rei *f*: *to tell a long ~* lang u. breit erzählen.

rig·or[1] *Am.* → *rigour.*

rig·or[2] ['rigə] *s.* ⚕ **1.** Schüttel-, Fieberfrost *m*; **2.** Starre *f.*

ri·gor mor·tis ['raigɔ: 'mɔ:tis] *s.* ⚕ Leichenstarre *f.*

rig·or·ous ['rigərəs] *adj.* □ **1.** streng, hart, rigo'ros: ~ *measures*; **2.** streng (*Winter*); rauh (*Klima etc.*); **3.** (peinlich) genau, strikt.

rig·our ['rigə] *s.* **1.** Strenge *f*, Härte *f* (*a. des Winters*); Rauheit *f* (*Klima*): ~*s of the weather* Unbilden der Witterung; **2.** Ex'aktheit *f*, Schärfe *f.*

rile [rail] *v/t.* F ärgern: *to be ~d at* aufgebracht sein über (*acc.*).

rill [ril] *s.* Bächlein *n*, Rinnsal *n.*

rim [rim] **I.** *s.* **1.** Rand *m* (*a. Brille, Hut etc.*); **2.** ⊕ **a)** Felge *f*, **b)** (Rad-) Kranz *m*: ~*-brake* Felgenbremse; **II.** *v/t.* **3.** mit e-m Rand versehen; einfassen; **4.** ⊕ *Rad* befelgen.

rime[1] [raim] *s. poet.* (Rauh)Reif *m*, Rauhfrost *m.*

rime[2] → *rhyme.*

rim·less ['rimlis] *adj.* randlos.

rim·y ['raimi] *adj.* bereift, voll Reif.

rind [raind] *s.* **1.** ♀ (Baum)Rinde *f*, Borke *f*; **2.** (Brot-, Käse)Rinde *f*, Kruste *f*; **3.** (Speck)Schwarte *f*; **4.** (Obst-, Gemüse)Schale *f*; **5.** *fig.* Schale *f*, *das* Äußere.

rin·der·pest ['rindəpest] (*Ger.*) *s. vet.* Rinderpest *f.*

ring[1] [riŋ] **I.** *s.* **1.** *allg.* Ring *m* (*a.* ♀, ⚗): *to form a ~ fig.* e-n Kreis bilden (*Personen*); **2.** ⊕ Öse *f*; **3.** *ast.* Hof *m*; **4.** (Zirkus)Ring *m*, Ma'nege *f*; **5.** (Box)Ring *m*: *to be in the ~ for fig. Am.* kämpfen um; **6.** *Rennsport*: **a)** Buchmacherstand *m*, **b)** *coll. die* Buchmacher *pl.*; **7.** ✝ Ring *m*, Kar'tell *n*; **8.** (*Verbrecher-, Spionage- etc.*)Ring *m*, Organisati'on *f*; *weitS.* Clique *f*; **II.** *v/t.* **9.** beringen; *e-m Tier* e-n Ring durch die Nase ziehen; **10.** ✂ *Baum* ringeln; **11.** *mst ~ in* (*od. round od. about*) um'ringen, -'kreisen, einschließen; *Vieh* um'reiten, zs.-treiben.

ring[2] [riŋ] **I.** *s.* **1. a)** Glockenklang *m*, -läuten *n*, **b)** Glockenspiel *n*, Läutwerk *n* (*Kirche*); **2.** Läut-, Rufzeichen *n*, Klingeln *n*; **3.** *teleph.* Anruf *m*: *give me a ~* rufe mich an; **4.** Klang *m*, Schall *m*: *the ~ of truth* der Klang der Wahrheit, der echte Klang; **II.** *v/i.* [*irr.*] **5.** läuten (*Glocke*), klingeln (*Glöckchen*): *to ~ at the door* klingeln; *to ~ for* nach *j-m* klingeln; *to ~ off teleph.* (den Hörer) auflegen; **6.** klingen (*Münze, Stimme, Ohr etc.*): *to ~ true* wahr klingen; **7.** *oft ~ out* erklingen, -schallen (*with* von), ertönen (*a. Schuß*): *to ~ again* widerhallen; **III.** *v/t.* [*irr.*] **8.** *Glocke* läuten: *to ~ the bell* **a)** klingeln, läuten, **b)** *fig.* → *bell*[1] *1*; *to ~ down* (*up*) *the curtain thea.* den Vorhang nieder- (hoch-) gehen lassen; *to ~ in the new year* das neue Jahr einläuten; *to ~ s.o. up teleph. bsd. Brit.* j-n *od.* bei j-m anrufen; **9.** erklingen lassen; *fig. j-s Lob* erschallen lassen.

'ring|-com·pound *s.* ⚗ Ringverbindung *f*; **'~-dove** *s. orn.* **1.** Ringeltaube *f*; **2.** Lachtaube *f.*

ringed [riŋd] *adj.* **1.** beringt (*Hand etc.*); *fig.* verheiratet; **2.** *zo.* Ringel...

ring·er ['riŋə] *s.* **1.** Glöckner *m*; **2.** *Am. sl.* **a)** *Pferderennen*: ‚Ringer' *m* (*vertauschtes Pferd*), **b)** *fig.* Doppelgänger(in), Ebenbild *n* (*for* von).

ring·ing ['riŋiŋ] **I.** *s.* **1.** (Glocken) Läuten *n*; **2.** Klinge(l)n *n*: *he has a ~ in his ears* ihm klingen die Ohren; **II.** *adj.* □ **3.** klinge(l)nd, schallend: ~ *cheers* brausende Hochrufe; ~ *laugh* schallendes Gelächter.

'ring·lead·er *s.* Rädelsführer *m.*

ring·let ['riŋlit] *s.* **1.** Ringlein *n*; **2.** (lange) Haarlocke, (Ringel)Löckchen *n.*

'ring|·mas·ter *s.* 'Zirkusdi,rektor *m*; **~ ou·zel** *s. orn.* Ringdrossel *f*; **'~-road** *s. mot. bsd. Brit.* Ring-, Um'gehungsstraße *f*; **'~·side I.** *s.* **1.** *at the ~ Boxen*: am Ring; **2.** *weitS.* guter Platz (*bei Veranstaltungen*); **II.** *adj.* **3.** ~ *seat* Ringplatz; **'~-snake** *s. zo.* Ringelnatter *f.*

ring·ster ['riŋstə] *s. Am.* F *bsd. pol.* Mitglied *n* e-s Ringes *od.* e-r Clique.

'ring|-wall *s.* Ringmauer *f*; **'~-worm** *s.* ⚕ Ringelflechte *f.*

rink [riŋk] *s.* **1. a)** (künstliche) Eisbahn, **b)** Rollschuhbahn *f*; **2.** *Bowls, Curling*: (abgegrenzte) Spielfläche.

rinse [rins] **I.** *v/t.* **1.** *oft ~ out* (ab-, aus-, nach)spülen; **2.** ~ *down Speise mit e-m Getränk* hin'unterspülen; **II.** *s.* **3.** Spülung *f*: *to give s.th. a good ~* et. gut (ab- *od.* aus)spülen; **'rins·ing** [-siŋ] *s.* **1.** (Aus)Spülen *n*, Spülung *f*; **2.** *mst pl.* Spülwasser *n*, Spülicht *n.*

ri·ot ['raiət] **I.** *s.* **1.** *bsd.* ⚖ Aufruhr *m*, Zs.-rottung *f*: ♀ *Act hist. Brit.* Aufruhrakte; *to read the ♀ Act to fig. humor. j-n* (ernstlich) warnen, *j-m* die Leviten lesen; ~ *call Am.* Hilfeersuchen (der Polizei bei Aufruhr *etc.*); ~ *gun* Straßenkampfwaffe; ~ *squad Am.* Überfallkommando; **2.** Tu'mult *m* (*a. fig. der*

Gefühle), Kra'wall *m*; **3.** *fig.* Ausschweifung *f*, 'Orgie *f* (*a. weitS. in Farben etc.*): *to run ~* **a)** (sich aus-) toben, **b)** durchgehen (*Phantasie etc.*), **c)** *hunt.* e-e falsche Fährte verfolgen (*Hund*), **d)** ⚘ wuchern; **4.** *Am.* F **a)** ,tolle' Sache, **b)** amü'santer Kerl; **II.** *v/i.* **5. a)** an e-m Aufruhr teilnehmen, **b)** e-n Aufruhr anzetteln; **6.** Kra'wall machen, randalieren, toben; **7.** *a. fig.* schwelgen (*in* in *dat.*); '**ri·ot·er** [-tə] *s.* Aufrührer *m*; Randalierer *m*, Kra'wallmacher *m*; '**ri·ot·ous** [-təs] *adj.* □ **1.** aufrührerisch: *~ assembly* ⚖ Zs.-rottung; **2.** tumultu'arisch, tobend; **3.** ausgelassen, wild (*a. Farbe etc.*); **4.** zügellos, toll.

rip¹ [rip] **I.** *v/t.* **1.** (zer)reißen, (-)schlitzen; *Naht etc.* (auf-, zer-) trennen: *to ~ off* los-, wegreißen; *to ~ up* (*od. open*) aufreißen, -schlitzen, -trennen; **II.** *v/i.* **2.** reißen, (auf)platzen; **3.** F sausen: *let her ~!* laß den Wagen laufen!, gib Gas!; **III.** *s.* **4.** Schlitz *m*, Riß *m*.

rip² [rip] *s.* F **1.** Nichtsnutz *m*; Wüstling *m*; **2.** alter Klepper, Schindmähre *f*.

ri·par·i·an [rai'pɛəriən] **I.** *adj.* **1.** Ufer...: *~ owner* → *3*; **II.** *s.* **2.** Uferbewohner(in); **3.** ⚖ Uferanlieger *m*.

'**rip-cord** *s.* Reißleine *f* (*Fallschirm, Ballon*).

ripe [raip] **I.** *adj.* □ **1.** reif (*Obst, Ernte etc.*); ausgereift (*Käse, Wein*); schlachtreif (*Tier*); *hunt.* abschußreif; ⚕ operati'onsreif (*Abszeß etc.*): *~ beauty fig.* reife Schönheit; **2.** *körperlich, geistig* reif, voll entwickelt; **3.** *fig.* reif, gereift (*Alter, Urteil etc.*); voll'endet (*Künstler etc.*); ausgereift (*Plan etc.*); **4.** (*zeitlich*) reif (*for* für); **5.** reif, bereit, fertig (*for* für); **6.** *sl.* ,blau', ,besoffen'; '**rip·en** [-pən] **I.** *v/i.* **1.** reifen, reif werden (*a. fig.*); **2.** sich (voll) entwickeln, her'anreifen (*into* zu); **II.** *v/t.* **3.** reifen lassen; '**ripe·ness** [-nis] *s.* Reife *f* (*a. fig.*).

ri·poste [ri'poust] **I.** *s.* **1.** *fenc.* Ri'poste *f*, Nachstoß *m*; **2.** *fig.* **a)** schlagfertige Erwiderung, **b)** Gegenschlag *m*; **II.** *v/i.* **3.** *fenc.* e-n Gegenstoß machen (*a. fig.*); **4.** *fig.* schnell erwidern.

rip·per ['ripə] *s.* **1.** ⊕ **a)** Trennmesser *n*, **b)** 'Trennmaˌschine *f*, **c)** → *rip-saw*; **2.** *sl.* **a)** 'Prachtexemˌplar *n*, **b)** Prachtkerl *m*; **rip·ping** ['ripiŋ] *sl.* **I.** *adj.* □ prächtig, fa'mos, ,prima'; **II.** *adv.* ,mordsmäßig', ,toll': *to have a ~ good time* sich prima amüsieren.

rip·ple¹ ['ripl] **I.** *s.* **1.** kleine Welle(n *pl.*), Kräuselung *f* (*Wasser, Sand etc.*): *~ of laughter fig.* leises Lachen; *to cause a ~ fig.* ein kleines Aufsehen erregen; **2.** Rieseln *n*, Plätschern *n*; **3.** *fig.* Da'hinplätschern *n*: *~ of conversation*; **II.** *v/i.* **4.** kleine Wellen schlagen, sich kräuseln; **5.** rieseln, (da'hin)plätschern (*a. fig. Gespräch*); **III.** *v/t.* **6.** *Wasser etc.* leicht bewegen, kräuseln.

rip·ple² ['ripl] ⊕ **I.** *s.* Flachsriffel *m*, Riffelkamm *m*; **II.** *v/t. Flachs* riffeln, kämmen.

'**rip·ple|-cloth** *s.* Zibe'line *f* (*Wollstoff*); '**~-cur·rent** *s.* ⚡ pulsierender Strom; '**~-fin·ish** *s.* ⊕ Kräusellack *m*; '**~-mark** *s. geol.* Wellenfurche *f*.

'**rip|-'roar·ing** *adj. sl.* ,toll', ,e'norm'; '**~-saw** *s.* ⊕ Spaltsäge *f*; '**~'snort·er** [-'snɔːtə] *s. sl.* **a)** ,tolle Sache', **b)** ,toller Kerl'; '**~-'snort·ing** [-'snɔːtiŋ] → *rip-roaring*.

rise [raiz] **I.** *v/i.* [*irr.*] **1.** sich erheben, *vom Bett, Tisch etc.* aufstehen: *to ~ (from the dead) eccl.* (von den Toten) auferstehen; **2. a)** aufbrechen, **b)** die Sitzung schließen, sich vertagen; **3.** auf-, em'por-, hochsteigen (*Vogel, Rauch etc.*; *a. Geruch*; *a. fig. Gedanke, Zorn etc.*): *the curtain ~s thea.* der Vorhang geht auf; *my hair ~s* die Haare stehen mir zu Berge; *her colo(u)r rose* die Röte stieg ihr ins Gesicht; *land ~s to view* Land kommt in Sicht; *spirits rose* die Stimmung hob sich; *the word rose to her lips* das Wort kam ihr auf die Lippen; **4.** steigen, sich bäumen (*Pferd*): *to ~ to a fence* zum Sprung über ein Hindernis ansetzen; **5.** sich erheben, em'porragen (*Berg etc.*); **6.** aufgehen (*Sonne etc.*; *a. Saat, Teig*); **7.** (an)steigen (*Gelände etc.*; *a. Wasser*; *a. Temperatur etc.*); **8.** (an)steigen, anziehen (*Preise etc.*); **9.** ⚕ sich bilden (*Blasen*); **10.** sich erheben, aufkommen (*Sturm*); **11.** sich erheben *od.* em'pören, revoltieren: *to ~ in arms* zu den Waffen greifen; *my stomach ~s against* (*od. at*) *it* mein Magen sträubt sich dagegen, (*a. fig.*) es ekelt mich an; **12.** *beruflich od. gesellschaftlich* aufsteigen: *to ~ in the world* vorwärtskommen, es zu et. bringen; **13.** *fig.* sich erheben: **a)** erhaben sein (*above* über *acc.*), **b)** sich em'porschwingen (*Geist*); → *occasion 3*; **14.** ♪ (an)steigen, anschwellen; **II.** *v/t.* [*irr.*] **15.** aufsteigen lassen; *Fisch* an die Oberfläche locken; **16.** *Schiff* sichten; **III.** *s.* **17.** (Auf)Steigen *n*, Aufstieg *m*; **18.** *ast.* Aufgang *m*; **19.** Auferstehung *f von den Toten*; **20.** Steigen *n* (*Fisch*), Schnappen *n* nach dem Köder: *to get* (*od. take*) *a ~ out of s.o. sl.* j-n ,auf die Palme bringen'; **21.** *fig.* Aufstieg *m* (*Person, Nation etc.*); **22.** (An)Steigen *n*, Erhöhung *f* (*Flut, Temperatur etc.*; ✝ *Preise etc.*); *Börse*: Aufschwung *m*, Hausse *f*; *bsd. Brit.* Aufbesserung *f*, Lohn-, Gehaltserhöhung *f*: *to buy for a ~* auf Hausse spekulieren; *on the ~* im Steigen (begriffen) (*Preise*); **23.** Zuwachs *m*, -nahme *f*: *~ in population* Bevölkerungszuwachs; **24.** Ursprung *m* (*a. fig. Entstehung*): *to take* (*od. have*) *its ~* entspringen, entstehen; **25.** Anlaß *m*: *to give ~ to* verursachen, hervorrufen, erregen; **26. a)** Steigung *f* (*Gelände*), **b)** Anhöhe *f*, Erhebung *f*; **27.** Höhe *f*; △ Pfeilhöhe *f* (*Bogen*); **ris·en** ['rizn] *p.p. von rise*; '**ris·er** [-zə] *s.* **1.** *early ~* Frühaufsteher(in); *late ~* Langschläfer(in); **2.** Steigung *f e-r Treppenstufe*; **3. a)** ⊕ Steigrohr *n*, **b)** ⚡ Steigeleitung *f*, **c)** *Gießerei*: Steiger *m*.

ris·i·bil·i·ty [rizi'biliti] *s.* **1.** Lachlust *f*; **2.** *pl. Am.* Sinn *m* für Komik; **ris·i·ble** ['rizibl] *adj.* **1.** lachlustig; **2.** Lach...: *~ muscles*; **3.** lachhaft.

ris·ing ['raiziŋ] **I.** *adj.* **1.** (an)steigend (*a. fig.*): *~ ground* (Boden)Erhebung, Anhöhe; *~ gust* Steigbö; *~ main* **a)** ⊕ Steigerohr, **b)** ⚡ Steigeleitung; *~ rhythm Metrik*: steigender Rhythmus; **2.** her'anwachsend, kommend (*Generation*); **3.** aufstrebend: *a ~ lawyer*; **II.** *prp.* **4.** *Am.* F *~ of* **a)** (etwas) mehr als, **b)** genau; **III.** *s.* **5.** Aufstehen *n*; **6.** (An)Steigen *n* (*a. fig. Preise, Temperatur etc.*); **7.** Steigung *f*, Anhöhe *f*; **8.** *ast.* Aufgehen *n*; **9.** Aufstand *m*, Erhebung *f*; **10.** Steigerung *f*, Zunahme *f*; **11.** Aufbruch *m e-r Versammlung*; **12.** ⚕ **a)** Geschwulst *f*, **b)** Pustel *f*.

risk [risk] **I.** *s.* **1.** Wagnis *n*, Gefahr *f*, 'Risiko *n*: *at one's own ~* auf eigene Gefahr; *at the ~ of one's life* unter Lebensgefahr; *at the ~ of (ger.)* auf die Gefahr hin, zu (*inf.*); *to run the ~ of doing s.th.* Gefahr laufen, et. zu tun; *to run* (*od. take*) *a ~* ein Risiko eingehen; **2.** ✝ **a)** Risiko *n*, Gefahr *f*, **b)** versichertes Wagnis (*Ware od. Person*): *security ~ pol.* Sicherheitsrisiko; **II.** *v/t.* **3.** riskieren, wagen, aufs Spiel setzen: *to ~ one's life*; **4.** *Verlust, Verletzung etc.* riskieren; '**risk·y** [-ki] *adj.* □ **1.** ris'kant, gewagt, gefährlich; **2.** → *risqué*.

ris·qué [ris'kei] *adj.* gewagt, schlüpfrig: *a ~ story*.

ris·sole ['risoul] (*Fr.*) *s.* *Küche*: Briso'lett *n*.

rite [rait] *s.* **1.** *bsd. eccl.* 'Ritus *m*, Zeremo'nie *f*, feierliche Handlung: *funeral ~s* Totenfeier, Leichenbegängnis; *last ~s* Sterbesakramente; **2.** *oft* ♀ *eccl.* Ritus *m*: **a)** Religi'onsform *f*, **b)** Litur'gie *f*; **3.** Gepflogenheit *f*, Brauch *m*.

rit·u·al ['ritjuəl] **I.** *s.* **1.** *eccl. etc., a. fig.* Ritu'al *n*; **2.** *eccl.* Ritu'albuch *n*; **II.** *adj.* □ **3.** ritu'al, Ritual...: *~ murder* Ritualmord; **4.** ritu'ell, feierlich: *~ dance*; '**rit·u·al·ism** [-lizəm] *s.* *eccl.* Ritua'lismus *m*.

ritz·y ['ritsi] *adj. Am. sl.* **1.** ,stinkvornehm', ,feu'dal'; **2.** angeberisch.

ri·val ['raivəl] **I.** *s.* **1.** Ri'vale *m*, Ri'valin *f*, Nebenbuhler(in), Konkur'rent(in): *without a ~ fig.* ohnegleichen, unerreicht; **II.** *adj.* **2.** rivalisierend, wetteifernd: *~ firm* ✝ Konkurrenzfirma; **III.** *v/t.* **3.** rivalisieren *od.* wetteifern *od.* konkurrieren mit, *j-m* den Rang streitig machen; **4.** *fig.* es aufnehmen mit; gleichkommen (*dat.*); '**ri·val·ry** [-ri] *s.* **1.** Rivali'tät *f*, Nebenbuhlerschaft *f*; **2.** Wettstreit *m*, -eifer *m*, Konkur'renz *f*: *to enter into ~ with s.o.* mit j-m in Wettbewerb treten, j-m Konkurrenz machen.

rive [raiv] **I.** *v/t.* [*irr.*] **1.** (zer)spalten; **2.** *poet.* zerreißen; **II.** *v/i.* [*irr.*] **3.** sich spalten; *fig.* brechen (*Herz*); **riv·en** ['rivən] *p.p. von rive*.

riv·er ['rivə] *s.* **1.** Fluß *m*, Strom *m*: *the ~ Thames* die Themse; *Hudson* ♀ der Hudson; *down the ~* stromab(wärts); *to sell s.o. down the ~* F j-n ,verkaufen' *od.* verraten; *up the ~* **a)** stromauf(wärts), **b)** *Am.* F ins *od.* im ,Kittchen'; **2.** *fig.* Strom *m*, Flut *f* (*Blut, Tränen etc.*).

riv·er·ain ['rivərein] **I.** *adj.* Ufer..., Fluß...; **II.** *s.* Ufer- *od.* Flußbewohner(in).

'**riv·er|-ba·sin** *s. geol.* Einzugsgebiet *n*; '**~-'bed** *s.* Flußbett *n*;

'~-**cross·ing** *s.* 'Fluß,übergang *m*; '~-**dam** *s.* Staudamm *m*, Talsperre *f*; '~-**front** *s.* (Fluß)Hafenviertel *n*; '~-**head** *s.* (Fluß)Quelle *f*, Quellfluß *m*; '~-**horse** *s. zo.* Flußpferd *n*.

riv·er·ine ['rivərain] *adj.* am Fluß gelegen; Fluß...

'**riv·er**|-**po·lice** *s.* 'Strom-, 'Wasserpoli,zei *f*; '~-**side** **I.** *s.* Flußufer *n*; **II.** *adj.* am Ufer (gelegen), Ufer...: *a ~ villa*.

riv·et ['rivit] **I.** *s.* ⊕ **1.** Niete *f*, Niet *m*: ~ *joint* Nietverbindung; **II.** *v/t.* **2.** ⊕ (ver)nieten; **3.** befestigen (*to* an *acc.*); **4.** *fig.* **a)** *Blick, Aufmerksamkeit* heften, richten (*on* auf *acc.*), **b)** *Aufmerksamkeit, a. j-n* fesseln: *to stand ~ed to the spot* wie angewurzelt stehenbleiben; '**riv·et·ing** [-tiŋ] *s.* ⊕ **1.** Nietnaht *f*; **2.** (Ver)Nieten *n*: *~-hammer* Niethammer.

riv·u·let ['rivjulit] *s.* Flüßchen *n*.

roach[1] [routʃ] *s. ichth.* Plötze *f*, Rotauge *n*: *sound as a ~* kerngesund.

roach[2] [routʃ] *s.* ⚓ Gilling *f*, Gillung *f*.

roach[3] [routʃ] → *cockroach*.

road [roud] **I.** *s.* **1. a)** (Land)Straße *f*, **b)** Weg *m* (*a. fig.*): *by ~* per Achse; *on the ~* **a)** auf der Straße, **b)** auf Reisen, unterwegs, **c)** *thea.* auf Tournee; *to take the ~* aufbrechen; *to take to the ~ Brit. obs.* Straßenräuber werden; *rule of the ~* Straßenverkehrsordnung; *the ~ to success fig.* der Weg zum Erfolg; *to be in s.o.'s ~ fig.* j-m im Wege stehen; **2.** *mst pl.* ⚓ Reede *f*; **3.** 🚂 *Am.* Bahn(strecke) *f*; **4.** ⚒ Förderstrecke *f*; **II.** *adj.* **5.** Straßen..., Weg...: *~ conditions* Straßenzustand; *~ haulage* Güterkraftverkehr; *~ junction* Straßenknotenpunkt, -einmündung; *~ sign* Wegzeiger, Straßenschild; *~ surface* Straßendecke.

road·a·bil·i·ty [roudə'biliti] *s. mot.* Fahreigenschaften *pl.*; *engS.* Straßenlage *f*.

road| **ac·ci·dent** *s.* Verkehrsunfall *m*; '~-**bed** *s.* **a)** 🚂 Bahnkörper *m*, **b)** Straßenbettung *f*; '~-**block** *s.* Straßensperre *f*; '~-**book** *s.* Reisehandbuch *n*; ~ **hog** *s.* ‚Straßensau' *f*, Verkehrsrowdy *m* (*rücksichtsloser Fahrer*); '~-**hold·ing** (**qual·i·ty**) *s. mot.* Straßenlage *f*; '~-**hole** *s.* Schlagloch *n*; ~ **house** *s.* Rasthaus *n*; '~-**mak·ing** *s.* Straßen-, Wegebau *m*; '~-**man** [-mən] *s.* [*irr.*] **1.** Straßenarbeiter *m*; **2.** Straßenhändler *m*; ~ **map** *s.* Straßen-, Autokarte *f*; '~-**mend·er** → *roadman 1*; '~-**met·al** *s.* Straßenbeschotterung *f*, -schotter *m*; '~-**roll·er** *s.* ⊕ Straßenwalze *f*; '~-**sense** *s. mot.* Fahrverstand *m*; '~-**side** **I.** *s.* Straßenrand *m*: *by the ~* an der Landstraße, am Wege; **II.** *adj.* an der Landstraße (gelegen): *~ inn*; '~-**stead** *s.* ⚓ Reede *f*.

road·ster ['roudstə] *s.* **1.** ⚓ Schiff *n* auf der Reede; **2.** *Am. mot.* Roadster *m*, (offener) Sportzweisitzer; **3.** Reisepferd *n*; **4.** *sport* (starkes) Tourenrad.

'**road**|-**tank·er** *s. mot.* Tankwagen *m*; '~-**test** *mot.* **I.** *s.* Probefahrt *f*; **II.** *v/t. Wagen* probefahren; ~ **us·er** *s.* Verkehrsteilnehmer(in); '~-**way** *s.* Fahr-, Straßendamm *m*; '~-**wor·thi·ness** *s. mot.* Verkehrssicherheit *f* (*Auto*); '~-**wor·thy** *adj. mot.* verkehrssicher (*Auto*).

roam [roum] **I.** *v/i.* (um'her)streifen, (-)wandern; **II.** *v/t.* durch'streifen (*a. fig. Blick etc.*); **III.** *s.* Wandern *n*, Um'herstreifen *n*; '**roam·er** [-mə] *s.* Her'umtreiber(in).

roan [roun] **I.** *adj.* **1.** rötlichgrau; **2.** gefleckt; **II.** *s.* **3.** Rotgrau *n*; **4.** *zo.* **a)** Rotschimmel *m*, **b)** rotgraue Kuh; **5.** (sumachgegerbtes) Schafleder.

roar [rɔː] **I.** *v/i.* **1.** brüllen (*Löwe etc.*) (*a. fig.*): *to ~ at* **a)** *j-n* anbrüllen, **b)** über *et.* schallend lachen; *to ~ with* vor *Schmerz, Lachen etc.* brüllen; **2.** *fig.* tosen, toben, brausen (*Wind, Meer*); krachen, (g)rollen (*Donner*); (er)dröhnen, donnern (*Geschütz, Motor etc.*); brausen, donnern (*Fahrzeug*); **3.** *vet.* keuchen (*Pferd*); **II.** *v/t.* **4.** *et.* brüllen: *to ~ out Freude, Schmerz etc.* hinausbrüllen; *to ~ s.o. down* j-n niederschreien; **III.** *s.* **5.** Brüllen *n*, Gebrüll *n* (*a. fig.*): *to set the table in a ~ (of laughter)* bei der Gesellschaft schallendes Gelächter hervorrufen; **6.** *fig.* Tosen *n*, Toben *n*, Brausen *n* (*Wind, Meer*); Krachen *n*, Rollen *n* (*Donner*); Donner *m* (*Geschütze*); Dröhnen *n*, Lärm *m* (*Motor, Maschinen etc.*); Getöse *n*; '**roar·ing** [-riŋ] **I.** *adj.* ☐ **1.** brüllend (*a. fig. with* vor *dat.*); **2.** lärmend, laut; **3.** tosend *etc.*; → *roar 2*; **4.** brausend, stürmisch (*Nacht, Fest*); **5.** großartig, ‚phan'tastisch': *a ~ business* (*od. trade*) ein schwunghafter Handel, ein ‚Bombengeschäft'; *in ~ health* vor Gesundheit strotzend; **II.** *s.* **6.** → *roar 5 u. 6*; **7.** *vet.* Keuchen *n* (*Pferd*).

roast [roust] **I.** *v/t.* **1.** *Fleisch etc.* braten, rösten; schmoren (*a. fig. in der Sonne etc.*): *to be ~ed alive* **a)** bei lebendigem Leibe verbrannt werden *od.* verbrennen, **b)** *fig.* vor Hitze fast umkommen; **2.** *Kaffee etc.* rösten; **3.** *metall.* rösten, abschwelen; **4.** F **a)** ‚verarschen', -albern, **b)** ‚in der Luft zerreißen' (*kritisieren*); **II.** *v/i.* **5.** rösten, braten; schmoren: *I am simply ~ing fig.* ich vergehe vor Hitze; **III.** *s.* **6.** Braten *m*; → *rule 13*; **IV.** *adj.* **7.** geröstet, gebraten, Röst...: *~ beef* Rinderbraten; *~ meat* Braten; *~ pork* Schweinebraten; '**roast·er** [-tə] *s.* **1.** Röster *m*, 'Röstappa,rat *m*; **2.** *metall.* Röstofen *m*; **3.** Spanferkel *n*, Brathähnchen *n etc.*; '**roast·ing-jack** [-tiŋ] *s.* Bratenwender *m*.

rob [rɔb] *v/t.* **1. a)** *et.* rauben, stehlen, **b)** *Haus etc.* ausrauben, (-)plündern, **c)** *fig.* berauben (*of gen.*); **2.** *j-n* berauben: *to ~ s.o. of* **a)** j-n *e-r Sache* berauben (*a. fig.*), **b)** *fig.* j-n um *et.* bringen, j-m *et.* nehmen; **rob·ber** ['rɔbə] *s.* Räuber *m*; **rob·ber·y** ['rɔbəri] *s.* **1.** *a.* ⚖ Raub *m* (*from* an *dat.*); 'Raub,überfall *m*; **2.** *fig.* Räube'rei *f* (*Wucher, Ausbeutung*).

robe [roub] **I.** *s.* **1.** (Amts)Robe *f*, Ta'lar *m* (*Geistlicher, Richter etc.*): *~s* Amtstracht; *state ~* Staatskleid; (*the gentlemen of*) *the (long) ~ fig.* die Juristen; **2.** Robe *f*: **a)** wallendes Gewand, **b)** Festkleid *n*, **c)** Abendkleid *n*, **d)** ✝ *einteiliges Damenkleid*, **e)** Bademantel *m*; **3.** Tragkleidchen *n* (*Säugling*); **4.** *fig.* (Deck)Mantel *m*; **II.** *v/t.* **5.** *j-n* (feierlich an)kleiden, *j-m* die Robe anlegen; **6.** *fig.* (ein)hüllen; **III.** *v/i.* **7.** die Robe anlegen; *fig.* sich schmücken.

rob·in (**red·breast**) ['rɔbin] *s. orn.* **1.** Rotkehlchen *n*; **2.** amer. Wanderdrossel *f*.

rob·o·rant ['rɔbərənt] ⚕ **I.** *adj.* stärkend, roborierend; **II.** *s.* Stärkungsmittel *n*, 'Roborans *n*.

ro·bot ['roubɔt] **I.** *s.* **1.** 'Roboter *m* (*a. fig.*): **a)** Ma'schinenmensch *m*, **b)** ⊕ Auto'mat *m*; **2.** *a. ~ bomb* ⚔ V-Geschoß *n*; **II.** *adj.* **3.** auto'matisch: *~ pilot* ✈ Selbststeuergerät.

ro·bust [rə'bʌst] *adj.* ☐ **1.** ro'bust: **a)** kräftig, stark (*Gesundheit, Körper, Person etc.*), **b)** kernig, gerade (*Geist*), **c)** derb (*Humor*); **2.** ⊕ sta'bil, 'widerstandsfähig; **3.** hart, kräftig (*Arbeit etc.*); **ro'bust·ness** [-nis] *s.* Ro'bustheit *f*.

roc [rɔk] *s. myth.* (Vogel *m*) Rock *m*.

rock[1] [rɔk] **I.** *s.* **1.** Fels *m* (*a. fig.*), Felsen *m*; *coll.* Felsen *pl.*, (Fels)Gestein *n*: *the* ♀ *geogr.* Gibraltar; *volcanic ~ geol.* vulkanisches Gestein; (*as*) *firm as a ~ fig.* felsenfest; **2.** Klippe *f* (*a. fig.*): *on the ~s* **a)** F ‚pleite', in Geldnot, **b)** F ‚kaputt', in die Brüche gegangen (*Ehe etc.*), **c)** on the rocks, mit Eiswürfeln (*Getränk*); *to see ~s ahead* mit Schwierigkeiten rechnen; **3.** *Am.* F Stein *m*: *to throw ~s at s.o.*; **4.** *pl. Brit.* Rocks *pl.* (*Bonbonsorte*); **5.** *sl.* Edelstein *m*; *pl.* ‚Klunkern' *pl.*; **6.** *Am. sl.* **a)** Geldstück *n*, *bsd.* Dollar *m*, **b)** *pl.* ‚Kies' *m* (*Geld*); **II.** *adj.* **7.** Fels(en)..., Stein...

rock[2] [rɔk] **I.** *v/t.* **1.** wiegen, schaukeln; *Kind* (ein)wiegen, in den Schlaf wiegen: *to ~ in security fig.* in Sicherheit wiegen; **2.** ins Wanken bringen, erschüttern: *to ~ the boat fig.* die Sache gefährden; **3.** *Sieb, Sand etc.* rütteln; **II.** *v/i.* **4.** (sich) schaukeln, sich wiegen; **5.** (sch)wanken, wackeln, taumeln (*a. fig.*); **6.** *sl.* Rock 'n' Roll tanzen *od.* spielen.

'**rock**|-**bed** *s.* Felsengrund *m*; ~ **bot·tom** *s.* F *das* Allerniedrigste, Tiefpunkt *m*: *to get down to ~* der Sache auf den Grund gehen; *his supplies touched ~* s-e Vorräte waren erschöpft; '~-'**bot·tom** *adj.* F allerniedrigst, äußerst (*Preis etc.*); '~-**bound** *adj.* von Felsen um'schlossen; '~-**cake** *s.* hartgebackenes Plätzchen; '~-**cork** *s. min.* 'Bergas,best *m*, -kork *m*; '~-**crys·tal** *s. min.* 'Bergkri,stall *m*; ~ **de·bris** *s. geol.* Felsgeröll *n*; '~-**drill** *s.* ⊕ Steinbohrer *m*.

rock·er ['rɔkə] *s.* **1.** Kufe *f* (*Wiege etc.*): *off one's ~ sl.* ‚übergeschnappt', verrückt; **2.** *Am.* Schaukelstuhl *m*; **3.** ⊕ **a)** Wippe *f*, **b)** Wiegemesser *n*, **c)** Schwing-, Kipphebel *m*; **4.** Schwingtrog *m* (*zur Goldwäsche*); **5.** *Eislauf*: **a)** Holländer(schlittschuh) *m*, **b)** Kehre *f*; **6.** *pl. Brit.* Rocker *pl.*, Halbstarke *pl.* mit bewußt ungepflegtem Aussehen (*Ggs.*

mods); '~-**arm** *s.* ⊕ Kipphebel *m*; ~ **switch** *s.* ⚡ Wippschalter *m*, Wippe *f*.

rock·er·y ['rɔkəri] *s.* Steingarten *m*.

rock·et¹ ['rɔkit] **I.** *s.* **1.** Ra'kete *f*; **II.** *adj.* **2.** Raketen...: ~ *aircraft*, ~*-driven airplane* Raketenflugzeug; ~*-assisted take-off* ✈ Raketenstart; ~ *bomb* ⚔ Raketenbombe; **III.** *v/i.* **3.** (steil *od.* ra'ketenartig) hochschießen; **4.** ✝ hochschnellen (*Preise*); **IV.** *v/t.* **5.** ⚔ mit Raketen beschießen.

rock·et² ['rɔkit] *s.* ⚘ **1.** 'Nachtvi,ole *f*; **2.** Rauke *f*; **3.** *a.* ~ *salad* Senfkohl *m*; **4.** *a.* ~ *cress* (echtes) Barbarakraut.

rock·et·eer [rɔki'tiə] *s.* ⚔ **1.** Ra'ketenkano,nier *m*; **2.** Ra'ketenforscher *m*.

rock·et| jet *s.* Ra'ketentriebwerk *n*; ~ **launch·er** *s.* ⚔ Ra'ketenwerfer *m* (*Waffe*); '~-**launch·ing site** *s.* ⚔ Ra'keten,abschuß,basis *f*; '~-**pow·ered** *adj.* mit Ra'ketenantrieb; ~ **pro·jec·tor** *s.* ⚔ (Ra'keten)Werfer *m*.

rock·et·ry ['rɔkitri] *s.* ⊕ Ra'ketentechnik *f*.

'**rock|-flour** *s. min.* Bergmehl *n*; '~-**gar·den** *s.* Steingarten *m*.

rock·i·ness ['rɔkinis] *s.* felsige *od.* steinige Beschaffenheit.

'**rock·ing|-chair** ['rɔkiŋ] *s.* Schaukelstuhl *m*; '~-**horse** *s.* Schaukelpferd *n*; ~ **le·ver** *s.* ⊕ Schwinghebel *m*; ~ **pier** *s.* △ schwingender Pfeiler.

'**rock|-leath·er** → *rock-cork*; '~-**like** *adj.* felsartig; ~ **'n' roll** ['rɔkən-'roul] *s.* Rock 'n' Roll *m* (*Musik u. Tanz*); '~-**oil** *s. min.* Stein-, Erdöl *n*, Pe'troleum *n*; '~-**plant** *s.* ⚘ Felsen-, Alpenpflanze *f*; '~-**rose** *s.* ⚘ 'Cistrose *f*; '~-**salt** *s.* ⛏ Steinsalz *n*; '~-**slide** *s.* Steinschlag *m*, Felssturz *m*; '~-**wood** *s. min.* 'Holzas,best *m*; '~-**work** *s.* **1.** Gesteinsmasse *f*; **2. a)** Steingarten *m*, **b)** Grottenwerk *n*; **3.** △ Quaderwerk *n*.

rock·y¹ ['rɔki] *adj.* felsig: **a)** voller Felsen, aus Felsen bestehend, **b)** steinhart (*a. fig.*).

rock·y² ['rɔki] *adj.* □ F wack(e)lig (*a. fig.*), wankend, taumelig.

ro·co·co [rə'koukou] **I.** *s.* **1.** 'Rokoko *n*; **II.** *adj.* **2.** Rokoko...; **3.** verschnörkelt, über'laden.

rod [rɔd] *s.* **1.** Rute *f*, Gerte *f*; *a. fig. bibl.* Reis *n*; **2.** (Zucht)Rute *f* (*a. fig.*): *to have a ~ in pickle for s.o.* mit j-m noch ein Hühnchen zu rupfen haben; *to kiss the ~* sich unter die Rute beugen; *to make a ~ for one's own back fig.* sich die Rute selber flechten; *spare the ~ and spoil the child* wer die Rute spart, verzieht das Kind; **3. a)** Zepter *n*, **b)** Amtsstab *m*, **c)** *fig.* Amtsgewalt *f*, **d)** *fig.* Knute *f*, Tyran'nei *f*; → *Black Rod*; **4.** (Holz)Stab *m*, Stock *m*; **5.** ⊕ (Rund)Stab *m*, (Treib-, Verbindungs- *etc.*)Stange *f*: ~ *aerial* ⚡ Stabantenne; **6. a)** Angelrute *f*, **b)** Angler *m*; **7.** Meßlatte *f*, -stab *m*; **8. a)** Rute *f* (*Längenmaß*), **b)** Qua'dratrute *f* (*Flächenmaß*); **9.** *Am. sl.* ‚Schießeisen' *n* (*Pistole*); **10.** *anat.* Stäbchen *n* (*Netzhaut*); **11.** *biol.* 'Stäbchenbak,terie *f*; **12.** *Am. sl.* → *hot rod*.

rode [roud] *pret. von ride*.

ro·dent ['roudənt] **I.** *adj.* **1.** *zo.* nagend, Nage...: ~ *teeth*; **2.** ⚕ fressend (*Geschwür*); **II.** *s.* **3.** Nagetier *n*.

ro·de·o [rou'deiou] *pl.* -s *s. Am.* Ro'deo *m*: **a)** Zs.-treiben *n* von Vieh, **b)** *Sammelplatz für diesen Zweck*, **c)** 'Cowboy-Turnier *n*, Wildwest-Vorführung *f*, **d)** 'Motorrad-, 'Autoro,deo *m* (*Kunstfahren*).

rod·o·mon·tade [rɔdəmɔn'teid] **I.** *s.* Aufschneide'rei *f*; **II.** *adj.* prahlerisch, aufschneiderisch; **III.** *v/i.* prahlen, aufschneiden.

rod·ster ['rɔdstə] *s. obs.* Angler *m*.

roe¹ [rou] *s. zo.* **1.** *a. hard* ~ Rogen *m*, Fischlaich *m*: ~*-corn* Fischei; **2.** *a. soft* ~ Milch *f*.

roe² [rou] *pl.* **roes**, *coll.* **roe** *s. zo.* **1.** Reh *n*; **2. a)** Ricke *f* (*weibliches Reh*), **b)** Hindin *f*, Hirschkuh *f*; '~-**buck** *s.* Rehbock *m*; '~-**deer** *s.* Reh *n*.

roent·gen → *röntgen*.

ro·ga·tion [rou'geiʃən] *s. eccl.* **a)** (Für)Bitte *f*, ('Bitt)Lita,nei *f*, **b)** *mst pl.* Bittgang *m*: ♀ *Sunday* Sonntag Rogate; ♀ *week* Bitt-, Himmelfahrtswoche; **rog·a·to·ry** ['rɔgətəri] *adj.* ⚖ Untersuchungs...: ~ *commission*; *letters* ~ Amtshilfeersuchen.

rogue [roug] *s.* **1.** Schurke *m*, Schelm *m*, Gauner *m*: ~*s' gallery* Verbrecheralbum; **2.** *humor.* Schelm *m*, Schlingel *m*, Spitzbube *m*; **3.** ⚘ **a)** aus der Art schlagende Pflanze, **b)** 'Mißbildung *f*; **4.** *zo. a.* ~ *elephant*, ~ *buffalo etc.* bösartiger Einzelgänger; **5.** *Pferderennen*: **a)** bockendes Pferd, **b)** Ausreißer *m* (*Pferd od. Reiter*); '**ro·guer·y** [-gəri] *s.* **1.** Schurke'rei *f*, Gaune'rei *f*; **2.** Schelme'rei *f*, Spitzbübe'rei *f*; '**ro·guish** [-giʃ] *adj.* □ **1.** schurkisch; **2.** schelmisch, schalkhaft, spitzbübisch.

roist·er ['rɔistə] *v/i.* **1.** kra'keelen; **2.** (laut) prahlen, bramarbasieren; '**roist·er·er** [-ərə] *s.* **1.** Kra'keeler *m*; **2.** Großmaul *n*.

role, rôle [roul] (*Fr.*) *s. thea.* Rolle *f* (*a. fig.*): *to play a* ~ e-e Rolle spielen.

roll [roul] **I.** *s.* **1.** (*Haar-, Kragen-, Papier- etc.*)Rolle *f*; **2. a)** *hist.* Schriftrolle *f*, Perga'ment *n*, **b)** Urkunde *f*, **c)** (*bsd.* Namens)Liste *f*, Verzeichnis *n*, **d)** ⚖ Anwaltsliste *f*: ~ *of hono(u)r* Ehrenliste, -tafel (*bsd. der Gefallenen*); *the* ♀*s* Staatsarchiv (*Gebäude in London*); *to call the* ~ die (Namens- *od.* Anwesenheits)Liste verlesen, Appell abhalten; *to strike s.o. off the* ~ j-n von der (Anwalts- *etc.*)Liste streichen, *Arzt etc.* disqualifizieren; → *master 13*; **3.** △ **a)** *a.* ~*-mo(u)lding* Rundleiste *f*, Wulst *m*, **b)** *antiq.* Vo'lute *f*; **4.** ⊕ Rolle *f*, Walze *f*; **5.** Brötchen *n*, Semmel *f*; **6.** (*bsd.* 'Fleisch)Rou,lade *f*; **7.** *sport* Rolle *f* (*a.* ✈ *Kunstflug*); **8.** ⚓ Rollen *n*, Schlingern *n* (*Schiff*); **9.** wiegender Gang, Seemannsgang *m*; **10.** Fließen *n*, Fluß *m* (*des Wassers*; *a. fig. der Rede, von Versen etc.*); **11.** (*Orgel- etc.*)Brausen *n*; (*Donner*)Rollen *n*; (*Trommel*)Wirbel *m*; Dröhnen *n* (*Stimme etc.*); Rollen *n*, Trillern *n* (*Vogel*); **12.** *Am. sl.* **a)** Geldscheinbündel *n*, **b)** *fig.* (*e-e* Masse) Geld *n*; **II.** *v/i.* **13.** rollen (*Ball etc.*): *to start* ~*ing* ins Rollen kommen; **14.** rollen, fahren (*Fahrzeug*); **15.** *a.* ~ *along* sich (da'hin)wälzen, da'hinströmen (*Fluten*) (*a. fig.*); **16.** da'hinziehen (*Gestirn, Wolken*); **17.** sich wälzen: *to* ~ *over* sich herumwälzen, -werfen; *to be* ~*ing in money* F im Geld schwimmen; **18.** *sport, a.* ✈ e-e Rolle machen; **19.** ⚓ schlingern; **20.** wiegend gehen: ~*ing gait* → *9*; **21.** (g)rollen (*Donner*); brausen (*Orgel*); dröhnen (*Stimme*); wirbeln (*Trommel*); trillern (*Vogel*); **22. a)** ⊕ sich walzen lassen, **b)** *typ.* sich verteilen (*Druckfarbe*); **III.** *v/t.* **23.** *Faß, Rad etc., a. Augen* rollen; (her'um)wälzen, (-)drehen: *to* ~ *a problem round in one's mind fig.* ein Problem wälzen; **24.** *Wagen etc.* rollen, fahren, schieben; **25.** *Wassermassen* wälzen (*Fluß*); **26.** (zs.-, auf-, ein)rollen, (-)wickeln; **27.** *Teig* (aus)rollen; *Zigarette* drehen; *Schneeball etc.* formen: ~*ed ham* Rollschinken; **28.** ⊕ *Metalle* walzen, strecken; *Rasen, Straße* walzen: ~*ed glass* gezogenes Glas; ~*ed gold* Walzgold, Golddublee; ~*ed iron* (*od. products*) Walzeisen; *to* ~ *on et.* aufwalzen; **29.** *typ.* **a)** *Papier* ka'landern, glätten, **b)** *Druckfarbe* (mit e-r Walze) auftragen; **30.** rollen(d sprechen): *to* ~ *one's r's*; ~*ed r* Zungen-r; **31.** *Trommel* wirbeln; **32.** ⚓ *Schiff* zum Rollen bringen; **33.** *Körper etc. beim Gehen* wiegen; **34.** *Am. sl. Betrunkenen etc.* ausplündern;

Zssgn mit adv.:

roll| back *v/t. fig.* her'unterschrauben, reduzieren; ~ **in** *v/i.* **1.** *fig.* her'einströmen, eintreffen (*Angebote, Geld etc.*); **2.** F schlafen gehen; ~ **out** *v/t.* **1.** *metall.* auswalzen, strecken; **2.** *Teig* ausrollen, -wellen; **3. a)** *Lied etc.* (hin'aus-) schmettern, **b)** *Verse* deklamieren; ~ **up I.** *v/i.* **1.** (her)'anrollen, (-)'anfahren; F vorfahren; **2.** F ‚aufkreuzen', auftauchen; **3.** sich zs.-rollen; **4.** *fig.* sich ansammeln *od.* (-)häufen; **II.** *v/t.* **5.** her'anfahren; **6.** aufrollen, -wickeln; **7.** ⚔ *gegnerische Front* aufrollen; **8.** *sl.* ansammeln: *to* ~ *a fortune*.

'**roll|-back** *s. Am.* (Perso'nal- *etc.*) Abbau *m*; Lohn-, Preissenkung *f*; '~-**bar** *s. mot.* 'Überrollbügel *m*; '~-**call** *s.* **1.** Namensaufruf *m*, -verlesung *f*; **2.** ⚔ 'Anwesenheitsap,pell *m*: '~-**col·lar** *s.* Rollkragen *m*.

roll·er ['roulə] *s.* **1.** ⊕ **a)** Walzwerkarbeiter *m*, **b)** Fördermann *m*; **2.** (Stoff-, Garn- *etc.*)Rolle *f*; **3.** ⊕ **a)** (Gleit-, Lauf-, Führungs)Rolle *f*, **b)** (Gleit)Rolle *f*, Rädchen *n* (*unter Möbeln, an Rollschuhen etc.*); **4. a)** Walze *f*, **b)** Zy'linder *m*, Trommel *f*; **5.** *typ.* Druckwalze *f*; **6.** Rollstab *m* (*Landkarte etc.*); **7.** ⚓ Roller *m*, Sturzwelle *f*; **8.** *orn.* **a)** Flug-, Tümmlertaube *f*, **b)** *e-e* Racke: *common* ~ Blauracke, **c)** Harzer Roller *m*; ~ **band·age** *s.* ⚕ Rollbinde *f*; ~ **bear·ing** *s.* ⊕ Rollen-, Wälzlager *n*; ~ **clutch** *s.* ⊕ Rollen-,

Freilaufkupplung *f*; ~ **coast·er** *s. Am.* Berg- u. Tal-Bahn *f*; '~**-mill** *s.* ⊕ **1.** Mahl-, Quetschwerk *n*; **2.** → *rolling-mill*; '~**-skate I.** *s.* Rollschuh *m*; **II.** *v/i.* rollschuhlaufen; '~**-skat·ing** *s.* Rollschuhlaufen *n*; ~ **tow·el** *s.* Rollhandtuch *n.*

roll| film *s. phot.* Rollfilm *m*; '~**-front cab·i·net** *s.* Rollschrank *m.*

rol·lick ['rɔlik] *v/i.* **1. a)** ausgelassen *od.* 'übermütig sein, **b)** her'umtollen; **2.** das Leben genießen; **'rol·lick·ing** [-kiŋ] *adj.* ausgelassen, 'übermütig.

roll·ing ['rouliŋ] **I.** *s.* **1.** Rollen *n*; **2.** Da'hinfließen *n* (*Wasser etc.*); **3.** Rollen *n* (*Donner*); Brausen *n* (*Wasser*); **4.** *metall.* Walzen *n*, Strecken *n*; **5.** ⚓ Schlingern *n*; **II.** *adj.* **6.** rollend *etc.*; → *roll II*; ~ **bar·rage** *s.* ⚔ Feuerwalze *f*; ~ **cap·i·tal** *s.* † Be'triebskapi,tal *n*; '~**-chair** *s.* (Kranken)Rollstuhl *m*; '~**-kitch·en** *s.* ⚔ Feldküche *f*; '~**-mill** *s.* ⊕ **1.** Walzwerk *n*, Hütte *f*; **2.** 'Walzma,schine *f*; **3.** Walz(en)-straße *f*; '~**-pin** *s.* Nudel-, Wellholz *n*; '~**-press** *s.* ⊕ **1.** Walzen-, Rotati'onspresse *f*; **2.** *Papierfabrikation*: Sati'nierma,schine *f*; '~**-stock** *s.* 🚃 rollendes Materi'al, Betriebsmittel *pl.*

roll| lathe *s.* ⊕ Walzendrehbank *f*; '~**-top desk** *s.* Rollpult *n*; ~ **train** *s. metall.* Walzenstrecke *f.*

ro·ly-po·ly ['rouli'pouli] **I.** *s.* **1.** *a.* ~ *pudding* gerollter Pudding; **2.** Pummel *m*; **II.** *adj.* **3.** dick u. rund, mollig, pummelig.

Ro·ma·ic [rou'meiik] **I.** *adj.* ro'maisch, neugriechisch; **II.** *s. ling.* Neugriechisch *n.*

Ro·man ['roumən] **I.** *adj.* **1.** römisch: ~ *law* römisches Recht; ~ *nose* Römer-, Adlernase; ~ *numeral* römische Ziffer; **2.** (römisch-)ka'tholisch; **3.** *mst* ♀ *typ.* Antiqua...; **II.** *s.* **4.** Römer(in); **5.** *mst* ♀ *typ.* An'tiqua *f*; **6.** *eccl.* Katho'lik(in); **7.** *pl. bibl.* (Brief *m* des Paulus an die) Römer *pl.*; ~ **arch** *s.* ⚠ ro'manischer Bogen; ~ **can·dle** *s.* Leuchtkugel *f* (*Feuerwerk*).

Ro·man Cath·o·lic *eccl.* **I.** *adj.* (römisch-)ka'tholisch; **II.** *s.* Katho'lik (-in), Römisch-Ka'tholische(r *m*) *f*; ~ **Church** *s.* Römische *od.* (Römisch-)Ka'tholische Kirche.

ro·mance[1] [rə'mæns] **I.** *s.* **1.** *hist.* ('Ritter-, 'Vers)Ro,man *m*; **2.** Ro'manze *f*: **a)** 'Liebes-, 'Abenteuerro,man *m*, **b)** *fig.* 'Liebesaf,färe *f*; **3.** *fig.* Märchen *n*, Über'treibung *f*; **4.** *fig.* Ro'mantik *f*: **a)** Zauber *m*, **b)** ro'mantische I'deen *pl.*; **II.** *v/i.* **5.** (Ro'manzen) dichten; *fig.* fabulieren.

Ro·mance[2] [rə'mæns] *bsd. ling.* **I.** *adj.* ro'manisch: ~ *peoples* Romanen; ~ *philologist* Romanist(in); **II.** *s.* **a)** Ro'manisch *n*, **b)** *a. the* ~ *languages* die romanischen Sprachen *pl.*

ro·manc·er [rə'mænsə] *s.* **1.** Ro'manzendichter(in); Ro'manschreiber(in); **2.** Phan'tast(in), Aufschneider(in).

Rom·a·nes ['rɔmənes] *s.* Zi'geunersprache *f.*

Ro·man·esque [roumə'nesk] **I.** *adj.* **1.** ⚠, *ling.* ro'manisch; **2.** *ling.* proven'zalisch; **3.** ♀ *fig.* ro'mantisch; **II.** *s.* **4.** *a.* ~ *style* romanischer (Bau)Stil; *das* Ro'manische; **5.** → *Romance*[2] *II.*

Ro·man·ic [rou'mænik] *adj.* **1.** *ling.* → *Romance*[2] *I*; **2.** römisch (*Kulturform*).

Ro·man·ism ['roumənizəm] *s.* **1.** Roma'nismus *m*, römisch-ka'tholische Einstellung; **2.** Poli'tik *f od.* Gebräuche *pl.* der römischen Kirche.

ro·man·tic [rə'mæntik] **I.** *adj.* (□ ~*ally*) **1.** ro'mantisch, phan'tastisch (*Erzählung*; *a. fig. Idee etc.*); **2.** ♪, *lit., paint.* romantisch: *the* ~ *movement* die Romantik; **3.** romantisch (veranlagt): *a* ~ *girl*; **4.** romantisch, malerisch: *a* ~ *place*; **II.** *s.* **5.** Ro'mantiker(in) (*a. fig.*); **6.** *pl.* romantische I'deen *pl. od.* Gefühle *pl.*; **ro'man·ti·cism** [-isizəm] *s.* **1.** *Kunst*: Ro'mantik *f*; **2.** (Sinn *m* für) Romantik *f*; **ro'man·ti·cist** [-isist] *s. Kunst*: Ro'mantiker(in); **ro'man·ti·cize** [-isaiz] **I.** *v/t.* **1.** romantisieren; **2.** in ro'mantischem Licht sehen; **II.** *v/i.* **3.** *fig.* schwärmen.

Rom·a·ny ['rɔməni] *s.* **1.** Zi'geuner *m*; **2.** *coll. die* Zigeuner *pl.*; **3.** Zi'geunersprache *f.*

Rome [roum] *npr.* Rom *n* (*a. fig. hist. das Römerreich*; *eccl. die Katholische Kirche*): ~ *was not built in a day* Rom ist nicht an einem Tag erbaut worden; *to do in* ~ *as the Romans do* mit den Wölfen heulen; **'Rom·ish** [-miʃ] *adj. mst contp.* römisch(-ka'tholisch).

romp [rɔmp] **I.** *v/i.* **1.** um'hertollen, sich (her'um)balgen, toben: *to* ~ *through* spielend hindurchkommen; **2.** *sl. Pferderennen*: rasen, flitzen: *to* ~ *away* davonziehen; *to* ~ *in* (*od. home*) leicht gewinnen; **II.** *s.* **3.** Wildfang *m*, Range *f*; **4.** Tollen *n*, Balge'rei *f*; **'romp·er** [-pə] *s. mst pl.* Spielanzug *m* (*Kind*); **'romp·y** [-pi] *adj.* ausgelassen, wild.

ron·deau ['rɔndou] *pl.* **-deaus** [-douz] *s. Metrik*: Ron'deau *n*, Ringelgedicht *n* (*10- od. 13-zeilige Strophe mit Kehrreim*); **ron·del** ['rɔndl] *s.* vierzehnzeiliges Rondeau.

ron·do ['rɔndou] *s.* ♪ Rondo *n.*

rönt·gen ['rɔntjən] **I.** *s. phys.* Röntgen *n* (*Maßeinheit*); **II.** *adj. mst* ♀ Röntgen...: ~ *rays*; **'rönt·gen·ize** [-tgənaiz] *v/t.* röntgen; **rönt·gen·o·gram** [rɔnt'genəgræm] *s.* Röntgenaufnahme *f*; **rönt·gen·og·ra·phy** [rɔntgə'nɔgrəfi] *s.* 'Röntgenphotogra,phie *f* (*Verfahren*); **rönt·gen·ol·o·gist** [rɔntgə'nɔlədʒist] *s.* Röntgeno'loge *f*; **rönt·gen·os·co·py** [rɔntgə'nɔskəpi] *s.* 'Röntgendurch,leuchtung *f*, -unter,suchung *f*; **rönt·gen·o·ther·a·py** [rɔntgənə'θerəpi] *s.* 'Röntgenthera,pie *f.*

rood [ru:d] *s.* **1.** *eccl.* Kruzi'fix *n*; **2.** Viertelmorgen *m* (*Flächenmaß*); **3.** Rute *f* (*Längenmaß*); '~**-loft** *s.* ⚠ Chorbühne *f*; '~**-screen** *s.* Lettner *m.*

roof [ru:f] **I.** *s.* **1.** ⚠ (Haus)Dach *n*: *under my* ~ *fig.* unter m-m Dach, in m-m Haus; *to raise the* ~ F Krach schlagen; **2.** *mot.* Verdeck *n*; **3.** *fig.* (*Blätter-, Zelt- etc.*)Dach *n*, (*Himmels*)Gewölbe *n*, (-)Zelt *n*: ~ *of the mouth anat.* Gaumen(dach); *the* ~ *of the world* das Dach der Welt; **4.** ⚒ Hangende(s) *n*; **II.** *v/t.* **5.** bedachen: *to* ~ *in Haus* (ein)decken; *to* ~ *over* überdachen; ~*ed-in* überdacht, umbaut; **'roof·age** [-fidʒ] → *roofing 2*; **'roof·er** [-fə] *s.* **1.** Dachdecker *m*; **2.** *Brit.* F Dankbrief *m* (*für e-e Einladung*); **'roof-gar·den** *s.* Dachgarten *m*; **'roof·ing** [-fiŋ] **I.** *s.* **1.** Bedachen *n*, Dachdeckerarbeit *f*; **2. a)** 'Deckmateri,alien *pl.*, **b)** Dachwerk *n*; **II.** *adj.* **3.** Dach...: ~ *felt* Dachpappe; **'roof·less** *adj.* **1.** ohne Dach, unbedeckt; **2.** *fig.* obdachlos; **'roof-tree** *s.* **1.** ⚠ Firstbalken *m*; **2.** *fig.* Dach *n.*

rook[1] [ruk] **I.** *s.* **1.** *orn.* Saatkrähe *f*; **2.** *fig.* Gauner *m*, Bauernfänger *m*; **II.** *v/t.* **3.** *j-n* betrügen.

rook[2] [ruk] *s. Schachspiel*: Turm *m.*

rook·er·y ['rukəri] *s.* **1. a)** Krähenhorst *m*, **b)** 'Krähenkolo,nie *f*; **2.** *orn., zo.* Brutplatz *m*; **3.** *fig.* **a)** 'Elendsquar,tier *n*, -viertel *n*, **b)** 'Mietska,serne *f.*

rook·ie ['ruki] *s. sl.* **1.** ⚔ Re'krut *m*; **2.** Neuling *m*, Anfänger *m.*

room [rum] **I.** *s.* **1.** Raum *m*, Platz *m*: *to make* ~ (*for*) *a. fig.* Platz machen (*dat.*); *no* ~ *to swing a cat* (*in*) sehr wenig Platz; *in the* ~ *of* an Stelle von (*od. gen.*); **2.** Raum *m*, Zimmer *n*, Stube *f*: *next* ~ Nebenzimmer; ~ *heating* Raumheizung; ~ *temperature* (*a. normale*) Raum-, Zimmertemperatur; **3.** *pl. Brit.* Wohnung *f*; **4.** *fig.* (Spiel)Raum *m*; Gelegenheit *f*, Anlaß *m*: ~ *for complaint* Anlaß zur Klage; *there is no* ~ *for hope* es besteht keinerlei Hoffnung; *there is* ~ *for improvement* es ließe sich noch manches besser machen; **II.** *v/i.* **5.** *bsd. Am.* wohnen, logieren (*at* in *dat.*, *with* bei): *to* ~ *together* zs.-wohnen; **-roomed** [rumd] *adj. in Zssgn* ...zimmerig; **room·er** ['rumə] *s. bsd. Am.* 'Untermieter(in); **'room·ful** [-ful] *pl.* **-fuls** *s.*: *a* ~ *of people* ein Zimmer voll(er) Leute; **room·i·ness** ['ruminis] *s.* Geräumigkeit *f.*

'room-mate *s.* 'Stubenkame,rad *m.*

'room·ing-house ['rumiŋ] *s.* Logierhaus *n.*

room·y ['rumi] *adj.* □ geräumig.

roost [ru:st] **I.** *s.* **1. a)** Schlafplatz *m*, -sitz *m* (*Vogel*), **b)** Hühnerstange *f od.* -stall *m*: *to be at* ~ schlafen (F *a. Mensch*); *to go to* ~ F schlafen gehen; → *rule 13*; **II.** *v/i.* **2.** auf der Stange sitzen; **3.** sich (zum Schlafen) niederhocken; *fig.* (sich) schlafen (legen) (*Person*); **III.** *v/t.* **4.** *j-m* ein Nachtlager geben; **'roost·er** [-tə] *s.* (Haus)Hahn *m.*

root[1] [ru:t] **I.** *s.* **1.** ♀ Wurzel *f* (*a. weitS. Wurzelgemüse, Knolle, Zwiebel*): ~ *and branch fig.* mit Stumpf u. Stiel; *to pull out by the* ~ mit der Wurzel herausreißen (*a. fig. ausrotten*); *to strike at the* ~ *of fig. et.* an der Wurzel treffen; *to strike* (*od. take*) ~ Wurzel schlagen (*a. fig.*); ~*s of a mountain der* Fuß e-s Berges; **2.** *anat.* (*Haar-, Nagel-, Zahn-, Zungen- etc.*)Wurzel *f*; **3.** ⚕ **a)** Wurzel *f*, **b)** eingesetzter *od.* gesuchter Wert (*Gleichung*): ~ *extraction* Wurzelziehen; **4.** *ling.* Wurzel(wort *n*) *f*, Stammwort *n*; **5.** ♪ Grundton *m*; **6.** *fig.* **a)** Quelle *f*, Ursache *f*, Wurzel *f*: ~ *of all evil* Wurzel alles Bösen; *to get at the ~ of e-r Sache* auf den Grund gehen; *to have its ~ in, to take its ~ from* → *8*, **b)** Kern *m*, Wesen *n*, Gehalt *m*: ~ *of the matter* Kern der Sache; ~ *idea* Grundgedanke; **II.** *v/i.* **7.** Wurzel fassen *od.* schlagen, (ein-)wurzeln (*a. fig.*): *deeply ~ed* tief eingewurzelt (*a. Gefühl etc.*); *to stand ~ed to the ground* wie angewurzelt dastehen; **8.** ~ *in* beruhen auf (*dat.*), s-n Grund *od.* Ursprung haben in (*dat.*); **III.** *v/t.* **9.** tief einpflanzen, einwurzeln lassen: *fear ~ed him to the ground fig.* er stand vor Furcht wie angewurzelt; **10.** ~ *up*, ~ *out*, ~ *away* **a)** ausreißen, **b)** *fig.* ausrotten, vertilgen.

root² [ru:t] **I.** *v/i.* **1.** (*mit der Schnauze*) wühlen (*for* nach) (*Schwein*); **2.** ~ *about fig.* her'umwühlen; **II.** *v/t.* **3.** *Boden* auf-, 'umwühlen; **4.** ~ *out*, ~ *up* ausgraben, aufstöbern (*a. fig.*).

root³ [ru:t] *v/i.* ~ *for Am. sl.* **a)** *sport j-n* (durch Zurufe) anfeuern, **b)** *fig.* Stimmung machen für *j-n od. et.*

'root-and-'branch *adj. u. adv.* radi'kal, restlos.

root·ed ['ru:tid] *adj.* □ (fest) eingewurzelt (*a. fig.*); **'root·ed·ly** [-li] *adv.* von Grund auf, zu'tiefst; **'root·ed·ness** [-nis] *s.* Eingewurzeltsein *n*, Festigkeit *f*.

root·er ['ru:tə] *s. sport Am. sl.* Anfeurer *m*, Schreier *m*, Fa'natiker *m*.

root·less ['ru:tlis] *adj.* wurzellos (*a. fig.*).

root·let ['ru:tlit] *s.* ⚘ Wurzelfaser *f*.

'root|-mean-'square *s.* 𝔄 qua'dratischer Mittelwert; **'~-stock** *s.* **1.** ⚘ Wurzelstock *m*; **2.** *fig.* Wurzel *f*; **'~-treat·ment** *s.* ⚕ (Zahn)Wurzelbehandlung *f*.

root·y ['ru:ti] *adj.* **1.** wurzelig, wurzelreich; **2.** wurzelartig, Wurzel...

rope [roup] **I.** *s.* **1.** Seil *n*, Tau *n*; Strick *m*, Strang *m* (*beide a. zum Erhängen*); ⚓ (Tau)Ende *n*: *the ~ fig.* der Strick (*Tod durch den Strang*); *to be at the end of one's ~* mit s-m Latein am Ende sein; *to know the ~s* sich auskennen, die Schliche kennen; *to learn the ~s* sich einarbeiten; *to show s.o. the ~s* j-m die Kniffe beibringen; **2.** *mount.* (Kletter)Seil *n*: *on the ~* angeseilt; ~ *team* Seilschaft; **3.** (Ar'tisten)Seil *n*: *on the high ~s fig.* **a)** hochgestimmt, **b)** hochmütig; **4.** *Am.* Lasso *n*, *m*; **5.** *pl. Boxen*: (Ring-)Seile *pl.*: *to have s.o. on the ~s sl.* j-n ‚zur Schnecke' gemacht haben; **6.** *fig.* Strang *m Tabak etc.*; Bund *n Zwiebeln etc.*; Schnur *f Perlen etc.*: ~ *of sand fig.* Illusion; **7.** Faden *m* (*Flüssigkeit*); **8.** *fig.* Spielraum *m*, Handlungsfreiheit *f*: *to give s.o.* (*plenty of*) ~; **II.** *v/t.* **9.** (mit e-m Seil) zs.-binden; festbinden; **10.** *mst* ~ *in* (*od. off od. out*) *Platz* (durch ein Seil) absperren *od.* abgrenzen; **11.** *mount.* anseilen: *to ~ down* (*up*) *j-n* ab- (auf)seilen; **12.** *Am.* mit dem Lasso einfangen: *to ~ in sl. Wähler, Kunden etc.* fangen, *j-n* ‚keilen'; **13.** *sport Brit. sl. Pferd* zu'rückhalten; **III.** *v/i.* **14.** Fäden ziehen (*Flüssigkeit*); **15.** *mount.* mit dem Seil klettern: *to ~ down* sich abseilen; **16.** *sport Brit. sl.* **a)** das Pferd zu'rückhalten, **b)** langsam treten (*Läufer*); **'~-danc·er** *s.* Seiltänzer (-in); **'~-lad·der** *s.* Strickleiter *f*; **'~-mak·er** *s.* Seiler *m*, Reepschläger *m*; **'~-mo(u)ld·ing** *s.* △ Seilleiste *f*; **'~-quoit** *s.* ⚓, *sport* Seilring *m*; ~ **rail·way** → *ropeway*.

rop·er·y ['roupəri] *s.* Seile'rei *f*.

'rope's-end ⚓ **I.** *s.* Tauende *n*; **II.** *v/t.* mit dem Tauende prügeln.

'rope|-walk *s.* Seiler-, Reeperbahn *f*; **'~-walk·er** *s.* Seiltänzer(in); **'~·way** *s.* (Seil)Schwebebahn *f*; **'~-yard** *s.* Seile'rei *f*; **'~-yarn** *s.* **1.** ⊕ Kabelgarn *n*; **2.** *fig.* Baga'telle *f*.

rop·i·ness ['roupinis] *s.* Dickflüssigkeit *f*, Klebrigkeit *f*; **'rop·y** [-pi] *adj.* □ **1.** klebrig, zäh, fadenziehend: ~ *sirup*; **2.** kahmig: ~ *wine*.

ror·qual ['rɔ:kwəl] *s. zo.* Finnwal *m*.

ro·sace ['rouzeis] (*Fr.*) *s.* △ **1.** Ro'sette *f*; **2.** → *rose window*.

ro·sa·ceous [rou'zeiʃəs] *adj.* **1.** ⚘ **a)** zu den Rosa'zeen gehörig, **b)** rosenblütig; **2.** Rosen...

ro·sar·i·an [rou'zɛəriən] *s.* **1.** Rosenzüchter *m*; **2.** *R.C.* Mitglied *n* einer Rosenkranzbruderschaft.

ro·sar·i·um [rou'zɛəriəm] (*Lat.*) *s.* Rosengarten *m*.

ro·sa·ry ['rouzəri] *s.* **1.** *R.C.* Rosenkranz *m*: *to tell over the ~* den Rosenkranz beten; **2.** Rosengarten *m*, -beet *n*.

rose¹ [rouz] **I.** *s.* **1.** ⚘ Rose *f*: ~ *of Jericho* Jerichorose; ~ *of May* Weiße Narzisse; ~ *of Sharon* **a)** *bibl.* Sharon-Tulpe, **b)** Großblumiges Johanniskraut; *the ~ of fig.* die Rose (*das schönste Mädchen*) von; *~s in one's cheeks* rosige Gesichtsfarbe; *to gather* (*life's*) *~s* sein Leben genießen; *on a bed of ~s fig.* auf Rosen gebettet; *it is no bed of ~s* es ist kein Honiglecken; *it is not all ~s* es ist kein reines Vergnügen; *under the ~* im Vertrauen, insgeheim; **2.** → *rose-colo(u)r*; **3.** *her. hist.* Rose *f*: *Red ~* Rote Rose (*Haus Lancaster*); *White ~* Weiße Rose (*Haus York*); *Wars of the ~s* Rosenkriege; **4.** △ Ro'sette *f* (*a. Putz*; *a. Edelstein* [*-schliff*]); **5.** Brause *f* (*Gießkanne etc.*); **6.** *phys.* 'Kreis,skala *f*; **7.** ⚓ *etc.* Windrose *f*; **8.** ⚕ Wundrose *f*; **II.** *adj.* **9.** Rosen...; **10.** rosenfarbig.

rose² [rouz] *pret. von rise.*

ro·se·ate ['rouziit] *adj.* □ → *rose-colo(u)red.*

rose| bit *s.* ⊕ Senkfräser *m*; **'~-bud** *s.* ⚘ Rosenknospe *f* (*a. fig. Mädchen*); **'~-bush** *s.* Rosenstrauch *m*; **'~-col·o(u)r** *s.* Rosa-, Rosenrot *n*: *life is not all ~ fig.* das Leben besteht nicht nur aus Annehmlichkeiten; **'~-col·o(u)red** *adj.* **1.** rosa-, rosenfarbig, rosenrot; **2.** *fig.* rosig, opti'mistisch: *to see things through ~ spectacles* die Dinge durch e-e rosa(rote) Brille sehen; **'~-gall** *s.* ⚘ Rosenschwamm *m*.

rose·mar·y ['rouzməri] *s.* ⚘ Rosma'rin *m*.

ro·se·o·la [rou'zi:ələ] *s.* ⚕ Rose'ole *f* (*Hautausschlag*).

'rose|-'pink **I.** *s.* ⊕ Rosenlack *m*, roter Farbstoff; **II.** *adj.* rosa, rosenrot (*a. fig.*); **'~-rash** → *roseola*; **'~-'red** *adj.* rosenrot.

ro·ser·y → *rosary* 2.

'rose-tree *s.* Rosenstock *m*.

ro·sette [rou'zet] *s.* Ro'sette *f* (*a.* △); **ro'set·ted** [-tid] *adj.* **1.** mit Rosetten geschmückt; **2.** ro'settenförmig.

'rose|-wa·ter **I.** *s.* **1.** Rosenwasser *n*; **2.** *fig.* **a)** Schmeiche'leien *pl.*, **b)** Gefühlsduse'lei *f*; **II.** *adj.* **3.** *fig.* ('über-)fein, (-)zart; **4.** *fig.* sentimen'tal; ~ **window** *s.* △ ('Fenster)Ro,sette *f*, (-)Rose *f*; **'~·wood** *s.* Rosenholz *n*.

ros·in ['rɔzin] **I.** *s.* ⚗ (Terpen'tin-)Harz *n*, *bsd.* Kolo'phonium *n*, Geigenharz *n*; **II.** *v/t.* mit Kolophonium einreiben.

ros·i·ness ['rouzinis] *s.* Rosigkeit *f*, rosiges Aussehen.

ros·ter ['roustə] *s.* ⚔ **1.** (Dienst-, Namens)Liste *f*; **2.** Dienstplan *m*.

ros·tral ['rɔstrəl] *adj.* (schiffs)schnabelförmig; **'ros·trate(d)** [-reit(id)] *adj.* **1.** ⚘, *zo.* geschnäbelt; **2.** → *rostral*.

ros·trum ['rɔstrəm] *pl.* **-tra** [-trə] *s.* **1. a)** Rednerbühne *f*, 'Podium *n*, **b)** Kanzel *f*, **c)** *fig.* Plattform *f*; **2.** ⚓ *hist.* Schiffsschnabel *m*; **3.** ⚘, *zo.* Schnabel *m*; **4.** *zo.* **a)** Kopfspitze *f*, **b)** Rüssel *m* (*Insekt*).

ros·y ['rouzi] *adj.* □. **1.** rosenrot, -farbig; ~ *red* Rosenrot; **2.** rosig, blühend (*Wangen etc.*); **3.** *fig.* rosig; **4.** rosengeschmückt.

rot [rɔt] **I.** *v/i.* **1.** (ver)faulen, (-)modern (*a. fig. im Gefängnis*); verrotten, verwesen; *geol.* verwittern; **2.** *fig.* verkommen, verrotten; **3.** *Brit. sl.* ‚quatschen', Unsinn reden; **II.** *v/t.* **4.** faulen lassen; **5.** *bsd. Flachs* rotten; **6.** *Brit. sl. Plan etc.* vermurksen; **7.** *Brit. sl.* j-n ‚anpflaumen' (*hänseln*); **III.** *s.* **8. a)** Fäulnis *f*, Verwesung *f*, **b)** Fäule *f*, **c)** *et.* Verfaultes; → *dry-rot*; **9.** ⚘, *zo.* **a)** Fäule *f*, **b)** *vet.* Leberfäule *f* (*Schaf*); **10.** *Brit. sl.* ‚Quatsch' *m*, Unsinn *m*: *to talk ~*; **11.** *fig. u. sport* Pechsträhne *f*; **IV.** *int. sl.* **12.** Quatsch!, Blödsinn!

ro·ta ['routə] *s.* **1.** → *roster*; **2.** *Brit.* 'Dienst,turnus *m*, regelmäßiger Verlauf: ~ *system* Turnusplan, Ablösungssystem; **3.** *mst* ~ *R.C.* Rota *f* (*oberster Gerichtshof der römisch-katholischen Kirche*).

Ro·tar·i·an [rou'tɛəriən] **I.** *s.* Ro'tarier *m*; **II.** *adj.* Rotary..., den Rotary-Club betreffend.

ro·ta·ry ['routəri] **I.** *adj.* **1.** rotierend, kreisend, sich drehend, 'umlaufend; Rotations..., Dreh...: ~ *crane* Dreh-, Schwenkkran; ~ *file* Drehkartei; ~ *pump* Umlaufpumpe; ~ *switch* ⚡ Drehschalter; ~ *traffic* Kreisverkehr; **II.** *s.* **2.** ⊕ *durch Rotation arbeitende Maschine*, *bsd.* **a)** → *rotary engine*, **b)** → *rotary machine*, **c)** → *rotary press*; **3.** → *rotary converter*; **4.** ~, *a.* ~ *Club* 'Rotary-Club *m*; ~ **con·vert·er** *s.* ⚡ 'Dreh,umformer *m*; ~ **cur·rent** *s.* ⚡ Drehstrom *m*; ~ **en·gine** *s.* 'Drehkolben,motor *m*; ~ **hoe** *s.* ⚒ Hackfräse *f*; ~ **In·ter·na·tion·al** *s.* Weltvereinigung *f* der Rotary-Clubs; ~ **ma·chine** *s. typ.* Rotati'onsma,schine *f*; ~ **pis·ton en·gine** *s.* → *rotary engine*; ~ **press** *s. typ.* Rotati'ons(druck)-presse *f*.

ro·tate¹ [rou'teit] **I.** *v/i.* **1.** rotieren, kreisen, sich drehen; **2.** der Reihe nach *od.* turnusmäßig wechseln: *to ~ in office*; **II.** *v/t.* **3.** rotieren *od.* (um)'kreisen lassen; **4.** *Personal* turnusmäßig *etc.* auswechseln; **5.** ↗ *Frucht* wechseln: *to ~ crops* im Fruchtwechsel anbauen.

ro·tate² ['routeit] *adj.* ⚘, *zo.* radförmig.

ro·ta·tion [rou'teiʃən] *s.* **1.** ⊕, *phys.* Rotati'on *f*, (Achsen-, 'Um)Drehung *f*, 'Um-, Kreislauf *m*, Drehbewegung *f*: *~ of the earth* (tägliche) Erdumdrehung (*um die eigene Achse*); **2.** Wechsel *m*, Abwechslung *f*: *in* (*od. by*) *~* der Reihe nach, abwechselnd, im Turnus; *~ in office* turnusmäßiger Wechsel im Amt; *~ of crops* ↗ Fruchtwechsel, -folge; **ro·ta·tive** ['routətiv] *adj.* **1.** → *rotary 1*; **2.** abwechselnd, regelmäßig 'wiederkehrend; **ro·ta·to·ry** ['routətəri] *adj.* **1.** → *rotary 1*; **2.** *fig.* abwechselnd *od.* turnusmäßig (aufein'anderfolgend): *~ assemblies*; **3.** *~ muscle anat.* Dreh-, Rollmuskel.

rote [rout] *s.*: *by ~* **a)** (rein) mechanisch, durch bloße Übung, **b)** auswendig.

'rot-gut *s. sl.* Fusel *m*, schlechter Schnaps.

ro·ti·fer ['routifə] *s. zo.* Rädertier (-chen) *n*; **Ro·tif·er·a** [rou'tifərə] *s. pl. zo.* Rädertiere *pl.*

ro·to·gra·vure [routəgrə'vjuə] *s. typ. Am.* **1.** Kupfer(tief)druck *m*; **2.** → *roto section*.

ro·tor ['routə] *s.* **1.** ✈ 'Rotor *m*, Drehflügel *m* (*Hubschrauber*); **2.** ⚡ Rotor *m*, Anker *m*; **3.** ⊕ Rotor *m* (*Drehteil e-r Maschine*); **4.** ⚓ ('Flettner),Rotor *m*.

ro·to sec·tion ['routou] *s. phot. Am.* Kupfertiefdruckbeilage *f e-r Zeitung*.

rot·ten ['rɔtn] *adj.* □ **1.** faul, verfault: *~ to the core* **a)** kernfaul, **b)** *fig.* durch u. durch korrupt; **2.** morsch, mürbe; **3.** brandig, stockig (*Holz*); **4.** ⚕ faul(ig) (*Zahn*); **5.** *fig.* **a)** verderbt, kor'rupt, **b)** niederträchtig, gemein; **6.** *sl.* (,'hunds-)mise,rabel': *~ luck* Saupech; *~ weather* saumäßiges Wetter; **'rot·ten·ness** [-nis] *s.* **1.** Fäule *f*, Fäulnis *f*; **2.** *fig.* Verderbtheit *f*, Kor'ruptheit *f*; **rot·ter** ['rɔtə] *s. Brit. sl.* Schweinehund *m*, nichtsnutziger *od.* widerlicher Kerl.

ro·tund [rou'tʌnd] *adj.* □ **1.** *obs.* rund, kreisförmig; **2.** rundlich (*Mensch*); **3.** *fig.* **a)** voll(tönend) (*Stimme*), **b)** hochtrabend, blumig, pom'pös (*Ausdruck*); **4.** *fig.* ausgewogen (*Stil*); **ro'tun·da** [-də] *s.* △ Rundbau *m*; **ro'tun·date** [-deit] *adj. bsd.* ⚘ abgerundet; **ro'tun·di·ty** [-diti] *s.* **1.** Rundheit *f*; **2.** Rundlichkeit *f*; **3.** Rundung *f*; **4.** *fig.* Ausgewogenheit *f* (*des Stils etc.*).

rou·ble ['ru:bl] *s.* Rubel *m* (*russisches Geld*).

rou·é ['ru:ei] (*Fr.*) *s.* Rou'é *m*, Wüstling *m*, Lebemann *m*.

rouge [ru:ʒ] **I.** *s.* Rouge *n*, (rote) Schminke; ⊕ Polierrot *n*; **II.** *adj. her.* rot; **III.** *v/i.* Rouge auflegen, sich schminken; **IV.** *v/t.* (rot) schminken.

rough [rʌf] **I.** *adj.* □ → *roughly*; **1.** rauh (*Oberfläche, a. Haut, Tuch etc.*; *a. Stimme*); **2.** rauh, struppig (*Fell, Haar*); **3.** holp(e)rig, uneben (*Gelände, Weg*); **4.** rauh, unwirtlich, zerklüftet (*Landschaft*); **5.** rauh (*Wind etc.*); stürmisch (*See, Überfahrt, Wetter*): *~ sea* ⚓ grobe See; **6.** grob, roh (*Mensch, Manieren etc.*); rauhbeinig, ungehobelt (*Person*); heftig (*Temperament etc.*): *~ house* F **a)** stürmische Versammlung, **b)** Schlägerei; *~ play* rohes *od.* hartes Spiel; *~ stuff* F Gewalttätigkeit(en); **7.** rauh, barsch, schroff (*Person od. Redeweise*): *~ words*; *to have a ~ tongue* e-e rauhe Sprache sprechen; **8.** F rauh (*Behandlung, Empfang etc.*), hart (*Leben, Tag etc.*), garstig, böse: *it was ~* es war e-e böse Sache; *I had a ~ time* es ist mir schlecht ergangen; *that's ~ luck for him* da hat er aber Pech (gehabt); **9.** roh, grob: **a)** ohne Feinheit, **b)** unbearbeitet, im Rohzustand: *~ cloth* ungewalktes Tuch; *~ food* grobe Kost; *~ rice* unpolierter Reis; *~ style* grober *od.* ungeschliffener Stil; *~ stone* **a)** unbehauener Stein, **b)** ungeschliffener (Edel)Stein; → *diamond 1, rough-and-ready*; **10.** ⊕ Grob...: *~ carpenter* Grobtischler; *~ file* Gewichts-, Schruppfeile; **11.** unfertig, Roh...: *~ copy* Konzept; *~ draft* (*od. sketch*) Faustskizze, Rohentwurf; *in a ~ state* im Rohzustand; **12.** *fig.* grob: **a)** annähernd (richtig), ungefähr, **b)** flüchtig, im 'Überschlag: *~ analysis* Rohanalyse; *~ calculation* Überschlag; *~ size* ⊕ Rohmaß; **13.** *typ.* noch nicht beschnitten (*Buchrand*); **14.** herb, sauer (*bsd. Wein*); **15.** stark (wirkend) (*Arznei*); **16.** *Brit. sl.* schlecht, ungenießbar (*Fisch*); **II.** *adv.* **17.** rauh, hart, roh: *to play ~*; *to cut up ~* ‚massiv' werden; **18.** grob, flüchtig; **III.** *s.* **19.** Rauheit *f*, *das* Rauhe: *over ~ and smooth* über Stock und Stein; *to take the ~ with the smooth fig.* das Leben nehmen, wie es ist; → *rough-and-tumble II*; **20.** *bsd. Brit.* ‚Schläger' *m*, Rowdy *m*, Rohling *m*; **21.** Rohzustand *m*: *from the ~* aus dem Rohen *arbeiten*; *in the ~* im Groben, im Rohzustand; *to take s.o. in the ~* j-n nehmen, wie er ist; **22. a)** holperiger Boden, **b)** unebener Boden (*Golf*); **23.** Stollen *m* (*Pferdehufeisen*); **IV.** *v/t.* **24.** an-, aufrauhen; **25.** *j-n* grob anfassen *od.* behandeln; **26.** *mst ~ out Material* roh *od.* grob bearbeiten, vorbearbeiten; *metall.* vorwalzen; *Linse, Edelstein* grob schleifen; **27.** *Pferd* zureiten; **28.** *Pferd(ehuf)* mit Stollen versehen; **29.** *~ in, ~ out* entwerfen, flüchtig skizzieren; **30.** *~ up Haare etc.* gegen den Strich streichen: *to ~ the wrong way fig. j-n* reizen *od.* verstimmen; **31.** *Fußball*: *Gegner* hart ‚nehmen', anschlagen; **V.** *v/i.* **32.** rauh werden; **33.** *Fußball*: (über'trieben) hart spielen; **34.** *~ it* **a)** sich roh benehmen, **b)** sich kümmerlich 'durchschlagen, **c)** primi'tiv leben, ein spar'tanisches Leben führen.

rough·age ['rʌfidʒ] *s.* **a)** ↗ Rauhfutter *n*, **b)** grobe Nahrung, **c)** *biol.* unverdauliche Nährstoffe *pl.*

'rough|-and-'read·y *adj.* **1.** grob (gearbeitet), Not..., Behelfs...: *~ rule* Faustregel; **2.** rauh *od.* grob, aber zuverlässig (*Person*); **3.** nicht allzu genau (aber schnell *arbeitend*); **'~-and-'tum·ble I.** *adj.* **1.** wild, heftig, verworren: *a ~ fight*; **II.** *s.* **2.** wirres Handgemenge, wilde Keile'rei; **3.** *fig.* Wirren *pl. des Krieges, des Lebens etc.*; **'~-cast I.** *s.* **1.** *fig.* roher Entwurf; **2.** △ Rohputz *m*, Berapp *m*; **II.** *adj.* **3.** im Entwurf, unfertig; **4.** roh verputzt, angeworfen; **III.** *v/t.* [*irr.* → *cast*] **5.** im Entwurf anfertigen, roh entwerfen; **6.** △ berappen, (*mit Rohputz*) anwerfen; **'~-drill** *v/t.* ⊕ vorbohren; **'~-dry** *v/t.* *Wäsche* (nur) trocknen (*ohne sie zu bügeln od. mangeln*).

rough·en ['rʌfən] **I.** *v/i.* rauh(er) werden; **II.** *v/t.* an-, aufrauhen, rauh machen.

'rough|-'grind *v/t.* [*irr.* → *grind*] **1.** ⊕ vorschleifen; **2.** *Korn* schroten; **'~-'hew** *v/t.* [*irr.* → *hew*] **1.** *Holz, Stein etc.* roh *od.* grob behauen *od.* bearbeiten; **2.** *fig.* in groben Zügen entwerfen; **'~-'hewn** *adj.* **1.** ⊕ roh behauen; **2.** *fig.* in groben Zügen entworfen, flüchtig; **3.** *fig.* grobschlächtig, ungehobelt; **'~-'house** *sl.* **I.** *v/t.* *j-n* unsanft behandeln; miß'handeln; **II.** *v/i.* Ra'dau machen, toben.

rough·ly ['rʌfli] *adv.* **1.** rauh, roh, grob; **2.** grob, ungefähr, annähernd: *~ speaking* etwa, ungefähr.

'rough|-ma'chine *v/t.* ⊕ grob bearbeiten; **'~-neck** *s. Am. sl.* Rauhbein *n*, Grobian *m*.

rough·ness ['rʌfnis] *s.* **1.** Rauheit *f*, Unebenheit *f*; **2.** ⊕ rauhe Stelle; **3.** *fig.* Roheit *f*, Grobheit *f*, Ungeschliffenheit *f*; **4.** Wildheit *f*, Heftigkeit *f*; **5.** Herbheit *f* (*Wein*).

'rough|-'plane *v/t.* ⊕ vorhobeln, schroppen; **'~-rid·er** *s.* **1.** Zureiter *m*; **2.** verwegener Reiter; **3.** *Am.* ⚔ *hist.* **a)** 'irregu,lärer Kavalle'rist, **b)** ♀ *Angehöriger e-s im spanisch-amer. Krieg aufgestellten Kavallerie-Freiwilligenregiments*; **'~-shod** *adj.* scharf beschlagen (*Pferd*): *to ride ~ over fig.* **a)** *j-n* rücksichtslos behandeln, *j-n* schurigeln, **b)** rücksichtslos über *et.* hinweggehen.

rou·lade [ru:'lɑ:d] (*Fr.*) *s.* ♪ Rou'lade *f*, Pas'sage *f* (*Koloratur*).

rou·lette [ru(:)'let] *s.* **1.** Rou'lett *n* (*Glücksspiel*); **2.** ⊕ Rollrädchen *n*.

Rou·ma·ni·an → *Rumanian*.

round [raund] **I.** *adj.* □ → *roundly*; **1.** *allg.* rund: **a)** kugelrund, **b)** kreisrund, **c)** zy'lindrisch, **d)** abgerundet, **e)** bogenförmig, **f)** e-n Kreis beschreibend (*Bewegung, Linie etc.*), **g)** rundlich, dick (*Arme, Wangen etc.*): *~ arch* △ (romanischer) Rundbogen; *~ dance* Rundtanz; *~ file* ⊕ Rundfeile; *~ game* Gesellschaftsspiel; *~ hand* Rundschrift; *~ robin* Gesuch *etc.*, auf dem die Unterschriften im Kreise angebracht sind; *~ shot* Kanonenkugel; *~ steak*

Rundsteak; ~ *table* ‚runder Tisch', Konferenztisch; ² *Table hist. die* Tafelrunde (*des Königs Artus*); → *round-table*; ~ *timber* Rundholz; ~ *towel* Rollhandtuch; ~ *trip* Rundreise, *bsd. Am.* Hin- u. Rückfahrt; → *round-trip*; **2.** *ling.* gerundet (*Vokal*); **3.** weich, vollmundig (*Wein*); **4.** ☧ ganz (*ohne Bruch*): *in ~ numbers* **a)** in ganzen Zahlen, **b)** auf- *od.* abgerundet; **5.** *fig.* rund, voll: *a ~ dozen*; **6.** rund, annähernd (richtig); **7.** rund, beträchtlich (*Summe*); **8.** (ab)gerundet, flüssig (*Stil*); **9.** voll(tönend) (*Stimme*); **10.** flott, scharf: *at a ~ pace*; **11.** offen, unverblümt: *a ~ answer*; ~ *lie* freche Lüge; **12.** kräftig, derb, ‚saftig': *in ~ terms* in unmißverständlichen Ausdrücken; **II.** *s.* **13.** Rund *n*, Kreis *m*, Ring *m*; **14.** Rund(teil *n*, -bau *m*) *n*, *et.* Rundes; **15. a)** (runde) Stange, **b)** ⊕ Rundstab *m*, **c)** (Leiter)Sprosse *f*; **16.** Rundung *f*: *out of ~* ⊕ unrund; *worked on the ~* über e-n Leisten gearbeitet (*Schuh*); **17.** *Kunst*: Rundplastik *f*: *in the ~* **a)** plastisch, **b)** *fig.* vollkommen; **18.** *a. ~ of beef* Rindskeule; **19.** *Brit.* Scheibe *f*, Schnitte *f* (*Brot etc.*); **20.** Kreislauf *m*, Runde *f*: *the ~ of the seasons; the daily ~* der tägliche Trott; **21. a)** (Dienst-) Runde *f*, Rundgang *m* (*Briefträger, Polizist etc.*), **b)** ⚔ Ronde *f*, **c)** ⚔ Streife *f*: *to make the ~ of* e-n Rundgang machen um; **22. a)** (Inspekti'ons)Rundgang *m*, -fahrt *f*, **b)** Rundreise *f*, Tour *f*; **23.** *fig.* Reihe *f*, Folge *f von Besuchen, Pflichten etc.*: *a ~ of pleasures*; **24.** *Boxen, Golf*: Runde *f*; **25.** Runde *f*, Lage *f* (*Bier etc.*): *to stand a ~ (of drinks)* ‚e-n ausgeben' (*für alle*); **26.** Runde *f*, Kreis *m* (*Personen*): *to go (od. make) the ~ (of)* die Runde machen, kursieren (bei, in *dat.*) (*Gerücht, Witz etc.*); **27. a)** ⚔ Salve *f*, **b)** Schuß *m*: *20 ~s (of cartridge)* 20 Schuß (Patronen); **28.** *fig.* Lach-, Beifallssalve *f*: *~ after ~ of applause* nicht enden wollender Beifall; **29.** ♪ **a)** Rundgesang *m*, 'Kanon *m*, **b)** Rundtanz *m*, Reigen *m*; **III.** *adv.* **30.** *a. ~ about* rund-, rings(her)'um; **31.** rund(her)'um, im ganzen 'Umkreis, auf *od.* von allen Seiten: *all ~* **a)** ringsum, überall, **b)** *fig.* durch die Bank, auf der ganzen Linie; *for a mile ~* im Umkreis von e-r Meile; **32.** rundherum, im Kreise: *~ and ~* immer rundherum; *to hand s.th. ~* et. herumreichen; *to look ~* um sich blicken; *to turn ~* (sich) umdrehen; *the wheels go ~* die Räder drehen sich; **33.** außen her'um: *a long way ~* ein weiter Umweg; **34.** *zeitlich*: her'an: *comes ~ again der Sommer* kehrt wieder; **35.** e-e Zeit lang: *all the year ~* das ganze Jahr lang *od.* hindurch; *the clock ~* volle 24 Stunden; **36. a)** hin'über, **b)** her'über: *to ask s.o. ~* j-n zu sich bitten; *to order one's car ~* (den Wagen) vorfahren lassen; → *win 6*; **IV.** *prp.* **37.** (rund) um: *a tour ~ the world*; **38.** um (... her'um): *to sail ~ the Cape; just ~ the corner* gleich um die Ecke; **39.** in *od.* auf (*dat.*) ... herum: *~ all the shops* in allen Läden herum; **40.** um (... herum), im 'Umkreis von (*od. gen.*); **41.** um (... herum): *to write a book ~ a story; to argue ~ and ~ a subject* um ein Thema herumreden; **42.** *zeitlich*: durch, während (*gen.*); **V.** *v/t.* **43.** rund machen, (*a. fig.* ab-) runden: *~ed edge* abgerundete Kante; *~ed number* auf- *od.* abgerundete Zahl; *~ed teaspoon* gehäufter Teelöffel; *~ed vowel ling.* gerundeter Vokal; **44.** um'kreisen; **45.** um'geben, -'schließen; **46.** *Ecke, Landspitze etc.* um'fahren, -'segeln, her'umfahren *od.* biegen um; **47.** *mot. Kurve* ausfahren; **VI.** *v/i.* **48.** rund werden, sich runden; **49.** *fig.* sich abrunden, voll'kommen werden; **50.** ⚓ drehen, wenden; **51.** *~ on* F **a)** *j-n* anfahren, **b)** über *j-n* herfallen, *j-m* in den Rücken fallen;

Zssgn mit adv.:

round| off *v/t.* **1.** abrunden (*a. fig. vervollkommnen*); **2.** *Fest, Rede etc.* beschließen, krönen; **3.** *Zahlen* auf- *od.* abrunden; **4.** *Schiff* wenden; **~ out I.** *v/t.* **1.** (*v/i.* sich) runden *od.* ausfüllen; **2.** *fig.* → *round off 1*; **II.** *v/i.* **3.** sich wieder erholen (*Kranker*); **~ to** *v/i.* **1.** ⚓ beidrehen; **2.** wieder zu Kräften kommen; **~ up** *v/t.* **1.** *Vieh* zs.-treiben; **2.** F **a)** *Verbrecherbande* ausheben, **b)** *Leute etc.* zs.-trommeln, *a. et.* auftreiben, **c)** zs.-klauben.

'round·a·bout I. *adj.* **1.** weitläufig, -schweifig, 'umständlich; **2.** 'umwegig: *~ way* Umweg; **3.** rund(her)'um laufend *od.* führend: *~ system of traffic* → *8*; **4.** rundlich (*Person*); **II.** *s.* **5.** 'Umweg *m*; **6.** *fig.* 'Umschweif *m*; **7.** *bsd. Brit.* Karus'sell *n*; → *swing 24*; **8.** *Brit.* (Platz *m* mit) Kreisverkehr *m*.

roun·del ['raundl] *s.* **1.** kleine runde Scheibe; **2.** Medail'lon *n* (*a. her.*), runde Schmuckplatte; **3.** ⩓ **a)** rundes Feld *od.* Fenster, **b)** runde Nische; **4.** *Metrik*: → *rondel*.

roun·de·lay ['raundilei] *s.* **1.** ♪ Re'frainliedchen *n*, Rundgesang *m*; **2.** Rundtanz *m*; **3.** (Vogel)Lied *n*.

round·er ['raundə] *s.* **1.** *Brit. sport* **a)** *pl. sg. konstr.* Schlagball(spiel *n*) *m*, **b)** Lauf *m e-s Schlagballspielers*; **2.** *Am. sl.* **a)** Stromer *m*, **b)** Gewohnheitsverbrecher *m*, **c)** Gewohnheitstrinker *m*, **d)** Liederjan *m*.

'round|·head *s.* **1.** ² *hist.* Rundkopf *m* (*Puritaner*); **2.** Rundkopf *m* (*Person*; *a.* ⊕): *~ screw* Rundkopfschraube; **'~-house** *s.* **1.** 🚂 *Am.* Lokomo'tivschuppen *m*; **2.** ⚓ *hist.* Achterhütte *f*; **3.** *hist.* Turm *m*, Gefängnis *n*; **4.** *Am. sl.* Schwinger *m* (*Schlag*).

round·ing ['raundiŋ] *s.* Rundung *f* (*a. ling.*): *~-off* Abrundung; **'round·ish** [-iʃ] *adj.* rundlich; **'round·ly** [-dli] *adv.* **1.** rund, ungefähr; **2.** rundweg, rundher'aus, unverblümt; **3.** gründlich, gehörig, tüchtig; **'round·ness** [-dnis] *s.* **1.** Rundheit *f* (*a. fig.*); Rundung *f*; **2.** *fig.* Unverblümtheit *f*; **'round-nose(d)** *adj.* ⊕ rund(nasig), Rund...: *~ pliers* Rundzange.

rounds·man ['raundzmən] *s.* [*irr.*] **1.** *Am.* Poli'zeiˌunterwachtmeister *m*; **2.** *Brit.* Austräger *m*, Laufbursche *m*: *milk ~* Milchmann.

'round|-ta·ble *adj.*: *~ conference* Konferenz am runden Tisch; **'~-the-clock** *adj.* ganztägig, 24-stündig; **'~-top** *s.* ⚓ Krähennest *n*; **'~-trip** *adj.* **a)** Rundreise..., **b)** (Hin- u.) Rückfahr...: *~ ticket*; **~ turn** *s.* ⚓ Rundtörn *m* (*Knoten*): *to bring up with a ~* jäh unterbrechen; **'~-up** *s.* **1.** Zs.-treiben *n von Vieh*; **2.** *fig.* **a)** Zs.-treiben *n*, Sammeln *n*, **b)** 'Razzia *f*, Aushebung *f* von Verbrechern.

roup[1] [raup] *Scot. od. dial.* **I.** *v/t.* versteigern; **II.** *s.* Versteigerung *f*.

roup[2] [ru:p] *s. vet.* **a)** Darre *f der Hühner*, **b)** Pips *m*.

rouse [rauz] **I.** *v/t.* **1.** *oft ~ up* wachrütteln, (auf)wecken (*from* aus); **2.** *Wild etc.* aufjagen; **3.** *fig. j-n* auf-, wachrütteln, ermuntern: *to ~ o.s.* sich aufraffen; **4.** *fig. j-n* in Wut bringen, aufbringen, reizen; **5.** *fig. Gefühle etc.* erwecken, wachrufen, *Haß* entflammen, *Zorn* erregen; **6.** ⊕ *Bier etc.* ('um)rühren; **II.** *v/i.* **7.** *mst ~ up* aufwachen (*a. fig.*); **8.** aufschrecken; **III.** *s.* **9.** ⚔ *Brit.* Wecken *n*; **'rous·er** [-zə] *s.* **1.** F Sensati'on *f*; **2.** F faustdicke Lüge, Schwindel *m*; **3.** *Brauerei*: 'Rührappaˌrat *m*; **'rous·ing** [-ziŋ] *adj.* □ **1.** *fig.* aufrüttelnd, zündend, mitreißend (*Ansprache, Lied etc.*); **2.** brausend, stürmisch (*Beifall etc.*); **3.** aufregend, spannend; **4.** F ‚toll', ungeheuer.

roust·a·bout ['raustəbaut] *s.* **1.** *Am.* **a)** Werft-, Hafenarbeiter *m*, **b)** *oft contp.* Gelegenheitsarbeiter *m*; **2.** Aushilfskraft *f*, Handlanger *m*.

rout[1] [raut] **I.** *s.* **1.** Rotte *f*, wilder Haufen; **2.** ⚖ Zs.-rottung *f*, Auflauf *m*; **3.** *bsd.* ⚔ **a)** wilde Flucht, **b)** Schlappe *f*, Niederlage *f*: *to put to ~* → *5*; **4.** *obs.* (große) Abendgesellschaft; **II.** *v/t.* **5.** ⚔ in die Flucht schlagen, vernichtend schlagen.

rout[2] [raut] *v/t.* **1.** → *root*[2] *II*; **2.** *~ out, ~ up j-n aus dem Bett od. e-m Versteck etc.* (her'aus)treiben, (-)jagen; **3.** vertreiben; **4.** ⊕ ausfräsen (*a. typ.*), ausschweifen.

route [ru:t; ⚔ *a.* raut] **I.** *s.* **1.** (Reise-, Fahrt)Route *f*, (-)Weg *m*: *en ~* (*Fr.*) unterwegs; **2.** (Bahn-, Flug)Strecke *f*; ⚓ Schiffahrtsweg *m*; *tel.* Leitweg *m*; **3.** (Fern)Straße *f*; **4.** ⚔ **a)** Marschroute *f*, **b)** *Brit.* Marschbefehl *m*: *column of ~* Marschkolonne; *~-march Brit.* Übungsmarsch, *Am.* Marsch mit Marscherleichterungen; *~ step, march!* ohne Tritt(, marsch)!; **II.** *v/t.* **5.** *Truppen* in Marsch setzen; *Transportgüter etc.* befördern, leiten (*via* über *e-n Ort etc.*); **6.** die Route (*od.* ⊕ den Arbeitsgang) festlegen von (*od. gen.*); **7.** *Anträge etc.* (auf dem Dienstweg) weiterleiten.

rou·tine [ru:'ti:n] **I.** *s.* **1.** (Ge'schäfts-, 'Amts)Rouˌtine *f*; gleichbleibendes Verfahren, Scha'blone *f*; laufende *od.* me'chanische Arbeit; Rou'tinesache *f*; **2.** gewohnheitsmäßiger Gang; *contp.* (alter) Trott; **II.** *adj.* **3.** all'täglich, immer gleichbleibend, üblich: ~ *check* regelod. routinemäßige Überprüfung; **4.** *contp.* me'chanisch, scha'blonenhaft; **rou'tine·ly** [-li] *adv.* **1.** rou'tinemäßig; **2.** *contp.* mechanisch; **rou'tin·ist** [-nist] *s.* Gewohnheitsmensch *m.*

rove[1] [rouv] **I.** *v/i.* **1.** *a.* ~ *about* um'herstreifen, -schweifen, -wandern (*a. fig. Augen etc.*); **2.** *sport* mit lebendem Köder angeln; **II.** *v/t.* **3.** durch'streifen; **III.** *s.* **4.** (Um'her-)Wandern *n*; Wanderschaft *f.*

rove[2] [rouv] **I.** *v/t.* **1.** ⊕ vorspinnen; **2.** *Wolle etc.* ausfasern; *Strumpf etc.* aufreufeln; **II.** *s.* **3.** Vorgespinst *n*; **4.** (*Woll- etc.*)Strähne *f.*

rov·er[1] ['rouvə] *s.* ⊕ 'Vorspinnmaˌschine *f.*

rov·er[2] ['rouvə] *s.* **1. a)** (ruhelos) Wandernde(r *m*) *f*, Wanderer *m*, **b)** Her'umstreicher(in); **2.** Wandertier *n*; **3.** *Brit.* Rover *m* (*Pfadfinder über 17*); **4.** *obs.* Seeräuber *m*; **5.** *Rugby*: Außenspieler *m.*

row[1] [rou] *s.* **1.** *allg.* (*a. Häuser-, Sitz*)Reihe *f*: *in* ~*s* in Reihen, reihenweise; *a hard* ~ *to hoe Am. fig.* e-e schwierige Sache; **2.** Straße *f*: *Rochester* ♀; **3.** ⚠ Baufluchtlinie *f.*

row[2] [rou] **I.** *v/i.* **1.** rudern; **II.** *v/t.* **2.** *Boot, a. Rennen, a. j-n* rudern: *to* ~ *down j-n* überholen; **3.** rudern gegen, mit *j-m* (wett)rudern; **4.** rudern: *to* ~ *a fast stroke* schnell rudern, Kahn fahren; *to* ~ *a long stroke* lang ausholen; *to* ~ *a race* wettrudern; **III.** *s.* **5.** Rudern *n*; 'Ruderparˌtie *f*: *to go for a* ~ rudern gehen.

row[3] [rau] F **I.** *s.* Krach *m*: **a)** Kra'wall *m*, Spek'takel *m*, **b)** Streit *m*, **c)** Schläge'rei *f*: *to get into a* ~ ‚eins aufs Dach bekommen'; *to have a* ~ *with* Krach *od.* Streit haben mit; *to kick up a* ~ Krach schlagen; *what's the* ~? was ist denn los?; **II.** *v/t. j-n* ‚zs.-stauchen'; **III.** *v/i.* randalieren.

row·an ['rauən] *s. a.* ~*-tree* ♀ Eberesche *f.*

row-de-dow ['raudi'dau] *s.* Spek'takel *m*, Lärm *m.*

row·di·ness ['raudinis] *s.* Pöbelhaftigkeit *f*, rüpelhaftes Benehmen *od.* Wesen; **row·dy** ['raudi] **I.** *s.* 'Rowdy *m*, Ra'bauke *m*, Raufbold *m*; **II.** *adj.* rüpel-, flegelhaft, gewalttätig; **'row·dy·ism** [-iizəm] *s.* **1.** Rowdytum *n*, rüdes *od.* pöbelhaftes Benehmen; **2.** Gewalttätigkeit *f*, Rüpe'lei *f.*

row·el ['rauəl] **I.** *s.* Spornrädchen *n*; **II.** *v/t. e-m Pferd* die Sporen geben.

row·en ['rauən] *s.* ✓ *Am. od. Brit. dial.* Grummet *n.*

row·ing ['rouiŋ] **I.** *s.* Rudern *n*, Rudersport *m*; **II.** *adj.* Ruder...: ~*-boat Brit.* Ruderboot; ~*-club* Ruderklub; ~ *machine* Ruderkasten.

row·lock ['rɔlək] *s.* ⚓ Ruderklampe *f*, Dolle *f.*

roy·al ['rɔiəl] **I.** *adj.* □ **1.** königlich, Königs...: *His* ♀ *Highness* S-e Königliche Hoheit; ~ *prince* Prinz von königlichem Geblüt; → *princess 1*; ♀ *Academy* Königliche Akademie der Künste (*Großbritanniens*); ~ *blue* Königsblau; ♀ *Exchange die* Londoner Börse (*Gebäude*); ♀ *Navy* (Königlich-Brit.) Marine; ~ *road fig.* bequemer Weg; ~ *road to learning* Nürnberger Trichter; ~ *speech* Thronrede; **2.** fürstlich (*a. fig.*): *the* ~ *and ancient game* das Golfspiel; **3.** *fig.* (*a.* F) prächtig, großartig: *in* ~ *spirits* F in glänzender Stimmung; ~ *stag hunt.* Kapitalhirsch; ~ *tiger zo.* Königstiger; **4.** edel (*a. Gas*); **II.** *s.* **5.** F Mitglied *n* des Königshauses; **6.** *a.* ~ *paper* Roy'alpaˌpier *n* (*Format*); **7.** *a.* ~ *sail* ⚓ Ober(bram)segel *n*; **roy·al·ist** ['rɔiəlist] **I.** *s.* Roya'list *m*, Königstreue(r *m*) *f*; **II.** *adj.* königstreu; **'roy·al·ty** [-ti] *s.* **1.** Königtum *n*: **a)** Königswürde *f*, **b)** Königreich *n*: *insignia of* ~ Kroninsignien; **2.** königliche Abkunft; **3. a)** fürstliche Per'sönlichkeit, **b)** *pl.* Fürstlichkeiten *pl.*, **c)** Königshaus *n*; **4.** Krongut *n*; **5.** Re'gal *n*, königliches Privi'leg; **6.** Abgabe *f* an die Krone, Pachtgeld *n*: *mining* ~ Bergwerksabgabe; **7.** mon'archische Regierung; **8.** ⚖ (Au'toren- *etc.*)Tantiˌeme *f*, Gewinnanteil *m*; **9.** ⚖ **a)** Li'zenz *f*, **b)** Li'zenzgebühr *f*: ~ *fees* Patentgebühren; *subject to payment of royalties* lizenzpflichtig.

rub [rʌb] **I.** *s.* **1.** (Ab)Reiben *n*, Strich *m* (*mit der Bürste etc.*): *give it a* ~ reibe es (doch einmal); *to have a* ~ *with a towel* sich (mit dem Handtuch) abreiben *od.* abtrocknen; **2.** *fig.* Schwierigkeit *f*: *there's the* ~! F da liegt der Hase im Pfeffer!, das ist der wunde Punkt!; *there's a* ~ *in it* F die Sache hat e-n Haken; **3.** Unannehmlichkeit *f*; **4.** *fig.* Stiche'lei *f*, Seitenhieb *m*; **5.** rauhe *od.* aufgeriebene Stelle; **6.** Unebenheit *f*; **II.** *v/t.* **7.** reiben: *to* ~ *one's hands* sich die Hände reiben (*mst fig.*); *to* ~ *shoulders with fig.* verkehren mit, (*dat.*) nahe stehen; *it* ~*s me the wrong way fig.* es geht mir gegen den Strich; *to* ~ *s.o. the wrong way fig.* j-n verstimmen *od.* verschnupfen; **8.** reiben, (reibend) streichen; **9.** einreiben (*with* mit *e-r Salbe etc.*); → *rub in*; **10.** streifen, reiben an (*dat.*); (wund) scheuern; **11. a)** scheuern, schaben, **b)** *Tafel etc.* abwischen, **c)** polieren, **d)** wichsen, bohnern, **e)** abreiben, frottieren; **12.** ⊕ (ab)schleifen, (ab)feilen: *to* ~ *with emery* (*pumice*) abschmirgeln (abbimsen); **13.** *typ.* abklatschen; **III.** *v/i.* **14.** reiben, streifen; (*against od.* [*up*]*on* an *dat.*, gegen) **15.** *fig.* sich mühen *od.* schlagen (*through* durch);

Zssgn mit adv.:

rub| a·long *v/i.* sich 'durchschlagen, sich mühsam über Wasser halten; 'durchhalten; ~ **down** *v/t.* **1.** abreiben, frottieren; *Pferd* striegeln; **2.** her'unter-, wegreiben; ~ **in** *v/t.* **1.** *a. Zeichnung* einreiben; **2.** *sl.* ‚her'umreiten' auf (*dat.*): *to rub it in* es *j-m* unter die Nase reiben; ~ **off I.** *v/t.* **1.** abreiben, abschleifen; **2.** *fig. Scheu etc.* ablegen; **II.** *v/i.* **3. a)** sich abreiben lassen, **b)** abfärben; **4.** *Am.* F ‚abhauen', sich da'vonmachen; **5.** ✝ ‚gehen', sich gut verkaufen; ~ **out I.** *v/t.* **1.** ausradieren; **2.** wegwischen; -reiben; **3.** F aus der Welt schaffen, auslöschen; **4.** F *j-n* 'umbringen; **II.** *v/i.* **5.** sich wegreiben *od.* ausradieren lassen; ~ **o·ver** *v/t.* **1.** abreiben; **2.** polieren, putzen; ~ **up** *v/t.* **1.** (auf)polieren; **2.** *fig.* **a)** *Kenntnisse etc.* auffrischen, *et. Vergessenes* wieder in Erinnerung bringen, **b)** *Gedächtnis etc.* stärken; **3.** *Farben etc.* verreiben.

rub-a-dub ['rʌbədʌb] *s.* Ta'ramtamtam *n* (*Trommelwirbel*).

rub·ber[1] ['rʌbə] **I.** *s.* **1.** Gummi *n*, *m*, (Na'tur)Kautschuk *m*; **2.** (Radier)Gummi *m*; **3.** *a.* ~ *band* Gummiring *m*, -band *n*; **4.** ~ *tire* (*od. tyre*) Gummireifen *m*; **5.** *Am.* **a)** *pl.* F Gummischuhe *pl.*, ('Gummi-)ˌÜberschuhe *pl.*, **b)** *sl.* ‚Gummi' *m*, ‚Pa'riser' *m*; **6.** Reiber *m*, Polierer *m*; **7.** Mas'seur *m*, Mas'seuse *f*; **8.** Reibzeug *n*; **9. a)** Frottier(hand)tuch *n*, -handschuh *m*, **b)** Wischtuch *n*, **c)** Polierkissen, **d)** *Brit.* Geschirrtuch *n*; **10.** Reibfläche *f*; **11.** ⊕ **a)** Schleifstein *m*, **b)** Putzfeile *f*; **12.** *typ.* Farbläufer *m*; **13.** 'Glaspaˌpier *n*; **14.** (weicher) Formziegel; **15.** F *Eishockey*: Puck *m*; **16.** *Baseball*: Platte *f*; **II.** *v/t.* **17.** → *rubberize*; **III.** *v/i.* **18.** *Am. sl.* (neugierig) starren, ‚Stielaugen' machen; **IV.** *adj.* **19.** Gummi...: ~ *solution* Gummilösung.

rub·ber[2] ['rʌbə] *s. Kartenspiel*: Robber *m.*

'rub·ber|-boat *s.* Floßsack *m*; ~ **ce·ment** *s.* ⊕ Gummilösung *f*; ~ **check** *s.* ✝ *Am.* F geplatzter Scheck; **'~-coat·ing** *s.* Gummierung *f*; ~ **din·ghi** *s.* Schlauchboot *n.*

rub·ber·ize ['rʌbəraiz] *v/t.* ⊕ mit Gummi imprägnieren, gummieren.

'rub·ber|·neck *Am. sl.* **I.** *s.* **1.** Gaffer(in), Neugierige(r *m*) *f*; **2.** neugieriger Tou'rist *etc.*; **II.** *adj.* **3.** neugierig, schaulustig; **III.** *v/i.* **4.** neugierig gaffen, ‚sich den Hals verrenken'; **IV.** *v/t.* **5.** neugierig betrachten; ~ **plant** *s.* ♀ Kautschukpflanze *f*, *bsd.* Gummibaum *m*; ~ **stamp** *s.* **1.** Gummistempel *m*; **2.** *bsd. Am.* F **a)** sturer Beamter, **b)** bloßes Werkzeug, **c)** Nachbeter *m*; **3.** *bsd. Am.* F (abgedroschene) Phrase; **'~-stamp I.** *adj.* **1.** *bsd. Am.* F **a)** nichtssagend, abgedroschen, **b)** willenlos: ~ *parliament* Parlament von Jasagern; **II.** *v/t.* **2.** abstempeln; **3.** F (rou'tinemäßig) genehmigen; ~ **tree** *s.* ♀ **a)** Gummibaum *m*, **b)** Kautschukbaum *m*; ~ **trun·cheon** *s.* Gummiknüppel *m.*

rub·bing ['rʌbiŋ] *s.* **1. a)** *phys.* Reibung *f*, **b)** ⊕ Abrieb *m*; **2.** Reiberdruck *m*; ~ **cloth** *s.* Frottier-, Wisch-, Scheuertuch *n*; **'~-stone** *s.* Schleif-, Wetzstein *m*; ~ **var·nish** *s.* ⊕ Schleiflack *m.*

rub·bish ['rʌbiʃ] **I.** *s.* **1.** Abfall *m*, Kehricht *m*, Müll *m*: ~*-heap* Schutthaufen; **2.** (Gesteins)Schutt *m* (*a. geol.*); **3.** F Schund *m*, Ausschuß (-ware *f*) *m*, Plunder *m*; **4.** F *a. int.* Blödsinn *m*, Quatsch *m*; **5.** ⚒ **a)** *über Tage*: Abraum *m*, **b)** *unter Tage*: taubes Gestein; **'rub·bish·y** [-ʃi] *adj.* **1.** schuttbedeckt; **2.** F schundmäßig, Schund..., wertlos.

rub·ble ['rʌbl] *s.* **1.** Bruchstein(e

pl.) *m*, Schotter *m*; **2.** (Stein)Schutt *m*; **3.** *geol.* Geröll *n*, Geschiebe *n*; **4.** (rohes) Bruchsteinmauerwerk; **5.** loses Packeis; ~ **ma·son·ry** → *rubble* 4; **'~-stone** *s.* Bruchstein *m*; **'~-work** → *rubble* 4.

'rub-down *s.* Abreibung *f* (*a. fig.*): *to have a* ~ sich abreiben *od.* frottieren.

rube [ru:b] *s. Am. sl.* (Bauern)Trottel *m*.

ru·be·fa·cient [ru:bi'feiʃjənt] ⚕ **I.** *adj.* (*bsd.* haut)rötend; **II.** *s.* (*bsd.* haut)rötendes Mittel; **ru·be'fac·tion** [-'fækʃən] *s.* ⚕ Hautröte *f*, -rötung *f*; **ru·be·fy** ['ru:bifai] *v/t. bsd.* ⚕ rot färben.

ru·bi·cund ['ru:bikənd] *adj.* rötlich, rot, rosig (*Person*).

ru·bi·fy → *rubefy*.

ru·bric ['ru:brik] **I.** *s.* **1.** *typ.* Ru'brik *f* ([*roter*] *Titelkopf od. Buchstabe*; *Abschnitt*); **2.** *eccl.* Rubrik *f*, li'turgische Anweisung; **II.** *adj.* **3.** rot (gedruckt *etc.*), rubriziert; **'ru·bri·cate** [-keit] *v/t.* **1.** rot bezeichnen; **2.** rubrizieren: *~d letters* Buchstaben in roter Schrift.

'rub-stone *s.* Schleifstein *m*.

ru·by ['ru:bi] **I.** *s.* **1.** *a. true* ~, *Oriental* ~ *min.* Ru'bin *m*; **2.** (Ru'bin)Rot *n*; **3.** *fig.* Rotwein *m*; **4.** *fig.* roter (Haut)Pickel; **5.** *Uhrmacherei*: Stein *m*; **6.** *typ.* Pa'riser Schrift *f*, Fünfein'halbpunktschrift *f*; **II.** *adj.* **7.** (kar'min-, ru'bin)rot.

ruche [ru:ʃ] *s.* Rüsche *f*; **ruched** [-ʃt] *adj.* mit Rüschen besetzt; **'ruch·ing** [-ʃiŋ] *s.* **1.** *coll.* Rüschen (-besatz *m*) *pl.*; **2.** Rüschenstoff *m*.

ruck[1] [rʌk] *s. Rennsport*: *das* Feld, *der* große Haufe (*a. fig.*): *to rise out of the* ~ *fig.* sich über den Durchschnitt erheben.

ruck[2] [rʌk] **I.** *s.* Falte *f*, (Haut)Runzel *f*; **II.** *v/t. oft* ~ *up* hochschieben, zerknüllen, -knittern; **III.** *v/i. oft* ~ *up* Falten werfen, sich runzeln, hochrutschen.

ruck·sack ['ruksæk] (*Ger.*) *s.* Rucksack *m*.

ruck·us ['rʌkəs] *Am. sl.* → *ruction*.

ruc·tion ['rʌkʃən] *s. sl.* **a)** Krach *m*, Kra'wall *m*, **b)** Schläge'rei *f*.

rudd [rʌd] *s. ichth.* Rotfeder *f*.

rud·der ['rʌdə] *s.* **1.** ⚓ (Steuer)Ruder *n*, Steuer *n*; **2.** ✈ Seitenruder *n*, -steuer *n*: ~ *controls* Seitensteuerung; **3.** *fig.* Richtschnur *f*; **4.** *Brauerei*: Rührkelle *f*; **'rud·der·less** [-lis] *adj.* **1.** ohne Ruder; **2.** *fig.* führer-, steuerlos.

rud·di·ness ['rʌdinis] *s.* Röte *f*; **rud·dy** ['rʌdi] *adj.* □ **1.** rot, rötlich, gerötet; gesund (*Gesichtsfarbe*); **2.** *Brit. sl.* verdammt, verflixt.

rude [ru:d] *adj.* □ **1.** grob, unverschämt; rüde, ungehobelt; **2.** roh, unsanft (*a. fig. Erwachen*); **3.** wild, heftig (*Kampf*, *Leidenschaft*); rauh (*Klima etc.*); hart (*Los*, *Zeit etc.*); **4.** wild (*Landschaft*); holp(e)rig (*Weg*); **5.** wirr (*Masse etc.*): ~ *chaos* chaotischer Urzustand; **6.** *allg.* primi'tiv: **a)** unzivilisiert, **b)** ungebildet, **c)** kunstlos, **d)** behelfsmäßig; **7.** ro'bust, unverwüstlich (*Gesundheit*); **8.** roh, unverarbeitet (*Stoff*); **9.** plump, ungeschickt; **10.** **a)** ungefähr, **b)** flüchtig, grob: ~ *sketch*; *a* ~ *observer* ein oberflächlicher Beobachter; **'rude·ness** [-nis] *s.* **1.** Grobheit *f*; **2.** Roheit *f*; **3.** Heftigkeit *f*; **4.** Wild-, Rauheit *f*; **5.** Primitivi'tät *f*; **6.** Unebenheit *f*.

ru·di·ment ['ru:dimənt] *s.* **1.** Rudi'ment *n* (*a. biol. rudimentäres Organ*); **2.** *pl.* Anfangsgründe *pl.*, Grundlagen *pl.*, Rudimente *pl.*; **ru·di·men·tal** [ru:di'mentl] *adj.*; **ru·di·men·ta·ry** [ru:di'mentəri] *adj.* □ **1.** elemen'tar, Anfangs...; **2.** rudimen'tär (*a. biol.*).

rue[1] [ru:] *s.* ♀ Gartenraute *f*.

rue[2] [ru:] *v/t.* bereuen, bedauern; *Ereignis* verwünschen: *he will live to* ~ *it* er wird es noch bereuen; **'rue·ful** [-ful] *adj.* □ **1.** kläglich, jämmerlich: *the Knight of the* ♀ *Countenance* der Ritter von der traurigen Gestalt; **2.** wehmütig; **'rue·ful·ness** [-fulnis] *s.* **1.** Gram *m*, Traurigkeit *f*; **2.** Jammer *m*.

ruff[1] [rʌf] *s.* **1.** Halskrause *f* (*a. zo.*, *orn.*); **2.** (Pa'pier)Krause *f* (*Topf etc.*); **3.** Rüsche *f*; **4.** *orn.* **a)** Kampfläufer *m*, **b)** Haustaube *f* mit Halskrause.

ruff[2] [rʌf] **I.** *s. Kartenspiel*: Stechen *n*; **II.** *v/t. u. v/i.* mit Trumpf stechen.

ruff(e)[3] [rʌf] *s. ichth.* Kaulbarsch *m*.

ruf·fi·an ['rʌfjən] *s.* **1.** Rohling *m*; Raufbold *m*; **2.** Schurke *m*; **'ruf·fi·an·ism** [-nizəm] *s.* Roheit *f*, Brutali'tät *f*; **'ruf·fi·an·ly** [-li] *adj.* **1.** roh, bru'tal, gewalttätig; **2.** wild.

ruf·fle ['rʌfl] **I.** *v/t.* **1.** *Wasser etc.*, *a. Tuch* kräuseln; *Stirn* kraus ziehen; **2.** *Federn*, *Haare* sträuben: *to* ~ *one's feathers* sich aufplustern (*a. fig.*); **3.** *Papier* zerknittern; **4.** durchein'anderbringen, -werfen; **5.** *fig. j-n* aus der Fassung bringen; *j-n* verärgern: *to* ~ *s.o.'s temper* j-s gute Laune verderben; **II.** *v/i.* **6.** sich kräuseln; **7.** *fig.* die Ruhe verlieren; **8.** *fig.* anmaßend auftreten, sich aufspielen; **III.** *s.* **9.** Kräuseln *n* (*Wasser*); **10.** Rüsche *f*, Krause *f*; **11.** *zo.*, *orn.* Halskrause *f*; **12.** *fig.* Aufregung *f*, Störung *f*: *without* ~ *or excitement* in aller Ruhe.

ru·fous ['ru:fəs] *adj.* fuchsrot, rötlichbraun.

rug [rʌg] *s.* **1.** (kleiner) Teppich, (Bett-, Ka'min)Vorleger *m*, Brücke *f*; **2.** *bsd. Brit.* grobe Wolldecke, (Reise)Decke *f*.

Rug·by (**foot·ball**) ['rʌgbi] *s. sport* Rugby *n*.

rug·ged ['rʌgid] *adj.* □ **1.** zerklüftet, wild (*Landschaft etc.*), zackig, schroff (*Fels etc.*), felsig; **2.** durch'furcht (*Gesicht etc.*), uneben (*Boden etc.*), holperig (*Weg etc.*), knorrig (*Gestalt*); **3.** rauh (*Rinde*, *Tuch*, *a. fig. Manieren*, *Sport etc.*): *life is* ~ das Leben ist hart; ~ *individualism* krasser Individualismus; **4.** *Am.* ro'bust, stark, sta'bil (*a.* ⊕); **5.** ruppig, ungehobelt; **'rug·ged·ness** [-nis] *s.* **1.** Rauheit *f*; **2.** Derbheit *f*; **3.** *Am.* Ro'bustheit *f*.

rug·ger ['rʌgə] *Brit.* F *für Rugby*.

ru·in [ruin; 'ru:in] **I.** *s.* **1.** Ru'ine *f* (*a. fig. Person etc.*); *pl.* Ruine(n *pl.*) *f*, Trümmer *pl.*: *to lay in ~s* in Schutt u. Asche legen; *to lie in ~s* in Trümmern liegen; **2.** Verfall *m*: *to go to* ~ verfallen; **3.** Ru'in *m*, 'Untergang *m*, Zs.-bruch *m*, Verderben *n*: *to bring to* ~ → 5; *the* ~ *of my hopes* (*plans*) die Vernichtung m-r Hoffnungen (Pläne); *it will be the* ~ *of him* es wird sein Untergang sein; **II.** *v/t.* **4.** vernichten, zerstören; **5.** *j-n*, *a. Sache*, *Gesundheit etc.* ruinieren, zu'grunde richten; *Hoffnungen*, *Pläne* zu'nichte machen; *Aussichten* verderben; *Sprache* verhunzen; **6.** *Mädchen* verführen; **ru·in·a·tion** [rui'neiʃən] *s.* **1.** Zerstörung *f*, Verwüstung *f*; **2.** F *j-s* Verderben *n*, 'Untergang *m*; **'ru·in·ous** [-nəs] *adj.* □ **1.** verfallen(d), baufällig, ru'inenhaft; **2.** zum Ru'in führend, verderblich, ruinierend, rui'nös: *a* ~ *price* **a)** ruinöser *od.* enormer Preis, **b)** Schleuderpreis; **'ru·in·ous·ness** [-nəsnis] *s.* **1.** Baufälligkeit *f*; **2.** Verderblichkeit *f*.

rule [ru:l] **I.** *s.* **1.** Regel *f*, Nor'malfall *m*: *as a* ~ in der Regel; *as is the* ~ wie es allgemein üblich ist; *to become the* ~ zur Regel werden; *to make it a* ~ *to* (*inf.*) es sich zur Regel machen, zu (*inf.*); *by all the ~s* eigentlich; → *exception* 1; **2.** Regel *f*, Richtschnur *f*, Grundsatz *m*; *sport etc.* Spielregel *f* (*a. fig.*): *against the ~s* regelwidrig; *~s of action* (*od. conduct*) Verhaltungsmaßregeln, Richtlinien; ~ *of thumb* Faustregel, praktische Erfahrung; *by* ~ *of thumb* auf praktischem Wege, über den Daumen gepeilt; *to serve as a* ~ als Richtschnur *od.* Maßstab dienen; **3.** ⚖ **a)** Vorschrift *f*, (gesetzliche) Bestimmung, Norm *f*, **b)** gerichtliche Entscheidung, **c)** Rechtsgrundsatz *m*: *~s of the air* Luftverkehrsregeln; *to work to* ~ sich genau an die (Dienst)Vorschriften halten (*als Streikmittel*); → *road* 1; **4.** *pl.* (Geschäfts-, Gerichts- *etc.*)Ordnung *f*: (*standing*) *~s of court* ⚖ Prozeßordnung; *~s of procedure* **a)** Verfahrensordnung, **b)** Geschäftsordnung; **5.** *a. standing* ~ Satzung *f*: *against the ~s* satzungswidrig; *the ~s* (*and by-laws*) die Satzungen, die Statuten; **6.** *eccl.* Ordensregel *f*; **7.** ✝ U'sance *f*, Handelsbrauch *m*; **8.** ⩓ Regel *f*, Rechnungsart *f*: ~ *of proportion*, ~ *of three* Regeldetri, Dreisatz; **9.** Herrschaft *f*, Regierung *f*: *during* (*under*) *the* ~ *of* während (unter) der Regierung (*gen.*); ~ *of force* Gewaltherrschaft; ~ *of law* Rechtsstaatlichkeit; **10.** **a)** Line'al *n*, **b)** *a. folding* ~ Zollstock *m*; **11.** **a)** Richtmaß *n*, **b)** Winkel(eisen *n*, -maß *n*) *m*, Schmiege *f*; **12.** *typ.* **a)** (Messing)Linie *f*: ~ *case* Linienkasten, **b)** Ko'lumnenmaß *n* (*Satzspiegel*), **c)** *Brit.* Strich *m*: *em* ~ Gedankenstrich; *en* ~ Halbgeviert; **II.** *v/t.* **13.** *a.* ~ *over Land*, *Gefühl etc.* beherrschen, herrschen über (*acc.*), regieren: *to* ~ *the roast* (*od. roost*) *fig.* das Regiment *od.* Wort führen, herrschen; **14.** lenken, leiten: *to be*

~*d by* sich leiten lassen von; **15.** *bsd.* ⚖ anordnen, verfügen, entscheiden: *to ~ out* **a)** *j-n od. et.* ausschließen (*a. sport*), **b)** *et.* ablehnen; *to ~ s.o. out of order parl.* j-m das Wort entziehen; *to ~ s.th. out of order* et. nicht zulassen; **16. a)** *Papier* lin(i)ieren, **b)** *Linie* ziehen: *to ~ s.th. out* et. durchstreichen; ~*d paper* lin(i)iertes Papier; **III.** *v/i.* **17.** herrschen *od.* regieren (*over* über *acc.*); **18.** entscheiden (*that* daß); **19.** † *hoch etc.* stehen, liegen, notieren (*Preise*): *to continue to ~ high* weiterhin hoch notieren; **20.** vorherrschen; **21.** gelten, in Kraft sein (*Recht etc.*); **'rul·er** [-lə] *s.* **1.** Herrscher(in); **2.** Line'al *n*; ⊕ Richtscheit *n*; **3.** ⊕ Li'nierma₁schine *f*; **'rul·ing** [-liŋ] **I.** *s.* **1.** ⚖ (gerichtliche) Entscheidung; Verfügung *f*; **2.** Linie(n *pl.*) *f*; **3.** Herrschaft *f*; **II.** *adj.* **4.** herrschend; *fig.* (vor-)herrschend; **5.** maßgebend, grundlegend: *~ case*; **6.** † bestehend, laufend: *~ price* Tagespreis.

rum[1] [rʌm] *s.* **1.** Rum *m*; **2.** *Am.* Alkohol *m*.

rum[2] [rʌm] *adj.* □ *bsd. Brit. sl.* **1.** ‚komisch' (*eigenartig*): *~* go dumme Geschichte; *~ start* (tolle) Überraschung; **2.** ulkig, drollig; **3.** *~ customer* gefährlicher Bursche.

Ru·ma·ni·an [ru(:)'meinjən] **I.** *adj.* **1.** ru'mänisch; **II.** *s.* **2.** Ru'mäne *m*, Ru'mänin *f*; **3.** *ling.* Ru'mänisch *n*.

rum·ba ['rʌmbə] (*Span.*) *s.* Rumba *m, f* (*Tanz*).

rum·ble[1] ['rʌmbl] **I.** *v/i.* **1.** poltern (*a. Stimme*); rattern (*Gefährt, Zug etc.*), rumpeln, rollen (*Donner*), knurren (*Magen*); **II.** *v/t.* **2.** *a. ~ out Worte* her'auspoltern, *Lied* dröhnend singen; **III.** *s.* **3.** Poltern *n*, Gepolter *n*, Rattern *n*, Rumpeln *n*, Rollen *n* (*Donner*); **4.** ⊕ Poliertrommel *f*; **5. a)** Bedientensitz *m*, **b)** Gepäckraum *m*, **c)** → *rumble seat*.

rum·ble[2] ['rʌmbl] *v/t. sl.* **1.** *et.* ‚spitzkriegen' (*durchschauen, entdecken*); **2.** *et.* ‚kapieren' (*verstehen*).

rum·ble seat *s. Am. mot.* Not-, Klappsitz *m*.

rum·bus·tious [rʌm'bʌstjəs] *adj.* F wild, ausgelassen, randalierend.

ru·men ['ru:men] *pl.* **-mi·na** [-minə] *s. zo.* Pansen *m* (*Magenabschnitt der Wiederkäuer*); **'ru·mi·nant** [-minənt] *adj.* □ **1.** *zo.* 'wiederkäuend; **2.** *fig.* grübelnd; **'ru·mi·nate** [-mineit] **I.** *v/i.* **1.** 'wiederkäuen; **2.** *fig.* grübeln (*on, over* über *acc.*); **II.** *v/t.* **3.** *fig.* (*bsd.* gründlich) über'legen; **ru·mi·na·tion** [ru:mi'neiʃən] *s.* **1.** 'Wiederkäuen *n*; **2.** *fig.* Grübeln *n*; **'ru·mi·na·tive** [-minətiv] *adj.* □ nachdenklich, grüblerisch.

rum·mage ['rʌmidʒ] **I.** *v/t.* **1.** durch'stöbern, -'suchen, -'wühlen; **2.** *a. ~ out, ~ up* aus-, her'vorkramen; **II.** *v/i.* **3.** *a. ~ about* (her'um-)stöbern *od.* (-)wühlen (*in* in *dat.*); **III.** *s.* **4.** *mst ~ goods* Ramsch *m*, Ausschuß *m*, Restwaren *pl.*; **5. a)** Durch'suchung *f*, **b)** ⚓ 'Zollunter₁suchung *f*; *~* **sale** *s.* **1.** Ramschverkauf *m*; **2.** 'Wohltätigkeitsba₁zar *m*.

rum·mer ['rʌmə] *s.* Römer *m*, ('Wein)Po₁kal *m*.

rum·my[1] ['rʌmi] *s.* Rom'mé *n* (*Kartenspiel*).

rum·my[2] ['rʌmi] *adj.* □ → *rum*[2] *1 u. 2*.

ru·mo(u)r ['ru:mə] **I.** *s.* **a)** Gerücht *n*, **b)** Gerede *n*: *~ has it, the ~ runs* es geht das Gerücht; **II.** *v/t.* (als Gerücht) verbreiten (*mst pass.*): *it is ~ed that* man sagt *od.* es geht das Gerücht, daß; *he is ~ed to be* man munkelt, er sei.

rump [rʌmp] *s.* **1.** Steiß *m*, 'Hinterteil *n*; *orn.* Bürzel *m*: *~ steak Küche*: Rumpsteak; **2.** *fig.* Rumpf *m*, kümmerlicher Rest: *the* ♀ (*Parliament*) *hist.* das Rumpfparlament.

rum·ple ['rʌmpl] *v/t.* **1.** zerknittern, -knüllen; **2.** *Haar etc.* in Unordnung bringen, zerwühlen.

rum·pus ['rʌmpəs] *s.* F Krach *m*, Kra'wall *m*, Spek'takel *m*.

'rum-run·ner *s. Am.* Alkoholschmuggler *m*.

run [rʌn] **I.** *s.* **1.** Laufen *n*, Rennen *n*; **2.** Lauf *m* (*a. sport*); Lauf-, ⚔ Sturmschritt *m*: *at the ~* im Lauf (-schritt), im Dauerlauf; *in the long ~ fig.* auf die Dauer, am Ende, schließlich; *in the short ~* fürs nächste; *on the ~* **a)** auf der Flucht, **b)** (immer) auf den Beinen (*tätig*); *to be in the ~ bsd. Am. pol. bei e-r Wahl* in Frage kommen *od.* im Rennen liegen, kandidieren; *to come down with a ~* schnell *od.* plötzlich fallen (*a. Barometer, Preis*); *to go for* (*od. take*) *a ~* e-n Lauf machen; *to have a ~ for one's money* sich abhetzen müssen; *to have s.o. on the ~* j-n herumjagen, -hetzen; **3.** Anlauf *m*: *to take a ~* (e-n) Anlauf nehmen; **4.** *Reiten*: schneller Ga'lopp; **5.** ⚓, *mot.* Fahrt *f*; **6.** *oft short ~* Spazierfahrt *f*; **7.** Abstecher *m*, kleine Reise (*to* nach); **8.** ✈ (Bomben)Zielanflug *m*; **9.** ♪ Lauf *m*; **10.** Zulauf *m*, † Ansturm *m*, Run *m* (*on* auf *e-e Bank etc.*); † stürmische Nachfrage (*on* nach *e-r Ware*); **11.** *fig.* Lauf *m*, (Fort)Gang *m*: *the ~ of events*; **12.** *fig.* Verlauf *m*: *the ~ of the hills*; **13.** *fig.* **a)** Ten'denz *f*, **b)** Mode *f*; **14.** Folge *f*, (*sport* Erfolgs-, Treffer)Serie *f*: *a ~ of bad (good) luck* e-e Pechsträhne (e-e Glückssträhne); **15.** *Am.* kleiner Wasserlauf; **16.** *bsd. Am.* Laufmasche *f*; **17.** (Bob-, Rodel)Bahn *f*; **18.** ✈ Rollstrecke *f*; **19. a)** (Vieh-)Trift *f*, Weide *f*, **b)** (Hühner)Hof *m*, Auslauf *m*; **20.** ⊕ **a)** Bahn *f*, **b)** Laufschiene *f*, **c)** Rinne *f*; **21.** Mühl-, Mahlgang *m*; **22.** ⊕ Herstellungsgröße *f*, (Rohr- *etc.*)Länge *f*, Ausstoß *m*; **23.** Auflage *f* (*Zeitung*); **24.** ⊕ 'Arbeitsperi₁ode *f*; **25.** (Amts-, Gültigkeits-, Zeit)Dauer *f*: *~ of office*; **26.** *thea.*, *Film*: Laufzeit *f*: *to have a ~ of 20 nights* 20mal nacheinander gegeben werden; **27. a)** Art *f*, Schlag *m*; Sorte *f* (*a.* †), **b)** *mst common* (*od. general od. ordinary*) *~* 'Durchschnitt *m*, *die* große Masse: *~ of the mill* Durchschnitt; **28.** Herde *f*; **29.** Schwarm *m* (*Fische*); **30.** ⚓ (Achter)Piek *f*; **31.** (*of*) **a)** freie Benutzung (*gen.*), **b)** freier Zutritt (zu); **II.** *v/i.* [*irr.*] **32.** laufen, rennen; eilen, stürzen; **33.** da'vonlaufen, Reiß'aus nehmen; **34.** *sport* **a)** (um die Wette) laufen, **b)** (an e-m Lauf *od.* Rennen) teilnehmen, laufen, **c)** als *Zweiter etc.* einlaufen: *also ran* ferner liefen; **35.** *fig.* laufen (*Blick, Feuer, Finger, Schauer etc.*): *his eyes ran over ...* sein Blick überflog ...; *the tune keeps ~ning through my head* die Melodie geht mir nicht aus dem Kopf; **36.** *pol.* kandidieren (*for* für); **37.** ⚓ *etc.* fahren; (*in den Hafen*) einlaufen: *to ~ before the wind* vor dem Wind segeln; **38.** wandern (*Fische*); **39.** 🚃 *etc.* verkehren, *auf e-r Strecke* fahren, gehen; **40.** fließen, strömen (*beide a. fig. Blut in den Adern, Tränen, a. Verse*): *it ~s in the blood (family)* es liegt im Blut (in der Familie); **41.** lauten (*Schriftstück*); **42.** gehen (*Melodie*); **43.** verfließen, -streichen (*Zeit etc.*); **44.** dauern: *three days ~ning* drei Tage hintereinander; **45.** laufen, gegeben werden (*Theaterstück etc.*); **46.** verlaufen (*Straße etc., a. Vorgang*), sich erstrecken; führen, gehen (*Weg etc.*): *my taste (talent) does not ~ that way* dafür habe ich keinen Sinn (keine Begabung); **47.** ⊕ laufen, gleiten (*Seil etc.*); **48.** ⊕ laufen: **a)** in Gang sein, arbeiten, **b)** gehen (*Uhr etc.*), funktionieren; **49.** in Betrieb sein (*Fabrik, Hotel etc.*); **50.** aus-, zerlaufen (*Farbe*); **51.** tropfen, strömen, triefen (*with* vor *dat.*) (*Gesicht etc.*); laufen (*Nase, Augen*); 'übergehen (*Augen*): *to ~ with tears* in Tränen schwimmen; **52.** rinnen, laufen (*Gefäß*); **53.** schmelzen (*Metall*); tauen (*Eis*); **54.** ⚕ eitern, laufen; **55.** fluten, wogen: *a heavy sea was ~ning* es lief e-e schwere See; **56.** *Am.* laufen, fallen (*Masche*); Laufmaschen bekommen (*Strumpf*); **57.** ⚖ laufen, gelten, in Kraft sein *od.* bleiben: *the period ~s* die Frist läuft; **58.** † sich stellen (*Preis, Ware*); **59.** *mit adj.*: werden, sein: *to ~ dry* **a)** versiegen, **b)** keine Milch mehr geben, **c)** erschöpft sein, **d)** sich ausgeschrieben haben (*Schriftsteller*); → *80*; *to ~ low* (*od. short*) zur Neige gehen, knapp werden; → *high 11, riot 3, wild 2*; **60.** *im Durchschnitt* sein, *klein etc.* ausfallen (*Früchte etc.*); **III.** *v/t.* [*irr.*] **61.** *Weg etc.* laufen; *Strecke* durch'laufen, zu'rücklegen; *Weg* einschlagen; **62.** fahren (*a.* ⚓); *Strecke* be-, durch'fahren: *to ~ a car against a tree* mit e-m Wagen gegen e-n Baum fahren; **63.** *Rennen* austragen, laufen, *Wettlauf* machen; **64.** um die Wette laufen mit: *to ~ s.o. close* dicht an j-n herankommen (*a. fig.*); **65.** *Pferd* treiben; **66.** *hunt.* hetzen, *a. Spur* verfolgen (*a. fig.*); **67.** *Botschaften* über'bringen; *Botengänge od. Besorgungen* machen: *to ~ errands*; **68.** *Blockade* brechen; **69. a)** *Pferd etc.* laufen lassen, **b)** *pol.* j-n als Kandi'daten aufstellen (*for* für); **70. a)** *Vieh* treiben, **b)** weiden lassen; **71.** 🚃, ⚓ *etc.* fahren *od.* verkehren lassen; **72.** *Am. Annonce* veröffentlichen; **73.** transportieren; **74.** *Schnaps etc.* schmuggeln; **75.** *Augen, Finger etc.* gleiten lassen: *to ~ one's hand through one's hair* (sich) mit den Fingern durchs Haar fahren; **76.** *Film* laufen lassen; **77.** ⊕ *Maschine etc.* laufen lassen, bedienen; **78.** *Betrieb etc.* führen, leiten, verwalten; *Geschäft etc.* betreiben; *Zeitung* her'ausgeben; **79.** hin'eingeraten (lassen) in (*acc.*): *to ~ debts* Schulden machen; *to ~ a firm into debt* e-e Firma in Schulden stürzen; *to ~ the danger of* (*ger.*) Gefahr laufen zu (*inf.*); → *risk 1*; **80.** ausströmen, fließen lassen; *Wasser etc.* führen (*Leitung*): *to ~ dry* leerlaufen lassen; → *59*; **81.** *Gold etc.* (mit sich) führen (*Fluß*); **82.** *Metall* schmelzen; **83.** *Blei, Kugel* gießen; **84.** *Fieber, Temperatur* haben; **85.** stoßen, stechen, stecken; **86.** *Graben, Linie, Schnur etc.* ziehen; *Straße etc.* anlegen; *Brücke* schlagen; *Leitung* legen; **87.** leicht (ver)nähen, heften; **88.** *j-n* belangen (*for* wegen);

Zssgn mit prp.:

run| a·cross *v/i. j-m* in den Weg laufen, *j-n* zufällig treffen, stoßen auf (*acc.*); **~ aft·er** *v/i.* hinter ... (*dat.*) herlaufen *od.* sein, nachlaufen (*dat.*) (*alle a. fig.*); **~ a·gainst I.** *v/i.* **1.** zs.-stoßen mit, laufen *od.* fahren gegen; **2.** → *run across*; **II.** *v/t.* **3.** *et.* stoßen gegen: *to run one's head against* mit dem Kopf gegen *die Wand etc.* stoßen; **~ at** *v/i.* losstürzen auf (*acc.*); **~ for** *v/i.* **1.** auf ... (*acc.*) zulaufen *od.* -rennen; laufen nach; **2.** *~ it* Reiß'aus nehmen; **3.** *fig.* sich bemühen *od.* bewerben um; *pol.* → *run 36*; **~ in·to I.** *v/i.* **1.** (hin'ein)laufen *od.* (-)rennen in (*acc.*); **2.** ⚓ in *den Hafen* einlaufen; **3.** rennen *od.* fahren gegen, zs.-stoßen mit; **4.** → *run across*; **5.** geraten *od.* sich stürzen in (*acc.*): *to ~ debt*; **6.** werden *od.* sich entwickeln zu; **7.** sich belaufen auf (*acc.*): *to ~ four editions* vier Auflagen erleben; *to ~ money* ins Geld laufen; **II.** *v/t.* **8.** *Messer etc.* stoßen *od.* rennen in (*acc.*); **~ off** *v/i.* her'unterfahren *od.* -laufen von: *to ~ the rails* entgleisen; **~ on** *v/i.* **1.** sich drehen um, betreffen; **2.** sich beschäftigen mit; **3.** losfahren auf (*acc.*); **4.** → *run across*; **5.** mit *e-m Treibstoff* fahren, (an)getrieben werden von; **~ o·ver I.** *v/i.* **1.** laufen *od.* gleiten über (*acc.*); **II.** *v/t.* **2.** über'fahren; **3.** 'durchgehen, -lesen, über'fliegen; **~ through** *v/t.* **1.** → *run over 3*; **2.** kurz erzählen, streifen; **3.** 'durchmachen, erleben; **4.** sich hin'durchziehen durch; **5.** *Vermögen* 'durchbringen; **~ to** *v/i.* **1.** sich belaufen auf (*acc.*); **2.** (aus-) reichen für (*Geldmittel*); **3.** sich entwickeln zu, neigen zu; **4.** F sich *et.* leisten; **5.** allzusehr *Blätter etc.* treiben (*Pflanze*); → *fat 4, seed 1*; **~ up·on** → *run on*; **~ with** *v/i.* über'einstimmen mit;

Zssgn mit adv.:

run| a·way *v/i.* **1.** da'vonlaufen (*from* von *od. dat.*): *to ~ from a subject* von e-m Thema abweichen; **2.** 'durchgehen (*Pferd etc.*): *to ~ with* **a)** durchgehen mit *j-m* (*a. Phantasie, Temperament*); *don't ~ with the idea that* glauben Sie bloß nicht, daß, **b)** *et.* ‚mitgehen lassen', **c)** *viel Geld* kosten *od.* verschlingen, **d)** *sport Satz etc.* klar gewinnen; **~ down I.** *v/i.* **1.** hin'unterlaufen (*a. Träne etc.*); **2.** ablaufen (*Uhr*); **3.** *fig.* her'unterkommen; **II.** *v/t.* **4.** über'fahren; **5.** ⚓ in den Grund bohren; **6.** *j-n* einholen; **7.** *Wild, Verbrecher* zur Strecke bringen; **8.** aufstöbern, ausfindig machen; **9.** erschöpfen, *Batterie a.* zu stark entladen: *to be ~ fig.* erschöpft *od.* ab(gearbeitet, -gespannt) sein; **10.** *Betrieb etc.* her'unterwirtschaften; **~ in I.** *v/i.* **1.** hin'ein-, her'einlaufen; **2.** *~ with fig.* über'einstimmen mit; **II.** *v/t.* **3.** hin'einlaufen lassen; **4.** einfügen (*a. typ.*); **5.** F *Verbrecher* ‚einlochen'; **6.** ⊕ *Maschine* (sich) einlaufen lassen, *Auto etc.* einfahren; **~ off I.** *v/i.* **1.** → *run away*; **2.** ablaufen, -fließen; **II.** *v/t.* **3.** *et.* schnell erledigen; *Gedicht etc.* her'unterrasseln; **4.** *typ.* abdrucken, -ziehen; **5.** *Rennen etc.* **a)** austragen, **b)** zur Entscheidung bringen; **~ on** *v/i.* **1.** weiterlaufen; **2.** *fig.* fortlaufen, fortgesetzt werden (*to* bis); **3.** (unaufhörlich) reden, fortplappern; **4.** *in der Rede* fortfahren; **5.** anwachsen (*into* zu); **6.** *typ.* (ohne Absatz) fortlaufen; **~ out I.** *v/i.* **1.** hin'aus-, her'auslaufen; **2.** her'ausfließen, -laufen; **3.** (aus)laufen (*Gefäß*); **4.** *fig.* ablaufen, zu Ende gehen; **5.** ausgehen, knapp werden (*Vorrat*): *I have ~ of tobacco* ich habe keinen Tabak mehr; **6.** her'ausragen; sich erstrecken; **II.** *v/t.* **7.** hin'ausjagen, -treiben; **8.** erschöpfen: *to run o.s. out* bis zur Erschöpfung laufen; *to be ~* **a)** *vom Laufen* ausgepumpt sein, **b)** ausverkauft sein; **~ o·ver I.** *v/i.* **1.** hin'überlaufen; **2.** 'überlaufen, -fließen; **II.** *v/t.* **3.** über'fahren; **~ through** *v/t.* **1.** durch'bohren, -'stoßen; **2.** *Wort* 'durchstreichen; **3.** *Zug* 'durchfahren lassen; **~ up I.** *v/i.* **1.** hin'auflaufen, -fahren; **2.** zulaufen (*to* auf *acc.*); **3.** schnell anwachsen, hochschießen; **4.** einlaufen, -gehen (*Kleider*); **II.** *v/t.* **5.** *Vermögen etc.* anwachsen lassen; **6.** *Rechnung* auflaufen lassen; **7.** *Angebot, Preis* in die Höhe treiben; **8.** *Flagge* hissen; **9.** schnell zs.-zählen; **10.** *Haus etc.* schnell hochziehen; **11.** *Kleid etc.* ‚zs.-hauen' (*schnell nähen*).

'run|·a·bout *s.* **1.** Her'umtreiber(in); **2.** *a. ~ car mot.* Kleinwagen *m*; **3.** leichtes 'Motorboot; **'~·a·round** *s. Am.* F: *to give s.o. the ~* **a)** j-n von Pontius zu Pilatus schicken, **b)** j-n hinhalten, j-m ausweichen; **'~·a·way I.** *s.* Ausreißer *m*, 'Durchgänger *m* (*a. Pferd*); **II.** *adj.* 'durchgebrannt, flüchtig (*Häftling etc.*): *~ car* Wagen, der sich selbständig gemacht hat; *~ inflation* ✝ galoppierende Inflation; *~ match* Heirat e-s durchgebrannten Liebespaares; *~ victory sport* Kantersieg; **'~-down** *adj.* **1.** erschöpft (*a.* ⚡ *Batterie*), abgespannt, ‚erledigt'; **2.** baufällig; **3.** abgelaufen (*Uhr*).

rune [ru:n] *s.* Rune *f.*

rung[1] [rʌŋ] *pret. u. p.p. von ring*[2].

rung[2] [rʌŋ] *s.* **1.** (*bsd.* Leiter)Sprosse *f*; **2.** *fig.* Stufe *f*, Sprosse *f*; **3.** (Rad)Speiche *f.*

ru·nic ['ru:nik] **I.** *adj.* **1.** runisch; Runen...; **II.** *s.* **2.** Runeninschrift *f*; **3.** *typ.* Runenschrift *f.*

'run-'in I. *s.* **1.** *sport Brit.* Einlauf *m*; **2.** *typ.* Einschiebung *f*; **3.** *Am.* F ‚Krach' *m*, Zs.-stoß *m* (*Streit*); **II.** *adj.* **4.** *typ.* eingeschoben.

run·let ['rʌnlit] *s.* Bach *m.*

run·nel ['rʌnl] *s.* **1.** Bach *m*; **2.** Rinne *f*, Rinnstein *m.*

run·ner ['rʌnə] *s.* **1.** (*a.* Wett)Läufer(in); **2.** Rennpferd *n*; **3.** Bote *m*; Laufbursche *m*; ⚔ Melder *m*; **4.** ✝ **a)** ‚Schlepper' *m*, Kundenwerber *m*, **b)** *Am.* F Handlungsreisende(r) *m*; **5.** *mst in Zssgn* Schmuggler *m*: *dope ~* Rauschgiftschmuggler; **6.** Läufer *m* (*Teppich*); **7.** (*Schlitten- etc.*)Kufe *f*; **8.** Schieber *m am Schirm etc.*; **9.** ⊕ **a)** Laufschiene *f*, **b)** Seilring *m*, **c)** (*Turbinen- etc.*) Laufrad *n*, **d)** (Gleit-, Lauf)Rolle *f*; **10.** *typ.* Zeilenzähler *m*; **11.** *Spinnerei*: Läuferwalze *f*; **12.** ⚒ Drillschar *f*; **13.** ⚓ Drehreep *n*; **14.** ⚘ **a)** Ausläufer *m*, **b)** Kletterpflanze *f*; **15.** *orn.* Ralle *f*; **16.** *ichth.* Goldstöcker *m*; **'~-'up** *s. sport* (*to* hinter *dat.*) **a)** Zweite(r *m*) *f*, **b)** Vizemeister(in).

run·ning ['rʌniŋ] **I.** *s.* **1.** Laufen *n*, Lauf *m* (*a.* ⊕): *to be in* (*out of*) *the ~* (*a. fig.*) (keine) Aussichten haben, (nicht) in Betracht kommen (*for* für); *to make the ~* **a)** das Rennen machen (*a. fig.*), **b)** das Tempo angeben; *to put s.o. out of the ~* j-n aus dem Rennen werfen (*a. fig.*); *to take* (*up*) *the ~* sich an die Spitze setzen (*a. fig.*); **2.** F Spritztour *f*, Abstecher *m*; **3.** Leitung *f*, Aufsicht *f*; Bedienung *f*, Über'wachung *f e-r Maschine*; **4.** Durch'brechen *n e-r Blockade*; **II.** *adj.* **5.** laufend (*a.* ⊕): *~ fight* ⚔ Rückzugsgefecht; *~ gear* ⊕ Laufwerk; *~ glance fig.* flüchtiger Blick; *~ jump sport* Sprung mit Anlauf; *~ knot* laufender Knoten; *~ speed* ⊕ **a)** Fahrgeschwindigkeit, **b)** Umlaufgeschwindigkeit; *~ start sport* fliegender Start; *in ~ order* ⊕ betriebsfähig; **6.** *fig.* laufend (*ständig*), fortlaufend: *~ account* ✝ **a)** laufende Rechnung, **b)** Kontokorrent; *~ commentary* **a)** laufender Kommentar, **b)** *Radio*: Reportage; *~ debts* laufende Schulden; *~ hand* Kurrentschrift; *~ head(line), ~ title* Kolumnentitel; *~ pattern* fortlaufendes Muster; *~ stitch* Stielstich; **7.** fließend (*Wasser*); **8.** ⚕ laufend, eiternd (*Wunde*); **9.** aufein'anderfolgend: *five times* (*for three days*) *~* fünfmal (drei Tage) hintereinander; *~ fire* ⚔ Lauffeuer; **10.** line'ar gemessen: *per ~ metre* pro laufendes Meter; **11.** ⚘ **a)** rankend, **b)** kriechend; **12.** ♪ laufend: *~ passages* Läufe; **'~-board** *s. mot.*, 🚂 *etc.* Tritt-, Laufbrett *n*; **'~-'in test** *s.* ⊕ Probelauf *m.*

'run|-'off *s. sport* Entscheidungslauf *m*, -rennen *n*, Stechen *n*; **'~-'on** *typ.* **I.** *adj.* angehängt, fortlaufend gesetzt; **II.** *s.* angehängtes Wort.

runt [rʌnt] *s.* **1.** *zo.* Zwergrind *n*, -ochse *m*; **2.** *fig.* **a)** (*contp.* lächerlicher) Zwerg, **b)** *Am. contp.* ‚Heini' *m*, ‚Knülch' *m*; **3.** *orn. plumpe Haustaubenrasse.*

'run·way *s.* **1.** ✈ Start-, Lande-, Rollbahn *f*; **2.** *sport* Ablauf-, Anlaufbahn *f*; **3.** *bsd. Am.* Fahrbahn *f*; **4.** *hunt.* Wildpfad *m*, (-)Wechsel *m*: ~ *watching* Ansitzjagd; **5.** *bsd. Am.* Laufsteg *m*; **6.** Holzrutsche *f*.

ru·pee [ru:'pi:] *s.* 'Rupie *f* (*Geld*).

rup·ture ['rʌptʃə] **I.** *s.* **1.** Bruch *m* (*a.* ⚕ *u. fig.*), (*a.* ⚕ *Muskel- etc.*) Riß *m*: *diplomatic* ~ Abbruch der diplomatischen Beziehungen; ~ *support* ⚕ Bruchband; **2.** Brechen *n* (*a.* ⊕): ~ *limit* ⊕ Bruchgrenze; **II.** *v/t.* **3.** brechen (*a. fig.*), zersprengen, -reißen (*a.* ⚕): *to* ~ *o.s.* → 6; **4.** *fig.* abbrechen, trennen; **III.** *v/i.* **5.** zerspringen, (-)reißen; **6.** ⚕ e-n Bruch bekommen.

ru·ral ['ruərəl] *adj.* □ **1.** ländlich, Land...: ~ *district* a) ländlicher Bezirk, b) Landkreis; **2.** landwirtschaftlich, Ackerbau...; **'ru·ral·ize** [-rəlaiz] **I.** *v/t.* **1.** verländlichen; **2.** auf das Landleben 'umstellen; **II.** *v/i.* **3.** auf dem Lande leben; **4.** sich auf das Landleben umstellen; **5.** ländlich werden, verbauern.

ruse [ru:z] *s.* List *f*, Trick *m*, Kniff *m*.

rush[1] [rʌʃ] **I.** *s.* ♀ Binse *f*; *coll.* Binsen *pl.*: *not worth a* ~ *fig.* keinen Pfifferling wert; **II.** *adj.* Binsen...

rush[2] [rʌʃ] **I.** *v/i.* **1.** rasen, stürzen, (da'hin)jagen, stürmen (*a. Fußball*): *to* ~ *at s.o.* auf j-n losstürzen; *to* ~ *in* hereinstürzen, -stürmen; *to* ~ *into extremes fig.* ins Extrem verfallen; *to* ~ *to conclusions* voreilige Schlüsse ziehen; *an idea* ~*ed into my mind* ein Gedanke schoß mir durch den Kopf; *blood* ~*ed to her face* das Blut schoß ihr ins Gesicht; **2.** (da'hin-)brausen (*Wind*); **3.** *fig.* sich (*vorschnell*) stürzen (*into* in *od.* auf *acc.*); → *print 13*; **II.** *v/t.* **4.** (an)treiben, drängen, hetzen, jagen: *I refuse to be* ~*ed* ich lasse mich nicht drängen; *to* ~ *up prices Am.* die Preise in die Höhe treiben; *to be* ~*ed for time* F sehr wenig Zeit haben; **5.** schnell *od.* auf dem schnellsten Wege *wohin* bringen *od.* schaffen: *to* ~ *s.o. to the hospital*; *to* ~ *up reinforcements* ⚔ schnell Verstärkungen herbeischaffen; **6.** schnell erledigen, *Arbeit etc.* her'unterhasten, hinhauen: *to* ~ *a bill* (*through*) e-e Gesetzesvorlage durchpeitschen; **7.** über'stürzen, -'eilen; **8.** losstürmen auf (*acc.*), angreifen; **9.** im Sturm nehmen (*a. fig.*), stürmen (*a. fig.*): *to* ~ *s.o. off his feet* j-n ‚überfahren'; **10.** über *ein Hindernis* hin'wegsetzen; **11.** *Am. sl.* mit Aufmerksamkeiten über'häufen, um'werben; **12.** *Brit. sl.* ‚neppen', ‚bescheißen' (£5 um 5 Pfund); **III.** *s.* **13.** Vorwärtsstürmen *n*, Da'hinschießen *n*; Brausen *n* (*Wind*): *on the* ~ F in aller Eile; *with a* ~ plötzlich; **14.** ⚔ a) Sturm *m*, b) Sprung *m*: *by* ~*es* sprungweise; **15.** *amer. Football*: Vorstoß *m*, 'Durchbruch *m*; **16.** *fig.* a) (An)Sturm *m* (*for* auf *acc.*), b) (Massen)Andrang *m*, c) *a.* ✝ stürmische Nachfrage (*on od. for* nach): *to make a* ~ *for* losstürzen auf (*acc.*); **17.** ⚕ (Blut-)Andrang *m*; **18.** *fig.* plötzlicher Ausbruch (*von Tränen etc.*); plötzliche Anwandlung: ~ *of pity* plötzliches Mitleid; **19.** a) Drang *m der Geschäfte*, ‚Hetze' *f*, b) Hochbetrieb *m*, -druck *m*, c) Über'häufung *f* (*of* mit *Arbeit*); **'~-hour** *s.* Hauptverkehrs-, Stoßzeit *f*; ~ **job** *s.* eilige Arbeit, dringende Sache; ~ **or·der** *s.* Eilauftrag *m*.

rusk [rʌsk] *s.* **1.** Zwieback *m*; **2.** Sandkuchengebäck *n*.

rus·set ['rʌsit] **I.** *adj.* **1.** a) rostbraun, b) rotgelb, -grau; **2.** *obs.* grob; **II.** *s.* **3.** a) Rostbraun *n*, b) Rotgelb *n*, -grau *n*; **4.** grobes handgewebtes Tuch; **5.** rötlicher Winterapfel.

Rus·sia (leath·er) ['rʌʃə] *s.* Juchten (-leder) *n*; **'Rus·sian** [-ʃən] **I.** *s.* **1.** Russe *m*, Russin *f*; **2.** *ling.* Russisch *n*; **II.** *adj.* **3.** russisch; **'Rus·sian·ize** [-ʃənaiz] *v/t.* russifizieren, russisch machen.

Russo- [rʌsou] *in Zssgn* a) russisch, b) russisch-...

rust [rʌst] **I.** *s.* **1.** Rost *m* (*a. fig.*): *to gather* ~ Rost ansetzen; **2.** Moderfleck *m*; **3.** ♀ a) Rost *m*, Brand *m*, b) *a.* ~*-fungus* Rostpilz *m*; **II.** *v/i.* **4.** (ver)rosten, einrosten (*a. fig.*), rostig werden; **5.** moderfleckig werden; **III.** *v/t.* **6.** rostig machen; **7.** *fig.* einrosten lassen; **'~-col·o(u)red** *adj.* rostfarben.

rus·tic ['rʌstik] **I.** *adj.* □ (~*ally*) **1.** ländlich, Land..., Bauern...; **2.** simpel, schlicht, anspruchslos; **3.** grob, ungehobelt, ungeschliffen; **4.** aus (unbearbeiteten) Baumstämmen *od.* Zweigen (hergestellt), roh (gearbeitet); **5.** ⚠ a) Rustika..., b) mit Bossenwerk verziert; **6.** *typ.* unregelmäßig geformt; **II.** *s.* **7.** (einfacher) Bauer, Landmann *m*; **8.** *fig.* Bauer *m*; **'rus·ti·cate** [-keit] **I.** *v/i.* **1.** auf dem Lande leben; **2.** a) ein ländliches Leben führen, b) verbauern; **II.** *v/t.* **3.** aufs Land senden; **4.** *univ.* relegieren, (zeitweilig) von der Universi'tät verweisen; **5.** ⚠ mit Bossenwerk verzieren; **rus·ti·ca·tion** [rʌsti'keiʃən] *s.* **1.** Landaufenthalt *m*; **2.** Verbauerung *f*; **3.** *univ.* (zeitweise) Relegati'on; **rus·tic·i·ty** [rʌs'tisiti] *s.* **1.** Ländlichkeit *f*; **2.** bäurisches Wesen, Ungehobeltheit *f*; **3.** (ländliche) Einfachheit.

'rus·tic|-ware *s.* hellbraune Terra'kotta; **'~-work** *s.* ⚠ Bossenwerk *n*, 'Rustika *f*.

rust·i·ness ['rʌstinis] *s.* **1.** Rostigkeit *f*; **2.** *fig.* Eingerostetsein *n*.

rus·tle ['rʌsl] **I.** *v/i.* **1.** rascheln (*Blätter etc.*), rauschen, knistern (*Seide etc.*); **2.** *Am. sl.* ‚rangehen', e'nergisch zupacken; **II.** *v/t.* **3.** rascheln mit (*od.* in *dat.*), rascheln machen; **4.** *Am. sl. Vieh* stehlen; **5.** ~ *up Am. sl.* a) rasch ‚hinhauen' (*zurechtmachen*), b) schnell beschaffen, auftreiben; **III.** *s.* **6.** Rauschen *n*, Rascheln *n*, Knistern *n*; **'rus·tler** [-lə] *s. Am. sl.* a) betriebsamer *od.* rühriger Mensch, b) Viehdieb *m*.

rust·less ['rʌstlis] *adj.* rostfrei, nicht rostend: ~ *steel* nichtrostender Stahl.

rust·y ['rʌsti] *adj.* □ **1.** rostig, verrostet; **2.** *fig.* eingerostet: a) vernachlässigt (*Kenntnisse etc.*), b) aus der Übung (*Person*); **3.** rostfarben; **4.** ♀ vom Rost(pilz) befallen; **5.** verschossen, schäbig (*Kleidung*); **6.** *to turn* ~ widerspenstig *od.* böse werden.

rut[1] [rʌt] **I.** *s.* **1.** (Wagen-, Rad)Spur *f*, Furche *f*; **2.** *fig.* altes Geleise, alter Trott: *to be in a* ~ sich in e-m ausgefahrenen Geleise bewegen, stagnieren; *to get into a* ~ in e-n (immer gleichen) Trott verfallen; **II.** *v/t.* **3.** mit Furchen durch'ziehen, furchen.

rut[2] [rʌt] *zo.* **I.** *s.* a) Brunst *f*, b) Brunft *f* (*Hirsch*); **II.** *v/i.* brunften, brunsten.

ru·ta·ba·ga [ru:tə'beigə] *s.* ♀ Gelbe Kohlrübe.

Ruth[1] [ru:θ], *a.* **book of** ~ *s. bibl.* (das Buch) Ruth *f*.

ruth[2] [ru:θ] *s. obs.* Mitleid *n*, Erbarmen *n*.

Ru·the·ni·an [ru(:)'θi:njən] **I.** *s.* **1.** Ru'thene *m*, Ru'thenin *f*; **2.** *ling.* Ru'thenisch *n*; **II.** *adj.* **3.** ru'thenisch.

ruth·less ['ru:θlis] *adj.* □ **1.** unbarmherzig, mitleidlos; **2.** rücksichts-, skrupellos; **'ruth·less·ness** [-nis] *s.* **1.** Unbarmherzigkeit *f*; **2.** Rücksichtslosigkeit *f*.

rut·ting ['rʌtiŋ] *zo.* **I.** *s.* Brunst *f*; **II.** *adj.* Brunst..., Brunft...: ~ *time* (*od. season*) Brunstzeit; **rut·tish** ['rʌtiʃ] *adj. zo.* brunstend, brünstig.

rut·ty ['rʌti] *adj.* durch'furcht, ausgefahren (*Weg*).

rye [rai] *s.* **1.** ♀ Roggen *m*; **2.** *a.* ~*-whisky* Roggenwhisky *m*.

ry·ot ['raiət] *s. Brit.* indischer Bauer.

S

S, s [es] *s.* S *n*, s *n* (*Buchstabe*).

's [z] **1.** F *für is*: *he's here*; **2.** F *für has*: *she's just come*; **3.** [s] F *für us*: *let's go*; **4.** [s] F *für does*: *what's he think about it?*

Sab·bath ['sæbəθ] *s.* 'Sabbat *m*; *weitS.* ♀ Sonn-, Ruhetag *m*: *to break* (*keep*) *the* ~ den Sabbat entheiligen (heiligen); *witches'* ♀ Hexensabbat; '**~-break·er** *s.* 'Sabbatschänder(in).

Sab·bat·ic [sə'bætik] *adj.* (□ ~*ally*) → *sabbatical I*; **sab'bat·i·cal** [-kəl] **I.** *adj.* □ ♀ Sabbat...; **II.** *s. a.* ~ *year* **a)** 'Sabbatjahr *n*, **b)** *univ.* Ferienjahr *n e-s Professors.*

sa·ber *Am.* → *sabre.*

sa·ble [seibl] **I.** *s.* **1.** *zo.* **a)** Zobel *m*, **b)** (*bsd.* Fichten)Marder *m*; **2.** Zobelfell *n*, -pelz *m*; **3.** *her.* Schwarz *n*; **4.** *mst. pl. poet.* Trauer(kleidung) *f*; **II.** *adj.* **5.** Zobel...; **6.** *her.* schwarz; **7.** *poet.* schwarz, finster: *his* ~ *Majesty* der Fürst der Finsternis.

sa·bot ['sæbou] *s.* **1.** Holzschuh *m*; **2.** ⚔ Geschoß-, Führungsring *m*.

sab·o·tage ['sæbətɑ:ʒ] **I.** *s.* Sabo'tage *f*; **II.** *v/t.* sabotieren; **III.** *v/i.* Sabotage treiben; **sa·bo·teur** [sæbə'tə:] (*Fr.*) *s.* Sabo'teur *m*.

sa·bre ['seibə] **I.** *s.* **1.** Säbel *m*: *to rattle the* ~ *fig.* mit dem Säbel rasseln; **2.** ⚔ *hist.* Kavalle'rist *m*; **II.** *v/t.* **3.** niedersäbeln; **sa·bre·tache** ['sæbətæʃ] *s.* ⚔ Säbeltasche *f*; '**sa·bre-toothed ti·ger** *s. zo.* Säbel(zahn)tiger *m*.

sab·u·lous ['sæbjuləs] *adj.* sandig, Sand...: ~ *urine* ⚕ Harngrieß.

sac [sæk] *s.* **1.** ⚘, *anat.*, *zo.* Sack *m*, Beutel *m*; **2.** ⊕ (Tinten)Sack *m* (*Füllhalter*); **sac·cate** ['sækeit] *adj. biol.* **1.** sack-, taschenförmig; **2.** in e-m Sack *od.* Beutel befindlich.

sac·cha·rate ['sækəreit] *s.* ⚗ Saccha'rat *n*; **sac·char·ic** [sə'kærik] *adj.* ⚗ Zucker...: ~ *acid*; **sac·cha·rif·er·ous** [sækə'rifərəs] *adj.* ⚗ zuckerhaltig *od.* -erzeugend; **sac·char·i·fy** [sə'kærifai] *v/t.* **1.** verzuckern, saccharifizieren; **2.** süßen; **sac·cha·rim·e·ter** [sækə'rimitə] *s.* Zuckermesser *m*, Sacchari'meter *n*.

sac·cha·rin(e) ['sækərin] *s.* ⚗ Saccha'rin *n*; '**sac·cha·rine** [-rain] *adj.* **1.** Zucker..., Süßstoff...; **2.** *fig.* süßlich: *a* ~ *smile*; '**sac·cha·roid** [-rɔid] *adj.* ⚗, *min.* zuckerartig, körnig; **sac·cha·rom·e·ter** [sækə'rɔmitə] → *saccharimeter*; '**sac·cha·rose** [-rous] *s.* ⚗ Rohrzucker *m*, Saccha'rose *f*.

sac·cule ['sækju:l] *s. bsd. anat.* Säckchen *n*.

sac·er·do·tal [sæsə'doutl] *adj.* □ priesterlich, Priester...; **sac·er'do·tal·ism** [-təlizəm] *s.* **1.** Priestertum *n*; **2.** *contp.* Pfaffentum *n*.

sa·chem ['seitʃəm] *s.* **1.** Indi'anerhäuptling *m*; **2.** *Am. humor.* ‚großes Tier', *bsd. pol.* ‚Par'teiboß' *m*.

sa·chet ['sæʃei] *s.* Duftkissen *n*.

sack[1] [sæk] **I.** *s.* **1.** Sack *m*; **2.** F ‚Laufpaß' *m*: *to get the* ~ **a)** ‚fliegen', ‚an die Luft gesetzt (*entlassen*) werden', **b)** *von e-m Mädchen* den Laufpaß *od.* e-n Korb bekommen; *to give s.o. the* ~ → 7; **3.** *Am.* **a)** Beutel *m*, Tüte *f*, **b)** Beutel(inhalt) *m*; **4. a)** 'Umhang *m*, **b)** (kurzer) loser Mantel, **c)** *a.* ~ *coat* 'Sakko *m*, **d)** F Sackkleid *n*; **5.** *sl.* ‚Klappe' *f* (*Bett etc.*): *to hit the* ~ sich ‚hinhauen'; **II.** *v/t.* **6.** einsacken, in Säcke abfüllen, in e-n Sack tun; **7.** F **a)** *j-n* ‚rausschmeißen' (*entlassen*), **b)** *e-m Liebhaber* den Laufpaß geben.

sack[2] [sæk] **I.** *s.* Plünderung *f*: *to put to* ~ → *II*; **II.** *v/t. Stadt etc.* (aus)plündern.

sack[3] [sæk] *s.* heller Südwein.

'**sack|·but** [-bʌt] *s.* ♪ **1.** *hist.* 'Zugpoˌsaune *f*; **2.** *bibl.* Harfe *f*; '**~·cloth** *s.* Sackleinen *n*: *in* ~ *and ashes fig.* in Sack u. Asche *Buße tun etc.*; '**~·ful** [-ful] *pl.* **-fuls** *s.* Sack(voll) *m*; '**~-race** *s.* Sackhüpfen *n*.

sa·cral ['seikrəl] **I.** *adj.* **1.** *eccl.* sa'kral; **2.** *anat.* Sakral..., Kreuz(bein)...; **II.** *s.* **3.** Sa'kralwirbel *m*; **4.** Sa'kralnerv *m*.

sac·ra·ment ['sækrəmənt] *s.* **1.** *R.C.* Sakra'ment *n* (*Gnadenmittel*): *last* ~ Letzte Ölung; **2.** *oft the* (*Blessed od. Holy*) ~ **a)** das (heilige) Abendmahl, **b)** *R.C.* die heilige Kommuni'on; **3.** Sym'bol *n* (*of* für); **4.** My'sterium *n*; **5.** feierlicher Eid; **sac·ra·men·tal** [sækrə'mentl] **I.** *adj.* □ sakramen'tal, Sakraments...; *fig.* heilig, weihevoll; **II.** *s. R.C.* heiliger *od.* sakramentaler Ritus *od.* Gegenstand; *pl.* Sakramen'talien *pl.*

sa·cred ['seikrid] *adj.* □ **1.** *eccl. u. fig.* heilig (*a. fig. Andenken, Pflicht, Recht*), geheiligt, geweiht (*to dat.*): ~ *cow fig.* Heilige Kuh; **2.** geistlich, kirchlich, Kirchen... (*Dichtung, Musik*); '**sa·cred·ness** [-nis] *s.* Heiligkeit *f*.

sac·ri·fice ['sækrifais] **I.** *s.* **1.** *eccl. u. fig.* **a)** Opfer *n* (*Handlung u. Sache*), **b)** *fig.* Aufopferung *f*; Verzicht *m* (*of* auf *acc.*): ~ *of the Mass* Meßopfer; *the great* (*od. last*) ~ das höchste Opfer, *bsd.* der Heldentod; *to make a* ~ *of* et. opfern; *to make* ~*s* → 6; *at some* ~ *of accuracy* unter einigem Verzicht auf Genauigkeit; **2.** † Verlust *m*: *to sell at a* ~ → 4; **II.** *v/t.* **3.** *eccl. u. fig.*, *a. Schach*: opfern (*to dat.*): *to* ~ *one's life*; **4.** † mit Verlust verkaufen; **III.** *v/i.* **5.** *eccl.* opfern; **6.** *fig.* Opfer bringen; **sacri·fi·cial** [sækri'fiʃəl] *adj.* □ **1.** *eccl.* Opfer...; **2.** aufopferungsvoll.

sac·ri·lege ['sækrilidʒ] *s.* Sakri'leg *n*: **a)** Kirchenschändung *f*, -raub *m*, **b)** Entweihung *f*, **c)** *allg.* Frevel *m*; **sac·ri·le·gious** [sækri'lidʒəs] *adj.* □ sakri'legisch, frevlerisch.

sa·crist ['seikrist], **sac·ris·tan** ['sækristən] *s. eccl.* Sakri'stan *m*; Mesner *m*, Küster *m*; **sac·ris·ty** ['sækristi] *s. eccl.* Sakri'stei *f*.

sac·ro·sanct ['sækrousæŋkt] *adj.* (*a. iro.*) sakro'sankt, hochheilig.

sa·crum ['seikrəm] *s. anat.* Kreuzbein *n*.

sad [sæd] *adj.* □ → *sadly*; **1.** (*at*) traurig (über *acc.*), bekümmert, niedergeschlagen (wegen), melan'cholisch; **2.** traurig (*Pflicht*), tragisch (*Unfall etc.*); **3.** schlimm, arg (*Zustand*); **4.** *humor.* elend, mise'rabel, jämmerlich; **5.** F arg, ‚furchtbar': *a* ~ *dog* ein arger Tunichtgut; **6.** dunkel, matt (*Farbe*); **7.** *dial.* teigig (*Gebäck*); **sad·den** ['sædn] **I.** *v/t.* traurig machen, betrüben; **II.** *v/i.* traurig werden (*at* über *acc.*).

sad·dle ['sædl] **I.** *s.* **1.** Sattel *m* (*Pferd, Fahrrad etc.*): *in the* ~ im Sattel, *fig.* fest im Sattel, im Amt, an der Macht; *to put the* ~ *on the wrong* (*right*) *horse fig.* die Schuld dem Falschen (Richtigen) geben *od.* zuschreiben; **2. a)** Rücken *m* (*Pferd*), **b)** Rücken(stück *n*) *m* (*Schlachtvieh etc.*): ~ *of mutton* Hammelrücken; **3.** (Berg)Sattel *m*; **4.** Buchrücken *m*; **5.** ⊕ **a)** Querholz *n*, **b)** Bettschlitten *m*, Sup'port *m* (*Werkzeugmaschine*), **c)** Lager *n*, **d)** Türschwelle *f*; **II.** *v/t.* **6.** *Pferd* satteln; **7.** *bsd. fig.* **a)** belasten, **b)** *Aufgabe etc.* aufbürden, -laden, -halsen (*on, upon dat.*), **c)** *et.* zur Last legen (*on, upon dat.*); '**~·back** *s.* **1.** Bergsattel *m*; **2.** △ Turmdach *n* mit zwei Giebeln; **3.** *zo. Tier mit sattelförmiger Rückenzeichnung*, *bsd.* **a)** Nebelkrähe *f*, **b)** männliche Sattelrobbe; **4.** hohlrückiges Pferd; '**~·backed** *adj.* **1.** hohlrückig (*Pferd etc.*); **2.** sattelförmig; '**~-bag** *s.* Satteltasche *f*; '**~-blan·ket** *s.* 'Woilach *m*; '**~-horse** *s.* Reitpferd *n*; '**~-nose** *s.* Sattelnase *f*.

sad·dler ['sædlə] *s.* Sattler *m*; '**sad·dler·y** [-əri] *s.* **1.** Sattle'rei *f*; **2.** Sattelzeug *n*.

sad·ism ['sædizəm] *s. psych.* Sa'dismus *m*; '**sad·ist** [-ist] **I.** *s.* Sa'dist (-in); **II.** *adj.* → *sadistic*; **sa·dis·tic** [sæ'distik] *adj.* (□ ~*ally*) sa'distisch.

sad·ly ['sædli] *adv.* **1.** traurig, betrübt; **2.** erbärmlich, arg, schmählich *vernachlässigt etc.*

sad·ness ['sædnis] *s.* Traurigkeit *f.*

sa·fa·ri [sə'fɑːri] *s.* Sa'fari *f*, ('Jagd-)Expediti,on *f.*

safe [seif] **I.** *adj.* □ **1.** sicher (*from* vor *dat.*): *we are ~ now* jetzt sind wir in Sicherheit; *to keep s.th. ~* et. sicher aufbewahren; **2.** sicher, unversehrt, heil; außer Gefahr (*a. Patient*): *~ and sound* heil u. gesund *ankommen etc.*; **3.** sicher, ungefährlich: *~ period* ⚕ unfruchtbare Tage (*der Frau*); *~ (to operate)* ⊕ betriebssicher; *~ stress* ⊕ zulässige Beanspruchung; *the rope is ~* das Seil hält; *is it ~ to go there?* ist es ungefährlich, da hinzugehen?; *in ~ custody* → 7; *as ~ as houses* F absolut sicher; *it is ~ to say* man kann (ruhig) sagen; *to be on the ~ side* um ganz sicher zu gehen; → *play* 9; **4.** vorsichtig (*Fahrer, Schätzung etc.*); **5.** sicher, zuverlässig: *a ~ leader*; *a ~ method*; **6.** sicher, wahrscheinlich: *a ~ winner*; *he is ~ to be there* er wird sicher *od.* bestimmt da sein; **7.** in sicherem Gewahrsam (*a. Verbrecher*); **II.** *s.* **8.** Safe *m*, Tre'sor *m*, Geldschrank *m*; **9.** → *meat-safe*; '**~-blow·er,** '**~-crack·er** *s.* F Geldschrankknacker *m*; **~ con·duct** *s.* **1.** Geleitbrief *m*; **2.** freies *od.* sicheres Geleit; **~ de·pos·it** *s.* Stahlkammer *f*, Tre'sor *m*; '**~-de·pos·it box** *s.* Tre'sor(fach*n*)*m*; Bankfach *n*; '**~guard** **I.** *s.* Sicherung *f*: **a)** Vorsichtsmaßnahme *f* (*against* gegen), **b)** Sicherheitsklausel *f*, **c)** ⊕ Schutzvorrichtung *f*; **II.** *v/t.* sichern, schützen; *Interessen* wahrnehmen: *~ing duty* Schutzzoll; **~ keep·ing** *s.* sichere Verwahrung, Gewahrsam *m.*

safe·ness ['seifnis] → *safety 1-3.*

safe·ty ['seifti] *s.* **1.** Sicherheit *f*: *to be in ~*; *to jump to ~* sich durch e-n Sprung retten; **2.** Sicherheit *f*, Gefahrlosigkeit *f*: *~ (of operation)* ⊕ Betriebssicherheit *f*; *~ glass* Sicherheitsglas; *~ measure* Sicherheitsmaßnahme, -vorkehrung; *~ in flight* ✈ Flugsicherheit; *~ on the road* Verkehrssicherheit; *there is ~ in numbers* zu mehreren ist man sicherer; *~ first!* Sicherheit über alles!; *~ first scheme* Unfallverhütungsprogramm; *to play for ~* sicher gehen (wollen), Risiken vermeiden; **3.** Sicherheit *f*, Zuverlässigkeit *f*, Verläßlichkeit *f* (*Mechanismus, Verfahren etc.*); **4.** *a. ~ device* ⊕ Sicherung *f*, Schutz-, Sicherheitsvorrichtung *f*; **5.** Sicherung(sflügel *m*) *f* (*Gewehr etc.*): *at ~* gesichert; **~ belt** *s.* **1.** Rettungsgürtel *m*; **2.** ✈ Sicherheits-, Anschnallgurt *m*; '**~-bolt** *s.* ⊕, ⚔ Sicherheitsbolzen *m*; **~ buoy** *s.* Rettungsboje *f*; '**~-catch** *s.* **1.** ⊕ Fangvorrichtung *f*; **2.** Sicherungsflügel *m* (*Gewehr etc.*): *to release the ~* entsichern; **~ cur·tain** *s. thea.* eiserner Vorhang; **~ fuse** *s.* **1.** ⊕ Sicherheitszünder *m*, -zündschnur *f*; **2.** ⚡ **a)** (Schmelz)Sicherung *f*, **b)** Sicherheitsausschalter *m*; **~ is·land** *s.* Verkehrsinsel *f*; **~ lamp** *s.* ⚒ Grubenlampe *f*; '**~-lock** *s.* **1.** Sicherheitsschloß *n*; **2.** Sicherung *f* (*Gewehr, Mine etc.*); **~ match** *s.* Sicherheitszündholz *n*; '**~-pin** *s.* Sicherheitsnadel *f*; **~ ra·zor** *s.* Ra'sierappa,rat *m*; **~ rules** *pl.* ⊕ Sicherheits-, Unfallverhütungsvorschriften *pl.*; **~ sheet** *s.* Sprungtuch *n* (*Feuerwehr*); '**~-valve** *s.* **1.** ⊕ 'Überdruck-, 'Sicherheitsven,til *n*; **2.** *fig.* Ven'til *n*: *to sit on the ~* Unterdrückungspolitik treiben; **~ zone** *s.* **1.** *bsd.* ⚔ Sicherheitszone; **2.** Verkehrsinsel *f.*

saf·fi·an ['sæfjən] *s.* 'Saffian(leder *n*) *m.*

saf·flow·er ['sæflauə] *s.* **1.** ⚘ Sa'flor *m*, Färberdistel *f*; **2.** getrocknete Sa'florblüten *pl.*: *~ oil* Safloröl; **3.** *Färberei*: Sa'florfarbstoff *m.*

saf·fron ['sæfrən] **I.** *s.* **1.** ⚘ echter 'Safran; **2.** *pharm., Küche*: Safran *m*; **3.** 'Safrangelb *n*; **II.** *adj.* **4.** safrangelb.

sag [sæg] **I.** *v/i.* **1.** sich senken, ab-, 'durchsacken; *bsd.* ⊕ 'durchhängen; **2.** (he'rab)hängen (*a. Unterkiefer etc.*): *~ging shoulders* hängende *od.* abfallende Schultern; **3.** schief hängen (*Rocksaum etc.*); **4.** *fig.* sinken, nachlassen; † nachgeben (*Markt, Preise*): *~ging spirits* sinkender Mut; **5.** ⚓ (*mst ~ to leeward* nach Lee) (ab)treiben; **II.** *s.* **6.** 'Durch-, Absacken *n*; **7.** Senkung *f*; ⊕ 'Durchhang *m*; **8.** † (Preis)Abschwächung *f.*

sa·ga ['sɑːgə] *s.* **1.** Saga *f* (*Heldenerzählung*); **2.** Sage *f*, Erzählung *f*; **3.** *a. ~ novel fig.* Fa'milienro,man *m.*

sa·ga·cious [sə'geiʃəs] *adj.* □ scharfsinnig, klug (*a. Tier*); **sa·gac·i·ty** [sə'gæsiti] *s.* Scharfsinn *m*, Klugheit *f.*

sage[1] [seidʒ] **I.** *s.* Weise(r) *m*; **II.** *adj.* □ weise, klug, verständig.

sage[2] [seidʒ] *s.* ⚘ Sal'bei *m, f*: *~ tea*; '**~-brush** *s.* ⚘ Nordamer. Beifuß *m* (*Steppengewächs*); '**~-grouse** *s. zo.* Nordamer. Steppenhuhn *n.*

Sag·it·ta·ri·us [sædʒi'tɛəriəs] *s. ast.* Schütze *m.*

sa·go ['seigou] *s.* Sago *m.*

said [sed] **I.** *pret. u. p.p. von say*: *he is ~ to have been ill* er soll krank gewesen sein; es heißt, er sei krank gewesen; **II.** *adj. bsd.* ⚖ vorerwähnt, besagt.

sail [seil] **I.** *s.* **1.** ⚓ **a)** Segel *n*, **b)** *coll.* Segel(werk *n*) *pl.*: *to make ~* **a)** die Segel (bei)setzen, **b)** mehr Segel beisetzen, **c)** *a. to set ~* unter Segel gehen, auslaufen (*for* nach); *to take in ~ fig.* zurückstecken; *under ~* unter Segel, auf der Fahrt; *under full ~* mit vollen Segeln; → *trim* 9; **2.** ⚓ (Segel)Schiff(e *pl.*) *n*: *a fleet of 20 ~*; *~ ho!* Schiff ho! (*in Sicht*); **3.** ⚓ Fahrt *f*: *to have a ~* segeln gehen; **4.** ⊕ **a)** Segel *n e-s Windmühlenflügels*, **b)** Flügel *m e-r Windmühle*; **II.** *v/i.* **5. a)** *allg.* mit e-m Schiff *od.* zu Schiff fahren *od.* reisen, **b)** fahren (*Schiff*), **c)** *bsd. sport* segeln; → *wind 1*; **6.** ⚓ **a)** auslaufen (*Schiff*), **b)** abfahren, -segeln (*for od. to* nach): *ready to ~* seeklar; **7. a)** ✈ fliegen, **b)** *a. ~ along fig.* da'hinschweben, (-)segeln (*Wolke, Vogel*); **8.** *fig.* (*bsd. stolz*) schweben, segeln, schreiten; **9.** *~ in sl.* ,sich 'ranmachen', zupacken; **10.** *~ into sl.* **a)** *jn od. et.* attackieren, heftig angreifen, schlechtmachen, **b)** *j-n* abkanzeln, **c)** ,'rangehen' an (*acc.*), *et.* tüchtig anpacken; **III.** *v/t.* **11.** durch'segeln, befahren; **12.** *Segelboot* segeln, *Schiff* steuern; **13.** *poet.* durch *die Luft* schweben; '**~-boat** → *sailing-boat.*

sail·er ['seilə] *s.* ⚓ Segler *m* (*Schiff*).

sail·ing ['seiliŋ] **I.** *s.* **1.** ⚓ (Segel-)Schiffahrt *f*, Navigati'on *f*: *plain* (*od. smooth*) *~ fig.* ,klare Sache'; *from now on it is all plain ~* von jetzt an geht alles glatt; **2.** Segelsport *m*, Segeln *n*; **3.** Abfahrt *f* (*for* nach); **II.** *adj.* **4.** Segel...; '**~-boat** *s.* Segelboot *n*; '**~-mas·ter** *s.* Naviga'teur *m e-r Jacht*; **~ or·ders** *s. pl.* ⚓ **1.** Fahrtauftrag *m*; **2.** Befehl *m* zum Auslaufen; '**~-ship,** '**~-ves·sel** *s.* ⚓ Segelschiff *n.*

'**sail|-loft** *s.* ⚓ Segelmacherwerkstatt *f* (*an Bord*); '**~-mak·er** *s.* ⚓ Segelmacher *m.*

sail·or ['seilə] *s.* **1.** Ma'trose *m*, Seemann *m*: *~ hat* Matrosenhut; *~s' home* Seemannsheim; *~'s knot* Schifferknoten; **2.** *von Seereisenden*: *to be a good ~* seefest sein; *to be a bad ~* leicht seekrank werden; '**sail·or·ly** [-li] *adj.* seemännisch.

'**sail·plane** *s.* Segelflugzeug *n.*

saint [seint] **I.** *s.* (*vor Eigennamen* ♀, *abbr. St od. S* [snt]) *eccl.* (*a. fig. u. iro.*) Heilige(r *m*) *f*: *St Bernard (dog)* Bernhardiner (*Hund*); *St Anthony's fire* ⚕ *die* Wundrose; *St Elmo's fire meteor. das* Elmsfeuer; (*the Court of*) *St James('s) der brit. Hof*; *St-John's-wort* ⚘ *das* Johanniskraut; *St Monday Brit.* F ,blauer Montag'; *St Martin's summer* Altweibersommer; *St Paul's die* Paulskathedrale (*in London*); *St Peter's die* Peterskirche (*in Rom*); *St Valentine's day der* Valentinstag; *St Vitus's dance* ⚕ *der* Veitstanz; **II.** *v/t.* heiligsprechen; '**saint·ed** [-tid] *p.p. u. adj.* **1.** *eccl.* heilig(gesprochen); **2.** heilig, fromm; **3.** anbetungswürdig; **4.** geheiligt, geweiht (*Ort*); **5.** selig (*Verstorbener*); '**saint·hood** [-hud] *s.* (Stand *m* der) Heiligkeit *f.*

saint·like → *saintly.*

saint·li·ness ['seintlinis] *s.* Heiligkeit *f* (*a. iro.*); **saint·ly** ['seintli] *adj.* **1.** heilig; **2.** fromm; **3.** heiligmäßig (*Leben*).

saith [seθ] *obs. od. poet. 3. sg. pres. von say.*

sake [seik] *s.*: *for the ~ of* um ... (*gen.*) willen, *j-m* zuliebe; wegen (*gen.*); *for heaven's ~* um Himmels willen; *for his ~* ihm zuliebe, seinetwegen; *for my own ~ as well as yours* um meinetwillen ebenso wie um deinetwillen; *for peace' ~* um des lieben Friedens willen; *for old ~'s ~* eingedenk alter Zeiten.

sal [sæl] *s.* ⚗, *pharm.* Salz *n*: *~ ammoniac* Salmiak(salz).

sa·laam [sə'lɑːm] **I.** *s.* 'Selam *m* (*orientalischer Gruß*); **II.** *v/t. u. v/i.* mit e-m Selam *od.* e-r tiefen Verbeugung (be)grüßen.

sal·a·bil·i·ty [seilə'biliti] *s.* † Gangbarkeit *f*, Verkäuflichkeit *f*, Marktfähigkeit *f*; **sal·a·ble** ['seiləbl] *adj.* □ ✝ **1.** verkäuflich; **2.** absatz-, marktfähig, gangbar.

sa·la·cious [sə'leiʃəs] *adj.* □ **1.** geil, wollüstig; **2.** ob'szön, zotig; **sa'la·cious·ness** [-nis], **sa·lac·i·ty** [sə'læsiti] *s.* **1.** Geilheit *f*, Wollust *f*; **2.** Obszöni'tät *f*.

sal·ad ['sæləd] *s.* **1.** Sa'lat *m* (*a. fig. Durcheinander*); **2.** ⚘ Sa'lat(gewächs *n*, -pflanze *f*) *m*; **'~-days** *s. pl.*: *in my ~* in m-n wilden Jugendtagen; **'~-oil** *s.* Sa'latöl *n*.

sal·a·man·der ['sæləmændə] *s.* **1.** *zo.* Sala'mander *m*, *bsd.* echter Molch; **2.** Salamander *m* (*Feuergeist*); **3.** *j-d der große Hitze ertragen kann*; **4. a)** rotglühendes (Schür)Eisen (*zum Anzünden*), **b)** *glühende Eisenschaufel, die über Gebäck gehalten wird, um es zu bräunen*; **5.** *metall.* Ofensau *f*.

sa·la·mi [sə'lɑ:mi(:)] *s.* Sa'lami *f*; **~ tac·tics** *pl. pol.* Sa'lami,taktik *f*.

sal·a·ried ['sælərid] *adj.* **1.** (fest)bezahlt, festangestellt: *~ employee* Gehaltsempfänger(in), Angestellte(r); **2.** bezahlt (*Stellung*); **sal·a·ry** ['sæləri] **I.** *s.* Gehalt *n*, Besoldung *f*; **II.** *v/t.* (mit e-m Gehalt) bezahlen, besolden.

sale [seil] *s.* **1.** Verkauf *m*, -äußerung *f*: *by private ~* unter der Hand; *for* (*od. on*) *~* verkäuflich, zum Verkauf; *not for ~* unverkäuflich; *forced ~* Zwangsverkauf; *~ of work* Verkauf zu Wohltätigkeitszwecken; **2.** ✝ Verkauf *m*, Vertrieb *m*; → *return* 22; **3.** ✝ Ab-, 'Umsatz *m*, Verkaufsziffer *f*: *slow ~* langsamer Absatz; *to meet with a ready ~* schnellen Absatz finden, gut 'gehen'; **4.** (öffentliche) Versteigerung, Aukti'on *f*: *to put up for ~* versteigern, meistbietend verkaufen; **5.** ✝ (Sai'son-)Schlußverkauf *m*; **sale·a·bil·i·ty** *etc. bsd. Brit.* → *salability etc.*; **'sale-room** → *salesroom*.

sales| ac·count [seilz] *s.* ✝ Ver'kaufs,konto *n*; **~ a·gent** *s.* ✝ Vertreter *m*; **'~-clerk** *s.* ✝ *Am.* (Laden-)Verkäufer *m*; **~ com·mis·sion** *s.* ✝ Ver'kaufsprovisi,on *f*; **~ de·part·ment** *s.* ✝ Verkauf(sabteilung *f*) *m*; **~ drive** *s.* ✝ Ver'kaufskam,pagne *f*; **~ en·gi·neer** *s.* ✝ Ver'kaufsingeni,eur *m*; **'~-girl** *s. Am.* (Laden)Verkäuferin *f*; **'~-la·dy** *Am.* → *saleswoman*; **'~man** [-mən] *s.* [*irr.*] **1.** ✝ Verkäufer *m*; **2.** ✝ *Am.* (Handlungs)Reisende(r) *m*; **3.** *fig. Am.* Reisende(r) *m* (*of* in *dat.*); **~ man·ag·er** *s.* ✝ Verkaufsleiter *m*.

sales·man·ship ['seilzmənʃip] *s.* ✝ Verkaufsgewandtheit *f*, Geschäftstüchtigkeit *f*.

sales| pro·mo·tion *s.* ✝ Verkaufsförderung *f*; **~ re·sist·ance** *s.* ✝ Kaufabneigung *f*; **'~-room** *s.* Ver'kaufs-, *bsd.* Aukti'onsraum *m*, -lo,kal *n*; **~ talk** *s.* ✝ Verkaufsgespräch *n*; **~ tax** *s.* ✝ 'Umsatzsteuer *f*; **'~wom·an** *s.* [*irr.*] ✝ **1.** Verkäuferin *f*; **2.** *Am.* (Handlungs)Reisende *f*.

Sal·ic¹ ['sælik] *adj. hist.* salisch: *~ law* Salisches Gesetz.

sal·ic² ['sælik] *adj. min.* salisch.

sal·i·cyl·ic [sæli'silik] *adj.* Salizyl...: *~ acid*.

sa·li·ence ['seiljəns], **'sa·li·en·cy** [-si] *s.* **1.** Her'vorspringen *n*, Her'ausragen *n*; **2.** vorspringende Stelle, Vorsprung *m*: *to give ~ to e-e Sache* herausstellen, *e-r Sache* Bedeutung beimessen; **'sa·li·ent** [-nt] **I.** *adj.* **1.** (her)'vorspringend, her'ausragend: *~ angle* ausspringender Winkel; *~ point fig.* springender Punkt; **2.** *fig.* her'vorstechend, ins Auge springend; **3.** *her. u. humor.* springend; **4.** *obs. poet.* aufsteigend (*Wasserstrahl*): *~ spirits of youth fig.* überschäumende Jugend; **II.** *s.* **5.** ⚔ Frontausbuchtung *f*.

sa·lif·er·ous [sə'lifərəs] *adj.* **1.** salzbildend; **2.** *bsd. geol.* salzhaltig.

sa·line I. *adj.* ['seilain] **1.** salzig, salzhaltig, Salz...; **2.** *pharm.* sa'linisch; **II.** *s.* [sə'lain] **3.** Salzsee *m od.* -sumpf *m od.* -quelle *f*; **4.** Sa'line *f*, Salzwerk *n*; **5.** 🜲 **a)** *pl.* Salze *pl.*, **b)** Salzlösung *f*; **6.** *pharm.* sa'linisches Mittel; **sa·lin·i·ty** [sə'liniti] *s.* **1.** Salzigkeit *f*; **2.** Salzhaltigkeit *f*, Salzgehalt *m*.

sa·li·va [sə'laivə] *s.* Speichel(flüssigkeit *f*) *m*; **sal·i·var·y** ['sælivəri] *adj.* Speichel...; **sal·i·vate** ['sæliveit] **I.** *v/t.* **1.** (vermehrten) Speichelfluß her'vorrufen bei *j-m*; **II.** *v/i.* **2.** Speichelfluß haben; **3.** Speichel absondern; **sal·i·va·tion** [sæli'veiʃən] *s.* **1.** Speichelabsonderung *f*; **2.** vermehrter Speichelfluß.

sal·low¹ ['sælou] *s.* ⚘ (*bsd.* Sal-)Weide *f*.

sal·low² ['sælou] *adj.* bläßlich, fahl (*Gesichtsfarbe*); **'sal·low·ness** [-nis] *s.* Fahlheit *f*.

sal·ly ['sæli] **I.** *s.* **1.** ⚔ Ausfall *m*: *~-port hist.* Ausfallstor; **2.** *fig.* geistreicher Ausspruch *od.* Einfall, *a.* (Seiten)Hieb *m*; **3.** (Zornes)Ausbruch *m*; **II.** *v/i.* **4.** *oft ~ out* ⚔ e-n Ausfall machen, her'vorbrechen; **5.** *mst ~ forth* (*od. out*) sich aufmachen, aufbrechen.

Sal·ly Lunn ['sæli'lʌn] *s.* leichter Teekuchen.

sal·ma·gun·di [sælmə'gʌndi] *s.* **1.** Ra'gout *n*; **2.** *fig.* Mischmasch *n*.

salm·on ['sæmən] *pl.* **-mons**, *coll.* **-mon I.** *s.* **1.** *ichth.* Lachs *m*, Salm *m*; **2.** *a. ~-colo(u)r, ~ pink* Lachs(farbe *f*) *n*; **II.** *adj.* **3.** *a. ~-colo(u)red, ~-pink* lachsfarben, -rot; **~ trout** *s.* 'Lachsfo,relle *f*.

sa·lon ['sælɔ̃:ŋ; salɔ̃] (*Fr.*) *s.* **1.** Sa'lon *m* (*a. Ausstellungsraum*; *a. fig. Treffpunkt*); **2.** ♀ Salon *m* (*Kunstausstellung in Paris*).

sa·loon [sə'lu:n] *s.* **1.** Sa'lon *m* (*bsd. in Hotels etc.*), (Gesellschafts)Saal *m*: *billiard ~ Brit.* Billiardzimmer; *shaving ~* Rasiersalon; **2. a)** ✈ Salon *m* (*Aufenthaltsraum*), **b)** ⚓ *a. ~ cabin* Kabine erster Klasse, **c)** → *saloon car*, **d)** → *saloon bar*: *dining ~* 🚃 Speisesalon; *sleeping ~* 🚃 (Luxus)Schlafwagen; **3.** *Am.* Kneipe *f*; **4.** Salon *m*, Empfangszimmer *n*; **~ bar** *s. Brit.* Bar *f* erster Klasse (*in e-r Gastwirtschaft*); **~ car** *s.* **1.** *mot. Brit.* Limou'sine *f*; **2.** *a.* **~-car·riage** 🚃 Sa'lonwagen *m*; **~ deck** *s.* ⚓ Sa'londeck *n*; **~ pis·tol** *s. Brit.* 'Übungspi,stole *f*.

salt [sɔ:lt] **I.** *s.* **1.** (Koch)Salz *n*: *to eat s.o.'s ~ fig.* **a)** j-s Gast sein, **b)** von j-m abhängen; *with a grain of ~ fig.* mit Vorbehalt, cum grano salis; *not to be worth one's ~* keinen Schuß Pulver wert sein; *the ~ of the earth bibl.* das Salz der Erde; **2.** Salz(-fäßchen) *n*: *above* (*below*) *the ~* am oberen (unteren) Ende der Tafel; **3.** 🜲 Salz *n*; **4.** *oft pl.* ⚕ **a)** (*bsd.* Abführ)Salz *n*, **b)** *mst smelling ~s* Riechsalz, **c)** F → *Epsom salt*; **5.** *fig.* Würze *f*, Salz *n*; **6.** *fig.* Witz *m*, E'sprit *m*; **7.** *bsd. old ~* F alter Seebär; **II.** *v/t.* **8.** salzen, würzen (*beide a. fig.*); **9.** (ein)salzen, *bsd.* pökeln: *~ed meat* Pökel-, Salzfleisch; **10.** ✝ *sl.* **a)** *Bücher etc.* 'frisieren', **b)** *Rechnung* 'salzen', 'pfeffern', **c)** *Bohrloch etc.* (betrügerisch) 'anreichern'; **11.** *~ away* (*od. down*) **a)** einsalzen, -pökeln, **b)** *sl. Geld etc.* bei'seite legen; **III.** *adj.* **12.** salzig, Salz...: *~ spring* Salzquelle; *~ tears fig.* bittere Tränen; **13.** ⚘ halo'phil, Salz...; **14.** (ein)gepökelt.

sal·tant ['sæltənt] *adj. her.* springend; **sal·ta·tion** [sæl'teiʃən] *s.* **1.** Springen *n*; **2.** Sprung *m*; **3.** plötzlicher 'Umschwung; *biol.* Erbsprung *m*; **sal·ta·to·ry** ['sæltətəri] *adj.* **1.** springend; **2.** Spring..., Sprung...; **3.** Tanz...; **4.** *fig.* sprunghaft.

'salt-cel·lar *s.* Salzfäßchen *n*.

salt·ed ['sɔ:ltid] *adj.* **1.** gesalzen; **2.** (ein)gesalzen, gepökelt: *~ herring* Salzhering; **3.** *sl.* **a)** abgehärtet, **b)** ausgekocht, gerieben, erfahren; **'salt·ern** [-tən] *s.* ⊕ **1.** Sa'line *f*; **2.** Salzgarten *m* (*Verdunstungsbassins*).

salt·i·ness ['sɔ:ltinis] *s.* Salzigkeit *f*.

salt·ing ['sɔ:ltiŋ] **I.** *s.* **1.** (Ein)Pökeln *n*; **2.** → *salt-marsh*; **II.** *adj.* **3.** Pökel...: *~ tub* Pökelfaß.

'salt|-lick *s.* Salzlecke *f* (*für Wild*); **'~-marsh** *s.* **1.** Salzsumpf *m*; **2.** salzreiches Weideland; **'~-mine** *s.* Salzbergwerk *n*.

salt·ness ['sɔ:ltnis] *s.* Salzigkeit *f*.

'salt-pan *s.* **1.** ⊕ Salzsiedepfanne *f*; **2.** Salzpfanne *f*, Ver'dunstungsbas,sin *n*.

salt·pe·ter *Am.*, **salt·pe·tre** *Brit.* ['sɔ:ltpi:tə] *s.* 🜲 Sal'peter *m*.

'salt|-pit *s.* Salzgrube *f*; **'~-wa·ter** *adj.* Salzwasser...; **'~-works** *s. pl. oft sg. konstr.* Sa'line *f*, Salzsiede'rei *f*.

salt·y ['sɔ:lti] *adj.* **1.** salzig; **2.** *fig.* gesalzen, gepfeffert: *~ remarks*.

sa·lu·bri·ous [sə'lu:briəs] *adj.* □ heilsam, gesund, zuträglich, bekömmlich; **sa'lu·bri·ty** [-iti] *s.* Heilsamkeit *f*, Zuträglichkeit *f*.

sal·u·tar·i·ness ['sæljutərinis] → *salubrity*; **sal·u·tar·y** ['sæljutəri] *adj.* heilsam, gesund (*a. fig.*).

sal·u·ta·tion [sælju(:)'teiʃən] *s.* **1.** Begrüßung *f*, Gruß *m*: *in ~* zum Gruß; **2.** Anrede *f* (*im Brief*); **sa·lu·ta·to·ry** [sə'lju(:)tətəri] *adj.* Begrüßungs...: *~ oration bsd. ped. Am.* Begrüßungsrede, Eröffnungsansprache; **sa·lute** [sə'lu:t] **I.** *v/t.* **1.** grüßen, begrüßen (*durch e-e Geste etc.*); *weitS.* empfangen, begegnen (*dat.*): *to ~ with a smile*; **2.** (*dem Auge, dem Ohr*) begegnen, *j-n* begrüßen (*An-*

blick, Geräusch etc.); **3.** ⚔, ⚓ salutieren vor (*dat.*), grüßen; **II.** *v/i.* **4.** grüßen (*to acc.*); **5.** ⚔ (*to*) salutieren (vor *dat.*), grüßen (*acc.*); **6.** Sa'lut schießen; **III.** *s.* **7.** Gruß *m* (*a. fenc.*), Begrüßung *f*; **8.** ⚔, ⚓ **a)** Gruß *m*, Ehrenbezeigung *f*, **b)** Sa'lut *m* (*of six guns* von 6 Schuß): *~ of colo(u)rs* ⚓ Flaggensalut; *to stand at the ~* salutieren; *to take the ~* **a)** den Gruß erwidern, **b)** die Parade abnehmen, **c)** die Front (der Ehrenkompanie) abschreiten; **9.** *obs. u. humor.* (Begrüßungs)Kuß *m*.

sal·vage ['sælvidʒ] **I.** *s.* **1. a)** Bergung *f*, Rettung *f* (*Schiff, Ladung, a. brandgefährdete Güter etc.*), **b)** Bergungsgut *n*, **c)** *a. ~ money* Bergegeld *n*: *~ vessel* Bergungs-, *a.* Hebeschiff; **2.** *a. ~ work* Aufräumungsarbeiten *pl.*; **3.** ⊕ **a)** verwertbares 'Altmateri,al, **b)** 'Altmateri,alsammlung *f*, -verwertung *f*: *~ value* Schrottwert; **4.** *fig.* **a)** Rettung *f*: *~ from crime*, **b)** Gerettete *pl.*; **II.** *v/t.* **5.** bergen, retten (*a. fig.*); **6.** *Schrott etc.* sammeln *od.* verwerten; **7.** ⚔ *Am. sl.* ‚organisieren'.

sal·va·tion [sæl'veiʃən] *s.* **1.** (Er-)Rettung *f*; **2.** Heil *n*, Rettung *f*; Retter *m*; **3.** *eccl.* **a)** (Seelen)Heil *n*, **b)** Erlösung *f*: *♀ Army* Heilsarmee; **sal'va·tion·ist** [-ʃnist] *s. eccl.* Mitglied *n* der 'Heilsar,mee.

salve[1] [sɑːv] **I.** *s.* **1.** (Heil)Salbe *f*; **2.** *fig.* 'Balsam *m*, Pflaster *n*, Trost *m*; **3.** *fig.* Beruhigungsmittel *n fürs Gewissen etc.*; **II.** *v/t.* **4.** (ein)salben; **5.** *fig. Gewissen etc.* beschwichtigen; **6.** *fig. Mangel* beschönigen; **7.** *Schwierigkeit, Zweifel etc.* beheben.

salve[2] [sælv] → *salvage 5.*

sal·ver ['sælvə] *s.* Ta'blett *n*.

sal·vo[1] ['sælvou] *pl.* **-vos, -voes** *s.* **1.** ⚔ Salve *f*, Lage *f*: *~ bombing* ✈ Massenabwurf; *~ fire* **a)** ⚔ Laufsalve, **b)** ⚓ Salvenfeuer; **2.** *fig.* (*Beifalls*)Salve *f*.

sal·vo[2] ['sælvou] *pl.* **-vos** *s.* **1.** Ausflucht *f*; **2.** *bsd.* ⚖ Vorbehalt(sklausel *f*) *m*.

sal·vor ['sælvə] *s.* ⚓ **1.** Berger *m*; **2.** Bergungsschiff *n*.

Sam [sæm] *s. Brit. sl.*: *to stand ~* die Zeche zahlen; *upon my ~!* *humor.* so wahr ich hier stehe!

Sa·mar·i·tan [sə'mæritn] *s.* Samari'taner(in), Sama'riter(in): *the good ~ bibl.* der barmherzige Samariter.

same [seim] **I.** *adj.* **1.** selb, gleich, nämlich: *at the ~ price as* zu demselben Preis wie; *it comes to the ~ thing* es läuft auf dasselbe hinaus; *the very* (*od. just the od. exactly the*) *~ thing* genau dasselbe, ebendasselbe; *one and the ~ thing* ein u. dasselbe; *he is no longer the ~ man* er ist nicht mehr der gleiche *od.* der alte; → *time 4*; **II.** *pron.* **2.** der-, die-, dasselbe, der *od.* die *od.* das gleiche: *it is much the ~* es ist ziemlich das gleiche; *~ here* F so geht es mir auch, ‚ganz meinerseits'; *it is all the ~ to me* es ist mir ganz gleich *od.* einerlei; **3.** *the ~* **a)** *a.* ⚖ der- *od.* dieselbe, die besagte Person, **b)** ⚖, *eccl.* dieser, diese, dies(es); **4.** *ohne Artikel* ✝ *od.* F der- *od.* die- *od.* dasselbe: *£5 for alterations to ~*; **III.** *adv.* **5.** *the ~* in derselben Weise, genau so, ebenso (*as* wie): *all the ~* gleichviel, trotzdem; *just the ~* F. **a)** genau so, **b)** trotzdem; *the ~ to you!* (*danke,*) gleichfalls!; **'same·ness** [-nis] *s.* **1.** Gleichheit *f*, Identi'tät *f*; **2.** Einförmigkeit *f*.

sam·let ['sæmlit] *s.* junger Lachs.

sam·pan ['sæmpæn] *s.* 'Sampan *m* (*chinesisches Boot*).

sam·ple ['sɑːmpl] **I.** *s.* **1.** ✝ (Waren-, Quali'täts)Probe *f*, (Stück-, Typen-) Muster *n*: *by ~ post* (als) Muster ohne Wert; *up to ~* dem Muster entsprechend; **2.** *fig.* Probe *f*: *a ~ of his courage*; *that's a ~ of her behavio(u)r* F das ist typisch für sie; **II.** *v/t.* **3.** probieren, e-e Probe nehmen von, *bsd. Küche*: kosten; **4.** e-e Probe zeigen von; ✝ *et.* bemustern; **III.** *v/i.* **5.** *~ out* ausfallen; **IV.** *adj.* **6.** Muster...(*-buch, -karte etc.*), Probe...; **'sam·pler** [-lə] *s.* **1.** Probierer(in), Prüfer *m*; **2.** *Stickerei*: Sticktuch *n*; **'sam·pling** [-liŋ] *s.* ✝ **1.** 'Musterkollekti,on *f*; **2.** Bemusterung *f*.

Sam·son ['sæmsn] *s. fig.* Simson *m*, bärenstarker Kerl.

Sam·u·el ['sæmjuəl] *npr. u. s. bibl.* (das Buch) 'Samuel *m*.

san·a·tive ['sænətiv] *adj.* heilend, heilsam, -kräftig; **san·a·to·ri·um** [sænə'tɔːriəm] *pl.* **-ri·ums, -ri·a** [-riə] *s.* ⚕ **1.** Sana'torium *n*, *bsd.* **a)** Lungenheilstätte *f*, **b)** Erholungsheim *n*; **2.** (*bsd.* Höhen)Luftkurort *m* (*in den Tropen*); **'san·a·to·ry** [-təri] → *sanative*.

sanc·ti·fi·ca·tion [sæŋktifi'keiʃən] *s. eccl.* **1.** Heilig(mach)ung *f*; **2.** Weihung *f*, Heiligung *f*; **sanc·ti·fied** ['sæŋktifaid] *adj.* **1.** geheiligt, geweiht; **2.** heilig u. unverletzlich; **3.** → *sanctimonious*; **sanc·ti·fy** ['sæŋktifai] *v/t.* heiligen: **a)** weihen, **b)** (von Sünden) reinigen, **c)** *fig.* sanktionieren: *the end sanctifies the means* der Zweck heiligt die Mittel.

sanc·ti·mo·ni·ous [sæŋkti'mounjəs] *adj.* □ frömmelnd, scheinheilig; **sanc·ti'mo·ni·ous·ness** [-nis], **sanc·ti·mo·ny** ['sæŋktiməni] *s.* Scheinheiligkeit *f*, Frömme'lei *f*.

sanc·tion ['sæŋkʃən] **I.** *s.* **1.** Sankti'on *f*, (nachträgliche) Billigung *od.* Zustimmung: *to give one's ~ to* → *3a*; **2.** ⚖ **a)** Sanktionierung *f e-s Gesetzes etc.*, **b)** *pol.* Sanktion *f*, Zwangsmittel *n*, **c)** *gesetzliche* Strafe, **d)** *hist.* De'kret *n*; **II.** *v/t.* **3.** sanktionieren: **a)** billigen, gutheißen, **b)** dulden, **c)** *Eid etc.* bindend machen, **d)** Gesetzeskraft verleihen (*dat.*).

sanc·ti·ty ['sæŋktiti] *s.* **1.** Heiligkeit *f* (*a. fig. Unverletzlichkeit*); **2.** *pl.* heilige Dinge *pl.*

sanc·tu·ar·y ['sæŋktjuəri] *s.* **1.** Heiligtum *n* (*a. fig.*); **2.** *eccl.* Heiligtum *n*, heilige Stätte; *bsd. bibl.* Aller'heiligste(s) *n*; **3.** Frei- (*fig. a.* Zufluchts)stätte *f*, A'syl *n*: (*rights of*) *~* Asylrecht; *to break the ~* das Asylrecht verletzen; **4.** *hunt.* Schongebiet *n*.

sanc·tum ['sæŋktəm] *s.* Heiligtum *n*: **a)** heilige Stätte, **b)** *fig.* Pri'vat-, Studierzimmer *n*, **c)** innerste 'Sphäre; **~ sanc·to·rum** [sæŋk'tɔːrəm] *s. eccl.*, *a. humor. das* Aller'heiligste.

sand [sænd] **I.** *s.* **1.** Sand *m*: *built on ~ fig.* auf Sand gebaut; *rope of ~ fig.* scheinbare Sicherheit; **2.** *oft pl.* **a)** Sandbank *f*, **b)** Sand(fläche *f*, -wüste *f*) *m*: *to plough the ~(s) fig.* den Sand pflügen (*Nutzloses tun*); **3.** *mst pl.* Sand(körner *pl.*) *m*: *his ~s are running out* **s-e** Tage sind gezählt; **4.** *Am. sl.* ‚Mumm' *m* (*Mut*); **II.** *v/t.* **5.** mit Sand bestreuen; **6.** schmirgeln.

san·dal[1] ['sændl] *s.* San'dale *f*; **'san·dal(l)ed** [-ld] *adj.* mit San'dalen (bekleidet).

san·dal[2] ['sændl], **'~·wood** *s.* ⚘ **1.** (rotes) Sandelholz; **2.** Sandelbaum *m*.

'sand|-bag [-ndb-] **I.** *s.* **1.** Sandsack *m*; **II.** *v/t.* **2.** *bsd.* ⚔ mit Sandsäcken befestigen; **3.** mit e-m Sandsack niederschlagen; **'~·bank** [-ndb-] *s.* Sandbank *f*; **'~-bath** [-ndb-] *s.* ⚗ Sandbad *n*; **'~-blast** [-ndb-] ⊕ **I.** *s.* Sandstrahl(gebläse *n*) *m*; **II.** *v/t.* (mit Sandstrahl) abblasen; **'~-box** [-ndb-] *s.* **1.** *hist.* Streusandbüchse *f*; **2.** *Gießerei*: Sandform *f*; **3.** Sandstreuer *m* (*Lokomotive*); **4.** *Golf*: Sandkasten *m*; **'~·boy** [-ndb-] *s.*: *as happy as a ~* kreuzfidel; **'~-drift** *s. geol.* Flugsand *m*.

sand·er ['sændə] *s.* ⊕ **1.** → *sandbox 3*; **2.** Sandstrahlgebläse *n*; **3.** 'Sandpa,pier,schleifma,schine *f*.

'sand|-glass *s.* Sanduhr *f*, Stundenglas *n*; **'~-grouse** *s. orn. ein* Flughuhn *n*; **'~-hill** *s.* Sanddüne *f*, -hügel *m*; **'~·man** [-ndmæn] *s.* [*irr.*] Sandmann *m* (*Einschläferer*); **'~-mar·tin** [-ndm-] *s. orn.* Uferschwalbe *f*; **'~·pa·per** [-ndp-] **I.** *s.* 'Sandpa,pier *n*; **II.** *v/t.* (ab-) schmirgeln; **'~·pip·er** [-ndp-] *s. orn.* Flußuferläufer *m*; **'~-pit** [-ndp-] *s.* Sandgrube *f*; **'~-shoes** *s. pl.* Strandschuhe *pl.*; **'~-spout** *s.* Sandhose *f*; **'~·stone** *s. geol.* Sandstein *m*; **'~-storm** *s.* Sandsturm *m*; **'~-ta·ble** *s.* ⚔ Sandkasten *m*.

sand·wich ['sænwidʒ] **I.** *s.* 'Sandwich *n* (*zwei Brotscheiben mit Belag dazwischen*): *to sit ~ fig.* eingezwängt sitzen; **II.** *v/t. a. ~ in fig.* einlegen, schieben; einklemmen, -zwängen; *sport Gegner* ‚in die Zange nehmen'; **'~-man** [-mæn] *s.* [*irr.*] 'Sandwichman *m*, Pla'katträger *m*.

sand·y[1] ['sændi] *adj.* **1.** sandig, Sand...: *~ desert* Sandwüste; **2.** *fig.* sandfarben; rotblond (*Haare*); **3.** sandartig.

Sand·y[2] ['sændi] *s.* **1.** *bsd. Scot. Kurzform für Alexander*; **2.** (*Spitzname für*) Schotte *m*.

sane [sein] *adj.* □ **1.** geistig gesund *od.* nor'mal; **2.** vernünftig, gescheit.

San·for·ize ['sænfəraiz] *v/t.* sanforisieren (*Gewebe gegen Einlaufen behandeln*; *Handelsbezeichnung*).

sang [sæŋ] *pret. u. p.p. von sing.*

sang-froid ['sɑ̃ːŋ'frwɑː; sɑ̃frwa] (*Fr.*) *s.* Kaltblütigkeit *f*.

San·grail [sæŋ'greil], **San·gre·al** ['sæŋgreil] *s.* der Heilige Gral.

san·gui·nar·y ['sæŋgwinəri] *adj.* □ **1.** blutig, mörderisch (*Kampf etc.*); **2.** blutdürstig, grausam: *a ~ person*; *~ laws*; **3.** blutig, Blut...; **san·guine**

['sæŋgwin] **I.** *adj.* □ **1.** heiter, lebhaft, leichtblütig; **2.** 'voll-, heißblütig, hitzig; **3.** 'zuversichtlich (*a. Bericht, Hoffnung etc.*): *to be ~ of success* zuversichtlich auf Erfolg rechnen; **4.** rot, blühend, von gesunder Gesichtsfarbe; **5.** ⚕ *hist.* sangu'inisch; **6.** (blut)rot; **II.** *s.* **7.** Rötelstift *m*; **8.** Rötelzeichnung *f*; **san·guin·e·ous** [sæŋ'gwiniəs] *adj.* **1.** Blut..., blutig; **2.** → *sanguine I.*

sa·ni·es ['seinii:z] *s.* ⚕ pu'trider Eiter, Jauche *f.*

san·i·tar·i·an [sæni'tɛəriən] **I.** *adj.* **1.** sani'tär, Gesundheits...; **II.** *s.* **2.** Hygi'eniker *m*; **3.** Ge'sundheitsa₁postel *m*; **san·i'tar·i·um** [-riəm] *pl.* **-i·ums, -i·a** [-iə] *s. bsd. Am.* **1.** Sana'torium *n*; **2.** Kurort *m*; **san·i·tar·y** ['sænitəri] **I.** *adj.* □ **1.** hygi'enisch, Gesundheits...; ⊕ sani'tär: *~ towel* (*Am. napkin*) Damenbinde; **2.** hygi'enisch (einwandfrei), gesund; **II.** *s.* **3.** *a. pl. Am.* öffentliche Bedürfnisanstalt; **san·i'ta·tion** [-'teiʃən] *s.* **1.** Sanierung *f*; **2.** sani'täre Einrichtungen *pl.* (*in Gebäuden*); **3.** Gesundheitspflege *f*, -wesen *n.*

san·i·ty ['sæniti] *s.* **1.** geistige Gesundheit; *bsd.* ⚖ Zurechnungsfähigkeit *f*; **2.** gesunder Verstand, Vernunft *f.*

sank [sæŋk] *pret. von sink.*

san·se·rif [sæn'serif] *s. typ.* Gro'tesk *f.*

San·skrit ['sænskrit] *s.* Sanskrit *n.*

San·ta Claus [sæntə'klɔ:z] *npr.* Nikolaus *m*, der Weihnachtsmann.

sap[1] [sæp] **I.** *s.* **1.** ♀ Saft *m*; **2.** *fig.* (Lebens)Saft *m*, (-)Kraft *f*, Mark *n*; **3.** *a. ~-wood* Splint(holz *n*) *m*; **II.** *v/t.* **4.** entsaften.

sap[2] [sæp] **I.** *s.* **1.** ⚔ Sappe *f*, Grabenkopf *m*; **II.** *v/t.* **2.** (*a. fig. Gesundheit etc.*) unter'graben, -mi'nieren; **3.** *Kräfte etc.* erschöpfen, schwächen.

sap[3] [sæp] *ped. Brit. sl.* **I.** *s.* **1.** ‚Büffler' *m*, Streber *m*; **2.** ‚Büffe'lei' *f*; **3.** *Am. sl.* Trottel *m*; **II.** *v/i.* **4.** ‚büffeln', ‚ochsen'.

sap[4] [sæp] *Am. sl.* **I.** *s.* Totschläger *m* (*Waffe*); **II.** *v/t. j-n* bewußtlos schlagen.

'sap-head *s.* **1.** ⚔ Sappenkopf *m*; **2.** → *sap*[3] *3.*

sap·id ['sæpid] *adj.* **1.** e-n Geschmack habend; **2.** schmackhaft; **3.** *fig.* interes'sant; **sa·pid·i·ty** [sə'piditi] *s.* Schmackhaftigkeit *f.*

sa·pi·ence ['seipjəns] *s.* **1.** *mst iro.* Weisheit *f*; **2.** Scheinweisheit *f*; **'sa·pi·ent** [-nt] *adj.* □ *mst iro.* weise.

sap·less ['sæplis] *adj.* saftlos (*a. fig. kraftlos*).

sap·ling ['sæpliŋ] *s.* **1.** junger Baum, Schößling *m*; **2.** *fig.* Grünschnabel *m*, Jüngling *m*; **3.** junger Windhund.

sap·o·na·ceous [sæpou'neiʃəs] *adj.* **1.** seifenartig, seifig; **2.** *fig.* glatt.

sa·pon·i·fi·ca·tion [səpɔnifi'keiʃən] *s.* ⚗ Verseifung *f*; **sa·pon·i·fy** [sə'pɔnifai] *v/t. u. v/i.* verseifen.

sap·per ['sæpə] *s.* ⚔ Pio'nier *m*, Sap'peur *m.*

Sap·phic ['sæfik] **I.** *adj.* 'sapphisch; **II.** *s.* sapphischer Vers.

sap·phire ['sæfaiə] **I.** *s.* **1.** *min.* Saphir *m*; **2.** *a. ~ blue* Saphirblau *n*; **3.** *orn.* Saphirkolibri *m*; **II.** *adj.* **4.** saphirblau; **5.** Saphir...

sap·pi·ness [sæpinis] *s.* Saftigkeit *f*; **sap·py** ['sæpi] *adj.* **1.** saftig; **2.** *fig.* kraftvoll, markig; **3.** *sl.* blöd, doof.

Sar·a·cen ['særəsn] **I.** *s.* Sara'zene *m*, Sara'zenin *f*; **II.** *adj.* sara'zenisch.

sar·casm ['sɑ:kæzəm] *s.* Sar'kasmus *m*: **a)** beißender Spott, **b)** sar'kastische Bemerkung; **sar·cas·tic** [sɑ:'kæstik] *adj.* (□ *~ally*) sarkastisch.

sar·co·ma [sɑ:'koumə] *pl.* **-ma·ta** [-mətə] *s.* ⚕ Sar'kom *n* (*Geschwulst*); **sar'coph·a·gous** [-'kɔfəgəs] *adj. zo.* fleischfressend; **sar'coph·a·gus** [-'kɔfəgəs] *pl.* **-gi** [-gai] *s.* Sarko'phag *m.*

sard [sɑ:d] *s. min.* Sard(er) *m.*

sar·dine[1] [sɑ:'di:n] *pl.* **sar·dines** *od. coll.* **sar·dine** *s. ichth.* Sar'dine *f*: *packed like ~s* zs.-gepfercht wie die Heringe.

sar·dine[2] ['sɑ:dain] → *sard.*

sar·don·ic [sɑ:'dɔnik] *adj.* (□ *~ally*) sar'donisch, 'zynisch.

sar·do·nyx ['sɑ:dəniks] *s.* **1.** *min.* Sar'donyx *m*; **2.** *her.* Blutrot *n.*

sa·ri ['sɑ:ri(:)] *s.* 'Sari *m.*

sark [sɑ:k] *s. Scot. od. dial.* Hemd *n.*

sa·rong [sə'rɔŋ] *s.* 'Sarong *m.*

sar·sen ['sɑ:sn] *s. geol.* großer Sandsteinblock.

sar·to·ri·al [sɑ:'tɔ:riəl] *adj.* □ **1.** Schneider...; **2.** Kleidung(s)...: *~ elegance* Eleganz der Kleidung; **sar'to·ri·us** [-riəs] *s. anat.* Schneidermuskel *m.*

sash[1] [sæʃ] *s.* Schärpe *f.*

sash[2] [sæʃ] *s.* **1.** (schiebbarer) Fensterrahmen; **2.** schiebbarer Teil *e-s Schiebefensters*; **'~-saw** *s.* ⊕ Schlitzsäge *f*; **'~-win·dow** *s.* Schiebe-, Fallfenster *n.*

Sas·se·nach ['sæsənæk] *Scot. u. Irish* **I.** *s.* ‚Sachse' *m*, Engländer *m*; **II.** *adj.* englisch.

sat [sæt] *pret. u. p.p. von sit.*

Sa·tan ['seitən] *s.* 'Satan *m*, Teufel *m* (*fig.* ♀); **sa·tan·ic** [sə'tænik] *adj.* (□ *~ally*) sa'tanisch, teuflisch.

satch·el ['sætʃəl] *s.* Schultasche *f*, -mappe *f*, *bsd.* Schulranzen *m.*

sate[1] [seit] *v/t.* über'sättigen: *to be ~d with* übersättigt sein von.

sate[2] [sæt; seit] *obs. für sat.*

sa·teen [sæ'ti:n] *s.* ('Baum)Wollsa₁tin *m.*

sate·less ['seitlis] *adj. poet.* unersättlich.

sat·el·lite ['sætəlait] *s.* **1.** *ast.* Tra'bant *m*, (*a. künstlicher*) Satel'lit; **2.** Tra'bant *m*, Anhänger *m*; **3.** *fig.* **a)** *a. ~ nation pol.* Satel'lit(enstaat) *m*, **b)** *a. ~ town* Tra'bantenstadt *f*, **c)** *a. ~ airfield* Ausweichflugplatz *m*; **~ pic·ture** *s. phot.* Satel'litenbild *n.*

sa·ti·ate ['seiʃieit] *v/t.* **1.** über'sättigen; **2.** vollauf sättigen *od.* befriedigen; **sa·ti·a·tion** [seiʃi'eiʃən] *s.* (Über)'Sättigung *f*; **sa·ti·e·ty** [sə'taiəti] *s.* **1.** (*of*) Übersättigung *f* (mit), 'Überdruß *m* (an *dat.*): *to ~* bis zum Überdruß; **2.** Sattheit *f.*

sat·in ['sætin] **I.** *s.* ⊕ **1.** Sa'tin *m*, 'Atlas *m* (*Stoff*); **2.** *a. white ~ sl.* Gin *m*; **II.** *adj.* **3.** Satin...; **4. a)** seidenglatt, **b)** glänzend; **III.** *v/t.* **5.** ⊕ satinieren, glätten; **sat·i'net(te)** [sæti'net] *s.* Halbatlas *m.*

'sat·in|-fin·ished *adj.* ⊕ mattiert; **~ pap·er** *s.* satiniertes Pa'pier, 'Atlaspa₁pier *n.*

sat·in·y ['sætini] *adj.* seidig.

sat·ire ['sætaiə] *s.* **1.** Sa'tire *f*, *bsd.*: **a)** Spottgedicht *n*, -schrift *f* ([*up*]*on* auf *acc.*), **b)** sa'tirische Litera'tur, **c)** Spott *m*; **2.** *fig.* Hohn *m* ([*up*]*on* auf *acc.*); **sa·tir·ic** *adj.*; **sa·tir·i·cal** [sə'tirik(əl)] *adj.* □ sa'tirisch; **sat·i·rist** ['sætərist] *s.* Sa'tiriker(in); **sat·i·rize** ['sætəraiz] *v/t.* verspotten, e-e Sa'tire machen auf (*acc.*).

sat·is·fac·tion [sætis'fækʃən] *s.* **1.** Befriedigung *f*, Zu'friedenstellung *f*: *to find ~ in* Befriedigung finden in (*dat.*); *to give ~* befriedigen; **2.** (*at, with*) Zufriedenheit *f* (mit), Befriedigung *f*, Genugtuung *f* (über *acc.*): *to the ~ of all* zur Zufriedenheit aller; **3.** *eccl.* Sühne *f*; **4.** Satisfakti'on *f*, Genugtuung *f* (*Duell etc.*); **5.** ⚖, ✝ Befriedigung *f e-s Anspruchs*; Erfüllung *f e-r Verpflichtung*; (Be)Zahlung *f e-r Schuld*; **6.** Gewißheit *f*: *to show to the court's ~* ⚖ einwandfrei glaubhaft machen; **sat·is'fac·to·ri·ness** [-ktərinis] *s. das* Befriedigende; **sat·is'fac·to·ry** [-ktəri] *adj.* □ **1.** befriedigend, zu'friedenstellend; **2.** *eccl.* sühnend; **sat·is·fy** ['sætisfai] **I.** *v/t.* **1.** befriedigen, zu'friedenstellen, genügen (*dat.*): *to be satisfied with s.th.* mit et. zufrieden sein; **2. a)** *j-n* sättigen, **b)** *Hunger etc., a. Neugier* stillen, **c)** *fig. Wunsch* erfüllen, *Bedürfnis, a. Trieb* befriedigen; **3.** ✝ *Anspruch* befriedigen; *Schuld* begleichen, tilgen; *e-r Verpflichtung* nachkommen; *Bedingungen,* ⚖ *a. Urteil* erfüllen; **4. a)** *j-n* entschädigen, **b)** *Gläubiger* befriedigen; **5.** *den Anforderungen* entsprechen, genügen; **6.** ℞ *Bedingung, Gleichung* erfüllen; **7.** *j-n* über'zeugen (*of* von): *to ~ o.s. that* sich überzeugen *od.* vergewissern, daß; *I am satisfied that* ich bin davon (*od.* habe mich) überzeugt, daß; **II.** *v/i.* **8.** befriedigen; **sat·is·fy·ing** ['sætisfaiiŋ] *adj.* □ **1.** befriedigend, zu'friedenstellend; **2.** sättigend.

sa·trap ['sætrəp] *s. hist. u. fig.* Sa'trap *m.*

sat·u·rant ['sætʃərənt] **I.** *adj.* **1.** *bsd.* ⚗ sättigend; **II.** *s.* **2.** neutralisierender Stoff; **3.** ⚕ Mittel *n* gegen Magensäure; **sat·u·rate** ['sætʃəreit] *v/t.* **1.** ⚗ *u. fig.* sättigen, saturieren (*a.* ✝ *Markt*); **2.** (durch)'tränken, durch'setzen: *to be ~d with fig.* erfüllt *od.* durchdrungen sein von; **3.** ⚔ mit Bombenteppichen belegen; **sat·u·rat·ed** ['sætʃəreitid] *adj.* **1.** durch'tränkt, -'setzt, gesättigt; **2.** tropfnaß; **3.** satt (*Farbe*); **4.** ⚗ **a)** gesättigt, **b)** reakti'onsträge.

sat·u·ra·tion [sætʃə'reiʃən] *s.* **1.** ⚗, ⊕ *u. fig.* Sättigung *f*; **2.** (Durch-)'Tränkung *f*, Durch'setzung *f*; **3.** Durch'feuchtung *f*; **4.** Sattheit *f* (*Farbe*); **~ bomb·ing** *s.* ⚔ Bombenteppich(e *pl.*) *m*; **~ point** *s.* ⚗ Sättigungspunkt *m.*

Sat·ur·day ['sætədi] *s.* Sonnabend *m*, Samstag *m*: *on ~* am Sonnabend

od. Samstag; *on* ~*s* sonnabends, samstags.
Sat·urn ['sætən] **I.** *s. antiq.* Sa'turn(us) *m (Gott)*; **2.** *ast.* Saturn *m (Planet)*; **3.** ⚗ *hist.* Blei *n*; **4.** *her.* Schwarz *n*; **Sat·ur·na·li·a** [sætə:'neiljə] *s. pl. antiq.* Satur'nalien *pl.*; **Sat·ur·na·li·an** [sætə:'neiljən] *adj.* **1.** *antiq.* satur'nalisch; **2.** ♀ *fig.* orgi'astisch; **Sa·tur·ni·an** [sæ'tə:njən] *adj.* **1.** *ast.* Saturn...; **2.** *myth., a. fig. poet.* sa'turnisch: ~ *age fig.* goldenes Zeitalter; **'sat·ur·nine** [-nain] *adj.* □ **1.** düster, finster *(Person, Gesicht etc.)*; **2.** ♀ im Zeichen des Sa'turn geboren; **3.** *min.* Blei...
sat·yr ['sætə] *s.* **1.** *oft* ♀ *myth.* 'Satyr *m (Waldgott)*; **2.** *fig.* Satyr *m (geiler Kerl)*; **3.** ⚕ ˌSatyro'mane *m*; **sat·y·ri·a·sis** [sætə'raiəsis] *s.* ⚕ Saty'riasis *f (abnormer Geschlechtstrieb beim Mann)*; **sa·tyr·ic** [sə'tirik] *adj.* Satyr..., 'satyrhaft.
sauce [sɔ:s] **I.** *s.* **1.** Sauce *f*, Soße *f*, Tunke *f*: *hunger is the best* ~ Hunger ist der beste Koch; *what is* ~ *for the goose is* ~ *for the gander* was dem einen recht ist, ist dem andern billig; **2.** *fig.* Würze *f*; **3.** *Am.* Kom'pott *n*; **4.** F Frechheit *f*; **5.** ⊕ **a)** Beize *f*, **b)** ('Tabak)Brühe *f*; **II.** *v/t.* **6.** mit Soße würzen; **7.** *fig.* würzen; **8.** F unverschämt reden mit; **'~-boat** *s.* Saucière *f*, Soßenschüssel *f*; **'~-dish** *s. Am.* Kom'pottschüssel *f*, -schale *f*; **'~·pan** [-pən] *s.* Kochtopf *m*, Kasse'rolle *f*.
sau·cer ['sɔ:sə] *s.* 'Untertasse *f*; ~ **eye** [-ərai] *s.* Glotz-, Kullerauge *n*; **'~-eyed** [-əraid] *adj.* glotzäugig.
sau·ci·ness ['sɔ:sinis] *s.* **1.** Frechheit *f*; **2.** F Keßheit *f*; **sau·cy** ['sɔ:si] *adj.* □ **1.** frech, unverschämt; **2.** F keß, flott, frech: *a* ~ *hat*.
sauer·kraut ['sauəkraut] *(Ger.) s.* Sauerkraut *n*.
sau·na ['saunə] *s.* Sauna *f*.
saun·ter ['sɔ:ntə] **I.** *v/i.* **1.** schlendern; **2.** *a.* ~ *about* um'herschlendern, bummeln; **II.** *s.* **3.** (Um'her-)Schlendern *n*, Bummel *m*.
sau·ri·an ['sɔ:riən] *zo.* **I.** *s.* Saurier *m*; **II.** *adj.* Saurier..., Eidechsen...
sau·sage ['sɔsidʒ] *s.* **1.** Wurst *f*; **2.** *a.* ~ *balloon* ⚔ *sl.* 'Fesselbalˌlon *m*; **3.** *sl.* Deutsche(r *m*) *f*; ~ **roll** *s.* 'Wurstpaˌstete *f*.
sau·té ['soutei] *(Fr.) adj. Küche*: sau'té, sautiert *(in wenig Fett schnell gebraten)*.
sav·age ['sævidʒ] **I.** *adj.* □ **1.** *allg.* wild: **a)** primi'tiv *(Volk etc.)*, **b)** ungezähmt *(Tier)*, **c)** bru'tal, grausam, **d)** F wütend, **e)** wüst *(Landschaft)*; **II.** *s.* **2.** Wilde(r *m*) *f*; **3.** Rohling *m*; **4.** bösartiges Tier, *bsd.* bissiges Pferd; **III.** *v/t.* **5.** *j-n* brutal behandeln; **6.** *j-n* anfallen, beißen *(Pferd)*; **'sav·age·ness** [-nis] *s.* **1.** Wildheit *f*, Roheit *f*, Grausamkeit *f*; **2.** Wut *f*, Bissigkeit *f*; **'sav·age·ry** [-dʒəri] *s.* **1.** Unzivilisiertheit *f*, Wildheit *f*; **2.** Roheit *f*, Grausamkeit *f*.
sa·van·na(h) [sə'vænə] *s. geogr.* Sa'vanne *f*.
sa·vant ['sævənt] *s.* Gelehrte(r) *m*.
save¹ [seiv] **I.** *v/t.* **1.** (er)retten *(from* von, vor *dat.)*: *to* ~ *s.o.'s life* j-m das Leben retten; **2.** ⚓ bergen; **3.** bewahren, schützen *(from* vor *dat.)*: *God* ~ *the Queen* Gott erhalte die Königin; *to* ~ *the situation* die Situation retten; → *appearance 3, face 4, harmless 2*; **4.** *Geld etc.* sparen, einsparen: *to* ~ *time* Zeit gewinnen *od.* sparen; **5.** (auf)sparen, aufheben, -bewahren: ~ *it! sl.* ‚geschenkt'!, halt's Maul!; → *breath 1*; **6.** *a. Augen* schonen; schonend *od.* sparsam 'umgehen mit; **7.** *j-m e-e Mühe etc.* ersparen: *it* ~*d me the trouble of going there*; **8.** *eccl.* retten, erlösen; **9.** *Brit.* ausnehmen: ~ *the mark!* verzeihen Sie die Bemerkung!; ~ *your presence (od. reverence)* mit Verlaub; **10.** *a.* ~ *up* aufsparen; **II.** *v/i.* **11.** sparen; **12.** *sport* ‚retten', (den Ball) abwehren; **III.** *s.* **13.** *sport* Pa'rade *f (Tormann)*.
save² [seiv] *prp. u. cj.* außer *(dat.)*, mit Ausnahme von *(od. gen.)*, ausgenommen *(nom.)*, abgesehen von: ~ *for* bis auf *(acc.)*; ~ *that* abgesehen davon, daß; nur, daß.
sav·e·loy ['sæviləi] *s.* Zerve'latwurst *f*.
sav·er ['seivə] *s.* **1.** Retter(in); **2.** Sparer(in); **3.** sparsames Gerät *etc.*: *the new range is a coal-*~ der neue Herd spart Kohlen.
sav·ing ['seiviŋ] **I.** *adj.* □ **1.** sparsam (of mit); **2.** ...sparend: *labo(u)r-*~; **3.** rettend: ~ *grace eccl.* seligmachende Gnade; **4.** ⚖ Vorbehalts...: ~ *clause* Vorbehalt(sklausel); **II.** *s.* **5.** (Er)Rettung *f*; **6. a)** Sparen *n*, **b)** Ersparnis *f*, Einsparung *f*: ~ *of time* Zeitersparnis; **7.** *pl.* Ersparnis(se *pl.*) *f*; Spargeld(er *pl.*) *n*; **8.** ⚖ Vorbehalt *m*; **III.** *prp. u. cj.* **9.** außer *(dat.)*, ausgenommen: ~ *your presence (od. reverence)* mit Verlaub.
'sav·ings|-ac·count ['seiviŋz] *s.* Spar(kassen)konto *n*, -guthaben *n*; **'~-bank** *s.* Sparkasse *f*: ~ *(deposit) book* Spar(kassen)buch; **'~-de·pos·it** *s.* Spareinlage *f*.
sav·io(u)r ['seivjə] *s.* (Er)Retter *m*, Erlöser *m*: ♀ *eccl.* Heiland.
sa·voir| faire ['sævwɑ:'fɛə] *(Fr.) s.* Gewandtheit *f*, Takt(gefühl *n*) *m*; ~ **vi·vre** [vi:vr] *(Fr.) s.* feine Lebensart, Gewandtheit *f*; Lebensklugheit *f*.
sa·vo(u)r ['seivə] **I.** *s.* **1.** (Wohl)Geschmack *m*; **2.** *bsd. fig.* Würze *f*, Reiz *m*; **3.** *fig.* Beigeschmack *m*, Anstrich *m*; **II.** *v/t.* **4.** *bsd. fig.* genießen, auskosten; **5.** *bsd. fig.* würzen; **6.** *fig.* e-n Beigeschmack *od.* Anstrich haben von, schmecken nach; **III.** *v/i.* **7.** *a. fig.* schmecken *od.* riechen (of nach); **'sa·vo(u)r·i·ness** [-vərinis] *s.* Wohlgeschmack *m*, -geruch *m*, Schmackhaftigkeit *f*; **'sa·vo(u)r·less** [-lis] *adj.* geschmack-, geruchlos, fade.
sa·vo(u)r·y¹ ['seivəri] **I.** *adj.* □ **1.** wohlschmeckend, -riechend, schmackhaft; **2.** *a. fig.* appe'titlich, angenehm: *not* ~ → *unsavo(u)ry*; **3.** würzig, pi'kant *(a. fig.)*; **II.** *s.* **4.** *Brit.* pi'kante Vor- *od.* Nachspeise.
sa·vo(u)r·y² ['seivəri] *s.* Bohnenkraut *n*.
sa·voy [sə'vɔi] *s.* Wirsingkohl *m*.
Sa·voy·ard [sə'vɔiɑ:d] **I.** Savoy'arde *m*, Savoy'ardin *f*; **II.** *adj.* savoy'ardisch.
sav·vy ['sævi] *sl.* **I.** *v/t.* ‚kapieren', verstehen; **II.** *s.* ‚Köpfchen' *n*, Verstand *m*.
saw¹ [sɔ:] *pret. von* see¹.
saw² [sɔ:] *s.* Sprichwort *n*.
saw³ [sɔ:] **I.** *s.* ⊕ Säge *f*: *singing (od. musical)* ~ ♪ singende Säge; **II.** *v/t.* [*irr.*] sägen: *to* ~ *down Baum* umsägen; *to* ~ *off* absägen; *to* ~ *out Bretter* zuschneiden; *to* ~ *up* zersägen; *to* ~ *the air (with one's hands)* (mit den Händen) herumfuchteln; **III.** *v/i.* [*irr.*] sägen.
'saw|·bones *s. pl. sg. konstr. sl.* ‚Knochenbrecher' *m (Chirurg)*; **'~·buck** *s. Am.* **1.** Sägebock *m*; **2.** *sl.* 10- *od.* 20-Dollar-Note *f*; **'~·dust** *s.* Sägemehl *n*: *to let the* ~ *out of fig.* die Hohlheit zeigen von; **'~·fish** *s. ichth.* Sägefisch *m*; **'~·fly** *s. zo.* Säge-, Blattwespe *f*; **'~-frame**, **'~-gate** *s.* ⊕ Sägegatter *n*; **'~-horse** *s.* Sägebock *m*; **'~·mill** *s.* Sägewerk *n*, -mühle *f*.
sawn [sɔ:n] *p.p. von saw*³.
Saw·ney ['sɔ:ni] *s.* F **1.** *(Spitzname für)* Schotte *m*; **2.** ♀ Trottel *m*.
'saw|-set *s.* ⊕ Schränkeisen *n*: ~ *pliers* Schränkzange; **'~-tooth I.** *s.* **1.** Sägezahn *m*; **II.** *adj.* **2.** Sägezahn...: ~ *roof* Säge-, Scheddach; **3.** ⚡ **a)** Sägezahn... *(-antenne, -strom etc.)*, **b)** Kipp... *(-spannung etc.)*; **'~-toothed** *adj.* säge(zahn)förmig; **'~-wort** *s.* ⚘ Färberdistel *f*.
saw·yer ['sɔ:jə] *s.* Säger *m*.
Saxe [sæks] *s.* **1.** Sächsischblau *n*; **2.** ♀ *phot. Brit. ein* photo'graphisches Pa'pier.
sax·horn ['sækshɔ:n] *s.* ♪ Saxhorn *n*, 'SaxtromˌpeteIf *f*.
sax·i·frage ['sæksifridʒ] *s.* ⚘ Steinbrech *m*.
Sax·on ['sæksn] **I.** *s.* **1.** Sachse *m*, Sächsin *f*; **2.** *hist.* (Angel)Sachse *m*, (Angel)Sächsin *f*; **3.** *ling.* Sächsisch *n*; **II.** *adj.* **4.** sächsisch; **5.** (alt-, angel)sächsisch, *ling. oft* ger'manisch: ~ *genitive* sächsischer Genitiv; ~ **blue** → *Saxe 1*; **'Sax·o·ny** [-ni] *s.* **1.** *geogr.* Sachsen *n*; **2.** ♀, *a.* ~ *cloth* feiner, glänzender Wollstoff.
sax·o·phone ['sæksəfoun] *s.* ♪ Saxo'phon *n*; **sax·o·phon·ist** [sæk'sɔfənist] *s.* Saxopho'nist(in).
say [sei] **I.** *v/t.* [*irr.*] **1.** *et.* sagen, sprechen; **2.** sagen, äußern, berichten: *he has nothing to* ~ *for himself* **a)** er ist sehr zurückhaltend, **b)** *contp.* mit ihm ist nicht viel los; *have you nothing to* ~ *for yourself?* hast du nichts zu deiner Rechtfertigung zu sagen?; *to* ~ *nothing of* ganz zu schweigen von, geschweige; *the Bible* ~*s* die Bibel sagt, in der Bibel heißt es; *people (od. they)* ~ *he is ill, he is said to be ill* man sagt *od.* es heißt, er sei krank, er soll krank sein; *you may well* ~ *so* das kann man wohl sagen; **3.** sagen, behaupten, versprechen: *you said you would come*; → *soon 2*; **4. a)** *a.* ~ *over Gedicht etc.* auf-, hersagen, **b)** *Gebet* sprechen, **c)** *R.C. Messe* lesen; **5.** (be)sagen, bedeuten: *that is to* ~ das heißt; *$500,* ~*, five hundred dollars* $500, in Worten: fünfhundert Dollar; *that is* ~*ing a great deal* das will viel heißen; **6.** annehmen: *(let us)* ~ *it happens* angenommen,

es passiert; *a sum of*, ~, $20 e-e Summe von, sagen wir (mal), *od.* von etwa $20; *I should* ~ ich dächte, ich würde sagen; **II.** *v/i.* [*irr.*] **7.** sagen, meinen: *it is hard to* ~ es ist schwer zu sagen; *what do you* ~ (*od. what* ~ *you*) *to* ...? was hältst du von ...?, wie wäre es mit ...?; *you don't* ~ (*so*)! was Sie nicht sagen!, nicht möglich!; *it* ~*s* es lautet (*Schreiben etc.*); *it* ~*s here* hier steht (*geschrieben*), hier heißt es; **8.** *I* ~! *int.* **a)** hör(en Sie) mal!, sag(en Sie) mal!, **b)** *erstaunt od. beifällig*: Donnerwetter!; **III.** *s.* **9.** *to have one's* ~ (*to od. on*) s-e Meinung äußern (über *acc. od.* zu); **10.** Mitspracherecht *n*: *to have a* (*no*) ~ *in* et. (nichts) zu sagen haben bei; *it is my* ~ *now!* jetzt rede ich!; **11.** *a. final* ~ endgültige Entscheidung: *who has the* ~ *in this matter?* wer hat in dieser Sache zu entscheiden *od.* das letzte Wort zu reden?

say·est ['seiist] *obs. 2. sg. pres. von say*: *thou* ~ du sagst.

say·ing ['seiiŋ] *s.* **1.** Reden *n*: *it goes without* ~ es ist selbstverständlich; *there is no* ~ man kann nicht sagen *od.* wissen (*ob, wann etc.*); **2.** Ausspruch *m*; **3.** Sprichwort *n*, Redensart *f*: *as the* ~ *goes* (*od. is*) wie es (im Sprichwort) heißt, wie man sagt; **'say-so** *s. Brit. dial. od. Am.* F **1.** (bloße) Behauptung; **2.** → *say 11*.

sayst [seist] → *sayest*.

scab [skæb] **I.** *s.* **1.** ⚕ **a)** (Wund-) Schorf *m*, **b)** Krätze *f*; **2.** *vet.* Räude *f*; **3.** ⚘ Schorf *m*; **4.** *sl.* Schuft *m*, Lump *m*; **5.** *sl.* **a)** Streikbrecher (-in), **b)** Nichtgewerkschaftler *m*: ~ *work* Schwarzarbeit, *a.* Arbeit unter Tariflohn; **6.** ⊕ Gußfehler *m*; **II.** *v/i.* **7.** verschorfen, sich verkrusten; **8.** *a.* ~ *it sl.* als Streikbrecher *od.* unter Ta'riflohn arbeiten.

scab·bard ['skæbəd] *s.* (Degen- *etc.*)Scheide *f*.

scabbed ['skæbd] *adj.* **1.** → *scabby*; **2.** ⚘ schorfig.

scab·by ['skæbi] *adj.* □ **1.** ⚕ schorfig, grindig; **2.** *vet.* räudig; **3.** F schäbig, schuftig.

sca·bi·es ['skeibii:z] → *scab 1 b u. 2*.

sca·bi·ous[1] ['skeibjəs] *adj.* **1.** ⚕ skabi'ös, krätzig; **2.** *vet.* räudig.

sca·bi·ous[2] ['skeibjəs] *s.* ⚘ Skabi'ose *f*.

sca·brous ['skeibrəs] *adj.* **1.** rauh, schuppig (*Pflanze etc.*); **2.** heikel, kniff(e)lig: *a* ~ *question*; **3.** *fig.* schlüpfrig, anstößig.

scaf·fold ['skæfəld] **I.** *s.* **1.** (Bau-, Arbeits)Gerüst *n*; **2.** Blutgerüst *n*, (*a.* Tod *m* auf dem) Scha'fott *n*; **3.** ('Redner-, 'Zuschauer)Triˌbüne *f*; **4.** *anat.* **a)** Knochengerüst *n*, **b)** Stützgewebe *n*; **5.** ⊕ Ansatz *m* (*im Hochofen*); **II.** *v/t.* **6.** *Haus* (be-) rüsten, mit e-m Gerüst versehen; **'scaf·fold·ing** [-diŋ] *s.* **1.** (Bau-) Gerüst *n*; **2.** 'Rüstmateriˌal *n*; **3.** Errichtung *f* des Gerüsts.

scal·a·ble ['skeiləbl] *adj.* ersteigbar (*Bergwand etc.*).

scal·age ['skeilidʒ] *s.* **1.** ✝ Schwundgeld *n*; **2.** Holzmaß *n*.

sca·lar ['skeilə] ⩚ **I.** *adj.* ska'lar, ungerichtet; **II.** *s.* Ska'lar *m*.

scal·a·wag ['skæləwæg] *s.* **1.** Kümmerling *m* (*Tier*); **2.** F Lump *m*.

scald[1] [skɔ:ld] *s.* Skalde *m* (*nordischer Sänger*).

scald[2] [skɔ:ld] **I.** *v/t.* **1.** verbrühen; **2.** *Milch etc.* abkochen: ~*ing hot* kochend heiß; ~*ing tears fig.* heiße Tränen; **3.** *Obst etc.* dünsten; **4.** *Geflügel, Schwein etc.* abbrühen; **5.** *a.* ~ *out Gefäß, Instrumente* auskochen; **II.** *s.* **6.** Verbrühung *f*.

scale[1] [skeil] **I.** *s.* **1.** *zo.* Schuppe *f*; *coll.* Schuppen *pl.*; **2.** ⚕ Schuppe *f*: *to come off in* ~*s* → *11*; *the* ~*s fell from my eyes* es fiel mir wie Schuppen von den Augen; **3. a)** ⚘ Schuppenblatt *n* **b)** (*Erbsen- etc.*)Hülse *f*, Schale *f*; **4.** (*Messer*)Schale *f*; **5.** Ablagerung *f*, *bsd.* **a)** Kesselstein *m*, **b)** ⚕ Zahnstein *m*; **6.** *a. pl. metall.* Zunder *m*: *iron* ~ Hammerschlag, Glühspan; **II.** *v/t.* **7.** *a.* ~ *off Fisch* (ab)schuppen; *Schicht etc.* ablösen, -schälen, -häuten; **8. a)** abklopfen, den Kesselstein entfernen aus, **b)** *Zähne* vom Zahnstein befreien; **9.** e-e Kruste *od.* Kesselstein ansetzen in (*dat.*) *od.* an (*dat.*); **10.** *metall.* zunderfrei machen, ausglühen; **III.** *v/i.* **11.** *a.* ~ *off* sich abschuppen *od.* -lösen, abblättern; **12.** Kessel- *od.* Zahnstein ansetzen.

scale[2] [skeil] **I.** *s.* **1.** Waagschale *f* (*a. fig.*): *to hold the* ~*s even fig.* gerecht urteilen; *to throw into the* ~ *fig. Argument, Schwert etc.* in die Waagschale werfen; *to turn* (*od. tip*) *the* ~(*s*) *fig.* den Ausschlag geben; *to turn the* ~ *at 55 lbs* 55 Pfund wiegen; → *weight 4*; **2.** *mst pl.* Waage *f*: *a pair of* ~*s* eine Waage; *to go to* ~ *sport* gewogen werden (*Jockei, Boxer*); *to go to* ~ *at 90 lbs* 90 Pfund auf die Waage bringen; **3.** ⁀*s pl. ast.* Waage *f*; **II.** *v/t.* **4.** wiegen; **5.** F (ab-, aus)wiegen; **III.** *v/i.* **6.** ~ *in* (*out*) vor (nach) dem Rennen gewogen werden (*Jockei*).

scale[3] [skeil] **I.** *s.* **1.** ⊕, *phys.* 'Skala *f*: ~ *division* Gradeinteilung; ~ *disk* Skalenscheibe; ~ *line* Teilstrich; **2. a)** Stufenleiter *f*, Staffelung *f*, **b)** Skala *f*, Ta'rif *m*: ~ *of fees* Gebührenordnung; ~ *of wages* Lohnskala, -tabelle; **3.** Stufe *f* (*auf e-r Skala, Tabelle etc.*; *a. fig.*): *social* ~ Gesellschaftsstufe; **4.** ⩚, ⊕ **a)** Maßstab (-angabe *f*) *m*, **b)** loga'rithmischer Rechenstab: *in* (*od. to*) ~ maßstabgerecht: *drawn to a* ~ *of 1:5* im Maßstab 1:5 gezeichnet; ~ *model* maßstabgetreues Modell; **5.** *fig.* Maßstab *m*, 'Umfang *m*: *on a large* ~ in großem Umfang, im großen; **6.** ⩚ (nu'merische) Zahlenreihe: *decimal* ~ Dezimalreihe; **7.** ♪ **a)** Tonleiter *f*, **b)** 'Tonˌumfang *m* (*Instrument*): *to learn one's* ~*s* Tonleitern üben; **8.** *Am. Börse*: *on a* ~ zu verschiedenen Kurswerten (*Wertpapiere*); **9.** *fig.* Leiter *f*: *a* ~ *to success*; **II.** *v/t.* **10.** erklimmen, erklettern (*a. fig.*); **11.** maßstabgetreu zeichnen: *to* ~ *down* (*up*) maßstäblich verkleinern (vergrößern); **12.** einstufen: *to* ~ *down Löhne* herunterschrauben, drücken; *to* ~ *up Preise etc.* hochschrauben; **III.** *v/i.* **13.** *auf e-r Skala od. fig.* klettern, steigen: *to* ~ *down* fallen.

'scale|-ar·mo(u)r *s.* Schuppenpanzer *m*; **'~-beam** *s.* Waagebalken *m*; ~ **buy·ing** *s.* ✝ *Am.* (spekula'tiver) Aufkauf von 'Wertpaˌpieren.

scaled [skeild] *adj.* **1.** *zo.* schuppig, Schuppen...(*-taube etc.*); **2.** mit e-r 'Skala versehen; **scale·less** ['skeillis] *adj.* schuppenlos.

sca·lene ['skeili:n] ⩚ **1.** *adj.* ungleichseitig, schiefwinklig (*Figur*), schief (*Körper*); **II.** *s.* schiefwinkliges Dreieck.

scal·i·ness ['skeilinis] *s.* Schuppigkeit *f*.

scal·ing ['skeiliŋ] *s.* **1.** (Ab)Schuppen *n*; **2.** Kesselstein- *od.* Zahnsteinentfernung *f*; **3.** Erklettern *n*, Aufstieg *m* (*a. fig.*); **'~-lad·der** *s.* **1.** ⚔ *hist.* Sturmleiter *f*; **2.** Feuerleiter *f*.

scall [skɔ:l] *s.* ⚕ (Kopf)Grind *m*, Schorf *m*.

scal·la·wag → *scalawag*.

scal·lion ['skæljən] *s.* ⚘ Scha'lotte *f*.

scal·lop ['skɔləp] **I.** *s.* **1.** *zo.* Kammmuschel *f*; **2.** *a.* ~ *shell* Muschelschale *f* (*a. aus Porzellan zum Servieren von Speisen*); **3.** *Näherei*: Lan'gette *f*; **II.** *v/t.* **4.** ⊕ ausbogen, bogenförmig auszacken; **5.** *Näherei*: langettieren; **6.** *Speisen* in der (Muschel)Schale über'backen.

scalp [skælp] **I.** *s.* **1.** *anat.* Kopfhaut *f*; **2.** Skalp *m* (*abgezogene Kopfhaut als Siegeszeichen*): *to be out for* ~*s* sich auf dem Kriegspfad befinden, *fig.* kampf-, angriffslustig sein; **3.** *fig.* 'Siegestroˌphäe *f*; **II.** *v/t.* **4.** skalpieren; **5.** ✝ *Am. sl. Wertpapiere* mit kleinem Pro'fit weiterverkaufen; **6.** *Am. sl. Eintrittskarten* auf dem schwarzen Markt verkaufen.

scal·pel ['skælpəl] *s.* ⚕ Skal'pell *n*.

scal·y ['skeili] *adj.* **1.** schuppig, geschuppt; **2.** Schuppen...; **3.** schuppenförmig; **4.** sich abschuppend, schilferig.

scam·mo·ny ['skæməni] *s.* **1.** ⚘ Skam'monia *f*; **2.** *pharm.* Skam'monium(harz) *n* (*Abführmittel*).

scamp [skæmp] **I.** *s.* **1.** Schuft *m*, Lump *m*; **2.** *humor.* Racker *m*, Taugenichts *m*; **II.** *v/t.* **3.** *Arbeit etc.* schlud(e)rig ausführen, hinschlampen, verpfuschen.

scam·per ['skæmpə] **I.** *v/i.* **1.** *a.* ~ *about* (um'her)tollen, her'umhüpfen; **2.** hasten: *to* ~ *away* (*od. off*) sich davonmachen; **II.** *s.* **3.** *fig.* Hetzjagd *f*; Ga'lopp(tour *f*) *m*.

scan [skæn] **I.** *v/t.* **1.** genau *od.* kritisch prüfen, forschend *od.* scharf ansehen; **2.** über'fliegen: *to* ~ *the headlines*; **3.** *Vers* skandieren; **4.** ⚡ *Fernsehen, Radar*: abtasten; **II.** *v/i.* **5.** *Metrik*: sich *gut etc.* skandieren (lassen).

scan·dal ['skændl] **I.** *s.* **1.** Skan'dal *m*: **a)** skanda'löses Ereignis, **b)** (öffentliches) Ärgernis: *to cause* ~ Anstoß erregen, **c)** Schande *f*, Schmach *f* (*to* für); **2.** Verleumdung *f*, (böswilliger) Klatsch: *to talk* ~ klatschen; **3.** ⚖ üble Nachrede (*im Prozeß*); **4.** unwürdige Per'son.

scan·dal·ize[1] ['skændəlaiz] *v/t.* Anstoß erregen bei (*dat.*), *j-n* schockieren: *to be* ~*d at* (*od. by*) Anstoß nehmen an (*dat.*), empört sein über (*acc.*).

scan·dal·ize² ['skændəlaiz] *v/t.* ⚓ *Segel* verkleinern, ohne zu reffen.

'**scan·dal·mon·ger** *s.* Lästermaul *n*, Klatschblase *f*.

scandal·ous ['skændələs] *adj.* □ **1.** skanda'lös, anstößig, schockierend; **2.** schändlich, schimpflich; **3.** verleumderisch, Schmäh...: ~ *stories*; **4.** klatschsüchtig (*Person*).

Scan·di·na·vi·an [skændi'neivjən] **I.** *adj.* **1.** skandi'navisch; **II.** *s.* **2.** Skandi'navier(in); **3.** *ling.* a) Skandi'navisch *n*, **b)** Altnordisch *n*.

scan·ner ['skænə] *s.* **1.** → *scanning disk*; **2.** *Radar*: 'Drehan,tenne *f*.

scan·ning ['skæniŋ] *s.* *Fernsehen, Radar*: (Bild)Abtastung *f*; ~ **disk** *s.* *Fernsehen*: Abtastscheibe *f*; ~ **lines** *s. pl.* *Fernsehen*: Rasterlinien *pl.*

scan·sion ['skænʃən] *s.* *Metrik*: Skandierung *f*.

Scan·so·res [skæn'sɔ:ri:z] *s. pl. orn.* Klettervögel *pl.*; **scan'so·ri·al** [-riəl] *adj. orn.* **1.** Kletter...; **2.** zu den Klettervögeln gehörig.

scant [skænt] *adj.* knapp (*of* an *dat.*), spärlich, kärglich: *a ~ 2 hours* knapp 2 Stunden; '**scant·i·ness** [-tinis], '**scant·ness** [-nis] *s.* **1.** Knappheit *f*, Kargheit *f*; **2.** Unzulänglichkeit *f*; '**scant·y** [-ti] *adj.* □ **1.** kärglich, dürftig, spärlich, knapp; **2.** unzureichend; **3.** eng, beengt (*Raum etc.*).

scape [skeip] *s.* **1.** ♀, *zo.* Schaft *m* (*Pflanze, Feder, Fühler*); **2.** ⚠ (Säulen)Schaft *m*.

'**scape·goat** *s. fig.* Sündenbock *m*.

'**scape·grace** *s.* Taugenichts *m*.

scaph·oid ['skæfɔid] *anat.* **I.** *adj.* scapho'id, Kahn...; **II.** *s. a.* ~ *bone* Kahnbein *n*.

scap·u·la ['skæpjulə] *pl.* **-lae** [-li:] *s. anat.* Schulterblatt *n*; '**scap·u·lar** [-lə] **I.** *adj.* **1.** *anat.* Schulter (-blatt)...; **II.** *s.* **2.** → *scapulary*; **3.** ⚕ Schulterbinde *f*; '**scap·u·lar·y** [-ləri] *s. eccl.* Skapu'lier *n*.

scar¹ [skɑ:] **I.** *s.* **1.** Narbe *f* (*a.* ♀; *a. fig. psych.*), Schramme *f*; **2.** *fig.* (Schand)Fleck *m*, Makel *m*; **II.** *v/t.* **3.** schrammen, mit e-r Narbe *od.* Narben zeichnen; **4.** *fig.* entstellen, verunstalten; **III.** *v/i.* **5.** *a.* ~ *over* vernarben (*a. fig.*).

scar² [skɑ:] *s. Brit.* Klippe *f*, steiler (Felsen)Abhang.

scar·ab ['skærəb] *s.* **1.** *zo.* Skara'bäus *m* (*a. Schmuck*); **2.** *zo.* Mistkäfer *m*.

scarce [skɛəs] **I.** *adj.* □ **1.** knapp, spärlich: ~ *commodities* ✝ Mangelwaren; **2.** selten, rar: *to make o.s.* ~ F **a)** sich rar machen, **b)** ‚sich dünnmachen'; **II.** *adv.* **3.** *obs.* → *scarcely*; '**scarce·ly** [-li] *adv.* **1.** kaum, gerade erst: ~ *anything* kaum etwas, fast nichts; ~ ... *when* kaum ... als; **2.** wohl nicht, kaum, schwerlich: *you can ~ expect that*; '**scarce·ness** [-nis], '**scar·ci·ty** [-siti] *s.* **1.** Knappheit *f*, Mangel *m* (*of* an *dat.*); Verknappung *f*; **2.** Lebensmittelmangel *m*, Teuerung *f*; **3.** Seltenheit *f*.

scare [skɛə] **I.** *v/t.* **1.** erschrecken, in Schrecken versetzen, *j-m* e-n Schrecken einjagen: *to be ~d of s.th.* sich vor et. fürchten; **2.** *a.* ~ *away* verscheuchen, -jagen; **3.** ~ *up* **a)** *Wild etc.* aufscheuchen, **b)** F *Geld etc.* auftreiben; **II.** *v/i.* **4.** erschrekken: *he does not ~ easily* er läßt sich nicht leicht ins Bockshorn jagen; **III.** *s.* **5.** Schreck(en) *m*, 'Panik *f*; **6.** blinder A'larm; '~**crow** *s.* **1.** Vogelscheuche *f* (*a. fig. Person*); **2.** *fig.* Schreckbild *n*, -gespenst *n*; '~**head(·ing)** *s.* Riesenschlagzeile *f*; '~**·mon·ger** *s.* Miesmacher(in), Bangemacher(in).

scarf¹ [skɑ:f] *pl.* **scarfs, scarves** [-vz] *s.* **1.** Hals-, Kopf-, Schultertuch *n*, Schal *m*; **2.** (breite) Kra'watte (*für Herren*); **3.** ⚔ Schärpe *f*; **4.** *eccl.* 'Seiden,stola *f*; **5.** Tischläufer *m*.

scarf² [skɑ:f] **I.** *s.* **1.** ⊕ Laschung *f*, Blatt *n* (*Hölzer*); ⚓ Lasch *m*; **2.** ⊕ → *scarf-joint*; **II.** *v/t.* **3.** ⊕ zs.-blatten; ⚓ (ver)laschen.

'**scarf|-joint** *s.* ⊕ Blattfuge *f*, Falzverbindung *f*, Verlaschung *f*; '~**-pin** *s.* Kra'wattennadel *f*; '~**-skin** *s. anat.* Oberhaut *f*.

scar·i·fi·ca·tion [skɛərifi'keiʃən] *s.* ⚕ Skarifizierung *f*, Hautritzung *f*; **scar·i·fi·ca·tor** ['skɛərifikeitə], **scar·i·fi·er** ['skɛərifaiə] *s.* **1.** ⚕ Skarifizier-, Stichelmesser *n*; **2.** ⚒ Messeregge *f*; **3.** ⊕ Straßenaufreißer *m*; **scar·i·fy** ['skɛərifai] *v/t.* **1.** ⚕ *Haut* skarifizieren, ritzen; **2.** ⚒ **a)** *Boden* auflockern, **b)** *Samen* anritzen; **3.** *fig.* **a)** *Gefühle etc.* verletzen, **b)** scharf kritisieren, her'untermachen.

scar·la·ti·na [skɑ:lə'ti:nə] *s.* ⚕ Scharlach(fieber *n*) *m*.

scar·let ['skɑ:lit] **I.** *s.* **1.** Scharlach (-rot *n*) *m*; **2.** Scharlach(tuch *n*) *m*; **II.** *adj.* **3.** scharlachrot: *to flush* (*od. turn*) ~ dunkelrot werden; **4.** *fig.* unzüchtig; ~ **fe·ver** *s.* ⚕ Scharlach (-fieber *n*) *m*; ~ **hat** *s.* **1.** Kardi'nalshut *m*; **2.** *fig.* Kardi'nalswürde *f*; ~ **run·ner** *s.* ♀ Scharlach-, Feuerbohne *f*; ♀ **Wom·an** *s.* **1.** *bibl.* *die* (scharlachrot gekleidete) Hure; **2.** *fig. contp.* (*das* heidnische *od.* päpstliche) Rom.

scarp [skɑ:p] **I.** *s.* **1.** steile Böschung; **2.** ⚔ Es'karpe *f*; **II.** *v/t.* **3.** abböschen, abdachen; **scarped** [-pt] *adj.* steil, abschüssig.

scarred [skɑ:d] *adj.* narbig.

scarves [skɑ:vz] *pl. von scarf¹*.

scar·y ['skɛəri] *adj.* F **1.** erschrekkend, schaurig; **2.** schreckhaft, ängstlich.

scathe [skeið] **I.** *v/t.* **1.** *poet.* versengen; **2.** *obs. od. Scot.* versehren; **3.** *fig.* vernichtend kritisieren; **II.** *s.* **4.** Schaden *m*: *without* ~; **5.** Beleidigung *f*; '**scathe·less** [-lis] *adj.* unversehrt; '**scath·ing** [-ðiŋ] *adj.* □ *fig.* **1.** vernichtend, ätzend (*Kritik etc.*); **2.** verletzend; **3.** versengend.

sca·tol·o·gy [skə'tɔlədʒi] *s.* **1.** ⚕ Skatolo'gie *f*, Kotstudium *n*; **2.** *geol.* Studium *n* der Kopro'lithen; **3.** *fig.* Beschäftigung *f* mit dem Ob'szönen (in der Litera'tur).

scat·ter ['skætə] **I.** *v/t.* **1.** *a.* ~ *about* (aus-, um'her-, ver)streuen; **2.** verbreiten, -teilen; **3.** bestreuen (*with* mit); **4.** *Armee, Menschenmenge etc.* zerstreuen, -sprengen: *to be ~ed to the four winds* in alle Winde zerstreut werden; **5.** *Vermögen* verschleudern; **6.** *Pläne etc.* zu'nichte machen; **7.** *phys. Licht etc.* zerstreuen; **II.** *v/i.* **8.** sich zerstreuen (*Menge*); **9.** sich verbreiten; **10.** streuen (*Schuß*); **III.** *s.* **11.** *phys.* Streuung *f*, Streubereich *m*; '~**-brain** *s.* Wirrkopf *m*; '~**-brained** *adj.* wirr, kon'fus.

scat·tered ['skætəd] *adj.* **1.** zerstreut (liegend *od.* vorkommend *etc.*); **2.** vereinzelt (auftretend); **3.** *fig.* wirr; **4.** *phys.* zerstreut, dif'fus, Streu...

'**scat·ter|-gun** *s. Am.* Schrotflinte *f*; ~ **rug** *s. Am.* Brücke *f*, kleiner Teppich.

'**scaup(-duck)** ['skɔ:p] *s. orn.* Bergente *f*.

scaur [skɔ:] *bsd. Scot. für scar²*.

scav·enge ['skævindʒ] **I.** *v/t.* **1.** *Straßen etc.* reinigen, säubern; **2.** *mot.* *Zylinder von Gasen* reinigen, spülen: ~ *stroke* Spültakt, Auspuffhub; **II.** *v/i.* **3.** (die) Straßen reinigen; '**scav·en·ger** [-dʒə] **I.** *s.* **1.** Straßenkehrer *m*; **2.** 'Straßen,reinigungsma,schine *f*; **3.** *zo.* Aasfresser *m*: ~*-beetle* aasfressender Käfer; **II.** *v/i.* **4.** → *scavenge 3*.

sce·nar·i·o [si'nɑ:riou] *pl.* **-ri·os** *s.* **1.** *Film*: Drehbuch *n*; **2.** *fig.* Plan *m* (mit Alterna'tivlösungen); **sce·narist** ['si:nərist] *s.* 'Drehbuch,autor *m*.

scene [si:n] *s.* **1.** *thea.* **a)** 'Szene *f*, Auftritt *m*, **b)** Ort *m* der Handlung, Schauplatz *m* (*a. Roman etc.*); → *lay 6*, **c)** Ku'lisse *f*, **d)** → *scenery b*: *behind the ~s* hinter den Kulissen (*a. fig.*); *change of* ~ Szenenwechsel, *fig.* ‚Tapetenwechsel' (*Ortsveränderung*); **2.** Szene *f*, Epi'sode *f* (*Roman etc.*); **3.** 'Hintergrund *m* e-r *Erzählung etc.*; **4.** *fig.* Szene *f*, Schauplatz *m*: ~ *of accident* (*crime*) Unfallort (Tatort); **5.** Szene *f*, Anblick *m*; *paint.* (Landschafts-) Bild *n*: ~ *of destruction fig.* Bild der Zerstörung; **6.** Szene *f*: **a)** Vorgang *m*, **b)** (heftiger) Auftritt: *to make* (*s.o.*) *a* ~ (j-m) e-e Szene machen; **7.** *fig.* (Welt)Bühne *f*: *to quit the* ~ von der Bühne abtreten, sterben; **8.** *sl.* ('Drogen- *etc.*),Szene *f*; '~**-dock** *s. thea.* Requi'sitenraum *m*; '~**-paint·er** *s.* Bühnenmaler(in).

scen·er·y ['si:nəri] *s.* Szene'rie *f*: **a)** Landschaft *f*, Gegend *f*, **b)** *thea.* Bühnenbild *n*, -ausstattung *f*.

'**scene-shift·er** *s. thea.* Bühnenarbeiter *m*.

sce·nic ['si:nik] **I.** *adj.* (□ ~*ally*) **1.** landschaftlich, Landschafts...; **2.** (landschaftlich) schön, malerisch: ~ *railway* (in e-r künstlichen Landschaft angelegte) Liliputbahn; ~ *road* landschaftlich schöne Strecke (*Hinweis auf Autokarte*); **3.** *thea.* **a)** 'szenisch, Bühnen..., **b)** dra'matisch (*a. Gemälde etc.*), **c)** Ausstattungs...; **II.** *s.* **4.** Na'turfilm *m*.

sce·no·graph·ic *adj.*; **sce·no·graph·i·cal** [si:nə'græfik(əl)] *adj.* □ szeno'graphisch, perspek'tivisch.

scent [sent] **I.** *s.* **1.** (Wohl)Geruch *m*, Duft *m*; **2.** Par'füm *n*; **3.** *hunt.* **a)** Witterung *f*, **b)** Spur *f*, Fährte *f* (*a. fig.*): *blazing* ~ warme Fährte; *on the* (*wrong*) ~ auf der (falschen) Fährte; *to put on the* ~ auf die Fährte setzen; *to put* (*od. throw*) *off the* ~

von der (richtigen) Spur ablenken; **4. a)** Geruchssinn *m*, **b)** *zo. u. fig.* Spürsinn *m*, *gute etc.* Nase: *to have a ~ for s.th. fig.* e-e Nase für et. haben; **II.** *v/t.* **5.** *et.* riechen; **6.** *a. ~ out hunt. u. fig.* wittern, (auf)spüren; **7.** mit Wohlgeruch erfüllen; **8.** parfümieren; **'~-bag** *s.* **1.** *zo.* Duftdrüse *f*; **2.** *Fuchsjagd*: künstliche Schleppe; **3.** Par'fümkissen *n*; **'~-bot·tle** *s.* Riech-, Par'fümfläschchen *n*.

scent·ed ['sentid] *adj.* **1.** duftend; **2.** parfümiert.

'scent-gland *s. zo.* Duft-, Moschusdrüse *f*.

scent·less ['sentlis] *adj.* **1.** geruchlos; **2.** *hunt.* ohne Witterung (*Boden*).

scep·sis ['skepsis] *s. bsd. phls.* **1.** 'Skepsis *f*; **2.** skeptische Philoso'phie.

scep·ter *etc. Am.* → *sceptre etc.*

scep·tic ['skeptik] *s.* **1.** (*phls. mst* ♀) 'Skeptiker(in); **2.** *eccl.* Zweifler(in), *allg.* Ungläubige(r *m*) *f*, Athe'ist(in); **'scep·ti·cal** [-kəl] *adj.* □ 'skeptisch, zweifelnd, zweiflerisch: *to be ~ about* (*od.* of) *s.th.* et. bezweifeln, an et. zweifeln; **'scep·ti·cism** [-isizəm] *s.* Skepti'zismus *m*, 'Skepsis *f*, Zweifel(sucht *f*) *m*.

scep·tre ['septə] *s.* Zepter *n* (*a. fig. Herrschergewalt*): *to wield the ~* das Zepter führen, herrschen; **'scep·tered** [-əd] *adj.* **1.** zeptertragend, herrschend (*a. fig.*); **2.** *fig.* königlich.

sched·ule [*Brit.* 'ʃedju:l; *Am.* 'skedʒu:l] **I.** *s.* **1.** Liste *f*, Ta'belle *f*, Aufstellung *f*, Verzeichnis *n*; **2.** *bsd.* ⚖ Anhang *m*; **3.** *bsd. Am.* **a)** (Arbeits-, Lehr-, Stunden)Plan *m*, **b)** Fahrplan *m*: *behind ~* verspätet; *on ~* (fahr)planmäßig, pünktlich; **4.** Formblatt *n*, Vordruck *m*, Formu'lar *n*; **5.** Einkommensteuerklasse *f*; **II.** *v/t.* **6.** *et.* in e-r Liste *etc. od.* tabel'larisch zs.-stellen; **7.** (in e-e Liste *etc.*) eintragen, -fügen: *~d ship* (fahr)planmäßiges Schiff; *the train is ~d to leave at 6* der Zug fährt fahrplanmäßig um 6; **8.** *bsd.* ⚖ (als Anhang) beifügen (*to dat.*); **9.** *bsd. Am.* **a)** festlegen, **b)** planen.

sche·mat·ic [ski'mætik] *adj.* (□ *~ally*) sche'matisch: **a)** 'umrißhaft (*Darstellung*), **b)** syste'matisch; **sche·ma·tize** ['ski:mətaiz] *v/t. u. v/i.* schematisieren.

scheme [ski:m] **I.** *s.* **1.** 'Schema *n*, Sy'stem *n*, Anlage *f*: *~ of colo(u)r* Farbenzusammenstellung; *~ of philosophy* philosophisches System; **2. a)** Schema *n*, Aufstellung *f*, Ta'belle *f*, **b)** 'Übersicht *f*, **c)** sche'matische Darstellung; **3.** Plan *m*, Pro'jekt *n*, Pro'gramm *n*: *irrigation ~*; **4.** (dunkler) Plan, In'trige *f*, Kom'plott *n*; **II.** *v/t.* **5.** *a. ~ out* planen, entwerfen; **6.** *Böses* planen, aushecken, anzetteln; **7.** in ein Schema *od.* Sy'stem bringen; **III.** *v/i.* **8.** Pläne schmieden, *bsd. b.s.* Ränke schmieden, intrigieren; **'schem·er** [-mə] *s.* **1.** Plänemacher *m*; **2.** Ränkeschmied *m*, Intri'gant *m*; **'schem·ing** [-miŋ] *adj.* □ ränkevoll.

scher·zan·do [skɛət'sændou] (*Ital.*) *adv.* ♪ scher'zando, heiter; **scher·zo** ['skɛətsou] *s.* ♪ 'Scherzo *n*.

schism ['sizəm] *s.* **1.** *eccl.* **a)** 'Schisma *n*, Kirchenspaltung *f*, **b)** Lossagung *f*; **2.** *fig.* Spaltung *f*, Riß *m*; **schis·mat·ic** [siz'mætik] *bsd. eccl.* **I.** *adj.* (□ *~ally*) schis'matisch, abtrünnig; **II.** *s.* Schis'matiker *m*, Abtrünnige(r) *m*; **schis'mat·i·cal** [siz'mætikəl] *adj.* □ → *schismatic I.*

schist [ʃist] *s. geol.* Schiefer *m*.

schiz·o·gen·e·sis [skitsou'dʒenisis] *s. biol.* Schizogo'nie *f*; **schiz·o'gen·ic** [-nik], **schi·zog·e·nous** [skit'sɔdʒinəs] *adj.* schizo'gen, durch Spaltung entstehend.

schiz·oid ['skitsɔid] *psych.* **I.** *adj.* schizo'id, gespalten; **II.** *s.* schizo'ider Mensch.

schiz·o·my·cete [skitsoumai'si:t] *s.* ♀ Spaltpilz *m* (*Bakterium*); **schiz·o·my'co·sis** [-mai'kousis] *s.* ⚕ Spaltpilzerkrankung *f*.

schiz·o·phrene ['skitsoufri:n] *s. psych.* Schizo'phrene(r *m*) *f*; **schiz·o·phre·ni·a** [skitsou'fri:njə] *s. psych.* Schizophre'nie *f*; **schiz·o·phren·ic** [skitsou'frenik] *psych.* **I.** *s.* Schizophrene(r *m*) *f*; **II.** *adj.* schizo'phren.

schmaltz [ʃmɔ:lts] (*Ger.*) *s. sl.* ‚Schmalz' *m*, *n*; **'schmaltz·y** *adj.* ‚schmalzig', sentimen'tal.

schnap(p)s [ʃnæps] (*Ger.*) *s.* Schnaps *m*.

schnit·zel ['ʃnitsəl] (*Ger.*) *s. Küche*: Wiener Schnitzel *n*.

schnor·kel ['ʃnɔ:kəl] → *snorkel.*

schol·ar ['skɔlə] *s.* **1. a)** Gelehrte(r) *m*, *bsd.* Geisteswissenschaftler *m*, **b)** Gebildete(r) *m*; **2.** Studierende(r *m*) *f*: *he is an apt ~* er lernt gut; *he is a good French ~* er ist im Französischen gut beschlagen; *I am not much of a ~* mit dem Lesen u. Schreiben hapert es bei mir; **3.** *ped. univ.* Stipendi'at *m*; **4.** *obs. u.* F (*bsd.* Elemen'tar)Schüler(in); **'schol·ar·ly** [-li] *adj. u. adv.* **1.** gelehrt; **2.** gelehrtenhaft; **'schol·ar·ship** [-ʃip] *s.* **1.** Gelehrsamkeit *f*: *classical ~* humanistische Bildung; **2.** *ped.* Sti'pendium *n*.

scho·las·tic [skə'læstik] **I.** *adj.* (□ *~ally*) **1.** aka'demisch (*Bildung etc.*); **2.** schulisch, Schul..., Schüler...; **3.** erzieherisch: *~ profession* Lehr(er)beruf; **4.** *phls.* scho'lastisch (*a. fig. contp. spitzfindig, pedantisch*); **II.** *s.* **5.** *phls.* Scho'lastiker *m* (*a. fig. contp. Schulmeister, Pedant*); **scho'las·ti·cism** [-isizəm] *s.* **1.** *a.* ♀ Scho'lastik *f*; **2.** *fig.* Pedante'rie *f*.

school[1] [sku:l] **I.** *s.* **1.** Schule *f* (*Anstalt*): *at ~* auf der Schule; → *high school etc.*; → 4; **2.** (Schul)Stufe *f*: *lower ~* Unterstufe; *senior* (*od. upper*) *~* Oberstufe, -klassen; **3.** Lehrgang *m*, Kurs(us) *m*; **4.** *mst ohne art.* ('Schul)ˌUnterricht *m*, Schule *f*: *at* (*od. in*) *~* in der Schule, im Unterricht; *to go to ~* zur Schule gehen; *to put to ~* einschulen; → *tale* 5; **5.** Schule *f*, Schulhaus *n*, -gebäude *n*; **6.** *univ.* Fakul'tät *f*: *the law ~* die juristische Fakultät; **7.** *Am.* aka'demische Anstalt, Hochschule *f*; **8.** *pl.* 'Schlußexˌamen *n* (*für den Grad e-s Bachelor of Arts*; *Oxford*); **9.** *fig. harte etc.* Schule, Lehre *f*: *a severe ~*; **10.** *phls.*, *paint. etc.* Schule *f* (*Richtung u. Anhängerschaft*): *~ of thought* (geistige) Richtung; *the Hegelian ~ phls.* die hegelianische Schule *od.* Richtung, die Hegelianer; *a gentleman of the old ~* ein Kavalier der alten Schule; **11.** ♪ Schule *f*: **a)** Lehrbuch *n*, **b)** Lehre *f*, Sy'stem *n*; **II.** *v/t.* **12.** einschulen; **13.** schulen, unter'richten, ausbilden, trainieren; **14.** *Temperament, Zunge etc.* zügeln; **15.** *~ o.s.* (*to*) sich erziehen (zu), sich üben (in *dat.*); *to ~ o.s. to do s.th.* lernen *od.* sich daran gewöhnen et. zu tun; **16.** *Pferd* dressieren; **17.** *obs.* zu'rechtweisen.

school[2] [sku:l] *s. ichth.* Schwarm *m* (*a. fig.*), Schule *f*, Zug *m* (*Wale etc.*).

school| age *s.* schulpflichtiges Alter; **'~-board** *s.* (lo'kale) 'Schulkommissiˌon; **'~·boy** *s.* Schüler *m*, Schuljunge *m*; **'~·bus** *s.* Schulbus *m*; **'~-days** *pl.* (alte) Schulzeit; **'~·fel·low** → *schoolmate*; **'~·girl** *s.* Schülerin *f*, Schulmädchen *n*; **'~·girl·ish** *adj.* backfischhaft; **'~·house** *s.* → *school*[1] 5; **~ house** *s. Brit.* **a)** (Wohn)Haus *n* des Schulleiters, **b)** Hauptgebäude *n* (*e-r Public School*).

school·ing ['sku:liŋ] *s.* **1.** ('Schul-)ˌUnterricht *m*; **2.** Schulung *f*, Ausbildung *f*; **3.** Schulgeld *n*; **4.** *sport* Schulreiten *n*; **5.** *obs.* Verweis *m*.

'school|-leav·ing cer·tif·i·cate *s.* Abgangszeugnis *n*; **'~-ma'am** [-mæm] *s. Am.* F **1.** Lehrerin *f*; **2.** *iro.* Schulmeisterin *f*; **'~·man** [-mən] *s.* [*irr.*] Scho'lastiker *m*; **'~-marm** [-mɑ:m] → *school-ma'am*; **'~·mas·ter** *s.* **1.** Schulleiter *m*; **2.** Lehrer *m*, Schulmeister *m* (*a. fig. contp.*); **'~·mas·ter·ly** *adj.* schulmeisterlich; **'~·mate** *s.* 'Schulkameˌrad(in); **'~·mis·tress** *s.* **1.** Schulleiterin *f*; **2.** Lehrerin *f*; **'~·room** *s.* Klassenzimmer *n*; **'~-ship** *s.* ⚓ Schulschiff *n*; **~ tie** *s.*: *Old ~ Brit.* **a)** Krawatte mit den Farben e-r *Public School*, **b)** *Spitzname für e-n ehemaligen Schüler e-r Public School*, **c)** sentimentale Bindung an die alte Schule, **d)** *der* Einfluß der *Public Schools* auf das öffentliche Leben in England; **~ u·ni·form** *s.* (einheitliche) Schulkleidung; **'~·yard** *s. Am.* Schulhof *m*.

schoon·er ['sku:nə] *s.* **1.** ⚓ Schoner *m*; **2.** *bsd. Am.* → *prairie schooner*; **3.** hohes (Trink)Glas.

schorl [ʃɔ:l] *s. min.* Schörl *m*, (schwarzer) Turma'lin.

schot·tische [ʃɔ'ti:ʃ] *s.* ♪ Schottische(r) *m* (*a. Tanz*).

schuss [ʃus] (*Ger.*) *Schisport*: **I.** *s.* Schuß(fahrt *f*) *m*; **II.** *v/i.* schußfahren.

schwa [ʃwɑ:] *s. ling.* Schwa *n*: **a)** *kurzer Vokal von unbestimmter Klangfarbe*, **b)** *das phonetische Symbol* ə.

sci·a·gram ['saiəgræm], **'sci·a·graph** [-grɑ:f; -græf] *s.* ⚕ Röntgenbild *n*; **sci·ag·ra·phy** [sai'ægrəfi] *s.* **1.** ⚕ Herstellung *f* von Röntgenaufnahmen; **2.** ˌSchattenmale'rei *f*, Schattenriß *m*.

sci·at·ic [sai'ætik] *adj.* ⚕ **1.** Ischias...; **2.** an Ischias leidend; **sci'at·i·ca** [-kə] *s.* ⚕ Ischias *f*.

sci·ence ['saiəns] *s.* **1.** Wissenschaft *f*: *man of* ~ Wissenschaftler; **2.** *a. natural* ~ *coll. die* Na'turwissenschaft(en *pl.*); **3.** *fig.* Lehre *f*, Kunde *f*: ~ *of gardening* Gartenbaukunst; **4.** *phls., eccl.* Erkenntnis *f* (*of* von); **5.** *bsd. sport u. humor.* (gute) 'Technik, Kunst(fertigkeit) *f*; ~ **fic·tion** *s.* 'Science-fiction *f*, 'Zukunftsro,mane *pl.*

sci·en·ter [sai'entə] (*Lat.*) ⚖ *adv.* wissentlich.

sci·en·tif·ic [saiən'tifik] *adj.* (☐ ~*ally*) **1.** (*engS.* na'tur)wissenschaftlich; **2.** wissenschaftlich, ex'akt, syste'matisch; **3.** *fig. sport etc.* kunstgerecht; **sci·en·tist** ['saiəntist] *s.* (Na'tur)Wissenschaftler *m.*

scil·i·cet ['sailiset] *adv.* (*abbr. scil. od. sc.*) nämlich, d. h. (das heißt).

scim·i·tar, scim·i·ter ['simitə] *s.* (orien'talischer) Krummsäbel.

scin·til·la [sin'tilə] *s. bsd. fig.* Fünkchen *n*: *not a* ~ *of truth*; **scin·til·lant** ['sintilənt] *adj.* funkelnd, schillernd; **scin·til·late** ['sintileit] **I.** *v/i.* **1.** Funken sprühen; **2.** funkeln (*a. fig. Augen*), sprühen (*a. fig. Geist, Witz*); **II.** *v/t.* **3.** *Funken, fig. Geistesblitze* (ver)sprühen; **scin·til·la·tion** [sinti'leiʃən] *s.* **1.** Funkensprühen *n*, Funkeln *n*; **2.** Schillern *n*; **3.** *fig.* Geistesblitz *m.*

sci·o·lism ['saiəlizəm] *s.* Halbwissen *n*; '**sci·o·list** [-list] *s.* Halbgebildete(r) *m*, -wisser *m.*

sci·on ['saiən] *s.* **1.** ⚘ Ableger *m*, Steckling *m*, (Pfropf)Reis *n*; **2.** *fig.* Sproß *m*, Sprößling *m.*

scir·rhous ['sirəs] *adj.* ⚕ szir'rhös, hart geschwollen; '**scir·rhus** [-rəs] *pl.* **-rhus·es** *s.* ⚕ Szirrhus *m*, harte Krebsgeschwulst.

scis·sion ['siʒən] *s.* **1.** Spalten *n*; **2.** Schnitt *m*; **3.** *fig.* Spaltung *f.*

scis·sor ['sizə] *v/t.* (*mit der Schere*) (zer)schneiden; '~**-grind·er** *s.* Scherenschleifer *m*; ~ **kick** *s. Fußball, Schwimmen*: Scherenschlag *m.*

scis·sors ['sizəz] *s. pl.* **1.** *oft pair of* ~ Schere *f*; **2.** *sg. konstr. Ringen, Turnen*: Schere *f.*

scis·sure ['siʒə] *s. bsd.* ⚕ Fis'sur *f*, Riß *m.*

scle·ra ['skliərə] *s. anat.* Lederhaut *f* des Auges.

scle·ri·a·sis [skliə'raiəsis] *s.* ⚕ skle'rotische Verdickung; **scle'ro·ma** [-'roumə] *pl.* **-ma·ta** [-mətə] *s.* ⚕ Skle'rom *n*, Verhärtung *f*; **scle'ro·sis** [-'rousis] *pl.* **-ro·ses** [-si:z] *s.* **1.** ⚕ Skle'rose *f*, Verhärtung *f* (*des Zellgewebes*); **2.** ⚘ Verhärtung *f* (*der Zellwand*); **scle'rot·ic** [-'rɔtik] **I.** *adj.* ⚕, *anat.* skle'rotisch; **II.** *s. anat.* → *sclera*; **scle·rous** ['skliərəs] *adj.* ⚕ skle'rös, verhärtet.

scoff [skɔf] **I.** *s.* **1.** Spott *m*, Hohn *m*; **2.** Zielscheibe *f* des Spotts; **II.** *v/i.* **3.** spotten (*at* über *acc.*); '**scoff·er** [-fə] *s.* Spötter(in).

scold [skould] **I.** *v/t. j-n* (aus)schelten, auszanken; **II.** *s.* zänkisches Weib, (Haus)Drachen *m*; '**scold·ing** [-diŋ] *s.* **1.** Schelten *n*; **2.** Schelte *f*: *to get a (good)* ~ (tüchtig) gescholten werden.

scol·lop ['skɔləp] *etc.* → *scallop etc.*

scon [skɔn] → *scone.*

sconce[1] [skɔns] *s.* **1.** (Wand-, Kla'vier)Leuchter *m*; **2.** Kerzenhalter *m.*

sconce[2] [skɔns] *s.* ⚔ Schanze *f.*

sconce[3] [skɔns] *univ.* **I.** *v/t. zu e-r Strafe* verdonnern; **II.** *s.* Strafe *f.*

sconce[4] [skɔns] *s. sl.* ‚Birne' *f*, Schädel *m.*

scone [skɔn] *s.* weiches Teegebäck.

scoop [sku:p] **I.** *s.* **1. a)** Schöpfkelle *f*, (*a.* Wasser)Schöpfer *m*, **b)** (*a. Zukker- etc.*)Schaufel *f*, Schippe *f*, **c)** ⊕ Baggereimer *m*; **2.** *Äpfel-, Käse-*Stecher *m*; **3.** ⚕ Spatel *m*; **4.** (Aus-)Schöpfen *n*; **5.** Schub *m*: *in one* ~ mit einem Schub; **6.** *sl.* **a)** ‚Schnitt' *m*, (großer) Fang, **b)** *Zeitung*: sensatio'nelle Erstmeldung; **II.** *v/t.* **7.** schöpfen, schaufeln: *to* ~ *out water* Wasser ausschöpfen; *to* ~ *up* (auf-)schaufeln, *fig. Geld* scheffeln; **8.** *mst* ~ *out Loch* (aus)graben; **9.** *oft* ~ *in sl. Gewinn* einstecken, zs.-scharren; **10.** *sl. Konkurrenzzeitung* durch e-e Erstmeldung ausstechen.

scoot [sku:t] F *v/t.* **1.** rasen, flitzen; **2.** ‚abhauen', da'vonlaufen; '**scoot·er** [-tə] *s.* **1.** (Kinder-, *a.* 'Motor-)Roller *m*; **2.** Schnellboot *n*; **3.** *sport Am.* Eisjacht *f.*

scope [skoup] *s.* **1.** Bereich *m*, Gebiet *n*; ⚖ Anwendungsbereich *m*; Reichweite *f*: *within the* ~ *of* im Rahmen (*gen.*); *to come within the* ~ *of* unter *ein Gesetz etc.* fallen; *an undertaking of wide* ~ ein großangelegtes Unternehmen; **2.** Ausmaß *n*, 'Umfang *m*: ~ *of authority* ⚖ Vollmachtsumfang; **3.** (Spiel)Raum *m*, Bewegungsfreiheit *f*: *to give one's fancy full* ~ s-r Phantasie freien Lauf lassen; *to have free* ~ freie Hand haben (*for* bei); **4.** (geistiger) Hori'zont, Gesichtskreis *m.*

scor·bu·tic [skɔ:'bju:tik] ⚕ **I.** *adj.* (☐ ~*ally*) **1.** skor'butisch, Skorbut...; **II.** *s.* **2.** Skor'butkranke(r *m*) *f*; **3.** Skor'butmittel *n.*

scorch [skɔ:tʃ] **I.** *v/t.* **1.** versengen, -brennen: ~*ed earth* ⚔ verbrannte Erde; **2.** (aus)dörren; **3.** *fig.* (durch scharfe Kritik *od.* beißenden Spott) verletzen; **II.** *v/i.* **4.** versengt werden; **5.** ausdörren; **6.** F *mot. etc.* rasen; '**scorch·er** [-tʃə] *s.* **1.** F et. sehr Heißes, *bsd.* heißer Tag; **2.** *sl.* Stich *m*, beißende Bemerkung; **3.** F *mot.* wilder Fahrer; **4.** *sl.* Sensati'on *f*; '**scorch·ing** [-tʃiŋ] *adj.* ☐ **1.** sengend, brennend (heiß); **2.** ätzend, vernichtend (*Kritik etc.*).

score [skɔ:] **I.** *s.* **1.** Kerbe *f*, Rille *f*; **2.** (Markierungs)Linie *f*; *sport* Start-, Ziellinie *f*: *to get off at full* ~ **a)** losrasen, **b)** *fig.* außer sich geraten; **3.** Zeche *f*, Rechnung *f*: *to run up a* ~ Schulden machen; *to settle old* ~*s fig.* e-e alte Rechnung begleichen; *on the* ~ *of fig.* auf Grund von, wegen; *on that* ~ in dieser Hinsicht; *on what* ~? aus welchem Grund?; **4.** *bsd. sport* **a)** (Spiel)Stand *m*, **b)** *erzielte* Punkt- *od.* Trefferzahl, (Spiel)Ergebnis *n*, (Be)Wertung *f*, **c)** Punktliste *f*: *to get the* ~ das Spiel machen; *to know the* ~ F Bescheid wissen; *what is the* ~? **a)** wie steht das Spiel?, **b)** *Am. fig.* wie ist die Lage?; **5.** F *fig.* ‚Dusel' *m* (*Glück*); **6.** F *fig.* Abfuhr *f*: *to make a* ~ *off s.o.* j-m ‚eins auswischen'; **7.** (Satz *m* von) 20, 20 Stück: *four* ~ *and seven years* 87 Jahre; **8.** *pl.* große (An)Zahl *f*, Menge *f*: ~*s of times fig.* hundert-, x-mal; **9.** *a. full* ~ ♪ Parti'tur *f*; **II.** *v/t.* **10.** einkerben; **11.** markieren: *to* ~ *out* aus-, durchstreichen; **12.** *oft* ~ *up Schulden, Zechen* anschreiben, -rechnen: *to* ~ *up s.th. against s.o.* j-m et. ankreiden (*a. fig.*); **13.** *sport* **a)** *Punkte, Treffer* erzielen, sammeln, *fig. Erfolge, Sieg* verzeichnen, erringen, **b)** *Punkte, Spielstand etc.* aufschreiben: *to* ~ *a hit* **a)** e-n Treffer erzielen, **b)** *fig.* e-n Bombenerfolg haben; *to* ~ *a goal* ein Tor schießen; *to* ~ *s.o. off* F *fig.* j-m ‚eins auswischen'; **14.** *sport* zählen: *a try* ~*s 6 points*; **15.** ♪ **a)** in Parti'tur setzen, **b)** instrumentieren; **16.** *Am. fig.* heftig kritisieren, tadeln; **III.** *v/i.* **17.** *sport* **a)** e-n Punkt *od.* Treffer erzielen, Punkte sammeln, **b)** die Punkte zählen *od.* aufschreiben; **18.** F Erfolg *od.* Glück haben, e-n Vorteil erzielen; **19.** zählen, gezählt werden: *that* ~*s for us*; '~**-board** *s.* Anschreibetafel *f*; '~**-book** *s.* **1.** Anschreibebuch *n*; **2.** Schießbuch *n*; '~**-card** *s. sport* Punkt-, Wertungsliste *f.*

score·less ['skɔ:lis] *adj. sport* torlos: ~ *draw* torloses Unentschieden.

scor·er ['skɔ:rə] *s. sport* **a)** (An-)Schreiber *m*, **b)** Torschütze *m.*

sco·ri·a ['skɔ:riə] *pl.* **-ri·ae** [-rii:] *s.* (⊕ Me'tall-, *geol.* Gesteins)Schlacke *f*; **sco·ri·a·ceous** [skɔ:ri'eiʃəs] *adj.* schlackig; '**sco·ri·fy** [-ifai] *v/t.* (ver)schlacken.

scorn [skɔ:n] **I.** *s.* **1.** Verachtung *f*: *to think* ~ *of* verachten; **2.** Spott *m*, Hohn *m*: *to laugh to* ~ verlachen; **3.** Gegenstand *m* des Spottes *od.* der Verachtung; **II.** *v/t.* **4.** verachten: **a)** geringschätzen, **b)** verschmähen, (mit Verachtung) von sich weisen; '**scorn·ful** [-ful] *adj.* ☐ **1.** verächtlich; **2.** spöttisch.

Scor·pi·o ['skɔ:piou] *s. ast.* Skorpi'on *m*; '**scor·pi·on** [-pjən] *s. zo.* Skorpion *m.*

Scot[1] [skɔt] *s.* Schotte *m*, Schottin *f.*

scot[2] [skɔt] *s.* **1.** (Zahlungs)Beitrag *m*: *to pay (for) one's* ~ s-n Beitrag leisten; **2.** *a.* ~ *and lot hist.* Gemeindeabgabe *f*: *to pay* ~ *and lot fig.* alles auf Heller u. Pfennig bezahlen.

Scotch[1] [skɔtʃ] **I.** *adj.* **1.** schottisch (*bsd. Whisky etc.*): ~ *broth* Graupensuppe mit Fleischeinlage; ~ *mist* dichter Nebel; ~ *tape* durchsichtiger Klebestreifen; ~ *terrier* Scotchterrier; ~ *woodcock* gekochte Eier mit An(s)chovis auf Toast; **II.** *s.* **2.** Scotch *m*, schottischer Whisky; **3.** *the* ~ *coll.* die Schotten *pl.*; **4.** *ling.* Schottisch *n.*

scotch[2] [skɔtʃ] **I.** *v/t.* **1.** (leicht) verwunden, schrammen; **2.** *Gefährliches* unschädlich machen; **3.** *Rad etc. mit e-m Bremsklotz* blockieren; **4.** *obs.* einkerben; **II.** *s.* **5.** (Ein-)Schnitt *m*, Kerbe *f*; **6.** ⊕ Bremsklotz *m*, Hemmschuh *m* (*a. fig.*).

'**Scotch**|**·man** [-mən] *s.* [*irr.*] Schotte *m*; '~**·wo·man** *s.* [*irr.*] Schottin *f.*

'**scot-'free** ['skɔt-] *adj.*: *to go* ~ *fig.* ungeschoren davonkommen.

Scot·land Yard ['skɔtlənd] *s.*

(*Hauptdienstgebäude der*) *Londoner Kriminalpolizei.*

Scots [skɔts] **I.** *s. ling.* Schottisch *n*; **II.** *adj.* schottisch: ~ *law*; '**~·man** [-mən] *s.* [*irr.*] *bsd. Scot.* Schotte *m*; '**~·wom·an** *s.* [*irr.*] *bsd. Scot.* Schottin *f*.

Scot·ti·cism ['skɔtisizəm] *s.* schottische (Sprach)Eigenheit.

Scot·tish ['skɔtiʃ] *adj.* schottisch.

scoun·drel ['skaundrəl] *s.* Schurke *m*, Schuft *m*, Ha'lunke *m*; '**scoun·drel·ly** [-rəli] *adj.* schurkisch, niederträchtig.

scour[1] ['skauə] *v/t.* **1.** scheuern, schrubben; *Messer etc.* polieren; **2.** *Kleider etc.* säubern, reinigen; **3.** *Kanal etc.* schlämmen, *Rohr etc.* (aus)spülen; **4.** *Pferd etc.* putzen, striegeln; **5.** ⊕ *Wolle* waschen: ~*ing mill* Wollwäscherei; **6.** *Darm* entschlacken; **7.** *a.* ~ *away*, ~ *off* **a)** *Flecken etc.* entfernen, *Schmutz* abreiben, **b)** *fig.* vertreiben.

scour[2] [skauə] **I.** *v/i.* **1.** *a.* ~ *about* (um'her)eilen, (-)jagen; **2.** (suchend) um'herstreifen; **II.** *v/t.* **3.** *Gebiet* durch'streifen, absuchen; **4.** *Buch etc.* durch'stöbern (*for* nach).

scourge [skə:dʒ] **I.** *s.* **1.** Geißel *f*: **a)** Peitsche *f*, **b)** *fig.* Plage *f*; **II.** *v/t.* **2.** geißeln, (aus)peitschen; **3.** *fig.* **a)** *durch Kritik etc.* geißeln, **b)** züchtigen, **c)** quälen, peinigen.

scout[1] [skaut] **I.** *s.* **1.** Kundschafter *m*, Späher *m*; **2.** ⚔ **a)** Erkundungsfahrzeug *n*: ~ *car* Spähwagen, **b)** ⚓ *a.* ~ *vessel* Aufklärungsfahrzeug *n*, **c)** ✈ *a.* ~ *airplane* Aufklärer *m*; **3.** Kundschaften *n*; ⚔ Erkundung *f*: *on the* ~ auf der Suche; **4.** (*boy*) ~ Pfadfinder *m*; **5.** *a good* ~ F ein feiner Kerl; **6.** *univ. Brit.* Hausdiener *m* e-s College (*Oxford*); **7.** *mot. Brit.* Straßenwachtfahrer *m* (*Automobilklub*); **8. a)** *sport* ,Späher' *m*, Be'obachter *m* (*gegnerischer Mannschaften*), **b)** *a. talent* ~ Ta'lentsucher *m*; **II.** *v/i.* **9.** kundschaften, spähen; **III.** *v/t.* **10.** auskundschaften, erkunden: ~*ing party* ⚔ Spähtrupp.

scout[2] [skaut] *v/t.* verächtlich abweisen.

'**scout·mas·ter** *s.* Führer *m* (e-r Pfadfindergruppe).

scow [skau] *s.* ⚓ (See)Leichter *m*.

scowl [skaul] **I.** *v/i.* finster blicken: *to* ~ *at* finster anblicken; **II.** *s.* finsterer Blick *od.* (Gesichts)Ausdruck; '**scowl·ing** [-liŋ] *adj.* □ finster, grollend.

scrab·ble ['skræbl] **I.** *v/i.* **1.** kratzen, scharren: *to* ~ *about bsd. fig.* (herum)suchen (*for* nach); **2.** *fig.* sich (ab)plagen (*for* für, um); **3.** krabbeln; **4.** kritzeln; **II.** *v/t.* **5.** scharren nach; **6.** bekritzeln.

scrag [skræg] **I.** *s.* **1.** *fig.* Gerippe *n* (*dürrer Mensch etc.*); **2.** *mst* ~*-end* (*of mutton*) (Hammel)Hals *m*; **3.** F ,Kragen' *m*, Hals *m*; **II.** *v/t.* **4.** *sl.* **a)** *j-n* ,abmurksen', *j-m* den Hals 'umdrehen, **b)** *j-n* aufhängen; '**scrag·gi·ness** [-ginis] *s.* Magerkeit *f*; '**scrag·gy** [-gi] *adj.* □ **1.** dürr, hager, knorrig; **2.** zerklüftet, rauh.

scram [skræm] *v/i. sl.* ,abhauen', ,sich dünnmachen': ~! ,verdufte'!

scram·ble ['scræmbl] **I.** *v/i.* **1.** krabbeln, klettern: *to* ~ *to one's feet* sich aufrappeln; **2.** *a. fig.* sich schlagen *od.* balgen (*for* um): *to* ~ *for wealth* dem Reichtum nachjagen; **II.** *v/t.* **3.** *oft* ~ *up*, ~ *together* zs.-scharren, -raffen; **4.** ⚡ *Funkspruch etc.* zerhacken (*verschlüsseln*); **5.** *Eier* verrühren: ~*d eggs* Rührei; **6.** *Karten etc.* durchein'anderwerfen; *Flugplan etc.* durchein'anderbringen; **III.** *s.* **7.** Krabbe'lei *f*, Klette'rei *f*; **8.** *a. fig.* (*for*) Balge'rei *f* (um), Jagd *f* (nach *Geld etc.*).

scrap[1] [skræp] **I.** *s.* **1.** Stück(chen) *n*, Brocken *m*, Fetzen *m*, Schnitzel *n*: *a* ~ *of paper* ein Fetzen Papier (*a. fig.*); *not a* ~ kein bißchen; **2.** *pl.* Abfall *m*, (*bsd.* Speise)Reste *pl.*; **3.** (Zeitungs)Ausschnitt *m*; ausgeschnittenes Bild *etc. zum Einkleben*; **4.** *fig.* Bruchstück *n*: ~*s of knowledge*; ~*s of poetry*; **5.** *mst pl.* (Fett-)Grieben *pl.*; **6.** ⊕ **a)** Schrott *m*, **b)** Ausschuß *m*, **c)** Abfall *m*: ~ *value* Schrottwert; **II.** *v/t.* **7.** *Unbrauchbares* ausrangieren; **8.** *fig.* zum alten Eisen *od.* über Bord werfen: *to* ~ *methods*; **9.** ⊕ verschrotten.

scrap[2] [skræp] *sl.* **I.** *s.* **1.** Streit *m*, Ausein'andersetzung *f*; **2.** Keile'rei *f*, Prüge'lei *f*; **3.** Boxkampf *m*; **II.** *v/i.* **4.** streiten; **5.** sich prügeln; kämpfen (*with* mit).

'**scrap-book** *s.* 'Sammel,album *n*, Einklebebuch *n*.

scrape [skreip] **I.** *s.* **1.** Kratzen *n*, Scharren *n* (*beide a. Geräusch*); **2.** Kratzer *m*, Schramme *f*; **3.** Kratzfuß *m*; **4.** *fig.* Verlegenheit *f*: *in a* ~ in der Klemme *od.* Patsche; **5.** *bread and* ~ dünn geschmiertes Butterbrot; **II.** *v/t.* **6.** kratzen, schaben: *to* ~ *off* ab-, wegkratzen; *to* ~ *together* (*od. up*) *a. fig. Geld* zs.-kratzen; *to* ~ *acquaintance with* **a)** *j-s* Bekanntschaft machen, **b)** *contp.* sich bei *j-m* anbiedern; **7.** kratzen *od.* scharren mit *den Füßen etc.*; **III.** *v/i.* **8.** kratzen, schaben, scharren; **9.** scheuern, sich reiben (*against* an *dat.*); **10.** kratzen (*on* auf *e-r Geige etc.*); **11.** *mst* ~ *along fig.* sich (mühsam) 'durchschlagen: *to* ~ *through* (*an examination*) mit Ach u. Krach durchkommen (durch e-e Prüfung); '**scrap·er** [-pə] *s.* **1.** Fußabstreifer *m*; **2.** ⊕ **a)** Kratzer *m*, Kratzeisen *n*, Streichmesser *n*, **b)** ⚒, △ Schrapper *m*, **c)** Planierpflug *m*.

'**scrap-heap** *s.* Abfall-, Schrotthaufen *m*: *fit only for the* ~ völlig wertlos; *to throw s.o. on the* ~ *fig.* j-n zum alten Eisen werfen.

scrap·ing ['skreipiŋ] *s.* **1.** Kratzen *n etc.*; **2.** *pl.* (Ab)Schabsel *pl.*, Späne *pl.*; **3.** *pl. fig.* Spargroschen *m od. pl.*; **4.** *pl. fig. contp.* Abschaum *m*.

'**scrap|-i·ron** *s.*, '**~-met·al** *s.* ⊕ (Eisen)Schrott *m*, 'Alteisen *n*, -me,tall *n*.

scrap·per ['skræpə] *s. sl.* Raufbold *m*, ,Schläger' *m*.

scrap·py[1] ['skræpi] *adj.* □ *sl.* rauflustig.

scrap·py[2] ['skræpi] *adj.* □ **1.** aus (Speise)Resten (hergestellt): ~ *dinner*; **2.** bruchstückhaft; **3.** (bunt-) zs.-gewürfelt, zs.-gestoppelt.

scratch [skrætʃ] **I.** *s.* **1.** Kratzer *m*, Schramme *f* (*beide a. fig. leichte Verwundung*), Riß *m*; **2.** Kratzen *n* (*a. Geräusch*): *by the* ~ *of a pen* mit 'einem Federstrich; **3.** *sport* **a)** Startlinie *f*, **b)** nor'male Startbedingungen *pl.*: *to come up to (the)* ~ **a)** sich stellen, s-n Mann stehen, **b)** den Erwartungen entsprechen; *to keep s.o. up to (the)* ~ j-n bei der Stange halten; *to start from* ~ **a)** ohne Vorgabe starten, **b)** *fig.* ganz von vorne anfangen; *up to* ~ auf der Höhe, in Form; → *toe* 7; **4.** *pl. mst sg. konstr. vet.* Mauke *f*; **II.** *adj.* **5.** *sport* ohne Vorgabe: ~*-race*; **6.** *bsd. sport* improvisiert, zs.-gewürfelt: ~ *team*; **III.** *v/t.* **7.** (zer)kratzen: *to* ~ *the surface of fig. et.* (nur) an der Oberfläche ritzen; **8.** kratzen; *Tier* kraulen: *to* ~ *one's head* sich (*aus Verlegenheit etc.*) den Kopf kratzen; *to* ~ *together* (*od. up*) *bsd. fig.* zs.-kratzen, -scharren; **9.** kritzeln; **10.** *a.* ~ *out*, ~ *through* aus-, 'durchstreichen; **11.** *sport Pferd etc.* vom Rennen, *a. Nennung* zu'rückziehen; **12.** *pol. Kandidaten* streichen; **IV.** *v/i.* **13.** kratzen (*a. Schreibfeder etc.*); **14.** sich kratzen *od.* scheuern; **15.** scharren (*for* nach) ; **16.** ~ *along*, ~ *through* → *scrape 11*; **17.** *sport* s-e Meldung zu'rückziehen, ausscheiden; '**scratch·y** [-tʃi] *adj.* □ **1.** kratzend; **2.** zerkratzt; **3.** kritzelig; **4.** *sport* **a)** → *scratch* 6, **b)** unausgeglichen; **5.** *vet.* an Mauke erkrankt.

scrawl [skrɔ:l] **I.** *v/t.* kritzeln, hinschmieren; **II.** *v/i.* kritzeln; **III.** *s.* Gekritzel *n*; Geschreibsel *n*.

scray [skrei] *s. orn. Brit.* Seeschwalbe *f*.

scream [skri:m] **I.** *s.* **1.** (gellender) Schrei; **2.** Gekreisch(e) *n*: ~*s of laughter* brüllendes Gelächter; *he (it) was a (perfect)* ~ *sl.* er (es) war zum Schreien (komisch); **3.** Heulton *m* (*Sirene etc.*); **II.** *v/i.* **4.** schreien (*a. fig. Farben etc.*), gellen; kreischen: *to* ~ *out* aufschreien; *to* ~ *with laughter* vor Lachen brüllen; **5.** heulen (*Wind etc.*), schrill pfeifen; **III.** *v/t.* **6.** *oft* ~ *out* (her'aus)schreien; '**scream·er** [-mə] *s.* **1.** Schreiende(r *m*) *f*; **2.** *sl.* **a)** ,tolle Sache', **b)** *bsd. Am.* Riesenschlagzeile *f*, **c)** *Am.* ,Reißer' *m*, ,Krimi' *m* (*bsd. Fernsehen*); '**scream·ing** [-miŋ] *adj.* □ **1.** schrill, gellend; schreiend (*a. fig. Farbe, Schlagzeile*); **2.** *sl.* **a)** ,toll', großartig, **b)** zum Schreien (komisch).

scree [skri:] *s. geol. Brit.* **1.** Geröll *n*; **2.** Geröllhalde *f*.

screech [skri:tʃ] **I.** *v/i.* (gellend) schreien; kreischen (*a. weitS. Bremsen etc.*); **II.** *v/t. et.* kreischen; **III.** *s.* ('durchdringender) Schrei; '**~-owl** *s. orn.* schreiende Eule.

screed [skri:d] *s.* **1.** lange Liste; **2.** langatmige Rede *etc.*, Ti'rade *f*.

screen [skri:n] **I.** *s.* **1.** (Schutz-) Schirm *m*, (-)Wand *f*; **2.** △ **a)** Zwischenwand *f*, **b)** *eccl.* Kan'zelle *f*; **3. a)** (Film)Leinwand *f*, **b)** *coll. the* ~ der Film, das Kino; ~ *star* Filmstar; *on the* ~ im Film; **4.** *Fernsehen, Radar*: Bildschirm *m*; **5.** Drahtgitter *n*, -netz *n*; **6.** Fliegenfenster *n*; **7.** ⊕ Gittersieb *n für Sand etc.*; **8.**

⚔ a) *taktische* Abschirmung, (⚓ Geleit)Schutz *m*, **b)** (Rauch-, Schützen)Schleier *m*, Nebelwand *f*, **c)** Tarnung *f*; **9.** *fig.* a) Schutz *m*, **b)** Maske *f*; **10.** *phys.* **a)** *a. optical* ~ Filter *m*, Blende *f*, **b)** *a. electric* ~ Abschirmung *f*; **11.** *phot.*, *typ.* Raster(platte *f*) *m*; **12.** *mot.* Windschutzscheibe *f*; **II.** *v/t.* **13.** *a.* ~ *off* abschirmen, verdecken; *Licht* abblenden; **14.** (be)schirmen (*from* vor *dat.*); **15.** *fig. j-n* decken; **16.** ⚔ **a)** tarnen (*a. fig.*), **b)** einnebeln; **17.** ⊕ *Sand etc.* (ˈdurch)sieben: ~*ed coal* Würfelkohle; **18.** *phot. Bild* projizieren; **19.** *Film*: a) verfilmen, **b)** für den Film bearbeiten; **20.** *fig. Personen* ˈdurchsieben, (über)ˈprüfen; **III.** *v/i.* **21.** sich (ver)filmen lassen; sich für den Film eignen (*a. Person*); ~ **grid** *s.* ⚡ Schirmgitter *n*: ~ *valve* Schirmgitterröhre; ˈ~**land** [-lənd] *s. Am.* Filmwelt *f*; ˈ~**-play** *s.* Fernsehspiel *n*; ~ **test** *s. Film*: Probeaufnahme *f*; ˈ~**-test** *v/t. Film*: Probeaufnahmen machen von; ~ **wash·er** *s. mot.* Scheibenwaschanlage *f*; ~ **wire** *s.* ⊕ Maschendraht *m*.

screw [skru:] **I.** *s.* **1.** ⊕ Schraube *f* (*ohne Mutter*): *there is a* ~ *loose (somewhere) fig.* da stimmt et. nicht; *he has a* ~ *loose* F bei ihm ist e-e Schraube locker; **2.** ⊕ Spindel *f* (*Presse*); **3.** (Flugzeug-, Schiffs-) Schraube *f*; **4.** ⚓ Schraubendampfer *m*; **5.** F *fig.* Druck *m*: *to apply the* ~ *to*, *to put the* ~(*s*) *on j-n* unter Druck setzen; *to give another turn to the* ~ *a. fig.* die Schraube anziehen; **6.** *Brit.* Tütchen *n Tabak etc.*; **7.** *bsd. sport* Efˈfet *m*; **8.** *Brit.* Geizhals *m*; **9.** *Brit.* alter Klepper (*Pferd*); **10.** *Brit. sl.* Lohn *m*, Gehalt *n*; **11.** Korkenzieher *m*; **12.** *sl.* Gefängniswärter *m*; **II.** *v/t.* **13.** schrauben: *to* ~ *down* ein-, festschrauben; *to* ~ *on* an-, aufschrauben; *to* ~ *up* zuschrauben; *his head is* ~*ed on the right way* F er ist nicht auf den Kopf gefallen; **14.** *fig. Augen, Körper etc.* (ver)drehen; *Mund etc.* verziehen; **15.** ~ *down* (*up*) † *Preise* herˈunter- (hoch-) schrauben; *to* ~ *s.th. out of et.* aus *j-m* herauspressen; *to* ~ *up one's courage* Mut fassen; **16.** *sport dem Ball* Effet geben; **17.** *sl.* **a)** reinlegen, **b)** ‚bumsen', ‚vögeln'; **II.** *v/i.* **18.** sich (ein)schrauben lassen; **19.** *fig.* sich drehen; **20.** *fig.* knickerig sein; **21.** *Am. sl.* ‚verduften'.

ˈ**screw|·ball** *Am.* **I.** *s.* **1.** *Baseball*: Efˈfetball *m*; **2.** *sl.* ‚Spinner' *m*, verrückter Kerl; **II.** *adj.* **3.** *sl.* verrückt; ~ **bolt** *s.* ⊕ Schraubenbolzen *m*; ~ **cap** *s.* ⊕ **1.** Schraubdeckel *m*, Verschlußkappe *f*; **2.** ˈÜberwurfmutter *f*; ~ **con·vey·er** *s.* ⊕ Förderschnecke *f*; ~ **die** *s.* ⊕ Gewindeschneideeisen *n*; ˈ~**·driv·er** *s.* ⊕ Schraubenzieher *m*.

screw·ed [skru:d] *adj.* **1.** (an)geschraubt, verschraubt; mit Gewinde; **2.** verdreht, gewunden; **3.** F ‚besoffen'.

screw| gear(·ing) *s.* ⊕ **1.** Schneckenrad *n*; **2.** Schneckengetriebe *n*; ˈ~**-jack** *s.* **1.** ⊕ Wagenheber *m*; **2.** ⚕ Zahnspange *f*; ˈ~**-nut** *s.* ⊕ Mutterschraube *f*; ~ **press** *s.* ⊕ Spindel- *od.* Schraubenpresse *f*; ˈ~**-steam·er** → *screw 4*; ˈ~**-tap** *s.* ⊕ Gewindebohrer *m*; ˈ~**-wrench** *s.* ⊕ Schraubenschlüssel *m*.

screw·y [ˈskru:i] *adj.* **1.** schraubenartig; **2.** F ‚beschwipst'; **3.** *Am. sl.* verrückt; **4.** knickerig.

scrib·ble [ˈskribl] **I.** *v/t.* **1.** (*a.* ~ *down* hin)kritzeln, (-)schmieren: *to* ~ *over* bekritzeln; **2.** ⊕ *Wolle* krempeln; **II.** *v/i.* **3.** kritzeln; **III.** *s.* **4.** Gekritzel *n*, Geschreibsel *n*; ˈ**scrib·bler** [-lə] *s.* **1.** Kritzler *m*, Schmierer *m*; **2.** Schreiberling *m*; **3.** ⊕ ˈKrempelmaˌschine *f*.

ˈ**scrib·bling|-di·a·ry** [ˈskribliŋ] *s. Brit.* ˈVormerkkaˌlender *m*; ˈ~**-paper** *s. Brit.* ˈSchmierpaˌpier *n*, Noˈtizzettel *m*.

scribe [skraib] **I.** *s.* **1.** Schreiber *m*, Koˈpist *m*; **2.** *bibl.* Schriftgelehrte(r) *m*; **3.** *Am. humor.* **a)** Schriftsteller *m*, **b)** Journaˈlist *m*; **4.** ⊕ *a.* ~-*awl* Reißahle *f*, -nadel *f*; **II.** *v/t.* **5.** ⊕ anreißen; ˈ**scrib·er** [-bə] → *scribe 4*.

scrim [skrim] *s.* leichter, grobgewebter Leinen- *od.* Baumwollstoff.

scrim·mage [ˈskrimidʒ] *s.* **1.** Handgemenge *n*, Getümmel *n*; **2.** *Rugby*: Gedränge *n*.

scrimp [skrimp] **I.** *v/t.* **1.** knausern mit, knapp bemessen; **2.** *j-n* knapp halten (*for* mit); **II.** *v/i.* **3.** knausern (*on* mit); **III.** *adj.* **4.** *a.* ˈ**scrimp·y** [-pi] knapp.

scrim·shank *v/i. bsd.* ⚔ *Brit. sl.* sich drücken.

scrip[1] [skrip] *s. obs.* (Pilger-, Schäfer)Tasche *f*, Ränzel *n*.

scrip[2] [skrip] *s.* **1.** † **a)** Scrip *m*, ˈInterimsschein *m*, -ˌaktie *f*, **b)** *coll. die* Scrips *pl. etc.*; **2.** *a.* ~ *money Am.* Besatzungsgeld *n*.

script [skript] *s.* **1.** Handschrift *f*; **2.** Schrift(art) *f*: *phonetic* ~ Lautschrift; **3.** *typ.* (Schreib)Schrift *f*; **4.** *thea. etc.* Manuˈskript *n*; *Film*: Drehbuch *n*; **5.** ⚖ Urschrift *f*; **6.** *ped. Brit.* (schriftliche) Prüfungsarbeit; ˈ~**-girl** *s. Film*: ˈScriptgirl *n* (*Ateliersekretärin*).

scrip·tur·al [ˈskriptʃərəl] *adj.* **1.** Schrift...; **2.** *a.* ♀ biblisch, der Heiligen Schrift; **scrip·ture** [ˈskriptʃə] *s.* **1.** ♀, *mst the* ♀*s die* Heilige Schrift, *die* Bibel; **2.** *obs.* ♀ Bibelstelle *f*; **3.** heilige (nichtchristliche) Schrift: *Buddhist* ~; **4.** *a.* ~ *class* (*od. lesson*) *ped.* Religiˈonsstunde *f*.

ˈ**script·writ·er** *s.* Werbetexter(in).

scrive·ner [ˈskrivnə] *s. hist.* **1.** (öffentlicher) Schreiber; **2.** Geldmakler *m*.

scrof·u·la [ˈskrɔfjulə] *s.* ⚕ Skrofuˈlose *f*; ˈ**scrof·u·lous** [-ləs] *adj.* □ ⚕ skrofuˈlös.

scroll [skroul] *s.* **1.** Schriftrolle *f aus Papier od. Pergament*; **2.** △, ♪ Schnecke *f*; **3.** Schnörkel *m* (*Schrift*); **4.** Liste *f*, Verzeichnis *n*; ˈ~**-saw** *s.* ⊕ Laubsäge *f*; ˈ~**-work** *s.* **1.** Schnörkelverzierung *f*; **2.** Laubsägearbeit *f*.

scro·tum [ˈskroutəm] *pl.* **-ta** [-tə] *s. anat.* Hodensack *m*.

scrounge [skraundʒ] *sl.* **I.** *v/t.* **1.** ‚klauen', ‚organisieren' (*stehlen*); **2.** schnorren; **II.** *v/i.* **3.** ‚klauen'; **4.** schnorren, nassauern; ˈ**scroung·er** [-dʒə] *s. sl.* **1.** Dieb *m*; **2.** Schnorrer *m*, Nassauer *m*.

scrub[1] [skrʌb] **I.** *v/t.* **1.** schrubben, scheuern; **2.** ⊕ *Gas* reinigen; **II.** *v/i.* **3.** schrubben; **4.** F sich abrakern; **III.** *s.* **5.** Schrubben *n*: *that wants a good* ~ das muß tüchtig gescheuert werden; **6.** *sport* **a)** Ersatzmann *m*, **b)** *a.* ~-*team* zweite Mannschaft *od.* ‚Garniˈtur'.

scrub[2] [skrʌb] *s.* **1.** Gestrüpp *n*, Buschwerk *n*; **2.** Busch *m* (*Gebiet*); **3.** verkümmerter Baum; **4.** Zwerg *m*, Knirps *m*.

ˈ**scrub·bing-brush** [ˈskrʌbiŋ] *s.* Scheuerbürste *f*.

scrub·by [ˈskrʌbi] *adj.* **1.** verkümmert, -krüppelt; **2.** gestrüppreich; **3.** armselig, schäbig.

scruff [skrʌf], ~ **of the neck** *s.* Genick *n*: *to take s.o. by the* ~ *of the neck* j-n im Genick *od.* beim Kragen packen.

scruff·y [ˈskrʌfi] *adj.* F schmuddel(e)lig, dreckig.

scrum·mage [ˈskrʌmidʒ] → *scrimmage*.

scrump·tious [ˈskrʌmpʃəs] *adj.* **1.** F ‚prima', fabelhaft; **2.** *Am. sl.* heikel.

scrunch [skrʌntʃ] **I.** *v/t.* **1.** (zer-) kauen; **2.** zermalmen; **II.** *v/i.* **3.** knirschen, krachen; **III.** *s.* **4.** Knirschen *n*, Krachen *n*.

scru·ple [ˈskru:pl] **I.** *s.* **1.** ˈSkrupel *m*, Zweifel *m*, Bedenken *n*: *to have* ~*s about doing* Bedenken tragen, *et.* zu tun; *to make no* ~ *of doing* keine Bedenken haben *od.* sich kein Gewissen machen, *et.* zu tun; *without* ~ skrupellos; **2.** *pharm.* Skrupel *n* (= *20 Gran od. 1,296 Gramm*); **II.** *v/t.* **3.** Skrupel *od.* Bedenken haben, zögern (*to do* zu tun), zuˈrückschrecken vor *et.*; **III.** *v/i.* **4.** *selten* Skrupel *od.* Bedenken haben; ˈ**scru·pu·lous** [-pjuləs] *adj.* □ **1.** voller Skrupel *od.* Bedenken, (allzu)bedenklich (*about* in *dat.*); **2.** (ˈüber-) gewissenhaft, peinlich (genau); **3.** ängstlich, vorsichtig.

scru·ti·neer [skru:tiˈniə] *s.* (*pol.* Wahl)Prüfer *m*; **scru·ti·nize** [ˈskru:tinaiz] *v/t.* **1.** (genau) prüfen, unterˈsuchen; **2.** genau ansehen, studieren; **scru·ti·ny** [ˈskru:tini] *s.* **1.** (genaue) Unterˈsuchung, (*pol.* Wahl)Prüfung *f*; **2.** prüfender Blick.

scud [skʌd] **I.** *v/i.* **1.** eilen, jagen; **2.** ⚓ lenzen; **II.** *s.* **3.** (Daˈhin)Jagen *n*; **4.** (tieftreibende) Wolkenfetzen *pl.*; **5.** (Wind)Bö *f*.

scuff [skʌf] **I.** *v/i.* schlurfen(d gehen); **II.** *v/t. bsd. Am.* abstoßen, abnutzen.

scuf·fle [ˈskʌfl] **I.** *v/i.* **1.** sich balgen, raufen; **2.** schlurfen, scharren; **II.** *s.* **3.** Balgeˈrei *f*, Raufeˈrei *f*, Handgemenge *n*; **4.** Schlurfen *n*, Scharren *n*.

scull [skʌl] ⚓ **I.** *s.* **1.** Heck-, Wriggriemen *m*; **2.** ˈSkullboot *n*; **II.** *v/i. u. v/t.* **3.** wriggen; ˈ**scul·ler** [-lə] *s.* **1.** Ruderer *m*; **2.** → *scull 2*.

scul·ler·y [ˈskʌləri] *s. Brit.* Spülküche *f*: ~-*maid* Spül-, Scheuermädchen; ˈ**scul·lion** [-ljən] *s. poet. Brit.* Küchenjunge *m*.

sculp·tor [ˈskʌlptə] *s.* Bildhauer *m*; ˈ**sculp·tress** [-tris] *s.* Bildhauerin

f; ˈ**sculp·tur·al** [-tʃərəl] *adj.* □ bildhauerisch, Skulptur…; ˈ**sculp·ture** [-tʃə] **I.** *s.* ˈPlastik *f*: **a)** Bildhauerkunst *f*, **b)** Skulpˈtur *f*, Bildwerk *n*; **II.** *v/t.* formen, (herˈaus-)meißeln; schnitzen.
scum [skʌm] **I.** *s.* (⊕ *u. fig.* Ab-)Schaum *m*: *the ~ of the earth fig.* der Abschaum der Menschheit; **II.** *v/t.* abschäumen.
scum·ble [ˈskʌmbl] *paint.* **I.** *v/t.* **1.** *Farben, Umrisse* vertreiben, dämpfen; **II.** *s.* **2.** Gedämpftheit *f*; **3.** Deckfarbe *f*.
scum·my [ˈskʌmi] *adj.* **1.** schaumig; **2.** *fig.* gemein, ‚fies'.
scup·per [ˈskʌpə] **I.** *s.* **1.** ⚓ Speigatt *n*; **II.** *v/t.* ⚔ *Brit. sl.* **2.** niedermetzeln; **3.** *Schiff* versenken; **4.** *fig.* durcheinˈanderbringen.
scurf [skəːf] *s.* **1.** ⚕ **a)** Schorf *m*, Grind *m*, **b)** *bsd. Brit.* (Kopf)Schuppen *pl.*; **2.** abblätternde Kruste; Fetzen *pl.*; ˈ**scurf·y** [-fi] *adj.* **1.** schorfig; **2.** schuppig.
scur·ril·i·ty [skʌˈriliti] *s.* **1.** zotige Scherzhaftigkeit; **2.** Unflätigkeit *f*; Zotigkeit *f*; **3.** Zote *f*; **scur·ril·ous** [ˈskʌriləs] *adj.* □ **1.** ordiˈnärscherzhaft, ‚frech'; **2.** unflätig, zotig.
scur·ry [ˈskʌri] **I.** *v/i.* **1.** (eilig) trippeln, huschen, hasten; **II.** *s.* **2.** Getrippel *n*, Hasten *n*; **3.** (Regen-)Schauer *m*, Schneetreiben *n*.
scur·vy [ˈskəːvi] **I.** *s.* ⚕ Skorˈbut *m*; **II.** *adj.* (hunds)gemein; ˈ**~-grass** *s.* ⚘ Löffelkraut *n*.
scut [skʌt] *s.* **1.** *hunt.* Blume *f*, kurzer Schwanz (*bsd. Hase u. Rotwild*); **2.** Stutzschwanz *m*.
scu·tage [ˈskjuːtidʒ] *s.* ⚔ *hist.* Schildpfennig *m*, Rittersteuer *f*.
scutch [skʌtʃ] ⊕ **I.** *v/t.* **1.** *Flachs* schwingen; **2.** *Baumwolle od. Seidenfäden* (durch Schlagen) entwirren; **II.** *s.* **3.** (Flachs)Schwingmesser *n*, (ˈFlachs)ˌSchwingmaˌschine *f*.
scutch·eon [ˈskʌtʃən] *s.* **1.** → *escutcheon*; **2.** Namensschild *n*; **3.** ⊕ Schlüssellochklappe *f*; **4.** → *scute*.
scutch·er [ˈskʌtʃə] → *scutch 3.*
scute [skjuːt] *s. zo.* Schuppe *f*.
scu·tel·late(d) [ˈskjuːtəleit(id)] *adj. zo.* schuppig; **scuˈtel·lum** [skjuːˈteləm] *pl.* **-la** [-lə] *s.* ⚘, *zo.* Schildchen *n*; ˈ**scu·ti·form** [-tifɔːm] *adj.* schildförmig.
scut·tle[1] [ˈskʌtl] *s.* Kohlenkasten *m*, -eimer *m*.
scut·tle[2] [ˈskʌtl] **I.** *v/i.* **1.** eilen, flitzen; **2.** *bsd. fig.* sich (ver)drücken *od.* daˈvonmachen; **II.** *s.* **3.** hastige Flucht.
scut·tle[3] [ˈskʌtl] **I.** *s.* **1.** (Dach-, Boden)Luke *f*; **2.** ⚓ (Spring)Luke *f*; **3.** ⊕ Stirnwand *f*, Spritzbrett *n*; **II.** *v/t.* **4.** ⚓ *Schiff* anbohren, (selbst) versenken; ˈ**~-butt** *s.* **1.** ⚓ Trinkwassertonne *f*; **2.** *Am. sl.* Gerücht *n*.
scythe [saið] **I.** *s.* Sense *f*; **II.** *v/t.* (ab)mähen.
sea [siː] *s.* **1. a)** See *f*, Meer *n* (*a. fig.*), **b)** ˈOzean *m*, Weltmeer *n*: *at ~* auf *od.* zur See; *mst all at ~ fig.* ratlos, im dunkeln tappend; *beyond the ~, over ~(s)* nach *od.* in Übersee; *on the ~* **a)** auf *od.* zur See, **b)** an der See *od.* Küste (gelegen); *to follow the ~* Seemann sein; *to put (out) to ~* in See stechen; *the four ~s* die vier (*Großbritannien umgebenden*) Meere; *the high ~s* die hohe See, die Hochsee; **2.** ⚓ See(gang *m*) *f*: *heavy ~*; *long (short) ~* lange (kurze) See; **3.** ⚓ See *f*, hohe Welle; → *ship 7*; ˈ**~-an·chor** *s.* **1.** ⚓ Treibanker *m*; **2.** ✈ Wasseranker *m*; **~ bear** *s. zo.* **1.** Eisbär *m*; **2.** Seebär *m*; ˈ**~-bird** *s.* Meeres-, Seevogel *m*; ˈ**~·board I.** *s.* (See)Küste *f*; **II.** *adj.* Küsten…; ˈ**~-born** *adj.* **1.** aus dem Meer stammend; **2.** *poet.* meergeboren; ˈ**~-borne** *adj.* auf dem Seewege befördert, See…: *~ goods* Seehandelsgüter; *~ invasion* ⚔ Landungsunternehmen von See aus; *~ trade* Seehandel; ˈ**~-calf** → *sea-dog 1a*; **~ cap·tain** *s.* **1.** (ˈSchiffs)Kapiˌtän *m*; **2.** *poet.* Seeheld *m*; ˈ**~-cock** *s.* ⚓ ˈBordvenˌtil *n*; ˈ**~-cow** *s. zo.* **1.** Seekuh *f*, Siˈrene *f*; **2.** Walroß *n*; ˈ**~-dog** *s. zo.* **1. a)** Gemeiner Seehund, Meerkalb *n*, **b)** → *dogfish*; **2.** *fig.* ⚓ (alter) Seebär; ˈ**~·drome** [-droum] *s.* ✈ Wasserflughafen *m*; **~ el·e·phant** *s. zo.* ˈSee-EleˌfantIm *m*; ˈ**~·far·er** *s.* Seefahrer *m*, -mann *m*; ˈ**~·far·ing I.** *adj.* seefahrend: *~ man* Seemann; *~ nation* Seefahrernation; **II.** *s.* Seefahrt *f*; ˈ**~-food** *s. bsd. Am.* Meeresfrüchte *pl.*, eßbare Meerestiere *pl.*; ˈ**~-fowl** *s.* Seevogel *m*; **~ front** *s.* Seeseite *f* (*Stadt etc.*); ˈ**~-ga(u)ge** *s.* ⚓ **1.** Tiefgang *m*; **2.** Lotstock *m*; ˈ**~-girt** *adj poet.* ˈmeerumˌschlungen; ˈ**~-god** *s.* Meeresgott *m*; ˈ**~-go·ing** *adj.* ⚓ seetüchtig, Hochsee…; ˈ**~-green I.** *s.* Meergrün *n*; **II.** *adj.* meergrün; ˈ**~-gull** *s. orn.* Seemöwe *f*; ˈ**~-hog** *s. zo.* Schweinswal *m*, *bsd.* Meerschwein *n*; ˈ**~-horse** *s.* **1.** *zo.* **a)** Seepferdchen *n*, **b)** Walroß *n*; **2.** *myth.* Seepferd *n*.
seal[1] [siːl] **I.** *s.* **1.** *pl.* **seals**, *bsd. coll. pl.* **seal** *zo.* Robbe *f*, Seehund *m*; **2.** → *sealskin*; **II.** *v/i.* **3.** Robbenjagd betreiben.
seal[2] [siːl] **I.** *s.* **1.** Siegel *n*: *to set one's ~ to* sein Siegel auf *et.* drükken, *bsd. fig. et.* besiegeln (*bekräftigen*); *under the ~ of secrecy fig.* unter dem Siegel der Verschwiegenheit; **2.** Siegel(prägung *f*) *n*; **3.** Siegel(stempel *m*) *n*, Petschaft *n*; → *Great Seal*; **4.** ⚖ *etc.* Siegel *n*, Verschluß *m*; *Zollverkehr etc.*: Plombe *f*: *under ~* unter Verschluß; **5.** ⊕ **a)** (wasser-, luftdichter) Verschluß, **b)** (Ab)Dichtung *f*; **6.** *fig.* Siegel *n*, Besiegelung *f*, Bekräftigung *f*; **7.** Zeichen *n*, Garanˈtie *f*; **8.** *fig.* Stempel *m*, Zeichen *n des Todes etc.*; **II.** *v/t.* **9.** *Urkunde* siegeln; **10.** *Rechtsgeschäft etc.* besiegeln (*bekräftigen*); **11.** *fig.* besiegeln: *his fate is ~ed*; **12.** *fig.* zeichnen, s-n Stempel aufdrücken (*dat.*); **13.** versiegeln: *~ed offer* ✝ versiegeltes Angebot; *under ~ed orders* ✝ mit versiegelter Order; **14.** *Verschluß etc.* plombieren; **15.** *oft ~ up* herˈmetisch (*od.* ⊕ wasser-, ˈvakuumdicht) abschließen *od.* abdichten; *mit Klebestreifen etc.* verschließen: *~ed cabin* Höhenkabine; *it is a ~ed book to me fig.* es ist mir ein Buch mit sieben Siegeln; *to ~ a letter* e-n Brief zukleben; **16.** *~ off* ⚔ *Einbruch* abriegeln.
ˈ**sea-lane** *s.* Seeweg *m*.
seal·ant [ˈsiːlənt] *s.* ⊕ Dichtungsmittel *n*.
sea| law·yer *s.* ⚓ F Queruˈlant *m*; ˈ**~-legs** *s. pl.*: *to get one's ~* ⚓ seefest werden.
seal·er [ˈsiːlə] *s.* ⚓ Robbenfänger *m* (*Mann od. Schiff*); ˈ**seal·er·y** [-əri] *s.* **1.** Robbenfang *m*; **2.** Robbenfangplatz *m*.
sea lev·el *s.* Meeresspiegel *m*, -höhe *f*: *corrected to ~* auf Meereshöhe umgerechnet.
ˈ**seal-fish·er·y** → *sealery 1.*
seal·ing [ˈsiːliŋ] *s.* **1.** (Be)Siegeln *n*; **2.** Versiegeln *n*; ⊕ *a.* (Ab)Dichtung *f*: *~ ring* Dichtungsring; ˈ**~-wax** *s.* Siegellack *m*.
sea| lion *s. zo.* Seelöwe *m*; **♀ Lord** *s.* ⚓ *Brit.* Seelord *m* (*Amtsleiter in der brit. Admiralität*).
ˈ**seal|-rook·er·y** *s. zo.* Brutplatz *m* von Seehunden; ˈ**~·skin** *s.* **1.** ˈSeal(-skin) *m*, *n*, Seehundsfell *n*; **2.** ˈSealmantel *m*, -cape *n*.
seam [siːm] **I.** *s.* **1.** Saum *m*, Naht *f* (*a.* ⚕): *to burst at the ~s* aus den Nähten platzen (*a. fig.*); **2.** ⊕ **a)** (Guß-, Schweiß)Naht *f*: *~ welding* Nahtschweißung, **b)** *bsd.* ⚓ Fuge *f*, **c)** Sprung *m*, **d)** Falz *m*; **3.** Runzel *f*; **4.** Narbe *f*; **5.** *geol.* (Nutz-)Schicht *f*, Flöz *n*; **II.** *v/t.* **6.** *a. ~ up*, *~ together* zs.-nähen; **7.** säumen; **8.** *bsd. fig.* (durch)ˈfurchen; **9.** (zer-)schrammen; **10.** ⊕ durch e-e (Guß- *od.* Schweiß)Naht verbinden.
sea·man [ˈsiːmən] *s.* [*irr.*] ⚓ **1.** Seemann *m*, Maˈtrose *m*; **2.** ⚔ *Am.* (Maˈrine)Obergefreite(r) *m*: *~ recruit* Matrose; *~ apprentice* (Marine)Gefreite(r); ˈ**sea·man·like** [-laik] *adj. u. adv.* seemännisch; ˈ**sea·man·ship** [-ship] *s.* Seemannskunst *f*.
ˈ**sea|-mark(·er)** *s.* Seezeichen *n*; ˈ**~-mew** *s. orn.* Sturmmöwe *f*; **~ mile** *s.* Seemeile *f*; **~ mine** *s.* ⚔ Seemine *f*.
seam·less [ˈsiːmlis] *adj.* **1.** naht-, saumlos: *~-drawn tube* ⊕ nahtlos gezogene Röhre; **2.** fugenlos.
sea mon·ster *s.* Meeresungeheuer *n*.
seam·stress [ˈsemstris] *s.* Näherin *f*.
sea mud *s.* Seeschlamm *m*, Schlick *m*.
seam·y [ˈsiːmi] *adj.* gesäumt: *the ~ side* **a)** die linke Seite, **b)** *fig.* die Kehr- *od.* Schattenseite.
se·ance, sé·ance [ˈseiɑ̃ːns; seɑ̃ːs] (*Fr.*) *s.* Séance *f*, (spiriˈtistische) Sitzung.
ˈ**sea|-piece** *s. paint.* Seestück *n*; ˈ**~-plane** *s.* See-, Wasserflugzeug *n*; ˈ**~-port** *s.* Seehafen *m*, Hafenstadt *f*; **~ pow·er** *s.* Seemacht *f*.
sear[1] [siə] **I.** *v/t.* **1.** versengen; **2.** ⚕ (aus)brennen; **3.** *bsd. fig.* brandmarken; **4.** *fig.* abstumpfen: *a ~ed conscience*; **5.** austrocknen, verdorren lassen; **II.** *v/i.* **6.** austrocknen, verdorren; **III.** *adj.* **7.** *poet.* verdorrt, -welkt: *the ~ and yellow leaf fig.* der Herbst des Lebens.
sear[2] [siə] *s.* ⚔ Abzugstollen *m* (*Gewehr*).
search [səːtʃ] **I.** *v/t.* **1.** durchˈsuchen, -stöbern (*for* nach); **2.** ⚖ *Person, Haus etc.* durchsuchen, visitieren; **3.** unterˈsuchen; **4.** *fig.* *Gewissen etc.* erforschen, prüfen; **5.** *mst ~ out* auskundschaften, ausfindig ma-

chen; **6.** durch'dringen (*Wind, Geschosse etc.*); **7.** ⚔ mit Tiefenfeuer belegen *od.* bestreichen; **8.** *sl.* ~ *me!* keine Ahnung!; **II.** *v/i.* **9.** (*for*) suchen, forschen (nach); ⚖ fahnden (nach): *to* ~ *into* ergründen, untersuchen; **10.** ~ *after* streben nach; **III.** *s.* **11.** Suchen *n*, Forschen *n* (*for, of* nach): *in* ~ *of* auf der Suche nach; *to go in* ~ *of* auf die Suche gehen nach; **12.** ⚖ **a)** Haussuchung *f*, **b)** ('Leibes)Visitati,on *f*, **c)** Einsichtnahme *f in öffentliche Bücher*: *right of* ~ ⚓ Recht auf Durchsuchung neutraler Schiffe; **'search·er** [-tʃə] *s.* **1.** Sucher *m*, (Er)Forscher *m*; **2.** (*Zoll- etc.*)Prüfer *m*; **3.** ⚕ Sonde *f*; **'search·ing** [-tʃiŋ] *adj.* □ **1.** gründlich, eingehend; **2.** forschend (*Blick*); durch'dringend (*Wind etc.*): ~ *fire* ⚔ Streufeuer.

'search|·light *s.* (Such)Scheinwerfer *m*; **'~-par·ty** *s.* Suchtrupp *m*; **~ ra·dar** *s.* ⚔ Ra'dar-Suchgerät *n*; **'~-war·rant** *s.* ⚖ Haussuchungsbefehl *m*.

'sea|-risk *s.* ⚖ Seegefahr *f*; **'~-room** *s.* ⚓ Seeräumte *f*; **'~-route** *s.* See-, Schiffahrtsweg *m*; **~ rov·er** *s.* Seeräuber(schiff *n*) *m*; **~ ser·pent** *s. zo. u. myth.* Seeschlange *f*; **'~-shore** *s.* Seeküste *f*; **'~-sick** *adj.* seekrank; **'~-sick·ness** *s.* Seekrankheit *f*; **'~'side I.** *s.* See-, Meeresküste *f*, Küstenland *n*: *to go to the* ~ an die See fahren; **II.** *adj.* an der See gelegen, See...: ~ *place*, ~ *resort* Seebad.

sea·son ['si:zn] **I.** *s.* **1.** (Jahres)Zeit *f*; **2. a)** (Reife- *etc.*)Zeit *f*, rechte Zeit (*für et.*), **b)** *hunt.* (*Paarungs- etc.*) Zeit *f*: *in* ~ **a)** (gerade) reif, (günstig auf dem Markt) zu haben (*Frucht*), **b)** zur rechten Zeit, **c)** *hunt.* jagdbar, **d)** brünstig (*Tier*); *out of* ~ **a)** nicht (auf dem Markt) zu haben, **b)** *fig.* unpassend; *in and out of* ~ jederzeit; *cherries are now in* ~ jetzt ist Kirschenzeit; *a word in* ~ ein Rat zur rechten Zeit; *for a* ~ e-e Zeitlang; → *close-season*; **3.** ✝ Sai'son *f*, Haupt(betriebs-, geschäfts)zeit *f*: *dull* (*od. slack*) ~ stille Saison, tote Jahreszeit; *height of the* ~ Hochsaison; **4.** (*Veranstaltungs*)Saison *f*: *theatrical* ~ Theatersaison, Spielzeit; **5.** (*Bade-, Kur- etc.*)Saison *f*: *holiday* ~ Ferienzeit; **6.** Festzeit *f*; → *compliment 3*; **7.** F → *season ticket*; **II.** *v/t.* **8.** *Speisen* würzen (*a. fig.*): ~*ed with wit* geistreich; **9.** *Tabak etc.* (aus)reifen lassen: ~*ed wine* abgelagerter *od.* ausgereifter Wein; **10.** *Holz* ablagern; **11.** *Pfeife* einrauchen; **12.** gewöhnen (*to* an *acc.*), abhärten: *to be* ~*ed to* an *ein Klima etc.* gewöhnt sein; ~*ed soldiers* fronterfahrene Soldaten; ~*ed by battle* kampfgewohnt; **13.** *obs.* mildern; **III.** *v/i.* **14.** reifen; **15.** ablagern (*Holz*); **'sea·son·a·ble** [-nəbl] *adj.* □ **1.** rechtzeitig; **2.** passend, angebracht; günstig; **3.** jahreszeitlich; **4.** zeitgemäß; **'sea·son·al** [-zənl] *adj.* □ **1.** jahreszeitlich; **2.** sai'sonbedingt, -gemäß: ~ *closing-out sale* ✝ Saisonschlußverkauf; ~ *trade* Saisongewerbe; ~ *work*(*er*) Saisonarbeit(er); **'sea·son·ing** [-niŋ] *s.* **1.** Würze *f* (*a. fig.*), Gewürz *n*; **2.** Reifen *n etc.*; **sea·son tick·et** *s.* **1.** 🚂 *etc.* Dauer-, Zeitkarte *f*; **2.** *thea. etc.* Abonne'ment(skarte *f*) *n*.

seat [si:t] **I.** *s.* **1.** Sitz(gelegenheit *f*, -platz *m*) *m*; Stuhl *m*, Sessel *m*, Bank *f*; **2.** (*Stuhl- etc.*)Sitz *m*; **3.** Platz *m bei Tisch etc.*: *to take a* ~ Platz nehmen; *to take one's* ~ s-n Platz einnehmen; *take your* ~*s!* 🚂 einsteigen!; **4.** *thea. etc.* Platz *m*, Sitz *m*: *to book a* ~ e-e (*Theater- etc.*)Karte kaufen; **5.** (Präsi'denten- *etc.*)Sitz *m* (*a. fig. Amt*); **6.** (Amts-, Regierungs-, ✝ Geschäfts)Sitz *m*; **7.** *parl. etc.* Sitz *m* (*a. Mitgliedschaft*): *a* ~ *in parliament*; *to have* ~ *and vote* Sitz u. Stimme haben; **8.** Wohn-, Fa'milien-, Landsitz *m*; **9.** *fig.* Sitz *m*: **a)** Stätte *f*, (Schau-) Platz *m*: ~ *of war* Kriegsschauplatz, **b)** ⚕ Herd *m e-r Krankheit* (*a. fig.*); **10.** Gesäß *n*, Sitzfläche *f*; Hosenboden *m*; **11.** *Reitsport etc.*: Sitz *m* (*Haltung*); **12.** ⊕ Auflager *n*, Funda'ment *n*; **II.** *v/t.* **13.** *j-n wohin* setzen, *j-m* e-n Sitz anweisen: *to* ~ *o.s.* sich setzen; *to be* ~*ed* sitzen; **14.** Sitzplätze bieten für: *the hall* ~*s 600 persons*; **15.** *Raum* bestuhlen, mit Sitzplätzen versehen; **16. a)** *Stuhl* mit e-m (neuen) Sitz versehen, **b)** e-n (neuen) Hosenboden einsetzen in (*acc.*); **17.** ⊕ auflegen; **18.** *pass.* sitzen, s-n Sitz haben, liegen (*in* in *dat.*); **'seat·ed** [-tid] *adj.* **1.** sitzend: *to remain* ~ sitzen bleiben, Platz behalten; **2.** *in Zssgn* sitzig: *two-*~; **'seat·er** [-tə] *s. in Zssgn* ...sitzer *m*: *two-*~; **'seat·ing** [-tiŋ] **I.** *s.* **1. a)** Anweisen *n* von Sitzplätzen, **b)** Platznehmen *n*; **2.** Sitzgelegenheit(en *pl.*) *f*; Bestuhlung *f*; **II.** *adj.* **3.** Sitz...: ~ *accommodation* Sitzgelegenheiten.

'sea|-'trout *s. ichth.* 'Meer-, 'Lachsfo,relle *f*; **'~-'ur·chin** *s. zo.* See-Igel *m*; **'~-'wall** *s.* Deich *m*; (Hafen)Damm *m*.

sea·ward ['si:wəd] **I.** *adj. u. adv.* seewärts; **II.** *s.* Seeseite *f*; **'sea·wards** [-dz] *adv.* seewärts.

'sea|-'wa·ter *s.* See-, Meerwasser *n*; **'~-way** *s.* **1.** ⚓ Fahrt *f*; **2.** Seeweg *m*; **3.** Seegang *m*; **'~-weed** *s.* **1.** (See)Tang *m*, Alge *f*; **2.** *allg.* Meerespflanze(n *pl.*) *f*; **'~-wor·thi·ness** *s.* Seetüchtigkeit *f*; **'~-wor·thy** *adj.* seetüchtig.

se·ba·ceous [si'beiʃəs] *adj. physiol.* Talg..., Fett...: ~ *gland* Talgdrüse.

sec [sek] (*Fr.*) *adj.* sec, trocken (*Wein*).

se·cant ['si:kənt] **I.** *s.* ⩘ **a)** Se'kante *f*, **b)** Schnittlinie *f*; **II.** *adj.* schneidend.

sec·a·teur ['sekətə:] (*Fr.*) *s. mst* (*a pair of*) ~*s pl.* (e-e) Baumschere.

sec·co·tine ['sekəti:n] *Brit.* **I.** *s.* (*Handelsbezeichnung für e-n*) Klebstoff; **II.** *v/t.* kleben.

se·cede [si'si:d] *v/i. bsd. eccl., pol.* sich trennen *od.* lossagen, abfallen (*from* von); **se'ced·er** [-də] *s.* Abtrünnige(r *m*) *f*, Separa'tist *m*.

se·ces·sion [si'seʃən] *s.* **1.** Sezessi'on *f* (*USA hist. oft* 2), (Ab-, *eccl.* Kirchen)Spaltung *f*, Abfall *m*, Lossagung *f*; **2.** 'Übertritt *m* (*to* zu); **se'ces·sion·al** [-ʃənl] *adj.* Sonderbunds..., Abfall..., Sezessions...; **se'ces·sion·ist** [-ʃnist] *s.* Abtrünnige(r *m*) *f*, Sonderbündler *m*, Sezessio'nist *m*.

se·clude [si'klu:d] *v/t.* (*o.s.* sich) abschließen, absondern (*from* von); **se'clud·ed** [-did] *adj.* □ einsam: **a)** zu'rückgezogen (*Lebensweise*), **b)** abgelegen (*Ort*); **se'clu·sion** [-u:ʒən] *s.* **1.** Abschließung *f*; **2.** Zu'rückgezogenheit *f*, Abgeschiedenheit *f*: *to live in* ~ zurückgezogen leben.

sec·ond ['sekənd] **I.** *adj.* □ → *secondly*; **1.** zweit; nächst: ~ *Advent* (*od. Coming*) *eccl.* Wiederkunft (Christi); ~ *ballot* Stichwahl; ~ *Chamber pol.* Oberhaus; ~ *floor* **a)** *Brit.* zweiter Stock, **b)** *Am.* erster Stock (*über dem Erdgeschoß*); ~ *in height* zweithöchst; *at* ~ *hand* aus zweiter Hand; *in the* ~ *place* zweitens; *it has become* ~ *nature with him* es ist ihm zur zweiten Natur geworden *od.* in Fleisch u. Blut übergegangen; → *self 1*, *sight 1*, *thought 3*, *wind*[1] *5*; **2.** (*to*) 'untergeordnet (*dat.*), geringer (als): ~ *cabin* ⚓ Kabine zweiter Klasse; ~ *cousin* Vetter zweiten Grades; ~ *lieutenant* ⚔ Leutnant; *to come* ~ *fig.* an zweiter Stelle kommen; ~ *to none* unerreicht; *he is* ~ *to none* er steht keinem nach; → *fiddle 1*; **II.** *s.* **3.** *der* (*die, das*) Zweite: ~ *in command* ⚔ **a)** stellvertretender Komman'deur, **b)** ⚓ erster Offizier; **4.** *sport* Zweite(r *m*) *f*, zweiter Sieger: *to run* ~ den zweiten Platz belegen; *to be a good* ~ nur knapp geschlagen werden; **5.** *univ.* zweite Klasse *in e-r Prüfung*; **6.** F 🚂 *etc.* zweite Klasse; **7.** *Duell, Boxen*: Sekun'dant *m*; *fig.* Beistand *m*; **8.** Se'kunde *f*; *weitS. a.* Augenblick *m*, Mo'ment *m*; **9.** ♪ **a)** Sekunde *f*, **b)** Begleitstimme *f*; **10.** *pl.* ✝ Ware(n *pl.*) *f* zweiter Quali'tät *od.* Wahl; **11.** ~ *of exchange* ✝ Se'kundawechsel *m*; **III.** *v/t.* **12.** sekundieren (*dat.*) (*a. fig.*); **13.** *fig.* unter'stützen (*a. parl.*), beistehen (*dat.*); **14.** [si'kɔnd] ⚔ *Brit. Offizier* abstellen.

sec·ond·ar·i·ness ['sekəndərinis] *s.* *das* Sekun'däre, Zweitrangigkeit *f*; **sec·ond·ar·y** ['sekəndəri] **I.** *adj.* □ **1.** sekun'där, zweitrangig, 'untergeordnet, nebensächlich: *of* ~ *importance*; **2.** ⚡, ⚗, *biol., geol., phys.* sekundär, Sekundär...: ~ *electron*; **3.** Neben...: ~ *colo(u)r*; ~ *effect*; **4.** Neben..., Hilfs...: ~ *line* 🚂 Nebenbahn; **5.** *ling.* **a)** sekundär, abgeleitet, **b)** Neben...: ~ *accent* Nebenakzent; ~ *derivative* Sekundärableitung; ~ *tense* Nebentempus; **6.** *ped.* Oberschul...: ~ *education* höhere Schulbildung; ~ *school* höhere Schule; **II.** *s.* **7.** 'Untergeordnete(r *m*) *f*, Stellvertreter(in); **8.** ⚡ **a)** Sekun'där(strom)kreis *m*, **b)** Sekundärwicklung *f*; **9.** *ast. a.* ~ *planet* Satel'lit *m*; **10.** *orn.* Nebenfeder *f*.

'sec·ond|-best *adj.* zweitbest: *to come off* ~ *fig.* den Kürzeren ziehen; **'~-'class** [-nd'k-] *adj.* **1.** zweitklassig, -rangig; **2.** 🚂 *etc.* *Wagen etc.* zweiter Klasse: ~ *mail* 📯 Postsachen zweiten Ranges (*Zeitungen etc.*).

'sec·ond-'hand[1] **I.** *adj.* **1.** über'nommen, *a. Wissen etc.* aus zweiter Hand; **2.** 'indi,rekt; **3.** gebraucht, alt; anti'quarisch (*Bücher*): *~ bookshop* Antiquariat; *~ car mot.* Gebrauchtwagen; *~ dealer* Altwarenhändler; **II.** *adv.* **4.** gebraucht: *to buy s.th. ~.*

'sec·ond-hand[2] *s.* Se'kundenzeiger *m.*

sec·ond·ly ['sekəndli] *adv.* zweitens.

'sec·ond|-'rate *adj.* zweitrangig, -klassig, mittelmäßig; **'~-'rat·er** *s.* mittelmäßige Per'son *od.* Sache.

se·cre·cy ['si:krisi] *s.* **1.** Verborgenheit *f*; **2.** Heimlichkeit *f*: *in all ~, with absolute ~* ganz im geheimen, insgeheim; **3.** Verschwiegenheit *f*; Geheimhaltung(spflicht) *f*; (*Wahl- etc.*)Geheimnis *n*: *official ~* Amtsverschwiegenheit; *professional ~* Berufsgeheimnis, Schweigepflicht; → *swear 6*; **se·cret** ['si:krit] **I.** *adj.* □ **1.** geheim, heimlich, Geheim… (*-dienst, -diplomatie, -tür etc.*): *~ ballot* geheime Wahl; → *keep 13*; **2. a)** verschwiegen, **b)** verstohlen (*Person*); **3.** verschwiegen (*Ort*); **4.** unerforschlich, verborgen; **II.** *s.* **5.** Geheimnis *n* (*from* vor *dat.*): *the ~ of success fig.* das Geheimnis des Erfolgs, der Schlüssel zum Erfolg; *in ~* heimlich, im geheimen; *to be in the ~* (in das Geheimnis) eingeweiht sein; *to let s.o. into the ~* j-n (in das Geheimnis) einweihen; *to make no ~ of* kein Geheimnis *od.* Hehl aus *et.* machen.

se·cre·taire [sekri'tɛə] (*Fr.*) *s.* Sekre'tär *m*, Schreibschrank *m.*

se·cre·tar·i·al [sekrə'tɛəriəl] *adj.* **1.** Sekretärs…; **2.** Schreib…, Büro…; **sec·re'tar·i·at(e)** [-iət] *s.* Sekreta'ri'at *n.*

sec·re·tar·y ['sekrətri] *s.* **1.** Sekre'tär(in): *~ of embassy* Botschaftsrat; **2.** Schriftführer *m*; ⚚ **a)** Geschäftsführer *m*, **b)** 'Syndikus *m*; **3.** *pol. Brit.* **a)** *~ (of state)* Mi'nister *m*: Ձ *of State for Foreign Affairs, Foreign* Ձ Außenminister; Ձ *of State for Home Affairs, Home* Ձ Innenminister, **b)** 'Staatssekre,tär *m*; **4.** *pol. Am.* Minister *m*: Ձ *of Defense* Verteidigungsminister; Ձ *of State* **a)** Außenminister, **b)** Staatssekretär *e-s Bundesstaats*; **5.** → *secretaire*; **'~-bird** *s. orn.* Sekre'tär *m*; **'~-'gen·er·al** *pl.* **'sec·re·tar·ies-'gen·er·al** *s.* Gene'ralsekre,tär *m.*

sec·re·tar·y·ship ['sekrətriʃip] *s.* Posten *m od.* Amt *n e-s* Sekre'tärs *etc.*

se·crete [si'kri:t] *v/t.* **1.** *physiol.* absondern, abscheiden; **2.** verbergen (*from* vor *dat.*); ⚖ *Vermögensstücke* bei'seite schaffen; **se'cre·tion** [-i:ʃən] *s.* **1.** *physiol.* **a)** Sekreti'on *f*, Absonderung *f*, **b)** Se'kret *n*; **2.** Verheimlichung *f*; **se'cre·tive** [-tiv] *adj.* □ heimlich, verschlossen, geheimtuerisch: *to be ~ about* mit *et.* geheim tun; **se'cre·tive·ness** [-tivnis] *s.* Geheimnistue'rei *f*; Verschlossenheit *f.*

'se·cret·mon·ger *s.* Geheimniskrämer(in).

se·cre·to·ry [si'kri:təri] *physiol.* **I.** *adj.* sekre'torisch, Sekretions…; **II.** *s.* sekretorische Drüse.

sect [sekt] *s.* **1.** Sekte *f*; **2.** Religi'onsgemeinschaft *f.*

sec·tar·i·an [sek'tɛəriən] **I.** *adj.* **1.** sektiererisch; **2.** Konfessions…; **II.** *s.* **3.** Anhänger(in) e-r Sekte; **4.** Sektierer(in); **sec'tar·i·an·ism** [-nizəm] *s.* Sektierertum *n.*

sec·tion ['sekʃən] **I.** *s.* **1. a)** Durch'schneidung *f*, **b)** (*a. mikroskopischer*) Schnitt, **c)** ⚕ Sekti'on *f*, Schnitt *m*; **2.** Ab-, Ausschnitt *m*, Teil *m* (*a. der Bevölkerung etc.*); **3.** Abschnitt *m*, Absatz *m* (*Buch etc.*); ⚖ (*Gesetzes- etc.*)Para'graph *m*; **4.** Para'graph(enzeichen *n*) *m*; **5.** ⊕ Teil *m*, *n*; **6.** ⩚, ⊕ Schnitt(bild *n*) *m*, Querschnitt *m*, Pro'fil *n*: *horizontal ~* Horizontalschnitt; **7.** 🚂 **a)** Streckenabschnitt *m*, **b)** *Am.* Ab'teil *n e-s Schlafwagens*; **8.** *Am.* Bezirk *m*; **9.** *Am.* 'Landpar,zelle *f* von e-r Quad'ratmeile; **10.** ⚘, *zo.* 'Untergruppe *f*; **11.** ⚔ **a)** *Brit.* Gruppe *f*, **b)** *Am.* Halbzug *m*, **c)** ✈ Halbstaffel *f*, **d)** Stabsabteilung *f*; **II.** *v/t.* **12.** (ab)teilen, unter'teilen; **13.** e-n Schnitt machen von; **'sec·tion·al** [-ʃənl] *adj.* □ **1.** Schnitt…(*-fläche, -zeichnung etc.*); **2.** Teil…(*-ansicht, -streik etc.*); **3.** zs.-setzbar, -legbar: *~ boat*; **4.** ⊕ Form…(*-draht, -stahl*); **5.** regio'nal; partikula'ristisch: *~ pride* Lokalpatriotismus; **'sec·tion·al·ism** [-ʃnəlizəm] *s.* Partikula'rismus *m.*

'sec·tion-mark *s.* Para'graphenzeichen *n.*

sec·tor ['sektə] *s.* **1.** ⩚ ('Kreis- *od.* 'Kugel),Sektor *m*; **2.** ⩚, *ast.* Sektor *m*, Proportio'nalzirkel *m*; **3.** ⚔ Sektor *m*, Frontabschnitt *m.*

sec·u·lar ['sekjulə] **I.** *adj.* □ **1.** weltlich: **a)** diesseitig, **b)** pro'fan: *~ music*, **c)** nicht kirchlich (*Erziehung etc.*): *~ arm* weltliche Gerichtsbarkeit; **2.** 'freireligi,ös, -denkerisch; **3.** *eccl.* weltgeistlich, Säkular…: *~ clergy* Weltgeistlichkeit; **4.** hundertjährig, säku'lar; **5.** jahr'hundertelang; **6.** *ast., phys.* säkular; **II.** *s.* **7.** *R.C.* Weltgeistliche(r) *m*; **'sec·u·lar·ism** [-ərizəm] *s.* **1.** Säkula'rismus *m* (*a. phls.*), Weltlichkeit *f*; **2.** ,Antiklerika'lismus *m*; **sec·u·lar·i·ty** [sekju'læriti] *s.* **1.** Weltlichkeit *f*; **2.** *pl.* weltliche Dinge *pl.*

sec·u·lar·i·za·tion ['sekjulərai'zeiʃən] *s.* **1.** *eccl.* Säkularisierung *f*: **a)** *geistlicher Güter*, **b)** *von Ordensgeistlichen*; **2.** Verweltlichung *f*; **sec·u·lar·ize** ['sekjuləraiz] *v/t.* **1.** kirchlichem Einfluß entziehen; **2.** *kirchlichen Besitz, a. Ordensgeistliche* säkularisieren; **3.** verweltlichen; *Sonntag etc.* entheiligen; **4.** mit freidenkerischen I'deen durch'dringen.

se·cund [si'kʌnd] *adj.* □ **1.** ⚘ einseitswendig; **2.** *zo.* einseitig.

sec·un·dine ['sekəndin] *s.* **1.** *mst pl.* ⚕ Nachgeburt *f*; **2.** ⚘ inneres Integu'ment der Samenanlage.

se·cure [si'kjuə] **I.** *adj.* □ **1.** sicher: **a)** geschützt (*from* vor *dat.*), **b)** fest (*Grundlage etc.*), **c)** gesichert (*Existenz*), **d)** gewiß (*Hoffnung, Sieg etc.*); **2.** ruhig, sorglos; **II.** *v/t.* **3.** sichern, schützen (*from, against* vor *dat.*); **4.** sichern, garantieren (*s.th. to s.o. od. s.o. s.th.* j-m et.); **5.** sich *et.* sichern *od.* beschaffen; erreichen, erlangen; *Patent, Urteil etc.* erwirken; **6.** ⊕ *etc.* sichern, befestigen; *Türe etc.* (fest) (ver)schließen: *to ~ by bolts* festschrauben; **7.** *Wertsachen* sicherstellen; **8.** *Verbrecher* festnehmen; **9.** *bsd.* ⚚ sicherstellen: **a)** *et.* sichern (*on, by* durch *Hypothek etc.*), **b)** *j-m* Sicherheit bieten: *to ~ a creditor*; **10.** ⚕ *Ader* abbinden.

se·cu·ri·ty [si'kjuəriti] *s.* **1.** Sicherheit *f* (*Zustand od. Schutz*) (*against, from* vor *dat.*, gegen): Ձ *Council pol.* Sicherheitsrat; *~ check* Sicherheitsüberprüfung; *~ clearance* Unbedenklichkeitsbescheinigung; → *risk 2*; **2.** (innere) Sicherheit, Sorglosigkeit *f*; **3.** Gewißheit *f*; **4.** ⚖, ⚚ **a)** Bürge *m*, **b)** Sicherheit *f*, Bürgschaft *f*, Kauti'on *f*: *~ bond* Bürgschaftswechsel; *to give (od. put up, stand) ~* Bürgschaft leisten, Kaution stellen; **5.** ⚚ **a)** Schuldverschreibung *f*, **b)** 'Aktie *f*, **c)** *pl.* 'Wertpa,piere *pl.*: *~ market* Effektenmarkt; *public securities* Staatspapiere.

se·dan [si'dæn] *s.* **1.** *mot.* Limou'sine *f*; **2.** *a. ~-chair* Sänfte *f.*

se·date [si'deit] *adj.* □ **1.** ruhig, gelassen; **2.** gesetzt, ernst; **se'date·ness** [-nis] *s.* **1.** Gelassenheit *f*; **2.** Gesetztheit *f.*

sed·a·tive ['sedətiv] *bsd.* ⚕ **I.** *adj.* beruhigend; **II.** *s.* Beruhigungsmittel *n.*

sed·en·tar·i·ness ['sedntərinis] *s.* **1.** sitzende Lebensweise; **2.** Seßhaftigkeit *f*; **sed·en·tar·y** ['sedntəri] *adj.* □ **1.** sitzend (*Beschäftigung, Statue etc.*): *~ life* sitzende Lebensweise; **2.** von sitzender Lebensweise; **3.** seßhaft: *~ birds* Standvögel.

se·de·runt [si'diərʌnt] (*Lat.*) *s. Scot.* Sitzung *f.*

sedge [sedʒ] *s.* ⚘ **1.** Segge *f*; **2.** *allg.* Riedgras *n*; **sedg·y** ['sedʒi] *adj.* ⚘ mit Riedgras bewachsen.

sed·i·ment ['sedimənt] *s.* Sedi'ment *n*: **a)** (Boden)Satz *m*, Niederschlag *m*, **b)** *geol.* Schichtgestein *n*; **sed·i·men·ta·ry** [sedi'mentəri] *adj.* sedimen'tär, Sediment…; **sed·i·men·ta·tion** [sedimen'teiʃən] *s.* **1.** Sedimentati'on *f*: **a)** Ablagerung *f*, **b)** *geol.* Schichtenbildung *f*; **2.** *a. blood ~* ⚕ Blutsenkung *f.*

se·di·tion [si'diʃən] *s.* **1.** Aufwiegelung *f*, Volksverhetzung *f*; **2.** Aufruhr *m*; **se'di·tious** [-ʃəs] *adj.* □ aufrührerisch, 'umstürzlerisch, staatsgefährdend.

se·duce [si'dju:s] *v/t.* **1.** *Frau etc.* verführen (*a. fig. verleiten*; *into, to* zu; *into doing s.th.* dazu, et. zu tun); **2.** *~ from j-n* von *s-r Pflicht etc.* abbringen; **se'duc·er** [-sə] *s.* Verführer *m*; **se·duc·tion** [si'dʌkʃən] *s.* **1.** (*a. sexuelle*) Verführung; Verlokkung *f*; **2.** Versuchung *f*, verführerischer Zauber; **se·duc·tive** [si'dʌktiv] *adj.* □ verführerisch.

se·du·li·ty [si'dju:liti] *s.* Emsigkeit *f*, (emsiger) Fleiß; **sed·u·lous** ['sedjuləs] *adj.* □ emsig, fleißig.

see[1] [si:] **I.** *v/t.* [*irr.*] **1.** sehen: *~ page 15* siehe Seite 15; *I ~ him come (od. coming)* ich sehe ihn kommen; *I cannot ~ myself doing it fig.* ich kann mir nicht vorstellen, daß ich es tue; *I ~ things otherwise fig.* ich sehe *od.* betrachte die Dinge anders;

to ~ *o.s. obliged to fig.* sich gezwungen sehen zu; **2.** (ab)sehen, erkennen: *to* ~ *danger ahead*; **3.** ersehen, entnehmen (*from* aus *der Zeitung etc.*); **4.** (ein)sehen, verstehen: *as I* ~ *it* wie ich es sehe, in m-n Augen; *I do not* ~ *the use of it* ich weiß nicht, wozu es gut sein soll; → *joke* 2; **5.** (sich) ansehen, besuchen: *to* ~ *a play*; **6.** *j-n* besuchen: *to go* (*come*) *to* ~ *s.o.* j-n besuchen (gehen *od.* kommen); *Anwalt etc.* aufsuchen, konsultieren (*about* wegen), *j-n* sprechen (*on business* geschäftlich); **7.** *j-n* empfangen: *he refused to* ~ *me*; **8.** nachsehen, her'ausfinden; **9.** dafür sorgen (daß): ~ (*to it*) *that it is done!* sorge dafür *od.* sieh zu, daß es geschieht!; *to* ~ *justice done to s.o.* dafür sorgen, daß j-m Gerechtigkeit widerfährt; **10.** sehen, erleben: *to live to* ~ erleben; *to* ~ *action* im Einsatz sein, Kämpfe mitmachen; *he has seen better days* er hat (schon) bessere Tage gesehen; **11.** *j-n* begleiten, geleiten, bringen (*to the station* zum Bahnhof); → *see off, see out*; **II.** *v/i.* [*irr.*] **12.** sehen; → *fit*[1] *3*; **13.** verstehen, einsehen: *I* ~! (ich) verstehe!, aha!, ach so!; (*you*) ~ wissen Sie, weißt du; (*you*) ~? F verstehst du?; **14.** nachsehen; **15.** sehen, sich über'legen: *let me* ~! warte mal!, laß mich überlegen!; *we'll* ~ wir werden sehen, mal abwarten.

Zssgn mit prp.:

see| a·bout *v/i.* **1.** sich kümmern um; **2.** F sich *et.* überlegen; ~ **aft·er** *v/i.* **1.** sehen nach, sich kümmern um; **2.** F *et.* suchen; ~ **in·to** *v/i.* e-r Sache auf den Grund gehen; ~ **o·ver** *v/i.* sich ansehen; ~ **through** *v/i. j-n od. et.* durch'schauen; ~ **to** *v/i.* sich kümmern um.

Zssgn mit adv.:

see| off *v/t. j-n* fortbegleiten, wegbringen; ~ **out** *v/t.* **1.** *j-n* hin'ausbegleiten; **2.** F *et.* bis zum Ende ansehen *od.* mitmachen; ~ **through I.** *v/t.* **1.** *j-m* 'durchhelfen (*with* in *e-r Sache*); **2.** *et.* (bis zum Ende) 'durchhalten *od.* -fechten; **II.** *v/i.* **3.** F durchhalten.

see[2] [si:] *s. eccl.* **1.** (Erz)Bischofssitz *m*; → *Holy See*; **2.** (Erz)Bistum *n*.

seed [si:d] **I.** *s.* **1.** ⚘ **a)** Same *m*, **b)** (Obst)Kern *m*, **c)** *coll.* Samen *pl.*, **d)** ⚒ Saat(gut *n*) *f*: *to go* (*od. run*) *to* ~ in Samen schießen, *fig.* herunterkommen; **2.** *zo.* Samen *m*; *fig.* Nachkommenschaft *f*: *the* ~ *of Abraham bibl.* der Same Abrahams; **3.** *pl. fig.* Saat *f*, Keim *m*: *to sow the* ~*s of discord* (die Saat der) Zwietracht säen; **II.** *v/t.* **4.** entsamen; *Obst* entkernen; **5.** *Acker* besäen; **6.** *sport* **a)** *Spieler* setzen, **b)** *die Spitzenkönner* (auf verschiedene Turniergruppen) verteilen; **III.** *v/i.* **7.** ⚘ **a)** Samen tragen, **b)** in Samen schießen, **c)** sich aussäen; '~-'**cake** *s.* Kümmelkuchen *m*; '~-'**corn** *s.* **1.** Saatkorn *n*; **2.** *Am.* Saatmais *m*; '~-'**drill** → *seeder 1*.

seed·er ['si:də] *s.* **1.** ⚒ 'Säma,schine *f*; **2.** (Frucht)Entkerner *m*.

seed·i·ness ['si:dinis] *s.* F **1.** Schäbigkeit *f*, Abgerissenheit *f*, verwahrloster Zustand; **2.** ‚Flauheit' *f*, Unpäßlichkeit *f*.

'**seed-'leaf** *s.* [*irr.*] ⚘ Keimblatt *n*.

seed·less ['si:dlis] *adj.* kernlos; '**seed·ling** [-liŋ] *s.* ⚘ Sämling *m*.

'**seed|-'oys·ter** *s. zo.* **1.** Saataustér *f*; **2.** *pl.* Austernlaich *m*; '~-'**pearl** *s.* Staubperle *f*; '~-'**plot** *s.* **1.** Pflanzschule *f*, Samenbeet *n*; **2.** *fig.* Pflanz-, Brutstätte *f*; '~-**po'ta·to** *s.* [*irr.*] Saatkartoffel *f*.

seeds·man ['si:dzmən] *s.* [*irr.*] Samenhändler *m*.

seed·y ['si:di] *adj.* **1.** ⚘ samentragend, -reich; **2.** F schäbig: **a)** fadenscheinig, **b)** her'untergekommen (*Person*); **3.** F ‚flau', ‚mies' (*Befinden*): *to look* ~ elend aussehen.

see·ing [si:iŋ] **I.** *s.* Sehen *n*: *worth* ~ sehenswert; **II.** *cj. a.* ~ *that* da doch; in Anbetracht dessen, daß; **III.** *prp.* angesichts (*gen.*), in Anbetracht (*gen.*); '~-**eye dog** *s. Am.* Blindenhund *m*.

seek [si:k] **I.** *v/t.* [*irr.*] **1.** suchen; **2.** *Bett, Schatten, j-n* aufsuchen; **3.** (*of*) *Rat, Hilfe etc.* suchen (bei), erbitten (von); **4.** begehren, erstreben, nach *Ruhm etc.* trachten; ⚖ *etc.* beantragen, begehren: *to* ~ *divorce*; → *life Redew.*; **5.** (ver)suchen, trachten (*et. zu tun*); **6.** zu ergründen suchen; **7.** *to be to* ~ *obs.* (noch) fehlen, zu wünschen übrig lassen; **8.** *a.* ~ *out* her'ausfinden, aufspüren, *fig.* aufs Korn nehmen; **II.** *v/i.* [*irr.*] **9.** suchen, fragen, forschen (*for, after* nach); **10.** ~ *after* begehren; '**seek·er** [-kə] *s.* Sucher(in): ~ *after truth* Wahrheitssucher.

seel [si:l] *v/t.* **1.** *obs. Falken* blenden; **2.** *fig.* hinters Licht führen.

seem [si:m] *v/i.* **1.** (zu sein) scheinen, anscheinend sein, erscheinen: *it* ~*s impossible to me* es (er)scheint mir unmöglich; **2.** *mit inf.* scheinen: *you* ~ *to believe it* du scheinst es zu glauben; *apples* ~ *not to grow here* Äpfel wachsen hier anscheinend nicht; *I* ~ *to hear voices* mir ist, als hörte ich Stimmen; **3.** *impers. it* ~*s that* es scheint, daß; anscheinend; *it* ~*s as if* (*od. though*) es sieht so aus *od.* es scheint so als ob; *it* ~*s to me that it will rain* mir scheint, es wird regnen; *it should* (*od. would*) ~ *that* man sollte glauben, daß; *I can't* ~ *to open this door* ich bringe diese Tür einfach nicht auf; '**seem·ing** [-miŋ] *adj.* □ **1.** scheinbar: *a* ~ *friend*; **2.** anscheinend; '**seem·li·ness** [-linis] *s.* Anstand *m*, Schicklichkeit *f*; '**seem·ly** [-li] *adj. u. adv.* geziemend, schicklich.

seen [si:n] *p.p. von* see[1].

seep [si:p] *v/i.* sickern (*a. fig.*), tropfen, lecken: ~ *away* versickern; '**seep·age** [-pidʒ] *s. Scot. od. Am.* **1.** ('Durch-, Ver)Sickern *n*; **2.** 'Durchgesickertes *n*; **3.** Leck *n*.

se·er ['si(:)ə] *s.* Seher(in).

see·saw ['si:sɔ:] **I.** *s.* **1.** Wippen *n*, Schaukeln *n*; **2.** Wippe *f*, Wippschaukel *f*; **3.** *fig.* (ständiges) Auf u. Ab *od.* Hin u. Her; **II.** *adj.* **4.** schaukelnd, (*a. fig.*) Schaukel...(*-bewegung, -politik*); **III.** *v/i.* **5.** wippen, schaukeln; **6.** sich auf u. ab *od.* hin u. her bewegen; **7.** *fig.* (hin u. her) schwanken.

seethe [si:ð] *v/i.* **1.** kochen, sieden, wallen (*a. fig.*); **2.** *fig.* brodeln, gären (*with* vor *dat.*): *seething with rage* vor Wut kochend.

see-'through *adj.* **1.** 'durchsichtig: ~ *blouse*; **2.** Klarsicht...: ~ *package*.

seg·ment ['segmənt] **I.** *s.* **1.** Abschnitt *m*, Teil *m*, *n*; **2.** *bsd.* ⚹ (*Kreis- etc.*)Seg'ment *n*; **3.** *biol.* **a)** *allg.* Glied *n*, Segment *n*, **b)** 'Körperseg,ment *n*, Ring *m* (*Wurm etc.*); **II.** *v/t.* **4.** (*v/i.* sich) in Segmente teilen; **seg·men·tal** [seg'mentl] *adj.* □, '**seg·men·tar·y** [-təri] *adj.* segmen'tär; **seg·men·ta·tion** [segmən'teiʃən] *s.* **1.** Segmentati'on *f*; **2.** *biol.* Zellteilung *f*.

'**seg·ment|-gear** *s.* ⊕ Seg'ment(zahnrad)getriebe *n*; '~-**saw** *s.* ⊕ **1.** Baumsäge *f*; **2.** Bogenschnittsäge *f*.

seg·re·gate ['segrigeit] **I.** *v/t.* **1.** trennen, absondern; **2.** ⊕ aussaigern, -scheiden; **II.** *v/i.* sich absondern *od.* abspalten (*a. fig.*); ⚗ sich abscheiden; **4.** *biol.* mendeln; **III.** *adj.* [-git] **5.** abgesondert, isoliert; **seg·re·ga·tion** [segri'geiʃən] *s.* **1.** Absonderung *f*, -trennung *f*; **2.** Rassentrennung *f*; **3.** ⚗ Ausscheidung *f*; **4.** abgespaltener Teil; '**seg·re·ga·tive** [-gətiv] *adj.* sich absondernd, Trennungs...

sei·gneur [sein'jə:], **seign·ior** ['seinjə] *s. hist.* Lehns-, Feu'dalherr *m*; **seign·ior·age** ['seinjəridʒ] *s.* **1.** Re'gal *n*, Vorrecht *n*; **2.** *königliche* Münzgebühr; **sei'gno·ri·al** [-'njɔ:riəl] *adj.* feu'dalherrschaftlich; **seign·ior·y** ['seinjəri] *s.* **1.** Feu'dalrechte *pl.*; **2.** (feu'dal)herrschaftliche Do'mäne.

seine [sein] *s.* ⚓ Schlagnetz *n*.

seise [si:z], '**sei·sin** [-zin] *s.* ⚖ Besitz *m*.

seis·mic ['saizmik] *adj.* seismisch.

seis·mo·graph ['saizməgrɑ:f; -græf] *s.* Seismo'graph *m*, Erdbebenschreiber *m*; **seis·mol·o·gist** [saiz'mɔlədʒist] *s.* Seismo'loge *m*; **seis·mol·o·gy** [saiz'mɔlədʒi] *s.* Erdbebenkunde *f*, 'Seismik *f*; **seis·mom·e·ter** [saiz'mɔmitə] *s.* Erdbebenmesser *m*, Seismo'meter *n*; '**seis·mo·scope** [-əskoup] *s.* Seismo'skop *n*.

seiz·a·ble ['si:zəbl] *adj.* **1.** (er)greifbar; **2.** ⚖ pfändbar; **seize** [si:z] **I.** *v/t.* **1.** *et. od. j-n* (er)greifen, packen, fassen (*alle a. fig. Panik etc.*): ~*d with* ⚕ von *e-r Krankheit* befallen; ~*d with apoplexy* ⚕ vom Schlag getroffen; **2.** ⚔ (ein)nehmen, erobern; **3.** sich *e-r Sache* bemächtigen, *Macht etc.* an sich reißen; **4.** ⚖ *j-n* in den Besitz setzen (*of* von *od. gen.*): *to be* ~*d with, to stand* ~*d of* im Besitz *e-r Sache* sein; **5.** *j-n* ergreifen, festnehmen; **6.** beschlagnahmen; **7.** *Gelegenheit* ergreifen, wahrnehmen; **8.** *geistig* erfassen, begreifen; **9.** ⚓ (bei)zeisen, zurren; **II.** *v/i.* **10.** ~ (*up*)*on Gelegenheit, Idee* (begierig) aufgreifen; **11.** *oft* ~ *up* ⊕ sich festfressen; '**sei·zin** [-zin] *s.* ⚖ Besitz *m*; '**seiz·ings** [-ziŋz] *s. pl.* ⚓ Zurrtau *n*; **sei·zure** ['si:ʒə] *s.* **1.** Ergreifung *f*; **2.** Inbesitznahme *f*; **3.** ⚖

a) Beschlagnahme *f*, b) Festnahme *f*; 4. ⚕ Anfall *m*.
sel·dom ['seldəm] *adv.* selten.
se·lect [si'lekt] **I.** *v/t.* **1.** auswählen, -lesen; **II.** *adj.* **2.** ausgewählt: ~ *committee parl. Brit.* Sonderausschuß; **3.** erlesen (*Buch, Geist, Speise etc.*); exklu'siv (*Gesellschaft etc.*); **4.** wählerisch; **se·lect·ee** [selek'ti:] *s.* ⚔ *Am.* Einberufene(r) *m*; **se'lec·tion** [-kʃən] *s.* **1.** Wahl *f*; **2.** Auswahl *f*, -lese *f*; **3.** *biol.* Zuchtwahl *f*: *natural* ~ natürliche Auslese; **se'lec·tive** [-tiv] *adj.* □ **1.** auswählend, Auswahl...: ~ *service* ⚔ *Am.* a) Wehrpflicht, -dienst, b) Einberufung; **2.** ⚡ trennscharf, selek'tiv: ~ *circuit* Trennkreis; **se·lec·tiv·i·ty** [silek'tiviti] *s.* *Radio*: Trennschärfe *f*; **se'lect·man** [-mən] *s.* [*irr.*] *Am.* Stadtrat *m in den Neuenglandstaaten*; **se'lec·tor** [-tə] *s.* **1.** Auswählende(r *m*) *f*; **2.** Sortierer(in); **3.** ⊕ a) *a.* ⚡ Wähler *m*, b) Schaltgriff *m*, c) *mot.* Gangwähler *m*.
se·le·nic [si'lenik] *adj.* ⚗ se'lensauer, Selen...; **se·le·ni·um** [si'li:njəm] *s.* ⚗ Se'len *n*.
se·le·no·graph [si'li:nəgrɑ:f; -græf] *s. ast.* Mondkarte *f*; **sel·e·nog·ra·phy** [sili'nɔgrəfi] *s.* Mondbeschreibung *f*.
self [self] **I.** *pl.* **selves** [selvz] *s.* **1.** Selbst *n*, Ich *n*: *my better* (*second*) ~ mein besseres Selbst (mein zweites Ich); *my humble* (*od. poor*) ~ meine Wenigkeit; *the study of the* ~ *phls.* das Studium des Ich; → *former*² *1*; **2.** Selbstsucht *f*, das eigene *od.* liebe Ich; **3.** *your good selves* ✝ *obs.* Ihre werte Firma, Sie; **II.** *adj.* **4.** einfarbig (*bsd.* ⚘); **III.** *pron.* **5.** ✝ *od.* F → *myself etc.*
'self|-a'ban·don·ment *s.* (Selbst-)Aufopferung *f*, (bedingungslose) Hingabe; **'~-a'base·ment** *s.* Selbsterniedrigung *f*; **'~-ab'sorbed** *adj.* in sich selbst vertieft; **'~-a'buse** *s.* Selbstbefleckung *f*; **'~-'act·ing** *adj.* ⊕ selbsttätig; **'~-ad'just·ing** *adj.* selbstregelnd (*a.* ⊕); **'~-ap'point·ed** *adj.* selbsternannt; **'~-as'ser·tion** *s.* **1.** Geltendmachung *f* s-r Rechte; **2.** Sich'vordrängen *n*, Anmaßung *f*; **'~-as'sert·ive** *adj.* über'heblich, rechthaberisch; **'~-as'sur·ance** *s.* Selbstsicherheit *f*, -bewußtsein *n*; **'~-as'sured** *adj.* selbstbewußt; **'~-'bind·er** *s.* ✂ Selbstbinder *m*; **'~-'cen·t(e)red** *adj.* ichbezogen, ego'zentrisch; **'~-'col·o(u)red** *adj.* **1.** einfarbig; **2.** na'turfarben; **'~-com'mand** *s.* Selbstbeherrschung *f*; **'~-com'pla·cent** *adj.* selbstgefällig, -zufrieden; **'~-con'ceit** *s.* Eigendünkel *m*; **'~-'con·fi·dence** *s.* Selbstvertrauen *n*, -bewußtsein *n*; **'~-'con·scious** *adj.* befangen, gehemmt; **'~-'con·scious·ness** *s.* Befangenheit *f*; **'~-con'tained** *adj.* **1.** *a.* ⊕ (in sich) geschlossen, unabhängig, selbständig: ~ *country* Selbstversorgerland; ~ *flat* abgeschlossene Wohnung; ~ *house* Einfamilienhaus; **2.** verschlossen, zu'rückhaltend (*Charakter, Person*); **3.** selbstbeherrscht; **'~-con·tra'dic·tion** *s.* innerer 'Widerspruch; **'~-con·tra'dic·to·ry** *adj.* 'widerspruchsvoll; **'~-con'trol** *s.* Selbstbeherrschung *f*; **'~-de'ceit**, **'~-de'cep·tion** *s.* Selbsttäuschung *f*, -betrug *m*; **'~-de'fence** *Brit.*, **'~-de'fense** *Am. s.* **1.** Selbstverteidigung *f*; **2.** ⚖ Notwehr *f*; **'~-de'ni·al** *s.* Selbstverleugnung *f*; **'~-de'ny·ing** *adj.* selbstverleugnend; **'~-de'spair** *s.* Verzweiflung *f* an sich selbst; **'~-de'struc·tion** *s.* Selbstvernichtung *f*, -mord *m*; **'~-de·ter·mi'na·tion** *s.* **1.** *pol. etc.* Selbstbestimmung *f*; **2.** *phls.* freier Wille; **'~-de'vo·tion** → *self-abandonment*; **'~-dis'trust** *s.* Mangel *m* an Selbstvertrauen; **'~-'ed·u·cat·ed** → *self-taught 1*; **'~-em'ployed** *adj.* ✝ selbständig (*Handwerker etc.*); **'~-es'teem** *s.* **1.** Selbstachtung *f*; **2.** Eigendünkel *m*; **'~-'ev·i·dent** *adj.* □ selbstverständlich; **'~-ex'plan·a·to·ry** *adj.* ohne Erläuterung verständlich, für sich (selbst) sprechend; **'~-ex'pres·sion** *s.* Ausdruck *m* der eigenen Per'sönlichkeit; **'~-for'get·ful** *adj.* □ selbstvergessen, -los; **'~-ful'fil(l)·ment** *s.* Selbstverwirklichung *f*; **'~-'gov·ern·ing** *adj. pol.* 'selbstverwaltet, selbständig, unabhängig; **'~-'gov·ern·ment** *s. pol.* Selbstverwaltung *f*, -regierung, Autono'mie *f*; **'~-'help** *s.* Selbsthilfe *f*; **'~-ig'ni·tion** *s. mot.* Selbstzündung *f*; **'~-im'por·tance** *s.* 'Selbstüber,hebung *f*, ,Wichtigtue'rei *f*; **'~-im'por·tant** *adj.* über'heblich, wichtigtuerisch; **'~-in'dul·gence** *s.* **1.** Sich'gehenlassen *n*; **2.** Hemmungslosigkeit *f*, Genußsucht *f*; **'~-in'dul·gent** *adj.* **1.** bequem, schwächlich; **2.** zügellos; **'~-in'flict·ed** *adj.* selbstzugefügt: ~ *wounds* ⚔ Selbstverstümmelung; **'~-in'struc·tion** *s.* 'Selbst,unterricht *m*; **'~-in'struc·tion·al** *adj.* Selbstlehr..., Selbstunterrichts...: ~ *manual*; **'~-'in·ter·est** *s.* Eigennutz *m*, eigenes Inter'esse.
self·ish ['selfiʃ] *adj.* □ selbstsüchtig, ego'istisch, eigennützig; **'self·ish·ness** [-nis] *s.* Selbstsucht *f*, Ego'ismus *m*.
'self-'knowl·edge *s.* Selbst(er)kenntnis *f*.
self·less ['selflis] *adj.* selbstlos; **'self·less·ness** [-nis] *s.* Selbstlosigkeit *f*.
'self|-'load·ing *adj.* Selbstlade...; **'~-'love** *s.* Eigenliebe *f*; **'~-'made** *adj.* selbstgemacht: ~ *man* j-d der durch eigene Kraft hochgekommen ist, Selfmademan; **'~-neg'lect** *s.* **1.** Selbstlosigkeit *f*; **2.** Vernachlässigung *f* s-s Äußeren; **'~-o'pin·ion·at·ed** *adj.* **1.** eingebildet; **2.** rechthaberisch; **'~-'pit·y** *s.* Selbstbemitleidung *f*; **'~-'por·trait** *s.* 'Selbstpor,trät *n*, -bildnis *n*; **'~-pos'ses·sion** *s.* Selbstbeherrschung *f*; **'~-pres·er'va·tion** *s.* Selbsterhaltung *f*: *instinct of* ~ Selbsterhaltungstrieb; **'~-pro'pelled** *adj.* ⊕ Selbstfahr..., mit Eigenantrieb; **'~-re·al·i'za·tion** *s.* Selbstverwirklichung *f*; **'~-re'gard** *s.* Eigennutz *m*; **'~-re'li·ance** *s.* Selbstvertrauen *n*, -sicherheit *f*; **'~-re'li·ant** *adj.* selbstbewußt, -sicher; **'~-re'proach** *s.* Selbstvorwurf *m*; **'~-re'spect** *s.* Selbstachtung *f*; **'~-re'spect·ing** *adj.*: *every* ~ *craftsman* jeder Handwerker, der etwas auf sich hält; **'~-re'straint** *s.* Selbstbeherrschung *f*; **'~-'right·eous** *adj.* selbstgerecht; **'~-'sac·ri·fice** *s.* Selbstaufopferung *f*; **'~-'sac·ri·fic·ing** *adj.* aufopferungsvoll; **'~-same** *adj.* ebenderselbe, -dieselbe, -dasselbe; **'~-'sat·is·fied** *adj.* selbstzufrieden; **'~-'seal·ing** *adj.* ⊕, ⚔ selbstdichtend, schußsicher; **'~-'seek·er** *s.* Ego'ist (-in); **'~-'serv·ice I.** *adj.* Selbstbedienungs...: ~ *shop* Selbstbedienungsladen; **II.** *s.* Selbstbedienung *f*; **'~-'start·er** *s. mot.* (Selbst-)Anlasser *m*; **'~-'styled** *adj.* von eigenen Gnaden; **'~-suf'fi·cien·cy** *s.* **1.** Unabhängigkeit *f* (von fremder Hilfe); **2.** ✝ Autar'kie *f*; **3.** Eigendünkel *m*; **'~-'suf'fi·cient** *adj.* **1.** unabhängig, selbständig; **2.** ✝ au'tark; **3.** dünkelhaft; **'~-sug'ges·tion** *s. psych.* ,Autosuggesti'on *f*; **'~-sup'pli·er** *s.* Selbstversorger *m*; **'~-sup'port·ing** *adj.* **1.** Selbstversorger..., aut'ark; **2.** ⊕ freitragend (*Brücke etc.*); **'~-'taught** *adj.* **1.** autodi'daktisch: ~ *person* Autodidakt; **2.** selbsterlernt; **'~-'tim·er** *s. phot.* Selbstauslöser *m*; **'~-'will** *s.* Eigensinn *m*; **'~-'willed** *adj.* eigensinnig; **'~-'wind·ing** *adj.* auto'matisch (*Uhr*).
sell [sel] **I.** *s.* **1.** F a) Reinfall *m*, b) Schwindel *m*; **II.** *v/t.* [*irr.*] **2.** verkaufen, -äußern (to an *acc.*); ✝ *a. Ware* absetzen; → *life Redew.*; **3.** ✝ *Waren* führen, handeln mit, vertreiben; **4.** *fig.* verkaufen, e-n guten Absatz sichern (*dat.*): *his name will* ~ *the book*; **5.** *fig.* ,verkaufen', verraten; **6.** *sl.* ,anschmieren', beschwindeln; **7.** *Am. sl. j-m et.* ,verkaufen', aufschwatzen, schmackhaft machen: *to* ~ *s.o. on j-m et.* andrehen, *j-n* zu *et.* überreden; *to be sold on fig.* von *et.* überzeugt sein; **III.** *v/i.* [*irr.*] **8.** verkaufen; **9.** verkauft werden (*at* für); **10.** sich *gut etc.* verkaufen, *gut etc.* gehen, ziehen; ~ **off** *v/t.* ausverkaufen, *Lager* räumen; ~ **out** *v/t.* **1.** → *sell off*: *to be sold out* ausverkauft sein; **2.** *Wertpapiere* realisieren; **3.** *fig.* → *sell 5*; ~ **up** *v/t. Schuldner* pfänden.
sell·er ['selə] *s.* **1.** Verkäufer(in); Händler(in): ~*s' market* ✝ Verkäufermarkt, verkaufsgünstiger Markt; **2.** *good* ~ ✝ gutgehende Ware, zugkräftiger Ar'tikel.
sell·ing ['seliŋ] **I.** *adj.* Verkaufs..., Absatz..., Vertriebs...; **II.** *s.* Verkauf *m*; **'~-race** *s. Rennsport*: Verkaufsrennen *n*.
'sell·out *s.* **1.** Ausverkauf *m* (*a. fig.*); **2.** ausverkaufte Veranstaltung, volles Haus, Bombenerfolg *m*; **3.** *fig.* Verrat *m*.
Selt·zer (wa·ter) ['seltsə] *s.* Selters(wasser) *n*.
sel·vage ['selvidʒ] *s.* *Weberei*: Salband *n*.
selves [selvz] *pl. von self.*
se·man·tic [si'mæntik] *adj. ling.* se'mantisch; **se'man·tics** [-ks] *s. pl. sg. konstr.* Se'mantik *f*, (Wort-)Bedeutungslehre *f*.
sem·a·phore ['seməfɔ:] **I.** *s.* **1.** ⊕ Sema'phor *m*: a) 🚂 ('Flügel)Si,gnalmast *m*, b) optischer Tele'graph; **2.** ⚔, ⚓ (Flaggen)Winken *n*: ~ *mes-*

sage Winkspruch; **II.** *v/t. u. v/i.* **3.** (*bsd.* durch Winkzeichen) signalisieren.

sem·blance ['sembləns] *s.* **1.** (äußere) Gestalt, Erscheinung *f*: *in the ~ of* in Gestalt (*gen.*); **2.** Ähnlichkeit *f* (*to* mit); **3.** (An)Schein *m*: *to have at least the ~ of honesty; under the ~ of* unter dem Deckmantel *der Freundschaft etc.*

se·mei·ol·o·gy [si:mai'ɔlədʒi] *s.*, **se·mei'ot·ics** [-ɔtiks] *s. pl. sg. konstr.* Semi'otik *f*: **a)** *Lehre von den Zeichen,* **b)** ⚕ ˌSymptoˌmatolo'gie *f.*

se·men ['si:men] *s. zo.* Samen *m*, 'Sperma *n.*

se·mes·ter [si'mestə] *s.* Se'mester *n*, Halbjahr *n.*

semi- [semi] *in Zssgn* halb..., Halb...; '**~-'an·nu·al** *adj.* □ halbjährlich: '**~-au·to'mat·ic** *adj.* (□ *~ally*) 'halbautoˌmatisch; '**~·breve** *s.* ♪ ganze Note: *~ rest* ganze Pause; '**~·cir·cle** *s.* **1.** Halbkreis *m*; **2.** ⚒ Winkelmesser *m*; '**~'cir·cu·lar** *adj.* halbkreisförmig; '**~'co·lon** *s.* Semi'kolon *n*, Strichpunkt *m*; '**~·con'duc·tor** *s.* ⚡ Halbleiter *m*; '**~-de'tached** *adj.* halb freistehend, (einseitig) angebaut: *~ houses* alleinstehendes Doppelhaus; '**~-'fi·nal** *sport* **I.** *s.* 'Halbfiˌnale *n*, Vorschlußrunde *f*; **II.** *adj.* Vorschlußrunden...; '**~-'fi·nal·ist** *s. sport* Teilnehmer(in) am Halbfinale; '**~-'fin·ished** *adj.* ⊕ halbfertig: *~ products* Halbfabrikate, -zeug; '**~-'flu·id**, '**~-'liq·uid** *adj.* halb-, zähflüssig; '**~·man·u'fac·tured** → *semi-finished*; '**~-'month·ly** *adj. u. adv.* halbmonatlich.

sem·i·nal ['si:minl] *adj.* □ **1.** ♀, *physiol.* Samen...: *~ duct* Samengang; *~ fluid* Samenflüssigkeit, Sperma; *~ leaf* ♀ Keimblatt; *~ power* Zeugungskraft; **2.** *fig.* keimtragend, zukunftsträchtig, fruchtbar; **3.** noch unentwickelt: *in the ~ state* im Entwicklungsstadium.

sem·i·nar ['seminɑ:] *s. univ.* Semi'nar *n.*

sem·i·nar·y ['seminəri] *s.* **1.** (*eccl.* 'Priester)Semiˌnar *n*, Bildungsanstalt *f*; **2.** *fig.* Schule *f*, Pflanzstätte *f.*

sem·i·na·tion [semi'neiʃən] *s.* (Aus-)Säen *n.*

'**sem·i-of'fi·cial** *adj.* □ halbamtlich, offizi'ös.

se·mi·ol·o·gy [si:mi'ɔlədʒi] *s.*, **se·mi'ot·ics** [-'ɔtiks] *s. pl. sg. konstr.* → *semeiology.*

'**sem·i|'pre·cious** *adj.* halbedel: *~ stone* Halbedelstein; '**~·qua·ver** *s.* ♪ Sechzehntel(note *f*) *n*: *~ rest* Sechzehntelpause; '**~-'rig·id** *adj.* halbstarr (*Luftschiff*); '**~'skilled** *adj.* angelernt (*Arbeiter*).

Sem·ite ['si:mait] **I.** *s.* Se'mit(in); **II.** *adj.* se'mitisch; **Se·mit·ic** [si'mitik] **I.** *adj.* semitisch; **II.** *s. ling.* Se'mitisch *n.*

'**sem·i|·tone** *s.* ♪ Halbton *m*; '**~-'trail·er** *s. mot.* Sattelschlepper(anhänger) *m*; '**~'trop·i·cal** *adj.* 'subtropisch; '**~'vow·el** *s. ling.* 'Halbvoˌkal *m*; '**~-'week·ly** **I.** *adj. u. adv.* halbwöchentlich; **II.** *s.* halbwöchentlich erscheinende Veröffentlichung.

sem·o·li·na [semə'li:nə] *s.* Grieß(-mehl *n*) *m.*

sem·pi·ter·nal [sempi'tə:nl] *adj. rhet.* immerwährend, ewig.

semp·stress ['sempstris] → *seamstress.*

sen·ate ['senit] *s.* **1.** Se'nat *m* (*a. univ.*); **2.** ♀ *parl. Am.* Senat *m* (*Oberhaus*); **sen·a·tor** ['senətə] *s.* Se'nator *m*; **sen·a·to·ri·al** [senə'tɔ:riəl] *adj.* □ **1.** sena'torisch, Senats...; **2.** *Am.* zur Wahl von Sena'toren berechtigt.

send [send] [*irr.*] **I.** *v/t.* **1.** *j-n, Brief, Hilfe etc.* senden, schicken (*to dat.*): *to ~ s.o. to bed* (*to a school, to prison*) j-n ins Bett (auf e-e Schule, ins Gefängnis) schicken; → *word 6*; **2.** *Ball, Kugel etc. wohin* senden, schießen; schleudern; **3.** *mit adv. od. p.pr.* machen: *to ~ s.o. mad* j-n wahnsinnig machen; *to ~ s.o. flying* **a)** j-n verjagen, **b)** j-n hinschleudern; *to ~ s.o. reeling* j-n taumeln machen *od.* lassen; → *pack 24*; **4.** *Am. sl. Zuhörer etc.* in Ek'stase versetzen, ‚fertigmachen'; **II.** *v/i.* **5.** *~ for* **a)** nach *j-m* schicken, *j-n* kommen lassen, *j-n* holen *od.* rufen (lassen), **b)** (sich) *et.* kommen lassen, bestellen; **6.** *Nachricht* geben (*to s.o.* j-m);

Zssgn mit adv.:

send| a·way **I.** *v/t.* **1.** fortschicken; **2.** entlassen; **II.** *v/i.* **3.** *~ for* (von weither) kommen lassen; **~ down** *v/t.* **1.** *fig. Preise, Temperatur* (her'ab)drücken; **2.** *univ.* relegieren; **~ forth** *v/t.* **1.** *j-n, et., a. Licht* aussenden; *Wärme etc.* ausstrahlen; **2.** *Laut etc.* von sich geben; **3.** her'vorbringen; **4.** *fig.* veröffentlichen, verbreiten; **~ in** *v/t.* einsenden, -schicken, -reichen; → *name Redew.*; **~ off** *v/t.* **1.** absenden; *j-n* aussenden; **2.** fortschicken; **3.** (herzlich) verabschieden, *j-m* das Geleit geben; **~ on** *v/t.* vor'aus-, weiterschicken; **~ out** → *send forth*; **~ up** *v/t.* **1.** *j-n, a. Ball etc.* hin'aufsenden; **2.** *Schrei* ausstoßen; **3.** *fig. Preise, Fieber* in die Höhe treiben; **4.** F ‚ins Kittchen stecken'.

send·er ['sendə] *s.* **1.** Absender(in); **2.** (Über)'Sender(in); **3.** *tel.* Geber *m.*

'**send-'off** *s.* F **1.** Abschied *m*, Abschiedsfeier *f*, Geleit(e) *n*; **2.** gute Wünsche *pl.* zum Anfang; **3.** *fig.* Starthilfe *f.*

Sen·e·gal·ese ['senigə'li:z] **I.** *adj.* Senegal...; **II.** *s.* 'Senegalneger(in).

se·nes·cence [si'nesns] *s.* Altern *n*; **se'nes·cent** [-nt] *adj.* alternd.

sen·es·chal ['seniʃəl] *s. hist.* Seneschall *m*, Major'domus *m.*

se·nile ['si:nail] *adj.* **1.** se'nil, greisenhaft; **2.** Alters...: *~ decay* Altersschwäche; *~ dementia* ⚕ Altersblödsinn; *~ speckle* ⚕ Altersfleck; **se·nil·i·ty** [si'niliti] *s.* Senili'tät *f.*

sen·ior ['si:njə] **I.** *adj.* **1.** (*nachgestellt, abbr. in England sen., senr., sr., in USA Sr.*) 'senior: *Mr. John Smith sen.* (*Sr.*) Herr John Smith sen.; **2.** älter (*to* als): *~ citizen* Altersrentner(in), Ruhegeldempfänger(in); *~ citizens* Senioren; **3.** rang-, dienstälter, ranghöher, Ober...: *a ~ man Brit.* ein höheres Semester (*Student*); *~ officer* **a)** höherer Offizier, *mein etc.* Vorgesetzter, **b)** Rangälteste(r); *~ service Brit. die* Kriegsmarine; **4.** *ped.* Ober...: *~ classes* Oberklassen; **5.** *Am.* im letzten Schuljahr (stehend): *the ~ class* die oberste Klasse; **II.** *s.* **6.** Ältere(r *m*) *f*; Älteste(r *m*) *f*: *he is my ~ by four years, he is four years my ~* er ist vier Jahre älter als ich; **7.** Rang-, Dienstältere(r *m*) *f*; **8.** Vorgesetzte(r *m*) *f*; **9.** *Am.* Stu'dent *m od.* Schüler *m* im letzten Studienjahr.

sen·ior·i·ty [si:ni'ɔriti] *s.* **1.** höheres Alter; **2.** höheres Dienstalter: *by ~* nach dem Dienstalter (*Beförderung*).

sen·na ['senə] *s. pharm.* Sennesblätter *pl.*

sen·night, *a.* **se'n·night** ['senait] *s. obs.* eine Woche: *Tuesday ~* Dienstag in e-r Woche.

sen·sate ['senseit] *adj.* sinnlich wahrgenommen.

sen·sa·tion [sen'seiʃən] *s.* **1.** (Sinnes)Wahrnehmung *f*, (-)Empfindung *f*; **2.** Gefühl *n*: *pleasant ~*; *~ of thirst* Durstgefühl; **3.** Empfindungsvermögen *n*; **4.** (großer) Eindruck, Sensati'on *f*, Aufsehen *n*: *to make* (*od. create*) *a ~* Aufsehen erregen; **5.** Sensation *f* (*Ereignis*); **sen'sa·tion·al** [-ʃənl] *adj.* □ **1.** sensatio'nell, Sensations...; **2.** sinnlich, Sinnes...; **3.** *phls.* sensua'listisch; **sen'sa·tion·al·ism** [-ʃnəlizəm] *s.* **1.** Sensati'onsgier *f*, -lust *f*; **2.** Efˌfekthasche'rei *f*; **3.** *phls.* Sensua'lismus *m.*

sense [sens] **I.** *s.* **1.** Sinn *m*, 'Sinnesorˌgan *n*: *the five ~s* die fünf Sinne; *~ of smell* (*touch*) Geruchs-, (Tast-)sinn; → *sixth 1*; **2.** *pl.* Sinne *pl.*, (klarer) Verstand: *in* (*out of*) *one's ~s* bei (von) Sinnen; *in one's right ~s* bei Verstand; *to lose one's ~s* den Verstand verlieren; *to bring s.o. to his ~s* j-n zur Besinnung bringen; **3.** *fig.* Vernunft *f*, Verstand *m*: *a man of ~* ein vernünftiger *od.* kluger Mensch; *common* (*od. good*) *~* gesunder Menschenverstand; *to have the ~ to do s.th.* so klug sein, et. zu tun; **4.** Sinne *pl.*, Empfindungsvermögen *n*; **5.** Gefühl *n*, Empfindung *f* (of für): *~ of pain* Schmerzgefühl, -empfindung; *~ of security* Gefühl der Sicherheit; **6.** Sinn *m*, Gefühl *n* (of für): *~ of beauty* Schönheitssinn; *~ of duty* Pflichtgefühl; *~ of humo(u)r* (Sinn für) Humor; *~ of justice* Gerechtigkeitssinn; *~ of locality* Ortssinn; **7.** Sinn *m*, Bedeutung *f* (*e-s Wortes etc.*): *in a ~* gewissermaßen; **8.** Sinn *m* (*et. Vernünftiges*): *what is the ~ of doing this?* was hat es für e-n Sinn das zu tun?; *to talk ~* vernünftig reden; *it does not make ~* es hat keinen Sinn; *to make ~ of* e-n Sinn finden in (*dat.*); **9.** (allgemeine) Ansicht, Meinung *f*: *to take the ~ of* die Meinung (*gen.*) einholen; **10.** ⚒ Richtung *f*: *~ of rotation* Drehsinn; **II.** *v/t.* **11.** fühlen, spüren; **12.** *Am.* F ‚kapieren', begreifen; '**sense·less** [-lis] *adj.* □ **1.** besinnungslos; **2.** unvernünftig, dumm, verrückt (*Mensch*); **3.** sinnlos, unsinnig (*Sache*); '**sense·less·ness**

[-lisnis] *s.* **1.** Unempfindlichkeit *f*; **2.** Bewußtlosigkeit *f*; **3.** Unvernunft *f*; **4.** Sinnlosigkeit *f*.

'sense-or·gan *s.* 'Sinnesorˌgan *n*.

sen·si·bil·i·ty [sensi'biliti] *s.* **1.** Sensibili'tät *f*, Empfindungsvermögen *n*; **2.** *phys. etc.* Empfindlichkeit *f*: ~ *to light* Lichtempfindlichkeit; **3.** *fig.* Empfänglichkeit *f* (*to* für); **4.** Empfindsamkeit *f*; *a. pl.* Fein-, Zartgefühl *n*; **sen·si·ble** ['sensəbl] *adj.* □ **1.** vernünftig (*Person*, *Sache*); **2.** fühl-, spürbar; **3.** merklich, wahrnehmbar; **4.** bei Bewußtsein; **5.** bewußt (*of gen.*): *to be* ~ *of* **a)** sich *e-r Sache* bewußt sein, **b)** *et.* empfinden; **sen·si·ble·ness** ['sensəblnis] *s.* Vernünftigkeit *f*, Klugheit *f*.

sen·si·tive ['sensitiv] **I.** *adj.* □ **1.** fühlend (*Kreatur etc.*); **2.** Empfindungs...: ~ *nerves*; **3.** sensi'tiv, ('über)empfindlich; **4.** sen'sibel, feinfühlig, empfindsam; **5.** *phys. etc.* (*phot.* licht)empfindlich: ~ *to heat* wärmeempfindlich; ~ *plant* ♀ Sinnpflanze; **6.** schwankend (*a.* ✝ *Markt*); **7.** ⚔ gefährdet; **II.** *s.* **8.** sensi'tiver Mensch; **'sen·si·tive·ness** [-nis], **sen·si·tiv·i·ty** [sensi'tiviti] *s.* **1.** → *sensibility 1 u.* 2; **2.** Sensitivi'tät *f*, Feingefühl *n*.

sen·si·tize ['sensitaiz] *v/t.* sensibilisieren, (*phot.* licht)empfindlich machen: ~*d phot.* (licht-, hoch)empfindlich.

sen·sor ['sensə] *s.* ⚡, ⊕ Sensor *m*.

sen·so·ri·al [sen'sɔːriəl] → *sensory*; **sen'so·ri·um** [-əm], *pl.* **-ri·a** [-riə] *s. anat.* **1.** Sen'sorium *n*, 'Sinnesappaˌrat *m*; **2.** Sitz *m* des Empfindungsvermögens, Bewußtsein *n*; **sen·so·ry** ['sensəri] *adj.* Sinnes..., Empfindungs...

sen·su·al ['sensjuəl] *adj.* □ **1.** sinnlich; **2.** sinnlich, wollüstig; *bibl.* fleischlich; **3.** *phls.* sensua'listisch; **'sen·su·al·ism** [-lizəm] *s.* **1.** Sinnlichkeit *f*, Lüsternheit *f*; **2.** *phls.* Sensua'lismus *m*; **'sen·su·al·ist** [-list] *s.* **1.** sinnlicher Mensch; **2.** *phls.* Sensua'list *m*; **sen·su·al·i·ty** [sensju'æliti] *s.* Sinnlichkeit *f*; **'sen·su·al·ize** [-laiz] *v/t.* **1.** sinnlich machen; **2.** versinnlichen.

sen·su·ous ['sensjuəs] *adj.* □ **1.** sinnlich: **a)** Sinnes... (*die Sinne betreffend*), **b)** *die Sinne ansprechend*; **2.** sinnenfroh; **'sen·su·ous·ness** [-nis] *s.* Sinnlichkeit *f*.

sent [sent] *pret. u. p.p. von send.*

sen·tence ['sentəns] **I.** *s.* **1.** *ling.* Satz (-verbindung *f*) *m*: *complex* ~ Satzgefüge; **2.** ⚖ **a)** (Straf)Urteil *n*, Richterspruch *m*: *to pass* ~ (*up*)*on* das Urteil fällen über (*acc.*), verurteilen (*a. fig.*), **b)** Strafe *f*: *under* ~ *of death* zum Tode verurteilt; *to serve a* ~ *of imprisonment* e-e Freiheitsstrafe verbüßen; **3.** *obs.* Sen'tenz *f*, Sinnspruch *m*; **II.** *v/t.* **4.** ⚖ *u. fig.* verurteilen (*to* zu).

sen·ten·tious [sen'tenʃəs] *adj.* □ **1.** sententi'ös, prä'gnant, kernig; **2.** spruchreich, lehrhaft; *contp.* aufgeblasen, salbungsvoll; **sen'ten·tious·ness** [-nis] *s.* **1.** Prä'gnanz *f*, Bündigkeit *f*; **2.** Spruchreichtum *m*, Lehrhaftigkeit *f*; **3.** Aufgeblasenheit *f*.

sen·ti·ence ['senʃəns] *s.* **1.** Empfindungsvermögen *n*; **2.** Empfindung *f*; **'sen·tient** [-nt] *adj.* □ **1.** empfindungsfähig; **2.** empfindend.

sen·ti·ment ['sentimənt] *s.* **1.** Empfindung *f*, (Gefühls)Regung *f*, Gefühl *n* (*towards j-m* gegenüber); **2.** *pl.* Gedanken *pl.*, Meinung *f*, (Geistes)Haltung *f*: *noble* ~*s* edle Gesinnung; *them's my* ~*s humor.* (so) denke ich; **3.** (Fein)Gefühl *n*, Innigkeit *f* (*a. Kunst*); **4.** *contp.* Sentimentali'tät *f*.

sen·ti·men·tal [senti'mentl] *adj.* □ **1.** sentimen'tal: **a)** gefühlvoll, empfindsam, **b)** *contp.* rührselig; **2.** gefühlsmäßig, Gefühls...: ~ *value* ✝ Liebhaberwert; **sen·ti'men·tal·ism** [-təlizəm] → *sentimentality*; **sen·ti'men·tal·ist** [-təlist] *s.* Gefühlsmensch *m*; **sen·ti·men·tal·i·ty** [sentimen'tæliti] *s. contp.* Sentimentali'tät *f*, Rührseligkeit *f*, Gefühlsduse'lei *f*; **sen·ti'men·tal·ize** [-təlaiz] **I.** *v/t.* sentimen'tal gestalten; **II.** *v/i.* (*about, over*) in Gefühlen schwelgen (bei), sentimental werden (bei, über *dat.*).

sen·ti·nel ['sentinl] *s.* **1.** Wächter *m*: *to stand* ~ *over* bewachen; **2.** → *sentry 1*.

sen·try ['sentri] ⚔ *s.* **1.** (Wach)Posten *m*, (Schild)Wache *f*; **2.** Wache *f*, Wachdienst *m*; **'~-box** *s.* Schilderhaus *n*; **'~-go** *s.* Postengang *m*.

se·pal ['sepəl] *s.* ♀ Kelchblatt *n*.

sep·a·ra·ble ['sepərəbl] *adj.* □ (ab-)trennbar, (ab)lösbar; abscheidbar; **'sep·a·rate** ['sepəreit] **I.** *v/t.* trennen (*from* von): **a)** *Freunde, a. Kämpfende etc.* ausein'anderbringen, **b)** abtrennen, -schneiden, **c)** (ab)sondern, (aus)scheiden, **d)** ausein'anderhalten, unter'scheiden zwischen; **2.** (auf-, zer)teilen (*into* in *acc.*); **3.** ⚗, ⊕ **a)** scheiden, (ab-)spalten, **b)** sortieren, **c)** aufbereiten; **4.** *Milch* zentrifugieren; **5.** ⚔ *Am.* entlassen; **II.** *v/i.* **6.** sich (⚖ ehelich) trennen (*from* von); **7.** ⚗, ⊕ sich absondern; **III.** *adj.* ['seprit] □ **8.** getrennt, besonder, sepa'rat, Separat..., Sonder...: ~ *account* ✝ Sonderkonto; ~ *estate* ⚖ eingebrachtes Sondergut (*der Ehefrau*); **9.** einzeln, gesondert, getrennt, selbständig: ~ *questions* gesondert zu behandelnde Fragen; **10.** einzeln, isoliert; **IV.** *s.* ['seprit] **11.** *typ.* Sonder(ab)druck *m*; **'sep·a·rate·ness** ['sepritnis] *s.* **1.** Getrenntheit *f*; **2.** Besonderheit *f*; **3.** Abgeschiedenheit *f*, Isoliertheit *f*; **sep·a·ra·tion** [sepə'reiʃən] *s.* **1.** (⚖ eheliche) Trennung: *judicial* ~ (gerichtliche) Aufhebung der ehelichen Gemeinschaft; **2.** ⊕, ⚗ **a)** Abscheidung *f*, -spaltung *f*, **b)** Scheidung *f*, Klassierung *f von Erzen*; **3.** ⚔ *Am.* Entlassung *f*; **'sep·a·ra·tism** [-ətizəm] *s.* Separa'tismus *m*, Loslösungsbestrebung(en *pl.*) *f*; **'sep·a·ra·tist** [-ətist] **I.** *s.* **1.** Separa'tist(in), Sonderbündler(in); **2.** *eccl.* Sektierer(in); **II.** *adj.* **3.** separa'tistisch; **'sep·a·ra·tive** [-ətiv] *adj.* trennend, Trennungs...; **sep·a·ra·tor** ['sepəreitə] *s.* **1.** Trennende(r *m*) *f*; **2.** ⊕ **a)** (Ab)Scheider *m*, **b)** (*bsd.* 'Milch-)Zentriˌfuge *f*; **3.** *Weberei*: Scheidekamm *m*; **4.** *bsd.* ⚕ Spreizvorrichtung *f*.

Se·phar·dim [se'fɑːdim] (*Hebrew*) *s. pl.* Se'phardim *pl.*

se·pi·a ['siːpjə] *s.* **1.** *ichth.* 'Sepia *f*, Tinten-, Kuttelfisch *m*; **2.** Sepia *f*: **a)** *Sekret*, **b)** *Farbstoff*; **3.** *paint.* **a)** Sepia *f* (*Farbe*), **b)** *a.* ~-*drawing* 'Sepiazeichnung *f*; **4.** *phot.* 'Sepiadruck *m*.

se·poy ['siːpɔi] *s. Brit.* Sepoy *m* (*ostindischer Soldat*).

sep·sis ['sepsis] *s.* ⚕ 'Sepsis *f* (*Blutvergiftung*).

sept- [sept] *in Zssgn* sieben...

sep·ta ['septə] *pl. von septum.*

sep·tae·mi·a [sep'tiːmiə] → *septic(a)emia*.

sep·tan·gle ['septæŋgl] *s.* ⩘ Siebeneck *n*; **sep·tan·gu·lar** [sep'tæŋgjulə] *adj.* siebeneckig.

Sep·tem·ber [səp'tembə] *s.* Sep'tember *m*: *in* ~ im September.

sep·te·mi·a [sep'tiːmiə] → *septica(e)mia*.

sep·te·nar·y [sep'tiːnəri] **I.** *adj.* **1.** aus sieben bestehend, Sieben...; **2.** → *septennial*; **II.** *s.* **3.** Gruppe *f* von sieben; **4.** Siebenzahl *f*.

sep·ten·ni·al [sep'tenjəl] *adj.* □ **1.** alle sieben Jahre eintretend *od.* stattfindend; **2.** siebenjährig.

sep·tet(te) [sep'tet] *s.* ♪ Sep'tett *n*.

sep·tic ['septic] **I.** *adj.* (□ ~*ally*) ⚕ 'septisch: ~ *sore throat* septische Angina; **II.** *s.* Fäulniserreger *m*.

sep·ti·c(a)e·mi·a [septi'siːmiə] *s.* ⚕ Blutvergiftung *f*, 'Sepsis *f*.

sep·tu·a·ge·nar·i·an [septjuədʒi'nɛəriən] **I.** *s.* Siebzigjährige(r *m*) *f*, Siebziger(in); **II.** *adj.* siebzigjährig.

Sep·tu·a·ges·i·ma (Sun·day) [septjuə'dʒesimə] *s.* Septua'gesima *f* (*9. Sonntag vor Ostern*).

sep·tum ['septəm] *pl.* **-ta** [-tə] *s.* ♀, *anat.*, *zo.* (Scheide)Wand *f*.

sep·tu·ple ['septjupl] **I.** *adj.* siebenfach; **II.** *s. das* Siebenfache; **III.** *v/t.* versiebenfachen, mit sieben multiplizieren.

sep·ul·cher *Am.* → *sepulchre*; **se·pul·chral** [si'pʌlkrəl] *adj.* □ **1.** Grab..., Begräbnis...; **2.** *fig.* düster, Grabes...(-*stimme etc.*); **sep·ul·chre** ['sepəlkə] *s.* **1.** Grab(stätte *f*, -mal *n*) *n*; **2.** *a. Easter* ~ *R.C.* Ostergrab *n* (*Schrein*).

sep·ul·ture ['sepəltʃə] *s.* (Toten)Bestattung *f*.

se·quel ['siːkwəl] *s.* **1.** (Aufein'ander)Folge *f*: *in the* ~ in der Folge; **2.** Folge(erscheinung) *f*, (Aus)Wirkung *f*, Konse'quenz *f*; (*gerichtliches etc.*) Nachspiel; **3.** (Ro'man-*etc.*)Fortsetzung *f*, (*a.* Hör)Folge *f*.

se·quence ['siːkwəns] *s.* **1.** (Aufein'ander)Folge *f*: ~ *of operations* ⊕ Arbeitsablauf; ~ *of tenses ling.* Zeitenfolge; **2.** (Reihen)Folge *f*: *in* ~ der Reihe nach; **3.** Folge *f*, Reihe *f*, Serie *f*; **4.** → *sequel 2*; **5.** ♪, *eccl.*, *Kartenspiel*: Se'quenz *f*; **6.** *Film*: Szene *f*; **7.** Folgerichtigkeit *f*; **'se·quent** [-nt] **I.** *adj.* **1.** (aufein'ander-)folgend; **2.** (logisch) folgend; **II.** *s.* **3.** (*zeitliche od. logische*) Folge; **se·quen·tial** [si'kwenʃəl] *adj.* □ **1.** (*regelmäßig*) (aufein'ander)folgend; **2.** folgend (*to* auf *acc.*); **3.** folgerichtig.

se·ques·ter [si'kwestə] *v/t.* **1.** (*o.s.*

sich) absondern (*from* von); **2.** ⚖ → *sequestrate*; **se'ques·tered** [-əd] *adj.* einsam, weltabgeschieden; zu'rückgezogen; **se'ques·trate** [-treit] *v/t.* ⚖ unter Treuhänderschaft stellen, beschlagnahmen; **se·ques·tra·tion** [si:kwes'treiʃən] *s.* **1.** Absonderung *f*; Ausschluß *m* (*eccl. aus der Kirche*); **2.** ⚖ Zwangsverwaltung *f*, Beschlagnahme *f*; **3.** Zu'rückgezogenheit *f*.

se·quin ['si:kwin] *s.* **1.** *hist.* Ze'chine *f* (*Goldmünze*); **2.** Ziermünze *f*.

Se·quoi·a [si'kwɔiə] *s.* ♀ Mammutbaum *m*.

se·ragl·io [se'rɑ:liou] *pl.* **-os** *s.* Se'rail *n* (*Palast od. Harem*).

se·ra·i [se'rai] *s.* Karawanse'rei *f*.

ser·aph ['serəf] *pl.* **'ser·aphs, 'ser·a·phim** [-fim] *s.* Seraph *m* (*Engel*); **se·raph·ic** [se'ræfik] *adj.* (□ *~ally*) se'raphisch, engelhaft, verzückt.

Serb [sə:b], **'Ser·bian** [-bjən] **I.** *s.* **1.** Serbe *m*, Serbin *f*; **2.** *ling.* Serbisch *n*; **II.** *adj.* **3.** serbisch.

sere [siə] → *sear*[1] 7.

ser·e·nade [seri'neid] ♪ **I.** *s.* **1.** Se're'nade *f*, Ständchen *n*, 'Nachtmu,sik *f*; **2.** Serenade *f* (*Kantate*; *mehrsätziges Orchesterwerk*); **II.** *v/i. u. v/t.* **3.** (*j-m*) ein Ständchen bringen; **ser·e'nad·er** [-də] *s.* j-d der ein Ständchen bringt.

se·rene [si'ri:n] *adj.* □ **1.** heiter, klar (*Himmel, Wetter etc.*); ruhig (*See*); **2.** heiter, gelassen (*Person, Gemüt etc.*); **3.** ♀ durch'lauchtig: *His* ♀ *Highness* Seine Durchlaucht; **se·ren·i·ty** [si'reniti] *s.* **1.** Heiterkeit *f*, Klarheit *f*; **2.** Gelassenheit *f*, heitere (Gemüts)Ruhe; **3.** ♀ 'Durchlaucht *f* (*Titel*).

serf [sə:f] *s.* Leibeigene(r *m*) *f*; **'serf·age** [-fidʒ], **'serf·dom** [-dəm] *s.* **1.** Leibeigenschaft *f*; **2.** *fig.* Sklave'rei *f*.

serge [sə:dʒ] *s.* Serge *f* (*Stoff*).

ser·geant ['sɑ:dʒənt] *s.* **1.** ⚔ Feldwebel *m*; *Artillerie, Kavallerie*: Wachtmeister *m*; **2.** (Poli'zei-)Wachtmeister *m*; **3.** → *serjeant*; **'~-'ma·jor** *pl.* **'ser·geants-'ma·jor** *s.* ⚔ Hauptfeldwebel *m*.

se·ri·al ['siəriəl] **I.** *s.* **1.** in Fortsetzungen *od.* in regelmäßiger Folge erscheinende Veröffentlichung, *bsd.* 'Fortsetzungsro,man *m*; **2.** (Veröffentlichungs)Reihe *f*; Lieferungswerk *n*; peri'odische Zeitschrift; **II.** *adj.* □ **3.** Serien..., Fortsetzungs...: *~ story*; *~ rights* Copyright e-s Fortsetzungsromans; **4.** serienmäßig, Serien..., Reihen...: *~ manufacture*; *~ number* **a)** laufende Nummer, **b)** Fabrikationsnummer; *~ photograph* Reihenbild; **'se·ri·al·ize** [-laiz] *v/t.* **1.** peri'odisch *od.* in Fortsetzungen veröffentlichen; **2.** reihenweise anordnen; **se·ri·a·tim** [siəri'eitim] (*Lat.*) *adv.* der Reihe nach.

se·ri·ceous [si'riʃəs] *adj.* **1.** seidig; **2.** ♀, *zo.* seidenhaarig; **ser·i·cul·ture** ['serikʌltʃə] *s.* Seidenraupenzucht *f*.

se·ries ['siəri:z] *pl.* **-ries** *s.* **1.** Serie *f*, Folge *f*, Kette *f*, Reihe *f*: *in ~* der Reihe nach; → *3 u. 9*; **2.** (Ar'tikel-, Buch- *etc.*)Serie *f*, Reihe *f*; **3.** ⊕ Serie *f*, Baureihe *f*: *~ production* Reihen-, Serienbau; *in ~* serienmäßig; **4.** (*Briefmarken- etc.*)Serie *f*; **5.** 𝔄 Reihe *f*; **6.** ⚗ homo'loge Reihe; **7.** *geol.* Schichtfolge *f*; **8.** *zo.* Abteilung *f*; **9.** *a. ~ connection* ⚡ Serien-, Reihenschaltung *f*: *to connect in ~* hintereinanderschalten.

ser·if ['serif] *s. typ.* Haarstrich *m*.

ser·in ['serin] *s. orn.* wilder Ka'narienvogel.

se·rin·ga [si'riŋgə] *s.* Kautschukbaum *m*.

se·ri·o-com·ic ['siəriou'kɔmik] *adj.* (□ *~ally*) ernst-komisch.

se·ri·ous ['siəriəs] *adj.* □ **1.** ernst(-haft): **a)** feierlich, **b)** von ernstem Cha'rakter, seri'ös, **c)** schwerwiegend, bedeutend: *~ dress* seriöse Kleidung; *~ music* ernste Musik; *~ changes* tiefgreifende Veränderungen; *~ artist* ernsthafter Künstler; **2.** ernstlich, bedenklich, gefährlich: *~ illness*; *~ rival* ernstzunehmender Rivale; **3.** ernst(lich), ernstgemeint (*Angebot etc.*): *are you ~?* ist das dein Ernst?, meinst du das im Ernst?; **'se·ri·ous·ly** [-li] *adv.* ernst(lich); im Ernst: *~ ill* ernstlich krank; *~ wounded* schwerverwundet; *now, ~!* im Ernst!; **'se·ri·ous·ness** [-nis] *s.* **1.** Ernst *m*, Ernsthaftigkeit *f*; **2.** Wichtigkeit *f*, Bedeutung *f*.

ser·jeant ['sɑ:dʒənt] *s.* ⚖ **1.** Ge'richtsdiener *m*; **2.** *Common* ♀ 'Stadt-,syndikus *m* (*London*); **3.** *a. ~-at-law* Ju'stizrat *m*, höherer Anwalt; **'~-at-arms** *s. parl.* Aufsichtsbeamte(r) *m* (*in England bsd. Leiter des Zeremonienwesens*).

ser·mon ['sə:mən] *s.* **1.** Predigt *f*: ♀ *on the Mount bibl.* Bergpredigt; **2.** *iro.* Ser'mon *m*, (Mo'ral-, Straf-)Predigt *f*; **'ser·mon·ize** [-naiz] **I.** *v/i.* (*a. iro.*) predigen; **II.** *v/t. j-m* e-e (Mo'ral)Predigt halten.

se·rol·o·gist [siə'rɔlədʒist] *s.* ⚕ Sero'loge *m*; **se'rol·o·gy** [-dʒi] *s.* Serolo'gie *f*, Serumkunde *f*; **se'ros·i·ty** [-ɔsiti] *s.* ⚕ **1.** se'röser Zustand; **2.** se'röse Flüssigkeit; **se·rous** ['siərəs] *adj.* ⚕ se'rös.

ser·pent ['sə:pənt] *s.* **1.** (*bsd. große*) Schlange; **2.** *fig.* (Gift)Schlange *f* (*Person*); **3.** ♀ *ast.* Schlange *f*; **'ser·pen·tine** [-tain] **I.** *adj.* **1.** schlangenförmig, Schlangen...; **2.** sich schlängelnd *od.* windend, geschlängelt, Serpentinen...: *~ road*; **3.** *fig.* falsch, tückisch; **II.** *s.* **4.** *geol.* Serpen'tin *m*; **5.** *Eislauf*: Schlangenbogen *m*; **6.** ♀ *Teich im Hyde Park*.

ser·pi·go [sə:'paigou] *s.* ⚕ fressende *od.* kriechende Flechte.

ser·rate ['serit], **ser·rat·ed** [se'reitid] *adj.* gezahnt, gezackt, sägeartig; **'ser·rate-'den·tate** *adj.* ♀ gesägt-gezähnt (*Blattrand*).

ser·ra·tion [se'reiʃən] *s.* (sägeförmige) Auszackung.

ser·ried ['serid] *adj.* dicht (geschlossen) (*Reihen*).

se·rum ['siərəm] *s.* **1.** *physiol.* ('Blut),Serum *n*, Blutwasser *n*; **2.** ⚕ ('Heil-, 'Schutz),Serum *n*.

ser·val ['sə:vəl] *s. zo.* Serval *m*.

serv·ant ['sə:vənt] *s.* **1.** Diener *m* (*a. fig. Gottes, der Kunst etc.*); (*domestic*) *~* Dienstbote, Bedienstete(r); Dienstmädchen; *~s' hall* Gesindestube; *your obedient ~* hochachtungsvoll (*Amtsstil*); **2.** *bsd. public ~* Beamte(r) *m*, Angestellte(r) *m* (*im öffentlichen Dienst*); → *Civil Servant*; **3.** ⚖ (Handlungs)Gehilfe *m*, Angestellte(r) *m* (*Ggs. master 5 b*); **'~-girl, '~-maid** *s.* Dienstmädchen *n*.

serve [sə:v] **I.** *v/t.* **1.** *j-m, a. Gott, s-m Land etc.* dienen; arbeiten für, im Dienst stehen bei; **2.** *j-m* dienlich sein, helfen (*a. Sache*); **3.** *Dienstzeit* (*a.* ⚔) ableisten; *Lehre* 'durchmachen; ⚖ *Strafe* absitzen, verbüßen; **4. a)** *Amt* ausüben, innehaben, **b)** Dienst tun in (*dat.*), *Gebiet, Personenkreis* betreuen, versorgen; **5.** *e-m Zweck* dienen od. entsprechen, *e-n Zweck* erfüllen, *e-r Sache* nützen: *it ~s no purpose* es hat keinen Zweck; **6.** genügen (*dat.*), ausreichen für: *enough to ~ us a month*; **7.** *j-m bei Tisch* aufwarten; *j-n*, ✝ *Kunden* bedienen; **8.** *a. ~ up Essen etc.* servieren, auftragen, reichen: *dinner is ~d!* es ist serviert *od.* angerichtet!; *to ~ up* F *fig.* ‚auftischen'; **9.** ⚔ *Geschütz* bedienen; **10.** versorgen (*with* mit): *to ~ the town with gas*; **11.** *oft ~ out* aus-, verteilen; **12.** *mst* F **a)** *j-n schändlich etc.* behandeln, **b)** *j-m et.* zufügen: *to ~ s.o. a trick* j-m e-n Streich spielen; *to ~ s.o. out* es j-m heimzahlen; (*it*) *~s him right* (das) geschieht ihm recht; **13.** *Verlangen* befriedigen, frönen (*dat.*); **14.** *Stute etc.* decken; **15.** ⚖ *Vorladung etc.* zustellen (*dat.*): *to ~ s.o. a writ*, *to ~ a writ on s.o.*; **16.** ⊕ um'wickeln; **17.** ⚓ *Tau* bekleiden; **II.** *v/i.* **18.** dienen, Dienst tun (*beide a.* ⚔); in Dienst stehen, angestellt sein (*with* bei); **19.** servieren, bedienen: *to ~ at table*; **20.** fungieren, amtieren (*as* als): *to ~ on a committee* in e-m Ausschuß tätig sein; **21.** dienen, nützen: *it ~s to inf.* es dient dazu, zu *inf.*; *it ~s to show his cleverness* daran kann man s-e Klugheit erkennen; **22.** dienen (*as, for* als): *a blanket ~d as a curtain*; **23.** genügen, den Zweck erfüllen; **24.** günstig sein, passen: *as occasion ~s* bei passender Gelegenheit; *the tide ~s* ⚓ der Wasserstand ist (*zum Auslaufen etc.*) günstig; **25.** *sport* **a)** *Tennis etc.*: aufschlagen, **b)** *Volleyball*: aufgeben; **26.** *R.C.* ministrieren; **III.** *s.* **27.** → *service* 20; **'ser·ver** [-və] *s.* **1.** *R.C.* Mini'strant *m*; **2.** *Tennis*: Aufschläger *m*.

serv·ice[1] ['sə:vis] *s.* ♀ **1.** zahme Eberesche; **2.** *a. wild ~(-tree)* Elsbeerbaum *m*; **'~-ber·ry** *s.* Elsbeere *f*.

serv·ice[2] ['sə:vis] **I.** *s.* **1.** Dienst *m*, Stellung *f* (*bsd. v. Hausangestellten*): *to be in ~* in Stellung sein; *to take s.o. into ~* j-n einstellen; **2. a)** Dienstleistung *f* (*a.* ✝ *z.B. Transport*), Dienst *m* (*to* an *dat.*), **b)** (guter) Dienst, Gefälligkeit *f*: *to do* (*od. render*) *s.o. a ~* j-m e-n Dienst erweisen; *at your ~* zu Ihren Diensten; *to be* (*place*) *at s.o.'s ~* j-m zur Verfügung stehen (stellen); **3.** ✝ Bedienung *f*: *prompt ~*; **4.** Nutzen *m*: *to be of ~ to* j-m nützen; **5.** (*Nacht-, Nachrichten-, Presse-, Telephon- etc.*)Dienst *m*; **6. a)** Versorgungsdienst *m*, **b)** Versorgungsbetrieb *m*: *water* ~ Wasserversorgung; **7.** Funkti'on *f*, Amt *n* (*e-s Beamten*); **8.** (öffentlicher) Dienst, Staatsdienst *m*: *diplomatic* ~; *on Her Majesty's* ~ ✉ frei durch Ablösung; **9.** 🚃 *etc.* Verkehr *m*, Betrieb *m*: *twenty-minute* ~ Zwanzig-Minuten-Verkehr; **10.** ⊕ Betrieb *m*: *in (out of)* ~ in (außer) Betrieb; ~ *conditions* Betriebsbeanspruchung; ~ *life* Lebensdauer; **11.** ⊕ Kundendienst *m*, 'Service *m*; **12.** ⚔ **a)** (Wehr)Dienst *m*, **b)** Waffengattung *f*, **c)** *pl.* Streitkräfte *pl.*, **d)** *Brit.* Ma'rine *f*: *to be on active* ~ aktiv dienen; ~ *pistol* Dienstpistole *f*; **13.** ⚔ *Am.* (technische) Versorgungstruppe; **14.** ⚔ Bedienung *f* (*Geschütz*); **15.** *mst pl.* Hilfsdienst *m*: *medical* ~(*s*); **16.** *eccl.* **a)** *a. divine* ~ Gottesdienst *m*, **b)** Litur'gie *f*; **17.** Ser'vice *n*, Tafelgerät *n*; **18.** ⚖ Zustellung *f*; **19.** ⚓ Bekleidung *f* (*Tau*); **20.** *sport* **a)** *Tennis etc.*: Aufschlag *m*, **b)** *Volleyball*: Aufgabe *f*; **II.** *v/t.* **21.** ⊕ über'holen, warten; **22.** ✝ *bsd. Am.* Kundendienst verrichten für *od.* bei; **'serv·ice·a·ble** [-səbl] *adj.* □ **1.** brauch-, verwendbar, nützlich; betriebs-, leistungsfähig; zweckdienlich; **2.** haltbar, strapazierfähig; **3.** *obs.* dienstbar.

serv·ice| a·re·a *s.* **1.** *Radio*: Sendebereich *m*; **2.** ⚔ rückwärtiges Gebiet; '~**-book** *s. eccl.* Gebet-, Gesangbuch *n*; ~ **box** *s.* ⚡ Anschlußkasten *m*; ~ **brake** *s. mot.* Betriebsbremse *f*; ~ **charge** *s.* Bedienung(sgeld *n*) *f*; '~**-court** *s. Tennis etc.*: Aufschlagfeld *n*; ~ **dress** → *service uniform*; ~ **flat** *s. Brit.* E'tagenwohnung *f* mit Bedienung; ~ **hatch** *s. Brit.* 'Durchreiche *f* (*für Speisen*); ~ **life** *s.* ⊕ Lebensdauer *f* (*Gerät*); '~**-line** *s. Tennis etc.*: Aufschlaglinie *f*; '~**-man** [-mən] *s.* [*irr.*] **1.** Sol'dat *m*, Ar'meeangehörige(r) *m*; **2.** ⊕ **a)** 'Kundendienstme͵chaniker *m*, **b)** 'Wartungsmon͵teur *m*; ~ **mod·ule** *s.* Versorgungsteil *m e-s Raumschiffs*; ~ **sta·tion** *s.* **1.** (Groß-)Tankstelle *f*; **2.** Repara'turwerkstätte *f*; ~ **trade** *s.* Dienstleistungsgewerbe *n*; ~ **u·ni·form** *s.* ⚔ Dienstanzug *m*.

ser·vi·ette [sə:vi'et] *s.* Servi'ette *f*.

ser·vile ['sə:vail] *adj.* □ ser'vil, unter'würfig, kriecherisch; sklavisch (*Gehorsam*); **ser·vil·i·ty** [sə:'viliti] *s.* Unter'würfigkeit *f*; Krieche'rei *f*.

ser·ving ['sə:viŋ] *s.* Porti'on *f*.

ser·vi·tor ['sə:vitə] *s.* **1.** *obs.* Diener(-in) (*a. fig.*); **2.** *obs. od. poet.* Gefolgsmann *m*; **3.** *univ. hist.* Stipendi'at *m* (*Oxford*), *der zu Dienstleistungen verpflichtet ist.*

ser·vi·tude ['sə:vitju:d] *s.* **1.** Sklave'rei *f*, Knechtschaft *f* (*a. fig.*); **2.** ⚖ Zwangsarbeit *f*: *penal* ~ Zuchthausstrafe; **3.** ⚖ Servi'tut *n*.

'ser·vo·brake ['sə:vou] *s.* ⊕ 'Servobremse *f*.

ses·a·me ['sesəmi] *s.* **1.** 🌱 Indischer Sesam; **2.** → *open sesame*.

ses·a·moid ['sesəmɔid] *adj. anat.* Sesam...: ~ *bones* Sesamknöchelchen.

sesqui- [seskwi] *in Zssgn* anderthalb; ~**'al·ter** [-'æltə], ~**'al·ter·al** [-'æltərəl] *adj.* im Verhältnis 3:2 *od.* 1:1½ stehend; '~**·cen'ten·ni·al I.** *adj.* 150jährig; **II.** *s.* 150-Jahrfeier *f*; '~**·pe'da·li·an** [-pi'deiljən] *adj.* **1.** anderthalb Fuß lang; **2.** *fig. humor.* sehr lang: ~ *word* Wortungeheuer; **3.** *fig.* schwülstig; '~**-plane** [-plein] *s.* ✈ Anderthalbdecker *m*; ~**'ter·tial** *adj.* im Verhältnis 4:3 stehend.

ses·sile ['sesil] *adj.* **1.** 🌱 stiellos; **2.** *zo.* ungestielt.

ses·sion ['seʃən] *s.* **1.** *parl.* ⚖ **a)** Sitzung *f*, **b)** 'Sitzungsperi͵ode *f*: *to be in* ~ e-e Sitzung abhalten, tagen; **2.** (*einzelne*) Sitzung, Konfe'renz *f*; **3.** ♀s *pl.* → *Petty Sessions, Quarter Sessions*; **4.** *Court of* ♀*s oberster schottischer Gerichtshof*; **5.** *univ.* **a)** *Brit.* aka'demisches Jahr, **b)** *Am.* ('Studien)Se͵mester *n*; **'ses·sion·al** [-ʃənl] *adj.* □ Sitzungs...

ses·tet [ses'tet] *s.* **1.** ♪ Sex'tett *n*; **2.** *Metrik*: sechszeilige Strophe (*bsd. die letzten 6 Zeilen e-s Sonetts*).

set [set] **I.** *s.* **1.** Satz *m Briefmarken, Dokumente, Werkzeuge etc.*; (*Möbel-, Toiletten-, etc.*)Garni'tur *f*; (*Speise- etc.*)Ser'vice *n*, Besteck *n*; (*Farben- etc.*)Sorti'ment *n*; **2.** ✝ Kollekti'on *f*; **3.** Sammlung *f*: *a* ~ *of Shakespeare's works*; **4.** (Schriften)Reihe *f*, (Ar'tikel)Serie *f*; **5.** ⊕ (Ma'schinen)Anlage *f*; **6.** (Häuser-)Gruppe *f*; **7.** (Zimmer)Flucht *f*; **8.** (*Radio- etc.*)Gerät *n*, Appa'rat *m*; **9. a)** *thea.* Bühnenausstattung *f*, **b)** *Film*: 'Szenenaufbau *m*; **10.** *Tennis etc.*: Satz *m*; **11.** 𝔄 Menge *f*; **12.** ~ *of teeth* Gebiß *n*; **13.** (Per'sonen-)Kreis *m*: **a)** Gesellschaft(sschicht) *f*, *vornehme, literarische etc.* Welt, **b)** *contp.* Sippschaft *f*, Klüngel *m*: *the fast* ~ die Lebewelt; **14.** Sitz *m*, Schnitt *m von Kleidern*; **15.** Haltung *f*; **16.** Richtung *f*, (Ver)Lauf *m e-r Strömung etc.*; **17.** Neigung *f*, Ten'denz *f*; **18.** *poet.* 'Untergang *m der Sonne etc.*: *the* ~ *of the day* das Tagesende; **19.** ⊕ → *setting 10*; **20.** *hunt.* Vorstehen *n des Hundes*: *to make a dead* ~ *at fig.* **a)** über *j-n* herfallen, **b)** es auf *e-n Mann* abgesehen haben (*Frau*); **21.** *hunt.* (*Dachs- etc.*)Bau *m*; **22.** 🌱 Setzling *m*, Ableger *m*; **II.** *adj.* **23.** starr (*Gesicht, Lächeln*); **24.** fest (*Meinung*); **25.** festgesetzt: *at the* ~ *day*; **26.** vorgeschrieben, festgelegt: ~ *rules*; ~ *books od. reading* Pflichtlektüre; **27.** for'mell, konventio'nell; **28.** 'wohlüber͵legt, einstudiert: ~ *speech*; **29.** zs.-gebissen (*Zähne*); **30.** eingefaßt (*Edelstein*); **31.** *hard* ~ in schwerer Bedrängnis; **32.** ~ *piece paint. etc.* Gruppenbild; **33.** ~ *fair* beständig (*Barometer*); **34.** *in Zssgn* ...gebaut; **III.** *v/t.* [*irr.*] **35.** setzen, stellen, legen: *to* ~ *the glass to one's lips* das Glas an die Lippen setzen; *to* ~ *a match to* ein Streichholz halten an (*acc.*), *et.* in Brand stecken; → *hand 13, sail 1*; **36.** (ein-, her-)richten, (an)ordnen, zu'rechtmachen; *thea. Bühne* aufbauen; *Tisch* decken; ⊕ *etc.* (ein)stellen, (-)richten, regulieren; *Uhr, Wecker* stellen; ⊕ *Säge* schränken; *hunt. Falle* (auf)stellen; ⚕ *Bruch, Knochen* (ein)richten; *Messer* abziehen; *Haar* legen; **37.** ♪ **a)** vertonen, **b)** arrangieren; **38.** *typ.* absetzen; **39.** ⚘ **a)** *Setzlinge* (aus)pflanzen, **b)** *Boden* bepflanzen; **40. a)** *Bruthenne* setzen, **b)** *Eier* 'unterlegen; **41. a)** *Edelstein* fassen, **b)** *mit Edelsteinen etc.* besetzen; **42.** *Wache* (auf)stellen; **43.** *Aufgabe, Frage* stellen; **44.** *j-n* anweisen (*to do s.th.* et. zu tun), *j-n* an (*e-e Sache*) setzen: *to* ~ *o.s. to do s.th.* sich daran machen, et. zu tun; **45.** vorschreiben; **46.** *Zeitpunkt* festlegen; **47.** *Hund etc.* hetzen (*on* auf *j-n*): *to* ~ *spies on j-n* bespitzeln lassen; **48.** (veran)lassen (*doing* zu tun): *to* ~ *going* in Gang setzen; *to* ~ *s.o. laughing* j-n zum Lachen bringen; *to* ~ *s.o. thinking* j-m zu denken geben; **49.** *in e-n Zustand* versetzen; → *ease 2*; **50.** *Flüssiges* fest werden lassen; *Milch* gerinnen lassen; **51.** *Zähne* zs.-beißen; **52.** *Wert* bemessen, festsetzen; **53.** *Preis* aussetzen (*on* auf *acc.*); **54.** *Geld, Leben* riskieren; **55.** *Hoffnung, Vertrauen* setzen (*on* auf *acc.*; *in* in *acc.*); **56.** *Grenzen, Schranken etc.* setzen (*to dat.*); **IV.** *v/i.* [*irr.*] **57.** 'untergehen (*Sonne etc.*); **58. a)** auswachsen (*Körper*), **b)** ausreifen (*Charakter*); **59.** fest werden (*Flüssiges*); abbinden (*Zement etc.*); erstarren (*a. Gesicht, Muskel*); gerinnen (*Milch*); **60.** sitzen (*Kleidung*); **61.** fließen, laufen (*Flut etc.*); wehen, kommen (*from* aus, von) (*Wind*); **62.** 🌱 Frucht ansetzen (*Blüte, Baum*); **63.** *hunt.* (vor)stehen (*Hund*);

Zssgn mit prp.:

set| a·bout *v/i.* **1.** sich an *et.* machen, *et.* in Angriff nehmen; **2.** F über *j-n* herfallen; ~ **a·gainst** *v/t.* **1.** entgegenstellen (*dat.*): *to set o.s.* (*od. one's face*) *against* sich *e-r Sache* widersetzen; **2.** *j-n* aufhetzen gegen; ~ **(up·)on** *v/i.* **1.** herfallen über *j-n*; **2.** schwer bedrängen;

Zssgn mit adv.:

set| a·part *v/t.* **1.** bei'seite legen, reservieren; **2.** trennen; ~ **a·side** *v/t.* **1.** bei'seite setzen; **2.** *fig. Geld* bei'seitelegen; **3.** *Plan etc.* fallenlassen; **4.** außer Acht lassen, über'gehen; **5.** ⚖ *Urteil, Beschluß etc.* aufheben; ~ **back I.** *v/t.* **1.** aufhalten, hindern; **2.** *Uhr* zu'rückstellen; **II.** *v/i.* **3.** zu'rückfließen (*Flut etc.*); ~ **by** *v/t. Geld etc.* zu'rücklegen, sparen; ~ **down** *v/t.* **1.** *Last, a. Fahrgast* absetzen; abstellen, weglegen; **2.** (schriftlich) niederlegen, aufzeichnen; **3.** *j-m* e-n ‚Dämpfer' geben; **4.** ~ *as j-n* abtun *od.* betrachten als; **5.** *et.* zuschreiben (*to dat.*); ~ **forth I.** *v/t.* **1.** bekanntmachen; **2.** → *set out 1*; **3.** zur Schau stellen; **II.** *v/i.* **4.** aufbrechen: *to* ~ *on a journey* e-e Reise antreten; **5.** *fig.* ausgehen (*from* von); ~ **for·ward I.** *v/t.* **1.** *Uhr* vorstellen; **2.** *et.* vor'antreiben, *j-n od. et.* weiterbringen; **3.** vorbringen, darlegen; **II.** *v/i.* **4.** sich auf den Weg machen; ~ **in** *v/i.* **1.** einsetzen (*beginnen*); **2.** landwärts gehen (*Wind, Strömung*); ~ **off I.** *v/t.* **1.** her'vortreten lassen, abheben, kontrastieren; **2.** her'vorheben; **3.** *Rakete* abschießen; ***Spreng-***

ladung zur Explosi'on bringen; *Feuerwerk* abbrennen; **4.** ✝ auf-, anrechnen (*against* gegen); **5.** ⚖ als Ausgleich nehmen (*against* für); **6.** *Verlust etc.* ausgleichen; **II.** *v/i.* **7.** aufbrechen; **8.** *fig.* anfangen; ~ **on** *v/t. j-n* anstiften, drängen (*to do* zu tun); ~ **out I.** *v/t.* **1.** (ausführlich) darlegen, angeben, aufzeigen; **2.** abgrenzen, festsetzen; **3.** abstecken; **4.** arrangieren, schmücken; **II.** *v/i.* **5.** aufbrechen, sich aufmachen, sich auf den Weg machen (*for* nach); **6.** sich vornehmen (*to do et.* zu tun); ~ **to** *v/i.* sich dar'anmachen, sich ‚da'hinterklemmen', ‚loslegen'; ~ **up I.** *v/t.* **1.** errichten: *to ~ a monument*; **2.** ⊕ *Maschine etc.* aufstellen, montieren; **3.** *Geschäft etc.* gründen; *Regierung* bilden, einsetzen; **4.** *j-m* zu e-m (guten) Start verhelfen, *j-n* etablieren: *to ~ s.o. up in business*; **5.** *Behauptung etc.* aufstellen; ⚖ *Anspruch* erheben, *Verteidigung* vorbringen; **6.** *Kandidaten* aufstellen; **7.** *j-n* erhöhen (*over* über *acc.*); *a. j-n* auf den Thron setzen; **8.** *Stimme, Geschrei* erheben; **9.** *Krankheit* verursachen; **10. a)** *j-n* kräftigen, **b)** *gesundheitlich* wieder'herstellen; **11.** *j-m* (finanzi'ell) ‚auf die Beine helfen'; **12.** *j-n* versehen, -sorgen (*with* mit); **13.** *typ.* (ab)setzen: *to ~ in type*; **II.** *v/i.* **14.** sich niederlassen *od.* etablieren (*as* als): *to ~ for o.s.* sich selbständig machen; **15.** ~ *for* sich ausgeben für *od.* als, sich aufspielen als.

se·ta·ceous [si:'teiʃəs] *adj.* borstig.

'set|·a·side *s. Am.* Rücklage *f*; '**~-back** *s.* **1.** Rückschlag *m*; **2.** △ **a)** Rücksprung *m e-r Wand*, **b)** zu'rückgesetzte Fas'sade; '**~-down** *s.* Verweis *m*, Dämpfer *m*; '**~-'off** *s.* **1.** Kon'trast *m*; **2.** Schmuck *m*, Zierde *f* (*to* für); **3.** ⚖ **a)** Gegenforderung *f*, **b)** Ausgleich *m* (*a. fig.*; *against* für); **4.** ✝ Aufrechnung *f*; **~-'out** *s.* **1. a)** Aufbruch *m*, **b)** Anfang *m*; **2.** Auslage *f*, -stellung *f*; Aufmachung *f*; **3.** (Porzel'lan- *etc.*)Ser'vice *n*; ~ **screw** *s.* ⊕ Stellschraube *f*; ~ **square** *s.* Winkel *m*, Zeichendreieck *n*.

sett [set] *s.* Pflasterstein *m*.

set·tee [se'ti:] *s.* **1.** Sitz-, Polsterbank *f*; **2.** kleineres Sofa: *~ bed* Bettcouch.

set·ter ['setə] *s.* **1.** *allg.* Setzer(in), Einrichter(in): (*type-*)~ (Schrift-)Setzer; **2.** Setter *m* (*Vorstehhund*); **3.** *a.* ~*-on* Aufhetzer(in); '**~-wort** → *bear's-foot*.

set the·o·ry *s.* ✗ Mengenlehre *f*.

set·ting ['setiŋ] *s.* **1.** (*typ.* Schrift-)Setzen *n*; Einrichten *n*; (Ein)Fassen *n* (*Edelstein*); **2.** Schärfen *n* (*Messer*); **3.** (*Gold- etc.*)Fassung *f*; **4.** Lage *f*, 'Hintergrund *m* (*a. fig. Rahmen*); **5.** Schauplatz *m*, Hintergrund *m e-s Romans etc.*; **6.** *thea.* szenischer Hintergrund, Bühnenbild *n*; *a. Film*: Ausstattung *f*; **7.** ♪ **a)** Vertonung *f*, **b)** Satz *m*; **8.** (*Sonnen- etc.*)'Untergang *m*; **9.** ⊕ Einstellung *f*; **10.** ⊕ Hartwerden *n*, Abbinden *n von Zement etc.*: *~ point* Stockpunkt; **11.** ⊕ Schränkung *f* (*Säge*); '**~-lo·tion** *s.* ('Haar)Fixa'tiv *n*; '**~-rule** *s. typ.* Setzlinie *f*; '**~-stick** *s. typ.* Winkelhaken *m*; '**~-up** *s. bsd.* ⊕ Einrichtung *f*, Aufstellung *f*: *~ exercises Am.* Freiübungen.

set·tle ['setl] **I.** *v/i.* **1.** sich niederlassen *od.* setzen (*a. Vogel etc.*); **2. a)** sich ansiedeln, **b)** *a.* ~ *in* sich *in e-r Wohnung etc.* einrichten, einziehen; **3. a)** *a.* ~ *down* sich *in e-m Ort* niederlassen, **b)** sich (häuslich) niederlassen, **c)** *a. to marry and ~ down* e-n Hausstand gründen, **d)** seßhaft werden, zur Ruhe kommen, sich einleben; **4.** ~ *down to* sich widmen (*dat.*), sich an *e-e Arbeit etc.* machen; **5.** sich legen *od.* beruhigen (*Wut etc.*); **6.** ~ *on* sich zuwenden (*dat.*), fallen auf (*acc.*) (*Zuneigung etc.*); **7.** ⚕ sich festsetzen (*on, in* in *dat.*), sich legen (*on* auf *acc.*) (*Krankheit*); **8.** beständig werden (*Wetter*): *it ~d in for rain* es regnete sich ein; *it is settling for a frost* es wird Frost geben; *the wind has ~d in the west* der Wind steht im Westen; **9.** sich senken (*Mauern etc.*); **10.** langsam absacken (*Schiff*); **11.** sich klären (*Flüssigkeit*); **12.** sich setzen (*Trübstoff*); **13.** sich legen (*Staub*); **14.** (*upon*) sich entscheiden (für), sich entschließen (zu); **15.** ~ *for* sich begnügen mit; **16.** e-e Vereinbarung treffen; **17.** ✝ **a)** zahlen, **b)** abrechnen, **c)** sich vergleichen, e-n Vergleich schließen (*with* mit): *to ~ with one's creditors* s-e Gläubiger abfinden; **II.** *v/t.* **18.** *Füße, Hut etc.* (fest) setzen (*on* auf *acc.*): *to ~ o.s.* sich niederlassen; *to ~ o.s. to* sich an *e-e Arbeit etc.* machen, sich anschicken zu; **19. a)** *Menschen* ansiedeln, **b)** *Land* besiedeln; **20.** *j-n beruflich, häuslich etc.* etablieren, 'unterbringen; *Kind etc.* versorgen, ausstatten, *a.* verheiraten; **21. a)** *Flüssigkeit* ablagern lassen, klären **b)** *Trübstoff* sich setzen lassen; **22.** *Boden etc., a. fig. Glauben, Ordnung etc.* festigen; **23.** *Institutionen* gründen, aufbauen (*on* auf *dat.*); **24.** *Zimmer etc.* in Ordnung bringen; **25.** *Frage etc.* klären, regeln, erledigen: *that ~s it* **a)** damit ist der Fall erledigt, **b)** *iro.* jetzt ist es endgültig aus; **26.** *Streit* schlichten, beilegen; *strittigen Punkt* beseitigen; **27.** *Nachlaß* regeln, *s-e Angelegenheiten* in Ordnung bringen: *to ~ one's affairs*; **28.** ([*up*]*on*) *Besitz* über'schreiben, -'tragen (auf *acc.*), *letztwillig* vermachen (*dat.*), *Legat, Rente* aussetzen (für); **29.** bestimmen, festlegen, -setzen; **30.** vereinbaren, sich einigen auf (*acc.*); **31.** *a.* ~ *up* ✝ erledigen, in Ordnung bringen: **a)** *Rechnung* begleichen, **b)** *Konto* ausgleichen, **c)** *Anspruch* befriedigen, **d)** *Geschäft* abwickeln; → *account 5*; **32.** ⚖ *Prozeß* durch Vergleich beilegen; **33.** *Magen, Nerven* beruhigen; **34.** *j-n* ‚fertigmachen', zum Schweigen bringen (F *a. töten*); **III.** *s.* **35.** Sitzbank *f* (mit hoher Lehne); '**set·tled** [-ld] *adj.* **1.** fest, bestimmt; entschieden; feststehend (*Tatsache*); **2.** fest begründet (*Ordnung*); **3.** fest, ständig (*Wohnsitz, Gewohnheit*); **4.** beständig (*Wetter*); **5.** ruhig, gesetzt (*Person, Leben*).

set·tle·ment ['setlmənt] *s.* **1.** Ansied(e)lung *f*; **2.** Besied(e)lung *f e-s Landes*; **3.** Siedlung *f*, Niederlassung *f*; **4.** 'Unterbringung *f*, Versorgung *f* (*Person*); **5.** **Regelung** *f*, Klärung *f*, Erledigung *f e-r Frage etc.*; **6.** Schlichtung *f*, Beilegung *f e-s Streits*; **7.** Festsetzung *f*; **8.** (endgültige) Entscheidung; **9.** Über'einkommen *n*, Abmachung *f*; **10.** ✝ **a)** Begleichung *f von Rechnungen*, **b)** Ausgleich(ung *f*) *m von Konten*, **c)** *Börse*: Abrechnung *f*, **d)** Abwicklung *f e-s Geschäfts*, **e)** Vergleich *m*, Abfindung *f*: *day of ~ fig.* Tag der Abrechnung; *in ~ of all claims* zum Ausgleich aller Forderungen; **11.** ⚖ **a)** (*Eigentums*)Über'tragung *f*, **b)** Vermächtnis *n*, **c)** Aussetzung *f e-r Rente etc.*, **d)** Schenkung *f*, Stiftung *f*; **12.** ⚖ Ehevertrag *m*; **13. a)** ständiger Wohnsitz, **b)** Heimatberechtigung *f*; **14.** sozi'ales Hilfswerk; '**~-day** *s.* ✝ Abrechnungstag *m*.

set·tler ['setlə] *s.* **1.** (An)Siedler(in), Kolo'nist(in); **2.** F **a)** entscheidender Schlag, **b)** *fig.* vernichtendes Argu'ment, **c)** Abfuhr *f*; '**set·tling** [-liŋ] *s.* **1.** Festsetzen *n etc.*; → *settle*; **2.** ⊕ Ablagerung *f*; **3.** *pl.* (Boden)Satz *m*; **4.** ✝ Abrechnung *f*: *~-day* Abrechnungstag; '**set·tlor** [-lə] *s.* ⚖ Verfügende(r *m*) *f*.

set-to ['set'tu:] *pl.* **-tos** *s.* F **1.** Schläge'rei *f*; **2.** heftiger Wortwechsel.

set-up ['setʌp] *s.* **1.** Aufbau *m*, Gliederung *f*; **2.** F Situati'on *f*, Lage *f*; **3.** *Am. sl.* Schiebung *f*, abgekartete Sache; **4.** Körperhaltung *f*.

sev·en ['sevn] **I.** *adj.* **1.** sieben: *~-league boots* Siebenmeilenstiefel; *the* 2 *Years' War* der Siebenjährige Krieg; **II.** *s.* **2.** Sieben *f* (*Zahl u. Ziffer*; *a. Spielkarte, Uhrzeit*); **3.** *pl.* Sieben *pl.* (*Anzahl*); '**~·fold** *adj. u. adv.* siebenfach, -fältig.

sev·en·teen ['sevn'ti:n] **I.** *adj.* siebzehn; **II.** *s.* Siebzehn *f*: *sweet ~* ‚göttliche Siebzehn' (*Mädchenalter*); '**sev·en'teenth** [-nθ] **I.** *adj.* **1.** siebzehnt; **II.** *s.* **2.** *der* (*die, das*) Siebzehnte; **3.** Siebzehntel *n*.

sev·enth ['sevnθ] **I.** *adj.* **1.** siebent; **II.** *s.* **2.** *der* (*die, das*) Sieb(en)te: *the ~ of May* der 7. Mai; **3.** Sieb(en)tel *n*; **4.** ♪ Sep'time *f*; '**sev·enth·ly** [-li] *adv.* sieb(en)tens.

sev·en·ti·eth ['sevntiiθ] **I.** *adj.* **1.** siebzigst; **II.** *s.* **2.** *der* (*die, das*) Siebzigste; **3.** Siebzigstel *n*; **sev·en·ty** ['sevnti] **I.** *adj.* siebzig; **II.** *s.* Siebzig *f*: *~-first* einundsiebzigst; *the seventies* **a)** die siebziger Jahre (*e-s Jahrhunderts*), **b)** die Siebziger(jahre) (*Alter*).

sev·er ['sevə] **I.** *v/t.* **1.** (ab)trennen (*from* von); **2.** ('durch)trennen; **3.** *fig. Freundschaft etc.* lösen; **4.** ~ *o.s.* (*from*) sich trennen *od.* lösen (von), (aus *der Kirche etc.*) austreten; **5.** (vonein'ander) trennen; **6.** ⚖ *Besitz etc.* teilen; **II.** *v/i.* **7.** (zer)reißen; **8.** sich trennen (*from* von); **9.** sich (vonein'ander) trennen; **sev·er·al** ['sevrəl] **I.** *adj.* □ **1.** mehrere: *~ people*; **2.** verschieden, getrennt: *three ~ occasions*; **3.** einzeln, verschieden: *the ~ reasons*; **4.** besonder, eigen: *we went our ~ ways* wir gingen jeder seinen (eigenen) Weg; → *joint 13*; **II.** *s.* **5.** mehrere *pl.*: *~ of you*; **sev·er·al·ly** ['sevrəli] *adv.*

1. einzeln, getrennt; 2. beziehungsweise; **ˈsev·er·ance** [-ərəns] *s.* **1.** Trennung *f*; Teilung *f*; **2.** (Ab-)Bruch *m*, Lösung *f e-r Freundschaft etc.*: ~ *pay* ✝ Abfindungsentschädigung (*bei Entlassung*).

se·vere [siˈviə] *adj.* □ **1.** streng: **a)** hart, scharf (*Kritik, Richter, Strafe etc.*), **b)** ernst(haft) (*Miene, Person*), **c)** rauh (*Wetter*), hart (*Winter*), **d)** herb (*Schönheit, Stil*), schmucklos, **e)** exˈakt, strikt; **2.** schwer, schlimm (*Krankheit, Verlust etc.*); **3.** heftig (*Schmerz, Sturm etc.*); **4.** schwierig, schwer (*Prüfung*); **5.** scharf (*Bemerkung*); **seˈvere·ly** [-li] *adv.* **1.** streng, strikt; **2.** schwer, ernstlich: ~ *ill*; **se·ver·i·ty** [siˈveriti] *s.* **1.** *allg.* Strenge *f*: **a)** Schärfe *f*, Härte *f*, Unfreundlichkeit *f* (*des Wetters etc.*), **b)** Ernst *m*, **c)** Schlichtheit *f* (*Stil*), **d)** Exˈaktheit *f*; **2.** Heftigkeit *f*, Schwere *f* (*e-r Krankheit*); **3.** Schwierigkeit *f*.

sew [sou] [*irr.*] **I.** *v/t.* **1.** nähen: *to* ~ *on* annähen; *to* ~ *up* **a)** zu-, vernähen, **b)** *sl.* betrügen, **c)** *Am.* F unter s-e Kontrolle bringen, ‚perfekt' machen; ~*ed up sl.* besoffen; **2.** *Bücher* heften, broschieren; **II.** *v/i.* **3.** nähen.

sew·age [ˈsju(:)idʒ] *s.* **1.** Abwasser *n*: ~-*farm* Rieselfelder; **2.** → *sewerage*;

sew·er [ˈsjuə] **I.** *s.* **1.** ˈAbwasserkaˌnal *m*, Kloˈake *f*: ~-*gas* Faulschlammgas; ~ *pipe* Abzugrohr; ~ *rat zo.* Wanderratte; **2.** Gosse *f*; **II.** *v/t.* **3.** kanalisieren; **sew·er·age** [ˈsjuəridʒ] *s.* Kanalisatiˈon *f* (*System u. Vorgang*).

sew·in [ˈsjuin] *s. ichth.* ˈLachsfoˌrelle *f*.

sew·ing [ˈsouiŋ] *s.* Näharbeit *f*; ˈ~-**ma·chine** *s.* ˈNähmaˌschine *f*.

sex [seks] **I.** *s.* **1.** *biol.* Geschlecht *n*; **2.** (*männliches od. weibliches*) Geschlecht (*als Gruppe*): *the* ~ *humor.* die Frauen; *the gentle* (*od. weaker od. softer*) ~ das zarte *od.* schwache Geschlecht; *of both* ~*es* beiderlei Geschlechts; **3. a)** Geschlechtstrieb *m*, **b)** eˈrotische Anziehungskraft, ˈSex(-Apˈpeal) *m*, **c)** Geschlechtsleben *n*, **d)** Sex(ualiˈtät *f*) *m*, **e)** (Geschlechts)Verkehr *m*: *to have* ~ *with* mit *j-m* ins Bett gehen; **II.** *v/t.* **4.** das Geschlecht bestimmen von; **III.** *adj.* **5.** Geschlechts..., sexuˈell, Sexual...: ~ *appeal* → *3b*; ~ *crime* Sexualverbrechen; ~ *education* Sexualerziehung; ~ *life* → *3c*; ~ *object* Lustobjekt.

sex- [seks] *in Zssgn* sechs.

sex·a·ge·nar·i·an [seksədʒiˈnɛəriən] **I.** *adj.* sechzigjährig; **II.** *s.* Sechzigjährige(r *m*) *f*.

sex·ag·e·nar·y [sekˈsædʒənəri] **I.** *adj.* **1.** Sechzig(er)...; sechzigteilig; **2.** sechzigjährig; **II.** *s.* **3.** Sechzigjährige(r *m*) *f*.

Sex·a·ges·i·ma (Sun·day) [seksəˈdʒesimə] *s.* Sonntag *m* Sexaˈgesima (*8. Sonntag vor Ostern*); **sex·aˈges·i·mal** [-məl] ⅄ **I.** *adj.* Sexagesimal...; **II.** *s.* Sexagesiˈmalbruch *m*.

sex·an·gle [ˈseksæŋgl] *s.* ⅄ Sechseck *n*; **sex·an·gu·lar** [sekˈsæŋgjulə] *adj.* □ sechseckig.

sex·cen·te·nar·y [sekssenˈti:nəri] **I.** *adj.* sechshundertjährig; **II.** *s.* Sechshundertˈjahrfeier *f*.

sexed [sekst] *adj.* geschlechtlich.

sex·en·ni·al [sekˈseniəl] *adj.* □ **1.** sechsjährig; **2.** sechsjährlich (ˈwiederkehrend).

ˈsex·foil *s.* ⚘ Sechsblatt *n*.

sexi- [seksi] *in Zssgn* sechs.

sex·il·lion [sekˈsiljən] → *sextillion*.

sex·less [ˈsekslis] *adj. biol.* geschlechtslos (*a. fig.*), aˈgamisch.

sex·ol·o·gy [sekˈsɔlədʒi] *s. biol.* Sexuˈalwissenschaft *f*.

sex·par·tite [seksˈpɑ:tait] *adj.* sechsteilig.

sex·tain [ˈsekstein] *s. Metrik*: sechszeilige Strophe.

sex·tant [ˈsekstənt] *s.* **1.** ⚓, *ast.* Sexˈtant *m*; **2.** ⅄ Kreissechstel *n*.

sex·tet(te) [seksˈtet] *s.* ♪ Sexˈtett *n*.

sex·til·lion [seksˈtiljən] *s.* Sextilliˈon *f* (*6. Potenz e-r Million*): **a)** *Brit. 1 mit 36 Nullen*, **b)** *Am. 1 mit 21 Nullen*.

sex·to [ˈsekstou] *pl.* **-tos** *s. typ.* ˈSexto(forˌmat) *n*; **sex·to·dec·i·mo** [ˈsekstouˈdesimou] *pl.* **-mos** *s.* Seˈdez(forˌmat) *n*.

sex·ton [ˈsekstən] *s.* Küster *m*, *zugleich* Totengräber *m*; ~ **bee·tle** *s. zo.* Totengräber *m* (*Käfer*).

sex·tu·ple [ˈsekstjupl] **I.** *adj.* sechsfach; **II.** *v/t. u. v/i.* (sich) versechsfachen.

sex·u·al [ˈseksjuəl] *adj.* □ sexuˈell, sexuˈal, geschlechtlich, Geschlechts..., Sexual...: ~ *intercourse* Geschlechtsverkehr; **sex·u·al·i·ty** [seksjuˈæliti] *s.* **1.** Sexualiˈtät *f*; **2.** Geschlechtsleben *n*; ˈ**sex·y** [-si] *adj.* **1.** ‚sexy' (*Frau*): ~ *underwear* ‚Reizwäsche'; **2.** eˈrotisch (*Roman etc.*).

shab·bi·ness [ˈʃæbinis] *s.* Schäbigkeit *f* (*a. fig.*).

shab·by [ˈʃæbi] *adj.* □ *allg.* schäbig: **a)** fadenscheinig (*Kleider*), **b)** abgenutzt (*Sache*), **c)** ärmlich, herˈuntergekommen (*Person, Haus, Gegend etc.*), **d)** niederträchtig, **e)** geizig; ˈ~-**genˈteel** *adj.* vornehm aber arm, e-e verblichene Eleˈganz zur Schau tragend: *the* ~ die verarmten Vornehmen.

shab·rack [ˈʃæbræk] *s.* ⚔ Schaˈbrakke *f*, Satteldecke *f*.

shack [ʃæk] **I.** *s.* Hütte *f*, Baˈracke *f* (*a. contp.*); **II.** *v/i.* ~ *up sl.* zuˈsammen leben (*with* mit *e-r Frau*).

shack·le [ˈʃækl] **I.** *s.* **1.** Gelenkstück *n* (*Kette*); **2.** *pl.* Fesseln *pl.*, Ketten *pl.* (*a. fig.*); **3.** ⊕ Bügel *m*, Lasche *f*; ⚓ (Anker)Schäkel *m*; **II.** *v/t.* **4.** fesseln (*a. fig. hemmen*); **5.** ⚓, ⊕ anschäkeln.

shad [ʃæd] *pl.* **shads**, *coll.* **shad** *s. ichth.* Alse *f*. [pelmuse *f*.]

shad·dock [ˈʃædək] *s.* ⚘ *e-e* Pam-

shade [ʃeid] **I.** *s.* **1.** Schatten *m* (*a. paint. u. fig.*): *to put* (*od. throw*) *into the* ~ *fig.* in den Schatten stellen; **2.** schattiges Plätzchen; **3.** *myth.* **a)** Schatten *m* (*Seele*), **b)** *pl.* Schattenreich *n*; **4. a)** Farbton *m*, Schattierung *f* (*a. fig.*), **b)** dunkle Tönung; **5.** *fig.* Spur *f*, Kleinigkeit *f*, Nuˈance *f*; **6.** (*Schutz-, Lampen-, Sonnen- etc.*)Schirm *m*; **7.** *Am.* Rouˈleau *n*; **8.** *pl.* Weinkeller *m*; **II.** *v/t.* **9.** beschatten, verdunkeln (*a. fig.*); **10.** *Augen etc.* abschirmen, schützen (*from* gegen); **11.** *paint.* **a)** schattieren, **b)** schraffieren, **c)** dunkel tönen; **12.** *fig.* abstufen: ~ (*away od. off*) allmählich übergehen lassen (*into* in *acc.*); ~ *off* ✝ *Preise* nach u. nach senken; **III.** *v/i.* **13.** *a.* ~ *off* (*od. away*) allˈmählich ˈübergehen (*into* in *acc.*); **14.** ~ *off* (*od. away*) nach u. nach verschwinden; ˈ**shade·less** [-lis] *adj.* schattenlos; ˈ**shad·i·ness** [-dinis] *s.* **1.** Schattigkeit *f*; **2.** *fig.* Anrüchigkeit *f*; ˈ**shad·ing** [-diŋ] *s. paint. u. fig.* Schattierung *f*.

shad·ow [ˈʃædou] **I.** *s.* **1.** Schatten *m* (*a. paint. u. fig.*); Schattenbild *n*: *to live in the* ~ im Verborgenen leben; *worn to a* ~ zum Skelett abgemagert; *he is but the* ~ *of his former self* er ist nur noch ein Schatten s-s früheren Selbst; *coming events cast their* ~*s before* kommende Ereignisse werfen ihre Schatten voraus; *may your* ~ *never grow less fig.* möge es dir immer gut gehen; **2.** Schemen *m*, Phanˈtom *n*: *to catch* (*od. grasp*) *at* ~*s* Phantomen nachjagen; **3.** *fig.* Spur *f*, Kleinigkeit *f*: *without a* ~ *of doubt* ohne den leisesten Zweifel; **4.** *fig.* Schatten *m*, Trübung *f* (*e-r Freundschaft etc.*); Verstimmung *f*; **5.** *fig.* Schatten *m* (*Begleiter od. Verfolger*); **II.** *v/t.* **6.** beschatten: **a)** verdunkeln (*a. fig.*), **b)** verfolgen; **7.** *mst* ~ *forth* (*od. out*) **a)** dunkel andeuten, **b)** versinnbildlichen; ˈ~-**box·ing** *s. sport* Schattenboxen *n*; *fig.* Spiegelfechteˈrei *f*; ~ **cab·i·net** *s. pol.* ˈSchattenkabiˌnett *n*; ~ **fac·to·ry** *s.* Schatten-, Ausweichbetrieb *m*.

shad·ow·less [ˈʃædoulis] *adj.* schattenlos; ˈ**shad·ow·y** [-oui] *adj.* **1.** schattig: **a)** dämmerig, düster, **b)** schattenspendend; **2.** *fig.* schattenhaft, ˈvage; **3.** *fig.* unwirklich.

shad·y [ˈʃeidi] *adj.* □ **1.** → *shadowy 1 u. 2*: *on the* ~ *side of forty fig.* über die Vierzig hinaus; **2.** F anrüchig, zwielichtig, fragwürdig.

shaft [ʃɑ:ft] *s.* **1.** (*Pfeil- etc.*)Schaft *m*; **2.** *poet.* Pfeil *m* (*a. fig. des Spottes*), Speer *m*; **3.** (Licht)Strahl *m*; **4.** ⚘ Stamm *m*; **5.** ⊕ **a)** Stiel *m* (*Werkzeug etc.*), **b)** Deichsel(arm *m*) *f*, **c)** Welle *f*, Spindel *f*; **6.** △ Säulenschaft *m*; **7.** (*Aufzugs-, Bergwerks- etc.*)Schacht *m*; → *sink 17*.

shag [ʃæg] **I.** *s.* **1.** Zottel *f*; zottiges Haar; **2.** *Art* Plüschstoff *m*; **3.** Shag(-tabak) *m*; **4.** *orn.* Krähenscharbe *f*; **II.** *v/t.* **5.** zottig machen, aufrauhen;

shag·gy [ˈʃægi] *adj.* □ **1.** zottig, struppig: ~ *dog story humor.* surrealistischer Witz; **2.** verwildert (*Land*).

sha·green [ʃæˈgri:n] *s.* Chaˈgrin *n*, Körnerleder *n*.

shah [ʃɑ:] *s.* Schah *m*.

shake [ʃeik] **I.** *s.* **1.** Schütteln *n*, Rütteln *n*: ~ *of the hand* Händeschütteln; ~ *of the head* Kopfschütteln; *to give s.th. a good* ~ et. tüchtig schütteln; *to give s.o. the* ~ *Am. sl.* j-n ‚abwimmeln'; *in two* ~*s* (*of a lamb's tail*) F im Nu; **2.** (*a.* seelische) Erschütterung; (*Wind- etc.*) Stoß *m*; *Am.* F Erdstoß *m*: *he* (*it*) *is no great* ~*s* F mit ihm (damit) ist es

nicht weit her; **3.** Beben *n*: *the* ~*s* **a)** ⚕ Schüttelfrost, **b)** F *fig.* Nervenkrise; *all of a* ~ zitternd, bebend; **4.** (Milch- *etc.*)Shake *m*; **5.** ♪ Triller *m*; **6.** Riß *m*, Spalt *m*; **II.** *v/i.* [*irr.*] **7.** (sch)wanken; **8.** zittern, beben (*a. Stimme*) (*with* vor *Furcht etc.*); **9.** ♪ trillern; **III.** *v/t.* [*irr.*] **10.** schütteln: *to* ~ *one's finger at s.o.* j-m mit dem Finger drohen; *to be shaken before taken!* vor Gebrauch schütteln!; → *hand Redew.*, *head Redew.*, *side 4*; **11.** (*a. fig. Entschluß, Gegner, Glauben, Zeugenaussage*) erschüttern; **12.** *j-n* (seelisch) erschüttern; aufrütteln; **13.** ♪ *Ton* trillern;
Zssgn mit adv.:
shake| down I. *v/t.* **1.** *Frucht* vom Baum schütteln; **2.** *Stroh etc.* (zu e-m Nachtlager) ausbreiten; **3.** *Gefäßinhalt* zu'rechtschütteln; **4.** *Am. sl.* **a)** *j-n* ausplündern (*a. fig.*), **b)** erpressen, **c)** ‚filzen', durch'suchen; **II.** *v/i.* **5.** sich setzen (*Masse*); **6.** sich ein (Nacht)Lager zu'rechtmachen; **7.** sich einleben, -gewöhnen; ~ **off** *v/t.* **1.** *Staub etc., a. fig. Joch, a. Verfolger etc.* abschütteln; **2.** *fig. j-n od. et.* loswerden; ~ **out** *v/t.* **1.** ausschütteln; **2.** *Fahne etc.* ausbreiten; ~ **up** *v/t.* **1.** *Bett, Kissen* aufschütteln; **2.** *et.* zs.-, 'umschütteln, mischen; **3.** *fig. j-n* aufrütteln.
'shake|'down *s.* **1.** Notlager *n*; **2.** *Am. sl.* **a)** Ausplünderung *f*, **b)** Erpressung *f*, **c)** Durch'suchung *f*; **'~-'hands** *s.* Händedruck *m*.
shak·en ['ʃeikən] **I.** *p.p. von shake*; **II.** *adj.* **1.** erschüttert, (sch)wankend (*a. fig.*): (*badly*) ~ arg mitgenommen; **2.** → *shaky 5*.
shak·er ['ʃeikə] *s.* **1.** Mixbecher *m*, ('Cocktail- *etc.*)ˌShaker *m*; **2.** ♀ *eccl.* Zitterer *m*.
Shake·spear·i·an [ʃeiks'piəriən] **I.** *adj.* 'shakespearisch; **II.** *s.* 'Shakespeareforscher(in).
'shake-'up *s.* **1.** F Aufrüttelung *f*; **2.** 'Umwälzung *f*; **3.** 'Umbesetzung *f*, -gruppierung *f*.
shak·i·ness ['ʃeikinis] *s.* Wack(e)ligkeit *f* (*a. fig.*).
shak·ing ['ʃeikiŋ] **I.** *s.* **1.** Schütteln *n*; Erschütterung *f*; **II.** *adj.* **2.** Schüttel...; → *palsy 1*; **3.** zitternd; **4.** wackelnd.
shak·o ['ʃækou] *pl.* **-os** *s.* 'Tschako *m*.
shak·y ['ʃeiki] *adj.* □ **1.** wack(e)lig (*a. fig. Person, Gesundheit, Kredit, Kenntnisse*); **2.** zitt(e)rig, bebend: ~ *hands*; **3.** *fig.* (sch)wankend; **4.** *fig.* unsicher, zweifelhaft; **5.** (kern-)rissig (*Holz*).
shale [ʃeil] *s. geol.* Schiefer(ton) *m*; **'~-oil** *s.* Schieferöl *n*.
shall [ʃæl, ʃəl] *v/aux.* [*irr.*] **1.** *Futur*: *ich* werde, *wir* werden; **2.** *Befehl, Pflicht*: *ich, er, sie, es* soll, *du* sollst, *ihr* sollt, *wir, Sie, sie* sollen: ~ *I come?*; **3.** ⚖ *Mußbestimmung* (*im Deutschen durch Indikativ wiederzugeben*): *any person* ~ *be liable* jede Person ist verpflichtet ...; **4.** → *should 1*.
shal·loon [ʃə'lu:n] *s.* Cha'lon *m* (*Wollstoff*).
shal·lop ['ʃæləp] *s.* ⚓ Scha'luppe *f*.
shal·lot [ʃə'lɔt] *s.* ♀ Scha'lotte *f*.
shal·low ['ʃælou] **I.** *adj.* □ seicht, flach (*beide a. fig. oberflächlich*); **II.** *s.* (*a. pl.*) seichte Stelle, Untiefe *f*; **III.** *v/t. u. v/i.* (sich) verflachen; **'shal·low-brain·ed** [-oub-] *adj.* seicht, hohlköpfig; **'shal·low·ness** [-lounis] *s.* Seichtheit *f* (*a. fig.*).
shalt [ʃælt] *obs. 2. sg. pres. von shall*: *thou* ~ du sollst.
sham [ʃæm] **I.** *s.* **1.** (Vor)Täuschung *f*, (Be)Trug *m*, Schein *m*; **2.** Schwindler(in), 'Scharlatan *m*; **3.** Heuchler(in); **II.** *adj.* **4.** vorgetäuscht, fingiert, Schein...: ~ *battle* Scheingefecht; **5.** unecht, falsch: ~ *diamond*; ~ *piety*; **III.** *v/t.* **6.** vortäuschen, -spiegeln, fingieren, simulieren; **IV.** *v/i.* **7.** sich (ver)stellen, heucheln: *to* ~ *ill* simulieren, krank spielen.
sham·ble ['ʃæmbl] **I.** *v/i.* watscheln; **II.** *s.* watschelnder Gang.
sham·bles ['ʃæmblz] *s. pl. sg. konstr.* **1. a)** Schlachthaus *n*, **b)** (Fleisch-)Verkaufsstand *m*, -bank *f*; **2.** *fig.* Schlachtfeld *n* (*a. iro. wüstes Durcheinander*).
shame [ʃeim] **I.** *s.* **1.** Scham(gefühl *n*) *f*: *for* ~*!* pfui, schäm dich!; *to feel* ~ *at* sich über *et.* schämen; **2.** Schande *f*, Schmach *f*: *to be a* ~ *to* → *5*; ~ *on you!* schäm dich!, pfui!; *to put s.o. to* ~ **a)** j-n in Schande bringen, **b)** j-n beschämen (*übertreffen*); *to cry* ~ *upon s.o.* pfui über j-n rufen; **3.** F Schande *f* (*Gemeinheit*): *what a* ~*!* **a)** es ist e-e Schande!, **b)** es ist ein Jammer!; **II.** *v/t.* **4.** *j-n* beschämen, mit Scham erfüllen; **5.** *j-m* Schande machen; **6.** Schande bringen über (*acc.*), schänden; **7.** *j-n* durch Beschämung bringen *od.* treiben (*into* zu); **~-faced** [-feist] *adj.* □ **1.** verschämt, schamhaft; **2.** schüchtern; **'shame-faced·ness** [-feistnis] *s.* **1.** Verschämtheit *f*; **2.** Schüchternheit *f*.
shame·ful ['ʃeimful] *adj.* □ **1.** schmachvoll, schändlich; **2.** unanständig, anstößig; **'shame·ful·ness** [-nis] *s.* **1.** Schändlichkeit *f*; **2.** Anstößigkeit *f*; **'shame·less** [-lis] *adj.* □ schamlos (*a. fig. unverschämt*); **'shame·less·ness** [-lisnis] *s.* **1.** Schamlosigkeit *f*; **2.** Unverschämtheit *f*.
sham·mer ['ʃæmə] *s.* **1.** Schwindler (-in); **2.** Heuchler(in); **3.** Simu'lant(in).
sham·my (leath·er) ['ʃæmi] *s.* Sämisch-, Wildleder *n*.
sham·poo [ʃæm'pu:] **I.** *v/t.* **1.** *Kopf, Haar* schampunieren, waschen; **2.** *j-m* den Kopf waschen; **3.** *Körper etc.* massieren; **II.** *s.* **4.** Schampunieren *n*: ~ *and set* Waschen u. Legen; **5.** Sham'poo *n* (*Haarwaschmittel*).
sham·rock ['ʃæmrɔk] *s.* **1.** ♀ Weißer Feldklee; **2.** Kleeblatt *n* (*irisches Nationalzeichen*).
shang·hai [ʃæŋ'hai] *v/t.* ⚓ *sl.* schang'haien (*gewaltsam anheuern*).
shank [ʃæŋk] **I.** *s.* **1. a)** ('Unter-)Schenkel *m*, Schienbein *n*, **b)** Bein *n*, **c)** Hachse *f* (*vom Schlachttier*): *to go on* ♀*'s pony* (*od. mare*) auf Schusters Rappen reiten; **2.** (⚓ Anker-, ⊕ Bolzen- *etc.*)Schaft *m*; **3.** (Schuh)Gelenk *n*; **4.** *typ.* (Schrift)Kegel *m*; **5.** ♀ Stiel *m*; **II.** *v/i.* **6.** *mst* ~ *off* ♀ abfallen; **shanked** [-kt] *adj.* ...schenk(e)lig; gestielt.
shan·ny ['ʃæni] *s. ichth.* Schleimlerche *f*.
shan't [ʃɑ:nt] F *für shall not*.
shan·ty ['ʃænti] *s.* **1.** *bsd. Am.* Hütte *f*, Ba'racke *f*; **2.** → *chanty*.
shape [ʃeip] **I.** *s.* **1.** Gestalt *f*, Form *f* (*a. fig.*): *in the* ~ *of* in Form *e-s Briefes etc.*; *in human* ~ in Menschengestalt; *to put into* ~ formen, gestalten, *s-e Gedanken* ordnen; *in no* ~ in keiner Weise; **2.** Fi'gur *f*, Gestalt *f*; **3.** feste Form, Gestalt *f*: *to take* ~ Gestalt annehmen (*a. fig.*); → *lick 1*; **4.** *körperliche od. geistige* Verfassung, Form *f*: *to be in (good)* ~ in (guter) Form sein; **5.** ⊕ Form *f*; **6.** *Küche*: **a)** (Pudding- *etc.*)Form *f*, **b)** Stürzpudding *m*; **II.** *v/t.* **7.** gestalten, formen, bilden (*alle a. fig.*); **8.** anpassen (*to dat.*); **9.** planen, ersinnen: *to* ~ *the course for* ⚓ *u. fig.* den Kurs setzen auf (*acc.*); **10.** ⊕ formen; **III.** *v/i.* **11.** Gestalt *od.* Form annehmen, sich formen; **12.** sich *gut etc.* anlassen, sich entwickeln, sich gestalten: *to* ~ *well* vielversprechend sein; *to* ~ *up* F e-e endgültige Form annehmen, sich entwickeln; **shaped** [-pt] *adj.* geformt, ...gestaltet, ...förmig; **'shape·less** [-lis] *adj.* □ **1.** form-, gestaltlos; **2.** unförmig; **'shape-less·ness** [-lisnis] *s.* **1.** Form-, Gestaltlosigkeit *f*; **2.** Unförmigkeit *f*; **'shape·li·ness** [-linis] *s.* Wohlgeformtheit *f*, schöne Form; **'shape-ly** [-li] *adj.* wohlgeformt, schön, hübsch; **'shap·er** [-pə] *s.* **1.** Former(in), Gestalter(in); **2.** ⊕ 'Form-, 'Fräsmaˌschine *f*.
shard [ʃɑ:d] *s.* **1.** (Ton)Scherbe *f*; **2.** *zo.* (harte) Flügeldecke (*Insekt*).
share[1] [ʃɛə] *s.* (Pflug)Schar *f*.
share[2] [ʃɛə] **I.** *s.* **1.** (An)Teil *m* (*a. fig.*): *to fall to s.o.'s* ~ j-m zufallen; *to go* ~*s with* mit *j-m* teilen (*in s.th. et.*); ~ *and* ~ *alike* zu gleichen Teilen; **2.** (An)Teil *m*, Beitrag *m*; Kontin'gent *n*: *to do one's* ~ sein(en) Teil leisten; *to take a* ~ *in* sich beteiligen an (*dat.*); *to have (od. take) a large* ~ *in* e-n großen Anteil haben an (*dat.*); **3.** ✝ Beteiligung *f*; Geschäftsanteil *m*; Kapi'taleinlage *f*: ~ *in a ship* Schiffspart; **4.** ✝ **a)** Gewinnanteil *m*, **b)** 'Aktie *f*, **c)** ⚒ Kux *m*: *to hold* ~*s in* Aktionär in *e-r Gesellschaft* sein; **II.** *v/t.* **5.** (*a. fig. sein Bett, Ansicht, Ruhm etc.*) teilen (*with* mit); **6.** *mst* ~ *out* aus-, verteilen; **7.** teilnehmen, -haben an (*dat.*); sich *an den Kosten etc.* beteiligen; **III.** *v/i.* **8.** ~ *in* → *7*; **9.** sich teilen (*in* in *acc.*); ~ **cer·tif·i·cate** *s.* ✝ *Brit.* 'Aktienurkunde *f*; **'~-crop·per** *s. Am. kleiner* Farmpächter (*der s-e Pacht mit e-m Teil der Ernte entrichtet*); **'~-hold·er** *s.* ✝ *Brit.* Aktio'när *m*; **'~-list** *s.* ✝ *Brit.* **1.** ('Aktien)Kursliste *f*; **2.** 'Aktienreˌgister *n*; ~ **mark·et** *s.* ✝ *Brit.* 'Aktienmarkt *m*; **'~-push·er** *s.* ✝ *Brit.* F 'Aktienschwindler *m*.
shark [ʃɑ:k] *s.* **1.** *ichth.* Hai(fisch) *m*; **2.** *fig.* Gauner *m*, Betrüger *m*; **3.** *fig.* Schma'rotzer *m*; **4.** *Am. sl.* Ex'perte *m*, ‚Ka'none' *f*.
sharp [ʃɑ:p] **I.** *adj.* □ **1.** scharf

(*Messer etc., a. Gesichtszüge, Kurve etc.*); **2.** spitz (*Giebel etc.*); **3.** steil; **4.** *fig. allg.* scharf: **a)** deutlich (*Gegensatz, Umrisse etc.*), **b)** herb (*Geschmack*), **c)** schneidend (*Befehl, Stimme*), schrill (*Schrei, Ton*), **d)** heftig (*Schmerz etc.*), schneidend (*a. Frost, Wind*), **e)** hart (*Antwort, Kritik*), spitz (*Bemerkung, Zunge*), **f)** schnell (*Tempo, Spiel etc.*): *~'s the word* F mach fix!; **5.** scharf, wachsam (*Auge, Ohr*); angespannt (*Aufmerksamkeit*); **6.** scharfsinnig, gescheit, aufgeweckt, ‚auf Draht': *~ at figures* gut im Rechnen; **7.** gerissen, raffiniert: *~ practice* Gaunerei; **8.** F ele'gant, schick; **9.** ♪ **a)** (zu) hoch, **b)** (*durch Kreuz* um e-n Halbton) erhöht, **c)** Kreuz...: *C ~* Cis; **10.** *ling.* stimmlos (*Konsonant*); **II.** *adv.* **11.** scharf; **12.** plötzlich; **13.** pünktlich, genau: *at 3 o'clock ~* Punkt 3 Uhr, genau um 3 Uhr; **14.** schnell: *look ~* mach schnell!; **15.** ♪ zu hoch; **III.** *v/i. u. v/t.* **16.** ♪ zu hoch singen *od.* spielen; **17.** betrügen; **IV.** *s.* **18.** *pl.* lange Nähnadeln *pl.*; **19.** *pl.* ✝ *Brit.* grobes Kleienmehl; **20.** ♪ **a)** Kreuz *n*, **b)** Erhöhung *f*, Halbton *m*, **c)** nächsthöhere Taste; **21.** F → *sharper*; '**~-cut** *adj.* **1.** scharf (geschnitten); **2.** festum'rissen, deutlich; '**~-'edged** *adj.* scharfkantig.

sharp·en ['ʃɑ:pən] **I.** *v/t.* **1.** *Messer etc.* schärfen, schleifen, wetzen; *Bleistift etc.* (an)spitzen; **2.** *fig. j-n* ermuntern; *Sinn, Verstand* schärfen; *Appetit* anregen; **3.** *s-r Stimme etc.* e-n scharfen Klang geben; **II.** *v/i.* **4.** scharf werden, sich verschärfen (*a. fig.*); '**sharp·en·er** [-pnə] *s.* (*Bleistift- etc.*)Spitzer *m.*

sharp·er ['ʃɑ:pə] *s.* Gauner *m*, Betrüger *m.*

'**sharp-'eyed** *adj.* scharfsichtig.

sharp·ness ['ʃɑ:pnis] *s.* **1.** Schärfe *f*, Spitzigkeit *f*; **2.** *fig.* Schärfe *f* (*Herbheit, Strenge, Heftigkeit*); **3.** (Geistes)Schärfe *f*, Scharfsinn *m*; Pfiffigkeit *f*, Schlauheit *f*; **4.** (*phot.* Rand)Schärfe *f*, Deutlichkeit *f.*

'**sharp|-'set** *adj.* **1.** (heiß)hungrig; **2.** *fig.* scharf, erpicht (*on auf acc.*); '**~-shoot·er** *s.* Scharfschütze *m*; '**~-'sight·ed** *adj.* **1.** scharfsichtig; **2.** *fig.* scharfsinnig; '**~-'tongued** *adj. fig.* mit spitzer Zunge (*Person*); '**~-'wit·ted** *adj.* scharfsinnig, aufgeweckt.

shat·ter ['ʃætə] **I.** *v/t.* **1.** zerschmettern, -schlagen, -trümmern (*alle a. fig.*); *fig. Hoffnungen* zerstören; **2.** *Gesundheit, Nerven* zerrütten; **II.** *v/i.* **3.** in Stücke brechen, zerspringen; '**~-proof** *adj.* ⊕ **a)** bruchfest, **b)** splitterfrei, -sicher (*Glas*).

shave [ʃeiv] **I.** *v/t.* **1.** (*o.s.* sich) rasieren: *to ~* (*off*) *Bart* abrasieren; *to get ~d* rasiert werden; **2.** *Holz* (ab)schälen; *Häute* abschaben, -falzen; **3.** streifen, *a.* knapp vor'beikommen an (*dat.*); **II.** *v/i.* **4.** sich rasieren; **5.** *~ through* F (gerade noch) ‚'durchrutschen' (*in e-r Prüfung*); **III.** *s.* **6.** Ra'sur *f*, Rasieren *n*: *to have a ~* sich rasieren (lassen); *to have a close* (*od. narrow*) *~* F *fig.* mit knapper Not davonkommen; *that was a close ~* F ‚das hätte ins Auge gehen können'; *by a ~* F um ein Haar; **7.** (Ab)Schabsel *n*, Span *m*; **8.** ⊕ Schabeisen *n*; **9.** *Brit.* Schwindel *m*, Betrug *m*; **10.** *Am. sl.* Wucher(zins) *m*; '**shave·ling** [-liŋ] *s. obs. contp.* Pfaffe *m*, Mönch *m*; '**shav·en** [-vn] *adj.* **1.** rasiert: *clean-~* glattrasiert; **2.** (kahl)geschoren (*Kopf*); '**shav·er** [-və] *s.* **1.** Bar'bier *m*; **2.** E'lektrorasierer *m*; **3.** *mst young ~* F Grünschnabel *m*; '**shave-tail** *s.* **1.** nicht zugerittenes Maultier; **2.** ⚔ *Am. sl.* frischgebackener Leutnant.

Sha·vi·an ['ʃeivjən] *adj.* Shawsch, für G. B. Shaw charakte'ristisch: *~ humo(u)r* Shawscher Humor.

shav·ie ['ʃeivi] *s. Scot.* Streich *m*, Possen *m.*

shav·ing ['ʃeiviŋ] *s.* **1.** Rasieren *n*; **2.** *mst pl.* Schnitzel *n, m*, (Hobel-)Span *m*; '**~-brush** *s.* Rasierpinsel *m*; '**~-soap**, '**~-stick** *s.* Rasierseife *f.*

shawl [ʃɔ:l] *s.* Schal *m*, 'Umhängetuch *n.*

shawm [ʃɔ:m] *s.* ♪ Schal'mei *f.*

she [ʃi:; ʃi] **I.** *pron.* **1. a)** sie (*3. sg. für alle weiblichen Lebewesen*), **b)** (*beim Mond*) er, (*bei Ländern*) es, (*bei Schiffen mit Namen*) sie, (*bei Schiffen ohne Namen*) es, (*bei Motoren u. Maschinen, wenn personifiziert*) er, es; **2.** sie, die(jenige); **II.** *s.* **3.** Sie *f*: **a)** Mädchen *n*, Frau *f*, **b)** Weibchen *n* (*Tier*); **III.** *adj. in Zssgn* **4.** weiblich: *~-bear* Bärin; *~-dog* Hündin; **5.** *contp.* Weibs...: *~-devil* Weibsteufel.

shea [ʃiə] *s.* ⚘ Schi(butter)baum *m.*

sheaf [ʃi:f] **I.** *pl.* **-ves** [-vz] *s.* **1.** ⚒ Garbe *f*; **2.** (*Papier-, Pfeil-, phys. Strahlen*)Bündel *n*: *~ of fire* ⚔ Feuer-, Geschoßgarbe; **II.** *v/t.* **3.** → *sheave*[1].

sheal·ing ['ʃi:liŋ] → *shieling.*

shear [ʃiə] **I.** *v/t.* [*irr.*] **1.** scheren: *to ~ sheep*; **2.** *a. ~ off* (ab)scheren, abschneiden; **3.** *fig.* berauben; → *shorn*; **4.** *fig. j-n* ‚rupfen'; **5.** *poet. mit dem Schwert* abhauen; **II.** *v/i.* [*irr.*] **6.** ⚒ sicheln, mähen; **III.** *s.* **7.** *pl.* große Schere; ⊕ Me'tall-, Blechschere *f*; **8.** → *shear-legs*; **9. a)** → *shearing force*, **b)** → *shearing stress*; **10.** *dial.* ⚒ Schur *f*; '**shear·er** [-ərə] *s.* **1.** (Schaf)Scherer *m*; **2.** Schnitter *m.*

shear·ing ['ʃiəriŋ] *s.* **1.** Schur *f* (*Schafescheren*; *Schurertrag*); **2.** *phys.* (Ab)Scherung *f*; **3.** *Scot. od. dial.* Mähen *n*, Mahd *f*; **~ force** *s. phys.* Scher-, Schubkraft *f*; **~ strength** *s. phys.* Scherfestigkeit *f*; **~ stress** *s. phys.* Scherbeanspruchung *f.*

'**shear-legs** *s. pl. sg. konstr.* ⊕ Scherenkran *m.*

shear·ling ['ʃiəliŋ] *s.* erst 'einmal geschorenes Schaf.

'**shear|-pin** *s.* ⊕ Scherbolzen *m*; **~ stress** → *shearing stress*; '**~-wa·ter** *s. orn.* Sturmtaucher *m.*

sheath [ʃi:θ] *s.* **1.** (*Schwert- etc.*) Scheide *f*; **2.** Futte'ral *n*, Hülle *f*; **3.** ⚘, *anat.* Scheide *f*; **4.** *zo.* Flügeldecke *f* (*Käfer*); **sheathe** [ʃi:ð] *v/t.* **1.** *das Schwert* in die Scheide stekken; in e-e Hülle *od.* ein Futteral stecken; **2.** *bsd.* ⊕ um'hüllen, -'manteln, über'ziehen; *Kabel* armieren; **sheath·ing** ['ʃi:ðiŋ] *s.* ⊕ Verschalung *f*, -kleidung *f*; Beschlag *m*; 'Überzug *m*, Mantel *m*; Bewehrung *f* (*Kabel*).

sheave[1] [ʃi:v] *v/t.* ⚒ in Garben binden.

sheave[2] [ʃi:v] *s.* ⊕ Scheibe *f*, Rolle *f.*

sheaves [ʃi:vz] **1.** *pl. von sheaf*; **2.** *pl. von sheave*[2].

she·bang [ʃə'bæŋ] *s. Am. sl.* **1.** ‚Bude' *f*, ‚Laden' *m*; **2.** *the whole ~* der ganze Plunder *od.* Kram.

shed[1] [ʃed] *s.* **1.** Schuppen *m*; **2.** Stall *m*; **3.** ✈ *kleine* Flugzeughalle; **4.** Hütte *f.*

shed[2] [ʃed] *v/t.* [*irr.*] F **1.** verschütten, *a. Blut, Tränen* vergießen; **2.** ausstrahlen, -strömen, *Duft, Licht, Frieden etc.* verbreiten; **3.** *Wasser* abstoßen (*Stoff*); **4.** *biol. Laub, Federn etc.* abwerfen, *Hörner* abstoßen, *Zähne* verlieren: *to ~ one's skin* sich häuten; **5.** *Winterkleider etc., a. fig. Gewohnheit* ablegen; *fig. Freunde* loswerden.

she'd [ʃi:d] F *für* **a)** *she would*, **b)** *she had.*

sheen [ʃi:n] *s.* Glanz *m* (*bsd. von Stoffen*), Schimmer *m.*

sheen·y[1] ['ʃi:ni] *adj.* glänzend.

sheen·y[2] ['ʃi:ni] *s. sl.* ‚Itzig' *m* (*Jude*).

sheep [ʃi:p] *pl. coll.* **sheep** *s.* **1.** *zo.* Schaf *n*: *to cast ~'s eyes at s.o.* j-m schmachtende Blicke zuwerfen; *to separate the ~ and the goats bibl.* die Schafe von den Böcken trennen; *you might as well be hanged for a ~ as for a lamb!* wenn schon, denn schon!; → *black sheep*; **2.** *fig. contp.* Schaf *n* (*Person*); **3.** *pl. fig.* Schäflein *pl.*, Herde *f* (*Gemeinde e-s Pfarrers etc.*); **4.** Schafleder *n*; '**~-dip** *s.* Desinfekti'onsbad *n* für Schafe; '**~-dog** *s.* Schäferhund *m*; '**~-farm** *s. Brit.* Schaf(zucht)farm *f*; '**~-farm·ing** *s. Brit.* Schafzucht *f*; '**~-fold** *s.* Schafhürde *f.*

sheep·ish ['ʃi:piʃ] *adj.* □ **1.** schüchtern, blöd(e); **2.** töricht, blöd(e); **3.** einfältig; '**sheep·ish·ness** [-nis] *s.* **1.** Schüchternheit *f*, Verzagtheit *f*; **2.** Einfältigkeit *f*; **3.** Blödheit *f.*

'**sheep|·man** [-mən] *s.* [*irr.*] *Am.* Schafzüchter *m*; '**~-pen** → *sheep-fold*; '**~-run** → *sheep-walk*; '**~-shear·ing** *s.* Schafschur *f*; '**~·skin** *s.* **1.** Schaffell *n*; **2.** (*a.* Perga'ment *n* aus) Schafleder *n*; **3.** F **a)** Urkunde *f*, **b)** *Am.* Di'plom *n*; '**~-walk** *s.* Schaftrift *f*, -weide *f.*

sheer[1] [ʃiə] **I.** *adj.* □ **1.** bloß, rein, nichts als: *~ nonsense*; *by ~ force* mit bloßer *od.* nackter Gewalt; **2.** völlig, glatt: *~ impossibility*; **3.** rein, unvermischt: *~ ale*; **4.** steil, jäh; **5.** (hauch)dünn, 'durchsichtig (*Stoff*); **II.** *adv.* **6.** völlig; **7.** senkrecht; **8.** di'rekt.

sheer[2] [ʃiə] **I.** *s.* **1.** ⚓ **a)** Ausscheren *n*, **b)** Sprung *m* (*Deckerhöhung*); **II.** *v/i.* **2.** ⚓ abscheren, (ab)gieren (*Schiff*); **3.** *fig.* (*from*) **a)** abweichen (von), **b)** sich losmachen (von); **~ off** *v/i.* **1.** → *sheer*[2] 2; **2.** sich (fort-)scheren; **3.** aus dem Wege gehen (*from dat.*).

sheet [ʃi:t] **I.** *s.* **1.** Bettuch *n*, (Bett-)Laken *n*; Leintuch *n*: *to stand in a white ~* demütig s-e Sünden bekennen; (*as*) *white as a ~ fig.* kreidebleich; **2.** (*typ.* Druck)Bogen *m*, Blatt *n* (*Papier*): *a blank ~ fig.* ein unbeschriebenes Blatt; *a clean ~ fig.* e-e reine Weste; *in (the) ~s* (noch) nicht gebunden, ungefalzt (*Buch*); **3.** Bogen *m* (*von Briefmarken*); **4. a)** Zeitung *f*, Blatt *n*, **b)** (Flug)Schrift *f*; **5.** ⊕ (*Blech-, Glas- etc.*)Platte *f*; **6.** *metall.* (Fein)Blech *n*; **7.** weite Fläche (*von Wasser etc.*); (*Feuer-, Regen*)Wand *f*; *geol.* Schicht *f*: *rain came down in ~s* es regnete in Strömen; **8.** ⚓ Schot(e) *f*, Segelleine *f*: *to have three ~s in the wind sl.* ‚sternhagelvoll' sein; **9.** ⚓ Vorder-(*u.* Achter)Teil *m*, *n* (*Boot*); **II.** *v/t.* **10.** *Bett* beziehen; **11.** (in Laken) (ein-)hüllen; **12.** ⊕ mit Blech verkleiden; **13.** *a. ~ home Segel* anholen; **'~-anchor** *s.* ⚓ Notanker *m* (*a. fig. letzte Rettung*); **~ cop·per** *s.* ⊕ Kupferblech *n*; **~ glass** *s.* ⊕ Tafel-, Scheibenglas *n*.

sheet·ing ['ʃi:tiŋ] *s.* **1.** Bettuchstoff *m*; **2.** (Holz-, Bretter)Verschalung *f*; **3.** Blechverkleidung *f*.

sheet| i·ron *s.* ⊕ Eisenblech *n*; **~ light·ning** *s.* **1.** Wetterleuchten *n*; **2.** Flächenblitz *m*; **~ met·al** *s.* ⊕ (Me'tall)Blech *n*; **~ mu·sic** *s.* ♪ Noten(blätter) *pl.*; **~ steel** *s.* ⊕ Stahlblech *n*.

sheik(h) [ʃeik] *s.* **1.** Scheich *m*; **2.** *fig. Brit. sl.* **a)** ‚Scheich' *m*, Freund *m*, **b)** ('Film)I,dol *n*; **3.** *fig. Am. sl.* ‚Schwarm' *m* (*Person*).

shek·el ['ʃekl] *s.* **1.** S(ch)ekel *m* (*hebräische Gewichts- u. Münzeinheit*); **2.** *pl.* F ‚Mo'neten' *pl.* (*Geld*).

shel·drake ['ʃeldreik] *s. orn.* Brandente *f*.

shelf [ʃelf] *pl.* **shelves** [-vz] *s.* **1.** Bord *n*, (Bücher-, Wand-, Schrank-) Brett *n*; Fach *n*; ('Bücher-, 'Waren- *etc.*)Re,gal *n*; Sims *m*: *to be put (od. laid) on the ~ fig.* **a)** ausrangiert werden (*a. Beamter etc.*), **b)** auf die lange Bank geschoben werden; *to get on the ~* sitzenbleiben (*Mädchen*); **2.** Riff *n*, Felsplatte *f*; **3.** ⚓ Sandbank *f*; **4.** ⚓, *geol.* Festlandssockel *m*, Schelf *m*, *n*; **'~·warm·er** *s.* ‚Ladenhüter' *m*.

shell [ʃel] **I.** *s.* **1.** *allg.* Schale *f*; **2.** *zo.* **a)** Muschelschale *f*, **b)** Schneckenhaus *n*, **c)** Flügeldecke *f* (*Käfer*), **d)** Rückenschild *m* (*Schildkröte*): *to come out of one's ~ fig.* aus sich herausgehen; **3.** (Eier)Schale *f*: *in the ~* **a)** (noch) unausgebrütet, **b)** *fig.* noch in der Entwicklung; **4. a)** Muschel *f*, **b)** Perlmutt *n*, **c)** Schildpatt *n*; **5.** (Nuß- *etc.*)Schale *f*, Hülse *f*; **6.** ⚓, ✈ Schale *f*, Außenhaut *f*; (Schiffs)Rumpf *m*; **7.** Gerippe *n*, Gerüst *n* (*Haus*) (*a. fig.*); **8.** ⊕ Kapsel *f*, (*Scheinwerfer- etc.*) Gehäuse *n*; **9.** ⚔ **a)** Gra'nate *f*, **b)** Hülse *f*, **c)** *Am.* Pa'trone *f*; **10.** ('Feuerwerks)Ra,kete *f*; **11.** *Küche*: (Pa'steten)Schale *f*; **12.** *sport* (leichtes) Renn(ruder)boot; **13.** Innensarg *m*; **14.** (*Degen- etc.*)Korb *m*; **15.** *fig. das* (bloße) Äußere; **16.** *ped. Brit.* Mittelstufe *f*; **II.** *v/t.* **17.** *Erbsen etc.* enthülsen; **18.** schälen; *Nüsse* knacken; **19.** *Körner* von der Ähre *od.* vom Kolben entfernen; **20.** ⚔ (mit Gra'naten) beschießen; **~ out** *v/t. u. v/i. sl.* ‚blechen' (*bezahlen*).

she'll [ʃi:l] F *für she will.*

shel·lac [ʃə'læk] **I.** *s.* **1.** ⚗ Schellack *m*; **II.** *v/t. pret. u. p.p.* **shel'lacked** [-kt] **2.** mit Schellack behandeln; **3.** *fig. Am. sl. j-n* ‚vermöbeln'.

'shell·cra·ter *s.* ⚔ Gra'nattrichter *m*.

shelled [ʃeld] *adj.* ...schalig.

'shell|-egg *s.* Frischei *n*; **'~·fish** *s. zo.* Schalentier *n*; **~ game** *s. Am.* **1.** Falschspielertrick *m* (*mit Walnußschalen etc.*); **2.** *fig.* Falschspiel *n*.

shell·ing ['ʃeliŋ] *s.* ⚔ Beschuß *m*, (Artille'rie)Feuer *n*.

'shell-shock *s.* ⚔ 'Kriegsneu,rose *f*.

shel·ter ['ʃeltə] **I.** *s.* **1.** Schutzhütte *f*, -dach *n*; Schuppen *m*; **2.** Obdach *n*, Herberge *f*; **3.** Zuflucht *f*; **4.** Schutz *m*: *to take (od. seek) ~* Schutz suchen (*with* bei, *from* vor *dat.*); **5.** ⚔ **a)** Bunker *m*, 'Unterstand *m*, **b)** Dekkung *f*; **II.** *v/t.* **6.** (be)schützen, beschirmen (*from* vor); **7.** schützen, bedecken, über'dachen; **8.** *j-m* Schutz *od.* Zuflucht gewähren: *to ~ o.s. fig.* sich verstecken (*behind* hinter *j-m etc.*); *~ed trade* ✝ *Brit.* (*durch Zölle*) geschützter Handelszweig; **9.** *j-n* aufnehmen, beherbergen; **10.** verbergen; **III.** *v/i.* **11.** Schutz suchen; sich 'unterstellen; **~ half** *s.* ⚔ *Am.* Zeltbahn *f*.

shelve[1] [ʃelv] *v/t.* **1.** *Bücher* (in ein Re'gal) einstellen, auf ein (Bücher-) Brett stellen; **2.** *fig.* **a)** *et.* zu den Akten legen, bei'seite legen, **b)** *j-n* ausrangieren, entlassen; **3.** aufschieben; **4.** mit Fächern *od.* Re'galen versehen.

shelve[2] [ʃelv] *v/i.* (sanft) abfallen.

shelves [ʃelvz] *pl. von shelf.*

shelv·ing[1] ['ʃelviŋ] *s.* (Bretter *pl.* für) Fächer *pl. od.* Re'gale *pl.*

shelv·ing[2] ['ʃelviŋ] *adj.* schräg, abschüssig.

she·nan·i·gan [ʃi'nænigæn] *s. oft pl. sl.* Schwindel *m*, ‚Mumpitz' *m*, ‚fauler Zauber'.

shep·herd ['ʃepəd] **I.** *s.* **1.** (Schaf-) Hirt *m*, Schäfer *m*; *~ dog* → *shepherd's dog*; **2.** *fig. eccl.* (Seelen)Hirt *m* (*Geistlicher*): *the (good) ♀ bibl.* der Gute Hirte (*Christus*); **II.** *v/t.* **3.** *Schafe etc.* hüten; **4.** *fig. Menschenmenge etc.* treiben, führen, ‚bugsieren'; **'shep·herd·ess** [-dis] *s.* (Schaf)Hirtin *f*, Schäferin *f*.

shep·herd's| crook *s.* Hirtenstab *m*; **~ dog** *s.* Schäferhund *m*; **~ pie** *s.* in Kar'toffelteig gebackene 'Fleischpa,stete; **~ plaid** *s.* schwarzweiß karierter Plaid; **'~-'purse** *s.* ♀ Hirtentäschel *n*.

sher·bet ['ʃə:bət] *s.* **1.** Sor'bett *n*, *m* (*Frucht-, Eisgetränk*); **2.** 'Brauselimo,nade *f*.

sherd [ʃə:d] → *shard.*

sher·iff ['ʃerif] *s.* ⚖ 'Sheriff *m*: **a)** *in England u. Irland der höchste Verwaltungs- u. Polizeibeamte e-r Grafschaft*, **b)** *in den USA der gewählte höchste Exekutivbeamte e-s Verwaltungsbezirkes*, **c)** *a. ~-depute oberster Grafschaftsrichter in Schottland.*

sher·ry ['ʃeri] *s.* Sherry *m* (*Wein*): *~-glass* Südweinglas.

she's [ʃi:z] F *für* **a)** *she is*, **b)** *she has.*

shew [ʃou] *obs. für show.*

shib·bo·leth ['ʃibəleθ] *s. fig.* Schib'boleth *n*, Erkennungszeichen *n*, -wort *n*.

shield [ʃi:ld] **I.** *s.* **1.** Schild *m*; **2.** Schutzschild *m*, -schirm *m*; **3.** *fig.* **a)** Schutz *m*, Schirm *m*, **b)** (Be-) Schützer(in); **4.** ⚡, ⊕ (Ab)Schirmung *f*; **5.** *zo.* (Rücken)Schild *n*, Panzer *m* (*Insekt etc.*); **6.** *her.* (Wappen)Schild *m*; **II.** *v/t.* **7.** (be)schützen, (be)schirmen (*from* vor *dat.*); **8.** *bsd. b.s. j-n* decken; **9.** ⚡, ⊕ (ab)schirmen; **'~-bear·er** *s.* Schildknappe *m*; **'~-fern** *s.* ♀ Schildfarn *m*; **~ forc·es** *s. pl.* ⚔ Schildstreitkräfte *pl.*

shield·less ['ʃi:ldlis] *adj.* **1.** ohne Schild; **2.** *fig.* schutzlos.

shiel·ing ['ʃi:liŋ] *s. Scot.* **1.** (Vieh-) Weide *f*; **2.** Hütte *f*.

shift [ʃift] **I.** *v/i.* **1.** den Platz *od.* die Lage wechseln, sich bewegen; **2.** sich verlagern (*a.* ⚖ *Beweislast*), sich verwandeln (*a. Szene*), sich verschieben, wechseln; **3.** ⚓ 'überschießen, sich verlagern (*Ballast, Ladung*); **4.** die Wohnung wechseln; **5.** 'umspringen (*Wind*); **6.** *mot.* schalten: *to ~ up* heraufschalten; **7.** *sport* anspringen (*Kugelstoßen*); **8.** *to ~ for o.s.* **a)** auf sich selbst gestellt sein, **b)** sich selbst helfen; **9.** *mst ~ away* F sich da'vonmachen; **II.** *v/t.* **10.** *a. die Wohnung* wechseln, verändern, (aus)tauschen; → *ground 3*; **11.** (*a. fig.*) verschieben, -lagern, (*a. Schauplatz*) verlegen; *Betrieb* 'umstellen (*to* auf *acc.*); ⚔ *Feuer* verlegen; *thea. Kulissen* schieben; **12.** ⊕ schalten, ausrücken, verstellen, *Hebel* 'umlegen: *to ~ gears mot.* schalten; **13.** ⚓ **a)** *Schiff* verholen, **b)** *Ladung* 'umstauen; **14.** *dial. Kleidung* wechseln; **15.** *Schuld, Verantwortung* (ab)schieben, abwälzen (*[up]on* auf *acc.*); **16.** *j-n* loswerden; **17.** *sl. j-n* ‚'umlegen' (*ermorden*); **18.** F *Essen etc.* ‚wegputzen'; **III.** *s.* **19.** Verschiebung *f*, -änderung *f*, Wechsel *m*; **20.** ✝ (Arbeits)Schicht *f* (*Arbeiter od. Arbeitszeit*): *~ work(er)* Schichtarbeit(er); **21.** Ausweg *m*, Hilfsmittel *n*, Notbehelf *m*: *to make (a) ~* **a)** sich durchschlagen, **b)** es fertigbringen, es möglich machen (*to do* zu tun), **c)** sich behelfen (*with* mit, *without* ohne); **22.** Kniff *m*, List *f*, Ausflucht *f*; **23.** 🌾 *Brit.* Fruchtwechsel *m*; **24.** *geol.* Verwerfung *f*; **25.** ♪ Lagenwechsel *m* (*Streichinstrumente*); **26.** *sport* Ansprung *m*; **27.** *obs.* ('Unter)Hemd *n der Frau*; **'shift·er** [-tə] *s.* **1.** *thea.* Ku'lissenschieber *m*; **2.** *fig.* schlauer Fuchs, unzuverlässige Per'son; **3.** ⊕ **a)** Schalter *m*, **b)** Ausrückvorrichtung *f*; **'shift·i·ness** [-tinis] *s.* **1.** Gewandtheit *f*; **2.** Verschlagenheit *f*; **3.** Unzuverlässigkeit *f*; **'shift·ing** [-tiŋ] *adj.* sich verschiebend, veränderlich: *~ sand* Treib-, Flugsand.

'shift-key *s.* 'Umschalter *m* (*Schreibmaschine*).

shift·less ['ʃiftlis] *adj.* □ **1.** hilflos (*a. fig. unfähig*); **2.** unbeholfen, einfallslos; **3.** faul; **'shift·less·ness** [-nis] *s.* **1.** Hilflosigkeit *f*; **2.** Trägheit *f*.

shift·y ['ʃifti] *adj.* □ **1.** schlau, gerissen; **2.** verschlagen, falsch; **3.** *obs. u. fig.* unstet.
shil·le·la(g)h [ʃi'leilə] *s. Irish* (Eichen- *od.* Schlehdorn)Knüttel *m.*
shil·ling ['ʃiliŋ] *s. Brit. obs.* Schilling *m*: *a ~ in the pound* 5 Prozent; *to pay twenty ~s in the pound* s-e Schulden *etc.* auf Heller u. Pfennig bezahlen; *to cut s.o. off with a ~* j-n enterben; **~ shock·er** *s.* 'Schundroˌman *m.*
shil·ly-shal·ly ['ʃiliʃæli] **I.** *v/i.* zögern, schwanken; **II.** *s.* Schwanken *n*, Zögern *n*; **III.** *adj. u. adv.* zögernd, schwankend.
shim [ʃim] ⊕ *s.* Keil *m*, Klemmstück *n*, Ausgleichsscheibe *f.*
shim·mer ['ʃimə] **I.** *v/i.* schimmern; **II.** *s.* Schimmer *m*; **'shim·mer·y** [-əri] *adj.* schimmernd.
shim·my ['ʃimi] **I.** *s.* **1.** Shimmy *m* (*Tanz*); **2.** ⊕ Flattern *n* (*der Vorderräder*); **3.** F *od. dial.* Hemdchen *n*; **II.** *v/i.* **4.** Shimmy tanzen; **5.** ⊕ flattern (*Vorderräder*).
shin [ʃin] **I.** *s.* **1.** Schienbein *n*; **2.** *~ of beef* Rinderhachse; **II.** *v/i.* **3.** *~ up e-n Baum etc.* hin'aufklettern; **4.** *~ round* F her'umlaufen; **III.** *v/t.* **5.** *j-n* ans Schienbein treten; **6.** *~ o.s.* sich das Schienbein verletzen; **'~-bone** *s.* Schienbein(knochen *m*) *n.*
shin·dig ['ʃindig] *s. sl.* ‚Schwof' *m*, Tanzvergnügen *n*; *weitS.* Rummel *m*, 'Party *f.*
shin·dy ['ʃindi] *s.* **1.** *sl.* Krach *m*, Ra'dau *m*; **2.** → *shindig.*
shine [ʃain] **I.** *v/i.* [*irr.*] **1.** scheinen; leuchten, strahlen (*a. Augen etc.*; *with joy* vor Freude): *to ~ out* hervorleuchten (*a. fig.*); *to ~ (up)on et.* beleuchten; *to ~ up to Am. sl.* sich bei *j-m* anbiedern; **2.** glänzen (*a. fig. sich hervortun as* als, *in* in *dat.*); **II.** *v/t.* [*irr.*] **3.** F *Schuhe etc.* polieren; **III.** *s.* **4.** (*Sonnen- etc.*)Schein *m*; → *rain 1*; **5.** Glanz *m*: *to take the ~ out of* **a)** *e-r Sache* den Glanz nehmen, **b)** *et. od. j-n* in den Schatten stellen; **6.** Glanz *m* (*bsd. auf Schuhen*): *have a ~?* Schuhputzen gefällig?; **7.** *to kick up a ~* F Radau machen; **8.** *to take a ~ to s.o. Am. sl.* j-n ins Herz schließen; **'shin·er** [-nə] *s.* **1.** Leuchte *f* (*Genie*); **2.** auffallende Erscheinung; **3.** glänzender Gegenstand; **4.** *sl.* Goldmünze *f* (*bsd. Sovereign*); *pl.* ‚Mo'neten' *pl.* (*Geld*); **5.** *sl.* ‚Veilchen' *n*, blau(geschlagen)es Auge.
shin·gle¹ ['ʃiŋgl] **I.** *s.* **1.** (Dach-)Schindel *f*; **2.** Herrenschnitt *m* (*Damenfrisur*); **3.** *Am.* F *humor.* (Firmen)Schild *n*: *to hang out one's ~* sich (als Arzt *etc.*) etablieren, ‚s-n (eigenen) Laden aufmachen'; **II.** *v/t.* **4.** mit Schindeln decken; **5.** *Haar* (sehr) kurzschneiden: *~d hair* → 2.
shin·gle² ['ʃiŋgl] *s. Brit.* **1.** grober Strandkies(el) *m*; **2.** Kiesstrand *m.*
shin·gle³ ['ʃiŋgl] *v/t. metall.* zängen.
shin·gles ['ʃiŋglz] *s. sg. od. pl.* ⚕ Gürtelrose *f.*
shin·gly ['ʃiŋgli] *adj.* kies(el)ig.
shin·ing ['ʃainiŋ] *adj.* □ leuchtend (*a. fig. Beispiel*), strahlend; glänzend (*a. fig. hervorragend*): *a ~ light* e-e Leuchte (*Person*).
shin·ny ['ʃini] *v/i. Am.* F klettern.
shin·y ['ʃaini] *adj.* glänzend: **a)** leuchtend (*a. fig.*), funkelnd (*a. Auto etc.*), **b)** strahlend (*Tag etc.*), **c)** blank(geputzt), **d)** abgetragen (*Rock etc.*).
ship [ʃip] **I.** *s.* **1.** ⚓ *allg.* Schiff *n*: *~'s articles* → *shipping-articles*; *~'s company* Besatzung; *~'s husband* Mitreeder; *~'s papers* Schiffspapiere; *~ of the desert fig.* Schiff der Wüste (*Kamel*); *~ of the line* ⚔ Linienschiff; *to take ~* sich einschiffen (*for* nach); *about ~!* klar zum Wenden!; *when my ~ comes home fig.* wenn ich mein Glück mache; **2.** ⚓ Vollschiff *n* (*Segelschiff*); **3.** *sl.* (Renn)Boot *n*; **4.** *Am.* **a)** Luftschiff *n*, **b)** Flugzeug *n*; **II.** *v/t.* **5.** an Bord bringen *od.* (*a. Passagiere*) nehmen, verladen; **6.** ⚓ verschiffen, transportieren; **7.** ✝ **a)** verladen, **b)** versenden, -frachten, (aus)liefern (*a. zu Lande*), **c)** *Ware zur Verladung* abladen, **d)** ⚓ *Ladung* über'nehmen: *to ~ a sea* e-e See (*Welle*) übernehmen; **8.** ⚓ *Ruder* einlegen, *Mast* einsetzen: *to ~ the oars* die Riemen einlegen; **9.** ⚓ *Matrosen* (an)heuern; **10.** F *a. ~ off* fortschicken; **III.** *v/i.* **11.** sich einschiffen; **12.** anheuern; **~ bis·cuit** *s.* Schiffszwieback *m*; **'~·board** *s.*: *on ~* an Bord; **'~·borne air·craft** *s.* ✈ Bordflugzeug *n*; **'~-bro·ker** *s.* Schiffsmakler *m*; **'~·build·er** *s.* ⚓ Schiffsbauer *m*, 'Schiffsarchiˌtekt *m*; **'~·build·ing** *s.* ⚓ Schiffbau *m*; **'~-ca·nal** *s.* ⚓ 'Seekaˌnal *m*; **'~-chan·dler** *s.* Liefe'rant *m* von Schiffsbedarf; **'~·load** *s.* (volle) Schiffsladung (*als Maß*); **'~-mas·ter** *s.* ⚓ ('Handels)Kapiˌtän *m.*
ship·ment ['ʃipmənt] *s.* **1.** ⚓ **a)** Verladung *f*, **b)** Verschiffung *f*, 'Seetransˌport *m*, **c)** (Schiffs)Ladung *f*; **2.** ✝ (*a. zu Lande*) **a)** Versand *m*, **b)** (Waren)Sendung *f*, Lieferung *f.*
'ship·own·er *s.* Reeder *m.*
ship·per ['ʃipə] *s.* ✝ **1.** Verschiffer *m*, Ablader *m*; **2.** Spedi'teur *m.*
ship·ping ['ʃipiŋ] *s.* **1.** Verschiffung *f*; **2.** ✝ **a)** Abladung *f* (*Anbordnahme*), **b)** Verfrachtung *f*, Versand *m* (*a. zu Lande etc.*); **3.** ⚓ *coll.* Schiffsbestand *m* (*e-s Landes etc.*); **'~-a·gent** *s.* **1.** 'Schiffsaˌgent *m*; **2.** Schiffsmakler *m*; **'~-ar·ti·cles** *s. pl.* ⚓ 'Schiffsarˌtikel *pl.*, Heuervertrag *m*; **'~-bill** *s. Brit.* Mani'fest *n*; **'~-clerk** *s.* ✝ Expedi'ent *m*, Leiter *m* der Versandabteilung; **'~-com·pa·ny** *s.* ⚓ Reede'rei *f.*
'ship|·shape *pred. adj. u. adv.* in tadelloser Ordnung, blitzblank; **'~·way** *s.* Stapel *m*, Helling *f*; **'~·wreck** **I.** *s.* **1.** ⚓ Wrack *n*; **2.** Schiffbruch *m* (*a. fig.*); *fig.* (völliger) Zs.-bruch, Scheitern *n von Plänen etc.*: *to make ~ of* → 4; **II.** *v/t.* **3.** scheitern lassen: *to be ~ed* schiffbrüchig werden *od.* sein; **4.** *fig.* zum Scheitern bringen, vernichten; **III.** *v/i.* **5.** Schiffbruch erleiden, scheitern (*beide a. fig.*); **'~·wright** *s.* **1.** → *shipbuilder*; **2.** Schiffszimmermann *m*; **'~·yard** *s.* (Schiffs)Werft *f.*
shir [ʃəː] → *shirr.*
shire ['ʃaiə] *s.* **1.** brit. Grafschaft *f*; **2.** au'stralischer Landkreis; **3.** *a. ~-horse ein schweres Zugpferd.*
shirk [ʃəːk] **I.** *v/t.* sich drücken vor (*dat.*); **II.** *v/i.* sich drücken (*from* vor *dat.*); **'shirk·er** [-kə] *s.* Drückeberger *m.*
shirr [ʃəː] *bsd. Am.* **I.** *s.* e'lastisches Gewebe, eingewebte Gummischnur, Zugband *n*; **II.** *v/t. Gewebe* kräuseln; **shirred** [ʃəːd] *adj.* e'lastisch, gekräuselt.
shirt [ʃəːt] *s.* **1.** (Herren-, Ober-)Hemd *n*: *to get s.o.'s ~ out* j-n ‚auf die Palme bringen' (*wütend machen*); *to give away the ~ off one's back* s-n letzten Heller *für j-n* hergeben; *to keep one's ~ on sl.* sich nicht aufregen; *to put one's ~ on sl.* alles auf *ein Pferd etc.* setzen; **2.** *a. ~-blouse* (Damen)Hemdbluse *f*; **'~-front** *s.* Hemdbrust *f.*
shirt·ing ['ʃəːtiŋ] *s.* Hemdenstoff *m.*
shirt·less ['ʃəːtlis] *adj.* **1.** ohne Hemd; **2.** *fig.* bettelarm.
'shirt-sleeve **I.** *s.* Hemdsärmel *m*: *in one's ~s* in Hemdsärmeln; **II.** *adj. fig.* ungezwungen, le'ger, 'inforˌmell, ‚hemdsärmelig': *~ diplomacy* offene Diplomatie.
shirt·y ['ʃəːti] *adj. sl.* fuchsteufelswild.
shit [ʃit] V **I.** *s.* **1.** Scheiße *f*: *to have a ~* → 4; **2.** *fig.* Arschloch *n*; **II.** *int.* **3.** *~!* Scheiße!, Scheißdreck!; **III.** *v/i.* [*Am. irr.*] **4.** scheißen: *to ~ on* **a)** auf *j-n od. et.* scheißen, **b)** *fig. j-n* ‚verpfeifen'; **IV.** *v/t.* [*Am. irr.*] **5.** vollscheißen, scheißen in (*acc.*).
shiv·er¹ ['ʃivə] **I.** *s.* **1.** Splitter *m*, (Bruch)Stück *n*, Scherbe *f*; **2.** *min.* Dachschiefer *m*; **II.** *v/t.* **3.** zersplittern, zerschmettern; **III.** *v/i.* **4.** (zer)splittern.
shiv·er² ['ʃivə] **I.** *v/i.* **1.** (*with* vor *dat.*) zittern, (er)schauern, frösteln; **2.** flattern (*Segel*); **II.** *s.* **3.** Schauer *m*, Zittern *n*, Frösteln *n*: *the ~s* **a)** ⚕ der Schüttelfrost, **b)** F *fig.* das kalte Grausen; **'shiv·er·ing** [-vəriŋ] *s.* Schauer(n *n*) *m*, Schüttelfrost *m*: *~ fit* Fieberschauer; **'shiv·er·y** [-əri] *adj.* fröstelnd; fiebrig.
shoal¹ [ʃoul] **I.** *s.* Schwarm *m*, Zug *m von Fischen*; **II.** *v/i.* in Schwärmen auftreten.
shoal² [ʃoul] **I.** *s.* **1.** Untiefe *f*, seichte Stelle; Sandbank *f*; **2.** *fig.* Klippe *f*, Falle *f*; **II.** *adj.* **3.** seicht; **III.** *v/i.* **4.** seicht(er) werden; **'shoal·y** [-li] *adj.* seicht.
shock¹ [ʃɔk] **I.** *s.* **1.** Stoß *m*, Erschütterung *f* (*a. fig. des Vertrauens etc.*); **2.** Zs.-stoß *m*, Zs.-prall *m*, Anprall *m*; **3.** ⚕ (Nerven)Schock *m*, Schreck *m*, (plötzlicher) Schlag (*to* für), *seelische* Erschütterung (*to gen.*): *to get the ~ of one's life* zu Tode erschrecken; *with a ~* mit Schrecken; **4.** Schock *m*, Ärgernis *n* (*to* für); **5.** ⚡ Schlag *m*, (*a.* ⚕ E'lektro)Schock *m*; **II.** *v/t.* **6.** erschüttern, erbeben lassen; **7.** *fig.* schokkieren, em'pören: *~ed* empört *od.* entrüstet (*at* über *acc.*, *by* durch); **8.** *fig. j-m* e-n Schock versetzen, *j-n* erschüttern: *I was ~ed to hear* zu m-m Entsetzen hörte ich; **9.** *j-m* e-n e'lektrischen Schlag versetzen; ⚕

j-n schocken; **III.** *v/i.* **10.** ⚔ zs.-prallen.

shock² [ʃɔk] ⚘ **I.** *s.* Mandel *f*, Hocke *f*; **II.** *v/t.* in Mandeln aufstellen.

shock³ [ʃɔk] **I.** *s.* (*~ of hair* Haar-) Schopf *m*; **II.** *adj.* zottig: *~ head* Strubbelkopf.

'shock|-ab·sorb·er *s.* ⊕ Stoßdämpfer *m*; **2.** 'Schwingmeˌtall *n*; **'~-ab·sorp·tion** *s.* ⊕ Stoßdämpfung *f*.

shock·er ['ʃɔkə] *s.* **1.** böse Über'raschung; **2.** Sensati'on *f*; **3.** F 'Schauerroˌman *m*; **4.** *Brit.* F *ein* ‚Graus' *m* (*et. sehr Schlechtes*).

'shock-head·ed *adj.* strubb(e)lig: *~ Peter* Struwwelpeter.

shock·ing ['ʃɔkiŋ] **I.** *adj.* □ **1.** schokkierend, em'pörend, unerhört, anstößig; **2.** entsetzlich, haarsträubend; **3.** F scheußlich, schrecklich, mise'rabel; **II.** *adv.* F **4.** schrecklich, unheimlich (*groß etc.*).

'shock|-'proof *adj.* ⊕ stoß-, erschütterungsfest; **~ tac·tics** *s. pl. sg. konstr.* ⚔ 'Durchbruchs-, 'Stoßˌtaktik *f*; **~ ther·a·py, ~ treat·ment** *s.* ⚕ 'Schocktheraˌpie *f*, -behandlung *f*; **'~-troops** *s. pl.* ⚔ Stoßtruppen *pl.*; **'~-work·er** *s.* Stoßarbeiter *m* (*in kommunistischen Ländern*).

shod [ʃɔd] **I.** *pret. u. p.p. von shoe*; **II.** *adj.* **1.** beschuht; **2.** beschlagen (*Pferd, Stange etc.*).

shod·dy ['ʃɔdi] **I.** *s.* **1.** Shoddy *n*, (langfaserige) Kunstwolle; **2.** Shoddytuch *n*; **3.** *fig.* Schund *m*, Kitsch *m*; **4.** *fig. Am.* Em'porkömmling *m*; **5.** *fig. Am.* Protzentum *n*; **II.** *adj.* **6.** Shoddy...; **7.** *fig.* unecht, falsch: *~ aristocracy* Talmiaristokratie; **8.** *fig.* kitschig, Schund...: *~ literature*; **9.** *fig. Am.* protzig.

shoe [ʃu:] **I.** *s.* **1.** (*bsd. Brit.* Halb-) Schuh *m*: *dead men's ~s fig.* ungeduldig erwartetes Erbe; *to be in s.o.'s ~s fig.* in j-s Haut stecken; *to know where the ~ pinches fig.* wissen, wo der Schuh drückt; *to shake in one's ~s fig.* vor Angst schlottern; *to step into s.o.'s ~s* j-s Stelle einnehmen; *that is another pair of ~s fig.* das sind zwei Paar Stiefel; *now the ~ is on the other foot* F jetzt will er *etc.* (plötzlich) nichts mehr davon wissen; **2.** Hufeisen *n*; **3.** ⊕ Schuh *m*, (Schutz)Beschlag *m*; **4.** ⊕ **a)** Bremsschuh *m*, -klotz *m*, **b)** Bremsbacke *f*; **5.** ⊕ (Reifen)Decke *f*; **6.** ⚡ Gleitschuh *m*; **II.** *v/t.* [*irr.*] **7. a)** beschuhen, **b)** *Pferd, a. Stock* beschlagen; **'~·black** *s.* Schuhputzer *m*; **'~·horn** *s.* Schuhlöffel *m*; **'~-lace** *s.* Schnürsenkel *m*; **'~-leath·er** *s.* Schuhleder *n*.

shoe·less ['ʃu:lis] *adj.* unbeschuht, barfuß.

'shoe|-lift *s.* Schuhanzieher *m*; **'~-mak·er** *s.* Schuhmacher *m*: *~'s thread* Pechdraht; **'~·shine** *s. Am.* **1.** Schuhputzen *n*; **2.** Schuhputzer *m*: *~ parlor* Schuhputzladen; **'~-string** *s.* **1.** *Am.* → *shoe-lace*; **2.** *to start a business on a ~ fig.* ein Geschäft mit e-m Minimum an Kapital aufmachen.

shone [ʃɔn] *pret. u. p.p. von shine.*

shoo [ʃu:] **I.** *int.* **1.** husch!, sch! (*Scheuchruf*); **II.** *v/t.* **2.** *a. ~ away Vögel etc.* verscheuchen; **3.** *Am.* F *j-n* ‚bugsieren', (ge)leiten; **III.** *v/i.* **4.** husch! *od.* sch! rufen.

shook¹ [ʃuk] *bsd. Am. s.* **1.** Bündel *n* Faßdauben; **2.** Pack *m* Kistenbretter; **3.** → *shock² I.*

shook² [ʃuk] *pret. u. obs. od. dial. p.p. von shake.*

shoot [ʃu:t] **I.** *s.* **1.** Schießen *n*; **2.** *hunt.* **a)** 'Jagd(reˌvier *n*) *f*, **b)** Jagdgesellschaft *f*; **3.** *fig.* Schuß *m* (*schnelle Bewegung*); **4.** (Holz- *etc.*) Rutsche *f*, Rutschbahn *f*; **5.** Stromschnelle *f*; **6.** ⚘ Schößling *m*; **II.** *v/t.* [*irr.*] **7.** *Pfeil, Kugel etc.* (ab)schießen, (-)feuern: *to ~ (away) Munition* verschießen; **8.** *a. ~ off Waffe* abschießen, -feuern: *to ~ off one's mouth Am. sl.* ‚blöd quatschen'; **9. a)** *Wild* schießen, erlegen, **b)** anschießen, **c)** *j-n* erschießen (*for* wegen): *to ~ down* abschießen (*a.* ✈); **10.** *hunt.* in *e-m Revier* jagen; **11.** *sport Ball, Tor* schießen; **12.** ⚓ *Sonne etc.* schießen (*Höhe messen*); → *moon 1*; **13.** *fig. Strahl etc.* schießen, senden: *to ~ a glance at* e-n schnellen Blick werfen auf (*acc.*); **14. a)** *Film, Szene* drehen, **b)** *bsd. Am.* photographieren; **15.** *fig.* stoßen, schleudern, werfen; **16.** *fig.* unter *e-r Brücke etc.* hin'durchschießen, über *e-e Stromschnelle etc.* hin'wegschießen; **17.** *Riegel* vorschieben; **18.** *mit Fäden* durch'schießen, -'wirken; **19.** *a. ~ forth* ⚘ *Knospen etc.* treiben; **20.** *Müll, Karren etc.* abladen, auskippen; **21.** *Faß* schroten; **22.** ⚕ (ein)spritzen; **III.** *v/i.* [*irr.*] **23.** *a. sport* schießen, feuern (*at* nach, auf *acc.*): *~! Am. sl.* schieß los (*sprich*)!; **24.** *hunt.* jagen, schießen: *to go ~ing* auf die Jagd gehen; **25.** *fig.* (da'hin-, vor'bei- *etc.*)schießen, (-)jagen, (-)rasen: *to ~ ahead* nach vorn schießen, voranstürmen; *to ~ ahead of* vorbeischießen an (*dat.*), überholen; **26.** stechen (*Schmerz, Glied*); **27.** *a. ~ forth* ⚘ sprossen, keimen; **28. a)** filmen, **b)** *bsd. Am.* photographieren; **29.** ⚓ 'überschießen (*Ballast*);

Zssgn mit adv.:

shoot| out I. *v/t.* **1.** *Auge etc.* ausschießen; **2.** her'ausschleudern, hin'auswerfen; **3.** *Faust, Fuß* vorschnellen (lassen); *Zunge* her'ausstrecken; **4.** her'ausragen lassen; **II.** *v/i.* **5.** ⚘ her'vorsprießen; **6.** vor-, her'ausschnellen; **~ up I.** *v/t.* **1.** *sl.* zs.-schießen; **II.** *v/i.* **2.** in die Höhe schießen, rasch wachsen (*Pflanze, Kind*); **3.** em'porschnellen (*a.* † *Preise*); **4.** (jäh) aufragen (*Klippe etc.*).

shoot·er ['ʃu:tə] *s.* **1.** Schütze *m*, Schützin *f*; **2.** F ‚Schießeisen' *n*.

shoot·ing ['ʃu:tiŋ] **I.** *s.* **1. a)** Schießen *n*, **b)** Schieße'rei *f*; **2.** Erschießen *n*; **3.** *fig.* Stechen *n* (*Schmerz*); **4.** *hunt.* **a)** Jagd *f*, **b)** Jagdrecht *n*, **c)** 'Jagdreˌvier *n*; **5.** Aufnahme *f e-s Films*, Dreharbeiten *pl.*; **II.** *adj.* **6.** schießend, Schieß...; **7.** *fig.* stechend (*Schmerz*); **8.** Jagd...; **'~-box** *s.* Jagdhütte *f*; **'~-gal·ler·y** *s.* **1.** ⚔, *sport* Schießstand *m*; **2.** Schießbude *f*; **'~-i·ron** *s. sl.* ‚Schießeisen' *n*; **'~-li·cense** *s.* Jagdschein *m*; **'~-match** *s.* Preis-, Wettschießen *n*; **'~-range** *s.* Schießstand *m*; **~ star** *s. ast.* Sternschnuppe *f*; **~ war** *s.* heißer Krieg, Schießkrieg *m*.

shop [ʃɔp] **I.** *s.* **1.** (Kauf)Laden *m*, Geschäft *n*: *to keep ~* ein Geschäft *od.* e-n Laden haben; *to shut up ~* das Geschäft schließen, den Laden dicht machen (*a. für immer*); *to come to the wrong ~* F an die falsche Adresse geraten; *all over the ~ sl.* **a)** überall verstreut, **b)** in alle Himmelsrichtungen, **c)** wild; **2.** ⊕ Werkstatt *f*; **3. a)** Betrieb *m*, Fa'brik *f*, **b)** Abteilung *f in e-r Fabrik*; *to talk ~* fachsimpeln; *to sink the ~* F **a)** nicht vom Geschäft reden, **b)** s-n Beruf verheimlichen; → *closed (open) shop*; **4.** *bsd. Brit. sl.* **a)** ‚Penne' *f* (*Schule*), ‚Uni' *f* (*Universität*), **b)** ‚Kittchen' *n* (*Gefängnis*); **II.** *v/i.* **5.** einkaufen, Einkäufe machen: *to go ~ping*; *to ~ around* F *vor dem Einkauf* die Preise vergleichen; **III.** *v/t.* **6.** *bsd. Brit. sl.* **a)** *j-n* ‚verpfeifen', **b)** *j-n* ‚ins Kittchen bringen'; **'~-as·sist·ant** *s. Brit.* Ladenangestellte(r *m*) *f*, Verkäufer(in); **~ com·mit·tee** *s.* † Betriebsrat *m*; **'~-girl** *s.* Verkäuferin *f*; **'~·keep·er** *s.* Ladenbesitzer(in), Krämer(in): *nation of ~s fig. contp.* Krämervolk; **'~·keep·ing** *s.* **1.** Kleinhandel *m*; **2.** Betrieb *m* e-s (Laden)Geschäfts; **'~-lift·er** *s.* Ladendieb(in); **'~-lift·ing** *s.* Ladendiebstahl *m*; **'~·man** [-mən] *s.* [*irr.*] **1.** Ladengehilfe *m*, Verkäufer *m*; **2.** *bsd. Brit.* → *shopkeeper*.

shop·per ['ʃɔpə] *s.* (Ein)Käufer(in);

shop·ping ['ʃɔpiŋ] *s.* Einkauf *m*, Einkaufen *n* (*in Läden*): *~ centre Brit., ~ center Am.* Einkaufszentrum; *~ list* Einkaufsliste; *to do one's ~* (seine) Einkäufe machen.

'shop|-soiled *adj. bsd. Brit.* † angestaubt, beschädigt; **'~-stew·ard** *s.* † Betriebsrat *m*, Vertrauensmann *m*; **'~·talk** *s.* Fachsimpe'lei *f*; **'~·walk·er** *s. Brit.* (aufsichtführender) Ab'teilungsleiter (*im Kaufhaus*); **'~-win·dow** *s.* Schaufenster *n*, Auslage *f*: *to put all one's goods in the ~ fig.* ‚auf Wirkung machen'; **'~-worn** → *shop-soiled*.

sho·ran ['ʃɔ:ræn] *s.* ✈ Shoran *n* (*von short range navigation Nahbereichs-Radar-Navigation*).

shore¹ [ʃɔ:] **I.** *s.* **1.** Stütz-, Strebebalken *m*, Strebe *f*; **2.** ⚓ Schore *f* (*Spreizholz*); **II.** *v/t.* **3.** *mst ~ up* abstützen.

shore² [ʃɔ:] **I.** *s.* **1.** Küste *f*, Strand *m*, Ufer *n*, Gestade *n*: *my native ~ fig.* mein Heimatland; **2.** ⚓ Land *n*: *on ~* an(s) Land; *in ~* in Küstennähe; **II.** *adj.* **3.** Küsten..., Strand..., Land...: *~-battery* ⚔ Küstenbatterie; *~-leave* ⚓ Landurlaub; **'shore·less** [-lis] *adj.* ohne Ufer, uferlos (*a. poet. fig.*); **'shore·ward** [-wəd] **I.** *adj.* küstenwärts gelegen *od.* gerichtet *etc.*; **II.** *adv. a. ~s* küstenwärts, (nach) der Küste zu.

shorn [ʃɔ:n] *p.p. von shear*: *~ of fig.* e-r *Sache* beraubt.

short [ʃɔ:t] **I.** *adj.* □ → *shortly*; **1.** *räumlich u. zeitlich* kurz: *a ~ life*; *a ~ memory*; *a ~ street*; *a ~ time ago* vor kurzer Zeit, vor kurzem; *~ sight* Kurzsichtigkeit (*a. fig.*); *on the ~ list fig.* in der engeren Wahl; *to get* *the ~ end of the stick Am.* F schlecht wegkommen (*bei e-r Sache*); *to have by the ~ hairs Am.* F *j-n od. et.* ‚in der Tasche' haben; **2.** kurz, gedrungen, klein; **3.** zu kurz (*for* für): *to fall* (*od. come*) *~ of fig. et.* nicht erreichen, *den Erwartungen etc.* nicht entsprechen, hinter (*dat.*) zurückbleiben; **4.** *fig.* kurz, knapp: *a ~ speech*; *~ story* Erzählung; *~ ~ story* Kurzgeschichte; **5.** kurz angebunden, barsch (*with* gegen); **6.** knapp, unzureichend: *~ rations*; *~ weight* Fehlgewicht; *to run ~* knapp werden; **7.** knapp (*of* an *dat.*): *~ of breath* kurzatmig; *~ of cash* knapp bei Kasse; *they ran ~ of bread* das Brot ging ihnen aus; **8.** knapp, nicht ganz: *a ~ hour* (*mile*); **9.** geringer, weniger (*of* als): *nothing ~ of* nichts weniger als, geradezu; **10.** mürbe (*Gebäck etc.*): *~ pastry* Mürbeteig; **11.** *metall.* brüchig; **12.** *bsd.* ✝ kurzfristig, *Wechsel etc.* auf kurze Sicht: *at ~ date* kurzfristig; *at ~ notice* **a)** kurzfristig (kündbar), **b)** schnell, prompt; **13.** ✝ *Börse*: **a)** Baisse..., Blanko...(*-verkäufer*), **b)** Blanko..., deckungslos (*Verkauf*); **14. a)** klein, in e-m Gläs·chen serviert, **b)** stark (*Getränk*); **II.** *adv.* **15.** kurz(erhand), plötzlich, ab'rupt: *to cut s.o. ~, to take s.o. up ~* j-n (jäh) unterbrechen; *to be taken ~* F plötzlich (austreten) ‚müssen'; *to stop ~* plötzlich innehalten, → *17*; **16.** zu kurz; **17.** *~ of* **a)** knapp *od.* kurz vor (*dat.*), **b)** *fig.* abgesehen von, außer (*dat.*): *~ of lying* ehe ich lüge; *to stop ~ of* zurückschrecken vor (*dat.*); **18.** ✝ ungedeckt: *to sell ~* ohne Deckung verkaufen, in Baisse spekulieren; **III.** *s.* **19.** *et.* Kurzes, *z.B.* Kurzfilm *m*; **20.** *in ~* kurzum; *called Bill for ~* kurz *od.* der Kürze halber Bill genannt; *to be ~ for* die Kurzform sein für; **21.** ⚡ F ‚Kurze(r)' *m* (*Kurzschluß*); **22.** ✝ Baissi'er *m*; **23.** *ling.* **a)** kurzer Vo'kal, **b)** kurze Silbe; **24.** *pl.* **a)** Shorts *pl.*, kurze Hose, **b)** *Am.* kurze 'Unterhose; **IV.** *v/t.* **25.** F → *short-circuit*;

'short·age [-tidʒ] *s.* **1.** Knappheit *f*, Mangel *m* (*of* an *dat.*); **2.** Fehlbetrag *m*; Abgang *m*, Gewichtsverlust *m*.

'short|·bread, '~·cake *s.* Mürbe-, Teekuchen *m*; **~'change** *v/t. Am.* F *j-m* zu wenig (Wechselgeld) her'ausgeben; *fig. j-n* ‚übers Ohr hauen'; **~ cir·cuit** *s.* ⚡ Kurzschluß *m*; **'~-'cir·cuit** *v/t.* **1.** ⚡ e-n Kurzschluß verursachen in (*dat.*); **2.** kurz schließen; **'~·com·ing** *s.* **1.** Unzulänglichkeit *f*; **2.** Fehler *m*, Mangel *m*; **3.** Pflichtversäumnis *n*; **4.** Fehlbetrag *m*; **~·cut** *s.* Abkürzung *f* (*Weg*); *fig.* abgekürztes Verfahren: *to take a ~* (den Weg) abkürzen; **'~-'dat·ed** *adj.* ✝ kurzfristig, auf kurze Sicht; **'~-'dis·tance** *adj.* Nah...

short·en ['ʃɔːtn] **I.** *v/t.* **1.** (ab-, ver-) kürzen, kürzer machen; *Bäume etc.* stutzen; *fig.* vermindern; **2.** ⚓ *Segel* reffen; **3.** *Teig* mürbe machen; **II.** *v/i.* **4.** kürzer werden; **5.** fallen (*Preise*); **'short·en·ing** [-niŋ] *s.* **1.** (Ab-, Ver)Kürzung *f*; **2.** (Ver)Minderung *f*; **3.** Backfett *n*.

'short|·fall *s.* Fehlbetrag *m*; **'~·hand** **I.** *s.* **1.** Kurzschrift *f*; **II.** *adj.* **2.** in Kurzschrift (geschrieben), stenographiert; **3.** Kurzschrift...: *~ typist* Stenotypistin; *~ writer* Stenograph(in); **'~-'hand·ed** *adj.* knapp an Arbeitskräften; **~ haul** *s.* 'Nahtrans,port *m*, -verkehr *m*; **'~·horn** *s. zo.* 'Shorthorn *n*, Kurzhornrind *n*.

short·ish ['ʃɔːtiʃ] *adj.* etwas *od.* ziemlich kurz.

'short|-list *v/t. j-n* in die engere Wahl ziehen; **'~-'lived** [-'livd] *adj.* kurzlebig, von kurzer Dauer.

short·ly ['ʃɔːtli] *adv.* **1.** in kurzem, bald: *~ after* kurz (da)nach; *~ before* kurz vorher *od.* vor (*dat.*); **2.** in kurzen Worten; **3.** kurz (angebunden), schroff; **short·ness** ['ʃɔːtnis] *s.* **1.** Kürze *f*; **2.** Schroffheit *f*; **3.** Knappheit *f*, Mangel *m* (*of* an *dat.*): *~ of breath* Kurzatmigkeit; **4.** Mürbe *f* (*Gebäck etc.*).

'short|-range *adj.* ⚔ Nahkampf...; **~ rib** *s. anat.* falsche Rippe; **'~-'sight·ed** [-'saitid] *adj.* □ kurzsichtig (*a. fig.*); **'~-'sight·ed·ness** [-'saitidnis] *s.* Kurzsichtigkeit *f* (*a. fig.*); **'~-'spo·ken** *adj.* kurz angebunden, schroff; **~ tem·per** *s.* Reizbarkeit *f*, Heftigkeit *f*; **'~-'tem·pered** *adj.* reizbar, aufbrausend; **'~-term** *adj. bsd.* ✝ kurzfristig: *~ credit*; **~ time** *s.* ✝ Kurzarbeit *f*: *to work ~* kurzarbeiten; **~ ton** *s. bsd. Am.* Tonne *f* (*2000 lbs.*); **~ wave** *s.* ⚡ Kurzwelle *f*; **'~-wave** *adj.* ⚡ **1.** kurzwellig; **2.** Kurzwellen...; **~ wind** *s.* Kurzatmigkeit *f* (*a. fig.*); **'~-'wind·ed** *adj.* kurzatmig (*a. fig.*).

shot[1] [ʃɔt] **I.** *pret. u. p.p. von* shoot; **II.** *adj.* **1.** *a. ~ through* durch'schossen, gesprenkelt (*Seide etc.*); **2.** changierend, schillernd (*Stoff, Farbe*); **3.** *sl.* ‚ka'putt', erschöpft.

shot[2] [ʃɔt] *s.* **1.** Schuß *m* (*a. Knall*): *a long ~ fig.* ein kühner Versuch; *by a long ~ sl.* weitaus; *not by a long ~* noch lange nicht, keine Spur; *like a ~* F wie der Blitz, sofort; *to take a ~ at* schießen auf (*acc.*); **2.** Schußweite *f*: *out of ~* außer Schußweite; **3.** *a. small ~* **a)** Schrotkugel *f*, -korn *n*, **b)** *coll.* Schrot(kugeln *pl.*) *m*; **4.** (Ka'nonen)Kugel *f*, Geschoß *n*: *a ~ in the locker* ⚓, F Geld in der Tasche; **5.** *guter etc.* Schütze: *big ~* F *fig.* großes Tier, Bonze; **6.** *sport* Schuß *m*, Wurf *m*, Stoß *m*, Schlag *m*; **7.** *sport* Kugel *f*; **8. a)** (Film)Aufnahme *f*, (-)Szene *f*, **b)** *phot.* F Aufnahme *f*, Schnappschuß *m*; **9.** *fig.* Versuch *m*: *at the third ~* beim dritten Versuch; *to have a ~ at* es (einmal) mit *et.* versuchen; **10.** *fig.* (Seiten)Hieb *m*; **11.** ⚕ Spritze *f* (*Injektion*): *~ in the arm* F *fig.* ‚Spritze' (*bsd.* ✝ *finanzielle Hilfe*); **12.** F Schuß *m Rum etc.*; ‚Gläs·chen' *n Schnaps*: *to stand ~* die Zeche (für alle) bezahlen; **13.** ⊕ **a)** Sprengladung *f*, **b)** Sprengung *f*; **14.** *Am. sl.* Chance *f*; **'~·gun** *s.* Schrotflinte *f*: *~ marriage Am.* F ‚Mußheirat'; **'~-put** *s. sport* Kugelstoßen *n*; **'~-put·ter** *s. sport* Kugelstoßer(in).

shot·ten ['ʃɔtn] *adj. ichth.* gelaicht habend: *~ herring* Hohlhering.

'shot|-tow·er *s.* Schrotturm *m*; **~ weld·ing** *s.* ⊕ Schußschweißen *n*.

should [ʃud; ʃəd] **1.** *pret. von shall, a. konditional futurisch*: *ich, er, sie, es* sollte, *du* solltest, *wir, Ihr, Sie, sie* sollten: *I ~ have gone* ich hätte gehen sollen; *if he ~ come* falls er kommen sollte; *~ it prove false* sollte es sich als falsch erweisen; **2.** *konditional*: *ich* würde, *wir* würden: *I ~ go if ...*; *I ~ not have come if* ich wäre nicht gekommen, wenn; *I ~ like to* ich würde *od.* möchte gern; **3.** *nach Ausdrücken des Erstaunens*: *it is incredible that he ~ have failed* es ist unglaublich, daß er versagt hat.

shoul·der ['ʃouldə] **I.** *s.* **1.** Schulter *f*, Achsel *f*: *~ to ~ bsd. fig.* Schulter an Schulter; *to put one's ~ to the wheel fig.* sich tüchtig ins Zeug legen; (*straight*) *from the ~ fig.* unverblümt, geradeheraus; *to give s.o. the cold ~ fig.* j-m die kalte Schulter zeigen; → *rub 7*; *he has broad ~s fig.* er hat e-n breiten Rücken; **2.** Bug *m*, Schulterstück *n* (*von Tieren*): *~ of mutton* Hammelkeule; **3.** *fig.* Schulter *f*, Vorsprung *m*; **4.** Ban'kett *n* (*Straßenrand*); **5.** ✈ 'Übergangsstreifen *m* (*Flugplatz*); **II.** *v/t.* **6.** (mit der Schulter) stoßen *od.* drängen: *to ~ one's way through the crowd* sich e-n Weg durch die Menge bahnen; **7.** *et.* schultern, auf die Schulter nehmen; ⚔ *Gewehr* 'übernehmen; *Aufgabe, Verantwortung etc.* auf sich nehmen; **'~-belt** *s.* ⚔ Schulterriemen *m*; **'~-blade** *s. anat.* Schulterblatt *n*; **'~-knot** *s.* **1.** Achselband *n* (*Livree*); **2.** ⚔ Schulterstück *n*; **'~-mark** *s.* ⚔, ⚓ *Am.* Schulterklappe *f*; **'~-strap** *s.* **1.** Träger *m* (*bsd. an Damenunterwäsche*); **2.** ⚔ Schulterstück *n*; **~ win** *s. Ringen*: Schultersieg *m*.

should·n't ['ʃudnt] F *für should not.*

shout [ʃaut] **I.** *v/i.* **1.** (laut) rufen, schreien (*for* nach): *to ~ to s.o.* j-m zurufen; **2.** schreien, brüllen (*with* vor *Schmerz, Lachen*): *to ~ at s.o.* j-n anschreien; **3.** jauchzen (*for, with* vor *dat.*); **II.** *v/t.* **4.** (laut) rufen, schreien: *to ~ disapproval* laut sein Mißfallen kundgeben; *to ~ s.o. down* j-n niederbrüllen; *to ~ out* **a)** herausschreien, **b)** *Namen etc.* ausrufen; **III.** *s.* **5.** Schrei *m*, Ruf *m*; **6.** Geschrei *n*, Gebrüll *n*: *a ~ of laughter* brüllendes Lachen; **7.** *my ~! sl.* jetzt bin ich dran! (*bsd. zum Stiften von Getränken*); **'shout·ing** [-tiŋ] *s.* Schreien *n*, Geschrei *n*: *all is over but the ~* die Schlacht ist entschieden.

shove [ʃʌv] **I.** *v/t.* **1.** *beiseite etc.* schieben, stoßen; **2.** (achtlos *od.* rasch) *wohin* schieben, stecken; **II.** *v/i.* **3.** schieben, stoßen; **4.** (sich) dränge(l)n; **5.** *~ off* **a)** vom Ufer abstoßen, **b)** *sl.* ‚abschieben', sich da'vonmachen; **III.** *s.* **6.** Stoß *m*, Schubs *m*: *to give s.o. a ~ off fig.* j-m weiterhelfen.

shov·el ['ʃʌvl] **I.** *s.* **1.** Schaufel *f*; **2.** ⊕ **a)** Löffel *m* (*e-s Löffelbaggers*), **b)** Löffelbagger; **II.** *v/t.* **3.** schaufeln: *to ~ up* (*od. in*) *money* Geld scheffeln; **'~·board** *s.* Beilkespiel *n*.

shov·el·er *Am.* → *shoveller*; **shov·el·ful** ['ʃʌvlful] *pl.* **-fuls** *s. e-e*

Schaufel(voll); **shov·el·ler** ['ʃʌvlə] *s. orn.* Löffelente *f.*

show [ʃou] **I.** *s.* **1.** (Her)Zeigen *n*: *to vote by ~ of hands* durch Handheben wählen; **2.** Schau *f*, Zur'schaustellung *f*: *a ~ of force fig.* e-e Demonstration der Macht; **3.** *künstlerische etc.* Darbietung, Vorführung *f*, -stellung *f*; **4.** F (The'ater)Vorstellung *f*; **5.** Schau *f*, Ausstellung *f*: *flower-~*; *on ~* ausgestellt, zu besichtigen; **6.** *prunkvoller* 'Umzug; **7.** Schaubude *f auf Jahrmärkten*; **8.** Anblick *m*: *to make a sorry ~* e-n traurigen Eindruck hinterlassen; *to make a good ~* (e-e) ‚gute Figur' machen; **9.** *gute etc.* Leistung; **10.** Protze'rei *f*, Angebe'rei *f*: *for ~* um Eindruck zu machen, (nur) fürs Auge; *to be fond of ~* gern großtun, *to make a ~ of* mit *et.* protzen; *to steal the ~ j-m* ‚die Schau stehlen' (*j-n in den Schatten stellen*); **11.** (leerer) Schein: *in outward ~* nach außen hin; *to make a ~ of rage* sich wütend stellen; **12.** Spur *f*: *no ~ of* keine Spur von; **13.** F Chance *f*; **14.** *sl.* ‚Laden' *m*, ‚Kiste' *f*, ‚Kram' *m*: *to run the ~ sl.* ‚den Laden schmeißen'; *to give the (whole) ~ away* F den ganzen Schwindel verraten; *a dull (poor) ~* e-e langweilige (armselige) Sache; **II.** *v/t.* [*irr.*] **15.** zeigen (*s.o. s.th., s.th. to s.o.* j-m et.), sehen lassen, *Fahrkarten etc. a.* vorzeigen, -weisen: *to ~ o.s.* sich zeigen *od.* sehen lassen, *fig.* sich *grausam etc.* zeigen, sich erweisen als; *to ~ s.o. the door* j-m die Tür weisen; **16.** ausstellen, (auf e-r Ausstellung) zeigen; **17.** *thea. etc.* zeigen, vorführen; **18.** *j-n ins Zimmer etc.* geleiten, führen: *to ~ s.o. over the house* j-n durch das Haus führen; **19.** *Absicht etc.* (auf-) zeigen, kundtun, darlegen; **20.** zeigen, beweisen, nachweisen; ⚖ *a.* glaubhaft machen: *to ~ proof* den Beweis erbringen; **21.** zeigen, erkennen lassen, verraten: *to ~ bad taste*; **22.** *Gunst etc.* erweisen; **23.** *j-m* zeigen *od.* erklären (*wie et. gemacht wird*): *to ~ s.o. how to write* j-m das Schreiben beibringen; **III.** *v/i.* [*irr.*] **24.** zeigen: *to be ~ing* gezeigt werden, laufen (*Film*); → *time 1*; **25.** sich zeigen, sichtbar werden *od.* sein: *it ~s* man sieht es; **26.** sich *in Gesellschaft* zeigen, erscheinen;

Zssgn mit adv.:

show| forth *v/t.* darlegen, kundtun; **~ in** *v/t. j-n* her'einführen; **~ off I.** *v/t.* protzen mit; **II.** *v/i.* angeben, (sich) großtun (*with* mit); **~ out** *v/t.* hin'ausgeleiten, -führen; **~ up I.** *v/t.* **1.** hin'aufführen; **2.** F **a)** *j-n* bloßstellen, entlarven, **b)** *et.* aufdecken; **II.** *v/i.* **3.** F ‚aufkreuzen', -tauchen, erscheinen; **4.** sich abheben (*against* gegen).

'show|·boat *s.* The'aterschiff *n*; **~ busi·ness** *s.* 'Showbusineß *n*, Schaugeschäft *n*; **'~·card** *s.* ✝ **1.** Musterkarte *f*; **2.** 'Werbeplaˌkat *n* (*im Schaufenster*); **'~·case** *s.* Schaukasten *m*, Vi'trine *f*; **'~·down** *s.* **1.** Aufdecken *n* der Karten (*a. fig.*); **2.** entscheidende Kraftprobe, endgültige Ausein'andersetzung *od.* Bereinigung.

show·er ['ʃauə] **I.** *s.* **1.** (Regen-, Hagel- *etc.*)Schauer *m*; **2.** Guß *m*; **3.** *fig.* (*Funken-, Kugel- etc.*)Regen *m*, (*Geschoß-, Stein*)Hagel *m*; **4.** *Am.* **a)** Brautgeschenke *pl.*, **b)** *a. ~ party* Party *f* zur Über'reichung der Hochzeitsgeschenke; **5.** → *shower-bath*; **II.** *v/t.* **6.** über'schütten, begießen: *to ~ gifts etc. upon s.o.* j-n mit Geschenken *etc.* überhäufen; **7.** niederprasseln lassen; **III.** *v/i.* **8.** (*~ down* nieder)prasseln; **'show·er-bath** *s.* **1.** Dusche *f*: **a)** Brausebad *n*, **b)** Brause *f* (*Vorrichtung*); **2.** Duschraum *m*; **show·er·y** ['ʃauəri] *adj.* **1.** voll von (Regen)Schauern; **2.** schauerartig.

show·i·ness ['ʃouinis] *s.* **1.** Prunkhaftigkeit *f*, Gepränge *n*; **2.** Auffälligkeit *f*; **3.** pom'pöses Auftreten.

show·ing ['ʃouiŋ] *s.* **1.** Zur'schaustellung *f*; **2.** Ausstellung *f*; **3.** Vorführung *f* (*e-s Films etc.*); **4.** Darlegung *f*, Erklärung *f*: *on (od. by) your own ~* nach deiner eigenen Darstellung; *upon proper ~* ⚖ nach erfolgter Glaubhaftmachung; **5. a)** *schlechte etc.* Leistung, **b)** Lage *f*: *poor ~*.

show| jump·er *s. sport* Springreiter (-in); **~ jump·ing** *s. sport* Springreiten *n*.

'show·man [-mən] *s.* [*irr.*] **1.** Schausteller *m*; **2.** *fig.* geschickter Propagan'dist, wirkungsvoller Redner *etc.*; **'show·man·ship** [-ʃip] *s.* **1.** Schaustelle'rei *f*; **2.** *fig.* ef'fektvolle Darbietung; **3.** propagan'distisches Ta'lent; *die* Kunst, sich in Szene zu setzen.

shown [ʃoun] *p.p. von show.*

'show|-off *s.* **1.** Protze'rei *f*; **2.** ‚Angeber(in)' *m*; **'~·piece** *s.* Schau-, Pa'radestück *n*; **'~·place** *s.* Ort *m* mit vielen Sehenswürdigkeiten; **'~·room** *s.* **1.** Ausstellungsraum *m*; **2.** Vorführungssaal *m*; **'~·win·dow** *s.* Schaufenster *n*.

show·y ['ʃoui] *adj.* □ **1.** prächtig, prunkvoll; **2.** auffällig, grell; **3.** protzig.

shrank [ʃræŋk] *pret. von shrink.*

shrap·nel ['ʃræpnl] *s.* ⚔ **1.** Schrap'nell *n*; **2.** Schrap'nelladung *f*.

shred [ʃred] **I.** *s.* **1.** Fetzen *m* (*a. fig.*), Lappen *m*: *in ~s* in Fetzen; *to tear to ~s* **a)** → *4*, **b)** *fig. Argument etc.* zerpflücken, -reißen; **2.** Schnitzel *n, m*; **3.** *fig.* Spur *f*, A'tom *n*: *not a ~ of doubt* nicht der leiseste Zweifel; **II.** *v/t.* [*irr.*] **4.** zerfetzen, in Fetzen reißen; **5.** in Streifen schneiden, *bsd. Küche*: schnitzeln; **III.** *v/i.* [*irr.*] **6.** zerreißen, in Fetzen gehen; **'shred·der** [-də] *s.* **1.** ⊕ Reißwolf *m*; **2.** *Küche*: 'Schnitzelmaˌschine *f*, -einsatz *m*.

shrew[1] [ʃru:] *s.* Xan'thippe *f*, zänkisches Weib: *"The Taming of the ~"* „Der Widerspenstigen Zähmung" (*Shakespeare*).

shrew[2] [ʃru:] *s. zo.* Spitzmaus *f*.

shrewd [ʃru:d] *adj.* □ **1.** schlau, gerieben: *a ~ politician*; **2.** scharfsinnig, klug: *this was a ~ guess* das war gut geraten; **3.** *obs.* scharf: *~ pain*; *~ wind*; **'shrewd·ness** [-nis] *s.* **1.** Schlauheit *f*; **2.** Scharfsinn *m*, Klugheit *f*.

shrew·ish ['ʃru:iʃ] *adj.* □ zänkisch, boshaft.

'shrew-mouse → *shrew*[2].

shriek [ʃri:k] **I.** *s.* **1.** schriller Schrei; **2.** Kreischen *n* (*a. von Bremsen etc.*), Gekreisch(e) *n*: *~s of laughter* kreischendes Lachen; **II.** *v/i.* **3.** schreien, schrille Schreie ausstoßen; **4.** (gellend) aufschreien: *to ~ with pain*; *to ~ with laughter* kreischen vor Lachen; **5.** schrill klingen; kreischen (*Bremsen etc.*); **III.** *v/t.* **6.** *~ out et.* kreischen *od.* gellen.

shriev·al·ty ['ʃri:vəlti] *s.* Amt *n* des Sheriffs.

shrift [ʃrift] *s.* **1.** *obs. eccl.* Beichte *f* u. Absoluti'on *f*; **2.** *short ~* Galgenfrist *f*: *to give short ~ to* kurzen Prozeß machen mit.

shrike [ʃraik] *s. orn.* Würger *m*.

shrill [ʃril] **I.** *adj.* □ **1.** schrill, gellend; **2.** *fig.* grell (*Farbe etc.*); **3.** *fig.* verbissen; **II.** *v/t. u. v/i.* **4.** schrillen; **'shrill·ness** [-nis] *s.* schriller Klang.

shrimp [ʃrimp] **I.** *s.* **1.** *pl. coll.* **shrimp** *zo.* Gar'nele *f*; **2.** *fig. contp.* Knirps *m*; **II.** *v/i.* **3.** Gar'nelen fangen.

shrine [ʃrain] *s.* **1.** *eccl.* **a)** (Re'liquien)Schrein *m*, **b)** Heiligengrab *n*, **c)** Al'tar *m*; **2.** *fig.* Heiligtum *n*.

shrink [ʃriŋk] **I.** *v/i.* [*irr.*] **1.** sich zs.-ziehen, (zs.-, ein)schrumpfen; **2.** einlaufen, -gehen (*Stoff*); **3.** abnehmen, schwinden; **4.** *fig.* zu'rückweichen (*from* vor *dat.*): *to ~ from doing s.th.* et. widerwillig tun; **5.** *a. ~ back* zu'rückschrecken, -schaudern, -beben (*from, at* vor *dat.*); **6.** sich scheuen *od.* fürchten (*from* vor *dat.*); **7.** *~ away* sich da'vonschleichen; **II.** *v/t.* [*irr.*] **8.** (ein-, zs.-)schrumpfen lassen; **9.** *Stoffe* einlaufen lassen, krump(f)en; **10.** *fig.* zum Schwinden bringen; **'shrink·age** [-kidʒ] *s.* **1.** (Zs.-, Ein)Schrumpfen *n*; **2.** Schrumpfung *f*; **3.** Verminderung *f*; Schwund *m* (*a.* ⊕): *~ in the value of currency* ✝ Geldwertschwund; **4.** Einlaufen *n*, Dekatieren *n*; **'shrink·ing** [-kiŋ] *adj.* □ **1.** schrumpfend; **2.** abnehmend; **3.** 'widerwillig; **4.** scheu.

shrive [ʃraiv] *v/t.* [*irr.*] *eccl. obs.* **1.** *j-m* die Beichte abnehmen u. Absoluti'on erteilen; **2.** *~ o.s.* beichten.

shriv·el ['ʃrivl] **I.** *v/t.* **1.** *a. ~ up* (ein-, zs.-)schrumpfen lassen; **2.** (ver)welken lassen, ausdörren; **3.** runzeln; **II.** *v/i.* **4.** *oft ~ up* (zs.-, ein)schrumpfen, schrumpeln; **5.** runz(e)lig werden; **6.** (ver)welken; **7.** *fig.* verkümmern.

shriv·en ['ʃrivn] *p.p. von shrive.*

shroud [ʃraud] **I.** *s.* **1.** Leichentuch *n*, Totenhemd *n*; **2.** *fig.* Hülle *f*, Schleier *m*; **3.** *pl.* ⚓ Wanten *pl.*; **II.** *v/t.* **4.** in ein Leichentuch (ein-) hüllen; **5.** *fig. in Nebel, Geheimnis* hüllen; **6.** *fig. et.* verschleiern.

shrove [ʃrouv] *pret. von shrive.*

Shrove| Mon·day [ʃrouv] *s.* Rosen'montag *m*; **'~·tide** *s.* Fastnachtszeit *f*; **~ Tues·day** *s.* Fastnachts'dienstag *m*.

shrub[1] [ʃrʌb] *s.* ♆ Strauch *m*, Busch *m*.

shrub[2] [ʃrʌb] *s. Art* Punsch *m*.

shrub·ber·y ['ʃrʌbəri] *s.* ♆ Strauchwerk *n*, Gesträuch *n*, Gebüsch *n*;

ˈshrub·by [-bi] *adj.* ♀ strauchig, buschig, Strauch..., Busch...
shrug [ʃrʌg] **I.** *v/t.* **1.** *die Achseln* zucken: *she* ~*ged her shoulders*; **2.** *to* ~ *s.th. off fig.* et. mit e-m Achselzucken abtun; **II.** *v/i.* **3.** die Achseln zucken; **III.** *s.* **4.** *a.* ~ *of the shoulders* Achselzucken *n.*
shrunk [ʃrʌŋk] **I.** *p.p. von shrink*; **II.** *adj.* **1.** (ein-, zs.-)geschrumpft; **2.** eingelaufen, dekatiert (*Stoff*); **ˈshrunk·en** [-kən] *adj.* **1.** abgemagert, -gezehrt; eingefallen (*Wangen*); **2.** → *shrunk 1.*
shuck [ʃʌk] **I.** *s. bsd. Am. u. Brit. dial.* **1.** Hülse *f*, Schote *f* (*von Bohnen etc.*); **2.** grüne Schale (*von Nüssen etc.*); **3.** *not to care* ~*s* F sich nichts daraus machen; ~*s!* F Quatsch!; **II.** *v/t. bsd. Am.* **4.** enthülsen, -schoten; schälen.
shud·der [ˈʃʌdə] **I.** *v/i.* schaudern, (er)zittern (*at* bei, *with* vor *dat.*): *I* ~ *at the thought*, *I* ~ *to think of it* es schaudert mich bei dem Gedanken; **II.** *s.* Schauder(n *n*) *m.*
shuf·fle [ˈʃʌfl] **I.** *s.* **1.** Schlurfen *n*, schlurfender Gang; **2.** *Tanz*: Schleifschritt *m*; **3.** (Karten)Mischen *n*; **4.** Ausflucht *f*; Trick *m*, Schiebung *f*; **II.** *v/i.* **5.** schlurfen; (mit den Füßen) scharren: *to* ~ *through s.th. fig.* et. flüchtig erledigen; **6.** *fig.* Ausflüchte machen; sich herˈauszureden suchen (*out of* aus); **7.** (die Karten) mischen; **III.** *v/t.* **8.** hin- u. herschieben: *to* ~ *one's feet* → *5*; **9.** schmuggeln: *to* ~ *away* wegpraktizieren; **10.** ~ *off* **a)** *Kleider* abstreifen, **b)** *fig.* abschütteln, sich befreien von, *e-r Verpflichtung* ausweichen, *Schuld etc.* abwälzen (*on* auf *acc.*); **11.** ~ *on Kleider* ˈüberwerfen; **12.** *Karten* mischen: *to* ~ *the cards fig.* s-e Taktik ändern; *to* ~ *together et.* zs.-werfen; **ˈshuf·fle-board** *s.* Beilkespiel *n*; **ˈshuf·fler** [-lə] *s.* **1.** Schlurfende(r *m*) *f*; **2.** Ausflüchtemacher *m*; Schwindler(in); **ˈshuf·fling** [-liŋ] *adj.* □ **1.** schlurfend, schleppend; **2.** unaufrichtig, unredlich; **3.** ausweichend: *a* ~ *answer.*
shun [ʃʌn] *v/t.* (ver)meiden, ausweichen (*dat.*), sich fernhalten von.
shunt [ʃʌnt] **I.** *v/t.* **1.** beiˈseite schieben; **2.** 🚂 *Zug etc.* rangieren, auf ein anderes Gleis fahren; **3.** ⚡ nebenschließen, paralˈlel schalten; **4.** *fig. et.* aufschieben; **5.** *fig. j-n* beiseite schieben, *j-n* kaltstellen; **6.** abzweigen; **II.** *v/i.* **7.** 🚂 rangieren; **8.** *fig. von e-m Thema, Vorhaben etc.* abkommen, -springen; **III.** *s.* **9.** 🚂 Weiche *f*; **10.** ⚡ Nebenschluß *m*: ~ *circuit* Nebenschluß (-kreis); **10.** *fig.* Ausweichen *n*; **ˈshunt·er** [-tə] *s.* 🚂 **a)** Weichensteller *m*, **b)** Rangierer *m*; **ˈshunt·ing** [-tiŋ] 🚂 **I.** *s.* Rangieren *n*; Weichenstellen *n*; **II.** *adj.* Rangier..., Verschiebe...: ~ *engine*; ~ *station.*
shush [ʃʌʃ] **I.** *int.* sch!, pst!; **II.** *v/i.* ‚sch' *od.* ‚pst' machen; **III.** *v/t. j-n* zum Schweigen bringen.
shut [ʃʌt] **I.** *v/t.* [*irr.*] **1.** (ver)schließen, zumachen: *to* ~ *one's mind* (*od. heart*) *to s.th. fig.* sich gegen et. verschließen; → *mouth 1*; **2.** einschließen, -sperren (*into, in* in *dat., acc.*); **3.** ausschließen, -sperren (*out of* aus); **4.** *Finger etc.* (ein)klemmen; **5.** *Taschenmesser, Buch etc.* schließen, zs.-, zuklappen; **II.** *v/i.* [*irr.*] **6.** sich schließen, zugehen; **7.** schließen (*Fenster etc.*); **III.** *p.p. u. adj.* **8.** ge-, verschlossen, zu: *the shops are* ~ die Geschäfte sind geschlossen *od.* zu;
Zssgn mit adv.:
shut| down I. *v/t.* **1.** *Fenster etc.* schließen; **2.** *Fabrik etc.* schließen, stillegen; **II.** *v/i.* **3.** die Arbeit *od.* den Betrieb einstellen, ‚zumachen'; **4.** ~ (*up*)*on Am.* F ein Ende machen mit; ~ **in** *v/t.* **1.** einschließen (*a. fig.*); **2.** *Aussicht* versperren; ~ **off** *v/t.* **1.** *Wasser, Motor etc.* abstellen; **2.** abschließen (*from* von); ~ **out** *v/t.* **1.** *j-n, a. Licht, Luft etc.* ausschließen, -sperren; **2.** *Landschaft* den Blicken entziehen; **3.** *sport Am. Gegner* (ohne Gegentor *etc.*) besiegen; ~ **to I.** *v/t. Tür etc.* zuschließen; **II.** *v/i.* sich schließen; ~ **up I.** *v/t.* **1.** *Haus etc.* (fest) verschließen, -riegeln; → *shop 1*; **2.** *j-n* einsperren, -schließen; **3.** F *j-m* den Mund stopfen; **II.** *v/i.* **4.** F den Mund halten: ~! halt's Maul!
ˈshut|·down *s.* **1.** Arbeitseinstellung *f*; **2.** (Betriebs)Stillegung *f*; **ˈ~-eye** *s. sl.* Schläfchen *n*; **ˈ~·off** *s.* **1.** ⊕ Abstell-, Absperrvorrichtung *f*; **2.** *hunt.* Schonzeit *f*; **ˈ~·out** *s.* **1.** Ausschließung *f*; **2.** *sport* **a)** Zu-ˈNull-Niederlage *f*, **b)** Zu-ˈNull-Sieg *m.*
shut·ter [ˈʃʌtə] **I.** *s.* **1.** Fensterladen *m*, Rolladen *m*: *to put up the* ~*s fig.* das Geschäft (*am Abend od. für immer*) schließen; **2.** Klappe *f*; Verschluß *m* (*a. phot.*); **3.** △ Schalung *f*; **4.** *Wasserbau*: Schütz(e *f*) *n*; **5.** ♪ Jalouˈsie *f* (*Orgel*); **II.** *v/t.* **6.** mit Fensterläden versehen *od.* verschließen; ~ **speed** *s. phot.* Belichtung(szeit) *f.*
shut·tle [ˈʃʌtl] **I.** *s.* **1.** ⊕ **a)** Weberschiff(chen) *n*, (Web)Schütze(n) *m*, **b)** Schiffchen *n* (*Nähmaschine*); **2.** Schütz(entor) *n* (*Schleuse*); **3.** *Am.* → *shuttle train*; **II.** *v/t.* **4.** (schnell) hin- u. herbewegen *od.* -befördern; **III.** *v/i.* **5.** sich (schnell) hin- u. herbewegen; **6.** 🚂 *etc.* pendeln (*between* zwischen); **ˈ~·cock I.** *s.* **1.** *sport* Federball(spiel *n*) *m*; **2.** *fig.* Zankapfel *m*; **3.** *fig.* schwankes Rohr (*Person*); ~ **race** *s. sport* Pendelstaffel(lauf *m*) *f*; ~ **serv·ice** *s.* Pendelverkehr *m*; ~ **train** *s.* Pendel-, Vorortzug *m.*
shy¹ [ʃai] **I.** *adj.* □ **1.** scheu (*Tier*); **2.** scheu, schüchtern; **3.** zuˈrückhaltend: *to be* (*od. fight*) ~ *of s.o.* j-m aus dem Weg gehen; **4.** argwöhnisch; **5.** zaghaft: *to be* ~ *of doing s.th.* et. vorsichtig *od.* zögernd tun; **6.** *sl.* knapp (*of* an *dat.*); **7.** *I'm* ~ *of one dollar sl.* mir fehlt (noch) ein Dollar; **II.** *v/i.* **8.** scheuen (*Pferd etc.*); **9.** *fig.* zuˈrückscheuen, -schrecken (*at* vor *dat.*); **III.** *s.* **10.** Scheuen *n* (*Pferd etc.*).
shy² [ʃai] **I.** *v/t.* **1.** *Stein etc.* werfen, schleudern; **II.** *v/i.* **2.** werfen; **III.** *s.* **3.** Wurf *m*; **4.** *fig.* Hieb *m*, Sticheˈlei *f*; **5.** *to have a* ~ *at* (*doing*) *s.th.* F es (einmal) mit et. versuchen.
shy·ness [ˈʃainis] *s.* **1.** Scheu *f*; **2.** Schüchternheit *f*, Zuˈrückhaltung *f*; **3.** ˈMißtrauen *n.*
shy·ster [ˈʃaistə] *s. bsd. Am. sl.* **1.** ˈWinkeladvoˌkat *m*; **2.** Gauner *m.*
si [si:] *s.* ♪ si *n* (*Solmisationssilbe*).
Si·a·mese [saiəˈmi:z] **I.** *adj.* **1.** siaˈmesisch; **II.** *pl.* **Si·aˈmese** *s.* **2.** Siaˈmese *m*, Siaˈmesin *f*; **3.** *ling.* Siaˈmesisch *n*; ~ **cat** *s. zo.* Siamkatze *f*; ~ **twins** *s. pl.* **1.** Siamesische Zwillinge *pl.*; **2.** *fig.* unzertrennliche Freunde *pl.*
Si·be·ri·an [saiˈbiəriən] **I.** *adj.* siˈbirisch; **II.** *s.* Siˈbirier(in).
sib·i·lance [ˈsibiləns] *s.* **1.** Zischen *n*; **2.** *ling.* Zischlaut *m*; **ˈsib·i·lant** [-nt] **I.** *adj.* **1.** zischend; **2.** *ling.* Zisch...: ~ *sound*; **II.** *s.* **3.** *ling.* Zischlaut *m*; **ˈsib·i·late** [-leit] *v/t. u. v/i.* zischen; **sib·i·la·tion** [sibiˈleiʃən] *s.* **1.** Zischen *n*; **2.** *ling.* Zischlaut *m.*
sib·ling [ˈsibliŋ] *s. biol.* Bruder *m*, Schwester *f*; *pl.* Geschwister *pl.*
sib·yl [ˈsibil] *s.* **1.** *myth.* Siˈbylle *f*; **2.** *fig.* **a)** Seherin *f*, **b)** Hexe *f*; **sib·yl·line** [siˈbilain] *adj.* **1.** sibylˈlinisch; **2.** proˈphetisch; geheimnisvoll.
sic·ca·tive [ˈsikətiv] **I.** *adj.* trocknend; **II.** *s.* Trockenmittel *n*, Sikkaˈtiv *n.*
Si·cil·ian [siˈsiljən] **I.** *adj.* siˈzilisch, siziliaˈnisch; **II.** *s.* Siˈzilier(in), Siziliˈaner(in).
sick¹ [sik] **I.** *adj.* **1.** (*Brit. nur attr.*) krank (*of* an *dat.*): *to fall* ~ krank werden, erkranken; *to go* ~ *bsd.* ⚔ sich krank melden; **2.** Brechreiz verspürend: *to be* ~ sich erbrechen *od.* übergeben; *I feel* ~ mir ist schlecht *od.* übel; *she turned* ~ ihr wurde übel, sie mußte (sich er-)brechen; *it makes me* ~ **a)** mir wird übel davon, **b)** *fig.* es widert mich an, ‚es ist zum Kotzen'; **3.** *fig.* krank (*of* vor *dat.*, *for* nach); **4.** *fig.* enttäuscht, ärgerlich (*with* über *j-n*, *at* über *et.*): ~ *at heart* **a)** todunglücklich, **b)** angsterfüllt; **5.** F *fig.* (*of*) ˈüberdrüssig (*gen.*), ˈangewidert (von): *I am* ~ (*and tired*) *of it* ich habe es satt, es hängt mir zum Hals heraus; **6.** fahl (*Farbe, Licht*); **7.** F matt (*Lächeln*); **8.** schlecht (*Nahrungsmittel, Luft*); trüb (*Wein*); **9.** F grausig: ~ *humo(u)r* ‚schwarzer' Humor; **II.** *s.* **10.** *the* ~ *pl.* die Kranken *pl.*
sick² [sik] *v/t. Hund, Polizei etc.* hetzen (*on* auf *acc.*): ~ *him!* faß!
ˈsick|-bay *s.* ⚓ (ˈSchiffs)Lazaˌrett *n*; **ˈ~-bed** *s.* Krankenbett *n*; **ˈ~-ben·e·fit** *s. Brit.* Krankengeld *n*; **ˈ~-call** *s.* ⚔ Reˈvierstunde *f*: *to go on* ~ sich krank melden; **ˈ~-cer·tif·i·cate** *s.* ˈKrankheitsatˌtest *n.*
sick·en [ˈsikn] **I.** *v/i.* **1.** erkranken, krank werden: *to be* ~*ing for et.* in den Gliedern haben; **2.** kränkeln; **3.** sich ekeln, Übelkeit *od.* Abscheu empfinden (*at* vor *dat.*); **4.** ˈüberdrüssig *od.* müde sein *od.* werden (*of gen.*): *to be* ~*ed with e-r Sache* überdrüssig sein; **II.** *v/t.* **5.** *j-m* Übelkeit verursachen, *j-n* zum Erbrechen reizen; **6.** anekeln, anwidern; **ˈsick·en·er** [-nə] *s. fig.* Brech-

mittel *n*; 'sick·en·ing [-niŋ] *adj.* □ **1.** Übelkeit erregend: *this is* ~ dabei kann einem (ja) übel werden; **2.** *fig.* ekelhaft, widerlich.

sick| head·ache *s.* **1.** Kopfschmerz(en *pl.*) *m* mit Übelkeit; **2.** Mi'gräne *f*; '**~-in·sur·ance** *s.* Krankenversicherung *f*, -kasse *f*.

sick·ish ['sikiʃ] *adj.* □ **1.** kränklich, unpäßlich, unwohl; **2.** → *sickening*.

sick·le ['sikl] *s.* ⚘ *u. fig.* Sichel *f*.

'**sick-leave** *s.* Fehlen *n* wegen Krankheit: *to be on* ~ wegen Krankheit fehlen; *to request* ~ sich krank melden.

sick·li·ness ['siklinis] *s.* **1.** Kränklichkeit *f*; **2.** kränkliches Aussehen; **3.** Unzuträglichkeit *f* (*des Klimas etc.*).

'**sick-list** *s.* ⚓, ⚔ Krankenliste *f*: *to be on the* ~ krank (gemeldet) sein.

sick·ly ['sikli] **I.** *adj.* □ **1.** kränklich, schwächlich; **2.** kränklich, blaß (*Aussehen etc.*); matt (*Lächeln*); **3.** ungesund (*Gebiet, Klima*); **4.** 'widerwärtig (*Geruch etc.*); **5.** *fig.* wehleidig, süßlich: ~ *sentimentality*; **II.** *adv.* **6.** kränklich.

sick·ness ['siknis] *s.* **1.** Krankheit *f* (*Zustand u. bestimmtes Leiden*): ~ *insurance* → *sick-insurance*; **2.** Übelkeit *f*, Erbrechen *n*.

'**sick|-nurse** *s.* Krankenschwester *f*; '**~-pay** *s.* Krankengeld *n*; **~ re·port** *s.* ⚔ **1.** Krankenbericht *m*, -liste *f*; **2.** Krankmeldung *f*; '**~-room** *s.* Krankenzimmer *n*, -stube *f*.

side [said] **I.** *s.* **1.** *allg.* Seite *f*: ~ *by* ~ Seite an Seite (*with* mit); *at* (*od. by*) *the* ~ *of* an der Seite von (*od. gen.*); *by the* ~ *of fig.* neben (*dat.*), verglichen mit; *to stand by s.o.'s* ~ *fig.* j-m zur Seite stehen; *off* (*on*) ~ *sport* (nicht) abseits; *on all* ~*s* überall; *on the* ~ *sl.* nebenbei *verdienen etc.*; *on the* ~ *of* a) auf der Seite von, b) seitens (*gen.*); *on this* (*the other*) ~ *of* diesseits (jenseits) (*gen.*); *this* ~ *up!* Vorsicht, nicht stürzen!; *to be on the small* ~ ziemlich klein sein; *to keep on the right* ~ *of* sich mit *j-m* gut stellen; *to put on one* ~ *Frage etc.* zurückstellen, ausklammern; → *dark 5, right 6, sunny, wrong 2*; **2.** 𝔸 Seite *f* (*a. Gleichung*); Seitenlinie *f*, -fläche *f*; **3.** (Seiten)Rand *m*; **4.** (Körper)Seite *f*: *to shake* (*od. split*) *one's* ~*s with laughter* sich schütteln vor Lachen; **5.** (Speck-, Hammel- *etc.*)Seite *f*; **6.** Seite *f*: a) Hang *m*, Flanke *f*, *a.* Wand *f e-s Berges*, b) Ufer(seite *f*) *n*; **7.** Seite *f*, (Abstammungs)Linie *f*: *on one father's* ~, *on the paternal* ~ väterlicherseits; **8.** *fig.* Seite *f*, (Cha'rakter)Zug *m*; **9.** Seite *f*: a) Par'tei *f* (*a.* ⚖ *u. sport*), b) *sport* Spielfeld(hälfte *f*) *n*: *to be on s.o.'s* ~ auf j-s Seite stehen; *to change* ~*s* a) ins andere Lager überwechseln, b) *sport* die Seiten wechseln; *to take* ~*s* → *16*; *to win s.o. over to one's* ~ j-n auf s-e Seite ziehen; **10.** *sport Brit.* Mannschaft *f*; **11.** *ped. Brit.* Ab'teilung *f*: *classical* ~ humanistische Abteilung; **12.** *Billiard*: Ef'fet *n*; **13.** *sl.* Al'lüren *pl.*, ‚Angabe' *f*: *to put on* ~ angeben; **II.** *adj.* **14.** seitlich (liegend, stehend *etc.*), Seiten...; **15.** Seiten..., Neben...: ~*-door*; ~ *brake mot.* Handbremse; ~ *effect* Neben-, Begleiterscheinung; **III.** *v/i.* **16.** (*with*) Par'tei ergreifen (*gen. od.* für), es halten (mit); '**~-aisle** *s.* △ Seitenschiff *n* (*Kirche*); '**~-arms** *s. pl.* ⚔ Seitenwaffen *pl.*; '**~-band** *s.* ⚡, *Radio*: 'Seiten(fre,quenz)band *n*; '**~-board** *s.* **1.** Anrichte(tisch *m*) *f*; **2.** Bü'fett *n*; **3.** *pl.* F Kote'letten *pl.*; '**~-burns** *s. pl.* Kote'letten *pl.*; '**~-car** *s.* **1.** Beiwagen *m*: ~ *motor cycle* Seitenwagenmaschine; **2.** → *jaunting-car*.

sid·ed ['saidid] *adj. in Zssgn* ...seitig: *four-*~.

'**side|-dish** *s.* **1.** Zwischengang *m*; **2.** Beilage *f*; '**~-face** *s.* Pro'fil *n*; '**~-glance** *s.* Seitenblick *m* (*a. fig.*); **~ is·sue** *s.* Nebenfrage *f*, -sache *f*, 'Randpro,blem *n*; '**~-kick** *s. Am. sl.* Kum'pan *m*; '**~-light** *s.* **1.** Seitenleuchte *f*; ⚓ Seitenlampe *f*; ✈ Positi'onslicht *n*; *mot.* Begrenzungslicht *n*; **2.** Seitenfenster *n*; **3.** *fig.* Streiflicht *n*: ~*s* interessante Aufschlüsse (*on* über *acc.*); '**~-line** *s.* **1.** Seitenlinie *f* (*a. sport*); **2.** 🚂 Nebenstrecke *f*; **3.** Nebenbeschäftigung *f*, -erwerb *m*; **4.** † 'Nebenar,tikel *m*; '**~-long** *adj. u. adv.* seitlich, seitwärts, schräg: ~ *glance* Seitenblick.

si·de·re·al [sai'diəriəl] *adj. ast.* si'derisch, Stern(en)...: ~ *day* Sterntag.

sid·er·ite ['saidərait] *s.* ⚒, *min.* **1.** Side'rit *m*; **2.** Mete'orgestein *n*.

'**side|-sad·dle** *s.* Damensattel *m*; '**~-show** *s.* **1.** Nebenvorstellung *f*, -ausstellung *f*; **2.** *oft pl. fig.* Epi'sode *f*, *et.* Unwichtig(er)es; '**~-slip** *v/i.* **1.** seitwärts rutschen; **2.** ✈ seitlich abrutschen.

sides·man ['saidzmən] *s.* [*irr.*] Kirchenrat *m*.

'**side|-split·ting** *adj.* zwerchfellerschütternd; '**~-step I.** *s.* **1.** Seit(en)schritt *m*; **II.** *v/t.* **2.** *Boxen*: *e-m Schlag* (durch Seitschritt) ausweichen; **3.** ausweichen (*dat.*) (*a. fig.*): *to* ~ *a decision*; **III.** *v/i.* **4.** e-n Seit(en)schritt machen; bei'seite treten; **5.** ausweichen (*a. fig.*); '**~-stroke** *s.* Seitenschwimmen *n*; '**~-swipe** *v/t. Am.* F **1.** seitwärts schlagen; **2.** *mot.* seitlich abdrängen (*beim Überholen*); '**~-track I.** *s.* **1.** → *siding 1*; **II.** *v/i.* **2.** 🚂 *Waggon* auf ein Nebengleis schieben; **3.** *fig.* a) *et.* aufschieben, abbiegen, b) *j-n* ablenken, c) *j-n* kaltstellen; '**~-view** *s.* Seitenansicht *f*; '**~-walk** *s. bsd. Am.* Bürgersteig *m*, Gehweg *m*: ~ *superintendent humor.* (besserwisserischer) Zuschauer *bei Bauarbeiten*.

side·ward ['saidwəd] **I.** *adj.* seitlich; **II.** *adv.* seitwärts; '**side·wards** [-dz] → *sideward II*; '**side·way(s)** → *sideward*.

'**side-whis·kers** *pl.* → *sideburns*.

side·wise ['saidwaiz] → *sideward*.

sid·ing ['saidiŋ] *s.* **1.** 🚂 Neben-, Anschluß-, Rangiergleis *n*; **2.** Par'teinahme *f*.

si·dle ['saidl] *v/i.* sich *wohin* schlängeln: *to* ~ *away* sich davonschleichen; *to* ~ *up to* sich an *j-n* heranmachen.

siege [si:dʒ] *s.* **1.** ⚔ Belagerung *f*: *state of* ~ Belagerungszustand; *to lay* ~ *to* a) *Stadt etc.* belagern, b) *fig. j-n* bestürmen; **2.** *fig.* a) Bestürmen *n*, b) Zermürbung *f*; **3.** ⊕ a) Werktisch *m*, b) Glasschmelzofenbank *f*; '**~-train** *s.* ⚔ Belagerungs(geschütz)park *m*.

si·en·na [si'enə] *s. paint.* Si'ena (-erde) *f*.

si·es·ta [si'estə] *s.* Si'esta *f*, Mittagsruhe *f*.

sieve [siv] **I.** *s.* **1.** Sieb *n*, ⊕ *a.* 'Durchwurf *m*, Rätter *m*; **2.** *fig.* Klatschmaul *n*; **3.** *grobgeflochtener Weidenkorb* (*a. Maß*); **II.** *v/t.* **4.** ('durch-, aus)sieben.

sift [sift] **I.** *v/t.* **1.** ('durch)sieben: *to* ~ *out* aussieben; **2.** *Zucker etc.* streuen; **3.** *fig.* sichten, sorgfältig (über-) 'prüfen; **II.** *v/i.* **4.** 'durchrieseln, -dringen (*a. Licht etc.*); '**sift·er** [-tə] *s.* Sieb(vorrichtung *f*) *n*; '**sift·ing** [-tiŋ] *s.* **1.** ('Durch)Sieben *n*; **2.** (sorgfältige) Unter'suchung; **3.** *pl.* a) *das* 'Durchgesiebte, b) Siebabfälle *pl.*

sigh [sai] **I.** *v/i.* **1.** (auf)seufzen; tief (auf)atmen; **2.** schmachten, seufzen (*for* nach): ~*ed-for* heißbegehrt; **3.** *fig.* seufzen, ächzen (*Wind*); **II.** *v/t.* **4.** *oft* ~ *out* seufzen(d äußern); **III.** *s.* **5.** Seufzer *m*: *a* ~ *of relief* ein Seufzer der Erleichterung, ein erleichtertes Aufatmen.

sight [sait] **I.** *s.* **1.** Sehvermögen *n*, -kraft *f*, Auge(nlicht) *n*: *good* ~ gute Augen; *long* (*near*) ~ Weit- (Kurz-) Sichtigkeit; *second* ~ zweites Gesicht, Hellsehen; *to lose one's* ~ das Augenlicht verlieren, erblinden; **2.** *fig.* Auge *f*: *in my* ~ in m-n Augen; *in the* ~ *of God* vor Gott; *to find favo(u)r in s.o.'s* ~ Gnade vor j-s Augen finden; **3.** (An)Blick *m*, Sicht *f*: *at* (*od. on*) ~ beim ersten Anblick, auf Anhieb; sofort (*er-*) *schießen etc.*; *at* ~ vom Blatt *singen, spielen, übersetzen*; *at first* ~ auf den ersten Blick; *by* ~ vom Sehen *kennen*; *to catch* (*od. get*) ~ *of* zu Gesicht bekommen, erblicken; *to lose* ~ *of* a) aus den Augen verlieren (*a. fig.*), b) *et.* übersehen; **4.** Sicht (-weite) *f*: (*with*)*in* ~ a) in Sicht (-weite), b) *fig.* in Sicht; *within* ~ *of* kurz vor *dem Sieg etc.*; *out of* ~ außer Sicht; *out of* ~, *out of mind* aus den Augen, aus dem Sinn; (*get*) *out of my* ~! geh mir aus den Augen!; *to come in* ~ in Sicht kommen; *to put out of* ~ wegtun; **5.** † Sicht *f*: *payable at* ~ bei Sicht fällig; *30 days* (*after*) ~ 30 Tage (nach) Sicht; ~ *unseen* unbesehen *kaufen*; ~ *bill* (*od. draft*) Sichtwechsel, -tratte; **6.** Anblick *m*: *a sorry* ~; *a* ~ *for sore eyes* ein erfreulicher Anblick, eine Augenweide; *to be* (*od. look*) *a* ~ F gräßlich *od.* komisch aussehen; *I did look a* ~! F ich sah vielleicht aus!; *what a* ~ *you are!* F wie siehst denn du aus!; → *god 1*; **7.** Sehenswürdigkeit *f*: *the* ~*s of a town*; **8.** F Menge *f*, Masse *f Geld etc.*: *a long* ~ *better* zehnmal besser; *not by a long* ~ bei weitem nicht; **9.** ⚔ *etc.* Vi'sier *n*; Zielvorrichtung *f*: *to take* ~ visieren, zielen; **10.** *Am. sl.* Aussicht *f*, Chance *f*; **II.** *v/t.* **11.** sichten, zu Gesicht bekommen; **12.** ⚔ a) anvisieren (*a.* ⚓, *ast.*), b) *Geschütz* richten; **13.** beobachten; **14.**

✝ *Wechsel* **a)** mit Sicht versehen, **b)** präsentieren; **'sight·ed** [-tid] *adj.* □ *in Zssgn* ...sichtig; **'sight·ing** [-tiŋ] *adj.* ⚔ Ziel..., Visier...: ~ *mechanism* Visier-, Zieleinrichtung; ~ *shot* Anschuß (*Probeschuß*); ~ *telescope* Zielfernrohr; **'sight·less** [-lis] *adj.* □ blind; **'sight·li·ness** [-linis] *s.* Ansehnlichkeit *f*, Schönheit *f*, Stattlichkeit *f*; **'sight·ly** [-li] *adj.* gut aussehend, stattlich.

'sight|-read·ing *s.* ♪ (Vom)'Blattsingen *n od.* -spielen *n*; **'~-see·ing I.** *s.* **1.** Besichtigung *f* von Sehenswürdigkeiten; **II.** *adj.* **2.** schaulustig; **3.** Besichtigungs...: ~ *bus* Rundfahrtautobus; ~ *tour* Stadtrundfahrt; **'~-se·er** [-si:ə] *s.* Tou'rist(in).

sign [sain] **I.** *s.* **1.** (*a.* Schrift)Zeichen *n*, Sym'bol *n* (*a. fig.*): ~ *(of the cross) eccl.* Kreuzzeichen; *in ~ of fig.* zum Zeichen (*gen.*); **2.** ℞, ♪ (Vor)Zeichen *n*; **3.** Zeichen *n*, Wink *m*: *to give s.o. a ~, to make a ~ to s.o.* j-m ein Zeichen geben; **4.** (An)Zeichen *n*, Sym'ptom *n* (*a.* ⚕): *no ~ of life* kein Lebenszeichen; *the ~s of the times* die Zeichen der Zeit; *to make no ~* sich nicht rühren; **5.** Kennzeichen *n*; **6.** *ast.* (Tierkreis)Zeichen *n*; **7.** (Aushänge-, Wirtshaus)Schild *n*: *at the ~ of* im Wirtshaus zum *Hirsch etc.*; **8.** (Wunder)Zeichen *n*: *~s and wonders* Zeichen und Wunder; **9.** *hunt. etc.* Spur *f*; **II.** *v/t.* **10.** unter'zeichnen, -'schreiben, (*a. typ. u. paint.*) signieren; **11.** mit *s-m Namen* unterzeichnen: *to ~ one's name* unterschreiben; **12.** ~ *away Vermögen etc.* über'tragen, -'schreiben; **13.** ~ *on* (*od.* F *up*) (vertraglich) verpflichten, anstellen, -mustern; **14.** *eccl.* das Kreuzzeichen machen über (*acc. od. dat.*); *Täufling* segnen; **15.** *j-m* bedeuten (*to do* zu tun), *j-m et.* (durch Gebärden) zu verstehen geben: *to ~ one's assent*; **III.** *v/i.* **16.** unter'zeichnen, -'schreiben; **17.** ~ *on (off) Am.* den Beginn (das Ende) e-r Radio-Sendung ansagen; **18.** ~ *on* (*od.* F *up*) **a)** sich (vertraglich) verpflichten (*for* zu), e-e Arbeit annehmen, **b)** *Am.* sich (zum Wehrdienst) verpflichten.

sig·nal ['signl] **I.** *s.* **1.** *a.* ⚔ *etc.* Si'gnal *n*, (*a.* verabredetes) Zeichen: ~ *of distress* Notsignal; *Royal Corps of* ♀*s, the ~s Brit.* Fernmeldetruppe; **2.** (Funk)Spruch *m*; **3.** *fig.* Signal *n*, (*auslösendes*) Zeichen (*for* für, zu); **4.** *Kartenspiel*: Signal *n*; **II.** *adj.* □ **5.** Signal...: ~ *beacon*; ♀ *Corps Am.* Fernmeldetruppe; ~ *communications* ⚔ Fernmeldewesen; **6.** *fig.* beachtlich, außerordentlich; **III.** *v/t.* **7.** *j-m* Zeichen geben, winken; **8.** *Nachricht* signalisieren; *et.* melden; *fig.* zu verstehen geben; **IV.** *v/i.* **9.** signalisieren; **'~-book** *s.* ⚓ Si'gnalbuch *n*; **'~-box** *s.* 🚂 Stellwerk *n*; ~ **check** *s.* Sprechprobe *f* (*Mikrophon*).

sig·nal·er *Am.* → *signaller*.

sig·nal| gun *s.* ⚔ **1.** Si'gnalgeschütz *n*; **2.** Si'gnalschuß *m*; ~ **hal·yard** *s.* ⚓ Flaggleine *f*.

sig·nal·ize ['signəlaiz] *v/t.* **1.** aus-, kennzeichnen, bemerkenswert machen: *to ~ o.s. by* sich hervortun durch; **2.** her'vorheben, her'ausstellen; **3.** (durch Si'gnale) ankündigen; **4.** signalisieren.

sig·nal·ler ['signələ] *s.* Si'gnalgeber *m*, *bsd.* **a)** ⚔ Blinker *m*, Melder *m*, **b)** ⚓ Si'gnalgast *m*.

'sig·nal|-man [-mən] *s.* [*irr.*] **1.** 🚂 Stellwärter *m*; **2. a)** ⚓ Si'gnalgast *m*, **b)** ⚔ 'Fernmeldesol,dat *m*, Winker *m*; ~ **of·fi·cer** *s.* ⚔ *Am.* **1.** 'Fernmeldeoffi,zier *m*; **2.** Leiter *m* des Fernmeldedienstes; ~ **rock·et** *s.* ⚔ Leuchtkugel *f*; ~ **strength** *s.* ⚡ Lautstärke *f*; ~ **tow·er** *s.* **1.** ⊕ Si'gnalturm *m*; **2.** 🚂 *Am.* Stellwerk *n*.

sig·na·ry ['signəri] *s.* ('Schrift)Zeichensy,stem *n*.

sig·na·to·ry ['signətəri] **I.** *adj.* **1.** unter'zeichnend, vertragschließend, Signatar...: ~ *powers* → *3 c*; **2.** ✝ Zeichnungs..., Unterschrifts...: ~ *power*; **II.** *s.* **3. a)** ('Mit)Unter,zeichner(in), **b)** *pol.* Signa'tar *m* (*Unterzeichnerstaat*), **c)** *pl. pol.* Signa'tarmächte *pl.* (*to a treaty* e-s Vertrags).

sig·na·ture ['signitʃə] *s.* **1.** 'Unterschrift(sleistung) *f*, Namenszug *m*; **2.** Signa'tur *f* (*e-s Buchs etc.*); **3.** ♪ Signatur *f*, Vorzeichnung *f*; **4.** *a.* ~ *tune Radio*: 'Kennmelo,die *f*; **5.** *typ.* **a)** *a.* ~ *mark* Signatur *f*, Bogenzeichen *n*, **b)** signierter Druckbogen; **6.** *obs. fig.* (Kenn)Zeichen *n*.

'sign·board *s.* (*bsd.* Firmen-, Aushänge)Schild *n*.

sign·er ['sainə] *s.* Unter'zeichner(in).

sig·net ['signit] *s.* Siegel *n*, Petschaft *n*: *privy ~* Privatsiegel des Königs; **'~-ring** *s.* Siegelring *m*.

sig·nif·i·cance [sig'nifikəns], *a.* **sig'nif·i·can·cy** [-si] *s.* **1.** Bedeutung *f*, (tieferer) Sinn; **2.** Bedeutung *f*, Wichtigkeit *f*: *of no ~* nicht von Belang; **sig'nif·i·cant** [-nt] *adj.* □ **1.** bedeutsam, wichtig, von Bedeutung; **2.** *fig.* vielsagend: *a ~ gesture*; **3.** bezeichnend (*of* für); **4.** *ling.* e-e Bedeutung habend; **sig·ni·fi·ca·tion** [signifi'keiʃən] *s.* **1.** (*bestimmte*) Bedeutung, Sinn *m*; **2.** Bezeichnung *f*, Bekundung *f*; **sig'nif·i·ca·tive** [-ətiv] *adj.* □ **1.** Bedeutungs..., bedeutsam; **2.** bezeichnend, kennzeichnend (*of* für).

sig·ni·fy ['signifai] **I.** *v/t.* **1.** an-, bedeuten, kundtun, zu verstehen geben; **2.** bedeuten, ankündigen; **3.** bedeuten: *this signifies nothing*; **II.** *v/i.* **4.** bedeuten: *it does not ~* es hat nichts auf sich.

Si·gnior ['si:njɔ:] (*Ital.*) *s.* Si'gnor *m*.

sign| lan·guage *s.* Zeichen-, *bsd.* Fingersprache *f*; **'~-man·u·al** *s.* (eigenhändige)'Unterschrift, Handzeichen *n*.

'sign|-paint·er *s.* Schilder-, Pla'katmaler *m*; **'~·post I.** *s.* **1.** Wegweiser *m*; **2.** (Straßen)Schild *n*, (Verkehrs-)Zeichen *n*; **II.** *v/t.* **3.** *Straße etc.* be-, ausschildern; **'~·post·ing** *s.* (Straßen)Beschilderung *f*.

si·lage ['sailidʒ] 🌾 **I.** *s.* 'Silofutter *n*; **II.** *v/t.* *Gärfutter* silieren.

si·lence ['sailəns] **I.** *s.* **1.** (Still-)Schweigen *n* (*a. fig.*), Ruhe *f*, Stille *f*: *to keep ~* **a)** schweigen, still sein, **b)** Stillschweigen wahren (*on* über *acc.*); *in ~* (still)schweigend; ~ *gives consent* wer schweigt, scheint zuzustimmen; ~ *is golden* Schweigen ist Gold; *~!* Ruhe!; → *pass over 4*; **2.** Schweigsamkeit *f*; **3.** Verschwiegenheit *f*; **4.** Vergessenheit *f*; **5.** *a.* ⊕ Geräuschlosigkeit *f*; **II.** *v/t.* **6.** zum Schweigen bringen (*a.* ⚔ *u. fig.*); **'si·lenc·er** [-sə] *s.* **1.** ⚔, ⊕ Schalldämpfer *m*; **2.** *mot.* Auspufftopf *m*; **si·lent** ['sailənt] *adj.* □ **1.** still, ruhig, schweigsam: *to be ~* (sich aus)schweigen (*on* über *acc.*) (*a. fig.*); **2.** still (*Gebet etc.*), stumm (*Schmerz etc.*; *a. ling. Buchstabe*): ~ *film* Stummfilm; ~ *partner* ✝ stiller Teilhaber (mit unbeschränkter Haftung); **3.** *fig.* stillschweigend: ~ *consent*; ~ *majority die* schweigende Mehrheit; **4.** *a.* ⊕ geräuschlos, leise.

Si·le·sian [sai'li:zjən] **I.** *adj.* schlesisch; **II.** *s.* Schlesier(in).

sil·hou·ette [silu(:)'et] **I.** *s.* **1.** Silhou'ette *f*: **a)** Schattenbild *n*, -riß *m*, **b)** 'Umriß *m* (*a. fig.*): *to stand out in ~ against* → *3*; **II.** *v/t.* **2.** silhouettieren; **3.** *to be ~d* sich abheben (*against* gegen).

sil·i·ca ['silikə] *s.* ⚗ **1.** Kieselerde *f*; **2.** Quarz(glas *n*) *m*; **'sil·i·cate** [-kit] *s.* ⚗ Sili'kat *n*, kieselsaures Salz; **'sil·i·cat·ed** [-keitid] *adj.* siliziert; **si·li·ceous** [si'liʃəs] *adj.* kiesel(erde-, -säure)haltig, -artig, Kiesel...; **si'lic·ic** [si'lisik] *adj.* Kiesel(erde)...; **si·lic·i·fy** [si'lisifai] *v/t. u. v/i.* (sich) in Kieselerde verwandeln (*Holz etc.*); **si·li·cious** → *siliceous*; **'sil·i·con** [-kən] *s.* ⚗ Si'lizium *n*; **sil·i·co·sis** [sili'kousis] *s.* ⚕ Sili'kose *f*, Staublunge *f*.

silk [silk] **I.** *s.* **1.** Seide *f*: **a)** Seidenfaser *f*, **b)** Seidenfaden *m*, **c)** Seidenstoff *m*, -gewebe *n*; **2.** Seide(nkleid *n*) *f*: *in ~s and satins* in Samt u. Seide; **3.** ⚖ *Brit.* **a)** → *silk gown*, **b)** F Ju'stizrat *m* (*höherer Anwalt*): *to take ~* Justizrat **werden**; **4.** *fig.* Seide *f*, *zo. bsd.* Spinnfäden *pl.*; **5.** Seidenglanz *m* (*von Edelsteinen*); **II.** *adj.* **6.** seiden, Seiden...: *to make a ~ purse out of a sow's ear fig.* aus e-m Kieselstein e-n Diamanten schleifen; ~ *culture* Seiden(raupen)zucht; **silk·en** ['silkən] *adj.* **1.** *poet.* seiden, Seiden...; **2.** → *silky 1 u. 2*.

silk| gown *s. Brit.* 'Seidenta,lar *m* (*e-s King's od. Queen's Counsel*); **'~-hat** *s.* Zy'linder(hut) *m*.

silk·i·ness ['silkinis] *s.* **1.** *das* Seidige, seidenartige Weichheit; **2.** *fig.* Sanftheit *f*.

'silk|-moth *s. zo.* Seidenspinner *m*; **'~-'screen print·ing** *s. typ.* Seidensiebdruck *m*; **'~·worm** *s. zo.* Seidenraupe *f*.

silk·y ['silki] *adj.* □ **1.** seidig (glänzend), seidenweich: ~ *hair*; **2.** *fig.* sanft, einschmeichelnd, zärtlich (*Person, Stimme etc.*); **3.** *contp.* ölig; **4.** lieblich (*Wein*).

sill [sil] *s.* **1.** (Tür)Schwelle *f*; **2.** Fensterbrett *n*, -bank *f*; **3.** ⊕ Schwellbalken *m*; **4.** *geol.* Lagergang *m*.

sil·la·bub ['siləbʌb] *s.* **1.** Sillabub *n* (*gesüßtes Milchgetränk mit Wein*); **2.** *fig.* Geschwafel *n*.

sil·li·ness ['silinis] *s.* **1.** Dummheit *f*, Albernheit *f*; **2.** Verrücktheit *f*.
sil·ly ['sili] **I.** *adj.* □ **1.** dumm, albern, blöd(e), verrückt (*Person u. Sache*); **2.** dumm, unklug (*Handlungsweise*); **3.** ‚dumm im Kopf', benommen, betäubt; **II.** *s.* **4.** Dummkopf *m*, Dummerchen *n*; ~ **sea·son** *s.* Saure-'gurkenzeit *f* (*Journalismus*).
si·lo ['sailou] **I.** *pl.* **-los** *s.* ⚒, ⊕ Silo *m*; **II.** *v/t.* ⚒ *Futter* **a)** in e-m Silo aufbewahren, **b)** einmieten.
silt [silt] **I.** *s.* Treibsand *m*, Schlamm *m*, Schlick *m*; **II.** *v/i. u. v/t. mst* ~ *up* verschlammen.
sil·van → *sylvan*.
sil·ver ['silvə] **I.** *s.* **1.** ⚗, *min.* Silber *n*; **2. a)** Silber(geld) *n*, **b)** *allg.* Geld *n*; **3.** Silber(geschirr *n*, -zeug *n*) *n*; **4.** Silber(farbe *f*, -glanz *m*) *n*; **5.** *phot.* 'Silbersalz *n*, -ni͵trat *n*; **II.** *adj.* **6.** silbern, Silber...: ~ *paper phot.* Silberpapier; **7.** silb(e)rig, silberglänzend; **8.** *fig.* silberhell (*Stimme etc.*); **III.** *v/t.* **9.** versilbern; *Spiegel* belegen; **10.** silbern färben; **IV.** *v/i.* **11.** silberweiß werden (*Haar etc.*); ~ **fir** *s.* ♀ Edel-, Weißtanne *f*; ~ **foil** *s.* **1.** 'Silber͵folie *f*; **2.** 'Silberpa͵pier *n*; ~ **fox** *s. zo.* Silberfuchs *m*; ~ **gilt** *s.* vergoldetes Silber; ~ **glance** *s.* Schwefelsilber *n*; '~-'**gray**, '~-'**grey** *adj.* silbergrau; ~ **leaf** *s.* ⊕ Blattsilber *n*; ~ **lin·ing** *s. fig.* Silberstreifen *m* am Hori'zont, Lichtblick *m*: *every cloud has its* ~ jedes Unglück hat auch sein Gutes; ~ **ni·trate** *s.* ⚗, *phot.* 'Silberni͵trat *n*; *bsd.* ⚕ Höllenstein *m*; ~ **plate** Silber(geschirr *n*, -zeug *n*) *n*, Tafelsilber *n*; '~-'**plat·ed** *adj.* ⊕ versilbert; ~ **point** *s. paint.* Silberstiftzeichnung *f*; ~ **screen** *s.* **1.** (Film)Leinwand *f*; **2.** *coll.* Film *m*; ~ **side** *s.* bester Teil der Rindskeule; '~**smith** *s.* Silberschmied *m*; ~ **spoon** *s.* Silberlöffel *m*: *to be born with a* ~ *in one's mouth fig.* ein Glückskind sein; '~-'**tongued** *adj.* beredt; '~**ware** *Am.* → *silver plate*; ~ **wed·ding** *s.* silberne Hochzeit.
sil·ver·y ['silvəri] → *silver 7 u. 8*.
sil·vi·cul·ture ['silvikʌltʃə] *s.* Waldbau *m*, 'Forstkul͵tur *f*.
sim·i·an ['simiən] **I.** *adj. zo.* affenartig, Affen...; **II.** *s.* (*bsd.* Menschen)Affe *m*.
sim·i·lar ['similə] **I.** *adj.* □ → *similarly*; **1.** ähnlich (*a.* 𝒜), (annähernd) gleich (*to dat.*); **2.** gleichartig, entsprechend; **3.** *phys.* gleichnamig; **II.** *s.* **4.** *das* Ähnliche *od.* Gleichartige; **5.** *pl.* ähnliche *od.* gleichartige Dinge *pl.*; **sim·i·lar·i·ty** [simi'læriti] *s.* **1.** Ähnlichkeit *f* (*to* mit), Gleichartigkeit *f*; **2.** *pl.* Ähnlichkeiten *pl.*; '**sim·i·lar·ly** [-li] *adv.* ähnlich, gleichermaßen.
sim·i·le ['simili] *s.* Gleichnis *n*, Vergleich *m*; **si·mil·i·tude** [si'militju:d] *s.* **1.** Ähnlichkeit *f* (*a.* 𝒜); **2.** Gleichnis *n*; **3.** *obs.* (Eben)Bild *n*.
sim·mer ['simə] **I.** *v/i.* **1.** sieden, wallen, brodeln; **2.** *fig.* kochen (*with* vor *dat.*), gären (*Gefühl, Aufstand*): *to* ~ *down* sich ‚abregen' *od.* beruhigen; **II.** *v/t.* **3.** zum Brodeln *od.* Wallen bringen; **III.** *s.* **4.** *at a* (*od. on the*) ~ am Kochen.
Si·mon ['saimən] *npr.* Simon *m*: *Simple* ~ *fig.* F Einfaltspinsel; *the real* ~ *Pure* F ‚der wahre Jakob'.
sim·o·ny ['saiməni] *s.* Simo'nie *f*, Pfründenschacher *m*, Ämterkauf *m*.
simp [simp] *s. sl.* Simpel *m*.
sim·per ['simpə] **I.** *v/i.* albern *od.* geziert lächeln; **II.** *s.* einfältiges *od.* geziertes Lächeln.
sim·ple ['simpl] **I.** *adj.* □ → *simply*; **1.** *allg.* einfach: **a)** 'simpel, leicht: *a* ~ *explanation*; *a* ~ *task*, **b)** schlicht (*Person, Lebensweise, Stil etc.*): ~ *beauty*, **c)** unkompliziert: *a* ~ *design*; ~ *fracture* ⚕ einfacher (Knochen-)Bruch, **d)** nicht zs.-gesetzt, unzerlegbar: ~ *equation* 𝒜 einfache Gleichung; ~ *fraction* 𝒜 einfacher *od.* gemeiner Bruch; ~ *fruit* ♀ einfache Frucht; ~ *interest* ✝ Kapitalzinsen; ~ *larceny* einfacher Diebstahl; ~ *sentence ling.* einfacher Satz, **e)** niedrig: *of* ~ *birth*; **2.** ♪ einfach; **3. a)** einfältig, simpel, **b)** na'iv, leichtgläubig; **4.** gering(fügig): ~ *efforts*; **5.** rein, glatt: ~ *madness*; **II.** *s.* **5.** *pharm.* Heilkraut *n*, -pflanze *f*; '~-'**heart·ed**, '~-'**mind·ed** *adj.* **1.** schlicht, einfach; **2.** → *simple 3*; '~-'**mind·ed·ness** *s.* **1.** Schlichtheit *f*; **2.** Einfalt *f*; **3.** Arglosigkeit *f*.
sim·ple·ton ['simpltən] *s.* Einfaltspinsel *m*.
sim·plex ['simpleks] **I.** *adj.* ⊕, ⚡ Simplex...; **II.** *s. ling.* 'Simplex *n*.
sim·plic·i·ty [sim'plisiti] *s.* **1.** Einfachheit *f*; **2.** Einfalt *f*.
sim·pli·fi·ca·tion [simplifi'keiʃən] *s.* Vereinfachung *f*; **sim·pli·fi·ca·tive** ['simplifikətiv] *adj.* vereinfachend; '**sim·pli·fy** ['simplifai] *v/t.* vereinfachen (*a. erleichtern, a. als einfach hinstellen*).
sim·plis·tic [sim'plistik] *adj.* (□ ~*ally*) stark vereinfachend, simplifizierend.
sim·ply ['simpli] *adv.* **1.** einfach, simpel; **2.** bloß, nur; **3.** F einfach (*großartig etc.*), geradezu.
sim·u·la·crum [simju'leikrəm] *pl.* **-cra** [-krə] *s.* **1.** (Ab)Bild *n*; **2.** Scheinbild *n*, Abklatsch *m*; **3. Trugbild** *n*, leerer Schein.
sim·u·lant ['simjulənt] *adj. bsd. biol.* (scheinbar) ähnlich (*of dat.*); **sim·u·late** ['simjuleit] *v/t.* **1.** vortäuschen, (-)heucheln, *bsd. Krankheit* simulieren: ~*d account* ✝ fingierte Rechnung; **2.** *j-n od. et.* nachahmen; **3.** sich tarnen als; **4.** ähneln (*dat.*); **5.** *ling.* sich angleichen an (*acc.*); **6.** ⊕ simulieren; **sim·u·la·tion** [simju'leiʃən] *s.* **1.** Vorspiegelung *f*, -täuschung *f*; **2.** Heuche'lei *f*, Verstellung *f*; **3.** Nachahmung *f*; **4.** Simulieren *n*, Krankspielen *n*; **sim·u·la·tor** ['simjuleitə] *s.* ⊕ Simu'lator *m*.
si·mul·ta·ne·i·ty [siməltə'niəti] *s.* Gleichzeitigkeit *f*; **si·mul·ta·ne·ous** [siməl'teinjəs] *adj.* □ gleichzeitig, simul'tan (*with* mit): ~ *translation* Simultandolmetschen.
sin [sin] **I.** *s.* **1.** *eccl.* Sünde *f*: *cardinal* ~ Hauptsünde; *deadly* (*od. mortal*) ~ Todsünde; *original* ~ Erbsünde; *like* ~ F wie der Teufel; *to live in* (*open*) ~ in wilder Ehe *od.* im Ehebruch leben; *commission of* ~ Sündigen; **2.** *fig.* (*against*) Sünde *f* (*Verstoß*) (gegen), Versündigung *f* (an *dat.*); **II.** *v/i.* **3.** sündigen; **4.** *fig.* (*against*) sündigen, verstoßen (gegen *et.*), sich versündigen (an *j-m*); **III.** *v/t.* **5.** *Sünde etc.* begehen.
sin·a·pism ['sinəpizəm] *s.* ⚕ Senfpflaster *n*.
since [sins] **I.** *adv.* **1.** seit'dem, -'her: *ever* ~ seit der Zeit, seitdem: *long* ~ seit langem, schon lange; *how long* ~? seit wie langer Zeit?; *a short time* ~ vor kurzem; **2.** in-'zwischen, mittler'weile; **II.** *prp.* **3.** seit: ~ *1945*; ~ *Friday*; ~ *seeing you* seitdem ich dich sah; **III.** *cj.* **4.** seit (-dem): *how long is it* ~ *it happened?* wie lange ist es her, daß das geschah?; **5.** da (ja), weil.
sin·cere [sin'siə] *adj.* □ **1.** aufrichtig, ehrlich, offen: *a* ~ *friend* ein wahrer Freund; **2.** aufrichtig, echt (*Gefühl etc.*); **3.** rein, lauter; **sin'cere·ly** [-li] *adv.* aufrichtig: *Yours* ~ Ihr ergebener (*als Briefschluß*); **sin'cere·ness** [-nis], **sin·cer·i·ty** [sin'seriti] *s.* **1.** Aufrichtigkeit *f*; **2.** Lauterkeit *f*, Echtheit *f*.
sin·ci·put ['sinsipʌt] *s. anat.* Schädeldach *n*, *bsd.* Vorderhaupt *n*.
sine[1] [sain] *s.* 𝒜 'Sinus *m*: ~ *curve* Sinuskurve; ~ *of angle* Winkelsinus; ~ *wave phys.* Sinuswelle.
si·ne[2] ['saini] (*Lat.*) *prp.* ohne.
si·ne·cure ['sainikjuə] *s.* Sine'kure *f*: **a)** *eccl. hist.* Pfründe *f* ohne Seelsorge, **b)** einträglicher Ruheposten; '**si·ne·cur·ist** [-ərist] *s.* Inhaber *m* e-r Sinekure.
si·ne di·e ['saini'daii(:)] (*Lat.*) *adv.* ⚖ auf unbestimmte Zeit; **si·ne qua non** ['sainikwei'nɔn] (*Lat.*) *s.* unerläßliche Bedingung, notwendige Vor'aussetzung.
sin·ew ['sinju:] *s.* **1.** *anat.* Sehne *f*, Flechse *f*; **2.** *pl.* Muskeln *pl.*, (Muskel)Kraft *f*: *the* ~*s of war fig.* das Geld *od.* die Mittel (zur Kriegführung *etc.*); '**sin·ewed** [-ju:d] → *sinewy*; '**sin·ew·less** [-lis] *adj. fig.* kraftlos, schwach; '**sin·ew·y** [-ju(:)i] *adj.* **1.** sehnig; **2.** zäh (*Fleisch*); **3.** *fig.* **a)** stark, zäh, **b)** kräftig, kraftvoll (*a. Stil*).
sin·ful ['sinful] *adj.* □ sündig, sündhaft; '**sin·ful·ness** [-nis] *s.* Sündhaftigkeit *f*.
sing [siŋ] **I.** *v/i.* [*irr.*] **1.** singen (*a. fig. dichten*): *to* ~ *of poet.* besingen; *to* ~ *to s.o.* j-m vorsingen; *to* ~ *small* kleinlaut werden, klein beigeben; **2.** summen (*Biene, Wasserkessel etc.*); **3.** krähen (*Hahn*); **4.** *fig.* pfeifen, sausen (*Geschoß*); heulen (*Wind*); **5.** ~ *out* F (laut) rufen, schreien; **6.** *a.* ~ *out sl.* gestehen, alle(s) verraten, ‚singen' (*Verbrecher*); **7.** sich *gut etc.* singen lassen; **II.** *v/t.* [*irr.*] **8.** *Lied* singen: *to* ~ *a child to sleep* ein Kind in Schlaf singen; *to* ~ *out* ausrufen, schreien; **9.** *poet.* besingen; **III.** *s.* **10.** *Am.* F (Gemeinschafts)Singen *n*; **sing·a·ble** ['siŋəbl] *adj.* singbar.
singe [sindʒ] **I.** *v/t.* **1.** ver-, ansengen; → *wing 1*; **2.** *Geflügel, Schwein* sengen; **3.** *a.* ~ *off Borsten etc.* absengen; **4.** *Haar* sengen (*Friseur*); **II.** *v/i.* **5.** versengen; **III.** *s.* **6.** (An-, Ab-, Ver)Sengen *n*; **7.** (leichte) Verbrennung.

sing·er ['siŋə] *s.* **1.** Sänger(in); **2.** *poet.* Sänger *m* (*Dichter*).

Sin·gha·lese [siŋhə'li:z] *sg. u. pl.* **I.** *s.* **1.** Sing(h)a'lese *m*, Sing(h)a'lesin *f*; **2.** *ling.* Sing(h)a'lesisch *n*; **II.** *adj.* **3.** sing(h)a'lesisch.

sing·ing ['siŋiŋ] **I.** *adj.* **1.** singend *etc.*; **2.** Sing..., Gesangs...: *~-lesson*; **II.** *s.* **3.** Singen *n*, Gesang *m*; **4.** *fig.* Klingen *n*, Summen *n*, Pfeifen *n*, Sausen *n*: *a ~ in the ears* (ein) Ohrensausen; **'~-bird** *s. orn.* Singvogel *m*; **'~-man** [-mæn] *s.* [*irr.*] *Brit.* (bezahlter) Sänger (*im Kirchenchor*); **'~-mas·ter** *s.* **a)** Gesangslehrer *m*, **b)** *Am. eccl.* Vorsänger *m*; **'~-voice** *s.* Singstimme *f*.

sin·gle ['siŋgl] **I.** *adj.* □ → *singly*; **1.** einzig: *not a ~ one* kein *od.* nicht ein einziger; **2.** einzeln, einfach, Einzel..., Ein(fach)...: *~-decker* ✈ Eindecker; *~-stage* einstufig; (*bookkeeping by*) *~ entry* ✝ einfache Buchführung; *~(-trip) ticket* → *10*; **3.** einzeln, al'lein, Einzel...: *~ bed* Einzelbett; *~ bill* ✝ Solawechsel; *~ combat* ⚔ Einzel-, Zweikampf; *~ game sport* Einzel(spiel); *~ house* Einfamilienhaus; **4. a)** allein, einsam, für sich (lebend), **b)** al'leinstehend, ledig, unverheiratet: *~ man* Alleinstehende(r), Junggeselle; *~ woman* Junggesellin; **5.** einmalig: *~ payment*; **6.** ⚘ einfach; **7.** *fig.* ungeteilt, einzig: *~ purpose*; *to have a ~ eye for* nur Sinn haben für, nur denken an (*acc.*); *with a ~ voice* wie aus 'einem Munde; **8.** *fig.* aufrichtig: *~ mind*; **II.** *s.* **9.** *der* (*die, das*) Einzelne *od.* Einzige; Einzelstück *n*; **10.** 🚂 *Brit.* einfache Fahrkarte; **11.** *pl. sg. konstr. sport* Einzel *n*: *to play a ~s*; *men's ~s* Herreneinzel; **12.** Single *f* (*Schallplatte*); **III.** *v/t.* **13.** *~ out* **a)** auslesen, -suchen, -wählen (*from* aus), **b)** bestimmen (*for* für *e-n Zweck*), her'ausheben; **'~-'act·ing** *adj.* ⊕ einfach wirkend; **'~-'breast·ed** *adj.* einreihig (*Anzug*); **'~-'cut** *adj.* ⊕ einhiebig (*Feile*); **'~-'en·gined** *adj.* 'einmo,torig (*Flugzeug*); **'~-'eyed** → *single-minded*; **'~-'hand·ed** *adj. u. adv.* **1.** einhändig; mit 'einer Hand; **2.** *fig.* eigenhändig, al'lein, ohne (fremde) Hilfe; auf eigene Faust; **'~-'heart·ed** *adj.* □ → *single-minded*; **'~-'line** *adj.* 🚂 eingleisig; **'~-'mind·ed** *adj.* **1.** aufrichtig, redlich; **2.** zielbewußt, -strebig; **'~-'mind·ed·ness** *s.* **1.** Aufrichtigkeit *f*; **2.** Zielstrebigkeit *f*.

sin·gle·ness ['siŋglnis] *s.* **1.** Ehelosigkeit *f*; **2.** *a. ~ of purpose* Zielstrebigkeit *f*; **3.** *fig.* Aufrichtigkeit *f*.

'sin·gle|-'phase *adj.* ⚡ einphasig, Einphasen...; **'~-'seat·er** *bsd.* ✈ **I.** *s.* Einsitzer *m*; **II.** *adj.* Einsitzer..., einsitzig; **'~-stick** *s. sport* 'Stockra,pier(fechten) *n*.

sin·glet ['siŋglit] *s. bsd. Brit.* 'Unter-, Tri'kothemd *n*.

'sin·gle-'thread *adj.* ⊕ **1.** eindrähtig (*Garn*); **2.** eingängig (*Gewinde*).

sin·gle·ton ['siŋgltən] *s.* **1.** *Kartenspiel*: 'Singleton *m* (*einzige Karte e-r Farbe*); **2.** einziges Kind; **3.** Einspänner *m* (*alleinstehender Mensch*).

'sin·gle-'track *adj.* **1.** einspurig, eingleisig (*Bahn*); **2.** *fig.* F einseitig.

sin·gly ['siŋgli] *adv.* **1.** einzeln, al'lein; **2.** → *single-handed 2.*

'sing·song I. *s.* **1.** Singsang *m*, Geleier *n*; **2.** *Brit.* Gemeinschaftssingen *n*; **II.** *adj.* **3.** im Leierton, eintönig; **III.** *v/t. u. v/i.* **4.** eintönig sprechen *od.* singen, leiern.

sin·gu·lar ['siŋgjulə] **I.** *adj.* □ **1.** *ling.* singu'larisch: *~ number* → *6*; **2.** ⅄, *phls.* singu'lär; **3.** *bsd.* ⚖ einzeln: *all and ~* jeder (jede, jedes) einzelne; **4.** *fig.* einzigartig, außer-, ungewöhnlich, einmalig; **5.** *fig.* eigentümlich, seltsam; **II.** *s.* **6.** *ling.* 'Singular *m*, Einzahl *f*; **sin·gu·lar·i·ty** [siŋgju'læriti] *s.* **1.** Eigentümlichkeit *f*, Seltsamkeit *f*; **2.** Einzigartigkeit *f*; **'sin·gu·lar·ize** [-əraiz] *v/t.* **1.** vereinzeln, her'ausstellen; **2.** *ling.* (*fälschlich*) in die Einzahl setzen.

Sin·ha·lese → *Singhalese*.

sin·is·ter ['sinistə] *adj.* □ **1.** böse, drohend, unheilvoll, schlimm; **2.** finster, unheimlich; **3.** *her.* link; **'sin·is·tral** [-trəl] *adj.* □ **1.** linksseitig; **2.** *zo.* linkswendig.

sink [siŋk] **I.** *v/i.* [*irr.*] **1.** sinken, 'untergehen (*Schiff, Gestirn etc.*); **2.** (her'ab-, nieder)sinken (*Arm, Kopf, Person etc.*): *to ~ into a chair*; *to ~ into the grave* ins Grab sinken; **3.** *im Wasser, Schnee etc.* versinken, ein-, 'untersinken: *~ or swim fig.* auf Biegen oder Brechen; **4.** sich senken: **a)** her'absinken (*Dunkelheit, Wolken etc.*), **b)** abfallen (*Gelände*), **c)** sich senken (*Gebäude*), sinken (*Preise, Wasserspiegel, Zahl etc.*); **5.** 'umsinken; **6.** erliegen (*beneath, under* unter *dat.*); **7.** (*into*) **a)** (ein-)dringen, (ein)sickern (in *acc.*), **b)** *fig.* (in *j-s Geist*) eindringen, sich einprägen (*dat.*): *he allowed his words to ~ in* er ließ s-e Worte wirken; **8.** *in Ohnmacht, Schlaf, Schweigen etc.* (ver-)fallen, (ver)sinken; **9.** nachlassen, schwächer werden; **10.** sich dem Ende nähern (*Kranker*): *he is ~ing fast* er verfällt zusehends; **11.** *im Wert, in j-s Achtung etc.* sinken; **12.** *b.s.* (ver)sinken (*into* in *acc.*), *in Armut, Vergessenheit* geraten, *dem Laster etc.* verfallen; **13.** sich senken (*Blick, Stimme*); **14.** sinken (*Mut*), verzagen (*Herz*); **II.** *v/t.* [*irr.*] **15.** *Schiff etc.* versenken; **16.** *bsd. in den Boden* ver-, einsenken; **17.** *Grube etc.* ausheben; *Brunnen, Loch* bohren: *to ~ a shaft* ⚒ e-n Schacht abteufen; **18.** ⊕ **a)** einlassen, -betten, **b)** eingravieren, **c)** *Stempel* schneiden; **19.** *Wasserspiegel etc., a. Preis, Wert* senken; **20.** *Blick, Kopf, Stimme* senken; **21.** *fig. Niveau, Stand* her'abdrücken; **22.** zu'grunde richten: *we are sunk sl.* wir sind ‚erledigt'; **23.** *Tatsache* unter'drücken, vertuschen; **24.** *et.* ignorieren; *Streit* beilegen; *Ansprüche, Namen etc.* aufgeben; **25. a)** ✝ *Kapital* fest (*bsd.* ungünstig) anlegen, **b)** (*bsd.* durch 'Fehlinvestiti,on) verlieren; **26.** ✝ *Schuld* tilgen; **III.** *s.* **27.** Ausguß (-becken *n*, -loch *n*) *m*, Spülstein *m* (*Küche*); **28. a)** Abfluß *m* (*Rohr*), **b)** Senkgrube *f*, **c)** *fig.* Pfuhl *m*: *~ of iniquity fig.* Sündenpfuhl, Lasterhöhle; **29.** *thea.* Versenkung *f*; **30.** *geol.* Endsee *m*; **'sink·a·ble** [-kəbl] *adj.* zu versenken(d), versenkbar (*bsd. Schiff*); **'sink·er** [-kə] *s.* **1.** ⚒ Abteufer *m*; **2.** ⊕ Stempelschneider *m*; **3.** *Weberei*: Pla'tine *f*; **4.** ⚓ **a)** Senkblei *n* (*Lot*), **b)** Senkgewicht *n* (*Angelleine, Fischnetz*); **5.** *Am. sl.* Krapfen *m*; **'sink·ing** [-kiŋ] **I.** *s.* **1.** (Ver)Sinken *n*; **2.** Versenken *n*; **3.** ⚕ **a)** Schwächegefühl *n*, **b)** Senkung *f e-s Organs*; **4.** ✝ Tilgung *f*; **II.** *adj.* **5.** sinkend (*a. Mut etc.*): *a ~ feeling* Beklommenheit, flaues Gefühl (im Magen); **6.** ✝ Tilgungs...: *~ fund* Amortisationsfonds.

sin·less ['sinlis] *adj.* □ sünd(en)los, unschuldig; **'sin·less·ness** [-nis] *s.* Sünd-, Schuldlosigkeit *f*.

sin·ner ['sinə] *s. eccl.* Sünder(in) (*a. fig. Übeltäter*; *a. humor. Halunke*).

Sinn Fein ['ʃin'fein] *s. pol.* Sinn Fein *m* (*nationalistische Bewegung u. Partei in Irland*).

Sino- [sinou] *in Zssgn* chi'nesisch, Chinesen..., China...: *~-American* chinesisch-amerikanisch; **si·nol·o·gy** [si'nɔlədʒi] *s.* Sinolo'gie *f*: **a)** Chinakunde *f*, **b)** Kenntnis *f od.* Studium *n* des Chinesischen.

sin·ter ['sintə] **I.** *s. geol. u. metall.* Sinter *m*; **II.** *v/t. Erz* sintern.

sin·u·ate ['sinjuit] *adj.* □ ⚘ gebuchtet (*Blatt*); **sin·u·os·i·ty** [sinju'ɔsiti] *s.* **1.** Biegung *f*, Krümmung *f*; **2.** *fig.* Gewundenheit *f*; **'sin·u·ous** [-juəs] *adj.* □ **1.** gewunden, sich schlängelnd: *~ line* Wellen-, Schlangenlinie; **2.** ⅄ 'sinusförmig gekrümmt; **3.** *fig.* krumm, winkelzügig; **4.** geschmeidig, biegsam.

si·nus ['sainəs] *pl.* **'si·nus, 'si·nus·es** *s.* **1.** Krümmung *f*, Kurve *f*; **2.** Ausbuchtung *f*; **3.** *anat.* 'Sinus *m*, (Knochen-, Neben)Höhle *f*; **4.** ⚕ Fistelgang *m*; **5.** ⚘ Ausbuchtung *f* (*Blatt*); **si·nus·i·tis** [sainə'saitis] *s.* ⚕ Nebenhöhlenentzündung *f*: *frontal ~* Stirnhöhlenkatarrh; **si·nus·oi·dal** [sainə'sɔidl] *adj.* ⅄, ⚡, *phys.* 'sinusförmig, Sinus...: *~ wave* Sinuswelle.

Sioux [su:] *s. sg. u. pl.* [su:z] **1.** 'Sioux(indi,aner[in]) *m, f*; **2.** *pl. die* 'Sioux(indi,aner) *pl.*

sip [sip] **I.** *v/t.* **1.** nippen an (*acc.*) *od.* von, schlürfen (*a. fig.*); **II.** *v/i.* **2.** (*of*) nippen (an *dat. od.* von), schlückchenweise trinken (von); **III.** *s.* **3.** Nippen *n*; **4.** Schlückchen *n*.

si·phon ['saifən] **I.** *s.* **1.** (Saug)Heber *m*; 'Siphon *m*; **2.** 'Siphonflasche *f*; **3.** *zo.* 'Sipho *m*; **II.** *v/t.* **4.** *~ out* (*a.* ⚕ *Magen*) aushebe(r)n, entleeren; **5.** *~ off* **a)** absaugen, **b)** *fig. Gewinne etc.* abschöpfen; **6.** *fig.* (weiter)leiten; **II.** *v/i.* **7.** ablaufen; **'~-bot·tle** *s.* Siphon(flasche *f*) *m*; **~ ga(u)ge** *s.* ⊕ 'Heberrohrmano,meter *n*.

sip·pet ['sipit] *s.* **1.** (Brot-, Toast-) Brocken *m* (*zum Eintunken*); **2.** geröstete Brotschnitte.

sir [sə:] **I.** *s.* **1.** (mein) Herr! (*respektvolle Anrede*): *yes, ~!* ja(wohl)!; *♀(s) Anrede in* (*Leser*)*Briefen, im Deutschen unübersetzt*; *Dear ♀s* Sehr geehrte Herren! (*Anrede in Briefen*); *my dear ~! iro.* mein Verehrtester!; **2.** ♀ *Brit.* Sir *m* (*Titel e-s baronet od. knight*); **3.** *Brit. Anrede für den Speaker im Unter-*

haus; **II.** *v/t.* **4.** *j-n* mit ‚Sir' anreden.

sire ['saiə] **I.** *s.* **1.** *poet.* **a)** Vater *m*, Erzeuger *m*, **b)** Vorfahr *m*; **2.** *zo.* Vater(tier *n*) *m*; **3.** ♀! Sire!, Eure Maje'stät!; **4.** *obs.* Herr *m*, Gebieter *m*; **II.** *v/t.* **5.** *to be* ~*d by* abstammen von (*bsd. Zuchtpferd*).

si·ren ['saiərin] *s.* **1.** *myth.* Si'rene *f* (*a. fig. verführerische Frau, bezaubernde Sängerin*); **2.** ⊕ Sirene *f*; **3.** *zo.* **a)** Armmolch *m*, **b)** → *sirenian*; **si·re·ni·an** [saiə'rinjən] *s. zo.* Seekuh *f*, Sirene *f*.

sir·loin ['sə:lɔin] *s.* Lendenstück *n* (*des Rinds*).

si·roc·co [si'rɔkou] *pl.* **-cos** *s.* Schi'rokko *m* (*Wind*).

sir·up → *syrup*.

sis [sis] *s.* **1.** *Am.* F Schwester *f*; **2.** F Mädel *n*; **3.** *sl.* → *sissy 1*.

si·sal (hemp) ['saisəl] *s.* ♀ Sisal (-hanf) *m*.

sis·kin ['siskin] *s. orn.* (Erlen)Zeisig *m*.

sis·sy ['sisi] *s.* **1.** F Weichling *m*, ‚Heulsuse' *f*; **2.** *Am. sl.* Mädel *n*.

sis·ter ['sistə] **I.** *s.* **1.** Schwester *f* (*a. fig. Genossin*): *the three* ♀*s myth.* die drei Schicksalsschwestern; **2.** *fig.* Schwester *f* (*Gleichartiges*); **3.** *eccl.* (Ordens)Schwester *f*: ♀*s of Mercy* Barmherzige Schwestern; **4.** ⚕ *bsd. Brit.* **a)** Oberschwester *f*, **b)** (Kranken)Schwester *f*; **5.** *a.* ~ *company* ✝ Schwestergesellschaft *f*; **II.** *adj.* **6.** Schwester...: ~ *ship*; '**sis·ter·hood** [-hud] *s.* **1.** schwesterliches Verhältnis; **2.** *eccl.* Schwesternschaft *f*.

'**sis·ter-in-law** *pl.* '**sis·ters-in-law** *s.* Schwägerin *f*.

sis·ter·ly ['sistəli] *adj.* schwesterlich.

Sis·tine ['sistain] *adj.* six'tinisch: ~ *Chapel*; ~ *Madonna*.

Sis·y·phe·an [sisi'fi(:)ən] *adj.*: ~ *task* (*od. labo*[*u*]*r*) Sisyphusarbeit.

sit [sit] [*irr.*] **I.** *v/i.* **1.** sitzen; **2.** sich setzen; **3.** (*to j-m*) (Por'trät *od.* Mo'dell) sitzen; **4.** sitzen, brüten (*Henne*); **5.** liegen, sitzen (*Sache, a. Wind*); **6.** Sitzung (ab)halten, tagen; **7.** (*on*) beraten (über *acc.*), (*e-n Fall etc.*) unter'suchen; **8.** sitzen, e-n Sitz (inne)haben (*in Parliament* im Parlament): *to* ~ *on a committee* e-m Ausschuß angehören; *to* ~ *on the bench* Richter sein; *to* ~ *on a jury* Geschworener sein; **9.** (*on*) sitzen, passen (*Kleidung*) (*dat.*); *fig.* (*j-m*) *gut etc.* zu Gesicht stehen; **II.** *v/t.* **10.** ~ *o.s.* sich setzen; **11.** sitzen auf (*dat.*): *to* ~ *a horse well* gut zu Pferde sitzen;

Zssgn mit adv.:

sit| back *v/i.* sich zu'rücklehnen; *fig.* die Hände in den Schoß legen; ~ **down I.** *v/i.* **1.** sich (hin)setzen, sich niederlassen, Platz nehmen: *to* ~ *to work* sich an die Arbeit machen; **2.** ~ *under e-e Beleidigung etc.* hinnehmen; **II.** *v/t.* **3.** *j-n* hinsetzen; ~ **in** *v/i.* F **1.** 'Babysitter sein; **2.** mitmachen (*at* bei); ~ **out I.** *v/t.* **1.** *e-r Vorstellung etc.* bis zu Ende beiwohnen; **2.** länger bleiben *od.* aushalten als; **3.** *Spiel, Tanz* auslassen; **II.** *v/i.* **4.** aussetzen, nicht mitmachen (*bei e-m Spiel etc.*); **5.** im Freien sitzen; ~ **up** *v/i.* **1.** aufrecht sitzen; **2.** sich geradesetzen: *to* ~ (*and beg*) ‚schön' machen (*Hund*); *to make s.o.* ~ **a)** j-n aufrütteln, **b)** j-n aufhorchen lassen; **3.** sich *im Bett etc.* aufrichten; **4.** aufsitzen, -bleiben; wachen (*with* bei *e-m Kranken*);

Zssgn mit prp.:

sit| for *v/i.* **1.** *e-e Prüfung* machen; **2.** *parl. e-n Wahlkreis* vertreten; **3.** ~ *one's portrait* sich porträtieren lassen; ~ **on** → *sit upon*; ~ **un·der** *v/i.* **1.** *eccl.* zu *j-s* Gemeinde gehören; **2.** *j-s* Schüler sein; ~ **up·on** *v/i.* **1.** lasten auf *j-m*; im *Magen* liegen; **2.** → *sit 7 u. 8*; **3.** *sl. j-m* ‚aufs Dach steigen': *he needs to be sat* (*up*)*on* er hat e-e ‚Abreibung' nötig.

'**sit-down (strike)** *s.* Sitzstreik *m*.

site [sait] **I.** *s.* **1.** Lage *f* (*e-r Baulichkeit, Stadt etc.*): ~ *plan* Lageplan; **2.** Stelle *f* (*a.* ⚕), Örtlichkeit *f*; **3.** Bauplatz *m*, Grundstück *n*; **4.** ✝ (*Ausstellungs*)Gelände *n*; **5.** Sitz *m* (*e-r Industrie*); **II.** *v/t.* **6.** placieren, legen: *well-*~*d* gutgelegen (*Haus*).

'**sit-in** *s.* Sit-'in *n*.

sit·ter ['sitə] *s.* **1.** Sitzende(r *m*) *f*; **2. a)** Glucke *f*, **b)** brütender Vogel: *a bad* ~ e-e schlechte Brüterin; **3.** *paint.* Mo'dell *n*; **4.** *a.* ~*-in* F 'Babysitter *m*; **5.** *sl.* **a)** *hunt.* leichter Schuß, **b)** *fig.* Leichtigkeit *f*, **c)** ‚todsichere Sache'.

sit·ting ['sitiŋ] **I.** *s.* **1.** Sitzen *n*; **2.** *bsd.* ⚖, *parl.* Sitzung *f*, Tagung *f*; **3.** *paint., phot. etc.* Sitzung *f*: *at a* ~ *fig.* in 'einem Zug; **4. a)** Brutzeit *f*, **b)** Gelege *n*; **5.** *eccl., thea.* Sitz(platz) *m*; **II.** *adj.* **6.** sitzend, Sitz...: ~ *duck fig.* leichtes Opfer; **7.** brütend; '~**-room** *s.* **1.** Platz *m* zum Sitzen; **2.** Wohnzimmer *n*.

sit·u·ate ['sitjueit] **I.** *v/t.* **1.** aufstellen, *e-r Sache* e-n Platz geben, den Platz festlegen (*gen.*); **2.** in e-e Lage bringen; **II.** *adj.* **3.** ⚖ *od. obs.* → *situated 1*; '**sit·u·at·ed** [-tid] *adj.* **1.** gelegen: *to be* ~ liegen *od.* sein (*Haus etc.*); **2.** in e-r *schwierigen etc.* Lage (befindlich): *thus* ~ in dieser Lage; *well* ~ gutsituiert, wohlhabend.

sit·u·a·tion [sitju'eiʃən] *s.* **1.** Lage *f e-s Hauses etc.*; **2.** Situati'on *f*: **a)** Lage *f*, Zustand *m*, **b)** Sachlage *f*, 'Umstände *pl.*: *difficult* ~; **3.** *thea.* dra'matische Situation, Höhepunkt *m*; **4.** Stellung *f*, Stelle *f*, Posten *m*: ~*s offered* Stellenangebote; ~*s wanted* Stellengesuche.

si·tus ['saitəs] (*Lat.*) *s.* **1.** ⚕ 'Situs *m*, (ana'tomische) Lage (*e-s Organs*); **2.** Sitz *m*, Lage *f*.

six [siks] **I.** *adj.* **1.** sechs: *it is* ~ *of one and half-a-dozen of the other fig.* das ist gehüpft wie gesprungen; **2.** *in Zssgn* sechs...: ~*-cylinder*(*ed*) sechszylindrig, Sechszylinder... (*Motor*); **II.** *s.* **3.** Sechs *f*: **a)** *Zahl*, **b)** *Spielkarte etc.*: *a rowing* ~ e-e Sechsermannschaft (*Rudern*); *at* ~*es and sevens* **a)** ganz durcheinander, **b)** uneins; **4.** *Kricket*: *a.* **six·er** ['siksə] *s.* F Sechserschlag *m*; '**six·fold** [-fould] *adj. u. adv.* sechsfach.

'**six|-foot** *adj.* sechs Fuß lang; '~-'**foot·er** *s.* F sechs Fuß langer *od.* ‚baumlanger' Mensch; '~**pence** *s. Brit. obs.* Sixpencestück *n*, $^1/_2$ Schilling *m*: *it does not matter* (*a*) ~ das ist ganz egal; '~**pen·ny** *adj. Brit. obs.* einen Sixpence wert, Sixpenny...; '~-'**shoot·er** *s.* F sechsschüssiger Re'volver.

six·teen ['siks'ti:n] **I.** *s.* Sechzehn *f*; **II.** *adj.* sechzehn; '**six'teenth** [-nθ] **I.** *adj.* **1.** sechzehnt; **2.** sechzehntel; **II.** *s.* **3.** *der* (*die, das*) Sechzehnte; **4.** Sechzehntel *n*; **5.** *a.* ~ *note* ♪ Sechzehntel(note *f*) *n*.

sixth [siksθ] **I.** *adj.* **1.** sechst: ~ *sense fig.* sechster Sinn; **II.** *s.* **2.** *der* (*die, das*) Sechste; **3.** Sechstel *n*; **4.** ♪ Sext *f*; **5.** *a.* ~ *form ped. Brit.* sechste Klasse, Prima *f*; '**sixth·ly** [-li] *adv.* sechstens.

six·ti·eth ['sikstiiθ] **I.** *adj.* **1.** sechzigst; **2.** sechzigstel; **II.** *s.* **3.** *der* (*die, das*) Sechzigste; **4.** Sechzigstel *n*.

Six·tine ['sikstain] → *Sistine*.

six·ty ['siksti] **I.** *adj.* **1.** sechzig; **II.** *s.* **2.** Sechzig *f*; **3.** *pl.* **a)** *die* sechziger Jahre *pl.* (*e-s Jahrhunderts*), **b)** *die* Sechziger(jahre) *pl.* (*Alter*).

'**six|-'wheel·er** *s. mot.* Dreiachser *m*; '~**-year-old I.** *s.* Sechsjährige(r *m*) *f*; **II.** *adj.* sechsjährig, sechs Jahre alt.

siz·a·ble ['saizəbl] *adj.* (ziemlich) groß, ansehnlich, beträchtlich.

siz·ar ['saizə] *s. univ.* Stipendi'at *m* (*in Cambridge od. Dublin*).

size[1] [saiz] **I.** *s.* **1.** Größe *f*, Maß *n*, For'mat *n*, 'Umfang *m*: *all of a* ~ (alle) gleich groß; *of all* ~*s* in allen Größen; *the* ~ *of* so groß wie; *that's about the* ~ *of it* F (genau) so ist es; *to cut s.o. down to* ~ *fig.* j-n in die Schranken verweisen; **2.** (Schuh-, Kleider- *etc.*)Größe *f*, Nummer *f*: *two* ~*s too big* zwei Nummern zu groß; *what* ~ *do you take?* welche Größe haben Sie?; **3.** *fig.* **a)** Größe *f*, Ausmaß *n*, **b)** *geistiges etc.* For'mat *e-r Person*; **II.** *v/t.* **4.** nach Größen ordnen; **5.** ~ *up* F ab-, einschätzen (*a. fig.*); **III.** *v/i.* **6.** ~ *up* F gleichkommen (*to, with dat.*).

size[2] [saiz] **I.** *s.* **1.** (*paint.* Grundier-) Leim *m*, Kleister *m*; **2. a)** *Weberei*: Appre'tur *f*, **b)** *Hutmacherei*: Steife *f*; **II.** *v/t.* **3.** leimen; **4.** *paint.* grundieren; **5.** *Stoff* appretieren; **6.** *Hutfilz* steifen.

-size [saiz] → *-sized*.

size·a·ble → *sizable*.

-sized [saizd] *adj. in Zssgn* ...groß, von *od.* in ... Größe.

siz·er[1] ['saizə] *s.* **1.** Sortierer(in); **2.** ⊕ **a)** ('Größen)Sor,tierma,schine *f*, **b)** *Holzwirtschaft*: 'Zuschneidema,schine *f*.

siz·er[2] ['saizə] *s.* ⊕ **1.** Leimer *m*; **2.** *Textilindustrie*: Schlichter *m*.

siz·zle ['sizl] **I.** *v/i.* zischen; **II.** *s.* Zischen *n*; '**siz·zling** [-liŋ] *adj.* **1.** zischend, brutzelnd; **2.** glühend heiß.

sjam·bok ['ʃæmbɔk] *s.* Nilpferdpeitsche *f*.

skald → *scald*[1].

skat [skɑ:t] *s.* Skat(spiel *n*) *m*.

skate[1] [skeit] *pl.* **skates**, *bsd. coll.* **skate** *s. ichth.* (Glatt)Rochen *m*.

skate[2] [skeit] **I.** *s.* **1.** Schlittschuh *m*; **2.** Rollschuh *m*; **II.** *v/i.* **3.** Schlittschuh *od.* Rollschuh laufen; → *ice 1*; '**skate·board** *s.* Skateboard *n*;

'skat·er [-tə] *s.* **1.** Schlittschuh-, Eisläufer(in); **2.** Rollschuhläufer(in).
skat·ing ['skeitiŋ] *s.* **1.** Schlittschuhlaufen *n*, Eis(kunst)lauf *m*; **2.** Rollschuhlauf(en *n*) *m*; **'~-rink** *s.* **1.** Eisbahn *f*; **2.** Rollschuhbahn *f*.
skean ['ski:ən] *s. hist. Ir. od. Scot.* Dolch *m*; **'~-'dhu** [-'du:] *s.* Dolchmesser *n*.
ske·dad·dle [ski'dædl] F **I.** *v/i.* ‚türmen', ‚abhauen' (*Reißaus nehmen*); **II.** *s.* ‚Türmen' *n*, Ausreißen *n*.
skee·sicks ['ski:ziks] *s. Am.* F Taugenichts *m*, Strolch *m*.
skeet (**shoot·ing**) [ski:t] *s. sport* Skeetschießen *n*.
skein [skein] *s.* **1.** Strang *m*, Docke *f* (*Wolle etc.*); **2.** Skein *n*, Warp *n* (*Baumwollmaß*); **3.** Kette *f*, Schwarm *m* (*Wildenten etc.*).
skel·e·tal ['skelitl] *adj.* **1.** ⚕ Skelett...; **2.** ske'lettartig; **skel·e·tol·o·gy** [skeli'tɔlədʒi] *s.* Knochenlehre *f*.
skel·e·ton ['skelitn] **I.** *s.* **1.** Ske'lett *n*, Knochengerüst *n*, Gerippe *n* (*alle a. fig.*): *~ in the cupboard, family ~ fig.* dunkler Punkt, Familiengeheimnis; *~ at the feast* Freudenstörer; **2.** ⚘ Rippenwerk *n* (*Blatt*); **3.** △, ⊕ (*Stahl- etc.*)Skelett *n*, (*a. Schiffs-, Flugzeug*)Gerippe *n*; (*a. Schirm-*) Gestell *n*; **4.** *fig.* **a)** Entwurf *m*, Rohbau *m*, **b)** Rahmen *m*; **5. a)** 'Stamm(perso,nal *n*) *m*, **b)** ⚔ Kader *m*, Stammtruppe *f*; **6.** *sport* 'Skeleton *m* (*Schlitten*); **II.** *adj.* **7.** Skelett...: *~ construction* △ Skelettbauweise; **8.** ✝, ⚖ Rahmen...: *~ agreement*; *~ law*; *~ bill* Wechselblankett; *~ wage agreement* Manteltarif; **9.** Stamm...: *~ crew* ⚔ Stammbesatzung; **'~-face type** *s. typ.* Ske'lettschrift *f*.
skel·e·ton·ize ['skelitənaiz] *v/t.* **1.** skelettieren; **2.** *fig.* skizzieren, entwerfen, in großen 'Umrissen darstellen; **3.** *fig.* zahlenmäßig reduzieren.
skel·e·ton| key *s.* Dietrich *m*, Nachschlüssel *m*; **~ serv·ice** *s.* Bereitschaftsdienst *m*.
skelp [skelp] *Scot. od. dial.* **I.** *s.* Klaps *m*, Schlag *m*; **II.** *v/t.* klapsen, schlagen.
skene → *skean*.
skep [skep] *s.* **1.** (Weiden)Korb *m*; **2.** Bienenkorb *m*.
skep·tic *etc. Am.* → *sceptic etc.*
sker·ry ['skeri] *s. bsd. Scot.* Schäre *f*, Riff *n*.
sketch [sketʃ] **I.** *s.* **1.** *paint. etc.* Skizze *f*, Studie *f*; **2.** *lit. etc.* Grundriß *m*, Entwurf *m*; **3.** *fig.* Skizze *f* (*kurze Darstellung*; *a. Erzählung*); **4.** *thea.* Sketch *m*; **II.** *v/t.* **5.** *oft ~ in* (*od. out*) skizzieren; **6.** *fig.* skizzieren, in großen Zügen darstellen; **III.** *v/i.* **7.** e-e Skizze *od.* Skizzen machen; **'~-block, '~-book** *s.* Skizzenblock *m*, -buch *n*.
sketch·i·ness ['sketʃinis] *s.* Skizzenhaftigkeit *f*, 'Unvoll,kommenheit *f*, Oberflächlichkeit *f*; **sketch·y** ['sketʃi] *adj.* □ **1.** skizzenhaft, flüchtig, oberflächlich; **2.** unzureichend: *a ~ meal*; **3.** *fig.* unklar, vage.
skew [skju:] **I.** *adj.* **1.** schief, schräg: *~ bridge* schiefe Brücke; *~ gear* ⊕ Kreisbogenzahnrad; **2.** abschüssig; **3.** ⩚ 'asym,metrisch; **II.** *s.* **4.** △ **a)** schräger Kopf (*Strebepfeiler*), **b)** 'Untersatzstein *m*; **'~-back** *s.* △ schräges 'Widerlager; **'~-bald** *adj.* scheckig (*bsd. Pferd*).
skewed [skju:d] *adj.* schief, abgeschrägt, verdreht; **skew·er** ['skju:ə] **I.** *s.* **1.** Fleischspieß *m*, Speil(er) *m*; **2.** *humor.* Schwert *n*, Dolch *m*; **II.** *v/t.* **3.** *Fleisch* spießen, *Wurst* speilen.
'skew-eyed *adj. Brit.* schielend.
ski [ski:] **I.** *pl.* **ski, skis** *s.* **1.** *sport* Ski *m*, Schi *m*; **2.** ✈ (Schnee)Kufe *f*; **II.** *v/i. pret. u. p.p. Brit.* **ski'd**, *Am.* **skied 3.** *sport* Ski *od.* Schi laufen.
ski·a·gram ['skaiəgræm] → *sciagram*.
skid [skid] **I.** *s.* **1.** Stützbalken *m*; **2.** Ladebalken *m*, Rolle *f*; **3.** Hemmschuh *m*, Bremsklotz *m*; **4.** ✈ (Gleit)Kufe *f*, Sporn(rad *n*) *m*; **5.** Rutschen *n*, *mot. etc.* Schleudern *n*: *~ chain* Schneekette; *~ mark* Bremsspur; *he is on the ~s Am. sl.* es geht abwärts mit ihm; **II.** *v/t.* **6.** *Rad* bremsen, hemmen; **III.** *v/i.* **7.** rutschen; **8.** *mot. etc.* schleudern.
skid·doo [ski'du:] *v/i. sl.* ‚abhauen': *~!* hau ab!
ski·er ['ski:ə] *s. sport* Ski-, Schiläufer(in).
skies [skaiz] *pl. von sky*.
skiff [skif] *s.* ⚓ Skiff *n* (*Ruderboot*).
ski·ing ['ski:iŋ] *s. sport* Ski-, Schilauf *m*, -laufen *n*, -fahren *n*, -sport *m*.
ski|-jor·ing [ski:'jɔ:riŋ] *s. sport* Ski(k)jöring *n*; **'~-jump** *s.* **1.** Ski-, Schisprung *m*; **2.** Sprungschanze *f*; **'~-jump·ing** *s.* Ski-, Schispringen *n*, Sprunglauf *m*.
skil·ful ['skilful] *adj.* □ geschickt: **a)** gewandt, **b)** kunstgerecht (*Arbeit, Operation etc.*), **c)** geübt, (sach)kundig (*at, in* in *dat.*): *to be ~ at* sich verstehen auf (*acc.*); **'skil·ful·ness** [-nis] → *skill*.
skill [skil] *s.* **1.** Geschick(lichkeit *f*) *n*: **a)** (Kunst)Fertigkeit *f*, Können *n*, **b)** Gewandtheit *f*; **2.** (Fach-, Sach)Kenntnis *f* (*at, in* in *dat.*); **'skilled** [-ld] *adj.* **1.** geschickt, gewandt, erfahren (*in* in *dat.*); **2.** Fach...: *~ labo(u)r* Facharbeiter *pl.*; *~ trades* Fachberufe; *~ workman* gelernter Arbeiter, Facharbeiter.
skil·let ['skilit] *s.* **1. a)** Tiegel *m*, **b)** Kasse'rolle *f*; **2.** *Am.* Bratpfanne *f*.
skill·ful(·ness) *Am.* → *skilful(ness)*.
skil·ly ['skili] *s. Brit.* dünner Haferschleim.
skim [skim] **I.** *v/t.* **1.** (*a. fig.* ✝ *Gewinne*) abschöpfen: *to ~ the cream off* den Rahm abschöpfen (*oft fig.*); **2.** abschäumen; **3.** *Milch* entrahmen; **4.** *fig.* (hin)gleiten über (*acc.*); **5.** *fig. Buch etc.* über'fliegen; **II.** *v/i.* **6.** gleiten, streichen (*over* über *acc., along* entlang); **7.** *~ over Buch etc.* flüchtig lesen, überfliegen: *to ~ through* durchblättern; **'skim·mer** [-mə] *s.* **1.** Schaum-, Rahmkelle *f*; **2.** ⊕ Abstreicheisen *n*; **3.** *orn. ein* Scherenschnabel *m*; **4.** ⚓ *Brit.* leichtes Rennboot; **skim milk** *s.* entrahmte Milch, Magermilch *f*; **skim·ming** ['skimiŋ] *s.* **1.** *mst pl. das* Abgeschöpfte; **2.** *pl.* Schaum *m* (*auf Kochgut etc.*); **3.** *pl.* ⊕ Schlaken *pl.*; **4.** Abschöpfen *n*, -schäumen *n*: *~ of excess profit* ✝ Gewinnabschöpfung.
skimp [skimp] *etc.* → *scrimp etc.*
skin [skin] **I.** *s.* **1.** Haut *f* (*a. biol.*): *dark* (*fair*) *~* dunkle (helle) Haut (-farbe); *he is mere ~ and bone* er ist nur noch Haut u. Knochen; *to be in s.o.'s ~ fig.* in j-s Haut stecken; *to get under s.o.'s ~* F **a)** j-m nahegehen, **b)** j-n ärgern; *to have a thick* (*thin*) *~* dickfellig (zartbesaitet) sein; *to save one's ~* mit heiler Haut davonkommen; *by the ~ of one's teeth* mit knapper Not; → *jump out of*; **2.** Fell *n*, Pelz *m*, Balg *m* (*von Tieren*); **3.** (*Obst- etc.*)Schale *f*, Haut *f*, Hülse *f*, Rinde *f*; **4.** ⊕ *etc.* dünne Schicht, Haut *f* (*auf der Milch etc.*); **5.** Oberfläche *f*, *bsd.* **a)** ⚓ Außenhaut *f*, **b)** ✈ Bespannung *f*, **c)** *Ballon-*)Hülle *f*; **6.** (*Wein- etc.*) Schlauch *m*; **7.** *sl.* Klepper *m* (*Pferd*); **II.** *v/t.* **8.** enthäuten, (ab-) häuten, schälen: *to keep one's eyes ~ned* F die Augen offenhalten; **9.** *a. ~ out Tier* abbalgen, -ziehen; **10.** *Knie etc.* aufschürfen; **11.** *sl. j-m* das Fell über die Ohren ziehen, *j-n* ‚rupfen' (*beim Spiel etc.*); **12.** F *Strumpf etc.* abstreifen; **III.** *v/i.* **13.** *~ over* (zu)heilen (*Wunde*); **14.** *~ out Am. sl.* entschlüpfen; **'~-'deep** *adj. u. adv.* (nur) oberflächlich, nicht tiefgehend (*a. fig.*); **~ dis·ease** *s.* Hautkrankheit *f*; **~ div·ing** *s.* Sporttauchen *n*; **'~-flicks** *s. Brit. sl.* Nackt-, Sexfilm *m*; **'~-flint** *s.* Knicker *m*, Geizhals *m*; **'~-fric·tion** *s. phys.* Oberflächenreibung *f*.
skin·ful ['skinful] *s.*: *he had got a ~* F er hatte ‚schwer geladen' (*war betrunken*).
'skin|-game *s. sl.* Schwindel *m*, Bauernfänge'rei *f*; **'~-graft·ing** *s.* ⚕ 'Hauttransplantati,on *f*.
skinned [skind] *adj.* **1.** häutig; **2.** ent-, gehäutet; **3.** *in Zssgn* ...häutig, ...fellig; **'skin·ner** [-nə] *s.* **1.** Pelzhändler *m*, Kürschner *m*; **2.** Abdecker *m*; **'skin·ny** [-ni] *adj.* **1.** häutig; **2.** mager, abgemagert, dünn; **3.** *fig.* knauserig.
'skin|-tight *adj.* hauteng (*Kleidung*); **'~-wool** *s.* Schlachtwolle *f*.
skip¹ [skip] **I.** *v/i.* **1.** hüpfen, hopsen, springen; **2.** seilhüpfen; **3.** *fig.* Sprünge machen; über'schlagen (*in e-m Buch*): *to ~ off* abschweifen; *to ~ over et.* übergehen; **4.** *oft ~ out* F ‚abhauen'; *to ~* (*over*) *to e-n* Abstecher nach *e-m Ort* machen; **II.** *v/t.* **5.** springen über (*acc.*): *to ~* (*a*) *rope* seilhüpfen; **6.** *fig.* über'springen, auslassen, *Buchseite* über'schlagen; **7.** *Am. sl.* **a)** verschwinden aus *e-r Stadt etc.*, **b)** sich von *e-r Verabredung etc.* drücken, *Schule etc.* schwänzen; **8.** F *~ it* ‚abhauen'; **III.** *s.* **9.** Sprung *m* (*a.* ♪), Hopser *m*.
skip² [skip] *Scot.* → *skipper² 3.*
skip³ [skip] *s.* (Stu'denten)Diener *m*.
skip⁴ [skip] *s.* ⊕ Förderkorb *m*.
'skip·jack *s.* **1.** *coll. pl. ichth.* **a)** *ein* Thunfisch *m*, **b)** Blaufisch *m*; **2.** *zo.* Springkäfer *m*; **3.** Stehaufmännchen *n* (*Spielzeug*).
skip·per¹ ['skipə] *s.* **1.** Hüpfer *m*; **2.** flüchtiger Leser; **3.** → *skipjack I.*
skip·per² ['skipə] *s.* **1.** ⚓ Schiffer *m*.

Kapiˈtän *m*; **2.** ✈ F ˈFlugkapiˌtän *m*; **3.** *sport* ˈMannschaftskapiˌtän *m*.

skip·pet [ˈskipit] *s.* (*Siegel*)Kapsel *f*.

skip·ping [ˈskipiŋ] *s.* Hüpfen *n*, (*bsd.* Seil)Springen *n*; ˈ**~-rope** *s.* Springseil *n*.

skirl [skəːl] *Scot. od. dial.* **I.** *v/i.* schrill klingen, pfeifen (*bsd. Dudelsack*); **II.** *s.* Pfeifen *n* (*des Dudelsacks*).

skir·mish [ˈskəːmiʃ] **I.** *s.* **1.** ⚔ Scharˈmützel *n*: *~ line* Schützenlinie; **2.** *fig.* (Wort)Geplänkel *n*; **II.** *v/i.* **3.** plänkeln (*a. fig.*); ˈ**skir·mish·er** [-ʃə] *s.* ⚔ Plänkler *m*, Schütze *m* (*beim Angriff*).

skirt [skəːt] **I.** *s.* **1.** (Frauen)Rock *m*; **2.** *sl.* ‚Weibsbild' *n* ‚Schürze' *f*; **3.** (Rock-, Hemd- *etc.*)Schoß *m*; **4.** Saum *m*, Rand *m* (*fig. oft pl.*); **5.** *pl.* Außenbezirk *m*, Randgebiet *n*; **6.** Kutteln *pl.*: *~ of beef*; **II.** *v/t.* **7. a)** (um)ˈsäumen, **b)** sich entlangziehen an (*dat.*); **8.** entlang- *od.* herˈumgehen *od.* -fahren um; **9.** *fig.* umˈgehen; **III.** *v/i.* **10.** *~ along* am Rande entlanggehen *od.* -fahren, sich entlangziehen; ˈ**skirt·ed** [-tid] *adj.* **1.** e-n Rock tragend; **2.** *in Zssgn* **a)** mit e-m *langen etc.* Rock: *long-~*, **b)** *fig.* eingesäumt; ˈ**skirt·ing** [-tiŋ] *s.* **1.** Rand *m*, Saum *m*; **2.** Rockstoff *m*; **3.** *mst ~-board* △ (*bsd.* Fuß-, Scheuer)Leiste *f*.

skit[1] [skit] *s.* **1.** Sticheˈlei *f*; **2.** *Scot. od. dial.* Spaß *m*; **3.** Paroˈdie *f*, Saˈtire *f* (on über, auf *acc.*).

skit[2] [skit] *s. mst pl.* F ‚Haufen' *m*, Masse *f*.

skit·ter [ˈskitə] *v/i.* **1.** den Angelhaken an der Wasseroberfläche hinziehen; **2.** dicht über der Wasserfläche flattern (*Wildenten etc.*); **3.** *Am.* daˈhinjagen.

skit·tish [ˈskitiʃ] *adj.* □ **1.** ungebärdig, scheu (*Pferd*); **2.** *fig.* **a)** lebhaft, **b)** (kindisch) ausgelassen (*Mädchen, Frau*); ˈ**skit·tish·ness** [-nis] *s.* **1.** Ungebärdigkeit *f*; **2.** Lebhaftigkeit *f*; **3.** (kindische) Ausgelassenheit, Verspieltheit *f*.

skit·tle [ˈskitl] **I.** *s.* **1.** *bsd. Brit.* Kegel *m*; **2.** *pl. sg. konstr.* Kegeln *n*, Kegelspiel *n*: *to play (at) ~s* kegeln; **II.** *int.* **3.** *~s!* F Quatsch!, Unsinn!; **III.** *v/t.* **4.** *~ out Kricket: Schläger od. Mannschaft* zur Strecke bringen; **5.** *~ away Geld etc.* vertun; ˈ**~-al·ley**, ˈ**~-ground** *s.* Kegelbahn *f*.

skive [skaiv] **I.** *v/t.* **1.** *Leder, Fell* spalten; **2.** *Edelstein* abschleifen; **II.** *s.* **3.** Diaˈmantenschleifscheibe *f*; ˈ**skiv·er** [-və] *s.* **1.** Lederspaltmesser *n*; **2.** Spaltleder *n*.

skiv·vy [ˈskivi] *s.* **1.** *Brit.* F *contp.* ‚Dienstbolzen' *m* (*Dienstmädchen*); **2.** *mst pl. Am. sl.* ˈUnterwäsche *f*, -hemd *n*, -hose *f*.

sku·a [ˈskjuːə] *s. orn.* (*great ~* Riesen)Raubmöwe *f*.

skul·dug·ger·y [skʌlˈdʌgəri] *s.* Gauneˈrei *f*, Gemeinheit *f*.

skulk [skʌlk] *v/i.* **1.** sich verstecken, lauern; **2.** (umˈher)schleichen: *to ~ after s.o.* j-m nachschleichen; **3.** sich drücken; ˈ**skulk·er** [-kə] *s.* **1.** Schleicher(in); **2.** Drückeberger (-in); ˈ**skulk·ing** [-kiŋ] *adj.* □ feige.

skull [skʌl] *s.* **1.** *anat.* Schädel *m*, Hirnschale *f*: *fractured ~* ⚕ Schädelbruch; **2.** Totenschädel *m*: *~ and cross-bones* Totenkopf (*Giftzeichen etc.*); **3.** *fig.* Schädel *m* (*Verstand*): *to have a thick ~* ein Brett vor dem Kopf haben; ˈ**~-cap** *s.* **1.** *anat.* Schädeldach *n*; **2.** Käppchen *n*.

skunk [skʌŋk] **I.** *s.* **1.** *zo.* Skunk *m*, Stinktier *n*; **2.** Skunk(s)pelz *m*; **3.** *fig. sl.* ‚Scheißkerl' *m*, ‚Schwein' *n*; **II.** *v/t.* **4.** *sport Am. sl. Gegner* (ohne Gegentor *etc.*) haushoch schlagen.

sky [skai] **I.** *s.* **1.** *oft pl.* (*Wolken-*) Himmel *m*: *in the ~* am Himmel; *out of a clear ~ bsd. fig.* aus heiterem Himmel; *~ advertising* Luftreklame; **2.** *oft pl.* Himmel *m* (*a. fig.*), Himmelszelt *n*, Firmaˈment *n*: *under the open ~* unter freiem Himmel; *to praise to the skies fig.* in den Himmel heben; *the ~ is the limit Am.* F nach oben sind keine Grenzen gesetzt; **3. a)** Klima *n*, **b)** Himmelsstrich *m*, Gegend *f*; **II.** *v/t.* **4.** *Ball etc.* hoch in die Luft schlagen *od.* werfen; **5.** F *Bild* (zu) hoch aufhängen (*in e-r Ausstellung*); ˈ**~-ˈblue I.** *adj.* himmelblau; **II.** *s.* Himmelblau *n*; ˈ**~-clad** *adj. humor.* im ˈAdamskoˌstüm (*nackt*); ˈ**~-div·er** *s. sport* Fallschirmspringer(in); ˈ**~-div·ing** *s. sport* Fallschirmspringen *n*; ˈ**~-ˈhigh** *adj. u. adv.* himmelhoch; ˈ**~-jack I.** *v/t. Flugzeug* entführen; **II.** *s.* Flugzeugentführung *f*; ˈ**~-jack·er** *s.* Flugzeugentführer *m*; ˈ**~-jack·ing** *s.* → *skyjack II*; ˈ**~-lab** *s.* ˈWeltraumlaˌbor *n*; ˈ**~-lark I.** *s.* **1.** *orn.* (Feld)Lerche *f*; **2.** Spaß *m*, Ulk *m*; **II.** *v/i.* **3.** Ulk treiben, umˈhertollen; ˈ**~-lift** *s.* ✈ Luftbrücke *f*; ˈ**~-light** *s.* Oberlicht *n*, Dachfenster *n*; ˈ**~-line** *s.* Horiˈzont (-ˌlinie *f*) *m*, (*Stadt- etc.*)Silhouˈette *f*; **~ pi·lot** *s. sl.* ‚Schwarzrock' *m* (*Geistlicher*); ˈ**~-rock·et I.** *s. Feuerwerk*: Raˈkete *f*; **II.** *v/i.* in die Höhe schießen (*Preise etc.*); ˈ**~-scape** [-skeip] *s. paint.* Wolkenlandschaft *f* (*Bild*); ˈ**~-scrap·er** *s.* Wolkenkratzer *m*; ˈ**~-sign** *s.* ☤ ˈLeuchtreˌklame *f* (*auf Häusern etc.*).

sky·ward [ˈskaiwəd] **I.** *adv.* himmelan, -wärts; **II.** *adj.* himmelwärts gerichtet; ˈ**sky·wards** [-dz] → *skyward I*.

ˈ**sky**|**·way** *s.* ✈ *bsd. Am.* Luftroute *f*; ˈ**~-writ·er** *s.* Himmelsschreiber *m*; ˈ**~-writ·ing** *s.* Himmelsschrift *f*.

slab [slæb] **I.** *s.* **1.** (Meˈtall-, Stein-, Holz- *etc.*)Platte *f*, Tafel *f*, Fliese *f*; **2.** (dicke) Scheibe (*Brot, Fleisch etc.*); **3.** ⊕ Holzschwarte *f*, Schalbrett *n*; **4.** *metall.* Bramme *f* (*Roheisenblock*); **5.** *Am. sl. Baseball*: Schlagmal *n*; **6.** (*westliche USA*) Beˈtonstraße *f*; **II.** *v/t.* **7.** ⊕ **a)** *Stamm* abschwarten, **b)** in Platten *od.* Bretter zersägen.

slack[1] [slæk] **I.** *adj.* □ **1.** schlaff, locker, lose (*a. fig.*): *to keep a ~ rein (od. hand)* die Zügel locker lassen (*a. fig.*); **2. a)** langsam, träge (*Strömung etc.*), **b)** flau (*Brise*); **3.** ☤ flau, lustlos; → *season 3*; **4.** (nach)lässig, lasch: *to be ~ in one's duties* s-e Pflichten vernachlässigen; **5.** *ling.* locker: *~ vowel* offener Vokal; **II.** *s.* **6.** ⚓ Lose *n* (*loses Tauende*); **7.** ⊕ Spiel *n*: *to take up the ~* Druckpunkt nehmen (*beim Schießen*); **8.** ⚓ Stillwasser *n*; **9.** Flaute *f* (*a.* ☤); **10.** F (Ruhe)Pause *f*; **11.** *pl.* Freizeithose *f*; **III.** *v/t.* **12.** *a. ~ off* → *slacken 1*; **13.** *a. ~ up* verlangsamen, -zögern; **14.** → *slake*; **IV.** *v/i.* **15.** → *slacken 5*; **16.** *oft ~ off* **a)** nachlassen, **b)** F trödeln; **17.** *~ up* langsamer werden *od.* fahren.

slack[2] [slæk] *s.* ⚒ Kohlengrus *m*.

slack·en [ˈslækən] **I.** *v/t.* **1.** *Seil, Muskel etc.* lockern, locker machen, entspannen; **2.** lösen; ⚓ *Segel* lose machen; (*Tau*)*Ende* fieren; **3.** *Tempo* verlangsamen, herˈabsetzen; **4.** nachlassen, nachlässig werden in (*dat.*); **II.** *v/i.* **5.** sich lockern, schlaff werden; **6.** *fig.* erlahmen, nachlassen, nachlässig werden; **7.** langsamer werden; **8.** ☤ stocken; ˈ**slacker** [-kə] *s.* Drückeberger(in), Faulpelz *m*; ˈ**slack·ness** [-knis] *s.* **1.** Schlaffheit *f*, Lockerheit *f*; **2.** Flaute *f*, Stille *f* (*a. fig.*); **3.** ☤ Flaute *f*, (Geschäfts)Stockung *f*; Unlust *f*; **4.** Mattigkeit *f*; **5.** Saumseligkeit *f*; **6.** (Nach)Lässigkeit *f*, Trägheit *f*; **7.** ⊕ Spiel *n*, toter Gang.

slack| **suit** *s. Am.* (bequemer) Sport- *od.* Hausanzug; **~ wa·ter** → *slack*[1] *8*.

slag [slæg] **I.** *s.* ⊕ (*geol.* vulˈkanische) Schlacke: *~ concrete* Schlackenbeton; **II.** *v/t. u. v/i.* verschlacken; ˈ**slag·gy** [-gi] *adj.* schlackig.

slain [slein] *p.p. von slay*.

slake [sleik] *v/t.* **1.** *Durst, a. fig. Begierde etc.* stillen; **2.** ⊕ *Kalk* löschen: *~d lime* ⚗ Löschkalk.

sla·lom [ˈsleiləm] *s. sport* ˈSlalom *m*, Torlauf *m*.

slam[1] [slæm] **I.** *v/t.* **1.** *a. ~ to Tür, Deckel* zuschlagen, zuknallen; **2.** *et. auf den Tisch etc.* knallen: *to ~ down et.* hinknallen; **3.** *j-n* schlagen; **4.** *sl. sport* ‚überˈfahren' (*besiegen*); **5.** *Am.* F *j-n* ‚herˈuntermachen'; **II.** *v/i.* **6.** *a. ~ to* zuschlagen (*Tür*); **III.** *s.* **7.** Knall *m*; **IV.** *adv.* **8.** *a. int.* bums(!), peng(!).

slam[2] [slæm] *s. Kartenspiel*: Schlemm *m*.

slan·der [ˈslɑːndə] **I.** *s.* **1.** ⚖ *mündliche* Verleumdung, üble Nachrede; **2.** *allg.* Verleumdung *f*, Klatsch *m*; **II.** *v/t. u. v/i.* **3.** *j-n* verleumden; ˈ**slan·der·er** [-dərə] *s.* Verleumder (-in); ˈ**slan·der·ous** [-dərəs] *adj.* □ verleumderisch.

slang [slæŋ] **I.** *s.* **1.** Slang *m*, Jarˈgon *m*, Sonder-, Berufssprache *f*: *schoolboy ~* Schülersprache; *thieves' ~* Gaunersprache, *das* Rotwelsch; **2.** Slang *m*, saˈloppe ˈUmgangssprache; **II.** *v/t.* **3.** *j-n* (wüst) beschimpfen.

slant [slɑːnt] **I.** *s.* **1.** Schräge *f*, schräge Fläche *od.* Richtung *od.* Linie: *on the (od. on a) ~* schräg, schief; **2.** Abhang *m*; **3.** *Am. fig.* **a)** Tenˈdenz *f*, **b)** Einstellung *f*, Gesichtspunkt *m*: *to take a ~ at Am. sl.* e-n (Seiten)Blick werfen auf (*acc.*); **II.** *adj.* □ **4.** schräg; **III.** *v/i.* **5.** schräg liegen; sich neigen, kippen; **6.** *Am.* tendieren (*towards* zu *et.* hin); **IV.** *v/t.* **7.** schräg legen, kippen, e-e schräge Richtung geben (*dat.*): *~ed* schräg; ˈ**slant-eyed** *adj.* mit schrägstehenden Augen;

schlitzäugig; '**slant·ing** [-tiŋ] *adj.* □ schräg; '**slant·wise** *adj. u. adv.* schräg, schief.

slap [slæp] **I.** *s.* **1.** Schlag *m*, Klaps *m*: *a ~ in the face* e-e Ohrfeige, ein Schlag ins Gesicht (*a. fig.*); **II.** *v/t.* **2.** schlagen, e-n Klaps geben (*dat.*): *to ~ s.o.'s face* j-n ohrfeigen; **3.** → *slam*¹ 2; **III.** *v/i.* **4.** schlagen, klatschen (*a. Regen etc.*); **IV.** *adv.* **5.** F plötzlich, gerade(n)wegs, ‚zack': *I ran ~ into him*; '**~-'bang** *adv.* **1.** par'dauz, bums, peng; **2.** spornstreichs, Knall u. Fall; '**~-dash I.** *adv.* **1.** blindlings, Hals über Kopf; **2.** hoppla'hopp, aufs Gerate'wohl; **II.** *adj.* **3.** heftig, ungestüm; **4.** oberflächlich, schlampig: *~ work*; '**~-hap·py** → *punch-drunk*; '**~-jack** *s. Am.* **1.** Pfannkuchen *m*; **2.** *ein Kinderkartenspiel*; '**~-stick I.** *s.* **1.** (Narren)Pritsche *f*; **2.** *thea.* **a)** Situati'onskomik *f*, Kla'mauk *m*, **b)** Ra'daukoˌmödie *f*, Schwank *m*; **II.** *adj.* **3.** Radau..., Klamauk...: *~ comedy*; *~ picture* Filmschwank; '**~-up** *adj. sl.* erstklassig, piekfein, prima.

slash [slæʃ] **I.** *v/t.* **1.** (auf)schlitzen; zerfetzen; **2.** *Kleid etc.* schlitzen: *~ed sleeve* Schlitzärmel; **3.** peitschen; *Peitsche* knallen lassen; **4.** *fig.* geißeln, kritisieren; **5.** F *Gehalt etc.* stark kürzen, zs.-streichen; **II.** *v/i.* **6.** hauen (*at* nach): *to ~ out* um sich hauen (*a. fig.*); **III.** *s.* **7.** Hieb *m*, Streich *m*; **8.** Schnitt(wunde *f*) *m*; **9.** Schlitz *m*; **10.** Holzschlag *m*; '**slash·ing** [-ʃiŋ] **I.** *s.* **1.** ⚔ Verhau *m*; **II.** *adj.* **2.** schneidend, schlitzend: *~ weapon* ⚔ Hiebwaffe; **3.** *fig.* vernichtend, beißend (*Kritik etc.*).

slat [slæt] *s.* **1.** (Holz- *od.* Me'tall-) Leiste *f*, (*a.* Jalou'sie)Stab *m*; **2.** *pl. sl.* Rippen *pl.*

slate¹ [sleit] **I.** *s.* **1.** *geol.* Schiefer *m*; **2.** (Dach)Schiefer *m*, Schieferplatte *f*; **3.** Schiefertafel *f* (*zum* [*An-*] *Schreiben*): *to have a clean ~ fig.* e-e reine Weste haben; *to clean the ~ fig.* reinen Tisch machen; → *wipe off* 2; **4.** *Film*: Klappe *f*; **5.** *pol. etc. Am.* Kandi'datenliste *f*; **6.** Schiefergrau *n* (*Farbe*); **II.** *v/t.* **7.** *Dach* mit Schiefer decken; **8.** *Am. Kandidaten* (vorläufig) aufstellen, vorschlagen: *to be ~d for* für *e-n Posten* vorgesehen sein; **III.** *adj.* **9.** schieferartig, -farbig; Schiefer...

slate² [sleit] *v/t. sl.* **1.** ‚vermöbeln', prügeln; **2.** *fig.* **a)** *et.* ‚verreißen' (*kritisieren*), **b)** *j-n* abkanzeln.

'**slate|-'blue** *adj.* schieferblau; '**~-club** *s. Brit.* Sparverein *m*; '**~-'gray**, '**~-'grey** *adj.* schiefergrau; '**~-pen·cil** *s.* Griffel *m*.

slat·er ['sleitə] *s.* Schieferdecker *m*.

slath·er ['slæðə] *Am.* F **I.** *v/t.* **1.** dick schmieren *od.* auftragen; **2.** verschwenden; **II.** *s.* **3.** *mst pl.* große Menge.

slat·ing ['sleitiŋ] *s. sl.* **1.** ‚Verriß' *m*, beißende Kri'tik; **2.** Standpauke *f*: *to give s.o. a ~* j-m e-e Standpauke halten.

slat·tern ['slætən] *s.* Schlampe *f*, Schlumpe *f*; '**slat·tern·li·ness** [-linis] *s.* Schlampigkeit *f*; '**slat·tern·ly** [-li] *adj. u. adv.* schlampig, schmudd(e)lig.

slat·y ['sleiti] *adj.* schief(e)rig.

slaugh·ter ['slɔːtə] **I.** *s.* **1.** Schlachten *n*; **2.** *fig.* **a)** Abschlachten *n*, Niedermetzeln *n*, **b)** Gemetzel *n*, Blutbad *n*; → *innocent* 6; **II.** *v/t.* **3.** *Vieh* schlachten; **4.** *fig.* (ab-) schlachten, niedermetzeln; '**slaugh·ter·er** [-ərə] *s.* Schlächter *m* (*a. fig. Mörder*); '**slaugh·ter·house** *s.* **1.** Schlachthaus *n*; **2.** *fig.* Schlachtbank *f*; '**slaugh·ter·ous** [-ərəs] *adj.* □ *rhet.* mörderisch, verheerend.

Slav [slɑːv] **I.** *s.* Slawe *m*, Slawin *f*; **II.** *adj.* slawisch, Slawen...

slave [sleiv] **I.** *s.* **1.** Sklave *m*, Sklavin *f*; **2.** *fig.* Sklave *m*, Arbeitstier *n*: *to work like a ~* → 4; **3.** *fig.* Sklave *m*, Knecht *m* (*to, of gen.*): *a ~ to one's passions*; *a ~ to drink* dem Trunk verfallen; **II.** *v/i.* **4.** schuften, sich schinden; '**~-driv·er** *s.* **1.** Sklavenaufseher *m*; **2.** *fig.* Leuteschinder *m*, Sklaventreiber *m*.

slav·er¹ ['sleivə] *s.* **1.** Sklavenschiff *n*; **2.** Sklavenhändler *m*.

slav·er² ['sleivə] **I.** *v/i.* **1.** geifern, sabbern (*a. fig.*); **II.** *v/t.* **2.** begeifern, besabbern; **III.** *s.* **3.** Geifer *m*, Speichel *m*; **4.** *fig.* Geplapper *n*; **5.** *fig.* Speichellecke'rei *f*, Lobhude'lei *f*.

slav·er·y¹ ['sleivəri] *s.* **1.** Sklave'rei *f* (*a. fig.*); **2.** Sklavenarbeit *f*; *fig.* Placke'rei *f*, Schinde'rei *f*.

slav·er·y² ['sleivəri] *adj.* **1.** mit Geifer bedeckt; **2.** geifernd.

'**slave|-ship** *s.* Sklavenschiff *n*; '**~-trade** *s.* Sklavenhandel *m*; '**~-trad·er** *s.* Sklavenhändler *m*.

slav·ey ['slævi] *s. Brit.* F ‚dienstbarer Geist'.

Slav·ic ['slævik] **I.** *adj.* slawisch; **II.** *s. ling.* Slawisch *n*.

slav·ish ['sleiviʃ] *adj.* **1.** □ sklavisch, Sklaven...; **2.** *fig.* knechtisch, kriecherisch, unter'würfig; **3.** *fig.* sklavisch (*Nachahmung*); '**slav·ish·ness** [-nis] *s.* sklavisches Wesen, Knechtssinn *m*.

slaw [slɔː] *s. Am.* 'Krautsaˌlat *m*.

slay [slei] [*irr.*] **I.** *v/t.* töten, erschlagen; **II.** *v/i.* morden; **slay·er** ['sleiə] *s.* Totschläger(in), Mörder (-in).

slea·zy ['sliːzi] *adj.* dünn (*Gewebe*).

sled [sled] → *sledge*¹ *1*; '**sled·ding** [-diŋ] *s. bsd. Am.* 'Schlittenfahren *n*, -transˌport *m*: *hard* (*smooth*) *~ fig.* schweres (glattes) Vorankommen.

sledge¹ [sledʒ] **I.** *s.* **1. a)** *a.* ⊕ Schlitten *m*, **b)** Rodelschlitten *m*; **2.** *bsd. Brit.* (leichterer) Pferdeschlitten; **II.** *v/t.* **3.** mit e-m Schlitten befördern *od.* fahren; **III.** *v/i.* **4.** Schlitten fahren.

sledge² [sledʒ] ⊕ *s.* **1.** Vorschlag-, Schmiedehammer *m*; **2.** schwerer Treibfäustel; **3.** ⚒ Schlägel *m*; '**~-ham·mer I.** *s.* → *sledge*² *1*; **II.** *adj. fig.* Holzhammer...(*-argumente etc.*); wuchtig, vernichtend (*Schlag*); ungeschlacht (*Stil*).

sleek [sliːk] **I.** *adj.* □ **1.** glatt, glänzend (*Haar*); **2.** geschmeidig, glatt (*Körper*; *a. fig. Wesen*); **3.** *fig.* **a)** gepflegt (*Äußeres*), **b)** schnittig (*Form*); **4.** *fig. b.s.* aalglatt, ölig; **II.** *v/t.* **5.** *a.* ⊕ glätten; *Haar* glatt kämmen *od.* bürsten; ⊕ *Leder* schlichten; '**sleek·ness** [-nis] *s.* Glätte *f*, Geschmeidigkeit *f* (*a. fig.*).

sleep [sliːp] **I.** *v/i.* [*irr.*] **1.** schlafen, ruhen (*beide a. fig. Dorf, Streit, Toter etc.*): *to ~ late* ausschlafen; *to ~ like a log* (*od. top od. dormouse*) schlafen wie ein Murmeltier; *to ~ [up]on* (*od. over*) *s.th.* et. überschlafen; **2.** schlafen, über'nachten; **3.** stehen (*Kreisel*); **II.** *v/t.* [*irr.*] **4.** schlafen: *to ~ the ~ of the just* den Schlaf des Gerechten schlafen; **5.** *~ away Zeit* verschlafen; **6.** *~ off Kopfweh etc.* ausschlafen: *to ~ it off* s-n Rausch *etc.* ausschlafen; **7.** Schlafgelegenheit bieten für; *j-n* 'unterbringen; **III.** *s.* **8.** Schlaf *m*, Ruhe *f* (*a. fig.*): *in one's ~* im Schlaf; *the last ~ fig.* die letzte Ruhe, der Tod(esschlaf); *to get some ~* ein wenig schlafen; *to go to ~* **a)** schlafen gehen, **b)** einschlafen (*a. fig. sterben*); *to put to ~* einschläfern; **9.** *zo.* (Winter)Schlaf *m*; **10.** ⚘ Schlafbewegung *f*; '**sleep·er** [-pə] *s.* **1.** Schläfer(in): *to be a light* (*sound*) *~* e-n leichten (festen) Schlaf haben; **2.** 🚃 **a)** Schlafwagen *m*, **b)** *Brit.* (Eisenbahn)Schwelle *f*; **3.** △ Grundbalken *m*; **4.** *Am. sl.* über'raschender Erfolg *od.* Gewinner; '**sleep·i·ness** [-pinis] *s.* **1.** Schläfrigkeit *f*; **2.** *fig.* Verschlafenheit *f*.

sleep·ing ['sliːpiŋ] *adj.* **1.** schlafend; **2.** Schlaf...: *~ accommodation* Schlafgelegenheit; '**~-bag** *s.* Schlafsack *m*; ♀ **Beau·ty** *s.* Dornrös·chen *n*; '**~-car**, '**~-'car·riage** *s.* 🚃 Schlafwagen *m*; '**~-draught** *s.* Schlaftrunk *m*, -mittel *n*; *~* **part·ner** *s.* † *Brit.* stiller Teilhaber (mit unbeschränkter Haftung); '**~-'sick·ness** *s.* ⚕ Schlafkrankheit *f*; '**~-suit** *s.* (Kinder)Schlafanzug *m*; *~* **tab·let** *s.* ⚕ 'Schlaftaˌblette *f*.

sleep·less ['sliːplis] *adj.* □ **1.** schlaflos; **2.** *fig.* rast-, ruhelos; '**sleep·less·ness** [-nis] *s.* **1.** Schlaflosigkeit *f*; **2.** *fig.* Rast-, Ruhelosigkeit *f*.

'**sleep|-walk·er** *s.* Nachtwandler (-in); '**~-walk·ing I.** *s.* Nacht-, Schlafwandeln *n*; **II.** *adj.* schlafwandelnd; nachtwandlerisch.

sleep·y ['sliːpi] *adj.* □ **1.** schläfrig, müde; **2.** *fig.* schläfrig, schlafmützig, träge; **3.** *fig.* verschlafen, verträumt (*Dorf etc.*); **4.** sehr weich (*Obst*); '**~-head** *s. fig.* Schlafmütze *f*; *~* **sick·ness** *s.* ⚕ Schlafsucht *f* (*Encephalitis lethargica*).

sleet [sliːt] *meteor.* **I.** *s.* **1.** Graupel(n *pl.*) *f*, Schloße(n *pl.*) *f*; **2.** *Wetterdienst*: **a)** *Brit.* Schneeregen *m*, **b)** *Am.* Graupelschauer *m*; **3.** F 'EisˌHüberzug *m auf Bäumen etc.*; **II.** *v/i.* **4.** graupeln; '**sleet·y** [-ti] *adj.* graupelig.

sleeve [sliːv] *s.* **1.** Ärmel *m*: *to have s.th. up* (*od. in*) *one's ~* **a)** et. bereit haben, et. ‚auf Lager' haben, **b)** et. im Schild führen; *to laugh in one's ~* sich ins Fäustchen lachen; *to roll up one's ~s* die Ärmel hochkrempeln (*a. fig.*); **2.** ⊕ Muffe *f*, Buchse *f*, Man'schette *f*; **3.** Schallplattenhülle *f*; **sleeved** [-vd] *adj.* **1.** mit Ärmeln; **2.** *in Zssgn* ...ärmelig; '**sleeve·less** [-lis] *adj.* ärmellos.

'**sleeve|-link** *s.* Man'schettenknopf; '**~-nut** *s.* ⊕ (*doppelte*) Schraub(en)-

muffe; '~-**valve** *s.* ⊕ 'Muffenven-ˌtil *n.*
sleigh [slei] **I.** *s.* (Pferde- *od.* Last-) Schlitten *m*; **II.** *v/i.* (im) Schlitten fahren; '~-**bell** *s.* Schlittenglocke *f*, -schelle *f*.
sleight [slait] *s.* **1.** Geschicklichkeit *f*; **2.** Kunstgriff *m*; '~-**of-'hand** *s.* **1.** (Taschenspieler)Kunststück *n*, (-)Trick *m* (*a. fig.*); **2.** (Finger-) Fertigkeit *f*.
slen·der ['slendə] *adj.* □ **1.** schlank; **2.** schmal, schmächtig; **3.** *fig.* schmal, dürftig: ~ *income*; **4.** gering, schwach: *a* ~ *hope*; **5.** mager, karg (*Essen*); '**slen·der·ize** [-əraiz] *v/t. u. v/i.* schlank(er) machen *od.* werden; '**slen·der·ness** [-nis] *s.* **1.** Schlankheit *f*, Schmalheit *f*; **2.** *fig.* Spärlichkeit *f*; **3.** *fig.* Geringfügigkeit *f*; **4.** Kargheit *f* (*des Essens*).
slept [slept] *pret. u. p.p. von sleep.*
sleuth [slu:θ] **I.** *s. a.* ~-*hound* Spürhund *m* (*bsd. fig. Detektiv*); **II.** *v/i.* ‚schnüffeln' (*bsd. Detektiv*); **III.** *v/t.* *j-s* Spur verfolgen.
slew[1] [slu:] *pret. von slay.*
slew[2] [slu:] *s. Am. od. Canad.* Sumpf (-land *n*, -stelle *f*) *m*.
slew[3] [slu:] **I.** *v/t. a.* ~ *round* her'umdrehen, (-)schwenken; **II.** *v/i.* sich herumdrehen.
slew[4] [slu:] *s. Am.* F (große) Menge, Haufe(n) *m*: *a* ~ *of people.*
slice [slais] **I.** *s.* **1.** Scheibe *f*, Schnitte *f*, Stück *n*: *a* ~ *of bread*; **2.** *fig.* Stück *n Land etc.*; (An)Teil *m*: *a* ~ *of the profits* ein Anteil am Gewinn; *a* ~ *of luck fig.* e-e Portion Glück; **3.** (*bsd.* Fisch)Kelle *f*; **4.** ⊕ Spa(ch)tel *m*; **5.** *Golf*: Schlag *m* mit Rechtsdrall; **II.** *v/t.* **6.** in Scheiben schneiden, aufschneiden: *to* ~ *off Stück* abschneiden; **7.** *a. Luft, Wellen* durch'schneiden; **8.** *fig.* aufteilen; **9.** *Golf*: *dem Ball* e-n Rechtsdrall geben; **III.** *v/i.* **10.** Scheiben schneiden; **11.** *Golf*: dem Ball e-n Rechtsdrall geben; '**slic·er** [-sə] *s.* (*Brot-, Gemüse- etc.*)'Schneidemaˌschine *f*; (*Gurken-, Kraut- etc.*)Hobel *m*.
slick [slik] F **I.** *adj.* □ **1.** glatt, glitschig; **2.** *fig.* geschickt, raffiniert; **3.** flott; **II.** *adv.* **4.** geschickt; **5.** flugs; **6.** genau, ‚peng': ~ *in the eye*; **III.** *v/t.* **7.** ‚auf Hochglanz bringen'; **IV.** *s.* **8.** *a.* ~ *paper Am. sl.* ele'gante Zeitschrift; '**slick·er** [-kə] *s. Am.* **1.** Regenmantel *m*; **2.** F raffinierter Kerl, Schwindler *m*.
slid [slid] *pret. u. p.p. von slide.*
slide [slaid] **I.** *v/i.* [*irr.*] **1.** gleiten (*a. Riegel etc.*): *to* ~ *down* hinunterrutschen, -gleiten; *to* ~ *from* entgleiten (*dat.*); *to let things* ~ *fig.* die Dinge laufen lassen; **2.** *auf Eis* schlittern; **3.** (aus)rutschen; **4.** ~ *over fig.* leicht über *ein Thema* hin'weggehen; **5.** ~ *into fig.* (unversehens) in *et.* geraten *od.* hin'einschlittern; **II.** *v/t.* [*irr.*] **6.** *Gegenstand, s-e Hände etc. wohin* gleiten lassen, schieben: *to* ~ *in fig. Wort* einfließen lassen; **III.** *s.* **7.** Gleiten *n*; **8.** Schlittern *n auf Eis*; **9. a)** Schlitterbahn *f*, **b)** Rodelbahn *f*; **10.** *geol.* Erd-, Fels-, Schneerutsch *m*; **11.** ⊕ **a)** Rutsche *f*, **b)** Schieber *m*, **c)** Führung *f* (*Drehbank etc.*); **12.** ♪ Zug *m*; **13.** Spange *f*; **14.** *phot.* Diaposi'tiv *n*; **15.** *Mikroskop*: Ob'jektträger *m*; ~ **cal·i·per** *s.* ⊕ Schieb-, Schublehre *f*.
slid·er ['slaidə] *s.* **1.** ⊕ Schieber *m*, gleitendes Teil; **2.** ⚡ Schleifer *m*.
'**slide|-rest** *s.* ⊕ Sup'port *m*; '~-**rule** *s.* ⊕ **1.** Rechenschieber *m*; **2.** verschiebbarer Maßstab; '~-**valve** *s.* ⊕ 'Schieber(venˌtil *n*) *m*.
slid·ing ['slaidiŋ] **I.** *adj.* □ **1.** gleitend; **2.** Schiebe...: ~ *door*; ~ **fit** *s.* ⊕ Gleitsitz *m*; ~ **fric·tion** *s. phys.* gleitende Reibung; ~ **roof** *s. mot.* Schiebedach *n*; ~ **rule** → *slide-rule*; ~ **scale** *s.* ✝ **1.** gleitende ('Lohn- *od.* 'Preis)ˌSkala; **2.** 'Staffeltaˌrif *m*; ~ **seat** *s. Rudern*: Gleit-, Rollsitz *m*; ~ **ta·ble** *s.* Ausziehtisch *m*.
slight [slait] **I.** *adj.* □ → *slightly*; **1.** schmächtig, dünn; **2.** schwach (*Konstruktion*); **3.** leicht, schwach (*Geruch etc.*); **4.** leicht, gering(fügig), unbedeutend: *a* ~ *increase*; *not the* ~*est doubt* nicht der geringste Zweifel; **5.** *geistig* unbedeutend, schwach; **6.** oberflächlich; **II.** *v/t.* **7.** *j-n* geringschätzig behandeln, ignorieren, kränken; **8.** *et.* auf die leichte Schulter nehmen; **III.** *s.* **9.** Kränkung *f*; **10.** Geringschätzung *f*, Nichtachtung *f*; '**slight·ing** [-tiŋ] *adj.* □ abschätzig, kränkend; '**slight·ly** [-li] *adv.* leicht, schwach, etwas, ein wenig; '**slight·ness** [-nis] *s.* **1.** Geringfügigkeit *f*; **2.** Schmächtigkeit *f*; **3.** Schwäche *f*.
sli·ly ['slaili] *adv. von sly.*
slim [slim] **I.** *adj.* □ **1.** schlank, dünn; **2.** *fig.* gering, dürftig, schwach: *a* ~ *chance*; **3.** *Brit.* schlau, gerieben; **II.** *v/i.* **4.** e-e Schlankheitskur machen.
slime [slaim] **I.** *s.* **1.** *bsd.* ⚘, *zo.* Schleim *m*; **2.** Schlamm *m*; *fig.* Schmutz *m*; **II.** *v/t.* **3.** mit Schlamm *od.* Schleim über'ziehen *od.* bedecken; **III.** *v/i.* **4.** *Brit. sl.* sich (*heraus- etc.*)winden; '**slim·i·ness** [-minis] *s.* **1.** Schleimigkeit *f*, *das* Schleimige; **2.** Schlammigkeit *f*.
slim·mer ['slimə] *comp. von slim.*
slim·mest ['slimist] *sup. von slim.*
slim·ming ['slimiŋ] **I.** *s.* Abnehmen *n*; Schlankheitskur *f*; **II.** *adj.* Schlankheits...: ~ *cure*; ~ *diet*; '**slim·ness** [-mnis] *s.* **1.** Schlankheit *f*; **2.** *fig.* Dürftigkeit *f*.
slim·y ['slaimi] *adj.* □ **1.** schleimig, glitschig; **2.** *physiol.* mu'cös, Schleim...; **3.** schlammig; **4.** *fig.* schleimig, kriecherisch; **5.** *fig.* schmierig, schmutzig.
sling[1] [sliŋ] **I.** *s.* **1.** Schleuder *f*; **2.** (Schleuder)Wurf *m*; **II.** *v/t.* [*irr.*] **3.** *Stein etc.* schleudern: *to* ~ *ink* ‚Tinte verspritzen', schriftstellern.
sling[2] [sliŋ] **I.** *s.* **1.** Schlinge *f zum Heben von Lasten*; **2.** ⚕ (Arm-) Schlinge *f*, Binde *f*; **3.** Tragriemen *m*; **4.** *mst pl.* ⚓ Stropp *m*, Tauschlinge *f*; **II.** *v/t.* [*irr.*] **5. a)** e-e Schlinge legen um *e-e Last*, **b)** *Last* hochziehen; **6.** aufhängen: *to be slung from* hängen *od.* baumeln von; **7.** ⚔ *Gewehr* 'umhängen; **8.** ⚕ *Arm* in die Schlinge legen.
sling[3] [sliŋ] *s. bsd. Am. Art* Punsch *m*.
'**sling-shot** *s. Am.* (Stein)Schleuder *f*, Kata'pult *m*.
slink [sliŋk] **I.** *v/i.* [*irr.*] **1.** schleichen, sich *wohin* stehlen: *to* ~ *off* wegschleichen, sich fortstehlen; **2.** *zo.* fehlgebären, *bsd.* verkalben (*Kuh*); **II.** *v/t.* [*irr.*] **3.** *Junges* vor der Zeit werfen, *bsd. Kalb* zu früh zur Welt bringen.
slip [slip] **I.** *s.* **1.** (Aus)Gleiten *n*, (-)Rutschen *n*; Fehltritt *m* (*a. fig.*); **2.** *fig.* (Flüchtigkeits)Fehler *m*, Schnitzer *m*, 'Lapsus *m*: ~ *of the pen* Schreibfehler; *it was a* ~ *of the tongue* ich habe mich (er hat sich *etc.*) versprochen; **3.** Verstoß *m*; **4.** 'Unterkleid *n*, -rock *m*; **5.** *pl. Brit.* Badehose *f*; **6.** (Kissen)Bezug *m*; **7.** (Hunde)Leine *f*, Koppel *f*: *to give s.o. the* ~ *fig. j-m* entwischen; **8.** ⚓ (Schlipp)Helling *f*; **9.** ⊕ Schlupf *m* (*Nachbleiben der Drehzahl*); **10.** *geol.* Erdrutsch *m*; **11.** ⚘ Propfreis *n*, Setzling *m*; *fig.* Sprößling *m*; **12.** Streifen *m*, Stück *n Holz, Papier*, Zettel *m*: *a* ~ *of a boy fig.* ein schmächtiges Bürschchen; **13.** (Kon'troll- *etc.*)Abschnitt *m*; **14.** *typ.* Fahne *f*; **15.** *Kricket*: Eckmann *m*; **II.** *v/i.* **16.** gleiten, rutschen: *to* ~ *from der Hand, a. dem Gedächtnis* entgleiten; **17.** sich (hoch- *etc.*)schieben, (ver)rutschen; **18.** sich lösen (*Knoten*); **19.** *wohin* schlüpfen: *to* ~ *away* **a)** *a.* ~ *off* entschlüpfen, -wischen, sich davonstehlen, **b)** *a.* ~ *by* verstreichen (*Tage, Zeit*); *to* ~ *in* sich einschleichen (*a. fig. Fehler etc.*), hineinschlüpfen; *to* ~ *into* in *ein Kleid, Zimmer etc.* schlüpfen *od.* gleiten; *to let an opportunity* ~ sich e-e Gelegenheit entgehen lassen; **20.** *a.* F ~ *up* e-n Fehler machen, ‚stolpern': *he is* ~*ping* F er läßt nach; **III.** *v/t.* **21.** *Gegenstand, s-e Hand etc. wohin* gleiten lassen, (*bsd.* heimlich) *wohin* stecken *od.* schieben: *to* ~ *s.o. s.th.* j-m et. zustecken; *to* ~ *in* **a)** *et.* hineingleiten lassen, **b)** *Bemerkung* einfließen lassen; **22.** *Ring, Kleid etc.* 'über- *od.* abstreifen: *to* ~ *on* (*off*); **23.** *j-m* entwischen; **24.** *j-s Aufmerksamkeit* entgehen: *to have* ~*ped s.o.'s memory* (*od. mind*) j-m entfallen sein; **25.** *et.* fahrenlassen; **26. a)** *Hundehalsband, a. Fessel etc.* abstreifen, **b)** *Hund etc.* loslassen; **27.** *Knoten* lösen; **28.** → *slink* 3; '~-**case** *s.* ('Bücher)Kasˌsette *f*; '~-**cov·er** *s.* Schutzhülle *f* (*für Bücher, Möbel*); '~-**knot** *s.* Laufknoten *m*; '~-**on I.** *s.* Kleidungsstück *n* zum 'Überstreifen, *bsd.* **a)** 'Slipon *m* (*Mantel*), **b)** Pull'over *m*, **c)** Schlupfjacke *f*; **II.** *adj.* Umhänge..., Überzieh...
slip·per ['slipə] **I.** *s.* **1. a)** Pan'toffel *m*, **b)** Slipper *m* (*leichter Haus- od. Straßenschuh*); **2.** ⊕ Hemmschuh *m*; **II.** *v/t.* **3.** *Kind etc.* mit e-m Pantoffel schlagen; '**slip·pered** [-əd] *adj.* Slipper tragend.
slip·per·i·ness ['slipərinis] *s.* **1.** Schlüpf(e)rigkeit *f* (*a. fig. Unsicherheit*); **2.** Unzuverlässigkeit *f*, Gerissenheit *f*; **slip·per·y** ['slipəri] *adj.* □ **1.** schlüpfrig, glatt, glitschig; **2.** *fig.* aalglatt, gerissen (*Person*); **3.** *fig.* zweifelhaft, unsicher; **4.** *fig.* heikel (*Thema*); **slip·py** ['slipi] *adj.*

F **1.** schlüpfrig, glatt; **2.** fix, flink: *look ~!* mach fix!

slip| ring *s.* ⚡ Schleifrad *n*; '**~-road** *s. Brit.* (Autobahn)Zubringerstraße *f*; '**~shod** *adj.* schlampig, schludrig; '**~slop** *s.* F labberiges Zeug (*Getränk*; *a. fig. sentimentales Gewäsch*); '**~-stream** *s.* ✈ Luftschraubenstrahl *m*; '**~-up** *s.* F Flüchtigkeitsfehler *m*, Schnitzer *m*, ‚Panne' *f*; '**~way** *s.* ⚓ Helling *f.*

slit [slit] **I.** *v/t.* [*irr.*] **1.** aufschlitzen, -schneiden; **2.** zerschlitzen; **3.** spalten; **4.** ritzen; **II.** *v/i.* [*irr.*] **5.** reißen, schlitzen, e-n Riß bekommen; **III.** *s.* **6.** Schlitz *m*; '**~-eyed** *adj:* schlitzäugig.

slith·er ['sliðə] *v/i.* schlittern, rutschen, gleiten; '**slith·er·y** [-ðəri] *adj.* schlüpfrig.

sliv·er ['slivə] **I.** *s.* **1.** Splitter *m*, Span *m*; **2.** *Spinnerei*: **a)** Kammzug *m*, **b)** Florband *n*; **II.** *v/t.* **3.** *Span etc.* abspalten; **4.** aufspalten, zersplittern; **III.** *v/i.* **5.** zersplittern.

slob [slɔb] *s.* **1.** *bsd. Ir.* Schlamm *m*; **2.** *sl.* **a)** ‚Bauer' *m*, **b)** Neureiche(r) *m*: *fat ~* fette Sau.

slob·ber ['slɔbə] **I.** *v/i.* **1.** geifern, sabbern; **2.** *~ over* **a)** *j-n* abküssen, -schlecken, **b)** kindisch schwärmen von; **II.** *v/t.* **3.** begeifern, -sabbern; **III.** *s.* **4.** Geifer *m*, Speichel *m*; **5.** *fig.* Salbade'rei *f*, sentimen'tales Gewäsch; '**slob·ber·y** [-əri] *adj.* **1.** sabbernd; **2.** speichelnaß, besabbert; **3.** *fig.* gefühlsduselig.

sloe [slou] *s.* 🌿 **1.** Schlehe *f*; **2.** Schleh-, Schwarzdorn *m*; '**~-worm** → *slow-worm.*

slog [slɔg] **I.** *v/t.* **1.** hart schlagen, (ver)prügeln; **II.** *v/i.* **2.** schlagen, ‚dreschen'; **3.** *~ on, ~ away* **a)** sich da'hinschleppen, **b)** sich ‚'durchbeißen'; **4.** schuften; **III.** *s.* **5.** harter Schlag.

slo·gan ['slougən] *s.* **1.** *Scot.* Schlachtruf *m*; **2.** 'Slogan *m*: **a)** Schlagwort *n*, **b)** ♆ Werbespruch *m.*

slog·ger ['slɔgə] *s.* **1.** *sport* harter Schläger; **2.** *fig.* ‚Arbeitstier' *n.*

sloid → *sloyd.*

sloop [slu:p] *s.* ⚓ **1.** Scha'luppe *f*; **2.** Geleitboot *n*, Kor'vette *f.*

slop[1] [slɔp] **I.** *s.* **1.** Pfütze *f*, Nässe *f*; **2.** *pl.* **a)** Spülicht *n*, **b)** Schmutzwasser *n*; **3.** *pl.* Krankenspeise *f*, -süppchen *n*; **4.** *pl.* ‚dünnes Zeug' (*Getränk*); **5.** *sl.* Salbade'rei *f*; **II.** *v/t.* **6.** verschütten; **III.** *v/i.* **7.** *~ over* 'überschwappen; **8.** *~ over fig.* schwärmen.

slop[2] [slɔp] *s.* **1. a)** lose Jacke, **b)** *pl.* Pluderhose(n *pl.*) *f*; **2.** *pl.* (billige) Konfekti'onskleider *pl.*; **3.** ⚓ ‚Kla'motten' *pl.* (*Kleidung u. Bettzeug*).

slop[3] [slɔp] *s. sl.* ‚Bulle' *m* (*Polizist*).

'**slop-ba·sin** *s.* **1.** 'Untersatz *m*; **2.** → *slop-pail.*

slope [sloup] **I.** *s.* **1.** (Ab)Hang *m*; **2.** Böschung *f*; **3. a)** Neigung *f*, Gefälle *n*, **b)** Schräge *f*, geneigte Ebene: *on the ~* schräg, abfallend; **4.** *geol.* Senke *f*; **5.** *at the ~* ✕ mit Gewehr über; **II.** *v/i.* **6.** sich neigen; (schräg) abfallen; **III.** *v/t.* **7.** neigen, senken; **8.** abschrägen (*a.* ⊕); **9.** schräg legen; **10.** (ab)böschen; **11.** ✕ *Brit. Gewehr* 'übernehmen; **12.** *sl.* **a)** *a. ~ off* ‚abhauen', verschwinden, **b)** *~ about* her'umschlendern; '**slop·ing** ['-piŋ] *adj.* □ schräg, abfallend; ansteigend.

'**slop-pail** *s.* Abfall-, Toi'letteneimer *m.*

slop·pi·ness ['slɔpinis] *s.* **1.** Nässe *f*, Matschigkeit *f*; **2.** Matsch *m*; **3.** Schlampigkeit *f*, Nachlässigkeit *f*; **4.** F Gefühlsduse'lei *f*; **slop·py** ['slɔpi] *adj.* □ **1.** matschig, naß (*Boden etc.*); **2.** naß, bespritzt (*Tisch etc.*); **3.** *fig.* labberig (*Speisen*); **4.** schlampig, nachlässig (*Arbeit etc.*), sa'lopp (*Sprache*); **5.** rührselig.

'**slop-shop** *s. Laden mit billiger Konfektionsware.*

slosh [slɔʃ] **I.** *s.* **1.** → *slush 1 u. 2*; **II.** *v/i.* **2.** im (Schmutz)Wasser her'umpatschen; **3.** quatschen (*Wasser, Schuhe*); **III.** *v/t.* **4.** spritzen; **5.** *sl. j-n* verdreschen.

slot[1] [slɔt] **I.** *s.* **1.** Schlitz(einwurf) *m*; Spalte *f*; **2.** ⊕ Nut *f*: *~ and key* Nut u. Feder (*Metall*); **II.** *v/t.* **3.** ⊕ nuten, schlitzen: *~ting-machine* Nutenstoßmaschine.

slot[2] [slɔt] *s. hunt.* Spur *f.*

sloth [slouθ] *s.* **1.** Faulheit *f*, Trägheit *f*; **2.** *zo.* Faultier *n*; '**sloth·ful** [-ful] *adj.* □ faul, träge; '**sloth·ful·ness** [-fulnis] → *sloth 1.*

'**slot-ma·chine** *s.* ('Waren-, 'Spiel-) Auto‚mat *m.*

slouch [slautʃ] **I.** *s.* **1.** krumme, nachlässige Haltung; **2.** latschiger Gang; **3.** her'abhängende Hutkrempe; **4.** *sl.* ‚Flasche' *f*, ‚Niete' *f* (*Nichtskönner*): *the show is no ~* das Stück ist nicht ohne; **II.** *v/i.* **5.** krumm dasitzen *od.* -stehen; **6.** *a. ~ along* latschen, latschig gehen; **7.** her'abhängen (*Krempe*); **III.** *v/t.* **8.** *Schultern* hängen lassen; **9.** *Krempe* her'unterbiegen; **slouch hat** *s.* Schlapphut *m*; '**slouch·ing** [-tʃiŋ] *adj.* □, '**slouch·y** [-tʃi] *adj.* **1.** krumm (*Haltung*); latschig (*Gang, Haltung, Person*); **2.** her'abhängend (*Krempe*); **3.** schlotterig, schlampig (*Kleidung*).

slough[1] [slau] *s.* Sumpf-, Schmutzloch *n*; Mo'rast *m* (*a. fig.*): ♀ *of Despond* Sumpf der Verzweiflung.

slough[2] [slʌf] **I.** *s.* **1.** abgestreifte Haut (*bsd. Schlange*); **2.** ⚕ Schorf *m*; **II.** *v/i.* **3.** *oft ~ away* (*od. off*) sich häuten; **4.** sich ablösen (*Schorf etc.*); **III.** *v/t.* **5.** *a. ~ off Haut etc.* abstreifen, -werfen; *fig. Gewohnheit etc.* ablegen; '**slough·y** [-fi] *adj.* ⚕ schorfig.

Slo·vak ['slouvæk] **I.** *s.* **1.** Slo'wak (-in); **2.** *ling.* Slo'wakisch *n*; **II.** *adj.* **a. Slo·va·ki·an** [slou'vækiən] **3.** slo'wakisch.

slov·en ['slʌvn] *s.* unordentlicher Mensch, Schlamper *m.*

Slo·vene ['slouvi:n], **Slo·ve·ni·an** [slou'vi:njən] **I.** *s.* **1.** Slo'wene *m*, Slo'wenin *f*; **2.** *ling.* Slo'wenisch *n*; **II.** *adj.* **3.** slo'wenisch.

slov·en·ly ['slʌvnli] *adj. u. adv.* schlampig, schlud(e)rig, nachlässig.

slow [slou] **I.** *adj.* □ **1.** *allg.* langsam: *~ and sure* langsam, aber sicher; *~ train* 🚂 Personenzug; *to be ~ to write* sich mit dem Schreiben Zeit lassen; *to be ~ to take offence* nicht leicht et. übelnehmen; *not to be ~ to do s.th.* et. prompt tun, nicht lange mit et. fackeln; *the clock is 20 minutes ~* die Uhr geht 20 Minuten nach; **2.** all'mählich, langsam: *~ growth*; **3.** säumig (*a. Zahler*); unpünktlich: *to be ~ in arriving* lange ausbleiben; **4.** schwach (*Feuer*); **5.** schleichend (*Fieber*); **6.** ♆ schleppend (*Geschäft*); **7.** schwerfällig, schwer von Begriff, begriffsstutzig: *to be ~ in learning s.th.* et. nur schwer lernen; *to be ~ of speech* e-e schwere Zunge haben; **8.** langweilig, fad(e); **9.** langsam (*Rennbahn*); schwer (*Boden*); **10.** *mot.* Leerlauf...; **II.** *adv.* **11.** langsam: *to go ~ fig.* ‚langsam treten', vorsichtig vorgehen; **III.** *v/t.* **12.** *mst ~ down* (*od. off, up*) **a)** *Geschwindigkeit* verlangsamen, verringern, **b)** *et.* verzögern; '**~-burn·ing stove** *s.* Dauerbrandofen *m*; '**~coach** *s. contp.* Langweiler *m*, ‚Leimsieder' *m*; '**~-down** *s.* Verlangsamung *f*; **~ lane** *s. mot.* Kriechspur *f* (*Autobahn*); '**~-match** *s.* ✕ Zündschnur *f*, Lunte *f*; **~ mo·tion** *s.* Zeitlupentempo *n*; '**~-'mo·tion** *adj.* Zeitlupen...: *~ picture* Zeitlupe(naufnahme).

slow·ness ['slounis] *s.* **1.** Langsamkeit *f*; **2.** Schwerfälligkeit *f*, Begriffsstutzigkeit *f*; **3.** Langweiligkeit *f.*

'**slow|·poke** *Am.* F → *slowcoach*; '**~-speed** *adj.* ⊕ langsam(laufend); **~ time** *s.* ✕ (langsames) Marschtempo; '**~-'wit·ted** → *slow 7*; '**~-worm** *s. zo.* Blindschleiche *f.*

sloyd [slɔid] *s. ped.* 'Werk‚unterricht *m* (*bsd. Schnitzen*).

sludge [slʌdʒ] *s.* **1.** Schlamm *m*, (*a.* Schnee)Matsch *m*; **2.** ⊕ Schlamm *m*, Bodensatz *m*; **3.** Klärschlamm *m*; **4.** Treibeis *n*; '**sludg·y** [-dʒi] *adj.* schlammig, matschig.

slue [slu:] → *slew*[3] *u. slew*[4].

slug[1] [slʌg] **I.** *s. zo.* **1.** (Weg-) Schnecke *f*; **2.** Larve *f*; **II.** *v/i.* **3.** faulenzen.

slug[2] [slʌg] *s.* **1.** Stück *n* 'Rohme‚tall; **2. a)** *hist.* Mus'ketenkugel *f*, **b)** grobes Schrot, **c)** (Luftgewehr-, *bsd.* Pi'stolen)Kugel *f*; **3.** *Am.* Gläs·chen *n Schnaps etc.*; **4.** *typ.* **a)** Re'glette *f*, **b)** 'Setzma‚schinenzeile *f*, **c)** Zeilenguß *m*; **5.** *phys.* Masseneinheit *f.*

slug[3] [slʌg] **I.** *Am. od. dial.* (harter) Schlag; **II.** *v/t.* *j-m* ‚eine knallen'; *j-n* verdreschen.

slug-a-bed ['slʌgəbed] *s.* Langschläfer(in).

slug·gard ['slʌgəd] **I.** *s.* Faulpelz *m*; **II.** *adj.* faul.

slug·ger ['slʌgə] *s.* **1.** *Am.* F *Baseball, Boxen*: harter Schläger; **2.** Berufsboxer *m.*

slug·gish ['slʌgiʃ] *adj.* □ **1.** träge (*a.* ⚕ *Organ*), langsam, schwerfällig; **2.** ♆ schleppend; **3.** träge fließend (*Fluß etc.*); '**slug·gish·ness** [-nis] *s.* Trägheit *f*, Langsamkeit *f*, Schwerfälligkeit *f.*

sluice [slu:s] **I.** *s.* ⊕ **1.** (Wasser-) Schleuse *f*; **2.** Stauwasser *n*; **3.** 'Schleusenka‚nal *m*; **4.** *min.* (Erz-, Gold)Waschrinne *f*; **II.** *v/t.* **5.** *Wasser* ablassen; **6.** *min. Erz etc.* waschen; **7.** *Holz* flößen; **8.** (aus)spülen; III. *v/i.* 9. (aus)strömen; '~-'**gate** *s.* Schleusentor *n*; '~-'**way** → *sluice 3.*

slum [slʌm] I. *s.* 1. schmutzige Gasse; 2. *mst pl.* Slums *pl.*, Elendsviertel *n*; II. *v/i.* 3. *mst go* ~*ming* die Slums aufsuchen (*aus Neugierde od. karitativ*).

slum·ber ['slʌmbə] I. *v/i.* 1. *bsd. poet.* schlummern (*a. fig.*); 2. da'hindösen; II. *v/t.* 3. ~ *away* Zeit verschlafen; III. *s. mst pl.* 4. Schlummer *m*; '**slum·ber·ous** [-bərəs] *adj.* □ 1. schläfrig; 2. einschläfernd; '**slum·brous** [-brəs] → *slumberous.*

slump [slʌmp] I. *v/i.* 1. (hin'ein-)plumpsen; 2. *mst* ~ *down* (in sich) zs.-sacken (*Person*); 3. ✝ fallen, stürzen (*Preise*); 4. 'durchfallen, völlig versagen; II. *s.* 5. ✝ a) (Börsen-, Preis)Sturz *m*, Baisse *f*, b) Wirtschaftskrise *f*, (Geschäfts-, Produkti'ons)Rückgang *m*; 6. *allg.* plötzlicher Rückgang.

slung [slʌŋ] *pret. u. p.p. von sling.*

slung shot *s. Am.* Schleudergeschoß *n.*

slunk [slʌŋk] *pret. u. p.p. von slink.*

slur[1] [slə:] I. *v/t.* 1. *obs. j-n* her'absetzen, verleumden; II. *s.* 2. Makel *m*, (Schand)Fleck *m*; → *cast 13*; 3. Vorwurf *m*, Schimpf *m*: *to put a* ~ *(up)on* a) *j-n* verunglimpfen, verleumden, b) *j-s Ruf etc.* Abbruch tun.

slur[2] [slə:] I. *v/t.* 1. a) undeutlich schreiben, b) *typ.* schmitzen, verwischen; 2. undeutlich aussprechen; *Silbe etc.* verschleifen, -schlucken; 3. ♪ a) *Töne* binden, b) *Noten* mit Bindebogen bezeichnen; 4. *oft* ~ *over* (leicht) über *ein Thema* hin'weggehen; II. *v/i.* 5. undeutlich schreiben *od.* sprechen; 6. ♪ le'gato singen *od.* spielen; III. *s.* 7. Undeutlichkeit *f*; 8. ♪ a) Bindung *f*, b) Bindebogen *m.*

slush [slʌʃ] I. *s.* 1. Schneematsch *m*; 2. Schlamm *m*, Schmutz *m*; 3. ⊕ Schmiere *f*, Rostschutzmittel *n*; 4. ⊕ Pa'pierbrei *m*; 5. *fig.* Gefühlsduse'lei *f*; 6. *fig.* Kitsch *m*, Schund *m*; II. *v/t.* 7. bespritzen; 8. ⊕ schmieren; III. *v/i.* 9. → *slosh 2 u. 3*; **slush fund** *s. pol. Am. sl.* Schmiergelderfonds *m*; '**slush·y** [-ʃi] *adj.* 1. matschig, schlammig, schmutzig (*a. fig.*); 2. sentimen'tal, kitschig.

slut [slʌt] *s.* 1. Schlampe *f*; 2. Hure *f*, ‚Nutte' *f*; 3. *humor.* Luder *n* (*Mädchen*); 4. *Am.* Hündin *f*; '**slut·tish** [-tiʃ] *adj.* □ 1. schlampig, liederlich; 2. schmutzig; 3. *obs.* unzüchtig; '**slut·tish·ness** [-tiʃnis] *s.* Schlampigkeit *f etc.*

sly [slai] *adj.* □ 1. schlau, verschlagen, listig; 2. verstohlen, heimlich, 'hinterhältig: *a* ~ *dog* ein ‚(ganz) Heimlicher'; *on the* ~ insgeheim; 3. verschmitzt, durch'trieben; '**sly·boots** *s. humor.* Pfiffikus *m*, Schlauberger *m*; '**sly·ness** [-nis] *s.* Schlauheit *f etc.*

slype [slaip] *s.* ⚠ (über'dachter) Verbindungsgang *zwischen Querschiff u. Pfarrhaus.*

smack[1] [smæk] I. *s.* 1. (Bei)Geschmack *m* (of von); 2. Prise *f* Salz *etc.*; 3. *fig.* Beigeschmack *m*, Anflug *m* (of von); II. *v/i.* 4. schmecken (of nach); 5. *fig.* schmecken *od.* riechen (of nach).

smack[2] [smæk] I. *s.* 1. Klatsch *m*, Klaps *m*: *a* ~ *in the eye fig.* a) ein Schlag ins Gesicht, b) ein Schlag ins Kontor; 2. Schmatzen *n*; 3. (*Peitschen- etc.*)Knall *m*; 4. Schmatz *m* (*lauter Kuß*); II. *v/t.* 5. *et.* schmatzend genießen; 6. ~ *one's lips* (mit den Lippen) schmatzen, sich die Lippen lecken; 7. *Hände etc.* zs.-schlagen; 8. mit *der Peitsche* knallen; 9. *j-m* e-n Klaps geben; 10. *et.* hinklatschen; III. *v/i.* 11. schmatzen; 12. knallen (*Peitsche etc.*); 13. (hin)klatschen (*on* auf *acc.*); IV. *adv. u. int.* 14. klatsch(!), platsch(!), plauz(!) (*a. gerade, direkt*): *to run* ~ *into s.th.*

smack[3] [smæk] *s.* ⚓ Schmack(e) *f.*

smack·er ['smækə] *s. sl.* 1. Schmatz *m*; 2. Klatsch *m*; 3. *Brit.* ‚tolles Ding'; 4. *Am.* Dollar *m*; '**smack·ing** [-kiŋ] I. *adj.* heftig, frisch: *a* ~ *breeze* e-e steife Brise; II. *s.* Tracht *f* Prügel.

small [smɔ:l] I. *adj.* 1. *allg.* klein; 2. klein, schmächtig; 3. klein, gering (*Anzahl, Ausdehnung, Grad etc.*): *they came in* ~ *numbers* es kamen nur wenige; 4. klein, armselig, dürftig; 5. wenig: ~ *blame to him* das macht ihm kaum Schande; ~ *wonder* kein Wunder; *to have* ~ *cause for* kaum Anlaß zu *Dankbarkeit etc.* haben; 6. klein, mit wenig Besitz: ~ *farmer* Kleinbauer; ~ *tradesman* kleiner Geschäftsmann; 7. klein, (sozi'al) niedrig: ~ *people* kleine Leute; 8. klein, unbedeutend: *a* ~ *man*; *a* ~ *poet*; 9. trivi'al, klein: *the* ~ *worries* die kleinen Sorgen: *a* ~ *matter* e-e Kleinigkeit; 10. klein, bescheiden: *a* ~ *beginning*; *in a* ~ *way* a) bescheiden *leben etc.*, b) im Kleinen *handeln etc.*; 11. *contp.* kleinlich; 12. *b.s.* niedrig (*Gesinnung etc.*): *to feel* ~ sich schämen; *to make s.o. feel* ~ j-n beschämen; 13. dünn (*Bier*); 14. schwach (*Stimme, Puls*); II. *s.* 15. schmal(st)er *od.* verjüngter Teil: ~ *of the back anat. das* Kreuz; 16. → *smalls* 2; 17. → *smalls* 1; '~-**arms** *s. pl.* ⚔ Hand(feuer)waffen *pl.*; ~ **beer** *s.* 1. *obs.* Dünnbier *n*; 2. *bsd. Brit.* a) Lap'palie *f*, b) ‚Null' *f*, unbedeutende Per'son: *to think no* ~ *of o.s.* F e-e hohe Meinung von sich haben; '~-**bore** *adj.* Kleinkaliber...; ~ **cap·i·tals**, ~ **caps** *s. pl. typ.* Kapi'tälchen *pl.*; ~ **change** *s.* 1. Kleingeld *n*; 2. (leere) Redensarten *pl.*; 3. → *small beer* 2; '~-**clothes** *s. pl. hist.* Kniehosen *pl.*; '~-**coal** *s.* Feinkohle *f*, Grus *m*; ~ **fry** *s.* 1. junge, kleine Fische *pl.*; 2. ‚junges Gemüse', *die* Kleinen *pl.*; 3. → *small beer* 2; ~ **hand** *s.* gewöhnliche Schreibschrift; ~ **hold·er** *s. Brit.* Kleinbauer *m*; ~ **hold·ing** *s. Brit.* Kleinlandbesitz *m*; ~ **hours** *s. pl.* die frühen Morgenstunden *pl.*

small·ish ['smɔ:liʃ] *adj.* ziemlich klein.

small| let·ter *s.* Kleinbuchstabe *m*, Mi'nuskel *f*; '~-'**mind·ed** *adj.* engstirnig, kleinlich, kleinkariert.

small·ness ['smɔ:lnis] *s.* 1. Kleinheit *f*; 2. geringe Anzahl; 3. Kleinlichkeit *f.*

small| pi·ca *s. typ.* kleine 'Cicero (-schrift); '~**·pox** *s.* ⚕ Pocken *pl.*, Blattern *pl.*

smalls [smɔ:lz] *s. pl. Brit.* F 1. *ped. erstes Examen der Kandidaten für den Baccalaureusgrad an der Universität Oxford*; 2. Leibwäsche *f.*

small| shot *s.* Schrot *m*, *n*; ~ **talk** *s.* oberflächliche Konversati'on, Geplauder *n*: *he has no* ~ er kann nicht (unverbindlich) plaudern; '~**·time** *adj. Am. sl.* unbedeutend, armselig; ~ **wares** *s. pl.* Kurzwaren *pl.*

smalt [smɔ:lt] *s.* 1. ⚗ S(ch)malte *f*, 'Kobaltblau *n*; 2. 'Kobaltglas *n.*

smar·agd ['smærægd] *s. min.* Sma'ragd *m.*

smarm·y ['smɑ:mi] *adj.* □ *Brit.* F schmierig, kriecherisch.

smart [smɑ:t] I. *adj.* □ 1. klug, gescheit, intelli'gent, pa'tent; 2. geschickt, gewandt; 3. geschäftstüchtig; 4. *b.s.* gerissen, raffiniert; 5. witzig, geistreich(elnd *contp.*); 6. *contp.* ‚'superklug', klugschnackend; 7. flink, fix; 8. schmuck, gepflegt; 9. a) ele'gant, fesch, schick, b) modisch (*Person, Kleidung, Wort etc.*): *the* ~ *set* die elegante Welt; 10. forsch, schneidig: ~ *pace*; 11. hart, empfindlich (*Schlag, Strafe*); 12. scharf (*Schmerz, Kritik etc.*); 13. F beträchtlich; II. *v/i.* 14. schmerzen, brennen; 15. leiden (*from, under* unter *dat.*); 16. *fig.* grollen: *he* ~*ed under the insult* die Kränkung nagte an s-m Herzen; III. *s.* 17. Schmerz *m* (*a. fig.*); ~ **al·eck** ['ælik] *s.* F Neunmalkluge(r) *m*, ‚Klugscheißer' *m*; '~-'**al·eck·y** [-ki] *adj.* F neunmalklug.

smart·en ['smɑ:tn] I. *v/t.* 1. *a.* ~ *up* her'ausputzen; II. *v/i. mst* ~ *up* 2. sich schönmachen, sich ‚in Schale werfen'; 3. *fig.* aufwachen.

'**smart-mon·ey** *s.* Schmerzensgeld *n.*

smart·ness ['smɑ:tnis] *s.* 1. Klugheit *f*, Gescheitheit *f*; 2. Gewandtheit *f*; 3. *b.s.* Gerissenheit *f*; 4. flotte Ele'ganz, Schick *m*; Forschheit *f*; 5. Schärfe *f*, Heftigkeit *f.*

smash [smæʃ] I. *v/t.* 1. *oft* ~ *up* zertrümmern, -schmettern, -schlagen: ~ *in* einschlagen; 2. *j-n* (zs.-)schlagen; *Feind* vernichtend schlagen; *fig. Argument* restlos wider'legen, *Gegner* ‚fertigmachen'; 3. *j-n* (finanzi'ell) ruinieren; 4. *Faust, Stein etc. wohin* schmettern; 5. *Tennis*: *Ball* schmettern; II. *v/i.* 6. zersplittern, in Stücke springen; 7. krachen, knallen (*against* gegen, *through* durch); 8. zs.-stoßen, -krachen (*Autos etc.*); ✈ Bruch machen; 9. *oft* ~ *up* ‚zs.-krachen', bank'rott gehen; *fig.* zuschanden werden; (gesundheitlich) ka'puttgehen; III. *adv.* (*a. int.*) 10. krachend, krach(!); IV. *s.* 11. Zerkrachen *n*; 12. Krach *m*; 13. (*a.* finanzi'eller) Zs.-bruch, Vernichtung *f*, Ru'in *m*: *to go* ~ a) völlig zs.-brechen, b) → 9; 14. *sl.* voller Erfolg; 15. *Tennis*: Schmetterball *m*; 16. *kaltes Branntwein-Mischgetränk*; '~-**and-'grab**

raid [-ʃən'g-] *s.* Schaufenstereinbruch *m.*

smash·er ['smæʃə] *s. sl.* **1.** schwerer Schlag (*a. fig.*); **2.** vernichtendes Argu'ment; **3.** ‚Mordsding' *n*, ‚tolle Sache': *a ~ of a girl* ein tolles Mädchen; **4.** Falschgeldverbreiter *m.*

'smash-hit *s. sl.* Schlager *m*, toller Erfolg.

smash·ing ['smæʃiŋ] *adj.* **1.** *sl.* ‚toll', e'norm; **2.** vernichtend (*Schlag, Niederlage*).

'smash-up *s.* **1.** völliger Zs.-bruch; **2.** Bank'rott *m*; **3.** *mot. etc.* Zs.-stoß *m*; ✈ Bruch(landung *f*) *m.*

smat·ter·er ['smætərə] *s.* Stümper *m*, Halbwisser *m*; Dilet'tant *m*; **'smat·ter·ing** [-təriŋ] *s.* oberflächliche Kenntnis, geringes Wissen.

smear [smiə] **I.** *v/t.* **1.** *Fett etc.* schmieren (*on* auf *acc.*); **2.** *et.* beschmieren, bestreichen (*with* mit); **3.** (ein)schmieren; **4.** *Schrift* verschmieren; **5.** beschmieren, besudeln; **6.** *fig.* **a)** *j-s Ruf etc.* besudeln, **b)** *j-n* verleumden, ‚durch den Dreck ziehen'; **7.** *Am. sl. j-n* schmieren, bestechen; **II.** *v/i.* **8.** schmieren; **9.** sich verwischen; **III.** *s.* **10.** Schmiere *f*; **11.** (Fett-, Schmutz-) Fleck *m*; **12.** *fig.* Besudelung *f*; **13.** ⚕ Abstrich *m*; ~ **cam·paign** *s. pol.* Ver'leumdungskamˌpagne *f*; '~-**case** *s. Am.* Quark *m.*

smear·y ['smiəri] *adj.* □ **1.** schmierig; **2.** verschmiert.

smell [smel] **I.** *v/t.* [*irr.*] **1.** *et.* riechen; **2.** *et.* beriechen, riechen an (*dat.*); **3.** *fig. Verrat etc.* wittern; → *rat 1*; **4.** *fig.* sich *et.* genauer besehen; **5.** ~ *out hunt.* aufspüren (*a. fig. entdecken, ausschnüffeln*); **II.** *v/i.* [*irr.*] **6.** riechen (*at* an *dat.*): *to ~ about* (*od. round*) *fig.* herumschnüffeln; **7.** *gut etc.* riechen: *his breath ~s* er riecht aus dem Mund; **8.** ~ *of* riechen nach (*a. fig.*); **III.** *s.* **9.** Geruch(ssinn) *m*; **10.** Geruch *m*: **a)** Duft *m*, **b)** Gestank *m*; **11.** *fig.* Anflug *m*, -strich *m* (*of* von); **12.** *to take a ~ at s.th.* et. beriechen (*a. fig.*); **'smell·er** [-lə] *s. sl.* **1.** ‚Riechkolben' *m* (*Nase*); **2.** Nasenstüber *m*; **3.** Sturz *m*; **'smell·y** [-li] *adj.* F übelriechend, muffig: ~ *feet* Schweißfüße.

smelt[1] [smelt] *pl.* **smelts** *coll. a.* **smelt** *s. ichth.* Stint *m.*

smelt[2] [smelt] *v/t.* **1.** *Erz* (ein-) schmelzen, verhütten; **2.** *Kupfer etc.* ausschmelzen.

smelt[3] [smelt] *pret. u. p.p. von smell.*

smelt·er ['smeltə] *s.* ⊕ Schmelzer *m*; **'smelt·er·y** [-əri] *s.* ⊕ Schmelzhütte *f.*

smelt·ing ['smeltiŋ] *s.* ⊕ Verhüttung *f*; '~-**fur·nace** *s.* ⊕ Schmelzofen *m.*

smile [smail] **I.** *v/i.* **1.** lächeln (*a. fig. Sonne etc.*): *to ~ at* **a)** *j-m* zulächeln, **b)** *et.* belächeln, lächeln über (*acc.*); *to come up ~ing fig.* mit neuem Mut an e-e Sache gehen; **2.** ~ (*up*)*on fig. j-m* lächeln, hold sein: *fortune ~d on him*; **II.** *v/t.* **3.** ~ *away Tränen etc.* hin'weglächeln; **4.** *to ~ approval* (*consent*) beifällig (zustimmend) lächeln; **III.** *s.* **5.** Lächeln *n*: *to be all ~s* (über das ganze Gesicht) strahlen; **6.** *mst pl.* Gunst *f*; **'smil·ing** [-liŋ] *adj.* □ **1.** lächelnd (*a. fig. heiter*); **2.** *fig.* huldvoll.

smirch [smə:tʃ] **I.** *v/t.* besudeln (*a. fig.*); **II.** *s.* Schmutzfleck *m*; *fig.* Schandfleck *m.*

smirk [smə:k] **I.** *v/i.* affektiert *od.* blöde lächeln, grinsen; **II.** *s.* einfältiges Lächeln, Grinsen *n.*

smite [smait] [*irr.*] **I.** *v/t.* **1.** *bibl., rhet., a. humor.* schlagen (*a. erschlagen, heimsuchen*); **2.** befallen: *smitten with the plague* von der Pest befallen; **3.** *j-n* quälen, peinigen (*Gewissen*); **4.** *fig.* ergreifen, packen: *smitten with* von *Begierde etc.* gepackt; **5.** *fig.* hinreißen: *he was smitten with* (*od. by*) *her charms* er war hingerissen von ihrem Charme; *to be smitten by* (sinnlos) verliebt sein in (*acc.*); **II.** *v/i.* **6.** ~ *upon bsd. fig.* an *das Ohr etc.* schlagen.

smith [smiθ] *s.* Schmied *m.*

smith·er·eens ['smiðə'ri:nz] *s. pl.* F Fetzen *pl.*, Splitter *pl.*: *to smash to ~* in (tausend) Stücke schlagen.

smith·er·y ['smiðəri] *s.* **1.** Schmiedearbeit *f*; **2.** Schmiedekunst *f.*

smith·y ['smiði] *s. bsd. Am.* Schmiede *f.*

smit·ten ['smitn] **I.** *p.p. von smite*; **II.** *adj.* **1.** betroffen, befallen; **2.** hingerissen, ganz weg, verliebt, vernarrt; → *smite 5.*

smock [smɔk] **I.** *s.* **1.** (Arbeits)Kittel *m*; **2.** Kinderkittel *m*; **II.** *v/t.* **3.** *Bluse etc.* smoken, mit Smokarbeit verzieren; '~-**frock** *s.* Fuhrmanns-, Russenkittel *m.*

smock·ing ['smɔkiŋ] *s.* Smokarbeit *f* (*Vorgang u. Verzierung*).

smog [smɔg] *s.* (*aus smoke u. fog*) 'rauchdurchˌsetzter Nebel (*über Großstädten*), Smog *m.*

smok·a·ble ['smoukəbl] *adj.* rauchbar; **smoke** [smouk] **I.** *s.* **1.** Rauch *m* (*a.* ⚗, *phys.*): *like ~ sl.* wie der Teufel; *no ~ without a fire fig.* irgend etwas ist immer dran (*an e-m Gerücht*); **2.** Qualm *m*, Dunst *m*: *to end* (*od. go up*) *in ~ fig.* in nichts zerrinnen, zu Wasser werden; **3.** ⚔ (Tarn)Nebel *m*; **4.** Rauchen *n e-r Zigarre etc.*: *to have a ~* ‚eine' rauchen *od.* anstecken; **5.** F ‚Glimmstengel' *m*, Zi'garre *f*, Ziga'rette *f*; **II.** *v/i.* **6.** rauchen, qualmen (*Schornstein, Ofen etc.*); **7.** dampfen (*a. Pferd*); **8.** ('Tabak) rauchen; **III.** *v/t.* **9.** *Pfeife etc.* rauchen; **10.** ~ *out* **a)** *Räume, a. Ungeziefer* ausräuchern, **b)** *Feind* vertreiben; **11.** *Fisch etc.* räuchern; **12.** *Glas etc.* schwärzen; '~-**ball**, '~-**bomb** *s.* Nebel-, Rauchbombe *f*; '~-**con·sum·er** *s.* Rauchverzehrer *m*; '~-**dried** *adj.* geräuchert; '~-**hel·met** *s.* Rauchmaske *f* (*Feuerwehr*).

smoke·less ['smouklis] *adj.* □ *a.* ⚔ rauchlos.

smok·er ['smoukə] *s.* **1.** Raucher(in): ~'s *heart* ⚕ Nikotinherz; **2.** 🚃 Raucher(abteil *n*) *m*; **3.** → *smoking-concert.*

'smoke|-room *s.* Herren-, Rauchzimmer *n*; '~-**screen** *s.* ⚔ Rauch-, Nebelvorhang *m*; '~-**stack** *s.* ⚓, 🚃, ⊕ Schornstein *m.*

smok·ing ['smoukiŋ] **I.** *s.* **1.** Rauchen *n*; **II.** *adj.* **2.** Rauch...; **3.** Raucher...; '~-**car**, '~-**car·riage**, '~-**com·part·ment** *s.* 🚃 Raucherabteil *n*; '~-**con·cert** *s. Brit. Konzert, bei dem Rauchen gestattet ist*; '~-**room** → *smoke-room.*

smok·y ['smouki] *adj.* □ **1.** qualmend; **2.** rauchig, dunstig, verräuchert; **3.** rauchgrau.

smol·der *Am.* → *smoulder.*

smooch [smu:tʃ] *v/i.* F schmusen, knutschen.

smooth [smu:ð] **I.** *adj.* □ **1.** *allg.* glatt; **2.** glatt, ruhig (*See*): *I am in ~ water now fig.* jetzt habe ich es geschafft; **3.** ⊕ ruhig (*Gang*); *mot. a.* zügig (*Fahren, Schalten*); ✈ glatt (*Landung*); **4.** *fig.* glatt, reibungslos: *to make things ~ for j-m* den Weg ebnen; **5.** fließend, flüssig (*Rede, Musik etc.*); **6.** *fig.* sanft, weich (*Stimme, Ton*); **7.** glatt, gewandt (*Manieren, Person*); *b.s.* aalglatt: *a ~ tongue* e-e glatte Zunge; **8.** *Am. sl.* fesch; **9.** lieblich (*Wein*); **II.** *adv.* **10.** glatt, ruhig: *things have gone ~ with me* bei mir hat alles geklappt; **III.** *v/t.* **11.** glätten (*a. fig.*): *to ~ the way for fig. j-m od. e-r Sache* den Weg ebnen; **12.** besänftigen; **IV.** *v/i.* **13.** → *smooth down 1*;

Zssgn mit adv.:

smooth| a·way *v/t. Schwierigkeiten etc.* wegräumen, ‚ausbügeln'; ~ **down I.** *v/i.* **1.** sich glätten *od.* beruhigen (*Meer etc.*) (*a. fig.*); **II.** *v/t.* **2.** glattstreichen, glätten; **3.** *fig.* besänftigen; **4.** *Streit* schlichten; ~ **out** *v/t. Falte* ausplätten (*from* aus); ~ **o·ver** *v/t. Fehler etc.* bemänteln, beschönigen.

'smooth|-bore *adj.* ⚔ mit glattem Lauf; '~-**faced** *adj.* **1. a)** bartlos, **b)** glattrasiert; **2.** *fig.* glatt, schmeichlerisch; ~ **file** *s.* ⊕ Schlichtfeile *f.*

'smooth·ing|-i·ron ['smu:ðiŋ] *s.* Plätt-, Bügeleisen *n*; '~-**plane** *s.* ⊕ Schlichthobel *m.*

smooth·ness ['smu:ðnis] *s.* **1.** Glätte *f*; **2.** Reibungslosigkeit *f* (*a. fig.*); **3.** *fig.* glatter Fluß, Ele'ganz *f e-r Rede etc.*; **4.** Glätte *f*, Gewandtheit *f*; **5.** Sanftheit *f.*

'smooth-tongued *adj.* glattzüngig, schmeichlerisch.

smote [smout] *pret. von smite.*

smoth·er ['smʌðə] **I.** *v/t.* **1.** *j-n, a. Feuer, Rebellion, Ton* ersticken; **2.** *bsd. fig.* über'häufen (*with* mit *Arbeit etc.*): *to ~ s.o. with kisses* j-n abküssen; **3.** ~ *in* (*od. with*) völlig bedecken mit, einhüllen in (*dat.*), begraben unter (*Blumen, Decken etc.*); **4.** *oft ~ up Gähnen, Wut etc., a. Skandal etc.* unter'drücken; **II.** *v/i.* **5.** ersticken; **III.** *s.* **6.** dicker Qualm; **7.** Dampf-, Dunst-, Staubwolke *f.*

smoul·der ['smouldə] **I.** *v/i.* **1.** glimmen, schwelen (*a. fig. Feindschaft, Rebellion etc.*); **2.** glühen (*a. fig. Augen*); **II.** *s.* **3.** schwelendes Feuer.

smudge [smʌdʒ] **I.** *s.* **1.** Schmutzfleck *m*, Klecks *m*; **2.** qualmendes Feuer (*gegen Mücken, Frost etc.*); **II.** *v/t.* **3.** beschmutzen; **4.** be-, verschmieren, 'vollklecksen; **5.** *fig. Ruf etc.* besudeln; **III.** *v/i.* **6.** schmieren (*Tinte, Papier etc.*); **7.** schmutzig werden; 'smudg·y [-dʒi] *adj.* □ verschmiert, schmierig, schmutzig.

smug [smʌg] **I.** *adj.* □ **1.** *obs.* schmuck; **2.** geschniegelt u. gebügelt; **3.** spießig; **4.** selbstgefällig, blasiert; **II.** *s. univ. Brit. sl.* **5.** Streber *m*; **6.** Außenseiter *m*.

smug·gle ['smʌgl] **I.** *v/t. Waren, a. weitS. Brief, j-n etc.* schmuggeln: *to ~ in* einschmuggeln; **II.** *v/i.* schmuggeln; **'smug·gler** [-lə] *s.* **1.** Schmuggler *m*; **2.** Schmuggelschiff *n*; **'smug·gling** [-liŋ] *s.* Schmuggel *m*, Schleichhandel *m*.

smut [smʌt] **I.** *s.* **1.** Ruß-, Schmutzflocke *f od.* -fleck *m*; **2.** *fig.* Zote(n *pl.*) *f*, Schmutz *m*: *to talk ~* Zoten reißen, ‚schweinigeln'; **3.** ⚘ (*bsd.* Getreide)Brand *m*; **II.** *v/t.* **4.** beschmutzen; **5.** ⚘ brandig machen; **III.** *v/i.* **6.** ⚘ vom Brand befallen werden.

smutch [smʌtʃ] **I.** *v/t.* beschmutzen, schwarz machen; **II.** *s.* schwarzer Fleck.

smut·ty ['smʌti] *adj.* □ **1.** schmutzig, rußig; **2.** *fig.* zotig, ob'szön: *~ joke* Zote; **3.** ⚘ brandig.

snack [snæk] *s.* **1.** Imbiß *m*; **2.** *obs.* Anteil *m*: *to go ~s* teilen; **'~-bar** *s.* Imbißstube *f*.

snaf·fle ['snæfl] **I.** *s.* **1.** Trense *f*; **II.** *v/t.* **2.** *e-m Pferd* die Trense anlegen; **3.** mit der Trense lenken; **4.** *Brit. sl.* ‚klauen' (*stehlen*); **'~-bit** *s.* (Trensen)Gebiß *n*.

sna·fu [snæ'fu:] *Am. sl.* **I.** *adj.* in heillosem Durchein'ander; to'tal versaut; **II.** *s.* heilloses Durcheinander, große Schweine'rei; **III.** *v/t.* durchein'anderbringen, (alles) verpatzen.

snag [snæg] **I.** *s.* **1.** Aststumpf *m*; **2.** *gefährlicher* Baumstumpf (*in Flüssen*); *fig.* Haken *m*, unerwartetes Hindernis: *to strike a ~* auf Schwierigkeiten stoßen; **3. a)** Zahnstumpf *m*, **b)** *Am.* Raffzahn *m*; **II.** *v/t.* **4.** *Boot* gegen e-n Stumpf fahren lassen; **5.** *Fluß* von Baumstümpfen befreien; **snagged** [-gd], **'snag·gy** [-gi] *adj.* **1.** ästig, knorrig; **2.** voller Baumstümpfe (*Fluß*).

snail [sneil] *s.* **1.** *zo.* Schnecke *f* (*a. fig. Faulpelz*): *at a ~'s pace* im Schneckentempo; **2.** → *snail-wheel*; **'~-shell** *s.* Schneckenhaus *n*; **'~-wheel** *s.* ⊕ Schnecke(nrad *n*) *f* (*Uhr*).

snake [sneik] **I.** *s.* Schlange *f* (*a. fig.*): *~ in the grass* **a)** geheime Gefahr, **b)** (falsche) Schlange; *to see ~s* F weiße Mäuse sehen; **II.** *v/i.* sich schlängeln (*a. Weg*); **'snake-charm·er** *s.* Schlangenbeschwörer *m*; **snak·y** ['sneiki] *adj.* □ **1.** Schlangen...; **2.** schlangenartig, gewunden; **3.** *fig.* 'hinterhältig.

snap [snæp] **I.** *s.* **1.** Schnappen *n*, Biß *m*; **2.** Knacken *n*, Knacks *m*, Klicken *n*; **3.** (*Peitschen- etc.*) Knall *m*; **4.** Reißen *n*; **5.** Schnappschloß *n*, Schnapper *m*; **6.** *phot.* Schnappschuß *m*; **7.** *etwa*: Schnipp-Schnapp *n* (*Kartenspiel*); **8.** *fig.* Schwung *m*, Schmiß *m*; **9.** *cold ~* Kältewelle *f*; **II.** *adj.* **10.** Schnapp...; **11.** Schnell...: *~ judgement* (vorschnelles Urteil; *~ vote* Blitzabstimmung; **III.** *adv. u. int.* **12.** knack(s)(!), krach(!), schwapp(!); **IV.** *v/i.* **13.** schnappen (*at* nach *a. fig. e-m Angebot etc.*), zuschnappen: *to ~ at the chance* zugreifen, die Gelegenheit beim Schopfe fassen; *to ~ at s.o.* j-n anschnauzen; **14.** *a. ~ to* zuschnappen, zuknallen (*Schloß, Tür*); **15.** knacken, klicken; **16.** knallen (*Peitsche etc.*); **17.** (zer-) springen, (-)reißen, entzweigehen; **18.** schnellen: *to ~ to attention* ⚔ ‚Männchen bauen'; *~ into it!* F mach Tempo!; *~ out of it!* F komm, komm!; laß das (sein)!; **V.** *v/t.* **19.** (er)schnappen; beißen: *to ~ off* abbeißen; *to ~ s.o.'s head* (*od. nose*) *off* → *snap up 4*; **20.** (zu-) schnappen lassen; **21.** *phot.* knipsen; **22.** zerknicken, -knacken, -brechen, -reißen: *to ~ off* abbrechen; **23.** mit *der Peitsche* knallen; mit *den Fingern* schnalzen: *to ~ one's fingers at fig.* **a)** verhöhnen, -lachen, **b)** *j-m* ein Schnippchen schlagen; **24.** *a. ~ out Wort* her'vorstoßen, bellen; **~ up** *v/t.* **1.** auf-, wegschnappen; **2.** (gierig) an sich reißen, *Angebot* schnell annehmen: *snap it up!* F mach fix!; **3.** *Häuser etc.* aufkaufen; **3. a)** *j-n* anschnauzen, **b)** *j-m* das Wort abschneiden.

'snap|-bolt → *snap-lock*; **'~-drag·on** *s.* **1.** ⚘ Löwenmaul *n*; **2.** Ro'sinenfischen *n aus brennendem Branntwein* (*Spiel*); **'~-fas·ten·er** *s. Näherei*: Druckknopf *m*; **'~-hook** *s.* Kara'binerhaken *m*; **'~-lock** *s.* Schnappschloß *n*.

snap·pish ['snæpiʃ] *adj.* □ **1.** bissig (*Hund, a. Person*); **2.** schnippisch; **'snap·pish·ness** [-nis] *s.* **1.** Bissigkeit *f*; **2.** schnippisches Wesen; **3.** Barschheit *f*.

snap·py ['snæpi] *adj.* □ **1.** → *snappish*; **2.** F schwungvoll, schmissig; **3.** F forsch, flott, zackig: *make it ~!* mach mal fix!

snap| shot *s.* ⚔ Schnellschuß *m* (*ohne Zielen*); **'~·shot** *phot.* **I.** *s.* Schnappschuß *m*, Mo'mentaufnahme *f*; **II.** *v/t.* e-n Schnappschuß machen von, *et.* knipsen.

snare [snɛə] **I.** *s.* **1.** Schlinge *f*, Fallstrick *m* (*beide a. fig.*): *to set a ~ for s.o.* j-m e-e Falle stellen; **2.** ♪ Schnarrsaite *f* (*Trommel*); **II.** *v/t.* **3.** mit e-r Schlinge fangen; **4.** *fig.* um'stricken, fangen, *j-m* e-e Falle stellen; **'~-drum** *s.* ♪ Wirbel-, Schnarrtrommel *f*.

snarl[1] [snɑ:l] *bsd. Am.* **I.** *s.* **1.** Knoten *m*, Fitz *m*; **2.** *fig.* wirres Durchein'ander, Gewirr *n*: *traffic ~ Am.* Verkehrsstockung, -chaos; **II.** *v/t. u. v/i.* **3.** (sich) verwirren; (sich) verfitzen.

snarl[2] [snɑ:l] **I.** *v/i.* wütend knurren, die Zähne fletschen (*Hund, a. Person*); **II.** *v/t. et.* knurren, wütend her'vorstoßen; **III.** *s.* Knurren *n*, Zähnefletschen *n*.

snatch [snætʃ] **I.** *v/t.* **1.** *et.* schnappen, packen, (er)haschen, fangen: *to ~ up* aufraffen; **2.** *fig. Gelegenheit etc.* ergreifen; *et., a. Schlaf* ergattern: *to ~ a hurried meal* rasch et. zu sich nehmen; **3.** *et.* an sich reißen; *a. Kuß* rauben; **4.** *~ (away) from j-m et., a. j-n dem Meer, dem Tod, durch den Tod* entreißen: *he was ~ed away from us* er wurde uns *durch e-n frühen Tod etc.* entrissen; **5.** *~ off* weg-, her'unterreißen; **6.** *Am. sl. Kind* rauben; **II.** *v/i.* **7.** *~ at* schnappen *od.* greifen *od.* haschen nach: *to ~ at the offer fig.* mit beiden Händen zugreifen; **III.** *s.* **8.** Schnappen *n*, schneller Griff: *to make a ~ at* → 7; **9.** *fig.* (kurzer) Augenblick: *~es of sleep*; **10.** *pl.* Bruchstücke *pl.*, ‚Brocken' *pl.*, Aufgeschnappte(s) *n*: *~es of conversation*; *by* (*od. in*) *~es* hastig, ruckweise; **'snatch·y** [-tʃi] *adj.* □ abgehackt, ruckweise, unregelmäßig.

sneak [sni:k] **I.** *v/i.* **1.** (sich *wohin*) schleichen: *to ~ about* herumschleichen, -schnüffeln; *to ~ out of fig.* sich von *et.* drücken, sich aus *e-r Sache* herauswinden; **2.** *ped. Brit. sl.* ‚petzen'; **II.** *v/t.* **3.** *et.* (heimlich) *wohin* schmuggeln; **4.** *sl.* ‚sti'bitzen'; **III.** *s.* **5.** *contp.* Schleicher *m*; **6.** *Brit. sl.* ‚Petzer' *m*; **~ at·tack** *s.* ⚔ Über'raschungsangriff *m* (*mit Ferngeschossen etc.*).

sneak·ers ['sni:kəz] *s. pl. bsd. Am.* leichte Segeltuch-, Turnschuhe *pl.*; **'sneak·ing** [-kiŋ] *adj.* □ **1.** verstohlen; **2.** 'hinterlistig, gemein; **3.** *fig.* heimlich (*Verdacht etc.*).

'sneak-thief *s.* Einsteig-, Gelegenheitsdieb *m*.

sneak·y ['sni:ki] *adj.* □ schleichend, heimtückisch.

sneer [sniə] **I.** *v/i.* **1.** höhnisch grinsen, hohnlächeln, ‚feixen' (*at* über *acc.*); **2.** spötteln (*at* über *acc.*); **II.** *v/t.* **3.** *et.* höhnen(d äußern); **III.** *s.* **4.** Hohnlächeln *n*; **5.** Hohn *m*, Spott *m*, höhnische Bemerkung; **'sneer·er** [-ərə] *s.* Spötter *m*, ‚Feixer' *m*; **'sneer·ing** [-əriŋ] *adj.* □ höhnisch, spöttisch, ‚feixend'.

sneeze [sni:z] **I.** *v/i.* niesen: *not to be ~d at* F nicht zu verachten; **II.** *s.* Niesen *n*; **'~·wort** *s.* ⚘ Sumpfgarbe *f*.

snick [snik] **I.** *v/t.* **1.** (ein)kerben; **2.** *Kricket*: *Ball* leicht (schneidend) anschlagen; **II.** *s.* **3.** Kerbe *f*; **4.** *Kricket*: leichter (geschnittener) Schlag.

snick·er ['snikə] **I.** *v/i.* **1.** kichern; **2.** wiehern; **II.** *v/t.* **3.** F *et.* kichern; **III.** *s.* **4.** Kichern *n*; **'~'snee** [-'sni:] *s. humor.* ‚Dolch' *m* (*Messer*).

snide [snaid] *adj.* abfällig, höhnisch (*Bemerkung etc.*).

sniff [snif] **I.** *v/i.* **1.** schniefen; **2.** schnüffeln (*at* an *dat.*); **3.** *fig.* die Nase rümpfen (*at* über *acc.*); **II.** *v/t.* **4.** *a. ~ in* (*od. up*) durch die Nase einziehen; **5.** schnuppern an (*dat.*); **6.** riechen (*a. fig. wittern*); **III.** *s.* **7.** Schnüffeln *n*; **8.** kurzer Atemzug; **9.** Naserümpfen *n*.

snif·fle ['snifl] *Am.* **I.** *v/i.* **1.** schniefen; **2.** greinen, heulen; **II.** *s.* **3.** Schnüffeln *n*; **4.** *the ~s pl.* laufende Nase, Schnupfen *m*.

sniff·y ['snifi] *adj.* □ F **1.** naserümpfend, hochnäsig, verächtlich; **2.** muffig.

snif·ter ['sniftə] *s.* **1.** Schnäps-chen *n*, ‚Gläs-chen' *n*; **2.** *Am.* 'Kognakschwenker *m*.

'snift·ing-valve ['sniftiŋ] *s.* ⊕ 'Schnüffelven,til *n*.

snig·ger ['snigə] → *snicker*.

snip [snip] **I.** *v/t.* **1.** schnippeln, schnipseln, schneiden; **2.** *Fahrkarte* knipsen; **II.** *s.* **3.** Schnitt *m*; **4.** Schnippel *m*, Schnipsel *m*, *n*; **5.** F Schneider *m*; **6.** *sl.* **a)** todsichere Sache, **b)** günstige (Kauf)Gelegenheit: *it's a* ~!

snipe [snaip] **I.** *s.* **1.** *orn.* Schnepfe *f*; **II.** *v/i.* **2.** *hunt.* Schnepfen jagen *od.* schießen; **3.** ⚔ aus dem ˈHinterhalt schießen (*at* auf *acc.*); **III.** *v/t.* **4.** ⚔ abschießen, ‚wegputzen'; ˈ**sniper** [-pə] *s.* ⚔ Scharf-, Heckenschütze *m*.

snip·pet [ˈsnipit] *s.* **1.** (Paˈpier-)Schnipsel *m*, *n*; **2.** *pl. fig.* Bruchstücke *pl.*

snitch [snitʃ] *sl.* **I.** *v/t.* ‚klauen', stiˈbitzen; **II.** *v/i.* ~ *on j-n* ‚verpetzen'.

sniv·el [ˈsnivl] **I.** *v/i.* **1.** schniefen; **2.** schluchzen, wimmern; **3.** wehleidig tun; **4.** scheinheilig tun; **II.** *v/t.* **5.** *et.* (herˈaus)schluchzen; **III.** *s.* **6.** Nasenschleim *m*, ‚Rotz' *m*; **7.** Geplärr *n*; **8.** weinerliches *od.* scheinheiliges Getue; ˈ**sniv·el·(l)er** [-lə] *s.* ‚Heulsuse' *f*; ˈ**sniv·el·(l)ing** [-liŋ] **I.** *adj.* **1.** triefnasig; **2.** wehleidig, weinerlich; **II.** *s.* **3.** → *snivel 7 u. 8.*

snob [snɔb] *s.* Großtuer(in), Snob *m*; ˈ**snob·ber·y** [-bəri] *s.* Vornehmtueˈrei *f*, (*a. schöngeistiger*) Snoˈbismus; ˈ**snob·bish** [-biʃ] *adj.* □ snoˈbistisch.

snook [snu:k] *Brit. sl.* **I.** *s.*: *to cock a* ~ *at j-m* e-e lange Nase machen; **II.** *int.*: ~*s!* ätsch!

snook·er (**pool**) [ˈsnu:kə] *s.* Art ˈBillardspiel *n*.

snoop [snu:p] *bsd. Am.* F **I.** *v/i.* **1.** *a.* ~ *around* herˈumschnüffeln, -schleichen; **II.** *s.* **2.** Schnüffeˈlei *f*; **3.** *a.* ˈ**snoop·er** [-pə] Schnüffler *m*; ˈ**snoop·y** [-pi] *adj.* F schnüffelnd, neugierig.

snoot [snu:t] *s. Am.* F **1.** ‚Schnauze' *f* (*Nase, Gesicht*); **2.** Griˈmasse *f*; ‚Schnute' *f*; ˈ**snoot·y** [-ti] *adj. Am.* F ‚großkotzig', hochnäsig, patzig.

snooze [snu:z] **I.** *v/i.* **1.** ein Nickerchen machen; **2.** dösen; **II.** *v/t.* **3.** ~ *away Zeit* vertrödeln; **III.** *s.* **4.** Nickerchen *n*: *to have a* ~ → *1.*

snore [snɔ:] **I.** *v/i.* schnarchen; **II.** *s.* Schnarchen *n*; **snor·er** [ˈsnɔ:rə] *s.* Schnarcher *m*.

snor·kel [ˈsnɔ:kəl] *s.* ⚓, ⚔ Schnorchel *m*.

snort[1] [snɔ:t] **I.** *v/i.* (*a.* wütend *od.* verächtlich) schnauben; **II.** *v/t.* *a.* ~ *out Worte* (wütend) schnauben; **III.** *s.* Schnauben *n*.

snort[2] [snɔ:t] *Brit.* → *snorkel*.

snort·er [ˈsnɔ:tə] *s. sl.* **1.** heftiger Sturm; **2.** Schlag *m* auf die Nase; **3.** Mordsding *n*; **4.** Mordskerl *m*; ˈ**snort·y** [-ti] *adj. fig.* **1.** gereizt; **2.** naserümpfend.

snot [snɔt] *s.* Rotz *m*; ˈ**snot·ty** [-ti] *adj.* □ **1.** V rotzig, Rotz...; **2.** F ‚dreckig', gemein; **3.** übellaunig; **4.** *Am. sl.* patzig, schnodd(e)rig.

snout [snaut] *s.* **1.** *zo.* Schnauze *f* (*a.* F *fig. Nase, Gesicht*); **2.** ‚Schnauze' *f*, Vorderteil *n* (*Auto etc.*); **3.** ⊕ Schnabel *m*, Tülle *f*.

snow [snou] **I.** *s.* **1.** Schnee *m* (*a.* ⌂ *u. Küche*); **2.** Schneefall *m*; **3.** *pl.* Schneemassen *pl.*; **4.** *sl.* ‚Koks' *m* (*Kokain*); **II.** *v/i.* **5.** schneien: *to* ~ *in* hereinschneien (*a. fig.*); ~*ed in* (*od. up, Am. under*) eingeschneit; *to be* ~*ed under* **a)** *mit Arbeit etc.* überhäuft sein, *von Sorgen etc.* erdrückt werden, **b)** *pol. Am. in e-r Wahl* vernichtend geschlagen werden; **6.** *fig.* regnen, hageln; **III.** *v/t.* **7.** herˈunterrieseln lassen; ˈ~**·ball I.** *s.* **1.** Schneeball *m*; **2.** *Brit. Fonds, der sich durch Werben der Mitglieder ständig vergrößert*; **3.** (Apfel)Reispudding *m*; **4.** ⚘ Schneeball *m*; **II.** *v/t.* **5.** Schneebälle werfen auf; **III.** *v/i.* **6.** mit Schneebällen werfen; **7.** *fig.* laˈwinenartig anwachsen; ˈ~**·ball-tree** *s.* ⚘ Schneeball *m*; ˈ~**·bank** *s.* Schneewehe *f*; ˈ~**·bird**[1] → *snow bunting*; ˈ~**·bird**[2] *s. sl.* Kokaˈinschnupfer *m*; ˈ~**-blind** *adj.* schneeblind; ˈ~**-bound** *adj.* eingeschneit, durch Schnee(massen) abgeschnitten; ~ **bun·ting** *s. orn.* Schneeammer *f*; ˈ~**-cap** *s. orn. ein* ˈKolibri *m*; ˈ~**-capped** *adj.* schneebedeckt; ˈ~**-drift** *s.* Schneewehe *f*; ˈ~**·drop** *s.* ⚘ Schneeglöckchen *n*; ˈ~**-fall** *s.* Schneefall *m*, -menge *f*; ˈ~**-field** *s.* Schneefeld *n*; ˈ~**-gog·gles** *s. pl.* Schneebrille *f*; ˈ~**-line** *s.* Schneegrenze *f*; ˈ~**·man** *s.* [*irr.*] Schneemann *m*: *to build a* ~ e-n Schneemann bauen; ˈ~**·mo·bile** [-məbi:l] *s.* ˈMotorschlitten *m*; ˈ~**-plough**, *Am.* ˈ~**·plow** *s.* Schneepflug *m* (*a. beim Skifahren*); ˈ~**-shoe I.** *s.* Schneeschuh *m*; **II.** *v/i.* auf Schneeschuhen gehen; ˈ~**-slip** *s.* Schneerutsch *m*, Laˈwine *f*; ˈ~**-storm** *s.* Schneesturm *m*; ~ **tire** (*Brit.* **tyre**) *s. mot.* Matsch-und-ˈSchnee-Reifen *m*, M-und-ˈS-Reifen *m*; ˈ~**-ˈwhite** *adj.* schneeweiß; ♀ **White** *npr.* Schneeˈwittchen *n*.

snow·y [ˈsnoui] *adj.* □ **1.** schneeig; **2.** schneebedeckt, Schnee...; **3.** schneeweiß.

snub[1] [snʌb] **I.** *v/t.* **1.** *j-n* rüffeln; **2.** *j-n* abfahren lassen, kurz abfertigen; **3.** *j-n* verächtlich behandeln; **II.** *s.* **4.** Rüffel *m*, Verweis *m*; schroffe Abfertigung.

snub[2] [snʌb] *adj.* stumpf: ~ *nose* Stumpf-, Stupsnase; ˈ~**-nosed** *adj.* stupsnasig.

snuff[1] [snʌf] **I.** *v/t.* **1.** *a.* ~ *up* durch die Nase einziehen; **2.** beschnüffeln; **II.** *v/i.* **3.** schnüffeln (*at* an *dat.*); **4.** (Schnupftabak) schnupfen; **III.** *s.* **5.** Atemzug *m*, Einziehen *n*; **6.** ˈSchnupfˌtabak *m*, Prise *f*: *to take* ~ schnupfen; *to be up to* ~ *sl.* auf Draht sein, die Kniffe kennen; *to give s.o.* ~ F *fig.* j-m ‚Saures geben'.

snuff[2] [snʌf] **I.** *s.* **1.** Schnuppe *f e-r Kerze*; **II.** *v/t.* **2.** *Kerze* putzen; **3.** ~ *out* auslöschen (*a. fig.*); *fig.* ersticken, vernichten; **III.** *v/i.* **4.** ~ *out* F ‚abkratzen' (*sterben*).

ˈ**snuff|-box** *s.* ˈSchnupftabaksdose *f*; ˈ~**-col·o(u)red** *adj.* gelbbraun, ˈtabakfarben.

snuf·fers [ˈsnʌfəz] *s. pl.* Lichtputzschere *f*.

snuf·fle [ˈsnʌfl] **I.** *v/i.* **1.** schnüffeln, schnuppern; **2.** schniefen; **3.** (*a.* scheinheilig) näseln; **II.** *v/t.* **4.** *mst* ~ *out et.* näseln; **III.** *s.* **5.** Schnüffeln *n*; **6.** (*a.* scheinheiliges) Näseln; **7.** *the* ~*s pl.* → *sniffle 4*.

ˈ**snuff|-tak·er** *s.* Schnupfer(in); ˈ~**-tak·ing** *s.* (ˈTabak)Schnupfen *n*.

snuff·y [ˈsnʌfi] *adj.* **1.** ˈschnupfˌtabakartig; **2.** voll *od.* beschmutzt mit ˈSchnupfˌtabak; **3.** F ‚verschnupft', ‚eingeschnappt' (*verärgert*).

snug [snʌg] **I.** *adj.* □ **1.** gemütlich, behaglich, traulich; **2.** geborgen, gut versorgt: *as* ~ *as a bug in a rug* F wie die Made im Speck; **3.** angenehm; **4.** auskömmlich, ‚hübsch' (*Einkommen etc.*); **5.** komˈpakt, ordentlich; **6.** eng anliegend (*Kleid*): ~ *fit* **a)** guter Sitz, **b)** ⊕ Paßsitz; **7.** ⚓ schmuck, seetüchtig (*Schiff*); **8.** verborgen: *to keep s.th.* ~ et. geheim halten; *to lie* ~ sich verborgen halten; **II.** *v/i.* **9.** → *snuggle I*; **III.** *v/t.* **10.** *oft* ~ *down* gemütlich *od.* bequem machen; **11.** *mst* ~ *down* ⚓ *Schiff* auf Sturm vorbereiten; ˈ**snug·ger** [-gə] *comp. von snug*; ˈ**snug·ger·y** [-gəri] *s.* behagliche Bude, warmes Nest (*Zimmer etc.*); ˈ**snug·gest** [-gist] *sup. von snug*; ˈ**snug·gle** [-gl] **I.** *v/i.* sich schmiegen *od.* kuscheln ([*up*] *in* in *e-e Decke, up to* an *acc.*): *to* ~ *down* sich behaglich niederlegen; **II.** *v/t.* an sich schmiegen, liebkosen.

so [sou; so] **I.** *adv.* **1.** (*mst vor adj. u. adv.*) so, dermaßen: *I was* ~ *surprised*; *not* ~ ... *as* nicht so ... wie; ~ *great a man* ein so großer Mann; → *far 3, much Redew.*; **2.** (*mst exklamatorisch*) (ja) so, ˈüberaus: *I am* ~ *glad!*; **3.** so, in dieser Weise: *and* ~ *on* (*od. forth*) und so weiter; *is that* ~? wirklich?; ~ *as to* so daß, um zu; ~ *that* so daß; *or* ~ etwa, oder so; ~ *saying* mit *od.* bei diesen Worten; → *if 1*; **4.** (*als Ersatz für ein Prädikativum od. e-n Satz*) **a)** es, das: *I hope* ~ ich hoffe (es); *I have never said* ~ das habe ich nie behauptet, **b)** auch: *you are tired,* ~ *am I* du bist müde, ich (bin es) auch, **c)** allerdings, ja: *are you tired?* ~ *I am* bist du müde? ja *od.* allerdings; *I am stupid!* ~ *you are* ich bin dumm! allerdings (das bist du); **5.** so ... daß: *it was* ~ *hot I took my coat off*; **II.** *cj.* **6.** daher, folglich, also, und so, so ... denn: *it was necessary* ~ *we did it* es war nötig, und so taten wir es (denn); ~ *you came after all!* du bist also doch (noch) gekommen!

soak [souk] **I.** *v/i.* **1.** sich vollsaugen, durchˈtränkt werden: ~*ing wet* tropfnaß; **2.** (ˈdurch)sickern; **3.** *fig.* langsam *ins Bewußtsein* einsickern *od.* -dringen; **4.** *sl.* ‚saufen'; **II.** *v/t.* **5.** *et.* einweichen; **6.** durchˈtränken, -ˈnässen, -ˈfeuchten; ⊕ *a.* imprägnieren (*in* mit); **7.** ~ *o.s. in fig.* sich versenken in; **8.** ~ *in* einsaugen: *to* ~ *up* **a)** aufsaugen, **b)** *fig. Wissen etc.* in sich aufnehmen; **9.** *sl. et.* ‚saufen'; **10.** *sl. j-n* ‚schröpfen'; **11.** *sl. j-n* verdreschen; **III.** *s.* **12.** Einweichen *n*, Durchˈtränken *n*; ⊕ Imprägnieren *n*; **13.** *sl.* **a)** Säufer *m*, **b)** Saufeˈrei *f*; **14.** F Regenguß *m*, ‚Dusche' *f*; **15.** *Am. sl.* schwerer Schlag; ˈ**soak·age** [-kidʒ] *s.* **1.** ˈDurchsickern *n*; **2.** ˈdurchgesickerte Flüssigkeit, Sickerwasser *n*; ˈ**soak·er** [-kə] *s.* F **1.** Säufer *m*; **2.** → *soak 14*.

'so-and-so ['souənsou] *s.* Soundso *m, f*: *Mr.* ~ Herr Soundso.

soap [soup] **I.** *s.* **1.** Seife *f* (*a.* ⚗); **II.** *v/t.* **2.** (ein-, ab)seifen; **3.** *a.* ~ *down fig.* → *soft-soap*; **'~-boil·er** *s.* ⊕ Seifensieder *m*; **'~-box I.** *s.* **1.** 'Seifenkiste *f*, -karˌton *m*; **2.** ‚Seifenkiste' *f*, improvisierte Rednerbühne; **II.** *adj.* Seifenkisten...: ~ *derby* Seifenkistenrennen; ~ *orator* Straßenredner; **'~-bub·ble** *s.* Seifenblase *f* (*a. fig.*); **'~-dish** *s.* Seifennapf *m*; **~ op·er·a** *s. Am.* rührseliges Hör- *od.* Fernsehspiel *in Fortsetzungen*; **'~-stone** *s. min.* Seifen-, Speckstein *m*; **'~-suds** *s.pl.* Seifenlauge *f*, -wasser *n*; **'~-works** *s.pl. oft sg. konstr.* Seifensiede'rei *f*; **'~-wort** *s.* ♀ Seifenkraut *n*.

soap·y ['soupi] *adj.* □ **1.** seifig; **2.** *fig.* ölig, schmeichlerisch.

soar [sɔː] *v/i.* **1.** (hoch) aufsteigen, sich erheben (*Vogel, Berge etc.*); **2.** in großer Höhe schweben; **3.** ✈ segelfliegen, segeln; **4.** *fig.* sich em'porschwingen (*Geist*): *~ing thoughts* hochfliegende Gedanken; **5.** ✝ in die Höhe schnellen (*Preise*); **soar·ing** ['sɔːriŋ] **I.** *adj.* □ **1.** hochfliegend (*a. fig.*); **2.** *fig.* em'porstrebend; **II.** *s.* **3.** ✈ Segeln *n*.

sob [sɔb] **I.** *v/i.* schluchzen; **II.** *v/t.* *a.* ~ *out Worte* (her'aus)schluchzen; **III.** *s.* Schluchzen *n*; schluchzender Laut: ~ *sister sl.* **a)** Briefkastenonkel, -tante (*Frauenzeitschrift*), **b)** Verfasser(in) rührseliger Romane *etc.*; ~ *stuff sl.* rührseliges Zeug, ‚Druck auf die Tränendrüse'.

so·ber ['soubə] **I.** *adj.* □ **1.** nüchtern: **a)** nicht betrunken, **b)** *fig.* sachlich: ~ *facts* nüchterne Tatsachen; *in* ~ *fact* nüchtern betrachtet, **c)** unauffällig, gedeckt (*Farbe etc.*); **2.** mäßig; **II.** *v/t. u. v/i.* **3.** *oft* ~ *down* (sich) ernüchtern; **'~-'mind·ed** *adj.* besonnen, nüchtern; **'~-sides** *s.* fader Kerl, ‚Trauerkloß' *m*, Spießer *m*.

so·bri·e·ty [sou'braiəti] *s.* **1.** Nüchternheit *f* (*a. fig.*); **2.** Besonnenheit *f*; **3.** Ernst(haftigkeit *f*) *m*.

so·bri·quet ['soubrikei] (*Fr.*) *s.* Spitzname *m*.

soc·age ['sɔkidʒ] *s.* ⚖ *hist.* **1.** Lehensleistung *f* (*ohne Verpflichtung zum Ritter- u. Heeresdienst*); **2.** Frongut *n*.

'so-'called ['sou-] *adj.* sogenannt, angeblich.

soc·cage → *socage*.

soc·cer ['sɔkə] F **I.** *s. sport* (Verbands)Fußball *m* (*Spiel*); **II.** *adj.* Fußball...: ~ *team*; ~ *ball* Fußball (*Ggs. Rugbyball*).

so·cia·bil·i·ty [souʃə'biliti] *s.* Geselligkeit *f*, 'Umgänglichkeit *f*; **so·cia·ble** ['souʃəbl] **I.** *adj.* □ **1.** gesellig, 'umgänglich, freundlich; **2.** gesellig, gemütlich, ungezwungen: ~ *evening*; **II.** *s.* **3.** Kremser *m* (*Kutschwagen*); **4.** Zweisitzer *m* (*Dreirad etc.*); **5.** Plaudersofa *n*; **6.** F → *social* 7.

so·cial ['souʃəl] **I.** *adj.* □ **1.** *zo. etc.* gesellig; **2.** gesellschaftlich, Gesellschafts..., sozi'al, Sozial...: ~ *contract hist.* Gesellschaftsvertrag; ~ *criticism* Sozialkritik; ~ *evil die* Prostitution; ~ *order* Gesellschaftsordnung; ~ *rank* gesellschaftlicher Rang, soziale Stellung; ~ *register* Prominentenliste; ~ *science* Sozialwissenschaft; **3.** sozial, Sozial...: ~ *insurance* Sozialversicherung; ~ *insurance contribution* Sozialbeitrag; ~ *policy* Sozialpolitik; ~ *security* **a)** soziale Sicherheit, **b)** Sozialversicherung; ~ *services* Sozialeinrichtungen; ~ *work* Sozial-, Fürsorgearbeit; ~ *worker* Sozialarbeiter(in), -fürsorger(in); *to be on* ~ *security* Fürsorgeunterstützung beziehen; **4.** *pol.* sozia'listisch, Sozial...: ♀ *Democrat* Sozialdemokrat; **5.** gesellschaftlich, gesellig: ~ *activities* gesellschaftliche Veranstaltungen; **6.** → *sociable 1*; **II.** *s.* **7.** geselliges Bei'sammensein; **'so·cial·ism** [-ʃəlizəm] *s. pol.* Sozia'lismus *m*; **'so·cial·ist** [-ʃəlist] **I.** *s.* Sozia'list(in); **II.** *adj. a.* **so·cial·is·tic** [souʃə'listik] *adj.* (□ *~ally*) sozia'listisch; **'so·cial·ite** [-ʃəlait] *s. Am.* F Angehörige(r *m*) *f* der oberen Zehntausend, Promi'nente(r *m*) *f*.

so·cial·i·za·tion [souʃəlai'zeiʃən] *s. pol.* Sozialisierung *f*; **so·cial·ize** ['souʃəlaiz] *v/t.* **1.** gesellig machen; **2.** *pol.*, ✝ sozialisieren, verstaatlichen, vergesellschaften.

so·ci·e·ty [sə'saiəti] *s. allg.* Gesellschaft *f*: **a)** Gemeinschaft *f*: *human* ~, **b)** Kul'turkreis *m*, **c)** (*die große od.* ele'gante) Welt: ~ *lady* Dame der großen Gesellschaft; *not fit for good* ~ nicht salon- *od.* gesellschaftsfähig, **d)** (gesellschaftlicher) 'Umgang, **e)** Anwesenheit *f*, **f)** Verein (-igung *f*) *m*: ♀ *of Friends* Gesellschaft der Freunde (*die Quäker*); ♀ *of Jesus* Gesellschaft Jesu.

so·ci·o·crit·i·cal [sousiou'kritikəl] *adj.* so'zialkritisch; **so·ci·og·e·ny** [sousi'ɔdʒəni] *s.* Wissenschaft *f* vom Ursprung der menschlichen Gesellschaft; **so·ci·o·gram** ['sousjəgræm] *s.* Sozio'gramm *n*; **so·ci·o·log·ic** *adj.*, **so·ci·o·log·i·cal** [sousjə'lɔdʒik(əl)] *adj.* □ sozio'logisch; **so·ci·ol·o·gist** [sousi'ɔlədʒist] *s.* Sozio'loge *m*; **so·ci·ol·o·gy** [sousi'ɔlədʒi] *s.* Soziolo'gie *f*; **so·ci·o·po·lit·i·cal** [sousioupə'litikəl] *adj.* sozi'alpoˌlitisch; **so·ci·o·psy·chol·o·gy** [sousiousai'kɔlədʒi] *s.* Sozi'alpsycholoˌgie *f*.

sock[1] [sɔk] *s.* **1.** Socke *f*: *to pull up one's ~s Brit. sl.* ‚in die Hände spukken', sich anstrengen; *put a ~ in it! Brit. sl.* hör auf!, halt's Maul!; **2.** *Brit.* Einlegesohle *f*.

sock[2] [sɔk] *sl.* **I.** *v/t.* **1.** *j-m* ‚eine in die Fresse hauen': *to ~ it to s.o.* **a)** j-m ‚Saures' geben, **b)** *fig.* es j-m geben *od.* ‚besorgen'; **II.** *s.* **2.** (Faust)Schlag *m*, ‚eine in die Fresse': *give him ~s!* gib ihm Saures!; **3.** *Am.* ‚Bombenerfolg' *m*.

sock·er ['sɔkə] → *soccer*.

sock·et ['sɔkit] *s.* **1.** *anat.* **a)** (Augen-, Zahn)Höhle *f*, **b)** (Gelenk)Pfanne *f*; **2.** ⊕ Muffe *f*, Rohransatz *m*; **3.** ⚡ **a)** Steckdose *f*, **b)** Fassung *f*, **c)** Sockel *m* (*für Röhren etc.*); **'~-joint** *s.* ⊕, *anat.* Kugelgelenk *n*.

so·cle ['sɔkl] *s.* △ Sockel *m*.

So·crat·ic [sɔ'krætik] *adj.* (□ *~ally*) so'kratisch.

sod[1] [sɔd] **I.** *s.* **1.** Grasnarbe *f*: *under the* ~ unterm Rasen (*tot*); **2.** Rasenstück *n*; **II.** *v/t.* **3.** mit Rasen bedecken.

sod[2] [sɔd] *s. sl.* ‚Heini' *m*, Blödmann *m*.

so·da ['soudə] *s.* ⚗ **1.** Soda *f, n*, kohlensaures Natrium: (*bicarbonate of*) ~ → *sodium bicarbonate*; **2.** → *sodium hydroxide*; **3.** 'Natriumoˌxyd *n*; **4.** 'Soda(wasser *n*) *f, n*: *whisky and* ~; **5.** → *soda-water* 2; **'~-foun·tain** *s.* **1.** (Mine'ralwasser)ˌSiphon *m*; **2.** *Am.* Mine'ralwasserausschank *m*, Erfrischungshalle *f*, Eisbar *f*; ~ **jerk(·er)** *s. Am.* F Mixer *m* in e-r Eisbar; **'~-wa·ter** *s.* **1.** Sodawasser *n*; **2.** Selters(wasser) *n*, Sprudel *m*.

sod·den ['sɔdn] *adj.* **1.** durch'weicht, -'näßt; **2.** teigig, kli(e)tschig (*Brot etc.*); **3.** *fig.* **a)** ‚voll', ‚besoffen', **b)** blöd(e) (*vom Trinken*); **4.** aufgedunsen; **5.** *sl.* blöd.

so·di·um ['soudjəm] *s.* ⚗ 'Natrium *n*; ~ **bi·car·bon·ate** *s.* doppeltkohlensaures Natrium; ~ **car·bon·ate** *s.* Soda *f, n*, 'Natriumkarboˌnat *n*; ~ **chlor·ide** *s.* 'Natriumchloˌrid *n*, Kochsalz *n*; ~ **hy·drox·ide** *s.* 'Natriumhydroˌxyd *n*, Ätznatron *n*; ~ **ni·trate** *s.* 'Natriumniˌtrat *n*.

sod·om·y ['sɔdəmi] *s.* 'wideraˌtürliche Unzucht, Sodo'mie *f*.

so·ev·er [sou'evə] *adv.* (*mst in Zssgn wer etc.*) auch immer.

so·fa ['soufə] *s.* Sofa *n*; ~ **bed** *s.* Bettcouch *f*.

sof·fit ['sɔfit] *s.* △ Laibung *f e-s Gewölbes*, 'Untersicht *f*.

soft [sɔft] **I.** *adj.* □ **1.** *allg.* weich (*a. fig. Person, Charakter etc.*): *as* ~ *as silk* seidenweich; ~ *currency* ✝ weiche Währung; ~ *goods* ✝ Textilien; ~ *prices* ✝ nachgiebige Preise; → *soft soap*; **2.** ⊕ weich, *bsd.* **a)** ungehärtet (*Eisen*), **b)** schmiedbar (*Metall*), **c)** enthärtet (*Wasser*): ~ *coal* ⚒ Weichkohle; ~ *solder* Weichlot; **3.** *fig.* weich, sanft (*Augen, Herz, Lächeln, Worte etc.*); → *spot* 5; **4.** mild, sanft (*Klima, Regen, Schlaf, Wind, a. Strafe etc.*): *to be* ~ *with* sanft umgehen mit *j-m*; **5.** leise, sacht (*Bewegung, Geräusch, Rede*); **6.** sanft, gedämpft (*Licht, Farbe, Musik*); **7.** schwach, verschwommen: ~ *outlines*; **8.** mild, lieblich (*Wein*); **9.** *Brit.* schwül, feucht, regnerisch; **10.** höflich, ruhig, gewinnend; **11.** zart, zärtlich, verliebt: ~ *nothings* zärtliche Worte; → *sex* 2; **12.** schlaff (*Muskeln*); **13.** *fig.* verweichlicht, schlapp; **14.** angenehm, leicht, ‚gemütlich': ~ *job*; *a* ~ *thing* e-e ruhige Sache, e-e ‚Masche' (*einträgliches Geschäft*); **15.** *a.* ~ *in the head* F ‚leicht matschig', ‚doof'; **16.** F 'alkoholfrei: ~ *drinks*; **II.** *adv.* **17.** sanft, leise; **III.** *s.* **18.** F Trottel *m*; **'~-ball** *s. Am. sport Art Baseball.*

sof·ten ['sɔfn] **I.** *v/t.* **1.** weich machen; ⊕ *Wasser* enthärten; **2.** *Ton, Farbe* dämpfen; **3.** *a.* ~ *up* ⚔ **a)** *Gegner durch Bombardement etc.* zermürben, **b)** *Festung etc.* sturmreif machen; **4.** *fig.* mildern; *j-n* erweichen; *j-s Herz* rühren; **5.** *fig.* verweichlichen; **II.** *v/i.* **6.** weich(er) werden, sich erweichen; **'sof·ten·er** [-nə] *s.* ⊕ **1.** Enthärtungsmittel *n*; **2.** Weichmacher *m* (*bei Kunststoff*,

Öl etc.); ˈ**sof·ten·ing** [-niŋ] *s.* **1.** Erweichen *n*: ~ *of the brain* ⚕ Gehirnerweichung; ~ *point* ⊕ Erweichungspunkt; **2.** *fig.* Besänftigung *f.*
ˈ**soft|·head** *s.* Schwachkopf *m*; ˈ**~-head·ed** *adj.* blöd(e), schwachköpfig; ˈ**~-ˈheart·ed** *adj.* weichherzig; ˈ**~-land** *v/t. u. v/i.* weich landen.
soft·ness [ˈsɔftnis] *s.* **1.** Weichheit *f*; **2.** Sanftheit *f*; **3.** Milde *f*; **4.** Zartheit *f*; **5.** *contp.* Weichlichkeit *f.*
soft| ped·al *s.* ♪ Piˈanopeˌdal *n*; ˈ**~-ˈped·al** *v/t.* **1.** (*a. v/i.*) mit dem Pianopedal spielen; **2.** *sl. et.* mildern, weniger laut vorbringen; **~ roe** *s. ichth.* Milch *f*; **~ soap** *s.* **1.** Schmierseife *f*; **2.** *sl.* Schmeicheˈlei(en *pl.*) *f*; ˈ**~-ˈsoap** *v/t. sl. j-n* ‚poussieren', *j-m* Honig um den Mund schmieren; ˈ**~-spo·ken** *adj.* **1.** leise sprechend; **2.** *fig.* gewinnend, freundlich; ˈ**~·ware** *s. Computer*: Software *f*, Proˈgrammausstattung *f*; ˈ**~·wood** *s.* **1.** Weichholz *n*; **2.** Nadelbaumholz *n*; **3.** Baum *m* mit weichem Holz.
soft·y [ˈsɔfti] *s.* F **1.** Trottel *m*; **2.** Schwächling *m*, ‚Schlappschwanz' *m.*
sog·gy [ˈsɔgi] *adj.* **1.** feucht, sumpfig (*Land*); **2.** durchˈnäßt, -ˈweicht; **3.** kli(e)tschig (*Brot etc.*).
soi-di·sant [swɑdiːˈzɑːŋ; swadizɑ̃] (*Fr.*) *adj.* angeblich, sogenannt.
soil[1] [sɔil] **I.** *v/t.* **1. a)** schmutzig machen, verunreinigen, **b)** *bsd. fig.* besudeln, beflecken, beschmutzen; **II.** *v/i.* **2.** schmutzig werden, *leicht etc.* schmutzen; **III.** *s.* **3.** Verschmutzung *f*; **4.** Schmutzfleck *m*; **5.** Schmutz *m*; **6.** Dung *m*; **7.** *hunt. obs.* Suhle *f.*
soil[2] [sɔil] *s.* **1.** (Erd)Boden *m*, Erde *f*, (Acker)Krume *f*, Grund *m*; **2.** *fig.* Erde *f*, Land *n*: *on British* ~ auf britischem Boden; *one's native* ~ die heimatliche Erde.
soil[3] [sɔil] *v/t.* ⚘ mit Grünfutter füttern; ˈ**soil·age** [-lidʒ] *s.* ⚘ Grünfutter *n.*
ˈ**soil-pipe** *s.* ⊕ Abflußrohr *n* (*am Klosett*).
soi·rée [ˈswɑːrei; sware] (*Fr.*) *s.* Soiˈree *f*, Abendgesellschaft *f.*
so·journ [ˈsɔdʒəːn] **I.** *v/i.* **1.** sich (vorˈübergehend) aufhalten, (ver-) weilen (*in* in *od.* an *dat.*, *with* bei); **II.** *s.* **2.** (vorˈübergehender) Aufenthalt; **3.** Aufenthaltsort *m*; ˈ**so·journ·er** [-nə] *s.* Gast *m*, Besucher(in).
soke [souk] *s.* ⚖ *hist. Brit.* **1.** Gerichtsbarkeit *f*; **2.** Gerichtsbarkeitsbezirk *m.*
sol [sɔl] (*Ital.*) *s.* ♪ sol *n* (*Solmisationssilbe*).
sol·ace [ˈsɔləs] **I.** *s.* Trost *m*: *she found* ~ *in religion*; **II.** *v/t.* trösten: *to* ~ *o.s.* sich trösten (*with* mit).
so·la·num [souˈleinəm] *s.* ⚘ Nachtschatten *m.*
so·lar [ˈsoulə] *adj.* **1.** *ast.* Sonnen... (*-system*, *-tag*, *-zeit etc.*), Solar...: ~ *eclipse* Sonnenfinsternis; ~ *plexus anat.* Solarplexus, F Magengrube; **2.** ⊕ durch ˈSonnenenerˌgie angetrieben.
so·lar·i·um [souˈlɛəriəm] *pl.* **-i·a** [-iə] *s.* ⚕ Sonnenliegehalle *f.*
so·lar·ize [ˈsouləraiz] *phot.* **I.** *v/t.* ˈüberbelichten; **II.** *v/i.* ˈüberbelichtet werden.
so·la·ti·um [souˈleiʃjəm] *pl.* **-ti·a** [-ʃjə] *s.* **1.** Trostpreis *m*; **2.** ⚖ Entschädigung *f.*
sold [sould] *pret. u. p.p. von sell.*
sol·der [ˈsɔldə] **I.** *s.* ⊕ Lot *n*, ˈLötmeˌtall *n*: *hard* ~ Hartlot; **II.** *v/t.* (ver)löten: ~*ed joint* Lötstelle; ~*ing-iron* Lötkolben; **III.** *v/i.* löten.
sol·dier [ˈsouldʒə] **I.** *s.* **1.** Solˈdat *m* (*a. engS. Feldherr*): ~ *of Christ* Streiter Christi; ~ *of fortune* Glücksritter; *old* ~ **a)** F ‚alter Hase', **b)** *sl.* leere Flasche, **c)** *sl.* Zigarrenstummel; **2.** ⚔ (einfacher) Soldat, Schütze *m*, Mann *m*; **3.** *zo.* Soldat *m* (*bei Ameisen etc.*); **II.** *v/i.* **4.** (als Soldat) dienen: *to go* ~*ing* Soldat werden; ˈ**sol·dier·like**, ˈ**sol·dier·ly** [-li] *adj.* **1.** solˈdatisch; **2.** Soldaten...; ˈ**sol·dier·ship** [-ʃip] *s.* **1.** *das* Solˈdatische; **2.** Solˈdatentum *n*; ˈ**sol·dier·y** [-əri] *s.* **1.** Miliˈtär *n*; **2.** Solˈdaten *pl.*; **3.** *contp.* Soldaˈteska *f.*
sole[1] [soul] **I.** *s.* **1.** (Fuß- *od.* Schuh-) Sohle *f*: ~*-leather* Sohlleder; **2.** Bodenfläche *f*, Sohle *f*; **II.** *v/t.* **3.** besohlen.
sole[2] [soul] *adj.* □ → *solely*; **1.** einzig, alˈleinig, Allein...: ~ *agency* Alleinvertretung; ~ *bill* ⚜ Solawechsel; ~ *heir* Allein-, Universalerbe; **2.** ⚖ unverheiratet.
sole[3] [soul] *pl.* **soles**, *coll.* **sole** *s. ichth.* Seezunge *f.*
sol·e·cism [ˈsɔlisizəm] *s.* Schnitzer *m*, Verstoß *m*: **a)** *ling.* Sprachsünde *f*, **b)** Faux Pas *m*; **sol·e·cis·tic** [sɔliˈsistik] *adj.* (□ ~*ally*) **1.** *ling.* ˈunkorˌrekt; **2.** ungehörig.
sole·ly [ˈsoulli] *adv.* (einzig u.) **al-ˈlein, ausschließlich, nur.**
sol·emn [ˈsɔləm] *adj.* □ **1.** *allg.* feierlich, ernst, soˈlenn; **2.** feierlich (*Eid etc.*); ⚖ forˈmell (*Vertrag*); **3.** gewichtig, ernst: *a* ~ *warning*; **4.** hehr, erhaben: ~ *building*; **5.** *contp.* wichtigtuerisch; **so·lem·ni·ty** [səˈlemniti] *s.* **1.** Feierlichkeit *f*, (feierlicher *od.* würdevoller) Ernst; **2.** Steifheit *f*; **3.** *oft pl.* feierliches Zeremoniˈell; **4.** *bsd. eccl.* Fest-lich-, Feierlichkeit *f*; ˈ**sol·em·nize** [-mnaiz] *v/t.* **1.** feierlich begehen; **2.** *Trauung* (feierlich) vollˈziehen.
sol-fa [sɔlˈfɑː] ♪ **I.** *s.* **1.** *a.* ~ *syllables* Solmisatiˈonssilben *pl.*; **2.** Tonleiter *f*; **3.** Solmisatiˈon(subung) *f*; **II.** *v/t.* **4.** auf Solmisationssilben singen; **III.** *v/i.* **5.** solmisieren.
so·lic·it [səˈlisit] **I.** *v/t.* **1.** (dringend) bitten, angehen (*s.o.* j-n; *s.th.* um et.; *s.o. for s.th. od. s.th. of s.o.* j-n um et.); **2.** sich um *ein Amt etc.* bemühen; ⚜ um *Aufträge, Kundschaft* werben; **3.** *j-n* ansprechen, belästigen (*Prostituierte*); **4.** ⚖ anstiften; **II.** *v/i.* **5.** dringend bitten; **6.** ⚜ Aufträge sammeln; **7.** sich anbieten (*Dirne*); **so·lic·i·ta·tion** [səlisiˈteiʃən] *s.* **1.** dringende(s) Bitte(n); **2.** Bewerbung *f*, Ansuchen *n*; ⚜ (Auftrags-, Kunden)Werbung *f*; **3.** Belästigung *f* (*durch Dirnen*); **4.** ⚖ Anstiftung *f.*
so·lic·i·tor [səˈlisitə] *s.* **1.** ⚖ *Brit.* Anwalt *m* (*der nur vor niederen Gerichten plädieren darf*), Rechtsbeistand *m*; **2.** *Am.* ˈRechtsrefeˌrent *m e-r Stadt etc.*; **3.** *Am.* ⚜ Aˈgent *m*, Werber *m*; **~-gen·er·al** *pl.* **so'lic·i·tors-gen·er·al** *s.* **1.** ⚖ zweiter Kronanwalt (*in England*); **2.** *USA* **a)** stellvertretender Juˈstizmiˌnister, **b)** oberster Juˈstizbeamter (*in einigen Staaten*).
so·lic·it·ous [səˈlisitəs] *adj.* □ **1.** besorgt, bekümmert (*about* um, *for* um, wegen); **2.** fürsorglich; **3.** (*of*) eifrig bedacht (auf *acc.*), begierig (nach); **4.** bestrebt *od.* eifrig bemüht (*to do* zu tun); **soˈlic·i·tude** [-tjuːd] *s.* **1.** Besorgtheit *f*, Sorge *f*; **2.** (überˈtriebener) Eifer; **3.** *pl.* Sorgen *pl.*
sol·id [ˈsɔlid] *adj.* □ **1.** *allg.* fest (*Eis, Kraftstoff, Speise, Wand etc.*): ~ *body* Festkörper; ~ *lubricant* ⊕ Starrschmiere; *on* ~ *ground* auf festem Boden (*a. fig.*); **2.** kräftig, staˈbil, derb, fest: ~ *build* kräftiger Körperbau; ~ *leather* Kernleder; *a* ~ *meal* ein kräftiges Essen; **3.** masˈsiv (*Ggs. hohl*), Voll...(*-gummi*, *-reifen*); **4.** massiv, gediegen: ~ *gold*; **5.** *fig.* soˈlid(e), gründlich: ~ *learning*; **6.** *fig.* gewichtig, triftig (*Grund etc.*), stichhaltig, handfest (*Argument etc.*); **7.** soˈlid(e), gediegen, zuverlässig (*Person*); **8.** ⚜ **a)** solid(e), gutfundiert, **b)** reˈell, gediegen; **9. a)** soliˈdarisch, **b)** einmütig, geschlossen (*for* für *j-n od. et.*): *to be* ~*ly behind s.o.* geschlossen hinter j-m stehen; *a* ~ *vote* e-e einstimmige Wahl; **10.** *Am.* auf gutem Fuße, ‚dick' (*with* mit): *to make o.s.* ~ *with* sich gut stellen mit *j-m*; **11.** *Am. sl.* ‚prima', erstklassig; **12.** ⩓ **a)** körperlich, räumlich, **b)** Kubik..., Raum...: ~ *capacity*; ~ *geometry* Stereometrie; ~ *measure* Raummaß; **13.** *typ.* komˈpreß; **14. a)** einheitlich (*Farbe*), **b)** einfarbig; **15.** geschlossen: *a* ~ *row of buildings*; **16.** F voll, ‚geschlagen': *a* ~ *hour.*
sol·i·dar·i·ty [sɔliˈdæriti] *s.* Solidariˈtät *f*, Zs.-halt *m*, Zs.-gehörigkeitsgefühl *n.*
ˈ**sol·id|-drawn** *adj.* ⊕ gezogen: ~ *axle*; ~ *tube* nahtlos gezogenes Rohr; ˈ**~-hoofed** *adj. zo.* einhufig.
so·lid·i·fi·ca·tion [səlidifiˈkeiʃən] *s. phys. etc.* Erstarrung *f*, Festwerden *n*; **so·lid·i·fy** [səˈlidifai] **I.** *v/t.* **1.** fest werden lassen; **2.** verdichten; **3.** *fig. Partei* festigen, konsolidieren; **II.** *v/i.* **4.** fest werden, erstarren.
so·lid·i·ty [səˈliditi] *s.* **1.** Festigkeit *f* (*a. fig.*); komˈpakte *od.* masˈsive Strukˈtur; Dichtigkeit *f*; **2.** *fig.* Gediegenheit *f*, Zuverlässigkeit *f*, Solidiˈtät *f*; ⚜ Kreˈditfähigkeit *f*; **3.** ⩓ Rauminhalt *m.*
sol·id·un·gu·late [sɔlidˈʌŋgjuleit] *adj. zo.* einhufig.
so·lil·o·quize [səˈliləkwaiz] **I.** *v/i.* Selbstgespräche führen; **II.** *v/t. et.* zu sich selbst sagen; **soˈlil·o·quy** [-kwi] *s.* Selbstgespräch *n*, Monoˈlog *m.*
sol·i·ped [ˈsɔliped] *zo.* **I.** *s.* Einhufer *m*; **II.** *adj.* einhufig.
sol·i·taire [sɔliˈtɛə] *s.* **1.** Soliˈtär (-spiel) *n*; **2.** Paˈtience *f*; **3.** Soliˈtär *m* (*einzeln gefaßter Edelstein*).
sol·i·tar·y [ˈsɔlitəri] *adj.* □ **1.** einsam (*Leben, Spaziergang etc.*); →

confinement 2; **2.** einsam, abgelegen (*Ort*); **3.** einsam, einzeln (*Baum, Reiter etc.*); **4.** einsiedlerisch; **5.** ⚘, *zo.* soli'tär; **6.** *fig.* einzig: ~ *exception*; **'sol·i·tude** [-tju:d] *s.* **1.** Einsamkeit *f*; **2.** (Ein)Öde *f*.

sol·mi·za·tion [sɔlmi'zeiʃən] *s.* ♪ **a)** Solmisati'on *f*, **b)** Solmisati'onsübung *f*.

so·lo ['soulou] *pl.* **-los I.** *s.* **1.** *bsd.* ♪ 'Solo(gesang *m*, -spiel *m*, -tanz *m etc.*) *n*; **2.** *Kartenspiele*: Solo(spiel) *n*; **3.** ✈ Al'leinflug *m*; **II.** *adj.* **4.** *bsd.* ♪ Solo...; **5.** al'lein: *a* ~ *flight* → *3*; **III.** *adv.* **6.** allein: *to fly* ~ e-n Alleinflug machen; **'so·lo·ist** [-ouist] *s.* So'list(in).

sol·stice ['sɔlstis] *s. ast.* (*Sommer-, Winter*)Sonnenwende *f*: *summer* ~; **sol·sti·tial** [sɔl'stiʃəl] *adj.* Sonnenwende...: ~ *point*.

sol·u·bil·i·ty [sɔlju'biliti] *s.* **1.** ⚗ Löslichkeit *f*; **2.** *fig.* Lösbarkeit *f*; **sol·u·ble** ['sɔljubl] *adj.* **1.** ⚗ löslich; **2.** *fig.* (auf)lösbar.

so·lu·tion [sə'lu:ʃən] *s.* **1.** ⚗ **a)** Auflösung *f*, **b)** Lösung *f*: *aqueous* ~ wässerige Lösung; (*rubber*) ~ Gummilösung; **2.** ♙ *etc.* (Auf)Lösung *f*; **3.** *fig.* Lösung *f* (*e-s Problems etc.*); Erklärung *f*.

solv·a·ble ['sɔlvəbl] → *soluble*.

solve [sɔlv] *v/t.* **1.** *Aufgabe, Problem* lösen, *Zweifel* beheben; **2.** lösen, (er)klären: *to* ~ *a mystery*; **'sol·ven·cy** [-vənsi] *s.* ✝ Zahlungsfähigkeit *f*; **'sol·vent** [-vənt] **I.** *adj.* **1.** ⚗ (auf)lösend; **2.** *fig.* zersetzend; **3.** *fig.* erlösend: *the* ~ *power of laughter*; **4.** ✝ zahlungsfähig, sol'vent; kre'ditwürdig; **II.** *s.* **5.** ⚗ Lösungsmittel *n*; **6.** *fig.* Lösemittel *n*.

so·mat·ic [sou'mætik] *adj. biol.*, ⚕ **1.** körperlich, 'physisch; **2.** so'matisch: ~ *cell* Somazelle.

so·ma·tol·o·gy [soumə'tɔlədʒi] *s.* ⚕ Somatolo'gie *f*, Körperlehre *f*; **so·ma·to·psy·chic** [soumətou'saikik] *adj.* ⚕, *psych.* psychoso'matisch.

som·ber *Am.*, **som·bre** *Brit.* ['sɔmbə] *adj.* ☐ **1.** düster, trübe (*a. fig. Aussichten, Miene, Stimmung etc.*); **2.** dunkel(farbig); **3.** *fig.* melan'cholisch; **'som·ber·ness** *Am.*, **'som·bre·ness** *Brit.* [-nis] *s.* Düsterkeit *f*, Trübheit *f*; Schwermut *m*.

som·bre·ro [sɔm'brɛərou] *pl.* **-ros** *s.* Som'brero *m* (*Hut*).

some [sʌm; səm] **I.** *adj.* **1.** (*vor Substantiven*) (irgend)ein: ~ *day* eines Tages; ~ *day (or other)*, ~ *time* irgendwann (einmal), mal; **2.** (*vor pl.*) einige, ein paar: ~ *few* einige wenige; **3.** manche; **4.** ziemlich (viel), beträchtlich, e-e ganze Menge; **5.** gewiß: *to* ~ *extent* in gewissem Grade, einigermaßen; **6.** etwas, ein (klein) wenig: ~ *bread* (etwas) Brot; *take* ~ *more* nimm noch etwas; **7.** ungefähr, gegen: *a village of* ~ *60 houses* ein Dorf von einigen (ungefähr) 60 Häusern; **8.** *sl.* beachtlich: *that was* ~ *race!* das war vielleicht ein Rennen!; **II.** *adv.* **9.** *bsd. Am.* etwas, ziemlich; **10.** F ‚e'norm', ‚toll'; **III.** *pron.* **11.** (irgend)ein: ~ *of these days* dieser Tage, demnächst; **12.** etwas: ~ *of it* etwas davon; ~ *of these people* einige dieser Leute; **13.** welche: *will you have* ~*?*; **14.** *Am. sl.* dar'über hin'aus, noch mehr; **15.** *some ... some* die einen ... die anderen.

some|·bod·y ['sʌmbədi] **I.** *pron.* jemand, (irgend)einer; **II.** *s.* e-e bedeutende Per'sönlichkeit: *he thinks he is* ~ er bildet sich ein, er sei jemand; **'~·how** *adv. oft* ~ *or other* **1.** irgend'wie, auf irgendeine Weise; **2.** aus irgendeinem Grund(e), ‚irgendwie': ~ *(or other) I don't trust him*; **'~·one I.** *pron.* jemand, (irgend)einer: ~ *or other* irgendeiner; **II.** *s.* → *somebody II*; **'~·place** *adv. Am.* irgend'wo, irgendwo'hin.

som·er·sault ['sʌmərsɔ:lt] *s.* **a)** Salto *m*, **b)** Purzelbaum *m* (*a. fig.*): *to turn a* ~ e-n Salto machen, e-n Purzelbaum schlagen.

Som·er·set House ['sʌməsit] *s. Verwaltungsgebäude in London mit Personenstandsregister, Steuerbehörden etc.*

'some|·thing ['sʌm-] **I.** *s.* **1.** (irgend) etwas, was: ~ *or other* irgend etwas; *a certain* ~ ein gewisses Etwas; **2.** ~ *of* so etwas wie, ein bißchen: *he is* ~ *of a liar (mechanic)*; **3.** *or* ~ oder so (etwas Ähnliches); **II.** *adv.* **4.** ~ *like* **a)** so etwas wie, so ungefähr, **b)** F wirklich, mal: *that's* ~ *like a pudding!*; *that's* ~ *like!* das lasse ich mir gefallen!; **'~·time I.** *adv.* **1.** irgend(-wann) einmal (*bsd. in der Zukunft*): *write* ~*!* schreib (ein)mal!; **2.** früher, ehemals; **II.** *adj.* **3.** ehemalig, weiland (*Professor etc.*); **'~·times** *adv.* manchmal, hie und da, gelegentlich, zu'weilen; **'~·what** *adv. u. s.* etwas, ein wenig, ein bißchen: *she was* ~ *puzzled*; ~ *of a shock* ein ziemlicher Schock; **'~·where** *adv.* **1.** irgend'wo; **2.** irgendwo'hin: ~ *else* sonstwohin, woandershin; **3.** ~ *about* so etwa, um ... her'um.

som·nam·bu·late [sɔm'næmbjuleit] *v/i.* schlaf-, nachtwandeln; **som'nam·bu·lism** [-lizəm] *s.* Schlaf-, Nachtwandeln *n*; **som'nam·bu·list** [-list] *s.* Somnam'bule *m, f*; **som·nam·bu·lis·tic** [sɔmnæmbju'listik] *adj.* schlaf-, nachtwandlerisch.

som·nif·er·ous [sɔm'nifərəs] *adj.* einschläfernd.

som·no·lence ['sɔmnələns] *s.* **1.** Schläfrigkeit *f*; **2.** ⚕ Schlafsucht *f*; **'som·no·lent** [-nt] *adj.* ☐ **1.** schläfrig; **2.** einschläfernd.

son [sʌn] *s.* **1.** Sohn *m*: ~ *and heir* Stammhalter; ~ *of God (od. man)*, *the* ♀ *eccl.* Gottes-, Menschensohn, Christus; **2.** *fig.* Sohn *m*, Abkomme *m*: ~ *of a gun humor.* **a)** ‚toller Hecht', **b)** ‚(alter) Gauner'; ~*-of-a-bitch* V ‚Scheißkerl', *Am. a.* ‚Scheißding'; **3.** *fig. pl. coll.* Schüler *pl.*, Jünger *pl.*; Söhne *pl.* (*e-s Volks, e-r Gemeinschaft etc.*).

so·nance ['sounəns] *s.* **1.** Stimmhaftigkeit *f*; **2.** Laut *m*; **'so·nant** [-nt] *ling.* **I.** *adj.* stimmhaft; **II.** *s.* **a)** So'nant *m*, **b)** stimmhafter Laut.

so·nar ['sounɑ:] *s.* ⚓ *Am.* Sonar *n* (*abbr. für sound navigation and ranging Unterwasserortungsgerät*).

so·na·ta [sə'nɑ:tə] *s.* ♪ So'nate *f*; **so·na·ti·na** [sɔnə'ti:nə] *s.* ♪ Sona'tine *f*.

song [sɔŋ] *s.* **1.** ♪ Lied *n*, Gesang *m*: ~ *(and dance)* F *fig. das* Getue (*about* wegen); *for a (mere)* ~ *fig.* für ein Butterbrot; **2.** → *song-hit*; **3.** *poet.* **a)** Lied *n*, Gedicht *n*, **b)** Dichtung *f*: ♀ *of Solomon*, ♀ *of Songs bibl. das* Hohelied (Salomonis); ♀ *of the Three Children bibl. der* Gesang der drei Männer *od.* Jünglinge im Feuerofen; **4.** Singen *n*, Gesang *m*: *to break (od. burst) into* ~ zu singen anfangen; **'~-bird** *s.* **1.** Singvogel *m*; **2.** ‚Nachtigall' *f* (*Sängerin*); **'~·book** *s.* Liederbuch *n*; **'~-hit** *s.* Schlager (-lied *n*) *m*.

song·ster ['sɔŋstə] *s.* **1.** ♪ Sänger(in); **2.** Singvogel *m*; **3.** *Am.* (*bsd.* volkstümliches) Liederbuch; **'song·stress** [-tris] *s.* Sängerin *f*.

'song-thrush *s. orn.* Singdrossel *f*.

son·ic ['sɔnik] *adj.* ⊕ Schall...; ~ **bar·ri·er** *s.* Schallgrenze *f*, -mauer *f*; ~ **depth find·er** *s.* ⚓ Echolot *n*.

'son-in-law *pl.* **'sons-in-law** *s.* Schwiegersohn *m*.

son·net ['sɔnit] *s.* So'nett *n*.

son·ny ['sʌni] *s.* Söhnchen *n*, Kleiner *m* (*Anrede*).

son·o·buoy ['sɔnoubɔi] *s.* ⚓ Schallboje *f*.

so·nom·e·ter [sou'nɔmitə] *s.* Schallmesser *m*.

so·nor·i·ty [sə'nɔriti] *s.* **1.** Klangfülle *f*, (Wohl)Klang *m*; **2.** *ling.* (Ton)Stärke *f* (*e-s Lauts*); **so·no·rous** [sə'nɔ:rəs] *adj.* ☐ **1.** tönend, reso'nant (*Holz etc.*); **2.** volltönend (*a. ling.*), klangvoll, so'nor (*Stimme, Sprache*); **3.** *phys.* Schall..., Klang...

son·sy ['sɔnsi] *adj. Scot.* **1.** drall (*Mädchen*); **2.** gutmütig.

soon [su:n] *adv.* **1.** bald, unverzüglich; **2.** (sehr) bald, (sehr) schnell: *no* ~*er ... than* kaum ... als; *no* ~*er said than done* gesagt, getan; **3.** bald, früh: *as* ~ *as* sobald als *od.* wie; ~*er or later* früher oder später; *the* ~*er the better* je früher desto besser; **4.** gern: *(just) as* ~ ebenso gern; *I would* ~*er ... than* ich möchte lieber ... als; **'soon·er** [-nə] *comp. adv.* **1.** früher, eher; **2.** schneller; **3.** lieber; → *soon 2, 3, 4*; **'soon·est** [-nist] *sup. adv.* frühestens.

soot [sut] **I.** *s.* Ruß *m*; **II.** *v/t.* mit Ruß bedecken, be-, verrußen.

sooth [su:θ] *s. Brit. obs.*: *in* ~, ~ *to say* fürwahr, wahrlich.

soothe [su:ð] *v/t.* **1.** besänftigen, beruhigen, beschwichtigen; **2.** *Schmerz etc.* mildern, lindern; **'sooth·ing** [-ðiŋ] *adj.* ☐ **1.** besänftigend; **2.** lindernd.

sooth·say·er ['su:θseiə] *s.* Wahrsager(in).

soot·i·ness ['sutinis] *s.* Rußigkeit *f*, Schwärze *f*; **'soot·y** ['suti] *adj.* ☐ **1.** rußig; **2.** geschwärzt; **3.** schwarz (-braun).

sop [sɔp] **I.** *s.* **1.** eingetunkter Brokken (*Brot etc.*); **2.** *fig.* Beschwichtigungsmittel *n*, ‚Schmiergeld' *n*, ‚Brocken' *m*; → *Cerberus*; **3.** *et.* Durch'weichtes, Matsch *m*; **II.** *v/t.* **4.** *Brot etc.* eintunken; **5.** durch'nässen, -'weichen: ~*ped to the skin* klitschnaß; **6.** ~ *up* Wasser aufnehmen, -wischen.

soph [sɔf] F *für sophomore*.

soph·ism ['sɔfizəm] *s.* **1.** So'phismus *m*, Spitzfindigkeit *f*, 'Scheinargu-ˌment *n*; **2.** Trugschluß *m*; '**soph·ist** [-ist] *s.* ♀ *phls.* So'phist *m* (*a. fig. spitzfindiger Mensch*); '**soph·ist·er** [-istə] *s. univ. hist. Student im 2. od. 3. Jahr* (*in Cambridge, Dublin*).

so·phis·tic *adj.*; **so·phis·ti·cal** [sə'fistik(əl)] *adj.* □ so'phistisch; **so'phis·ti·cate** [-keit] **I.** *v/t.* verdrehen, -fälschen; **II.** *v/i.* So'phismen gebrauchen; **so'phis·ti·cat·ed** [-keitid] *adj.* **1.** erfahren, weltoffen, intellektu'ell; **2.** *contp.* blasiert, ‚auf mo'dern *od.* intellektuell machend', ‚hochgestochen'; **3.** verfeinert, kultiviert, raffiniert (*Stil etc.*); hochentwickelt (*a.* ⊕ *Maschinen*); **4.** anspruchsvoll, exqui'sit (*Roman etc.*); **5.** unecht, verfälscht; **so·phis·ti·ca·tion** [səfisti'keiʃən] *s.* **1.** Erfahrenheit *f*, ˌIntellektua'lismus *m*, Kultiviertheit *f*; **2.** Blasiertheit *f*; **3.** (Ver-)Fälschung *f*; **4.** → *sophistry* 2; **soph·ist·ry** ['sɔfistri] *s.* **1.** Spitzfindigkeit *f*, Sophiste'rei *f*; **2.** So'phismus *m*, Trugschluß *m*.

soph·o·more ['sɔfəmɔ:] *s. ped. Am.* 'College-Stuˌdent(in) *od.* Schüler (-in) e-r *High School* im 2. Jahr.

Soph·o·ni·as [sɔ'founiəs] → *Zephaniah*.

so·po·rif·ic [soupə'rifik] **I.** *adj.* einschläfernd, schlaffördernd; **II.** *s. bsd.* ⚕ Schlafmittel *n*.

sop·ping ['sɔpiŋ] *adj. a.* ~ *wet* patschnaß, triefend (naß); '**sop·py** [-pi] *adj.* □ **1.** durch'weicht (*Boden etc.*); **2.** regnerisch; **3.** F saftlos, fad(e); **4.** F rührselig, ‚schmalzig'; **5.** F närrisch verliebt (*on s.o.* in j-n).

so·pran·o [sə'prɑ:nou] *pl.* **-nos I.** *s.* **1.** So'pran *m* (*Singstimme*); **2.** So'pranstimme *f*, -parˌtie *f* (*e-r Komposition*); **3.** Sopra'nist(in); **II.** *adj.* **4.** Sopran...

sorb [sɔ:b] *s.* ♀ **1.** Eberesche *f*; **2.** *a.* ~*-apple* Elsbeere *f*.

sor·be·fa·cient [sɔ:bi'feiʃənt] **I.** *adj.* absorbierend, absorpti'onsfördernd; **II.** *s.* ⚕ Ab'sorbens *n*.

sor·bet ['sɔ:bit] → *sherbet*.

sor·cer·er ['sɔ:sərə] *s.* Zauberer *m*; '**sor·cer·ess** [-ris] *s.* Zauberin *f*, Hexe *f*; '**sor·cer·ous** [-rəs] *adj.* Zauber..., Hexen...; '**sor·cer·y** [-ri] *s.* Zaube'rei *f*, Hexe'rei *f*.

sor·did ['sɔ:did] *adj.* □ *bsd. fig.* schmutzig, schäbig; '**sor·did·ness** [-nis] *s.* Schmutzigkeit *f* (*a. fig.*).

sor·dine ['sɔ:di:n] *s.* ♪ Dämpfer *m*, Sor'dine *f*.

sor·di·no [sɔ:'di:nou] *pl.* **-ni** [-ni:] (*Ital.*) → *sordine*.

sore [sɔ:] **I.** *adj.* □ → *sorely*; **1.** weh(e), wund: ~ *feet*; ~ *heart fig.* wundes Herz, Leid; *like a bear with a* ~ *head fig.* brummig, bärbeißig; → *spot* 5; **2.** entzündet, schlimm, ‚böse': ~ *finger*; ~ *throat* Halsentzündung; → *sight* 6; **3.** *fig.* schlimm, arg: ~ *calamity*; **4.** F verärgert, beleidigt, böse (*about* über *acc.*, wegen); **5.** heikel (*Thema*); **II.** *s.* **6.** Wunde *f*, wunde Stelle, Entzündung *f*: *an open* ~ **a)** e-e offene Wunde (*a. fig.*), **b)** *fig.* ein altes Übel, ein ständiges Ärgernis; '**sore·head** *s. Am.* F **1.** mürrischer Mensch; **2.** *bsd. pol.* 'Mißgünstige(r) *m*, Enttäuschte(r) *m*; '**sore·ly** [-li] *adv.* **1.** sehr, äußerst; **2.** arg, schlimm; **3.** heftig, bitterlich *weinen etc.*

so·ri·tes [sə'raiti:z] *s. Logik*: Kettenschluß *m*.

so·ror·i·ty [sə'rɔriti] *s.* **1.** *Am.* Verbindung *f* von 'College-Stuˌdentinnen; **2.** *eccl.* Schwesternschaft *f*.

so·ro·sis [sə'rousis] *pl.* **-ses** [-si:z] *s.* **1.** ♀ zs.-gesetzte Beerenfrucht; **2.** *Am.* Frauenverein *m*.

sorp·tion ['sɔ:pʃən] *s.* ⚗, *phys.* (Ab)Sorpti'on *f*.

sor·rel[1] ['sɔrəl] **I.** *s.* **1.** Rotbraun *n*; **2.** (Rot)Fuchs *m* (*Pferd*); **II.** *adj.* **3.** rotbraun.

sor·rel[2] ['sɔrəl] *s.* ♀ **1.** Sauerampfer *m*; **2.** Sauerklee *m*.

sor·row ['sɔrou] **I.** *s.* **1.** Kummer *m*, Leid *n*, Gram *m* (*at* über *acc.*, *for* um): *to my* ~ zu m-m Kummer *od.* Leidwesen; **2.** Leid *n*, Unglück *n*; *pl.* Leid(en *pl.*) *n*; **3.** Reue *f* (*for* über *acc.*); **4.** *bsd. iro.* Bedauern *n*: *without much* ~; **5.** Klage *f*, Jammer *m*; **II.** *v/i.* **6.** sich grämen *od.* härmen (*at, over, for* über *acc.*, wegen, um); **7.** klagen, trauern (*after, for* um, über *acc.*); **sor·row·ful** ['sɔrəful] *adj.* □ **1.** sorgen-, kummervoll, bekümmert; **2.** klagend, traurig: *a* ~ *song*; **3.** traurig, beklagenswert: *a* ~ *accident*.

sor·ry ['sɔri] *adj.* □ **1.** betrübt: *I am* (*od. feel*) ~ *for him* er tut mir leid; *to be* ~ *for o.s.* sich selbst bedauern; (*I am*) (*so*) ~! (es) tut mir (sehr) leid!, (ich) bedaure!, Verzeihung!; *we are* ~ *to say* wir müssen leider sagen; **2.** reuevoll: *to be* ~ *about et.* bereuen *od.* bedauern; **3.** *contp.* traurig, erbärmlich (*Anblick, Zustand etc.*); faul (*Ausrede*).

sort [sɔ:t] **I.** *s.* **1.** Sorte *f*, Art *f*, Klasse *f*, Gattung *f*; ✝ *a.* Marke *f*, Quali'tät *f*: *all* ~*s of people* allerhand *od.* alle möglichen Leute; *all* ~*s of things* alles mögliche; **2.** Art *f*: *after a* ~ gewissermaßen; *nothing of the* ~ nichts dergleichen; *something of the* ~ so etwas, et. Derartiges; *he is not my* ~ er ist nicht mein Fall *od.* Typ; *he is not the* ~ *of man who ...* er ist nicht der Mann, der *so et. tut*; *what* ~ *of a ...?* was für ein ...?; *he is a good* ~ er ist ein guter *od.* anständiger Kerl; (*a*) ~ *of a peace* so etwas wie ein Frieden; *I* ~ *of expected it* F ich habe es irgendwie *od.* halb erwartet; *he* ~ *of hinted* F er machte e-e vage Andeutung; **3.** *of a* ~, *of* ~*s contp.* so was wie: *a politician of* ~*s*; **4.** *out of* ~*s* **a)** unwohl, nicht auf der Höhe, **b)** verstimmt; → *5*; **5.** *typ.* 'Schriftgarniˌtur *f*: *out of* ~ ausgegangen; **II.** *v/t.* **6.** sortieren, (ein)ordnen, sichten; **7.** sondern, trennen (*from* von); **8.** *oft* ~ *out* auslesen, -suchen, -sortieren; **9.** *to* ~ *s.th. out* et. ‚auseinanderklauben', sich Klarheit verschaffen über et.; **10.** *to* ~ *s.o. out* j-m den Kopf zurechtsetzen; **III.** *v/i.* **11.** *obs. gut, schlecht* passen (*with* zu); '**sort·er** [-tə] *s.* Sortierer (-in).

sor·tie ['sɔ:ti(:)] *s.* ⚔ **1.** Ausfall *m*; **2.** ✈ (Einzel)Einsatz *m*, Feindflug *m*.

sor·ti·lege ['sɔ:tilidʒ] *s.* Wahrsagen *n* (aus Losen).

so-so, so so ['sousou] *adj. u. adv.* F so('so) la'la (*leidlich, mäßig*).

sot [sɔt] **I.** *s.* Trunkenbold *m*, Säufer *m*; **II.** *v/i.* (sich be)saufen.

sot·tish ['sɔtiʃ] *adj.* □ **1.** ‚versoffen' (*trunksüchtig*); **2.** ‚besoffen'; **3.** ‚blöd' (*albern*).

sot·to vo·ce ['sɔtou'voutʃi] (*Ital.*) *adv.* ♪ leise, gedämpft (*a. fig. halblaut*).

sou·brette [su:'bret] (*Fr.*) *s. thea.* Sou'brette *f*.

sou·bri·quet ['su:brikei] → *sobriquet*.

souf·fle ['su:fl] *s.* ⚕ Geräusch *n*.

souf·flé ['su:flei] (*Fr.*) *s.* Auflauf *m*, Souf'flé *n*.

sough [sau] **I.** *s.* Sausen *n*, Stöhnen *n* (*des Windes*); **II.** *v/i.* säuseln, stöhnen, pfeifen (*Wind*).

sought [sɔ:t] *pret. u. p.p. von seek*.

soul [soul] *s.* **1.** *eccl.*, *phls.* Seele *f*: *upon my* ~! ganz bestimmt!; **2.** Seele *f*, Herz *n*, *das* Innere: *he has a* ~ *above mere money-grubbing* er hat auch noch Sinn für andere Dinge als Geldraffen; **3.** *fig.* Seele *f* (*Triebfeder*): *he was the* ~ *of the enterprise*; **4.** *fig.* Geist *m* (*Person*): *the greatest* ~*s of the past*; **5.** Seele *f*, Mensch *m*: *the ship went down with 300* ~*s*; *a good* ~ e-e gute Seele, e-e Seele von e-m Menschen; *poor* ~ armer Kerl; *not a* ~ keine Menschenseele, niemand; **6.** Inbegriff *m*, *ein* Muster (*of an dat.*): *the* ~ *of generosity er ist* die Großzügigkeit selbst; **7.** Inbrunst *f*, Kraft *f*, *künstlerischer* Ausdruck; **8.** ♪ Soul *m*.

-souled [sould] *in Zssgn* ...herzig, ...gesinnt: *high-*~ hochherzig.

'**soul-de·stroy·ing** *adj.* seelentötend.

soul·ful ['soulful] *adj.* □ seelenvoll (*a. fig. u. iro.*); **soul·less** ['soullis] *adj.* □ seelenlos (*a. fig. gefühllos, egoistisch, ausdruckslos*).

soul| mu·sic *s.* ♪ 'Soul(muˌsik *f*) *m*; '~**-stir·ring** *adj.* ergreifend.

sound[1] [saund] **I.** *adj.* □ **1.** gesund: *as* ~ *as a bell* kerngesund; ~ *in mind and body* körperlich u. geistig gesund; *of* ~ *mind* ⚖ voll zurechnungs- *od.* handlungsfähig; **2.** fehlerfrei (*Holz etc.*), tadellos, in'takt: ~ *fruit* unverdorbenes Obst; **3.** gesund, fest (*Schlaf*); **4.** ✝ gesund, so'lide (*Firma, Währung*); sicher (*Kredit*); **5.** gesund, vernünftig (*Urteil etc.*); gut, brauchbar (*Rat, Vorschlag*); kor'rekt, folgerichtig (*Denken etc.*); ⚖ begründet, gültig; **6.** zuverlässig (*Freund etc.*); **7.** gut, tüchtig (*Denker, Schläfer, Stratege etc.*); **8.** tüchtig, kräftig, gehörig: *a* ~ *slap* e-e saftige Ohrfeige; **II.** *adv.* **9.** fest, tief *schlafen*.

sound[2] [saund] *s.* **1.** Sund *m*, Meerenge *f*; **2.** *ichth.* Fischblase *f*.

sound[3] [saund] **I.** *v/t.* **1.** ⚓ (aus-)loten, peilen; **2.** *Meeresboden, oberste Luftschichten etc.* erforschen (*a. fig.*); **3.** ⚕ **a)** sondieren, **b)** → *sound*[4] *13*; **4.** *fig.* **a)** sondieren, erkunden, **b)** *j-n* ausholen, *j-m* auf den Zahn fühlen; **II.** *v/i.* **5.** ⚓ loten; **6.** (weg-)tauchen (*Wal*); **7.** *fig.* sondieren; **III.** *s.* **8.** ⚕ Sonde *f*.

sound[4] [saund] **I.** *s.* **1.** Schall *m*, Laut *m*, Ton *m*: ~ *barrier* Schallgrenze, -mauer; ~ *broadcasting* Tonrundfunk; ~ *locator* ⚔ Horchgerät; ~ *news* tönende Wochenschau; ~ *ranging* ⚔ Schallmessen; *faster than* ~ mit Überschallgeschwindigkeit; ~ *and fury fig.* Schall und Rauch; *within* ~ in Hörweite; **2.** Geräusch *n*, Laut *m*: *without a* ~ geräusch-, lautlos; **3.** Ton *m*, Klang *m*, *a. fig.* ˈTenor *m* (*e-s Briefes, e-r Rede etc.*); **4.** *ling.* Laut *m*; **II.** *v/i.* **5.** (er)schallen, (-)tönen, (-)klingen; **6.** (*a. fig. gut, unwahrscheinlich etc.*) klingen; **7.** ~ *off Am. sl.* ‚loslegen' (*reden, schimpfen*); **8.** ~ *in* ⚖ auf *Schadenersatz etc.* gehen *od.* lauten (*Klage*); **III.** *v/t.* **9.** *Trompete etc.* erschallen *od.* ertönen *od.* erklingen lassen: *to* ~ *s.o.'s praises fig.* j-s Lob singen; **10.** *durch ein Signal* verkünden; → *alarm 1*; *retreat 1*; **11.** äußern, von sich geben: *to* ~ *a note of fear*; **12.** *ling.* aussprechen; **13.** ⚕ abhorchen, -klopfen; ˈ~-**board** [-ndb-] *s.* ♪ Resoˈnanzboden *m*, Schallbrett *n*; ˈ~-**box** [-ndb-] *s.* ♪ Schalldose *f*; ~ **en·gi·neer** *s.* *Film*: ˈTonˌtechniker *m*.

sound·er [ˈsaundə] *s.* **1.** ⚓ a) Lot *n*, b) ⚔ Lotgast *m*; **2.** *tel.* Klopfer *m*.

ˈ**sound-film** *s.* Tonfilm *m*.

sound·ing[1] [ˈsaundiŋ] *adj.* □ **1.** tönend, schallend; **2.** wohlklingend; **3.** *contp.* lautstark, bomˈbastisch.

sound·ing[2] [ˈsaundiŋ] *s.* **1.** Loten *n*; **2.** *pl.* (ausgelotete *od.* auslotbare) Wassertiefe: *to take a* ~ loten.

ˈ**sound·ing|-bal·loon** *s. meteor.* Verˈsuchsbalˌlon *m*; ˈ~-**board** *s.* ♪ **1.** → *sound-board*; **2.** Schallmuschel *f* (*für Orchester etc. im Freien*); **3.** Schalldämpfungsbrett *n*; ˈ~-**line** *s.* ⚓ Lotleine *f*.

sound·less [ˈsaundlis] *adj.* □ laut-, geräuschlos.

ˈ**sound|-ˈproof** [-ndˈp-] **I.** *adj.* schalldicht; **II.** *v/t.* schalldicht machen, isolieren; ˈ~-ˈ**proof·ing** [-ndˈp-] *s.* ⊕ Schalldämpfung *f*, Schallisolierung *f*; ˈ~-**rang·ing** **I.** *s.* ⚔ Schallmessen *n*; **II.** *adj.* Schallmeß...; ˈ~-**shift** *s. ling.* Lautverschiebung *f*; ~ **tech·ni·cian** *s. Radio etc.*: ˈTonˌtechniker(in); ˈ~-**track** *s. Film*: Tonstreifen *m*, -spur *f*; ~ **truck** *s. Am.* Lautsprecherwagen *m*; ˈ~-**wave** *s. phys.* Schallwelle *f*.

soup [suːp] **I.** *s.* **1.** Suppe *f*, Brühe *f*: *to be in the* ~ F ‚in der Tinte sitzen'; **2.** *fig.* dicker Nebel, ‚Waschküche' *f*; **3.** *Am. sl.* ‚Super' *n*, Speziˈalkraftstoff *m*; **II.** *v/t.* **4.** *Am. sl.* ~ *up* **a)** *Motor* ‚frisieren', **b)** *fig.* Dampf hinter *e-e Sache* machen.

soup·çon [ˈsuːpsɔ̃ːŋ; supsɔ̃] *s.* Spur *f* (*of Knoblauch, a. Ironie etc.*).

ˈ**soup|-kitch·en** *s.* Armenküche *f*; ˈ~-**mix** *s.* ˈSuppenpräpaˌrat *n*.

sour [ˈsauə] **I.** *adj.* □ **1.** sauer (*a. Geruch, Milch*); herb, bitter: ~ *grapes fig.* saure Trauben; **2.** *fig.* sauer (*Gesicht etc.*); **3.** *fig.* sauertöpfisch, mürrisch, bitter; **4.** naßkalt (*Wetter*); **5.** ⚒ sauer (*kalkarm, naß*) (*Boden*); **II.** *s.* **6.** Säure *f*; **7.** *fig.* Bitternis *f*: *to take the sweet with the* ~ das Leben nehmen, wie es (eben) ist; **III.** *v/i.* **8.** sauer werden; **9.** *fig.* verbittert werden; **IV.** *v/t.* **10.** sauer machen, säuern; **11.** *fig.* verbittern.

source [sɔːs] *s.* **1.** Quelle *f*, *poet.* Quell *m*; **2.** Quellfluß *m*; **3.** *poet.* Strom *m*; **4.** *fig.* (*Licht-, Strom- etc.*) Quelle *f*: ~ *impedance* ⚡ Quellwiderstand; **5.** *fig.* Quelle *f*, Ursprung *m*: ~ *of information* Nachrichtenquelle: *from a reliable* ~ aus zuverlässiger Quelle; *to have its* ~ *in* s-n Ursprung haben in (*dat.*); *to take its* ~ *from* entspringen (*dat.*); **6.** *fig. literarische* Quelle: ~ *material* Quellenmaterial; **7.** ✝ (*Einnahme-, Kapital- etc.*)Quelle *f*: ~ *of supply* Bezugsquelle; *to levy a tax at the* ~ e-e Steuer an der Quelle erheben; ~ **lan·guage** *s. ling.* Ausgangssprache *f* (*Übersetzung etc.*).

ˈ**sour·dough** *s. Am.* Aˈlaska-Schürfer *m*.

sour·ing [ˈsauəriŋ] *s.* ⚗ Aussäuerung *f*; ˈ**sour·ish** [-əriʃ] *adj.* säuerlich, angesäuert; ˈ**sour·ness** [-ənis] *s.* **1.** Herbheit *f*; **2.** Säure *f* (*als Eigenschaft*); **3.** *fig.* Bitterkeit *f*; Griesgrämigkeit *f*.

souse[1] [saus] **I.** *s.* **1.** Pökelfleisch *n*, Sülze *f*; **2.** Pökelbrühe *f*, Lake *f*; **3.** Eintauchen *n*; **4.** Sturz *m* ins Wasser; **5.** ‚Dusche' *f*, (Regen)Guß *m*; **6.** *sl.* **a)** Saufeˈrei *f*, **b)** *Am.* Säufer *m*, **c)** *Am.* ‚Suff' *m*; **II.** *v/t.* **7.** eintauchen; **8.** durchˈtränken, einweichen; **9.** *Wasser etc.* ausgießen (*over* über *acc.*); **10.** (ein)pökeln; **11.** ~*d sl.* ‚voll', besoffen.

souse[2] [saus] **I.** *s.* Plumps *m*; **II.** *adv.* plumps, plötzlich; **III.** *int.* plumps!

sou·tane [suːˈtɑːn] *s. R.C.* Souˈtane *f*.

sou·ten·eur [suːtəˈnəː] (*Fr.*) *s.* Zuhälter *m*.

south [sauθ] **I.** *s.* **1.** Süden *m*: *in the* ~ *of* im Süden von; *to the* ~ *of* → *6*; **2.** *a.* ♀ Süden *m* (*Landesteil*): *from the* ♀ aus dem Süden (*Person, Wind*); *the* ♀ der Süden, die Südstaaten (*der USA*); **3.** *poet.* Südwind *m*; **II.** *adj.* **4.** südlich, Süd...: ♀ *Dakota* Süddakota; ♀ *Pole* Südpol; ♀ *Sea* Südsee; **III.** *adv.* **5.** nach Süden, südwärts; **6.** ~ *of* südlich von; **7.** aus dem Süden (*Wind*); ♀ **Af·ri·can** **I.** *adj.* ˈsüdafriˈkanisch; **II.** *s.* ˈSüdafriˈkaner(in): ~ *Dutch* Afrikaander (-in); ~ **by east** *s.* Südsüdˈost *m*; ~-**east** [ˈsauθˈiːst, ⚓ sauˈiːst] **I.** *s.* Südˈosten *m*; **II.** *adj.* südˈöstlich, Südost...; **III.** *adv.* südöstlich; nach Südosten.

south|·east·er [sauθˈiːstə] *s.* Südˈostwind *m*, -ˈoststurm *m*; ~-ˈ**east·er·ly** [-li] **I.** *adj.* → *south-east II*; **II.** *adv.* von *od.* nach Südˈosten; ~-ˈ**east·ern** [-ən] → *south-east II*; ~-ˈ**east·ward** [-wəd] **I.** *adj. u. adv.* nach Südˈosten, südˈöstlich; **II.** *s.* Südˈosten *m*; ~-ˈ**east·wards** [-wədz] *adv.* nach Südˈosten.

south·er·ly [ˈsʌðəli] **I.** *adj.* südlich, Süd...; **II.** *adv.* von *od.* nach Süden.

south·ern [ˈsʌðən] **I.** *adj.* **1.** südlich, Süd...: ♀ *Cross ast. das* Kreuz des Südens; ~ *lights ast. das* Südlicht; **2.** ♀ südstaatlich, ... der Südstaaten (*der USA*); **II.** *s.* **3.** → *southerner*; ˈ**south·ern·er** [-nə] *s.* **1.** Bewohner *m* des Südens (*e-s Landes*); **2.** ♀ Südstaatler *m* (*in den USA*); ˈ**south·ern·ly** [-li] → *southerly*; ˈ**south·ern·most** *adj.* südlichst.

south·ing [ˈsauðiŋ] *s.* **1.** ⚓ (zuˈrückgelegter) südlicher Kurs; **2.** südliche Fahrt; **3.** Kulminatiˈon *f* (*des Mondes etc.*).

ˈ**south|-most** *adj.* südlichst; ˈ~-**paw** *sport* **I.** *adj.* linkshändig; **II.** *s.* Linkshänder *m*; *Boxen*: Rechtsausleger *m*; ˈ~-**po·lar** *adj.* antˈarktisch, Südpol...; ˈ~-**southˈeast** [⚓ ˈsau-sauˈiːst] **I.** *adj.* südsüdˈöstlich, Südsüdost...; **II.** *adv.* nach *od.* aus Südsüdˈosten; **III.** *s.* Südsüdosten *m*; ˈ~-**ward** [-wəd] *adj. u. adv.* nach Süden, südwärts.

south|-west [ˈsauθˈwest; ⚓ sauˈwest] **I.** *adj.* südˈwestlich, Südwest...; **II.** *adv.* nach *od.* aus Südˈwesten, Südwest...; **III.** *s.* Südˈwesten *m*; ˈ~ˈ**west·er** [-tə] *s.* **1.** Südˈwestwind *m*; **2.** → *souˈwester*; ~-ˈ**west·er·ly** [-təli] *adj.* nach *od.* aus Südˈwesten; ~-ˈ**west·ern** [-tən] *adj.* südˈwestlich, Südwest...; ~-ˈ**west·ward** [-wəd] *adj. u. adv.* nach Südwesten.

sou·ve·nir [ˈsuːvəniə] *s.* Andenken *n*, Souveˈnir *n*.

sou'·west·er [sauˈwestə] *s.* **1.** Südˈwester *m* (*wasserdichter Klapphut*); **2.** → *southwester 1*.

sov·er·eign [ˈsɔvrin] **I.** *s.* **1.** Souveˈrän *m*, Monˈarch(in); **2.** *die* Macht im Staate (*Person od. Gruppe*); **3.** (be)herrschender Staat; **4.** ✝ *Brit.* Sovereign *m* (*20-Schilling-Münze*); *half a* ~, *a half* ~ 10-Schillingsmünze; **II.** *adj.* **5.** höchst, oberst; **6.** ˈunumˌschränkt, souveˈrän, königlich: ~ *power*; **7.** souverän (*Staat*); **8.** äußerst, größt: ~ *contempt* tiefste Verachtung; **9.** ˈunüberˌtreffˌlich; ⚕ hochwirksam, unfehlbar (*Heilmittel*); ˈ**sov·er·eign·ty** [-rənti] *s.* **1.** höchste (Staats)Gewalt; **2.** Landeshoheit *f*, Souveräniˈtät *f*; **3.** Oberherrschaft *f*.

so·vi·et [ˈsouviet] **I.** *s. oft* ♀ **1.** Soˈwjet *m*: *Supreme* ♀ Oberster Sowjet (*Volksvertretung*); **2.** ♀ Soˈwjetsyˌstem *n*; **3.** *pl. die* Soˈwjets; **II.** *adj.* **4.** ♀ soˈwjetisch, Sowjet...; **so·vi·et·i·za·tion** [souvietaiˈzeiʃən] *s.* Sowjetisierung *f*; ˈ**so·vi·et·ize** [-taiz] *v/t.* sowjetisieren.

sow[1] [sau] *s.* **1.** Sau *f*, (Mutter-) Schwein *n*: *to get the wrong* ~ *by the ear* **a)** den Falschen erwischen, **b)** falsche Schlüsse ziehen; **2.** *metall.* Massel *f*, Sau *f*.

sow[2] [sou] [*irr.*] **I.** *v/t.* **1.** säen; **2.** *Land* besäen; **3.** *fig.* säen, ausstreuen; → *seed 3*; *wind 1*; **4.** *et.* verstreuen; **II.** *v/i.* **5.** säen; **sow·er** [ˈsouə] *s.* **1.** Säer *m*: *he is a* ~ *of discord* er stiftet *od.* sät Zwietracht; **2.** ⚒ ˈSämaˌschine *f*.

sown [soun] *p.p. von sow*[2].

soy [sɔi] *s.* **1.** Sojabohnenöl *n*; **2.** → *soy bean*; ˈ**so·ya** (**bean**) [ˈsɔiə], **soy bean** *s.* ⚘ Sojabohne *f*.

soz·zled [ˈsɔzld] *adj. Brit. sl.* ‚blau' (*betrunken*).

spa [spɑː] *s.* **a)** Mineˈralquelle *f*, **b)** Badekurort *m*, Bad *n*.

space [speis] **I.** *s.* **1.** ⚲, *phls.* Raum

m (*Ggs. Zeit*): *to disappear into* ~ ins Nichts verschwinden; *to look into* ~ ins Leere starren; **2.** Raum *m*, Platz *m*: *to require much* ~; **3.** (Welt-) Raum *m*; **4.** (Zwischen)Raum *m*, Stelle *f*, Lücke *f*; **5.** Zwischenraum *m*, Abstand *m*; **6.** Zeitraum *m*: *a* ~ *of three hours*; *after a* ~ nach e-r Weile; **7.** *typ.* 'Spatium *n*, Ausschlußstück *n*; **8.** *tel.* Abstand *m*, Pause *f*; **9.** *Am.* **a)** Raum *m* für Re'klame (*Zeitung*), **b)** *Radio etc.*: Sendezeit *f* für Werbung; **II.** *v/t.* **10.** räumlich einteilen; **11.** in Zwischenräumen anordnen; **12.** *typ.* **a)** *Wörter* spatiieren, **b)** *mst* ~ *out* sperren: ~*d type* Sperrdruck; **13.** gesperrt schreiben (*Schreibmaschine*); **III.** *v/i.* **14.** sperren, gesperrt drucken *od.* schreiben; ~ **age** *s.* Weltraumzeitalter *n*; '~**-bar** *s.* Leertaste *f* (*Schreibmaschine*); ~ **cap·sule** *s.* Raumkapsel *f*; '~**-craft** *s.* Raumfahrzeug *n*, -schiff *n*; '~**-flight** *s.* Raumflug *m*; '~**-heat·er** *s.* Raumerhitzer *m*, -strahler *m*; '~**-lab** *s.* 'Weltraumla,bor *n*; '~**-man** *s.* [*irr.*] Raumfahrer *m*, Astro'naut *m*; ~ **med·i·cine** *s.* ⚕ 'Raumfahrtmedi,zin *f*.

spac·er ['speisə] *s.* ⊕ **1.** Di'stanzstück *n*; **2.** → *space-bar*.

space| re·search *s.* (Welt)Raumforschung *f*; '~**-sav·ing** *adj.* raumsparend; '~**-ship** *s.* Raumschiff *n*; ~ **shut·tle** *s.* Raumfähre *f*; ~ **sta·tion** *s.* 'Raumstati,on *f*; ~ **suit** *s.* Raumanzug *m*; '~**-'time I.** *s.* ⚛, *phls.* Zeit-Raum *m*; **II.** *adj.* Raum-Zeit...; ~ **trav·el** *s.* (Welt)Raumfahrt *f*; '~**-writ·er** *s.* Zeitungsschreiber, der nach dem 'Umfang s-s Beitrags bezahlt wird.

spa·cial ['speiʃəl] → *spatial*.

spa·cious ['speiʃəs] *adj.* □ **1.** geräumig, weit, ausgedehnt; **2.** *fig.* weit, 'umfangreich, um'fassend; '**spa·cious·ness** [-nis] *s.* **1.** Geräumigkeit *f*; **2.** *fig.* Weite *f*, 'Umfang *m*, Ausmaß *n*.

spade[1] [speid] **I.** *s.* **1.** Spaten *m*: *to call a* ~ *a* ~ *fig.* das Kind beim (richtigen) Namen nennen; *to dig the first* ~ den ersten Spatenstich tun; **2.** ⚔ La'fettensporn *m*; **II.** *v/t.* **3.** 'umgraben, mit e-m Spaten bearbeiten; **III.** *v/i.* **4.** graben.

spade[2] [speid] *s.* **1.** Pik(karte *f*) *n*, Schippe *f* (*des französischen Blatts*), Grün *n* (*des deutschen Blatts*): *seven of* ~*s* Piksieben; **2.** *mst pl.* Pik(farbe *f*) *n*.

spade·ful ['speidful] *pl.* **-fuls** *s. ein* Spaten(voll) *m*.

'**spade-work** *s. fig.* (mühevolle) Vorarbeit, Kleinarbeit *f*.

spa·dix ['speidiks] *pl.* **spa·di·ces** [spei'daisi:z] *s.* ⚘ (Blüten)Kolben *m*.

spa·do ['speidou] *pl.* **spa·do·nes** [spɑ:'douni:z] (*Lat.*) *s.* **1.** Ka'strat *m*; **2.** kastriertes Tier.

spa·ghet·ti [spə'geti] (*Ital.*) *s.* **1.** Spa'ghetti *pl.*; **2.** *sl.* 'Filmsa,lat *m*.

spa·hi ['spɑ:hi:] *s.* ⚔ Spahi *m*.

spake [speik] *obs. pret. von speak*.

spall [spɔ:l] **I.** *s.* (Stein-, Erz)Splitter *m*; **II.** *v/t.* ⊕ *Erz* zerstückeln; **III.** *v/i.* zerbröckeln, absplittern.

spal·peen [spæl'pi:n] *s. Ir.* Nichtsnutz *m*.

span [spæn] **I.** *s.* **1.** Spanne *f*: **a)** *gespreizte Hand*, **b)** *engl. Maß* = *9 inches*; **2.** △ **a)** Spannweite *f* (*Brückenbogen*), **b)** Stützweite *f* (*e-r Brücke*), **c)** (einzelner) Brückenbogen; **3.** ✈ Spannweite *f*; **4.** ⚓ Spann *n*, *m* (*Haltetau, -kette*); **5.** *fig.* Spanne *f*, 'Umfang *m*: *the whole* ~ *of Greek history*; **6.** *fig.* (Zeit-) Spanne *f*: *the brief* ~ *of our lives*; **7.** Gewächshaus *n*; **8.** *Am.* Gespann *n*; **II.** *v/t.* **9.** abmessen; **10.** um'spannen (*a. fig.*); **11.** sich erstrecken über (*acc.*), über'spannen; **12.** *Fluß* über'brücken: *to* ~ *a river with a bridge*; **13.** *fig.* überspannen, bedecken.

span·drel ['spændrəl] *s.* **1.** △ Span'drille *f* (*Gewölbezwickel*); **2.** ⊕ Hohlkehle *f*.

span·gle ['spæŋgl] **I.** *s.* **1.** Flitter (-plättchen *n*) *m*, Pail'lette *f*; **2.** ⚘ Gallapfel *m*; **II.** *v/t.* **3.** mit Flitter besetzen; **4.** *fig.* schmücken, besprenkeln, über'säen (*with* mit): *the* ~*d heavens* der gestirnte Himmel.

Span·iard ['spænjəd] *s.* Spanier(in).

span·iel ['spænjəl] *s. zo.* 'Spaniel *m*, Wachtelhund *m*: *a tame* ~ *fig.* ein Kriecher.

Span·ish ['spæniʃ] **I.** *adj.* **1.** spanisch; **II.** *s.* **2.** *coll. die* Spanier; **3.** *ling.* Spanisch *n*; ~ **A·mer·i·can** *adj.* 'spanisch-ameri'kanisch; ~ **chest·nut** *s.* ⚘ 'Eßka,stanie *f*; ~ **pa·pri·ka** *s.* ⚘ Roter *od.* Spanischer Pfeffer, 'Paprika *m*.

spank [spæŋk] F **I.** *v/t.* **1.** verhauen, *j-m* ‚den Hintern versohlen'; **2.** *Pferde etc.* antreiben; **II.** *v/i.* **3.** ~ *along* da'hinflitzen; **III.** *s.* **4.** Schlag *m*, Klaps *m*; '**spank·er** [-kə] *s.* **1.** F Renner *m* (*Pferd*); **2.** ⚓ Be'san *m*; **3.** *sl.* **a)** Prachtkerl *m*, **b)** 'Prachtexem,plar *n*; '**spank·ing** [-kiŋ] F **I.** *adj.* □ **1.** schnell, tüchtig; **2.** scharf, stark: ~ *breeze* steife Brise; **3.** prächtig, ‚toll'; **II.** *adv.* **4.** prächtig; **III.** *s.* **5.** ‚Haue' *f*, Schläge *pl.*

span·ner ['spænə] *s.* ⊕ Schraubenschlüssel *m*: *to throw a* ~ *in(to) the works* F ‚j-m e-n Knüppel zwischen die Beine werfen', ‚querschießen'.

spar[1] [spɑ:] *s. min.* Spat *m*.

spar[2] [spɑ:] *s.* **1.** ⚓ Rundholz *n*, Spiere *f*, Sparren *m*; **2.** ✈ (Flügel-, Trag)Holm *m*.

spar[3] [spɑ:] **I.** *v/i.* **1.** *Boxen*: sparren; **2.** (mit Sporen) kämpfen (*Hähne*); **3.** sich streiten (*with* mit), sich in den Haaren liegen; **II.** *s.* **4.** *Boxen*: Sparringskampf *m*; **5.** Hahnenkampf *m*; **6.** (Wort)Streit *m*.

spare [spɛə] **I.** *v/t.* **1.** *j-n od. et.* verschonen; *Gegner, j-s Gefühle, j-s Leben etc.* schonen: *if we are* ~*d* wenn wir verschont *od.* am Leben bleiben; ~ *his blushes!* bring ihn doch nicht in Verlegenheit!; **2.** sparsam 'umgehen mit, schonen, kargen mit: *to* ~ *neither trouble nor expense* weder Mühe noch Kosten scheuen; (*not*) *to* ~ *o.s.* sich (nicht) schonen; **3.** *j-m et.* ersparen, *j-n* verschonen mit; **4.** entbehren: *we cannot* ~ *him just now*; **5.** *et.* erübrigen, übrig haben für; *j-m et.* abgeben: *can you* ~ *me a cigarette* (*a moment*)? hast du e-e Zigarette (e-n Augenblick Zeit) für mich (übrig)?; *no time to* ~ keine Zeit (zu verlieren); → *enough II*; **II.** *v/i.* **6.** sparen; **7.** Schonung üben, Gnade walten lassen; **III.** *adj.* □ **8.** Ersatz..., Reserve...: ~ *part* → *14*; ~ *tyre* (*od. tire*) Ersatzreifen; **9.** 'überflüssig, übrig: ~ *hours* (*od. time*) Freizeit, Mußestunden; ~ *moment* freier Augenblick; ~ *room* Gästezimmer; ~ *money* übriges Geld; **10.** sparsam, kärglich; **11.** → *sparing 2*; **12.** sparsam (*Person*); **13.** hager, dürr (*Person*); **IV.** *s.* **14.** ⊕ Ersatz-, Re'serveteil *n*; '**spare·ness** [-nis] *s.* Magerkeit *f*, Dürftigkeit *f*.

'**spare|-part sur·ger·y** *s.* ⚕ Er'satzteilchirur,gie *f*; '~**-rib** *s.* Rippe(n)speer *m*.

spar·ing ['spɛəriŋ] *adj.* □ **1.** sparsam (*in, of* mit) karg; mäßig: *to be* ~ *of* sparsam umgehen mit, mit *et.*, *a. Lob* kargen; **2.** spärlich, dürftig knapp, gering; '**spar·ing·ness** [-nis] *s.* **1.** Sparsamkeit *f*, Kargheit *f*; **2.** Spärlichkeit *f*.

spark[1] [spɑ:k] **I.** *s.* **1.** Funke(n) *m* (*a. fig.*): *the vital* ~ der Lebensfunke; *to strike* ~*s out of s.o.* j-n in Fahrt bringen; **2.** *fig.* Funke(n) *m*, Spur *f* (*of* von *Intelligenz, Leben etc.*): *not a* ~ *of decency* keinen Funken Anstand; **3.** ⚡ (e'lektrischer) Funke; *mot.* (Zünd)Funke *m*: *to advance* (*retard*) *the* ~ die Zündung vor-(zurück)stellen; **II.** *v/i.* **4.** Funken sprühen, funke(l)n; **5.** ⊕ zünden; **III.** *v/t.* **6.** *fig. j-n* befeuern; **7.** *fig. et.* auslösen.

spark[2] [spɑ:k] **I.** *s.* **1.** flotter Kerl; **2.** Ga'lan *m*; **3.** *Am.* hübsche u. geistreiche junge Dame; **II.** *v/t.* **4.** *Am.* F *j-m* den Hof machen; **III.** *v/i.* **5.** *Am.* F poussieren, ‚knutschen'.

spark| ad·vance *s. mot.* Vor-, Frühzündung *f*; '~**-ar·rest·er** *s.* ⚡ Funkenlöscher *m*; '~**-gap** *s.* ⚡ (Meß-) Funkenstrecke *f*.

'**spark·ing-plug** ['spɑ:kiŋ] *s. mot.* Zündkerze *f*.

spar·kle ['spɑ:kl] **I.** *v/i.* **1.** funkeln (*a. fig. Augen etc.*; *with* vor *Zorn etc.*); **2.** *fig.* **a)** funkeln, sprühen (*Geist, Witz*), **b)** brillieren, glänzen (*Person*): ~*d with wit s-e Unterhaltung* sprühte vor Witz; **3.** Funken sprühen; **4.** schäumen, perlen (*Wein*); **II.** *v/t.* **5.** *Licht* sprühen; **III.** *s.* **6.** Funkeln *n*, Glanz *m*; **7.** Funke(n) *m*; **8.** *fig.* Bril'lanz *f*; '**spar·kler** [-lə] *s. sl.* **1.** Dia'mant *m*; **2.** funkelnder Geist (*Person*); '**spark·let** [-lit] *s.* **1.** Fünkchen *n* (*a. fig.*); **2.** Kohlen'dioxydkapsel *f* (*für Siphonflaschen*); '**spar·kling** [-liŋ] *adj.* □ **1.** funkelnd, sprühend (*a. fig. Witz etc.*); **2.** *fig.* geistsprühend (*Person*); **3.** schäumend, moussierend: ~ *wines* Schaumweine.

'**spark-plug** *Am.* → *sparking-plug*.

Sparks [spɑ:ks] *s* ⚓ F Funker *m*.

spar·ring ['spɑ:riŋ] *s. Boxen*: 'Sparring *n*, Übungsboxen *n*; ~ **part·ner** *s.* Sparringspartner *m*.

spar·row ['spærou] *s. orn.* Spatz *m*, Sperling *m*; '~**-grass** *s.* F Spargel *m*; '~**-hawk** [-ouh-] *s. orn.* Sperber *m*.

sparse [spɑ:s] *adj.* □ spärlich, dünn (gesät); '**sparse·ness** [-nis], '**spar-**

si·ty [-siti] *s.* Spärlichkeit *f*, Seltenheit *f*.

Spar·tan ['spɑ:tən] **I.** *adj. antiq. u. fig.* spar'tanisch; **II.** *s.* Spar'taner (-in).

spasm ['spæzəm] *s.* **1.** ⚕ Krampf *m*, 'Spasmus *m*, Zuckung *f*; **2.** *fig.* Anfall *m*.

spas·mod·ic [spæz'mɔdik] *adj.* (□ *~ally*) **1.** ⚕ krampfhaft, -artig, spas'modisch; **2.** *fig.* sprunghaft, vereinzelt.

spas·tic ['spæstik] *adj.* (□ *~ally*) ⚕ spastisch, Krampf...

spat¹ [spæt] *zo.* **I.** *s.* **1.** Muschel-, Austerlaich *m*; **2. a)** *coll.* junge Schaltiere *pl.*, **b)** junge Auster; **II.** *v/i.* **3.** laichen (*bsd. Muscheln*).

spat² [spæt] *s. mst pl.* ('Schuh)Ga₁maschen *pl.*

spat³ [spæt] *Am.* F *od. dial.* **I.** *s.* **1.** Klatsch *m*, Klaps *m*; **2.** ‚Krach' *m*, Zank *m*; **II.** *v/i.* **3.** disputieren, sich streiten; **4.** klatschen.

spat⁴ [spæt] *pret. u. p.p. von spit.*

spatch·cock ['spætʃkɔk] **I.** *s.* eiligst geschlachtetes u. gekochtes Geflügel; **II.** *v/t.* F *Worte etc.* einflicken.

spate [speit] *s.* **1.** *Brit.* Über'schwemmung *f*, Hochwasser *n*; **2.** *fig.* Flut *f*, (Wort)Schwall *m*.

spathe [speið] *s.* ⚘ Blütenscheide *f*.

spath·ic ['spæθik] *adj. min.* (feld-)spatartig, Spat...

spa·tial ['speiʃəl] *adj.* □ räumlich, [Raum...]

spat·ter ['spætə] **I.** *v/t.* **1.** bespritzen (*with* mit); **2.** (ver)spritzen; **3.** *fig. Namen* besudeln; **II.** *v/i.* **4.** spritzen; **5.** prasseln (*Tropfen etc.*); **III.** *s.* **6.** Spritzen *n*; **7.** Klatschen *n*, Prasseln *n*; **8.** Spritzer *m*, Spritzfleck *m*; '**~·dash** *s. mst pl.* Ga'maschen *pl.*

spat·u·la ['spætjulə] *s.* ⊕, ⚕ Spatel *m*, Spachtel *m*, *f*; '**spat·u·lar** [-lə], '**spat·u·late** [-lit] *adj.* spatelförmig, Spatel...

spav·in ['spævin] *s. vet.* Spat *m* (*Pferdekrankheit*); '**spav·ined** [-nd] *adj.* spatig, lahm.

spawn [spɔ:n] **I.** *s.* **1.** *ichth.* Laich *m*; **2.** ⚘ My'zel(fäden *pl.*) *n*; **3.** *fig. contp.* Brut *f*; **II.** *v/i.* **4.** *ichth.* laichen; **5.** *fig. contp.* sich wie Ka'ninchen vermehren; **III.** *v/t.* **6.** *ichth. Laich* ablegen; **7.** *fig. contp. Kinder* massenweise in die Welt setzen; **8.** *fig.* ausbrüten, her'vorbringen; '**spawn·er** [-nə] *s. ichth.* Rogener *m* (*weiblicher Fisch vor dem Laichen*); '**spawn·ing** [-niŋ] **I.** *s.* **1.** Laichen *n*; **II.** *adj.* **2.** Laich...; **3.** *fig.* sich stark vermehrend.

spay [spei] *v/t. weiblichem Tier* die Eierstöcke entfernen.

speak [spi:k] [*irr.*] **I.** *v/i.* **1.** reden, sprechen (*to* mit, zu, *about, of, on* über *acc.*): *spoken thea.* gesprochen (*Regieanweisung*); *so to ~* sozusagen; *the picture ~s fig.* das Bild ist ganz naturgetreu; → *speak of u. to, speaking I*; **2.** (öffentlich) sprechen, e-e Rede *od.* e-n Vortrag halten; **3.** *fig.* ertönen (*Trompete etc.*); **4.** ⚓ signalisieren; **II.** *v/t.* **5.** sprechen, sagen; **6.** *Gedanken, s-e Meinung etc.* aussprechen, äußern, *die Wahrheit etc.* sagen; **7.** verkünden (*Trompete etc.*); **8.** *Sprache* sprechen (können): *he ~s French* er spricht Französisch; **9.** *fig. Eigenschaft etc.* verraten; **10.** ⚓ *Schiff* ansprechen, -preien;

Zssgn mit prp.:

speak| for *v/i.* **1.** sprechen *od.* eintreten für: *that speaks well for him* das spricht für ihn; *to ~ o.s.* **a)** selbst sprechen, **b)** s-e eigene Meinung äußern; *that speaks for itself* das spricht für sich selbst; **2.** zeugen von; **~ of** *v/i.* **1.** sprechen von *od.* über (*acc.*): *nothing to ~* nicht der Rede wert, nichts Erwähnenswertes; *not to ~* ganz zu schweigen von; **2.** *et.* verraten, zeugen von; **~ to** *v/i.* **1.** *j-n* ansprechen; mit j-m reden (*a. mahnend etc.*); **2.** *et.* bestätigen, bezeugen; **3.** zu sprechen kommen auf (*acc.*);

Zssgn mit adv.:

speak| out I. *v/i.* **1.** → *speak up 1 u. 2*; **2.** *fig.* deutlich werden, sich zeigen (*Eigenschaft*); **II.** *v/t.* **3.** aussprechen; **~ up** *v/i.* **1.** laut u. deutlich sprechen: *~!* (sprich) lauter!; **2.** kein Blatt vor den Mund nehmen, frei her'aussprechen: *~!* heraus mit der Sprache!; **3.** sich einsetzen (*for* für).

'**speak-eas·y** *pl.* **-eas·ies** *s. Am. sl.* Flüsterkneipe *f* (*ohne Konzession*).

speak·er ['spi:kə] *s.* **1.** Sprecher *m*, Redner *m*; **2.** ♀ *parl.* Sprecher *m*, Präsi'dent *m*: *the ♀ of the House of Commons*; *Mr. ♀!* Herr Vorsitzender!; **3.** ⊕ Sprechgerät *n*, Sprecher *m*.

speak·ing ['spi:kiŋ] **I.** *adj.* □ **1.** sprechend (*a. fig. Ähnlichkeit*): *~! teleph.* am Apparat!; *Brown ~! teleph.* (hier) Brown!; *to have a ~ knowledge of e-e Sprache* (*nur*) sprechen können; *~ acquaintance* flüchtige(r) Bekannte(r); → *term 9*; **2.** Sprech..., Sprach...: *a ~ voice* e-e (gute) Sprechstimme; **II.** *s.* **3.** Sprechen *n*, Reden *n*; **III.** *adverbartig*: **4.** *generally ~* allgemein; *legally ~* vom rechtlichen Standpunkt aus (gesehen); *strictly ~* streng genommen; '**~-trum·pet** *s.* Sprachrohr *n*; '**~-tube** *s.* **1.** Sprechverbindung *f* zwischen zwei Räumen *etc.*; **2.** Sprachrohr *n*.

spear [spiə] **I.** *s.* **1.** (Wurf)Speer *m*, Lanze *f*; Spieß *m*: *~ side* männliche Linie *e-r Familie*; **2.** *poet.* Speerträger *m*; **II.** *v/t.* **3.** durch'bohren, aufspießen; **III.** *v/i.* **4.** ⚘ (auf)sprießen; '**~·head I.** *s.* **1.** Lanzenspitze *f*; **2.** ⚔ **a)** Angriffsspitze *f*, **b)** Stoßkeil *m*; **3.** *fig.* Anführer *m*, Vorkämpfer *m*; **II.** *v/t.* **4.** an der Spitze (*gen.*) stehen; **III.** *v/i.* **5.** ⚔ die Spitze bilden; '**~·mint** *s.* ⚘ Grüne Minze.

spec [spek] *s.* ⚚ F Spekulati'on *f*.

spe·cial ['speʃəl] **I.** *adj.* □ → *specially*; **1.** spezi'ell: **a)** (ganz) besonder: *a ~ occasion*; *his ~ charm*; *my ~ friend*; *on ~ days* an bestimmten Tagen, **b)** Spezial..., Fach...: *~ knowledge* Fachkenntnis; *~ anatomy* ⚕ spezielle Anatomie; **2.** Sonder...(*-erlaubnis, -fall, -steuer, -zug etc.*), Extra..., Ausnahme...: *~ area Brit.* Notstandsgebiet; *~ constable* → *3a*; *~ correspondent* → *3b*; *~ delivery* ✉ *Am.* Eilzustellung, durch Eilboten; *~ edition* → *3c*; *~ offer* ⚚ Sonderangebot; *~ pleading* **a)** ⚖ Vorbringen von Nebenmaterial, **b)** *fig.* Spitzfindigkeit; **II.** *s.* **3. a)** 'Hilfspoli₁zist *m*, **b)** Sonderberichterstatter *m*, **c)** Sonderausgabe *f*, **d)** Sonderzug *m*, **e)** Sonderprüfung *f*, **f)** ⚚ *Am.* Sonderangebot *n*, **g)** *Am.* ('Tages)Speziali₁tät *f* (*Restaurant*); '**spe·cial·ism** [-ʃəlizəm] *s.* Spezia'listentum *n*; '**spe·cial·ist** [-ʃəlist] **I.** *s.* **1.** Spezia'list *m*: **a)** Fachmann *m*, **b)** ⚕ Facharzt *m*; **2.** *Am. Börse*: Jobber *m* (*der sich auf e-e bestimmte Kategorie von Wertpapieren beschränkt*); **II.** *adj. a.* **spe·cial·ist·ic** [speʃə'listik] **3.** fachmännisch, Fach..., Spezial...; **spe·ci·al·i·ty** [speʃi'æliti] *s. bsd. Brit.* **1.** Besonderheit *f*; **2.** besonderes Merkmal; **3.** Spezi'alfach *n*, -gebiet *n*; **4.** Speziali'tät *f* (*a.* ⚚); **5.** ⚚ Spezi'alar₁tikel *m*; Neuheit *f*; **spe·cial·i·za·tion** [speʃəlai'zeiʃən] *s.* Spezialisierung *f*; '**spe·cial·ize** [-ʃəlaiz] **I.** *v/i.* **1.** sich spezialisieren (*in* auf *acc.*); **II.** *v/t.* **2.** spezialisieren: *~d* spezialisiert, Spezial..., Fach...; **3.** näher bezeichnen; **4.** *biol. Organe* besonders entwickeln; '**spe·cial·ly** [-ʃəli] *adv.* **1.** besonders, im besonderen; **2.** eigens, extra, ausdrücklich; '**spe·cial·ty** [-ti] *s.* **1.** *bsd. Am.* → *speciality*; **2.** ⚖ **a)** besiegelte Urkunde, **b)** formgebundener Vertrag.

spe·cie ['spi:ʃi] *s.* **1.** Hartgeld *n*, Münze *f*; **2.** Bargeld *n*: *~ payments* Barzahlung; *in ~* **a)** in bar, **b)** in natura, **c)** *fig.* in gleicher Münze.

spe·cies ['spi:ʃi:z] *s. sg. u. pl.* **1.** *allg.* Art *f*, Sorte *f*; **2.** *biol.* Art *f*, 'Spezies *f*: *our ~* die Menschheit; **3.** *Logik*: Art *f*, Klasse *f*; **4.** *eccl.* (sichtbare) Gestalt (von Brot u. Wein).

spe·cif·ic [spi'sifik] **I.** *adj.* (□ *~ally*) **1.** spe'zifisch, spezi'ell, bestimmt; **2.** eigen(tümlich); **3.** typisch, kennzeichnend, besonder; **4.** wesentlich; **5.** genau, defini'tiv, prä'zis(e): *a ~ statement*; **6.** *biol.* Art...: *~ name*; **7.** ⚕ spezifisch (*Heilmittel, Krankheit*); **8.** *phys.* spezifisch: *~ gravity* spezifisches Gewicht, *die* Wichte; **II.** *s.* **9.** ⚕ Spe'zifikum *n*.

spec·i·fi·ca·tion [spesifi'keiʃən] *s.* **1.** Spezifizierung *f*; **2.** genaue Aufzählung, Einzelaufstellung *f*; **3.** *mst pl.* Einzelangaben *pl.*, -vorschriften *pl.*, *bsd.* **a)** △ Baubeschrieb *m*, **b)** ⊕ (technische) Beschreibung; **4.** ⚖ Pa'tentbeschreibung *f*, -schrift *f*; **5.** ⚖ Spezifikati'on *f* (*Eigentumserwerb durch Verarbeitung*); **spec·i·fy** ['spesifai] **I.** *v/t.* **1.** (einzeln) angeben *od.* aufführen, (be)nennen, spezifizieren; **2.** bestimmen, (im einzelnen) festsetzen; **3.** in e-r Aufstellung besonders anführen; **II.** *v/i.* **4.** genaue Angaben machen.

spec·i·men ['spesimin] *s.* **1.** Exem'plar *n*: *a fine ~*; **2.** Muster *n* (*a. typ.*), Probe(stück *n*) *f*, ⊕ **Prüfstück** *n*: *~ of s.o.'s handwriting* Handschriftenprobe; **3.** *fig.* Probe *f*, Beispiel *n* (*of gen.*); **4.** *fig. contp.* **a)** ‚Exemplar' *n*, ‚Muster' *n* (*of* an), **b)** ‚Type' *f*, komischer Kauz *m*; **~ cop·y** *s.* 'Probeexem₁plar *n*; **~ sig·na·ture** *s.* 'Unterschriftsprobe *f*.

spe·cious ['spi:ʃəs] *adj.* □ *äußerlich*

blendend, bestechend, trügerisch, Schein...(*Argument etc.*); ˈ**spe·cious·ness** [-nis] *s.* **1.** *das* Bestechende; blendende Form (*e-r Beweisführung etc.*); **2.** trügerischer Schein.

speck [spek] **I.** *s.* **1.** Fleck(en) *m*, Fleckchen *n*; **2.** Stückchen *n*, *das* bißchen: *a ~ of dust* ein Stäubchen; **3.** faule Stelle (*im Obst*); **4.** *fig.* Pünktchen *n*; **II.** *v/t.* **5.** flecken, sprenkeln; ˈ**speck·le** [-kl] **I.** *s.* Fleck(en) *m*, Sprenkel *m*, Tupfen *m*, Punkt *m*; **II.** *v/t.* → *speck 5*; ˈ**speck·led** [-ld] *adj.* **1.** gefleckt, gesprenkelt, getüpfelt; **2.** (bunt-)scheckig; ˈ**speck·less** [-lis] *adj.* □ fleckenlos, sauber, rein (*a. fig.*).

specs [speks] *s. pl.* F Brille *f*.

spec·ta·cle [ˈspektəkl] *s.* **1.** Schauspiel *n* (*a. fig.*); **2.** Schaustück *n*: *to make a ~ of o.s.* sich zur Schau stellen, (unangenehm) auffallen; **3.** *trauriger etc.* Anblick; **4.** *pl. a. a pair of ~s* e-e Brille; ˈ**spec·ta·cled** [-ld] *adj.* **1.** bebrillt; **2.** *zo.* Brillen... (*-bär etc.*): *~ cobra* Brillenschlange;

spec·tac·u·lar [spekˈtækjulə] **I.** *adj.* □ **1.** Schau..., schauspielartig; **2.** spektakuˈlär, eindrucksvoll, aufsehenerregend, sensatioˈnell; **II.** *s. Am.* F **3.** ˈGala-Reˌvue *f*; **spec·ta·tor** [spekˈteitə] *s.* Zuschauer(in).

spec·ter *Am.* → *spectre*.

spec·tra [ˈspektrə] *pl. von spectrum*; ˈ**spec·tral** [-trəl] *adj.* □ **1.** geisterhaft, gespenstisch; **2.** *phys.* Spektral...: *~ colo(u)r* Spektral-, Regenbogenfarbe; ˈ**spec·tre** [-tə] *s.* **1.** Geist *m*, (Geister)Erscheinung *f*, Gespenst *n* (*a. fig.*); **2.** *fig.* Hirngespinst *n*.

spec·tro·gram [ˈspektrougræm] *s. phys.* Spektroˈgramm *n*; ˈ**spec·tro·graph** [-grɑ:f; -græf] *s. phys.* **1.** Spektroˈgraph *m*; **2.** Spektroˈgramm *n*.

spec·tro·scope [ˈspektrəskoup] *s. phys.* Spektroˈskop *n*; **spec·tro·scop·ic** [spektrəsˈkɔpik] *adj.* (□ *~ally*) spektroˈskopisch.

spec·trum [ˈspektrəm] *pl.* **-tra** [-trə] *s.* **1.** *phys.* ˈSpektrum *n*: *~ analysis* Spektralanalyse; **2.** *a. radio ~* ⚡ (Freˈquenz)ˌSpektrum *n*; **3.** *a. ocular ~ opt.* Nachbild *n* e-s leuchtenden Gegenstandes in den Augen; **4.** *fig.* Skala *f*: *the whole ~ of fear*.

spec·u·la [ˈspekjulə] *pl. von speculum*; ˈ**spec·u·lar** [-lə] *adj.* **1.** spiegelnd, Spiegel...: *~ iron min.* Eisenglanz; *~ stone min.* Marienglas; **2.** ⚕ Spekulum...

spec·u·late [ˈspekjuleit] *v/i.* **1.** nachsinnen, -denken, grübeln, theoretisieren, Vermutungen anstellen (*on, upon, about* über *acc.*); **2.** † spekulieren (*for, on* auf *Baisse etc.*, *in* in *Kupfer etc.*); **spec·u·la·tion** [spekjuˈleiʃən] *s.* **1.** Nachdenken *n*, Grübeln *n*; **2.** Betrachtung *f*, Theoˈrie *f*, Spekulatiˈon *f* (*a. phls.*); **3.** Vermutung *f*, Mutmaßung *f*: *mere ~*; **4.** † Spekulation *f*; ˈ**spec·u·la·tive** [-lətiv] *adj.* □ **1.** *phls.* spekulaˈtiv; **2.** theoˈretisch; **3.** nachdenkend, grüblerisch; **4.** forschend, abwägend (*Blick etc.*); **5.** † spekulaˈtiv, Spekulations...; ˈ**spec·u·la·tor** [-leitə] *s.* **1.** † Spekuˈlant *m*; **2.** Denker *m*, Theoˈretiker *m*.

spec·u·lum [ˈspekjuləm] *pl.* **-la** [-lə] *s.* **1.** (Meˈtall)Spiegel *m* (*bsd. für Teleskope*); **2.** ⚕ ˈSpekulum *n*, Spiegel *m*.

sped [sped] *pret. u. p.p. von speed*.

speech [spi:tʃ] **I.** *s.* **1.** Sprache *f*, Sprechvermögen *n*: *to recover one's ~* die Sprache wiedergewinnen; **2.** Reden *n*, Sprechen *n*: *freedom of ~* Redefreiheit; **3.** Rede *f*, Äußerung *f*: *to direct one's ~ to* das Wort an *j-n* richten; **4.** Gespräch *n*: *to have ~ of* mit *j-m* reden; **5.** Rede *f*, Ansprache *f*, Vortrag *m*; ⚖ Plädoyˈer *n*; **6. a)** (Landes)Sprache *f*, **b)** Diaˈlekt *m*: *in common ~* in der Umgangssprache, landläufig; **7.** Sprech-, Ausdrucksweise *f*, Sprache *f* (*e-r Person*); **8.** ♪ Klang *m e-r Orgel etc.*; **II.** *adj.* **9.** Sprach..., Sprech...: *~ area ling.* Sprachraum; *~ island* Sprachinsel; *~ map* Sprachenkarte; *~ record* Sprechplatte; ˈ**~-cen·ter** *Am.*, ˈ**~-cen·tre** *Brit. s. anat.* Sprechzentrum *n*; ˈ**~-day** *s. ped.* (Jahres)Schlußfeier *f*; **~ de·fect** *s.* ⚕ Sprachfehler *m*.

speech·i·fi·ca·tion [spi:tʃifiˈkeiʃən] *s. contp.* Schwätzen *n*, Redenhalten *n*; **speech·i·fi·er** [ˈspi:tʃifaiə] *s.* Vielredner *m*, Schwätzer *m*; **speech·i·fy** [ˈspi:tʃifai] *v/i.* Reden schwingen, viele Worte machen.

speech·less [ˈspi:tʃlis] *adj.* □ **1.** *fig.* sprachlos (*with* vor *Empörung etc.*); **2.** stumm, wortkarg; **3.** *fig.* unsagbar (*Kummer etc.*); **4.** *sl.* völlig ‚blau' (*betrunken*); ˈ**speech·less·ness** [-nis] *s.* Sprachlosigkeit *f*.

speech| ther·a·pist *s.* ⚕ Logoˈpäde *m*; **~ ther·a·py** *s.* ⚕ Logopäˈdie *f*.

speed [spi:d] **I.** *s.* **1.** Geschwindigkeit *f*, Schnelligkeit *f*, Eile *f*, Tempo *n*: *at a ~ of* mit e-r Geschwindigkeit von; *at full ~* eiligst, mit äußerster Geschwindigkeit; *full ~ ahead* ⚓ volle Kraft voraus; **2.** ⊕ **a)** Drehzahl *f*, **b)** *mot. etc.* Gang *m*: *three-~ bicycle* Fahrrad mit Dreigangschaltung; **3.** *phot.* **a)** Lichtempfindlichkeit *f*, **b)** Verschlußgeschwindigkeit *f*; **4.** *obs.*: *good ~!* guten Erfolg!, viel Glück!; **II.** *adj.* **5.** Schnell..., Geschwindigkeits...; **III.** *v/t.* [*irr.*] **6.** *Gast* (rasch) verabschieden, *j-m* Lebeˈwohl sagen; **7.** *j-n* fördern, *j-m* Glück verleihen: *God ~ you!* Gott sei mit dir!; **8.** rasch befördern; **9.** *Lauf etc.* beschleunigen; **10.** *mst ~ up* (*pret. u. p.p. speeded*) *Maschine, Sache* beschleunigen; *Produktion* erhöhen; **IV.** *v/i.* [*irr.*] **11.** (daˈhin)eilen, rasen; **12.** *mot.* (zu) schnell fahren: *no ~ing!* Schnellfahren verboten!; **13.** *~ up* (*pret. u. p.p. speeded*) die Geschwindigkeit erhöhen; **14.** *obs.* gedeihen, Glück haben; ˈ**~-boat** *s.* Renn-, Schnellboot *n*; ˈ**~-cop** *s.* F motorisierter Verˈkehrspoliˌzist; **~ count·er** *s.* ⊕ Tourenzähler *m*.

speed·er [ˈspi:də] *s.* **1.** ⊕ Geschwindigkeitsregler *m*; **2.** *mot.* Schnellfahrer *m*, ‚Raser' *m*.

speed in·di·ca·tor *s.* **1.** → *speedometer 1*; **2.** → *speed counter*.

speed·i·ness [ˈspi:dinis] *s.* Schnelligkeit *f*, Eile *f*.

speed| lathe *s.* ⊕ Schnelldrehbank *f*; **~ lim·it** *s. mot.* Geschwindigkeitsbegrenzung *f*, ˈTempolimit *n*.

speed·om·e·ter [spiˈdɔmitə] *s.* ⊕ **1.** Geschwindigkeitsmesser *m*, Tachoˈmeter *m, n*; **2.** Kiloˈmeterzähler *m*.

speed| skat·er *s. sport* Eisschnellläufer(in); **~ skat·ing** *s. sport* Eisschnellauf *m*.

speed·ster [ˈspi:dstə] *s. bsd. Am.* **1.** → *speeder 2*; **2.** Renn-, Sportwagen *m*.

ˈ**speed|-up** *s.* **1.** Produktiˈonserhöhung *f*; **2.** (rücksichtslose) Antreibeˈrei; **3.** Beschleunigung *f*; ˈ**~·way** *s.* **1.** Motorradrennbahn *f*; **2.** *bsd. Am.* Schnellstraße *f*.

speed·well [ˈspi:dwel] *s.* ♀ Ehrenpreis *n, m*.

speed·y [ˈspi:di] *adj.* □ **1.** schnell, zügig, rasch: *to wish s.o. a ~ recovery* j-m gute Besserung wünschen; **2.** prompt.

speiss [spais] *s.* ⚒, *metall.* Speise *f*.

spe·le·ol·o·gist [spi:liˈɔlədʒist] *s.* Höhlenforscher *m*; **spe·leˈol·o·gy** [-dʒi] *s.* Speläoloˈgie *f*, Höhlenforschung *f*.

spell[1] [spel] **I.** *v/t.* [*a. irr.*] **1.** buchstabieren: *to ~ backward* **a)** rückwärts buchstabieren, **b)** *fig.* völlig verdrehen; → 7; **2.** (orthoˈgraphisch richtig) schreiben; **3.** *Wort* bilden, ergeben: *l-e-d ~s led*; **4.** *fig.* bedeuten: *it ~s trouble*; **5.** *~ out* (*od. over*) (mühsam) entziffern; **6.** *oft ~ out fig.* **a)** herˈausfinden, **b)** (*for j-m*) *et.* ‚auseinˈanderklauben'; **II.** *v/i.* [*a. irr.*] **7.** (richtig) schreiben: *to ~ backward* in der Rechtschreibung sattelfest sein; **8.** geschrieben werden, sich *so* schreiben.

spell[2] [spel] *s.* **1.** Arbeit(szeit) *f*: *to have a ~ at* sich e-e Zeitlang mit *et.* beschäftigen; **2.** (Arbeits)Schicht *f*: *to give s.o. a ~* j-n (bei s-r Arbeit) ablösen; **3.** *Am.* F (*Husten- etc.*)Anfall *m*, (nerˈvöser) Zustand; **4. a)** Zeit(abschnitt *m*) *f*, **b)** *ein* Weilchen *n*; **5.** *Am.* F Katzensprung *m* (*kurze Strecke*); **6.** *meteor.* Periˈode *f*: *a ~ of fine weather* e-e Schönwetterperiode; *hot ~* Hitzewelle.

spell[3] [spel] **I.** *s.* **1.** Zauber(wort *n*) *m*; **2.** *fig.* Zauber *m*, Bann *m*, Bezauberung *f*: *to be under a ~* gebannt *od.* fasziniert sein; *to break the ~* den Zauberbann (*fig.* das Eis) brechen; **II.** *v/t.* **3.** *j-n* bezaubern, bannen, fesseln, faszinieren; ˈ**~·bind** *v/t.* [*irr.* → *bind*] → *spell*[3] *3*; ˈ**~·bind·er** *s.* faszinierender Redner; ˈ**~·bound** *adj. u. adv.* (wie) gebannt, fasziniert.

spell·er [ˈspelə] *s.* **1.** *he is a good ~* er ist in der Orthographie gut beschlagen; **2.** Fibel *f*; ˈ**spell·ing** [-liŋ] *s.* **1.** Buchstabieren *n*; **2.** Rechtschreibung *f*, Orthograˈphie *f*.

spelt[1] [spelt] *s.* ♀ Spelz *m*, Dinkel *m*.

spelt[2] [spelt] *pret. u. p.p. von spell*[1].

spel·ter [ˈspeltə] *s.* **1.** † (Handels-, Roh)Zink *n*; **2.** *a. ~ solder* ⊕ Messingschlaglot *n*.

spe·lunk [spiˈlʌŋk] *v/i.* Höhlen erforschen (*als Hobby*).

spen·cer[1] [ˈspensə] *s. hist.* Spenzer *m* (*kurze Überjacke*).

spen·cer² ['spensə] *s.* ⚓ *hist.* Gaffelsegel *n.*

Spen·ce·ri·an [spen'siəriən] **I.** *adj.* (Herbert) Spencer betreffend, Spencerisch: ~ *philosophy*; **II.** *s.* Spenceri'aner *m.*

spend [spend] [*irr.*] **I.** *v/t.* **1.** verbrauchen, aufwenden; **2.** *Geld, Zeit etc.* verwenden, anlegen, ausgeben (*on* für): *to* ~ *a penny* F auf die Toilette gehen; **3.** verschwenden, -geuden, 'durchbringen; **4.** *Zeit* zu-, verbringen; **5.** (o.s. sich) erschöpfen, verausgaben: *the storm is spent* der Sturm hat sich gelegt *od.* ausgetobt; **II.** *v/i.* **6.** Geld ausgeben, Ausgaben machen; **7.** laichen (*Fische*).

spend·ing mon·ey ['spendiŋ] *s.* Taschengeld *n.*

spend·thrift ['spendθrift] **I.** *s.* Verschwender(in); **II.** *adj.* verschwenderisch.

Spen·se·ri·an [spen'siəriən] *adj.* (Edmund) Spenser betreffend, Spenser...: ~ *stanza* Spenserstanze.

spent [spent] **I.** *pret. u. p.p. von spend*; **II.** *adj.* **1.** matt, verausgabt, erschöpft, entkräftet: ~ *bullet* matte Kugel; ~ *liquor* ⊕ Ablauge; **2.** verbraucht; **3.** *zo.* (*von Eiern od. Samen*) entleert (*Insekten, Fische*): ~ *herring* Hering nach dem Laichen.

sperm¹ [spə:m] *s. biol.* 'Sperma *n*, Samenflüssigkeit *f.*

sperm² [spə:m] *s.* **1.** → *spermaceti*; **2.** *zo.* → *sperm-whale*; **3.** → *sperm-oil.*

sper·ma·ce·ti [spə:mə'seti] *s.* Walrat *m, n.*

sper·ma·ry ['spə:məri] *s. biol.* (männliche) Keimdrüse.

sper·mat·ic [spə:'mætik] *adj. biol.* Samen..., samenartig, -haltig; ~ **cord** *s.* Samenstrang *m*; ~ **flu·id** *s.* Samenflüssigkeit *f.*

sper·ma·to·blast [spə:mətou'blæst] *s. biol.* Ursamenzelle *f*; **sper·ma·to·gen·e·sis** [spə:mətou'dʒenisis] *s. biol.* Samenbildung *f*; **sper·ma·to·zo·on** [spə:mətou'zouən] *pl.* **-zo·a** [-'zouə] *s. biol.* Spermato'zoon *n*, 'Spermium *n.*

spermo- [spə:mou; -mə] *in Zssgn* Samen...

'sperm-oil *s.* Walratöl *n.*

sper·mo·log·i·cal [spə:mou'lɔdʒikəl] *adj.* **1.** ⚕ spermato'logisch; **2.** ⚘ samenkundlich.

'sperm-whale *s. zo.* Pottwal *m.*

spew [spju:] **I.** *v/i.* sich erbrechen, ‚spucken', ‚speien'; **II.** *v/t.* (er-) brechen: *to* ~ *forth* (*od. out, up*) (aus)speien, (-)spucken, (-)werfen; **III.** *s. das* Erbrochene, Auswurf *m*, ‚Kotze' *f.*

sphac·e·late ['sfæsileit] ⚕ **I.** *v/i.* brandig werden; **II.** *v/t.* brandig machen; **sphac·e·la·tion** [sfæsi'leiʃən] *s.* ⚕ Brandbildung *f*; **'sphac·e·lous** [-ləs] *adj.* ⚕ gangrä'nös, ne'krotisch.

sphaero- [sfiərou, -rə] *in Zssgn* Kugel..., Sphaero...

sphag·num ['sfægnəm] *pl.* **-na** [-nə] *s.* **1.** ⚘ *ein* Torf-, Sumpfmoos *n*; **2.** Torfmull *m.*

sphe·nog·ra·phy [sfi:'nɔgrəfi] *s.* Keilschriftkunde *f*; **sphe·noid** ['sfi:nɔid] **I.** *adj.* **1.** keilförmig; **2.** *anat.* Keilbein...; **II.** *s.* **3.** *min.* Spheno'id *n* (*Kristallform*); **sphe'noi·dal** [-'nɔidl] *adj.* **1.** *anat.* Keilbein...; **2.** *min.* sphenoi'dal.

sphere [sfiə] *s.* **1.** Kugel *f* (*a.* ⩘; *a. sport Ball*), kugelförmiger Körper; Erd-, Himmelskugel *f*; Himmelskörper *m*: *doctrine of the* ~ ⩘ Sphärik; **2.** *antiq. ast.* Sphäre *f*: *music of the* ~*s* Sphärenmusik; **3.** *poet.* Himmel *m*, Sphäre *f*; **4.** *fig.* (*Einfluß-, Interessen- etc.*)Sphäre *f*, Gebiet *n*, Bereich *m*, Kreis *m*: ~ *of influence*; ~ (*of activity*) Wirkungskreis; **5.** Mili'eu *n*, (gesellschaftliche) Um'gebung; **spher·ic** ['sferik] **I.** *adj.* **1.** *poet.* himmlisch; **2.** kugelförmig; **3.** *obs.* 'sphärisch; **II.** *s. pl.* **4.** → *spherics¹*; **spher·i·cal** ['sferikəl] *adj.* □ **1.** kugelförmig; **2.** ⩘ Kugel...(*-ausschnitt, -vieleck etc.*), sphärisch: ~ *astronomy*; ~ *trigonometry*; **sphe·ric·i·ty** [sfe'risiti] *s.* Kugelgestalt *f*, sphärische Gestalt.

spher·ics¹ ['sferiks] *s. pl. sg. konstr.* ⩘ 'Sphärik *f*, Kugellehre *f.*

spher·ics² ['sferiks] *s. pl. sg. konstr.* Wetterbeobachtung *f* mit elek'tronischen Geräten.

sphero- → *sphaero-.*

sphe·roid ['sfiərɔid] **I.** *s.* ⩘ Sphäro'id *n*; **II.** *adj.* → *spheroidal*;

sphe·roi·dal [sfiə'rɔidl] *adj.* □ sphäro'idisch, kugelig; **sphe·roi·dic** *adj.*; **sphe·roi·di·cal** [sfiə'rɔidik(əl)] *adj.* □ → *spheroidal.*

sphe·rom·e·ter [sfiə'rɔmitə] *s. phys.* Sphäro'meter *n.*

spher·ule ['sferju:l] *s.* Kügelchen *n.*

sphinc·ter ['sfiŋktə] *s. a.* ~ *muscle anat.* Schließmuskel *m.*

sphinx [sfiŋks] *pl.* **'sphinx·es** *s.* **1.** *mst* ♀ *myth. u.* ⚠ Sphinx *f* (*a. fig. rätselhafter Mensch*); **2. a)** *a.* ~*-moth* Sphinx *f* (*Nachtfalter*), **b)** *a.* ~ *baboon* 'Sphinx,pavian *m*; **'~-like** *adj.* sphinxartig (*a. fig. rätselhaft*).

spi·ca ['spaikə] *pl.* **-cae** [-si:] *s.* **1.** ⚘ Ähre *f*; **2.** ⚕ Kornährenverband *m*; **'spi·cate** [-keit] *adj.* ⚘ **a)** ährentragend (*Pflanze*), **b)** ährenförmig (angeordnet) (*Blüte*).

spice [spais] **I.** *s.* **1. a)** Gewürz *n*, Würze *f*, **b)** *coll.* Gewürze *pl.*; **2.** *fig.* Würze *f* (*des Lebens etc.*); **3.** *fig.* Beigeschmack *m*, Anflug *m*: *a* ~ *of malice*; **II.** *v/t.* **4.** würzen (*a. fig.*);

spiced [-st] *adj.* **1.** gewürzt: ~ *food*; **2.** aro'matisch, würzig; **'spic·er·y** [-səri] *s.* **1.** *coll.* Gewürze *pl.*, Speze'reiwaren *pl.*; **2.** *fig.* Würze *f*; **'spic·i·ness** [-sinis] *s. fig. das* Würzige, *das* Pi'kante.

spick and span [spik] *adj.* **1.** funkelnagelneu; **2. a)** blitzsauber, **b)** ‚geschniegelt u. gebügelt', ‚wie aus dem Ei gepellt'.

spic·u·lar ['spikjulə] *adj.* **1.** *zo.* nadelförmig; **2.** ⚘ ährchenförmig; **spic·ule** ['spaikju:l] *s.* **1.** (Eis- *etc.*) Nadel *f*; **2.** *zo.* nadelartiger Fortsatz, *bsd.* Ske'lettnadel *f* (*e-s Schwammes etc.*); **3.** ⚘ Ährchen *n.*

spic·y ['spaisi] *adj.* □ **1.** gewürzt, würzig; **2.** würzig, aro'matisch (*Duft etc.*); **3.** Gewürz...; **4.** *fig.* **a)** würzig, witzig, **b)** pi'kant, gepfeffert, schlüpfrig; **5.** *sl.* **a)** ‚gewieft', geschickt, **b)** ele'gant, schick.

spi·der ['spaidə] *s.* **1.** *zo.* Spinne *f*; **2.** ⊕ **a)** Armkreuz *n*, **b)** Drehkreuz *n*, **c)** Armstern *m* (*Rad*); **3.** ⚡ Läuferkörper *m*; **4.** *Am.* Dreifuß *m* (*Untersatz*); **'~-catch·er** *s. orn.* **1.** Spinnenfresser *m*; **2.** Mauerspecht *m*; **'~-like** *adj.* spinnenartig; **'~-line** *s. mst pl.* ⊕, *opt.* Faden (-kreuz *n*) *m*, Ableselinie *f*; **'~-web**, *a.* **~'s web** *s.* Spinn(en)gewebe *n* (*a. fig.*).

spi·der·y ['spaidəri] *adj.* **1.** spinnenartig; **2.** spinnwebartig; **3.** voll von Spinnen.

spiel [spi:l] *s. Am. sl.* Geschichte *f*, Gequatsche *n*; Geschwätz *n.*

spiff·ing ['spifiŋ] *adj. sl.* **1.** glänzend, ‚toll'; **2.** schick, ‚fesch'.

spif·fli·cate ['spiflikeit] *v/t. sl. od. humor.* ‚es *j-m* geben', *j-n* ‚fertigmachen'.

spiff·y ['spifi] → *spiffing.*

spif·li·cate → *spifflicate.*

spig·ot ['spigət] *s.* ⊕ **1.** (Faß)Zapfen *m*; **2.** Zapfen *m* (*e-s Hahns*); **3.** (Faß-, Leitungs)Hahn *m*; **4.** Muffenverbindung *f* (*bei Röhren*).

spike¹ [spaik] *s.* ⚘ **1.** (Gras-, Korn-) Ähre *f*; **2.** (Blüten)Ähre *f.*

spike² [spaik] **I.** *s.* **1.** Stift *m*, Spitze *f*, Dorn *m*, Stachel *m*; **2.** ⊕ (Haken-, Schienen)Nagel *m*, Bolzen *m*; **3.** (Zaun)Eisenspitze *f*; **4.** *sport* Laufdorn *m*, *pl. a.* Spikes *pl.*; **5.** *hunt.* Spieß *m* (*e-s Junghirsches*); **II.** *v/t.* **6.** festnageln; **7.** mit (Eisen-) Spitzen versehen; **8.** aufspießen; **9.** *sport* mit den Spikes verletzen; **10.** ⚔ *Geschütz* vernageln: *to* ~ *s.o.'s guns fig.* j-s *feindliche* Pläne durchkreuzen; **11.** *Am.* e-n Schuß Alkohol geben in *ein Getränk.*

spiked¹ [spaikt] *adj.* ⚘ ährentragend.

spiked² [spaikt] *adj.* mit Nägeln *od.* (Eisen)Spitzen (versehen): ~ *shoes.*

spike·nard ['spaikna:d] *s.* **1.** La'vendel-, Nardenöl *n*; **2.** ⚘ Indische Narde; **3.** ⚘ Traubige A'ralie.

spike oil → *spikenard 1.*

spik·y ['spaiki] *adj.* **1.** spitz, dornenartig, stachelig; **2.** *Brit.* F verbohrt (*Anglikaner*).

spile [spail] **I.** *s.* **1.** *bsd. dial.* (Faß-) Zapfen *m*, Spund *m*; **2.** Pflock *m*, Pfahl *m*; **II.** *v/t.* **3.** verspunden; **4.** anzapfen.

spill¹ [spil] *s.* **1.** (Holz)Splitter *m*; **2.** 'Fidibus *m.*

spill² [spil] **I.** *v/t.* [*irr.*] **1.** aus-, verschütten, 'überlaufen lassen; **2.** *Blut* vergießen; **3.** um'her-, verstreuen; **4.** ⚓ *Segel* killen lassen; **5.** F *Reiter* abwerfen; *weitS.* schleudern; **6.** *sl.* ausplaudern, verraten; → *bean 1*; **II.** *v/i.* [*irr.*] **7.** 'überlaufen, verschüttet werden; **8.** sich ergießen; **III.** *s.* **9.** F Sturz *m*, Fall *m* (*vom Wagen, Pferd etc.*).

spil·li·kin ['spilikin] *s.* **1.** Stäbchen *n* (*bsd. im Federspiel*); **2.** *pl.* Federspiel *n*; **3.** *fig.* Splitter *m.*

'spill·way *s.* ⊕ 'Überlauf(rinne *f*) *m.*

spilt [spilt] *pret. u. p.p. von spill*; → *milk 1.*

spin [spin] **I.** *v/t.* [*irr.*] **1.** *Wolle, Flachs etc.* (zu Fäden) spinnen; **2.** *Fäden, Garn* spinnen; **3.** schnell drehen, (her'um)wirbeln; *Kreisel* treiben; ✈ *Flugzeug* trudeln lassen; *Münze* hochwerfen; *Wäsche* schleudern; *Schallplatte* abspielen; **4. a)** sich *et.* ausdenken, *Pläne* aushecken, **b)** erzählen; → *yarn 3*; **5.** ~ *out* in die Länge ziehen, *Geschichte* ausspinnen; **6.** *sl. Kandidaten* ,'durchrasseln' lassen; **II.** *v/i.* [*irr.*] **7.** spinnen; **8.** *a.* ~ *round* sich (im Kreise um die eigene Achse) drehen, her'umwirbeln: *to send s.o.* ~*ning* j-n hinschleudern; *my head* ~*s* mir dreht sich alles; **9.** ~ *along* da'hinsausen (*fahren*); **10.** ✈ trudeln; **11.** *sl.* ,durchrasseln' (*Prüfungskandidat*); **III.** *s.* **12.** *das* Her'umwirbeln; **13.** schnelle Drehung, Drall *m*; **14.** Spazierfahrt *f*, schneller Ritt: *to go for a* ~ F e-e Spritztour machen; **15.** (Ab)Trudeln *n*.

spin·ach ['spinidʒ] *s.* **1.** ⚘ Spi'nat *m*; **2.** *Am. sl.* ,Kohl' *m* (*Unsinn*).

spi·nal ['spainl] *adj. anat.* spi'nal, Rückgrat..., Rückenmarks...; ~ **col·umn** *s.* Wirbelsäule *f*, Rückgrat *n*; ~ **cord,** ~ **mar·row** *s.* Rückenmark *n*; ~ **nerve** *s.* Spi'nalnerv *m*.

spin·dle ['spindl] **I.** *s.* **1.** ⊕ **a)** (Hand-, *a.* Drehbank)Spindel *f*, **b)** Welle *f*, Achszapfen *m*, **c)** Triebstock *m*; **2.** ⚘ Spindel *f*; **II.** *v/i.* **3.** (auf)schießen (*Pflanze*); **4.** in die Höhe schießen (*Person*); '**~-legged** *adj.* storch-, spindelbeinig; '**~-legs,** '**~-shanks** *s. pl.* **1.** lange, dürre Beine *pl.*; **2.** *sg. konstr.* storchbeinige Per'son, ,Langbein' *n*.

spin·dling ['spindliŋ], '**spin·dly** [-li] *adj.* lang u. dünn, spindeldürr.

'**spin-dri·er** *s.* Wäscheschleuder *f*.

spine [spain] *s.* **1.** ⚘, *zo.* Stachel *m*; **2.** *anat.* Rückgrat *n* (*a. fig. fester Charakter*), Wirbelsäule *f*; **3.** (Gebirgs)Grat *m*; **spined** [-nd] *adj.* **1.** stachelig, Stachel...; **2.** Rückgrat..., Wirbel...

spine·less ['spainlis] *adj.* **1.** stachellos; **2.** rückgratlos (*a. fig.*).

spin·et [spi'net] *s.* ♪ Spi'nett *n*.

spin·na·ker ['spinəkə] *s.* ⚓ Spinnaker *m*, dreieckiges Bal'lonsegel.

spin·ner ['spinə] *s.* **1.** *poet. od. dial.* Spinne *f*; **2.** Spinner(in); **3.** ⊕ 'Spinnmaˌschine *f*; **4.** Kreisel *m*; **5.** (Polier)Scheibe *f*; **6.** → *spinneret*.

spin·ner·et ['spinəret] *s. zo.* Spinndrüse *f*.

spin·ney ['spini] *pl.* **-neys** *s. Brit.* **1.** Dickicht *n*, Gestrüpp *n*; **2.** Buschwerk *n*.

'**spin·ning|-jen·ny** ['spiniŋ] *s.* ⊕ 'Feinspinnmaˌschine *f*; '**~-mill** *s.* Spinne'rei *f*; '**~-wheel** *s.* ⊕ Spinnrad *n*.

spi·nose ['spainous] *adj.* stach(e)lig; **spi·nos·i·ty** [spai'nɔsiti] *s.* Dornigkeit *f*, Stach(e)ligkeit *f*; '**spinous** [-nəs] *adj.* ⚘, *zo.* stach(e)lig.

spin·ster ['spinstə] *s.* **1.** älteres Fräulein, alte Jungfer; **2.** *Brit.* ⚖ **a)** unverheiratete Frau, **b)** *nach dem Namen*: ledig: ~ *aunt* unverheiratete Tante; '**spin·ster·hood** [-hud] *s.* **1.** 'Alt'jüngferlichkeit *f*; **2.** 'Alt'jungfernstand *m*; **3.** lediger Stand; '**spin·ster·ish** [-əriʃ] *adj.*; '**spin·ster·ly** [-li] *adj. u. adv.* 'alt'jüngferlich.

spin·y ['spaini] *adj.* **1.** ⚘, *zo.* dornig, stach(e)lig; **2.** *fig.* heikel (*Thema etc.*).

spi·ra·cle ['spaiərəkl] *s.* **1.** Atem-, Luftloch *n*, *bsd. zo.* Tra'chee *f*; **2.** *zo.* Spritzloch *n* (*bei Walen etc.*).

Spi·rae·a [spai'riə] *s.* ⚘ Geißbart *m*.

spi·ral ['spaiərəl] **I.** *adj.* □ **1.** gewunden, schrauben-, schneckenförmig, spi'ral, Spiral...: ~ *balance* ⊕ (Spiral)Federwaage; ~ *staircase* Wendeltreppe; **2.** ⚗ spi'ralig, Spiral...; **II.** *s.* **3.** ⚗ *etc.* Spi'rale *f*; **4.** Windung *f e-r Spirale*; **5.** ⊕ **a)** *a.* ~ *conveyer* Förderschnecke *f*, **b)** *a.* ~ *spring* Spi'ralfeder *f*; **6.** ⚡ **a)** Spule *f*, **b)** Wendel *f* (*Glühlampe*); **7.** *a.* ~ *nebula ast.* Spi'ralnebel *m*; **8.** ✈ Spi'ralflug *m*, Spirale *f*; **9.** ✝ (*Preis-, Lohn- etc.*)Spirale *f*: *wage-price* ~ Lohn-Preis-Spirale; **III.** *v/t.* **10.** spiralig machen; **IV.** *v/i.* **11.** sich spi'ralförmig bewegen, *a.* ✈, ✝ sich (*hoch-, nieder*)schrauben.

spi·rant ['spaiərənt] *ling.* **I.** *s.* 'Spirans *f*, Reibelaut *m*; **II.** *adj.* spi'rantisch.

spire[1] ['spaiə] *s.* **1.** → *spiral 4*; **2.** Spi'rale *f*; **3.** *zo.* Gewinde *n* (*e-r Schneckenschale etc.*).

spire[2] ['spaiə] **I.** *s.* **1.** (*Dach-, Turm-, a. Baum-, Berg- etc.*)Spitze *f*; **2.** Spitzturm *m*; **3.** Kirchturm(spitze *f*) *m*; **4.** spitz zulaufender Körper *od.* Teil, *z. B.* (Blüten)Ähre *f*, Grashalm *m*, (Geweih)Gabel *f*; **II.** *v/i. u. v/t.* **5.** spitz zulaufen (lassen).

spired[1] ['spaiəd] *adj.* spi'ralförmig.

spired[2] ['spaiəd] *adj.* **1.** spitz (zulaufend); **2.** spitztürmig.

spir·it ['spirit] **I.** *s.* **1.** *allg.* Geist *m*: **a)** Odem *m*, Lebenshauch *m*, **b)** innere Vorstellung: *in* (*the*) ~ im Geiste, **c)** Seele *f* (*a. e-s Toten*), **d)** Gespenst *n*, **e)** Gesinnung *f*, (*Gemein- etc.*)Sinn *m*, **f)** Cha'rakter *m*, **g)** Sinn *m*: *the* ~ *of the law*; → *enter into 3*; **2.** Stimmung *f*, Gemütsverfassung *f*, *pl. a.* Lebensgeister *pl.*: *in high* (*low*) ~*s* gehobener (in gedrückter) Stimmung; **3.** Feuer *n*, Schwung *m*, E'lan *m*; Ener'gie *f*, Mut *m*; **4.** (Mann *m* von) Geist *m*, Kopf *m*, Ge'nie *n*; **5.** Seele *f e-s Unternehmens*; **6.** (Zeit)Geist *m*: ~ *of the age*; **7.** ⚗ Destil'lat *n*, Geist *m*, 'Spiritus *m*: ~(*s*) *of hartshorn* Hirschhornspiritus, -geist; ~(*s*) *of turpentine* Terpentinöl; ~(*s*) *of wine* Weingeist; **8.** ⚗ Spiritus *m*: ~-*lamp*; **9.** *mot.* Ben'zin *n*, ,Sprit' *m*; **10.** *oft pl.* alko'holische *od.* geistige Getränke *pl.*, Spiritu'osen *pl.*; **11.** *Am.* 'Alkohol *m*; **II.** *v/t.* **12.** *a.* ~ *up* aufmuntern, ermutigen, anstacheln; **13.** ~ *away*, ~ *off* hin'wegschaffen, verschwinden lassen, hin'wegzaubern; '**spir·it·ed** [-tid] *adj.* □ **1.** le'bendig, lebhaft, tempera'mentvoll; **2.** e'nergisch, beherzt; **3.** feurig (*Pferd etc.*); **4.** (geist)sprühend, le'bendig (*Rede, Buch etc.*).

-spir·it·ed ['spiritid] *adj. in Zssgn* **1.** ...gesinnt: → *public-*~; **2.** (*hoch- etc.*)gestimmt, ...gemut.

spir·it·ed·ness ['spiritidnis] *s.* **1.** Lebhaftigkeit *f*, Le'bendigkeit *f*; **2.** Ener'gie *f*, Forschheit *f*; **3.** *in Zssgn*: *low-*~ Niedergeschlagenheit; *public-*~ Gemeinsinn.

spir·it·ism ['spiritizəm] *s.* Spiri'tismus *m*; '**spir·it·ist** [-ist] *s.* Spiri'tist *m*; **spir·it·is·tic** [spiri'tistik] *adj.* (□ ~*ally*) spiri'tistisch.

spir·it·less ['spiritlis] *adj.* □ **1.** geistlos; **2.** leb-, schwunglos, schlapp; **3.** niedergeschlagen, mutlos; lustlos; '**spir·it·less·ness** [-nis] *s.* **1.** Geistlosigkeit *f*; **2.** Lust-, Schwunglosigkeit *f*; **3.** Kleinmut *m*.

'**spir·it-lev·el** *s.* ⊕ Nivellier-, Wasserwaage *f*, Li'belle *f*.

spi·ri·to·so [spi:ri:'touzou] (*Ital.*) *adv.* ♪ lebhaft, munter.

'**spir·it|-rap·per** *s.* Spiri'tist *m*; '**~-rap·ping** *s.* Geisterklopfen *n*.

spir·it·u·al ['spiritjuəl] **I.** *adj.* □ **1.** geistig, unkörperlich; **2.** geistig, innerlich, seelisch: ~ *life* Seelenleben; **3.** vergeistigt (*Person, Gesicht etc.*); **4.** religi'ös, göttlich (inspiriert); **5.** geistlich (*Gericht, Lied etc.*), kirchlich: *Lords* ♀ geistliche Lords (*des Oberhauses*); **6.** geistreich, -voll; **II.** *s.* **7.** ♪ ('Neger-)ˌSpiritual *n* (*geistlicher Gesang*); '**spir·it·u·al·ism** [-lizəm] *s.* **1.** Geisterglaube *m*, Spiri'tismus *m*; **2.** *phls.* **a)** Spiritua'lismus *m*, **b)** meta'physischer Idea'lismus; **3.** Geistigkeit *f*; '**spir·it·u·al·ist** [-list] *s.* **1.** Spiritua'list *m*, Idea'list *m*; **2.** Spiri'tist *m*; **spir·it·u·al·is·tic** [spiritjuə'listik] *adj.* **1.** *phls.* spiritua'listisch; **2.** spiri'tistisch.

spir·it·u·al·i·ty [spiritju'æliti] *s.* **1.** Geistigkeit *f*, *das* Geistige; **2.** geistliches Wesen; **3.** Unkörperlichkeit *f*, geistige Na'tur; **4.** *oft pl. hist.* geistliche Rechte *pl. od.* Einkünfte *pl.*; **spir·it·u·al·i·za·tion** [spiritjuəlai'zeiʃən] *s.* Vergeistigung *f*; **spir·it·u·al·ize** ['spiritjuəlaiz] *v/t.* **1.** ver-, durch'geistigen; **2.** im über'tragenen Sinne deuten.

spir·it·u·ous ['spiritjuəs] *adj.* **1.** alko'holisch, spiritu'os: ~ *liquors* **a)** alkoholische Getränke, **b)** Bier; **2.** destilliert.

spi·rom·e·ter [spaiə'rɔmitə] *s.* ⚕ Atmungsmesser *m*.

spirt → *spurt*[2].

spir·y[1] ['spaiəri] *adj.* spi'ralförmig, gewunden.

spir·y[2] ['spaiəri] *adj.* **1.** spitz zulaufend; **2.** vieltürmig.

spit[1] [spit] **I.** *v/i.* [*irr.*] **1.** spucken: *to* ~ *on fig.* auf *et.* spucken; *to* ~ *on* (*od. at*) *s.o.* **a)** j-n anspucken, **b)** *fig.* j-n schändlich behandeln; **2.** spritzen, klecksen (*Federhalter*); **3.** sprühen (*Regen*); **4.** fauchen, zischen (*Katze etc.*); **5.** her'aussprudeln, -spritzen (*kochendes Wasser etc.*); **II.** *v/t.* [*irr.*] **6.** *a.* ~ *out* (aus)spucken; **7.** *Feuer etc.* speien; **8.** *a.* ~ *out fig. Worte* (heftig) her'vorstoßen: ~ *it out!* F heraus mit der Sprache!, nun sag's schon!; **III.** *s.* **9.** Spucke *f*, Speichel *m*: ~ *and polish* ⚓, ⚔ *sl.* **a)** Putz- u. Flickstunde, **b)** peinliche Sauberkeit, **c)** Leuteschinderei; **10.** Fauchen *n* (*e-r Katze*); **11.** Sprühregen *m*; **12.** F Eben-, Abbild *n*: *she is the very* ~ *of her mother* sie ist ihrer Mutter wie aus dem Gesicht geschnitten.

spit[2] [spit] **I.** *s.* **1.** (Brat)Spieß *m*; **2.** *geogr.* Landzunge *f*; **3.** spitz zulaufende Sandbank; **II.** *v/t.* **4.** an e-n Bratspieß stecken; **5.** aufspießen.

spit[3] [spit] *s.* Spatenstich *m*.

spite [spait] **I.** *s.* **1.** Boshaftigkeit *f*, Gehässigkeit *f*: *from pure* (*od. in od. out of*) ~ aus reiner Bosheit; **2.** Groll *m*: *to have a ~ against j-m* grollen; **3.** (*in*) ~ *of* trotz, ungeachtet (*gen.*): *in ~ of that* dessenungeachtet; *in ~ of o.s.* unwillkürlich; **II.** *v/t.* **4.** *j-n* ärgern, kränken; → *nose Redew.*; ˈ**spite·ful** [-ful] *adj.* □ boshaft, gehässig; ˈ**spite·ful·ness** [-fulnis] → *spite 1.*

ˈ**spit|·fire I.** *s.* **1.** Feuer-, Hitzkopf *m*, *bsd.* ‚Drachen' *m*, ‚Kratzbürste' *f* (*Frau*); **2.** Feuerspeier *m*; **II.** *adj.* **3.** hitzköpfig.

spit·tle [ˈspitl] → *spit*[1] *9.*

spit·toon [spiˈtu:n] *s.* Spucknapf *m.*

spitz(-dog) [spits] (*Ger.*) *s. zo.* Spitz *m* (*Hund*).

spiv [spiv] *s. Brit. sl.* **1. a)** Nichtstuer *m*, **b)** Schmaˈrotzer *m*; **2.** Schieber *m.*

splanch·nic [ˈsplæŋknik] *adj. anat.* Eingeweide...

splash [splæʃ] **I.** *v/t.* **1.** (mit Wasser *od.* Schmutz *etc.*) bespritzen; **2.** *Wasser etc.* spritzen, gießen (*on, over* über *acc.*); **3.** *s-n Weg* patschend bahnen; **II.** *v/i.* **4.** spritzen; **5.** platschen, planschen, plätschern; **6.** klatschen (*Regen*); **III.** *adv.* **7.** platschend, klatsch, patsch; **IV.** *s.* **8.** Spritzen *n*; **9.** Plätschern *n*, Klatschen *n*; **10.** Schwapp *m*, Guß *m*; **11.** Spritzer *m*, (Spritz)Fleck *m*; **12.** (Farb-, Licht)Fleck *m*; **13.** F **a)** Aufsehen *n*, Sensatiˈon *f*, **b)** große Aufmachung: *to make a ~* Aufsehen erregen, Furore machen; **14.** *Brit.* F Schuß *m* Sodawasser (*zum Whisky etc.*); **15.** Gesichtspuder *m*; ˈ**~-board** *s.* ⊕, *mot.* Schutzblech *n*; ˈ**~-down** *s.* Wasserung *f*, Landung *f* im Wasser (*Raumkapsel etc.*).

splash·er [ˈsplæʃə] *s.* **1.** Schutzblech *n*; **2.** Wandschoner *m.*

splash·y [ˈsplæʃi] *adj.* **1.** spritzend; **2.** klatschend, platschend; **3.** bespritzt, beschmutzt, klecksig; **4.** matschig; **5.** F sensatioˈnell ‚toll'.

splat·ter [ˈsplætə] *Brit. dial. od. Am.* **I.** *v/t.* **1.** (be-, umˈher)spritzen; **2.** beschmutzen; **3.** sprenkeln; **II.** *v/i.* **4.** spritzen; **5.** platschen, planschen; **6.** undeutlich sprechen, ‚nuscheln'.

splay [splei] **I.** *v/t.* **1.** ausbreiten, -dehnen; **2.** ⚠ *Fenster etc.* ausschrägen; **3.** (ab)schrägen; **4.** *bsd. vet. Schulterknochen* ausrenken (*bei Pferden*); **II.** *v/i.* **5.** ausgeschrägt sein; **III.** *adj.* **6.** breit u. flach; **7.** gespreizt, nach auswärts gebogen (*Fuß*); **8.** schief, schräg; **IV.** *s.* **9.** ⚠ schiefwink(e)lige Fläche, Ausschrägung *f*; **splayed** [-eid] *adj.* **1.** auswärts gebogen, gespreizt; **2.** schräg.

ˈ**splay|-foot I.** *s.* ⚕ Spreiz-, Plattfuß *m*; **II.** *adj. a.* ˈ**~-foot·ed** mit Spreizfüßen behaftet.

spleen [spli:n] *s.* **1.** *anat.* Milz *f*; **2.** *fig.* üble Laune, Ärger *m*; **3.** *obs.* Hypochonˈdrie *f*, Melanchoˈlie *f*; **4.** *obs.* Spleen *m*, ‚Tick' *m*; ˈ**spleen·ful** [-ful], ˈ**spleen·ish** [-niʃ] *adj.* □ **1.** mürrisch, griesgrämig, übelgelaunt; **2.** hypoˈchondrisch.

splen·dent [ˈsplendənt] *adj. min. u. fig.* glänzend, leuchtend.

splen·did [ˈsplendid] *adj.* □ **1.** *alle a.* F glänzend, großartig, herrlich, prächtig; **2.** ruhmreich; **3.** wunderbar, herˈvorragend: ~ *talents*; ˈ**splen·did·ness** [-nis] *s.* **1.** Glanz *m*, Pracht *f*; **2.** Großartigkeit *f.*

splen·dif·er·ous [splenˈdifərəs] *adj.* F *od. humor.* herrlich, prächtig.

splen·do(u)r [ˈsplendə] *s.* **1.** heller Glanz; **2.** Pracht *f*; **3.** Großartigkeit *f*, Brilˈlanz *f*, Größe *f.*

sple·net·ic [spliˈnetik] **I.** *adj.* (□ *~ally*) **1.** ⚕ Milz...; **2.** milzkrank; **3.** *fig.* verdrießlich, übellaunig, reizbar; **4.** *obs.* melanˈcholisch; **II.** *s.* **5.** ⚕ Milzkranke(r *m*) *f*; **6.** *fig.* Hypoˈchonder *m.*

splen·ic [ˈsplenik] *adj.* ⚕ Milz...: ~ *fever* Milzbrand.

sple·ni·tis [spliˈnaitis] *s.* ⚕ Milzentzündung *f.*

splice [splais] **I.** *v/t.* **1.** spleißen, zs.-splissen; **2.** (ein)falzen; **3.** verbinden, zs.-fügen; **4.** F verheiraten: *to get ~d* getraut werden; **II.** *s.* **5.** ⚓ Spleiß *m*, Splissung *f*; **6.** ⊕ (Ein-)Falzung *f.*

spline [splain] *s.* **1.** längliches, dünnes Stück Holz *od.* Meˈtall; **2.** *Art* ˈKurvenlineˌal *n*; **3.** ⊕ **a)** Keil *m*, Feder *f* für Keilnut, **b)** Nut *f*, Rille *f* (*an e-r Achse etc.*).

splint [splint] **I.** *s.* **1.** ⚕ Schiene *f*: *in ~s* geschient; **2.** ⊕ Span *m*; **3.** → *splint-bone 1*; **4.** *vet.* **a)** → *splint-bone 2*, **b)** Knochenauswuchs *m*, ˈTumor *m* (*Pferdefuß*); **5.** *a.* *~-coal min.* Splitterkohle *f*; **II.** *v/t.* **6.** ⚕ schienen; ˈ**~-bone** *s.* **1.** *anat.* Wadenbein *n*; **2.** *vet. Knochen des Pferdefußes hinter dem Schienbein.*

splin·ter [ˈsplintə] **I.** *s.* **1.** (*a. Bomben-, Knochen- etc.*)Splitter *m*, Span *m*: *to go (in)to ~s* → *3*; **2.** *fig.* Splitter *m*, Bruchstück *n*; **II.** *v/t. u. v/i.* **3.** zersplittern; ˈ**~-bar** *s.* Ortscheit *n*, (Wagen)Schwengel *m*; ˈ**~-bomb** *s.* ⚔ Splitterbombe *f*; **~ par·ty** *s. pol.* ˈSplitterparˌtei *f*; ˈ**~-proof** *adj.* splittersicher.

splin·ter·y [ˈsplintəri] *adj.* **1.** *bsd. min.* splitterig, schieferig; **2.** leicht splitternd; **3.** splitterförmig; **4.** Splitter...

split [split] **I.** *v/t.* [*irr.*] **1.** (zer)spalten, zerteilen, schlitzen; *Holz, fig. Haare* spalten; **2.** zerreißen; → *side 4*; **3.** *fig.* zerstören; **4.** *Gewinn, Flasche Wein etc.* (untereinˈander) teilen, sich in *et.* teilen: *to ~ the difference* **a)** ✝ sich in die Differenz teilen, **b)** sich auf halbem Wege entgegenkommen *od.* einigen; → *ticket 7*; **5.** trennen, entzweien, *Partei etc.* spalten; **6.** *sl. Plan etc.* verraten; **7.** *Am.* F *Whisky etc.* ‚spritzen' (*mit Wasser verdünnen*); **8.** ⚛, *phys. Atome etc.* (auf)spalten: *to ~ off* abspalten; **II.** *v/i.* [*irr.*] **9.** sich aufspalten, reißen; platzen, bersten, zerspringen: *my head is ~ing fig.* ich habe rasende Kopfschmerzen; **10.** zerschellen (*Schiff*); **11.** sich spalten (*into* in *acc.*): *to ~ off* sich abspalten; **12.** sich entzweien *od.* trennen (*over* wegen *e-r Sache*); **13.** *sl.* sich teilen (*on* in *acc.*); **14.** *sl.* aus der Schule plaudern, alles verraten: *to ~ on j-n* denunzieren *od.* ‚hochgehen lassen'; **15.** F vor Lachen bersten; **16.** *pol. Am.* panaschieren; **III.** *s.* **17.** Spalt *m*, Riß *m*, Sprung *m*; **18.** *fig.* Spaltung *f*, Zersplitterung *f* (*e-r Partei etc.*); **19.** *fig.* Entzweiung *f*, Bruch *m*; **20.** *pol.* Splittergruppe *f*; **21.** ⊕ Schicht *f von Spaltleder*; **22.** F Mischgetränk *n*; **23.** F Split *m*, Fruchteisbecher *m*: *banana ~*; **24.** F **a)** halb(gefüllt)e (*Mineralwasser- etc.*)Flasche, **b)** halbgefülltes Schnapsglas; **25.** *pl.* **a)** *Akrobatik*: Spaˈgat *m*, **b)** *sport* Grätsche *f*; **26.** *sl.* Spitzel *m*; **IV.** *adj.* **27.** gespalten, Spalt...: *~ cloth* ⚕ Binde mit mehreren Enden; *~ infinitive ling.* gespaltener Infinitiv; *~ peas(e)* halbe Erbsen; *~ personality psych.* gespaltene Persönlichkeit; *~ second* Bruchteil e-r Sekunde; *~ second watch sport* Stoppuhr; *~ ticket Am.* Wahlzettel mit Kandidaten mehrerer Parteien; ˈ**split·ting** [-tiŋ] **I.** *adj.* **1.** (*ohren- etc.*)zerreißend; **2.** rasend, heftig (*Kopfschmerzen*); **3.** blitzschnell; **4.** zwerchfellerschütternd: *a ~ farce*; **II.** *s.* **5.** Splitting *n* (*Einkommensteuer*).

splodge [splɔdʒ], **splotch** [splɔtʃ] **I.** *s.* Fleck *m*, Klecks *m*; **II.** *v/t.* beklecksen; **splotch·y** [ˈsplɔtʃi] *adj.* fleckig, schmutzig.

splurge [splə:dʒ] F **I.** *s.* **1.** ‚Angabe' *f*, protziges Getue; **2.** verschwenderischer Aufwand, große Sache; **II.** *v/i.* **3.** protzen, angeben; **4.** prassen.

splut·ter [ˈsplʌtə] **I.** *v/i.* **1.** stottern, plappern; **2.** ‚stottern', ‚kotzen' (*Motor*); **3.** zischen (*Braten etc.*); **4.** spritzen, klecksen (*Schreibfeder*); **5.** spritzen, sprühen (*Wasser etc.*); **II.** *v/t.* **6.** *Worte* herˈaussprudeln, -stottern; **7.** verspritzen; **8.** bespritzen; **9.** *j-n* (*beim Sprechen*) bespucken; **III.** *s.* **10.** Geplapper *m*; **11.** Spritzen *n*; Sprudeln *n*; Zischen *n.*

spoil [spɔil] **I.** *v/t.* [*irr.*] **1.** *et., a. Appetit, Spaß* verderben, ruinieren, vernichten; *Plan* vereiteln; **2.** *Charakter etc.* verderben, *Kind* verziehen, -wöhnen; **3.** (*pret. u. p.p. nur ~ed*) berauben, entblößen (*of gen.*); **4.** (*pret. u. p.p. nur ~ed*) *obs.* (aus)plündern; **II.** *v/i.* [*irr.*] **5.** verderben, ‚kaˈputtgehen', schlecht werden (*Obst etc.*); **6.** *to be ~ing for* brennen auf (*acc.*); *~ing for a fight* streitlustig; **III.** *s.* **7.** *mst pl.* (Sieges)Beute *f*, Raub *m*; **8.** Beute(-stück *n*) *f*; **9.** *mst pl. bsd. Am.* **a)** Ausbeute *f*, **b)** *pol.* Gewinn *m*, Einkünfte *pl.* (*e-r Partei nach dem Wahlsieg aus Ämtern etc.*); **10.** Schutt *m*, Erdhaufen *m*; **11.** *pl.* ˈÜberreste *pl.*, -bleibsel *pl.* (*von Mahlzeiten*); ˈ**spoil·age** [-lidʒ] *s.* **1.** *typ.* Makulaˈtur *f*; **2.** ✝ Verderb *m von Waren.*

spoils·man [ˈspɔilzmən] *s.* [*irr.*] *pol. Am.* Postenjäger *m.*

ˈ**spoil-sport** *s.* Spielverderber(in).

spoils sys·tem *s. pol. Am.* ˈFutterkrippensysˌtem *n.*

spoilt [spɔilt] *pret. u. p.p. von spoil.*

spoke[1] [spouk] **I.** *s.* **1.** (Rad)Speiche *f*; **2.** (Leiter)Sprosse *f*; **3.** ⚓ Spake *f* (*des Steuerrads*); **4.** Bremsvorrichtung *f*: *to put a ~ in s.o.'s wheel fig.* j-m e-n Knüppel zwischen die Bei-

ne werfen; **II.** *v/t.* **5.** *Rad* verspeichen; **6.** *Rad* (ab)bremsen.
spoke² [spouk] *pret. u. obs. p.p. von speak.*
'spoke-bone *s. anat.* Speiche *f.*
spo·ken ['spoukən] **I.** *p.p. von speak*; **II.** *adj.* **1.** gesprochen, mündlich: ~ *English* gesprochenes Englisch; **2.** *in Zssgn* ...sprechend.
spokes·man ['spouksmən] *s.* [*irr.*] Wortführer *m,* Sprecher *m,* Vertreter *m*: *government* ~ *pol.* Regierungssprecher.
spo·li·ate ['spoulieit] *v/t. u. v/i.* plündern; **spo·li·a·tion** [spouli'eiʃən] *s.* **1.** Plünderung *f,* Beraubung *f*; **2.** ⚓, ⚔ *kriegsrechtliche Plünderung neutraler Schiffe.*
spon·da·ic [spɔn'deiik] *adj. Metrik*: spon'deisch; **spon·dee** ['spɔndi:] *s.* Spon'deus *m.*
spon·dyl(e) ['spɔndil] *s. anat., zo.* Wirbelknochen *m.*
sponge [spʌndʒ] **I.** *s.* **1.** *zo.,* ✝ *u. weitS.* Schwamm *m*: *to pass the* ~ *over* aus dem Gedächtnis löschen, vergessen; *to throw up the* ~ *Boxen*: das Handtuch werfen (*a. fig. sich geschlagen geben*); **2.** ⚔ Wischer *m*; **3.** *fig.* Schma'rotzer *m,* ‚Nassauer' *m* (*Person*); **4.** *Küche*: **a)** aufgegangener Teig, **b)** Schwammpudding *m*; **II.** *v/t.* **5.** *a.* ~ *down* (mit e-m Schwamm) reinigen, abwaschen: *to* ~ *off,* ~ *away* weg-, abwischen; *to* ~ *out* auslöschen (*a. fig.*); **6.** ~ *up Wasser etc.* (mit e-m Schwamm) aufsaugen, -nehmen; **7.** (kostenlos) ergattern, ‚schnorren'; **III.** *v/i.* **8.** Schwämme sammeln; **9.** schma'rotzen, ‚nassauern': *to* ~ *on s.o.* auf j-s Kosten leben; **'~-cake** *s.* Bis'kuitkuchen *m*; **~ cloth** *s.* ✝ *Art* Frot'tee *n*; **'~-down** *s.* Abreibung *f,* Abwaschung *f.*
spong·er ['spʌndʒə] *s.* **1.** ⊕ Dekatierer *m*; **2.** ⊕ Deka'tiermaˌschine *f*; **3.** Schwammtaucher *m*; **4.** → *sponge 3.*
spon·gi·ness ['spʌndʒinis] *s.* Schwammigkeit *f*; **spon·gy** ['spʌndʒi] *adj.* **1.** schwammig, po'rös, Schwamm...; **2.** *metall.* locker, porös: ~ *platinum* Platinschwamm; **3.** sumpfig, matschig.
spon·sal ['spɔnsəl] *adj.* Hochzeits...
spon·sion ['spɔnʃən] *s.* **1.** ('Übernahme *f* e-r) Bürgschaft *f*; **2.** ⚖, *pol.* (*von e-m nicht bsd. bevollmächtigten Vertreter*) *für e-n Staat übernommene Verpflichtung.*
spon·sor ['spɔnsə] **I.** *s.* **1.** Bürge *m,* Bürgin *f*; **2.** (Tauf)Pate *m,* (-)Patin *f*: *to stand* ~ *to* (*od. for*) Pate stehen bei; **3.** Förderer *m,* Gönner(in), Schirmherr(in); **4.** Geldgeber *m,* Sponsor *m, bsd.* Auftraggeber(in) für Werbesendungen; **II.** *v/t.* **5.** bürgen für; Pate stehen bei; **6.** fördern; **7.** *Rundfunksendung etc.* als Sponsor finanzieren *od.* veranstalten; **spon·so·ri·al** [spɔn'sɔ:riəl] *adj.* Paten...; **'spon·sor·ship** [-ʃip] *s.* **1.** Bürgschaft *f*; **2.** Gönnerschaft *f,* Schirmherrschaft *f*; **3.** Patenschaft *f.*
spon·ta·ne·i·ty [spɔntə'ni:iti] *s.* **1.** Freiwilligkeit *f,* eigener *od.* freier Antrieb; **2.** impul'sives *od.* spon'tanes Handeln; **3.** Ungezwungenheit *f,* Na'türlichkeit *f*; **4.** Selbstentstehung *f,* -entwicklung *f*; **spon·ta·ne·ous** [spɔn'teinjəs] □ *adj.* **1.** spon'tan: **a)** plötzlich, impul'siv, **b)** freiwillig, von innen her'aus (erfolgend), **c)** ungezwungen (*Stil etc*).); **2.** auto'matisch, 'unwillˌkürlich; **3.** ♀ wildwachsend; **4.** selbsttätig, von selbst (entstanden): ~ *combustion* ⊕ Selbstverbrennung; ~ *generation biol.* Urzeugung; ~ *ignition* ⊕ Selbstentzündung; **spon·ta·ne·ous·ness** [spɔn'teinjəsnis] → *spontaneity.*
spoof [spu:f] *bsd. Brit. sl.* **I.** *s.* Humbug *m,* Schwindel *m*; **II.** *v/t.* ‚reinlegen', beschwindeln.
spook [spu:k] **I.** *s. humor.* Spuk *m,* Gespenst *n*; **II.** *v/i.* (her'um)geistern, spuken; **'spook·ish** [-kiʃ], **'spook·y** [-ki] *adj.* gespenstsich, spukhaft.
spool [spu:l] **I.** *s.* Rolle *f,* Spule *f,* Haspel *f*; **II.** *v/t.* (auf)spulen.
spoon [spu:n] **I.** *s.* **1.** Löffel *m*; **2.** ⚓ Löffelruder(blatt) *n*; **3.** ⚓, ⚔ Führungsschaufel *f* (*Torpedorohr*); **4.** → *spoon-bait*; **5.** *sport* Spoon *m* (*Golfschläger*); **6.** F Einfaltspinsel *m*; **7.** verliebter Narr: *to be* ~*s on* in *j-n* ‚verknallt' sein; **II.** *v/t.* **8.** *mst* ~ *up,* ~ *out* auslöffeln; **9.** *sport Ball* schlenzen; **III.** *v/i.* **10.** mit e-m Blinker angeln; **11.** *sl.* ‚schmusen', poussieren; **'~-bait** *s. Angeln*: Blinker *m*; **'~-bill** *s. orn.* **1.** Löffelreiher *m*; **2.** Löffelente *f.*
spoon·er·ism ['spu:nərizəm] *s.* (*un*)*beabsichtigtes Vertauschen von Buchstaben od. Silben* (*z. B. queer old dean statt dear old queen*).
'spoon|-fed *adj.* auf-, hochgepäppelt (*a. fig.*); **'~-feed** *v/t.* [*irr.* → *feed*] **1.** *Säugling etc.* mit dem Löffel füttern; **2.** *fig. j-n* auf-, hochpäppeln, *a.* verwöhnen; **3.** ~ *s.th. to s.o. fig.* **a)** j-m et. ‚vorkauen', **b)** j-m et. eintrichtern; **4.** ~ *s.o. fig.* j-n (geistig) bevormunden.
spoon·ful ['spu:nful] *pl.* **-fuls** *s. ein* Löffel(voll) *m.*
'spoon-meat *s.* (Kinder-, Kranken-) Brei *m,* ‚Papp' *m* (*a. fig.*).
spoon·y ['spu:ni] *adj.* □ *sl.* **1.** verliebt, ‚verschossen' (*on* in *acc.*); **2.** *bsd. Brit.* läppisch, blöd(e).
spoor [spuə] *hunt.* **I.** *s.* Spur *f,* Fährte *f*; **II.** *v/t.* aufspüren; **III.** *v/i.* e-e Spur verfolgen.
spo·rad·ic [spə'rædik] *adj.* (□ ~*ally*) spo'radisch, vereinzelt (auftretend).
spo·range [spɔ'rændʒ] *s.*; **spo'ran·gi·um** [-dʒiəm] *pl.* **-gi·a** [-dʒiə] *s.* Sporenträger *m,* -kapsel *f.*
spore [spɔ:] *s.* **1.** *biol.* Spore *f,* Keimkorn *n*; **2.** *fig.* Keim(zelle *f*) *m.*
spo·rif·er·ous [spɔ:'rifərəs] *adj.* sporentragend, -bildend.
Spo·ro·zo·a [spɔ:rə'zouə] *s. pl. zo.* Sporentierchen *pl.,* Sporo'zoen *pl.*
spor·ran ['spɔrən] *s.* beschlagene Felltasche (*Schottentracht*).
sport [spɔ:t] **I.** *s.* **1.** Vergnügen *n,* Belustigung *f* (*im Freien*), *bsd.* **a)** Spiel *n,* Rennen *n,* **b)** *oft pl. allg.* Sport(veranstaltung *f*) *m,* Wettkampf *m*: *to go in for* ~*s* Sport treiben; **2.** Sport(art *f*) *m, engS.* Jagd-, Angelsport *m*; **3.** Kurzweil *f,* Zeitvertreib *m*; **4.** Spaß *m* Scherz *m*: *in* ~ im Spaß, zum Scherz; *to make* ~ *of* sich lustig machen über (*acc.*), *j-n* zum besten haben; **5.** Zielscheibe *f* des Spottes; **6.** *fig.* Spielball *m* (*des Schicksals, der Wellen etc.*); **7.** feiner *od.* anständiger Kerl: *be a* (*good*) ~ **a)** sei kein Spielverderber, **b)** sei ein guter Kerl, nimm es nicht übel; **8.** *Am.* F Sportbegeisterte(r *m*) *f*; **9.** *bsd. Am.* F Lebemann *m*; **10.** *biol.* Spiel-, Abart *f*; **II.** *adj.* **11.** sportlich, Sport...; **III.** *v/i.* **12.** sich belustigen; **13.** sich tummeln, her'umtollen; **14.** scherzen, sich lustig machen (*at, over, upon* über *acc.*); **IV.** *v/t.* **15.** stolz (zur Schau) tragen, protzen mit; **'sport·ing** [-tiŋ] *adj.* □ **1.** sportlich (*a. fig. fair, anständig*); **2.** unter'nehmungslustig, mutig: *a* ~ *chance* e-e gewagte, aber aussichtsreiche Sache; **3.** Sport..., Jagd...: ~ *gun* Jagdgewehr; ~ *news* Sportbericht; **'spor·tive** [-tiv] *adj.* □ **1.** mutwillig, verspielt; **2.** scherz-, spaßhaft.
sports [spɔ:ts] *adj.* Sport...: ~ *car* Sportwagen; ~ *coat,* ~ *jacket* Sportsakko; **'~·man** [-mən] *s.* [*irr.*] **1.** Sportsmann *m*: **a)** Sportler *m, bsd.* Jäger *m,* Angler *m,* **b)** *fig.* fairer, anständiger Kerl; **2.** *fig.* 'Spielernaˌtur *f,* Wagemutige(r) *m*; **'~·man·like** [-mənlaik] *adj.* **1.** sportlich (*a. fig. fair, anständig*); **2.** *hunt.* weidmännisch; **'~·man·ship** [-mənʃip] *s.* Sportlichkeit *f* (*a. fig. Anständigkeit*); **'~·wom·an** *s.* [*irr.*] Spo.tlerin *f.*
sport·y ['spɔ:ti] *adj. bsd. Am.* F **1.** angeberisch, auffallend; **2.** modisch; **3.** sportlich, fair.
spor·ule ['spɔrju:l] *s. biol.* (kleine) Spore.
spot [spɔt] **I.** *s.* **1.** (Schmutz-, Rost- *etc.*)Fleck(en) *m*; **2.** *fig.* Schandfleck *m,* Makel *m*; **3.** (Farb)Fleck *m,* Tupfen *m* (*a. zo.*); **4.** ⚕ **a)** Leberfleck *m,* Hautmal *n,* **b)** Pustel *f,* Pickel *m*; **5.** Stelle *f,* Ort *m,* Platz *m*: *on the* ~ **a)** zur Stelle, **b)** an Ort u. Stelle, **c)** auf der Stelle, sofort, **d)** ‚auf Draht', **e)** *sl.* in der ‚Tinte' *od.* Klemme; *to put on the* ~ *sl.* **a)** *j-n* in Verlegenheit bringen, **b)** *j-n* ‚umlegen' (*töten*); *on the* ~ *of four* Punkt 4 Uhr; *in* ~*s* stellenweise; *soft* ~ *fig.* Schwäche (*for* für); *sore* (*od. tender*) ~ *fig.* wunder Punkt, empfindliche Stelle; **6.** Fleckchen *n,* Stückchen *n* (*Erde*); **7.** *bsd. Brit.* F **a)** Bissen *m,* Häppchen *n* (*Essen*), **b)** Tropfen *m,* Schluck *m,* Schuß *m* (*Whisky etc.*); **8.** *Billard*: Point *m*; **9.** *Am.* Auge *n* (*Würfel etc.*); **10.** *pl.* ✝ 'Lokowaren *pl.*; **11.** *a.* ~ *announcement* ✝, *Radio, Fernsehen*: (Werbe)Spot *m,* kurze Werbeeinblendung, *Radio*: *a.* 'Werbeˌdurchsage *f*; **II.** *adj.* **12.** ✝ **a)** so'fort lieferbar, **b)** sofort zahlbar (*bei Lieferung*), **c)** bar, Bar...: ~ *business* Lokogeschäft; ~ *goods* ~ *10*; → *spot cash*; **III.** *v/t.* **13.** beflecken (*a. fig.*); **14.** tüpfeln, sprenkeln; **15.** F erkennen, her'ausfinden, entdecken, erspähen; **16.** placieren: *to* ~ *a billiard-ball*; **17.** ⚔, ✈ (genau) ausmachen; **IV.** *v/i.* **18.** e-n Fleck *od.* Flecke machen; **19.** flecken, fleckig werden.
'spot|-ball *s. Billard*: **1.** auf dem Point stehender Ball; **2.** bunter Ball;

~ **cash** *s.* ✝ Barzahlung *f*, so'fortige Kasse; '~-**check** *s.* Stichprobe *f*.
spot·less ['spɔtlis] *adj.* □ fleckenlos (*a. fig.*); '**spot·less·ness** [-nis] *s.* Flecken-, Makellosigkeit *f* (*a. fig.*).
'**spot·light** I. *s.* 1. *thea.* (Punkt-) Scheinwerfer(licht *n*) *m*; 2. *fig.* Rampenlicht *n* (der Öffentlichkeit): *in the* ~ im Brennpunkt des Interesses; 3. *mot.* Suchscheinwerfer *m*; II. *v/t.* 4. anstrahlen; 5. *fig.* die Aufmerksamkeit lenken auf (*acc.*), *et. od. j-n* groß her'ausstellen.
spot·ted ['spɔtid] *adj.* 1. fleckig, gefleckt, getüpfelt, gesprenkelt: ~ *dog sl.* Korinthenpudding; 2. *fig.* besudelt, befleckt; 3. ⚕ Fleck...: ~ *fever* a) Fleckfieber, b) Genickstarre;
'**spot·ter** [-tə] *s.* 1. *Am.* F (Pri'vat-) Detek,tiv *m*; 2. ⚔ Artille'riebeobachter *m*; 3. ⚔ *Brit.* Flugmelder *m* (*beim Luftschutz*).
'**spot-test** → *spot-check*.
spot·ty ['spɔti] *adj.* □ 1. → *spotted* 1; 2. nicht einheitlich; 3. pickelig.
'**spot-weld** *v/t.* ⊕ punktschweißen.
spous·al ['spauzəl] I. *adj.* 1. bräutlich, Hochzeits..., ehelich; II. *s.* 2. *mst. pl. obs.* Hochzeit *f*; 3. *obs.* Ehe (-stand *m*) *f*; **spouse** [spauz] *s.* (*a.* ⚖ Ehe)Gatte *m*, Gattin *f*, Gemahl(in).
spout [spaut] I. *v/t.* 1. *Wasser etc.* (aus)speien, her'ausspritzen, -schleudern; 2. deklamieren, hersagen: *to* ~ *verses*; 3. *sl.* versetzen, -pfänden; II. *v/i.* 4. Wasser speien, spritzen (*a. Wal*); 5. her'vorsprudeln, her'ausschießen, -spritzen (*Blut, Wasser etc.*); 6. a) deklamieren, b) *contp.* sal'badern; III. *s.* 7. Tülle *f*, Schnauze *f e-r Kanne*; 8. Abfluß-, Speirohr *n*; 9. (kräftiger) Wasserstrahl; 10. *zo.* a) Fon'täne *f* (*e-s Wals*), b) → *spout-hole*; 11. *sl. to be up the* ~ a) versetzt *od.* verpfändet sein, b) ‚auf dem letzten Loch pfeifen': *she's up the* ~ bei ihr ist was ‚unterwegs'; '**spout·er** [-tə] *s.* 1. (spritzender) Wal; 2. Ölquelle *f*; 3. pa'thetischer Redner.
'**spout-hole** *s. zo.* Spritzloch *n* (*Wal*).
sprag[1] [spræg] *s.* 1. Bremsklotz *m*; 2. ⊕ Spreizholz *n*.
sprag[2] [spræg] *s. ichth.* Dorsch *m*.
sprain [sprein] I. *v/t.* verstauchen; II. *s.* ⚕ Verstauchung *f*, -renkung *f*.
sprang [spræŋ] *pret. von spring*.
sprat [spræt] *s. ichth.* Sprotte *f*: *to throw a* ~ *to catch a whale* (*od. mackerel*) *fig.* mit der Wurst nach der Speckseite werfen.
sprawl [sprɔ:l] I. *v/i.* 1. ausgestreckt daliegen, alle Viere von sich strecken: *to send s.o.* ~*ing* j-n zu Boden strecken; 2. sich spreizen; 3. sich (hin)rekeln *od.* (-)lümmeln; 4. sich ausbreiten, viel Raum einnehmen: ~*ing hand* ausladende Handschrift; 5. ♀ wuchern; II. *v/t.* 6. *mst* ~*out* ausstrecken, -spreizen; III. *s.* 7. Rekeln *n*, Sich'breitmachen *n*; ausgestreckte Lage.
spray[1] [sprei] *s.* 1. Zweig(chen *n*) *m*; 2. *coll.* a) Gezweig *n*, b) Reisig *n*; 3. Zweigverzierung *f*, -schmuck *m*.
spray[2] [sprei] I. *s.* 1. Gischt *f*, Schaum *m*; Sprühnebel *m*, -regen *m*, -wasser *n*; 2. ⊕, ⚕ *etc.* a) zerstäubte Flüssigkeit *f*, Spray *m*, b) Zerstäuberflüssigkeit *f*; 3. Zerstäuber *m*, Sprühdose *f*, -gerät *n*; II. *v/t.* 4. *Flüssigkeit* zerstäuben, (ver)sprühen; *vom Flugzeug* abregnen; 5. *a.* ~ *on* ⊕ *Überzug* aufsprühen, -spritzen; 6. *et.* besprühen, -spritzen; *mot. etc.* spritzlackieren; '**spray·er** [-eiə] → *spray*[2] 3.
'**spray|-gun** *s.* ⊕ 'Spritzpi,stole *f*; '~-**noz·zle** *s.* 1. (Gießkannen)Brause *f*; 2. Brause *f*; 3. *mot.* Spritzdüse *f*.
spread [spred] I. *v/t.* [*irr.*] 1. *oft* ~ *out Hände, Flügel, Teppich etc.* ausbreiten; *Arme etc.* ausstrecken: *to* ~ *the table* den Tisch decken; *the peacock* ~*s its tail* der Pfau schlägt ein Rad; 2. *oft* ~ *out* ausdehnen; *Beine etc.* spreizen (*a.* ⊕); 3. bedecken, über'ziehen, -'säen (*with* **mit**); 4. *Heu etc.* **ausbreiten**; 5. *Butter etc.* aufstreichen, *Farbe, Mörtel etc.* auftragen; 6. *Brot* streichen, schmieren; 7. breitschlagen; 8. *Krankheit, Geruch etc., a. Furcht* verbreiten; 9. *a.* ~ *abroad Gerücht, Nachricht* verbreiten, aussprengen, -streuen; 10. *zeitlich* verteilen; 11. ~ *o.s. sl.* a) sich *als Gastgeber etc.* mächtig anstrengen, b) angeben, prahlen; II. *v/i.* [*irr.*] 12. *a.* ~ *out* sich ausbreiten *od.* verteilen; 13. sich ausbreiten (*Fahne etc.*; *a. Lächeln etc.*); sich spreizen (*Beine etc.*); 14. sich *vor den Augen* ausbreiten *od.* -dehnen, sich erstrecken (*Landschaft*); 15. ⊕ sich strecken *od.* dehnen (lassen) (*Werkstoff*); 16. sich streichen *od.* auftragen lassen (*Butter, Farbe*); 17. sich ver- *od.* ausbreiten (*Geruch, Pflanze, Krankheit, Gerücht etc.*) 'übergreifen (*to* auf *acc.*) (*Feuer, Epidemie etc.*); III. *s.* 18. Ausbreitung *f*, -dehnung *f*; 19. Aus-, Verbreitung *f* (*e-r Krankheit, von Wissen etc.*); 20. Ausdehnung *f*, Weite *f*, 'Umfang *m*; 21. (weite) Fläche; 22. *orn.*, ✈ (Flügel)Spanne *f*; 23. *Ballistik*: Streubereich *m*; 24. (Zwischen)Raum *m*, Abstand *m*, Lücke *f* (*a. fig.*); (*a.* Zeit)Spanne *f*; 25. Dehnweite *f*; 26. Körperfülle *f*, Behäbigkeit *f*; 27. (Bett- *etc.*)Decke *f*; 28. Brotaufstrich *m*; 29. F (Fest-) Schmaus *m*, Gelage *n*; 30. ✝ (*oft ganzseitige*) (Werbe)Anzeige; 31. ✝ *Am.* Stel'lagegeschäft *n*; 32. ✝ *Am.* Marge *f*, (Verdienst)Spanne *f*, Differ'enz *f*; IV. *adj.* 33. verbreitet; ausgebreitet; 34. gespreizt; 35. Streich...: ~ *cheese*.
spread| ea·gle *s.* 1. *her.* Adler *m*; 2. *Am.* F a) Hur'rapatri,ot *m*, Chauvi'nist *m*, b) Chauvi'nismus *m*; 3. F Angeber *m*; '~-**ea·gle** I. *adj.* 1. F angeberisch, bom'bastisch; 2. F chauvi'nistisch; II. *v/t.* 3. (*nach Art e-s Wappenadlers*) ausbreiten, spreizen.
spread·er ['spredə] *s.* Streu- *od.* Spritzgerät *n*, *a.* Spreize *f*, *bsd.* a) ('Dünger)Streuma,schine *f*, b) Abstandsstütze *f*, c) Zerstäuber *m*, d) Spritzdüse *f*, e) Buttermesser *n*.
spree [spri:] F *s.* 1. lustiger Abend, Jux *m*: *to go on a* ~ auf e-n Bummel gehen; 2. ‚Orgie' *f*, ‚Saufe'rei' *f*; 3. (*Kauf-, Spar- etc.*)Orgie *f*, Welle *f*.
sprig [sprig] I. *s.* 1. Zweigchen *n*, Schößling *m*, Reis *n*; 2. *humor. od. contp.* Sprößling *m*, ‚Ableger' *m*; 3. Bürschchen *n*, grüner Junge; 4. → *spray*[1] 3; 5. ⊕ Zwecke *f*, Stift *m*; II. *v/t.* 6. mit e-m Zweigmuster verzieren; 7. festzwecken.
spright·li·ness ['spraitlinis] *s.* Lebhaftigkeit *f*, Munterkeit *f*; **spright·ly** ['spraitli] *adj. u. adv.* lebhaft, munter, ‚spritzig'.
spring [spriŋ] I. *v/i.* [*irr.*] 1. springen: *to* ~ *at* (*od.* [*up*]*on*) auf *j-n* losspringen, *j-n* anfallen; 2. aufspringen; 3. springen, schnellen, hüpfen: *to* ~ *open* aufspringen (*Tür*); *the trap sprang* die Falle schnappte zu; 4. *oft* ~ *forth* (*od. out*) a) her'ausschießen, (-)sprudeln (*Wasser, Blut etc.*), b) (her'aus)sprühen, springen (*Funken etc.*); 5. (*from*) entspringen (*dat.*): a) quellen (aus), b) *fig.* **herkommen, abstammen (von)**: *to be sprung from* entstanden sein aus; 6. *mst* ~ *up* a) aufkommen (*Wind*), b) *fig.* plötzlich entstehen *od.* aufkommen (*Ideen, Industrie etc.*): *to* ~ *into existence*; *to* ~ *into fame* plötzlich berühmt werden; 7. aufschießen (*Pflanzen etc.*); 8. (hoch) aufragen; 9. auffliegen (*Rebhühner etc.*); 10. ⊕ a) sich werfen, b) springen, platzen (*Holz*); 11. ⚔ explodieren (*Mine*); II. *v/t.* [*irr.*] 12. *Falle* zuschnappen lassen; *et.* zu'rückschnellen lassen; 13. *Riß etc.*, ⚓ *Leck* bekommen; 14. explodieren lassen; → *mine*[2] 8; 15. mit *e-r Neuigkeit etc.* ‚her'ausplatzen': *to* ~ *s.th. on s.o.* j-m mit *e-r Überraschung etc.* ins Gesicht springen; 16. ⚠ *Bogen* wölben; 17. ⊕ (ab)federn; 18. *Brit.* F *Geld etc.* springen lassen; 19. *Brit.* F *j-n* erleichtern (*for* um *Geld etc.*); 20. *sl. j-n* ‚rausholen' (*befreien*); III. *s.* 21. Sprung *m*, Satz *m*; 22. Frühling *m*, Lenz *m* (*a. fig.*); 23. Elastizi'tät *f*, Sprung-, Schnellkraft *f*; 24. *fig.* (geistige) Spannkraft; 25. Sprung *m*, Riß *m im Holz etc.*; Krümmung *f e-s Bretts*; 26. (*a. Mineral-, Öl-*) Quelle *f*, Brunnen *m*: *hot* ~*s* heiße Quellen; 27. *fig.* Quelle *f*, Ursprung *m*; 28. *fig.* Triebfeder *f*, Beweggrund *m*; 29. ⚠ a) (Bogen)Wölbung *f*, b) Gewölbeanfang *m*; 30. ⊕ (*bsd.* Sprung)Feder *f*; Federung *f*; IV. *adj.* 31. Sprung..., Schwung...; 32. Feder...; 33. Frühlings...; ~ **balance** *s.* ⊕ Federwaage *f*; ~ **bed** *s.* 'Sprungfederma,tratze *f*; '~-**board** *s. sport* Sprungbrett *n* (*a. fig.*); '~-**bok** [-bɔk] *pl.* -**boks**, *bsd. coll.* -**bok** *s. zo.* Springbock *m*; '~-**bows** [-bouz] *s. pl.* ⊕ Federzirkel *m*; '~-'**clean·ing** *s.* Frühjahrshausputz *m*.
springe [sprindʒ] I. *s.* 1. *hunt.* Schlinge *f*; 2. *fig.* Falle *f*; II. *v/t.* 3. *Tier* mit e-r Schlinge fangen.
spring·er ['spriŋə] *s.* 1. *a.* ~ *spaniel hunt.* 'Springer,spaniel *m*; 2. ⚠ Gewölbeanfang(sstein) *m*, (Bogen-) Kämpfer *m*.
spring| fe·ver *s.* 1. Frühjahrsmüdigkeit *f*; 2. (*rastlose*) Frühlingsgefühle *pl.*; ~ **gun** *s.* Selbstschuß *m*.
spring·i·ness ['spriŋinis] → *spring* 23.
spring·ing ['spriŋiŋ] *s.* 1. ⊕ (Ab-) Federung *f*; 2. ⚠ Kämpferlinie *f*.
spring| leaf *s.* ⊕ Federblatt *n*; '~-**lock** *s.* ⊕ Schnappschloß *n*; ~ **mat-**

tress → *spring bed*; '**~·tide** → *springtime*; **~ tide** *s.* ⚓ Springflut *f*; *fig.* Flut *f*, Über'schwemmung *f*; '**~·time** *s.* Frühling(szeit *f*) *m*, Frühjahr *n*; **~ wa·ter** *s.* Quell-, Brunnenwasser *n*; **~ wheat** *s.* 🌾 Sommerweizen *m*.

spring·y ['spriŋi] *adj.* □ **1.** federnd, e'lastisch; **2.** *fig.* schwungvoll.

sprin·kle ['spriŋkl] **I.** *v/t.* **1.** *Wasser etc.* sprenkeln, (ver)sprengen (*on* auf *acc.*); **2.** *Salz, Pulver etc.* sprenkeln, streuen; **3.** (ver-, zer)streuen, verteilen; **4.** *et.* besprenkeln, besprengen, bestreuen, (be)netzen (*with* mit); **5.** *Stoff etc.* sprenkeln; **II.** *v/i.* **6.** sprenkeln; **7.** (nieder)sprühen; **III.** *s.* **8.** Sprühregen *m*; **9.** leichter Schneefall; **10.** Prise *f Salz etc.*; **11.** → *sprinkling 3*; '**sprin·kler** [-lə] *s.* **1. a)** 'Sprengappa,rat *m*, -wagen *m*, **b)** Berieselungsanlage *f*, (Rasen-)Sprenger *m*, **c)** Brause *f*, Gießkanne(nkopf *m*) *f*, **d)** Feuerlöscher *m*; **2.** *R.C.* Weihwasserwedel *m*; '**sprin·kling** [-liŋ] *s.* **1.** Sprenkeln *n*, (Be-)Sprengen *n*; **2.** Spritzer *m*, Gesprengsel *n*; **3.** *a ~ of fig.* ein bißchen, etwas, e-e Spur, ein paar *Leute etc.*, ein wenig *Salz etc.*

sprint [sprint] **I.** *v/i.* **1.** rennen; **2.** *sport* sprinten (*Läufer*), *allg.* spurten; **II.** *s.* **3.** *sport* **a)** Sprint *m*, Kurzstreckenlauf *m*, **b)** *allg.* Spurt *m*, **c)** *Radsport*: Spurtrennen *n*; **4.** *fig.* (End)Spurt *m*; '**sprint·er** [-tə] *s. sport* **1.** Sprinter *m*, Kurzstreckler *m*; **2.** *Radsport*: Flieger *m*.

sprit [sprit] *s.* ⚓ Spriet *n*.

sprite [sprait] *s.* Elfe *f*, Fee *f*; Kobold *m*.

'**sprit·sail** *s.* ⚓ Sprietsegel *n*.

sprock·et ['sprɔkit] *s.* ⊕ **1.** Zahn *m* e-s (Ketten)Rades; **2.** *a.* *~-wheel* (Ketten)Zahnrad *n*, Kettenrad *n*; **3.** 'Filmtrans,porttrommel *f*.

sprout [spraut] **I.** *v/i.* **1.** sprießen, (auf)schießen, aufgehen; **2.** keimen; **3.** schnell wachsen, sich schnell entwickeln; **II.** *v/t.* **4.** (her'vor)treiben, wachsen *od.* keimen lassen, entwickeln; **III.** *s.* **5.** Sproß *m*, Sprößling *m*, Schößling *m* (*a. fig.*); **6.** *pl.* → *Brussels sprouts*.

spruce[1] [spru:s] *s.* ⚘ **1.** *a.* *~ fir* Fichte *f*, Rottanne *f*; **2.** Fichte(nholz *n*) *f*.

spruce[2] [spru:s] **I.** *adj.* □ **1.** schmuck, (blitz)sauber, a'drett; **2.** geschniegelt; **II.** *v/t.* **3.** *oft ~ up j-n* fein machen, (her'aus)putzen: *to ~ o.s. up* → *4*; **III.** *v/i.* **4.** *oft ~ up* sich fein machen, sich schniegeln; '**spruce·ness** [-nis] *s.* Sauberkeit *f*, A'drettheit *f*.

sprung [sprʌŋ] **I.** *pret. u. p.p. von spring*; **II.** *adj.* **1.** *sl.* beschwipst; **2.** ⊕ gefedert; **3.** rissig (*Holz*).

spry [sprai] *adj. Am. od. dial.* flink, hurtig, lebhaft.

spud [spʌd] **I.** *s.* **1.** 🌾 **a)** Jätmesser *n*, Reutspaten *m*, **b)** Stoßeisen *n*; **2.** *sl. od. dial.* Kar'toffel *f*; **3.** *bsd. dial.* Knirps *m*; **II.** *v/t.* **4.** *mst ~ up, ~ out* ausgraben, -jäten.

spue → *spew*.

spume [spju:m] *s.* Schaum *m*, Gischt *m*; '**spu·mous** [-məs], '**spu·my** [-mi] *adj.* schäumend, schaumig.

spun [spʌn] **I.** *pret. u. p.p. von spin*; **II.** *adj.* **1.** gesponnen: *~ glass* Glasgespinst; *~ gold* Goldgespinst; *~ silk* Schappseide; **2.** *sl.* ‚durchgedreht', ‚fertig'.

spunk [spʌŋk] *s.* **1.** Zunderholz *n*; **2.** Zunder *m*, Lunte *f*; **3.** F **a)** Feuer *n*, Schwung *m*, **b)** ‚Mumm' *m*, **c)** Zorn *m*; '**spunk·y** [-ki] *adj.* **1.** feurig, lebhaft; **2.** mutig, draufgängerisch; **3.** *Am. od. dial.* hitzig, wild.

spur [spə:] **I.** *s.* **1.** (Reit)Sporn *m*: *~s* Sporen; *to put* (*od. set*) *~s to* → *8*; *to win one's ~s fig.* sich die Sporen verdienen; **2.** *fig.* Ansporn *m*, -reiz *m*: *on the ~ of the moment* der Eingebung des Augenblicks folgend, ohne Überlegung, spontan; **3.** ⚘ **a)** Dorn *m*, Stachel *m* (*kurzer Zweig etc.*), **b)** Sporn *m* (*Nektarbehälter*); **4.** *zo.* Sporn *m*, Stachel *m* (*des Hahns*); **5.** *geogr.* Ausläufer *m*, (Gebirgs)Vorsprung *m*; **6.** △ **a)** Strebe *f*, Stütze *f*, **b)** Strebebalken *m*, **c)** (Mauer)Vorsprung *m*; **7.** ⚔ *hist.* Außen-, Vorwerk *n*; **II.** *v/t.* **8.** *Pferd* spornen, die Sporen geben (*dat.*); **9.** *oft ~ on fig. j-n* anspornen, -stacheln: *to ~ s.o. into action*; **10.** mit Sporen versehen, Sporen (an-)schnallen an (*acc.*); **III.** *v/i.* **11.** (das Pferd) spornen; **12. a)** sprengen, eilen, **b)** *fig.* (vorwärts)drängen.

spurge [spə:dʒ] *s.* ⚘ Wolfsmilch *f*.

'**spur|-gear** *s.* ⊕ **1.** Geradstirnrad *n*; **2.** *a. spur-gearing* Geradstirnradgetriebe *n*.

'**spurge-'lau·rel** *s.* ⚘ Lorbeer-Seidelbast *m*.

spu·ri·ous ['spjuəriəs] *adj.* □ **1.** falsch, unecht, Pseudo..., Schein...: *~ fruit* ⚘ Scheinfrucht; **2.** nachgemacht, gefälscht; **3.** unehelich; '**spu·ri·ous·ness** [-nis] *s.* Unechtheit *f*.

spurn [spə:n] *v/t.* **1.** *obs.* mit dem Fuß (weg)stoßen; **2.** verschmähen, verächtlich zu'rückweisen.

spurred [spə:d] *adj.* gespornt; *a.* ⚘, *zo.* sporentragend.

spur·r(e)y ['spʌri] *s.* ⚘ Spergel *m*.

spurt[1] [spə:t] **I.** *s.* **1.** *sport* (*a.* 'Zwischen),Spurt *m*; **2.** Ruck *m*, plötzliche ruckartige Anstrengung; **3.** † plötzliches Anziehen (*von Preisen etc.*); **II.** *v/i.* **4.** *sport* spurten; **5.** e-e kurze, heftige Anstrengung machen, alle s-e Kräfte zs.-nehmen.

spurt[2] [spə:t] **I.** *v/t. u. v/i.* (her'aus-)spritzen; **II.** *s.* (Wasser- *etc.*)Strahl *m*.

spur| track *s.* 🚂 Neben-, Seitengleis *n*; '**~-wheel** → *spur-gear 1*.

sput·ter ['spʌtə] → *splutter*.

spu·tum ['spju:təm] *pl.* **-ta** [-tə] *s.* ⚕ 'Sputum *n*, Auswurf *m*.

spy [spai] **I.** *v/t.* **1.** ausspionieren, -spähen: *to ~ out* auskundschaften; **2.** erspähen, entdecken; **II.** *v/i.* **3.** ⚔ *etc.* spionieren, Spio'nage treiben: *to ~* (*up*)*on j-m* nachspionieren, *j-n* bespitzeln; **4.** spähen; **5.** her'umspionieren: *to ~ into et.* untersuchen, erkunden; **III.** *s.* **6.** Späher(in), Kundschafter(in); **7.** ⚔, *pol.* Spi'on(in) (*a. fig. Spitzel*); '**~-glass** *s.* Fernglas *n*; '**~-hole** *s.* Guckloch *n*.

squab [skwɔb] **I.** *s.* **1.** *orn.* (unbefiederter) Jungvogel; **2.** *Am.* F *fig.* Kü(c)ken *n*, junges Ding (*Mädchen*); **3.** Sofakissen *n*, Polster(stuhl *m*, -bank *f*) *n*; **4.** *fig.* Dickwanst *m* (*Person*); **II.** *adj.* **5.** unter'setzt, feist; **6.** *orn.* noch nicht flügge, ungefiedert.

squab·ble ['skwɔbl] **I.** *v/i.* sich zanken *od.* kabbeln *od.* (katz)balgen; **II.** *v/t. typ.* verrücken; **III.** *s.* Zank *m*, Händel *pl.*, Kabbe'lei *f*; '**squab·bler** [-lə] *s.* Zänker(in), ‚Streithammel' *m*.

squab·by [skwɔbi] → *squab 5*.

squad [skwɔd] *s.* **1.** ⚔ Gruppe *f*, Korpo'ralschaft *f*: *awkward ~* **a)** ‚patschnasse' Re'kruten, **b)** *fig.* ‚Flaschenverein' (*Gruppe unfähiger Leute*); **2.** (Arbeits- *etc.*)Trupp *m*; **3.** ('Überfall- *etc.*)Kom,mando *n* (*Polizei*); **4.** *sport bsd. Am.* Mannschaft *f*, (Turn)Riege *f*; **~ car** *s. Am.* (Funk-, Poli'zei)Streifenwagen *m*.

squad·ron ['skwɔdrən] *s.* **1.** ⚔ **a)** ('Reiter)Schwa,dron *f*, **b)** ('Panzer-)Batail,lon *n*; **2.** ⚓, ⚔ (Flotten-)Geschwader *n*; **3.** ✈ Staffel *f*; **4.** *allg.* Ab'teilung *f*, Mannschaft *f*; '**~-lead·er** *s.* ✈, ⚔ *Brit.* ('Flieger-)Ma,jor *m*.

squail [skweil] *s.* **1.** *pl.* Flohspiel *n*; **2.** Spielplättchen *n* zum Flohspiel.

squal·id ['skwɔlid] *adj.* □ schmutzig, verkommen (*beide a. fig.*), verwahrlost; '**squal·id·ness** [-nis] *s.* Schmutz *m* (*a. fig.*), Verwahrlosung *f*, Elend *n*.

squall[1] [skwɔ:l] **I.** *s.* **1.** *meteor.* Bö *f*, heftiger Windstoß; **2.** F ‚Sturm' *m*, ‚Gewitter' *n* (*drohende Aufregung od. Unannehmlichkeit, Streit*): *to look out for ~s* die Augen offen halten, auf der Hut sein; **II.** *v/i.* **3.** stürmen, stürmisch sein.

squall[2] [skwɔ:l] **I.** *v/i.* kreischen, schreien (*a. Kind*); **II.** *v/t. oft ~ out et.* kreischen; **III.** *s.* schriller Schrei: *~s* Geschrei; '**squall·er** [-lə] *s.* Schreihals *m*.

squall·y ['skwɔ:li] *adj.* böig, stürmisch.

squal·or ['skwɔlə] → *squalidness*.

squa·ma ['skweimə] *pl.* **-mae** [-mi:] *s.* ⚘, *anat.*, *zo.* Schuppe *f*, schuppenartige Or'ganbildung; '**squa·mous** [-məs] *adj. biol.* schuppenförmig, -artig, schuppig.

squan·der ['skwɔndə] *v/t. oft ~ away Geld, Zeit etc.* verschwenden, -geuden; '**squan·der·er** [-dərə] *s.* Verschwender(in); '**squan·der·ing** [-dəriŋ] **I.** *adj.* □ verschwenderisch; **II.** *s.* Verschwendung *f*, -geudung *f*.

squan·der·ma·ni·a ['skwɔndə'meinjə] *s.* Verschwendungssucht *f*.

square [skwɛə] **I.** *s.* **1.** 𝔄 Qua'drat *n* (*Figur*); **2.** Quadrat *n*, Viereck *n*, qua'dratisches Stück (*Glas, Stoff etc.*), Karo *n*; **3.** Feld *n* (*Schachbrett etc.*); **4.** Häuserblock *m*; **5.** (öffentlicher) Platz; **6.** ⊕ **a)** Winkel(maß *n*) *m*, **b)** *bsd. Zimmerei*: Geviert *n*: *on the ~* **a)** rechtwink(e)lig, **b)** F ehrlich, anständig, in Ordnung; *out of ~* **a)** nicht rechtwink(e)lig, **b)** *fig.* nicht in Ordnung; **7.** 𝔄 Qua'drat(-zahl *f*) *n*: *in the ~* im Quadrat; **8.** ⚔ *hist.* Kar'ree *n*; **9.** ('Wort-, 'Zahlen)Qua,drat *n*; **10.** △ Säulenplatte *f*; **11.** *sl.* Spießer *m*; **II.** *v/t.* **12.** rechtwink(e)lig *od.* qua-

ˈdratisch machen; **13.** *a.* ~ *off* in Quadrate einteilen, *Papier etc.* karieren; **14.** auf s-e Abweichung vom rechten Winkel prüfen; **15.** 𝔄 **a)** den Flächeninhalt berechnen von (*od. gen.*), **b)** *Zahl* quadrieren, ins Quadrat erheben, **c)** *Figur* quadrieren; → *circle 1*; **16.** *a.* ~ *off* in Quadrate einteilen: ~*d paper Brit.* Millimeterpapier; **17.** ⊕ vierkantig behauen; **18.** *Schultern* straffen; **19.** *fig.* in Einklang bringen (*with* mit), anpassen (*to* an *acc.*); **20.** (*a.* ☦ *Konten*) ausgleichen; → *account 5*; **21.** *Schuld* begleichen; **22.** *Gläubiger* befriedigen; **23.** *sl. j-n* ‚schmieren', bestechen; **24.** *sport Kampf* unentschieden beenden; **III.** *v/i.* **25.** ~ *up* (*Am. a. off*) in Boxerstellung *od.* in Auslage gehen: *to* ~ *up to* sich vor *j-m* aufpflanzen, *fig. Problem* anpacken; **26.** (*with*) überˈeinstimmen (mit), passen (zu); **27.** ~ *up* ☦ *u. fig.* abrechnen; **IV.** *adj.* □ **28.** 𝔄 quaˈdratisch, Quadrat... (*-wurzel, -zahl etc.*): ~ *measure* Flächenmaß; **29.** im Quadrat: *2 feet* ~; **30.** rechtwink(e)lig, im rechten Winkel (stehend) (*to* zu); **31.** (vier-)eckig; **32.** ⊕ Vierkant...; **33.** gerade, gleichmäßig; **34.** breit(schulterig), stämmig, vierschrötig; **35.** *fig.* in Einklang (stehend) (*with* mit), stimmend, in Ordnung: *to get things* ~ die Sache in Ordnung bringen; **36.** ☦ abgeglichen (*Konten*): *to get* ~ *with* mit *j-m* quitt werden (*a. fig.*); **37.** F **a)** reˈell, anständig, **b)** offen, ehrlich: ~ *deal* **a)** reeller Handel, **b)** anständige Behandlung; **38.** klar, deutlich: *a* ~ *refusal*; **39.** F ordentlich, reichlich: *a* ~ *meal*; **40.** *sl.* ‚spießig'; **41.** zu viert: ~ *game*; **V.** *adv.* **42.** quadratisch, viereckig; rechtwink(e)lig; **43.** F anständig, ehrlich; **44.** *Am.* diˈrekt, gerade; ˈ**~-ˈbuilt** → *square 34*; ~ **dance** *s.* **1.** Quaˈdrille *f*; **2.** Volkstanz *m*; ˈ**~head** *s.* F ‚Quaˈdratschädel' *m* (*Skandinavier, Holländer, Deutscher in U.S.A. od. Kanada*).

square·ness [ˈskwɛənis] *s.* **1.** *das* Viereckige; **2.** Vierschrötigkeit *f*; **3.** Ehrlichkeit *f*.

ˈ**square|-ˈrigged** *adj.* ⚓ mit Rahen getakelt; ˈ**~-rig·ger** *s.* ⚓ Rahsegler *m*; ~**sail** *s.* ⚓ Rahsegel *n*; ~**shoot·er** *s. Am.* F ehrlicher *od.* anständiger Kerl; ˈ**~-ˈshoul·dered** *adj.* breitschultrig; ˈ**~-ˈtoed** *adj. fig.* **a)** altmodisch, hausbacken, **b)** steif, peˈdantisch; ˈ**~-toes** *s. pl. sg. konstr. humor.* Peˈdant(in).

squash[1] [skwɔʃ] **I.** *v/t.* **1.** (zu Brei) zerquetschen, zs.-drücken; flach-, breitschlagen; **2.** *fig. Aufruhr etc.* niederschlagen, im Keim ersticken; **3.** F *j-n mit Entgegnungen* mundtot (*od.* fertig)machen; **II.** *v/i.* **4.** zerdrückt *od.* -quetscht werden; **5.** sich zs.-quetschen; **6.** quatschen (*Schuhe im Morast etc.*); **III.** *s.* **7.** Matsch *m*, Brei *m*; **8.** Gedränge *n*, zs.-gequetschte (Menschen)Menge; **9.** (Ziˈtronen- *etc.*)Saft *m*; **10.** Quatschen *n*, Platsch(en *n*) *m*; **11.** *sport ein* Raˈkettspiel *n*.

squash[2] [skwɔʃ] *s.* ⚘ Kürbis *m*.

squash hat *s.* Schlapphut *m*.

squash·y [ˈskwɔʃi] *adj.* □ **1.** weich, breiig; **2.** matschig (*Boden*).

squat [skwɔt] **I.** *v/i.* **1.** hocken, kauern; **2.** sich ducken (*Tier*); **3.** F ~ *down* ‚sich (hin)hocken', sich setzen; **4.** sich ohne Rechtstitel ansiedeln; **II.** *v/t.* **5.** *leerstehendes Haus* besetzen; **III.** *adj.* **6.** unterˈsetzt, gedrungen, vierschrötig (*Person*); **7.** flach, platt; **IV.** *s.* **8.** Hockstellung *f*, Hocke *f* (*a. sport*); **9.** Sitz *m*, Platz *m*; ˈ**squat·ter** [-tə] *s.* **1.** Hockende(r *m*) *f*; **2.** Hausbesetzer *m*; **3.** *Am.* Squatter *m*, Ansiedler *m* ohne Rechtstitel; **4.** *Am. u. Austral.* Squatter *m*: **a)** Siedler *m* auf regierungseigenem Land, **b)** (*bsd.* Schaf)Herdenbesitzer *m*; ˈ**squat·ting** [-tiŋ] *s.* Häuserbesetzung *f*.

squaw [skwɔː] *s.* (Indiˈaner)Frau *f*, Indiˈanerin *f*, Squaw *f*.

squawk [skwɔːk] **I.** *v/i.* **1.** *bsd. orn.* schreien, kreischen, quäken; **2.** *fig.* ‚meckern', aufbegehren; **II.** *s.* **3.** (gellender) Schrei, Kreischen *n*, Quäken *n*.

squeak [skwiːk] **I.** *v/i.* **1.** quiek(s)en, piep(s)en; **2.** quietschen, knarren (*Türangel, Schuh etc.*); **3.** *sl.* → *squeal 4*; **II.** *v/t.* **4.** *et.* quiek(s)en; **III.** *s.* **5.** Gequiek(s)e *n*, Piep(s)en *n*; **6.** Quietschen *n*, Knarren *n*; **7.** *a narrow* (*od. close*) ~ F ein knappes Entrinnen; ˈ**squeak·er** [-kə] *s.* **1.** junger Vogel, *bsd.* junges Täubchen; **2.** Schreihals *m*; **3.** → *squealer 3*; ˈ**squeak·y** [-ki] *adj.* □ **1.** quiek(s)end; **2.** quietschend.

squeal [skwiːl] **I.** *v/i.* **1.** grell schreien, winseln; **2.** quieken (*Schwein, Kind etc.*); **3.** F zetern, schimpfen (*against* gegen); **4.** *sl.* ‚pfeifen', ‚singen' (*verraten*): *to* ~ *on s.o.* j-n verpetzen *od.* verraten; **II.** *v/t.* **5.** *et.* quäken, kreischen; **III.** *s.* **6.** langer, schriller Schrei, Quieken *n*; ˈ**squeal·er** [-lə] *s.* **1.** Schreier *m*, Winsler *m*; **2.** Täubchen *n*, *allg.* junger Vogel; **3.** *sl.* Verräter *m*.

squeam·ish [ˈskwiːmiʃ] *adj.* □ **1.** (ˈüber)empfindlich, zimperlich; **2.** heikel (*im Essen*); **3.** ˈübergewissenhaft, peˈnibel; ˈ**squeam·ish·ness** [-nis] **1.** ˈÜberempfindlichkeit *f*, Zimperlichkeit *f*; **2.** ˈÜbergewissenhaftigkeit *f*; **3.** Ekel *m*, Übelkeit *f*.

squee·gee [ˈskwiːˈdʒiː] *s. phot. etc.* (ˈGummi)Quetschwalze *f*.

squeez·a·ble [ˈskwiːzəbl] *adj.* **1.** zs.-drückbar; **2.** *fig.* gefügig; ˈ**squeeze** [skwiːz] **I.** *v/t.* **1.** (zs.-)drücken; **2. a)** *Frucht* auspressen, -quetschen, *Schwamm* ausdrücken, **b)** F *j-n* auspowern, ‚schröpfen'; **3.** *oft* ~ *out Saft etc.* (herˈ)auspressen, -quetschen (*from* aus): *to* ~ *a tear fig.* e-e Träne zerdrücken, ein paar Krokodilstränen weinen; **4.** drücken, quetschen, zwängen (*into* in *acc.*); eng (zs.-)packen: *to* ~ *o.s.* (*od. one's way*) *into* (*through*) sich hinein- (hindurch)zwängen; **5.** F fest *od.* innig an sich drücken; **6.** F **a)** unter Druck setzen, erpressen, **b)** *Geld etc.* herˈauspressen, *Vorteil etc.* herˈausschinden (*out of* aus); **7.** e-n Abdruck machen von (*e-r Münze etc.*); **II.** *v/i.* **8.** quetschen, drücken, pressen; **9.** sich zwängen: *to* ~ *through* (*in*) sich durch- (hinein)zwängen; **III.** *s.* **10.** Druck *m*, Pressen *n*, Quetschen *n*; **11.** Händedruck *m*; **12.** (innige) Umˈarmung; **13.** Gedränge *n*; **14.** F Klemme *f*, *bsd.* Geldverlegenheit *f*; **15.** ‚Druck' *m*, Erpressung *f*; **16.** ☦ **a)** wirtschaftlicher Engpaß, **b)** Geldknappheit *f*; **17.** (*bsd.* Wachs)Abdruck *m*; ˈ**squeez·er** [-zə] *s.* **1.** (*Frucht- etc.*) Presse *f*, Quetsche *f*; **2.** ⊕ **a)** (ˈAus)Preßmaˌschine *f*, **b)** Quetschwerk *n*, **c)** ˈPreßformmaˌschine *f*.

squelch [skweltʃ] F **I.** *v/t.* **1.** zermalmen; **2.** *fig. j-n* ‚kurz fertigmachen'; **II.** *v/i.* **3.** p(l)atschen; **4.** quatschen, glucksen (*nasser Schuh etc.*); **III.** *s.* **5.** Matsch *m*; **6.** P(l)atschen *n*, Glucksen *n*; **7.** → *squelcher*; ˈ**squelch·er** [-tʃə] *s.* F **1.** vernichtender Schlag; **2.** vernichtende Antwort.

squib [skwib] *s.* **1. a)** Frosch *m*, Schwärmer *m*, **b)** *Brit. allg.* (Hand-) Feuerwerkskörper *m*; **2.** ⚔ *hist.* Zündladung *f*; **3.** Spottgedicht *n*, Saˈtire *f*.

squid [skwid] *pl.* **squids**, *bsd. coll.* **squid** *s.* **1.** *zo.* Zehnfüßiger Tintenfisch; **2.** *künstlicher Köder in Tintenfischform.*

squif·fy [ˈskwifi] *adj. sl.* beschwipst.

squill [skwil] *s.* **1.** ⚘, *pharm.* Meerzwiebel *f*; **2.** ⚘ *ein* Blaustern *m*; **3.** Heuschreckenkrebs *m*.

squint [skwint] **I.** *v/i.* **1.** schielen (*a. fig.*); **2.** ~ *at* **a)** schielen nach, **b)** e-n Blick werfen auf (*acc.*), *et.* angucken, **c)** scheel *od.* argwöhnisch blicken auf (*acc.*); **3.** blinzeln, zwinkern; **II.** *v/t.* **4.** *Augen* **a)** verdrehen, **b)** zs.-kneifen; **III.** *s.* **5.** Schielen *n* (*a. fig.*); **6.** F (rascher *od.* verstohlener) Blick: *to have a* ~ *at* → *2b*; **IV.** *adj.* **7.** schielend; **8.** schief, schräg; ˈ**~-eyed** *adj.* **1.** schielend; **2.** *fig.* scheel, böse.

squint·ing [ˈskwintiŋ] *adj.* □ **1.** schielend; **2.** schief, schräg.

squir·arch·y → *squirearchy*.

squire [ˈskwaiə] **I.** *s.* **1.** *englischer* Landjunker, *a.* Gutsherr *m*, Großgrundbesitzer *m*; **2.** *bsd.* F (*a. Am.*) **a)** (Friedens)Richter *m*, **b)** *andere Person mit lokaler Obrigkeitswürde*; **3.** *hist.* Edelknabe *m*, (Schild)Knappe *m*; **4.** Kavaˈlier *m*, Begleiter *m* (*e-r Dame*): ~ *of dames* Frauenheld; **II.** *v/t. u. v/i.* **5.** (e-e Dame) begleiten; **6.** (e-r Dame) Ritterdienste leisten *od.* den Hof machen; ˈ**squire·arch·y** [-əraːki] *s.* Junkertum *n*: **a)** *coll. die* (Land)Junker *pl.*, **b)** (Land)Junkerherrschaft *f*.

squirm [skwəːm] **I.** *v/i.* **1.** sich krümmen, sich winden (*a. fig. with* vor *Verlegenheit etc.*): *to* ~ *out of* sich aus *e-m Kleid* (mühsam) ‚herausschälen', *fig.* sich aus *e-r Notlage etc.* (heraus)winden; **II.** *s.* **2.** Krümmen *n*, Sichˈwinden *n*; **3.** ⚓ Kink *m im Tau*; ˈ**squirm·y** [-mi] *adj.* **1.** sich windend; **2.** *fig.* eklig.

squir·rel [ˈskwirəl] *s.* **1.** *zo.* Eichhörnchen *n*: *flying* ~ Flughörnchen; **2.** Feh *n* (*Pelzwerk*); ˈ**~-cage** ⚡ **I.** *s.* Kurzschluß-, Käfiganker *m*; **II.** *adj.* Käfig..., Kurzschluß...

squirt [skwəːt] **I.** *v/i.* **1.** spritzen; **2.** herˈvorspritzen, -sprudeln; **II.**

v/t. **3.** *Flüssigkeit etc.* her'vor-, her'ausspritzen; **4.** bespritzen; **III.** *s.* **5.** (Wasser- *etc.*)Strahl *m*; **6.** Spritze *f*: ~ *can* ⊕ Spritzkanne; **7.** *a.* ~*-gun* 'Wasserpiˌstole *f*; **8.** F (junger) ‚Spritzer', Wichtigtuer *m*.

squish [skwiʃ] *s.* F Marme'lade *f*.

stab [stæb] **I.** *v/t.* **1.** *j-n* erstechen, erdolchen; **2.** *Messer etc.* bohren, stoßen (*into* in *acc.*); **3.** *fig.* verletzen: *to* ~ *s.o. in the back* j-m in den Rücken fallen, j-n verleumden; *to* ~ *s.o.'s reputation* an j-m Rufmord begehen; **4.** ⊕ *Mauer* rauh hauen; **II.** *v/i.* **5.** stechen (*at* nach); **6.** stechen (*Schmerz*); **III.** *s.* **7.** (Dolch- *etc.*)Stoß *m*, Stich *m*: ~ *in the back fig.* Dolchstoß, hinterhältiger Angriff; *to make a* ~ *at sl. et.* probieren; **8.** Stich(wunde *f*) *m*; **9.** *fig.* stechender Schmerz, Stich *m*.

sta·bil·i·ty [stə'biliti] *s.* **1.** Stabili'tät *f*: **a)** Standfestigkeit *f*, **b)** (Wert)Beständigkeit *f*, Festigkeit *f*, Haltbarkeit *f*, **c)** Unveränderlichkeit *f* (*a.* ⚗), **d)** ⚗ Resi'stenz *f*: *monetary* ~ † Währungsstabilität; **2.** *fig.* Beständigkeit *f*, Standhaftigkeit *f*, (Cha'rakter)Festigkeit *f*; **3. a)** ⊕ Kippsicherheit *f*, **b)** ✈ dy'namisches Gleichgewicht, **c)** ⚓ Stabilität *f* (*e-s Schiffs im Wasser*).

sta·bi·li·za·tion [steibilai'zeiʃən] *s.* **1.** Stabilisierung *f* (*bsd.* †), Festigung *f*; **2.** ⊕, ✈ Kippsicherung *f*;

sta·bi·lize ['steibilaiz] *v/t.* stabilisieren (*a.* †, ✈): **a)** festigen, stützen, **b)** kon'stant halten: ~*d warfare* ⚔ Stellungskrieg; **sta·bi·liz·er** ['steibilaizə] *s.* ⊕, ✈, ⚓, ⚗ Stabili'sator *m*.

sta·ble[1] ['steibl] *adj.* □ **1.** sta'bil (*a.* †): **a)** standfest, -sicher (*a.* ⊕), **b)** (wert)beständig, fest, dauerhaft, haltbar, **c)** unveränderlich (*a.* ⚗), **d)** ⚗ resi'stent: ~ *currency* † stabile Währung; **2.** *fig.* beständig, gefestigt.

sta·ble[2] ['steibl] **I.** *s.* **1.** (Pferde-, Kuh)Stall *m*; **2.** Stall(bestand) *m*; **3.** Rennstall *m* (*bsd. coll. Pferde, Leute*); **4.** *pl.* ⚔ *Brit.* **a)** Stalldienst *m*, **b)** → *stable-call*; **II.** *v/t.* **5.** *Pferd* einstallen; **III.** *v/i.* **6.** im Stall stehen (*Pferd*); **7.** *fig.* hausen; '~**-boy** *s.* Stalljunge *m*; '~**-call** *s.* ⚔ Si'gnal *n* zum Stalldienst; '~**-com·pan·ion** *s.* Stallgefährte *m* (*a.* F *fig.*); '~**-man** [-mən] *s.* [*irr.*] Stallknecht *m*.

sta·ble·ness ['steiblnis] → *stability*.

sta·bling ['steibliŋ] *s.* **1.** Einstallung *f*; **2.** Stallung(en *pl.*) *f*, Ställe *pl.*

stac·ca·to [stə'kɑ:tou] (*Ital.*) *adv.* **1.** ♪ stak'kato; **2.** *fig.* abgehackt.

stack [stæk] **I.** *s.* **1.** (Heu-, Getreide-, Stroh)Schober *m*, Feim *m*; **2.** Stoß *m*, Stapel *m* (*Holz, Bücher etc.*); **3.** *Brit. Maßeinheit für Holz u. Kohlen* (*3,05814 m*³); **4.** *Am.* ('Bücher)Reˌgal *n*; *pl.* 'Hauptmagaˌzin *n e-r Bibliothek*; **5.** ⚔ (Ge'wehr)Pyraˌmide *f*; **6. a)** *bsd.* 🚂, ⚓ Schornstein *m*, Ka'min *m*, **b)** (Schmiede-) Esse *f*; **II.** *v/t.* **7.** *Heu etc.* aufschobern; **8.** aufschichten, -stapeln; **9.** *et.* 'vollstapeln; **10.** ⚔ *Gewehre* zs.-setzen: *to* ~ *arms*; **11.** *to* ~ *cards Am.* **a)** Karten ‚packen' (*um zu betrügen*), **b)** *sl.* e-e Sache abkarten;

'**stack·er** [-kə] *s.* Stapler *m* (*Person u. Gerät*).

sta·di·a[1] ['steidjə] *pl. von stadium.*

sta·di·a[2] ['steidjə] *s. a.* ~*-rod* ⊕ ('Basis)Meßlatte *f*.

sta·di·um ['steidjəm] *pl.* **-di·a** [-djə] *s.* **1.** *antiq.* 'Stadion *n* (*Kampfbahn u. Längenmaß*); **2.** *pl. mst* '**sta·di·ums** *sport* Stadion *n*, Sportfeld *n*, Kampfbahn *f*; **3.** *bsd.* ⚕, *biol.* 'Stadium *n*.

staff[1] [stɑ:f] **I.** *s.* **1.** Stock *m*, Stecken *m*; **2.** (*a.* Amts-, Bischofs-, Kom'mando-, Meß-, Wander)Stab *m*; **3.** (Fahnen)Stange *f*, ⚓ Flaggenstock *m*; **4.** *fig.* **a)** Stütze *f des Alters etc.*, **b)** *das* Nötige *od.* Wichtigste: ~ *of life* Brot, Nahrung; **5.** Unruhewelle *f* (*Uhr*); **6. a)** (Assi'stenten-, 'Mitarˌbeiter)Stab *m*, **b)** Beamtenkörper *m*, -stab *m*, **c)** Lehrkörper *m*, 'Lehrkolˌlegium *n*, **d)** Perso'nal *n*, Belegschaft *f*: *editorial* ~ Redaktion(sstab), Schriftleitung; *nursing* ~ ⚕ Pflegepersonal; *senior* ~ † leitende Angestellte; *to be on the* ~ (*of*) zum Stabe *od.* Lehrkörper *od.* Personal gehören (*gen.*), Mitarbeiter sein (bei), fest angestellt sein (bei); **7.** ⚔ Stab *m* (*Kommandostelle*); **8.** *pl.* **staves** ♪ 'Noten(linien)syˌstem *n*; **II.** *adj.* **9.** *bsd.* ⚔ Stabs...; **10.** Perso'nal...; **III.** *v/t.* **11.** (mit Personal) besetzen: *well* ~*ed* gut besetzt; **12.** mit e-m Stab *od.* Lehrkörper *etc.* versehen; **13.** den Lehrkörper *e-r Schule* bilden.

staff[2] [stɑ:f] *s.* ⊕ *Baustoff aus Gips u.* (*Hanf*)*Fasern.*

staff| car *s.* ⚔ Stabs-, Befehlsfahrzeug *n*; ~ **col·lege** *s.* ⚔ 'Kriegsakadeˌmie *f*; ~ **man·a·ger** *s.* † Perso'nalchef *m*; ~ **no·ta·tion** *s.* ♪ 'Liniennotenschrift *f*; ~ **of·fi·cer** *s.* ⚔ 'Stabsoffiˌzier *m*; ~ **re·duc·tions** *pl.* † Perso'nalabbau *m*; '~**-ser·geant** *s.* ⚔ (*Brit.* Ober)Feldwebel *m*.

stag [stæg] **I.** *s.* **1.** *hunt.*, *zo.* **a)** Rothirsch *m*, **b)** Hirsch *m*; **2.** *bsd. dial.* Männchen *n* (*verschiedener anderer Tiere*); **3.** *nach der Reife kastriertes männliches Tier*; **4.** F **a)** ‚Unbeweibte(r)' *m*, Herr *m* ohne Damenbegleitung, **b)** *bsd. Am.* → *stag-party*; **5.** † *Brit.* **a)** Kon'zertzeichner *m*, **b)** Speku'lant, der Neuausgaben von 'Aktien aufkauft; **II.** *adj.* **6.** F Herren...: ~ *dinner*; **III.** *v/i.* **7.** † *Brit. sl.* Diffe'renzgeschäfte machen; **8.** F ohne Damenbegleitung gehen; '~**-bee·tle** *s. zo.* Hirschkäfer *m*.

stage [steidʒ] **I.** *s.* **1.** Bühne *f*, Gerüst *n*; ⚓ Landungsbrücke *f*; **2.** *thea.* Bühne *f* (*a. fig. Theaterwelt, Bühnenlaufbahn*): *the* ~ *fig.* die Bühne, das Drama *od.* Schauspiel; *to be on the* ~ Schauspieler(in) *od.* beim Theater sein; *to bring on the* ~ → *11a*; *to go on the* ~ zur Bühne gehen; *to hold the* ~ sich auf der Bühne halten; **3.** *hist.* **a)** ('Post-) Statiˌon *f*, **b)** Postkutsche *f*; **4. a)** Haltestelle *f*, **b)** (Fahr-, Teil)Strecke *f*, **c)** (Reise)Abschnitt *m*, E'tappe *f* (*a. fig. des Lebens etc.*): *by* (*od. in*) (*easy*) ~*s* etappenweise; **5.** ⚕, †, *biol. etc.* 'Stadium *n*, (Entwicklungs)Stufe *f*, Phase *f*: *at this* ~ zum gegenwärtigen Zeitpunkt; *critical* (*experimental, intitial*) ~ kritisches (Versuchs-, Anfangs)Stadium; ~*s of appeal* ⚖ Instanzenweg; **6.** ⊕ (Schalt- *etc.*, ⚡ Verstärker-, *a.* Ra'keten)Stufe *f*; **7.** *geol.* Stufe *f e-r Formation*; **8.** Ob'jektträger *m* (*Mikroskop*); **9.** ⊕ Farbläufer *m*; **10.** *Am.* Höhe *f* des Spiegels (*e-s Flusses*); **II.** *v/t.* **11.** *Theaterstück* **a)** auf die Bühne bringen, inszenieren, **b)** für die Bühne bearbeiten; **12.** *fig.* inszenieren, in Szene setzen; **13.** ⊕ berüsten; **14.** ⚔ *Am. Personen* 'durchschleusen; '~**-box** *s. thea.* Pro'szeniumsloge *f*; '~**-coach** *s. hist.* Postkutsche *f*; '~**-craft** *s.* Bühnenkunst *f*, -technik *f*, -erfahrung *f*; ~ **di·rec·tion** *s.* Bühnen-, Re'gieanweisung *f*; ~ **di·rec·tor** *s.* Regis'seur *m*; ~ **door** *s.* Bühneneingang *m*; ~ **ef·fect** *s.* **1.** Bühnenwirkung *f*; **2.** *fig.* Thea'tralik *f*, Ef'fekt *m*; ~ **fe·ver** *s.* Drang *m* zur Bühne, The'aterbesessenheit *f*; ~ **fright** *s.* Lampenfieber *n*; '~**-hand** *s.* Bühnenarbeiter *m*; '~**-man·age** *v/t. fig.* inszenieren; ~ **man·age·ment** *s.* Spielleitung *f*, Re'gie *f*; ~ **man·ag·er** *s.* Inspizi'ent *m*; '~**-mas·ter** *s.* technischer Spielleiter; '~**-play** *s.* Bühnenstück *n*, -schauspiel *n* (*Ggs. Lesedrama*).

stag·er ['steidʒə] *s. mst old* ~ alter Praktikus *od.* Hase.

stage| right *s. mst pl.* ⚖ Aufführungs-, Bühnenrecht *n*; '~**-struck** *adj.* the'aterbesessen, bühnenbegeistert; ~ **whis·per** *s.* **1.** *thea.* nur für das Publikum gedachtes Flüstern; **2.** *fig.* weithin hörbares Geflüster; '~**-worth·y** *adj.* bühnenfähig, -gerecht (*Schauspiel*).

stage·y → *stagy*.

stag·fla·tion [stæg'fleiʃən] *s.* † Stagflati'on *f*.

stag·ger ['stægə] **I.** *v/i.* **1.** (sch)wanken, taumeln, torkeln; **2.** *fig.* wanken, unsicher werden; **II.** *v/t.* **3.** ins Wanken bringen, erschüttern (*a. fig.*); **4.** *fig.* verblüffen, *stärker*: 'umwerfen, über'wältigen; **5.** ⊕ gestaffelt *od.* versetzt anordnen; (*a. fig. Arbeitszeit etc.*) staffeln; **III.** *s.* **6.** Schwanken *n*, Taumeln *n*; **7.** *pl. sg. konstr.*: **a)** Schwindel *m*, **b)** *vet.* Schwindel *m* (*von Rindern*), Koller *m* (*von Pferden*), Drehkrankheit *f* (*von Schafen*); **8.** ⊕, ✈ *u. fig.* Staffelung *f*; **9.** *Leichtathletik*: Kurvenvorgabe *f*; '**stag·gered** [-əd] *adj.* **1.** ⊕ versetzt (angeordnet), gestaffelt; **2.** gestaffelt (*Arbeitszeit etc.*); '**stag·ger·ing** [-əriŋ] *adj.* □ **1.** (sch)wankend, taumelnd; **2.** wuchtig, heftig (*Schlag*); **3.** *fig.* 'umwerfend, phan'tastisch; schwindelerregend (*Preise etc.*).

'**stag-horn** *s.* **1.** Hirschhorn *n*; **2.** *a.* ~ *coral zo.* 'Dornkoˌralle *f*; **3.** ⚘ **a)** *a.* ~ *fern* Geweihfarn *m*, **b)** *a.* ~ *moss* Keulen-Bärlapp *m*.

stag·i·ness ['steidʒinis] *s.* Thea'tralik *f*, Efˌfekthasche'rei *f*.

stag·ing ['steidʒiŋ] *s.* **1.** *thea.* **a)** Inszenierung *f* (*a. fig.*), **b)** Bühnenbearbeitung *f*; **2.** (Bau)Gerüst *n*; **3.** ⚓ Hellinggerüst *n* (*e-r Werft*); ~ **a·re·a** *s.* ⚔ **1.** Bereitstellungsraum *m*; **2.** Auffangraum *m*; ~ **camp** *s. Am.* ˈDurchgangslager *n.*

stag·nan·cy [ˈstægnənsi] *s.* Stagnatiˈon *f*: **a)** Stockung *f*, Stillstand *m*, **b)** *bsd.* ✝ Flauheit *f*, **c)** *fig.* Trägheit *f*; ˈ**stag·nant** [-nt] *adj.* □ stagnierend: **a)** stockend (*a.* ✝), stillstehend, **b)** abgestanden (*Wasser*), **c)** *fig.* träge; ˈ**stag·nate** [-neit] *v/i.* stagnieren, stocken; **stag·na·tion** [stægˈneiʃən] → *stagnancy.*

ˈ**stag-par·ty** *s.* F Herrenabend *m.*

stag·y [ˈsteidʒi] *adj.* □ **1.** bühnenmäßig, Bühnen...; **2.** *fig.* theaˈtralisch, efˈfekthaschend.

staid [steid] *adj.* □ gesetzt, seriˈös; ruhig (*a. Farbe*), gelassen; ˈ**staid·ness** [-nis] *s.* Gesetztheit *f.*

stain [stein] **I.** *s.* **1.** (Schmutz-, *a.* Farb)Fleck *m*; **2.** *fig.* Schandfleck *m*, Makel *m*; **3.** Färbung *f*; **4.** ⊕ Farbe *f*, Färbemittel *n* (*a. beim Mikroskopieren*); **5.** (Holz)Beize *f*; **II.** *v/t.* **6.** beschmutzen, beflecken, besudeln (*alle a. fig.*); **7.** färben; *Holz* beizen; *Glas etc.* bemalen; *Stoff etc.* bedrucken: *~ed glass* buntes *od.* bemaltes (Fenster)Glas; **III.** *v/i.* **8.** Flecken verursachen; **9.** Flecken bekommen, schmutzen; ˈ**stain·ing** [-niŋ] **I.** *s.* **1.** (Ver)Färbung *f*; **2.** Verschmutzung *f*; **3.** ⊕ Färben *n*, Beizen *n*: ~ *of glass* Glasmalerei; **II.** *adj.* **4.** Färbe...; ˈ**stain·less** [-lis] *adj.* □ **1.** *bsd. fig.* fleckenlos, unbefleckt; **2.** rostfrei, nichtrostend (*Stahl*).

stair [stɛə] *s.* **1.** Treppe *f*, Stiege *f*; **2.** (Treppen)Stufe *f*; **3.** *pl.* Treppe(nhaus *n*) *f*: *below ~s* **a)** unten, **b)** beim Hauspersonal; ˈ**~-car·pet** *s.* Treppenläufer *m*; ˈ**~·case** *s.* Treppe *f*, Treppenhaus *n*, -aufgang *m*; ˈ**~·head** *s.* oberster Treppenabsatz; ˈ**~·way** → *staircase.*

stake[1] [steik] **I.** *s.* **1.** (*a.* Grenz)Pfahl *m*, Pfosten *m*: *to pull up ~s Am.* F ‚abhauen'; **2.** Marter-, Brandpfahl *m*: *the ~ fig.* der (Tod auf dem) Scheiterhaufen; **3.** Pflock *m* (*zum Anbinden von Tieren*); **4.** (Wagen-)Runge *f*; **5.** Absteckpfahl *m*, -pflock *m*; **6.** kleiner (Hand)Amboß; **II.** *v/t.* **7.** *oft ~ off*, *~ out* abstecken (*a. fig.*): *to ~ out a claim fig.* e-e Forderung umreißen; *to ~ in* (*od. out*) mit Pfählen einzäunen; **8.** *Pflanze* mit e-m Pfahl stützen; **9.** *a. ~ out Tier* anpflocken; **10. a)** mit e-m Pfahl durchˈbohren, aufspießen, **b)** pfählen (*als Strafe*).

stake[2] [steik] **I.** *s.* **1.** (Wett-, Spiel-)Einsatz *m*: *to place one's ~s on* setzen auf (*acc.*); *to be at ~ fig.* auf dem Spiel stehen; *to play for high ~s* **a)** um hohe Einsätze spielen, **b)** *fig.* ein hohes Spiel spielen, allerhand riskieren; **2.** *fig.* Interˈesse *n*, Anteil *m* (*a.* ✝): *to have a ~ in* interessiert *od.* beteiligt sein an (*dat.*); **3.** *pl. Pferderennen*: **a)** Dotierung *f*, **b)** Rennen *n*; **II.** *v/t.* **4.** *Geld* setzen (*on* auf *acc.*); **5.** *fig.* (ein)setzen, aufs Spiel setzen, riskieren: *I'd ~ my life on that* darauf gehe ich jede Wette ein; **6.** *Am.* F **a)** *Geld* in *j-n od. et.* investieren, **b)** *to ~ s.o. to s.th.* j-m et. zahlen *od.* spendieren.

ˈ**stake|-boat** *s. Segeln*: Markierungsboot *n*; ˈ**~·hold·er** *s.* ˈUnparˌteiische(r), der die Wetteinsätze verwahrt; ˈ**~-net** *s.* ⚓ Staknetz *n.*

Sta·kha·no·vism [stəˈkɑːnouvizəm] *s.* Staˈchanow-Syˌstem *n.*

sta·lac·tic *adj.*; **sta·lac·ti·cal** [stəˈlæktik(əl)] *adj.* → *stalactitic*; **sta·lac·tite** [ˈstæləktait] *s.* Stalakˈtit *m*, hängender Tropfstein; **stal·ac·tit·ic** [stælәkˈtitik] *adj.* (□ *~ally*) stalakˈtitisch.

sta·lag·mite [ˈstæləgmait] *s. min.* Stalagˈmit *m*, stehender Tropfstein; **stal·ag·mit·ic** [stæləgˈmitik] *adj.* (□ *~ally*) stalagˈmitisch.

stale[1] [steil] **I.** *adj.* □ **1.** *allg.* alt (*Ggs. frisch*); schal, abgestanden (*Wasser, Wein*); alt(backen), trokken (*Brot*); schlecht, verdorben (*Lebensmittel*); verbraucht (*Luft*); schal (*Geruch, Geschmack*); **2.** *fig.* fad(e), abgedroschen, schal; (ur)alt (*Witz*); **3. a)** verbraucht (*Person, Geist*), überˈanstrengt, **b)** aus der Übung (gekommen), ‚eingerostet'; **4.** ⚖ verjährt (*Scheck, Schuld etc.*), gegenstandslos (geworden); **II.** *v/i.* **5.** schal *etc.* werden.

stale[2] [steil] **I.** *v/i.* stallen, harnen, (*Vieh*); **II.** *s.* (Pferde-, Rinder-) Harn *m.*

stale·mate [ˈsteilˈmeit] **I.** *s.* **1.** *Schach*: Patt *n*; **2.** *fig.* Sackgasse *f*, Stillstand *m*, toter Punkt; **II.** *v/t.* **3.** patt setzen; **4.** *fig.* *j-n* ausschalten, matt setzen.

stale·ness [ˈsteilnis] *s.* **1.** Schalheit *f* (*a. fig.*); **2.** Verbrauchtheit *f*, Überˈarbeitung *f.*

Sta·lin·ism [ˈstɑːlinizəm] *s. pol.* Staliˈnismus *m*; ˈ**Sta·lin·ist** [-nist] **I.** *s.* Staliˈnist(in); **II.** *adj.* staliˈnistisch.

stalk[1] [stɔːk] *s.* **1.** ⚘ Stengel *m*, Stiel *m*, (Getreide- *etc.*)Halm *m*; **2.** *biol.*, *zo.* Stiel *m* (*Träger e-s Organs*); **3.** *zo.* Federkiel *m*; **4.** Stiel *m* (*e-s Weinglases etc.*); **5.** (Faˈbrik)Schlot *m.*

stalk[2] [stɔːk] **I.** *v/i.* **1.** *hunt.* (sich an-)pirschen; **2.** (einˈher)schreiten, stolzieren; **3.** *fig.* ˈumgehen (*Krankheit, Gespenst etc.*); **4.** staken, steifbeinig gehen; **II.** *v/t.* **5.** *Wild* anpirschen; **6.** sich herˈanschleichen an *j-n*; **III.** *s.* **7.** Pirsch(jagd) *f*; **8.** stolzer *od.* steifer Gang.

stalked [stɔːkt] *adj.* ⚘, *zo.* gestielt, ...stielig.

stalk·er [ˈstɔːkə] *s.* Pirschjäger *m.*

ˈ**stalk·ing-horse** [ˈstɔːkiŋ] *s.* **1.** *hunt.*, *hist.* Versteckpferd *n*; **2.** *fig.* Deckmantel *m*; **3.** *pol.* Strohmann *m.*

stalk·less [ˈstɔːklis] *adj.* **1.** ungestielt; **2.** ⚘ stengellos.

stalk·y [ˈstɔːki] *adj.* **1.** stengel-, stielartig; **2.** hochaufgeschossen.

stall[1] [stɔːl] **I.** *s.* **1.** (Pferde)Stand *m*, Box *f* (*im Stall*); **2.** *Brit.* (Verkaufs-)Stand *m*, (Markt)Bude *f*, *a.* Budentisch *m*: *~ money* Standgeld; **3.** *bsd. Brit.* **a)** Chor-, Kirchenstuhl *m*, **b)** Chorherrenwürde *f*; **4.** *thea. Brit.* Sperrsitz *m*, Vorderplatz *m* im Parˈkett; **5.** Fingerling *m*; **6.** ⚒ Arbeitsstand *m*; **7.** ✈ Sackflug; **II.** *v/t.* **8.** einstallen; **9.** im Stall füttern *od.* mästen; **10.** mit Boxen *od.* Ständen versehen; **11. a)** *Wagen* festfahren, **b)** *Motor* abwürgen; **12.** ✈ überˈziehen; **III.** *v/i.* **13.** sich festfahren, steckenbleiben; **14.** absterben (*Motor*); **15.** ✈ abrutschen.

stall[2] [stɔːl] **I.** *s.* **1.** Ausflucht *f*, ˈHinhaltemaˌnöver *n*; **2.** Dieb(e)shelfer *m*; **II.** *v/i.* **3.** Ausflüchte machen, Zeit schinden; **4.** *sport* ‚kurztreten'; **III.** *v/t.* **5.** *a. ~ off* **a)** hinhalten, **b)** sich vom Leibe halten.

stall·age [ˈstɔːlidʒ] *s. Brit.* **1.** Standgeld *n*; **2.** Standplatz *m* (*für Buden*).

ˈ**stall-feed** *v/t.* [*irr.* → *feed*] **1.** *Tier* im Stall füttern; **2.** *Schlachttier* durch Trockenfütterung mästen.

stal·lion [ˈstæljən] *s. zo.* (Zucht-) Hengst *m.*

stal·wart [ˈstɔːlwət] **I.** *adj.* □ **1.** roˈbust, stramm, (hand)fest; **2.** *bsd. pol.* unentwegt, treu; **II.** *s.* **3.** strammer Kerl; **4.** *bsd. pol.* treuer Anhänger, Unentwegte(r *m*) *f.*

sta·men [ˈsteimen] *s.* ⚘ Staubblatt *n*, -gefäß *n*, -faden *m.*

stam·i·na [ˈstæminə] *s.* **1. a)** Lebenskraft *f* (*a. fig.*), **b)** Vitaliˈtät *f*; **2.** Zähigkeit *f*, ˈDurchhaltevermögen *n*; **3.** *a.* ⚔ ˈWiderstandskraft *f*; ˈ**stam·i·nal** [-nl] *adj.* **1.** konstitutioˈnell; **2.** Lebens..., viˈtal; **3.** Widerstands...; **4.** ⚘ Staubblatt...

stam·mer [ˈstæmə] **I.** *v/i.* (*v/t. a. ~ out*) stottern, stammeln; **II.** *s.* Stammeln *n*, Stottern *n*, Gestammel *n*; ˈ**stam·mer·er** [-ərə] *s.* Stotterer *m*, Stammler *m*; ˈ**stam·mer·ing** [-əriŋ] **I.** *adj.* □ stammelnd, stotternd; **II.** *s.* → *stammer II.*

stamp [stæmp] **I.** *v/t.* **1.** stampfen (auf *acc.*): *to ~ one's foot* → *12*; *to ~ down* **a)** feststampfen, **b)** niedertrampeln; *to ~ out* **a)** *Feuer* austreten, **b)** zertrampeln, **c)** ausmerzen, **d)** *Aufstand* niederschlagen; **2.** *Geld* prägen; **3.** aufprägen (*on* auf *acc.*); **4.** *bsd. Stempel* aufdrücken; **5.** *Urkunde etc.* stempeln; **6.** *Gewichte* eichen; **7.** *Brief etc.* frankieren, e-e Brief- *od.* Gebührenmarke (auf)kleben auf (*acc.*): *~ed envelope* Freiumschlag; **8.** kennzeichnen; **9.** *fig.* stempeln, kennzeichnen, charakterisieren (*as* als); **10.** *fig.* (fest) einprägen: *~ed on s.o.'s memory* j-s Gedächtnis eingeprägt, unverrückbar in j-s Erinnerung; **11.** ⊕ **a)** *a. ~ out* (aus)stanzen, **b)** pressen, **c)** *Erz* pochen, **d)** *Lumpen etc.* einstampfen; **II.** *v/i.* **12.** (auf)stampfen; **13.** stampfen, trampeln (*upon* auf *acc.*); **III.** *s.* **14.** Stempel *m*, (*Dienst- etc.*)Siegel *n*; **15.** *fig.* Stempel *m* (*der Wahrheit etc.*), Gepräge *n*: *to bear the ~ of* den Stempel *des Genies etc.* tragen, das Gepräge *j-s od. e-r Sache* haben; **16.** (Brief-) Marke *f*, (Post)Wertzeichen *n*; **17.** (Stempel-, Steuer-, Gebühren-) Marke *f*; **18.** ✝ Raˈbattmarke *f*; **19.** ✝ (ˈFirmen)Zeichen *n*, Etiˈkett *n*; **20.** *fig.* Art *f*, Schlag *m*: *a man of his ~* ein Mann s-s Schlages; *of a different ~* aus e-m andern Holz geschnitzt; **21.** ⊕ **a)** Prägestempel *m*, **b)** Stanze *f*, **c)** Stampfe *f*, **d)** Presse *f*, **e)** Pochstempel *m*, **f)** Paˈtrize *f*; **22.** Prägung *f*; **23.** Aufdruck *m*; **24.** Eindruck *m*, Spur *f*; ♀ **Act** *s. hist.* Stempelakte *f*; ˈ**~·al·bum** *s.* Briefmarkenalbum *n*; ˈ**~·col·lec·tor** *s.* Briefmarkensammler *m*; **'~-du·ty** *s.* Stempelgebühr *f.*

stam·pede [stæm'pi:d] **I.** *s.* **1.** wilde, panische Flucht, Panik *f*; **2.** (Massen)Ansturm *m*, Welle *f*; **3.** *Am. pol.* 'Meinungs,umschwung *m*; **II.** *v/i.* **4.** (in wilder Flucht) da'vonstürmen, 'durchgehen; **5.** (in Massen) losstürmen; **III.** *v/t.* **6.** in wilde Flucht jagen; **7.** in Panik versetzen.

stamp·er ['stæmpə] *s.* ⊕ **1.** Stampfe(r *m*) *f*, Ramme *f*; **2.** Stößel *m.*

stamp·ing ['stæmpiŋ] *s.* ⊕ **1.** Ausstanzen *n etc.*; **2.** Stanzstück *n*; **3.** Preßstück *n*; **4.** Prägung *f*; **~ die** *s.* ⊕ 'Schlagma,trize *f*; **~ ground** *s. bsd. Am.* F Tummel-, Lieblingsplatz *m* (*a. von Tieren*).

'stamp(·ing)-mill *s.* ⊕ **a)** Stampfwerk *n*, **b)** Pochwerk *n.*

stance [stæns] *s.* Stellung *f*, Haltung *f* (*a. sport*).

stanch[1] [stɑ:ntʃ] *v/t. Blutung* stillen.

stanch[2] [stɑ:ntʃ] → *staunch*[2].

stan·chion ['stɑ:nʃən] **I.** *s.* **1.** Pfosten *m*, Stütze *f* (*a.* ⚓); **2.** (Wagen)Runge *f*; **3.** 🌾 Freßgitter *n*; **II.** *v/t.* **4.** (ab)stützen; **5.** *Vieh* an e-m Pfosten *od.* Freßgitter festbinden.

stanch·ness ['stɑ:ntʃnis] → *staunchness.*

stand [stænd] **I.** *s.* **1.** Stillstand *m*, Halt *m*; **2.** Standort *m*, Platz *m*: *to take one's ~* sich (auf)stellen (*at* bei, auf *dat.*); **3.** *fig.* Standpunkt *m*: *to take a ~* Stellung nehmen *od.* beziehen; **4.** *fig.* (entschlossenes) Eintreten: *to make a ~ for* sich einsetzen für; *to make a ~ against* sich entgegenstellen (*dat.*); **5.** (Verkaufs)Stand *m*; **6.** Stand(platz) *m für Taxis*; **7.** ('Zuschauer)Tri,büne *f*; **8.** *Am.* Zeugenstand *m*: *to take the ~* **a)** den Zeugenstand betreten, **b)** als Zeuge aussagen; **9.** (Kleider-, Noten- *etc.*)Ständer *m*; **10.** Gestell *n*; **11.** *phot.* Sta'tiv *n*; **12.** (Baum)Bestand *m*; **13.** 🌾 Stand *m des Getreides etc., zu erwartende* Ernte: *~ of wheat* stehender Weizen; **14.** *~ of arms* ⚔ ('vollständige) Ausrüstung *e-s Soldaten*; **II.** *v/i.* [*irr.*] **15.** *allg.* stehen: *to ~ alone* **a)** allein (da)stehen *mit e-r Ansicht etc.*, **b)** unerreicht dastehen *od.* sein; *to ~ fast* (*od. firm*) nicht nachgeben, hart bleiben; *to ~ or fall* siegen oder untergehen; *~s at 78° das Thermometer* steht auf 78 Grad (Fahrenheit); *the wind ~s in the west* der Wind weht von Westen; *to ~ well with s.o.* (sich) mit j-m gut stehen; *to ~ to lose (win)* (mit Sicherheit) verlieren (gewinnen); *as matters ~* (so) wie die Dinge (jetzt) liegen, nach Lage der Dinge; *I want to know where I ~* ich will wissen, woran ich bin; **16.** aufstehen, sich erheben; **17.** sich *wohin* stellen, treten: *to ~ back* (*od. clear*) zurücktreten; **18.** sich *wo* befinden, stehen, liegen (*Sache*); **19.** *a. ~ still* stehenbleiben, stillstehen: *~!* halt!; *~ fast!* ⚔ *Brit.* stillgestanden!, *Am.* Abteilung halt!; **20.** *bestürzt etc.* sein: *to ~ aghast*; *to ~ convicted* überführt sein; *to ~ corrected* s-n Irrtum *od.* sein Unrecht zugeben; *to ~ in need of* benötigen; **21.** groß sein, messen: *he ~s six feet (tall)*; **22.** *neutral etc.* bleiben: *to ~ unchallenged* unbeanstandet bleiben; *and so it ~s* und dabei bleibt es; **23.** *a. ~ good* gültig bleiben, (weiterhin) gelten: *my offer ~s* mein Angebot bleibt bestehen; **24.** bestehen, sich behaupten: *to ~ through etc.* überstehen, -dauern; **25.** ⚓ *auf e-m Kurs* liegen, steuern; **26.** zu'statten kommen (*to dat.*); **27.** *hunt.* vorstehen (*upon dat.*) (*Hund*); **III.** *v/t.* [*irr.*] **28.** *wohin* stellen; **29.** *e-m Angriff etc.* standhalten; **30.** *Beanspruchung, Kälte etc.* aushalten; *Klima, Person* (v)ertragen: *I cannot ~ him* ich kann ihn nicht ausstehen; **31.** sich *et.* gefallen lassen, dulden; **32.** sich *e-r Sache* unter'ziehen; *Pate* stehen; → *trial* 2; **33. a)** aufkommen für *et.*; *Bürgschaft* leisten, **b)** *j-m ein Essen etc.* spendieren; → *treat* 11; **34.** *e-e Chance* haben;

Zssgn mit prp.:

stand| by *v/i.* **1.** *fig. j-m* zur Seite stehen, zu *j-m* halten *od.* stehen; **2.** *s-m Wort, s-n Prinzipien etc.* treu bleiben, stehen zu; **~ for** *v/i.* **1.** stehen für, bedeuten; **2.** eintreten für, vertreten; **3.** *bsd. Brit.* sich um *ein Amt* bewerben; **4.** *parl. Brit.* kandidieren für *e-n Sitz im Parlament*; **5.** F sich gefallen lassen, ertragen; **~ in** *v/t.* F *j-n et.* kosten: *the meal stood me in £ 7.50 only*; **~ on** *v/i.* **1.** bestehen *od.* halten auf (*acc.*); → *ceremony* 2; **2.** auf *sein Recht etc.* pochen; **3.** ⚓ *Kurs* beibehalten; **~ to** *v/i.* **1.** zu *s-m Versprechen etc.* stehen, bei *s-m Wort* bleiben; **2.** beharren bei: *to ~ it that* dabei bleiben *od.* darauf beharren, daß; *to ~ one's duty* (treu) s-e Pflicht tun; **~ up·on** → *stand on*;

Zssgn mit adv.:

stand| a·loof, ~ a·part *v/i.* **1. a)** abseits *od.* für sich stehen, **b)** sich ausschließen, nicht mitmachen; **2.** *fig.* sich distanzieren (*from* von); **~ a·side** *v/i.* **1.** bei'seite treten; **2.** *fig. zu j-s Gunsten* verzichten; **3.** → *stand aloof*; **~ by** *v/i.* **1.** da'bei sein u. zusehen (müssen), (ruhig) zusehen; **2. a)** *bsd.* ⚔ bereitstehen, sich in Bereitschaft halten, **b)** *~!* ⚓ klar zum Manöver!; **3.** ⚡ **a)** auf Empfang bleiben, **b)** sendebereit sein; **~ down** *v/i.* **1.** *Am.* den Zeugenstand verlassen; **2.** ab-, zu'rücktreten; **3.** *sport* ausscheiden; **~ in** *v/i.* **1.** einspringen (*for* für *j-n*): *to ~ for s.o. Film*: j-n doubeln; **2.** mitmachen; **3.** *~ with* **a)** unter'stützen, mitmachen bei, **b)** sich mit *j-m* beteiligen (*in an Kosten*); **4.** *~ with* sich gut stellen mit; **5.** ⚓ landwärts anliegen; **~ off I.** *v/i.* **1.** sich entfernt *od.* in e-r gewissen Entfernung halten (*from* von); **2.** zurücktreten: *~!* weg da!, Platz da!; **3.** *fig.* Abstand halten (*im Umgang*); **4.** abstehen; **5.** ⚓ seewärts anliegen; **II.** *v/t.* **6.** *j-n* vor'übergehend entlassen; **~ out I.** *v/i.* **1.** (*a. fig.* deutlich) her'vortreten: *to ~ against* sich gut abheben von; → 4; **2.** abstehen (*Ohren*); **3.** *fig.* her'ausragen, her'vorstechen; **4.** aus-, 'durchhalten: *to ~ against* sich hartnäckig wehren gegen; **5.** *~ for* eintreten für; **~ o·ver** *v/i.* **1.** (*to* auf *acc.*) **a)** sich vertagen, **b)** verschoben werden; **2.** *für später* liegenbleiben, warten; **~ to** *v/i.* ⚔ Posten beziehen: *~!* an die Gewehre!; **~ up I.** *v/i.* **1.** aufstehen, sich erheben (*a. fig.*); **2.** sich aufrichten (*Stachel etc.*); **3.** eintreten *od.* sich einsetzen (*for* für); **4.** *~ to* (mutig) gegen'übertreten (*dat.*), sich zur Wehr setzen gegen; **II.** *v/t.* **5.** F *j-n* ‚versetzen'.

stand·ard[1] ['stændəd] **I.** *s.* **1.** 'Standard *m*, Norm *f*; **2.** Muster *n*, Vorbild *n*; **3.** Maßstab *m*: *to apply another ~* e-n anderen Maßstab anlegen; *~ of value* Wertmaßstab; *by present-day ~s* nach heutigen Begriffen; **4.** Richt-, Eichmaß *n*; **5.** Richtlinie *f*; **6.** (Mindest)Anforderungen *pl.*: *to be up to (below) ~* den Anforderungen (nicht) genügen *od.* entsprechen; *to set a high ~* viel verlangen; *~ of living* Lebensstandard; **7.** ✝ 'Standard(quali,tät *f od.* -ausführung *f*) *m*; **8.** (*Gold- etc.*)Währung *f*, (-)Standard *m*; **9.** Standard *m*: **a)** (gesetzlich vorgeschriebener) Feingehalt (*der Edelmetalle*), **b)** Münzfuß *m*; **10.** Ni'veau *n*, Grad *m*: *to be of a high ~* ein hohes Niveau haben; *~ of knowledge* Bildungsgrad, -stand; *~ of prices* Preisniveau; **11.** *ped. bsd. Brit.* Stufe *f*, Klasse *f*; **II.** *adj.* **12.** nor'mal, Normal... (*-film, -wert, -zeit etc.*); Standard..., Einheits...(*-modell etc.*); Durchschnitts...(*-wert etc.*): *~ set* Seriengerät; *~ size* gängige Größe (*Schuhe etc.*); **13.** gültig, maßgebend, Standard...(*-muster, -werk*): *~ German* Hochdeutsch; **14.** klassisch (*Roman etc.*).

stand·ard[2] ['stændəd] **I.** *s.* **1. a)** *pol. u.* ⚔ Stan'darte *f*, **b)** Fahne *f*, Flagge *f*, **c)** Wimpel *m*; **2.** *fig.* Banner *n*; **3.** ⊕ **a)** Ständer *m*, **b)** Pfosten *m*, Pfeiler *m*, Stütze *f*; **4.** 🌾 Hochstämmchen *n*, Bäumchen *n*; **II.** *adj.* **5.** stehend, Steh...: *~ lamp* Stehlampe; **6.** 🌾 hochstämmig.

stand·ard·i·za·tion [stændədai'zeiʃən] *s.* **1.** Normung *f*, Standardisierung *f*: *~ committee* Normenausschuß; **2.** ⚗ Titrierung *f*; **3.** Eichung *f*; **stand·ard·ize** ['stændədaiz] *v/t.* **1.** normen, normieren, standardisieren; **2.** ⚗ einstellen, titrieren; **3.** eichen.

'stand-by [-ndb-] **I.** *pl.* **-bys** *s.* **1.** Stütze *f*, Beistand *m*, Hilfe *f*; **2.** ⊕ Hilfs-, Re'servegerät *n*; **II.** *adj.* **3.** Hilfs..., Ersatz..., Reserve...: *~ unit* ⚡ Notaggregat; **4.** *bsd.* ⚔ Bereitschafts...(*-dienst etc.*).

stand·ee [stæn'di:] *s. Am.* F Stehplatzinhaber(in).

stand·er-by ['stændə'bai] *s.* Da'beistehende(r *m*) *f*, Zuschauer(in).

'stand-'in *s.* **1.** *Film*: Double *n*; **2.** Vertreter *m*, Ersatzmann *m.*

stand·ing ['stændiŋ] **I.** *s.* **1.** Stehen *n*: *no ~* keine Stehplätze; **2. a)** Stand *m*, Rang *m*, Stellung *f*, **b)** Ruf *m*, Ansehen *n*: *of high ~* hochangesehen, -stehend; **3.** Dauer *f*: *of long ~* alt (*Brauch, Freundschaft etc.*); **II.** *adj.* **4.** stehend, Steh...: *~ army* stehendes Heer; *~ corn* Getreide auf dem Halm; *~ jump*

Sprung aus dem Stand; ~ *rule* stehende Regel; *all* ~ ⚓ a) unter vollen Segeln, b) *sl.* hilfslos; **5.** *fig.* ständig (*a. Ausschuß etc.*); **6.** † laufend (*Unkosten etc.*); **7.** üblich, gewohnt: *a* ~ *dish*; **8.** bewährt, alt (*Witz etc.*); ~ **or·der** *s.* **1.** † Dauerauftrag *m*; **2.** *pl. parl. etc.* Geschäftsordnung *f*; **3.** ⚔ Dauerbefehl *m*; '~**-room** *s.* **1.** Platz *m* zum Stehen; **2.** Stehplatz *m*.

'**stand|·off** *s. Am.* **1.** *sport* Unentschieden *n*; **2.** Distanzierung *f*; **3.** Dünkel *m*; '~-'**off·ish** [-'ɔːfiʃ] *adj.* □ **1.** zu'rückhaltend, (sehr) reserviert, ablehnend; **2.** unnahbar, hochmütig; ~'**pat·ter** [-nd'pætə] *s. pol. Am.* F sturer Konserva'tiver; '~**-pipe** [-ndp-] *s.* ⊕ Standrohr *n*; '~**-point** [-ndp-] *s.* Standpunkt *m* (*a. fig.*); '~**-still** [-nds-] **I.** *s.* Stillstand *m*: *to be at a* ~ stillstehen, ruhen; *to a* ~ zum Stillstand *kommen, bringen*; **II.** *adj.* stillstehend: ~ *agreement pol.* Stillhalteabkommen; '~**-up** *adj.* **1.** stehend: ~ *collar* Stehkragen; **2.** F im Stehen eingenommen: ~ *supper* kaltes Büfett; **3.** regelrecht, ehrlich (*Faustkampf*).

stank [stæŋk] *pret. von stink.*

stan·na·ry ['stænəri] *Brit.* **I.** *s.* **1.** Zinngrubengebiet *n*; **2.** Zinngrube *f*; **II.** *adj.* **3.** Zinn(gruben)...; '**stan·nate** [-neit] *s.* ⚗ Stan'nat *n*; '**stan·nic** [-nik] *adj.* ⚗ Zinn...; '**stan·nite** [-nait] *s.* ⚗ **1.** *min.* Zinnkies *m*, Stan'nin *n*; **2.** Stan'nit *n*; '**stan·nous** [-nəs] *adj.* ⚗ Zinn...

stan·za ['stænzə] *pl.* **-zas** *s.* **1.** 'Strophe *f*; **2.** 'Stanze *f*; **stan·za·ic** [stæn'zeiik] *adj.* 'strophisch.

sta·ple[1] ['steipl] **I.** *s.* **1.** † Haupterzeugnis *n e-s Landes etc.*; **2.** † Stapelware *f*: a) 'Hauptar,tikel *m*, b) Massenware *f*; **3.** † Rohstoff *m*; **4.** ⊕ Stapel *m*: a) *Fadenlänge od. -qualität*: *of short* ~ kurzstapelig, b) *Büschel Schafwolle*; **5.** ⊕ a) Rohwolle *f*, b) Faser *f*: ~ *fibre* (*Am. fiber*) Zellwolle; **6.** *fig.* 'Hauptgegenstand *m*, -,thema *n*; **7.** † a) Stapelplatz *m*, b) *hist.* Markt *m* (mit Stapelrecht); **II.** *adj.* **8.** Stapel...: ~ *goods*; **9.** Haupt...: ~ *food*; ~ *industry*; ~ *topic* Hauptthema; **10.** † a) Haupthandels..., b) gängig, c) Massen...; **III.** *v/t.* **11.** *Wolle* (nach Stapel) sortieren.

sta·ple[2] ['steipl] ⊕ **I.** *s.* **1.** (Draht-)Öse *f*; **2.** Haspe *f*; **3.** Krampe *f*; **4.** Heftklammer *f*; **5.** Heftdraht *m*; **II.** *v/t.* **6.** (mit Draht) heften; (fest-) klammern (*to* an *acc.*): *stapling-machine* → *stapler*[1].

sta·pler[1] ['steiplə] *s.* ⊕ ('Draht-) Heftma,schine *f*.

sta·pler[2] ['steiplə] *s.* † **1.** (Baumwoll)Sortierer *m*; **2.** Stapelkaufmann *m*.

star [stɑː] **I.** *s.* **1.** *ast.* a) Stern *m*, b) *mst fixed* ~ Fixstern *m*; **2.** Stern *m*: a) sternähnliche Figur, b) *fig.* Größe *f*, Berühmtheit *f* (*Person*), c) Orden *m*, d) *typ.* Sternchen *n*, e) *weißer Stirnfleck, bsd. e-s Pferdes*: ~*s and Stripes das* Sternenbanner (*Nationalflagge der USA*); ~ *of Bethlehem* ⚘ Milchstern; *to see* ~*s* F Sterne sehen (*durch Schlag*); **3.** a) Stern *m* (*Schicksal*), b) *a. lucky* ~ Glücksstern *m*: *unlucky* ~ Unstern; *his* ~ *is in the ascendant* (*is od. has set*) sein Stern ist im Aufgehen (ist untergegangen); *my good* ~ mein guter Stern; *you may thank your* ~*s* Sie können von Glück sagen (,daß); **4.** *thea.* (Bühnen-, *bsd.* Film)Star *m*; **5.** *sport* Star *m*; **II.** *adj.* **6.** Stern...: **7.** Haupt...: ~ *prosecution witness* ⚖ Hauptbelastungszeuge; **8.** *thea., sport* Star...: ~ *performance* Elitevorstellung; ~ *turn fig.* Hauptattraktion; **III.** *v/t.* **9.** mit Sternen schmücken, besternen; **10.** *j-n* als Star her'ausbringen, in e-r Hauptrolle zeigen; **11.** *typ. Wort* mit Sternchen versehen; **IV.** *v/i.* **12.** als Hauptdarsteller auftreten: ~*ring with* mit ... in der Hauptrolle.

'**star-blind** *adj.* ⚕ halbblind.

star·board ['stɑːbəd] ⚓ **I.** *s.* Steuerbord *n*; **II.** *adj.* Steuerbord...; **III.** *adv.* nach (*od.* auf) der Steuerbordseite; **IV.** *v/t. u. v/i.* nach Steuerbord halten.

starch [stɑːtʃ] **I.** *s.* **1.** Stärke *f*: a) Stärkemehl *n*, b) Wäschestärke *f*, c) Stärkekleister *m*, d) ⚗ A'mylum *n*; **2.** *pl.* stärkereiche Nahrungsmittel *pl.*, 'Kohle(n)hy,drate *pl.*; **3.** *fig.* Steifheit *f*, Förmlichkeit *f*; **4.** *Am. sl.* ,Mumm' *m*, Cou'rage *f*; **II.** *v/t.* **5.** *Wäsche* stärken.

Star Cham·ber *s.* ⚖ *hist.* Sternkammer *f* (*nur dem König verantwortliches Willkürgericht bis 1641*).

starched [stɑːtʃt] *adj.* □ **1.** gestärkt, gesteift; **2.** → *starchy 4*; '**starch·i·ness** [-tʃinis] *s. fig.* F Steifheit *f*, Förmlichkeit *f*; '**starch·y** [-tʃi] *adj.* □ **1.** stärkehaltig: ~ *food*; **2.** Stärke...; **3.** gestärkt; **4.** *fig.* F steif, förmlich.

'**star-crossed** *adj. poet.* von e-m Unstern verfolgt.

star·dom ['stɑːdəm] *s.* **1.** Welt *f* der Stars; **2.** Stars *pl.*; **3.** Startum *n*.

'**star|-drift** *s. ast.* Sterndrift *f*; '~**-dust** *s. ast.* **1.** Sternennebel *m*; **2.** kosmischer Staub.

stare [stɛə] **I.** *v/i.* **1.** (~ *at* an)starren, (-)stieren; **2.** große Augen machen, erstaunt blicken: *to* ~ *at* anstaunen, angaffen; *to make s.o.* ~ j-n in Erstaunen versetzen; **II.** *v/t.* **3.** *to* ~ *s.o. out of countenance* (*od. down*) j-n durch Anstarren aus der Fassung bringen; **4.** ~ *s.o. in the face fig.* a) j-m in die Augen springen, b) j-m deutlich vor Augen stehen; **III.** *s.* **5.** (starrer *od.* erstaunter) Blick, Starrblick *m*, Starren *n*.

'**star|·finch** *s. orn.* Rotschwänzchen *n*; '~**-gaz·er** *s. humor.* Sterngucker *m*: a) Astro'loge *m*, b) Astro'nom *m*, c) Träumer *m*.

star·ing ['stɛəriŋ] **I.** *adj.* □ **1.** stier, starrend: ~ *eyes*; **2.** auffallend: *a* ~ *tie*; **3.** grell (*Farbe*); **II.** *adv.* **4.** völlig.

stark [stɑːk] **I.** *adj.* □ **1.** steif, starr; **2.** rein, völlig: ~ *folly*; ~ *nonsense* barer Unsinn; **3.** *fig.* rein sachlich (*Bericht*); **4.** kahl, öde (*Landschaft*); **II.** *adv.* **5.** ganz, völlig: ~ *naked* splitternackt; ~ (*staring*) *mad* ,total' verrückt.

star·less ['stɑːlis] *adj.* sternlos.

star·let ['stɑːlit] *s.* **1.** Sternchen *n*; **2.** *fig.* Starlet(t) *n*, Filmsternchen *n*.

'**star|·light** **I.** *s.* Sternenlicht *n*; **II.** *adj.* → *starlit*; '~**·like** *adj.* **1.** sternförmig; **2.** funkelnd.

star·ling[1] ['stɑːliŋ] *s. orn.* Star *m*.

star·ling[2] ['stɑːliŋ] *s.* ⊕ Pfeilerkopf *m* (*Eisbrecher e-r Brücke*).

'**star|·lit** *adj.* sternhell, -klar; ~ **map** *s. ast.* Sternkarte *f*, -tafel *f*.

starred [stɑːd] *p.p. u. adj.* **1.** gestirnt (*Himmel*); **2.** sternengeschmückt; **3.** *typ. etc.* mit e-m Sternchen bezeichnet.

star·ry ['stɑːri] *adj.* **1.** Sternen..., Stern...; **2.** → *starlit*; **3.** strahlend: ~ *eyes*; **4.** sterngeschmückt; **5.** sternförmig; '~**-eyed** *adj.* **1.** mit strahlenden Augen; **2.** *fig.* a) ro'mantisch, wirklichkeitsfremd, b) 'überglücklich.

star| shell *s.* ⚔ Leuchtgeschoß *n*; '~**-span·gled** *adj.* sternenbesät: *Star-Spangled Banner Am. das* Sternenbanner (*Nationalflagge od. -hymne der USA*).

start [stɑːt] **I.** *s.* **1.** *sport* Start *m* (*a. fig.*): *good* ~; *to give s.o. a* ~ (*in life*) j-m zu e-m Start ins Leben verhelfen; **2.** Startzeichen *n* (*a. fig.*): *to give the* ~; **3.** a) Aufbruch *m*, b) Abreise *f*, c) Abfahrt *f*, d) ✈ Abflug *m*, Start *m*, e) Abmarsch *m*: *to make an early* ~ *for* frühzeitig nach *e-m Ort* aufbrechen; **4.** Beginn *m*, Anfang *m*: *at the* ~ am Anfang; *from the* ~ von Anfang an; *from* ~ *to finish* von Anfang bis Ende; *to make a fresh* ~ e-n neuen Anfang machen, noch einmal von vorn anfangen; **5.** *sport* a) Vorgabe *f*, b) Vorsprung *m* (*a. fig.*): *to get* (*od. have*) *the* ~ *of one's rivals* s-n Rivalen zuvorkommen; **6.** Auf-, Zs.-fahren *n*, -schrecken *n*, Ruck *m*: *to give a* ~ → *12*; *to give s.o. a* ~ j-n erschrecken; **II.** *v/i.* **7.** aufbrechen, sich aufmachen (*for* nach): *to* ~ *on a journey* sich auf e-e Reise begeben; **8.** a) abfahren, abgehen (*Zug etc.*), b) auslaufen (*Schiff*), ✈ abfliegen, starten (*for* nach); **9.** anfangen, beginnen (*on* mit *e-r Arbeit etc., doing* zu tun): *to* ~ *in business* ein Geschäft anfangen *od.* eröffnen; *to* ~ *with* (*Wendung*) a) erstens, als erstes, b) von vornherein, c) um es gleich zu sagen; **10.** *fig.* ausgehen (*from* von *e-m Gedanken*); **11.** entstehen, aufkommen; **12.** a) auffahren, -schrecken, b) zs.-fahren, -zucken (*at* vor *dat.*, bei *e-m Laut etc.*), **13.** a) aufspringen, b) losstürzen; **14.** stutzen (*at* bei); **15.** aus den Höhlen treten (*Augen*); **16.** sich lockern *od.* lösen; **17.** ⊕, *mot.* anspringen, anlaufen; **III.** *v/t.* **18.** in Gang *od.* in Bewegung setzen; ⊕ *a.* anlassen; *Feuer* anzünden, in Gang bringen; **19.** *Brief, Streit etc.* anfangen; *Aktion* starten; *Geschäft, Zeitung* gründen, aufmachen; **20.** *Frage* aufwerfen, *Thema* anschneiden; **21.** *Gerücht* in 'Umlauf setzen; **22.** *sport* starten (lassen); **23.** *Läufer, Pferd* aufstellen, an den Start bringen; **24.** 🚂 *Zug* abfahren lassen; **25.** *fig. j-m* zu e-m Start verhelfen: *to* ~ *s.o. in business*; **26.** j-n (veran-)lassen (*doing* zu tun); **27.** lockern, lösen; **28.** aufscheuchen; ~ **in** (*Am. a.* **out**) *v/i.* F anfangen (*to do* zu tun); ~ **up** **I.** *v/i.* **1.** → *start 12a u.*

13a; **2.** *fig.* auftauchen (*Schwierigkeiten*); **3.** anspringen (*Motor*); **II.** *v/t.* **4.** in Gang setzen; *Motor* anlassen.

start·er ['stɑːtə] *s.* **1.** *sport* **a)** Starter *m*, **b)** Läufer *m od.* Pferd *n* am Start, (Renn)Teilnehmer *m*; **2.** *mot.* Starter *m*, Anlasser *m*.

start·ing ['stɑːtiŋ] **I.** *s.* **1.** Ablauf *m*; **2.** ⊕ Anlassen *n*, In'gangsetzen *n*, Starten *n*: *cold* ~ *mot.* Kaltstart; **II.** *adj.* **3.** Start...; *mot. etc.* Anlaß... (*-kurbel, -motor, -schalter*); ~ **block** *s. sport* Startblock *m*; '~**-gate** *s. Pferderennen*: 'Startmaˌschine *f*; '~**-point** *s.* Ausgangspunkt *m* (*a. fig.*); '~**-post** *s. Pferderennen*: Startpfosten *m*; ~ **price** *s.* **1.** *Pferderennen*: Eventu'alquote *f*; **2.** *Auktion*: Mindestgebot *n*.

star·tle ['stɑːtl] *v/t.* **1.** erschrecken; **2.** aufschrecken; **3.** über'raschen; **4.** *fig.* aufrütteln (*into doing et.* zu tun); '**star·tling** [-liŋ] *adj.* □ **1.** erschreckend, bestürzend; **2.** über'raschend, aufsehenerregend.

star·va·tion [stɑː'veiʃən] *s.* **1.** Hungern *n*: ~ *wages* Hungerlohn, -löhne; **2.** Hungertod *m*, Verhungern *n*.

starve [stɑːv] **I.** *v/i.* **1.** *a.* ~ *to death* verhungern, Hungers sterben: *I am simply starving* F ich komme fast um vor Hunger; **2.** hungern (*a. fig. for* nach), Hunger leiden; **3.** fasten; **4.** *fig.* verkümmern; **II.** *v/t.* **5.** *a.* ~ *to death* verhungern lassen; **6.** aushungern: *to* ~ *into (a) surrender* ⚔ durch Hunger zur Übergabe zwingen; **7.** hungern lassen: *to be* ~*d* Hunger leiden, ausgehungert sein (*a. fig. for* nach); **8.** darben lassen (*a. fig.*): *to be* ~*d of* knapp sein an (*dat.*); **9.** *to be* ~*d with cold* vor Kälte schier umkommen; '**starve·ling** [-liŋ] **I.** *s.* **1.** Hungerleider *m*; **2.** *fig.* Kümmerling *m*; **II.** *adj.* **3.** hungrig; **4.** ausgehungert, mager; **5.** kümmerlich.

stash [stæʃ] *v/t. Am. sl.* **1.** verstecken, bei'seite tun; **2.** (an)halten.

sta·sis ['steisis] *pl.* **-ses** [-siːz] *s.* ⚕ 'Stase *f*, (*Blut- etc.*)Stauung *f*.

state [steit] **I.** *s.* **1.** *mst* ♀ *pol., a. zo.* Staat *m*: *affairs of* ~ Staatsgeschäfte; **2.** *pol. Am.* (Bundes-, Einzel-) Staat *m*: *the* ♀*s* die (Vereinigten) Staaten; ~ *law* Rechtsordnung des Einzelstaates; ♀*'s attorney* ⚖ Staatsanwalt; *to turn* ~*'s evidence* ⚖ gegen s-e Komplicen aussagen, als Kronzeuge auftreten; **3.** (*Gesundheits-, Geistes- etc.*)Zustand *m*: ~ *of health*; ~ *of aggregation phys.* Aggregatzustand; ~ *of war* Kriegszustand; *in a* ~ F **a)** in e-m schrecklichen Zustand, **b)** ‚ganz aus dem Häus-chen'; → *emergency 1*; **4.** Stand *m*, Lage *f* (*of affairs* der Dinge); **5.** (Fa'milien)Stand *m*: *married* ~ Ehestand; **6.** ⚕, *zo.* 'Stadium *n*; **7.** (gesellschaftliche) Stellung, Stand *m*: *in a style befitting one's* ~ standesgemäß; **8.** Pracht *f*, Staat *m*: *in* ~ feierlich, mit großen Zeremoniell *od.* Pomp; *to lie in* ~ feierlich aufgebahrt liegen; *to live in* ~ großen Aufwand treiben; **9.** *pl. pol. hist.* (Land- *etc.*) Stände *pl.*; **10.** *Kupferstecherei*: (Ab)Druck *m*; **II.** *adj.* **11.** Staats..., staatlich, po'litisch: ~ *papers* † Staatspapiere; ~ *prison* staatliche Strafanstalt (*in U.S.A. e-s Bundesstaates*); ~ *prisoner* politischer Häftling *od.* Gefangener; **12.** Staats..., Prunk..., Parade..., feierlich: ~ *apartment* Prunkzimmer; ~ *carriage* Prunk-, Staatskarosse; **III.** *v/t.* **13.** festsetzen, -legen; *e-e Regel* aufstellen; → *stated 1*; **14.** erklären: **a)** darlegen, ausein'andersetzen, **b)** *a.* ⚖ (aus)sagen, *Gründe, Klage etc.* vorbringen, -tragen; → *case 1*, **c)** *Einzelheiten etc.* angeben; **15.** feststellen; **16.** behaupten; **17.** erwähnen, bemerken, anführen; **18.** *Problem etc.* stellen; **19.** & (mathe'matisch) ausdrücken.

'**state|-con'trolled** *adj.* staatlich gelenkt, unter staatlicher Aufsicht: ~ *economy* Zwangswirtschaft; '~**-craft** *s. pol.* Staatskunst *f*.

stat·ed ['steitid] *p.p. u. adj.* **1.** festgesetzt: *at the* ~ *time*; *at* ~ *intervals* in regelmäßigen Abständen; ~ *meeting bsd. Am.* ordentliche Versammlung; **2.** festgestellt; **3.** *bsd. Am.* (amtlich) anerkannt; **4.** angegeben: *as* ~ *above*; ~ *case* ⚖ Sachdarstellung.

State De·part·ment *s. pol. Am.* 'Außenminiˌsterium *n*.

state·hood ['steithud] *s. pol. bsd. Am.* Eigenstaatlichkeit *f*, Souverä-ni'tät *f*.

'**State·house** *s. pol. Am.* Parla'mentsgebäude *n od.* Kapi'tol *n* (*e-s Bundesstaats*).

state·less ['steitlis] *adj. pol.* staatenlos: ~ *person* Staatenlose(r).

state·li·ness ['steitlinis] *s.* **1.** Stattlichkeit *f*; Vornehmheit *f*; **2.** Würde *f*; **3.** Pracht *f*; '**state·ly** [-li] *adj.* **1.** stattlich, impo'sant; prächtig; **2.** würdevoll; **3.** erhaben, vornehm.

state·ment ['steitmənt] *s.* **1.** (*a. amtliche etc.*) Erklärung: *to make a* ~ e-e Erklärung abgeben; **2. a)** (Zeugen- *etc.*)Aussage *f*, **b)** Angabe(n *pl.*) *f*: *false* ~; ~ *of facts* Sachdarstellung, Tatbestand; ~ *of contents* Inhaltsangabe; **3.** Behauptung *f*; **4.** *bsd.* ⚖ (schriftliche) Darlegung, (Par'tei)Vorbringen *n*: ~ *of claim* Klageschrift; ~ *of defence* (*Am. defense*) **a)** Klagebeantwortung, **b)** Verteidigungsschrift; **5.** *bsd.* † (*Geschäfts-, Monats-, Rechenschafts- etc.*)Bericht *m*, (*Bank-, Gewinn-, Jahres- etc.*)Ausweis *m*, (*statistische etc.*) Aufstellung: ~ *of affairs* Situationsbericht, Status *e-r Firma*; ~ *of account* Kontoauszug; *financial* ~ Gewinn- und Verlustrechnung; **6.** *Am.* † Bi'lanz *f*: ~ *of assets and liabilities*; **7.** Darstellung *f*, Darlegung *f e-s Sachverhalts*; **8.** † Lohn *m*, Ta'rif *m*; **9.** *fig.* Aussage *f e-s Autors etc.*

State rights → *States' rights*.

'**state-room** *s.* **1.** Staats-, Prunkzimmer *n*; **2.** ⚓ 'Einzelkaˌbine *f*; **3.** 🚂 *Am.* Pri'vatabteil *n* (*mit Betten*).

'**state·side** *oft* ♀ *Am.* **I.** *adj.* ameri'kanisch, Heimat...; ~ *duty bsd.* ⚔ Dienst in der Heimat; **II.** *adv.* in den *od.* in die Staaten: *to go* ~ heimkehren.

states·man ['steitsmən] *s.* [*irr.*] **1.** *pol.* Staatsmann *m*; **2.** (bedeutender) Po'litiker; **3.** *Brit. dial.* Bauer *m* (*mit eigenem Land*); '**states·man·like** [-laik], '**states·man·ly** [-li] *adj.* staatsmännisch; '**states·man·ship** [-ʃip] *s.* Staatskunst *f*.

States' rights *s. pl. pol. Am.* Staatenrechte *pl.* (*der Einzelstaaten der USA*).

stat·ic ['stætik] **I.** *adj.* (□ ~*ally*) **1.** *phys.* 'statisch, Ruhe...: ~ *sense* ⚕ Gleichgewichtssinn; **2.** ⚡ eˌlektro'statisch; **3.** *Funk*: **a)** atmo'sphärisch (*Störung*), **b)** Störungs...; **II.** *s.* **4.** ⚡ statische *od.* atmo'sphärische Elektrizi'tät; **5.** *pl. sg. konstr. phys.* 'Statik *f*; **6.** *pl. Funk*: atmosphärische Störung(en *pl.*).

sta·tion ['steiʃən] **I.** *s.* **1.** Platz *m*, Posten *m* (*a.* ⚓, *sport*); (Bedienungs)Stand *m*; **2.** (*Rettungs-, Unfall- etc.*)Stati'on *f*, (*Beratungs-, Dienst-, Tank- etc.*)Stelle *f*; (Tele'graphen)Amt *n*; (Tele'phon-) Sprechstelle *f*; ('Wahl)Loˌkal *n*; (Handels)Niederlassung *f*; (Feuer-) Wache *f*; **3.** (Poli'zei)Wache *f*; **4.** 🚂 **a)** Bahnhof *m*, **b)** ('Bahn)StatiˌOn *f*; **5.** *Am.* (Bus- *etc.*)Haltestelle *f*; **6.** (Zweig)Postamt *n*; **7.** ('Forschungs)Statiˌon *f*; (Erdbeben-) Warte *f*; **8.** (Rundfunk)Sender *m*, Station *f*; **9.** Kraftwerk *n*; **10.** ⚔ **a)** Posten *m*, (⚓ Flotten)Stützpunkt *m*, **b)** Standort *m*, **c)** ✈ *Brit.* Fliegerhorst *m*; **11.** *biol.* Standort *m*; **12.** ⚓, ⚔ Positi'on *f*; **13.** Station *f* (*Rastort*); **14.** *R.C.* **a)** *a.* ~ *of the cross* ('Kreuzweg)Statiˌon *f*, **b)** Stati'onskirche *f*; **15.** *eccl. a.* ~ *day* Wochen-Fasttag *m*; **16.** *surv.* **a)** Station *f* (*Ausgangspunkt*), **b)** 'Basismeßstrecke *f*; **17.** ⚒ *Austral.* (Rinder-, Schafs)Zuchtfarm *f*; **18.** *fig.* **a)** *gesellschaftliche etc.* Stellung: ~ *in life*, **b)** Stand *m*, Rang *m*: *below one's* ~ nicht standesgemäß *heiraten etc.*; *men of* ~ Leute von Rang; **II.** *v/t.* **19.** aufstellen, postieren; **20.** ⚔, ⚓ stationieren: *to be* ~*ed* stehen.

sta·tion·ar·y ['steiʃnəri] *adj.* **1.** ⊕ *etc.* statio'när (*a. ast.*, ⚕), ortsfest, fest(stehend): ~ *treatment* ⚕ stationäre Behandlung; ~ *warfare* Stellungskrieg; **2.** seßhaft; **3.** gleichbleibend, stationär, unveränderlich: *to remain* ~ unverändert sein *od.* bleiben; **4.** (still)stehend: *to be* ~ stehen; ~ **dis·ease** *s.* ⚕ lo'kal auftretende *u.* jahreszeitlich bedingte Krankheit.

sta·tion·er ['steiʃnə] *s.* Pa'pier-, Schreibwarenhändler *m*: ♀*'s Hall* Buchhändlerbörse *in London*; '**sta·tion·er·y** [-ri] *s.* **1.** Schreib-, Pa'pierwaren *pl.*: *office* ~ Büromaterial, -bedarf; **2.** 'Brief-, 'Schreibpaˌpier *n*.

sta·tion| hos·pi·tal *s.* ⚔ 'Standortlazaˌrett *n*; '~**-house** *s.* **1.** Poli'zeiwache *f*; **2.** 🚂 Stati'onsgebäude *n*; '~**-mas·ter** *s.* 🚂 Stati'onsvorsteher *m*; ~ **se·lec·tor** *s.* ⚡ Abstimmknopf *m*, Sendereinstellung *f*; ~ **wag·on** *s. mot. Am.* 'Kombiwagen *m*.

stat·ism ['steitizəm] *s.* †, *pol.* Diri'gismus *m*, Planwirtschaft *f*; '**stat·ist** [-tist] **I.** *s.* **1.** Sta'tistiker *m*; **2.** *obs.* Po'litiker *m*; **II.** *adj.* **3.** *pol.* diri'gistisch.

sta·tis·tic *adj.*; **sta·tis·ti·cal** [stə-

ˈtistik(əl)] *adj.* □ staˈtistisch; **stat·is·ti·cian** [stætisˈtiʃən] *s.* Staˈtistiker *m*; **staˈtis·tics** [-ks] *s.* **1.** *sg. konstr.* Staˈtistik *f* (*Wissenschaft od. Methode*); **2.** *pl. konstr.* Statistik(en *pl.*) *f*.

sta·tor [ˈsteitə] *s.* ⊕, ⚡ ˈStator *m*.

stat·u·ar·y [ˈstætjuəri] **I.** *s.* **1.** Bildhauerkunst *f*, ˌBildhaueˈrei *f*; **2.** (ˈRund)ˌPlastiken *pl.*, ˈStatuen *pl.*, Skulpˈturen *pl.*; **3.** Bildhauer *m*; **II.** *adj.* **4.** Bildhauer...; **5.** (rund-)plastisch; **6.** Statuen...: ~ *marble*;

stat·ue [ˈstætjuː] Statue *f*, Standbild *n*, Plastik *f*; **stat·u·esque** [stætjuˈesk] *adj.* □ ˈstatuenhaft (*a. fig.*); **stat·u·ette** [stætjuˈet] *s.* Statuˈette *f*.

stat·ure [ˈstætʃə] *s.* **1.** Staˈtur *f*, Wuchs *m*, Gestalt *f*; **2.** Größe *f*; **3.** *fig.* (geistige *etc.*) Größe, Forˈmat *n*.

sta·tus [ˈsteitəs] *pl.* **-es** [-iz] *s.* **1.** ⚖ **a)** ˈStatus *m*, Rechtsstellung *f*, **b)** *a. legal* ~ Rechtsfähigkeit *f*, **c)** Akˈtivlegitimatiˌon *f*: ~ *of ownership* Eigentumsverhältnisse; *equality of* ~ (politische) Gleichberechtigung; *national* ~ Staatsangehörigkeit; **2.** (Faˈmilien-, Perˈsonen)Stand *m*; **3.** *a. military* ~ (Wehr)Dienstverhältnis *n*; **4.** (gesellschaftliche *etc.*) Stellung *f*, (Soziˈal)Preˌstige *n*, Status *m*: ~ *symbol* Statussymbol; **5.** ✝ (geschäftliche) Lage: *financial* ~ Vermögenslage; **6.** Zustand *m*, Status *m*; ~ **quo** [ˈkwou] (*Lat.*) *s. der* Status quo (*der jetzige Zustand*); ~ **quo an·te** [kwouˈænti] (*Lat.*) *s. der* Status quo ante (*der vorherige Zustand*).

stat·ute [ˈstætjuːt] *s.* **1.** ⚖ **a)** Gesetz *n* (*vom Parlament erlassene Rechtsvorschrift*), **b)** Gesetzesvorschrift *f*, **c)** *parl.* Parlaˈmentsakte *f*: ~ *of bankruptcy* Konkursordnung; **2.** ~ (*of limitations*) ⚖ (Gesetz *n* über) Verjährung *f*: *not subject to the* ~ unverjährbar; **3.** Staˈtut *n*, Satzung *f*; ˈ~**-barred** *adj.* ⚖ verjährt; ˈ~**-book** *s.* Gesetzessammlung *f*; ~ **law** *s.* Gesetzesrecht *n* (*Ggs. common law*); ~ **mile** *s.* Landmeile *f*, englische Meile (*1,60933 km*).

stat·u·to·ry [ˈstætjutəri] *adj.* □ **1.** ⚖ gesetzlich vorgeschrieben; gesetzlich (*Erbe, Feiertag, Rücklage etc.*): ~ *corporation* Körperschaft des öffentlichen Rechts; ~ *declaration* eidesstattliche Erklärung; **2.** Gesetzes...; **3.** ⚖ (dem Gesetz nach) strafbar; → *rape*[1] *1*; **4.** ⚖ Verjährungs...; **5.** satzungsgemäß.

staunch[1] [stɔːntʃ] → *stanch*[1].

staunch[2] [stɔːntʃ] *adj.* □ **1.** (ge-)treu, zuverlässig; **2.** standhaft, fest; ˈ**staunch·ness** [-ʃnis] *s.* Festigkeit *f*, Zuverlässigkeit *f*.

stave [steiv] **I.** *s.* **1.** (Faß)Daube *f*; **2.** (Leiter)Sprosse *f*; **3.** Stock *m*; **4.** Strophe *f*, Vers *m*; **5.** ♪ ˈNoten(linien)syˌstem *n*; **II.** *v/t.* **6.** *mst* ~ *in* **a)** einschlagen, **b)** *Loch* schlagen; **7.** ~ *off* **a)** *j-n* hinhalten *od.* abweisen, **b)** *Unheil etc.* abwenden, abwehren, **c)** *et.* aufschieben; **8.** mit Dauben *od.* Sprossen versehen; ˈ~**-rhyme** *s.* Stabreim *m*.

staves [steivz] *pl. von staff*[1] *8*.

stay [stei] **I.** *v/i.* **1.** bleiben (*with* bei *j-m*): *to* ~ *away* fernbleiben; *to* ~ *behind* zurückbleiben; *to* ~ *clean* rein bleiben; *to come to* ~ (für immer) bleiben; *to* ~ *in* zu Hause *od.* drinnen bleiben; *to* ~ *on* (noch länger) bleiben; *to* ~ *for* (*od. to*) *dinner* zum Essen bleiben; → *put 3*; **2.** sich (vorˈübergehend) aufhalten, wohnen, weilen (*at, in* in *dat., with* bei *j-m*); **3.** stehenbleiben; **4.** (sich) verweilen; **5.** warten (*for s.o.* auf j-n); **6.** *bsd. sport* F ˈdurchhalten; **II.** *v/t.* **7. a)** aufhalten, hemmen, Halt gebieten (*dat.*), **b)** zuˈrückhalten (*from* von): *to* ~ *one's hand* sich zurückhalten; **8.** ⚖ *Urteilsvollstreckung, Verfahren* aussetzen; *Verfahren, Zwangsvollstreckung* einstellen; **9.** *Hunger etc.* stillen; **10.** *a.* ~ *up* stützen (*a. fig.*); **11.** ⊕ **a)** absteifen, **b)** ab-, verspannen, **c)** verankern; **III.** *s.* **12.** (vorˈübergehender) Aufenthalt; **13. a)** Halt *m*, Stockung *f*, **b)** Hemmnis *n* (*upon* für): *to put a* ~ *on s-e Gedanken etc.* zügeln; **14.** ⚖ Aussetzung *f*, Einstellung *f*, (Vollˈstreckungs)Aufschub *m*; **15.** F Ausdauer *f*; **16.** ⊕ **a)** Stütze *f*, **b)** Strebe *f*, **c)** Verspannung *f*, **d)** Anker *m*; **17.** ⚓ Stag *n*, Stütztau *n*; **18.** *pl.* Korˈsett *n*; **19.** *fig.* Stütze *f des Alters etc.*

stay|-at-home [ˈsteiəthoum] **I.** *s.* Stubenhocker(in); **II.** *adj.* stubenhockerisch; daˈheimgeblieben; ˈ~**-ˈdown strike** *s.* ⚒ *Brit.* Sitzstreik *m*.

stay·er [ˈsteiə] *s.* *Pferderennen*: Steher *m*.

ˈ**stay·ing-pow·er** [ˈsteiiŋ] *s.* Stehvermögen *n*, Ausdauer *f*.

ˈ**stay-ˈin strike** *s. Brit.* Sitzstreik *m*.

stead [sted] *s.* **1.** Stelle *f*: *in his* ~ an s-r Statt, statt seiner; **2.** Nutzen *m*: *to stand s.o. in good* ~ j-m (gut) zustatten kommen (*Kenntnisse etc.*), nützlich (*od.* von Nutzen) sein (*Beziehungen etc.*).

stead·fast [ˈstedfəst] *adj.* □ fest: **a)** unverwandt (*Blick*), **b)** standhaft, unentwegt, treu (*Person*), **c)** unerschütterlich (*Person, a. Entschluß, Glaube etc.*); ˈ**stead·fast·ness** [-nis] *s.* Standhaftigkeit *f*, Festigkeit *f*.

stead·i·ness [ˈstedinis] *s.* **1.** Festigkeit *f*; **2.** Beständigkeit *f*, Stetigkeit *f*; **3.** Rechtschaffenheit *f*; **stead·y** [ˈstedi] **I.** *adj.* □ **1.** (stand)fest, staˈbil: *a* ~ *ladder*; *not* ~ *on one's legs* nicht fest auf den Beinen; **2.** gleichbleibend, -mäßig, unveränderlich; ausgeglichen (*Klima*); ✝ fest, stabil (*Preise*); **3.** stetig, ständig: ~ *progress*; ~ *work*; **4.** regelmäßig: ~ *customer* Stammkunde; *to go* ~ *with* F mit *e-m Mädchen* ‚gehen'; **5.** ruhig (*Augen, Nerven*), sicher (*Hand*); **6.** → *steadfast*; **7.** soˈlid, ordentlich, zuverlässig (*Person, Lebensweise*); **II.** *int.* **8.** sachte!, ruhig Blut!; **9.** ~ *on!* halt!; **III.** *v/t.* **10.** festigen, fest *od.* sicher *etc.* machen: *to* ~ *o.s.* sich stützen; **11.** *Pferd* zügeln; **12.** *j-n* zur Vernunft bringen; **IV.** *v/i.* **13.** fest *od.* ruhig *od.* sicher *etc.* werden; sich festigen (*a.* ✝ *Kurse*); **V.** *s.* **14.** Stütze *f* (*für Hand od. Werkzeug*); **15.** F fester Freund *od.* feste Freundin.

steak [steik] *s.* **1.** (*bsd.* Beef)Steak *n*; **2.** (ˈFisch)Koteˌlett *n*, (-)Fiˌlet *n*; ~ **ham·mer** *s.* *Küche*: Fleischklopfer *m*.

steal [stiːl] **I.** *v/t.* [*irr.*] **1.** stehlen (*a. fig. plagiieren*); **2.** *fig.* stehlen, erhaschen: *to* ~ *a kiss*; *to* ~ *a look* e-n verstohlenen Blick werfen; → *march*[1] *10*; *show 10*; *thunder 1*; **3.** *fig. wohin* schmuggeln; **II.** *v/i.* [*irr.*] **4.** stehlen; **5.** schleichen: *to* ~ *away* sich davonstehlen; *to* ~ *into* sich einschleichen *od.* sich stehlen in (*acc.*); **6.** *fig.* beschleichen, überˈkommen (*over,* [*up*] *on j-n*) (*Gefühl*); **III.** *s.* **7.** *Am.* F Diebstahl *m*.

stealth [stelθ] *s.* Heimlichkeit *f*: *by* ~ heimlich; ˈ**stealth·i·ness** [-θinis] *s.* Heimlichkeit *f*; ˈ**stealth·y** [-θi] *adj.* □ verstohlen, heimlich.

steam [stiːm] **I.** *s.* **1.** (Wasser-)Dampf *m*: *at full* ~ mit Volldampf (*a. fig.*); *to get up* ~ **a)** Dampf aufmachen, **b)** *fig.* F (s-e) Kräfte sammeln; *to let* (*od. blow*) *off* ~ **a)** Dampf ablassen, **b)** *fig.* sich *od.* s-m Zorn Luft machen; *to put on* ~ **a)** Dampf anlassen, **b)** *fig.* Dampf dahinter machen; **2.** Dunst *m*, Dampf *m*, Schwaden *pl.*; **3.** *fig.* Kraft *f*, Wucht *f*; **II.** *v/i.* **4.** dampfen (*a. Pferd etc.*); **5.** verdampfen; **6.** ⚓, 🚂 dampfen (*fahren*): *to* ~ *ahead* F *fig.* **a)** sich (mächtig) ins Zeug legen, **b)** gut vorankommen; **7.** ~ *over od. up* sich beschlagen (*Glas*); **III.** *v/t.* **8. a)** *Speisen etc.* dämpfen, dünsten, **b)** *Holz etc.* mit Dampf behandeln, dämpfen, *Stoff* dekatieren; **9.** ~ *up Glas* beschlagen; **10.** *be* ~*ed up* F vor Wut kochen (*about* wegen); ˈ~**-boat** *s.* Dampfboot *n*, -schiff *n*; ˈ~**-boil·er** *s.* Dampfkessel *m*; ˈ~**-en·gine** *s.* ˈDampfmaˌschine *f*.

steam·er [ˈstiːmə] *s.* **1.** Dampfer *m*, Dampfschiff *n*; **2. a)** Dampfkochtopf *m*, **b)** ˈDämpfappaˌrat *m*.

steam| fit·ter *s.* (ˈHeizungs)Installaˌteur *m*; ˈ~**-ga(u)ge** *s.* Dampfdruckmesser *m*; ~ **ham·mer** *s.* Dampfhammer *m*; ˈ~**-heat** *s.* **1.** durch Dampf erzeugte Hitze; **2.** *phys.* speˈzifische Verdampfungswärme; ~ **nav·vy** *Brit.* → *steam-shovel*; ˈ~**-pow·er** *s.* Dampfkraft *f*; ˈ~**-roll·er I.** *s.* **1.** Dampfwalze *f* (*a. fig.*); **II.** *v/t.* **2.** glattwalzen; **3.** *fig.* **a)** *Opposition etc.* niederwalzen, überˈfahren, **b)** *Antrag etc.* ˈdurchpeitschen; ˈ~**-ship** → *steamer 1*; ˈ~**-shov·el** *s.* ⊕ (Dampf)Löffelbagger *m*; ~ **tug** *s.* ⚓ Schleppdampfer *m*.

steam·y [ˈstiːmi] *adj.* □ dampfig, dunstig, dampfend, Dampf...

ste·a·rate [ˈstiːəreit] *s.* ⚗ Steaˈrat *n*.

ste·ar·ic [stiˈærik] *adj.* ⚗ Stearin...;

ste·a·rin [ˈstiərin] *s.* **1.** Steaˈrin *n*; **2.** *der feste Bestandteil e-s Fettes*.

ste·a·tite [ˈstiətait] *s. min.* Steaˈtit *m*.

steed [stiːd] *s. rhet.* (Streit)Roß *n*.

steel [stiːl] **I.** *s.* **1.** Stahl *m*: ~*s* ✝ Stahlaktien; *of* ~ → *4*; **2.** Stahl *m*: **a)** *oft cold* ~ kalter Stahl, Schwert *n*, Dolch *m*, **b)** Wetzstahl *m*, **c)** Feuerstahl *m*, **d)** Korsettstäbchen *n*; **3.** *poet.* Stahl *m*, Schwert *n*: *a foe worthy of my* ~ ein mir würdiger Gegner; **II.** *adj.* **4.** stählern (*a. fig.*), aus Stahl, Stahl...; **III.** *v/t.* **5.** ⊕

(ver)stählen; 6. *fig.* stählen, (verhärten, wappnen: *to ~ o.s. for (against) s.th.* sich für (gegen) et. wappnen; '**~-clad** *adj.* stahlgepanzert; **~ en·grav·ing** *s.* Stahlstich *m* (*Bild u. Technik*).

steel·i·fy ['sti:lifai] *v/t. metall. Eisen* in Stahl verwandeln.

steel| mill *s.* ⊕ Stahl(walz)werk *n*; '**~-wool** *s.* Stahlspäne *pl.*, -wolle *f*; '**~·works** *s. pl. mst sg. konstr.* Stahlwerk(e *pl.*) *n.*

steel·y ['sti:li] *adj.* **1.** → *steel 4*; **2.** *fig.* stählern, hart (*Blick etc.*).

steel·yard ['stiljɑ:d] *s.* Laufgewichtswaage *f.*

steep[1] [sti:p] **I.** *adj.* □ **1.** steil, jäh; **2.** F *fig.* ‚happig', ‚gepfeffert', unverschämt (*Preis*); **3.** F *fig.* ‚toll', unglaublich; **II.** *s.* **4.** *poet.* jäher Abhang.

steep[2] [sti:p] **I.** *v/t.* **1.** eintauchen, -weichen; **2.** (*in, with*) (durch)'tränken (mit); imprägnieren (mit); **3.** (*in*) *fig.* durch'dringen (mit), versenken (in *acc.*), erfüllen (von): *to ~ o.s. in* sich in *ein Thema etc.* versenken; *~ed in* versunken in (*acc.*), tief in *Leid etc.*; **II.** *s.* **4.** Einweichen *n*, -tauchen *n*; **5.** (Wasch)Lauge *f.*

steep·en ['sti:pən] *v/t. u. v/i.* steil(er) machen (werden); *fig.* (sich) erhöhen.

stee·ple ['sti:pl] *s.* **1.** Kirchturm (-spitze *f*) *m*; **2.** Spitzturm *m*; '**~·chase** *sport s.* **1.** Steeplechase *f*, Hindernisrennen *n* (*zu Pferd*); **2.** Hindernislauf *m.*

stee·pled ['sti:pld] *adj.* **1.** betürmt (*Gebäude*); **2.** vieltürmig (*Stadt*).

'**stee·ple·jack** *s.* Schornstein-, Turmarbeiter *m.*

steep·ness ['sti:pnis] *s.* Steilheit *f*, Steile *f.*

steer[1] [stiə] *s.* **a)** junger Ochse, **b)** *Am. a.* männliches Schlachtvieh, *z.B.* Mastochse *m.*

steer[2] [stiə] **I.** *v/t.* **1.** *Schiff, Fahrzeug, a. fig. Staat etc.* steuern, lenken; **2.** *Weg, Kurs* verfolgen, einhalten; **3.** *j-n wohin* lotsen, dirigieren; **II.** *v/i.* **4.** steuern: *to ~ clear of fig.* vermeiden, aus dem Wege gehen (*dat.*); *to ~ for* lossteuern auf (*acc.*) (*a. fig.*); '**steer·a·ble** [-ərəbl] *adj.* lenkbar; '**steer·age** [-ridʒ] *s. mst* ⚓ **1.** Steuerung *f*; **2.** Steuerwirkung *f*: *~-way* ⚓ Steuerfahrt; **3.** Zwischendeck *n.*

steer·ing ['stiəriŋ] **I.** *s.* **1.** Steuern *n*; **2.** Steuerung *f*; **II.** *adj.* **3.** Steuer...; **~ col·umn** *s. mot.* Lenksäule *f*; **~ com·mit·tee** *s.* Lenkungsausschuß *m*; (Kon'greß- *etc.*)Leitung *f*; '**~-gear** *s.* **1.** *mot.*, ✈ Steuerung *f*, Lenkung *f*; **2.** ⚓ 'Steuergerät *n*, Ruderanlage *f*; **~ lock** *s. mot.* Lenkradschloß *n*; '**~-wheel** *s.* ⚓, *mot.* Steuer-, Lenkrad *n.*

steers·man ['stiəzmən] *s.* [*irr.*] ⚓ Rudergänger *m.*

steeve[1] [sti:v] ⚓ *v/t.* traven, *Ballenladung* zs.-pressen.

steeve[2] [sti:v] *s.* ⚓ Steigung *f* (*des Bugspriets*).

stein [stain] (*Ger.*) *s. bsd. Am.* Bier-, Maßkrug *m.*

stel·lar ['stelə] *adj.* Stern(en)...

stel·late ['stelit] *adj.* sternförmig: *~ leaves* ♀ quirlständige Blätter.

stem[1] [stem] **I.** *s.* **1.** (Baum)Stamm *m*; **2. a)** Stengel *m*, **b)** (Blüten-, Blatt-, Frucht)Stiel *m*, **c)** Halm *m*; **3.** Bündel *n* Bananen; **4.** (*Pfeifen-, Weinglas- etc.*)Stiel *m*; (Lampen-) Fuß *m*; (Ven'til)Schaft *m*; (Thermo'meter)Röhre *f*; **5.** (Aufzieh-) Welle *f* (*Uhr*); **6.** Geschlecht *n*, Stamm *m*; **7.** *ling.* (Wort)Stamm *m*; **8.** ♪ (Noten)Hals *m*; **9.** *typ.* Grundstrich *m*; **10.** ⚓ (Vorder)Steven *m*: *from ~ to stern* von vorn bis achtern; **II.** *v/t.* **11.** *Blatt etc.* entstielen; **III.** *v/i.* **12.** *bsd. Am.* stammen (*from* von).

stem[2] [stem] **I.** *v/t.* **1.** *Fluß etc.* eindämmen (*a. fig.*); **2.** *Blutung* stillen; **3.** ⚓ ankämpfen gegen *die Strömung etc.*; **4.** *fig.* **a)** aufhalten, Einhalt gebieten (*dat.*), **b)** ankämpfen gegen, sich entgegenstemmen (*dat.*); **II.** *v/i.* **5.** *Schisport*: stemmen.

stem·less ['stemlis] *adj.* stengellos, ungestielt.

stem| turn *s. Schisport*: Stemmbogen *m*; '**~-'wind·er** *s.* Remon'toiruhr *f.*

stench [stentʃ] *s.* Gestank *m*, übler Geruch.

sten·cil ['stensl] **I.** *s.* **1.** *a. ~-plate* ('Maler)Scha,blone *f*, Pa'trone *f*; **2.** *typ.* ('Wachs)Ma,trize *f*; **3.** Scha'blonenzeichnung *f*, -muster *n*; **4.** Ma'trizenabzug *m*; **II.** *v/t.* **5.** *Oberfläche, Buchstaben* schablonieren; **6.** auf Matrizen schreiben.

Sten gun *s.* ⚔ leichtes Ma'schinengewehr.

sten·o ['stenou] *v/t. u. v/i.* F stenographieren.

sten·o·graph ['stenəgrɑ:f; -græf] **I.** *s.* **1.** Steno'gramm *n*; **2.** Kurzschriftzeichen *n*; **3.** Stenogra'phiermaˌschine *f*; **II.** *v/t.* **4.** stenographieren; **ste·nog·ra·pher** [ste'nɔgrəfə] *s.* Steno'graph(in); **sten·o·graph·ic** [stenə'græfik] *adj.* (□ *~ally*) steno'graphisch; **ste·nog·ra·phy** [ste'nɔgrəfi] *s.* Stenogra'phie *f*, Kurzschrift *f.*

sten·o·type ['stenətaip] → *stenograph 2 u. 3.*

sten·to·ri·an [sten'tɔ:riən] *adj.* 'überlaut: *~ voice* Stentorstimme.

step [step] **I.** *s.* **1.** Schritt *m* (*a. Geräusch, Maß*): *~ by ~* Schritt für Schritt (*a. fig.*); *to take a ~* e-n Schritt machen; **2.** Fußstapfen *m*: *to tread in s.o.'s ~s fig.* in j-s Fußstapfen treten; **3.** *eiliger etc.* Schritt, Gang *m*; **4.** (Tanz)Schritt *m*; **5.** (Gleich)Schritt *m*: *in ~* im Gleichschritt; *out of ~* außer Tritt; *to fall in ~* Tritt fassen; *to keep ~ (with)* Schritt halten mit; **6.** ein paar Schritte *pl.*, *ein* ‚Katzensprung': *it is only a ~ to the inn*; **7.** *fig.* Schritt *m*, Maßnahme *f*: *to take ~s* Schritte unternehmen; *to take legal ~s against* gegen *j-n* gerichtlich vorgehen; *a false ~* ein Fehler, e-e Dummheit; → *watch 17*; **8.** *fig.* Schritt *m*, Stufe *f*: *a great ~ forward* ein großer Schritt vorwärts; **9.** Stufe *f* (*e-r Treppe etc.*; *a.* ⚡ *e-s Verstärkers etc.*); (Leiter)Sprosse *f*; **10.** (*pair of*) *~s pl.* Trittleiter *f*; **11.** Tritt(brett *n*) *m*; **12.** *geogr.* Stufe *f*, Ter'rasse *f*; Pla'teau *n*; **13.** ♪ **a)** (Ton-, Inter'vall)Schritt *m*, **b)** Inter'vall *n*, **c)** (Tonleiter)Stufe *f*; **14.** *fig.* **a)** (Rang)Stufe *f*, Grad *m*, **b)** *bsd.* ⚔ Beförderung *f*; **II.** *v/i.* **15.** schreiten, treten: *to ~ into a fortune fig.* unverhofft zu e-m Vermögen kommen; **16.** *wohin* gehen, treten: *~ in!* herein!; **17.** (tüchtig) ausschreiten (*bsd. Pferd*); **18.** treten ([*up*]on auf *acc.*): *to ~ on the gas* (*od. to ~ on it*) (F *a. fig.*) Gas geben; *~ on it!* F Tempo!; **III.** *v/t.* **19.** *Schritt* machen: *to ~ it* zu Fuß gehen; **20.** *Tanz* tanzen; **21.** *a. ~ off* (*od. out*) *Entfernung etc.* **a)** abschreiten, **b)** abstecken; **22.** abstufen;

Zssgn mit adv.:

step| a·side *v/i.* **1.** zur Seite treten; **2.** *fig.* zu'rücktreten; **~ back I.** *v/i. a. fig.* zu'rücktreten; **II.** *v/t.* abstufen; **~ down I.** *v/i.* **1.** her'unter, hin'unterschreiten; **II.** *v/t.* **2.** verringern, verzögern; **3.** ⚡ her'untertransformieren; **~ in** *v/i.* **1.** eintreten, -steigen; **2.** *fig.* einschreiten, -greifen; **~ out I.** *v/i.* **1.** her'austreten, aussteigen; **2.** (*tüchtig*) ausschreiten; **3.** F ausgehen; **II.** *v/t.* **4.** → *step 21a*; **~ up I.** *v/i.* **1.** hin'auf-, her'aufsteigen; **2.** zugehen (*to* auf *acc.*); **II.** *v/t.* **3.** *Produktion etc.* steigern, ankurbeln; **4.** ⚡ 'hochtransforˌmieren.

step- [step] *in Zssgn* Stief...: *~child* Stiefkind; *~father* Stiefvater.

'**step|-dance** *s.* Step(tanz) *m*; '**~-down** *adj.* ⚡ Umspann...: *a ~ transformer* ein Abwärtstransformator; '**~-in I.** *adj.* **1.** zum Hin'einschlüpfen (*Schuhe etc.*); **II.** *s.* **2.** *mst pl.* Schlüpfer *m*; **3.** *pl. a. ~ shoes* Slipper *pl.*; '**~-lad·der** *s.* Trittleiter *f*; '**~·moth·er·ly** *adj. a. fig.* stiefmütterlich.

steppe [step] *s. geogr.* Steppe *f.*

step·ping-stone ['stepiŋstoun] *s.* **1.** (Tritt)Stein *m im Wasserlauf etc.*; **2.** *fig.* Sprungbrett *n*, Stufe *f* (*to* zu).

'**step-up I.** *adj.* stufenweise erhöhend: *~ transformer* ⚡ Aufwärtstransformator; **II.** *s.* Zunahme *f* (*in* an *dat.*).

'**step·wise** *adv.* schritt-, stufenweise.

ster·e·o ['stiəriou] F **I.** *s.* **1. a)** → *stereotype 1*, **b)** → *stereoscope*; **2.** 'Stereo(schall)platte *f*; **II.** *adj.* **3.** → *stereoscopic*; **4.** 'stereo, Stereo...: *~ record* → 2.

stereo- [stiəriə] *in Zssgn* **a)** starr, fest, **b)** 'dreidimensioˌnal, stereo..., Stereo..., Raum...; **ster·e·o·chem·is·try** [stiəriə'kemistri] *s.* 'Stereo-, 'Raumcheˌmie *f*; **ster·e·og·ra·phy** [stiəri'ɔgrəfi] *s.* ⩚ Stereogra'phie *f*, Körperzeichnung *f*; **ster·e·om·e·try** [stiəri'ɔmitri] *s.* **1.** *phys.* Stereome'trie *f*; **2.** ⩚ Geome'trie *f* des Raumes.

ster·e·o·phon·ic [stiəriə'fɔnik] *adj.* (□ *~ally*) stereo'phonisch, Stereoton...: *~ sound* Raumton.

ster·e·o plate *s. typ.* Stereo'typplatte *f*, 'Stereo *n.*

ster·e·o·scope ['stiəriəskoup] *s.* Stereo'skop *n*; **ster·e·o·scop·ic** [stiəriə'skɔpik] *adj.* (□ *~ally*) stereo'skopisch: *~ effect phot.* Tiefenwirkung; **ster·e·os·co·py** [stiəri'ɔskəpi] *s.* Stereosko'pie *f.*

ster·e·o·type ['stiəriətaip] **I.** *s.* **1.** *typ.* **a)** Stereoty'pie *f*, Plattendruck *m*, **b**) Stereo'type *f*, Druckplatte *f*; **2.** *fig.* Kli'schee *n*, Scha'blone *f*; **II.** *v/t.* **3.** *typ.* stereotypieren; **4.** *fig. Redensart etc.* stereo'typ wieder'holen; **5.** e-e feste Form geben (*dat.*); **'ster·e·o·type-block** → *stereo plate*; **'ster·e·o·typed** [-pt] *adj.* **1.** *typ.* stereotypiert; **2.** *fig.* stereo'typ, scha'blonenhaft; **ster·e·o·ty·pog·ra·phy** [stiəriətai'pɔgrəfi] *s. typ.* Stereo'typdruck(verfahren *n*) *m*; **'ster·e·o·typ·y** [-pi] *s. typ.* Stereoty'pie *f*.

ster·ile ['sterail] *adj.* **1.** ste'ril: **a**) ⚕ keimfrei, **b**) ♀, *physiol.* unfruchtbar (*a. fig. Geist etc.*); **2.** *fig.* fruchtlos (*Arbeit, Diskussion etc.*); leer, gedankenarm (*Stil*); **ste·ril·i·ty** [ste'riliti] *s.* Sterili'tät *f* (*a. fig.*).

ster·i·li·za·tion [sterilai'zeiʃən] *s.* **1.** Sterilisati'on *f*: **a**) Entkeimung *f*, **b**) Unfruchtbarmachung *f*; **2.** Sterili'tät *f*; **ster·i·lize** ['sterilaiz] *v/t.* sterilisieren: **a**) keimfrei machen, **b**) unfruchtbar machen; **'ster·i·liz·er** ['sterilaizə] *s.* Sterili'sator *m* (*Apparat*).

ster·ling ['stə:liŋ] **I.** *adj.* **1.** ✝ Sterling(...): *ten pounds* ~ 10 Pfund Sterling; ~ *area* Sterlinggebiet, -block; **2.** von Standardwert (*Gold, Silber*); **3.** *fig.* echt, gediegen, bewährt; **II.** *s.* **4.** ✝ Sterling *m*.

stern[1] [stə:n] *adj.* □ **1.** streng, hart: ~ *discipline*; ~ *penalty*; **2.** unnachgiebig; **3.** streng, finster: *a* ~ *face*.

stern[2] [stə:n] **I.** *s.* **1.** ⚓ Heck *n*, Achterschiff *n*: (*down*) *by the* ~ hecklastig; **2.** *zo.* **a**) 'Hinterteil *n*, **b**) Schwanz *m*; **3.** *allg.* hinterer Teil; **II.** *adj.* **4.** ⚓ Heck...

ster·nal ['stə:nl] *adj. anat.* Brustbein...

'stern|-chas·er *s.* ⚓ *hist.* Heckgeschütz *n*; **'~-fast** *s.* ⚓ Achtertau *n*.

stern·ness ['stə:nnis] *s.* Strenge *f*, Härte *f*, Düsterkeit *f*.

'stern|-post *s.* ⚓ Achtersteven *m*; ~ **sheets** *s. pl.* ⚓ Achtersitze *pl.*

ster·num ['stə:nəm] *pl.* **-na** [-nə] *s. anat.* Brustbein *n*.

ster·to·rous ['stə:tərəs] *adj.* □ röchelnd.

stet [stet] (*Lat.*) *typ.* **I.** *imp.* stehen lassen (*Korrektur rückgängig machen*); **II.** *v/t.* mit ‚stet' markieren.

steth·o·scope ['steθəskoup] ⚕ **I.** *s.* Stetho'skop *n*, Hörrohr *n*; **II.** *v/t.* abhorchen; **steth·o·scop·ic** [steθə'skɔpik] *adj.* (□ *~ally*) stetho'skopisch.

ste·ve·dore ['sti:vidɔ:] *s.* ⚓ **1.** Stauer *m*, Schauermann *m*; **2.** Stauer *m* (*Unternehmer*).

stew[1] [stju:] **I.** *v/t.* **1.** schmoren, dämpfen, langsam kochen; **II.** *v/i.* **2.** schmoren; → *stewed 1*; *juice 1*; **3.** *fig.* ‚schmoren', vor Hitze (fast) 'umkommen; **III.** *s.* **4.** Schmor-, Eintopfgericht *n*; **5.** F Aufregung *f*.

stew[2] [stju:] *s. Brit.* Fischteich *m*, -behälter *m*.

stew·ard ['stjuəd] *s.* **1.** Verwalter *m*; **2.** Haushalter *m*, Haushofmeister *m*; **3.** Tafelmeister *m*, Kämmerer *m* (*e-s College, Klubs etc.*); **4.** ⚓, ✈ Steward *m*; **5.** (Fest- *etc.*)Ordner *m*; *mot.* 'Rennkommis,sar *m*; **'stew·ard·ess** [-dis] *s.* ⚓, ✈ Stewardeß *f*; **'stew·ard·ship** [-ʃip] *s.* Verwalteramt *n*.

stewed [stju:d] *adj.* **1.** geschmort, gedämpft, gedünstet: ~ *fruit* Kompott; **2.** *sl.* ‚besoffen'.

'stew|-pan, **'~-pot** *s.* Schmorpfanne *f*, -topf *m*.

stick[1] [stik] **I.** *s.* **1.** Stecken *m*, Stock *m*, (trockener) Zweig; *pl.* Klein-, Brennholz *n*: *dry ~s* (dürres) Reisig; **2.** Scheit *n*, Stück *n* Holz; **3.** Gerte *f*, Rute *f*; **4.** Stengel *m*, Stiel *m* (*Rhabarber, Sellerie*); **5.** Stock *m* (*a. fig. Schläge*), Stab *m*: *to get* (*give*) *the* ~ e-e Tracht Prügel bekommen (verabreichen); *to get hold of the wrong end of the* ~ *fig.* die Sache falsch verstehen; **6.** (Besen- *etc.*)Stiel *m*; **7.** (Spazier)Stock *m*; **8.** (Zucker-, Siegellack)Stange *f*; **9.** (Stück *n*) Rasierseife *f*; **10.** ♪ **a**) Taktstock *m*, **b**) (Trommel)Schlegel *m*, **c**) (Geigen)Bogen *m*; **11.** *sport* **a**) (Hockey- *etc.*)Schläger *m*, **b**) Hürde *f*; **12.** ✈ Steuerknüppel *m*; **13.** ⚔ Bombenreihe *f*; **14.** *typ.* Winkelhaken *m*; **15.** F Stock(fisch) *m* (*Person*); **16.** *pl. Am.* F hinterste Pro'vinz; **II.** *v/t.* **17.** *Pflanze* mit e-m Stock stützen; **18.** *typ.* **a**) setzen, **b**) in e-m Winkelhaken anein'anderreihen.

stick[2] [stik] **I.** *v/t.* [*irr.*] **1.** durch'stechen, -'bohren; *Schweine* (ab-)stechen; **2.** stechen mit *e-r Nadel etc.* (*in, into* in *acc.*); *et.* stecken, stoßen; **3.** *auf e-e Gabel etc.* stecken, aufspießen; **4.** *Kopf, Hand etc. wohin* st(r)ecken; **5.** F legen, setzen, *in die Tasche etc.* stecken; **6.** (an-)stecken, anheften; **7.** 'vollstecken (*with* mit); **8.** *Briefmarke, Plakat etc.* ankleben, *Photos etc.* (ein-)kleben: *to* ~ *together et.* zs.-kleben; **9.** bekleben; **10.** zum Stecken bringen, festfahren: *to be stuck im Schlamm etc.* stecken(bleiben), festsitzen (*a. fig.*); *to be stuck on* F vernarrt sein in; **11.** *j-n* verwirren; **12.** F *j-n* ‚blechen' lassen (*for* für); **13.** *sl. j-n* ‚leimen' (*betrügen*); **14.** *sl. et. od. j-n* aushalten, -stehen, (v)ertragen: *I can't* ~ *him*; **15.** ~ *it* (*out*) *Brit.* F 'durchhalten, es aushalten; **16.** ~ *it on* F **a**) e-n unverschämten Preis verlangen, **b**) ‚dick auftragen', über'treiben; **II.** *v/i.* [*irr.*] **17.** *wo* stecken; **18.** (fest)kleben, haften: *to* ~ *together* zs.-kleben; **19.** sich festklammern *od.* heften (*to* an *acc.*); **20.** haften, hängenbleiben (*a. fig. Spitzname etc.*): *some of it will* ~ et. *von e-r Verleumdung* bleibt immer hängen; *to* ~ *in the mind* im Gedächtnis haftenbleiben; **21.** ~ *to* bei *j-m od. e-r Sache* bleiben, *j-m* nicht von der Seite weichen: *to* ~ *to the point fig.* bei der Sache bleiben; *to* ~ *to it* dabeibleiben, es durchhalten; → *gun 1*; **22.** ~ *to* treu bleiben (*dat.*), *zu j-m, s-m Wort etc.* stehen, bei *s-r Ansicht etc.* bleiben: *to* ~ *together* zs.-halten (*Freunde*); **23.** *im Hals, im Schmutz, a. fig. beim Lesen etc.* steckenbleiben; → *mud 2*; **24.** *to* ~ *at nothing* vor nichts zurückschrecken; **25.** her'vorstehen (*from, out of* aus);

Zssgn mit adv.:

stick| out I. *v/i.* **1.** ab-, her'vor-, her'ausstehen; **2.** *fig.* bestehen (*for* auf *dat.*); **II.** *v/t.* **3.** *Arm, Brust, a. Kopf, Zunge* her'ausstrecken; **4.** → *stick*[2] *15*; ~ **up I.** *v/t.* **1.** *sl. j-n, e-e Bank etc.* über'fallen; **II.** *v/i.* **2.** in die Höhe stehen; **3.** ~ *for* sich für *j-n* einsetzen; **4.** ~ *to* 'Widerstand entgegensetzen (*dat.*).

stick·er ['stikə] *s.* **1.** (Schweine-)Schlächter *m*; **2.** Klebezettel *m*, -eti,kett *n*; **3.** *fig.* zäher Kerl; **4.** F lange bleibender Gast; **5.** F ‚Ladenhüter' *m*; **6.** verwirrende Frage *etc.*

stick·i·ness ['stikinis] *s.* **1.** Klebrigkeit *f*; **2.** Schwüle *f*.

'stick·ing|-place ['stikiŋ] *s.* **1.** Haltepunkt *m e-r Schraube etc.*; **2.** *fig. das* Äußerste; **'~-plas·ter** *s.* ⚕ Heftpflaster *n*.

'stick-in-the-mud [-kinðə-] **I.** *adj.* **1.** träge, verschlafen, nicht fortschrittlich; **II.** *s.* **2.** Schlafmütze *f*; **3.** Rückschrittler *m*.

'stick·jaw *s. bsd. Brit.* F ‚Plombenzieher' *m* (*zäher Bonbon etc.*).

stick·le ['stikl] *v/i.* **1.** hartnäckig zanken *od.* streiten: *to* ~ *for s.th.* et. verfechten. **2.** Bedenken äußern, Skrupel haben.

stick·le·back ['stiklbæk] *s. ichth.* Stichling *m*.

stick·ler ['stiklə] *s.* **1.** Eiferer *m*, Verfechter *m* (*for gen.*); **2.** Kleinigkeitskrämer *m*, Pe'dant *m*, j-d der es ganz genau nimmt (*for* mit).

stick-to-it·ive [stik'tu:itiv] *adj. Am.* F hartnäckig, zäh.

'stick-up I. *adj.* **1.** ~ *collar* → 2; **II.** *s.* **2.** F Stehkragen *m*; **3.** *sl.* ('Raub),Überfall *m*.

stick·y ['stiki] *adj.* □ **1.** klebrig, zäh: ~ *charge* ⚔ Haftladung; ~ *label Brit.* Klebezettel; **2.** schwül, stickig (*Wetter etc.*); **3.** F *fig.* **a**) klebrig, **b**) eklig, dreckig, **c**) schwierig, heikel (*Sache*), **d**) kritisch: *to be* ~ *about doing s.th.* et. nur ungern tun.

stiff [stif] **I.** *adj.* □ **1.** *allg.* steif, starr (*a. Gesicht, Person*): ~ *collar* steifer Kragen; ~ *neck* steifer Hals; → *lip 1*; **2.** zäh, dick, steif (*Teig etc.*); **3.** steif (*Brise*), stark (*Wind, Strömung*); **4.** stark (*Dosis, Getränk*), steif (*Grog*); **5.** *fig.* starrköpfig; **6.** *fig.* hart (*Gegner, Kampf etc.*), scharf (*Konkurrenz, Opposition*); **7.** schwierig (*Aufstieg, Prüfung etc.*); **8.** hart (*Strafe*); **9.** steif, for'mell, gezwungen (*Benehmen, Person etc.*); **10.** steif, linkisch (*Stil*); **11.** F unglaublich: *a bit* ~ ziemlich stark, allerhand; **12.** F ‚zu Tode' *gelangweilt, erschrocken*; **13.** ✝ **a**) sta'bil, fest (*Preis, Markt*), **b**) hoch, unverschämt (*Forderung, Preis*); **II.** *s. sl.* **14.** Tote(r *m*) *f*; **15.** langweiliger Kerl; **16.** *Am.* Holzkopf *m*, Stoffel *m*; **'stiff·en** [-fn] **I.** *v/t.* **1.** (ver)steifen, (ver)stärken; *Stoff etc.* stärken, steifen; **2.** steif *od.* starr machen (*Flüssigkeit, Glieder etc.*), verdicken (*Flüssiges*); **3.** *fig.* (be)stärken, *j-m* den Nacken steifen; **II.** *v/i.* **4.** sich versteifen, -stärken; starr werden; **5.** *fig.* hart werden, sich versteifen; **6.** förmlich werden; **7.** ✝ sich festigen (*Preise etc.*); **'stiff·en·er** [-fnə] *s.* **1.** Versteifung *f*, steife Einlage; **2.** F ‚Seelenwärmer' *m*, Stärkung *f* (*Getränk*); **'stiff·en·ing** [-fniŋ] *s.* Versteifung *f*, 'Steifmateri,al *n*.

'stiff-'necked *adj. fig.* halsstarrig, hartnäckig.
stiff·ness ['stifnis] *s.* **1.** Steifheit *f* (*a. fig. Förmlichkeit*), Steife *f*, Starrheit *f*; **2.** Zähigkeit *f*, Dickflüssigkeit *f*; **3.** *fig.* Hartnäckigkeit *f*.
sti·fle[1] ['staifl] **I.** *v/t.* **1.** *j-n* ersticken; **2.** *Fluch etc., a. Gefühl, a. Aufstand etc.* ersticken, unter'drücken, *Diskussion etc.* abwürgen; **II.** *v/i.* **3.** (*weit S.* schier) ersticken.
sti·fle[2] ['staifl] *s. zo.* **1.** Kniegelenk *n* (*Pferd, Hund*); **2.** *vet.* Kniegelenkgalle *f* (*Pferd*); '**~-bone** *s.* Kniescheibe *f* (*Pferd*).
sti·fling ['staifliŋ] *adj.* □ stickig, zum Ersticken (*Luft etc.*); drückend (*Atmosphäre*).
stig·ma ['stigmə] *pl.* **-mas, -ma·ta** [-mətə] *s.* **1.** *fig.* Brand-, Schandmal *n*, 'Stigma *n*; **2.** ⚕ Sym'ptom *n*; **3.** ⚕ (*pl.* *-mata*) Mal *n*, roter Hautfleck; **4.** *eccl.* (*pl.* *-mata*) Wundmale *pl.*, 'Stigmata *pl.*; **5.** ⚘ Narbe *f* (*Blüte*); **6.** *zo.* Luftloch *n* (*Insekt*);
stig·mat·ic [stig'mætik] *adj.* (□ *~ally*) **1.** stig'matisch (*a. opt.*); **2.** ⚘ narbenartig; '**stig·ma·tize** [-ətaiz] *v/t.* **1.** ⚕, *eccl.* stigmatisieren; **2.** *bsd. fig.* brandmarken.
stile[1] [stail] *s.* 'Zauntritt *m*, Steige *f*.
stile[2] [stail] *s.* Seitenstück *n* (*e-r Täfelung*), Höhenfries *m* (*e-r Tür*).
sti·let·to [sti'letou] *pl.* **-tos** [-z] *s.* Sti'lett *n*.
still[1] [stil] **I.** *adj.* □ **1.** *allg.* still: **a**) reglos, unbeweglich, **b**) ruhig, lautlos, **c**) leise, gedämpft, **d**) friedlich, ruhig: *~ life paint.* Stilleben; *keep ~!* sei ruhig!; → *water 11*; **2.** nicht schäumend: *~ wine* Stillwein; **3.** *phot.* Stand..., Steh..., Einzel(aufnahme)...; **II.** *s.* **4.** *poet.* Stille *f*; **5.** *phot.* **a**) 'Stand,photo *n*, **b**) Einzelaufnahme *f*; **III.** *v/t.* **6.** *Geräusche etc.* zum Schweigen bringen; **7.** *Leidenschaft etc.* stillen, beruhigen; **IV.** *v/i.* **8.** still werden.
still[2] [stil] **I.** *adv.* **1.** (immer) noch, noch immer, bis jetzt; **2.** (*beim comp.*) noch, immer: *~ higher, higher ~* noch höher; *~ more so because* um so mehr als; **3.** dennoch; **II.** *cj.* **4.** (und) dennoch, und doch, in'des(sen).
still[3] [stil] *s.* **a**) Destil'lierkolben *m*, **b**) Destil'lierappa,rat *m*.
stil·lage ['stilidʒ] *s.* Gestell *n*.
still| birth *s.* Totgeburt *f*; '**~-born** *adj.* totgeboren (*a. fig.*); '**~-fish** *v/i.* vom verankerten Boot aus angeln; '**~-hunt** *v/i.* (*v/t.* an)pirschen; '**~-hunt·ing** *s.* Pirsch(jagd) *f*.
stil·li·form ['stilifɔ:m] *adj.* tropfenförmig.
still·ness ['stilnis] *s.* Stille *f*.
'**still-room** *s. bsd. Brit.* **1.** *hist.* Destillati'onsraum *m*; **2. a**) Vorratskammer *f*, **b**) Servierraum *m* (*bei der Küche*).
still·y ['stili] *adj. u. adv. poet.* still, ruhig.
stilt [stilt] *s.* **1.** Stelze *f*; **2.** △ Pfahl *m*, Pfeiler *m*; **3.** *orn. a.* *~-bird* Schnepfenvogel *m*, *bsd.* Stelzenläufer *m*; '**stilt·ed** [-tid] *adj.* □ **1.** geziert, gespreizt, geschraubt (*Rede, Stil etc.*); **2.** △ erhöht, über'höht; '**stilt·ed·ness** [-tidnis] *s.* Gespreiztheit *f*, Geschraubtheit *f*.
stim·u·lant ['stimjulənt] **I.** *s.* **1.** ⚕ 'Stimulans *n*, Anregungs-, Reizmittel *n*; **2.** Genußmittel *n*, *bsd.* 'Alkohol *m*; **3.** Anreiz *m* (*of* für); **II.** *adj.* **4.** → *stimulating 1*; '**stim·u·late** [-leit] *v/t.* **1.** ⚕ *etc., a. fig.* stimulieren, anregen (*s.o. into* j-n zu *et.*); *fig. a.* anspornen, anstacheln; beleben; **2.** *Nerv* reizen; '**stim·u·lat·ing** [-leitiŋ] *adj.* **1.** *a. fig.* stimulierend, anregend, belebend; **2.** *fig.* anspornend; **stim·u·la·tion** [stimju'leiʃən] *s.* **1.** Anreiz *m*, Antrieb *m*, Anregung *f*, Belebung *f*; **2.** ⚕ Reizung *f*, Reiz *m*; '**stim·u·la·tive** [-lətiv] → *stimulating*; '**stim·u·lus** [-ləs] *pl.* **-li** [-lai] *s.* **1.** 'Stimulus *m*: **a**) (An)Reiz *m*, Antrieb *m*, Ansporn *m* (*to* zu), **b**) ⚕ Reiz *m*: *~ threshold* Reizschwelle; **2.** → *stimulant 1*; **3.** ⚘ Nesselhaar *n*.
sti·my ['staimi] → *stymie*.
sting [stiŋ] **I.** *v/t.* [*irr.*] **1.** stechen (*Insekt, Nessel etc.*); **2.** *auf der Zunge etc.* brennen, beißen (*Pfeffer etc.*); **3.** schmerzen (*Schlag etc.*), peinigen: *stung by remorse fig.* von Reue gepeinigt; **4.** *fig. j-n* verletzen, kränken; **5.** anstacheln, reizen (*into* zu); **6.** *sl.* ‚neppen' (*for um Geld*); **II.** *v/i.* [*irr.*] **7.** stechen; **8.** brennen, beißen (*Pfeffer etc.*); **9.** *a. fig.* schmerzen, weh tun; **III.** *s.* **10.** Stachel *m* (*Insekt; a. fig. des Todes, der Eifersucht etc.*); **11.** ⚘ Brennborste *f*; **12.** Stich *m*, Biß *m*: *~ of conscience fig.* Gewissensbiß; **13.** Schärfe *f*; **14.** Spitze *f* (*e-s Witzes*); **15.** Schwung *m*, Wucht *f*; '**sting·er** [-ŋə] *s.* **1. a**) stechendes In'sekt, **b**) stechende Pflanze; **2.** F **a**) schmerzhafter Schlag, **b**) beißende Bemerkung.
sting·i·ness ['stindʒinis] *s.* Geiz *m*.
sting·ing ['stiŋiŋ] *adj.* □ **1.** ⚘, *zo.* stechend; **2.** *fig.* schmerzend (*Schlag etc.*); schneidend (*Kälte, Wind*); scharf, beißend, verletzend (*Worte, Tadel*); '**~-net·tle** *s.* ⚘ Brennessel *f*.
stin·gy ['stindʒi] *adj.* □ **1.** geizig, knickerig: *to be ~ of s.th.* mit et. geizen *od.* knausern; **2.** dürftig, kärglich.
stink [stiŋk] **I.** *v/i.* [*irr.*] **1.** stinken, übel riechen (*of* nach): *to ~ of money fig.* F vor Geld stinken; **2.** *fig.* verrufen sein, ‚stinken': *to ~ to high heaven* zum Himmel stinken; → *nostril*; **3.** *fig.* F ('hunds)mise,rabel sein; **II.** *v/t.* [*irr.*] **4.** verstänkern; **5.** *~ out* **a**) *Höhle, Tiere* ausräuchern, **b**) *j-n* durch Gestank vertreiben; **6.** *sl.* (den Gestank *gen.*) riechen: *you can ~ it a mile off*; **III.** *s.* **7.** Gestank *m*; **8.** Stunk *m*, Krach *m*: *to raise* (*od. kick up*) *a ~* Stunk machen (*about* wegen); **9.** *pl. Brit. sl.* Che'mie *f*; '**stink·ard** [-kəd] *s.* **1.** *zo.* Stinkdachs *m*; **2.** → *stinker 1*; '**stink·er** [-kə] *s.* **1.** stinkender Kerl, ‚Stinker' *m*; **2.** *sl.* Ekel *n* (*Person*); **3. a**) ‚Stinka'dores' *m* (*Käse*), **b**) ‚Stinkadores' *f* (*Zigarre*); **4.** *sl.* **a**) gemeiner Brief, **b**) böse Bemerkung *od.* Kri'tik, **c**) ‚böse' (*schwierige etc.*) Sache; **5.** *orn.* (Riesen)Sturmvogel *m*; '**stink·ing** [-kiŋ] *adj.* □ **1.** übelriechend, stinkend; **2.** V **a**) widerlich, **b**) mise'rabel; **3.** → *stinko*.
stinko ['stiŋkou] *adj. Am. sl.* ‚(stink-) besoffen'.
'**stink-pot** *s.* **1.** ⚓ *hist.* Stinktopf *m*; **2.** F **a**) → *stinker 1 u. 2*, **b**) ‚Mistding' *n*.
stint [stint] **I.** *v/t.* **1.** *j-n od. et.* einschränken, *j-n* kurz *od.* knapp halten (*in, of mit*): *to ~ o.s. of* sich einschränken mit, sich *et.* versagen; **2.** knausern, kargen mit (*Geld, Lob etc.*); **II.** *v/i.* **3.** sich einschränken *od.* knapp halten; **III.** *s.* **4.** Be-, Einschränkung *f*: *without ~* ohne Einschränkung, rückhaltlos; **5.** *obs.* **a**) *zugewiesene* Arbeit, **b**) *vorgeschriebenes* Maß; **6.** ⚒ Schicht *f*; '**stint·ed** [-tid] *adj.* □ knapp, karg.
stipe [staip] *s.* ⚘ Stiel *m*, Strunk *m*.
sti·pel ['staipl] *s.* ⚘ sekun'däres Nebenblättchen.
sti·pend ['staipend] *s.* **1.** Gehalt *n* (*bsd. e-s Geistlichen*); **2.** Pensi'on *f*;
sti·pen·di·ar·y [stai'pendjəri] **I.** *adj.* besoldet: *~ magistrate* → *II*; **II.** *s. Brit.* Poli'zeirichter *m*.
stip·ple ['stipl] **I.** *v/t.* **1.** *paint.* tüpfeln, punktieren; **II.** *s.* **2.** Punk'tierma,nier *f*, Pointil'lismus *m*; **3.** Punktierung *f*.
stip·u·late ['stipjuleit] *bsd.* ⚖, † **I.** *v/i.* **1.** (*for*) **a**) e-e Vereinbarung treffen (über *acc.*), **b**) *et.* zur Bedingung machen; **II.** *v/t.* **2.** festsetzen, vereinbaren, ausbedingen; **3.** ⚖ *Tatbestand* einverständlich feststellen, außer Streit stellen;
stip·u·la·tion [stipju'leiʃən] *s.* **1.** †, ⚖ (vertragliche) Abmachung, Über'einkunft *f*, Festsetzung *f*; **2.** Klausel *f*, Bedingung *f*; **3.** ⚖ Par'teienüber,einkunft *f*.
stip·ule ['stipju:l] *s.* ⚘ Nebenblatt *n*.
stir[1] [stə:] **I.** *v/t.* **1.** *Kaffee, Teig etc.* rühren: *to ~ up* **a**) tüchtig umrühren, **b**) *Schlamm* aufwühlen; **2.** *Feuer* (an)schüren; **3.** *Glied etc.* rühren, bewegen: *not to ~ a finger* keinen Finger krumm machen; **4.** *Blätter, See etc.* bewegen (*Wind*); **5.** *~ up a. fig. j-n* auf-, wachrütteln; **6.** *~ up fig.* **a**) *j-n* aufreizen, -hetzen, **b**) *Neugier etc.* erregen, *Streit* entfachen; **7.** *fig.* aufwühlen, bewegen; *Herz* rühren; **II.** *v/i.* **8.** sich rühren *od.* regen (*a. fig. geschäftig sein*): *not to ~ from the spot* sich nicht von der Stelle rühren; *he never ~red abroad* er ging nie aus; *he is not ~ring yet* er ist noch nicht auf(gestanden); **9. a**) im Gange *od.* 'Umlauf sein, **b**) geschehen, sich ereignen; **III.** *s.* **10.** Rühren *n*; **11.** Bewegung *f*; **12.** Aufregung *f*; **13.** Aufsehen *n*, Sensati'on *f*: *to create a ~* Aufsehen erregen.
stir[2] [stə:] *s. sl.* ‚Kittchen' *n* (*Gefängnis*).
stirps [stə:ps] *pl.* **stir·pes** ['stə:pi:z] *s.* **1.** Fa'milie(nzweig *m*) *f*; **2.** ⚖ **a**) Stammvater *m*, **b**) Stamm *m*: *by stirpes Erbfolge* nach Stämmen.
stir·ring ['stə:riŋ] *adj.* □ **1.** bewegt; **2.** *fig.* rührig; **3.** erregend, aufwühlend; bewegt (*Zeiten*).
stir·rup ['stirəp] *s.* **1.** Steigbügel *m*; **2.** ⊕ Bügel *m*; **3.** ⚓ Springpferd *n* (*Haltetau*); '**~-bone** *s. anat.* Steigbügel *m* (*im Ohr*); '**~-i·ron** *s.* Steigbügel *m* (*ohne Steigriemen*); '**~-leath·er** *s.* Steig(bügel)riemen *m*.

stitch [stitʃ] **I.** *s.* **1.** *Nähen etc.*: Stich *m*: *a ~ in time saves nine* gleich getan ist viel gespart; **2.** *Stricken, Häkeln etc.*: Masche *f*; → *take up 14*; **3.** Stich(art *f*) *m*, Strick-, Häkelart *f*; **4.** F Faden *m*: *not to have a dry ~ on one* keinen trockenen Faden am Leibe haben; *without a ~ on* splitternackt; **5. a)** Stich *m*, Stechen *n* (*Schmerz*), **b)** *a. ~es in the side* Seitenstechen *n*; **II.** *v/t.* **6.** nähen, steppen, (be)sticken; **7.** *~ up* vernähen (*a.* ⚕), (zs.-)flicken; **8.** *Buchbinderei*: (zs.-)heften, broschieren.

stith·y [ˈstiði] *s.* ⊕ *obs.* Schmiede *f.*

sto·a [ˈstouə] *pl.* **-ae** [-iː] *s. antiq.* ˈStoa *f*: **a)** △ Säulenhalle *f*, **b)** ♀ ˈstoische Philosoˈphie.

stoat [stout] *s. zo.* **1.** Hermeˈlin *n*; **2.** Wiesel *n.*

stock [stɔk] **I.** *s.* **1.** (*Baum-, Pflanzen-*) Strunk *m*; **2.** *fig.* ‚Klotz' *m* (*steifer Mensch*); **3.** ⚘ Levˈkoje *f*; **4.** ⚘ (ˈPropf)ˌUnterlage *f*; **5.** (*Peitschen-, Werkzeug*)Griff *m*; **6.** ⚔ **a)** (Gewehr)Schaft *m*, **b)** Schulterstütze *f* (*MG*); **7.** ⊕ ˈUnterlage *f*, Block *m*; (Amboß)Klotz *m*; **8.** ⚓ Stapel *m*: *on the ~s* im Bau; **9.** *hist.* Stock *m* (*Strafmittel*); **10.** ⊕ (Grund-, Werk)Stoff *m*: *paper ~* Papierstoff; **11. a)** ⊕ (*Füll- etc.*)Gut *n*, Materiˈal *n*, **b)** (Fleisch-, Gemüse)Brühe *f* als Suppengrundlage; **12.** steifer Kragen; *bsd.* ⚔ Halsbinde *f*; **13.** Stamm *m*, Rasse *f*, Her-, Abkunft *f*; **14.** *allg.* Vorrat *m*; ✝ (Waren)Lager *n*, Invenˈtar *n*: *~ (on hand)* Warenbestand; *in (out of) ~* (nicht) vorrätig; *to take ~* Inventur machen; *to take ~ of fig.* sich klarwerden über (*acc.*), *j-n od. et.* abschätzen; **15.** ✝ Ware(n *pl.*) *f*; **16.** *fig.* (*Wissens- etc.*) Schatz *m*: *a ~ of information*; **17. a)** *a. live ~* Vieh(bestand *m*) *n*, **b)** *a. dead ~* totes Inventar, Materiˈal *n*: *fat ~* Schlachtvieh; **18. a)** ✝ ˈAnleihekapiˌtal *n*, **b)** ˈGrundkapiˌtal *n*, **c)** ˈAktienkapiˌtal *n*, **d)** Geschäftsanteil *m*; **19.** ✝ **a)** *Am.* ˈAktie(n *pl.*) *f*: *to issue ~* Aktien ausgeben, **b)** *pl.* ˈAktien *pl.*, **c)** *pl.* Efˈfekten *pl.*, Wertpapiere *pl.*; **20.** ✝ **a)** Schuldverschreibung *f*, **b)** *pl. Brit.* ˈStaatspaˌpiere *pl.*; **21.** *thea.* Repertoˈire(theˌater) *n*; **II.** *adj.* **22.** (stets) vorrätig, Lager..., Serien...: *~ size* Standardgröße; **23.** *fig.* stehend, stereoˈtyp: *~ phrase*; **24.** ⚘ Vieh..., Zucht...; **25.** ✝ *bsd. Am.* Aktien...; **26.** *thea.* Repertoire...; **III.** *v/t.* **27.** versehen, -sorgen, ausstatten, füllen (*with* mit); **28.** *a. ~ up* auf Lager legen, (auf)speichern; **29.** ✝ *Ware* vorrätig haben, führen; **30.** ⚘ anpflanzen; **31.** *Gewehr, Werkzeug* schäften; **IV.** *v/i.* **32.** *a. ~ up* sich eindecken; ˈ**~-ac·count** *s.* ✝ *Brit.* Kapiˈtal-, Efˈfektenkonto *n*, -rechnung *f.*

stock·ade [stɔˈkeid] **I.** *s.* **1.** Staˈket *n*, Einpfählung *f*; **2.** ⚔ **a)** Paliˈsade *f*, **b)** *Am. provisorisches* Miliˈtärgefängnis; **II.** *v/t.* **3.** einpfählen, mit Staket umˈgeben.

ˈ**stock|-book** *s.* ✝ **1.** Lagerbuch *n*; **2.** *Am.* ˈAktienbuch *n*; ˈ**~-breed·er** *s.* Viehzüchter *m*; ˈ**~-bro·ker** *s.* → *broker 2*; ˈ**~-car** *s.* 🚃 Viehwagen *m*; **~ car** *s. mot.* Serienwagen *m*; **~ cer·tif·i·cate** *s.* ˈAktienurkunde *f*; **~ com·pa·ny** *s.* **1.** ✝ *Am.* ˈAktiengesellschaft *f*; **2.** *thea.* Repertoˈiregruppe *f*, Enˈsemble *n*; **~ cor·po·ra·tion** *s.* ✝ *Am.* **1.** Kapiˈtalgesellschaft *f*; **2.** ˈAktiengesellschaft *f*; **~ div·i·dend** *s.* ✝ *Am.* ˈGratisˌaktien *pl.*; **~ ex·change** *s.* ✝ (Efˈfekten)Börse *f*; ˈ**~-farm** *s.* (Vieh-)Zuchtfarm *f*; ˈ**~-farm·er** *s.* Viehzüchter *m*; ˈ**~-farm·ing** *s.* Viehzucht *f*; ˈ**~·fish** *s.* Stockfisch *m*; ˈ**~·hold·er** *s.* **1.** ✝ *bsd. Am.* Aktioˈnär *m*; **2.** Efˈfektenbesitzer(in).

stock·i·ness [ˈstɔkinis] *s.* Stämmigkeit *f*, Unterˈsetztheit *f.*

stock·i·net [stɔkiˈnet] *s.* Stockiˈnett *n*, Triˈkot *m, n.*

stock·ing [ˈstɔkiŋ] *s.* **1.** Strumpf *m*; **2.** Färbung *f* am Fuß (*Pferd etc.*); **~ mask** *s.* Strumpfmaske *f*; ˈ**~-weav·er** *s.* Strumpfwirker *m.*

ˈ**stock|-in-ˈtrade** *s.* ✝ **a)** Warenbestand *m*, **b)** Betriebsmittel *pl.*, **c)** ˈArbeitsmateriˌal *n*; **2.** *fig.* **a)** Rüstzeug *n*, **b)** ‚Repertoˈire' *n*; ˈ**~·job·ber** *s.* ✝ **1.** *Brit.* → *jobber 3*; **2.** *Am.* ˈBörsenspekuˌlant *m*; ˈ**~·job·bing** *s.* ✝ *Am.* ˈBörsenspekulatiˌon *f*; **~ ledg·er** *s.* ✝ *Am.* ˈAktienbuch *n*; ˈ**~·list** *s.* (ˈAktien- *od.* Börsen)Kurszettel *m*; ˈ**~-mar·ket** *s.* ✝ **1.** (ˈWertpaˌpier)Börse *f*, Efˈfektenmarkt *m*; **2.** Börsenkurse *pl.*; ˈ**~·pile** *s. bsd.* ⚔ Vorrat *m*; ˈ**~-pile** *v/t.* e-n Vorrat anlegen von, aufstapeln; ˈ**~-pot** *s.* Suppentopf *m*; ˈ**~-room** *s.* Lager(raum *m*) *n*; **~ shot** *s. phot.* Arˈchivaufnahme *f*; ˈ**~-ˈstill** *adj.* stockstill, bewegungslos; ˈ**~-tak·ing** *s.* Bestandsaufnahme *f*: **a)** ✝ Invenˈtur *f*, **b)** *fig.* (Selbst)Besinnung *f.*

stock·y [ˈstɔki] *adj.* □ stämmig, unterˈsetzt.

ˈ**stock·yard** *s.* Viehhof *m.*

stodge [stɔdʒ] *sl.* **I.** *v/i. u. v/t.* **1.** sich (*den Magen*) vollstopfen; **II.** *s.* **2. a)** dicker Brei, **b)** schwerverdauliches Zeug (*a. fig.*); **3.** ‚Festessen' *n*; ˈ**stodg·y** [-dʒi] *adj.* □ **1.** schwer(verdaulich); **2.** *fig.* unverdaulich, schwerfällig (*Stil etc.*).

sto·gie, sto·gy [ˈstougi] *s. Am.* billige Ziˈgarre.

Sto·ic [ˈstouik] **I.** *s. phls.* ˈStoiker *m* (*a. fig.* ♀); **II.** *adj.*, *a.* ˈ**Sto·i·cal** [-kəl] □ *phls.* ˈstoisch (*a. fig.* ♀ *unerschütterlich, gleichmütig*); ˈ**Sto·i·cism** [-isizəm] *s.* Stoiˈzismus *m*: **a)** *phls.* ˈStoa *f*, **b)** ♀ *fig.* Gelassenheit *f*, Gleichmut *m.*

stoke [stouk] **I.** *v/t.* **1.** *Feuer etc.* schüren (*a. fig.*); **2.** *Ofen etc.* (an-) heizen, beschicken; **3.** F **a)** ˈvollstopfen, **b)** *Essen etc.* hinˈeinstopfen; **II.** *v/i.* **4.** schüren, stochern; **5.** heizen, feuern; ˈ**~·hold** *s.* ⚓ Heizraum *m*; ˈ**~·hole** **1.** → *stokehold*; **2.** Schürloch *n.*

stok·er [ˈstoukə] *s.* **1.** Heizer *m*; **2.** (Kohlen)Beschickungsvorrichtung *f.*

stole[1] [stoul] *s. eccl. u. Damenkleidung*: ˈStola *f.*

stole[2] [stoul] *pret.*, ˈ**sto·len** [-lən] *p.p. von steal.*

stol·id [ˈstɔlid] *adj.* □ **1.** stur, gleichmütig, unerschütterlich; **2.** stumpf, phlegˈmatisch; **sto·lid·i·ty** [stɔˈliditi] *s.* **1.** Gleichmut *m*, Sturheit *f*, Unerschütterlichkeit *f*; **2.** Stumpfheit *f.*

sto·lon [ˈstoulɔn] *s.* ⚘ Ausläufer *m.*

sto·ma [ˈstoumə] *pl.* **-ma·ta** [ˈstɔmətə] *s.* **1.** ⚘ ˈStoma *n*, Spaltöffnung *f*; **2.** *zo.* Atmungsloch *n.*

stom·ach [ˈstʌmək] **I.** *s.* **1.** Magen *m*: *coat of the ~* Magenschleimhaut; *on an empty ~* auf leeren Magen, nüchtern; **2.** Bauch *m*, Leib *m*; **3.** Appeˈtit *m* (*for* auf *acc.*); **4.** Lust *f*, Neigung *f* (*for* zu); **II.** *v/t.* **5.** verdauen (*a. fig.*); **6.** *fig.* (v)ertragen; einstecken, hinnehmen, sich gefallen lassen; ˈ**~-ache** *s.* Magen-, Leibschmerz(en *pl.*) *m.*

stom·ach·er [ˈstʌməkə] *s. hist.* Mieder *n*, Brusttuch *n.*

sto·mach·ic [stəˈmækik] **I.** *adj.* **1.** Magen...; **2.** magenstärkend; **II.** *s.* **3.** ⚕ Magenmittel *n.*

sto·ma·ti·tis [stɔməˈtaitis] *s.* ⚕ Mundschleimhaut-, Mundhöhlenentzündung *f.*

stomp [stɔmp] → *stamp 1, 12, 13.*

stone [stoun] **I.** *s.* **1.** *allg.* (*a. Grab-, Schleif- etc.*)Stein *m*: *rolling ~ fig.* unsteter Mensch; *a rolling ~ gathers no moss* (*Sprichwort*) ein rollender Stein setzt kein Moos an; *a ~'s throw* ein Steinwurf (weit), (nur) ein ‚Katzensprung'; *to leave no ~ unturned* nichts unversucht lassen; *to throw ~s at fig. j-n* verunglimpfen, angreifen, kritisieren; **2.** *a. precious ~* (Edel)Stein *m*; **3.** (*Obst*)Kern *m*, Stein *m*; **4.** ⚕ **a)** (Gallen- *etc.*) Stein *m*, **b)** Steinleiden *n*; **5.** (Hagel)Korn *n*; **6.** *brit. Gewichtseinheit* (= *6,35 kg*); **II.** *adj.* **7.** steinern, Stein...; **III.** *v/t.* **8.** mit Steinen bewerfen; **9.** *zu Tode* steinigen; **10.** *Obst* entkernen, -steinen; **11.** ⊕ schleifen, glätten; ♀ **Age** *s.* Steinzeit *f*; ˈ**~-ˈblind** *adj.* stockblind; ˈ**~-brash** *s.* Trümmergestein *n*; ˈ**~-break** *s.* ⚘ Steinbrech *m*; ˈ**~-ˈbroke** *adj.* völlig ‚blank' *od.* ‚pleite'; ˈ**~-chat** *s. orn.* **1.** Schwarzkehlchen *n*; **2.** → *blue tit(mouse)*; ˈ**~-coal** *s.* Steinkohle *f*, *bsd.* Anthraˈzit *m*; ˈ**~-crop** *s.* ⚘ Steinkraut *n*; ˈ**~-cut·ter** *s.* **1.** Steinmetz *m*, -schleifer *m*; **2.** ˈSteinschneidemaˌschine *f.*

stoned [stound] *adj. sl.* **1.** ‚(stink-) besoffen'; **2.** im Drogenrausch, ‚high'.

ˈ**stone|-ˈdead** *adj.* mausetot; ˈ**~-ˈdeaf** *adj.* stocktaub; ˈ**~-fruit** *s.* **1.** Steinfrucht *f*; **2.** *coll.* Steinobst *n.*

stone·less [ˈstounlis] *adj.* steinlos (*Obst*).

stone| mar·ten *s. zo.* Steinmarder *m*; ˈ**~-ma·son** *s.* Steinmetz *m*; ˈ**~-pit** *s.* Steinbruch *m*; ˈ**~ˈwall** **I.** *v/i.* **1.** *sport* mauern (*defensiv spielen*); **2.** *pol.* Obstruktiˈon treiben; **II.** *v/t.* **3.** *pol. Antrag* durch Obstruktion zu Fall bringen; ˈ**~ˈwall·ing** *s.* **1.** *sport* Mauern *n*; **2.** *pol.* Obstruktion *f*; ˈ**~-ware** *s.* Steingut *n.*

ston·i·ness [ˈstouninis] *s.* **1.** steinige Beschaffenheit; **2.** *fig.* Härte *f*; **ston·y** [ˈstouni] *adj.* □ **1.** steinig; **2.** steinern (*a. fig. Herz*), stein..., Stein...; **3.** starr (*Blick*); **4.** *a. ~ broke* F pleite, völlig abgebrannt.

stood [stud] *pret. u. p.p. von stand.*

stooge [stu:dʒ] *s. sl.* **1.** *thea. bsd. Am.* Stichwortgeber *m*; **2.** *contp.* Handlanger *m*, Krea'tur *f*; Strohmann *m*.

stool [stu:l] *s.* **1.** Hocker *m*; (Bü'ro-, Kla'vier)Stuhl *m*: *to fall between two ~s* sich zwischen zwei Stühle setzen; **2.** Schemel *m*; **3. a)** Nachtstuhl *m*, **b)** ⚕ Stuhl *m* (*Kot*), **c)** Stuhlgang *m*: *to go to ~* Stuhlgang haben; **4.** ⚘ **a)** Wurzelschößling *m*, **b)** Wurzelstock *m*, Baumstumpf *m*; **'~-pi·geon** *s.* **1.** Lockvogel *m* (*a. fig.*); **2.** *bsd. Am. sl.* Lockspitzel *m*.

stoop[1] [stu:p] **I.** *v/i.* **1.** sich bücken, sich (vorn'über)beugen; **2.** sich krumm halten, gebeugt gehen; **3.** *fig. contp.* **a)** sich her'ablassen, **b)** sich erniedrigen, die Hand reichen (*to* zu *et.*, *to do* zu tun); **4.** her'abstoßen (*Vogel*); **II.** *v/t.* **5.** neigen, beugen; *Schultern* hängenlassen; **III.** *s.* **6.** (Sich)Beugen *n*; **7.** gebeugte *od.* krumme Haltung; krummer Rücken; **8.** Niederstoßen *n* (*Vogel*).

stoop[2] [stu:p] *s. Am.* (offene) Ve'randa, Vorhalle *f*.

stop [stɔp] **I.** *v/t.* **1.** aufhören (*doing* zu tun): *~ it!* hör auf (damit)!; **2.** aufhören mit, *Besuche*, ✝ *Lieferung, Zahlung, Tätigkeit*, ⚖ *Verfahren* einstellen; *Kampf, Verhandlungen etc.* abbrechen; **3.** ein Ende machen *od.* bereiten (*dat.*), Einhalt gebieten (*dat.*); **4.** *Angriff, Fortschritt, Gegner, Verkehr etc.* aufhalten, zum Stehen bringen, hemmen; *Ball* stoppen; *Wagen, Zug, a. Uhr* anhalten, stoppen; *Maschine, a. Gas, Wasser* abstellen; *Fabrik* stillegen; *Lohn, Scheck etc.* sperren; *Redner etc.* unter'brechen; *Lärm etc.* unter'binden; **5.** verhindern; hindern (*from* an *dat.*, *from doing* zu tun); **6.** *Boxen etc.*: **a)** *Schlag* parieren, **b)** *Gegner* besiegen, stoppen: *to ~ a bullet* e-e (Kugel) ‚verpaßt' kriegen; **7.** *a. ~ up Ohren etc.* verstopfen: *to ~ s.o.'s mouth fig.* j-m *durch Bestechung* den Mund stopfen; → *gap 4*; **8.** *Weg* versperren; **9.** *Blut, Wunde* stillen; **10.** *Zahn* plombieren, füllen; **11.** ♪ *Saite, Ton* greifen; **12.** *ling.* interpunktieren; **13.** *~ down phot. Objektiv* abblenden; **14.** *~ out Ätzkunst*: abdecken; **II.** *v/i.* **15.** (an)halten, haltmachen, stehenbleiben, stoppen; **16.** aufhören, an-, innehalten, e-e Pause machen: *do not ~* hör nicht auf, mach weiter; *to ~ dead* (*od. short*) plötzlich aufhören; *to ~ at nothing fig.* vor nichts zurückschrecken; **17.** aufhören (*Vorgang, Lärm etc.*); **18.** *~ for* warten auf (*acc.*); **19.** F *zu Hause, im Bett etc.* bleiben: *to ~ by Am.* (rasch) bei *j-m* ‚reinschauen'; *to ~ in* daheim bleiben; *to ~ off* die Fahrt unterbrechen; *to ~ out* ausbleiben; *to ~ over* die Fahrt unterbrechen; **III.** *s.* **20.** Halt *m*, Stillstand *m*: *to come to a ~* anhalten; *to come to a full ~* aufhören, zu e-m Ende kommen; *to put a ~ to* → *3*; **21.** Pause *f*; **22.** 🚂 *etc.* Aufenthalt *m*, Halt *m*; **23. a)** Stati'on *f* (*Zug*), **b)** Haltestelle *f* (*Autobus*), **c)** Anlegestelle *f* (*Schiff*); **24.** 'Absteigequar,tier *n*; **25.** ⊕ Anschlag *m*, Sperre *f*, Hemmung *f*; **26.** ✝ Sperrung *f*, Sperrauftrag *m* (*für Scheck etc.*); **27.** ♪ **a)** Griff *m*, Greifen *n* (*e-r Saite etc.*), **b)** Griffloch *n*, **c)** Klappe *f*, **d)** Ven'til *n*, **e)** Re'gister *n* (*Orgel etc.*), **f)** *a. ~-knob* Re'gisterzug *m*: *to pull out the pathetic ~ fig.* pathetisch werden; **28.** *phot.* f-stop Blende *f* (*Einstellmarke*); **29.** *ling.* **a)** Knacklaut *m*, **b)** Verschlußlaut *m*; **30. a)** Satzzeichen *n*, **b)** Punkt *m*; **'~·cock** *s.* ⊕ Absperrhahn *m*; **'~·gap I.** *s.* Lückenbüßer *m*, Notbehelf *m*; ✝ Über'brückung *f*; **II.** *adj.* Not...; Behelfs...; Überbrückungs... (*-hilfe, -kredit*); **'~-light** *s.* **1.** *mot.* Bremslicht *n*; **2.** rotes (Verkehrs)Licht; **'~-off** *s.* → *stop-over*; **'~-or·der** *s.* ✝ limitierte Order; **'~-o·ver** *s.* **1.** 'Fahrtunter,brechung *f*, *kurzer* Aufenthalt; **2.** ✈ Zwischenlandung *f*.

stop·page ['stɔpidʒ] *s.* **1. a)** (An-)Halten *n*, **b)** Stillstand *m*, **c)** Aufenthalt *m*; **2.** (Verkehrs- *etc.*)Stokkung *f*; **3. a)** ⊕ (Betriebs)Störung *f*, Hemmung *f*, **b)** ⊕, *a.* ⚕ Verstopfung *f*; **4.** Sperrung *f*, (✝ *Kredit- etc.*, ⚡ *Strom*)Sperre *f*; **5.** (Arbeits-, Betriebs-, Zahlungs)Einstellung *f*; **6.** (Gehalts)Abzug *m*.

stop pay·ment *s.* ✝ Zahlungssperre *f* (*für Schecks etc.*).

stop·per ['stɔpə] **I.** *s.* **1. a)** Stöpsel *m*, Pfropf(en) *m*, **b)** Stopfer *m*: *to put a ~ on fig. e-r Sache* ein Ende setzen; **2.** ⊕ **Absperrvorrichtung** *f*; Hemmer *m*: *~ circuit* ⚡ Sperrkreis; **3.** *Werbung*: **Blickfang** *m*; **II.** *v/t.* **4.** zustöpseln.

'stop-pin *s.* ⊕ Anschlagstift *m*.

stop·ping ['stɔpiŋ] *s.* ⚕ (Zahn)Füllung *f*, Plombe *f*; **~ dis·tance** *s. mot.* Anhalteweg *m*; **'~-place** *s.* Haltestelle *f*; **~ train** *s.* 🚂 Bummelzug *m*.

stop·ple ['stɔpl] **I.** *s.* Stöpsel *m*; **II.** *v/t.* zustöpseln.

'stop|-press *s.* (Spalte *f* für) letzte (nach Redaktionsschluß eingelaufene) Meldungen *pl.*; **'~-screw** *s.* ⊕ Anschlagschraube *f*; **~ sign** *s. mot.* Stoppschild *n*; **'~-valve** *s.* ⊕ 'Absperrven,til *n*; **'~-vol·ley** *s. Tennis*: Stoppflugball *m*; **'~-watch** *s.* Stoppuhr *f*.

stor·a·ble ['stɔ:rəbl] *adj.* zum Lagern geeignet, Lager...

stor·age ['stɔ:ridʒ] *s.* **1.** (Ein)Lagerung *f*, Lagern *n*; *a.* ⚡ Speicherung *f*: *~ bin* Sammelbehälter, Silo; *cold ~* Kühlraumlagerung; *to put into cold ~ fig. Plan etc.* ‚auf Eis legen'; **2.** Lager(raum *m*) *n*, De'pot *n*; **3.** Lagergeld *n*; **~ bat·ter·y** *s.* ⚡ **1.** Akku(mu'lator) *m*, Sammler *m*; **2.** 'Sammlerbatte,rie *f*, Sekun'därele,ment *n*; **~ cell** *s.* ⚡ Sekun'därzelle *f*.

store [stɔ:] **I.** *s.* **1.** (Vorrats)Lager *n*, Vorrat *m*: *in ~* vorrätig, auf Lager; *to be in ~ for fig. j-m* bevorstehen, auf *j-n* warten; *to have* (*od. hold*) *in ~ for fig. Überraschung etc.* bereithalten für *j-n, j-m e-e Enttäuschung etc.* bringen; **2.** *pl.* **a)** Vorräte *pl.*, Ausrüstung *f* (u. Verpflegung *f*), Provi'ant *m*, **b)** *a. military ~s* Mili'tärbedarf *m*, Versorgungsgüter *pl.*, **c)** *a. naval* (*od. ship's*) *~s* Schiffsbedarf *m*; **3.** *a. pl. bsd. Brit.* Kauf-, Warenhaus *n*; **4.** *Am.* Laden *m*, Geschäft *n*; **5.** *bsd. Brit.* Lagerhaus *n*; **6.** *a. pl. fig.* (große) Menge, Fülle *f*, Reichtum *m* (*of* an *dat.*): *a great ~ of knowledge* ein großer Wissensschatz; **7.** *to set great* (*little*) *~ by fig.* **a)** hoch (gering) einschätzen, **b)** großen (wenig) Wert legen auf (*acc.*); **II.** *v/t.* **8.** versorgen, -sehen, eindecken (*with* mit); *Schiff* verproviantieren; *fig. s-n Kopf mit Wissen etc.* anfüllen; **9.** *a. ~ up* einlagern, (auf)speichern; *fig. im Gedächtnis* bewahren; **10.** *Möbel etc.* einstellen, -lagern; **11.** fassen, aufnehmen, 'unterbringen; **12.** ⚡, *phys.* speichern; **~ cat·tle** *s.* Magervieh *n*; **'~·house** *s.* **1.** Lagerhaus *n*; **2.** *fig.* Fundgrube *f*, Schatzkammer *f*; **'~-keep·er** *s.* **1.** Lagerverwalter *m*; ⚔ Kammer-, Geräteverwalter *m*; **2.** *Am.* Ladenbesitzer(in); **'~-room** *s.* Vorrats-, Lagerraum *m*.

sto·rey ['stɔ:ri] → *story*[2]; **'sto·reyed** [-id] → *storied*[2].

sto·ried[1] ['stɔ:rid] *adj.* **1.** geschichtlich, berühmt; **2.** 'sagenum,woben; **3.** mit Bildern aus der Geschichte geschmückt: *a ~ frieze*.

sto·ried[2] ['stɔ:rid] *adj.* mit Stockwerken: *two-~* zweistöckig (*Haus*).

stork [stɔ:k] *s. orn.* Storch *m*; **'~'s-bill** *s.* ⚘ Storchschnabel *m*.

storm [stɔ:m] **I.** *s.* **1.** Sturm *m* (*a.* ⚔ *u. fig.*), Unwetter *n*: *~ and stress hist.* Sturm u. Drang; *~ in a teacup fig.* Sturm im Wasserglas; *to take by ~* im Sturm erobern (*a. fig.*); **2.** (Hagel-, Schnee)Sturm *m*, Gewitter *n*; **II.** *v/i.* **3.** stürmen, wüten, toben (*Wind etc.*) (*a. fig. at* gegen, über *acc.*); **4.** ⚔ stürmen; **5.** *wohin* stürmen, stürzen; **III.** *v/t.* **6.** ⚔ (er-)stürmen; **7.** *fig.* bestürmen; **8.** *et.* wütend ausstoßen; **'~-beat·en** *adj.* sturmgepeitscht; **'~-bird** → *stormy petrel*; **'~-bound** *adj.* vom Sturm aufgehalten; **~ cen·ter** *Am.*, **'~-cen·tre** *Brit. s.* **1.** *meteor.* Sturmzentrum *n*; **2.** *fig.* Unruheherd *m*; **'~-cloud** *s.* Gewitterwolke *f* (*a. fig.*); **'~-cone** *s.* ⚓ Sturmkegel *m* (*Signal*).

'storm·ing-par·ty ['stɔ:miŋ] *s.* ⚔ Sturmtrupp *m*.

'storm|-tossed *adj.* vom Sturm um'hergestoßen, sturmgepeitscht; **'~-troops** *s. pl.* **1.** ⚔ Schock-, Sturmtruppe(n *pl.*) *f*; **2.** *hist.* (*Nazi-*) Sturmabteilung *f*, S'A *f*.

storm·y ['stɔ:mi] *adj.* □ stürmisch (*a. fig.*); **~ pet·rel** *s. orn.* Sturmschwalbe *f*.

sto·ry[1] ['stɔ:ri] *s.* **1.** (*a.* amü'sante) Geschichte, Erzählung *f*: *the same old ~ fig.* das alte Lied; **2.** Fabel *f*, Handlung *f*, Story *f e-s Dramas etc.*; **3.** Bericht *m*, Darstellung *f*: *the ~ goes* man erzählt sich; *to cut* (*od. make*) *a long ~ short* (*Wendung*) um es kurz zu machen, kurz u. gut; *that's quite another ~* das ist et. ganz anderes; **4.** (Lebens)Geschichte *f*; **5.** *bsd. Am.* ('Zeitungs)Ar,tikel *m*; **6.** F (Lügen-, Ammen)Märchen *n*.

sto·ry[2] ['stɔ:ri] *s.* Stock(werk *n*) *m*, Geschoß *n*, E'tage *f*; → *upper I*.

'sto·ry|-book *s.* Geschichten-, Märchenbuch *n*; **'~-tell·er** *s.* **1.** (Märchen-, Geschichten)Erzähler(in); **2.** Lügenbold *m*.

stoup [stu:p] *s.* **1.** *R.C.* Weihwasserbecken *n*; **2.** *obs. od. dial.* Trinkgefäß *n*, *bsd.* Becher *m*.

stout [staut] **I.** *adj.* □ **1.** dick, beleibt; **2.** stämmig, kräftig; **3.** ausdauernd, zäh; **4.** mannhaft, beherzt, tapfer; **5.** heftig (*Angriff, Wind*); **6.** stark, kräftig (*Material etc.*); **II.** *s.* **7.** *starkes Porterbier*; **'stout-'heart·ed** *adj.* □ → *stout 4*; **'stout·ness** [-nis] *s.* **1.** Stärke *f*, Festigkeit *f*; **2.** Stämmigkeit *f*; **3.** Beleibtheit *f*, Korpu'lenz *f*; **4.** Tapferkeit *f*, Mannhaftigkeit *f*; **5.** Ausdauer *f*.

stove[1] [stouv] **I.** *s.* **1.** Ofen *m*; **2.** (Koch)Herd *m*; **3.** ⊕ **a)** Brennofen *m*, **b)** Trockenraum *m*; **4.** ⚘ Treibhaus *n*; **II.** *v/t.* **5.** trocknen, erhitzen; **6.** ⚘ im Treibhaus ziehen.

stove[2] [stouv] *pret. u. p.p. von stave.*

stove| en·am·el *s.* ⊕ Einbrennlack *m*; **'~-pipe** *s.* **1.** Ofenrohr *n*; **2.** *a.* ~ *hat bsd. Am.* F Zy'linder *m*, ‚Angströhre' *f*.

stow [stou] *v/t.* **1.** ⚓ (ver)stauen; **2.** verstauen, packen: *to* ~ *away* **a)** wegräumen, -stecken, **b)** F *Speise* ‚verdrücken'; **3.** *sl.* aufhören mit: ~ *it!* hör auf (damit)!, halt's Maul!; **stow·age** ['stouidʒ] *s. bsd.* ⚓ **1.** Stauen *n*; **2.** Laderaum *m*; **3.** Ladung *f*; **4.** Staugeld *n*.

'stow·a·way [-ouə-] *s.* blinder Passa'gier.

stra·bis·mus [strə'bizməs] *s.* ⚕ Schielen *n*; **stra'bot·o·my** [-'bɔtəmi] *s.* ⚕ 'Schieloperati,on *f*.

strad·dle ['strædl] **I.** *v/i.* **1.** die Beine spreizen; breitbeinig *od.* mit gespreizten Beinen gehen *od.* stehen *od.* sitzen; rittlings sitzen; grätschen; **2.** sich spreizen; **3.** sich (aus)strecken; **4.** *fig.* schwanken; *bsd. Am.* es mit beiden Par'teien halten; **II.** *v/t.* **5.** rittlings sitzen auf (*dat.*); **6.** mit gespreizten Beinen stehen über (*dat.*); **7.** *Beine* spreizen; **8.** *fig.* sich nicht festlegen wollen bei *e-r Streitfrage etc.*; **9.** ⚔ *Ziel* eingabeln; **10.** *Kartenspiel*: *Einsatz* verdoppeln; **III.** *s.* **11.** (Beine)Spreizen *n*; breitbeiniges *od.* ausgreifendes Gehen; breitbeiniges (Da)Stehen; Rittlingssitzen *n*; **12.** ✝ Stel'lagegeschäft *n*.

strafe [*Brit.* strɑ:f; *Am.* streif] *sl.* **I.** *v/t.* **1.** im Tiefflug mit Bordwaffen angreifen; **2.** schwer bombardieren; **3.** *fig.* **a)** (be)strafen, **b)** anschnauzen; **II.** *s.* **4.** → *strafing*; **'straf·er** [-fə] *s. sl.* Tiefflieger *m*; **'straf·ing** [-fiŋ] *s. sl.* **1.** Feuer *n*, (Bordwaffen-) Beschuß *m*; **2.** *fig.* ‚Anpfiff' *m*.

strag·gle ['strægl] *v/i.* **1.** um'herstreifen; **2.** (hinter'drein- *etc.*)bummeln, (-)zotteln; **3.** ⚘ wuchern; **4.** zerstreut liegen *od.* stehen (*Häuser etc.*); sich hinziehen (*Vorstadt etc.*); **5.** *fig.* abschweifen; **'strag·gler** [-lə] *s.* **1.** Bummler *m*; **2.** Nachzügler *m* (*a.* ⚓); **3.** ⚔ Versprengte(r) *m*; **4.** ⚘ wilder Schößling; **'strag·gling** [-liŋ] *adj.* □, **'strag·gly** [-li] *adj.* **1.** *beim Marsch etc.* zu'rückgeblieben; **2.** ausein'andergezogen (*Kolonne*); **3.** zerstreut (liegend); **4.** weitläufig; **5.** ⚘ wuchernd; **6.** lose, 'widerspenstig (*Haar etc.*).

straight [streit] **I.** *adj.* □ **1.** gerade: ~ *hair* glattes Haar; ~ *line* gerade Linie, ⅌ Gerade; *to keep a* ~ *face* das Gesicht nicht verziehen; **2.** ordentlich: *to put* ~ in Ordnung bringen; *to put things* ~ Ordnung schaffen; **3.** gerade, di'rekt; **4.** *fig.* gerade, offen, ehrlich, re'ell: *as* ~ *as a die* **a)** grundehrlich, **b)** kerzengerade; **5.** anständig; **6.** F zuverlässig: *a* ~ *tip*; **7.** pur, unverdünnt: ~ *whisk(e)y*; **8.** *pol. Am.* 'hundertpro,zentig: *a* ~ *Republican*; → *ticket 7*; **9.** ✝ *Am. sl.* ohne ('Mengen)Ra,batt; **10.** *thea.* **a)** konventio'nell (*Stück*), **b)** ef'fektlos (*Spiel*); **II.** *adv.* **11.** gerade('aus); **12.** di'rekt, gerade(s)wegs; **13.** anständig, ordentlich: *to live* ~; **14.** *sl.* richtig: *to get s.o.* ~ j-n richtig verstehen; **15.** ~ *away*, ~ *off Brit.* so'fort, auf der Stelle; **16.** ~ *out* 'rundher,aus; **III.** *s.* **17.** Geradheit *f*: *out of the* ~ krumm, schief; **18.** *sport* Gerade *f*: *back* ~ Gegengerade; *home* ~ Zielgerade; **19.** *Kartenspiel*: Se'quenz *f*; **'~-edge** *s.* ⊕ Line'al *n*, Richtscheit *n*.

straight·en ['streitn] **I.** *v/t.* **1.** gerade machen, -biegen, (gerade-, aus)richten; ⚔ *Front* begradigen: *to* ~ *one's face* e-e ernste Miene aufsetzen; **2.** *oft* ~ *out* in Ordnung bringen: *to* ~ *one's affairs*; **3.** *oft* ~ *out* entwirren, klarstellen; **4.** ~ *s.o. out* j-m den Kopf zurechtsetzen; **II.** *v/i* **5.** gerade werden; **6.** ~ *up Am.* **a)** sich aufrichten, **b)** F ein anständiges Leben beginnen.

'straight|-faced *adj.* mit unbewegtem Gesicht; **~'for·ward** [-'fɔ:wəd] **I.** *adj.* □ **1.** di'rekt, offen, freimütig; **2.** ehrlich, redlich, aufrichtig; **3.** einfach, 'unkompliziert (*Aufgabe etc.*); **II.** *adv.* **4.** → *I*; **~'for·ward·ness** [-'fɔ:wədnis] *s.* Geradheit *f*, Offenheit *f*, Ehrlichkeit *f*, Aufrichtigkeit *f*; **'~-line** *adj.* ⅌, ⊕ geradlinig.

straight·ness ['streitnis] *s.* Geradheit *f*: **a)** Geradlinigkeit *f*, **b)** *fig.* Offenheit *f*, Aufrichtigkeit *f*.

'straight·way *adv. obs.* stracks.

strain[1] [strein] **I.** *s.* **1.** Spannung *f*, Zug *m*; **2.** ⊕ (verformende) Spannung, Verdehnung *f*; **3.** ⚕ Zerrung *f*; **4.** Anstrengung *f*, -spannung *f*, Kraftaufwand *m*; **5.** (*on*) Anstrengung *f*, Stra'paze *f* (für); starke In'anspruchnahme (*gen.*); *nervliche, finanzielle etc.* Belastung (für); Druck *m* (auf *acc.*); Über'anstrengung *f* (*gen.*); Last *f der Verantwortung etc.*: *to be a* ~ *on s.o.'s nerves* j-n Nerven kosten; *to put a great* ~ *on* stark beanspruchen *od.* belasten; **6.** *mst pl.* ♪ Weise *f*, Melo'die *f*: *to the* ~*s of* unter den Klängen (*gen.*); **7.** *fig.* Ton *m*, Ma'nier *f*; **8.** Laune *f*; **II.** *v/t.* **9.** (an)spannen; **10.** ⊕ verformen, -dehnen; **11.** ⚕ *Muskel etc.* zerren; *Handgelenk etc.* verstauchen; **12.** *Augen etc.* (über-) 'anstrengen; → *nerve 1*; **13.** *fig.* über'spannen; *Geduld, Kraft etc.* über'fordern; *Rechte* über'schreiten; *Recht, Sinn* vergewaltigen; **14.** ('durch)seihen, filtrieren: *to* ~ *off* (*od. out*) *feste Stoffe* abseihen; **15.** *to* ~ *s.o. to one's breast* j-n an die Brust ziehen; **III.** *v/i.* **16.** sich spannen; **17.** ⊕ sich verdehnen, -formen; **18.** ~ *at* zerren an (*dat.*); → *gnat*; **19.** sich anstrengen: *to* ~ *after* sich abmühen um, streben nach, auf *e-e Sache* aus sein; → *effect 3*; **20.** drücken, pressen.

strain[2] [strein] *s.* **1.** Abstammung *f*; **2.** Linie *f*, Geschlecht *n*; **3.** Rasse *f*; **4.** Art *f*; **5.** (Erb)Anlage *f*, (Cha'rakter)Zug *m*; **6.** Hang *m* (*of* zu).

strained [streind] *adj.* □ **1.** gezwungen, 'unna,türlich; **2.** gespannt: ~ *relations*; **'strain·er** [-nə] *s.* Seiher *m*, Sieb *n*, Filter *m*, *n*.

strait [streit] **I.** *s.* **1.** *oft pl.* Straße *f*, Meerenge *f*: *the* 2*s of Dover* die Straße von Dover; 2*s Settlements ehemalige brit. Kronkolonie* (*Malakka, Penang, Singapur*); *the* 2*s* **a)** (*früher*) die Meerenge von Gibraltar, **b)** (*heute*) die Malakkastraße; **2.** *oft pl.* Not *f*, *bsd. finanzielle* Verlegenheit, Engpaß *m*: *reduced to great* ~*s* in e-r Zwangslage; **II.** *adj.* □ **3.** *obs.* eng, schmal; **4.** streng, hart; **'strait·en** [-tn] *v/t.* beschränken, beengen: *in* ~*ed circumstances* in beschränkten Verhältnissen; ~*ed for* verlegen um.

strait| jack·et *s.* Zwangsjacke *f* (*a. fig.*); **'~-laced** *adj.* sittenstreng, puri'tanisch, engherzig, prüde.

Straits dol·lar [streits] *s.* ✝ *in den Straits Settlements gültige Währung.*

strait waist·coat → *strait jacket.*

stra·min·e·ous [strə'miniəs] *adj.* **1.** strohern, Stroh...; **2.** strohfarben.

strand[1] [strænd] **I.** *s.* **1.** *poet.* Strand *m*, Ufer *n*; **II.** *v/t.* **2.** ⚓ auf den Strand setzen, auf Grund treiben; **3.** *fig.* stranden *od.* scheitern lassen: ~*ed* **a)** gestrandet (*a. fig.*), **b)** *mot.* steckengeblieben, **c)** *fig.* arbeits-, mittellos; *to be (left)* ~*ed* **a)** auf dem trockenen sitzen, **b)** ‚aufgeschmissen' sein; **III.** *v/i.* **4.** stranden.

strand[2] [strænd] **I.** *s.* **1.** Strang *m* (*e-s Taus od. Seils*); **2.** (*Draht-, Seil-*) Litze *f*; **3.** *biol.* (Gewebe)Faser *f*; **4.** (Haar)Strähne *f*; **5.** (Perlen-) Schnur *f*; **6.** *fig.* Faden *m*, Zug *m* (*e-s Ganzen*); **II.** *v/t.* **7.** ⊕ *Seil* drehen; *Kabel* verseilen: ~*ed wire* Litzendraht, Drahtseil; **8.** *Tau etc.* brechen.

strange [streindʒ] *adj.* □ **1.** fremd, neu, unbekannt, ungewohnt (*to j-m*); **2.** seltsam, sonderbar, merkwürdig: ~ *to say* seltsamerweise; **3.** nicht gewöhnt (*to* an), unerfahren (*at* in *dat.*); **'strange·ness** [-nis] *s.* Fremdheit *f*; Fremdartigkeit *f*; Seltsamkeit *f*, *das* Merkwürdige; **'stran·ger** [-dʒə] *s.* **1.** Fremde(r *m*) *f*, Unbekannte(r *m*) *f*, Fremdling *m*: *I am a* ~ *here* ich bin hier fremd; *you are quite a* ~ Sie sind ein seltener Gast; *he is no* ~ *to me* er ist mir kein Fremder; *I spy* (*od.* see) ~*s parl. Brit.* ich beantrage die Räumung der Galerie; *the little* ~ der kleine Neuankömmling (*Kind*); **2.** Neuling *m* (*to* in *dat.*): *to be a* ~ *to* nicht vertraut sein mit; *he is no* ~ *to poverty* die Armut ist ihm nicht unbekannt.

stran·gle ['stræŋgl] **I.** *v/t.* **1.** erwürgen, erdrosseln; **2.** *j-n* würgen; *Hals* einschnüren (*Kragen etc.*); **3.** *fig. Seufzer etc.* ersticken; **II.** *v/i.* **4.** ersticken; **'~·hold** *s.* Würgegriff *m*.

stran·gu·late ['stræŋgjuleit] *v/t.* **1.** ⚕ abschnüren, abbinden; **2.** strangulieren, erwürgen; **stran·gu·la·tion** [stræŋgju'leiʃən] *s.* **1.** Erdrosselung *f*, Strangulierung *f*; **2.** ⚕ Abschnürung *f*.

stran·gu·ry ['stræŋgjuəri] *s.* ⚕ Harnzwang *m*.

strap [stræp] **I.** *s.* **1.** (Leder-, *a.* Trag-, ⊕ Treib)Riemen *m*, Gurt *m*, Band *n*; **2.** (Stiefel)Strippe *f*; **3.** Träger *m am Kleid*; **4.** Achselklappe *f*; **5.** Steg *m an der Hose*; **6.** ⊕ **a)** Band *n*, **b)** Bügel *m* (*a. am Kopfhörer*); **7.** ⚓ Stropp *m*; **8.** ⚘ Blatthäutchen *n*; **II.** *v/t.* **9.** festschnallen (*to* an *acc.*): *to ~ o.s. in* ✈ sich anschnallen; **10.** *Messer* abziehen; **11.** mit e-m Riemen schlagen; **12.** ⚕ ein (Heft)Pflaster kleben auf *e-e Wunde*; '**~-hang·er** *s.* F Stehplatzinhaber(in) *im Omnibus etc.*; **~ i·ron** *s.* ⊕ *Am.* Bandeisen *n*.

strap·less ['stræplis] *adj.* trägerlos (*Kleid*); '**strap·per** [-pə] *s.* **a)** strammer Bursche, **b)** strammes *od.* dralles Mädchen; '**strap·ping** [-piŋ] **I.** *adj.* **1.** stramm (*Bursche, Mädchen*), drall (*Mädchen*); **II.** *s.* **2.** Riemen *pl.*; **3.** Tracht *f* Prügel; **4.** ⚕ **Heftpflaster** *n*, **(Heft)Pflasterverband** *m*.

stra·ta ['strɑːtə] *pl. von stratum.*

strat·a·gem ['strætidʒəm] *s.* **1.** Kriegslist *f*; **2.** List *f*, Kunstgriff *m*.

stra·te·gic [strə'tiːdʒik] *adj.* (□ *~ally*) stra'tegisch; strategisch wichtig; kriegswichtig; Kriegs...(*-lage, -plan*): *~ arms* strategische Waffen; **strat·e·gist** ['strætidʒist] *s.* Stra'tege *m*; **strat·e·gy** ['strætidʒi] *s.* Strate'gie *f*: **a)** ⚔ Feldherrn-, Kriegskunst *f*, **b)** ⚔ (Art *f* der) Kriegsführung *f*, **c)** *fig.* 'Taktik *f* (*a. sport*), **d)** *fig.* List *f*.

strat·i·fi·ca·tion [strætifi'keiʃən] *s.* Schichtung *f* (*a. fig.*); **strat·i·fied** ['strætifaid] *adj.* geschichtet, schichtenförmig: *~ rock geol.* Schichtgestein; **strat·i·form** ['strætifɔːm] *adj.* schichtenförmig; **strat·i·fy** ['strætifai] *v/t.* schichten.

stra·tig·ra·phy [strə'tigrəfi] *s. geol.* **Stratigra'phie** *f*, **Formati'onskunde** *f*.

stra·toc·ra·cy [strə'tɔkrəsi] *s.* Mili'tärherrschaft *f*.

strat·o·cruis·er ['strætoukruːzə] *s.* ✈ Strato'sphärenflugzeug *n*.

strat·o·sphere ['strætousfiə] *s.* Strato'sphäre *f*; **strat·o·spher·ic** [strætou'sferik] *adj.* strato'sphärisch.

stra·tum ['strɑːtəm] *pl.* **-ta** [-tə] *s.* **1.** *allg.* (*a.* Gewebe-, Luft)Schicht *f*, Lage *f*; **2.** *geol.* (Gesteins- *etc.*) Schicht *f*, Formati'on *f*; **3.** *fig.* (gesellschaftliche *etc.*) Schicht.

stra·tus ['streitəs] *pl.* **-ti** [-tai] *s.* 'Stratus *m*, Schichtwolke *f*.

straw [strɔː] **I.** *s.* **1.** Strohhalm *m*: *to draw ~s* Strohhalme ziehen (*als Lose*); *to catch* (*od. grasp*) *at a ~* sich an e-n Strohhalm klammern; *the last ~ that breaks the camel's back* der Tropfen, der das Faß zum Überlaufen bringt; *that's the last ~!* das hat gerade noch gefehlt!, jetzt reicht es mir aber!; *he doesn't care a ~* es ist ihm völlig gleichgültig; **2.** Stroh *n*; → *man 3*; **3.** Trinkhalm *m*; **4.** Strohhut *m*; **II.** *adj.* **5.** Stroh...

straw·ber·ry ['strɔːbəri] *s.* **1.** ⚘ **Erdbeere** *f*; **2.** F **‚Knutschfleck'** *m*; '**~-mark** *s.* ⚕ **rotes Muttermal**; '**~-tongue** *s.* ⚕ **Himbeerzunge** *f* (*bei Scharlach*).

straw| bid *s.* ✝ *Am.* F Scheingebot *n*; '**~-col·o(u)red** *adj.* strohfarbig, -farben; **~ hat** *s.* Strohhut *m*; **~ vote** *s.* ('Meinungs)ˌ**Umfrage** *f*.

straw·y ['strɔːi] *adj.* **1.** strohern; **2.** mit Stroh bestreut.

stray [strei] **I.** *v/i.* **1.** (um'her-) schweifen, (-)streunen (*a. Tier*): *to ~ to* hinlaufen zu, *j-m* zulaufen; **2.** weglaufen (*from* von); **3. a)** abirren (*from* von), sich verlaufen, **b)** her'umirren, **c)** *fig.* in die Irre gehen, vom rechten Weg abkommen; **4.** *fig.* abirren, -schweifen (*Gedanken etc.*); **5.** ⚡ streuen, vagabundieren; **II.** *s.* **6.** verirrtes Tier; **7.** Her'umirrende(r *m*) *f*, Heimatlose(r *m*) *f*; **8.** *pl.* ⚡ atmo'sphärische Störungen *pl.*; **III.** *adj.* **9.** *a. strayed* verirrt (*a. Kugel*), verlaufen, streunend (*Hund etc.*); **10.** vereinzelt: *~ customers*; **11.** beiläufig: *a ~ remark*; **12.** ⚡ Streu..., vagabundierend (*Strom*).

streak [striːk] **I.** *s.* **1.** Streif(en) *m*, Strich *m*; (Licht)Streifen *m*, (-)Strahl *m*: *~ of lightning* Blitzstrahl; *like a ~* (*of lightning*) F blitzschnell; **2.** Maser *f*, Ader *f* (*im Holz*); **3.** *fig.* Spur *f*, Anflug *m*; **4.** Anlage *f*, *humoristische etc.* Ader; **5.** *~ of* (*bad*) *luck* (Pech-), Glückssträhne; **6.** ⚗ Schliere *f*; **II.** *v/t.* **7.** streifen; **8.** ädern; **III.** *v/i.* **9.** F flitzen; **streaked** [-kt] *adj.*, '**streak·y** [-ki] *adj.* □ **1.** gestreift; **2.** gemasert (*Holz*); **3.** durch'wachsen (*Speck*).

stream [striːm] **I.** *s.* **1.** Wasserlauf *m*, Fluß *m*, Bach *m*; **2.** Strom *m*, Strömung *f*: *against* (*with*) *the ~* gegen den (mit dem) Strom (*a. fig.*); **3.** (*a. Blut-, Gas-, Menschen- etc.*)Strom *m*, (*Licht-, Tränen- etc.*)Flut *f*: *~ of words* Wortschwall; *~ of consciousness psych.* Bewußtseinsstrom; **4.** *ped.* **Leistungsgruppe** *f*; **5.** *fig.* **Strom** *m*, **Lauf** *m der Zeit etc.*; **II.** *v/i.* **6.** strömen, fluten (*a. Licht, Menschen etc.*); **7.** (*with*) strömen (von), triefen (von *dat.*); **8.** *im Wind* flattern; **9.** fließen (*langes Haar*); **III.** *v/t.* **10.** aus-, verströmen; '**stream·er** [-mə] *s.* **1.** Wimpel *m*; flatternde Fahne; **2.** (langes, flatterndes) Band; Pa'pierschlange *f*; **3.** Lichtstreifen *m* (*bsd. des Nordlichts*); **4.** *Zeitung*: Schlagzeile *f*; '**stream·ing** [-miŋ] *s. ped.* **Einteilung** *f e-r Klasse* **in Leistungsgruppen**; '**stream·let** [-lit] *s.* **Flüßchen** *n*, **Bächlein** *n*.

'**stream|·line** **I.** *s.* **1.** *phys.* Stromlinie *f*; **2.** *a. ~ shape* Stromlinienform *f*; **II.** *adj.* **3.** → *streamlined 1*; **III.** *v/t.* **4.** ⊕ stromlinienförmig konstruieren; windschnittig verkleiden; **5.** *fig.* **a)** modernisieren, **b)** rationalisieren, **c)** *pol. Am. sl.* ‚gleichschalten'; '**~·lined** *adj.* **1.** ⊕ stromlinienförmig, windschnittig, Stromlinien...; **2.** *fig.* **a)** modernisiert, fortschrittlich, **b)** ratio'nell; '**~·lin·er** *s. Am.* Stromlinienzug *m*, *a.* -(auto)bus *m*, -flugzeug *n*.

street [striːt] *s.* **1.** Straße *f*: *in the ~* auf der Straße; *not in the same ~ with* F nicht zu vergleichen mit; *on the ~s* ‚auf dem Strich', auf der Straße (*Prostituierte*); → *man 3*; **2.** *the ~* ✝ Fi'nanzˌzentrum *n*, -welt *f*; **~ Ar·ab** *s.* Straßen-, Gassenjunge *m*; '**~·car** *s. Am.* Straßenbahnwagen *m*; **~ clean·er** *Am.* → *street-sweeper*; **~ light·ing** *s.* **Straßenbeleuchtung** *f*; **~ mar·ket** *s.* ✝ **1.** Freiverkehrsmarkt *m*; **2.** *Brit.* Nachbörse *f*; '**~-sweep·er** *s. bsd. Brit.* **1.** Straßenkehrer *m*; **2.** 'Straßenkehrmaˌschine *f*; **~ the·a·ter** *Am.*, **~ the·a·tre** *Brit. s.* 'Straßentheˌater *n*; '**~-walk·er** *s.* **Strichmädchen** *n*, **Prostituierte** *f*.

strength [streŋθ] *s.* **1.** Kraft *f*, Kräfte *pl.*, Stärke *f*: *~ of body* (*mind, will*) Körper- (Geistes-, Willens)kraft, -stärke; *this goes beyond my ~* das geht über meine Kraft; **2.** Stärke *f* (*besondere Veranlagung*): *his ~ is* (*od. lies*) *in endurance* s-e Stärke ist s-e Ausdauer; **3.** ⚔ (Truppen-) Stärke *f*, Bestand *m*: *actual ~* Iststärke; *in full ~* in voller Stärke, vollzählig; **4.** ⚔ Stärke *f*, (Heeres- *etc.*)Macht *f*, Schlagkraft *f*; **5.** ⊕ (⚡ *Strom-, Feld- etc.*)Stärke *f*, (*Bruch-, Zerreiß- etc.*)Festigkeit *f*; ⚗, *phys.* Stärke *f* (*a. e-s Getränks*), Wirkungsgrad *m*; **6.** Stärke *f*, Intensi'tät *f* (*Farbe, Gefühl etc.*); **7.** (Beweis-, Über'zeugungs)Kraft *f*: *on the ~ of* auf Grund (*gen.*), kraft (*gen.*), auf (*acc.*) ... hin; '**strength·en** [-θən] **I.** *v/t.* **1.** stärken: *to ~ s.o.'s hand fig.* j-m Mut machen; **2.** *fig.* bestärken; **3.** (*zahlenmäßig*; *a.* ⊕, ⚡) verstärken; **II.** *v/i.* **4.** stark *od.* stärker werden, sich verstärken; '**strength·en·er** [-θənə] *s.* **1.** ⊕ Verstärkung *f*; **2.** ⚕ Stärkungsmittel *n*; **3.** *fig.* Stärkung *f*; '**strength·en·ing** [-θəniŋ] **I.** *s.* **1.** Stärkung *f*; **2.** Verstärkung *f* (*a.* ⊕, ⚡); **II.** *adj.* **3. stärkend**; **4. verstärkend**.

strength·less ['streŋθlis] *adj.* **kraftlos.**

stren·u·ous ['strenjuəs] *adj.* □ **1.** emsig, rührig; **2.** eifrig, tatkräftig; **3.** e'nergisch: *~ opposition*; **4.** anstrengend, angestrengt, mühsam; '**stren·u·ous·ness** [-nis] *s.* **1.** Emsigkeit *f*; **2.** Eifer *m*, Tatkraft *f*; **3.** Ener'gie *f*; **4.** *das* Anstrengende *od.* Mühsame.

stress [stres] **I.** *s.* **1.** ♪, *ling.* **a)** Ton *m*, ('Wort-, 'Satz)Akˌzent *m*, **b)** Betonung *f*: *the ~ is on* ... der Ton liegt auf *der zweiten Silbe*; **2.** *fig.* Nachdruck *m*: *to lay ~ (up)on* → *6*; **3.** ⊕, *phys.* **a)** Beanspruchung *f*, Druck *m*, **b)** Spannung *f*, Dehnung *f*; **4.** *seelische etc.* Belastung, Druck *m*; Zwang *m*; *psych. a.* Stress *m*: *~ disease* ⚕ Managerkrankheit; *times of ~* Krisenzeiten; *under* (*the*) *~ of circumstances* unter dem Druck der Umstände; **5.** Ungestüm *n des Wetters etc.*; **II.** *v/t.* **6.** ♪, *ling.*, *a. fig.* betonen, den Ak'zent legen auf (*acc.*); *fig.* Nachdruck *od.* Gewicht legen auf (*acc.*), her'vorheben; **7.** ⊕, *phys.* **beanspruchen.**

stretch [stretʃ] **I.** *v/t.* **1.** *oft ~ out* (aus)strecken, *bsd. Kopf, Hals,* rekken: *to ~ o.s.* (*out*) → *11*; *to ~ one's* *legs* sich die Beine vertreten; **2.** ~ *out Hand etc.* aus-, hinstrecken; **3.** *j-n* niederstrecken; **4.** *Seil, Saite, Tuch etc.* spannen (*over* über *dat. od. acc.*), straff ziehen; *Teppich etc.* ausbreiten; **5.** strecken; *Handschuhe etc.* ausweiten; *Hosen* spannen; **6.** ⊕ spannen, dehnen; **7.** *Nerven, Muskel* anspannen; **8.** *fig.* über'spannen, -'treiben: *to* ~ *a principle*; **9.** 'überbeanspruchen, *Befugnisse, Kredit etc.* über'schreiten; **10.** *fig.* es mit *der Wahrheit, e-r Vorschrift etc.* nicht allzu genau nehmen: *to* ~ *a point* fünf gerade sein lassen, ein Auge zudrücken; **II.** *v/i.* **11.** sich (aus)strecken; sich dehnen *od.* rekeln; **12.** langen (*for* nach); **13.** sich erstrecken *od.* hinziehen (*to* [bis] zu) (*Gebirge etc., a. Zeit*): *to* ~ *down to* zurückreichen *od.* -gehen (bis) zu *od.* in (*acc.*) (*Zeitalter, Erinnerung etc.*); **14.** sich *vor dem Blick* ausbreiten; **15.** sich dehnen (lassen); **16.** F über'treiben, flunkern; **III.** *s.* **17.** *to give a* ~ sich strecken; **18.** Strecken *n*, (Aus-)Dehnen *n*; **19.** Spannen *n*; **20.** (An-)Spannung *f*, (Über)'Anstrengung *f*: *by every* ~ *of imagination* unter Aufbietung aller Phantasie; *on the* ~ (an)gespannt (*Nerven etc.*); **21.** Über'treiben *n*; **22.** Über'schreiten *n von Befugnissen, Mitteln etc.*; **23.** (Weg)Strecke *f*; Fläche *f*, Ausdehnung *f*; **24.** → *straight 18*; **25.** *Segeln*: Strecke *f*, Schlag *m*; **26.** Zeit(spanne) *f*: *a* ~ *of 10 years*; *at a* ~ ununterbrochen, hintereinander, auf 'einen Sitz; **27.** *sl.* (Frei-heits)Strafe *f*, ‚Knast' *m*: *to do a* ~ ‚brummen', ‚sitzen'; **'stretch·er** [-tʃə] *s.* **1.** ⚕ (Kranken)Trage *f*: ~-*bearer* Krankenträger; *rolling* ~ fahrbare Trage; **2.** (*Schuh- etc.*) Spanner *m*; **3.** ⊕ Streckvorrichtung *f*; **4.** *paint.* Keilrahmen *m*; **5.** Fußplatte *f im Boot*; **6.** △ Läufer (-stein) *m*; **7.** Flunke'rei *f*; **'stretch·y** [-tʃi] *adj.* dehnbar.

strew [stru:] *v/t.* [*irr.*] **1.** (aus)streuen; **2.** bestreuen; **strewn** [stru:n] *p.p. von strew.*

stri·a ['straiə] *pl.* **stri·ae** ['straii:] *s.* **1.** Streifen *m*, Furche *f*, Riefe *f*; **2.** *pl.* ⚕ Striemen *pl.*, 'Striae *pl.*; **3.** *zo.* 'Stria *f*; **4.** *pl. geol.* (Gletscher)Schrammen *pl.*; **5.** △ Riffel *m* (*an Säulen*); **stri·ate I.** *v/t.* [strai'eit] **1.** streifen, furchen, riefeln; **2.** *geol.* kritzen; **II.** *adj.* ['straiit] **3.** → *striated*; **stri·at·ed** [strai'eitid] *adj.* **1.** gestreift, geriefelt; **2.** *geol.* gekritzt; **stri·a·tion** [strai'eiʃən] *s.* **1.** Streifenbildung *f*, Riefung *f*; **2.** Streifen *m, pl.*, Riefe(n *pl.*) *f*; **3.** *geol.* Schramme(n *pl.*) *f*.

strick·en ['strikən] **I.** *p.p. von strike*; **II.** *adj.* **1.** *obs.* verwundet; **2.** (*with*) heimgesucht, schwer betroffen (von *Unglück etc.*), befallen (von *Krankheit*), ergriffen (von *Schrecken, Schmerz etc.*): ~ *area* Katastrophengebiet; **3.** *fig.* (nieder)geschlagen, (gram)gebeugt; verzweifelt (*Blick*); **4.** ~ *in years* hochbetagt, vom Alter gebeugt.

strick·le ['strikəl] **I.** *s.* **1.** Abstreichlatte *f*; **2.** *Tischlerei etc.*: Streichmodel *m*; **II.** *v/t.* **3.** ab-, glattstreichen.

strict [strikt] *adj.* □ **1.** strikt, streng (*Person; Befehl, Befolgung, Disziplin; Wahrheit etc.*); streng (*Gesetz, Moral, Untersuchung*): *to be* ~ *with* mit *j-m* streng sein; *in* ~ *confidence* streng vertraulich; **2.** streng, genau: *in the* ~ *sense* im strengen Sinne; ~*ly speaking* streng *od.* genau genommen; **'strict·ness** [-nis] *s.* Strenge *f*: **a)** Härte *f*, **b)** Genauigkeit *f*.

stric·ture ['striktʃə] *s.* **1.** *oft pl.* (*on, upon*) scharfe Kri'tik (an *dat.*), 'kritische Bemerkung (über *acc.*); **2.** ⚕ Strik'tur *f*, Verengung *f*.

strid·den ['stridn] *p.p. von stride.*

stride [straid] **I.** *v/i.* [*irr.*] **1.** schreiten; **2.** *a.* ~ *out* (tüchtig) ausschreiten; **II.** *v/t.* [*irr.*] **3.** *et.* entlang-, abschreiten; **4.** über-, durch'schreiten; **5.** mit gespreizten Beinen stehen über (*dat.*) *od.* gehen über (*acc.*); **6.** rittlings sitzen auf (*dat.*); **III.** *s.* **7.** (langer *od.* feierlicher) Schritt: *to get into one's* ~ *fig.* (richtig) in Schwung kommen; *to take s.th. in one's* ~ *fig.* et. spielend (leicht) schaffen, et. mühelos bewältigen; **8.** Schritt(weite *f*) *m*; **9.** *mst pl. fig.* Fortschritt(e *pl.*) *m*: *with rapid* ~*s* mit Riesenschritten.

stri·dent ['straidnt] *adj.* □ **1.** 'durchdringend, schneidend, grell (*Stimme, Laut*); **2.** knirschend, knarrend; **3.** *fig.* scharf.

strife [straif] *s.* Streit *m*: **a)** Hader *m*, **b)** Kampf *m*: *to be at* ~ Streit haben, uneins sein.

stri·gose ['straigous] *adj.* **1.** ♀ Borsten..., striegelig; **2.** *zo.* fein gestreift.

strike [straik] **I.** *s.* **1.** (*a. Glocken-*) Schlag *m*, Stoß *m*; **2.** *Am. Baseball*: Verlustpunkt *m bei Schlagfehler etc.*; **3.** *fig.* ‚Treffer' *m*, Glücksfall *m*; **4.** ✝ Streik *m*, Ausstand *m*: *to be on* ~ streiken; *to go on* ~ in (den) Streik *od.* in den Ausstand treten; *on* ~ im Ausstand; **II.** *v/t.* [*irr.*] **5.** schlagen, Schläge *od.* e-n Schlag versetzen (*dat.*); *allg.* treffen: *to* ~ *off* abschlagen, -hauen; *struck by a stone* von e-m Stein getroffen; **6.** *Waffe* stoßen (*into* in *acc.*); **7.** *Schlag* führen; → *blow*² *1*; **8.** ♪ *Ton, a. Glocke, Saite, Taste* anschlagen; → *note 8*; **9.** *Zündholz, Licht* entzünden; *Feuer, Funken* schlagen; **10.** *Kopf, Fuß etc.* (an)stoßen, schlagen (*against* gegen); **11.** stoßen *od.* schlagen gegen *od.* auf (*acc.*); zs.-stoßen mit; ⚓ auflaufen auf; einschlagen in (*acc.*) (*Geschoß, Blitz*); fallen auf (*acc.*) (*Strahl*); *Auge, Ohr* treffen (*Lichtstrahl, Laut*): *to* ~ *s.o.'s eye* j-m ins Auge fallen; **12.** *j-m* einfallen, in den Sinn kommen; **13.** *j-m* auffallen; **14.** *j-n* beeindrucken, Eindruck machen auf (*acc.*); **15.** *j-m wie* vorkommen: *how does it* ~ *you?* was hältst du davon?; *it* ~*s me as ridiculous* es kommt mir lächerlich vor; **16.** stoßen auf (*acc.*): **a)** (zufällig) treffen *od.* entdecken, **b)** *Gold etc.* finden; → *oil 1, rich 5*; **17.** *Wurzel* schlagen; **18.** *Lager, Zelt* abbrechen; **19.** ⚓ *Flagge, Segel* streichen; **20.** *Angeln*: *Fisch* mit e-m Ruck auf den Haken spießen; **21.** *Giftzähne* schlagen in (*acc.*) (*Schlange*); **22.** ⊕ glattstreichen; **23. a)** ⅍ *Durchschnitt, Mittel* nehmen, **b)** ✝ *Bilanz*: *den Saldo* ziehen; → *balance 6*; **24.** (*off* von *e-r Liste etc.*) streichen; **25.** *Münze* schlagen, prägen; **26.** *Stunde* schlagen (*Uhr*); **27.** *fig. j-n* schlagen, treffen (*Unglück etc.*), befallen (*Krankheit*); **28.** (*with* mit *Schrecken, Schmerz etc.*) erfüllen; **29.** *blind etc.* machen: → *blind 1, dumb 1*; **30.** *Haltung, Pose* einnehmen; **31.** *Handel* abschließen; → *bargain 2*; **32.** *to* ~ *work* die Arbeit niederlegen: **a)** Feierabend machen, **b)** in Streik treten; **III.** *v/i.* [*irr.*] **33.** (zu)schlagen, (-)stoßen; **34.** schlagen, treffen: *to* ~ *at* **a)** *j-n od.* nach *j-m* schlagen, **b)** *fig.* zielen auf (*acc.*); *to* ~ *back* zurückschlagen (*a. fig.*); **35.** ([*up*]*on*) **a)** (an)schlagen, stoßen (an *acc.*, gegen), **b)** ⚓ auflaufen (auf *acc.*), auf Grund stoßen; **36.** fallen (*Licht*), auftreffen ([*up*]*on*) (*Lichtstrahl, Schall etc.*); **37.** *fig.* stoßen ([*up*]*on* auf *acc.*); **38.** schlagen (*Uhrzeit*): *the hour has struck* die Stunde hat geschlagen (*a. fig.*); **39.** sich entzünden, angehen (*Streichholz*); **40.** einschlagen (*Geschoß, Blitz*); **41.** Wurzel schlagen; **42.** den Weg einschlagen, sich (plötzlich) *nach links etc.* wenden: *to* ~ *for home* F heimzu gehen; *to* ~ *into* **a)** einbiegen in (*acc.*), *Weg* einschlagen, **b)** *fig.* plötzlich verfallen in, *et.* beginnen, *a.* sich *e-m Thema* zuwenden; **43.** ✝ streiken (*for* um); **44.** ⚓ die Flagge streichen (*to* vor *dat.*) (*a. fig.*); **45.** (zu-)beißen (*Schlange*); **46.** *fig.* zuschlagen (*Feind etc.*);

Zssgn mit adv.:

strike| down *v/t.* niederschlagen, -strecken (*a. fig.*); ~ **in** *v/i.* **1.** beginnen, einfallen (*a.* ♪); **2.** ⚕ (sich) nach innen schlagen; **3.** einfallen, unter'brechen (*with* mit *e-r Frage etc.*); **4.** sich einmischen, -schalten, *a.* mitmachen: *to* ~ *with* **a)** sich richten nach, **b)** mitmachen bei; ~ **in·wards** → *strike in 2*; ~ **off** *v/t.* **1.** → *strike 5*; **2.** *Wort etc.* ausstreichen, *Eintragung* tilgen, löschen; **3.** *typ.* abziehen; ~ **out I.** *v/t.* **1.** → *strike off 2*; **2.** *fig. et.* ausdenken, ersinnen; **3.** *mst fig. Weg* bahnen, (be)gehen; **II.** *v/i.* **4. a)** (los-, zu-)schlagen, **b)** (zum Schlag) ausholen; **5.** ausschreiten, *a.* (los)schwimmen (*for* nach, auf *e-n Ort* zu); **6.** *fig.* loslegen; **7.** *mit den Armen beim Schwimmen* ausgreifen; ~ **through** *v/t. Wort etc.* 'durchstreichen; ~ **up I.** *v/i.* **1.** ♪ einsetzen (*Spieler, Melodie*); **II.** *v/t.* **2.** *Lied etc.* anstimmen; **3.** ♪ *Kapelle* einsetzen lassen; **4.** *Bekanntschaft, Freundschaft* schließen, anknüpfen (*with* mit).

strike| bal·lot *s.* Urabstimmung *f*: *to take a* ~ e-e Urabstimmung abhalten; **'~·bound** *adj.* bestreikt (*Fabrik etc.*); **'~·break·er** *s.* Streikbrecher *m*; ~ **pay** *s.* Streikgeld *n.*

strik·er ['straikə] *s.* **1.** Schläger(in); **2.** Streikende(r *m*) *f*, Ausständige(r *m*) *f*; **3.** Hammer *m*, Klöppel *m* (*Uhr*); **4.** ⚔ Schlagbolzen *m*; **5.** ⚡

Zünder *m*; **6.** *bsd. Fußball*: Stürmer *m*, ‚Spitze' *f*: *to be* ~ Spitze spielen.

strik·ing ['straikiŋ] *adj.* □ **1.** schlagend, Schlag...; **2.** *fig.* **a)** bemerkenswert, auffallend, eindrucksvoll, **b)** über'raschend, verblüffend, **c)** treffend: ~ *example*; **3.** streikend, ausständig.

string [striŋ] **I.** *s.* **1.** Schnur *f*, Bindfaden *m*; **2.** (*Schürzen-, Schuh- etc.*) Band *n*, Kordel *f*: *to have s.o. on a* ~ j-n am Gängelband *od.* in s-r Gewalt haben; **3.** (Puppen)Draht *m*: *to pull* ~*s fig.* s-e Beziehungen spielen lassen; *to pull the* ~*s fig.* der Drahtzieher sein; **4.** (Bogen)Sehne *f*: *to have two* ~*s to one's bow fig.* zwei Eisen im Feuer haben; *to be a second* ~ das zweite Eisen im Feuer sein; **5.** ♪ **a)** Saite *f*, **b)** *pl.* 'Streichinstru,mente *pl.*, *die* Streicher *pl. e-s Orchesters*: *to be for ever harping on the same* ~ *fig.* immer auf derselben Sache herumreiten; **6.** Schnur *f* (*Perlen, Zwiebeln etc.*); **7.** *fig.* Reihe *f*, Kette *f* (*von Fragen, Fahrzeugen etc.*); **8.** Koppel *f* (*Pferde etc.*); **9.** ♀ **a)** Faser *f*, 'Fiber *f*, **b)** Faden *m von Bohnen*; **10.** *zo. obs.* Flechse *f*; **11.** △ Fries *m*, Sims *m*; **12.** F *einschränkende* **Bedingung**, ‚Haken' *m*: *no* ~*s attached* ohne Bedingungen; **II.** *v/t.* [*irr.*] **13.** *Schnur etc.* spannen; **14.** (zu-, ver)schnüren, zubinden; **15.** *Perlen etc.* aufreihen; **16.** *fig.* anein'anderreihen; **17.** *Bogen* spannen; **18.** ♪ **a)** besaiten, bespannen (*a. Tennisschläger*), **b)** *Instrument* stimmen; **19.** *mit Girlanden etc.* behängen; **20.** *Bohnen* abziehen; **21.** ~ *up sl.* ‚aufknüpfen', -hängen; **22.** ~ *up Nerven* anspannen: *to* ~ *o.s. up to* **a)** sich in *e-e Erregung etc.* hineinsteigern, **b)** sich aufraffen (*to do et.* zu tun); → *high-strung*; **23.** *Am. sl. j-n* ‚verkohlen', aufziehen; **III.** *v/i.* [*irr.*] **24.** Fäden ziehen (*Flüssigkeit*); **25.** ~ *along* **a)** sich in e-r Reihe bewegen, **b)** *Am.* F *fig.* sich anschließen (*with s.o.* j-m); ~ **band** *s.* ♪ 'Streichor,chester *n*; '~**-bean** *s.* ♀ *bsd. Am.* Gartenbohne *f*; '~**-course** → *string 11.*

stringed [striŋd] *adj.* **1.** ♪ Saiten..., Streich...: ~ *instruments*; ~ *music* Streichmusik; **2.** ♪ *in Zssgn* ...saitig; **3.** aufgereiht (*Perlen etc.*).

strin·gen·cy ['strindʒənsi] *s.* **1.** Strenge *f*, Schärfe *f*; **2.** Bündigkeit *f*, zwingende Kraft: *the* ~ *of an argument*; **3.** ♆ (Geld-, Kre'dit)Verknappung *f*, Knappheit *f*; '**strin·gent** [-nt] *adj.* □ **1.** streng, bindend (*Gesetz, Regel*); **2.** zwingend: ~ *necessity*; **3.** zwingend, über'zeugend, bündig: ~ *arguments*; **4.** ♆ knapp (*Geld*), gedrückt (*Geldmarkt*).

string·er ['striŋə] *s.* **1.** ♪ Saitenaufzieher *m*; **2.** ⊕ Längs-, Streckbalken *m*; △ (Treppen)Wange *f*; 🚂 Langschwelle *f*; ✈ Längsversteifung *f*.

string·i·ness ['striŋinis] *s.* **1.** Faserigkeit *f*; **2.** Zähigkeit *f*.

string| or·ches·tra *s.* ♪ 'Streichor,chester *n*; ~ **quar·tet(te)** *s.* ♪ 'Streichquar,tett *n*.

string·y ['striŋi] *adj.* **1.** faserig, zäh, sehnig; **2.** zäh(flüssig), klebrig, Fäden ziehend.

strip [strip] **I.** *v/t.* **1.** *Haut etc.* abziehen, (-)schälen; *Baum* abrinden; **2.** *Bett* abziehen; **3.** *a.* ~ *off Kleid etc.* ausziehen, abstreifen; **4.** *j-n* entkleiden, ausziehen (*to the skin* bis auf die Haut): ~*ped* nackt, entblößt; **5.** *fig.* entblößen, berauben (*of gen.*), (aus)plündern: *to* ~ *s.o. of his office* j-n s-s Amtes entkleiden; **6.** *Haus etc.* ausräumen; *Fabrik* demontieren; **7.** ⚓ abtakeln; **8.** ⊕ zerlegen; **9.** ⊕ *Gewinde* über'drehen; **10.** *Kuh* ausmelken; **11.** *Kohlenlager etc.* freilegen; **II.** *v/i.* **12.** sich ausziehen; **III.** *s.* **13.** *schmaler* Streifen (*Papier etc., a. Land*); **14.** ⊕ (Me'tall)Band *n*, 'Bandmateri,al *n*.

stripe [straip] **I.** *s.* **1.** (*anders*)*farbiger etc.* Streifen (*a. zo.*), Strich *m*; **2.** ⚔ Tresse *f*, (Ärmel)Streifen *m*: *to get one's* ~*s* (zum Unteroffizier) befördert werden; *to lose one's* ~*s* degradiert werden; **3.** Striemen *m*; **4.** (Peitschen- *etc.*)Hieb *m*; **5.** *fig. Am.* Sorte *f*, Schlag *m*; **II.** *v/t.* **6.** streifen: ~*d* gestreift, streifig.

strip·ling ['stripliŋ] *s.* Bürschchen *n*, Grünschnabel *m*.

'**strip|-tease I.** *s.* 'Striptease *m*; **II.** *adj.* Striptease..., Entkleidungs-...; '~**-teas·er** *s.* 'Stripteasetänzerin *f*.

strive [straiv] *v/i.* [*irr.*] **1.** sich (be-)mühen, bestrebt sein (*to do* zu tun); **2.** (*for, after*) streben (nach), ringen, sich mühen (um); **3.** (erbittert) kämpfen (*against* gegen, *with* mit), ringen (*with* mit); **striv·en** ['strivn] *p.p. von strive.*

strode [stroud] *pret. von stride.*

stroke [strouk] **I.** *s.* **1.** (*a. Blitz-, Flügel-, Schicksals*)Schlag *m*; Hieb *m*, Streich *m*, Stoß *m*: *at a* (*od. one*) ~ mit 'einem Schlag, auf 'einen Streich (*a. fig.*); *a good* ~ *of business* ein gutes Geschäft; ~ *of luck* Glückstreffer, -fall; *not to do a* ~ *of work* keinen Finger rühren; **2.** (Glocken-, Hammer-, Herz- *etc.*) Schlag *m*: *on the* ~ pünktlich; *on the* ~ *of nine* Schlag *od.* Punkt neun; **3.** ⚕ Anfall *m*, *bsd.* Schlag(anfall) *m*; **4.** *mot.* **a)** (Kolben)Hub *m*, **b)** Hubhöhe *f*, **c)** Takt *m*; **5.** *sport* **a)** *Schwimmen*: Stoß *m*, (Bein)Schlag *m*, (Arm)Zug *m*, **b)** (Ruder-, Golf- *etc.*)Schlag *m*, **c)** (Schlag- *etc.*)Art *f*, Stil *m*: *to set the* ~ *Rudern*: die Schlagzahl bestimmen; **6.** *Rudern*: Schlagmann *m*: *to row* ~ → *11*; **7.** (Pinsel-, Feder)Strich *m* (*a. typ.*), (Feder)Zug *m*: *with a* ~ *of the pen* mit einem Federstrich (*a. fig.*); **8.** *fig.* (glänzender) Einfall, Leistung *f*: *a clever* ~ ein geschickter Schachzug; *a* ~ *of genius* ein Geniestreich; **9.** ♪ **a)** Bogenstrich *m*, **b)** Anschlag *m*, **c)** (Noten)Balken *m*; **10.** Streicheln *n*; **II.** *v/t.* **11.** *to* ~ *a boat Rudern*: Schlagmann e-s Bootes sein; **12.** streichen über (*acc.*); glattstreichen; **13.** streicheln.

stroll [stroul] **I.** *v/i.* **1.** schlendern, (um'her)bummeln, spazierengehen: *to* ~ *out* hinausschlendern; **2.** um'herziehen: ~*ing actor* (*od. player*) → *stroller 2*; **II.** *s.* **3.** Spaziergang *m*, Bummel *m*: *to go for a* ~, *to take a* ~ e-n Bummel machen, spazierengehen; '**stroll·er** [-lə] *s.* **1.** Bummler(in), Spaziergänger(in); **2.** Schmierenschauspieler(in); **3.** (Kinder)Sportwagen *m*.

stro·ma ['stroumə] *pl.* **-ma·ta** [-mətə] *s. biol.* 'Stroma *n* (*a.* ♀), Grundgewebe *n*.

strong [strɔŋ] **I.** *adj.* □ → *strongly*; **1.** *allg.* stark (*a. Gift, Kandidat, Licht, Nerven, Schlag, Verdacht, Gefühl etc.*); kräftig (*a. Farbe, Gesundheit, Stimme, Wort*): ~ *face* energisches *od.* markantes Gesicht; ~ *man pol.* starker Mann; *to have* ~ *feelings about* sich erregen über (*acc.*); *to use* ~ *language* Kraftausdrücke gebrauchen; → *point 24*; **2.** stark (an Zahl *od.* Einfluß), mächtig: *a company 200* ~ e-e 200 Mann starke Kompanie; **3.** *fig.* scharf (*Verstand*), klug (*Kopf*): ~ *in* tüchtig in (*dat.*); **4.** fest (*Glaube, Überzeugung*); **5.** eifrig, über'zeugt: *a* ~ *Tory*; **6.** gewichtig, zwingend: ~ *arguments*; **7.** stark, gewaltsam, e'nergisch (*Anstrengung, Maßnahmen*): *with a* ~ *hand* mit starker Hand; **8.** stark, schwer (*Getränk, Speise, Zigarre*); **9.** **a)** stark (*Geruch, Geschmack, Parfüm*), **b)** scharf *od.* übel riechend, *a.* ranzig; **10.** *ling.* stark (ablautend); **11.** ♆ **a)** anziehend (*Preis*), **b)** fest (*Markt*); **II.** *adv.* **12.** stark, e'nergisch, nachdrücklich; **13.** *sl.* tüchtig: *to be going* ~ gut in Schuß *od.* Form sein; *to come* (*od. go*) *it* ~ sich ins Zeug legen; '~**-arm** *adj. Am.* Gewalt..., Schläger...; '~'**arm** *v/t. Am.* F Gewalt anwenden gegen; '~**-bod·ied** *adj.* stark (*Wein*); '~**-box** *s.* ('Geld-, 'Stahl)Kas,sette *f*; Tre'sorfach *n*; '~**-hold** *s.* **1.** ⚔ Feste *f*; **2.** *fig.* Bollwerk *n*, Hochburg *f*.

strong·ly ['strɔŋli] *adv.* **1.** kräftig, stark: *to feel* ~ *about* sich erregen über (*acc.*); **2.** nachdrücklich, sehr.

'**strong|-'mind·ed** *adj.* **1.** willensstark; **2.** *oft contp.* emanzipiert (*Frau*); '~**-point** *s.* **1.** ⚔ Stützpunkt *m*; **2.** *fig.* → *point 24*; '~**-room** *s.* Tre'sor(raum) *m*, Panzergewölbe *n*; '~**-'willed** *adj.* **1.** willensstark; **2.** eigenwillig, hartnäckig.

stron·ti·um ['strɔnʃiəm] *s.* ⚗ Strontium *n*.

strop [strɔp] **I.** *s.* **1.** Streichriemen *m* (*für Rasiermesser*); **2.** ⚓ Stropp *m*; **II.** *v/t.* **3.** *Rasiermesser etc.* abziehen.

stro·phe ['stroufi] *s.* 'Strophe *f*; **stroph·ic** ['strɔfik] *adj.* 'strophisch.

strove [strouv] *pret. von strive.*

struck [strʌk] **I.** *pret. u. p.p. von strike*; **II.** *adj.* ♆ *Am.* bestreikt, von einem (Arbeits)Streik betroffen.

struc·tur·al ['strʌktʃərəl] *adj.* □ **1.** struktu'rell (bedingt), Struktur... (*a. fig.*); **2.** ⊕ baulich, Bau... (*-stahl, -technik etc.*), Konstruktions...: ~ *defect* Konstruktionsfehler; **3.** *biol.* **a)** morpho'logisch, Struktur..., **b)** or'ganisch (*Krankheit etc.*); **4.** *geol.* tek'tonisch; **5.** ⚗ Struktur...; '**struc·tur·al·ism** [-lizəm] *s. ling., philos.* Struktura'lismus *m*.

struc·ture ['strʌktʃə] *s.* **1.** Struk'tur *f* (*a.* ⚗, *biol., phys., psych.*), Gefüge *n*, (Auf)Bau *m*, Gliederung *f* (*alle a. fig.*): ~ *of a sentence* Satzbau;

price ~ ✝ Preisstruktur, -gefüge; **2.** ⊕, △ Bau(art *f*) *m*, Konstrukti'on *f*; **3.** Bau(werk *n*) *m*, Gebäude*n* (*a. fig.*); *pl.* Bauten *pl.*; **4.** *fig.* Gebilde *n*; '**struc·tured** [-tʃəd] *adj.* (or'ganisch) gegliedert, strukturiert; '**struc·ture·less** [-tʃəlis] *adj.* struk'turlos; '**struc·tur·ize** [-raiz] *v/t.* strukturieren.

strug·gle ['strʌgl] **I.** *v/i.* **1.** (*against, with*) kämpfen (gegen, mit), ringen (mit) (*for* um *Atem, Macht etc.*); **2.** sich winden, zappeln, sich sträuben (*against* gegen); **3.** sich (ab-) mühen (*with* mit, *to do et.* zu tun), sich anstrengen *od.* quälen: *to ~ through* sich durchkämpfen; *to ~ to one's feet* mühsam aufstehen, sich ‚hochrappeln'; **II.** *s.* **4.** Kampf *m*, Ringen *n*, Streit *m* (*for* um, *with* mit): *~ for existence* **a)** *biol.* Kampf ums Dasein, **b)** Existenzkampf; **5.** Anstrengung *f*, Streben *n*; **6.** Zappeln *n*, Sich'aufbäumen *n*; '**strug·gler** [-lə] *s.* Kämpfer *m*.

strum [strʌm] **I.** *v/t.* **1.** klimpern auf (*dat.*): *to ~ a piano*; **2.** *Melodie* (her'unter)klimpern *od.* (-)hämmern; **II.** *v/i.* **3.** klimpern (*on* auf *dat.*); **III.** *s.* **4.** Geklimper *n*.

stru·ma ['stru:mə] *pl.* **-mae** [-mi:] *s.* **1.** ⚕ 'Struma *f*, Kropf *m* (*a.* ♀); **2.** ⚕ Skrofel *f*; '**stru·mose** [-mous], '**stru·mous** [-məs] *adj.* **1.** ⚕ stru'mös, skrofu'lös; **2.** ♀ kropfig.

strum·pet ['strʌmpit] *s. rhet. od.* F Metze *f*, Dirne *f*, Hure *f*.

strung [strʌŋ] *pret. u. p.p. von* [*string*.]

strut¹ [strʌt] **I.** *v/i.* **1.** (ein'her)stolzieren; **2.** *fig.* sich brüsten, sich spreizen; **II.** *s.* **3.** Ein'herstolzieren *n*, Sich'brüsten *n*; **4.** gespreiztes Wesen.

strut² [strʌt] △, ⊕ **I.** *s.* Strebe *f*, Stütze *f*, Spreize *f*; **II.** *v/t.* verstreben, abspreizen, -stützen.

strut·ting¹ ['strʌtiŋ] **I.** *adj.* □ sich brüstend, prahlerisch, eitel; **II.** *s.* → *strut¹ 3 u. 4.*

strut·ting² ['strʌtiŋ] *s.* ⊕ Versteifung *f*, -strebung *f*.

strych·nic ['striknik] *adj.* ⚗ Strychnin...; '**strych·nin(e)** [-ni:n] *s.* ⚗ Strych'nin *n*.

stub [stʌb] **I.** *s.* **1.** (Baum)Stumpf *m*; **2.** (Kerzen-, Bleistift- *etc.*)Stummel *m*, Stumpf *m*; **3.** Ziga'retten-, Zi'garrenstummel *m*, ‚Kippe' *f*; **4.** kurzer stumpfer Gegenstand, *z.B.* Kuppnagel *m*; **5.** *Am.* Kon'trollabschnitt *m*; **II.** *v/t.* **6.** *Land* roden; **7.** *mst ~ up Bäume etc.* ausroden; **8.** mit *der Zehe etc.* (an)stoßen; **9.** *mst ~ out Zigarette* ausdrücken.

stub·ble ['stʌbl] *s.* **1.** Stoppel *f*; **2.** *coll.* (Getreide-, Bart- *etc.*)Stoppeln *pl.*; **3.** *a. ~-field* Stoppelfeld *n*; '**stub·bly** [-li] *adj.* stopp(e)lig, Stoppel...

stub·born ['stʌbən] *adj.* □ **1.** eigensinnig, halsstarrig, störrisch, stur; 'widerspenstig (*a. Sache*); **2.** hartnäckig (*a. Widerstand etc.*); **3.** standhaft, unbeugsam; **4.** unerbittlich (*Tatsache*); **5.** *metall.* strengflüssig; '**stub·born·ness** [-nis] *s.* **1.** Eigen-, Starrsinn *m*, Halsstarrigkeit *f*; **2.** Hartnäckigkeit *f*; **3.** Standhaftigkeit *f*.

stub·by ['stʌbi] *adj.* **1.** stummelartig, kurz; **2.** unter'setzt, kurz und dick; **3.** stopp(e)lig.

stuc·co ['stʌkou] △ **I.** *pl.* **-coes** *s.* **1.** Stuck *m* (*Gipsmörtel*); **2.** Stuck (-arbeit *f*, -verzierung *f*) *m*, Stucka'tur *f*; **II.** *v/t.* **3.** mit Stuck verzieren, stuckieren; '**~-work** → *stucco 2.*

stuck [stʌk] *pret. u. p.p. von stick.*

'**stuck-'up** *adj.* F hochnäsig.

stud¹ [stʌd] **I.** *s.* **1.** Beschlagnagel *m*, Knopf *m*, Knauf *m*, Buckel *m*; **2.** △ (Wand)Pfosten *m*, Ständer *m*; **3.** ⊕ **a)** Kettensteg *m*, **b)** Stift *m*, Zapfen *m*, **c)** Stiftschraube *f*, **d)** Stehbolzen *m*; **4.** ⚔ (Führungs-) Warze *f* (*e-s Geschosses*); **5.** *herausnehmbarer* (Kragen)Knopf; *Am.* Man'schettenknopf *m*; **6.** ⚡ Brücke *f*; **II.** *v/t.* **7.** (mit Beschlagnägeln *etc.*) beschlagen *od.* verzieren; **8.** besetzen, über'säen; **9.** ⊕ mittels Schraubenbolzen sichern.

stud² [stʌd] **I.** *s.* **1.** Gestüt *n*; **2.** *coll.* **a)** Zucht *f* (*Tiere*), **b)** Stall *m* (*Pferde*); **3.** *Am.* **a)** (Zucht)Hengst *m*, **b)** *allg.* männliches Zuchttier; **II.** *adj.* **4.** Zucht...; **5.** Stall...; '**~-book** *s.* **1.** Gestütbuch *n für Pferde*; **2.** *allg.* Zuchtstammbuch *n*.

stud·ding-sail ['stʌdiŋseil; ⚓ 'stʌnsl] *s.* ⚓ Bei-, Leesegel *n*.

stu·dent ['stju:dənt] *s.* **1.** Stu'dent (-in), Studierende(r *m*) *f*, Schüler(in): *~ of law, law ~* Student der Rechte; **2.** Gelehrte(r *m*) *f*, Forscher(in); Büchermensch *m*; **3.** Beobachter(in), Erforscher(in) *des Lebens etc.*; **4.** *Brit.* Stipendi'at(in) *od.* Mitglied *n* (*mancher Colleges*); '**student·ship** [-ʃip] *s.* **1.** Stu'dentenzeit *f*; **2.** *bsd. Brit.* Sti'pendium *n*.

stud| farm *s.* Gestüt *n*; '**~-horse** *s.* Zuchthengst *m*.

stud·ied ['stʌdid] *adj.* □ **1.** gewollt, gesucht, gekünstelt; **2.** absichtlich, geflissentlich.

stu·di·o ['stju:diou] *s.* **1.** *paint., phot. etc.* Ateli'er *n*, 'Studio *n*; **2.** ('Film)Ateli͵er *n*; **3.** ('Fernseh-, 'Rundfunk)͵Studio *n*, Aufnahme-, Senderaum *m*.

stu·di·ous ['stju:diəs] *adj.* □ **1.** gelehrtenhaft; **2.** fleißig, beflissen, lernbegierig; **3.** (eifrig) bedacht (*of* auf *acc.*), bemüht (*to do* zu tun); **4.** sorgfältig, peinlich (*gewissenhaft*); **5.** → *studied*; '**stu·di·ous·ness** [-nis] *s.* Fleiß *m*, (Studier)Eifer *m*, Beflissenheit *f*.

stud·y ['stʌdi] **I.** *s.* **1.** Studieren *n*; **2.** 'Studium *n*: *studies* Studien, Studium; *~ of languages* Sprachenstudium; *to make a ~ of et.* sorgfältig studieren; *to make a ~ of doing s.th. fig.* bestrebt sein, et. zu tun; *in a (brown) ~ fig.* in Gedanken versunken, geistesabwesend; **3.** 'Studie *f*, wissenschaftliche Unter'suchung (*of, in* über *acc.*, zu); **4.** 'Studienfach *n*, -zweig *m*, -ob͵jekt *n*, Studium *n*: *his face was a perfect ~ fig.* sein Gesicht war sehenswert; **5.** Studier-, Arbeits-, Herrenzimmer *n*; **6.** *Kunst, Literatur*: Studie *f*, Entwurf *m*; **7.** ♪ E'tüde *f*; **8.** *to be a good (slow) ~ thea.* s-e Rolle leicht (schwer) lernen; **II.** *v/t.* **9.** *allg.* studieren: **a)** *Fach etc.* erlernen, **b)** unter'suchen, erforschen, genau lesen: *to ~ out sl.* ausknobeln, **c)** mustern, prüfen(d ansehen), **d)** *sport etc. Gegner* abschätzen; **10.** *Brit. j-m* gegenüber aufmerksam *od.* rücksichtsvoll sein; **11.** sich bemühen um *et.* (*od. to do* zu tun), bedacht sein auf (*acc.*): *to ~ one's own interests*; **III.** *v/i.* **12.** studieren (*for acc.*); '**~-group** *s.* Arbeitsgruppe *f*, -gemeinschaft *f*.

stuff [stʌf] **I.** *s.* **1.** (*a.* Roh)Stoff *m*, Materi'al *n*; **2. a)** (Woll)Stoff *m*, Zeug *n*, **b)** *Brit.* (*bsd.* Kamm)Wollstoff *m*: *~ gown* ⚖ Wolltalar (*des jüngeren Anwalts*); **3.** ⊕ Bauholz *n*; **4.** ⊕ Ganzzeug *n* (*Papier*); **5.** Lederschmiere *f*; **6.** *coll.* Zeug *n*, Sachen *pl.* (*Gepäck, Ware etc.*): *green ~* Grünzeug, Gemüse; **7.** *contp.* (wertloses) Zeug, Kram *m* (*a. fig.*): *~ (and nonsense)* dummes Zeug; **8.** *fig.* Zeug *n*, Stoff *m*: *the ~ that heroes are made of* das Zeug, aus dem Helden gemacht sind; *he is made of sterner ~* er ist aus härterem Holz geschnitzt; *do your ~!* F laß mal sehen!, ‚auf geht's'!; *he knows his ~* F er kennt sich aus (*ist gut bewandert*); *good ~!* bravo!, prima!; *that's the ~ (to give them)!* F so ist's richtig!; → *rough 6*; **9.** F ‚Zeug' *n*, ‚Stoff' *m* (*Schnaps etc.*); **II.** *v/t.* **10.** (*a. fig. sich den Kopf mit Tatsachen etc.*) vollstopfen; *e-e Pfeife* stopfen: *to ~ o.s. (on)* sich vollstopfen (mit *Essen*); *to ~ s.o. (with lies)* F j-m die Hucke voll lügen; *~ed shirt sl.* Fatzke, Wichtigtuer, ‚lackierter Affe'; **11.** *a. ~ up* ver-, zustopfen; **12.** *Sofa etc.* polstern; **13.** *Geflügel* **a)** stopfen, nudeln, **b)** *Küche*: füllen; **14.** *Tiere* ausstopfen; **15.** *Am. Wahlurne* mit gefälschten Stimmzetteln füllen; **16.** *Leder* mit Fett imprägnieren; **17.** *et. wohin* stopfen; **III.** *v/i.* **18.** sich vollstopfen (*beim Essen*); '**stuff·i·ness** [-finis] *s.* **1.** Dumpfheit *f*, Schwüle *f*, Stickigkeit *f*; **2.** Langweiligkeit *f*; **3.** F **a)** Beschränktheit *f*, **b)** Verstaubtheit *f*; **4.** F Verdrießlichkeit *f*.

stuff·ing ['stʌfiŋ] *s.* **1.** Füllung *f*, 'Füllmateri͵al *n*; Füllhaar *n*, 'Polstermateri͵al: *to knock the ~ out of fig.* **a)** *j-n* ‚zur Schnecke machen', **b)** *j-n* aus der Fassung bringen, **c)** *j-n gesundheitlich* kaputtmachen, **d)** *Argument etc.* erledigen; **2.** *Küche*: Füllsel *n* (*a. fig.*), (Fleisch)Füllung *f*; '**~-box** *s.* ⊕ Stopfbüchse *f*.

stuff·y ['stʌfi] *adj.* □ **1.** stickig, dumpf, schwül; **2.** *fig.* langweilig, fade; **3.** F **a)** beschränkt, spießig, **b)** pe'dantisch, **c)** verknöchert; **4.** F verdrießlich, ‚muffig'.

stul·ti·fi·ca·tion [stʌltifi'keiʃən] *s.* **1.** Veralberung *f*; **2.** Bla'mage *f*; **stul·ti·fy** ['stʌltifai] *v/t.* **1.** veralbern, -dummen; blamieren; **2.** wirkungslos machen; **3.** wider'legen.

stum·ble ['stʌmbl] **I.** *v/i.* **1.** stolpern, straucheln (*at od. over* über *acc.*) (*a. fig.*): *to ~ in(to) fig.* in *e-e Sache* (hinein)stolpern, (-)schlittern; *to ~ (up)on (od. across) fig.* zufällig stoßen auf (*acc.*); **2.** *fig.* e-n Fehltritt tun; **3.** stottern, stocken: *to ~ through Rede etc.* herunterstottern; **II.** *s.* **4.** Stolpern *n*, Straucheln *n*; *fig. a.* Fehltritt *m*; **5.** *fig.*

,Schnitzer' *m*, Fehler *m*; '**stum·bling-block** ['stʌmbliŋ] *s. fig.* Stein *m* des Anstoßes, Hindernis *n* (*to* für).

stu·mer ['stju:mə] *s. Brit. sl.* **1.** ,Blüte' *f* (*Falschgeld*); **2.** gefälschter *od.* ungedeckter Scheck.

stump [stʌmp] **I.** *s.* **1.** (*Baum-, Kerzen-, Zahn- etc.*)Stumpf *m*, Stummel *m*; (*Ast*)Strunk *m*: ~ *foot* ⚕ Klumpfuß; *up a* ~ *Am. sl.* in der Klemme; **2.** *pol.* 'Wahlpropaˌganda *f*: ~ *speeches* Volks-, Wahlreden; *to go on* (*od. take*) *the* ~ e-e Propagandareise machen, öffentliche Reden halten; **3.** *Kricket*: Torstab *m*: *to draw* (*the*) ~*s* das Spiel beenden; **4.** *sl.* ,Stelzen' *pl.* (*Beine*): *to stir one's* ~*s* die Beine in die Hand nehmen; **5.** *Zeichnen*: Wischer *m*; **II.** *v/t.* **6.** *a.* ~ *out Kricket*: *Schläger* (*durch Niederwerfen des Dreistabs*) ,aus' machen; **7.** F *j-n durch e-e Frage etc.* verblüffen: *he was* ~*ed* er war verblüfft *od.* aufgeschmissen; ~*ed for* verlegen um *e-e Antwort etc.*; **8.** *Gegend* als Wahlredner bereisen, Volksreden halten in (*dat.*); **9.** F sta(m)pfen über (*acc.*); **10.** *Zeichnung* abtönen; **11.** *Am.* F *j-n* her'ausfordern (*to do* zu tun); **12.** ~ *up Brit.* F ,berappen', (bar) bezahlen; **III.** *v/i.* **13.** (da'her-) sta(m)pfen; **14.** → *12*; '**stump·er** [-pə] *s.* **1.** *Kricket*: Torwächter *m der Feldpartei*; **2.** F harte Nuß; **3.** *Am.* F Wahl-, Propa'gandaredner *m*; '**stump·y** [-pi] *adj.* □ **1.** stumpfartig; **2.** gedrungen, unter'setzt (*Körperbau, Person*); **3.** plump.

stun [stʌn] *v/t.* **1.** *durch Schlag etc., a. durch Lärm etc.* betäuben; **2.** *fig.* betäuben: **a)** verblüffen, **b)** niederschmettern, **c)** über'wältigen: ~*ned* wie betäubt *od.* gelähmt.

stung [stʌŋ] *pret. u. p.p. von sting.*

stunk [stʌŋk] *pret. u. p.p. von stink.*

stun·ner ['stʌnə] *s. sl.* **a)** ,toller Kerl', **b)** ,tolle Frau', **c)** ,tolle Sache', ,Mordsding' *n*; '**stun·ning** [-niŋ] *adj.* □ **1.** betäubend (*a. fig. niederschmetternd*); **2.** *sl.* ,toll', phänome'nal.

stunt[1] [stʌnt] *v/t.* **1.** (im Wachstum, in der Entwicklung *etc.*) hemmen, hindern; **2.** verkümmern lassen, verkrüppeln: ~*ed* verkümmert.

stunt[2] [stʌnt] **I.** *s.* **1.** Kunst-, Glanzstück *n*; Kraftakt *m*; **2.** Sensati'on *f*: **a)** Schaunummer *f*, **b)** Schlager *m*; **3.** ✈ Flugkunststück *n*; *pl. a.* Kunstflug *m*; **4.** (Re'klame- *etc.*) Trick *m*, ,tolle Idee'; **II.** *v/i.* **5.** (Flug)Kunststücke machen, kunstfliegen; '**stunt·er** [-tə] *s.* F **1.** Kunstflieger(in); **2.** Akro'bat(in).

'**stunt|-fly·ing** *s.* ✈ Kunstflug *m*; ~ **man** *s.* [*irr.*] *Film*: 'Stuntman *m*, Double *n* (*für gefährliche Szenen*).

stupe [stju:p] ⚕ **I.** *s.* heißer 'Umschlag *od.* Wickel; **II.** *v/t.* heiße 'Umschläge legen auf (*acc.*), *j-m* warme Umschläge machen.

stu·pe·fa·cient [stju:pi'feiʃnt] **I.** *adj.* betäubend, abstumpfend; **II.** *s.* ⚕ Betäubungsmittel *n*; **stu·pe'fac·tion** [-'fækʃən] *s.* **1.** Betäubung *f*; **2.** Abstumpfung *f*; **3.** Abgestumpftheit *f*; **4.** Bestürzung *f*, Verblüffung *f*; **stu·pe·fied** ['stju:pifaid] *adj.* **1.** betäubt; **2.** verdummt; **3.** abgestumpft; **4.** betäubt, verblüfft, bestürzt; **stu·pe·fy** ['stju:pifai] *v/t.* **1.** betäuben; **2.** verdummen; **3.** abstumpfen; **4.** verblüffen, bestürzen.

stu·pen·dous [stju(:)'pendəs] *adj.* □ erstaunlich, riesig, gewaltig, e'norm.

stu·pid ['stju:pid] **I.** *adj.* □ **1.** dumm; **2.** stumpfsinnig, blöd (*langweilig*); **3.** betäubt, benommen; **II.** *s.* **4.** Dummkopf *m*; **stu·pid·i·ty** [stju(:)'piditi] *s.* **1.** Dummheit *f* (*a. Handlung, Idee*); **2.** Stumpfsinn *m*.

stu·por ['stju:pə] *s.* **1.** Erstarrung *f*, Betäubung *f*; **2.** Stumpfheit *f*; **3.** ⚕, *psych.* 'Stupor *m*: **a)** Benommenheit *f*, **b)** Stumpfsinn *m*.

stur·di·ness ['stə:dinis] *s.* **1.** Ro'bustheit *f*, Kräftigkeit *f*; **2.** Standhaftigkeit *f*; **stur·dy** ['stə:di] *adj.* □ ro'bust: **a)** kräftig, sta'bil, **b)** *fig.* standhaft, fest, mas'siv.

stur·geon ['stə:dʒən] *pl.* '**stur·geons**, *coll.* '**stur·geon** *s. ichth.* Stör *m*.

stut·ter ['stʌtə] **I.** *v/i.* stottern; **II.** *v/t. a.* ~ *out* (her'vor)stottern; **III.** *s.* Stottern *n*; '**stut·ter·er** [-ərə] *s.* Stotterer *m*.

sty[1] [stai] *s.* Schweinestall *m* (*a. fig.*).

sty[2], **stye** [stai] *s.* ⚕ Gerstenkorn *n*.

Styg·i·an ['stidʒiən] *adj.* **1.** stygisch; **2.** finster; **3.** höllisch, teuflisch.

style [stail] **I.** *s.* **1.** *allg.* Stil *m*: **a)** Art *f*, Typ *m*, **b)** Manier *f*, Art *f* u. Weise *f*, *sport* Technik *f*: ~ *of singing* Gesangsstil; *in superior* ~ in überlegener Manier, souverän; *it cramps my* ~ dabei kann ich mich nicht recht entfalten, **c)** guter Stil: *in* ~ stilvoll, **d)** Lebensart *f*, -stil *m*: *in good* (*bad*) ~ geschmackvoll (-los), **e)** vornehme Lebensart, Ele'ganz *f*: *in* ~ vornehm; *to put on* ~ *Am.* F vornehm tun, **f)** Mode *f*: *in* ~ modisch, **g)** *literarische etc.* Ausdrucksweise *od.* -kraft: *commercial* ~ Geschäftsstil, **h)** Kunst-, Baustil *m*: *in proper* ~ stilecht; **2.** (Mach)Art *f*, Ausführung *f*, Fas'son *f*; **3. a)** Titel *m*, Anrede *f*, **b)** ✝ (Firmen)Bezeichnung *f*, Firma *f*: *under the* ~ *of* unter dem Namen ..., ✝ unter der Firma ...; **4. a)** *antiq.* (Schreib)Griffel *m*, **b)** (Schreib-, Ritz)Stift *m*, **c)** Radiernadel *f*, **d)** Feder *f e-s Dichters*; **5.** ⚕ 'Sonde *f*; **6.** Zeiger *m* der Sonnenuhr; **7.** Zeitrechnung *f*, Stil *m*: *Old* (*New*) ♀; **8.** ⚘ Griffel *m*; **9.** *anat.* Griffelfortsatz *m*; **II.** *v/t.* **10.** betiteln, benennen, bezeichnen, anreden (mit *od.* als); **11.** entwerfen, gestalten; modisch zuschneiden; '**styl·er** [-lə] *s. bsd. Am.* Modezeichner(in), -schöpfer(in).

sty·let ['stailit] *s.* **1.** Sti'lett *n* (*Dolch*); **2.** ⚕ Man'drin *m*, 'Sondenführer *m*.

styl·ish ['stailiʃ] *adj.* □ **1.** stilvoll; **2.** modisch, ele'gant, flott; '**styl·ish·ness** [-nis] *s.* Ele'ganz *f*.

styl·ist ['stailist] *s.* **1.** Sti'list(in); **2.** → *styler*; **sty·lis·tic** [stai'listik] *adj.* (□ ~*ally*) sti'listisch, Stil...

sty·lite ['stailait] *s. eccl.* Sty'lit *m*, Säulenheilige(r) *m*.

styl·ize ['stailaiz] *v/t.* **1.** stilisieren; **2.** der Konventi'on unter'werfen.

sty·lo ['stailou] *pl.* **-los** F, '**sty·lo·graph** [-ləgrɑ:f; -græf], **sty·lo·graph·ic pen** [stailə'græfik] *s.* **1.** Tintenkuli *m*, Füllstift *m*; **2.** Füll(feder)halter *m*.

sty·lus ['stailəs] *s.* **1.** (Schreib)Griffel *m*; **2.** Kopierstift *m*; **3.** Schreibstift *m e-s Registriergeräts*; **4. a)** (Grammo'phon)Nadel *f*, **b)** (Platten)Schneidnadel *f*; **5.** → *style 5, 6*.

sty·mie, *a.* **sty·my** ['staimi] **I.** *s.* *Golf*: **1.** *Situation, wenn der gegnerische Ball zwischen dem Ball des Spielers u. dem Loch liegt, auf das er spielt*; **II.** *v/t.* **2.** (*den Gegner durch die Ballage von 1*) hindern; **3.** *fig.* *Gegner* matt setzen, lahmlegen; *Plan etc.* vereiteln, hindern.

styp·tic ['stiptik] *adj. u. s.* ⚕ blutstillend(es Mittel).

Styr·i·an ['stiriən] **I.** *adj.* stei(e)risch, steiermärkisch; **II.** *s.* Steiermärker(in).

Sua·bi·an [sweibjən] → *Swabian*.

su·a·ble ['sju(:)əbl] *adj.* ⚖ **1.** (ein)klagbar (*Sache*); **2.** (passiv) pro'zeßfähig (*Person*).

sua·sion ['sweiʒən] *s.* **1.** (*moral* ~ gütliches) Zureden; **2.** Über'redung(sversuch *m*) *f*; **sua·sive** ['sweisiv] *adj.* □ **1.** über'redend, zuredend; **2.** über'zeugend.

suave [swɑ:v] *adj.* □ **1.** verbindlich, höflich, zu'vorkommend, sanft; **2.** lieblich, mild (*Wein etc.*); **suav·i·ty** ['swæviti] *s.* **1.** Höflichkeit *f*, Verbindlichkeit *f*; **2.** Lieblichkeit *f*, Milde *f*; **3.** *pl.* **a)** Artigkeiten *pl.*, **b)** Annehmlichkeiten *pl.*

sub[1] [sʌb] **I.** *s.* F *abbr. für submarine, subordinate, subway, subaltern, sublieutenant etc.*; **II.** *adj.* Aushilfs..., Not...; **III.** *v/i.* F (*for*) einspringen (für), vertreten (*acc.*).

sub[2] [sʌb] (*Lat.*) *prp.* unter: ~ *finem* am Ende (*e-s zitierten Kapitels*); ~ *judice* (noch) anhängig, (noch) nicht entschieden (*Rechtsfall*); ~ *rosa* unter dem Siegel der Verschwiegenheit, vertraulich; ~ *voce* unter dem angegebenen Wort (*in e-m Wörterbuch etc.*).

sub- [sʌb; səb] *in Zssgn* **a)** Unter..., Grund..., Sub..., **b)** 'untergeordnet, Neben..., Unter..., **c)** annähernd, **d)** ⚗ 'basisch, **e)** ♈ 'umgekehrt.

sub'ac·e·tate [səb-] *s.* ⚗ 'basisch essigsaures Salz.

'**sub'ac·id** ['sʌb-] *adj.* **1.** säuerlich; **2.** *fig.* bissig, säuerlich.

'**sub·a'cute** ['sʌb-] *adj.* ⚕ suba'kut.

'**sub'a·gent** ['sʌb-] *s.* **1.** ✝ **a)** 'Untervertreter *m*, **b)** 'Zwischenspediˌteur *m*; **2.** ⚖ 'Unterbevollmächtigte(r *m*) *f*.

'**sub'al·pine** ['sʌb-] ⚘, *zo.* **I.** *adj.* subal'pin(isch); **II.** *s.* **a)** subalpines Tier, **b)** subalpine Pflanze.

sub·al·tern ['sʌbltən] **I.** *adj.* **1.** subal'tern, 'untergeordnet, Unter...; **II.** *s.* **2.** Subal'terne(r *m*) *f*, Unter'gebene(r *m*) *f*; **3.** ⚔ *bsd. Brit.* Subal'ternoffiˌzier *m*.

'**sub'arc·tic** ['sʌb-] *adj. geogr.* sub'arktisch.

sub·a·tom·ic [sʌb-] *adj. phys.* subato'mar.

sub'au·di·ble [səb-] *adj.* **1.** *phys.* unter der Hörbarkeitsgrenze; **2.** kaum hörbar.

sub'cal·i·ber *Am.*, **sub'cal·i·bre** *Brit.* [səb-] **I.** *adj.* **1.** Kleinkaliber...; **2.** ⚔ *Artillerie*: Abkommkaliber...;

II. *s.* **3.** 'Kleinkaˌliber *n*; **4.** ⚔ *Artillerie*: 'Abkommkaˌliber *n*.

sub'cla·vi·an [səb-] *anat.* **I.** *adj.* unter dem Schlüsselbein (gelegen); **II.** *s.* → *subclavian artery (muscle, vein)*; ~ **ar·ter·y** *s.* 'Unterschlüsselbeinschlagader *f*; ~ **mus·cle** *s.* Schlüsselbeinmuskel *m*; ~ **vein** *s.* körpernaher Teil der Hauptvene des Arms.

'sub·com·mit·tee ['sʌb-] *s.* 'Unterausschuß *m*.

'sub'con·scious ['sʌb-] ⚕, *psych.* **I.** *adj.* □ 'unterbewußt; **II.** *s.* *das* 'Unterbewußte *n*.

sub'con·ti·nent [səb-] *s.* *geogr.* 'Subkontiˌnent *m*.

sub'con·tract [səb-] *s.* Nebenvertrag *m*.

sub·con'trac·tor [sʌb-] *s.* ✝ **1.** 'Unterkontraˌhent *m*; **2.** 'Unterliefeˌrant *m*, Zulieferfirma *f*.

'sub'cul·ture ['sʌb-] *s.* *sociol.* 'Subkulˌtur *f*.

sub·cu·ta·ne·ous ['sʌbkju(:)'teinjəs] *adj.* □ *anat.* subku'tan, unter der *od.* die Haut.

'sub'dean ['sʌb-] *s.* *eccl.* 'Unterdeˌchant *m*.

sub·deb [sʌb'deb] *s.* *Am.* F **1.** → *subdebutante*; **2.** 'Teenager *m*; **sub'deb·u·tante** [sʌb-] *s.* *Am.* noch nicht in die Gesellschaft eingeführtes junges Mädchen.

'sub·di'vide ['sʌb-] *v/t.* *u.* *v/i.* (sich) unter'teilen; **'sub·di·vi·sion** *s.* **1.** Unter'teilung *f*; **2.** 'Unterabˌteilung *f*.

'sub'dom·i·nant ['sʌb-] ♪ **I.** *s.* 'Subdomi'nante *f*; **II.** *adj.* 'subdomiˌnantisch.

sub·due [səb'dju:] *v/t.* **1.** unter'werfen (*to dat.*), unter'jochen; **2.** über'winden, -'wältigen; **3.** *fig.* besiegen, bändigen, zähmen: *to ~ one's passions*; **4.** *Farbe, Licht, Stimme, Wirkung etc., a. Begeisterung, Stimmung etc.* dämpfen; **5.** *fig.* *j-m* e-n Dämpfer aufsetzen; **sub'dued** [-ju:d] *adj.* **1.** unter'worfen, -'jocht; **2.** gebändigt; **3.** gedämpft (*a. fig.*).

'sub'ed·it ['sʌb-] *v/t.* *Zeitung etc.* als zweiter Schriftleiter her'ausgeben; **'sub'ed·i·tor** *s.* zweiter Schriftleiter *od.* Redak'teur.

'sub·head(·ing) ['sʌb-] *s.* **1.** 'Unter-, Zwischentitel *m*; **2.** 'Unterabˌteilung *f e-s Buches etc.*

'sub'hu·man ['sʌb-] *adj.* **1.** halbtierisch; **2.** 'untermenschlich.

sub·ja·cent [sʌb'dʒeisənt] *adj.* **1.** da'runter *od.* tiefer liegend; **2.** *fig.* zu'grunde liegend.

sub·ject ['sʌbdʒikt] **I.** *s.* **1.** (*Gesprächs- etc.*)Gegenstand *m*, 'Thema *n*, Stoff *m*: *~ of conversation*; *on the ~ of* über (*acc.*), bezüglich (*gen.*); **2.** *ped.* (Lehr-, Schul-, Studien)Fach *n*, Fachgebiet *n*: *compulsory ~* Pflichtfach; **3.** Grund *m*, Anlaß *m* (*for complaint* zur Beschwerde); **4.** Ob'jekt *n*, Gegenstand *m* (*of ridicule* des Spotts); **5.** *paint. etc.* Thema *n* (*a.* ♪), Su'jet *n*, Vorwurf *m*; **6.** *ling.* Sub'jekt *n*, Satz'gegenstand *m*; **7.** 'Untertan(in), *a.* Staatsbürger(in), -angehörige(r *m*) *f*: *a British ~*; **8.** *bsd.* ⚕ **a)** Ver'suchsperˌson *f*, -tier *n*, **b)** Leichnam *m für Sektionszwecke*, **c)** Pati'ent(in), *hysterische etc.* Per'son; **9.** *ohne Artikel* die betreffende Person *etc.* (*in Informationen*); **10.** *phls.* **a)** Subjekt *n*, Ich *n*, **b)** Sub'stanz *f*; **II.** *adj.* *pred.* **11.** 'untertan, unter'geben (*to dat.*); **12.** abhängig (*to* von); **13.** ausgesetzt (*to dem Gespött etc.*); **14.** (*to*) unter'worfen, -'liegend (*dat.*), abhängig (von), vorbehaltlich (*gen.*): *~ to approval* genehmigungspflichtig; *~ to your consent* vorbehaltlich Ihrer Zustimmung; *~ to change without notice* Änderungen vorbehalten; *~ to being unsold*, *~ to (prior) sale* ✝ freibleibend, Zwischenverkauf vorbehalten; **15.** (*to*) neigend (zu), anfällig (für): *~ to headaches*; **III.** *v/t.* [səb'dʒekt] **16.** (*to*) **a)** unter'werfen (*dat.*), abhängig machen (von), **b)** *e-r Behandlung, Prüfung etc.* unter'ziehen, **c)** *dem Gespött, der Hitze etc.* aussetzen; **'~-'cat·a·logue** *s.* 'Schlagwortkataˌlog *m*; **'~-head·ing** *s.* Ru'brik *f* in e-m 'Sachreˌgister; **~ in·dex** *s.* 'Sachreˌgister *n*.

sub·jec·tion [səb'dʒekʃən] *s.* **1.** Unter'werfung *f*; **2.** Unter'worfensein *n*; **3.** Abhängigkeit *f* (*to* von): *to be in ~ to s.o.* von j-m abhängig sein.

sub·jec·tive [sʌb'dʒektiv] **I.** *adj.* □ **1.** *allg., a.* ⚕, *phls.* subjek'tiv; **2.** *ling.* Subjekts...; **II.** *s.* **3.** *a.* *~ case* *ling.* 'Nominaˌtiv *m*; **sub'jec·tive·ness** [-nis] *s.* Subjektivi'tät *f*; **sub·jec·tiv·ism** [səb'dʒektivizəm] *s.* *bsd.* *phls.* Subjekti'vismus *m*.

sub·jec·tiv·i·ty [sʌbdʒek'tiviti] *s.* Subjektivi'tät *f*.

'sub·ject|-mat·ter *s.* **1.** Gegenstand *m* (*e-r Abhandlung*, ⚖ *e-r Klage etc.*); **2.** Stoff *m*, Inhalt *m* (*Ggs. Form*); **~ ref·er·ence** *s.* Sachverweis *m*.

'sub'join ['sʌb-] *v/t.* **1.** hin'zufügen, -setzen; **2.** beilegen, -fügen.

sub·ju·gate ['sʌbdʒugeit] *v/t.* **1.** unter'jochen, -'werfen (*to dat.*); **2.** *bsd. fig.* bezwingen, bändigen; **sub·ju·ga·tion** [sʌbdʒu'geiʃən] *s.* Unter'werfung *f*, -'jochung *f*.

sub·junc·tive [səb'dʒʌŋktiv] *ling.* **I.** *adj.* □ **1.** 'konjunktiv(isch); **II.** *s.* **2.** *a.* *~ mood* 'Konjunktiv *m*; **3.** 'Konjunktivform *f*.

'sub'lease ['sʌb-] **I.** *s.* 'Untermiete *f*, -pacht *f*, -vermietung *f*, -verpachtung *f*; **II.** *v/t.* [sʌb'li:s] 'untervermieten, -verpachten; **'sub·les'see** *s.* 'Untermieter(in), -pächter(in); **'sub·les'sor** [-'sɔ:] *s.* 'Untervermieter(in), -verpächter(in).

sub·let ['sʌb'let] *v/t.* [*irr.* → *let*[1]] 'unter-, weitervermieten.

'sub·lieu·ten·ant ['sʌble'tenənt] *s.* ⚓ *Brit.* Oberleutnant *m* zur See.

sub·li·mate ['sʌblimeit] **I.** *v/t.* **1.** ⚗ sublimieren; **2.** *fig.* sublimieren (*a. psych.*), veredeln, vergeistigen; **II.** *s.* [-mit] **3.** ⚗ Subli'mat *n*; **sub·li·ma·tion** [sʌbli'meiʃən] *s.* **1.** ⚗ Sublimati'on *f*; **2.** *fig.* Sublimierung *f* (*a. psych.*).

sub·lime [sə'blaim] **I.** *adj.* □ **1.** erhaben, hehr, su'blim; **2.** *iro.* **a)** großartig, glanzvoll: *~ ignorance*, **b)** voll'endet: *a ~ idiot*, **c)** kraß: *~ indifference*; **3.** ⚕ oberflächlich; **II.** *s.* **4.** *the ~* das Erhabene; **III.** *v/t.* **5.** → *sublimate 1 u. 2*; **IV.** *v/i.* **6.** ⚗ sublimiert werden; **7.** *fig.* sich läutern.

sub·lim·i·nal [sʌb'liminl] *psych.* **I.** *adj.* **1.** 'unterbewußt: *~ self* → *3*; **2.** 'unterschwellig (*Reiz etc.*, ✝ *Werbung*); **II.** *s.* **3.** *das* 'Unterbewußte.

sub·lim·i·ty [sə'blimiti] *s.* Erhabenheit *f*.

'sub·ma'chine-gun ['sʌb-] *s.* ⚔ Ma'schinenpiˌstole *f*.

'sub·ma·rine ['sʌb-] **I.** *s.* **1.** ⚓ ⚔ 'Unterseeboot *n*, U-Boot *n*; **II.** *adj.* **2.** 'unterseeisch, Untersee..., subma'rin; **3.** ⚓ ⚔ Unterseeboot..., U-Boot...: *~ berth* U-Boot-Liegeplatz; *~ chaser* U-Boot-Jäger; *~ warfare* U-Boot-Krieg.

sub·merge [səb'mə:dʒ] **I.** *v/t.* **1.** ein-, 'untertauchen; **2.** über'schwemmen, unter Wasser setzen; **3.** *fig.* **a)** unter'drücken, **b)** über'tönen; **II.** *v/i.* **4.** 'untertauchen, -sinken; **5.** ⚓ tauchen (*U-Boot*); **sub'merged** [-dʒd] *adj.* **1.** 'untergetaucht; ⚓ ⚔ *Angriff etc.* unter Wasser; **2.** über'schwemmt; **3.** *fig.* verelendet, verarmt.

sub·mersed [səb'mə:st] *adj.* **1.** → *submerged 1 u. 2*; **2.** *bsd.* ⚘ Unterwasser...: *~ plants*; **sub'mers·i·ble** [-səbl] **I.** *adj.* **1.** 'untertauch-, versenkbar; **2.** über'schwemmbar; **3.** ⚓ tauchfähig; **II.** *s.* **4.** ⚓ 'Unterseeboot *n*; **sub'mer·sion** [-ə:ʃən] *s.* **1.** Ein-, 'Untertauchen *n*; **2.** Über'schwemmung *f*.

sub·mis·sion [səb'miʃən] *s.* **1.** (*to*) Unter'werfung *f* (unter *acc.*), Ergebenheit *f* (in *acc.*), Gehorsam *m* (gegen); **2.** Unter'würfigkeit *f*: *with all due ~* mit allem schuldigen Respekt; **3.** *bsd.* ⚖ Vorlage *f e-s Dokuments etc.*, Unter'breitung *f e-r Frage etc.*; **4.** ⚖ **a)** Sachvorlage *f*, Behauptung *f*, **b)** Kompro'miß *m*, *n*; **sub'mis·sive** [-isiv] *adj.* □ **1.** ergeben, gehorsam; **2.** unter'würfig; **sub'mis·sive·ness** [-isivnis] *s.* **1.** Ergebenheit *f*; **2.** Unter'würfigkeit *f*.

sub·mit [səb'mit] **I.** *v/t.* **1.** unter'werfen, -'ziehen, aussetzen (*to dat.*): *to ~ o.s. (to)* → *4*; **2.** *bsd.* ⚖ unter'breiten, vortragen, -legen (*to dat.*); **3.** *bsd.* ⚖ beantragen, behaupten, zu bedenken geben, an'heimstellen (*to dat.*); *bsd. parl.* ergebenst bemerken; **II.** *v/i.* **4.** (*to*) gehorchen (*dat.*), sich fügen (*dat. od.* in *acc.*); sich *j-m, e-m Urteil etc.* unterwerfen, sich *e-r Operation etc.* unterziehen; **sub'mit·tal** [-tl] *s.* Vorlage *f*, Unter'breitung *f*.

'sub'nor·mal ['sʌb-] *adj.* □ **1.** 'unternorˌmal; **2.** ⚕ 'subnorˌmal; **3.** *psych.* minderbegabt, -wertig.

'sub'or·der ['sʌb-] *s.* *biol.* 'Unterordnung *f*.

sub·or·di·nate [sə'bɔ:dnit] **I.** *adj.* □ **1.** 'untergeordnet: **a)** unter'stellt (*to dat.*): *~ position* untergeordnete Stellung, **b)** zweitrangig, nebensächlich: *~ clause* *ling.* Nebensatz; *to be ~ to e-r Sache* an Bedeutung nachstehen; **II.** *s.* **2.** Unter'gebene(r *m*) *f*; **III.** [-dineit] *v/t.* **3.** *a.* *ling.* 'unterordnen (*to dat.*); **4.** zu'rückstellen (*to* hinter *acc.*); **sub·or·di-**

na·tion [səbɔ:di'neiʃən] *s.* 'Unterordnung *f* (*to* unter *acc.*); **sub'or·di·na·tive** [-dinətiv] *adj. ling.* 'unterordnend: ~ *conjunction*.

sub·orn [sʌ'bɔ:n] *v/t.* ⚖ (*bsd.* zum Meineid) anstiften, *Zeugen* bestechen; **sub·or·na·tion** [sʌbɔ:'neiʃən] *s.* ⚖ Anstiftung *f*, Verleitung *f* (*of* zum *Meineid*, zu *falscher Zeugenaussage*), (Zeugen)Bestechung *f*; **sub'orn·er** [-nə] *s.* ⚖ Anstifter(in) (*of* zum *Meineid etc.*).

sub·pe·na *Am.* → *subpoena*.

'sub·plot ['sʌb-] *s.* Nebenhandlung *f* (*in e-m Roman etc.*).

sub·poe·na [səb'pi:nə] ⚖ **I.** *s.* (Vor-)Ladung *f* (unter Strafandrohung); **II.** *v/t.* vorladen.

sub·ro·gate ['sʌbrəgeit] *v/t.* ⚖ einsetzen (*for s.o.* an j-s Stelle; *to the rights of* in *j-s* Rechte); **sub·ro·ga·tion** [sʌbrə'geiʃən] *s.* ⚖ 'Forderungsˌübergang *m* (kraft Gesetzes); Ersetzung *f e-s Gläubigers durch e-n anderen*: ~ *of rights* Rechtseintritt.

sub·scribe [səb'skraib] **I.** *v/t.* **1.** *Vertrag etc.* unter'zeichnen, ('unterschriftlich) anerkennen; **2.** *et.* mit *s-m Namen etc.* (unter)zeichnen; **3.** *Geldbetrag* zeichnen (*for* für *Aktien*, *to* für *e-n Fonds*): *to ~ money to charities*; **II.** *v/i.* **4.** e-n Geldbetrag zeichnen (*to* für *e-n Fonds*, *for* für *e-e Anleihe etc.*); **5.** ~ *for Buch* vorbestellen; **6.** ~ *to Zeitung etc.* abonnieren; **7.** unter'schreiben, -zeichnen (*to acc.*); **8.** ~ *to fig. et.* unterschreiben, gutheißen, billigen; **sub'scrib·er** [-bə] *s.* **1.** Unter'zeichner(in), -'zeichnete(r *m*) *f* (*to gen.*); **2.** Befürworter(in) (*to gen.*); **3.** Subskri'bent(in), Abon'nent(in); *teleph.* Teilnehmer(in); **4.** Zeichner *m*, Spender *m* (*to e-s Geldbetrages*).

sub·scrip·tion [səb'skripʃən] *s.* **1. a)** Unter'zeichnung *f*, **b)** 'Unterschrift *f*; **2.** (*to*) ('unterschriftliche) Einwilligung (in *acc.*), Zustimmung *f* (zu); **3.** (*to*) Beitrag *m* (zu, für), Spende *f* (für), (gezeichneter) Betrag; (*teleph.* Grund)Gebühr *f*; **4.** *Brit.* (Mitglieds)Beitrag *m*; **5.** Abonne'ment *n*, Bezugsrecht *n*, Subskripti'on *f* (*to* auf *acc.*): *by ~* im Abonnement; *to take out a ~ to Zeitung etc.* abonnieren; **6.** ✝ Zeichnung *f* (*of e-r Summe*, *Anleihe etc.*): ~ *for shares* Aktienzeichnung; *open for ~* zur Zeichnung aufgelegt; *to invite ~s for a loan* e-e Anleihe (zur Zeichnung) auflegen; **'~-list** *s.* **1.** ✝ Subskripti'onsliste *f*; **2.** *Zeitung*: Zeichnungsliste *f*; **'~-price** *s.* Bezugspreis *m*; **~ rate** *s.* Abonne'ment(spreis *m*) *n*.

'sub·sec·tion ['sʌb-] *s.* 'Unterabˌteilung *f*, -ˌabschnitt *m*.

sub·se·quence ['sʌbsikwəns] *s.* **1.** späteres Eintreten; **2.** ⅋ Teilfolge *f*; **'sub·se·quent** [-nt] *adj.* □ (nach-)folgend, später, nachträglich, Nach...: ~ *to* **a)** später als, **b)** nach, im Anschluß an (*acc.*), folgend (*dat.*); ~ *upon* **a)** infolge (*gen.*), **b)** *nachgestellt*: (daraus) entstehend, (daraufhin) erfolgend; **'sub·se·quent·ly** [-ntli] *adv.* **1.** 'hinterher, nachher; **2.** anschließend, in der Folge; **3.** später.

sub·serve [səb'sə:v] *v/t.* dienlich *od.* förderlich sein (*dat.*); **sub'ser·vi·ence** [-vjəns] *s.* **1.** Dienlich-, Nützlichkeit *f* (*to* für); **2.** Abhängigkeit *f* (*to* von); **3.** Unter'würfigkeit *f*; **sub'ser·vi·ent** [-vjənt] *adj.* □ **1.** dienstbar, 'untergeordnet (*to dat.*); **2.** unter'würfig (*to* gegenüber); **3.** dienlich, förderlich (*to dat.*).

sub·side [səb'said] *v/i.* **1.** sich senken: **a)** sinken (*Flut etc.*), **b)** (ein-)sinken, absacken (*Boden etc.*), sich setzen (*Haus*); **2.** ⚗ sich niederschlagen; **3.** *fig.* abklingen, abflauen, sich legen: *to ~ into* verfallen in (*acc.*); **4.** *in e-n Stuhl etc.* sinken; **sub'sid·ence** [-dəns] *s.* **1.** (Erd-)Senkung *f*, Absinken *n*; **2.** *fig.* Nachlassen *n*, Abflauen *n*.

sub·sid·i·ar·y [səb'sidjəri] **I.** *adj.* □ **1.** Hilfs..., Unterstützungs..., Subsidien...: *to be ~ to* ergänzen, unterstützen; **2.** 'untergeordnet (*to dat.*), Neben...: ~ *company* → *4 a*; ~ *stream* Nebenfluß; **II.** *s.* **3.** *oft pl.* Hilfe *f*, Stütze *f*; **4.** ✝ **a)** Tochtergesellschaft *f*, **b)** Fili'ale *f*.

sub·si·dize ['sʌbsidaiz] *v/t.* aus öffentlichen Geldern unter'stützen, subventionieren; **'sub·si·dy** [-di] *s.* **1.** Beihilfe *f* (aus öffentlichen Mitteln), Subventi'on *f*; **2.** *oft pl. pol.* Sub'sidien *pl.*, Hilfsgelder *pl.*

sub·sist [səb'sist] **I.** *v/i.* **1.** existieren, bestehen; **2.** weiterbestehen, fortdauern; **3.** sich ernähren *od.* erhalten, leben (*[up]on* von *e-r Nahrung*, *by* von *e-m Beruf*); **II.** *v/t.* **4.** *j-n* er-, unter'halten; **sub'sist·ence** [-təns] *s.* **1.** Dasein *n*, Exi'stenz *f*; **2.** ('Lebens)ˌUnterhalt *m*, Auskommen *n*, Exi'stenz(möglichkeit) *f*: ~ *level od. minimum* Existenzminimum; **3.** *bsd.* ⚔ Verpflegung *f*, -sorgung *f*; **4.** *a.* ~ *money* **a)** (Lohn-)Vorschuß *m*, **b)** 'Unterhaltsbeihilfe *f*, -zuschuß *m*.

'sub·soil ['sʌb-] *s.* 'Untergrund *m*.

sub'son·ic [səb-] *adj. phys.* Unterschall...

'sub·spe·cies ['sʌb-] *s. biol.* 'Unterart *f*, Sub'spezies *f*.

sub·stance ['sʌbstəns] *s.* **1.** Sub'stanz *f*, Ma'terie *f*, Stoff *m*, Masse *f*; **2.** feste Konsi'stenz, Körper *m* (*Tuch etc.*); **3.** *fig.* Substanz *f*: **a)** Wesen *n*, **b)** *das* Wesentliche, wesentlicher Inhalt *od.* Bestandteil, Kern *m*: *in ~* im wesentlichen *übereinstimmen etc.*, **c)** Gehalt *m*: *arguments of little ~* wenig stichhaltige Argumente; *this essay lacks ~*; **4.** *phls.* **a)** Substanz *f*, **b)** Wesen *n*, Ding *n*; **5.** Vermögen *n*, Kapi'tal *n*: *a man of ~* ein vermögender Mann.

sub'stand·ard [səb-] *adj.* **1.** unter der Norm, klein...: ~ *camera phot.* Kleinbildkamera; **2.** *ling.* 'umgangssprachlich.

sub·stan·tial [səb'stænʃəl] *adj.* □ → *substantially*; **1.** materi'ell, stofflich, wirklich; **2.** fest, kräftig; **3.** nahrhaft, kräftig: *a ~ meal*; **4.** beträchtlich, wesentlich (*Fortschritt*, *Unterschied etc.*), namhaft (*Summe*); **5.** wesentlich: *in ~ agreement* im wesentlichen übereinstimmend; **6.** vermögend, kapi'talkräftig; **7.** *phls.* substanti'ell, wesentlich; **sub'stan·tial·ism** [-ʃəlizəm] *s. phls.* Substantia'lismus *m*; **sub·stan·ti·al·i·ty** [səbstænʃi'æliti] *s.* **1.** Wirklichkeit *f*, Stofflichkeit *f*; **2.** Festigkeit *f*; **3.** Nahrhaftigkeit *f*; **4.** Gediegenheit *f*; **5.** Maßgeblichkeit *f*; **6.** *phls.* Wesenhaftigkeit *f*; **sub'stan·tial·ly** [-ʃəli] *adv.* **1.** dem Wesen nach; **2.** im wesentlichen, wesentlich; **3.** beträchtlich, wesentlich, in hohem Maße; **4.** wirklich; **sub'stan·ti·ate** [-ʃieit] *v/t.* **1. a)** begründen, **b)** erhärten, beweisen, **c)** glaubhaft machen; **2.** Gestalt *od.* Wirklichkeit verleihen (*dat.*), konkretisieren; **3.** stärken, festigen; **sub·stan·ti'a·tion** [səbstænʃi'eiʃən] *s.* **1. a)** Begründung *f*, **b)** Erhärtung *f*, Beweis *m*, **c)** Glaubhaftmachung *f*: *in ~ of* zur Erhärtung *od.* zum Beweis von (*od. gen.*); **2.** Verwirklichung *f*.

sub·stan·ti·val [sʌbstən'taivəl] *adj.* □ *ling.* 'substantivisch, Substantiv...; **sub·stan·tive** ['sʌbstəntiv] **I.** *s.* **1.** *ling.* **a)** 'Substantiv *n*, Hauptwort *n*, **b)** substantivisch gebrauchte Form; **II.** *adj.* □ **2.** *ling.* substantivisch (gebraucht); **3.** selbständig; **4.** wesentlich; **5.** wirklich, re'al; **6.** fest: ~ *rank* ⚔ Dienstgrad mit Patent; **7.** ⚖ materi'ell: ~ *law*.

'sub·sta·tion ['sʌb-] *s.* Neben-, Außenstelle *f*: *post office ~* Zweigpostamt.

sub·sti·tute ['sʌbstitju:t] **I.** *s.* **1.** Ersatz(mann) *m*, (Stell)Vertreter (-in): *to act as a ~ for j-n* vertreten; **2.** Ersatz(stoff) *m*, Surro'gat *n* (*for* für); **3.** *ling.* Ersatzwort *n*; **II.** *adj.* **4.** Ersatz...: ~ *driver*; ~ *material* ⊕ Austausch(werk)stoff; ~ *power of attorney* ⚖ Untervollmacht; **III.** *v/t.* **5.** (*for*) einsetzen (für, an Stelle von), an die Stelle setzen (von *od. gen.*); *b.s.* 'unterschieben (statt); **6.** ersetzen, an *j-s* Stelle treten; **7.** (*for*) ersetzen (durch), austauschen (gegen); **IV.** *v/i.* **8.** (*for*) als Ersatz dienen, als Stellvertreter fungieren (für), vertreten (*acc.*), an die Stelle treten (von *od. gen.*); **sub·sti·tu·tion** [sʌbsti'tju:ʃən] *s.* **1.** Einsetzung *f* (⚖ *e-s Ersatzerben*, *Unterbevollmächtigten*); *bsd. b.s.* (*Kindes- etc.*) Unter'schiebung *f*; **2.** Ersatz *m*, Ersetzung *f*; (ersatzweise) Verwendung; **3.** Stellvertretung *f*; **4.** ⅋, ⚗, *ling.* Substituti'on *f*; **sub·sti·tu·tion·al** [sʌbsti'tju:ʃənl] *adj.* □ **1.** stellvertretend, Stellvertretungs...; **2.** Ersatz...: ~ *legatee* ⚖ Ersatzerbe.

'sub'stra·tum ['sʌb-] *s.* [*irr.*] **1.** 'Unter-, Grundlage *f* (*a. fig.*); **2.** *geol.* 'Unterschicht *f*; **3.** *biol.* Sub'strat *n*, Nähr-, Keimboden *m*; **4.** ⚗ 'Medium *n*; **5.** *phot.* 'Unterguß *m*; **6.** *ling.* Substrat *n*; **7.** *phls.* Sub'stanz *f*.

'sub·struc·ture ['sʌb-] *s.* **1.** ⚠ Funda'ment *n*, 'Unterbau *m* (*a.* 🚂); **2.** *fig.* Grundlage *f*.

sub·sume [səb'sju:m] *v/t.* **1.** zs.-fassen, 'unterordnen (*under* unter *dat. od. acc.*); **2.** einordnen, -reihen, -schließen (*in* in *acc.*); **3.** *phls. als Prämisse* vor'ausschicken; **sub'sump·tion** [-'sʌmpʃən] *s.* **1.** Zs.-

fassung *f* (*under* unter *dat. od. acc.*); **2.** Einordnung *f.*

ˈsubˈten·an·cy [ˈsʌb-] *s.* ˈUntermiete *f*, -pacht *f*; **ˈsubˈten·ant** *s.* ˈUntermieter *m*, -pächter *m.*

sub·ter·fuge [ˈsʌbtəfju:dʒ] *s.* **1.** Vorwand *m*, Ausflucht *f*; **2.** List *f.*

sub·ter·ra·ne·an [sʌbtəˈreinjən] *adj.*; **sub·terˈra·ne·ous** [-njəs] *adj.* □ **1.** ˈunterirdisch (*a. fig.*); **2.** *fig.* verborgen, heimlich.

sub·tile [ˈsʌtl], **sub·til·i·ty** [sʌbˈtiliti] → *subtle*, *subtlety*; **sub·til·i·za·tion** [sʌtilaiˈzeiʃən] *s.* **1.** Verfeinerung *f*; **2.** Spitzfindigkeit *f*; **3.** ⚗ Verflüchtigung *f*; **sub·til·ize** [ˈsʌtilaiz] **I.** *v/t.* **1.** verfeinern; **2.** spitzfindig diskutieren *od.* erklären; ausklügeln; **3.** ⚗ verflüchtigen, -dünnen; **II.** *v/i.* **4.** klügeln, spitzfindig argumentieren.

ˈsub·ti·tle [ˈsʌb-] *s.* ˈUntertitel *m* (*Buch, Film*).

sub·tle [ˈsʌtl] *adj.* □ **1.** *allg.* fein: ~ *delight*; ~ *odo(u)r*; ~ *smile*; **2.** fein(-sinnig), subˈtil: ~ *distinction*; ~ *irony*; **3.** scharf(sinnig), spitzfindig; **4.** heikel, schwierig: *a* ~ *point*; **5.** raffiniert; **6.** schleichend (*Gift*); **ˈsub·tle·ty** [-ti] *s.* **1.** Feinheit *f*; subˈtile Art; **2.** Spitzfindigkeit *f*; **3.** Scharfsinn(igkeit *f*) *m*; **4.** Gerissenheit *f*, Raffiˈnesse *f*; **5.** schlauer Einfall, Fiˈnesse *f.*

sub·to·pi·a [sʌbˈtoupjə] *s. Brit.* zersiedelte Landschaft.

subˈto·tal [səb-] *s.* ℞ Zwischen-, Teilsumme *f.*

sub·tract [səbˈtrækt] **I.** *v/t.* ℞ abziehen, subtrahieren (*from* von); **II.** *v/i. fig.* (*from*) Abstriche machen von, schmälern (*acc.*); **subˈtrac·tion** [-kʃən] *s.* **1.** ℞ Subtraktiˈon *f*, Abziehen *n*; **2.** *fig.* Abzug *m.*

sub·tra·hend [ˈsʌbtrəhend] *s.* ℞ Subtraˈhend *m.*

sub·trop·i·cal [ˈsʌbˈtrɔpikəl] *adj. geogr.* ˈsubtropisch; **ˈsubˈtrop·ics** [-ks] *s. pl. geogr.* ˈSubtropen *pl.*

sub·urb [ˈsʌbə:b] *s.* Vorstadt *f*, -ort *m.*

sub·ur·ban [səˈbə:bən] **I.** *adj.* **1.** vorstädtisch, Vorstadt..., Vororts...; **2.** *contp.* kleinstädtisch, spießig; **II.** *s.* **3.** → *suburbanite*; **sub·ur·ban·ite** [səˈbə:bənait] *s.* Vorstadtbewohner(in); **sub·ur·bi·a** [səˈbə:bjə] *s. oft contp.* **1.** Vorstadt *f*; **2.** *coll. die* Vorstädter *pl.*

ˈsub·va·ri·e·ty [ˈsʌb-] *s.* ⚘, *zo.* ˈuntergeordnete Abart.

sub·ven·tion [səbˈvenʃən] *s.* (staatliche) Subventiˈon, (geldliche) Beihilfe, Unterˈstützung *f*; **subˈven·tioned** [-nd] *adj.* subventioniert.

sub·ver·sion [sʌbˈvə:ʃən] *s.* **1.** *pol.* **a)** ˈUmsturz *m*, Sturz *m e-r Regierung*, **b)** Staatsgefährdung *f*, Verfassungsverrat *m*; **2.** Unterˈgrabung *f*, Zerrüttung *f*; **subˈver·sive** [-ə:siv] *adj.* **1.** *pol.* ˈumstürzlerisch, staatsgefährdend, Wühl..., subverˈsiv; **2.** zerstörerisch; **3.** zerrüttend; **subˈvert** [-ə:t] *v/t.* **1.** *Regierung* stürzen; *Gesetz* ˈumstoßen; *Verfassung* gewaltsam ändern; **2.** *Glauben, Moral, Ordnung etc.* unterˈgraben, zerrütten.

ˈsub·way [ˈsʌb-] *s.* **1.** (ˈStraßen- *etc.*) Unterˌführung *f*, Tunnel *m*; **2.** *Am.* U-Bahn *f.*

suc·ceed [səkˈsi:d] **I.** *v/i.* **1.** glücken, gelingen, erfolgreich sein *od.* verlaufen, Erfolg haben (*Sache*); **2.** Erfolg haben, erfolgreich sein, sein Ziel erreichen (*Person*) (*as* als, *in* mit *etc.*, *with* bei *j-m*): *he* ~*ed in doing s.th.* es gelang ihm, et. zu tun; *to* ~ *in an action* ⚖ obsiegen; **3.** (*to*) **a)** Nachfolger werden (in *e-m Amt etc.*), **b)** erben (*acc.*): *to* ~ *to the throne* auf den Thron folgen; *to* ~ *to s.o.'s rights* in j-s Rechte eintreten; **4.** (*to*) *unmittelbar* folgen (*dat. od.* auf *acc.*), nachfolgen (*dat.*); **II.** *v/t.* **5.** nachfolgen (*dat.*), folgen (*dat. od.* auf *acc.*); *j-s* (Amts-, Rechts)Nachfolger werden, an *j-s* Stelle treten; *j-n* beerben: *to* ~ *s.o. in office* j-s Amt übernehmen.

suc·cès d'es·time [sukseidesˈti:m; syksɛ dɛsti:m] (*Fr.*) *s.* Achtungserfolg *m.*

suc·cess [səkˈses] *s.* **1.** (guter) Erfolg, Gelingen *n*: *with* ~ erfolgreich; *without* ~ erfolglos; *to be a (great)* ~ ein (großer) Erfolg sein (*Sache u. Person*), (gut) einschlagen; *crowned with* ~ von Erfolg gekrönt (*Bemühung*); **2.** Erfolg *m*, Glanzleistung *f*; **3.** *beruflicher etc.* Erfolg; **sucˈcess·ful** [-ful] *adj.* □ **1.** erfolgreich: *to be* ~ *in doing* (*s.th.*) (et.) mit Erfolg tun, Erfolg haben (bei *od.* mit et.); **2.** erfolgreich, glücklich (*Sache*): *to be* ~ → *succeed 1.*

suc·ces·sion [səkˈseʃən] *s.* **1.** (Aufeinˈander-, Reihen)Folge *f*: *in* ~ nach-, auf-, hintereinander; *in rapid* ~ in rascher Folge; **2.** Reihe *f*, Kette *f*, (ˈununterˌbrochene) Folge (*of gen. od.* von); **3.** Nach-, Erbfolge *f*, Sukzessiˈon *f*: ~ *to the throne* Thronfolge; *in* ~ *to* als Nachfolger von; *to be next in* ~ *to s.o.* als nächster auf j-n folgen; ~ *to an office* Übernahme e-s Amtes, Amtsnachfolge; *Apostolic* ♀ *eccl.* Apostolische Sukzession; *the War of the Spanish* ♀ *hist.* der Spanische Erbfolgekrieg; **4.** ⚖ **a)** Rechtsnachfolge *f*, **b)** Erbfolge *f*, **c)** *a. order of* ~ Erbfolgeordnung *f*, **d)** *a. law of* ~ *objektives* Erb(folge)recht, **e)** ~ *to* ˈÜbernahme *f e-s Erbes*: ~ *duties* Erbschaftssteuer (*für unbewegliches Vermögen*); ~ *rights subjektive* Erbrechte; **5.** *coll.* Nachkommenschaft *f*, Erben *pl.*; **sucˈces·si·ve** [-esiv] *adj.* □ (aufeinˈander)folgend, sukzesˈsiv: *3* ~ *days* 3 Tage hintereinander; **sucˈces·sive·ly** [-esivli] *adv.* nach-, hintereinˈander, der Reihe nach; **sucˈces·sor** [-esə] *s.* **1.** Nachfolger(in) (*to*, *of j-s*, für *j-n*): ~ *in office* Amtsnachfolger; ~ *to the throne* Thronfolger; **2.** *a.* ~ *in interest* (*od. title*) ⚖ Rechtsnachfolger(in).

suc·cinct [səkˈsiŋkt] *adj.* □ kurz (und bündig), knapp, laˈkonisch, präˈgnant; **sucˈcinct·ness** [-nis] *s.* Kürze *f*, Bündigkeit *f*, Präˈgnanz *f.*

suc·cor *Am.* → *succour.*

suc·co·ry [ˈsʌkəri] *s.* ⚘ Ziˈchorie *f.*

suc·co·tash [ˈsʌkətæʃ] *s. Am.* Mais- u. Bohneneintopf *m.*

suc·cour [ˈsʌkə] **I.** *s.* Hilfe *f*, Beistand *m*; ⚔ Entsatz *m*; **II.** *v/t.* beistehen (*dat.*), zu Hilfe kommen (*dat.*); ⚔ entsetzen.

suc·cu·lence [ˈsʌkjuləns], **ˈsuc·cu·len·cy** [-si] *s.* Saftigkeit *f*; **ˈsuc·cu·lent** [-nt] *adj.* □ **1.** saftig (*a. fig.*); fleischig, sukkuˈlent (*Frucht etc.*); **2.** *fig.* kraftvoll.

suc·cumb [səˈkʌm] *v/i.* **1.** zs.-brechen (*to* unter *dat.*); **2.** (*to*) (*j-m*) unterˈliegen, (*e-r Krankheit*, *s-n Verletzungen etc.*, *a. der Versuchung*) erliegen; **3.** (*to, under, before*) nachgeben (*dat.*).

suc·cur·sal [səˈkə:səl] *adj. eccl.*: Hilfs...: ~ *church* Sukkursale.

such [sʌtʃ; sətʃ] **I.** *adj.* **1.** solch, derartig: *no* ~ *thing* nichts dergleichen; *there are* ~ *things* so etwas gibt es *od.* kommt vor; ~ *people as you see here* die(jenigen) *od.* alle Leute, die man hier sieht; *a system* ~ *as this* ein derartiges System; ~ *a one* ein solcher, eine solche, ein solches; ~ *and* ~ *persons* die u. die Personen; **2.** ähnlich, derartig: *silk and* ~ *luxuries*; *poets* ~ *as Spenser* Dichter wie Spenser; **3.** *pred.* so (beschaffen), derart(ig) (*as to* daß): ~ *is life* so ist das Leben; ~ *as it is* wie es nun einmal ist; ~ *being the case* da es sich so verhält; **4.** solch, so (groß *od.* klein *etc.*), dermaßen: ~ *a fright that* e-n derartigen Schrecken, daß ...; ~ *was the force of the explosion* so groß war die Gewalt der Explosion; **5.** F so (gewaltig), solch: *we had* ~ *fun* wir hatten e-n Riesenspaß; **II.** *adv.* **6.** so, derart: ~ *a nice day* so ein schöner Tag; ~ *a long time* e-e so lange Zeit; **III.** *pron.* **7.** solch, der, die, das, die *pl.*: ~ *as* **a)** diejenigen welche, alle die, **b)** wie (zum Beispiel); ~ *was not my intention* das war nicht meine Absicht; *man as* ~ der Mensch als solcher; *and* ~ (*like*) u. dergleichen; **8.** F *u.* ✝ der-, die-, dasˈselbe, dieˈselben *pl.*; ˈ**~·like** *adj. u. pron.* dergleichen.

suck [sʌk] **I.** *v/t.* **1.** saugen (*from, out of* aus *dat.*); **2.** saugen an (*dat.*), aussaugen; **3.** *a.* ~ *in*, ~ *up* ein-, aufsaugen, absorbieren (*a. fig.*); **4.** ~ *in* einsaugen, verschlingen; **5.** lutschen (an *dat.*): *to* ~ *one's thumb* (am) Daumen lutschen; **6.** schlürfen: *to* ~ *soup*; **7.** *fig.* holen, gewinnen, ziehen: *to* ~ *advantage out of* Vorteil ziehen aus; **8.** *fig.* aussaugen: *to* ~ *s.o.'s brain* j-n ausholen, j-m s-e Ideen stehlen; **II.** *v/i.* **9.** saugen, lutschen (*at* an *dat.*); **10.** Luft saugen *od.* ziehen (*Pumpe*); **11.** ~ *up to sl. j-m* ‚in den Arsch kriechen'; **III.** *s.* **12.** Saugen *n*, Lutschen *n*: *to give* ~ *to* → *suckle 1*; **13.** Sog *m*, Saugkraft *f*; **14.** saugendes Geräusch; **15.** Strudel *m*; **16.** F kleiner Schluck; **17.** *sl.* **a)** Reinfall *m*, **b)** Schwindel *m*, Bluff *m*; **ˈsuck·er** [-kə] *s.* **1.** *zo.* saugendes Jungtier, *bsd.* Spanferkel *n*; **2.** *zo.* **a)** Saugrüssel *m*, **b)** Saugnapf *m*; **3.** *ichth.* **a)** *ein* Karpfenfisch *m*, **b)** Neunauge *n*, **c)** Lumpenfisch *m*, **d)** Schildfisch *m*; **4.** ⊕ ˈSaugvenˌtil *n od.* -kolben *m od.* -rohr *n*; **5.** Lutscher *m* (*Bonbon*); **6.** ⚘ (*a. Wurzel*)Schößling *m*; **7.** *bsd. Am. sl.* Dumme(r) *m*, Gimpel *m*:

to be a ~ for a) stets hereinfallen auf (*acc.*), b) scharf sein auf (*acc.*).

suck·ing ['sʌkiŋ] *adj.* **1.** saugend; Saug...: *~-pump*; **2.** *fig.* angehend, ‚grün', Anfänger...; '**~-coil** *s.* ⊕ Tauchkernspule *f*; '**~-disk** *s. zo.* Saugnapf *m*; '**~-pig** *s. zo.* (Span-) Ferkel *n*.

suck·le ['sʌkl] *v/t.* **1.** *Kind, a. Jungtier* säugen, *Kind* stillen; **2.** *fig.* nähren, pflegen; '**suck·ling** [-liŋ] *s.* **1.** Säugling *m*; **2.** *zo.* (noch nicht entwöhntes) Jungtier; **3.** *fig.* Anfänger *m*, Grünschnabel *m*.

su·crose ['sjukrous] *s.* Rohr-, Rübenzucker *m*.

suc·tion ['sʌkʃən] **I.** *s.* **1.** (An)Saugen *n*; ⊕ *a.* Saugwirkung *f*; *phys.* Saugfähigkeit *f*; **2.** ⊕, *phys.* Sog *m*; **3.** *mot.* Hub(höhe *f*, -kraft *f*) *m*; **II.** *adj.* **4.** Saug... (*-leistung, -pumpe etc.*): *~ cleaner (od. sweeper)* Staubsauger; **~ cup** *s.* ⊕ Saugnapf *m*; '**~-pipe** *s.* ⊕ Ansaugrohr *n*; '**~-plate** *s.* ⚕ Saugplatte *f* (*für Zahnprothese*); '**~-stroke** *s. mot.* (An-) Saughub *m*.

suc·to·ri·al [sʌk'tɔːriəl] *adj.* ♀, *zo.* Saug...

Su·da·nese [suːdə'niːz] **I.** *adj.* suda'nesisch; **II.** *s.* Suda'nese *m*, Suda'nesin *f*; *pl.* Suda'nesen *pl.*

su·dar·i·um [sju(ː)'dɛəriəm] *s. eccl.* Schweißtuch *n* (der Heiligen Ve'ronika); **su·da·to·ri·um** [sjuːdə'tɔːriəm] *pl.* **-ri·a** [-riə] → *sudatory 3*; **su·da·to·ry** ['sjuːdətəri] **I.** *adj.* **1.** Schwitz(bad)...; **2.** ⚕ schweißtreibend; **II.** *s.* **3.** Schwitzbad *n*; **4.** ⚕ schweißtreibendes Mittel.

sud·den ['sʌdn] **I.** *adj.* □ plötzlich, jäh, unvermutet, ab'rupt, über'stürzt; **II.** *s.*: *on a ~, (all) of a ~* (ganz) plötzlich; '**sud·den·ness** [-nis] *s.* Plötzlichkeit *f*.

su·dor·if·er·ous [sjuːdə'rifərəs] *adj. physiol.* Schweiß absondernd: *~ glands* Schweißdrüsen; **su·dor'if·ic** [-fik] *adj. u. s.* schweißtreibend(es Mittel).

suds [sʌdz] *s. pl.* **1.** Seifenwasser *n*, -lauge *f*; **2.** *Am.* F Bier *n*; '**suds·y** [-zi] *adj. Am.* schaumig, seifig.

sue [sjuː] **I.** *v/t.* **1.** ⚖ *j-n* (gerichtlich) belangen, verklagen (*for* auf *acc.*, wegen); **2.** *~ out Gerichtsbeschluß etc.* erwirken; **3.** *j-n* anflehen, bitten (*for* um); **4.** *obs.* werben, anhalten um *j-n*; **II.** *v/i.* **5.** (*for*) klagen (auf *acc.*), Klage einreichen (wegen); (*e-e Schuld*) einklagen: *to ~ for a divorce* auf Scheidung klagen; **6.** nachsuchen (*to s.o.* bei j-m, *for s.th.* um et.).

suède [sweid] *s.* Wildleder *n*, Ve'lours(leder) *n*.

su·et ['sjuit] *s.* Nierenfett *n*, Talg *m*.

suf·fer ['sʌfə] **I.** *v/i.* **1.** leiden (*from* an *e-r Krankheit etc.*); **2.** leiden (*under* [*od. from*] unter *dat.*) (*Handel, Ruf, Maschine etc.*), Schaden leiden, zu Schaden kommen (*a. Person*); **3.** ⚔ Verluste erleiden; **4.** büßen, bezahlen müssen (*for* für); **5.** hingerichtet werden; **II.** *v/t.* **6.** *Strafe, Tod, Verlust etc.* erleiden, *Durst etc.* leiden, erdulden; **7.** *et. od. j-n* ertragen *od.* aushalten; **8.** a) dulden, (zu-) lassen, b) erlauben, gestatten: *he ~ed himself to be cheated* er ließ sich betrügen; '**suf·fer·a·ble** [-fərəbl] *adj.* □ erträglich; '**suf·fer·ance** [-fərəns] *s.* **1.** Duldung *f*, Einwilligung *f*: *on ~* unter stillschweigender Duldung, nur geduldet(erweise); **2.** *obs.* a) Ergebung *f*, (Er)Dulden *n*, b) Leiden *n*, Not *f*: *to remain in ~* ⚓ weiter Not leiden (*Wechsel*); **3.** ⚓ *Brit.* Zollvergünstigung *f*; '**suf·fer·er** [-fərə] *s.* **1.** Leidende(r *m*) *f*, Dulder(in): *to be a ~ by (from)* leiden durch (an *dat.*); **2.** Geschädigte(r *m*) *f*; **3.** Märtyrer(in); '**suf·fer·ing** [-fəriŋ] **I.** *s.* Leiden *n*, Dulden *n*; **II.** *adj.* leidend.

suf·fice [sə'fais] **I.** *v/i.* genügen, (hin-, aus)reichen: *~ it to say* es genüge zu sagen; **II.** *v/t.* *j-m* genügen.

suf·fi·cien·cy [sə'fiʃənsi] *s.* **1.** Hinlänglichkeit *f*, Angemessenheit *f*; **2.** hinreichende Menge *od.* Zahl: *a ~ of money* genug Geld; **3.** hinreichendes Auskommen *n*, auskömmliches Vermögen; **suf'fi·cient** [-nt] **I.** *adj.* □ **1.** genügend, genug, aus-, hin-, zureichend (*for* für): *to be ~* genügen, (aus)reichen; *~ reason* zureichender Grund; *I am not ~ of a scientist* ich bin in den Naturwissenschaften nicht bewandert genug; **2.** *obs.* tauglich, fähig; **II.** *s.* **3.** F genügende Menge, genug; **suf'fi·cient·ly** [-ntli] *adv.* genügend, zur Genüge, genug, hinlänglich.

suf·fix ['sʌfiks] **I.** *s.* **1.** *ling.* Suf'fix *n*, Nachsilbe *f*; **II.** *v/t.* [*a.* sə'fiks] **2.** *ling.* als Nachsilbe anfügen; **3.** anfügen, -hängen.

suf·fo·cate ['sʌfəkeit] **I.** *v/t.* ersticken (*a. fig.*); **II.** *v/i.* (*with*) ersticken (an *dat.*), (fast) 'umkommen (vor *dat.*); '**suf·fo·cat·ing** [-tiŋ] *adj.* □ erstickend, stickig; **suf·fo·ca·tion** [sʌfə'keiʃən] *s.* Ersticken *n*, Erstickung *f*; '**suf·fo·ca·tive** [-kətiv] *adj.* erstickend.

suf·fra·gan ['sʌfrəgən] *eccl.* **I.** *adj.* Hilfs..., Suffragan...; **II.** *s. a. ~ bishop* Suffra'gan-, Weihbischof *m*.

suf·frage ['sʌfridʒ] *s.* **1.** *pol.* Wahl-, Stimmrecht *n*: *female ~* Frauenstimmrecht; *universal ~* allgemeines Wahlrecht; **2.** (Wahl)Stimme *f*; **3.** Abstimmung *f*, Wahl *f*; **4.** Zustimmung *f*; **suf·fra·gette** [sʌfrə'dʒet] *s.* Suffra'gette *f*, Stimmrechtlerin *f*.

suf·fuse [sə'fjuːz] *v/t.* **1.** über'strömen, benetzen; über'gießen, -'ziehen, bedecken (*with* mit *e-r Farbe*); durch'fluten (*Licht*): *a face ~d with blushes* ein von Schamröte übergossenes Gesicht; **2.** *fig.* (er)füllen; **suf'fu·sion** [-juːʒən] *s.* **1.** Über'gießen *n*, -'flutung *f*; **2.** 'Überzug *m*; **3.** ⚕ 'Blutunter,laufung *f*; **4.** *fig.* Schamröte *f*.

sug·ar ['ʃugə] **I.** *s.* **1.** Zucker *m* (*a.* ⚗, *physiol.*); **2.** ⚗ 'Kohlehy,drat *n*; **3.** *fig.* honigsüße Worte *pl.*; **4.** *sl.* ‚Zaster' *m* (*Geld*); **5.** *Am. sl.* ‚Schätzchen' *n*; **II.** *v/t.* **6.** zuckern, süßen; (über)'zuckern; **7.** *a. ~ over fig.* a) versüßen, b) über'tünchen; '**~-ba·sin** *s. Brit.* Zuckerdose *f*; '**~-beet** *s.* ♀ Zuckerrübe *f*; '**~-bowl** *s. Am.* Zuckerdose *f*; **~ can·dy** *s.* Kandis(zucker) *m*; '**~-cane** *s.* ♀ Zuckerrohr *n*; '**~-coat** *v/t.* mit Zuckerguß über'ziehen; verzuckern (*a. fig.*): *~ed pill* Dragée, verzukkerte Pille (*a. fig.*); '**~-coat·ing** *s.* **1.** Über'zuckerung *f*, Zuckerguß *m*; **2.** *fig.* Versüßen *n*; Beschönigung *f*; '**~-dad·dy** *s. Am. sl.* (*von e-r Kokotte* ausgebeuteter) ‚Geldonkel'.

sug·ared ['ʃugəd] *adj.* **1.** gezuckert, gesüßt; **2.** mit Zuckerguß; **3.** *fig.* (honig)süß.

'**sug·ar|-loaf** *s.* Zuckerhut *m* (*a. fig. Berg*); '**~-ma·ple** *s.* ♀ Zuckerahorn *m*; '**~-plum** *s.* **1.** Zuckererbse *f* (*Süßigkeit*); **2.** *fig.* Lockspeise *f*, Schmeiche'lei *f*; '**~-re·fin·er·y** *s.* 'Zuckkerraffine,rie *f*; '**~-tongs** *s. pl.* Zuckerzange *f*.

sug·ar·y ['ʃugəri] *adj.* **1.** zuckerhaltig, zuck(e)rig, süß; **2.** süßlich (*a. fig.*); **3.** *fig.* zuckersüß.

sug·gest [sə'dʒest] *v/t.* **1.** *et. od. j-n* vorschlagen, empfehlen; *et.* anregen; *et.* nahelegen (*to dat.*); **2.** *Idee etc.* eingeben, -flüstern, suggerieren: *the idea ~s itself* der Gedanke drängt sich auf (*to dat.*); **3.** hindeuten, -weisen, schließen lassen auf (*acc.*); **4.** denken lassen *od.* erinnern *od.* gemahnen an (*acc.*); **5.** *et.* andeuten, anspielen auf (*acc.*); zu verstehen geben (*that* daß); **6.** behaupten, meinen (*that* daß); **sug'gest·i·ble** [-təbl] *adj.* **1.** beeinflußbar, sugge'stibel; **2.** suggerierbar; **sug'ges·tion** [-tʃən] *s.* **1.** Vorschlag *m*, Anregung *f*: *at the ~ of* auf Vorschlag von (*od. gen.*); **2.** Wink *m*, Hinweis *m*; **3.** Spur *f*, I'dee *f*: *not even a ~ of fatigue* nicht die leiseste Spur von Müdigkeit; **4.** Vermutung *f*: *a mere ~*; **5.** Erinnerung *f* (*of* an *acc.*); **6.** Andeutung *f*, Anspielung *f* (*of* auf *acc.*); **7.** Suggesti'on *f*, Beeinflussung *f*; **8.** Eingebung *f*, -flüsterung *f*; **sug'ges·tive** [-tiv] *adj.* □ **1.** anregend, gehaltvoll; **2.** (*of*) andeutend (*acc.*), erinnernd (an *acc.*): *to be ~ of* → *suggest 3, 4*; **3.** vielsagend; *b.s.* zweideutig, schlüpfrig; **4.** *psych.* sugge'stiv; **sug'ges·tive·ness** [-tivnis] *s.* **1.** *das* Anregende *od.* Vielsagende, Gedanken-, Beziehungsreichtum *m*; **2.** Schlüpfrigkeit *f*, Zweideutigkeit *f*.

su·i·cid·al [sjui'saidl] *adj.* □ selbstmörderisch (*a. fig.*), Selbstmord...; **su·i·cide** ['sjuisaid] **I.** *s.* **1.** Selbstmord *m* (*a. fig.*), Freitod *m*: *to commit ~* Selbstmord begehen; **2.** Selbstmörder(in); **II.** *adj.* **3.** Selbstmord...

su·int [swint] *s.* Wollfett *n*, -schweiß *m* (*der Schafe*).

suit [sjuːt] **I.** *s.* **1.** Satz *m*, Garni'tur *f*: *~ of armo(u)r* Rüstung; **2.** a) *a. ~ of clothes* (Herren)Anzug *m*, b) ('Damen)Ko,stüm *n*: *to cut one's ~ according to one's cloth fig.* sich nach der Decke strecken; **3.** *Kartenspiel:* Farbe *f*: *long ~* lange Hand; *to follow ~* a) Farbe bekennen, b) *fig.* dasselbe tun, j-s Beispiel folgen; **4.** ⚖ Rechtsstreit *m*, Pro'zeß *m*, Klage (-sache) *f*; **5.** Werbung *f*, (Heirats-) Antrag *m*; **6.** Anliegen *n*, Bitte *f*; **II.** *v/t.* **7.** (*to*) anpassen (*dat. od.* an *acc.*), einrichten (nach): *to ~ the action to the word* das Wort in die Tat umsetzen; *to ~ one's style to* sich im Stil nach *dem Publikum* richten;

a task ~*ed to his powers* e-e s-n Kräften angemessene Aufgabe; **8.** entsprechen (*dat.*): *to* ~ *s.o.'s purpose*; **9.** passen zu; *j-m* stehen, *j-n* kleiden; **10.** passen für, sich eignen zu *od.* für; → *suited 1*; **11.** sich schicken *od.* ziemen für *j-n*; **12.** *j-m* bekommen, zusagen (*Klima, Speise etc.*); **13.** *j-m* gefallen, *j-n* zufriedenstellen: *to try to* ~ *everybody* es allen Leuten recht machen wollen; *to* ~ *o.s.* nach Belieben handeln; ~ *yourself* tu, was dir beliebt; *are you* ~*ed?* haben Sie et. Passendes gefunden?; **14.** *j-m* recht sein *od.* passen; **III.** *v/i.* **15.** passen, (an-)genehm sein; **16.** (*with, to*) passen (zu), über'einstimmen (mit); **suit·a·bil·i·ty** [sju:tə'biliti] *s.* **1.** Eignung *f*, Angemessenheit *f*; **2.** Schicklichkeit *f*; '**suit·a·ble** [-təbl] *adj.* □ passend, geeignet; angemessen (*to, for* für, zu): *to be* ~ **a)** passen, sich eignen, **b)** sich schicken; '**suit·a·ble·ness** [-təblnis] → *suitability*.

'**suit·case** *s.* Handkoffer *m.*

suite [swi:t] *s.* **1.** Gefolge *n*; **2.** Folge *f*, Reihe *f*, Serie *f*; **3.** *a.* ~ *of rooms* **a)** Zimmerflucht *f*, **b)** Apparte'ment *n*; **4.** ('Möbel)Garni,tur *f*, (Zimmer)Einrichtung *f*; **5.** Fortsetzung *f* (*Roman etc.*); **6.** ♪ Suite *f.*

suit·ed ['sju:tid] *adj.* **1.** passend, geeignet (*to, for* für): *he is not* ~ *for* (*od. to be*) *a teacher* er eignet sich nicht zum Lehrer; **2.** *in Zssgn*: gekleidet; '**suit·ing** [-iŋ] *s.* Anzug-, Herrenstoff *m.*

suit·or ['sju:tə] *s.* **1.** Freier *m*; **2.** ⚖ Kläger *m*, (Pro'zeß)Par,tei *f*; **3.** Bittsteller *m.*

sul·fate *etc.* → *sulphate etc.*

sulk [sʌlk] **I.** *v/i.* schmollen (*with* mit), trotzen, schlechter Laune *od.* ‚eingeschnappt' sein; **III.** *s. mst pl.* Schmollen *n*, (Anfall *m* von) Trotz *m*, schlechte Laune: *to be in the* ~*s* → *I*; '**sulk·i·ness** [-kinis] *s.* Schmollen *n*, Trotzen *n*, schlechte Laune, mürrisches Wesen; '**sulk·y** [-ki] **I.** *adj.* □ **1.** mürrisch, launisch; **2.** schmollend, trotzend; **3.** *Am.* für 'eine Per'son (bestimmt): *a* ~ *set of China*; **4.** ⚘, ⊕ *Am. Pflug* mit Fahrersitz; **II.** *s.* **5. a)** zweirädriger, einsitziger Einspänner, **b)** *sport* Sulky *n*, Traberwagen *m.*

sul·len ['sʌlən] *adj.* □ **1.** mürrisch, grämlich, verdrossen; **2.** düster (*Miene, Landschaft etc.*); **3.** 'widerspenstig, störrisch (*bsd. Tiere u. Dinge*); **4.** langsam, träge (*Schritt etc.*); '**sul·len·ness** [-nis] *s.* **1.** mürrisches Wesen, Verdrossenheit *f*; **2.** Düsterkeit *f*; **3.** 'Widerspenstigkeit *f*; **4.** Trägheit *f.*

sul·ly ['sʌli] *v/t. mst fig.* besudeln, beflecken.

sul·phate ['sʌlfeit] ⚗ **I.** *s.* schwefelsaures Salz, Sul'fat *n*: ~ *of copper* Kupfervitriol, -sulfat; **II.** *v/t.* sulfatieren; '**sul·phide** [-faid] *s.* ⚗ Sul'fid *n*; '**sul·phite** [-fait] *s.* ⚗ schwefeligsaures Salz, Sul'fit *n.*

sul·phur ['sʌlfə] *s.* **1.** ⚗ Schwefel *m*; **2.** *a.* ~*yellow* Schwefelgelb *n* (*Farbe*); **3.** *zo. ein* Weißling *m* (*Falter*); '**sul·phu·rate** [-fjureit] → *sulphurize*; **sul·phu·re·ous** [sʌl'fjuəriəs] *adj.* **1.** schwef(e)lig, schwefelhaltig, Schwefel...; **2.** schwefelfarben; '**sul·phu·ret** [-fjuret] ⚗ **I.** *s.* Sul'fid *n*; **II.** *v/t.* schwefeln: ~*ted* geschwefelt; ~*ted hydrogen* Schwefelwasserstoff; **sul·phu·ric** [sʌl'fjuərik] *adj.* ⚗ Schwefel...; '**sul·phu·rize** [-juraiz] ⚗, ⊕ *v/t.* **1.** schwefeln; **2.** vulkanisieren; '**sul·phu·rous** [-fjərəs] *adj.* **1.** ⚗ → *sulphureous*; **2.** *fig.* hitzig, heftig.

sul·tan ['sʌltən] *s.* 'Sultan *m*; **sul·tan·a** [sʌl'tɑ:nə] *s.* **1.** 'Sultanin *f*; **2.** [səl'tɑ:nə] *a.* ~ *raisin* ✿ Sulta'nine *f*; '**sul·tan·ate** [-tənit] *s.* Sulta'nat *n.*

sul·tri·ness ['sʌltrinis] *s.* Schwüle *f*; **sul·try** ['sʌltri] *adj.* □ **1.** schwül (*a. fig. sexuell*); **2.** *fig.* heftig, heiß, hitzig (*Temperament etc.*).

sum [sʌm] **I.** *s.* **1.** *allg.* Summe *f*: **a)** *a.* ~ *total* (Gesamt-, End)Betrag *m*, **b)** (Geld)Betrag *m*, **c)** *fig.* Ergebnis *n*, **d)** *fig.* Gesamtheit *f*: *in* ~ insgesamt; mit 'einem Wort; **2.** F **a)** Rechenaufgabe *f*, **b)** *pl.* Rechnen *n*: *to do* ~*s* rechnen; *he is good at* ~*s* er kann gut rechnen; **3.** *fig.* Inbegriff *m*, Kern *m*, Sub'stanz *f*; **4.** Zs.-fassung *f*; **II.** *v/t.* **5.** *a.* ~ *up* summieren, zs.-zählen; **6.** ~ *up Ergebnis* ausmachen; **7.** ~ *up fig.* (kurz) zs.-fassen, rekapitulieren; **8.** ~ *up* (kurz) ein-, abschätzen, (mit Blikken) messen; **III.** *v/i.* **9.** ~ *up* (das Gesagte) zs.-fassen, resümieren.

sum·ma·ri·ness ['sʌmərinis] *s. das* Sum'marische, Kürze *f*; '**sum·ma·rize** [-raiz] *v/t. u. v/i.* (kurz) zs.-fassen; '**sum·ma·ry** [-ri] **I.** *s.* Zs.-fassung *f*, (gedrängte) 'Übersicht, Abriß *m*, (kurze) Inhaltsangabe; **II.** *adj.* sum'marisch: **a)** knapp, gedrängt, **b)** ⚖ abgekürzt, Schnell...: ~ *procedure*; ~ *dismissal* fristlose Entlassung; **summa·tion** [sʌ'meiʃən] *s.* **1.** Zs.-zählen *n*; **2.** Summierung *f*; **3.** (Gesamt)Summe *f*; **4.** ⚖ Resü'mee *n.*

sum·mer[1] ['sʌmə] **I.** *s.* **1.** Sommer *m*: *in (the)* ~ im Sommer; **2.** Lenz *m* (*Lebensjahr*): *a lady of 20* ~*s*; **II.** *v/t.* **3.** *Vieh etc.* über'sommern lassen; **III.** *v/i.* **4.** den Sommer verbringen; **IV.** *adj.* **5.** sommerlich, Sommer...

sum·mer[2] ['sʌmə] *s.* △ **1.** Oberschwelle *f*; **2.** Trägerbalken *m*; **3.** Tragstein *m auf Pfeilern.*

'**sum·mer|-house** *s.* Gartenhaus *n*, (-)Laube *f*; ~ **light·ning** *s.* Wetterleuchten *n.*

'**sum·mer·like** [-laik], **sum·mer·ly** ['sʌməli] *adj.* sommerlich.

'**sum·mer|-re·sort** *s.* Sommerfrische *f*, -kurort *m*; ~ **school** *s. bsd. univ.* Ferien-, Sommerkurs *m*; ~ **term** *s. univ.* 'Sommerse,mester *n*; '~**time** *s.* Sommer *m*, Sommerszeit *f*; ~ **time** *s.* Sommerzeit *f* (*Uhrzeit*).

sum·mer·y ['sʌməri] *adj.* sommerlich.

'**sum·ming-'up** ['sʌmiŋ-] (kurze) Zs.-fassung, Resü'mee *n* (*a.* ⚖).

sum·mit ['sʌmit] *s.* **1.** Gipfel *m* (*a. fig. pol.*), Kuppe *f e-s Berges*: ~ *conference pol.* Gipfelkonferenz; **2.** Scheitel *m e-r Kurve etc.*; Kappe *f*, Krone *f e-s Dammes etc.*; **3.** *fig.* Gipfel *m*, Höhepunkt *m*: *at the* ~ *of power* auf dem Gipfel der Macht; **4.** höchstes Ziel.

sum·mon ['sʌmən] *v/t.* **1.** auffordern, -rufen (*to do et.* zu tun); **2.** rufen, kommen lassen, (her)zitieren; **3.** ⚖ vorladen; **4.** *Konferenz etc.* zs.-rufen, einberufen; **5.** *oft* ~ *up Kräfte, Mut etc.* zs.-nehmen, zs.-raffen, aufbieten; '**summon·er** [-nə] *s.* (*hist.* Gerichts-)Bote *m*; '**sum·mons** [-nz] *s.* **1.** Ruf *m*, Berufung *f*; **2.** Aufforderung *f*, Aufruf *m*; **3.** ⚖ (Vor)Ladung *f*: *to take out a* ~ *against s.o.* j-n (vor-)laden lassen; **4.** Einberufung *f.*

sump [sʌmp] *s.* **1.** Sammelbehälter *m*, Senkgrube *f*; **2.** ⊕, *mot.* Ölwanne *f*; **3.** ⚒ (Schacht)Sumpf *m.*

sump·ter ['sʌmptə] **I.** *s.* **Saumtier** *n*; **II.** *adj.* Pack...: ~ *horse*; ~ *saddle.*

sump·tion ['sʌmpʃən] *s. phls.* **1.** Prä'misse *f*; **2.** Obersatz *m* (*im Syllogismus*).

sump·tu·ar·y ['sʌmptjuəri] *adj.* Aufwands..., Luxus...; '**sump·tu·ous** [-əs] *adj.* □ **1.** kostspielig; **2.** kostbar, prächtig, herrlich; **3.** üppig; '**sump·tu·ous·ness** [-əsnis] *s.* **1.** Kostspieligkeit *f*; **2.** Pracht *f*; Aufwand *m*, Luxus *m.*

sun [sʌn] **I.** *s.* **1.** Sonne *f*: *a place in the* ~ *fig.* ein Platz an der Sonne; *under the* ~ *fig.* unter der Sonne, auf Erden; *with the* ~ bei Tagesanbruch; *his* ~ *is set fig.* sein Stern ist erloschen; **2.** Sonne *f*, Sonnenwärme *f*, -licht *n*, -schein *m*: *to have the* ~ *in one's eyes sl.* beduselt *od.* betrunken sein; **3.** *poet.* **a)** Jahr *n*, **b)** Tag *m*; **II.** *v/t. u. v/i.* **4.** (sich) sonnen; '~**-and-'plan·et (gear)** *s.* ⊕ Pla'netengetriebe *n*; '~**-baked** *adj.* von der Sonne ausgedörrt *od.* getrocknet; '~**-bath** *s.* Sonnenbad *n*; '~**-bathe** *v/i.* Sonnenbäder *od.* ein Sonnenbad nehmen; '~**-beam** *s.* Sonnenstrahl *m*; '~**-blind** *s. Brit.* Mar'kise *f*; '~**-burn** *s.* Sonnenbrand *m*, -bräune *f*; '~**-burned,** '~**-burnt** *adj.* sonn(en)verbrannt: *to be* ~ e-n Sonnenbrand haben; '~**-burst** *s.* **1.** plötzlicher 'Durchbruch der Sonne; **2.** Sonnenbanner *n* (*Japans*).

sun·dae ['sʌndei] *s. bsd. Am.* Eisbecher *m* mit Früchten.

Sun·day ['sʌndi] **I.** *s.* **1.** Sonntag *m*: *on* ~ (am) Sonntag; *on* ~*(s)* sonntags; ~ *evening*, ~ *night* Sonntagabend; *a month of* ~*s fig.* schrecklich lange, ewig; **II.** *adj.* **2.** sonntäglich, Sonntags...: ~ *best* F Sonntagsstaat, -kleider; ~ *school eccl.* Sonntagsschule; **3.** F Sonntags...: ~ *driver*; ~ *painter.*

sun·der ['sʌndə] *poet.* **I.** *v/t.* **1.** trennen, sondern (*from* von); **2.** *fig.* entzweien; **II.** *v/i.* **3.** sich trennen; **III.** *s.* **4.** *in* ~ entzwei, auseinander.

'**sun|-di·al** *s.* Sonnenuhr *f*; '~**-down** → *sunset*; '~**-down·er** *s.* **1.** *Austral.* F Landstreicher *m*; **2.** F Dämmerschoppen *m*; **3.** *Am. sl.* **a)** Nachtarbeiter *m*, **b)** Abendschüler *m*; '~**-dried** *adj.* an der Sonne getrocknet *od.* gedörrt.

sun·dries ['sʌndriz] *s. pl.* Di'verses *n*, Verschiedenes *n*, allerlei Dinge; di'verse Unkosten; **sun·dry** ['sʌndri] *adj.* verschiedene, di'verse, allerlei, -hand: *all and* ~ all u. jeder, alle miteinander.

'**sun**|·**fast** *adj. Am.* lichtecht; '~-**flow·er** *s.* Sonnenblume *f.*

sung [sʌŋ] *pret. u. p.p. von sing.*

'**sun**|-**glass·es** *s. pl. a. pair of* ~ Sonnenbrille *f*; '~-**glow** *s.* **1.** Morgen-, Abendröte *f*; **2.** Sonnenhof *m*; '~-**god** *s.* Sonnengott *m*; '~-'**hel·met** *s.* Tropenhelm *m.*

sunk [sʌŋk] **I.** *pret. u. p.p. von sink*; **II.** *adj.* **1.** vertieft; **2.** *bsd.* ⊕ eingelassen, versenkt: ~ *screw*; ~ *relief*; **sunk·en** [-kən] **I.** *obs. p.p. von sink*; **II.** *adj.* **1.** versunken; **2.** eingesunken: ~ *rock* blinde Klippe; **3.** tiefliegend, vertieft (angelegt); **4.** ⊕ → *sunk 2*; **5.** *fig.* hohl (*Augen, Wangen*), eingefallen (*Gesicht*).

'**sun**|·**lamp** *s.* **1.** ⚕ künstliche Höhensonne; **2.** *Film:* 'Jupiterlampe *f*; '~·**light** *s.* Sonnenschein *m*, -licht *n*; '~·**like** *adj.* sonnenähnlich, Sonnen...; '~·**lit** *adj.* sonnenbeschienen.

sun·ni·ness ['sʌninis] *s.* Sonnigkeit *f* (*a. fig.*); **sun·ny** ['sʌni] *adj.* □ sonnig (*a. fig. Gemüt, Lächeln etc.*), Sonnen...: ~ *side* Sonnenseite (*a. fig. des Lebens*).

sun| **par·lor** *s. Am.* 'Glasveˌranda *f*; '~-**pow·er** *s. phys.* 'Sonnenenerˌgie *f*; '~·**proof** *adj.* **1.** für Sonnenstrahlen 'unˌdurchlässig; **2.** lichtfest; '~·**rise** *s.* Sonnenaufgang *m*: *at* ~ bei Sonnenaufgang; '~·**set** *s.* 'Sonnenˌuntergang *m*: *at* ~ bei Sonnenuntergang; ~ *of life fig.* Lebensabend; '~·**shade** *s.* **1.** Sonnenschirm *m*; **2.** Mar'kise *f*; **3.** *phot.* Gegenlichtblende *f*; '~·**shine** *s.* Sonnenschein *m* (*a. fig.*); sonniges Wetter: ~ *roof mot.* Schiebedach; '~·**shin·y** *adj.* sonnig (*a. fig.*); '~·**spot** *s.* **1.** *ast.* Sonnenfleck *m*; **2.** Sommersprosse *f*; '~·**stroke** *s.* ⚕ Sonnenstich *m*, Hitzschlag *m*; '~·**struck** *adj.* ⚕ vom Sonnenstich *od.* Hitzschlag getroffen; '~·**tan** *s.* (Sonnen)Bräune *f*; '~-**up** *s. dial.* Sonnenaufgang *m.*

'**sun-wor·ship·(p)er** *s.* Sonnenanbeter *m.*

sup[1] [sʌp] *v/i.* zu Abend essen (*off od. on s.th. et.*).

sup[2] [sʌp] **I.** *v/t.* **1.** *a.* ~ *off*, ~ *out* löffeln, schlürfen; **2.** *fig.* (gründlich) auskosten, erfahren; **II.** *v/i.* **3.** nippen, löffeln; **III.** *s.* **4.** Mundvoll *m*, kleiner Schluck: *a bite and a* ~ et. zu essen u. zu trinken; *neither bit* (*od. bite*) *nor* ~ nichts zu beißen u. zu brechen.

super- [sju:pə] *in Zssgn* **a)** 'übermäßig, Über..., über..., **b)** oberhalb (von *od. gen.*) *od.* über (*dat.*) befindlich, **c)** Super... (*in wissenschaftlichen Ausdrücken*), **d)** 'übergeordnet, Ober...

su·per ['sju:pə] **I.** *s.* **1.** F *für* **a)** *superintendent*, **b)** *supernumerary*; **2.** † **a)** erstklassige Quali'tät, Spitzenklasse *f*, **b)** Quali'tätsware *f*; **II.** *adj.* **3.** F erstklassig, prima, ‚super'.

su·per·a·ble ['sju:pərəbl] *adj.* über'windbar, besiegbar.

su·per|·**a'bound** [-ərə-] *v/i.* **1.** im 'Überfluß vor'handen sein; **2.** Überfluß *od.* e-e 'Überfülle haben (*in, with* an *dat.*); ~**a'bun·dance** *s.* Überfülle *f*, -fluß *m* (*of* an *dat.*); ~**a'bun·dant** *adj.* □ **1.** 'überreichlich; **2.** 'überschwenglich; ~'**add** [-ər'æd] *v/t.* noch hin'zufügen (*to* zu): *to be* ~*ed* (*to*) noch dazukommen (zu *et.*).

su·per|·**an·nu·ate** [sju:pə'rænjueit] *v/t.* **1.** pensionieren, in den Ruhestand versetzen; **2.** (als zu alt) ausscheiden; **3.** *ped. wegen mangelnder Leistung* von der Schule verweisen; ~'**an·nu·at·ed** [-tid] *adj.* **1.** pensioniert, ausgedient; **2.** über'altert (*Person*); **3.** veraltet, über'holt, ausgedient (*Sache*); ~**an·nu·a·tion** [sju:pərænju'eiʃən] *s.* **1.** Pensionierung *f*; **2.** Ruhestand *m*; **3.** Ruhegeld *n*, Pensi'on *f*: ~ *fund* Pensionskasse.

su·perb [sju(:)'pə:b] *adj.* □ **1.** herrlich, prächtig; **2.** vor'züglich, ausgezeichnet.

'**su·per**|'**cal·en·der** ⊕ **I.** *s.* 'Hochkaˌlander *m*; **II.** *v/t. Papier* 'hochsatiˌnieren; '~·**car·go** *s.* Fracht-, Ladungsaufseher *m*; '~·**charge** *v/t.* **1.** über'laden; **2.** ⊕, *mot.* vor-, 'überverdichten: ~*d engine* Lader-, Kompressormotor; '~·**charg·er** *s.* ⊕ Vorverdichter *m*, Gebläse *n*, Kom'pressor *m.*

su·per·cil·i·ous [sju:pə'siliəs] *adj.* □ hochmütig, her'ablassend; **su·per'cil·i·ous·ness** [-nis] *s.* Hochmut *m*, Hochnäsigkeit *f*, Her'ablassung *f.*

'**su·per**|'**dom·i·nant** *s.* ♪ sechste Stufe (*Stufe über der Dominante*); ~'**dread·nought** *s.* ⚓ Großkampfschiff *n*; ~**el·e'va·tion** *s.* ⊕ Über'höhung *f*; ~'**em·i·nence** *s.* **1.** Vorrang(stellung *f*) *m*; **2.** über'ragende Bedeutung *od.* Quali'tät, Vortrefflichkeit *f.*

su·per·er·o·ga·tion [sju:pərerə'geiʃən] *s.* Mehrleistung *f*: *works of* ~ *eccl.* überschüssige (gute) Werke; *work of* ~ *fig.* Arbeit über die Pflicht hinaus; **su·per·e·rog·a·to·ry** [sju:pere'rɔgətəri] *adj.* **1.** über das Pflichtmaß hin'ausgehend, 'übergebührlich; **2.** 'überflüssig.

su·per'ex·cel·lent [-ə're-] *adj.* □ höchst vor'trefflich, 'unüberˌtrefflich.

su·per·fi·ci·al [sju:pə'fiʃəl] *adj.* □ **1.** oberflächlich, Oberflächen...; **2.** Flächen..., Quadrat...: ~ *measurement* Flächenmaß; **3.** äußerlich, äußer: ~ *characteristics*; **4.** *fig.* oberflächlich: **a)** flüchtig, **b)** *contp.* seicht; **su·per·fi·ci·al·i·ty** [sju:pəfiʃi'æliti] *s.* **1.** Oberflächenlage *f*; **2.** *fig.* Oberflächlichkeit *f*; **su·per·fi·ci·es** [sju:pə'fiʃi:z] *s.* **1.** (Ober-)Fläche *f*; **2.** *fig.* Oberfläche *f*, äußerer Anschein.

'**su·per**|-**film** *s.* Monumen'talfilm *m*; '~'**fine** *adj.* **1.** *bsd.* † extra-, hochfein; **2.** über'feinert.

su·per·flu·i·ty [sju:pə'flu(:)iti] *s.* **1.** 'Überfluß *m*, Zu'viel *n* (*of* an *dat.*); **2.** *mst. pl.* Entbehrlichkeit *f*, 'Überflüssigkeit *f*; **su·per·flu·ous** [sju(:)'pə:fluəs] *adj.* □ 'überflüssig.

'**su·per**|'**heat** *v/t.* ⊕ über'hitzen; '~'**het(·er·o·dyne)** [-'het(ərədain)] **I.** *adj.* **1.** Überlagerungs..., Superhet...; **II.** *s.* **2.** Über'lagerungsempfänger *m*, Super(het) *m*; '~'**high fre·quen·cy** *s.* ⚡ 'Höchstfrequenz (-bereich *m*) *f*; ~'**high·way** *s. Am.* Autobahn *f*; ~'**hu·man** *adj.* 'übermenschlich: ~ *beings*; ~ *efforts*; '~·**im'pose** [-əri-] *v/t.* **1.** dar'auf-, dar'übersetzen *od.* -legen; **2.** setzen, legen, lagern (*on* auf, über *acc.*); **3.** (*on*) hin'zufügen (zu), folgen lassen (*dat.*); **4.** ⚡, *phys.* über'lagern; '~·**im'posed** [-əri-] *adj.* **1.** dar'auf-, dar'übergelegt *od.* -liegend: ~ *one upon another* übereinandergelagert; **2.** *phys.* über'lagert; '~·**in'duce** [-əri-] *v/t.* **1.** (noch) hin'zufügen (*on* zu); **2.** (zusätzlich) einführen (*on, upon* zu); **3.** (oben'drein) her'beiführen.

su·per·in·tend [sju:prin'tend] *v/t.* die (Ober)Aufsicht haben über (*acc.*), beaufsichtigen, über'wachen, leiten; **su·per·in'tend·ence** [-dəns] *s.* (Ober)Aufsicht *f* (*over* über *acc.*), Leitung *f* (*of gen.*); **su·per·in'ten·dent** [-dənt] **I.** *s.* **1.** Leiter *m*, Vorsteher *m*, Di'rektor *m*: ~ *of public works*; **2.** Oberaufseher *m*, Aufsichtsbeamte(r) *m*, In'spektor *m*: ~ *of schools*; **3.** *Brit.* Poli'zeichef *m*; **4.** *eccl.* ˌSuperinten'dent *m*; **II.** *adj.* **5.** aufsichtführend, leitend, Aufsichts...

su·pe·ri·or [sju(:)'piəriə] **I.** *adj.* □ **1.** höherliegend, ober: ~ *planets ast.* äußere Planeten; ~ *wings zo.* Flügeldecken; **2.** höher(stehend), Ober..., vorgesetzt: ~ *court* ⚖ Obergericht, höhere Instanz; ~ *officer* vorgesetzter *od.* höherer Beamter *od.* Offizier, Vorgesetzte(r); **3.** über'legen, -'ragend: ~ *man*; ~ *skill*; → *style 1b*; **4.** besser (*to* als), her'vorragend, erlesen: ~ *quality*; **5.** (*to*) größer, stärker (als), über'legen (*dat.*): ~ *forces* ⚔ Übermacht; ~ *in number* zahlenmäßig überlegen, in der Überzahl; **6.** *fig.* erhaben (*to* über *acc.*): ~ *to prejudice*; *to rise* ~ *to* sich über *et.* erhaben zeigen; **7.** *fig.* über'legen, -'heblich: ~ *smile*; **8.** *iro.* vornehm: ~ *persons* bessere *od.* feine Leute; **9.** *typ.* hochgestellt; **II.** *s.* **10.** *to be s.o.'s* ~ j-m überlegen sein (*in* im *Denken etc.*, an *Mut etc.*); **11.** Vorgesetzte(r *m*) *f*; **12.** *eccl.* **a)** Su'perior *m*, **b)** *mst lady* ~ Oberin *f*; **su·pe·ri·or·i·ty** [sju(:)piəri'ɔriti] *s.* **1.** Erhabenheit *f* (*to, over* über *acc.*); **2.** Über'legenheit *f*, 'Übermacht *f* (*to, over* über *acc., in* in *od.* an *dat.*); **3.** Vorrecht *n*, -rang *m*, -zug *m*; **4.** Über'heblichkeit *f*: ~ *complex psych.* Superioritätskomplex.

su·per·la·tive [sju(:)'pə:lətiv] **I.** *adj.* □ **1.** höchst; **2.** über'ragend, 'unüberˌtrefflich; **3.** *ling.* superla'tivisch, Superlativ...: ~ *degree* → *5*; **II.** *s.* **4.** höchster Grad, Gipfel *m*; *contp.* Ausbund *m* (*of* von): *to talk in* ~*s* in Superlativen reden; **5.** *ling.* Superlativ *m.*

'**su·per**|·**man** [-mæn] *s.* [*irr.*] 'Übermensch *m*; '~·**mar·ket** *s.* Supermarkt *m.*

su·per·nal [sju(:)'pə:nl] *adj. poet.* 'überirdisch.

su·per|'**nat·u·ral** **I.** *adj.* □ 'übernaˌtürlich; **II.** *s. das* 'Übernaˌtürliche *od.* Wunderbare; '~'**nor·mal** *adj.* □ **1.** 'überˌdurchschnittlich; **2.** außer-, ungewöhnlich; ~'**nu·mer·ar·y** [-'nju:mərəri] **I.** *adj.* **1.** 'überzählig, außerplanmäßig, extra; **2.**

ˈüberflüssig; **II.** *s.* **3.** ˈüberzählige Perˈson *od.* Sache; **4.** außerplanmäßiger Beamter *od.* Offiˈzier, Supernumeˈrar *m*; **5.** Hilfsarbeiter *m*; **6.** *thea.* Staˈtist(in); **~ˈox·ide** *s.* ⚗ ˈSuper-, ˈPeroˌxyd *n*; **~ˈphos·phate** *s.* ⚗ ˈSuperphosˌphat *n.*

su·per·pose [ˈsju:pəˈpouz] *v/t.* **1.** (auf)legen, lagern, schichten (*on* über, auf *acc.*); **2.** übereinˈander anbringen, übereinˈanderlegen, -lagern; **3.** ⚡ überˈlagern; **ˈsu·per·poˈsi·tion** *s.* **1.** Aufschichtung *f*, -lagerung *f*; **2.** Übereinˈandersetzen *n*; **3.** *geol.* Schichtung *f*; **4.** ⚘, ⚡ ˌSuperpositiˈon *f*; **5.** ⚡ Überˈlagerung.

ˈsu·per|ˈpow·er I. *s. pol.* Supermacht *f*; **II.** *adj.* ⚡ Groß...: ~ *station* Großkraftwerk; **ˈ~ˈscribe** *v/t.* **1.** beschriften, überˈschreiben; **2.** *obs.* adressieren; **~ˈscrip·tion** [-ˈskripʃən] *s.* ˈÜber-, Aufschrift *f.*

su·per·sede [sju:pəˈsi:d] *v/t.* **1.** *j-n od. et.* ersetzen (*by* durch); **2.** *et.* abschaffen, beseitigen, *Gesetz etc.* aufheben; **3.** *j-n* absetzen, des Amtes entheben; **4.** *j-n in der Beförderung etc.* überˈgehen; **5.** *et.* verdrängen, ersetzen, ˈüberflüssig machen; **6.** an die Stelle treten von (*od. gen.*), *j-n od. et.* ablösen: *to be ~d by* abgelöst werden von; **su·perˈse·de·as** [-diæs] *s.* **1.** ⚖ Sistierungsbefehl *m*, ˈWiderruf *m e-r Anordnung*; **2.** *fig.* aufschiebende Wirkung, Hemmnis *n*; **su·perˈsed·ence** [-dəns], **su·perˈse·dure** [-dʒə] → *supersession.*

su·perˈsen·si·tive *adj.* ˈüberempfindlich.

su·per·ses·sion [sju:pəˈseʃən] *s.* **1.** Ersetzung *f* (*by* durch); **2.** Abschaffung *f*; **3.** Aufhebung *f*; **4.** Verdrängung *f.*

ˈsu·perˈson·ic I. *adj.* **1.** *phys.* Ultraschall...; **2.** ✈ Überschall...: *at ~ speed* mit Überschallgeschwindigkeit; **II.** *s. pl.* **3.** *phys.* **a**) ˈUltraschallwellen *pl.*, **b**) *mst sg. konstr.* Fachgebiet *n* des ˈUltraschalls.

su·per·sti·tion [sju:pəˈstiʃən] *s.* Aberglaube(n) *m*; **su·perˈsti·tious** [-ʃəs] *adj.* □ abergläubisch; **su·perˈsti·tious·ness** [-ʃəsnis] *s. das* Abergläubische, Aberglaube(n) *m.*

su·perˈstra·tum *s.* [*irr.*] *geol.* obere Schicht.

ˈsu·per·struc·ture *s.* **1.** Über-, Ober-, Aufbau *m*: *~ work* Hochbau; **2.** ⚓ (Decks)Aufbauten *pl.*

ˈsu·per·tax → *surtax.*

su·per·vene [sju:pəˈvi:n] *v/i.* **1.** (noch) hinˈzukommen ([*up*]*on* zu); **2.** (unvermutet) eintreten, daˈzwischenkommen; **3.** (unmittelbar) folgen, sich ergeben; **su·perˈven·tion** [-ˈvenʃən] *s.* **1.** Hinˈzukommen *n* (*on* zu); **2.** Daˈzwischenkunft *f.*

su·per·vise [ˈsju:pəvaiz] *v/t.* beaufsichtigen, überˈwachen, die Aufsicht haben *od.* führen über (*acc.*); **su·perˈvi·sion** [-ˈviʒən] *s.* **1.** Beaufsichtigung *f*; **2.** (Ober)Aufsicht *f*, Leitung *f*, Konˈtrolle *f* (*of* über *acc.*): *police ~* Polizeiaufsicht; **3.** *ped.* ˈSchulinspektiˌon *f*; **ˈsu·perˈvi·sor** [-zə] *s.* **1.** Aufseher *m*, Inˈspektor *m*, Kontrolˈleur *m*; **2.** *Am.* (leitender) Beamter e-s Stadt- *od.* Kreisverwaltungsvorstandes; **3.** *univ.* Doktorvater *m*; **su·perˈvi·so·ry** [-zəri] *adj.* Aufsichts...: *in a ~ capacity* aufsichtführend, als Aufsichtsbehörde.

su·pine¹ [ˈsju:pain] *s. ling.* Suˈpinum *n.*

su·pine² [sju:ˈpain] *adj.* □ **1.** auf dem Rücken liegend, aus-, hingestreckt: *~ position* Rückenlage; **2.** *poet.* zuˈrückgelehnt; **3.** *fig.* (nach-) lässig, gleichgültig, träge.

sup·per [ˈsʌpə] *s.* **1.** Abendessen *n*: *to have ~* zu Abend essen; **2.** *the* ♀ *eccl.* **a**) *a. the Last* ♀ das letzte Abendmahl, **b**) *a. the Lord's* ♀ das Heilige Abendmahl, die Heilige Kommunion.

sup·plant [səˈplɑ:nt] *v/t. j-n od. et.* verdrängen, ersetzen; *Rivalen etc.* ausstechen.

sup·ple [ˈsʌpl] **I.** *adj.* □ **1.** geschmeidig: **a**) biegsam, **b**) *fig.* beweglich (*Geist etc.*), **c**) *fig.* kriecherisch; **II.** *v/t.* geschmeidig machen.

sup·ple·ment I. *s.* [ˈsʌplimənt] **1.** Ergänzung *f*, Zusatz *m* (*to* zu); **2.** Nachtrag *m*, Anhang *m* (*zu e-m Buch*), Ergänzungsband *m*; **3.** (*Zeitungs- etc.*)Beilage *f*; **4.** ⩓ Ergänzung *f*, Suppleˈment(winkel *m*) *n*; **II.** *v/t.* [ˈsʌpliment] **5.** ergänzen; **sup·ple·ment·al** [sʌpliˈmentl] *adj.* □, **sup·ple·men·ta·ry** [sʌpliˈmentəri] *adj.* □ **1.** ergänzend, Ergänzungs..., Zusatz..., Nach(trags)...: *to be ~ to et.* ergänzen; *~ agreement pol.* Zusatzabkommen; *~ order* Nachbestellung; *~ proceedings* ⚖ (Zwangs)Vollstreckungsverfahren; *to take a ~ ticket* (e-e Fahrkarte) nachlösen; **2.** ⩓ supplemenˈtär; **3.** Hilfs..., Ersatz...; **sup·ple·men·ta·tion** [sʌplimenˈteiʃən] *s.* Ergänzung *f*: **a**) Nachtragen *n*, **b**) Nachtrag *m*, Zusatz *m.*

sup·ple·ness [ˈsʌplnis] *s.* Geschmeidigkeit *f* (*a. fig.*).

sup·pli·ant [ˈsʌpliənt] **I.** *s.* (demütiger) Bittsteller; **II.** *adj.* □ flehend, demütig (bittend).

sup·pli·cant [ˈsʌplikənt] → *suppliant*; **sup·pli·cate** [ˈsʌplikeit] **I.** *v/i.* **1.** demütig bitten, flehen (*for* um); **II.** *v/t.* **2.** anflehen, demütig bitten (*s.o. for s.th.* j-n um et.); **3.** erbitten, erflehen, bitten um; **sup·pli·ca·tion** [sʌpliˈkeiʃən] *s.* **1.** demütige Bitte (*for* um), Flehen *n*; **2.** (Bitt)Gebet *n*; **3.** Bittschrift *f*, Gesuch *n*; **ˈsup·pli·ca·to·ry** [-ətəri] *adj.* flehend, Bitt...

sup·pli·er [səˈplaiə] *s.* Liefeˈrant (-in), Versorger(in); *a. pl.* ˈLieferˌfirma *f.*

sup·ply¹ [səˈplai] **I.** *v/t.* **1.** *Ware*, ⚡ *Strom etc., a. fig. Beweis etc.* liefern; beschaffen, bereitstellen, zuführen; **2.** *j-n* beliefern, versorgen, -sehen, ausstatten; ⊕, ⚡ speisen (*with* mit); **3.** *Fehlendes* ergänzen; *Verlust* ausgleichen, ersetzen; *Defizit* decken; **4.** *Bedürfnis* befriedigen; *Nachfrage* decken: *to ~ a want* e-m Mangel abhelfen; **5.** *e-e Stelle* ausfüllen, einnehmen; *Amt* vorˈübergehend versehen: *to ~ the place of j-n* vertreten; **II.** *s.* **6.** Lieferung *f* (*to* an *acc.*); Beschaffung *f*, Bereitstellung *f*; An-, Zufuhr *f*; **7.** Belieferung *f*, Versorgung *f* (*of* mit): *~ of power* Energie-, Stromversorgung; **8.** ⊕, ⚡ Anschluß *m* (an das Netz); **9.** Ergänzung *f*; Beitrag *m*, Zuschuß *m*; **10.** ✝ Angebot *n* (*Ggs. demand*): *to be in short ~* knapp sein; **11.** *pl.* ✝ Arˈtikel *pl.*, Bedarf *m*: *office supplies* Bürobedarf; **12.** *mst pl.* Vorrat *m*, Lager *n*, Bestand *m*; **13.** *mst pl.* ⚔ Nachschub *m*, Verˈsorgung(smateriˌal *n*) *f*, Proviˈant *m*; **14.** *mst pl. parl.* bewilligter Eˈtat, (ˈAusgabe-) Buˌdget *n*: *Committee of ~* Haushaltsausschuß; **15.** (Amts-, Stell-) Vertretung *f*: *on ~* in Vertretung, als Ersatz; **16.** (Stell)Vertreter *m* (*Lehrer etc.*); **III.** *adj.* **17.** Versorgungs..., Liefer(ungs)...: *~ house* Lieferfirma; **18.** ⚔ Versorgungs... (*-bombe, -gebiet, -offizier, -schiff*), Nachschub...: *~ base* Versorgungs-, Nachschubbasis; *~ depot* Nachschublager; *~ lines* Nachschubverbindungen; *~ sergeant* Kammerunteroffizier; **19.** ⊕, ⚡ Speise... (*-leitung, -stromkreis etc.*): *~ pipe* Zuleitung(srohr); **20.** Hilfs..., Ersatz...: *~ teacher* Hilfslehrer.

sup·ply² [ˈsʌpli] *adv.* → *supple.*

sup·port [səˈpɔ:t] **I.** *v/t.* **1.** *Gewicht, Wand etc.* tragen, (ab)stützen, (aus)halten; **2.** ertragen, (er)dulden, aushalten: *I cannot ~ his impudence*; **3.** *j-n* unterˈstützen, stärken, *j-m* beistehen, *j-m* den Rücken decken; *j-n* aufrecht halten (*Hoffnung etc.*); **4.** *sich, e-e Familie etc.* er-, unterˈhalten, sorgen **für**, ernähren (*on* von): *inability to ~ o.s.* Erwerbsunfähigkeit; **5.** *et.* finanzieren; **6.** *Debatte etc.* in Gang halten; **7.** eintreten für, unterˈstützen, fördern, befürworten; **8.** *Theorie etc.* vertreten; **9.** *Anklage, Anspruch etc.* beweisen, erhärten, begründen, rechtfertigen; **10.** ✝ *Währung* decken; **11.** **a**) *thea. Rolle* spielen, **b**) als Nebendarsteller auftreten mit *e-m Star etc.*; **II.** *s.* **12.** *allg.* Stütze *f*: *to walk without ~*; **13.** *bsd.* ⊕ Stütze *f*, Träger *m*, Ständer *m*, Strebe *f*, Absteifung *f*, Bettung *f*; Staˈtiv *n*; ⚠ ˈDurchzug *m*; ⚔ (Gewehr)Auflage *f*; **14.** *fig.* (*a.* ⚔ taktische) Unterˈstützung, Beistand *m*: *~ buying* ✝ Stützungskäufe *pl.*; *to give ~ to* → *3*; *in ~ of s.o.* zur Unterstützung von j-m; **15.** (ˈLebens)ˌUnterhalt *m*; **16.** Unterˈhaltung *f e-r Einrichtung*; **17.** *fig.* Stütze *f*, (Rück)Halt *m*; **18.** Beweis *m*, Erhärtung *f*: *in ~ of* zur Bestätigung (*gen.*); **19.** ⚔ Reˈserve *f*, Verstärkung *f*; **20.** *thea.* **a**) Partner(in) *e-s Stars*, **b**) Unterˈstützung *f e-s Stars durch das Ensemble*; **supˈport·a·ble** [-təbl] *adj.* □ **1.** haltbar, vertretbar (*Ansicht etc.*); **2.** erträglich, zu ertragen(d); **supˈporter** [-tə] *s.* **1.** ⊕, ⚠ Stütze *f*, Träger *m*; **2.** Stütze *f*, Beistand *m*, Helfer (-in), Unterˈstützer(in); **3.** Erhalter *m*; **4.** Anhänger(in), Verfechter(in), Vertreter(in); **5.** ⚕ Tragbinde *f*, Stütze *f*; **supˈport·ing** [-tiŋ] *adj.* **1.** Unterstützungs...: *~ actor thea.* Nebendarsteller, Mitspieler; *~ fire* ⚔ Unterstützungsfeuer; *~ measures* flankierende Maßnahmen; *~ program(me) Film*: Beiprogramm; *~ surfaces* ✈ Tragwerk; **2.** erhärtend, bekräftigend: ~ *document* Beleg, Unterlage; ~ *evidence* ⚖ zusätzliche Beweise; **3.** ~ *purchases* ✝ Stützungskäufe.

sup·pose [sə'pouz] **I.** *v/t.* **1.** (als möglich *od.* gegeben) annehmen, sich vorstellen: ~ (*od. supposing od. let us* ~) angenommen, gesetzt den Fall; *it is to be* ~*d that* es ist anzunehmen, daß; **2.** *imp.* (*e-n Vorschlag einleitend*) wie wäre es, wenn *wir e-n Spaziergang machten*!: ~ *we went for a walk!*; ~ *you meet me at 10 o'clock* ich schlage vor, du triffst mich um 10 Uhr; **3.** vermuten, glauben, meinen: *I don't* ~ *we shall be back* ich glaube nicht, daß wir zurück sein werden; *they are British, I* ~ es sind wohl *od.* vermutlich Engländer; *I* ~ *so* ich nehme an, wahrscheinlich, vermutlich; **4.** (*mit acc. u. inf.*) halten für: *I* ~ *him to be a painter* ich halte ihn für e-n Maler; *he is* ~*d to be rich* er soll reich sein; **5.** (mit Notwendigkeit) vor'aussetzen: *creation* ~*s a creator*; **6.** (*pass. mit inf.*) sollen: *isn't he* ~*d to be at home?* sollte er nicht eigentlich zu Hause sein?; *he is* ~*d to do* man erwartet *od.* verlangt von ihm, daß er *et.* tut; **II.** *v/i.* **7.** denken, glauben, vermuten; **sup'posed** [-zd] *adj.* □ **1.** angenommen: *a* ~ *case*; **2.** vermutlich; **3.** vermeintlich, angeblich.

sup·po·si·tion [sʌpə'ziʃən] *s.* **1.** Vor'aussetzung *f*, Annahme *f*: *on the* ~ *that* unter der Voraussetzung *od.* in der Annahme, daß; **2.** Vermutung *f*, Mutmaßung *f*; **sup·po'si·tion·al** [-ʃənl] *adj.* □ angenommen, hypo'thetisch; **sup·pos·i·ti·tious** [səpɔzi'tiʃəs] *adj.* □ **1.** unecht, gefälscht; **2.** 'untergeschoben (*Kind, Absicht etc.*), erdichtet; **3.** → *suppositional*.

sup·pos·i·to·ry [sə'pɔzitəri] *s.* ⚕ (Stuhl)Zäpfchen *n*, Supposi'torium *n*.

sup·press [sə'pres] *v/t.* **1.** *Aufstand etc., a. Gefühl, Lachen etc., a.* ⚡ unter'drücken; **2.** *et.* abstellen, abschaffen; **3.** *Buch* verbieten *od.* unterdrücken; **4.** *Textstelle* streichen; **5.** *Skandal, Wahrheit etc.* verheimlichen, vertuschen, unter'schlagen; **6.** ⚕ *Blutung* stillen, *Durchfall* stopfen; **7.** *psych.* verdrängen; **sup'pres·sion** [-əʃən] *s.* **1.** Unter'drückung *f* (*a. fig. u.* ⚡); **2.** Aufhebung *f*, Abschaffung *f*; **3.** Verheimlichung *f*, Vertuschung *f*, Unter'drückung *f*; **4.** ⚕ (Blut)Stillung *f*; Stopfung *f*, (Harn)Verhaltung *f*; **5.** *psych.* Verdrängung *f*; **sup'pres·sive** [-siv] *adj.* unter'drückend, Unterdrückungs...; **sup'pres·sor** [-sə] *s.* ⚡ Sperrgerät *n*, Ent'störungsele,ment *n*: ~ *grid* Bremsgitter.

sup·pu·rate ['sʌpjuəreit] *v/i.* ⚕ eitern; **sup·pu·ra·tion** [sʌpjuə'reiʃən] *s.* Eiterung *f*; '**sup·pu·ra·tive** [-rətiv] *adj.* eiternd, eitrig, Eiter...

su·pra ['sju:prə] (*Lat.*) *adv.* oben (*bei Verweisen in e-m Buch etc.*).

supra- [sju:prə] *in Zssgn* über.

'**su·pra'mun·dane** *adj.* 'überweltlich.

'**su·pra'nas·al** *adj. anat.* über der Nase (befindlich).

su·prem·a·cy [sju'preməsi] *s.* **1.** Oberhoheit *f*: **a**) *pol.* höchste Gewalt, Souveräni'tät *f*, **b**) Supre'mat *m, n* (*in Kirchensachen*); **2.** *fig.* Vorherrschaft *f*, Über'legenheit *f*: *air* ~ ⚔ Luftherrschaft; **3.** Vorrang *m*;

su·preme [sju(:)'pri:m] **I.** *adj.* □ **1.** höchst, oberst, Ober...: ~ *authority* höchste (Regierungs)Gewalt; ~ *command* ⚔ Oberbefehl, -kommando; ~ *commander* ⚔ Oberbefehlshaber; ♀ *Court Am.* **a**) oberstes Bundesgericht, **b**) oberstes Gericht (*e-s Bundesstaates*); ♀ *Court* (*of Judicature*) *Brit.* Oberster Gerichtshof; *to reign* ~ herrschen (*a. fig.*); **2.** höchst, größt, äußerst, über'ragend: ~ *courage*; ♀ *Being* → *6*; *the* ~ *good phls.* das höchste Gut; *the* ~ *punishment* die Todesstrafe; *to stand* ~ *among* den höchsten Rang einnehmen unter (*dat.*); **3.** letzt: ~ *moment* Augenblick des Todes; ~ *sacrifice* Hingabe des Lebens; **4.** 'kritisch: *the* ~ *hour in the history of a nation*; **II.** *s.* **5.** *the* ~ der *od.* die *od.* das Höchste; **6.** *the* ♀ der Allerhöchste, Gott; **su·preme·ly** [sju(:)'pri:mli] *adv.* höchst, aufs äußerste, 'überaus.

sur-[1] [sə:] *in Zssgn* über, auf.

sur-[2] [sə] → *sub-*.

sur·base ['sə:beis] *s.* △ Kranz(gesims *n*) *m*.

sur·cease [sə:'si:s] *obs.* **I.** *v/i.* **1.** ablassen (*from* von); **2.** aufhören; **II.** *s.* **3.** Ende *n*, Aufhören *n*; **4.** Pause *f*.

sur·charge I. *s.* ['sə:tʃɑ:dʒ] **1.** *bsd. fig.* Über'lastung *f*; **2.** ✝ **a**) Über'forderung *f* (*a. fig.*), **b**) 'Überpreis *m*, (*a.* Steuer)Zuschlag *m*, **c**) Nachporto *n*; **3.** 'Über-, Aufdruck *m* (*Briefmarke etc.*); **II.** *v/t.* [sə:'tʃɑ:dʒ] **4.** über'lasten, -'fordern; **5.** ✝ **a**) mit Zuschlag *od.* Nachporto belegen, **b**) *Konto* zusätzlich belasten; **6.** *Briefmarken etc. mit neuer Wertangabe* über'drucken; **7.** über'füllen, -'sättigen.

sur·cingle [sə:'siŋgl] *s.* Sattel-, Obergurt *m*.

sur·coat ['sə:kout] *s. hist.* **1.** Wappenrock *m*, 'Überwurf *m*; **2.** 'Überrock *m* (*der Frauen*).

surd [sə:d] **I.** *adj.* **1.** ∡ 'irratio,nal (*Zahl*); **2.** *ling.* stimmlos; **II.** *s.* **3.** ∡ irrationale Größe, *a.* Wurzelausdruck *m*; **4.** *ling.* stimmloser Laut.

sure [ʃuə] **I.** *adj.* □ → *surely*; **1.** *pred.* (*of*) sicher, gewiß (*gen.*), über'zeugt (von): *I am* ~ *he is there*; *are you* ~ (*about it*)? bist du (dessen) sicher?; *he is* (*od. feels*) ~ *of success* er ist sich s-s Erfolges sicher; *I'm* ~ *I didn't mean to hurt you* ich wollte Sie ganz gewiß nicht verletzen; *are you* ~ *you won't come?* wollen Sie wirklich nicht kommen?; **2.** *pred.* sicher, gewiß, (ganz) bestimmt, zweifellos (*objektiver Sachverhalt*): *he is* ~ *to come* er kommt sicher *od.* bestimmt; *man is* ~ *of death* dem Menschen ist der Tod gewiß *od.* sicher; *to make* ~ *that* ... sich (davon) überzeugen, daß ...; *to make* ~ *of s.th.* **a**) sich von et. überzeugen, sich e-r Sache vergewissern, **b**) sich et. sichern; *to make* ~ (*Redewendung*) um sicherzugehen; *be* ~ *to* (*od. and*) *shut the window!* vergiß nicht, das Fenster zu schließen!; *to be* ~ (*Redewendung*) sicher(lich), natürlich (*a. einschränkend = freilich, allerdings*); ~ *thing Am.* F (tod)sicher, klar; **3.** sicher, fest: *a* ~ *footing*; ~ *faith fig.* fester Glaube; **4.** sicher, untrüglich: *a* ~ *proof*; **5.** verläßlich, zuverlässig; **6.** sicher, unfehlbar: *a* ~ *cure* (*method, shot*); **II.** *adv.* **7.** *obs. od.* F sicher(lich): (*as*) ~ *as eggs* ‚bombensicher'; ~ *enough* **a**) ganz bestimmt, sicher(lich), **b**) tatsächlich; **8.** F wirklich: *it* ~ *was cold*; **9.** ~! *Am.* F sicher!, klar!; '~-**fire** *adj. Am.* F (tod)sicher, zuverlässig; '~-'**foot·ed** *adj.* **1.** sicher (auf den Füßen *od.* Beinen); **2.** *fig.* sicher.

sure·ly ['ʃuəli] *adv.* **1.** sicher(lich), gewiß, zweifellos; **2.** (ganz) bestimmt *od.* gewiß, doch (wohl): *you* ~ *don't mean to be cruel*; ~ *something can be done to help him*; **3.** sicher: *slowly but* ~ langsam aber sicher;

sure·ness ['ʃuənis] *s.* Sicherheit *f*: **a**) Gewißheit *f*, **b**) feste Über'zeugung, **c**) Zuverlässigkeit *f*; **sure·ty** ['ʃuəti] *s.* **1.** *bsd.* ⚖ **a**) Bürge *m*, **b**) Bürgschaft *f*, Sicherheit *f*: *to stand* ~ *for* bürgen *od.* Bürgschaft leisten (*for* für *j-n*); **2.** Gewähr(leistung) *f*, Garan'tie *f*; **3.** *obs.* Sicherheit *f*: *of a* ~ sicher(lich), ohne Zweifel; **sure·ty·ship** ['ʃuətiʃip] *s. bsd.* ⚖ Bürgschaft(sleistung) *f*.

surf [sə:f] **I.** *s.* Brandung *f*; **II.** *v/i.* wellenreiten.

sur·face ['sə:fis] **I.** *s.* **1.** *allg.* Oberfläche *f*: ~ *of water* Wasseroberfläche; *to come* (*od. rise*) *to the* ~ an die Oberfläche kommen (*a. fig.*); **2.** *fig.* Oberfläche *f*, *das* Äußere: *on the* ~ **a**) äußerlich, **b**) oberflächlich betrachtet; **3.** ∡ **a**) (Ober-)Fläche *f*, **b**) Flächeninhalt *m*: *lateral* ~ Seitenfläche; **4.** (Straßen-)Belag *m*, (-)Decke *f*; **5.** ✈ (Trag-)Fläche *f*: *control* ~ Steuerfläche; **6.** ⚒ Tag *m*: *on the* ~ über Tag, im Tagebau; **II.** *adj.* **7.** Oberflächen... (*a.* ⊕ *-härtung etc.*); **8.** *fig.* oberflächlich: **a**) flüchtig, **b**) äußerlich, Schein...; **III.** *v/t.* **9.** ⊕ *allg.* die Oberfläche behandeln von; glätten; *Lackierung* spachteln; **10.** ⊕ flach-, plandrehen; **11.** ⚓ *U-Boot* auftauchen lassen; **IV.** *v/i.* **12.** ⚓ auftauchen (*U-Boot*); ~ **craft** *s.* ⚓ Über'wasserfahrzeug *n*; ~ **mail** *s. Brit.* gewöhnliche Post (*Ggs. Luftpost*); '~-**man** [-mən] *s.* [*irr.*] 🚂 Streckenarbeiter *m*; '~-**print·ing** *s. typ.* Reli'ef-, Hochdruck *m*.

sur·fac·er ['sə:fisə] *s.* ⊕ Spachtelmasse *f*.

'**sur·face-ten·sion** *s. phys.* Oberflächenspannung *f*.

'**surf|-board** *s. sport* Wellenreiterbrett *n*; '~-**boat** *s.* ⚓ Brandungsboot *n*.

sur·feit ['sə:fit] **I.** *s.* **1.** 'Übermaß *n* (*of* an *dat.*); **2.** Über'sättigung *f* (*of* mit); **3.** 'Überdruß *m*, Ekel *m*: *to* (*a*) ~ bis zum Überdruß; **II.** *v/t.* **4.** über'sättigen, -'füttern (*with* mit); **5.** über'füllen, -'laden; **III.** *v/i.* **6.** sich über'sättigen (*of, with* mit).

surf·ing ['sə:fiŋ] *s. sport* Wellenreiten *n.*

surge [sə:dʒ] **I.** *s.* **1.** Woge *f*, Welle *f* (*beide a. fig.*); **2.** Brandung *f*; **3.** *a. fig.* Wogen *n*, (An)Branden *n*; **4.** ⚡ Spannungsstoß *m*; **II.** *v/i.* **5.** wogen: **a)** (hoch)branden (*a. fig.*), **b)** *fig.* (vorwärts)drängen (*Menge*); **6.** *fig.* (auf)wallen (*Blut, Gefühl etc.*); **7.** ⚡ plötzlich ansteigen, heftig schwanken (*Spannung etc.*).

sur·geon ['sə:dʒən] *s.* **1.** Chir'urg *m*; **2.** ⚔ leitender Sani'tätsoffi͵zier: ~ *general Brit.* Stabsarzt; ~ *General Am.* **a)** General(stabs)arzt, **b)** ⚓ Marineadmiralarzt; ~ *major Brit.* Oberstabsarzt; '**sur·ger·y** [-dʒəri] *s.* ⚕ **1.** Chirur'gie *f*; **2.** chir'urgische Behandlung, opera'tiver Eingriff; **3.** Operati'onssaal *m*; **4.** *bsd. Brit.* Sprechzimmer *n*; '**sur·gi·cal** [-dʒikəl] *adj.* ☐ ⚕ **1.** chir'urgisch: ~ *cotton* (Verband)Watte; **2.** Operations...: ~ *wound*; ~ *fever* septisches Fieber, Wundfieber.

surg·ing ['sə:dʒiŋ] **I.** *s. a. fig.* Wogen *n*, Branden *n*; **II.** *adj.*, *a.* '**surg·y** [-dʒi] *adj. a. fig.* wogend, brandend.

sur·li·ness ['sə:linis] *s.* Verdrießlichkeit *f*, mürrisches Wesen; Bärbeißigkeit *f*; **sur·ly** ['sə:li] *adj.* ☐ **1.** verdrießlich, mürrisch, griesgrämig; **2.** grob, bärbeißig; **3.** zäh (*Boden*).

sur·mise I. *s.* ['sə:maiz] **1.** Vermutung *f*, Mutmaßung *f*, Einbildung *f*; **2.** Argwohn *m*; **II.** *v/t.* [sə:'maiz] **3.** mutmaßen, vermuten, sich *et.* einbilden; **4.** argwöhnen.

sur·mount [sə:'maunt] *v/t.* **1.** über'steigen; **2.** *fig. Schwierigkeit etc.* über'winden; **3.** bedecken, krönen: ~*ed by* gekrönt *od.* überdeckt *od.* überragt von; **sur'mount·a·ble** [-təbl] *adj.* **1.** über'steigbar, ersteigbar; **2.** *fig.* über'windlich.

sur·name ['sə:neim] **I.** *s.* **1.** Fa'milien-, Nach-, Zuname *m*; **2.** Beiname *m*; **II.** *v/t.* **3.** *j-m* den Bei- *od.* Zunamen ... geben: ~*d* **a)** mit Zunamen, **b)** mit dem Beinamen.

sur·pass [sə:'pɑ:s] *v/t.* **1.** *j-n od. et.* über'treffen (*in* an *dat.*): *to* ~ *o.s.* sich selbst übertreffen; **2.** *et.*, *j-s Kräfte etc.* über'steigen; **sur'pass·ing** [-siŋ] *adj.* ☐ her'vorragend, unerreicht, außerordentlich.

sur·plice ['sə:pləs] *s. eccl.* Chorhemd *n*, -rock *m*.

sur·plus ['sə:pləs] **I.** *s.* **1.** 'Überschuß *m*, Rest *m*; **2.** ☿ **a)** 'Überschuß *m*, Mehr(betrag *m*) *n*, **b)** Mehrertrag *m*, 'überschüssiger Gewinn, Reingewinn *m*, **c)** Mehrwert *m*; **II.** *adj.* **3.** 'überschüssig, Über(schuß)..., Mehr...: ~ *population* Bevölkerungsüberschuß; ~ *weight* Mehr-, Übergewicht; '**sur·plus·age** [-sidʒ] *s.* **1.** Überschuß *m*, -fülle *f* (*of* an *dat.*); **2.** *et.* 'Überflüssiges; **3.** ⚖ unerhebliches Vorbringen.

sur·prise [sə'praiz] **I.** *v/t.* **1.** über'raschen: **a)** ertappen, **b)** verblüffen, in Erstaunen (ver)setzen: *to be* ~*d at s.th.* über et. erstaunt sein, sich über et. wundern, **c)** ⚔ über'rumpeln, -'fallen; **2.** befremden, empören; **3.** ~ *s.o. into (doing) s.th.* j-n zu et. verleiten, j-n dazu verleiten, et. zu tun; **II.** *s.* **4.** Über'raschung *f*: **a)** Über'rumplung *f*: *to take by* ~ *j-n, feindliche Stellung etc.* überrumpeln, *Festung etc.* im Handstreich nehmen, **b)** *et.* Über'raschendes *n*: *it came as a great* ~ (*to him*) es kam (ihm) sehr überraschend, **c)** Verblüffung *f*, Erstaunen *n*, Verwunderung *f*, Bestürzung *f* (*at* über *acc.*): *to my* ~ zu m-r Überraschung; *to stare in* ~ große Augen machen; **III.** *adj.* **5.** über'raschend, Überraschungs...: ~ *attack*; ~ *visit*; **sur'pris·ed·ly** [-zidli] *adv.* über'rascht; **sur'pris·ing** [-ziŋ] *adj.* ☐ über'raschend, erstaunlich; **sur'pris·ing·ly** [-ziŋli] *adv.* über'raschend(erweise), erstaunlich(erweise).

sur·re·al·ism [sə'riəlizəm] *s.* Surrea'lismus *m*; **sur're·al·ist** [-ist] **I.** *s.* Surrea'list(in); **II.** *adj.* → *surrealistic*; **sur·re·al·is·tic** *adj.* (☐ ~*ally*) surrea'listisch.

sur·re·but [sʌri'bʌt] *v/i.* ⚖ e-e Quintu'plik vorbringen; **sur·re'but·ter** [-tə] *s.* ⚖ Quintuplik *f*.

sur·re·join·der [sʌri'dʒɔində] *s.* ⚖ Tri'plik *f*.

sur·ren·der [sə'rendə] **I.** *v/t.* **1.** *et.* über'geben, ausliefern, -händigen (*to dat.*): *to* ~ *o.s.* (*to*) → **5, 6, 7**; **2.** *Amt, Vorrecht, Hoffnung etc.* aufgeben; *et.* abtreten, verzichten auf (*acc.*); **3.** ⚖ **a)** *Sache, Urkunde* her'ausgeben, **b)** *Verbrecher* ausliefern; **4.** ☿ *Versicherungspolice* zum Rückkauf bringen; **II.** *v/i.* **5.** ⚔ *u. fig.* sich ergeben (*to dat.*), kapitulieren; **6.** sich *der Verzweiflung etc.* hingeben *od.* über'lassen; **7.** ⚖ sich *der Polizei etc.* stellen; **III.** *s.* **8.** 'Übergabe *f*, Auslieferung *f*, -händigung *f*; **9.** ⚔ Übergabe *f*, Kapitulati'on *f*; **10.** (*of*) Auf-, Preisgabe *f*, Abtretung *f* (*gen.*), Verzicht *m* (auf *acc.*); **11.** Hingabe *f*, Sichüber'lassen *n*; **12.** ⚖ Aufgabe *f* e-r Versicherung: ~ *value* Rückkaufswert; **13.** ⚖ **a)** Aufgabe *f e-s Rechts etc.*, **b)** Her'ausgabe *f*, **c)** Auslieferung *f e-s Verbrechers.*

sur·rep·ti·tious [sʌrəp'tiʃəs] *adj.* ☐ **1.** erschlichen, betrügerisch; **2.** heimlich, verstohlen: *a* ~ *glance*; ~ *edition* unerlaubter Nachdruck.

sur·ro·gate ['sʌrəgit] *s.* **1.** Stellvertreter *m* (*bsd. e-s Bischofs*); **2.** ⚖ *Am.* Nachlaß- u. Vormundschaftsrichter *m*; **3.** Ersatz *m*, Surro'gat *n* (*of, for* für).

sur·round [sə'raund] **I.** *v/t.* **1.** um'geben, -'ringen (*a. fig.*): ~*ed by danger* (*luxury*) von Gefahr umringt *od.* mit Gefahr verbunden (von Luxus umgeben); *circumstances* ~*ing s.th.* (Begleit)Umstände e-r Sache; **2.** ⚔ *etc.* um'zingeln, -'stellen, einkreisen, -schließen; **II.** *s.* **3.** Einfassung *f*, *bsd.* Boden(schutz)belag *m* zwischen Wand u. Teppich; **4.** *hunt. Am.* Treibjagd *f*; **sur'round·ing** [-diŋ] **I.** *adj.* um'gebend, 'umliegend; **II.** *s. pl.* Um'gebung *f*: **a)** 'Umgegend *f*, **b)** 'Umwelt *f*.

sur·tax ['sə:tæks] **I.** *s.* (Einkommen-) Steuerzuschlag *m*; **II.** *v/t.* mit e-m Steuerzuschlag belegen.

sur·veil·lance [sə:'veiləns] *s.* Über'wachung *f*, (*a.* Poli'zei)Aufsicht *f*.

sur·vey I. *v/t.* [sə:'vei] **1.** über'blikken, -'schauen; **2.** genau betrachten, (sorgfältig) prüfen, mustern; **3.** abschätzen, begutachten; **4.** besichtigen, inspizieren; **5.** *Land etc.* vermessen, aufnehmen; **6.** *fig.* 'Überblick geben über (*acc.*); **II.** *s.* ['sə:vei] **7.** *bsd. fig.* 'Überblick *m*, -sicht *f* (*of* über *acc.*); **8.** Besichtigung *f*, Prüfung *f*; **9.** Schätzung *f*, Begutachtung *f*; **10.** Gutachten *n*, (Prüfungs)Bericht *m*; **11.** (Land)Vermessung *f*, Aufnahme *f*; **12.** (Lage-) Plan *m*; **13.** 'Umfrage *f*; **sur'vey·ing** [-eiiŋ] *s.* **1.** (Land-, Feld)Vermessung *f*, Vermessungsurkunde *f*, -wesen *n*; **2.** Vermessen *n*, Aufnehmen *n* (*von Land etc.*); **sur·vey·or** [sə(:)'veiə] *s.* **1.** Land-, Feldmesser *m*, Geo'meter *m*: ~*'s chain* Meßkette; **2.** (amtlicher) In'spektor *od.* Verwalter *od.* Aufseher: ~ *of highways* Straßenmeister; *Board of* ~*s* Baupolizei; **3.** *Am.* Zollaufseher *m*; **4.** Sachverständige(r) *m*, Gutachter *m*.

sur·viv·al [sə'vaivəl] *s.* **1.** Über'leben *n*: ~ *of the fittest biol.* Überleben der Tüchtigsten; ~ *rate* Geburtenüberschuß; ~ *shelter* atomsicherer Bunker; ~ *time* ⚔ Überlebenszeit; **2.** Weiterleben *n*; **3.** Fortbestand *m*; **4.** 'Überbleibsel *n alten Brauchtums etc.*; **sur·vive** [sə'vaiv] **I.** *v/t.* **1.** *j-n od. et.* über'leben, -'dauern, länger leben als; **2.** *Unglück etc.* überleben, -'stehen; **II.** *v/i.* **3.** am Leben *od.* übrig bleiben; **4.** noch leben *od.* bestehen; übriggeblieben sein; **5.** weiter-, fortleben *od.* -bestehen; **sur'viv·ing** [-viŋ] *adj.* **1.** über'lebend: ~ *wife*; **2.** hinter'blieben: ~ *dependents* Hinterbliebene; **3.** übrigbleibend: ~ *debts* ☿ Restschulden; **sur'vi·vor** [-və] *s.* **1.** Über'lebende(r *m*) *f*; **2.** ⚖ Über'lebender, auf den nach dem Ableben der Miteigentümer das Eigentumsrecht 'übergeht.

sus·cep·ti·bil·i·ty [səseptə'biliti] *s.* **1.** Empfänglichkeit *f*, Anfälligkeit *f* (*to* für); **2.** Empfindlichkeit *f*; **3.** *pl.* (leicht verletzbare) Gefühle *pl.*, empfindliche Stelle; **sus·cep·ti·ble** [sə'septəbl] *adj.* ☐ **1.** anfällig (*to* für); **2.** empfindlich (*to* gegen); **3.** (*to*) empfänglich (für *Reize, Schmeicheleien etc.*), zugänglich (*dat.*); **4.** (leicht) zu beeindrucken(d); **5.** *to be* ~ *of* (*od. to*) *et.* zulassen.

sus·cep·tive [sə'septiv] *adj.* **1.** aufnehmend, rezep'tiv; **2.** → *susceptible*; **sus·cep·tiv·i·ty** [sʌsep'tiviti] *s.* **1.** Aufnahmefähigkeit *f*; **2.** → *susceptibility*.

sus·pect [səs'pekt] **I.** *v/t.* **1.** *j-n* verdächtigen (*of gen.*), im Verdacht haben (*of doing et.* getan zu haben *od.* daß *j-d et.* tut): *to be* ~*ed of doing s.th.* im Verdacht stehen *od.* verdächtig werden, et. getan zu haben; **2.** argwöhnen, befürchten; **3.** für möglich halten, halb glauben; **4.** vermuten, glauben (*that* daß); **5.** *Echtheit, Wahrheit etc.* anzweifeln, miß'trauen (*dat.*); **II.** *v/i.* **6.** (e-n) Verdacht hegen, argwöhnisch sein; **III.** *s.* ['sʌspekt] **7.** Verdächtige(r *m*) *f*, verdächtige Per'son, Ver'dachts-per,son *f*: *smallpox* ~ ⚕ Pocken-verdächtige(r); **IV.** *adj.* ['sʌspekt] **8.** verdächtig, su'spekt (*a. fig. frag-würdig*); **sus'pect·ed** [-tid] *adj.* **1.** verdächtigt (*of gen.*); **2.** verdächtig.

sus·pend [səs'pend] *v/t.* **1.** *a.* ⊕ aufhängen (*from* an *dat.*); **2.** *bsd.* ⚗ suspendieren, (*in Flüssigkeiten etc.*) schwebend halten; **3.** *Frage etc.* in der Schwebe *od.* unentschieden lassen; **4.** *einstweilen* auf-, verschieben; ⚖ *Verfahren, Vollstreckung* aussetzen: *to* ~ *a sentence* ⚖ **a)** die Urteilsverkündung aufschieben, **b)** e-e Strafzeit *od.* den Strafvollzug unterbrechen; **5.** *Verordnung etc.* zeitweilig aufheben *od.* außer Kraft setzen; **6.** *die Arbeit*, ⚔ *die Feindseligkeiten*, ✝ *Zahlungen etc.* (zeitweilig) einstellen; **7.** *j-n* (zeitweilig) des Amtes entheben, suspendieren; **8.** *Mitglied* zeitweilig ausschließen; **9.** *Sportler* sperren; **10.** mit *s-r Meinung etc.* zu'rückhalten; **11.** ♪ *Ton* vorhalten; **sus'pend·ed** [-did] *adj.* **1.** hängend, Hänge...(*-decke, -lampe etc.*): *to be* ~ hängen (*by* an *dat.*, *from* von); **2.** schwebend; **3.** unter'brochen, ausgesetzt, zeitweilig eingestellt: ~ *animation* ⚕ Scheintod; **4.** ⚖ zur Bewährung ausgesetzt (*Strafe*): ~ *sentence of two years* zwei Jahre mit Bewährung; **sus'pend·er** [-də] *s.* **1.** *pl. bsd. Am.* Hosenträger *pl.*; **2.** *Brit.* Strumpf-, Sockenhalter *m*; **3.** Aufhängevorrichtung *f.*

sus·pense [səs'pens] *s.* **1.** Spannung *f*, Ungewißheit *f*: *anxious* ~ Hangen u. Bangen; *in* ~ gespannt, voller Spannung; *to be in* ~ in der Schwebe sein; *to keep in* ~ **a)** *j-n* in Spannung halten, im ungewissen lassen, **b)** *et.* in der Schwebe lassen; ~ *account* ✝ vorläufiges Konto; ~ *entry* ✝ transitorische Buchung; **2.** → *suspension 6*; **sus'pen·sion** [-nʃən] *s.* **1.** Aufhängen *n*; **2.** *bsd.* ⊕ Aufhängung *f*: *front-wheel* ~ Vorderradaufhängung; ~*-bridge* Hängebrücke; ~ *railway* Schwebebahn; **3.** ⊕ Federung *f*: ~ *spring* Tragfeder; **4.** ⚗, *phys.* Suspensi'on *f*; *pl.* Aufschlämmungen *pl.*; **5.** (einstweilige) Einstellung (*der Feindseligkeiten etc.*): ~ *of payment(s)* ✝ Zahlungseinstellung; **6.** ⚖ Aufschub *m*, Aussetzung *f*; vor'übergehende Aufhebung *e-s Rechts*; Hemmung *f der Verjährung*; **7.** Aufschub *m*, Verschiebung *f*; **8.** Suspendierung *f* (*from* von), (Dienst-, Amts)Enthebung *f*; **9.** zeitweiliger Ausschluß; **10.** *sport* Sperre *f*; **11.** ♪ Vorhalt *m*; **sus'pen·sive** [-siv] *adj.* □ **1.** aufschiebend, suspen'siv: ~ *condition*; ~ *veto*; **2.** unter'brechend, hemmend; **3.** unschlüssig; **4.** unbestimmt; **sus'pen·so·ry** [-səri] **I.** *adj.* **1.** hängend, Schwebe..., Hänge...; **2.** *anat.* Aufhänge...; **3.** ⚖ → *suspensive 1*; **II.** *s.* **4.** *anat.* **a)** *a.* ~ *ligament* Aufhängeband *n*, **b)** *a.* ~ *muscle* Aufhängemuskel *m*; **5.** ⚕ **a)** *a.* ~ *bandage* Suspen'sorium *n*, **b)** Bruchband *n.*

sus·pi·cion [sə'spiʃən] *s.* **1.** Argwohn *m*, 'Mißtrauen *n* (*of* gegen); **2.** (*of*) Verdacht *m* (gegen *j-n*), Verdächtigung *f* (*gen.*): *above* ~ über jeden Verdacht erhaben; *on* ~ *of murder* unter Mordverdacht *festgenommen werden*; *to be under* ~ unter Verdacht stehen; *to cast a* ~ *on* e-n Verdacht auf j-n werfen; *to have a* ~ *that* e-n Verdacht haben *od.* hegen, daß; **3.** Vermutung *f*: *no* ~ keine Ahnung; **4.** *fig.* Spur *f*: *a* ~ *of brandy* (*arrogance*); *a* ~ *of a smile* der Anflug e-s Lächelns; **sus'pi·cious** [-ʃəs] *adj.* □ **1.** 'mißtrauisch, argwöhnisch (*of* gegen): *to be* ~ *of s.th.* et. befürchten; **2.** verdächtig, verdachterregend; **sus'pi·cious·ness** [-ʃəsnis] *s.* **1.** Mißtrauen *n*, Argwohn *m* (*of* gegen); 'mißtrauisches Wesen; **2.** *das* Verdächtige.

sus·tain [səs'tein] *v/t.* **1.** stützen, tragen: ~*ing wall* Stützmauer; **2.** *Last, Druck, fig. den Vergleich etc.* aushalten; *e-m Angriff etc.* standhalten; **3.** *Niederlage, Schaden, Verletzungen, Verlust etc.* erleiden, da'vontragen; **4.** *et.* (aufrecht) erhalten, in Gang halten; *Interesse* wach halten: ~*ing program Am.* Radioprogramm ohne Reklameeinschaltungen; **5.** *j-n* er-, unter'halten, *Familie etc.* ernähren; *Heer* verpflegen; **6.** *Institution* unter'halten, -'stützen; **7.** *j-n, j-s Forderung* unterstützen; **8.** ⚖ als rechtsgültig anerkennen, *e-m Antrag, Einwand etc.* stattgeben; **9.** *Behauptung etc.* bestätigen, rechtfertigen, erhärten; **10.** *j-n* aufrecht halten, *j-m* Kraft geben; **11.** ♪ *Ton* (aus)halten; **12.** *Rolle* (gut) spielen; **sus'tained** [-nd] *adj.* **1.** anhaltend (*a. Interesse etc.*), Dauer...(*-feuer, -geschwindigkeit etc.*); **2.** ♪ **a)** (aus)gehalten (*Ton*), **b)** getragen; **3.** *phys.* ungedämpft.

sus·te·nance ['sʌstinəns] *s.* **1.** ('Lebens),Unterhalt *m*, Auskommen *n*; **2.** Nahrung *f*; **3.** Nährwert *m*; **4.** Erhaltung *f*, Ernährung *f*; **5.** *fig.* Beistand *m*, Stütze *f*; **sus·ten·ta·tion** [sʌsten'teiʃən] *s.* **1.** → *sustenance 1, 2, 4*; **2.** Unter'haltung *f e-s Instituts etc.*; **3.** (Aufrecht)Erhaltung *f*; **4.** Unter'stützung *f.*

su·sur·rant [sju'sʌrənt] *adj.* **1.** flüsternd, säuselnd; **2.** raschelnd.

sut·ler ['sʌtlə] *s.* ⚔ Marke'tender (-in), Kan'tinenwirt *m.*

su·ture ['sju:tʃə] **I.** *s.* **1.** ⚕, ⚘, *anat.* Naht *f*; **2.** ⚕ (Zs.-)Nähen *n*; **3.** ⚕ 'Nahtmateri,al *n*, Faden *m*; **II.** *v/t.* **4.** *bsd.* ⚕ (zu-, ver)nähen.

su·ze·rain ['su:zərein] **I.** *s.* **1.** Oberherr *m*, Suze'rän *m*; **2.** *pol.* Pro'tektor-Staat *m*; **3.** *hist.* Oberlehensherr *m*; **II.** *adj.* **4.** oberhoheitlich; **5.** *hist.* oberlehensherrlich; **'su·ze·rain·ty** [-ti] *s.* **1.** Oberhoheit *f*; **2.** *hist.* Oberlehensherrlichkeit *f.*

svelte [svelt] *adj.* schlank, gra'zil.

swab [swɔb] **I.** *s.* **1. a)** Scheuerlappen *m*, **b)** Schrubber *m*, **c)** Handfeger *m*, **d)** ⚓ Schwabber *m*; **2.** ⚕ **a)** Tupfer *m*, **b)** Abstrich *m*; **II.** *v/t.* **3.** *a.* ~ *down* aufwischen, ⚓ *Deck* schrubben; **4.** ⚕ **a)** *Blut etc.* abtupfen, **b)** *Wunde* betupfen.

Swa·bi·an ['sweibjən] **I.** Schwabe *m*, Schwäbin *f*; **II.** *adj.* schwäbisch.

swad·dle ['swɔdl] **I.** *adj.* **1.** *Säugling* wickeln, in Windeln legen; **2.** um'wickeln, einwickeln; **II.** *s.* **3.** *Am.* Windel *f.*

swad·dling ['swɔdliŋ] *s.* Wickeln *n e-s Säuglings*; **'~-clothes** [-klouðz] *s. pl.* Windeln *pl.*: *to be still in one's* ~ *fig.* noch in den Anfängen stecken.

swag [swæg] *s.* **1.** Gir'lande *f* (*Zierat*); **2.** *sl.* Beute *f*, Raub *m.*

swage [sweidʒ] **I.** *s.* ⊕ **1.** Gesenk *n*; **2.** Präge *f*, Stanze *f*; **II.** *v/t.* **3.** im Gesenk bearbeiten.

swag·ger ['swægə] **I.** *v/i.* **1.** (ein'her)stolzieren; **2.** prahlen, aufschneiden, renommieren (*about* mit); **II.** *s.* **3.** stolzierender *od.* wiegender Gang; **4.** Großtue'rei *f*, Prahle'rei *f*; **III.** *adj.* **5.** F ele'gant; **'~-cane** *s.* ⚔ Offi'ziersstöckchen *n.*

swag·ger·er ['swægərə] *s.* Prahler *m*, Renom'mist *m*, Aufschneider *m*; **'swag·ger·ing** [-əriŋ] *adj.* □ **1.** stolzierend; **2.** prahlerisch; **3.** schwadronierend.

swain [swein] *s.* **1.** *mst poet.* Bauernbursche *m*, Schäfer *m*, 'Seladon *m*; **2.** *poet. od. humor.* Liebhaber *m*, Verehrer *m.*

swal·low¹ ['swɔlou] **I.** *v/t.* **1.** (ver-)schlucken, verschlingen: *to* ~ *down* hinunterschlucken; **2.** *fig. Buch etc.* verschlingen, *Ansicht etc.* begierig in sich aufnehmen; **3.** *Gebiet etc.* ‚schlucken', sich einverleiben; **4.** *mst* ~ *up fig. j-n, Schiff, Geld, Zeit etc.* verschlingen; **5.** ‚schlucken', für bare Münze nehmen; **6.** *Beleidigung etc.* schlucken, einstecken **7.** *Tränen, Ärger* hin'unterschlukken; **8.** *Behauptung* zu'rücknehmen: *to* ~ *one's words*; **II.** *v/i.* **9.** schlucken (*a. vor Erregung*): *to* ~ *the wrong way* sich verschlucken; **III.** *s.* **10.** Schlund *m*, Kehle *f*; **11.** Schluck *m.*

swal·low² ['swɔlou] *s. orn.* Schwalbe *f*: *one* ~ *does not make a summer* eine Schwalbe macht noch keinen Sommer; **'~-tail** [-out-] *s.* **1.** *orn.* 'Schwalbenschwanz-,Kolibri *m*; **2.** *zo.* Schwalbenschwanz *m* (*Schmetterling*); **3.** ⊕ Schwalbenschwanz *m*; **4.** *a. pl.* Frack *m*; **'~-tailed** [-out-] *adj.* schwalbenschwanzartig, Schwalbenschwanz...: ~ *coat* Frack.

swam [swæm] *pret. von swim.*

swamp [swɔmp] **I.** *s.* **1.** Sumpf *m*; **2.** (Flach)Moor *n*; **II.** *v/t.* **3.** über'schwemmen (*a. fig.*): *to be* ~*ed with* mit *Arbeit, Einladungen etc.* überhäuft werden *od.* sein, sich nicht mehr retten können vor (*dat.*); **4.** ⚓ *Boot* vollaufen lassen, zum Sinken bringen; **5.** *Am. pol. Gesetz* zu Fall bringen; **'swamp·y** [-pi] *adj.* sumpfig, mo'rastig, Sumpf...

swan [swɔn] *s.* **1.** *zo.* Schwan *m*: ♀ *of Avon fig.* der Schwan vom Avon (*Shakespeare*); **2.** ♀ *ast.* Schwan *m* (*Sternbild*).

swank [swæŋk] *sl.* **I.** *s.* Protze'rei *f*, ‚Angabe' *f*; **II.** *v/i.* protzen, ‚angeben'; **III.** *adj.* protzig; **'swank·y** [-ki] *adj. sl.* **1.** protzig; **2.** ele'gant, schick.

'swan|·like *adj. u. adv.* schwanengleich; **'~-maid·en** *s. myth.* Schwan(en)jungfrau *f*; **'~-neck** *s. a. fig. u.* ⊕ Schwanenhals *m.*

swan·ner·y ['swɔnəri] *s.* Schwanenteich *m.*

swan| song *s. bsd. fig.* Schwanengesang *m*; **'~-up·ping** *s. Brit. Einfangen u. Kennzeichnen der jungen Schwäne (bsd. auf der Themse).*

swap [swɔp] F **I.** *v/t.* (aus-, ein-)tauschen (*s.th. for* et. für); *Pferde etc.* tauschen, wechseln: *to ~ stories fig.* Geschichten austauschen; **II.** *v/i.* tauschen; **III.** *s.* Tausch(handel) *m*; ✝ De'visenswap *m*.

sward [swɔ:d] *s.* Rasen *m*, Grasnarbe *f*; **'sward·ed** [-did] *adj.* mit Rasen bedeckt, rasig.

sware [sweə] *pret. obs. von swear.*

swarm[1] [swɔ:m] **I.** *s.* **1.** (Bienen-*etc.*)Schwarm *m*; **2.** Schwarm *m* (*Kinder, Soldaten etc.*); **3.** *fig.* Haufen *m*, Masse *f* (*Briefe etc.*); **II.** *v/i.* **4.** *a. ~ off* schwärmen (*Bienen*); **5.** (um'her)schwärmen, (zs.-)strömen: *to ~ out* **a)** ausschwärmen, **b)** hinausströmen; *to ~ to a place* zu e-m Ort (hin)strömen; *beggars ~ in that town* in dieser Stadt wimmelt es von Bettlern; **6.** (*with*) schwärmen *od.* wimmeln (von); **III.** *v/t.* **7.** um'schwärmen, -'drängen; **8.** *Örtlichkeit* in Schwärmen über'fallen; **9.** *Bienenschwarm* einfangen: *to ~ a hive.*

swarm[2] [swɔ:m] **I.** *v/t. a. ~ up* hochklettern an (*dat.*); **II.** *v/i.* klettern.

swarth·i·ness ['swɔ:ðinis] *s.* dunkle Gesichtsfarbe, Schwärze *f*, Dunkelbraun *n*; **swarth·y** ['swɔ:ði] *adj.* □ dunkel(häutig, -braun), schwärzlich.

swash [swɔʃ] **I.** *v/i.* **1.** klatschen, schwappen (*Wasser etc.*); **2.** plantschen: *to ~ in one's bath*; **3.** prahlen, schwadronieren; **II.** *v/t.* **4.** *Wasser* spritzen, platschen lassen, schütten; **5.** bespritzen; **III.** *s.* **6.** Platschen *n*, Schwappen *n*; **7.** Platsch *m*, Klatsch *m*; **'~·buck·ler** [-bʌklə] *s.* Säbelraßler *m*, Schwadro'neur *m*, Bra'marbas *m*; **'~·buck·ling** [-bʌkliŋ] **I.** *s.* Renommieren *n*, Säbelrasseln *n*, Schwadronieren *n*; **II.** *adj.* schwadronierend, prahlerisch; **'~-plate** *s.* ⊕ Taumelscheibe *f*.

swas·ti·ka ['swæstikə] *s.* Hakenkreuz *n*.

swat [swɔt] F **I.** *v/t. Fliege etc.* zerquetschen, klatschen; **II.** *s.* (zerschmetternder) Schlag.

swath [swɔ:θ] *s.* ⚘ Schwade(n *m*) *f*.

swathe[1] [sweið] **I.** *v/t.* **1.** (um)'wikkeln (*with* mit), einwickeln; **2.** (*wie e-n Verband*) her'umwickeln; **3.** einhüllen; **II.** *s.* **4.** Binde *f*, Verband *m*; **5.** (Wickel)Band *n*; **6.** ⚕ 'Umschlag *m*.

swathe[2] [sweið] → *swath.*

sway [swei] **I.** *v/i.* **1.** schwanken, schaukeln, sich wiegen; **2.** sich neigen; **3.** (*to*) *fig.* sich zuneigen (*dat.*) (*öffentliche Meinung etc.*); **4.** herrschen; **II.** *v/t.* **5.** *et.* schwenken, schaukeln, wiegen; **6.** neigen; **7.** ⚓ *mst ~ up Masten etc.* aufheißen; **8.** *fig.* beeinflussen, lenken; **9.** beherrschen, herrschen über (*acc.*); *Publikum* mitreißen; **10.** *rhet. Zepter etc.* schwingen; **III.** *s.* **11.** Schwanken *n*, Schaukeln *n*, Wiegen *n*; **12.** Schwung *m*, Wucht *f*; **13.** 'Übergewicht *n*; **14.** Einfluß *m*: *under the ~ of* unter dem Einfluß *od.* im Banne (*gen.*); → *15*; **15.** Herrschaft *f*, Gewalt *f*, Macht *f*: *to hold ~ over* beherrschen, herrschen über (*acc.*); *under the ~ of* in der Gewalt *od.* unter der Herrschaft (*gen.*).

swear [sweə] **I.** *v/i.* [*irr.*] **1.** schwören, e-n Eid leisten (*on the Bible* auf die Bibel): *to ~ by* **a)** bei *Gott etc.* schwören, **b)** F schwören auf (*acc.*), felsenfest glauben an (*acc.*); *to ~ by all that's holy* Stein u. Bein schwören; *to ~ off* F *e-m Laster* abschwören; *to ~ to* **a)** *et.* beschwören, **b)** *et.* geloben; **2.** fluchen (*at* auf *acc.*); **II.** *v/t.* [*irr.*] **3.** *Eid* schwören, leisten; **4.** *et.* beschwören, eidlich bekräftigen; *to ~ out* ⚖ *Am. Haftbefehl* durch eidliche Strafanzeige erwirken; **5.** *Rache, Treue etc.* schwören; **6.** *a. ~ in j-n* vereidigen: *to ~ s.o. into an office* j-n in ein Amt einschwören; *to ~ s.o. to secrecy* j-n eidlich zur Verschwiegenheit verpflichten; **III.** *s.* **7.** F Fluch *m*; **'swear·ing** [-riŋ] *s.* **1.** Schwören *n*: *~-in* ⚖ Vereidigung; **2.** Fluchen *n*; **'swear-word** *s.* Fluch(wort *n*) *m*.

sweat [swet] **I.** *s.* **1.** Schweiß *m*: *cold ~* kalter Schweiß, Angstschweiß; *by the ~ of one's brow* im Schweiße s-s Angesichts; *to be in a ~* **a)** in Schweiß gebadet sein, **b)** F (vor Angst, Erregung *etc.*) schwitzen; *to get into a ~* in Schweiß geraten; **2.** Schwitzen *n*, Schweißausbruch *m*; **3.** ⊕ Ausschwitzung *f*, Feuchtigkeit *f*; **4.** F Placke'rei *f*; **5.** *old ~ mil. sl.* ‚alter Knochen'; **II.** *v/i.* [*Am. irr.*] **6.** schwitzen (*with* vor *dat.*); **7.** ⊕, *phys. etc.* schwitzen, anlaufen; gären (*Tabak*); **8.** F schwitzen, sich schinden; **9.** ✝ für e-n Hungerlohn arbeiten; **III.** *v/t.* [*Am. irr.*] **10.** schwitzen: *to ~ blood* Blut schwitzen; *to ~ out* **a)** *Krankheit etc.* (her)ausschwitzen, **b)** *fig. et.* mühsam hervorbringen; *to ~ it out Am. sl.* es (mit Hangen u. Bangen) durchstehen; **11.** *Kleidung* 'durchschwitzen; **12.** *j-n* schwitzen lassen (*a. sl. fig. im Verhör etc.*); *fig.* schuften lassen, *Arbeiter* ausbeuten; *sl. j-n* aussaugen; **13.** ⊕ schwitzen *od.* gären lassen; *metall.* (*~ out* aus)seigern; (heiß-, weich)löten; *Kabel* schweißen; **'~-band** *s.* Schweißleder *n* (*Hut*).

sweat·ed ['swetid] *adj.* ✝ **1.** für Hungerlöhne hergestellt; **2.** für Hungerlohn arbeitend, 'unterbezahlt; **'sweat·er** [-tə] *s.* **1.** Sweater *m*, Pull'over *m*; **2.** Leuteschinder *m*.

'sweat-gland *s. physiol.* Schweißdrüse *f*.

sweat·i·ness ['swetinis] *s.* Verschwitztheit *f*, Schweißigkeit *f*.

sweat·ing ['swetiŋ] *s.* **1.** Schwitzen *n*; **2.** ✝ Ausbeutung *f*; **'~-bath** *s.* ⚕ Schwitzbad *n*; **~ sys·tem** *s.* ✝ 'Ausbeutungssyˌstem *n*.

sweat| shirt *s.* **1.** *sport* Trainingsbluse *f*, **2.** kurzärmeliger Pull'over; **'~-shop** *s.* ✝ Ausbeutungsbetrieb *m*.

sweat·y ['sweti] *adj.* □ schweißig, verschwitzt.

Swede [swi:d] **I.** *npr.* Schwede *m*, Schwedin *f*; **II.** *s.* ♀ *Brit.* → *Swedish turnip.*

Swed·ish ['swi:diʃ] **I.** *adj.* **1.** schwedisch; **II.** *s.* **2.** *ling.* Schwedisch *n*; **3.** *the ~ coll.* die Schweden *pl.*; **~ tur·nip** *s.* ♀ *Brit.* schwedische (Steck)Rübe.

sweep [swi:p] **I.** *v/t.* [*irr.*] **1.** kehren, fegen: *to ~ away (off, up)* weg-(fort-, auf)kehren; **2.** freimachen, säubern (*of* von; *a. fig.*); **3.** hin'wegstreichen über (*acc.*) (*Wind etc.*); **4.** *Flut etc.* jagen, treiben: *to ~ before one Feind* vor sich her treiben; **5.** *a. ~ away* (*od. off*) *fig.* fort-, mitreißen (*Flut etc.*): *to ~ along with one Zuhörer* mitreißen; *to ~ s.o. off his feet j-n* hinreißen; **6.** *a. ~ away Hindernis etc.* (aus dem Weg) räumen, *e-m Übelstand etc.* abhelfen, aufräumen mit: *to ~ aside et.* abtun, beiseite schieben; *to ~ off j-n* hinwegraffen (*Tod, Krankheit*); **7.** *mit der Hand* streichen über (*acc.*); **8.** *Geld* einstreichen: *to ~ the board Kartenspiel u. fig.* alles gewinnen; **9. a)** *Gebiet* durch'streifen, **b)** *Horizont etc.* absuchen (*a.* ⚔ *mit Scheinwerfern, Radar*) (*for* nach), **c)** hingleiten über (*acc.*) (*Blick etc.*); **10.** ⚔ *mit MG-Feuer* bestreichen; **11.** ♪ *Saiten, Tasten* (be)rühren, schlagen, (hin)gleiten über (*acc.*); **II.** *v/i.* [*irr.*] **12.** kehren, fegen; **13.** fegen, stürmen, jagen (*Wind, Regen etc., a. Krieg, Heer*), fluten (*Wasser, Truppen etc.*); *durchs Land* gehen (*Epidemie etc.*): *to ~ along (down, over)* entlang- *od.* einher- (hernieder-, darüber hin)fegen *etc.*; *to ~ down on* sich (herab)stürzen auf (*acc.*); *fear swept over him* Furcht erfaßte ihn; **14.** maje'stätisch ein'herschreiten: *she swept from the room* sie rauschte aus dem Zimmer; **15.** in weitem Bogen gleiten; **16.** sich da'hinziehen (*Küste, Straße etc.*); **17.** (*for*) ⚓ (nach *et.*) dreggen; ⚔ *Minen* suchen, räumen; **III.** *s.* **18.** Kehren *n*: *to give s.th. a ~* et. kehren; *to make a clean ~ (of) fig.* reinen Tisch machen *od.* aufräumen (mit); **19.** *mst pl.* Müll *m*; **20.** *bsd. Brit.* (*bsd.* Schornstein)Feger *m*; **21.** Da'hinfegen *n*, (Da'hin)Stürmen *n* (*des Windes etc.*): *onward ~ fig.* mächtiger Fortschritt; **22.** schwungvolle (Hand- *etc.*)Bewegung; Schwung *m* (*e-r Sense, Waffe etc.*); (Ruder)Schlag *m*; **23.** *fig.* Reichweite *f*, Bereich *m*, Spielraum *m*; weiter (geistiger) Hori'zont; **24.** Schwung *m*, Bogen *m* (*Straße etc.*); **25.** ausgedehnte Strecke, weite Fläche; **26.** Auffahrt *f zu e-m Haus*; **27.** Ziehstange *f*, Schwengel *m* (*Brunnen*); **28.** ⚓ langes Ruder; **29.** ♪ Tusch *m*; **30.** *Radar*: Abtaststrahl *m*; **31.** *Kartenspiel*: Gewinnen *n* aller Stiche *od.* Karten; **IV.** *adj.* **32.** ⚡ Ablenk..., Kipp...

'sweep·back ✈ **I.** *s.* Pfeilform *f* (*der Tragflächen*); **II.** *adj.* pfeilförmig, Pfeil...

sweep·er ['swi:pə] *s.* **1.** (Straßen-)Kehrer *m*, Feger(in); **2.** 'Kehrmaˌschine *f*; **3.** ⚓ Such-, Räumboot *n*; **4.** *Fußball*: Libero *m*, Ausputzer *m*;

'sweep·ing [-piŋ] **I.** *adj.* □ **1.** kehrend, Kehr...; **2.** sausend, stürmisch (*Wind etc.*); **3.** ausgedehnt; **4.** schwungvoll (*a. fig. mitreißend*); **5.** 'durchschlagend, über'wältigend (*Sieg, Erfolg*); **6.** 'durchgreifend, radi'kal: *~ changes*; **7.** um'fassend;

8. weitreichend, *a.* (zu) stark verallgemeinernd, sum'marisch: *~ statement*; **II.** *s.* **9.** *pl.* **a)** → *sweep 19*, **b)** *fig. contp.* Abschaum *m.*

'sweep|-net *s.* **1.** ⚓ Schleppnetz *n*; **2.** Schmetterlingsnetz *n*; **'~·stake** *s. sport* **1.** *sg. od. pl.* **a)** *Art* Toto *n* (*bsd. bei Pferderennen, wobei die Preise aus den Einsätzen gebildet werden*), **b)** Rennen *n*, in dem die Pferdebesitzer den ganzen Einsatz machen; **2.** *pl.* aus allen Einsätzen gebildeter Preis.

sweet [swi:t] **I.** *adj.* □ **1.** süß (*im Geschmack*); **2.** süß, lieblich (duftend): *to be ~ with* duften nach; **3.** frisch (*Butter, Fleisch, Milch*); **4.** Frisch..., Süß...: *~ water*; **5.** süß, lieblich (*Musik, Stimme*); **6.** süß, angenehm: *~ dreams*; *~ sleep*; **7.** süß, lieb: *~ face*; *at his own ~ will* (ganz) nach seinem Köpfchen; → *seventeen II*; **8.** (*to* zu *od.* gegenüber *j-m*) lieb, nett, freundlich, sanft: *~ nature od. temper*; **9.** F ‚süß', reizend, goldig (*alle a. iro.*): *to be ~ on* in *j-n* verliebt sein; **10.** leicht, bequem; glatt, ruhig; **11.** ⚗ **a)** säurefrei (*Mineralien*), **b)** schwefelfrei, süß (*bsd. Benzin, Rohöl*); **12.** ⚘ nicht sauer (*Boden*); **13.** ♪ schmalzig (*Ggs. heiß, improvisiert*); **II.** *s.* **14.** Süße *f*; **15.** *Brit.* **a)** Bon'bon *m, n*, Süßigkeit *f*, **b)** *oft pl.* Nachtisch *m*, Süßspeise *f*; **16.** *mst pl. fig.* Freude *f*, Annehmlichkeit *f*: *the ~(s) of life*; → *sour 7*; **17.** *mst in der Anrede*: Liebling *m*, Süße(r *m*) *f*; **'~·bread** *s.* (*bsd.* Kalbs)Brieschen *n*; **~ chest·nut** *s.* 'Edel-, 'Eßka,stanie *f*; **'~·corn** *s.* **1.** ⚘ Zuckermais *m*; **2.** grüne Maiskolben *pl.*

sweet·en ['swi:tn] **I.** *v/t.* **1.** süßen; **2.** *fig.* versüßen, angenehm(er) *od.* gefällig machen; **II.** *v/i.* **3.** süß(er) werden; **4.** milder *od.* sanfter werden; **'sweet·en·ing** [-niŋ] *s.* Versüßungsmittel *n.*

'sweet|·heart *s.* Liebste(r *m*) *f*, Schatz *m*; **~ herbs** *s. pl.* Küchen-, Gewürzkräuter *pl.*

sweet·ie ['swi:ti] *s.* **1.** F Schätzchen *n*, ‚Süße' *f*; **2.** *mst pl. Brit.* Näsche'rei *f*, Bon'bon *m, n.*

sweet·ing ['swi:tiŋ] *s.* ⚘ Jo'hannisapfel *m*, Süßling *m.*

sweet·ish ['swi:tiʃ] *adj.* süßlich.

'sweet|·meat *s. mst pl.* Zuckerwerk *n*, Kon'fekt *n*, Bon'bon *m, n*; **'~-'na·tured** → *sweet 8.*

sweet·ness ['swi:tnis] *s.* **1.** Süße *f*, Süßigkeit *f*; **2.** süßer Duft; **3.** Frische *f*; **4.** *fig. et.* Angenehmes, Annehmlichkeit *f*, *das* Süße; **5.** Freundlichkeit *f*, Liebenswürdigkeit *f*, Sanftheit *f*; **6.** Lieblichkeit *f.*

sweet| oil *s.* O'liven,öl *n*; **~ pea** *s.* ⚘ Gartenwicke *f*; **~ po·ta·to** *s.* ⚘ 'Süßkar,toffel *f*, Ba'tate *f*; **'~-'scent·ed** *adj. bsd.* ⚘ wohlriechend, duftend; **'~·shop** *s. bsd. Brit.* Süßwarengeschäft *n*; **'~-'tem·pered** *adj.* sanft-, gutmütig; **~ vi·o·let** *s.* ⚘ Wohlriechendes Veilchen; **'~-'wil·liam** *s.* ⚘ Stu'dentennelke *f.*

sweet·y → *sweetie.*

swell [swel] **I.** *v/i.* [*irr.*] **1.** *a. ~ up, ~ out* (an-, auf)schwellen (*into, to* zu), dick werden; **2.** sich aufblasen *od.* -blähen (*a. fig.*); **3.** anschwellen, (an)steigen (*Wasser etc., a. fig. Preise, Anzahl etc.*); **4.** sich wölben: **a)** ansteigen (*Land etc.*), **b)** sich ausbauchen *od.* bauschen (*Mauerwerk, Möbel etc.*), **c)** ⚓ sich blähen (*Segel*); **5.** her'vorbrechen (*Quelle, Tränen*); **6.** *bsd.* ♪ **a)** anschwellen (*into* zu), **b)** (an- u. ab)schwellen (*Ton, Orgel etc.*); **7.** *fig.* bersten (wollen) (*with* vor): *his heart ~s with indignation*; **8.** aufwallen, sich steigern (*into* zu) (*Gefühl*); **II.** *v/t.* [*irr.*] **9.** *~ up, ~ out a.* ♪ *u. fig. Buch etc.* anschwellen lassen; **10.** aufblasen, -blähen, -treiben; **11.** *fig.* aufblähen (*with* vor): *~ed (with pride)* stolzgeschwellt; **III.** *s.* **12.** (An-)Schwellen *n*; **13.** Schwellung *f*; **14.** ⚓ Dünung *f*; **15.** Wölbung *f*, Ausbauchung *f*; **16.** kleine Anhöhe, sanfte Steigung; **17.** *fig.* Anschwellen *n*, -wachsen *n*, (An)Steigen *n*; **18.** ♪ **a)** An- (u. Ab)Schwellen *n*, **b)** Schwellzeichen *n*, **c)** Schwellwerk *n* (*Orgel etc.*); **19.** F **a)** ‚hohes Tier', ‚Größe' *f*, **b)** ‚feiner Pinkel', **c)** ‚Ka'none' *f*, ‚Mordskerl' *m* (*at* in *dat.*); **IV.** *adj.* **20.** (*a. int.*) F ‚prima', ‚bombig'; **21.** F (tod)schick, ‚piekfein', feu'dal; **swelled** [-ld] *adj.* **1.** (an)geschwollen, aufgebläht: *~ head* F *fig.* Aufgeblasenheit; **2.** geschweift (*Möbel*); **'swell·ing** [-liŋ] **I.** *s.* **1.** (*a. fig. u.* ♪ An)Schwellen *n*; **2.** ⚕ Schwellung *f*, Geschwulst *f*, *a.* Beule *f*: *hunger ~* Hungerödem; **3.** Wölbung *f*: **a)** Erhöhung *f*, **b)** △ Ausbauchung *f*, ⊕ Schweifung *f*; **II.** *adj.* □ **4.** (an-)schwellend; **5.** geschwollen (*Stil etc.*).

'swell|-man·u·al *s.* ♪ 'Schwellmanu,al *n* (*Orgel*); **~ mob** *s. sl. coll. die* Hochstapler *pl.*; **~ mobs·man** [-'mɔbzmən] *s.* [*irr.*] *sl.* Hochstapler *m*; **'~-or·gan** *s.* ♪ Schwellwerk *n.*

swel·ter ['sweltə] **I.** *v/i.* **1.** (schier) vor Hitze 'umkommen, verschmachten; **2.** in Schweiß gebadet sein; **3.** (vor Hitze) kochen; **II.** *s.* **4.** drückende Hitze, Schwüle *f*; **5.** F *fig.* Hetze *f*, Hexenkessel *m*; **'swel·ter·ing** [-təriŋ], **'swel·try** [-tri] *adj.* **1.** vor Hitze vergehend, verschmachtend; **2.** in Schweiß gebadet; **3.** drückend, schwül, kochend.

swept [swept] *pret. u. p.p. von sweep*; **'~-back wing** *s.* ✈ Pfeilflügel *m*; **~ vol·ume** *s. mot.* 'Hubraum *m*; **~ wing** → *swept-backwing.*

swerve [swə:v] **I.** *v/i.* **1.** sich (plötzlich) seitwärts wenden, *a. mot.* ab-, ausbiegen; seitlich ausbrechen (*Pferd*); **2.** ausweichen; **3.** *mot.* schleudern; **4.** *fig.* abweichen (*from* von); **II.** *v/t.* **5.** ablenken (*a. fig.*); **6.** *sport Ball* schneiden; **III.** *s.* **7.** (plötzliche) Seitenbewegung, Abweichung *f.*

swift [swift] **I.** *adj.* □ **1.** *allg.* schnell, rasch; **2.** flüchtig (*Zeit, Stunde etc.*); **3.** geschwind, eilig; **4.** flink, hurtig, *a.* geschickt: *a ~ worker*; *~ wit* rasche Auffassungsgabe; **5.** rasch, schnell bereit: *~ to anger* jähzornig; *~ to take offence* leicht beleidigt; **II.** *adv.* **6.** *mst poet. od. in Zssgn* schnell, geschwind, rasch; **III.** *s.* **7.** *orn.* (*bsd.* Mauer)Segler *m*; **8.** *e-e brit. Taubenrasse*; **9.** *zo.* → *newt*; **10.** ⊕ Haspel *f.*

'swift|-'foot·ed *adj.* schnellfüßig, flink; **'~-'hand·ed** *adj.* □ **1.** schnell (handelnd); **2.** schnell (*Rache etc.*).

swift·ness ['swiftnis] *s.* Schnelligkeit *f.*

swig [swig] F **I.** *v/t.* (aus-, hin'unter)trinken; **II.** *v/i.* saufen, e-n tüchtigen Zug tun (*at* aus, von); **III.** *s.* (kräftiger) Schluck.

swill [swil] **I.** *v/t.* **1.** *bsd. Brit.* (ab-)spülen: *to ~ out* ausspülen; **2.** *Bier etc.* saufen, hin'unterspülen; **II.** *v/i.* **3.** saufen; **III.** *s.* **4.** (Ab)Spülen *n*; **5.** Schweinetrank *m*, -futter *n*; **6.** Spülicht *n* (*a. fig. contp.*); **7.** *fig. contp.* **a)** ‚Gesöff' *n*, **b)** ‚Saufraß' *m.*

swim [swim] **I.** *v/i.* [*irr.*] **1.** *durch Körperbewegung* schwimmen: *to ~ on one's back*; **2.** schwimmen (*Gegenstand*), treiben; **3.** schweben, (sanft) gleiten; **4.** *fig.* **a)** schwimmen (*in* in *dat.*), **b)** über'schwemmt sein, 'überfließen (*with* von): *his eyes were ~ming with tears* s-e Augen schwammen in Tränen; *to ~ in fig.* schwimmen in (*Geld etc.*); **5.** (ver)schwimmen (*before one's eyes* vor den Augen): *my head ~s* mir ist schwind(e)lig; **II.** *v/t.* [*irr.*] **6.** *Strecke etc.* schwimmen, *Gewässer* durch'schwimmen; **7.** *Person, Pferd etc.* schwimmen lassen; **8.** F mit *j-m* um die Wette schwimmen; **III.** *s.* **9.** Schwimmen *n*, Bad *n*: *to go for a ~* schwimmen gehen; *to be in (out of) the ~* F *fig.* (nicht) auf dem laufenden sein; **10.** *Angelsport*: tiefe u. fischreiche Stelle (*e-s Flusses*); **11.** Schwindel(anfall) *m*; **'swim·mer** [-mə] *s.* **1.** Schwimmer(in); **2.** *orn.* Schwimmvogel *m.*

swim·mer·et ['swimərət] *s. zo.* Schwimmfuß *m* (*Krebs*).

swim·ming ['swimiŋ] **I.** *s.* **1.** Schwimmen *n*; **2.** *~ of the head* Schwindelgefühl; **II.** *adj.* □ → *swimmingly*; **3.** Schwimm...; **'~-bath** *s.* Schwimmbad *n*; **'~-blad·der** *s. zo.* Schwimmblase *f.*

swim·ming·ly ['swimiŋli] *adv. fig.* glatt, reibungslos, leicht: *to go on ~* glatt (vonstatten) gehen.

'swim·ming-pool *s.* **1.** Schwimmbecken *n*; **2.** **a)** Freibad *n*, **b)** *mst indoor ~* Hallenbad *n.*

swin·dle ['swindl] **I.** *v/i.* **1.** betrügen, mogeln; **II.** *v/t.* **2.** *j-n* beschwindeln, betrügen (*out of s.th.* um et.); **3.** *et.* erschwindeln (*out of s.o.* von j-m); **III.** *s.* **4.** Schwindel *m*, Schwinde'lei *f*, Betrug *m*; **'swin·dler** [-lə] *s.* Schwindler(in), Betrüger(in).

swine [swain] *pl.* **swine** *s. zo., mst* ⚘, *poet. od. Am.* Schwein *n* (*a. fig. contp.*); **'~-bread** *s.* ⚘ Trüffel *f*; **'~-fe·ver** *s. vet.* **1.** (Virus)Schweinepest *f*; **2.** *bsd. Brit.* → *swine-plague*; **'~-herd** *s. poet.* Schweinehirt *m*; **'~-plague** *s. vet.* Schweineseuche *f*; **'~-pox** *s.* **1.** ⚕ *hist.* Wasserpocken *pl.*; **2.** *vet.* Schweinepocken *pl.*

swing [swiŋ] **I.** *v/t.* [*irr.*] **1.** *Stock, Keule, Lasso etc.* schwingen; **2.** *Glocke etc.* schwingen, (hin u. her) schwenken: *to ~ one's arms* mit den Armen schlenkern; *to ~ s.th. about* et. (im Kreis) herumschwenken;

to ~ the propeller ✈ den Propeller durchdrehen *od.* anwerfen; **3.** *Beine etc.* baumeln lassen, *a. Tür etc.* pendeln lassen; *Hängematte etc.* aufhängen (*from* an *dat.*): *to ~ open (to) Tor* auf-, (zu)stoßen; **4.** *j-n in e-r Schaukel* schaukeln; **5.** *auf die Schulter etc.* (hoch)schwingen; **6.** ⚔ (*~ in od. out* ein- *od.* aus)schwenken lassen; **7.** ⚓ (rund)schwojen; **8.** *bsd. Am.* F **a)** *et.* ‚schaukeln', ‚hinkriegen', **b)** *Wähler* her'umkriegen; **II.** *v/i.* [*irr.*] **9.** (hin- u. herschwingen, pendeln, ausschlagen (*Pendel, Zeiger*): *to ~ into motion* in Schwung *od.* Gang kommen; **10.** schweben, baumeln (*from* an *dat.*) (*Glocke etc.*); **11.** (sich) schaukeln; **12.** F ‚baumeln' (*gehängt werden*): *he must ~ for it*; **13.** sich (*in den Angeln*) drehen (*Tür etc.*): *to ~ open (to)* auffliegen (zuschlagen); *he swung round* er drehte sich ruckartig herum; **14.** ⚓ schwojen; **15.** schwenken, mit schwungvollen Bewegungen gehen, (flott) marschieren: *to ~ into line* ⚔ einschwenken; **16.** *to ~ it sl.* **a)** ‚toll leben', **b)** ‚auf den Putz hauen'; **17.** schwanken; **18.** (zum Schlag) ausholen: *to ~ at* nach *j-m* schlagen; **19.** ♪ swingen; **III.** *s.* **20.** (Hin- u. Her-) Schwingen *n*, Pendeln *n*, Schwingung *f*; ⊕ Schwungweite *f*, Ausschlag *m* (*e-s Pendels od. Zeigers*): *the ~ of the pendulum* der Pendelschlag (*a. fig. od. pol.*); *free ~* Bewegungsfreiheit, Spielraum (*a. fig.*); *in full ~* in vollem Gange, im Schwung; *to give full ~ to* **a)** *e-r Sache* freien Lauf lassen, **b)** *j-m* freie Hand lassen; **21.** Schaukeln *n*; **22. a)** Schwung *m beim Gehen, Schilauf etc.*, schwingender Gang, Schlenkern *n*, **b)** ♪ *etc.* Schwung *m*, (schwingender) Rhythmus: *to go with a ~* **a)** Schwung haben, **b)** *fig.* wie am Schnürchen gehen; **23.** ♪ Swing *m* (*Jazz*); **24.** Schaukel *f*: *to lose on the ~s what you make on the roundabouts fig.* genau so weit sein wie am Anfang; *you make up on the ~s what you lose on the roundabouts* was man hier verliert, macht man dort wieder wett; **25.** ✝ *Am. sl.* Konjunk'turperi,ode *f*; **26.** *Boxen*: Schwinger *m*; **27.** Schwenkung *f*; '**~-back** *s.* **1.** *phot.* Einstellscheibe *f*; **2.** *fig.* 'Umschwung *m*, Reakti'on *f*, Rückkehr *f* (*to* zu); '**~-'boat** *s.* Schiffsschaukel *f*; **~ bridge** *s.* Drehbrücke *f*; '**~-door** *s.* Drehtür(e) *f*.

swinge [swindʒ] *v/t. obs.* 'durchprügeln, (aus)peitschen; '**swinge·ing** [-dʒiŋ] *adj.* □ F **1.** wuchtig (*Schlag etc.*); **2.** gewaltig, riesig, mächtig.

swing·er ['swiŋə] *s. sl.* (*contp.* krampfhaft) modebewußte Per'son.

swing·ing ['swiŋiŋ] *adj.* □ **1.** schwingend, schaukelnd, pendelnd, Schwing...; **2.** Schwenk...; **3.** 'rhythmisch, schwungvoll; **4.** schwankend: *~ temperature* ⚕ Temperaturschwankungen.

swin·gle ['swiŋgl] **I.** *s.* ⊕ (Flachs-, Hanf)Schwinge *f*; **II.** *Flachs, Hanf* schwingeln; '**~-tree** *s.* Ortscheit *n*, Wagenschwengel *m*.

swing shift *s.* ✝ Spätschicht *f*.

swin·ish ['swainiʃ] *adj.* □ schweinisch.

swipe [swaip] **I.** *v/i.* **1.** dreinschlagen, hauen; *sport* aus vollem Arm schlagen; **II.** *v/t.* **2.** (hart) schlagen; **3.** *sl.* ‚klauen', stehlen; **III.** *s.* **4.** *bsd. sport* harter Schlag, Hieb *m*; **5.** *pl. sl.* Dünnbier *n*.

swirl [swɔːl] **I.** *v/i.* **1.** wirbeln (*Wasser, a. fig. Kopf*), e-n Strudel bilden; **2.** (her'um)wirbeln; **II.** *v/t.* **3.** *et.* herumwirbeln; **III.** *s.* **4.** Wirbel *m*, Strudel *m*; **5.** *Am.* (Haar)Wirbel *m*; **6.** Wirbel(n *n*) *m* (*Drehbewegung*).

swish [swiʃ] **I.** *v/i.* **1.** schwirren, zischen, sausen; **2.** rascheln (*Seide*); **II.** *v/t.* **3.** sausen *od.* schwirren lassen; **4.** *Brit.* 'durchprügeln; **III.** *s.* **5.** Sausen *n*, Zischen *n*; **6.** Rascheln *n*; **7.** *Brit.* (Ruten)Streich *m*, Peitschenhieb *m*; **IV.** *adj.* **8.** *Brit. sl.* ele'gant, schick.

Swiss [swis] **I.** *pl.* **Swiss** *s.* **1.** Schweizer(in); **2.** ⊕ ♀, *a. ~ muslin* 'Schweizermusse,lin *m* (*Stoff*); **II.** *adj.* **3.** schweizerisch, Schweizer: *~ German* Schweizerdeutsch (*Mundart*); *~ roll* Biskuitroulade.

switch [switʃ] **I.** *s.* **1.** Gerte *f*, Rute *f*; **2.** (Ruten)Streich *m*; **3.** falscher Zopf; **4.** ⚡, ⊕ Schalter *m*; **5.** 🚂 Weiche *f*; **6.** *bsd. Am. fig.* 'Umstellung *f*, Wechsel *m*; **II.** *v/t.* **7.** peitschen; **8.** zucken mit; **9.** ⚡, ⊕ ('um)schalten: *to ~ on* einschalten, *Licht* anschalten, *teleph. j-n* verbinden; *to ~ off* ab-, ausschalten, *Radio* abstellen, *teleph. j-n* trennen; *to ~ to* anschließen an (*acc.*); **10.** 🚂 **a)** *Zug* rangieren, **b)** *Waggons* 'umstellen; **11.** *bsd. Am. fig. Produktion etc.* umstellen, *Methode, Thema etc.* wechseln, *Gedanken, Gespräch* 'überleiten (*to* auf *acc.*); **III.** *v/i.* **12.** 🚂 rangieren; **13.** ⚡, ⊕ (*a. ~ over* um-) schalten; *to ~ off* abschalten, *teleph.* trennen; **14.** *fig.* umstellen: *to ~ (off od. over) to* übergehen zu, sich umstellen auf (*acc.*); '**~-back** *s.* **1.** Zickzackstraße *f*, -bahn *f*; **2.** *Brit.* Berg- u. Talbahn *f*, Achterbahn *f*; '**~-bar** *s.* ⊕ Schaltstange *f*; '**~-board** *s.* ⚡ **1.** Schaltbrett *n*, -tafel *f*; **2.** *teleph.* Klappenschrank *m*; Vermittlung *f*: *~ operator* Telephonist(in); '**~-box** *s.* **1.** ⚡ Schaltkasten *m*; **2.** 🚂 Stellwerk *n*; '**~-clock** *s.* ⊕ Schaltuhr *f*.

switch·ing ['switʃiŋ] **I.** *s.* **1.** ⚡, ⊕ ('Um)Schalten *n*: *~-on* Einschalten; *~-off* Ab-, Ausschalten; **2.** 🚂 Rangieren *n*; **II.** *adj.* **3.** ⚡, ⊕ (Um-) Schalt...; **4.** 🚂 Rangier...

'**switch|-le·ver** *s.* ⊕, ⚡ Schalthebel *m*; 🚂 Weichenhebel *m*; '**~-man** [-mən] *s.* [*irr.*] 🚂 Weichensteller *m*; '**~-plug** *s.* ⚡, ⊕ Schaltstöpsel *m*; '**~-yard** *s.* 🚂 *Am.* Rangier-, Verschiebebahnhof *m*.

swiv·el ['swivl] **I.** *s.* Drehzapfen *m*, -ring *m*, -gelenk *n*, (⚓ Ketten)Wirbel *m*; **II.** *v/t.* (*auf e-m Zapfen etc.*) drehen *od.* schwenken; **III.** *v/i.* sich drehen; **IV.** *adj.* dreh-, schwenkbar, Dreh..., Schwenk...; '**~-bridge** *s.* ⊕ (beweglicher Teil e-r) Drehbrücke; '**~-chair** *s.* Drehstuhl *m*; '**~-eyed** *adj. sl.* schieläugig; **~ gun** *s.* ⚔ *hist.* Drehbasse *f* (*Geschütz*); '**~-joint** *s.* ⊕ Drehgelenk *n*; '**~-mount** *s.* ⚔ 'Schwenkla,fette *f*.

swol·len ['swoulən] **I.** *p.p. von swell*; **II.** *adj.* ⚕ geschwollen (*a. fig. Rede etc.*).

swoon [swuːn] **I.** *v/i.* **1.** *oft ~ away* in Ohnmacht fallen (*with* vor *dat.*); **2.** *poet.* schwinden; **II.** *s.* **3.** Ohnmacht(sanfall *m*) *f*.

swoop [swuːp] **I.** *v/i.* **1.** *oft ~ down* (*[up]on, at*) her'abstoßen, sich stürzen (auf *acc.*), *fig.* herfallen (über *acc.*); **II.** *v/t.* **2.** *mst ~ up* F packen, ‚schnappen'; **III.** *s.* **3.** Her'abstoßen *n* (*Raubvogel*); **4.** *fig.* **a)** 'Überfall *m*, **b)** Stoß *m*: *at one (fell) ~* mit 'einem Schlag.

swop [swɔp] → *swap*.

sword [sɔːd] *s.* Schwert *n* (*a. fig.*); Säbel *m*, Degen *m*; *allg.* Waffe *f*: *to draw (sheathe) the ~* das Schwert ziehen (in die Scheide stecken), *fig.* den Kampf beginnen (beenden); *to put to the ~* über die Klinge springen lassen; → *cross 10*; *measure 16*; '**~-arm** *s.* rechter Arm; '**~-belt** *s.* **1.** Schwertgehenk *n*; **2.** ⚔ Degenkoppel *n*; '**~-cane** *s.* Stockdegen *m*; '**~-dance** *s.* Schwert(er)tanz *m*; '**~-fish** *s. ichth.* Schwertfisch *m*; '**~-guard** *s.* ⚔ Stichblatt *n*; '**~-hilt** *s.* Degengriff *m*; '**~-knot** *s.* ⚔ Degen-, Säbelquaste *f*; '**~-lil·y** *s.* ♀ Schwertel *m*, Siegwurz *f*; '**~-play** *s.* **1.** (Degen-, Säbel)Fechten *n*; **2.** *fig.* (geschicktes) Wortgefecht, Schlagfertigkeit *f*.

swords·man ['sɔːdzmən] *s.* [*irr.*] Fechter *m*; Kämpfer *m*; '**swords·man·ship** [-ʃip] *s.* Fechtkunst *f*.

'**sword-stick** → *sword-cane*.

swore [swɔː] *pret. von swear*; **sworn** [swɔːn] **I.** *p.p. von swear*; **II.** *adj.* **1.** ⚖ (gerichtlich) vereidigt, beeidigt: *~ expert*; **2.** eidlich: *~ statement*; **3.** geschworen (*Gegner*): *~ enemies* Todfeinde; **4.** verschworen (*Freunde*).

swot [swɔt] *ped. Brit. sl.* **I.** *v/i.* **1.** büffeln, pauken; **II.** *v/t.* **2.** *mst ~ up Lehrstoff* schnell einpauken *od.* büffeln; **III.** *s.* **3.** Streber(in); **4.** Büffe'lei *f*, Pauke'rei *f*; *weit*S. hartes Stück Arbeit.

swum [swʌm] *p.p. u. obs. od. dial. pret. von swim*.

swung [swʌŋ] *pret. u. p.p. von swing*.

syb·a·rite ['sibərait] *s. fig.* Syba'rit *m*, Schlemmer *m*, Genüßling *m*; **syb·a·rit·ic** [sibə'ritik] *adj.* (□ *~ally*) syba'ritisch, genußsüchtig; '**syb·a·rit·ism** [-tizəm] *s.* Genußsucht *f*, Schwelge'rei *f*.

syc·a·more ['sikəmɔː] *s.* ♀ **1.** *Am.* Pla'tane *f*; **2.** *a. ~ maple Brit.* Bergahorn *m*; **3.** Syko'more *f*, Maulbeerfeigenbaum *m*.

syc·o·phan·cy ['sikəfənsi] *s.* Kriече'rei *f*, ,Speichellecke'rei *f*; '**syc·o·phant** [-nt] *s.* Schmeichler *m*, Kriecher *m*, Speichellecker *m*; **syc·o·phan·tic** [sikə'fæntik] *adj.* (□ *~ally*) schmeichlerisch, kriecherisch.

syl·la·bar·y ['siləbəri] *s.* 'Silbenta,belle *f*; '**syl·la·bi** [-bai] *pl. von syllabus*.

syl·lab·ic [si'læbik] *adj.* (□ *~ally*) **1.** syl'labisch (*a.* ♪), Silben...: *~ accent*; **2.** silbenbildend, silbisch; **3.** *in Zssgn* ...silbig; **syl'lab·i·cate** [-keit],

syl'lab·i·fy [-ifai], **syl·la·bize** ['siləbaiz] *v/t. ling.* syllabieren, in Silben teilen, Silbe für Silbe (aus-) sprechen.

syl·la·ble ['siləbl] **I.** *s.* **1.** *ling.* Silbe *f*: *not a* ~ *fig.* keine Silbe *od.* kein Sterbenswörtchen *sagen*; **2.** ♪ Tonsilbe *f*; **II.** *v/t.* **3.** → *syllabicate*; **4.** *poet.* aussprechen; **'syl·la·bled** [-ld] *adj.* ...silbig.

syl·la·bus ['siləbəs] *pl.* **-bi** [-bai] *s.* **1.** Auszug *m*, Abriß *m*; zs.-fassende Inhaltsangabe; **2.** (*bsd.* Vorlesungs)Verzeichnis *n*; Lehr-, 'Unterrichtsplan *m*; **3.** ⚖ Kom'pendium *n von richtungsweisenden Entscheidungen*; **4.** *R.C.* 'Syllabus *m*.

syl·lep·sis [si'lepsis] *s. ling.* Syl'lepsis *f* (*Gebrauch des Prädikats im eigentlichen u. figürlichen Sinn in e-m Satz*).

syl·lo·gism ['silədʒizəm] *s. phls.* Syllo'gismus *m*, (Vernunft)Schluß *m*; **'syl·lo·gize** [-dʒaiz] *v/i.* syllogisieren, schließen, folgern.

sylph [silf] *s.* **1.** *myth.* 'Sylphe *m*, Luftgeist *m*; **2.** *fig.* Syl'phide *f*, gra'ziles Mädchen; **'sylph·ish** [-fiʃ], **'sylph·like** [-laik], **'sylph·y** [-fi] *adj.* 'sylphenhaft, grazil.

syl·van ['silvən] *adj. poet.* **1.** waldig, Wald...; **2.** Wald...: ~ *deities* Waldgötter.

sym·bi·o·sis [simbai'ousis] *s. biol.* Symbi'ose *f*; **sym·bi·ot·ic** [simbi'ɔtik] *adj.* (□ ~*ally*) *biol.* symbi'o(n)tisch.

sym·bol ['simbəl] *s.* Sym'bol *n*, Sinnbild *n*, Zeichen *n*; **sym·bol·ic** *adj.*; **sym·bol·i·cal** [sim'bɔlik(əl)] *adj.* □ sym'bolisch, sinnbildlich (*of* für): *to be* ~ *of s.th.* et. versinnbildlichen; **sym·bol·ics** [sim'bɔliks] *s. pl. mst sg. konstr.* **1.** 'Studium *n* alter Sym'bole; **2.** *eccl.* Sym'bolik *f*; **'sym·bol·ism** [-bəlizəm] *s.* **1.** Symbolik *f* (*a. eccl.*), sym'bolische Darstellung; ⚘ Forma'lismus *m*; **2.** symbolische Bedeutung; **3.** *coll.* Symbole *pl.*; **4.** *paint. etc.* Symbo'lismus *m*; **'sym·bol·ize** [-bəlaiz] *v/t.* **1.** symbolisieren: **a)** versinnbildlichen, **b)** sinnbildlich darstellen; **2.** symbolisch betrachten.

sym·met·ric *adj.*; **sym·met·ri·cal** [si'metrik(əl)] *adj.* □ sym'metrisch, eben-, gleichmäßig: ~ *axis* ⚘ Symmetrieachse; **sym·me·trize** ['simitraiz] *v/t.* symmetrisch machen; **sym·me·try** ['simitri] *s.* Symme'trie *f* (*a. fig. Ebenmaß*).

sym·pa·thet·ic [simpə'θetik] **I.** *adj.* (□ ~*ally*) **1.** mitfühlend, teilnehmend: ~ *strike* Sympathiestreik; **2.** einfühlend, verständnisvoll; 3. gleichgesinnt, geistesverwandt, kongeni'al; **4.** sym'pathisch; **5.** F wohlwollend (*to*[*ward*] gegen['über]); **6.** sympa'thetisch (*Kur, Tinte etc.*); **7.** ⚕, *psysiol.* sympathisch (*Nervensystem etc.*); → *9*; **8.** ♪, *phys.* mitschwingend: ~ *vibration* Sympathieschwingung; **II.** *s.* **9.** *a.* ~ *nerve physiol.* Sym'pathikus(nerv) *m*; **10.** gutes 'Medium (*Hypnose*).

sym·pa·thize ['simpəθaiz] *v/i.* **1.** (*with*) **a)** sympathisieren (mit), gleichgesinnt sein (*dat.*), **b)** über'einstimmen (mit), wohlwollend gegen'überstehen (*dat.*), **c)** mitfühlen (mit); **2.** sein Mitgefühl *od.* Beileid ausdrücken (*with dat.*); **3.** ⚕ in Mitleidenschaft gezogen werden (*with* von); **'sym·pa·thiz·er** [-zə] *s.* **1.** Kondo'lent(in); **2.** Anhänger(in); **3.** Sympathi'sant(in); **'sym·pa·thy** [-θi] *s.* **1.** Sympa'thie *f*, Zuneigung *f* (*for* für): ~ *strike* Sympathiestreik; **2.** Gleichgestimmtheit *f*; **3.** Mitleid *n*, -gefühl *n* (*with* mit, *for* für): *to feel* ~ *for* (*od. with*) Mitleid haben mit *j-m*, Anteil nehmen an *e-r Sache*; **4.** *pl.* (An)Teilnahme *f*, Beileid *n*: *letter of* ~ Beileidschreiben; *to offer one's sympathies to s.o.* j-m sein Beileid bezeigen, j-m kondolieren; **5.** ⚕ Mitleidenschaft *f*; **6.** Wohlwollen *n*, Zustimmung *f*; **7.** Über'einstimmung *f*, Einklang *m*; **8.** *biol.*, *psych.* Sympathie *f*, Wechselwirkung *f*.

sym·phon·ic [sim'fɔnik] *adj.* (□ ~*ally*) sin'fonisch, sym'phonisch, Sinfonie..., Symphonie...: ~ *poem* ♪ symphonische Dichtung; **sym'pho·ni·ous** [-'founjəs] *adj.* har'monisch (*a. fig.*); **sym·pho·nist** ['simfənist] *s.* ♪ Sin'foniker *m*, Sym'phoniker *m*; **sym·pho·ny** ['simfəni] **I.** *s.* **1.** ♪ Sinfo'nie *f*, Sympho'nie *f*; **2.** *fig.* (*Farben- etc.*)Symphonie *f*, (*a. häusliche etc.*) Harmo'nie, Zs.-klang *m*; **II.** *adj.* **3.** Sinfonie..., Symphonie...: ~ *orchestra*.

sym·po·si·um [sim'pouzjəm] *pl.* **-si·a** [-sjə] *s.* **1.** *antiq.* Sym'posion *n*: **a)** Gastmahl *n*, **b)** *Titel philosophischer Dialoge*; **2.** *fig.* Sammlung *f* von Beiträgen (*über e-e Streitfrage*); **3.** Sym'posium *n*, Tagung *f* (*von Fachleuten*).

symp·tom ['simptəm] *s.* ⚕ *u. fig.* Sym'ptom *n* (*of* für, von), (An)Zeichen *n*; **symp·to·mat·ic** *adj.*; **symp·to·mat·i·cal** [simptə'mætik(əl)] *adj.* □ *bsd.* ⚕ sympto'matisch (*a. fig. bezeichnend*) (*of* für); **symp·tom·a·tol·o·gy** [simptəmə'tɔlədʒi] *s.* ⚕ ˌSymptomatolo'gie *f*.

syn- [sin] *in Zssgn* mit, zusammen.

syn·a·gogue ['sinəgɔg] *s. eccl.* Syna'goge *f*.

syn·a·l(o)e·pha [sinə'li:fə] *s. ling.* Syna'loiphe *f*, Verschleifung *f*.

syn·an·ther·ous [si'nænθərəs] *adj.* ⚘ syn'andrisch, mit verwachsenen Staubbeuteln *od.* -blättern: ~ *plant* Korbblüter, Komposite.

syn·carp ['sinkɑ:p] *s.* ⚘ Sammelfrucht *f*.

syn·chro·mesh ['siŋkrou'meʃ] ⊕ **I.** *adj.* Synchron...; **II.** *s. a.* ~ *gear* Syn'chrongetriebe *n*.

syn·chro·nism ['siŋkrənizəm] *s.* **1.** Synchro'nismus *m*, Gleichzeitigkeit *f*; **2.** Synchronisati'on *f*; **3.** synchro'nistische (Ge'schichts)TaˌbeIle; **4.** *phys.* Gleichlauf *m*; **syn·chro·ni·za·tion** [siŋkrənai'zeiʃən] *s.* **1.** *bsd. Film, Fernsehen*: Synchronisation *f*; **2.** Gleichzeitigkeit *f*, zeitliches Zs.-fallen; **syn·chro·nize** ['siŋkrənaiz] **I.** *v/i.* **1.** gleichzeitig sein, zeitlich zs.-fallen *od.* über'einstimmen; **2.** syn'chron gehen (*Uhr*) *od.* laufen (*Maschine*); **3.** synchronisiert sein (*Bild u. Ton e-s Films*); **II.** *v/t.* **4.** *Uhren, Maschinen* synchronisieren: ~*d shifting mot.* Synchron(gang)-schaltung; **5.** *Tonfilm, Fernsehsendung* synchronisieren; **6.** *Ereignisse* synchro'nistisch darstellen, *Gleichzeitiges* zs.-stellen; **7.** *Geschehnisse* (zeitlich) zs.-fallen lassen *od.* aufein'ander abstimmen; **8.** ♪ **a)** *Ausführende* zum (genauen) Zs.-spiel bringen, **b)** *Stelle, Bogenstrich etc.* genau zu'sammen ausführen (lassen); **'syn·chro·nous** [-nəs] *adj.* □ **1.** gleichzeitig: *to be* ~ (zeitlich) zs.-fallen; **2.** syn'chron: **a)** ⊕, ⚡ gleichlaufend (*Maschine etc.*), gleichgehend (*Uhr*), **b)** ⚡, ⊕ von gleicher Phase u. Schwingungsdauer: ~ *motor* Synchronmotor.

syn·co·pal ['siŋkəpəl] *adj.* **1.** syn'kopisch; **2.** ⚕ Ohnmacht...; **'syn·co·pate** [-peit] *v/t.* **1.** *ling. Wort* synkopieren, zs.-ziehen; **2.** ♪ synkopieren; **syn·co·pa·tion** [siŋkə'peiʃən] *s.* **1.** → *syncope 1*; **2.** ♪ **a)** Synkopierung *f*, **b)** Syn'kope(n *pl.*) *f*, **c)** syn'kopische Mu'sik; **syn·co·pe** ['siŋkəpi] *s.* **1.** *ling.* **a)** Synkope *f*, kontrahiertes Wort, **b)** Kontrakti'on *f*; **2.** ♪ Synkope *f*; **3.** ⚕ Synkope *f*, tiefe Ohnmacht.

syn·dic ['sindik] *s.* **1.** ⚖, ✝ 'Syndikus *m*, Rechtsberater *m*; **2.** *univ.* Se'natsmitglied *n* (*Cambridge*); **'syn·di·cal·ism** [-kəlizəm] *s.* Syndika'lismus *m* (*radikaler Gewerkschaftssozialismus*); **syn·di·cate I.** *s.* [-kit] **1.** ✝, ⚖ Syndi'kat *n*, Kon'sortium *n*; **2.** ✝ Ring *m*, Verband *m*, Sammelverkaufsstelle *f*; **3.** 'Pressezenˌtrale *f*; **4.** Verbrecherring *m*; **II.** *v/t.* [-keit] **5.** ✝ zu e-m Syndikat vereinigen; **6.** *Artikel etc.* in mehreren Zeitungen zugleich veröffentlichen; **III.** *v/i.* **7.** ✝ sich zu e-m Syndikat zs.-schließen; **IV.** *adj.* [-kit] **8.** ✝ Konsortial...; **syn·di·ca·tion** [sindi'keiʃən] *s.* ✝ Syndi'katsbildung *f*.

syn·drome ['sindroum] *s.* ⚕ Syn'drom *n*, Sym'ptomenkomˌplex *m*.

syn·od ['sinəd] *s. eccl.* Syn'ode *f*; **'syn·od·al** [-dl] *adj.*; **syn·od·ic** *adj.*; **syn·od·i·cal** [si'nɔdik(əl)] *adj.* □ syn'odisch (*a. ast.*), Synoden...

syn·o·nym ['sinənim] *s. ling.* Syno'nym *n*, sinnverwandtes Wort; **syn·on·y·mous** [si'nɔniməs] *adj.* □ **1.** *ling.* syno'nym(isch), bedeutungsgleich, sinnverwandt; **2.** *allg.* gleichbedeutend (*with* mit).

syn·op·sis [si'nɔpsis] *pl.* **-ses** [-si:z] *s.* **1.** Zs.-fassung *f*, 'Übersicht *f*, Abriß *m*; **2.** *eccl.* Syn'opse *f*, (vergleichende) Zs.-schau; **syn'op·tic** [-ptik] *adj.* (□ ~*ally*) **1.** syn'optisch, 'übersichtlich, zs.-fassend: ~ *chart meteor.* synoptische Karte; **2.** um'fassend (*Genie*); **3.** *oft* ♀ *eccl.* synoptisch; **Syn'op·tist,** *a.* ♀ [-ptist] *s. eccl.* Syn'optiker *m* (*Matthäus, Markus u. Lukas*).

syn·o·vi·a [si'nouviə] *s. physiol.* Gelenkschmiere *f*; **syn'o·vi·al** [-əl] *adj.* Synovial...: ~ *fluid* → *synovia*; **syn·o·vi·tis** [sinə'vaitis] *s.* ⚕ Gelenkentzündung *f*.

syn·tac·tic *adj.*; **syn·tac·ti·cal** [sin'tæktik(əl)] *adj.* □ syn'taktisch, Syntax...; **syn·tax** ['sintæks] *s.* **1.** *ling.* 'Syntax *f*: **a)** Satzbau *m*, **b)** Satzlehre *f*; **2.** ⚘, *phls.* Syntax *f*, Be'weistheoˌrie *f*.

syn·the·sis ['sinθisis] *pl.* **-ses** [-si:z]

s. allg. Syn'these *f*; '**syn·the·size** [-saiz] *v/t.* **1.** zs.-fügen, (durch Synthese) aufbauen; **2.** ⚗, ⊕ syn'thetisch *od.* künstlich herstellen; **syn·thet·ic** [sin'θetik] **I.** *adj.* (□ *~ally*) syn'thetisch: **a)** *bsd. ling., phls.* zs.-fügend: *~ language*, **b)** ⚗ künstlich, Kunst...: *~ rubber*; **II.** *s.* ⚗ Kunststoff *m*; **syn·thet·i·cal** [sin'θetikəl] *adj.* □ → *synthetic I*; '**syn·the·tize** [-itaiz] → *synthesize*.

syn·ton·ic [sin'tɔnik] *adj.* (□ *~ally*) **1.** ⚡ (auf gleiche Fre'quenz) abgestimmt, gleichlaufend; **2.** *psych.* extravertiert; **syn·to·nize** ['sintənaiz] *v/t.* ⚡ (*to* auf *e-e bestimmte Frequenz*) abstimmen *od.* einstellen; **syn·to·ny** ['sintɔni] *s.* **1.** ⚡ (Fre'quenz)Abstimmung *f*, Reso'nanz *f*; **2.** Extraversi'on *f*.

syph·i·lis ['sifilis] *s.* ⚕ 'Syphilis *f*; **syph·i·lit·ic** [sifi'litik] **I.** *adj.* syphi'litisch; **II.** *s.* Syphi'litiker(in).

sy·phon → *siphon*.

Syr·i·an ['siriən] **I.** *adj.* syrisch; **II.** *s.* Syr(i)er(in).

sy·rin·ga [si'riŋgə] *s.* ⚘ Sy'ringe *f*, Flieder *m*.

syr·inge ['sirindʒ] **I.** *s.* **1.** ⚕, ⊕ Spritze *f*; **II.** *v/t.* **2.** *Flüssigkeit etc.* (ein)spritzen; **3.** *Ohr* ausspritzen; **4.** *Pflanze etc.* ab-, bespritzen.

syr·inx ['siriŋks] *s.* **1.** *antiq.* Pan-, Hirtenflöte *f*; **2. a)** *anat.* Eu'stachische Röhre, **b)** ⚕ Fistel *f*; **3.** *orn.* 'Syrinx *f*, unterer Kehlkopf.

Syro- [saiərou] *in Zssgn* Syro..., syrisch.

syr·up ['sirəp] *s.* Sirup *m*, Zuckersaft *m*; '**syr·up·y** [-pi] *adj.* sirupartig, dickflüssig, klebrig.

sys·tem ['sistim] *s.* **1.** Sy'stem *n* (*a.* ⅌, ♪, ⚗, ⚘, *zo.*): **a)** Gefüge *n*, Aufbau *m*, Anordnung *f*, **b)** Einheit *f*, geordnetes Ganzes, **c)** *phls., eccl.* Lehrgebäude *n*, **d)** ⊕ Anlage *f*, **e)** Verfahren *n*: *~ of government* Regierungssystem; *~ of logarithms* ⅌ Logarithmensystem; *electoral ~ pol.* Wahlsystem, -verfahren; *mountain ~* Gebirgssystem; *savings-bank ~* Sparkassenwesen; *to lack ~* kein System haben; **2.** *ast.* System *n*: *solar ~*; *the ~* das Weltall; **3.** *geol.* Formati'on *f*; **4.** *physiol.* **a)** (Or'gan)Sy,stem *n*, **b)** *the ~* der Organismus: *digestive ~* Verdauungssystem; *to get s.th. out of one's ~* F et. loswerden; **5.** (*Eisenbahn-, Straßen-, Verkehrs- etc.*)Netz *n*: *~ of roads*; **sys·tem·at·ic** *adj.*; **sys·tem·at·i·cal** [sisti'mætik(əl)] *adj.* □ syste'matisch: **a)** plan-, zweckmäßig, -voll, **b)** me'thodisch (*vorgehend od. geordnet*); '**sys·tem·a·tist** [-mətist] *s.* Syste'matiker *m*; **sys·tem·a·ti·za·tion** ['sistimətai'zeiʃən] *s.* Systematisierung *f*; '**sys·tem·a·tize** [-mətaiz] *v/t.* systematisieren, in ein System bringen.

sys·tem·ic [sis'temik] *adj.* (□ *~ally*) *physiol.* Körper..., Organ...: *~ circulation* großer Blutkreislauf; *~ disease* Systemerkrankung.

sys·tems| a·nal·y·sis *s. Computer*: Sy'stemana,lyse *f*; **~ an·a·lyst** *s. Computer*: Sy'stemana,lytiker *m*.

sys·to·le ['sistəli] *s.* Sy'stole *f*: **a)** ⚕ *Zs.-ziehung des Herzmuskels*, **b)** *Metrik*: *Verkürzung e-r langen Silbe*.

T

T, t [ti:] *pl.* **T's, Ts, t's, ts** *s.* **1.** T *n*, t *n* (*Buchstabe*): *to a T* haargenau; *it suits me to a T* das paßt mir ausgezeichnet; *to cross the T's* **a)** peinlich genau sein, **b)** es klar u. deutlich sagen; **2.** *a. flanged T* ⊕ T-Stück *n*.
ta [tɑ:] *int. Brit.* F danke (*Kindersprache*).
Taal [tɑ:l] *s. ling.* Afri'kaans *n* (*der frühen Zeit*).
tab [tæb] *s.* **1.** Streifen *m*, *bsd.* **a)** Schlaufe *f*, (Mantel)Aufhänger *m*, **b)** Lappen *m*, Zipfel *m*, **c)** (Stiefel-)Strippe *f*, **d)** Dorn *m am Schnürsenkel*, **e)** Ohrklappe *f* (*Mütze*); **2.** ⚔ (Kragen)Spiegel *m*; **3.** Schildchen *n*, Anhänger *m*, Eti'kett *n*; (Kar'tei-)Reiter *m*; **4.** F **a)** Rechnung *f*, **b)** Kon'trolle *f*: *to keep* ~*(s) on* Buch führen über (*acc.*), *fig.* kontrollieren, sich auf dem laufenden halten über (*acc.*); *to pick up the* ~ *Am.* (die Rechnung) bezahlen; **5.** ⊕ Nase *f*; **6.** ✈ Trimm-, Hilfsruder *n*.
tab·ard ['tæbəd] *s. hist.* Wappen-, Heroldsrock *m*.
tab·by ['tæbi] **I.** *s.* **1.** Moi'ré *m, n* (*Stoff*); **2.** *mst* ~ *cat* **a)** getigerte *od.* gescheckte Katze, **b)** (weibliche) Katze; **3.** F **a)** alte Jungfer, **b)** Klatschbase *f*; **4.** *ein* Kalkmörtel *m*; **II.** *adj.* **5.** Moiré...; **6.** gestreift; scheckig; **III.** *v/t.* **7.** *Seide* moirieren.
tab·er·nac·le ['tæbə(:)nækl] **I.** *s.* **1.** Zelt *n*, Hütte *f*; **2.** ♀ *eccl.* Stiftshütte *f der Juden*: *Feast of* ♀*s* Laubhüttenfest; **3.** *eccl.* **a)** (jüdischer) Tempel, **b)** ♀ Mor'monentempel *m*, **c)** Bethaus *n der Dissenter*, **d)** Kirche *f* (mit geräumigem Schiff); **4.** Taber'nakel *n*: **a)** *R.C.* Sakra'mentshäuschen *n*, **b)** △ 'Statuennische *f*; **5.** *fig.* Leib *m* (*als Wohnsitz der Seele*); **6.** ⚓ Mastbock *m*; **II.** *v/i.* **7.** *fig.* weilen, s-e Zelte aufschlagen; **III.** *v/t.* **8.** *fig.* beherbergen; **tab·er·nac·u·lar** [tæbə(:)'nækjulə] *adj.* △, *eccl.* Tabernakel...
ta·bes ['teibi:z] *s.* ⚕ **a)** Rückenmarksschwindsucht *f*, **b)** *allg.* Auszehrung *f*; **ta·bet·ic** [tə'betik] ⚕ **I.** *s.* Ta'betiker(in); **II.** *adj.* 'tabisch, 'tabeskrank; **tab·id** ['tæbid] *adj.* □ → *tabetic II*.
tab·la·ture ['tæblətʃə] *s.* **1.** Bild *n*: **a)** Tafelgemälde *n*, **b)** bildliche Darstellung (*a. fig.*); **2.** ♪ *hist.* Tabula'tur *f*.
ta·ble ['teibl] **I.** *s.* **1.** (Eß-, Spiel-)Tisch *m*: *to lay s.th. on the* ~ *parl.* et. verschieben *od.* zurückstellen; *to lie on the* ~ verschoben werden; *to turn the* ~*s (on s.o.)* den Spieß umdrehen (gegenüber j-m); *the* ~*s are turned* das Blatt hat sich gewendet; **2.** Tafel *f*, Tisch *m*: **a)** gedeckter Tisch, **b)** Kost *f*, Essen *n*: *at* ~ bei Tisch, beim Essen; *to keep (od. set) a good* ~ e-e gute Küche führen; *the Lord's* ~ der Tisch des Herrn, das Heilige Abendmahl; **3.** (Tisch-, Tafel-)Runde *f*; → *round 1*; **4.** Komi'tee *n*, Ausschuß *m*; **5.** *geol.* Tafel(land *n*) *f*, Pla'teau *n*: ~ *mountain* Tafelberg; **6.** △ **a)** Tafel *f*, Platte *f*, **b)** Sims *m, n*, Fries *m*; **7.** (Holz-, Stein-, *a.* Gedenk- *etc.*)Tafel *f*: *the (two)* ~*s of the law* die Gesetzestafeln, die zehn Gebote Gottes; **8.** Ta'belle *f*, Verzeichnis *n*: ~ *of contents* Inhaltsverzeichnis; ~ *of wages* Lohntabelle; **9.** 𝔄 Tabelle *f*: ~ *of logarithms* Logarithmentafel; *multiplication* ~ Einmaleins; *to learn one's* ~*s* rechnen lernen; **10.** *anat.* Tafel *f*, 'Tabula *f* (ex'terna *od.* in'terna) (*Schädeldach*); **11.** ⊕ (Auflage)Tisch *m*; **12.** *opt.* Bildebene *f*; **13.** *Chiromantie*: Handteller *m*; **II.** *v/t.* **14.** auf den Tisch legen (*a. fig. vorlegen*); **15.** ⚖ *Antrag etc.* einbringen; **16.** *parl. bsd. Am.* zu'rückstellen, *bsd. Gesetzesvorlage* ruhen lassen; **17.** in e-e Tabelle eintragen, tabel'larisch verzeichnen.
ta·bleau ['tæblou; tablo] *pl.* **'ta·bleaux** [-ouz; -o] *s.* **1.** Bild *n*: **a)** Gemälde *n*, **b)** anschauliche Darstellung; **2.** → *tableau vivant*; **3.** *Brit.* dra'matische Situati'on, über'raschende Szene: ~*!* man stelle sich die Situation vor!; ~ **vi·vant** ['vivɑ̃:ŋ; vivɑ̃] (*Fr.*) *s.* **a)** lebendes Bild, **b)** *fig.* malerische Szene.
'ta·ble|-cloth *s.* Tischtuch *n*, -decke *f*; **'~-cut** *adj.* mit Tafelschnitt (versehen) (*Edelstein*).
ta·ble d'hôte ['tɑ:bl'dout] (*Fr.*) *s.* Me'nü *n*.
'ta·ble|-knife *s.* [*irr.*] *Brit.* Tafel-, Tischmesser *n*; **'~·land** *s. geogr., geol.* Tafelland *n*, Hochebene *f*; **'~-lin·en** *s.* Tischwäsche *f*; **'~-mat** *s.* Set *n, m*; **'~-nap·kin** *s.* Servi'ette *f*; **'~-rap·ping** *s. Spiritismus*: Tischklopfen *n*; **'~-salt** *s.* Tafelsalz *n*; **'~-spoon** *s.* Eßlöffel *m*; **'~-spoon·ful** *pl.* **-fuls** *s. ein* Eßlöffel(voll) *m*.
tab·let ['tæblit] *s.* **1.** Täfelchen *n*; **2.** (Gedenk-, Wand- *etc.*)Tafel *f*; **3.** *hist.* Schreibtafel *f*; **4.** (No'tiz-, Schreib-, Zeichen)Block *m*; **5.** **a)** Stück *n Seife*, **b)** Tafel *f Schokolade*; **6.** *pharm.* Ta'blette *f*; **7.** △ Kappenstein *m*.
'ta·ble|-talk *s.* Tischgespräch *n*; ~ **ten·nis** *s.* Tischtennis *n*; **'~-top** *s.* Tischplatte *f*; **'~-turn·ing** *s. Spiritismus*: Tischrücken *n*; **'~-ware** *s.* Tischgeschirr *n*; **'~-wa·ter** *s.* Tafel-, Mine'ralwasser *n*.
tab·loid ['tæblɔid] **I.** *s.* **1.** *pharm.* Ta'blette *f*, Pa'stille *f* (*geschützte Marke*); **2.** *fig.* konzentrierte 'Dosis; **3.** Bildzeitung *f*, Sensati'onsblatt *n*; *pl. a.* Boule'vardpresse *f*; **II.** *adj.* **4.** konzentriert: *in* ~ *form*.
ta·boo [tə'bu:] **I.** *adj.* ta'bu: **a)** unantastbar, **b)** verboten, **c)** verpönt; **II.** *s.* Ta'bu *n*: *to put s.th. under* ~ → *III*; **III.** *v/t.* für tabu erklären.
ta·bor ['teibə] *s.* ♪ Tambu'rin *n* (*ohne Schellen*).
tab·o(u)·ret ['tæbərit] *s.* **1.** Hocker *m*, Tabu'rett *n*; **2.** Stickrahmen *m*.
tab·u·lar ['tæbjulə] *adj.* □ **1.** tafelförmig, Tafel..., flach; **2.** dünn; **3.** blättrig; **4.** tabel'larisch, Tabellen...: ~ *standard* † Preisindexwährung.
ta·bu·la ra·sa ['tæbjulə'reizə] (*Lat.*) *s.* Tabula *f* rasa: **a)** unbeschriebenes Blatt, völlige Leere, **b)** reiner Tisch.
tab·u·late ['tæbjuleit] **I.** *v/t.* tabellarisieren, tabel'larisch (an)ordnen; **II.** *adj.* → *tabular*; **tab·u·la·tion** [tæbju'leiʃən] *s.* **1.** Tabellarisierung *f*; **2.** Ta'belle *f*; **'tab·u·la·tor** [-tə] *s.* **1.** Tabellarisierer *m*; **2.** ⊕ Tabu'lator *m* (*Schreibmaschine*).
tach·o·gram ['tækəgræm] *s.* ⚕ Tacho'gramm *n*; **'tach·o·graph** [-grɑ:f; -græf] *s.* ⊕ Tacho'graph *m*, Geschwindigkeitsschreiber *m*.
ta·chom·e·ter [tæ'kɔmitə] *s.* ⊕ Tacho'meter *n*, Geschwindigkeitsmesser *m*.
tac·it ['tæsit] *adj.* □ *bsd.* ⚖ stillschweigend: ~ *approval*.
tac·i·turn ['tæsitə:n] *adj.* □ schweigsam, wortkarg; **tac·i·tur·ni·ty** [tæsi'tə:niti] *s.* Schweigsamkeit *f*, Wortkargheit *f*.
tack[1] [tæk] **I.** *s.* **1.** (Nagel)Stift *m*, Reißnagel *m*, Zwecke *f*; **2.** *Näherei*: Heftstich *m*; **3.** ⚓ **a)** Halse *f*, **b)** Haltetau *n*; **4.** ⚓ Schlag *m*, Gang *m* (*beim Lavieren od. Kreuzen*): *to be on the port* ~ auf Backbordhalsen liegen; **5.** ⚓ Lavieren *n* (*a. fig.*); **6.** *fig.* Kurs *m*, Weg *m*, Richtung *f*: *on the wrong* ~ auf dem Holzwege; *to try another* ~ e-n anderen Weg versuchen; **7.** *parl. Brit.* 'Zusatzantrag *m*, -ar,tikel *m*; **8.** ⊕ Klebrigkeit *f*; **II.** *v/t.* **9.** heften (*to* an *acc.*); **10.** *a.* ~ *down* festmachen; **11.** *a.* ~ *together* anein'anderfügen (*a. fig.*); **12.** (*on, to*) anfügen (an *acc.*): *to* ~ *mortgages Brit.* Hypotheken (verschiedenen Ranges) zs.-schreiben; *to* ~ *securities* ⚖ *Brit.* Sicherheiten zs.-fassen; *to* ~ *a rider to a bill parl. Brit.* e-e Vorlage mit e-m Zusatzantrag koppeln; **13.** ⊕ heftschwei-

ßen; **III.** *v/i.* **14.** ⚓ **a)** wenden, **b)** lavieren (*a. fig.*).

tack² [tæk] *s.* ⚓ Nahrung *f*, Zeug *n*: *hard* ~ Schiffszwieback; *soft* ~ Weißbrot, gute Kost.

tack·le ['tækl] **I.** *s.* **1.** Gerät *n*, (Werk)Zeug *n*, Ausrüstung *f*; **2.** (Pferde)Geschirr *n*; **3.** *a. block and* ~ ⊕ Flaschenzug *m*; **4.** ⚓ Talje *f*; **5.** ⚓ Takel-, Tauwerk *n*; **6.** *Fußball*: Angreifen *n* (*e-s Gegners im Ballbesitz*); **7.** *amer. Fußball*: Halbstürmer *m*; **II.** *v/t.* **8.** *et. od. j-n* packen; **9.** *Rugby etc.*: *Gegner im Ballbesitz* angehen, stoppen; **10.** *j-n* angreifen, anein'andergeraten mit; **11.** *fig. j-n* (*mit Fragen etc.*) angehen (on betreffs); **12.** *fig.* **a)** *Problem etc.* anpacken, angehen, in Angriff nehmen, **b)** *Aufgabe etc.* lösen, fertig werden mit.

tack·y ['tæki] *adj.* **1.** klebrig, zäh; **2.** *Am. sl.* **a)** schäbig, armselig, **b)** vul'gär.

tact [tækt] *s.* **1.** Takt *m*, Takt-, Zartgefühl *n*; **2.** Feingefühl *n* (of für); **3.** ♪ Takt(schlag) *m*; '**tact·ful** [-ful] *adj.* □ taktvoll; '**tact·ful·ness** [-fulnis] → *tact 1*.

tac·ti·cal ['tæktikəl] *adj.* □ ⚔ 'taktisch (*a. fig. planvoll, klug*); **tac·ti·cian** [tæk'tiʃən] *s.* ⚔ 'Taktiker *m* (*a. fig.*); '**tac·tics** [-ks] *s.* **1.** *sg. od. pl. konstr.* ⚔ 'Taktik *f*; **2.** *nur pl. konstr. fig.* Taktik *f*, planvolles Vorgehen.

tac·tile ['tæktail] *adj.* **1.** tak'til, Tast...: ~ *sense* Tastsinn; **2.** fühl-, greifbar; **tac·til·i·ty** [tæk'tiliti] *s.* Fühlbarkeit *f*, Tastbarkeit *f*.

tact·less ['tæktlis] *adj.* □ taktlos; '**tact·less·ness** [-nis] *s.* Taktlosigkeit *f*.

tac·tu·al ['tæktjuəl] *adj.* □ tastbar, Tast...: ~ *sense* Tastsinn.

tad·pole ['tædpoul] *s. zo.* Kaulquappe *f*.

taf·fe·ta ['tæfitə] *s.* Taft *m*.

taf·fy¹ ['tæfi] *s.* **1.** *Am.* → *toffee*; **2.** *Am.* F ,Schmus' *m*, Schmeiche'lei *f*.

Taf·fy² ['tæfi] *s.* Wa'liser *m* (*Spottname*).

tag¹ [tæg] **I.** *s.* **1.** (loses) Ende, Anhängsel *n*, Zipfel *m*, Fetzen *m*: ~-*end* F letzter Rest, Ende; **2.** Eti'kett *n*, Anhänger *m*, Schildchen *n*; Abzeichen *n*, Pla'kette *f*: ~-*day Am.* Sammeltag; **3. a)** Schlaufe *f am Stiefel*, **b)** (Schnürsenkel)Stift *m*; **4.** ⊕ Lötklemme *f*; **5. a)** Schwanzspitze *f* (*bsd. e-s Fuchses*), **b)** Wollklunker *f*, *m* (*Schaf*); **6.** (Schrift)Schnörkel *m*; **7.** *fig.* Zusatz *m*, Schwanz *m*; **8.** Re'frain *m*, Kehrreim *m*; **9.** Schlußwort *n*, Mo'ral *f*; **10.** stehende Redensart, bekanntes Zi'tat; **11.** → *ragtag*; **II.** *v/t.* **12.** mit e-m Etikett *etc.* versehen, etikettieren; *Waren* auszeichnen; **13.** mit e-m Schlußwort *od.* e-r Moral versehen; **14.** *Rede etc.* verbrämen; **15.** *et.* anhängen (*to* an *acc.*); **16.** *Schafen* Klunkerwolle abscheren; **17.** F *j-m* wie ein Schatten folgen; **III.** *v/i.* **18.** *oft* ~ *along* hinter'herlaufen: *to* ~ *after* → *17*.

tag² [tæg] **I.** *s.* Fangen *n*, Haschen *n* (*Kinderspiel*); **II.** *v/t.* haschen.

Ta·hi·ti·an [tɑ:'hi:tiən] **I.** *s.* **1.** Ta'hitier(in); **2.** *ling.* Ta'hitisch *n*; **II.** *adj.* **3.** ta'hitisch.

tail¹ [teil] **I.** *s.* **1.** *zo.* Schwanz *m*, (Pferde)Schweif *m*: *to turn* ~ *fig.* ausreißen, davonlaufen; *to twist s.o.'s* ~ j-n piesacken; *close on s.o.'s* ~ j-m dicht auf den Fersen; ~*s up* fidel, hochgestimmt; *keep your* ~ *up!* laß dich nicht unterkriegen!; *with one's* ~ *between one's legs fig.* mit hängenden Ohren, betreten; **2.** *fig.* Schwanz *m*, Ende *n*, Schluß *m* (*e-r Marschkolonne, e-s Briefes etc.*): ~ *of a comet ast.* Kometenschweif; *the* ~ *of the class ped.* der ,Schwanz' *od.* die Schlechtesten der Klasse; ~ *of a note* ♪ Notenhals; ~ *of a storm* (ruhigeres) Ende e-s Sturms; *out of the* ~ *of one's eye* aus den Augenwinkeln; **3.** Haarzopf *m*, -schwanz *m*; **4. a)** Schleppe *f e-s Kleides*, **b)** (Rock-, Hemd-) Schoß *m*, **c)** *pl.* Frack *m*; **5.** ✈ Schwanz *m*, Heck *n*; **6.** *mst pl.* Rück-, Kehrseite *f e-r Münze*; **7. a)** Gefolge *n*, **b)** Anhang *m e-r Partei*, große Masse *e-r Gemeinschaft*; **8.** F **,Beschatter'** *m* (*Detektiv etc.*): *to put a* ~ *on s.o.* **j-n beschatten** lassen; **II.** *v/t.* **9.** mit e-m Schwanz versehen; **10.** *Marschkolonne etc.* beschließen; **11.** *a.* ~ *on* ansetzen, -hängen (*to* an *acc.*); **12.** *Tier* stutzen; **13.** *Beeren* zupfen, entstielen; **14.** F *j-n* **,beschatten', verfolgen; III.** *v/i.* **15. sich hinziehen:** *to* ~ **away** (*od.* **off**) **a) abflauen, -nehmen, sich** verlieren, **b)** zurückbleiben, -fallen, **c)** sich auseinanderziehen (*Marschkolonne etc.*); **16.** F hinter'herlaufen: *to* ~ *after j-m* nachlaufen; **17.** △ eingelassen sein (*in[to]* in *acc. od. dat.*).

tail² [teil] ⚖ **I.** *s.* Beschränkung *f* (*der Erbfolge*), beschränktes Erb- *od.* Eigentumsrecht: *heir in* ~ Vorerbe; *estate in* ~ *male* Fideikommiß; **II.** *adj.* beschränkt: *estate* ~.

'**tail|-board** *s.* Ladeklappe *f* (*a. mot.*); '~**coat** *s.* Frack *m*.

tailed [teild] *adj.* **1.** geschwänzt; **2.** *in Zssgn* ...schwänzig.

'**tail|-'end** *s.* Schluß *m*, Ende *n*; ~ **fly** *s. Am.* (Angel)Fliege *f*; '~**-gun** *s.* ✈ Heckwaffe *f*; '~**-heav·y** *adj.* ✈ schwanzlastig.

tail·ing ['teiliŋ] *s.* **1.** △ eingelassenes Ende; **2.** *pl.* Rückstände *pl.*, Abfälle *pl.*, *bsd.* **a)** Erzabfälle *pl.*, **b)** Ausschußmehl *n*; **3.** zerlaufene Stelle (*im Kattunmuster*).

'**tail-lamp** *s. mot. etc.* Rück-, Schlußlicht *n*.

tail·less ['teillis] *adj.* schwanzlos.

'**tail-light** → *tail-lamp*.

tai·lor ['teilə] **I.** *s.* **1.** Schneider *m*; **II.** *v/t.* **2.** schneidern; **3.** schneidern für *j-n*; **4.** *j-n* kleiden: *well* ~*ed* gut gekleidet; **5.** *fig.* zuschneiden (*to* für *j-n*, auf *et.*); '**tai·lored** [-əd] *adj.* nach Maß angefertigt, gut sitzend, tadellos gearbeitet: ~ *suit* Maßanzug; ~ *costume* Schneiderkostüm; '**tai·lor·ess** [-əris] *s.* **Schneiderin** *f*.

'**tai·lor·made I.** *adj.* **1. vom Schneider angefertigt, Schneider...; 2. a) gutsitzend** (*Kleid etc.*), **b)** ele'gant gekleidet (*Dame*); **3.** nach Maß angefertigt; **4.** F ,ak'tiv' (*Zigarette*, *Ggs. selbstgedreht*); **II.** *s.* **5.** 'Schneiderkoˌstüm *n*.

'**tail|·piece** *s.* **1.** ♪ Saitenhalter *m*; **2.** *typ.* 'Schlußviˌgnette *f*; ~ **plane** *s.* ✈ Höhenflosse *f*; '~**-skid** *s.* ✈ Schwanzsporn *m*; '~**-spin** *s.* ✈ (Ab)Trudeln *n*; '~**·stock** *s.* ⊕ Reitstock *m* (*Drehbank*); ~ **u·nit** *s.* ✈ (Schwanz)Leitwerk *n*; ~ **wind** *s.* ✈ Rückenwind *m*.

taint [teint] **I.** *s.* **1.** *bsd. fig.* Fleck *m*, Makel *m*; *fig. krankhafter etc.* Zug: *a* ~ *of suspicion* ein Anflug von Mißtrauen; **2.** ⚕ **a)** (verborgene) Ansteckung, **b)** (verborgene) Anlage (*of* zu *e-r Krankheit*): *hereditary* ~ erbliche Belastung; **3.** Verderbnis *f*; **II.** *v/t.* **4.** verderben, -giften; **5.** anstecken; **6.** *fig.* verderben: *to be* ~*ed with* behaftet sein mit; **7.** *bsd. fig.* beflecken, besudeln; **III.** *v/i.* **8.** verderben, schlecht werden; '**taint·less** [-lis] *adj.* □ unbefleckt, makellos.

take [teik] **I.** *s.* **1.** *Fischerei*: Fang *m*; **2.** *bsd. thea.* Einnahme(n *pl.*) *f*, Kasse *f*; **3.** *sl.* Fang *m*, Beute *f*; **4.** *Film*: Szene(naufnahme) *f*; **5.** *typ.* Porti'on *f*, Manu'skript *n*; **II.** *v/t.* [*irr.*] **6.** *allg., a. Abschied, Partner, Unterricht etc.* nehmen: ~ *it or leave it sl.* mach was du willst; ~*n all in all* im großen ganzen; *taking one thing with another* eins zum anderen gerechnet; → *account 9, action 8, aim 6, care 4, consideration 1, effect 1*; **7.** (weg)nehmen; **8.** nehmen, fassen, packen, ergreifen; **9.** *Fische etc.* fangen; **10.** *Verbrecher etc.* fangen, ergreifen; **11.** ⚔ gefangennehmen, *Gefangene* machen; **12.** ⚔ *Stadt, Stellung etc.* (ein)nehmen, *a. Land* erobern; *Schiff* kapern; **13.** *j-n* erwischen, ertappen (*stealing* beim Stehlen, *in a lie* bei e-r Lüge); **14.** nehmen, sich aneignen, Besitz ergreifen von, sich bemächtigen (*gen.*); **15.** *Gabe etc.* (an-, entgegen-) nehmen, empfangen; **16.** bekommen, erhalten; *Geld, Steuer etc.* einnehmen; *Preis etc.* gewinnen; **17.** (her'aus)nehmen (*from, out of* aus); *a. fig. Zitat etc.* entnehmen (*from dat.*): *I* ~ *it from s.o. who knows* ich habe (*weiß*) es von j-m, der es genau weiß; **18.** *Speise etc.* zu sich nehmen; *Mahlzeit* einnehmen; *Gift, Medizin etc.* nehmen; **19.** sich *e-e Krankheit* holen *od.* zuziehen: *to be* ~*n ill* krank werden; **20.** nehmen: **a)** auswählen: *I am not taking any sl.* ,ohne mich'!, **b)** kaufen, **c)** mieten, **d)** *Eintritts-, Fahrkarte* lösen, **e)** *Frau* heiraten, **f)** *e-r Frau* beischlafen, **g)** *Weg* wählen; **21.** mitnehmen: ~ *me with you* nimm mich mit; *you can't* ~ *it with you fig.* im Grabe nützt (dir) aller Reichtum nichts mehr; **22.** (hin- *od.* weg-) bringen; *j-n wohin* führen: *business took him to London*; *he was taken to the hospital* er wurde in die Klinik gebracht; **23.** *j-n durch den Tod* nehmen, wegraffen; **24.** ℞ abziehen (*from* von); **25.** *j-n* treffen, erwischen (*Schlag*); **26.** *Hindernis* nehmen; **27.** *j-n* befallen, packen (*Empfindung, Krankheit*): *to be taken with e-e Krankheit* bekommen; → *40*; *taken with fear* von Furcht gepackt; **28.** *Gefühl* haben, bekommen, *Mit-*

leid etc. empfinden, *Mut* fassen, *Anstoß* nehmen; *Ab-, Zuneigung* fassen (*to* gegen, für): *to ~ alarm* beunruhigt sein (*at* über *acc.*); *to ~ comfort* sich trösten; → *fancy 4, pride 1*; **29.** *Feuer* fangen; **30.** *Bedeutung, Sinn, Eigenschaft, Gestalt* annehmen, bekommen: *to ~ a new meaning*; **31.** *Farbe, Geruch, Geschmack* annehmen; **32.** *sport u. Spiele*: **a)** *Ball, Punkt, Figur, Stein* abnehmen (*from dat.*), **b)** *Stein* schlagen, **c)** *Karte* stechen, **d)** *Spiel* gewinnen; **33.** ⚖ *etc.* erwerben, *bsd.* erben; **34.** *Ware, Zeitung* beziehen; ✝ *Auftrag* her'einnehmen; **35.** nehmen, verwenden: *~ 4 eggs Küche*: man nehme 4 Eier; **36.** *Zug, Taxi etc.* nehmen, benutzen; **37.** *Gelegenheit, Vorteil* ergreifen, wahrnehmen; → *chance 2*; **38.** (als Beispiel) nehmen; **39.** *Platz* einnehmen: *taken* besetzt; **40.** *fig. j-n, das Auge, den Sinn* gefangennehmen, fesseln, (für sich) einnehmen: *to be ~n with* (*od. by*) begeistert *od.* entzückt sein von; → *27*; **41.** *Befehl, Führung, Rolle, Stellung, Vorsitz* über'nehmen; **42.** *Mühe, Verantwortung* auf sich nehmen; **43.** leisten: **a)** *Arbeit, Dienst* verrichten, **b)** *Eid, Gelübde* ablegen, **c)** *Versprechen* (ab)geben; **44.** *Notiz, Aufzeichnung* machen, niederschreiben, *Diktat, Protokoll* aufnehmen; **45.** *phot. et. od. j-n* aufnehmen, *Bild* machen; **46.** *Messung, Zählung etc.* vornehmen, 'durchführen; **47.** *wissenschaftlich* ermitteln, *Größe, Temperatur etc.* messen; *Maß* nehmen; **48.** machen, tun: *to ~ a look* e-n Blick tun *od.* werfen; *to ~ a swing* schaukeln; **49.** *Maßnahme* ergreifen, treffen; **50.** *Auswahl* treffen; **51.** *Entschluß* fassen; **52.** *Fahrt, Spaziergang, a. Sprung, Verbeugung, Wendung etc.* machen; *Anlauf* nehmen; **53.** *Ansicht* vertreten; → *stand 3, view 11*; **54. a)** verstehen, **b)** auffassen, auslegen, **c)** *et. gut etc.* **aufnehmen: do you ~ me? verstehen Sie (, was ich meine)?**; *I ~ it that* ich nehme an, daß; *to ~ s.th. ill of s.o.* j-m et. übelnehmen; *to ~ it seriously* es ernst nehmen; **55.** ansehen *od.* betrachten (*as* als); halten (*for* für): *I took him for an honest man*; **56.** sich *Rechte, Freiheiten* (her'aus)nehmen; **57. a)** *Rat, Auskunft* einholen, **b)** *Rat* annehmen, befolgen; **58.** *Wette, Angebot* annehmen; **59.** glauben: *you may ~ it from me* verlaß dich drauf!; **60.** *Beleidigung, Verlust etc., a. j-n* hinnehmen, *Strafe, Folgen* auf sich nehmen, sich *et.* gefallen lassen: *to ~ people as they are* die Leute nehmen, wie sie (eben) sind; **61.** *et.* ertragen, aushalten: *can you ~ it?* kannst du das aushalten?; *to ~ it* F es ‚kriegen', es ausbaden (müssen); **62.** ⚕ sich *e-r Behandlung etc.* unter'ziehen; **63.** *ped. Prüfung* machen, ablegen: *to ~ French* Examen im Französischen machen; → *degree 3*; **64.** *Rast, Ferien etc.* machen, *Urlaub, a. Bad* nehmen; **65.** *Platz, Raum* ein-, wegnehmen, beanspruchen; **66. a)** *Zeit, Material etc., a. fig. Geduld, Mut etc.* brauchen, erfordern, kosten, *gewisse Zeit* dauern: *it took a long time* es dauerte *od.* brauchte lange; *it ~s brains and courage* es erfordert Verstand u. Mut; *it ~s a man to do that* das kann nur ein Mann (fertigbringen), **b)** *j-n et.* kosten, *j-m et.* abverlangen: *it took him* (*od. he took*) *3 hours* es kostete ihn *od.* er brauchte 3 Stunden; → *time 9*; **67.** *Kleidergröße, Nummer* haben: *which size in hats do you ~?*; **68.** *ling.* **a)** *grammatische Form* annehmen, im *Konjunktiv etc.* stehen, **b)** *Akzent, Endung, Objekt etc.* bekommen; **69.** aufnehmen, fassen, Platz bieten für; **III.** *v/i.* [*irr.*] **70.** ⚘ *Wurzel* schlagen; **71.** ⚘, ⚕ anwachsen (*Pfropfreis, Steckling, Transplantat*); **72.** ⚕ wirken, anschlagen (*Droge etc.*); **73.** F ‚ankommen', ‚ziehen', ‚einschlagen', Anklang finden (*Buch, Theaterstück etc.*); **74.** ⚖ das Eigentumsrecht erlangen, *bsd.* erben, (als Erbe) zum Zuge kommen; **75.** sich *gut etc.* photographieren (lassen); **76.** Feuer fangen; **77.** anbeißen (*Fisch*); **78.** ⊕ an-, eingreifen;

Zssgn mit prp.:

take| aft·er *v/i. j-m* nachschlagen, -geraten, ähneln (*dat.*); **~ for** *v/t.* **1.** halten für; **2.** auf *e-n Spaziergang etc.* mitnehmen; **~ from I.** *v/t.* **1.** *j-m* wegnehmen; **2.** ℞ abziehen von; **II.** *v/i.* **3.** Abbruch tun (*dat.*), schmälern (*acc.*), her'absetzen (*acc.*); **4.** beeinträchtigen, mindern, (ab-) schwächen; **~ in·to** *v/t.* **1.** (hin-) 'einführen in (*acc.*); **2.** bringen in (*acc.*); **~ to** *v/t.* **1. a)** sich begeben in (*acc.*) *od.* nach *od.* zu, **b)** sich flüchten in (*acc.*) *od.* zu, **c)** *fig.* Zuflucht nehmen zu: *to ~ the stage* zur Bühne gehen; → *bed 1, heel*[1] *Redew., road 1*; **2. a)** (her'an-) gehen *od.* sich begeben an *e-e Arbeit etc.*, **b)** sich *e-r Sache* widmen, sich abgeben mit: *to ~ doing s.th.* dazu übergehen, et. zu tun; **3.** *et.* anfangen, sich ergeben (*dat.*), sich verlegen auf (*acc.*); *schlechte Gewohnheiten* annehmen: *to ~ drink* (*-ing*) sich aufs Trinken verlegen, das Trinken anfangen; **4.** sich hingezogen fühlen zu, Gefallen finden an *j-m*; **~ up·on** *v/t.*: *~ o.s. et.* auf sich nehmen: *to take it upon o.s. to do s.th.* **a)** es auf sich nehmen, et. zu tun, **b)** sich berufen fühlen, et. zu tun;

Zssgn mit adv.:

take| a·back *v/t.* verblüffen, über'raschen; → *aback 2*; **~ a·bout** *v/t. j-n* her'umführen; **~ a·long** *v/t.* mitnehmen; **~ a·part** *v/t.* auseinandernehmen; **~ a·side** *v/t. j-n* beiseite nehmen; **~ a·way** *v/t.* wegnehmen (*from s.o.* j-m, *from s.th.* von et.); **~ back** *v/t.* **1.** zu'rücknehmen (*a. fig. sein Wort*); **2.** *j-n im Geist* zu'rückversetzen (*to* in *e-e Zeit*); **~ down** *v/t.* **1.** her'unter-, abnehmen; **2.** *Gebäude* abreißen, abtragen, *Gerüst* abnehmen; **3.** ⊕ *Motor* zerlegen; **4.** *Baum* fällen; **5.** *Arznei etc.* (hin'unter)schlucken; **6.** *j-n* demütigen, ‚ducken'; **7.** nieder-, aufschreiben, notieren; **~ for·ward** *v/t.* weiterführen, -bringen; **~ in** *v/t.* **1.** *Wasser etc.* (her)'einlassen: *to ~ petrol* (*Am. gas*) *mot.* tanken; **2.** *Gast etc.* einlassen, aufnehmen; **3.** *Heimarbeit* annehmen; **4.** *Geld* einnehmen; **5.** ✝ *Waren* her'einnehmen; **6.** *Zeitung* halten; **7.** *fig.* in sich aufnehmen; *Lage* über'schauen; **8.** für bare Münze nehmen, glauben; **9.** her'einnehmen, einziehen, ⚓ *Segel* einholen; **10.** *Kleider* kürzer *od.* enger machen; **11.** einschließen (*a. fig. umfassen*); **12.** F *j-n* **reinlegen: *to be taken in* a) reinfallen, b) reingefallen sein; ~ off I.** *v/t.* **1.** wegnehmen, -bringen, -schaffen; fortführen: *to take o.s. off* sich fortmachen; **2.** *durch den Tod* hinraffen; **3.** *Verkehrsmittel* einstellen; **4.** *Hut etc.* abnehmen, *Kleidungsstück* ablegen, ausziehen; **5. a)** *Rabatt* abziehen, **b)** *Steuer etc.* senken; **6.** hin'unter-, austrinken; **7.** *thea. Stück* absetzen; **8.** *to take a day off* sich e-n Tag freinehmen; **9.** *j-n* nachmachen, -äffen, imitieren; **II.** *v/i.* **10.** *sport* abspringen; **11.** ✈ aufsteigen, starten; **12.** fortgehen, sich entfernen; **~ on I.** *v/t.* **1.** *Arbeit* annehmen, über'nehmen; **2.** *Arbeiter* ein-, anstellen; *Mitglied* aufnehmen; **3. a)** *j-n* (als Gegner) annehmen, **b)** es aufnehmen mit *od.* gegen; **4.** *Wette* eingehen; **5.** *Eigenschaft, Gestalt* annehmen; **II.** *v/i.* **6.** F ‚sich haben', großes The'ater machen, sich aufregen; **~ out** *v/t.* **1. a)** her'ausnehmen, *a. Geld* abheben, **b)** wegnehmen, entfernen (*of* von, aus); **2.** *Fleck* entfernen (*of* aus); **3.** ✝, ⚖ *Patent, Vorladung etc.* erwirken; *Versicherung* abschließen; **4.** *to take it out* sich schadlos halten (*in* an *e-r Sache*); *to take it out of* **a)** sich rächen *od.* schadlos halten für (*Beleidigung etc.*), **b)** *j-n* ‚kaputtmachen', erschöpfen; *to take it out on s.o.* s-n Zorn an j-m auslassen; **5.** (*of s.o.* j-m) *den Unsinn etc.* austreiben; **6.** *j-n zum Abendessen etc.* ausführen; *Kinder* spazierenführen; **~ o·ver I.** *v/t. Amt, Aufgabe etc.* über'nehmen; **II.** *v/i.* die Amtsgewalt, Leitung *etc.* über'nehmen; **~ up I.** *v/t.* **1.** aufheben, -nehmen; **2.** *Pflaster* aufreißen; **3.** *Gerät, Waffe* erheben, ergreifen (*against* gegen); **4.** *Reisende* mitnehmen; **5.** *Flüssigkeit* aufsaugen, -nehmen; **6.** *Tätigkeit* aufnehmen; sich befassen mit, sich verlegen auf (*acc.*); *Beruf* ergreifen; **7.** *Fall, Idee etc.* aufgreifen; **8.** *Erzählung etc.* fortführen; **9.** *Platz, Zeit, Gedanken etc.* ausfüllen, beanspruchen, in Anspruch nehmen: *taken up with* in Anspruch genommen von; **10.** *Wohnsitz* aufschlagen; **11.** *Stelle* antreten; **12.** *Posten* einnehmen; **13.** *Verbrecher* aufgreifen, verhaften; **14.** *Masche* aufnehmen; **15.** ⚕ *Gefäß* abbinden; **16.** ✝ **a)** *Anleihe, Kapital* aufnehmen, **b)** *Aktien* zeichnen, **c)** *Wechsel* einlösen; **17.** *Wette, Herausforderung* annehmen; **18. a)** *e-m Redner* ins Wort fallen, **b)** *j-n* zu'rechtweisen, korrigieren; **II.** *v/i.* **19.** *~ with* anbändeln *od.* sich einlassen mit; **~ with** *v/i.* verfangen bei: *that won't ~ me* das verfängt *od.* ‚zieht' bei mir nicht.

'take|-'home pay *s.* Nettolohn *m*,

-gehalt *n*; **'~-'in** *s.* F **1.** Schwindel *m*, Betrug *m*; **2.** ‚Reinfall' *m*.
tak·en ['teikən] *p.p. von take*.
'take|-off *s.* **1.** ✈ Start *m*, Abflug *m*; → *assist 1*; **2.** *sport* a) Absprung *m*, b) Absprungstelle *f*: ~ *board* Absprungbalken; **3.** *fig.* Sprungbrett *n*, Start *m*; **4.** Nachahmung *f*, -äffung *f*, Karika'tur *f*; **'~-o·ver** *s.* **1.** ✝ 'Übernahme *f e-r Firma*: ~ *bid* Übernahmeangebot; **2.** *pol.* 'Macht-ˌübernahme *f*, ‚Wachablösung' *f*.
tak·er ['teikə] *s.* **1.** Nehmer(in); **2.** ✝ Käufer(in); **3.** Wettende(r *m*) *f*.
tak·ing ['teikiŋ] **I.** *s.* **1.** (An-, Ab-, Auf-, Ein-, Ent-, Hin-, Weg- *etc.*) Nehmen *n*; **2.** Inbe'sitznahme *f*; **3.** ⚔ Einnahme *f*, Eroberung *f*; **4.** *pl.* ✝ Einnahmen *pl.*; **5.** F Aufregung *f*; **II.** *adj.* □ **6.** **fesselnd**; **7.** **anziehend, einnehmend, gewinnend**; **8.** F ansteckend.
talc [tælk] *s.* Talk *m*.
tal·cum ['tælkəm] *s.* Talk *m*; ~ **pow·der** *s.* Körperpuder *m*.
tale [teil] *s.* **1.** Erzählung *f*, Bericht *m*: *it tells its own* ~ es spricht für sich selbst; **2.** Erzählung *f*, Geschichte *f*: *old wives'* ~ Ammenmärchen; *thereby hangs a* ~ damit ist e-e Geschichte verknüpft; **3.** Sage *f*, Märchen *n*; **4.** Lüge(ngeschichte) *f*, Unwahrheit *f*; **5.** Klatschgeschichte *f*: *to tell (od. carry, bear)* ~*s* klatschen; *to tell* ~*s (out of school) fig.* aus der Schule plaudern; **6.** *obs.* a) (An-, Gesamt-) Zahl *f*, b) (Auf)Zählung *f*; **'~·bear·er** *s.* Zwischen-, Zuträger(in), Klatschmaul *n*; **'~·bear·ing** *s.* Zuträge'rei *f*, Klatsch(e'rei *f*) *m*.
tal·ent ['tælənt] *s.* **1.** Ta'lent *n*, Begabung *f (beide a. talentierte Person)*: ~ *for languages* Sprachtalent; **2.** *coll.* Ta'lente *pl.* (*Personen*): *to engage the best* ~ die besten Kräfte verpflichten; **3.** *bibl.* Pfund *n*; **'tal·ent·ed** [-tid] *adj.* talen'tiert, ta'lentvoll, begabt; **'tal·ent·less** [-lis] *adj.* 'untalenˌtiert, ta'lentlos.
ta·les ['teili:z] *s. pl. sg. konstr.* ⚖ **1.** Liste *f* der Ersatzgeschworenen; **2.** Vorladung(sschreiben *n*) *f an Ersatzgeschworene*; **'ta·les·man** [-mən] *s.* [*irr.*] Ersatzgeschworene(r) *m*.
'tale·tell·er *s.* **1.** Märchen-, Geschichtenerzähler *m*; **2.** Flunkerer *m*; **3.** → *talebearer*.
tal·is·man ['tælizmən] *pl.* **-mans** *s.* 'Talisman *m*.
talk [tɔ:k] **I.** *s.* **1.** Reden *n*; **2.** Gespräch *n*: a) Unter'haltung *f*, Plaude'rei *f*, b) *a. pol.* Unter'redung *f*: *to have a* ~ *with s.o.* mit j-m reden *od.* plaudern, sich mit j-m unterhalten; **3.** Ansprache *f*; **4.** *bsd. Radio*: a) Plaude'rei *f*, b) Vortrag *m*; **5.** Gerede *n*, Geschwätz *n*: *he is all* ~ er ist ein großer Schwätzer; *to end in* ~ im Sand verlaufen; *there is* ~ *of his being bankrupt* es heißt, daß er bank(e)rott ist; → *small talk*; **6.** Gesprächsgegenstand *m*: *to be the* ~ *of the town* Stadtgespräch sein; **7.** Sprache *f*, Art *f* zu reden; → *baby talk*; **II.** *v/i.* **8.** reden, sprechen: *to* ~ *big* große Reden führen; *to* ~ *round s.th.* um et. herumreden; **9.** reden, sprechen, plaudern, sich unter'halten *(about, on* über *acc.*, *of* von): *to* ~ *at j-n* indirekt ansprechen, meinen; *to* ~ *to s.o.* a) mit j-m sprechen *od.* reden, b) F j-m die Meinung sagen; *to* ~ *to o.s.* Selbstgespräche führen; ~*ing of* da wir gerade von ... sprechen; *you can* ~! F du hast gut reden!; *now you are* ~*ing! sl.* das läßt sich eher hören!; **10.** *contp.* reden, schwatzen; **11.** *b.s.* reden, klatschen *(about* über *acc.)*; **III.** *v/t.* **12.** *et.* reden: *to* ~ *nonsense*; *to* ~ *wisdom* weise reden; **13.** reden *od.* sprechen über (*acc.*): *to* ~ *business (politics)*; **14.** *Sprache* sprechen: *to* ~ *French*; **15.** reden: *to* ~ *o.s. hoarse* sich heiser reden; *to* ~ *s.o. into believing s.th.* j-n et. glauben machen; *to* ~ *s.o. into (out of) s.th.* j-m et. ein- (aus)reden;
Zssgn mit adv.:
talk| a·way *v/t. Zeit* verplaudern; ~ **back** *v/i.* e-e freche Antwort geben; ~ **down I.** *v/t.* **1.** a) *j-n* unter den Tisch reden, b) niederschreien; **2.** *Flugzeug bei der Landung* ‚her'untersprechen'; **II.** *v/i.* **3.** (*to*) sich dem *(niedrigen)* Ni'veau *(e-r Zuhörerschaft)* anpassen; ~ **o·ver** *v/t.* **1.** *j-n* über'reden; **2.** *et.* besprechen, 'durchsprechen; ~ **round** → *talk over 1*; ~ **up I.** *v/i.* **1.** laut u. deutlich reden; **II.** *v/t. Am.* F **2.** *et.* rühmen, anpreisen; **3.** *et.* frei her'aussagen.
talk·a·thon ['tɔ:kəθɔn] *s. Am. sl.* 'Marathonsitzung *f*.
talk·a·tive ['tɔ:kətiv] *adj.* □ geschwätzig, gesprächig, redselig; **'talk·a·tive·ness** [-nis] *s.* Geschwätzigkeit *f etc.*
talk·ee-talk·ee ['tɔ:ki'tɔ:ki] *s.* **1.** Kauderwelsch *n*; **2.** F *contp.* Geschwätz *n*.
talk·er ['tɔ:kə] *s.* **1.** Schwätzer(in); **2.** Sprechende(r *m*) *f*: *he is a good* ~ er kann (gut) reden.
talk·ie ['tɔ:ki] *s.* F Tonfilm *m*.
talk·ing ['tɔ:kiŋ] **I.** *s.* **1.** Sprechen *n*, Reden *n*: *he did all the* ~ er führte allein das Wort; *let him do the* ~ laß(t) ihn (für uns alle) sprechen; **II.** *adj.* **2.** sprechend: ~ *doll*; ~ *parrot*; **3.** *teleph.* Sprech...: ~ *current*; **4.** *fig.* sprechend: ~ eyes; ~ **film**, ~ **(mo·tion) pic·ture** *s.* Tonfilm *m*; **'~-to** *s.* F: *to give s.o. a* ~ j-m e-e Standpauke halten.
'talk-show *s. bsd. Am. Fernsehen*: 'Talk-Show *f*.
talk·y ['tɔ:ki] *adj.* F geschwätzig (*a. fig.*); **'~-talk** *s.* F Geschwätz *n*, leeres Gerede.
tall [tɔ:l] **I.** *adj.* **1.** groß, hochgewachsen: *he is six feet* ~ er ist sechs Fuß groß; **2.** hoch: ~ *house* hohes Haus; **3.** F a) **großsprecherisch**, b) **über'trieben, unglaublich** (*Geschichte*): *that's a* ~ *order* das ist ein bißchen viel verlangt; **II.** *adv.* **4.** F prahlerisch: *to talk* ~ prahlen; **'tall·boy** *s.* Kom'mode *f* mit Aufsatz; **'tall·ish** [-liʃ] *adj.* ziemlich groß; **'tall·ness** [-nis] *s.* Größe *f*, Höhe *f*, Länge *f*.
tal·low ['tælou] **I.** *s.* **1.** *ausgelassener* Talg: *vegetable* ~ Pflanzenfett; **2.** ⊕ Schmiere *f*; **3.** Talg-, Unschlittkerze *f*; **II.** *v/t.* **4.** (ein)talgen, schmieren; **5.** *Tiere* mästen; **'~-faced** *adj.* bleich, käsig.
tal·low·y ['tæloui] *adj.* talgig.
tal·ly¹ ['tæli] **I.** *s.* **1.** *hist.* Kerbholz *n*, -stock *m*; **2.** ✝ (Ab)Rechnung *f*; **3.** (Gegen)Rechnung *f*; **4.** ✝ Kontogegenbuch *n (e-s Kunden)*; **5.** Seiten-, Gegenstück *n (of* zu); **6.** Zählstrich *m*: *by the* ~ ✝ nach dem Stück *kaufen*; **7.** Eti'kett *n*, Marke *f*, Kennzeichen *n (auf Kisten etc.)*; **8.** Ku'pon *m*; **II.** *v/t.* **9.** (stückweise) nachzählen, buchen, kontrollieren; **10.** *oft* ~ *up* berechnen; **III.** *v/i.* **11.** (*with*) über'einstimmen (mit), entsprechen (*dat.*); **12.** aufgehen, stimmen.
tal·ly² ['tæli] *v/t.* ⚓ *Schoten* beiholen.
tal·ly-ho ['tæli'hou] *hunt.* **I.** *int.* hal'lo!, ho! (*Jagdruf*); **II.** *pl.* **-hos** *s.* Hallo *n*; **III.** *v/i.* ‚hallo' rufen.
'tal·ly|-sheet *s.* ✝ Kon'trolliste *f*; **'~-shop** *s.* ✝ *bsd. Brit.* Abzahlungsgeschäft *n*; ~ **sys·tem**, ~ **trade** *s.* ✝ *bsd. Brit.* **'Abzahlungsgeschäft** *n*, -syˌstem *n*.
'tal·mi-gold ['tælmi] *s.* 'Talmigold *n*.
Tal·mud ['tælmud] *s.* 'Talmud *m*; **Tal·mud·ic** [tæl'mudik] *adj.* tal'mudisch; **'Tal·mud·ist** [-dist] *s.* Talmu'dist *m*.
tal·on ['tælən] *s.* **1.** *orn.* Klaue *f*, Kralle *f*; **2.** △ Kehlleiste *f*; **3.** *Kartenspiel*: Ta'lon *m*; **4.** ✝ Talon *m*, Erneuerungsschein *m*, 'ZinskuˌPon *m*.
ta·lus¹ ['teiləs] *pl.* **-li** [-lai] *s.* **1.** *anat.* 'Talus *m*, Sprungbein *n*; **2.** Fußgelenk *n*; **3.** ⚕ Klumpfuß *m*.
ta·lus² ['teiləs] *s.* **1.** Böschung *f*; **2.** *geol.* Geröll-, Schutthalde *f*.
tam [tæm] → *tam-o'-shanter*.
tam·a·ble ['teiməbl] *adj.* (be)zähmbar.
tam·a·rack ['tæməræk] *s.* ⚘ **1.** Nordamer. Lärche *f*; **2.** 'Tamarakholz *n*.
tam·a·rind ['tæmərind] *s.* ⚘ Tama'rinde *f*.
tam·a·risk ['tæmərisk] *s.* ⚘ Tama'riske *f*.
tam·bour ['tæmbuə] **I.** *s.* **1.** (große) Trommel; **2.** *a.* ~*-frame* Stickrahmen *m*; **3.** Tambu'rierstickeˌrei *f*; **4.** △ a) Säulentrommel *f*, b) Tambour *m (zylindrischer Unterbau e-r Kuppel)*; **5.** *Festungsbau*: Tambour *m*; **II.** *v/t.* **6.** *Stoff* tamburieren.
tam·bou·rine [tæmbə'ri:n] *s.* ♪ (flaches) Tamb(o)u'rin, Schellentrommel *f*.
tame [teim] **I.** *adj.* □ **1.** *allg.* **zahm**: a) **gezähmt** (*Tier*), b) **friedlich**, c) **folgsam**, d) **harmlos** (*Witz*), e) **lahm, fad(e)**: *a* ~ *affair*; *a* ~ *retort*; **II.** *v/t.* **2.** **zähmen, bändigen** (*a. fig.*); **3.** *Land* **urbar machen**; **'tame·ness** [-nis] *s.* **1.** **Zahmheit** *f* (*a. fig.*); **2.** **Unter'würfigkeit** *f*; **3.** Harmlosigkeit *f*; **4.** Langweiligkeit *f*; **'tam·er** [-mə] *s.* (Be)Zähmer (-in), Bändiger(in).
Tam·ma·ny ['tæməni] *s. pol. Am.* **1.** → a) *Tammany Hall*, b) *Tammany Society*; **2.** *fig.* po'litische Korrupti'on; ~ **Hall** *s. pol. Am.* **1.** *Versammlungshaus der Tammany Society in New York*; **2.** *fig. a.* ~ **So·ci·e·ty** *s. pol. Am. organisierte demokratische Partei in New York*.

tam-o'-shan·ter [tæmə'ʃæntə] *s.* Schottenmütze *f.*

tamp [tæmp] *v/t.* ⊕ **1.** *Bohrloch* besetzen; zustopfen; **2.** *Sprengladung* verdämmen; **3.** *Lehm etc.* feststampfen; *Beton* rammen.

tamp·er¹ ['tæmpə] *s.* ⊕ Stampfer *m.*

tam·per² ['tæmpə] *v/i.* ~ **with 1.** sich (unbefugt) zu schaffen machen mit, her'umbasteln *od.* -pfuschen an (*dat.*), *bsd. Urkunde etc.* verfälschen, betrügerisch ändern, ‚frisieren'; **2. a)** sich (ein)mischen in (*acc.*), **b)** hin'einpfuschen in (*acc.*); **3. a)** mit *j-m* intrigieren, **b)** *bsd. Zeugen* (zu) bestechen (suchen).

tam·pi·on ['tæmpiən] *s.* ⚔ Mündungspfropfen *m.*

tam·pon ['tæmpən] **I.** *s.* **1.** ⚕, *a. typ.* Tam'pon *m*; **2.** *allg.* Pfropfen *m*; **II.** *v/t.* **3.** ⚕, *typ.* tamponieren.

tan [tæn] **I.** *s.* **1.** ⊕ Lohe *f*; **2.** ⚗ Gerbstoff *m*; **3.** Lohfarbe *f*; **4.** (gelb)braunes Kleidungsstück (*bsd. Schuh*); **5.** Sonnenbräunung *f* (*der Haut*); **II.** *v/t.* **6.** ⊕ **a)** *Leder* gerben, **b)** beizen; **7.** *Haut* bräunen; **8.** F versohlen, *j-m* das Fell gerben; **III.** *v/i.* **9.** sich bräunen (*Haut*); **IV.** *adj.* **10.** lohfarben, gelbbraun; **11.** Gerb...

tan·dem ['tændəm] **I.** *adv.* **1.** hintereinander (angeordnet) (*bsd. Pferde*): *to drive* ~ zweie lang fahren; **II.** *s.* **2.** Tandem *n* (*Gespann, Wagen, Fahrrad*); **3.** ⊕ Reihe *f*, Tandem *n*; **III.** *adj.* **4.** Tandem..., hinterein'anderliegend: ~ *bicycle* Tandem; ~ *connection* ⚡ Kaskadenschaltung; ~ *engine* Tandemmaschine.

tang¹ [tæŋ] *s.* **1.** ⊕ **a)** Griffzapfen *m* (*Messer etc.*), **b)** Angel *f*, **c)** Dorn *m*; **2.** scharfer Geruch *od.* Geschmack; Beigeschmack *m* (of von) (*a. fig.*).

tang² [tæŋ] **I.** *s.* (scharfer) Klang; **II.** *v/i. u. v/t.* (laut u. scharf) ertönen *od.* erklingen (lassen).

tang³ [tæŋ] *s.* ⚘ Seetang *m.*

tan·gent ['tændʒənt] **I.** *s.* ⩘ Tan'gente *f*: *to fly* (*od. go*) *off at a* ~ *fig.* plötzlich (vom Gegenstande) abspringen; **II.** *adj.* → *tangential 1*;

tan·gen·tial [tæn'dʒenʃəl] *adj.* □ **1.** ⩘ berührend, tangenti'al, Berührungs..., Tangential...: ~ *force* Tangentialkraft; ~ *plane* Berührungsebene; *to be* ~ *to et.* berühren; **2.** *fig.* sprunghaft, flüchtig.

tan·ge·rine [tændʒə'ri:n] *s.* ⚘ Manda'rine *f.*

tan·gi·ble ['tændʒəbl] *adj.* □ greifbar: **a)** fühlbar, **b)** *fig.* handgreiflich, **c)** ⚖ re'al: ~ *assets* greifbare Aktiven; ~ *property* Sachvermögen.

tan·gle ['tæŋgl] **I.** *v/t.* **1.** verwirren, -wickeln, durchein'anderbringen (*alle a. fig.*); **2.** verstricken (*a. fig.*); **II.** *v/i.* **3.** sich verwirren; **III.** *s.* **4.** Gewirr *n*, wirrer Knäuel; **5.** Verwirrung *f*, -wicklung *f*, Durchein'ander *n.*

tan·go ['tæŋgou] **I.** *pl.* **-gos** *s.* Tango *m* (*Tanz*); **II.** *v/i. pret. u. p.p.* **-goed** Tango tanzen.

tank [tæŋk] **I.** *s.* **1.** Tank *m*, Behälter *m*; **2.** (Wasser)Becken *n*, Zi'sterne *f*; **3.** 🚂 **a)** Wasserkasten *m*, **b)** 'Tenderlokomo,tive *f*; **4.** *phot.* Bad *n*; **5.** ⚔ Panzer(wagen) *m*, Tank *m*; **6.** *Am. sl.* **a)** ‚Kittchen' *n*, **b)** (Haft-)Zelle *f*; **II.** *v/t. u. v/i.* **7.** tanken; **8.** *a.* ~ *up sl.* sich ‚vollaufen' lassen: ~*ed* besoffen; **'tank·age** [-kidʒ] *s.* **1.** Fassungsvermögen *n* e-s Tanks; **2.** (Gebühr *f* für) Aufbewahrung *f* in Tanks; **3.** ✓ Fleischmehl *n* (*Düngemittel*); **'tank·ard** [-kəd] *s.* (Deckel)Kanne *f*, (*bsd.* Bier)Krug *m.*

'tank|-bust·er *s.* ⚔ *sl.* **1.** Panzerknacker *m*; **2.** Jagdbomber *m* zur Panzerbekämpfung; **'~-car** *s.* 🚂 Kesselwagen *m*; **~ de·stroy·er** *s.* ⚔ Sturmgeschütz *n*; **~ dra·ma** *s. thea. sl.* Sensati'onsstück *n*; **~ en·gine** → *tank 3 b.*

tank·er ['tæŋkə] *s.* ⚓ Tanker *m*, Tankschiff *n*; **~ air·craft** *s.* ✈ Tankflugzeug *n.*

'tan-liq·uor *s.* ⊕ Beizbrühe *f.*

tanned [tænd] *adj.* sonn(en)verbrannt, gebräunt.

tan·ner¹ ['tænə] *s. Brit. obs. sl.* 'Sixpencestück *n.*

tan·ner² ['tænə] *s.* ⊕ (Loh)Gerber *m*; **'tan·ner·y** [-əri] *s.* Gerbe'rei *f*; **'tan·nic** [-nik] *adj.* Gerb...: ~ *acid*; **'tan·nin** [-nin] *s.* ⚗ Tan'nin *n.*

'tan|-ooze, **'~-pick·le** → *tan-liquor*; **'~-pit** *s. Gerberei*: Lohgrube *f.*

tan·ta·li·za·tion [tæntəlai'zeiʃən] *s.* **1.** Quälen *n*, Zappelnlassen *n*; **2.** ('Tantalus)Qual *f*; **tan·ta·lize** ['tæntəlaiz] *v/t. fig.* peinigen, quälen, zappeln lassen; **tan·ta·liz·ing** ['tæntəlaiziŋ] *adj.* □ quälend, aufreizend.

tan·ta·lum ['tæntələm] *s.* ⚗ 'Tantal *n.*

tan·ta·mount ['tæntəmaunt] *adj.* gleichbedeutend (*to* mit): *to be* ~ *to* gleichkommen (*dat.*).

tan·tiv·y [tæn'tivi] **I.** *s.* **1.** schneller Ga'lopp; **2.** Hussa *n* (*Jagdruf*); **II.** *adv.* **3.** schnell, spornstreichs.

tan·trum ['tæntrəm] *s.* F **1.** schlechte Laune; **2.** Wut(anfall *m*) *f*, Koller *m*, Rappel *m*: *to fly into a* ~ in Wut geraten.

tap¹ [tæp] **I.** *s.* **1.** Zapfen *m*, Spund *m*, (Faß)Hahn *m*: *on* ~ **a)** angestochen, angezapft (*Faß*), **b)** *fig.* (sofort) verfügbar; **2.** *Brit.* **a)** (Wasser-, Gas)Hahn *m*, **b)** Wasserleitung *f*; **3.** F Getränk *n*, (Getränke)Sorte *f*; **4.** *Brit.* → *taproom*; **5.** ⊕ **a)** Gewindebohrer *m*, **b)** (Ab)Stich *m*, **c)** Abzweigung *f*; **6.** ⚡ **a)** Stromabnehmer *m*, **b)** Zapfstelle *f*; **II.** *v/t.* **7.** mit e-m Zapfen *od.* Hahn versehen; **8.** *Flüssigkeit* abzapfen; **9.** *Faß* anstechen; **10.** ⚕ punktieren; **11.** ⚡ *Telephonleitung etc.* anzapfen: *to* ~ *the wire(s)* **a)** Strom stehlen, **b)** Telephongespräche *etc.* abhören; **12.** ⚡ mit Stöpseln anschalten; **13.** *metall. Schlacke* abstechen; **14.** *fig. Hilfsquellen etc.* erschließen; **15.** *fig. Vorräte etc.* angreifen, anbrechen; **16.** *sl. j-n* ‚anpumpen' (*for* um).

tap² [tæp] **I.** *v/t.* **1.** leicht schlagen *od.* klopfen *od.* pochen an (*acc.*) *od.* auf (*acc.*) *od.* gegen, *et.* beklopfen: *to* ~ *s.o. on the shoulders* j-m auf die Schulter klopfen; **2.** klopfen mit; **3.** *Schuh* flicken; **II.** *v/i.* **4.** klopfen (*on, at* gegen, an *acc.*); **III.** *s.* **5.** Klaps *m*, leichter Schlag; **6.** *pl.* ⚔ *Am.* Zapfenstreich *m*; **7.** Stück *n* Leder, Flicken *m.*

'tap|-dance I. *s.* Steptanz *m*; **II.** *v/i.* steppen; **'~-danc·er** *s.* Steptänzer (-in); **'~-danc·ing** *s.* Steptanz *m.*

tape [teip] **I.** *s.* **1.** schmales (Leinen-)Band, Zwirnband *n*; **2.** (Isolier-, Meß-, Me'tall- *etc.*)Band *n*, (Pa'pier-, Kleb- *etc.*)Streifen *m*; **3. a)** *Telegraphie*: Papierstreifen *m*, **b)** *Fernschreiber, Computer*: Lochstreifen *m*; **4.** ⚡ ('Video-, Ton-)Band *n*; **5.** *sport* Zielband *n*: *to breast the* ~ das Zielband durchreißen; **II.** *v/t.* **6.** mit Band versehen; (mit Band) um'wickeln *od.* binden; **7.** mit Heftpflaster verkleben; **8.** *Buchteile* heften; **9.** mit dem Bandmaß messen: *I've got him* ~*d sl.* ich habe ihn durchschaut, ich weiß genau Bescheid über ihn; **10. a)** auf (Ton)Band aufnehmen, **b)** *Fernsehen*: aufzeichnen; **~ li·brar·y** *s.* 'Bandar,chiv *n*; **'~-line**, **'~-meas·ure** *s.* Meßband *n*, Bandmaß *n*; **'~-mi·cro·phone** *s.* 'Bandmikro,phon *n.*

ta·per ['teipə] **I.** *s.* **1.** (dünne) Wachskerze; **2.** ⊕ Verjüngung *f*, Konizi'tät *f*; **3.** ⚡ 'Widerstandsverteilung *f*; **II.** *adj.* **4.** spitz zulaufend, verjüngt; **III.** *v/t.* **5.** zuspitzen, verjüngen; **6.** ~ *off fig.* F *Produktion* auslaufen lassen; **IV.** *v/i.* **7.** *oft* ~ *off* spitz zulaufen, sich verjüngen; all'mählich dünn werden; **8.** ~ *off* F allmählich aufhören, auslaufen.

'tape|-re·cord *v/t.* → *tape 10*; **'~-re·cord·er** *s.* ⚡ Tonband(aufnahme)gerät *n*; **'~-re·cord·ing** *s.* **1.** (Ton)Bandaufnahme *f*; **2.** *Fernsehen*: Aufzeichnung *f.*

ta·pered ['teipəd] *adj.*; **'ta·per·ing** [-əriŋ] *adj.* □ spitz zulaufend, verjüngt, konisch.

tap·es·tried ['tæpistrid] *adj.* gobe'lingeschmückt; **tap·es·try** ['tæpistri] *s.* **1. a)** Gobe'lin *m*, Wandteppich *m*, gewirkte Ta'pete, **b)** Dekorati'onsstoff *m*; **2.** Tapisse'rie *f.*

'tape·worm *s. zo.* Bandwurm *m.*

tap·is ['tæpi:] (*Fr.*) *s.* Teppich *m*: *to bring* (*up*)*on the* ~ *fig.* aufs Tapet *od.* zur Sprache bringen.

tap·pet ['tæpit] *s.* ⊕ **1.** Daumen *m*, Mitnehmer *m*; **2.** (Ven'til- *etc.*) Stößel *m*; **3.** (Wellen)Nocke *f*; **4.** (Steuer)Knagge *f.*

'tap|·room *s.* Schankstube *f*; **'~-root** *s.* ⚘ Pfahlwurzel *f.*

tap·ster ['tæpstə] *s.* Schankkellner *m.*

tar [tɑ:] **I.** *s.* **1.** Teer *m*; **2.** F ‚Teerjacke' *f* (*Matrose*); **II.** *v/t.* **3.** teeren: *to* ~ *and feather j-n* teeren u. federn; ~*red with the same brush* (*od. stick*) genau dasselbe, genauso schlecht.

tar·a·did·dle ['tærədidl] *s.* Flunke'rei *f*, Flause *f*, Lüge *f.*

ta·ran·tu·la [tə'ræntjulə] *s. zo.* Ta'rantel *f.*

'tar|-board *s.* Dach-, Teerpappe *f*; **'~-brush** *s.* Teerpinsel *m*: *he has a touch of the* ~ er hat Neger- *od.* Indianerblut in den Adern.

tar·di·ness ['tɑ:dinis] *s.* **1.** Langsamkeit *f*; **2.** Unpünktlichkeit *f*, Säumigkeit *f*; **3.** Verspätung *f*;

tar·dy ['tɑ:di] *adj.* □ **1.** langsam, träge; **2.** säumig, unpünktlich; **3.**

spät, verspätet: *to be ~* (zu) spät kommen.
tare[1] [tɛə] *s.* **1.** (*bsd.* Futter)Wicke *f*; **2.** *bibl.* Unkraut *n*.
tare[2] [tɛə] **I.** *s.* Tara *f*: *~ and tret* Tara u. Gutgewicht; **II.** *v/t.* tarieren.
tar·get ['tɑ:git] **I.** *s.* **1.** (Schieß-, Ziel)Scheibe *f*; **2.** ⚔, *Radar etc.*: Ziel *n* (*a. fig.*): *to be off ~* das Ziel verfehlen, danebenschießen; *to be on ~* **a)** das Ziel voll im Visier haben, *a.* sich eingeschossen haben, **b)** *fig.* Bescheid wissen; **3.** *fig.* Zielscheibe *f des Spottes etc.*; **4.** *fig.* (Leistungs-, Produkti'ons- *etc.*)Ziel *n*, Soll *n*; **5.** 'Weichensiˌgnal *n*; **6.** ⚡ 'Antikaˌthode *f von Röntgenröhren*; **7.** *her.* runder Schild; **II.** *adj.* **8.** Ziel...: *~ area* ⚔ Zielbereich, -raum; *~ bombing* gezielter Bombenwurf; *~ electrode* ⚡ Auffangelektrode; *~ group* Zielgruppe; *~ practice* Übungs-, Scheibenschießen; *~* **lan·guage** *s. ling.* Zielsprache *f* (*Übersetzung etc.*).
tar·iff ['tærif] **I.** *s.* **1.** 'Zolltaˌrif *m*; **2.** Zoll(gebühr *f*) *m*, Zölle *pl.*; **3.** (Ge'bühren-, 'Kosten- *etc.*)Taˌrif *m*; **4.** *Brit.* Preisverzeichnis *n* (*in e-m Hotel etc.*); **II.** *v/t.* **5.** e-n Ta'rif aufstellen für; **6.** *Ware* mit Zoll belegen; **7.** *Ware* auszeichnen; *~* **rate** *s.* **1.** Ta'rifsatz *m*; **2.** Zollsatz *m*; *~* **re·form** *s.* **1.** *Brit.* 'Schutzzollpoliˌtik *f*; **2.** *Am.* 'Freihandelspoliˌtik *f*; *~* **wall** *s.* Zollschranke *f e-s Staates*.
tar·mac ['tɑ:mæk] *s. Brit.* 'Teermakaˌdam(straße *f*, ✈ -rollfeld *n*) *m*.
tar·nish ['tɑ:niʃ] **I.** *v/t.* **1.** trüben, matt *od.* blind machen, *e-r Sache* den Glanz nehmen; **2.** *fig.* besudeln, beflecken; **3.** ⊕ mattieren; **II.** *v/i.* **4.** matt *od.* trübe werden; **5.** anlaufen (*Metall*); **III.** *s.* **6.** Trübung *f*; Beschlag *m*, Anlaufen *n* (*von Metall*); **7.** *fig.* Fleck *m*, Makel *m*.
tarp [tɑ:p] *abbr. für tarpaulin*; **tar·pau·lin** [tɑ:'pɔ:lin] *s.* **1.** ⚓ **a)** Per'senning *f* (*geteertes Segeltuch*), **b)** Ölzeug *n* (*Hose, Mantel*); **2.** Plane *f*, Wagendecke *f*; **3.** Zeltbahn *f*.
tar·ra·did·dle → *taradiddle*.
tar·ry[1] ['tɑ:ri] *adj.* teerig.
tar·ry[2] ['tæri] **I.** *v/i.* **1.** zögern, zaudern, säumen; **2.** (ver)weilen, bleiben: *to ~ at home*; **II.** *v/t.* **3.** *obs. et.* abwarten.
tar·sal ['tɑ:səl] *anat.* **I.** *adj.* **1.** Fußwurzel...; **2.** (Augen)Lidknorpel...; **II.** *s.* **3.** *a. ~ bone* Fußwurzelknochen *m*; **4.** (Augen)Lidknorpel *m*.
tar·si·a ['tɑ:siə] *s.* In'tarsia *f*, Einlegearbeit *f* in Holz.
tar·sus ['tɑ:səs] *pl.* -si [-sai] *s.* **1.** → *tarsal 3 u. 4*; **2.** *orn.* Laufknochen *m*; **3.** *zo.* Fußglied *n*.
tart[1] [tɑ:t] *adj.* □ **1.** sauer, herb, scharf; **2.** *fig.* scharf, beißend: *~ reply*.
tart[2] [tɑ:t] *s.* **1.** (Obst)Torte *f*, Obstkuchen *m*; **2.** *sl.* Hure *f*, ‚Nutte' *f*.
tar·tan ['tɑ:tən] *s.* Tartan *m*: **a)** Schottentuch *n*, **b)** Schottenmuster *n*: *~ plaid* Schottenplaid.
Tar·tar[1] ['tɑ:tə] **I.** *s.* **1.** Ta'tar(in); **2.** *a.* ♀ Wüterich *m*, böser *od.* unangenehmer Kerl: *to catch a ~* an den Unrechten kommen, übel ankommen; **II.** *adj.* **3.** ta'tarisch.
tar·tar[2] ['tɑ:tə] *s.* **1.** Weinstein *m*: *~ emetic* ⚕ Brechweinstein; **2.** Zahnstein *m*; **tar·tar·ic** [tɑ:'tærik] *adj.* ⚗ **1.** Wein...: *~ acid*; **2.** Weinsäure...
tart·let ['tɑ:tlit] *s.* (Obst)Törtchen *n*.
tart·ness ['tɑ:tnis] *s.* Schärfe *f*: **a)** Säure *f*, Herbheit *f*, **b)** *fig.* Schroffheit *f*, Bissigkeit *f*.
tar·trate ['tɑ:treit] *s.* ⚗ wein(stein)saures Salz, Tar'trat *n*.
task [tɑ:sk] **I.** *s.* **1.** Aufgabe *f*: *to take to ~ fig.* zur Rede stellen, ins Gebet nehmen (*for* wegen); **2.** Pflicht *f*, (auferlegte) Arbeit; **3.** Schularbeit *f*, -aufgabe *f*; **II.** *v/t.* **4.** *j-m* Arbeit zuweisen *od.* aufbürden, *j-n* beschäftigen; **5.** *fig. Kräfte etc.* stark beanspruchen, *sein Gedächtnis etc.* anstrengen; *~* **force** *s.* **1.** ⚔ *gemischter* Kampfverband (*für Sonderunternehmen*); **2.** Einsatzgruppe *f* (*Polizei etc.*); **3.** Pro'jektgruppe *f*; **'~·mas·ter** *s.* **1.** (*bsd.* strenger) Arbeitgeber: *severe ~ fig.* strenger Zuchtmeister; **2.** ⊕ (Arbeit)Anweiser *m*; **'~·wag·es** *s. pl.* Ak'kord-, Stücklohn *m*; **'~·work** *s.* Ak'kord-, Stückarbeit *f*.
tas·sel ['tæsəl] **I.** *s.* Quaste *f*, Troddel *f*; **II.** *v/t.* mit Quasten *od.* Troddeln schmücken.
taste [teist] **I.** *v/t.* **1.** *Speisen etc.* kosten, (ab)schmecken, probieren, versuchen (*a. fig.*); **2.** kosten, *Essen* anrühren: *he had not ~d food for days*; **3.** *et.* (her'aus)schmecken; **4.** *fig.* kosten, kennenlernen, erleben; **5.** *fig.* genießen; **II.** *v/i.* **6.** schmekken (*of* nach); **7.** kosten, versuchen (*of* von *od. acc.*); **8.** *obs. fig.* (*of*) erleben (*acc.*), kosten (*acc.*); **III.** *s.* **9.** Geschmack *m*: *a ~ of garlic* ein Knoblauchgeschmack; *to leave a bad ~ in one's mouth bsd. fig.* e-n üblen Nachgeschmack haben; **10.** Geschmackssinn *m*; **11.** (Kost)Probe *f* (*of* von *od. gen.*): **a)** kleiner Bissen, **b)** Schlückchen *n*; **12.** *fig.* (Kost)Probe *f*, Vorgeschmack *m*: *to give s.o. a ~ of one's skill* (*bad manners*); **13** *fig.* Beigeschmack *m*, Anflug *m* (*of* von); **14.** *fig.* (künstlerischer *od.* guter) Geschmack: *in bad ~* geschmacklos (*a. weitS. unfein, taktlos*); *in good ~* **a)** geschmackvoll, **b)** taktvoll; **15.** Geschmacksrichtung *f*, Mode *f*; **16. a)** Neigung *f*, Sinn *m* (*for* für), **b)** Geschmack *m*, Gefallen *n* (*for* an *dat.*): *not to my ~* nicht nach m-m Geschmack; **'taste·ful** [-ful] *adj.* □ *fig.* geschmackvoll; **'taste·ful·ness** [-fulnis] *s. fig.* guter Geschmack *e-r Sache, das* Geschmackvolle; **'taste·less** [-lis] *adj.* □ **1.** unschmackhaft, fade; **2.** *fig.* geschmacklos; **'taste·less·ness** [-lisnis] *s.* **1.** Unschmackhaftigkeit *f*; **2.** *fig.* Geschmack-, Taktlosigkeit *f*; **'tast·er** [-tə] *s.* **1.** (berufsmäßiger Tee-, Wein- *etc.*) Schmecker *m*, Koster *m*; **2.** *hist.* Vorkoster *m*; **3.** Pro'bierglä-chen *n* (*für Wein*); **4.** (Käse)Stecher *m*; **'tast·i·ness** [-tinis] *s.* **1.** Schmackhaftigkeit *f* (*Speise etc.*); **2.** *fig.* → *tastefulness*; **'tast·y** [-ti] *adj.* □ F **1.** schmackhaft; **2.** *fig.* geschmack-, stilvoll.
tat [tæt] **I.** *v/i.* Frivoli'täten- *od.* Schiffchenarbeit machen; **II.** *v/t.* in Frivolitätenarbeit herstellen.
ta-ta ['tæ'tɑ:] *int. Kindersprache*: auf 'Wiedersehen!
Ta·tar ['tɑ:tə] **I.** *s.* Ta'tar(in); **II.** *adj.* ta'tarisch; **Ta·tar·i·an** [tɑ:'tɛəriən], **Ta·tar·ic** [tɑ:'tærik] *adj.* tatarisch.
tat·ter ['tætə] *s.* Lumpen *m*, Fetzen *m*: *in ~s* zerfetzt; *to tear to ~s* (*a. fig. Argument etc.*) zerfetzen, -reißen; **tat·ter·de·mal·ion** [tætədə'meiljən] **I.** *s.* zerlumpter Kerl; **II.** *adj.* → *tattered 1*; **'tat·tered** [-əd] *adj.* **1.** zerlumpt, abgerissen; **2.** zerrissen, zerfetzt.
tat·ting ['tætiŋ] *s.* Frivoli'täten-, Schiffchenarbeit *f* (*Spitze*).
tat·tle ['tætl] **I.** *v/i.* schwatzen, klatschen; **II.** *v/t.* ausplaudern; **III.** *s.* Klatsch *m*, Geschwätz *n*; **'tat·tler** [-lə] *s.* Schwätzer(in), Klatschbase *f*.
tat·too[1] [tə'tu:] **I.** *s.* **1.** ⚔ **a)** Zapfenstreich *m* (*Signal*), **b)** 'Abendpaˌrade *f* mit Mu'sik, Vorführungen *pl.*; **2.** Trommeln *n*, Klopfen *n*: *to beat the devil's ~* ungeduldig mit den Fingern trommeln; **II.** *v/i.* **3.** den Zapfenstreich blasen *od.* trommeln.
tat·too[2] [tə'tu:] **I.** *v/t. pret. u. p.p.* **tat'tooed** [-u:d] **1.** *Haut* tätowieren; **2.** *Muster* eintätowieren (*on in acc.*); **II.** *s.* **3.** Tätowierung *f*.
taught [tɔ:t] *pret. u. p.p. von teach*.
taunt [tɔ:nt] **I.** *v/t.* verhöhnen, -spotten, schmähen: *to ~ s.o. with* j-m *et.* (höhnisch) vorwerfen; **II.** *s.* Spott *m*, Hohn *m*, Schmähung *f*; **'taunt·ing** [-tiŋ] *adj.* □ spottend, höhnisch.
tau·rine ['tɔ:rain] *adj.* **1.** *zo.* **a)** rinderartig, **b)** Rinder..., Stier...; **2.** *ast.* Stier...; **Tau·rus** ['tɔ:rəs] *s. ast.* Stier *m* (*Sternbild u. Tierkreiszeichen*).
taut [tɔ:t] *adj.* □ **1.** straff, stramm (*Seil etc.*), angespannt (*a. Nerven, Gesicht*); **2.** schmuck (*Schiff etc.*); **'taut·en** [-tən] **I.** *v/t.* stramm ziehen, straff anspannen; **II.** *v/i.* sich straffen *od.* spannen.
tau·to·log·ic *adj.*; **tau·to·log·i·cal** [tɔ:tə'lɔdʒik(əl)] *adj.* □ tauto'logisch, das'selbe wieder'holend; **tau·tol·o·gy** [tɔ:'tɔlədʒi] *s.* Tautolo'gie *f*, Doppelaussage *f*.
tau·to·mer ['tɔ:təmə] *s.* ⚗ Tauto'mere *n*.
tav·ern ['tævən] *s.* Ta'verne *f*, Schenke *f*, Kneipe *f*.
taw[1] [tɔ:] *v/t.* weißgerben.
taw[2] [tɔ:] *s.* **1.** Murmel *f*; **2.** Murmelspiel *n*; **3.** Ausgangslinie *f*.
taw·dri·ness ['tɔ:drinis] *s.* **1.** Flitterhaftigkeit *f*, grelle Buntheit, Kitsch *m*; **2.** Wertlosigkeit *f*, Billigkeit *f*; **taw·dry** ['tɔ:dri] *adj.* □ **1.** flitterhaft, Flitter...; **2.** geschmacklos aufgeputzt, aufgedonnert; **3.** kitschig, billig.
tawed [tɔ:d] *adj. Gerberei*: a'laungar (*Leder*); **taw·er** ['tɔ:ə] *s.* Weißgerber *m*; **taw·er·y** ['tɔ:əri] *s.* Weißgerbe'rei *f*.
taw·ni·ness ['tɔ:ninis] *s.* Lohfarbe *f*, Gelbbraun *n*; **taw·ny** ['tɔ:ni] *adj.*

lohfarben, gelbbraun: ~ *owl orn.* Waldkauz.

taws(e) [tɔ:z] *s. bsd. Scot.* Peitsche *f*, Riemen *m*.

tax [tæks] **I.** *s.* **1.** (Staats)Steuer *f* (*on* auf *acc.*), Abgabe *f*: ~ *on land, land* ~ Grundsteuer; **2.** Besteuerung *f* (*on gen.*); **3.** 'Taxe *f*, Gebühr *f*; **4.** *fig.* **a)** Bürde *f*, Last *f*, **b)** Beanspruchung *f*: *a heavy* ~ *on his time* e-e starke Inanspruchnahme s-r Zeit; **II.** *v/t.* **5.** *j-n od. et.* besteuern, *j-m* e-e Steuer auferlegen; **6.** ⚖ *Kosten etc.* schätzen, taxieren, ansetzen (*at* auf *acc.*); **7.** *fig.* belasten; **8.** *fig.* stark in Anspruch nehmen, anstrengen, strapazieren; **9.** auf e-e harte Probe stellen; **10.** *j-n* zu'rechtweisen, mit *j-m* ins Gericht gehen: *to* ~ *s.o. with* j-n *e-s Verbrechens etc.* beschuldigen *od.* bezichtigen; **tax·a·ble** ['tæksəbl] *adj.* □ **1.** besteuerbar; **2.** steuerpflichtig: ~ *income*; **3.** Steuer...: ~ *value*; **4.** ⚖ gebührenpflichtig; **tax·a·tion** [tæk'seiʃən] *s.* **1.** Besteuerung *f*; **2.** *coll.* Steuern *pl.*; **3.** ⚖ Schätzung *f*, Taxierung *f*.

'**tax|-a·void·ance** → *tax-evasion*; ~ **brack·et** *s.* Steuerklasse *f*, -gruppe *f*; '~**-col·lec·tor** *s.* Steuereinnehmer *m*; ~ **cut** *s.* Steuersenkung *f*; '~**-e·va·sion** *s.* 'Steuerhinterˌziehung *f*; '~**-ex'empt** → *tax-free*; '~**-'free** *adj.* steuerfrei; ~ **ha·ven** *s.* 'Steuerparaˌdies *n*.

tax·i ['tæksi] **I.** *pl.* '**tax·is** *s.* **1.** → *taxi-cab*; **II.** *v/i.* **2.** mit e-m Taxi fahren; **3.** ✈ rollen; '~**-cab** *s.* Taxi *n*, (Auto-)Taxe *f*, (-)Droschke *f*; '~**-danc·er** *s. bsd. Am.* **1.** Eintänzer *m*; **2.** Taxigirl *n* (*bezahlte Tanzpartnerin*).

tax·i·der·mal [tæksi'də:məl], **tax·i·'der·mic** [-mik] *adj.* taxi'dermisch; **tax·i·der·mist** ['tæksidə:mist] *s.* Präpa'rator *m*, Ausstopfer *m* (*von Tieren*); **tax·i·der·my** ['tæksidə:mi] *s.* Taxider'mie *f*.

'**tax·i|-driv·er** *s.*, '~**-man** [-mæn] *s.* [*irr.*] 'Taxichaufˌfeur *m*, -fahrer *m*; '~**-me·ter** *s.* **1.** Taxa'meter *m*, Zähler *m*, Fahrpreisanzeiger *m*; **2.** → *taxi-cab*; '~**-plane** *s.* Mietflugzeug *n*; '~**-rank** *s.* Taxistand *m*.

'**tax|-list** *s.* Hebeliste *f*; '~**-pay·er** *s.* Steuerzahler *m*; ~ **re·ceipts** *s. pl.* Steueraufkommen *n*; ~ **re·fund** *s.* Steuerrückzahlung *f*; ~ **re·lief** *s.* Steuererleichterung(en *pl.*) *f*; '~**-re·turn** *s.* Steuererklärung *f*.

'**T-bone steak** *s.* Kote'lett *n* (*mit T-förmigem Knochen*).

te [ti:] *s.* ♪ ti *n* (*Solmisationssilbe*).

tea [ti:] *s.* **1.** Tee *m*; **2.** Tee(mahlzeit *f*) *m*: *five-o'clock* ~ Fünfuhrtee; *high* ~, *meat* ~ frühes Abendbrot mit Tee; **3.** Teegesellschaft *f*; ~ **ball** *s. Am.* Tee-Ei *n*; '~**-bread** *s. ein* Teekuchen *m*; '~**-cad·dy** *s.* Teebüchse *f*; '~**-cake** *s.* Teekuchen *m*; '~**-cart** *s.* Teewagen *m*.

teach [ti:tʃ] *pret. u. p.p.* **taught** [tɔ:t] **I.** *v/t.* **1.** *Fach* lehren, 'Unterricht geben in (*dat.*); **2.** *j-n et.* lehren, *j-n* unter'richten, -'weisen in (*dat.*), *j-m* Unterricht geben in (*dat.*); **3.** *j-m et.* zeigen, beibringen: *to* ~ *s.o. to whistle* j-m das Pfeifen beibringen; *to* ~ *s.o. better* j-n e-s Besser(e)n belehren; *I will* ~ *you to steal* F dich werd' ich das Stehlen lehren!; **4.** *Tier* dressieren, abrichten; **II.** *v/i.* **5.** unterrichten, Unterricht geben; '**teach·a·ble** [-tʃəbl] *adj.* **1.** lehrbar (*Fach etc.*); **2.** gelehrig (*Person*); '**teach·er** [-tʃə] *s.* Lehrer(in): ~*s college Am.* Pädagogische Hochschule.

'**teach-in** *s.* Teach-'in *n*.

teach·ing ['ti:tʃiŋ] **I.** *s.* **1.** 'Unterricht *m*, Lehren *n*; **2.** *oft pl.* Lehre *f*, Lehren *pl.*; **3.** Lehrberuf *m*; **II.** *adj.* **4.** lehrend, unter'richtend: ~ *machine* Lehr-, Lernmaschine; ~ *profession* Lehrberuf; ~ *staff* Lehrkörper.

'**tea|-cloth** *s.* **1.** kleine Tischdecke; **2.** Geschirrtuch *n*; '~**-co·sy** *s.* Teewärmer *m*; '~**-cup** *s.* Teetasse *f*; → *storm 1*; '~**-cup·ful** [-ful] *pl.* **-fuls** *s. e-e* Teetasse(voll); '~**-dance** *s. bsd. Am.* F Tanztee *m*; '~**-gar·den** *s.* 'Gartenrestauˌrant *n*; '~**-gown** *s.* Nachmittagskleid *n*; '~**-house** *s.* Teehaus *n* (*in China u. Japan*).

teak [ti:k] *s.* **1.** ⚘ Teakholzbaum *m*; **2.** Teak(holz) *n*.

teal [ti:l] *pl.* **teal** *s. orn.* Krickente *f*.

team [ti:m] **I.** *s.* **1.** Gespann *n*; **2.** *bsd. sport* Mannschaft *f*; **3.** (*Arbeits- etc.*)Gruppe *f*, Team *n*; **4.** Ab'teilung *f*, Ko'lonne *f von Arbeitern*; **5.** *orn.* Flug *m*, Zug *m*; **II.** *v/t.* **6.** *Zugtiere* zs.-spannen; **7.** F *Arbeit* (an Unter'nehmer) vergeben; **III.** *v/i.* **8.** ~ *up bsd. Am.* sich zs.-tun (*with* mit); '~**-spir·it** *s.* **1.** *sport* Mannschaftsgeist *m*; **2.** *fig.* Gemeinschafts-, 'Korpsgeist *m*.

team·ster ['ti:mstə] *s.* **1.** Gespannführer *m*; **2.** *Am.* Fuhrmann *m*, Lastwagenfahrer *m*.

'**team-work** *s.* **1.** *sport, thea.* Zs.-spiel *n*; **2.** *fig.* (gute) Zs.-arbeit, Teamwork *n*.

'**tea|-par·ty** *s.* Teegesellschaft *f*; '~**-pot** *s.* Teekanne *f*.

tear[1] [tiə] *s.* **1.** *a.* ~*-drop* Träne *f*: *in* ~*s* in Tränen (aufgelöst), unter Tränen; ~ *bomb* Tränengasbombe; → *fetch 3, squeeze 3*; **2.** (*Harz- etc.*)Tropfen *m*.

tear[2] [tɛə] **I.** *s.* **1.** Riß *m*; **II.** *v/t.* [*irr.*] **2.** zerreißen: *to* ~ *in* (*od. to*) *pieces* in Stücke reißen; *to* ~ *open* aufreißen; *to* ~ *out* herausreißen; *torn between hope and despair fig.* zwischen Hoffnung u. Verzweiflung hin- u. hergerissen; *a country torn by civil war* ein vom Bürgerkrieg zerrissenes Land; *that's torn it! sl.* jetzt ist es aus!, damit ist alles ‚im Eimer'!; **3.** *Haut etc.* aufreißen; **4.** *Loch* reißen; **5.** zerren, (aus)reißen: *to* ~ *one's hair* sich die Haare (aus-)raufen; **6.** *a.* ~ *away*, ~ *off* ab-, wegreißen (*from* von): *to* ~ *o.s. away* sich losreißen (*a. fig.*); *to* ~ *s.th. from s.o.* j-m et. entreißen; **III.** *v/i.* [*irr.*] **7.** (zer)reißen; **8.** reißen, zerren (*at* an *dat.*); **9.** F rasen, stürmen, sausen: *to* ~ *about* herumsausen; *to* ~ *off* losrasen; ~ **up** *v/t.* **1.** aufreißen; **2.** *Baum etc.* ausreißen; **3.** zerreißen, in Stücke reißen; **4.** *fig.* unter'graben.

tear·ful ['tiəful] *adj.* □ **1.** tränenreich; **2.** weinend, in Tränen; **3.** weinerlich; **4.** schmerzlich.

'**tear|-gas** [tiə] *s.* ⚗ Tränengas *n*; '~**-gland** *s. anat.* Tränendrüse *f*.

tear·ing ['tɛəriŋ] *adj. fig.* rasend, toll (*Tempo, Wut etc.*); ~ **strength** *s.* ⊕ Zerreißfestigkeit *f*.

'**tear-jerk·er** [tiə] *s. Am.* F ‚Schnulze' *f*, ‚Schmachtfetzen' *m*, rührseliges Lied *etc.*

tear·less ['tiəlis] *adj.* □ tränenlos.

tear-off ['tɛərɔ:f] *adj.* Abreiß...: ~ *calendar*.

'**tea|-room** *s.* Teestube *f*, Ca'fé *n*; '~**-rose** *s.* ⚘ Teerose *f*.

'**tear-sheet** [tɛə] *s.* † Belegbogen *m*.

'**tear-stained** [tiə] *adj.* **1.** tränennaß; **2.** verweint (*Augen*).

tease [ti:z] **I.** *v/t.* **1.** ⊕ **a)** *Wolle* kämmen, krempeln, **b)** *Flachs* hecheln, **c)** *Werg* auszupfen; **2.** ⊕ *Tuch* (auf-)rauhen, kardieren; **3.** *fig.* **a)** hänseln, necken, aufziehen, foppen, **b)** ärgern, quälen, **c)** bestürmen, belästigen (*for* wegen); **II.** *s.* **4.** F → *teaser 1, 2*.

tea·sel ['ti:zl] **I.** *s.* **1.** ⚘ Karde(ndistel) *f*; **2.** *Weberei*: Karde *f*, Kar'dätsche *f*; **II.** *v/t.* **3.** → *tease 2*.

teas·er ['ti:zə] *s.* **1.** Necker *m*; **2.** Quäl-, Plagegeist *m*; **3.** F ‚harte Nuß', schwierige Sache.

'**tea|-serv·ice**, '~**-set** *s.* 'Teeserˌvice *n*; '~**-shop** → *tea-room*; '~**-spoon** *s.* Teelöffel *m*; '~**-spoon·ful** [-ful] *pl.* **-fuls** *s. ein* Teelöffel(voll) *m*.

teat [ti:t] *s.* **1.** *zo.* Zitze *f*; **2.** *anat.* Brustwarze *f*; **3.** (Gummi)Sauger *m*; **4.** ⊕ Warze *f*.

'**tea|-things** *s. pl.* Teegeschirr *n*; '~**-time** *s.* Teestunde *f*; '~**-urn** *s.* **1.** 'Teemaˌschine *f*; **2.** Gefäß *n* zum Heißhalten des Teewassers.

tea·zel, **tea·zle** → *teasel*.

tec [tek] *s. sl.* Detek'tiv *m*.

tech·nic ['teknik] **I.** *adj.* → *technical*; **II.** *s.* → *technics*; '**tech·ni·cal** [-kəl] *adj.* □ → *technically*; **1.** ⊕ 'technisch: ~ *bureau* Konstruktionsbüro; **2.** technisch (*a. sport*), fachlich, fachmännisch, Fach..., Spezial...: ~ *book* (technisches) Fachbuch; ~ *dictionary* Fachwörterbuch; ~ *school* Fachhochschule; ~ *skill* **a)** (technisches) Geschick, **b)** ♪ Technik; ~ *staff* technisches Personal; ~ *term* Fachausdruck; **3.** *fig.* technisch: **a)** sachlich, **b)** (rein) formal, **c)** theo'retisch: ~ *knock-out Boxen*: technischer K. o.; *on* ~ *grounds* ⚖ aus formaljuristischen *od.* verfahrenstechnischen Gründen; **tech·ni·cal·i·ty** [tekni'kæliti] *s.* **1.** technische Eigentümlichkeit *od.* Einzelheit; **2.** Fachausdruck *m*; **3.** *bsd.* ⚖ (reine) Formsache, Spitzfindigkeit *f*; '**tech·ni·cal·ly** [-kəli] *adv.* **1.** technisch *etc.*; **2.** genaugenommen, eigentlich; **tech·ni·cian** [tek'niʃən] *s.* Techniker *m* (*a. weitS. Virtuose etc.*), (technischer) Fachmann.

tech·ni·col·or ['teknikʌlə] **I.** *s. Film*: Techni'kolor(verfahren) *n*; **II.** *adj.* Technikolor...

tech·nics ['tekniks] *s. pl.* **1.** *mst sg. konstr.* 'Technik *f*, *bsd.* Ingeni'eurwissenschaft *f*; **2.** technische Einzelheiten *pl.*; **3.** Fachausdrücke *pl.*; **4.** *mst sg. konstr.* → *technique*; **technique** [tek'ni:k] *s.* **1.** ⊕ (Arbeits-)Verfahren *n*; **2.** ♪, *paint.*, *sport etc.* Technik *f*: **a)** Me'thode *f*, **b)** Art *f* der Ausführung, **c)** Geschicklich-

keit *f*; **tech·noc·ra·cy** [tek'nɔkrəsi] *s.* Technokra'tie *f*; **tech·no·crat** ['teknoukræt] *s.* Techno'krat *m.*
tech·no·log·ic *adj.*; **tech·no·log·i·cal** [teknə'lɔdʒik(əl)] *adj.* □ techno'logisch, 'technisch: *technological gap* technologische Lücke; **tech·nol·o·gist** [tek'nɔlədʒist] *s.* Techno'loge *m*; **tech·nol·o·gy** [tek'nɔlədʒi] *s.* Technolo'gie *f*, 'Technik *f* (*Wissenschaft*): *school of ~* Technische Universität.
tech·y ['tetʃi] → *testy.*
tec·tol·o·gy [tek'tɔlədʒi] *s. biol.* Struk'turlehre *f.*
tec·ton·ic [tek'tɔnik] *adj.* (□ *~ally*) △, *geol.* tek'tonisch; **tec'ton·ics** [-ks] *s. pl. mst sg. konstr.* **1.** △ *etc.* Tek'tonik *f*; **2.** *geol.* ('Geo)Tek,tonik *f.*
tec·to·ri·al [tek'tɔ:riəl] *adj. physiol.* Schutz..., Deck...: *~ membrane.*
tec·tri·ces [tek'traisi:z] *s. pl. zo.* Deckfedern *pl.*
ted·der ['tedə] *s.* Heuwender *m* (*Maschine od. Arbeiter*).
Ted·dy| bear ['tedi] *s.* Teddybär *m*; **~ boy** *s. Brit. sl.* ‚Halbstarke(r)' *m*; **~ girl** *s. Brit. sl.* ‚Halbstarke' *f.*
te·di·ous ['ti:djəs] *adj.* □ **1.** langweilig, öde, ermüdend; **2.** weitschweifig; **'te·di·ous·ness** [-nis] *s.* **1.** Langweiligkeit *f*; **2.** Weitschweifigkeit *f*; **'te·di·um** [-jəm] *s.* **1.** Lang(e)weile *f*; **2.** Langweiligkeit *f.*
tee[1] [ti:] **I.** *s.* ⊕ T-Stück *n*; **II.** *adj.* T-...: *~ iron*; **III.** *v/t.* ⚡ abzweigen: *to ~ across (together)* in Brücke (parallel)schalten.
tee[2] [ti:] **I.** *s. sport* Tee *n*: **a)** *Curling*: Mittelpunkt *m* des Zielkreises, **b)** *Golf*: Abschlag(stelle *f*) *m*; **II.** *v/t. Golf*: *Ball* auf die Abschlagstelle legen; **III.** *v/i. ~ off* **a)** *Golf*: abschlagen, das Spiel eröffnen, **b)** *fig.* anfangen.
teem[1] [ti:m] *v/i.* **1.** wimmeln, voll sein (*with* von): *the roads are ~ing with people*; *this page ~s with mistakes* diese Seite strotzt von Fehlern; **2.** reichlich vor'handen sein: *fish ~ in that river*; **3.** *obs.* **a)** schwanger sein, **b)** fruchtbar sein (*Pflanze*), **c)** Junge gebären (*Tier*).
teem[2] [ti:m] **I.** *v/t. bsd.* ⊕ *flüssiges Metall* (aus)gießen; **II.** *v/i.* gießen (*a. fig. Regen*).
teen [ti:n] *Am.* → *teen-age(r)*; **'teen-age** *adj.* jugendlich, Jugend...; **'teen-ag·er** [-eidʒə] *s.* Teenager *m*, Jugendliche(r *m*) *f* (*vom 13. bis 19. Lebensjahr*).
teens [ti:nz] *s. pl.* Jugendjahre *pl.* (*vom 13. bis 19. Lebensjahr*): *to be in one's ~* ein Teenager sein.
tee·ny ['ti:ni], *a.* '~-'**wee·ny** ['wi:ni] *adj.* F klitzeklein.
'tee-shirt ['ti:-] *s.* 'T-shirt *n.*
tee·ter ['ti:tə] *v/i. Am.* F **1.** (*a. v/t.*) schaukeln, wippen; **2.** (sch)wanken.
teeth [ti:θ] *pl. von tooth.*
teethe [ti:ð] *v/i.* zahnen, (die) Zähne bekommen: *teething troubles* Beschwerden beim Zahnen, *fig.* Kinderkrankheiten.
tee·to·tal [ti:'toutl] *adj.* absti'nent, Abstinenzler...; **tee'to·tal·(l)er** [-lə] *s.* Absti'nenzler(in), ,Antialko'holiker(in); **tee'to·tal·ism** [-lizəm] *s.* **1.** Absti'nenz *f*; **2.** Absti'nenzprin,zip *n.*
tee·to·tum ['ti:tou'tʌm] *s.* Drehwürfel *m.*
teg·u·ment ['tegjumənt] *s. zo.* **1.** (Ober)Haut *f*, Integu'ment *n*; **2.** Flügeldecke *f* (*von Insekten*).
tel·au·to·gram [tel'ɔ:təgræm] *s.* ⚡ 'Bildtele,gramm *n*, Fak'simile *n*; **tel'au·to·graph** [-grɑ:f; -græf] *s.* Tel(e)auto'graph *m*, Bildbriefsender *m.*
tele-[1] [teli] *in Zssgn* **a)** Fern..., **b)** Fernseh...
tele-[2] [teli] *in Zssgn* **a)** Ziel, **b)** Ende.
tel·e'cam·er·a *s.* **1.** *phot.* Telekamera *f*, Kamera *f* mit 'Teleobjek,tiv; **2.** ⚡ Fernsehkamera *f.*
'tel·e·cast I. *v/t.* [*irr.* → *cast*] im Fernsehen über'tragen *od.* bringen; **II.** *s.* Fernsehsendung *f*; **'tel·e·cast·er** *s.* (Fernseh)Ansager(in).
'tel·e·com·mu·ni'ca·tion I. *s.* **1.** Fernmeldeverbindung *f*, -verkehr *m*; **2.** *pl.* Fernmelde-, Nachrichtenwesen *n*; **II.** *adj.* **3.** Fernmelde...
'tel·e·course *s. Am.* Fernsehlehrgang *m*, -kurs *m.*
'tel·e·film *s.* Fernsehfilm *m.*
tel·e·gen·ic [teli'dʒenik] *adj.* tele'gen, für Fernsehsendungen geeignet, bildwirksam.
tel·e·gram ['teligræm] *s.* Tele'gramm *n*: *by ~* telegraphisch.
tel·e·graph ['teligrɑ:f; -græf] **I.** *s.* **1.** Tele'graph *m*; **2.** Sema'phor *m*, *n*; **3.** → *telegraph-board*; **II.** *v/t.* **4.** telegraphieren; **5.** *j-n* tele'graphisch benachrichtigen; **6.** (*durch Zeichen*) zu verstehen geben, signalisieren; **7.** *sport Spielstand etc.* auf e-r Tafel anzeigen; **8.** *sl. Boxen*: *Schlag* ‚telegraphieren' (*erkennbar ansetzen*); **III.** *v/i.* **9.** telegraphieren (*to dat. od.* an *acc.*); '**~-board** *s. bsd. sport* Anzeigetafel *f*; **~ code** *s.* Tele'grammschlüssel *m.*
te·leg·ra·pher [ti'legrəfə] *s.* Telegra'phist(in).
tel·e·graph·ese ['teligrɑ:'fi:z] *s.* Tele'grammstil *m*; **tel·e·graph·ic** [teli'græfik] *adj.* (□ *~ally*) **1.** tele'graphisch: *~ address* Telegrammadresse, Drahtanschrift; **2.** tele'grammartig (*Kürze, Stil*); **te·leg·ra·phist** [ti'legrəfist] → *telegrapher.*
'tel·e·graph|-key *s.* ⚡ (Tele'graphen-, Morse)Taste *f*; '**~-line** *s.* Tele'graphenleitung *f*; '**~-pole**, '**~-post** *s.* Tele'graphenstange *f*, -mast *m.*
te·leg·ra·phy [ti'legrəfi] *s.* Telegra'phie *f.*
'tel·e·me'chan·ics *s. pl. sg. konstr.* ⊕ Teleme'chanik *f*, me'chanische Fernsteuerung.
te·lem·e·ter [te'lemitə] *s.* Tele'meter *n*: **a)** ⊕ Entfernungsmesser *m*, **b)** ⚡ Fernmeßgerät *n.*
tel·e·o·log·ic *adj.*; **tel·e·o·log·i·cal** [teliə'lɔdʒik(əl)] *adj.* □ *phls.* teleo'logisch: *~ argument* teleologischer Gottesbeweis; **tel·e·ol·o·gy** [teli'ɔlədʒi] *s.* Teleolo'gie *f.*
tel·e·path·ic [teli'pæθik] *adj.* (□ *~ally*) tele'pathisch; **te·lep·a·thy** [ti'lepəθi] *s.* Telepa'thie *f*, Ge'dankenüber,tragung *f.*
tel·e·phone ['telifoun] **I.** *s.* **1.** Tele'phon *n*, Fernsprecher *m*: *at the ~* am Apparat; *by ~* telephonisch; *on the ~* telephonisch, durch das *od.* am Telephon; *to be on the ~* **a)** Telephonanschluß haben, **b)** am Telephon sein; *over the ~* durch das *od.* per Telephon; **II.** *v/t.* **2.** *j-n* anrufen, antelephonieren; **3.** *Nachricht etc.* telephonieren, tele'phonisch über'mitteln (*s.th. to s.o., s.o. s.th.* j-m et.); **III.** *v/i.* **4.** telephonieren; **~ booth,** *Brit.* **~ box** *s.* Tele'phon-, Fernsprechzelle *f*; **~ call** *s.* Tele'phongespräch *n*, (tele'phonischer) Anruf; **~ con·nec·tion** *s.* Tele'phonanschluß *m*; **~ di·rec·to·ry** *s.* Tele'phon-, Fernsprechbuch *n*; **~ ex·change** *s.* Fernsprechamt *n*, Tele'phonvermittlung *f*, -zen,trale *f*; **~ op·er·a·tor** *s.* Telepho'nist(in); **~ re·ceiv·er** *s.* (Tele'phon)Hörer *m*; **~ sub·scrib·er** *s.* Fernsprechteilnehmer *m.*
tel·e·phon·ic [teli'fɔnik] *adj.* (□ *~ally*) tele'phonisch, fernmündlich, Telephon...; **tel·e·pho·nist** [ti'lefənist] *s.* Telepho'nist(in); **te·leph·o·ny** [ti'lefəni] *s.* Telepho'nie *f*, Fernsprechwesen *n.*
tel·e·phote ['telifout] *s. phot.* photoe'lektrische 'Fern,kamera.
'tel·e'pho·to *phot.* **I.** *adj.* Telephoto(graphie)..., Fernaufnahme...: *~ lens* Fernlinse, Teleobjektiv; **II.** *s.* 'Telephoto(gra,phie *f*) *n*, Fernbild *n*; **'tel·e'pho·to·graph** → *telephoto II*; **'tel·e·pho·to'graph·ic** *adj.* (□ *~ally*) **1.** 'fernphoto,graphisch; **2.** 'bildtele'graphisch; **'tel·e·pho'tog·ra·phy** *s.* **1.** 'Tele-, 'Fernphotogra,phie *f*; **2.** 'Bildtelegra,phie *f.*
'tel·e·print·er *s.* Fernschreiber *m* (*Gerät*): *~ message* Fernschreiben; *~ operator* Fernschreiber(in).
'tel·e·re·cord·er *s.* Bildaufzeichnungsgerät *n*; **'tel·e·re·cord·ing** *s.* (Fernseh)Aufzeichnung *f.*
tel·e·scope ['teliskoup] **I.** *s.* Tele'skop *n*, Fernrohr *n*; **II.** *v/t. u. v/i.* (sich) inein'anderschieben; **III.** *adj.* → *telescopic.*
tel·e·scop·ic [telis'kɔpik] *adj.* (□ *~ally*) **1.** tele'skopisch, Fernrohr...: *~ sight* ⚔ Zielfernrohr; **2.** inein'anderschiebbar, ausziehbar, Auszieh..., Teleskop...
'tel·e·screen *s.* ⚡ Fernseh-, Bildschirm *m.*
'tel·e·ther'mom·e·ter *s. phys.* 'Fern-, 'Telethermo,meter *n.*
'tel·e·type *bsd. Am.* **I.** *s.* **1.** Fernschreiber *m* (*Gerät*): *~ message* Fernschreiben; *~ operator* Fernschreiber(in); **2.** 'Fernschreibsy,stem *n*, -netz *n*; **II.** *v/t.* **3.** per Fernschreiber über'mitteln; **'tel·e·type·writ·er** → *teletype 1.*
'tel·e·view I. *v/t.* sich (im Fernsehen) ansehen, auf dem Bildschirm sehen; **II.** *v/i.* fernsehen; **'tel·e·view·er** *s.* Fernsehteilnehmer(in).
tel·e·vise ['telivaiz] *v/t.* **1.** im Fernsehen über'tragen *od.* bringen; **2.** → *teleview I*; **'tel·e·vi·sion I.** *s.* **1.** Fernsehen *n*: *to watch ~* fernsehen; *on ~* im Fernsehen; **2.** *a. ~ set* Fernsehgerät *n*, Fernseher *m*; **II.** *adj.* Fernseh...; **'tel·e·vi·sor** *s.* Fernsehgerät *n.*
tel·ex ['teleks] **I.** *s.* **1.** Fernschreib-

netz *n*, Telex *n*: *to be on the* ~ Telex- *od.* Fernschreibanschluß haben; **2.** Fernschreiben *n*: *by* ~ per FS, per Fernschreiben; ~ *operator* Fernschreiber(in); **II.** *v/t.* **3.** *j-m* ein Fernschreiben *od.* FS schicken.

tell [tel] [*irr.*] **I.** *v/t.* **1.** sagen, erzählen (*s.o. s.th.*, *s.th. to s.o.* j-m et.): *I can* ~ *you that ...* ich kann Sie *od.* Ihnen versichern, daß; *I have been told* mir ist gesagt worden; *I told you so!* ich habe es (dir) ja gleich gesagt!, ‚siehste'!; *you are telling me! sl.* wem sagen Sie das!; *to* ~ *the world* F *et.* hinausposaunen; **2.** mitteilen, berichten, *a. die Wahrheit* sagen; *Neuigkeit* verkünden: *to* ~ *a lie* lügen; **3.** *Geheimnis* verraten; **4.** erkennen (*by*, *from* an *dat.*): *to* ~ *by ear* mit dem Gehör feststellen, hören; **5.** (mit Bestimmtheit) sagen: *I cannot* ~ *what it is*; *it is difficult to* ~ es ist schwer zu sagen; **6.** unter'scheiden (*one from the other* eines vom andern): *to* ~ *apart* auseinanderhalten; **7.** sagen, befehlen: *to* ~ *s.o. to do s.th.* j-m sagen, er solle et. tun; j-n et. tun heißen; *do as you are told* tu wie dir geheißen; **8.** *bsd. pol. Stimmen* zählen: *all told* alles in allem; → *bead* 2; **9.** ~ *off* **a)** abzählen, **b)** ⚔ abkommandieren, **c)** F *j-m* ‚Bescheid stoßen', **d)** *Am.* F *j-m* e-n Tip geben; **II.** *v/i.* **10.** berichten, erzählen (*of* von, *about* über *acc.*); **11.** *fig.* ein Zeichen *od.* Beweis sein (*of* für, von); **12.** *et.* sagen können, wissen: *how can you* ~?, *you never can* ~ man kann nie wissen; **13.** ‚petzen': *to* ~ *on s.o.* j-n verpetzen *od.* verraten; *don't* ~! nicht verraten!; **14.** sich auswirken (*on* bei, auf *acc.*): *the hard work began to* ~ *on him*; *his troubles have told on him* s-e Sorgen haben ihn sichtlich mitgenommen; *every blow* (*word*) ~*s* jeder Schlag (jedes Wort) sitzt; *that* ~*s against you* das spricht gegen Sie; **15.** sich (deutlich) abheben (*against* gegen, von); zur Geltung kommen (*Farbe etc.*); **'tell·er** [-lə] *s.* **1.** Erzähler(in); **2.** Zähler(in); *bsd. parl.* Stimmenzähler *m*; **3.** Kassierer *m*, Schalterbeamte(r) *m* (*Bank*): ~*'s department* Hauptkasse; **'tell·ing** [-liŋ] *adj.* □ **1.** wirkungsvoll (*a. Schlag*), wirksam, eindrucksvoll; 'durchschlagend (*Erfolg*, *Wirkung*); **2.** *fig.* aufschlußreich.

'tell·tale I. *s.* **1.** Klatschbase *f*, Zuträger(in), ‚Petzer(in)'; **2.** verräterisches (Kenn)Zeichen; **3.** ⊕ (selbsttätige) Anzeigevorrichtung; **II.** *adj.* **4.** *fig.* verräterisch: *a* ~ *tear*; **5.** sprechend (*Ähnlichkeit*); **6.** ⊕ **a)** Anzeige..., **b)** Warnungs...: ~ *clock* Kontrolluhr. [(*Gerät*).]

tel·ly ['teli] *s. Brit.* F Fernseher *m*

tel·o·type ['teloutaip] *s.* **1.** e'lektrischer 'Schreib- *od.* 'Drucktele₁graph; **2.** auto'matisch gedrucktes Tele'gramm.

tel·pher ['telfə] **I.** *s.* Hängebahnwägelchen *n*; **II.** *adj.* (Elektro-)Hängebahn...; **'tel·pher·age** [-ərid3] *s.* e'lektrische Lastenbeförderung; **'tel·pher·way** *s.* Telpherbahn *f*, E'lektrohängebahn *f*.

Tel·star ['telsta:] *s.* Telstar *m* (*Nachrichtensatellit*).

tem·er·ar·i·ous [temə'rɛəriəs] *adj.* □ **1.** tollkühn, verwegen; **2.** unbesonnen; **te·mer·i·ty** [ti'meriti] *s.* **1.** (Toll)Kühnheit *f*, Verwegenheit *f*; **2.** *b.s.* Kühnheit *f*, Frechheit *f*.

tem·per ['tempə] **I.** *s.* **1.** Tempera'ment *n*, Natu'rell *n*, Gemüt(sart *f*) *n*, Cha'rakter *m*, Veranlagung *f*: *even* ~ Gleichmut; *to have a quick* ~ ein hitziges Temperament haben; **2.** Stimmung *f*, Laune *f*: *in a bad* ~ (in) schlechter Laune, schlecht gelaunt; **3.** Gereiztheit *f*, Zorn *m*, Wut *f*: *to be in a* ~ gereizt *od.* wütend sein; *to fly* (*od. get*) *into a* ~ in Wut geraten; **4.** Gemütsruhe *f* (*obs. außer in den Redew.*): *to keep one's* ~ ruhig bleiben; *to lose one's* ~ in Wut geraten, die Geduld verlieren; *out of* ~ übelgelaunt; *to put s.o. out of* ~ j-n wütend machen *od.* erzürnen; **5.** Zusatz *m*, Beimischung *f*, *metall.* Härtemittel *n*; **6.** *bsd.* ⊕ richtige Mischung; **7.** *metall.* Härte (-grad *m*) *f*; **II.** *v/t.* **8.** mildern (*with* durch); **9.** *Farbe, Kalk, Mörtel* mischen, anmachen; **10.** ⊕ **a)** *Stahl* härten, anlassen, **b)** *Eisen* ablöschen, **c)** *Gußeisen* adouzieren, **d)** *Glas* rasch abkühlen; **11.** ♪ *Klavier etc.* temperieren; **III.** *v/i.* **12.** ⊕ den richtigen Härtegrad erreichen *od.* haben.

tem·per·a ['tempərə] *s.* 'Tempera (-male₁rei) *f*.

tem·per·a·ment ['tempərəmənt] *s.* **1.** → *temper* 1; **2.** Tempera'ment *n*, Leidenschaftlichkeit *f*; **3.** ♪ Tempera'tur *f*; **tem·per·a·men·tal** [tempərə'mentl] *adj.* □ **1.** veranlagungsmäßig, Temperaments...; **2.** reizbar, launisch; **3.** leicht erregbar; **4.** mit starken per'sönlichen Zügen.

tem·per·ance ['tempərəns] *s.* **1.** Mäßigkeit *f*, Enthaltsamkeit *f*; **2.** Mäßigkeit *f* im *od.* Absti'nenz *f* vom Alkoholgenuß; ~ **ho·tel** *s.* alkoholfreie Gaststätte; ~ **move·ment** *s.* Absti'nenzbewegung *f*.

tem·per·ate ['tempərit] *adj.* □ **1.** gemäßigt, maßvoll: ~ *language*; **2.** zu'rückhaltend; **3.** mäßig: ~ *enthusiasm*; **4. a)** mäßig, enthaltsam (*bsd. im Essen u. Trinken*), **b)** absti'nent (*geistige Getränke meidend*); **5.** gemäßigt, mild (*Klima etc.*); **'tem·per·ate·ness** [-nis] *s.* **1.** Gemäßigtheit *f*; **2.** Beherrschtheit *f*, Zu'rückhaltung *f*; **3.** Mäßigkeit *f*, geringes Ausmaß; **4. a)** Mäßigkeit *f*, Enthaltsamkeit *f*, Mäßigung *f* (*bsd. im Essen u. Trinken*), **b)** Absti'nenz *f* (*von geistigen Getränken*); **5.** Milde *f* (*des Klimas etc.*).

tem·per·a·ture ['tempritʃə] *s.* **1.** *phys.* Tempera'tur *f*: *at a* ~ *of* bei e-r Temperatur von; **2.** *physiol.* ('Körper)Tempera₁tur *f*: *to take s.o.'s* ~ j-s Temperatur messen; *to have* (*od. run*) *a* ~ ⚕ F Fieber *od.* (erhöhte) Temperatur haben.

tem·pered ['tempəd] *adj.* **1.** *bsd. in Zssgn* gestimmt, gelaunt: *even*-~ gleichmütig; **2.** ♪ temperiert; **3.** *metall.* gehärtet.

tem·pest ['tempist] *s.* **1.** (wilder) Sturm; **2.** *fig.* Sturm *m*, Ausbruch *m*; **3.** Gewitter *n*; **tem·pes·tu·ous** [tem'pestjuəs] *adj.* □ *a. fig.* stürmisch, ungestüm, heftig; **tem·pes·tu·ous·ness** [tem'pestjuəsnis] *s.* Ungestüm *n*, Heftigkeit *f*.

Tem·plar ['templə] *s.* **1.** *hist.* Templer *m*, Tempelherr *m*, -ritter *m*; **2.** Tempelritter *m* (*Freimaurer*); **3.** ♀ *univ.* Stu'dent *m* der Rechte am Londoner *Temple*.

tem·plate ['templit] *s.* **1.** ⊕ Scha'blone *f*, Lehre *f*; **2.** ⚠ **a)** 'Unterleger *m* (*Balken*), **b)** (Dach)Pfette *f*, **c)** Kragholz *n*; **3.** ⚓ Scha'blone *f*, Mallbrett *n*.

tem·ple[1] ['templ] *s.* **1.** *eccl.* Tempel *m* (*a. fig.*); **2.** ♀ ⚖ Temple *m* (*in London, Sitz zweier Rechtskollegien*: *the Inner* ♀ *u. the Middle* ♀).

tem·ple[2] ['templ] *s. anat.* Schläfe *f*.

tem·ple[3] ['templ] *s. Weberei*: Tömpel *m*, Spannrute *f*.

tem·plet ['templit] → *template*.

tem·po ['tempou] *pl.* **-pi** *s.* ♪ Tempo *n* (*a. fig. Geschwindigkeit*): ~ *turn* (*Skisport*) Temposchwung.

tem·po·ral[1] ['tempərəl] *adj.* □ **1.** zeitlich: **a)** Zeit... (*Ggs. räumlich*), **b)** irdisch; **2.** weltlich (*Ggs. geistlich*): ~ *lords Brit.* die weltlichen Mitglieder des Oberhauses; **3.** *ling.* tempo'ral, Zeit...: ~ *adverb* Umstandswort der Zeit; ~ *clause* Temporalsatz.

tem·po·ral[2] ['tempərəl] *anat.* **I.** *adj.* **a)** Schläfen..., **b)** Schläfenbein...; **II.** *s.* Schläfenbein *n*.

tem·po·rar·i·ness ['tempərərinis] *s.* Einst-, Zeitweiligkeit *f*; **tem·po·rar·y** ['tempərəri] *adj.* □ provi'sorisch: **a)** vorläufig, einst-, zeitweilig, vor'übergehend, tempo'rär, **b)** behelfsmäßig, Not..., Hilfs..., Interims...: ~ *bridge* Behelfs-, Notbrücke; ~ *credit* ✝ Zwischenkredit.

tem·po·rize ['tempəraiz] *v/i.* **1.** Zeit zu gewinnen suchen, abwarten, sich nicht festlegen, lavieren: *to* ~ *with s.o.* j-n hinhalten; **2.** mit dem Strom schwimmen, s-n Mantel nach dem Winde hängen; **'tem·po·riz·er** [-zə] *s.* **1.** j-d der Zeit zu gewinnen sucht *od.* sich nicht festlegt; **2.** Opportu'nist(in); **'tem·po·riz·ing** [-ziŋ] *adj.* □ **1.** hinhaltend, abwartend; **2.** opportu'nistisch.

tempt [tempt] *v/t.* **1.** *eccl.*, *a. allg. j-n* versuchen, in Versuchung führen; **2.** *j-n* verlocken, -leiten, da'zu bringen (*to do* zu tun): *to be* ~*ed to do* versucht *od.* geneigt sein, zu tun; **3.** reizen, locken (*Angebot, Sache*); **4.** *Gott, sein Schicksal* versuchen, her'ausfordern; **5.** *obs.* erproben; **temp·ta·tion** [temp'teiʃən] *s.* Versuchung *f*, -führung *f*, -lockung *f*: *to lead into* ~ in Versuchung führen; **'tempt·er** [-tə] *s.* Versucher *m*, -führer *m*: *the* ♀ *eccl.* der Versucher; **'tempt·ing** [-tiŋ] *adj.* □ verführerisch, -lockend; **'tempt·ing·ness** [-tiŋnis] *s. das* Verführerische; **'tempt·ress** [-tris] *s.* Versucherin *f*, Verführerin *f*.

ten [ten] **I.** *adj.* **1.** zehn: ~ *times* zehnmal (*a. fig. um vieles*); ~ *to one* zehn zu eins; **II.** *s.* **2.** Zehn *f* (*Zahl, Gruppe, Spielkarte*): *the upper* ~ *fig.* die oberen Zehntausend; **3.** F Zehner *m* (*Geldschein etc.*); **4.** zehn Uhr.

ten·a·ble ['tenəbl] *adj.* **1.** haltbar

(⚔ *Stellung, fig. Behauptung etc.*); **2.** verliehen (*for* für, auf *acc.*): *an office ~ for two years*; **'ten·a·ble·ness** [-nis] *s.* Haltbarkeit *f* (*a. fig.*).
te·na·cious [ti'neiʃəs] *adj.* □ **1.** zäh(e), klebrig; **2.** *fig.* zäh(e), hartnäckig: *to be ~ of* zäh an *et.* festhalten; *~ of life* zählebig; **3.** verläßlich, gut (*Gedächtnis*); **te'na·cious·ness** [-nis], **te·nac·i·ty** [ti'næsiti] *s.* **1.** *allg.* Zähigkeit *f*: **a)** Klebrigkeit *f*, **b)** *phys.* Zug-, Zähfestigkeit *f*, **c)** *fig.* Hartnäckigkeit *f*: *~ of life* zähes Leben; *~ of purpose* Zielstrebigkeit; **2.** Verläßlichkeit *f* (*des Gedächtnisses*).
ten·an·cy ['tenənsi] *s.* ⚖ **1.** Pacht-, Mietverhältnis *n*: *~ at will* jederzeit beiderseits kündbares Pachtverhältnis; **2. a)** Pacht-, Mietbesitz *m*, **b)** Eigentum *n*: *~ in common* Miteigentum; **3.** Pacht-, Mietdauer *f*; **'ten·ant** [-nt] **I.** *s.* **1.** ⚖ Pächter *m*, Mieter *m*; **2.** ⚖ Inhaber *m* (*von Realbesitz, Renten etc.*); **3.** Insasse *m*, Bewohner *m*; **4.** *hist.* Lehensmann *m*; **II.** *v/t.* **5.** bewohnen; **6.** *als Mieter etc.* beherbergen: *this house ~s five families*; **'ten·ant·a·ble** [-ntəbl] *adj.* **1.** ⚖ pacht-, mietbar; **2.** bewohnbar.
ten·ant farm·er *s.* (Guts)Pächter *m.*
ten·ant·less ['tenəntlis] *adj.* **1.** unverpachtet; **2.** unvermietet, leer (-stehend).
ten·ant·ry ['tenəntri] *s. mst pl. konstr. coll.* Pächter *pl.*, Mieter *pl.*
tench [tenʃ] *pl.* **'tench·es**, *bsd. coll.* **tench** *s. ichth.* Schleie *f.*
tend[1] [tend] *v/i.* **1.** sich *in e-r bestimmten Richtung* bewegen; (hin-)streben (*to*[*ward*] nach): *to ~ from* wegstreben von; **2.** *fig.* **a)** tendieren, neigen (*to*[*wards*] zu), **b)** da'zu neigen (*to do* zu tun); **3.** abzielen, gerichtet sein (*to* auf *acc.*); **4.** (da'zu) führen *od.* beitragen (*to* [*do*] zu [tun]); hin'auslaufen (*to* auf *acc.*); **5.** ⚓ schwoien.
tend[2] [tend] *v/t.* **1.** ⊕ *Maschine* bedienen; **2.** sich kümmern um, sorgen für, *Kranke* pflegen, *Vieh* hüten.
ten·den·cious → *tendentious.*
tend·en·cy ['tendənsi] *s.* **1.** Ten'denz *f*: **a)** Richtung *f*, Strömung *f*, Hinstreben *n*, **b)** (bestimmte) Absicht, Zweck *m*; **2.** Hang *m* (*to, toward* zu); **3.** Neigung *f* (*to* für); **4.** Gang *m*, Lauf *m*: *the ~ of events.*
ten·den·tious [ten'denʃəs] *adj.* □ tendenzi'ös, Tendenz...; **ten'den·tious·ness** [-nis] *s.* tendenzi'öser Cha'rakter.
ten·der[1] ['tendə] *adj.* □ **1.** zart, weich, mürbe (*Fleisch etc.*); **2.** *allg.* zart (*a. Alter, Farbe, Gesundheit*): *~ passion* Liebe; **3.** zart, zärtlich, sanft; **4.** zart, empfindlich (*Körperteil, a. Gewissen*): *~ spot fig.* wunder Punkt; **5.** heikel, kitzlig (*Thema*); **6.** bedacht (*of* auf *acc.*).
ten·der[2] ['tendə] **I.** *v/t.* **1.** (for'mell) anbieten; → *oath 1, resignation 2*; **2.** *s-e Dienste etc.* anbieten, zur Verfügung stellen; **3.** *s-n Dank, s-e Entschuldigung* zum Ausdruck bringen; **4.** ✝, ⚖ als Zahlung (*e-r Verpflichtung*) anbieten; **II.** *v/i.* **5.** sich an e-r Ausschreibung beteiligen, ein Angebot machen: *to ~ and contract for a supply* e-n Lieferungskontrakt machen; **III.** *s.* **6.** Anerbieten *n*, Angebot *n*: *to make a ~ of* → 2; **7.** ✝ (*legal* gesetzliches) Zahlungsmittel; **8.** ✝ Angebot *n*, Of'ferte *f bei Ausschreibung*: *to invite ~s for ein Projekt* ausschreiben; *to put to ~* in freier Ausschreibung vergeben; *by ~* in Submission; **9.** ⚖ Zahlungsangebot *n*; **10.** *~ of resignation* Rücktrittsgesuch.
tend·er[3] ['tendə] *s.* **1.** Wärter(in), Pfleger(in); **2.** 🚂 Tender *m*, Kohlenwagen *m*; **3.** ⚓ Tender *m*, Begleitschiff *n*; **4.** *mot.* Anhänger *m.*
'ten·der|·foot *pl.* **-feet** *od.* **-foots** *s. Am.* F Anfänger *m*, Greenhorn *n*; **'~-'heart·ed** *adj.* □ weichherzig; **'~·loin** *s. Am.* **1.** zartes Lendenstück, Fi'let *n*; **2.** ♀ *Vergnügungs- u. Verbrecherviertel, bsd. von New York.*
ten·der·ness ['tendənis] *s.* **1.** Zartheit *f*, Weichheit *f* (*a. fig.*); **2.** Schwächlichkeit *f*; Empfindlichkeit *f* (*a. e-s Körperteils, des Gewissens etc.*); **3.** Zärtlichkeit *f* (*to* gegen, zu); **4.** Güte *f*, Freundlichkeit *f.*
ten·di·nous ['tendinəs] *adj.* **1.** sehnig, flechsig; **2.** *anat.* Sehnen...;
ten·don ['tendən] *s. anat.* Sehne *f*, Flechse *f.*
ten·dril ['tendril] *s.* ♀ Ranke *f.*
ten·e·brous ['tenibrəs] *adj. obs.* dunkel, finster, düster.
'ten-'eight·y *s.* ⚗ fluressigsaures 'Natrium (*Rattengift*).
ten·e·ment ['tenimənt] *s.* **1.** Wohnhaus *n*; **2.** *a. ~-house* Miet(s)haus *n*, *bsd.* 'Mietska,serne *f*; **3.** Mietwohnung *f*; **4.** Wohnung *f*; **5.** ⚖ **a)** (Pacht)Besitz *m*, **b)** beständiger Besitz, beständiges Privi'legium: *free ~* freier Grundbesitz.
te·nes·mus [ti'nezməs] *s.* ⚕ Te'nesmus *m*: *rectal ~* Stuhldrang; *vesical ~* Harndrang.
ten·et ['ti:net] *s.* (Grund-, Lehr-) Satz *m*, Lehre *f.*
'ten·fold *adj. u. adv.* zehnfach.
'ten-gal·lon hat *s. Am. dial.* breitrandiger Cowboyhut.
ten·ner ['tenə] *s.* F **a)** *Brit.* Zehn'pfundnote *f*, **b)** *Am.* Zehn'dollarnote *f.*
ten·nis ['tenis] *s. sport* Tennis(spiel) *n*; **'~·ball** *s. sport* Tennisball *m*; **'~·court** *s. sport* Tennisplatz *m*; **'~·play·er** *s. sport* Tennisspieler (-in); **'~·rack·et** *s. sport* Tennisschläger *m.*
ten·on ['tenən] ⊕ **I.** *s.* Zapfen *m*; **II.** *v/t.* verzapfen; **'~·saw** *s.* ⊕ Ansatzsäge *f*, Fuchsschwanz *m.*
ten·or ['tenə] **I.** *s.* **1.** Verlauf *m*; **2.** 'Tenor *m*, (wesentlicher) Inhalt, Sinn *m*; Absicht *f*; **3.** ✝ Laufzeit *f* (*Wechsel*); **4.** ♪ Te'nor(stimme *f*, -par,tie *f*, -sänger *m*, -instru,ment *n*) *m*; **II.** *adj.* **5.** ♪ Tenor...
'ten·pin *s. Am.* **1.** Kegel *m*; **2.** *pl. sg. konstr.* Kegelspiel *n* mit 10 Kegeln.
tense[1] [tens] *s. ling.* Zeitform *f*, 'Tempus *n*: *simple* (*compound*) *~s* einfache (zs.-gesetzte) Zeiten.
tense[2] [tens] **I.** *adj.* □ **1.** gespannt (*a. ling. Laut*); **2.** *fig.* **a)** (an)gespannt (*Person, Nerven*), **b)** spannungsgeladen: *a ~ moment*; **II.** *v/t.* **3.** straffen, (an)spannen; **III.** *v/i.* **4.** sich straffen *od.* (an)spannen; **5.** *fig.* (vor Nervosi'tät *etc.*) starr werden;
'tense·ness [-nis] *s.* **1.** Straffheit *f*; **2.** *fig.* (ner'vöse) Spannung; **'ten·si·ble** [-səbl] *adj.* dehnbar; **'ten·sile** [-sail] *adj.* **1.** dehn-, streckbar; **2.** *phys.* Dehn(ungs)..., Zug...: *~ strength* (*stress*) Zugfestigkeit (-beanspruchung); **ten·sim·e·ter** [ten'simitə] *s.* ⊕ Gas-, Dampfdruckmesser *m*; **ten·si·om·e·ter** [tensi'ɔmitə] *s.* ⊕ Zugmesser *m.*
ten·sion ['tenʃən] *s.* **1.** Spannung *f* (*a.* ⚡); **2.** ⚕, *phys.* Druck *m*; **3.** *phys.* **a)** Dehnung *f*, **b)** Zug-, Spannkraft *f*: *~ spring* ⊕ Zug-, Spannfeder; **4.** (ner'vöse) Spannung; **5.** *fig.* Spannung *f*, gespanntes Verhältnis: *political ~*; **'ten·sion·al** [-ʃənl] *adj.* Spann(ungs)..., Dehn...; **ten·sor** ['tensə] *s. anat.* Streck-, Spannmuskel *m.*
'ten|-spot *s. Am. sl.* **1.** *Kartenspiel*: Zehn *f*; **2.** → *tenner b*; **'~-strike** *s. Am.* **1.** *Kegeln*: *bestmöglicher Wurf, entsprechend* ‚alle neune'; **2.** F *fig.* Volltreffer *m.*
tent[1] [tent] *s.* Zelt *n* (*a.* ⚕): *to pitch one's ~s* s-e Zelte aufschlagen (*a. fig.*).
tent[2] [tent] ⚕ **I.** *s.* Tam'pon *m*; **II.** *v/t. Wunde* durch e-n Tampon offenhalten.
tent[3] [tent] *s.* Tintowein *m.*
ten·ta·cle ['tentəkl] *s.* **1.** *zo.* **a)** Ten'takel *m, n*, Fühler *m* (*a. fig.*), **b)** Fangarm *m e-s Polypen*; **2.** ♀ Tentakel *m, n*; **'ten·ta·cled** [-ld] *adj.* ♀, *zo.* mit Ten'takeln versehen; **ten·tac·u·lar** [ten'tækjulə] *adj.* Fühler..., Tentakel...
ten·ta·tive ['tentətiv] **I.** *adj.* □ **1.** versuchend, Versuchs..., Probe...; **2.** vorläufig, provi'sorisch; **II.** *s.* **3.** Versuch *m*, Probe *f*; **'ten·ta·tive·ly** [-li] *adv.* versuchsweise.
ten·ter ['tentə] *s.* ⊕ Spannrahmen *m für Tuch*; **'~·hook** *s.* ⊕ Spannhaken *m*: *to be on ~s fig.* auf die Folter gespannt sein, wie auf glühenden Kohlen sitzen; *to keep s.o. on ~s fig.* j-n auf die Folter spannen.
tenth [tenθ] **I.** *adj.* □ **1.** zehnt; **2.** zehntel; **II.** *s.* **3.** *der* (*die, das*) Zehnte; **4.** Zehntel *n*: *a ~ of a millimeter* ein Zehntel Millimeter; **5.** ♪ De'zime *f*; **'tenth·ly** [-li] *adv.* zehntens.
'tent|-peg *s.* Zeltpflock *m*, Hering *m*; **'~-pole** *s.* Zeltstange *f*; **'~-stitch** *s. Stickerei*: Perlstich *m.*
ten·u·is ['tenjuis] *pl.* **'ten·u·es** [-i:z] *s. ling.* 'Tenuis *f* (*stimmloser, nicht aspirierter Verschlußlaut*).
ten·u·ous ['tenjuəs] *adj.* **1.** dünn; **2.** zart, fein; **3.** *fig.* dürftig.
ten·ure ['tenjuə] *s.* **1.** (Grund-, *hist.* Lehens)Besitz *m*; **2.** ⚖ **a)** Besitzart *f*, **b)** Besitztitel *m*: *~ by lease* Pachtbesitz; **3.** Besitzdauer *f*; **4.** Innehaben *n*, Bekleidung *f* (*e-s Amtes*): *~ of office* Amtsdauer; **5.** *fig.* Genuß *m e-r Sache.*
te·pee ['ti:pi:] *s.* Indi'anerzelt *n*, Wigwam *m.*
tep·id ['tepid] *adj.* □ lauwarm, lau (*a. fig.*); **te·pid·i·ty** [te'piditi], **'tep·id·ness** [-nis] *s.* Lauheit *f* (*a. fig.*).
ter·cen·te·nar·y [tə:sen'ti:nəri], **ter-**

cen'ten·ni·al [-'tenjəl] **I.** *adj.* **1.** dreihundertjährig; **II.** *s.* **2.** dreihundertster Jahrestag; **3.** Dreihundert'jahrfeier *f.*

ter·cet ['tə:sit] *s.* **1.** *Metrik*: Ter'zine *f*; **2.** ♪ Tri'ole *f.*

ter·gi·ver·sate ['tə:dʒivə:seit] *v/i.* Ausflüchte machen; sich drehen und wenden; sich wider'sprechen; **ter·gi·ver·sa·tion** [tə:dʒivə:'seiʃən] *s.* **1.** Ausflucht *f*, Winkelzug *m*; **2.** Wankelmut *m.*

term [tə:m] **I.** *s.* **1.** *bsd. fachlicher* Ausdruck, Bezeichnung *f*, Wort *n*: *botanical ~s*; **2.** *pl.* Ausdrucksweise *f*: *in ~s of* **a)** in Form von (*od. gen.*), **b)** im Sinne (*gen.*), als, **c)** hinsichtlich (*gen.*), **d)** vom Standpunkt (*gen.*); *in ~s of approval* beifällig; *in plain ~s* rundheraus (gesagt); *to think in ~s of money* (nur) in Mark u. Pfennig denken; **3.** Wortlaut *m*; **4. a)** Zeit *f*, Dauer *f*: *~ of imprisonment* Freiheitsstrafe; *~ of office* Amtsdauer, -periode; *for a ~ of four years* für die Dauer von vier Jahren, **b)** (*Zahlungs- etc.*)Frist *f*: *long-~* langfristig; **5.** ✝, ⚖ **a)** Laufzeit *f* (*Vertrag, Wechsel*), **b)** Ter'min *m*, **c)** *Brit.* Quar'talster,min *m* (*vierteljährlicher Zahltag für Miete etc.*), **d)** *Brit. halbjährlicher* Lohn-, Zahltag (*für Dienstboten*), **e)** ⚖ 'Sitzungsperi,ode *f*; **6.** *ped., univ.* Quar'tal *n*, Tri'mester *n*, Se'mester *n*, Kol'legienzeit *f*: *end of ~* Schul- *od.* Semesterschluß; *to keep ~s* Jura studieren; **7.** *pl.* ✝, ⚖ (*Vertrags- etc.*)Bedingungen *pl.*: *~s of delivery* Lieferungsbedingungen; *on easy ~s* zu günstigen Bedingungen; *on equal ~s* unter gleichen Bedingungen; *to come to ~s* **a)** handelseinig werden, sich einigen, **b)** die Bedingungen annehmen; **8.** *pl.* Preise *pl.*, Hono'rar *n*: *cash ~s* Barpreis; *inclusive ~s* Pauschalpreis; **9.** *pl.* Beziehungen *pl.*: *to be on good (bad) ~s with* auf gutem (schlechtem) Fuße stehen mit; *they are not on speaking ~s* sie sprechen nicht (mehr) miteinander; *to come to ~s with* **a)** sich mit *j-m* einigen, **b)** sich mit *et.* abfinden; *to come to ~s with the past* die Vergangenheit bewältigen; **10.** *Logik*: Begriff *m*; → *contradiction* 2; **11.** ⩘ **a)** Glied *n*: *~ of a sum* Summand, **b)** *Geometrie*: Grenze *f*; **12.** △ Terme *m*, Grenzstein *m*; **13.** *physiol.* **a)** Menstruati'on *f*, **b)** (nor'male) Schwangerschaftszeit; **II.** *v/t.* **14.** (be)nennen, bezeichnen als.

ter·ma·gant ['tə:məgənt] **I.** *s.* Zankteufel *m*, (Haus)Drachen *m* (*Weib*); **II.** *adj.* zänkisch.

ter·mi·na·ble ['tə:minəbl] *adj.* □ **1.** begrenzbar; **2.** befristet, (zeitlich) begrenzt, kündbar (*Vertrag etc*).

ter·mi·nal ['tə:minl] **I.** *adj.* □ → *terminally*; **1.** letzt, Grenz..., End..., (Ab)Schluß...: *~ amplifier* ⚡ Endverstärker; *~ station* Endstation, Kopfbahnhof; *~ value* ⩘ Endwert; *~ voltage* ⚡ Klemmenspannung; **2.** Termin...; *univ.* Semester... *od.* Trimester...; **3.** ⚘ gipfelständig; **II.** *s.* **4.** Endstück *n*, -glied *n*, Spitze *f*; **5.** ⚡ **a)** (Anschluß-)Klemme *f*, Pol *m*, **b)** Klemmschraube *f*, **c)** Endstecker *m*; **6.** *bsd. Am.* 'Endstati,on *f*; **7.** *univ.* Se'mesterprüfung *f*; **'ter·mi·nal·ly** [-nəli] *adv.* **1.** zum Schluß; **2.** ter'minweise; **3.** se'mesterweise; **'ter·mi·nate** [-neit] **I.** *v/t.* **1.** *räumlich* begrenzen; **2.** beendigen, *Vertrag a.* aufheben, kündigen; **II.** *v/i.* **3.** endigen (*in* in *dat.*); **4.** *ling.* enden (*in* auf *acc.*); **III.** *adj.* [-nit] **5.** begrenzt; **6.** ⩘ endlich; **ter·mi·na·tion** [tə:mi'neiʃən] *s.* **1.** Aufhören *n*; **2.** Ende *n*, (Ab)Schluß *m*; **3.** Beendigung *f*; **4.** ⚖ Beendigung *f e-s Vertrags etc.*: **a)** Ablauf *m*, Erlöschen *n*, **b)** Aufhebung *f*, Kündigung *f*; **5.** *ling.* Endung *f*; **'ter·mi·na·tive** [-nətiv] *adj.* □ **1.** End..., Schluß...; **2.** *ling.* den Abschluß e-r Handlung anzeigend.

ter·mi·no·log·i·cal [tə:minə'lɔdʒikəl] *adj.* □ termino'logisch: *~ inexactitude humor.* Schwindelei; **ter·mi·nol·o·gy** [tə:mi'nɔlədʒi] *s.* Terminolo'gie *f*, Fachsprache *f*, -ausdrücke *pl.*

ter·mi·nus ['tə:minəs] *pl.* **-ni** [-nai], **-nus·es** *s.* **1.** Endpunkt *m*; **2.** 🚂 'Endstati,on *f.*

ter·mite ['tə:mait] *s. zo.* Ter'mite *f.*

terms of trade *s. pl.* ✝ Verhältnis *n* der Ex'portpreise zu den Im'portpreisen, 'Austauschrela,tion *f.*

tern[1] [tə:n] *s. orn.* Seeschwalbe *f.*

tern[2] [tə:n] *s.* **1.** Gruppe *f od.* Satz *m* von dreien; **2.** *Lotterie*: Terne *f*, Terno *m*; **'ter·na·ry** [-nəri] **I.** *adj.* **1.** aus (je) drei bestehend, dreifältig; **2.** ⚘ dreizählig; **3.** *metall.* dreistoffig; **4.** ⩘ ter'när; **II.** *s.* **5.** Dreizahl *f*; **'ter·nate** [-neit] *adj.* → *ternary* 1 *u.* 2.

ter·ra ['terə] (*Lat. u. Ital.*) *s.* Land *n*, Erde *f.*

ter·race ['terəs] **I.** *s.* **1.** Ter'rasse *f* (△ *u. geol.*); **2.** *bsd. Brit.* **a)** Häuserreihe *f* an erhöht gelegener Straße, **b)** Pano'ramaweg *m*; **3.** *Am.* Grünstreifen *m*, -anlage *f in der Straßenmitte*; **II.** *v/t.* **4.** ter'rassenförmig anlegen, terrassieren; **'ter·raced** [-st] *adj.* **1.** terrassenförmig (angelegt); **2.** flach (*Dach*).

ter·ra·cot·ta ['terə'kɔtə] **I.** *s.* **1.** Terra'kotta *f*; **2.** Terra'kottafi,gur *f*; **II.** *adj.* **3.** Terrakotta...

ter·ra fir·ma ['fə:mə] (*Lat.*) *s.* festes Land.

ter·rain ['terein] **I.** *s.* Ter'rain *n*, Gelände *n*; **II.** *adj. bsd.* ⚔ Gelände...

ter·ra in·cog·ni·ta [in'kɔgnitə] (*Lat.*) *s.* unerforschtes Land; *fig.* (völliges) Neuland.

ter·ra·ne·ous [tə'reiniəs] *adj.* ⚘ Land...

ter·ra·pin ['terəpin] *s. zo.* Dosenschildkröte *f.*

ter·raz·zo [ter'rɑ:tsou] (*Ital.*) *s.* Ter'razzo *m*, Ze'mentmosa,ik *n.*

ter·rene [te'ri:n] *adj.* **1.** irdisch; **2.** Erd..., erdig.

ter·res·tri·al [ti'restriəl] **I.** *adj.* □ **1.** irdisch, weltlich; **2.** Erd...: *~ globe* Erdball, Globus; **3.** ⚘, *zo., geol.* Land...; **II.** *s.* **4.** Erdenbewohner (-in).

ter·ri·ble ['terəbl] *adj.* □ schrecklich, furchtbar, fürchterlich (*alle a.* F *außerordentlich*); **'ter·ri·ble·ness** [-nis] *s.* Schrecklichkeit *f*, Fürchterlichkeit *f.*

ter·ri·er[1] ['teriə] *s.* **1.** *zo.* 'Terrier *m* (*Hunderasse*); **2.** F → *territorial* 4 *a.*

ter·ri·er[2] ['teriə] *s.* ⚖ Flurbuch *n*, Ka'taster *m.*

ter·rif·ic [tə'rifik] *adj.* (□ *~ally*) **1.** furchtbar, fürchterlich, schrecklich (*alle a.* F *fig.*); **2.** F kolos'sal, ungeheuer, ‚toll', phan'tastisch, großartig.

ter·ri·fied ['terifaid] *adj.* erschrokken, verängstigt, entsetzt: *to be ~ of* (große) Angst haben vor (*dat.*); **ter·ri·fy** ['terifai] *v/t.* erschrecken, *j-m* Angst *od.* e-n Schreck einjagen; **'ter·ri·fy·ing** [-aiiŋ] *adj.* furchterregend, erschreckend, fürchterlich.

ter·ri·to·ri·al [teri'tɔ:riəl] **I.** *adj.* □ **1.** Grund..., Land...: *~ property*; **2.** territori'al, Landes..., Gebiets...: ♀ *Army*, ♀ *Force* ⚔ Territorialarmee, Landwehr; *~ waters pol.* Hoheitsgewässer; **3.** ♀ *pol.* Territorial..., ein Terri'torium (*der USA*) betreffend; **II.** *s.* **4.** ♀ ⚔ **a)** Landwehrmann *m*, **b)** *pl.* Territori'altruppen *pl.*; **ter·ri·to·ry** ['teritəri] *s.* **1.** (*a. fig.*) Gebiet *n*, Territorium *n*; **2.** *pol.* Hoheits-, Staatsgebiet *n*: *Federal ~* Bundesgebiet; *on British ~* auf britischem Gebiet; **3.** *pol.* Territorium *n* (*Schutzgebiet*); **4.** ✝ (Vertrags-, Vertreter)Gebiet *n*; **5.** *sport* F (Spielfeld)Hälfte *f.*

ter·ror ['terə] *s.* **1.** Schrecken *m*, Entsetzen *n*, schreckliche Furcht (*of* vor *dat.*); **2.** Schrecken *m* (*of od. to gen.*) (*schreckeneinflößende Person od. Sache*); **3.** 'Terror *m*, Gewalt-, Schreckensherrschaft *f*; **4.** F **a)** Ekel *n*, widerliche Per'son, **b)** Plage *f* (*to* für); **'ter·ror·ism** [-ərizəm] *s.* **1.** → *terror* 3; **2.** Terrorisierung *f*; **'ter·ror·ist** [-ərist] *s.* Terro'rist *m*; **'ter·ror·ize** [-əraiz] *v/t.* **1.** terrorisieren; **2.** einschüchtern.

'ter·ror|-'strick·en, '~-'struck *adj.* schreckerfüllt.

ter·ry ['teri] *s.* **1.** ungeschnittener Samt *od.* Plüsch; **2.** Schlinge *f* (*des ungeschnittenen Samtes etc.*).

terse [tə:s] *adj.* □ knapp, kurz u. bündig, markig; **'terse·ness** [-nis] *s.* Knappheit *f*, Kürze *f*, Bündigkeit *f*, Prä'gnanz *f.*

ter·tian ['tə:ʃən] ⚕ **I.** *adj.* dreitägig, Tertian...: *~ ague*, *~ fever*, *~ malaria* → *II*; **II.** *s.* Terti'anfieber *n.*

ter·ti·ar·y ['tə:ʃəri] **I.** *adj.* **1.** *allg.* terti'är, Tertiär...; **II.** *s.* **2.** ♀ *geol.* Terti'är *n*; **3.** *a.* ♀ *eccl.* Terti'arier (-in).

ter·zet·to [tə:t'setou] *pl.* **-tos, -ti** [-ti:] (*Ital.*) *s.* ♪ Ter'zett *n*, Trio *n.*

tes·sel·late ['tesileit] *v/t.* tessellieren, mit Mosa'iksteinen auslegen, mosa'ikartig zs.-setzen: *~d pavement* Mosaik(fuß)boden; **tes·sel·la·tion** [tesi'leiʃən] *s.* Mosa'ik(arbeit *f*) *n.*

test [test] **I.** *s.* **1.** *allg., a.* ⊕ Probe *f*, Versuch *m*, Test *m*; **2. a)** Prüfung *f*, Unter'suchung *f*, Stichprobe *f*, **b)** *fig.* Probe *f*, Prüfung *f*: *to put to the ~* auf die Probe stellen; *to stand the ~* die Probe bestehen; → *acid test*, *crucial* 1; **3.** *fig.* Prüfstein *m*, Kri-

ˈterium *n*: *success is not a fair* ~; **4.** *ped.*, *psych.* (Eignungs-, Leistungs)Prüfung *f*, Test *m*; **5.** *ped.* Klassenarbeit *f*; **6.** ⚕ (Blut- *etc.*) Probe *f*, (Haut- *etc.*)Test *m*; **7.** ⚗ **a)** Anaˈlyse *f*, **b)** Reaˈgens *n*; **8.** *metall.* **a)** Versuchstiegel *m*, Kaˈpelle *f*, **b)** Treibherd *m*; **9.** F → *test-match*; **10.** *hist. Brit.* Testeid *m*; **II.** *v/t.* **11.** (*for s.th.* auf et. [hin]) prüfen (*a. ped.*) *od.* unterˈsuchen, erproben, e-r Prüfung unterˈziehen, testen (*alle a.* ⊕): *to* ~ *out* F ausprobieren; **12.** *fig. j-s Geduld etc.* auf die Probe stellen; **13.** *ped.*, *psych.* *j-n* testen; **14.** ⚗ analysieren; **15.** ⚡ *Leitung* prüfen *od.* abfragen; **16.** ⚔ *Waffe* anschießen; **III.** *adj.* **17.** Probe..., Versuchs..., Prüf(ungs)..., Test...

tes·ta·cean [tesˈteiʃən] *zo.* **I.** *adj.* hartschalig, Schal(tier)...; **II.** *s.* Schaltier *n*; **tesˈta·ceous** [-ʃəs] *adj.* *zo.* hartschalig, Schalen...

tes·ta·ment [ˈtestəmənt] *s.* **1.** ⚖ Testaˈment *n*, letzter Wille; **2.** ♀ *bibl.* **a)** (*Altes od. Neues*) Testament, **b)** F (Neues) Testament (*Einzelexemplar*); **tes·ta·men·ta·ry** [testəˈmentəri] *adj.* □ ⚖ testamenˈtarisch: **a)** letztwillig, **b)** durch Testament (vermacht, bestimmt): ~ *disposition* letztwillige Verfügung; ~ *capacity* Testierfähigkeit.

tes·tate [ˈtestit] *adj.*: *to die* ~ ⚖ unter Hinterlassung e-s Testaments sterben, ein Testament hinterlassen; **tes·ta·tor** [tesˈteitə] *s.* ⚖ Erblasser *m*; **tes·ta·trix** [tesˈteitriks] *pl.* **-tri·ces** [-si:z] *s.* Erb-lasserin *f.*

ˈ**test|-case** *s.* **1.** ⚖ **a)** ˈMusterproˌzeß *m*, **b)** Präzeˈdenzfall *m*; **2.** *fig.* Muster-, Schulbeispiel *n*; ~ **cer·tif·i·cate** *s.* ⊕ ˈPrüfprotoˌkoll *n.*

test·ed [ˈtestid] *adj.* geprüft; erprobt (*a. weitS. bewährt*).

test·er[1] [ˈtestə] *s.* **1.** Prüfer *m*; **2.** Prüfgerät *n.*

tes·ter[2] [ˈtestə] *s.* **1.** △ ˈBaldachin *m*; **2.** (Bett)Himmel *m.*

tes·tes [ˈtesti:z] *pl. von testis.*

test| flight *s.* ✈ Probeflug *m*; ˈ~-**glass** → *test-tube.*

tes·ti·cle [ˈtestikl] *s. anat.* Hode *m*, *f*, Hoden *m.*

tes·ti·fy [ˈtestifai] **I.** *v/t.* **1.** ⚖ aussagen, bezeugen; **2.** *fig.* bezeugen: **a)** zeugen von, **b)** kundtun; **II.** *v/i.* **3.** ⚖ aussagen (*Zeuge*): *to* ~ *to et.* bezeugen (*a. fig.*); *to refuse to* ~ die Aussage verweigern; **tes·ti·mo·ni·al** [testiˈmounjəl] *s.* **1.** (Führungs- *etc.*)Zeugnis *n*; **2.** Empfehlungsschreiben *n*; **3.** Zeichen *n* der Anerkennung, *bsd.* Ehrengabe *f*; ˈ**tes·ti·mo·ny** [-iməni] *s.* **1.** Zeugnis *n*: **a)** ⚖ (Zeugen)Aussage *f*, **b)** Beweis *m*: *in* ~ *whereof* ⚖ zu Urkund dessen; *to bear* ~ *to et.* bezeugen (*a. fig.*); *to have s.o.'s* ~ *for* j-n zum Zeugen haben für; **2.** *coll. od. pl.* Zeugnis(se *pl.*) *n*: *the* ~ *of history*; **3.** *bibl.* Zeugnis *n*: **a)** Gesetzestafeln *pl.*, **b)** *mst pl.* göttliche Offenbarung, *a.* Heilige Schrift.

tes·ti·ness [ˈtestinis] *s.* Gereiztheit *f.*

test·ing [ˈtestiŋ] *adj. bsd.* ⊕ Probe..., Prüf..., Versuchs...: ~ *engineer* ⊕ Prüfingenieur; ~ *ground* ⊕ Prüffeld; ~ *method psych.* Testmethode.

tes·tis [ˈtestis] *pl.* **-tes** [-ti:z] (*Lat.*) → *testicle.*

test| load *s.* ⊕ Probebelastung *f*; ˈ~-**match** *s.* *Kricket*: internatioˈnaler Vergleichskampf; ˈ~-**pa·per** *s.* **1.** *ped.* **a)** schriftliche (Klassen-) Arbeit, **b)** Prüfungsbogen *m*; **2.** ⚗ Reaˈgenzpaˌpier *n*; ~ **pi·lot** *s.* ˈTestpiˌlot *m*, Einflieger *m*; ~ **print** *s.* *phot.* Probeabzug *m*; ~ **stand** *s.* ⊕ Prüfstand *m*; ˈ~-**tube** [-stt-] *s.* ⚗ Reaˈgenzglas *n*: ~ *baby* ⚕ Retortenbaby.

tes·ty [ˈtesti] *adj.* □ gereizt, reizbar, heftig, unwirsch.

tet·a·nus [ˈtetənəs] *s.* ⚕ ˈTetanus *m*, (*bsd.* Wund)Starrkrampf *m.*

tetch·y [ˈtetʃi] *adj.* □ empfindlich, reizbar.

tête-à-tête [ˈteitɑ:ˈteit] (*Fr.*) **I.** *adv.* **1.** vertraulich, unter vier Augen; **2.** ganz alˈlein (*with* mit); **II.** *s.* **3.** Tête-à-tête *n*, vertrauliches Zwiegespräch.

teth·er [ˈteðə] **I.** *s.* **1.** Haltestrick *m*; **2.** *fig.* Spielraum *m*: *to be at the end of one's* ~ am Ende s-r (*a. finanziellen*) Kräfte sein, am Ende s-r Geduld sein, sich nicht mehr zu helfen wissen; **II.** *v/t.* **3.** anbinden (*to* an *acc.*).

tet·rad [ˈtetræd] *s.* **1.** Vierzahl *f*; **2.** ⚗ vierwertiges Aˈtom *od.* Eleˈment; **3.** *biol.* (ˈSporen)TeˌTrade *f.*

tet·ra·gon [ˈtetrəgən] *s.* ⩤ Tetraˈgon *n*, Viereck *n*; **te·trag·o·nal** [teˈtrægənl] *adj.* ⩤ tetragoˈnal.

tet·ra·he·dral [ˈtetrəˈhedrəl] *adj.* ⩤ vierflächig, tetraˈedrisch; ˈ**tet·ra·ˈhe·dron** [-drən] *pl.* -ˈ**he·drons**, -ˈ**he·dra** [-drə] *s.* ⩤ Tetraˈeder *n.*

te·tral·o·gy [teˈtrælədʒi] *s. lit.* Tetraloˈgie *f.*

tet·rode [ˈtetroud] *s.* ⚡ Vierpolröhre *f.*

tet·ter [ˈtetə] *s.* ⚕ (Haut)Flechte *f*, Ausschlag *m.*

Teu·ton [ˈtju:tən] **I.** *s.* **1.** Gerˈmane *m*, Gerˈmanin *f*; **2.** *pl.* **-to·nes** [-təni:z] Teuˈtone *m*, Teuˈtonin *f*; **3.** F Deutsche(r *m*) *f*; **II.** *adj.* **4.** → *Teutonic I*; **Teu·ton·ic** [tju(:)ˈtɔnik] **I.** *adj.* **1.** gerˈmanisch; **2.** teuˈtonisch; **3.** Deutschordens...: ~ *Order hist.* Deutschritterorden; **II.** *s.* **4.** *ling.* Gerˈmanisch *n*; ˈ**Teu·ton·ism** [-tənizəm] *s.* **1.** Gerˈmanentum *n*, gerˈmanisches Wesen; **2.** *ling.* Germaˈnismus *m.*

Tex·an [ˈteksən] **I.** *adj.* teˈxanisch, aus Texas; **II.** *s.* Teˈxaner(in).

text [tekst] *s.* **1.** (Ur)Text *m*, (genauer) Wortlaut; **2.** *typ.* Text(abdruck, -teil) *m* (*Ggs. Anmerkungen, Vorwort etc.*); **3.** (Lied- *etc.*)Text *m*; **4. a)** Bibelspruch *m*, -stelle *f*, **b)** Bibeltext *m*; **5.** Thema *n*: *to stick to one's* ~ bei der Sache bleiben; **6.** *Am.* → *textbook*; **7.** → *text-hand*; ˈ~-**book** *s.* Lehrbuch *n*, Leitfaden *m*; ˈ~-**hand** *s.* große Kurˈrentschrift.

tex·tile [ˈtekstail] **I.** *s.* Gewebe *n*, Web-, Faserstoff *m*; *pl.* Web-, Texˈtilwaren *pl.*, Texˈtilien *pl.*; **II.** *adj.* gewebt; Textil..., Stoff..., Gewebe...: ~ *goods* Textilien; ~ *industry* Textilindustrie.

tex·tu·al [ˈtekstjuəl] *adj.* □ **1.** textlich, Text...; **2.** wortgetreu, textgemäß.

tex·tur·al [ˈtekstʃərəl] *adj.* □ **1.** Gewebe...; **2.** struktuˈrell, Struktur...: ~ *changes*; **tex·ture** [ˈtekstʃə] *s.* **1.** Gewebe *n*; **2.** *biol.* Texˈtur *f* (*Gewebezustand*); **3.** Maserung *f* (*Holz*); **4.** Strukˈtur *f*, Beschaffenheit *f*; **5.** *geol.*, *a. fig.* Struktur *f*, Gefüge *n.*

ˈ**T-gird·er** *s.* ⊕ T-Träger *m.*

thal·a·mus [ˈθæləməs] *pl.* **-mi** [-mai] *s. anat.* Sehhügel *m.*

Thames [temz] *npr.* Themse *f*: *he won't set the* ~ *on fire fig.* er hat das Pulver nicht erfunden.

than [ðæn; ðən] *cj.* (*nach e-m Komparativ*) als: *more* ~ *was necessary* mehr als nötig; *none other* ~ *you* niemand anders als Sie.

thane [θein] *s.* **1.** *hist.* **a)** Gefolgsadlige(r) *m*, **b)** Than *m*, Lehensmann *m* (*der schottischen Könige*); **2.** *allg.* schottischer Adliger.

thank [θæŋk] **I.** *v/t.* *j-m* danken, sich bedanken bei: (*I*) ~ *you* danke; ~ *you* bitte (*beim Servieren etc.*); (*yes,*) ~ *you* ja, bitte; *no,* ~ *you* nein, danke; *I will* ~ *you oft iro.* ich wäre Ihnen sehr dankbar (*to do, for doing* wenn Sie täten); ~ *you for nothing iro.* ich danke (dafür); *he has only himself to* ~ *for that* das hat er sich selbst zuzuschreiben; **II.** *s. pl.* **a)** Dank *m*, **b)** Dankesbezeigung(en *pl.*) *f*, Danksagung(en *pl.*) *f*: *letter of* ~*s* Dankesbrief; *in* ~*s for* zum Dank für; *with* ~*s* dankend, mit Dank; ~*s to a. fig. u. iro.* dank (*gen.*); *small* ~*s to her* ohne ihre Hilfe; (*many*) ~*s!* vielen Dank!, danke!; *no,* ~*s!* nein, danke!; *small* ~*s I got* schlecht hat man es mir gedankt; ˈ**thank·ful** [-ful] *adj.* □ dankbar (*to s.o.* j-m): *I am* ~ *that* ich bin (heil)froh, daß; ˈ**thank·less** [-lis] *adj.* □ undankbar (*a. fig. Aufgabe etc.*); ˈ**thank·less·ness** [-lisnis] *s.* Undankbarkeit *f.*

ˈ**thank-of·fer·ing** *s. bibl.* Sühneopfer *n der Juden.*

thanks·giv·ing [ˈθæŋksgiviŋ] *s.* **1.** Danksagung *f*, *bsd.* Dankgebet *n*; **2.** Dankfest *n*, *bsd. Am.* ♀ (*Day*) (Ernte)Dankfest *n* (*letzter Donnerstag im November*).

ˈ**thank|·wor·thy** *adj.* dankenswert; ˈ~-**you** *s.* F Dankeschön *n.*

that[1] [ðæt] **I.** *pron. u. adj.* (*hinweisend*) *pl.* **those** [ðouz] **1.** (*ohne pl.*) das: ~*'s all* das ist alles; ~*'s it!* so ist es recht!; ~*'s what it is* das ist es ja gerade; ~*'s that* F das wäre erledigt, damit basta; ~ *is* (*to say*) das heißt; *and* ~ und zwar; *at* ~ **a)** zudem, obendrein, **b)** F dabei; *for all* ~ trotz alledem; *like* ~ so; **2.** jener, jene, jenes, der, die, das, der-, die-, dasjenige: ~ *car over there* jenes Auto da drüben; ~ *there man* V der Mann da; *those who* diejenigen welche; ~ *which* das was; *those are his friends* das sind seine Freunde; **3.** solch: *to* ~ *degree that* in solchem Ausmaße *od.* so sehr, daß; **II.** *adv.* **4.** F so (sehr), dermaßen: ~ *far* so weit; ~ *furious* so *od.* dermaßen wütend.

that[2] [ðæt; ðət] *pl.* **that** *rel. pron.* **1.** (*bsd. in einschränkenden Sätzen*) der, die, das, welch: *the book* ~ *he wanted* das Buch, das er wünschte;

any house ~ jedes Haus, das; *no one* ~ keiner, der; *Mrs. Jones, Miss Black* ~ *was* F Frau J., geborene B.; *Mrs. Quilp* ~ *is* die jetzige Frau Q.; **2.** (*nach all, everything, nothing etc.*) was: *the best* ~ das Beste, was.

that[3] [ðæt; ðət] *cj.* **1.** (*in Subjekts- u. Objektssätzen*) daß: *it is a pity* ~ *he is not here* es ist schade, daß er nicht hier ist; *it is 4 years* ~ *he went away* es sind nun 4 Jahre her, daß *od.* seitdem er fortging; *I am not sure* ~ *it will be there* ich bin nicht sicher, ob *od.* daß es dort sein wird; **2.** (*in Konsekutivsätzen*) daß: so ~ so daß; **3.** (*in Finalsätzen*) da'mit, daß; **4.** (*in Kausalsätzen*) weil, da (ja), daß: *not* ~ *I have any objection* nicht daß ich etwas dagegen hätte; *it is rather* ~ es ist eher deshalb, weil; *in* ~ **a)** darum weil, **b)** insofern als; **5.** (*nach Adverbien der Zeit*) als, da.

thatch [θætʃ] **I.** *s.* **1.** Dachstroh *n*; **2.** Stroh-, Rohrdach *n*; **3.** F Haarwald *m*; **II.** *v/t.* **4.** mit Stroh *od.* Binsen *etc.* decken: *~ed roof* Strohdach.

thau·ma·tur·gy ['θɔːmətəːdʒi] *s.* Thaumatur'gie *f*: **a)** Zaube'rei *f*, **b)** Wundertätigkeit *f*.

thaw [θɔː] **I.** *v/i.* **1.** (auf)tauen, schmelzen; **2.** tauen (*Wetter*): *it is ~ing* es taut; **3.** *fig.* auftauen (*Person*); **II.** *v/t.* **4.** schmelzen, auftauen; **5.** *a.* ~ *out fig.* j-n zum Auftauen bringen; **III.** *s.* **6.** (Auf)Tauen *n*; **7.** Tauwetter *n* (*a. fig. pol.*).

the [*unbetont vor Konsonanten*: ðə; *unbetont vor Vokalen*: ði; *betont od. alleinstehend*: ðiː] **I.** *bestimmter Artikel* **1.** der, die, das, *pl.* die (*u. die entsprechenden Formen im acc. u. dat.*): ~ *book on* ~ *table* das Buch auf dem Tisch; ~ *England of today* das England von heute; ~ *Browns* die Browns, die Familie Brown; **2.** *vor Maßangaben*: *one dollar* ~ *pound* einen Dollar das Pfund; *wine at 5 shillings* ~ *bottle* Wein zu 5 Schilling die Flasche; **3.** [ðiː] 'der, 'die, 'das (*hervorragende od. geeignete etc.*): *he is* ~ *painter of the century* er ist 'der Maler des Jahrhunderts; **II.** *adv.* **4.** (*vor comp.*) desto, um so: ~ ... ~ je ... desto; ~ *sooner* ~ *better* je eher, desto besser; *so much* ~ *better* um so besser.

the·a·ter *Am.*, **the·a·tre** *Brit.* ['θiətə] *s.* **1.** The'ater *n* (*Gebäude u. Kunstgattung*); **2.** *coll.* Bühnenwerke *pl.*; **3.** Hörsaal *m*: *lecture* ~; *operating-*~ ⚕ Operationssaal; **4.** *fig.* (*of war* Kriegs)Schauplatz *m*; **'~-go·er** *s.* The'aterbesucher(in); **'~-go·ing** *s.* The'aterbesuch *m*.

the·at·ri·cal [θi'ætrikəl] **I.** *adj.* □ **1.** Theater..., Bühnen..., bühnenmäßig; **2.** thea'tralisch: ~ *gestures*; **II.** *s.* **3.** *pl.* The'ater-, *bsd.* Liebhaberaufführungen *pl.*

the·ci·tis [θi'saitis] *s.* ⚕ Sehnenscheidenentzündung *f*.

thee [ðiː] *pron.* **1.** *obs. od. poet. od. bibl.* **a)** dich, **b)** dir: *of* ~ dein; **2.** *dial.* (*u. in der Sprache der Quäker*) du.

theft [θeft] *s.* Diebstahl *m* (*from* aus, *from s.o.* an j-m).

the·in(e) ['θiːiːn] *s.* ⚗ The'in *n*.

their [ðɛə; *vor Vokal* ðɛr] *pron.* (*besitzanzeigendes Fürwort der 3. pl.*) ihr, ihre: ~ *books* ihre Bücher.

theirs [ðɛəz] *pron.* der *od.* die *od.* das ihrige *od.* ihre: *this book is* ~ dieses Buch gehört ihnen; *a friend of* ~ ein Freund von ihnen.

the·ism[1] ['θiːizəm] *s.* ⚕ Teevergiftung *f*.

the·ism[2] ['θiːizəm] *s. eccl.* The'ismus *m*; **the·is·tic** [θiː'istik] *adj.* the'istisch.

them [ðem; ðəm] *pron.* **1.** (*acc. u. dat. von they*) **a)** sie (*acc.*), **b)** ihnen: *they looked behind* ~ sie blickten hinter sich; **2.** F *od. dial.* sie (*nom.*): ~ *as* diejenigen, die; **3.** *dial. od.* V diese: ~ *guys*.

the·mat·ic [θi'mætik] *adj.* (□ *~ally*) **1.** *bsd.* ♪ the'matisch; **2.** *ling.* Stamm..., Thema...: ~ *vowel*.

theme [θiːm] *s.* **1.** 'Thema *n* (*a.* ♪): *to have s.th. for (a)* ~ et. zum Thema haben; **2.** *bsd. Am.* (Schul)Aufsatz *m*, (-)Arbeit *f*; **3.** *ling.* (Wort-)Stamm *m*; **4.** *Radio*: 'Kennmeloˌdie *f*; **~ song** *s.* **1.** 'Hauptmeloˌdie *f*, -schlager *m* (*Film etc.*); **2.** → *theme 4.*

them·selves [ðəm'selvz] *pron.* **1.** (*emphatisch*) (sie) selbst: *they* ~ *said it* sie selbst sagten es; **2.** *refl.* sich (selbst): *they washed* ~ sie wuschen sich; *the ideas in* ~ die Ideen an sich.

then [ðen] **I.** *adv.* **1.** damals: *long before* ~ lange vorher; **2.** dann: ~ *and there* auf der Stelle, sofort; *by* ~ bis dahin, inzwischen; *from* ~ von da an; *till* ~ bis dahin; **3.** dann, 'darauf, 'hier'auf: *what* ~? was dann?; **4.** dann, außerdem: *but* ~ aber andererseits *od.* freilich; **5.** dann, in dem Falle: *if* ... ~ wenn ... dann; **6.** denn: *well* ~ nun gut (denn); *how* ~ *did he do it?* wie hat er es denn (dann) getan?; **7.** also, folglich, dann: ~ *you did not expect me?* du hast mich also nicht erwartet?; **II.** *adj.* **8.** damalig: *the* ~ *president*.

thence [ðens] *adv.* **1.** von da, von dort; **2.** (*zeitlich*) von da an, seit jener Zeit: *a week* ~ e-e Woche darauf; **3.** 'daher, deshalb; **4.** 'daraus, aus dieser Tatsache: ~ *it follows*; **'~'forth, '~'for·ward(s)** *adv.* von da an, seit der Zeit, seit'dem.

the·oc·ra·cy [θi'ɔkrəsi] *s.* Theokra'tie *f*; **the·o·crat·ic** [θiə'krætik] *adj.* (□ *~ally*) theo'kratisch.

the·od·o·lite [θi'ɔdəlait] *s. surv.* Theodo'lit *m*.

the·o·lo·gi·an [θiə'loudʒjən] *s.* Theo'loge *m*; **the·o'log·i·cal** [-'lɔdʒikəl] *adj.* □ theo'logisch; **the·ol·o·gy** [θi'ɔlədʒi] *s.* Theolo'gie *f*.

the·oph·a·ny [θi'ɔfəni] *s.* Theopha'nie *f*, Erscheinung *f* (*e-s*) Gottes.

the·o·rem ['θiərəm] *s.* ⅌, *phls.* Theo'rem *n*, (Grund-, Lehr)Satz *m*: ~ *of the cosine* Kosinussatz.

the·o·ret·ic *adj.*; **the·o·ret·i·cal** [θiə'retik(əl)] *adj.* □ **1.** theo'retisch; **2.** spekula'tiv; **the·o·rist** ['θiərist] *s.* Theo'retiker *m*; **the·o·rize** ['θiəraiz] *v/i.* theoretisieren, Theo'rien aufstellen; **the·o·ry** ['θiəri] *s.* Theo'rie *f*: **a)** Lehre *f*: ~ *of chances* Wahrscheinlichkeitsrechnung; ~ *of relativity* Relativitätstheorie, **b)** theo'retischer Teil (*e-r Wissenschaft*): ~ *of music* Musiktheorie, **c)** *Ggs. Praxis*: *in* ~ theoretisch, **d)** Anschauung *f*: *it is his pet* ~ es ist s-e Lieblingsidee.

the·o·soph·ic *adj.*; **the·o·soph·i·cal** [θiə'sɔfik(əl)] *adj.* □ *eccl.* theo'sophisch; **the·os·o·phist** [θi'ɔsəfist] *s.* Theo'soph(in); **the·os·o·phy** [θi'ɔsəfi] *s.* Theoso'phie *f*.

ther·a·peu·tic *adj.*; **ther·a·peu·ti·cal** [θerə'pjuːtik(əl)] *adj.* □ thera'peutisch; **ther·a'peu·tics** [-ks] *s. pl. mst sg. konstr.* Thera'peutik *f*, Thera'pie(lehre) *f*; **ther·a·pist** ['θerəpist] *s.* Thera'peut(in): *mental* ~ Psychotherapeut(in); **ther·a·py** ['θerəpi] *s.* Thera'pie *f*: **a)** Behandlung *f*, **b)** Heilverfahren *n*.

there [ðɛə; ðə] **I.** *adj.* **1.** da, dort: *down (up, over, in)* ~ da *od.* dort unten (oben, drüben, drinnen); *to have been* ~ *sl.* ‚dabeigewesen sein', genau Bescheid wissen; *to be not all* ~ *sl.* ‚nicht ganz richtig (im Oberstübchen) sein'; ~ *and then* **a)** (gerade) hier u. jetzt, **b)** auf der Stelle, sofort; ~ *it is!* **a)** da ist es!, **b)** *fig.* so steht es!; ~ *you are (od. go)!* siehst du!, da hast du's!; *you* ~! (*Anruf*) du da!, he!; **2.** ('da-, 'dort-)hin: *down (up, over, in)* ~ (da- *od.* dort)hinunter (-hinauf, -hinüber, -hinein); ~ *and back* hin u. zurück; *to get* ~ **a)** hingelangen, -kommen, **b)** *sl.* ‚es schaffen'; **3.** 'darin, in dieser Sache *od.* Hinsicht: ~ *I agree with you*; **4.** *fig.* da, an dieser Stelle (*in e-r Rede etc.*); **5.** es: ~ *is*, *pl.* ~ *are* es gibt, ist, sind; ~ *was once a king* es war einmal ein König; ~ *is no saying* es läßt sich nicht sagen; ~ *was dancing* es wurde getanzt; *~'s a good boy (girl, fellow)!* **a)** sei doch (so) lieb!, **b)** so bist du lieb!, brav!; **II.** *int.* **6.** da!, schau (her)!, na!: ~, ~! *tröstend*: (sei) ruhig!; ~ *now* na, bitte; **'~·a·bout,** *a.* **'~·a·bouts** ['ðɛərə-] *adv.* **1.** da her'um, etwa da: *somewhere* ~ da irgendwo; **2.** *fig.* so ungefähr: *500 people or ~s* so etwa *od.* ungefähr 500 Leute; **~'aft·er** [ðɛər'ɑː-] *adv.* **1.** da'nach, später; **2.** seit'her; **~'at** [ðɛər'æt] *adv. obs. od.* ⚖ **1.** da'selbst, dort; **2.** bei der Gelegenheit, 'dabei; **'~'by** *adv.* **1.** 'dadurch, auf diese Weise; **2.** da'bei, dar'an, da'von; **3.** nahe da'bei; **~'for** *adv.* 'dafür; **'~·fore** *adv. u. cj.* **1.** deshalb, -wegen, 'daher, 'darum; **2.** demgemäß, folglich; **~'from** *adv.* da'von, dar'aus, da'her; **~'in** [ðɛər'in] *adv.* **1.** dar'in, da drinnen; **2.** *fig.* 'darin, in dieser Hinsicht; **~·in'aft·er** [ðɛərin-] *adv. bsd.* ⚖ (*weiter*) unten, später (*in e-r Urkunde etc.*); **~'of** [ðɛər'ɔv] *adv. obs. od.* ⚖ **1.** da'von; **2.** dessen, deren; **~'on** [ðɛər'ɔn] *adv.* 'darauf, -über; **~'to** *adv. obs.* **1.** da'zu, dar'an, da'für; **2.** außerdem, noch da'zu; **~·un·der** [ðɛər'ʌndə] *adv.* dar'unter; **~·up·on** ['ðɛərə'pɔn] *adv.* **1.** dar'auf, 'hier'auf, da'nach; **2.** darauf'hin, demzufolge, 'darum; **~'with** *adv.* **1.** 'damit; **2.** → *thereupon*; **~·with'al** *adv. obs.* **1.** über'dies, außerdem; **2.** 'damit.

therm [θəːm] *s. phys.* **1.** *unbestimmte Wärmeeinheit*: **a)** 'Gramm-Kaloˌrie *f*, **b)** ˈKilo(gramm)-Kaloˌrie *f*, **c)** 1000 große Kaloˈrien *pl.*; **2.** *Brit.* 100,000 Wärmeeinheiten *pl.* (*zur Messung des Gasverbrauchs*); ˈ**thermae** [-mi:] (*Lat.*) *s. pl.* ⚕ Therˈmalquellen *pl.*

ther·mal [ˈθəːməl] **I.** *adj.* □ **1.** *phys.* Wärme...: ~ *efficiency* Wärmewirkungsgrad; ~ *power-station* Wärmekraftwerk; ~ *station* Heizkraftwerk; ~ *value* Heizwert; **2.** warm, heiß: ~ *water* heiße Quelle; **3.** ⚕ therˈmal, Thermal...; **II.** *s.* **4.** *pl.* ✈, *phys.* ˈThermik *f*; ˈ**ther·mic** [-mik] *adj.* (□ ~*ally*) ˈthermisch, Wärme..., Hitze...; **therm·i·on·ic** [θəːmiˈɔnik] *adj.* thermiˈonisch: ~ *valve* ⚡ Elektronen-, Glühkathodenröhre; ~ *valve transmitter* Röhrensender.

thermo- [θəːmou] *in Zssgn* **a)** Wärme, Hitze, Thermo..., **b)** thermoeˈlektrisch; **ther·moˈchem·is·try** *s.* ⚗ Thermocheˈmie *f*; ˈ**ther·mo·cou·ple** *s.* ⚡ Thermoeleˈment *n*; ˈ**ther·mo·dyˈnam·ics** *s. sg. u. pl. konstr. phys.* Thermodyˈnamik *f*, Wärmelehre *f*; ˈ**ther·mo-eˈlec·tric** *adj.* thermoeˈlektrisch, ˈwärmeeˌlektrisch: ~ *couple* → *thermocouple*.

ther·mom·e·ter [θəˈmɔmitə] *s. phys.* Thermoˈmeter *n*: *clinical* ~ ⚕ Fieberthermometer; ~ *reading* Thermometerablesung, -stand; **ther·mo·met·ric** *adj.*; **ther·mo·met·ri·cal** [θəːməˈmetrik(əl)] *adj.* □ *phys.* thermoˈmetrisch, Thermometer...

ˈ**ther·mo·pile** *s. phys.* ˈThermosäule *f*; ˈ**ther·moˈplas·tic** ⚗ **I.** *adj.* thermoˈplastisch; **II.** *s.* Thermoˈplast *m.*

Ther·mos (**bot·tle**) [ˈθəːmɔs] *s.* ˈThermosflasche *f.*

ˈ**ther·moˈset·ting** *adj.* ⚗ ˌthermostatoˈplastisch, hitzehärtbar (*Kunststoff*).

Ther·mos flask → *Thermos* (*bottle*).

ther·mo·stat [ˈθəːməstæt] *s.* ⚡, ⊕ Thermoˈstat *m*; **ther·mo·stat·ic** [θəːməˈstætik] *adj.* (□ ~*ally*) thermoˈstatisch.

the·sau·rus [θi(ː)ˈsɔːrəs] *pl.* **-ri** [-rai] (*Lat.*) *s.* Theˈsaurus *m*: **a)** Wörterbuch *n*, **b)** (Wort-, Wissens-, Sprach)Schatz *m.*

these [ðiːz] *pl. von this.*

the·sis [ˈθiːsis] *pl.* **-ses** [-siːz] *s.* **1.** ˈThese *f*: **a)** Behauptung *f*, **b)** (Streit)Satz *m*; **2.** *univ.* Dissertatiˈon *f*; **3.** [ˈθesis] *Metrik*: unbetonte Silbe; ˈ~-**play** *s. thea.* Proˈblemstück *n.*

Thes·pi·an [ˈθespiən] **I.** *adj. fig.* draˈmatisch, Schauspiel...; **II.** *s. oft humor.* ˈThespisjünger(in).

Thes·sa·lo·ni·ans [θesəˈlounjənz] *s. pl. sg. konstr. bibl.* (Brief *m* des Paulus an die) Thessaˈlonicher *pl.*

thews [θjuːz] *s. pl.* **1.** Muskeln *pl.*, Sehnen *pl.*; **2.** *fig.* Kraft *f.*

they [ðei; ðe] *pron.* **1.** (*pl. zu he, she, it*) sie; **2.** man: ~ *say* man sagt; **3.** es: *who are* ~? — ~ *are Americans* Wer sind sie? — Es (*od.* sie) sind Amerikaner; **4.** (*auf Kollektiva bezogen*) er, sie, es: *the police* ..., ~ ... die Polizei ..., sie (*sg.*); **5.** ~ *who* diejenigen, welche.

they'd [ðeid] F *für* **a)** *they would*, **b)** *they had.*

they'll [ðeil] F *für they will.*

they're [ˈðeiə] F *für they are.*

they've [ðeiv] F *für they have.*

thick [θik] **I.** *adj.* □ **1.** *allg.* dick: *a* ~ *neck*; *a board 2 inches* ~ ein 2 Zoll dickes Brett; **2.** dicht (*Wald, Haar, Menschenmenge, a. Nebel etc.*); **3.** ~ *with* über u. über bedeckt von; **4.** ~ *with* voll von, voller, reich an (*dat.*): *a tree* ~ *with leaves*; *the air is* ~ *with snow* die Luft ist voll(er) Schnee; **5.** dick(flüssig); **6.** neblig, trüb(e) (*Wetter*); **7.** schlammig, trübe; **8.** dumpf, belegt (*Stimme*); **9.** dumm; **10.** dicht (aufeinˈanderfolgend); **11.** F dick (befreundet): *they are as* ~ *as thieves* sie sind dicke Freunde, sie halten zusammen wie Pech u. Schwefel; **12.** *sl.* frech: *that's a bit* ~! das ist ein bißchen stark!; **II.** *s.* **13.** dickster *od.* dichtester Teil; **14.** *fig.* Brennpunkt *m*: *in the* ~ *of* mitten in (*dat.*); *in the* ~ *of it* mittendrin; *in the* ~ *of fight* im dichtesten Kampfgetümmel; *the* ~ *of the crowd* das dichteste Menschengewühl; *through* ~ *and thin* durch dick u. dünn; **15.** *sl.* Dummkopf *m*; **III.** *adv.* **16.** dick: *to spread* ~ *Butter etc.* dick aufstreichen; *to lay it on* ~ *sl.* ‚dick auftragen'; **17.** dicht *od.* rasch (aufeinˈander); hageldicht (*Schläge*); **thick·en** [ˈθikən] **I.** *v/t.* **1.** dick(er) machen, verdicken; **2.** *Sauce, Flüssigkeit* eindicken, *Suppe* legieren; **3.** dicht(er) machen, verdichten; **4.** verstärken, -mehren; **5.** trüben; **II.** *v/i.* **6.** dick(er) werden; **7.** dick(flüssig) werden; **8.** sich verdichten; **9.** sich trüben; **10.** sich verwirren: *the plot* ~*s* der Knoten (*im Drama etc.*) schürzt sich; **11.** sich vermehren, zunehmen; **12.** heftiger werden (*Kampf*); **thick·en·er** [ˈθiknə] *s.* ⚗ **1.** Eindicker *m*; **2.** Verdicker *m*, Absetzbehälter *m*; **3.** Verdickungsmittel *n*; **thick·en·ing** [ˈθikniŋ] *s.* **1.** Verdickung *f*; **2.** Eindickung *f*; **3.** Eindickmittel *n*; **4.** Verdichtung *f*; **5.** ⚕ Anschwellung *f*, Schwarte *f.*

thick·et [ˈθikit] *s.* Dickicht *n*; ˈ**thick·et·ed** [-tid] *adj.* voller Dickicht(e).

ˈ**thick|·head** *s.* Dummkopf *m*; ˈ~-ˈ**head·ed** *adj.* **1.** dickköpfig; **2.** *fig.* dumm.

thick·ness [ˈθiknis] *s.* **1.** Dicke *f*, Stärke *f*; **2.** Dichte *f*; **3.** Verdickung *f*; **4.** ✝ Lage *f* (*Seide etc.*), Schicht *f*; **5.** Dickflüssigkeit *f*; **6.** Trübheit *f*: *misty* ~ undurchdringlicher Nebel; **7.** Heiserkeit *f*, Undeutlichkeit *f*: ~ *of speech* schwere Zunge.

ˈ**thick|ˈset** *adj.* **1.** dicht (gepflanzt): *a* ~ *hedge*; **2.** unterˈsetzt (*Person*); ˈ~-ˈ**skinned** *adj.* **1.** dickhäutig; **2.** dickschalig; **3.** *zo.* Dickhäuter...; **4.** *fig.* dickfellig; ˈ~-ˈ**skulled** [-ˈskʌld] *adj.* **1.** dickköpfig; **2.** → *thick-witted*; ˈ~-ˈ**wit·ted** *adj.* dumm, begriffsstutzig, schwer von Begriff.

thief [θiːf] *pl.* **thieves** [θiːvz] *s.* **1.** Dieb(in): *stop* ~! haltet den Dieb!; *to set a* ~ *to catch a* ~ den Bock zum Gärtner machen; **2.** Räuber *m*, Lichtschnuppe *f* (*an Kerzen*); **thieve** [θiːv] *v/t. u. v/i.* stehlen; **thiev·er·y** [ˈθiːvəri] *s.* Diebeˈrei *f*, Diebstahl *m*; Diebesbeute *f.*

thieves [θiːvz] *pl. von thief*: ~' *Latin* die Gaunersprache.

thiev·ish [ˈθiːviʃ] *adj.* □ **1.** diebisch, Dieb(e)s...; **2.** heimlich, verstohlen; ˈ**thiev·ish·ness** [-nis] *s.* diebisches Wesen, Hang *m* zum Stehlen, Unehrlichkeit *f.*

thigh [θai] *s. anat.* (Ober)Schenkel *m*; ˈ~-**bone** *s. anat.* (Ober)Schenkelknochen *m.*

thill [θil] *s.* (Gabel)Deichsel *f*; **thill·er** [ˈθilə], *a.* ˈ**thill-horse** *s.* Deichselpferd *n.*

thim·ble [ˈθimbl] *s.* **1.** *Näherei*: **a)** Fingerhut *m*, **b)** Nähring *m*; **2.** ⊕ **a)** Meˈtallring *m*, **b)** (Stock)Zwinge *f*; ˈ**thim·ble·ful** [-ful] *pl.* **-fuls** *s.* **1.** Fingerhutvoll *m*, Schlückchen *n*; **2.** *fig.* Kleinigkeit *f.*

ˈ**thim·ble|·rig** **I.** *s.* Becherspiel *n* (*bei dem eine Erbse unter e-m von drei kleinen Becherchen verborgen wird; die Spieler setzen auf das Becherchen, unter dem sie die Erbse vermuten*); **II.** *v/t. a. allg.* betrügen; ˈ~·**rig·ger** *s.* **1.** Becherspieler *m*; **2.** Taschenspieler *m*; **3.** *fig.* Gauner *m*; ˈ~·**rig·ging** *s.* **1.** Taschenspieleˈrei *f*; **2.** *fig.* Gauneˈrei *f.*

thin [θin] **I.** *adj.* □ **1.** *allg.* dünn: ~ *air*; ~ *blood*; ~ *clothes*; *a* ~ *line* e-e dünne *od.* schmale *od.* feine Linie; **2.** dünn, mager, schmächtig: *as* ~ *as a lath* spindeldürr; **3.** dünn, licht (*Wald, Haar etc.*): ~ *rain* feiner Regen; **4.** dünn, schwach (*Getränk etc., a. Stimme, Ton*); **5.** ⚒ mager (*Boden*); **6.** *fig.* mager, spärlich, dürftig: *a* ~ *house thea.* e-e schwachbesuchte Vorstellung; *he had a* ~ *time of it sl.* es ging ihm dreckig; **7.** *fig.* fadenscheinig: *a* ~ *excuse*; **8.** seicht, subˈstanzlos (*Buch etc.*); **II.** *v/t.* **9.** *oft* ~ *down*, ~ *off*, ~ *out* **a)** dünn(er) machen, **b)** *Flüssigkeit* verdünnen, **c)** *fig.* verringern, *Bevölkerung* dezimieren, *Schlachtreihe, Wald etc.* lichten; **III.** *v/i.* **10.** *oft* ~ *down*, ~ *off*, ~ *out* **a)** dünn(er) werden, **b)** sich verringern, **c)** sich lichten (*a. Haar*), **d)** *fig.* spärlicher werden, abnehmen: *his hair is* ~*ning* sein Haar lichtet sich; *to* ~ *out geol.* sich auskeilen (*Flöz*).

thine [ðain] *pron. obs. od. bibl. od. poet.* **1.** (*substantivisch*) der *od.* die *od.* das dein(ig)e, dein(e, er); **2.** (*adjektivisch vor Vokalen od. stummem h für thy*) dein(e): ~ *eyes* deine Augen.

thing [θiŋ] *s.* **1.** *konkretes* Ding, Sache *f*, Gegenstand *m*: *the law of* ~*s* ⚖ das Sachenrecht; *just the* ~ *I wanted* genau (das), was ich wollte; **2.** *fig.* Ding *n*, Sache *f*, Angelegenheit *f*: ~*s political* politische Dinge, alles Politische; *above all* ~*s* vor allen Dingen, vor allem; *another* ~ etwas anderes; *the best* ~ *to do* das Beste(, was man tun kann); *a foolish* ~ *to do* e-e Torheit; *for one* ~ (erstens) einmal; *in all* ~*s* in jeder Hinsicht; *no small* ~ keine Kleinigkeit; *no such* ~ nichts dergleichen; *of all* ~*s* ausgerechnet (*dieses etc.*); *a pretty* ~ *iro.* e-e schöne Geschichte; *taking one* ~ *with the other* im großen (u.) ganzen; *to do great* ~*s* große Dinge tun, Großes vollbringen; *to get* ~*s* *done* et. zuwege bringen; *to know a ~ or two* Bescheid wissen (*about* über *acc.*); → *first 1*; **3.** *pl.* Sachen *pl.*, Zeug *n* (*Gepäck, Gerät, Kleider etc.*): *swimming ~s* Badesachen, -zeug; *tea-~s* Teegeschirr; *to put on one's ~s* sich anziehen; **4.** *pl.* Dinge *pl.*, 'Umstände *pl.*, (Sach)Lage *f*: *~s are improving* die Dinge *od.* Verhältnisse bessern sich; *~s look black for me* es sieht schwarz aus für mich; **5.** Geschöpf *n*, Wesen *n*: *dumb ~s*; **6. a)** Ding *n* (*Mädchen etc.*), **b)** Kerl *m*: (*the*) *poor ~* das arme Ding, der *od.* die Ärmste; *poor ~!* du *od.* Sie Ärmste(r)!; *the dear old ~* die gute alte Haut; **7.** *the ~* F **a)** die Hauptsache, **b)** das Richtige, richtig, **c)** das Schickliche, schicklich: *the ~ was to* das Wichtigste war zu; *this is not the ~* das ist nicht das Richtige; *not to be* (*od. feel*) *quite the ~* nicht ganz auf dem Posten sein; *that's not at all the ~ to do* so etwas tut man nicht; '**~-in-it'self** *s. phls. das* Ding an sich.

thing·um·a·bob ['θiŋəmibɔb], **thing·um·a·jig** ['θiŋəmidʒig], **thing·um·my** ['θiŋəmi] *s.* F *der* (*die, das*) Dings(da).

think [θiŋk] [*irr.*] **I.** *v/i.* **1.** denken (*of* an *acc.*); **2.** (*about, over*) nachdenken (über *acc.*), sich (*e-e Sache*) über'legen; **3.** *~ of* **a)** sich besinnen auf (*acc.*), sich erinnern an (*acc.*), **b)** *et.* bedenken: *~ of it!* denke daran!, **c)** sich *et.* denken *od.* vorstellen, **d)** *Plan etc.* ersinnen, ausdenken, **e)** halten von: *to ~ much* (*od. highly*) *of* viel halten von, e-e hohe Meinung haben von; *to ~ nothing of* wenig halten von, sich nichts machen aus, sich nichts dabei denken (*to do* zu tun); → *better¹ 5*; **4.** meinen, denken: *I ~ so* ich glaube (schon), ich denke; *I should ~ so* ich denke doch, das will ich meinen; **5.** gedenken, vorhaben, beabsichtigen (*of doing, to do* zu tun); **II.** *v/t.* **6.** *et.* denken: *to ~ away et.* wegdenken; *to ~ out* **a)** sich *et.* ausdenken, **b)** *Problem* zu Ende denken; *to ~ s.th. over* sich et. überlegen *od.* durch den Kopf gehen lassen; *to ~ up* F *Plan etc.* aushecken, sich ausdenken, sich *et.* einfallen lassen; **7.** sich *et.* denken *od.* vorstellen; **8.** halten für: *to ~ o.s. clever*; *to ~ it advisable* es für ratsam halten *od.* erachten; *I ~ it best to do* ich halte es für das beste, *et.* zu tun; **9.** über'legen, nachdenken über (*acc.*); **10.** denken, vermuten: *to ~ no harm* nichts Böses denken; '**think·a·ble** [-kəbl] *adj.* denkbar: **a)** begreifbar, **b)** möglich; '**think·er** [-kə] *s.* Denker(in); '**think·ing** [-kiŋ] **I.** *adj.* □ **1.** denkend, vernünftig: *a ~ being* ein denkendes Wesen; *all ~ men* jeder vernünftig Denkende; **2.** Denk...; **3.** *~ distance mot.* Reaktionszeit; **II.** *s.* **4.** Denken *n*: *way of ~* Denkart; *to do some hard ~* scharf nachdenken; **5.** Meinung *f*: *in* (*od. to*) *my* (*way of*) *~* m-r Meinung nach.

'**think-so** *s.* F (grundlose *od.* bloße) Vermutung.

thin·ner¹ ['θinə] *s.* **1.** Verdünner *m* (*Arbeiter od. Gerät*); **2.** (*bsd.* Farben)Verdünnungsmittel *n*.

thin·ner² ['θinə] *comp. von thin.*

thin·ness ['θinnis] *s.* **1.** Dünne *f*, Dünnheit *f*; **2.** Magerkeit *f*; **3.** Spärlichkeit *f*, Seltenheit *f*; **4.** *fig.* Dürftigkeit *f*, Seichtheit *f*.

thin·nest ['θinist] *sup. von thin.*

'**thin**|-'**skinned** *adj.* **1.** dünnhäutig; **2.** *fig.* empfindlich: **a)** feinfühlig, **b)** reizbar; '**~-'spun** *adj.* dünngesponnen.

third [θə:d] **I.** *adj.* □ → *thirdly*; **1.** dritt: *~ best der* (*die, das*) Drittbeste; *~ degree* dritter Grad; *~ estate pol. hist.* dritter Stand, Bürgertum; *~ party* ⚖ Dritte(r); *~ rail* ⚡ Stromschiene; *~ world* dritte Welt; **II.** *s.* **2.** *der* (*die, das*) Dritte; **3.** ♪ Terz *f*; **4.** *mot.* F dritter Gang; **5.** Drittel *n*; **6.** *pl.* ✝ Waren *pl.* dritter Güte; *~* **class** *s.* 🚃 *etc.* dritte Klasse; '**~-'class** *adj. u. adv.* **1.** *allg.* drittklassig: *~ mail Am.* Postsachen dritter Klasse (*Drucksachen, außer Zeitschriften*); **2.** 🚃 *etc. Abteil etc.* dritter Klasse: *to travel ~* dritter Klasse reisen.

third·ly ['θə:dli] *adv.* drittens.

'**third**|-'**par·ty** *adj.* ⚖ Dritt...: *~ debtor*; *~ insurance* Haftpflichtversicherung; *insured against ~ risks* haftpflichtversichert; '**~-'rate** *adj.* **1.** drittrangig; **2.** *fig.* minderwertig.

thirst [θə:st] **I.** *s.* **1.** Durst *m*; **2.** *fig.* Durst *m*, Gier *f*, Verlangen *n*, Sucht *f* (*for, of, after* nach): *~ for blood* Blutdurst; *~ for knowledge* Wissensdurst; *~ for power* Machtgier; **II.** *v/i.* **3.** *bsd. fig.* dürsten, lechzen (*for, after* nach *Rache etc.*); '**thirst·i·ness** [-tinis] *s.* Durst(igkeit *f*) *m*; '**thirst·y** [-ti] *adj.* □ **1.** durstig: *to be ~* Durst haben, durstig sein; **2.** dürr, trocken (*Boden, Jahreszeit*); **3.** F ‚durstig', Durst verursachend: *~ work*; **4.** *fig.* begierig, lechzend (*for, after* nach): *to be ~ for s.th.* nach et. lechzen.

thir·teen ['θə:'ti:n] **I.** *adj.* dreizehn; **II.** *s.* Dreizehn *f*; '**thir'teenth** [-nθ] **I.** *adj.* **1.** dreizehnt; **II.** *s.* **2.** *der* (*die, das*) Dreizehnte; **3.** Dreizehntel *n*.

thir·ti·eth ['θə:tiiθ] **I.** *adj.* **1.** dreißigst; **II.** *s.* **2.** *der* (*die, das*) Dreißigste; **3.** Dreißigstel *n*; **thir·ty** ['θə:ti] **I.** *adj.* **1.** dreißig: *~ all*, F *~ up Tennis*: dreißig beide; **II.** *s.* **2.** Dreißig *f*: *the thirties* **a)** die Dreißiger (-jahre) (*des Lebens*), **b)** die dreißiger Jahre (*e-s Jahrhunderts*); **3.** *Am. sl.* Ende *n* (*e-r Meldung etc.*).

this [ðis] *pl.* **these** [ði:z] **I.** *pron.* **1. a)** dieser, diese, dieses, **b)** dies, das: *all ~* dies alles, all' das; *for all ~* deswegen, darum; *like ~* so; *~ is what I expected* (genau) das habe ich erwartet; *~ is what happened* Folgendes geschah; **2.** dieses, dieser Zeitpunkt, dieses Ereignis: *after ~* danach; *before ~* zuvor; *by ~* bis dahin, mittlerweile; **II.** *adj.* **3.** dieser, diese, dieses, ✝ *a.* laufend (*Monat, Jahr*): *~ day week* heute in e-r Woche; *in ~ country* hierzulande; *~ morning* heute morgen; *~ time* diesmal; *these 3 weeks* die letzten 3 Wochen, seit 3 Wochen; **III.** *adv.* **4.** so: *~ much* so viel.

this·tle ['θisl] *s.* ♣ Distel *f*; '**~-down** *s.* ♣ Distelwolle *f*.

this·tly ['θisli] *adj.* **1.** distelig; **2.** distelähnlich, stach(e)lig.

thith·er ['ðiðə] *obs. od. poet.* **I.** *adv.* 'dort-, 'dahin; **II.** *adj.* jenseitig.

'**thole**(**-pin**) [θoul] *s.* ⚓ Dolle *f*, Ruderpflock *m*.

thong [θɔŋ] **I.** *s.* **1.** (Leder)Riemen *m* (*Halfter, Zügel, Peitschenschnur etc.*); **II.** *v/t.* **2.** mit Riemen versehen *od.* befestigen; **3.** (mit e-m Riemen) peitschen.

tho·rac·ic [θɔ:'ræsik] *adj. anat.* Brust...; **tho·rax** ['θɔ:ræks] *pl.* **-rax·es** [-ræksiz] *s.* **1.** *anat.* Brust (-korb *m*, -kasten *m*) *f*, 'Thorax *m*; **2.** *zo.* Mittelleib *m bei Gliederfüßlern.*

thorn [θɔ:n] *s.* **1.** Dorn *m*: *a ~ in the flesh* (*od. side*) *fig.* ein Pfahl im Fleische, ein Dorn im Auge; *to be* (*od. sit*) *on ~s fig.* (wie) auf glühenden Kohlen sitzen; **2.** *ling.* Dorn *m* (*altenglischer Buchstabe*); '**~-ap·ple** *s.* ♣ Stechapfel *m*; '**~-bill** *s. orn.* 'Dornschnabel,kolibri *m*.

thorn·y ['θɔ:ni] *adj.* **1.** dornig, stach(e)lig; **2.** *fig.* dornenvoll, mühselig; **3.** *fig.* heikel: *a ~ subject.*

thor·ough ['θʌrə] *adj.* □ → *thoroughly*; **1.** gründlich: **a)** sorgfältig (*Person u. Sache*), **b)** genau, eingehend: *a ~ inquiry*; *a ~ knowledge*, **c)** 'durchgreifend: *a ~ reform*; **2.** voll'endet: **a)** voll'kommen, meisterhaft, **b)** völlig, echt, durch und durch: *a ~ politician*, **c)** *contp.* ausgemacht: *a ~ rascal*; '**~-'bass** [-'beis] *s.* ♪ Gene'ralbaß *m*; '**~-bred** **I.** *adj.* **1.** reinrassig, Vollblut...; **2.** *fig.* **a)** rassig, edel, **b)** ele'gant, **c)** kultiviert; **II.** *s.* **3.** Vollblut(pferd) *n*; **4.** rassiger *od.* kultivierter Mensch; '**~-fare** *s.* **1.** (*bsd.* Haupt)Verkehrs-, 'Durchgangsstraße *f*, Verkehrsader *f*; **2.** 'Durchfahrt *f*: *no ~!*; **3.** Wasserstraße *f*; '**~-go·ing** *adj.* **1.** → *thorough 1*; **2.** ex'trem, kompro'mißlos, durch u. durch.

thor·ough·ly ['θʌrəli] *adv.* **1.** gründlich *etc.*; **2.** völlig, gänzlich, abso'lut; '**thor·ough·ness** [-ənis] *s.* **1.** Gründlichkeit *f*; **2.** Voll'endung *f*, Voll'kommenheit *f*.

'**thor·ough·paced** *adj.* **1.** in allen Gangarten geübt (*Pferd*); **2.** *fig.* → *thorough 2 b*; **3.** *fig.* ausgekocht, abgefeimt.

those [ðouz] *pron. pl. von that¹.*

thou [ðau] **I.** *pron. poet. od. dial. od. bibl.* du; **II.** *v/t.* mit ‚thou' anreden, duzen.

though [ðou; ðo] **I.** *cj.* **1.** ob'wohl, ob'gleich, ob'schon; **2.** *a. even ~* wenn auch, wenn'gleich, selbst wenn, zwar: *important ~ it is* so wichtig es auch ist; *what ~ the way is long* was macht es schon aus, wenn der Weg (auch) lang ist; **3.** je'doch, doch; **4.** *as ~* als ob, wie wenn; **II.** *adv.* **5.** F (*am Satzende*) aber, aller'dings, dennoch, immer'hin: *I wish you had told me, ~.*

thought [θɔ:t] **I.** *pret. u. p.p. von think*; **II.** *s.* **1. a)** Gedanke *m*, Einfall *m*: *a happy ~*, **b)** Gedankengang *m*, **c)** Gedanken *pl.*, Denken *n*: *lost in ~* in Gedanken (verloren); *his one ~ was how to* er dachte nur daran, wie er *es tun könnte*; *it never* *entered my ~s* es kam mir nie in den Sinn; **2.** *nur sg.* Denken *n*, Denkvermögen *n*; **3.** Über'legung *f*: *to give ~ to* sich Gedanken machen über (*acc.*); *to take ~ how* sich überlegen, wie *man es tun könnte*; *after serious ~* nach ernsthafter Erwägung; *on second ~s* nach reiflicher Überlegung, wenn ich es mir recht überlege; *without ~* ohne zu überlegen; **4.** Absicht *f*: *he had no ~ of coming*; *we had (some) ~s of going* wir trugen uns mit dem Gedanken zu gehen; **5.** *mst pl.* Gedanke *m*, Meinung *f*, Ansicht *f*; **6.** (Für)Sorge *f*, Rücksicht *f*: *to take ~ for* Sorge tragen für *od.* um (*acc.*); *to take no ~ to* nicht achten auf (*acc.*); **7.** *nur sg.* Denken *n*: **a)** Denkweise *f*: *scientific ~*, **b)** Gedankenwelt *f*: *Greek ~*; **8.** *fig.* Spur *f*: *a ~ smaller* e-e ‚Idee' kleiner; '**thought·ful** [-ful] *adj.* □ **1.** gedankenvoll, nachdenklich, besinnlich (*a. Buch etc.*); **2.** achtsam (*of* auf *acc.*); **3.** rücksichtsvoll, aufmerksam, zu'vorkommend; '**thought·ful·ness** [-fulnis] *s.* **1.** Nachdenklichkeit *f*, Besinnlichkeit *f*; **2.** Achtsamkeit *f*; **3.** Rücksichtnahme *f*, Aufmerksamkeit *f*; '**thought·less** [-lis] *adj.* □ **1.** gedankenlos, unbesonnen, unbekümmert; **2.** rücksichtslos, unaufmerksam; '**thought·less·ness** [-lisnis] *s.* **1.** Gedankenlosigkeit *f*, Unbekümmertheit *f*; **2.** Rücksichtslosigkeit *f*, Unaufmerksamkeit *f*.

'**thought|-read·er** *s.* Gedankenleser (-in); '**~-read·ing** *s.* Gedankenlesen *n*; '**~-trans·fer·ence** *s.* Ge'dankenüber‚tragung *f*; '**~-wave** *s. telepathische* Gedankenwelle.

thou·sand ['θauzənd] **I.** *adj.* **1.** tausend (*a. fig. unzählige*): *~ and one fig.* zahllos, unzählig; *The ♀ and One Nights* Tausendundeine Nacht; *a ~ times* tausendmal; *a ~ thanks* tausend Dank; **II.** *s.* **2.** Tausend *n*, *pl.* Tausende *pl.*: *many ~s of times* vieltausendmal; *in their ~s, by the ~* zu Tausenden; **3.** Tausend *f* (*Zahlzeichen*): *one in a ~* eine(r, s) unter tausend, 'eine Ausnahme; '**thou·sand·fold** [-ndf-] **I.** *adj.* tausendfach, -fältig; **II.** *adv. mst a ~* tausendfach, -mal; '**thou·sandth** [-ntθ] **I.** *s.* **1.** *der (die, das)* Tausendste; **2.** Tausendstel *n*; **II.** *adj.* **3.** tausendst.

thral·dom ['θrɔ:ldəm] *s. fig.* Knechtschaft *f*, Sklave'rei *f*; **thrall** [θrɔ:l] *s.* **1.** *hist.* Leibeigene(r *m*) *f*, Hörige(r *m*) *f*; **2.** *fig.* Sklave *m*, Knecht *m*; **3.** → *thraldom*; **thrall·dom** *Am.* → *thraldom*.

thrash [θræʃ] **I.** *v/t.* **1.** → *thresh*; **2.** verdreschen, -prügeln; *fig.* (vernichtend) schlagen, besiegen; **II.** *v/i.* **3.** *a. ~ about* **a)** sich *im Bett etc.* 'hin- u. 'herwerfen, **b)** (mit den Armen *etc.*) schlegeln; **4.** ⚓ sich vorwärtsarbeiten; '**thrash·er** [-ʃə] → *thresher*; '**thrash·ing** [-ʃiŋ] *s.* **1.** Dresche *f*, Prügel *pl.*: *to give s.o. a ~* j-n verdreschen; **2.** Niederlage *f*, Abfuhr *f*.

thread [θred] **I.** *s.* **1.** Faden *m*: **a)** Zwirn *m*, Garn *n*: *to hang by a ~ fig.* an e-m Faden hängen, **b)** *weitS.* Faser *f*, Fiber *f*, **c)** *fig.* (dünner) Strahl, Strich *m*, **d)** *fig.* Zs.-hang *m*: *to lose the ~ (of one's story)* den Faden verlieren; *to resume (od. take up) the ~* den Faden wieder aufnehmen; **2.** ⊕ Gewinde(gang *m*) *n*; **II.** *v/t.* **3.** *Nadel* einfädeln; **4.** *Perlen etc.* aufreihen; **5.** mit Fäden durch'ziehen; **6.** *fig.* durch'ziehen, -'dringen; **7.** sich winden durch: *to ~ one's way (through)* sich (hindurch-) schlängeln (durch); **8.** ⊕ Gewinde schneiden in (*acc.*): *to ~ on* anschrauben; '**~·bare** *adj.* **1.** fadenscheinig, abgetragen; **2.** schäbig (gekleidet); **3.** *fig.* abgedroschen.

thread·ed ['θredid] *adj.* ⊕ Gewinde...: *~ flange*; '**thread·er** [-də] *s.* **1.** 'Einfädelma‚schine *f*; **2.** ⊕ Gewindeschneider *m*.

thread·ing lathe ['θrediŋ] *s.* ⊕ Gewindeschneidbank *f*.

thread·y ['θredi] *adj.* fadenartig, faserig.

threat [θret] *s.* **1.** Drohung *f* (*of* mit, *to* gegen); **2.** (*to*) Bedrohung *f* (*gen.*), Gefahr *f* (für): *a ~ to peace*; *there was a ~ of rain* es drohte zu regnen; '**threat·en** [-tn] **I.** *v/t.* **1.** (*with*) *j-m* drohen (mit), *j-m* androhen (*acc.*), *j-n* bedrohen (mit); **2.** drohend ankündigen: *the sky ~s a storm*; **3.** (damit) drohen (*to do* zu tun); **4.** bedrohen, gefährden; **II.** *v/i.* **5.** drohen; **6.** *fig.* drohen: **a)** drohend bevorstehen, **b)** Gefahr laufen (*to do* zu tun); '**threat·en·ing** [-tniŋ] *adj.* □ **1.** drohend, Droh...: *~ letter* Drohbrief; **2.** *fig.* bedrohlich.

three [θri:] **I.** *adj.* **1.** drei; **II.** *s.* **2.** Drei *f* (*Ziffer, Anzahl, Spielkarte, Würfel etc.*); **3.** drei Uhr; '**~-'col·o(u)r** *adj.* dreifarbig, Dreifarben...: *~ process* Dreifarbendruckverfahren; '**~-'cor·nered** *adj.* **1.** dreieckig; **2.** zu dreien: *a ~ discussion*; '**~-'deck·er** *s.* **1.** ⚓ *hist.* Dreidecker *m*; **2.** *et.* Dreiteiliges, *z.B.* F dreibändiger Ro'man; '**~-di'men·sion·al** *adj.* 'dreidimensio‚nal.

'**three·fold** *adj. u. adv.* dreifach.

'**three|-'foot(·ed)** *adj.* drei Fuß (lang); '**~-lane** *adj.* dreispurig (*Autobahn etc.*); '**~-'legged** [-'legd; *attr.* -'legid] *adj.* dreibeinig: *~ race* Dreibein-Wettlaufen; '**~-mast·er** *s.* ⚓ Dreimaster *m*.

three|·pence ['θrepəns] *s. Brit.* **1.** drei Pence *pl.*; **2.** *obs.* Drei'pencestück *n*; **~·pen·ny** ['θrepəni] *adj.* **1.** drei Pence wert, Dreipence...: *~ bit obs.* Dreipencestück; **2.** *fig.* billig, wertlos.

'**three|-per-cents** *s. pl.* ✝ 'dreipro‚zentige ('Staats)Pa‚piere *pl.*; '**~-phase** *adj.* ⚡ 'dreiphasig, Dreiphasen...: *~ current* Drehstrom, Dreiphasenstrom; '**~-piece** *adj.* dreiteilig (*Anzug etc.*); '**~-ply** **I.** *adj.* **1.** dreifach (*Garn, Seil etc.*); **2.** dreischichtig (*Holz etc.*); **II.** *s.* **3.** dreischichtiges Sperrholz; '**~-point land·ing** *s.* ✈ Dreipunktlandung *f*; '**~-'quar·ter** **I.** *adj.* dreiviertel; **II.** *s. a. ~ back Rugby*: Drei'viertelspieler *m*; '**~'score** *adj.* sechzig.

three·some ['θri:səm] **I.** *adj.* **1.** zu dreien, Dreier...; **II.** *s.* **2.** Dreiergruppe *f*, ‚Trio' *n*; **3.** *Golf etc.*: Dreier(spiel *n*) *m*.

'**three|-speed gear** *s.* ⊕ Dreiganggetriebe *n*; '**~-stage** *adj.* ⊕ dreistufig (*Rakete, Verstärker etc.*); '**~-way** *adj.* ⊕ Dreiwege...; '**~-year-old** ['θri:jərould] **I.** *adj.* dreijährig; **II.** *s.* Dreijährige(r *m*) *f* (*bsd. Rennpferd*).

thresh [θreʃ] *v/t. u. v/i.* dreschen: *to ~ (over old) straw fig.* leeres Stroh dreschen; *to ~ out fig. et.* gründlich erörtern, klären; '**thresh·er** [-ʃə] *s.* **1.** Drescher *m*; **2.** 'Dreschma‚schine *f*; '**thresh·ing** [-ʃiŋ] **I.** *s.* Dreschen *n*; **II.** *adj.* Dresch...: *~-floor* Dreschboden, Tenne.

thresh·old ['θreʃhould] **I.** *s.* **1.** (Tür)Schwelle *f*; **2.** *fig.* Schwelle *f*, Beginn *m*; **3.** *psych.* (*Bewußtseins- etc.*)Schwelle *f*; **II.** *adj.* **4.** *bsd.* ⊕ Schwellen...: *~ frequency*; *~ value* Grenzwert.

threw [θru:] *pret. zu throw.*

thrice [θrais] *adv.* **1.** dreimal; **2.** *fig.* sehr, 'überaus, höchst.

thrift [θrift] *s.* **1.** Sparsamkeit *f*: **a)** Sparsinn *m*, **b)** Wirtschaftlichkeit *f*; **2.** ♀ Grasnelke *f*; '**thrift·i·ness** [-tinis] → *thrift 1*; '**thrift·less** [-lis] *adj.* □ verschwenderisch; '**thrift·less·ness** [-lisnis] *s.* Verschwendung *f*; '**thrift·y** [-ti] *adj.* □ **1.** sparsam (*of, with* mit): **a)** haushälterisch, **b)** wirtschaftlich (*a. Sachen*); **2.** *poet.* gedeihend.

thrill [θril] **I.** *v/t.* **1.** erschauern lassen, erregen, packen, begeistern, elektrisieren, entzücken; **2.** *j-n* durch'laufen, -'schauern, über'laufen (*Gefühl*); **II.** *v/i.* **3.** (er)beben, erschauern, zittern (*with* vor *Freude etc.*); **4.** (*to*) sich begeistern (für), gepackt werden (von); **5.** durch'laufen, -'schauern, -'rieseln (*through acc.*); **III.** *s.* **6.** Zittern *n*, Erregung *f*: *a ~ of joy* ein freudiges Erbeben; **7.** **a)** *das* Spannende *od.* Erregende, **b)** Nervenkitzel *m*, Sensati'on *f*; '**thrill·er** [-lə] *s.* F ‚Reißer' *m* (*Kriminalroman, -film etc.*); '**thrill·ing** [-liŋ] *adj.* □ **1.** erregend, packend, spannend, sensatio'nell; **2.** hinreißend, begeisternd.

thrive [θraiv] *v/i.* [*irr.*] **1.** gedeihen (*Pflanze, Tier etc.*); **2.** *fig.* gedeihen: **a)** blühen, Erfolg haben (*Geschäft etc.*), **b)** reich werden (*Person*), **c)** sich entwickeln (*Laster etc.*); **thriv·en** ['θrivn] *p.p. von thrive*; '**thriv·ing** [-viŋ] *adj.* □ *fig.* blühend.

thro' [θru:] *abbr. für through.*

throat [θrout] *s.* **1.** *anat.* Kehle *f*, Gurgel *f*, Rachen *m*, Schlund *m*: *~ irritant* ⚔ Rachenreizstoff; *sore ~* Halsschmerzen, rauher Hals; *to lie in one's ~* lügen wie gedruckt; *to stick in one's ~* j-m im Halse stecken bleiben (*Worte*); *to ram (od. thrust) s.th. down s.o.'s ~* j-m et. aufzwingen; **2.** Hals *m*, Kehle *f*: *to cut s.o.'s ~* j-m den Hals abschneiden; *to cut one's own ~ fig.* sich selbst ruinieren; *to take s.o. by the ~* j-n an der Gurgel packen; **3.** *fig.* 'Durch-, Eingang *m*, verengte Öffnung, Schlund *m*, *z.B.* Hals *m e-r Vase*, Kehle *f e-s Kamins*, Gicht *f e-s Hochofens*; **4.** ⚠ Hohlkehle *f*; '**throat·y** [-ti] *adj.* □ **1.** kehlig, guttu'ral; **2.** rauh, heiser.

throb [θrɔb] **I.** *v/i.* **1.** pochen, hämmern, klopfen (*Herz etc.*): *~bing* *pains* klopfende Schmerzen; **II.** *s.* **2.** Pochen *n*, Klopfen *n*, Hämmern *n*, (Puls)Schlag *m*; **3.** *fig.* Erregung *f*, Erbeben *n*.

throe [θrou] *s. mst pl.* heftiger Schmerz: **a)** *pl.* (Geburts)Wehen *pl.*, **b)** *pl.* Todeskampf *m*, Ago'nie *f*: *in the* ~*s of fig.* mitten in *et. Unangenehmem*, im Kampfe mit.

throm·bo·sis [θrɔm'bousis] *s.* ⚕ Throm'bose *f*; **throm'bot·ic** [-'bɔtik] *adj.* ⚕ throm'botisch.

throne [θroun] **I.** *s.* **1.** Thron *m* (*König, Prinz*), Stuhl *m* (*Papst, Bischof*); **2.** *fig.* Thron *m*: **a)** Herrschaft *f*, **b)** Herrscher(in); **II.** *v/t.* **3.** auf den Thron setzen; **III.** *v/i.* **4.** thronen; **'throne·less** [-lis] *adj.* thronlos.

throng [θrɔŋ] **I.** *s.* **1.** (Menschen-)Menge *f*; **2.** Gedränge *n*, Andrang *m*; **3.** Menge *f*, Masse *f* (*Sachen*); **II.** *v/i.* **4.** sich drängen *od.* (zs.-)scharen, (her'bei-, hin'ein- *etc.*) strömen; **III.** *v/t.* **5.** sich drängen in (*dat.*): *to* ~ *the streets*; **6.** bedrängen, um'drängen.

thros·tle ['θrɔsl] *s.* **1.** ⊕ 'Drossel(spinn)ma‚schine *f*; **2.** *poet. od. dial.* (Sing)Drossel *f*.

throt·tle ['θrɔtl] **I.** *s.* **1.** F Kehle *f*; **2.** ⊕, *mot.* **a)** *a.* ~*-lever* Gashebel *m*, **b)** *a.* ~*-valve* Drosselklappe *f*: *to open the* ~ Gas geben; **II.** *v/t.* **3.** erdrosseln; *fig.* ersticken, unter'drücken; **4.** *a.* ~ *down* ⊕, *mot.* (ab)drosseln; **III.** *v/i.* **5.** ~ *back* (*od. down*) *mot. etc.* drosseln, Gas wegnehmen.

through [θru:] **I.** *prp.* **1.** *räumlich u. fig.* durch, durch ... hin'durch; **2.** durch, in (*überall umher in e-m Gebiet etc.*): *I searched* ~ *the whole house* ich durchsuchte das ganze Haus; **3. a)** *e-n Zeitraum* hindurch, während, **b)** *Am.* (von ...) bis; **4.** *bis zum Ende od. ganz* durch, fertig (mit): *when shall you get* ~ *your work?*; **5.** durch, mittels; **6.** aus, vor, durch, in-, zu'folge, wegen: ~ *fear* aus *od.* vor Furcht; ~ *neglect* infolge *od.* durch Nachlässigkeit; **II.** *adv.* **7.** durch: ~ *and* ~ durch u. durch (*a. fig.*); *to push a needle* ~ e-e Nadel durchstechen; *he would not let us* ~ er wollte uns nicht durchlassen; *this train goes* ~ *to Boston* dieser Zug fährt (durch) bis Boston; *you are* ~! *teleph.* Sie sind verbunden!; **8.** (ganz) durch (*von Anfang bis Ende*): *to read a letter* ~ e-n Brief ganz durchlesen; *to carry a matter* ~ e-e Sache durchführen; **9.** fertig (*with* mit), erledigt (*a. fig.*): *I am* ~ *with him* F er ist für mich erledigt; **III.** *adj.* **10.** 'durchgehend, Durchgangs...: *a* ~ *train*; ~ *ticket* für Strecken verschiedener Eisenbahngesellschaften gültige Fahrkarte; ~ *carriage* (*od. coach*) Kurswagen; ~ *traffic* Durchgangsverkehr; ~ *way Am.* Durchgangsstraße; **through·out** [θru(:)'aut] **I.** *prp.* **1.** über'all in: ~ *the country* im ganzen *Land*; **2.** während (*gen.*): ~ *the year* das ganze Jahr hindurch; **II.** *adv.* **3.** durch u. durch, ganz u. gar, 'durchweg; **4.** überall; **5.** die ganze Zeit.

throve [θrouv] *pret. von thrive.*

throw [θrou] **I.** *s.* **1.** Werfen *n*, (*Speer- etc.*)Wurf *m*; **2.** Wurf *m* (*a. Ringkampf, Würfelspiel*) (*a. fig. Wagnis*); **3.** ⊕ (Kolben)Hub *m*; **4.** ⊕ (Regler- *etc.*)Ausschlag *m*; **5.** ⊕ Kröpfung *f* (*Kurbelwelle*); **II.** *v/t.* [*irr.*] **6.** werfen, schleudern; (*a. fig. Blick, Kußhand etc.*) zuwerfen (s.o. s.th., s.th. *to* s.o. j-m et.); mit *Steinen etc.* werfen auf (*acc.*); *Wasser* schütten *od.* gießen: *to* ~ *at* werfen nach; *to* ~ *o.s. at* (*the head of*) *s.o. fig.* sich j-m an den Hals werfen; *to* ~ *a shawl over one's shoulders* sich e-n Schal um die Schultern werfen; *to* ~ *together* zs.-werfen; *to be thrown together fig.* zs.-kommen (*with* mit); **7.** *Angel, Netz etc.* auswerfen; **8. a)** *Würfel* werfen, **b)** *Zahl* würfeln; **9.** *Reiter* abwerfen; **10.** *Ringkampf*: *Gegner* werfen; **11.** *zo. Junge* werfen; **12.** *Brücke* schlagen (*over, across* über *acc.*); **13.** *zo. Haut* abwerfen; **14.** ⊕ *Hebel* 'umlegen, *Kupplung od. Schalter* ein-, ausrücken, ein-, ausschalten; **15.** *Töpferei*: formen, drehen; **16.** ⊕ *Seide* zwirnen, mulinieren; **17.** *fig.* in *Entzücken, Verwirrung etc.* versetzen: *to be thrown out of work* arbeitslos werden; **18.** F *e-e Gesellschaft* geben, *e-e Party* ‚schmeißen'; **19.** *Am.* F *Wettkampf* betrügerisch verlieren; **20.** *sl. Wutanfall etc.* bekommen: *to* ~ *a fit*; **III.** *v/i.* [*irr.*] **21.** werfen; **22.** würfeln;
Zssgn mit prp.:
throw| in·to *v/t.* (hin'ein)werfen in (*acc.*): *to* ~ *prison j-n* ins Gefängnis werfen; *to* ~ *the bargain* (beim Kauf) dreingeben; *to throw one's heart* (*and soul*) *into* ganz in *e-r Sache* aufgehen; *to throw o.s. into fig.* sich in *die Arbeit etc.* stürzen; ~ **(up·)on** *v/t.* **1.** werfen auf (*acc.*): *to be thrown upon o.s.* (*od. upon one's own resources*) auf sich selbst angewiesen sein; **2.** *to throw o.s.* (*up*)*on* sich auf *die Knie etc.* werfen; **3.** *to throw o.s.* (*up*)*on* sich anvertrauen (*dat.*);
Zssgn mit adv.:
throw| a·way *v/t.* **1.** wegwerfen; **2.** *Geld etc.* verschwenden, -geuden ([*up*]*on* an *acc.*); **3.** *Gelegenheit* verpassen; **4.** *et.* verwerfen; ~ **back** **I.** *v/t.* **1.** zu'rückwerfen (*a. fig. hemmen*): *to be thrown back upon* angewiesen sein auf (*acc.*); **II.** *v/i.* **2.** (*to*) zu'rückkehren (zu), zu'rückfallen (auf *acc.*, in *acc.*); **3.** nachgeraten (*to dat.*); *biol.* rückarten; ~ **down** *v/t.* **1.** (o.s. sich) niederwerfen; **2.** 'umstürzen, vernichten; ~ **in** *v/t.* **1.** (hin)'einwerfen; **2.** *Bemerkung etc.* einwerfen, -schalten; **3.** *et.* mit in den Kauf geben, dreingeben; **4.** ⊕ *Gang etc.* einrücken; ~ **off** **I.** *v/t.* **1.** (*a. fig. Schamgefühl etc.*) von sich werfen; **2.** *Kleider, Maske* ablegen; **3.** *Joch etc.* abwerfen, abschütteln, sich freimachen von; **4.** *Bekannte, Krankheit etc.* loswerden; **5.** *Verfolger, a. Hund* von der Fährte abbringen, abschütteln; **6.** *Gedicht etc.* hinwerfen, aus dem Ärmel schütteln; **7.** ⊕ **a)** kippen, 'umlegen, **b)** auskuppeln, -rücken; **8.** *typ.* abziehen; **II.** *v/i.* **9.** (*hunt.* die Jagd) beginnen; ~ **on** *v/t. Kleider* 'überwerfen, sich *et.* 'umwerfen; ~ **o·pen** *v/t.* **1.** *Tür etc.* aufreißen, -stoßen; **2.** öffentlich zugänglich machen; ~ **out** *v/t.* **1.** (*a. j-n* hin)'auswerfen; **2.** *bsd. parl.* verwerfen; **3.** △ vorbauen; anbauen (*to dat.*); **4.** *Bemerkung* fallenlassen, *Vorschlag etc.* äußern; *e-n Wink* geben; **5.** *j-n* aus dem Kon'zept bringen; **6.** ⊕ auskuppeln, -rücken; **7.** *Fühler etc.* ausstrecken: *to* ~ *a chest sl.* sich in die Brust werfen; **8.** *Licht etc.* von sich geben; ~ **o·ver** *v/t.* **1.** über den Haufen werfen; **2.** *fig. Plan etc.* über Bord werfen, aufgeben; **3.** *Freund etc.* im Stich lassen, fallenlassen; ~ **up** **I.** *v/t.* **1.** in die Höhe werfen, hochwerfen; **2.** *Schanze etc.* aufwerfen; **3.** *Karten, a. Amt etc.* hinwerfen, -schmeißen; **4.** erbrechen; **II.** *v/i.* **5.** (sich er)brechen, sich über'geben.

'throw|·a·way **I.** *s.* Re'klamezettel *m*; **II.** *adj.* Wegwerf...: ~ *ball pen*; **'~-back** *s.* **1.** *bsd. biol.* Ata'vismus *m*, Rückkehr *f* (*to* zu); **2.** Rückschlag *m*; **3.** *Am. Film*: Rückblende *f*.

throw·er ['θrouə] *s.* **1.** Werfer(in); **2.** *Töpferei*: Dreher(in), Former(in); **3.** → *throwster*.

'throw-in *s. sport* Einwurf *m*.

throw·ing ['θrouiŋ] **I.** *s.* Werfen *n*, (*Speer- etc.*)Wurf *m*: ~ *the javelin*; **II.** *adj.* Wurf...

thrown [θroun] **I.** *p.p. von throw*; **II.** *adj.* gezwirnt: ~ *silk* Seidengarn.

'throw|-'off *s.* **1.** Aufbruch *m* (zur Jagd); **2.** *fig.* Beginn *m*; **'~-out** *s.* ⊕ **1.** Auswerfer *m*; **2.** *mot.* Ausrückvorrichtung *f*: ~ *lever* (Kupplungs-)Ausrückhebel.

throw·ster ['θroustə] *s.* Seidenzwirner(in).

thru [θru:] *Am.* → *through*.

thrum[1] [θrʌm] **I.** *v/i.* **1.** ♪ klimpern (*on* auf *dat.*); **2.** (mit den Fingern) trommeln; **II.** *v/t.* **3.** ♪ klimpern auf (*dat.*); **4.** (mit den Fingern) trommeln auf (*dat.*).

thrum[2] [θrʌm] **I.** *s.* **1.** *Weberei*: **a)** Trumm *n, m* (*am Ende der Kette*), **b)** *pl.* (Reihe *f* von) Fransen *pl.*, Saum *m*; **2.** Franse *f*; **3.** loser Faden; **4.** *oft pl.* Garnabfall *m*, Fussel *f*; **II.** *v/t.* **5.** befransen.

thrush[1] [θrʌʃ] *s. orn.* Drossel *f*.

thrush[2] [θrʌʃ] *s.* **1.** ⚕ Soor *m*, Schwämmchen *pl.*; **2.** *vet.* Strahlfäule *f*.

thrust [θrʌst] **I.** *v/t.* [*irr.*] **1.** *Waffe etc.* stoßen; **2.** *allg.* stecken, schieben: *to* ~ *o.s.* (*od. one's nose*) *in fig.* s-e Nase stecken *od.* sich einmischen in (*acc.*); *to* ~ *one's hand into one's pocket* die Hand in die Tasche stecken; *to* ~ *on et.* hastig anziehen, überstreifen; **3.** stoßen, drängen, treiben, (*a. ins Gefängnis*) werfen: *to* ~ *aside* zur Seite stoßen; *to* ~ *o.s. into* sich werfen *od.* drängen in (*acc.*); *to* ~ *out* **a)** (her-, hin)ausstoßen, **b)** *Zunge* herausstrecken, **c)** *Hand* ausstrecken; *to* ~ *s.th. upon s.o.* j-m et. aufdrängen; **4.** ~ *through j-n* durch'bohren; **5.** ~ *in Wort* einwerfen; **II.** *v/i.* [*irr.*] **6.** stoßen (*at* nach); **7.** sich *wohin* drängen *od.* schieben: *to* ~ *into* ⚔ hineinstoßen in *e-e Stellung etc.*; **III.** *s.* **8.** Stoß *m*; **9.** Hieb *m* (*a. fig.*); **10.** *allg. u.* ⊕

Druck *m*; **11.** ✈, *phys.* Schub(kraft *f*) *m*; **12.** ⊕, ⚠ (Seiten)Schub *m*; **13.** *geol.* Schub *m*; **14.** ⚔ *u. fig.* Vorstoß *m*; **'~-bear·ing** *s.* ⊕, ✈ Drucklager *n*; **~ per·form·ance** *s.* ⊕, ✈ Schubleistung *f*; **~ weap·on** *s.* ⚔ Stich-, Stoßwaffe *f*.

thud [θʌd] **I.** *s.* dumpfer (Auf-)Schlag, Bums *m*; **II.** *v/i.* dumpf (auf)schlagen, bumsen, dröhnen.

thug [θʌg] *s.* **1.** (Gewalt)Verbrecher *m*, Raubmörder *m*; **2.** Rowdy *m*, ‚Schläger' *m*; **3.** *fig.* Gangster *m*, Halsabschneider *m*.

thumb [θʌm] **I.** *s.* **1.** Daumen *m*: *his fingers are all* ~*s* er ist ein tappiger Kerl; *to turn* ~*s down on fig.* ablehnen, verwerfen; *under s.o.'s* ~ in j-s Gewalt, unter j-s Fuchtel; → *rule* 2; **II.** *v/t.* **2.** *Buchseiten* 'durchblättern; **3.** *Buch* abgreifen, beschmutzen: (*well-*)~*ed* abgegriffen; **4.** *to* ~ *a lift* (*Am. ride*) F per Anhalter fahren (wollen); *to* ~ *a car* e-n Wagen anhalten, sich mitnehmen lassen; **5.** *to* ~ *one's nose at Am. j-m* e-e lange Nase machen; **'~-mark** *s.* Daumenabdruck *m*, Schmutzfleck *m*; **'~-nail I.** *s.* Daumennagel *m*; **II.** *adj. fig.* (rasch) hingeworfen: ~ *sketch*; **'~-nut** *s.* ⊕ Flügelmutter *f*; **'~-print** *s.* Daumenabdruck *m*; **'~-screw** *s.* **1.** *hist.* Daumenschraube *f*; **2.** ⊕ Flügelschraube *f*; **'~-stall** *s.* Däumling *m* (*Schützer*); **'~-tack** *s. Am.* Reißnagel *m*.

thump [θʌmp] **I.** *s.* **1.** dumpfer Schlag, Bums *m*; **2.** (Faust)Schlag *m*, Puff *m*; **II.** *v/t.* **3.** schlagen auf (*acc.*), hämmern *od.* pochen gegen *od.* auf (*acc.*); *Kissen* aufschütteln; **4.** plumpsen gegen *od.* auf (*acc.*); **III.** *v/i.* **5.** (auf)schlagen, (-)bumsen (*on* auf *acc.*, *at* gegen); **6.** (laut) pochen (*Herz*); **'thump·er** [-pə] *s.* **1.** *sl.* Mordsding *n*, *e-e* ‚Wucht'; **2.** *sl.* faustdicke Lüge; **'thump·ing** [-piŋ] F **I.** *adj.* kolos'sal, Mords...; **II.** *adv.* mordsmäßig.

thun·der ['θʌndə] **I.** *s.* **1.** Donner *m* (*a. fig. Getöse*): *to steal s.o.'s* ~ *fig.* j-m den Wind aus den Segeln nehmen; ~*s of applause* donnernder Beifall; **II.** *v/i.* **2.** donnern (*a. fig. Kanone, Zug etc.*); **3.** *fig.* wettern, mit Donnerstimme sprechen; **III.** *v/t.* **4.** *et.* donnern, brüllen; **'~-bolt** *s.* **1.** Blitz *m* (u. Donnerschlag *m*), Blitzstrahl *m* (*a. fig.*); **2.** *myth. u. geol.* Donnerkeil *m*; **'~-clap** *s.* Donnerschlag *m* (*a. fig.*); **'~-cloud** *s.* Gewitterwolke *f*.

thun·der·ing ['θʌndəriŋ] **I.** *adj.* □ **1.** donnernd (*a. fig.*); **2.** F kolos'sal, gewaltig: *a* ~ *lie* e-e faustdicke Lüge; **II.** *adv.* **3.** F riesig, mächtig: ~ *glad*; **'thun·der·ous** [-rəs] *adj.* □ **1.** gewitterschwül; **2.** *fig.* donnernd; **3.** *fig.* gewaltig.

'thun·der|-show·er *s.* Gewitterschauer *m*; **'~-storm** *s.* Gewitter *n*, Unwetter *n*; **'~-struck** *adj.* (*fig.* wie) vom Blitz getroffen.

thun·der·y ['θʌndəri] *adj.* gewitterschwül.

Thu·rin·gi·an [θjuə'rindʒiən] **I.** *adj.* Thüringer(...); **II.** *s.* Thüringer(in).

Thurs·day ['θə:zdi] *s.* Donnerstag *m*: *on* ~ am Donnerstag; *on* ~*s* donnerstags.

thus [ðʌs] *adv.* **1.** so, folgendermaßen; **2.** so'mit, also, folglich, demgemäß; **3.** so, in diesem Maße: ~ *far* soweit, bis jetzt; ~ *much* so viel.

thwack [θwæk] **I.** *v/t.* 'durchwalken, verprügeln, schlagen; **II.** *s.* derber Schlag, Puff *m*.

thwart [θwɔ:t] **I.** *v/t.* **1.** *Pläne etc.* durch'kreuzen, vereiteln, hinter'treiben; **2.** *j-m* entgegenarbeiten, *j-m* e-n Strich durch die Rechnung machen; **II.** *s.* **3.** ⚓ Ruderbank *f*.

thy [ðai] *adj. bibl., rhet., poet.* dein.

thyme [taim] *s.* ♀ 'Thymian *m*.

thy·mus ['θaiməs], *a.* ~ **gland** *s. anat.* 'Thymus(drüse *f*) *m*.

thy·roid ['θairɔid] ⚕ **I.** *adj.* **1.** Schilddrüsen...; **2.** Schildknorpel...: ~ *cartilage* → 4; **II.** *s.* **3.** *a.* ~ *gland* Schilddrüse *f*; **4.** Schildknorpel *m*.

thyr·sus ['θə:səs] *pl.* **-si** [-sai] *s. antiq. u.* ♀ 'Thyrsus *m*.

thy·self [ðai'self] *pron. bibl., rhet., poet.* **1.** du (selbst); **2.** *dat.* dir (selbst); **3.** *acc.* dich (selbst).

ti [ti:] *s.* ♪ ti *n* (*Solmisationssilbe*).

ti·ar·a [ti'ɑ:rə] *s.* **1.** Ti'ara *f* (*Papstkrone u. fig. -würde*); **2.** Dia'dem *n*, Stirnreif *m* (*für Damen*).

tib·i·a ['tibiə] *pl.* **-ae** [-i:] *s. anat.* Schienbein *n*, 'Tibia *f*; **'tib·i·al** [-əl] *adj. anat.* Schienbein..., Unterschenkel...

tic [tik] *s.* ⚕ Tic(k) *m*, (ner'vöses) Muskel- *od.* Gesichtszucken.

tick¹ [tik] **I.** *s.* **1.** Ticken *n*: *to* (*od. on*) *the* ~ (auf die Sekunde) pünktlich; **2.** F Augenblick *m*; **3.** Häkchen *n*, Vermerkzeichen *n*; **II.** *v/i.* **4.** ticken: *to* ~ *over mot.* leerlaufen; **III.** *v/t.* **5.** *in e-r Liste* anhaken: *to* ~ *off* **a)** abhaken, **b)** F *j-n* ‚zs.-stauchen', **c)** *Am. sl. der Polizei etc.* auf die Sprünge helfen.

tick² [tik] *s. zo.* Zecke *f*, Holzbock *m*.

tick³ [tik] *s.* **1.** (Kissen- *etc.*)Bezug *m*; **2.** Inlett *n*, Ma'tratzenbezug *m*; **3.** F Drillich *m*.

tick⁴ [tik] *s.* F Kre'dit *m*, Pump *m*: *to buy on* ~ auf Pump *od.* Borg kaufen; *to go* ~ Schulden machen.

tick·er ['tikə] *s.* **1.** 'Börsentele,graph *m*; **2.** *sl.* Uhr *f*.

tick·et ['tikit] **I.** *s.* **1.** (Ausweis-, Eintritts-, Lebensmittel-, Mitglieds-) Karte *f*; 🚂 *etc.* Fahrkarte *f*, -schein *m*; ✈ Flugschein *m*, Ticket *n*: *to take a* ~ e-e Karte lösen; **2.** (*bsd.* Gepäck-, Pfand)Schein *m*; **3.** Lotte'rielos *n*; **4.** Eti'kett *n*, (*Preis- etc.*) Zettel *m*; **5.** *mot.* gebührenpflichtige Verwarnung; **6.** ⚓, ✈ Li'zenz *f*; **7.** *pol. bsd. Am.* **a)** (Wahl-, Kandi'daten)Liste *f*, **b)** ('Wahl-, Par'tei)Pro,gramm *n*: *to split the* ~ panaschieren; *to vote a straight* ~ die Liste e-r Partei unverändert wählen; **8.** ~ *of leave* ⚖ *Brit.* (Schein *m* über) bedingte Freilassung auf Bewährung: *to be on* ~ *of leave* bedingt freigelassen sein; **9.** F *das* Richtige: *that's the* ~!; **II.** *v/t.* **10.** etikettieren, kennzeichnen, *Waren* auszeichnen; **'~-col'lec·tor** *s.* 🚂 Bahnsteigschaffner *m*; **'~-day** *s. Börse*: Tag *m* vor dem Abrechnungstag; **'~-in·spec·tor** *s.* 'Fahrkartenkontrol,leur *m*; **'~-night** *s. thea.* Bene'fizvorstellung *f*; **~ of·fice** *s. bsd. Am.* Fahrkartenschalter *m*; **'~-of-'leave man** *s.* [*irr.*] *Brit.* ⚖ bedingt Strafentlassene(r) *m*; **'~-punch** *s.* Lochzange *f*; **~ win·dow** → *ticket office*.

tick·ing ['tikiŋ] *s.* Drell *m*, Drillich *m*.

tick·le ['tikl] **I.** *v/t.* **1.** (*a. fig. den Gaumen*) kitzeln; **2.** *fig. j-s Eitelkeit etc.* schmeicheln; **3.** *fig.* amüsieren: *I'm* ~*d to death* ich könnte mich totlachen (*a. iro.*); **4.** ~ *up* anreizen, aufmuntern; **II.** *v/i.* **5.** kitzeln; **6.** jucken; **III.** *s.* **7.** Kitzel *m* (*a. fig.*); **8.** Juckreiz *m*; **'tick·ler** [-lə] *s.* **1.** kitzlige Sache, (schwieriges) Pro'blem; **2.** *Am.* No'tizbuch *n*; **3.** *a.* ~ *coil* ⚡ Rückkopplungsspule *f*; **'tick·lish** [-liʃ] *adj.* □ **1.** kitz(e)lig; **2.** *fig.* **a)** kitzlig, heikel, schwierig, **b)** empfindlich (*Person*).

tick·tack ['tik'tæk] *s.* **1.** Ticktack *n*; **2.** *sl. Rennsport*: Buchmachergehilfe *m*.

tid·al ['taidl] *adj.* **1.** Gezeiten..., den Gezeiten unter'worfen: ~ *basin* ⚓ Tidebecken; ~ *power-plant* Gezeitenkraftwerk; **2.** Flut...: ~ *wave* Flutwelle (*a. fig.*).

tid·bit ['tidbit] *Am.* → *titbit*.

tid·dl(e)y ['tidli] *Brit. sl.* **I.** *adj.* ‚angesäuselt', beschwipst; **II.** *s.* ‚Gesöff' *n*.

tid·dly-winks ['tidliwiŋks] *s. pl.* Floh(hüpf)spiel *n*.

tide [taid] **I.** *s.* **1.** Gezeit(en *pl.*) *f*, Ebbe *f* u. 'Flut *f*: *high* ~ Flut; *low* ~ Ebbe; *the* ~ *is coming in* (*going out*) die Flut steigt (fällt); *the* ~ *is out* es ist Ebbe; *turn of the* ~ **a)** Flutwechsel, **b)** *fig.* Umschwung; *the* ~ *turns fig.* das Blatt wendet sich; **2.** *fig.* Strom *m*, Strömung *f*: ~ *of events der* Gang der Ereignisse; *to swim against the* ~ gegen den Strom schwimmen; **3.** *fig.* rechte Zeit, günstiger Augenblick; **4.** *in Zssgn* Zeit *f*: *winter*~; **II.** *v/i.* **5.** (mit dem Strom) treiben; **6.** ~ *over fig.* hin'wegkommen über (*acc.*); **III.** *v/t.* **7.** ~ *over fig. j-m* hin'weghelfen über (*acc.*); **'~-gate** *s.* Flut(schleusen)tor *n*; **'~-ga(u)ge** *s.* (Gezeiten)Pegel *m*; **'~-land** *s.* Watt *n*; **'~-mark** *s.* **1.** Gezeitenmarke *f*; **2.** Pegelstand *m*; **'~-ta·ble** *s.* Gezeitentafel *f*; **'~-wait·er** *s. hist.* Hafenzollbeamte(r) *m*; **'~-wa·ter** *s.* Flut-, Gezeitenwasser *n*: ~ *district* Wattengebiet; **'~-way** *s.* Priel *m*.

ti·di·ness ['taidinis] *s.* **1.** Sauberkeit *f*, Ordnung *f*; **2.** Nettigkeit *f*.

ti·dings ['taidiŋz] *s. pl. sg. od. pl. konstr.* Nachricht(en *pl.*) *f*, Neuigkeit(en *pl.*) *f*.

ti·dy ['taidi] **I.** *adj.* □ **1.** sauber, reinlich, ordentlich (*Zimmer, Person, Aussehen etc.*); **2.** nett, schmuck; **3.** *fig.* F ordentlich, beträchtlich: *a* ~ *penny* e-e Stange Geld; **II.** *s.* **4.** (*Sofa- etc.*)Schoner *m*; **5.** (Arbeits-, Flick- *etc.*)Beutel *m*; Fächerkasten *m*; **6.** Abfallkorb *m*; **III.** *v/t.* **7.** in Ordnung bringen, säubern, richten: *to* ~ *up* aufräumen; **IV.** *v/i.* **8.** ~ *up* aufräumen, saubermachen.

tie [tai] **I.** *s.* **1.** (Schnür)Band *n*; **2.** **a)** Kra'watte *f*, **b)** Halstuch *n*; **3.** Schleife *f*, Masche *f*; **4.** *fig., pol., psych.* Bindung *f*: ~*s of friendship* Bande der Freundschaft; **5.** *fig.* (lästige) Fessel, Last *f*; **6.** ⚠,

⊕ a) Verbindung(sstück *n*) *f*, **b**) Anker *m*, **c**) → *tie-beam*; **7.** 🚃 *Am.* Schwelle *f*; **8.** *parl.*, *pol.* Stimmengleichheit *f*: *to end in a* ~ stimmengleich enden; **9.** *sport* **a**) Punktgleichheit *f*, Gleichstand *m*, **b**) Unentschieden *n*, unentschiedenes Spiel, **c**) Ausscheidungsspiel *n*, **d**) Wieder'holung(sspiel *n*) *f*; **10.** ♪ Bindebogen *m*, Liga'tur *f*; **II.** *v/t.* **11.** an-, festbinden (*to* an *acc.*); **12.** binden, schnüren; *fig.* fesseln: *to* ~ *s.o.'s hands* (*tongue*) j-m die Hände (Zunge) binden; **13.** *Schleife*, *Schuhe etc.* binden; **14.** ⚠, ⊕ verankern, befestigen; **15.** ♪ *Noten* (anein'ander)binden; **16.** (*to*) *fig. j-n* binden (an *acc.*), verpflichten (zu); **17.** hindern, hemmen; **18.** *j-n* in Anspruch nehmen (*Pflichten etc.*); **III.** *v/i.* **19.** *sport* **a**) gleichstehen, punktgleich sein, **b**) unentschieden spielen *od.* kämpfen; **20.** *parl.*, *pol.* gleiche Stimmenzahl haben, stimmengleich sein;

Zssgn mit adv.:

tie| down *v/t.* **1.** festbinden; **2.** niederhalten, fesseln; **3.** (*to*) *fig. j-n* binden (an *Pflichten*, *Regeln etc.*), *j-n* festlegen (auf *acc.*); ~ **in I.** *v/i.* (*with*) über'einstimmen (mit), passen (zu); **II.** *v/t.* (*with*) verbinden (mit), einbauen (in *acc.*); ~ **up** *v/t.* **1.** (an-, ein-, ver-, zs.-, zu)binden; **2.** *fig.* hemmen, fesseln; **3.** *fig.* lahmlegen; *Industrie*, *Produktion* stilllegen; *Vorräte etc.* blockieren; **4.** ✝, ⚖ festlegen: **a**) *Geld* fest anlegen, **b**) *bsd. Erbgut* e-r Verfügungsbeschränkung unter'werfen; **5.** *to tie it up Am. sl.* e-e Sache erledigen.

'tie|-bar *s.* **1.** 🚃 **a**) Verbindungsstange *f* (*Weiche*), **b**) Spurstange *f*; **2.** *typ.* Bogen *m über 2 Buchstaben*; **'~-beam** *s.* ⚠ Zugbalken *m*, Gebindesparren *m*.

tied [taid] *adj.* ✝ zweckgebunden; ~ **house** *s. Brit.* Braue'reigaststätte *f*.

'tie|-in sale *s.* ✝ Kopplungsverkauf *m*; **'~-on** *adj.* zum Anbinden, Anhänge...

tier [tiə] *s.* **1.** Reihe *f*, Lage *f*: *in* ~*s* in Reihen übereinander, lagenweise; **2.** *thea.* **a**) (Sitz)Reihe *f*, **b**) Rang *m*.

tierce [tiəs] *s.* **1.** ♪, *fenc.*, *eccl.* Terz *f*; **2.** Weinfaß *n* (*mit 42 Gallonen*); **3.** [tə:s] *Kartenspiel*: Terz *f*.

'tie-rod *s.* ⊕ **1.** Zugstange *f*; **2.** Kuppelstange *f*; **3.** 🚃 Spurstange *f*.

tiers é·tat ['tjeərzei'tɑ:] (*Fr.*) *s.* dritter Stand, Bürgertum *n*.

'tie-up *s.* **1.** Verbindung *f*; **2.** *bsd.* ✝ **a**) Still-, Lahmlegung *f*, **b**) *Am.* Streik *m*; **3.** (*a.* Verkehrs)Stockung *f*, Stillstand *m*.

tiff [tif] *s.* kleine Meinungsverschiedenheit, Kabbe'lei *f*.

tif·fin ['tifin] *s.* Gabelfrühstück *n*.

tige [ti:ʒ] (*Fr.*) *s.* **1.** ⚠ Säulenschaft *m*; **2.** ⚘ Stengel *m*, Stiel *m*.

ti·ger ['taigə] *s.* **1.** *zo.* Tiger *m* (*a. fig.* *Wüterich*): *American* ~ Jaguar; **2.** *fig.* livrierter Bedienter, Page *m*; **3.** *three cheers and a* ~! *Am. sl.* hoch!, hoch!, und nochmals hoch!; **'~-cat** *s. zo.* **1.** Tigerkatze *f*; **2.** getigerte (Haus-) Katze.

ti·ger·ish ['taigəriʃ] *adj.* **1.** tigerartig; **2.** blutdürstig; **3.** wild, grausam.

tight [tait] **I.** *adj.* □ **1.** dicht, nicht leck (*Faß*, *Schiff etc.*); **2.** fest(sitzend) (*Kork*, *Knoten etc.*), stramm (*Schraube etc.*); **3.** straff, (an)gespannt (*Muskel*, *Seil etc.*); **4.** schmuck; **5. a**) (zu) eng, knapp, **b**) eng (anliegend) (*Kleid etc.*): ~ *fit* knapper Sitz, ⊕ Feinpassung; **6. a**) eng, dicht (gedrängt), **b**) *fig.* F kritisch, ‚mulmig'; → *corner* 2; **7.** prall (voll); **8.** ✝ **a**) knapp (*Geld*), **b**) angespannt (*Marktlage*); **9.** F knick(e)rig, geizig; **10.** gedrängt (*Stil*); **11.** eng, am Kleinen klebend (*Kunst etc.*); **12.** *sl.* ‚blau', besoffen; **II.** *adv.* **13.** eng, knapp; *a.* ⊕ fest: *to hold* ~ festhalten; *to sit* ~ **a**) fest im Sattel sitzen, **b**) sich nicht (vom Fleck) rühren, **c**) *fig.* sich eisern behaupten, sich nicht beirren lassen; **'tight·en** [-tn] **I.** *v/t.* **1.** *a.* ~ *up* zs.-ziehen; **2.** *Schraube*, *Zügel etc.* fest-, anziehen; *Feder*, *Gurt etc.* spannen; *Gürtel* enger schnallen; *Muskel*, *Seil etc.* straffen: *to* ~ *one's grip* fester zupacken, den Druck verstärken (*a. fig.*); **3.** (ab)dichten; **II.** *v/i.* **4.** sich straffen; **5.** fester werden (*Griff*); **6.** *a.* ~ *up* sich fest zs.-ziehen; **7.** ✝ sich versteifen (*Markt*).

'tight|-'fist·ed *adj.* knaus(e)rig; **'~-'fit·ting** *adj.* **1.** → *tight 5*; **2.** ⊕ genau an- *od.* eingepaßt, Paß...; **'~-laced** *adj.* **1.** fest geschnürt; **2.** *fig.* engherzig, puri'tanisch; **'~-lipped** *adj.* **1.** schmallippig; **2.** *fig.* verschlossen.

tight·ness ['taitnis] *s.* **1.** Dichtheit *f*; **2.** Festigkeit *f*; **3.** Straffheit *f*; **4.** Knappheit *f*; **5.** Enge *f*; **6.** Geiz *m*, Knicke'rei *f*; **7.** ✝ **a**) (Geld)Knappheit *f*, **b**) Festigkeit *f* (*Börse*).

'tight·rope I. *s.* (Draht)Seil *n* (*Zirkus*); **II.** *adj.* (Draht)Seil...: ~ *dancer*, ~ *walker* Seiltänzer(in).

tights [taits] *s. pl.* **1.** ('Tänzer-, Ar'tisten)Tri'kot *n*; **2.** Strumpfhose *f*.

'tight·wad *s. sl.* Geizkragen *m*.

ti·gress ['taigris] *s.* **1.** Tigerin *f*; **2.** *fig.* Me'gäre *f*, (Weibs)Teufel *m*.

tike → *tyke*.

til·de ['tild] (*Span.*) *s. ling.* Tilde *f*.

tile [tail] **I.** *s.* **1.** (Dach)Ziegel *m*: *he has a* ~ *loose sl.* bei ihm ist eine Schraube locker; *to be (out) on the* ~*s sl.* ‚herumsumpfen'; **2.** ([Kunst-] Stein)Platte *f*, (Fußboden-, Wand-) Fliese *f*, (Ofen)Kachel *f*; **3.** *coll.* Ziegel *pl.*, Fliesen(fußboden *m*) *pl.*, Fliesen(ver)täfelung *f*; **4.** ⚠ Hohlstein *m*; **5.** F **a**) ‚Angströhre' *f* (*Zylinder*), **b**) ‚Deckel' *m* (*steifer Hut*); **II.** *v/t.* **6.** (mit Ziegeln) decken; **7.** mit Fliesen *od.* Platten auslegen, kacheln; **til·er** ['tailə] *s.* **1.** Dachdecker *m*; **2.** Plattenleger *m*; **3.** Ziegelbrenner *m*; **4.** Logenhüter *m* (*Freimaurerloge*).

till[1] [til] **I.** *prp.* **1.** bis: ~ *now* bis jetzt, bisher; ~ *then* bis dahin *od.* dann *od.* nachher; **2.** bis zu: ~ *death* bis zum Tod, bis in den Tod; **3.** *not* ~ erst: *not* ~ *yesterday*; **II.** *cj.* **4.** bis; **5.** *not* ~ erst (als *od.* wenn).

till[2] [til] *s.* **1.** Laden(tisch)kasse *f*: ~ *money* ✝ Kassenbestand; **2.** Geldschublade *f*.

till[3] [til] ⚒ **I.** *v/t.* *Boden* bebauen, bestellen, (be)ackern; **II.** *v/i.* ackern, pflügen; **'till·a·ble** [-ləbl] *adj.* ⚒ anbaufähig; **'till·age** [-lidʒ] *s.* **1.** Bodenbestellung *f*; **2.** Ackerbau *m*; **3.** Ackerland *n*.

till·er[1] ['tilə] *s. oft* ~ *of the soil* (Acker)Bauer *m*, Pflüger *m*.

till·er[2] ['tilə] *s.* **1.** ⚓ Ruderpinne *f*; **2.** ⊕ Griff *m*; **'~-rope** *s.* ⚓ Steuerreep *n*.

tilt[1] [tilt] **I.** *v/t.* **1.** kippen, neigen, schrägstellen; **2.** 'umkippen, 'umstoßen; **3.** ⚓ *Schiff* krängen; **4.** ⊕ recken (*schmieden*); **5.** *hist.* **a**) (mit eingelegter Lanze) anreiten gegen, **b**) *Lanze* einlegen; **II.** *v/i.* **6.** *a.* ~ *over* **a**) sich neigen, kippen, **b**) umkippen, 'umfallen; **7.** ⚓ krängen; **8.** *hist.* im Tur'nier kämpfen: *to* ~ *at* **a**) anreiten gegen, **b**) (mit der Lanze) stechen nach, **c**) *fig.* losziehen gegen, attackieren; **III.** *s.* **9.** Kippen *n*: *to give a* ~ *to* → *1*; **10.** Schräglage *f*, Neigung *f*: *on the* ~ auf der Kippe; **11.** *hist.* Turnier *n*, Lanzenbrechen *n*; **12.** *fig.* Strauß *m*, (Wort)Gefecht *n*; **13.** (Lanzen)Stoß *m*; **14.** (Angriffs)Wucht *f*: (*at*) *full* ~ mit voller Wucht *od.* Geschwindigkeit, in gestrecktem Galopp; *to run full* ~ *against* mit voller Wucht gegen *et.* rennen.

tilt[2] [tilt] **I.** *s.* (Wagen- *etc.*)Plane *f*, Verdeck *n*; **II.** *v/t.* (mit e-r Plane) bedecken.

'tilt-cart *s.* Kippwagen *m*.

tilt·er ['tiltə] *s.* **1.** (*Kohlen- etc.*)Kipper *m*, Kippvorrichtung *f*; **2.** ⊕ *Walzwerk*: Wipptisch *m*.

tilth [tilθ] → *tillage*.

tilt·ing ['tiltiŋ] *adj.* **1.** *hist.* Turnier...; **2.** *bsd.* ⊕ schwenkbar, Kipp...

'tilt-yard *s. hist.* Tur'nierplatz *m*.

tim·bal ['timbəl] *s.* ♪ *hist.* (Kessel-) Pauke *f*.

tim·ber ['timbə] **I.** *s.* **1.** Bau-, Nutzholz *n*; **2.** *coll.* (Nutzholz)Bäume *pl.*, Baumbestand *m*, Wald(bestand) *m*: ~*-forest* Hochwald; **3.** *Brit.* **a**) Bauholz *n*, **b**) Schnittholz *n*; **4.** ⚓ Inholz *n*; *pl.* Spantenwerk *n*; **5.** *Am. fig.* Holz *n*, Schlag *m*, Ka'liber *n*: *a man of his* ~; **II.** *v/t.* **6.** (ver)zimmern; **7.** *Holz* abvieren; **8.** *Graben etc.* absteifen; **III.** *adj.* **9.** Holz...; **'tim·bered** [-əd] *adj.* **1.** gezimmert; **2.** Fachwerk...; **3.** bewaldet; **'tim·ber·ing** [-əriŋ] *s.* **1.** Zimmern *n*, Ausbau *m*; **2.** ⊕ Verschalung *f*, Holzverkleidung *f*; **3.** Bau-, Zimmerholz *n*.

'tim·ber|·land *s. Am.* Waldland *n* (*für Nutzholz*); **'~-line** *s.* Baumgrenze *f*; **'~·work** *s.* ⊕ Gebälk *n*, Holzwerk *n*; **'~-yard** *s. Brit.* **1.** Zimmerplatz *m*, Bauhof *m*; **2.** *sl. Kricket*: Dreistab *m*.

tim·bre [tɛ̃:mbr] (*Fr.*) *s.* ♪, *ling.* Klangfarbe *f*.

tim·brel ['timbrəl] *s.* Tambu'rin *n*.

time [taim] **I.** *s.* **1.** Zeit *f*: ~ *past, present, and to come* Vergangenheit, Gegenwart und Zukunft; *for all* ~ für alle Zeiten; ~ *will show* die Zeit wird es lehren; **2.** Zeit *f*, Uhr(zeit) *f*: *what's the* ~?, *what* ~ *is it?* wieviel Uhr *od.* wie spät ist es?; *at this* ~

of day **a**) zu dieser (späten) Tageszeit, **b**) *fig.* so spät, in diesem späten Stadium; *to bid* (*od. pass*) *s.o. the ~ of (the) day, to pass the ~ of day with s.o.* j-n grüßen; *some ~ about noon* etwa um Mittag; *this ~ tomorrow* morgen um diese Zeit; *this ~ twelve months* heute übers Jahr; *to keep good ~* richtig gehen (*Uhr*); **3.** Zeit (-dauer) *f*, Zeitabschnitt *m*, (*a. phys. Fall-, Schwingungs- etc.*)Dauer *f*; ✝ Laufzeit *f* (*Wechsel etc.*); Arbeitszeit *f im Herstellungsprozeß etc.*: *a long ~* lange Zeit; *to be a long ~ in doing s.th.* lange (Zeit) dazu brauchen, et. zu tun; **4.** Zeit(punkt *m*) *f*: *~ of arrival* Ankunftszeit; *at the ~* **a**) zu dieser Zeit, damals, **b**) gerade; *at the present ~* derzeit, gegenwärtig; *at the same ~* **a**) zur selben Zeit, gleichzeitig, **b**) gleichwohl, zugleich, andererseits; *at any ~*, *at all ~s* zu jeder Zeit; *at no ~* nie; *at that ~* zu der Zeit; *at one ~* einst, früher (einmal); *at some ~* irgendwann; *for the ~* für den Augenblick; *for the ~ being* **a**) vorläufig, fürs erste, **b**) unter den gegenwärtigen Umständen; **5.** *oft pl.* Zeit(alter *n*) *f*, E'poche *f*: *~ immemorial, ~ out of mind* un(vor)denkliche Zeit; *at* (*od. in*) *the ~ of Queen Anne* zur Zeit der Königin Anna; *the good old ~s* die gute alte Zeit; **6.** *pl.* Zeiten *pl.*, (Zeit)Verhältnisse *pl.*: *hard ~s*; **7.** *the ~s* die Zeit: *behind the ~s* rückständig; *to move with the ~s* mit der Zeit gehen; **8.** Frist *f*, Ter'min *m*: *~ for payment* Zahlungsfrist; *~ of delivery* ✝ Lieferfrist, -zeit; *to ask (for a) ~* ✝ um Frist(verlängerung) bitten; *you must give me ~* Sie müssen mir Zeit geben *od.* lassen; **9.** (verfügbare) Zeit: *to have no ~* keine Zeit haben; *to have no ~ for s.o. fig.* nichts übrig haben für j-n; *to kill ~* die Zeit totschlagen; *to take (the) ~* sich die Zeit nehmen (*to do* zu tun); *to take one's ~* sich Zeit lassen; *~ is up!* die Zeit ist um!; *~ gentlemen, please!* (es ist bald) Polizeistunde! (*Lokal*); *~! sport* Zeit! (= **a**) *anfangen!*, **b**) *aufhören!*); *~! parl.* Schluß!; → *forelock*; **10.** Lehr-, Dienstzeit *f*: *to serve one's ~* s-e Lehre machen; **11. a**) (na'türliche *od.* nor'male) Zeit, **b**) Lebenszeit *f*: *~ of life* Alter; *ahead of ~* vorzeitig; *to die before one's ~* vor der Zeit *od.* zu früh sterben; *his ~ is drawing near* sein Tod naht heran; **12. a**) Schwangerschaft *f*, **b**) Entbindung *f*, Niederkunft *f*: *she is far on in her ~* sie ist hochschwanger; *she is near her ~* sie steht kurz vor der Entbindung; **13.** (günstige) Zeit: *now is the ~* nun ist die passende Gelegenheit, jetzt gilt es (*to do* zu tun); *at such ~s* bei solchen Gelegenheiten; *to bide one's ~* (s-e Zeit) abwarten; **14.** Mal *n*: *the first ~* das erste Mal; *for the last ~* zum letzten Mal; *till next ~* bis zum nächsten Mal; *every ~* jedesmal; *many ~s* viele Male; *~ and again, ~ after ~* immer wieder; *at some other ~, at other ~s* ein anderes Mal; *at a ~* auf einmal, zusammen, zugleich, jeweils; *one at a ~* einzeln, immer nur eine(r, s); *two at a ~* zu zweit, jeweils zwei; **15.** *pl.* mal, ...mal: *three ~s four is twelve* drei mal vier ist zwölf; *twenty ~s* zwanzigmal; *four ~s the size of yours* viermal so groß wie deines; **16.** *bsd. sport* (erzielte, gestoppte) Zeit; **17. a**) Tempo *n*, Zeitmaß *n* (*beide a.* ♪), **b**) ♪ Takt *m*: *change of ~* Taktwechsel; *to beat (keep) ~* den Takt schlagen (halten); **18.** ⚔ Marschtempo *n*, Schritt *m*: *to mark ~* **a**) ⚔ auf der Stelle treten (*a. fig.*), **b**) *fig.* nicht vom Fleck kommen;

Besondere Redewendungen:

against ~ gegen die Zeit *od.* Uhr, mit größter Eile; *ahead of* (*od. before*) *one's ~* s-r Zeit voraus; *all the ~* **a**) die ganze Zeit (über), ständig, **b**) jederzeit; *at ~s* zu Zeiten, gelegentlich; *at all ~s* stets, zu jeder Zeit; *at any ~* **a**) zu irgendeiner Zeit, jemals, **b**) jederzeit; *behind (one's) ~* verspätet; *between ~s* in den Zwischenzeiten; *by that ~* **a**) bis dahin, unterdessen, **b**) zu der Zeit; *for a* (*od. some*) *~* e-e Zeitlang, einige Zeit; *for a long ~ past* schon seit langem; *not for a long ~* noch lange nicht; *from ~ to ~* von Zeit zu Zeit; *in ~* **a**) rechtzeitig (*to do* um zu tun), **b**) mit der Zeit, **c**) im (richtigen) Takt; *in due ~* rechtzeitig, termingerecht; *in good ~* (gerade) rechtzeitig; *all in good ~* alles zu s-r Zeit; *in one's own good ~* wenn es e-m paßt; *in no ~* im Nu, im Handumdrehen; *on ~* **a**) pünktlich, rechtzeitig, **b**) *bsd. Am.* für e-e (bestimmte) Zeit, **c**) ✝ *Am.* auf Zeit, *bsd.* auf Raten; *out of ~* **a**) zur Unzeit, unzeitig, **b**) vorzeitig, **c**) zu spät, **d**) aus dem Takt *od.* Schritt; *till such ~ as* so lange bis; *to ~* pünktlich; *to do ~ F im Gefängnis* ‚sitzen'; *to have a good ~* es schön haben, es sich gutgehen lassen, sich gut amüsieren; *to have a hard ~* Schlimmes durchmachen; *he had a hard ~ getting up early* es fiel ihm schwer, früh aufzustehen; *to have the ~ of one's life* sich großartig amüsieren, leben wie ein Fürst; *with ~* mit der Zeit; *~ was, when* die Zeit ist vorüber, als;

II. *v/t.* **19.** (mit der Uhr) messen, (ab)stoppen, die Zeit messen von; **20.** die Zeit *od.* den richtigen Zeitpunkt wählen *od.* bestimmen für, zur rechten Zeit tun; → *timed*; **21.** zeitlich abstimmen; **22.** die Zeit festsetzen für: *is ~d to leave at 7 der Zug etc.* soll um 7 abfahren; **23.** ⊕ *Zündung etc.* einstellen; *Uhr* stellen; **24.** zeitlich regeln (*to* nach); **25.** das Tempo *od.* den Takt angeben für; **III.** *v/i.* **26.** Takt halten; **27.** zeitlich zs.- *od.* über'einstimmen (*with* mit); **'~-and-'mo·tion stud·y** *s.* ⊕ 'Zeit,studie *f*; **'~-bar·gain** *s.* ✝ Zeit-, Ter'mingeschäft *n*; **'~-base** *adj.* ⚡ Kipp...; **~ bomb** *s.* Zeitbombe *f*, Bombe *f* mit Zeitzünder; **'~-card** *s.* **1.** Stech-, Stempelkarte *f*; **2.** Fahrplan *m*; **~ clock** *s.* Stech-, Stempeluhr *f*; **'~-con'sum·ing** *adj.* zeitraubend.

timed [taimd] *adj.* zeitlich (genau) festgelegt *od.* reguliert; → *ill-timed; well-timed.*

time| de·pos·its *s. pl.* ✝ *Am.* Ter'mingelder *pl.*; **~ draft** *s.* ✝ Zeitwechsel *m*; **'~-ex·pired** *adj.* ⚔ *Brit.* ausgedient (*Soldat od. Unteroffizier*); **'~-ex·po·sure** *s. phot.* **1.** Zeitbelichtung *f*; **2.** Zeitaufnahme *f*; **'~-fuse** *s.* ⚔ Zeitzünder *m*; **'~-hon·o(u)red** *adj.* alt'ehrwürdig; **'~-keep·er** *s.* **1.** Zeitmesser *m*, Chrono'meter *n*; **2.** *sport* (*u.* ✝ Arbeits)Zeitnehmer *m*; **~ lag** *s. bsd.* ⊕ Verzögerung *f*, zeitliche Nacheilung; zeitliche Lücke; **'~-lapse** *adj. phot.* Zeitraff(er)...

time·less ['taimlis] *adj.* □ **1.** ewig; **2.** zeitlos (*a. Schönheit etc.*).

'time-'lim·it *s.* Frist *f*.

time·li·ness ['taimlinis] *s.* **1.** Rechtzeitigkeit *f*; **2.** günstige Zeit.

time| loan *s.* ✝ Darlehen *n* auf Zeit; **~ lock** *s.* ⊕ Zeitschloß *n*.

time·ly ['taimli] *adj.* **1.** rechtzeitig; **2.** (*zeitlich*) günstig, angebracht; **3.** aktu'ell.

'time|-'out *pl.* **-'outs** *s.* **1.** *Am.* ('Arbeits)Unter,brechung *f*; **2.** *sport* Auszeit *f*: *to take a ~* e-e Auszeit nehmen; **~ pay·ment** *s.* ✝ *Am.* Ratenzahlung *f*; **'~-piece** *s.* Chrono'meter *n*, Uhr *f*.

tim·er ['taimə] *s.* **1.** Zeitmesser *m* (*Apparat*); Stoppuhr *f*; *phot.* Zeitauslöser *m*; **2.** ⊕, *sport* Zeitnehmer *m* (*Person*).

'time|-sav·ing *adj.* zeit(er)sparend; **'~-serv·er** *s.* Opportu'nist(in), Achselträger(in); **'~-serv·ing I.** *adj.* opportu'nistisch, achselträgerisch; **II.** *s.* Opportu'nismus *m*, Gesinnungslumpe'rei *f*; **~ shar·ing** *s. Computer*: 'Time-sharing *n*; **~ sheet** *s.* Stech-, Stempelkarte *f*; **'~-sig·nal** *s. bsd. Radio*: Zeitzeichen *n*; **'~-stud·y man** *s.* [*irr.*] ✝, ⊕ 'Zeit,studienbeamte(r) *m*; **'~-ta·ble** *s.* **1.** Fahrplan *m*; **2.** Stundenplan *m*; **3.** ‚Fahrplan' *m*, 'Zeitta,belle *f*; **'~-work** *s.* ✝ nach Zeit bezahlte Arbeit; **'~-worn** *adj.* **1.** abgenutzt (*a. fig.*); **2.** veraltet.

tim·id ['timid] *adj.* □ **1.** furchtsam, ängstlich (*of* vor *dat.*); **2.** schüchtern, zaghaft; **ti·mid·i·ty** [ti'miditi], **'tim·id·ness** [-nis] *s.* **1.** Ängstlichkeit *f*; **2.** Schüchternheit *f*.

tim·ing ['taimiŋ] *s.* **1.** zeitliche Abstimmung *od.* Berechnung; **2.** Wahl *f* des richtigen Zeitpunkts; **3.** (gewählter) Zeitpunkt; **4.** ⊕, *mot.* (zeitliche) Steuerung, (*Ventil-, Zündpunkt- etc.*)Einstellung *f*.

tim·or·ous ['timərəs] *adj.* □ → *timid*.

Tim·o·thy ['timəθi] *npr. u. s. bibl.* (Brief *m* des Paulus an) Ti'motheus *m*.

tim·pa·nist ['timpənist] *s.* ♪ Pauker *m*; **tim·pa·no** ['timpənou] *pl.* **-ni** [-ni] *s.* Kessel-, Or'chesterpauke *f*.

tin [tin] **I.** *s.* **1.** ⚗, ⊕ Zinn *n*; **2.** (Weiß)Blech *n*; **3.** (Blech-, *bsd. Brit.* Kon'serven)Dose *f*, (-)Büchse *f*; **4.** *sl.* ‚Piepen' *pl.* (*Geld*); **II.** *adj.* **5.** zinnern, Zinn...; **6.** Blech..., blechern (*a. fig. contp.*); **III.** *v/t.* **7.** verzinnen; **8.** *Brit.* eindosen, (in Büchsen) einmachen *od.* packen, konservieren; → *tinned* 2; **'~-can** *s.* **1.** Blechdose *f*; **2.** ⚓ *sl.* Zerstörer *m*; **3.** *sl.* ‚alter Blechkasten' (*Auto*).

tinc·ture ['tiŋktʃə] **I.** *s.* **1.** *pharm.* Tink'tur *f*; **2.** Farbe *f*; **3.** *her.* **a**) Farbe *f*, **b**) Me'tall *n*; **4.** *fig.* **a**)

Spur *f*, Beigeschmack *m*, **b)** Anstrich *m*: ~ *of education*; **II.** *v/t.* **5.** (leicht) färben; **6.** *fig.* e-n Anstrich geben (*dat.*) (*with* von); **7.** *fig.* durch'dringen (*with* mit).

tin·der ['tində] *s.* Zunder *m*; '**~-box** *s.* **1.** Zunderbüchse *f*; **2.** *fig.* Pulverfaß *n.*

tine [tain] *s.* **1.** Zinke *f*, Zacke *f* (*Gabel etc.*); **2.** *hunt.* (Geweih)Sprosse *f.*

tin| fish *s.* ⚓ *sl.* ‚Aal' *m* (*Torpedo*); **~ foil** *s.* **1.** Stanni'ol *n*; **2.** Stanni'olpa,pier *n*; '**~-foil** *v/t.* **1.** mit Stanniol belegen; **2.** in Stanniol(papier) verpacken.

ting [tiŋ] **I.** *s.* Klingeln *n*; **II.** *v/t* klingeln mit, läuten; **III.** *v/i.* klingeln.

tinge [tindʒ] **I.** *v/t.* **1.** tönen, (leicht) färben; **2.** *fig.* e-n Anstrich geben (*dat.*): *to be* ~*d with* e-n Anflug haben von, et. von ... an sich haben; **II.** *v/i.* **3.** sich färben; **III.** *s.* **4.** leichter Farbton, Tönung *f*: *to have a* ~ *of red* e-n Stich ins Rote haben, ins Rote spielen; **5.** *fig.* Anstrich *m*, Anflug *m*, Spur *f.*

tin·gle ['tiŋgl] **I.** *v/i.* **1.** prickeln, kribbeln, beißen, brennen (*Haut, Ohren etc.*) (*with cold* vor Kälte); **2.** klingen, summen (*with* vor *dat.*): *my ears are tingling* mir klingen die Ohren; **3.** vor Erregung zittern, beben (*with* vor *dat.*): *the story* ~*s with suspense* die Geschichte ist spannungsgeladen; **4.** flirren (*Hitze, Licht*); **II.** *s.* **5.** Prickeln *n etc.*; **6.** Klingen *n in den Ohren*; **7.** (ner'vöse) Erregung.

tin| god *s.* Götze *m*, 'Popanz *m*, *bsd.* (kleiner) Bonze, aufgeblasener Kerl; **~ hat** *s.* ⚔ *humor.* Stahlhelm *m*; '**~-horn** *Am. sl.* **I.** *adj.* **1.** kapi'talschwach; **2.** hochstaplerisch; **II.** *s.* **3.** Hochstapler *m*, kleiner Gauner.

tink·er ['tiŋkə] **I.** *s.* **1.** Kesselflicker *m*: *not worth a* ~*'s cuss* keinen Pfifferling wert; **2.** Pfuscher *m*, Stümper *m*; **3.** Pfusche'rei *f*: *to have a* ~ *at* an *et.* herumpfuschen; **II.** *v/i.* **4.** her'umbasteln, -pfuschen (*at, with* an *dat.*); **III.** *v/t.* **5.** *mst* ~ *up* (rasch) zs.-flicken; zu'rechtbasteln *od.* -pfuschen (*a. fig.*).

tin·kle ['tiŋkl] **I.** *v/i.* klingeln, hell (er)klingen; **II.** *v/t.* klingeln mit; **III.** *s.* Klingeln *n*, (*a. fig.* Vers-, Wort)Geklingel *n.*

tin| Liz·zie ['lizi] *s. humor.* alter Klapperkasten (*Auto*), *bsd. ein* altes 'Ford-Mo,dell; '**~·man** [-mən] *s.* [*irr.*] **1.** Zinngießer *m*; **2.** → *tin-smith.*

tinned [tind] *adj.* **1.** verzinnt; **2.** *Brit.* konserviert, Dosen..., Büchsen...: ~ *fruit* Obstkonserven; ~ *meat* Büchsenfleisch; ~ *music humor.* ‚Konservenmusik'; **tin·ner** ['tinə] *s.* **1.** → *tin-smith*; **2.** Verzinner *m.*

tin·ny ['tini] *adj.* **1.** zinnern; **2.** zinnhaltig; **3.** blechern (*Klang*).

'**tin|-o·pen·er** *s. Brit.* Dosen-, Büchsenöffner *m*; '**~-plate** ⊕ **I.** *s.* Weiß-, Zinnblech *n*; **II.** *v/t.* verzinnen; '**~-pot I.** *s.* Blechtopf *m*; **II.** *adj. sl.* minderwertig, klein.

tin·sel ['tinsəl] **I.** *s.* **1.** Flitter-, Rauschgold *n*, -silber *n*; **2.** La'metta *n*; **3.** Glitzerschmuck *m*; **4.** *fig.* Flitterkram *m*, Kitsch *m*; **II.** *adj.* **5.** Flitter...; **6.** *fig.* flitterhaft, kitschig, Flitter..., Schein...; **III.** *v/t.* **7.** mit Flitterwerk verzieren.

'**tin|-smith** *s.* Blechschmied *m*, Klempner *m*; **~ sol·der** *s.* ⊕ Weichlot *n*, Lötzinn *n.*

tint [tint] **I.** *s.* **1.** (hellgetönte *od.* zarte) Farbe; **2.** (Farb)Ton *m*, Tönung *f*: *autumnal* ~*s* Herbstfärbung; *to have a bluish* ~ ins Blaue spielen, e-n Stich ins Blaue haben; **3.** *paint.* Weißmischung *f*; **II.** *v/t.* **4.** (leicht) färben: ~*ed glass* Rauchglas; ~*ed paper* Tonpapier; **5. a)** (ab)tönen, **b)** aufhellen.

tin·tin·nab·u·la·tion ['tintinæbju'leiʃən] *s.* Geklingel *n.*

ti·ny ['taini] *adj.* winzig (*a. Geräusch etc.*).

tip¹ [tip] **I.** *s.* **1.** (Schwanz-, Stock- *etc.*)Spitze *f*, (Flügel- *etc.*)Ende *n*: ~ *of the ear* Ohrläppchen; ~ *of the finger (nose, tongue)* Finger- (Nasen-, Zungen)spitze; *to have s.th. at the* ~*s of one's fingers* et. ‚parat' haben, et. aus dem Effeff können; *I have it on the* ~ *of my tongue* es schwebt mir auf der Zunge; **2.** Gipfel *m*, (Berg)Spitze *f*; **3.** ⊕ spitzes Endstück, *bsd.* **a)** (*Stock- etc.*) Zwinge *f*, **b)** Düse *f*, **c)** Tülle *f*, **d)** (Schuh)Kappe *f*; **4.** Mundstück *n* (*Zigarette*); **II.** *v/t.* **5.** ⊕ mit e-r Spitze *etc.* versehen; beschlagen, bewehren; **6.** *Büsche etc.* stutzen.

tip² [tip] **I.** *s.* **1.** Neigung *f*: *to give s.th. a* ~ → *3*; **2.** (Schutt- *etc.*)Abladeplatz *m*; **II.** *v/t.* **3.** kippen, neigen; → *scale² 1*; **4.** *mst* ~ *over* 'umkippen; **5.** *Hut* abnehmen (zum Gruß); **6.** *Brit. Müll etc.* abladen; **III.** *v/i.* **7.** sich neigen; **8.** *mst* ~ *over* umkippen; ✈ auf den Kopf gehen (*beim Landen*); **~ off** *v/t.* **1.** abladen; **2.** *sl. Glas Bier etc.* ‚hin'unterkippen'; **~ out I.** *v/t.* ausschütten; **II.** *v/i.* her'ausfallen; **~ o·ver** → *tip² 4 u. 8*; **~ up** *v/t. u. v/i.* **1.** hochkippen; **2.** umkippen.

tip³ [tip] **I.** *s.* **1.** Trinkgeld *n*; **2.** (Wett- *etc.*)Tip *m*: *the straight* ~ der richtige Tip; **3.** Tip *m*, Wink *m*, Fingerzeig *m*, Rat *m*; **II.** *v/t.* **4.** *j-m* ein Trinkgeld geben; **5.** F *j-m* e-n Tip *od.* Wink geben: *to* ~ *s.o. off* j-m (rechtzeitig) e-n Tip geben, j-n warnen; **6.** *sport* tippen auf (*acc.*); **III.** *v/i.* **7.** Trinkgeld(er) geben.

tip⁴ [tip] **I.** *s.* Klaps *m*; leichte Berührung; **II.** *v/t.* leicht schlagen; antippen, antupfen.

tip| and run *s. Art* Schlagballspiel *n*; '**~-and-'run** *adj. fig.* Überraschungs..., blitzschnell: ~ *raider* ⚔ Einbruchsflieger; '**~-car**, '**~-cart** *s.* Kippwagen *m*; '**~-cat** *s.* Spatzeck *n* (*Kinderspiel*).

'**tip-off** *s.* rechtzeitiger Wink, Tip *m.*

tipped [tipt] *adj.* **1.** mit e-m Endstück *od.* e-r Zwinge, Spitze *etc.* versehen; **2.** mit Mundstück (*Zigarette*).

tip·per ['tipə] *s.* ⊕ Kippwagen *m.*

tip·pet ['tipit] *s.* **1.** Pele'rine *f*, (her'abhängender) Pelzkragen; **2.** *eccl.* (Seiden)Halsband *n*, (-)Schärpe *f.*

tip·ple ['tipl] **I.** *v/t. u. v/i.* zechen, picheln; **II.** *s.* (alko'holisches) Getränk; '**tip·pler** [-lə] *s.* (Quar'tals-) Säufer *m*, Zechbruder *m.*

tip·si·fy ['tipsifai] *v/t.* beduseln; '**tip·si·ness** [-inis] *s.* Beschwipstheit *f.*

'**tip·staff** *pl.* **-staves** *s.* **1.** *hist.* Amtsstab *m*; **2.** Gerichtsdiener *m.*

tip·ster ['tipstə] *s.* F *bsd. Rennsport u. Börse*: (berufsmäßiger) Tipgeber, (Wett)Berater *m.*

tip·sy ['tipsi] *adj.* □ **1.** angeheitert, beschwipst; **2.** wack(e)lig, torkelnd; '**~-cake** *s. mit Wein getränkter u. mit Eiercreme servierter Kuchen.*

'**tip|-tilt·ed** *adj.*: ~ *nose* Stupsnase; '**~·toe I.** *s.*: *on* ~ **a)** auf den Zehenspitzen, **b)** *fig.* neugierig, gespannt (*with* vor *dat.*); **II.** *adj. u. adv.* → *I*; **III.** *v/i.* auf den Zehenspitzen gehen, schleichen; '**~'top I.** *s.* Gipfel *m*, Höhepunkt *m* (*a. fig.*); **II.** *adj. u. adv.* F 'tipp'topp, erstklassig; '**~-up** *adj.* aufklappbar: ~ *seat* Klappsitz.

ti·rade [tai'reid] *s.* **1.** Ti'rade *f*, Wortschwall *m*; **2.** 'Schimpfkano,nade *f.*

tire¹ ['taiə] **I.** *v/t.* ermüden (*a. fig. langweilen*): *to* ~ *out* erschöpfen; *to* ~ *to death* **a)** todmüde machen, **b)** *fig.* zum Sterben langweilen; **II.** *v/i.* müde werden: **a)** ermüden, ermatten, **b)** *fig.* 'überdrüssig werden (*of gen., of doing* zu tun).

tire² ['taiə] *mot.* **I.** *s.* (Rad-, Auto-) Reifen *m*; **II.** *v/t.* bereifen.

tire³ ['taiə] *obs.* **I.** *v/t.* schmücken; **II.** *s.* **a)** (Kopf)Putz *m*, Schmuck *m*, **b)** Kleidung *f.*

tire| cas·ing *s. mot.* (Reifen)Mantel *m*, (-)Decke *f*; **~ chain** *s. mot.* Schneekette *f.*

tired¹ ['taiəd] *adj.* **1.** müde: **a)** ermüdet (*by, with* von): ~ *to death* todmüde, **b)** 'überdrüssig (*of gen.*); *I am* ~ *of it fig.* ich habe es satt; **2.** erschöpft, verbraucht; **3.** abgenutzt.

tired² ['taiəd] *adj.* ⊕, *mot.* bereift.

tired·ness ['taiədnis] *s.* **1.** Müdigkeit *f*; **2.** 'Überdruß *m.*

tire| ga(u)ge *s. mot.* Reifendruckmesser *m*; **~ grip** *s.* ⊕ (Reifen-) Griffigkeit *f.*

tire·less¹ ['taiəlis] *adj.* ⊕ unbereift.

tire·less² ['taiəlis] *adj.* □ unermüdlich; '**tire·less·ness** [-nis] *s.* Unermüdlichkeit *f.*

tire| le·ver *s. mot.* ('Reifen)Mon,tierhebel *m*; **~ marks** *s. pl. mot.* Reifen-, Bremsspur(en *pl.*) *f*; **~ rim** *s.* ⊕ Reifenwulst *m.*

tire·some ['taiəsəm] *adj.* □ **1.** ermüdend (*a. fig.*); **2.** *fig.* unangenehm, lästig.

'**tire·wom·an** *s.* [*irr.*] *obs.* **1.** Kammerzofe *f*; **2.** *thea.* Garderobi'ere *f.*

ti·ro → *tyro.*

Tir·o·lese [tirə'li:z] **I.** *adj.* ti'rolerisch, ti'rolisch, Tiroler(...); **II.** *s.* Ti'roler(in).

'**T-i·ron** *s.* ⊕ T-Eisen *n.*

tis·sue ['tisju:; 'tiʃu:] *s.* **1.** *biol.* (Zell-, Muskel- *etc.*)Gewebe *n*; **2.** ✝ feines Gewebe, Flor *m*; **3.** *a.* ~*-paper* 'Seidenpa,pier *n*; **4.** *phot.* 'Kohlepa,pier *n*; **5.** *fig.* (*Lügen- etc.*)Gewebe *n*, Netz *n.*

tit¹ [tit] *s. orn.* Meise *f.*

tit² [tit] *s.*: ~ *for tat* wie du mir, so ich dir; *to give s.o.* ~ *for tat* j-m mit gleicher Münze heimzahlen.

tit³ [tit] → *teat.*

Ti·tan ['taitən] *s.* Ti'tan(e) *m*;

ˈTi·tan·ess [-tənis] *s.* Tiˈtanin *f*; **ti·tan·ic** [taiˈtænik] *adj.* **1.** tiˈtanisch, giˈgantisch; **2.** ⚗ Titan...: ~ *acid*; **ti·ta·ni·um** [taiˈteinjəm] *s.* ⚗ Tiˈtan *n.*

tit·bit [ˈtitbit] *s.* Leckerbissen *m* (*a. fig.*).

tith·a·ble [ˈtaiðəbl] *adj.* zehntpflich-[tig.]

tithe [taið] **I.** *s.* **1.** *oft pl. bsd. eccl.* Zehnte *m*; **2.** Zehntel *n*: *not a* ~ *of it fig.* nicht ein bißchen davon; **II.** *v/t.* **3.** den Zehnten bezahlen von; **4.** den Zehnten erheben von.

tit·il·late [ˈtitileit] *v/t. u. v/i.* kitzeln (*a. fig. angenehm erregen*); **tit·il·la·tion** [titiˈleiʃən] *s.* **1.** Kitzeln *n*; **2.** *fig.* Kitzel *m.*

tit·i·vate [ˈtitiveit] *v/t. u. v/i. humor.* (sich) feinmachen, (sich) schniegeln.

tit·lark [ˈtitlɑːk] *s. orn.* Pieper *m.*

ti·tle [ˈtaitl] *s.* **1.** (*Buch- etc.*)Titel *m*; **2.** (Kaˈpitel- *etc.*)ˌÜberschrift *f*; **3.** (Haupt)Abschnitt *m e-s Gesetzes etc.*; **4.** *Film*: ˈUntertitel *m*; **5.** Bezeichnung *f*; **6.** (Adels-, Ehren-, Amts-) Titel *m*: ~ *of nobility* Adelsprädikat; **7.** *sport* Titel *m*; **8.** ⚖ **a)** Rechtstitel *m*, -anspruch *m*, Recht *n* (*to* auf *acc.*), **b)** dingliches Eigentum(srecht) (*to* an *dat.*), **c)** Eigentumsurkunde *f*; **9.** *allg.* Recht *n* (*to* auf *acc.*), Berechtigung *f* (*to do* zu tun); **10.** Buchrücken *m*; **ˈti·tled** [-ld] *adj.* **1.** betitelt, tituliert; **2.** ad(e)lig.

ˈti·tle|-deed → *title 8 c*; **ˈ~-hold·er** *s.* **1.** ⚖ (Rechts)Titelinhaber(in); **2.** *sport* Titelhalter(in), -verteidiger(in); **ˈ~-page** *s.* Titelblatt *n*; **ˈ~-role** *s. thea.* Titelrolle *f.*

tit·ling [ˈtitliŋ] *s. Brit.* → *titlark.*

ˈtit·mouse *s.* [*irr.*] *orn.* Meise *f.*

ti·trate [ˈtitreit] *v/t. u. v/i.* ⚗ titrieren.

tit·ter [ˈtitə] **I.** *v/i.* kichern; **II.** *s.* Gekicher *n*, Kichern *n.*

tit·tle [ˈtitl] *s.* **1.** Pünktchen *n*, (*bsd.* I-)Tüpfelchen *n*; **2.** *fig.* Tüttelchen *n*, *das* bißchen: *to a* ~ aufs I-Tüpfelchen *od.* Haar, ganz genau; *not a* ~ *of it* nicht ein Iota (davon).

ˈtit·tle-tat·tle **I.** *s.* **1.** Schnickschnack *m*, Geschwätz *n*; **2.** Klatsch *m*, Tratsch *m*; **II.** *v/i.* **3.** schnickschnacken, schwätzen; **4.** tratschen.

tit·u·lar [ˈtitjulə] **I.** *adj.* □ **1.** Titel...; **2.** Titular..., nomiˈnell: ~ *king* Titularkönig; **II.** *s.* **3.** Tituˈlar *m.*

Ti·tus [ˈtaitəs] *npr. u. s. bibl.* (Brief *m* des Paulus an) Titus *m.*

to [tuː; *im Satz mst* tu; *vor Konsonanten* tə] **I.** *prp.* **1.** *Grundbedeutung*: zu; **2.** *Richtung u. Ziel, räumlich*: zu, nach, an (*acc.*), in (*acc.*), auf (*acc.*), vor: ~ *bed* zu Bett *gehen*; ~ *London* nach London *reisen etc.*; ~ *school* in die Schule *gehen*; ~ *the ground* auf den *od.* zu Boden *fallen, werfen etc.*; ~ *the station* zum Bahnhof; ~ *the wall* an die Wand *nageln etc.*; ~ *the right* auf der rechten Seite, rechts; *back* ~ *back* Rücken an Rücken; **3.** F in (*dat.*): *I have never been* ~ *London*; **4.** *Richtung, Ziel, Zweck, Wirkung*: zu, auf (*acc.*), an (*acc.*), in (*acc.*), für, gegen: *to pray* ~ *God* zu Gott beten; *our duty* ~ unsere Pflicht *j-m* gegenüber; ~ *dinner* zum Essen *einladen etc.*; ~ *death* zu Tode *prügeln etc.*, zum Tode *verurteilen*; ~ *my surprise* zu m-r Überraschung; *pleasant* ~ *the ear* angenehm für das Ohr; *here's* ~ *you!* F (auf) Ihre Gesundheit!, Prosit!; *what is that* ~ *you?* was geht das Sie an?; ~ *a large audience* vor e-m großen Publikum *spielen*; **5.** *Zugehörigkeit*: zu, in (*acc.*), für, auf (*acc.*): *cousin* ~ Vetter des *Königs etc.*, der *Frau N.*, von *N.*; *he is a brother* ~ *her* er ist ihr Bruder; *secretary* ~ Sekretär des ..., *j-s* Sekretär; *that is all there is* ~ *it* das ist alles; *a cap with a tassel* ~ *it* e-e Mütze mit e-r Troddel (daran); *a room* ~ *myself* ein eigenes Zimmer; *a key* ~ *the trunk* ein Schlüssel für den (*od.* zum) Koffer; **6.** *Gemäßheit*: nach: ~ *my feeling* m-m Gefühl nach; *not* ~ *my taste* nicht nach m-m Geschmack; **7.** (im Verhältnis *od.* Vergleich) zu, gegen, gegenˈüber, auf (*acc.*), mit: *you are but a child* ~ *him* Sie sind nur ein Kind gegen ihn; *nothing* ~ nichts im Vergleich zu; *five* ~ *one* fünf gegen eins, *sport etc.* fünf zu eins; *three* ~ *the pound* drei auf das Pfund; **8.** *Ausmaß, Grenze*: bis, (bis) zu, (bis) an (*acc.*), auf (*acc.*), in (*dat.*): ~ *the clouds*; *goods* ~ *the value of* Waren im Werte von; *to love* ~ *craziness* bis zum Wahnsinn lieben; **9.** *zeitliche Ausdehnung od. Grenze*: bis, bis zu, bis gegen, auf (*acc.*), vor (*dat.*): *a quarter* ~ *one* ein Viertel vor eins; *from three* ~ *four* von drei bis vier (Uhr); ~ *this day* bis zum heutigen Tag; ~ *the minute* auf die Minute (genau); **10.** *Begleitung*: zu, nach: ~ *a guitar* zu e-r Gitarre *singen*; ~ *a tune* nach e-r Melodie *tanzen*; **11.** *zur Bildung des (betonten) Dativs*: ~ *me, you etc.* mir, dir, Ihnen *etc.*; *it seems* ~ *me* es scheint mir; *she was a good mother* ~ *him* sie war ihm e-e gute Mutter; **12.** *zur Bezeichnung des Infinitivs*: ~ *be or not* ~ *be* sein oder nicht sein; ~ *go* gehen; *I want* ~ *go* ich möchte gehen; *easy* ~ *understand* leicht zu verstehen; *years* ~ *come* künftige Jahre; *I want her* ~ *come* ich will, daß sie kommt; **13.** *Zweck, Absicht*: um zu, zu: *he only does it* ~ *earn money* er tut es nur, um Geld zu verdienen; **14.** *zur Verkürzung des Nebensatzes*: *I weep* ~ *think of it* ich weine, wenn ich daran denke; *he was the first* ~ *arrive* er kam als erster; ~ *be honest, I should decline* wenn ich ehrlich sein soll, muß ich ablehnen; ~ *hear him talk* wenn man ihn (so) reden hört; **15.** *zur Andeutung e-s aus dem vorhergehenden zu ergänzenden Infinitivs*: *I don't go because I don't want* ~ ich gehe nicht, weil ich nicht (gehen) will; **II.** *adv.* [tuː] **16.** zu, geschlossen: *to pull the door* ~ die Tür zuziehen; **17.** *bei verschiedenen Verben*: dran; → *fall to, put to etc.*; **18.** zu Bewußtsein *od.* zu sich *kommen, bringen*; **19.** ⚓ nahe am Wind: *keep her* ~!; **20.** ~ *and fro* **a)** hin u. her, **b)** auf u. ab.

toad [toud] *s.* **1.** *zo.* Kröte *f*; **2.** Kröte *f*, Ekel *n* (*Person*); **3.** ~ *in a* (*od. the*) *hole* Fleischpastete; **ˈ~-eat·ing** **I.** *s.* Speichelleckeˈrei *f*; **II.** *adj.* speichelleckerisch; **ˈ~-flax** *s.* ✿ Leinkraut *n*; **ˈ~-stool** *s. bot.* **1.** (größerer Blätter)Pilz; **2.** Giftpilz *m.*

toad·y [ˈtoudi] **I.** *s.* Speichellecker *m*; **II.** *v/i.* (*v/t.* vor *j-m*) kriechen *od.* scharˈwenzeln; **ˈtoad·y·ism** [-iizəm] *s.* Speichelleckeˈrei *f.*

toast[1] [toust] **I.** *s.* **1.** Toast *m*, geröstete (Weiß)Brotschnitte: *to have s.o. on* ~ *Brit. sl.* j-n ganz in der Hand haben; **II.** *v/t.* **2.** *Brotschnitten etc.* rösten; **3.** *Füße etc.* wärmen; **III.** *v/i.* **4.** rösten, sich bräunen; **5.** sich gründlich wärmen.

toast[2] [toust] **I.** *s.* **1.** Trinkspruch *m*, Toast *m*: *to propose the* ~ *of s.o.* e-n Toast auf j-n ausbringen; **2.** gefeierte Perˈson; **II.** *v/t.* **3.** toasten *od.* trinken auf (*acc.*); **III.** *v/i.* **4.** toasten (*to* auf *acc.*).

toast·er [ˈtoustə] *s.* Brotröster *m.*

ˈtoast-mas·ter *s.* Toastmeister *m.*

to·bac·co [təˈbækou] *pl.* **-cos** *s.* **1.** *a.* ~-*plant* ˈTabak(pflanze *f*) *m*; **2.** (ˈRauch- *etc.*)ˌTabak *m*: ~ *heart* ⚕ Nikotinherz; **toˈbac·co·nist** [-kənist] *s.* ˈTabakhändler *m*: ~'*s* (*shop*) Tabak(waren)laden.

to·bog·gan [təˈbɔgən] **I.** *s.* **1.** ToˈBoggan *m* (*Indianerschlitten*); **2.** (Rodel)Schlitten *m*; **II.** *v/i.* **3.** rodeln; **~-slide** *s.* Rodelbahn *f.*

to·by [ˈtoubi] *s. a.* ~ *jug* Bierkrug *m in Form e-s Mannes*; **~ col·lar** *s.* Halskrause *f.*

to·co [ˈtoukou] *s. Brit. sl.* ‚Keile' *f*, Prügel *pl.*

toc·sin [ˈtɔksin] *s.* **1.** Aˈlarm-, Sturmglocke *f*; **2.** Aˈlarm-, ˈWarnsiˌgnal *n.*

to·day, a. to-day [təˈdei] **I.** *adv.* **1.** heute; **2.** heute, heutzutage; **II.** *s.* **3.** heutiger Tag: ~'*s paper* die heutige Zeitung, die Zeitung von heute; ~'*s rate* ✝ Tageskurs; **4.** *das* Heute, heutige Zeit, Gegenwart *f*: *of* ~ von heute, der Gegenwart.

tod·dle [ˈtɔdl] **I.** *v/i.* **1.** watscheln (*bsd. kleine Kinder*); **2.** F (daˈhin-) zotteln: *to* ~ *off* sich trollen, ‚abhauen'; **II.** *s.* **3.** Watscheln *n*; **4.** F Bummel *m*; **5.** F → *toddler*; **ˈtod·dler** [-lə] *s.* ‚Taps' *m*, kleines Kind.

tod·dy [ˈtɔdi] *s. Art* Grog *m.*

to-do [təˈduː] *s.* F **1.** Lärm *m*; **2.** Geˈtue *n*, ‚Wirbel' *m*, ‚Theˈater' *n*: *to make much* ~ *about s.th.* viel Wind um e-e Sache machen.

toe [tou] **I.** *s.* **1.** *anat.* Zehe *f*: *on one's* ~*s* F ‚auf Draht'; *to turn one's* ~*s in* (*out*) einwärts (auswärts) gehen; *to turn up one's* ~*s sl.* ins Gras beißen; *to tread on s.o.'s* ~*s* F *fig.* ‚j-m auf die Hühneraugen treten'; **2.** Vorderhuf *m* (*Pferd*); **3.** Spitze *f*, Kappe *f von Schuhen, Strümpfen etc.*; **4.** ⊕ **a)** (Well)Zapfen *m*, **b)** Nocken *m*, Daumen *m*, **c)** 🚂 Keil *m* (*Weiche*); **5.** *sport* Löffel *m* (*Golfschläger*); **II.** *v/t.* **6. a)** *Strümpfe* mit neuen Spitzen versehen, **b)** *Schuhe* bekappen; **7.** mit den Zehen berühren: *to* ~ *the line* **a)** *a. to* ~ *the mark* (*od. scratch*) in e-r Reihe (*sport* zum Start) antreten, **b)** *pol.* sich der Parteilinie unterwerfen, ‚spuren' (*a. weitS. gehorchen*); **8.** *Ball etc.* spitzeln; **9.** *sl. j-m* e-n (Fuß)Tritt versetzen; **10.** *Golf*: *Ball* mit dem Löffel schlagen; **ˈ~-cap** *s.* (Schuh-) Kappe *f.*

-toed [toud] *in Zssgn* ...zehig.
'toe|-danc·er *s.* Spitzentänzer(in); **'~-hold** *s.* **1.** Halt *m* für die Zehen (*beim Klettern*); **2.** *fig.* **a)** Brückenkopf *m*, schwache Positi'on, **b)** Ansatzpunkt *m*; **3.** *Ringen*: Zehengriff *m*; **'~-nail** *s.* Zehennagel *m.*
toff [tɔf] *s. Brit. sl.* feiner Pinkel, Fatzke *m.*
tof·fee, tof·fy ['tɔfi] *s. Brit.* 'Sahnebon,bon *m, n*: *he can't shoot for ~ sl.* vom Schießen hat er keine Ahnung.
tog [tɔg] *sl.* **I.** *v/t. mst ~ out* ausstaffieren, anziehen; **II.** *s. pl.* ,Kluft' *f* (*Kleidung*): *golf ~s* Golfdreß.
to·geth·er [tə'geðə] *adv.* **1.** zu'sammen: *to call* (*sew*) *~* zs.-rufen (-nähen); **2.** zu-, bei'sammen, mitein'ander, gemeinsam; **3.** zusammen (genommen); **4. a)** mitein'ander, **b)** gegenein'ander: *to fight ~* mit *od.* gegeneinander kämpfen; **5.** zu'gleich, gleichzeitig, zusammen; **6.** *Tage etc.* nach-, hinterein'ander, *e-e Zeit* lang *od.* hin'durch: *he talked for hours ~* er sprach stundenlang; **7.** *~ with* zusammen *od.* gemeinsam mit, mit(samt); **to'geth·er·ness** [-nis] *s. bsd. Am.* Zs.-gehörigkeitsgefühl *n*, Gemeinschaft *f der Familie etc.*
tog·ger·y ['tɔgəri] *s.* F ,Kle'dage' *f*, ,Kluft' *f* (*Kleidung*).
tog·gle ['tɔgl] **I.** *s.* **1.** ⊕, ⚓ Knebel *m*; **2.** *a. ~-joint* ⊕ Knebel-, Kniegelenk *n*; **II.** *v/t.* **3.** ein-, festknebeln; **'~-switch** *s.* ⚡ Kippschalter *m.*
toil¹ [tɔil] *s. mst pl. fig.* Schlingen *pl.*, Netz *n*: *in the ~s of* **a)** in den Schlingen *od.* Fängen des *Satans etc.*, **b)** in *Schulden etc.* verstrickt.
toil² [tɔil] **I.** *s.* (mühselige) Arbeit, Mühe *f*, Plage *f*, Placke'rei *f*; **II.** *v/i.* sich abmühen *od.* plagen *od.* quälen (*at, on* mit): *to ~ up a hill* e-n Berg mühsam erklimmen; **'toil·er** [-lə] *s. fig.* Arbeitspferd *n*, Schwerarbeiter *m.*
toi·let ['tɔilit] *s.* **1.** Toi'lette *f*: **a)** Ankleideraum *m*, **b)** Waschraum *m*, Badezimmer *n*, **c)** Klo'sett *n*, **d)** Toi'lettentisch *m*; **2.** Toilette *f* (*Ankleiden etc.*): *to make one's ~* Toilette machen; **3.** Toilette *f*, Kleidung *f*, *a.* (Abend)Kleid *n od.* (Gesellschafts)Anzug *m*; **'~-case** *s.* 'Reiseneces,saire *n*; **'~-pa·per** *s.* Toi'letten-, Klo'settpa,pier *n*; **~ pow·der** *s.* Körperpuder *m*; **'~-set** *s.* Toi'lettengarni,tur *f*; **~ soap** *s.* Toi'lettenseife *f*; **'~-ta·ble** → *toilet 1 d.*
toil·ful ['tɔilful], **'toil·some** [-səm] *adj.* □ mühsam, -selig; **'toil·some·ness** [-səmnis] *s.* Mühseligkeit *f.*
'toil-worn *adj.* abgearbeitet.
To·kay [tou'kei] *s.* To'kaier *m* (*Wein*).
to·ken ['toukən] **I.** *s.* **1.** Zeichen *n*: **a)** Anzeichen *n*, Merkmal *n*, **b)** Beweis *m*: *as a* (*od. in*) *~ of* als *od.* zum Zeichen (*gen.*); *by the same ~* **a)** aus dem gleichen Grunde, mit demselben Recht, umgekehrt, **b)** ferner, überdies; **2.** Andenken *n*, (Erinnerungs)Geschenk *n*; **3.** *hist.* Scheidemünze *f*; **4.** Gutschein *m*; **II.** *adj.* **5.** nomi'nell: *~ payment* Anerkennungszahlung; **6.** Schein...: *~ raid* Scheinangriff; **~ mon·ey** *s.* **1.** Not-, Ersatzgeld *n*; **2.** Scheidemünze *f*; **~ strike** *s.* Warnstreik *m.*
told [tould] *pret. u. p.p. von tell.*
tol·er·a·ble ['tɔlərəbl] *adj.* □ **1.** erträglich; **2.** *fig.* leidlich, mittelmäßig, erträglich; **3.** F einigermaßen gesund, ziemlich wohl; **'tol·er·a·ble·ness** [-nis] *s.* Erträglichkeit *f*; **'tol·er·ance** [-rəns] *s.* **1.** Tole'ranz *f*, Duldsamkeit *f*; **2.** (*of*) **a)** Duldung *f* (*gen.*), **b)** Nachsicht *f* (mit); **3.** ⚕ Toleranz *f*, 'Widerstandsfähigkeit *f*; **4.** ⊕ Toleranz *f*, zulässige Abweichung, Spiel *n*, Fehlergrenze *f*; **'tol·er·ant** [-rənt] *adj.* □ **1.** tole'rant, duldsam (*of* gegen); **2.** geduldig, nachsichtig; **3.** ⚕ 'widerstandsfähig (*of* gegen); **tol·er·ate** ['tɔləreit] *v/t.* **1.** *et.* dulden, leiden, zulassen, tolerieren; **2.** duldsam *od.* tolerant sein gegen; **3.** *et., j-s Gesellschaft* ertragen; **4.** *bsd.* ⚕ vertragen; **tol·er·a·tion** [tɔlə'reiʃən] *s.* **1.** Duldung *f*; **2.** → *tolerance 1.*
toll¹ [toul] **I.** *v/t.* **1.** *bsd. Totenglocke* läuten, erschallen lassen; **2.** *Stunde* schlagen; **3.** (durch Glockengeläut) verkünden; **II.** *v/i.* **4. a)** läuten, schallen, **b)** schlagen (*Glocke*); **III.** *s.* **5.** Geläut *n*; **6.** Glockenschlag *m.*
toll² [toul] *s.* **1.** (Straßen-, Wege-, Brücken)Zoll *m*, Maut *f*; **2.** Standgeld *n*; **3.** Mahlgeld *n*: *to take ~ of fig.* et. einbehalten von; → *5*; **4.** → *toll-call*; **5.** *fig.* Tri'but *m an Menschenleben etc.*, (Blut)Zoll *m*, (Zahl *f* der) Todesopfer *pl.*: *the ~ of the road* die Verkehrsopfer *od.* -unfälle; *to take* (*a od. its*) *~ of j-n* arg mitnehmen; → *3*; *to take ~ of 100 lives* 100 Todesopfer fordern (*Katastrophe*); **'~-bar** → *toll-gate*; **'~-call** *s. teleph.* **1.** *bsd. Am.* Ferngespräch *n*; **2.** Nahverkehrsgespräch *n*; **~ ex·change** *s. teleph.* **1.** *bsd. Am.* Fernamt *n*; **2.** Nahverkehrsamt *n*; **'~-gate** *s.* Schlagbaum *m* (*Mautstraße*); **'~-house** *s.* Maut(-stelle) *f*; **~ line** *s. teleph.* **1.** *bsd. Am.* Fernleitung *f*: *~ dial(l)ing* Selbstwählfernverkehr; **2.** Nahverkehrsleitung *f*; **~ road** *s.* gebührenpflichtige Straße, Mautstraße *f.*
tol·u·ene ['tɔljui:n], **'tol·u·ol** [-juɔl] *s.* ⚗ Tolu'ol *n.*
tom [tɔm] *s.* **1.** Männchen *n kleinerer Tiere*: *~ turkey* Truthahn, Puter; **2.** Kater *m*; **3.** ♀ *abbr. für Thomas*: *♀ and Jerry Am.* Eiergrog; *♀, Dick, and Harry* Hinz u. Kunz; *♀ Thumb* Däumling.
tom·a·hawk ['tɔməhɔ:k] **I.** *s.* Tomahawk *m* (*Streitaxt der Indianer*): *to bury the ~ fig.* das Kriegsbeil begraben; **II.** *v/t.* mit dem Tomahawk (er)schlagen.
to·ma·to [tə'mɑ:tou] *pl.* **-toes** *s.* ♀ To'mate *f.*
tomb [tu:m] *s.* **1.** Grab(stätte *f*) *n*; **2.** Grabmal *n*, Gruft *f*, Mauso'leum *n*; **3.** *fig.* Grab *n*, Tod *m.*
tom·bac, tom·bak ['tɔmbæk] *s. metall.* Tombak *m.*
tom·bo·la ['tɔmbələ] *s.* 'Tombola *f.*
tom·boy ['tɔmbɔi] *s.* Wildfang *m*, Range *f* (*Mädchen*); **'tom·boy·ish** [-bɔiiʃ] *adj.* ausgelassen, wild.
'tomb·stone *s.* Grabstein *m.*
'tom-cat *s.* Kater *m.*
tome [toum] *s.* **1.** Band *m e-s Werkes*; **2.** (dicker) Wälzer (*Buch*).
tom·fool ['tɔm'fu:l] **I.** *s.* Einfaltspinsel *m*, Narr *m*; **II.** *v/i.* den Narren spielen, albern; **tom·fool·er·y** [tɔm'fu:ləri] *s.* Narre'tei *f*, Albernheit *f*, Unsinn *m.*
tom·my ['tɔmi] *s.* **1. a)** *a. ♀ Atkins* Tommy *m* (*brit. Soldat*), **b)** *a. ♀ sl.* Tommy *m*, *brit.* Landser *m* (*einfacher Soldat*); **2.** ✝ **a)** Natu'ralien *pl.* (*an Stelle von Geldlohn*), **b)** → *tommy system*; **3.** ⚔ *sl.* ,Fres'salien' *pl.*, Verpflegung *f*; **4.** ⊕ **a)** (verstellbarer) Schraubenschlüssel, **b)** Schraubenhebel *m*; **'~-gun** *s.* ⚔ Ma'schinenpi,stole *f*; **~ rot** *s. sl.* (purer) Blödsinn, Quatsch *m*; **~ sys·tem** *s.* ✝ *hist.* 'Trucksy,stem *n* (*Lohnzahlung in Form von Waren*).
to·mor·row, *a.* **to-mor·row** [tə'mɔrou] **I.** *adv.* morgen: *~ week* morgen in e-r Woche *od.* acht Tagen; *~ morning* morgen früh; *~ night* morgen abend; **II.** *s. der* morgige Tag, *das* Morgen: *~'s paper* die morgige Zeitung; *~ never comes* das werden wir nie erleben; *the day after ~* übermorgen.
'tom'tit *s. orn.* (Blau)Meise *f.*
ton¹ [tʌn] *s.* **1.** *engl.* Tonne *f* (*Gewicht*): **a)** *a. long ~ bsd. Brit.* = *2240 lbs. od. 1016,05 kg*, **b)** *a. short ~ bsd. Am.* = *2000 lbs. od. 907,18 kg*, **c)** *a. metric ~* metrische Tonne (= *2205 lbs. od. 1000 kg*); **2.** ⚓ Tonne *f* (*Raummaß*): **a)** *register ~* Registertonne (= *100 cubic feet od. 2,83 m³*), **b)** *gross register ~* Bruttoregistertonne (*Schiffsgrößenangabe*); **3.** *to weigh* (*half*) *a ~* F sehr schwer sein; **4.** *pl. e-e* Unmenge (*of money* Geld): *~s of times* ,tausendmal'.
ton² [tɔ̃:ŋ] (*Fr.*) *s.* **1.** *die* (herrschende) Mode; **2.** Ele'ganz *f*: *in the ~* modisch, elegant.
ton·al ['tounl] *adj.* □ ♪ **1.** Ton..., tonlich; **2.** to'nal; **to·nal·i·ty** [tou'næliti] *s.* **1.** ♪ **a)** Tonali'tät *f*, Tonart *f*, **b)** 'Ton-, 'Klangcha,rakter *m*; **2.** *paint.* Farbton *m.*
tone [toun] **I.** *s.* **1.** *allg.* Ton *m*, Klang *m*: *heart ~s* ⚕ Herztöne; **2.** Ton *m*, Stimme *f*: *in an angry ~* in ärgerlichem Ton, mit zorniger Stimme; **3.** *ling.* **a)** Tonfall *m*, **b)** Tonhöhe *f*, Betonung *f*; **4.** ♪ **a)** (*whole ~* Ganz)Ton *m*, **b)** Klang(-farbe *f*) *m*; **5.** *paint.* (Farb)Ton *m*, Tönung *f*; **6.** ⚕, *a. fig.* Spannkraft *f*; **7.** *fig.* Geist *m*, Haltung *f*; **8.** Stimmung *f* (*a. Börse*); **9.** Ton *m*, Note *f*, Stil *m*: *to set the ~ of* **a)** den Ton angeben für, **b)** den Stil *e-r Sache* bestimmen; **II.** *v/t.* **10.** e-n Ton verleihen (*dat.*), e-e Färbung geben (*dat.*); **11.** *Farbe etc.* abtönen: *to ~ down Farbe, fig. Zorn etc.* dämpfen, mildern; *to ~ up paint. u. fig.* kräftiger machen, (ver)stärken; **12.** *phot.* tonen; **13.** *fig.* **a)** 'umformen, -modeln, **b)** regeln; **III.** *v/i.* **14.** *a. ~ in* (*with*) **a)** verschmelzen (mit), **b)** harmonieren (mit), passen (zu) (*bsd. Farbe*); **15.** *~ down* sich mildern *od.* abschwächen; **16.** *~ up* stärker werden; **'~-arm** *s.* Tonarm

m (*Grammophon*); **~ con·trol** *s.* ⚡ Klangregelung *f.*

tone·less ['tounlis] *adj.* □ **1.** tonlos (*a. Stimme*); **2.** ausdruckslos.

'tone-po·em *s.* ♪ Tondichtung *f.*

tongs [tɔŋz] *s. pl. sg. konstr.* Zange *f*: *a pair of ~* eine Zange; *I would not touch that with a pair of ~* **a)** das möchte ich nicht mit e-r Zange anfassen, **b)** *fig.* mit dieser Sache möchte ich nichts zu tun haben.

tongue [tʌŋ] **I.** *s.* **1.** *anat.* Zunge *f* (*a. fig. Redeweise*): *malicious ~s* böse Zungen; *long* (*ready, sharp*) *~* geschwätzige (leichte, scharfe) Zunge; *to find one's ~* die Sprache wiederfinden; *to give ~* **a)** sich laut u. deutlich äußern (*to* zu), **b)** anschlagen (*Hund*), **c)** Laut geben (*Jagdhund*); *to hold one's ~* den Mund halten; *to keep a civil ~ in one's head* höflich bleiben; *with one's ~ in one's cheek* **a)** ironisch, **b)** mit Hintergedanken; **2.** Sprache *f e-s Volkes*: *one's mother ~* s-e Muttersprache; → *gift 4*; **3.** *fig.* Zunge *f* (*Schuh, Flamme, Klarinette etc.*); **4.** (Glokken)Klöppel *m*; **5.** (Wagen)Deichsel *f*; **6.** ⊕ Feder *f*, Spund *m*: *~ and groove* Feder u. Nut; **7.** Dorn *m* (*Schnalle*); **8.** Zeiger *m* (*Waage*); **9.** *geogr.* Landzunge *f*; **II.** *v/t. u. v/i.* **10.** ♪ mit Flatterzunge blasen; **tongued** [-ŋd] *adj.* **1.** *in Zssgn* -züngig; **2.** ⊕ gefedert, gezapft.

'tongue|-tied *adj.* **1.** ⚕ zungenlahm; **2.** *fig.* **a)** maulfaul, schweigsam, **b)** stumm, sprachlos (*vor Verlegenheit etc.*); **'~-twist·er** *s.* Zungenbrecher *m.*

ton·ic ['tɔnik] **I.** *adj.* (□ *~ally*) **1.** ⚕ 'tonisch: *~ spasm* Starrkrampf; **2.** ⚕ stärkend, belebend (*a. fig.*); **3.** *ling.* Ton...: *~ accent* musikalischer Akzent; **4.** ♪ Tonika..., (Grund-)Ton...: *~ chord* Grundakkord; *~ major* gleichnamige Dur-Tonart; *~ sol-fa* Tonika-Do-System; **5.** *paint.* Tönungs..., Farbgebungs...; **II.** *s.* **6.** ⚕ Stärkungsmittel *n*, 'Tonikum *n*; *fig.* 'Stimulans *n*; **7.** ♪ Grundton *m*, 'Tonika *f*; **8.** *ling.* Haupttonsilbe *f*; **to·nic·i·ty** [tə'nisiti] *s.* **1.** ⚕ Spannkraft *f*; **2.** musi'kalischer Ton.

to·night, *a.* **to-night** [tə'nait] **I.** *adv.* **1.** heute abend; **2.** heute nacht; **II.** *s.* **3.** der heutige Abend; **4.** diese Nacht.

ton·ing so·lu·tion ['touniŋ] *s. phot.* Tonbad *n.*

ton·nage ['tʌnidʒ] *s.* **1.** ⚓ Ton'nage *f*, Tonnengehalt *m*, Schiffsraum *m*; **2.** ⚓ Ge'samtton,nage *f e-s Landes*; **3.** ⚓ Tonnengeld *n*; **4.** ⊕ (Ge'samt-)Produkti,on *f* (*Stahl etc.*).

ton·neau ['tɔnou] *pl.* **-neaus** (*Fr.*) *s. mot.* hinterer Teil (*mit Rücksitzen*) e-s Kraftwagens.

ton·ner ['tʌnə] *s.* ⚓ *in Zssgn* ...tonner, *ein* Schiff von ... Tonnen.

to·nom·e·ter [tou'nɔmitə] *s.* ♪, *phys.* Tonhöhenmesser *m.*

ton·sil ['tɔnsl] *s. anat.* Mandel *f*; **'ton·sil·lar** [-silə] *adj.* Mandel...; **ton·sil·lec·to·my** [tɔnsi'lektəmi] *s.* ⚕ Mandelentfernung *f*; **ton·sil·li·tis** [tɔnsi'laitis] *s.* ⚕ Mandelentzündung *f.*

ton·so·ri·al [tɔn'sɔːriəl] *adj. mst humor.* Barbier...

ton·sure ['tɔnʃə] **I.** *s.* **1.** Haarschneiden *n*, -schur *f*; **2.** *eccl.* Ton'sur *f*; **II.** *v/t.* **3.** tonsurieren, *j-m* e-e Tonsur schneiden.

to·ny ['touni] *adj. Am. sl.* schick, ele'gant.

too [tuː] *adv.* **1.** (*vorangestellt*) zu, allzu: *all ~ familiar* allzu vertraut; *~ fond of comfort* zu sehr auf Bequemlichkeit bedacht; *~ many* zu viele; *none ~ pleasant* nicht gerade angenehm; **2.** F sehr, höchst, äußerst: *it is ~ kind of you*; **3.** (*außer im Am. stets nachgestellt*) auch, ebenfalls, über'dies, noch da'zu.

took [tuk] *pret. von take.*

tool [tuːl] **I.** *s.* **1.** Werkzeug *n*, Gerät *n*, Instru'ment *n*: *~s coll.* Handwerkszeug; *gardener's ~s* Gartengerät; **2.** ⊕ (Bohr-, Schneide- *etc.*) Werkzeug *n e-r Maschine*, *a.* Arbeits-, Drehstahl *m*; **3.** ⊕ 'Werkzeugma,schine *f*; **4.** *typ.* 'Stempelfi,gur *f* (*Punzarbeit*); **5.** *pl. fig.* **a)** Handwerkszeug *n* (*Bücher etc.*), **b)** Rüstzeug *n* (*Fachwissen*); **6.** *fig. contp.* Werkzeug *n*, Handlanger *m*, Krea'tur *f e-s anderen*; **II.** *v/t.* **7.** ⊕ bearbeiten; **8.** *a. ~ up Fabrik* (maschi'nell) ausstatten, -rüsten; **9.** *Bucheinband* punzen; **10.** *sl.* ‚kutschieren' (*fahren*); **III.** *v/i.* **11.** *a. ~ up* die nötigen Ma'schinen aufstellen (*in e-r Fabrik*); **12.** *sl.* (her-'um)gondeln; **'~-bag** *s.* Werkzeugtasche *f*; **'~-box** *s.* Werkzeugkasten *m*; **'~-car·ri·er** *s.* ⊕ Werkzeugschlitten *m.*

tool·ing ['tuːliŋ] *s.* ⊕ **1.** Bearbeitung *f*; **2.** Einrichten *n e-r Werkzeugmaschine*; **3.** Werkzeugausrüstung *f*; **4.** *Buchbinderei*: Punzarbeit *f.*

'tool|·mak·er *s.* ⊕ Werkzeugmacher *m*; **'~-post** *s.* ⊕ Schneidstahlhalter *m.*

toot [tuːt] *v/i.* **1.** (*a. v/t. et.*) tuten, blasen; **2.** hupen (*Auto*).

tooth [tuːθ] **I.** *pl.* **teeth** [tiːθ] *s.* **1.** *anat.* Zahn *m*: *~ and nail fig.* verbissen, erbittert (*be*)*kämpfen*; *armed to the teeth* bis an die Zähne bewaffnet; *in the teeth of fig.* trotz (*gen. od. dat.*), ungeachtet (*gen.*), entgegen (*dat.*); *to cut one's teeth* zahnen; *to draw s.o.'s teeth fig.* **a)** j-n beruhigen, **b)** j-n ungefährlich machen; *to get one's teeth into fig.* sich an *e-e Arbeit etc.* ‚ranmachen'; *to have a sweet ~* gerne Süßigkeiten essen *od.* naschen; *to set s.o.'s teeth on edge* j-m auf die Nerven gehen *od.* ‚weh' tun; *to show one's teeth* die Zähne zeigen (*a. fig.*); → *cast 10*; **2.** Zahn *m e-s Kammes, e-r Säge, e-s Zahnrads etc.*; **3.** (Gabel)Zinke *f*; **II.** *v/t.* **4.** *Rad etc.* bezahnen; **5.** *Brett* verzahnen; **III.** *v/i.* **6.** inein'andergreifen (*Zahnräder*); **'~-ache** *s.* Zahnweh *n*; **'~-brush** *s.* Zahnbürste *f.*

toothed [tuːθt] *adj.* **1.** mit Zähnen (versehen), Zahn..., gezahnt: *~ wheel* Zahnrad; **2.** ⚘ gezähnt, gezackt (*Blattrand*); **3.** ⊕ verzahnt; **'tooth·ing** [-θiŋ] *s.* ⊕ Verzahnung *f*; **'tooth·less** [-θlis] *adj.* zahnlos.

'tooth|-paste *s.* Zahnpasta *f*; **'~-pick** *s.* Zahnstocher *m*; **'~-pow·der** *s.* Zahnpulver *n.*

tooth·some ['tuːθsəm] *adj.* □ schmackhaft.

too·tle ['tuːtl] *v/t. u. v/i.* **1.** (leise) tuten, dudeln; **2.** *sl.* quatschen.

toot·sy(-woot·sy) ['tuːtsi(wuːtsi)] *s. Kindersprache*: Füßchen *n.*

top[1] [tɔp] **I.** *s.* **1.** ober(st)es Ende, Oberteil *n*; Spitze *f*, Gipfel *m e-s Berges etc.*; Krone *f*, Wipfel *m des Baumes*; (Haus)Giebel *m*, Dach (-spitze *f*) *n*; Kopf(ende *n*) *m des Tisches, e-r Buchseite etc.*: *at the ~* oben(an); *at the ~ of* oben an (*dat.*); *at the ~ of one's speed* mit höchster Geschwindigkeit; *at the ~ of one's voice* aus vollem Halse; *page 20 at the ~* auf Seite 20 oben; *on ~* oben (-auf); *on (the) ~ of* oben auf (*dat.*), über (*dat.*); *on ~ of each other* aufeinander *od.* übereinander; *on (the) ~ of it* obendrein; *to go over the ~* **a)** ⚔ zum Sturmangriff (*aus dem Schützengraben*) antreten, **b)** *fig.* es wagen; **2.** *fig.* Spitze *f*, erste *od.* höchste Stelle; 'Spitzenpositi,on *f*: *the ~ of the class* der Primus der Klasse; *the ~ of the tree* (*od. ladder*) *fig.* die höchste Stellung, der Gipfel des Erfolgs; *at the ~* an der Spitze; *to be on ~ (of the world)* obenauf sein; *to come out on ~* als Sieger *od.* Erster hervorgehen; *to come to the ~* an die Spitze kommen, sich durchsetzen; **3.** *fig.* Gipfel *m*, *das* Äußerste *od.* Höchste; **4.** Scheitel *m*, Kopf *m*: *from ~ to toe* von Kopf bis Fuß; *to blow one's ~ sl.* ‚hochgehen', e-n Wutanfall haben; **5.** Oberfläche *f des Tisches, Wassers etc.*; **6.** *mot. etc.* Verdeck *n*; **7.** (Bett)Himmel *m*; **8.** (Möbel)Aufsatz *m*; **9.** ⚓ Mars *m, f*, Topp *m*; **10.** (Schuh)Oberleder *n*; **11.** Stulpe *f* (*Stiefel, Handschuh*); **12.** (Topf- *etc.*)Deckel *m*; **13.** ⚘ **a)** (oberer Teil e-r) Pflanze *f* (*Ggs. Wurzel*), **b)** *mst pl.* (Rüben- *etc.*) Kraut *n*; **14.** Blume *f des Bieres*; **15.** *mot.* → *top gear*; **II.** *adj.* **16.** oberst: *~ line* Kopf-, Titelzeile; *the ~ rung fig.* oberste Stelle, höchste Stellung; **17.** höchst: *~ efficiency* ⊕ Spitzenleistung; *~ price* Höchstpreis; *~ speed* Höchstgeschwindigkeit; *~ secret* streng geheim; **18.** *der* (*die, das*) erste; **19.** Haupt...; **III.** *v/t.* **20.** (oben) bedecken; krönen; **21.** über'ragen; **22.** *fig.* über'treffen, -'ragen; **23.** die Spitze erreichen; **24.** an der Spitze *der Klasse, e-r Liste etc.* stehen; **25.** über'steigen; **26.** ⚒ stutzen, kappen; **27.** *Hindernis* nehmen; **28.** *Golf*: *Ball* oben schlagen; **~ off** *v/t.* F *et.* abschließen *od.* krönen (*with* mit).

top[2] [tɔp] *s.* Kreisel *m* (*Spielzeug*); → *sleep 1.*

to·paz ['toupæz] *s. min.* To'pas *m.*

'top|-'boots *s. pl.* Stulpenstiefel *pl.*, Langschäfter *pl.*; **'~'coat** *s.* 'Überzieher *m*; **~ dog** *s.* F *fig.* **1.** *der* Herr *od.* Über'legene; *der* Sieger; **2.** ‚Chef' *m*, *der* Oberste; **3.** *der* (*die, das*) Beste; **~ draw·er** *s.* **1.** oberste Schublade; **2.** F *fig. die* oberen Zehntausend: *he does not come from the ~ er* kommt nicht aus vornehmster Familie; **'~-'dress·ing** *s.* **1.** ⚒ Kopfdüngung *f*; **2.** ⊕ Oberflächenbeschotterung *f.*

tope[1] [toup] *v/t. u. v/i.* **trinken,** ‚saufen'.
tope[2] [toup] *s. ichth.* Glatthai *m.*
to·pee ['toupi] *s.* Tropenhelm *m.*
top·er ['toupə] *s.* Säufer *m*, Zecher *m.*
'top|·flight *adj.* F erstklassig, prima; **~·gal·lant** [tɔp'gælənt; ⚓ tə'g-] ⚓ **I.** *s.* Bramsegel *n*; **II.** *adj.* Bram...: *~ sail*; **~ gear** *s. mot.* höchster Gang; **~ ham·per** *s.* ⚓ obere Takelung; **~ hat** *s.* Zy'linder(hut) *m*; **'~-'heav·y** *adj.* **1.** oben schwerer als unten (*Gefäß etc.*); **2.** ⚓ topplastig; **3.** ✈ kopflastig; **4.** ✝ **a)** 'überbewertet (*Wertpapiere*), **b)** 'überkapitali͵siert (*Wirtschaft*); **'~-'hole** *adj. Brit. sl.* ‚ganz groß', erstklassig.
top·ic ['tɔpik] *s.* **1.** 'Thema *n*, Gegenstand *m*; **2.** *phls.* 'Topik *f*; **'top·i·cal** [-kəl] **I.** *adj.* □ **1.** örtlich, lo'kal (*a.* ⚕): *~ colo(u)rs* topische Farben; **2.** aktu'ell, von aktuellem Inter'esse: *~ talk Radio*: Zeitfunk; **3.** the'matisch; **II.** *s.* **4.** aktueller Film; **top·i·cal·i·ty** [tɔpi'kæliti] *s.* aktuelle *od.* örtliche Bedeutung.
top| kick → *top sergeant*; **'~·knot** *s.* **1.** Haarknoten *m*, -büschel *n*; **2.** *orn.* (Feder)Haube *f*, Schopf *m*; **3.** *sl.* ‚Birne' *f* (*Kopf*); **4.** *ichth.* Butterfisch *m.*
top·less ['tɔplis] *adj.* **1.** ohne Kopf; **2.** unermeßlich hoch; **3.** ‚oben ohne' (*Kleid*): *~ dress* Oben-ohne-Kleid.
'top|-light *s.* ⚓ 'Toppla͵terne *f*; **~-'lin·er** *s.* F Promi'nente(r *m*) *f*, Star *m*; **'~·mast** [-mɑ:st; -məst] *s.* ⚓ (Mars)Stenge *f*; **'~·most** *adj.* höchst, oberst; **'~-'notch** *adj.* F prima, erstklassig; **'~'notch·er** *s. bsd. Am.* F ‚Ka'none' *f* (*Könner*).
to·pog·ra·pher [tə'pɔgrəfə] *s. geogr.* Topo'graph *m*; **top·o·graph·ic** *adj.*; **top·o·graph·i·cal** [tɔpə'græfik(əl)] *adj.* □ topo'graphisch; **to'pog·ra·phy** [-fi] *s.* **1.** *geogr., a.* ⚕ Topogra'phie *f*; **2.** Ortsbeschreibung *f*; **3.** ⚔ Geländekunde *f.*
top·per ['tɔpə] *s.* **1.** ⚠ oberer Stein; **2.** ✝ F (oben'aufliegendes) Schaustück (*Obst etc.*); **3.** F Zy'linder *m* (*Hut*); **4.** F ‚(tolles) Ding'; **5.** ‚Pfundskerl' *m*; **top·ping** ['tɔpiŋ] *adj.* □ F prima, 'tipp'topp, fabelhaft.
top·ple ['tɔpl] **I.** *v/i.* **1.** wackeln; **2.** kippen, stürzen, purzeln: *to ~ down* (*od. over*) umkippen, hinpurzeln, niederstürzen; **II.** *v/t.* **3.** ins Wanken bringen, stürzen: *to ~ over* umstürzen, -kippen.
tops [tɔps] *adj. Am.* F prima, erstklassig; an erster Stelle (stehend).
top|·sail ['tɔpsl] *s.* ⚓ Marssegel *n*; **~-'saw·yer** *s.* F *fig.* ‚hohes Tier'; **~ ser·geant** *s.* ⚔ *Am.* F Hauptfeldwebel *m*, ‚Spieß' *m*; **'~-soil** *s.* ✐ Boden-, Ackerkrume *f.*
top·sy·tur·vy ['tɔpsi'tə:vi] **I.** *adv.* **1.** das Oberste zu'unterst, auf den Kopf: *to turn everything ~* alles auf den Kopf stellen; **2.** kopf'über, kopf'unter *fallen*; **3.** drunter u. drüber, verkehrt; **II.** *adj.* **4.** auf den Kopf gestellt, in wildem Durchein'ander, cha'otisch; **III.** *s.* **5.** (wildes) Durcheinander, Kuddelmuddel *m*, *n*; **'top·sy'tur·vy·dom** [-dəm] → *topsyturvy 5.*
'top-track *s.* Spur 1 *od.* obere Spur *e-s Tonbands.*
toque [touk] *s.* Toque *f* (*randloser Damenhut*).
tor [tɔ:] *s. Brit.* Felsturm *m.*
torch [tɔ:tʃ] *s.* **1.** Fackel *f* (*a. fig. der Wissenschaft*): *to carry a ~ for Am. fig. Mädchen* (von ferne) verehren; **2.** *electric ~ Brit.* (Stab)Taschenlampe *f*; **3.** ⊕ Schweißbrenner *m*; **~ bat·ter·y** *s. Brit.* 'Stabbatte͵rie *f*; **'~-bear·er** *s.* Fackelträger *m* (*a. fig.*); **'~-lamp** *s.* ⊕ Lötlampe *f*; **'~·light** *s.* Fackelschein *m*, -beleuchtung *f*: *~ procession* Fackelzug; **~ pine** *s.* ⚘ (Amer.) Pechkiefer *f*; **'~-sing·er** *s. Am.* Sängerin *f* sentimen'taler Liebeslieder; **'~-weld·ing** *s.* ⊕ Gasschweißung *f.*
tore [tɔ:] *pret. von tear*[2].
tor·e·a·dor ['tɔriədɔ:] (*Span.*) *s.* Torea'dor *m*, berittener Stierkämpfer.
to·re·ro [tɔ'rɛərou] *pl.* **-ros** (*Span.*) *s.* Stierkämpfer *m* (*zu Fuß*).
tor·ment I. *v/t.* [tɔ:'ment] **1.** quälen, peinigen, foltern, plagen (*with* mit): *~ed with* gequält *od.* gepeinigt von (*Zweifel etc.*); **II.** *s.* ['tɔ:ment] **2.** Qual *f*, Pein *f*, Marter *f*: *to be in ~* Qualen ausstehen; **3.** Plage *f*; **4.** Quälgeist *m*; **tor'men·tor** [-tə] *s.* **1.** Peiniger *m*; **2.** Quälgeist *m*; **3.** ✐ Kulti'vator *m*; **4.** ⚓ lange Fleischgabel; **tor'men·tress** [-tris] *s.* Peinigerin *f.*
tor·mi·na ['tɔ:minə] *s. pl.* ⚕ Leibschmerzen *pl.*, 'Kolik *f.*
torn [tɔ:n] *p.p. von tear*[2].
tor·na·do [tɔ:'neidou] *pl.* **-does** *s.* **1.** Tor'nado *m*: **a)** *Wirbelsturm in den USA*, **b)** *tropisches Wärmegewitter*; **2.** *fig.* Or'kan *m* (*Wutausbruch etc.*).
tor·pe·do [tɔ:'pi:dou] **I.** *pl.* **-does** *s.* **1.** ⚓ Tor'pedo *m*; **2.** *aerial ~* ✈ 'Lufttor͵pedo *m*; **3.** *a. toy ~* Knallerbse *f*; **4.** *a. ~-fish ichth.* Zitterrochen *m*; **II.** *v/t.* **5.** torpedieren (*a. fig. vereiteln*); **~-boat** *s.* ⚓ Tor'pedoboot *n*; **~-plane** *s.* ⚔ Tor'pedoflugzeug *n*; **~-tube** *s.* Tor'pedorohr *n.*
tor·pid ['tɔ:pid] **I.** *adj.* □ **1.** starr, erstarrt, betäubt; **2.** träge, schlaff; **3.** a'pathisch, stumpf; **II.** *s.* **4.** *mst pl.* Bootsrennen *n* der Colleges in Oxford; **5.** *Boot in diesem Rennen*; **tor·pid·i·ty** [tɔ:'piditi], **'tor·pid·ness** [-nis], **'tor·por** [-pə] *s.* **1.** Erstarrung *f*, Betäubung *f*; **2.** Träg-, Schlaffheit *f*; **3.** Apa'thie *f*, Stumpfheit *f.*
torque [tɔ:k] *s.* ⊕, *phys.* 'Drehmo͵ment *n*; **~ shaft** *s.* ⊕ Dreh-, Torsi'onsstab *m.*
tor·re·fac·tion [tɔri'fækʃən] *s.* ⚗, ⊕ Rösten *n*, Dörren *n*; **tor·re·fy** ['tɔrifai] *v/t.* rösten, darren, dörren.
tor·rent ['tɔrənt] *s.* **1.** reißender Strom, *bsd.* Wild-, Sturzbach *m*; **2.** (Lava)Strom *m*; **3.** *pl.* Wolkenbruch *m*: *it rains in ~s* es gießt in Strömen; **4.** *fig.* Strom *m*, Schwall *m*, Sturzbach *m von Worten etc.*; **tor·ren·tial** [tɔ'renʃəl] *adj.* □ **1.** reißend, strömend, sturzbachartig; **2.** wolkenbruchartig; **3.** *fig.* **a)** über'wältigend, wortreich, **b)** wild, ungestüm.
tor·rid ['tɔrid] *adj.* **1.** sengend, brennend heiß (*a. fig. Leidenschaft etc.*): *~ zone geogr.* heiße Zone; **2.** ausgedörrt, verbrannt: *~ plain.*
tor·sion ['tɔ:ʃən] *s.* **1.** *a.* ⚖ Drehung *f*; **2.** ⊕, *phys.* Torsi'on *f*, Verdrehung *f*: *~ balance* Drehwaage; **3.** ⚕ Abschnürung *f e-r Arterie*; **'tor·sion·al** [-ʃənl] *adj.* Dreh..., (Ver-)Drehungs..., Torsions...: *~ force.*
tor·so ['tɔ:sou] *pl.* **-sos** *s.* 'Torso *m*: **a)** Rumpf *m*, **b)** *fig.* Bruchstück *n*, unvollendetes Werk.
tort [tɔ:t] *s.* ⚖ unerlaubte Handlung, Zi'vilunrecht *n*: *law of ~s* Schadenersatzrecht; **'~-fea·sor** [-fi:zə] *s.* ⚖ rechtswidrig Handelnde(r) *m.*
tor·til·la [tɔ:'ti:ljə] (*Span.*) *s. Am. dial.* Tor'tilla *f* (*Maiskuchen*).
tor·tious ['tɔ:ʃəs] *adj.* □ ⚖ rechtswidrig.
tor·toise ['tɔ:təs] **I.** *s. zo.* Schildkröte *f*: *as slow as a ~ fig.* (langsam) wie e-e Schnecke; **II.** *adj.* Schildpatt...; **'~-shell** *s.* Schildpatt *n*: *~ cat zo.* Schildpattkatze.
tor·tu·os·i·ty [tɔ:tju'ɔsiti] *s.* **1.** Krümmung *f*, Windung *f*; **2.** Gewundenheit *f* (*a. fig.*); **3.** *fig.* Unlauterkeit *f*; **tor·tu·ous** ['tɔ:tjuəs] *adj.* □ **1.** gewunden, verschlungen, gekrümmt; **2.** *fig.* gewunden; **3.** *fig.* ‚krumm', unehrlich.
tor·ture ['tɔ:tʃə] **I.** *s.* **1.** Folter(ung) *f*: *to put to the ~* foltern; **2.** *fig.* Tor'tur *f*, Marter *f*, (Folter)Qual(en *pl.*) *f*; **II.** *v/t.* **3.** foltern, martern; *fig. a.* quälen, peinigen; **4.** zwingen, pressen (*into* in *acc.*, zu); **5.** *Text etc.* verdrehen; **'tor·tur·er** [-ərə] *s.* **1.** Folterknecht *m*; **2.** *fig.* Peiniger *m.*
to·rus ['tɔ:rəs] *pl.* **-ri** [-rai] *s.* ⚠, ⚖, ⚘, ⚕ 'Torus *m.*
To·ry ['tɔ:ri] *bsd.* F *od. contp.* **I.** *s.* Tory *m* (*englischer Konservativer*); **II.** *adj.* Tory..., konserva'tiv; **'To·ry·ism** [-iizəm] *s.* Torytum *n.*
tosh [tɔʃ] *s. Brit. sl.* ‚Quatsch' *m*, Unsinn *m.*
toss [tɔs] **I.** *v/t.* **1.** werfen, schleudern: *to ~ off* **a)** *Reiter* abwerfen (*Pferd*), **b)** *Getränk* hinunterstürzen, **c)** *Arbeit* ‚hinhauen'; **2.** *a. ~ up Münze etc., a. Kopf* hochwerfen: *to ~ s.o. for* mit j-m um *et.* losen (*durch Münzwurf*); **3.** *a. ~ about* hin- u. herschleudern, schütteln; **4.** ⚓ *Riemen* pieken: *~ oars!* Riemen hoch!; **II.** *v/i.* **5.** *a. ~ about* sich *im Schlaf etc.* hin- u. herwerfen *od.* -wälzen; **6.** *a. ~ about* hin- u. hergeworfen werden, geschüttelt werden; hin- u. herschwanken; flattern; **7.** rollen (*Schiff*); **8.** schwer gehen (*See*); **9.** *a. ~ up* (durch Hochwerfen e-r Münze) losen *od.* knobeln (*for* um); **III.** *s.* **10.** Werfen *n*, Wurf *m*; **11.** Hoch-, Zu'rückwerfen *n des Kopfes*; **12. a)** Hochwerfen *n* e-r Münze, **b)** → *toss-up*; **13.** Sturz *m vom Pferd etc.*: *to take a ~* stürzen, *bsd.* abgeworfen werden; **'~-up** *s.* **1.** Losen *n mit e-r Münze*, Loswurf *m*; **2.** *fig.* ungewisse Sache: *it is a ~ whether* es ist völlig offen, ob.
tot[1] [tɔt] *s.* F **1.** Knirps *m*, Kerlchen

n; **2.** *Brit.* Schlückchen *n*; **3.** *fig.* Häppchen *n*.

tot[2] [tɔt] F **I.** *s.* **1.** (Gesamt)Summe *f*; **2.** a) Additi'onsaufgabe *f*, **b)** Additi'on *f*; **II.** *v/t.* **3.** ~ *up* zs.-zählen; **III.** *v/i.* **4.** ~ *up* sich belaufen (*to* auf *acc.*); sich summieren.

to·tal ['toutl] **I.** *adj.* □ **1.** ganz, gesamt, Gesamt...; **2.** to'tal, Total..., völlig, gänzlich; **II.** *s.* **3.** (Gesamt-) Summe *f*, Gesamtbetrag *m*, -menge *f*: *a ~ of 20 cases* insgesamt 20 Kisten; **4.** *die* Gesamtheit, *das* Ganze; **III.** *v/t.* **5.** zs.-zählen; **6.** insgesamt betragen, sich belaufen auf (*acc.*): *total(l)ing $70* im Gesamtbetrag von 70 Dollar; **to·tal·i·tar·i·an** [toutæli'tɛəriən] *adj. pol.* totali'tär; **to·tal·i·tar·i·an·ism** [toutæli'tɛəriənizəm] *s.* totali'täres Sy'stem; **to·tal·i·ty** [tou'tæliti] *s.* **1.** Gesamtheit *f*; **2.** Vollständigkeit *f*; **3.** *ast.* to'tale Verfinsterung; **'to·tal·i·za·tor** [-təlaizeitə] *s. Pferderennen*: Totali'sator *m*; **'to·tal·ize** [-təlaiz] *v/t.* **1.** zs.-zählen; **2.** (zu e-m Ganzen) zs.-fassen; **'to·tal·iz·er** [-təlaizə] → *totalizator*.

tote[1] [tout] *s. sl.* → *totalizator*.

tote[2] [tout] *Am.* F **I.** *v/t.* **1.** tragen, (mit sich) schleppen; **2.** transportieren; **II.** *s.* **3.** (Trag)Last *f*.

to·tem ['toutəm] *s.* 'Totem *n*; **'~-pole, '~-post** *s.* 'Totempfahl *m*.

tot·ter ['tɔtə] *v/i.* **1.** torkeln; **2.** wanken: *to ~ to one's grave fig.* dem Grabe zuwanken; **3.** (sch)wanken, wackeln: *to ~ to its fall fig.* (allmählich) zs.-brechen (*Reich etc.*); **'tot·ter·ing** [-əriŋ] *adj.* □, **'tot·ter·y** [-əri] *adj.* torkelig; wack(e)lig, (sch)wankend.

touch [tʌtʃ] **I.** *s.* **1.** Berührung *f*: *at a ~* beim Berühren; *on the slightest ~* bei der leisesten Berührung; *it has a velvety ~* es fühlt sich wie Samt an; *that was a (near) ~* F das hätte ins Auge gehen können; **2.** Tastsinn *m*: *it is soft to the ~* es fühlt sich weich an; **3.** (*Pinsel- etc.*)Strich *m*: *to put the finishing ~es to* letzte Hand legen an (*acc.*), *e-r Sache* den letzten Schliff geben; **4.** ♪ a) Anschlag *m des Pianisten od. des Pianos*, **b)** Strich *m des Geigers*; **5.** *fig.* Fühlung(nahme) *f*, Verbindung *f*, Kon'takt *m*: *to get into ~ with* sich in Verbindung setzen mit, Fühlung nehmen mit; *to keep in ~ with* in Verbindung bleiben mit; *to lose ~ with* den Kontakt mit *j-m od. e-r Sache* verlieren; *to put s.o. in ~ with* j-n in Verbindung setzen mit; *within ~* in Reichweite; **6.** *fig.* Hand *f des Meisters etc.*, Stil *m*; (souve'räne) Ma'nier: *light ~* leichte Hand; *with sure ~* mit sicherer Hand; **7.** Einfühlungsvermögen *n*, Feingefühl *n*; **8.** *e-e* Spur *Pfeffer etc.*: *a ~ of red* ein rötlicher Hauch; **9.** Anflug *m von Sarkasmus etc.*, Hauch *m von Romantik etc.*: *he has a ~ of genius* er hat etwas von e-m Genie; **10.** ⚕ *etc.* (leichter) Anfall: *a ~ of flu* e-e leichte Grippe; **11.** (besondere) Note, Zug *m*: *the personal ~* die persönliche Note; **12.** *fig.* Stempel *m*, Gepräge *n*; **13.** Probe *f*: *to put to the ~* auf die Probe stellen; **14.** *Rugby etc.*: Mark *f* (*Außenfeld*); **15.** Fangspiel *n*; **16.** *sl.* a) Anpumpen *n*, **b)** gepumptes Geld; **II.** *v/t.* **17.** an-, berühren (*a. weitS. Essen etc. mst neg.*); anfassen, angreifen: *to ~ one's hat to j-n* grüßen; *to ~ the spot* das Richtige treffen; **18.** befühlen, betasten; **19.** *Hand etc.* legen (*to* an *acc.*, auf *acc.*); **20.** mitein'ander in Berührung bringen; **21.** in Berührung kommen *od.* stehen mit; **22.** drücken auf (*acc.*), (leicht) anstoßen: *to ~ the bell* klingeln; *to ~ glasses* (mit den Gläsern) anstoßen; **23.** grenzen *od.* stoßen an (*acc.*); **24.** reichen an (*acc.*), erreichen; F *fig.* her'anreichen an (*acc.*), gleichkommen (*dat.*); **25.** erlangen, erreichen; **26.** ♪ *Saiten* rühren; *Ton* anschlagen; **27.** tönen, (leicht) färben; *fig.* färben, beeinflussen; **28.** beeindrucken; rühren, bewegen: *~ed to tears* zu Tränen gerührt; **29.** *fig.* verletzen, treffen; **30.** *fig.* berühren, betreffen; **31.** in Mitleidenschaft ziehen, mitnehmen: *~ed* a) angegangen (*Fleisch*), **b)** ‚bekloppt', ‚nicht ganz bei Trost' (*Person*); **32.** *Ort* berühren, haltmachen in (*dat.*); *Hafen* anlaufen; **33.** *sl.* anpumpen (*for* um); **III.** *v/i.* **34.** sich berühren; **35.** ~ *at* ⚓ anlegen bei *od.* in (*dat.*), anlaufen (*acc.*); **36.** ~ *(up)on fig.* berühren: a) (kurz) erwähnen, **b)** betreffen; *Zssgn mit adv.*:

touch| down *v/i.* **1.** *Rugby etc.*: e-n Versuch legen *od.* erzielen; **2.** ✈ aufsetzen; ~ **off** *v/t.* **1.** skizzieren; **2.** *Skizze* flüchtig entwerfen; **3.** *Sprengladung, fig. Suchaktion etc.* auslösen; **4.** *Telephonhörer* auflegen, einhängen; ~ **up** *v/t.* auffrischen; erneuern; *phot.* retuschieren.

touch|-and-go ['tʌtʃən'gou] **I.** *s.* **1.** ris'kante Sache, pre'käre Situati'on: *it was ~* es hing an e-m Haar, es stand auf des Messers Schneide; **II.** *adj.* **2.** ris'kant; **3.** flüchtig, oberflächlich; **'~-down** *s.* **1.** *Rugby*: Versuch *m*; **2.** ✈ Aufsetzen *n*.

touch·ing ['tʌtʃiŋ] **I.** *adj.* □ *fig.* rührend, ergreifend; **II.** *prp. a. as ~* betreffs, betreffend.

'touch|-line *s. sport* a) *Fußball*: Seitenlinie *f*, **b)** *Rugby*: Marklinie *f*; **'~-me-not** *s.* ⚘ Rührmichnichtan *n*; **'~·pa·per** *s.* 'Zündpa'pier *n*; **'~stone** *s.* **1.** *min.* Probierstein *m*; **2.** *fig.* Prüfstein *m*; **'~wood** *s.* **1.** Zunder(holz *n*) *m*; **2.** ⚘ Zunderschwamm *m*.

touch·y ['tʌtʃi] *adj.* □ **1.** empfindlich, reizbar; **2.** heikel, kitzlig (*Thema*).

tough [tʌf] **I.** *adj.* □ **1.** *allg.* zäh: a) hart, 'widerstandsfähig, **b)** ro'bust, stark (*Person, Körper etc.*), **c)** hartnäckig (*Kampf, Wille etc.*); **2.** *fig.* schwierig, unangenehm, ‚bös' (*Arbeit etc., a.* F *Person*); F eklig, grob (*Person*): *it was ~ going* F es war ein saures Stück Arbeit; *he is a ~ customer* mit ihm ist nicht gut Kirschen essen; *~ luck* F ‚Pech'; **3.** *bsd. Am.* 'rowdyhaft, bru'tal, übel, Verbrecher...: *to get ~ with s.o.* j-m gegenüber massiv werden; **II.** *s.* **4.** *bsd. Am.* 'Rowdy *m*, ‚Schläger' *m*, ‚übler Kunde'; **tough·en** ['tʌfn] *v/t. u. v/i.* zäh(er) *etc.* machen (werden); **tough·ie** ['tʌfi] *s. Am. sl.* **1.** ‚harte Nuß', schwierige Sache; **2.** → *tough 4*; **'tough·ness** [-nis] *s.* **1.** Zähigkeit *f*, Härte *f* (*a. fig.*); **2.** Ro'bustheit *f*; **3.** *fig.* Hartnäckigkeit *f*; **4.** Schwierigkeit *f*.

tou·pee ['tu:pei] (*Fr.*) *s.* **1.** Tou'pet *n* (*Haarersatzstück*); **2.** falsches Stirnhaar.

tour [tuə] **I.** *s.* **1.** Tour *f* (*of* durch): a) (Rund)Reise *f*, (-)Fahrt *f*, **b)** Ausflug *m*, Wanderung *f*: *conducted ~* Gesellschaftsreise; *the grand ~ hist.* (Bildungs)Reise durch Europa; **2.** Rundgang *m* (*of* durch): *~ of inspection* Besichtigungsrundgang *od.* -rundfahrt; **3.** *thea.* Tour'nee *f*, Gastspielreise *f*: *to go on ~* auf Tournee gehen; **4.** ⚔ ('turnusmäßige) Dienstzeit; **II.** *v/t.* **5.** bereisen; **III.** *v/i.* **6.** e-e (*thea.* Gastspiel)Reise machen (*through, about* durch); **~ de force** ['tuədə'fɔ:s] (*Fr.*) *s.* **1.** Gewaltakt *m*; **2.** Glanzleistung *f*.

tour·ing ['tuəriŋ] *adj.* Touren..., Reise...: *~-car mot.* Tourenwagen; **tour·ism** ['tuərizəm] *s.* Reise-, Fremdenverkehr *m*, Tou'ristik *f*; **tour·ist** ['tuərist] **I.** *s.* Tou'rist(in), (Ferien-, Vergnügungs)Reisende(r *m*) *f*; **II.** *adj.* Reise..., Fremden(verkehrs)..., Touristen...: *~ agency, ~ bureau, ~ office* Reisebüro, *a.* Verkehrsamt, -verein; *~ class* ⚓, ✈ Touristenklasse; *~ industry* Fremdenverkehr(sindustrie); *~ season* Reisezeit; *~ ticket* Rundreisekarte.

tour·na·ment ['tuənəmənt] *s.* (*Ritter-, a. Schach-, Tennis- etc.*)Tur'nier *n*.

tour·ney ['tuəni] **I.** *s. bsd. hist.* Tur'nier *n*; **II.** *v/i.* turnieren.

tou·sle ['tauzl] *v/t. Haar etc.* (zer-) zausen.

tout [taut] **I.** *v/i.* **1.** (*bsd. aufdringliche* Kunden-, Stimmen)Werbung treiben (*for* für); **2.** *Pferderennen*: a) *Brit.* sich *durch Spionieren* gute Renntips verschaffen, **b)** *bsd. Am.* Wett-Tips geben; **II.** *s.* **3.** Kundenschlepper *m*, -werber *m*; **4.** *Pferderennen*: a) *Brit.* ‚Spi'on' *m beim Pferdetraining*, **b)** Tipgeber *m*.

tow[1] [tou] **I.** *s.* **1.** a) Schleppen *n*, **b)** Schlepptau *n*: *to have in ~* im Schlepptau haben (*a. fig.*); *to take ~* sich schleppen lassen; *to take in ~ bsd. fig.* ins Schlepptau nehmen; **2.** *bsd.* ⚓ Schleppzug *m*; **II.** *v/t.* **3.** (ab)schleppen, ins Schlepptau nehmen: *~ed flight (target)* Schleppflug (-ziel); **4.** *Schiff* treideln; **5.** *fig. j-n* ab-, mitschleppen, *wohin* bugsieren.

tow[2] [tou] *s.* (Schwing)Werg *n*.

tow·age ['touidʒ] *s.* **1.** Schleppen *n*, Bugsieren *n*; **2.** Schleppgebühr *f*.

to·ward **I.** *adj.* ['touəd] **1.** *obs.* fügsam; **2.** *obs. od. Am.* vielversprechend; **3.** im Gange, am Werk; **4.** bevorstehend; **II.** *prp.* [tə'wɔ:d] **5.** auf (*acc.*) ... zu, (nach) ... zu, nach ... hin, gegen *od.* zu ... (hin); **6.** *zeitlich*: gegen; **7.** *Gefühle etc.* gegen'über; **8.** *als Beitrag* zu, um *e-r Sache* willen, zum Zwecke (*gen.*): *efforts ~ reconciliation* Bemühungen um e-e Versöhnung; **to·wards** [tə'wɔ:dz] → *toward II*.

ˈtow-boat *s.* Schleppschiff *n*, Schlepper *m*.

tow·el [ˈtauəl] **I.** *s.* **1.** Handtuch *n*: *to throw in the ~ Boxen*: das Handtuch werfen (*a. fig. sich geschlagen geben*); **II.** *v/t.* **2.** (mit e-m Handtuch) (ab)trocknen, (-)reiben; **3.** *Brit. j-m* ‚e-e Abreibung geben', *j-n* prügeln; **ˈ~-horse** *s.* Handtuchständer *m*.

tow·el·(l)ing [ˈtauəliŋ] *s.* **1.** Handtuchstoff *m*; **2.** Abreibung *f* (*Brit. a. fig. Prügel*).

ˈtow·el-rack *s.* Handtuchhalter *m*.

tow·er [ˈtauə] **I.** *s.* **1.** Turm *m*; **2.** Feste *f*, Bollwerk *n*: *~ of strength fig.* starker Hort, Säule; **3.** Zwinger *m*, Festung *f* (*Gefängnis*); **4.** ⚗ Turm *m* (*Reinigungsanlage*); **II.** *v/i.* **5.** (hoch)ragen, sich (emˈpor)türmen (*to* zu): *to ~ above et. od. j-n* (weit) überragen (*a. fig. turmhoch überlegen sein* [*dat.*]); **ˈtow·ered** [-əd] *adj.* (hoch)getürmt; **ˈtow·er·ing** [-əriŋ] *adj.* **1.** (turm)hoch, hoch-, aufragend; **2.** *fig.* maßlos, gewaltig: *~ ambition*; *~ passion*; *~ rage* rasende Wut.

tow·ing [ˈtouiŋ] *adj.* (Ab)Schlepp...; **ˈ~-line, ˈ~-path, ˈ~-rope** → *tow-line, tow-path, tow-rope*.

ˈtow-line *s.* ⚓ Treidelleine *f*, Schlepptau *n*.

town [taun] **I.** *s.* **1.** Stadt *f* (*unter dem Rang e-r City*); **2.** *the ~ fig.* die Stadt: **a)** die Stadtbevölkerung, die Einwohnerschaft, **b)** das Stadtleben; **3.** *Brit.* Marktflecken *m*; **4.** *ohne art.* die (nächste) Stadt: **a)** Stadtzentrum *n*, **b)** *Brit. bsd.* London: *to ~* nach der *od.* in die Stadt, *Brit. bsd.* nach London; *out of ~* nicht in der Stadt, *Brit. bsd.* nicht in London, auswärts; *to go to ~ sl.* **a)** Erfolg haben, **b)** ‚aufdrehen', ‚auf die Pauke hauen'; → *paint* 2; **5.** *Brit.* Bürgerschaft *f e-r Universitätsstadt*; → *gown* 2; **II.** *adj.* **6.** städtisch, Stadt..., Städte...; **ˈ~-bred** *adj.* in der Stadt aufgewachsen; **~ cen·tre** *s. Brit.* Innenstadt *f*, City *f*; **~ clerk** *s.* ˈStadtˌsyndikus *m*; **~ coun·cil** *s.* Stadtrat *m* (*Versammlung*); **~ coun·cil·(l)or** *s.* Stadtverordnete(r *m*) *f*, Stadtrat *m*; **~ cri·er** *s.* Ausrufer *m*; **~ hall** *s.* Rathaus *n*; **~ house** *s. bsd. Brit.* Rathaus *n*; **ˈ~-meet·ing** *s. pol.* **1.** Bürgerversammlung *f*; **2.** *bsd. Am.* Wählerversammlung *f in Neuengland*; **ˈ~-ˈplan·ning** *s.* Städtebau *m*, Stadtplanung *f*; **ˈ~-scape** [-skeip] *s.* Stadtbild *n*.

towns·folk [ˈtaunzfouk] *s. pl.* Stadtleute *pl.*, Städter *pl.*

town·ship [ˈtaunʃip] *s.* **1.** *hist.* (Dorf-, Stadt)Gemeinde *f od.* (-)Gebiet *n*; **2.** *Am.* Verwaltungsbezirk *m*; **3.** *surv. Am.* 6 Quaˈdratmeilen großes Gebiet.

towns|·man [ˈtaunzmən] *s.* [*irr.*] **1.** Städter *m*, Stadtbewohner *m*; **2.** *fellow-~* Mitbürger *m*; **ˈ~·peo·ple** [-nz-] → *townsfolk*.

ˈtown·ward(s) [-wəd(z)] *adv.* stadtwärts.

ˈtow|-path *s.* Lein-, Treidelpfad *m*; **ˈ~-rope** → *tow-line*.

tox·(a)e·mi·a [tɔkˈsiːmiə] *s.* ⚕ Blutvergiftung *f*.

tox·ic *adj.*; **tox·i·cal** [ˈtɔksik(əl)] *adj.* □ giftig, ˈtoxisch, Gift...; **ˈtox·i·cant** [-sikənt] **I.** *adj.* giftig, toxisch; **II.** *s.* Gift(stoff *m*, -körper *m*) *n*; **tox·i·co·log·i·cal** [tɔksikəˈlɔdʒikəl] *adj.* □ toxikoˈlogisch; **tox·i·col·o·gist** [tɔksiˈkɔlədʒist] *s.* ⚕ Toxikoˈloge *m*; **tox·i·col·o·gy** [tɔksiˈkɔlədʒi] *s.* ⚕ Toxikoloˈgie *f*, Giftkunde *f*; **ˈtox·in** [-sin] *s.* ⚕ Toˈxin *n*, Gift(stoff *m*) *n*.

toy [tɔi] **I.** *s.* **1.** (Kinder)Spielzeug *n* (*a. fig.*); *pl.* Spielwaren *pl.*, -sachen *pl.*; **2.** *fig.* Tand *m*, ‚Kinkerlitzchen' *n*; **II.** *v/i.* **3.** (*with*) spielen (mit *e-m Gegenstand, fig.* mit *e-m Gedanken*), tändeln (mit); **III.** *adj.* **4.** Spielzeug..., Kinder..., Zwerg...: *~ dog* Schoßhund; *~ train* Miniatur-, Kindereisenbahn; **ˈ~-book** *s.* Bilderbuch *n*; **ˈ~-box** *s.* Spielzeugschachtel *f*; **~ fish** *s.* Zierfisch *m*; **ˈ~-shop** *s.* Spielwarenhandlung *f*; **~ sol·dier** *s.* **1.** ˈZinn-, ˈBleisolˌdat *m*; **2.** ⚔ *fig.* Paˈradesolˌdat *m*.

trace[1] [treis] *s.* Zugriemen *m*, Strang *m* (*Pferdegeschirr*): *in the ~s* angespannt (*a. fig.*); *to kick over the ~s fig.* über die Stränge schlagen.

trace[2] [treis] **I.** *s.* **1.** (Fuß-, Wagen-, Wild- *etc.*)Spur *f*: *hot on the ~s of j-m* dicht auf den Fersen; *without a ~* spurlos; *~ element* ⚗ Spurenelement; **2.** *fig.* Spur *f*: **a)** (ˈÜber-)Rest *m*: *~s of ancient civilizations*, **b)** (An)Zeichen *n*: *~s of fatigue*, **c)** geringe Menge, bißchen: *not a ~ of fear* keine Spur von Angst; **3.** ⚔ **a)** Leuchtspur *f*, **b)** *Radar*: Bildspur *f*; **4.** Linie *f*: **a)** Aufzeichnung *f* (*Meßgerät*), **b)** Zeichnung *f*, Skizze *f*, **c)** Pauszeichnung *f*, **d)** Grundriß *m*; **5.** *Am.* (markierter) Weg; **II.** *v/t.* **6.** nachspüren (*dat.*), *j-s* Spur verfolgen; **7.** *Wild, Verbrecher* verfolgen, aufspüren; **8.** *a. ~ out et. od. j-n* ausfindig machen *od.* aufspüren, *et.* auf-, herˈausfinden; **9.** *fig. e-r Entwicklung etc.* nachgehen, *e-e Sache* verfolgen: *to ~ back et.* zurückverfolgen (*to* bis zu); *to ~ s.th. to et.* zurückführen auf (*acc.*), et. herleiten von; **10.** erkennen; **11.** *Pfad* verfolgen; **12.** *a. ~ out* (auf-)zeichnen, skizzieren, entwerfen; **13.** *Buchstaben* sorgfältig (aus)ziehen, schreiben; **14.** ⊕ **a)** *a. ~ over* (ˈdurch)pausen, **b)** *Bauflucht etc.* abstecken, **c)** *Messung* aufzeichnen (*Gerät*); **ˈtrace·a·ble** [-səbl] *adj.* □ **1.** auffindbar, nachweisbar; **2.** zuˈrückzuführen(d) (*to* auf *acc.*); **ˈtrac·er** [-sə] *s.* **1.** Aufspürer(in); **2.** ✆, 🚂 *Am.* Lauf-, Suchzettel *m*; **3.** *Schneiderei*: Kopierrädchen *n*; **4.** ⊕ Punzen *m*; **5.** ⚗ Isoˈtopen-indiˌkator *m*; **6.** ⚔ **a)** *mst ~ bullet, ~ shell* Leuchtspur-, Rauchspurgeschoß *n*, **b)** *mst ~ composition* Leuchtspursatz *m*; **7. a)** ˈtechnischer Zeichner, **b)** Pauser *m*; **ˈtrac·er·y** [-səri] *s.* **1.** ⚠ Maßwerk *n an gotischen Fenstern*; **2.** Flechtwerk *n*.

tra·che·a [trəˈki(ː)ə] *pl.* **-che·ae** [-ˈkiːiː] *s.* **1.** *anat.* Traˈchea *f*, Luftröhre *f*; **2.** ⚘, *zo.* Traˈchee *f*; **tra·ˈche·al** [-ˈki(ː)əl] *adj.* **1.** *anat.* Luftröhren...; **2.** *zo.* Tracheen...; **3.** ⚘ Gefäß...; **tra·che·i·tis** [træki'aitis] *s.* ⚕ ˈLuftröhrenkaˌtarrh *m*; **tra·che·ot·o·my** [trækiˈɔtəmi] *s.* ⚕ Luftröhrenschnitt *m*.

trac·ing [ˈtreisiŋ] *s.* **1.** Suchen *n*, Nachforschung *f*; **2.** ⊕ **a)** (Auf-)Zeichnen *n*, **b)** ˈDurchpausen *n*; **3.** ⊕ **a)** Zeichnung *f*, (Auf)Riß *m*, Plan *m*, **b)** Pause *f*; **4.** Aufzeichnung *f* (*e-s Kardiographen etc.*); **ˈ~-file** *s.* ˈSuchkarˌtei *f*; **ˈ~-pa·per** *s.* ˈPauspaˌpier *n*.

track [træk] **I.** *s.* **1.** (Fuß-, Wild- *etc.*)Spur *f* (*a. fig.*), Fährte *f*: *off the ~* auf falscher Fährte (*a. fig. auf dem Holzweg*); → 2; *on s.o.'s ~s* j-m auf der Spur; *to cover up one's ~s* s-e Spuren verwischen, s-e Aktionen tarnen; *to keep ~ of fig. et.* verfolgen, sich auf dem laufenden halten über (*acc.*); *to lose ~ of* aus den Augen verlieren; *to make ~s sl.* ‚abhauen'; *to make ~s for* schnurstracks losgehen auf (*acc.*); *to stop in one's ~s Am.* wie festgewurzelt stehenbleiben; **2.** 🚂 Gleis *n*, Geleise *n u. pl.*, Schienenstrang *m*, (Bahn-)Strecke *f*: *off the ~* entgleist, aus den Schienen; → **1**; *on ~* ✝ auf (der) Achse, rollend; **3.** ⚓ Fahrwasser *n*; **4.** ⚓ *übliche* Route; **5.** Weg *m*, Pfad *m*; → *beaten*; **6.** (Koˈmeten- *etc.*) Bahn *f*; **7.** *sport* **a)** (Renn-, Lauf-) Bahn *f*, **b)** *mst ~ events* ˈLaufdisziˌplinen *pl.*, **c)** *a. ~ and field sports* ˈLeichtathˌletik *f*; **8.** (Gleis-, Raupen)Kette *f* (*Traktor, Panzerwagen etc.*); **9.** *mot.* **a)** Spurweite *f*, **b)** ˈReifenproˌfil *n*; **II.** *v/t.* **10.** nachspüren (*dat.*), verfolgen (*acc.*): *to ~ down Wild, Verbrecher etc.* aufspüren, zur Strecke bringen; **11.** *Weg* kennzeichnen; **12.** 🚂 *Am.* mit Schienen versehen; **13.** ⊕ mit Raupenketten versehen: *~ed vehicle* Ketten-, Raupenfahrzeug; **III.** *v/i.* **14.** Spur halten (*Räder*); **IV.** *adj.* **15.** 🚂 Gleis..., Schienen...; **16.** *sport* **a)** (Lauf)Bahn..., Lauf..., **b)** Leichtathletik...: *~ meet Am.* Leichtathletikveranstaltung; **ˈtrack·age** [-kidʒ] *s.* 🚂 **1.** *coll.* Schienen *pl.*; **2.** Schienenlänge *f*; **3.** *Am.* Streckenbenutzungsrecht *n*, -gebühr *f*; **ˈtrack·er** [-kə] *s.* **1.** *bsd. hunt.* **a)** Fährtenfinder *m*, **b)** Spürhund *m*; **2.** Verfolger *m*; **3.** ⚔ Zielgeber *m* (*Gerät*).

ˈtrack|·lay·er *s.* 🚂 *bsd. Am.* Schienenleger *m*; **ˈ~-lay·ing** *adj.* ⊕ Raupen..., Gleisketten...: *~ vehicle*.

track·less [ˈtræklis] *adj.* □ **1.** unbetreten, pfadlos; **2.** schienenlos; **3.** spurlos.

track| suit *s. sport* Trainingsanzug *m*; **~ sys·tem** *s. Am.* → *streaming*.

tract[1] [trækt] *s.* **1.** (ausgedehnte) Fläche, Strecke *f*, Strich *m*, Gebiet *n*, Gegend *f*; **2.** Zeitraum *m*; **3.** *anat.* Trakt *m*, (Verˈdauungs- *etc.*)Syˌstem *n*: *respiratory ~* Atemwege; **4.** *physiol.* (Nerven)Strang *m*: *optic ~* Sehstrang.

tract[2] [trækt] *s. eccl.* Trakˈtat *m, n*; *contp.* Trakˈtätchen *n*.

trac·ta·bil·i·ty [træktəˈbiliti] *s.* Lenksamkeit *f*, Gefügigkeit *f*; **trac·ta·ble** [ˈtræktəbl] *adj.* **1.** □ lenk-, folg-, fügsam; **2.** *fig.* gefügig, geschmeidig (*Material*).

trac·tion ['trækʃən] *s.* **1.** Ziehen *n*; **2.** ⊕, *phys.* **a)** Zug *m*, **b)** Zugleistung *f*: ~-*engine* Zugmaschine; **3.** *phys.* Reibungsdruck *m*; **4.** *mot.* **a)** Griffigkeit *f* (*Reifen*), **b)** *a.* ~ *of the road* Bodenhaftung *f*; **5.** Trans'port *m*, Fortbewegung *f*; **6.** *physiol.* Zs.-ziehung *f* (*Muskeln*); **'trac·tion·al** [-ʃənl], **'trac·tive** [-ktiv] *adj.* ⊕ Zug...

trac·tor ['træktə] *s.* **1.** ⊕ 'Zugmaˌschine *f*, 'Traktor *m*, Schlepper *m*; **2.** ✈ **a)** Zugschraube *f*, **b)** *a.* ~ *airplane* Flugzeug *n* mit Zugschraube; **'~-plough** *s.* ⊕ Motorpflug *m*; **'~-'trail·er train** *s. mot.* Lastzug *m*; ~ **truck** *s. Am. mot.* Sattelschlepper *m*.

trade [treid] **I.** *s.* **1.** † Handel *m*, (Handels)Verkehr *m*: *foreign* ~ **a)** Außenhandel, **b)** ⚓ große Fahrt; *home* ~ **a)** Binnenhandel, **b)** ⚓ kleine Fahrt; → *board 8*; **2.** † Geschäft *n*: **a)** Gewerbe *n*, Geschäftszweig *m*, Branche *f*, **b)** (Einzel-, Groß)Handel *m*, **c)** Geschäftslage *f*, -gewinn *m*: *to be in* ~ (Einzel)Händler sein; *to do a good* ~ gute Geschäfte machen; *to sell to the* ~ an Wiederverkäufer abgeben; **3.** † *the* ~ **a)** *coll.* die Geschäftswelt, **b)** *Brit.* der Spiritu'osenhandel, **c)** die Kundschaft; **4.** Gewerbe *n*, Beruf *m*, Handwerk *n*: *the* ~ *coll.* die Zunft *od.* Gilde; *by* ~ *Bäcker etc.* von Beruf; *every man to his* ~ jeder, wie er es gelernt hat; *the* ~ *of war* das Kriegshandwerk; **5.** *mst the* ~*s pl.* die Pas'satwinde *pl.*; **II.** *v/i.* **6.** Handel treiben, handeln (*in* mit *et.*); **7.** ~ (*up*)*on fig.* spekulieren *od.* ‚reisen' auf (*acc.*), ausnutzen; **III.** *v/t.* **8.** (aus)tauschen (*for* gegen); **9.** ~ *in bsd. Auto* in Zahlung geben; ~ **ac·cept·ance** *s.* † 'Handelsakˌzept *n*; ~ **ac·count** *s.* † *Bilanz*: **a)** ~*s payable* Liefe'rantenschulden *pl.*, **b)** ~*s receivable* Außenstände *pl.*; ~ **as·so·ci·a·tion** *s.* † Wirtschaftsverband *m*; ~ **bal·ance** *s.* 'Handelsbiˌlanz *f*; ~ **bill** *s.* † Warenwechsel *m*; ~ **board** *s.* † Arbeit'geber-Arbeit'nehmerausschuß *m für Lohnfragen*; ~ **cy·cle** *s.* † Konjunk'turˌzyklus *m*; ~ **di·rec·to·ry** *s.* Firmenverzeichnis *n*, 'Handelsaˌdreßbuch *n*; ~ **dis·count** *s.* † 'Händlerraˌbatt *m*; ~ **fair** *s.* (Handels)Messe *f*; **'~-in** *s.* in Zahlung gegebene Sache (*bsd. Auto*); **'~-mark I.** *s.* † Warenzeichen *n*, Schutzmarke *f*: *registered* ~ eingetragenes Warenzeichen; **II.** *v/t. Ware* gesetzlich schützen lassen: ~*ed goods* Markenartikel; ~ **mis·sion** *s. pol.* 'Handelsmissiˌon *f*; ~ **name** *s.* **1.** Handelsbezeichnung *f*; **2.** 'Firmenname *m*, 'Firma *f*; ~ **price** *s.* (Groß)Handelspreis *m*.

trad·er ['treidə] *s.* **1.** Händler *m*, Kaufmann *m*; **2.** ⚓ Handels-, Kauffahr'teischiff *n*.

trade| school *s.* Gewerbeschule *f*; ~ **se·cret** *s.* Geschäftsgeheimnis *n*; ~ **show** *s.* Filmvorführung *f* für Verleiher u. 'Kritiker.

trades|·man ['treidzmən] *s.* [*irr.*] **1.** Gewerbetreibende(r) *m*; **2.** Ladeninhaber *m*, -besitzer *m*; **3.** Handwerker *m*; **'~·peo·ple** [-zp-] *s. pl.* Geschäftsleute *pl.*

trade| sym·bol *s.* Bild *n* (*Warenzeichen*); ~ **un·ion** *s.* Gewerkschaft *f*; **~-'un·ion·ism** *s.* Gewerkschaftswesen *n*; **~-'un·ion·ist I.** *s.* Gewerkschaftler(in); **II.** *adj.* gewerkschaftlich; ~ **wind** → *trade 5*.

trad·ing ['treidiŋ] **I.** *s.* **1.** Handeln *n*; **2.** Handel *m* (*in* mit *et.*, *with* mit *j-m*); **II.** *adj.* **3.** Handels...; ~ **a·re·a** *s.* † Absatzgebiet *n*; ~ **cap·i·tal** *s.* † Be'triebskapiˌtal *n*; ~ **com·pa·ny** *s.* Handelsgesellschaft *f*; ~ **post** *s.* Handelsniederlassung *f*; ~ **stamp** *s.* † Ra'battmarke *f*.

tra·di·tion [trə'diʃən] *s.* **1.** Traditi'on *f*: **a)** (mündliche) Über'lieferung (*a. eccl.*), **b)** Herkommen *n*, (alter) Brauch, Brauchtum *n*: *to be in the* ~ sich im Rahmen der Tradition halten; **2.** ⚖ 'Übergabe *f von Verbrechern etc.*; **tra'di·tion·al** [-ʃənl] *adj.* □ traditio'nell, Traditions...: **a)** (mündlich) über'liefert, **b)** herkömmlich, brauchtümlich, (alt)hergebracht, üblich; **tra'di·tion·al·ism** [-ʃnəlizəm] *s.* **1.** *eccl.* Traditiona'lismus *m*; **2.** Festhalten *n* an der Über'lieferung.

tra·duce [trə'dju:s] *v/t.* verleumden.

traf·fic ['træfik] **I.** *s.* **1.** (öffentlicher, Straßen-, Schiffs-, Eisenbahn- *etc.*) Verkehr; **2.** (Per'sonen-, Güter-, Nachrichten-, Fernsprech- *etc.*) Verkehr *m*; **3. a)** (Handels)Verkehr *m*, Handel *m* (*in* in *dat.*, mit), **b)** *b.s.* ('illeˌgaler) Handel, Schacher *m*; **II.** *v/i. pret. u. p.p.* **'traf·ficked** [-kt] **4.** handeln, Handel treiben (*in* in *dat.*, *with* mit); **5.** *bsd. fig.* handeln, schachern (*for* um); **III.** *v/t.* **6.** ~ *away* verschachern.

traf·fi·ca·tor ['træfikeitə] *s. mot. Brit.* Blinker *m*.

traf·fic| cen·sus *s.* Verkehrszählung *f*; ~ **cir·cle** *s. mot. Am.* Kreisverkehr *m*; ~ **is·land** *s.* Verkehrsinsel *f*; ~ **jam** *s.* Verkehrsstauung *f*, -stockung *f*.

traf·fick·er ['træfikə] *s.* **1.** Händler *m*; **2.** *b.s.* Schacherer *m*.

'traf·fic|-light *s.* Verkehrsampel *f*; ~ **man·a·ger** *s.* † Versandleiter *m*; ~ **of·fence** *s. Brit.*, ~ **of·fense** *s. Am.* Ordnungswidrigkeit *f*, Ver'kehrsüberˌtretung *f*; ~ **reg·u·la·tions** *s. pl.* Verkehrsvorschriften *pl.*, (Straßen)Verkehrsordnung *f*; **'~-sign** *s.* Verkehrszeichen *n*, -schild *n*; ~ **ward·en** *s.* Poli'tesse *f*.

tra·ge·di·an [trə'dʒi:djən] *s.* **1.** 'Tragiker *m*, Trauerspieldichter *m*; **2.** *thea.* Tra'göde *m*, 'tragischer Schauspieler; **tra·ge·di·enne** [trədʒi:'djen] *s. thea.* Tra'gödin *f*; **trag·e·dy** ['trædʒidi] *s.* **1.** Tra'gödie *f*: **a)** *thea.* Trauerspiel *n*, **b)** *fig.* 'tragische Begebenheit, *a.* Unglück *n*; **2.** *fig. das* 'Tragische; **trag·ic** *adj.*; **trag·i·cal** ['trædʒik(ə)l] *adj.* □ *thea. u. fig.* 'tragisch; **trag·i·com·e·dy** ['trædʒi'kɔmidi] *s.* 'Tragikoˌmödie *f* (*a. fig.*); **trag·i·com·ic** ['trædʒi'kɔmik] *adj.* (□ ~*ally*) 'tragiˌkomisch.

trail [treil] **I.** *v/t.* **1.** (nach)schleppen, (-)schleifen, hinter sich her ziehen; **2.** (auf der Spur) verfolgen (*acc.*), nachspüren, -gehen (*dat.*); **II.** *v/i.* **3.** schleifen, schleppen (*Rock etc.*); **4.** wehen, flattern; her'unterhängen; **5.** ⚘ kriechen, wuchern; **6.** (sich da'hin)ziehen (*Rauch etc.*); **7.** sich da'hinschleppen; **8.** *Am.* F nachhinken (*a. fig.*); **9.** ~ *off* verhallen, sich verlieren (*Klang, Stimme*); **III.** *s.* **10.** Schleppe *f* (*Kleid*); **11.** *fig.* Schweif *m*, Schwanz *m* (*Meteor etc.*): ~ *of smoke* Rauchfahne; **12.** Spur *f*: ~ *of blood*; **13.** *hunt. u. fig.* Fährte *f*, Spur *f*: *on s.o.'s* ~ j-m auf der Spur *od.* auf den Fersen; *off the* ~ von der Spur abgekommen; **14.** (Trampel)Pfad *m*, Weg *m*: *to blaze the* ~ **a)** den Weg markieren, **b)** *fig.* den Weg bahnen (*for* für), bahnbrechend sein; **15.** ⚔ (La'fetten)Schwanz *m*; ~ **blaz·er** *s.* **1.** Pistensucher *m*; **2.** *fig.* Bahnbrecher *m*, Pio'nier *m*.

trail·er ['treilə] *s.* **1.** ⚘ Kriechpflanze *f*; rankender Ausläufer; **2.** *hunt.* Spurhalter *m*; **3.** *mot.* **a)** Anhänger *m*, **b)** Wohnwagen *m*; **4.** (Film)Vorschau *f*.

trail·ing| a·e·ri·al ['treiliŋ] *s.* ⚡ 'Schleppanˌtenne *f*; ~ **ax·le** *s. mot.* nicht angetriebene Achse; ~ **edge** *s.* ✈ (Pro'fil)ˌHinterkante *f*.

train [trein] **I.** *s.* **1.** (Eisenbahn)Zug *m*: ~ *journey* Bahnfahrt; ~ *staff* Zugpersonal; *by* ~ mit der Bahn; *to be on the* ~ im Zug sein *od.* sitzen; *to take a* ~ to mit dem Zug fahren nach; **2.** Zug *m von Personen, Wagen etc.*, Kette *f*, Ko'lonne *f*: ~ *of barges* Schleppzug (*Kähne*); **3.** Gefolge *n* (*a. fig.*): *to have* (*od. bring*) *in its* ~ *et.* mit sich bringen, zur Folge haben; **4.** *fig.* Folge *f*, Kette *f*, Reihe *f von Ereignissen etc.*: ~ *of thoughts* Gedankengang; *in* ~ **a)** im Gang, im Zuge, **b)** bereit (*for* für); *to put in* ~ in Gang setzen; **5.** (Kleider)Schleppe *f*; **6.** (Ko'meten)Schweif *m*; **7.** ⚒, ⚔ Zündlinie *f*; **8.** ⊕ Räder-, Triebwerk *n*; **II.** *v/t.* **9.** auf-, erziehen; **10.** ⚘ ziehen; **11.** *j-n* ausbilden (*a.* ⚔), *a. Auge, Geist etc.* schulen; **12.** *j-m et.* einexerzieren, beibringen; **13.** *Tiere* abrichten, dressieren (*to do* zu tun); **14.** *Pferde, Sportler* trainieren; **15.** ⚔ *Geschütz* richten (*on* auf *acc.*); **III.** *v/i.* **16.** sich ausbilden (*for* zu, als); sich üben; **17.** *sport* trainieren (*for* für); **18.** *a.* ~ *it* F mit der Bahn fahren; **'~-ac·ci·dent** *s.* Eisenbahnunglück *n*; **'~-bear·er** *s.* Schleppenträger *m*; **'~-call** *s. teleph.* Zuggespräch *n*.

trained [treind] *adj.* **1.** geübt, geschult (*Auge, Geist etc.*); **2.** (voll) ausgebildet, geschult, Fach...: ~ *lawyer* (Voll)Jurist; ~ *men* Fachkräfte; **train·ee** [trei'ni:] *s.* **1. a)** Auszubildende(r *m*) *f*, Lehrling *m*, **b)** Prakti'kant(in); **2.** ⚔ *Am.* Re'krut *m*; **'train·er** [-nə] *s.* **1.** Ausbilder *m*; **2.** *sport* Trainer *m*; **3. a)** Abrichter *m*, ('Hunde- *etc.*)Dresˌseur *m*, **b)** Zureiter *m*; **4.** ✈ Schulflugzeug *n*.

'train-'fer·ry *s.* Eisenbahnfähre *f*.

train·ing ['treiniŋ] **I.** *s.* **1.** Schulung *f*, Ausbildung *f*; **2.** Üben *n*; **3.** *sport* Training *n*: *in good* ~ gut im Training; *out of* ~ aus der Übung; *physical* ~ körperliche Ertüchtigung; **4. a)** Abrichten *n*, **b)** Zureiten *n*; **II.** *adj.* **5.** Ausbildungs..., Schul(ungs)..., Lehr...; **6.** *sport* Trainings...; ~ **camp** *s.* **1.** *sport* Trainingslager *n*; **2.** ⚔ Ausbildungslager *n*; '~**col·lege** *s. Brit. obs.* Päda'gogische Hochschule; '~**-film** *s.* Lehrfilm *m*; ~ **school** *s. Am.* **1.** *ped.* Aufbauschule *f*; **2.** ⚖ Erziehungsanstalt *f*; '~**-ship** *s.* ⚓ Schulschiff *n*.

'**train-oil** *s.* (Fisch)Tran *m*, *bsd.* Walöl *n*.

traipse [treips] → *trapse*.

trait [trei] *s.* **1.** (Cha'rakter)Zug *m*, Merkmal *n*; **2.** Gesichtszug *m*.

trai·tor ['treitə] *s.* Verräter *m* (*to* an *dat.*); '**trai·tor·ous** [-tərəs] *adj.* □ verräterisch; '**trai·tress** [-tris] *s.* Verräterin *f*.

tra·jec·to·ry ['trædʒiktəri] *s.* **1.** *phys.* Flugbahn *f*; Fallkurve *f* (*Bombe*); **2.** ⟁ Trajekto'rie *f*.

tram [træm] **I.** *s.* **1.** *Brit.* Straßenbahn *f*: *by* ~ mit der Straßenbahn; **2.** ⚒ Förderwagen *m*, Hund *m*; **II.** *v/i.* **3.** *a.* ~ *it Brit.* mit der Straßenbahn fahren; '~**-car** *s. Brit.* Straßenbahnwagen *m*; '~**-line** *s. Brit.* Straßenbahnlinie *f*, -schiene *f*.

tram·mel ['træməl] **I.** *s.* **1.** (Schlepp-)Netz *n*; **2.** Spannriemen *m für Pferde*; **3.** *mst pl. fig.* Fessel *f*; **4.** Kesselhaken *m*; **5.** ⟁ El'lipsen,zirkel *m*; **6.** *a. pair of* ~*s* Stangenzirkel *m*; **II.** *v/t.* **7.** *mst fig.* fesseln, hemmen.

tra·mon·tane [trə'mɔntein] *adj.* **1.** transal'pin(isch), jenseits der Alpen (gelegen *etc.*); **2.** *fig.* fremd, bar'barisch.

tramp [træmp] **I.** *v/i.* **1.** trampeln ([*up*]*on* auf *acc.*); sta(m)pfen; **2.** *mst* ~ *it* marschieren, wandern, ‚tippeln'; **3.** vagabundieren; **II.** *v/t.* **4.** durch'wandern; **5.** stampfen: *to* ~ *down* niedertreten; **III.** *s.* **6.** Getrampel *n*; **7.** (schwerer) Tritt; **8.** (Fuß)Marsch *m*, Wanderung *f*: *on the* ~ auf (der) Wanderschaft; **9.** Landstreicher *m*; **10.** *sl.* ‚Luder' *n* (*leichtes Mädchen*); **11.** ⚓ Trampschiff *n*; '**tram·ple** [-pl] **I.** *v/i.* **1.** (her'um)trampeln ([*up*]*on* auf *dat.*); **2.** *fig.* mit Füßen treten ([*up*]*on acc.*); **II.** *v/t.* **3.** (zer-)trampeln: *to* ~ *down* niedertrampeln; *to* ~ *out Feuer* austreten; **4.** *a.* ~ *under foot* mit Füßen treten; **III.** *s.* **5.** Trampeln *n*.

tram·po·lin(e) ['træmpəlin] *s. sport* Trampo'lin *n*.

'**tram·way** *s.* **1.** *Brit.* Straßenbahn(-linie) *f*; **2.** ⚒ Grubenbahn *f*.

trance [trɑːns] *s.* **1.** Trance *f*: **a)** (hyp'notischer) Traumzustand, **b)** ⚕ Starrsucht *f*; **2.** Verzückung *f*, Ek'stase *f*.

tran·quil ['træŋkwil] *adj.* □ **1.** ruhig, friedlich; **2.** gelassen, heiter; **tran·quil·(l)i·ty** [træŋ'kwiliti] *s.* **1.** Ruhe *f*, Friede(n) *m*, Stille *f*; **2.** Gelassenheit *f*, Heiterkeit *f*; '**tran·quil·(l)ize** [-laiz] *v/t. u. v/i.* (sich) beruhigen; '**tran·quil·(l)iz·er** [-laizə] *s.* Be'ruhigungsta,blette *f*, ‚Stimmungspille' *f*.

trans·act [træn'zækt] **I.** *v/t. Geschäfte etc.* ('durch)führen, verrichten, abwickeln; *Handel* abschließen; **II.** *v/i.* ver-, unter'handeln (*with* mit); **trans'ac·tion** [-kʃən] *s.* **1.** 'Durchführung *f*, Abwicklung *f*, Erledigung *f*; **2.** Ver-, Unter'handlung *f*; **3. a)** ✝ Transakti'on *f*, (Geschäfts)Abschluß *m*, Geschäft *n*, (größere) geschäftliche Unter'nehmung, **b)** ⚖ Rechtsgeschäft *n*; **4.** *pl.* ✝ (Ge'schäfts-),Umsatz *m*; **5.** *pl.* Verhandlungen *pl.*, Sitzungsbericht *m*.

trans·al·pine ['trænz'ælpain] *adj.* transal'pin(isch).

trans·at·lan·tic ['trænzət'læntik] *adj.* **1.** transat'lantisch, 'überseeisch; **2.** Übersee...: ~ *liner*; ~ *flight* Ozeanflug.

trans·ceiv·er [træns'siːvə] *s.* ⚡ Sender-Empfänger *m*.

tran·scend [træn'send] *v/t.* **1.** *bsd. fig.* über'schreiten, -'steigen; **2.** *fig.* über'treffen; **tran'scend·ence** [-dəns], **tran'scend·en·cy** [-dənsi] *s.* **1.** Über'legenheit *f*, Vor'züglichkeit *f*, Erhabenheit *f*; **2.** *phls.*, *eccl.* Transzen'denz *f*; **tran'scend·ent** [-dənt] *adj.* □ **1.** transzen'dent: **a)** *phls.* 'übersinnlich, **b)** *eccl.* 'überweltlich; **2.** her'vorragend.

tran·scen·den·tal [trænsen'dentl] *adj.* □ **1.** *phls.* transzenden'tal: **a)** meta'physisch, **b)** *bei Kant*: apri'orisch; **2.** außerordentlich, 'übernatürlich; **3.** F phan'tastisch, ab'strus, verworren; **4.** ⟁ transzen'dent; **tran·scen'den·tal·ism** [-təlizəm] *s.* Transzenden'talphiloso,phie *f*.

tran·scribe [træns'kraib] *v/t.* **1.** abschreiben; **2.** *Stenogramm* über'tragen; **3.** ♪ transkribieren; **4.** *Rundfunkaufnahme* **a)** aufzeichnen, auf Band aufnehmen, **b)** übertragen; **tran·script** ['trænskript] *s.* Abschrift *f*, Ko'pie *f*; **tran'scrip·tion** [-ripʃən] *s.* **1.** Abschreiben *n*; **2.** Abschrift *f*; **3.** 'Umschrift *f*; **4.** ♪ Transkripti'on *f*, 'Umsetzung *f*; **5.** *Rundfunk*: Tonaufnahme *f*, Bandsendung *f*, Aufzeichnung *f*.

tran·sept ['trænsept] *s.* ⛪ Querschiff *n*.

trans·fer [træns'fəː] **I.** *v/t.* **1.** hin'überbringen, -schaffen (*from ... to* von ... nach *od.* zu); **2.** über'geben (*to dat.*); **3.** *Betrieb, Truppen, Wohnsitz etc.* verlegen, *Beamten, Schüler in e-e andere Schule etc.* versetzen (*to* nach, *in*, *into* in *acc.*); **4.** ⚖ (*to*) über'tragen (auf *acc.*), abtreten (an *acc.*); **5.** ✝ **a)** *Summe* vortragen, **b)** *Posten, Wertpapiere* 'umbuchen, **c)** *Aktien etc.* übertragen; **6.** *Geld* über'weisen (*to* an *acc.*, auf *ein Konto*); **7.** *fig. Zuneigung etc.* übertragen (*to* auf *acc.*); **8.** *typ. Druck, Stich etc.* 'umdrucken, übertragen; **II.** *v/i.* **9.** 'übertreten (*to* zu); **10.** verlegt *od.* versetzt werden (*to* nach); **11.** 🚃 *etc.* 'umsteigen; **III.** *s.* ['trænsfə(ː)] **12.** Über'tragung *f*; **13.** Wechsel *m* (*to* zu); **14. a)** Verlegung *f*, **b)** Versetzung *f* (*to* nach); **15.** ⚖ Übertragung *f* (*to* auf *acc.*), Zessi'on *f*; **16.** ('Geld)Über,weisung *f*: ~ *business* ✝ Giroverkehr; **17.** ✝ (De'visen),Transfer *m*; **18.** ✝ ('Aktien-, Kapi'tal- *etc.*)Über,tragung *f*, 'Umschreibung *f von Wertpapieren*; **19.** *typ.* **a)** Übertragung *f*, 'Umdruck *m*, **b)** Abziehen *n*, Abzug *m*, **c)** Abziehbild *n*; **20.** 🚃 *etc.* **a)** 'Umsteigen *n*, **b)** 'Umsteigefahrkarte *f*, 'Umsteiger *m*, **c)** *a.* ⚓ 'Umschlagplatz *m*; **trans'fer·a·ble** [-əːrəbl] *adj.* **1.** *bsd.* ✝, ⚖ über'tragbar (*a. Wahlstimme*); **2.** ⚕ trans'portfähig (*Kranker*).

'**trans·fer**|**-bank** *s.* ✝ 'Girobank *f*; '~**-book** *s.* ✝ 'Umschreibungsbuch *n* (*Aktien*); '~**-day** *s.* ✝ 'Umschreibungstag *m*; '~**-deed** *s.* Abtretungsurkunde *f*.

trans·fer·ee [trænsfə(ː)'riː] *s.* **1.** Zessio'nar *m*, Über'nehmer *m*; **2.** Indossa'tar *m*; **trans·fer·ence** ['trænsfərəns] *s.* **1.** Über'tragung *f*; **2.** ✝ Transferierung *f*, 'Umschreibung *f*; **3.** Verlegung *f*, Versetzung *f*; **trans·fer·en·tial** [trænsfə'renʃəl] *adj.* Übertragungs...

'**trans·fer-ink** *s. typ.* 'Umdrucktinte *f*.

trans·fer·or ['trænsfərə] *s.* **1.** ⚖ Ze'dent *m*, Abtretende(r *m*) *f*; **2.** ✝ Indos'sant *m*.

'**trans·fer**|**-pa·per** *s. typ.* 'Umdruckpa,pier *n*; '~**-pic·ture** *s.* Abziehbild *n*.

trans·fer·rer [træns'fəːrə] *s.* **1.** Über'trager *m*; **2.** → *transferor*.

'**trans·fer-tick·et** *s.* → *transfer 20b*.

trans·fig·u·ra·tion [trænsfigju'reiʃən] *s.* **1.** 'Umgestaltung *f*; **2.** *eccl.* **a)** Verklärung *f* (*Christi*), **b)** ♀ Fest *n* der Verklärung (*6. August*); **trans·fig·ure** [træns'figə] *v/t.* **1.** 'umgestalten (*into* in *acc.*); **2.** *eccl. u. fig.* verklären.

trans·fix [træns'fiks] *v/t.* **1.** durch'stechen, -'bohren (*a. fig.*); **2.** *fig.* lähmen: ~*ed* (wie) versteinert, starr (*with* vor *dat.*).

trans·form [træns'fɔːm] **I.** *v/t.* **1.** 'umgestalten, -wandeln ([*in*]*to* in *acc.*, zu); 'umformen (*a.* ⟁); *a. j-n* verwandeln, verändern; **2.** ⚡ 'umspannen; **II.** *v/i.* **3.** sich verwandeln (*into* zu); **trans·for·ma·tion** [trænsfə'meiʃən] *s.* **1.** 'Umgestaltung *f*, -bildung *f*; 'Umwandlung *f*, -formung *f* (*a.* ⟁); Verwandlung *f*, -änderung *f* (*a. e-r Person, des Charakters etc.*): ~ *of energy phys.* Energieumsetzung; ~*-scene thea.* Verwandlungsszene; **2.** ⚡ 'Umspannung *f*; **3.** 'Damenpe,rücke *f*; **trans'form·a·tive** [-mətiv] *adj.* 'umgestaltend, -bildend; **trans'form·er** [-mə] *s.* **1.** 'Umgestalter (-in); **2.** ⚡ Transfor'mator *m*, 'Umspanner *m*, -former *m*.

trans·fuse [træns'fjuːz] *v/t.* **1.** *in ein anderes Gefäß* 'umgießen; **2.** ⚕ *Blut* über'tragen; **3.** *fig.* einflößen (*into dat.*); **4.** *fig.* durch'tränken, erfüllen (*with* mit, von); **trans'fu·sion** [-juːʒən] *s.* **1.** 'Umgießen *n*; **2.** ⚕ 'Blutüber,tragung *f*, Transfusi'on *f*; **3.** *fig.* **a)** Über'tragung *f*, **b)** Durch'tränkung *f*.

trans·gress [træns'gres] **I.** *v/t.* **1.** über'schreiten, -'treten (*a. fig.*); **2.** *fig. Gesetze etc.* übertreten; **II.** *v/i.* **3.** (*against* gegen) sich vergehen, sündigen; **trans'gres·sion** [-eʃən] *s.* **1.** Über'schreitung *f*; **2.** Über'tretung *f* (*Gesetze etc.*); **3.** Vergehen *n*, Missetat *f*; **trans'gres·sor** [-sə] *s.* Über'treter(in), Missetäter(in).

tran·sience ['trænziəns], '**tran·sien·cy** [-nsi] *s.* Vergänglichkeit *f*, Flüchtigkeit *f*; '**tran·sient** [-nt] **I.** *adj.* ☐ **1.** *zeitlich* vor'übergehend; **2.** vergänglich, flüchtig; **3.** *Am.* Durchgangs...: ~ *camp*; ~ *visitor* → *4*; **II.** *s.* **4.** *Am.* 'Durchreisende(r *m*) *f*; **5.** *a.* ~ *current* ⚡ Ausgleichsstrom *m*.

trans·i·re [trænz'aiəri] *s.* † *Brit.* Zollbegleit-, Passierschein *m*.

tran·sis·tor [træn'zistə] *s.* ⚡ Tran'sistor *m*: ~ *radio*; **tran'sis·tor·ize** [-raiz] *v/t.* ⚡ transistor(is)ieren.

trans·it ['trænsit] **I.** *s.* **1.** 'Durch-, 'Überfahrt *f*; **2.** *a. ast.* 'Durchgang *m*; **3.** † 'Transit *m*, 'Durchfuhr *f*, Trans'port *m*: *in* ~ unterwegs, auf dem Transport; **4.** † 'Durchgangsverkehr *m*; **5.** 'Durchgangsstraße *f*; **6.** *fig.* 'Übergang *m* (*to* zu); **II.** *adj.* **7.** *a.* † Durchgangs... (*-lager*, *-verkehr etc.*): ~ *visa* Durchreisevisum; **8.** † Durchfuhr..., Transit...: ~ *trade* Transithandel.

tran·si·tion [træn'siʒən] **I.** *s.* **1.** 'Übergang *m* (*a.* ♪); **2.** 'Übergangszeit *f*: *state of* ~ Übergangsstadium; **II.** *adj.* **3.** → *transitional*; **tran'si·tion·al** [-ʒənl] *adj.* ☐ Übergangs..., Überleitungs..., Zwischen...

tran·si·tive ['trænsitiv] *adj.* ☐ **1.** *ling.* 'transitiv; **2.** 'übergehend.

tran·si·to·ri·ness ['trænsitərinis] *s.* Flüchtigkeit *f*, Vergänglichkeit *f*; **tran·si·to·ry** ['trænsitəri] *adj.* ☐ **1.** *zeitlich* vor'übergehend; transi'torisch (*a.* †, ⚖); **2.** vergänglich, flüchtig.

trans·lat·a·ble [træns'leitəbl] *adj.* über'setzbar; **trans·late** [træns'leit] **I.** *v/t.* **1.** *Buch etc.* über'setzen, -'tragen (*into* in *acc.*); **2.** *fig. Grundsätze etc.* übertragen (*into* in *acc.*, zu): *to* ~ *ideas into action* Gedanken in die Tat umsetzen; **3.** *fig.* **a)** auslegen, **b)** ausdrücken (*in* in *dat.*); **4.** *eccl.* **a)** *Bischof* versetzen, **b)** *Reliquie etc.* 'überführen, verlegen (*to* nach), **c)** *j-n* entrücken; **5.** *Brit. Schuhe etc.* auf-, 'umarbeiten; **6.** ⊕ *Bewegung* übertragen (*to* auf *acc.*); **II.** *v/i.* **7.** sich *gut etc.* über'setzen lassen; **trans'la·tion** [-eiʃən] *s.* **1.** Über'setzung *f*, -'tragung *f*; **2.** *fig.* Auslegung *f*; **3.** *eccl.* **a)** Versetzung *f*, **b)** Entrückung *f*; **trans'la·tor** [-tə] *s.* Über'setzer(in).

trans·lit·er·ate [trænz'litəreit] *v/t.* transkribieren; **trans·lit·er·a·tion** [trænzlitə'reiʃən] *s.* Transkripti'on *f*, 'Umschreibung *f*.

trans·lu·cence [trænz'lu:sns], **trans'lu·cen·cy** [-si] *s.* **a)** 'Durchscheinen *n*, **b)** 'Durchsichtigkeit *f*; **trans'lu·cent** [-nt] *adj.* ☐ **1. a)** 'licht,durchlässig, **b)** halb 'durchsichtig; **2.** 'durchscheinend.

trans·ma·rine [trænzmə'ri:n] *adj.* 'überseeisch, Übersee...

trans·mi·grant ['trænzmaigrənt] *s.* 'Durchreisende(r *m*) *f*, -wandernde(r *m*) *f*; **trans·mi·grate** ['trænzmaigreit] *v/i.* **1.** fortziehen; **2.** 'übersiedeln; **3.** auswandern; **4.** wandern (*Seele*); **trans·mi·gra·tion** [trænzmai'greiʃən] *s.* **1.** Auswanderung *f*, 'Übersiedlung *f*; **2.** *a.* ~ *of souls* Seelenwanderung *f*; **3.** ⚕ **a)** 'Überwandern *n* (*Ei-*, *Blutzelle etc.*), **b)** Diape'dese *f*.

trans·mis·si·ble [trænz'misəbl] *adj.* **1.** über'sendbar; **2.** *a.* ⚕ *u. fig.* über'tragbar (*to* auf *acc.*).

trans·mis·sion [trænz'miʃən] *s.* **1.** Über'sendung *f*, -'mittlung *f*; † Versand *m*; **2.** Übermittlung *f*, Mitteilung *f von Nachrichten etc.*; **3.** *ling.* ('Text)Über,lieferung *f*; **4.** ⊕ **a)** Transmissi'on *f*, Über'setzung *f*, -'tragung *f*, **b)** Triebwelle *f*, -werk *n*: ~ *gear* Wechselgetriebe; **5.** Über'tragung *f*: **a)** *biol.* Vererbung *f*, **b)** ⚕ Verschleppung *f*, **c)** *Rundfunk*: Sendung *f*, **d)** ⚖ Über'lassung *f*, **e)** *phys.* Fortpflanzung *f*; ~ **belt** *s.* ⊕ Treibriemen *m*; ~ **gear·ing** *s.* ⊕ Über'setzungsgetriebe *n*; ~ **ra·tio** *s.* ⊕ Über'setzungsverhältnis *n*; ~ **shaft** *s.* ⊕ Getriebewelle *f*.

trans·mit [trænz'mit] *v/t.* **1.** (*to*) über'senden, -'mitteln (*dat.*), (ver-)senden (an *acc.*); *a. Telegramm etc.* weitergeben (an *acc.*), befördern; **2.** *Eindrücke*, *Nachrichten etc.* mitteilen (*to dat.*); **3.** über'tragen: **a)** *biol.* vererben, **b)** ⚖ über'schreiben, vermachen, **c)** ⚕ *Krankheit* verschleppen; **4.** *phys.* *Wellen*, *Wärme etc.* **a)** (weiter)leiten, **b)** *a. Kraft* übertragen, **c)** 'durchlassen; **trans'mit·tal** [-tl] → *transmission 1*, *2*; **trans'mit·ter** [-tə] *s.* **1.** Über'sender *m*, -'mittler *m*; **2.** (Funk)Sender *m*, Geber *m*; *teleph.* Mikro'phon *n*; **3.** *Rundfunk*: Sender *m*; **trans'mit·ting** [-tiŋ] *adj.* Sende...(*-antenne*, *-stärke etc.*): ~ *station* Sendestelle, Sender.

trans·mog·ri·fy [trænz'mɔgrifai] *v/t.* *humor.* (gänzlich) 'ummodeln.

trans·mut·a·bil·i·ty [trænzmju:tə'biliti] *s.* 'Umwandelbarkeit *f*; **trans·mut·a·ble** [trænz'mju:təbl] *adj.* ☐ 'umwandelbar; **trans·mu·ta·tion** [trænzmju:'teiʃən] *s.* **1.** 'Umwandlung *f* (*a.* ⚗, *phys.*); **2.** *biol.* Transmutati'on *f*, 'Umbildung *f*; **trans·mute** [trænz'mju:t] *v/t.* 'umwandeln, -bilden, verwandeln (*into* in *acc.*).

trans·o·ce·an·ic ['trænzouʃi'ænik] *adj.* **1.** transoze'anisch, 'überseeisch; **2. a)** Übersee..., **b)** Ozean...

tran·som ['trænsəm] *s.* Δ **a)** Querbalken *m über e-r Tür*, **b)** (Quer-)Blende *f* (*Fenster*).

tran·son·ic [træn'sɔnik] *adj.* *phys.* schallnah.

trans·par·en·cy [træns'pεərənsi] *s.* **1.** 'Durchsichtigkeit *f*, Transpa'renz *f*; **2.** Transpa'rent(bild) *n*; **3.** *phot.* Dia(posi'tiv) *n*; **trans'par·ent** [-nt] *adj.* ☐ **1.** 'durchsichtig (*a. fig. offenkundig*): ~ *colo(u)r* ⊕ Lasurfarbe; ~ *slide* Diapositiv; **2.** *phys.* transpa'rent, 'licht,durchlässig; **3.** *fig.* **a)** klar (*Stil etc.*), **b)** offen, ehrlich.

tran·spi·ra·tion [trænspi'reiʃən] *s.* **1.** Ausdünstung *f*; **2.** Schweiß *m*; **tran·spire** [træns'paiə] **I.** *v/i.* **1.** *physiol.* transpirieren, schwitzen, ausdunsten; **2.** ausgedünstet werden; **3.** *fig.* 'durchsickern, verlauten, bekannt werden; **4.** F *fig.* passieren, sich ereignen; **II.** *v/t.* **5.** ausdünsten, -schwitzen.

trans·plant [træns'pla:nt] **I.** *v/t.* **1.** ❀ 'umpflanzen; **2.** ⚕ *Gewebe* transplantieren; **3.** *fig.* versetzen, -pflanzen (*to* nach, *into* in *acc.*); **II.** *v/i.* **4.** sich verpflanzen lassen; **III.** *s.* ['trænspla:nt] **5.** → *transplantation*; **trans·plan·ta·tion** [trænspla:n'teiʃən] *s.* Verpflanzung *f*: **a)** ❀ 'Umpflanzung *f*, **b)** *fig.* Versetzung *f*, 'Umsiedlung *f*, **c)** ⚕ Transplantati'on *f*.

trans·port **I.** *v/t.* [træns'pɔ:t] **1.** transportieren, befördern, versenden; **2.** *mst pass. fig.* **a)** *j-n* hinreißen, entzücken (*with* vor *dat.*, von), **b)** heftig erregen: ~*ed with joy* außer sich vor Freude; **3.** ⚖ deportieren; **II.** *s.* ['trænspɔ:t] **4. a)** ('Ab-, 'An)Trans,port *m*, Beförderung *f*, **b)** Versand *m*, **c)** Verschiffung *f*; **5.** Verkehr *m*; **6.** Beförderungsmittel *n*; **7.** *a.* ~*-ship*, ~*-vessel* **a)** Trans'port-, Frachtschiff *n*, **b)** ⚔ 'Truppentrans,porter *m*; **8.** ✈ Trans'portflugzeug *n*; **9.** *fig.* Taumel *m der Freude etc.*: *in a* ~ *of* außer sich vor *Entzücken etc.*; **III.** *adj.* **10.** Transport...: ~ *industry* Transport-, Verkehrsgewerbe; **trans'port·a·ble** [-təbl] *adj.* transportierbar, versendbar; **trans·por·ta·tion** [trænspɔ:'teiʃən] *s.* **1.** → *transport 4*; **2.** Trans'portsy,stem *n*; **3. a)** Beförderungsmittel *pl.*, **b)** Trans'portkosten *pl.*; **4.** ⚖ Deportati'on *f*; **trans'port·er** [-tə] *s.* **1.** Beförderer *m*; **2.** ⊕ Förder-, Trans'portvorrichtung *f*.

trans·pose [træns'pouz] *v/t.* **1.** 'umstellen (*a. ling.*), 'umsetzen, versetzen; **2.** ♪, 𝔄 transponieren; **trans·po·si·tion** [trænspə'ziʃən] *s.* **1.** 'Umstellen *n*; **2.** 'Umstellung *f* (*a. ling.*); **3.** ♪, 𝔄 Transpositi'on *f*; **4.** ⊕ **a)** 'Umstellung *f*, **b)** Kreuzung *f im Gestänge od. von Drähten*.

trans·ship [træns'ʃip] *v/t.* †, ⚓ *Güter* 'umladen; **trans-'ship·ment** [-mənt] *s.* ⚓ 'Umladung *f*, 'Umschlag *m*: ~ *charge* Umladegebühr; ~ *port* Umschlaghafen.

tran·sub·stan·ti·ate [trænsəb'stænʃieit] *v/t.* (stofflich) 'umwandeln, (*a. eccl. Brot u. Wein*) verwandeln (*into*, *to* in *acc.*, zu); **tran·sub·stan·ti·a·tion** ['trænsəbstænʃi'eiʃən] *s.* **1.** 'Stoff,umwandlung *f*; **2.** *eccl.* ,Transsub,stantiati'on *f* (*Abendmahl*).

tran·su·da·tion [trænsju:'deiʃən] *s.* **1.** ⚕ 'Durchschwitzung *f von Flüssigkeiten*; **2.** ⚗ Ab-, Aussonderung *f*; **tran'sude** [træn'sju:d] *v/i.* **1.** *physiol.* 'durchschwitzen (*Flüssigkeiten*); **2.** ('durch)dringen, (-)sikkern (*through* durch); **3.** abgesondert werden.

trans·ver·sal [trænz'və:səl] **I.** *adj.* ☐ → *transverse 1*; **II.** *s.* 𝔄 Transver'sale *f*; **trans·verse** ['trænzvə:s] **I.** *adj.* ☐ **1.** schräg, diago'nal, Quer..., quer(laufend) (*to* zu): ~ *flute* ♪ Querflöte; ~ *section* 𝔄 Querschnitt; **II.** *s.* **2.** Querstück *n*, -achse *f*, -muskel *m*; **3.** 𝔄 große Achse e-r El'lipse.

trans·ves·tism [træns'vestizəm] *s.* *psych.* Transve'stismus *m*; **trans'ves·tite** [-tait] *s.* *psych.* Transve'stit *m*.

trap[1] [træp] **I.** *s.* **1.** *hunt.*, *a.* ⚔ *u. fig.* Falle *f*: *to lay* (*od. set*) *a* ~ *for s.o.* j-m e-e Falle stellen; *to walk* (*od. fall*) *into a* ~ in e-e Falle gehen; **2.** ⚗ Abscheider *m*; **3. a)** Auffangvorrichtung *f*, **b)** Dampf-, Wasserverschluß *m*, **c)** Geruchverschluß *m* (*Klosett*); **4.** ⚡ (Funk)Sperrkreis *m*; **5.** *Tontaubenschießen*: 'Wurfmaˌschine *f*; **6.** → *trapdoor*; **7.** Golfhindernis *n*; **8.** *Brit.* Gig *n*, zweirädriger Einspänner; **9.** *mot.* offener Zweisitzer; **10.** *pl.* ♪ *Am.* Schlagzeug *n*; **11.** *sl.* ‚Klappe' *f* (*Mund*); **12.** *sl.* Gaune'rei *f*; **II.** *v/t.* **13.** fangen (*a. fig.*); (*a. phys. Elektronen*) einfangen; **14.** ⚔ einschließen; **15.** *fig.* ertappen, her'einlegen; **16.** mit Fallen besetzen; **17.** ⊕ **a)** mit Wasserverschluß *etc.* versehen, verschließen, **b)** *Gase etc.* abfangen; **III.** *v/i.* **18.** Fallen stellen (*for dat.*).

trap[2] [træp] *s. mst pl.* F ‚Kla'motten' *pl.*, Siebensachen *pl.*, Gepäck *n*.

trap[3] [træp] *s. min.* Trapp *m*.

'trap|-ball *s. sport ein* (Schlag)Ballspiel *n*; **'~-door** *s.* **1.** Fall-, Klapptür *f*, (✈ Boden)Klappe *f*; **2.** *thea.* Versenkung *f*.

trapes [treips] → *trapse*.

tra·peze [trə'pi:z] *s. sport* Tra'pez *n*, Schwebereck *n*; **tra'pe·zi·form** [-zifɔ:m] *adj.* trapezo'id, tra'pezförmig; **tra'pe·zi·um** [-zjəm] *s.* **1.** ∢ Trapez *n*; **2.** *anat.* großes Vieleckbein (*Handwurzel*); **trap·e·zoid** ['træpizɔid] **I.** *s.* **1.** ∢ **a)** *Brit.* Trapezo'id *n*, **b)** *bsd. Am.* Trapez *n*; **2.** *anat.* kleines Vieleckbein (*Handwurzel*); **II.** *adj.* **3.** *a.* **trap·e·zoi·dal** [træpi'zɔidl] ∢ trapezo'id, tra'pezähnlich.

trap·per ['træpə] *s.* Trapper *m*, [Pelztierjäger *m*.]

trap·pings ['træpiŋz] *s. pl.* **1.** Staatsgeschirr *n für Pferde*; **2.** *fig.* Staat *m*, Putz *m*, Schmuck(sachen *pl.*) *m*.

trapse [treips] *v/i.* **1.** (da'hin)latschen; **2.** (um'her)schlendern.

trap shoot·ing *s. sport* Trapschießen *n*.

trash [træʃ] *s.* **1.** *bsd. Am.* Abfall *m*; **2.** Plunder *m*, Schund *m*; **3.** *fig.* Schund *m*, Kitsch *m* (*Bücher etc.*); **4.** ‚Blech' *n*, Unsinn *m*; **5.** Ausschuß *m*, Gesindel *n*; **'trash·i·ness** [-ʃinis] *s.* Wertlosigkeit *f*, Minderwertigkeit *f*; **'trash·y** [-ʃi] *adj.* □ wertlos, minderwertig, kitschig, Schund..., Kitsch...

trau·ma ['trɔ:mə] *s.* 'Trauma *n*: **a)** ⚕ Wunde *f*, **b)** *psych.* seelische Erschütterung; **trau·mat·ic** [trɔ:'mætik] *adj.* (□ ~*ally*) ⚕ trau'matisch, Wund...: ~ *experience* traumatisches Erlebnis; ~ *neurosis* traumatische Neurose.

trav·ail[1] ['træveil] **I.** *s.* **1.** *obs. od. rhet.* (mühevolle) Arbeit, Placke'rei *f*; **2.** (Geburts)Wehen *pl.*; **3.** *fig.* (Seelen)Qual *f*: *to be in* ~ *with* schwer ringen mit; **II.** *v/i.* **4.** sich abrackern; **5.** in den Wehen liegen.

tra·vail[2] [trə'veil] *s. Am. u. Canadian* Hundeschlitten *m*.

trav·el ['trævl] **I.** *s.* **1.** Reisen *n*; **2.** *mst pl.* (längere) Reise: *book of* ~ Reisebeschreibung; **3.** ⊕ Bewegung *f*, Lauf *m*, Hub *m* (*Kolben etc.*); **II.** *v/i.* **4.** reisen, e-e Reise machen; **5.** ✝ reisen (*in* in *e-r Ware*), als (Reise)Vertreter arbeiten (*for* für); **6.** *ast.*, *phys.*, *mot. etc.* sich bewegen; sich fortpflanzen (*Licht etc.*); **7.** ⊕ sich ('hin- u. 'her)bewegen, laufen (*Kolben etc.*); **8.** *bsd. fig.* schweifen, wandern (*Blick etc.*); **9.** F (da'hin-) sausen; **III.** *v/t.* **10.** *Land*, *a.* ✝ *Vertreterbezirk* bereisen, *Strecke* zu'rücklegen; ~ **a·gen·cy** *s.* 'Reisebüˌro *n*; ~ **al·low·ance** *s.* Reisezuschuß *m*, -spesen *pl.*

trav·el(l)ed ['trævld] *adj.* **1.** (weit-, viel)gereist; **2.** (viel)befahren (*Straße etc.*); **'trav·el·(l)er** [-lə] *s.* **1.** Reisende(r *m*) *f*; **2.** ✝ *bsd. Brit.* (Handlungs)Reisende(r) *m*; **3.** ⊕ Laufstück *n*, *bsd.* **a)** Laufkatze *f*, **b)** Hängekran *m*; **4.** *Am.* Einkauf-Sammelbuch *n*.

trav·el·(l)er's| check (*Brit.* **cheque**) *s.* Reisescheck *m*; **'~-'joy** *s.* ⚘ Waldrebe *f*; ~ **tale** *s.* ‚Münchhaus(en)i'ade' *f*.

trav·el·(l)ing ['trævliŋ] *adj.* **1.** Reise...(*-koffer*, *-wecker*, *-kosten etc.*): ~ *agent*, *bsd. Am.* ~ *salesman* Reisevertreter, Handlungsreisender; **2.** Wander...(*-ausstellung*, *-bücherei*, *-zirkus etc.*); fahrbar, auf Rädern: ~ *dental clinic*; ~ *crane* ⊕ Laufkran.

trav·e·log(ue) ['trævəloug] *s.* Reisebericht *m* (*Vortrag, mst mit Lichtbildern*), Reisefilm *m*.

trav·ers·a·ble ['trævə(:)səbl] *adj.* **1.** (leicht) durch- *od.* über'querbar; **2.** passierbar, befahrbar; **3.** ⊕ (aus-) schwenkbar; **trav·erse** ['trævə(:)s] **I.** *v/t.* **1.** durch-, über'queren; **2.** durch'ziehen, -'fließen; **3.** *Fluß etc.* über'spannen; **4.** *fig.* 'durchgehen, -sehen; **5.** ⊕, *a.* ⚔ *Geschütz* (seitwärts) schwenken; **6.** *Linie etc.* kreuzen, schneiden; **7.** *Plan etc.* durch'kreuzen; **8.** ⚓ kreuzen; **9.** ⚖ **a)** *Vorbringen* bestreiten, **b)** gegen *e-e Klage etc.* Einspruch erheben; **10.** *mount.*, *Skisport*: *Hang* queren; **II.** *v/i.* **11.** ⊕ sich drehen; **12.** *fenc.*, *Reitsport*: traversieren; **13.** *mount.*, *Skisport*: queren; **III.** *s.* **14.** Durch-, Über'querung *f*; **15.** ⚠ **a)** Quergitter *n*, **b)** Querwand *f*, **c)** Quergang *m*, **d)** Tra'verse *f*, Querstück *n*; **16.** ∢ Schnittlinie *f*; **17.** ⚓ Koppelkurs *m*; **18.** ⚔ **a)** Traverse *f*, Querwall *m*, **b)** Schulterwehr *f*; **19.** ⚔ Schwenken *n* (*Geschütz*); **20.** ⊕ **a)** Schwenkung *f e-r Maschine*, **b)** schwenkbarer Teil; **21.** *surv.* Poly'gon(zug *m*) *n*; **22.** ⚖ **a)** Bestreitung *f*, **b)** Einspruch *m*; **23.** *mount.*, *Skisport*: **a)** Queren *n e-s Hanges*, **b)** Quergang *m*; **IV.** *adj.* **24.** querlaufend, Quer...(*-bohrer etc.*): ~ *motion* Schwenkung; **25.** Zickzack...: ~ *sailing* ⚓ Koppelkurs; **26.** sich kreuzend (*Linien*).

trav·es·ty ['trævisti] **I.** *s.* **1.** Trave'stie *f*; **2.** *fig.* Zerrbild *n*, Karika'tur *f*; **II.** *v/t.* **3.** travestieren (*scherzhaft umgestalten*); **4.** *fig.* entstellen, verzerren.

trawl [trɔ:l] ⚓ **I.** *s. a.* ~*-net* (Grund-) Schleppnetz *n*; **II.** *v/t. u. v/i.* mit dem Schleppnetz fischen; **'trawler** [-lə] *s.* Grundschleppnetzfischer *m* (*Boot u. Person*).

tray [trei] *s.* **1.** Ta'blett *n*, (Ser'vier-, Tee)Brett *n*; Präsentierteller *m*; **2. a)** Auslagekästchen *n*, **b)** ('umgehängtes) Verkaufsbrett, ‚Bauchladen' *m*; **3.** flache Schale; **4.** Ablegekasten *m* (*Büro*); **5.** (Koffer-) Einsatz *m*.

treach·er·ous ['tretʃərəs] *adj.* □ **1.** verräterisch, treulos (*to* gegen); **2.** (heim)tückisch, 'hinterhältig; **3.** *fig.* tückisch, trügerisch (*Eis*, *Wetter etc.*), unzuverlässig (*a. Gedächtnis*); **'treach·er·ous·ness** [-nis] *s.* **1.** Treulosigkeit *f*, Verräte'rei *f*; **2.** *a. fig.* Tücke *f*; **'treach·er·y** [-ri] *s.* (*to*) Verrat *m* (an *dat.*), Verräte'rei *f*, Treulosigkeit *f* (gegen).

trea·cle ['tri:kl] *s.* **1. a)** (Deck)Sirup *m*, **b)** Me'lasse *f*; **2.** *fig.* süßliches Getue; **'trea·cly** [-li] *adj.* **1.** sirupartig; **2.** *fig.* süßlich.

tread [tred] **I.** *s.* **1.** Tritt *m*, Schritt *m*; **2. a)** Tritt(spur *f*) *m*, **b)** (Rad-etc.)Spur *f*; **3.** ⊕ Lauffläche *f* (*Rad*); *mot.* ('Reifen)Proˌfil *n*; **4.** Spurweite *f*; **5.** Pe'dalabstand *m* (*Fahrrad*); **6. a)** Fußraste *f*, Trittbrett *n*, **b)** (Leiter)Sprosse *f*; **7.** Auftritt *m* (*Stufe*); **8.** *orn.* **a)** Treten *n* (*Begattung*), **b)** Hahnentritt *m* (*im Ei*); **II.** *v/t.* [*irr.*] **9.** *rhet.* beschreiten: *to* ~ *the boards thea.* (als Schauspieler) auftreten; **10.** *rhet. Zimmer etc.* durch'messen; **11.** *a.* ~ *down* zertreten, -trampeln: *to* ~ *out Feuer* austreten, *fig. Aufstand* niederwerfen; *to* ~ *under foot* niedertreten, *fig.* mit Füßen treten; **12.** *Pedale etc.*, *a. Wasser* treten; **13.** *orn.* treten, begatten; **III.** *v/i.* [*irr.*] **14.** treten (*on* auf *acc.*): *to* ~ *on air* (glück)selig sein; *to* ~ *lightly* leise auftreten, *fig.* vorsichtig zu Werke gehen; **15.** (ein'her)schreiten; **16.** trampeln: *to* ~ (*up*)*on* zertrampeln; **17.** unmittelbar folgen (*on* auf *acc.*); → *heel*[1] *Redew.*; **18.** *orn.* sich paaren; **trea·dle** ['tredl] **I.** *s.* **1.** ⊕ Tretkurbel *f*, Tritt(brett *n*) *m*: ~ *drive* Fußantrieb; **2.** Pe'dal *n*; **II.** *v/i.* **3.** treten.

'tread·mill *s.* Tretmühle *f* (*a. fig.*).

trea·son ['tri:zn] *s.* (⚖ Landes)Verrat *m* (*to* an *dat.*): *high* ~, ~*-felony* Hochverrat; **'trea·son·a·ble** [-nəbl] *adj.* □ (landes-, hoch)verräterisch.

treas·ure ['treʒə] **I.** *s.* **1.** Schatz *m* (*a. fig.*); **2.** Reichtum *m*, Reichtümer *pl.*, Schätze *pl.*: ~*s of the soil* Bodenschätze; ~ *trove* ⚖ Schatz (-fund); **3.** F ‚Perle' *f* (*Dienstmädchen etc.*); **4.** F Schatz *m*, Liebling *m*; **II.** *v/t.* **5.** *oft* ~ *up Schätze* (an-) sammeln, aufhäufen; **6. a)** (hoch-) schätzen, **b)** hegen, *a. Andenken* in Ehren halten; **'~-house** *s.* **1.** Schatzhaus *n*, -kammer *f*; **2.** *fig.* Gold-, Fundgrube *f*.

treas·ur·er ['treʒərə] *s.* **1.** Schatzmeister(in) (*a.* ✝ *e-r Körperschaft etc.*); **2.** ✝ Leiter *m* der Fi'nanzabˌteilung, Kassenwart *m*: *city* ~ Stadtkämmerer; **3.** Fis'kalbeamte(r) *m*: ♀ *of the Household Brit.* Fiskalbeamte(r) des königlichen Haushalts; **'treas·ur·er·ship** [-ʃip] *s.* Schatzmeisteramt *n*, Amt *n* e-s Kassenwarts.

treas·ur·y ['treʒəri] *s.* **1.** Schatzkammer *f*, -haus *n*; **2. a)** Schatzamt *n*, **b)** Staatsschatz *m*: *Lords* (*od. Commissioners*) *of the* ♀ *das* brit. Finanzministerium; *First Lord of the*

♀ erster Schatzlord (*mst der Ministerpräsident*); **3.** 'Fiskus *m*, Staatskasse *f*; **4.** *fig.* Schatz(kästlein *n*) *m*, Antholo'gie *f* (*Buchtitel*); ♀ **bench** *s. parl. Brit.* Regierungsbank *f*; ~ **bill** *s.* ✝ (*kurzfristiger*) Schatzwechsel; ♀ **Board** *s. Brit.*, ♀ **Depart·ment** *s. Am.* Fi'nanzministerium *n*; ~ **note** *s.* ✝ *Am.* (*mittelfristiger*) Schatzwechsel; ♀ **warrant** *s.* ✝ *Brit.* Schatzanweisung *f*.

treat [tri:t] **I.** *v/t.* **1.** behandeln, 'umgehen mit: *to ~ s.o. brutally*; **2.** behandeln, betrachten (*as* als); **3.** ⚕, ⚗, ⊕ behandeln (*for* gegen, *with* mit); **4.** *fig. Thema etc.* behandeln; **5.** *j-m* e-n Genuß bereiten, *bsd. j-n* bewirten (*to* mit): *to ~ o.s. to* sich *et.* gönnen *od.* leisten *od.* genehmigen; *to ~ s.o. to s.th.* j-m et. spendieren; **II.** *v/i.* **6.** ~ *of* handeln von, *Thema* behandeln; **7.** ~ *with* unter'handeln mit; **8.** (die Zeche) bezahlen; **III.** *s.* **9.** ('Extra)Vergnügen *n*, *bsd.* (Fest-)Schmaus *m*: *school* ~ Schulfest *od.* -ausflug; **10.** *fig.* (Hoch)Genuß *m*, Wonne *f*; **11.** ('Gratis)Bewirtung *f*: *to stand* ~ (die Zeche) bezahlen; *it is my* ~ das geht auf m-e Rechnung, diesmal bezahle ich; '**trea·tise** [-tiz] *s.* (*wissenschaftliche*) Abhandlung, Monogra'phie *f*; '**treat·ment** [-mənt] *s.* **1.** Behandlung *f* (*a.* ⚕ *u.* ⚗); **2.** Behandlung *f*, Handhabung *f e-s Themas etc.*; **3.** ⊕ Bearbeitung *f*; **4.** *Film*: Treatment *n* (*erweitertes Handlungsschema*).

trea·ty ['tri:ti] *s.* **1.** (*bsd.* Staats-)Vertrag *m*, Pakt *m*: ~ *powers* Vertragsmächte; **2.** Verhandlung *f*: *to be in ~ with s.o. for s.th.* mit j-m über e-e Sache verhandeln.

tre·ble ['trebl] **I.** *adj.* □ **1.** dreifach; **2.** ⩓ dreistellig; **3.** ♪ Diskant..., Sopran...; **4.** hoch, schrill; **II.** *s.* **5.** ♪ *allg.* Dis'kant *m*; **III.** *v/t. u. v/i.* **6.** (sich) verdreifachen.

tree [tri:] **I.** *s.* **1.** Baum *m*: ~ *of life* **a)** *bibl.* Baum des Lebens, **b)** ⚘ Lebensbaum; *up a ~* F in der Klemme; → *top*¹ 2; **2.** (*Rosen- etc.*)Strauch *m*, (*Bananen- etc.*)Staude *f*; **3.** ⊕ Baum *m*, Welle *f*, Schaft *m*; (Holz)Gestell *n*; (Stiefel)Leisten *m*; **4.** → *family tree*; **II.** *v/t.* **5.** auf e-n Baum jagen; **6.** *j-n* in die Enge treiben; '~-'**fern** *s.* ⚘ Baumfarn *m*; '~-**frog** *s. zo.* Laubfrosch *m*.

tree·less ['tri:lis] *adj.* baumlos, kahl.

'**tree|-nail** *s.* ⊕ Holznagel *m*, Dübel *m*; ~ **nurs·er·y** *s.* Baumschule *f*; ~ **sur·geon** *s.* 'Baum-Chir,urg *m*; '~-**toad** *s. zo.* Baum-Laubfrosch *m*; '~-**top** *s.* Baumkrone *f*, -wipfel *m*.

tre·foil ['trefɔil] *s.* **1.** ⚘ Klee *m*; **2.** △ Dreiblatt(verzierung *f*) *n*; **3.** *bsd. her.* Kleeblatt *n*.

trek [trek] **I.** *v/i.* **1.** *Südafrika*: trekken, (im Ochsenwagen) reisen; **2.** (aus)wandern; **II.** *s.* **3.** Treck *m*.

trel·lis ['trelis] **I.** *s.* **1.** Gitter *n*, Gatter *n*; **2.** ⊕ Gitterwerk *n*; **3.** ✓ Spa'lier *n*; **II.** *v/t.* **4.** vergittern: *~ed window* Gitterfenster; **5.** ✓ am Spalier ziehen; '~-**work** *s.* Gitterwerk *n* (*a.* ⊕).

trem·ble ['trembl] **I.** *v/i.* **1.** (er)zittern, (-)beben (*at, with* vor *dat.*): *to ~ all over* (*od. in every limb*) am ganzen Körper beben; *to ~ at the thought* (*od. to think*) bei dem Gedanken zittern; → *balance* 2; **2.** zittern, bangen (*for* für, um): *a trembling uncertainty* e-e bange Ungewißheit; **II.** *s.* **3.** Zittern *n*, Beben *n*: *to be all of a ~* am ganzen Körper beben; **4.** *pl.* **a)** ⚕ *u. vet.* Zittern *n*, **b)** *vet. Am.* Milchfieber *n*; '**trem·bler** [-lə] *s.* **1.** ⚡ 'Selbstunter,brecher *m*; **2.** e'lektrische Glocke *od.* Klingel; '**trem·bling** [-liŋ] *adj.* □ zitternd: ~ *grass* ⚘ Zittergras; ~ *poplar* (*od. tree*) ⚘ Zitterpappel, Espe.

tre·men·dous [tri'mendəs] *adj.* □ **1.** schrecklich, fürchterlich; **2.** F gewaltig, ungeheuer, e'norm, kolos'sal, ‚toll'.

trem·o·lo ['tremələu] *pl.* **-los** *s.* ♪ 'Tremolo *n*.

trem·or ['tremə] *s.* **1.** ⚕ Zittern *n*, Zucken *n*: ~ *of the heart* Herzflackern; **2.** Zittern *n*, Schau(d)er *m der Erregung*; **3.** Beben *n der Erde*; **4.** Angst(gefühl *n*) *f*, Beben *n*.

trem·u·lous ['tremjuləs] *adj.* □ **1.** zitternd, bebend; **2.** zitt(e)rig, ner'vös; **3.** ängstlich.

tre·nail ['trenl] → *treenail*.

trench [trentʃ] **I.** *v/t.* **1.** mit Gräben durch'ziehen *od.* (⚔) befestigen; **2.** ✓ tief 'umpflügen, ri'golen; **3.** zerschneiden, durch'furchen; **II.** *v/i.* **4.** (⚔ Schützen)Gräben ausheben; **5.** *geol.* sich (ein)graben (*Fluß etc.*); **6.** ~ (*up*)*on* beeinträchtigen, in *j-s Rechte* eingreifen; **7.** ~ (*up*)*on fig.* hart grenzen an (*acc.*); **III.** *s.* **8.** (⚔ Schützen)Graben *m*; **9.** Furche *f*, Rinne *f*; **10.** ⚒ Schramm *m*.

trench·an·cy ['trentʃənsi] *s.* Schärfe *f*; '**trench·ant** [-nt] *adj.* □ **1.** scharf, schneidend (*Witz etc.*); **2.** einschneidend, e'nergisch: *a ~ policy*; **3.** *poet.* scharf (*Klinge etc.*).

trench coat *s.* Trenchcoat *m*, Wettermantel *m*.

trench·er¹ ['trentʃə] *s.* ⚔ Schanzarbeiter *m*.

trench·er² ['trentʃə] *s.* **1.** Tranchier-, Schneidebrett *n*; **2.** *fig.* Speise *f*, Tafel(freuden *pl.*) *f*; ~ **cap** *s. viereckige englische* Stu'dentenmütze; '~**man** [-mən] *s.* [*irr.*] guter *etc.* Esser.

'**trench|-fe·ver** *s.* ⚕ Schützengrabenfieber *n*; ~ **foot** *s.* ⚕ Schützengrabenfüße *pl.* (*Fußbrand*); ~ **mor·tar** *s.* ⚔ Gra'natwerfer *m*; ~ **war·fare** *s.* ⚔ Stellungskrieg *m*.

trend [trend] **I.** *s.* **1.** Richtung *f* (*a. fig.*); **2.** *fig.* Ten'denz *f*, Entwicklung *f*, Trend *m* (*alle a.* ✝); Neigung *f*, Bestreben *n*: *the ~ of his argument was* s-e Beweisführung lief darauf hinaus; ~ *in od. of prices* ✝ Preistendenz; **3.** *fig.* (Ver)Lauf *m*: *the ~ of events*; **II.** *v/i.* **4.** sich neigen, streben, tendieren (*towards* nach *e-r Richtung*); **5.** sich erstrecken, laufen (*towards* nach *Süden etc.*); **6.** *geol.* streichen (*to* nach); ~ **a·nal·y·sis** *s.* ✝ Konjunk'turana,lyse *f*; '~-**set·ter** *s. Mode etc.*: j-d der den Ton angibt, Schrittmacher *m*; '~-**set·ting** *adj.* tonangebend.

tren·dy ['trendi] *adj.* ('super)mo,dern, schick, modebewußt.

tre·pan¹ [tri'pæn] **I.** *s.* **1.** ⚕ *hist.* Schädelbohrer *m*; **2.** ⊕ 'Bohrma,schine *f*; **3.** *geol.* Stein-, Erdbohrer *m*; **II.** *v/t.* **4.** ⚕ trepanieren.

tre·pan² [tri'pæn] *v/t. obs.* betrügen; (ver)locken (*into* zu).

trep·i·da·tion [trepi'deiʃən] *s.* **1.** ⚕ (Glieder-, Muskel)Zittern *n*; **2.** Beben *n*; **3.** Angst *f*, Bestürzung *f*.

tres·pass ['trespəs] **I.** *s.* **1.** Über'tretung *f*, Vergehen *n*, Sünde *f*; **2.** 'Übergriff *m*; **3.** 'Mißbrauch *m* (*on gen.*); **4.** ⚖ *allg.* unerlaubte Handlung (*Zivilrecht*): **a)** unbefugtes Betreten, **b)** Besitzstörung *f*, **c)** 'Übergriff *m* gegen die Per'son (*z.B. Körperverletzung*); **5.** *a. action for* ~ ⚖ Schadenersatzklage *f* aus unerlaubter Handlung, *z.B.* Besitzstörungsklage *f*; **II.** *v/i.* **6.** ⚖ e-e unerlaubte Handlung begehen: *to ~* (*up*)*on* **a)** widerrechtlich betreten, **b)** rechtswidrige Übergriffe gegen *j-s Eigentum* begehen; **7.** ~ (*up*)*on* 'übergreifen auf (*acc.*); *j-s Zeit etc.* über Gebühr in Anspruch nehmen; **8.** (*against*) verstoßen (gegen), sündigen (wider *od.* gegen); '**tres·pass·er** [-sə] *s.* **1.** ⚖ **a)** Rechtsverletzer *m*, **b)** Unbefugte(r *m*) *f*: *~s will be prosecuted!* Betreten bei Strafe verboten!; **2.** Sünder(in).

tress [tres] *s.* **1.** (Haar)Flechte *f*, Zopf *m*; **2.** Locke *f*; **3.** *pl.* üppiges Haar; **tressed** [-st] *adj.* geflochten; gelockt.

tres·tle ['tresl] *s.* **1.** ⊕ Gestell *n*, Gerüst *n*, Bock *m*, Schragen *m*; **2.** ⚔ Brückenbock *m*: *~-bridge* Bockbrücke.

trews [tru:z] *s. pl. Scot.* (enge) Hose aus kariertem Stoff.

trey [trei] *s.* Drei *f im Karten- od. Würfelspiel.*

tri·a·ble ['traiəbl] *adj.* ⚖ **a)** justiti'abel, zu verhandeln(d) (*Sache*), **b)** belangbar, abzuurteilen(d) (*Person*).

tri·ad ['traiəd] *s.* **1.** Tri'ade *f*: **a)** Dreizahl *f*, **b)** ⚗ dreiwertiges Ele'ment, **c)** ⩓ Dreiergruppe *f*; **2.** ♪ Dreiklang *m*.

tri·al ['traiəl] **I.** *s.* **1.** Versuch *m* (*of* mit), Probe *f*, Erprobung *f*, Prüfung *f* (*alle a.* ⊕): ~ *and error* **a)** ⩓ Regula falsi, **b)** empirische Methode; ~ *of strength* Kraftprobe; *on ~* auf *od.* zur Probe; *to give a ~*, *to make a ~ of* e-n Versuch machen mit, erproben; **2.** ⚖ ('Straf- *od.* Zi'vil)Pro,zeß *m*, (Gerichts)Verfahren *n*, (Haupt)Verhandlung *f*: ~ *by jury* Schwurgerichtsverfahren; *to be on* (*od. stand*) ~ unter Anklage stehen (*for* wegen); *to bring* (*od. put*) *s.o. to ~* j-n vor Gericht bringen; *to stand one's ~* sich vor Gericht verantworten; **3.** (*to* für) *fig.* **a)** (Schicksals)Prüfung *f*, Heimsuchung *f*, **b)** Last *f*, **c)** Plage *f*, ‚Nervensäge' *f*; **II.** *adj.* **4.** Versuchs..., Probe...: ~ *balance* ✝ Rohbilanz; ~ *balloon fig.* Versuchsballon; ~ *marriage* Ehe auf Probe, Probeehe; ~ *order* ✝ Probeauftrag; ~ *package* ✝ Probepackung; ~ *run* Probefahrt, -lauf; **5.** ⚖ Verhandlungs...: ~ *judge* Richter der ersten Instanz; ~ *lawyer* Prozeßanwalt.

tri·an·gle ['traiæŋgl] *s.* **1.** ⩓ Dreieck *n*; **2.** ♪ Triangel *m*; **3.** ⊕ **a)**

Reißdreieck *n*, **b)** Winkel *m*; **tri·an·gu·lar** [trai'æŋgjulə] *adj.* dreieckig, -winkelig; **tri·an·gu·la·tion** [traiæŋgju'leiʃən] *s.* **1.** *surv.* trigono'metrische Netzlegung; **2.** ⚔ Dreieckzielen *n.*

tri·as ['traiəs] *s. geol.* 'Trias(formation) *f*; **tri·as·sic** [trai'æsik] *adj. geol.* Trias...

trib·al ['traibəl] *adj.* □ Stammes...; '**trib·al·ism** [-bəlizəm] *s.* **1.** 'Stammessystem *n*; **2.** Stammesgefühl *n.*

tri·bas·ic [trai'beisik] *adj.* ⚗ drei-, 'tribasisch.

tribe [traib] *s.* **1.** (Volks)Stamm *m*; **2.** ♀, *zo.* 'Tribus *f*, Klasse *f*; **3.** *humor. u. contp.* Sippschaft *f*; **tribes·man** ['traibzmən] *s.* [*irr.*] Stammesangehörige(r) *m*, -genosse *m.*

trib·u·la·tion [tribju'leiʃən] *s.* Drangsal *f*, 'Widerwärtigkeit *f*, Leiden *n.*

tri·bu·nal [trai'bju:nl] *s.* **1.** ⚖ Gericht(shof *m*) *n*, Tribu'nal *n* (*a. fig.*); **2.** Richterstuhl *m* (*a. fig.*); **trib·une** ['tribju:n] *s.* **1.** *antiq.* ('Volks)Tribun *m*; **2.** Verfechter *m* der Volksrechte, Volksheld *m*; **3.** Tri'büne *f*; **4.** Rednerbühne *f*; **5.** Bischofsthron *m.*

trib·u·tar·y ['tribjutəri] **I.** *adj.* □ **1.** tri'but-, zinspflichtig (*to dat.*); **2.** 'untergeordnet (*to dat.*); **3.** helfend, beisteuernd (*to* zu); **4.** *geogr.* Neben...: ~ *stream*; **II.** *s.* **5.** Tri'butpflichtige(r) *m*; tributpflichtiger Staat; **6.** *geogr.* Nebenfluß *m*; **trib·ute** ['tribju:t] *s.* **1.** Tri'but *m*: **a)** Zins *m*, Abgabe *f*, **b)** *fig.* Zoll *m*, Beitrag *m*; **2.** Huldigung *f*, Achtungsbezeigung *f*, Anerkennung *f*: ~ *of admiration* gebührende Bewunderung; *to pay (a)* ~ *to j-m* Hochachtung bezeigen *od.* Anerkennung zollen.

tri·car ['trai-kɑ:] *s. mot.* Dreiradlieferwagen *m.*

trice [trais] *s.*: *in a* ~ im Nu, im Handumdrehen.

tri·ceps ['traiseps] *pl.* '**tri·ceps·es** *s. anat.* 'Trizeps *m* (*Muskel*).

tri·chi·na [tri'kainə] *pl.* **-nae** [-ni:] *s. zo.* Tri'chine *f*; **trich·i·no·sis** [triki'nousis] *s.* ⚕ Trichi'nose *f.*

trich·o·mon·ad [trikou'mɔnæd] *s. zo.* Geißeltierchen *n.*

tri·chord ['traikɔ:d] *adj. u. s.* ♪ dreisaitig(es Instru'ment).

tri·chot·o·my [trai'kɔtəmi] *s.* Dreiheit *f*, -teilung *f.*

trick [trik] **I.** *s.* **1.** Trick *m*, Kunstgriff *m*, Kniff *m*, List *f*; *pl. a.* Schliche *pl.*, Ränke *pl.*, Winkelzüge *pl.*: *full of* ~*s* raffiniert; **2.** (*dirty* ~ gemeiner) Streich, Possen *m*: ~*s of fortune* Tücken des Schicksals; *the* ~*s of the memory fig.* die Tücken des Gedächtnisses; *to be up to one's* ~*s* Dummheiten machen; *to be up to s.o.'s* ~*s* j-n *od.* j-s Schliche durchschauen; *what* ~*s have you been up to?* was hast du angestellt?; *to play s.o. a* ~, *to play a* ~ *on s.o.* j-m e-n Streich spielen; **3.** Trick *m*, (*Karten- etc.*)Kunststück *n*: *to do the* ~ den Zweck erfüllen; *that did the* ~ damit war es geschafft; **4.** (Sinnes-) Täuschung *f*; **5.** (*bsd.* üble) Angewohnheit, Eigenheit *f*; **6.** *Kartenspiel*: Stich *m*; **7.** ⚓ Rudertörn *m*; **II.** *adj.* **8.** Trick...(*-dieb*, *-film*, *-szene*); **9.** Kunst...(*-flug*, *-reiten*); **III.** *v/t.* **10.** über'listen, betrügen, prellen (*out of* um); **11.** *j-n* verleiten (*into doing et.* zu tun); **12.** *mst* ~ *up* (*od. out*) schmücken, (her'aus-) putzen; '**trick·er** [-kə] → *trickster*; '**trick·er·y** [-kəri] *s.* Betrüge'rei *f*, Gaune'rei *f*; '**trick·i·ness** [-kinis] *s.* **1.** Verschlagenheit *f*, Durch'triebenheit *f*; **2.** Kitzligkeit *f e-r Situation etc.*; **3.** Kompliziertheit *f*; '**trick·ish** [-kiʃ] → *tricky.*

trick·le ['trikl] **I.** *v/i.* **1.** tröpfeln (*a. fig.*); **2.** rieseln; **3.** sickern: *to* ~ *out fig.* durchsickern; **4.** *Golf etc.* langsam rollen (*Ball*); **II.** *v/t.* **5.** tröpfeln (lassen), träufeln; **6.** rieseln lassen; **III.** *s.* **7.** Tröpfeln *n*, Rieseln *n*; **8.** Rinnsal *n*, dünner Strom (*a. fig.*); ~ **charg·er** *s.* ⚡ Kleinlader *m.*

trick·si·ness ['triksinis] *s.* **1.** Durch'triebenheit *f*; **2.** Mutwilligkeit *f.*

trick·ster ['trikstə] *s.* Gauner(in), Schwindler(in).

trick·sy ['triksi] *adj.* **1.** → *tricky 1*; **2.** mutwillig.

trick·y ['triki] *adj.* □ **1.** verschlagen, durch'trieben, raffiniert; **2.** heikel, kitzlig (*Lage*, *Problem*); **3.** kompliziert, knifflig, schwierig.

tri·col·o(u)r ['trikələ] *s.* Triko'lore *f.*

tri·cot ['trikou] *s.* Tri'kot *m*, *n*: **a)** *Gewebe*, **b)** *Kleidungsstück.*

tri·cy·cle ['traisikl] **I.** *s.* Dreirad *n*; **II.** *v/i.* Dreirad fahren.

tri·dent ['traidənt] *s.* Dreizack *m.*

tried [traid] **I.** *p.p. von try*; **II.** *adj.* erprobt, bewährt, zuverlässig.

tri·en·ni·al [trai'enjəl] *adj.* □ **1.** dreijährig; **2.** alle drei Jahre stattfindend, dreijährlich.

tri·er ['traiə] *s.* Unter'sucher *m*, Prüfer *m*: *he is a great* ~ F er läßt nichts unversucht.

tri·er·arch·y ['traiərɑ:ki] *s.* Trierar'chie *f*, Dreiherrschaft *f.*

tri·fle ['traifl] **I.** *s.* **1.** Kleinigkeit *f*: **a)** unbedeutender Gegenstand, **b)** Baga'telle *f*, Lap'palie *f*, **c)** Kinderspiel *n* (*to* für *j-n*), **d)** kleine Geldsumme, **e)** *das* bißchen: *a* ~ *expensive* etwas *od.* ein bißchen teuer; *not to stick at* ~*s* sich nicht mit Kleinigkeiten abgeben; *to stand upon* ~*s* ein Kleinigkeitskrämer sein; **2.** *Brit.* Bis'kuitauflauf *m*; **II.** *v/i.* **3.** spielen (*with* mit *dem Bleistift etc.*); **4.** (*with*) *fig.* spielen (mit), sein Spiel treiben *od.* leichtfertig 'umgehen (mit): *he is not to be* ~*d with* er läßt nicht mit sich spaßen; **5.** tändeln, scherzen; leichtfertig da'herreden; **III.** *v/t.* **6.** ~ *away Zeit* vertändeln, vertrödeln, *a. Geld* verplempern; '**tri·fler** [-lə] *s.* **1.** oberflächlicher *od.* fri'voler Mensch; **2.** Tändler *m*; **3.** Müßiggänger *m*; '**tri·fling** [-liŋ] *adj.* □ **1.** oberflächlich, leichtfertig; **2.** tändelnd; **3.** unbedeutend, geringfügig.

Tri·fo·li·um [trai'fouljəm] *s.* ♀ Klee *m.*

trig¹ [trig] *adj.* □ **1.** schmuck; **2.** kräftig.

trig² [trig] **I.** *v/t.* **1.** *Rad etc.* hemmen; **2.** *a.* ~ *up* stützen; **II.** *s.* **3.** Hemmklotz *m.*

trig³ [trig] F *für trigonometry.*

trig·ger ['trigə] **I.** *s.* **1.** *phot. etc.* Auslöser *m*; **2.** Abzug *m* (*Feuerwaffe*), *Gewehr a.* Drücker *m*: *to pull the* ~ abdrücken; *quick on the* ~ *fig.* **a)** reaktionsschnell, ‚auf Draht', **b)** schlagfertig; **II.** *v/t.* **3.** ⊕ auslösen (*a. fig.*); ~ **guard** *s.* ⚔ Abzugsbügel *m*; '~**-hap·py** *adj.* **1.** *bsd.* ⚔ schießwütig; **2.** *pol.* kriegslüstern; **3.** *fig.* kampflustig.

trig·o·no·met·ric *adj.*; **trig·o·no·met·ri·cal** [trigənə'metrik(əl)] *adj.* □ ⩚ trigono'metrisch.

trig·o·nom·e·try [trigə'nɔmitri] *s.* ˌTrigonome'trie *f.*

tri·he·dral [trai'hedrəl] *adj.* ⩚ dreiflächig, tri'edrisch.

tri·lat·er·al ['trai'lætərəl] *adj.* ⩚ dreiseitig.

tril·by ['trilbi] *s.* **1.** *a.* ~ *hat Brit.* F weicher Filzhut; **2.** *pl. sl.* ‚Flossen' *pl.* (*Füße*).

tri·lin·e·ar ['trai'liniə] *adj.* ⩚ dreilinig: ~ *co-ordinates* Dreieckskoordinaten.

tri·lin·gual ['trai'liŋgwəl] *adj.* dreisprachig.

trill [tril] **I.** *v/t. u. v/i.* **1.** ♪ *etc.* trillern, trällern; **2.** *ling.* (*bsd.* das r) rollen; **II.** *s.* **3.** ♪ Triller *m*; **4.** *ling.* gerolltes r.

tril·lion ['triljən] *s.* **1.** *Brit.* Trilli'on *f*; **2.** *Am.* Billi'on *f.*

tril·o·gy ['trilədʒi] *s.* Trilo'gie *f.*

trim [trim] **I.** *v/t.* **1.** in Ordnung bringen, zu'rechtmachen; **2.** *Lampe* putzen; **3.** *Feuer* anschüren; **4.** *Haar, Hecken etc.* (be-, zu'recht)schneiden, stutzen, *bsd. Hundefell* trimmen; **5.** ⊕ *Bauholz* behauen, zurichten; **6.** *a.* ~ *up* (her'aus)putzen, schmükken, ausstaffieren, schönmachen; **7.** *Hüte etc.* besetzen, garnieren; **8.** F **a)** *j-n* ‚zs.-stauchen', **b)** ‚reinlegen', **c)** verprügeln, **d)** *sport* schlagen; **9.** ✈, ⚓ trimmen: **a)** *Flugzeug, Schiff* in die richtige Lage bringen, **b)** *Segel* stellen: *to* ~ *one's sails to every wind fig.* sein Mäntelchen nach dem Wind hängen, **c)** *Kohlen* schaufeln, **d)** *Ladung* (richtig) verstauen; **II.** *v/i.* **10.** *fig.* e-n Mittelkurs steuern; *pol.* lavieren: *to* ~ *with the times* sich den Zeiten anpassen, Opportunitätspolitik treiben; **III.** *s.* **11.** Ordnung *f*, (richtiger) Zustand, *a.* richtige (*körperliche od. seelische*) Verfassung: *in good* (*out of*) ~ in guter (schlechter) Verfassung (*a. Person*); **12.** ✈, ⚓ **a)** Trimm *m*, Gleichgewichtslage *f*, **b)** richtige Stellung *der Segel*, **c)** gute Verstauung *der Ladung*; **13.** Putz *m*, Staat *m*; **IV.** *adj.* **14.** ordentlich; **15.** schmuck, sauber, a'drett; gepflegt (*a. Bart, Rasen etc.*); **16.** (gut) im Schuß.

tri·mes·ter [tri'mestə] *s.* **1.** Zeitraum *m* von drei Monaten, Vierteljahr *n*; **2.** *univ.* Tri'mester *n.*

trim·mer ['trimə] *s.* **1.** Aufarbeiter(in), Putzmacher(in); **2.** ⚓ **a)** (Kohlen)Trimmer *m*, **b)** Stauer *m*; **3.** *Zimmerei*: Wechselbalken *m*; **4.** *fig. bsd. pol.* Achselträger(in); '**trim·ming** [-miŋ] *s.* **1.** (Auf-, Aus)Putzen *n*, Zurichten *n*; **2.** **a)** (Hut-, Kleider)Besatz *m*, Borte *f*, **b)** *pl.* Zutaten *pl.*, Posa'menten *pl.*, **c)** *fig.* ‚Verzierung' *f* (*Stil*); **3.** *pl.*

Garnierung *f*, Zutaten *pl.* (*Speise*); **4.** *pl.* Abfälle *pl.*, Schnipsel *pl.*; **5.** ⚓ **a**) Trimmen *n*, (Ver)Stauen *n*, **b**) Staulage *f*; **6.** (Tracht *f*) Prügel *pl.*; **7.** *bsd. sport* Niederlage *f*; '**trim·ness** [-mnis] *s.* **1.** gute Ordnung; **2.** gutes Aussehen, Gepflegtheit *f*.

trine [train] **I.** *adj.* **1.** dreifach; **II.** *s.* **2.** Dreiheit *f*; **3.** *ast.* Trigo'nalaˌspekt *m*.

Trin·i·tar·i·an [trini'tɛəriən] *eccl.* **I.** *adj.* **1.** Dreieinigkeits...; **II.** *s.* **2.** Bekenner(in) der Drei'einigkeit; **3.** *hist.* Trini'tarier *m*; **Trin·i'tar·i·an·ism** [-nizəm] *s.* Drei'einigkeitslehre *f*.

tri·ni·tro·tol·u·ene [trai'naitrou'tɔljui:n] *s.* ⚗ ˌTrinitrotolu'ol *n* (T.N.T.).

trin·i·ty ['triniti] *s.* **1.** Dreiheit *f*; **2.** ♀ *eccl.* Drei'einigkeit *f*; ♀ **House** *s.* Verband *m* zur Aufsicht über See- u. Lotsenzeichen *etc.*; ♀ **Sunday** *s.* Sonntag *m* Trini'tatis; ♀ **term** *s. univ.* 'Sommer-TriˌmesterN *n*.

trin·ket ['triŋkit] **I.** *s.* **1.** Schmuck *m*; (*bsd.* wertloses) Schmuckstück; **2.** *pl. fig.* Kram *m*, Plunder *m*, ‚Kinkerlitzchen' *pl.*

tri·no·mi·al [trai'noumjəl] **I.** *adj.* **1.** 𝔄 tri'nomisch, dreigliedrig, -namig; **2.** *biol.*, *zo.* dreigliedrig (*Artname*); **II.** *s.* **3.** 𝔄 Tri'nom *n*, dreigliedrige (Zahlen)Größe.

tri·o ['tri(:)ou] *pl.* **-os** *s.* **1.** ♪ Trio *n*; **2.** *fig.* Trio *n* (*Dreiergruppe*; *a. Kartenspiel*); *Personen a.* Kleeblatt *n*.

tri·ode ['traioud] *s.* ⚡ Tri'ode *f*, 'DreielekˌtrodenˌröhrE *f*.

tri·o·let ['tri(:)oulet] *s.* Trio'lett *n* (*Ringelgedicht*).

trip [trip] **I.** *s.* **1.** (*bsd.* kurze, *a.* See-) Reise; Ausflug *m*, Spritztour *f* (*to* nach); **2.** *weitS.* Fahrt *f*; **3.** Trippeln *n*; **4.** Stolpern *n*; **5.** Fehltritt *m* (*bsd. fig.*); **6.** *fig.* Fehler *m*; **7.** Beinstellen *n*; **8.** ⊕ Auslösung *f*; **9.** *sl.* ‚Trip' *m* (*Drogenrausch*); **II.** *v/i.* **10.** trippeln, tänzeln; **11.** stolpern, straucheln (*a. fig.*); **12.** *fig.* (e-n) Fehler machen: *to catch s.o.* *~ping* j-n bei e-m Fehler ertappen; **13.** *über ein Wort* stolpern, sich versprechen; **III.** *v/t.* **14.** *oft ~ up j-m* ein Bein stellen, *j-n* zu Fall bringen (*beide a. fig.*), **15.** *fig.* vereiteln; **16.** (*in* bei *e-m Fehler etc.*) ertappen; **17.** ⊕ auslösen.

tri·par·tite ['trai'pa:tait] *adj.* **1.** ⚘ dreiteilig; **2.** Dreier..., dreiseitig (*Vertrag etc.*).

trip dog *s.* ⊕ (Auslöse)Anschlag *m*.

tripe [traip] *s.* **1.** Kal'daunen *pl.*, Kutteln *pl.*; **2.** *sl.* Schund *m*, Mist *m*, Quatsch *m*.

tri·phase ['trai'feiz] → *three-phase.*

tri·phib·i·ous [trai'fibiəs] *adj.* ⚔ mit Einsatz von Land-, See- u. Luftstreitkräften ('durchgeführt).

triph·thong ['trifθɔŋ] *s. ling.* Tri'phthong *m*, Dreilaut *m*.

tri·plane ['traiplein] *s.* ✈ Dreidecker *m*.

tri·ple ['tripl] **I.** *adj.* □ **1.** dreifach; **2.** dreimalig; **3.** Drei..., drei...: ♀ *Alliance hist.* Tripelallianz, Dreibund; *~ fugue* ♪ Tripelfuge; *~ time* ♪ Tripeltakt; **II.** *v/t. u. v/i.* **4.** (sich) verdreifachen.

tri·plet ['triplit] *s.* **1.** Drilling *m*; **2.** Dreiergruppe *f*, Trio *n* (*drei Personen etc.*); **3.** ♪ Tri'ole *f*; **4.** *Verskunst*: Dreireim *m*.

trip le·ver *s.* ⊕ Auslösehebel *m*.

tri·plex ['tripleks] **I.** *adj.* **1.** dreifach: *~ glass* → *3*; **II.** *s.* **2.** ♪ 'Tripeltakt *m*; **3.** ⊕ 'Triplex-, Sicherheitsglas *n*.

trip·li·cate ['triplikit] **I.** *adj.* **1.** dreifach; **2.** in dreifacher Ausfertigung (geschrieben *etc.*); **II.** *s.* **3.** dritte Ausfertigung: *in ~* in dreifacher Ausfertigung; **III.** *v/t.* [-keit] **4.** verdreifachen; **5.** dreifach ausfertigen; **trip·li·ca·tion** [tripli'keiʃən] *s.* Verdreifachung *f*.

tri·pod ['traipɔd] *s.* **1.** Dreifuß *m*; **2.** *bsd. phot.* Sta'tiv *n*; **3.** ⊕, ⚔ Dreibein *n*.

tri·pos ['traipɔs] *s.* letztes Ex'amen *für honours* (*Cambridge*).

trip·per ['tripə] *s.* Ausflügler(in), Tou'rist(in).

trip·ping ['tripiŋ] **I.** *adj.* □ **1.** leicht (-füßig), flink; **2.** flott, munter; **3.** strauchelnd (*a. fig.*); **4.** ⊕ Auslöse..., Schalt...; **II.** *s.* **5.** Trippeln *n*; **6.** Beinstellen *n*.

trip·tych ['triptik] *s.* 'Triptychon *n*, dreiteiliges (Al'tar)Bild.

tri·reme ['trairi:m] *s. antiq.* Tri'reme *f*, Tri'ere *f* (*Dreiruderer*).

tri·sect [trai'sekt] *v/t.* in drei (gleiche) Teile teilen; **tri'sec·tion** [-kʃən] *s.* Dreiteilung *f*.

tri·syl·lab·ic ['traisi'læbik] *adj.* (□ *~ally*) dreisilbig; **tri·syl·la·ble** ['trai'siləbl] *s.* dreisilbiges Wort.

trite [trait] *adj.* □ abgedroschen, platt, ba'nal; '**trite·ness** [-nis] *s.* Abgedroschenheit *f*, Plattheit *f*.

Tri·ton ['traitn] *s.* **1.** *antiq.* Triton *m* (*niederer Meergott*): *a ~ among* (*the*) *minnows* ein Riese unter Zwergen; **2.** ♀ *zo.* Tritonshorn *n*; **3.** ♀ *zo.* Molch *m*.

tri·tone ['traitoun] *s.* ♪ 'Tritonus *m*.

trit·u·rate ['tritjureit] *v/t.* zerreiben, -mahlen, -stoßen, pulverisieren.

tri·umph ['traiəmf] **I.** *s.* **1.** Tri'umph *m*: **a**) Sieg *m* (*over* über *acc.*), **b**) Siegesfreude *f* (*at* über *acc.*): *in ~* im Triumph, triumphierend; **2.** Triumph *m* (*Großtat*, *Erfolg*): *the ~s of science*; **II.** *v/i.* **3.** triumphieren: **a**) den Sieg da'vontragen, **b**) froh'locken (*beide over* über *acc.*); **tri·um·phal** [trai'ʌmfəl] *adj.* Triumph..., Sieges...: *~ arch* Triumphbogen; *~ procession* Triumphzug; **tri·um·phant** [trai'ʌmfənt] *adj.* □ triumphierend: **a**) den Sieg feiernd, **b**) sieg-, erfolgreich, glorreich, **c**) froh'lockend, jubelnd.

tri·um·vir [trai'ʌmvə(:)] *pl.* **-virs** *od.* **-vi·ri** [tri'umviri:] *s. antiq.* Tri'umvir *m* (*a. fig.*); **tri'um·vi·rate** [-virit] *s.* **1.** *antiq.* Triumvi'rat *n* (*a. fig.*); **2.** *fig.* Dreigestirn *n*.

tri·une ['traiju:n] *adj. bsd. eccl.* drei'einig.

tri·va·lent [trai'veilənt] *adj.* ⚗ dreiwertig.

triv·et ['trivit] *s.* Dreifuß *m* (*bsd. für Kochgefäße*): *as right as a ~ fig.* **a**) in schönster Ordnung, **b**) ‚sauwohl'.

triv·i·a ['triviə] *s. pl.* Baga'tellen *pl.*; '**triv·i·al** [-əl] *adj.* □ **1.** trivi'al, ba'nal, all'täglich; **2.** gering(fügig), unbedeutend; **3.** unbedeutend, oberflächlich (*Person*); **4.** volkstümlich (*Ggs. wissenschaftlich*); **triv·i·al·i·ty** [trivi'æliti] *s.* **1.** Triviali'tät *f*, Plattheit *f*; **2.** Geringfügigkeit *f*, Unerheblichkeit *f*, Nebensächlichkeit *f*.

tri·week·ly [trai'wi:kli] **I.** *adj.* **1.** dreiwöchentlich, -wöchig; **2.** dreimal wöchentlich erscheinend (*Zeitschrift etc.*); **II.** *adv.* **3.** dreimal in der Woche.

tro·cha·ic [trou'keiik] *Metrik* **I.** *adj.* tro'chäisch; **II.** *s.* Tro'chäus *m* (*Vers*); **tro·chee** ['trouki:] *s.* Trochäus *m* (*Versfuß*).

trod [trɔd] *pret. u. p.p. von tread.*

trod·den ['trɔdn] *p.p. von tread.*

trog·lo·dyte ['trɔglədait] *s.* **1.** Troglo'dyt *m*, Höhlenbewohner *m*; **2.** *fig.* Einsiedler *m*; **trog·lo·dyt·ic** [trɔglə'ditik] *adj.* troglo'dytisch.

troi·ka ['trɔikə] (*Russ.*) *s.* Troika *f*, Dreigespann *n*.

Tro·jan ['troudʒən] **I.** *adj.* tro'janisch; **II.** *s.* Tro'janer(in): *like a ~* F wie ein Pferd *arbeiten*.

troll[1] [troul] **I.** *v/t. u. v/i.* **1.** (fröhlich) trällern; **2.** (mit der Schleppangel) fischen (*for* nach); **II.** *s.* **3.** Schleppangel *f*, künstlicher Köder.

troll[2] [troul] *s.* Troll *m*, Kobold *m*.

trol·ley ['trɔli] *s.* **1.** *Brit.* (zweirädriger) Karren; **2.** ⊕ Laufkatze *f*, Förderwagen *m*; **3.** 🚂 *Brit.* Drai'sine *f*; **4.** ⚡ Kon'taktrolle *f bei elektr. Oberleitungsfahrzeugen*; **5.** *Am.* Straßenbahn(wagen *m*) *f*; **6.** *a. ~-table Brit.* Tee-, Servierwagen *m*; '**~-bus** *s.* O(berleitungs)bus *m*; '**~-car** *s. Am.* Straßenbahnwagen *m*; '**~-pole** *s.* ⚡ Stromabnehmerstange *f*; '**~-wire** *s.* Oberleitung *f*.

trol·lop ['trɔləp] **I.** *s.* **1.** Schlampe *f*; **2.** Hure *f*; **II.** *v/i.* **3.** schlunzen; **4.** latschen, bummeln.

trom·bone [trɔm'boun] *s.* ♪ **1.** Po'saune *f*: *slide ~* Zugposaune; **2.** → *trombonist*; **trom'bon·ist** [-nist] *s.* ♪ Posau'nist *m*.

troop [tru:p] **I.** *s.* **1.** Trupp *m*, Schar *f*; **2.** *pl.* ⚔ Truppe(n *pl.*) *f*; **3.** ⚔ **a**) Schwa'dron *f*, **b**) ('Panzer-) KompaˌnieF *f*, **c**) Batte'rie *f*; **II.** *v/i.* **4.** *oft ~ up*, *~ together* sich scharen, sich sammeln; **5.** (in Scharen) *wohin* ziehen, (her'ein- *etc.*)strömen, marschieren; **6.** *~ away*, *~ off* F abziehen, sich da'vonmachen; **III.** *v/t.* **7.** *~ the colour(s) Brit.* ⚔ Fahnenparade abhalten; '**~-car·ri·er** *s.* ⚔ 'TruppentransˌportFlugzeug *n*; '**~-car·ry·ing** *adj.* ⚔: *~ glider* Lastensegler; *~ vehicle Brit.* Mannschafts(transport)wagen.

troop·er ['tru:pə] *s.* **1.** ⚔ Reiter *m*, Kavalle'rist *m*: *to swear like a ~* wie ein Landsknecht fluchen; **2.** 'PanzersolˌdatN *m*; **3.** *Am.* berittener Poli'zist; **4.** ⚔ Kavalle'riepferd *n*; **5.** *Brit.* → *troopship.*

'**troop|-horse** *s.* Kavalle'riepferd *n*; '**~ship** *s.* ⚓ 'TruppentransˌporterN *m*.

trope [troup] *s.* 'Tropus *m*, bildlicher Ausdruck.

troph·ic ['trɔfik] *adj. biol.* 'trophisch, Ernährungs...

tro·phied ['troufid] *adj.* mit Tro'phäen geschmückt; **tro·phy** ['troufi] *s.* **1.** Tro'phäe *f*, Siegeszeichen *n*, -beute *f* (*a. fig.*); **2.** Preis *m*, (*Jagd-etc.*)Trophäe *f*.

trop·ic ['trɔpik] **I.** *s.* **1.** *ast., geogr.* Wendekreis *m*; **2.** *pl. geogr.* Tropen *pl.*; **II.** *adj.* **3.** → *tropical*¹.

trop·i·cal¹ ['trɔpikəl] *adj.* ☐ Tropen..., tropisch.

trop·i·cal² ['trɔpikəl] → *tropological*.

trop·o·log·i·cal [trɔpə'lɔdʒikəl] *adj.* ☐ fi'gürlich, bildlich, meta'phorisch; **tro·pol·o·gy** [trə'pɔlədʒi] *s.* bildliche Ausdrucksweise.

trop·o·sphere ['trɔpəsfiə] *s. meteor.* Tropo'sphäre *f.*

trot [trɔt] **I.** *v/i.* **1.** traben, trotten, im Trab gehen *od.* reiten: *to ~ along* (*od. off*) F ab-, losziehen; **II.** *v/t.* **2.** *Pferd* traben lassen, *a. j-n* in Trab setzen; **3.** *~ out* **a)** *Pferd* vorreiten, -führen, **b)** *fig. et. od. j-n* vorführen, renommieren mit, *Argumente, Kenntnisse etc., a. Wein etc.* auftischen, aufwarten mit; **4.** *a. ~ round j-n* her'umführen; **III.** *s.* **5.** Trott *m*, Trab *m* (*a. fig.*): *at a ~* im Trab; *to keep s.o. on the ~* j-n in Trab halten; **6.** F ,Taps' *m* (*kleines Kind*); **7.** *ped. Am. sl.* Eselsbrücke *f*, ,Klatsche' *f* (*Übersetzungshilfe*).

troth [trouθ] *s. obs.* Treue(gelöbnis *n*) *f*: *by my ~!, in ~!* meiner Treu!, wahrlich!; *to pledge one's ~* sein Wort verpfänden, ewige Treue schwören; *to plight one's ~* sich verloben.

trot·ter ['trɔtə] *s.* **1.** Traber *m* (*Pferd*); **2.** F Fuß *m*, Bein *n* (*Schlachttiere*): *pigs ~s* Schweinsfüße; **3.** *pl. humor.* ,Haxen' *pl.* (*menschliche Füße*).

trou·ble ['trʌbl] **I.** *v/t.* **1.** beunruhigen, stören, belästigen; **2.** *j-n* bemühen, bitten (*for* um): *may I ~ you to pass me the salt* darf ich Sie um das Salz bitten; *I will ~ you to hold your tongue iro.* würden Sie gefälligst den Mund halten; **3.** *j-m* 'Umstände *od.* Unannehmlichkeiten bereiten, *j-m* Mühe machen; *j-n* behelligen (*about, with* mit); **4.** *j-n* plagen, quälen: *to be ~d with* von *e-r Krankheit etc.* geplagt sein; **5.** *j-m* Sorge *od.* Verdruß *od.* Kummer machen *od.* bereiten, *j-n* beunruhigen: *to be ~d about* sich Sorgen machen wegen; *don't let it ~ you* machen Sie sich deswegen keine Gedanken; *~d face* sorgenvolles *od.* gequältes Gesicht; **6.** *Wasser* trüben: *~d waters fig.* schwierige Situation, unangenehme Lage; *to fish in ~d waters fig.* im trüben fischen; **II.** *v/i.* **7.** sich beunruhigen (*about* über *acc.*): *I shall not ~ if* **a)** ich wäre beruhigt, wenn, **b)** es wäre mir gleichgültig, wenn; **8.** sich die Mühe machen, sich bemühen (*to do* zu tun); sich 'Umstände machen: *don't ~ (yourself)* bemühen Sie sich nicht; *don't ~ to write* du brauchst nicht zu schreiben; **III.** *s.* **9. a)** Mühe *f*, Plage *f*, Last *f*, Belästigung *f*, Störung *f*, **b)** *weitS.* Unannehmlichkeiten *pl.*, Schwierigkeiten *pl.*, Schere'reien *pl.* (*a. mit der Polizei etc.*): *to give s.o. ~* j-m Mühe verursachen; *to go to much ~* sich besondere Mühe machen *od.* geben; *to put s.o. to ~* j-m Umstände bereiten; *to save o.s. the ~ of doing* sich die Mühe (er)sparen, zu tun; *to take (the) ~* sich (die) Mühe machen; *to take ~ over* sich Mühe geben mit; (*it is*) *no ~* (*at all*) (es ist) nicht der Rede wert; **10.** Schwierigkeit *f*, Pro'blem *n*: *the ~ is* der Haken dabei ist, das Unangenehme ist (*that* daß); *what's the ~?* wo(ran) fehlt's?, was ist los?; **11.** Not *f*, Kummer *m*, Sorge(n *pl.*) *f*, Verdruß *m*: *to ask* (*od. look*) *for ~* das Schicksal herausfordern, sich (nur) selbst Schwierigkeiten bereiten; *to be in ~* in Nöten sein, in der Patsche sitzen; *to get into ~* sich in die Nesseln setzen; *to have ~ with* Ärger haben mit, es zu tun haben mit; **12.** ⚕ Störung *f*, Leiden *n*: *heart ~* Herzleiden; **13.** *pol.* Unruhe(n *pl.*) *f*, Wirren *pl.*; **14.** ⊕ Störung *f*, De'fekt *m*; '**~·mak·er** *s.* Unruhestifter *m*; '**~·man** [-mən] *s.* [*irr.*] ⊕ Störungssucher *m*; '**~·shoot·er** *s. Am.* **1.** → *troubleman*; **2.** *fig.* Friedensstifter *m*.

trou·ble·some ['trʌblsəm] *adj.* ☐ lästig, beschwerlich, unangenehm; '**trou·ble·some·ness** [-nis] *s.* Lästigkeit *f*, Beschwerlichkeit *f*.

trou·blous ['trʌbləs] *adj.* ☐ *obs.* unruhig.

trough [trɔf] *s.* **1.** Trog *m*, Mulde *f*; **2.** Wanne *f*; **3.** Rinne *f*, Ka'nal *m*; **4.** Wellental *n*: *~ of the sea*; **5.** *meteor.* Tief(druck *m*) *n*: *~ of low pressure* Tiefdruckrinne.

trounce [trauns] *v/t.* **1.** verprügeln; **2.** *fig.* her'untermachen; **3.** *sport* ,über'fahren' (*besiegen*).

troupe [tru:p] *s.* (Schauspieler-, Zirkus)Truppe *f*.

trou·sered ['trauzəd] *adj.* Hosen tragend; '**trou·ser·ing** [-zəriŋ] *s.* Hosenstoff *m*; **trou·sers** ['trauzəz] *s. pl.* (*a pair of ~* e-e) (lange) Hose; Hosen *pl.*; → *wear*¹ 1.

trou·ser suit *s.* Hosenanzug *m*.

trous·seau ['tru:sou] *pl.* **-seaus** (*Fr.*) *s.* Aussteuer *f*.

trout [traut] *ichth.* **I.** *pl.* -s, *bsd. coll.* **trout** *s.* Fo'relle *f*; **II.** *v/i.* Forellen fischen; **III.** *adj.* Forellen...

trove [trouv] *s.* Fund *m*.

tro·ver ['trouvə] *s.* ⚖ **1.** rechtswidrige Aneignung; **2.** *a. action of ~* Klage *f* auf Her'ausgabe.

trow·el ['trauəl] **I.** *s.* **1.** (Maurer-)Kelle *f*: *to lay it on with a ~ fig.* zu dick auftragen; **2.** ⸙ Hohlspatel *m*, Pflanzenheber *m*; **II.** *v/t.* **3.** mit der Kelle auftragen, glätten.

troy (weight) [trɔi] *s.* ✝ Troygewicht *n* (*für Edelmetalle, Edelsteine u. Arzneien*; *1 lb. = 373,24 g*).

tru·an·cy ['tru(:)ənsi] *s.* (Schul-)Schwänze'rei *f*, unentschuldigtes Fernbleiben; '**tru·ant** [-nt] **I.** *s.* **1. a)** (Schul)Schwänzer(in), **b)** Bummler(in), Faulenzer(in): *to play ~* (*bsd.* die Schule) schwänzen, bummeln; **II.** *adj.* **2.** träge, bumm(e)lig, pflichtvergessen; **3.** (schul)schwänzend; **4.** *fig.* schweifend (*Gedanken*).

truce [tru:s] *s.* **1.** ⚔ Waffenruhe *f*, -stillstand *m*: *flag of ~* Parlamentärflagge; *~ of God hist.* Gottesfriede; *political ~* Burgfriede; *a ~ to talking* Schluß mit (dem) Reden; **2.** *fig.* (Ruhe-, Atem)Pause *f* (*from* von).

truck¹ [trʌk] **I.** *s.* **1.** Tausch(handel) *m*; **2.** Verkehr *m*: *to have no ~ with s.o.* mit j-m nichts zu tun haben; **3.** *bsd. Am.* Gemüse *n*: *~-farm, ~-garden Am.* Gemüsegärtnerei; **4.** *coll.* **a)** Kram(waren *pl.*) *m*, Hausbedarf *m*, **b)** *contp.* Plunder *m*; **5.** *mst ~ system* ✝ Natu'rallohn-, 'Trucksyˌstem *n*; **II.** *v/t.* **6.** (*for*) (aus-, ver)tauschen (gegen), eintauschen (für); **7.** verschachern, hausieren; **III.** *v/i.* **8.** Tauschhandel treiben, schachern, handeln (*for* um).

truck² [trʌk] **I.** *s.* **1.** ⊕ Block-, Laufrad *n*; **2.** Hand-, Gepäck-, Rollwagen *m*; **3.** Lore *f*: **a)** 🚂 *Brit.* offener Güterwagen, **b)** ⚒ Kippkarren *m*, Förderwagen *m*; **4.** *Am.* Lastauto *n*, -(kraft)wagen *m*; **5.** 🚂 Dreh-, 'Untergestell *n*; **6.** ⚓ Flaggenknopf *m*; **II.** *v/t.* **7.** auf Güter- *od.* Lastwagen *etc.* verladen *od.* befördern; '**truck·age** [-kidʒ] *s.* **1.** (*Am.* 'Last)Wagentransˌport *m*; **2.** Rollgeld *n*; '**truck·er** [-kə] *s. Am.* **1.** Lastwagen-, Fernlastfahrer *m*; **2.** Gemüsegärtner *m*, -händler *m*.

'**truck-farm·er** → *trucker* 2.

truck·le ['trʌkl] **I.** *v/i.* (zu Kreuze) kriechen (*to* vor); **II.** *s. mst ~-bed* (niedriges) Rollbett; '**truck·ler** [-lə] *s.* Kriecher(in).

'**truck|·man** [-mən] *s.* [*irr.*] → *trucker 1*; *~* **sys·tem** → *truck*¹ *5*.

truc·u·lence ['trʌkjuləns], '**truc·u·len·cy** [-si] *s.* Wildheit *f*; '**truc·u·lent** [-nt] *adj.* ☐ **1.** wild, grausam; **2.** trotzig; **3.** gehässig.

trudge [trʌdʒ] **I.** *v/i.* (*bsd.* mühsam) stapfen; sich (mühsam) (fort-)schleppen: *to ~ along*; **II.** *v/t.* (mühsam) durch'wandern; **III.** *s.* langer *od.* mühseliger Marsch *od.* Weg.

true [tru:] **I.** *adj.* ☐ → *truly*; **1.** wahr, wahrheitsgetreu: *a ~ story*; *to be ~ of* zutreffen auf (*acc.*), gelten für; *to come ~* sich bewahrheiten, sich erfüllen, eintreffen; **2.** wahr, echt, wirklich, (regel)recht: *a ~ Christian*; *~ bill* ⚖ begründete (*von den Geschworenen bestätigte*) Anklage (-schrift); *~ love* wahre Liebe; (*it is*) *~* zwar, allerdings, freilich, zugegeben; **3.** (ge)treu (*to dat.*): *a ~ friend*; (*as*) *~ as gold* (*od. steel*) treu wie Gold; *~ to one's principles* (*word*) s-n Grundsätzen (s-m Wort) getreu; **4.** (ge)treu (*to dat.*) (*von Sachen*): *~ copy*; *~ weight* genaues *od.* richtiges Gewicht; *~ to life* lebenswahr, -echt; *~ to nature* naturgetreu; *~ to size* ⊕ maßgerecht, -haltig; *~ to type* artgemäß, typisch; **5.** rechtmäßig: *~ heir* (*owner*); **6.** zuverlässig: *a ~ sign*; **7.** ⊕ genau, richtig eingestellt *od.* eingepaßt; **8.** ⚓, *phys.* rechtweisend (*Kurs, Peilung*): *~ declination* Ortsmißweisung; *~ north* geographisch Nord; **9.** ♪ richtig gestimmt, rein; **10.** *biol.* reinrassig; **II.** *adv.* **11.** wahr('haftig): *to speak ~* die Wahrheit reden; **12.** (ge)treu (*to dat.*); **13.** genau: *to shoot ~*; **III.** *s.* **14.** *the ~* das Wahre; **15.** *out of ~* ⊕ unrund; **IV.** *v/t.* **16.** *a. ~ up* ⊕ *Lager* ausrichten; *Rad* zentrieren; *Werkzeug* nachschleifen; '**~-'blue I.** *adj.* waschecht, treu; **II.** *s.* getreuer Anhänger; '**~-born** *adj.* echt, gebürtig; '**~-bred** *adj.* **1.** reinrassig; **2.** gebildet, kultiviert (*Person*); '**~-'heart·ed** *adj.*

aufrichtig, ehrlich; '~-**love** *s.* Geliebte(r *m*) *f.*

true·ness ['tru:nis] *s.* **1.** Wahrheit *f*; **2.** Echtheit *f*; **3.** Treue *f*; Aufrichtigkeit *f*; **4.** Richtigkeit *f*; **5.** Genauigkeit *f.*

truf·fle ['trʌfl] *s.* ♀ Trüffel *f.*

tru·ism ['tru(:)izəm] *s.* Binsenwahrheit *f*, Gemeinplatz *m.*

trull [trʌl] *s.* Dirne *f*, Hure *f.*

tru·ly ['tru:li] *adv.* **1.** wahrheitsgemäß; **2.** aufrichtig: *Yours (very)* ~ (*als Briefschluß*) Hochachtungsvoll; *yours* ~ *humor.* meine Wenigkeit; **3.** wirklich, wahr'haftig, in der Tat; **4.** genau.

trump[1] [trʌmp] *s. obs. od. poet.* Trom'pete(nstoß *m*) *f*: *the* ~ *of doom* die Posaune des Jüngsten Gerichts.

trump[2] [trʌmp] **I.** *s.* **1. a)** Trumpf *m*, **b)** *a.* ~ *card* Trumpfkarte *f* (*a. fig.*): *to play one's* ~ *card fig.* s-n Trumpf ausspielen; *to put s.o. to his* ~*s fig.* j-n bis zum Äußersten treiben; *to turn up* ~*s* **a)** sich als das Beste erweisen, **b)** immer Glück haben; **2.** F *fig.* feiner Kerl; **II.** *v/t.* **3.** (über)'trumpfen, *Karte* stechen; **4.** *fig. j-n* übertrumpfen (*with* mit); **III.** *v/i.* **5.** Trumpf ausspielen, trumpfen, stechen.

trump[3] [trʌmp] *v/t.* ~ *up* erdichten, zs.-schwindeln, sich aus den Fingern saugen; '**trumped-up** [trʌmpt] *adj.* erfunden, erlogen, falsch: ~ *charges.*

trump·er·y ['trʌmpəri] **I.** *s.* **1.** Plunder *m*, Ramsch *m*, Schund *m*; **2.** *fig.* Gewäsch *n*, Quatsch *m*; **II.** *adj.* **3.** Schund..., Kitsch..., kitschig, geschmacklos; **4.** *fig.* billig, nichtssagend: ~ *arguments.*

trum·pet ['trʌmpit] **I.** *s.* **1.** ♪ Trom'pete *f*: *to blow one's own* ~ *fig.* sein eigenes Lob singen; *the last* ~ die Posaune des Jüngsten Gerichts; **2.** Trom'petenstoß *m* (*a. des Elefanten*); **3.** ♪ Trom'pete(nreˌgister *n*) *f* (*Orgel*); **4.** Schalltrichter *m*, Sprachrohr *n*; **5.** Hörrohr *n*; **II.** *v/t. u. v/i.* **6.** trom'peten (*a. Elefant*): *to* ~ (*forth*) *fig.* ausposaunen; '~-**call** *s.* Trom'petensiˌgnal *n.*

trum·pet·er ['trʌmpitə] *s.* **1.** Trom'peter *m*; **2.** *fig.* 'Auspoˌsauner(in); **3.** *orn.* Trom'petertaube *f* (*Haustaubenrasse*); '**trum·pet·ist** [-tist] *s.* ♪ (Or'chester)Tromˌpeter *m* (*bsd. Jazz*).

trum·pet ma·jor *s.* ⚔ 'Stabs-tromˌpeter *m.*

trun·cate ['trʌŋkeit] **I.** *v/t.* stutzen, verstümmeln, beschneiden; ⊕ *Gewinde* abrunden, abflachen; **II.** *adj.* abgestutzt, -stumpft (*Blätter, Muscheln*); '**trun·cat·ed** [-tid] *adj.* **1. a)** verstümmelt, **b)** gestutzt (*beide a. fig.*); **2.** ⩘ abgestumpft: ~ *cone* (*pyramid*) Kegel- (Pyramiden-) stumpf; **trun·ca·tion** [trʌŋ'keiʃən] *s.* **1.** Verstümmelung *f*; **2.** Abstumpfung *f.*

trun·cheon ['trʌntʃən] *s.* **1.** *Brit.* (Poli'zei-, Gummi)Knüppel *m*; **2.** Kom'mandostab *m.*

trun·dle ['trʌndl] **I.** *v/t. Faß etc.* trudeln, rollen; *Reifen* schlagen; *j-n im Rollstuhl etc.* fahren; **II.** *v/i. oft* ~ *along* rollen, sich wälzen, trudeln; **III.** *s.* Rolle *f*, Walze *f*: ~-*bed* Rollbett.

trunk [trʌŋk] *s.* **1.** (Baum)Stamm *m*; **2.** Rumpf *m*, Leib *m*; 'Torso *m*; **3.** *zo.* Rüssel *m*; **4.** (Schrank)Koffer *m*, Truhe *f*; **5.** ⚠ (Säulen)Schaft *m*; **6.** *anat.* (*Nerven- etc.*)Strang *m*, Stamm *m*; **7.** *pl.* **a)** → *trunk hose*, **b)** *bsd. Am.* Badehose(n *pl.*) *f*, kurze 'Herrenˌunterhose; **8.** ⊕ Rohrleitung *f*, Schacht *m*; **9.** *teleph. Brit.* **a)** Fernleitung *f*, **b)** *pl.* Fernverbindung *f*: ~*s, please!* Fernamt, bitte!; **10.** 🚂 → *trunk-line 1*; '~-**call** *s. teleph. Brit.* Ferngespräch *n*; ~ **ex·change** *s. teleph. Brit.* Fernamt *n*; ~ **hose** *s. hist.* Kniehose *f*; '~-**line** *s.* **1.** 🚂 Hauptstrecke *f*, -linie *f*; **2.** → *trunk 9*; '~-**road** *s.* Haupt-, Autostraße *f.*

trun·nion ['trʌnjən] *s.* ⊕ (Dreh-) Zapfen *m.*

truss [trʌs] **I.** *v/t.* **1.** *oft* ~ *up* bündeln, (fest)schnüren, zs.-binden; **2.** *Geflügel zum Braten* (auf)zäumen; **3.** absteifen, stützen; **4.** *oft* ~ *up obs. Kleider etc.* aufschürzen, -stecken; **5.** *obs. j-n* aufhängen; **II.** *s.* **6.** ⚕ Bruchband *n*; **7.** ⚠ **a)** Träger *m*, Binder *m*, **b)** Fach-, Gitter-, Hängewerk *n*, Gerüst *n*; **8.** ⚓ Rack *n*; **9.** (Heu-, Stroh)Bündel *n*, (*a.* Schlüssel)Bund *n*; **10.** ♀ Dolde *f*; '~-**bridge** *s.* ⊕ (Gitter)Fachwerkbrücke *f.*

trust [trʌst] **I.** *s.* **1.** (*in*) Vertrauen *n* (auf *acc.*), Zutrauen *n* (zu *dat.*): *to place* (*od. put*) *one's* ~ *in* → *13*; *position of* ~ Vertrauensstellung; **2.** Zuversicht *f*, zuversichtliche Erwartung *od.* Hoffnung, Glaube *m*; **3.** Kre'dit *m*: *on* ~ **a)** auf Kredit, **b)** auf Treu u. Glauben; **4.** Pflicht *f*, Verantwortung *f*; **5.** Verwahrung *f*, Obhut *f*; **6.** Pfand *n*, anvertrautes Gut; **7.** ⚖ **a)** Treuhand(verhältnis *n*) *f*, **b)** Treuhandgut *n*, -vermögen *n*: *breach of* ~ Verletzung der Treupflicht; ~ *territory pol.* Gebiet unter Treuhandverwaltung; *to hold s.th. in* ~ et. zu treuen Händen verwahren, et. treuhänderisch verwalten; **8.** ✝ **a)** Trust *m*, Kon'zern *m*, **b)** Kar'tell *n*, Ring *m*; **9.** (*Familien- etc.*)Stiftung *f*; **II.** *v/t.* **10.** *j-m* (ver-) trauen, glauben, sich auf *j-n* verlassen: *to* ~ *s.o. to do s.th.* j-m zutrauen, daß er et. tut; ~ *him to* (*inf.*) *iro.* es sieht ihm ähnlich, zu (*inf.*); **11.** (*s.o. with s.th., s.th. to s.o.* j-m et.) anvertrauen; **12.** (zuversichtlich) hoffen *od.* erwarten, glauben; **III.** *v/i.* **13.** (*in, to*) vertrauen (auf *acc.*), sein Vertrauen setzen (auf *acc.*); **14.** hoffen, glauben, denken; ~ **com·pa·ny** *s. Am.* **1.** Treuhandgesellschaft *f*; **2.** Treuhandbank *f*; '~-**deed** *s.* Treuhandvertrag *m.*

trus·tee [trʌs'ti:] *s.* **1.** Sachwalter *m* (*a. fig.*), (Vermögens)Verwalter *m*, Treuhänder *m*: ~ *in bankruptcy*, *official* ~ Konkurs-, Masseverwalter; *Public* ♀ *Brit.* Öffentlicher Treuhänder; ~ *securities*, ~ *stock* mündelsichere Wertpapiere; **2.** Ku'rator *m*, Pfleger *m*: *board of* ~*s* Kuratorium; **trus'tee·ship** [-ʃip] *s.* **1.** Treuhänderschaft *f*; **2.** Kura'torium *n*; **3.** *pol.* Treuhandverwaltung *f.*

trust·ful ['trʌstful] *adj.* □ vertrauensvoll, zutraulich.

'**trust-fund** *s.* ✝ Treuhand-, Mündelgelder *pl.*

trust·i·fi·ca·tion [trʌstifi'keiʃən] *s.* ✝ Ver'trustung *f*, 'Trustbildung *f.*

trust·ing ['trʌstiŋ] *adj.* □ → *trustful.*

'**trust·wor·thi·ness** *s.* Vertrauenswürdigkeit *f*; '**trust·wor·thy** *adj.* □ vertrauenswürdig, zuverlässig.

trust·y ['trʌsti] **I.** *adj.* □ treu, zuverlässig; **II.** *s.* Strafgefangener, der wegen guter Führung Vergünstigungen hat.

truth [tru:θ] *s.* **1.** Wahrheit *f*: *in* ~, *obs. of a* ~ in Wahrheit; *the* ~, *the whole* ~ *and nothing but the* ~ ⚖ die reine Wahrheit; *to tell the* ~, ~ *to tell* um die Wahrheit zu sagen, ehrlich gesagt; *there is no* ~ *in it* daran ist nichts Wahres; *the* ~ *is that I forgot it* in Wirklichkeit *od.* tatsächlich habe ich es vergessen; **2.** *allgemein anerkannte* Wahrheit: *historical* ~; **3.** Wahr'haftigkeit *f*; Aufrichtigkeit *f*; **4.** Wirklichkeit *f*, Echtheit *f*, Treue *f*; **5.** Richtigkeit *f*, Genauigkeit *f*: *to be out of* ~ ⊕ nicht genau passen; ~ *to life* (*to nature*) Lebens- (Natur)treue.

truth·ful ['tru:θful] *adj.* □ **1.** wahr (-heitsgemäß); **2.** wahr'haftig, wahrheitsliebend; **3.** echt, genau, getreu; '**truth·ful·ness** [-nis] *s.* **1.** Wahr'haftigkeit *f*; **2.** Wahrheitsliebe *f*; **3.** Echtheit *f.*

try [trai] **I.** *s.* **1.** Versuch *m*: *to have a* ~ e-n Versuch machen, es versuchen (*at* mit); **2.** *Rugby*: Versuch *m* (*3 Punkte*); **II.** *v/t.* **3.** versuchen, probieren: *to* ~ *one's best* sein Bestes tun; *to* ~ *one's hand at s.th.* sich an e-r Sache versuchen; **4.** *a.* ~ *out* (aus-, 'durch)probieren, erproben, prüfen: *to* ~ *a new method* (*remedy, invention*); *to* ~ *on Kleid etc.* anprobieren, *Hut* aufprobieren; *to* ~ *it on with s.o. sl.* j-n zu überlisten versuchen, ‚es bei j-m probieren'; **5.** e-n Versuch machen mit, es versuchen mit: *to* ~ *the door* die Tür zu öffnen suchen; *to* ~ *one's luck* sein Glück versuchen (*with* bei *j-m*); **6.** ⚖ **a)** verhandeln über *e-e Sache*, *Fall* unter'suchen, **b)** verhandeln gegen *j-n*, vor Gericht stellen, aburteilen; **7.** *Augen etc.* angreifen, (über)'anstrengen, *Geduld, Mut, Nerven etc.* auf e-e harte Probe stellen; **8.** *j-n* arg mitnehmen, plagen, quälen; **9.** ⊕ *mst* ~ *out* **a)** *Metalle* raffinieren, scheiden, **b)** *Talg etc.* ausschmelzen, **c)** *Spiritus* rektifizieren; **III.** *v/i.* **10.** versuchen (*at acc.*), sich bemühen *od.* bewerben (*for* um); **11.** versuchen, e-n Versuch machen: ~ *again!* noch einmal!; ~ *and read!* F versuche zu lesen!; *to* ~ *hard* sich große Mühe geben.

try·ing ['traiiŋ] *adj.* □ **1.** schwierig, kritisch, unangenehm, nervtötend: *to be* ~ *to j-m* auf die Nerven gehen; **2.** anstrengend, ermüdend (*to* für).

'**try**|-'**on** *s.* **1.** Anprobe *f*; **2.** 'Schwindelmaˌnöver *n*, Täuschungsversuch *m*; '~-**out** *s.* **1.** Probe *f*, Erprobung *f*, (Vor)Versuch *m*; **2.** *sport* Ausscheidungskampf *m*, -spiel *n*; ~-**sail** ['traisl] *s.* ⚓ Gaffelsegel *n*; '~-**square** *s.* ⊕ Richtscheit *n*, Anschlagwinkel *m*.

tryst [traist] **I.** *s.* **1.** Stelldichein *n*, Rendez'vous *n*; **2.** → *trysting-place*; **3.** *Scot.* (Vieh)Markt *m*; **II.** *v/t.* **4.** *j-n* (an e-n verabredeten Ort) bestellen; **5.** *Zeit, Ort* verabreden; **III.** *v/i.* **6.** sich verabreden *od.* treffen; '**tryst·ing-place** [-tiŋ] *s.* Treffpunkt *m*, Ort *m* des Stelldicheins.

tsar [zɑ:] *s.* Zar *m*; **tsar·e·vitch** ['zɑ:rəvitʃ] *s.* Za'rewitsch *m*; **tsar·ism** ['zɑ:rizəm] *s.* Zarentum *n*.

'**tset·se(-fly)** ['tsetsi] *s. zo.* Tsetsefliege *f*.

'**T-shirt** *s.* 'T-shirt *n*.

'**T-square** *s.* ⊕ **1.** Reißschiene *f*; **2.** Anschlagwinkel *m*.

tub [tʌb] **I.** *s.* **1.** (Bade)Wanne *f*; **2.** *Brit.* F (Wannen)Bad *n*; **3.** Bottich *m*, Kübel *m*, Wanne *f*; **4.** (*Butter- etc.*)Faß *n*, Tonne *f*; **5.** Faß *n* (*als Maß*): *a ~ of tea*; **6.** ⚓ *humor.* ‚Kahn' *m*, ‚Kasten' *m* (*Schiff*); **7.** *sport* Übungsruderboot *n*, Ruderkasten *m*; **8.** ⚒ Förderkorb *m*, -wagen *m*; **II.** *v/t.* **9.** *bsd. Butter* in ein Faß tun; **10.** ⚘ in e-n Kübel pflanzen; **11.** *Brit.* F baden; **III.** *v/i.* **12.** (sich) baden; **13.** *sport sl.* (im Ruderkasten) trainieren.

tu·ba ['tju:bə] *s.* ♪ Tuba *f* (*a. Orgelregister*).

tub·by ['tʌbi] **I.** *adj.* **1.** faß-, tonnenartig; **2.** F rundlich, klein u. dick; **3.** dumpf, hohl (*klingend*); **II.** *s.* **4.** F ‚Dickerchen' *n*.

tube [tju:b] **I.** *s.* **1.** Rohr(leitung *f*) *n*, Röhre *f*, Röhrchen *n*; **2.** Schlauch *m*: (*inner*) ~ ⊕ (Luft)Schlauch; **3.** (Me'tall)Tube *f*: *~ colo(u)rs* Tubenfarben; **4.** ♪ (Blas)Rohr *n*; **5.** *anat.* (*Luft- etc.*)Röhre *f*, Ka'nal *m*; **6.** ⚘ (Pollen)Schlauch *m*; **7.** ⚡ *Am.* (Elek'tronen-, 'Radio)Röhre *f*; **8. a)** (U-Bahn-)Tunnel *m*, **b)** *a.* ≈ Londoner U-Bahn *f*; **II.** *v/t.* **9.** ⊕ mit Röhren versehen; **10.** (durch Röhren) befördern; **11.** (in Röhren *od.* Tuben) abfüllen; '**tube·less** [-lis] *adj.* schlauchlos (*Reifen*).

tu·ber ['tju:bə] *s.* **1.** ⚘ Knolle *f*, Knollen(gewächs *n*) *m*; **2.** ⚕ Knoten *m*, Schwellung *f*.

tu·ber·cle ['tju:bə:kl] *s.* **1.** *biol.* Knötchen *n*; **2.** ⚕ **a)** Tu'berkel (-knötchen *n*) *m*, **b)** (*bsd.* 'Lungen-) Tuˌberkel *m*; **3.** ⚘ kleine Knolle, Warze *f*; **tu·ber·cu·lar** [tju(:)'bə:kjulə] → *tuberculous*; **tu·ber·cu·lo·sis** [tju(:)bə:kju'lousis] *s.* ⚕ Tuberku'lose *f*; **tu·ber·cu·lous** [tju(:)'bə:kjuləs] *adj.* **1.** ⚕ tuberku'lös, Tuberkel...; **2.** knotig.

tube·rose[1] ['tju:bərouz] *s.* ⚘ Tube'rose *f*, 'Nachthyaˌzinthe *f*.

tu·ber·ose[2] ['tju:bərous] → *tuberous*.

tu·ber·os·i·ty [tju:bə'rɔsiti] *s. anat., zo.* Höcker *m*, Knoten *m*, Schwellung *f*.

tu·ber·ous ['tju:bərəs] *adj.* **1.** *anat.*, ⚕ knotig, knötchenförmig; **2.** ⚘ **a)** knollentragend, **b)** knollig.

tub·ing ['tju:biŋ] *s.* ⊕ **1.** 'Röhrenmateriˌal *n*, Rohr *n*; **2.** *coll.* Röhren *pl.*, Röhrenanlage *f*, Rohrleitung *f*; **3.** Rohr(stück) *n*.

'**tub|-thump·er** *s.* (g)eifernder *od.* schwülstiger Redner, *bsd.* Kanzelpauker *m*; '~-**thump·ing** *adj.* thea'tralisch, eifernd.

tu·bu·lar ['tju:bjulə] *adj.* rohrförmig, Röhren..., Rohr...: *~-steel pole* Stahlrohrmast; **tu·bule** ['tju:bju:l] *s.* **1.** Röhrchen *n*; **2.** *anat.* Ka'nälchen *n*.

tuck [tʌk] **I.** *s.* **1.** Falte *f*, Biese *f*, Einschlag *m*, Saum *m*; **2.** ⚓ Gilling *f*; **3.** *ped. Brit. sl.* ‚gute Sachen' *pl.*, Lecke'reien *pl.*; **4.** *sport* Hocksprung *m*; **II.** *v/t.* **5.** *mst ~ in* **a)** einnähen, **b)** *Falte* einschlagen; **6.** Biesen nähen in *ein Kleid*; **7.** *mst ~ in* (*od. up*) ein-, 'umschlagen: *to ~ up* **a)** abnähen, **b)** hochstecken, -schürzen, **c)** raffen, **d)** *Ärmel* hochkrempeln; **8.** *et. wohin* stecken, *unter den Arm etc.* klemmen: *to ~ away* **a)** wegstecken, verstauen, **b)** verstecken; *~ed away* versteckt (liegend) (*z.B. Dorf*); *to ~ in* (*od. up*) (warm) zudecken, (behaglich) einpacken; *to ~ up in bed* ins Bett stecken; *to ~ up one's legs* die Beine unterschlagen; **9.** *~ in sl. Essen etc.* ‚verdrücken'; **III.** *v/i.* **10.** Falten nähen; **11.** *~ in sl. beim Essen* ‚einhauen'.

tuck·er[1] ['tʌkə] *s.* **1.** Faltenleger *m* (*Nähmaschine*); **2.** *hist.* Brusttuch *n*: *best bib and ~ fig.* Sonntagsstaat, beste Kleidung.

tuck·er[2] ['tʌkə] *v/t. mst ~ out Am.* F *j-n* ‚fertigmachen' (*völlig erschöpfen*): *~ed out* (total) erledigt.

'**tuck|-in** *s. Brit. sl.* ‚Fresse'rei' *f*, Schmaus *m*; '~-**shop** *s. Brit. ped. sl.* Süßwarenladen *m*.

Tues·day ['tju:zdi] *s.* Dienstag *m*: *on ~* am Dienstag; *on ~s* dienstags.

tu·fa ['tju:fə] *s. geol.* Kalktuff *m*, Tuff(stein) *m*; **tu·fa·ceous** [tju:'feiʃəs] *adj.* (Kalk)Tuff...

tuff [tʌf] → *tufa*.

tuft [tʌft] *s.* **1.** (*Gras-, Haar- etc.*) Büschel *n*, (*Feder- etc.*)Busch *m*, (*Haar*)Schopf *m*; **2.** Quaste *f*, Troddel *f*; **3.** *anat.* Kapil'largefäßbündel *n*; '**tuft·ed** [-tid] *adj.* **1.** büschelig; **2.** *orn.* Hauben...: *~ lark*.

'**tuft-hunt·er** *s.* gesellschaftlicher Streber, Snob *m*; Speichellecker *m*.

tuft·y ['tʌfti] *adj.* büschelig.

tug [tʌg] **I.** *v/t.* **1.** zerren, ziehen an (*dat.*); ⚓ schleppen; **II.** *v/i.* **2.** *~ at* zerren an (*dat.*); **3.** *fig.* sich (ab-) placken; **III.** *s.* **4.** Zerren *n*, (heftiger) Zug, Ruck *m*: *to give a ~ at* → 2; *~ of war sport u. fig.* Tauziehen; **5.** *fig.* **a)** große Anstrengung, **b)** schwerer (*a. seelischer*) Kampf; **6.** *a. ~boat* ⚓ Schleppdampfer *m*, Schlepper *m*.

tu·i·tion [tju(:)'iʃən] *s.* **1.** 'Unterricht *m*: *private ~* Privatunterricht, -stunden; **2.** 'Unterrichtshonoˌrar *n*, Schulgeld *n*; **tu'i·tion·al** [-ʃənl], **tu'i·tion·ar·y** [-ʃnəri] *adj.* Unterrichts...

tu·lip ['tju:lip] *s.* ⚘ Tulpe *f*; '~-**tree** *s.* ⚘ Tulpenbaum *m*.

tulle [tju:l; tyl] *s.* Tüll *m*.

tum·ble ['tʌmbl] **I.** *s.* **1.** Fall *m*, Sturz *m* (*a.* ✝): *~ in prices* ✝ Preissturz; **2.** Purzelbaum *m*; 'Salto *m*; **3.** *fig.* Wirrwarr *m*: *all in a ~* kunterbunt durcheinander; **4.** *to give s.o. a ~ sl.* von j-m Notiz nehmen; **II.** *v/i.* **5.** *a. ~ down* (ein-, 'um-, hin-, hin'ab)fallen, (-)stürzen, (-)purzeln: *to ~ over* umkippen, sich überschlagen; **6.** purzeln, stolpern (*over* über *acc.*); **7.** *wohin* stolpern (*eilen*): *to ~ into fig.* **a)** *j-m* in *die Arme* laufen, **b)** in *e-n Krieg etc.* ‚hineinschlittern'; *to ~ to sl. et.* plötzlich ‚kapieren' *od.* merken; **8.** Luftsprünge *od.* Saltos *etc.* machen; *sport* Bodenübungen machen; **9.** sich wälzen; **10.** ⚔ taumeln (*Geschoß*); **11.** ✝ stürzen (*Aktien, Preise*); **III.** *v/t.* **12.** zu Fall bringen, 'umstürzen, -werfen; **13.** durch-'wühlen, durchein'anderwerfen; **14.** schleudern, schmeißen; **15.** zerknüllen; *Haar* zerzausen; **16.** ⊕ schleudern; **17.** *hunt.* abschießen; '~-**down** *adj.* baufällig.

tum·bler ['tʌmblə] *s.* **1.** Trink-, Wasserglas *n*, Becher *m*; **2.** Par'terreakroˌbat(in); **3.** ⊕ **a)** Zuhaltung *f* (*Türschloß*), **b)** Richtwelle *f* (*Übersetzungsmotor*), **c)** (Wasch-, Scheuer)Trommel *f*; **4.** *orn.* Tümmler *m* (*Taubenrasse*); ~ **switch** *s.* ⚡ Kippschalter *m*.

tum·brel ['tʌmbrəl], '**tum·bril** [-ril] *s.* **1.** ⚒ Schutt-, Dungkarren *m*; **2.** *hist.* Schinderkarren *m*; **3.** ⚔ *hist.* Muniti'onskarren *m*.

tu·me·fa·cient [tju:mi'feiʃənt] *adj.* ⚕ Schwellung erzeugend; **tu·me'fac·tion** [-'fækʃən] *s.* ⚕ (An-) Schwellung *f*, Geschwulst *f*; **tu·me·fy** ['tju:mifai] **I.** *v/i.* ⚕ (an-, auf)schwellen; **II.** *v/t.* schwellen lassen; **tu·mes·cent** [tju:'mesnt] *adj.* (an)schwellend, geschwollen.

tu·mid ['tju:mid] *adj.* □ geschwollen (*a. fig.*); **tu·mid·i·ty** [tju:'miditi] *s.* **1.** ⚕ Schwellung *f*; **2.** *fig.* Geschwollenheit *f*.

tum·my ['tʌmi] *s.* Bäuchlein *n*, Magen *m* (*Kindersprache*).

tu·mo(u)r ['tju:mə] *s.* ⚕ 'Tumor *m*, Geschwulst *f*.

tu·mult ['tju:mʌlt] *s.* Tu'mult *m*: **a)** Getöse *n*, Lärm *m*, **b)** Aufruhr *m* (*a. fig.*); **tu·mul·tu·ar·y** [tju(:)'mʌltjuəri] *adj.* **1.** → *tumultuous*; **2.** verworren; **3.** aufrührerisch; **tu·mul·tu·ous** [tju(:)'mʌltjuəs] *adj.* □ **1.** tumultu'arisch, lärmend; **2.** heftig, stürmisch, turbu'lent, erregt.

tu·mu·lus ['tju:mjuləs] *s.* (*bsd. alter* Grab)Hügel.

tun [tʌn] *s.* **1.** Tonne *f*, Faß *n*; **2.** *Brit.* Tonne *f* (*altes Flüssigkeitsmaß*); **3.** *Brauerei*: Maischbottich *m*.

tun·dra ['tʌndrə] *s. geogr.* 'Tundra *f*.

tune [tju:n] **I.** *s.* **1.** ♪ Melo'die *f*, Weise *f*, Lied *n*; *a.* 'Hymne *f*, Cho'ral *m*: *to the ~ of* **a)** nach der Melodie von, **b)** *fig.* in Höhe von, von sage u. schreibe *£ 100*; *to change one's ~, to sing another ~* F e-n anderen Ton anschlagen, andere Saiten aufziehen; **2.** ♪ **a)** (richtige) (Ein)Stimmung e-s Instru'ments, **b)** richtige Tonhöhe: *in ~* (richtig) gestimmt; *out of ~* verstimmt; *to keep ~* **a)** Stimmung halten (*Instrument*), **b)** Ton halten; *to play out of ~* unrein *od.* falsch spielen; *to sing in ~* tonrein *od.* sauber singen; **3.** *fig.* Harmo'nie *f*: *in ~ with* übereinstimmend mit, im Einklang (stehend) mit, harmonierend mit; *to be* out of ~ with im Widerspruch stehen zu, nicht übereinstimmen mit; **4.** *fig.* Stimmung *f*: *not in ~ for* nicht aufgelegt zu; *out of ~* verstimmt, mißgestimmt; **II.** *v/t.* **5.** ♪ *u. fig.* (ab)stimmen (*to* auf *acc.*); **6.** *Antenne, Radio, Stromkreis* abstimmen, einstellen (*to* auf *acc.*); **III.** *v/i.* **7.** ♪ stimmen; ~ **in** *v/t.* (*v/i.* das Rundfunkgerät) einstellen, abstimmen (*to* auf *acc.*); ~ **out** *v/i.* abstellen, ausschalten; ~ **up I.** *v/t.* **1.** ♪ (hin'auf-) stimmen; **2.** *mot.*, ✈ **a)** startbereit machen, **b)** *Motor* einfahren, **c)** die Leistung *e-s Motors* erhöhen; **3.** *fig.* in Schwung bringen; *Befinden etc.* heben; **II.** *v/i.* **4. a)** ♪ einsetzen, **b)** F losheulen.

tune·ful ['tju:nful] *adj.* □ **1.** melo'dienreich; me'lodisch, klangvoll; **2.** sangesfreudig: ~ *birds*; **'tune·less** [-nlis] *adj.* **1.** 'unme,lodisch; **2.** klanglos, stumm.

tun·er ['tjunə] *s.* **1.** ♪ (Instru'menten)Stimmer *m*; **2.** ♪ **a)** Stimmpfeife *f*, **b)** Stimmvorrichtung *f* (*Orgel*); **3.** ⚡ Abstimmvorrichtung *f*; **4.** *Radio, Fernsehen*: Tuner *m*, Ka'nalwähler *m*.

tung·state ['tʌŋsteit] *s.* ⚗ Wolfra'mat *n*; **'tung·sten** [-stən] *s.* ⚗ Wolfram *n*: ~ *steel* ⊕ Wolframstahl; **'tung·sten·ic** [-stenik] *adj.* ⚗ Wolfram..., wolframsauer; **'tung·stic** [-stik] *adj.* ⚗ Wolfram...: ~ *acid*; **'tung·stite** [-stait] *s.* ⚗ Tung'stit *m*.

tu·nic ['tju:nik] *s.* **1.** *antiq.* 'Tunika *f*; **2.** *bsd.* ⚔ *Brit.* Waffenrock *m*; **3.** 'Kasack-Bluse *f für Damen*; **4.** → *tunicle*; **5.** *biol.* Häutchen *n*, Hülle *f*; **'tu·ni·ca** [-kə] *pl.* **-cae** [-si:] *s. anat.* Häutchen *n*, Mantel *m*; **'tu·ni·cate** [-kit] **I.** *s.* **1.** *zo.* Manteltier *n*; **II.** *adj.* **2.** ♀ mit e-m Mantel versehen; **3.** *zo.* häutig; **'tu·ni·cle** [-kl] *s. R.C.* Meßgewand *n*.

tun·ing ['tju:niŋ] **I.** *s.* **1.** ♪ **a)** (Ein-) Stimmen *n*, **b)** (Ein)Stimmung *f*; **2.** ⚡ Einstellen *n*, Abstimmen *n*; Abstimmung *f*; **II.** *adj.* **3.** ♪ Stimm...; **4.** ⚡ Abstimm...(*-kreis, -skala etc.*); **'~-fork** *s.* ♪ Stimmgabel *f*.

tun·nel ['tʌnl] **I.** *s.* **1.** Tunnel *m*, Unter'führung *f* (*Straße, Bahn, Kanal*); **2.** 'unterirdischer Gang (*a. zo.*); **3.** ⚒ Stollen *m*; **4.** ✈ 'Windka,nal *m*; **II.** *v/t.* **5.** unter'tunneln, e-n Tunnel bohren durch; **III.** *v/i.* **6.** e-n Tunnel anlegen *od.* bohren (*through* durch); **'tun·nel·(l)ing** [-liŋ] *s.* ⊕ Tunnelanlage *f*, -bau *m*.

tun·ny ['tʌni] *s. ichth. bsd. coll.* Thunfisch *m*.

tun·y ['tju:ni] *adj.* F me'lodisch.

tup [tʌp] **I.** *s.* **1.** *zo.* Widder *m*; **2.** ⊕ Hammerkopf *m*, Rammklotz *m*; **II.** *v/t.* **3.** *zo.* bespringen, decken.

tup·pence ['tʌpəns], **'tup·pen·ny** [-pni] *Brit.* F *für twopence, twopenny.*

tur·ban ['tə:bən] *s.* Turban *m*; **'tur·baned** [-nd] *adj.* turbantragend.

tur·bid ['tə:bid] *adj.* □ **1.** dick(flüssig), trübe, schlammig; **2.** *fig.* verschwommen; **tur·bid·i·ty** [tə:'biditi], **'tur·bid·ness** [-nis] *s.* **1.** Trübung *f*, Trübheit *f*; **2.** *fig.* Verschwommenheit *f*.

tur·bine ['tə:bin] **I.** *s.* Tur'bine *f*; **II.** *adj.* Turbinen...: ~ *steamer*; **'~-pow·ered** *adj.* mit Tur'binenantrieb.

turbo- [tə:bou] ⊕ *in Zssgn* Tur'binen...; **'tur·bo-'jet (en·gine)** *s.* ✈ 'Strahl(,vortrieb)tur,bine *f*; **'tur·bo-'prop(-jet)** *s.* ✈ 'Turbo-Pro'pellerma,schine *f*, -,motor *m*.

tur·bot ['tə:bət] *s. ichth.* Steinbutt *m*.

tur·bu·lence ['tə:bjuləns] *s.* **1.** Unruhe *f*, Aufruhr *m*, Ungestüm *n*, Sturm *m* (*a. meteor.*); **2.** *phys.* Wirbelbewegung *f*, -bildung *f*; **'tur·bu·lent** [-nt] *adj.* □ **1.** unruhig, ungestüm, stürmisch, turbu'lent; **2.** aufrührerisch; **3.** *phys.* verwirbelt: ~ *flow*.

turd [tə:d] *s.* F Kot *m*, Dreck *m*.

tu·reen [tə'ri:n] *s.* Ter'rine *f*.

turf [tə:f] **I.** *s.* **1.** Rasen *m*; **2.** Rasenstück *n*, -sode *f*; **3.** Torf(ballen) *m*; **4.** *sport* Turf *m*: **a)** (Pferde)Rennbahn *f*, **b)** *the ~ fig.* der Pferderennsport, die Rennsportwelt; **II.** *v/t.* **5.** mit Rasen bedecken; **6.** ~ *out Brit. sl. j-n* hin'auswerfen; **'turf·ite** [-fait] *s.* (Pferde)Rennsportliebhaber *m*; **'turf·y** [-fi] *adj.* **1.** rasenbedeckt; **2.** torfartig; **3.** *fig.* Rennsport...

tur·ges·cence [tə:'dʒesns] *s.* **1.** ⚕, ♀ Schwellung *f*, Geschwulst *f*; **2.** *fig.* Schwulst *m*.

tur·gid ['tə:dʒid] *adj.* □ **1.** ⚕ geschwollen, aufgedunsen; **2.** *fig.* schwülstig; **tur·gid·i·ty** [tə:'dʒiditi], **'tur·gid·ness** [-nis] *s.* **1.** Geschwollensein *n*; **2.** *fig.* Geschwollenheit *f*, Schwülstigkeit *f*.

Turk [tə:k] **I.** *s.* **1.** Türke *m*, Türkin *f*; **2.** *fig.* Wildfang *m*; **II.** *adj.* **3.** türkisch, Türken...

Tur·key[1] ['tə:ki] **I.** *s.* Tür'kei *f*; **II.** *adj.* türkisch: ~ *carpet* Orientteppich; ~ *red das* Türkischrot.

tur·key[2] ['tə:ki] *s.* **1.** *orn.* Truthahn *m*, -henne *f*, Pute(r *m*) *f*: *to talk ~ Am. sl.* **a)** Fraktur reden (*with* mit), **b)** sachlich reden; **2.** *Am. sl. thea. etc.* ‚Pleite' *f*, ‚Versager' *m*; **'~-cock** *s.* **1.** Truthahn *m*, Puter *m*: (*as*) *red as a ~* puterrot (im Gesicht); **2.** *fig.* eingebildeter Fatzke; **'~-poult** *s.* junges Truthuhn.

Turk·ish ['tə:kiʃ] **I.** *adj.* türkisch, Türken...; **II.** *s. ling.* Türkisch *n*; ~ **bath** *s.* Dampf-, Schwitzbad *n*; ~ **de·light** *s.* türkischer Honig; ~ **tow·el** *s.* Frottier(hand)tuch *n*.

Turko- [tə:kou; -kə] *in Zssgn* türkisch, Türken...

Tur·ko·man ['tə:kəmən] *pl.* **-mans** *s.* **1.** Turk'mene *m*; **2.** *ling.* Turk'menisch *n*.

tur·mer·ic ['tə:mərik] *s.* **1.** ♀ Gelbwurz *f*; **2.** *pharm.* 'Kurkuma *f*; **3.** 'Kurkumagelb *n* (*Farbstoff*): ~ *paper* ⚗ Kurkumapapier.

tur·moil ['tə:mɔil] *s.* Aufruhr *m*, Tu'mult *m*; Unruhe *f*; Getümmel *n*.

turn [tə:n] **I.** *s.* **1.** ('Um)Drehung *f*: *a single ~ of the handle*; *to a ~* **a)** gerade richtig *durchgebraten etc.*, **b)** *fig.* aufs Haar, vortrefflich; **2.** 'Turnus *m*, Reihe(nfolge) *f*: *by* (*od. in*) *~s* abwechselnd, wechselweise; *in ~* **a)** der Reihe nach, **b)** dann wieder; *in his ~* seinerseits; *to speak out of ~ fig.* unpassende Bemerkungen machen; *it is my ~* ich bin an der Reihe *od.* dran; *to take ~s* (mit)einander *od.* sich abwechseln (*at in dat.*, bei); *to take one's ~* handeln, wenn die Reihe an einen kommt; *wait your ~!* warte bis du dran bist!; *my ~ will come fig.* m-e Zeit kommt (auch) noch, ‚ich komme schon noch dran'; **3.** Drehung *f*, (~ *to the left* Links)Wendung *f*; **4.** Wendepunkt *m* (*a. fig.*); **5.** Biegung *f*, Kurve *f*, Kehre *f* (*a. Eislauf*); **6.** Krümmung *f* (*a.* ⚒); **7.** Wendung *f*: **a)** 'Umkehr *f*: *to be on the ~* ⚓ umschlagen (*Gezeit*); → *23*; *~ of the tide* Gezeitenwechsel, *fig.* Wendung, **b)** Richtung *f*, (Ver-) Lauf *m*: *to take a good* (*bad*) ~ sich zum Guten (Schlechten) wenden; *to take a ~ for the better* (*worse*) sich bessern (verschlimmern); *to take an interesting ~* e-e interessante Wendung nehmen (*Gespräch etc.*), **c)** (*Glücks-, Zeiten- etc.*)Wende *f*, Wechsel *m*, 'Umschwung *m*, 'Krise *f*: ~ *of the century* Jahrhundertwende; ~ *of life* Lebenswende, ⚕ Wechseljahre (*der Frau*); **8.** Ausschlag(en *n*) *m e-r Waage*; **9.** *bsd. Brit.* (Arbeits)Schicht *f*; **10.** Tour *f*, (einzelne) Windung (*Bandage, Kabel etc.*); **11.** (Rede)Wendung *f*; **12.** (kurzer) Spaziergang: *to take a ~* e-n Spaziergang machen; **13.** (*for, to*) Neigung *f*, Hang *m*, Ta'lent *n* (zu), Sinn *m* (für *Humor etc.*); **14.** *a. ~ of mind* Denkart *f*, -weise *f*; **15. a)** (*ungewöhnliche od. unerwartete*) Tat, **b)** Dienst *m*, Gefallen *m*: *a bad ~* e-e schlechte Tat *od.* ein schlechter Dienst; *a friendly ~* ein Freundschaftsdienst; *to do s.o. a good ~* j-m e-n Gefallen tun; *one good ~ deserves another* e-e Liebe ist der andern wert; **16.** Anlaß *m*: *at every ~* auf Schritt u. Tritt; **17.** (kurze) Beschäftigung: ~ (*of work*) (Stück) Arbeit; *to take a ~ at* rasch mal an *e-e Sache* gehen, sich kurz mit *e-r Sache* versuchen; **18.** F Schock *m*, Schrecken *m*: *to give s.o. a ~* j-n erschrecken; **19.** Zweck *m*: *this won't serve my ~* damit ist mir nicht gedient; **20.** ♪ Doppelschlag *m*; **21.** (Pro'gramm)Nummer *f*; **22.** ⚔ (Kehrt)Wendung *f*: *left* (*right*) *~! Brit.* links-(rechts)um!; *about ~! Brit.* ganze Abteilung kehrt!; **23.** *on the ~* am Sauerwerden (*Milch*); **II.** *v/t.* **24.** (*im Kreis od. um e-e Achse*) drehen; *Hahn, Schlüssel, Schraube, e-n Kranken etc.* ('um-, her'um)drehen; **25.** *a. Kleider* wenden; *et.* 'umkehren, -stülpen, -drehen; *Blatt, Buchseite* umdrehen, -wenden, *Buch* 'umblättern; *Boden* 'umpflügen, -graben; 🚂 *Weiche*, ⊕ *Hebel* 'umlegen: *it ~s my stomach* mir dreht sich dabei der Magen um; *to ~ s.o.'s head fig.* j-m den Kopf verdrehen, j-n verrückt machen; **26.** zuwenden, -drehen, -kehren (*to dat.*); **27.** *Blick, Kamera, Schritte etc.* wenden, *a. Gedanken, Verlangen* richten, lenken (*against* gegen, *on* auf *acc.*, *toward(s)* nach, auf *acc.*): *to ~ the hose on the fire* den (Spritzen-) Schlauch auf das Feuer richten; *to ~ one's attention to e-r Sache* s-e Aufmerksamkeit zuwenden; **28. a)**

'um-, ablenken, (-)leiten, (-)wenden, **b)** abwenden, abhalten, **c)** *j-n* 'umstimmen, abbringen (*from* von), **d)** *Richtung* ändern, **e)** *Gesprächsthema* wechseln; **29. a)** *Waage* zum Ausschlagen bringen, **b)** *fig.* ausschlaggebend sein bei: *to ~ an election* bei e-r Wahl den Ausschlag geben; → *balance 2, scale² 1*; **30.** verwandeln (*into* in *acc.*): *to ~ water into wine*; *to ~ love into hate*; *to ~ into cash* ✝ flüssig *od.* zu Geld machen; **31. a)** machen, werden lassen (*into* zu): *it ~ed her pale* es ließ sie erblassen; *to ~ colo(u)r* die Farbe wechseln, **b)** *a. ~ sour Milch* sauer werden lassen, **c)** *Laub* verfärben; **32.** *Text* über'tragen, -'setzen (*into* ins *Italienische etc.*); **33.** her'umgehen um: *to ~ the corner* um die Ecke biegen, *fig.* über den Berg kommen; **34.** ⚔ **a)** um'gehen, -'fassen, **b)** aufrollen: *to ~ the enemy's flank*; **35.** hin'ausgehen *od.* hin'aus sein über *ein Alter, e-n Betrag etc.*: *he is just ~ing* (*od. has just ~ed*) *50* er ist gerade 50 geworden; **36.** ⊕ **a)** drehen, **b)** *Holzwaren, a. fig. Komplimente, Verse* drechseln; **37.** formen, *fig.* gestalten, bilden: *a well-~ed ankle*; **38.** *fig. Satz* formen, (ab)runden; **39.** ✝ verdienen, 'umsetzen; **40.** *Messerschneide etc.* verbiegen, *a.* stumpf machen: *to ~ the edge of fig. e-r Bemerkung etc.* die Spitze nehmen; **41.** *Purzelbaum etc.* schlagen; **42.** *~ loose* los-, freilassen, -machen; **III.** *v/i.* **43.** sich drehen (lassen), sich (im Kreis) (her'um)drehen; **44.** sich (ab-, hin-, zu)wenden; → *turn to I*; **45.** sich *stehend, liegend etc.* ('um-, herum)drehen; ⚓, *mot.* wenden, (⚓ ab)drehen; ✈, *mot.* kurven; **46.** (ab-, ein)biegen: *I do not know which way to ~ fig.* ich weiß nicht, was ich machen soll; **47.** e-e Biegung machen (*Straße, Wasserlauf etc.*); **48.** sich krümmen *od.* winden (*Wurm etc.*): *to ~ in one's grave* sich im Grabe umdrehen; **49.** sich umdrehen, -stülpen (*Schirm etc.*): *my stomach ~s at this sight* bei diesem Anblick dreht sich mir der Magen um; **50.** schwind(e)lig werden: *my head ~s* mein Kopf dreht sich; **51.** sich (ver)wandeln (*into, to* in *acc.*), 'umschlagen (*bsd. Wetter*): *love has ~ed into hate*; **52.** *Kommunist, Soldat etc., a. blaß, kalt etc.* werden: *to ~ (sour)* sauer werden (*Milch*); *to ~ traitor* zum Verräter werden; **53.** sich verfärben (*Laub*); **54.** sich wenden (*Gezeiten*); → *tide 1*;

Zssgn mit prp.:

turn| a·gainst I. *v/i.* **1.** sich (*feindlich etc.*) wenden gegen; **II.** *v/t.* **2.** *j-n* aufhetzen gegen; **3.** *Spott etc.* richten gegen; **~ in·to** → *turn 30, 31, 32, 51*; **~ on I.** *v/i.* **1.** sich drehen um *od.* in (*dat.*); **2.** → *turn upon*; **3.** sich wenden *od.* richten gegen; **II.** *v/t.* **4.** → *turn 27*; **~ to I.** *v/i.* **1.** sich nach *links etc.* wenden (*Person*), nach *links etc.* abbiegen (*a. Fahrzeug, Straße etc.*); **2. a)** sich *der Musik, e-m Thema etc.* zuwenden, **b)** sich beschäftigen mit, **c)** sich anschicken (*doing s.th.* et. zu tun); **3.** s-e Zuflucht nehmen zu: *to ~ God*; **4.** sich an *j-n* wenden, *j-n od. et.* zu Rate ziehen; **5.** → *turn 51*; **II.** *v/t.* **6.** *Hand* anlegen bei: *to turn a* (*od. one's*) *hand to s.th.* et. in Angriff nehmen; *he can turn his hand to anything* er ist zu allem zu gebrauchen; **7.** → *turn 26, 27*; **8.** verwandeln in (*acc.*); **9.** anwenden zu; → *account 11*; **~ up·on** *v/i.* **1.** *fig.* abhängen von; **2.** *fig.* sich drehen um, handeln von; **3.** → *turn on 3*;

Zssgn mit adv.:

turn| a·bout I. *v/t.* **1.** 'umdrehen; **2.** ✂ *Heu, Boden* wenden; **II.** *v/i.* **3.** sich umdrehen; ⚔ kehrtmachen; *fig.* 'umschwenken; **~ a·side** *v/t. u. v/i.* (sich) abwenden; **~ a·way I.** *v/t.* **1.** abwenden; **2.** abweisen, wegschicken, -jagen; **3.** entlassen; **II.** *v/i.* **4.** sich abwenden; **~ back I.** *v/t.* **1.** 'umkehren lassen; **2.** 'umdrehen, zu'rückbiegen; **II.** *v/i.* **3.** zu'rück-, umkehren; **4.** zu'rückgehen; **~ down I.** *v/t.* **1.** 'umkehren, -legen, -biegen; *Kragen* 'umschlagen, *Buchseite etc.* 'umkniffen; **2.** *Gas, Lampe* kleiner stellen, *Radio* leiser stellen; **3.** *Bett* aufdecken; *Bettdecke* zu'rückschlagen; **4.** F *j-n, Vorschlag etc.* ablehnen; *j-m* e-n Korb geben; **II.** *v/i.* **5.** abwärts *od.* nach unten gebogen sein; **6.** sich 'umlegen *od.* -schlagen lassen; **~ in I.** *v/t.* **1.** einreichen, -senden; **2.** *Füße etc.* einwärts *od.* nach innen drehen *od.* biegen *od.* stellen; **3.** ✂ 'unterpflügen; **II.** *v/i.* **4.** hin'eingehen, einkehren; **5.** F zu Bett gehen; **6.** einwärts gebogen sein; **~ off I.** *v/t.* **1.** *Wasser, Gas* abdrehen; *Licht, Radio etc.* ausschalten, abstellen; **2.** *Schlag etc.* abwenden, ablenken; **3.** fortschicken, entlassen; **II.** *v/i.* **4.** abbiegen (*Person, a. Straße*); **~ on** *v/t.* **1.** *Gas, Wasser* aufdrehen, *a. Radio* anstellen, *Licht, Gerät* anmachen, einschalten; **2.** *sl. j-n* scharfmachen, *j-n* aufgeilen; **~ out I.** *v/t.* **1.** hin'auswerfen, wegjagen, vertreiben; **2.** entlassen (*of* aus *e-m Amt etc.*); **3.** *Regierung* stürzen; **4.** *Vieh* auf die Weide treiben; **5.** *Taschen etc.* 'umkehren, -stülpen; **6.** *Zimmer, Möbel* ausräumen; **7. a)** ✝ *Waren* produzieren, herstellen, **b)** *contp. Bücher etc.* produzieren, **c)** *fig. Wissenschaftler etc.* her'vorbringen (*Universität etc.*): *Oxford turned out many statesmen* aus Oxford gingen viele Staatsmänner hervor; **8.** *Licht* ausdrehen, *Wasser, Gas, Radio, Gerät* abstellen; **9.** *Füße etc.* auswärts *od.* nach außen drehen *od.* biegen; **10.** ausstatten, herrichten, *bsd.* kleiden: *well-turned-out* gutgekleidet; **11.** ⚔ antreten *od. Wache* her'austreten lassen; **II.** *v/i.* **12.** auswärts gerichtet sein (*Füße etc.*); **13. a)** hin'ausziehen, her'auskommen (*of* aus), **b)** ⚔ ausrücken (*a. Feuerwehr etc.*), **c)** *zur Wahl etc.* kommen (*Bevölkerung*), **d)** ⚔ antreten, **e)** in Streik treten, **f)** F *aus dem Bett* aufstehen; **14.** *gut etc.* ausfallen, werden; **15.** sich gestalten, *gut etc.* ausgehen, ablaufen; **16.** sich erweisen *od.* entpuppen als, sich her'ausstellen: *he turned out* (*to be*) *a good swimmer* er entpuppte sich als guter Schwimmer; *it turned out that he was* (*had*), *he turned out to be* (*have*) es stellte sich heraus, daß er ... war (hatte); **~ o·ver I.** *v/t.* **1.** ✝ *Geld, Ware* 'umsetzen; **2.** 'umdrehen, -wenden, *Buch, Seite a.* 'umblättern: *please ~!* (*abbr. p.t.o.*) bitte wenden!; → *leaf 3*; **3.** (*to*) über'tragen (*dat. od.* auf *acc.*), über'geben (*dat.*); *der Polizei etc.* ausliefern; **4.** *a. ~ in one's mind* über'legen, sich *et.* durch den Kopf gehen lassen; **II.** *v/i.* **5.** sich *im Bett etc.* umdrehen; **6.** 'umkippen, -schlagen; **~ round I.** *v/i.* **1.** sich (im Kreis *od.* her'um)drehen; **2.** *fig.* s-n Sinn ändern, 'umschwenken; **II.** *v/t.* **3.** (herum)drehen; **~ to** *v/i.* sich ‚ranmachen' (an die Arbeit), sich ins Zeug legen; **~ un·der** *v/t.* ✂ *Rasen etc.* 'unterpflügen; **~ up I.** *v/t.* **1.** nach oben drehen *od.* richten *od.* biegen; *Kragen* hochschlagen, -klappen; → *nose Redew., toe 1*; **2.** ausgraben, zu'tage fördern; **3.** *Spielkarte* aufdecken; **4.** *Rocksaum, Hose* 'um-, einschlagen; **5.** *Wasser, Gas, Licht* groß drehen, *Radio* lauter stellen; **6.** *Kind* übers Knie legen (*züchtigen*); **7.** F *j-m* den Magen 'umdrehen (*vor Ekel*); **8.** *sl. Arbeit* ‚aufstecken'; **II.** *v/i.* **9.** sich nach oben drehen, nach oben gerichtet *od.* gebogen sein; **10.** *fig.* auftauchen: **a)** kommen, erscheinen (*Person*), **b)** zum Vorschein kommen, sich anfinden (*Sache*); **11.** geschehen, eintreten, passieren.

turn·a·ble ['tə:nəbl] *adj.* drehbar.

'turn|·a·bout *s.* **1.** (*a. fig.* Kehrt-)Wendung *f*; **2.** ⚓ Gegenkurs *m*; **3.** *fig.* Frontenwechsel *m*, 'Umschwung *m*; **4.** *Am.* Karus'sell *n*; **'~-buck·le** *s.* ⊕ Spannschraube *f*, -schloß *n*; **'~-coat** *s.* Abtrünnige(r *m*) *f*, Rene'gat *m*; **'~-down** *adj.* 'umlegbar, Umleg...: *~ collar* Umleg(e)kragen.

turned [tə:nd] *adj.* **1.** ⊕ gedreht, gedrechselt; **2.** ('um)gebogen: *~-back* zurückgebogen; *~-down* **a)** abwärts gebogen, **b)** Umlege...; *~-in* einwärts gebogen; **3.** *typ.* auf dem Kopf stehend; **'turn·er** [-nə] *s.* **1.** ⊕ **a)** Dreher *m*, **b)** Drechsler *m*; **2.** *sport Am. bsd. deutschstämmiger* Turner; **'turn·er·y** [-nəri] *s.* ⊕ **1.** *coll.* **a)** Dreharbeit(en *pl.*) *f*, **b)** Drechslerarbeit(en *pl.*) *f*; **2. a)** Drehe'rei *f*, **b)** Drechsle'rei *f* (*Werkstatt*).

turn·ing ['tə:niŋ] *s.* **1.** ⊕ Drehen *n*, Drechseln *n*; **2. a)** (Straßen-, Fluß-)Biegung *f*, **b)** (Straßen)Ecke *f*, **c)** Querstraße *f*, Abzweigung *f*; **'~-lathe** *s.* ⊕ Drehbank *f*; **'~-ma·chine** *s.* ⊕ 'Drehma,schine *f*; **'~-point** *s.* **1.** ✈, *sport* Wendemarke *f*; **2.** *fig.* Wendepunkt *m*.

tur·nip ['tə:nip] *s.* **1.** ♀ (*bsd.* Weiße) Rübe; **2.** *sl.* ‚Zwiebel' *f* (*plumpe Taschenuhr*).

'turn|·key *s.* Gefangenenwärter *m*, Schließer *m*; **'~-'out** *s.* **1.** ✝ *Brit.* F Arbeitseinstellung *f*, Ausstand *m*; **2.** F Versammlung *f*, Besucher *pl.*, Zuschauer *pl.*, (Wahl- *etc.*)Beteiligung *f*; **3.** (Pferde)Gespann *n*, Kutsche *f*; **4.** Aufmachung *f*, 'Ausstaf,fierung *f*; **5.** ✝ Ge'samtprodukti,on *f*; **6.** [ˈtəːnaut] **a)** 🚂 Weiche *f*, Ausweichgleis *n*, **b)** Ausweichstelle *f* (*Autostraße*); ˈ**~·o·ver** *s.* **1.** ˈUmstürzen *n*; **2.** ✝ ˈUmsatz *m*: *~ tax* Umsatzsteuer; **3.** Zu- u. Abgang *m* (*von Patienten in Krankenhäusern etc.*): *labo(u)r ~* Arbeiterwechsel; **4.** ✝ ˈUmgruppierung *f*, Verschiebung *f*; **5.** *Brit.* (ˈZeitungs)Ar,tikel *m der auf die nächste Seite überläuft*; **6.** (Apfel- *etc.*) Tasche *f* (*Gebäck*); ˈ**~·pike** *s.* **1.** Schlagbaum *m* (*Mautstraße*); **2.** *a. ~ road* gebührenpflichtige (*Am.* Schnell)Straße *f*, Mautstraße *f*; ˈ**~-round** *s.* ✝, ⚓ ˈUmschlag *m* (*Schiffsabfertigung*); ˈ**~-screw** *s.* ⊕ Schraubenzieher *m*; ˈ**~·spit** *s.* Bratenwender *m*; ˈ**~·stile** *s.* Drehkreuz *n an Durchgängen etc.*; ˈ**~-ta·ble** *s.* **1.** 🚂 Drehscheibe *f*; **2.** Plattenteller *m* (*Plattenspieler*); ˈ**~-ˈup I.** *adj.* **1.** hochklappbar; **II.** *s.* **2.** (ˈHosen- *etc.*)ˌUmschlag *m*; **3.** F Krach *m*; **4.** F Keileˈrei *f*.

tur·pen·tine [ˈtəːpəntain] *s.* ⚗ **1.** Terpenˈtin *n*; **2.** *a. oil* (*od. spirits*) *of ~* Terpenˈtingeist *m*, -öl *n*.

tur·pi·tude [ˈtəːpitjuːd] *s.* Verworfenheit *f*.

turps [təːps] F → *turpentine 2*.

tur·quoise [ˈtəːkwɑːz] *s.* **1.** *min.* Türˈkis *m*; **2.** *a. ~ blue* Türˈkisblau *n*: *~ green* Türkisgrün.

tur·ret [ˈtʌrit] *s.* **1.** △ Türmchen *n*; **2.** ⚔, ⚓ Geschütz-, Panzer-, Gefechtsturm *m*: *~ gun* Turmgeschütz; **3.** ✈ Kanzel *f*; **4.** ⊕ Reˈvolverkopf *m*: *~ lathe* Revolverdrehbank; ˈ**tur·ret·ed** [-tid] *adj.* **1.** betürmt; **2.** *zo.* spiˈral-, türmchenförmig (*Muschel etc.*).

tur·tle[1] [ˈtəːtl] *s. zo.* (See)Schildkröte *f*: *to turn ~* **a)** ⚓ kentern, umschlagen, **b)** *Am.* F hilflos *od.* feige sein.

tur·tle[2] [ˈtəːtl] *s. orn. mst ~-dove* Turteltaube *f*.

Tus·can [ˈtʌskən] **I.** *adj.* **1.** tosˈkanisch; **II.** *s.* **2.** Tosˈkaner(in); **3.** *ling.* Tosˈkanisch *n*.

tush [tʌʃ] *int. obs.* pah!

tusk [tʌsk] *s. zo.* **a)** Fangzahn *m*, **b)** Stoßzahn *m des Elefanten etc.*, **c)** Hauer *m des Wildschweins*; **tusked** [-kt] *adj. zo.* mit (Fang- *etc.*)Zähnen *od.* Hauern (bewaffnet); ˈ**tusk·er** [-kə] *s. zo.* Eleˈfant *m od.* Keiler *m* (*mit ausgebildeten Stoßzähnen*); ˈ**tusk·y** [-ki] → *tusked*.

tus·sle [ˈtʌsl] **I.** *s.* **1.** Balgeˈrei *f*, Raufeˈrei *f* (*a. fig.*); **2.** *fig.* scharfe Kontroˈverse; **II.** *v/i.* **3.** kämpfen, raufen, sich balgen (*for* um *acc.*).

tus·sock [ˈtʌsək] *s.* (*bsd.* Gras)Büschel *n*.

tus·sore [ˈtʌsə] *s.* ˈTussahseide *f*.

tut(-tut) [tʌt] *int.* **1.** ach was!; **2.** pfui!; **3.** Unsinn!, Na, ˈna!

tu·te·lage [ˈtjuːtilidʒ] *s.* **1.** ⚖ Vormundschaft *f*; **2.** Unmündigkeit *f*; **3.** *fig.* **a)** Bevormundung *f*, **b)** Schutz *m*, **c)** (An)Leitung *f*; ˈ**tu·te·lar** [-lə], ˈ**tu·te·lar·y** [-ləri] *adj.* **1.** schützend, Schutz...; **2.** ⚖ Vormunds..., Vormundschafts...

tu·tor [ˈtjuːtə] **I.** *s.* **1.** Priˈvat-, Hauslehrer *m*; **2.** *ped., univ. Brit.* Tutor *m*, Studienleiter *m*; **3.** *ped., univ. Am.* Assiˈstent *m mit Lehrauftrag*; **4.** (Ein)Pauker *m*, Repeˈtitor *m*; **5.** ⚖ Vormund *m*; **II.** *v/t.* **6.** *ped.* unterˈrichten, *j-m* Priˈvatˌunterricht geben; **7.** *j-n* schulen, erziehen; **8.** *fig. j-n* bevormunden; **tu·to·ri·al** [tju(ː)ˈtɔːriəl] *ped.* **I.** *adj.* Tutor..., Lehrer...; **II.** *s.* Tuˈtorenˌkurs(us) *m*; ˈ**tu·tor·ship** [-ʃip] *s.* (*bsd.* Haus-) Lehrerstelle *f* (*of* bei).

tu·tu [tyˈty] (*Fr.*) *s.* (Balˈlett)Röckchen *n*.

tux·e·do [tʌkˈsiːdou] *pl.* **-dos** *s. Am.* Smoking *m*.

TV [ˈtiːˈviː] F **I.** *adj.* Fernseh...; **II.** *s.* ˈFernsehappaˌrat *m*.

twad·dle [ˈtwɔdl] **I.** *v/i.* **1.** schwatzen, quasseln; **II.** *s.* **2.** Gequassel *n*; **3.** Quatsch *m*, Unsinn *m*.

twain [twein] **I.** *adj. obs. od. poet.* zwei: *in ~* entzwei; **II.** *s. die* Zwei *pl.*

twang [twæŋ] **I.** *v/i.* **1.** schwirren, (scharf) klingen; **2.** näseln; **II.** *v/t.* **3.** *Saiten etc.* schwirren (lassen), zupfen; klimpern *od.* kratzen auf (*dat.*); **4.** *et.* näseln, durch die Nase sprechen; **III.** *s.* **5.** scharfer Ton, Schwirren *n*, Klingen *n*; **6.** Näseln *n*.

tweak [twiːk] **I.** *v/t.* zwicken, kneifen; **II.** *s.* Zwicken *n*.

tweed [twiːd] *s.* **1.** Tweed *m* (*Wollgewebe*); **2.** *pl.* Kleidungsstücke *pl.* aus Tweed.

'tween [twiːn] **I.** *adv. u. prp.* → *between*; **II.** *in Zssgn* Zwischen...; ˈ**~-decks** *adv.* ⚓ im Zwischendeck.

tween·y [ˈtwiːni] *s. Brit.* F Aushilfsmädchen *n*.

tweet·er [ˈtwiːtə] *s. Radio*: Hochtonlautsprecher *m*.

tweez·ers [ˈtwiːzəz] *s. pl.* (*a pair of ~* e-e) Pinˈzette.

twelfth [twelfθ] **I.** *adj.* □ **1.** zwölft: *♀-night* Dreikönigsabend; **II.** *s.* **2.** *der* (*die, das*) Zwölfte; **3.** Zwölftel *n*; ˈ**twelfth·ly** [-li] *adv.* zwölftens.

twelve [twelv] **I.** *adj.* zwölf; **II.** *s.* Zwölf *f* (*Zahl, Ziffer, Uhrzeit etc.*); ˈ**twelve·fold** *adj. u. adv.* zwölffach; ˈ**twelve·mo** [-mou] *s. typ.* Duoˈdez(forˌmat) *n*.

ˈ**twelve-tone** *adj.* ♪ Zwölfton...

twen·ti·eth [ˈtwentiiθ] **I.** *adj.* **1.** zwanzigst; **II.** *s.* **2.** *der* (*die, das*) Zwanzigste; **3.** Zwanzigstel *n*.

twen·ty [ˈtwenti] **I.** *adj.* **1.** zwanzig; **II.** *s.* **2.** Zwanzig *f* (*Zahl, Ziffer, Uhrzeit etc.*); **3.** *the twenties pl.* **a)** die zwanziger Jahre *e-s Jahrhunderts*, **b)** die Zwanziger(jahre) (*Lebensalter*); ˈ**twen·ty·fold** *adj. u. adv.* zwanzigfach.

twerp [twəːp] *s. sl. contp.* Kerl *m*, ‚Knülch' *m*.

twice [twais] *adv.* zweimal: *to think ~ about s.th. fig.* sich e-e Sache gründlich überlegen; *~ as much* doppelt *od.* zweimal soviel, das Doppelte; *~ the sum* die doppelte Summe; ˈ**~-ˈtold** *adj. fig.* alt, abgedroschen: *~ tales.*

twid·dle [ˈtwidl] **I.** *v/t.* (müßig) herˈumdrehen, mit *et.* spielen: *to ~ one's thumbs fig.* Däumchen drehen, die Hände in den Schoß legen; **II.** *s.* Schnörkel *m*.

twig[1] [twig] *s.* **1.** (dünner) Zweig, Rute *f*: *to hop the ~* F ‚abkratzen' (*sterben*); **2.** Wünschelrute *f*.

twig[2] [twig] *Brit. sl.* **I.** *v/t.* **1.** ‚kapieren' (*verstehen*); **2.** beobachten; **3.** (be)merken; **II.** *v/i.* **4.** ‚kapieren'.

twi·light [ˈtwailait] **I.** *s.* **1.** (*mst* Abend)Dämmerung *f*: *~ of the gods myth.* Götterdämmerung; **2.** Zwielicht *n* (*a. fig.*), Halbdunkel *n*; **3.** *fig.* Dämmerzustand *m*; **II.** *adj.* **4.** Zwielicht..., dämmerig, schattenhaft (*a. fig.*): *~ sleep* ⚕ *u. fig.* Dämmerschlaf.

twill [twil] **I.** *s.* Köper(stoff) *m*; **II.** *v/t.* köpern.

twin [twin] **I.** *s.* **1.** Zwilling *m*: *the ♀s ast.* die Zwillinge; **II.** *adj.* **2.** Zwillings..., Doppel..., doppelt: *~ brother* Zwillingsbruder; *~ engine* ✈ Zwillingstriebwerk; *~-engined* zweimotorig; **3.** ⚘ gepaart.

twine [twain] **I.** *s.* **1.** Bindfaden *m*, Schnur *f*; **2.** ⊕ Garn *n*, Zwirn *m*; **3.** Wick(e)lung *f*; **4.** Windung *f*; **5.** Geflecht *n*; **6.** ⚘ Ranke *f*; **II.** *v/t.* **7.** *Fäden etc.* zs.-drehen, zwirnen; **8.** *Kranz* winden; **9.** *fig.* ineinˈanderschlingen, verflechten; **10.** schlingen, winden (*about, around* um); **11.** umˈschlingen, -ˈwinden, -ˈranken (*with* mit); **III.** *v/i.* **12.** sich verflechten (*with* mit); **13.** sich winden *od.* schlingen; sich schlängeln; ˈ**twin·er** [-nə] *s.* **1.** ⚘ Kletter-, Schlingpflanze *f*; **2.** ⊕ ˈSpinn-, ˈZwirnmaˌschine *f*.

twinge [twindʒ] **I.** *s.* **1.** stechender Schmerz, Zwicken *n*, Stechen *n*, Stich *m* (*a. fig.*): *~ of conscience* Gewissensbiß; **II.** *v/t. u. v/i.* **2.** stechen; **3.** zwicken, kneifen.

twin·kle [ˈtwiŋkl] **I.** *v/i.* **1.** (auf-) blitzen, glitzern, funkeln (*Sterne etc., a. Augen*); **2.** huschen; **3.** (verschmitzt) zwinkern, blinzeln; **II.** *s.* **4.** Blinken *n*, Blitzen *n*, Glitzern *n*; **5.** (Augen)Zwinkern *n*, Blinzeln *n*: *a humorous ~*; **6.** → *twinkling 2*; ˈ**twin·kling** [-liŋ] *s.* **1.** → *twinkle 4, 5*; **2.** *fig.* Augenblick *m*: *in the ~ of an eye* im Nu, im Handumdrehen.

twin| town *s.* Partnerstadt *f*; **~ track** *s.* Doppelspur *f e-s Tonbands*.

twirl [twəːl] **I.** *v/t.* **1.** (herˈum)wirbeln, quirlen; *Daumen, Locke etc.* drehen; *Bart* zwirbeln; **II.** *v/i.* **2.** (sich herum)wirbeln; **III.** *s.* **3.** schnelle (Um)ˈDrehung, Wirbel *m*; **4.** Schnörkel *m*.

twist [twist] **I.** *v/t.* **1.** drehen: *to ~ off* losdrehen, abbrechen; **2.** zs.-drehen, zwirnen; **3.** verflechten, -schlingen; **4.** *Kranz etc.* winden, *Schnur etc.* wickeln: *to ~ s.o. round one's* (*little*) *finger* j-n um den (kleinen) Finger wickeln; **5.** umˈwinden; **6.** wringen; **7.** (ver)biegen, (-)krümmen; *j-m den Arm etc.* verdrehen; *Fuß* vertreten; *Gesicht* verzerren: *~ed mind fig.* verbogener Geist; *~ed with pain* schmerzverzerrt (*Züge*); *to ~ s.o.'s arm* F j-n unter Druck setzen; **8.** *fig. Sinn* verdrehen, entstellen; **9.** *Ball* schneiden; **II.** *v/i.* **10.** sich drehen: *to ~ round* sich umdrehen; **11.** sich krümmen; **12.** sich winden (*a. fig.*); **13.** sich winden *od.* schlängeln (*Fluß etc.*); **14.** sich verziehen *od.* verzerren (*a. Gesicht*); **15.** sich verschlingen; **III.** *s.* **16.** Drehung *f*, Windung *f*, Biegung *f*, Krümmung *f*; **17.** Drehung *f*, Rotati'on *f*; **18.** Geflecht *n*; **19.** Zwirnung *f*; **20.** Verflechtung *f*, Knäuel *m*, *n*; **21.** (Gesichts)Verzerrung *f*; **22.** *fig.* Verdrehung *f*; **23.** *fig.* **a)** Verdrehtheit *f*, Verbogenheit *f*, **b)** merkwürdige Neigung (*towards* zu), Ma'rotte *f*; **24.** *fig.* **a)** Falschheit *f*, **b)** ‚Dreh' *m* (*Betrügerei*); **25.** *fig.* über'raschende Wendung, ‚Dreh' *m* (*Roman etc.*); **26.** ⊕ **a)** Drall *m* (*Schußwaffe, Seil etc.*), **b)** Torsi'on *f*; **27.** Spi'rale *f*: ~ *drill* ⊕ Spiralbohrer; **28.** Twist *m* (*Tanz*); **29. a)** (Seiden-, Baumwoll-) Twist *m*, **b)** Zwirn *m*; **30.** Seil *n*, Schnur *f*; **31.** Rollentabak *m*; **32.** *Bäckerei*: Kringel *m*, Zopf *m*; '**twist·er** [-tə] *s.* **1. a)** Dreher(in), Zwirner(in), **b)** Seiler(in); **2.** ⊕ 'Zwirn-, 'Drehmaˌschine *f*; **3.** *sport* Schnitt-, Ef'fetball *m*; **4.** F harte Nuß, knifflige Sache; **5.** *sl.* Gauner *m*; **6.** *Am.* Tor'nado *m*, Wirbel(wind) *m*; '**twist·y** [-ti] *adj.* **1.** gewunden, kurvenreich; **2.** *fig.* unehrlich, verschlagen.

twit [twit] *v/t.* **1.** *j-n* aufziehen (*with* mit); **2.** *j-m* Vorwürfe machen (*with* wegen).

twitch [twitʃ] **I.** *v/t.* **1.** zupfen, zerren, reißen; **2.** zucken mit; **II.** *v/i.* **3.** zucken (*with* vor); **III.** *s.* **4.** Zukken *n*, Zuckung *f*; **5.** Ruck *m*; **6.** Stich *m* (*Schmerz*); **7.** Nasenbremse *f* (*Pferd*).

twit·ter ['twitə] **I.** *v/i.* **1.** zwitschern (*Vogel, Person*), zirpen (*a. Insekt*); **2.** (aufgeregt) schnattern, piepsen (*Person*); **3.** kichern; **4.** F (vor Aufregung) zittern; **II.** *v/t.* **5.** *et.* zwitschern; **III.** *s.* **6.** Gezwitscher *n*; **7.** *fig.* Geschnatter *n* (*Person*); **8.** Kichern *n*; **9.** Nervosi'tät *f*: *in a* ~ aufgeregt.

two [tuː] **I.** *s.* **1.** Zwei *f* (*Zahl, Ziffer, Uhrzeit etc.*); **2.** Paar *n*: *the* ~ die beiden, beide; *the* ~ *of us* wir beide; *to put* ~ *and* ~ *together fig.* sich et. zs.-reimen, s-e Schlüsse ziehen; *in* (*od. by*) ~*s* zu zweien, paarweise; ~ *and* ~ paarweise, zwei u. zwei; ~ *can play at that game* das kann ich (*od.* ein anderer) auch; **II.** *adj.* **3.** zwei: *one or* ~ einige; *in a day or* ~ in ein paar Tagen; *in* ~ entzwei; *to cut in* ~ entzweischneiden; **4.** beide: *the* ~ *cars*; '~**-bit** *adj. Am.* F **1.** 25-Cent-...; **2.** billig (*a. fig. wertlos, a. Person*); '~-'**cy·cle** *adj.* ⊕ Zweitakt...: ~ *engine*; '~-'**edged** *adj.* zweischneidig (*a. fig.*); '~**-faced** *adj. fig.* falsch, heuchlerisch; '~-'**fist·ed** *adj.* **1.** *Brit.* plump, ungeschickt; **2.** *Am.* F *fig.* ro'bust, handfest; '~**·fold** *adj. u. adv.* zweifach, doppelt; '~-'**four** *adj.* ♪ Zweiviertel...; '~-'**hand·ed** *adj.* **1.** zweihändig; **2.** für zwei Per'sonen (*Spiel etc.*); '~**-horse** *adj.* zweispännig; '~-'**job man** *s.* [*irr.*] Doppelverdiener *m*; '~-'**legged** *adj.* zweibeinig; ~**·pence** ['tʌpəns] *s. Brit.* zwei Pence *pl.*: *not to care* ~ *for fig.* sich nicht scheren um; *he didn't care* ~ es war ihm völlig gleichgültig; ~**-pen·ny** ['tʌpni] *adj.* **1.** zwei Pence wert *od.* betragend, Zweipenny...; **2.** *fig.* armselig, billig; '~**·pen·ny-'half·pen·ny** ['tʌpni] *adj.* **1.** Zweieinhalbpenny...; **2.** *fig.* mise'rabel, schäbig; '~-'**phase** *adj.* ⚡ zweiphasig, Zweiphasen...; '~**-piece** *adj.* zweiteilig; '~-'**pin plug** *s.* ⚡ Doppel(stift)stecker *m*; '~**-ply** *adj.* doppelt (*Stoff etc.*); zweischäftig (*Tau*); zweisträhnig (*Wolle etc.*); '~-'**seat·er** *s.* ✈, *mot.* Zweisitzer *m*; '~-'**sid·ed** *adj.* zweiseitig; '~**·some** [-səm] *s.* **1.** Tanz *m od.* Spiel *n* zu zweien; **2.** Paar *n*; '~**-speed** *adj.* ⊕ Zweigang...; '~**-stage** *adj.* ⊕ zweistufig; '~**-step** *s.* Twostep *m* (*Tanz*); '~**-stroke** *adj. mot.* Zweitakt...; '~**-time** *v/t. Am. sl. bsd. Ehepartner* hinter'gehen; '~**-way** *adj.* Zweiweg(e)..., Doppel...: ~ *adapter* (*od. plug*) ⚡ Doppelstecker; ~ *cock* Zweiwegehahn; ~ *communication* ⚡ Doppelverkehr, Gegensprechen; ~ *traffic* Doppel-, Gegenverkehr.

ty·coon [tai'kuːn] *s.* F Indu'striemaˌgnat *m*, -kapiˌtän *m*: *oil* ~ Ölmagnat.

ty·ing ['taiiŋ] *pres. p. von* tie.

tyke [taik] *s.* **1.** Köter *m*; **2.** Lümmel *m*, Kerl *m*.

tym·pan ['timpən] *s.* **1.** *typ.* Preßdeckel *m*; **2.** → *tympanum 2*; **tym·pan·ic** [tim'pænik] *adj. anat.* Mittelohr..., Trommelfell...: ~ *membrane* Trommelfell; **tym·pa·ni·tis** [timpə'naitis] *s.* ⚕ Mittelohrentzündung *f*; '**tym·pa·num** [-nəm] *pl.* **-na** [-nə] *s.* **1.** *anat.* **a)** Mittelohr *n*, **b)** Trommelfell *n*; **2.** ⚠ **a)** 'Tympanon *n*, Giebelfeld *n*, **b)** Türbogenfeld *n*.

type [taip] **I.** *s.* **1.** 'Typ(us) *m*: **a)** Urform *f*, **b)** 'typischer Vertreter, **c)** charakte'ristische Klasse; **2.** Ur-, Vorbild *n*, Muster *n*; **3.** ⊕ Typ *m*, Mo'dell *n*, Ausführung *f*, Baumuster *n*: ~ *plate* Typenschild; **4.** Art *f*, Schlag *m*, Sorte *f*; **5.** *typ.* **a)** Letter *f*, (Druck)Type *f*, **b)** *coll.* Lettern *pl.*, Schrift *f*, Druck *m*: *in* ~ (ab)gesetzt; *to set* (*up*) *in* ~ setzen; **6.** *fig.* **a)** Sinnbild *n*, Sym'bol *n* (*of gen. od.* für), **b)** Gepräge *n*; **II.** *v/t. u. v/i.* **7.** mit der Ma'schine (ab-) schreiben, (ab)tippen: ~*d* maschinegeschrieben; ~ **a·re·a** *s. typ.* Satzspiegel *m*; '~**-cast** *v/t.* [*irr.* → *cast*] *thea. etc. Schauspieler* auf ein bestimmtes Rollenfach festlegen; '~**-face** *s. typ.* 'Schrifttype *f*; '~**-found·er** *s. typ.* Schriftgießer *m*; '~**-found·ry** *s. typ.* Schriftgieße'rei *f*; '~**-met·al** *s. typ.* 'Letternmeˌtall *n*; ~ **page** *s. typ.* Satzspiegel *m*; '~**·script** *s.* Ma'schinenschrift(satz *m*) *f*, ma'schinegeschriebener Text; '~**-set·ter** *s. typ.* (Schrift)Setzer *m*; ~ **spec·i·men** *s.* **1.** ⊕ 'Musterexemˌplar *n*; **2.** *biol.* Typus *m*, Origi'nal *n*; '~**·write** *v/t. u. v/i.* [*irr.* → *write*] → *type 7*; '~**·writ·er** *s.* **1.** 'Schreibmaˌschine *f*: ~ *ribbon* Farbband; **2.** *a.* ~ *face typ.* 'Schreibmaˌschinenschrift *f*; '~**·writ·ing** *s.* **1.** Ma'schineschreiben *n*; **2.** Ma'schinenschrift *f*; '~**-writ·ten** *adj.* ma'schinegeschrieben, in Maschinenschrift.

ty·phoid ['taifɔid] ⚕ **I.** *adj.* ty'phös, Typhus...: ~ *fever* → *II*; **II.** *s.* ('Unterleibs)ˌTyphus *m*.

ty·phoon [tai'fuːn] *s.* Tai'fun *m*.

ty·phus ['taifəs] *s.* ⚕ 'Fleckˌtyphus *m*, -fieber *n*.

typ·i·cal ['tipikəl] *adj.* □ **1.** 'typisch; **2.** charakte'ristisch, bezeichnend, kennzeichnend, typisch (*of* für): *to be* ~ *of et.* kennzeichnen *od.* charakterisieren; **3.** sym'bolisch, sinnbildlich (*of* für); **4. a)** vorbildlich, echt, **b)** hinweisend (*of* auf *et. Künftiges*); '**typ·i·cal·ness** [-nis] *s.* **1.** *das* 'Typische; **2.** Sinnbildlichkeit *f*; '**typ·i·fy** [-ifai] *v/t.* **1.** typisch *od.* ein typisches Beispiel sein für, verkörpern; **2.** versinnbildlichen; **3.** vorbilden.

typ·ist ['taipist] *s.* Ma'schinenschreiber(in), (*a. shorthand* ~) Steno'typistin *f*.

ty·pog·ra·pher [tai'pɔgrəfə] *s.* **1.** (Buch)Drucker *m*; **2.** (Schrift)Setzer *m*; **ty·po·graph·ic** [taipə'græfik] *adj.* (□ ~*ally*) → *typographical*; **ty·po·graph·i·cal** [taipə'græfikəl] *adj.* □ **1.** Druck..., drucktechnisch: ~ *error* Druckfehler; **2.** typo'graphisch, Buchdruck(er)...; **ty'pog·ra·phy** [-fi] *s.* **1.** Buchdruckerkunst *f*, Typogra'phie *f*; **2.** (Buch)Druck *m*.

ty·po·log·i·cal [taipə'lɔdʒikəl] *adj.* typo'logisch; **ty·pol·o·gy** [tai'pɔlədʒi] *s.* Typolo'gie *f*: **a)** 'Typenlehre *f*, **b)** *eccl.* Vorbilderlehre *f*.

ty·ran·ni·cal [ti'rænikəl] *adj.* □ ty'rannisch; **ty'ran·ni·cide** [-isaid] *s.* **1.** Ty'rannenmord *m*; **2.** Ty'rannenmörder *m*; **tyr·an·nize** ['tirənaiz] **I.** *v/i.* ty'rannisch sein *od.* herrschen: *to* ~ *over* → *II*; **II.** *v/t.* tyrannisieren; **tyr·an·nous** ['tirənəs] *adj.* □ *rhet.* ty'rannisch; **tyr·an·ny** ['tirəni] *s.* **1.** Tyran'nei *f*, Despo'tismus *m*; **2.** Gewalt-, Willkürherrschaft *f*; **3.** Tyrannei *f* (*tyrannische Handlung etc.*); **4.** *antiq.* Ty'rannis *f*; **ty·rant** ['taiərənt] *s.* Ty'rann(in).

tyre *etc. Brit.* → *tire*[2] *etc.*

ty·ro ['taiərou] *pl.* **-ros** *s.* Anfänger(in), Neuling *m*.

Tyr·o·lese [tirə'liːz] **I.** *pl.* **-lese** *s.* Ti'roler(in); **II.** *adj.* ti'rolisch, Tiroler(...).

tzar *etc.* → *tsar etc.*

U

U, u [ju:] **I.** *s.* **1.** U *n*, u *n* (*Buchstabe*); **2.** U *n*: *U-bolt* ⊕ U-Bolzen; **II.** *adj.* **3.** *U Brit.* vornehm.

u·biq·ui·tous [ju(:)'bikwitəs] *adj.* □ all'gegenwärtig, (gleichzeitig) 'überall zu finden(d); **u'biq·ui·ty** [-ti] *s.* All'gegenwart *f*.

'U-boat *s.* ⚓ U-Boot *n*, (deutsches) 'Unterseeboot.

u·dal ['ju:dəl] *s.* ⚖ *hist.* Al'lod(ium) *n*, Freigut *n*.

ud·der ['ʌdə] *s.* Euter *n*.

u·dom·e·ter [ju(:)'dɔmitə] *s. meteor.* Regenmesser *m*.

ugh [uh; ə:h] *int.* hu!

ug·li·fy ['ʌglifai] *v/t.* häßlich machen, entstellen; **'ug·li·ness** [-inis] *s.* Häßlichkeit *f*; **ug·ly** ['ʌgli] **I.** *adj.* □ **1.** häßlich, garstig (*beide a. fig.*); **2.** *fig.* gemein, schmutzig; **3.** unangenehm, 'widerwärtig, übel: *an ~ customer* ein unangenehmer Kerl, ‚ein übler Kunde'; **4.** bös, schlimm, gefährlich (*Wunde etc.*); **II.** *s.* **5.** F ‚Ekel' *n*.

u·kase [ju:'keiz] *s. hist. u. fig.* 'Ukas *m*, Erlaß *m*.

U·krain·i·an [ju(:)'kreinjən] **I.** *adj.* **1.** ukra'inisch; **II.** *s.* **2.** Ukra'iner (-in); **3.** *ling.* Ukra'inisch *n*.

u·ku·le·le [ju:kə'leili] *s.* ♪ Uku'lele *n* (*viersaitige Hawaiigitarre*).

ul·cer ['ʌlsə] *s.* **1.** ⚕ (*Magen- etc.*) Geschwür *n*, 'Ulcus *n*; **2.** *fig.* (Eiter)Beule *f*; **3.** *fig.* Schandfleck *m*; **'ul·cer·ate** [-əreit] ⚕ **I.** *v/t.* schwären lassen: *~d* eitrig, vereitert; **II.** *v/i.* geschwürig werden, schwären; **ul·cer·a·tion** [ʌlsə'reiʃən] *s.* ⚕ Geschwür(bildung *f*) *n*; Schwären *n*, (Ver)Eiterung *f*; **ul·cer·ous** ['ʌlsərəs] *adj.* □ **1.** ⚕ geschwürig, eiternd; Geschwür(s)..., Eiter...; **2.** *fig.* kor'rupt, giftig.

ul·lage ['ʌlidʒ] *s.* † Schwund *m*, Lec'kage *f*, Flüssigkeitsverlust *m*.

ul·na ['ʌlnə] *pl.* **-nae** [-ni:] *s. anat.* Elle *f*; **'ul·nar** [-nə] *adj. anat.* Ellen...

ul·ster ['ʌlstə] *s.* Ulster(mantel) *m*.

ul·te·ri·or [ʌl'tiəriə] *adj.* □ **1.** (*räumlich*) jenseitig; **2.** später (folgend), weiter, anderweitig: *~ action*; **3.** *fig.* tiefer(liegend), versteckt: *~ motives* tiefere Beweggründe, Hintergedanken.

ul·ti·mate ['ʌltimit] *adj.* □ **1.** äußerst, (aller)letzt; **2.** entferntest; **3.** schließlich, endlich, endgültig: *~ consumer* † Endverbraucher; *~ result* Endergebnis; **4.** grundlegend, elemen'tar, Grund...; **5.** ⊕, *phys.* Höchst..., Grenz...: *~ strength* Bruchfestigkeit; **'ul·ti·mate·ly** [-li] *adv.* schließlich, endlich, letzten Endes, im Grunde.

ul·ti·ma·tum [ʌlti'meitəm] *pl.* **-tums, -ta** [-tə] *s. pol. u. fig.* Ulti'matum *n* (*to* an *acc.*): *to deliver an ~ to j-m* ein Ultimatum stellen.

ul·ti·mo ['ʌltimou] (*Lat.*) *adv.* † vom letzten Monat, letzten *od.* vorigen Monats.

ul·tra ['ʌltrə] **I.** *adj.* **1.** ex'trem, radi'kal, Erz..., Ultra...; **2.** 'übermäßig, über'trieben; ultra..., super...; **II.** *s.* **3.** Extre'mist *m*, 'Ultra *m*; **~'high-'fre·quen·cy** ⚡ **I.** *s.* Ultra'hochfre,quenz *f*, Ultra'kurzwelle *f*; **II.** *adj.* Ultrahochfrequenz..., Ultrakurzwellen...

ul·tra·ism ['ʌltrəizəm] *s.* Radika'lismus *m*, Ultra'ismus *m*.

ul·tra|·ma'rine **I.** *adj.* **1.** 'überseeisch; **2.** ⚗, *paint.* ultrama'rin: *~ blue* → *3*; **II.** *s.* **3.** Ultrama'rin(blau) *n*; **'~'mod·ern** *adj.* 'über-, 'hypermo,dern; **~'mon·tane** [-'mɔntein] **I.** *adj.* **1.** jenseits der Berge (gelegen); **2.** südlich der Alpen (gelegen), itali'enisch; **3.** *pol., eccl.* ultramon'tan, streng päpstlich; **II.** *s.* **4.** → *ultramontanist*; **ul·tra'mon·ta·nist** [-'mɔntinist] *s.* Ultramon'tane(r *m*) *f*; **'~'na·tion·al** *adj.* 'ultranatio,nal; **'~-'red** *adj.* 'ultrarot; **'~-'short wave** *s.* ⚡ Ultra'kurzwelle *f*; **'~-'son·ic** *phys.* **I.** *adj.* Ultra-, Überschall...; **II.** *s. pl. sg. konstr.* 'Ultraschall *m*; **'~-'vi·o·let** *adj. phys.* 'ultravio,lett.

ul·tra vi·res ['ʌltrə'vaiəri:z] (*Lat.*) *adv. u. pred. adj.* ⚖ über j-s Macht *od.* Befugnisse (hin'ausgehend).

ul·u·late ['ju:ljuleit] *v/i.* heulen; **ul·u·la·tion** [ju:lju'leiʃən] *s.* Heulen *n*, Geheul *n*.

um·bel ['ʌmbəl] *s.* ⚘ Dolde *f*; **'um·bel·late** [-leit] *adj.* doldenblütig, Dolden...; **um·bel·li·fer** [ʌm'belifə] *s.* Doldengewächs *n*; **um·bel·lif·er·ous** [ʌmbə'lifərəs] *adj.* doldenblütig, -tragend.

um·ber ['ʌmbə] *s.* **1.** *min.* Umber (-erde *f*) *m*, 'Umbra *f*; **2.** *paint.* Berg-, Dunkelbraun *n*.

um·bil·i·cal [ʌm'bilikəl; *anat.* ʌmbi'laikəl] *adj.* Nabel...: *~ cord* Nabelschnur; **um·bil·i·cus** [ʌm'bilikəs] *pl.* **-cus·es** *s.* **1.** *anat.* Nabel *m*; **2.** (nabelförmige) Delle; **3.** ⚘ (Samen-) Nabel *m*; **4.** ⚹ Nabelpunkt *m*.

um·bra ['ʌmbrə] *pl.* **-brae** [-bri:] *s. ast.* **a)** Kernschatten *m*, **b)** 'Umbra *f* (*Kern e-s Sonnenflecks*).

um·brage ['ʌmbridʒ] *s.* **1.** Anstoß *m*, Ärgernis *n*: *to give ~* Anstoß erregen (*to* bei); *to take ~ at* Anstoß nehmen an (*dat.*); **2.** *poet.* Schatten *m von Bäumen*; **um·bra·geous** [ʌm'breidʒəs] *adj.* □ **1.** schattig, schattenspendend, -reich; **2.** *fig.* empfindlich.

um·bral ['ʌmbrəl] *adj. ast.* Kernschatten...

um·brel·la [ʌm'brelə] *s.* **1.** (*bsd.* Regen)Schirm *m*: *~-stand* Schirmständer; *to get* (*od. put*) *under one ~ fig.* ‚unter 'einen Hut bringen'; **2.** ✈, ⚔ **a)** Jagdschutz *m*, Abschirmung *f*, **b)** *a. ~ barrage* Feuervorhang *m*, -glocke *f*.

um·pire ['ʌmpaiə] **I.** *s.* **1.** *sport etc.* Schiedsrichter *m*, 'Unpar,teiische(r *m*) *f*; **2.** ⚖ Obmann *m* e-s Schiedsgerichts; **II.** *v/t.* **3.** *Spiel* als Schiedsrichter leiten; **III.** *v/i.* **4.** Schiedsrichter sein.

ump·teen ['ʌmpti:n] *adj. sl.* ‚zig' (*viele*): *~ times* x-mal; **'ump·teenth** [-nθ], **'ump·ti·eth** [-tiiθ] *adj. sl.* ‚zigst', *der* (*die, das*) 'soundso'vielte; **'ump·ty** [-ti] → *umpteen*.

'un [ən] *pron.* F *für one*.

un- [ʌn] *in Zssgn* **1.** Un..., un..., nicht...; **2.** ent..., los..., auf..., ver... (*bei Verben*).

'un·a'bashed *adj.* **1.** unverfroren; **2.** unerschrocken.

un·a·bat·ed ['ʌnə'beitid] *adj.* unvermindert; **'un·a'bat·ing** [-tiŋ] *adj.* unablässig, anhaltend.

'un·ab'bre·vi·at·ed *adj.* ungekürzt.

'un'a·ble *adj.* **1.** unfähig, außer'stande (*to do* zu tun): *to be ~ to work* nicht arbeiten können, arbeitsunfähig sein; *~ to pay* zahlungsunfähig, insolvent; **2.** untauglich, ungeeignet.

'un·a'bridged *adj.* ungekürzt.

'un·ac'cent·ed *adj.* unbetont.

'un·ac'cept·a·ble *adj.* **1.** unannehmbar (*to* für); **2.** unangenehm (*to dat.*).

'un·ac'com·mo·dat·ing *adj.* ungefällig, unnachgiebig.

'un·ac'com·pa·nied *adj.* unbegleitet, ohne Begleitung (*a.* ♪).

'un·ac'com·plished *adj.* **1.** 'unvoll,endet, unfertig; **2.** *fig.* ungebildet.

'un·ac'count·a·ble *adj.* □ **1.** nicht verantwortlich; **2.** unerklärlich, seltsam; **'un·ac'count·a·bly** *adv.* unerklärlicherweise.

'un·ac'count·ed-for *adj.* unerklärt (geblieben), nicht belegt.

'un·ac'cus·tomed *adj.* **1.** ungewohnt; **2.** nicht gewöhnt (*to* an *acc.*).

un·a·chiev·a·ble ['ʌnə'tʃi:vəbl] *adj.* unausführbar, unerreichbar; **'un·a'chieved** [-vd] *adj.* unerreicht, 'unvoll,endet.

'un·ac'knowl·edged *adj.* **1.** nicht

anerkannt; uneingestanden; **2.** unbestätigt (*Brief etc.*).
'un·ac'quaint·ed *adj.* (*with*) unerfahren (in *dat.*), nicht vertraut (mit), unkundig (*gen.*): *to be ~ with et.* nicht kennen.
'un'act·a·ble *adj. thea.* nicht bühnengerecht, unaufführbar; **'un'act·ed** *adj.* nicht aufgeführt (*Theaterstück etc.*).
'un·a'dapt·a·ble *adj.* **1.** nicht anpassungsfähig (*to* an *acc.*); **2.** nicht anwendbar (*to* auf *acc.*); **3.** ungeeignet (*for, to* für, zu).
'un·a'dapt·ed *adj.* **1.** nicht angepaßt (*to dat. od.* an *acc.*); **2.** ungeeignet, nicht eingerichtet (*to* für).
'un·ad'dressed *adj.* ohne Anschrift (*Brief etc.*).
'un·a'dorned *adj.* schmucklos.
un·a'dul·ter·at·ed *adj.* rein, unverfälscht, echt.
'un·ad'ven·tur·ous *adj.* **1.** ohne Unter'nehmungsgeist; **2.** ereignislos (*Reise*).
'un·ad·vis·a'bil·i·ty *s.* Unratsamkeit *f*; **'un·ad'vis·a·ble** *adj.* □ unratsam, nicht ratsam *od.* empfehlenswert; **'un·ad'vised** *adj.* □ **1.** unberaten; **2.** unbesonnen, 'unüber,legt.
un·af'fect·ed *adj.* □ **1.** ungekünstelt, nicht affektiert (*Stil, Auftreten etc.*); **2.** echt, aufrichtig; **3.** *'unaf'fected* unberührt, ungerührt, unbeeinflußt (*by* von); **un·af'fect·ed·ness** *s.* Unbefangenheit *f*, Na'türlichkeit *f*; Aufrichtigkeit *f*.
'un·a'fraid *adj.* furchtlos, nicht bange (*of* vor *dat.*).
'un'aid·ed *adj.* **1.** ohne Unter'stützung, ohne Hilfe (*by* von); (ganz) al'lein; **2.** unbewaffnet, bloß (*Auge*).
'un'al·ien·a·ble *adj.* □ unveräußerlich.
'un·al'loyed *adj.* **1.** ⚗ unvermischt, unlegiert; **2.** *fig.* ungemischt, ungetrübt, rein, lauter: *~ happiness.*
un'al·ter·a·ble *adj.* □ unveränderlich, unabänderlich; **'un'al·tered** *adj.* unverändert.
'un·a'mazed *adj.* nicht verwundert: *to be ~ at* sich nicht wundern über (*acc.*).
un·am·big·u·ous ['ʌnæm'bigjuəs] *adj.* □ unzweideutig; **'un·am'big·u·ous·ness** [-nis] *s.* Eindeutigkeit *f*.
'un·am'bi·tious *adj.* □ **1.** nicht ehrgeizig, ohne Ehrgeiz; **2.** anspruchslos, schlicht (*Sache*).
'un·a'me·na·ble *adj.* **1.** unzugänglich (*to dat. od.* für); **2.** nicht verantwortlich (*to* gegenüber).
'un·a'mend·ed *adj.* unverbessert, unabgeändert.
'un-A'mer·i·can *adj.* **1.** 'unameri,kanisch; **2.** *~ activities pol. Am.* staatsfeindliche Umtriebe.
un'a·mi·a·ble *adj.* □ unliebenswürdig.
'un·a'mus·ing *adj.* □ nicht unter'haltsam, langweilig, unergötzlich.
u·na·nim·i·ty [ju:nə'nimiti] *s.* Einstimmigkeit *f*, Einmütigkeit *f*; **u·nan·i·mous** [ju(:)'næniməs] *adj.* □ **1.** einmütig, einig; **2.** einstimmig (*Beschluß etc.*).
'un·an'nounced *adj.* unangemeldet, unangekündigt.
un'an·swer·a·ble *adj.* □ **1.** nicht zu beantworten(d); unlösbar (*Rätsel*); **2.** 'unwider,legbar; **3.** nicht verantwortlich *od.* haftbar; **'un'an·swered** *adj.* **1.** unbeantwortet; **2.** 'unwider,legt.
'un·ap'palled *adj.* unerschrocken.
un·ap·peal·a·ble ['ʌnə'pi:ləbl] *adj.* ⚖ nicht berufungsfähig, unanfechtbar.
un·ap·peas·a·ble ['ʌnə'pi:zəbl] *adj.* **1.** nicht zu besänftigen(d), unversöhnlich; **2.** nicht zu'friedenzustellen(d), unersättlich.
'un'ap·pe·tiz·ing *adj.* □ 'unappe,titlich.
'un·ap'plied *adj.* nicht angewandt *od.* gebraucht: *~ funds* totes Kapital.
'un·ap'pre·ci·at·ed *adj.* nicht gebührend gewürdigt *od.* geschätzt, unbeachtet.
un·ap'proach·a·ble *adj.* □ **1.** unzugänglich, unnahbar; **2.** unvergleichlich.
'un·ap'pro·pri·at·ed *adj.* **1.** herrenlos; **2.** nicht verwendet *od.* gebraucht; **3.** ✝ nicht zugeteilt, keiner bestimmten Verwendung zugeführt (*Gelder etc.*).
'un·ap'proved *adj.* ungebilligt, nicht genehmigt.
'un'apt *adj.* □ **1.** ungeeignet, untauglich (*for* für, zu); **2.** unzutreffend, unpassend; **3.** nicht geneigt (*to do* zu tun); **4.** ungeschickt (*at* bei, in *dat.*).
'un'ar·gued *adj.* **1.** unbesprochen; **2.** unbestritten.
'un'armed *adj.* **1.** unbewaffnet; **2.** unscharf (*Munition*).
'un'ar·mo(u)red *adj. bsd.* ⚔, ⚓ ungepanzert.
'un·as·cer'tain·a·ble *adj.* nicht feststellbar; **'un·as·cer'tained** *adj.* unermittelt.
'un·a'shamed *adj.* □ **1.** nicht beschämt; **2.** schamlos.
'un'asked *adj.* **1.** ungefragt; **2.** ungebeten, unaufgefordert.
'un·as'pir·ing *adj.* □ ohne Ehrgeiz, anspruchslos, bescheiden.
un·as'sail·a·ble *adj.* **1.** unangreifbar; **2.** *fig.* unanfechtbar.
un·as'sign·a·ble *adj.* ⚖ nicht über'tragbar.
'un·as'sist·ed *adj.* □ ohne Hilfe *od.* Unter'stützung, 'ununter,stützt.
'un·as'sum·ing *adj.* □ anspruchslos, bescheiden.
'un·at'tached *adj.* **1.** nicht befestigt (*to* an *dat.*); **2.** nicht gebunden, unabhängig; **3.** ungebunden, frei, ledig; **4.** *ped., univ.* ex'tern, nicht korporiert (*Student*); **5.** ⚔ zur Disposit'on stehend; **6.** ⚖ nicht mit Beschlag belegt.
'un·at'tain·a·ble *adj.* □ unerreichbar.
'un·at'tempt·ed *adj.* unversucht.
'un·at'tend·ed *adj.* **1.** unbegleitet; **2.** *mst ~ to* unbeaufsichtigt, vernachlässigt.
'un·at'test·ed *adj.* **1.** unbezeugt, unbestätigt; **2.** *Brit.* (behördlich) nicht über'prüft.
un·at'trac·tive *adj.* □ wenig anziehend, reizlos, 'uninteres,sant.
'un'au·thor·ized *adj.* **1.** nicht bevollmächtigt, unbefugt: *~ person* Unbefugte(r); **2.** unerlaubt; unberechtigt (*Nachdruck etc.*).
un·a·vail·a·ble ['ʌnə'veiləbl] *adj.* □ nicht verfügbar *od.* erreichbar *od.* vor'handen; **'un·a'vail·ing** [-liŋ] *adj.* □ frucht-, nutzlos, vergeblich.
un·a·void·a·ble [ʌnə'vɔidəbl] *adj.* □ unvermeidlich, unvermeidbar: *~ cost* notwendige Kosten; **un·a'void·a·ble·ness** [-nis] *s.* Unvermeidlichkeit *f*, Unvermeidbarkeit *f*.
un·a·ware ['ʌnə'wɛə] *adj.* **1.** (*of*) nicht gewahr (*gen.*), in Unkenntnis (*gen.*): *to be ~ of* sich *e-r Sache* nicht bewußt sein, *et.* nicht wissen *od.* bemerken; **2.** nichtsahnend: *he was ~ that* er ahnte nicht, daß; **'un·a'wares** [-ɛəz] *adv.* **1.** versehentlich, unbewußt; **2.** unversehens, unerwartet, unvermutet: *to catch* (*od. take*) *s.o. ~* j-n überraschen; *at ~* unverhofft, überraschend.
'un'backed *adj.* **1.** ohne Rückhalt *od.* Unter'stützung; **2.** *~ horse* Pferd, auf das nicht gesetzt wurde; **3.** ✝ ungedeckt, nicht indossiert (*Scheck etc.*).
'un'bag *v/t.* (aus e-m Sack *etc.*) ausschütten, her'ausnehmen, -lassen.
'un'bal·ance **I.** *v/t.* **1.** aus dem Gleichgewicht bringen (*a. fig.*); **2.** *fig.* in Unordnung bringen; **II.** *s.* **3.** *fig.* Unausgeglichenheit *f*; **'un'bal·anced** *adj.* **1.** aus dem Gleichgewicht gebracht, nicht im Gleichgewicht (befindlich); **2.** *fig.* unausgeglichen (*a.* ✝); **3.** *psych.* la'bil, ‚gestört'.
'un·bap'tized *adj.* ungetauft.
'un'bar *v/t.* aufriegeln, -schließen.
un'bear·a·ble *adj.* □ unerträglich.
'un'beat·en *adj.* **1.** ungeschlagen, unbesiegt; **2.** *fig.* 'unüber,troffen; **3.** unerforscht (*Wege etc.*).
'un·be'com·ing *adj.* □ **1.** unkleidsam: *this hat is ~ to him* dieser Hut steht ihm nicht; **2.** *fig.* unpassend, unschicklich, ungeziemend (*of, to, for* für *j-n*).
'un·be'fit·ting *adj.* unpassend, ungeziemend.
'un·be'friend·ed *adj.* freundlos, ohne Freund(e); hilflos.
un·be·known(st F) ['ʌnbi'noun(st)] *adj. u. adv.* **1.** (*to*) ohne *j-s* Wissen; **2.** unbekannt(erweise).
'un·be'lief *s.* Unglaube *m*, Ungläubigkeit *f*, Zweifel *m*; **un·be'liev·a·ble** *adj.* □ unglaublich; **'un·be'liev·er** *s. a. eccl.* Ungläubige(r *m*) *f*, Zweifler(in); **'un·be'liev·ing** *adj.* □ ungläubig.
un·bend ['ʌn'bend] [*irr.* → *bend*] **I.** *v/t.* **1.** *Bogen etc., a. fig. Geist* entspannen; **2.** ⊕ geradebiegen, glätten; **3.** ⚓ **a)** *Tau etc.* losmachen, **b)** *Segel* abschlagen; **II.** *v/i.* **4.** sich entspannen, sich lösen; **5.** *fig.* auftauen, freundlich(er) werden, s-e Förmlichkeit ablegen; **'un'bend·ing** [-diŋ] *adj.* □ **1.** unbiegsam; **2.** *fig.* unbeugsam, entschlossen.
un·be·seem·ing ['ʌnbi'si:miŋ] *adj.* □ unpassend.
'un'bi·as(s)ed *adj.* □ unbefangen, unbeeinflußt, 'unpar,teiisch, vorurteilslos.
'un'bid(·den) *adj.* ungeheißen, unaufgefordert; ungebeten (*a. Gast*).
'un'bind *v/t.* [*irr.* → *bind*] **1.** *Gefangenen etc.* losbinden, befreien; **2.** *Haar, Knoten etc.* lösen.

'un'**bleached** *adj.* ungebleicht.
un'**blem·ished** *adj. bsd. fig.* unbefleckt, makellos.
un'**blush·ing** *adj.* □ *fig.* schamlos.
'un'**bolt** *v/t.* aufriegeln, öffnen.
'un'**bolt·ed**[1] *adj.* unverriegelt.
'un'**bolt·ed**[2] *adj.* ungebeutelt (*Mehl etc.*).
'un'**born** *adj.* **1.** (noch) ungeboren; **2.** *fig.* (zu)künftig.
un'**bos·om** *v/t. Gedanken, Gefühle etc.* enthüllen, offen'baren (*to dat.*): *to ~ o.s.* (*to s.o.*) sich (j-m) offenbaren, (j-m) sein Herz ausschütten.
'un'**bound** *adj.* **1.** *fig.* ungebunden, frei; **2.** ungebunden, broschiert (*Buch*).
un'**bound·ed** *adj.* □ **1.** unbegrenzt; **2.** *fig.* grenzen-, schrankenlos.
'un'**brace** *v/t.* **1.** *Gurte etc.* lösen, losschnallen; **2.** entspannen (*a. fig.*): *to ~ o.s.* sich entspannen.
'un'**break·a·ble** *adj.* unzerbrechlich.
'un'**brib·a·ble** *adj.* unbestechlich.
un'**bri·dled** *adj.* **1.** ab-, ungezäumt; **2.** *fig.* ungezügelt, zügellos.
'un'**bro·ken** *adj.* □ **1.** ungebrochen, unzerbrochen, ganz, heil; **2.** 'ununter,brochen; **3.** ungebrochen (*Eid, Versprechen*); **4.** nicht zugeritten (*Pferd*); **5.** unbeeinträchtigt, unvermindert; **6.** ⸗ ungepflügt; **7.** ungebrochen: *~ record.*
'un'**broth·er·ly** *adj.* unbrüderlich.
'un'**buck·le** *v/t.* auf-, losschnallen.
'un'**built** *adj.* **1.** (noch) nicht gebaut; **2.** *a. ~-on* unbebaut (*Gelände*).
un'**bur·den** *v/t.* **1.** *bsd. fig.* entlasten, von e-r Last befreien, *Gewissen etc.* erleichtern: *to ~ o.s.* (*to s.o.*) (j-m) sein Herz ausschütten; **2. a)** *Geheimnis etc.* loswerden, **b)** *Sünden* bekennen, beichten: *to ~ one's troubles to s.o.* s-e Sorgen bei j-m abladen.
'un'**bur·ied** *adj.* unbegraben.
'un'**burnt** *adj.* **1.** unverbrannt; **2.** ⊕ ungebrannt (*Ziegel etc.*).
'un'**bur·y** *v/t.* ausgraben (*a. fig.*).
un'**busi·ness·like** *adj.* unkaufmännisch, nicht geschäftsmäßig.
'un'**but·ton** *v/t.* aufknöpfen; 'un'**but·toned** *adj. fig.* aufgetaut, zwanglos.
'un'**called** *adj.* **1.** unaufgefordert; **2.** ✝ nicht aufgerufen; un'**called-for** *adj.* **1.** ungerufen, unerwünscht; unverlangt (*Sache*); **2.** unangebracht, unpassend: *~ remarks*; **3.** ungerechtfertigt.
un'**can·ny** *adj.* □ unheimlich (*a. fig. Treffsicherheit etc.*).
'un'**cared-for** *adj.* unbeachtet, vernachlässigt.
'un'**case** *v/t.* auspacken.
un·ceas·ing [ʌn'siːsiŋ] *adj.* □ unaufhörlich.
'**un·cer·e'mo·ni·ous** *adj.* □ **1.** ungezwungen, zwanglos; **2.** unsanft, grob.
un'**cer·tain** *adj.* □ **1.** unsicher, ungewiß, unbestimmt; **2.** nicht sicher: *to be ~ of s.th.* e-r Sache nicht sicher *od.* gewiß sein; **3.** zweifelhaft, undeutlich, vage: *an ~ answer*; **4.** unzuverlässig: *an ~ friend*; **5.** unstet, unbeständig, veränderlich, launenhaft: *~ temper*; *~ weather*; un'**cer·tain·ty** *s.* **1.** Unsicherheit *f*, Ungewißheit *f*, Unbestimmtheit *f*; **2.** Zweifelhaftigkeit *f*; **3.** Unbeständigkeit *f*.
'un'**cer'tif·i·cat·ed** *adj.* unbescheinigt; ohne amtliches Zeugnis, nicht diplomiert.
'un'**cer·ti·fied** *adj.* nicht bescheinigt, unbeglaubigt.
'un'**chain** *v/t.* **1.** losketten; **2.** *fig.* entfesseln.
'un'**chal·lenge·a·ble** *adj.* □ unanfechtbar, unbestreitbar; 'un'**chal·lenged** *adj.* unbestritten, 'unwider,sprochen, unangefochten.
un·change·a·ble [ʌn'tʃeindʒəbl] *adj.* □ unveränderlich, unwandelbar; un'**change·a·ble·ness** [-nis] *s.* Unveränderlichkeit *f*; **un·changed** ['ʌn'tʃeindʒd] *adj.* unverändert; un'**chang·ing** [-dʒiŋ] *adj.* □ unveränderlich.
'un'**charged** *adj.* **1.** nicht beladen; **2.** ⚖ nicht angeklagt; **3.** ⚡ nicht (auf)geladen; **4.** ungeladen (*Schußwaffe*); **5.** ✝ **a)** unbelastet (*Konto*), **b)** unberechnet.
un'**char·i·ta·ble** *adj.* □ lieblos, hartherzig.
'un'**charm** *v/t.* entzaubern.
'un'**chart·ed** *adj.* auf keiner (Land-) Karte verzeichnet.
'un'**char·tered** *adj.* **1.** unverbrieft, nicht privilegiert, unberechtigt; **2.** gesetzlos.
'un'**chaste** *adj.* □ unkeusch; 'un'**chas·ti·ty** *s.* Unkeuschheit *f*.
'un'**checked** *adj.* **1.** ungehindert, ungehemmt; **2.** unkontrolliert, ungeprüft.
'un'**chiv·al·rous** *adj.* unritterlich.
'un'**chris·tened** *adj.* ungetauft.
'un'**chris·tian** *adj.* □ unchristlich.
un·ci·al ['ʌnsiəl] **I.** *adj.* **1.** Unzial...; **II.** *s.* **2.** Unzi'ale *f* (*abgerundeter Großbuchstabe*); **3.** Unzi'alschrift *f*.
un·ci·form ['ʌnsifɔːm] **I.** *adj.* hakenförmig; **II.** *s. anat.* Hakenbein *n* (*Handwurzel*).
'un'**cir·cum·cised** *adj.* unbeschnitten; '**un·cir·cum'ci·sion** *s. bibl. die* Unbeschnittenen *pl.*, *die* Heiden *pl.*
'un'**civ·il** *adj.* □ **1.** unhöflich, grob; **2.** unzivilisiert; 'un'**civ·i·lized** *adj.* unzivilisiert.
'un'**claimed** *adj.* **1.** nicht beansprucht, nicht geltend gemacht; **2.** nicht abgeholt *od.* abgehoben *od.* abgenommen.
'un'**clasp** *v/t.* **1.** lösen, auf-, loshaken, -schnallen; öffnen; **2.** loslassen.
'un'**clas·si·fied** *adj.* **1.** nicht klassifiziert, nicht eingeordnet; **2.** ⚔ offen (*Geheimhaltungsstufe*).
un·cle ['ʌŋkl] *s.* **1.** Onkel *m*; **2.** *sl.* Pfandleiher *m*.
'un'**clean** *adj.* □ unrein (*a. fig.*).
'un'**clean·li·ness** *s.* **1.** Unreinlichkeit *f*, Unsauberkeit *f*; **2.** *fig.* Unreinheit *f*; 'un'**clean·ly** *adj.* **1.** unreinlich; **2.** *fig.* unrein, unkeusch.
'un'**clench I.** *v/t.* **1.** *Faust* öffnen; **2.** *Griff* lockern; **3.** aufsprengen; **II.** *v/i.* **4.** sich öffnen *od.* lockern.
'un'**cloak** *v/t.* **1.** *j-m* den Mantel abnehmen; **2.** *fig.* enthüllen, -larven.
un·close ['ʌn'klouz] **I.** *v/t.* **1.** öffnen; **2.** *fig.* eröffnen, enthüllen; **II.** *v/i.* **3.** sich öffnen.
'un'**clothe** *v/t.* entkleiden, -blößen, -hüllen (*a. fig.*); 'un'**clothed** *adj.* unbekleidet.
'un'**cloud·ed** *adj.* **1.** unbewölkt, wolkenlos (*a. fig.*); **2.** *fig.* heiter, ungetrübt.
un·co ['ʌŋkou] *Scot. od. dial.* **I.** *adj.* ungewöhnlich, seltsam; **II.** *adv.* äußerst, höchst: *the ~ guid* die ach so guten Menschen.
'un'**cock** *v/t. Gewehr(hahn)* entspannen.
'un'**coil** *v/t. u. v/i.* (sich) abwickeln *od.* abspulen *od.* aufrollen.
'**un·col'lect·ed** *adj.* **1.** nicht (ein-) gesammelt; **2.** ✝ (noch) nicht erhoben (*Gebühren*); **3.** *fig.* nicht gefaßt *od.* gesammelt.
'un'**col·o(u)red** *adj.* **1.** ungefärbt; **2.** *fig.* ungeschminkt.
un-come-at-a·ble ['ʌnkʌm'ætəbl] *adj.* F unerreichbar, unzugänglich: *it's ~* ,da ist nicht ranzukommen'.
'un'**come·ly** *adj.* **1.** unschön, reizlos; **2.** ungebührlich, unanständig.
un'**com·fort·a·ble** *adj.* □ **1.** unangenehm, beunruhigend; **2.** unbequem, unbehaglich, ungemütlich.
'**un·com'mit·ted** *adj.* **1.** nicht begangen (*Verbrechen etc.*); **2.** (*to*) nicht verpflichtet (zu), nicht gebunden (an *acc.*); **3.** nicht eingesperrt; **4.** *parl.* nicht an e-n Ausschuß *etc.* verwiesen; **5.** *pol.* neu'tral, blockfrei.
un'**com·mon I.** *adj.* □ **1.** ungewöhnlich, selten; **2.** außergewöhnlich, -ordentlich; **II.** *adv.* F **3.** äußerst, ungewöhnlich; un'**com·mon·ness** *s.* Ungewöhnlichkeit *f*.
'**un·com'mu·ni·ca·ble** *adj.* nicht mitteilbar; '**un·com'mu·ni·ca·tive** *adj.* □ nicht *od.* wenig mitteilsam, verschlossen.
'**un·com'pan·ion·a·ble** *adj.* ungesellig, nicht 'umgänglich.
un·com·plain·ing ['ʌnkəm'pleiniŋ] *adj.* □ klaglos, ohne Murren, geduldig; '**un·com'plain·ing·ness** [-nis] *s.* Klaglosigkeit *f*, Ergebung *f*.
'**un·com'plai·sant** *adj.* □ ungefällig.
'**un·com'plet·ed** *adj.* 'unvoll,endet.
'un'**com·pli·cat·ed** *adj.* unkompliziert, einfach.
'**un·com·pli'men·ta·ry** *adj.* **1.** nicht *od.* wenig schmeichelhaft; **2.** unhöflich.
un·com·pro·mis·ing [ʌn'kɔmprəmaiziŋ] *adj.* □ **1.** kompro'mißlos; **2.** unbeugsam, unnachgiebig; **3.** *fig.* entschieden.
'**un·con'cealed** *adj.* unverhohlen, offen.
un·con·cern ['ʌnkən'səːn] *s.* **1.** Sorglosigkeit *f*, Unbekümmertheit *f*; **2.** Gleichgültigkeit *f*; '**un·con'cerned** [-nd] *adj.* □ **1.** (*in*) unbeteiligt (an *dat.*), nicht verwickelt (in *acc.*); **2.** uninteressiert (*with* an *dat.*); **3.** unbesorgt, unbekümmert (*about* um, wegen): *to be ~ about* sich über *et.* keine Gedanken *od.* Sorgen machen; **4.** gleichgültig; '**un·con'cern·ed·ness** [-nidnis] → *unconcern.*
'**un·con'di·tion·al** *adj.* □ **1.** unbedingt, bedingungslos: *~ surrender* bedingungslose Kapitulation; **2.** uneingeschränkt, vorbehaltlos.
'**un·con'di·tioned** *adj.* **1.** → *uncon-*

ditional; **2.** *phls.* unbedingt (*a. psych. Reflex*).

ˈun·conˈfined *adj.* □ **1.** unbegrenzt, unbeschränkt; **2.** unbehindert.

ˈun·conˈfirmed *adj.* **1.** unbestätigt, nicht erhärtet, unverbürgt; **2.** *eccl.* **a)** nicht konfirmiert (*Protestanten*), **b)** nicht gefirmt (*Katholiken*).

ˈun·conˈgen·ial *adj.* □ **1.** ungleichartig, nicht kongeniˈal; **2.** nicht zusagend, unangenehm, ˈunsymˌpathisch (*to dat.*).

ˈun·conˈnect·ed *adj.* **1.** unverbunden, getrennt; **2.** ˈunzuˌsammenhängend; **3.** ungebunden, ohne Anhang; **4.** nicht verwandt.

un·con·quer·a·ble [ʌnˈkɔŋkərəbl] *adj.* □ ˈunüberˌwindlich (*a. fig.*), unbesiegbar; **ˈunˈcon·quered** *adj.* unbesiegt, nicht erobert.

ˈun·con·sciˈen·tious *adj.* □ nicht gewissenhaft, nachlässig.

un·con·scion·a·ble [ʌnˈkɔnʃnəbl] *adj.* □ **1.** gewissen-, skrupellos; **2.** unvernünftig, nicht zumutbar; **3.** ‚unverschämt', unglaublich, eˈnorm.

unˈcon·scious I. *adj.* □ **1.** unbewußt: *to be ~ of* nichts ahnen von, sich *e-r Sache* nicht bewußt sein; **2.** ⚕ bewußtlos, ohnmächtig; **3.** unbewußt, unwillkürlich; unfreiwillig (*a. Humor*); **4.** unabsichtlich; **5.** *psych.* unbewußt; **II.** *s.* **6.** *the ~ psych.* das Unbewußte; **unˈcon·scious·ness** *s.* **1.** Unbewußtheit *f*; **2.** ⚕ Bewußtlosigkeit *f*.

ˈunˈcon·se·crat·ed *adj.* ungeweiht.

ˈun·conˈsid·ered *adj.* **1.** unberücksichtigt; **2.** unbedacht, ˈunüberˌlegt.

ˈun·con·stiˈtu·tion·al *adj.* □ *pol.* verfassungswidrig.

ˈun·conˈstrained *adj.* □ ungezwungen (*a. fig.*); **ˈun·conˈstraint** *s.* Ungezwungenheit *f*, Zwanglosigkeit *f*.

ˈun·conˈtest·ed *adj.* unbestritten, unangefochten: *~ election pol.* Wahl ohne Gegenkandidaten.

ˈun·con·traˈdict·ed *adj.* ˈunwiderˌsprochen, unbestritten.

un·conˈtrol·la·ble *adj.* □ **1.** unkontrollierbar, unbezähmbar; **2.** unbändig, unbeherrscht: *an ~ temper*; **ˈun·conˈtrolled** *adj.* □ **1.** nicht kontrolliert, unbeaufsichtigt; **2.** unbeherrscht, zügellos.

ˈun·conˈven·tion·al *adj.* □ ˈunkonventioˌnell: **a)** nicht herkömmlich, **b)** ungezwungen, form-, zwanglos; **ˈun·con·ven·tionˈal·i·ty** *s.* Zwanglosigkeit *f*, Ungezwungenheit *f*.

ˈun·conˈvert·ed *adj.* **1.** unverwandelt; **2.** *eccl.* unbekehrt (*a. fig. nicht überzeugt*); **3.** ✝ nicht konvertiert; **ˈun·conˈvert·i·ble** *adj.* **1.** nicht verwandelbar; **2.** nicht vertauschbar; **3.** ✝ nicht konvertierbar.

ˈun·conˈvinced *adj.* nicht überˈzeugt; **ˈun·conˈvinc·ing** *adj.* nicht überˈzeugend.

ˈunˈcooked *adj.* ungekocht, roh.

ˈunˈcord *v/t.* auf-, losbinden.

ˈunˈcork *v/t.* **1.** entkorken; **2.** *fig.* F *Gefühlen etc.* Luft machen; **3.** *Am.* F *et.* ‚vom Stapel lassen'.

ˈun·corˈrob·o·rat·ed *adj.* unbestätigt, nicht erhärtet.

un·count·a·ble [ˈʌnˈkauntəbl] *adj.* **1.** unzählbar; **2.** zahllos; **ˈunˈcount·ed** [-tid] *adj.* **1.** ungezählt; **2.** unzählig.

ˈunˈcou·ple *v/t.* **1.** *Hunde etc.* aus der Koppel (los)lassen; **2.** loslösen, trennen; **3.** ⊕ aus-, loskuppeln.

un·couth [ʌnˈku:θ] *adj.* □ **1.** ungeschlacht, unbeholfen, plump; **2.** grob, ungehobelt; **3.** *obs.* wunderlich.

ˈunˈcov·e·nant·ed *adj.* **1.** nicht (vertraglich) vereinbart; **2.** nicht vertraglich gebunden *od.* gesichert.

unˈcov·er I. *v/t.* **1.** aufdecken, freilegen; *Körperteil, a. Kopf* entblößen: *to ~ o.s.* → *5*; **2.** *fig.* aufdecken, enthüllen; **3.** ⚔ ohne Dekkung lassen; **4.** *Boxen etc.*: ungedeckt lassen; **II.** *v/i.* **5.** den Hut abnehmen, das Haupt entblößen; **unˈcov·ered** *adj.* **1.** unbedeckt (*a. barhäuptig*); **2.** unbekleidet, nackt; **3.** ⚔, *sport etc.* ungedeckt, ungeschützt; **4.** ✝ ungedeckt (*Wechsel etc.*).

ˈunˈcrit·i·cal *adj.* □ ˈunˌkritisch, kriˈtiklos.

ˈunˈcross *v/t. gekreuzte Arme, Beine* geradelegen; **ˈunˈcrossed** *adj.* **1.** nicht gekreuzt: *~ cheque* (*Am. check*) ✝ offener Scheck, Barscheck; **2.** *fig.* unbehindert.

unc·tion [ˈʌŋkʃən] *s.* **1.** Salbung *f*, Einreibung *f*; **2.** ⚕ Salbe *f*; **3.** *eccl.* **a)** (heiliges) Öl, **b)** Salbung *f* (*Weihe*), **c)** *a. Extreme* ♀ Letzte Ölung; **4.** *fig.* Balsam *m* (*Linderung, Trost*) (*to* für); **5.** *fig.* Inbrunst *f*, ˈPathos *n*; **6.** *fig.* Salbung *f*, unechtes Pathos: *with ~* **a)** salbungsvoll, **b)** mit Genuß; **ˈunc·tu·ous** [-ktjuəs] *adj.* □ **1.** ölig, fettig: *~ soil* fetter Boden; **2.** *fig.* salbungsvoll, ölig.

ˈunˈcul·ti·vat·ed *adj.* **1.** ⚘ unbebaut, unkultiviert; **2.** *fig.* brachliegend (*Talent etc.*); **3.** *fig.* ungebildet, unkultiviert.

ˈunˈcul·tured *adj.* unkultiviert (*a. fig. ungebildet*).

ˈunˈcurbed *adj.* **1.** abgezäumt; **2.** *fig.* ungezähmt, zügellos.

ˈunˈcured *adj.* **1.** ungeheilt; **2.** ungesalzen, ungepökelt.

ˈunˈcurl *v/t. u. v/i.* (sich) entkräuseln *od.* glätten.

ˈun·curˈtailed *adj.* ungekürzt, unbeschnitten.

ˈunˈcut *adj.* **1.** ungeschnitten; **2.** unzerschnitten; **3.** ⚘ ungemäht; **4.** ungeschliffen (*Diamant*); **5.** unbeschnitten (*Buch*); **6.** *fig.* ungekürzt.

ˈunˈdam·aged *adj.* unbeschädigt, unversehrt.

ˈunˈdamped *adj.* **1.** ungedämpft (*a.* ♪ *u. phys.*); **2.** unangefeuchtet; **3.** *fig.* nicht entmutigt.

un·date [ˈʌndeit] *adj.* wellig, wellenförmig.

un·dat·ed[1] [ˈʌndeitid] → *undate*.

ˈunˈdat·ed[2] *adj.* **1.** undatiert, ohne Datum; **2.** unbefristet.

unˈdaunt·ed *adj.* □ unerschrocken.

ˈun·deˈceive *v/t.* **1.** *j-m* die Augen öffnen, *j-n* ˈdesillusioˌnieren; **2.** aufklären (*of* über *acc.*), e-s Besser(e)n belehren; **ˈun·deˈceived** *adj.* **1.** nicht irregeführt; **2.** aufgeklärt, e-s Besser(e)n belehrt.

ˈun·deˈcid·ed *adj.* □ **1.** unentschieden, offen: *to leave s.th. ~*; **2.** unbestimmt, vage; **3.** unentschlossen, unschlüssig; **4.** unbeständig (*Wetter*).

ˈun·deˈci·pher·a·ble *adj.* **1.** nicht zu entziffern(d), nicht entzifferbar; **2.** unerklärlich.

ˈun·deˈclared *adj.* **1.** nicht bekanntgemacht, nicht erklärt: *~ war* Krieg ohne Kriegserklärung; **2.** ✝ nicht deklariert.

ˈun·deˈfend·ed *adj.* **1.** unverteidigt; **2.** ⚖ **a)** unverteidigt, ohne Verteidiger, **b)** ˈunwiderˌsprochen (*Klage*).

ˈun·deˈfiled *adj.* unbefleckt, rein (*a. fig.*).

ˈun·deˈfined *adj.* **1.** unbegrenzt; **2.** unbestimmt, unklar, vage.

ˈun·deˈmand·ing *adj. fig.* anspruchslos, bescheiden.

ˈun·deˈmon·stra·tive *adj.* zuˈrückhaltend, reserviert, unaufdringlich.

un·deˈni·a·ble *adj.* □ **1.** unleugbar, unbestreitbar; **2.** ausgezeichnet.

ˈun·de·nom·iˈna·tion·al *adj.* **1.** nicht konfessioˈnell gebunden; **2.** *ped.* ˌinterkonfessioˈnell, Gemeinschafts...: *~ school*.

un·der [ˈʌndə] **I.** *prp.* **1.** *allg.* unter (*dat. od. acc.*); **2.** *Lage*: unter (*dat.*), ˈunterhalb von (*od. gen.*): *from ~...* unter *dem Tisch etc.* hervor; *to get out from ~ Am. sl.* **a)** sich herauswinden, **b)** den Verlust wettmachen; **3.** *Richtung*: unter (*acc.*); **4.** unter (*dat.*), am Fuße von (*od. gen.*); **5.** *zeitlich*: unter (*dat.*), während: *~ his rule*; *~ the Stuarts* unter den Stuarts; *~ the date of* unter dem Datum vom *1. Januar etc.*; **6.** unter *der Autorität, Führung etc.*: *~ his direction* unter s-r Leitung; *he fought ~ Wellington* er kämpfte unter Wellington; **7.** unter (*dat.*), unter dem Schutz von: *~ arms* unter Waffen; *~ darkness* im Schutz der Dunkelheit; *~ sail* unter Segel; **8.** unter (*dat.*), geringer als, weniger als: *persons ~ 40 (years of age)* Personen unter 40 (Jahren); *in ~ an hour* in weniger als ˈeiner Stunde; *~ age* minderjährig; **9.** *fig.* unter (*dat.*): *~ alcohol* unter Alkohol; *~ these circumstances* unter diesen Umständen; *~ fire* ⚔ unter Feuer *od.* Beschuß; *~ an assumed name* unter e-m angenommenen Namen; *~ supervision* unter Aufsicht; **10.** gemäß, laut, nach: *~ the terms of the contract*; *claims ~ a contract* Forderungen aus e-m Vertrag; **11.** in (*dat.*): *~ construction* im Bau; *~ quarantine* in Quarantäne; *~ repair* in Reparatur; *~ suspicion of* unter dem Verdacht (*gen.*); *~ treatment* ⚕ in Behandlung; **12.** bei: *he studied physics ~ Maxwell* er studierte *od.* hörte Physik bei Maxwell; **13.** mit: *~ s.o.'s signature* mit j-s Unterschrift, (eigenhändig) unterzeichnet von j-m; *~ separate cover* mit getrennter Post; **II.** *adv.* **14.** darˈunter, unter; → *go (keep) under*; **15.** unten: *as ~* wie unten (angeführt); **III.** *adj.* **16.** unter, Unter...; **17.** unter, nieder, ˈuntergeordnet, Unter...; **18.** *nur in Zssgn* ungenügend, zu gering: *an ~dose*; **ˈ~ˈact** [-ərˈæ-] *thea.* **I.** *v/t.* **1.** unterˈspielen; **2.** schlecht spielen; **II.** *v/i.* **3.** schlecht *od.* schwach spielen; **ˈ~-ˈa·gent** [-ərˈei-] *s.* ˈUntervertreter *m*; **ˈ~-**

arm [-ɔrɑːm] **I.** *adj.* **1.** Unterarm...; **2.** → *underhand 2*; **II.** *adv.* **3.** mit e-r ˈUnterarmbewegung; ˈ**~ˈbid** *v/t.* [*irr.* → *bid*] unterˈbieten; ˈ**~ˈbred** *adj.* unfein, ungebildet; ˈ**~·brush** *s.* ˈUnterholz *n*, Gesträuch *n*; ˈ**~·car·riage** *s.* **1.** ✈ Fahrwerk *n*; **2.** *mot. etc.* Fahrgestell *n*; **3.** ⚔ ˈUnterlaˌfette *f*; ˈ**~ˈcharge I.** *v/t.* **1.** *j-m* zu wenig berechnen; **2.** *et.* zu gering berechnen; **3.** ⚡ *Batterie etc.* unterˈladen; **4.** *Geschütz etc.* zu schwach laden; **II.** *s.* **5.** zu geringe Berechnung *od.* Belastung; **6.** ungenügende (Auf)Ladung; ˈ**~·clothes** *s. pl.*, ˈ**~·cloth·ing** *s.* ˈUnterkleidung *f*, -wäsche *f*; ˈ**~·coat** *s.* **1.** ⊕, *paint.* Grundierung *f*; **2.** *zo.* Wollhaarkleid *n*; ˈ**~·cov·er** *adj.* Geheim...: ~ *agent* Geheimagent; ~ *man* Spitzel; ˈ**~·croft** *s.* ⚠ ˈunterirdisches Gewölbe, ˈKrypta *f*; ˈ**~·cur·rent** *s.* ˈUnterströmung *f* (*a. fig.*); ˈ**~ˈcut I.** *v/t.* [*irr.* → *cut*] **1.** unterˈhöhlen; **2.** (im Preis) unterˈbieten; **3.** *e-m Golfball* e-n ˈRückwärtseffˌfet geben; **II.** *s.* ˈ*undercut* **4.** Unterˈhöhlung *f*; **5.** *Boxen*: Körperhaken *m*; **6.** *Küche*: **a)** *bsd. Brit.* Fiˈlet *n*, Lendenstück *n*, **b)** *bsd. Am.* Lenden-, Rückenstück *n* (*vom Rind*); ˈ**~-deˈvel·oped** *adj. phot.* ˈunterentwickelt(*a. Kind, Land etc.*); ˈ**~·dog** *s. fig.* **1.** Unterˈlegene(r *m*) *f*; **2. a)** Unterˈdrückte(r *m*) *f*, **b)** Benachteiligte(r *m*) *f*, zu kurz Gekommene(r *m*) *f*; ˈ**~ˈdone** *adj.* nicht gar, nicht ˈdurchgebraten; ˈ**~·dose** ⚕ **I.** *s.* **1.** zu geringe ˈDosis; **II.** *v/t.* ˈ*underˈdose* **2.** *j-m* e-e zu geringe Dosis geben; **3.** *et.* ˈunterdoˌsieren; ˈ**~ˈdress** *v/t. u. v/i.* (sich) zu leicht *od.* zu einfach kleiden; ˈ**~ˈes·ti·mate** [-ərˈestimeit] **I.** *v/t.* unterˈschätzen; **II.** *s.* [-mit] *a.* ˈ**~·es·tiˈma·tion** [-ˈeɪʃn] Unterˈschätzung *f*; ˈUnterbewertung *f*; ˈ**~-exˈpose** [-dəri-] *v/t. phot.* ˈunterbelichten; ˈ**~-exˈpo·sure** [-dəri-] *s. phot.* ˈUnterbelichtung *f*; ˈ**~ˈfed** *adj.* ˈunterernährt; ˈ**~ˈfeed·ing** *s.* ˈUnterernährung *f*; **~ˈfoot** *adv.* **1.** unter den Füßen, unten, am Boden *zertrampeln etc.*; **2.** *fig.* in der Gewalt, unter Konˈtrolle; ˈ**~-frame** *s. mot. etc.* ˈUntergestell *n*, Rahmen *m*; ˈ**~·gar·ment** *s.* ˈUnterkleid(ung *f*) *n*; **~ˈgo** *v/t.* [*irr.* → go] **1.** *e-n Wandel etc.* erleben, ˈdurchmachen; **2.** sich *e-r Operation etc.* unterˈziehen; **3.** erdulden; **~ˈgrad·u·ate** *univ.* **I.** *s.* Stuˈdent(in); **II.** *adj.* Studenten...; ˈ**~·ground I.** *s.* **1.** ˈUntergrundbahn *f*, *bsd.* Londoner U-Bahn *f*; **2.** *pol.* ˈUntergrund(bewegung *f*) *m*; **II.** *adj.* **3.** ˈunterirdisch: ~ *cable* ⊕ Erdkabel; ~ *railway* (*Am. railroad*) Untergrundbahn; ~ *water* Grundwasser; **4.** ⚒ unter Tag(e): ~ *mining* Untertag(e)bau; **5.** ⊕ Tiefbau...: ~ *engineering* Tiefbau; ~ *car park*, ~ *garage* Tiefgarage; **6.** *fig.* Untergrund..., Geheim..., verborgen: ~ *movement pol.* Untergrundbewegung; ~ *film* Underground-, Untergrundfilm; **III.** *adv.* *underˈground* **7.** unter der *od.* die Erde, ˈunterirdisch; **8.** *fig.* im verborgenen, geheim: to go ~ *bsd. pol.* in den Untergrund gehen; ˈ**~·growth** *s.* ˈUnterholz *n*, Gestrüpp *n*; ˈ**~·hand** *adj. u. adv.* **1.** *fig.* heimlich, verstohlen, ˈhinterlistig; **2.** *Kricket*: mit der Hand unter Schulterhöhe ausgeführt: ~ *service Tennis*: Tiefaufschlag; **~ˈhand·ed** *adj.* □ **1.** verstohlen, heimlich, ˈhinterhältig; **2.** ✝ knapp an Arbeitskräften, ˈunterbesetzt; ˈ**~ˈhung** *adj.* ⚕ **a)** über den Oberkiefer vorstehend, **b)** mit vorstehendem ˈUnterkiefer; **~ˈlay I.** *v/t.* [*irr.* → *lay*¹] **1.** (dar)ˈunterlegen; **2.** *et.* unterˈlegen, stützen; **3.** *typ. Satz* zurichten; **II.** *v/i.* **4.** ⚒ sich neigen, einfallen; **III.** *s.* ˈ*underlay* **5.** ˈUnterlage *f*; **6.** *typ.* Zurichtebogen *m*; **7.** ⚒ schräges Flöz; ˈ**~-lease** *s.* ˈUnterverpachtung *f*, -miete *f*; ˈ**~ˈlet** *v/t.* [*irr.* → *let*¹] **1.** unter Wert verpachten *od.* vermieten; **2.** ˈunterverpachten, -vermieten; **~ˈlie** *v/t.* [*irr.* → *lie*²] **1.** liegen unter (*dat.*); **2.** zuˈgrundeliegen (*dat.*); **3.** ✝ unterˈliegen (*dat.*), unterˈworfen sein (*dat.*); **~ˈline I.** *v/t.* **1.** unterˈstreichen (*a. fig. betonen*); **II.** *s.* ˈ*underline* **2.** Unterˈstreichung *f*; **3.** *thea.* (Vor)Ankündigung *f* am Ende e-s Theˈaterzettels; **4.** ˈBildˌunterschrift *f*; ˈ**~·lin·en** *s.* ˈUnter-, Leibwäsche *f*.

un·der·ling [ˈʌndəliŋ] *s. contp.* Unterˈgebene(r *m*) *f*, (kleiner) Handlanger, ‚Kuli' *m*.

un·der|ˈly·ing *adj.* **1.** darˈunterliegend; **2.** *fig.* zuˈgrundeliegend; **3.** ✝ *Am.* Vorrangs...; ˈ**~ˈmanned** [-ˈmænd] *adj.* ˈunterbemannt, -besetzt; ˈ**~ˈmen·tioned** *adj.* unten erwähnt; **~ˈmine** *v/t.* **1.** ⊕ ˌunterminieren; **2.** unterˈspülen, auswaschen; **3.** *fig.* unterˈgraben; *Gesundheit* (allˈmählich) zerstören; ˈ**~·most I.** *adj.* unterst; **II.** *adv.* zuˈunterst.

un·der·neath [ʌndəˈniːθ] **I.** *prp.* **1.** unter (*dat. od. acc.*), ˈunterhalb (*gen.*); **II.** *adv.* **2.** unten, darˈunter; **3.** auf der ˈUnterseite.

ˈun·der|ˈnour·ished *adj.* ˈunterernährt; ˈ**~·pass** *s.* Unterˈführung *f*; ˈ**~ˈpay** *v/t.* [*irr.* → *pay*] ✝ schlecht bezahlen, ˈunterbezahlen; **~ˈpin** *v/t.* ⚠ (unter)ˈstützen, unterˈmauern (*beide a. fig.*); **~ˈpin·ning** *s.* **1.** ⚠ Unterˈmauerung *f*, ˈUnterbau *m*; **2.** F ‚Fahrgestell' *n* (*Beine*); ˈ**~·plot** *s.* Nebenhandlung *f*, Episode *f* (*Roman etc.*); ˈ**~ˈpop·u·lat·ed** *adj.* ˈunterbevölkert; ˈ**~ˈprint** *v/t.* **1.** *typ.* **a)** gegendrucken, **b)** zu schwach drucken; **2.** *phot.* ˈunterkoˌpieren; ˈ**~ˈpriv·i·leged** *adj.* ✝, *pol.* ˈunterprivilegiert, schlechtergestellt; ˈ**~-proˈduc·tion** *s.* ✝ ˈUnterproduktiˌon *f*; ˈ**~ˈproof** *adj.* ✝ unter Norˈmalstärke (*Spirituosen*); **~ˈrate** *v/t.* **1.** unterˈschätzen, ˈunterbewerten (*a. sport Turner etc.*); **2.** ✝ zu niedrig veranschlagen; **~ˈscore** *v/t.* unterˈstreichen (*a. fig. betonen*); ˈ**~-ˈsec·re·tar·y** *s. pol.* ˈUnterˌstaatssekreˌtär *m*; ˈ**~ˈsell** *v/t.* [*irr.* → *sell*] ✝ **1.** *j-n* unterˈbieten; **2.** *Ware* verschleudern, unter Wert verkaufen; ˈ**~·shirt** *s.* ˈUnterhemd *n*; ˈ**~·shot** *adj.* **1.** ⊕ ˈunterschlächtig (*Wasserrad*); **2.** mit vorspringendem ˈUnterkiefer; **~ˈsigned I.** *adj.* unterˈzeichnet; **II.** *s.* ˈ*undersigned* Unterˈzeichnete(r *m*) *f*; ˈ**~ˈsized** *adj.* unter Norˈmalgröße, winzig; ˈ**~·skirt** *s.* ˈUnterrock *m*; **~ˈslung** *adj.* ⊕, *mot.* Hänge... (*-kühler etc.*); unterˈbaut (*Feder etc.*); ˈ**~·soil** *s.* ˈUntergrund *m*; **~ˈstaffed** *adj.* ˈunterbesetzt.

un·der·stand [ʌndəˈstænd] [*irr.* → *stand*] **I.** *v/t.* **1.** verstehen: **a)** begreifen, **b)** einsehen, **c)** *wörtlich etc.* auffassen, **d)** Verständnis haben für: *to* ~ *each other fig.* sich *od.* einander verstehen, *a.* zu e-r Einigung kommen; *to give s.o. to* ~ j-m zu verstehen geben; *to make* **o.s.** *understood* sich verständlich machen; *do I* (*od. am I to*) ~ *that* ... soll das etwa heißen, daß ...; *be it understood* wohlverstanden; *what do you* ~ *by* ...? was verstehen Sie unter (*dat.*)?; **2.** sich verstehen auf (*acc.*), wissen (*how to inf.* wie man *et. macht*): *he* ~*s horses* er versteht sich auf Pferde; *she* ~*s children* sie kann mit Kindern umgehen; **3.** (als sicher) annehmen, vorˈaussetzen: *an understood thing* e-e aus- *od.* abgemachte Sache; *that is understood* das versteht sich (von selbst); *it is understood that* ⚖ es gilt als vereinbart, daß; **4.** erfahren, hören: *I* ~ ... wie ich höre; *I* ~ *that* ich hörte *od.* man sagte mir, daß; *it is understood* es heißt, wie verlautet; **5.** (*from*) entnehmen (*dat. od.* aus), schließen (aus); **6.** *bsd. ling.* sinngemäß ergänzen, hinˈzudenken; **II.** *v/i.* **7.** verstehen: **a)** begreifen, **b)** *fig.* (volles) Verständnis haben; **8.** Verstand haben; **9.** hören: ... *so I* ~ wie ich höre; **un·derˈstand·a·ble** [-dəbl] *adj.* verständlich; **un·derˈstand·ing** [-diŋ] **I.** *s.* **1.** Verstehen *n*; **2.** Verstand *m*, Intelliˈgenz *f*; **3.** Verständnis *n* (*of* für); **4.** *gutes etc.* Einvernehmen (*between* zwischen); **5.** Verständigung *f*, Vereinbarung *f*, Überˈeinkunft *f*, Abmachung *f*: *to come to an* ~ *with s.o.* zu e-r Einigung mit j-m kommen; **6.** Bedingung *f*: *on the* ~ *that* unter der Bedingung *od.* Voraussetzung, daß; **7.** *pl. sl.* ‚Fahrgestell' *n* (*Beine*); **II.** *adj.* □ **8.** verständig; **9.** verständnisvoll.

ˈun·der|ˈstate *v/t.* **1.** zu gering angeben; **2.** (bewußt) zuˈrückhaltend darstellen, unterˈtreiben; **3.** abschwächen, mildern; ˈ**~ˈstate·ment** *s.* **1.** zu niedrige Angabe; **2.** Unterˈtreibung *f*, Understatement *n*; ˈ**~·strap·per** → *underling*; ˈ**~·stud·y** *thea.* **I.** *v/t.* **1.** *Rolle* als Ersatzmann einstudieren; **2.** für *e-n Schauspieler* einspringen; **II.** *s.* **3.** Rollenvertreter(in); *a. fig.* Ersatzmann *m*; **~ˈtake** *v/t.* [*irr.* → *take*] **1.** *Aufgabe* überˈnehmen, *Sache* auf sich *od.* in die Hand nehmen; **2.** *Reise etc.* unterˈnehmen; **3.** *Risiko, Verantwortung etc.* übernehmen, eingehen; **4.** sich erbieten, sich verpflichten (*to do* zu tun); **5.** garantieren, sich verbürgen (*that* daß); ˈ**~·tak·er** *s.* **1.** Leichenbestatter *m*, Beˈstattungsinstiˌtut *n*; **2.** *underˈtaker obs.* Unterˈnehmer *m*; **~ˈtak·ing** *s.* **1.** ˈÜbernahme *f e-r Aufgabe*; **2.** Unterˈnehmen *n*, -'fangen *n*; **3.** Unternehmen *n*, Betrieb *m*: *industrial* ~; **4.** Versprechen *n*, Verpflichtung *f*, Garan'tie *f*; **5.** '*undertaking* Leichenbestattung *f*; '**~-'ten·ant** *s.* 'Untermieter(in), -pächter(in); '**~'timed** *adj. phot.* 'unterbelichtet; '**~·tone** *s.* **1.** gedämpfter Ton, gedämpfte Stimme: *in an* ~ halblaut; **2.** *fig.* 'Unterton *m*, -strömung *f*; *Börse*: Grundton *m*; **3.** *phys.* gedämpfte Farbe; '**~·tow** *s.* ⚓ **1.** Sog *m*; **2.** 'Widersee *f*; '**~'value** *v/t.* unter'schätzen, 'unterbewerten, zu gering ansetzen; '**~·wear** → *underclothes*; '**~·weight** **I.** *s.* 'Untergewicht *n*; **II.** *adj.* '*under'weight* 'untergewichtig; '**~·wood** *s.* 'Unterholz *n*, Gestrüpp *n* (*a. fig.*); '**~·world** *s.* 'Unterwelt *f*; **~·write** ['ʌndərait] *v/t.* [*irr.* → *write*] ✝ **1. a)** *Versicherungspolice* unter'zeichnen, *Versicherung* über'nehmen, **b)** *et.* versichern, **c)** die Haftung über'nehmen für; **2.** *Aktienemission etc.* garantieren; '**~·writ·er** [-raitə] *s.* ✝ **1.** Versicherer *m*, Asseku'ranz *f* (*Gesellschaft*); **2.** Mitglied *n* e-s Emissi'onskonˌsortiums, ('Anleihe-) GaˌrantAm; **3.** *Am.* F Ver'sicherungsaˌgent *m*; '**~·writ·ing** [-raitiŋ] *s.* ✝ **1.** (See)Versicherung(sgeschäft *n*) *f*; **2.** Emissi'onsgaranˌtie *f*.

'un·de'served *adj.* □ unverdient; **'un·de'serv·ing** *adj.* □ unwert, unwürdig (*of gen.*): *to be* ~ *of* kein *Mitgefühl etc.* verdienen.

'un·de'signed *adj.* □ unbeabsichtigt, absichtslos; **'un·de'sign·ing** *adj.* harmlos, aufrichtig.

'un·de·sir·a'bil·i·ty *s.* Unerwünschtheit *f*; **'un·de'sir·a·ble** **I.** *adj.* □ **1.** nicht wünschenswert; **2.** unerwünscht, lästig: ~ *alien*; **II.** *s.* **3.** unerwünschte Per'son; **4.** *das* Unerwünschte; **'un·de'sired** *adj.* unerwünscht, 'unwillˌkommen; **'un·de'sir·ous** *adj.* nicht begierig (*of* nach): *to be* ~ *of et.* nicht wünschen *od.* (haben) wollen.

'un·de'tach·a·ble *adj.* nicht abtrennbar *od.* abnehmbar.

'un·de'tect·ed *adj.* nicht entdeckt, unbemerkt.

'un·de'ter·mined *adj.* **1.** unentschieden, schwebend, offen: *an* ~ *question*; **2.** unbestimmt, vage; **3.** unentschlossen, unschlüssig.

'un·de'terred *adj.* nicht abgeschreckt, unbeeindruckt.

'un·de'vel·oped *adj.* **1.** unentwickelt; **2.** unerschlossen (*Gelände*).

un·de·vi·at·ing [ʌn'di:vieitiŋ] *adj.* □ **1.** nicht abweichend; **2.** unentwegt, unbeirrbar.

'un'did *pret. von undo.*

un·dies ['ʌndiz] *s. pl.* F ('Damen-) ˌUnterwäsche *f*.

'un·dif·fer'en·ti·at·ed *adj.* 'undifferenˌziert, homo'gen. [*fig.*).]

'un·di'gest·ed *adj.* unverdaut (*a.*

un'dig·ni·fied *adj.* würdelos.

'un·di'lut·ed *adj.* unverdünnt, unvermischt, unverfälscht.

'un·di'min·ished *adj.* **1.** unvermindert, ungeschmälert; **2.** *fig.* ungerührt, unverzagt (*Person*).

'un·dip·lo'mat·ic *adj.* (□ ~*ally*) 'undiploˌmatisch.

'un·di'rect·ed *adj.* **1.** ungeleitet, führungslos, ungelenkt; **2.** unadressiert; **3.** *phys.* ungerichtet.

'un·dis'cerned *adj.* □ unbemerkt; **'un·dis'cern·ing** *adj.* □ urteils-, einsichtslos.

'un·dis'charged *adj.* **1.** unbezahlt; unbeglichen; **2.** (noch) nicht entlastet: ~ *bankrupt*; **3.** unerledigt; **4.** nicht abgeschossen (*Feuerwaffe*); **5.** nicht entladen (*Schiff*).

un'dis·ci·plined *adj.* **1.** undiszipliniert, zuchtlos; **2.** ungeschult.

'un·dis'closed *adj.* ungenannt, geheimgehalten, nicht bekanntgegeben.

'un·dis'cour·aged *adj.* nicht entmutigt.

'un·dis'cov·er·a·ble *adj.* unauffindbar, nicht zu entdecken(d); **'un·dis'cov·ered** *adj.* **1.** unaufgeklärt; **2.** unentdeckt; **3.** unbemerkt.

'un·dis'crim·i·nat·ing *adj.* □ **1.** 'unterschiedslos; **2.** ohne Scharfblick, 'unˌkritisch.

'un·dis'cussed *adj.* unerörtert.

'un·dis'guised *adj.* □ **1.** unverkleidet, unmaskiert; **2.** *fig.* unverhüllt, unverhohlen.

'un·dis'mayed *adj.* unerschrocken, unverzagt.

'un·dis'posed *adj.* **1.** ~ *of* nicht verteilt *od.* vergeben; ✝ unverkauft; **2.** abgeneigt, unwillig (*to do* zu tun).

'un·dis'put·ed *adj.* □ unbestritten.

'un·dis'tin·guish·a·ble *adj.* □ **1.** undeutlich, nicht erkennbar; **2.** nicht unter'scheidbar, nicht zu unter'scheiden(d) (*from* von); **'un·dis'tin·guished** *adj.* **1.** nicht unter'schieden (*from, by* von); **2.** undeutlich, nicht zu erkennen(d); **3.** nicht ausgezeichnet, unbekannt, gewöhnlich.

'un·dis'turbed *adj.* □ **1.** ungestört; **2.** unberührt, gelassen.

'un·di'vid·ed *adj.* □ **1.** ungeteilt (*a. fig. Aufmerksamkeit etc.*); **2.** ✝ nicht verteilt, nicht ausgeschüttet: ~ *profits*.

un·do ['ʌn'du:] *v/t.* [*irr.* → *do*] **1.** *Paket, Knoten, a. Kragen, Mantel etc.* aufmachen, öffnen; aufknöpfen, -knüpfen, -lösen; losbinden; *j-m* das Kleid aufmachen; *Saum etc.* auftrennen; → *undone*; **2.** *fig.* ungeschehen *od.* rückgängig machen, aufheben; **3.** *fig.* ruinieren, zu'grunde richten; *Hoffnungen etc.* zu'nichte machen; **'un'do·ing** *s.* **1.** Aufmachen *n etc.*; **2.** Ungeschehen-, Rückgängigmachen *n*; **3.** Vernichtung *f*; **4.** Unglück *n*, Verderben *n*, Ru'in *m*; **'un'done** **I.** *p.p. von undo*; **II.** *adj.* **1.** ungetan, unerledigt: *to leave s.th.* ~ et. unausgeführt lassen, et. unterlassen; *to leave nothing* ~ nichts unversucht lassen, alles (nur Mögliche) tun; **2.** offen: *to come* ~ aufgehen; **3.** ruiniert, ‚erledigt', ‚hin': *he is* ~ es ist aus mit ihm.

un·doubt·ed [ʌn'dautid] *adj.* □ unbezweifelt, unbestritten; unzweifelhaft; **un'doubt·ed·ly** [-li] *adv.* zweifellos, ohne (jeden) Zweifel.

un·dreamed, *a.* **un·dreamt** [*beide* ʌn'dremt] *adj. oft* ~*-of* ungeahnt, nie erträumt, unerhört: ~*-of possibilities* ungeahnte Möglichkeiten.

'un'dress **I.** *v/t. u. v/i.* **1.** (sich) entkleiden *od.* ausziehen; **II.** *s.* **2.** Alltagskleid(ung *f*) *n*; **3.** Hauskleid *n*, Morgenrock *m*, Negli'gé *n*; **4.** ⚔ 'Interimsuniˌform *f*; **'un'dressed** *adj.* **1.** unbekleidet; **2.** unordentlich (gekleidet); **3.** *Küche*: **a)** ungarniert, **b)** unzubereitet; **4.** ⊕ **a)** ungegerbt (*Leder*), **b)** unbehauen (*Holz, Stein*); **5.** unverbunden (*Wunde etc.*).

'un'drink·a·ble *adj.* nicht trinkbar.

'un'due *adj.* □ **1.** 'übermäßig, über'trieben; **2.** ungehörig, unangebracht, ungebührlich; **3.** *bsd.* ⚖ unzulässig: ~ *influence* unzulässige Beeinflussung; **4.** ✝ noch nicht fällig.

un·du·late ['ʌndjuleit] **I.** *v/i.* **1.** wogen, wallen, sich wellenförmig (fort)bewegen; **2.** wellenförmig verlaufen; **II.** *v/t.* **3.** in wellenförmige Bewegung versetzen, wogen lassen; **4.** wellen; **III.** *adj.* □ **5.** → *undulated*; **'un·du·lat·ed** [-tid] *adj.* wellenförmig, wellig, Wellen...: ~ *line* Wellenlinie; **'un·du·lat·ing** [-tiŋ] *adj.* □ **1.** → *undulated*; **2.** wallend, wogend; **un·du·la·tion** [ʌndju'leiʃən] *s.* **1.** wellenförmige Bewegung; Wallen *n*, Wogen *n*; **2.** *geol.* Welligkeit *f*; **3.** *phys.* Wellenbewegung *f*, -linie *f*; **4.** *phys.* Schwingung(sbewegung) *f*; **5.** ⚕ Undulati'on *f*; **'un·du·la·to·ry** [-lətəri] *adj.* wellenförmig, Wellen...

'un'du·ly *adv. von undue.*

'un'du·ti·ful *adj.* □ **1.** pflichtvergessen; **2.** ungehorsam; **3.** unehrerbietig.

un'dy·ing *adj.* □ **1.** unsterblich, unvergänglich (*Liebe, Ruhm etc.*); **2.** endlos (*Haß etc.*).

'un'earned *adj.* unverdient: ~ *income* ✝ nicht durch Arbeit verdientes Einkommen, Kapital(vermögens)einkommen.

'un'earth *v/t.* **1.** *Tier* aus der Höhle treiben; **2.** ausgraben; **3.** *fig. et.* ans (Tages)Licht bringen, aufstöbern.

un'earth·ly *adj.* **1.** 'überirdisch; **2.** unirdisch, 'übernaˌtürlich; **3.** schauerlich, unheimlich: *an* ~ *cry*; **4.** F unmöglich (*Zeit*): *at an* ~ *hour* in aller Herrgottsfrühe.

un'eas·i·ness *s.* **1.** (*körperliches u. geistiges*) Unbehagen; **2.** (innere) Unruhe; **3.** Unbehaglichkeit *f e-s Gefühls etc.*; **4.** Unsicherheit *f*; **un'eas·y** *adj.* □ **1.** unruhig, unbehaglich, besorgt, ängstlich: *to feel* ~ *about s.th.* über et. beunruhigt sein; **2.** unbehaglich, beunruhigend (*Verdacht etc.*); **3.** unsicher (*im Sattel etc.*); **4.** gezwungen, unsicher (*Benehmen etc.*).

'un'eat·a·ble *adj.* ungenießbar; **'un'eat·en** *adj.* unverzehrt, ungegessen.

'un·e·co'nom·ic *adj.*; **'un·e·co'nom·i·cal** *adj.* □ unwirtschaftlich.

'un'ed·i·fy·ing *adj. fig.* wenig erbaulich *od.* erhebend.

'un'ed·u·cat·ed *adj.* ungebildet.

'un·em'bar·rassed *adj.* **1.** nicht verlegen, ungeniert; **2.** unbehindert; **3.** von (Geld)Sorgen frei.

'un·e'mo·tion·al *adj.* □ **1.** leidenschaftslos, nüchtern; **2.** teilnahmslos, passiv, kühl.

'un·em'ploy·a·ble I. *adj.* **1.** nicht verwendbar, unbrauchbar; **2.** arbeitsunfähig (*Person*); **II.** *s.* **3.** Arbeitsunfähige(r *m*) *f*; **'un·em'ployed I.** *adj.* **1.** arbeits-, erwerbslos, unbeschäftigt; **2.** ungenützt, brachliegend: *~ capital* ✝ totes Kapital; **II.** *s.* **3.** *the ~ pl.* die Arbeitslosen *pl.*; **'un·em'ploy·ment** *s.* Arbeitslosigkeit *f*: *~ benefit* (*od. relief*) Arbeitslosenunterstützung; *~ insurance* Arbeitslosenversicherung.

'un·en'cum·bered *adj.* **1.** ⚖ unbelastet (*Grundbesitz*); **2.** (*by*) unbehindert (durch), frei (von).

un'end·ing *adj.* □ endlos, nicht enden wollend, unaufhörlich.

'un·en'dowed *adj.* **1.** 'nicht ausgestattet (*with* mit); **2.** nicht dotiert (*with* mit), ohne Zuschuß; **3.** nicht begabt (*with* mit).

'un·en'dur·a·ble *adj.* □ unerträglich.

'un·en'gaged *adj.* frei: **a)** nicht gebunden *od.* verpflichtet, **b)** nicht verlobt, **c)** unbeschäftigt.

'un-'Eng·lish *adj.* unenglisch.

'un·en'light·ened *adj. fig.* **1.** unerleuchtet; **2.** unaufgeklärt.

'un'en·ter·pris·ing *adj.* □ nicht unter'nehmungslustig, ohne Unter'nehmungsgeist.

'un'en·vi·a·ble *adj.* □ nicht zu beneiden(d), wenig beneidenswert.

'un'e·qual *adj.* □ **1.** ungleich (*a. Kampf*), 'unterschiedlich; **2.** nicht gewachsen (*to dat.*); **3.** ungleichförmig; **'un'e·qual(l)ed** *adj.* **1.** unerreicht, 'unüber,troffen (*by* von, *for* in *od.* an *dat.*); **2.** beispiellos, *nachgestellt*: ohne'gleichen: *~ ignorance*.

'un·e'quiv·o·cal *adj.* □ **1.** unzweideutig, eindeutig; **2.** aufrichtig.

'un'err·ing *adj.* □ unfehlbar, untrüglich.

'un·es'sen·tial I. *adj.* unwesentlich, unwichtig; **II.** *s.* Nebensache *f*.

'un'e·ven *adj.* □ **1.** uneben: *~ ground*; **2.** ungerade (*Zahl*); **3.** ungleich(mäßig, -artig); **4.** unausgeglichen (*Charakter etc.*); **'un'e·ven·ness** *s.* Unebenheit *f etc.*

'un·e'vent·ful *adj.* □ ereignislos: *to be ~* ohne Zwischenfälle verlaufen.

un·ex'am·pled *adj.* beispiellos, unvergleichlich, *nachgestellt*: ohne'gleichen: *not ~* nicht ohne Beispiel.

'un·ex'celled *adj.* 'unüber,troffen.

un·ex'cep·tion·a·ble *adj.* □ untadelig, einwandfrei.

'un·ex'cep·tion·al *adj.* □ **1.** nicht außergewöhnlich; **2.** ausnahmslos; **3.** → *unexceptionable*.

'un·ex'cit·ing *adj.* nicht aufregend, ruhig.

un·ex·pect·ed ['ʌniks'pektid] *adj.* □ unerwartet, unvermutet; **'un·ex'pect·ed·ness** [-nis] *s. das* Unerwartete, *die* Plötzlichkeit.

'un·ex'pired *adj.* (noch) nicht abgelaufen *od.* verfallen (*Frist etc.*), noch in Kraft.

'un·ex'plain·a·ble *adj.* unerklärlich; **'un·ex'plained** *adj.* unerklärt.

'un·ex'plored *adj.* unerforscht.

'un·ex'posed *adj. phot.* unbelichtet.

'un·ex'pressed *adj.* unausgesprochen.

'un'ex·pur·gat·ed *adj.* nicht gereinigt, ungekürzt (*Bücher etc.*).

un'fad·ing *adj.* □ **1.** unverwelklich (*a. fig.*); **2.** *fig.* unvergänglich; **3.** nicht verblassend (*Farbe*).

un'fail·ing *adj.* □ **1.** unfehlbar; **2.** nie versagend; **3.** treu; **4.** unerschöpflich, unversiegbar.

'un'fair *adj.* □ unfair: **a)** unbillig, ungerecht, **b)** unehrlich, *bsd.* ✝ unlauter, **c)** nicht anständig, **d)** unsportlich (*alle to* gegen'über): *~ competition* unlauterer Wettbewerb; **'un'fair·ly** *adv.* **1.** unfair, unbillig(erweise) *etc.*; zu Unrecht: *not ~* nicht zu Unrecht; **2.** 'übermäßig; **'un'fair·ness** *s.* **1.** Unbilligkeit *f etc.*; **2.** unsportliches Verhalten.

un'faith·ful *adj.* □ **1.** un(ge)treu, treulos; **2.** nicht wortgetreu, ungenau (*Abschrift, Übersetzung*); **'un'faith·ful·ness** *s.* Untreue *f*, Treulosigkeit *f*.

un'fal·ter·ing *adj.* □ **1.** nicht schwankend (*Schritt etc.*); **2.** fest (*Stimme, Blick*); **3.** *fig.* unbeugsam, entschlossen.

'un·fa'mil·iar *adj.* □ **1.** nicht vertraut, unbekannt (*to dat.*); **2.** ungewohnt (*to dat. od.* für).

'un'fash·ion·a·ble *adj.* □ 'unmo,dern, altmodisch.

'un'fas·ten I. *v/t.* aufmachen, losbinden, lösen, öffnen; **II.** *v/i.* sich lösen, aufgehen; **'un'fas·tened** *adj.* unbefestigt, lose.

'un'fa·ther·ly *adj.* unväterlich, lieblos.

un·fath·om·a·ble [ʌn'fæðəməbl] *adj.* □ unergründlich (*a. fig.*); **'un'fath·omed** *adj.* unergründet (*a. fig.*).

'un'fa·vo(u)r·a·ble *adj.* □ **1.** unvorteilhaft (*a. Aussehen*), ungünstig (*for, to* für); widrig (*Wetter, Umstände etc.*); **2.** ✝ 'passiv (*Zahlungsbilanz etc.*); **'un'fa·vo(u)r·a·ble·ness** *s.* Unvorteilhaftigkeit *f*.

'un'fea·si·ble *adj.* unausführbar.

un·feel·ing [ʌn'fi:liŋ] *adj.* □ gefühllos; **un'feel·ing·ness** [-nis] *s.* Gefühllosigkeit *f*.

un'feigned *adj.* □ ungeheuchelt, unverstellt; wahr, echt.

'un'felt *adj.* ungefühlt.

'un·fer'ment·ed *adj.* ungegoren.

'un'fet·ter *v/t.* **1.** losketten; **2.** *fig.* befreien; **'un'fet·tered** *adj. fig.* unbehindert, unbeschränkt, frei.

'un'fil·i·al *adj.* □ lieb-, re'spektlos, pflichtvergessen (*Kind*).

'un'filled *adj.* **1.** un(aus)gefüllt; **2.** unbesetzt (*Posten, Stelle*); **3.** *~ orders* ✝ nicht ausgeführte Bestellungen, Auftragsbestand.

'un'fin·ished *adj.* **1.** unfertig (*a. fig. Stil etc.*); ⊕ unbearbeitet; **2.** 'unvoll,endet (*Buch, Symphonie etc.*); **3.** unerledigt: *~ business parl.* unerledigte Punkte (*der Geschäftsordnung*).

un·fit I. *adj.* □ ['ʌn'fit] **1.** untauglich (*a.* ⚔), ungeeignet (*for* für, zu): *~ for (military) service* (wehr)dienstuntauglich; **2.** unfähig, unbefähigt (*for* zu *et.*, *to do* zu tun); **II.** *v/t.* [ʌn'fit] **3.** ungeeignet *etc.* machen (*für etwas*); **'un'fit·ness** [-nis] *s.* Untauglichkeit *f*, Unbrauchbarkeit *f*; **un·fit·ted** [ʌn'fitid] *adj.* **1.** ungeeignet, untauglich; **2.** nicht (gut) ausgerüstet (*with* mit); **'un'fit·ting** [-tiŋ] *adj.* □ **1.** ungeeignet, unpassend; **2.** unschicklich.

'un'fix *v/t.* losmachen, lösen: *~ bayonets!* ⚔ Seitengewehr an Ort!; **'un'fixed** *adj.* unbefestigt, beweglich, lose.

un'flag·ging *adj.* □ unermüdlich, unentwegt.

un'flap·pa·ble *adj.* F unerschütterlich.

'un'flat·ter·ing *adj.* □ nicht *od.* wenig schmeichelhaft; ungeschminkt.

'un'fledged *adj.* **1.** *orn.* ungefiedert, (noch) nicht flügge; **2.** *fig.* unreif.

un·flinch·ing [ʌn'flintʃiŋ] *adj.* □ **1.** unerschütterlich, unerschrocken; **2.** entschlossen, unnachgiebig.

un·fly·a·ble ['ʌn'flaiəbl] *adj.*: *~ weather* ✈ kein Flugwetter.

'un'fold I. *v/t.* **1.** entfalten, ausbreiten, öffnen; **2.** *un'fold fig.* enthüllen, darlegen, entwickeln; **II.** *v/i.* **3.** sich entfalten *od.* öffnen.

'un'forced *adj.* □ ungezwungen (*a. fig. natürlich*).

'un·fore'see·a·ble *adj.* unvorhersehbar; **'un·fore'seen** *adj.* 'unvor,hergesehen, unerwartet.

un·for·get·ta·ble ['ʌnfə'getəbl] *adj.* □ unvergeßlich: *scenes of ~ beauty*.

un·for·giv·a·ble ['ʌnfə'givəbl] *adj.* unverzeihlich; **'un·for'giv·en** [-vən] *adj.* unverziehen; **'un·for'giv·ing** [-viŋ] *adj.* □ unversöhnlich, nachtragend.

'un·for'got·ten *adj.* unvergessen.

'un'formed *adj.* **1.** ungeformt, formlos; **2.** unfertig, unentwickelt; unausgebildet.

'un'for·ti·fied *adj.* unbefestigt.

un'for·tu·nate I. *adj.* □ **1.** unglücklich, Unglücks...; verhängnisvoll, un(glück)selig; **2.** bedauerlich; **II.** *s.* **3.** Unglückliche(r *m*) *f*; **un'for·tu·nate·ly** *adv.* unglücklicherweise, bedauerlicherweise, leider.

'un'found·ed *adj.* □ unbegründet, grundlos.

'un·fre'quent·ed *adj.* nicht *od.* wenig besucht *od.* begangen; einsam.

'un'friend·ed *adj.* freundlos.

'un'friend·li·ness *s.* Unfreundlichkeit *f*; **'un'friend·ly I.** *adj.* **1.** unfreundlich (*to*[*wards*] gegen): *~ act* (*nation*); **2.** ungünstig (*for, to* für); **II.** *adv.* **3.** unfreundlich.

'un'frock *v/t. eccl. j-m* das Priesteramt entziehen.

'un'fruit·ful *adj.* □ **1.** unfruchtbar, **2.** frucht-, ergebnislos; **'un'fruit·ful·ness** *s.* **1.** Unfruchtbarkeit *f*; **2.** *fig.* Fruchtlosigkeit *f*.

'un'fund·ed *adj.* ✝ unfundiert, nicht fundiert (*Schuld*).

un'furl I. *v/t. Fahne etc.* entfalten, -rollen; *Fächer* ausbreiten; ⚓ *Segel* losmachen; **II.** *v/i.* sich entfalten.

'un'fur·nished *adj.* **1.** nicht ausgerüstet: *~ with* nicht versehen mit; **2.** unmöbliert (*Zimmer etc.*): *~ room* Leerzimmer.

un·gain·li·ness [ʌn'geinlinis] *s.* Plumpheit *f*, Unbeholfenheit *f*;

un·gain·ly [ʌnˈgeinli] *adj.* unbeholfen, plump, linkisch.
ˈunˈgal·lant *adj.* □ **1.** ˈungaˌlant (*to* zu, gegenüber); **2.** nicht tapfer.
ˈunˈgear *v/t.* ⊕ auskuppeln: *~ed engine* getriebeloser Motor.
ˈunˈgen·er·ous *adj.* □ **1.** nicht freigebig, knauserig; **2.** unedel (-mütig).
ˈunˈgen·ial *adj.* unfreundlich.
ˈunˈgen·tle *adj.* □ unsanft, unzart.
unˈgen·tle·man·like → *ungentlemanly*; **unˈgen·tle·man·li·ness** *s.* **1.** unvornehmes Wesen; **2.** ungebildetes *od.* unfeines Benehmen; **unˈgen·tle·man·ly** *adj.* ungebildet, unfein.
un-get-at-a·ble [ˈʌngetˈætəbl] *adj.* **1.** unzugänglich, schwererreichbar; **2.** unnahbar.
ˈunˈgird *v/t.* losgürten; **ˈunˈgird·ed, ˈunˈgirt** *adj.* **1.** ohne Gürtel; **2.** locker gegürtet; **3.** locker.
ˈunˈglazed *adj.* **1.** unverglast; **2.** unglasiert.
ˈunˈgloved *adj.* ohne Handschuh(e).
unˈgod·li·ness *s.* Gottlosigkeit *f*; **unˈgod·ly** *adj.* **1.** gottlos (*a. weitS. verrucht*); **2.** F scheußlich, ‚gotteslästerlich'.
un·gov·ern·a·ble [ʌnˈgʌvənəbl] *adj.* □ **1.** unlenksam; **2.** zügellos, unbändig, wild; **ˈunˈgov·erned** *adj.* unbeherrscht.
ˈunˈgrace·ful *adj.* □ ˈungraziˌös, ohne Anmut; plump, ungelenk.
ˈunˈgra·cious *adj.* □ ungnädig (*a. weitS. unfreundlich*).
ˈun·gramˈmat·i·cal *adj.* □ *ling.* ˈungramˌmatisch.
unˈgrate·ful *adj.* □ undankbar (*to* gegen) (*a. fig. unangenehm*); **unˈgrate·ful·ness** *s.* Undankbarkeit *f.*
ˈunˈgrat·i·fied *adj.* unbefriedigt.
ˈunˈground·ed *adj.* □ **1.** unbegründet; **2.** ungeschult; ohne sichere Grundlagen (*Wissen*).
ˈunˈgrudg·ing *adj.* □ **1.** ohne Murren, (bereit)willig; **2.** neidlos, großzügig: *to be ~ in* reichlich *Lob etc.* spenden.
un·gual [ˈʌŋgwəl] *adj. zo.* Nagel..., Klauen..., Huf...
ˈunˈguard·ed *adj.* □ **1.** unbewacht (*a. fig.*); *a.* ⊕ ungeschützt; unverteidigt; *a. sport, Schach:* ungedeckt; **2.** unvorsichtig, unbedacht.
un·guent [ˈʌŋgwənt] *s.* Salbe *f.*
ˈunˈguid·ed *adj.* ungeleitet, führer-, führungslos.
un·gu·late [ˈʌŋgjuleit] *zo.* **I.** *adj.* hufförmig; mit Hufen; Huf...: *~ animal* → *II*; **II.** *s.* Huftier *n.*
unˈhal·lowed *adj.* **1.** nicht geheiligt, ungeweiht; **2.** unheilig, proˈfan.
ˈunˈham·pered *adj.* ungehindert.
unˈhand *v/t. j-n* loslassen.
ˈunˈhand·i·ness *s.* **1.** Unhandlichkeit *f*; **2.** Ungeschick(lichkeit *f*) *n.*
unˈhand·some *adj.* □ unschön (*a. fig. Benehmen etc.*).
ˈunˈhand·y *adj.* □ **1.** unhandlich (*Sache*); **2.** unbeholfen, ungeschickt (*Person*).
unˈhap·pi·ly *adv.* unglücklicherweise, leider; **unˈhap·pi·ness** *s.* Unglück(seligkeit *f*) *n*, Elend *n*; **unˈhap·py** *adj.* □ unglücklich: **a)** traurig, elend, **b)** un(glück)selig, unheilvoll, **c)** unpassend (*Bemerkung etc.*).
ˈunˈharmed *adj.* unversehrt.
ˈun·harˈmo·ni·ous *adj.* ˈunharˌmonisch (*a. fig.*).
ˈunˈhar·ness *v/t. Pferd* ausspannen, abschirren.
unˈhealth·i·ness *s.* Ungesundheit *f*; **unˈhealth·y** *adj.* □ ungesund: **a)** kränklich (*a. Aussehen etc.*), **b)** gesundheitsschädlich, **c)** (*moralisch*) schädlich, **d)** F gefährlich, **e)** *fig.* krankhaft.
ˈunˈheard *adj.* **1.** ungehört; **2.** ⚖ ohne rechtliches Gehör; **unˈheard-of** *adj.* unerhört, beispiellos.
un·heed·ed [ˈʌnˈhi:did] *adj.* □ unbeachtet; **ˈunˈheed·ful** [-dful] *adj.* □ unachtsam, sorglos; nicht achtend (*of* auf *acc.*); **ˈunˈheed·ing** [-diŋ] *adj.* □ nicht beachtend; sorglos, unachtsam.
ˈunˈhelp·ful *adj.* □ **1.** nicht hilfreich; **2.** ohne Nutzen, nutzlos (*to* für).
un·hes·i·tat·ing [ʌnˈheziteitiŋ] *adj.* □ **1.** ohne Zaudern *od.* Zögern, unverzüglich; **2.** anstandslos, bereitwillig.
ˈunˈhin·dered *adj.* ungehindert, ungehemmt.
unˈhinge *v/t.* **1.** *Tür etc.* aus den Angeln heben (*a. fig.*); **2.** die Angeln entfernen von; **3.** *fig. Geist* zerrütten; **4.** *fig.* aus dem Gleichgewicht bringen.
ˈun·hisˈtor·ic *adj.*; **ˈun·hisˈtor·i·cal** *adj.* □ **1.** ˈunhiˌstorisch; **2.** ungeschichtlich, legenˈdär.
ˈunˈhitch *v/t.* **1.** loshaken, -machen; **2.** *Pferd* ausspannen.
unˈho·ly *adj.* □ **1.** unheilig; **2.** ungeheiligt, nicht geweiht; **3.** gottlos, ruchlos; **4.** F scheußlich, schrecklich, ‚gotteslästerlich'.
ˈunˈhon·o(u)red *adj.* ungeehrt; nicht verehrt.
ˈunˈhook *v/t. u. v/i.* auf-, loshaken.
ˈunˈhoped, unˈhoped-for *adj.* unverhofft, unerwartet.
ˈunˈhorse *v/t.* aus dem Sattel heben *od.* werfen; *Reiter* abwerfen.
un·house [ˈʌnˈhauz] *v/t.* **1.** (aus dem Hause) vertreiben; **2.** obdachlos machen; **ˈunˈhoused** [-zd] *adj.* obdach-, heimatlos, vertrieben.
ˈunˈhur·ried *adj.* □ gemütlich, gemächlich.
unˈhurt *adj.* unverletzt, unbeschädigt.
u·ni·cel·lu·lar [ˈju:niˈseljulə] *adj. biol.* einzellig: *~ animal, ~ plant* Einzeller.
u·ni·col·o(u)r [ˈju:niˈkʌlə], **ˈu·niˈcol·o(u)red** [-əd] *adj.* einfarbig.
u·ni·corn [ˈju:nikɔ:n] *s.* Einhorn *n.*
ˈu·niˈden·ti·fied *adj.* nicht identifiziert; unbekannt (*a.* ⚔ *Flugobjekt etc.*).
u·ni·di·men·sion·al [ju:nidiˈmenʃənl] *adj.* ˈeindimensioˌnal.
u·ni·fi·ca·tion [ju:nifiˈkeiʃən] *s.* **1.** Vereinigung *f*; **2.** Vereinheitlichung *f.*
u·ni·form [ˈju:nifɔ:m] **I.** *adj.* □ **1.** gleich(förmig); **2.** gleichbleibend, -mäßig, konˈstant; **3.** einheitlich, überˈeinstimmend, gleich, Einheits...; **4.** einförmig, -tönig; **II.** *s.* **5.** Uniˈform *f*, Dienstkleidung *f*; **III.** *v/t.* **6.** uniformieren (*a.* ⚔ *etc.*): *~ed* uniformiert, in Uniform; **u·niˈform·i·ty** [ju:niˈfɔ:miti] *s.* **1.** Gleichförmigkeit *f*, -mäßigkeit *f*, Gleichheit *f*, Überˈeinstimmung *f*; **2.** Einheitlichkeit *f*; **3.** Einförmigkeit *f*, -tönigkeit *f.*
u·ni·fy [ˈju:nifai] *v/t.* **1.** verein(ig)en, zs.-schließen; **2.** vereinheitlichen.
u·ni·lat·er·al [ˈju:niˈlætərəl] *adj.* □ einseitig.
ˈun·ilˈlu·mi·nat·ed *adj.* **1.** unerleuchtet (*a. fig.*); **2.** *fig.* unwissend.
un·imˈag·i·na·ble *adj.* □ unvorstellbar; **ˈun·imˈag·i·na·tive** *adj.* □ phantaˈsielos, einfallslos; **ˈun·imˈag·ined** *adj.* ungeahnt.
ˈun·imˈpaired *adj.* unvermindert, ungeschwächt, ungeschmälert.
ˈun·imˈpas·sioned *adj.* leidenschaftslos.
un·imˈpeach·a·ble *adj.* □ **1.** unanfechtbar, unantastbar; **2.** vorwurfsfrei, untad(e)lig.
ˈun·imˈped·ed *adj.* □ ungehindert.
ˈun·imˈpor·tant *adj.* unwichtig.
ˈun·imˈpos·ing *adj.* nicht imponierend *od.* impoˈsant, eindruckslos.
ˈun·imˈpres·sion·a·ble *adj.* nicht zu beeindrucken(d), (für Eindrücke) unempfänglich.
ˈun·imˈpres·sive *adj.* □ ausdruckslos, unscheinbar.
ˈun·imˈproved *adj.* **1.** unverbessert, nicht vervollkommnet; **2.** nicht kultiviert, unbebaut (*Land*).
ˈun·inˈflect·ed *adj. ling.* unflektiert, flexiˈonslos.
ˈunˈin·flu·enced *adj.* unbeeinflußt (*by* durch, von); **ˈun·in·fluˈen·tial** *adj.* ohne Einfluß, nicht einflußreich.
ˈun·inˈformed *adj.* **1.** (*on*) nicht informiert *od.* unterˈrichtet (über *acc.*), nicht eingeweiht (in *acc.*); **2.** unwissend, ungebildet.
ˈun·inˈhab·it·a·ble *adj.* unbewohnbar; **ˈun·inˈhab·it·ed** *adj.* unbewohnt.
ˈun·inˈi·ti·at·ed *adj.* uneingeweiht, nicht eingeführt (*into* in *acc.*).
ˈunˈin·jured *adj.* unverletzt, unbeschädigt.
ˈun·inˈspired *adj.* schwunglos, ohne Feuer; **ˈun·inˈspir·ing** *adj.* nicht begeisternd, wenig anregend.
ˈun·inˈstruct·ed *adj.* **1.** nicht unterˈrichtet, unwissend; **2.** nicht instruiert, ohne Verhaltungsmaßregeln; **ˈun·inˈstruc·tive** *adj.* nicht instrukˈtiv.
ˈun·inˈsured *adj.* unversichert.
ˈun·inˈtel·li·gent *adj.* □ **1.** ˈunintelliˌgent, beschränkt; **2.** geistlos, dumm.
ˈun·in·tel·li·giˈbil·i·ty *s.* Unverständlichkeit *f*; **ˈun·inˈtel·li·gi·ble** *adj.* □ unverständlich.
ˈun·inˈtend·ed *adj.*, **ˈun·inˈten·tion·al** *adj.* □ unbeabsichtigt, unabsichtlich.
ˈunˈin·ter·est·ed *adj.* □ interˈesselos, uninteressiert (*in* an *dat.*), gleichgültig; **ˈunˈin·ter·est·ing** *adj.* □ ˈuninteresˌsant.
ˈun·in·terˈrupt·ed *adj.* □ ˈununterˌbrochen: **a)** ungestört (*by* von), **b)** kontinuierlich, fortlaufend, anhaltend: *~ working hours* durchgehende Arbeitszeit.
ˈun·inˈvit·ed *adj.* un(ein)geladen;

ˈun·inˈvit·ing *adj.* □ nicht *od.* wenig einladend *od.* verlockend *od.* anziehend.

un·ion [ˈjuːnjən] *s.* **1.** *allg.* Vereinigung *f*, (*a. eheliche*) Verbindung; **2.** Eintracht *f*, Harmoˈnie *f*; **3.** *pol.* Zs.-schluß *m*; **4.** *pol. etc.* Uniˈon *f*: **a**) (Staaten)Bund *m*, *z.B. die* U.S.A. *pl.*, **b**) Vereinigung *f*, (Zweck)Verband *m*, Bund *m*, (*a. Post-, Zoll- etc.*) Verein *m*, **c**) *Brit. Vereinigung unabhängiger Kirchen*; **5.** Gewerkschaft *f*; **6.** *Brit. hist.* **a**) *Kirchspielverband zu gemeinsamer Armenpflege*, **b**) Armenhaus *n*; **7.** ⊕ Anschlußstück *n*, (Rohr)Verbindung *f*; **8.** ⊕ Mischgewebe *n*; **9.** ⚓ Gösch *f* (*Flaggenfeld mit Hoheitsabzeichen*): ~ *flag* → *union jack 1*; **ˈun·ion·ism** [-nizəm] *s.* **1.** *pol.* Unioˈnismus *m*, unioˈnistische Bestrebungen *pl.*; **2.** Gewerkschaftswesen *n*; **ˈun·ion·ist** [-nist] *s.* **1.** ♀ *pol. hist.* Unioˈnist *m*; **2.** Gewerkschaftler *m*; **ˈun·ion·ize** [-naiz] *v/t.* gewerkschaftlich organisieren.

un·ion| jack *s.* **1.** *Union Jack* Union Jack *m* (*brit. Nationalflagge*); **2.** ⚓ → *union 9*; **~ joint** *s.* Rohrverbindung *f*; **~ shop** *s.* ✝ *bsd. Am. Betrieb, der auch Nicht-Gewerkschaftsmitglieder einstellen darf, wenn sie innerhalb e-r gewissen Zeit der Gewerkschaft beitreten*; **~ suit** *s. Am.* Hemdhose *f* mit langem Bein.

u·nip·a·rous [juːˈnipərəs] *adj.* **1.** *zo.* nur ˈein Junges gebärend *od.* werfend (*bei e-m Wurf*); **2.** ❀ nur ˈeine Achse *od.* ˈeinen Ast treibend.

u·ni·par·tite [juːniˈpɑːtait] *adj.* einteilig.

u·ni·po·lar [juːniˈpoulə] *adj.* **1.** *phys.*, ⚡ einpolig, Einpol...; **2.** *anat.* monopoˈlar (*Nervenzelle*).

u·nique [juːˈniːk] **I.** *adj.* □ **1.** einzig; **2.** einmalig, einzigartig; unerreicht, *nachgestellt*: ohneˈgleichen; **3.** F außer-, ungewöhnlich; großartig; **II.** *s.* **4.** Seltenheit *f*, ˈUnikum *n*; **uˈnique·ness** [-nis] *s.* Einzigartig-, Einmaligkeit *f*.

u·ni·sex·u·al [ˈjuːniˈseksjuəl] *adj.* □ **1.** eingeschlechtig; **2.** *zo.*, ❀ getrenntgeschlechtlich.

u·ni·son [ˈjuːnizn] *s.* **1.** ♪ Ein-, Gleichklang *m*, Uniˈsono *n*: *in* ~ unisono, einstimmig; **2.** *fig.* Einklang *m*, Überˈeinstimmung *f*: *in* ~ *with* in Einklang mit; **u·nis·o·nous** [juːˈnisənəs] *adj.* **1.** ♪ **a**) gleichklingend, **b**) einstimmig; **2.** *fig.* gleichgestimmt, überˈeinstimmend.

u·nit [ˈjuːnit] *s.* **1.** *allg.* Einheit *f* (*Einzelding*): ~ *of account* (*trade, value*) ✝ (Ver)Rechnungs- (Handels-, Währungs)einheit; *dwelling* ~ Wohneinheit; ~ *factor biol.* Erbfaktor; ~ *furniture* Anbaumöbel; ~ *price* ✝ Einheitspreis; ~ *wages* ✝ Stück-, Akkordlohn; **2.** *phys.* (Grund-, Maß)Einheit *f*: ~ (*of*) *power* (*time*) Leistungs- (Zeit)einheit; **3.** ⅍ Einer *m*, Einheit *f*; **4.** ⚔ Einheit *f*, Verband *m*, Truppenteil *m*; **5.** ⊕ **a**) (Bau)Einheit *f*, **b**) Aggreˈgat *n*, Anlage *f*: ~ *construction* Baukastenbauweise; **6.** *fig.* Kern *m*, Zelle *f*: *the family as the* ~ *of society*.

U·ni·tar·i·an [juːniˈtɛəriən] **I.** *s. eccl.* Uniˈtarier(in); **II.** *adj.* uniˈtarisch; **U·niˈtar·i·an·ism** [-nizəm] *s. eccl.* Unitaˈrismus *m*; **u·ni·tar·y** [ˈjuːnitəri] *adj.* Einheits... (*a.* ⅍, ⚡); einheitlich.

u·nite [juːˈnait] **I.** *v/t.* **1.** verbinden (*a.* ⚗, ⊕), vereinigen; **2.** (ehelich) verbinden, verheiraten; **3.** *Eigenschaften* in sich vereinigen; **II.** *v/i.* **4.** sich vereinigen; **5.** ⚗, ⊕ sich verbinden (*with* mit); **6.** sich zs.-tun: *to* ~ *in doing s.th.* et. geschlossen *od.* vereint tun; **7.** sich anschließen (*with dat. od.* an *acc.*); **8.** sich verheiraten *od.* verbinden; **uˈnit·ed** [-tid] *adj.* vereinigt; vereint (*Kräfte etc.*), gemeinsam: ♀ *Kingdom das* Vereinigte Königreich (*Großbritannien u. Nordirland*); ♀ *Nations* Vereinte Nationen; ♀ *States die* Vereinigten Staaten *von Nordamerika, die* U.S.A.

u·nit trust *s.* ✝ Inˈvestmenttrust *m*.

u·ni·ty [ˈjuːniti] *s.* **1.** Einheit *f* (*a.* ⅍, ⚖): *the dramatic unities thea.* die drei Einheiten; **2.** Einheitlichkeit *f* (*a. e-s Kunstwerks*); **3.** Einigkeit *f*, Eintracht *f*: ~ (*of sentiment*) Einmütigkeit; *at* ~ in Eintracht, im Einklang; **4.** *nationale etc.* Einheit.

u·ni·va·lent [juːniˈveilənt] *adj.* ⚗ einwertig.

u·ni·ver·sal [juːniˈvəːsəl] **I.** *adj.* □ **1.** (ˈall)umˌfassend, univerˈsal, Universal...(*-genie, -erbe, etc.*), gesamt, gloˈbal: ~ *knowledge* umfassendes Wissen; ~ *succession* ⚖ Gesamtnachfolge; **2.** allgemein (*a. Wahlrecht, Wehrpflicht etc.*): ~ *partnership* ⚖ allgemeine Gütergemeinschaft; *to meet with* ~ *applause* allgemeinen Beifall finden; *the disappointment was* ~ die Enttäuschung war allgemein; **3.** allgemein(gültig), univerˈsell: ~ *rule*; **4.** allgemein, ˈüberall üblich *od.* anzutreffen(d); **5.** ˈweltumˌfassend, Welt...: ~ *language* Weltsprache; ♀ *Postal Union* Weltpostverein; ~ *time* Weltzeit; **6.** ⊕ Universal...(*-gerät etc.*): ~ *current* ⚡ Allstrom; ~ *joint* Universal-, Kardangelenk; **7.** *Logik*: allgemein; **II.** *s.* **8.** *das* Allgemeine; **9.** *Logik*: allgemeine Aussage; **10.** *phls.* Allgemeinbegriff *m*; **u·niˈver·sal·ism** [-səlizəm] *s. eccl.*, *phls.* Universaˈlismus *m*; **u·ni·ver·sal·i·ty** [juːnivəːˈsæliti] *s.* **1.** *das* ˈAllumˌfassende, Allgemeinheit *f*; **2.** Universaliˈtät *f*, Vielseitigkeit *f*, umˈfassende Bildung; **3.** Allgemeingültigkeit *f*; **u·niˈver·sal·ize** [-səlaiz] *v/t.* allgemeingültig machen, allgemein verbreiten; **u·ni·verse** [ˈjuːnivəːs] *s.* **1.** Uniˈversum *n*, (Welt)All *n*, ˈKosmos *m*; **2.** Welt *f*; **u·niˈver·si·ty** [-siti] **I.** *s.* Universiˈtät *f*, Hochschule *f*: *Open* ♀, ♀ *of the Air* Fernsehuniversität; *at the* ♀ *of Oxford, at Oxford* ♀ auf *od.* an der Universität Oxford; **II.** *adj.* Universitäts..., Hochschul..., akaˈdemisch: ~ *education* Hochschulbildung; ~ *extension* Volkshochschule; ~ *man* Akademiker; ~ *professor* ordentlicher Professor.

u·niv·o·cal [ˈjuːniˈvoukəl] **I.** *adj.* □ eindeutig, unzweideutig; **II.** *s.* Wort *n* mit nur ˈeiner Bedeutung.

ˈunˈjust *adj.* □ ungerecht (*to* gegen); **unˈjus·ti·fi·a·ble** *adj.* □ nicht zu rechtfertigen(d), unverantwortlich; **ˈunˈjus·ti·fied** *adj.* ungerechtfertigt, unberechtigt; **ˈunˈjust·ness** *s.* Ungerechtigkeit *f*.

un·kempt [ˈʌnˈkempt] *adj.* **1.** *obs.* ungekämmt, zerzaust; **2.** *fig.* ungepflegt, unordentlich, verwahrlost.

unˈkind *adj.* □ **1.** unfreundlich, ungefällig; **2.** rücksichtslos, herzlos (*to* gegen); **unˈkind·li·ness** *s.* Unfreundlichkeit *f*; **unˈkind·ly** → *unkind*; **unˈkind·ness** *s.* Unfreundlichkeit *f etc.*

ˈunˈknit *v/t. bsd. fig.* (auf)lösen.

ˈunˈknot *v/t.* auf-, entknoten; losknüpfen.

ˈunˈknow·ing *adj.* □ **1.** unwissend; **2.** unwissentlich, unbewußt; **3.** nicht wissend, ohne zu wissen (*that* daß, *how* wie *etc.*).

ˈunˈknown **I.** *adj.* **1.** unbekannt (*to dat.*); → *quantity 2*; **2.** nie gekannt, beispiellos (*Entzücken etc.*); **II.** *adv.* **3.** (*to s.o.*) ohne (j-s) Wissen; **III.** *s.* **4.** *der* (*die, das*) Unbekannte; **5.** ⅍ Unbekannte *f*.

ˈunˈla·bel(l)ed *adj.* nicht etikettiert, ohne Etiˈkett *od.* (Gepäck)Zettel.

ˈunˈla·bo(u)red *adj.* mühelos (*a. fig. ungezwungen, leicht*).

ˈunˈlace *v/t.* aufschnüren.

ˈunˈlade *v/t.* [*irr.* → *lade*] **1.** aus-, entladen; **2.** ⚓ *Ladung etc.* löschen; **ˈunˈlad·en** *adj.* **1.** unbeladen: ~ *weight* Leergewicht; **2.** *fig.* unbelastet.

ˈunˈla·dy·like *adj.* nicht damenhaft, unfein.

ˈunˈlaid *adj.* **1.** nicht gelegt, ungelegt; **2.** nicht gebannt (*Geist*); **3.** ungedeckt (*Tisch*); **4.** ungerippt (*Papier*).

ˈun·laˈment·ed *adj.* unbeklagt, unbeweint.

ˈunˈlatch *v/t.* aufklinken.

ˈunˈlaw·ful *adj.* □ **1.** ⚖ rechtswidrig, ˈwiderrechtlich, unzulässig, ungesetzlich: ~ *assembly* Auflauf, Zs.-rottung; **2.** unerlaubt, unrechtmäßig; **3.** unehelich; **ˈunˈlaw·ful·ness** *s.* Ungesetzlichkeit *f etc.*

ˈunˈlearn *v/t.* [*irr.* → *learn*] **1.** verlernen, vergessen; **2.** ˈumlernen.

un·learned[1] [ˈʌnˈləːnt] *adj.* nicht er- *od.* gelernt.

un·learn·ed[2] [ˈʌnˈləːnid] *adj.* □ ungebildet, ungelehrt, unwissend.

ˈunˈlearnt → *unlearned*[1].

ˈunˈleash *v/t.* **1.** losbinden, *Hund* loskoppeln; **2.** *fig.* entfesseln, loslassen.

ˈunˈleav·ened *adj.* ungesäuert (*Brot*).

un·less [ənˈles] **I.** *cj.* wenn ... nicht; woˈfern ... nicht; es sei denn (, daß) ...; außer wenn ...; ausgenommen (wenn) ...; vorˈausgesetzt, daß nicht ...; **II.** *prp.* außer.

ˈunˈlet·tered *adj.* **1.** analphaˈbetisch; **2.** ungebildet, ungelehrt.

ˈunˈli·censed *adj.* **1.** unerlaubt, unberechtigt; **2.** unkonzessioniert, ohne Liˈzenz, ‚schwarz'.

ˈunˈlicked *adj.* **1.** *mst fig.* ungeleckt, unbeleckt; **2.** *fig.* **a**) ungehobelt, ungeschliffen, roh, **b**) unreif: ~ *cub* grüner Junge.

ˈunˈlike **I.** *adj.* **1.** ungleich, (voneinˈander) verschieden; **2.** unähnlich;

II. *prp.* **3.** unähnlich (*s.o.* j-m), verschieden von, anders als: *that is very ~ him* das sieht ihm gar nicht ähnlich; **4.** anders als, nicht wie; **5.** im Gegensatz zu.

un'like·li·hood, un'like·li·ness *s.* Unwahrscheinlichkeit *f*; **un'like·ly I.** *adj.* **1.** unwahrscheinlich; **2.** (ziemlich) unmöglich: *~ place*; **3.** aussichtslos; **II.** *adv.* **4.** unwahrscheinlich.

un'lim·ber *v/t. u. v/i.* **1.** ⚔ abprotzen; **2.** *fig.* (sich) bereitmachen.

un'lim·it·ed *adj.* **1.** unbegrenzt; unbeschränkt (*a. Haftung etc.*): *~ company* ✝ *Brit.* Gesellschaft mit unbeschränkter Haftung; **2.** ✝ *Börse*: nicht limitiert; **3.** *fig.* grenzen-, uferlos.

'un'lined[1] *adj.* ungefüttert (*bsd. Kleidungsstück*).

'un'lined[2] *adj.* **1.** unliniert, ohne Linien; **2.** faltenlos (*Gesicht*).

'un'link *v/t.* **1.** losketten; **2.** *Kettenglieder* trennen; **3.** *Kette* ausein'andernehmen; **'un'linked** *adj. fig.* ungebunden.

'un'liq·ui·dat·ed *adj.* ✝ unbeglichen, unbezahlt, offenstehend.

'un'list·ed *adj.* ✝ unnotiert, nicht börsenfähig.

'un'load I. *v/t.* **1.** ab-, aus-, entladen; *Ladung* löschen; **2.** *fig.* (von e-r Last) befreien, erleichtern; **3.** *Waffe* entladen; **4.** *Börse*: *Aktien (massenhaft)* abstoßen, auf den Markt werfen; **II.** *v/i.* **5.** aus-, abladen; **6.** gelöscht *od.* ausgeladen werden.

'un'lock *v/t.* **1.** aufschließen, öffnen; **2.** *Waffe* entsichern; **'un'locked** *adj.* unverschlossen.

un'looked-for *adj.* unerwartet, 'unvor,hergesehen, über'raschend.

'un'loose, un'loos·en *v/t.* lösen, losmachen, -lassen.

'un'lov·a·ble *adj.* **1.** nicht liebenswert; **2.** unliebenswürdig; **'un'loved** *adj.* ungeliebt; **'un'love·ly** *adj.* **1.** unschön, häßlich, reizlos; **2.** garstig; **'un'lov·ing** *adj.* □ kalt, lieblos.

un'luck·i·ly *adv.* unglücklicherweise; **un'luck·y** *adj.* □ unglücklich: **a)** vom Pech verfolgt: *to be ~* Pech *od.* kein Glück haben, **b)** fruchtlos: *~ effort*, **c)** ungünstig: *~ moment*, **d)** unheilvoll, schwarz, Unglücks...: *~ day*.

'un'made *adj.* ungemacht.

'un'make *v/t.* [*irr.* → *make*] **1.** aufheben, 'umstoßen, wider'rufen, rückgängig machen; **2.** *j-n* absetzen; **3.** zerstören; **4.** 'umbilden.

'un'man *v/t.* **1.** entmannen; **2.** *j-n* s-r Kraft berauben; **3.** *j-n* verzagen lassen, entmutigen; **4.** verrohen (lassen); **5.** *e-m Schiff etc.* die Mannschaft nehmen: *~ned* unbemannt.

un'man·age·a·ble *adj.* □ **1.** schwer zu handhaben(d), unhandlich; **2.** *fig.* schwierig zu behandeln(d), unlenksam, 'widerspenstig: *~ child*; **3.** **3.** unkontrollierbar, schwierig (*Lage*).

'un'man·li·ness *s.* Unmännlichkeit *f*; **'un'man·ly** *adj.* **1.** unmännlich; **2.** weibisch; **3.** feige.

un'man·ner·li·ness *s.* Ungezogenheit *f*; **un'man·ner·ly** *adj.* ungezogen, 'unma,nierlich.

'un'marked *adj.* **1.** nicht gekennzeichnet, unbezeichnet, ungezeichnet; **2.** unbemerkt.

'un'mar·ket·a·ble *adj.* ✝ **1.** nicht marktgängig *od.* -fähig; **2.** unverkäuflich.

'un'mar·riage·a·ble *adj.* nicht heiratsfähig; **'un'mar·ried** *adj.* unverheiratet, ledig.

un·mask ['ʌn'mɑ:sk] **I.** *v/t.* **1.** *j-m* die Maske abnehmen, *j-n* demaskieren; **2.** *fig. j-n* entlarven, *j-m* die Maske her'unterreißen; **II.** *v/i.* **3.** sich demaskieren; **4.** *fig.* die Maske fallenlassen; **'un'mask·ing** [-kiŋ] *s.* Entlarvung *f*.

'un'matched *adj.* unvergleichlich, unerreicht, 'unüber,troffen.

un'mean·ing *adj.* □ sinn-, bedeutungslos; nichtssagend (*a. Gesicht*); **'un'meant** *adj.* unbeabsichtigt, ungewollt.

un'meas·ured *adj.* **1.** ungemessen; **2.** unermeßlich, grenzenlos, unbegrenzt; **3.** unmäßig.

'un'meet *adj.* □ *obs.* **1.** unschicklich; **2.** ungeeignet.

'un·me'lo·di·ous *adj.* □ 'unme,lodisch.

un'men·tion·a·ble I. *adj.* nicht zu erwähnen(d), unaussprechlich; **II.** *s. pl. humor. die* Unaussprechlichen *pl.* (*Hosen*); **'un'men·tioned** *adj.* unerwähnt.

'un'mer·chant·a·ble *adj.* ✝ **1.** nicht marktgängig *od.* -fähig; **2.** unverkäuflich.

un'mer·ci·ful *adj.* □ unbarmherzig.

'un'mer·it·ed *adj.* □ unverdient.

'un·me'thod·i·cal *adj.* 'unme,thodisch, planlos.

'un'mil·i·tar·y *adj.* 'unmili,tärisch, 'unsol,datisch.

un'mind·ful *adj.* □ unbedacht(sam), sorglos; uneingedenk (*of gen.*), ohne Rücksicht (of auf *acc.*): *to be ~ of et.* nicht beachten, nicht denken an (*acc.*), sich durch *et.* nicht abhalten lassen.

'un·mis'tak·a·ble *adj.* □ **1.** 'un,mißver,ständlich; **2.** unverkennbar.

un'mit·i·gat·ed *adj.* □ **1.** ungemildert, ganz; **2.** voll'endet, Erz..., *nachgestellt*: durch u. durch: *an ~ liar*.

'un'mixed *adj.* □ **1.** unvermischt; **2.** *fig.* ungemischt, rein.

'un'mod·i·fied *adj.* unverändert, nicht abgeändert.

'un·mo'lest·ed *adj.* unbelästigt, ungestört: *to live ~* in Frieden leben.

'un'moor ⚓ **I.** *v/t.* **1.** abankern, losmachen; **2.** vor 'einem Anker liegen lassen; **II.** *v/i.* **3.** die Anker lichten.

'un'mor·al *adj.* 'amo,ralisch.

'un'mort·gaged *adj.* ⚖ **1.** unverpfändet; **2.** hypo'thekenfrei, unbelastet.

'un'mount·ed *adj.* **1.** unberitten: *~ police*; **2.** *typ.* nicht aufgezogen (*Bild*); **3.** ⊕, ⚔ unmontiert; **4.** nicht gefaßt (*Stein*).

'un'mourned *adj.* unbetrauert, unbeweint.

'un'mov·a·ble *adj.* □ unbeweglich; **'un'moved** *adj.* □ **1.** unbewegt; **2.** *fig.* ungerührt, unbewegt; **3.** *fig.* unerschütterlich, standhaft, gelassen; **'un'mov·ing** *adj.* regungslos.

'un'mur·mur·ing *adj.* □ ohne Murren, klaglos.

'un'mu·si·cal *adj.* □ **1.** 'unmusi,kalisch (*Person*); **2.** 'unme,lodisch, 'mißtönend (*Klang*).

'un'muz·zle *v/t.* **1.** *e-m Hund* den Maulkorb abnehmen: *~d* ohne Maulkorb; **2.** *fig. j-m* freie Meinungsäußerung gewähren.

'un'nam·a·ble *adj.* unsagbar.

'un'named *adj.* **1.** namenlos; **2.** nicht namentlich genannt, ungenannt.

un'nat·u·ral *adj.* □ **1.** 'unna,türlich; **2.** künstlich, gekünstelt; **3.** 'widerna,türlich (*Laster, Verbrechen etc.*); **4.** ungeheuerlich, ab'scheulich; **5.** ungewöhnlich; **6.** 'anomal.

'un'nav·i·ga·ble *adj.* nicht schiffbar, nicht befahrbar.

un'nec·es·sar·i·ly *adv.* unnötigerweise; **un'nec·es·sar·y** *adj.* □ **1.** unnötig, nicht notwendig; **2.** nutzlos, 'überflüssig.

'un'need·ed *adj.* nicht benötigt, nutzlos; **'un'need·ful** *adj.* □ unnötig.

'un'neigh·bo(u)r·ly *adj.* nicht gutnachbarlich, unfreundlich.

'un'nerve *v/t.* entnerven, zermürben, *j-n* die Nerven *od.* den Mut verlieren lassen.

'un'not·ed *adj.* **1.** unbeachtet, unberühmt; **2.** → *unnoticed 1*.

'un'no·ticed *adj.* **1.** unbemerkt, unbeobachtet; **2.** → *unnoted 1*.

'un'num·bered *adj.* **1.** unnumeriert; **2.** *poet.* ungezählt, zahllos.

'un·ob'jec·tion·a·ble *adj.* □ einwandfrei.

'un·o'blig·ing *adj.* ungefällig.

'un·ob'serv·ant *adj.* unaufmerksam, unachtsam: *to be ~ of et.* nicht beachten; **'un·ob'served** *adj.* □ unbeobachtet, unbemerkt.

'un·ob'struct·ed *adj.* unversperrt; *allg.* ungehindert: *~ view*; *~ policy*.

'un·ob'tru·sive *adj.* □ unaufdringlich: **a)** zu'rückhaltend, bescheiden, **b)** unauffällig; **'un·ob'tru·sive·ness** *s.* Unaufdringlichkeit *f*.

'un'oc·cu·pied *adj.* frei: **a)** unbewohnt, leer(stehend), **b)** unbesetzt, **c)** unbeschäftigt.

'un·of'fend·ing *adj.* harmlos, unschädlich, nicht anstößig.

'un·of'fi·cial *adj.* □ nichtamtlich, 'inoffizi,ell.

'un'o·pened *adj.* **1.** ungeöffnet, verschlossen; **2.** ✝ unerschlossen: *~ market*.

'un·op'posed *adj.* **1.** unbehindert; **2.** unbeanstandet: *~ by* ohne Widerstand *od.* Einspruch seitens (*gen.*).

'un'or·gan·ized *adj.* **1.** 'unor,ganisch; **2.** unorganisiert.

'un'or·tho·dox *adj.* **1.** *eccl.* 'unortho,dox; **2.** *fig.* unorthodox, unüblich, 'unkonventio,nell: *~ measures*.

'un·os·ten'ta·tious *adj.* □ unaufdringlich, unauffällig: **a)** prunklos, schlicht, **b)** anspruchslos, zu'rückhaltend, **c)** de'zent (*Farben etc.*).

'un'owned *adj.* herrenlos.

'un'pack *v/t. u. v/i.* auspacken.

'un'paid *adj.* **1.** unbezahlt; rückständig (*Zinsen etc.*); ✝ noch nicht eingezahlt (*Kapital*); **2.** unbesoldet, unbezahlt, ehrenamtlich (*Stellung*); **3.** ✉ unfrankiert: *~-letter stamps* Nachgebührenmarken.

un'pal·at·a·ble *adj.* □ **1.** unschmackhaft, schlecht (schmeckend); **2.** *fig.* unangenehm, 'widerwärtig.
un'par·al·leled *adj.* einmalig, beispiellos, *nachgestellt*: ohne'gleichen.
un'par·don·a·ble *adj.* □ unverzeihlich.
'un·par·lia'men·ta·ry *adj. pol.* 'unparlamen,tarisch.
'un'pat·ent·ed *adj.* nicht patentiert.
'un·pa·tri'ot·ic *adj.* (□ *~ally*) 'unpatri,otisch.
'un'paved *adj.* ungepflastert.
'un'ped·i·greed *adj.* ohne Stammbaum.
'un'peo·ple *v/t.* entvölkern.
'un·per'ceived *adj.* □ unbemerkt.
'un·per'formed *adj.* **1.** nicht ausgeführt, ungetan, unverrichtet; **2.** *thea.* nicht aufgeführt (*Stück*).
'un·per'turbed *adj.* nicht beunruhigt, gelassen, ruhig.
'un·phil·o'soph·i·cal *adj.* □ 'unphilo,sophisch.
'un'pick *v/t. Naht etc.* (auf)trennen; **'un'picked** *adj.* **1.** ungepflückt; **2.** ✝ unausgesucht, unsortiert (*Proben*).
'un'pin *v/t.* **1.** die Nadeln entfernen aus; **2.** losstecken, -machen.
'un'pit·ied *adj.* unbemitleidet; **un'pit·y·ing** *adj.* □ mitleid(s)los.
'un'placed *adj.* **1.** nicht 'untergebracht; nicht angestellt, ohne Stellung; **2.** *Rennsport*: unplaciert.
'un'plait *v/t.* **1.** glätten; **2.** *Haar* aufflechten.
'un'play·a·ble *adj.* **1.** *sport* nicht zu spielen(d) (*Ball*); **2.** *sport* unbespielbar (*Sportplatz*); **3.** ♪ unspielbar.
un'pleas·ant *adj.* □ **1.** unangenehm, unerfreulich; **2.** unangenehm, widerlich; **un'pleas·ant·ness** *s.* **1.** Unannehmlichkeit *f*; **2.** Widerlichkeit *f*; **3.** 'Mißhelligkeit *f*, Unstimmigkeit *f*.
'un'pledged *adj.* **1.** nicht gebunden, nicht verpflichtet; **2.** ⚖ unverpfändet.
'un'plumbed *adj. fig.* unergründet, unergründlich.
'un·po'et·ic *adj.*; **'un·po'et·i·cal** *adj.* □ 'unpo,etisch, undichterisch.
'un'pol·ished *adj.* **1.** unpoliert (*a. Reis*), ungeglättet, ungeschliffen; **2.** *fig.* unausgeglichen, unausgefeilt (*Stil etc.*); **3.** *fig.* ungeschliffen, ungehobelt, ungebildet.
'un'pol·i·tic → *unpolitical 1*; **'un·po'lit·i·cal** *adj.* **1.** po'litisch unklug; **2.** 'unpo,litisch, an Poli'tik uninteressiert.
'un'polled *adj. pol.* **1.** nicht gewählt (habend): *~ elector* Nichtwähler; **2.** nicht (in die Wählerliste) eingetragen; **3.** ungezählt (*Stimme*).
'un·pol'lut·ed *adj.* **1.** nicht verschmutzt *od.* verseucht (*Wasser etc.*); **2.** *fig.* unbefleckt.
'un'pop·u·lar *adj.* □ 'unpopu,lär, unbeliebt; **'un·pop·u'lar·i·ty** *s.* 'Unpopulari,tät *f*, Unbeliebtheit *f*.
'un·pos'sessed *adj.* **1.** herrenlos (*Sache*); **2.** *~ of s.th.* nicht im Besitz e-r Sache.
'un'post·ed *adj.* **1.** nicht informiert, 'ununter,richtet; **2.** *Brit.* nicht aufgegeben (*Brief*).
'un'prac·ti·cal *adj.* □ unpraktisch.
un'prac·ticed *Am.*, **un'prac·tised** *Brit. adj.* **1.** unerfahren, ungeübt (*in* in *dat.*); **2.** nicht praktiziert; **3.** nicht üblich.
un'prec·e·dent·ed *adj.* □ **1.** beispiellos, unerhört, noch nie dagewesen; **2.** ⚖ ohne Präze'denzfall.
'un·pre'dict·a·ble *adj.* unberechenbar (*a. Person*), unvorhersehbar.
un'prej·u·diced *adj.* unvoreingenommen, vorurteilsfrei, unbefangen, 'unpar,teiisch.
'un·pre'med·i·tat·ed *adj.* □ **1.** unvorbereitet, aus dem Stegreif; **2.** nicht vor('her)bedacht, unbeabsichtigt.
'un·pre'pared *adj.* □ **1.** unvorbereitet: *an ~ speech*; **2.** (*for*) nicht vorbereitet (auf *acc.*), nicht gerüstet (für).
'un·pre·pos'sess·ing *adj.* wenig einnehmend *od.* anziehend, reizlos.
'un·pre'sent·a·ble *adj.* nicht präsen'tabel *od.* gesellschaftsfähig.
'un·pre'sum·ing *adj.* nicht anmaßend; bescheiden, anspruchslos.
'un·pre'tend·ing, **'un·pre'ten·tious** *adj.* □ anspruchslos.
un'prin·ci·pled *adj.* **1.** ohne (feste) Grundsätze, haltlos, cha'rakterlos (*Person*); **2.** gewissenlos, charakterlos (*Benehmen*).
un·print·a·ble ['ʌn'printəbl] *adj.* zur Veröffentlichung ungeeignet, *bsd.* zu anstößig; **'un'print·ed** [-tid] *adj.* **1.** ungedruckt (*Schriften*); **2.** unbedruckt (*Stoffe*).
'un'priv·i·leged *adj.* nicht privilegiert *od.* bevorrechtigt: *~ creditor* ⚖ Massegläubiger.
'un·pro'duc·tive *adj.* □ **1.** unfruchtbar; **2.** unergiebig (*of* an *dat.*); **3.** ✝ *u. weitS.* 'unproduk,tiv; **'un·pro'duc·tive·ness** *s.* **1.** Unfruchtbarkeit *f*; **2.** Unergiebigkeit *f*; **3.** 'Unproduktivi,tät *f*.
'un·pro'fes·sion·al *adj.* □ **1.** keiner freien Berufsgruppe zugehörig; **2.** nicht berufsmäßig; **3.** berufswidrig: *~ conduct*; **4.** unfachmännisch.
un'prof·it·a·ble *adj.* □ **1.** uneinträglich, nicht gewinnbringend *od.* lohnend; **2.** unvorteilhaft; **3.** nutz-, zwecklos, unnütz; **un'prof·it·a·ble·ness** *s.* **1.** Uneinträglichkeit *f*; **2.** Nutzlosigkeit *f*.
'un·pro'gres·sive *adj.* □ **1.** nicht fortschrittlich, rückständig; **2.** rückschrittlich, konserva'tiv, reaktio'när.
'un'prom·is·ing *adj.* □ nicht vielversprechend, ziemlich aussichtslos.
'un'prompt·ed *adj.* unbeeinflußt, ungeheißen (*by* von), spon'tan.
'un·pro'nounce·a·ble *adj.* unaussprechlich.
'un·pro'pi·tious *adj.* □ ungünstig, ungeeignet.
'un·pro'por·tion·al *adj.* □ unverhältnismäßig.
'un·pro'tect·ed *adj.* **1.** ungeschützt, schutzlos; **2.** ungedeckt.
'un'proved *adj.* unerwiesen.
'un·pro'vid·ed *adj.* □ **1.** nicht versehen (*with* mit): *~ with* ohne; **2.** unvorbereitet; **3.** *~ for* unversorgt (*Kind*); **4.** *~ for* nicht vorgesehen.
'un·pro'voked *adj.* □ **1.** unprovoziert; **2.** nicht veranlaßt, grundlos.
'un'pub·lished *adj.* unveröffentlicht.
'un'punc·tu·al *adj.* □ unpünktlich; **'un·punc·tu'al·i·ty** *s.* Unpünktlichkeit *f*.
'un'pun·ished *adj.* unbestraft, ungestraft: *to go ~* straflos ausgehen.
'un'qual·i·fied[1] *adj.* □ **1.** unqualifiziert, unberechtigt; nicht approbiert (*Arzt*); **2.** ungeeignet, untauglich, unbefähigt.
un'qual·i·fied[2] *adj.* **1.** uneingeschränkt, unbedingt; **2.** F ausgesprochen (*Lügner etc.*).
un·quench·a·ble [ʌn'kwentʃəbl] *adj.* □ **1.** unlöschbar; **2.** *fig.* unstillbar.
un·ques·tion·a·ble [ʌn'kwestʃənəbl] *adj.* □ unzweifelhaft, fraglos; **un'ques·tioned** [-tʃənd] *adj.* **1.** ungefragt; **2.** unbezweifelt, unbestritten; **un'ques·tion·ing** [-niŋ] *adj.* □ bedingungslos, blind: *~ obedience*; **un'ques·tion·ing·ly** [-niŋli] *adv.* ohne zu fragen, ohne Zögern.
'un'quote *v/t. Zitat* beenden: *~!* Ende des Zitats!; **'un'quot·ed** *adj. Börse*: nicht notiert.
un'rav·el I. *v/t.* **1.** *Gewebe* ausfasern; **2.** *Gestricktes* auftrennen, -räufeln; **3.** entwirren; **4.** *fig.* entwirren, enträtseln; **II.** *v/i.* **5.** sich entwirren *etc.*
un·read ['ʌn'red] *adj.* **1.** ungelesen; **2.** unbelesen (*Person*).
'un'read·a·ble *adj.* **1.** unleserlich (*Handschrift etc.*); **2.** unlesbar (*Buch etc.*).
'un'read·i·ness *s.* mangelnde Bereitschaft; **'un'read·y** *adj.* □ **1.** nicht bereit (*for* zu), nicht fertig; ungerüstet; **2.** zaudernd, unlustig.
'un're·al *adj.* □ **1.** unwirklich; **2.** wesenlos; **'un·re·al'is·tic** *adj.* (□ *~ally*) wirklichkeitsfremd, 'unrea,listisch; **'un·re'al·i·ty** *s.* **1.** Unwirklichkeit *f*; **2.** Wesenlosigkeit *f*.
'un're·al·iz·a·ble *adj.* nicht realisierbar: **a)** nicht zu verwirklichen(d), **b)** ✝ nicht verwertbar, unverkäuflich; **'un're·al·ized** *adj.* **1.** nicht verwirklicht *od.* erfüllt; **2.** nicht vergegenwärtigt *od.* erkannt.
'un'rea·son *s.* **1.** Unvernunft *f*; **2.** Torheit *f*; **un'rea·son·a·ble** *adj.* □ **1.** unvernünftig; **2.** unvernünftig, unbillig, unmäßig, 'übermäßig; unzumutbar; **un'rea·son·a·ble·ness** *s.* **1.** Unvernunft *f*; **2.** Unbilligkeit *f*, Unmäßigkeit *f*; **un'rea·son·ing** *adj.* □ **1.** vernunftlos; **2.** unvernünftig, blind.
'un·re'ceipt·ed *adj.* ✝ unquittiert.
'un·re'cep·tive *adj.* nicht aufnahmefähig, unempfänglich.
'un·re'claimed *adj.* **1.** ungebessert; **2.** ungezähmt (*a. fig.*); **3.** unkultiviert, unbebaut (*Land*).
'un'rec·og·niz·a·ble *adj.* □ unerkennbar, nicht 'wiederzuerkennen(d); **'un'rec·og·nized** *adj.* **1.** nicht ('wieder)erkannt; **2.** nicht anerkannt.
'un'rec·om·pensed *adj.* unbelohnt.
'un'rec·on·ciled *adj.* unversöhnt (*to* mit).
un·re·cord·ed ['ʌnri'kɔ:did] *adj.* **1.** (geschichtlich) nicht über'liefert *od.* aufgezeichnet; **2.** ⚖ nicht (amtlich) eingetragen; unverzeichnet.
'un·re'deemed *adj.* **1.** *eccl.* unerlöst; **2.** ✝ **a)** ungetilgt (*Schuld*), **b)** uneingelöst (*Wechsel*); **3.** uneingelöst (*Pfand, Versprechen*); **4.** *fig.* ungemildert (*by* durch); Erz...: *~ rascal.*
'un·re'dressed *adj.* nicht wieder-

ˈgutgemacht, ungesühnt; unabgestellt (*Mißstand*).

ˈunˈreel *v/t. u. v/i.* (sich) abspulen.

ˈun·reˈfined *adj.* **1.** ⊕ nicht raffiniert, ungeläutert, roh, Roh...; **2.** *fig.* ungebildet, unfein, unkultiviert.

ˈun·reˈflect·ing *adj.* □ **1.** *phys.* nicht reflektierend; **2.** gedankenlos, ˈunüberˌlegt.

ˈun·reˈformed *adj.* ungebessert, nicht reformiert.

ˈun·reˈfut·ed *adj.* ˈunwiderˌlegt.

ˈun·reˈgard·ed *adj.* unberücksichtigt, unbeachtet, vernachlässigt; **ˈun·reˈgard·ful** *adj.* unachtsam, ohne Rücksicht (of auf *acc.*).

un·re·gen·er·a·cy [ˈʌnriˈdʒenərəsi] *s. eccl.* Sündhaftigkeit *f*; **ˈun·reˈgen·er·ate** [-rit] *adj. eccl.* **1.** nicht ˈwiedergeboren; **2.** *a. allg.* sündig, verderbt.

ˈunˈreg·is·tered *adj.* **1.** nicht aufgezeichnet *od.* eingetragen; **2.** nicht approbiert (*Arzt etc.*); **3.** nicht eingeschrieben (*Brief*).

ˈun·reˈgret·ted *adj.* unbedauert, unbeklagt.

ˈunˈreg·u·lat·ed *adj.* ungeregelt, ungeordnet.

ˈun·reˈhearsed *adj.* **1.** *thea.* ungeprobt; **2.** überˈraschend, sponˈtan.

ˈun·reˈlat·ed *adj.* **1.** ohne Beziehung (*to* zu); **2.** nicht verwandt; **3.** nicht berichtet.

ˈun·reˈlent·ing *adj.* □ **1.** unbeugsam, unerbittlich; **2.** unvermindert.

ˈun·re·li·aˈbil·i·ty *s.* Unzuverlässigkeit *f*; **ˈun·reˈli·a·ble** *adj.* □ unzuverlässig.

ˈun·reˈlieved *adj.* □ **1.** ungelindert, ungemildert; **2.** nicht unterˈbrochen, ˈununterˌbrochen; **3.** ⚔ **a)** nicht abgelöst (*Wache*), **b)** nicht entsetzt (*Festung*).

un·re·mit·ting [ˈʌnriˈmitiŋ] *adj.* □ unablässig, unaufhörlich, beharrlich.

ˈun·reˈmu·ner·a·tive *adj.* nicht lohnend *od.* einträglich, ˈunrenˌtabel.

ˈun·reˈpair *s.* Schadhaftigkeit *f*, Baufälligkeit *f*.

ˈun·reˈpealed *adj.* nicht widerˈrufen *od.* aufgehoben.

ˈun·reˈpent·ant *adj.* reuelos, unbußfertig; **ˈun·reˈpent·ed** *adj.* unbereut.

ˈun·reˈpin·ing *adj.* □ **1.** ohne Murren, klaglos; **2.** unverdrossen.

ˈun·rep·reˈsent·ed *adj. pol. u.* ✝ nicht vertreten.

ˈun·reˈquit·ed *adj.* □ **1.** unerwidert: ~ *love*; **2.** unbelohnt (*Dienste*); **3.** ungesühnt (*Missetat*).

un·re·served [ˈʌnriˈzəːvd] *adj.* □ **1.** uneingeschränkt, vorbehalt-, rückhaltlos, völlig; **2.** freimütig, offen(herzig); **3.** nicht reserviert; **ˈun·reˈserv·ed·ness** [-vidnis] *s.* Offenheit *f*, Freimütigkeit *f*.

ˈun·reˈsist·ed *adj.* ungehindert: *to be* ~ keinen Widerstand finden; **ˈun·reˈsist·ing** *adj.* □ ˈwiderstandslos.

ˈun·reˈsolved *adj.* **1.** ungelöst: ~ *problem*; **2.** unschlüssig, unentschlossen; **3.** ⚗ *u.* ♪ unaufgelöst.

ˈun·reˈspon·sive *adj.* □ **1.** unempfänglich (*to* für): *to be* ~ (*to*) nicht reagieren *od.* ansprechen (auf *acc.*); **2.** teilnahmslos.

un·rest [ˈʌnˈrest] *s.* Unruhe *f* (*a. pol.*); **ˈunˈrest·ful** [-ful] *adj.* □ ruhelos; **ˈunˈrest·ing** [-tiŋ] *adj.* □ rastlos, unermüdlich.

ˈun·reˈstrained *adj.* □ **1.** ungehemmt (*a. fig. ungezwungen*); **2.** hemmungs-, zügellos; **3.** uneingeschränkt; **ˈun·reˈstraint** *s.* **1.** Ungehemmtheit *f*; **2.** Hemmungslosigkeit *f*; **3.** Zwanglosigkeit *f*, Ungezwungenheit *f*.

ˈun·reˈstrict·ed *adj.* □ uneingeschränkt, unbeschränkt.

ˈun·reˈturned *adj.* **1.** nicht zuˈrückgegeben; **2.** unerwidert, unvergolten: *to be* ~ unerwidert bleiben; **3.** *pol.* nicht (*ins Parlament*) gewählt.

ˈun·reˈvealed *adj.* nicht offenˈbart, verborgen, geheim.

ˈun·reˈvised *adj.* nicht ˈdurchgesehen *od.* revidiert.

ˈun·reˈward·ed *adj.* unbelohnt.

ˈunˈrhymed *adj.* ungereimt, reimlos.

ˈunˈrid·dle *v/t.* enträtseln.

ˈunˈrig *v/t.* **1.** ⚓ abtakeln; **2.** abmontieren.

unˈright·eous *adj.* □ **1.** ungerecht; **2.** *eccl.* ungerecht, verworfen, sündig; **unˈright·eous·ness** *s.* Ungerechtigkeit *f*.

ˈunˈrip *v/t.* aufreißen, -schlitzen, -trennen.

ˈunˈripe *adj. allg.* unreif; **ˈunˈripe·ness** *s.* Unreife *f*.

unˈri·val(l)ed *adj.* **1.** ohne Riˈvalen *od.* Gegenspieler; **2.** unerreicht, unvergleichlich; ✝ konkurˈrenzlos.

ˈunˈroll I. *v/t.* **1.** entrollen, -falten; **2.** abwickeln; **II.** *v/i.* **3.** sich entfalten; sich auseinˈanderrollen.

ˈun·roˈman·tic *adj.* (□ ~*ally*) ˈunroˌmantisch, proˈsaisch.

ˈunˈroof *v/t. Haus* abdecken.

ˈunˈrope *v/t.* **1.** losbinden; **2.** *mount.* (*a. v/i.* sich) ausseilen.

ˈunˈround *v/t. ling. Vokale* entrunden.

ˈunˈruf·fled *adj.* **1.** ungekräuselt, glatt; **2.** *fig.* gelassen, unerschüttert.

ˈunˈruled *adj.* **1.** *fig.* unbeherrscht; **2.** unliniert (*Papier*).

un·ru·li·ness [ʌnˈruːlinis] *s.* **1.** Unlenkbarkeit *f*, ˈWiderspenstigkeit *f*; **2.** Ausgelassenheit *f*, Unbändigkeit *f*; **un·ru·ly** [ʌnˈruːli] *adj.* **1.** unlenksam, aufsässig; **2.** unbändig, ungebärdig; ausgelassen; **3.** ungestüm.

ˈunˈsad·dle I. *v/t.* **1.** *Pferd* absatteln; **2.** *j-n* aus dem Sattel werfen; **II.** *v/i.* **3.** absatteln.

ˈunˈsafe *adj.* □ unsicher, gefährlich; **ˈunˈsafe·ness** *s.* Unsicherheit *f*.

ˈunˈsaid *adj.* ungesagt, unerwähnt.

ˈunˈsal·a·ble *adj.* **1.** unverkäuflich: ~ *article* Ladenhüter; **2.** nicht gangbar (*Waren*).

ˈunˈsal·a·ried *adj.* unbezahlt, ehrenamtlich: ~ *clerk* ✝ Volontär.

ˈunˈsale·a·ble → *unsalable*.

ˈunˈsalt·ed *adj.* ungesalzen.

ˈunˈsanc·tioned *adj.* **1.** unbestätigt; **2.** nicht sanktioniert, unerlaubt.

ˈunˈsan·i·tar·y *adj.* **1.** ungesund; **2.** ˈunhygiˌenisch.

ˈun·sat·isˈfac·to·ri·ness *s. das* Unbefriedigende, Unzulänglichkeit *f*; **ˈun·sat·isˈfac·to·ry** *adj.* □ unbefriedigend, ungenügend, unzulänglich; **ˈunˈsat·is·fied** *adj.* **1.** unbefriedigt; **2.** unzufrieden; **3.** ✝ unbezahlt; **ˈunˈsat·is·fy·ing** *adj.* □ → *unsatisfactory*.

ˈunˈsa·vo(u)r·i·ness *s.* **1.** Unschmackhaftigkeit *f*; **2.** Widerlichkeit *f*; **ˈunˈsa·vo(u)r·y** *adj.* □ **1.** unschmackhaft; **2.** ˈwiderwärtig, widerlich (*a. fig.*).

ˈunˈsay *v/t.* [*irr.* → *say*] widerˈrufen, zuˈrücknehmen.

ˈunˈscal·a·ble *adj.* unersteigbar.

ˈunˈscathed *adj.* (völlig) unversehrt, unbeschädigt.

ˈunˈschol·ar·ly *adj.* **1.** unwissenschaftlich; **2.** ungelehrt.

ˈunˈschooled *adj.* **1.** ungeschult, nicht ausgebildet; **2.** unverbildet.

ˈun·sci·enˈtif·ic *adj.* (□ ~*ally*) unwissenschaftlich.

ˈunˈscreened *adj.* **1.** ungeschützt, *a.* ⚡ nicht abgeschirmt; **2.** ungesiebt (*Kohle etc.*).

ˈunˈscrew I. *v/t.* ⊕ ab-, auf-, losschrauben; **II.** *v/i.* sich herˈaus- *od.* losdrehen; sich losschrauben lassen.

ˈunˈscrip·tur·al *adj.* □ unbiblisch, schriftwidrig.

unˈscru·pu·lous *adj.* □ skrupel-, bedenken-, gewissenlos; **unˈscru·pu·lous·ness** *s.* Skrupel-, Gewissenlosigkeit *f*.

ˈunˈseal *v/t.* **1.** *Brief etc.* entsiegeln *od.* öffnen; **2.** *fig. j-m die Augen, Lippen* öffnen; **3.** *fig.* enthüllen; **ˈunˈsealed** *adj.* **1.** unversiegelt; **2.** *fig.* unverbindlich.

unˈsearch·a·ble *adj.* □ unerforschlich, unergründlich.

unˈsea·son·a·ble *adj.* □ **1.** unzeitig; **2.** *fig.* unpassend, unangebracht, ungünstig; **unˈsea·son·a·ble·ness** *s.* **1.** Unzeitigkeit *f*; **2.** Ungelegenheit *f*; **3.** Unangebrachtheit *f*.

ˈunˈsea·soned *adj.* **1.** nicht (aus)gereift; **2.** nicht abgelagert (*Holz*); **3.** *fig.* nicht abgehärtet (*to* gegen); **4.** ungewürzt.

ˈunˈseat *v/t.* **1.** *Reiter* abwerfen; **2.** *j-n* absetzen, des Postens entheben; **3.** *pol. j-m* s-n Sitz (im Parlaˈment) nehmen; **ˈunˈseat·ed** *adj.* ohne Sitz(gelegenheit): *to be* ~ nicht sitzen.

ˈunˈsea·wor·thi·ness *s.* ⚓ Seeuntüchtigkeit *f*; **ˈunˈsea·wor·thy** *adj.* ⚓ seeuntüchtig.

ˈun·seˈcured *adj.* **1.** ungesichert; **2.** unbefestigt; **3.** ✝ ungedeckt, nicht sichergestellt.

ˈunˈsee·ing *adj. fig.* blind; leer (*Blick*).

unˈseem·li·ness *s.* Unziemlichkeit *f*; **unˈseem·ly** *adj.* unziemlich, ungehörig.

ˈunˈseen I. *adj.* **1.** ungesehen, unbemerkt; **2.** unsichtbar; **3.** *ped.* unvorbereitet (*Übersetzungstext*); **II.** *s.* **4.** *the* ~ das Unsichtbare; **5.** *ped.* Klauˈsur(arbeit) *f*.

ˈunˈself·ish *adj.* □ selbstlos, uneigennützig; **ˈunˈself·ish·ness** *s.* Selbstlosigkeit *f*, Uneigennützigkeit *f*.

ˈun·sen·tiˈmen·tal *adj.* □ ˈunsentimenˌtal.

ˈunˈserv·ice·a·ble *adj.* □ **1.** undienlich, unzweckmäßig (*to* für); **2.** unbrauchbar (*Gerät etc.*); betriebsunfähig.

ˈunˈset·tle *v/t.* **1.** *et.* aus s-r (festen)

Lage bringen; 2. *fig.* beunruhigen; *a. j-n, j-s Glauben etc.* erschüttern, ins Wanken bringen; 3. *fig.* verwirren, durchein'anderbringen; *j-n* aus dem (gewohnten) Gleis werfen; 4. in Unordnung bringen; **'un'set·tled** *adj.* 1. ohne festen Wohnsitz; 2. unbesiedelt (*Land*); 3. *fig.* unbestimmt, ungewiß, unsicher; 4. unentschieden, unerledigt (*Frage*); 5. unbeständig, veränderlich (*Wetter*; † *Markt*); 6. schwankend, unentschlossen (*Person*); 7. (geistig) gestört, aus dem (seelischen) Gleichgewicht; 8. unstet (*Charakter, Leben*); 9. unruhig (*Zeit*); 10. † unbezahlt, unbeglichen, unerledigt; 11. ⚖ nicht zugeschrieben; nicht reguliert (*Erbschaft*).

'un'sex *v/t. Frau* vermännlichen: *to ~ o.s.* alles Frauliche ablegen.

'un'shack·le *v/t. j-n* befreien (*a. fig.*); **'un'shack·led** *adj.* ungehemmt (*by* von).

'un'shad·ed *adj.* 1. unverdunkelt, unbeschattet; 2. *paint.* nicht schattiert.

un'shak·a·ble *adj.* unerschütterlich; **'un'shak·en** *adj.* □ 1. unerschüttert, fest; 2. unerschütterlich.

'un'shape·ly *adj.* ungestalt, unförmig.

'un'shaved, 'un'shav·en *adj.* unrasiert.

'un'sheathe *v/t.* aus der Scheide ziehen: *to ~ the sword fig.* Ernst machen, den Krieg erklären.

'un'shed *adj.* unvergossen (*Tränen*).

'un'shell *v/t.* (ab)schälen, enthülsen.

'un'shel·tered *adj.* ungeschützt, schutz-, obdachlos.

'un'ship *v/t.* 1. ⚓ a) *Ladung* löschen, ausladen, b) *Passagiere* ausschiffen, c) *Ruder, Mast etc.* abbauen; 2. F *fig. j-n* ausbooten.

'un'shod *adj.* 1. unbeschuht, barfuß 2. unbeschlagen (*Pferd*).

'un'shorn *adj.* ungeschoren.

un·shrink·a·ble ['ʌn'ʃriŋkəbl] *adj.* nicht einlaufend (*Stoffe*); **un'shrink·ing** *adj.* □ unverzagt, fest.

'un'sift·ed *adj.* 1. ungesiebt; 2. *fig.* ungeprüft.

'un'sight·ed *adj.* 1. ungesehen, nicht gesichtet; 2. ungezielt (*Schuß*); 3. ohne Vi'sier (*Gewehr etc.*).

un'sight·li·ness *s.* Unansehnlichkeit *f*, Häßlichkeit *f*; **un'sight·ly** *adj.* unansehnlich, häßlich.

'un'signed *adj.* unsigniert, nicht unter'zeichnet.

'un'sized[1] *adj.* nicht nach Größe(n) geordnet, unsortiert.

'un'sized[2] *adj.* ⊕ 1. ungrundiert; 2. ungeleimt (*Papier*).

'un'skil·ful *adj.* □ ungeschickt.

'un'skilled *adj.* 1. unerfahren, ungeübt; 2. ungelernt (*Arbeit, Arbeiter*): *the ~ labo(u)r coll.* die ungelernten Arbeiter, die Hilfsarbeiter.

'un'skill·ful → *unskilful.*

'un'skimmed *adj.* nicht entrahmt: *~ milk* Vollmilch.

'un'slaked *adj.* 1. ungelöscht (*Kalk*; *a. Durst*); 2. *fig.* ungestillt.

'un'sleep·ing *adj.* 1. schlaflos; 2. *fig.* immer wach.

'un'smil·ing *adj.* □ ernst.

'un'smoked *adj.* 1. ungeräuchert; 2. nicht aufgeraucht.

'un'snarl *v/t.* entwirren.

un'so·cia·ble *adj.* □ ungesellig, nicht 'umgänglich, reserviert.

un'so·cial *adj.* □ 1. 'unsozi,al; 2. 'asozi,al, gesellschaftsfeindlich.

'un'soiled *adj.* 1. rein, sauber (*a. fig.*); 2. *fig.* unbefleckt.

'un'sold *adj.* unverkauft; → *subject 14.*

'un'sol·der *v/t.* ⊕ ab-, loslöten.

'un'sol·dier·ly *adj.* 'unsol,datisch.

'un·so'lic·it·ed *adj.* 1. ungebeten, unaufgefordert, unverlangt; 2. freiwillig.

'un'solv·a·ble *adj.* unlösbar.

'un'solved *adj.* ungelöst.

'un·so'phis·ti·cat·ed *adj.* 1. unverfälscht; 2. lauter, rein; 3. ungekünstelt, na'türlich, unverbildet; 4. arglos, na'iv; 5. unverdorben.

'un'sought, un'sought-for *adj.* ungesucht, ungewollt.

'un'sound *adj.* □ 1. ungesund (*a. unzuträglich*) (*a. fig.*): *of ~ mind* geistesgestört, unzurechnungsfähig; 2. verdorben, schlecht (*Ware etc.*), faul (*Obst*); 3. morsch, wurmstichig; 4. brüchig (*Eis*); 5. unzuverlässig; 'unso,lide (*a.* †); 6. nicht stichhaltig, anfechtbar: *~ argument*; 7. falsch, verkehrt: *~ doctrine* Irrlehre; *~ policy* verfehlte Politik; **'un'sound·ness** *s.* 1. Ungesundheit *f*: a) Krankhaftigkeit *f*, b) Unzuträglichkeit *f*; 2. Verdorbenheit *f*; 3. *fig.* Unzuverlässigkeit *f*; 4. Anfechtbarkeit *f*; 5. Fehlerhaftigkeit *f*, Verfehltheit *f*.

un'spar·ing *adj.* □ 1. freigebig, verschwenderisch (*in, of* mit): *to be ~ in* nicht kargen mit *Lob etc.*; *to be ~ in one's efforts* keine Mühe scheuen; 2. reichlich, großzügig; 3. schonungslos (*of* gegen).

un'speak·a·ble *adj.* □ 1. unsagbar, unsäglich, unbeschreiblich; 2. F scheußlich.

'un'spec·i·fied *adj.* nicht einzeln angegeben, nicht spezifiziert.

'un'spent *adj.* unverbraucht, unerschöpft (*beide a. fig.*).

'un'spir·it·u·al *adj.* □ ungeistig, geistlos.

'un'spoiled, 'un'spoilt *adj.* 1. *allg.* unverdorben; 2. unbeschädigt; 3. nicht verzogen (*Kind*).

'un'spo·ken *adj.* un(aus)gesprochen, ungesagt: *~-of* unerwähnt; *~-to* unangeredet.

'un'sport·ing, 'un'sports·man·like *adj.* 1. unsportlich, unfair; 2. unweidmännisch.

'un'spot·ted *adj.* 1. fleckenlos; 2. *fig.* makellos (*Ruf*), unbefleckt; 3. unentdeckt.

'un'sprung *adj.* ⊕ ungefedert.

'un'sta·ble *adj.* 1. *a. fig.* unsicher, nicht fest, schwankend, la'bil; 2. *fig.* unbeständig, unstet(ig).

'un'stained *adj.* 1. → *unspotted 1, 2*; 2. ungefärbt.

un·stamped ['ʌn'stæmpt; *attr.* 'ʌnstæmpt] *adj.* ungestempelt; ✉ unfrankiert (*Brief*).

'un'states·man·like *adj.* unstaatsmännisch.

'un'stead·i·ness *s.* 1. Unsicherheit *f*; 2. *fig.* Unstetigkeit *f*, Schwanken *n*; 3. Unzuverlässigkeit *f*; 4. Unregelmäßigkeit *f*; **'un'stead·y** *adj.* □ 1. unsicher, wack(e)lig; 2. *fig.* unstet(ig); unbeständig, schwankend (*beide a.* † *Kurse, Markt*); 3. *fig.* 'unso,lide; 4. unregelmäßig.

'un'stick *v/t.* [*irr.* → *stick*[2]] 1. lösen, losmachen; 2. ✈ (*vom Boden etc.*) abheben.

un·stint·ed [ʌn'stintid] *adj.* uneingeschränkt, unbegrenzt, unverkürzt; **un'stint·ing** [-tiŋ] *adj.* □ → *unsparing 1, 2.*

'un'stitch *v/t.* auftrennen: *~ed* a) aufgetrennt, b) ungesteppt (*Falte*); *to come ~ed* sich auftrennen, aufgehen (*Naht*).

'un'stop *v/t.* 1. entstöpseln, -korken, aufmachen; 2. frei machen.

'un'strained *adj.* 1. unfiltriert, ungefiltert; 2. nicht angespannt (*a. fig.*); 3. *fig.* ungezwungen.

'un'strap *v/t.* ab-, losschnallen.

'un'stressed *adj.* 1. *ling.* unbetont; 2. ⊕ unbelastet.

'un'string *v/t.* [*irr.* → *string*] 1. *Perlen etc.* abfädeln; 2. ♪ entsaiten; 3. *Bogen, Saite* entspannen; 4. *Nerven, j-n* abspannen, ‚über'drehen'.

'un'strung *adj.* 1. ♪ a) saitenlos (*Instrument*), b) entspannt (*Saite, Bogen*); 2. abgereiht (*Perlen*); 3. *fig.* abgespannt, ner'vös, ‚über'dreht'.

'un'stud·ied *adj.* ungesucht, ungekünstelt, na'türlich.

'un·sub'dued *adj.* unbezwungen, unbesiegt, nicht unter'worfen *od.* unter'jocht.

'un·sub'mis·sive *adj.* □ nicht unter'würfig, 'widerspenstig.

'un·sub'stan·tial *adj.* □ 1. sub'stanzlos, unkörperlich; 2. *fig.* unwirklich, wesen-, inhaltlos, unbegründet; 3. gehalt-, kraftlos (*Essen*); 4. dürftig.

'un·sub'stan·ti·at·ed *adj.* unbegründet; nicht erhärtet.

un·suc·cess ['ʌnsək'ses] *s.* 'Mißerfolg *m*, Fehlschlag *m*; **'un·suc'cess·ful** [-sək'sesful] *adj.* □ 1. erfolglos, ohne Erfolg: *~ take-off* ✈ Fehlstart; 2. 'durchgefallen (*Kandidat*); zu'rückgewiesen (*Bewerber*); ⚖ unter'legen (*Partei*); **'un·suc'cess·ful·ness** [-sək'sesfulnis] *s.* Erfolglosigkeit *f*.

'un'suit·a·ble *adj.* □ unpassend, unangemessen; ungeeignet (*to, for* für); **'un'suit·ed** *adj.* ungeeignet (*to* zu, *for* für).

'un'sul·lied *adj. mst fig.* unbefleckt.

'un'sung *poet.* I. *adj.* unbesungen; II. *adv. fig.* sang- u. klanglos.

'un·sup'port·ed *adj.* 1. ungestützt; 2. *fig.* nicht bestätigt; ohne 'Unterlagen; 3. *fig.* nicht unter'stützt (*Antrag etc., a. Kinder etc.*).

'un'sure *adj. allg.* unsicher.

'un·sur'mount·a·ble *adj.* 'unüber,windlich (*Hindernis etc.*) (*a. fig.*).

'un·sur'pass·a·ble *adj.* □ 'unüber,trefflich; **'un·sur'passed** *adj.* 'unüber,troffen.

un·sus·pect·ed ['ʌnsəs'pektid] *adj.* □ 1. unverdächtig(t); 2. unvermutet, ungeahnt; **'un·sus'pect·ing** [-iŋ] *adj.* □ 1. nichtsahnend, ahnungslos: *~ of* ohne *et.* zu ahnen; 2. arglos.

'un·sus'pi·cious *adj.* □ 1. arglos, nicht argwöhnisch; 2. unverdächtig, harmlos.

ˈunˈsweet·ened *adj.* **1.** ungesüßt; **2.** *fig.* unversüßt.

un·swerv·ing [ʌnˈswɔːviŋ] *adj.* □ unentwegt, unerschütterlich.

ˈunˈsworn *adj.* **1.** unbeeidet; **2.** unvereidigt (*Zeuge etc.*).

ˈun·symˈmet·ri·cal *adj.* □ ˈunsymˌmetrisch.

ˈun·sym·paˈthet·ic *adj.* (□ *~ally*) **1.** teilnahmslos, ohne Mitgefühl; **2.** ˈunsymˌpathisch.

ˈun·sys·temˈat·ic *adj.* (□ *~ally*) ˈunsysteˌmatisch, planlos.

ˈunˈtack *v/t.* los-, abmachen.

ˈunˈtaint·ed *adj.* □ **1.** fleckenlos (*a. fig.*); **2.** unverdorben (*Lebensmittel*); **3.** *fig.* unbeeinträchtigt (*with* von).

ˈunˈtam·a·ble *adj.* □ un(be)zähmbar; **ˈunˈtamed** *adj.* ungezähmt.

ˈunˈtan·gle *v/t.* **1.** entwirren (*a. fig.*): **2.** aus einer schwierigen Lage befreien.

ˈunˈtanned *adj.* **1.** ungegerbt (*Leder*); **2.** ungebräunt (*Haut*).

ˈunˈtapped *adj.* unangezapft (*a. fig.*): *~ resources* ungenützte Hilfsquellen.

ˈunˈtar·nished *adj.* **1.** ungetrübt; **2.** makellos, unbefleckt (*a. fig.*).

ˈunˈtast·ed *adj.* ungekostet (*a. fig.*).

ˈunˈtaught *adj.* **1.** ungelehrt, nicht unterˈrichtet; **2.** unwissend, ungebildet; **3.** ungelernt, selbstentwikkelt (*Fähigkeit etc.*).

ˈunˈtaxed *adj.* unbesteuert, steuerfrei.

ˈunˈteach·a·ble *adj.* **1.** unbelehrbar (*Person*); **2.** unlehrbar (*Sache*).

ˈunˈtem·pered *adj.* **1.** ⊕ ungehärtet, unvergütet (*Stahl*); **2.** *fig.* ungemildert (*with, by* durch).

ˈunˈten·a·ble *adj.* unhaltbar (*Theorie etc.*).

ˈunˈten·ant·a·ble *adj.* unbewohn-, unvermietbar; **ˈunˈten·ant·ed** *adj.* unbewohnt, unvermietet, leer(stehend).

ˈunˈtend·ed *adj.* **1.** unbehütet, unbeaufsichtigt; **2.** vernachlässigt.

ˈunˈthank·ful *adj.* □ undankbar.

unˈthink·a·ble *adj.* undenkbar, unvorstellbar; **ˈunˈthink·ing** *adj.* □ gedankenlos.

ˈunˈthought *adj.* **1.** ungedacht; **2.** *a.* **unˈthought-of** unerwartet, unvermutet.

ˈunˈthread *v/t.* **1.** *Nadel* ausfädeln; den Faden herˈausziehen aus; **2.** *a. fig.* sich hinˈdurchfinden durch, herˈausfinden aus; **3.** *mst fig.* entwirren.

ˈunˈthrift·y *adj.* □ **1.** verschwenderisch; **2.** unwirtschaftlich; **3.** unvorteilhaft; **4.** nicht gedeihend.

unˈti·di·ness *s.* Unordentlichkeit *f*; **unˈti·dy** *adj.* □ unordentlich.

ˈunˈtie *v/t.* aufknoten, auf-, losbinden, *Knoten* lösen.

un·til [ənˈtil] **I.** *prp.* bis (*zeitlich*): *not ~ Monday* erst (am) Montag; **II.** *cj.* bis: *not ~* erst als *od.* wenn, nicht eher als bis.

ˈunˈtilled *adj.* ⚒ unbebaut.

unˈtime·li·ness *s.* Unzeit *f*; falscher *od.* verfrühter Zeitpunkt.

unˈtime·ly *adj. u. adv.* unzeitig: **a)** vorzeitig, verfrüht, **b)** ungelegen, unpassend.

unˈtir·ing *adj.* □ unermüdlich.

un·to [ˈʌntu] *prp. obs. od. poet. od. bibl.* → *to.*

ˈunˈtold *adj.* **1. a)** unerzählt, **b)** ungesagt: *to leave nothing ~* nichts unerwähnt lassen; **2.** unsäglich (*Leiden etc.*); **3.** ungezählt, zahllos; **4.** unermeßlich.

unˈtouch·a·ble I. *adj.* **1.** unberührbar; **2.** unantastbar, unangreifbar; **3.** unerreichbar, unnahbar; **II.** *s.* **4.** Unberührbare(r *m*) *f* (*bei den Hindus*); **ˈunˈtouched** *adj.* **1.** unberührt (*a. Essen*) (*a. fig.*); unangetastet (*a. Vorrat*); **2.** *fig.* ungerührt, unbeeinflußt; **3.** nicht zuˈrechtgemacht, *fig.* ungeschminkt; **4.** *phot.* unretuschiert.

un·to·ward [ʌnˈtouəd] *adj.* **1.** ungefügig, ˈwiderspenstig; **2.** widrig, ungünstig, unglücklich (*Umstand etc.*); **unˈto·ward·ness** [-nis] *s.* **1.** ˈWiderspenstigkeit *f*, Eigen-, Starrsinn *m*; **2.** Ungunst *f*, ˈWiderwärtigkeit *f*.

ˈunˈtrace·a·ble *adj.* unauffindbar, nicht ausfindig zu machen(d).

ˈunˈtrained *adj.* **1.** ungeschult; *a.* ⚔ unausgebildet; **2.** *sport* untrainiert; **3.** ungeübt; **4.** undressiert (*Tier*).

unˈtram·mel(l)ed *adj. bsd. fig.* ungebunden, ungehindert.

ˈun·transˈlat·a·ble *adj.* □ ˈunüberˌsetzbar.

ˈunˈtrav·el(l)ed *adj.* **1.** unbereist (*Land*); **2.** ungereist, nicht (weit) herˈumgekommen (*Person*).

ˈunˈtried *adj.* **1.** unerprobt, ungeprüft, unversucht; **2.** ⚖ **a)** unerledigt, nicht verhandelt (*Fall*), **b)** nicht verhört, nicht abgeurteilt (*Angeklagter*).

ˈunˈtrimmed *adj.* **1.** unbeschnitten (*Bart, Hecke etc.*), ungepflegt, nicht (ordentlich) zuˈrechtgemacht; **2.** ungeschmückt.

ˈunˈtrod·den *adj.* unbetreten.

ˈunˈtrou·bled *adj.* **1.** ungestört, unbelästigt; **2.** ruhig (*Geist, Zeiten etc.*); **3.** ungetrübt (*a. fig.*).

ˈunˈtrue *adj.* □ **1.** untreu (*to dat.*); **2.** unwahr, falsch, irrig; **3.** (*to*) nicht in Überˈeinstimmung (mit), abweichend (von); **4.** ⊕ **a)** unrund, **b)** ungenau; **ˈunˈtru·ly** *adv.* fälschlicherweise.

ˈunˈtrust·wor·thi·ness *s.* Unzuverlässigkeit *f*; **ˈunˈtrust·wor·thy** *adj.* □ unzuverlässig, nicht vertrauenswürdig.

ˈunˈtruth *s.* **1.** Unwahrheit *f*; **2.** Falschheit *f*; **ˈunˈtruth·ful** *adj.* □ **1.** unwahr (*Person od. Sache*); unaufrichtig; **2.** falsch, irrig.

ˈunˈturned *adj.* nicht ˈumgedreht; → *stone 1.*

ˈunˈtu·tored *adj.* **1.** ungebildet, ungeschult; **2.** unerzogen; **3.** unverbildet, naˈtürlich; **4.** unkultiviert.

ˈunˈtwine, ˈunˈtwist I. *v/t.* **1.** aufdrehen, -flechten; **2.** *bsd. fig.* entwirren, lösen; **II.** *v/i.* **3.** sich aufdrehen, aufgehen.

un·used *adj.* **1.** [ˈʌnˈjuːzd] unbenutzt, ungebraucht; nicht verwendet *od.* beansprucht; **2.** [ˈʌnˈjuːst] **a)** ungewohnt, nicht gewöhnt (*to* an *acc.*), **b)** nicht gewohnt (*to doing* zu tun).

unˈu·su·al *adj.* □ **1.** un-, außergewöhnlich; **2.** ungewohnt, selten; **3.** F äußerst.

unˈut·ter·a·ble *adj.* □ **1.** unaussprechlich (*a. fig.*); **2.** → *unspeakable 1*; **3.** unglaublich, Erz...: *~ scoundrel*; **ˈunˈut·tered** *adj.* unausgesprochen.

ˈunˈval·ued *adj.* **1.** nicht (ab)geschätzt, untaxiert, ungewertet; ✝ ohne Nennwert (*Aktien*); **2.** nicht geschätzt, wenig geachtet.

unˈvar·ied *adj.* unverändert, einförmig.

ˈunˈvar·nished *adj.* **1.** ungefirnißt; **2.** *fig.* ungeschminkt: *~ truth*; **3.** *unˈvarnished fig.* schlicht, einfach.

unˈvar·y·ing *adj.* □ unveränderlich, gleichbleibend.

unˈveil I. *v/t. Gesicht etc.* entschleiern, *Denkmal etc.* enthüllen (*a. fig.*): *~ed* **a)** unverschleiert, **b)** unverhüllt (*a. fig.*); **II.** *v/i.* den Schleier fallen lassen, sich enthüllen (*a. fig.*).

ˈunˈver·i·fied *adj.* unbestätigt.

ˈunˈversed *adj.* unbewandert, unerfahren (*in* in *dat.*).

ˈunˈvoiced *adj.* **1.** unausgesprochen, nicht geäußert; **2.** *ling.* stimmlos (*Konsonant*).

ˈunˈvouched, *a.* **unˈvouched-for** *adj.* unverbürgt, unbezeugt.

ˈunˈwant·ed *adj.* unerwünscht.

unˈwar·i·ness *s.* Unvorsichtigkeit *f*.

ˈunˈwar·like *adj.* unkriegerisch.

ˈunˈwarped *adj.* **1.** nicht verzogen (*Holz*); **2.** *fig.* unvoreingenommen, unbefangen.

unˈwar·rant·a·ble *adj.* □ unverantwortlich, ungerechtfertigt, nicht vertretbar, untragbar, unhaltbar; **unˈwar·rant·a·bly** *adv.* in unverantwortlicher *od.* ungerechtfertigter Weise; **ˈunˈwar·rant·ed** *adj.* □ **1.** ungerechtfertigt, unberechtigt, unbefugt; **2.** unverbürgt, ohne Gewähr.

unˈwar·y *adj.* □ unvorsichtig, unbedacht(sam).

ˈunˈwashed *adj.* ungewaschen: *the great ~ fig.* der Pöbel.

ˈunˈwatched *adj.* unbewacht, unbeobachtet.

ˈunˈwa·tered *adj.* **1.** unbewässert; nicht begossen, nicht gesprengt (*Rasen etc.*); **2.** unverwässert (*Milch etc.*; *a.* ✝ *Kapital*).

unˈwa·ver·ing *adj.* □ unerschütterlich, standhaft, unentwegt.

un·wea·ried [ʌnˈwiərid] *adj.* □ **1.** nicht ermüdet; **2.** unermüdlich; **unˈwea·ry·ing** [-iiŋ] *adj.* □ unermüdlich.

ˈunˈwed(·ded) *adj.* unverheiratet, unvermählt.

ˈunˈweighed *adj.* **1.** ungewogen; **2.** nicht erwogen, unbedacht.

ˈunˈweight *v/t.* *Schi* entlasten.

unˈwel·come *adj.* □ ˈunwillˌkommen (*a. fig. unangenehm*).

ˈunˈwell *adj.* **1.** unwohl, unpäßlich; **2.** unwohl, menstruierend.

ˈunˈwept *adj.* **1.** unbeweint; **2.** unvergossen (*Tränen*).

ˈunˈwhole·some *adj.* □ ungesund, schädlich, unbekömmlich, unzuträglich (*alle a. fig.*); **ˈunˈwhole·some·ness** *s.* Ungesundheit *f*, Unzuträglichkeit *f*, Schädlichkeit *f*.

un·wield·i·ness [ʌnˈwiːldinis] *s.* **1.** Unbeholfenheit *f*, Schwerfälligkeit *f*; **2.** Unhandlichkeit *f*; **un·wield·y** [ʌn'wi:ldi] *adj.* □ **1.** unbeholfen, plump, schwerfällig; **2.** unhandlich; ⚙ sperrig.

'un'will·ing *adj.* □ un-, 'widerwillig: *to be ~ to do* abgeneigt sein, *et.* zu tun; *et.* nicht tun wollen; *I am ~ to admit it* ich gebe es ungern zu; **un'will·ing·ly** *adv.* ungern, 'widerwillig; **un'will·ing·ness** *s.* 'Widerwille *m*, Abgeneigtheit *f*.

un·wind ['ʌn'waind] [*irr.* → *wind*²] **I.** *v/t.* ab-, auf-, loswickeln, abspulen; **II.** *v/i.* sich ab- *od.* loswickeln.

un·wink·ing ['ʌn'wiŋkiŋ] *adj.* □ unverwandt, starr (*Blick*).

'un'wis·dom *s.* Unklugheit *f*; **'un'wise** *adj.* □ unklug, töricht.

'un'wished *adj.* ungewünscht; **un'wished-for** *adj.* unerwünscht.

un'wit·ting *adj.* □ unwissentlich, unabsichtlich.

un'wom·an·li·ness *s.* Unweiblichkeit *f*; **un'wom·an·ly** *adj.* unweiblich, unfraulich.

un'wont·ed *adj.* □ **1.** nicht gewöhnt (*to* an *acc.*), ungewohnt (*to inf.* zu *inf.*); **2.** ungewöhnlich.

'un'work·a·ble *adj.* **1.** unaus-, 'undurchführbar (*Plan*); **2.** nicht zu bearbeiten(d) (*a.* ⊕); **3.** ⊕ **a)** nicht betriebsfähig, **b)** ⚒ nicht abbauwürdig, **c)** *metall.* unverhüttbar.

'un'worked *adj.* **1.** unbearbeitet (*Boden etc.*), roh (*a.* ⊕); **2.** ⚒ unverritzt: *~ coal* anstehende Kohle.

'un'work·man·like *adj.* unfachmännisch, unfachgerecht, stümperhaft.

'un'world·li·ness *s.* **1.** unweltliche Gesinnung, Weltfremdheit *f*; **2.** Uneigennützigkeit *f*; **3.** Geistigkeit *f*; **'un'world·ly** *adj.* **1.** unweltlich, nicht weltlich (gesinnt), weltfremd; **2.** uneigennützig; **3.** unirdisch, geistig.

'un'worn *adj.* **1.** ungetragen (*Kleidungs-, Schmuckstück etc.*); **2.** nicht abgetragen.

un'wor·thi·ness *s.* Unwürdigkeit *f*; **un'wor·thy** *adj.* □ unwürdig (*of gen.*): *he is ~ of it* er verdient es nicht; *he is ~ of respect* er verdient keine Achtung; er ist nicht wert, daß man ihn achtet.

un·wound ['ʌn'waund] *adj.* **1.** abgewickelt; **2.** abgelaufen, nicht aufgezogen (*Uhr*).

'un'wound·ed *adj.* unverwundet, unverletzt.

'un'wrap *v/t.* auf-, auswickeln, auspacken.

'un'wrin·kled *adj.* nicht gerunzelt; faltenlos, glatt.

'un'writ·ten *adj.* **1.** ungeschrieben (*Gesetz*): *~ law* ⚖ Gewohnheitsrecht; **2.** unbeschrieben (*Seite*).

'un'wrought *adj.* unbe-, unverarbeitet, roh: *~ goods* Rohstoffe.

un'yield·ing *adj.* □ **1.** nicht nachgebend (*to dat.*), unbiegsam, starr; **2.** *fig.* unnachgiebig, starrsinnig, unbeugsam.

'un'yoke *v/t.* **1.** aus-, losspannen; **2.** *fig.* (los)trennen, lösen.

up [ʌp] **I.** *adv.* **1. a)** nach oben, hoch, (her-, hin)'auf, aufwärts, in die Höhe, em'por, **b)** oben (*a. fig.*): *... and ~* u. (noch) höher *od.* mehr, von ... aufwärts; *~ and ~* immer höher; *three stor(e)ys ~* drei Stock hoch, oben im dritten Stock(werk); *~ and down* auf u. ab, hin u. her; *fig.* überall; *to jump ~* auf-, hochspringen; *come ~!* komm herauf!; *hands ~!* Hände hoch!; *~ with the Democrats!* hoch die Demokraten!; *not ~! Tennis*: tot!; *~ from the country* vom Lande; *~ till now* bis jetzt; **2.** nach *od.* im Norden: *~ from Cuba* von Cuba aus in nördlicher Richtung; **3. a)** in der *od.* in die (*bsd.* Haupt-) Stadt, **b)** *Brit. bsd.* in *od.* nach London; **4.** am *od.* zum Studienort, im College *etc.*: *he stayed ~ for the vacation*; **5.** *Am.* F in (*dat.*): *~ north* im Norden; **6.** aufrecht, gerade: *to sit ~*; **7.** her'an, her, auf ... (*acc.*) zu, hin: *to come ~* herankommen; *he went straight ~ to the door* er ging geradewegs auf die Tür zu *od.* zur Tür; **8.** *~ to* **a)** hin'auf nach *od.* zu, **b)** bis (zu), bis an *od.* auf (*acc.*), **c)** gemäß, entsprechend; → *date*² *5*; *~ to town* in die Stadt, *Brit. bsd.* nach London; *~ to the chin* bis ans *od.* zum Kinn; *~ to death* bis zum Tode; *not ~ to expectations* nicht den Erwartungen entsprechend; → *mark*¹ *12, par 2, scratch 3, standard*¹ *6*; *to be ~ to* F **a)** *et.* vorhaben, *et.* im Schilde führen, **b)** gewachsen sein (*dat.*), **c)** entsprechen (*dat.*), **d)** *j-s* Sache sein, abhängen von *j-m*, **e)** fähig *od.* bereit sein zu, **f)** vorbereitet *od.* gefaßt sein auf (*acc.*), **g)** vertraut sein mit, bewandert sein in (*dat.*); *what are you ~ to?* was hast du vor?, was machst du (*there* da)?; → *trick 2*; *he is ~ to no good* er führt nichts Gutes im Schilde; *it is ~ to him* es liegt an ihm, es hängt von ihm ab, es ist s-e Sache; *it is not ~ to much* es taugt nicht viel; *he is not ~ to much* mit ihm ist nicht viel los; **9.** *~ to* (*nach anderen Verben*): *to act ~ to* handeln *od.* sich richten nach; *to come ~ to* **a)** reichen bis an (*acc.*) *od.* zu, **b)** erreichen, **c)** *fig.* heranreichen an (*acc.*), entsprechen (*dat.*); *to draw ~ to* vorfahren vor (*acc.*); *to feel ~ to* **a)** sich (*dat.*) gewachsen fühlen, sich in der Lage fühlen zu, **b)** in Stimmung sein zu; → *live up*; **10.** auf gleicher Höhe (*with* mit): *to come ~ with* **a)** einholen, **b)** *a. to keep ~ with* Schritt halten mit; **11.** *mit Verben* (*siehe jeweils diese*) *bsd. als Intensivum*: **a)** auf..., aus..., ver..., **b)** zu'sammen...: *to add ~* zs.-zählen; *to chain ~* aneinanderketten; *to drink ~* austrinken; *to eat ~* aufessen; *to finish ~* (endgültig) beendigen; *to heal ~* ver-, zuheilen; **II.** *pred. adj.* **12. a)** oben (befindlich), **b)** hoch (*a. fig.*): *to be ~ fig.* an der Spitze sein, obenauf sein; *he is ~ in* (*od. on*) *that subject* F in diesem Fach ist er gut beschlagen; *prices are ~* die Preise sind hoch *od.* gestiegen; *wheat is ~* ♆ Weizen steht hoch (im Kurs), der Weizenpreis ist gestiegen; **13.** auf(gestanden), auf den Beinen (*a. fig.*): *~ and about* F (wieder) auf den Beinen; *~ and coming* → *up-and-coming*; *~ and doing* **a)** auf den Beinen, **b)** rührig, tüchtig; *to be ~ late* lange aufbleiben; *to be ~ against* F *e-r Schwierigkeit etc.* gegenüberstehen; *to be ~ against it* F ‚dran' sein, in der Klemme sein; *to be ~ to* → *8*; **14.** *parl. Brit.* geschlossen: *Parliament is ~* das Parlament hat s-e Sitzungen beendet *od.* hat sich vertagt; **15.** (*bei verschiedenen Substantiven*) **a)** aufgegangen (*Sonne, Samen*), **b)** hochgeschlagen (*Kragen*), **c)** hochgekrempelt (*Ärmel etc.*), **d)** aufgespannt (*Schirm*), **e)** aufgeschlagen (*Zelt*), **f)** hoch-, aufgezogen (*Vorhang etc.*), **g)** aufgestiegen (*Ballon etc.*), **h)** aufgeflogen (*Vogel*), **i)** angeschwollen (*Fluß etc.*); **16.** schäumend (*Apfelwein etc.*); **17.** in Aufregung *od.* Wallung, in Aufruhr: *his temper is ~* er ist aufgebracht; *the whole country was ~* das ganze Land befand sich in Aufruhr; **18.** ‚los', im Gange: *what's ~?* was ist los?; *is anything ~?* ist (irgend et)was los?; *the hunt is ~* die Jagd ist eröffnet; → *arm*² *3, blood 2*; **19.** abgelaufen, vor'bei, um (*Zeit*): *the game is ~ fig.* das Spiel ist aus; *it's all ~* alles ist aus; *it's all ~ with him* es ist aus mit ihm; **20.** *~ with j-m* ebenbürtig *od.* gewachsen; **21.** *~ for* bereit zu: *to be ~ for discussion* zur Diskussion stehen; *to be ~ for election* auf der Wahlliste stehen; *to be ~ for examination* sich e-r Prüfung unterziehen; *to be ~ for sale* zum Kauf stehen; *to be ~ for trial* ⚖ **a)** vor Gericht stehen, **b)** verhandelt werden; **22.** vor den *od.* dem Richter: *to be (had) ~ for* vorgeladen werden wegen; *the case is ~ before the court* der Fall wird (vor dem Gericht) verhandelt; **23.** *sport etc. um e-n Punkt etc.* vor'aus: *to be one ~*; **24.** *Baseball*: am Schlag; **III.** *adj.* **25.** nach oben (gerichtet), aufwärts...; **26.** im Innern (des Landes *etc.*); **27.** 🚃 nach der *od.* zur Stadt: *~ ~ train (line)*; *~ platform* Bahnsteig für Stadtzüge; **IV.** *int.* **28.** *~!* auf!, hoch!, her'auf!, hin'auf!, her'an!; *~ (with you)!* (steh) auf!; **V.** *prp.* **29.** hinauf, em'por (*a. fig.*), auf ... (*acc.*) hinauf: *~ the hill (river)* den Berg (Fluß) hinauf, bergauf (flußaufwärts); *~ the street* die Straße hinauf *od.* entlang; **30.** in das Innere *e-s Landes etc.*: *~ (the) country* landeinwärts; *to go ~ country* aufs Land gehen; **31.** oben an *od.* auf (*dat.*): *~ the tree* (oben) auf dem Baum; **VI.** *s.* **32.** *the ~s and downs* das Auf u. Ab, die Höhen u. Tiefen *des Lebens*; *on the ~-and-~ Am. sl.* in Ordnung, ehrlich; **VII.** *v/i.* **33.** F sich (plötzlich) erheben: *to ~ with et.* erheben, hochschnellen mit; **VIII.** *v/t.* **34.** *Preis, Produktion etc.* erhöhen.

'up-and-'com·ing *adj.* **1.** rührig, unter'nehmungslustig; **2.** vielversprechend (*Person*).

'up-and-'down *adj.* auf- u. abgehend: *~ looks* kritisch musternde Blicke; *~ motion* Aufundabbewegung; *~ stroke* Doppelhub.

u·pas ['ju:pəs] *s.* **1.** *a. ~-tree* ⚘ 'Upasbaum *m*; *fig.* Gift *n*, verderblicher Einfluß; **2.** 'Upassaft *m* (*Pfeilgift*).

'up·beat I. *s.* ♪ Auftakt *m*; **II.** *adj. Am.* F Unterhaltungs...: *~ movies.*

'up·bow [-bou] *s.* ♪ Aufstrich *m.*
up'braid *v/t. j-m* Vorwürfe machen, *j-n* tadeln, (aus)schelten: *to ~ s.o. with* (*od. for*) *s.th.* j-m et. vorwerfen *od.* vorhalten, j-m wegen e-r Sache Vorwürfe machen; **up'braid·ing I.** *s.* Vorwurf *m*, Tadel *m*, Standpauke *f*; **II.** *adj.* □ vorwurfsvoll, tadelnd.
'up·bring·ing *s.* **1.** Erziehung *f*; **2.** Groß-, Aufziehen *n.*
'up·cast I. *adj.* em'porgerichtet (*Blick etc.*), aufgeschlagen (*Augen*); **II.** *s. a. ~ shaft* ⚒ Wetter-, Luftschacht *m.*
up coun·try *adv.* land'einwärts.
'up'coun·try I. *adj.* im Inneren des Landes (gelegen *od.* lebend), binnenländisch; **II.** *s. das* (Landes-) Innere, Binnenland *n.*
'up-cur·rent *s.* ✈ Aufwind *m.*
up'date I. *v/t.* modernisieren, auf den neuesten Stand bringen; **II.** *s.* *'update* neuester Bericht, 'Unterlage *f etc.* vom neuesten *od.* heutigen Stand.
up-'end *v/t.* F **1.** hochkant stellen, *Faß etc.* aufrichten; **2.** *Gefäß* 'umstülpen.
'up·grade I. *s.* **1.** Steigung *f*: *on the ~* **a)** an-, aufsteigend, **b)** *fig.* im Aufsteigen; **II.** *v/t. up'grade* **2.** höher einstufen; **3.** *j-n* (im Rang) befördern; **4.** ⚒ *Kohle* aufbereiten, verbessern.
up·heav·al [ʌp'hi:vəl] *s.* **1.** *geol.* (Er)Hebung *f*; **2.** *fig.* 'Umwälzung *f*, 'Umbruch *m*: *social ~s*; **up·heave** [ʌp'hi:v] *v/t.* [*irr.* → *heave*] hoch-, em'porheben.
'up'hill I. *adv.* **1.** den Berg hin'auf, berg'auf, -'an; **2.** aufwärts; **II.** *adj.* **3.** bergauf führend, ansteigend; **4.** *fig.* mühselig, -sam, hart: *~ work.*
up'hold *v/t.* [*irr.* → *hold*²] **1.** hochhalten, aufrecht halten; **2.** halten, stützen (*a. fig.*); **3.** *fig. j-m* den Nacken steifen; **4.** *fig.* aufrechterhalten, unter'stützen, billigen; **up'hold·er** *s.* Erhalter *m*, Verteidiger *m*, Stütze *f*: *~ of public order* Hüter der öffentlichen Ordnung.
up·hol·ster [ʌp'houlstə] *v/t.* **1.** *Möbel* (auf-, aus)polstern: *~ed goods* Polsterware(n); **2.** *Zimmer* tapezieren, dekorieren; **up'hol·ster·er** [-tərə] *s.* Tapezierer *m*: **a)** Polsterer *m*, **b)** ('Zimmer)Dekora,teur *m*; **up'hol·ster·y** [-təri] *s.* **1.** Polsterwaren *pl.*, -möbel *pl.*; **2.** 'Polstermateri,al *n*, Polsterung *f*, (Möbel-) Bezugsstoff *m*; **3. a)** Tapezierarbeit *f*, 'Zimmerdekorati,on *f*, **b)** Polsterung *f.*
'up·keep *s.* **1. a)** In'standhaltung *f*, **b)** In'standhaltungskosten *pl.*; **2. a)** 'Unterhalt *m*, **b)** 'Unterhaltskosten *pl.* (*a. von Personen*).
up·land ['ʌplənd] **I.** *s. mst pl.* Hochland *n*; **II.** *adj.* Hochland(s)...
up'lift I. *v/t.* **1.** em'porheben; **2.** *Augen, Stimme, a. fig. Stimmung, Niveau* heben; **3.** *fig. bsd. Am.* aufrichten, erheben; **II.** *s.* *'uplift* **4.** *geol.* (Boden)Erhebung *f*; **5.** *fig.* Aufschwung *m*; **6.** *fig. bsd. Am. innerer* Auftrieb, Erhebung *f.*
up·on [ə'pɔn] *prp.* → *on* (*upon ist bsd. in der Umgangssprache weniger geläufig als on, jedoch in folgenden Fällen üblich*): **a)** *in verschiedenen Redewendungen*: *~ this* hierauf, -nach, darauf(hin), **b)** *in Beteuerungen*: *~ my word* (*of hono[u]r*)! auf mein Wort!, **c)** *in kumulativen Wendungen*: *loss ~ loss* Verlust auf Verlust, dauernde Verluste; *petition ~ petition* ein Gesuch nach dem anderen, **d)** *als Märchenanfang*: *once ~ a time there was* es war einmal, **e)** *am Satzende*: *what is he writing ~?* worüber schreibt er?; *he is not to be relied ~* man kann sich auf ihn nicht verlassen.
up·per ['ʌpə] **I.** *adj.* ober, höher, Ober...(*-arm, -deck, -kiefer, -klasse, -kleidung, -leder, -teil etc.*): *~ beds* ⚒ Hangendes; *~ case typ.* Oberkasten, Versal-, Großbuchstaben; *the ~ circles* die oberen Kreise; *~ crust* F *die* Spitzen der Gesellschaft; *to get the ~ hand fig.* die Oberhand gewinnen; *♀ House parl. bsd. britisches* Oberhaus; *~ stor(e)y* oberes Stockwerk; *there is something wrong in his ~ stor(e)y* F *fig.* er ist nicht ganz richtig im Oberstübchen; **II.** *s. mst pl.* Oberleder *n* (*Schuh*): *to be* (*down*) *on one's ~s* F **a)** die Schuhe durchgelaufen haben, **b)** *fig.* ‚total abgebrannt' *od.* ‚auf dem Hund' sein; **'~-cut** *Boxen*: **I.** *s.* Aufwärts-, Kinnhaken *m*; **II.** *v/t. j-m* e-n Aufwärtshaken versetzen.
'up·per·most I. *adj.* oberst, höchst; **II.** *adv.* ganz oben, oben'an, zu'oberst: *to say whatever comes ~* sagen, was e-m gerade einfällt.
up·pish ['ʌpiʃ] *adj.* □ hochnäsig.
up·pi·ty ['ʌpiti] *adj. Am.* F **1.** eingebildet; **2.** dreist.
up'raise *v/t.* erheben: *with hands ~d* mit erhobenen Händen.
up'rear *v/t. u. v/i.* (sich) aufrichten.
up·right I. *adj.* □ ['ʌp'rait] **1.** auf-, senkrecht, gerade: *~ piano* → *7*; *~ size* Hochformat; **2.** aufrecht (sitzend, stehend, gehend); **3.** ['ʌprait] *fig.* aufrecht, rechtschaffen; **II.** *adv.* ['ʌp'rait] **4.** aufrecht, gerade; **III.** *s.* ['ʌprait] **5.** (senkrechte) Stütze, Träger *m*, Ständer *m*, Pfosten *m*, (Treppen)Säule *f*; **6.** *pl. sport* Torpfosten *pl.*; **7.** ♪ ('Wand-) Kla,vier *n*, Pi'ano *n*; **up·right·ness** ['ʌpraitnis] *s. fig.* Geradheit *f*, Rechtschaffenheit *f.*
up'ris·ing *s.* **1.** Aufstehen *n*; **2.** *fig.* Aufstand *m*, Erhebung *f.*
'up'riv·er → *up-stream II.*
up·roar ['ʌprɔ:] *s. fig.* Aufruhr *m*, Tu'mult *m*, Toben *n*, Lärm *m*, Erregung *f*: *in* (*an*) *~* in Aufruhr; **up·roar·i·ous** [ʌp'rɔ:riəs] *adj.* □ **1.** lärmend, laut, stürmisch (*Begrüßung etc.*), tosend (*Beifall*), schallend (*Gelächter*); **2.** tumultu'arisch, tobend.
up'root *v/t.* **1.** ausreißen; *Baum etc.* entwurzeln (*a. fig.*); **2.** *fig.* her'ausreißen (*from* aus); **3.** *fig.* ausmerzen, -rotten.
up'set¹ I. *v/t.* [*irr.* → *set*] **1.** 'umwerfen, -kippen, -stoßen; *Boot* zum Kentern bringen; **2.** *fig. Regierung* stürzen; **3.** *fig. Plan* 'umstoßen, über den Haufen werfen, vereiteln; → *apple-cart*; **4.** *fig. j-n* umwerfen, aus der Fassung bringen, bestürzen, durchein'anderbringen; **5.** in Unordnung bringen; *Magen* verderben; **6.** ⊕ stauchen; **II.** *v/i.* [*irr.* → *set*] **7.** 'umkippen, -schlagen; kentern (*Boot*); **III.** *s.* **8.** 'Umkippen *n*, -schlagen *n*; ⚓ Kentern *n*; Sturz *m*, Fall *m*; **9.** 'Umsturz *m*; **10.** Unordnung *f*, Durchein'ander *n*; **11.** Bestürzung *f*, Verwirrung *f*; **12.** Vereitelung *f*; **13.** (*a.* ⚕ Magen)Verstimmung *f*; Streit *m*, Meinungsverschiedenheit *f*; **14.** *sport* Über'raschung *f* (*unerwartete Niederlage etc.*).
'up·set² *adj.*: *~ price* Anschlagspreis *m* (*Auktion*).
'up·shot *s.* (End)Ergebnis *n*, Ende *n*, Ausgang *m*, ('Schluß)Ef,fekt *m*: *in the ~* am Ende, schließlich.
'up·side *s.* **1.** Oberseite *f*; **2.** *Brit.* Bahnsteig *m od.* -linie *f* für Züge in Richtung (Haupt)Stadt; **'~-'down** [-d'd-] **I.** *adv.* **1.** das Oberste zu'unterst, mit dem Kopf *od.* Oberteil nach unten, verkehrt (her'um); **2.** *fig.* drunter u. drüber, vollkommen durchein'ander: *to turn everything ~* alles auf den Kopf stellen; **II.** *adj.* **3.** auf den Kopf gestellt, 'umgekehrt: *~ flight* ✈ Rückenflug; *~ world fig.* verkehrte Welt.
'up'stage I. *adv.* **1.** im *od.* in den 'Hintergrund der Bühne; **II.** *adj.* **2.** zum 'Bühnen,hintergrund gehörig; **3.** F hochnäsig, von oben her'ab; **III.** *v/t. up'stage* **4.** *fig. j-n* an die Wand spielen, *j-n* in den 'Hintergrund drängen.
'up'stairs I. *adv.* **1.** die Treppe hin'auf, nach oben; → *kick 9*; **2.** e-e Treppe höher; **3.** oben, in e-m oberen Stockwerk; **II.** *adj.* **4.** im oberen Stockwerk (gelegen), ober; **III.** *s.* **5.** oberes Stockwerk, Obergeschoß *n.*
up'stand·ing *adj.* **1.** aufrecht (*a. fig. ehrlich, tüchtig*); **2.** großgewachsen, (groß u.) kräftig.
'up·start I. *s.* Em'porkömmling *m*, Parve'nü *m*; **II.** *adj.* em'porgekommen, Parvenü...
'up'state *Am.* **I.** *s.* 'Hinterland *n e-s Staates, bsd.* nördlicher Teil des Staates New York; **II.** *adj. u. adv.* aus dem *od.* in den *od.* im nördlichen Teil des Staates, in *od.* aus der *od.* in die Pro'vinz.
'up-'stream I. *adv.* **1.** strom'aufwärts; **2.** gegen den Strom; **II.** *adj.* **3.** strom'aufwärts gerichtet; **4.** (weiter) strom'aufwärts gelegen.
'up·stroke *s.* **1.** Aufstrich *m beim Schreiben*; **2.** ⊕ (Aufwärts)Hub *m.*
up'surge I. *v/i.* aufwallen; **II.** *s.* *'upsurge* Aufwallung *f.*
'up·sweep *s.* **1.** Schweifung *f* (*Bogen etc.*); **2.** 'Hochfri,sur *f*; **'up·swept** *adj.* **1.** nach oben gebogen *od.* gekrümmt; **2.** hochgekämmt (*Frisur*).
'up·swing *s. fig.* Aufschwung *m.*
'up·take *s.* **1.** *fig.* Auffassungsvermögen *n*: *to be quick in the ~* schnell begreifen, ‚schnell schalten'; *to be slow in the ~* schwer von Begriff sein, e-e ‚lange Leitung' haben; **2.** ⊕ **a)** Steigrohr *n*, -leitung *f*, **b)** 'Fuchs (-ka,nal) *m* (*Dampfkessel etc.*).
'up·throw *s.* **1.** 'Umwälzung *f*; **2.** *geol.* Verwerfung *f* (ins Hangende).
'up'thrust *s.* **1.** Em'porschleudern *n*,

Stoß *m* nach oben; **2.** *geol.* Horstbildung *f.*

ˈup·tight *adj. sl.* nerˈvös (*about* wegen).

up-to-date [ˈʌptəˈdeit] *adj.* **1. a)** moˈdern, neuzeitlich, **b)** zeitnah, aktuˈell (*Thema etc.*); **2. a)** auf der Höhe (*der Zeit*), auf dem laufenden, auf dem neuesten Stand, **b)** modisch; **ˈup-to-ˈdate·ness** [-nis] *s.* **1.** Neuzeitlichkeit *f*, Moderniˈtät *f*; **2.** Aktualiˈtät *f.*

ˈupˈtown I. *adv.* **1.** im *od.* in den oberen Stadtteil; **2.** *Am.* in den Wohnvierteln, in die Wohnviertel; **II.** *adj.* ˈ*uptown* **3.** im oberen Stadtteil (gelegen); **4.** *Am.* in den Wohnvierteln (gelegen *od.* lebend).

ˈupˈtrain *s.* in die Stadt (*Brit. bsd.* nach London) fahrender Zug.

upˈturn I. *v/t.* **1.** ˈumdrehen; **2.** nach oben richten *od.* kehren, *Blick* in die Höhe richten; **II.** *s.* ˈ*upturn* **3.** (An)Steigen *n* (*der Kurse etc.*); **4.** *fig.* Aufschwung *m*; **ˈupˈturned** *adj.* **1.** nach oben gerichtet *od.* gebogen: ~ *nose* Stupsnase; **2.** ˈumgeworfen, ˈumgekippt, ⚓ gekentert.

up·ward [ˈʌpwəd] **I.** *adv. a.* **ˈup·wards** [-dz] **1.** aufwärts (*a. fig.*): *from five dollars* ~ von 5 Dollar an (aufwärts); **2.** nach oben (*a. fig.*); **3.** mehr, darˈüber (hinˈaus): ~ *of 10 years* mehr als *od.* über 10 Jahre; **II.** *adj.* **4.** nach oben gerichtet; (an)steigend (*Tendenz etc.*): *upward glance* Blick nach oben; *upward movement* ✝ Aufwärtsbewegung.

u·rae·mi·a [juəˈriːmjə] *s.* ⚕ Uräˈmie *f*; **u·ra·nal·y·sis** [juərəˈnæləsis] *s.* ⚕ ˈHarnunterˌsuchung *f.*

u·ra·nite [ˈjuərənait] *s. min.* Uraˈnit *n*, Uˈranglimmer *m.*

u·ra·ni·um [juəˈreinjəm] *s.* ⚗ Uˈran *n.*

u·ra·nog·ra·phy [juərəˈnɔgrəfi] *s.* Himmelsbeschreibung *f.*

u·ra·nous [ˈjuərənəs] *adj.* ⚗ Uran..., uˈranhaltig.

U·ra·nus [ˈjuərənəs] *s. ast.* Uranus *m* (*Planet*).

ur·ban [ˈəːbən] *adj.* städtisch, Stadt...: ~ *district* Stadtkreis; ~ *guerilla* Stadtguerilla; ~ *planning* Stadtplanung; ~ *renewal* Stadtsanierung, -erneuerung; ~ *sprawl*, ~ *spread* unkontrollierte Ausdehnung e-r Stadt; **ur·bane** [əːˈbein] *adj.* ☐ urˈban: **a)** weltgewandt, -männisch, **b)** höflich, gebildet; **ur·ban·i·ty** [əːˈbæniti] *s.* **1.** (Welt-)Gewandtheit *f*; Bildung *f*; **2.** Höflichkeit *f*, Liebenswürdigkeit *f*; **ur·ban·i·za·tion** [əːbənaiˈzeiʃən] *s.* **1.** Verstädterung *f*; **2.** Verfeinerung *f*; **ˈur·ban·ize** [-naiz] *v/t.* verstädtern, städtischen Chaˈrakter verleihen (*dat.*).

ur·chin [ˈəːtʃin] *s.* **1.** Bengel *m*, Balg *m, n*; **2.** *zo.* **a)** *dial.* Igel *m*, **b)** *mst sea-*~ Seeigel *m.*

u·re·a [ˈjuəriə] *s.* ⚗, *biol.* Harnstoff *m*, Karbaˈmid *n*; **ˈu·re·al** [-əl] *adj.* Harnstoff...

u·re·mi·a → *uraemia.*

u·re·ter [juəˈriːtə] *s. anat.* Harnleiter *m*; **uˈre·thra** [-iːθrə] *s. anat.* Harnröhre *f*; **uˈret·ic** [-ˈretik] *adj. physiol.* **1.** harntreibend, diuˈretisch; **2.** Harn...

urge [əːdʒ] **I.** *v/t.* **1.** *a.* ~ *on* (*od. forward*) (an-, vorwärts)treiben, anspornen (*a. fig.*); **2.** *fig. j-n* (be-)drängen, dringend bitten *od.* auffordern, dringen in *j-n*, *j-m* (heftig) zusetzen: *to be* ~*d to do* sich genötigt sehen, zu tun; ~*d by necessity* der Not gehorchend; **3.** drängen *od.* dringen auf (*acc.*); (hartnäckig) bestehen auf (*dat.*); Nachdruck legen auf (*acc.*): *to* ~ *s.th. on s.o.* j-m et. eindringlich vorstellen *od.* vor Augen führen, j-m et. einschärfen; *he* ~*d the necessity for immediate action* er drängte auf sofortige Maßnahmen; **4.** *als Grund* geltend machen, *Einwand etc.* ins Feld führen; **5.** *Sache* vorˈan-, betreiben, beschleunigen; **II.** *s.* **6.** Drang *m*, (An)Trieb *m*: *creative* ~ Schaffensdrang; *sexual* ~ Geschlechtstrieb; **7.** Inbrunst *f*: *religious* ~; **ˈur·gen·cy** [-dʒənsi] *s.* **1.** Dringlichkeit *f*; **2.** (dringende) Not, Druck *m*; **3.** Drängen *n*; **4.** *parl. Brit.* Dringlichkeitsantrag *m*; **ˈur·gent** [-dʒənt] *adj.* ☐ **1.** dringend (*a. Mangel*; *a. teleph. Gespräch*), dringlich, eilig: *the matter is* ~ die Sache eilt; **2.** drängend: *to be* ~ *about* (*od. for*) *s.th.* zu et. drängen, auf et. dringen; *to be* ~ *with s.o.* j-n drängen, in j-n dringen (*for* wegen, *to do* zu tun); **3.** zu-, aufdringlich; **4.** hartnäckig.

u·ric [ˈjuərik] *adj.* Urin..., Harn...: ~ *acid* Harnsäure.

u·ri·nal [ˈjuərinl] *s.* **1.** Uˈrinflasche *f* (*für Kranke*); **2.** Harnglas *n*; **3.** Uˈrinbecken *n* (*in Toiletten*); **4.** Pisˈsoir *n*; **u·ri·nal·y·sis** [juəriˈnæləsis] *pl.* **-ses** [-siːz] *s.* ⚕ ˈHarnunterˌsuchung *f*; **u·ri·nar·y** [ˈjuərinəri] *adj.* Harn..., Urin...: ~ *calculus* ⚕ Blasenstein; **u·ri·nate** [ˈjuərineit] *v/i.* urinieren, harnen, Wasser lassen; **u·rine** [ˈjuərin] *s.* Uˈrin *m*, Harn *m.*

urn [əːn] *s.* **1.** Urne *f*: *funeral* ~ Graburne; **2.** *mst tea-*~ ˈTeemaˌschine *f*; **3.** *fig.* Grab(stätte *f*) *n.*

u·ro·gen·i·tal [juərouˈdʒenitl] *adj.* ⚕ urogeniˈtal.

u·rol·o·gy [juəˈrɔlədʒi] *s.* ⚕ Uroloˈgie *f.*

ur·sine [ˈəːsain] *adj. zo.* bärenartig, [Bären...]

U·ru·guay·an [uruˈgwaiən] **I.** *adj.* uruguˈayisch; **II.** *s.* Uruguˈayer(in).

us [ʌs; əs] *pron.* **1.** uns (*dat. od. acc.*): *all of* ~ wir alle; *both of* ~ wir beide; **2.** *dial.* wir: ~ *poor people.*

us·a·ble [ˈjuːzəbl] *adj.* brauch-, ver- [wendbar.]

us·age [ˈjuːzidʒ] *s.* **1.** Brauch *m*, Gepflogenheit *f*, ˈUsus *m*: (*commercial*) ~ Handelsbrauch, Usance; **2.** übliches Verfahren, ˈPraxis *f*; **3.** Sprachgebrauch *m*; **4.** Gebrauch *m*, Verwendung *f*; **5.** Behandlung(sweise) *f.*

us·ance [ˈjuːzəns] *s.* ✝ **1.** (übliche) Wechselfrist, ˈUso *m*: *at* ~ nach Uso; *bill at* ~ Usowechsel; **2.** Uso *m*, Uˈsance *f*, Handelsbrauch *m.*

use [juːs] **I.** *s.* **1.** Gebrauch *m*, Benutzung *f*, Benützung *f*, An-, Verwendung *f*: *for* ~ zum Gebrauch; *for* ~ *in schools* für den Schulgebrauch; *directions for* ~ Gebrauchsanweisung; *in* ~ in Gebrauch, gebräuchlich; *to be in daily* ~ täglich gebraucht werden; *in common* ~ allgemein gebräuchlich; *to come into* ~ in Gebrauch kommen; *out of* ~ nicht in Gebrauch; *to fall* (*od. go od. pass*) *out of* ~ außer Gebrauch kommen, ungebräuchlich werden; *with* ~ durch (ständigen) Gebrauch; *to make* ~ *of* Gebrauch machen von, benutzen; *to make* (*a*) *bad* ~ *of* (e-n) schlechten Gebrauch machen von; **2. a)** Verwendung(szweck *m*) *f*, **b)** Brauchbarkeit *f*, Verwendbarkeit *f*, **c)** Zweck *m*, Sinn *m*, Nutzen *m*, Nützlichkeit *f*: *of* ~ (*to*) brauchbar (für), nützlich (*dat.*), von Nutzen (für); *it is of no* ~ *doing od. to do* es ist unnütz *od.* nutz- *od.* zwecklos zu tun, es hat keinen Zweck zu tun; *is this of* ~ *to you?* können Sie das (ge)brauchen?; *crying is no* ~ Weinen führt zu nichts; *what is the* ~ (*of it*)? was hat es (überhaupt) für einen Zweck?; *to put to* (*good*) ~ (gut) an- *od.* verwenden; *to have no* ~ *for* **a)** nicht brauchen können, mit *et. od. j-m* nichts anfangen können, **b)** *bsd. Am.* F nichts übrig haben für; **3.** Fähigkeit *f et.* zu gebrauchen, Gebrauch *m*: *he lost the* ~ *of his right eye* er kann auf dem rechten Auge nicht mehr sehen; *to have the* ~ *of one's limbs* sich bewegen können; **4.** Gewohnheit *f*, Brauch *m*, Übung *f*, ˈPraxis *f*: *once a* ~ *and ever a custom* jung gewohnt, alt getan; **5.** Benutzungsrecht *n*; **6.** ⚖ **a)** Nutznießung *f*, **b)** Nutzen *m*; **II.** *v/t.* [juːz] **7.** gebrauchen, Gebrauch machen von (*a. von e-m Recht etc.*), benutzen, benützen, *a. Gewalt* anwenden, *a. Sorgfalt* verwenden, sich bedienen (*gen.*), *Gelegenheit etc.* nutzen, sich zuˈnutze machen: *to* ~ *one's brains* den Verstand gebrauchen, s-n Kopf anstrengen; *to* ~ *one's legs* zu Fuß gehen; *to* ~ *tobacco* rauchen; **8.** verwenden (*on* auf *acc.*): *to* ~ *up* **a)** *et.* auf-, verbrauchen, **b)** F *j-n* erschöpfen, ‚fertigmachen'; → *used 2*; **9.** behandeln, verfahren mit: *to* ~ *s.o. ill* j-n schlecht behandeln; *how has the world* ~*d you?* wie ist es dir ergangen?; **III.** *v/i.* **10.** *nur pret.* [juːst]: pflegte (*to do* zu tun): *it* ~*d to be said* man pflegte zu sagen; *he* ~*d to live here* er wohnte früher hier; *he does not come as often as he* ~*d* (*to*) er kommt nicht mehr so oft wie früher *od.* sonst; **used** [juːzd] *adj.* **1.** gebraucht, getragen (*Kleidung*): ~ *car mot.* Gebrauchtwagen; **2.** ~ *up* **a)** aufgebraucht, verbraucht (*a. Luft*), **b)** F ‚erledigt', ‚fertig', erschöpft; **3.** [juːst] **a)** gewohnt (*to zu od. acc.*), **b)** gewöhnt (*to* an *acc.*): *he is* ~ *to working late* er ist gewohnt, lange zu arbeiten; *to get* ~ *to* sich gewöhnen an (*acc.*); **ˈuse·ful** [-ful] *adj.* ☐ **1.** nützlich, brauchbar, (zweck-)dienlich, (gut) verwendbar: *to make o.s.* ~ sich nützlich machen; **2.** *bsd.* ⊕ nutzbar, Nutz...: ~ *efficiency* Nutzleistung; ~ *load* Nutzlast; ~ *plant* Nutzpflanze; **ˈuse·ful·ness** [-fulnis] *s.* Nützlichkeit *f*, Brauchbarkeit *f*, Zweckmäßigkeit *f*; **ˈuse·less** [-lis] *adj.* ☐ **1.** nutz-, sinn-, zwecklos, unnütz, vergeblich: *it is* ~ *to* es erübrigt sich, zu; **2.** unbrauchbar; **ˈuse·less·ness** [-lisnis]

s. Nutz-, Zwecklosigkeit *f*; Unbrauchbarkeit *f*; **us·er** ['ju:zə] *s.* **1.** Benutzer(in); **2.** ✝ Verbraucher(in), Bedarfsträger(in); **3.** ⚖ Nießbrauch *m*, Benutzungsrecht *n*.
'U-shaped *adj.* U-förmig: ~ *iron* ⊕ U-Eisen.
ush·er ['ʌʃə] **I.** *s.* **1.** Türhüter *m*; **2.** Platzanweiser *m*; **3.** Gerichtsdiener *m*; **4.** *Art* Zere'monienmeister *m*: *gentleman* ~; **5.** *Brit. contp.* ‚Pauker' *m* (*Hilfslehrer*); **II.** *v/t.* **6.** (*mst* ~ *in* her'ein-, hin'ein)führen, (-)geleiten; **7.** ~ *in a. fig.* ankündigen; *fig. Epoche etc.* einleiten; **ush·er·ette** [ʌʃə'ret] *s.* Platzanweiserin *f*.
u·su·al ['ju:ʒuəl] *adj.* □ üblich, gewöhnlich, gebräuchlich: *as* ~ wie gewöhnlich, wie sonst; *the* ~ *thing* das Übliche; *it has become the* ~ *thing* (*with us*) es ist (bei uns) gang u. gäbe geworden; *it is* ~ *for shops to close at 6 o'clock* die Geschäfte schließen gewöhnlich um 6 Uhr; *the* ~ *pride with her* der ihr eigene Stolz; **'u·su·al·ly** [-əli] *adv.* (für) gewöhnlich, in der Regel; **'u·su·al·ness** [-nis] *s.* **1.** *das* Übliche; **2.** Üblichkeit *f*, Gewohnheit *f*.
u·su·fruct ['ju:sju(:)frʌkt] *s.* ⚖ Nießbrauch *m*, Nutznießung *f*; **u·su·fruc·tu·ar·y** [ju:zju(:)'frʌktjuəri] **I.** *s.* Nießbraucher(in), Nutznießer(in); **II.** *adj.* Nutznießungs…, Nutzungs…: ~ *right*.
u·su·rer ['ju:ʒərə] *s.* Wucherer *m*; **u·su·ri·ous** [ju:'zjuəriəs] *adj.* □ wucherisch, Wucher…: ~ *interest* Wucherzins; **u·su·ri·ous·ness** [ju:'zjuəriəsnis] *s.* Wucher *m*.
u·surp [ju:'zə:p] *v/t.* **1.** an sich reißen, sich 'widerrechtlich aneignen, sich bemächtigen (*gen.*); **2.** sich ('widerrechtlich) anmaßen; **u·surpa·tion** [ju:zə:'peiʃən] *s.* **1.** Usurpati'on *f*: **a**) 'widerrechtliche Machtergreifung *od.* Aneignung, Anmaßung *f e-s Rechts etc.*, **b**) ~ *of the throne* Thronraub *m*; **2.** unberechtigter Eingriff (*on* in *acc.*); **u'surp·er** [-pə] *s.* **1.** Usur'pator *m*, unrechtmäßiger Machthaber, Thronräuber *m*; **2.** unberechtigter Besitzergreifer; **3.** *fig.* Eindringling *m* (*on* in *acc.*); **u'surp·ing** [-piŋ] *adj.* □ usurpa'torisch, gewaltsam, eigenmächtig.
u·su·ry ['ju:ʒuri] *s.* **1.** (Zins)Wucher *m*: *to practise* ~ Wucher treiben; **2.** Wucherzinsen *pl.* (*at* auf *acc.*): *to return with* ~ *fig.* mit Zins u. Zinseszins heimzahlen.
u·ten·sil [ju(:)'tensl] *s.* **1.** (*a. Schreib- etc.*)Gerät *n*, Werkzeug *n*; Gebrauchs-, Haushaltsgegenstand *m*: (*kitchen*) ~ Küchengerät; **2.** Geschirr *n*, Gefäß *n*; **3.** *pl.* Uten'silien *pl.*, Geräte *pl.*; (Küchen)Geschirr *n*.
u·ter·ine ['ju:tərain] *adj.* **1.** *anat.* Gebärmutter…, Uterus…; **2.** von der'selben Mutter stammend: ~ *brother* Halbbruder mütterlicherseits; **u·ter·us** ['ju:tərəs] *pl.* **-ter·i** [-tərai] *s. anat.* 'Uterus *m*, Gebärmutter *f*.
u·til·i·tar·i·an [ju:tili'tεəriən] **I.** *adj.* utilita'ristisch, Nützlichkeits…; **II.** *s.* Utilita'rist(in), Vertreter(in) des 'Nützlichkeitsprinˌzips; **u·til·i'tar·i·an·ism** [-nizəm] *s.* Utilita'rismus *m*, Nützlichkeitslehre *f*.
u·til·i·ty [ju(:)'tiliti] **I.** *s.* **1.** *a.* ✝ Nutzen *m* (*to* für), Nützlichkeit *f*; **2.** *et.* Nützliches, nützliche Einrichtung; **3.** *a. public* ~ (*company od. corporation*) gemeinwirtschaftlicher Nutzungsbetrieb, öffentlicher Versorgungsbetrieb; *pl. a.* städtische Werke *pl.*; **II.** *adj.* **4.** ✝, ⊕ Gebrauchs…(*-güter, -möbel, -wagen etc.*); **~-man** [-mæn] *s.* [*irr.*] **1.** *bsd. Am.* Gelegenheitsarbeiter *m*, Fak'totum *n*; **2.** *thea.* Gelegenheitsschauspieler *m* (für kleine Rollen).
u·ti·liz·a·ble ['ju:tilaizəbl] *adj.* verwendbar, verwertbar, nutzbar; **u·ti·li·za·tion** [ju:tilai'zeiʃən] *s.* Nutzbarmachung *f*, Verwertung *f*, (Aus)Nutzung *f*, Verwendung *f*; (Nutz)Anwendung *f*; **u·ti·lize** ['ju:tilaiz] *v/t.* **1.** ausnutzen, verwerten, sich *et.* nutzbar *od.* zu'nutze machen; **2.** verwenden.
ut·most ['ʌtmoust] **I.** *adj.* äußerst: **a**) entlegenst, fernst, **b**) *fig.* höchst, größt; **II.** *s. das* Äußerste: *the* ~ *that I can do*; *to do one's* ~ sein äußerstes *od.* möglichstes tun; *to the* ~ *of my powers* nach besten Kräften.
U·to·pi·a [ju:'toupjə] *s.* **1.** U'topia *n* (*Buchtitel*); **2.** *oft* ♀ *fig.* Uto'pie *f*: **a**) Ide'alstaat *m*, **b**) Luftschloß *n*, Zukunftstraum *m*; **U'to·pi·an** [-jən] **I.** *adj.* **1.** u'topisch: *a* ~ *novel*; **2.** *oft* ♀ *fig.* utopisch, phan'tastisch; **II.** *s.* **3.** Bewohner(in) von U'topien; **4.** Uto'pist *m*, Schwärmer *m*; **u'to·pi·an·ism** [-jənizəm] *s.* Uto'pismus *m*, Schwärme'rei *f*.
u·tri·cle ['ju:trikl] *s.* **1.** *zo.*, ⚘ Schlauch *m*, bläs-chenförmiges Luft- *od.* Saftgefäß; **2.** ⚕ U'triculus *m* (*Säckchen im Ohrlabyrinth*).
ut·ter ['ʌtə] **I.** *adj.* □ → *utterly*; **1.** äußerst, höchst, völlig; **2.** endgültig, entschieden: ~ *denial*; **3.** *contp.* ausgesprochen, voll'endet (*Schurke, Unsinn etc.*); **II.** *v/t.* **4.** *Gedanken, Gefühle* äußern, ausdrücken, aussprechen; **5.** *Laute etc.* ausstoßen, von sich geben, her'vorbringen; **6.** *Falschgeld etc.* in 'Umlauf setzen, verbreiten; **ut·ter·ance** ['ʌtərəns] *s.* **1.** (stimmlicher) Ausdruck, Äußerung *f*: *to give* ~ *to e-m Gefühl etc.* Ausdruck verleihen *od.* Luft machen; **2.** Sprechweise *f*, Aussprache *f*, Vortrag *m*; **3.** *a. pl.* Äußerung *f*, Aussage *f*, Worte *pl.*; **'ut·ter·er** [-ərə] *s.* **1.** Äußernde(r *m*) *f*; **2.** Verbreiter(in); **'ut·ter·ly** [-li] *adv.* äußerst, abso'lut, völlig, ganz; **'ut·ter·most** [-moust] → *utmost*.
u·vu·la ['ju:vjulə] *pl.* **-lae** [-li:] *s.* *anat.* Zäpfchen *n*; **'u·vu·lar** [-lə] **I.** *adj.* Zäpfchen…; **II.** *s. ling.* Zäpfchenlaut *m*.
ux·o·ri·ous [ʌk'sɔ:riəs] *adj.* □ treuliebend, „schwer verheiratet" (*Gatte*); **ux'o·ri·ous·ness** [-nis] *s.* Ergebenheit *f*, Unter'würfigkeit *f* (*des Gatten*).

V

V, v [viː] *s.* V *n*, v *n* (*Buchstabe*).
vac [væk] *Brit.* F *für vacation.*
va·can·cy ['veikənsi] *s.* **1.** Leere *f* (*a. fig.*): *to stare into* ~ ins Leere starren; **2.** leerer *od.* freier Platz; Lücke *f* (*a. fig.*); **3.** freie *od.* offene Stelle, unbesetztes Amt, Va'kanz *f*: *to fill a* ~ e-e Stelle besetzen; **4. a)** Geistesabwesenheit *f*, **b)** geistige Leere; **5.** Untätigkeit *f*, Muße *f*; **'va·cant** [-nt] *adj.* □ **1.** leer (*a. fig. Blick, Geist etc.*); frei, unbesetzt (*Sitz, Zimmer, Zeit etc.*); **2.** leer(stehend), unbewohnt, unvermietet (*Haus*); unbebaut (*Grundstück*): ~ *possession* sofort beziehbar; **3.** frei, offen (*Stelle*), va'kant, unbesetzt (*Amt*); **4.** geistlos, leer.
va·cate [və'keit] *v/t.* **1.** *Wohnung etc.*, ⚔ *Stellung etc.* räumen; *Sitz etc.* freimachen; **2.** *Stelle* aufgeben, aus *e-m Amt* scheiden: *to be* ~*d* freiwerden (*Stelle*); **3.** *Truppen etc.* evakuieren; **4.** ⚖ *Vertrag, Urteil etc.* aufheben; **va'ca·tion** [-eiʃən] **I.** *s.* **1.** Räumung *f*; **2.** Niederlegung *f od.* Erledigung *f e-s Amtes*; **3.** (Gerichts-, Schul-, Universi'täts)Ferien *pl.*: *the long* ~ die großen Ferien, die Sommerferien; **4.** *bsd. Am.* Urlaub *m*: *on* ~ im Urlaub; **II.** *v/i.* **5.** *bsd. Am.* in Ferien sein, Urlaub machen; **va'ca·tion·ist** [-eiʃnist] *s. Am.* Ferienreisende(r *m*) *f*, Urlauber(in), Sommerfrischler(in).
vac·ci·nal ['væksinl] *adj.* ⚕ Impf...; **vac·ci·nate** ['væksineit] *v/t. u. v/i.* impfen (*against* gegen *Pocken etc.*); **vac·ci·na·tion** [væksi'neiʃən] *s.* (*bsd.* Pocken)Schutzimpfung *f*; **'vac·ci·na·tor** [-neitə] *s.* **1.** Impfarzt *m*; **2.** Impfnadel *f*; **'vac·cine** [-siːn] ⚕ **I.** *adj.* Impf..., Kuhpocken...: ~ *matter* → *II*; **II.** *s.* Impfstoff *m*, Vak'zine *f*: *bovine* ~ Kuhlymphe; **vac·cin·i·a** [væk'sinjə] *s.* ⚕ Kuhpocken *pl.*
vac·il·late ['væsileit] *v/i. mst fig.* schwanken; **'vac·il·lat·ing** [-tiŋ] *adj.* □ schwankend (*mst fig. unschlüssig*); **vac·il·la·tion** [væsi'leiʃən] *s.* **1.** Schwanken *n* (*a. fig.*); **2.** *a. pl. fig.* Unschlüssigkeit *f*, Wankelmut *m*, Schwankungen *pl.*
va·cu·i·ty [væ'kju(ː)iti] *s.* **1.** (*bsd. fig.* geistige) Leere; **2.** *fig.* Nichtigkeit *f*, Plattheit *f*; **3.** *fig.* Dumm-, Hohlheit *f*; **vac·u·ous** ['vækjuəs] *adj.* □ **1.** *mst fig.* leer: **a)** ausdruckslos (*Blick etc.*), **b)** nichtssagend (*Redensart*), **c)** müßig (*Leben*); **2.** hohl(köpfig), dumm; **vac·u·um** ['vækjuəm] **I.** *pl.* **-ums** [-z] *s.* **1.** ⊕, *phys.* 'Vakuum *n*, (*bsd.* luft)leerer Raum; **2.** *fig.* 'Vakuum *n*, Leere *f*, Lücke *f*; **II.** *adj.* **3.** Vakuum...: ~ *bottle* (*od. flask*) Thermosflasche; ~ *brake* ⊕ Unterdruckbremse; ~ *cleaner* Staubsauger; ~ *drier* Vakuumtrockner; ~*-ga(u)ge* Unterdruckmesser; ~*-tube* ⚡ Vakuumröhre; **III.** *v/t.* **4.** (mit dem Staubsauger) absaugen *od.* reinigen.
va·de-me·cum ['veidi'miːkəm] *s.* Vade'mekum *n*, Handbuch *n*, Leitfaden *m*.
vag·a·bond ['vægəbənd] **I.** *adj.* **1.** vagabundierend (*a.* ⚡); **2.** Vagabunden..., vaga'bundenhaft; **3.** nomadisierend; **4.** Wander..., unstet: *a* ~ *life*; **II.** *s.* **5.** Vaga'bund(in), Landstreicher(in); **6.** F Strolch *m*; **III.** *v/i.* **7.** vagabundieren, um'herstreichen; **'vag·a·bond·age** [-bəndidʒ] *s.* **1.** Landstreiche'rei *f*, Vagabundieren *n*; **2.** *coll.* Vaga'bunden *pl.*; **'vag·a·bond·ism** [-bəndizəm] → *vagabondage 1*; **'vag·a·bond·ize** [-bəndaiz] → *vagabond 7.*
va·gar·y ['veigəri] *s.* **1.** wunderlicher Einfall; *pl. a.* Phantaste'reien *pl.*; **2.** Ka'price *f*, Grille *f*, Laune *f*; **3.** *mst pl.* Extrava'ganzen *pl.*: *the vagaries of fashion.*
va·gi·na [və'dʒainə] *pl.* **-nas** *s.* **1.** *anat.* Va'gina *f*, Scheide *f*; **2.** ⚘ Blattscheide *f*; **vag'i·nal** [-nəl] *adj.* vagi'nal, Vaginal..., Scheiden...: ~ *spray* Intimspray.
va·gran·cy ['veigrənsi] *s.* **1.** Landstreiche'rei *f* (*a.* ⚖); **2.** *coll.* Landstreicher *pl.*; **'va·grant** [-nt] **I.** *adj.* □ **1.** wandernd (*a. weitS. Zelle etc.*), um'herziehend, vagabundierend; **2.** → *vagabond 3 u. 4*; **3.** *fig.* kaprizi'ös, unstet; **II.** *s.* **4.** → *vagabond 5.*
vague [veig] *adj.* □ **1.** 'vage: **a)** undeutlich, nebelhaft, verschwommen (*alle a. fig.*), **b)** unbestimmt (*Gefühl, Verdacht, Versprechen etc.*), dunkel (*Ahnung, Gerücht etc.*), **c)** unklar (*Antwort etc.*): ~ *hope* vage Hoffnung; *not the* ~*st idea* nicht die leiseste Ahnung; **2.** geistesabwesend; **'vague·ness** [-nis] *s.* Unbestimmtheit *f*, Verschwommenheit *f*.
vain [vein] *adj.* □ **1.** eitel; eingebildet (*of* auf *acc.*); **2.** *fig.* eitel, leer (*Vergnügen etc.*; *a. Drohung, Hoffnung etc.*), nichtig; **3.** vergeblich, fruchtlos: ~ *efforts*; **4.** *in* ~ vergeblich: **a)** vergebens, um'sonst, **b)** unnütz; ~**'glo·ri·ous** *adj.* □ prahlerisch, großsprecherisch, -spurig; ~**'glo·ry** *s.* Prahle'rei *f*; Aufgeblasenheit *f*.
vain·ness ['veinnis] *s.* **1.** Vergeblichkeit *f*; **2.** Hohl-, Leerheit *f*, Nichtigkeit *f*.
val·ance ['væləns] *s.* kurzer Behang *od.* Vo'lant, 'Bettgar,dine *f*.
vale[1] [veil] *s. poet. od. in Namen:* Tal *n*: ~ *of tears* Jammertal.
va·le[2] ['veili] (*Lat.*) **I.** *int.* lebe wohl!; **II.** *s.* Lebe'wohl *n*.
val·e·dic·tion [væli'dikʃən] *s.* **1.** Abschied(nehmen *n*) *m*; **2.** Abschiedsworte *pl.*; **val·e·dic·to·ri·an** [vælidik'tɔːriən] *s. Am. univ.* Abschiedsredner *m*; **val·e'dic·to·ry** [-ktəri] **I.** *adj.* Abschieds...: ~ *address* → *II*; **II.** *s. bsd. Am. univ.* Abschiedsrede *f*.
va·lence ['veiləns], **'va·len·cy** [-si] *s.* **1.** ⚗ Wertigkeit *f*; **2.** ⚘, *phys.* Wertigkeit *f*, Va'lenz *f*.
val·en·tine ['væləntain] *s.* **1.** Valentinsgruß *m* (*zum Valentinstag, 14. Februar, dem od. der Erwählten gesandt*); **2.** am Valentinstag erwählte(r) Liebste(r), *a. allg.* Schatz *m*.
va·le·ri·an [və'liəriən] *s.* ⚘, *pharm.* Baldrian *m*; **va·le·ri·an·ic** [vəliəri'ænik], **va'ler·ic** [-'lerik] *adj.* ⚗ Baldrian..., Valerian...
val·et ['vælit] **I.** *s.* (Kammer)Diener *m*; **II.** *v/t. j-n* bedienen, versorgen; **III.** *v/i.* Diener sein.
val·e·tu·di·nar·i·an ['vælitjuːdi'nɛəriən] **I.** *adj.* **1.** kränklich, kränkelnd; **2.** ,rekonvales'zent; **3.** sehr um die eigene Gesundheit besorgt, hypo'chondrisch; **II.** *s.* **4.** kränkliche Per'son; **5.** ,Rekonvales'zent (-in); **6.** Hypo'chonder *m*; **'val·e·tu·di'nar·i·an·ism** [-nizəm] *s.* **1.** Kränklichkeit *f*; **2.** ,Rekonvales'zenz *f*; **val·e·tu·di·nar·y** [væli'tjuːdinəri] → *valetudinarian.*
Val·hal·la [væl'hælə], **Val'hall** [-'hæl] *s. myth.* Wal'halla *f*.
val·iant ['væljənt] *adj.* □ **1.** tapfer, mutig, heldenhaft, he'roisch; **2.** *dial.* kräftig, ro'bust.
val·id ['vælid] *adj.* □ **1.** gültig: **a)** stichhaltig, triftig (*Beweis, Grund*), **b)** begründet, berechtigt (*Anspruch, Argument etc.*), **c)** richtig (*Entscheidung etc.*); **2.** ⚖ (rechts)gültig, rechtskräftig: *to become* ~ Rechtskraft erlangen; **'val·i·date** [-deit] *v/t.* ⚖ **a)** für (rechts)gültig erklären, rechtswirksam machen, **b)** bestätigen; **val·i·da·tion** [væli'deiʃən] *s.* Gültigkeit(serklärung) *f*; **va·lid·i·ty** [və'liditi] *s.* **1.** Gültigkeit *f*; Triftigkeit *f*, Stichhaltigkeit *f*; Richtigkeit *f*; **2.** ⚖ Rechtsgültigkeit *f*, -kraft *f*; **3.** Gültigkeit(sdauer) *f* (*Fahrkarte etc.*).
va·lise [və'liːz] *s.* **1.** kleiner Handkoffer, lederne Reisetasche; **2.** ⚔ Tor'nister *m*.
Val·kyr ['vælkiə], **Val·kyr·i·a** [væl-

'kiərjə], 'Val·kyr·ie [-kiri] *s. myth.* Wal'küre *f.*

val·ley ['væli] *s.* **1.** Tal *n*: *down the ~* talabwärts; *the Thames ~* das Flußgebiet der Themse; **2.** ⚠ Dachkehle *f.*

val·or *Am.* → *valour.*

val·or·i·za·tion [vælərai'zeiʃən] *s.* † Valorisati'on *f*, Aufwertung *f*; **val·or·ize** ['væləraiz] *v/t.* † valorisieren, aufwerten, den Preis *e-r Ware* heben *od.* aufrechterhalten.

val·or·ous ['vælərəs] *adj.* □ *rhet.* tapfer, mutig, heldenhaft, -mütig; **val·our** ['vælə] *s.* Tapferkeit *f*, Heldenmut *m.*

val·u·a·ble ['væljuəbl] **I.** *adj.* □ **1.** wertvoll: **a)** kostbar, teuer, **b)** *fig.* nützlich: *for ~ consideration* ⚖ entgeltlich; **2.** abschätzbar; **II.** *s.* **3.** *pl.* Wertsachen *pl.*, -gegenstände *pl.*

val·u·a·tion [vælju'eiʃən] *s.* **1.** Bewertung *f*, (Ab)Schätzung *f*, Wertbestimmung *f*, Taxierung *f*, Veranschlagung *f*; **2. a)** Schätzungswert *m*, (festgesetzter) Wert *od.* Preis, 'Taxe *f*, **b)** Gegenwartswert *m e-r* 'Lebensverˌsicherungspoˌlice; **3.** Wertschätzung *f*, Würdigung *f*: *we take him at his own ~* wir beurteilen ihn so, wie er sich selbst beurteilt; **val·u·a·tor** ['væljueitə] *s.* † (Ab)Schätzer *m*, Ta'xator *m.*

val·ue ['vælju:] **I.** *s.* **1.** *allg.* Wert *m* (*a.* ⚕, ⚗, *phys. u. fig.*): *to be of ~ to j-m* wertvoll *od.* nützlich sein; **2.** Wert *m*, Einschätzung *f*: *to set a high ~ (up)on* **a)** großen Wert legen auf (*acc.*), **b)** *et.* hoch einschätzen; **3.** † Wert *m*: *assessed ~* Taxwert; *at ~* zum Tageskurs; *book ~* Buchwert; *commercial ~* Handelswert; *exchange(able) ~* Tauschwert; **4.** † **a)** (Verkehrs)Wert *m*, Kaufkraft *f*, Preis *m*, **b)** Gegenwert *m*, -leistung *f*, **c)** Währung *f*, Va'luta *f*, **d)** *a. good ~* re'elle Ware, Quali'tätsware *f*, **e)** → *valuation 1 u. 2*, **f)** Wert *m*, Preis *m*, Betrag *m*: *for ~ received* Betrag erhalten; *to the ~ of* im *od.* bis zum Betrag von; *to give (get) good ~ (for one's money)* reell bedienen (bedient werden); *it is excellent ~ for money* es ist äußerst preiswert, es ist ausgezeichnet; **5.** *fig.* Wert *m*, Gewicht *n e-s Wortes etc.*; **6.** *mst pl. fig. kulturelle, sittliche* Werte *pl.*; **7.** *paint.* Verhältnis *n* von Licht u. Schatten, Farb-, Grauwert *m*; **8.** ♪ Noten-, Zeitwert *m*; **II.** *v/t.* **9. a)** den Wert *od.* Preis *e-r Sache* bestimmen *od.* festsetzen, **b)** (ab)schätzen, veranschlagen, taxieren (*at* auf *acc.*); **10.** † *Wechsel* ziehen (*[up]on* auf *j-n*); **11.** *Wert, Nutzen, Bedeutung* schätzen, (*vergleichend*) bewerten; **12.** (hoch-)schätzen, achten; '**~-'add·ed tax** *s.* † Mehrwertsteuer *f.*

val·ued ['vælju:d] *adj.* **1.** (hoch)geschätzt; **2.** taxiert, veranschlagt (*at* auf *acc.*): *~ at £ 100* £ 100 wert.

'**val·ue|-free** *adj.* wertfrei; **~ judg(e)·ment** *s.* Werturteil *n.*

val·ue·less ['væljulis] *adj.* wertlos; '**val·u·er** [-juə] → *valuator.*

va·lu·ta [vɑ:'l(j)u:tɑ:] (*Ital.*) *s.* † Va'luta *f.*

valve [vælv] *s.* **1.** ⊕ Ven'til *n*, Absperrvorrichtung *f*, Klappe *f*, Hahn *m*, Regu'lierorˌgan *n*: *~ gear* Ventilsteuerung; *~-in-head engine* kopfgesteuerter Motor; **2.** ♪ Klappe *f* (*Blasinstrument*); **3.** ⚕ (*Herz- etc.*) Klappe *f*: *cardiac ~*; **4.** *zo.* (Muschel)Klappe *f*; **5.** ♀ **a)** Klappe *f*, **b)** Kammer *f* (*beide e-r Fruchtkapsel*); **6.** ⚡ *Brit.* (Elek'tronen-, Radio-) Röhre *f*: *~ amplifier* Röhrenverstärker; *~ set* Röhrenempfänger; **7.** ⊕ Schleusentor *n*; **8.** *obs.* Türflügel *m*; '**valve·less** [-lis] *adj.* ven'tillos; '**val·vu·lar** [-vjulə] *adj.* **1.** klappenförmig, Klappen...: *~ defect* ⚕ Klappenfehler; **2.** mit Klappe(n) *od.* Ven'til(en) (versehen); **3.** ♀ klappig; '**val·vule** [-vju:l] *s.* kleine Klappe; **val·vu·li·tis** [vælvju'laitis] *s.* ⚕ (Herz)Klappenentzündung *f.*

va·moose [və'mu:s], **va'mose** [-'mous] *Am. sl.* **I.** *v/i.* ‚verduften', sich aus dem Staub machen; **II.** *v/t.* fluchtartig verlassen.

vamp[1] [væmp] **I.** *s.* **1. a)** Oberleder *n*, (Vorder)Kappe *f* (*Schuh*), **b)** (aufgesetzter) Flicken; **2.** ♪ (improvisierte) Begleitung; **3.** *fig.* Flickwerk *n*; **II.** *v/t.* **4.** *oft ~ up* **a)** flicken, reparieren, **b)** vorschuhen; **5.** *~ up Zeitungsartikel etc.* zs.-stoppeln, zu'rechtschustern; **6.** ♪ (aus dem Stegreif) begleiten; **III.** *v/i.* **7.** ♪ improvisieren.

vamp[2] [væmp] F **I.** *s.* Vamp *m* (*dämonisch-verführerische Frau*); **II.** *v/t.* *Männer* verführen, ‚ausnehmen', aussaugen.

vam·pire ['væmpaiə] *s.* **1.** 'Vampir *m*: **a)** *blutsaugendes Gespenst*, **b)** *fig.* Erpresser(in), Blutsauger(in); **2.** *a. ~ bat zo.* Vampir *m*, Blattnase *f*; **3.** *thea.* kleine Falltür auf der Bühne; '**vam·pir·ism** [-ərizəm] *s.* **1.** 'Vampirglaube *m*; **2.** Blutsaugen *n* (*e-s Vampirs*); **3.** *fig.* Ausbeutung *f.*

van[1] [væn] *s.* **1.** ⚔ Vorhut *f*, Vor'ausabˌteilung *f*, Spitze *f*; **2.** ⚓ Vorgeschwader *n*; **3.** *fig.* vorderste Reihe, Spitze *f.*

van[2] [væn] *s.* **1.** Last-, Liefer-, Möbelwagen *m*; **2.** Gefangenenwagen *m* (*Polizei*); **3.** 🚃 *Brit.* (geschlossener) Güterwagen; Dienst-, Gepäckwagen *m*; **4.** *Brit.* Plan-, *bsd.* Zi'geunerwagen *m.*

van[3] [væn] *s.* **1.** *obs. od. poet.* Schwinge *f*, Fittich *m*; **2.** *Brit. dial.* Getreideschwinge *f*; **3.** ⚒ *Brit.* **a)** Schwingschaufel *f*, **b)** Schwingprobe *f.*

va·na·di·um [və'neidjəm] *s.* ⚗ Va'nadium *n*: *~ steel* Vanadiumstahl.

Van·dal ['vændəl] **I.** *s.* **1.** *hist.* Van'dale *m*, Van'dalin *f*; **2.** ♀ *fig.* Vandale *m*, Bar'bar *m*; **II.** *adj. a.* **Van·dal·ic** [væn'dælik] **3.** *hist.* van'dalisch, Vandalen...; **4.** ♀ *fig.* bar'barisch; '**van·dal·ism** [-dəlizəm] *s. fig.* Vanda'lismus *m*, Zerstörungswut *f.*

Van·dyke [væn'daik] **I.** *adj.* **1.** von Van Dyck, in Van Dyckscher Ma'nier; **II.** *s.* **2.** *oft* ♀ *abbr. für* **a)** *~ beard*, **b)** *~ collar*; **3.** Zackenmuster *n*; **~ beard** *s.* Spitz-, Knebelbart *m*; **~ col·lar** *s.* Van'dyckkragen *m.*

vane [vein] *s.* **1.** Wetterfahne *f*, -hahn *m*; **2.** Windmühlenflügel *m*; **3.** (Pro'peller-, Venti'lator- *etc.*)Flügel *m*; (Tur'binen-, ✈ Leit)Schaufel *f*; **4.** *surv.* Di'opter *n*, Vi'sier *n*; **5.** *zo.* Fahne *f* (*Feder*).

van·guard ['vængɑ:d] → *van*[1].

va·nil·la [və'nilə] *s.* ♀, † Va'nille *f.*

van·ish ['væniʃ] *v/i.* **1.** (plötzlich) verschwinden; **2.** (langsam) (ver-, ent)schwinden, da'hinschwinden, sich verlieren (*from* von, aus); **3.** (spurlos) verschwinden, vergehen: *to ~ into air* sich in Luft auflösen; **4.** ⚕ verschwinden, Null werden.

van·ish·ing| cream ['væniʃiŋ] *s.* *Kosmetik*: Tagescreme *f*; '**~-line** *s.* Fluchtlinie *f*; '**~-point** *s.* **1.** Fluchtpunkt *m* (*Perspektive*); **2.** *fig.* F Nullpunkt *m.*

van·i·ty ['væniti] *s.* **1.** *persönliche* Eitelkeit; **2.** *j-s* Stolz *m* (*Sache*); **3.** Leer-, Hohlheit *f*, Nichtigkeit *f*, Eitelkeit *f*: ♀ *Fair fig.* Jahrmarkt der Eitelkeit; **4.** *Am.* Toi'lettentisch *m*; **5.** *a. ~ bag (od. box, case)* Hand-, Kos'metiktäschchen *n.*

van·quish ['væŋkwiʃ] **I.** *v/t.* besiegen, über'wältigen; *bsd. fig. Stolz etc.* über'winden, bezwingen; **II.** *v/i.* siegreich sein, siegen; '**van·quish·er** [-ʃə] *s.* Sieger *m*, Eroberer *m*, Bezwinger *m.*

van·tage ['vɑ:ntidʒ] *s.* **1.** *Tennis*: Vorteil *m*; **2.** *coign (od. point) of ~* günstiger (Angriffs)Punkt; '**~-ground** *s.* günstige Stellung (*a. fig.*); '**~-point** *s.* **1.** Aussichtspunkt *m*; **2.** günstiger (Ausgangs)Punkt; **3.** → *vantage-ground.*

vap·id ['væpid] *adj.* □ **1.** schal: *~ beer*; **2.** *fig.* **a)** schal, flach, leer, **b)** öd(e), fad(e); **va·pid·i·ty** [væ'piditi], '**vap·id·ness** [-nis] *s.* **1.** Schalheit *f* (*a. fig.*); **2.** *fig.* Fadheit *f*, Geist-, Leblosigkeit *f.*

va·por *Am.* → *vapour.*

va·por·i·za·tion [veipərai'zeiʃən] *s.* *phys.* Verdampfung *f*, -dunstung *f.*

va·por·ize ['veipəraiz] **I.** *v/t.* **1.** ⚗, *phys.* ver-, eindampfen, verdunsten (lassen); **2.** ⊕ vergasen; **II.** *v/i.* **3.** verdampfen, verdunsten; '**va·por·iz·er** [-zə] *s.* ⊕ **1.** Ver'dampfungsappaˌrat *m*, Zerstäuber *m*; **2.** Vergaser *m*; '**va·por·ous** [-rəs] *adj.* □ **1.** dampfig, dunstig; **2.** *fig.* nebelhaft; **3.** duftig (*Gewebe*); '**va·por·y** [-ri] *Am.* → *vaporous.*

va·pour ['veipə] **I.** *s.* **1.** Dampf *m* (*a. phys.*), Dunst *m* (*a. fig.*): *~ bath* Dampfbad; *~ trail* ✈ Kondensstreifen; **2.** *fig.* Phan'tom *n*, Hirngespinst *n*; **3.** *pl. obs.* Hypochon'drie *f*; **II.** *v/i.* **4.** (ver)dampfen; **5.** *fig.* schwadronieren, prahlen; '**va·pour·y** [-əri] → *vaporous.*

var·i·a·bil·i·ty [vɛəriə'biliti] *s.* **1.** Veränderlichkeit *f*, Schwanken *n*, Unbeständigkeit *f* (*a. fig.*); **2.** ⚕, *phys., a. biol.* Variabili'tät *f.*

var·i·a·ble ['vɛəriəbl] **I.** *adj.* □ **1.** veränderlich, 'unterschiedlich, wechselnd; schwankend, unbeständig (*a. Person*): *~ wind meteor.* Wind aus wechselnder Richtung; **2.** vari'abel (*a.* ⚕, *ast., biol., phys.*), wandelbar; **3.** ⊕ regelbar, veränderlich: *~ condenser* Drehkondensator; *~ gear* Wechselgetriebe; *infinitely ~* stufenlos regelbar; **II.** *s.* **4.** veränderliche Größe; *bsd.* ⚕ Vari'able *f*, Veränderliche *f*; **5.** *ast.* vari'abler Stern; '**var·i·a·ble·ness** [-nis] →

variability; ˈ**var·i·ance** [-iəns] *s.* **1.** Veränderung *f*; **2.** Abweichung *f* (*a.* ⚖ *zwischen Klage u. Beweisergebnis*); **3.** Uneinigkeit *f*, Meinungsverschiedenheit *f*, Streit *m*: *to be at ~ (with)* uneinig sein (mit *j-m*); → *4*; *to set at ~* entzweien; **4.** *fig.* ˈWiderstreit *m*, -spruch *m*, Unvereinbarkeit *f*: *to be at ~ (with)* unvereinbar sein (mit *et.*), im Widerspruch stehen (zu); → *3*; ˈ**var·i·ant** [-iənt] **I.** *adj.* abweichend, verschieden; ˈunterschiedlich; **II.** *s.* Variˈante *f*, Spielart *f*; abweichende Lesart; **var·i·a·tion** [vɛəriˈeiʃən] *s.* **1.** Veränderung *f*, Wechsel *m*, Schwankung *f*; **2.** Abweichung *f*; **3.** ♪, &, *ast.*, *biol. etc.* Variatiˈon *f*; **4.** (ˈOrts)ˌMißweisung *f*, Deklinatiˈon *f* (*Kompaß*).

var·i·col·o(u)red [ˈvɛərikʌləd] *adj.* bunt (*a. fig. mannigfaltig*), vielfarbig.

var·i·cose [ˈværikous] *adj.* ⚕ krampfad(e)rig, variˈkös: *~ vein* Krampfader; *~ bandage* Krampfaderbinde; **var·i·co·sis** [væriˈkousis], **var·i·cos·i·ty** [væriˈkɔsiti] *s.* Krampfaderleiden *n*, Krampfader(n *pl.*) *f*.

var·ied [ˈvɛərid] *adj.* □ verschieden(-artig); mannigfaltig; abwechslungsreich, bunt.

var·i·e·gate [ˈvɛərigeit] *v/t.* **1.** bunt gestalten (*a. fig.*); **2.** *fig.* (durch Abwechslung) beleben, variieren; ˈ**var·i·e·gat·ed** [-tid] *adj.* **1.** bunt(scheckig, -gefleckt), vielfarbig; **2.** → *varied*; **var·i·e·ga·tion** [vɛəriˈgeiʃən] *s.* Buntheit *f*, Vielfarbigkeit *f*.

va·ri·e·ty [vəˈraiəti] *s.* **1.** Verschieden-, Buntheit *f*, Mannigfaltigkeit *f*, Vielseitigkeit *f*, Abwechslung *f*; **2.** Vielfalt *f*, Reihe *f*, Anzahl *f*, *bsd.* ☿ Auswahl *f*: *owing to a ~ of causes* aus verschiedenen Gründen; **3.** Sorte *f*, Art *f*; **4.** *allg.*, *a.* ⚘, *zo.* Ab-, Spielart *f*; **5.** ⚘, *zo.* **a)** Varieˈtät *f* (*Unterabteilung e-r Art*), **b)** Variˈante *f*; **6.** Varieˈté *n*: *~ artist* Varietékünstler; **~ show** *s.* Varieˈté (-vorstellung *f*) *n*; **~ store** *s.* ☿ *Am.* Gemischtwarenhandlung *f*; **~ the·a·tre** *s.* Varieˈté(theˌater) *n*.

var·i·form [ˈvɛərifɔːm] *adj.* vielgestaltig (*a. fig.*).

va·ri·o·la [vəˈraiələ] *s.* ⚕ Pocken *pl.*

var·i·o·lite [ˈvɛəriəlait] *s. geol.* Blatterstein *m*.

var·i·om·e·ter [vɛəriˈɔmitə] *s.* ⊕, ↯, *phys.* Varioˈmeter *n*.

var·i·o·rum [vɛəriˈɔːrəm] **I.** *adj.* mit Anmerkungen verschiedener Kommentaˈtoren *od.* mit verschiedenen Lesarten versehen: *~ edition* → *II*; **II.** *s.* Ausgabe *f* mit Anmerkungen verschiedener Kommentaˈtoren.

var·i·ous [ˈvɛəriəs] *adj.* □ **1.** verschieden(artig); **2.** mehrere, verschiedene; **3.** → *varied*.

var·ix [ˈvɛəriks] *pl.* **-i·ces** [-isiːz] *s.* ⚕ Krampfader(knoten *m*) *f*.

var·let [ˈvɑːlit] *s.* **1.** *hist.* Knappe *m*, Page *m*; **2.** *obs. od. humor.* Schelm *m*, Schuft *m*.

var·mint [ˈvɑːmint] *s.* **1.** *zo.* Schädling *m*; **2.** F *kleiner* ‚Racker'.

var·nish [ˈvɑːniʃ] **I.** *s.* ⊕ **1.** Lack *m*: *oil ~* Öllack; **2.** *a. clear ~* Klarlack *m*, Firnis *m*; **3.** (ˈMöbel)Poliˌtur *f*; **4.** *Töpferei*: Glaˈsur *f*; **5.** *fig.* Firnis *m*, Tünche *f*, äußerer ˈAnstrich; **II.** *v/t.* *a. ~ over* **6.** lackieren, firnissen, glasieren; **7.** *Möbel* (auf)polieren; **8.** *fig.* bemänteln, beschönigen.

var·si·ty [ˈvɑːsiti] *s.* F ‚ˈUni' *f* (*Universität*).

var·y [ˈvɛəri] **I.** *v/t.* **1.** (ver-, *a.* ⚖ ab)ändern; **2.** variieren, ˈunterschiedlich gestalten, wechseln mit *et.*; *bsd.* ♪ abwandeln; **II.** *v/i.* **3.** sich (ver)ändern; variieren (*a. biol.*), wechseln, schwanken; **4.** verschieden sein, abweichen (*from* von); ˈ**var·y·ing** [-iiŋ] *adj.* wechselnd, unterschiedlich, verschieden.

vas·cu·lar [ˈvæskjulə] *adj.* ⚘, *physiol.* Gefäß...(*-pflanzen*, *-system etc.*): *~ tissue* ⚘ Stranggewebe.

vase [vɑːz] *s.* Vase *f*.

vas·e·line [ˈvæsiliːn] *s.* ⚗ Vaseˈlin *n*, Vaseˈline *f*.

vas·sal [ˈvæsəl] **I.** *s.* **1.** Vaˈsall(in), Lehnsmann *m*; **2.** *fig.* ˈUntertan *m*, Unterˈgebene(r *m*) *f*; **3.** *rhet.* Knecht *m*, Sklave *m*; **II.** *adj.* **4.** Vasallen...; ˈ**vas·sal·age** [-səlidʒ] *s.* **1.** *hist.* Vaˈsallentum *n*, Lehnspflicht *f*, (*to* gegenüber); **2.** *coll.* Vaˈsallen *pl.*; **3.** *fig.* Knechtschaft *f*, Abhängigkeit *f*.

vast [vɑːst] **I.** *adj.* □ **1.** weit, ausgedehnt, unermeßlich; **2.** *a. fig.* ungeheuer, (riesen)groß, riesig, gewaltig: *~ difference*; *~ quantity*; **II.** *s.* **3.** *poet.* Weite *f*; ˈ**vast·ly** [-li] *adv.* gewaltig, in hohem Maße; ungemein, äußerst: *~ superior* haushoch überlegen, weitaus besser; ˈ**vast·ness** [-nis] *s.* **1.** Weite *f*, Unermeßlichkeit *f* (*a. fig.*); **2.** ungeheure Größe, riesige Zahl, Unmenge *f*.

vat [væt] **I.** *s.* ⊕ **1.** großes Faß, Bottich *m*, Kufe *f*; **2. a)** *Färberei*: Küpe *f*, **b)** *a. tan-~ Gerberei*: Lohgrube *f*; **II.** *v/t.* **3.** (ver)küpen, in ein Faß *etc.* füllen; **4.** in e-m Faß *etc.* behandeln: *~ted* faßreif (*Wein etc.*).

Vat·i·can [ˈvætikən] *s.* Vatiˈkan *m*.

vaude·ville [ˈvoudəvil] *s.* **1.** *Brit.* heiteres Singspiel (mit Tanzeinlagen); **2.** *Am.* Varieˈté *n*.

vault[1] [vɔːlt] **I.** *s.* **1.** △ (*a. poet.* Himmels)Gewölbe *n*, Wölbung *f*; **2.** Kellergewölbe *n*, (*Wein- etc.*)Keller *m*; **3.** Grabgewölbe *n*, Gruft *f*: *family ~*; **4.** Stahlkammer *f*, Treˈsor *m*; **5.** *anat.* Wölbung *f*, (Schädel)Dach *n*; (Gaumen)Bogen *m*; Kuppel *f* (*Zwerchfell*); **II.** *v/t.* **6.** (über)ˈwölben.

vault[2] [vɔːlt] **I.** *v/i.* springen, sich schwingen, setzen (*over* über *acc.*); **II.** *v/t.* überˈspringen; **III.** *s. bsd. sport* Sprung *m*.

vault·ed [ˈvɔːltid] *adj.* **1.** gewölbt, Gewölbe...; **2.** überˈwölbt.

vault·er [ˈvɔːltə] *s.* Springer *m*.

vault·ing[1] [ˈvɔːltiŋ] *s.* △ **1.** Spannen *n* e-s Gewölbes; **2.** Wölbung *f*; **3.** Gewölbe *n* (*od. pl. coll.*).

vault·ing[2] [ˈvɔːltiŋ] *s.* Springen *n*; ˈ**~-horse** *s. Turnen*: (Lang-, Sprung)Pferd *n*; ˈ**~-pole** *s. sport* Sprungstab *m*.

vaunt [vɔːnt] **I.** *v/t.* sich rühmen (*gen.*), sich brüsten mit; **II.** *v/i.* (*of*) sich rühmen (*gen.*), prahlen (mit); **III.** *s.* Prahleˈrei *f*; ˈ**vaunt·er** [-tə] *s.* Prahler(in); ˈ**vaunt·ing** [-tiŋ] *adj.* □ prahlerisch.

ˈ**V-Day** *s.* Tag *m* des Sieges (*im 2. Weltkrieg*; *7. 5. 1945*).

've [v] F *abbr. für have*.

veal [viːl] *s.* Kalbfleisch *n*: *~ cutlet* Kalbskotelett; *roast ~* Kalbsbraten.

vec·tor [ˈvektə] **I.** *s.* **1.** & ˈVektor *m*; **2.** ⚕, *vet.* Bakˈterienüberˌträger *m*; **3.** ✈ Vektor *m*; **II.** *v/t.* **4.** *Flugzeug* (mittels Funk *od.* Raˈdar) leiten, einweisen (auf Ziel).

V-E Day → *V-Day*.

ve·dette [viˈdet] *s.* ⚔ *obs.* Kavalleˈrie(wacht)posten *m*.

vee [viː] **I.** *s.* V *n*, v *n*, Vau *n* (*Buchstabe*); **II.** *adj.* V-förmig, V-...

veep [viːp] *s. Am.* F ˈVizepräsiˌdent *m*.

veer [viə] **I.** *v/i.* **1.** *a. ~ round* sich (ˈum)drehen; ˈumspringen, sich drehen (*Wind*); *fig.* ˈumschwenken (*to* zu); **2.** ⚓ (ab)drehen, wenden; **II.** *v/t.* **3.** *Schiff etc.* wenden, drehen, schwenken; **4.** ⚓ *Tauwerk* fieren, abschießen: *to ~ and haul* fieren u. holen; **III.** *s.* **5.** Wendung *f*, Drehung *f*, Schwenkung *f*; **veer·ing·ly** [ˈviəriŋli] *adv. fig.* schwankend, ziellos.

veg·e·ta·ble [ˈvedʒitəbl] **I.** *s.* **1.** *allg.* (*bsd.* Gemüse-, Futter)Pflanze *f*: *to become a mere ~ fig.* nur noch dahinvegetieren; **2.** *a. pl.* Gemüse *n*; **3.** 🌾 Grünfutter *n*; **II.** *adj.* **4.** pflanzlich, vegetaˈbilisch, Pflanzen...: *~ diet* Pflanzenkost; *~ kingdom* Pflanzenreich; *~ marrow* Kürbis(frucht); **5.** Gemüse...: *~ garden*; *~ soup*.

veg·e·tal [ˈvedʒitl] *adj.* **1.** ⚘ → *vegetable 4 u. 5*; **2.** *biol.* vegetaˈtiv; **veg·e·tar·i·an** [vedʒiˈtɛəriən] **I.** *s.* **1.** Vegeˈtarier(in); **II.** *adj.* **2.** vegeˈtarisch; **3.** Vegetarier...; **veg·e·tar·i·an·ism** [vedʒiˈtɛəriənizəm] *s.* Vegetaˈrismus *m*, vegeˈtarische Lebensweise; ˈ**veg·e·tate** [-teit] *v/i.* **1.** (*wie e-e Pflanze*) wachsen; vegetieren; **2.** *contp.* (daˈhin)vegetieren; **veg·e·ta·tion** [vedʒiˈteiʃən] *s.* **1.** Vegetatiˈon *f*, Pflanzenwelt *f*, -decke *f*: *luxuriant ~*; **2.** Vegetieren *n*, Pflanzenwuchs *m*; **3.** *fig.* (Daˈhin-)Vegetieren *n*; **4.** ⚕ Wucherung *f*; ˈ**veg·e·ta·tive** [-tətiv] *adj.* □ *biol.* **1.** vegetaˈtiv: **a)** wie Pflanzen wachsend, **b)** wachstumsfördernd, **c)** Wachstums...; **2.** Vegetations..., pflanzlich; **3.** *fig.* vegetaˈtiv (*Lebensweise*).

ve·he·mence [ˈviːiməns] *s.* **1.** Heftigkeit *f* (*a. fig. der Rede etc.*), Gewalt *f*, Wucht *f*; **2.** *fig.* Ungestüm *n*, Leidenschaft *f*; ˈ**ve·he·ment** [-nt] *adj.* □ **1.** heftig, gewaltig: *~ wind*; **2.** *fig.* heftig, ungestüm, leidenschaftlich.

ve·hi·cle [ˈviːikl] *s.* **1.** Fahrzeug *n*, Beförderungsmittel *n*; Wagen *m*; Fuhrwerk *n*; **2.** *fig.* **a)** Ausdrucksmittel *n*, ˈMedium *n*, Veˈhikel *n*, **b)** Träger *m*, Vermittler *m*; **3.** *pharm.* Vehikel *n* (*Lösemittel*); **4.** ⚗, ⊕ Bindemittel *n*; **ve·hic·u·lar** [viˈhikjulə] *adj.* Fahrzeug..., Wagen...: *~ traffic*; *~ language ling.* **Verkehrssprache.**

veil [veil] **I.** *s.* **1.** (Gesichts- *etc.*)Schleier *m*: *to take the ~ eccl.* den Schleier nehmen (*Nonne werden*); *beyond the*

~ *fig.* nach dem Tode; **2.** *phot.* (*a.* Nebel-, Dunst)Schleier *m*; **3.** *fig.* Schleier *m*, Maske *f*, Deckmantel *m*: *to draw a* ~ *over* den Mantel des Geheimnisses breiten über (*acc.*), *et.* verbergen; **4.** Hülle *f* (*a.* ♀); **5.** ♀, *anat.* → *velum*; **6.** *eccl.* **a)** (Tempel)Vorhang *m*, **b)** 'Velum *n* (*Kelchtuch*); **7.** Verschleierung *f der Stimme*; **II.** *v/t.* **8.** verschleiern, -hüllen (*a. fig.*); **III.** *v/i.* **9.** sich verschleiern; **veiled** [-ld] *adj.* verschleiert (*a. phot.*, *fig.*) (*a. Stimme*); **'veil·ing** [-liŋ] *s.* **1.** Verschleierung *f* (*a. phot.*); **2.** ✝ Schleier(stoff) *m*.

vein [vein] *s.* **1.** *anat.* 'Vene *f* (*Ggs. Arterie*); **2.** *allg.* Ader *f*: **a)** *anat.* Blutgefäß *n*, **b)** ♀ Blattnerv *m*, **c)** Maser *f* (*Holz, Marmor*), **d)** *geol.* (Erz)Gang *m*, Flöz *n*; **3.** *fig.* **a)** *poetische etc.* Ader, Veranlagung *f*, Hang *m* (*of* zu), **b)** (Ton)Art *f*, **c)** Stimmung *f*: *to be in the* ~ *for* in Stimmung sein zu; **veined** [-nd] *adj. allg.* geädert; **'vein·ing** [-niŋ] *s.* Äderung *f*, Maserung *f*; **'vein·let** [-lit] *s.* **1.** Äderchen *n*; **2.** ♀ Seitenrippe *f*.

ve·la ['vi:lə] *pl. von velum.*

ve·lar ['vi:lə] **I.** *adj. anat.*, *ling.* ve'lar, Gaumensegel..., Velar...; **II.** *s. ling.* Gaumensegellaut *m*, Ve'lar (-laut) *m*; **'ve·lar·ize** [-əraiz] *v/t. ling. Laut* velarisieren.

veld(t) [velt] *s. geogr.* Gras- *od.* Buschland *n* (*Südafrika*).

vel·le·i·ty [ve'li:iti] *s.* kraftloses Wollen, schwacher Wille.

vel·lum ['veləm] *s.* **1.** ('Kalbs-, 'Schreib)Perga,ment *n*, Ve'lin *n*; **2.** *a.* ~ *paper* Ve'linpa,pier *n* (*vegetabilisches Pergamentpapier*).

ve·loc·i·pede [vi'lɔsipi:d] *s.* **1.** *hist.* Velozi'ped *n* (*Lauf-, Fahrrad*); **2.** *Am.* (Kinder)Dreirad *n*.

ve·loc·i·ty [vi'lɔsiti] *s. bsd.* ⊕, *phys.* Geschwindigkeit *f*: *at a* ~ *of* mit e-r Geschwindigkeit von; *initial* ~ Anfangsgeschwindigkeit.

ve·lour(s) [və'luə] *s.* ✝ Ve'lours *m* (*Samt*).

ve·lum ['vi:ləm] *pl.* **-la** [-lə] *s.* **1.** ♀, *anat.* Hülle *f*, Segel *n*; **2.** *anat.* Gaumensegel *n*, weicher Gaumen; **3.** ♀ Schleier *m* (*Hutpilz*).

vel·vet ['velvit] **I.** *s.* **1.** Samt *m*: *to be on* ~ *F fig.* glänzend dastehen; **2.** *zo.* Bast *m an jungen Geweihen etc.*; **II.** *adj.* **3.** aus Samt, Samt...; **4.** samtartig, -weich: *an iron hand in a* ~ *glove* die eiserne Faust unter dem Samthandschuh (*hinter e-m liebenswürdigen Äußeren verborgene Unerbittlichkeit*); *to handle s.o. with* ~ *gloves fig.* j-n mit Samthandschuhen anfassen; **vel·vet·een** ['velvi'ti:n] *s.* Man'(s)chester *m*, Baumwollsamt *m*; **'vel·vet·y** [-ti] *adj.* samten, samtartig; samtweich.

ve·nal ['vi:nl] *adj.* □ käuflich, bestechlich; kor'rupt; **ve·nal·i·ty** [vi:'næliti] *s.* Käuflichkeit *f*, Kor'ruptheit *f*.

ve·na·tion [vi:'neiʃən] *s.* ♀, *zo.* Geäder *n*.

vend [vend] *v/t. bsd.* ⚖ **a)** verkaufen, **b)** zum Verkauf anbieten, **c)** hausieren mit; **vend·ee** [ven'di:] *s.* ⚖ Käufer *m*; **'vend·er** [-də] *s.* **1.** (Straßen)Verkäufer *m*, (-)Händler *m*; **2.** → *vendor.*

ven·det·ta [ven'detə] *s.* Blutrache *f*.

vend·i·ble ['vendəbl] *adj.* □ verkäuflich, gangbar, gängig.

'vend·ing-ma·chine ['vendiŋ] *s.* (Ver'kaufs)Auto,mat *m*.

ven·dor ['vendɔ:] *s.* **1.** *bsd.* ⚖ Verkäufer(in); **2.** (Ver'kaufs)Auto,mat *m*.

ven·due [ven'dju:] *s. bsd. Am.* Aukti'on *f*.

ve·neer [vi'niə] **I.** *v/t.* **1.** ⊕ **a)** *Holz* furnieren, einlegen, **b)** *Stein* auslegen, **c)** *Töpferei*: (mit dünner Schicht) über'ziehen; **2.** *fig.* umkleiden, e-n äußeren Anstrich geben; **3.** *fig. schlechte Eigenschaften etc.* über'tünchen, verdecken; **II.** *s.* **4.** ⊕ Fur'nier(holz, -blatt) *n*; **5.** *fig.* Tünche *f*, äußerer Anstrich; **ve'neer·ing** [-əriŋ] *s.* **1.** ⊕ **a)** Furnierholz *n*, **b)** Furnierung *f*, **c)** Fur'nierarbeit *f*; **2.** *fig.* → *veneer 5.*

ven·er·a·bil·i·ty [venərə'biliti] *s.* Ehrwürdigkeit *f*; **ven·er·a·ble** ['venərəbl] *adj.* □ **1.** ehrwürdig (*a. R.C.*) (*a. fig. Bauwerk etc.*), verehrungswürdig; **2.** *Anglikanische Kirche*: Hoch(ehr)würden *m* (*Archidiakon*): ♀ *Sir*; **ven·er·a·ble·ness** ['venərəblnis] *s.* Ehrwürdigkeit *f*.

ven·er·ate ['venəreit] *v/t.* verehren, bewundern; **ven·er·a·tion** [venə'reiʃən] *s.* Verehrung *f*, Ehrfurcht *f* (*for* für, vor *dat.*); **'ven·er·a·tor** [-tə] *s.* Verehrer(in).

ve·ne·re·al [vi'niəriəl] *adj.* **1.** geschlechtlich, Geschlechts..., Sexual...; **2.** ⚕ **a)** ve'nerisch, Geschlechts..., **b)** geschlechtskrank: ~ *disease* Geschlechtskrankheit; **ve·ne·re·ol·o·gist** [vini:ri'ɔlədʒist] *s.* ⚕ Venero'loge *m*, Facharzt *m* für Geschlechtskrankheiten; **ven·er·y** ['venəri] *s. obs.* Fleischeslust *f*.

Ve·ne·tian [vi'ni:ʃən] **I.** *adj.* venezi'anisch: ~ *blind* (Stab)Jalousie; ~ *glass* Muranoglas; **II.** *s.* Venezi'aner (-in).

Ven·e·zue·lan [vene'zweilən] **I.** *adj.* venezo'lanisch; **II.** *s.* Venezo'laner (-in).

venge·ance ['vendʒəns] *s.* Rache *f*, Vergeltung *f*: *to take* ~ (*up*)*on* Vergeltung üben *od.* sich rächen an (*dat.*); *with a* ~ *F* **a)** mächtig, (ganz) gehörig, wie besessen, wie der Teufel, **b)** *jetzt* erst recht, **c)** im Exzess, übertrieben; **'venge·ful** [-ful] *adj.* □ *rhet.* rachsüchtig, -gierig.

ve·ni·al ['vi:njəl] *adj.* □ verzeihlich: ~ *sin R.C.* läßliche Sünde.

ven·i·son ['venzn] *s.* Wildbret *n*.

ven·om ['venəm] *s.* **1.** *zo.* (Schlangen- *etc.*)Gift *n*; **2.** *fig.* Gift *n*, Gehässigkeit *f*; **'ven·omed** [-md] *adj.* *mst fig.* giftig; **'ven·om·ous** [-məs] *adj.* □ **1.** giftig (*Tier, Biß etc.*): ~ *snake* Giftschlange; **2.** *fig.* giftig, gehässig; **'ven·om·ous·ness** [-məsnis] *s.* Giftigkeit *f*.

ve·nose ['vi:nous] → *venous*; **ve·nos·i·ty** [vi'nɔsiti] *s. biol.* **1.** Äderung *f*; **2.** Venosi'tät *f*; **ve·nous** ['vi:nəs] *adj.* □ *biol.* **1.** Venen..., Adern...; **2.** ve'nös: ~ *blood*; **3.** ♀ geädert.

vent [vent] **I.** *s.* **1.** (Luft)Loch *n*, (Abzugs)Öffnung *f*, Schlitz *m*; ⊕ *a.* Entlüfter(stutzen) *m*; **2.** Spundloch *n* (*Faß*); **3.** ⚔ **a)** Zündloch *n*, **b)** *hist.* Schießscharte *f*; **4.** Fingerloch *n* (*Flöte*); **5.** (Vul'kan)Schlot *m*; **6.** *orn.*, *ichth.* After *m*; **7.** *zo.* Aufstoßen *n* zum Luftholen (*Otter etc.*); **8.** Auslaß *m* (*a. fig.*): *to find* (*a*) ~ *fig.* sich entladen (*Gefühl*); *to give* ~ *to s-m Zorn etc.* Luft machen; **II.** *v/t.* **9.** *fig. e-m Gefühl* Luft machen, *Wut etc.* auslassen (*on* an *dat.*); **10.** ⊕ **a)** e-e Abzugsöffnung *etc.* anbringen an (*dat.*), **b)** *Rauch etc.* abziehen lassen, **c)** ventilieren; **III.** *v/i.* **11.** *hunt.* aufstoßen (zum Luftholen) (*Otter etc.*); **'vent·age** [-tidʒ] → *vent 1, 4, 8.*

ven·ter ['ventə] *s.* **1.** *anat.* Bauch (-höhle *f*) *m*; **2.** *anat.* (Muskel- *etc.*) Bauch *m*; **3.** *zo.* (In'sekten)Magen *m*; **4.** ⚖ Mutter(leib *m*) *f*: *of a second* ~ von e-r zweiten Frau (*Kind*).

'vent-hole → *vent 1.*

ven·ti·late ['ventileit] *v/t.* **1.** ventilieren, (be-, ent-, 'durch)lüften; **2.** *physiol.* Sauerstoff zuführen (*dat.*); **3.** *fig.* ventilieren: **a)** *Frage* zur Sprache bringen, erörtern, **b)** *Meinung etc.* äußern; **4.** → *vent 9*; **'ven·ti·lat·ing** [-tiŋ] *adj.* Ventilations..., Lüftungs...; **ven·ti·la·tion** [venti'leiʃən] *s.* **1.** Ventilati'on *f*, (Be-, Ent)Lüftung *f* (*beide a. Anlage*), Luftzufuhr *f*; ⚒ Bewetterung *f*; **2. a)** (freie) Erörterung, öffentliche Diskussi'on, **b)** Äußerung *f e-s Gefühls etc.*; **'ven·ti·la·tor** [-tə] *s.* Venti'lator *m*, Entlüfter *m*, Lüftungsanlage *f*.

ven·ti·pane ['ventipein] *s. mot.* Ausstellfenster *n*.

ven·tral ['ventrəl] *adj.* □ **1.** *biol.* Bauch...; **2.** ⚔ Boden...(*-lafette*, ✈ *-kanzel*).

ven·tri·cle ['ventrikl] *s. anat.* Ven'trikel *m*, (Körper)Höhle *f*, *bsd.* (Herz-, Hirn)Kammer *f*; **ven·tric·u·lar** [ven'trikjulə] *adj. anat.* ventriku'lär, Kammer...

ven·tri·lo·qui·al [ventri'loukwiəl] *adj.* bauchrednerisch, Bauchrede...

ven·tril·o·quism [ven'triləkwizəm] *s.* Bauchreden *n*; **ven'tril·o·quist** [-ist] *s.* Bauchredner(in); **ven'tril·o·quize** [-kwaiz] **I.** *v/i.* bauchreden; **II.** *v/t. et.* bauchrednerisch sagen; **ven'tril·o·quous** [-kwəs] → *ventriloquial.*

ven·ture ['ventʃə] **I.** *s.* **1.** Wagnis *n*: **a)** 'Risiko *n*, **b)** (gewagtes) Unter'nehmen, ✝ *a.* Spekulati'on *f*; **2.** Spekulati'onsob,jekt *n*, Einsatz *m*; **3.** *obs.* Glück *n*: *at a* ~ aufs Geratewohl, auf gut Glück; **II.** *v/t.* **4.** *et.* riskieren, wagen, aufs Spiel setzen: *nothing* ~ *nothing have* wer nicht wagt, gewinnt (auch) nicht; **5.** *Bemerkung etc.* (zu äußern) wagen; **III.** *v/i.* **6.** (es) wagen, sich erlauben (*to do* zu tun); **7.** ~ (*up*)*on* sich an *e-e Sache* wagen; **8.** sich *wohin* wagen; **'ven·ture·some** [-səm] *adj.* □ waghalsig: **a)** kühn, verwegen (*Person*), **b)** gewagt, ris'kant (*Tat*); **'ven·ture·some·ness** [-səmnis] *s.* Waghalsigkeit *f*; **'ven·tur·ous** [-ərəs] *adj.* □ → *venturesome.*

ven·ue ['venju:] *s.* **1.** ⚖ **a)** Gerichts-, Verhandlungsort *m*, zuständige Grafschaft, **b)** örtliche Zuständigkeit; **2.** a) Schauplatz *m*, **b**) Treffpunkt *m*, Tagungsort *m*, **c**) *sport* Austragungsort *m*.

Ve·nus ['vi:nəs] *s. ast.* Venus *f* (*Planet*).

ve·ra·cious [ve'reiʃəs] *adj.* □ **1.** wahr'haftig, wahrheitsliebend; **2.** wahr(heitsgetreu): ~ *account*; **ve·rac·i·ty** [ve'ræsiti] *s.* **1.** Wahr'haftigkeit *f*, Wahrheitsliebe *f*; Glaubwürdigkeit *f*; **2.** Wahrheit *f*.

ve·ran·da(h) [və'rændə] *s.* Ve'randa *f*.

verb [və:b] *s. ling.* Zeitwort *n*, Verb(um) *n*; '**ver·bal** [-bəl] **I.** *adj.* □ **1.** Wort... (*-fehler, -gedächtnis, -kritik etc.*); **2.** mündlich (*a. Vertrag etc.*): ~ *message*; **3.** (wort)wörtlich: ~ *copy*; ~ *translation*; **4.** wörtlich, Verbal...: ~ *inspiration eccl.* Verbalinspiration; ~ *note pol.* Verbalnote; **5.** *ling.* ver'bal, Verbal..., Zeitwort...: ~ *noun* → *6*; **II.** *s.* **6.** *ling.* Ver'bal,substantiv *n*; '**ver·bal·ism** [-bəlizəm] *s.* **1.** Ausdruck *m*; **2.** Verba'lismus *m*, Wortemache'rei *f*; **3.** Wortklaube'rei *f*; '**ver·bal·ist** [-bəlist] *s.* **1.** Wortkundler *m*; **2.** Wortklauber *m*; '**ver·bal·ize** [-bəlaiz] **I.** *v/t.* **1.** (geschickt) formulieren; **2.** *ling.* in ein Verb verwandeln; **II.** *v/i.* **3.** viele Worte machen; **ver·ba·tim** [və:'beitim] **I.** *adv.* ver'batim, (wort-) wörtlich, Wort für Wort; **II.** *adj.* → *verbal 3*; **III.** *s.* wortgetreuer Bericht; '**ver·bi·age** [-biidʒ] *s.* Wortschwall *m*; **ver·bose** [və:'bous] *adj.* □ wortreich, geschwätzig, weitschweifig; **ver·bos·i·ty** [və:'bɔsiti] *s.* Wortschwall *m*, -fülle *f*.

ver·dan·cy ['və:dənsi] *s.* **1.** (frisches) Grün; **2.** *fig.* Grünheit *f*, Unreife *f*; '**ver·dant** [-nt] *adj.* □ **1.** grün, grünend; **2.** *fig.* grün, unerfahren, unreif: *a* ~ *youth*.

ver·dict ['və:dikt] *s.* **1.** ⚖ (Urteils-) Spruch *m* der Geschworenen, Ver'dikt *n*: ~ *of not guilty* Freispruch der Jury; *to bring in* (*od. return*) *a* ~ *of guilty* auf schuldig erkennen; **2.** *fig.* Urteil *n* (*on* über *acc.*).

ver·di·gris ['və:digris] *s.* Grünspan *m*.

ver·dure ['və:dʒə] *s.* **1.** (frisches) Grün; **2.** Vegetati'on *f*, saftiger Pflanzenwuchs; **3.** *fig.* Frische *f*, Kraft *f*.

verge [və:dʒ] **I.** *s.* **1.** *mst fig.* Rand *m*, Grenze *f*: *on the* ~ *of* am Rande *der Verzweiflung etc.*, dicht vor (*dat.*); *on the* ~ *of tears* den Tränen nahe; *on the* ~ *of doing* nahe daran, zu tun; **2.** ⚘ (Beet)Einfassung *f*, Grasstreifen *m*; **3.** ⚖ *Brit. hist.* Gerichtsbezirk *m* rund um den Königshof; **4.** ⊕ **a**) 'überstehende Dachkante, **b**) Säulenschaft *m*, **c**) Schwungstift *m* (*Uhrhemmung*), **d**) Zugstab *m* (*Setzmaschine*); **5. a**) *bsd. eccl.* Amtsstab *m*, **b**) *hist.* Belehnungsstab *m*; **II.** *v/i.* **6.** *mst fig.* grenzen *od.* streifen (*on* an *acc.*); **7.** (*on, into*) sich nähern (*dat.*), (in *e-e Farbe etc.*) 'übergehen; **8.** sich (hin)neigen (*to*[*wards*] nach); '**ver·ger** [-dʒə] *s.* **1.** Kirchendiener *m*, Küster *m*; **2.** *bsd. Brit. eccl.* (Amts)Stabträger *m*.

ver·i·est ['veriist] *adj.* (*sup. von very II*) äußerst: *the* ~ *child* (selbst) das kleinste Kind; *the* ~ *nonsense* der reinste Unsinn; *the* ~ *rascal* der ärgste *od.* größte Schuft.

ver·i·fi·a·ble ['verifaiəbl] *adj.* nachweisbar, beweisbar, nachprüfbar; **ver·i·fi·ca·tion** [verifi'keiʃən] *s.* **1.** Nachprüfung *f*; **2.** Echtheitsnachweis *m*, Richtigbefund *m*; **3.** Beglaubigung *f*, Beurkundung *f*; (⚖ eidliche) Bestätigung; **ver·i·fy** ['verifai] *v/t.* **1.** *auf die Richtigkeit hin* (nach)prüfen; **2.** die Richtigkeit *od.* Echtheit *e-r Angabe etc.* feststellen *od.* nachweisen, verifizieren; **3.** *Urkunde etc.* beglaubigen; beweisen, belegen; **4.** ⚖ *Vorbringen* eidlich beteuern; **5.** bestätigen; **6.** *Versprechen etc.* erfüllen, wahrmachen.

ver·i·ly ['verili] *adv. bibl.* wahrlich.

ver·i·si·mil·i·tude [verisi'militju:d] *s.* Wahr'scheinlichkeit *f*.

ver·i·ta·ble ['veritəbl] *adj.* □ wahr (-haft), wirklich, echt.

ver·i·ty ['veriti] *s.* **1.** (Grund)Wahrheit *f*: *of a* ~ wirklich, wahrhaftig; **2.** Wahrheit *f*; **3.** (*j-s*) Wahr'haftigkeit *f*.

ver·juice ['və:dʒu:s] *s.* **1.** Obst-, Traubensaft *m* (*bsd. von unreifen Früchten*); **2.** Essig *m* (*a. fig.*).

ver·meil ['və:meil] **I.** *s.* **1.** *bsd. poet. für vermilion*; **2.** ⊕ Ver'meil *n*: **a**) feuervergoldetes Silber *od.* Kupfer, vergoldete Bronze, **b**) hochroter Gra'nat; **II.** *adj.* **3.** *poet.* purpur-, scharlachrot.

ver·mi·cel·li [və:mi'seli] (*Ital.*) *s. pl.* Fadennudeln *pl*.

ver·mi·cide ['və:misaid] *s. pharm.* Wurmmittel *n*; **ver·mic·u·lar** [və:'mikjulə] *adj.* wurmartig, -förmig, Wurm...; **ver·mic·u·lat·ed** [və:'mikjuleitid] *adj.* **1.** wurmstichig; **2.** △ geschlängelt, wurmlinig verziert; **ver·mi·form** ['və:mifɔ:m] *adj. biol.* wurmförmig: ~ *appendix anat.* Wurmfortsatz; ~ *process anat.* Kleinhirnwurm; **ver·mi·fuge** ['və:mifju:dʒ] → *vermicide*.

ver·mil·ion [və'miljən] **I.** *s.* **1.** Zin'nober *m*; **2.** Zin'noberrot *n*; **II.** *adj.* **3.** zin'noberrot; **III.** *v/t.* **4.** mit Zinnober färben; **5.** zinnoberrot färben.

ver·min ['və:min] *s. mst pl. konstr.* **1.** *zo. coll.* **a**) Ungeziefer *n*, **b**) Schädlinge *pl.*, Para'siten *pl.*, **c**) *hunt.* Raubzeug *n*; **2.** *fig. contp.* Geschmeiß *n*, Gezücht *n*, Schädlinge *pl.*; '~-'**kill·er** *s.* **1.** Kammerjäger *m*; **2.** Ungeziefervertilgungsmittel *n*.

ver·min·ous ['və:minəs] *adj.* □ **1.** voller Ungeziefer; verlaust, verwanzt; schmutzig; **2.** durch Ungeziefer verursacht: ~ *disease*; **3.** *fig.* **a**) schädlich, **b**) niedrig.

ver·m(o)uth ['və:məθ] *s.* Wermut (-wein) *m*.

ver·nac·u·lar [və'nækjulə] **I.** *adj.* □ **1.** einheimisch, Landes...(*-sprache*); **2.** mundartlich, Volks...: ~ *poetry*; **3.** ⚕ en'demisch, lo'kal: ~ *disease*; **II.** *s.* **4.** Landes-, Mutter-, Volkssprache *f*; **5.** Mundart *f*, Dia'lekt *m*; **6.** Jar'gon *m*; **7.** Fachsprache *f*; **ver'nac·u·lar·ism** [-ərizəm] *s.* volkstümlicher *od.* mundartlicher Ausdruck; **ver'nac·u·lar·ize** [-əraiz] *v/t.* **1.** *Ausdrücke etc.* einbürgern; **2.** in Volkssprache *od.* Mundart über'tragen *od.* ausdrücken.

ver·nal ['və:nl] *adj.* □ **1.** Frühlings...; **2.** *fig.* frühlingshaft; ~ **e·qui·nox** *s. ast.* 'Frühlingsäqui,noktium *n* (*21. März*).

ver·ni·er ['və:njə] *s.* ⊕ **1.** 'Nonius *m* (*Gradteiler*); **2.** Fein(ein)steller *m*, Verni'er *m*; ~ **cal·(l)i·per(s)** *s.* ⊕ Schublehre *f* mit Nonius.

Ver·o·nese [verə'ni:z] **I.** *adj.* vero'nesisch, aus Ve'rona; **II.** *s.* Vero'neser(in).

ve·ron·i·ca [vi'rɔnikə] *s.* **1.** ⚘ Ve'ronika *f*, Ehrenpreis *m*; **2.** *R.C. u. paint.* Schweißtuch *n* der Veronika.

ver·sa·tile ['və:sətail] *adj.* □ **1.** vielseitig (begabt *od.* gebildet); gewandt, wendig, beweglich; **2.** unbeständig, wandelbar; **3.** ⚘, *zo.* (frei) beweglich; **ver·sa·til·i·ty** [və:sə'tiliti] *s.* **1.** Vielseitigkeit *f*, Gewandtheit *f*, Wendigkeit *f*, geistige Beweglichkeit; **2.** Unbeständigkeit *f*, Wandelbarkeit *f*.

verse [və:s] **I.** *s.* **1. a**) Vers(zeile *f*) *m*, **b**) (Gedicht)Zeile *f*, **c**) *allg.* Vers *m*, Strophe *f*; → *chapter 1*; **2.** *coll. ohne art.* **a**) Verse *pl.*, **b**) Poe'sie *f*, Dichtung *f*; **3.** Vers(maß *n*) *m*: *blank* ~ Blankvers (*reimloser fünffüßiger Jambus*); **II.** *v/t.* **4.** in Verse bringen; **III.** *v/i.* **5.** dichten, Verse machen.

versed[1] [və:st] *adj.* bewandert, beschlagen, versiert (*in* in *dat.*).

versed[2] [və:st] *adj.* ⚖ 'umgekehrt: ~ *sine* Sinusversus.

ver·si·col·o(u)r(ed) ['və:sikʌlə(d)] *adj.* **1.** → *variegated*; **2.** changierend (*Stoff*).

ver·si·fi·ca·tion [və:sifi'keiʃən] *s.* **1.** Verskunst *f*, Versemachen *n*; **2.** Versbau *m*; **ver·si·fi·er** ['və:sifaiə] *s.* Verseschmied *m*, Dichterling *m*; **ver·si·fy** ['və:sifai] → *verse 4 u. 5*.

ver·sion ['və:ʃən] *s.* **1.** (*a.* 'Bibel-) Über,setzung *f*; **2.** *ped.* Kompositi'on *f*, Über'setzung *f* in die Fremdsprache; **3.** Darstellung *f*, Fassung *f*, Lesart *f*, Versi'on *f*; **4.** Spielart *f*, Vari'ante *f*; ⊕ (*Export- etc.*)Ausführung *f*.

ver·so ['və:sou] *s.* **1.** *typ.* 'Verso *n*, (Blatt)Rückseite *f*; **2.** Rückseite *f* (*Münze*).

ver·sus ['və:səs] *prp.* ⚖ *u. fig.* gegen, 'kontra.

vert [və:t] *eccl. Brit.* F **I.** *v/i.* 'übertreten, konvertieren; **II.** *s.* Konver'tit(in).

ver·te·bra ['və:tibrə] *pl.* **-brae** [-bri:] *s. anat.* **1.** (Rücken)Wirbel *m*; **2.** *pl.* Wirbelsäule *f*; '**ver·te·bral** [-rəl] *adj.* □ Wirbel...: ~ *column* Wirbelsäule; '**ver·te·brate** [-brit] **I.** *adj.* **1.** mit Wirbelsäule (versehen), Wirbel...(*-tier*); **2.** *zo.* zu den Wirbeltieren gehörig; **II.** *s.* **3.** Wirbeltier *n*; '**ver·te·brat·ed** [-reitid] → *vertebrate I*; **ver·te·bra·tion** [və:ti'breiʃən] *s.* Wirbelbildung *f*.

ver·tex ['və:teks] *pl. mst* **-ti·ces** [-tisi:z] *s.* **1.** *biol.* Scheitel *m*; **2.** ⚖ Scheitelpunkt *m*, Spitze *f* (*beide a. fig.*); **3.** *ast.* **a**) Ze'nith *m*, **b**) 'Vertex *m*; **4.** *fig.* Gipfel *m*; '**ver·ti·cal** [-tikəl] **I.** *adj.* □ **1.** senk-, lotrecht, verti'kal: ~ *clearance* ⊕ lichte Höhe; ~ *combination* ✝ Vertikalverflechtung; ~ *engine* ⊕ stehender Motor; ~ *fin* ✈ Seitenflosse; ~ *take-off* ✈ Senkrechtstart; ~ *take-off plane* ✈ Senkrechtstarter; **2.** *ast.*, ⚠ Scheitel..., Höhen..., Vertikal...: ~ *angle* Scheitelwinkel; ~ *circle ast.* Vertikalkreis; ~ *section* ⚠ Aufriß; **II.** *s.* **3.** Senkrechte *f*.

ver·ti·cil ['vəːtisil] *s.* ♀, *zo.* Quirl *m*, Wirbel *m* (*kreisförmige Anordnung*).

ver·tig·i·nous [vəː'tidʒinəs] *adj.* □ **1.** wirbelnd; **2.** schwindlig, Schwindel...; **3.** schwindelerregend, schwindelnd: ~ *height*; **ver·ti·go** ['vəːtigou] *pl.* **-goes** *s.* ⚕ Schwindel(gefühl *n*, -anfall *m*) *m*.

ver·tu [vəː'tuː] → *virtu*.

ver·vain ['vəːvein] *s.* ♀ Eisenkraut *n*.

verve [vəːv] *s.* (künstlerische) Begeisterung, Schwung *m*, Feuer *n*, Verve *f*.

ver·y ['veri] **I.** *adv.* **1.** sehr, äußerst, außerordentlich: ~ *good* **a)** sehr gut, **b)** einverstanden, sehr wohl; ~ *well* **a)** sehr gut, **b)** meinetwegen, wenn es sein muß; *not* ~ *good* nicht sehr *od.* besonders *od.* gerade gut; ~ *high frequency* ⚡ ultrahohe Frequenz, Ultrakurzwelle; **2.** ~ *much* (*in Verbindung mit Verben*) sehr, außerordentlich: *he was* ~ *much pleased*; **3.** (*vor sup.*) aller...: *the* ~ *last drop* der allerletzte Tropfen; **4.** völlig, ganz; **II.** *adj.* **5.** gerade, genau: *the* ~ *opposite* genau das Gegenteil; *the* ~ *thing* genau *od.* gerade das (Richtige); *at the* ~ *edge* ganz am Rand, am äußersten Rand; **6.** bloß: *the* ~ *fact of his presence* die bloße Tatsache s-r Anwesenheit; *the* ~ *thought* der bloße Gedanke, schon der Gedanke; **7.** rein, pur, schier: *from* ~ *egoism*; *the* ~ *truth* die reine Wahrheit; **8.** frisch: *in the* ~ *act* auf frischer Tat; **9.** eigentlich, wahr, wirklich: ~ *God of* ~ *God bibl.* wahrer Gott vom wahren Gott; *the* ~ *heart of the matter* der Kern der Sache; *in* ~ *deed* (*truth*) tatsächlich (wahrhaftig); **10.** (*nach this, that, the*) (der-, die-, das)'selbe, (der, die, das) gleiche *od.* nämliche: *that* ~ *afternoon*; *the* ~ *same words*; **11.** selbst, so'gar: *his* ~ *servants*; **12.** → *veriest*.

Ver·y| light ['viəri] *s.* ⚔ 'Leuchtpa,trone *f*; ~ **pis·tol** *s.* ⚔ 'Leuchtpi,stole *f*.

Ver·y's night sig·nals *s.* ⚔ Si'gnalschießen *n* mit 'Leuchtmuniti,on.

ve·si·ca ['vesikə] *pl.* **-cas** (*Lat.*) *s.* **1.** *biol.* Blase *f*, Zyste *f*; **2.** *anat.*, *zo.* (Harn-, Gallen-, *ichth.* Schwimm-) Blase *f*; **'ves·i·cal** [-kəl] *adj.* Blasen...; **'ves·i·cant** [-kənt] **I.** *adj.* **1.** ⚕ blasenziehend; **II.** *s.* **2.** ⚕ blasenziehendes Mittel, Zugpflaster *n*; **3.** ⚔ ätzender Kampfstoff; **'ves·i·cate** [-keit] **I.** *v/i.* Blasen ziehen; **II.** *v/t.* Blasen ziehen auf (*dat.*); **ves·i·ca·tion** [vesi'keiʃən] *s.* Blasenbildung *f*; **'ves·i·ca·to·ry** [-keitəri] → *vesicant*; **'ves·i·cle** [-kl] *s.* Bläs-chen *n*; **ve·sic·u·lar** [vi'sikjulə] *adj.* **1.** Bläs-chen..., Blasen...; **2.** blasenförmig, blasig; **3.** blasig, Bläs-chen aufweisend.

ves·per ['vespə] *s.* **1.** ♀ *ast.* Abendstern *m*; **2.** *poet.* Abend *m*; **3.** *pl. eccl.* 'Vesper *f*, Abendgottesdienst *m*, -andacht *f*; **4.** *a.* ~**-bell** Abendglocke *f*, -läuten *n*.

ves·sel ['vesl] *s.* **1.** Gefäß *n* (*a. anat.*, ♀ *u. fig.*); **2.** ⚓ (*a.* ✈ Luft)Schiff *n*, (Wasser)Fahrzeug *n*.

vest [vest] **I.** *s.* **1.** 'Unterjacke *f*, -hemd *n*; **2.** *Brit.* ✝ *od. Am.* Weste *f*; **3.** Einsatz *m* (*Damenkleid*); **4.** *poet.* Gewand *n*; **II.** *v/t.* **5.** *bsd. eccl.* bekleiden; **6.** (*with*) *fig. j-n* bekleiden, ausstatten (mit *Befugnissen etc.*), bevollmächtigen; *j-n* einsetzen (in *Eigentum, Rechte etc.*); **7.** *Recht etc.* über'tragen, verleihen (*in s.o.* j-m): ~*ed interest*, ~*ed right* wohlerworbenes *od.* unabdingbares Recht; **8.** *Am.* *Feindvermögen* mit Beschlag belegen: ~*ing order* Beschlagnahmeverfügung; **III.** *v/i.* **9.** *bsd. eccl.* sich bekleiden; **10.** 'übergehen (*in* auf *acc.*) (*Vermögen etc.*); **11.** (*in*) zustehen (*dat.*), liegen (bei) (*Recht etc.*).

ves·ta ['vestə] *s. Brit. a.* ~ *match*, *wax* ~ (Wachs)Streichholz *n*.

ves·tal ['vestl] **I.** *adj.* **1.** *antiq.* ve'stalisch; **2.** *fig.* jungfräulich, rein; **II.** *s.* **3.** *antiq.* Ve'stalin *f*; **4.** Jungfrau *f*; **5.** Nonne *f*.

ves·ti·bule ['vestibjuːl] *s.* **1.** (Vor-) Halle *f*, Vorplatz *m*, Vesti'bül *n*; **2.** 🚂 *Am.* (Har'monika)Verbindungsgang *m zwischen zwei D-Zug-Wagen*; **3.** *anat.* Vorhof *m*; ~ **school** *s. Am.* Einführungskurs *m* (*für neue Arbeiter in Industriebetrieben*); ~ **train** *s. bsd. Am.* D-Zug *m*.

ves·tige ['vestidʒ] *s.* **1.** *obs. od. poet.* Spur *f*; **2.** *fig.* Spur *f*, 'Überrest *m*, -bleibsel *n*; **3.** *fig.* Spur *f*, (*k*)ein bißchen; **4.** *biol.* Rudi'ment *n*, verkümmertes Or'gan *od.* Glied; **ves·tig·i·al** [ves'tidʒiəl] *adj. biol.* rudimen'tär, verkümmert.

vest·ment ['vesτmənt] *s.* **1.** Amtstracht *f*, Robe *f*; *a. eccl.* Or'nat *m*; **2.** *eccl.* Meßgewand *n*; **3.** Gewand *n* (*a. fig.*).

'vest-'pock·et *adj.* im 'Westentaschenfor,mat, Westentaschen..., Klein...

ves·tral ['vestrəl] *adj.* Sakristei...

ves·try ['vestri] *s. eccl.* **1.** Sakri'stei *f*; **2.** Bet-, Gemeindesaal *m*; **3.** *Brit.* **a)** *a. common* ~, *general* ~, *ordinary* ~ Gemeindesteuerpflichtige *pl.*, **b)** *a. select* ~ Gemeindevertretung *f*, Kirchenvorstand *m*; **'~-clerk** *s. Brit.* Rechnungsführer *m* der Kirchgemeinde; **'~man** [-mən] *s.* [*irr.*] Gemeindevertreter *m*.

ves·ture ['vestʃə] *s. obs. od. poet.* **a)** Gewand *n*, Kleid(ung *f*) *n*, **b)** Hülle *f*, Mantel *m* (*a. fig.*).

ve·su·vi·an [vi'suːvjən] **I.** *adj.* **1.** ♀ *geogr.* ve'suvisch; **2.** vul'kanisch; **II.** *s.* **3.** *obs.* Windstreichhölzchen *n*.

vet[1] [vet] F **I.** *s.* **1.** Tierarzt *m*; **II.** *v/t.* **2.** *Tier* unter'suchen *od.* behandeln; **3.** *humor. j-n* verarzten; **4.** *humor. fig.* auf Herz u. Nieren prüfen.

vet[2] [vet] *Am.* F *abbr. für veteran.*

vetch [vetʃ] *s.* ♀ Wicke *f*; **'vetch·ling** [-liŋ] *s.* ♀ Platterbse *f*.

vet·er·an ['vetərən] **I.** *s.* **1.** Vete'ran *m* (*alter Soldat od. Beamter*); **2.** ⚔ *Am.* ehemaliger Kriegsteilnehmer; **3.** *fig.* ‚alter Hase'; **II.** *adj.* **4.** alt-, ausgedient; **5.** kampferprobt: ~ *troops*; **6.** *fig.* erfahren: ~ *golfer*.

vet·er·i·nar·i·an [vetəri'nɛəriən] → *veterinary*; **vet·er·i·nar·y** ['vetərinəri] **I.** *s.* Tierarzt *m*, Veteri'när *m*; **II.** *adj.* tierärztlich: ~ *medicine* Tierheilkunde; ~ *surgeon* Tierarzt.

ve·to ['viːtou] *pol.* **I.** *pl.* **-toes** *s.* **1.** 'Veto *n*, Einspruch *m*: *to put a* (*od. one's*) ~ (*up*)*on* → *3*; **2.** *a.* ~ *power* 'Veto-, Einspruchsrecht *n*; **II.** *v/t.* **3.** sein Veto einlegen gegen, Einspruch erheben gegen; **4.** unter'sagen, verbieten.

vex [veks] *v/t.* **1.** *j-n* ärgern, belästigen, aufbringen, irritieren; → *vexed*; **2.** quälen, bedrücken, beunruhigen; **3.** schikanieren; **4.** *obs. od. poet. Meer* aufwühlen.

vex·a·tion [vek'seiʃən] *s.* **1.** Ärger *m*, Verdruß *m*; **2.** Plage *f*, Qual *f*; **3.** Belästigung *f*; Schi'kane *f*; **4.** Beunruhigung *f*, Sorge *f*; **vex·a·tious** [vek'seiʃəs] *adj.* □ **1.** lästig, verdrießlich, ärgerlich, leidig; **2.** ⚖ schika'nös: *a* ~ *suit*; **vex·a·tious·ness** [vek'seiʃəsnis] *s.* Ärgerlich-, Verdrießlich-, Lästigkeit *f*; **vexed** [vekst] *adj.* □ **1.** ärgerlich (*at s.th.*, *with s.o.* über *acc.*); **2.** beunruhigt (*with* durch, von); **3.** ('viel)um,stritten, strittig (*Frage, Problem*); **vex·ing** ['veksiŋ] *adj.* □ ärgerlich, verdrießlich.

vi·a ['vaiə] (*Lat.*) **I.** *prp.* via, über (*acc.*): ~ *London*; ~ *air mail* per Luftpost; **II.** *s.* Weg *m*: ~ *media fig.* Mittelding, -weg.

vi·a·ble ['vaiəbl] *adj. biol.*, *a. fig.* lebensfähig.

vi·a·duct ['vaiədʌkt] *s.* Via'dukt *m*.

vi·al ['vaiəl] *s.* (Glas)Fläschchen *n*, Phi'ole *f*: *to pour out the* ~*s of one's wrath bibl. u. fig.* die Schalen s-s Zornes ausgießen.

vi·and ['vaiənd] *s. mst pl.* Lebensmittel *n od. pl.*

vi·at·i·cum [vai'ætikəm] *pl.* **-cums** *s. eccl.* bei der letzten Ölung gereichte Euchari'stie.

vibes [vaibz] *s. pl. sl.* Ausstrahlung *f* (*e-r Person*).

vi·brant ['vaibrənt] *adj.* **1.** vibrierend: **a)** schwingend (*Saite etc.*), **b)** laut schallend (*Ton*); **2.** zitternd, bebend (*with* vor *dat.*): ~ *with energy*; **3.** pulsierend (*with* von): ~ *cities*; **4.** kraftvoll, lebensprühend: *a* ~ *personality*; **5.** erregt; **6.** *ling.* stimmhaft (*Laut*).

vi·bra·phone ['vaibrəfoun] *s.* ♪ Vibra'phon *n*.

vi·brate [vai'breit] **I.** *v/i.* **1.** vibrieren: **a)** zittern (*a. phys.*), **b)** (nach-) klingen, (-)schwingen (*Töne*); **2.** schwingen, pulsieren; **3.** zittern, beben (*with* vor *Erregung etc.*); **II.** *v/t.* **4.** in Schwingungen versetzen; **5.** vibrieren *od.* schwingen *od.* zittern lassen; **vi'bra·tion** [-eiʃən] *s.* **1.** Schwingen *n*, Vibrieren *n*, Zittern *n*: ~*-proof* erschütterungsfrei; **2.** *phys.* Vibrati'on *f*: **a)** Schwingung *f*, **b)** Oszillati'on *f*; **vi'bra·tion·al** [-eiʃənl] *adj.* Schwingungs...; **vi'bra·tor** [-tə] *s.* ⊕ **1.** Vi'brator *m*, 'Rüttelappa,rat *m*; **2.** ⚕ Vi'briermaschine *f*; **3.** ⚡ **a)** Summer *m*, **b)** Zerhacker *m*; **4.** ♪ Zunge *f*, Blatt *n* (*Blasinstrument*); **vi·bra·to·ry** ['vaibrətəri] *adj.* **1.** schwingungsfähig; 2. vibrierend; 3. Vibrations..., Schwingungs...

vic·ar ['vikə] *s. eccl.* 1. *Brit.* Vi'kar *m*, ('Unter)Pfarrer *m*; 2. *Protestantische Episkopalkirche in den USA*: a) (Unter)Pfarrer *m*, b) Stellvertreter *m* des Bischofs; 3. *R.C.* a) *cardinal* ~ Kardinalvikar, b) ♀ *of (Jesus) Christ* Statthalter Christi (*Papst*); '**vic·ar·age** [-əridʒ] *s.* 1. Pfarrhaus *n*; 2. Vikari'at *n* (*Amt des Vikars*).

vic·ar gen·er·al *s. eccl.* Gene'ralvi,kar *m*.

vi·car·i·ous [vai'kɛəriəs] *adj.* □ 1. stellvertretend; 2. *fig.* mit-, nachempfunden, aus zweiter Hand (*Erlebnisse etc.*): ~ *pleasure*.

vice¹ [vais] *s.* 1. Laster *n*: a) Untugend *f*, b) schlechte (An)Gewohnheit; 2. Lasterhaftigkeit *f*, Verderbtheit *f*: ~ *squad* ⚖ *Am.* Sittenpolizei; 3. körperlicher Fehler, Gebrechen *n*; 4. *fig.* Mangel *m*, Fehler *m*; 5. Verirrung *f*, Auswuchs *m*; 6. Unart *f* (*Pferd*).

vice² [vais] *s.* ⊕ Schraubstock *m* (*a. fig.*), Aufspannblock *m*, Zwinge *f*.

vi·ce³ ['vaisi] *prp.* an Stelle von.

vice⁴ [vais] *s.* F ,Vize' *m* (*abbr. für vice-admiral etc.*).

vice- [vais] *in Zssgn* stellvertretend, Vize...; '~-'**ad·mi·ral** *s.* ⚓ 'Vizeadmi,ral *m*; '~-'**chair·man** *s.* [*irr.*] stellvertretender Vorsitzender, 'Vizepräsi,dent *m*; '~-'**chan·cel·lor** *s.* 1. 'Vizekanzler *m*; 2. *Brit. univ.* (geschäftsführender) Rektor; '~-'**con·sul** *s.* 'Vize,konsul *m*; '~-'**ge·rent** [-'dʒerənt] *s.* Statthalter *m*; '~-'**pres·i·dent** *s.* Vizepräsident *m*: a) stellvertretender Vorsitzender, b) ✝ *Am.* Di'rektor *m*, Vorstandsmitglied *n*; '~'**re·gal** *adj.* 'vizeköniglich; ~**·reine** ['vais'rein] *s.* Frau *f* des 'Vizekönigs; ~**·roy** ['vaisrɔi] *s.* 'Vizekönig *m*; '~'**roy·al** *adj.* 'vizeköniglich.

vi·ce ver·sa ['vaisi'vəːsə] (*Lat.*) *adv.* 'umgekehrt.

vic·i·nage ['visinidʒ] → *vicinity*; '**vic·i·nal** [-nl] *adj.* benachbart, 'umliegend, nah; **vi·cin·i·ty** [vi'siniti] *s.* 1. Nähe *f*, Nachbarschaft *f*: *in close* ~ *to* in unmittelbarer Nähe von; *in the* ~ *of 40 fig.* um (die) 40 herum; 2. Nachbarschaft *f*, (nähere) Um'gebung.

vi·cious ['viʃəs] *adj.* □ 1. lasterhaft, verderbt, 'unmo,ralisch; 2. verwerflich: ~ *habit*; 3. bösartig, boshaft, gemein: ~ *attack*; 4. fehler-, mangelhaft; 5. F bösartig, schwer: *a* ~ *headache*; 6. un-, bösartig (*Tier*); 7. schädlich: ~ *air*; ~ **cir·cle** *s.* 1. 'Circulus *m* viti'osus, Teufelskreis *m*; 2. *phls.* Zirkel-, Trugschluß *m*.

vi·cious·ness ['viʃəsnis] *s.* 1. Lasterhaftigkeit *f*, Verderbtheit *f*; 2. Verwerflichkeit *f*; 3. Bösartigkeit *f*, Gemeinheit *f*; 4. Fehlerhaftigkeit *f*.

vi·cis·si·tude [vi'sisitjuːd] *s.* 1. Wandel *m*, Wechsel *m*; 2. *pl.* Wechselfälle *pl.*, *das* Auf u. Ab: *the* ~*s of life*; 3. *pl.* Schicksale *pl.*, Schicksalsschläge *pl.*; **vi·cis·si·tu·di·nous** [visisi'tjuːdinəs] *adj.* wechselvoll.

vic·tim ['viktim] *s.* 1. Opfer *n*: a) (Unfall- *etc.*)Tote(r *m*) *f*, b) Leidtragende(r *m*) *f*, c) Betrogene(r *m*) *f*: *to fall a* ~ *to* zum Opfer fallen (*dat.*); 2. Opfer(tier) *n*; '**vic·tim·ize** [-maiz] *v/t.* 1. *j-n* (auf)opfern; 2. quälen, schikanieren, belästigen; 3. prellen, betrügen.

vic·tor ['viktə] I. *s.* Sieger(in); II. *adj.* siegreich, Sieger...

vic·to·ri·a [vik'tɔːriə] *s.* Vik'toria *f* (*zweisitziger Einspänner*); ♀ **Cross** *s.* Vik'toriakreuz *n* (*brit. Tapferkeitsauszeichnung*).

Vic·tor·i·an [vik'tɔːriən] I. *adj.* 1. Viktori'anisch: ~ *Period*; 2. viktori'anisch: ~ *habits*; II. *s.* 3. Viktori'aner(in).

vic·to·ri·ous [vik'tɔːriəs] *adj.* □ 1. siegreich (*over* über *acc.*): *to be* ~ den Sieg davontragen, siegen; 2. Sieges...; **vic·to·ry** ['viktəri] *s.* 1. Sieg *m* (*a. fig.*); 2. *fig.* Tri'umph *m*, Erfolg *m*: *moral* ~.

vict·ual ['vitl] I. *s.* 1. *mst pl.* Eßwaren *pl.*, Lebensmittel *pl.*, Provi'ant *m*; II. *v/t.* 2. verpflegen, verproviantieren; III. *v/i.* 3. sich verpflegen *od.* verproviantieren; 4. essen, ,futtern'; '**vict·ual·(l)er** [-lə] *s.* 1. ('Lebensmittel)Liefe,rant *m*; 2. *a. licensed* ~ *Brit.* Schankwirt *m*; 3. ⚓ Provi'antschiff *n*; '**vict·ual·(l)ing** [-liŋ] *s.* Verproviantierung *f*: ~ *ship* Proviantschiff.

vi·de ['vaidi(ː)] (*Lat.*) *int.* siehe!

vi·de·li·cet [vi'diːliset] (*Lat.*) *adv.* nämlich, das heißt (*abbr. viz*; *lies*: *namely, that is*).

vid·e·o ['vidiou] *Am.* I. *adj.* Fernseh..., Bild...; II. *s.* Fernsehen *n*; ~ **cas·sette** *s.* 'Videokas,sette *f*; ~ **disc** *s.* Bildplatte *f*; ~ **re·cord·er** *s.* 'Videore,corder *m*; '~**·tape** I. *s.* Videoband *n*; II. *v/t.* auf Videoband aufnehmen, aufzeichnen.

vie [vai] *v/i.* wetteifern: *to* ~ *with s.o. in* (*od. for*) *s.th.* mit j-m in *od.* um et. wetteifern.

Vi·en·nese [vie'niːz] I. *s. sg. u. pl.* 1. a) Wiener(in), b) Wiener(innen) *pl.*; 2. *ling.* Wienerisch *n*; II. *adj.* 3. wienerisch, Wiener(...).

view [vjuː] I. *v/t.* 1. ansehen, betrachten, besichtigen, in Augenschein nehmen, prüfen; 2. *fig.* ansehen, auffassen, betrachten, beurteilen; 3. über'blicken, -'schauen; 4. *obs.* sehen; II. *s.* 5. (An-, Hin-) Sehen *n*, Besichtigung *f*: *at first* ~ auf den ersten Blick; *on nearer* ~ bei näherer Betrachtung; 6. Sicht *f* (*a. fig.*): *in* ~ a) in Sicht, sichtbar, b) *fig.* in (Aus)Sicht; *in* ~ *of fig.* im Hinblick auf (*acc.*), in Anbetracht *od.* angesichts (*gen.*); *in full* ~ *of* direkt vor *j-s* Augen; *on* ~ zu besichtigen(d), ausgestellt; *on the long* ~ *fig.* auf weite Sicht; *out of* ~ außer Sicht, nicht zu sehen; *to come in* ~ in Sicht kommen, sichtbar werden; *to have in* ~ *fig.* im Auge haben, beabsichtigen; *to keep in* ~ *fig.* im Auge behalten; 7. Aussicht *f*, (Aus)Blick *m* (*of, over* auf *acc.*); Szene'rie *f*; 8. *paint.*, *phot.* Ansicht *f*, Bild *n*: ~*s of London*; *sectional* ~ ⊕ Ansicht im Schnitt; 9. *fig.* 'Überblick *m* (*of* über *acc.*); 10. Absicht *f*: *with a* ~ *to* a) (*ger.*) mit *od.* in der Absicht zu (*tun*), zu dem Zweck (*gen.*), b) im Hinblick auf (*acc.*); 11. *fig.* Ansicht *f*, Auffassung *f*, Urteil *n* (*of, on* über *acc.*): *in my* ~ in m-n Augen, m-s Erachtens; *to form a* ~ *on* sich ein Urteil bilden über (*acc.*); *to take the* ~ *that* die Ansicht *od.* den Standpunkt vertreten, daß; *to take a bright* (*dim, grave*) ~ *of et.* optimistisch (pessimistisch, ernst) beurteilen; 12. Vorführung *f*: *private* ~ *of a film*; **view·er** ['vjuːə] *s.* 1. Betrachter(in); 2. Fernsehteilnehmer(in).

'**view|-find·er** *s. phot.* (Bild)Sucher *m*; ~ **hal·loo** *s. hunt.* Hal'lo(ruf *m*) *n* (*beim Erscheinen des Fuchses*).

view·less ['vjuːlis] *adj.* □ 1. *poet.* unsichtbar; 2. *Am.* meinungs-, urteilslos.

'**view·point** *s. fig.* Gesichts-, Standpunkt *m*.

view·y ['vjuːi] *adj.* F verstiegen, über'spannt, ,fimmelig'.

vig·il ['vidʒil] *s.* 1. Wachsein *n*, Wachen *n* (*zur Nachtzeit*); 2. Nachtwache *f*: *to keep* ~ wachen (*over* bei); 3. *eccl.* a) *mst pl.* Vi'gilie(n *pl.*) *f*, Nachtwache *f* (*vor Kirchenfesten*), b) Vi'gil *f* (*Vortag e-s Kirchenfests*): *on the* ~ *of* am Vorabend von (*od. gen.*); '**vig·i·lance** [-ləns] *s.* 1. Wachsamkeit *f*: ~ *committee bsd. Am.* Sicherheitsausschuß (*Form der Volksjustiz durch Freiwillige in Notzeiten*); 2. ⚕ Schlaflosigkeit *f*; '**vig·i·lant** [-lənt] *adj.* □ wachsam, 'umsichtig, aufmerksam; **vig·i·lan·te** [vidʒi'lænti] *s. Am.* Mitglied *n* e-s Sicherheitsausschusses.

vi·gnette [vi'njet] I. *s. typ.*, *phot. etc.* Vi'gnette *f*; II. *v/t.* vignettieren.

vig·or *Am.* → *vigour*.

vi·go·ro·so [viːgə'rousou] (*Ital.*) *adv.* ♪ kraftvoll.

vig·or·ous ['vigərəs] *adj.* □ 1. *allg.* kräftig; 2. kraftvoll, vi'tal; 3. lebhaft, ak'tiv, tatkräftig; 4. e'nergisch, nachdrücklich; wirksam; **vig·our** ['vigə] *s.* 1. (Körper-, Geistes-) Kraft *f*, Vitali'tät *f*; 2. Ener'gie *f*; 3. *biol.* Lebenskraft *f*; 4. *fig.* Nachdruck *m*, Wirkung *f*.

vi·king ['vaikiŋ] *hist.* I. *s.* Wiking(er) *m*; II. *adj.* wikingisch, Wikinger...

vile [vail] *adj.* □ 1. *obs.* wertlos; 2. gemein, schändlich, abstoßend, schmutzig; 3. F scheußlich, ab'scheulich, mise'rabel: *a* ~ *hat*; ~ *weather*; '**vile·ness** [-nis] *s.* Gemeinheit *f*, Schändlichkeit *f*; 'Widerwärtigkeit *f*.

vil·i·fi·ca·tion [vilifi'keiʃən] *s.* 1. Schmähung *f*, Verleumdung *f*, -unglimpfung *f*; 2. *obs.* Her'absetzung *f*; **vil·i·fi·er** ['vilifaiə] *s.* Verleumder(in); **vil·i·fy** ['vilifai] *v/t.* 1. schmähen, verleumden, verunglimpfen; 2. her'absetzen.

vil·la ['vilə] *s.* 1. Villa *f*, Landhaus *n*; 2. 'Einfa,milienhaus *n*.

vil·lage ['vilidʒ] I. *s.* Dorf *n*; II. *adj.* dörflich, Dorf...; '**vil·lag·er** [-dʒə] *s.* Dorfbewohner(in), Dörfler(in).

vil·lain ['vilən] *s.* 1. *a. thea. u. humor.* Schurke *m*, Bösewicht *m*; 2. *humor.* Schlingel *m*: *the little* ~; 3. → *villein*; **vil·lain·age** ['vilinidʒ] → *villeinage*; '**vil·lain·ous** [-nəs] *adj.* □ 1. schurkisch, Schurken..., schändlich; 2. F → *vile 3*; '**vil·lain·y** [-ni] *s.* Schurke'rei *f*.

vil·lein ['vilin] *s. hist.* 1. Leibeigne(r)

m; **2.** *später*: Zinsbauer *m*; **ˈvil·lein·age** [-nidʒ] *s.* **1.** Leibeigenschaft *f*; **2.** ˈHintersassengut *n*.

vil·li·form [ˈvilifɔːm] *adj. biol.* zottenförmig; **ˈvil·lose** [ˈvilous], **vil·lous** [ˈviləs] *adj. biol.* zottig; **ˈvil·lus** [-ləs] *pl.* **-li** [-lai] *s.* **1.** *anat.* (Darm)Zotte *f*; **2.** ♀ Zottenhaar *n*.

vim [vim] *s.* F Schwung *m*, Schneid *m*, ‚Mumm' *m*: *full of* ~ ‚aufgekratzt'.

vin·ai·grette [vineiˈgret] *s.* **1.** → *vinaigrette sauce*; **2.** Riechfläschchen *n*, -dose *f*; ~ **sauce** *s. Küche*: Vinaiˈgrette *f* (*Essigsoße*).

vin·ci·ble [ˈvinsibl] *adj.* besiegbar, überˈwindbar.

vin·cu·lum [ˈviŋkjuləm] *pl.* **-la** [-lə] *s.* **1.** ℞ Strich *m* (*über mehreren Zahlen*), Überˈstreichung *f* (*an Stelle von Klammern*); **2.** *bsd. fig.* Band *n*.

vin·di·ca·ble [ˈvindikəbl] *adj.* haltbar, zu rechtfertigen(d); **vin·di·cate** [ˈvindikeit] *v/t.* **1.** in Schutz nehmen, verteidigen (*from* vor *dat.*, gegen); **2.** rechtfertigen, bestätigen: *to* ~ *o.s.* sich rechtfertigen; **3.** ⚖ Anspruch erheben auf (*acc.*), beanspruchen; *Recht*, *Anspruch* geltend machen; **4.** *Recht etc.* behaupten; **vin·di·ca·tion** [vindiˈkeiʃən] *s.* **1.** Verteidigung *f*, Rechtfertigung *f*: *in* ~ *of* zur Rechtfertigung von (*od. gen.*); **2.** Behauptung *f*, Geltendmachung *f*; **ˈvin·dic·a·tive** [-kətiv] *adj.* rechtfertigend; **ˈvin·di·ca·to·ry** [-keitəri] *adj.* □ **1.** rechtfertigend, Rechtfertigungs...; **2.** rächend, ahndend.

vin·dic·tive [vinˈdiktiv] *adj.* □ **1.** rachsüchtig, nachtragend; **2.** als Strafe: ~ *damages* ⚖ tatsächlicher Schadensersatz zuzüglich e-r Buße; **vinˈdic·tive·ness** [-nis] *s.* Rachsucht *f*.

vine [vain] ♀ **I.** *s.* **1.** (Hopfen- *etc.*) Rebe *f*, Kletterpflanze *f*; **2.** Wein(-stock) *m*, (Wein)Rebe *f*; **II.** *adj.* **3.** Wein..., Reb(en)...; **ˈ~-clad** *adj. poet.* weinlaubbekränzt; **ˈ~-dress·er** *s.* Winzer *m*.

vin·e·gar [ˈvinigə] **I.** *s.* **1.** (Wein-) Essig *m*: *aromatic* ~ aromatischer Essig, Gewürzessig; **2.** *pharm.* Essig *m*; **3.** *fig.* saure Worte *pl. od.* Miene; **II.** *v/t.* **4.** mit Essig behandeln, sauer machen (*a. fig.*); **ˈvin·e·gar·y** [-əri] *adj.* **1.** essigähnlich, -sauer; **2.** *fig.* (essig)sauer: ~ *smile*.

ˈvine|-grow·er *s.* Weinbauer *m*, Winzer *m*; **ˈ~-grow·ing** *s.* Weinbau *m*; **ˈ~-leaf** *s.* [*irr.*] Wein-, Rebenblatt *n*: *vine-leaves* Weinlaub; ~ **louse** *s.* [*irr.*] Reblaus *f*; **ˈ~-mil·dew** *s.* ♀ Traubenfäule *f*.

vin·er·y [ˈvainəri] *s.* Treibhaus *n* für Reben.

vine·yard [ˈvinjəd] *s.* Weinberg *m*, -garten *m*.

vin·i·cul·tur·al [viniˈkʌltʃərəl] *adj.* weinbaukundlich; **vin·i·cul·ture** [ˈvinikʌltʃə] *s.* Weinbau *m* (*als Fach*).

vin·i·fi·ca·tion [vinifiˈkeiʃən] *s.* ⊕ Weinkeltern *n*, -kelterung *f*.

vi·nos·i·ty [vaiˈnɔsiti] *s.* **1.** Weinartigkeit *f*; **2.** Weinseligkeit *f*; Trunksucht *f*; **vi·nous** [ˈvainəs] *adj.* **1.** weinartig, Wein...; **2.** weinselig, (be)trunken: ~ *eloquence*; **3.** weinrot.

vin·tage [ˈvintidʒ] *s.* **1.** Weinertrag *m*, -ernte *f*; **2.** Weinlese(zeit) *f*; **3.** (guter) Wein, herˈvorragender Jahrgang: ~ *wine* Qualitätswein; **4.** F Jahrgang *m*, Herstellung *f*: *a hat of last year's* ~; ~ *car mot.* altes Modell, ‚Autoveteran'; **ˈvin·tag·er** [-dʒə] *s.* Weinleser(in), Winzer(in).

vint·ner [ˈvintnə] *s.* Weinhändler *m*.

vi·nyl [ˈvainil] *adj.* ⚗ Vinyl...; ~ **pol·y·mers** *s. pl.* ⚗ Viˈnylpolyˌmere *pl.* (*Kunststoffe*).

vi·ol [ˈvaiəl] *s.* ♪ *hist.* Viˈole *f*: *bass* ~ Viola da gamba, Gambe.

vi·o·la¹ [viˈoulə] *s.* ♪ **1.** Viˈola *f*, Bratsche *f*; **2.** → *viol*.

vi·o·la² [ˈvaiələ] *s.* ♀ Veilchen *n*, Stiefmütterchen *n*.

vi·o·la·ble [ˈvaiələbl] *adj.* □ verletzbar (*bsd. Gesetz*, *Vertrag*); **vi·o·late** [ˈvaiəleit] *v/t.* **1.** *Eid*, *Vertrag*, *Grenze etc.* verletzen, *Gesetz* überˈtreten, *bsd. Versprechen* brechen, *e-m Gebot*, *dem Gewissen* zuˈwiderhandeln; **2.** *Frieden*, *Stille*, *Schlaf* (grob) stören; **3.** *a. fig.* Gewalt antun (*dat.*); **4.** *Frau* schänden, vergewaltigen; **5.** *Heiligtum etc.* entweihen, schänden; **vi·o·la·tion** [vaiəˈleiʃən] *s.* **1.** Verletzung *f*, Überˈtretung *f*, Bruch *m e-s Eides*, *Gesetzes*; Zuˈwiderhandlung *f*: *in* ~ *of* unter Verletzung von; **2.** (grobe) Störung (*von Frieden*, *Schlaf etc.*); **3.** Vergewaltigung *f* (*a. fig.*), Schändung *f e-r Frau*; **4.** Entweihung *f*, Schändung *f e-s Heiligtums*; **ˈvi·o·la·tor** [-leitə] *s.* **1.** Verletzer(in), Überˈtreter(in); **2.** Schänder(in).

vi·o·lence [ˈvaiələns] *s.* **1.** Gewalt(-tätigkeit) *f*; **2.** ⚖ Gewalt(tat, -anwendung) *f*: *by* ~ gewaltsam; *crimes of* ~ Gewaltverbrechen; **3.** Verletzung *f*, Unrecht *n*, Schändung *f*: *to do* ~ *to* Gewalt antun (*dat.*), *Gefühle etc.* verletzen, *Heiliges* entweihen; **4.** *bsd. fig.* Heftigkeit *f*, Ungestüm *n*; **ˈvi·o·lent** [-nt] *adj.* □ **1.** heftig, gewaltig, stark: ~ *blow*; ~ *tempest*; **2.** gewaltsam, -tätig (*Person*, *Handlung*), Gewalt...: ~ *death* gewaltsamer Tod; ~ *interpretation fig.* gewaltsame Auslegung; ~ *measures* Gewaltmaßnahmen; *to lay* ~ *hands on* Gewalt antun (*dat.*); **3.** *fig.* heftig, ungestüm, hitzig: ~ *controversy*; ~ *temper*; **4.** grell, laut (*Farben*, *Töne*).

vi·o·let [ˈvaiəlit] **I.** *s.* **1.** ♀ Veilchen *n*; **2.** Veilchenblau *n*, Vioˈlett *n*; **II.** *adj.* **3.** veilchenblau, vioˈlett.

vi·o·lin [vaiəˈlin] *s.* ♪ Vioˈline *f*, Geige *f*: *to play the* ~ Geige spielen, geigen; *first* ~ erste(r) Geige(r); ~ *case* Geigenkasten; ~ *clef* Violinschlüssel; **vi·o·lin·ist** [ˈvaiəlinist] *s.* Violiˈnist(in), Geiger(in).

vi·ol·ist [ˈvaiəlist] *s.* ♪ **1.** *hist.* Viˈolenspieler(in); **2.** [viˈoulist] Bratˈschist (-in).

vi·o·lon·cel·list [vaiələnˈtʃelist] *s.* ♪ (Violon)Celˈlist(in); **vi·o·lonˈcel·lo** [-lou] *pl.* **-los** *s.* (Violon)ˈCello *n*.

VIP [ˈviːaiˈpiː] *s. sl.* ‚hohes' *od.* ‚großes Tier' (*aus Very Important Person*).

vi·per [ˈvaipə] *s.* **1.** *zo.* Viper *f*, Otter *f*, Natter *f*; **2.** *zo. a. common* ~ Kreuzotter *f*; **3.** *allg.* Giftschlange *f*: *to cherish a* ~ *in one's bosom fig.* e-e Schlange an s-m Busen nähren; **4.** *fig.* (Gift)Schlange *f*, Natter *f* (*Person*); **ˈvi·per·ine** [-ərain] *adj. zo.* **a)** vipernartig, **b)** Vipern...; **ˈvi·per·ish** [-əriʃ] *adj.*, **ˈvi·per·ous** [-ərəs] *adj.* □ *mst fig.* giftig, vipernartig.

vi·per's grass *s.* ♀ Schwarzwurzel *f*.

vi·ra·go [viˈrɑːgou] *pl.* **-gos** *s.* **1.** Mannweib *n*; **2.** Zankteufel *m*, ‚Drachen' *m*.

vi·res [ˈvaiəriːz] *pl. von vis*.

vir·gin [ˈvəːdʒin] **I.** *s.* **1.** Jungfrau *f* (*a. ast.* ♍); **2.** *eccl. the (Blessed)* ♍ (*Mary*) die Heilige Jungfrau; **II.** *adj.* **3.** jungfräulich, unberührt (*beide a. fig. Schnee etc.*): ~ *forest* Urwald; ♍ *Mother eccl.* Mutter Gottes; *the* ♍ *Queen hist.* die jungfräuliche Königin (*Elisabeth I. von England*); ~ *queen zo.* unbefruchtete (Bienen-) Königin; ~ *soil* **a)** ungepflügtes Land, **b)** *fig.* Neuland, **c)** unberührter Geist; **4.** keusch, jungfräulich: ~ *modesty*; **5.** ⊕ *u. fig.* Jungfern...(*-öl*, *-fahrt etc.*): ~ *honey* Jungfernscheibenhonig; ~ *wool* Neuwolle; **ˈvir·gin·al** [-nl] *adj.* □ **1.** jungfräulich, Jungfern...: ~ *membrane anat.* Jungfernhäutchen; **2.** rein, keusch; **ˈvir·gin·hood** [-hud] *s.* Jungfräulichkeit *f*, Jungfernschaft *f*.

Vir·gin·i·a [vəˈdʒinjə] → *Virginia tobacco*; ~ **creep·er** *s.* ♀ Wilder Wein, Jungfernrebe *f*.

Vir·gin·i·an [vəˈdʒinjən] **I.** *adj.* Virginia..., virˈginisch; **II.** *s.* Virˈginier (-in).

Vir·gin·i·a to·bac·co *s.* Virˈginia (-ˌtabak) *m*.

vir·gin·i·ty [vəːˈdʒiniti] *s.* **1.** Jungfräulichkeit *f*, Jungfernschaft *f*; **2.** Reinheit *f*, Keuschheit *f*, Unberührtheit *f* (*a. fig.*).

Vir·go [ˈvəːgou] *s. ast.* Jungfrau *f*, ˈVirgo *f*.

vir·i·des·cence [viriˈdesns] *s.* Grünwerden *n*, grünliches Aussehen; (frisches) Grün; **vir·iˈdes·cent** [-nt] *adj.* grün(lich); **vi·rid·i·ty** [viˈriditi] *s.* **1.** *biol.* grünes Aussehen (*z. B. an Austern*); **2.** *fig.* Frische *f*.

vir·ile [ˈvirail] *adj.* **1.** männlich, kräftig (*beide a. fig. Stil etc.*), Männer..., Mannes...: ~ *voice*; **2.** *physiol.* poˈtent, zeugungskräftig: ~ *member* männliches Glied; **vi·ril·i·ty** [viˈriliti] *s.* **1.** Männlichkeit *f*; **2.** Mannesalter *n*, -jahre *pl.*; **3.** *physiol.* Poˈtenz *f*, Zeugungskraft *f*; **4.** *fig.* Kraft *f*.

vir·tu [vəːˈtuː] *s.* **1.** Kunst-, Liebhaberwert *m*: *article of* ~ Kunstgegenstand; **2.** *coll.* Kunstgegenstände *pl.*; **3.** Kunstgeschmack *m*, Kunstliebhabeˈrei *f*.

vir·tu·al [ˈvəːtjuəl] *adj.* □ **1.** tatsächlich, ˈfaktisch, eigentlich; **2.** ⊕, *phys.* virtuˈell; **ˈvir·tu·al·ly** [-əli] *adv.* eigentlich, praktisch, im Grunde genommen.

vir·tue [ˈvəːtjuː] *s.* **1.** Tugend(haftigkeit) *f* (*a. Keuschheit*): *woman of* ~ tugendhafte Frau; *lady of easy* ~ leichtes Mädchen; **2.** Rechtschaffenheit *f*; **3.** Tugend *f*: *to make a* ~

of necessity aus der Not e-e Tugend machen; **4.** Wirksamkeit *f*, Wirkung *f*, Erfolg *m*; **5.** (gute) Eigenschaft, Vorzug *m*; (hoher) Wert; **6.** *by* (*od. in*) ~ *of* kraft *e-s Gesetzes, e-r Vollmacht etc.*, auf Grund von (*od. gen.*), vermöge (*gen.*).

vir·tu·os·i·ty [vəːtju'ɔsiti] *s.* **1.** Virtuosi'tät *f*, (blendende) Kunstfertigkeit; **2.** Kunstsinn *m*, -liebhabe'rei *f*; **vir·tu·o·so** [vəːtju'ouzou] *pl.* **-si** [-siː] *s.* **1.** Virtu'ose *m*; **2.** Kunstkenner *m*.

vir·tu·ous ['vəːtjuəs] *adj.* □ tugendhaft, rechtschaffen.

vir·u·lence ['viruləns], '**vir·u·len·cy** [-si] *s.* ⚕ *u. fig.* Viru'lenz *f*, Giftigkeit *f*, Bösartigkeit *f*; '**vir·u·lent** [-nt] *adj.* □ **1.** giftig, bösartig (*Gift, Krankheit*) (*a. fig.*); **2.** ⚕ viru'lent, sehr ansteckend.

vi·rus ['vaiərəs] *s.* **1.** ⚕ 'Virus *n*: **a)** (Krankheits)Gift *n*, (-)Erreger *m*, **b)** Gift-, Impfstoff *m*; **2.** *fig.* Gift *n*: *the* ~ *of hatred.*

vis [vis] *pl.* **vi·res** ['vaiəriːz] (*Lat.*) *s. phys.* Kraft *f*: ~ *inertiae* Trägheitskraft; ~ *mortua* tote Kraft; ~ *viva* kinetische Energie.

vi·sa ['viːzə] **I.** *s.* Visum *n*: **a)** Sichtvermerk *m*, **b)** Einreisebewilligung *f*; **II.** *v/t. pret. u. p.p.* **-saed, -sa'd** ein Visum eintragen in (*acc.*).

vis·age ['vizidʒ] *s. poet.* Antlitz *n*.

vis-à-vis ['viːzɑːviː] (*Fr.*) **I.** *adv.* gegen'über (*to, with* von); **II.** *s.* Gegen'über *n*, Visa'vis *n*.

vis·cer·a ['visərə] *s. pl. anat.* Eingeweide *pl.*: *abdominal-*~ Bauchorgane; '**vis·cer·al** [-rəl] *adj. anat.* Eingeweide...

vis·cid ['visid] *adj.* **1.** klebrig (*a.* ⚘); **2.** *bsd. phys.* vis'kos, dick-, zähflüssig; **vis·cid·i·ty** [vi'siditi] *s.* **1.** Klebrigkeit *f*; **2.** Dick-, Zähflüssigkeit *f*.

vis·cose ['viskous] *s.* ⊕ Vis'kose *f* (*Art Zellulose*): ~ *silk* Viskose-, Zellstoffseide; **vis·cos·i·ty** [vis'kɔsiti] *s.* ⊕, *phys.* Viskosi'tät *f*, (Grad *m* der) Zähflüssigkeit *f*, Konsi'stenz *f*.

vis·count ['vaikaunt] *s.* Vi'comte *m* (*brit. Adelstitel zwischen baron u. earl*); '**vis·count·cy** [-si] *s.* Rang *m od.* Würde *f* e-s Vicomte; '**vis·count·ess** [-tis] *s.* Vicom'tesse *f*; '**vis·count·y** [-ti] → *viscountcy*.

vis·cous ['viskəs] → *viscid*.

vi·sé ['viːzei] **I.** *s.* → *visa I*; **II.** *v/t. pret. u. p.p.* **-séd, -sé'd** → *visa II*.

vise [vais] *Am.* → *vice*².

vis·i·bil·i·ty [vizi'biliti] *s.* **1.** Sichtbarkeit *f*; **2.** *meteor.* Sicht(weite) *f*: *high* (*low*) ~ gute (schlechte) Sicht; ~ *conditions* Sichtverhältnisse; **vis·i·ble** ['vizibl] *adj.* □ **1.** sichtbar; **2.** *fig.* (er-, offen)sichtlich; merklich, deutlich; **3.** *pred.* **a)** zu sehen (*Sache*), **b)** zu sprechen (*Person*).

vi·sion ['viʒən] *s.* **1.** Sehkraft *f*, -vermögen *n*: *field of* ~ Blickfeld; **2.** *fig.* **a)** (Seher-, Weit)Blick *m*, **b)** Phanta'sie *f*, Vorstellungsvermögen *n*, Einsicht *f*: *poetic* ~ visionäre Kraft des Dichters; **3.** Visi'on *f*: **a)** Traum-, Wunschbild *n*, **b)** *oft pl. psych.* Halluzinati'onen *pl.*, Gesichte *pl.*; **4.** Anblick *m*, Bild *n*; Traum *m* (*et. Schönes*): *she was a* ~ *of delight* sie bot e-n entzückenden Anblick; **vi·sion·ar·y** ['viʒnəri] **I.** *adj.* **1.** visio'när, (hell)seherisch; **2.** phan'tastisch, über'spannt: *a* ~ *scheme*; **3.** unwirklich, eingebildet; **4.** Visions..., geisterhaft, Geister...; **II.** *s.* **5.** Visio'när *m*, Hell-, Geisterseher *m*; **6.** Phan'tast *m*, Träumer *m*, Schwärmer *m*; **vi·sion con·trol** *s. Fernsehen*: 'Bildreˌgie *f*.

vis·it ['vizit] **I.** *v/t.* **1.** besuchen: **a)** *j-n, Arzt, Kranke, Lokal etc.* aufsuchen, **b)** inspizieren, in Augenschein nehmen, **c)** *Stadt, Museum etc.* besichtigen; **2.** heimsuchen (*s.th. upon j-n* mit et.): **a)** befallen (*Krankheit, Unglück*), **b)** *bibl. u. fig.* (be)strafen, *Sünden* vergelten (*upon an dat.*); **3.** *bibl.* belohnen, segnen; **II.** *v/i.* **4.** e-n Besuch *od.* Besuche machen; **5.** *Am.* F plaudern; **III.** *s.* **6.** Besuch *m*: *on a* ~ auf Besuch (*to* bei *j-m*, in *e-r Stadt etc.*); *to make* (*od. pay*) *a* ~ e-n Besuch machen; ~ *to the doctor* Konsultation beim Arzt; **7.** (for'meller) Besuch, *bsd.* Inspekti'on *f*; **8.** ⚓ *u.* ⚖ Durch'suchung *f*; **9.** *Am.* F Plaude'rei *f*, Plausch *m*; '**vis·it·ant** [-tənt] **I.** *s.* **1.** *rhet.* Besucher(in); **2.** *orn.* Strichvogel *m*; **II.** *adj.* **3.** *rhet.* besuchend; **vis·it·a·tion** [vizi'teiʃən] *s.* **1.** Besuchen *n*; **2.** offizi'eller Besuch, Besichtigung *f*, Visitati'on *f*: *right of* ~ ⚓ Durchsuchungsrecht (*auf See*); ~ (*of the sick*) *eccl.* Krankenbesuch; **3.** *fig.* (göttliche) Heimsuchung: **a)** Prüfung *f*, Strafe *f*, **b)** himmlischer Beistand: ♀ *of our Lady R.C.* Heimsuchung Mariae; **4.** langer Besuch; **vis·it·a·to·ri·al** [vizitə'tɔːriəl] *adj.* Visitations..., Überwachungs..., Aufsichts...: ~ *power* Aufsichtsbefugnis; '**vis·it·ing** [-tiŋ] *adj.* Besuchs..., Besucher...: ~-*book* Besuchsliste; ~-*card* Visitenkarte; ~ *hours* Besuchszeit (*Klinik etc.*); ~ *professor univ.* Gastprofessor; *to be on* ~ *terms with s.o.* mit j-m verkehren; '**vis·i·tor** [-tə] *s.* **1.** Besucher(in) (*to gen.*), (*a.* Kur)Gast *m*; *pl.* Besuch *m*: *summer* ~*s* Sommergäste; ~*s' book* **a)** Fremdenbuch, **b)** Gästebuch; **2.** Visi'tator *m*, In'spektor *m*; **vis·i·to·ri·al** [vizi'tɔːriəl] → *visitatorial*.

vi·sor ['vaizə] *s.* **1.** *hist. u. fig.* Vi'sier *n*; **2.** (Mützen)Schirm *m*; **3.** *mot.* Blendschutz(scheibe *f*) *m*.

vis·ta ['vistə] *s.* **1.** (Aus-, 'Durch-) Blick *m*, Aussicht *f*; **2.** Al'lee *f*; **3.** △ Gale'rie *f*, Korridor *m*; **4.** (lange) Reihe, Kette *f*: *a* ~ *of years*; **5.** *fig.* Ausblick *m*, -sicht *f* (*of* auf *acc.*), Möglichkeit *f*, Perspek'tive *f*: *his words opened up new* ~*s*.

vis·u·al ['vizjuəl] *adj.* □ **1.** Seh..., Gesichts...: ~ *acuity* Sehschärfe; ~ *angle phys.* Gesichtswinkel; ~ *nerve anat.* Sehnerv; ~ *test* Augentest; **2.** visu'ell (*Eindruck, Gedächtnis etc.*): ~ *aid ped.* Anschauungsmaterial; ~ *instruction ped.* Anschauungsunterricht; **3.** sichtbar: ~ *objects*; **4.** optisch, Sicht...(*-bereich, -zeichen etc.*): ~ *reconnaissance* ⚔ Augenaufklärung; **vis·u·al·i·za·tion** [vizjuəlai'zeiʃən] *s.* Vergegenwärtigung *f*; '**vis·u·al·ize** [-laiz] *v/t.* sich vergegenwärtigen *od.* vor Augen stellen, sich vorstellen, sich ein Bild machen von.

vi·tal ['vaitl] **I.** *adj.* **1.** Lebens... (*-frage, -funktion, -funke etc.*): ~ *energy* (*od. power*) Lebenskraft; ~ *statistics* Bevölkerungsstatistik; *Bureau of* ♀ *Statistics Am.* Personenstandsregister; **2.** lebenswichtig (*Industrie, Organ etc.*): ~ *parts* → *8*; **3.** (hoch)wichtig, entscheidend (*to* für): ~ *problems*; *of* ~ *importance* von entscheidender Bedeutung, von äußerster Wichtigkeit; **4.** wesentlich, grundlegend; **5.** *mst fig.* le'bendig: ~ *style*; **6.** vi'tal, lebensprühend; **7.** lebensgefährlich: ~ *wound*; **II.** *s.* **8.** *pl.* **a)** *anat.* ‚edle Teile' *pl.*, lebenswichtige Or'gane *pl.*, **b)** *fig. das* Wesentliche, wichtige Bestandteile *pl.*; '**vi·tal·ism** [-təlizəm] *s. biol., phls.* Vita'lismus *m*; **vi·tal·i·ty** [vai'tæliti] *s.* **1.** Vitali'tät *f*, Lebenskraft *f*; **2.** Lebensfähigkeit *f*, -dauer *f* (*a. fig.*); **vi·tal·i·za·tion** [vaitəlai'zeiʃən] *s.* Belebung *f*, Aktivierung *f*; '**vi·tal·ize** [-təlaiz] *v/t.* **1.** beleben, kräftigen; **2.** mit Lebenskraft erfüllen; **3.** *fig.* **a)** verle'bendigen, **b)** le'bendig gestalten.

vi·ta·min(**e**) ['vitəmin] *s.* Vita'min *n*, Wirkstoff *m*.

vi·ti·ate ['viʃieit] *v/t.* **1.** *allg.* verderben; **2.** beeinträchtigen; **3. a)** *Luft etc.* verunreinigen, **b)** *fig. Atmosphäre* vergiften; **4.** hinfällig (⚖ ungültig) machen; **vi·ti·a·tion** [viʃi'eiʃən] *s.* **1.** Verderben *n*, Verderbnis *f*; **2.** Beeinträchtigung *f*; **3.** Verunreinigung *f*; **4.** ⚖ Vernichtung *f*, Aufhebung *f*, Ungültigmachen *n*.

vit·i·cul·ture ['vitikʌltʃə] *s.* Weinbau *m*.

vit·re·ous ['vitriəs] *adj.* **1.** Glas..., aus Glas, gläsern; **2.** glasartig, glasig: ~ *body* (*od. humo*[*u*]*r*) *anat.* Glaskörper *des Auges*; ~ *electricity* positive Elektrizität, Glaselektrizität; **3.** *geol.* vitro'phyrisch, glasig; **vi·tres·cence** [vi'tresns] *s.* ⚗ **1.** Verglasung *f*; **2.** Verglasbarkeit *f*; **vi·tres·cent** [vi'tresnt] *adj.* **1.** verglasend; **2.** verglasbar.

vit·rics ['vitriks] *s. pl.* **1.** Glaswaren *pl.*; **2.** *mst sg. konstr.* Glaswarenkunde *f*.

vit·ri·fac·tion [vitri'fækʃən] → *vitrification*; **vit·ri·fi·a·ble** ['vitrifaiəbl] *adj.* verglasbar; **vit·ri·fi·ca·tion** [vitrifi'keiʃən] *s.* ⊕ Ver-, Über'glasung *f*, Sinterung *f*; **vit·ri·fy** ['vitrifai] ⊕ **I.** *v/t.* ver-, über'glasen, glasieren, sintern; *Keramik*: dicht brennen; **II.** *v/i.* (sich) verglasen.

vit·ri·ol ['vitriəl] *s.* **1.** ⚗ Vitri'ol *n*: *blue* ~, *copper* ~ Kupfervitriol, -sulfat; *green* ~ Eisenvitriol, Ferrosulfat; *white* ~ Zinksulfat; **2.** ⚗ Vitri'olsäure *f*; **3.** *fig.* Giftigkeit *f*, Schärfe *f*; **vit·ri·ol·ic** [vitri'ɔlik] *adj.* **1.** vitri'olisch, Vitriol...: ~ *acid* Vitriolöl, rauchende Schwefelsäure; **2.** *fig.* ätzend, beißend: ~ *remark*; '**vit·ri·ol·ize** [-laiz] *v/t.* **1.** ⚗ vitriolisieren; **2.** *j-n* mit Vitriol verletzen.

vi·tu·per·ate [vi'tjuːpəreit] *v/t.* beschimpfen, schmähen, schelten; **vi·tu·per·a·tion** [vitjuːpə'reiʃən] *s.*

1. Schmähung *f*, Beschimpfung *f*; *pl*. Schimpfworte *pl*.; 2. Tadel *m*; **vi'tu·per·a·tive** [-pərətiv] *adj*. □ schmähend, Schmäh...
vi·va¹ ['vi:və] (*Ital*.) I. *int*. Hoch!; II. *s*. Hoch(ruf *m*) *n*.
vi·va² ['vaivə] → *viva voce*.
vi·va·ce [vi'vɑ:tʃi] (*Ital*.) *adv*. ♪ vi'vace, lebhaft.
vi·va·cious [vi'veiʃəs] *adj*. □ lebhaft, munter; **vi·vac·i·ty** [vi'væsiti] *s*. Lebhaftigkeit *f*, Munterkeit *f*.
vi·var·i·um [vai'vɛəriəm] *pl*. **-i·a** [-iə] *s*. Vi'varium *n*, Tiergehege *n*; A'quarium *n* (mit Ter'rarium).
vi·va vo·ce ['vaivə'vousi] I. *adj*. *u*. *adv*. mündlich; II. *s*. mündliche Prüfung; **vi·va-vo·ce** ['vaivə'vousi] *v/t*. mündlich prüfen.
viv·id ['vivid] *adj*. □ 1. lebhaft: a) impul'siv (*Mensch*), b) inten'siv (*Gefühle, Phantasie*), c) leuchtend, glänzend (*Farbe etc*.), d) deutlich, klar (*Erinnerung, Schilderung etc*.); 2. le'bendig (*Porträt etc*.); **'viv·id·ness** [-nis] *s*. 1. Lebhaftigkeit *f*; 2. Le'bendigkeit *f*.
viv·i·fy ['vivifai] *v/t*. 1. *bsd*. *fig*. Leben geben (*dat*.), beleben, anregen; 2. intensivieren; **vi·vip·a·rous** [vi'vipərəs] *adj*. □ 1. *zo*. lebendgebärend; 2. ♆ noch an der Mutterpflanze keimend (*Samen*); **viv·i·sect** [vivi'sekt] *v/t*. *u*. *v/i*. vivisezieren, lebend sezieren; **viv·i·sec·tion** [vivi'sekʃən] *s*. Vivisekti'on *f*.
vix·en ['viksn] *s*. 1. *zo*. Füchsin *f*; 2. *fig*. Zankteufel *m*, ‚Drachen' *m*; **'vix·en·ish** [-niʃ] *adj*. zänkisch, keifend.
viz *abbr*. *für videlicet*.
vi·zier [vi'ziə] *s*. We'sir *m*.
vi·zor → *visor*.
V-J Day *s*. Tag *m* des Sieges der Alli'ierten über Japan (*im 2. Weltkrieg; 2. 9. 1945*).
vo·ca·ble ['voukəbl] *s*. Vo'kabel *f*, Wort *n*.
vo·cab·u·lar·y [və'kæbjuləri] *s*. 1. Wörterverzeichnis *n*; 2. Wörterbuch *n*; 3. Wortschatz *m*, Vokabu'lar *n*.
vo·cal ['voukəl] *adj*. □ → *vocally*; 1. stimmlich, mündlich, Stimm..., Sprech...: ~ *c(h)ords* Stimmbänder; 2. ♪ Vokal..., Gesang..., gesanglich: ~ *music* Vokalmusik; ~ *part* Singstimme; ~ *recital* Liederabend; 3. klingend, 'widerhallend (*with* von); 4. laut, vernehmbar (*a*. *fig*.): *to become* ~ *fig*. laut werden, sich vernehmen lassen; 5. *ling*. a) vo'kalisch, b) stimmhaft; **vo·cal·ic** [vou'kælik] *adj*. vokalisch; **'vo·cal·ism** [-kəlizəm] *s*. 1. Vokalisati'on *f* (*Vokalbildung u. -aussprache*); 2. Vo'kalsyˌstem *n e-r Sprache*; **'vo·cal·ist** [-kəlist] *s*. ♪ Sänger(in); **vo·cal·i·za·tion** [voukəlai'zeiʃən] *s*. 1. *bsd*. ♪ Stimmgebung *f*; 2. *ling*. a) Vokalisati'on *f*, b) stimmhafte Aussprache; **'vo·cal·ize** [-kəlaiz] I. *v/t*. 1. *Laut* aussprechen, *a*. singen; 2. *ling*. a) *Konsonanten* vokalisieren, b) stimmhaft aussprechen; 3. → *vowelize 1*; II. *v/i*. 4. *humor*. sprechen, singen, summen *etc*.; **'vo·cal·ly** [-kəli] *adv*. 1. mit(tels) der Stimme; 2. mündlich; 3. gesanglich; 4. *ling*. vo'kalisch; 5. in stimmlicher *od*. gesanglicher Hinsicht.

vo·ca·tion [vou'keiʃən] *s*. 1. (*eccl*. göttliche, *allg*. innere) Berufung (*for* zu); 2. Begabung *f*, Eignung *f* (*for* für); 3. Beruf *m*, Beschäftigung *f*; **vo'ca·tion·al** [-ʃənl] *adj*. □ beruflich, Berufs...(-*ausbildung*, -*krankheit*, -*schule etc*.): ~ *guidance* Berufsberatung.
voc·a·tive ['vɔkətiv] I. *adj*. *ling*. 'vokativisch, Anrede...: ~ *case* → *II*; II. *s*. 'Vokativ *m*.
vo·cif·er·ate [vou'sifəreit] *v/i*. schreien, brüllen; **vo·cif·er·a·tion** [vousifə'reiʃən] *s*. *a*. *pl*. Schreien *n*, Brüllen *n*, Geschrei *n*; **vo'cif·er·ous** [-fərəs] *adj*. □ 1. laut schreiend, brüllend; 2. lärmend, laut.
vod·ka ['vɔdkə] *s*. Wodka *m*.
vogue [voug] *s*. 1. *allg*. (herrschende) Mode: *all the* ~ (die) große Mode, der letzte Schrei; *to be in* ~ (in) Mode sein; *to come into* ~ in Mode kommen; 2. Beliebtheit *f*: *to be in full* ~ großen Anklang finden, sehr im Schwange sein; *to have a short-lived* ~ sich e-r kurzen Beliebtheit erfreuen; ~ **word** *s*. Modewort *n*.
voice [vɔis] I. *s*. 1. Stimme *f* (*a*. *fig*. *des Gewissens etc*.): *in (good)* ~ ♪ (gut) bei Stimme; *in a low* ~ mit leiser Stimme; ~ *radio* ⚡ Sprechfunk; 2. *fig*. Ausdruck *m*, Äußerung *f*: *to find* ~ *in* Ausdruck finden in (*dat*.); *to give* ~ *to* → 8; 3. Stimme *f*, Entscheidung *f*: *to give one's* ~ *for* stimmen für; *with one* ~ einstimmig; 4. Stimmrecht *n*, Stimme *f*: *to have a (no)* ~ *in* et. (nichts) zu sagen haben bei *od*. in (*dat*.); 5. ♪ a) *a*. ~ *quality* Stimmton *m*, b) (Orgel)Stimme *f*; 6. *ling*. a) stimmhafter Laut, b) Stimmton *m*; 7. *ling*. Genus *n* des Verbs: *active* ~ Aktiv(um); *passive* ~ Passiv(um); II. *v/t*. 8. Ausdruck geben *od*. verleihen (*dat*.), *Meinung etc*. äußern, in Worte fassen; 9. ♪ *Orgelpfeife etc*. regulieren; 10. *ling*. (stimmhaft) (aus)sprechen; **voiced** [-st] *adj*. 1. *in Zssgn* mit *leiser etc*. Stimme: *low*-~; 2. *ling*. stimmhaft; **'voice·less** [-lis] *adj*. 1. ohne Stimme, stumm; 2. sprachlos; 3. *parl*. nicht stimmfähig; 4. *ling*. stimmlos.
'voice-o·ver *s*. *Radio, Fernsehen*: ‚Geisterstimme' *f* (*die bei Rede od. Interview übersetzt u. überspricht*).
void [vɔid] I. *adj*. □ 1. leer; 2. ~ *of* ohne, bar (*gen*.), arm an (*dat*.), frei von; 3. unbewohnt; 4. unbesetzt, frei (*Amt*); 5. ⚖ nichtig, ungültig, -wirksam; → *null 1*; II. *s*. 6. (*fig*. Gefühl *n* der) Leere *f*, leerer Raum; 7. *fig*. Lücke *f*: *to fill the* ~ die Lücke schließen; 8. ⚖ unbewohntes Gebäude; III. *v/t*. 9. ⚖ aufheben, ungültig machen; 10. *physiol*. *Urin etc*. ausscheiden; **'void·a·ble** [-dəbl] *adj*. ⚖ aufheb-, anfechtbar; **'void·ance** [-dəns] *s*. 1. Entleerung *f*, Räumung *f*; 2. *fig*. Entfernung *f*, Absetzung *f*, Ausstoßung *f* (*aus e-r Pfründe etc*.); 3. Freiwerden *n* (*e-s Amts etc*.); **'void·ness** [-nis] *s*. 1. Leere *f*; 2. ⚖ Nichtigkeit *f*, Ungültigkeit *f*.
voile [vɔil] *s*. Voile *m*, Schleierstoff *m*.

vo·lant ['voulənt] *adj*. 1. *zo*. fliegend (*a*. *her*.); 2. *poet*. flüchtig.
vol·a·tile ['vɔlətail] *adj*. 1. *phys*. verdampfbar, (leicht) flüchtig, ä'therisch (*Öl etc*.); 2. *fig*. flüchtig, vergänglich; 3. *fig*. a) le'bendig, lebhaft, b) launisch, unbeständig, flatterhaft; **vol·a·til·i·ty** [vɔlə'tiliti] *s*. 1. *phys*. Verdampfbarkeit *f*, Flüchtigkeit *f* (*a*. *fig*.); 2. *fig*. a) Lebhaftigkeit *f*, b) Unbeständig-, Flatterhaftigkeit *f*; **vol·a·til·i·za·tion** [vɔlætilai'zeiʃən] *s*. *phys*. Verflüchtigung *f*, Verdampfung *f*; **vol·a·til·ize** [vɔ'lætilaiz] *v/t*. *u*. *v/i*. *phys*. (sich) verflüchtigen, verdunsten, verdampfen.
vol-au-vent ['vɔlou'vɑ̃:ŋ; vɔlovɑ̃] (*Fr*.) *s*. Vol-au-'vent *m* (*Blätterteighohlpastete mit Fleisch- od. Fisch- od. Pilzfüllung*).
vol·can·ic [vɔl'kænik] *adj*. (□ ~*ally*) 1. *geol*. vul'kanisch, Vulkan...; 2. *fig*. ungestüm, explo'siv; **vol·ca·no** [vɔl'keinou] *pl*. **-noes** *s*. 1. *geol*. Vul'kan *m*; 2. *fig*. Vulkan *m*, Pulverfaß *n*: *to sit on the top of a* ~ (wie) auf e-m Pulverfaß sitzen.
vole¹ [voul] *s*. *zo*. Wühlmaus *f*.
vole² [voul] *s*. *Kartenspiel*: 'Vola *f*, Vole *f* (*Gewinn aller Stiche*).
vo·li·tion [vou'liʃən] *s*. 1. Willensäußerung *f*, -akt *m*, (Willens)Entschluß *m*: *on one's own* ~ aus eigenem Entschluß; 2. Wille *m*, Wollen *n*, Willenskraft *f*; **vo'li·tion·al** [-ʃənl] *adj*. □ Willens..., willensmäßig; **vol·i·tive** ['vɔlitiv] *adj*. 1. Willens...; 2. *ling*. voli'tiv.
vol·ley ['vɔli] I. *s*. 1. (Gewehr-, Geschütz)Salve *f*; (Pfeil-, Stein- *etc*.) Hagel *m*; *Flak*: Gruppe *f*: ~ *bombing* ✈ Reihenwurf; 2. *fig*. Schwall *m*, Strom *m*, Flut *f*: *a* ~ *of oaths*; 3. *Tennis*: a) Flugball *m*, b) Flugschlag *m*; 4. *Fußball*: Schlag *m* aus der Luft, Volleyball *m*; II. *v/t*. 5. in e-r Salve abschießen; 6. *mst* ~ *out od. forth* e-n Schwall von *Worten etc*. von sich geben; 7. *Tennis*: als Flugball nehmen; 8. *Fußball*: *Ball* (di'rekt) aus der Luft nehmen; III. *v/i*. 9. e-e Salve *od*. Salven abgeben; 10. hageln (*Geschosse*); 11. krachen (*Geschütze*); 12. *Tennis*: Flugbälle spielen *od*. nehmen; **'~-ball** *s*. *sport* Volleyball(spiel *n*) *m*.
vol·plane ['vɔlplein] ✈ I. *s*. Gleitflug *m*; II. *v/i*. im Gleitflug niedergehen.
volt¹ [vɔlt] *s*. *fenc*. *u*. *Reitkunst*: Volte *f*.
volt² [voult] *s*. ⚡ Volt *n*; **'volt·age** [-tidʒ] *s*. ⚡ (Volt)Spannung *f*: *service* ~ Betriebsspannung; **vol·ta·ic** [vɔl'teiik] *adj*. ⚡ vol'taisch, gal'vanisch (*Batterie, Element, Strom etc*.): ~ *couple* Elektrodenmetalle.
volte-face [vɔlt'fɑ:s] (*Fr*.) *s*. *fig*. Frontwechsel *m*, (Kehrt)Wendung *f*.
volt·me·ter ['voultmi:tə] *s*. ⚡ Volt-, Spannungsmesser *m*.
vol·u·bil·i·ty [vɔlju'biliti] *s*. 1. *fig*. Beweglichkeit *f*; 2. a) Geläufigkeit *f* (*der Zunge*), glatter Fluß (*der Rede*), b) Zungenfertigkeit *f*, Redegewandtheit *f*, c) Redseligkeit *f*, d) Wortreichtum *m*; **vol·u·ble** ['vɔljubl] *adj*. □ 1. leicht beweglich; 2. a) geläufig (*Zunge*), fließend (*Rede*),

b) zungenfertig, (rede)gewandt, c) redselig, d) wortreich; 3. ⚘ sich windend.

vol·ume [ˈvɔljum] *s.* 1. Band *m e-s Buches*; Buch *n (a. fig.)*: *a three-~ novel* ein dreibändiger Roman; *to speak ~s (for) fig.* Bände sprechen (für); 2. 𝔄, ⚗, *phys. etc.* Voˈlumen *n*, (Raum)Inhalt *m*; 3. *fig.* ˈUmfang *m*, Volumen *n*: *~ of imports*; *~ of traffic* Verkehrsaufkommen; 4. *fig.* Masse *f*, Schwall *m*; 5. ♪ Klangfülle *f*, ˈStimmvoˌlumen *n*, -ˌumfang *m*; 6. ⚡ Lautstärke *f*: *~ control* Lautstärkeregler; ˈ**vol·umed** [-md] *adj. in Zssgn* ...bändig: *a three-~ book*; **vol·u·met·ric** [vɔljuˈmetrik] *adj.* (□ *~ally*) 𝔄, ⚗ voluˈmetrisch: *~ analysis* ⚗ volumetrische Analyse, Maßanalyse; *~ density* Raumdichte; **vol·u·met·ri·cal** [vɔljuˈmetrikəl] *adj.* □ → *volumetric*; **vo·lu·mi·nous** [vəˈljuːminəs] *adj.* □ 1. vielbändig (*literarisches Werk*); 2. massig, gewaltig, ˈumfangreich, volumiˈnös: *~ correspondence*; 3. bauschig.

vol·un·tar·i·ness [ˈvɔləntərinis] *s.* 1. Freiwilligkeit *f*; 2. (Willens-) Freiheit *f*; **vol·un·tar·y** [ˈvɔləntəri] I. *adj.* □ 1. freiwillig, sponˈtan: *~ contribution*; *~ death* Freitod; 2. frei, unabhängig; 3. ⚖ a) vorsätzlich, schuldhaft, b) freiwillig, unentgeltlich, c) außergerichtlich, gütlich: *~ settlement*; 4. durch freiwillige Spenden unterˈhalten (*Schule etc.*); 5. *physiol.* willkürlich: *~ muscles*; 6. *psych.* voluntaˈristisch; II. *s.* 7. a) freiwillige *od.* wahlweise Arbeit, b) *a. ~ exercise sport* Kür (-übung) *f*; 8. ♪ Orgelsolo *n*, *bsd.* (improvisiertes) Vor- *od.* Nachspiel.

vol·un·teer [vɔlənˈtiə] I. *s.* 1. Freiwillige(r *m*) *f* (*a.* ⚔); 2. *pl.* ⚔ *Brit. hist.* Freiwilligenkorps *n*; 3. ✝ Volonˈtär *m*; II. *adj.* 4. freiwillig, Freiwilligen...; III. *v/i.* 5. sich freiwillig melden *od.* erbieten (*for* für, zu), als Freiwilliger eintreten *od.* dienen; IV. *v/t.* 6. *Dienste etc.* freiwillig anbieten *od.* leisten; 7. sich *e-e Bemerkung* erlauben; 8. (freiwillig) zum besten geben: *he ~ed a song.*

vo·lup·tu·ar·y [vəˈlʌptjuəri] *s.* Wollüstling *m*, sinnlicher Mensch; **voˈlup·tu·ous** [-juəs] *adj.* □ 1. wollüstig, sinnlich; geil, lüstern; 2. üppig: *~ body*; **voˈlup·tu·ous·ness** [-juəsnis] *s.* 1. Wollust *f*, Sinnlichkeit *f*, Geilheit *f*; 2. Üppigkeit *f*.

vo·lute [vəˈljuːt] *s.* 1. △ Voˈlute *f*, Schnecke *f*; 2. *zo.* Windung *f* (*Schneckengehäuse*); **voˈlut·ed** [-tid] *adj.* 1. gewunden, spiˈral-, schneckenförmig; 2. △ mit Voˈluten (versehen); **voˈlu·tion** [-juːʃən] *s.* 1. Drehung *f*; 2. *anat.*, *zo.* Windung *f*.

vom·it [ˈvɔmit] I. *v/t.* 1. (er)brechen; 2. *fig. Feuer etc.* (aus)speien; *Rauch, a. Flüche etc.* ausstoßen; II. *v/i.* 3. (sich er)brechen, sich überˈgeben; 4. *geol.* Lava auswerfen, Feuer speien (*Vulkan*); III. *s.* 5. Erbrechen *n*; 6. *das* Erbrochene; 7. ⚕ Brechmittel *n*; 8. *fig.* Unflat *m*; ˈ**vom·i·tive** [-tiv] I. *s.* ⚕ Brechmittel *n*; II. *adj.* Erbrechen verursachend, Brech...; ˈ**vom·i·to·ry** [-təri] I. *s.* 1. → *vomitive I*; 2. *antiq.* Vomiˈtorium *n* (*Eingang zum römischen Amphitheater*); II. *adj.* 3. → *vomitive II*.

voo·doo [ˈvuːduː] I. *s.* 1. Wodu *m*, Zauberkult *m*; 2. Zauber *m*, Hexeˈrei *f*; 3. *a. ~ doctor*, *~ priest* (Wodu-) Zauberer *m*, Mediˈzinmann *m*; II. *v/t.* 4. behexen.

vo·ra·cious [vəˈreiʃəs] *adj.* □ gefräßig, gierig, unersättlich (*a. fig.*); **voˈra·cious·ness** [-nis], **vo·rac·i·ty** [vɔˈræsiti] *s.* Gefräßigkeit *f*, Unersättlichkeit *f*, Gier *f* (*of* nach).

vor·tex [ˈvɔːteks] *pl.* **-ti·ces** [-tisiːz] *s.* Wirbel *m*, Strudel *m* (*a. fig.*); ˈ**vor·ti·cal** [-tikəl] *adj.* □ 1. wirbelnd, kreisend, Wirbel...; 2. wirbel-, strudelartig.

vo·ta·ress [ˈvoutəris] *s.* Geweihte *f etc.*; → *votary*; **vo·ta·ry** [ˈvoutəri] *s.* 1. *eccl.* Geweihte(r *m*) *f*; 2. *fig.* Verfechter(in), (Vor)Kämpfer(in); 3. *fig.* Anhänger(in), Verehrer(in), Jünger(in), Enthusiˈast(in).

vote [vout] I. *s.* 1. (Wahl)Stimme *f*, ˈVotum *n*: *~ of censure*, *~ of no confidence parl.* Mißtrauensvotum; *~ of confidence parl.* Vertrauensvotum; *to give one's ~ to* (*od. for*) s-e Stimme geben (*dat.*), stimmen für; 2. Abstimmung *f*, Wahl *f*: *to put s.th. to the ~*, *to take a ~ on s.th.* über e-e Sache abstimmen lassen; 3. Stimmzettel *m*, Stimme *f*: *to cast one's ~* s-e Stimme abgeben; 4. *the ~* das Stimm-, Wahlrecht; 5. *the ~ coll.* die Stimmen *pl.*: *the Labour ~*; 6. Beschluß *m*: *a unanimous ~*; 7. (Geld)Bewilligung *f*; II. *v/i.* 8. (ab-) stimmen, wählen, s-e Stimme abgeben: *to ~ against* stimmen gegen; *to ~ for* stimmen für (*a.* F *für et. sein*); *to ~ that* F dafür sein, daß; vorschlagen, daß; III. *v/t.* 9. abstimmen über (*acc.*), wählen, stimmen für: *to ~ down* niederstimmen; *to ~ s.o. in* j-n wählen; *to ~ s.th. through* et. durchbringen; 10. (durch Abstimmung) wählen *od.* beschließen *od. Geld* bewilligen; 11. allgemein erklären für *od.* halten für; ˈ**vote·less** [-lis] *adj.* ohne Stimmrecht *od.* Stimme; ˈ**vot·er** [-tə] *s.* Wähler(in), Wahl-, Stimmberechtigte(r *m*) *f*.

vot·ing [ˈvoutiŋ] I. *s.* (Ab)Stimmen *n*, Abstimmung *f*; II. *adj.* Stimm..., Wahl...; **~ ma·chine** *s.* ˈStimmenˌzählappaˌrat *m*; ˈ**~-pa·per** *s. bsd. Brit.* Stimmzettel *m*; **~ stock** *s.* ✝ 1. stimmberechtigtes ˈAktienkapiˌtal; 2. ˈStimmrechtsˌaktie *f*.

vo·tive [ˈvoutiv] *adj.* Weih..., Votiv..., Denk...: *~ medal* Denkmünze; *~ tablet* Votivtafel.

vouch [vautʃ] I. *v/i.* 1. *~ for* (sich ver)bürgen für; 2. *~ that* dafür bürgen, daß; II. *v/t.* 3. bezeugen; 4. bürgen für; ˈ**vouch·er** [-tʃə] *s.* 1. Zeuge *m*, Bürge *m*; 2. ˈUnterlage *f*, Dokuˈment *n*: *to support by ~* dokumentarisch belegen; 3. (Rechnungs)Beleg *m*, Quittung *f*: *~ check* ✝ *Am.* Verrechnungsscheck; 4. Gutschein *m*; 5. Eintrittskarte *f*; **vouchˈsafe** [-ˈseif] *v/t.* 1. (gnädig) gewähren, geruhen zu *tun*; 2. sich herˈablassen zu: *he ~d me no answer* er würdigte mich keiner Antwort.

vow [vau] I. *s.* 1. Gelübde *n* (*a. eccl.*); *oft pl.* (feierliches) Versprechen, (Treu)Schwur *m*: *to be under a ~* ein Gelübde abgelegt haben, versprochen haben (*to do* zu tun); *to take* (*od. make*) *a ~* ein Gelübde ablegen; *to take ~s eccl.* Profeß ablegen, in ein Kloster eintreten; II. *v/t.* 2. geloben, weihen; 3. (sich) schwören, (sich) geloben, hoch u. heilig versprechen (*to do* zu tun); 4. feierlich *od.* nachdrücklich erklären.

vow·el [ˈvauəl] I. *s. ling.* 1. Voˈkal *m*, Selbstlaut *m*; II. *adj.* 2. voˈkalisch; 3. Vokal..., Selbstlaut...: *~ gradation* Ablaut; *~ mutation* Umlaut; **vow·el·ize** [ˈvauəlaiz] *v/t.* 1. *hebräischen od. kurzschriftlichen Text* mit Voˈkalzeichen *od.* Punkten versehen; 2. *Laut* vokalisieren.

voy·age [vɔidʒ] I. *s. längere* (See-, Flug)Reise: *~ home* Rück-, Heimreise; *~ out* Hinreise; II. *v/i.* (*bsd.* zur See) reisen; III. *v/t.* reisen durch, bereisen; **voy·ag·er** [ˈvɔiədʒə] *s.* (See)Reisende(r *m*) *f*.

vul·can·ite [ˈvʌlkənait] *s.* Eboˈnit *n*, Vulkaˈnit *n* (*Hartgummi*); ˈ**vul·can·ize** [-aiz] *v/t. Kautschuk* vulkanisieren: *~d fibre* (*Am. fiber*) ⚗ Vulkanfiber.

vul·gar [ˈvʌlgə] I. *adj.* □ → *vulgarly*; 1. (all)gemein, Volks...: *~ herd die* Masse, *das* gemeine Volk; *~ era die* christlichen Jahrhunderte; 2. volkstümlich: *~ superstitions*; 3. vulˈgärsprachlich, in der Volkssprache (verfaßt *etc.*): *~ tongue* Volkssprache; 4. ungebildet, ungehobelt; 5. vulˈgär, unfein, ordiˈnär, gewöhnlich, unanständig, pöbelhaft; 6. 𝔄 gemein, gewöhnlich: *~ fraction*; II. *s.* 7. *the ~ pl.* das (gemeine) Volk; **vul·gar·i·an** [vʌlˈgɛəriən] *s.* 1. vulˈgärer Mensch, Pleˈbejer *m*; 2. Parveˈnü *m*, Protz *m*; ˈ**vul·gar·ism** [-ərizəm] *s.* 1. Unfeinheit *f*, vulˈgäres Benehmen; 2. Gemeinheit *f*, Unanständigkeit *f*; 3. *ling.* vulˈgärer Ausdruck; **vul·gar·i·ty** [vʌlˈgæriti] *s.* 1. Gewöhnlichkeit *f*, Ungeschliffenheit *f*; 2. Gemeinheit *f*, Pöbelhaftigkeit *f*; 3. Unsitte *f*, Ungezogenheit *f*; ˈ**vul·gar·ize** [-əraiz] *v/t.* 1. populariˈsieren, popuˈlär machen, verbreiten; 2. herˈabwürdigen, vulgarisieren; ˈ**vul·gar·ly** [-li] *adv.* 1. allgemein, gemeinhin; 2. gemein, pöbel-, protzenhaft.

vul·ner·a·bil·i·ty [vʌlnərəˈbiliti] *s.* Verwundbarkeit *f*; **vul·ner·a·ble** [ˈvʌlnərəbl] *adj.* 1. verwundbar (*a. fig.*); 2. angreifbar; 3. anfällig (*to* für); 4. ⚔ ungeschützt; **vul·ner·ar·y** [ˈvʌlnərəri] I. *adj.* Wund..., Heil...; II. *s.* Wundmittel *n*.

vul·pine [ˈvʌlpain] *adj.* 1. fuchsartig, Fuchs...; 2. *fig.* füchsisch, verschlagen.

vul·ture [ˈvʌltʃə] *s. zo.* Geier *m* (*a. fig.*).

vul·va [ˈvʌlvə] *pl.* **-vae** [-viː] *s. anat.* (äußere) weibliche Scham, Vulva *f*.

vy·ing [ˈvaiiŋ] *adj.* □ wetteifernd.

W

W, w ['dʌblju(:)] *s.* W *n*, w *n* (*Buchstabe*).

Waac [wæk] *s.* ⚔ F *Brit.* Ar'meehelferin *f* (*aus Women's Army Auxiliary Corps*).

Waaf [wæf] *s.* ⚔ F *Brit.* ‚Blitzmädel' *n*, Luftwaffenhelferin *f* (*aus Women's Auxiliary Air Force*).

wab·ble → *wobble*.

WAC, Wac [wæk] *s.* ⚔ F *Am.* Ar'meehelferin *f* (*aus Women's Army Corps*).

wack·y ['wæki] *adj. sl.* verrückt.

wad [wɔd] **I.** *s.* **1.** Pfropf(en) *m*, (*Watte- etc.*)Bausch *m*, Polster *n*; **2.** Pa'pierknäuel *m, n*; **3. a)** (Banknoten)Bündel *n*, (-)Rolle *f*, **b)** *Am. sl.* Haufen *m* Geld, **c)** Stoß *m* Pa'piere; **4.** ⚔ *hist.* Ladepfropf *m*; **II.** *v/t.* **5.** zu e-m Bausch *etc.* zs.-pressen; **6.** ~ *up Am.* fest zs.-rollen; **7.** *Öffnung* ver-, zustopfen; **8.** *Kleidungsstück etc.* wattieren, auspolstern, füttern; **wad·ding** ['wɔdiŋ] **I.** *s.* **1.** Einlage *f* (*zum Polstern od. Verpacken*); **2.** Watte *f*; **3.** Wattierung *f*; **II.** *adj.* **4.** Wattier...

wad·dle ['wɔdl] **I.** *v/i.* watscheln; **II.** *s.* watschelnder Gang, Watscheln *n*.

wade [weid] **I.** *v/i.* **1.** waten; **2.** sich (mühsam) (hin)'durcharbeiten (*durch ein Buch etc.*); **3.** ~ *in* F *fig.* **a)** ‚hin'einsteigen', sich einmischen, **b)** *a.* ~ *into a problem etc.* ein Problem *etc.* anpacken *od.* angehen; **II.** *v/t.* **4.** durch'waten; **III.** *s.* **5.** Waten *n*; **'wad·er** [-də] *s.* **1.** *orn.* Wat-, Stelzvogel *m*; **2.** *pl.* (hohe) Wasserstiefel *pl.*

wa·fer ['weifə] **I.** *s.* **1.** Ob'late *f* (*a.* ⚕ *u. Siegelmarke*); **2.** (*bsd.* Eis)Waffel *f*: *as thin as a* ~ hauchdünn; **3.** *a. consecrated* ~ *eccl.* 'Hostie *f*, Oblate *f*; **II.** *v/t.* **4.** (*mittels e-r Oblate*) an- *od.* zukleben.

waf·fle ['wɔfl] **I.** *s.* Waffel *f*; **II.** *v/i. sl.* ‚quasseln'; **'~-i·ron** *s.* Waffeleisen *n*.

waft [wɑ:ft] **I.** *v/t.* **1.** *wohin* wehen, tragen; **II.** *v/i.* **2.** (her'an)getragen werden, schweben; **III.** *s.* **3.** Flügelschlag *m*; **4.** Wehen *n*; **5.** (Duft-)Hauch *m*, (-)Welle *f*; **6.** *fig.* Anwandlung *f*, Welle *f* (*von Freude, Neid etc.*); **7.** ⚓ Flagge *f* im Schau (*Notsignal*).

wag [wæg] **I.** *v/i.* **1.** wackeln; wedeln, wippen (*Schwanz*): *to set tongues* ~*ging* zu e-m Gerede Anlaß geben; **II.** *v/t.* **2.** wackeln *od.* wedeln *od.* wippen mit *dem Schwanz etc.*; *den Kopf* schütteln *od.* wiegen: *to* ~ *one's finger at j-m* mit dem Finger drohen; **3.** (hin- u. her)bewegen, schwenken; **III.** *s.* **4.** Wackeln *n*; Wedeln *n*, Schütteln *n*; **5.** Witzbold *m*, Spaßvogel *m*; **6.** *ped. Brit. sl.* (Schul)Schwänzer *m*: *to play* ~ (die Schule) schwänzen.

wage¹ [weidʒ] *v/t. Krieg* führen, *Feldzug* unter'nehmen: *to* ~ *effective war on fig. e-r Sache* wirksam zu Leibe gehen.

wage² [weidʒ] *s.* **1.** *mst pl.* † (Arbeits)Lohn *m*: ~*s per hour* Stundenlohn; **2.** *pl.* † Lohnanteil *m* (*an der Produktion*); **3.** *pl. sg. konstr. fig.* Lohn *m*: *the* ~*s of sin bibl.* der Sünde Sold; **~ a·gree·ment** *s.* † Ta'rifvertrag *m*; **~ claims** *s. pl.* Lohnforderungen *pl.*; **~ dis·pute** *s.* Lohnkampf *m*; **'~-earn·er** *s.* Lohnempfänger(in); **'~-freeze** *s.* Lohnstopp *m*; **'~-fund** *s.* Lohnfonds *m*; **'~-in·ten·sive** *adj.* 'lohninten,siv; **~ lev·el** *s.* 'Lohnni,veau *n*; **'~-pack·et** *s.* Lohntüte *f*.

wa·ger ['weidʒə] **I.** *s.* **1.** Wette *f*; **II.** *v/t.* **2.** wetten um, setzen auf (*acc.*); wetten mit (*that* daß); **3.** *fig. Ehre etc.* aufs Spiel setzen; **III.** *v/i.* **4.** wetten, e-e Wette eingehen.

'wage-scale *s.* † **1.** 'Lohn,skala *f*; **2.** Ta'rif *m*.

wag·es clerk *s. Brit.* † Lohnbuchhalter(in).

wage slip *s.* Lohnstreifen *m*, -zettel *m*.

'wag·es-sheet *s.* Lohnliste *f*.

wag·ger·y ['wægəri] *s.* Schelme'rei *f*, Spaß *m*, Schalkhaftigkeit *f*; **wag·gish** ['wægiʃ] *adj.* □ schalkhaft, schelmisch, spaßig, lose; **wag·gish·ness** ['wægiʃnis] *s.* Schalkhaftigkeit *f*.

wag·gle ['wægl] F → *wag I u. II.*

wag·gly ['wægli] *adj.* wack(e)lig.

wag·gon ['wægən] *s.* **1.** (Last-, Roll)Wagen *m*; **2.** 🚃 *Brit.* (offener) Güterwagen, Wag'gon *m*: *by* ~ † per Achse; **3.** *Am.* F Kinderwagen *m*; **4.** *the* ♀ *ast.* der Große Wagen; **5.** *to be (go) on the* ~ F dem Alkohol abgeschworen haben (abschwören); **'wag·gon·age** [-nidʒ] *s.* Fracht(-geld *n*) *f*, Fuhrlohn *m*.

'wag·gon-ceil·ing *s.* △ Tonnengewölbe *n*.

wag·gon·er ['wægənə] *s.* **1.** (Fracht-)Fuhrmann *m*; **2.** ♀ *ast.* Fuhrmann *m*.

wag·gon·ette [wægə'net] *s.* Break *m, n*, Jagdwagen *m*.

'wag·gon|-load *s.* **1.** Wagenladung *f*, Fuhre *f*; **2.** Wag'gonladung *f*: *by the* ~ waggonweise; **'~-train** *s.* **1.** ⚔ Ar'meetrain *m*; **2.** 🚃 *Am.* Güterzug *m*; **'~-vault** *s.* △ Tonnengewölbe *n*.

Wag·ne·ri·an [vɑ:g'niəriən] ♪ **I.** *s.* Wagneri'aner(in); **II.** *adj.* wagnerisch, wagneri'anisch, Wagner...

wag·on *etc. bsd. Am.* → *waggon etc.*

wa·gon-lit ['vægɔ̃:n'li:] (*Fr.*) *s.* 🚃 Schlafwagen *m*.

'wag·tail *s. orn.* Bachstelze *f*.

waif [weif] *s.* **1.** ⚖ **a)** *Brit.* weggeworfenes Diebesgut, **b)** herrenloses Gut, *bsd.* Strandgut *n* (*a. fig.*); **2. a)** Heimatlose(r *m*) *f*, **b)** verlassenes *od.* verwahrlostes Kind: ~*s and strays* verwahrloste Kinder, **c)** streunendes *od.* verwahrlostes Tier; **3.** *fig.* 'Überrest *m*, Fetzen *pl.*

wail [weil] **I.** *v/i.* (weh)klagen, jammern (*for* um, *over* über *acc.*); schreien, wimmern (*with* vor *Schmerz*); **II.** *v/t.* bejammern; **III.** *s.* (Weh)Klagen *n*, Jammern *n*; (Weh)Geschrei *n*, Wimmern *n*; **'wail·ing** [-liŋ] **I.** *s.* → *wail III*; **II.** *adj.* □ (weh)klagend *etc.*; Klage...: ♀ *Wall* Klagemauer.

wain [wein] *s.* **1.** *poet.* Karren *m*, Wagen *m*; **2.** ♀ → *Charles's Wain.*

wain·scot ['weinskət] **I.** *s.* (*bsd. untere*) (Wand)Täfelung, Tafelwerk *n*, Holzverkleidung *f*; **II.** *v/t. Wand etc.* verkleiden, (ver)täfeln; **'wain·scot·ing** [-tiŋ] *s.* **1.** → *wainscot I*; **2.** (Wand)Verkleidungsbretter *pl.*

waist [weist] *s.* **1.** Taille *f*; **2.** *bsd. Am.* Mieder *n*, Leibchen *n*; Bluse *f*; **3.** Mittelstück *n*, schmalste Stelle (*e-s Dinges*), Schweifung *f* (*e-r Glocke etc.*); **4.** ⚓ Mitteldeck *n*, Kuhl *f*; **'~-band** [-stb-] *s.* (Hosen-, Rock)Bund *m*; **'~-belt** [-stb-] *s.* **1.** Leibriemen *m*, Gürtel *m*; **2.** ⚔ Koppel *n*; **3.** ✈ Sitzgurt *m*; **~coat** ['weiskout] *s.* (*a.* Damen)Weste *f*, (ärmellose) Jacke; *hist.* Wams *n*; **'~-'deep** *adj. u. adv.* bis zur Taille *od.* Hüfte, hüfthoch.

waist·ed ['weistid] *adj.* mit e-r ... Taille: *short-*~.

'waist|-'high → *waist-deep*; **'~-line** *s.* Gürtellinie *f*.

wait [weit] **I.** *v/i.* **1.** warten (*for* auf *acc.*): *to* ~ *for s.o. to come* warten, daß *od.* bis j-d kommt; *to* ~ *up for s.o.* aufbleiben u. auf j-n warten; *to keep s.o.* ~*ing* j-n warten lassen; *that can* ~ *fig.* das kann warten, das hat Zeit; *dinner is* ~*ing* das Essen wartet *od.* ist bereit; *you just* ~! F na warte!; **2.** (ab)warten, sich gedulden: ~ *and see!* ‚abwarten u. Tee trinken'!; **3.** ~ (*up*)*on* **a)** *j-m* dienen, **b)** *j-m* aufwarten, *j-n* bedienen, **c)** *j-m* s-e Aufwartung machen, **d)** *fig. e-r Sache* folgen, *et.* begleiten (*Umstand*); **4.** *a.* ~ *at table* (bei Tisch) bedienen; **II.** *v/t.* **5.** warten auf (*acc.*), abwarten: *to* ~

one's opportunity e-e günstige Gelegenheit abwarten; **6.** F verschieben, mit *dem Essen etc.* warten (*for s.o.* auf j-n); **III.** *s.* **7. a)** Warten *n*, **b)** Wartezeit *f*: *to have a long* ~ lange warten müssen; **8.** Lauer *f*: *to lay a* ~ *for j-m* e-n Hinterhalt legen; *to lie in* ~ im Hinterhalt liegen; *to lie in* ~ *for j-m* auflauern; **9.** *pl.* **a)** Weihnachtssänger *pl.*, **b)** *hist.* 'Stadtmusi͵kanten *pl.*; '**wait·er** [-tə] *s.* **1.** Kellner *m*, *in der Anrede*: Ober *m*; **2.** Servier-, Präsentierteller *m*.

wait·ing ['weitiŋ] **I.** *s.* **1.** → *wait* 7; **2.** Dienst *m bei Hofe etc.*, Aufwarten *n*: *in* ~ **a)** diensttuend; → *lady-in-waiting, lord in waiting*, **b)** ⚔ *Brit.* in Bereitschaft; **II.** *adj.* **3.** (ab)wartend; → *game*[1] *4*; **4.** Warte...(*-liste etc.*); '~**-maid** *s.* (Kammer)Zofe *f*; '~**-room** *s.* **1.** 🚂 Wartesaal *m*; **2.** Wartezimmer *n* (*beim Arzt etc.*).

wait·ress ['weitris] *s.* Kellnerin *f*.

waive [weiv] *v/t. bsd.* ⚖ **1.** verzichten auf (*acc.*), sich *e-s Rechtes, Vorteils* begeben; **2.** *Frage* zu'rückstellen; '**waiv·er** [-və] *s.* ⚖ **1.** Verzicht *m* (of auf *acc.*), Verzichtleistung *f*; **2.** Verzichterklärung *f*.

wake[1] [weik] *s.* **1.** ⚓ Kielwasser *n* (*a. fig.*): *in the* ~ *of* im Kielwasser *e-s Schiffs*; *in the* ~ *of s.o.* in j-s Fußstapfen, auf j-s Spur; *to follow in the* ~ *of* auf dem Fuße folgen (*dat.*); *to bring s.th. in its* ~ et. nach sich ziehen, et. zur Folge haben; **2.** ✈ Luftschraubenstrahl *m*; **3.** Sog *m*.

wake[2] [weik] **I.** *v/i.* [*irr.*] **1.** *oft* ~ *up* auf-, erwachen, wach werden (*a. fig. Person, Gefühl etc.*); **2.** wachen, wach sein *od.* bleiben; **3.** ~ *to* sich *e-r Gefahr etc.* bewußt werden; **4.** *vom Tode od. von den Toten* auferstehen; **II.** *v/t.* [*irr.*] **5.** *a.* ~ *up* (auf-) wecken, wachrütteln (*a. fig.*); **6.** *fig.* erwecken, *Erinnerungen, Gefühle* wachrufen, *Streit etc.* erregen; **7.** *fig. j-n, j-s Geist etc.* aufrütteln; **8.** (*von den Toten*) auferwecken; **III.** *s.* **9.** *bsd. Irish* **a)** Totenwache *f*, **b)** Leichenschmaus *m*; **10.** *hist.* Kirchweih(fest *n*) *f*, Kirmes *f*; **11.** *Brit.* (Arbeits)Urlaub *m*; '**wake·ful** [-ful] *adj.* □ **1.** wachend; **2.** schlaflos; **3.** *fig.* wachsam; '**wake·ful·ness** [-fulnis] *s.* **1.** Schlaflosigkeit *f*; **2.** Wachsamkeit *f*; '**wak·en** [-kən] → *wake*[2] *1, 3, 5, 6 u. 7*; '**wak·ing** [-kiŋ] **I.** *s.* **1.** (Er)Wachen *n*; **2.** (Nacht)Wache *f*; **II.** *adj.* **3.** wach: ~ *dream* Tagtraum; *in his* ~ *hours* in s-n wachen Stunden.

wale [weil] *s.* **1.** → *weal*[2]; **2.** *Weberei*: **a)** Rippe *f* (*e-s Gewebes*), **b)** Salleiste *f*, feste Webkante; **3.** ⊕ **a)** Bandbalken *m*, **b)** Gurtholz *n*; **4.** ⚓ **a)** Berg-, Krummholz *n*, **b)** Dollbord *m* (*e-s Boots*).

walk [wɔ:k] **I.** *s.* **1.** Gehen *n* (*a. sport*): *to go at a* ~ im Schritt gehen; **2.** Gang(art *f*) *m*, Schritt *m*: *a dignified* ~; **3.** Spaziergang *m*: *to go for* (*od. have od. take*) *a* ~ e-n Spaziergang machen; *to take s.o. for a* ~ j-n spazierenführen, mit j-m spazierengehen; **4.** (Spazier)Weg *m*: **a)** Prome'nade *f*, **b)** Strecke *f*: *a ten minutes'* ~ *to the station* zehn Minuten (Weg) zum Bahnhof; *quite a* ~ ein gutes Stück zu gehen; **5.** Al'lee *f*; **6.** (Geflügel)Auslauf *m*; → *sheepwalk*; **7.** Route *f e-s Hausierers etc.*, Runde *f e-s Polizisten etc.*; **8.** *mst* ~ *of life* **a)** (sozi'ale) Schicht *od.* Stellung, **b)** Beruf *m*; **II.** *v/i.* **9.** gehen (*a. sport*), marschieren; **10.** im Schritt gehen (*a. Pferd*); **11.** spazierengehen, wandern; **12.** 'umgehen (*Geist*): *to* ~ *in one's sleep* nachtwandeln; **III.** *v/t.* **13.** *Strecke* gehen, zu'rücklegen; **14.** *Bezirk* durch'wandern, *Raum* durch'schreiten; **15.** auf u. ab (*od.* um'her)gehen in *od.* auf; → *hospital 1*; **16.** *Pferd* **a)** führen, **b)** im Schritt gehen lassen; **17.** *j-n wohin* führen: *to* ~ *s.o. off his legs* j-n abhetzen; **18.** spazierenführen; **19.** um die Wette gehen mit;

Zssgn mit adv. u. prp.:

walk| a·bout *v/i.* um'hergehen, -wandern; ~ **a·long** *v/i.* weitergehen; ~ **a·way** *v/i.* weg-, fortgehen: *to* ~ *from sport j-m* (einfach) davonlaufen, *j-n* ‚stehenlassen', *j-n* mühelos schlagen; *to* ~ *with* mit *et.* durchbrennen; ~ **in I.** *v/i.* eintreten: **a)** her'einkommen, **b)** hin'eingehen; **II.** *v/t.* hin'einführen; ~ **in·to** *v/i.* **1.** (hinein)gehen in (*acc.*); **2.** F über *j-n, a. e-n Kuchen etc.* herfallen; ~ **off I.** *v/i.* **1.** da'von-, fortgehen: *to* ~ *with* **a)** mit *et.* durchbrennen, *et.* ‚mitgehen' lassen, **b)** *Preis etc.* davontragen; **II.** *v/t.* **2.** ab-, fortführen; **3.** *Rausch, Zorn etc.* durch e-n Spaziergang vertreiben; ~ **out I.** *v/i.* **1.** hin'ausgehen: *to* ~ *on* F *j-n* im Stich lassen, stehenlassen; **2. a)** ausgehen, **b)** F *mit j-m* ‚gehen' *od.* ein Verhältnis haben; **3.** ☿ F streiken; **II.** *v/t.* **4.** *Hund etc.* ausführen; *j-n* auf e-n Spaziergang mitnehmen; ~ **o·ver** *v/i. sport* (ein Rennen) mit Leichtigkeit gewinnen; ~ **up** *v/i.* **1.** hin'aufgehen, her'aufkommen: *to* ~ *to s.o.* auf j-n zugehen; **2.** *Straße* entlanggehen.

'**walk|·a·way** *s. sport* ‚Spaziergang' *m* (*leichter Sieg*); '~**-bill** *s.* ☿ *Brit.* 'Platzin͵kasso *n*.

walk·er ['wɔ:kə] *s.* **1.** Spaziergänger (-in): *to be a good* ~ gut zu Fuß sein; **2.** *sport* Geher *m*; **3.** *orn. Brit.* Laufvogel *m*; '~**-on** [-ərɔn] *s. thea.* Sta'tist(in).

walk·ie-talk·ie ['wɔ:ki'tɔ:ki] *s.* ⚔ tragbares Sprechfunkgerät.

'**walk-in clos·et** *s.* begehbarer (Wand)Schrank.

walk·ing ['wɔ:kiŋ] **I.** *adj.* **1.** gehend, wandernd; wandelnd (*bsd. fig. Leiche, Lexikon*): ~ *wounded* ⚔ Leichtverwundete; **2.** Geh..., Marsch..., Spazier...: *to drive at a* ~ *speed mot.* (im) Schritt fahren; *within* ~ *distance* zu Fuß erreichbar; **II.** *s.* **3.** Spazieren(gehen) *n*, Wandern *n*; '~**-boot** *s.* Marschstiefel *m*; ~ **chair** → *gocart 1*; ~ **del·e·gate** *s.* Gewerkschaftsvertreter *m*; '~**-dress** *s.* Straßenkleid *n*; ~ **gen·tle·man** *s.* [*irr.*] *thea.* Sta'tist *m*; ~ **la·dy** *s. thea.* Sta'tistin *f*; '~**-pa·pers** *s. pl. sl.* **1.** Ent'lassung(spa͵piere *pl.*) *f*; **2.** ‚Laufpaß' *m*; ~ **part** *s. thea.* Sta'tistenrolle *f*; '~**-stick** *s.* Spazierstock *m*; '~**-tick·et** → *walking-papers*; '~**-tour** *s.* Fußwanderung *f*, -tour *f*.

'**walk|-on** *s. thea.* **1.** Sta'tist(in), Kom'parse *m*, Kom'parsin *f*; **2.** Sta'tisten-, Kom'parsenrolle *f*; '~**-out** *s.* ☿ F Ausstand *m*, Streik *m*; '~**-'o·ver** *s. sport* **1.** einseitiger Wettbewerb; **2.** ‚Spaziergang' *m*, leichter Sieg (*a. fig.*); '~**-up** *Am.* F **I.** *adj.* ohne Fahrstuhl (*Haus*); **II.** *s.* Haus *n* ohne Fahrstuhl; '~**·way** *s.* Laufgang *m*, (Verbindungs)Steg *m*.

wall [wɔ:l] **I.** *s.* **1.** Wand *f* (*a. fig.*): ~ *of partition fig.* Trennungslinie, Scheidewand; *with one's back to the* ~ in die Enge getrieben; *to drive* (*od. push*) *to the* ~ *fig.* **a)** *j-n* an die Wand drücken, **b)** *j-n* beiseite stoßen; *to go to the* ~ **a)** an die Wand gedrückt werden, den kürzer(e)n ziehen, **b)** ☿ Konkurs machen; *to run one's head against a* ~ *fig.* mit dem Kopf durch die Wand wollen; **2.** ⊕ (Innen)Wand *f*; **3.** Mauer *f* (*a. fig.*); **4.** Wall *m* (*a. fig.*), (Stadt-, Schutz-) Mauer *f*: *within the* ~*s* in den Mauern (e-r Stadt); **5.** *anat.* (*Brust-, Zell- etc.*)Wand *f*, (*Bauch*)Decke *f*, (*Nagel*)Wulst *m*, *f*; **6.** Häuserseite *f*: *to give s.o. the* ~ **a)** j-n auf der Häuserseite gehen lassen (*aus Höflichkeit*), **b)** *fig.* j-m den Vorrang lassen; **7.** ⚒ (Abbau-, Orts)Stoß *m*; **II.** *v/t.* **8.** *a.* ~ *in* mit e-r Mauer um'geben, um'mauern: ~*ed town* befestigte Stadt; *to* ~ *in* (*od. up*) einmauern; **9.** *a.* ~ *up* **a)** ver-, zumauern, **b)** (aus)mauern, um'wanden; **10.** *fig.* ab-, einschließen, *den Geist* verschließen (*against* gegen).

wal·la·by ['wɔləbi] *pl.* **-bies** [-biz] *s. zo.* Wallaby *n*.

wal·lah ['wɔlə] *s.* F ‚Knülch' *m*, [Kerl *m*.]

'**wall|-bars** *s. pl. sport* Sprossenwand *f*; ~ **brack·et** *s.* 'Wandarm *m*, -kon͵sole *f*; '~**-creep·er** *s. orn.* Mauerläufer *m*; '~**-cress** *s.* ♀ **1.** *Brit.* Gänsekresse *f*; **2.** Ackerkresse *f*.

wal·let ['wɔlit] *s.* **1.** *obs.* Ränzel *n*, Schnappsack *m*; **2.** kleine Werkzeugtasche; **3. a)** Brieftasche *f*, **b)** (*flache*) Geldtasche.

'**wall-eye** *s.* **1.** *vet.* Glasauge *n*; **2.** ⚕ Hornhautfleck *m*; '**wall-eyed** *adj.* **1.** *vet.* glasäugig (*Pferd etc.*); **2.** ⚕ mit Hornhautflecken.

'**wall|·flow·er** *s.* **1.** ♀ Goldlack *m*; **2.** F *fig.* ‚Mauerblümchen' *n* (*Mädchen*); '~**-fruit** *s.* Spa'lierobst *n*; '~**-map** *s.* Wandkarte *f*.

Wal·loon [wɔ'lu:n] **I.** *s.* **1.** Wal'lone *m*, Wal'lonin *f*; **2.** *ling.* Wal'lonisch *n*; **II.** *adj.* **3.** wal'lonisch.

wal·lop ['wɔləp] **I.** *v/t.* **a)** (ver)prügeln, verdreschen, **b)** *im Spiel* ‚über'fahren' (*besiegen*); **II.** *v/i. a.* ~ *along* galoppieren; **III.** *s.* **a)** F wuchtiger Schlag, **b)** *sl.* Schlagkraft *f*; '**wal·lop·ing** [-piŋ] **I.** *adj.* F riesig, Mords...; **II.** *s.* F Tracht *f* Prügel.

wal·low ['wɔlou] **I.** *v/i.* **1.** sich wälzen *od.* suhlen (*Schweine etc.*) (*a. fig.*): *to* ~ *in money fig.* in Geld schwimmen; *to* ~ *in pleasure* im Vergnügen schwelgen; *to* ~ *in vice* dem Laster frönen; **II.** *s.* **2.** Sich'wälzen *n*; **3.** Schwelgen *n*; **4.** *hunt.* Suhle *f*.

'wall|-paint·ing *s.* Wandgemälde *n*; **'~-pa·per I.** *s.* Ta'pete *f*; **II.** *v/t. u. v/i.* tapezieren; **'~-plug** *s.* ⚡ Wandstecker *m*; **♀ Street** *s.* Wall Street *f*: **a)** *Bank- u. Börsenstraße in New York*, **b)** *fig.* der amer. Geld- u. Kapi'talmarkt, **c)** *fig.* die amer. 'Hochfi,nanz; **'~-tree** *s.* Spa'lierbaum *m*.

wal·nut ['wɔːlnət] *s.* ⚘ **1.** Walnuß *f* (*Frucht*); **2.** Walnuß(baum *m*) *f*; **3.** Nußbaumholz *n*.

wal·rus ['wɔːlrəs] *s. zo.* Walroß *n*.

waltz [wɔːls] **I.** *s.* **1.** Walzer *m*; **II.** *v/i.* **2.** (*v/t.* mit *j-m*) Walzer tanzen, walzen; **3.** *vor Freude etc.* her'umtanzen; **'~-time** *s.* ♪ Walzertakt *m*.

wan [wɔn] *adj.* □ **1.** bleich, blaß, fahl; **2.** matt (*a. Lächeln*), erschöpft.

wand [wɔnd] *s.* **1.** Rute *f*; **2.** Zauberstab *m*; **3.** (Amts-, Kom'mando-) Stab *m*; **4.** ♪ Taktstock *m*.

wan·der ['wɔndə] **I.** *v/i.* **1.** wandern: **a)** ziehen, streifen, **b)** schlendern, bummeln, **c)** *fig.* schweifen, irren, gleiten (*Auge, Gedanken etc.*): *to ~ in* hereinschneien (*Besucher*); *to ~ off* **a)** davonziehen, **b)** sich verlieren (*into* in *acc.*) (*a. fig.*); **2.** *a. ~ about* um'herwandern, -ziehen, -irren, -schweifen (*a. fig.*); **3.** *a. ~ away* irregehen, sich verirren (*a. fig.*); **4.** abirren, -weichen (*from* von) (*a. fig.*): *to ~ from the subject* vom Thema abschweifen; **5.** phantasieren: **a)** irrereden, faseln, **b)** im Fieber reden; **6.** geistesabwesend *od.* zerstreut sein; **II.** *v/t.* **7.** *poet.* durch'wandern; **'wan·der·er** [-ərə] *s.* Wanderer *m*; **'wan·der·ing** [-dəriŋ] **I.** *s.* **1.** Wandern *n*, Um'herirren *n*, -schweifen *n*; **2.** *mst pl.* **a)** Wanderung(en *pl.*) *f*, **b)** Wanderschaft *f*; **3.** *mst pl.* Phantasieren *n*: **a)** Irrereden *n*, Faseln *n*, **b)** Fieberwahn *m*; **II.** *adj.* □ **4.** wandernd, Wander...; **5.** um'herschweifend, Nomaden...; **6.** unstet: *the ♀ Jew* der Ewige Jude; **7.** irregehend, abirrend (*a. fig.*): *~ bullet* Ausreißer (*abirrende Kugel*); **8.** ⚘ Kriech..., Schling...; **9.** ⚕ Wander...(*-niere, -zelle*).

wan·der·lust ['vɑːndəlust] (*Ger.*) *s.* Wanderlust *f*, -trieb *m*.

wane [wein] **I.** *v/i.* **1.** abnehmen (*a. Mond*), nachlassen, schwinden (*Einfluß, Kräfte, Interesse etc.*); **2.** schwächer werden, verblassen (*Licht, Farben etc.*); **3.** zu Ende gehen; **II.** *s.* **4.** Abnehmen *n*, Abnahme *f*, Schwinden *n*: *to be on the ~* im Abnehmen sein, abnehmen, schwinden, zu Ende gehen; *in the ~ of the moon* bei abnehmendem Mond.

wan·gle ['wæŋgl] *sl.* **I.** *v/t.* **1.** *et.* ‚drehen' *od.* ‚deichseln' *od.* ‚schaukeln' (*durch List zuwege bringen*); **2.** *et.* ‚organisieren' (*beschaffen*); **3.** ergaunern: *to ~ s.th. out of s.o.* j-m et. abluchsen; *to ~ s.o. into doing s.th.* j-n dazu bringen, et. zu tun; **4.** ‚frisieren' (*fälschen*); **II.** *v/i.* **5.** mogeln, ‚schieben'; **6.** sich her'auswinden (*out of* aus *dat.*); **III.** *s.* **7.** Kniff *m*, Trick *m*; **8.** Schiebung *f*, Moge'lei *f*; **'wan·gler** [-lə] *s.* Schieber *m*.

wan·ness ['wɔnnis] *s.* Blässe *f*.

want [wɔnt] **I.** *v/t.* **1.** wünschen: **a)** (haben) wollen, **b)** *vor inf.* (*et. tun*) wollen: *I ~ to go* ich möchte gehen; *I ~ed to go* ich wollte gehen; *what do you ~ (with me)?* was wünschen *od.* wollen Sie (von mir)?; *I ~ you to try* ich möchte, daß du es versuchst; *I ~ it done* ich wünsche *od.* möchte, daß es getan wird; *~ed* gesucht (*in Annoncen*; *a. von der Polizei*); *you are ~ed* du wirst gewünscht *od.* gesucht, man will dich sprechen; **2.** ermangeln (*gen.*), nicht (genug) haben, es fehlen lassen an (*dat.*): *he ~s judg(e)ment* es fehlt ihm an Urteilsvermögen; **3. a)** brauchen, nötig haben, erfordern, benötigen, bedürfen (*gen.*), **b)** müssen, sollen: *you ~ some rest* du hast etwas Ruhe nötig; *this clock ~s repairing* (*od. to be repaired*) diese Uhr müßte *od.* sollte repariert werden; *it ~s doing* es muß getan werden; *you don't ~ to be rude* Sie brauchen nicht grob zu werden; *you ~ to see a doctor* du solltest e-n Arzt aufsuchen; **II.** *v/i.* **4.** ermangeln (*for gen.*): *he does not ~ for talent* es fehlt ihm nicht an Begabung; *he ~s for nothing* es fehlt ihm an nichts; **5.** (*in*) es fehlen lassen (an *dat.*), ermangeln (*gen.*); → *wanting* 2; **6.** Not leiden; **III.** *s.* **7.** *pl.* Bedürfnisse *pl.*, Wünsche *pl.*: *a man of few ~s* ein Mann mit geringen Bedürfnissen *od.* Ansprüchen; **8.** Notwendigkeit *f*, Bedürfnis *n*, Erfordernis *n*; Bedarf *m*; **9.** Mangel *m*, Ermangelung *f*: *a (long-) felt ~* → *feel* 3; *~ of care* Achtlosigkeit; *~ of sense* Unvernunft; *from (od. for) ~ of* aus Mangel an (*dat.*), in Ermang(e)lung (*gen.*); *to be in (great) ~ of s.th.* et. (dringend) brauchen *od.* benötigen; *in ~ of repair* reparaturbedürftig; **10.** Bedürftigkeit *f*, Armut *f*, Not *f*: *to be in ~* Not leiden; **want ad** *s.* F **1.** Stellengesuch *n*; **2.** Stellenangebot *n*; **want·age** ['wɔntidʒ] *s.* ✝ Fehlbetrag *m*, 'Defizit *n*; **'want·ing** [-tiŋ] **I.** *adj.* **1.** fehlend, mangelnd; **2.** ermangelnd (*in gen.*): *to be ~ in* es fehlen lassen an (*dat.*); *to be ~ to j-n* im Stich lassen, *e-r Erwartung* nicht gerecht werden, *e-r Lage* nicht gewachsen sein; *he is never found ~* auf ihn ist immer Verlaß; **3.** nachlässig (*in* in *dat.*); **II.** *prp.* **4.** ohne: *a book ~ a cover*; **5.** weniger, mit Ausnahme von.

wan·ton ['wɔntən] **I.** *adj.* □ **1.** mutwillig: **a)** ausgelassen, wild, **b)** leichtfertig, **c)** böswillig (*a.* ⚖): *~ negligence* ⚖ grobe Fahrlässigkeit; **2.** liederlich, ausschweifend; **3.** wollüstig, geil; **4.** üppig (*Haar, Phantasie etc.*): *~ vegetation* wuchernder Pflanzenwuchs; **II.** *s.* **5. a)** Buhlerin *f*, Dirne *f*, **b)** Wüstling *m*; **III.** *v/i.* **6.** um'hertollen; **7.** ⚘ geil wachsen, wuchern; **'wan·ton·ness** [-nis] *s.* **1.** Mutwille *m*, 'Übermut *m*; **2.** Böswilligkeit *f*; **3.** Liederlichkeit *f*; **4.** Geilheit *f*, Lüsternheit *f*.

wap·en·take ['wæpənteik] *s.* Hundertschaft *f*, Bezirk *m* (*Unterteilung der nördlichen Grafschaften Englands*).

war [wɔː] **I.** *s.* **1.** Krieg *m*: *~ of aggression (attrition, independence, nerves, succession)* Angriffs- (Zermürbungs-, Unabhängigkeits-, Nerven-, Erbfolge)krieg; *to be at ~ (with)* **a)** Krieg führen (gegen *od.* mit), **b)** *fig.* im Streit liegen *od.* auf (dem) Kriegsfuß stehen (mit); *to make ~* Krieg führen, kämpfen (*on, upon, against* gegen, *with* mit); *to go to ~ (with)* Krieg beginnen (mit); *to go to the ~(s) obs.* in den Krieg ziehen; *to carry the ~ into the enemy's country (od. camp)* **a)** den Krieg ins feindliche Land *od.* Lager tragen, **b)** *fig.* zum Gegenangriff übergehen; *he has been in the ~s fig. Brit.* es hat ihn arg mitgenommen; **2.** Kampf *m*, Streit *m* (*a. fig.*); **3.** Feindseligkeit *f*; **II.** *v/i.* **4.** kämpfen, streiten (*against* gegen, *with* mit); **5.** → *warring* 2; **III.** *adj.* **6.** Kriegs...

war·ble ['wɔːbl] **I.** *v/t. u. v/i.* trillern, singen, schmettern (*Singvögel od. Person*); **II.** *s.* Trillern *n*, Gesang *m*; **'war·bler** [-lə] *s.* **1.** Sänger (-in); **2.** Singvogel *m*, *bsd.* Grasmücke *f od.* Teichrohrsänger *m*.

'war|-blind·ed *adj.* kriegsblind; **~ bond** *s.* Kriegsschuldverschreibung *f*; **'~-cloud** *s.* (drohende) Kriegsgefahr; **~ crime** *s.* Kriegsverbrechen *n*; **~ crim·i·nal** *s.* Kriegsverbrecher *m*; **'~-cry** *s.* Feldgeschrei *n*, Schlachtruf *m* (*der Soldaten*), Kriegsruf *m* (*der Indianer*) (*a. fig.*).

ward [wɔːd] **I.** *s.* **1.** (Stadt-, Wahl-) Bezirk *m*: *~ heeler pol. Am.* F (Wahl-) Bezirksleiter (*e-r Partei*); **2.** ('Krankenhaus)Stati,on *f*; **3.** Ab'teilung *f*, Zelle *f* (*e-s Gefängnisses etc.*); → *casual* 6 b; **4.** Gefängnis *n*; **5.** *obs.* Gewahrsam *m*, Haft *f*; **6.** ⚖ **a)** Mündel *n*, **b)** Vormundschaft *f*: *~ of court, ~ in chancery* Mündel unter Amtsvormundschaft; *in ~* unter Vormundschaft (stehend); **7.** Schützling *m*; **8.** *fenc.* Pa'rade *f*; **9.** ⊕ **a)** Gewirre *n* (*e-s Schlosses*), **b)** (Einschnitt *m* im) Schlüsselbart *m*; **10.** *to keep watch and ~* Wache halten; **II.** *v/t.* **11.** (in e-e Krankenhausstation *etc.*) einweisen; **12.** *~ off Schlag etc.* parieren, abwehren, *Gefahr* abwenden.

'war|-dance *s.* Kriegstanz *m*; **~ debt** *s.* Kriegsschuld *f*.

ward·en ['wɔːdn] *s.* **1.** *obs.* Wächter *m*; **2.** Aufseher *m*, (*bsd.* Luftschutz-) Wart *m*; Herbergsvater *m*; → *game warden*; **3.** *mst hist.* Gouver'neur *m*; **4.** (*Brit.* 'Anstalts-, 'Schul-, *Am.* Ge'fängnis)Di,rektor *m*, (*a.* Kirchen)Vorsteher *m*; *Brit. univ.* Rektor *m e-s College*: *♀ of the Mint Brit.* Münzwardein.

ward·er ['wɔːdə] *s.* **1.** *obs.* Wächter *m*; **2.** Gefängnis- (*a.* Mu'seums- *etc.*)wärter *m*; **'ward·ress** [-dris] *s. Brit.* Gefängniswärterin *f*.

ward·robe ['wɔːdroub] *s.* **1.** Garde'robe *f*, Kleiderbestand *m*; **2.** Kleiderschrank *m*; **~ bed** *s.* Schrankbett *n*; **~ deal·er** *s.* Kleidertrödler (-in); **~ trunk** *s.* Schrankkoffer *m*.

'ward·room *s.* ⚓ Offi'ziersmesse *f*.

ward·ship ['wɔːdʃip] *s.* Vormundschaft *f* (*of, over* über *acc.*).

ware¹ [wɛə] *s.* **1.** *mst pl.* Ware(n *pl.*) *f*, Ar'tikel *m* (*od. pl.*), Erzeugnis(se *pl.*) *n*; **2.** Geschirr *n*, Porzel'lan *n*, Töpferware *f*.

ware² [wɛə] *v/i. u. v/t.* sich vorsehen (vor *dat.*): ~! Vorsicht!, Achtung!
'ware·house I. *s.* [-haus] **1.** Lagerhaus *n*, Speicher *m*: *custom* ~ ✝ Zollniederlage; **2.** (Waren)Lager *n*, Niederlage *f*; **3.** *bsd. Brit.* Großhandelsgeschäft *n*; **4.** *Brit.* Kaufhaus *n*; **II.** *v/t.* [-hauz] **5.** auf Lager bringen *od.* nehmen, (ein)lagern; **6.** *Möbel etc.* zur Aufbewahrung geben *od.* nehmen; **7.** unter Zollverschluß bringen; ~ **ac·count** *s.* ✝ 'Lagerˌkonto *n*; ~ **bond** *s.* ✝ **1.** Lagerschein *m*; **2.** Zollverschlußbescheinigung *f*; '~**·man** [-mən] *s.* [*irr.*] ✝ **1.** Lage'rist *m*, Lagerverwalter *m*; **2.** Speicherarbeiter *m*; **3.** *Brit.* Großhändler *m*; **4.** ('Möbel-) Spediˌteur *m*.
war es·tab·lish·ment *s. Brit.* Kriegsstärke *f* u. Ausrüstungsnachweisung *f*: *according to* ~ mobmäßig.
'war·fare *s.* **1.** Kriegführung *f*; **2.** (*a. Wirtschafts- etc.*)Krieg *m*; **3.** *fig.* Kampf *m*, Fehde *f*, Streit *m*.
war| foot·ing *s.* Kriegsstand *m*, -bereitschaft *f*: *on a* ~ kriegsstark; '~ **god** *s.* Kriegsgott *m*; ~ **grave** *s.* Kriegs-, Sol'datengrab *n*; ~ **guilt** *s.* Kriegsschuld *f*; '~**-head** *s.* ⚔ Spreng-, Gefechtskopf *m* (*e-s Torpedos etc.*); '~**-horse** *s.* **1.** *poet.* Schlachtroß *n*; **2.** F alter Haudegen *od.* Kämpe (*a. fig.*).
war·i·ness ['wɛərinis] *s.* Vorsicht *f*, Behutsamkeit *f*.
'war·like *adj.* **1.** kriegerisch; **2.** [Kriegs...]
'war-loan *s.* Kriegsanleihe *f*.
war·lock ['wɔːlɔk] *s. obs.* Zauberer *m*.
'war-lord *s. rhet.* Kriegsherr *m*.
warm [wɔːm] **I.** *adj.* □ **1.** *allg.* warm (*a. Farbe etc.*; *a. fig. Herz, Interesse etc.*): *a* ~ *corner fig.* e-e ,ungemütliche Ecke' (*gefährlicher Ort*); *a* ~ *reception* **a)** ein warmer *od.* herzlicher Empfang, **b)** *iro.* ein ,saftiger' Empfang (*von Gegnern*); ~ *work* **a)** schwere Arbeit, **b)** gefährliche Sache, **c)** heißer Kampf; *to keep s.th.* ~ (*sl. fig.* sich) et. warmhalten; *to make it* (*od. things*) ~ *for s.o.* j-m die Hölle heiß machen; *this place is too* ~ *for me fig.* hier brennt mir der Boden unter den Füßen; **2.** erhitzt, heiß; **3.** glühend, leidenschaftlich, eifrig; **4.** erregt, hitzig; **5.** *hunt.* frisch (*Fährte etc.*); **6.** F ,warm', nahe (dran) (*im Suchspiel*): *you are getting* ~*er fig.* du kommst der Sache (schon) näher; **II.** *s.* **7.** *et.* Warmes, warmes Zimmer *etc.*; **8.** *to give* (*have*) *a* ~ *et.* (sich) (auf)wärmen; **III.** *v/t.* **9.** *a.* ~ *up* (an-, auf-, er-) wärmen, *Milch etc.* warm machen: *to* ~ *one's feet* sich die Füße wärmen; **10.** *fig. Herz etc.* (er)wärmen; **11.** F verprügeln, -sohlen; **IV.** *v/i.* **12.** *a.* ~ *up* warm werden, sich erwärmen; **13.** *a.* ~ *up fig.* sich erwärmen (to für): *to* ~ *up for* **a)** *sport* sich aufwärmen für, **b)** *fig.* sich bereitmachen zu; '~**-blood·ed** *adj.* **1.** *zo.* warmblütig: ~ *animals* Warmblüter; **2.** *fig.* heißblütig.
'warmed-'o·ver [wɔːmd] *adj. Am.* aufgewärmt (*Speisen etc.*).
'warm-'heart·ed *adj.* □ warmherzig.
warm·ing ['wɔːmiŋ] *s.* **1.** Wärmen *n*, Erwärmung *f*; **2.** *sl.* Tracht *f* Prügel, ,Senge' *f*; '~**-pad** *s.* ⚡ Heizkissen *n*.
warm·ish ['wɔːmiʃ] *adj.* lauwarm.
war|·mon·ger ['wɔːmʌŋgə] *s.* Kriegshetzer *m*; '~**·mon·ger·ing** [-əriŋ] *s.* Kriegshetze *f*, -treibe'rei *f*.
warmth [wɔːmθ] *s.* **1.** Wärme *f*; **2.** *fig.* Wärme *f*: **a)** Herzlichkeit *f*, **b)** Eifer *m*, Begeisterung *f*; **3.** Heftigkeit *f*, Erregtheit *f*.
warn [wɔːn] *v/t.* **1.** warnen (*of, against* vor *dat.*): *to* ~ *s.o. against doing s.th.* j-n davor warnen, et. zu tun; **2.** *j-n* (warnend) hinweisen, aufmerksam machen (*of* auf *acc.*, *that* daß); **3.** ermahnen *od.* auffordern (*to do* zu tun); **4.** *j-m* (dringend) raten, nahelegen (*to do* zu tun); **5.** (*of*) *j-n* in Kenntnis setzen *od.* verständigen (von), *j-n* wissen lassen (*acc.*), *j-m* ankündigen (*acc.*); **6.** *a.* ~ *off* verwarnen; **7.** ~ *off* (*from*) **a)** abweisen, -halten (von), **b)** hin'ausweisen (aus); **'warn·ing** [-niŋ] **I.** *s.* **1.** Warnen *n*, Warnung *f*: *to give s.o.* (*fair*) ~, *to give* (*fair*) ~ *to s.o.* j-n (rechtzeitig) warnen (*of* vor *dat.*); *to take* ~ *by* (*od. from*) sich *et.* zur Warnung dienen lassen; **2. a)** Verwarnung *f*, **b)** (Er)Mahnung *f*; **3.** *fig.* Warnung *f*, warnendes Beispiel; **4.** warnendes An- *od.* Vorzeichen (*of* für); **5.** 'Warnsiˌgnal *n*; **6.** Benachrichtigung *f*, (Vor)Anzeige *f*, Ankündigung *f*: *to give* ~ (*of*) *j-m* ankündigen (*acc.*), Bescheid geben (über *acc.*); *without any* ~ völlig unerwartet; **7. a)** Kündigung *f*, **b)** (Kündigungs)Frist *f*: *to give* ~ (*to*) (*j-m*) kündigen; *at a minute's* ~ **a)** ✝ auf jederzeitige Kündigung, **b)** ✝ fristlos, **c)** in kürzester Frist, jeden Augenblick; **II.** *adj.* □ **8.** warnend, Warn...(*-glocke, -meldung, -schuß etc.*): ~ *colo(u)r(ation) zo.* Schutz-, Trutzfarbe; ~ *light* **a)** ⊕ Warnlicht, **b)** ⚓ Warn-, Signalfeuer; ~ *strike* ✝ Warnstreik; ~ *triangle mot.* Warndreieck.
warn't [wɑːnt] *dial. für* **a)** *wasn't*, **b)** *weren't*.
War| Of·fice *s. Brit. hist.* 'Heeresminiˌsterium *n*; ♀ **or·phan** *s.* Kriegerwaise *f*.
warp [wɔːp] **I.** *v/t.* **1.** *Holz etc.* verziehen, werfen, krümmen; ✈ *Tragflächen* verwinden; **2.** *j-n, j-s Geist* nachteilig beeinflussen, verschroben machen; *j-s Urteil* verfälschen; → *warped 3*; **3.** *j-n* verleiten (*into* zu), abbringen (*from* von); **4.** *Tatsache etc.* entstellen, verdrehen, -zerren; **5.** ⚓ *Schiff* bugsieren, verholen; **6.** *Weberei*: *Kette* anscheren, anzetteln; **7.** ✓ **a)** mit Schlamm düngen, **b)** *a.* ~ *up* verschlammen; **II.** *v/i.* **8.** sich werfen *od.* verziehen *od.* krümmen, krumm werden (*Holz etc.*); **9.** entstellt *od.* verdreht werden; **III.** *s.* **10.** Verziehen *n*, Verkrümmung *f*, -werfung *f* (*von Holz etc.*); **11.** *fig.* Neigung *f*; **12.** *fig.* **a)** Entstellung *f*, Verzerrung *f*, **b)** Verschrobenheit *f*; **13.** *Weberei*: Kette(nfäden *pl.*) *f*, Zettel *m*: ~ *and woof* Kette u. Schuß; **14.** ⚓ Bugsiertau *n*, Warpleine *f*; **15.** ✓, *geol.* Schlamm(ablagerung *f*) *m*, Schlick *m*.
'war|-paint *s.* **1.** Kriegsbemalung *f* (*der Indianer*); **2.** F ,volle Kriegsbemalung', große Gala; '~**-path** *s.* Kriegspfad *m* (*der Indianer*): *to be* (*go*) *on the* ~ **a)** auf dem Kriegspfad sein (gehen) (*a. fig.*), **b)** *fig.* kampflustig sein.
warped [wɔːpt] *adj.* **1.** verzogen (*Holz etc.*), krumm (*a.* ⚕); **2.** *fig.* verzerrt, verfälscht; **3.** *fig.* ,verbogen', verschroben: ~ *mind*; **4.** par'teiisch.
'war·plane *s.* Kampfflugzeug *n*.
war·rant ['wɔrənt] **I.** *s.* **1.** *a.* ~ *of attorney* Vollmacht *f*; Befugnis *f*, Berechtigung *f*; **2.** Rechtfertigung *f*: *not without* ~ nicht ohne gewisse Berechtigung; **3.** Garan'tie *f*, Gewähr *f* (*a. fig.*); **4.** Berechtigungsschein *m*: *dividend* ~ ✝ Dividenden-, Gewinnanteilschein; **5.** ⚖ (Voll'ziehungs- *etc.*)Befehl *m*: ~ *of apprehension* Steckbrief; ~ *of arrest* Haftbefehl; ~ *of attachment* Beschlagnahmeverfügung; *a* ~ *is out against him* er wird steckbrieflich gesucht; **6.** ⚔ Pa'tent *n*, Beförderungsurkunde *f*: ~ (*officer*) **a)** ⚓ *etwa*: (Ober)Stabsbootsmann, Deckoffizier, **b)** ⚔ *etwa*: (Ober-) Stabsfeldwebel, Portepeeunteroffizier; **7.** ✝ (Lager-, Waren)Schein *m*: *bond* ~ Zollgeleitschein; **8.** ✝ (Rück)Zahlungsanweisung *f*; **II.** *v/t.* **9.** *bsd.* ⚖ bevollmächtigen, autorisieren; **10.** rechtfertigen, berechtigen zu; **11.** *bsd.* ✝ garantieren, zusichern, haften für, gewährleisten: *I'll* ~ (*you*) F **a)** mein Wort darauf, **b)** ich könnte schwören; **12.** bestätigen, erweisen; **'war·rant·a·ble** [-təbl] *adj.* □ **1.** vertretbar, gerechtfertigt, berechtigt; **2.** *hunt.* jagdbar (*Hirsch*); **'war·rant·a·bly** [-təbli] *adv.* rechtmäßig, billigerweise; **'war·rant·ed** [-tid] *adj.* ✝ garantiert, echt: ~ *for 3 years* 3 Jahre Garantie; **war·ran·tee** [wɔrən'tiː] *s.* ✝, ⚖ Sicherheitsempfänger *m*; **'war·rant·er** [-tə], **'war·ran·tor** [-tɔː] *s.* Sicherheitsgeber *m*; **'war·ran·ty** [-ti] *s.* **1.** Berechtigung *f*, Vollmacht *f* (*for* zu); **2.** Rechtfertigung *f* (*for* für); **3.** *bsd.* ⚖ Bürgschaft *f*, Garan'tie *f*; **4.** *a.* ~ *deed* ⚖ **a)** 'Rechtsgaranˌtie *f*, **b)** *Am.* 'Grundstücksüberˌtragungsˌurkunde *f*.
war·ren ['wɔrin] *s.* **1.** Ka'ninchengehege *n*; **2.** *hist. Brit.* Wildgehege *n*; **3.** *fig.* Laby'rinth *n*, *bsd.* **a)** 'Mietskaˌserne *f*, **b)** enges Straßengewirr.
war·ring ['wɔːriŋ] *adj.* **1.** sich bekriegend, (sich) streitend; **2.** *fig.* 'widerstreitend, entgegengesetzt.
war·ri·or ['wɔriə] *s. poet.* Krieger *m*.
war| risk in·sur·ance *s.* ✝ Kriegsversicherung *f*; '~**-ship** *s.* Kriegsschiff *n*.
wart [wɔːt] *s.* **1.** ⚕, ♀, *zo.* Warze *f*; **2.** ♀ Auswuchs *m*; **'wart·ed** [-tid] *adj.* warzig; **'wart-hog** *s. zo.* Warzenschwein *n*.
'war·time I. *s.* Kriegszeit *f*; **II.** *adj.* Kriegs...
wart·y ['wɔːti] *adj.* warzig.
'war|-wea·ry *adj.* kriegsmüde; '~**-whoop** *s.* **1.** Kriegsgeheul *n* (*der Indianer*); **2.** *fig.* Indi'anergebrüll *n*;

'~-wid·ow s. Kriegerwitwe f; '~-worn adj. 1. kriegszerstört, vom Krieg verwüstet; 2. kriegsmüde.

war·y ['wɛəri] adj. □ vorsichtig: a) wachsam, a. argwöhnisch, b) 'umsichtig, c) behutsam: *to be* ~ sich hüten (*of* vor *dat.*, *of doing et.* zu tun).

was [wɔz; wəz] *1. u. 3. sg. pret. ind. von be; im pass.* wurde: *he* ~ *killed; he* ~ *to have come* er hätte kommen sollen; *he didn't know what* ~ *to come* er ahnte nicht, was noch kommen sollte; *he* ~ *never to see his mother again* er sollte seine Mutter nie mehr wiedersehen.

wash [wɔʃ] **I.** s. **1.** Waschen n, Wäsche f: *at the* ~ in der Wäsche (-rei); *to give s.th. a* ~ et. (ab)waschen; *to have a* ~ sich waschen; **2.** (*zu waschende od. gewaschene*) Wäsche: *in the* ~ in der Wäsche; **3.** Spülwasser n (*a. fig. dünne Suppe etc.*); **4.** Spülicht n, Küchenabfälle *pl.*; **5.** *fig. contp.* Gewäsch n, leeres Gerede; **6.** ⚕ Waschung f; **7.** (*Augen-, Haar- etc.*)Wasser n; **8.** Wellenschlag m, (Tosen n der) Brandung f; **9.** Kielwasser n (*a. fig.*); **10.** ✈ a) Luftstrudel m, b) glatte Strömung; **11.** *geol.* a) (Alluvi'al-) Schutt m, b) Schwemmland n; **12.** seichtes Gewässer; **13.** 'Farb,überzug m: a) dünn aufgetragene (Wasser)Farbe, b) Tünche f; **14.** ⊕ a) Bad n, Abspritzung f, b) Plattierung f; **II.** *adj.* **15.** waschbar, -echt, Wasch...: ~ *glove* Waschlederhandschuh; ~ *silk* Waschseide; **III.** *v/t.* **16.** waschen: *to* ~ (*up*) *dishes* Geschirr (ab)spülen; → *hand Redew.*; **17.** (ab)spülen, (-)spritzen; **18.** be-, um-, über'spülen (*Fluten*); **19.** (fort-, weg)spülen, (-)schwemmen: *to* ~ *ashore*; **20.** *geol.* graben (*Wasser*); → *wash away 2, wash out 1*; **21.** a) tünchen, b) dünn anstreichen, c) tuschen; **22.** *Erze* waschen, schlämmen; **23.** ⊕ plattieren; **IV.** *v/i.* **24.** sich waschen; waschen (*Wäscherin etc.*); **25.** sich *gut etc.* waschen (lassen), waschecht sein; **26.** *bsd. Brit.* F a) standhalten, b) ‚ziehen', stichhaltig sein: *that won't* ~ (*with me*) das zieht nicht (bei mir); **27.** (*vom Wasser*) gespült *od.* geschwemmt werden; **28.** fluten, spülen (*over* über *acc.*); branden, schlagen (*against* gegen), plätschern;
Zssgn mit adv.:

wash| a·way I. *v/t.* **1.** ab-, wegwaschen; **2.** weg-, fortspülen, -schwemmen; **II.** *v/i.* **3.** weggeschwemmt werden; ~ **down** *v/t.* **1.** abwaschen, -spritzen; **2.** hin'unterspülen (*a. Essen mit e-m Getränk*); ~ **off** → *wash away*; ~ **out I.** *v/t.* **1.** auswaschen, -spülen (*a. geol. etc.*); **2.** F *Plan etc.* fallenlassen, aufgeben; **3.** *to be washed out* a) verwaschen *od.* ausgeblaßt sein, b) F ‚erledigt' (*erschöpft*) sein; **II.** *v/i.* **4.** sich auswaschen, verblassen; **5.** sich wegwaschen lassen (*Farbe*); ~ **up I.** *v/t.* **1.** *Geschirr* spülen; **2.** *to be washed up Am.* F ‚erledigt' *od.* ‚fertig' (*erschöpft od. ruiniert*) sein; **II.** *v/i.* **3.** F sich (Gesicht u. Hände) waschen; **4.** ab-, aufwaschen, Geschirr spülen.

wash·a·ble ['wɔʃəbl] *adj.* waschecht, waschbar.

'wash|-ba·sin s. *Brit.* Waschbecken n, -schüssel f; **'~-board** s. **1.** Waschbrett n; **2.** Fuß-, Scheuerleiste f (*an der Wand*); **'~-bot·tle** s. ⚗ **1.** Spritzflasche f; **2.** (Gas)Waschflasche f; **'~-bowl** → *wash-basin*; **'~-cloth** s. **1.** *Brit.* Abwaschtuch n; **2.** *Am.* Waschlappen m.

'washed|-'out [wɔʃt] *adj.* **1.** verwaschen, verblaßt; **2.** F ‚fertig', ‚erledigt', erschöpft; **'~-'up** *adj.* ‚erledigt', ‚fertig': a) F erschöpft, b) *sl.* völlig ruiniert.

wash·er ['wɔʃə] s. **1.** Wäscher(in); **2.** 'Waschma,schine f; **3.** (Ge'schirr)‚Spülma,schine f; **4.** *Papierherstellung*: Halb(zeug)holländer m; **5.** ⊕ 'Unterlegscheibe f, Dichtungsring m; **'~-wom·an** s. [*irr.*] Waschfrau f, Wäscherin f.

'wash|-hand *adj. Brit.* Handwasch...: ~-*basin* (Hand)Waschbecken; ~-*stand* (Hand)Waschständer; **'~-house** s. **1.** Waschhaus n, -küche f; **2.** Wäsche'rei f (*a.* ⚒).

wash·i·ness ['wɔʃinis] s. **1.** Wässerigkeit f; **2.** *fig.* Saft-, Kraftlosigkeit f.

wash·ing ['wɔʃiŋ] **I.** s. **1.** → *wash 1, 2*; **2.** *oft pl.* Spülwasser n; **3.** ⊕ nasse Aufbereitung, Erzwäsche f; **4.** 'Farb,überzug m; **II.** *adj.* **5.** Wasch..., Wäsche...; **'~-day** s. Waschtag m; **'~-ma·chine** s. 'Waschma,schine f; **'~-pow·der** s. Waschpulver n; ~ **so·da** s. (Bleich)Soda f, n; **'~-up** s. Abwaschen n (*Geschirr*): *to do the* ~ aufwaschen, spülen; ~ *basin* Abwaschschüssel.

'wash|-leath·er s. **1.** Waschleder n; **2.** Fenster(putz)leder n; **'~-out** s. **1.** *geol.* Auswaschung f; **2.** Einbruch m (*e-r Straße etc.*); **3.** *sl.* a) ‚Niete' f (*erfolgloser Mensch*), b) ‚Pleite' f, ‚Reinfall' m (*Mißerfolg*), c) ⚔ ‚Fahrkarte' f (*Fehlschuß*); **'~-rag** s. *Am.* Waschlappen m; **'~-room** s. *Am.* (öffentliche) Toi'lette; ~ **sale** s. † *Am.* Börsenscheingeschäft n; **'~-stand** s. **1.** Waschständer m; **2.** Waschbecken n (*mit fließendem Wasser*); **'~-tub** s. Waschwanne f.

wash·y ['wɔʃi] *adj.* □ **1.** verwässert, wässerig (*beide a. fig. kraftlos, seicht*); **2.** verwaschen, blaß (*Farbe*).

was·n't ['wɔznt] F *für was not.*

wasp [wɔsp] s. *zo.* Wespe f; **'wasp·ish** [-piʃ] *adj.* □ *fig.* a) reizbar, b) gereizt, giftig.

was·sail ['wɔseil] s. *obs.* **1.** (Trink-) Gelage n; **2.** Würzbier n.

wast [wɔst; wəst] *obs. 2. sg. pret. ind. von be*: *thou* ~ du warst.

wast·age ['weistidʒ] s. **1.** Verlust m, Abgang m, Verschleiß m; **2.** Verschwendung f, Vergeudung f: ~ *of energy* a) Energieverschwendung, b) *fig.* Leerlauf.

waste [weist] **I.** *adj.* **1.** öde, wüst, unfruchtbar, unbebaut (*Land*): *to lie* ~ brachliegen; *to lay* ~ verwüsten; **2.** a) nutzlos, 'überflüssig, b) ungenutzt, 'überschüssig: ~ *energy*; **3.** unbrauchbar, Abfall...; **4.** ⊕ a) abgängig, Abgangs..., Ab...(-*gas etc.*), b) Abfluß..., Ablauf...; **II.** s. **5.** Verschwendung f, Vergeudung f: ~ *of energy* (*money, time*) Kraft- (Geld-, Zeit)verschwendung; *to go* (*od. run*) *to* ~ a) brachliegen, verwildern, b) vergeudet werden, c) verlottern, -fallen; **6.** Verfall m, Verschleiß m, Abgang m, Verlust m; **7.** Wüste f, (Ein)Öde f: ~ *of water* Wasserwüste; **8.** Abfall m; ⊕ *a.* Abgänge *pl.*, *bsd.* a) Ausschuß m, b) Putzbaumwolle f, c) Wollabfälle *pl.*, d) Werg n, e) *typ.* Makula'tur f, f) Gekrätz n; **9.** ⚒ Abraum m; **10.** ⚖ Wertminderung f (*e-s Grundstücks durch Vernachlässigung*); **III.** *v/t.* **11.** *Geld, Worte, Zeit etc.* verschwenden, vergeuden (*on an acc.*): *you are wasting your breath* du kannst dir deine Worte sparen; *a* ~*d talent* ein ungenutztes Talent; **12.** *to be* ~*d* nutzlos sein, ohne Wirkung bleiben (*on* auf *acc.*), am falschen Platz stehen; **13.** zehren an (*dat.*), aufzehren, schwächen: *to* ~ *o.s. sport* sein Gewicht ‚drücken'; **14.** verwüsten, verheeren; **15.** ⚖ Vermögensschaden verursachen bei, *Besitztum* verkommen lassen; **IV.** *v/i.* **16.** *fig.* vergeudet *od.* verschwendet werden; **17.** sich verzetteln (*in* in *dat.*); **18.** vergehen, (ungenutzt) verstreichen (*Zeit, Gelegenheit etc.*); **19.** *a.* ~ *away* abnehmen, schwinden; **20.** *a.* ~ *away* da'hinsiechen, verfallen; **21.** verschwenderisch sein: ~ *not, want not* spare in der Zeit, so hast du in der Not; **'~-bas·ket** s. Abfall-, *bsd.* Pa'pierkorb m; **'~-book** s. † Kladde f.

waste·ful ['weistful] *adj.* □ **1.** kostspielig, unwirtschaftlich, verschwenderisch (*von Geschäften, Methoden etc.*); **2.** verschwenderisch (*of* mit): *to be* ~ *of* verschwenderisch umgehen mit; **3.** *poet.* wüst, öde; **'waste·ful·ness** [-nis] s. Verschwendung(ssucht) f.

waste| gas s. ⊕ Abgas n; ~ **heat** s. ⊕ Abwärme f, abgängige Hitze; ~ **pa·per** s. **1.** 'Abfallpa,pier n, Makula'tur f; **2.** 'Altpa,pier n; **3.** *fig.* wertloses Doku'ment *etc.* (das nur für den Pa'pierkorb taugt); **~-'pa·per-bas·ket** [weist'p-] s. Pa'pierkorb m; **'~-pipe** s. ⊕ Abfluß-, Abzugsrohr n; ~ **prod·uct** s. ⊕ 'Abfallpro,dukt n.

wast·er ['weistə] s. **1.** → *wastrel 1 u. 3*; **2.** *metall.* a) Fehlguß m, b) Schrottstück n.

waste| steam s. ⊕ Abdampf m; ~ **wa·ter** s. Abwasser n; ~ **wool** s. Twist m.

wast·ing ['weistiŋ] *adj.* **1.** zehrend, schwächend: ~ *disease*; → *palsy 1*; **2.** schwindend; **3.** zerstörend.

wast·rel ['weistrəl] s. **1.** a) Verschwender m, b) Taugenichts m; **2.** Gassenkind n; **3.** † 'Ausschuß (-ar,tikel m, -ware f) m, fehlerhaftes Exem'plar.

watch [wɔtʃ] **I.** s. **1.** Wachsamkeit f: *to be* (*up*)*on the* ~ a) wachsam *od.* auf der Hut sein, b) (*for*) Ausschau halten (nach), lauern (auf *acc.*), achthaben (auf *acc.*); *to keep* (*a*) ~ (*on od. over*) Wache halten, wachen (über *acc.*), aufpassen (auf *acc.*); → *ward 10*; **2.** (Schild)Wache f, Wachtposten m; **3.** *mst pl. hist.* (Nacht)Wache f (*Zeiteinteilung*): *in the silent* ~*es of the night* in den stillen Stunden der Nacht; **4.** ⚓ (Schiffs)Wache f (*Zeit-

abschnitt u. Mannschaft); **5.** *hist.* Nachtwächter *m*; **6.** *obs.* **a)** Wachen *n*, wache Stunden *pl.*, **b)** Totenwache *f*; **7.** (Taschen-, Armband)Uhr *f*; **II.** *v/i.* **8.** beobachten, zuschauen; **9.** (*for*) warten, lauern (auf *acc.*), Ausschau halten (nach), achtgeben (auf *acc.*); **10.** wachen (*with* bei), wach sein; **11.** ~ *over* wachen über (*acc.*), bewachen, aufpassen auf (*acc.*); **12.** ⚔ Posten stehen, Wache halten; **13.** ~ *out* F aufpassen, achtgeben; **III.** *v/t.* **14.** beobachten: **a)** *j-m* zuschauen (*working* bei der Arbeit), **b)** ein wachsames Auge haben auf (*acc.*), *a. Verdächtigen* über'wachen, **c)** *Vorgang etc.* verfolgen, im Auge behalten, **d)** ⚖ *den Verlauf e-s Prozesses* verfolgen: *a ~ed pot never boils* beim Warten wird die Zeit lang; **15.** *Vieh* hüten, bewachen; **16.** *Gelegenheit* abwarten, abpassen, wahrnehmen: *to ~ one's time*; **17.** achthaben auf (*acc.*) (*od. that* daß): *to ~ one's step* **a)** vorsichtig gehen, **b)** *sl.* sich vorsehen; *~ your step!* Vorsicht!; '**~-boat** *s.* ⚓ Wach(t)boot *n*; '**~-box** *s.* **1.** ⚔ Schilderhaus *n*; **2.** Wärterhäus-chen *n*; '**~-case** *s.* Uhrgehäuse *n*; **≈ Com·mit·tee** *s.* städtischer Ordnungsdienst; '**~-dog** *s.* Wachhund *m* (*a. fig.*).

watch·er ['wɔtʃə] *s.* **1.** Wächter *m*; **2.** (Kranken)Wärter(in); **3.** Beobachter *m*.

watch·ful ['wɔtʃful] *adj.* □ wachsam, aufmerksam, *a.* lauernd (*of* auf *acc.*); '**watch·ful·ness** [-nis] *s.* **1.** Wachsamkeit *f*; **2.** Vorsicht *f*; **3.** Wachen *n* (*over* über *dat.*).

'**watch|-glass** *s.* Uhrglas *n*; '**~-guard** *s.* Uhrkette *f*; '**~-mak·er** *s.* Uhrmacher *m*; '**~-mak·ing** *s.* Uhrmache'rei *f*; '**~·man** [-mən] *s.* [*irr.*] **1.** (Nacht)Wächter *m*; **2.** *hist.* Nachtwächter *m* (*e-r Stadt etc.*); '**~-of·fi·cer** *s.* ⚓ 'Wachoffi,zier *m*; '**~-pock·et** *s.* Uhrtasche *f*; '**~-spring** *s.* Uhrfeder *f*; '**~-tow·er** *s.* ⚔ Wachtturm *m*; '**~·word** *s.* Kennwort *n*, Pa'role *f*, Losung *f* (*a. fig. e-r Partei etc.*).

wa·ter ['wɔ:tə] **I.** *v/t.* **1.** *Land etc.* bewässern, *Rasen, Straße etc.* sprengen, *Pflanzen* (be)gießen; **2.** *Vieh* tränken; **3.** mit Wasser versorgen; **4.** *oft ~ down* verwässern: **a)** verdünnen, *Wein* panschen, **b)** *fig. Erklärung etc.* abschwächen, **c)** *fig.* mundgerecht machen: *a ~ed-down liberalism* ein verwässerter Liberalismus; **5.** † *Aktienkapital* verwässern; **6.** ⊕ *Stoff* wässern, moirieren; **II.** *v/i.* **7.** wässern (*Mund*), tränen (*Augen*): *his mouth ~ed* das Wasser lief ihm im Mund zusammen (*for, after* nach); *to make s.o.'s mouth ~* j-m den Mund wässerig machen; **8.** ⚓ Wasser einnehmen; **9.** trinken, zur Tränke gehen (*Vieh*); **10.** ✈ wassern; **III.** *s.* **11.** Wasser *n*: *in deep ~(s) fig.* in Schwierigkeiten, in der Klemme; *to hold ~ fig.* stichhaltig sein; *to keep one's head above ~ fig.* sich (gerade noch) über Wasser halten; *to make the ~* ⚓ vom Stapel laufen; *to throw cold ~ on fig. e-r Sache* e-n Dämpfer aufsetzen, wie e-e kalte Dusche wirken auf (*acc.*); *still ~s run deep* stille Wasser sind tief; → *hot 11, oil 1, trouble 6*; **12.** *oft pl.* Brunnen *m*, Wasser *n* (*e-r Heilquelle*): *to drink* (*od. take*) *the ~s* (*at*) e-e Kur machen (in *dat.*); **13.** *oft pl.* Wasser *n od. pl.*, Gewässer *n od. pl.*, *a.* Fluten *pl.*: *by ~* zu Wasser, auf dem Wasserweg; *on the ~* **a)** zur See, **b)** zu Schiff; *the ~s poet.* das Meer, die See; **14.** Wasserstand *m*; → *low water*; **15.** (Toi'letten-)Wasser *n*; **16.** Wasserlösung *f*; **17.** *physiol.* Wasser *n* (*Sekret, z.B. Speichel, a. Urin*): *the ~(s)* das Fruchtwasser; *to make* (*od. pass*) *~* Wasser lassen, urinieren; *~ on the brain* Wasserkopf; *~ on the knee* Kniegelenkerguß; **18.** Wasser *n* (*reiner Glanz e-s Edelsteins*): *of the first ~* von reinstem Wasser (*a. fig.*); **19.** Wasser(glanz *m*) *n*, Moi'ré *n* (*Stoff*); '**~-bath** *s.* Wasserbad *n* (*a.* ⚗); '**~-bed** *s.* ⚕ Wasserbett *n*, -kissen *n*; '**~-bird** *s. zo. allg.* Wasservogel *m*; '**~-blis·ter** *s.* ⚕ Wasserblase *f*; '**~-borne** *adj.* **1.** auf dem Wasser schwimmend; **2.** zu Wasser befördert (*Ware*), auf dem Wasser stattfindend (*Verkehr*), Wasser...; '**~-bot·tle** *s.* **1.** Wasserflasche *f*; **2.** Feldflasche *f*; '**~-bound** *adj.* vom Wasser eingeschlossen *od.* abgeschnitten; '**~-buf·fa·lo** *s. zo.* Wasserbüffel *m*; **~ bus** *s. Brit.* Flußboot *n*; '**~-butt** *s.* Wasserfaß *n*, Regentonne *f*; '**~-can·non** *s.* Wasserwerfer *m*; '**~-car·riage** *s.* Trans'port *m* zu Wasser, 'Wassertrans,port *m*; '**≈-car·ri·er** → *Aquarius*; '**~-cart** *s.* Wasserwagen *m* (*zum Wassertransport*), *bsd.* Sprengwagen *m*; '**~-chute** *s.* Wasserrutschbahn *f*; '**~-clock** *s.* ⊕ Wasseruhr *f*; '**~-clos·et** *s.* ('Wasser)Klo,sett *n*; '**~-col·o(u)r I.** *s.* **1.** Wasserfarbe *f*; **2.** *mst pl.* Aqua'rellmale,rei *f*; **3.** Aqua'rell *n* (*Bild*); **II.** *adj.* **4.** Aquarell...; '**~-col·o(u)r·ist** *s.* Aqua'rellmaler(in); '**~-cooled** *adj.* ⊕ wassergekühlt; '**~-cool·ing** *s.* ⊕ Wasserkühlung *f*; '**~-course** *s.* **1.** Wasserlauf *m*; **2.** Fluß-, Strombett *n*; **3.** Ka'nal *m*; '**~-craft** *s.* Wasserfahrzeug(e *pl.*) *n*; '**~-crane** *s.* 🚂 Wasserkran *m*; '**~-cress** *s. oft pl.* ⚘ Brunnenkresse *f*; '**~-cure** *s.* ⚕ **1.** Wasserkur *f*; **2.** Wasserheilkunde *f*; '**~-fall** *s.* Wasserfall *m*; '**~-find·er** *s.* Rutengänger *m*; '**~-fowl** *s. zo.* **1.** Wasservogel *m*; **2.** *coll.* Wasservögel *pl.*; '**~-front** *s. bsd. Am.* städtisches Hafengebiet; '**~-gage** *Am.* → *water-gauge*; '**~-gate** *s.* **1.** Schleuse *f*; **2.** Fluttor *n*; '**~-gauge** *s.* ⊕ **1.** Wasserstands(an)zeiger *m*; **2.** Pegel *m*, Peil *m*, hy'draulischer Wasserdruckmesser; **3.** *Wasserdruck, gemessen in inches Wassersäule*; '**~-glass** *s.* Wasserglas *n* (*a.* ⚗): *~ egg* Kalkei; '**~-gru·el** *s.* (dünner) Haferschleim; '**~-heat·er** *s.* Warm'wasserbereiter *m*; '**~-hen** *s. orn.* Ralle *f*, *bsd.* **a)** Grünfüßiges Teichhuhn, **b)** Amer. Wasserhuhn *n*; '**~-hose** *s.* Wasserschlauch *m*; '**~-ice** *s.* Wassereis *n* (*Speiseeis aus Fruchtsaft*).

wa·ter·i·ness ['wɔ:tərinis] *s.* Wäßrigkeit *f*.

wa·ter·ing ['wɔ:təriŋ] **I.** *s.* **1.** (Be-)Wässern *n etc.*; **II.** *adj.* **2.** Bewässerungs...; **3.** Kur..., Bade...; '**~-can** → *watering-pot*; '**~-cart** *s.* Sprengwagen *m*; '**~-place** *s.* **1.** *bsd. Brit.* **a)** Bade-, Kurort *m*, Bad *n*, **b)** (See-)Bad *n*; **2.** (Vieh)Tränke *f*, Wasserstelle *f*; '**~-pot** *s.* Gießkanne *f*.

'**wa·ter-jack·et** *s.* ⊕ (Wasser)Kühlmantel *m*.

wa·ter·less ['wɔ:təlis] *adj.* wasserlos.

'**wa·ter|-lev·el** *s.* **1.** Wasserstand *m*, -spiegel *m*; **2.** ⊕ **a)** Pegelstand *m*, **b)** Wasserwaage *f*; **3.** *geol.* (Grund-)Wasserspiegel *m*; '**~-lil·y** *s.* ⚘ Seerose *f*, Wasserlilie *f*; '**~-line** *s.* ⚓ Wasserlinie *f e-s Schiffs*; '**~-logged** *adj.* **1.** voll Wasser (*Boot etc.*); **2.** vollgesogen (*Holz etc.*).

Wa·ter·loo [wɔ:tə'lu:] *s.*: *to meet one's ~ fig.* sein Waterloo erleben.

'**wa·ter|-main** *s.* Haupt(wasser)rohr *n*; '**~·man** [-mən] *s.* [*irr.*] **1.** ⚓ Fluß-, Binnenschiffer *m*, Fährmann *m*; **2.** *sport* Ruderer *m*; '**~-mark I.** *s.* **1.** Wasserzeichen *n* (*in Papier*); **2.** ⚓ Wassermarke *f*, *bsd.* Flutzeichen *n*; → *high-(low-)water mark*; **II.** *v/t.* **3.** *Papier* mit Wasserzeichen versehen; '**~-mel·on** *s.* ⚘ 'Wasserme,lone *f*; '**~-me·ter** *s.* Wasserzähler *m*, -uhr *f*; '**~-pipe** *s.* **1.** ⊕ Wasser(leitungs)rohr *n*; **2.** orien'talische Wasserpfeife; '**~-plane** *s.* Wasserflugzeug *n*; '**~-plate** *s.* Wärmeteller *m*; **~ po·lo** *s. sport* Wasserballspiel *n*; '**~-pow·er** *s.* ⊕ Wasserkraft *f*: *~ station* Wasserkraftwerk; '**~-pox** *s.* ⚕ Wasser-, Windpocken *pl.*; '**~-proof I.** *adj.* wasserdicht; **II.** *s.* wasserdichter Mantel, Regenmantel *m*; **III.** *v/t.* imprägnieren; '**~-proof·ing** *s.* Imprägnierung *f* (*a. Material*); '**~-rat** *s. zo.* Wasserratte *f*; '**~-rate** *s.* Wasserzins *m*; '**~-re'pel·lent** *adj.* wasserabstoßend; '**~-rot** *v/t. Flachs in Wasser* rotten; '**~-seal** *s.* ⊕ Wasserverschluß *m*; '**~-shed** *s. geogr.* **1.** *Brit.* Wasserscheide *f*; **2.** Einzugs-, Stromgebiet *n*; '**~-shoot** *s.* **1.** Dachrinne *f*; **2.** Traufe *f*; '**~-side I.** *s.* Küste *f*, See-, Flußufer *n*; **II.** *adj.* Küsten..., (Fluß)Ufer...; '**~-sol·u·ble** *adj.* ⚗ wasserlöslich; '**~-spout** *s.* **1.** Abtraufe *f*; **2.** *meteor.* Wasserhose *f*; '**~-sup·ply** *s.* Wasserversorgung *f*; '**~-ta·ble** *s.* **1.** Δ Wasserabflußleiste *f*; **2.** *geol.* Grundwasserspiegel *m*; '**~-tight** *adj.* **1.** wasserdicht: *to keep in ~ compartments fig.* et. isoliert halten *od.* betrachten; **2.** *fig.* unangreifbar; stichhaltig (*Argument*); '**~-vole** *s. zo.* Wasserratte *f*; '**~-wag·(g)on** *s.* Wasser(versorgungs)wagen *m*: *to be (go) on the ~* F dem Alkohol abgeschworen haben (abschwören); **~ wag·tail** *s. orn.* Bachstelze *f*; '**~-wave I.** *s.* Wasserwelle *f* (*im Haar*); **II.** *v/t.* in Wasserwellen legen; '**~-way** *s.* **1.** Wasserstraße *f*, Schiffahrtsweg *m*; **2.** ⚓ Wassergang *m* (*Decksrinne*); '**~-works** *s. pl. oft sg. konstr.* **1.** Wasserwerk(e *pl.*) *n*; **2.** Zier-, Springbrunnen *m*: *to turn on the ~* F (los)heulen; **3.** *sl.* (Harn-)Blase *f*.

wa·ter·y ['wɔ:təri] *adj.* **1.** Wasser... (*-gott, -wüste*): *a ~ grave* ein nasses Grab; **2.** wässerig: **a)** feucht (*Boden*), **b)** regenverkündend (*Sonne etc.*): *~ sky* Regenhimmel; **3.** triefend: **a)** *allg.* voll Wasser, naß (*Kleider*), **b)** tränend (*Auge*); **4.** verwässert: **a)** fad(e) (*Speise*), **b)** wässerig, blaß (*Farbe*), **c)** *fig.* schal, seicht (*Stil*).

watt [wɔt] *s.* ⚡ Watt *n*; **watt·age** ['wɔtidʒ] *s.* ⚡ Wattleistung *f*.

wat·tle ['wɔtl] **I.** *s.* **1.** *Brit.* Hürde *f*; **2.** *a. pl.* Flecht-, Gitterwerk *n*: ~ *and daub* ⚠ mit Lehm beworfenes Flechtwerk; **3.** ♆ au'stralische A'kazie; **4. a)** *orn.* Kehllappen *pl.*, **b)** *ichth.* Bartfäden *pl.*; **II.** *v/t.* **5.** aus Flechtwerk herstellen; **6.** *Ruten* zs.-flechten; **'wat·tling** [-liŋ] *s.* Flechtwerk *n*.

waul [wɔːl] *v/i.* mi'auen, (wie e-e Katze) schreien.

wave [weiv] **I.** *s.* **1.** Welle *f* (*a. phys.*; *a. im Haar etc.*), Woge *f* (*beide a. fig. von Gefühl etc.*): *the* ~*s poet.* die See; ~ *of indignation* Woge der Entrüstung; → *heat-wave*; **2.** (*Angriffs-, Einwanderer- etc.*)Welle *f*: *in* ~*s* in aufeinanderfolgenden Wellen; **3.** ⊕ **a)** Flamme *f* (*im Stoff*), **b)** *typ.* Guil'loche *f* (*Zierlinie auf Wertpapieren etc.*); **4.** Wink(en *n*) *m*, Schwenken *n*; **II.** *v/i.* **5.** wogen (*a. Kornfeld etc.*); **6.** wehen, flattern, wallen; **7.** (*to s.o.* j-m zu)winken, Zeichen geben; **8.** sich wellen (*Haar*); **III.** *v/t.* **9.** *Fahne, Waffe etc.* schwenken, schwingen, hin- u. herbewegen: *to* ~ *one's arms* mit den Armen fuchteln; *to* ~ *one's hand* (mit der Hand) winken (*to j-m*); **10.** *Haar etc.* wellen, in Wellen legen; **11.** ⊕ **a)** *Stoff* flammen, **b)** *Wertpapiere etc.* guillochieren; **12.** *j-m* zuwinken: *to* ~ *aside* **a)** *j-n* beiseite winken, **b)** *fig. j-n od. et.* mit e-r Handbewegung abtun; **13.** *et.* zuwinken: *to* ~ *a farewell* nachwinken (*to s.o.* j-m); **'~-band** *s.* ⚡ Wellenband *n*; **'~-length** *s.* ⚡, *phys.* Wellenlänge *f*: *to be on the same* ~ *fig.* auf der gleichen Wellenlänge liegen.

wa·ver ['weivə] *v/i.* **1.** (sch)wanken, taumeln; flackern (*Licht*); zittern (*Hände, Stimme etc.*); **2.** *fig.* wanken: **a)** unschlüssig sein, schwanken (*between* zwischen), **b)** zu weichen beginnen.

'wave-range *s.* ⚡ Wellenbereich *m*.

wa·ver·er ['weivərə] *s. fig.* Unentschlossene(r *m*) *f*; **'wa·ver·ing** [-vəriŋ] *adj.* □ **1.** flackernd; **2.** zitternd; **3.** (sch)wankend (*a. fig.*).

'wave|-train *s. phys.* Wellenzug *m*; **'~-trap** *s.* ⚡ Sperrkreis *m*, Wellenschlucker *m*.

wav·y ['weivi] *adj.* □ **1.** wellig, gewellt (*Haar, Linie etc.*); **2.** wogend.

wax¹ [wæks] **I.** *v/i.* **1.** wachsen, zunehmen (*bsd. Mond*) (*a. fig. rhet.*): *to* ~ *and wane* zu- u. abnehmen; **2.** *vor adj.*: *alt, frech, laut etc.* werden; **II.** *s.* **3.** *Brit. sl.*: *in a* ~ in Wut.

wax² [wæks] **I.** *s.* **1.** (Bienen-, Pflanzen- *etc.*)Wachs *n*: *like* ~ *fig.* wie Wachs *in j-s Hand*; **2.** Siegellack *m*; **3.** *a. cobbler's* ~ Schusterpech *n*; **4.** Ohrenschmalz *n*; **II.** *v/t.* **5.** (ein-)wachsen; bohnern, wichsen; **6.** verpichen; **7.** *Am.* (auf Wachsplatten) aufnehmen; **8.** *Am.* F die Oberhand gewinnen über (*acc.*), schlagen; **~ can·dle** *s.* Wachskerze *f*; **'~-cloth** *s.* **1.** Wachstuch *n*; **2.** Bohnertuch *n*; **~ doll** *s.* Wachspuppe *f*.

wax·en ['wæksən] → *waxy*.

'wax|-light *s.* Wachskerze *f*; **'~-paper** *s.* 'Wachspa͵pier *n*; **'~-work** *s.* **1.** 'Wachsfi͵gur(en *pl.*) *f*; **2.** *mst pl. sg. konstr.* 'Wachsfi͵gurenkabi͵nett *n*.

wax·y ['wæksi] *adj.* □ **1.** wächsern (*a. Gesichtsfarbe*), wie Wachs; **2.** *fig.* weich (wie Wachs), nachgiebig; **3.** ⚕ Wachs...: ~ *liver*.

way¹ [wei] *s.* **1.** Weg *m*, Pfad *m*, Straße *f*, Bahn *f* (*a. fig.*): ~ *back* Rückweg; ~ *home* Heimweg; ~ *in* Eingang; ~ *out bsd. fig.* Ausweg; ~ *through* Durchfahrt, -reise; ~*s and means* **Mittel u. Wege**, *bsd. pol.* Geldbeschaffung(smaßnahmen); *Committee of* ≈*s and Means parl.* Finanz-, Haushaltsausschuß; *the* ~ *of the Cross R.C.* der Kreuzweg; *over* (*od. across*) *the* ~ gegenüber; *to ask the* (*od. one's*) ~ nach dem Weg fragen; *to find a* ~ *fig.* e-n (Aus)Weg finden; *to lose one's* ~ sich verirren *od.* verlaufen; *to take one's* ~ sich aufmachen (*to* nach); **2.** *fig.* Gang *m*, (üblicher) Weg: *that is the* ~ *of the world* das ist der Lauf der Welt; *to go the* ~ *of all flesh* den Weg allen Fleisches gehen (*sterben*); **3.** Richtung *f*, Seite *f*: *which* ~ *is he looking?* wohin schaut er?; *this* ~ **a)** hierher, **b)** hier entlang, **c)** → 6; *the other* ~ *round* umgekehrt; **4.** Weg *m*, Entfernung *f*, Strecke *f*: *a long* ~ *off* weit (von hier) entfernt; *a long* ~ *off perfection* weit entfernt von jeder Vollkommenheit; *a little* ~ ein kleines Stück (Wegs); **5.** (freie) Bahn, Platz *m*: *to be* (*od. stand*) *in s.o.'s* ~ j-m im Weg sein (*a. fig.*); *to give* ~ nachgeben, (zurück)weichen; **6.** Art *f* u. Weise *f*, Weg *m*, Me'thode *f*: *any* ~ auf jede *od.* irgendeine Art; *any* ~ *you please* ganz wie Sie wollen; *in a big* (*small*) ~ im großen (kleinen); *one* ~ *or another* irgendwie, so oder so; *some* ~ *or other* auf die eine oder andere Weise, irgendwie; ~ *of living* (*thinking*) Lebens- (Denk)weise; *to my* ~ *of thinking* nach m-r Meinung; *in a polite* (*friendly*) ~ höflich (freundlich); *in its* ~ auf s-e Art; *in what* (*od. which*) ~ inwiefern, wieso; *the right* (*wrong*) ~ (*to do it*) richtig (falsch); *the same* ~ genauso; *the* ~ *he does it* so wie er es macht; *this* (*od. that*) ~ so; *that's the* ~ *to do it* so macht man das; **7.** Brauch *m*, Sitte *f*: *the good old* ~*s* die guten alten Bräuche; **8.** Eigenart *f*: *funny* ~*s* komische Manieren; *it is not his* ~ es ist nicht s-e Art *od.* Gewohnheit; *she has a winning* ~ *with her* sie hat e-e gewinnende Art; *that is always the* ~ *with him* so macht er es (*od.* geht es ihm) immer; **9.** Hinsicht *f*, Beziehung *f*: *in a* ~ in gewisser Hinsicht; *in one* ~ in 'einer Beziehung; *in some* ~*s* in mancher Hinsicht; *in the* ~ *of food* an Lebensmitteln, was Nahrung anbelangt; *no* ~ keineswegs; **10.** (*bsd.* Gesundheits)Zustand *m*, Lage *f*: *in a bad* ~ in e-r schlimmen Lage; *to live in a great* (*small*) ~ auf großem Fuß (in kleinen Verhältnissen *od.* sehr bescheiden) leben; *she is in a terrible* ~ *sl.* sie ist außer sich (vor Aufregung); **11.** Berufszweig *m*, Fach *n*: *it is not in his* ~ es schlägt nicht in sein Fach; *he is in the oil* ~ er ist im Ölhandel (beschäftigt); **12.** F Um'gebung *f*, Gegend *f*: *somewhere London* ~ irgendwo in der Gegend von London; **13.** ⊕ **a)** (Hahn)Weg *m*, Bohrung *f*, **b)** *pl.* Führungen *pl.* (*bei Maschinen*); **14.** Fahrt(geschwindigkeit) *f*: *to gather* (*lose*) ~ Fahrt vergrößern (verlieren); **15.** *pl. Schiffbau*: **a)** Helling *f*, **b)** Stapelblöcke *pl.*;

Besondere Redewendungen:

by the ~ a) im Vorbeigehen, unterwegs, **b)** am Weg(esrand), an der Straße, **c)** *fig.* übrigens, nebenbei (bemerkt); *by* ~ *of* **a)** (auf dem Weg) über (*acc.*), durch, **b)** *fig.* in der Absicht zu, um ... zu, **c)** als *Entschuldigung etc.*; *by* ~ *of example* beispielsweise; *by* ~ *of exchange* auf dem Tauschwege; *to be by* ~ *of being angry* im Begriff sein aufzubrausen; *to be by* ~ *of doing* (*s.th.*) **a)** dabei sein(, et.) zu tun, **b)** pflegen *od.* gewohnt sein *od.* die Aufgabe haben(, et.) zu tun; → *family* 1; *in the* ~ *of* **a)** auf dem Weg *od.* dabei zu, **b)** hinsichtlich (*gen.*); *in the* ~ *of business* auf dem üblichen Geschäftsweg; *to put s.o. in the* ~ (*of doing*) j-m die Möglichkeit geben (zu tun); *on the* (*od. one's*) ~ unterwegs, auf dem Wege; *to be well on one's* ~ im Gange sein, schon weit vorangekommen sein (*a. fig.*); *out of the* ~ **a)** abgelegen, **b)** *fig.* ungewöhnlich, ausgefallen, **c)** *fig.* abwegig; *nothing out of the* ~ nichts Ungewöhnliches; *to go out of one's* ~ ein übriges tun, sich besonders anstrengen; *to put s.o. out of the* ~ *fig.* j-n aus dem Wege räumen (*töten*); *to put o.s. out of the* ~ sich Mühe geben, Umstände machen; → *harm* I; *under* ~ **a)** ⚓ in Fahrt, unterwegs, **b)** *fig.* im *od.* in Gang; *to be in a fair* (*od. good*) ~ auf dem besten Wege sein, die besten Möglichkeiten haben; *to come* (*in*) *s.o.'s* ~ *bsd. fig.* j-m über den Weg laufen, j-m begegnen; *to force one's* ~ sich e-n Weg bahnen; *to go a long* ~ *to*(*wards*) viel dazu beitragen zu, ein gutes Stück weiterhelfen bei; *to go s.o.'s* ~ **a)** den gleichen Weg gehen wie j-d, **b)** j-n begleiten; *to go one's* ~(*s*) seinen Weg gehen, *fig.* s-n Lauf nehmen; *to have a* ~ *with* mit *j-m* umzugehen wissen; *to have one's own* ~ s-n Willen durchsetzen; *if I had my* (*own*) ~ wenn es nach mir ginge; *have it your* ~! du sollst recht haben!; *you can't have it both* ~*s* du kannst nicht beides haben; *to know one's* ~ *about* sich auskennen (*fig. in* mit); *to lead the* ~ (*a. fig.* mit gutem Beispiel) vorangehen; *to make* ~ **a)** Platz machen (*for* für), **b)** vorwärtskommen (*a. fig. Fortschritte machen*); *to make one's* ~ sich durchsetzen, s-n Weg machen; → *mend* 2, *pave*, *pay* 3; *to see one's* ~ *to do s.th.* e-e Möglichkeit sehen, et. zu tun; *to work one's* ~ *through college* sich sein Studium durch Nebenarbeit verdienen, Werkstudent sein; *to work one's ~ up a. fig.* sich hocharbeiten.

way² [wei] *adv.* F weit *oben, unten etc.*: *~ back* weit entfernt; *~ back in 1902* (schon) damals im Jahre 1902.

'way|-bill *s.* **1.** Passa'gierliste *f*; **2.** ✝ Frachtbrief *m*, Begleitschein *m*; **'~·far·er** [-fɛərə] *s.* Reisende(r) *m*, (Fuß)Wanderer *m*; **'~·far·ing** [-fɛəriŋ] *adj.* reisend, wandernd: *~ man* Reisende(r); **~'lay** *v/t.* [*irr.* → *lay¹*] *j-m* auflauern; **'~-leave** *s.* ⚖ *Brit.* Wegerecht *n*; **'~·side I.** *s.* Straßen-, Wegrand *m*: *by the ~* am Wege, am Straßenrand; **II.** *adj.* am Wege (stehend), an der Straße (gelegen): *a ~ inn*; **'~-sta·tion** *s.* 🚂 *Am.* 'Zwischenstati,on *f*; **'~-train** *s. Am.* Bummelzug *m.*

way·ward ['weiwəd] *adj.* □ **1.** launisch, unberechenbar; **2.** eigensinnig, 'widerspenstig; **3.** ungeraten: *a ~ son*; **'way·ward·ness** [-nis] *s.* **1.** 'Widerspenstigkeit *f*, Eigensinn *m*; **2.** Launenhaftigkeit *f.*

'way-worn *adj.* reisemüde.

we [wi:; wi] *pron. pl.* wir *pl.*

weak [wi:k] *adj.* □ **1.** *allg.* schwach (*a. zahlenmäßig*) (*a. fig. Argument, Spieler, Stil, Stimme etc.*; *a. ling.*): *~ in Latin fig.* schwach in Latein; → *sex 2*; **2.** ⚕ schwach: **a)** empfindlich, **b)** kränklich; **3.** (cha'rakter)schwach, la'bil, schwächlich: *~ point* (*od. side*) schwacher Punkt, schwache Seite, Schwäche; **4.** schwach, dünn (*Tee etc.*); **5.** ✝ schwach, flau (*Markt*); **'weak·en** [-kən] **I.** *v/t.* **1.** *j-n od. et.* schwächen; **2.** *Getränk etc.* verdünnen; **3.** *fig. Beweis etc.* abschwächen, entkräften; **II.** *v/i.* **4.** schwach *od.* schwächer werden, nachlassen; **'weak·en·ing** [-kniŋ] *s.* (Ab-) Schwächung *f.*

'weak-kneed *adj. fig.* schwächlich.

weak·ling ['wi:kliŋ] *s.* Schwächling *m*; **'weak·ly** [-li] **I.** *adj.* schwächlich, kränklich; **II.** *adv. von weak.*

'weak-'mind·ed *adj.* **1.** schwachsinnig; **2.** cha'rakterschwach.

weak·ness ['wi:knis] *s.* **1.** *allg.* (*a.* Cha'rakter)Schwäche *f*; **2.** Schwächlichkeit *f*, Kränklichkeit *f*; **3.** schwache Seite, schwacher Punkt; **4.** Nachteil *m*, Schwäche *f*, Mangel *m*; **5.** F Schwäche *f*, Vorliebe *f* (*for* für).

'weak|-'sight·ed *adj.* ⚕ schwachsichtig; **'~-'spir·it·ed** *adj.* kleinmütig.

weal¹ [wi:l] *s.* Wohl *n*: *~ and woe* Wohl u. Wehe, gute u. schlechte Tage; *the public* (*od. common od. general*) *~* das Allgemeinwohl.

weal² [wi:l] *s.* Schwiele *f*, Striemen *m* (*auf der Haut*).

wealth [welθ] *s.* **1.** Reichtum *m* (*a. fig. Fülle*) (*of* an *dat.*, von); **2.** Reichtümer *pl.*; **3.** ✝ **a)** Besitz *m*, Vermögen *n*, **b)** *a. personal ~* Wohlstand *m*; **'wealth·y** [-θi] *adj.* □ reich (*a. fig. in* an *dat.*), wohlhabend.

wean [wi:n] *v/t.* **1.** *Kind, junges Tier* entwöhnen; **2.** *fig. a. ~ away from* (*od. of*) *j-n* abbringen von, *j-m et.* abgewöhnen.

weap·on ['wepən] *s.* Waffe *f* (*a.* ⚘, *zo. u. fig.*): *double-edged ~ fig.* zweischneidiges Schwert; **'weap·on·less** [-lis] *adj.* wehrlos, unbewaffnet.

wear¹ [wɛə] **I.** *v/t.* [*irr.*] **1.** *am Körper* tragen (*a. Bart, Brille, a. Trauer*), *Kleidungsstück a.* anhaben, *Hut a.* aufhaben: *to ~ the breeches* (*od. trousers od. pants*) F *fig.* die Hosen anhaben (*Ehefrau*); *she ~s her years well fig.* sie sieht jung aus für ihr Alter; *to ~ one's hair long* das Haar lang tragen; **2.** *Lächeln, Miene etc.* zur Schau tragen, zeigen; **3.** *~ away* (*od. down, off, out*) *Kleid etc.* abnutzen, abtragen, *Absätze* abtreten, *Stufen etc.* austreten; *Löcher* reißen (*in* in *acc.*): *to ~ into holes* ganz abtragen, *Schuhe* durchlaufen; **4.** eingraben, nagen: *a groove worn by water*; **5.** *a. ~ away Gestein etc.* auswaschen, -höhlen; *Farbe etc.* verwischen; **6.** *a. ~ out* ermüden, *a. Geduld* erschöpfen; → *welcome 1*; **7.** *a. ~ down* zermürben: **a)** entkräften, **b)** *fig.* niederringen, *Widerstand* brechen: *worn to a shadow* nur noch ein Schatten (*Person*); **II.** *v/i.* [*irr.*] **8.** halten, haltbar sein: *to ~ well* **a)** sehr haltbar sein (*Stoff etc.*), sich gut tragen (*Kleid etc.*), **b)** *fig.* sich gut halten, wenig altern (*Person*); **9.** *a. ~ away* (*od. down, off, out*) sich abtragen *od.* abnutzen, verschleißen: *to ~ away a.* sich verwischen; *to ~ off fig.* sich verlieren (*Eindruck, Wirkung*); *to ~ out fig.* sich erschöpfen; *to ~ thin* **a)** fadenscheinig werden, **b)** sich erschöpfen (*Geduld etc.*); **10.** *a. ~ away* langsam vergehen, da'hinschleichen (*Zeit*): *to ~ to an end* schleppend zu Ende gehen; **11.** *~ on* sich da'hinschleppen (*Zeit, Geschichte etc.*); **III.** *s.* **12.** Tragen *n*: *clothes for everyday ~* Alltagskleidung; *to have in constant ~* ständig tragen; **13.** (Be)Kleidung *f*, Mode *f*: *to be the ~* Mode sein, getragen werden; **14.** Abnutzung *f*, Verschleiß *m*: *~ and tear* **a)** ⊕ Abnutzung, Verschleiß, **b)** ✝ Abschreibung für Wertminderung; *for hard ~* strapazierfähig; *the worse for ~* abgetragen, mitgenommen (*a. fig.*); **15.** Haltbarkeit *f*: *there is still a great deal of ~ in it* das läßt sich noch gut tragen.

wear² [wɛə] ⚓ **I.** *v/t.* [*irr.*] *Schiff* halsen; **II.** *v/i.* [*irr.*] vor dem Wind drehen (*Schiff*).

wear·a·ble ['wɛərəbl] *adj.* tragbar (*Kleid*).

wea·ri·ness ['wiərinis] *s.* **1.** Müdigkeit *f*; **2.** *fig.* 'Überdruß *m.*

wear·ing ['wɛəriŋ] *adj.* **1.** Kleidungs...; **2.** abnützend; **3.** ermüdend, zermürbend; **'~-ap·par·el** *s.* Kleidung(sstücke *pl.*) *f.*

wea·ri·some ['wiərisəm] *adj.* □ ermüdend (*mst fig. langweilig*).

'wear-re·sist·ant *adj.* strapa'zierfähig.

wea·ry ['wiəri] **I.** *adj.* □ **1.** müde, matt (*with* von, vor *dat.*); **2.** müde, 'überdrüssig (*of gen.*): *~ of life* lebensmüde; **3.** ermüdend: **a)** beschwerlich, **b)** langweilig; **II.** *v/t.* **4.** ermüden (*a. fig. langweilen*); **III.** *v/i.* **5.** überdrüssig *od.* müde werden (*of gen.*).

wea·sel ['wi:zl] *s.* **1.** *zo.* Wiesel *n*; **2.** *fig. contp.* Schleicher *m*, ‚Ratte' *f*; *Am. sl.* Spitzel *m.*

weath·er ['weðə] **I.** *s.* **1.** Wetter *n*, Witterung *f*: *in fine ~* bei schönem Wetter; *to make good* (*od. bad*) *~* ⚓ auf gutes (schlechtes) Wetter stoßen; *to make heavy ~ of s.th. fig.* ‚viel Wind machen' um et.; *under the ~* F **a)** nicht in Form (*unpäßlich*), **b)** e-n Katzenjammer habend, **c)** ‚angesäuselt', **d)** in der Klemme; **2.** ⚓ Luv-, Windseite *f*; **II.** *v/t.* **3.** dem Wetter aussetzen, *Holz etc.* auswittern; *geol.* verwittern (lassen); **4. a)** ⚓ *den Sturm* abwettern, **b)** *a. ~ out fig. Sturm, Krise etc.* über'stehen; **5.** ⚓ luvwärts um'schiffen; **III.** *v/i.* **6.** *geol.* verwittern; **'~-beat·en** *adj.* **1.** vom Wetter mitgenommen; **2.** verwittert; **3.** wetterhart; **'~-board** *s.* **1.** ⊕ **a)** Wasserschenkel *m*, **b)** Schal-, Schindelbrett *n*, **c)** *pl.* Verschalung *f*; **2.** ⚓ Waschbord *n*; **'~-board·ing** *s.* Verschalung *f*; **'~-bound** *adj.* schlechtwetterbehindert; **'~-bu·reau** *s.* Wetterwarte *f*, -amt *n*; **'~-chart** *s.* Wetterkarte *f*; **'~·cock** *s.* Wetterhahn *m*, Wetterfahne *f* (*a. fig. wetterwendische Person*); **'~-eye** *s.*: *to keep one's ~ open fig.* gut aufpassen; **'~-fore·cast** *s.* 'Wetterbericht *m*, -vor,hersage *f*; **'~·man** [-mæn] *s.* [*irr.*] F **1.** Meteoro'loge *m*; **2.** Wetteransager *m*; **'~-proof** *adj.* wetterfest; **'~-sat·el·lite** *s.* 'Wettersatel,lit *m*; **'~-side** *s.* **1.** → *weather 2*; **2.** Wetterseite *f*; **'~-sta·tion** *s.* Wetterwarte *f*; **'~-strip** *s.* Dichtungsleiste *f*; **'~-vane** *s.* Wetterfahne *f*; **'~-worn** → *weather-beaten.*

weave [wi:v] **I.** *v/t.* [*irr.*] **1.** weben, wirken; **2.** zs.-weben, flechten; **3.** (ein)flechten (*into* in *acc.*), verweben, -flechten (*with* mit, *into* zu) (*a. fig.*); **4.** *fig.* ersinnen, erfinden; **II.** *v/i.* [*irr.*] **5.** weben; **6.** hin- u. herpendeln, sich schlängeln *od.* winden; **III.** *s.* **7.** Gewebe *n*; **8.** Webart *f*; **'weav·er** [-və] *s.* **1.** Weber(in); Wirker(in); **2.** *a. ~-bird orn.* Webervogel *m*; **'weav·ing** [-viŋ] **I.** *s.* Weben *n*, Webe'rei *f*; **II.** *adj.* Web...: *~ loom* Webstuhl; *~ mill* Weberei.

wea·zen ['wi:zn] → *wizen.*

web [web] *s.* **1. a)** Gewebe *n*, Gespinst *n*, **b)** Netz *n* (*der Spinne etc.*) (*alle a. fig.*): *a ~ of lies* ein Lügengewebe; **2.** Gurt(band *n*) *m*; **3.** *zo.* **a)** Schwimm-, Flughaut *f*, **b)** Bart *m e-r Feder*; **4.** ⊕ Sägeblatt *n*; **5.** Pa'pierbahn *f*, -rolle *f*; **webbed** [webd] *adj. zo.* schwimmhäutig: *~ foot* Schwimmfuß; **web·bing** ['webiŋ] *s.* **1.** Gewebe *n*; **2.** → *web 2.*

'web|-eye *s.* ⚕ Flügelfell *n* (*Augenkrankheit*); **'~-foot** *s.* [*irr.*] *zo.* Schwimmfuß *m*; **'~-foot·ed, '~-toed** *adj.* schwimmfüßig.

wed [wed] **I.** *v/t.* **1.** *rhet.* ehelichen; **2.** vermählen (*to* mit); **3.** *fig.* eng verbinden (*with, to* mit): *to be ~ded to s.th.* **a)** an et. fest gebunden *od.* gekettet sein, **b)** sich e-r Sache verschrieben haben; **II.** *v/i.* **4.** sich vermählen.

we'd [wi:d; wid] F *für* **a)** *we would, we should,* **b)** *we had.*

wed·ded ['wedid] *adj.* **1.** ehelich, Ehe...; **2.** *fig.* (*to*) eng verbunden (mit), gekettet (an *acc.*).

wed·ding ['wediŋ] *s.* Hochzeit *f,* Trauung *f;* ~ **break·fast** *s.* Hochzeitsessen *n;* '~**-cake** *s.* Hochzeitskuchen *m;* '~**-day** *s.* Hochzeitstag *m;* '~**-dress** *s.* Hochzeits-, Brautkleid *n;* '~**-ring** *s.* Trauring *m.*

wedge [wedʒ] **I.** *s.* **1.** ⊕ Keil *m* (*a. fig.*): *the thin end of the* ~ *fig.* ein erster kleiner Anfang; **2. a)** keilförmiges Stück (*Land etc.*), **b)** Ecke *f* (*Käse etc.*); **3.** ⚔ 'Keil(formatiˌon *f*) *m;* **II.** *v/t.* **4.** ⊕ **a)** verkeilen, festklemmen, **b)** (mit e-m Keil) spalten: *to* ~ *off* abspalten; **5.** (ein)keilen, (-)zwängen (*in* in *acc.*): *to* ~ *o.s. in* sich hineinzwängen; ~ **(fric·tion) gear** *s.* ⊕ Keilrädergetriebe *n;* '~**-shaped** *adj.* keilförmig.

wed·lock ['wedlɔk] *s.* Ehe(stand *m*) *f: born in* (*out of*) ~ ehelich (unehelich) geboren.

Wednes·day ['wenzdi] *s.* Mittwoch *m: on* ~ am Mittwoch; *on* ~*s* mittwochs.

wee [wi:] *adj.* klein, winzig: *a* ~ *bit* ein klein wenig.

weed [wi:d] **I.** *s.* **1.** Unkraut *n: ill* ~*s grow apace* Unkraut verdirbt nicht; ~ *killer* Unkrautvertilgungsmittel; **2.** F **a)** ‚Glimmstengel' *m* (*Zigarre, Zigarette*), **b)** *a. soothing* ~ ‚Kraut' *n* (*Tabak*); **3.** *sl.* Kümmerling *m* (*schwächliches Tier, a. Person*); **II.** *v/t.* **4.** *Unkraut od. Garten etc.* jäten; **5.** ~ *out,* ~ *up fig.* aussondern, -merzen; **6.** *fig.* säubern; '**weed·er** [-də] *s.* **1.** Jäter *m;* **2.** ⊕ Jätwerkzeug *n.*

weeds [wi:dz] *s. pl. mst widow's* ~ Witwen-, Trauerkleidung *f.*

weed·y ['wi:di] *adj.* **1.** voll Unkraut; **2.** unkrautartig; **3. a)** schmächtig, **b)** schlaksig, **c)** klapperig.

week [wi:k] *s.* Woche *f: by the* ~ wochenweise; *for* ~*s* wochenlang; *today* ~, *this day* ~ **a)** heute in 8 Tagen, **b)** heute vor 8 Tagen; '~**-day I.** *s.* Wochen-, Werktag *m: on* ~*s* werktags; **II.** *adj.* Werktags...; '~-'**end I.** *s.* Wochenende *n;* **II.** *adj.* Wochenend...: ~ *speech* Sonntagsrede; ~ *ticket* Sonntags(rückfahr)karte; **III.** *v/i.* das Wochenende verbringen; '~-'**end·er** [-'endə] *s.* Wochenendausflügler (-in).

week·ly ['wi:kli] **I.** *adj. u. adv.* wöchentlich; **II.** *s. a.* ~ *paper* Wochenzeitung *f,* -(zeit)schrift *f.*

ween [wi:n] *v/t. u. v/i. obs. od. poet.* **1.** hoffen; **2.** vermuten, wähnen.

weep [wi:p] **I.** *v/i.* [*irr.*] **1.** weinen, Tränen vergießen (*for* vor *Freude etc.,* um *j-n*): *to* ~ *at* (*od. over*) weinen über (*acc.*); **2. a)** triefen, **b)** tröpfeln, **c)** *biol.* nässen, schwitzen; **3.** trauern (*Baum*); **II.** *v/t.* [*irr.*] **4.** *Tränen* vergießen, weinen; **5.** beweinen; **6.** *biol.* ausschwitzen; **III.** *s.* **7.** F Weinen *n;* '**weep·er** [-pə] *s.* **1.** Weinende(r *m*) *f, bsd.* gedungene(r) Leidtragende(r); **2. a)** Trauerbinde *f od.* -flor *m,* **b)** Witwenschleier *m,* **c)** *pl.* weiße 'Trauermanˌschetten *pl.* (*der Witwen*); **3.** F → *tear-jerker;* '**weep·ing** [-piŋ] **I.** *adj.* □ **1.** weinend; **2.** ♀ Trauer...: ~ *willow* Trauerweide; **3.** triefend, tropfend; **4.** ⚕ nässend; **II.** *s.* **5.** Weinen *n.*

wee·vil ['wi:vil] *s. zo.* **1.** Rüsselkäfer *m;* **2.** *allg.* Getreidekäfer *m.*

weft [weft] *s. Weberei:* **a)** Einschlag (-faden) *m,* Schuß(faden) *m,* **b)** Gewebe *n* (*a. poet.*).

weigh¹ [wei] **I.** *s.* **1.** Wiegen *n;* **II.** *v/t.* **2.** (ab)wiegen, wägen; **3.** (*in der Hand*) wiegen; **4.** *fig.* (sorgsam) er-, abwägen (*with, against* gegen): *to* ~ *one's words* s-e Worte abwägen; **5.** ~ *anchor* ⚓ **a)** den Anker lichten, **b)** *fig.* auslaufen (*Schiff*); **6.** (nieder)drücken; **III.** *v/i.* **7.** wiegen, schwer sein; **8.** *fig. schwer etc.* wiegen, ins Gewicht fallen, ausschlaggebend sein (*with s.o.* bei j-m); **9.** lasten (*on, upon* auf *dat.*);

Zssgn mit adv.:

weigh| down *v/t.* niederdrücken (*a. fig.*); ~ **in I.** *v/t.* **1.** *sport* **a)** *Jockei* nach dem Rennen wiegen, **b)** *Boxer, Gewichtheber etc.* vor dem Kampf wiegen; **II.** *v/i.* **2.** *sport* gewogen werden: *he* ~*ed in at 200 pounds* er brachte 200 Pfund auf die Waage; **3.** ~ *with Argument etc.* vorbringen; ~ **out I.** *v/t.* **1.** *Ware* auswiegen; **2.** *sport Jockei* vor dem Rennen wiegen; **II.** *v/i.* **3.** *sport* gewogen werden.

weigh² [wei] *s.: to get under* ~ ⚓ unter Segel gehen.

weigh·a·ble ['weiəbl] *adj.* wägbar.

'**weigh·bridge** *s.* ⊕ Brücken-, Tafelwaage *f.*

weigh·er ['weiə] *s.* **1.** Wäger *m,* Waagemeister *m;* **2.** Waage *f.*

'**weigh-house** *s.* Stadtwaage *f.*

'**weigh·ing-ma·chine** ['weiiŋ] *s.* ⊕ (Brücken- *od.* Hochleistungs)Waage *f.*

weight [weit] **I.** *s.* **1.** Gewicht *n* (*a. Maß u. Gegenstand*): ~*s and measures* Maße u. Gewichte; *by* ~ nach Gewicht; *under* ~ ✝ untergewichtig, zu leicht; *to lose* (*put on*) ~ *an Körpergewicht* ab-(zu)nehmen; *to pull one's* ~ *fig.* sein(en) Teil leisten; *to throw one's* ~ *about* F sich ‚breitmachen'; **2.** *fig.* Gewicht *n:* **a)** Last *f,* Wucht *f,* **b)** (*Sorgen- etc.*)Last *f,* Bürde *f,* **c)** Bedeutung *f,* **d)** Einfluß *m,* Geltung *f: of* ~ gewichtig, schwerwiegend; *men of* ~ bedeutende *od.* einflußreiche Leute; *the* ~ *of evidence* die Last des Beweismaterials; *to add* ~ *to e-r Sache* Gewicht verleihen; *to carry* (*od. have*) ~ *with* viel gelten bei; *to give* ~ *to e-r Sache* große Bedeutung beimessen; **3.** *sport* **a)** Gewichtsklasse *f* (*der Boxer etc.*), **b)** Gewicht *n, a.* (Stoß)Kugel *f: putting the* ~ Kugelstoßen; **II.** *v/t.* **4. a)** beschweren, **b)** belasten (*a. fig.*): *to* ~ *the scales in favo(u)r of s.o.* j-m e-n (unerlaubten) Vorteil verschaffen; **5.** ✝ *Stoffe etc.* durch Beimischung *von Mineralien etc.* schwerer machen; '**weight·i·ness** [-tinis] *s.* Gewicht *n,* Gewichtigkeit *f.*

weight·less ['weitlis] *adj.* schwerelos; '**weight·less·ness** [-nis] *s.* Schwerelosigkeit *f.*

'**weight|-lift·er** *s. sport* Gewichtheber *m;* '~**-lift·ing** *s. sport* Gewichtheben *n.*

weight·y ['weiti] *adj.* □ gewichtig: **a)** schwerwiegend (*a. fig. Grund etc.*), **b)** *fig.* einflußreich (*Person*).

weir [wiə] *s.* **1.** (Stau)Wehr *n;* **2.** Fischreuse *f.*

weird [wiəd] **I.** *adj.* □ **1.** *poet.* Schicksals...: ~ *sisters* **a)** Schicksalsschwestern, Nornen, **b)** Hexen (*in Shakespeares* ‚*Macbeth*'); **2.** unheimlich; **3.** F ulkig, sonderbar; **II.** *s. obs. od. Scot.* **4.** Schicksal *n;* '**weird·ness** [-nis] *s. das* Unheimliche.

welch [welʃ] → *welsh*².

wel·come ['welkəm] **I.** *s.* **1.** Willkomm *m,* freundliche Aufnahme, Empfang *m* (*a. iro.*): *to bid s.o.* ~ → 2; *to outstay* (*od. overstay od. wear out*) *one's* ~ länger bleiben als man erwünscht ist; **II.** *v/t.* **2.** bewillkommnen, will'kommen heißen; **3.** *fig.* begrüßen: **a)** *et.* gutheißen, **b)** gern annehmen; **III.** *adj.* **4.** willkommen, angenehm (*Gast, a. Nachricht etc.*): *to make s.o.* ~ j-n herzlich empfangen; **5.** *you are* ~ *to it* Sie können es gerne behalten *od.* nehmen, es steht zu Ihrer Verfügung; *you are* ~ *to do it* es steht Ihnen frei, es zu tun; das können Sie gerne tun; *you are* ~ *to your own opinion iro.* meinetwegen können Sie denken, was Sie wollen; (*you are*) ~*!* nichts zu danken!, keine Ursache!, bitte (sehr)!; *take it, and* ~ nehmen Sie es, bitte, gern; *and* ~ *iro.* meinetwegen, wenn's Ihnen Spaß macht; **IV.** *int.* **6.** will'kommen (*to* in *England etc.*).

weld [weld] **I.** *v/t.* **1.** ⊕ (ver-, zs.-) schweißen: *to* ~ *on* anschweißen (*to* an *acc.*); **2.** *fig.* zs.-schweißen, -schmieden, verschmelzen, eng verbinden; **II.** *v/i.* **3.** ⊕ sich schweißen lassen; **III.** *s.* **4.** ⊕ Schweißstelle *f,* -naht *f;* '**weld·a·ble** [-dəbl] *adj.* schweißbar; '**weld·ed** [-did] *adj.* geschweißt, Schweiß...: ~ *joint* Schweißverbindung; '**weld·er** [-də] *s.* ⊕ **1.** Schweißer *m;* **2.** 'Schweißmaˌschine *f;* '**weld·ing** [-diŋ] *adj.* Schweiß...

wel·fare ['welfɛə] *s.* Wohlfahrt *f:* **a)** Wohlergehen *n,* **b)** Fürsorge(tätigkeit) *f: public* ~ öffentliche Wohlfahrt; *social* ~ Sozialfürsorge; ~ **cen·tre** *s. Brit.* Fürsorgeamt *n;* ~ **state** *s. pol.* Wohlfahrtsstaat *m;* ~ **work** *s.* Fürsorge *f,* Sozi'alarbeit *f;* ~ **work·er** *s.* Fürsorger(in), Sozi'alarbeiter(in).

wel·kin ['welkin] *s. poet.* Himmelsgewölbe *n,* -zelt *n: to make the* ~ *ring with* die Luft mit *Geschrei etc.* erfüllen.

well¹ [wel] **I.** *adv.* **1.** gut, wohl: *to be* ~ *off* **a)** gut versehen sein (*for* mit), **b)** gut daran sein, **c)** wohlhabend sein; *to do o.s.* (*od. live*) ~ gut leben, es sich wohl sein lassen; *to be* ~ *up in* bewandert sein in *e-m Fach etc.*; **2.** gut, recht, geschickt: *to do* ~ gut *od.* recht daran tun (*to do* zu tun); *to sing* ~ gut singen; ~ *done!* gut gemacht!, bravo!; ~ *roared, lion!* gut gebrüllt, Löwe!; **3.** gut, freundschaftlich: *to think* (*od. speak*) ~ *of* gut denken (*od.* sprechen) über (*acc.*); **4.** gut, sehr: *to love s.o.* ~ j-n sehr lieben; *it speaks* ~ *for him* es spricht sehr für ihn; **5.** wohl, mit gutem Grund: *one may* ~ *ask this question* man kann wohl *od.* mit gutem Grund so fragen; *you cannot very* ~ *do that* das kannst du nicht gut tun; *not very* ~ wohl kaum; **6.** recht, eigentlich: *he does not know* ~ *how* er weiß nicht recht wie; **7.** gut, genau, gründlich: *to know s.o.* ~ j-n gut kennen; *he knows only too* ~ er weiß nur zu gut; **8.** gut, ganz, völlig: *he is* ~ *out of sight* er ist völlig außer Sicht; **9.** gut, beträchtlich, weit: ~ *away* weit weg; *he walked* ~ *ahead of them* er ging ihnen ein gutes Stück voraus; *until* ~ *past midnight* bis lange nach Mitternacht; **10.** gut, tüchtig, gründlich: *to stir* ~; **11.** gut, mit Leichtigkeit: *you could* ~ *have done it* du hättest es leicht tun können; *it is very* ~ *possible* es ist durchaus *od.* sehr wohl möglich; *as* ~ ebenso, außerdem; (*just*) *as* ~ ebenso(gut), genauso(gut); *as* ~ ... *as* sowohl ... als auch, nicht nur ... sondern auch; *as* ~ *as* ebensogut wie; **II.** *adj.* **12.** wohl, gesund: *to be* (*od. feel*) ~ sich wohl fühlen; **13.** in Ordnung, richtig, gut: *I am very* ~ *where I am* ich fühle mich hier sehr wohl; *it is all very* ~ *but iro.* das ist ja alles schön u. gut, aber; **14.** gut, günstig: *that is just as* ~ das ist schon gut so; *very* ~ sehr wohl, nun gut; ~ *and good* schön und gut; **15.** ratsam, richtig, gut: *it would be* ~ es wäre angebracht *od.* ratsam; **III.** *int.* **16.** nun, na, schön: ~! (*empört*) na, hör mal!; ~ *then* nun (also); ~ *then?* (*erwartend*) na, und?; ~, ~! so, so!, (*beruhigend*) schon gut; **17.** (*überlegend*) (t)ja, hm; **IV.** *s.* **18.** *das* Gute: *let* ~ *alone!* laß gut sein!, laß die Finger davon!; → *wish* 4.

well[2] [wel] **I.** *s.* **1.** (*gegrabener*) Brunnen, Ziehbrunnen *m*; **2.** *bsd. fig.* Quelle *f*; **3. a)** Mine'ralbrunnen *m*, **b)** *pl.* (*in Ortsnamen*) Bad *n*; **4.** *fig.* (Ur)Quell *m*; **5.** ⊕ **a)** (Senk-, Öl- *etc.*)Schacht *m*, **b)** Bohrloch *n*; **6.** △ **a)** Fahrstuhl-, Luft-, Lichtschacht *m*, **b)** (Raum *m* für das) Treppenhaus *n*; **7.** ⚓ **a)** Pumpensod *m*, **b)** Fischbehälter *m*; **8.** ⊕ eingelassener Behälter: **a)** *mot.* Gepäckraum *m*, **b)** Tintenbehälter *m*; **9.** ⚖ *Brit.* eingefriedigter Platz für Anwälte; **II.** *v/i.* **10.** quellen (*from* aus): *to* ~ *up* (*od. forth, out*) hervorquellen; *to* ~ *over* überfließen.

we'll [wi:l] F *für we will, we shall.*

'**well|-ad'vised** *adj.* 'wohlüber,legt, klug; '~-**ap'point·ed** *adj.* wohlausgestattet; '~-'**bal·anced** *adj.* **1.** im Gleichgewicht; **2.** (innerlich) ausgeglichen; '~-**be'haved** *adj.* wohlerzogen, artig; '~-'**be·ing** *s.* **1.** Wohl(fahrt *f*, -ergehen *n*) *n*; **2.** *mst sense of* ~ Wohlgefühl *n*; '~-**be'lov·ed** *adj.* vielgeliebt; '~-'**born** *adj.* von vornehmer Herkunft, aus guter Fa'milie; '~-'**bred** *adj.* **1.** wohlerzogen; **2.** gebildet, fein; '~-'**cho·sen** *adj.* (gut)gewählt, passend (*Worte etc.*); '~-**con'nect·ed** *adj.* mit guten Beziehungen; mit vornehmer Verwandtschaft; '~-**di'rect·ed** *adj.* wohl-, gutgezielt (*Schlag etc.*); '~-**dis'posed** *adj.* wohlgesinnt (*towards dat.*); '~-'**do·ing** *s.* **1.** Wohltätigkeit *f*; **2.** Rechtschaffenheit *f*; '~-'**done** *adj. Brit.* ('gut),durchgebraten (*Fleisch*); '~-'**earned** *adj.* wohlverdient; '~-'**fa·vo(u)red** *adj.* gutaussehend, hübsch; '~-'**fed** *adj.* wohlgenährt; gutgenährt; '~-'**found·ed** *adj.* wohlbegründet; '~-'**groomed** *adj.* gepflegt; '~-'**ground·ed** *adj.* **1.** → *well-founded*; **2.** mit guter Vorbildung (*in e-m Fach*).

'**well-head** *s.* **1.** (Ur)Quelle *f*; **2.** Brunneneinfassung *f*.

'**well-in'formed** *adj.* **1.** 'gutunter,richtet; **2.** (vielseitig) gebildet.

Wel·ling·ton (**boot**) ['weliŋtən] *s. Brit.* Schaft-, *bsd.* Gummi-, Wasserstiefel *m*.

'**well|-in'ten·tioned** *adj.* **1.** gut-, wohlgemeint; **2.** wohlmeinend (*Person*); '~-'**judged** *adj.* wohlberechnet, angebracht; '~-'**knit** *adj.* sta'bil gebaut, handfest (*Person*); '~-'**known** *adj.* **1.** weithin bekannt; **2.** wohlbekannt; '~-'**made** *adj.* **1.** gutgemacht; **2.** gutgewachsen, gutgebaut (*Person od. Tier*); '~-'**man·nered** *adj.* wohlerzogen, von guten Ma'nieren; '~-**mean·ing** *adj.* **1.** wohlmeinend (*Person*); **2.** gutgemeint (*Handlung*); '~-'**meant** → *well-meaning* 2; '~-**nigh** *adv.* fast, so gut wie: ~ *impossible*; '~-'**off** *adj.* wohlhabend, gutsituiert; '~-'**oiled** *adj.* **1.** *fig.* schmeichlerisch, glatt; **2.** *sl.* beschwipst, ‚angetüttert'; '~-**pro'por·tioned** *adj.* wohlproportioniert, gutgebaut; '~-'**read** [-'red] *adj.* **1.** (sehr) belesen, gebildet; **2.** bewandert (*in* in *dat.*); '~-'**reg·u·lat·ed** *adj.* wohlgeregelt, -geordnet; '~-'**round·ed** *adj.* **1.** (wohl)beleibt; **2.** *fig.* **a)** abgerundet, ele'gant (*Stil, Form etc.*), **b)** ebenmäßig (*Bildung etc.*); '~-'**set** → *well-knit*; '~-'**spo·ken** *adj.* **1.** redegewandt; **2.** höflich im Ausdruck.

'**well-spring** *s.* **1.** Quelle *f*; **2.** *fig.* (Ur)Quell *m*.

'**well|-'tem·pered** *adj.* **1.** gutmütig; **2.** ♪ wohltemperiert (*Klavier, Stimmung*); '~-**thought-'out** *adj.* 'wohlerwogen, -durch,dacht; '~-'**thumbed** *adj.* abgegriffen; '~-'**timed** *adj.* rechtzeitig, (zeitlich) wohlberechnet; '~-**to-'do** *adj.* wohlhabend; '~-'**tried** *adj.* (wohl)erprobt, bewährt; '~-'**trod(·den)** *adj.* **1.** ausgetreten (*Weg*); **2.** *fig.* abgedroschen; '~-'**turned** *adj. fig.* wohlgesetzt, ele'gant (*Worte*); '~-'**wish·er** *s.* wohlwollender Freund, Gönner(in); '~-'**worn** *adj.* **1.** abgetragen, abgenutzt; **2.** *fig.* abgedroschen.

Welsh[1] [welʃ] **I.** *adj.* **1.** wa'lisisch: ~ *rabbit* überbackene Käseschnitte; **II.** *s.* **2.** *the* ~ die Wa'liser *pl.*; **3.** *ling.* Wa'lisisch *n*.

welsh[2] [welʃ] **I.** *v/t.* **1.** *j-n* um s-n (Wett)Gewinn betrügen (*Buchmacher*); **II.** *v/i.* **2.** mit dem (Wett-) Gewinn 'durchgehen; **3.** *allg.* sich s-n (Zahlungs)Verpflichtungen entziehen, sich ‚drücken'.

Welsh| cor·gy *s.* Welsh Corgi *m* (*walisische Hunderasse*); '~**man** [-mən] *s.* [*irr.*] Wa'liser *m*; '~**wom·an** *s.* [*irr.*] Wa'liserin *f*.

welt [welt] **I.** *s.* **1.** Einfassung *f*, Rand *m*; **2.** *Schneiderei*: **a)** (Zier-) Borte *f*, **b)** Rollsaum *m*, **c)** Stoßkante *f*; **3.** Rahmen *m* (*Schuh*); **4. a)** Strieme(n *m*) *f*, **b)** F (heftiger) Schlag; **II.** *v/t.* **5.** *Kleid etc.* einfassen; *Schuh* auf Rahmen arbeiten: ~*ed* randgenäht (*Schuh*); **6.** F 'durchbleuen.

wel·ter ['weltə] **I.** *v/i.* **1.** *poet.* sich wälzen (*in* in *s-m Blut etc.*) (*a. fig.*); **II.** *s.* **2.** Wogen *n*, Toben *n* (*Wellen etc.*); **3.** *fig.* Tu'mult *m*, Durchein'ander *n*, Wirrwarr *m*, 'Chaos *n*.

'**wel·ter-weight** *s. sport* Weltergewicht(ler *m*) *n*.

wen [wen] *s.* ⚕ (Balg)Geschwulst *f*, *bsd.* Grützbeutel *m* am *Kopf*.

wench [wentʃ] **I.** *s.* **1.** *obs. od. humor.* (*bsd.* Bauern)Mädchen *n*, Weibsbild *n*; **2.** *obs.* Hure *f*, Dirne *f*; **II.** *v/i.* **3.** huren.

wend [wend] *v/t.*: *to* ~ *one's way* sich wenden, s-n Weg nehmen (*to* nach, zu).

went [went] *pret. von go.*

wept [wept] *pret. u. p.p. von weep.*

were [wə:; wə] **1.** *pret. von be*: *du* warst, *Sie* waren; *wir, sie* waren, *ihr* waret; **2.** *pret. pass.*: wurde(n); **3.** *subj. pret.* wäre(n).

we're [wiə] F *für we are.*

weren't [wə:nt] F *für were not.*

were·wolf ['wə:wulf] *s.* Werwolf *m*.

west [west] **I.** *s.* **1.** West(en) *m*: *the wind is in the* ~ der Wind kommt von Westen; **2.** Westen *m* (*Landesteil*); **3.** *the* ♀ *geogr.* der Westen: **a)** Westengland *n*, **b)** die *amer.* Weststaaten *pl.*, **c)** das Abendland; **4.** *poet.* Westwind *m*; **II.** *adj.* **5.** westlich, West...; **III.** *adv.* **6.** westwärts, nach Westen: *to go* ~ *sl.* ‚draufgehen' (*sterben, kaputt- od. verlorengehen*); **7.** ~ *of* westlich von; '**west·er·ly** [-təli] **I.** *adj.* westlich, West...; **II.** *adv.* westwärts, gegen Westen.

west·ern ['westən] **I.** *adj.* **1.** westlich, West...: *the* ♀ *Empire hist.* das weströmische Reich; **2.** *oft* ♀ westlich, abendländisch; **3.** ♀'westameri,kanisch, (Wild)West...; **II.** *s.* **4.** → *westerner*; **5.** Western *m*: **a)** Wild'westfilm *m*, **b)** Wild'westro,man *m*; '**west·ern·er** [-nə] *s.* **1.** Westländer *m*; **2.** *a.* ♀ *Am.* Weststaatler *m*; **3.** *oft* ♀ Abendländer *m*; '**west·ern·ize** [-naiz] *v/t.* verwestlichen; '**west·ern·most** [-moust] *adj.* westlichst.

West In·di·an I. *adj.* west'indisch; **II.** *s.* West'indier(in).

west·ing ['westiŋ] *s.* ⚓ **1.** (zu'rückgelegter) westlicher Kurs; **2.** westliche Richtung.

West·pha·li·an [west'feiljən] **I.** *adj.* west'fälisch; **II.** *s.* West'fale *m*, West'fälin *f*.

west·ward ['westwəd] **I.** *adj.* westlich, West...; **II.** *adv.* in westliche(r) Richtung, westwärts; **III.** *s.* Westen *m*: *in the* ~ *of* im Westen von; '**west·wards** [-dz] → *westward II.*

wet [wet] **I.** *adj.* **1.** naß, durch'näßt (*with* von): ~ *through* durchnäßt; ~ *to the skin* naß bis auf die Haut; ~ *blanket fig.* **a)** Dämpfer, kalte Dusche, **b)** Störenfried, Spielverderber(in), fader Kerl; *to throw a ~ blanket on e-r Sache* e-n Dämpfer aufsetzen; ~ *pack* ⚕ feuchter Umschlag; ~ *paint!* frisch gestrichen!; ~ *steam* ⊕ Naßdampf; **2.** regnerisch, feucht (*Klima*); **3.** ⊕ naß, Naß...(*-gewinnung etc.*); **4.** *Am.* ‚feucht' (*nicht unter Alkoholverbot stehend*); **5.** *sl.* **a)** blöd, ‚doof', **b)** *all ~* falsch, verkehrt: *you are all ~!* du irrst dich gewaltig!; **II.** *s.* **6.** Flüssigkeit *f*, Feuchtigkeit *f*, Nässe *f*; **7.** Regen (-wetter *n*) *m*; **8.** *sl.* **a)** Getränk *n*, **b)** ‚Schluck' *m*; **9.** *Am.* F Gegner *m* der Prohibiti'on; **III.** *v/t.* [*irr.*] **10.** benetzen, anfeuchten, naßmachen, nässen: *to ~ through* durchnässen; → *whistle* 7; **11.** *sl. ein Ereignis etc.* ‚begießen': *to ~ a bargain*; **'~·back** *s. Am. sl. illegaler Einwanderer aus Mexiko*; ~ **dock** → *dock*[1] **1.**

weth·er ['weðə] *s. zo.* Hammel *m.*

wet·ness ['wetnis] *s.* Nässe *f*, Feuchtigkeit *f.*

'wet-nurse I. *s.* **1.** (Säug)Amme *f*; **II.** *v/t.* **2.** säugen; **3.** *fig.* verhätscheln.

wet·ting ['wetiŋ] *s.* Durch'nässung *f*, Befeuchtung *f*: *to get a ~* durchnäßt werden (*vom Regen*).

wet·tish ['wetiʃ] *adj.* etwas feucht.

we've [wi:v] F *für we have.*

wey [wei] *s. obs. ein Trockengewicht.*

whack [wæk] F **I.** *v/t.* **1.** schlagen, ‚vermöbeln' (*a. beim Spiel*); **II.** *s.* **2.** (knallender) Schlag; **3.** (An)Teil *m*; **4.** Versuch *m*: *to take a ~ at* sich an *e-e Arbeit etc.* wagen *od.* machen; **5.** *out of ~* nicht in Ordnung; **'whack·er** [-kə] *s. sl.* **1.** Mordsding *n*, -kerl *m*; **2.** faustdicke Lüge, aufgelegter Schwindel; **'whack·ing** [-kiŋ] **I.** *adj. u. adv. sl.* mächtig, gewaltig, e'norm; **II.** *s.* F (Tracht *f*) Prügel *pl.*

whale [weil] **I.** *pl.* **whales** *bsd. coll.* **whale** *s.* **1.** *zo.* Wal *m*: *a ~ of* F e-e Riesenmenge; *a ~ of a fellow* F ein Riesenkerl; *to be a ~ for* (*od. on*) F versessen sein auf (*acc.*); *to be a ~ at* F e-e ‚Kanone' sein in (*dat.*); **II.** *v/i.* **2.** Walfang treiben; **3.** *sl.* hauen; **'~·bone** *s.* Fischbein(stab *m*) *n*; **'~-calf** *s.* [*irr.*] *zo.* junger Wal; **'~-fish·er·y** *s.* **1.** Walfang *m*; **2.** Walfanggebiet *n*; **'~-oil** *s.* Walfischtran *m.*

whal·er ['weilə] *s.* Walfänger *m* (*Person u. Boot*).

whal·ing[1] ['weiliŋ] **I.** *s.* Walfang *m*; **II.** *adj.* Walfang...: *~-gun* Harpunengeschütz.

whal·ing[2] ['weiliŋ] *sl.* **I.** *adj. u. adv.* kolos'sal, e'norm, gewaltig; **II.** *s.* (Tracht *f*) Prügel *pl.*

whang [wæŋ] F **I.** *s.* Knall *m*, Krach *m*, Bums *m*; **II.** *v/t.* knallen, hauen; **III.** *v/i.* knallen (*a. schießen*), krachen, bumsen.

wharf [wɔ:f] ⚓ **I.** *pl.* **wharves** [-vz] *od.* **wharfs** *s.* **1.** Kai *m*; **II.** *v/t.* **2.** *Waren* löschen; **3.** *Schiff* am Kai festmachen; **'wharf·age** [-fidʒ] *s.* **1.** Kaianlage(n *pl.*) *f*; **2.** Kaigeld *n*; **'wharf·in·ger** [-findʒə] *s.* ⚓ **1.** Kaimeister *m*; **2.** Kaibesitzer *m.*

wharves [wɔ:vz] *pl. von wharf.*

what [wɔt] **I.** *pron. interrog.* **1.** was, wie: *~ is her name?* wie ist ihr Name?; *~ did he do?* was hat er getan?; *~ is he?* was ist er (von Beruf)?; *~'s for ...?* was gibt's zum *Essen*?; **2.** was für ein, welcher, *vor pl.* was für: *~ an idea!* was für e-e Idee!; *~ book?* was für ein Buch?; *~ luck!* welch ein Glück!; **3.** was (*um Wiederholung e-s Wortes bittend*): *he claims to be a ~?* was will er sein?; **II.** *pron. rel.* **4.** (das) was: *this is ~ we hoped for* (gerade) das erhofften wir; *I don't know ~ he said* ich weiß nicht was er sagte; *it is nothing compared to ~ ...* es ist nichts im Vergleich zu dem, was ...; **5.** was (auch immer); **III.** *adj.* **6.** was für ein, welch: *I don't know ~ decision you have taken* ich weiß nicht, was für e-n Entschluß du gefaßt hast; **7.** alle *od.* jede die, alles was: *~ money I had* was ich an Geld hatte, all mein Geld; **8.** soviel(e) ... wie; *Besondere Redewendungen*: *and ~ not* u. was sonst noch alles; *~ about?* wie wär's mit *od.* wenn?, wie steht's mit?; *~ for?* wozu?, wofür?; *~ if?* und wenn nun?, (und) was geschieht, wenn?; *~ next?* **a)** was sonst noch?, **b)** *iro.* sonst noch was?, das fehlte noch!; *~ news?* was gibt es Neues?; (*well,*) *~ of it?*, *so ~?* na, und?, na, wenn schon?; *~ though?* was tut's, wenn?; *~ with* infolge, durch, in Anbetracht (*gen.*); *~ with ..., ~ with ...* teils durch ..., teils durch ...; *but ~* F daß (*nicht*); *I know ~* F ich weiß was, ich habe e-e Idee; *she knows ~'s ~* F sie weiß Bescheid; sie weiß, was los ist; *I'll tell you ~* ich will dir (mal) was sagen.

what|-d'you-call-it ['wɔtdjukɔ:lit] (*od.* **-'em** [-em] *od.* **-him** *od.* **-her**), **'~-d'ye-call-it** [-djəkɔ:lit] (*od.* **-'em** [-em] *od.* **-him** *od.* **-her**) *s.* F Dings (-da, -bums) *m, f, n*; **~'e'er** *poet.* → *whatever*; **~'ev·er I.** *pron.* **1.** was (auch immer), alles was: *take ~ you like!*; *~ you do* was du auch tust; **2.** was auch; trotz allem, was: *do it ~ happens!*; **3.** F was denn, was in aller Welt: *~ do you want?* was willst du denn?; **II.** *adj.* **4.** welch ... auch (immer): *for ~ reasons he is angry* aus welchen Gründen er auch immer ärgerlich ist; **5.** *mit neg.*: über'haupt, gar *nichts, niemand etc.*: *no doubt ~* überhaupt *od.* gar kein Zweifel; **'~·not** *s.* Eta'gere *f.*

what's [wɔts] F *für what is*; **'~-her-name** [-səneim], **'~-his-name** [-sizneim], **'~-its-name** *s.* F Dings (-da) *m, f, n*: *Mr. what's-his-name* Herr Dingsda, Herr Soundso.

what·so'ev·er → *whatever.*

wheal [wi:l] → *wale.*

wheat [wi:t] *s.* ♀ Weizen *m.*

wheat·en ['wi:tn] *adj.* Weizen...

whee·dle ['wi:dl] *v/t.* **1.** *j-n* um'schmeicheln; **2.** *j-n* beschwatzen, über'reden (*into doing s.th.* et. zu tun); **3.** *~ s.th. out of s.o.* j-m et. abschwatzen *od.* abschmeicheln; **'whee·dling** [-liŋ] *adj.* ☐ schmeichlerisch.

wheel [wi:l] **I.** *s.* **1.** *allg.* Rad *n* (*a.* ⊕): *~ brake* Radbremse; *the ~ of Fortune fig.* das Glücksrad; *~s within ~s fig.* e-e komplizierte Sache; → *fifth wheel, shoulder 1, spoke*[1] *4*; **2.** ⊕ Scheibe *f*; **3.** Lenkrad *n*: *at the ~* **a)** am Steuer, **b)** *fig.* am Ruder; **4.** F (Fahr)Rad *n*; **5.** *hist.* Rad *n* (*Folterinstrument*): *to break s.o. on the ~* j-n rädern *od.* aufs Rad flechten; *to break a (butter)fly (up)on the ~ fig.* mit Kanonen nach Spatzen schießen; **6.** *pl. fig.* Räder(werk *n*) *pl.*, Getriebe *n*; **7.** Drehung *f*, Kreis (-bewegung *f*) *m*; ⚔ Schwenkung *f*: *right (left) ~!* rechts (links) schwenkt!; **8.** *Turnen*: **a)** Rad *n*, **b)** 'Salto *m*; **II.** *v/t.* **9.** *j-n od. et.* rollen, fahren, schieben; **10.** ⚔ schwenken lassen; **III.** *v/i.* **11.** sich (im Kreis) drehen; **12.** *a. ~ round* sich (rasch) 'umwenden *od.* -drehen; **13.** ⚔ schwenken; **14.** rollen, fahren; **15.** F radeln; **'~·bar·row** *s.* Schubkarre(n *m*) *f*; **'~-base** *s.* ⊕ Radstand *m*; ~ **chair** *s.* Rollstuhl *m.*

wheeled [wi:ld] *adj.* **1.** fahrbar, Roll..., Räder...; **2.** *in Zssgn* ...räd(e)rig: *three-~.*

wheel·er ['wi:lə] *s.* **1.** *in Zssgn* Fahrzeug *n* mit ... Rädern: *four-~* Vierradwagen, Zweiachser; **2.** → *wheel-horse*; **'~-deal·er** *s. Am.* F raffinierter Bursche, ‚guter Geschäftsmann'.

'wheel|-horse *s.* Stangen-, Deichselpferd *n*; **'~-house** *s.* ⚓ Ruderhaus *n*; **'~·man** [-mən] *s.* [*irr.*] F Radler *m*; ~ **win·dow** *s.* △ Radfenster *n*; **'~·wright** [-rait] *s.* ⊕ Stellmacher *m.*

wheeze [wi:z] **I.** *v/i.* **1.** keuchen, schnaufen; **II.** *v/t.* **2.** *a. ~ out et.* keuchen(d her'vorstoßen); **III.** *s.* **3.** Keuchen *n*, Schnaufen *n*; **4.** *sl.* **a)** *thea.* (improvisierter) Scherz, Gag *m*, **b)** Jux *m*, Ulk *m*, **c)** alter Witz; **'wheez·y** [-zi] *adj.* ☐ keuchend, asth'matisch (*a. humor. Orgel etc.*).

whelk[1] [welk] *s. zo.* Wellhorn (-schnecke *f*) *n.*

whelk[2] [welk] *s.* ⚕ Pustel *f.*

whelm [welm] *v/t. poet.* **1.** ver-, über'schütten, versenken, -schlingen; **2.** *fig.* über'schütten *od.* -'häufen (*in, with* mit).

whelp [welp] **I.** *s.* **1.** *zo.* **a)** Welpe *m* (*junger Hund, Fuchs od. Wolf*), **b)** *allg.* Junge(s) *n*; **2.** Balg *m, n* (*ungezogenes Kind*); **II.** *v/t. u. v/i.* **3.** (Junge) werfen.

when [wen] **I.** *adv.* **1.** *fragend*: wann; **2.** *relativ*: als, wo, da: *the years ~ we were poor* die Jahre, als wir arm waren; *the day ~* der Tag, an dem *od.* als; **II.** *cj.* **3.** wann: *she doesn't know ~ to be silent* sie weiß nicht, wann sie schweigen muß; **4.** zu der Zeit *od.* in dem Augenblick, als: *~ (he was) young, he lived in M.* als er noch jung war, wohnte er in M.; *we were about to start ~ it began to rain* wir wollten gerade fortgehen, als es anfing zu regnen *od.* und da fing es an zu regnen; *say ~!* F sag, wenn es so weit ist *od.* wenn du genug hast! (*bsd. beim Eingießen*); **5.** (dann,) wenn; **6.** (immer) wenn, so'bald, so'oft; **7.** worauf'hin, und dann; **8.** ob'wohl, wo ... (doch), da ... doch; **III.** *pron.* **9.** wann, welche Zeit: *from ~ does it date?* aus welcher Zeit stammt es?; *since ~?* seit wann?; *till ~?* bis wann?; **10.** *relativ*: *since ~* und seitdem; *till ~* und bis dahin; **IV.** *s.* **11.** *the ~ and where of s.th.* das Wann und Wo e-r Sache.

whence [wens] *bsd. poet.* **I.** *adv.* **1.** wo'her: **a)** von wo(her), von wannen, wor'aus, **b)** *fig.* wo'von, wo'durch, wie: *~ comes it that* wie kommt es, daß; **II.** *cj.* **2.** von woher; **3.** *fig.* wes'halb, und deshalb.

when(·so)'ev·er I. *cj.* wann (auch) immer, einerlei wann, (immer) wenn, so'oft (als), jedesmal wenn; **II.** *adv. fragend*: wann denn (nur).

where [wɛə] **I.** *adv.* (*fragend u. relativ*) **1.** wo; **2.** wo'hin; **3.** wor'in, inwie'fern, in welcher Hinsicht; **II.** *cj.* **4.** (da) wo; **5.** da'hin *od.* irgendwo'hin wo, wo'hin; **III.** *pron.* **6.** (*relativ*) (da *od.* dort,) wo: *he lives not far from ~ it happened* er wohnt nicht weit von dort, wo es geschah; **7.** (*fragend*) wo: *~ ... from?* woher?, von wo?; *~ ... to?* wohin?; **~·a·bouts I.** *adv. od. cj.* [ˈwɛərəˈbauts] wo ungefähr *od.* etwa; **II.** *s. pl.* [ˈwɛərəbauts] *sg. konstr.* Aufenthalt(sort) *m*, Verbleib *m*; **~·as** [wɛərˈæz] *cj.* **1.** wohin'gegen, während, wo ... doch; **2.** ⚖ da; in Anbetracht dessen, daß (*im Deutschen mst unübersetzt*); **~·at** [wɛərˈæt] *adv. u. cj.* **1.** wor'an, wo'bei, wor'auf; **2.** (*relativ*) an welchem (welcher) *od.* dem (der), wo **~'by** *adv. u. cj.* **1.** wo'durch, wo'mit; **2.** (*relativ*) durch welchen (welche[s]); **'~·fore I.** *adv. od. cj.* **1.** wes'halb, wo'zu, war'um; **2.** (*relativ*) wes'wegen, und deshalb; **II.** *s. oft pl.* **3.** *das* Weshalb, *die* Gründe *pl.*; **~'from** *adv. u. cj.* wo'her, von wo; **~·in** [wɛərˈin] *adv.* wor'in, in welchem (welcher); **~·of** [wɛərˈɔv] *adv. u. cj.* wo'von; **~·on** [wɛərˈɔn] *adv. od. cj.* **1.** wor'auf; **2.** (*relativ*) auf dem (der) *od.* den (die, das), auf welchem (welcher) *od.* welchen (welche, welches); **~·so'ev·er** → *wherever 1*; **~'to** *adv. od. cj.* wo'hin; **~·up·on** [wɛərəˈpɔn] *adv. od. cj.* **1.** worauf('hin); **2.** (*als Satzanfang*) darauf'hin.

wher·ev·er [wɛərˈevə] *adv. od. cj.* **1.** wo('hin) auch immer; ganz gleich, wo(hin); **2.** F wo(hin) denn (nur)?

where|'with *adv. od. cj.* wo'mit; **'~·with·al I.** *s.* Mittel *pl.*, *das* Nötige, *das* nötige (Klein)Geld; **II.** *adv. od. prp.* wherewith'al *obs.* wo'mit.

wher·ry [ˈweri] ⚓ *s.* **1.** Jolle *f*; Fährboot *n*; **2.** *Brit.* Frachtsegler *m.*

whet [wet] **I.** *v/t.* **1.** wetzen, schärfen, schleifen; **2.** *fig. Appetit* anregen; *Neugierde etc.* anstacheln; **II.** *s.* **3.** Wetzen *n*, Schärfen *n*; **4.** (Appe'tit)Anreger *m*, Aperi'tif *m.*

wheth·er [ˈweðə] *cj.* **1.** ob (*or not* oder nicht): *~ or no* auf jeden Fall, so oder so; **2.** *~ ... or* entweder *od.* sei es, daß ... oder.

'whet·stone *s.* **1.** Wetz-, Schleifstein *m*; **2.** *fig.* Anreiz *m.*

whew [hwu:] *int.* hu!, (h)ui!

whey [wei] *s.* Molke *f*; **'~-faced** *adj.* käsig, käsebleich.

which [witʃ] **I.** *interrog.* **1.** welch (*aus e-r bestimmten Gruppe od. Anzahl*): *~ of you?* welcher *od.* wer von euch?; **II.** *pron.* (*relativ*) **2.** welch, der (die, das) (*bezogen auf Dinge, Tiere od. obs. Personen*); **3.** (*auf den vorhergehenden Satz bezüglich*) was; **4.** (*in eingeschobenen Sätzen*) (etwas,) was; **III.** *adj.* **5.** (*fragend od. relativ*) welch: *~ place will you take?* auf welchem Platz willst du sitzen?; **~(·so)'ev·er** *pron. u. adj.* welch (auch) immer; ganz gleich, welch.

whiff [wif] **I.** *s.* **1.** Luftzug *m*, Hauch *m*; **2.** Duftwolke *f*, (*a.* übler) Geruch; **3.** Zug *m* (*beim Rauchen*); **4.** Schuß *m Chloroform etc.*; **5.** *fig.* Anflug *m*; **6.** F Ziga'rillo *n*; **II.** *v/i. u. v/t.* **7.** blasen, wehen; **8.** paffen, rauchen; **9.** (*nur v/i.*) (unangenehm) riechen.

whif·fle [ˈwifl] *v/i. u. v/t.* wehen, blasen.

Whig [wig] *pol. hist.* **I.** *s.* **1.** *Brit.* Whig *m* (*Liberaler*); **2.** *Am.* Whig *m*: **a)** Natio'nal(republi͵kan)er *m* (*Unterstützer der amer. Revolution*), **b)** *Anhänger e-r Oppositionspartei gegen die Demokraten um 1844*); **II.** *adj.* **3.** Whig..., whig'gistisch;

Whig·gism [ˈwigizəm] *s. pol.* Whig'gismus *m*, Libera'lismus *m.*

while [wail] **I.** *s.* **1.** Weile *f*, Zeit (-spanne) *f*: *a long ~ ago* vor e-r ganzen Weile; (*for*) *a ~* e-e Zeitlang; *for a long ~* lange (Zeit), seit langem; *in a little ~* bald, binnen kurzem; *the ~* derweil, währenddessen; *between ~s* zwischendurch; *worth (one's) ~* der Mühe wert, lohnend; *it is not worth (one's) ~* **es** ist nicht der Mühe wert, es lohnt sich nicht; → *once 1*; **II.** *cj.* **2.** (*zeitlich*) während; **3.** so'lange (wie); **4.** während, wo(hin)'gegen; **5.** wenn auch, ob'wohl, zwar; **III.** *v/t.* **6.** *mst ~ away* sich *die Zeit* vertreiben;

whilst [wailst] → *while II.*

whim [wim] *s.* **1.** Laune *f*, Grille *f*, wunderlicher Einfall; **2.** ⚒ Göpel *m.*

whim·brel [ˈwimbrəl] *s. orn.* Kleiner Brachvogel.

whim·per [ˈwimpə] **I.** *v/t. u. v/i.* wimmern, winseln; **II.** *s.* Wimmern *n*, Winseln *n.*

whim·sey → *whimsy.*

whim·si·cal [ˈwimzikəl] *adj.* □ **1.** launen-, grillenhaft, wunderlich; **2.** schrullig, ab'sonderlich, seltsam;

whim·si·cal·i·ty [wimziˈkæliti], **'whim·si·cal·ness** [-nis] *s.* **1.** Grillenhaftigkeit *f*, Wunderlichkeit *f*; **2.** wunderlicher *od.* origi'neller Einfall; **whim·sy** [ˈwimzi] **I.** *s.* Laune *f*, Grille *f*, Schrulle *f*; **II.** *adj.* → *whimsical.*

whin[1] [win] *s.* ♀ *bsd. Brit.* Stechginster *m.*

whin[2] [win] → *whinstone.*

whine [wain] **I.** *v/i.* **1.** winseln, wimmern; **2.** greinen, quengeln, jammern; **II.** *v/t.* **3.** *et.* weinerlich sagen, winseln; **III.** *s.* **4.** Gewinsel *n*; **5.** Gejammer *n*; **'whin·ing** [-niŋ] *adj.* □ weinerlich, greinend; winselnd.

whin·ny [ˈwini] **I.** *v/i.* (leise) wiehern; **II.** *s.* Wiehern *n.*

whin·stone [ˈwinstoun] *s. geol.* Ba'salt(tuff) *m*, Trapp *m.*

whip [wip] **I.** *s.* **1.** Peitsche *f*, Geißel *f*; **2.** *be a good (poor) ~* gut (schlecht) kutschieren; **3.** *hunt.* Pi'kör *m*; **4.** *parl.* **a)** Einpeitscher *m*, **b)** Rundschreiben *n*, Aufforderung(sschreiben *n*) *f* (*bei e-r Versammlung etc. zu erscheinen*); **5.** ⊕ **a)** Wippe *f*, **b)** *a. ~-and-derry* Flaschenzug *m*; **6.** *Näherei*: über'wendliche Naht; **II.** *v/t.* **7.** peitschen; **8.** (aus)peitschen, geißeln (*a. fig.*); **9.** *a. ~ on* antreiben; **10.** schlagen: **a)** verprügeln: *to ~ s.th. into (out of) s.o.* j-m et. einbleuen (mit Schlägen austreiben), **b)** *bsd. Am.* F besiegen, über'treffen; **11.** reißen, raffen: *to ~ away* wegreißen; *to ~ from* wegreißen *od.* fegen von; *to ~ off* **a)** weg-, herunterreißen, **b)** *j-n* entführen; *to ~ on Kleidungsstück* überwerfen; *to ~ out* (plötzlich) zücken, (schnell) *aus der Tasche* ziehen; **12.** *Gewässer* abfischen; **13. a)** *Schnur etc.* um'wickeln, ⚓ *Tau* betakeln, **b)** *Schnur* wickeln (*about* um *acc.*); **14.** über'wendlich nähen, über'nähen, um'säumen; **15.** *Eier, Sahne* (schaumig) schlagen: *~ped cream* Schlagsahne; *~ped eggs* Eischnee; **III.** *v/i.* **16.** sausen, flitzen, schnellen: *to ~ round* sich ruckartig umdrehen; **~ in** *v/t.* **1.** *hunt. Hunde* zs.-treiben; **2.** *parl.* zs.-trommeln; **~ up** *v/t.* **1.** antreiben; **2.** aufraffen, packen; **3.** *fig.* aufpeitschen; **4.** zs.-trommeln, ‚herzaubern'.

whip| a·e·ri·al (*od.* **an·ten·na**) *s.* ⚡ 'Staban͵tenne *f*; **'~·cord** *s.* **1.** Peitschenschnur *f*; **2.** Whipcord *m* (*schräggeripptes Kammgarn*); **~ hand** *s.* rechte Hand *des Reiters etc.*: *to have the ~ of j-n* an der Kandare *od.* in der Gewalt haben; **'~-lash** → *whipcord 1.*

whip·per [ˈwipə] *s.* Peitschende(r *m*) *f*; **'~-'in**, *pl.* **'~s-'in** → *whip 3 u. 4 a*; **'~·snap·per** *s.* **1.** Drei'käsehoch *m*; **2.** Gernegroß *m*, Gelbschnabel *m*, Springinsfeld *m.*

whip·pet [ˈwipit] *s.* **1.** *zo.* Whippet *m* (*kleiner englischer Rennhund*); **2.** ⚔ *hist. leichter* Panzerkampfwagen.

whip·ping [ˈwipiŋ] *s.* **1.** (Aus)Peitschen *n*; **2.** (Tracht *f*) Prügel *pl.*, Hiebe *pl.* (*a. fig.* F *Niederlage*); **3.** 'Garnum͵wick(e)lung *f*; **'~-boy** *s.* Prügelknabe *m* (*mst fig. Sündenbock*); **'~-post** *s. hist.* Schandpfahl *m*; **'~-top** *s.* Kreisel *m* (*der mit Peitsche getrieben wird*).

whip·ple·tree [ˈwipltri:] *s.* Ortscheit *n.*

whip·py [ˈwipi] *adj.* biegsam, geschmeidig.

'whip|-round *s. Brit.* **1.** Rundschreiben *n* mit der Bitte um Spenden; **2.** Geldsammlung *f*; **'~-saw I.** *s.* (zweihändige) Schrotsäge; **II.** *v/t.* mit der Schrotsäge sägen; **III.** *v/i. pol. Am.* sich von beiden Seiten bestechen lassen.

whir → *whirr.*

whirl [wə:l] **I.** *v/i.* **1.** wirbeln, sich drehen: *to ~ about (od. round)* herumwirbeln; **2.** sausen; eilen; **3.** wirbeln, schwind(e)lig werden (*Kopf, Sinne etc.*): *my head ~s* mir ist schwindelig; **II.** *v/t.* **4.** *allg.* wirbeln; *to ~ up dust* Staub aufwirbeln; **III.** *s.* **5.** Wirbeln *n*; **6.** Wirbel *m*: **a)** schnelle Kreisbewegung, **b)** Strudel *m*; **7.** *fig.* Wirbel *m*: **a)** Strudel *m*, wirres Treiben, **b)** Schwindel *m* (*der Sinne etc.*): *a ~ of passion*; *her* *thoughts were in a* ~ ihre Gedanken wirbelten durcheinander; **'~-bone** *s. anat.* Kugelgelenk *n.*

whirl·i·gig ['wɜ:ligig] *s.* **1.** Schnurrrädchen *n*, Kreisel *m etc.* (*Spielzeug*); **2.** Karus'sell *n* (*a. fig. der Zeit*); **3.** *fig.* Wirbel *m der Ereignisse etc.*

'whirl|·pool *s.* Strudel *m* (*a. fig.*); **'~·wind** *s.* Wirbelwind *m* (*a. fig.*); → *wind*[1] *1.*

'whirl·y·bird ['wɜ:li] *s. Am.* F ‚Kaffeemühle' *f*, Hubschrauber *m.*

whirr [wɜ:] **I.** *v/i.* schwirren, surren; **II.** *v/t.* schwirren lassen; **III.** *s.* Schwirren *n*, Surren *n.*

whisk [wisk] **I.** *s.* **1.** Wischen *n*; leichter Schlag; schnelle Bewegung (*bsd. Tierschwanz*); **2.** Husch *m*: *in a* ~ im Nu; **3.** (*Stroh- etc.*)Wisch *m*, Büschel *n*; **4.** (Staub-, Fliegen-) Wedel *m*; **5.** *Küche*: Schneebesen *m*; **II.** *v/t.* **6.** *Staub etc.* (weg)wischen, (-)fegen; **7.** fegen; *mit dem Schwanz* schlagen; **8.** ~ *away* (*od. off*) schnell verschwinden lassen, wegzaubern, -nehmen; *j-n* schnellstens wegbringen, entführen; **9.** *Sahne, Eischnee* schlagen; **III.** *v/i.* **10.** wischen, huschen, flitzen: *to* ~ *away* forthuschen; **'whisk·er** [-kə] *s.* **1.** *mst pl.* (*a pair of* ~*s* ein) Backenbart *m*; **2.** *zo.* Schnurr-, Barthaar *n* (*von Katzen etc.*); **'whisk·ered** [-kəd] *adj.* **1.** e-n Backenbart tragend; **2.** *zo.* mit Schnurrhaaren versehen.

whis·k(e)y ['wiski] *s.* Whisky *m.*

whis·per ['wispə] **I.** *v/i. u. v/t.* **1.** wispern, flüstern: *to* ~ *s.th. to s.o.* j-m et. zuflüstern; **2.** *fig. b.s.* flüstern, tuscheln, munkeln; **3.** *poet.* raunen (*Baum etc.*); **II.** *s.* **4.** Flüstern *n*, Wispern *n*, Geflüster *n*: *in a* ~, *in* ~*s* im Flüsterton; **5.** Getuschel *n*; **6.** geflüsterte *od.* heimliche Bemerkung; **7.** Gerücht *n*; **8.** Rascheln *n*; **'whis·per·er** [-ərə] *s.* **1.** Flüsternde(r *m*) *f*; **2.** Zuträger(in), Ohrenbläser(in); **'whis·per·ing** [-pəriŋ] **I.** *adj.* □ **1.** flüsternd; **2.** Flüster...: ~ *campaign* Flüsterkampagne, -propaganda; ~*-gallery* Flüstergalerie; **II.** *s.* **3.** → *whisper 4.*

whist[1] [wist] *int. dial.* pst!, st!, still!

whist[2] [wist] *s.* Whist *n* (*Kartenspiel*): ~ *drive* Whistturnier.

whis·tle ['wisl] **I.** *v/i.* **1.** pfeifen (*Person, Vogel, Lokomotive etc.*; *a. Kugel, Wind etc.*) (*to s.o.* j-m): *he can* ~ *for it* F darauf kann er lange warten, das kann er sich in den Kamin schreiben; **II.** *v/t.* **2.** *Melodie etc.* pfeifen; **3.** ~ *back Hund etc.* zurückpfeifen; **III.** *s.* **4.** Pfeife *f*: *to pay for one's* ~ den Spaß teuer bezahlen; **5.** Pfiff *m*; ⊕ Pfeifton *m*; **6.** Pfeifen *n* (*des Windes etc.*); **7.** *sl.* Kehle *f*: *to wet one's* ~ sich die Kehle anfeuchten, ‚einen heben'; **'~-stop** *s. Am.* **1.** 🚂 Haltepunkt *m*; **2.** *fig.* Kleinstadt *f*, ‚Kaff' *n.*

whis·tling ['wisliŋ] *s.* Pfeifen *n*; ~ **buoy** *s.* ⚓ Pfeifboje *f*; ~ **thrush** *s. orn.* Singdrossel *f.*

whit[1] [wit] *s.* (*ein*) bißchen: *no* ~, *not a* ~ keinen Deut, kein Jota, kein bißchen.

Whit[2] [wit] *in Zssgn* Pfingst...: ~ *week.*

white [wait] **I.** *adj.* **1.** weiß: *as* ~ *as snow* schneeweiß; **2.** blaß, bleich: *as* ~ *as a sheet* leichenblaß; → *bleed 10*; **3.** weiß(rassig): ~ *supremacy* Vorherrschaft der Weißen; **4.** rein; **5.** F *fig.* anständig; **6.** *fig.* harmlos; **II.** *s.* **7.** Weiß *n*, weiße Farbe: *dressed in* ~ weiß gekleidet; **8.** Weiße *f*, weiße Beschaffenheit; **9.** Weiße(r *m*) *f*, Angehörige(r *m*) *f* der weißen Rasse; **10.** *a.* ~ *of egg* Eiweiß *n*; **11.** *a.* ~ *of the eye das* Weiße im Auge; **12.** *typ.* Lücke *f*; **13.** *zo.* Weißling *m*; **14.** *pl.* ⚕ Weißfluß *m*, Leukor'rhöe *f*; ~ **ant** *s. zo.* Ter'mite *f*; **'~·bait** *s. ein* Weißfisch *m*, Breitling *m*; ~ **bear** *s. zo.* Eisbär *m*; ♀ **Book** *s. pol.* Weißbuch *n*; ~ **bronze** *s.* 'Weißmeˌtall *n*; **'~·caps** *s. pl.* schaumgekrönte Wellen *pl.*; ~ **coal** *s.* ⊕ weiße Kohle, Wasserkraft *f*; ~ **cof·fee** *s. Brit.* 'Milchˌkaffee *m*; **'~-'col·lar** *adj.* **Kopf..., Geistes..., Büro...**: ~ *proletariat* geistiges Proletariat; ~ *worker* Geistes-, Kopfarbeiter(in), (Büro)Angestellte(r); ~ **el·e·phant** *s.* **1.** *zo.* weißer Ele'fant; **2.** F lästiger Besitz; ~ **en·sign** *s.* ⚓ *Brit.* Kriegsflagge *f*; **'~-'faced** *adj.* blaß: ~ *horse* Blesse; ~ **feath·er** *s.* weiße Feder (*fig. Zeichen der Feigheit*): *to show the* ~ sich feige zeigen; ♀ **Fri·ar** *s. R.C.* Karme'liter (-mönch) *m.*

'White'hall *s. Brit.* **1.** *a.* ~ *Palace hist. Königspalast in London*; **2.** Whitehall *n*: **a)** *Straße in Westminster, London, in der sich die Ministerien befinden*, **b)** *fig. die brit. Regierung od. ihre Politik.*

white| heat *s.* Weißglut *f* (*a. fig. Zorn etc.*): *to work at a* ~ mit fieberhaftem Eifer arbeiten; ~ **hope** *s. Am. sl.* **1.** weißer Boxer, der Aussicht auf den Meistertitel hat; **2.** j-d auf den man große Hoffnungen setzt; ~ **horse** *s.* **1.** *zo.* Schimmel *m*, weißes Pferd; **2.** *pl.* → *whitecaps*; **'~-'hot** *adj.* weißglühend (*a. fig. vor Zorn etc.*); ♀ **House** *s. das* Weiße Haus (*Regierungssitz des Präsidenten der USA in Washington*); ~ **lead** [led] *s. min.* Bleiweiß *n*; ~ **lie** *s.* Notlüge *f*; **'~-lipped** *adj.* mit bleichen Lippen, bleich vor Angst; **'~-'liv·ered** *adj.* feig(e); ~ **mag·ic** *s.* weiße Ma'gie (*Gutes bewirkende Zauberkunst*); ~ **man** *s.* [*irr.*] **1.** Weiße(r) *m*, Angehörige(r) *m* der weißen Rasse; **2.** F ‚feiner Kerl'; ~ **man's bur·den** *s.* (*vermeintliche drückende*) *Verpflichtung der weißen Rasse, andersrassige Völker zu zivilisieren*; ~ **meat** *s.* weißes Fleisch (*von Geflügel, Kalb etc.*); ~ **met·al** *s.* ⊕ **a)** Neusilber *n*, **b)** 'Weißmeˌtall *n.*

whit·en ['waitn] **I.** *v/i.* **1.** weiß werden; **2.** bleich *od.* blaß werden; **II.** *v/t.* **3.** weiß machen; **4.** bleichen; **'white·ness** [-nis] *s.* **1.** Weiße *f*; **2.** Blässe *f*; **'whit·en·ing** [-niŋ] *s.* **1.** Weißen *n*; **2.** Schlämmkreide *f.*

white| sale *s.* ✝ Weiße Woche; ~ **sheet** *s.* Büßerhemd *n*: *to stand in a* ~ *fig.* s-e Sünden bekennen; **'~-'slave** *adj.*: ~ *agent* Mädchenhändler; ~ *traffic* Mädchenhandel; **'~·smith** *s.* ⊕ **1.** Klempner *m*; **2.** *metall.* Feinschmied *m*; **'~·thorn** *s.* ⚘ Weißdorn *m*; **'~-throat** *s. orn.* (Dorn)Grasmücke *f*; ~ **trash** *s. Am.* F **1.** arme weiße Bevölkerung; **2.** arme(r) Weiße(r) (*in den amer. Südstaaten*); ~ **war** *s.* ✝ weißer Krieg, Wirtschaftskrieg *m*; **'~·wash I.** *s.* **1.** Tünche *f*; **2.** *fig.* Ehrenrettung *f*, *b.s.* ‚Mohrenwäsche' *f*; **3.** *Am.* F *sport* ‚Zu-'Null-Niederlage' *f*; **II.** *v/t.* **4. a)** tünchen, **b)** weißen, kalken; **5.** *fig.* **a)** *von Beschuldigungen etc.* reinwaschen, **b)** ✝ *Brit. Bankrotteur* wieder zahlungsfähig erklären; **6.** *sport Am.* F *Gegner* ‚haushoch' schlagen; ~ **wine** *s.* Weißwein *m.*

whith·er ['wiðə] *adv. poet.* **1.** (*fragend*) wo'hin; **2.** (*relativ*) wohin: **a)** (*verbunden*) in welchen *etc.*, zu welchem *etc.*, **b)** (*unverbunden*) da'hin, wo.

whit·ing[1] ['waitiŋ] *s. ichth.* Weißfisch *m*, Mer'lan *m.*

whit·ing[2] ['waitiŋ] *s.* Schlämmkreide *f.*

whit·ish ['waitiʃ] *adj.* weißlich.

whit·low ['witlou] *s.* ⚕ 'Umlauf *m*, Nagelgeschwür *n.*

Whit Mon·day [wit] *s.* Pfingst'montag *m.*

Whit·sun ['witsn] *adj.* Pfingst..., pfingstlich; ~**·day** ['wit'sʌndi] *s.* Pfingst'sonntag *m*; **'~·tide** *s.* Pfingsten *n od. pl.*, Pfingstfest *n.*

whit·tle ['witl] *v/t.* **1.** (zu'recht-)schnitzen; **2.** wegschnitze(l)n, -schnippeln; **3.** ~ *down*, ~ *away fig.* **a)** (Stück für Stück) beschneiden, stutzen, verringern, **b)** schwächen.

whit·y ['waiti] *adj. bei Farben*: weiß (-lich), hell...

whiz(z) [wiz] **I.** *v/i.* **1.** zischen, schwirren, sausen (*Geschoß etc.*); **II.** *s.* **2.** Zischen *n*, Sausen *n*; **3.** *Am. sl.* **a)** ‚Ka'none' *f* (*Könner*), **b)** tolles Ding; **'~-bang** *s.* ⚔ *sl.* Ratsch-'bummgeschoß *n.*

whiz·zer ['wizə] *s.* ⊕ ('Trocken-) Zentriˌfuge *f.*

who [hu:; hu] **I.** *interrog.* **1.** wer: ♀*'s* ♀ Wer ist Wer? (*Verzeichnis prominenter Persönlichkeiten*); ~ *goes there?* ⚔ (halt,) wer da?; **2.** F (*für whom*) wen, wem; **II.** *pron.* (*relativ*) **3.** (*unverbunden*) wer: *I know* ~ *has done it*; **4.** (*verbunden*): welch, der (die, das): *the man* ~ *arrived yesterday.*

whoa [wou] *int.* brr!, halt!

who·dun·(n)it [hu:'dʌnit] *s. sl.* ‚Krimi' *m* (*Kriminalroman etc.*).

who·ev·er [hu(:)'evə] **I.** *pron.* (*relativ*) wer (auch) immer, jeder der; **II.** *interrog.* F (*für who ever*) wer denn nur.

whole [houl] **I.** *adj.* □ → *wholly*; **1.** ganz, voll(kommen, -ständig): ~ *number* Ⱥ ganze Zahl; *a* ~ *lot of* F e-e ganze Menge; **2.** heil, unversehrt: *with a* ~ *skin* mit heiler Haut; **3.** Voll..., rein: ~ *meal* Vollweizenmehl; ~ *milk* Vollmilch; (*made*) *out of* ~ *cloth Am.* völlig aus der Luft gegriffen, frei erfunden; → *hog 1*; **II.** *s.* **4.** *das* Ganze, Gesamtheit *f*: *the* ~ *of London* ganz London; *the* ~ *of my property* mein ganzes Vermögen; **5.** Ganze(s) *n*, Einheit *f*: *on the* ~ im (großen u.) ganzen, alles in allem; **'~-'bound** *adj.* in Ganzleder (gebunden); **'~-'col-**

o(u)red *adj.* einfarbig; '~-'**heart·ed** *adj.* □ aufrichtig, ernsthaft, rückhaltlos, voll, von ganzem Herzen; '~-'**hog·ger** [-'hɔgə] *s. sl.* kompro'mißloser Mensch; *pol.* ,'Hundert-('fünfzig)pro,zentige(r)' *m*; '~-'**length I.** *adj.* Ganz..., Voll...: ~ *portrait* Vollporträt, Ganzbild; **II.** *s.* Por'trät *n od.* 'Statue *f* in voller Größe; '~-'**life in·sur·ance** *s.* Erlebensfall-Versicherung *f*; '~-**meal bread** *s.* Vollkorn-, Schrotbrot *n.*

whole·ness ['houlnis] *s.* **1.** Ganzheit *f*; **2.** Vollständigkeit *f.*

'**whole·sale I.** *s.* **1.** † Großhandel *m*: *by* ~ → 4; **II.** *adj.* **2.** † **a)** Großhandels..., Engros..., **b)** Pauschal...: ~ *dealer* Großhändler, Grossist; ~ *price* Großhandels-, Grossistenpreis; ~ *purchase* Pauschalkauf; ~ *trade* Großhandel; ~ *writing-down* Pauschalabschreibung; **3.** *fig.* **a)** Massen..., **b)** 'unterschiedslos: ~ *slaughter* Massenmord; **III.** *adv.* **4.** † im großen, en gros; **5. a)** *fig.* in Bausch u. Bogen, 'unterschiedslos, **b)** massenhaft; '**whole·sal·er** [-seilə] *s.* † Großhändler *m.*

whole·some ['houlsəm] *adj.* □ **1.** gesund (*bsd. heilsam, bekömmlich*) (*a. fig. Humor, Strafe etc.*); **2.** gut, nützlich, zuträglich; '**whole·some·ness** [-nis] *s.* **1.** Gesundheit *f*, Bekömmlichkeit *f*; **2.** Nützlichkeit *f.*

'**whole**|-'**time** *adj.* † **1.** hauptberuflich (tätig); **2.** ganztägig beschäftigt: ~ *lessons ped.* Vollunterricht; '~-**tim·er** *s.* † ganztägig Beschäftigte(r *m*) *f.*

who'll [hu:l] F *für who will od. shall.*

whol·ly ['houlli] *adv.* ganz, gänzlich, völlig.

whom [hu:m] **I.** *pron.* (*interrog.*) **1.** wen; **2.** (*Objekt-Kasus von who*): *of* ~ von wem; *to* ~ wem; **II.** *pron.* (*relativ*) **3.** (*verbunden*) welchen, welche, welches, den (die, das); **4.** (*unverbunden*) wen; den(jenigen), welchen; die(jenige), welche; *pl.* die(jenigen), welche; **5.** (*Objekt-Kasus von who*): *of* ~ von welchem *etc.*, dessen, deren; *to* ~ dem (der, denen); *all of* ~ *were dead* welche alle tot waren; **6.** welchem, welcher, welchen, dem (der, denen): *the master* ~ *she serves* der Herr, dem sie dient.

whoop [hu:p] **I.** *s.* **1.** (Schlacht-)Ruf *m*, (Kriegs)Geschrei *n*, Schrei *m*: *not worth a* ~ keinen Pfifferling wert; **2.** ⚕ Ziehen *n* (*Keuchhusten*); **II.** *v/i.* **3.** laut schreien, brüllen; **4.** ⚕ keuchen; **III.** *v/t.* **5.** *et.* brüllen; **6.** *to* ~ *it up Am. sl.* **a)** ,Rabatz' machen, Leben in die Bude bringen, **b)** e-n großen Rummel darum machen.

whoop·ee *Am. sl.* **I.** *s.* ['wupi:] Rummel *m*, Freudenfest *n*: *to make* ~ ,auf die Pauke hauen'; **II.** *int.* ['wu'pi:] juch'he!

'**whoop·ing-cough** ['hu:piŋ] *s.* ⚕ Keuchhusten *m.*

whoops [hu:ps] *int.* hoppla!

whop [wɔp] *v/t. sl.* vertrimmen (*a. fig. besiegen*).

whop·per ['wɔpə] *s. sl.* **1.** Mordsding *n*, -kerl *m*; **2.** (faust)dicke Lüge.

whop·ping ['wɔpiŋ] *adj. u. adv. sl.* e'norm, kolos'sal, Riesen...

whore [hɔ:] **I.** *s.* Hure *f*; **II.** *v/i.* huren, Unzucht treiben.

whorl [wə:l] *s.* **1.** ♀ Quirl *m*; **2.** *anat., zo.* Windung *f*; **3.** ⊕ Wirtel *m.*

whor·tle·ber·ry ['wə:tlberi] *s.* **1.** ♀ Heidelbeere *f*: *red* ~ Preiselbeere; **2.** → *huckleberry.*

who's [hu:z] F *für who is.*

whose [hu:z] *pron.* **1.** (*fragend*) wessen: ~ *is it?* wem gehört es?; **2.** (*relativ*) dessen, deren.

who·so'ev·er → *whoever.*

why [wai] **I.** *adv.* **1.** (*fragend u. relativ*) war'um, wes'halb, wo'zu: ~ *so?* wieso?, warum das?; *the reason* ~ (der Grund) weshalb; *that is* ~ deshalb; **II.** *int.* **2.** nun (gut); **3.** (ja) na'türlich; **4.** ja, doch (*als Füllwort*); **5.** na'nu; aber (... doch); **III.** *s.* **6.** *das* War'um, Grund *m*: *the* ~ *and wherefore* das Warum u. Weshalb.

wick [wik] *s.* Docht *m.*

wick·ed ['wikid] *adj.* □ **1.** böse, gottlos, schlecht, sündhaft, verrucht: *the* ~ *one bibl.* der Böse, Satan; **2.** böse, schlimm (*ungezogen, a. humor. schalkhaft*) (*a.* F *Schmerz, Wunde etc.*); **3.** boshaft, bösartig (*a. Tier*); **4.** gemein; **5.** *Am. sl.*,toll', großartig; '**wick·ed·ness** [-nis] *s.* Gottlosigkeit *f*; Schlechtigkeit *f*, Verruchtheit *f*; Bosheit *f.*

wick·er ['wikə] **I.** *s.* → *wicker-work*; **II.** *adj.* aus Weiden geflochten, Weiden..., Korb..., Flecht...: ~ *basket* Weidenkorb; ~ *chair* Rohrstuhl; ~ *furniture* Korbmöbel; '~-**work** *s.* **1.** Flechtwerk *n*; **2.** Korbwaren *pl.*

wick·et ['wikit] *s.* **1.** Pförtchen *n*; **2.** (Tür *f* mit) Drehkreuz *n*; **3.** (*mst vergittertes*) Schalterfenster; **4.** *Kricket*: **a)** Dreistab *m*, Tor *n*, **b)** Spielfeld *n*: *to be on a good* (*sticky*) ~ gut (schlecht) stehen (*a. fig.*); *to take a* ~ e-n Schläger ausmachen; *to keep* ~ Torwart sein; *to win by 2* ~*s* das Spiel gewinnen, obwohl 2 Schläger noch nicht geschlagen haben; *first* (*second etc.*) ~ *down* nachdem der erste (zweite *etc.*) Schläger ausgeschieden ist; '~-**gate** → *wicket 1*; '~-**keep·er** *s.* Torhüter *m.*

wide [waid] **I.** *adj.* □ → *widely*; **1.** breit (*a. bei Maßangaben*): *a* ~ *forehead* (*ribbon, street*); ~ *screen* (*Film*) Breitwand; *5 feet* ~ 5 Fuß breit; → *berth 1*; **2.** weit, ausgedehnt: ~ *distribution*; ~ *difference* großer Unterschied; *a* ~ *public* ein breites Publikum; *the* ~ *world* die weite Welt; **3.** *fig.* **a)** ausgedehnt, um'fassend, 'umfangreich, weitreichend, **b)** reich (*Erfahrung, Wissen etc.*): ~ *culture* umfassende Bildung; ~ *reading* große Belesenheit; **4.** weit(gehend, -läufig), *a.* weitherzig, großzügig: *to take* ~ *views* weitherzig *od.* großzügig sein; **5.** weit offen, aufgerissen (*Augen, Mund*); **6.** weit, lose, nicht anliegend (*Kleidung*); **7.** weit entfernt (of von *der Wahrheit etc.*), weit'ab *vom Ziel*; → *mark*[1] *11*; **II.** *adv.* **8.** weit: ~ *apart* weit auseinander; ~ *awake* hellwach; ~ *open* **a)** weit offen, **b)** völlig ungedeckt (*Boxer*), **c)** *fig.* schutzlos, **d)** → *wide-open 2*; *far and* ~ weit u. breit; **9.** weit'ab (*vom Ziel, der Wahrheit etc.*): ~ *of the target* weit daneben; '~-'**an·gle** *adj. phot.* Weitwinkel...: ~ *lens*; ~-**a·wake I.** *adj.* ['waidə'weik] **1.** hellwach; **2.** wachsam, aufmerksam (*to* auf *acc.*), voll bewußt (*to gen.*); **3.** F ,helle' (*schlau, aufgeweckt*); **II.** *s.* ['waidəweik] **4.** Kala'breser *m* (*Schlapphut*).

wide·ly ['waidli] *adv.* weit: ~ *scattered* weit verstreut; ~ *known* weit u. breit *od.* in weiten Kreisen bekannt; *to be* ~ *read* sehr belesen sein; *to differ* ~ **a)** sehr verschieden sein, **b)** sehr unterschiedlicher Meinung sein.

wid·en ['waidn] *v/t. u. v/i.* **1.** breiter machen (werden); **2.** (sich) erweitern (*a. fig.*); **3.** (sich) vertiefen (*Kluft, Zwist*); '**wide·ness** [-nis] *s.* Weite *f*, Breite *f*, Ausdehnung *f* (*a. fig.*).

'**wide**|-'**o·pen** *adj.* **1.** weitgeöffnet; **2.** *Am.* ,großzügig', lax (*Stadt etc., in der Gesetzesdurchführung*); '~-**spread** *adj.* **1.** weitausgebreitet, ausgedehnt; **2.** weitverbreitet.

widg·eon ['widʒən] *pl.* **-eons**, *coll.* **-eon** *s. orn.* Pfeifente *f.*

wid·ish ['waidiʃ] *adj.* ziemlich *od.* etwas breit.

wid·ow ['widou] *s.* Witwe *f*: ~'*s pension* Witwenrente; '**wid·owed** [-oud] *adj.* **1.** verwitwet; **2.** verwaist, verlassen; '**wid·ow·er** [-ouə] *s.* Witwer *m*; '**wid·ow·hood** [-ouhud] *s.* Witwenstand *m.*

width [widθ] *s.* **1.** Breite *f*, Weite *f*: *2 feet in* ~ 2 Fuß breit; **2.** (Stoff-, Ta'peten-, Rock)Bahn *f.*

wield [wi:ld] *v/t.* **1.** *Macht, Einfluß etc.* ausüben (*over* über *acc.*); **2.** *rhet. Werkzeug, Waffe* handhaben, führen, schwingen: *to* ~ *the pen* die Feder führen, schreiben; → *sceptre.*

wife [waif] *pl.* **wives** [waivz] *s.* **1.** (Ehe)Frau *f*, Gattin *f*: *wedded* ~ angetraute Gattin; *to take to* ~ zur Frau nehmen; **2.** Weib *n*; '**wife·hood** [-hud] *s.* Ehestand *m e-r Frau*; '**wife·like** [-laik], '**wife·ly** [-li] *adj.* fraulich, frauenhaft.

wig [wig] *s.* Pe'rücke *f*; **wigged** [wigd] *adj.* mit Perücke (versehen); **wig·ging** ['wigiŋ] *s. Brit.* F ,Anschnauzer' *m*, Standpauke *f.*

wig·gle ['wigl] **I.** *v/i.* **1.** → *wriggle 1*; **2.** wackeln, schwänzeln; **II.** *v/t.* **3.** wackeln mit.

wight [wait] *s. obs. od. humor.* Wicht *m*, Kerl *m.*

wig·wam ['wigwæm] *s.* Wigwam *m*, Indi'anerzelt *n*, -hütte *f.*

wild [waild] **I.** *adj.* □ **1.** *allg.* wild: **a)** *zo.* ungezähmt, in Freiheit lebend, gefährlich, **b)** ♀ wildwachsend, **c)** verwildert, 'wildro,mantisch, verlassen (*Land*), **d)** unzivilisiert, bar'barisch (*Volk, Stamm*), **e)** stürmisch: *a* ~ *coast*, **f)** wütend, heftig (*Sturm, Streit etc.*), **g)** irr, verstört: *a* ~ *look*, **h)** scheu (*Tier*), **i)** rasend (*with* vor *dat.*): ~ *with fear*, **j)** F wütend (*about* über *acc.*): *to drive s.o.* ~ F j-n wild machen, j-n ,auf die Palme bringen', **k)** ungezügelt (*Person, Gefühl*), **l)** unbändig: ~ *delight*, **m)** F toll, verrückt, **n)** ausschweifend, **o)** (*about*) versessen *od.* scharf (auf *acc.*), wild (nach), **p)** hirnverbrannt, unsinnig, abenteuerlich: ~ *plan*, **q)** plan-, ziellos: *a ~ guess* e-e wilde Vermutung; *a ~ shot* ein Schuß ins Blaue, **r)** wirr, wüst: *~ disorder*; **II.** *adv.* **2.** aufs Geratewohl: *to run ~* **a)** ✿ ins Kraut schießen, **b)** *fig.* verwildern; *to shoot ~* ins Blaue schießen; *to talk ~* **a)** (wild) drauflosreden, **b)** sinnloses Zeug reden; **III.** *s. rhet.* **3.** *a. pl.* Wüste *f*; **4.** *a. pl.* Wildnis *f*; **'~-boar** *s. zo.* Wildschwein *n*; **'~-cat I.** *s.* **1.** *zo.* Wildkatze *f*; **2.** *fig.* Wilde(r *m*) *f*; **3.** → *wildcatting* 2; **4.** ✝ 'Schwindelunter,nehmen *n*; **5.** ✝ wilder Streik; **II.** *adj.* **6.** ✝ **a)** unsicher, spekula'tiv, **b)** Schwindel...: *~ company*, **c)** ungesetzlich, wild: *~ strike*; **'~·cat·ting** [-kætiŋ] *s.* **1.** wildes Spekulieren; **2.** wilde *od.* spekula'tive Ölbohrung.

wil·de·beest ['wildibi:st] *s. zo.* Weißschwanzgnu *n*.

wil·der·ness ['wildənis] *s.* **1.** Wildnis *f*, Wüste *f* (*a. fig.*): *voice in the ~ bibl.* Stimme des Predigers in der Wüste; *~ of sea* Wasserwüste; *to go into the ~ pol.* aus der Regierung ausscheiden (*Partei*); **2.** wildwachsendes Gartenstück; **3.** *fig.* Masse *f*, Gewirr *n*.

'wild|-eyed *adj.* mit wildem Blick; **'~·fire** *s.* **1.** verheerendes Feuer: *to spread like ~* sich wie ein Lauffeuer verbreiten (*Nachricht etc.*); **2.** ⚔ *hist.* griechisches Feuer; **'~-fowl** *s. coll.* Wildvögel *pl.*; **'~-goose** *s.* [*irr.*] Wildgans *f*: *~ chase fig.* vergebliche Mühe, fruchtloses Unterfangen.

wild·ing ['waildiŋ] *s.* ✿ **a)** Wildling *m* (*unveredelte Pflanze*), *bsd.* Holzapfelbaum *m*, **b)** *Frucht e-r solchen Pflanze.*

wild·ness ['waildnis] *s. allg.* Wildheit *f*.

wile [wail] **I.** *s.* **1.** *mst pl.* List *f*, Trick *m*; *pl.* Kniffe *pl.*, Schliche *pl.*, Ränke *pl.*; **II.** *v/t.* **2.** verlocken, *j-n wohin* locken; **3.** → *while* 6.

wil·ful ['wilful] *adj.* □ **1.** *bsd.* ⚖ vorsätzlich; **2.** eigenwillig, -sinnig, halsstarrig; **'wil·ful·ness** [-nis] *s.* **1.** Vorsätzlichkeit *f*; **2.** Eigenwille *m*, -sinn *m*, Halsstarrigkeit *f*.

wil·i·ness ['wailinis] *s.* (Arg)List *f*, Verschlagenheit *f*, Gerissenheit *f*.

will[1] [wil] **I.** *v/aux.* [*irr.*] **1.** (*zur Bezeichnung des Futurs, Brit. mst nur 2. u. 3. sg. u. pl.*) werden: *he ~ come* er wird kommen; **2.** wollen, werden, willens sein zu: *~ you pass me the bread please?* wollen Sie mir, bitte, das Brot reichen?; *the wound would not heal* die Wunde wollte nicht heilen; **3.** (*immer, bestimmt, unbedingt*) werden (*oft a. unübersetzt*): *birds ~ sing* Vögel singen; *boys ~ be boys* Jungens sind nun einmal so; *accidents ~ happen* Unfälle wird es immer geben; *you ~ get in my light!* du mußt mir natürlich (immer) im Licht stehen!; **4.** *Erwartung, Vermutung od. Annahme*: werden: *they ~ have gone now* sie werden *od.* dürften jetzt (wohl) gegangen sein; *this ~ be your train, I suppose* das ist wohl dein Zug, das dürfte dein Zug sein; **5.** *konditional*: → *would* 2; **6.** pflegen zu (*oft unübersetzt*): *he would take a short walk every day* er pflegte täglich e-n kurzen Spaziergang zu machen; *now and then a bird would call* ab u. zu ertönte ein Vogelruf; **II.** *v/i. u. v/t.* **7.** wollen, wünschen: *as you ~!* wie du willst!; → *would 3, will*[2] *II.*

will[2] [wil] **I.** *s.* **1.** Wille *m* (*a. phls.*): **a)** Wollen *n*, **b)** Wunsch *m*, Befehl *m*, **c)** (Be)Streben *n*, **d)** Willenskraft *f*: *freedom of the ~* Willensfreiheit; *an iron ~* ein eiserner Wille; *~ to peace* Friedenswille; *~ to power* Machtwille, -streben; *at ~* nach Wunsch *od.* Belieben, ⚖ auf Widerruf; *of one's own (free) ~* aus freien Stücken; *with a ~* mit Lust u. Liebe; *to have the ~ to do s.th.* den Willen haben *od.* bestrebt sein, et. zu tun; *to have* (*od. work*) *one's ~* s-n Willen durchsetzen; → *tenancy 1*; **2.** *a. last ~ and testament* ⚖ letzter Wille, Testa'ment *n*; **II.** *v/t.* **3.** wollen, entscheiden; **4.** ernstlich *od.* fest wollen; **5.** *j-n* (durch Willenskraft) zwingen (*to do* zu tun): *to ~ o.s. (in)to* sich zwingen zu; **6.** ⚖ (letztwillig) **a)** verfügen, **b)** vermachen (*to dat.*); **III.** *v/i.* **7.** wollen.

willed [wild] *adj.* ...willig, mit e-m ... Willen: *strong-~*.

will·ful, will·ful·ness *bsd. Am.* → *wilful, wilfulness*.

wil·lies ['wiliz] *s. pl. Am. sl.* ‚Rappel' *m*, Anfall *m* (von Nervosi'tät): *it gives me the ~* es macht mich verrückt.

will·ing ['wiliŋ] *adj.* □ **1.** *pred.* gewillt, willens, bereit: *I am ~ to believe* ich glaube gern; **2.** (bereit-) willig; → *horse 1*; **3.** gern geschehen *od.* geleistet: *a ~ gift* ein gern gegebenes Geschenk; **'will·ing·ly** [-li] *adv.* bereitwillig, gern; **'will·ing·ness** [-nis] *s.* (Bereit)Willigkeit *f*, Bereitschaft *f*, Geneigtheit *f*.

wil·li·waw ['wiliwɔ:] *s. Am.* (*Art*) Wirbelwind-Bö *f*.

will-less ['willis] *adj.* **1.** willenlos; **2.** unfreiwillig.

will-o'-the-wisp ['wiləðwisp] *s.* Irrlicht *n* (*a. fig.*).

wil·low[1] ['wilou] *s.* **1.** ✿ Weide *f*: *to wear the ~ fig.* um den Geliebten trauern; **2.** F *Kricket*: Schlagholz *n*.

wil·low[2] ['wilou] *Spinnerei* **I.** *s.* Reißwolf *m*; **II.** *v/t. Baumwolle etc.* wolfen, reißen.

wil·low·y ['wiloui] *adj.* **1.** voller Weiden, weidenbestanden; **2.** *fig.* **a)** biegsam, geschmeidig, **b)** gertenschlank.

'will-pow·er *s.* Willenskraft *f*.

wil·ly-nil·ly ['wili'nili] *adv.* wohl oder übel, nolens volens.

wilt[1] [wilt] *obs. od. poet. du* willst.

wilt[2] [wilt] *v/i.* **1.** (ver)welken; **2.** welk *od.* schlaff werden; **3.** F *fig.* schlapp werden, den Mut verlieren, ‚eingehen'.

wil·y ['waili] *adj.* □ verschlagen, [listig, gerissen.]

wim·ple ['wimpl] *s.* **1.** *obs.* Kopftuch *n*; **2.** (*bsd.* Nonnen)Schleier *m*.

win [win] **I.** *v/t.* [*irr.*] **1.** *Kampf, Spiel etc., a. Sieg, Preis* gewinnen: *to ~ s.th. from* (*od. of*) *s.o.* j-m et. abgewinnen; *to ~ one's way fig.* s-n Weg machen; → *day 5, field 5*; **2.** *Reichtum, Ruhm etc.* erlangen, *Lob* ernten; zu *Ehren* gelangen; → *spur 1*; **3.** *j-m Lob etc.* einbringen, -tragen; **4.** *Liebe, Sympathie, a. e-n Freund, j-s Unterstützung* gewinnen; **5.** *a. ~ over j-n* für sich gewinnen, auf s-e Seite ziehen, *a. j-s Herz* erobern; **6.** *j-n* dazu bringen (*to do* zu tun): *to ~ s.o. round* j-n ‚rumkriegen'; **7.** *Stelle, Ziel* erreichen: *to ~ the shore*; **8.** *sein Brot, s-n Lebensunterhalt* verdienen; **9.** ⚔ *sl.* ‚organisieren'; **10.** ⚒, *min.* **a)** *Erz, Kohle* gewinnen, **b)** erschließen; **II.** *v/i.* [*irr.*] **11.** gewinnen, siegen: *to ~ hands down* F spielend gewinnen; **12.** *wohin* gelangen: *to ~ out* **a)** hinausgelangen, **b)** F Erfolg haben, sich durchsetzen; *to ~ through* **a)** durchkommen, **b)** ans Ziel gelangen (*a. fig.*), **c)** *fig.* sich durchsetzen; **III.** *s.* **13.** *bsd. sport* Sieg *m*.

wince [wins] **I.** *v/i.* (zs.-)zucken, zs.-, zu'rückfahren (*at* bei, *under* unter *dat.*); **II.** *s.* (Zs.-)Zucken *n*, Zs.-fahren *n*.

winch [wintʃ] *s.* ⊕ **1.** Winde *f*, Haspel *m*, *f*; **2.** Kurbel *f*; **3.** *Brit.* Weberbaum *m*.

wind[1] [wind; *poet. a.* waind] **I.** *s.* **1.** Wind *m*: *before the ~* vor dem *od.* im Wind; *between ~ and water* **a)** ⚓ zwischen Wind u. Wasser, **b)** in der *od.* die Magengrube, **c)** *fig.* an e-r empfindlichen Stelle; *in(to) the ~'s eye* gegen den Wind; *like the ~* wie der Wind (*schnell*); *to the four ~s* in alle (vier) Winde, in alle (Himmels)Richtungen; *under the ~* ⚓ in Lee; *to be in the ~ fig.* (heimlich) im Gange sein, in der Luft liegen; *to cast* (*od. fling, throw*) *to the ~s fig. Rat etc.* in den Wind schlagen, *Klugheit etc.* außer acht lassen; *to get (have) the ~ up sl.* ‚Manschetten' *od.* ‚Schiß' kriegen (haben); *to know how the ~ blows fig.* wissen, woher der Wind weht; *to put the ~ up s.o. sl.* j-n ins Bockshorn jagen; *to raise the ~ sl.* (das nötige) Geld auftreiben; *to sail close to the ~* **a)** ⚓ hart am Wind segeln, **b)** *fig.* mit e-m Fuß im Zuchthaus stehen, sich hart an der Grenze des Erlaubten bewegen; *to sow the ~ and reap the whirlwind* Wind säen u. Sturm ernten; *to have* (*od. take*) *the ~ of* **a)** *e-m Schiff* den Wind abgewinnen, **b)** *fig.* e-n Vorteil *od.* die Oberhand haben über (*acc.*); *to take the ~ out of s.o.'s sails fig.* j-m den Wind aus den Segeln nehmen; *~ and weather permitting* bei gutem Wetter; → *ill 4*; **2. a)** (*Gebläse- etc.*)Wind *m*, **b)** Luft *f in e-m Reifen etc.*; **3.** ⚕ (Darm)Wind(e *pl.*) *m*, Blähung(en *pl.*) *f*; **4.** ♪ *the ~ coll.* die Blasinstrumente *pl.*, *a.* die Bläser *pl.*; **5.** *hunt.* Wind *m*, Witterung *f* (*a. fig.*): *to get ~ of* **a)** wittern, **b)** *fig.* Wind bekommen von; **6.** Atem *m*: *to have a good ~* e-e gute Lunge haben; *to have a long ~* e-n langen Atem haben (*a. fig.*); *to get one's second ~* den toten Punkt überwunden haben, wieder zu Atem kommen; *sound in ~ and limb* kerngesund; *to have lost one's ~* außer Atem sein; **7.** *sl. Boxen*: Magengrube *f*; **8.** Wind *m*, leeres Geschwätz; **II.** *v/t.* **9.** *hunt.* wittern; **10.** *pass.* außer Atem bringen, erschöpfen: *to be ~ed* außer Atem *od.*

erschöpft sein; **11.** verschnaufen lassen.

wind² [waind] **I.** *s.* **1.** Windung *f*, Biegung *f*; **2.** Um'drehung *f*; **II.** *v/t.* [*irr.*] **3.** winden, wickeln, schlingen (*round* um *acc.*): *to* ~ *off* (*on to*) *a reel et.* ab- (auf)spulen; **4.** *oft* ~ *up* **a)** auf-, hochwinden, **b)** *Garn etc.* aufwickeln, -spulen, **c)** *Uhr etc.* aufziehen, **d)** *Saite etc.* spannen; **5. a)** *Kurbel* drehen, **b)** kurbeln; **6.** ⚓ *Schiff* wenden; **7.** (sich) *wohin* schlängeln: *to* ~ *o.s.* (*od. one's way*) *into s.o.'s affection fig.* sich j-s Zuneigung erschleichen; **III.** *v/i.* [*irr.*] **8.** sich winden *od.* schlängeln (*a. Straße etc.*); **9.** sich winden *od.* wikkeln *od.* schlingen (*round* um *acc.*); ~ **off** *v/t.* abwickeln, -spulen; ~ **up I.** *v/t.* **1.** → *wind²* 4; **2.** *fig.* anspannen, erregen, (hin'ein)steigern; **3.** *bsd. Rede* (ab)schließen; **4.** ✝ **a)** *Geschäft* abwickeln, **b)** *Unternehmen* auflösen, liquidieren; **II.** *v/i.* **5.** (*bsd.* s-e Rede) schließen (*by saying* mit den Worten); **6.** *Am.* F *wo* enden, ‚landen': *he'll* ~ *in prison*; **7.** ✝ Kon'kurs machen.

wind³ [waind] *v/t.* [*mst irr.*] **1.** *Horn etc.* blasen; **2.** *Hornsignal etc.* ertönen lassen.

wind·age ['windidʒ] *s.* **1.** ⚔ Spielraum *m e-s Geschosses im Rohr*; **2.** *Ballistik*: **a)** Windeinfluß *m*, **b)** Ablenkung *f e-s Geschosses*, **c)** Windvorhalt *m*.

wind·bag ['windbæg] *s.* F *contp.* Schwätzer *m*, ‚Windmacher' *m*.

'wind|-bound [wind] *adj.* ⚓ durch widrigen Wind am Ausfahren gehindert; **'~-break** *s.* Windschutz *m* (*Hecke etc.*); **'~-bro·ken** *adj. vet.* kurzatmig (*Pferd*); **'~-cone** *s.* ✈, *phys.* Luftsack *m*.

wind·ed ['windid] *adj.* **1.** außer Atem, erschöpft; **2.** *in Zssgn* ...atmig: *short-*~.

'wind-egg [wind] *s.* Windei *n*.

wind·er ['waində] *s.* **1.** Spuler(in), Haspler(in); **2.** ⊕ Winde *f*, Haspel *m, f*; **3.** ⚘ Schlingpflanze *f*; **4.** Schlüssel *m* (*zum Aufziehen*), Kurbel *f*.

wind|·fall ['windfɔːl] *s.* **1.** Fallobst *n*; **2.** *Forstwirtschaft*: Windschlag *m*; **3.** *fig.* (unverhoffter) Glücksfall *od.* Gewinn; **'~·fall·en** [-lən] *adj.* vom Wind gestürzt, windbrüchig.

'wind|-flow·er [wind] *s.* ⚘ Ane'mone *f*; ~ **force** *s.* Windstärke *f*: ~ 9; **'~-ga(u)ge** *s.* Wind(stärke-, -geschwindigkeits)messer *m*, Anemo'meter *n*.

wind·i·ness ['windinis] *s.* **1.** Windigkeit *f*; **2.** *fig.* Aufgeblasenheit *f*, Hohlheit *f*.

wind·ing ['waindiŋ] **I.** *s.* **1.** Winden *n*; **2.** (Ein-, Auf)Wickeln *n*, (Um-) 'Wickeln *n*; **3.** Windung *f*, Biegung *f*; **4.** Um'wick(e)lung *f*; **5.** ⚡ Wicklung *f*; **II.** *adj.* □ **6.** gewunden: **a)** sich windend *od.* schlängelnd, **b)** Wendel...(*-treppe*): ~ *staircase*, ~ *stairs*; **7.** krumm, schief (*a. fig.*); **'~-en·gine** *s.* ⊕ Dampfwinde *f*, Förderwelle *f*; **'~-sheet** *s.* Leichentuch *n*; **'~-tack·le** *s.* ⚓ Gien *n* (*Flaschenzug*); **'~-'up** *s.* **1.** Aufziehen *n* (*Uhr etc.*): ~ *mechanism* Aufziehwerk; **2.** Abwicklung *f*, Abschluß *m*, Ende *n*; **3.** ✝ Liquida'tion *f*, Auflösung *f*, Abwicklung *f*: ~ *sale* Ausverkauf.

'wind|-in·stru·ment [wind] *s.* ♪ 'Blasinstru͵ment *n*; **'~-jam·mer** [-dʒæmə] *s.* **1.** ⚓ F Windjammer *m* (*Schiff*); **2.** *Am. sl.* ‚Windmacher' *m* (*Schwätzer*).

wind·lass ['windləs] *s.* **1.** ⊕ Winde *f*; **2.** ⚒ Förderhaspel *f*; **3.** ⚓ Ankerspill *n*.

wind·less ['windlis] *adj.* windstill.

wind·mill ['winmil] *s.* Windmühle *f*: *to tilt at* (*od. fight*) ~*s fig.* gegen Windmühlen kämpfen; *to throw one's cap over the* ~ Luftschlösser bauen; ~ **plane** *s.* ✈ Windmühlenflugzeug *n*.

win·dow ['windou] *s.* **1.** Fenster *n* (*a.* ⊕, *geol.*; *a. im Briefumschlag*): *to look out of* (*od. at*) *the* ~ zum Fenster hinaussehen; **2.** Fensterscheibe *f*; **3.** Schaufenster *n*, Auslage *f*; **4.** (Bank- *etc.*)Schalter *m*; **5.** ⚔ *Radar*: 'Stör͵folie *f*.

'win·dow|-box ['windou] *s.* Blumenkasten *m*; **'~-dis·play** *s.* 'Schaufenster͵auslage *f*, -re͵klame *f*; **'~-dress·er** *s.* 'Schaufensterdekora͵teur *m*; **'~-dress·ing** *s.* **1.** 'Schaufensterdekorati͵on *f*; **2.** *fig.* Aufmachung *f*, Mache *f*; **3.** ✝ Bi'lanzverschleierung *f*, ‚Frisieren' *n*.

win·dowed ['windoud] *adj.* mit Fenster(n) (versehen).

win·dow| en·ve·lope ['windou] *s.* 'Fenster͵brief͵umschlag *m*; **'~-frame** *s.* Fensterrahmen *m*; **'~-gar·den·ing** *s.* Blumenzucht *f* am Fenster; ~ **jam·ming** *s.* ⚔ *Radar*: 'Folienstörung *f*; **'~-ledge** *s.* Fenstersims *m, n*; **'~-pane** *s.* Fensterscheibe *f*; **'~-screen** *s.* **1.** Fliegenfenster *n*; **2.** Zierfüllung *f* e-s Fensters (*aus Buntglas, Gitter etc.*); **'~-seat** *s.* Fensterplatz *m*; **'~-shade** *s. Am.* Rou'leau *n*, Jalou'sie *f*; **'~-shop·per** *s.* j-d der e-n Schaufensterbummel macht; **'~-shop·ping** *s.* Schaufensterbummel *m*: *to go* ~ e-n Schaufensterbummel machen; **'~-shut·ter** *s.* Fensterladen *m*; **'~-sill** *s.* Fensterbrett *n*, -bank *f*.

wind·pipe ['windpaip] *s. anat.* Luftröhre *f*.

'wind|-screen [wind] *s. mot.* Windschutzscheibe *f*: ~ *wiper* Scheibenwischer; **'~-shield** *Am.* → *windscreen*; **'~-swept** *adj.* **1.** vom Wind gepeitscht; **2.** *fig.* Windstoß... (*-frisur*); **'~-tun·nel** *s.* ✈, *phys.* 'Windka͵nal *m*; **'~-up** [waind] *s. Am.* **1.** → *winding-up* 2; **2.** Schluß *m*, Ende *n*.

wind·ward ['windwəd] **I.** *adv.* wind-, luvwärts; **II.** *adj.* windwärts, Luv..., Wind...; **III.** *s.* Windseite *f*, Luv(seite) *f*.

wind·y ['windi] *adj.* □ **1.** windig: **a)** stürmisch (*Wetter*), **b)** zugig (*Ort*); **2.** *fig.* windig, hohl, leer; **3.** *fig.* geschwätzig; **4.** ⚕ blähend; **5.** *sl.* ner'vös, ängstlich.

wine [wain] *s.* **1.** Wein *m*: *new* ~ *in old bottles bibl.* junger Wein in alten Schläuchen (*a. fig.*); **2.** *Brit. univ.* Weinabend *m*; **'~-bib·ber** [-bibə] *s.* Weinsäufer *m*; **'~-bot·tle** *s.* Weinflasche *f*; **'~-cask** *s.* Weinfaß *n*; **'~-cool·er** *s.* Weinkühler *m*; **'~-glass** *s.* Weinglas *n*; **'~-grow·er** *s.* Weinbauer *m*; **'~-mer·chant** *s.* Weinhändler *m*; **'~-press** *s.* Weinpresse *f*, -kelter *f*.

win·er·y ['wainəri] *s.* Weinkelle'rei *f*.

'wine|-skin *s.* Weinschlauch *m*; **'~-stone** *s.* ⚗ Weinstein *m*; **'~-tast·er** *s.* Weinprüfer *m*; **'~-vault** *s.* Weinkeller *m* (*a. Schenke*).

wing [wiŋ] **I.** *s.* **1.** *orn.* Flügel *m* (*a.* ⚘, *zo.*, *a.* ⊕, ⚠, *a. pol.*); *rhet.* Schwinge *f*, Fittich *m* (*a. fig.*): *on the* ~ **a)** im Fluge, **b)** *fig.* auf Reisen; *on the* ~*s of the wind* mit Windeseile; *under s.o.'s* ~*s fig.* unter j-s Fittichen *od.* Schutz; *to clip s.o.'s* ~*s* j-m die Flügel stutzen; *to lend* ~*s to et.* beflügeln; *to singe one's* ~*s* ‚sich die Finger verbrennen'; *to take* ~ **a)** aufsteigen, davonfliegen, **b)** aufbrechen, **c)** *fig.* beflügelt werden; **2.** Federfahne *f* (*Pfeil*); **3.** *humor.* Arm *m*; **4.** (Tür-, Fenster- *etc.*)Flügel *m*; **5.** *mst pl. thea.* ('Seiten)Ku͵lisse *f*; **6.** ✈ Tragfläche *f*; **7.** *mot.* Kotflügel *m*; **8.** ⚔, ⚓, *sport* Flügel *m* (*Aufstellung*); **9.** ✈ **a)** *brit. Luftwaffe*: Gruppe *f*, **b)** *amer. Luftwaffe*: Geschwader *n*, **c)** *pl.* F ‚Schwinge' *f* (*Pilotenabzeichen*); **10.** *sport* Außenstürmer *m*, Flügelmann *m*; **II.** *v/t.* **11.** mit Flügeln *etc.* versehen; **12.** *fig.* beflügeln (*beschleunigen*); **13.** *Strecke* (durch)'fliegen; **14. a)** *Vogel* anschießen, flügeln, **b)** F *j-n* (*bsd.* am Arm) verwunden; **III.** *v/i.* **15.** fliegen; ~ **as·sem·bly** *s.* ✈ Tragwerk *n*; **'~-beat** *s.* Flügelschlag *m*; **'~-case** *s. zo.* Flügeldecke *f*; **'~-chair** *s.* Ohrensessel *m*; **'~-com·mand·er** *s.* ✈, ⚔ **1.** *Brit.* Oberst'leutnant *m* der Luftwaffe; **2.** *Am.* Ge'schwaderkommo͵dore *m*; **'~-cov·ert** *s. zo.* Deckfeder *f*.

winged [wiŋd] *adj.* □ **1.** *orn.*, *a.* ⚘ geflügelt; Flügel...; *in Zssgn* ...flügelig: *the* ~ *horse fig.* der Pegasus; ~ *screw* ⊕ Flügelschraube; ~ *words fig.* geflügelte Worte; **2.** *fig.* beflügelt, schnell.

wing·er ['wiŋə] *s. sport* Außen-, Flügelstürmer *m*.

wing| feath·er *s. orn.* Schwungfeder *f*; **'~-heav·y** *adj.* ✈ querlastig; ~ **nut** *s.* ⊕ Flügelmutter *f*; **'~-o·ver** *s.* ✈ Immelmann-Turn *m*; **'~-sheath** → *wing-case*; **'~-spread** *s.* (*orn.* Flügel-, ✈ Tragflächen-) Spannweite *f*; **'~-stroke** → *wing-beat*.

wink [wiŋk] **I.** *v/i.* **1.** blinzeln, zwinkern: *to* ~ *at* **a)** *j-m* zublinzeln, **b)** ein Auge zudrücken bei *et.*, *et.* ignorieren; *as easy as* ~*ing Brit. sl.* kinderleicht; *like* ~*ing sl.* wie der Blitz; **2.** blinken, flimmern (*Licht*); **II.** *v/t.* **3.** mit *den Augen* blinzeln *od.* zwinkern; **III.** *s.* **4.** Blinzeln *n*, Zwinkern *n*, Wink *m* (*mit den Augen*): *forty* ~*s* Nickerchen; *not to sleep a* ~, *not to get a* ~ *of sleep* kein Auge zutun; *to tip s.o. the* ~ j-m e-n Wink (mit den Augen) geben; *in a* ~ im Nu.

win·kle ['wiŋkl] **I.** *s. zo.* (eßbare) Strandschnecke; **II.** *v/t.* ~ *out* **a)** her'ausziehen, -polken, **b)** *j-n* aussieben, -sondern, eliminieren.

win·ner ['winə] *s.* Gewinner(in), *sport a.* Sieger(in).
win·ning ['winiŋ] **I.** *adj.* □ **1.** *bsd. sport* gewinnend, siegreich, Sieger...; **2.** entscheidend: ~ *hit*; **3.** *fig.* gewinnend, einnehmend; **II.** *s.* **4.** ⚒ Abbau *m*, Gewinnung *f*; **5.** *pl.* Gewinn *m* (*bsd. im Spiel*); **6.** Gewinnen *n*, Sieg *m*; '**~-post** *s. sport* Ziel *n*.
win·now ['winou] **I.** *v/t.* **1. a)** *Getreide* schwingen, worfeln, **b)** *Spreu* scheiden, trennen (*from* von); **2.** *fig.* sichten, sondern; **3.** *fig.* trennen, (unter)'scheiden (*from* von); **II.** *s.* **4.** Wanne *f*, Futterschwinge *f*; '**win·now·ing** [-ouiŋ] *s.* Worfeln *n*, Schwingen *n*: *~-fan* Kornschwinge; *~-machine* Worfelmaschine.
win·some ['winsəm] *adj.* □ **1.** gewinnend: ~ *smile*; **2.** (lieb)reizend: ~ *girl*.
win·ter ['wintə] **I.** *s.* **1.** Winter *m*; **2.** *poet.* Jahr *n*: *a man of fifty ~s*; **II.** *v/i.* **3.** (*a. v/t. Tiere, Pflanzen*) über'wintern; **III.** *adj.* **4.** winterlich; Winter...: ~ *garden* Wintergarten; ~ *sleep* Winterschlaf; ~ *sports* Wintersport; '**~-crop** *s.* ✓ Winterfrucht *f*.
win·ter·ize ['wintəraiz] *v/t.* auf den Winter vorbereiten, *bsd.* ⊕ winterfest machen.
win·tri·ness ['wintrinis] *s.* Kälte *f*, Frostigkeit *f*; **win·try** ['wintri] *adj.* **1.** winterlich, frostig; **2.** *fig.* frostig: ~ *smile*.
wipe [waip] **I.** *s.* **1.** (Ab)Wischen *n*: *to give s.th. a* ~ et. abwischen; **2.** *sl.* ,Wischer' *m*: **a)** Hieb *m*, **b)** *fig.* Seitenhieb *m*; **II.** *v/t.* **3.** (ab-, sauber-, trocken)wischen, abreiben, reinigen: *to ~ s.o.'s eye (for him) sl.* j-n ausstechen; *to ~ one's lips* sich den Mund wischen; → *floor 1*; **~ off** *v/t.* **1.** ab-, wegwischen; **2.** *fig.* bereinigen, auslöschen; *Rechnung* begleichen: *to wipe s.th. off the slate* et. begraben *od.* vergessen; **~ out** *v/t.* **1.** *Krug etc.* auswischen; **2.** wegwischen, (aus)löschen, tilgen (*a. fig.*): *to ~ a disgrace* e-n Schandfleck tilgen, e-e Scharte auswetzen; **3.** *Armee, Stadt etc.* vernichten, ,ausradieren'; *Rasse etc.* ausrotten; **~ up** *v/t.* aufwischen.
wip·er ['waipə] *s.* **1.** Wischer *m* (*Person od. Vorrichtung*); **2.** Wischtuch *n*; **3.** ⊕ **a)** Hebedaumen *m*, **b)** Abstreifring *m*, **c)** ⚡ Kon'takt-, Schleifarm *m*.
wire ['waiə] **I.** *s.* **1.** Draht *m*; **2.** ⚡ Leitung(sdraht *m*) *f*; → *live² 3*; **3.** ⚡ (Kabel)Ader *f*; **4.** F Tele'gramm *n*: *by* ~ telegraphisch; **5.** *pl.* Drähte *pl. e-s Marionettenspiels*, *fig.* geheime Fäden *pl.*, Beziehungen *pl.*: *to pull the ~s* **a)** der Drahtzieher sein, **b)** s-e Beziehungen spielen lassen; **6.** *opt.* Faden *m im Okular*; **II.** *adj.* **7.** Draht...; **III.** *v/t.* **8.** mit Draht(geflecht) versehen; **9.** mit Draht zs.-binden *od.* befestigen; **10.** ⚡ Leitungen legen in, (be-)schalten, verdrahten: *to ~ to* anschließen an (*acc.*); **11.** *e-e Nachricht od. j-m* telegraphieren; **12.** *hunt.* mit Drahtschlingen fangen; **IV.** *v/i.* **13.** telegraphieren, drahten: *to ~ in sl.* loslegen, sich ,reinknien'; '**~-cloth** → *wire gauze*; '**~-cut·ter** *s.* ⊕ Drahtschere *f*; '**~-draw** *v/t.* [*irr.* → *draw*] **1.** ⊕ *Metall* drahtziehen; **2.** *fig.* **a)** in die Länge ziehen, **b)** *Argument* über'spitzen; '**~-drawn** *adj. fig.* spitzfindig; **~ en·tan·gle·ment** *s.* ⚔ Drahtverhau *m*; '**~-ga(u)ge** *s.* ⊕ Drahtlehre *f*; **~ gauze** *s.* ⊕ Drahtgaze *f*, -gewebe *n*, -netz *n*; '**~-haired** *adj. zo.* Drahthaar...: ~ *terrier*.
wire·less ['waiəlis] ⚡ **I.** *adj.* **1.** drahtlos, Funk...: ~ *control* Fernlenkung; ~ *message* Funkspruch; **2.** *bsd. Brit.* Radio..., Rundfunk...: ~ *set* → *3*; **II.** *s.* **3.** *bsd. Brit.* 'Radio(appa,rat *m*) *n*: *on the* ~ im Radio *od.* Rundfunk; **4.** *abbr. für* ~ *telegraphy*, ~ *telephony etc.*; **III.** *v/t. bsd. Brit.* **5.** *Nachricht etc.* funken; **~ car** *s. Brit.* Funkstreifenwagen *m*; **~ op·er·a·tor** *s.* ✈ (Bord)Funker *m*; **~ pi·rate** *s.* Schwarzhörer *m*; **~ (re·ceiv·ing) set** *s.* (Funk)Empfänger *m*; **~ sta·tion** *s.* (*a.* 'Rund),Funkstati,on *f*; **~ te·leg·ra·phy** *s.* drahtlose Telegra'phie, 'Funktelegra,phie *f*; **~ te·leph·o·ny** *s.* drahtlose Telephonie, Sprechfunk *m*; **~ trans·mit·ter** *s.* (Funk)Sender *m*.
'**wire|-man** [-mən] *s.* [*irr.*] ⊕ Tele'graphen-, Tele'phonarbeiter *m*; **~ net·ting** *s.* ⊕ **1.** Drahtnetz *n*; **2.** *pl.* Maschendraht *m*; '**~-pho·to** *s.* 'Bildtele,gramm *n*; '**~-pull·er** *s.* *fig.* ,Drahtzieher' *m*; '**~-pull·ing** *s.* *bsd. pol.* ,Drahtziehe'rei' *f*, Manipulati'onen *pl.*; **~ rod** *s.* ⊕ Walz-, Stabdraht *m*; **~ rope** *s.* Drahtseil *n*; **~ rope·way** *s.* Drahtseilbahn *f*; **~ tap·ping** *s.* Abhören *n*, Anzapfen *n* von Tele'phonleitungen; '**~-walk·er** *s.* 'Drahtseilakro,bat(in), Seiltänzer (-in); '**~-worm** *s. zo.* Drahtwurm *m*; '**~-wove** *adj.* **1.** Velin...(*-papier*); **2.** aus Draht geflochten.
wir·ing ['waiəriŋ] *s.* **1.** Verdrahtung *f* (*a.* ⚡); ✈ Verspannung *f*; **2.** ⚡ (Be)Schaltung *f*, Leitungsnetz *n*: ~ *diagram* Schaltplan, -schema.
wir·y ['waiəri] *adj.* □ **1.** Draht...; **2.** drahtig (*Haar, Muskeln, Person etc.*); **3.** surrend (*Ton*).
wis·dom ['wizdəm] *s.* Weisheit *f*, Klugheit *f*; '**~-tooth** *s.* [*irr.*] Weisheitszahn *m*.
wise¹ [waiz] **I.** *adj.* □ → *wisely*; **1.** weise, klug, erfahren, einsichtig; **2.** gescheit, verständig; **3.** wissend, unter'richtet: *to be none the ~r (for it)* nicht klüger sein als zuvor; *without anybody being the ~r for it* ohne daß es j-d gemerkt hätte; *~r after the event* um e-e Erfahrung klüger; *to be ~ to Am. sl.* Bescheid wissen über (*acc.*); *to get ~ to Am. sl. et.* ,spitzkriegen'; *to put s.o. ~ to Am. sl.* j-m *et.* ,stecken'; **4.** schlau, gerissen; **5.** *Am. sl.* neunmalklug: ~ *guy* ,Klugscheißer'; **6.** *obs.* ~ *man* Zauberer; ~ *woman* **a)** Hexe, **b)** Wahrsagerin, **c)** weise Frau (*Hebamme*); **II.** *v/t.* **7.** ~ *up Am. sl. j-n* informieren; **III.** *v/i.* **8.** ~ *up Am. sl.* ,schlau' werden.
wise² [waiz] *s. obs.* Art *f*, Weise *f*: *in any* ~ auf irgendeine Weise; *in no* ~ in keiner Weise, keineswegs; *in this* ~ auf diese Art u. Weise.
-wise [waiz] *in Zssgn* **a)** ...artig, nach Art von, **b)** ...weise, **c)** F ...mäßig.
'**wise|·a·cre** [-eikə] *s.* Neunmalkluge(r) *m*, Besserwisser *m*; '**~-crack** *sl.* **I.** *s.* witzige *od.* treffende Bemerkung; Witze'lei *f*; **II.** *v/i.* witzeln, ,flachsen'; '**~-crack·er** *s. sl.* Witzbold *m*.
wise·ly ['waizli] *adv.* klug, kluger-, vernünftigerweise; (wohl)weislich.
wish [wiʃ] **I.** *v/t.* **1.** (sich) wünschen; **2.** wollen, wünschen: *I ~ I were rich* ich wollte, ich wäre reich; *I ~ you to come* ich möchte, daß du kommst; *to ~ s.o. further (od. at the devil)* j-n zum Teufel wünschen; *to ~ o.s. home* sich nach Hause sehnen; **3.** hoffen: *I ~ it may prove true*; *it is to be ~ed* es ist zu hoffen *od.* wünschen; **4.** *j-m Glück, Spaß etc.* wünschen: *to ~ s.o. well (ill)* j-m wohl- (übel-) wollen; *to ~ s.th. on s.o.* j-m et. (*Böses*) wünschen; → *joy 1*; **5.** *j-m guten Morgen etc.* wünschen; *j-m Adieu etc.* sagen: *to ~ s.o. farewell*; **II.** *v/i.* **6.** wünschen: *to ~ for* sich *et.* wünschen, sich sehnen nach; *he cannot ~ for anything better* er kann sich nichts Besseres wünschen; **III.** *s.* **7.** Wunsch *m*: **a)** Verlangen *n* (*for* nach), **b)** Bitte *f* (*for* um *acc.*), **c)** *das* Gewünschte: *you shall have your* ~ du sollst haben, was du dir wünschst; → *father 5*; **8.** *pl. gute* Wünsche *pl.*, Glückwünsche *pl.*: *good ~es*; '**~-bone** *s.* **1.** *orn.* Brust-, Gabelbein *n*; **2.** *mot.* Dreiecklenker *m*: ~ *suspension* Schwingarmfederung.
wish·ful ['wiʃful] *adj.* □ **1.** vom Wunsch erfüllt, begierig (*to do* zu tun); **2.** sehnsüchtig: ~ *thinking* Wunschdenken.
'**wish·ing|-bone** ['wiʃiŋ] → *wishbone 1*; '**~-cap** *s.* Zauber-, Wunschkappe *f*.
wish-wash ['wiʃwɔʃ] *s.* **1.** labberiges Zeug (*Getränk*; *a. fig. Geschreibsel*); **2.** *fig.* Geschwätz *n*.
wish·y-wash·y ['wiʃiwɔʃi] *adj.* labberig: **a)** wäßrig, **b)** *fig.* saft- u. kraftlos, seicht.
wisp [wisp] *s.* **1.** (*Stroh- etc.*)Wisch *m*, (*Heu-, Haar*)Büschel *n*; (*Haar-*)Strähne *f*; **2.** Handfeger *m*; **3.** Strich *m*, Zug *m* (*Vögel*); **4.** Fetzen *m*, Streifen *m*: ~ *of paper* Fidibus; ~ *of smoke* Rauchfetzen; *a ~ of a woman* ein schmächtiges Frauchen; '**wisp·y** [-pi] *adj.* **1.** wuschelig, büschelig (*Haar etc.*); **2.** dünn, schmächtig.
wist·ful ['wistful] *adj.* □ **1.** sehnsüchtig, wehmütig; **2.** nachdenklich, versonnen; '**wist·ful·ness** [-nis] *s.* **1.** Sehnsucht *f*, Wehmut *f*; **2.** Nachdenklichkeit *f*.
wit¹ [wit] *s.* **1.** *oft pl.* geistige Fähigkeiten *pl.*, Intelli'genz *f*; **2.** *oft pl.* Verstand *m*: *to be at one's ~s' end* mit s-r Weisheit zu Ende sein, sich nicht mehr zu helfen wissen; *to have one's ~s about one* s-e fünf Sinne *od.* s-n Verstand beisammen haben; *to keep one's ~s about one* e-n klaren Kopf behalten; *to live by one's ~s* sich (mehr oder weniger ehrlich) durchs Leben schlagen; *out of one's ~s* von Sinnen, verrückt; *to frighten s.o. out of his ~s* j-n zu

Tode erschrecken; **3.** Witz *m*, Geist *m*, Es'prit *m*; **4.** witziger Kopf, geistreicher Mensch; **5.** Witz *m*, witziger Einfall.

wit² [wit] *v/t. u. v/i.* [*irr.*] *obs.* wissen: *to* ~ *bsd.* ⚖ das heißt, nämlich.

witch [witʃ] **I.** *s.* **1.** Hexe *f*, Zauberin *f*: ~*es' sabbath* Hexensabbat; **2.** *fig.* alte Hexe; **3.** F betörendes Wesen (*Frau*); **II.** *v/t.* **4.** be-, verhexen; '**~·craft** *s.* **1.** Hexe'rei *f*, Zaube'rei *f*; **2.** Zauber(kraft *f*) *m*; '**~-doc·tor** *s.* Medi'zinmann *m*.

witch·er·y ['witʃəri] *s.* **1.** → *witchcraft*; **2.** *fig.* Zauber *m*.

'**witch-hunt** *s. bsd. pol.* Hexenjagd *f* (*for, against* auf *acc.*).

witch·ing ['witʃiŋ] *adj.* □ **1.** Hexen...: ~ *hour* Geisterstunde; **2.** → *bewitching*.

wit·e·na·ge·mot ['witinəgi'mout] *s. hist. gesetzgebende Versammlung im Angelsachsenreich.*

with [wið] *prp.* **1.** mit (*vermittels*): *to cut* ~ *a knife*; *to fill* ~ *water*; **2.** (zs.) mit: *he went* ~ *his friends*; **3.** nebst, samt: ~ *all expenses*; **4.** mit (*besitzend*): *a coat* ~ *three pockets*; ~ *no hat* ohne Hut; **5.** mit (*Art u. Weise*): ~ *care*; ~ *a smile*; ~ *the door open* bei offener Tür; **6.** in Über'einstimmung mit: *I am quite* ~ *you* ich bin ganz Ihrer Ansicht *od.* ganz auf Ihrer Seite; *blue does not go* ~ *green* blau paßt nicht zu grün; **7.** mit (*in derselben Weise, im gleichen Grad, zur selben Zeit*): *the sun changes* ~ *the seasons*; *to rise* ~ *the sun*; **8.** bei: *to sit* (*sleep*) ~ *s.o.*; *to work* ~ *a firm*; *I have no money* ~ *me*; **9.** (*kausal*) durch, vor (*dat.*), von, an (*dat.*): *to die* ~ *cancer* an Krebs sterben; *stiff* ~ *cold* steif vor Kälte; *wet* ~ *tears* von Tränen naß, tränennaß; *to tremble* ~ *fear* vor Furcht zittern; **10.** bei, für: ~ *God all things are possible* bei Gott ist kein Ding unmöglich; **11.** gegen, mit: *to fight* ~; **12.** bei, auf seiten (von): *it rests* ~ *you to decide* die Entscheidung liegt bei dir; **13.** trotz, bei: ~ *all her brains* bei all ihrer Klugheit; **14.** angesichts; in Anbetracht der Tatsache, daß: *you can't leave* ~ *your mother so ill* du kannst nicht weggehen, wenn deine Mutter so krank ist; **15.** ~ *it sl.* **a)** ‚auf Draht', ‚schwer auf der Höhe', **b)** modebewußt: *get* ~ *it!* mach mit!, sei kein Frosch!

with·al [wi'ðɔ:l] *obs.* **I.** *adv.* außerdem, 'oben'drein, da'bei; **II.** *prp.* (*nachgestellt*) mit.

with·draw [wið'drɔ:] [*irr.* → *draw*] **I.** *v/t.* **1.** (*from*) zu'rückziehen, -nehmen (von, aus): **a)** wegnehmen, entfernen (von, aus), *Schlüssel etc.*, *a.* ⚔ *Truppen* abziehen, her'ausziehen (aus), **b)** entziehen (*dat.*), **c)** einziehen, **d)** *fig. Auftrag, Aussage etc.* wider'rufen: *to* ~ *a motion* e-n Antrag zurückziehen; **2.** † **a)** *Geld* abheben, *a. Kapital* entnehmen, **b)** *Kredit* kündigen; **II.** *v/i.* **3.** (*from*) sich zu'rückziehen (von, aus): **a)** sich entfernen, **b)** zu'rückgehen, ⚔ *a.* sich absetzen, **c)** zu'rücktreten (von *e-m Posten, Vertrag*), **d)** austreten (aus *e-r Gesellschaft*), **e)** *fig.* sich distanzieren (von *j-m*, *e-r Sache*): *to* ~ *within o.s. fig.* sich in sich selbst zurückziehen; **with'draw·al** [-ɔ:əl] *s.* **1.** Zu'rückziehung *f*, -nahme *f* (*a. fig. Widerrufung*) (*a.* ⚔ *von Truppen*): ~ (*from circulation*) Einziehung, Außerkurssetzung; **2.** † (Geld)Abhebung *f*, Entnahme *f*; **3.** *bsd.* ⚔ Ab-, Rückzug *m*; **4.** (*from*) Rücktritt *m* (von *e-m Amt, Vertrag etc.*), Ausscheiden *n* (aus); **5.** ⚕ Entzug *m*, Entziehung *f*: ~ *cure*.

withe [wiθ] *s.* Weidenrute *f*.

with·er ['wiðə] **I.** *v/i.* **1.** *oft* ~ *up* (ver)welken, verdorren, austrocknen; **2.** vergehen (*Schönheit etc.*); **3.** *oft* ~ *away fig.* schwinden (*Hoffnung etc.*); **II.** *v/t.* **4.** welk machen; ausdörren, -trocknen; **5.** *fig. j-n mit e-m Blick etc., a. j-s Ruf* vernichten; '**with·er·ing** ['wiðəriŋ] *adj.* □ **1.** ausdörrend; **2.** *fig.* vernichtend: *a* ~ *look* (*remark*).

with·ers ['wiðəz] *s. pl. zo.* 'Widerrist *m* (*Pferd etc.*): *my* ~ *are unwrung fig.* das trifft mich nicht.

with·er·shins ['wiðəʃinz] *adv. Scot.* dem Uhrzeigersinn *od.* dem (scheinbaren) Sonnenlauf entgegengesetzt.

with'hold *v/t.* [*irr.* → *hold²*] **1.** zu'rück-, abhalten (*s.o. from* j-n von *et.*): *to* ~ *o.s. from s.th.* sich e-r Sache enthalten; **2.** vorenthalten, versagen (*s.th. from s.o.* j-m et.).

with·in [wi'ðin] **I.** *prp.* **1. a)** innerhalb von (*od. gen.*), in (*dat.*) (*beide a. zeitlich binnen*), **b)** innerhalb des Hauses: ~ *doors* im Hause, drinnen, ins Haus, hinein; ~ *3 hours* binnen *od.* in nicht mehr als 3 Stunden; ~ *a week of his arrival* e-e Woche nach *od.* vor s-r Ankunft; **2.** im *od.* in den Bereich von: ~ *call* (*hearing, reach, sight*) in Ruf- (Hör-, Reich-, Sicht)weite; ~ *the meaning of the Act* im Rahmen des Gesetzes; ~ *the law* nicht illegal; ~ *my powers* **a)** im Rahmen m-r Befugnisse, **b)** soweit es in m-n Kräften steht; ~ *o.s. sport* ohne sich zu verausgaben (*laufen etc.*); *to live* ~ *one's income* nicht über s-e Verhältnisse leben; **3.** im 'Umkreis von, nicht weiter (entfernt) als: ~ *a mile of* bis auf e-e Meile von; → *ace 3*; **II.** *adv.* **4.** (dr)innen, drin, im Innern: ~ *and without* innen u. außen; *from* ~ von innen; **5.** im *od.* zu Hause, drinnen; **6.** *fig.* innerlich, im Innern; **7.** hin'ein, ins Haus: *let's go* ~ laßt uns hineingehen; **III.** *s.* **8.** *das* Innere.

with·out [wi'ðaut] **I.** *prp.* **1.** ohne (*doing* zu tun): ~ *difficulty*; ~ *his finding me* ohne daß er mich fand *od.* findet; ~ *doubt* zweifellos; ~ *end* endlos; ~ *number* zahllos, sonder Zahl; → *do without, go without*; **2.** außerhalb, jenseits, vor (*dat.*); **II.** *adv.* **3.** (dr)außen, äußerlich; **4.** ohne: *to go* ~ leer ausgehen; **III.** *s.* **5.** *das* Äußere: *from* ~ von außen; **IV.** *cj.* **6.** *obs. od.* F **a)** wenn nicht, außer wenn, **b)** ohne daß.

with'stand [*irr.* → *stand*] *v/t.* wider'stehen (*dat.*): **a)** sich wider'setzen (*dat.*), **b)** aushalten (*acc.*), standhalten (*dat.*).

with·y ['wiði] → *withe*.

wit·less ['witlis] *adj.* □ **1.** geist-, witzlos; **2.** dumm, einfältig.

wit·ling ['witliŋ] *s. contp.* Witzling *m*.

wit·ness ['witnis] **I.** *s.* **1.** Zeuge *m*, Zeugin *f* (*a.* ⚖ *u. fig.*): *to be a* ~ *of s.th.* Zeuge von et. sein; *to call s.o. to* ~ j-n als Zeugen anrufen; *a living* ~ *to* ein lebender Zeuge (*gen.*); ~ *for the prosecution* (*Brit. a. for the Crown*) Belastungszeuge; *prosecuting* ~ (Privat)Kläger; ~ *for the defence* (*Am. defense*) Entlastungszeuge; **2.** Zeugnis *n*, Bestätigung *f*, Beweis *m* (*of, to gen. od.* für): *to bear* ~ *to* (*od. of*) Zeugnis ablegen von, *et.* bestätigen; *in* ~ *whereof* zum Zeugnis *od.* urkundlich dessen; **II.** *v/t.* **3.** bezeugen, beweisen: ~ *Shakespeare* als Beweis dient Shakespeare; **4.** (Augen)Zeuge sein von, zu'gegen sein bei, (mit)erleben; **5.** *fig.* zeugen von, Zeuge sein von; **6.** ⚖ *j-s Unterschrift* beglaubigen, *Dokument* als Zeuge unter'schreiben; **III.** *v/i.* **7.** zeugen, Zeuge sein, Zeugnis ablegen, ⚖ *a.* aussagen (*against* gegen, *for, to* für): *to* ~ *to s.th. fig.* et. bezeugen; *this agreement* ~*eth* ⚖ dieser Vertrag be-inhaltet; '**~-box** *bsd. Brit.*, **~ stand** *Am. s.* ⚖ Zeugenstand *m*, -bank *f*.

wit·ted ['witid] *adj. in Zssgn* ...denkend, ...sinnig; → *half-witted, quick-witted*.

wit·ti·cism ['witisizəm] *s.* Witz *m*, witzige Bemerkung, Witze'lei *f*.

wit·ti·ness ['witinis] *s.* Witzigkeit *f*, Treffsicherheit *f*.

wit·ting·ly ['witiŋli] *adv.* wissentlich, geflissentlich.

wit·ty ['witi] *adj.* □ witzig, geistreich.

wive [waiv] **I.** *v/i.* e-e Frau nehmen, heiraten; **II.** *v/t.* zur Frau nehmen, ehelichen.

wives [waivz] *pl. von wife*.

wiz [wiz] *Am. sl. für wizard*.

wiz·ard ['wizəd] **I.** *s.* Zauberer *m*, Hexenmeister *m* (*beide a. fig. Genie*); **II.** *adj. sl.* erstklassig, prima; '**wiz·ard·ry** [-dri] *s.* Zaube'rei *f*, Hexe'rei *f* (*a. fig.*).

wiz·en ['wizn], '**wiz·ened** [-nd] *adj.* verhutzelt, schrump(e)lig.

wo, woa [wou] *int.* brr! (*zum Pferd*).

woad [woud] *s.* ♀, ⊕ (Färber)Waid *m*.

wob·ble ['wɔbl] **I.** *v/i.* **1.** wackeln; schwanken (*a. fig. between* zwischen); **2.** schlottern (*Knie etc.*); **3.** ⊕ schlottern (*Rad*); **II.** *s.* **4.** Wakkeln *n*; Schwanken *n* (*a. fig.*); ⊕ Flattern *n*, Schlag *m*; **5.** ⚡ Taumel *m*: ~ *frequency* Taumelfrequenz; '**wob·bly** [-li] *adj.* wack(e)lig, unsicher.

woe [wou] **I.** *int.* **1.** wehe!, ach!; **II.** *s.* **2.** Weh *n*, Leid *n*, Kummer *m*, Not *f*: *face of* ~ jämmerliche Miene; *tale of* ~ Leidensgeschichte; ~ *is me!* wehe mir!; ~ (*be*) *to* ...!, ~ *betide* ...! wehe (*dat.*)!, verflucht sei ...!; → *weal¹*; **3.** *pl.* Nöte *pl.*, Sorgen *pl.*; **~·be·gone** ['woubigɔn] *adj.* **1.** leid-, jammervoll, vergrämt; **2.** verwahrlost.

woe·ful ['wouful] *adj.* □ *rhet. od. humor.* **1.** traurig, kummer-, sorgenvoll; **2.** elend, jammervoll; **3.** *contp.* erbärmlich, jämmerlich.

woke [wouk] *pret. von wake²*.

wold [would] *s.* (hügeliges) Heideland, Ödland *n.*

wolf [wulf] **I.** *pl.* **wolves** [-vz] *s.* **1.** *zo.* Wolf *m*: *a ~ in sheep's clothing fig.* ein Wolf im Schafspelz; *lone ~ fig.* Einzelgänger; *to cry ~ fig.* blinden Alarm schlagen; *to keep the ~ from the door fig.* sich über Wasser halten, sich recht u. schlecht durchschlagen; **2.** *fig.* Wolf *m*, räuberische *od.* gierige Per'son; **3.** *Am. sl.* ,Casa'nova' *m*, Schürzenjäger *m*; **4.** ♪ Schwebung *f*; **II.** *v/t.* **5.** *a. ~ down Speisen* (gierig) verschlingen, hin'unterschlingen; '**~-cub** *s.* **1.** *zo.* junger Wolf; **2.** ,Wölfling' *m*, Jungpfadfinder *m.*

wolf·ish ['wulfiʃ] *adj.* □ **1.** wölfisch (*a. fig.*), Wolfs...; **2.** *fig.* wild, gefräßig: *~ appetite* Wolfshunger.

'**wolf-pack** *s.* Rudel *n* Wölfe (*od.* ⚓, ⚔ 'U-Boote *für Nachtangriff*).

wolf·ram ['wulfrəm] *s.* **1.** ⚗ Wolfram *n*; **2.** *min.* → *wolframite*; '**wolf·ram·ite** [-mait] *s. min.* Wolfra'mit *m.*

wol·ver·ine ['wulvəri:n] *s. zo.* (Amer.) Vielfraß *m.*

wolves [wulvz] *pl. von wolf.*

wom·an ['wumən] **I.** *pl.* **wom·en** ['wimin] *s.* **1.** Frau *f*, Weib *n*: *~ of the world* Frau von Welt; *to play the ~* empfindsam *od.* ängstlich sein; **2.** (Dienst)Mädchen *n*, Zofe *f*; **3.** (*ohne Artikel*) das weibliche Geschlecht, die Frauen *pl.*, das Weib: *born of ~* vom Weibe geboren (*sterblich*); *~'s reason* weibliche Logik; **4.** *the ~ fig.* das Weib, die Frau, das typisch Weibliche; **II.** *adj.* **5.** weiblich, Frauen...: *~ doctor* Ärztin; *~ police* weibliche Polizei; *~ student* Studentin; *~ suffrage* Frauenstimmrecht; '**~-hat·er** *s.* Weiberfeind *m.*

wom·an·hood ['wumənhud] *s.* **1.** Stellung *f* der (erwachsenen) Frau: *to reach ~* e-e Frau werden; **2.** Weiblich-, Fraulichkeit *f*; **3.** → *womankind*; '**wom·an·ish** [-niʃ] *adj.* □ **1.** *contp.* weibisch; **2.** → *womanly*; '**wom·an·ize** [-naiz] **I.** *v/t.* weibisch machen; **II.** *v/i.* F hinter den Weibern her sein.

'**wom·an|·kind** *s.* **1.** *coll.* Frauen(welt *f*) *pl.*, Weiblichkeit *f*; **2.** → *womenfolk* 2; '**~like** *adj.* wie e-e Frau, fraulich, weiblich.

wom·an·li·ness ['wumənlinis] *s.* Fraulich-, Weiblichkeit *f*; **wom·an·ly** ['wumənli] *adj.* fraulich, weiblich (*a. weitS.*).

womb [wu:m] *s. anat.* Gebärmutter *f*; *weitS.* (Mutter)Leib *m*, Schoß *m* (*a. fig. der Erde etc.*).

wom·en ['wimin] *pl. von woman*: *♀'s Lib* Women's Lib (*militante Frauenbewegung*); *~'s rights* Frauenrechte; *~'s team sport* Damenmannschaft; '**~·folk** *s. pl.* **1.** → *womankind* 1; **2.** *die* Frauen *pl.* (*in e-r Familie*), *mein etc.* ,Weibervolk' *n* (da'heim).

won [wʌn] *pret. u. p.p. von win.*

won·der ['wʌndə] **I.** *s.* **1.** Wunder *n*, *et.* Wunderbares, Wundertat *f*, -werk *n*: *a ~ of skill* ein (wahres) Wunder an Geschicklichkeit (*Person*); *the 7 ~s of the world* die 7 Weltwunder; *to work* (*od. do*) *~s* Wunder wirken; *to promise ~s j-m* goldene Berge versprechen; (*it is*) *no* (*od. small*) *~ that* kein Wunder, daß; → *nine 1, sign 8*; **2.** Verwunderung *f*, (Er)Staunen *n*: *filled with ~* von Staunen erfüllt; *for a ~* erstaunlicherweise, ausnahmsweise; *in ~* erstaunt, verwundert; **II.** *v/i.* **3.** sich (ver)wundern, erstaunt sein (*at, about* über *acc.*); **4. a)** neugierig *od.* gespannt sein, gern wissen mögen (*if, whether, what etc.*), **b)** sich fragen *od.* über'legen: *I ~ whether I might ...?* dürfte ich vielleicht ...?, ob ich wohl ... kann?; *I ~ if you could help me* vielleicht können Sie mir helfen.

won·der·ful ['wʌndəful] *adj.* □ wunderbar, -voll, herrlich: *not so ~* F nicht so toll.

won·der·ing ['wʌndəriŋ] *adj.* □ verwundert, erstaunt, staunend.

'**won·der·land** *s.* Wunder-, Märchenland *n* (*a. fig.*).

won·der·ment ['wʌndəmənt] *s.* Verwunderung *f*, Staunen *n.*

'**won·der|-struck** *adj.* von Staunen ergriffen (*at* über *acc.*); '**~-work·er** *s.* Wundertäter(in); '**~-work·ing** *adj.* wundertätig.

won·drous ['wʌndrəs] *rhet.* **I.** *adj.* □ wundersam (*oft iro.*), erstaunlich; **II.** *adv.* wunderbarer-, erstaunlicherweise; außerordentlich.

won·ky ['wɔŋki] *adj. sl.* wack(e)lig (*a. fig.*).

won't [wount] F *für will not.*

wont [wount] **I.** *adj.*: *to be ~ to do* gewohnt sein *od.* pflegen zu tun; **II.** *s.* Gewohnheit *f*, Brauch *m*; '**wont·ed** [-tid] *adj.* **1.** gewohnt; **2.** gewöhnlich, üblich; **3.** *Am.* eingewöhnt (*to* in *dat.*).

woo [wu:] *v/t.* **1.** werben *od.* freien um, den Hof machen (*dat.*); **2.** *fig.* zu gewinnen suchen, trachten nach, buhlen um; **3.** *fig.* **a)** *j-n* um'werben, **b)** locken, drängen (*to* zu).

wood [wud] **I.** *s.* **1.** *oft pl.* Wald *m*, Waldung *f*, Gehölz *n*: *to be out of the ~* (*Am. ~s*) F über den Berg sein; *he cannot see the ~ for the trees* er sieht den Wald vor lauter Bäumen nicht; → *halloo III*; **2.** Holz *n*: *touch ~!* unberufen!; **3.** (Holz)Faß *n*: *wine from the ~* Wein (direkt) vom Faß; **4.** → *wood-wind*; **5.** → *woodblock 2*; **6.** *pl. Schisport*: ,Bretter' *pl.*; **II.** *adj.* **7.** hölzern, Holz...; **8.** Wald...; '**~-al·co·hol** *s.* ⚗ Holzgeist *m*; **~ a·nem·o·ne** *s.* ⚘ Buschwindrös-chen *n*; '**~-bind**, '**~-bine** *s.* ⚘ Geißblatt *n*; '**~-block** *s.* **1.** (Holz)Pflasterklotz *m*; **2.** *typ.* **a)** Druckstock *m*, **b)** Holzschnitt *m*; '**~-carv·er** *s.* Holzschnitzer *m*; '**~-carv·ing** *s.* Holzschnitze'rei *f* (*a. Schnitzwerk*); '**~-chuck** *s. zo.* (amer.) Waldmurmeltier *n*; '**~-coal** *s.* **1.** *min.* Braunkohle *f*; **2.** Holzkohle *f*; '**~-cock** *s. orn.* Waldschnepfe *f*; '**~-craft** *s.* **1.** *hunt.* Weidmannskunst *f*; **2.** Holzschnitze'rei *f*; '**~-cut** *s. typ.* **1.** Holzstock *m* (*Druckform*); **2.** Holzschnitt *m* (*Druckerzeugnis*); '**~-cut·ter** *s.* **1.** Holzfäller *m*; **2.** *Kunst*: Holzschneider *m.*

wood·ed ['wudid] *adj.* bewaldet, waldig, Wald...

wood·en ['wudn] *adj.* □ **1.** hölzern, Holz...; **2.** *fig.* hölzern, steif (*Bewegung, Person*); **3.** *fig.* ausdruckslos (*Gesicht etc.*); **4.** stumpf (-sinnig).

'**wood|-en·grav·er** *s. Kunst*: Holzschneider *m*; '**~-en·grav·ing** *s.* **1.** Holzschneidekunst *f*; **2.** Holzschnitt *m.*

'**wood·en-head·ed** *adj.* F dumm.

'**wood|-gas** *s.* ⊕ Holzgas *n*; '**~-grouse** *s. Brit. orn.* Auerhahn *m.*

wood·i·ness ['wudinis] *s.* **1.** Waldreichtum *m*; **2.** Holzigkeit *f.*

wood| king·fish·er *s. orn.* Königsfischer *m*, Eisvogel *m*; '**~-land** [-lənd] **I.** *s.* Waldland *n*, Waldung *f*; **II.** *adj.* Wald...; '**~-lark** *s. orn.* Heidelerche *f*; '**~-louse** *s.* [*irr.*] *zo.* Bohrassel *f*; '**~·man** [-mən] *s.* [*irr.*] **1.** *Brit.* Förster *m*; **2.** Holzfäller *m*; **3.** Jäger *m*; **4.** Waldbewohner *m*; '**~-naph·tha** *s.* ⚗ Holzgeist *m*; '**~-nymph** *s.* **1.** *myth.* 'Waldˌnymphe *f*; **2.** *zo. eine* Motte; **3.** *orn. ein* 'Kolibri *m*; '**~·peck·er** *s. orn.* Specht *m*; '**~-pi·geon** *s. orn.* Ringeltaube *f*; '**~-pile** *s.* Holzhaufen *m*, -stoß *m*; '**~-pulp** *s.* ⊕ Holz(zell)stoff *m*, Holzschliff *m*; '**~·ruff** *s.* ⚘ Waldmeister *m*; '**~-screw** *s.* ⊕ Holzschraube *f*; **~ shav·ings** *s. pl.* Hobelspäne *pl.*; '**~·shed** *s.* Holzschuppen *m.*

woods·man ['wudzmən] *s.* [*irr.*] → *woodman 2, 3, 4.*

wood| sor·rel *s.* ⚘ Sauerklee *m*; **~ spir·it** *s.* ⚗ Holzgeist *m*; '**~-tar** *s.* ⚗ Holzteer *m*; '**~-tick** *s. zo.* Holzbock *m*; '**~-wind** [-wind] **I.** *s.* ♪ **1.** 'Holzblasinstruˌment *n*; **2.** *oft pl.* 'Holzblasinstruˌmente *pl.* (*e-s Orchesters*), Holz(bläser *pl.*) *n*; **II.** *adj.* **3.** Holzblasinstrumenten...; '**~-wool** *s.* ⚕ Zellstoffwatte *f*; '**~·work** *s.* ⌂ **1.** Holz-, Balkenwerk *n*; **2.** Holzarbeit(en *pl.*) *f*; '**~-work·ing** **I.** *s.* Holzbearbeitung *f*; **II.** *adj.* holzbearbeitend, Holzbearbeitungs...: *~ machine.*

wood·y ['wudi] *adj.* **1.** waldig, Wald...; **2.** holzig, Holz...

'**wood·yard** *s.* Holzplatz *m.*

woo·er ['wu:ə] *s.* Freier *m.*

woof [wu:f] *s.* **1.** *Weberei*: **a)** Einschlag *m*, (Ein)Schuß *m*, **b)** Schußgarn *n*; **2.** Gewebe *n.*

woof·er ['wu:fə] *s. Radio*: Tieftonlautsprecher *m.*

woo·ing ['wu:iŋ] *s.* (*a. fig.* Liebes-) Werben *n*, Freien *n*, Werbung *f.*

wool [wul] **I.** *s.* **1.** Wolle *f*: *dyed in the ~* in der Wolle gefärbt; *bsd. fig.* waschecht; → *cry 2*; **2.** Wollfaden *m*, -garn *n*; **3.** Wollstoff *m*, -tuch *n*; **4.** Zell-, Pflanzenwolle *f*; **5.** (*Baum-, Glas- etc.*)Wolle *f*; **6.** F ,Wolle' *f*, (kurzes) wolliges Kopfhaar: *to lose one's ~* ärgerlich werden; *to pull the ~ over s.o.'s eyes* j-n hinters Licht führen; **II.** *adj.* **7.** wollen, Woll...; '**~-card** *s.* ⊕ Wollkrempel *m*, -kratze *f*; '**~-clip** *s.* ✝ (jährlicher) Wollertrag; '**~-comb** *s.* ⊕ Wollkamm *m*; '**~-dyed** *adj.* ⊕ in der Wolle gefärbt.

wool·en *Am.* → *woollen.*

'**wool|-gath·er·ing** **I.** *s. fig.* Verträumt-, Zerstreutheit *f*, Spintisieren *n*; **II.** *adj.* geistesabwesend, spintisierend; '~-**grow·er** *s.* Schafzüchter *m*, 'Wollprodu,zent *m*; '~-**hall** *s.* ✝ *Brit.* Wollbörse *f.*

wool·i·ness *Am.* → *woolliness.*

wool·len ['wulin] **I.** *s.* **1.** Wollstoff *m*; **2.** *pl.* Wollsachen *pl.* (*a. wollene Unterwäsche*), Wollkleidung *f*; **II.** *adj.* **3.** wollen, Woll...: ~ *goods* Wollwaren; '~-**drap·er** *s.* Wollwarenhändler *m.*

wool·li·ness ['wulinis] *s.* **1.** Wolligkeit *f*, wollige Beschaffenheit; **2.** *paint. u. fig.* Verschwommenheit *f*;

wool·ly ['wuli] **I.** *adj.* **1.** wollig, weich, flaumig; **2.** Wolle tragend, Woll...; **3.** *paint. u. fig.* verschwommen; belegt (*Stimme*); **II.** *s.* **4.** wollenes Kleidungsstück, *bsd.* Wolljacke *f*; *pl.* → *woollen* 2.

'**wool**|-**pack** *s.* **1.** Wollsack *m* (*Verpackung*); **2.** Wollballen *m* (*240 englische Pfund*); **3.** *meteor.* Haufenwolke *f*; '~-**sack** *s. pol.* **a)** Wollsack *m* (*Sitz des Lordkanzlers im englischen Oberhaus*), **b)** *fig.* Amt *n* des Lordkanzlers; '~-**sort·er** *s.* Wollsortierer *m* (*Person od. Maschine*): ~*s' disease* ⚕ Lungenmilzbrand; '~-**sta·pler** *s.* ✝ **1.** Woll(groß)händler *m*; **2.** Wollsortierer *m*; '~-**work** *s.* Wollsticke'rei *f.*

wool·y *Am.* → *woolly.*

wooz·y ['wu:zi] *adj. Am. sl.* **1.** (*von Alkohol etc.*) benebelt; **2.** wirr (im Kopf).

wop [wɔp] *s. bsd. Am. sl.* ,'Ithaker' *m* (*eingewanderter Italiener*).

word [wə:d] **I.** *s.* **1.** Wort *n*: ~*s* Worte, *ling.* Wörter; ~ *for* ~ Wort für Wort, (wort)wörtlich; *at a* ~ sofort, aufs Wort; *in a* ~ mit 'einem Wort, kurz(um); *in other* ~*s* mit anderen Worten; *in so many* ~*s* wörtlich, ausdrücklich; *the last* ~ **a)** das letzte Wort (*on* in *e-r Sache*), **b)** das Allerneueste *od.* -beste (*in* an *dat.*); *to have the last* ~ das letzte Wort haben; *to have no* ~*s for* nicht wissen, was man zu *e-r Sache* sagen soll; *to put into* ~*s* in Worte fassen; *too silly for* ~*s* unsagbar dumm; *cold's not the* ~ *for it!* F kalt ist gar kein Ausdruck!; *he is a man of few* ~*s* er macht nicht viele Worte, er ist ein schweigsamer Mensch; *he hasn't a* ~ *to throw at a dog* er macht den Mund nicht auf; **2.** Wort *n*, Ausspruch *m*: ~*s* Worte, Rede, Äußerung; *by* ~ *of mouth* mündlich; *to have a* ~ *with s.o.* mit j-m reden, j-n sprechen; *to have a* ~ *to say* et. (Wichtiges) zu sagen haben; *to put in* (*od. say*) *a* (*good*) ~ *for* ein (gutes) Wort einlegen für; *I take your* ~ *for it* ich glaube es dir; **3.** *pl.* Text *m*, Worte *pl. e-s Lieds etc.*; **4.** *pl.* Wortwechsel *m*, Streit *m*: *to have* ~*s* (*with*) sich streiten *od.* zanken mit; **5. a)** Befehl *m*, Kom'mando *n*, **b)** Losung *f*, Pa'role *f*, **c)** Zeichen *n*, Si'gnal *n*: *to give the* ~ (*to do*); *to pass the* ~ durch-, weitersagen; *sharp's the* ~*!* (jetzt aber) dalli!; **6.** Bescheid *m*, Nachricht *f*: *to leave* ~ Bescheid hinterlassen (*with* bei); *to send* ~ *to j-m* Nachricht geben; **7.** Wort *n*, Versprechen *n*: ~ *of hono(u)r* Ehrenwort; *to break* (*give od. pass, keep*) *one's* ~ sein Wort brechen (geben, halten); *to take s.o. at his* ~ j-n beim Wort nehmen; *he is as good as his* ~ er ist ein Mann von Wort; er hält, was er verspricht; (*up*)*on my* ~*!* auf mein Wort!; **8.** *the* ♀ *eccl.* das Wort Gottes, das Evan'gelium; **II.** *v/t.* **9.** in Worte fassen, (in Worten) ausdrücken, formulieren: ~*ed as follows* mit folgendem Wortlaut; '~-**blind** *adj.* ⚕ wortblind; '~-**book** *s.* **1.** Vokabu'lar *n*; **2.** Wörterbuch *n*; **3.** ♪ Textbuch *n*, Li'bretto *n*; '~-**deaf** *adj.* ⚕ worttaub; ~ **for·ma·tion** *s. ling.* Wortbildung *f.*

word·i·ness ['wə:dinis] *s.* Wortreichtum *m*, Weitschweifigkeit *f*;

'**word·ing** [-iŋ] *s.* Fassung *f*, Formulierung *f*, Wortlaut *m.*

word·less ['wə:dlis] *adj.* wortlos, stumm.

word| **or·der** *s. ling.* Wortstellung *f* (*im Satz*); '~-**paint·ing** *s.* Wortmale'rei *f*; '~-'**per·fect** *adj.* **1.** *thea.* rollensicher, -fest (*Schauspieler*); **2.** *ped.* vo'kabelfest; '~-**pic·ture** *s.* Wortgemälde *n*; '~-**play** *s.* **1.** Wortspiel *n*; **2.** Wortgefecht *n*; ~ **pow·er** *s.* Wortschatz *m*; '~-**split·ting** *s.* Wortklaube'rei *f.*

word·y ['wə:di] *adj.* □ **1.** Wort...: ~ *warfare* Wortkrieg; **2.** wortreich, langatmig.

wore [wɔ:] *pret. von wear¹, pret. u. p.p. von wear².*

work [wə:k] **I.** *s.* **1.** Arbeit *f*: **a)** Tätigkeit *f*, Beschäftigung *f*, **b)** Aufgabe *f*, **c)** Hand-, Nadelarbeit *f*, Sticke'rei *f*, Nähe'rei *f*, **d)** Leistung *f*, **e)** Erzeugnis *n*: ~ *done* geleistete Arbeit; *a beautiful piece of* ~ e-e schöne Arbeit; *good* ~*!* gut gemacht!; *total* ~ *in hand* ✝ Gesamtaufträge; ~ *in process material* ✝ Material in Fabrikation; *at* ~ **a)** bei der Arbeit, **b)** in Tätigkeit, in Betrieb; *to be at* ~ *on* arbeiten an (*dat.*); *to do* ~ arbeiten; *to be in* (*out of*) ~ (keine) Arbeit haben; (*to put*) *out of* ~ arbeitslos (machen); *to set to* ~ an die Arbeit gehen; *to have one's* ~ *cut out* (*for one*) ,zu tun' haben, schwer zu schaffen haben; *to make* ~ Arbeit verursachen; *to make sad* ~ *of* arg wirtschaften mit; *to make short* ~ *of* kurzen Prozeß *od.* nicht viel Federlesens machen mit; *it's all in the day's* ~ das ist nichts Besonderes, das gehört alles (mit) dazu; **2.** *phys.* Arbeit *f*: *to convert heat into* ~; **3.** *künstlerisches etc.* Werk (*a. coll.*): *the* ~(*s*) *of Bach*; **4. a)** Werk *n* (*Tat u. Resultat*): *the* ~ *of a moment es war* das Werk e-s Augenblicks, **b)** *bsd. pl. eccl.* (gutes) Werk; **5.** ⊕ → *workpiece*; **6.** *pl.* **a)** (*bsd.* öffentliche) Bauten *pl. od.* Anlagen *pl.*, **b)** ⚔ Befestigungen *pl.*, (Festungs)Werk *n*; **7.** *pl. sg. konstr.* Werk *n*, Fa'brik (-anlagen *pl.*) *f*, Betrieb *m*: *iron*~*s* Eisenhütte; ~*s council* (*engineer, outing, superintendent*) Betriebsrat (-ingenieur, -ausflug, -direktor); ~ *manager* Werkleiter; **8.** *pl.* (Trieb-, Uhr- *etc.*)Werk *n*, Getriebe *n*; **9.** *the* ~*s sl.* alles, der ganze Krempel: *to give s.o. the* ~*s* j-n ,fertigmachen'; *to shoot the* ~*s Kartenspiel od. fig.* aufs Ganze gehen; **II.** *v/i.* **10.** (*at*) arbeiten (an *dat.*), sich beschäftigen (mit): *to* ~ *to rule* (genau) nach Vorschrift arbeiten; → *work-to-rule campaign*; **11.** arbeiten (*fig. kämpfen against* gegen, *for* für *e-e Sache*), sich anstrengen; **12.** ⊕ **a)** funktionieren, gehen (*beide a. fig.*), **b)** in Betrieb *od.* in Gang sein; **13.** *fig.* ,klappen', gehen, gelingen, sich machen lassen: *it won't* ~ es geht nicht; **14.** (*p.p. oft wrought*) wirken (*a. Gift etc.*), sich auswirken ([*up*-] *on, with* auf *acc.*, bei); **15.** sich bearbeiten lassen; **16.** sich (*hindurch-, hoch- etc.*)arbeiten: *to* ~ *into* eindringen in (*acc.*); *to* ~ *loose* sich losarbeiten, sich lockern; **17.** in (heftiger) Bewegung sein; **18.** arbeiten, zucken (*Gesichtszüge etc.*), mahlen (*Kiefer*) (*with* vor *Erregung etc.*); **19.** ⚓ *gegen den Wind etc.* fahren, segeln; **20.** gären; arbeiten (*a. fig. Gedanken etc.*); **21.** (hand)arbeiten, stricken, nähen; **III.** *v/t.* **22.** *a.* ⊕ **a)** bearbeiten, *Teig* kneten, **b)** verarbeiten, (ver)formen, gestalten (*into* zu); **23.** *Maschine etc.* bedienen, *Wagen* führen, lenken; **24.** ⊕ (an-, be)treiben: ~*ed by electricity*; **25.** ⚘ *Boden* bearbeiten, bestellen; **26.** *Betrieb* leiten, *Fabrik etc.* betreiben, *Gut etc.* bewirtschaften; **27.** ⚒ *Grube* abbauen, ausbeuten; **28.** *geschäftlich* bereisen, bearbeiten; **29.** *j-n, Tiere tüchtig* arbeiten lassen, antreiben; **30.** *fig. j-n* bearbeiten, *j-m* zusetzen; **31.** arbeiten mit, bewegen: *he* ~*ed his jaws* s-e Kiefer mahlten; **32.** *to* ~ *one's way* **a)** sich (*hindurch- etc.*)arbeiten, **b)** verdienen, erarbeiten; → *passage* 6; **33.** sticken, nähen, machen; **34.** gären lassen; **35.** errechnen, lösen; **36.** (*p.p. oft wrought*) her'vorbringen, -rufen, *Veränderung etc.* bewirken, *Wunder* wirken *od.* tun, führen zu, verursachen: *to* ~ *hardship*; **37.** (*p.p. oft wrought*) fertigbringen, zu'stande bringen: *to* ~ *it* F es ,deichseln'; **38.** *sl. et.* ,her'ausschlagen', ,organisieren'; **39.** *in e-n Zustand* versetzen, erregen: *to* ~ *o.s. into a rage* sich in e-e Wut hineinsteigern;

Zssgn mit adv.:

work| **a·way** *v/i.* drauf'losarbeiten (*at* an *dat.*); ~ **in I.** *v/t.* einarbeiten, -flechten, -fügen; **II.** *v/i.* ~ *with* harmonieren mit, passen zu; ~ **off** *v/t.* **1.** weg-, aufarbeiten; **2.** *überflüssige Energie* loswerden; **3.** *Gefühl* abreagieren (*on* an *dat.*); **4.** *typ.* abdrucken, -ziehen; **5.** *Ware etc.* loswerden, abstoßen (*on* an *acc.*); **6.** *Schuld* abarbeiten; ~ **out I.** *v/t.* **1.** ausrechnen, *Aufgabe* lösen; **2.** *Plan* ausarbeiten; **3.** bewerkstelligen; **4.** ⚒ abbauen, (*a. fig. Thema etc.*) erschöpfen; **II.** *v/i.* **5.** sich her'ausarbeiten, zum Vorschein kommen (*from* aus); **6.** ~ *at* sich belaufen auf (*acc.*); **7.** ,klappen', *gut etc.* gehen, sich *gut etc.* anlassen: *to* ~ *well* (*badly*); ~ **o·ver** *v/t.* **1.** über'arbeiten; **2.** *sl. j-n* ,in die Mache nehmen'; ~ **round** *v/i.* **1.** sich 'durcharbeiten (*to* nach); **2.** drehen, sich wenden (*Wind*); ~ **to·geth·er** *v/i.* **1.** zs.-arbeiten; **2.** inein'andergreifen (*Zahnräder*); ~ **up I.** *v/t.* **1.** verarbeiten (*into* zu); **2.** ausarbeiten, entwickeln, erweitern (*into* zu); **3.**

Thema aus-, bearbeiten; sich einarbeiten in (*acc.*), gründlich studieren; **4.** *Geschäft etc.* hochbringen, aufbauen; **5.** *fig.* **a)** *Gefühl, Nerven, a. Zuhörer etc.* aufpeitschen, -wühlen, **b)** *Rebellion* anzetteln: *to work o.s. up to* sich steigern zu, sich in *e-e Wut* hineinsteigern; **II.** *v/i.* **6.** *fig.* sich hocharbeiten, sich steigern (*to* zu).

work·a·ble ['wə:kəbl] *adj.* □ **1.** bearbeitungsfähig, (ver)formbar; **2.** betriebsfähig; **3.** 'durch-, ausführbar (*Plan etc.*); **4.** ⚒ abbauwürdig.

work|·a·day ['wə:kədei] *adj.* **1.** Alltags...; **2.** *fig.* all'täglich; '**~·bag** *s.* Handarbeitsbeutel *m*; '**~·bas·ket** *s.* Handarbeitskorb *m*; '**~·bench** *s.* ⊕ Werkbank *f*; '**~·book** *s.* **1.** ⊕ Betriebsanleitung *f*; **2.** *ped.* Arbeitsheft *n*; '**~·box** *s.* Nähkasten *m*; **~ camp** *s.* Arbeitslager *n*; '**~·day** *s.* Werktag *m*: *on ~s* werktags.

work·er ['wə:kə] *s.* **1.** Arbeiter(in), Arbeitskraft *f*: *~s* Belegschaft, Arbeiterschaft; **2.** *fig.* Urheber(in); **3.** *a. ~ ant, ~ bee zo.* Arbeiter(in) (*Ameise, Biene*); **~ di·rec·tor** *s.* ✝ 'Arbeitsdiˌrektor *m*.

'**work|-fel·low** *s.* 'Arbeitskameˌrad *m*; **~ force** *s.* ✝ **1.** Belegschaft *f*; **2.** 'Arbeitskräftepotentiˌal *n*; '**~-girl** *s.* Fa'brikarbeiterin *f*; '**~·horse** *s.* Arbeitspferd *n* (*a. fig.*); '**~·house** *s.* **1.** *Brit. obs.* Armenhaus *n* mit Arbeitszwang; **2.** ⚖ *Am.* Arbeitshaus *n*.

work·ing ['wə:kiŋ] **I.** *s.* **1.** Arbeiten *n*; **2.** *a. pl.* Tätigkeit *f*, Wirken *n*; **3.** ⊕ Be-, Verarbeitung *f*; **4.** ⊕ **a)** Funktionieren *n*, **b)** Arbeitsweise *f*; **5.** Lösen *n e-s Problems*; **6.** mühsame Arbeit, Kampf *m*; **7.** Gärung *f*; **8.** *mst pl.* ⚒, *min.* **a)** Abbau *m*, **b)** Grube *f*; **II.** *adj.* **9.** arbeitend, berufs-, werktätig: *~ population* Arbeiterbevölkerung; *~ student* Werkstudent; **10.** Arbeits...: *~ association* (*od. party*) Arbeitsausschuß; *~ method* Arbeitsverfahren; **11.** ⊕, ✝ Betriebs...(*-kapital, -kosten,* ⚡ *-spannung etc.*); **12.** grundlegend, Ausgangs..., Arbeits...: *~ hypothesis*; *~ title* Arbeitstitel (*e-s Buchs etc.*); **13.** brauchbar, praktisch: *~ knowledge* ausreichende Kenntnisse; **~ class** *s.* Arbeiterklasse *f*; '**~-class** *adj.* der Arbeiterklasse, Arbeiter...; **~ con·di·tion** *s.* **1.** ⊕ **a)** Betriebszustand *m*, **b)** *pl.* Betriebsbedingungen *pl.*; **2.** Arbeitsverhältnis *n*; **~ day** *s.* Arbeitstag *m*; Werktag *m*; **~ draw·ing** *s.* ⊕ Werk(statt)zeichnung *f*; **~ hour** *s.* Arbeitsstunde *f*; *pl.* Arbeitszeit *f*: *reduction in ~s* Arbeitszeitverkürzung; **~ lunch** *s.* Arbeitsessen *n*; **~ ma·jor·i·ty** *s. pol.* arbeitsfähige Mehrheit; **~ man** *s.* [*irr.*] → *workman*; **~ mod·el** *s.* ⊕ Ver'suchsmoˌdell *n*; **~ or·der** *s.* ⊕ Betriebszustand *m*: *in ~* in betriebsfähigem Zustand; '**~-out** *s.* Ausarbeitung *f*, Entwicklung *f*; **~ stroke** *s. mot.* Arbeitstakt *m*; **~ sur·face** *s.* ⊕ Arbeits-, Lauffläche *f*.

work·less ['wə:klis] *adj.* arbeitslos.

'**work·man** [-mən] *s.* [*irr.*] (*bsd.* Hand-, Fach)Arbeiter *m*; '**~·like** [-laik], '**~·ly** [-li] *adj.* kunstgerecht, fachmännisch; '**~·ship** [-ʃip] *s.* **1.** *j-s* Werk *n*; **2.** Kunst(fertigkeit) *f*; **3.** *gute etc.* Ausführung; Verarbeitungsgüte *f*, Quali'tätsarbeit *f*.

'**work|·men's com·pen·sa·tion act** [-mənz] *s.* Arbeiterunfallversicherungsgesetz *n*; '**~-out** *s. Am.* F **1.** *sport* (Konditi'ons)ˌTraining *n*; **2.** harte Arbeit; **3.** ‚Keile' *f*, Prügel *pl.*; '**~-peo·ple** *s. pl.* Arbeiter *pl.*; '**~-piece** *s.* ⊕ Arbeits-, Werkstück *n*; '**~-rate** *s.* (Arbeits)Pensum *n* (*a. fig.*).

works [wə:ks] *s. pl.* → *work 6, 7, 8, 9.*

'**work|·sheet** *s. Am.* ✝ 'Rohbiˌlanz *f*; '**~·shop** *s.* **1.** Werkstatt *f*, Fertigungshalle *f*: *~ drawing* ⊕ Werkstatt-, Konstruktionszeichnung; **2.** Werk *n*, Betrieb *m*; '**~-shy** *adj.* arbeitsscheu; '**~-ta·ble** *s.* Arbeits-, Werktisch *m*; '**~-to-'rule cam·paign** *s.* ‚Dienst *m* nach Vorschrift', Bummelstreik *m* (*öffentlicher Angestellter etc.*); '**~·wom·an** *s.* [*irr.*] Arbeiterin *f*.

world [wə:ld] **I.** *s.* **1.** *allg.* Welt *f*: **a)** Erde *f*, **b)** Himmelskörper *m*, **c)** (Welt)All *n*, **d)** *fig. die* Menschen *pl.*, *die* Leute *pl.*, **e)** Sphäre *f*, Mili'eu *n*: *~'s championship* Weltmeisterschaft; *~'s record* Weltrekord; *~'s series* → *world series*; (*animal*) *vegetable ~* (Tier-) Pflanzenreich, -welt; *lower ~* Unterwelt; *the commercial ~, the ~ of commerce* die Handelswelt; *the ~ of letters* die gelehrte Welt; *the next* (*od. other*) *~* das Jenseits; *other ~s* andere Welten; *all the ~* die ganze Welt, jedermann; *all the ~ over* in der ganzen Welt; *all the ~ and his wife* F Gott u. die Welt; alles, was Beine hatte; *for all the ~* in jeder Hinsicht; *for all the ~ like* (*od. as if*) genauso wie (*od.* als ob); *for all the ~ to see* vor aller Augen; *from all over the ~* aus aller Herren Länder; *not for the ~* nicht um die (*od.* alles in der) Welt; *out of this* (*od. the*) *~ sl.* phantastisch; *to bring* (*come*) *into the ~* zur Welt bringen (kommen); *to carry the ~ before one* glänzenden Erfolg haben; *to put into the ~* in die Welt setzen; *his ~ has changed* s-e Welt hat sich verändert; *she is all the ~ to him* sie ist sein ein u. alles; *how goes the ~ with you?* wie geht's, wie steht's?; *what* (*who*) *in the ~?* was (wer) in aller Welt?; → *man 3, woman 1*; **2.** *a ~ of* e-e Welt von, e-e Unmenge *Schwierigkeiten etc.*; **II.** *adj.* **3.** Welt...(*-meister, -politik etc.*): ♀ *Court* Internationaler Ständiger Gerichtshof; '**~-fa·mous** *adj.* weltberühmt; **~ lan·guage** *s.* Weltsprache *f*.

world·li·ness ['wə:ldlinis] *s.* Weltlichkeit *f*, weltlicher Sinn.

world·ling ['wə:ldliŋ] *s.* Weltkind *n*.

world·ly ['wə:ldli] *adj. u. adv.* **1.** weltlich, irdisch, zeitlich: *~ goods* irdische Güter; **2.** weltlich (gesinnt): *~ innocence* Weltfremdheit; *~ wisdom* Weltklugheit; '**~-'mind·ed** *adj.* weltlich gesinnt; '**~-'wise** *adj.* weltklug.

'**world|-pow·er** *s. pol.* Weltmacht *f*; **~ se·ries** *s. sport Baseball*: US-Meisterschaftsspiele *pl.*; '**~-shak·ing** *adj. a. iro.* welterschütternd: *it isn't ~ after all*; ♀ **War** *s.* Weltkrieg *m*: *~ I* (*II*) erster (zweiter) Weltkrieg; '**~-'wea·ry** *adj.* welt-, lebensmüde; '**~-'wide** *adj.* weltweit, 'weltumˌfassend, -umˌspannend: *~ reputation* Weltruf; *~ strategy* ⚔ Großraumstrategie.

worm [wə:m] **I.** *s.* **1.** *zo.* Wurm *m* (*a. fig. contp. Person*): *even a ~ will turn fig.* auch der Wurm krümmt sich, wenn er getreten wird; **2.** *pl.* ⚕ Würmer *pl.*; **3.** ⊕ **a)** (Schrauben-, Schnecken)Gewinde *n*, **b)** (Förder-, Steuer- *etc.*)Schnecke *f*, **c)** (Rohr-, Kühl)Schlange *f*; **II.** *v/t.* **4.** *~ one's way* (*od. o.s.*) **a)** sich *wohin* schlängeln, **b)** *fig.* sich einschleichen (*into* in *j-s Vertrauen etc.*); **5.** *~ a secret out of s.o.* ‚j-m die Würmer aus der Nase ziehen', j-m ein Geheimnis entlocken; **6.** von Würmern befreien; **III.** *v/i.* **7.** sich schlängeln, kriechen; **8.** sich winden; '**~-cast** *s.* vom Regenwurm aufgeworfenes Erdhäufchen; **~ drive** *s.* ⊕ Schneckenantrieb *m*; '**~-eat·en** *adj.* **1.** wurmstichig; **2.** *fig.* veraltet; '**~-gear** *s.* ⊕ **1.** Schneckengetriebe *n*; **2.** → *worm-wheel*; '**~-hole** *s.* Wurmloch *n*, -stich *m*; '**~·like** *adj.* wurmartig.

'**worm's-eye view** *s.* 'Froschperspekˌtive *f*.

worm| thread *s.* ⊕ Schneckengewinde *n*; '**~-wheel** *s.* ⊕ Schneckenrad *n*; '**~·wood** *s.* **1.** ♀ Wermut *m* **2.** *fig.* bitterer Tropfen: *to be* (*gall and*) *~ to j-n* wurmen.

worm·y ['wə:mi] *adj.* **1.** wurmig, voller Würmer; **2.** wurmstichig; **3.** wurmartig; **4.** *fig.* kriecherisch.

worn [wɔ:n] **I.** *p.p. von wear*[1]; **II.** *adj.* **1.** getragen (*Kleider*); **2.** → *worn-out 1*; **3.** erschöpft, abgespannt; **4.** *fig.* abgedroschen: *~ joke*; '**~-'out** *adj.* **1.** abgetragen, -genutzt, verbraucht (*a. fig.*); **2.** völlig erschöpft, todmüde, matt, zermürbt; **3.** → *worn 4.*

wor·ried ['wʌrid] *adj.* **1.** gequält; **2.** sorgenvoll, besorgt; **3.** beunruhigt, ängstlich; '**wor·ri·ment** [-imənt] *s.* F **1.** Plage *f*, Quäle'rei *f*; **2.** Angst *f*, Sorge *f*; '**wor·ri·some** [-isəm] *adj.* **1.** quälend; **2.** lästig; **3.** beunruhigend; **4.** unruhig; '**wor·rit** [-it] F *für worry*.

wor·ry ['wʌri] **I.** *v/t.* **1.** zausen, schütteln; *Tier* (ab)würgen (*Hund etc.*); **2.** quälen, plagen (*a. fig. belästigen*); *fig. j-m* zusetzen: *to ~ s.o. into a decision* j-n durch dauerndes Quälen zu e-r Entscheidung treiben; *to ~ s.o. out of s.th.* **a)** j-n mühsam von et. abbringen, **b)** j-n durch unablässiges Quälen um et. bringen; **3. a)** ärgern, **b)** beunruhigen, quälen, *j-m* Sorgen machen: *to ~ o.s.* sich (unnötig) sorgen; **4.** *~ out Problem etc.* her'ausknobeln; **II.** *v/i.* **5.** zerren, reißen (*at* an *dat.*); **6.** sich quälen *od.* plagen; **7.** sich beunruhigen, sich Gedanken *od.* Sorgen machen (*about, over* um, wegen); **8.** *~ along* sich mit knapper Not durchschlagen; *to ~ through s.th.* sich durch et. hindurchquälen; **III.** *s.* **9.** Kummer *m*, Besorgnis *f*, Sorge *f*, (innere) Unruhe; **10.** (Ursache *f* von) Ärger *m*, Aufregung *f*; **11.**

Quälgeist *m*; **12.** *hunt.* Abwürgen *n*, Zausen *n* (*vom Hund*); '**wor·ry·ing** [-iiŋ] *adj.* □ beunruhigend, quälend.

worse [wəːs] **I.** *adj.* (*comp. von bad, evil, ill*) **1.** schlechter, schlimmer (*beide a.* ⚕), übler, ärger: ~ *and* ~ immer schlechter *od.* schlimmer; *the* ~ desto schlimmer; *so much* (*od. all*) *the* ~ um so schlimmer; ~ *luck!* leider!, unglücklicherweise!, um so schlimmer!; *to make it* ~ (*Wendung*) um das Unglück vollzumachen; → *wear*¹ *14*; *he is* ~ *than yesterday* es geht ihm schlechter als gestern; **2.** schlechter gestellt: (*not*) *to be the* ~ *for* (keinen) Schaden gelitten haben durch, (nicht) schlechter gestellt sein wegen; *he is none the* ~ (*for it*) er ist darum nicht übler dran; *you would be none the* ~ *for a walk* ein Spaziergang würde dir gar nichts schaden; *to be* (*none*) *the* ~ *for drink* (nicht) betrunken sein; **II.** *adv.* **3.** schlechter, schlimmer, ärger: *none the* ~ nicht schlechter; *to be* ~ *off* schlechter daran sein; *you could do* ~ *than ...* du könntest ruhig ...; **III.** *s.* **4.** Schlechtere(s) *n*, Schlimmere(s) *n*: ~ *followed* Schlimmeres folgte; → *better*¹ *3*; *from bad to* ~ vom Regen in die Traufe; *a change for the* ~ e-e Wendung zum Schlechten; '**wors·en** [-sn] **I.** *v/t.* **1.** schlechter machen, verschlechtern; **2.** *Unglück etc.* verschlimmern; **3.** *j-n* schädigen; **II.** *v/i.* **4.** sich verschlechtern *od.* verschlimmern; '**wors·en·ing** [-sniŋ] *s.* Verschlechterung *f*, -schlimmerung *f*.

wor·ship ['wəːʃip] **I.** *s.* **1.** *eccl.* **a)** (*a. fig.*) Anbetung *f*, Verehrung *f*, 'Kultus *m*, **b)** (*public* ~ öffentlicher) Gottesdienst, 'Ritus *m*: *place of* ~ Kultstätte, Gotteshaus; *the* ~ *of wealth fig.* die Anbetung des Reichtums; **2.** *his* (*your*) ♀ *bsd. Brit.* Seiner (Euer) Hochwürden (*Anrede, jetzt bsd. für Bürgermeister*); **II.** *v/t.* **3.** anbeten, verehren, huldigen (*dat.*) (*alle a. fig. vergöttern*); **III.** *v/i.* **4.** (an)beten, s-e Andacht verrichten; **wor·ship·er** *Am.* → *worshipper*; '**wor·ship·ful** [-ful] *adj.* □ **1.** verehrend, anbetend (*Blick etc.*); **2.** *obs.* (ehr)würdig, achtbar; **3.** (*in der Anrede*) hochwohllöblich, verehrlich; '**wor·ship·per** [-pə] *s.* **1.** Anbeter(in), Verehrer(in): ~ *of idols* Götzendiener; **2.** Beter(in): *the* ~*s* die Andächtigen, die Kirchgänger.

worst [wəːst] **I.** *adj.* (*sup. von bad, evil, ill*) schlechtest, schlimmst, übelst, ärgst: *and, which is* ~ und, was das schlimmste ist; **II.** *adv.* am schlechtesten *od.* übelsten, am schlimmsten *od.* ärgsten; **III.** *s. der* (*die, das*) Schlechteste *od.* Schlimmste *od.* Ärgste: *at* (*the*) ~ schlimmstenfalls; *to be prepared for the* ~ aufs Schlimmste gefaßt sein; *to do one's* ~ es so schlecht *od.* schlimm wie möglich machen; *do your* ~*!* mach, was du willst!; *to get the* ~ *of it* den kürzeren ziehen; *if* (*od. when*) *the* ~ *comes to the* ~ wenn es zum Schlimmsten kommt, wenn alle Stricke reißen; *to see s.o.* (*s.th.*) *at his* (*its*) ~ j-n (et.) von der schlechtesten *od.* schwächsten Seite sehen; *the illness is at its* ~ die Krankheit ist auf ihrem Höhepunkt; *the* ~ *of it is* das Schlimmste daran ist; **IV.** *v/t.* über'wältigen, schlagen.

wor·sted ['wustid] ⊕ **I.** *s.* **1.** Kammgarn *n*, -wolle *f*; **2.** Kammgarnstoff *m*; **II.** *adj.* **3.** Woll...: ~ *socks* wollene Socken; ~ *wool* Kammwolle; ~ *yarn* Kammgarn; **4.** Kammgarn...

wort¹ [wəːt] *in Zssgn* ...kraut *n*, ...wurz *f*.

wort² [wəːt] *s.* (Bier)Würze *f*.

worth [wəːθ] **I.** *adj.* **1.** (*e-n bestimmten Betrag*) wert (*to dat. od.* für): *he is* ~ *a million* er besitzt *od.* verdient e-e Million, er ist s-e Million wert; *for all you are* ~ F so sehr du kannst, ‚auf Teufel komm raus'; *my opinion for what it may be* ~ m-e unmaßgebliche Meinung; *take it for what it is* ~*! fig.* nimm es für das, was es wirklich ist!; **2.** *fig.* würdig, wert (*gen.*): ~ *doing* wert getan zu werden; ~ *mentioning* (*reading, seeing*) erwähnens- (lesens-, sehens)wert; *to be* ~ *the trouble, to be* ~ *it* F sich lohnen, der Mühe wert sein; → *powder 1, while 1*; **II.** *s.* **3.** Wert *m* (*a. fig. Bedeutung, Verdienst*): *of no* ~ wertlos; *to get the* ~ *of one's money* für sein Geld et. (Gleichwertiges) bekommen; *20 pence's* ~ *of stamps* Briefmarken im Wert von 20 Pence, für 20 Pence Briefmarken; *men of* ~ verdiente *od.* verdienstvolle Leute.

wor·thi·ly ['wəːðili] *adv.* **1.** nach Verdienst, angemessen; **2.** mit Recht; **3.** würdig; '**wor·thi·ness** [-inis] *s.* Wert *m*; **worth·less** ['wəːθlis] *adj.* □ **1.** wertlos; **2.** *fig.* un-, nichtswürdig.

'**worth-'while** *adj.* lohnend, der Mühe wert.

wor·thy ['wəːði] **I.** *adj.* □ → *worthily*; **1.** würdig, achtbar, angesehen; **2.** würdig, wert (*of gen.*): *to be* ~ *of e-r Sache* wert *od.* würdig sein, *et.* verdienen; *he is not* ~ *of her* er ist ihrer nicht wert *od.* würdig; ~ *of credit* ✝ kreditwürdig; ~ *of a better cause* e-r besseren Sache würdig; **3.** würdig (*Gegner, Nachfolger etc.*), angemessen (*Belohnung*); **4.** *humor.* trefflich, wacker (*Person*); **II.** *s.* **5.** große Per'sönlichkeit, Größe *f*, Held(in) (*mst pl.*); **6.** *humor. der* Wackere, *der* gute Mann.

would [wud; wəd] **1.** *pret. von will*¹ *I*: **a)** wollte(st), wollten: *he* ~ *not go* er wollte durchaus nicht gehen, **b)** pflegte(st), pflegten: *you* ~ *do that!* du mußtest das natürlich tun!, das sieht dir ähnlich!; → *will*¹ *6*, **c)** *fragend*: würdest *du*?, würden *Sie*?: ~ *you pass me the salt, please?*, **d)** *vermutend*: *that* ~ *be 3 dollars* das wären (wohl) 3 Dollar; *it* ~ *seem that* es scheint fast, daß; **2.** *konditional*: würde(st), würden: *she* ~ *do it if she could*; *he* ~ *have come if ...* er wäre gekommen, wenn ...; **3.** *pret. von will*¹ *II*: *ich* wollte *od.* wünschte *od.* möchte: *I* ~ *it were otherwise*; ~ (*to*) *God* wollte Gott; *I* ~ *have you know* ich muß Ihnen (schon) sagen.

would-be ['wudbiː] **I.** *adj.* **1.** gern sein wollend, angeblich, sogenannt, Schein...: ~ *critic* Kritikaster; ~ *painter* Farbenkleckser; ~ *poet* Dichterling; ~ *politician* Kannegießer; ~ *sportsman* Sonntagsjäger; ~ *wit* Witzling; ~ *witty* geistreich sein sollend (*Bemerkung etc.*); **2.** angehend, zukünftig: ~ *author*; ~ *wife*; **II.** *s.* **3.** Gernegroß *m*, Möchtegern *m*.

would·n't ['wudnt] F *für would not.*

wound¹ [waund] *pret. u. p.p. von wind*² *u. wind*³.

wound² [wuːnd] **I.** *s.* **1.** Wunde *f* (*a. fig.*), Verletzung *f*, -wundung *f*: ~ *of entry* (*exit*) ⚔ Einschuß (Ausschuß); **2.** *fig.* Verletzung *f*, Kränkung *f*; **II.** *v/t.* **3.** verwunden, verletzen (*beide a. fig. kränken*); → *wounded*; '**wound·ed** [-did] *adj.* verwundet, verletzt (*beide a. fig. gekränkt*): ~ *veteran* Kriegsversehrte(r); *the* ~ die Verwundeten; ~ *vanity* gekränkte Eitelkeit.

wove [wouv] *pret. u. obs. p.p. von weave*; '**wo·ven** [-vən] *p.p. von weave*: ~ *goods* Web-, Wirkwaren.

wove pa·per *s.* ⊕ Ve'linpaˌpier *n*.

wow [wau] **I.** *int. Am.* **1.** Mensch!, toll!, zack!; **II.** *s. Am. sl.* **2.** *bsd. thea.* Bombenerfolg *m*; **3. a)** ‚Bombensache' *f*, **b)** ‚toller Kerl', ‚tolle Frau' *etc.*: *he* (*it*) *is a* ~ er (es) ist 'ne Wucht; **III.** *v/t.* **4.** *Publikum etc.* hinreißen.

wrack¹ [ræk] *s.* **1.** → *wreck 1 u. 2*; **2.** ~ *and ruin* Untergang u. Verderben; *to go to* ~ untergehen; **3.** Seetang *m*.

wrack² → *rack*⁴ *I*.

wraith [reiθ] *s.* **1.** Geistererscheinung *f* (*bsd. von Sterbenden od. gerade Gestorbenen*); **2.** Geist *m*, Gespenst *n*.

wran·gle ['ræŋgl] **I.** *v/i.* (sich) zanken *od.* streiten, sich in den Haaren liegen; **II.** *s.* Streit *m*, Zank *m*; '**wran·gler** [-lə] *s.* **1.** Zänker(in), streitsüchtige Per'son; **2.** *mst senior* ~ (*Universität Cambridge*) *Student, der bei der höchsten mathematischen Abschlußprüfung den 1. Grad erhalten hat.*

wrap [ræp] **I.** *v/t.* [*irr.*] **1.** wickeln, hüllen; *a. Arme* schlingen (*round* um *acc.*); **2.** *mst* ~ *up* (ein)wickeln, (-)packen, (-)hüllen, (-)schlagen (*in* in *acc.*): *to* ~ *o.s. up* (*well*) sich warm anziehen; *to* ~ *it up Am. sl.* die Sache (*a.* erfolgreich) zu Ende führen; **3.** *oft* ~ *up fig.* (ein)hüllen, verbergen, *Tadel etc.* (ver)kleiden (*in* in *acc.*): ~*ped up in mystery fig.* geheimnisvoll, rätselhaft; ~*ped* (*od. wrapt*) *in silence* in Schweigen gehüllt; *to be* ~*ped up in* **a)** völlig in Anspruch genommen sein von (*e-r Arbeit etc.*), ganz aufgehen in (*s-r Arbeit, s-n Kindern etc.*), **b)** versunken sein in (*acc.*); **4.** *fig.* verwickeln, -stricken (*in* in *acc.*); **II.** *v/i.* [*irr.*] **5.** sich einhüllen: ~ *up well!* zieh dich warm an!; **6.** sich legen *od.* wickeln *od.* schlingen (*round* um); **7.** sich legen (*over* um) (*Kleider*); **III.** *s.* **8.** Hülle *f*, *bsd.* **a)** Decke *f*, **b)** Schal *m*, Pelz *m*, **c)** 'Umhang *m*, Mantel *m*; '~**-a·round** *adj. Am. mot.* Rundum..., Vollsicht...(*-verglasung*): ~ *windshield* (*Brit. windscreen*) Panoramascheibe.

wrap·per ['ræpə] *s.* **1.** (Ein)Packer (-in); **2.** Hülle *f*, Decke *f*, 'Überzug *m*, Verpackung *f*; **3.** (ˈBuch)ˌUmschlag *m*, Schutzhülle *f*; **4.** *a. postal* ~ ✉ Kreuz-, Streifband *n*; **5.** Morgenrock *m*; **6.** Deckblatt *n* (*der Zigarre*); ˈ**wrap·ping** [-piŋ] *s.* **1.** *mst pl.* Umˈhüllung *f*, Hülle *f*, Verpakkung *f*; **2.** Ein-, Verpacken *n*: ~-*paper* Einwickel-, Packpapier.

wrapt [ræpt] *pret. u. p.p. von wrap.*

wrath [rɔ:θ] *s.* Zorn *m* (*a. bibl.*), Grimm *m*, Wut *f*; ˈ**wrath·ful** [-ful] *adj.* □ zornig, grimmig, wutentbrannt; ˈ**wrath·y** [-θi] *adj.* □ *bsd. Am.* F → *wrathful*.

wreak [ri:k] *v/t. Rache* (aus)üben, *Wut etc.* auslassen ([*up*]*on* an *dat.*).

wreath [ri:θ] *pl.* **wreaths** [-ðz] *s.* **1.** Kranz *m* (*a. fig.*), Girˈlande *f*, (Blumen)Gewinde *n*; **2.** (*Rauch- etc.*)Ring *m*; **3.** Windung *f* (*e-s Seiles etc.*); **4.** (Schnee- *etc.*)Wehe *f*;

wreathe [ri:ð] **I.** *v/t.* **1.** winden, wickeln (*round, about* um); **2. a)** *Kranz etc.* flechten, winden, **b)** (zu Kränzen) flechten; **3.** umˈkränzen, -ˈgeben, -ˈwinden; **4.** bekränzen, schmücken; **5.** kräuseln: ~*d in smiles* lächelnd; **II.** *v/i.* **6.** sich winden *od.* wickeln; **7.** sich ringeln *od.* kräuseln (*Rauchwolke etc.*).

wreck [rek] **I.** *s.* **1.** ⚓ **a)** (Schiffs-)Wrack *n*, **b)** Schiffbruch *m*, Schiffsunglück *n*, **c)** ⚖ Strandgut *n*; **2.** Wrack *n* (*mot. etc., a. fig. bsd. Person*), Ruˈine *f*, Trümmerhaufen *m* (*a. fig.*): *nervous* ~ *fig.* Nervenbündel; *she is the* ~ *of her former self* sie ist nur (noch) ein Schatten ihrer selbst; **3.** *pl.* Trümmer *pl.* (*oft fig.*); **4.** *fig.* **a)** Ruˈin *m*, ˈUntergang *m*, **b)** Zerstörung *f*, Vernichtung *f von Hoffnungen etc.*; **II.** *v/t.* **5.** *allg.* zertrümmern, -stören; *Schiff* zum Scheitern bringen (*a. fig.*); *Zug* entgleisen lassen: *to be* ~*ed* scheitern, Schiffbruch erleiden; **6.** *fig.* zuˈgrunde richten, *Gesundheit* zerrütten, *Pläne, Hoffnungen etc.* vernichten, zerstören; **7.** ⚓, ⊕ abwracken; **III.** *v/i.* **8.** Schiffbruch erleiden, scheitern (*a. fig.*); **9.** verunglücken; **10.** zerstört *od.* vernichtet werden (*mst fig.*); ˈ**wreck·age** [-kidʒ] *s.* **1.** Wrack(teile *pl.*) *n*, (Schiffs-, *allg.* Unfall)Trümmer *pl.*; **2.** *fig.* Strandgut *n* (des Lebens); **3.** → *wreck* 4; **wrecked** [-kt] *adj.* **1.** gestrandet, gescheitert (*a. fig.*); **2.** schiffbrüchig (*Person*); **3.** zertrümmert, zerstört, vernichtet (*alle a. fig.*); zerrüttet (*Gesundheit etc.*); ˈ**wreck·er** [-kə] *s.* **1.** Strandräuber *m*; **2.** Saboˈteur *m*, Zerstörer *m* (*beide a. fig.*); **3.** ⚓ **a)** Bergungsschiff *n*, **b)** Bergungsarbeiter *m*; **4.** ⊕ Abbrucharbeiter *m*; **5.** *Am.* **a)** 🚂 Hilfszug *m*, **b)** *mot.* Abschleppwagen *m*; ˈ**wreck·ing** [-kiŋ] **I.** *s.* **1.** Strandraub *m*; **II.** *adj.* **2.** *Am.* Bergungs...: ~ *crew*; ~ *service* (*truck*) *mot.* Abschleppdienst (-wagen); **3.** *Am.* Abbruch...: ~ *company* Abbruchfirma.

wren[1] [ren] *s. orn.* Zaunkönig *m*.

Wren[2] [ren] *s.* ⚔ *Brit.* F Angehörige *f* des *Women's Royal Naval Service*, Maˈrinehelferin *f*.

wrench [rentʃ] **I.** *s.* **1.** (drehender *od.* heftiger) Ruck, heftige Drehung; **2.** ⚕ Verzerrung *f*, -renkung *f*, -stauchung *f*: *to give a* ~ *to* → 7; **3.** *fig.* Verdrehung *f*, -zerrung *f*; **4.** *fig.* (Trennungs)Schmerz *m*: *it was a great* ~ es war sehr schmerzlich *fortzugehen etc.*; **5.** ⊕ Schraubenschlüssel *m*; **II.** *v/t.* **6.** (mit e-m Ruck) reißen, zerren, ziehen: *to* ~ *s.th.* (*away*) *from s.o.* j-m et. entwinden *od.* -reißen (*a. fig.*); *to* ~ *open Tür etc.* aufreißen, -sprengen; **7.** ⚕ verrenken, verstauchen; **8.** verdrehen, verzerren (*a. fig. entstellen*).

wrest [rest] **I.** *v/t.* **1.** (gewaltsam) reißen: *to* ~ *from j-m et.* entreißen, -winden, *fig.* abringen; *to* ~ *a living from the soil* dem Boden e-n Lebensunterhalt abringen; **2.** *fig. Sinn, Gesetz etc.* verdrehen; **II.** *s.* **3.** Ruck *m*, Reißen *n*; **4.** ♪ Stimmhammer *m* (*für Harfen etc.*).

wres·tle [ˈresl] **I.** *v/i.* **1.** *a. sport* ringen (*a. fig. for* um, *with God* mit Gott); **2.** *fig.* sich abmühen, kämpfen (*with* mit); **II.** *v/t.* **3.** *sport* ringen *od.* kämpfen mit; **III.** *s.* **4.** → *wrestling* 1; **5.** *fig.* Ringen *n*, schwerer Kampf; ˈ**wres·tler** [-lə] *s. sport* Ringer *m*, Ringkämpfer *m*; ˈ**wres·tling** [-liŋ] **I.** *s.* **1.** Ringen *n*, Ringkampf *m* (*a. fig.*); **II.** *adj.* **2.** ringend; **3.** Ring...: ~-*match* Ringkampf.

wretch [retʃ] *s.* **1.** *a. poor* ~ armes Wesen, armer Kerl *od.* Teufel (*a. iro.*); **2.** Schuft *m*; **3.** *iro. kleiner* Kerl *od.* Schelm; **wretch·ed** [ˈretʃid] *adj.* □ **1.** elend, unglücklich, *a.* deprimiert (*Person*); **2.** erbärmlich, miseˈrabel, schlecht, dürftig; **3.** scheußlich, ekelhaft, unangenehm; **4.** *gesundheitlich* elend: *to feel* ~ sich elend *od.* schlecht fühlen; **wretch·ed·ness** [ˈretʃidnis] *s.* **1.** Elend *n*, Unglück *n*; **2.** Erbärmlichkeit *f*.

wrig·gle [ˈrigl] **I.** *v/i.* **1.** sich winden (*a. fig. verlegen od. listig*), sich schlängeln, zappeln: *to* ~ *along* sich dahinschlängeln; *to* ~ *out* sich herauswinden (*of s.th.* aus e-r Sache) (*a. fig.*); **II.** *v/t.* **2.** wackeln *od.* zappeln mit; **3.** schlängeln, winden, ringeln: *to* ~ *o.s.* (*along, through*) sich (entlang-, hindurch)winden; *to* ~ *o.s. into fig.* sich einschleichen in (*acc.*); *to* ~ *o.s. out of* sich herauswinden aus; *to* ~ *one's way* sich dahinschlängeln; **III.** *s.* **4.** Windung *f*, Krümmung *f*; **5.** schlängelnde Bewegung, Schlängeln *n*, Ringeln *n*, Wackeln *n*; ˈ**wrig·gler** [-lə] *s.* **1.** Ringeltier *n*, Wurm *m*; **2.** *fig.* aalglatter Kerl.

wright [rait] *s. in Zssgn* ...verfertiger *m*, ...macher *m*, ...bauer *m*.

wring [riŋ] **I.** *v/t.* [*irr.*] **1.** ~ *out Wäsche etc.* (aus)wringen, auswinden; **2. a)** *e-m Tier den Hals* abdrehen, **b)** *j-m den Hals* ˈumdrehen: *I'll* ~ *your neck*; **3.** verdrehen, -zerren (*a. fig.*); **4. a)** *Hände* (*verzweifelt*) ringen, **b)** *j-m die Hand* (kräftig) drücken, pressen; **5.** *j-n* drükken (*Schuh etc.*); **6.** *to* ~ *s.o.'s heart fig.* j-m sehr zu Herzen gehen, j-m ans Herz greifen; **7.** abringen, entreißen, -winden (*from s.o.* j-m): *to* ~ *admiration from j-m* Bewunderung abnötigen; **8.** *fig. Geld, Zustimmung* erpressen (*from, out of* von); **II.** *s.* **9.** Wringen *n*, (Aus)Winden *n*; Pressen *n*, Druck *m*: *he gave my hand a* ~ er drückte mir die Hand; *to give s.th. a* ~ et. aus(w)ringen *od.* auswinden; **wring·er** [ˈriŋə] *s.* ˈWringmaˌschine *f*; **wring·ing** [ˈriŋiŋ] *adj.* **1.** Wring...: ~-*machine* → *wringer*; **2.** *a.* ~ *wet* F klatschnaß.

wrin·kle[1] [ˈriŋkl] **I.** *s.* **1.** Runzel *f*, Falte *f* (*im Gesicht*); *a.* Kniff *m* (*in Papier etc.*); **2.** Unebenheit *f*, Vertiefung *f*, Furche *f*; **II.** *v/t.* **3.** *oft* ~ *up* **a)** *Stirn, Augenbrauen* runzeln, **b)** *Nase* rümpfen; **4.** *Stoff, Papier etc.* falten, kniffen, zerknittern; **III.** *v/i.* **5.** Falten werfen, Runzeln bekommen, sich runzeln, runz(e)lig werden, knittern.

wrin·kle[2] [ˈriŋkl] *s.* F **1.** Kniff *m*, Trick *m*; **2.** Wink *m*, Tip *m*.

wrin·kly [ˈriŋkli] *adj.* **1.** faltig, runz(e)lig (*Gesicht etc.*); **2.** leicht knitternd (*Stoff*); **3.** gekräuselt, kraus.

wrist [rist] *s.* **1.** Handgelenk *n*; **2.** ⊕ → *wrist-pin*; ˈ~**band** [-stb-] *s.* **1.** Priese *f*, Bündchen *n*, (ˈHemd)Manˌschette *f*; **2.** Armband *n*; ˈ~**-drop** *s.* ⚕ Handgelenkslähmung *f*.

wrist·let [ˈristlit] *s.* **1.** Pulswärmer *m*; **2.** Armband *n*; **3.** *sport* Handgelenkschützer *m*; **4.** *humor. od. sl.* Handschelle *f*, -fessel *f*; **5.** *a.* ~ *watch* → *wrist-watch*.

ˈ**wrist**|**-pin** *s.* ⊕ Zapfen *m*, *bsd.* Kolbenbolzen *m*; ˈ~**-watch** *s.* Armbanduhr *f*.

writ [rit] *s.* **1.** ⚖ **a)** behördlicher Erlaß, **b)** gerichtlicher Befehl, **c)** *a.* ~ *of summons* (Vor)Ladung *f*: ~ *of attachment* Haftbefehl, *dinglicher* Arrest(befehl); ~ *of execution* Vollstreckungsbefehl; *to take out a* ~ *against s.o.* e-e Vorladung gegen j-n erwirken; **2.** ⚖ *hist. Brit.* Urkunde *f*; **3.** *pol. Brit.* Wahlausschreibung *f* für das Parlaˈment; **4.** *Holy* (*od. Sacred*) ♀ *die* Heilige Schrift.

write [rait] [*irr.*] **I.** *v/t.* **1.** *et.* schreiben: *to* ~ *shorthand* stenographieren; *writ(ten) large fig.* deutlich, leicht erkennbar; **2.** (auf-, nieder-)schreiben, schriftlich niederlegen, notieren, aufzeichnen: *it is written that* es steht geschrieben, daß; *it is written on* (*od. all over*) *his face* es steht ihm im Gesicht geschrieben; **3.** *Scheck etc.* ausschreiben, -füllen; **4.** *Papier etc.* vollschreiben; **5.** *j-m et.* schreiben, schriftlich mitteilen: *to* ~ *s.th. to s.o.*, *to* ~ *s.o. s.th.*; **6.** *Buch etc.* verfassen, *a. Musik* schreiben: *to* ~ *poetry* dichten, Gedichte schreiben; **7.** ~ *o.s.* sich bezeichnen als; **II.** *v/i.* **8.** schreiben; **9.** schreiben, schriftstellern; **10.** schreiben, schriftliche Mitteilung machen: *to* ~ *home* nach Hause schreiben; *it's nothing to* ~ *home about fig.* das ist nichts Besonderes, darauf brauchst du dir (braucht er sich *etc.*) nichts einzubilden; *to* ~ *to ask* schriftlich anfragen; *to* ~ *for s.th.* um et. schreiben, et. schriftlich bestellen, et. kommen lassen;

Zssgn mit adv.:

write| **down** *v/t.* **1.** → *write* 2; **2.** *fig.* **a)** schriftlich herˈabsetzen, herziehen über (*acc.*), **b)** nennen, bezeichnen *od.* hinstellen als; **3.** † (teilweise) abbuchen, abschreiben; ~ **in** *v/t.* einschreiben, -tragen; ~ **off** *v/t.* **1.** (schnell) her'unterschreiben, ‚hinhauen'; **2.** † (vollständig) abschreiben; ~ **out** *v/t.* **1.** ganz ausschreiben; **2.** abschreiben: *to* ~ *fair* ins reine schreiben; **3.** *to write o.s. out* sich ausschreiben (*Schriftsteller*); ~ **up** *v/t.* **1.** ausführlich darstellen *od.* beschreiben; **2.** *ergänzend* nachtragen, *Text* weiterführen; **3.** loben(d erwähnen), her'ausstreichen, anpreisen; **4.** † aufwerten, den Buchwert hin'aufsetzen von.

'write|-downs, '~-offs *s. pl.* † Abschreibungen *pl.*

writ·er ['raitə] *s.* **1.** Schreiber(in): *~'s cramp* (*od. palsy*) Schreibkrampf; **2.** Schriftsteller(in), Verfasser(in): *the* ~ der Verfasser (*ich*); ~ *for the press* Zeitungsschreiber(in), Journalist(in); **3.** ~ *to the signet Scot.* No'tar *m*, Rechtsanwalt *m*; **'writ·er·ship** [-ʃip] *s. Brit.* Schreiberstelle *f.*

'write-up *s.* **1.** F a) Pressebericht *m*, b) schriftliche Anpreisung; **2.** † ‚frisierte' (*zu hohe*) Vermögensaufstellung.

writhe [raið] *v/i.* **1.** sich krümmen, sich winden (*with* vor *dat.*); **2.** *fig.* sich winden, leiden (*under, at* unter *e-r Kränkung etc.*).

writ·ing ['raitiŋ] **I.** *s.* **1.** Schreiben *n* (*Tätigkeit*); **2.** Schriftstelle'rei *f*; **3.** schriftliche Ausfertigung *od.* Abfassung; **4.** Schreiben *n*, Schriftstück *n*, *et.* Geschriebenes, *a.* Urkunde *f*: *in* ~ schriftlich; *the* ~ *on the wall fig.* die Schrift an der Wand, das Menetekel; **5.** Schrift *f*, *literarisches* Werk; Aufsatz *m*, Ar'tikel *m*; **6.** Brief *m*; **7.** Inschrift *f*; **8.** Schreibweise *f*, Stil *m*; **9.** (Hand-) Schrift *f*; **II.** *adj.* **10.** schreibend, *bsd.* schriftstellernd: ~ *man* Schriftsteller; **11.** Schreib...; **'~-book** *s.* Schreibheft *n*; **'~-case** *s.* Schreibmappe *f*; **'~-desk** *s.* Schreibtisch *m*; **'~-pad** *s.* 'Schreib,unterlage *f*, -block *m*; **'~-pa·per** *s.* 'Schreib-, 'Briefpa,pier *n*; **'~-ta·ble** *s.* Schreibtisch *m.*

writ·ten ['ritn] **I.** *p.p. von write*; **II.** *adj.* **1.** schriftlich: ~ *examination*; ~ *evidence* ⚖ Urkundenbeweis; ~ *language* Schriftsprache; **2.** geschrieben: ~ *law.*

wrong [rɔŋ] **I.** *adj.* □ → *wrongly*; **1.** falsch, unrichtig, verkehrt, irrig: *to be* ~ a) unrecht haben, sich irren (*Person*), b) falsch gehen (*Uhr*); *you are* ~ *in believing* du irrst dich, wenn du glaubst; *to prove s.o.* ~ beweisen, daß j-d im Irrtum ist; **2.** verkehrt, falsch: *to bring the* ~ *book*; *to do the* ~ *thing* das Falsche tun, es verkehrt machen; *to get hold of the* ~ *end of the stick fig.* es völlig mißverstehen, es verkehrt ansehen; *the* ~ *side* die verkehrte *od.* falsche (*von Stoff*: linke) Seite; (*the*) ~ *side out* das Innere nach außen (gekehrt) (*Kleidungsstück etc.*); *to be on the* ~ *side of 40* über 40 (Jahre alt) sein; *he will laugh on the* ~ *side of his mouth* das Lachen wird ihm schon vergehen; *to have got out of bed* (*on*) *the* ~ *side* F mit dem linken Bein zuerst aufgestanden sein; → *blanket 1*; **3.** nicht in Ordnung: *s.th. is* ~ *with it* es stimmt et. daran nicht; *what is* ~ *with you?* was ist los mit dir?, was hast du?; *what's* ~ *with ...?* a) was gibt es auszusetzen an (*dat.*)?, b) F wie wär's mit ...?; **4.** unrecht, unbillig: *it is* ~ *of you to laugh*; **II.** *adv.* **5.** falsch, unrichtig, verkehrt: *to get it* ~ es ganz falsch verstehen; *to go* ~ a) nicht richtig funktionieren *od.* gehen (*Instrument, Uhr etc.*), b) schiefgehen (*Vorhaben etc.*), c) auf Abwege *od.* die schiefe Bahn geraten (*bsd. Frau*), d) fehlgehen; *to get in* ~ *with s.o. Am.* F es mit j-m verderben; *to get s.o. in* ~ *Am.* F j-n in Mißkredit bringen (*with* bei); *to take s.th.* ~ et. übelnehmen; **III.** *s.* **6.** Unrecht *n*: *to do s.o.* ~, *to do* ~ *to s.o.* j-m ein Unrecht zufügen; **7.** Irrtum *m*, Unrecht *n*: *to be in the* ~ unrecht haben; *to put s.o. in the* ~ j-n ins Unrecht setzen; **8.** Kränkung *f*, Beleidigung *f*; **9.** ⚖ Rechtsverletzung *f*: *private* ~ Privatdelikt; *public* ~ öffentliches Delikt; **IV.** *v/t.* **10.** *j-m* Unrecht tun (*a. in Gedanken etc.*), *j-n* ungerecht behandeln: *I am* ~*ed* mir geschieht Unrecht; **11.** *j-m* schaden, Schaden zufügen, *j-n* benachteiligen; **'~'do·er** *s.* Übel-, Missetäter(in), Sünder(in); **'~'do·ing** *s.* **1.** Missetat *f*, Sünde *f*; **2.** Vergehen *n*, Verbrechen *n.*

wrong·ful ['rɔŋful] *adj.* □ **1.** ungerecht; **2.** beleidigend, kränkend; **3.** unrechtmäßig, 'widerrechtlich, ungesetzlich; **'wrong·ful·ness** [-nis] *s.* **1.** Ungerechtigkeit *f*; **2.** Ungesetzlich-, Unrechtmäßigkeit *f*, Unrichtigkeit *f.*

'wrong-'head·ed *adj.* □ **1.** querköpfig, verbohrt (*Person*); **2.** verschroben, verdreht.

wrong·ly ['rɔŋli] *adv.* **1.** → *wrong II*; **2.** ungerechterweise, zu *od.* mit Unrecht; **3.** irrtümlicher-, fälschlicherweise; **wrong·ness** ['rɔŋnis] *s.* **1.** Unrichtigkeit *f*, Verkehrtheit *f*, Fehlerhaftigkeit *f*; **2.** Unrechtmäßigkeit *f*; **3.** Ungerechtigkeit *f.*

wrote [rout] *pret. u. obs. p.p. von write.*

wroth [rouθ] *adj.* zornig, erzürnt, ergrimmt.

wrought [rɔːt] **I.** *pret. u. p.p. von work*; **II.** *adj.* **1.** be-, ge-, verarbeitet: ~ *goods* Fertigwaren; **2.** a) gehämmert, geschmiedet, b) schmiedeeisern; **3.** gewirkt; ~ **i·ron** *s.* ⊕ Schmiede-, Schweißeisen *n*; **'~-'i·ron** *adj.* schmiedeeisern; ~ **steel** *s.* ⊕ Schmiede-, Schweißstahl *m*; **'~-'up** *adj.* erregt, aufgebracht.

wrung [rʌŋ] *pret. u. p.p. von wring.*

wry [rai] *adj.* □ **1.** schief, krumm, verzerrt: *to make* (*od. pull*) *a* ~ *face* ein schiefes Gesicht machen; **2.** *fig.* a) verschroben: ~ *notion*, b) gequält, schmerzlich; **'~-mouthed** *adj.* **1.** schiefmäulig; **2.** *fig.* wenig schmeichelhaft; **'~-neck** *s. orn.* Wendehals *m.*

wul·fen·ite ['wulfənait] *s. min.* Gelbbleierz *n.*

X

X, x [eks] **I.** *pl.* **X's, x's, Xs, xs** ['eksiz] *s.* **1.** X *n*, x *n* (*Buchstabe*); **2.** & a) x *n* (*1. unbekannte Größe od. abhängige Variable*), b) x-Achse *f*, Ab'szisse *f* (*im Koordinatensystem*); **3.** *fig.* unbekannte Größe; **II.** *adj.* **4.** X-..., X-förmig.

Xan·thip·pe [zæn'θipi] *s. fig.* Xan'thippe *f*, Hausdrachen *m.*

xe·nog·a·my [zi(ː)'nɔgəmi] *s.* ♀ Fremdbestäubung *f.*

xe·non ['zenɔn] *s.* ⚗ 'Xenon *n* (*Edelgas*).

xen·o·pho·bi·a [zenə'foubjə] *s.* Xenopho'bie *f*, Fremdenfeindlichkeit *f.*

xe·ran·sis [zi'rænsis] *s.* ⚕ Austrocknung *f.*

xe·ra·si·a [zi'reizjə] *s.* ⚕ Trockenheit *f* des Haares.

xe·ro·phyte ['ziəroufait] *s.* ♀ Trokkenheitspflanze *f.*

xiph·oid ['zifɔid] *adj. anat.* **1.** schwertförmig; **2.** Schwertfortsatz...: ~ *appendage*, ~ *process* Schwertfortsatz (*des Brustbeins*).

Xmas ['krismәs] F *für Christmas.*

X-ray ['eks'rei] **I.** *s.* ⚕, *phys.* **1.** X-Strahl *m*, Röntgenstrahl *m*; **2.** Röntgenaufnahme *f*, -bild *n*; **II.** *v/t.* **3.** röntgen: a) ein Röntgenbild machen von, b) durch'leuchten; **4.** bestrahlen; **III.** *adj.* **5.** Röntgen...

xy·lene ['zailiːn] *s.* ⚗ Xy'lol *n.*

xy·lo·graph ['zailəgrɑːf; -græf] *s.* Holzschnitt *m*; **xy·log·ra·pher** [zai'lɔgrəfə] *s.* Holzschneider *m*; **xy·lo·graph·ic** [zailə'græfik] *adj.* Holzschnitt...; **xy·log·ra·phy** [zai'lɔgrəfi] *s.* Xylogra'phie *f*, Holzschneidekunst *f.*

xy·lo·nite ['zailənait] *s.* ⊕ Zellu'loid *n.*

xy·lo·phone ['zailəfoun] *s.* ♪ Xylo'phon *n.*

xy·lose ['zailous] *s.* ⚗ Xy'lose *f*, Holzzucker *m.*

Y

Y, y [wai] **I.** *pl.* **Y's, y's, Ys, ys** [waiz] *s.* **1.** Y *n*, y *n*, 'Ypsilon *n* (*Buchstabe*); **2.** Ⱥ **a**) y *n* (*2. unbekannte Größe od. abhängige Variable*), **b**) y-Achse *f*, Ordi'nate *f* (*im Koordinatensystem*); **II.** *adj.* **3.** Y-..., Y-förmig, gabelförmig.

y- [i] *obs. Präfix zur Bildung des p.p., entsprechend dem deutschen* ge-.

yacht [jɔt] ⚓ **I.** *s.* **1.** (Segel-, 'Motor)Jacht *f*; (Renn)Segler *m*: *~-club* Jachtklub; **II.** *v/i.* **2.** auf e-r Jacht fahren; **3.** (sport)segeln; **yacht·er** ['jɔtə] → *yachtsman*; **yacht·ing** ['jɔtiŋ] **I.** *s.* **1.** Jacht-, Segelsport *m*; **2.** (Sport)Segeln *n*; **II.** *adj.* **3.** Segel..., Jacht...

yachts·man ['jɔtsmən] *s.* [*irr.*] Jachtfahrer *m*, (Sport)Segler *m*; **'yachts·man·ship** [-ʃip] *s.* Segelkunst *f*.

ya·hoo [jə'hu:] *s.* **1.** viehisches Wesen in Menschengestalt (*aus „Gulliver's Travels" von Swift*); **2.** Saukerl *m*, Rohling *m*.

yak [jæk] *s. zo.* Yak *m*, Grunzochse *m*.

yam·mer ['jæmə] *v/t. u. v/i. Scot. od. dial.* jammern.

yank[1] [jæŋk] F **I.** *v/t.* **1.** (mit e-m Ruck her'aus)ziehen, (*hoch- etc.*) reißen; **II.** *v/i.* **2.** heftig ziehen; **3.** flink hantieren, rührig sein; **III.** *s.* **4.** *Am.* Ruck *m*, Zerren *n*.

Yank[2] [jæŋk] *sl. für Yankee.*

Yan·kee ['jæŋki] *s.* Yankee *m* (*Spitzname*): **a**) Neu-'Engländer(in), **b**) Nordstaatler(in) (*der USA*), **c**) (*allg., von Nichtamerikanern gebraucht*) ('Nord)Ameri,kaner(in): *~ Doodle amer. Volkslied.*

yap [jæp] **I.** *s.* **1.** Kläffen *n*, Gekläff *n*; **2.** *sl.* **a**) Gequassel *n*, Geschwätz *n*, **b**) *Am.* Maul *n*; **II.** *v/i.* **3.** kläffen (*a. sl. fig. schimpfen*); **4.** *sl.* quasseln.

yard[1] [jɑ:d] *s.* **1.** Yard *n* (*englische Elle* = *0,914 m*); **2.** † Elle *f* (*Stoff*): *~ goods* Ellen-, Kurzwaren; **3.** ⚓ Rah(e) *f*.

yard[2] [jɑ:d] *s.* **1.** Hof(raum) *m*; **2.** (Arbeits-, Bau-, Stapel)Platz *m*; **3.** *a. railway-~* 🚂 *Brit.* Rangier-, Verschiebebahnhof *m*; **4.** *the* ♀ → *Scotland Yard*; **5.** ⚒ Hof *m*, Gehege *n*: *poultry-~*; **6.** *Am.* Winterweideplatz *m* (*für Elche u. Rotwild*).

yard·age[1] ['jɑ:didʒ] *s.* in Yards angegebene Zahl *od.* Länge, Yards *pl.*

yard·age[2] ['jɑ:didʒ] *s.* Recht *n* zur (*od.* Gebühr *f* für die) Benutzung e-s (Vieh- *etc.*)Hofs.

'yard|-arm *s.* ⚓ Rahnock *f*; **'~-man** [-mən] *s.* [*irr.*] **1.** 🚂 Rangier-, Bahnhofsarbeiter *m*; **2.** ⚓ Werftarbeiter *m*; **3.** ⚒ Stall-, Viehhofarbeiter *m*; **'~-mas·ter** *s.* 🚂 Rangiermeister *m*; **'~-stick** *s.* **1.** Yard-, Maßstock *m*; **2.** *fig.* Maßstab *m*.

yarn [jɑ:n] **I.** *s.* **1.** Garn *n*; **2.** ⚓ Kabelgarn *n*; **3.** F abenteuerliche (*a. weitS. erlogene*) Geschichte, (Seemanns)Garn *n*: *to spin a ~* e-e Abenteuergeschichte erzählen, ein (Seemanns)Garn spinnen; **II.** *v/i.* **4.** F (Geschichten) erzählen, ein Garn spinnen, (mitein'ander) klönen.

yar·row ['jærou] *s.* ⚘ Schafgarbe *f*.

yaw [jɔ:] *v/i.* **1.** ⚓ gieren (*vom Kurs abkommen*); **2.** ✈ (*um Hochachse*) gieren, scheren; **3.** *fig.* schwanken.

yawl [jɔ:l] *s.* ⚓ **1.** Segeljolle *f*; **2.** Be'sankutter *m*.

yawn [jɔ:n] **I.** *v/i.* **1.** gähnen (*a. fig. Abgrund etc.*); **2.** *fig.* **a**) sich weit u. tief auftun, **b**) weit offenstehen; **II.** *v/t.* **3.** gähnen(d sagen); **III.** *s.* **4.** Gähnen *n*; **'yawn·ing** [-niŋ] *adj.* □ gähnend (*a. fig.*).

y·clept [i'klept] *adj. obs. od. humor.* genannt, namens.

ye[1] [ji:; ji] *pron. obs. od. bibl. od. humor.* **1.** ihr, Ihr; **2.** euch, Euch, dir, Dir; **3.** du, Du; **4.** F *für you: how d'ye do?*

ye[2] [ji:] *archaisierend für the.*

yea [jei] **I.** *adv.* **1.** ja; **2.** für'wahr, wahr'haftig; **3.** *obs.* ja so'gar; **II.** *s.* **4.** Ja *n*; **5.** *mst pl.* Jastimme *f* (*Am. a. parl.*).

yeah [je; jæ] *adv. Am.* F ja, klar: *~?* so?, na, na!

yean [ji:n] *zo.* **I.** *v/t.* werfen (*Schaf, Ziege*); **II.** *v/i.* lammen, werfen; **'yean·ling** [-liŋ] *s.* Lamm *n*, Zicklein *n*.

year [jə:] *s.* **1.** Jahr *n*: *~ of grace* Jahr des Heils; *a ~ and a day* Jahr u. Tag; *for ~s* jahrelang, seit Jahren, auf Jahre hinaus; *~ in ~ out* jahrein, jahraus; *~ by ~, from ~ to ~, ~ after ~* Jahr für Jahr; *in the ~ one humor.* vor undenklichen Zeiten; *twice a ~* zweimal jährlich *od.* im Jahr; **2.** *pl.* Alter *n*: *~s of discretion* gesetztes *od.* vernünftiges Alter; *for his ~s klug etc.* für sein Alter; *well on in ~s* hochbetagt; *to be getting on in ~s* in die Jahre kommen; *he bears his ~s well* er ist für sein Alter recht rüstig; **'~-book** *s.* Jahrbuch *n*.

year·ling ['jə:liŋ] **I.** *s. zo.* Jährling *m*, einjähriges Tier; **II.** *adj.* einjährig.

'year·long *adj.* einjährig, ein Jahr dauernd.

year·ly ['jə:li] **I.** *adj.* jährlich, Jahres...(*-einkommen etc.*); **II.** *adv.* jährlich, jedes Jahr (einmal).

yearn [jə:n] *v/i.* **1.** sich sehnen, Sehnsucht haben (*for, after* nach, *to do* danach, zu tun); **2.** (*bsd.* Mitleid, Zuneigung) empfinden (*to* [*-wards*] für, mit); **'yearn·ing** [-niŋ] **I.** *s.* Sehnsucht *f*, Sehnen *n*, Verlangen *n*; **II.** *adj.* □ sehnsüchtig, sehnend, verlangend.

yeast [ji:st] **I.** *s.* **1.** (Bier-, Back-)Hefe *f*; **2.** *fig.* Gischt *f*, Schaum *m*; **3.** *fig.* Sauerteig *m*; **II.** *v/i.* **4.** gären; **'~-pow·der** *s.* Backpulver *n*.

yeast·y ['ji:sti] *adj.* **1.** hefig; **2.** schäumend, unruhig (*a. fig.*); **3.** *fig. contp.* schaumschlägerisch, leer, hohl, oberflächlich.

yegg(·man) ['jeg(mən)] *s.* [*irr.*] *Am. sl.* **1.** ‚schwerer Junge', *bsd.* Geldschrankknacker *m*; **2.** ‚Stromer' *m*, Landstreicher *m*.

yell [jel] **I.** *v/i.* **1.** gellend (auf-)schreien (*with* vor *dat.*); **II.** *v/t.* **2.** gellen(d ausstoßen), schreien; **III.** *s.* **3.** gellender (Auf)Schrei; **4.** *Am. univ.* anfeuernder Schlachtruf.

yel·low ['jelou] **I.** *adj.* **1.** gelb (*a. Rasse*): *~-haired* flachshaarig; *the ~ peril* die gelbe Gefahr; **2.** *fig.* **a**) *obs.* neidisch, eifersüchtig, **b**) melan'cholisch, **c**) *sl.* feige: *he is ~* er hat ‚Schiß', **d**) 'mißtrauisch; **3.** F **a**) sensati'onslüstern, Boulevard..., **b**) chauvi'nistisch, Hetz...: *~ journal*; **II.** *s.* **4.** Gelb *n*; **5.** Eigelb *n*; **6.** ⚕ *obs. od. vet.* Gelbsucht *f*; **7.** *pl. fig. obs.* Eifersucht *f*, Neid *m*; **III.** *v/t.* **8.** gelb färben; **IV.** *v/i.* **9.** sich gelb färben, vergilben; **'~-am·mer** [-ouæmə] → *yellow-hammer*; **'~-back** [-oub-] *s.* Schmöker *m*, 'Schundro,man *m*; **~ brass** *s. Brit.* (Neu)Messing *n*, Gelbkupfer *n*; **'~-dog** [-oud-] **I.** *s.* **1.** Köter *m*, ‚Prome'nadenmischung' *f*; **2.** *fig.* gemeiner *od.* feiger Hund; **II.** *adj.* **3.** hundsgemein; **4.** *Am.* gewerkschaftsfeindlich; **'~-earth** *s. min.* **1.** Gelberde *f*; **2.** → *yellow ochre*; **~ fe·ver** *s.* ⚕ Gelbfieber *n*; **'~-ham·mer** [-ouh-] *s. orn.* Goldammer *f*.

yel·low·ish ['jelouiʃ] *adj.* gelblich.

yel·low| Jack *s.* **1.** ⚕ Gelbfieber *n*; **2.** ⚓ Quaran'täneflagge *f*; **~ met·al** *s.* ⊕ 'Muntzme,tall *n*; **~ o·chre** (*Am.* **o·cher**) *s. min.* gelber Ocker, Gelberde *f*; **~ press** *s.* Sensati'ons-, Boule'vard-, *a.* Hetzpresse *f*; **'~-soap** *s.* Schmierseife *f*.

yelp [jelp] **I.** *v/i.* **1.** kläffen (*Hund*); **2.** (*a. v/t.*) kreischen, jaulen; **II.** *s.* **3.** Gekläff *n*; **4.** (schriller) Schrei.

yen[1] [jen] *s.* Yen *m* (*japanische Münzeinheit*).

yen[2] [jen] *s. Am. sl.* brennendes Verlangen, Drang *m*.

yeo·man ['joumən] *s.* [*irr.*] **1.** *Brit.*

a) *hist.* Freisasse *m*, b) kleiner Gutsbesitzer: ~('s) *service fig.* großer Dienst; **2.** ⚔ *Brit.* berittener Mi'lizsolˌdat; **3.** *a.* ♀ *of the Guard* 'Leibgarˌdist *m*; **4.** ⚓ *Am.* Ma'rineschreiber *m*; '**yeo·man·ry** [-ri] *s. coll.* **1.** *hist.* Freisassen *pl.*; **2.** ⚔ *Brit.* berittene Mi'liz.

yep [jep] *Am.* F *für yes.*

yes [jes] **I.** *adv.* **1.** ja, ja'wohl: *to say ~ (to)* ja sagen (zu): a) *(e-e Sache)* bejahen (*a. fig.*), b) einwilligen (in *acc.*); **2.** ja, gewiß, aller'dings; **3.** (ja) doch; **4.** ja so'gar; **5.** *fragend od. anzweifelnd*: ja?, wirklich?; **II.** *s.* **6.** Ja *n*; **7.** *fig.* Ja(wort) *n*; '**~-man** [-mæn] *s.* [*irr.*] F Jasager *m*, Jabruder *m*.

yes·ter ['jestə] *adj.* **1.** *poet.* gestrig; **2.** *in Zssgn* → *yesterday 2*; '**~·day** [-di] **I.** *adv.* **1.** gestern: *I was not born ~ fig.* ich bin nicht von gestern; **II.** *adj.* **2.** gestrig, vergangen, letzt: *~ morning* gestern früh; **III.** *s.* **3.** der gestrige Tag: *the day before ~* vorgestern; *~'s paper* die gestrige Zeitung; *of ~* von gestern; *~s* vergangene Tage *od.* Zeiten; **4.** *fig. das* Gestern; *~-'year adv. u. s. obs. od. poet.* voriges Jahr.

yet [jet] **I.** *adv.* **1.** (immer) noch, jetzt noch: *not ~* noch nicht; *nothing ~* noch nichts; *~ a moment* (nur) noch einen Augenblick; **2.** schon (jetzt), jetzt: *(as) ~* bis jetzt, bisher; *have you finished ~?* bist du schon fertig?; *not just ~* nicht gerade jetzt; **3.** (doch) noch, schon (noch): *he will win ~* er wird doch noch gewinnen; **4.** noch, so'gar (*beim Komparativ*): *~ better* noch besser; *~ more important* sogar noch wichtiger; **5.** noch (da'zu), außerdem: *another and ~ another* noch einer u. noch einer dazu; *~ again* immer wieder; *nor ~* (und) auch nicht; **6.** dennoch, trotzdem, je'doch, aber: *but ~* aber doch *od.* trotzdem; **II.** *cj.* **7.** aber (dennoch *od.* zu'gleich), doch.

yew [ju:] ⚘ **I.** *s.* **1.** *a. ~-tree* Eibe *f*; **2.** Eibenholz *n*; **II.** *adj.* **3.** Eiben...

Yid [jid] *s. sl.* Jude *m*; **Yid·dish** ['jidiʃ] *ling.* **I.** *s.* Jiddisch *n*; **II.** *adj.* jiddisch.

yield [ji:ld] **I.** *v/t.* **1.** *als Ertrag* ergeben, (ein-, her'vor)bringen, *a. Ernte* erbringen, *bsd. Gewinn* abwerfen, *Früchte, a. Zinsen etc.* tragen, *Produkte etc.* liefern: *to ~ 6 %* ☿ 6 % (Rendite) abwerfen; **2.** *Resultat* ergeben, liefern; **3.** *fig.* gewähren, zugestehen, einräumen (*s.th. to s.o.*: j-m et.): *to ~ consent* einwilligen; *to ~ precedence to j-m* den Vorrang einräumen; **4.** *a. ~ up* a) auf-, hergeben, b) *(to)* abtreten (an *acc.*), über'lassen, -'geben (*dat.*), ausliefern (*dat. od.* an *acc.*): *to ~ o.s. to fig.* sich *e-r Sache* überlassen; *to ~ a secret* ein Geheimnis preisgeben; *to ~ the palm (to s.o.)* sich (j-m) geschlagen geben; *to ~ place to* Platz machen (*dat.*); → *ghost 3*; **II.** *v/i.* **5.** *guten etc.* Ertrag geben *od.* liefern, *bsd.* ↗ tragen; **6.** nachgeben, weichen (*Sache u. Person*), *mot.* die Vorfahrt lassen; *to ~ to despair* sich der Verzweiflung hingeben; *to ~ to force* der Gewalt weichen; *to ~ (to treatment)* ⚕ nachlassen (*Krankheit*); *I ~ to none* ich stehe keinem nach (*in* in *dat.*); **7.** sich fügen (*to dat.*); **8.** einwilligen (*to* in *acc.*); **9.** eingehen (*to* auf *acc.*): *to ~ to conditions*; **III.** *s.* **10.** Ertrag *m*: a) Ernte *f*, b) Ausbeute *f* (*a.* ⊕, *phys.*), Gewinn *m*: *~ of tax(es)* Steueraufkommen, -ertrag; **11.** ☿ Ren'dite *f*; **12.** ⊕ a) Me'tallgehalt *m von Erz*, b) Ausgiebigkeit *f von Farben*; '**yield·ing** [-diŋ] *adj.* ☐ **1.** ergiebig, einträglich: *~ interest* ☿ verzinslich; **2.** nachgebend, dehnbar, biegsam; **3.** *fig.* nachgiebig, gefügig; **yield point** *s.* ⊕ Fließ-, Streckgrenze *f*.

yip [jip] *Am.* F → *yelp.*

yo·del ['joudl] **I.** *v/t. u. v/i.* jodeln; **II.** *s.* Jodler *m* (*Gesang*).

yo·ga ['jougə] *s. Ind. phls.* 'Joga *m*.

yo·gh(o)urt ['jougə:t] *s.* Joghurt *m*, *n*.

yo·gi ['jougi] *s.* 'Jogi *m*.

yo-(heave-)ho ['jou(hi:v)'hou], **yo-ho** [jou'hou] *int.* ⚓ hau-'ruck!

yoicks [jɔiks] *hunt.* **I.** *int.* hussa!; **II.** *s.* Hussa(ruf *m*) *n*.

yoke [jouk] **I.** *s.* **1.** ↗ *antiq. u. fig.* Joch *n*: *~ of matrimony* Joch der Ehe; *to pass under the ~* sich unter das Joch beugen; **2.** *sg. od. pl.* Paar *n*, Gespann *n*: *two ~ of oxen*; **3.** ⊕ a) Schultertrage *f* (*für Eimer etc.*), b) Glockengerüst *n*, c) Bügel *m*, d) ⚡ (Ma'gnet-, Pol)Joch *n*, e) *mot.* Gabelgelenk *n*, f) doppeltes Achslager, g) ⚓ Ruderjoch *n*; **4.** Passe *f*, Sattel *m* (*an Kleidern*); **II.** *v/t.* **5.** *Tiere* anschirren, anjochen; **6.** *fig.* paaren, verbinden (*with, to* mit); **III.** *v/i.* **7.** verbunden sein (*with* mit *j-m*): *to ~ together* zs.-arbeiten; '**~-bone** *s. anat.* Jochbein *n*; '**~·fel·low** *s.* **1.** Mitarbeiter *m*; **2.** (Lebens-, Leidens)Gefährte *m*, (-)Gefährtin *f*.

yo·kel ['joukəl] *s.* (Bauern)Tölpel *m*, (-)Lackel *m*.

'**yoke·mate** → *yokefellow.*

yolk [jouk] *s.* **1.** *zo.* Eidotter *m*, *n*; **2.** Eigelb *n*; **3.** Woll-, Fettschweiß *m* (*Schafwolle*).

yon [jɔn] *obs. od. prov.* **I.** *adj. u. pron.* jene(r, s) dort (drüben); **II.** *adv.* → *yonder I*; '**yon·der** [-də] **I.** *adv.* **1.** da *od.* dort drüben; **2.** *obs.* da drüben hin; **II.** *adj. u. pron.* **3.** → *yon I.*

yore [jɔ:] *s.*: *of ~* vorzeiten, ehedem, vormals; *in days of ~* in alten Zeiten.

York·shire ['jɔ:kʃə] *adj.* aus der Grafschaft Yorkshire, Yorkshire...: *~ flannel* ☿ *feiner Flanell aus ungefärbter Wolle*; *~ pudding gebackener Eierteig, der zum Rinderbraten gegessen wird.*

you [ju:; ju; jə] *pron.* **1.** a) (*nom.*) du, ihr, Sie, b) (*dat.*) dir, euch, Ihnen, c) (*acc.*) dich, euch, Sie: *don't ~ do that!* tu das ja nicht!; *that's a wine for ~!* das ist vielleicht ein (gutes) Weinchen!; **2.** man: *that does ~ good* das tut einem gut; *what should ~ do?* was soll man tun?

you'd [ju:d; jud; jəd] F *für* a) *you would*, b) *you had*; **you'll** [ju:l; jul; jəl] F *für you will.*

young [jʌŋ] **I.** *adj.* jung (*a. fig. frisch, neu, unerfahren*): *~ ambition* jugendlicher Ehrgeiz; *~ animal* Jungtier; *~ children* kleine Kinder; *~ love* junge Liebe; *her ~ man* F ihr Schatz; *~ Smith, Smith the ~er* Smith junior, Smith der Jüngere; *a ~ state* ein junger Staat; *~ person* ⚖ Jugendliche(r), Heranwachsende(r) (*8 bis 17 Jahre alt*); *the ~ person fig.* die (unverdorbene) Jugend; *~ in one's job* unerfahren in s-r Arbeit; **II.** *s.* (Tier)Junge *pl.*: *with ~* trächtig; **young·ish** ['jʌŋiʃ] *adj.* ziemlich jung; '**young·ster** [-stə] *s.* F Bursch(e) *m*, Junge *m*.

your [jɔ:] *pron. u. adj.* **1.** a) *sg.* dein(e), b) *pl.* euer, eure, c) *sg. od. pl.* Ihr(e); **2.** *impers.* F a) so ein(e), b) der (die, das) vielgepriesene *od.* -gerühmte.

you're [juə] F *für you are.*

yours [jɔ:z] *pron.* **1.** a) *sg.* dein, der (die, das) dein(ig)e, die dein(ig)en, b) *pl.* euer, eure(s), der (die, das) eur(ig)e, die eur(ig)en, c) *Höflichkeitsform, sg. od. pl.* Ihr, der (die, das) Ihr(ig)e, die Ihr(ig)en: *this is ~* das gehört dir (euch, Ihnen); *what is mine is ~* was mein ist, ist (auch) dein; *my sister and ~* meine u. deine Schwester; → *truly 2*; **2.** a) die Dein(ig)en (Euren, Ihren), b) das Dein(ig)e, deine Habe: *you and ~*; **3.** ☿ Ihr Schreiben.

your'self *pl.* -'**selves** *pron.* (*in Verbindung mit you od. e-m Imperativ*) **1.** a) *sg.* (du, Sie) selbst, b) *pl.* (ihr, Sie) selbst: *by ~* a) selbst, selber, selbständig, allein, b) allein, einsam; *be ~!* F nimm dich zusammen!; *you are not ~ today* du bist heute ganz anders als sonst *od.* nicht auf der Höhe; *what will you do with ~ today?* was wirst du heute anfangen?; **2.** *refl.* a) *sg.* dir, dich, sich, b) *pl.* euch, sich: *did you hurt ~?* hast du dich (haben Sie sich) verletzt?

youth [ju:θ] **I.** *s.* **1.** Jugend *f*: a) Jungsein *n*, b) Jugendfrische *f*, c) Jugendzeit *f*, d) *coll. sg. od. pl. konstr.* junge Leute *pl. od.* Menschen *pl.*; **2.** 'Frühˌstadium *n*; **3.** *pl. youths* [-ðz] junger Mann, Jüngling *m*; **II.** *adj.* **4.** Jugend...: *~ hostel* Jugendherberge; '**youth·ful** [-ful] *adj.* ☐ **1.** jung (*a. fig.*); **2.** jugendlich; **3.** Jugend...: *~ days*; '**youth·ful·ness** [-fulnis] *s.* Jugend(lichkeit) *f*.

you've [ju:v; juv; jəv] F *für you have.*

yowl [jaul] *v/t. u. v/i.* jaulen, heulen.

Yu·go·slav → *Jugoslav.*

yule [ju:l] *s.* Weihnacht(en *n od. pl.*) *f*, Julfest *n*; '**~-log** *s.* Weihnachtsscheit *n im Kamin*; '**~-tide** *s.* Weihnachtszeit *f*.

yum [jʌm] *int. sl.* mm!, prima!; '**yum·my** *adj. sl.* prima, ‚schick', ‚Klasse'; '**yum-'yum** *int. sl.* → *yum.*

Z

Z, z [zed] *s.* Z *n*, z *n* (*Buchstabe*).

za·ny ['zeini] *s.* **1.** *hist. u. fig. contp.* Hans'wurst *m*; **2.** *fig. contp.* Blödmann *m*, ‚Arschloch' *n*.

zap [zæp] *v/t. bsd. Am. sl.* **1.** *j-n* abknallen; **2.** *j-m* ein Ding verpassen (*Kugel, Schlag etc.*); **3.** *fig. j-n* ‚fertigmachen'.

zeal [zi:l] *s.* **1.** (Dienst-, Arbeits-, Glaubens- *etc.*)Eifer *m*: *full of* ~ (dienst- *etc.*)eifrig; **2.** Begeisterung *f*, Hingabe *f*, Inbrunst *f*.

zeal·ot ['zelət] *s. bsd. eccl.* (Glaubens)Eiferer *m*, Ze'lot *m*, Fa'natiker(in); **'zeal·ot·ry** [-tri] *s.* Zelo'tismus *m*, fa'natischer (Glaubens- *etc.*)Eifer.

zeal·ous ['zeləs] *adj.* □ **1.** (dienst-) eifrig; **2.** eifernd, fa'natisch; **3.** eifrig bedacht (*to do* darauf, zu tun, *for* auf *acc.*); **4.** heiß, innig; **5.** begeistert; **'zeal·ous·ness** [-nis] → *zeal*.

ze·bra ['zi:brə] *pl.* **-bras** *od. coll.* **-bra** *s. zo.* Zebra *n*; ~ **cross·ing** *s.* Zebrastreifen *pl.*, 'Fußgänger,überweg *m*.

ze·bu ['zi:bu:] *pl.* **-bus** *od. coll.* **-bu** *s. zo.* 'Zebu *n*, Buckelochse *m*.

zed [zed] *s. Brit.* **1.** Zet *n* (*Buchstabe*); **2.** ⊕ Z-Eisen *n*.

ze·ner di·ode ['zi:nə] *s.* ⚡ 'Zener-di,ode *f*.

ze·nith ['zeniθ] *s.* Ze'nit *m*: **a)** *ast.* Scheitelpunkt *m* (*a. Ballistik*), **b)** *fig.* Höhe-, Gipfelpunkt *m*: *to be at one's* (*od. the*) ~ den Zenit erreicht haben, im Zenit stehen.

Zeph·a·ni·ah [zefə'naiə] *npr. u. s. bibl.* (das Buch) Ze'phanja *m*.

zeph·yr ['zefə] *s.* **1.** 'Zephir *m*, Westwind *m*, laues Lüftchen; **2.** sehr leichtes Gewebe, *a.* leichter Schal *etc.*; **3.** *Brit.* leichter 'Sporttri,kot; **4.** ☤ **a)** *a.* ~ *cloth* Zephir *m* (*Gewebe*), **b)** *a.* ~ *worsted* 'Zephirwolle *f*, **c)** *a.* ~ *yarn* 'Zephirgarn *n*.

ze·ro ['ziərou] **I.** *pl.* **-ros** *s.* **1.** Null *f* (*Zahl od. Zeichen*); **2.** *phys.* Null (-punkt *m*) *f*, Ausgangspunkt *m* (*Skala*), *bsd.* Gefrierpunkt *m*; **3.** ✈ Null(punkt *m*, -stelle) *f*; **4.** *fig.* Null-, Tiefpunkt *m*; **5.** Null *f*, Nichts *n* (*a. fig.*); **6.** ⚔ → *zero hour*; **7.** ✈ Höhe *f* unter 1000 Fuß, Bodennähe *f*; **II.** *v/t.* **8.** ⊕ auf Null (ein)stellen; **III.** *v/i.* **9.** ~ *in on* ⚔, *fig.* sich einschießen auf (*acc.*); ~ **con·duc·tor** *s.* ⚡ Nulleiter *m*; ~ **grav·i·ty** *s. phys.* (Zustand *m* der) Schwerelosigkeit *f*; ~ **growth** *s.* Nullwachstum *n*: *zero population growth* Bevölkerungsstillstand; ~ **hour** *s.* **1.** ⚔ X-Zeit *f*, Stunde *f* Null (*festgelegter Zeitpunkt des Beginns e-r Operation*); **2.** *fig.* genauer Zeitpunkt, 'kritischer Augenblick.

zest [zest] **I.** *s.* **1.** Würze *f* (*a. fig. Reiz*): *to give (a)* ~ *to e-r Sache* Würze *od.* Reiz verleihen; **2.** *fig.* (*for*) Genuß *m*, Lust *f*, Behagen *n*, Freude *f* (an *dat.*), Begeisterung *f* (für): ~ *for life* Lebenshunger; **II.** *v/t.* **3.** würzen (*a. fig.*).

zig·zag ['zigzæg] **I.** *s.* **1.** Zickzack *m*; **2.** Zickzacklinie *f*, -bewegung *f*, -kurs *m* (*a. fig.*); **3.** Zickzackweg *m*, Serpen'tine(nstraße) *f*; **II.** *adj.* **4.** zickzackförmig, Zickzack...; **III.** *adv.* **5.** im Zickzack; **IV.** *v/i.* **6.** im Zickzack fahren, laufen *etc.*, *a.* verlaufen (*Weg etc.*).

zinc [ziŋk] **I.** *s.* ⚗ Zink *n*; **II.** *v/t. pret. u. p.p.* **zinc(k)ed** [-kt] verzinken; **zin·cog·ra·pher** [ziŋ'kɔgrəfə] *s.* Zinko'graph *m*, Zinkstecher *m*; **'zinc·ous** [-kəs] *adj.* ⚗ Zink...; **'zinc-white** *s.* Zinkweiß *n*.

Zi·on ['zaiən] *s. bibl.* 'Zion *m*; **'Zi·on·ism** [-nizəm] *s.* Zio'nismus *m*; **'Zi·on·ist** [-nist] **I.** *s.* Zio'nist(in); **II.** *adj.* zio'nistisch, Zionisten...

zip [zip] **I.** *s.* **1.** Schwirren *n*; **2.** F ‚Schmiß' *m*, Schwung *m*; **3.** F → *zip-fastener*; **II.** *v/i.* **4.** schwirren; **5.** F ‚Schmiß' haben; **III.** *v/t.* **6.** schwirren lassen; **7.** mit e-m Reißverschluß schließen; **8.** *a.* ~ *up* F ‚schmissig' machen; ~ **code** *s. Am.* Postleitzahl *f*; **'~-fas·ten·er** *s.* Reißverschluß *m*.

zip·per ['zipə] **I.** *s.* Reißverschluß *m*: ~ *bag* Reißverschlußtasche; **II.** *v/t.* mit Reißverschluß versehen; **zip·py** ['zipi] *adj.* F ‚schmissig'.

zith·er ['ziθə] *s.* ♪ Zither *f*; **'zith·er·ist** [-ərist] *s.* Zitherspieler(in).

zo·di·ac ['zoudiæk] *s. ast.* Tierkreis *m*: *signs of the* ~ Tierkreiszeichen; **zo·di·a·cal** [zou'daiəkəl] *adj.* Tierkreis..., Zodiakal...

zom·bi(e) ['zɔmbi] *s.* **1.** Schlangengottheit *f*; **2.** 'wiederbeseelter Körper; **3.** *sl.* **a)** Scheusal *n*, **b)** Trottel *m*, **c)** *scharfer Cocktail.*

zon·al ['zounl] *adj.* □ **1.** zonenförmig; **2.** Zonen...; **zone** [zoun] **I.** *s.* **1.** Zone *f*: **a)** *geogr.* (Erd)Gürtel *m*, **b)** Gebietsstreifen *m*, Gürtel *m*, **c)** *fig.* Bereich *m*, (*a.* Körper)Gegend *f*: *torrid* ~ heiße Zone; *wheat* ~ Weizengürtel; ~ *of occupation* Besatzungszone; *danger* ~ Gefahrenzone; **2.** 🚂, 📯 *Am.* (Gebühren-) Zone *f*; **3.** 📯 Post(zustell)bezirk *m*; **II.** *v/t.* **4.** in Zonen aufteilen; **5.** e-n Gürtel legen um (*acc.*).

zoo [zu:] *s.* Zoo *m*.

zo·o·blast ['zouəblæst] *s. zo.* tierische Zelle.

zo·o·chem·is·try [zouə'kemistri] *s. zo.* Zooche'mie *f*.

zo·og·e·ny [zou'ɔdʒəni] *s. zo.* Zooge'nese *f*, Entstehung *f* der Tierarten.

zo·og·ra·phy [zou'ɔgrəfi] *s.* beschreibende Zoolo'gie, Tierbeschreibung *f*.

zo·o·lite ['zouəlait] *s. geol.* fos'siles Tier.

zo·o·log·i·cal [zouə'lɔdʒikəl] *adj.* □ zoo'logisch; **zo·o·log·i·cal gar·den** [zu'lɔdʒikəl] *s.* zoo'logischer Garten.

zo·ol·o·gist [zou'ɔlədʒist] *s.* Zoo'loge *m*, Zoo'login *f*; **zo'ol·o·gy** [-dʒi] *s.* Zoolo'gie *f*, Tierkunde *f*.

zoom [zu:m] **I.** *v/i.* **1.** (laut) surren; **2.** ✈ steil hochziehen; **3.** *Film*: zoomen; **II.** *v/t.* **4.** *Flugzeug* hochreißen; **III.** *s.* **5.** ✈ Steilflug *m*; **6.** *Film*: Zoom *m*, 'Varioobjek,tiv *n*, ‚Gummilinse' *f*; **'zoom·er** *s.* → *zoom 6*.

zoom lens *s.* → *zoom 6*.

zo·o·phyte ['zouəfait] *s. zo.* Zoo'phyt *m*, Pflanzentier *n*.

zo·ot·o·my [zou'ɔtəmi] *s.* Zooto'mie *f*, 'Tieranato,mie *f*.

zounds [zaundz] *int. obs.* sapper'lot!

zy·go·ma [zai'goumə] *pl.* **-ma·ta** [-mətə] *s. anat.* **1.** Jochbogen *m*; **2.** Jochbein *n*; **3.** Jochbeinfortsatz *m*.

zy·mo·sis [zai'mousis] *pl.* **-ses** [-si:z] *s.* **1.** ⚗ Gärung *f*; **2.** ⚕ Infekti'onskrankheit *f*; **zy'mot·ic** [-'mɔtik] *adj.* (□ ~*ally*) **1.** ⚗ gärend, Gärungs...; **2.** ⚕ Infektions...

British and American Abbreviations

Britische und amerikanische Abkürzungen

A

A *adult* für Jugendliche unter 14 nur in Begleitung von Erwachsenen (*Kinoprogramm*).
a. *acre* Acre *m.*
AA ab 14 (*Kinoprogramm*).
A.A. *anti-aircraft* Fla, Flugabwehr *f*; *Brit. Automobile Association* Automo'bilklub *m.*
a.a.r. *against all risks* gegen jede Gefahr.
A.B. *able-bodied seaman* 'Vollma,trose *m*; *siehe* B.A.
abbr. *abbreviated* abgekürzt; *abbreviation* Abk., Abkürzung *f.*
A.B.C. *American Broadcasting Company* Amer. Rundfunkgesellschaft *f.*
A.C. *alternating current* Wechselstrom *m.*
a/c *account current* Kontokor'rent *n*; *account* Kto., Konto *n*; Rechnung *f.*
A.C.C. *Allied Control Council* Alliierter Kon'trollrat.
acc. *according to* gem., gemäß, entspr., entsprechend; *account* Kto., Konto *n*; Rechnung *f.*
acct. *account* Kto., Konto *n*; Rechnung *f.*
A.D. *Anno Domini* im Jahre des Herrn.
add. *address* Adr., A'dresse *f.*
Adm. *Admiral* Adm, Admi'ral *m.*
advt. *advertisement* Anz., Anzeige *f*, Ankündigung *f.*
AEC *Atomic Energy Commission* A'tomener,gie-Kommissi,on *f.*
A.E.F. *American Expeditionary Forces* Amer. Streitkräfte *pl.* in 'Übersee.
AFL-CIO *American Federation of Labor & Congress of Industrial Organizations* (*größter amer. Gewerkschaftsverband*).
A.F.N. *American Forces Network* (*Sendergruppe der amer. Streitkräfte in Deutschland*).
aftn. *afternoon* Nachmittag *m.*
Ala. *Alabama* (*Staat der USA*).
Alas. *Alaska* (*Staat der USA*).
Am. *America* A'merika *n*; *American* ameri'kanisch.
A.M. *siehe* M.A.
a.m. *ante meridiem* (*Lat.* = *before noon*) morgens, vormittags.
A.M.A. *American Medical Association* Amer. Ärzteverband *m.*
amp. *ampere* A, Am'pere *n.*
A.P. *Associated Press* (*amer. Nachrichtenagentur*).
A/P *account purchase* Einkaufsabrechnung *f.*
approx. *approximate(ly)* annähernd, etwa.
appx. *appendix* Anh., Anhang *m.*
Apr. *April* Apr., A'pril *m.*
A.R.C. *American Red Cross* das Amer. Rote Kreuz.
Ariz. *Arizona* (*Staat der USA*).
Ark. *Arkansas* (*Staat der USA*).
A.R.P. *Air-Raid Precautions* Luftschutz *m.*
arr. *arrival* Ank., Ankunft *f.*
art. *article* Art., Ar'tikel *m*; *artificial* künstlich.
A/S *account sales* Verkaufsabrechnung *f*; *anti-submarine* U-Boot-Abwehr *f.*
ASA *American Standards Association* Amer. 'Normungs-Organisati,on *f.*
asst. *assistant* Asst., Assi'stent(in).
asst'd *assorted* assortiert, gem., gemischt.
Aug. *August* Aug., Au'gust *m.*
auth. *author(ess)* Verfasser(in).
av. *average* 'Durchschnitt *m*; Hava'rie *f.*
avdp. *avoirdupois* Handelsgewicht *n.*
Ave. *Avenue* Al'lee *f.*
A.W.O.L. *absence without leave* unerlaubte Entfernung von der Truppe.

B

b. *born* geboren.
B.A. *Bachelor of Arts* Bakka'laureus *m* der Philoso'phie; *British Academy* Brit. Akade'mie *f*; *British Airways* Brit. Luftfahrtgesellschaft *f.*
B.Agr. *Bachelor of Agriculture* Bakka'laureus *m* der Landwirtschaft.
B.A.O.R. *British Army of the Rhine* Brit. 'Rheinar,mee *f.*
Bart. *Baronet* 'Baronet *m.*
B.B.C. *British Broadcasting Corporation* Brit. Rundfunkgesellschaft *f.*
bbl. *barrel* Faß *n.*
B.C. *before Christ* vor Christus.
B.Comm. *Bachelor of Commerce* Bakka'laureus *m* der Wirtschaftswissenschaften.
B.D. *Bachelor of Divinity* Bakka'laureus *m* der Theolo'gie.
bd. *bound* gebunden (*Buchbinderei*).
B.D.S. *Bachelor of Dental Surgery* Bakka'laureus *m* der 'Zahnmedi,zin.
bds. *boards* kartoniert (*Buchbinderei*).
B.E. *Bachelor of Education* Bakka'laureus *m* der Erziehungswissenschaft; *Bachelor of Engineering* Bakka'laureus *m* der Ingeni'eurwissenschaft(en).
B/E *bill of exchange* Wechsel *m.*
Beds. *Bedfordshire* (*englische Grafschaft*).
Berks. *Berkshire* (*englische Grafschaft*).
b/f *brought forward* 'Übertrag *m.*
B.F.N. *British Forces Network* (*Sendergruppe der brit. Streitkräfte in Deutschland*).
b.h.p. *brake horse-power* Brems-PS *n*, Bremsleistung *f* in PS.
B.Hy. *Bachelor of Hygiene* Bakka'laureus *m* des Gesundheitswesens.
B.I.F. *British Industries Fair* Brit. Indu'striemesse *f.*
B.I.S. *Bank for International Settlements* BIZ, Bank *f* für ,internatio'nalen Zahlungsausgleich.
bk. *book* Buch *n.*
B.L. *Bachelor of Law* Bakka'laureus *m* des Rechts.
B/L *bill of lading* (See)Frachtbrief *m.*
bl. *barrel* Faß *n.*
bldg. *building* Geb., Gebäude *n.*
B.Lit. *Bachelor of Literature* Bakka'laureus *m* der Litera'tur.
bls. *bales* Ballen *pl.*; *barrels* Fässer *pl.*
Blvd. *Boulevard* Boule'vard *m.*
B.M. *Bachelor of Medicine* Bakka'laureus *m* der Medi'zin; *British Museum* Britisches Mu'seum.
B.M.A. *British Medical Association* Brit. Ärzteverband *m.*
B.Mus. *Bachelor of Music* Bakka'laureus *m* der Mu'sik.
b.o. *branch office* Zweigstelle *f*, Fili'ale *f*; *body odo(u)r* Körpergeruch *m.*
B.o.T. *Board of Trade* Brit. 'Handelsmini,sterium *n.*
bot. *bought* gekauft; *bottle* Flasche *f.*
B.Pharm. *Bachelor of Pharmacy* Bakka'laureus *m* der Pharma'zie.
B.Phil. *Bachelor of Philosophy* Bakka'laureus *m* der Philoso'phie.
B.R. *British Rail* (*Eisenbahn in Großbritannien*).
B/R *bills receivable* Wechselforderungen *pl.*
Br. *Britain* Großbri'tannien *n*; *British* britisch.
B.R.C.S. *British Red Cross Society* das Brit. Rote Kreuz.

Brit. *Britain* Großbri'tannien *n*; *British* britisch.
Bros. *brothers* Gebr., Gebrüder *pl.* (*in Firmenbezeichnungen*).
B.S. *Am. Bachelor of Science* Bakka'laureus *m* der Na'turwissenschaften; *British Standard* Brit. Norm *f*.
B/S *bill of sale* Über'eignungsvertrag *m*.
B.Sc. *Brit. Bachelor of Science* Bakka'laureus *m* der Na'turwissenschaften.
B.S.G. *British Standard Gauge* (*brit. Norm*).
bsh. *bushel* Scheffel *m*.
B.S.I. *British Standards Institution* Brit. 'Normungs-Organisatiˌon *f*.
B.S.T. *British Summer Time* Brit. Sommerzeit *f*.
Bt. *Baronet* 'Baronet *m*.
bt. fwd. *brought forward* 'Übertrag *m*.
B.Th.U. *British Thermal Unit(s)* Brit. Wärmeeinheit *f*.
bu. *bushel* Scheffel *m*.
Bucks. *Buckinghamshire* (*englische Grafschaft*).
bus. *bushel* Scheffel *m*.

C

C. *Celsius, centigrade* Celsius, hundertgradig (*Thermometer*).
c. *cent(s)* Cent *m* (*amer. Münze*); *circa* ca., circa, ungefähr; *cubic* Kubik...
C.A. *chartered account* Frachtrechnung *f*; *Brit. chartered accountant* beeidigter 'Bücherreˌvisor *od.* Wirtschaftsprüfer.
C/A *current account* laufendes Konto.
c.a.d. *cash against documents* Zahlung *f* gegen Doku'mentaushändigung.
Cal(if). *California* (*Staat der USA*).
Cambs. *Cambridgeshire* (*englische Grafschaft*).
Can. *Canada* Kanada *n*; *Canadian* ka'nadisch.
Capt. *Captain* Kapi'tän *m*, Hauptmann *m*, Rittmeister *m*.
Card. *Cardinal* Kardi'nal *m*.
CARE *Co-operative for American Relief Everywhere* (*amer. Organisation, die Hilfsmittel an Bedürftige in aller Welt versendet*).
Cath. *Catholic* kath., ka'tholisch.
CB *Citizens Band* Bürgerwelle *f* (*genehmigte Kurzwelle für privaten Gebrauch*).
C.B. *Companion of the Order of the Bath* Ritter *m* des Bath-Ordens; (*a.* **C/B**) *cash book* Kassabuch *n*.
C.B.C. *Canadian Broadcasting Corporation* Ka'nadische Rundfunkgesellschaft.
C.C. *continuous current* Gleichstrom *m*; *County Council* Grafschaftsrat *m*.
c.c. *Brit. cubic centimetre(s)*, *Am. cubic centimeter(s)* ccm, Ku'bikzentiˌmeter *m*, *n od. pl.*
C.E. *Church of England* angli'kanische Kirche; *civil engineer* 'Bauingeniˌeur *m*.
cert. *certificate* Bescheinigung *f*.
CET *Central European Time* MEZ, 'mitteleuroˌpäische Zeit.
cf. *confer* vgl., vergleiche.
Ch. *chapter* Kap., Ka'pitel *n*.
ch. *chain* (*Länge einer*) Meßkette *f*; *chapter* Kap., Ka'pitel *n*.
c.h. *central heating* ZH, Zen'tralheizung *f*.
Ch.B. *Chirurgiae Baccalaureus* (*Lat.* = *Bachelor of Surgery*) Bakka'laureus *m* der Chirur'gie.
Ches. *Cheshire* (*englische Grafschaft*).
C.I. *Channel Islands* Ka'nalinseln *pl.*
C/I *certificate of insurance* Ver'sicherungspoˌlice *f*.
CIA *Central Intelligence Agency* (*Geheimdienst der USA*).
C.I.D. *Criminal Investigation Department* (*brit. Kriminalpolizei*).
c.i.f. *cost, insurance, freight* Kosten, Versicherung und Fracht einbegriffen.
C.-in-C. *Commander-in-Chief* Oberkommandierende(r) *m* (*dem Land-, Luft- und Seestreitkräfte unterstehen*).
cir(c). *circa* ca., circa, ungefähr.
ck(s). *cask* Faß *n*; *casks* Fässer *pl.*
cl. *class* Klasse *f*.
cm. *Brit. centimetre(s)*, *Am. centimeter(s)* cm, Zenti'meter *m*, *n od. pl.*
C.N.D. *Campaign for Nuclear Disarmament* Feldzug *m* für ato'mare Abrüstung.
C.O. *Commanding Officer* Komman'deur *m*; *conscientious objector* Kriegsdienstverweigerer *m*.
Co. *Company* Gesellschaft *f*; *county* Grafschaft *f*.
c/o *care of* p.A., per A'dresse, bei.
C.O.D. *cash* (*Am. collect*) *on delivery* zahlbar bei Lieferung, per Nachnahme.
C. of E. *Church of England* angli'kanische Kirche; *Council of Europe* ER, Eu'roparat *m*.
Col. *Colorado* (*Staat der USA*); *Colonel* Oberst *m*.
Colo. *Colorado* (*Staat der USA*).
conc. *concerning* betr., betreffend, betrifft.
Conn. *Connecticut* (*Staat der USA*).
Cons. *Conservative* konserva'tiv; *Consul* 'Konsul *m*.
cont. *continued* fortgesetzt.
Corn. *Cornwall* (*englische Grafschaft*).
Corp. *Corporal* Korpo'ral *m*, 'Unteroffiˌzier *m*.
corr. *corresponding* entspr., entsprechend.
cp. *compare* vgl., vergleiche.
C.P.A. *Am. certified public accountant* beeidigter 'Bücherreˌvisor *od.* Wirtschaftsprüfer.
c.p.s. *cycles per second* Hertz *pl.*
ct(s). *cent(s)* (*amer. Münze*).
cu(b). *cubic* Kubik...
cu.ft. *cubic foot* Ku'bikfuß *m*.
cu.in. *cubic inch* Ku'bikzoll *m*.
cum d(iv). *cum dividend* mit Divi'dende.
C.U.P. *Cambridge University Press* Verlag *m* der Universi'tät Cambridge.
c.w.o. *cash with order* Barzahlung bei Bestellung.
cwt. *hundredweight* (*etwa 1*) Zentner *m*.

D

d. *penny, pence* (*brit. Münze bis 1971*); *died* gest., gestorben.
D.A. *deposit account* Depo'sitenˌkonto *n*; *Am. district attorney* Staatsanwalt *m*.
D.A.R. *Am. Daughters of the American Revolution* Töchter *pl.* der amer. Revoluti'on (*patriotische Frauenvereinigung*).
D.B. *day-book* Jour'nal *n*.
D.C. *direct current* Gleichstrom *m*; *District of Columbia* Di'strikt Columbia (*mit der amer. Hauptstadt Washington*).
D.C.L. *Doctor of Civil Law* Doktor *m* des Zi'vilrechts.
D.D. *Doctor of Divinity* Dr. theol., Doktor *m* der Theolo'gie.
d-d *euphem. für damned* verdammt.
D.D.S. *Doctor of Dental Surgery* Dr. med. dent., Doktor *m* der 'Zahnmediˌzin.
D.D.T. *dichloro-diphenyl-trichloroethane* DDT, Di'chlorodiphe'nyltrichloroäˌthan *n* (*Insekten- u. Seuchenbekämpfungsmittel*).
Dec. *December* Dez., De'zember *m*.
dec. *deceased* gest., gestorben.
D.Ed. *Doctor of Education* Dr. paed., Doktor *m* der Päda'gogik.
def. *defendant* Beklagte(r *m*) *f*.
deg. *degree(s)* Grad *m od. pl.*
Del. *Delaware* (*Staat der USA*).
D.Eng. *Doctor of Engineering* Dr.-Ing., Doktor *m* der Ingeni'eurwissenschaften.
dep. *departure* Abf., Abfahrt *f*.
Dept. *Department* Ab'teilung *f*.
dft. *draft* Tratte *f*.
diff. *different* versch., verschieden; *difference* 'Unterschied *m*.
Dir. *Director* Dir., Di'rektor *m*.
disc(t). *discount* Dis'kont *m*, Abzug *m*.
dist. *distance* Entfernung *f*; *district* Bez., Bezirk *m*.
div. *dividend* Divi'dende *f*; *divorced* gesch., geschieden.
D.M. *Doctor of Medicine* Dr. med., Doktor *m* der Medi'zin.
do. *ditto* do., dito; dgl., desgleichen.
doc. *document* Doku'ment *n*, Urkunde *f*.
dol. *dollar* Dollar *m*.
Dors. *Dorsetshire* (*englische Grafschaft*).
doz. *dozen(s)* Dutzend *n od. pl.*
D.P. *displaced person* Verschleppte(r *m*) *f*; *data processing* DV, Datenverarbeitung *f*.
d/p *documents against payment* Doku'mente *pl.* gegen Zahlung.
D.Ph(il). *Doctor of Philosophy* Dr. phil., Doktor *m* der Philoso'phie.
Dpt. *Department* Abteilung *f*.
Dr. *Doctor* Dr., Doktor *m*; *debtor* Schuldner *m*.
dr. *dra(ch)m* Dram *n*, Drachme *f* (*Handelsgewicht*); *drawer* Tras'sant *m*.
d.s., d/s *days after sight* Tage nach Sicht (*bei Wechseln*).
D.Sc. *Doctor of Science* Dr. rer. nat., Doktor *m* der Na'turwissenschaften.
D.S.T. *Daylight-Saving Time* Sommerzeit *f*.
D.Th(eol). *Doctor of Theology* Dr. theol., Doktor *m* der Theolo'gie.

Dur. *Durham* (*englische Grafschaft*).
dwt. *pennyweight* Pennygewicht *n.*
dz. *dozen(s)* Dutzend *n od. pl.*

E

E. *east* O, Ost(en *m*); *east(ern)* ö, östlich; *English* engl., englisch.
E. & O. E. *errors and omissions excepted* Irrtümer und Auslassungen vorbehalten.
E.C. *European Community* EG, Euro'päische Gemeinschaft; *East Central* London Mitte-Ost (*Postbezirk*).
E.C.E. *Economic Commission for Europe* 'Wirtschaftskommissi,on *f* für Eu'ropa (*des Wirtschafts- u. Sozialrates der UN*).
ECG *electrocardiogram* EKG, E,lektrokardio'gramm *n.*
ECOSOC *Economic and Social Council* Wirtschafts- und Sozi'alrat *m* (*der UN*).
E.C.S.C. *European Coal and Steel Community* EGKS, Euro'päische Gemeinschaft für Kohle und Stahl.
Ed., ed. *edition* Aufl., Auflage *f*; *edited* hrsg., her'ausgegeben; *editor* Hrsg., Her'ausgeber *m.*
E.D.P. *electronic data processing* EDV, elek'tronische Datenverarbeitung.
EE., E./E. *errors excepted* Irrtümer vorbehalten.
E.E.C. *European Economic Community* EWG, Euro'päische Wirtschaftsgemeinschaft.
E.F.T.A. *European Free Trade Association* EFTA, Euro'päische Freihandelsgemeinschaft.
e.g. *exempli gratia* (*Lat.* = *for instance*) z. B., zum Beispiel.
EMA *European Monetary Agreement* EWA, Euro'päisches Währungsabkommen.
Enc. *enclosure(s)* Anlage(n *pl.*) *f.*
Eng(l). *England* Engl., England *n*; *English* engl., englisch.
E.S.P. *extra-sensory perception* außersinnliche Wahrnehmung.
Esq. *Esquire* (*in Briefadressen, nachgestellt*) Herrn.
E.S.R.O. *European Space Research Organization* ESRO, Euro'päische Organisati'on für Weltraumforschung.
Ess. *Essex* (*englische Grafschaft*).
est. *established* gegr., gegründet; *estimated* gesch., geschätzt.
etc., &c. *et cetera, and the rest, and so on* etc., usw., und so weiter.
EUCOM *Am. European Command* Kom'mandobereich *m* Eu'ropa.
EURATOM *European Atomic Energy Community* Eura'tom *f*, Euro'päische A'tomgemeinschaft.
excl. *exclusive, excluding* ausschließlich, ohne.
ex div. *ex dividend* ohne (*od.* ausschließlich) Divi'dende.
ex int. *ex interest* ohne (*od.* ausschließlich) Zinsen.

F

F. *Fahrenheit* (*Thermometereinteilung*); *univ. Fellow* (*siehe Wörterverzeichnis fellow 6*).
f. *farthing* (*ehemalige brit. Münze*); *fathom* Faden *m*, Klafter *m, n, f*; *feminine* w., weiblich; *foot, feet* Fuß *m od. pl.*; *following* folgend.
F.A. *Brit. Football Association* Fußballverband *m.*
f.a.a. *free of all average* frei von Beschädigung.
Fahr. *Fahrenheit* (*Thermometereinteilung*).
F.A.O. *Food and Agriculture Organization* Organisati'on *f* für Ernährung und Landwirtschaft (*der UN*).
f.a.s. *free alongside ship* frei Längsseite (See)Schiff.
FBI *Federal Bureau of Investigation* Amer. Bundeskrimi'nalamt *n.*
F.B.I. *Federation of British Industries* Brit. Indu'strieverband *m.*
F.C.C. *Federal Communication Commission* Amer. 'Bundeskommissi,on *f* für das Nachrichtenwesen.
Feb. *February* Febr., Februar *m.*
fig. *figure(s)* Abb., Abbildung(en *pl.*) *f.*
Fla. *Florida* (*Staat der USA*).
fm. *fathom* Faden *m*, Klafter *m, n, f.*
F.O. *Brit. Foreign Office* Auswärtiges Amt.
fo(l). *folio* Folio *n*, Seite *f.*
f.o.b. *free on board* frei an Bord.
f.o.r. *free on rail* frei Wag'gon.
F.P. *freezing-point* Gefrierpunkt *m*; *fire-plug* Hy'drant *m.*
Fr. *France* Frankreich *n*; *French* franz., fran'zösisch.
fr. *franc(s)* Franc(s *pl.*) *m*, Franken *m od. pl.*
ft. *foot, feet* Fuß *m od. pl.*
FTC *Federal Trade Commission* Amer. Bundes'handelskommissi,on *f.*
fur. *furlong* (*Längenmaß*).

G

g. *ga(u)ge* Nor'malmaß *n*, 🚂 Spur *f*; *gram(me)* g, Gramm *n*; *guinea* Gui'nee *f* (*105 p*); *grain* Gran *n.*
G.A. *general agent* Gene'ralvertreter *m*; *general assembly* Hauptversammlung *f.*
Ga. *Georgia* (*Staat der USA*).
gal. *gallon(s)* Gal'lone(n *pl.*) *f.*
G.A.T.T. *General Agreement on Tariffs and Trade* Allgemeines Zoll- und Handelsabkommen.
G.B. *Great Britain* GB, Großbri'tannien *n.*
G.B.S. *George Bernard Shaw* (*irischer Dramatiker*).
G.C.B. *Knight Grand Cross of the Bath* Ritter *m* des Großkreuzes des Bath-Ordens.
Gen. *General* Gene'ral *m.*
gen. *general(ly)* allgemein.
Ger. *German* deutsch, Deutsche(r *m*) *f*; *Germany* Deutschland *n.*
G.I. *government issue* von der Regierung ausgegeben, Staatseigentum *n*; *der* amer. Sol'dat.
gi. *gill* Viertelpinte *f.*
gl. *gill* Viertelpinte *f.*
G.L.C. *Greater London Council* Stadtrat *m* von Groß-London.
Glos. *Gloucestershire* (*englische Grafschaft*).
G.M.T. *Greenwich Mean Time* 'westeuro,päische Zeit.
gns. *guineas* Gui'neen *pl.*
G.O.P. *Am. Grand Old Party* Republi'kanische Par'tei.
Gov. *Government* Regierung *f*; *Governor* Gouver'neur *m.*
G.P. *general practitioner* praktischer Arzt.
G.P.O. *General Post Office* Hauptpostamt *n.*
gr. *grain* Gran *n*; *gross* brutto; Gros *n* (*12 Dutzend*).
gr.wt. *gross weight* Bruttogewicht *n.*
gs. *guineas* Gui'neen *pl.*
guar. *guaranteed* garantiert.

H

h. *hour(s)* Stunde *f*, Uhr *f.*
Hants. *Hampshire* (*englische Grafschaft*).
H.B.M. *His (Her) Britannic Majesty* Seine (Ihre) Bri'tannische Maje'stät.
H.C. *Brit. House of Commons* 'Unterhaus *n.*
H.C.J. *Brit. High Court of Justice* Hoher Gerichtshof.
H.E. *high explosive* hochexplo'siv.
Heref. *Herefordshire* (*englische Grafschaft*).
Herts. *Hertfordshire* (*englische Grafschaft*).
H.F. *high frequency* 'Hochfre,quenz *f*; *Brit. Home Fleet* Flotte *f* in den Heimatgewässern; *Brit. Home Forces* Ersatzheer *n.*
hf. *half* halb.
hf.bd. *half bound* in Halbfranz gebunden.
hhd. *hogshead* Oxhoft *n* (*etwa 240 Liter*); großes Faß.
H.L. *Brit. House of Lords* Oberhaus *n.*
H.M. *His (Her) Majesty* Seine (Ihre) Maje'stät.
H.M.S. *His (Her) Majesty's Service* Dienst *m*, ✆ Dienstsache *f*; *His (Her) Majesty's Ship (Steamer)* Seiner (Ihrer) Maje'stät Schiff *n* (Dampfschiff *n*).
H.M.S.O. *His (Her) Majesty's Stationery Office* (*Brit. Staatsdruckerei*).
H.O. *Brit. Home Office* 'Innenmini,sterium *n.*
Hon. *Honorary* ehrenamtlich; *Hono(u)rable* Ehrenwert (*Anrede und Titel*).
h.p. *horse-power* PS, Pferdestärke *f*; *high pressure* Hochdruck *m*; *hire-purchase* Ratenkauf *m.*
H.Q., Hq. *Headquarters* Stab(squartier *n*) *m*, Hauptquartier *n.*
H.R. *Am. House of Representatives* Repräsen'tantenhaus *n.*
H.R.H. *His (Her) Royal Highness* Seine (Ihre) Königliche Hoheit.
hrs. *hours* Stunden *pl.*
h.t. *high tension* Hochspannung *f.*
H.W.M. *high-water mark* Hochwasserstandszeichen *n.*

I

I. *Idaho* (*Staat der USA*); *Island, Isle* Insel *f.*
Ia. *Iowa* (*Staat der USA*).
I.A.T.A. *International Air Transport Association* ,Internatio'naler Luftverkehrsverband.
I.B. *invoice book* Fak'turenbuch *n.*
ib(id). *ibidem* (*Lat.* = *in the same place*) ebenda.

IBRD *International Bank for Reconstruction and Development* ˌInternatio'nale Bank für Wieder'aufbau und Entwicklung, Weltbank *f.*
I.C.A.O. *International Civil Aviation Organization* ˌInternatio'nale Zi'villuftfahrt-Organisatiˌon.
I.C.B.M. *intercontinental ballistic missile* ˌinterkontinen'taler bal'listischer Flugkörper.
I.C.F.T.U. *International Confederation of Free Trade Unions* ˌInternatio'naler Bund Freier Gewerkschaften.
I.C.J. *International Court of Justice* IG, ˌInternatio'naler Gerichtshof.
I.D. *Intelligence Department* Nachrichtenamt *n.*
Id(a). *Idaho* (*Staat der USA*).
i.e. *id est* (*Lat.* = *that is to say*) d. h., das heißt.
I.H.P. *indicated horse-power* indizierte Pferdekraft.
Ill. *Illinois* (*Staat der USA*).
I.L.O. *International Labo(u)r Organization* ˌInternatio'nale 'Arbeitsorganisatiˌon.
I.L.P. *Independent Labour Party* Unabhängige 'Arbeiterparˌtei.
I.M.F. *International Monetary Fund* ˌInternatio'naler Währungsfonds.
Imp. *Imperial* Reichs..., Empire...
in. *inch(es)* Zoll *m od. pl.*
Inc. *Incorporated* (amtlich) eingetragen; *inclosure(s)* Anlage(n *pl.*) *f.*
incl. *inclusive, including* einschl., einschließlich.
incog. *incognito* in'kognito (*unter anderem Namen*).
Ind. *Indiana* (*Staat der USA*).
inst. *instant* d. M., dieses Monats.
I.O.C. *International Olympic Committee* ˌInternatio'nales O'lympisches Komi'tee.
I. of M. *Isle of Man* (*englische Insel*).
I. of W. *Isle of Wight* (*englische Insel*; *Grafschaft*).
IPA *International Phonetic Association* ˌInternatio'nale Pho'netische Gesellschaft.
I.Q. *intelligence quotient* Intelli'genzquotiˌent *m.*
Ir. *Ireland* Irland *n*; *Irish* irisch.
I.R.A. *Irish Republican Army* IRA, 'Irisch-Republi'kanische Ar'mee.
I.R.C. *International Red Cross* IRK, *das* ˌInternatio'nale Rote Kreuz.
I.S.O. *International Standards Organization* ˌInternatio'naler Normen-Verband.
I.T.O. *International Trade Organization* ˌInternatio'nale 'Handelsorganisatiˌon.
ITV *Independent Television* kommerzi'elles Fernsehen (*in England*).
I.U.S. *International Union of Students* ˌInternatio'naler Stu'dentenverband.
I.U.S.Y. *International Union of Socialist Youth* ˌInternatio'nale Vereinigung sozia'listischer Jugend.
I.V.S.P. *International Voluntary Service for Peace* ˌInternatio'naler freiwilliger Hilfsdienst für den Frieden.
I.W.W. *Industrial Workers of the World* Weltverband *m* der Indu'striearbeiter.
IYHF *International Youth Hostel Federation* ˌInternatio'naler Jugendherbergsverband.

J

J. *judge* Richter *m*; *justice* Ju'stiz *f*; Richter *m.*
Jan. *January* Jan., Januar *m.*
JATO *jet-assisted take-off* Start *m* mit 'Startraˌkete.
J.C. *Jesus Christ* Jesus Christus *m.*
J.C.B. *Juris Civilis Baccalaureus* (*Lat.* = *Bachelor of Civil Law*) Bakka'laureus *m* des Zi'vilrechts.
J.C.D. *Juris Civilis Doctor* (*Lat.* = *Doctor of Civil Law*) Doktor *m* des Zi'vilrechts.
J.P. *Justice of the Peace* Friedensrichter *m.*
Jr. *junior* (*Lat.* = *the younger*) jr., jun., der Jüngere.
J.U.D. *Juris Utriusque Doctor* (*Lat.* = *Doctor of Civil and Canon Law*) Doktor *m* beider Rechte.
Jul. *July* Jul., Juli *m.*
Jun. *June* Jun., Juni *m.*
jun(r). *junior* (*Lat.* = *the younger*) jr., jun., der Jüngere.

K

Kan(s). *Kansas* (*Staat der USA*).
K.C. *Knight Commander* Kom'tur *m*, Großmeister *m*; *Brit. King's Counsel* Kronanwalt *m.*
K.C.B. *Knight Commander of the Bath* Großmeister *m* des Bath-Ordens.
Ken. *Kentucky* (*Staat der USA*).
kg. *kilogram(me)(s)* kg, Kilogramm *n od. pl.*
kHz *kilohertz* kHz, Kilo'hertz *n od. pl.*
KIA *killed in action* gefallen.
K.K.K. *Ku Klux Klan* (*geheime Terrororganisation in USA*).
km. *Brit. kilometre(s)*, *Am. kilometer(s)* km, Kilo'meter *m od. pl.*
k.o. *knock-out* K.o., Knock-out *m.*
kV. *kilovolt(s)* kV, Kilo'volt *n od. pl.*
kW. *kilowatt(s)* kW, Kilo'watt *n od. pl.*
Ky. *Kentucky* (*Staat der USA*).

L

l. *left* lks, links; *line* Z, Zeile *f*; Lin., Linie *f*; *link* (*Längenmaß*); *Brit. litre*, *Am. liter* l, Liter *m, n.*
£ *pound sterling* Pfund *n* Sterling (*Währung*).
La. *Louisiana* (*Staat der USA*).
£A *Australian pound* au'stralisches Pfund (*Währung*).
Lancs. *Lancashire* (*englische Grafschaft*).
lang. *language* Spr., Sprache *f.*
lat. *latitude* geo'graphische Breite.
lb. *pound* Pfund *n* (*Gewicht*).
L.C. *letter of credit* Kre'ditbrief *m.*
L.C.J. *Brit. Lord Chief Justice* Lord-'oberrichter *m.*
Ld. *Lord* Lord *m.*
£E *Egyptian pound* ä'gyptisches Pfund (*Währung*).
Leics. *Leicestershire* (*englische Grafschaft*).
Lincs. *Lincolnshire* (*englische Grafschaft*).
L.J. *Brit. Lord Justice* Lordrichter *m.*
ll. *lines* Zeilen *pl.*; Linien *pl.*
LL.D. *Legum Doctor* (*Lat.* = *Doctor of Laws*) Dr. jur., Doktor *m* der Rechte.
LMT *local mean time* mittlere Ortszeit.
loc. cit. *loco citato* (*Lat.* = *in the place cited*) a. a. O., am angeführten Orte.
lon(g). *longitude* geo'graphische Länge.
LP *long-playing record* LP, Langspielplatte *f.*
L.P. *Labour Party* Brit. 'Arbeiterparˌtei *f.*
l.p. *low pressure* Tiefdruck *m.*
L'pool *Liverpool n.*
LSD *lysergic acid diethylamide* LSD, Lysergsäurediäthylamid *n.*
L.S.O. *London Symphony Orchestra das* Londoner Sinfo'nie-Orˌchester.
L.S.S. *Lifesaving Service* amer. Lebensrettungsdienst *m.*
Lt. *Lieutenant* Leutnant *m.*
l.t. *low tension* Niederspannung *f.*
Lt.-Col. *Lieutenant-Colonel* Oberst-'leutnant *m.*
Ltd. *limited* mit beschränkter Haftung.
Lt.-Gen. *Lieutenant-General* Gene-'ralleutnant *m.*

M

m *minim* (*Apothekermaß*).
m. *male* m, männlich; *married* verh., verheiratet; *Brit. metre(s)*, *Am. meter(s)* m, Meter *m, n od. pl.*; *mile(s)* M., Meile(n *pl.*) *f*; *minute(s)* min., Min., Mi'nute(n *pl.*) *f.*
M.A. *Master of Arts* Ma'gister *m* der Philoso'phie; *military academy* Mili'tärakadeˌmie *f.*
Maj. *Major* Ma'jor *m.*
Maj.-Gen. *Major-General* Gene'ralmaˌjor *m.*
Mar. *March* März *m.*
Mass. *Massachusetts* (*Staat der USA*).
max. *maximum* Max., Maximum *n.*
M.B. *Medicinae Baccalaureus* (*Lat.* = *Bachelor of Medicine*) Bakka-'laureus *m* der Medi'zin.
M.B.S. *Mutual Broadcasting System* (*amer. Rundfunksystem*).
M.C. *Master of Ceremonies* Zere-'monienmeister *m*; *Am.* Conférencier *m*; *Am. Member of Congress* Parla'mentsmitglied *n.*
MCP *male chauvinist pig* Chauvi *m.*
M.D. *Medicinae Doctor* (*Lat.* = *Doctor of Medicine*) Dr. med., Doktor *m* der Medi'zin.
M/D *months' date* Monate nach heute.
Md. *Maryland* (*Staat der USA*).
M.D.S. *Master of Dental Surgery* Ma'gister *m* der 'Zahnmediˌzin.
Me. *Maine* (*Staat der USA*).
med. *medical* med., medi'zinisch; *medicine* Med., Medi'zin *f*; *medieval* mittelalterlich.
M.G. *Military Government* Mili'tärregierung *f.*
mg. *milligram(me)(s)* mg, Milligramm *n od. pl.*
mi. *mile(s)* M., Meile(n *pl.*) *f.*
Mich. *Michigan* (*Staat der USA*).
Middx. *Middlesex* (*englische Grafschaft*).
min. *minute(s)* min., Min., Mi'nute(n *pl.*) *f*; *minimum* Min., Minimum *n.*

Minn. *Minnesota* (*Staat der USA*).
Miss. *Mississippi* (*Staat der USA*).
mm. *Brit.* *millimetre(s)*, *Am.* *millimeter(s)* mm, Milli'meter *m, n od. pl.*
M.O. *money order* Postanweisung *f*, Zahlungsanweisung *f.*
Mo. *Missouri* (*Staat der USA*).
Mont. *Montana* (*Staat der USA*).
MP, M.P. *Brit.* *Member of Parliament* Abgeordnete(r) *m* des 'Unterhauses; *Military Police* Mili'tärpoli,zei *f.*
m.p.h. *miles per hour* Stundenmeilen *pl.*
M.Pharm. *Master of Pharmacy* Ma'gister *m* der Pharma'zie.
Mr. *Mister* Herr *m.*
Mrs. *Mistress* Frau *f.*
MS. *manuscript* Mskr(pt)., Manu'skript *n.*
M.S. *motorship* Motorschiff *n.*
M.Sc. *Master of Science* Ma'gister *m* der Na'turwissenschaften.
M.S.L. *mean sea level* mittlere (See)Höhe, Nor'malnull *n.*
MSS. *manuscripts* Manu'skripte *pl.*
Mt. *Mount* Berg *m.*
mt. *megaton* 'Megatonne *f.*
M'ter *Manchester n.*
M.Th. *Master of Theology* Ma'gister *m* der Theolo'gie.
Mx. *Middlesex* (*englische Grafschaft*).

N

N. *north* N, Nord(en *m*); *north(ern)* n, nördlich.
n. *noon* Mittag *m.*
N.A.A.F.I. *Brit.* *Navy, Army and Air Force Institute* (*Marketenderei u. Truppenbetreuungsinstitution*).
N.A.D. *nothing abnormal discovered* o. B., ohne Befund.
NASA *Am.* *National Aeronautics and Space Administration* Natio'nale Luft- u. Raumfahrtbehörde *f.*
nat. *national* nat., natio'nal; *natural* nat., na'türlich.
NATO *North Atlantic Treaty Organization* Nordat'lantikpakt-Organisati,on *f.*
N.B.C. *Am.* *National Broadcasting Corporation* Natio'nale Rundfunkgesellschaft.
N.C. *North Carolina* (*Staat der USA*).
N.C.B. *Brit.* *National Coal Board* Natio'nale Kohlenbehörde.
n.d. *no date* ohne Datum.
N.D(ak). *North Dakota* (*Staat der USA*).
N.E. *northeast* NO, Nord'ost(en *m*); *northeast(ern)* nö, nord'östlich.
Neb(r). *Nebraska* (*Staat der USA*).
neg. *negative* neg., 'negativ.
Nev. *Nevada* (*Staat der USA*).
N/F *no funds* keine Deckung.
N.H. *New Hampshire* (*Staat der USA*).
N.H.S. *Brit.* *National Health Service* Staatlicher Gesundheitsdienst.
N.J. *New Jersey* (*Staat der USA*).
N.M(ex). *New Mexico* (*Staat der USA*).
No. *North* N, Nord(en *m*); *numero* No., Nummer *f*; *number* Zahl *f.*
Norf. *Norfolk* (*englische Grafschaft*).
Northants. *Northamptonshire* (*englische Grafschaft*).
Northumb. *Northumberland* (*englische Grafschaft*).
Notts. *Nottinghamshire* (*englische Grafschaft*).
Nov. *November* Nov., No'vember *m.*
n.p. or d. *no place or date* ohne Ort oder Datum.
N.T. *New Testament* NT, Neues Testa'ment.
nt.wt. *net weight* Nettogewicht *n.*
N.W. *northwest* NW, Nord'west(en *m*); *northwest(ern)* nw, nord'westlich.
N.Y. *New York* (*Staat der USA*).
N.Y.C. *New York City* (die Stadt) New York.

O

O. *Ohio* (*Staat der USA*); *order* Auftr., Auftrag *m.*
o/a *on account of* auf Rechnung von.
O.A.S. *Organization of American States* Organisati'on *f* ameri'kanischer Staaten.
O.A.U. *Organization of African Unity* Organisati'on *f* für Afri'kanische Einheit.
ob. *obiit* (*Lat.* = *died*) gest., gestorben.
Oct. *October* Okt., Ok'tober *m.*
O.E.C.D. *Organization for Economic Co-operation and Development* Organisati'on *f* für wirtschaftliche Zu'sammenarbeit und Entwicklung.
O.H.M.S. *On His* (*Her*) *Majesty's Service* im Dienste Seiner (Ihrer) Maje'stät; ✆ Dienstsache *f.*
O.K. (*möglicherweise aus*:) *all correct* in Ordnung.
Okla. *Oklahoma* (*Staat der USA*).
o.n.o. *or near offer* VB, Ver'handlungs,basis *f.*
O.P.E.C. *Organization of the Petroleum Exporting Countries* Organisati'on *f* der Erdöl exportierenden Länder.
o.r. *owner's risk* auf Gefahr des Eigentümers.
Ore(g). *Oregon* (*Staat der USA*).
O.T. *Old Testament* AT, Altes Testa'ment.
O.U.P. *Oxford University Press* Verlag *m* der Universi'tät Oxford.
Oxon. *Oxfordshire* (*englische Grafschaft*).
oz. *ounce(s)* Unze(n *pl.*) *f.*

P

p. *page* S., Seite *f*; *penny, pence* (*brit. Münze*); *perch, pole* (*Längenmaß*).
Pa. *Pennsylvania* (*Staat der USA*).
p.a. *per annum* (*Lat.* = *yearly*) jährlich.
Pan Am *Pan-American* (*World Airways Incorporated*) Amer. Luftfahrtgesellschaft *f.*
par. *paragraph* Par., Para'graph *m*, Abschnitt *m.*
P.C. *police constable* Schutzmann *m*; *postcard* Postkarte *f*; *Am.* *Peace Corps* Friedenskorps *n.*
p.c. *per cent* %, Pro'zent *n od. pl.*
p/c *price current* Preisliste *f.*
pcl. *parcel* Pa'ket *n.*
pcs. *pieces* Stück(e) *pl.*
P.D. *Police Department* Poli'zeibehörde *f*; *per diem* (*Lat.* = *by the day*) pro Tag.
pd. *paid* bez., bezahlt.
P.E.N., *mst* **PEN Club** *Poets, Playwrights, Editors, Essayists and Novelists* ,Internatio'naler Verband von Dichtern, Dra'matikern, Redak'teuren, Essay'isten und Ro'manschriftstellern.
Penn(a). *Pennsylvania* (*Staat der USA*).
per pro(c). *per procurationem* (*Lat.* = *by proxy*) pp., ppa., per Pro'kura.
Ph.D. *Philosophiae Doctor* (*Lat.* = *Doctor of Philosophy*) Dr. phil., Doktor *m* der Philoso'phie.
pk. *peck* (*Hohlmaß*).
P./L. *profit and loss* Gewinn *m* u. Verlust *m.*
p.m. *post meridiem* (*Lat.* = *after noon*) nachm., nachmittags, ab., abends.
P.O. *post office* Postamt *n*; *postal order* Postanweisung *f.*
P.O.B. *post-office box* Postschließfach *n.*
p.o.d. *pay on delivery* Nachnahme *f.*
P.O.O. *post-office order* Postanweisung *f.*
pos(it). *positive* pos., 'positiv.
P.O.S.B. *Post-Office Savings Bank* Postsparkasse *f.*
P.O.W. *prisoner of war* Kriegsgefangene(r) *m.*
p.p. *per procurationem* (*Lat.* = *by proxy*) pp., ppa., per Pro'kura.
P.R. *Puerto Rico* Puerto 'Rico *n.*
pref. *preface* Vw., Vorwort *n.*
Pres. *President* Präsi'dent *m.*
Prof. *Professor* Pro'fessor *m.*
prol. *prologue* Pro'log *m.*
Prot. *Protestant* Prot., Prote'stant *m.*
prox. *proximo* (*Lat.* = *next month*) n. M., nächsten Monats.
P.S. *postscript* P.S., Nachschrift *f*; *Passenger Steamer* Passa'gierdampfer *m.*
P.T. *physical training* Leibeserziehung *f.*
pt. *pint* (*Hohlmaß*).
P.T.A. *Parent-Teacher Association* Eltern-Lehrer-Vereinigung *f.*
Pte. *Brit.* *Private* Sol'dat *m* (*Dienstgrad*).
P.T.I. *Brit.* *Physical Training Instructor* Sportlehrer(in).
P.T.O., p.t.o. *please turn over* b.w., bitte wenden.
Pvt. *Am.* *Private* Sol'dat *m* (*Dienstgrad*).
P.W. *prisoner of war* Kriegsgefangene(r) *m.*
PX *Post Exchange* Verkaufsläden *pl.* (*der amer. Streitkräfte*).

Q

q. *query* Anfrage *f.*
Q.C. *Brit.* *Queen's Counsel* Kronanwalt *m.*
qr. *quarter* (*etwa 1*) Viertel'zentner *m* (*Handelsgewicht*).
qt. *quart* Quart *n* (*Hohlmaß*).
qu. *query* Anfrage *f.*
quot. *quotation* Kurs-, Preisnotierung *f.*
qy. *query* Anfrage *f.*

R

R. *Réaumur* (*Thermometereinteilung*); *River* Strom *m*, Fluß *m*; *Road* Str., Straße *f*.
r. *right* r, rechts.
R.A. *Brit. Royal Academy* Königliche Akade'mie.
R.A.C. *Brit. Royal Automobile Club* Königlicher Automo'bilklub.
RADWAR *Am. radiological warfare* A'tomkriegführung *f*.
R.A.F. *Royal Air Force* Königlich-Brit. Luftwaffe *f*.
R.C. *Red Cross* RK, *das* Rote Kreuz; *Roman Catholic* r.-k., römisch-ka'tholisch.
Rd. *Road* Str., Straße *f*.
rd. *rod* (*Längenmaß*).
recd *received* erhalten.
ref(c). (*in*) *reference* (*to*) (mit) Bezug *m* (auf); Empf., Empfehlung *f*.
regd. *registered* eingetragen; & eingeschrieben.
reg. tn. *register ton* RT, Re'gistertonne *f*.
resp. *respective(ly)* bzw., beziehungsweise.
ret(d). *retired* i. R., im Ruhestand.
Rev(d). *Reverend* Ehrwürden (*Titel u. Anrede*).
R.I. *Rhode Island* (*Staat der USA*).
R.L.O. *Brit. Returned Letter Office* Bü'ro *n* für unzustellbare Briefe.
R.M.A. *Brit. Royal Military Academy* Königliche Mili'tärakade,mie (*Sandhurst*).
R.N. *Royal Navy* Königlich-Brit. Ma'rine *f*.
R.P. *reply paid* Rückantwort bezahlt (*bei Telegrammen*).
r.p.m. *revolutions per minute* U/min., Umdrehungen *pl.* pro Mi'nute.
R.R. *Am. Railroad* Eisenbahn *f*.
R.S. *Brit. Royal Society* Königliche Gesellschaft.
R.S.P.C.A. *Royal Society for the Prevention of Cruelty to Animals* (*brit. Tierschutzverein*).
R.T. *radiotelegraphy* 'Funktelegra,fie *f*.
Rt.Hon. *Right Honourable* Sehr Ehrenwert (*Titel u. Anrede*).
Ry. *Brit. Railway* Eisenbahn *f*.

S

S. *south* S, Süd(en *m*); *south(ern)* s, südlich.
s. *second(s)* s, sec, sek., Sek., Se'kunde(n *pl.*) *f*; *shilling(s)* Schilling(e *pl.*) *m*.
S.A. *South Africa* 'Süd'afrika *n*; *South America* S.A., 'Süda'merika *n*; *Salvation Army* H.A., 'Heilsar,mee *f*.
SACEUR *Supreme Allied Commander Europe* Oberbefehlshaber *m* der Alliierten Streitkräfte in Eu'ropa.
Salop. *Shropshire* (*englische Grafschaft*).
SALT *Strategic Arms Limitation Talks* Verhandlungen *pl.* zwischen der Sow'jetuni,on und den USA über einen Vertrag zur Begrenzung und zum Abbau stra'tegischer 'Waffensy,steme.
S.B. *sales book* Verkaufsbuch *n*.
S.C. *South Carolina* (*Staat der USA*); *Security Council* Sicherheitsrat *m* (*der UN*).
Sch. *school* Sch., Schule *f*.
S.D(ak). *South Dakota* (*Staat der USA*).
S.E. *southeast* SO, Süd'ost(en *m*); *southeast(ern)* sö, süd'östlich; *Stock Exchange* Börse *f*.
SEATO *South-East Asia Treaty Organization* Südost'asienpakt-Organisati,on *f*.
Sec. *Secretary* Sekr., Sekre'tär *m*; Mi'nister *m*.
sec. *second(s)* s, sec, sek., Sek., Se'kunde(n *pl.*) *f*.
sen(r). *senior* (*Lat.* = *the elder*) sen., der Ältere.
Sep(t). *September* Sep(t)., Sep'tember *m*.
S(er)gt. *Sergeant* Fw, Feldwebel *m*; Wachtmeister *m*.
sh. *shilling* Schilling(e *pl.*) *m*.
SHAPE *Supreme Headquarters Allied Powers Europe* 'Oberkom,mando *n* der Alliierten Streitkräfte in Eu'ropa.
S.M. *Sergeant-Major* Oberfeldwebel *m*; Oberwachtmeister *m*.
S.N. *shipping note* Versandzettel *m*.
Soc. *Society* Gesellschaft *f*; Verein *m*.
Som(s). *Somersetshire* (*englische Grafschaft*).
SOS SOS (*Internationales Seenotzeichen*).
sp.gr. *specific gravity* sp.G., spe'zifisches Gewicht.
S.P.Q.R. *small profits, quick returns* kleine Gewinne, rasche Umsätze.
Sq. *Square* Platz *m*.
sq. *square* Quadrat...
sq.ft. *square foot* Qua'dratfuß *m*.
sq.in. *square inch* Qua'dratzoll *m*.
Sr. *senior* (*Lat.* = *the elder*) sen., der Ältere.
S.S. *steamship* Dampfer *m*.
St. *Saint* ... St., Sankt ...; *Street* Str., Straße *f*; *Station* Bf, Bahnhof *m*.
st. *stone* (*Gewicht*).
Staffs. *Staffordshire* (*englische Grafschaft*).
S.T.D. *Brit. subscriber trunk dialling* 'Selbstwähl,fernverkehr *m*.
St.Ex. *Stock Exchange* Börse *f*.
stg. *sterling* Sterling *m* (*brit. Währungseinheit*).
sub. *substitute* Ersatz *m*.
Suff. *Suffolk* (*englische Grafschaft*).
suppl. *supplement* Nachtrag *m*.
Suss. *Sussex* (*englische Grafschaft*).
S.W. *southwest* SW, Süd'west(en *m*); *southwest(ern)* sw, süd'westlich.
Sy. *Surrey* (*englische Grafschaft*).
Sx. *Sussex* (*englische Grafschaft*).

T

t. *ton* Tonne *f* (*Handelsgewicht*).
T.B. *tuberculosis* Tb, Tbc, Tuberku'lose *f*.
T.C. *Trusteeship Council* Treuhandschaftsrat *m* (*der UN*).
T.D. *Treasury Department* Fi'nanzmini,sterium *n* der USA.
Tenn. *Tennessee* (*Staat der USA*).
Tex. *Texas* (*Staat der USA*).
tgm. *telegram* Tele'gramm *n*.
T.G.W.U. *Transport and General Workers' Union* Trans'portarbeitergewerkschaft *f*.
T.M.O. *telegraph money order* tele'graphische Geldanweisung.
T.O. *Telegraph* (*Telephone*) *Office* Tele'graphen-(Fernsprech)amt *n*; *turnover* 'Umsatz *m*.
T.P.O. *Travelling Post Office* Bahnpost *f*.
T.R.H. *Brit. Their Royal Highnesses* Ihre Königlichen Hoheiten.
T.U. *Trade(s) Union(s)* Gew., Gewerkschaft(en *pl.*) *f*.
T.U.C. *Brit. Trades Union Congress* Gewerkschaftsverband *m*.
TV *television* FS, Fernsehen *n*; Fernseh...
T.W.A. *Trans World Airlines* amer. Luftfahrtgesellschaft *f*.

U

U *universal* allgemein (*zugelassen*) (*Kinoprogramm ohne Jugendverbot*).
U.A.R. *United Arab Republic* Vereinigte A'rabische Repu'blik.
U.H.F. *ultrahigh frequency* UHF, Ultra'hochfrequenz *f*.
U.K. *United Kingdom* Vereinigtes Königreich (*England, Schottland, Wales u. Nordirland*).
ult. *ultimo* (*Lat.* = *last day of the month*) ult., ultimo, am Letzten des Monats.
UMW *United Mine Workers* Vereinigte Bergarbeiter *pl.* (*amer. Gewerkschaftsverband*).
UN, U.N. *United Nations* Vereinte Nati'onen *pl*.
UNESCO *United Nations Educational, Scientific, and Cultural Organization* Organisati'on *f* der Vereinten Nati'onen für Wissenschaft, Erziehung und Kul'tur.
UNICEF *United Nations International Children's Emergency Fund* Kinderhilfswerk *n* der Vereinten Nati'onen.
U.N.S.C. *United Nations Security Council* Sicherheitsrat *m* der Vereinten Nati'onen.
U.P. *United Press* (*amer. Nachrichtenagentur*).
U.S. *United States* Vereinigte Staaten *pl*.
U.S.A. *United States of America* Vereinigte Staaten *pl.* von A'merika; *United States Army* Heer *n* der Vereinigten Staaten.
USAF(E) *United States Air Force* (*Europe*) Luftwaffe *f* der Vereinigten Staaten (in Eu'ropa).
U.S.N. *United States Navy* Ma'rine *f* der Vereinigten Staaten.
U.S.S. *United States Senate* Se'nat *m* der Vereinigten Staaten.
U.S.S.R. *Union of Soviet Socialist Republics* UdSSR, Uni'on *f* der Sozia'listischen Sow'jetrepu,bliken.
Ut. *Utah* (*Staat der USA*).
U.V. *ultraviolet* UV, 'ultravio,lett.

V

V *Volt* V, Volt *n*.
v. *verse* V., Vers *m*; *versus* (*Lat.* = *against*) gegen; *vide* (*Lat.* = *see*) s., siehe; *volt* V, Volt *n*.
Va. *Virginia* (*Staat der USA*).
VAT *value-added tax* MwSt., Mehrwertsteuer *f*.

V.D. *venereal disease* Geschlechtskrankheit *f.*
V.H.F. *very high frequency Radio*: UKW, Ultrakurzwelle(n *pl.*) *f.*
VIP *very important person* ‚hohes Tier'.
Vis. *Viscount*(ess) Vi'comte *m* (Vicom'tesse *f*).
viz. *videlicet* (*Lat.* = *namely*) nämlich.
vol. *volume* Bd., Band *m* (*eines Buches*).
vols. *volumes* Bde., Bände *pl.*
vs. *versus* (*Lat.* = *against*) gegen.
Vt. *Vermont* (*Staat der USA*).
V.T.O.(L.) *vertical take-off* (*and landing*) (*aircraft*) Senkrechtstarter *m.*
v.v. *vice versa* (*Lat.* = *conversely*) 'umgekehrt.

W

W. *west* West(en *m*); *west*(*ern*) w, westlich.
W, w *Watt* W, Watt *n.*
Warks. *Warwickshire* (*englische Grafschaft*).
Wash. *Washington* (*Staat der USA*).
W.C. *West Central* London Mitte-West (*Postbezirk*); *water-closet* WC, 'Wasserklo,sett *n.*
W.F.T.U. *World Federation of Trade Unions* Weltgewerkschaftsbund *m.*
WHO *World Health Organization* Weltge'sundheitsorganisati,on *f* (*der UN*).
W.I. *West Indies* 'West'indien *n.*
Wilts. *Wiltshire* (*englische Grafschaft*).
Wis. *Wisconsin* (*Staat der USA*).
W/L, w.l. *wave-length* Wellenlänge *f.*
W.O.M.A.N. *World Organization of Mothers of All Nations* Weltbund *m* der Mütter aller Nati'onen.
w.p.a. *with particular average* mit Teilschaden.
w.r.t. *with reference to* bezüglich.
W.S.R. *World Students' Relief* ,Internatio'nales Stu'dentenhilfswerk.
W/T *wireless telegraphy* (*telephony*) drahtlose Telegra'phie (Telepho'nie).
wt. *weight* Gewicht *n.*
W.Va. *West Virginia* (*Staat der USA*).
Wy(o). *Wyoming* (*Staat der USA*).

X

x-d. *ex dividend* ohne Divi'dende.
x-i. *ex interest* ohne Zinsen.
Xroads *cross-roads* Straßenkreuzung *f.*
Xt. *Christ* Christus *m.*

Y

yd. *yard*(*s*) Elle(n *pl.*) *f* (*Längenmaß*).
Y.H.(A.) *Youth Hostel*(*s' Association*) Jugendherberge *f* (Jugendherbergsverband *m*).
Y.M.C.A. *Young Men's Christian Association* CVJM, Christlicher Verein junger Männer.
Yorks. *Yorkshire* (*englische Grafschaft*).
yr(**s**). *year*(*s*) Jahr(e *pl.*) *n.*
Y.W.C.A. *Young Women's Christian Association* Christlicher Verein junger Mädchen.

Proper Names

Eigennamen

A

Ab·er·deen [æbəˈdiːn] *Stadt in Schottland;* **Ab·erˈdeen·shire** [-ʃiə] *schottische Grafschaft (bis 1975).*

Ab·(o)u·kir [æbu(ː)ˈkiə] *Küstenstadt in Ägypten.*

A·bra·ham [ˈeibrəhæm] Abraham *m.*

Ab·ys·sin·i·a [æbiˈsinjə] Abesˈsinien *n (siehe Ethiopia).*

A·chil·les [əˈkiliːz] Aˈchilles *m.*

Ad·al·bert [ˈædəlbəːt] Adalbert *m.*

Ad·am [ˈædəm] Adam *m.*

Ad·di·son [ˈædisn] *englischer Autor.*

Ad·e·laide [ˈædəleid] Adelheid *f;* [-lid] *Stadt in Australien.*

A·den [ˈeidn] Aden *n.*

Ad·i·ron·dacks [ædiˈrɔndæks] *pl. Gebirgszug im Staat New York (USA).*

Ad·olf [ˈædɔlf], **A·dol·phus** [əˈdɔlfəs] Adolf *m.*

A·dri·at·ic Sea [eidriˈætikˈsiː] *das* Adriatische Meer.

Ae·ge·an Sea [i(ː)ˈdʒiːənˈsiː] *das* Ägäische Meer, *die* Ägäis.

Aes·chy·lus [ˈiːskiləs] Äschylus *m.*

Ae·sop [ˈiːsɔp] Äˈsop *m.*

Af·ghan·i·stan [æfˈgænistæn] Afˈghanistan *n.*

Af·ri·ca [ˈæfrikə] Afrika *n.*

Ag·a·tha [ˈægəθə] Aˈgathe *f.*

Aix-la-Cha·pelle [ˈeikslɑːʃæˈpel] Aachen *n.*

Al·a·bam·a [æləˈbæmə] *Staat der USA.*

A·las·ka [əˈlæskə] *Staat der USA.*

Al·ba·ni·a [ælˈbeinjə] Alˈbanien *n.*

Al·ba·ny [ˈɔːlbəni] *Hauptstadt von New York (USA).*

Al·bert [ˈælbət] Albert *m.*

Al·ber·ta [ælˈbəːtə] *Provinz in Kanada.*

Al·der·ney [ˈɔːldəni] *brit. Kanalinsel.*

Al·der·shot [ˈɔːldəʃɔt] *Stadt in Südengland.*

A·leu·tian Is·lands [əˈluːʃjənˈailəndz] *pl. die* Aleuten *pl.*

Al·ex·an·der [æligˈzɑːndə] Alexˈander *m.*

Al·ex·an·dra [æligˈzɑːndrə] Alexˈandra *f.*

Al·fred [ˈælfrid] Alfred *m.*

Al·ge·ri·a [ælˈdʒiəriə] Alˈgerien *n.*

Al·ger·non [ˈældʒənən] *m.*

Al·giers [ælˈdʒiəz] ˈAlgier *n.*

Al·ice [ˈælis] Aˈlice *f,* Else *f.*

Al·le·ghe·ny [ˈæligeni] *Gebirge in USA; Fluß in USA.*

Al·sace [ˈælsæs], **Al·sa·ti·a** [ælˈseiʃjə] das Elsaß.

Am·a·zon [ˈæməzən] Amaˈzonas *m.*

A·me·lia [əˈmiːljə] Aˈmalie *f.*

A·mer·i·ca [əˈmerikə] Aˈmerika *n.*

A·my [ˈeimi] *f.*

An·des [ˈændiːz] *pl. die* Anden *pl.*

An·dor·ra [ænˈdɔrə] Anˈdorra *n.*

An·drew [ˈændruː] Anˈdreas *m.*

An·gle·sey [ˈæŋglsi] *walisische Grafschaft (bis 1972).*

An·gli·a [ˈæŋgliə] *lateinischer Name für England.*

An·go·la [æŋˈgoulə] Anˈgola *n.*

An·gus [ˈæŋgəs] *schottische Grafschaft (bis 1975).*

An·nap·o·lis [əˈnæpəlis] *Hauptstadt von Maryland (USA).*

Anne [æn] Anna *f.*

Ant·arc·ti·ca [æntˈɑːktikə] *die* Antˈarktis.

An·tho·ny [ˈæntəni, ˈænθəni] Anton *m.*

An·til·les [ænˈtiliːz] *pl. die* Anˈtillen *pl.*

An·trim [ˈæntrim] *nordirische Grafschaft.*

Ant·werp [ˈænt-wəːp] Antˈwerpen *n.*

Ap·en·nines [ˈæpinainz] *pl. die* Apenˈninen *pl.*

Ap·pa·la·chians [æpəˈleitʃjənz] *pl. die* Appaˈlachen *pl.*

A·ra·bi·a [əˈreibjə] Aˈrabien *n.*

Ar·chi·bald [ˈɑːtʃibəld] Archibald *m.*

Ar·chi·me·des [ɑːkiˈmiːdiːz] Archiˈmedes *m.*

Arc·tic [ˈɑːktik] *die* Arktis.

Ar·den [ˈɑːdn] *Familienname.*

Ar·gen·ti·na [ɑːdʒənˈtiːnə], **Ar·gen·tine** [ˈɑːdʒəntain]: *the* ~ Argenˈtinien *n.*

Ar·gyll(·shire) [ɑːˈgail(ʃiə)] *schottische Grafschaft (bis 1975).*

Ar·is·toph·an·es [ærisˈtɔfəniːz] Ariˈstophanes *m.*

Ar·is·tot·le [ˈæristɔtl] Ariˈstoteles *m.*

Ar·i·zo·na [æriˈzounə] *Staat der USA.*

Ar·kan·sas [ˈɑːkənsɔː] *Fluß in USA; Staat der USA.*

Ar·ling·ton [ˈɑːliŋtən] *Ehrenfriedhof bei Washington (USA).*

Ar·magh [ɑːˈmɑː] *nordirische Grafschaft.*

Ar·me·ni·a [ɑːˈmiːnjə] Arˈmenien *n.*

Ar·thur [ˈɑːθə] Art(h)ur *m; King* ~ König Artus.

As·cot [ˈæskət] *Ort in Südenglana (Pferderennen).*

A·sia [ˈeiʃə] Asien *n;* ~ *Minor* Kleinˈasien *n.*

As·syr·i·a [əˈsiriə] Asˈsyrien *n.*

As·tra·khan [æstrəˈkæn] ˈAstrachan *n.*

Ath·ens [ˈæθinz] Aˈthen *n.*

At·lan·ta [ətˈlæntə] *Hauptstadt von Georgia (USA).*

At·lan·tic (O·cean) [ətˈlæntik (-ˈouʃən)] *der* Atˈlantik, *der* Atˈlantische Ozean.

Auck·land [ˈɔːklənd] *Hafenstadt in Neuseeland.*

Au·den [ˈɔːdn] *amer. Dichter.*

Au·gus·ta [ɔːˈgʌstə] *Hauptstadt von Maine (USA).*

Au·gus·tus [ɔːˈgʌstəs] ˈAugust *m.*

Aus·ten [ˈɔstin] *Familienname.*

Aus·tin [ˈɔstin] *Hauptstadt von Texas (USA).*

Aus·tra·lia [ɔsˈtreiljə] Auˈstralien *n.*

Aus·tri·a [ˈɔstriə] Österreich *n.*

A·von [ˈeivən] *Fluß in Mittelengland; englische Grafschaft.*

Ax·min·ster [ˈæksminstə] *Stadt in Südwest-England.*

Ayr(·shire) [ˈɛə(ʃiə)] *schottische Grafschaft (bis 1975).*

A·zores [əˈzɔːz] *pl. die* Aˈzoren *pl.*

B

Bab·y·lon [ˈbæbilən] Babylon *n.*

Ba·con [ˈbeikən] *englischer Philosoph.*

Ba·den-Pow·ell [ˈbeidnˈpouəl] *Gründer der Boy Scouts.*

Ba·ha·mas [bəˈhɑːməz] *pl. die* Baˈhamas *pl.*

Bah·rain, Bah·rein [bɑːˈrein] Bahˈrain *n.*

Bal·dwin [ˈbɔːldwin] Balduin *m; amer. Autor.*

Bâle [bɑːl] Basel *n.*

Bal·four [ˈbælfə] *brit. Staatsmann.*

Bal·kans [ˈbɔːlkənz] *pl. der* Balkan.

Bal·mor·al [bælˈmɔrəl] *englisches Königsschloß in Schottland.*

Bal·tic Sea [ˈbɔːltikˈsiː] *die* Ostsee.

Bal·ti·more [ˈbɔːltimɔː] *Hafenstadt in USA.*

Banff(·shire) [ˈbænf(ʃiə)] *schottische Grafschaft (bis 1975).*

Ban·gla·desh [bæŋgləˈdeʃ] Banglaˈdesch *n.*

Bar·ba·dos [bɑːˈbeidouz] Barˈbados *n.*

Bar·thol·o·mew [bɑːˈθɔləmjuː] Bartholoˈmäus *m.*
Bath [bɑːθ] *Badeort in Südengland.*
Bat·on Rouge [ˈbætənˈruːʒ] *Hauptstadt von Louisiana (USA).*
Bat·ter·sea [ˈbætəsi] *Stadtteil von London.*
Ba·var·i·a [bəˈvɛəriə] Bayern *n.*
Bea·cons·field [ˈbiːkənzfiːld] *Adelsname Disraelis.*
Be·a·trice [ˈbiətris] Beaˈtrice *f.*
Bea·ver·brook [ˈbiːvəbruk] *brit. Zeitungsverleger.*
Beck·et [ˈbekit]: *Saint Thomas à* ~ der heilige Thomas Becket.
Beck·y [ˈbeki] *f.*
Bed·ford [ˈbedfəd] *Stadt in Mittelengland*; *a.* ˈ**Bed·ford·shire** [-ʃiə] *englische Grafschaft.*
Bel·fast [belˈfɑːst] ˈBelfast *n.*
Bel·gium [ˈbeldʒəm] Belgien *n.*
Bel·grade [belˈgreid] ˈBelgrad *n.*
Bel·gra·vi·a [belˈgreivjə] *Stadtteil von London.*
Be·lize [beˈliːz] Beˈlize *n.*
Ben [ben] *abbr. für Benjamin.*
Ben·e·dict [ˈbenidikt, ˈbenit] Benedikt *m.*
Ben·gal [beŋˈgɔːl] Benˈgalen *n.*
Be·nin [beˈnin] Beˈnin *n.*
Ben·ja·min [ˈbendʒəmin] Benjamin *m.*
Ben Nev·is [benˈnevis] *höchster Berg Großbritanniens.*
Berke·ley [ˈbɑːkli] *englischer Philosoph.*
Berk·shire [ˈbɑːkʃiə] *englische Grafschaft*; ~ ˈ**Hills** [-ˈhilz] *pl. Gebirgszug in Massachusetts (USA).*
Ber·lin [bəːˈlin] Berˈlin *n.*
Ber·mu·das [bə(ː)ˈmjuːdəz] *pl. die* Berˈmudas *pl.*, *die* Berˈmudainseln *pl.*
Ber·nard [ˈbəːnəd] Bernhard *m.*
Berne [bəːn] Bern *n.*
Bern·stein [ˈbəːnstain] *amer. Dirigent u. Komponist.*
Ber·tha [ˈbəːθə] Berta *f.*
Ber·wick(·shire) [ˈberik(ʃiə)] *schottische Grafschaft (bis 1975).*
Bess, Bes·sy [ˈbes(i)], **Bet·s(e)y** [ˈbetsi], **Bet·ty** [ˈbeti] *abbr. für Elizabeth.*
Bhu·tan [buːˈtæn] Bhuˈtan *n.*
Bill, Bil·ly [ˈbil(i)] Willi *m.*
Bir·ken·head [ˈbəːkənhed] *Hafenstadt in Nordwest-England.*
Bir·ming·ham [ˈbəːmiŋəm] *Industriestadt in Mittelengland.*
Bis·cay [ˈbiskei]: *Bay of* ~ *der* Golf von Bisˈcaya.
Bis·marck [ˈbizmɑːk] *Hauptstadt von Nord-Dakota (USA).*
Blooms·bur·y [ˈbluːmzbəri] *Stadtteil von London.*
Bo·ad·i·cea [bouədiˈsiə] *Königin in Britannien.*
Bob [bɔb] *abbr. für Robert.*
Bo·he·mi·a [bouˈhiːmjə] Böhmen *n.*
Boi·se [ˈbɔisiː] *Hauptstadt von Idaho (USA).*
Bol·eyn [ˈbulin]: *Anne* ~ *Frau Heinrichs VIII. von England.*
Bo·liv·i·a [bəˈliviə] Boˈlivien *n.*
Bom·bay [bɔmˈbei] ˈBombay *n.*
Bo·na·parte [ˈbounəpɑːt] Bonaˈparte (*Familienname zweier französischer Kaiser*).
Booth [buːð] *Gründer der Heilsarmee.*
Bor·ders [ˈbɔːdəz] *Verwaltungsregion in Schottland.*
Bos·ton [ˈbɔstən] *Hauptstadt von Massachusetts (USA).*
Bo·tswa·na [bɔˈtsvɑːnə] Boˈtswana *n*, Boˈtsuana *n.*
Bourne·mouth [ˈbɔːnməθ] *Seebad in Südengland.*
Brad·ford [ˈbrædfəd] *Industriestadt in Nordengland.*
Bra·zil [brəˈzil] Braˈsilien *n.*
Breck·nock(·shire) [ˈbreknɔk(ʃiə)] *walisische Grafschaft (bis 1972).*
Bridg·et [ˈbridʒit] Briˈgitte *f.*
Brigh·ton [ˈbraitn] *Seebad in Südengland.*
Bris·tol [ˈbristl] *Hafenstadt in Südengland.*
Brit·ain [ˈbritn] Briˈtannien *n.*
Bri·tan·ni·a [briˈtænjə] *poet.* Briˈtannien *n.*
Brit·ish Co·lum·bi·a [ˈbritiʃkəˈlʌmbiə] *Provinz in Kanada.*
Brit·ta·ny [ˈbritəni] die Breˈtagne.
Brit·ten [ˈbritən] *englischer Komponist.*
Broad·way [ˈbrɔːdwei] *Theaterviertel von New York (USA).*
Bron·të [ˈbrɔnti] *Name dreier englischer Autorinnen.*
Brook·lyn [ˈbruklin] *Stadtteil von New York (USA).*
Brow·ning [ˈbrauniŋ] *englischer Dichter.*
Bruges [bruːʒ] Brügge *n.*
Bru·nei [ˈbruːnai] Brunei *n.*
Bruns·wick [ˈbrʌnzwik] Braunschweig *n.*
Brus·sels [ˈbrʌslz] Brüssel *n.*
Bu·chan·an [bju(ː)ˈkænən] *Familienname.*
Bu·cha·rest [bjuːkəˈrest] ˈBukarest *n.*
Buck·ing·ham(·shire) [ˈbʌkiŋəm(-ʃiə)] *englische Grafschaft.*
Bud·dha [ˈbudə] Buddha *m.*
Bul·gar·i·a [bʌlˈgɛəriə] Bulˈgarien *n.*
Bur·gun·dy [ˈbəːgəndi] Burˈgund *n.*
Bur·ma [ˈbəːmə] Birma *n.*
Burns [ˈbəːnz] *schottischer Dichter.*
Bu·run·di [buˈrundi] Buˈrundi *n.*
Bute(·shire) [ˈbjuːt(ʃiə)] *schottische Grafschaft (bis 1975).*
Bye·lo·rus·sian So·viet So·cial·ist Re·pub·lic [bjelouˈrʌʃənˈsouviətˈsouʃəlistriˈpʌblik] *die* Weißrussische Soziaˈlistische ˈSowjetrepuˌblik, Weißrußland *n.*
By·ron [ˈbaiərən] *englischer Dichter.*

C

Ca·bin·da [kəˈbində] Caˈbinda *n.*
Caer·nar·von(·shire) [kəˈnɑːvən(-ʃiə)] *walisische Grafschaft (bis 1972).*
Cae·sar [ˈsiːzə] Cäsar *m.*
Cain [kein] Kain *m.*
Cai·ro [ˈkaiərou] Kairo *n.*
Caith·ness [ˈkeiθnes] *schottische Grafschaft (bis 1975).*
Ca·lais [ˈkælei] Caˈlais *n.*
Cal·cut·ta [kælˈkʌtə] Kalˈkutta *n.*
Cal·i·for·nia [kæliˈfɔːnjə] Kaliˈfornien *n* (*Staat der USA*).
Cam·bo·dia [kæmˈboudjə] Kamˈbodscha *n.*
Cam·bridge [ˈkeimbridʒ] *englische Universitätsstadt*; *Stadt in Massachusetts (USA), Sitz der Harvard University*; *a.* ˈ**Cam·bridge·shire** [-ʃiə] *englische Grafschaft.*
Cam·er·oon [ˈkæməruːn; *bsd. Am.* kæməˈruːn] ˈKamerun *n.*
Can·a·da [ˈkænədə] Kanada *n.*
Ca·nar·y Is·lands [kəˈnɛəriˈailəndz] *pl. die* Kaˈnarischen Inseln *pl.*
Can·ber·ra [ˈkænbərə] *Hauptstadt von Australien.*
Can·ter·bur·y [ˈkæntəbəri] *Stadt in Südengland.*
Cape Ca·nav·er·al [ˈkeipkəˈnævərəl] *Raketenversuchszentrum in Florida (USA).*
Cape Town [ˈkeiptaun] Kapstadt *n.*
Cape Verde Is·lands [keipˈvəːdˈailəndz] *pl. die* Kapˈverden *pl.*
Ca·pri [ˈkæpri(ː); *Am.* kəˈpriː] ˈCapri *n.*
Car·diff [ˈkɑːdif] *Hauptstadt von Wales.*
Car·di·gan(·shire) [ˈkɑːdigən(ʃiə)] *walisische Grafschaft (bis 1972).*
Ca·rin·thi·a [kəˈrinθiə] Kärnten *n.*
Car·lyle [kɑːˈlail] *englischer Autor.*
Car·mar·then(·shire) [kəˈmɑːðən(-ʃiə)] *walisische Grafschaft (bis 1972).*
Car·ne·gie [kɑːˈnegi] *amer. Industrieller.*
Car·o·line [ˈkærəlain] Karoˈline *f.*
Car·pa·thians [kɑːˈpeiθjənz] *pl. die* Karˈpaten *pl.*
Car·rie [ˈkæri] *abbr. für Caroline.*
Car·son Cit·y [ˈkɑːsnˈsiti] *Hauptstadt von Nevada (USA).*
Car·ter [ˈkɑːtə] *39. Präsident der USA.*
Cath·er·ine [ˈkæθərin] Kathaˈrina *f.*
Cax·ton [ˈkækstən] *erster englischer Buchdrucker.*
Ce·cil [ˈsesl, ˈsisl] *m.*
Cec·i·ly [ˈsisili, ˈsesili] Cäˈcilie *f.*
Cen·tral [ˈsentrəl] *Verwaltungsregion in Schottland*; **Cen·tral Af·ri·can Re·pub·lic** [ˈsentrəlˈæfrikənriˈpʌblik] *die* Zenˈtralafriˌkanische Repuˈblik.
Cey·lon [siˈlɔn] ˈCeylon *n.*
Chad [tʃæd] der Tschad.
Cham·ber·lain [ˈtʃeimbəlin] *Name mehrerer brit. Staatsmänner.*
Char·ing Cross [ˈtʃæriŋˈkrɔs] *Stadtteil von London.*
Char·le·magne [ˈʃɑːləˈmein] Karl der Große.
Charles [tʃɑːlz] Karl *m.*
Charles·ton [ˈtʃɑːlstən] *Hauptstadt von West Virginia (USA).*
Char·lotte [ˈʃɑːlət] Charˈlotte *f.*
Chau·cer [ˈtʃɔːsə] *englischer Dichter.*
Chel·sea [ˈtʃelsi] *Stadtteil von London.*
Chel·ten·ham [ˈtʃeltnəm] *Stadt in Südengland.*
Chesh·ire [ˈtʃeʃə] *englische Grafschaft.*
Ches·ter·field [ˈtʃestəfiːld] *Industriestadt in Mittelengland.*
Chev·i·ot Hills [ˈtʃeviətˈhilz] *pl. Grenzgebirge zwischen England u. Schottland.*
Chey·enne [ʃaiˈæn] *Hauptstadt von Wyoming (USA).*
Chi·ca·go [ʃiˈkɑːgou; *bsd. Am.* ʃiˈkɔːgou] *Industriestadt in USA.*
Chil·e [ˈtʃili] Chile *n.*
Chi·na [ˈtʃainə] China *n*; *Republic of* ~ *die* Repuˈblik China; *People's*

Republic of ~ die ˈVolksrepuˌblik China.
Chip·pen·dale [ˈtʃipəndeil] *englischer Kunsttischler.*
Chris·tian [ˈkristjən] Christian *m.*
Chris·ti·na [krisˈti:nə] Chriˈstine *f.*
Chris·to·pher [ˈkristəfə] Christoph(er) *m.*
Chrys·ler [ˈkraizlə] *amer. Industrieller.*
Church·ill [ˈtʃə:tʃil] *brit. Staatsmann.*
Cin·cin·nat·i [sinsiˈnæti] *Stadt in USA.*
Cis·sie [ˈsisi] *abbr. für Cecily.*
Clack·man·nan(·shire) [klækˈmænən(ʃiə)] *schottische Grafschaft (bis 1975).*
Clap·ham [ˈklæpəm] *Stadtteil von London.*
Clar·a [ˈklɛərə], **Clare** [klɛə] Klara *f.*
Clar·en·don [ˈklærəndən] *Name mehrerer englischer Staatsmänner.*
Cle·o·pat·ra [kliəˈpætrə] Kleˈopatra *f.*
Cleve·land [ˈkli:vlənd] *Industriestadt in USA; englische Grafschaft.*
Clive [klaiv] *Begründer der brit. Herrschaft in Indien.*
Clwyd [ˈklu:id] *walisische Grafschaft.*
Clyde [klaid] *Fluß in Schottland.*
Cole·ridge [ˈkoulridʒ] *englischer Dichter.*
Co·logne [kəˈloun] Köln *n.*
Co·lom·bi·a [kəˈlɔmbiə] Koˈlumbien *n.*
Co·lom·bo [kəˈlʌmbou] *Hauptstadt von Sri Lanka.*
Col·o·ra·do [kɔləˈrɑ:dou] *Staat der USA; Name zweier Flüsse in USA.*
Co·lum·bi·a [kəˈlʌmbiə] *Fluß in USA; Hauptstadt von Süd-Karolina (USA); Bundesdistrikt (mit der Hauptstadt Washington) der USA.*
Co·lum·bus [kəˈlʌmbəs] *Entdecker Amerikas; Hauptstadt von Ohio (USA).*
Com·o·ro Is·lands [ˈkɔmərouˈailəndz] *pl. die* Koˈmoren *pl.*
Con·cord [ˈkɔŋkɔ:d] *Hauptstadt von New Hampshire (USA).*
Con·go [ˈkɔŋgou] der Kongo.
Con·nect·i·cut [kəˈnetikət] *Staat der USA.*
Con·stance [ˈkɔnstəns] Konˈstanze *f; Lake of ~ der* Bodensee.
Con·stan·ti·no·ple [kɔnstæntiˈnoupl] Konstantiˈnopel *n.*
Cook [kuk] *englischer Weltumsegler.*
Coo·per [ˈku:pə] *amer. Autor.*
Co·pen·ha·gen [koupnˈheigən] Kopenˈhagen *n.*
Cor·dil·le·ras [kɔ:diˈljɛərəs] *pl. die* Kordilˈleren *pl.*
Cor·inth [ˈkɔrinθ] Koˈrinth *n.*
Cor·ne·lia [kɔ:ˈni:ljə] Corˈnelia *f.*
Corn·wall [ˈkɔ:nwəl] *englische Grafschaft.*
Cos·ta Ri·ca [kɔstəˈri:kə] Costa ˈRica *n.*
Cov·ent Gar·den [ˈkɔvəntˈgɑ:dn] *die Londoner Oper.*
Cov·en·try [ˈkɔvəntri] *Industriestadt in Mittelengland.*
Crete [kri:t] Kreta *n.*
Cri·me·a [kraiˈmiə] die Krim.
Crom·well [ˈkrɔmwəl] *englischer Staatsmann.*
Cru·soe [ˈkrusou]: *Robinson ~ Romanheld.*
Cu·ba [ˈkju:bə] Cuba *n,* Kuba *n.*
Cum·ber·land [ˈkʌmbələnd] *englische Grafschaft (bis 1972).*
Cum·bri·a [ˈkʌmbriə] *englische Grafschaft.*
Cy·prus [ˈsaiprəs] Zypern *n.*
Czech·o·slo·va·ki·a [ˈtʃekou-slouˈvækiə] die Tschechoslowaˈkei.

D

Da·ho·mey [dəˈhoumi] Daˈhome *n.*
Dal·ma·ti·a [dælˈmeiʃjə] Dalˈmatien *n.*
Dam·o·cles [ˈdæməkli:z] Damokles *m.*
Dan·iel [ˈdænjəl] Daniel *m.*
Dan·ube [ˈdænju:b] Donau *f.*
Dar·da·nelles [dɑ:dəˈnelz] *pl. die* Dardaˈnellen *pl.*
Dar·jee·ling [dɑ:ˈdʒi:liŋ] *Stadt in Indien.*
Dart·moor [ˈdɑ:tmuə] *Landstrich in Südwest-England.*
Dar·win [ˈdɑ:win] *englischer Naturforscher.*
Da·vid [ˈdeivid] David *m.*
Dee [di:] *Fluß in England; Fluß in Schottland.*
De·foe [diˈfou] *englischer Autor.*
Del·a·ware [ˈdeləwɛə] *Staat der USA; Fluß in USA.*
Den·bigh(·shire) [ˈdenbi(ʃiə)] *walisische Grafschaft (bis 1972).*
Den·mark [ˈdenmɑ:k] Dänemark *n.*
Den·ver [ˈdenvə] *Hauptstadt von Colorado (USA).*
Der·by(·shire) [ˈdɑ:bi(ʃiə)] *englische Grafschaft.*
Des Moines [diˈmɔin] *Hauptstadt von Iowa (USA).*
De·troit [dəˈtrɔit] *Industriestadt in USA.*
Dev·on(·shire) [ˈdevn(ʃiə)] *englische Grafschaft.*
Dew·ey [ˈdju(:)i] *amer. Philosoph.*
Di·an·a [daiˈænə] Diˈana *f.*
Dick [dik] *abbr. für Richard.*
Dick·ens [ˈdikinz] *englischer Autor.*
Dis·rae·li [disˈreili] *brit. Staatsmann.*
Dol·ly [ˈdɔli] *abbr. für Dorothy.*
Do·min·i·can Re·pub·lic [dəˈminikənriˈpʌblik] *die* Dominiˈkanische Repuˈblik.
Don·ald [ˈdɔnld] *m.*
Donne [dɔn] *englischer Dichter.*
Don Quix·ote [dɔnˈkwiksət] Don Quiˈchotte *m.*
Dor·o·thy [ˈdɔrəθi] Doroˈthea *f.*
Dor·set(·shire) [ˈdɔ:sit(ʃiə)] *englische Grafschaft.*
Dos Pas·sos [dəsˈpæsəs] *amer. Autor.*
Doug·las [ˈdʌgləs] *schottische Adelsfamilie.*
Do·ver [ˈdouvə] *Hafenstadt in Südengland; Hauptstadt von Delaware (USA).*
Down [daun] *nordirische Grafschaft.*
Down·ing Street [ˈdauniŋˈstri:t] *Straße in London mit der Amtswohnung des Premierministers.*
Drei·ser [ˈdraisə] *amer. Autor.*
Dry·den [ˈdraidn] *englischer Dichter.*
Dub·lin [ˈdʌblin] *Hauptstadt von Irland.*
Dul·wich [ˈdʌlidʒ] *Stadtteil von London.*
Dum·bar·ton(·shire) [dʌmˈbɑ:tn(-ʃiə)] *schottische Grafschaft (bis 1975).*
Dum·fries and Gal·lo·way [dʌmˈfri:sənˈgæləwei] *Verwaltungsregion in Schottland;* **Dumˈfries·shire** [-ʃiə] *schottische Grafschaft (bis 1975).*
Dun·kirk [dʌnˈkə:k] Dünˈkirchen *n.*
Dur·ban [ˈdə:bən] *Hafenstadt in Südafrika.*
Dur·ham [ˈdʌrəm] *englische Grafschaft.*
Dy·fed [ˈdʌvid] *walisische Grafschaft.*

E

East Lo·thi·an [ˈi:stˈlouðjən] *schottische Grafschaft (bis 1975).*
Ec·ua·dor [ekwəˈdɔ:] Ecuaˈdor *n.*
Ed·die [ˈedi] *abbr. für Edward.*
Ed·in·burgh [ˈedinbərə] Edinburg *n.*
Ed·i·son [ˈedisn] *amer. Erfinder.*
Ed·mund [ˈedmənd] Edmund *m.*
Ed·ward [ˈedwəd] Eduard *m.*
E·gypt [ˈi:dʒipt] Äˈgypten *n.*
Ei·leen [ˈaili:n] *f.*
Ei·re [ˈɛərə] *Name der Republik Irland.*
Ei·sen·how·er [ˈaizənhauə] *34. Präsident der USA.*
El·ea·nor [ˈelinə] Eleoˈnore *f.*
E·li·jah [iˈlaidʒə] Eˈlias *m.*
El·i·nor [ˈelinə] Eleoˈnore *f.*
El·i·ot [ˈeljət] *englischer Dichter.*
E·liz·a·beth [iˈlizəbəθ] Eˈlisabeth *f.*
El·lis Is·land [ˈelisˈailənd] *Insel im Hafen von New York (USA).*
El Sal·va·dor [elˈsælvədɔ:] El Salvaˈdor *n.*
Em·er·son [ˈeməsn] *amer. Philosoph.*
Em·i·ly [ˈemili] Eˈmilie *f.*
Eng·land [ˈiŋglənd] England *n.*
E·nid [ˈi:nid] *f.*
E·noch [ˈi:nɔk] *m.*
Ep·som [ˈepsəm] *Stadt in Südengland (Pferderennen).*
E·qua·to·ri·al Gui·nea [ekwəˈtɔ:riəlˈgini] Äquatoriˈalguiˌnea *n.*
E·rie [ˈiəri] *Hafenstadt in Pennsylvania (USA); Lake ~ der* Eriesee *(in Nordamerika).*
Er·nest [ˈə:nist] Ernst *m.*
Es·sex [ˈesiks] *englische Grafschaft.*
Es·t(h)o·nia [esˈtounjə] Estland *n.*
Eth·el [ˈeθəl] *f.*
E·thi·o·pi·a [iθiˈoupjə] Äthiˈopien *n.*
E·ton [ˈi:tn] *berühmte Public School.*
Eu·gene [ˈju:dʒi:n] Eugen *m.*
Eu·ge·ni·a [ju:ˈdʒi:njə] Euˈgenie *f.*
Eu·phra·tes [ju:ˈfreiti:z] ˈEuphrat *m.*
Eur·a·sia [juəˈreiʃə] Euˈrasien *n.*
Eu·rip·i·des [juəˈripidi:z] Euˈripides *m.*
Eu·rope [ˈjuərəp] Euˈropa *n.*
Eus·tace [ˈju:stəs] Euˈstachius *m.*
Ev·ans [ˈevəns] *Familienname.*
Eve [i:v] Eva *f.*
Ev·e·lyn [ˈi:vlin; ˈevlin] *m, f.*

F

Falk·land Is·lands [ˈfɔ:lkləndˈailəndz] *pl. die* Falklandinseln *pl.*
Fal·staff [ˈfɔ:lstɑ:f] *Bühnenfigur bei Shakespeare.*

Far·a·day ['færədi] *englischer Chemiker u. Physiker.*
Faulk·ner ['fɔːknə] *amer. Autor.*
Fawkes [fɔːks] *Haupt der Pulververschwörung (1605).*
Fed·er·al Re·pub·lic of Ger·ma·ny ['fedərəlri'pʌblikəv'dʒəːməni] *die* 'Bundesrepu,blik Deutschland.
Fe·li·ci·a [fi'lisiə] Fe'lizia *f.*
Fe·lix ['fiːliks] Felix *m.*
Fer·man·agh [fə(ː)'mænə] *nordirische Grafschaft.*
Fiel·ding ['fiːldiŋ] *englischer Autor.*
Fife [faif] *Verwaltungsregion in Schottland; a.* '**Fife·shire** [-ʃiə] *schottische Grafschaft (bis 1975).*
Fi·ji [fiː'dʒiː] 'Fidschi *n.*
Fin·land ['finlənd] Finnland *n.*
Firth of Forth ['fəːθəv'fɔːθ] *Meeresbucht an der schottischen Ostküste.*
Flan·ders ['flɑːndəz] Flandern *n.*
Flem·ing ['flemiŋ] *brit. Bakteriologe.*
Flint(·shire) ['flint(ʃiə)] *walisische Grafschaft (bis 1972).*
Flor·ence ['flɔrəns] Flo'renz *n*; Floren'tine *f.*
Flor·i·da ['flɔridə] *Staat der USA.*
Flush·ing ['flʌʃiŋ] Vlissingen *n.*
Folke·stone ['foukstən] *Seebad in Südengland.*
Ford [fɔːd] *amer. Industrieller; 38. Präsident der USA.*
For·syth [fɔː'saiθ] *Familienname.*
Foth·er·in·ghay ['fɔðəriŋgei] *Schloß in Nordengland.*
France [frɑːns] Frankreich *n.*
Fran·ces ['frɑːnsis] Fran'ziska *f.*
Fran·cis ['frɑːnsis] Franz *m.*
Frank·fort ['fræŋkfəd] Frankfurt *n*; *Hauptstadt von Kentucky (USA).*
Frank·lin ['fræŋklin] *amer. Staatsmann.*
Fred(·dy) ['fred(i)] *abbr. für Alfred, Frederic(k).*
Fred·er·ic(k) ['fredrik] Friedrich *m.*
Frost [frɔ(ː)st] *amer. Dichter.*
Ful·ton ['fultən] *amer. Erfinder.*

G

Ga·bon [gə'boun] Ga'bun *n.*
Gains·bor·ough ['geinzbərə] *englischer Maler.*
Gal·lup ['gæləp] *amer. Statistiker.*
Gals·wor·thy ['gɔːlzwəːði] *englischer Autor.*
Gam·bia ['gæmbiə] Gambia *n.*
Gan·ges ['gændʒiːz] Ganges *m.*
Gaul [gɔːl] Gallien *n.*
Ga·za Strip ['gɑːzə'strip] *der* Gazastreifen.
Ge·ne·va [dʒi'niːvə] Genf *n.*
Gen·o·a ['dʒenouə] Genua *n.*
Geof·fr(e)y ['dʒefri] Gottfried *m.*
George [dʒɔːdʒ] Georg *m.*
Geor·gia ['dʒɔːdʒjə] *Staat der USA.*
Ger·ald ['dʒerəld] Gerhard *m.*
Ger·al·dine ['dʒerəldiːn] *f.*
Ger·man Dem·o·crat·ic Re·pub·lic ['dʒəːməndemə'krætikri'pʌblik] *die* Deutsche Demo'kratische Repu'blik.
Ger·ma·ny ['dʒəːməni] Deutschland *n.*
Gersh·win ['gəːʃwin] *amer. Komponist.*
Ger·trude ['gəːtruːd] Gertrud *f.*
Get·tys·burg ['getisbəːg] *Stadt in Pennsylvania (USA).*
Gha·na ['gɑːnə] Ghana *n.*
Ghent [gent] Gent *n.*
Gi·bral·tar [dʒi'brɔːltə] Gi'braltar *n.*
Giles [dʒailz] Julius *m.*
Gill [gil] *f.*
Glad·stone ['glædstən] *brit. Staatsmann.*
Gla·mor·gan·shire [glə'mɔːgənʃiə] *walisische Grafschaft (bis 1972).*
Glas·gow ['glɑːsgou] *Stadt in Schottland.*
Glouces·ter ['glɔstə] *Stadt in Südengland; a.* '**Glouces·ter·shire** [-ʃiə] *englische Grafschaft.*
Go·li·ath [gou'laiəθ] 'Goliath *m.*
Gor·don ['gɔːdn] *Familienname.*
Go·tham ['goutəm] *Ortsname; fig.* ‚Schilda' *n.*
Gra·ham ['greiəm] *Familien- u. Vorname m.*
Gram·pi·an ['græmpjən] *Verwaltungsregion in Schottland.*
Grand Can·yon [grænd'kænjən] *Durchbruchstal des Colorado in Arizona (USA).*
Great Brit·ain ['greit'britn] Großbri'tannien *n.*
Greece [griːs] Griechenland *n.*
Greene [griːn] *englischer Autor.*
Green·land ['griːnlənd] Grönland *n.*
Green·wich ['grinidʒ] *Vorort von London;* ~ *Village Stadtteil von New York (USA).*
Greg·o·ry ['gregəri] Gregor *m.*
Gre·na·da [gre'neidə] Gre'nada *n.*
Gri·sons ['griːzɔːŋ] Grau'bünden *n.*
Gros·ve·nor ['grouvnə] *Platz u. Straße in London.*
Gua·te·ma·la [gwæti'mɑːlə] Guate'mala *n.*
Guern·sey ['gəːnzi] *brit. Kanalinsel.*
Guin·ea ['gini] Gui'nea *n*; **Guinea-Bis·sau** ['ginibi'sau] Guinea-Bissau *n.*
Guin·e·vere ['gwiniviə] *Gemahlin des Königs Artus.*
Guin·ness ['ginis, gi'nes] *Familienname.*
Gul·li·ver ['gʌlivə] *Romanheld.*
Guy [gai] Guido *m.*
Guy·ana [gai'ænə] Guyana *n.*
Gwen·do·len, Gwen·do·lyn ['gwendəlin] *f.*
Gwent [gwent] *walisische Grafschaft.*
Gwy·nedd ['gwineð] *walisische Grafschaft.*

H

Hague [heig]: *the* ~ Den Haag.
Hai·ti ['heiti] Ha'iti *n.*
Hal·i·fax ['hælifæks] *Stadt in Nordengland; Stadt in Kanada.*
Ham·il·ton ['hæmiltən] *Familienname.*
Ham·let ['hæmlit] *Bühnenfigur bei Shakespeare.*
Ham·mer·smith ['hæməsmiθ] *Stadtteil von London.*
Hamp·shire ['hæmpʃiə] *englische Grafschaft.*
Hamp·stead ['hæmpstid] *Stadtteil von London.*
Han·o·ver ['hænouvə] Han'nover *n.*
Har·dy ['hɑːdi] *englischer Autor.*
Har·old ['hærəld] Harald *m.*
Har·ris·burg ['hærisbəːg] *Hauptstadt von Pennsylvania (USA).*
Har·row ['hærou] *berühmte Public School.*
Har·ry ['hæri] *abbr. für Harold, Henry.*
Hart·ford ['hɑːtfəd] *Hauptstadt von Connecticut (USA).*
Har·vard U·ni·ver·si·ty ['hɑːvədjuːni'vəːsiti] *Universität in USA.*
Har·wich ['hæridʒ] *Hafenstadt in Südost-England.*
Has·tings ['heistiŋz] *Stadt in Südengland.*
Ha·van·a [hə'vænə] Ha'vanna *n.*
Ha·wai·i [hɑː'waiiː] *Staat der USA.*
Heath·row ['hiːθrou] *Großflughafen von London.*
Heb·ri·des ['hebridiːz] *pl. die* He'briden *pl.*
Hel·en ['helin] He'lene *f.*
Hel·e·na ['helinə] *Hauptstadt von Montana (USA).*
Hel·i·go·land ['heligoulænd] Helgoland *n.*
Hel·sin·ki ['helsiŋki] Helsinki *n.*
Hem·ing·way ['hemiŋwei] *amer. Autor.*
Hen·ley ['henli] *Stadt an der Themse (Ruderregatta).*
Hen·ry ['henri] Heinrich *m.*
Her·e·ford and Worces·ter ['herifədən'wustə] *englische Grafschaft;* '**Her·e·ford·shire** [-ʃiə] *englische Grafschaft (bis 1972).*
Hert·ford(·shire) ['hɑːfəd(ʃiə)] *englische Grafschaft.*
Hesse ['hesi] Hessen *n.*
High·land ['hailənd] *Verwaltungsregion in Schottland.*
Hi·ma·la·ya [himə'leiə] *der* Hi'malaja.
Hi·ro·shi·ma [hi'rɔʃimə] *Hafenstadt in Japan.*
Ho·garth ['hougɑːθ] *englischer Maler.*
Hol·born ['houbən] *Stadtteil von London.*
Hol·land ['hɔlənd] Holland *n.*
Hol·ly·wood ['hɔliwud] *Filmstadt in Kalifornien (USA).*
Holmes [houmz] *Familienname.*
Ho·mer ['houmə] Ho'mer *m.*
Hon·du·ras [hɔn'djuərəs] Hon'duras *n.*
Ho·no·lu·lu [hɔnə'luːluː] *Hauptstadt von Hawaii (USA).*
How·ard ['hau-əd] *m.*
Hud·son ['hʌdsn] *Familienname; Fluß in USA.*
Hugh [hjuː] Hugo *m.*
Hull [hʌl] *Hafenstadt in Nordost-England.*
Hum·ber ['hʌmbə] *Fluß in England;* '**Hum·ber·side** [-said] *englische Grafschaft.*
Hume [hjuːm] *englischer Philosoph.*
Hun·ga·ry ['hʌŋgəri] Ungarn *n.*
Hun·ting·don(·shire) ['hʌntiŋdən(-ʃiə)] *englische Grafschaft (bis 1972).*
Hux·ley ['hʌksli] *englischer Autor; englischer Zoologe.*
Hyde Park ['haid'pɑːk] *größter Park Londons.*

I

I·be·ri·an Pen·in·su·la [ai'biəriənpin'insjulə] *die* I'berische Halbinsel.
Ice·land ['aislənd] Island *n.*
I·da·ho ['aidəhou] *Staat der USA.*

Il·li·nois [ili'nɔi] *Staat der USA; Fluß in USA.*
In·di·a ['indjə] Indien *n.*
In·di·an·a [indi'ænə] *Staat der USA;* **In·di·a·nap·o·lis** ['indiə'næpəlis] *Hauptstadt von Indiana (USA).*
In·do·ne·sia [indou'niːzjə] Indo'nesien *n.*
In·dus ['indəs] Indus *m.*
In·ver·ness(-shire) [invə'nes(ʃiə)] *schottische Grafschaft (bis 1975).*
I·o·wa ['aiouə] *Staat der USA.*
I·ran [i'rɑːn] I'ran *m.*
I·raq [i'rɑːk] I'rak *m.*
Ire·land ['aiələnd] Irland *n.*
I·rene [ai'riːni; 'airiːn] I'rene *f.*
Ir·ving ['əːviŋ] *amer. Autor.*
I·saak ['aizək] Isaak *m.*
Is·a·bel ['izəbel] Isa'bella *f.*
Is·lam·a·bad [is'lɑːməbɑːd] *Hauptstadt von Pakistan.*
Isle of Wight ['ailəv'wait] *englische Grafschaft.*
Is·ling·ton ['izliŋtən] *Stadtteil von London.*
Is·ra·el ['izreiəl] Israel *n.*
It·a·ly ['itəli] I'talien *n.*
I·vo·ry Coast ['aivərikoust] *die* Elfenbeinküste.

J

Jack [dʒæk] Hans *m.*
Jack·son ['dʒæksn] *Hauptstadt von Mississippi (USA).*
Ja·cob ['dʒeikəb] Jakob *m.*
Jaf·fa ['dʒæfə] *Hafenstadt in Israel.*
Ja·mai·ca [dʒə'meikə] Ja'maika *n.*
James [dʒeimz] Jakob *m.*
Jane [dʒein] Jo'hanna *f.*
Jan·et ['dʒænit] Jo'hanna *f.*
Ja·pan [dʒə'pæn] 'Japan *n.*
Jas·per ['dʒæspə] Kaspar *m.*
Ja·va ['dʒɑːvə] Java *n.*
Jef·fer·son ['dʒefəsn] *3. Präsident der USA;* ~ **'Cit·y** [-'siti] *Hauptstadt von Missouri (USA).*
Je·ho·vah [dʒi'houvə] Je'hova *m.*
Jen·ny ['dʒini; 'dʒeni] *abbr. für Jane.*
Jer·e·my ['dʒerimi] Jere'mias *m.*
Je·rome [dʒə'roum] Hie'ronymus *m.*
Jer·sey ['dʒəːzi] *brit. Kanalinsel.*
Je·ru·sa·lem [dʒə'ruːsələm] Je'rusalem *n.*
Je·sus ['dʒiːzəs] Jesus *m.*
Jill [dʒil] Julia *f.*
Jim(·my) ['dʒim(i)] *abbr. für James.*
Joan [dʒoun] Jo'hanna *f.*
Job [dʒoub] Hiob *m.*
Joe [dʒou] *abbr. für Joseph.*
Jo·han·nes·burg [dʒou'hænisbəːg] *Stadt in Südafrika.*
John [dʒɔn] Jo'hannes *m,* Johann *m.*
John·ny ['dʒɔni] Häns-chen *n.*
John o' Groats ['dʒɔnə'grouts] *nördlichster Punkt Großbritanniens.*
John·son ['dʒɔnsn] *36. Präsident der USA; englischer Lexikograph.*
Jon·a·than ['dʒɔnəθən] Jonathan *m.*
Jon·son ['dʒɔnsn] *englischer Dichter.*
Jor·dan ['dʒɔːdn] Jor'danien *n.*
Jo·seph ['dʒouzif] Joseph *m.*
Josh·u·a ['dʒɔʃwə] Josua *m.*
Joule [dʒuːl] *englischer Physiker.*
Joyce [dʒɔis] *irischer Autor.*
Jul·ia ['dʒuːljə], **'Ju·li·et** [-jət] Julia *f.*
Jul·ius ['dʒuːljəs] Julius *m.*
Ju·neau ['dʒuːnou] *Hauptstadt von Alaska (USA).*

K

Kan·sas ['kænzəs] *Staat der USA; Fluß in USA.*
Kash·mir [kæʃ'miə] 'Kaschmir *n.*
Kate [keit] Käthe *f.*
Kath·a·rine, Kath·er·ine ['kæθərin] Katha'rina *f.*
Kath·leen ['kæθliːn] *f.*
Keats [kiːts] *englischer Dichter.*
Kel·vin ['kelvin] *brit. Mathematiker u. Physiker.*
Ken·ne·dy ['kenidi] *35. Präsident der USA;* ~ *Airport Großflughafen bei New York (USA).*
Ken·sing·ton ['kenziŋtən] *Stadtteil von London.*
Kent [kent] *englische Grafschaft.*
Ken·tuck·y [ken'tʌki] *Staat der USA; Fluß in USA.*
Ken·ya ['kenjə] Kenia *n.*
Kin·car·dine(·shire) [kin'kɑːdin(-ʃiə)] *schottische Grafschaft (bis 1975).*
Kin·ross(-shire) [kin'rɔs(ʃiə)] *schottische Grafschaft (bis 1975).*
Kirk·cud·bright(·shire) [kəː'kuːbri(ʃiə)] *schottische Grafschaft (bis 1975).*
Kit(·ty) ['kit(i)] *abbr. für Catherine.*
Klon·dyke ['klɔndaik] *Fluß in Kanada; Landschaft in Kanada.*
Knox [nɔks] *schottischer Reformator.*
Ko·re·a [kə'riə] Ko'rea *n; Democratic People's Republic of* ~ *die* Demo'kratische 'Volksrepuˌblik Ko'rea; *Republic of* ~ *die* Repu'blik Ko'rea.
Krem·lin ['kremlin] *der* Kreml.
Ku·wait [ku'weit] Ku'wait *n.*

L

Lab·ra·dor ['læbrədɔː] *Provinz in Kanada.*
Lake Hu·ron ['leik'hjuərən] der Huronsee *(in Nordamerika).*
Lake Su·pe·ri·or ['leiksju(ː)'piəriə] der Obere See *(in Nordamerika).*
Lam·beth ['læmbəθ] *Stadtteil von London;* ~ *Palace Londoner Residenz des Erzbischofs von Canterbury.*
Lan·ark(·shire) ['lænək(ʃiə)] *schottische Grafschaft (bis 1975).*
Lan·ca·shire ['læŋkəʃiə] *englische Grafschaft.*
Lan·cas·ter ['læŋkəstə] *Stadt in Nordwest-England; Stadt in USA.*
Land's End ['lændz'end] *westlichster Punkt Englands.*
Lan·sing ['lænsiŋ] *Hauptstadt von Michigan (USA).*
La·os ['laus] Laos *n.*
Lat·in A·mer·i·ca ['lætinə'merikə] La'teinaˌmerika *n.*
Lat·via ['lætviə] Lettland *n.*
Laugh·ton ['lɔːtn] *Familienname.*
Lau·rence, Law·rence ['lɔrəns] Lorenz *m.*
Lear [liə] *Bühnenfigur bei Shakespeare.*
Leb·a·non ['lebənən] *der* Libanon.
Leeds [liːdz] *Industriestadt in Ostengland.*
Leices·ter ['lestə] *Hauptstadt der englischen Grafschaft* **'Leices·ter·shire** [-ʃiə].
Leigh [liː] *Familien- u. Vorname m.*
Leon·ard ['lenəd] Leonhard *m.*
Les·lie ['lezli; *Am.* 'lesli] *m, f.*
Le·so·tho [lə'soutou] Le'sotho *n.*
Lew·is ['lu(ː)is] Ludwig *m; amer. Autor.*
Lex·ing·ton ['leksiŋtən] *Stadt in Massachusetts (USA).*
Li·be·ria [lai'biəriə] Li'beria *n.*
Lib·y·a ['libiə] Libyen *n.*
Liech·ten·stein ['liktənʃtain] Liechtenstein *n.*
Lil·i·an ['liliən] *f.*
Lin·coln ['liŋkən] *16. Präsident der USA; Hauptstadt von Nebraska (USA); Stadt in der englischen Grafschaft* **'Lin·coln·shire** [-ʃiə].
Lind·bergh ['lindbəːg] *amer. Flieger.*
Li·o·nel ['laiənl] *m.*
Lis·bon ['lizbən] Lissabon *n.*
Lith·u·a·nia [liθju(ː)'einjə] Litauen *n.*
Lit·tle Rock ['litlrɔk] *Hauptstadt von Arkansas (USA).*
Liv·er·pool ['livəpuːl] *Hafenstadt in Nordwest-England.*
Liv·ing·stone ['liviŋstən] *englischer Afrikaforscher.*
Li·vo·nia [li'vounjə] 'Livland *n.*
Liz(·zie) ['liz(i)] *abbr. für Elizabeth.*
Lloyd [lɔid] *Familien- u. Vorname m.*
Loch Lo·mond [lɔk'loumənd], **Loch Ness** [lɔk'nes] *Seen in Schottland.*
Locke [lɔk] *englischer Philosoph.*
Lom·bar·dy ['lɔmbədi] die Lombar'dei.
Lon·don ['lʌndən] London *n; County of* ~ *englische Grafschaft.*
Lon·don·der·ry [lʌndən'deri] *nordirische Grafschaft.*
Lor·raine [lɔ'rein] Lothringen *n.*
Los Al·a·mos [lɔs'æləmous] *Atomforschungszentrum in New Mexico (USA).*
Los An·ge·les [lɔs'ændʒiliːz] *Stadt in Kalifornien (USA).*
Lo·thi·an ['louðjən] *Verwaltungsregion in Schottland.*
Lou·is ['lu(ː)i(s)] Ludwig *m.*
Lou·i·sa [lu(ː)'iːzə] Lu'ise *f.*
Lou·i·si·a·na [lu(ː)iːzi'ænə] *Staat der USA.*
Lu·cia ['luːsjə] Lucia *f,* Luzia *f.*
Lu·cius ['luːsjəs] *m.*
Lu·cy ['luːsi] *abbr. für Lucia.*
Lux·em·b(o)urg ['lʌksəmbəːg] Luxemburg *n.*
Lyd·i·a ['lidiə] Lydia *f.*
Ly·ons ['laiənz] Lyon *n; Familienname.*

M

Mab [mæb] *Feenkönigin.*
Ma·bel ['meibəl] *f.*
Ma·cau·lay [mə'kɔːli] *englischer Historiker.*
Mac·beth [mək'beθ] *Bühnenfigur bei Shakespeare.*
Mac·ken·zie [mə'kenzi] *Strom in Nordamerika.*
Mad·a·gas·car [mædə'gæskə] Mada'gaskar *n.*
Ma·dei·ra [mə'diərə] Ma'deira *n.*
Madge [mædʒ] *abbr. für Margaret.*
Mad·i·son ['mædisn] *4. Präsident der USA; Hauptstadt von Wisconsin (USA).*
Ma·dras [mə'drɑːs] 'Madras *n.*
Mag·da·len ['mægdəlin] Magda'lene *f.*

Mag·gie [ˈmægi] *abbr. für Margaret.*
Ma·ho·met [məˈhɔmit] ˈMohammed *m.*
Maine [mein] *Staat der USA.*
Ma·la·wi [məˈlɑːwi] Maˈlawi *n.*
Ma·lay·sia [məˈleiziə] Maˈlaysia *n.*
Mal·dives [ˈmɔːldivz] *pl. die* Maleˈdiven *pl.*
Ma·li [ˈmɑːli] Mali *n.*
Mal·ta [ˈmɔːltə] Malta *n.*
Man·ches·ter [ˈmæntʃistə] *Industriestadt in Nordwest-England; County of ~ englische Grafschaft.*
Man·chu·ri·a [mænˈtʃuəriə] die Mandschuˈrei.
Man·hat·tan [mænˈhætən] *Stadtteil von New York (USA).*
Man·i·to·ba [mæniˈtoubə] *Provinz in Kanada.*
Mar·ga·ret [ˈmɑːgərit] Margaˈrete *f.*
Mark [mɑːk] Markus *m.*
Marl·bor·ough [ˈmɔːlbərə] *englischer Feldherr.*
Mar·lowe [ˈmɑːlou] *englischer Dichter.*
Mar·tha [ˈmɑːθə] Mart(h)a *f.*
Mar·y [ˈmɛəri] Maˈria *f,* Maˈrie *f.*
Mar·y·land [ˈmɛərilænd; *bsd. Am.* ˈmerilənd] *Staat der USA.*
Mar·y·le·bone [ˈmæriləˈboun] *Stadtteil von London.*
Mas·sa·chu·setts [mæsəˈtʃuːsits] *Staat der USA.*
Ma(t)·thew [ˈmæθjuː] Matˈthäus *m.*
Maud [mɔːd] *abbr. für Magdalen.*
Maugham [mɔːm] *englischer Autor.*
Mau·rice [ˈmɔris] Moritz *m.*
Mau·ri·ta·nia [mɔriˈteinjə] Maureˈtanien *n.*
Mau·ri·ti·us [məˈriʃəs] Mauˈritius *n.*
May [mei] *abbr. für Mary.*
May·o [ˈmeiou] *Name zweier amer. Chirurgen.*
Med·i·ter·ra·ne·an (Sea) [meditəˈreinjən(ˈsiː)] *das* Mittelmeer.
Mel·bourne [ˈmelbən] *Stadt in Australien.*
Mel·ville [ˈmelvil] *amer. Autor.*
Mer·i·on·eth(·shire) [meriˈɔniθ (-ʃiə)] *walisische Grafschaft (bis 1972).*
Mer·sey·side [ˈməːzisaid] *englische Grafschaft.*
Mex·i·co [ˈmeksikou] Mexiko *n.*
Mi·am·i [maiˈæmi] *Badeort in Florida (USA).*
Mi·chael [ˈmaikl] Michael *m.*
Mich·i·gan [ˈmiʃigən] *Staat der USA; Lake ~* der Michigansee *(in Nordamerika).*
Mid·dle·sex [ˈmidlseks] *englische Grafschaft (bis 1972).*
Mid Gla·mor·gan [ˈmidgləˈmɔːgən] *walisische Grafschaft.*
Mid·lo·thi·an [midˈlouðjən] *schottische Grafschaft (bis 1975).*
Mid·west [ˈmidˈwest] *der* Mittlere Westen *(USA).*
Mi·lan [miˈlæn] ˈMailand *n.*
Mil·dred [ˈmildrid] *f.*
Mil·li·cent [ˈmilisnt] Meliˈsande *f.*
Mil·ton [ˈmiltən] *englischer Dichter.*
Mil·wau·kee [milˈwɔːki(ː)] *Industriestadt in Wisconsin (USA).*
Min·ne·ap·o·lis [miniˈæpəlis] *Stadt in Minnesota (USA).*
Min·ne·so·ta [miniˈsoutə] *Staat der USA.*
Mis·sis·sip·pi [misiˈsipi] *Staat der USA; Fluß in USA.*
Mis·sou·ri [miˈzuəri] *Staat der USA; Fluß in USA.*
Moll [mɔl] *abbr. für Mary.*
Mo·na·co [ˈmɔnəkou] Moˈnaco *n.*
Mon·go·lia [mɔŋˈgouljə] die Mongoˈlei.
Mon·go·li·an Peo·ple's Re·pub·lic [mɔŋˈgouljənˈpiːplzriˈpʌblik] *die* Monˈgolische ˈVolksrepuˌblik.
Mon·mouth(·shire) [ˈmɔnməθ(ʃiə)] *walisische Grafschaft (bis 1972).*
Mon·roe [mənˈrou] *5. Präsident der USA.*
Mon·tan·a [mɔnˈtænə] *Staat der USA.*
Mont·gom·er·y [məntˈgʌməri] *brit. Feldmarschall; Hauptstadt von Alabama (USA); a.* **Montˈgom·er·y·shire** [-ʃiə] *walisische Grafschaft (bis 1972).*
Mont·pe·lier [mɔntˈpiːliə] *Hauptstadt von Vermont (USA).*
Mont·re·al [mɔntriˈɔːl] *Stadt in Kanada.*
Mo·ra·vi·a [məˈreivjə] Mähren *n.*
Mor·ay(·shire) [ˈmʌri(ʃiə)] *schottische Grafschaft (bis 1975).*
More [mɔː]: *Thomas ~* Thomas Morus.
Mo·roc·co [məˈrɔkou] Maˈrokko *n.*
Mos·cow [ˈmɔskou] Moskau *n.*
Mo·selle [mouˈzel] ˈMosel *f.*
Mount Ev·er·est [ˈmauntˈevərist] *höchster Berg der Erde.*
Mo·zam·bique [mouzəmˈbiːk] Moçamˈbique *n.*
Mu·nich [ˈmjuːnik] München *n.*
Mur·ray [ˈmʌri] *Fluß in Australien.*

N

Nairn(·shire) [ˈnɛən(ʃiə)] *schottische Grafschaft (bis 1975).*
Nam·ib·ia [nəˈmibiə] Naˈmibia *n.*
Nan·cy [ˈnænsi] *f.*
Nan·ga Par·bat [ˈnʌŋgəˈpʌbət] *Berg im Himalaya.*
Na·ples [ˈneiplz] Neˈapel *n.*
Na·po·le·on [nəˈpouljən] Naˈpoleon *m.*
Nash·ville [ˈnæʃvil] *Hauptstadt von Tennessee (USA).*
Na·tal [nəˈtæl] ˈNatal *n.*
Na·u·ru [nɑːˈuːruː] Naˈuru *n.*
Naz·a·reth [ˈnæzəriθ] Nazareth *n.*
Ne·bras·ka [niˈbræskə] *Staat der USA.*
Nell, Nel·ly [ˈnel(i)] *abbr. für Eleanor.*
Nel·son [ˈnelsn] *brit. Admiral.*
Ne·pal [niˈpɔːl] ˈNepal *n.*
Neth·er·lands [ˈneðələndz] *pl. die* Niederlande *pl.*
Ne·va·da [neˈvɑːdə] *Staat der USA.*
New Bruns·wick [njuːˈbrʌnzwik] *Provinz in Kanada.*
New·cas·tle [ˈnjuːkɑːsl] *Hafenstadt in Nordost-England.*
New Del·hi [njuːˈdeli] *Hauptstadt von Indien.*
New Eng·land [njuːˈiŋglənd] NeuˈEngland *n (USA).*
New·found·land [njuːfəndˈlænd] Neuˈfundland *n (Provinz in Kanada).*
New Hamp·shire [njuːˈhæmpʃiə] *Staat der USA.*
New Jer·sey [njuːˈdʒəːzi] *Staat der USA.*
New Mex·i·co [njuːˈmeksikou] *Staat der USA.*
New Or·le·ans [njuːˈɔːliənz] *Hafenstadt in Louisiana (USA).*
New·ton [ˈnjuːtn] *englischer Physiker.*
New York [ˈnjuːˈjɔːk] *Staat der USA; größte Stadt der USA.*
New Zea·land [njuːˈziːlənd] Neuˈseeland *n.*
Ni·ag·a·ra [naiˈægərə] Niaˈgara *m.*
Nic·a·ra·gua [nikəˈrægjuə] Nicaˈragua *n.*
Nich·o·las [ˈnikələs] Nikolaus *m.*
Ni·ger [ˈnaidʒə] Niger *n.*
Ni·ge·ri·a [naiˈdʒiəriə] Niˈgeria *n.*
Nile [nail] Nil *m.*
Nix·on [ˈniksn] *37. Präsident der USA.*
No·bel [nouˈbel] *schwedischer Industrieller, Stifter des Nobelpreises.*
Nor·folk [ˈnɔːfək] *englische Grafschaft.*
Nor·man·dy [ˈnɔːməndi] die Normanˈdie.
North·amp·ton [nɔːˈθæmptən] *Stadt in Mittelengland; a.* **NorthˈAmp·ton·shire** [-ʃiə] *englische Grafschaft.*
North Cape [ˈnɔːθkeip] *das* Nordkap.
North Car·o·li·na [ˈnɔːθkærəˈlainə] ˈNord-Karoˈlina *n (Staat der USA).*
North Da·ko·ta [ˈnɔːθdəˈkoutə] ˈNord-Daˈkota *n (Staat der USA).*
North Sea [ˈnɔːθˈsiː] *die* Nordsee.
North·um·ber·land [nɔːˈθʌmbələnd] *englische Grafschaft.*
North West Ter·ri·to·ries [ˈnɔːθˈwestˈteritəriz] *pl. Provinz in Kanada.*
Nor·way [ˈnɔːwei] Norwegen *n.*
Nor·wich [ˈnɔridʒ] *Stadt in Ostengland.*
Not·ting·ham [ˈnɔtiŋəm] *Industriestadt in Mittelengland; a.* **ˈNot·ting·ham·shire** [-ʃiə] *englische Grafschaft.*
No·va Sco·tia [ˈnouvəˈskouʃə] Neuˈschottland *n (Provinz in Kanada).*
Nu·rem·berg [ˈnjuərəmbəːg] Nürnberg *n.*

O

Oak Ridge [ˈoukˈridʒ] *Atomforschungszentrum in Tennessee (USA).*
O·ce·an·i·a [ouʃiˈeinjə] Ozeˈanien *n.*
O·hi·o [ouˈhaiou] *Staat der USA.*
O·kla·ho·ma [ouklәˈhoumə] *Staat der USA; ~* **ˈCit·y** [-ˈsiti] *Hauptstadt von Oklahoma (USA).*
Ol·i·ver [ˈɔlivə] Oliver *m.*
O·liv·i·a [ɔˈliviə] *f.*
O·lym·pia [ouˈlimpiə] *Hauptstadt von Washington (USA).*
O·ma·ha [ˈoumәhɑː] *Stadt in Nebraska (USA).*
O·man [ouˈmɑːn] Oˈman *n.*
O'Neill [ouˈniːl] *amer. Dramatiker.*
On·ta·ri·o [ɔnˈtɛəriou] *Provinz in Kanada; Lake ~* der Ontariosee *(in Nordamerika).*
Or·ange [ˈɔrindʒ] Oˈranien *n (Herrscherfamilie);* Oˈranje *m.*
Or·e·gon [ˈɔrigən] *Staat der USA.*
Ork·ney [ˈɔːkni] *schottische Grafschaft (bis 1975); ~* **ˈIs·lands** [-ˈailəndz] *pl. die* Orkneyinseln *pl.*
Or·well [ˈɔːwəl] *englischer Autor.*

Os·borne [ˈɔzbən] *englischer Dramatiker.*
Ost·end [ɔsˈtend] Ostˈende *n.*
Ot·ta·wa [ˈɔtəwə] *Hauptstadt von Kanada.*
Ox·ford [ˈɔksfəd] *englische Universitätsstadt; a.* ˈ**Ox·ford·shire** [-ʃiə] *englische Grafschaft.*
O·zark Pla·teau [ˈouzɑːkˈplætou] *Plateau westlich des Mississippi (USA).*

P

Pa·cif·ic (O·cean) [pəˈsifikˈouʃən] *der* Paˈzifik, *der* Paˈzifische Ozean.
Pad·ding·ton [ˈpædiŋtən] *Stadtteil von London.*
Pad·dy [ˈpædi] *abbr. für Patrick.*
Pak·i·stan [pɑːkisˈtɑːn] ˈPakistan *n.*
Pal·es·tine [ˈpælistain] Paläˈstina *n.*
Pall Mall [ˈpælˈmæl] *Straße in London.*
Palm Beach [ˈpɑːmˈbiːtʃ] *Seebad in Florida (USA).*
Palm·er·ston [ˈpɑːməstən] *brit. Staatsmann.*
Pan·a·ma [pænəˈmɑː] Panaˈma *n.*
Pa·pua-New Gui·nea [ˈpæpjuənjuːˈgini] Papua-Niuˈgini *n.*
Par·a·guay [ˈpærəgwai] Paraˈguay *n.*
Par·is [ˈpæris] Paˈris *n.*
Pa·tri·cia [pəˈtriʃə] *f.*
Pat·rick [ˈpætrik] Paˈtrizius *m.*
Paul [pɔːl] Paul *m.*
Pau·line [pɔːˈliːn; ˈpɔːliːn] Pauˈline *f.*
Pearl Har·bor [ˈpəːlˈhɑːbə] *Hafenstadt auf Hawaii (USA).*
Pee·bles(·shire) [ˈpiːblz(ʃiə)] *schottische Grafschaft (bis 1975).*
Peg(·gy) [ˈpeg(i)] *abbr. für Margaret.*
Pe·king [piːˈkiŋ] ˈPeking *n.*
Pem·broke(·shire) [ˈpembruk(ʃiə)] *walisische Grafschaft (bis 1972).*
Penn·syl·va·nia [pensilˈveinjə] Pennsylˈvanien *n (Staat der USA).*
Per·cy [ˈpəːsi] *m.*
Per·sia [ˈpəːʃə] Persien *n.*
Perth(·shire) [ˈpəːθ(ʃiə)] *schottische Grafschaft (bis 1975).*
Pe·ru [pəˈruː] Peˈru *n.*
Pe·ter [ˈpiːtə] Peter *m*, Petrus *m.*
Phil·a·del·phia [filəˈdelfjə] *Stadt in Pennsylvania (USA).*
Phil·ip [ˈfilip] Philipp *m.*
Phil·ip·pines [ˈfilipiːnz] *pl. die* Philipˈpinen *pl.*
Phoe·nix [ˈfiːniks] *Hauptstadt von Arizona (USA).*
Pic·ca·dil·ly [pikəˈdili] *Straße in London.*
Pied·mont [ˈpiːdmənt] Pieˈmont *n.*
Pierre [piə] *Hauptstadt von Süd-Dakota (USA).*
Pin·ter [ˈpintə] *englischer Dramatiker.*
Pitts·burgh [ˈpitsbəːg] *Stadt in Pennsylvania (USA).*
Plan·tag·e·net [plænˈtædʒinit] *englisches Herrschergeschlecht.*
Pla·to [ˈpleitou] Plato(n) *m.*
Plym·outh [ˈpliməθ] *Hafenstadt in Südengland.*
Poe [pou] *amer. Dichter.*
Po·land [ˈpoulənd] Polen *n.*
Pol·ly [ˈpɔli] *abbr. für Mary.*
Pol·y·ne·sia [pɔliˈniːzjə] Polyˈnesien *n.*
Pom·er·a·nia [pɔməˈreinjə] Pommern *n.*
Pope [poup] *englischer Dichter.*
Port·land [ˈpɔːtlənd] *Hafenstadt in Maine (USA); Stadt in Oregon (USA).*
Ports·mouth [ˈpɔːtsməθ] *Hafenstadt in Südengland.*
Por·tu·gal [ˈpɔːtjugəl] Portugal *n.*
Po·to·mac [pəˈtoumæk] *Fluß in USA.*
Pound [paund] *amer. Dichter.*
Pow·ys [ˈpouis] *walisische Grafschaft.*
Prague [prɑːg] Prag *n.*
Pre·to·ria [priˈtɔːriə] *Hauptstadt von Südafrika.*
Prince Ed·ward Is·land [prinsˈedwədˈailənd] *Provinz in Kanada.*
Prince·ton [ˈprinstən] *Universitätsstadt in New Jersey (USA).*
Prov·i·dence [ˈprɔvidəns] *Hauptstadt von Rhode Island (USA).*
Prus·sia [ˈprʌʃə] Preußen *n.*
Puer·to Ri·co [ˈpwəːtouˈriːkou] Puerto ˈRico *n.*
Pul·itz·er [ˈpulitsə] *amer. Journalist, Stifter des Pulitzerpreises.*
Pun·jab [pʌnˈdʒɑːb] Panˈdschab *n.*
Pur·cell [ˈpəːsl] *englischer Komponist.*
Pyr·e·ness [pirəˈniːz] *pl. die* Pyreˈnäen *pl.*

Q

Qa·tar [ˈkɑːtɑː] Quatar *n.*
Que·bec [kwiˈbek] *Provinz u. Stadt in Kanada.*
Queens [kwiːnz] *Stadtteil von New York (USA).*

R

Ra·chel [ˈreitʃəl] Rahel *f.*
Rad·nor(·shire) [ˈrædnə(ʃiə)] *walisische Grafschaft (bis 1972).*
Ra·leigh [ˈrɔːli; ˈrɑːli] *englischer Seefahrer; Hauptstadt von Nord-Karolina (USA).*
Ralph [reif; rælf] Ralf *m.*
Rat·is·bon [ˈrætizbɔn] Regensburg *n.*
Ra·wal·pin·di [rɑːwəlˈpindi] *Stadt in Pakistan.*
Ray·mond [ˈreimənd] Raimund *m.*
Reg·i·nald [ˈredʒinld] Re(g)inald *m.*
Ren·frew(·shire) [ˈrenfruː(ʃiə)] *schottische Grafschaft (bis 1975).*
Rhine [rain] Rhein *m.*
Rhode Is·land [roudˈailənd] *Staat der USA.*
Rhodes [roudz] Rhodos *n.*
Rho·de·sia [rouˈdiːzjə] Rhoˈdesien *n.*
Rich·ard [ˈritʃəd] Richard *m.*
Rich·ard·son [ˈritʃədsn] *englischer Autor.*
Rich·mond [ˈritʃmənd] *Hauptstadt von Virginia (USA); Stadtteil von New York (USA); Vorort von London.*
Rob·ert [ˈrɔbət] Robert *m.*
Rob·in [ˈrɔbin] *abbr. für Robert.*
Rock·e·fel·ler [ˈrɔkifelə] *amer. Industrieller.*
Rock·y Moun·tains [ˈrɔkiˈmauntinz] *pl. Gebirge in USA.*
Rog·er [ˈrɔdʒə; ˈroudʒə] Rüdiger *m.*
Ro·ma·nia [rouˈmeinjə] Ruˈmänien *n.*
Rome [roum] Rom *n.*
Ro·me·o [ˈroumiou] *Bühnenfigur bei Shakespeare.*
Roo·se·velt [ˈrouzəvelt] *Name zweier Präsidenten der USA.*
Ross and Cro·mar·ty [ˈrɔsənˈkrɔməti] *schottische Grafschaft (bis 1975).*
Rox·burgh(·shire) [ˈrɔksbərə(ʃiə)] *schottische Grafschaft (bis 1975).*
Rud·yard [ˈrʌdjəd] *m.*
Rug·by [ˈrʌgbi] *berühmte Public School.*
Rus·sell [ˈrʌsl] *englischer Philosoph.*
Rus·sia [ˈrʌʃə] Rußland *n.*
Rut·land(·shire) [ˈrʌtlənd(ʃiə)] *englische Grafschaft.*
Rwan·da [ru(ː)ˈændə] Ruˈanda *n.*

S

Sac·ra·men·to [sækrəˈmentou] *Hauptstadt von Kalifornien (USA).*
Sa·ha·ra [səˈhɑːrə] Saˈhara *f.*
Sa·lem [ˈseiləm] *Hauptstadt von Oregon (USA).*
Salis·bu·ry [ˈsɔːlzbəri] *Stadt in Südengland.*
Sal·ly [ˈsæli] *abbr. für Sara(h).*
Salt Lake Cit·y [ˈsɔːltˈleikˈsiti] *Hauptstadt von Utah (USA).*
Sam [sæm] *abbr. für Samuel.*
Sam·son [ˈsæmsn] Simson *m.*
Sam·u·el [ˈsæmjuəl] Samuel *m.*
San Fran·cis·co [sænfrənˈsiskou] San Franˈzisko *n (USA).*
San Ma·ri·no [sænməˈriːnou] San Maˈrino *n.*
San·ta Fe [sæntəˈfei] *Hauptstadt von New Mexico (USA).*
São To·mé and Prín·ci·pe [sauntəˈmeiənˈprinsipi] São Tomé und Príncipe *n.*
Sar·a(h) [ˈsɛərə] Sara *f.*
Sar·di·nia [sɑːˈdinjə] Sarˈdinien *n.*
Sas·catch·e·wan [səsˈkætʃiwən] *Provinz in Kanada.*
Sau·di A·ra·bi·a [sɑːˈuːdiəˈreibjə] ˈSaudi-Aˌrabien *n.*
Sa·voy [səˈvɔi] Saˈvoyen *n.*
Sax·o·ny [ˈsæksni] Sachsen *n.*
Scan·di·na·vi·a [skændiˈneivjə] Skandiˈnavien *n.*
Sche·nec·ta·dy [skiˈnektədi] *Stadt im Staat New York (USA).*
Scot·land [ˈskɔtlənd] Schottland *n.*
Scott [scɔt] *englischer Autor; englischer Polarforscher.*
Se·at·tle [siˈætl] *Hafenstadt im Staat Washington (USA).*
Sel·kirk(·shire) [ˈselkəːk(ʃiə)] *schottische Grafschaft (bis 1975).*
Sen·e·gal [seniˈgɔːl] ˈSenegal *n.*
Seoul [soul] Söˈul *n.*
Sev·ern [ˈsevə(ː)n] *Fluß in England.*
Sey·chelles [seiˈʃelz] *pl. die* Seyˈchellen(-Inseln) *pl.*
Shake·speare [ˈʃeikspiə] *englischer Dichter.*
Shaw [ʃɔː] *irischer Dramatiker.*
Shef·field [ˈʃefiːld] *Industriestadt in Mittelengland.*
Shel·ley [ˈʃeli] *englischer Dichter.*
Sher·lock [ˈʃəːlɔk] *m.*
Shet·land Is·lands [ˈʃetləndˈailəndz] *pl. die* Shetlandinseln *pl.*

Shrop·shire ['ʃrɔpʃiə] *englische Grafschaft.*
Shy·lock ['ʃailɔk] *Bühnenfigur bei Shakespeare.*
Si·am ['saiæm] Siam *n* (*siehe Thailand*).
Si·be·ri·a [sai'biəriə] Si'birien *n.*
Sib·yl ['sibil] Si'bylle *f.*
Sic·i·ly ['sisili] Si'zilien *n.*
Sid·ney ['sidni] *Familien- u. Vorname m.*
Si·er·ra Le·one ['siərəli'oun] Sierra Le'one *n.*
Sik·kim ['sikim] Sikkim *n.*
Si·le·sia [sai'li:zjə] Schlesien *n.*
Si·nai (**Pen·in·su·la**) ['sainiai(pin-'insjulə)] Sinai(halbinsel *f*) *n.*
Sin·clair ['siŋklɛə] *amer. Autor; Vorname m.*
Sin·ga·pore [siŋgə'pɔ:] 'Singapur *n.*
Sing Sing ['siŋsiŋ] *Staatsgefängnis von New York* (*USA*).
Snow·don ['snoudn] *Berg in Wales.*
Soc·ra·tes ['sɔkrəti:z] Sokrates *m.*
Sol·o·mon ['sɔləmən] Salomo *m.*
So·ma·lia [sou'mɑ:liə] So'malia *n.*
Som·er·set(**·shire**) ['sʌməsit(ʃiə)] *englische Grafschaft.*
So·phy ['soufi] So'phie *f.*
Soph·o·cles ['sɔfəkli:z] Sophokles *m.*
South Af·ri·ca [sauθ'æfrikə] Süd-'afrika *n.*
South·amp·ton [sauθ'æmptən] *Hafenstadt in Südengland.*
South Car·o·li·na ['sauθkærə'lainə] 'Süd-Karo'lina *n* (*Staat der USA*).
South Da·ko·ta ['sauθdə'koutə] 'Süd-Da'kota *n* (*Staat der USA*).
South Gla·mor·gan ['sauθglə'mɔ:gən] *walisische Grafschaft.*
South·wark ['sʌðək; 'sauθwək] *Stadtteil von London.*
So·viet Un·ion ['souviət'ju:njən] *die* So'wjetuni͵on.
Spain [spein] Spanien *n.*
Spring·field ['spriŋfi:ld] *Hauptstadt von Illinois* (*USA*).
Sri Lan·ka [ʃri'lʌŋkə] Sri 'Lanka *n.*
Staf·ford(**·shire**) ['stæfəd(ʃiə)] *englische Grafschaft.*
Stein·beck ['stainbek] *amer. Autor.*
Ste·phen·son ['sti:vnsn] *englischer Erfinder.*
Ste·ven·son ['sti:vnsn] *englischer Autor.*
Stir·ling(**·shire**) ['stə:liŋ(ʃiə)] *schottische Grafschaft* (*bis 1975*).
St. Lawrence [snt'lɔrəns] Sankt-'Lorenz-Strom *m.*
St. Louis [snt'luis] *Industriestadt in Missouri* (*USA*).
Stone·henge ['stoun'hendʒ] *prähistorisches sakrales Bauwerk in Südengland.*
St. Pan·cras [snt'pæŋkrəs] *Stadtteil von London.*
St. Paul [snt'pɔ:l] *Hauptstadt von Minnesota* (*USA*).
Stra·chey ['streitʃi] *englischer Historiker.*
Strat·ford on A·von ['strætfədən-'eivən] *Stadt in Mittelengland.*
Strath·clyde ['stræθklaid] *Verwaltungsregion in Schottland.*
Stu·art ['stjuət] *schottisch-englisches Herrschergeschlecht.*
Styr·i·a ['stiriə] die Steiermark.
Su·dan [su(:)'dɑ:n] *der* Su'dan.
Su·ez ['su(:)iz] Suez *n.*
Suf·folk ['sʌfək] *englische Grafschaft.*
Su·ri·nam [suəri'næm] Suri'nam *n.*
Sur·rey ['sʌri] *englische Grafschaft.*
Su·san ['su:zn] Su'sanne *f.*
Sus·que·han·na [sʌskwi'hænə] *Fluß in USA.*
Sus·sex ['sʌsiks] *englische Grafschaft.*
Suth·er·land ['sʌðələnd] *schottische Grafschaft* (*bis 1975*).
Swan·sea ['swɔnzi] *Hafenstadt in Wales.*
Swa·zi·land ['swɑ:zilænd] Swasiland *n.*
Swe·den ['swi:dn] Schweden *n.*
Swift [swift] *irischer Autor.*
Swit·zer·land ['switsələnd] die Schweiz.
Syd·ney ['sidni] *Stadt in Australien.*
Syr·ia ['siriə] Syrien *n.*

T

Tai·wan [tai'wæn] 'Taiwan *n.*
Tal·la·has·see [tælə'hæsi] *Hauptstadt von Florida* (*USA*).
Tan·gier [tæn'dʒiə] 'Tanger *n.*
Tan·za·nia [tænzə'niə] Tansa'nia *n.*
Tas·ma·nia [tæz'meinjə] Tas'manien *n.*
Tay·lor ['teilə] *Familienname.*
Ted(**·dy**) ['ted(i)] *abbr. für Edward, Theodore.*
Tay·side ['teisaid] *Verwaltungsregion in Schottland.*
Teign·mouth ['tinməθ] *Badeort in Südwest-England.*
Ten·nes·see [tenə'si:] *Staat der USA; Fluß in USA.*
Ten·ny·son ['tenisn] *englischer Dichter.*
Tex·as ['teksəs] *Staat der USA.*
Thack·er·ay ['θækəri] *englischer Autor.*
Thai·land ['tailænd] Thailand *n.*
Thames [temz] Themse *f.*
The·o·bald ['θiəbɔ:ld] Theobald *m.*
The·o·dore ['θiədɔ:] Theodor *m.*
The·re·sa [ti'ri:zə] The'rese *f.*
Tho·mas ['tɔməs] Thomas *m.*
Tho·reau ['θɔ:rou] *amer. Autor.*
Thu·rin·gi·a [θjuə'rindʒiə] Thüringen *n.*
Ti·bet [ti'bet] 'Tibet *n.*
Ti·gris ['taigris] Tigris *m.*
Tim [tim] *abbr. für Timothy.*
Ti·mor ['ti:mɔ:]: (*East-*)~ Timor *n.*
Tim·o·thy ['timəθi] Ti'motheus *m.*
To·bi·as [tə'baiəs] To'bias *m.*
To·by ['toubi] *abbr. für Tobias.*
To·go ['tougou] Togo *n.*
Tom(**·my**) ['tɔm(i)] *abbr. für Thomas.*
Ton·ga ['tɔŋə] Tonga *n.*
To·pe·ka [tou'pi:kə] *Hauptstadt von Kansas* (*USA*).
To·ron·to [tə'rɔntou] *Stadt in Kanada.*
Toyn·bee ['tɔinbi] *englischer Historiker.*
Tra·fal·gar [trə'fælgə] *Kap vor Gibraltar;* ~ *Square Platz in London.*
Trans·vaal ['trænsvɑ:l] Trans'vaal *n.*
Tran·syl·va·nia [trænsil'veinjə] Sieben'bürgen *n.*
Trent [trent] *Fluß in England;* Tri'ent *n.*
Tren·ton ['trentən] *Hauptstadt von New Jersey* (*USA*).
Treves [tri:vz] Trier *n.*
Tri·e·ste [tri(:)'est] Tri'est *n.*
Trin·i·dad and To·ba·go ['trinidædəntou'beigou] 'Trinidad und To'bago *n.*
Trol·lope ['trɔləp] *englischer Autor.*
Tru·man ['tru:mən] *33. Präsident der USA.*
Tu·dor ['tju:də] *englisches Herrschergeschlecht.*
Tu·ni·sia [tju(:)'niziə] Tu'nesien *n.*
Tur·key ['tə:ki] die Tür'kei.
Tur·ner ['tə:nə] *englischer Maler.*
Twain [twein] *amer. Autor.*
Tyne and Wear ['tainən'wiə] *englische Grafschaft.*
Ty·rol ['tirəl]: *the* ~ Ti'rol *n.*
Ty·rone [ti'roun] *nordirische Grafschaft.*

U

U·gan·da [ju(:)'gændə] U'ganda *n.*
U·kraine [ju(:)'krein] *die* Ukra'ine.
Ul·ster ['ʌlstə] *Provinz in Irland.*
Un·ion of So·viet So·cial·ist Re·pub·lics ['ju:njənəv'souviət'souʃəlistri'pʌbliks] *die* Uni'on der Sozia'listischen So'wjetrepu͵bliken.
U·nit·ed Ar·ab E·mir·ates [ju:'naitid'ærəbe'miərits] *pl. die* Vereinigten Arabischen Emirate.
U·nit·ed King·dom [ju:'naitid-'kiŋdəm] *das* Vereinigte Königreich.
U·nit·ed States of A·mer·i·ca [ju:'naitid'steitsəvə'merikə] *pl. die* Vereinigten Staaten von A'merika.
Up·per Vol·ta ['ʌpə'vɔltə]: *the* ~ Ober'volta *n.*
U·ru·guay ['urugwai] Uruguay *n.*
U·tah ['ju:tɑ:] *Staat der USA.*

V

Val·en·tine ['væləntain] Valentin *m;* Valen'tine *f.*
Van·cou·ver [væn'ku:və] *Hafenstadt in Kanada.*
Vat·i·can ['vætikən] *der* Vati'kan; ~ '**Cit·y** ('**State**) [-'siti('steit)] Vati'kanstadt *f.*
Vaughan [vɔ:n] *Familienname;* ~ '**Wil·liams** [-'wiljəmz] *englischer Komponist.*
Vaux·hall ['vɔks'hɔ:l] *Stadtteil von London.*
Ven·e·zu·e·la [vene'zweilə] Venezu'ela *n.*
Ven·ice ['venis] Ve'nedig *n.*
Ver·mont [və:'mɔnt] *Staat der USA.*
Vic·to·ri·a [vik'tɔ:riə] Vik'toria *f.*
Vi·en·na [vi'enə] Wien *n.*
Viet·nam, Viet Nam ['vjet'næm] Viet'nam *n.*
Vir·gin·ia [və'dʒinjə] *Staat der USA; Vorname f.*
Vis·tu·la ['vistjulə] Weichsel *f.*
Viv·i·an ['viviən] *m, f.*
Vol·ga ['vɔlgə] Wolga *f.*
Vosges [vouʒ] *pl. die* Vo'gesen *pl.*

W

Wales [weilz] Wales *n.*
Wal·lace ['wɔlis] *englischer Autor.*
Wal·ter ['wɔ:ltə] Walter *m.*
War·saw ['wɔ:sɔ:] Warschau *n.*

War·wick(·shire) ['wɔrik(ʃiə)] *englische Grafschaft.*
Wash·ing·ton ['wɔʃiŋtən] *1. Präsident der USA; Staat der USA; Bundeshauptstadt der USA.*
Wa·ter·loo [wɔ:tə'lu:] *Ort in Belgien.*
Watt [wɔt] *schottischer Erfinder.*
Waugh [wɔ:] *englischer Autor.*
Web·ster ['webstə] *amer. Lexikograph.*
Wedg·wood ['wedʒwud] *englischer Keramiker.*
Wel·ling·ton ['weliŋtən] *brit. Feldherr; Hauptstadt von Neuseeland.*
Wem·bley ['wembli] *Vorort von London.*
West·ern Sa·moa ['westənsə'mouə] 'Westsaˌmoa *n.*
West Gla·mor·gan ['westglə'mɔ:gən] *walisische Grafschaft.*
West In·dies ['west'indiz] *pl.*: the ~ West'indien *n.*
West Lo·thi·an ['west'louðiən] *schottische Grafschaft (bis 1975).*
West Mid·lands ['west'midləndz] *pl. englische Grafschaft.*
West·min·ster ['westminstə] *Stadtteil von London.*
West·mor·land ['westmələnd] *englische Grafschaft (bis 1972).*
West·pha·lia [west'feiljə] West'falen *n.*
West Vir·gin·ia ['westvə'dʒinjə] *Staat der USA.*
Wey·mouth ['weiməθ] *Badeort in Südwest-England.*
White·hall ['wait'hɔ:l] *Straße in London.*
Whit·man ['witmən] *amer. Dichter.*
Wig·town(·shire) ['wigtən(ʃiə)] *schottische Grafschaft (bis 1975).*
Wilde [waild] *englischer Dichter.*
Wil·der ['waildə] *amer. Autor.*
Will [wil] *abbr. für* **Wil·liam** ['wiljəm] Wilhelm *m.*
Wil·son ['wilsn] *Familienname.*
Wilt·shire ['wiltʃiə] *englische Grafschaft.*
Wim·ble·don ['wimbldən] *Vorort von London (Tennisturniere).*
Win·ches·ter ['wintʃistə] *berühmte Public School.*
Win·ni·peg ['winipeg] *Stadt in Kanada; Fluß in Kanada.*
Win·ston ['winstən] *m.*
Wis·con·sin [wis'kɔnsin] *Staat der USA; Fluß in USA.*
Wolfe [wulf] *amer. Autor.*
Wol·sey ['wulzi] *englischer Kardinal u. Staatsmann.*
Woolf [wulf] *englische Autorin.*
Wor·ces·ter ['wustə] *Industriestadt in Südengland; a.* **'Wor·ces·ter·shire** [-ʃiə] *englische Grafschaft (bis 1972).*
Words·worth ['wə:dzwə(:)θ] *englischer Dichter.*
Wren [ren] *englischer Architekt.*
Wyc·liffe ['wiklif] *englischer Reformator u. Bibelübersetzer.*
Wy·o·ming [wai'oumiŋ] *Staat der USA.*

X

Xan·thip·pe [zæn'θipi] Xant'hippe *f.*

Y

Yale [jeil] *Stifter der Yale University (USA).*
Yeats [jeits] *irischer Dichter.*
Yel·low·stone ['jelou-stoun] *Fluß in USA; Naturschutzgebiet in USA.*
Ye·men ['jemən] der Jemen; ~ *Arab Rebublic* Arabische Republik Jemen; *People's Democratic Republic of* ~, *Democratic* ~ Demokratische Volksrepublik Jemen, der Demokratische Jemen.
York [jɔ:k] *Stadt in Nordost-England;* **'York·shire** [-ʃiə]: *(North, South, West)* ~ *Grafschaften in England.*
Yo·sem·i·te [jou'semiti] *Naturschutzgebiet in Kalifornien (USA).*
Yu·go·sla·vi·a ['ju:gou'slɑ:vjə] Jugo'slawien *n.*
Yu·kon Ter·ri·tor·y ['ju:kɔn'teritəri] *Provinz in Kanada.*

Z

Zach·a·ri·ah [zækə'raiə], **Zach·a·ry** ['zækəri] Zacha'rias *m.*
Zaire [zɑ:'iə] Za'ire *n.*
Zam·bia ['zæmbiə] Sambia *n.*
Zet·land ['zetlənd] *schottische Grafschaft (bis 1975).*
Zu·rich ['zjuərik] Zürich *n.*

Irregular Verbs

Unregelmäßige Verben

Die an erster Stelle stehende Form in Fettdruck bezeichnet den Infinitiv (infinitive), nach dem ersten Gedankenstrich steht das Präteritum (preterite), nach dem zweiten das Partizip Perfekt (past participle).

abide - abode, abided - abode, abided
arise - arose - arisen
awake - awoke, awaked - awaked, awoke
backbite - backbit - backbitten, backbit
backslide - backslid - backslid, backslidden
be - was, were - been
bear - bore - borne; born
beat - beat - beaten
become - became - become
befall - befell - befallen
beget - begot - begotten
begin - began - begun
behold - beheld - beheld
bend - bent - bent
bereave - bereaved, bereft - bereaved, bereft
beseech - besought, beseeched - besought, beseeched
beset - beset - beset
bespeak - bespoke - bespoken
bestrew - bestrewed - bestrewed, bestrewn
bestride - bestrode - bestridden
bet - bet, betted - bet, betted
betake - betook - betaken
bethink - bethought - bethought
bid - bid; bade - bid; bidden
bide - bode, bided - bided
bind - bound - bound
bite - bit - bitten, bit
bleed - bled - bled
blow - blew - blown
break - broke - broken
breed - bred - bred
bring - brought - brought
broadcast - broadcast, broadcasted - broadcast, broadcasted
browbeat - browbeat - browbeaten
build - built - built
burn - burnt, burned - burnt, burned
burst - burst - burst
buy - bought - bought
cast - cast - cast
catch - caught - caught
chide - chid - chid, chided, chidden
choose - chose - chosen
cleave - cleft, clove - cleft, cloven
cling - clung - clung
come - came - come
cost - cost - cost
creep - crept - crept
cut - cut - cut
dare - dared, durst - dared
deal - dealt - dealt
dig - dug - dug
do - did - done
draw - drew - drawn
dream - dreamed, dreamt - dreamed, dreamt
drink - drank - drunk
drive - drove - driven
dwell - dwelt - dwelt
eat - ate - eaten
fall - fell - fallen
feed - fed - fed
feel - felt - felt
fight - fought - fought
find - found - found
flee - fled - fled
fling - flung - flung
fly - flew - flown
forbear - forbore - forborne
forbid - forbade, forbad - forbidden
forecast - forecast, forecasted - forecast, forecasted
forego - forewent - foregone
foreknow - foreknew - foreknown
foresee - foresaw - foreseen
foretell - foretold - foretold
forget - forgot - forgotten
forgive - forgave - forgiven
forgo - forwent - forgone
forsake - forsook - forsaken
forswear - forswore - forsworn
freeze - froze - frozen
gainsay - gainsaid - gainsaid
get - got - got, *Am.* gotten
gild - gilded, gilt - gilded, gilt
gird - girded, girt - girded, girt
give - gave - given
go - went - gone
grave - graved - graven, graved
grind - ground - ground
grow - grew - grown
hamstring - hamstringed, hamstrung - hamstringed, hamstrung
hang - hung; hanged - hung; hanged
have - had - had
hear - heard - heard
heave - heaved, hove - heaved, hove
hew - hewed - hewed, hewn
hide - hid - hidden, hid
hit - hit - hit
hold - held - held
hurt - hurt - hurt
inlay - inlaid - inlaid
inset - inset, *Brit. a.* insetted - inset, *Brit. a.* insetted
keep - kept - kept
kneel - knelt, kneeled - knelt, kneeled
knit - knit, knitted - knit, knitted
know - knew - known
lade - laded - laden, laded
lay - laid - laid
lead - led - led
lean - leaned, leant - leaned, leant
leap - leaped, leapt - leaped, leapt
learn - learned, learnt - learned, learnt
leave - left - left
lend - lent - lent
let - let - let
lie - lay - lain
light - lighted, lit - lighted, lit
lose - lost - lost
make - made - made
mean - meant - meant
meet - met - met
misbecome - misbecame - misbecome
misdeal - misdealt - misdealt
misgive - misgave - misgiven
mishear - misheard - misheard
mislay - mislaid - mislaid
mislead - misled - misled
misread - misread - misread
mis-spell - mis-spelled, mis-spelt - mis-spelled, mis-spelt
mis-spend - mis-spent - mis-spent
mistake - mistook - mistaken
misunderstand - misunderstood - misunderstood
mow - mowed - mowed, mown
offset - offset - offset
outbid - outbid, outbade - outbid, outbidden
outdo - outdid - outdone
outgo - outwent - outgone
outgrow - outgrew - outgrown
outride - outrode - outridden
outrun - outran - outrun
outsell - outsold - outsold
outshine - outshone - outshone
outsit - outsat - outsat
outspeed - outsped, outspeeded - outsped, outspeeded
outswim - outswam - outswum
outwear - outwore - outworn
overbear - overbore - overborne
overbid - overbid, overbade - overbid, overbidden
overbuild - overbuilt - overbuilt
overbuy - overbought - overbought
overcast - overcast - overcast
overcome - overcame - overcome
overdo - overdid - overdone

overdraw - overdrew - overdrawn
overdrive - overdrove - overdriven
overeat - overate - overeaten
overfeed - overfed - overfed
overgrow - overgrew - overgrown
overhang - overhung - overhung
overhear - overheard - overheard
overlay - overlaid - overlaid
overleap - overleaped, overleapt - overleaped, overleapt
overlie - overlay - overlain
overpay - overpaid - overpaid
override - overrode - overridden
overrun - overran - overrun
oversee - oversaw - overseen
overset - overset - overset
oversew - oversewed - oversewed, oversewn
overshoot - overshot - overshot
oversleep - overslept - overslept
overspeed - oversped, overspeeded - oversped, overspeeded
overspend - overspent - overspent
overspread - overspread - overspread
overtake - overtook - overtaken
overthrow - overthrew - overthrown
overwind - overwound - overwound
partake - partook - partaken
pay - paid - paid
put - put - put
read - read - read
rebroadcast - rebroadcast, rebroadcasted - rebroadcast, rebroadcasted
rebuild - rebuilt - rebuilt
recast - recast - recast
redo - redid - redone
redraw - redrew - redrawn
regrind - reground - reground
re-lay - re-laid - re-laid
remake - remade - remade
rend - rent - rent
repay - repaid - repaid
reread - reread - reread
resell - resold - resold
reset - reset - reset
retake - retook - retaken
retell - retold - retold
rethink - rethought - rethought
rewrite - rewrote - rewritten
rid - rid, ridded - rid
ride - rode - ridden
ring - rang - rung
rise - rose - risen
rive - rived - rived, riven
run - ran - run
saw - sawed - sawed, sawn
say - said - said
see - saw - seen
seek - sought - sought
sell - sold - sold
send - sent - sent
set - set - set
sew - sewed - sewed, sewn
shake - shook - shaken
shear - sheared - sheared, shorn
shed - shed - shed
shine - shone - shone
shoe - shod - shod
shoot - shot - shot
show - showed - shown, showed
shred - shredded, shred - shredded, shred
shrink - shrank - shrunk
shrive - shrove, shrived - shriven, shrived
shut - shut - shut
sing - sang - sung
sink - sank - sunk
sit - sat - sat
slay - slew - slain
sleep - slept - slept
slide - slid - slid, slidden
sling - slung - slung
slink - slunk - slunk
slit - slit - slit
smell - smelled, smelt - smelled, smelt
smite - smote - smitten
sow - sowed - sown, sowed
speak - spoke - spoken
speed - sped, speeded - sped, speeded
spell - spelled, spelt - spelled, spelt
spend - spent - spent
spill - spilled, spilt - spilled, spilt
spin - spun, span - spun
spit - spat - spat
split - split - split
spoil - spoilt, spoiled - spoilt, spoiled
spoon-feed - spoon-fed - spoon-fed
spread - spread - spread
spring - sprang - sprung
stand - stood - stood
stave - staved, stove - staved, stove
steal - stole - stolen
stick - stuck - stuck
sting - stung - stung
stink - stank, stunk - stunk
strew - strewed - strewed, strewn
stride - strode - stridden, strid
strike - struck - struck, stricken
string - strung - strung
strive - strove - striven
sublet - sublet - sublet
swear - swore - sworn
sweat - sweated, *Am.* sweat - sweated, *Am.* sweat
sweep - swept - swept
swell - swelled - swollen, swelled
swim - swam - swum
swing - swung - swung
take - took - taken
teach - taught - taught
tear - tore - torn
telecast - telecast, telecasted - telecast, telecasted
tell - told - told
think - thought - thought
thrive - throve, thrived - thriven, thrived
throw - threw - thrown
thrust - thrust - thrust
tread - trod - trodden, trod
type-cast - type-cast - type-cast
unbend - unbent - unbent
unbind - unbound - unbound
underbid - underbid - underbid, underbidden
undercut - undercut - undercut
undergo - underwent - undergone
underlay - underlaid - underlaid
underlet - underlet - underlet
underlie - underlay - underlain
underpay - underpaid - underpaid
undersell - undersold - undersold
understand - understood - understood
undertake - undertook - undertaken
underwrite - underwrote - underwritten
undo - undid - undone
unlade - unladed - unladen, unladed
unlearn - unlearned, unlearnt - unlearned, unlearnt
unmake - unmade - unmade
unsay - unsaid - unsaid
unstick - unstuck - unstuck
unstring - unstrung - unstrung
unwind - unwound - unwound
uphold - upheld - upheld
upset - upset - upset
wake - waked, woke - waked, woken
waylay - waylaid - waylaid
wear - wore - worn
weave - wove - woven
weep - wept - wept
wet - wet, wetted - wet, wetted
win - won - won
wind - wound - wound
withdraw - withdrew - withdrawn
withhold - withheld - withheld
withstand - withstood - withstood
wring - wrung - wrung
write - wrote - written

British and American Weights and Measures

Britische und amerikanische Maße und Gewichte

Linear Measure
Längenmaße

1 line = 2,12 mm
1 inch = 12 lines = 2,54 cm
1 foot = 12 inches = 30,48 cm
1 yard = 3 feet = 91,44 cm
1 (statute) mile
= 1760 yards = 1,609 km
1 hand = 4 inches = 10,16 cm
1 rod (perch, pole)
= 5½ yards = 5,029 m
1 chain = 4 rods = 20,117 m
1 furlong = 10 chains
= 201,168 m

Nautical Measure
Nautische Maße

1 fathom = 6 feet = 1,829 m
1 cable's length
= 100 fathoms = 182,9 m
⚓ ⚔ *Brit.* = 608 feet
= 185,3 m
⚓ ⚔ *Am.* = 720 feet
= 219,5 m
1 nautical mile
= 10 cables' length
= 1,852 km

Square Measure
Flächenmaße

1 square inch = 6,452 cm²
1 square foot = 144 square inches
= 929,029 cm²
1 square yard = 9 square feet
= 8361,26 cm²
1 acre = 4840 square yards
= 4046,8 m²
1 square mile = 640 acres =
259 ha = 2,59 km²
1 square rod (square pole, square perch) = 30¼ square yards
= 25,293 m²
1 rood = 40 square rods
= 1011,72 m²
1 acre = 4 roods = 4046,8 m²

Cubic Measure
Raummaße

1 cubic inch = 16,387 cm³
1 cubic foot = 1728 cubic inches
= 0,02832 m³
1 cubic yard
= 27 cubic feet
= 0,7646 m³

British Measure of Capacity
Britische Hohlmaße

Trocken- und Flüssigkeitsmaße — Dry and Liquid Measure

1 gill = 0,142 l
1 pint = 4 gills = 0,568 l
1 quart = 2 pints = 1,136 l
1 gallon = 4 quarts = 4,5459 l
1 quarter = 64 gallons = 290,935 l

Trockenmaße — Dry Measure

1 peck = 2 gallons = 9,092 l
1 bushel = 4 pecks = 36,368 l

Flüssigkeitsmaße — Liquid Measure

1 barrel = 36 gallons = 163,656 l

American Measure of Capacity
Amerikanische Hohlmaße

Trockenmaße — Dry Measure

1 pint = 0,5506 l
1 quart = 2 pints = 1,1012 l
1 gallon = 4 quarts = 4,405 l
1 peck = 2 gallons = 8,8096 l
1 bushel = 4 pecks = 35,2383 l

Flüssigkeitsmaße — Liquid Measure

1 gill = 0,1183 l
1 pint = 4 gills = 0,4732 l
1 quart = 2 pints = 0,9464 l
1 gallon = 4 quarts = 3,7853 l
1 barrel = 31.5 gallons
= 119,228 l
1 hogshead
= 2 barrels = 238,456 l
1 barrel petroleum
= 42 gallons = 158,97 l

Apothecaries' Fluid Measure
Apothekermaße (Flüssigkeiten)

1 minim *Brit.* = 0,0592 ml
Am. = 0,0616 ml
1 fluid dram = 60 minims
Brit. = 3,5515 ml
Am. = 3,6966 ml
1 fluid ounce = 8 drams
Brit. = 0,0284 l
Am. = 0,0296 l
1 pint *Brit.* = 20 fluid ounces
= 0,5683 l
Am. = 16 fluid ounces
= 0,4732 l

Avoirdupois Weight
Handelsgewichte

1 grain = 0,0648 g
1 dram = 27.3438 grains
= 1,772 g
1 ounce = 16 drams = 28,35 g
1 pound = 16 ounces = 453,59 g
1 hundredweight = 1 quintal
Brit. = 112 pounds
= 50,802 kg
Am. = 100 pounds
= 45,359 kg
1 long ton
Brit. = 20 hundredweights
= 1016,05 kg
1 short ton
Am. = 20 hundredweights
= 907,185 kg
1 stone = 14 pounds = 6,35 kg
1 quarter *Brit.* = 28 pounds
= 12,701 kg
Am. = 25 pounds
= 11,339 kg

Troy Weight
Troygewichte

1 grain = 0,0648 g
1 pennyweight
= 24 grains = 1,5552 g
1 ounce = 20 pennyweights
= 31,1035 g
1 pound = 12 ounces
= 373,2418 g